D1161062

TABLE DES MATIÈRES

Taxes à la consommation — Canada

Taxes à la consommation — Québec

PRÉFACE

Cet ouvrage de référence complet contient toute l'information primordiale requise par les professionnels et les gens d'affaires travaillant avec les différentes taxes à la consommation s'appliquant au Québec. Le tout est présenté avec des annotations et références qui en facilitent l'utilisation. La présente édition inclut les modifications législatives proposées et sanctionnées au 26 mars 2013.

TPS et TVH

Au fédéral, le régime de la taxe sur les produits et services est entré en vigueur le 1er janvier 1991, à la suite de la sanction du projet de loi C-62, le 17 décembre 1990 [L.C. 1990, c. 45]. La taxe sur les produits et services représente la partie IX de la *Loi sur la taxe d'accise* [L.R.C. 1985, c. E-15]. Les modifications suivantes sont notamment intégrées à la présente édition :

- Budget fédéral du 21 mars 2013;

TVQ

Au provincial, la *Loi sur la taxe de vente du Québec* vous est présentée dans sa version française, ainsi que dans sa version anglaise. Cette loi est entrée en vigueur le 1er juillet 1992, à la suite de la sanction du projet de loi 170, le 18 décembre 1992 [L.Q. 1991, c. 67]. Les modifications législatives suivantes sont notamment intégrées à la présente édition :

- Projet de loi nº 5 (L.Q. 2012, c. 28) — *Loi modifiant la Loi sur la taxe de vente du Québec et d'autres dispositions législatives*;
- Budget du Québec du 20 novembre 2012;

Nouveauté de la 16e édition

Me Étienne Gadbois fournit sous forme de commentaires des explications concises sur la législation. Celles-ci comprennent notamment la jurisprudence pertinente et les documents de référence de l'ARC et de Revenu Québec.

De plus, l'auteur a également préparé des tableaux sur les fournitures détaxées ainsi que sur les remboursements et compensations (TPS et TVQ). Le lecteur peut retrouver ces outils à la suite du répertoire de Revenu Québec.

Notes historiques, notes explicatives et annotations

Des notes historiques détaillées, insérées sous chaque paragraphe de la *Loi sur la taxe d'accise* (portion TPS) et sous chaque article de la *Loi sur la taxe de vente du Québec*, version française, permettent de retracer l'historique législatif d'une disposition particulière. Il en est de même pour les articles des lois connexes provinciales dont les versions antérieures apparaissent pour les modifications apportées à partir de 1993.

La concordance fédérale ou québécoise, selon le cas, est indiquée après les notes historiques, permettant ainsi au praticien de connaître rapidement les règles applicables à une situation donnée, et ce, aux deux niveaux de gouvernement.

Les notes explicatives de juin et novembre 2006, novembre 2007, avril 2008, septembre 2009, septembre 2010, juin 2011 ainsi qu' avril et octobre 2012 sont insérées sous les articles pertinents de la *Loi sur la taxe d'accise* (portion TPS).

Les notes explicatives du ministère du Revenu du Québec relatives à la *Loi sur la taxe de vente du Québec* et aux lois et règlements connexes, pour les projets de loi sanctionnés en 2006, 2007, 2009, 2010, 2011 et 2012 sont insérées sous les articles visés.

Les annotations nécessaires pour permettre au lecteur d'interpréter la loi se retrouvent sous chaque article de la *Loi sur la taxe d'accise* (portion TPS) et de la *Loi sur la taxe de vente du Québec*.

Renvois

Il s'agit de renvois à d'autres dispositions pertinentes de la loi faits dans le but de compléter l'information et faciliter la recherche du lecteur.

Règlements

Il s'agit de renvois aux règlements ayant été adoptés en vertu d'un article donné. Les textes complets de ces règlements sont reproduits à la suite des textes de lois.

Décrets de remise

Il s'agit de renvois aux décrets de remise d'intérêt général relatifs à une disposition particulière. Les textes complets de ces décrets de remise (TPS) sont reproduits à la suite des règlements d'application de la TPS.

Formulaires

Il s'agit d'une liste de formulaires publiés par l'Agence du revenu du Canada et par Revenu Québec qui s'appliquent à la disposition faisant l'objet d'une telle mention.

Jurisprudence

On retrouve sous certaines dispositions une liste de décisions pertinentes, destinées à faciliter la recherche du lecteur. Ces décisions relatives à la TPS ou à la TVQ sont par ailleurs rapportées dans *Solutions fiscales — Taxes à la consommation* et *TaxnetPRO* (Carswell).

Information administrative

Il s'agit d'une liste de mémorandums, bulletins d'information technique, énoncés de politique, bulletins d'interprétation et lettres d'interprétation permettant d'expliquer et d'interpréter les dispositions. Les textes intégraux de ces documents sont également disponibles dans *Solutions fiscales — Taxes à la consommation* et *TaxnetPRO* (Carswell).

Modifications législatives

Au début de chaque texte de loi que contient le présent ouvrage se trouve la liste des lois y ayant apporté des modifications.

Index analytique

Des index analytiques complets sont disponibles pour les textes fédéraux et provinciaux. Ils ont été compilés par l'éditeur afin de simplifier et d'accélérer la recherche.

Vous avez des questions, commentaires ou suggestions ?

L'auteur vous invite à soumettre vos commentaires ou suggestions par courriel à l'adresse suivante : egadbois@gallantca.com.

Vous pouvez également joindre Me Mélanie Dansereau-Cahill des éditions Carswell à l'adresse suivante:

75, rue Queen
Montréal, Québec
H3C 2N6
514-840-4733.

Remerciements

Nous tenons à remercier particulièrement le personnel de Revenu Québec, qui, grâce à ses commentaires, contribue à l'amélioration constante de ce produit.

Mars 2013

Liste des abréviations

al.	alinéa(s)
AMVM	Avis de motion de voies et moyens
An.	Annexe
art.	article(s)
Av.-P.L.	Avant-projet de loi
Av.-P.R.	Avant-projet de règlement
c.	contre [dans l'intitulé d'une décision de jurisprudence]
	chapitre [dans une référence législative]
CA	Cour d'appel [Québec]
CAF	Cour d'appel fédérale
CAI	Commission d'appel de l'impôt
CCI	Cour canadienne de l'impôt
CÉLI	Compte d'épargne libre d'impôt
CF	Cour fédérale
CFA	Cour fédérale, division d'appel
CQ	Cour du Québec
CS	Cour supérieure [Québec]
CSC	Cour suprême du Canada
CTI	Crédit de taxe sur les intrants
D.	Décret
DORS	Textes réglementaires (Règlements) [partie II de la Gazette du Canada]
Eev	Entrée en vigueur
G.O.	Gazette officielle du Québec
G.S.T.C.	GST Cases [jurisprudence publiée par Carswell]
Gaz. Can.	Gazette du Canada
JVM	Juste valeur marchande
L.A.F	*Loi sur l'administration fiscale* [québécoise]
L.C.	Lois du Canada
L.I.	*Loi sur les impôts* [québécoise]
L.I.R.	*Loi de l'impôt sur le revenu* [canadienne]
L.I.V.D.	*Loi concernant l'impôt sur la vente en détail* [québécoise]
L.Q.	Lois du Québec
L.R.C.	Lois révisées du Canada
L.R.Q.	Lois refondues du Québec
L.T.A.	*Loi sur la taxe d'accise* [canadienne]
L.T.V.Q.	*Loi sur la taxe de vente du Québec*
MRQ	Ministère du Revenu du Québec
M.R.N.	Ministre du Revenu national
N.D.L.R.	Notes de la rédaction
P.G.	Procureur général
P.L.	projet de loi
P.M.	Projet de modification
par.	paragraphe(s)
Prop. lég.	Propositions législatives
Ptie	partie
R.	La Reine, le Roi
RAIR	*Règles de 1971 concernant l'application de l'impôt sur le revenu*, S.C. 1970-71-72, c. 2063, Partie 20III
R.I.	*Règlement sur les impôts* [Québec]
R.I.R.	*Règlement de l'impôt sur le revenu*
R.R.Q.	Règlements refondus du Québec
RTI	Remboursement de la taxe sur les intrants
RTV	Remboursement de la taxe de vente
s.-al.	sous-alinéa(s)
S.C.	Statuts du Canada
supp.	supplément
TCCE	Tribunal canadien du commerce extérieur
TPS	Taxe sur les produits et services
TR	Textes réglementaires et autres documents (autres que les règlements) [partie II de la Gazette du Canada]
TVQ	Taxe de vente du Québec
VT	Voiture de tourisme

TAUX D'INTÉRÊT RÉGLEMENTAIRE — FÉDÉRAL

Lorsque le ministère n'effectue pas un remboursement dans le délai prescrit, il doit verser des intérêts sur les sommes dues. De même, une personne qui néglige de verser la TPS ou la TVH comme elle est tenue de le faire doit payer des intérêts sur les sommes en souffrance. Le taux d'intérêt est le même dans les deux cas. Il est calculé conformément au *Règlement sur les taux d'intérêt (Loi sur la taxe d'accise)*. Il est déterminé sur une base trimestrielle et est composé sur une base quotidienne. Une pénalité de 4 % peut s'ajouter sur les montants en souffrance.

Période	**Taux d'intérêt** Mensuels (réglementaires)	Quotidiens
Du 1er janvier au 31 mars 1991	1,0 %	0,0339 %
Du 1er avril au 30 juin 1991	0,9 %	0,0297 %
Du 1er juillet au 30 septembre 1991	0,8 %	0,0261 %
Du 1er octobre au 31 décembre 1991	0,7 %	0,0228 %
Du 1er janvier au 31 mars 1992	0,7 %	0,0231 %
Du 1er avril au 30 juin 1992	0,6 %	0,0198 %
Du 1er juillet au 30 septembre 1992	0,6 %	0,0196 %
Du 1er octobre au 31 décembre 1992	0,4 %	0,013 %
Du 1er janvier au 31 mars 1993	0,6 %	0,0200 %
Du 1er avril au 30 juin 1993	0,6 %	0,0198 %
Du 1er juillet au 30 septembre 1993	0,4 %	0,0130 %
Du 1er octobre au 31 décembre 1993	0,4 %	0,0130 %
Du 1er janvier au 31 mars 1994	0,4 %	0,0133 %
Du 1er avril au 30 juin 1994	0,3 %	0,0099 %
Du 1er juillet au 30 septembre 1994	0,5 %	0,0163 %
Du 1er octobre au 31 décembre 1994	0,5 %	0,0163 %
Du 1er janvier au 31 mars 1995	0,4 %	0,0133 %
Du 1er avril au 30 juin 1995	0,6 %	0,0198 %
Du 1er juillet au 30 septembre 1995	0,7 %	0,0228 %
Du 1er octobre au 31 décembre 1995	0,5 %	0,0163 %
Du 1er janvier au 31 mars 1996	0,6 %	0,0198 %
Du 1er avril au 30 juin 1996	0,5 %	0,0165 %
Du 1er juillet au 30 septembre 1996	0,4 %	0,0130 %
Du 1er octobre au 31 décembre 1996	0,4 %	0,0130 %
Du 1er janvier au 31 mars 1997	0,3 %	0,0100 %
Du 1er avril au 30 juin 1997	0,2 %	0,0066 %
Du 1er juillet au 30 septembre 1997	0,3 %	0,0098 %
Du 1er octobre au 31 décembre 1997	0,3 %	0,0098 %
Du 1er janvier au 30 mars 1998	0,3 %	0,0100 %
Du 1er avril au 30 juin 1998	0,3 %	0,0099 %
Du 1er juillet au 30 septembre 1998	0,4 %	0,0130 %
Du 1er octobre au 31 décembre 1998	0,4 %	0,0130 %
Du 1er janvier au 31 mars 1999	0,4 %	0,0133 %
Du 1er avril au 30 juin 1999	0,4 %	0,0131 %
Du 1er juillet au 30 septembre 1999	0,4 %	0,0130 %
Du 1er octobre au 31 décembre 1999	0,4 %	0,0130 %
Du 1er janvier au 31 mars 2000	0,4 %	0,0133 %
Du 1er avril au 30 juin 2000	0,4 %	0,0132 %
Du 1er juillet au 30 septembre 2000	0,5 %	0,0163 %
Du 1er octobre au 31 décembre 2000	0,5 %	0,0163 %
Du 1er janvier au 31 mars 2001	0,5 %	0,0163 %
Du 1er avril au 30 juin 2001	0,4 %	0,0132 %
Du 1er juillet au 30 septembre 2001	0,4 %	0,0130 %
Du 1er octobre au 31 décembre 2001	0,4 %	0,0130 %
Du 1er janvier au 31 mars 2002	0,2 %	0,0067 %
Du 1er avril au 30 juin 2002	0,2 %	0,0066 %
Du 1er juillet au 30 septembre 2002	0,2 %	0,0065 %
Du 1er octobre au 31 décembre 2002	0,2 %	0,0065 %
Du 1er janvier au 31 mars 2003	0,2 %	0,0067 %
Du 1er avril au 30 juin 2003	0,2 %	0,0066 %
Du 1er juillet au 30 septembre 2003	0,3 %	0,0098 %
Du 1er octobre au 31 décembre 2003	0,2 %	0,0065 %
Du 1er janvier au 31 mars 2004	0,2 %	0,0066 %
Du 1er avril au 30 juin 2004	0,2 %	0,0066 %

Période	Taux d'intérêt	
Du 1er juillet au 30 septembre 2004	0,2 %	0,0065 %
Du 1er octobre au 31 décembre 2004	0,2 %	0,0066 %
Du 1er janvier au 31 mars 2005	0,2 %	0,0068 %
Du 1er avril au 30 juin 2005	0,2 %	0,0067 %
Du 1er juillet au 30 septembre 2005	0,2 %	0,0066 %
Du 1er octobre au 31 décembre 2005	0,2 %	0,0066 %
Du 1er janvier au 31 mars 2006	0,2 %	0,0066 %
Du 1er avril au 30 juin 2006	0,3 %	0,0100 %
Du 1er juillet au 30 septembre 2006	0,3 %	0,0099 %
Du 1er octobre au 31 décembre 2006	0,3 %	0,0099 %
Du 1er janvier au 31 mars 2007	0,3 %	0,0101 %
Du 1er avril au 30 juin 2007	0,8 %	0,025 %
Du 1er juillet au 30 septembre 2007	0,8 %	0,025 %
Du 1er octobre au 31 décembre 2007	0,8 %	0,025 %
Du 1er janvier au 31 mars 2008	0,7 %	0,0222 %
Du 1er avril au 30 juin 2008	0,7 %	0,0222 %
Du 1er juillet au 30 septembre 2008	0,6 %	0,0194 %
Du 1er octobre au 31 décembre 2008	0,6 %	0,0194 %
Du 1er janvier au 31 mars 2009	0,5 %	0,0164 %
Du 1er avril au 30 juin 2009	0,4 %	0,0137 %
Du 1er juillet au 30 septembre 2009	0,4 %	0,0137 %
Du 1er octobre au 31 décembre 2009	0,4 %	0,0137 %
Du 1er janvier au 31 mars 2010	0,4 %	0,0137 %
Du 1er avril au 30 juin 2010	0,4 %	0,0137 %
Du 1er juillet au 30 septembre 2010	0,4 %	0,0137 %
Du 1er octobre au 31 décembre 2010	0,4 %	0,0137 %
Du 1er janvier au 31 mars 2011	0,4 %	0,0137 %
Du 1er avril au 30 juin 2011	0,4 %	0,0137 %
Du 1er juillet au 30 septembre 2011	0,4 %	0,0137 %
Du 1er octobre au 31 décembre 2011	0,4 %	0,0137 %
Du 1er janvier au 31 mars 2012	0,4 %	0,0137 %
Du 1er avril au 30 juin 2012	0,4 %	0,0137 %
Du 1er juillet au 30 septembre 2012	0,4 %	0,0137 %
Du 1er octobre au 31 décembre 2012	0,4 %	0,0137 %
Du 1er janvier au 31 mars 2013	0,4 %	0,0137 %
Du 1er avril au 30 juin 2013	0,4 %	0,0137 %

TAUX D'INTÉRÊT RÉGLEMENTAIRE — QUÉBEC

Le taux d'intérêt sur les sommes dues à Revenu Québec est calculé conformément au *Règlement sur l'administration fiscale* (*Loi sur l'administration fiscale*). Une pénalité pouvant atteindre 10 % peut s'ajouter sur les montants en souffrance.

Période	Taux d'intérêt Annuels
Du 1er juillet au 30 septembre 1991	13 %
Du 1er octobre au 31 décembre 1991	12 %
Du 1er janvier au 31 mars 1992	11 %
Du 1er avril au 30 juin 1992	10 %
Du 1er juillet au 30 septembre 1992	10 %
Du 1er octobre au 31 décembre 1992	9 %
Du 1er janvier au 31 mars 1993	10 %
Du 1er avril au 30 juin 1993	9 %
Du 1er juillet au 30 septembre 1993	8 %
Du 1er octobre au 31 décembre 1993	8 %
Du 1er janvier au 31 mars 1994	8 %
Du 1er avril au 30 juin 1994	7 %
Du 1er juillet au 30 septembre 1994	9 %
Du 1er octobre au 31 décembre 1994	10 %
Du 1er janvier au 31 mars 1995	9 %
Du 1er avril au 30 juin 1995	11 %
Du 1er juillet au 30 septembre 1995	12 %
Du 1er octobre au 31 décembre 1995	10 %
Du 1er janvier au 31 mars 1996	10 %
Du 1er avril au 30 juin 1996	9 %
Du 1er juillet au 30 septembre 1996	10 %
Du 1er octobre au 31 décembre 1996	9 %
Du 1er janvier au 31 mars 1997	8 %
Du 1er avril au 30 juin 1997	8 %
Du 1er juillet au 30 septembre 1997	8 %
Du 1er octobre au 31 décembre 1997	8 %
Du 1er janvier au 30 mars 1998	8 %
Du 1er avril au 30 juin 1998	9 %
Du 1er juillet au 30 septembre 1998	9 %
Du 1er octobre au 31 décembre 1998	9 %
Du 1er janvier au 31 mars 1999	10 %
Du 1er avril au 30 juin 1999	10 %
Du 1er juillet au 30 septembre 1999	9 %
Du 1er octobre au 31 décembre 1999	9 %
Du 1er janvier au 31 mars 2000	9 %
Du 1er avril au 30 juin 2000	10 %
Du 1er juillet au 30 septembre 2000	10 %
Du 1er octobre au 31 décembre 2000	10 %
Du 1er janvier au 31 mars 2001	10 %
Du 1er avril au 30 juin 2001	10 %
Du 1er juillet au 30 septembre 2001	10 %
Du 1er octobre au 31 décembre 2001	9 %
Du 1er janvier au 31 mars 2002	8 %
Du 1er avril au 30 juin 2002	7 %
Du 1er juillet au 30 septembre 2002	7 %
Du 1er octobre au 31 décembre 2002	7 %
Du 1er janvier au 31 mars 2003	7 %
Du 1er avril au 30 juin 2003	7 %
Du 1er juillet au 30 septembre 2003	8 %
Du 1er octobre au 31 décembre 2003	8 %
Du 1er janvier au 31 mars 2004	7 %
Du 1er avril au 30 juin 2004	7 %
Du 1er juillet au 30 septembre 2004	7 %
Du 1er octobre au 31 décembre 2004	7 %
Du 1er janvier au 31 mars 2005	7 %
Du 1er avril au 30 juin 2005	7 %
Du 1er juillet au 30 septembre 2005	7 %
Du 1er octobre au 31 décembre 2005	7 %

Taux d'intérêt réglementaire — Québec

Période	**Taux d'intérêt**
Du 1er janvier au 31 mars 2006	8 %
Du 1er avril au 30 juin 2006	8 %
Du 1er juillet au 30 septembre 2006	9 %
Du 1er octobre au 31 décembre 2006	9 %
Du 1er janvier au 31 mars 2007	9 %
Du 1er avril au 30 juin 2007	9 %
Du 1er juillet au 30 septembre 2007	9 %
Du 1er octobre au 31 décembre 2007	9 %
Du 1er janvier au 31 mars 2008	9 %
Du 1er avril au 30 juin 2008	9 %
Du 1er juillet au 30 septembre 2008	8 %
Du 1er octobre au 31 décembre 2008	8 %
Du 1er janvier au 31 mars 2009	7 %
Du 1er avril au 30 juin 2009	6 %
Du 1er juillet au 30 septembre 2009	5 %
Du 1er octobre au 31 décembre 2009	5 %
Du 1er janvier au 31 mars 2010	5 %
Du 1er avril au 30 juin 2010	5 %
Du 1er juillet au 30 septembre 2010	5 %
Du 1er octobre au 31 décembre 2010	6 %
Du 1er janvier au 31 mars 2011	6 %
Du 1er avril au 30 juin 2011	6 %
Du 1er juillet au 30 septembre 2011	6 %
Du 1er octobre au 31 décembre 2011	6 %
Du 1er janvier au 31 mars 2012	6 %
Du 1er avril au 30 juin 2012	6 %
Du 1er juillet au 30 septembre 2012	6 %
Du 1er octobre au 31 décembre 2012	6 %
Du 1er janvier au 31 mars 2013	6 %
Du 1er avril au 30 juin 2013	6 %

TABLE DES MODIFICATIONS PROPOSÉES

La table ci-dessous aidera le lecteur à repérer les principales modifications proposées inclues dans la présente édition, qui sont par ailleurs présentées dans les zones ombragées se trouvant dans la *Loi sur la taxe d'accise* (portion TPS) et dans la *Loi sur la taxe de vente du Québec*. Le lecteur qui connaît le sujet de la modification proposée sans pouvoir la trouver dans la législation peut parcourir rapidement la colonne « sujet » (ou consulter l'index analytique). La première colonne peut être utilisée lorsque la date des modifications proposées est connue, les modifications y étant énumérées en ordre chronologique.

Lorsque des modifications ne sont pas annoncées sous forme de modifications à des dispositions législatives spécifiques (et n'ont pas été remplacées par de telles modifications), les passages pertinents des bulletins d'information sont reproduits dans des zones ombrées sous les dispositions qui devraient être modifiées.

Loi sur la taxe d'accise (portion TPS)		
N° de projet de loi ou date de l'énoncé public	**Sujet**	**Reproduit sous**
Avis de motions de voies et moyens, Budget fédéral de 2013, 21 mars 2013	Choix en vue de ne pas comptabiliser la TPS/TVH à l'égard de fournitures taxables réelles	157
	Exemption de l'obliagtion de comptabiliser la taxe à l'égard de fournitures taxables réputées	172.1
	Renseignements requis de la part des entreprises aux fins de la TPS/TVH	229
Projet de loi C-48: *Loi modifiant la Loi de l'impôt sur le revenu, la Loi sur la taxe d'accise, la Loi sur les arrangements fiscaux entre le gouvernement fédéral et les provinces, la Loi sur la taxe sur les produits et services des premières nations et des textes connexes*, 21 novembre 2012	Organismes de perception et sociétés de gestion	177.1
	Fourniture déterminée	225.1
Protocole d'entente concernant l'harmonisation des taxes de vente en vue de la conclusion d'une entente intégrée globale de coordination fiscale entre le Canada et le Québec, 30 septembre 2011	Services financiers	123(1)
Modifications proposées aux dispositions législatives concernant la TPS/TVH, 28 janvier 2011	Modifications concernant les institutions financières désignées particulières	225.2

Loi sur la taxe de vente du Québec		
N° de projet de loi ou date de l'énoncé public	**Sujet**	**Reproduit sous**
Bulletin d'information 2012-6, *Modifications à diverses mesures fiscales*, 21 décembre 2012	Traitement fiscal des paiements accordés par le gouvernement aux parents d'une victime d'un acte criminel	488
Renseignements additionnels sur les mesures fiscales, Budget 2013-2014, 20 novembre 2012	Augmentation de la contribution des institutions financières	188, 198
	Augmentation de la taxe spécifique sur les boissons alcooliques	487, 488, 489
Bulletin d'information 2012-3, *Mesures relatives au régime d'épargne-actions II et à la taxe sur l'hébergement*, 18 mai 2012	Choix des associations touristiques régionales	541.24
Protocole d'entente concernant l'harmonisation des taxes de vente en vue de la conclusion d'une entente intégrée globale de coordination fiscale entre le Canada et le Québec, 30 septembre 2011	Maintien d'une assiette fiscale harmonisée	16

BUREAUX DE REVENU QUÉBEC

OUTAOUAIS
170, rue de l'Hôtel-de-Ville
6e étage
Gatineau
J8X 4C2
1 800 267-6299

QUÉBEC
Les Façades de la gare, bureau 045
400, boulevard Jean-Lesage
Québec
G1K 5Z1
418-659-6299 ou 1 800 267-6299

SAGUENAY-LAC-SAINT-JEAN
2154, rue Deschênes
Jonquière
G7S 2A9
1 800 267-6299

LAVAL/LAURENTIDES/LANAUDIÈRE
4, Place Laval
Bureau RC-100
Laval
H7N 5Y3
514-864-6299 ou 1 800 267-6299

MONTRÉAL (Centre)
Complexe Desjardins
150, rue Sainte-Catherine Ouest
Montréal
H5B 1A4
514-864-6299 ou 1 800 267-6299

MONTRÉAL (Est)
Village Olympique, pyramide Est
5199, rue Sherbrooke Est, Bureau 4000
Montréal
H1T 4C2
514-864-6299 ou 1 800 267-6299

BAS-SAINT-LAURENT (Gaspésie-Îles-de-la-Madeleine)
212, avenue Belzile
Bureau 250
Rimouski
G5L 3C3
1 800 267-6299

ABITIBI-TÉMISCAMINGUE (Nord-du-Québec)
19, rue Perreault Ouest, RC
Rouyn-Noranda
J9X 6N5
1 800 267-6299

SAINTE-FOY
3800, rue de Marly
Sainte-Foy
G1X 4A5
418-659-6299 ou 1 800 267-6299

MAURICIE (Centre du Québec)
225, rue des Forges
Bureau 400
Trois-Rivières
G9A 2G7
1 800 267-6299

MONTRÉAL (biens non réclamés)
500, boulevard René-Lévesque Ouest
bureau 10.00
Montréal
H2Z 1W7
1-866-840-6939

MONTRÉAL (Ouest)
Les Galeries Saint-Laurent
2215, boul. Marcel-Laurin
Saint-Laurent
H4R 1K4
514-864-6299 ou 1 800 267-6299

MONTRÉAL (pens. alim.)
577, boul. Henri-Bourassa Est
Montréal
H2C 1E2
1 800 488-2323

ESTRIE
2665, rue King Ouest
4e étage
Sherbrooke
J1L 2H5
1 800 267-6299

MONTÉRÉGIE
Place-Longueuil
825, rue Saint-Laurent Ouest
Longueuil
J4K 5K5
514-864-6299 ou 1 800 267-6299

855, boulevard Industriel
Saint-Jean-sur-Richelieu
J3B 7Y7
1 800 267-6299

101, rue du Roi
Sorel-Tracy
J3P 4N1
1 800 267-6299

Renseignements concernant les entreprises, les employeurs et les taxes à la consommation
3800, rue de Marly
Sainte-Foy (Québec)
1 800 567-4692 (Canada ou États-Unis)

CÔTE-NORD
391, avenue Brochu
Bureau 1.04
Sept-Îles
G4R 4S7
1 800 267-6299

TABLEAU DES FOURNITURES EXONÉRÉES ET DÉTAXÉES (TPS ET TVQ)

Le paragraphe 123(1) de la *Loi sur la taxe d'accise (TPS)* (la « LTA ») définit l'expression « fourniture exonérée » comme étant une « fourniture figurant à l'annexe V ». La *Loi sur la taxe de vente du Québec* (la « LTVQ »), quant à elle, définit cette expression à l'article 1 comme signifiant « une fourniture visée au chapitre troisième ». Le tableau ci-dessous illustre un récapitulatif des fournitures exonérées qui figurent à l'annexe V de la LTA et au chapitre troisième de la LTVQ.

Il est important de souligner que ces dispositions ne reflètent pas l'ensemble des fournitures qui sont exonérées en vertu de la LTA et de la LTVQ. À titre illustratif, les articles 189 et 189.1 de la LTA de même que les articles 172 et 172.1 de la LTVQ prévoient spécifiquement que certaines fournitures sont exonérées.

Toutefois, la définition de l'expression « fourniture exonérée » qui figure en vertu de la LTA et de la LTVQ n'inclut pas les fournitures qui sont réputées être exonérées en vertu d'une disposition qui ne figure pas respectivement à l'annexe V ou au chapitre troisième. Nous sommes donc en présence d'un vide législatif puisque techniquement, aucune définition n'est prévue pour définir les fournitures exonérées réputées. Par conséquent, l'auteur a proposé une modification législative à la définition de l'expression « fourniture exonérée » auprès du ministère des Finances du Canada et du ministère des Finances et de l'Économie (Québec) afin que cette définition se lise comme suit : « fourniture figurant à l'annexe V ou toute fourniture réputée exonérée en vertu de la présente partie » et « une fourniture visée au chapitre troisième ou toute fourniture réputée exonérée en vertu du présent titre » et ce, respectivement en vertu de la LTA et de la LTVQ.

Taxe(s) concernée(s)	Description de la fourniture exonérée	Dispositions législatives (LTA / LTVQ)
IMMEUBLES		
TPS / TVQ	Vente d'un immeuble d'habitation ou d'une adjonction à un immeuble d'habitation à logements multiples par une personne qui n'en est pas le constructeur	Annexe V-I-2 LTA / 94 LTVQ
TPS / TVQ	Vente d'un immeuble d'habitation ou d'une adjonction à un immeuble d'habitation par le constructeur	Annexe V-I-3 LTA / 95 LTVQ
TPS / TVQ	Vente d'un immeuble d'habitation à logement unique ou d'un logement en copropriété	Annexe V-I-4 LTA / 96 LTVQ
TPS / TVQ	Vente d'un immeuble d'habitation à logements multiples	Annexe V-I-5 LTA / 97 LTVQ
TPS / TVQ	Vente d'un bâtiment contenant une habitation	Annexe V-I-5.1 LTA / 97.1 LTVQ
TPS / TVQ	Vente d'un fonds faisant partie d'un immeuble d'habitation	Annexe V-I-5.2 LTA / 97.2 LTVQ
TPS / TVQ	Fourniture d'un parc à roulottes résidentiel	Annexe V-I-5.3 LTA / 97.3 LTVQ
TPS / TVQ	Location d'un immeuble d'habitation ou d'une habitation dans un tel immeuble	Annexe V-I-6 LTA / 98 LTVQ
TPS / TVQ	Location d'un immeuble au profit d'un preneur pour une période de location durant laquelle le preneur ou un sous-preneur effectue plusieurs fournitures du bien ou détient le bien en vue d'effectuer pareilles fournitures	Annexe V-I-6.1 LTA / 99 LTVQ
TPS / TVQ	Bail, licence ou accord semblable sur un immeuble d'habitation effectué au profit d'un preneur pour une période de location durant laquelle la totalité ou la presque totalité de l'immeuble est fourni ou utilisé par le preneur ou un sous-preneur en vue de l'occupation à titre résidentiel ou d'hébergement ou transféré au même titre	Annexe V-I-6.11 LTA / 99.0.1 LTVQ

TPS / TVQ	Fourniture de repas à l''occupant dans l''immeuble d'habitation dans le cadre d'un régime prévoyant la fourniture d'au moins dix repas par semaine pour une contrepartie unique	Annexe V-I-6.2 LTA / 99.1 LTVQ
TPS / TVQ	Location d'un fonds au profit du propriétaire ou du locataire d'une habitation fixée	Annexe V-I-7 LTA / 100 LTVQ
TPS / TVQ	Vente d'une aire de stationnement dans les limites d'un plan de lot de copropriété	Annexe V-I-8 LTA / 101 LTVQ
TPS / TVQ	Location d'une aire de stationnement pour une période d'au moins un mois	Annexe V-I-8.1 LTA / 101.1 LTVQ
TPS / TVQ	Vente d'un immeuble par un particulier ou une fiducie personnelle à l'exclusion de la fourniture d'immobilisation utilisée principalement dans une entreprise, de parties subdivisées de fonds de terre et de certaines autres exclusions	Annexe V-I-9(2) LTA / 101.1.1 et 102 LTVQ
TPS / TVQ	Vente d'une terre agricole par un particulier au profit d'un autre particulier qui lui est lié ou à son ex-époux / ex-conjoint de fait	Annexe V-I-10 LTA / 103 LTVQ
TPS / TVQ	Fourniture d'une terre agricole par un particulier qui était utilisée dans le cadre d'une activité commerciale agricole	Annexe V-I-11 LTA / 104 LTVQ
TPS / TVQ	Vente d'une terre agricole par une personne morale, une société de personnes ou une fiducie au profit d'un actionnaire/associé ou d'un particulier lié à l'actionnaire/associé	Annexe V-I-12 LTA / 105 LTVQ
TPS / TVQ	Fourniture d'un bien ou d'un service effectuée par une personne morale ou un syndicat établi à l'occasion de l'enregistrement d'un plan ou d'une description de lot de copropriété	Annexe V-I-13 LTA / 106 LTVQ
TPS / TVQ	Fourniture d'un bien ou d'un service effectuée par une coopérative d'habitation au profit d'un coopérateur ou d'un sous-locataire d'un tel coopérateur	Annexe V-I-13.1 LTA / 106.1 LTVQ
TPS / TVQ	Fourniture du droit d'utiliser un poste d'amarrage ou un quai relativement à l'utilisation d'une maison flottante à titre résidentiel effectuée au profit du propriétaire ou de l'occupant	Annexe V-I-13.2 LTA / 106.2 LTVQ
TPS / TVQ	Fourniture au profit d'un consommateur du droit d'utiliser une machine à laver ou une sécheuse située dans une partie commune d'un immeuble d'habitation	Annexe V-I-13.3 LTA / 106.3 LTVQ
TPS / TVQ	Location d'une fraction des parties communes d'un immeuble d'habitation réservée à la buanderie	Annexe V-I-13.4 LTA / 106.4 LTVQ
SERVICES DE SANTÉ		
TPS / TVQ	Fourniture de services de santé en établissement rendus à un patient ou à un résident d'un établissement	Annexe V-II-2 LTA / 109LTVQ
TPS / TVQ	Location d'équipement ou de matériel médical	Annexe V-II-3 LTA / 110 LTVQ
TPS / TVQ	Fourniture de services d'ambulance à l'exception de certains services d'ambulance aérienne	Annexe V-II-4 LTA /

		111 LTVQ
TPS / TVQ	Fourniture de services de consultation, de diagnostic ou de traitement ou d'autres services de santé rendus par un médecin	Annexe V-II-5 LTA / 112 LTVQ
TPS / TVQ	Fourniture de services de santé rendus par un infirmier	Annexe V-II-6 LTA / 113 LTVQ
TPS / TVQ	Fourniture de services de santé rendus par un médecin à un particulier	Annexe V-II-7 LTA / 114 LTVQ
TPS / TVQ	Fourniture de service de diététique rendu par un praticien de la diététique	Annexe V-II-7.1 LTA / 114.1 LTVQ
TPS / TVQ	Fourniture de services rendus dans le cadre de l'exercice de la profession de travailleur social	Annexe V-II-7.2 LTA / 114.2 LTVQ
TPS	Fourniture d'un service rendu dans le cadre de l'exercice de la profession de pharmacien	Annexe V-II-7.3 LTA /
TPS / TVQ	Fourniture d'un service d'hygiéniste dentaire	Annexe V-II-8 LTA / 115 LTVQ
TPS / TVQ	Fourniture d'un bien ou d'un service dont la contrepartie est payable ou remboursée par un gouvernement provincial aux termes d'un régime de service de santé offert aux assurés de la province	Annexe V-II-9 LTA / 116 LTVQ
TPS / TVQ	Fourniture d'un service de santé visé par un règlement si la fourniture est effectuée sur l'ordre d'un médecin/praticien ou d'un infirmier	Annexe V-II-10 LTA / 117 LTVQ
TPS / TVQ	Fourniture d'aliments et de boissons effectuée au profit de l'administrateur d'un établissement de santé aux termes d'un contrat visant à offrir des repas de façon régulière aux patients ou résidents de l'établissement	Annexe V-II-11 LTA / 118 LTVQ
TPS / TVQ	Fourniture d'un service ménager au domicile d'un particulier si le fournisseur est le gouvernement ou une municipalité	Annexe V-II-13 LTA / 119.1 LTVQ
TPS / TVQ	Fourniture d'un service de formation conçue spécialement pour aider les particuliers ayant un trouble ou une déficience	Annexe V-II-14 et 15 LTA / 119.2 LTVQ
SERVICES D'ENSEIGNEMENT		
TPS / TVQ	Fourniture de services par une administration scolaire consistant à donner des cours (primaire et secondaire)	Annexe V-III-2 LTA / 121 LTVQ
TPS / TVQ	Fourniture d'aliments, de boissons, de services ou de droits d'entrée effectuée par une administration scolaire dans le cadre d'activités parascolaires (primaire et secondaire)	Annexe V-III-3 LTA / 122 LTVQ
TPS / TVQ	Fourniture par une administration scolaire d'un service exécuté par un élève du primaire ou du secondaire ou par un enseignant dans le cours normal de l'instruction de l'élève	Annexe V-III-4 LTA / 123 LTVQ
TPS / TVQ	Fourniture par une administration scolaire d'un service consistant à assurer le transport d'un élève	Annexe V-III-5 LTA / 124 LTVQ

TPS / TVQ	Fourniture d'un service consistant à donner des cours et des examens menant à une accréditation ou à un titre professionnel	Annexe V-III-6 LTA / 125 LTVQ
TPS / TVQ	Fourniture d'un service consistant à donner des cours ou des examens menant à un diplôme	Annexe V-III-7 LTA / 126 LTVQ
TPS / TVQ	Fourniture d'un service ou d'un droit d'adhésion liés à des cours ou examens menant à un diplôme	Annexe V-III-7.1 LTA / 126.1 LTVQ
TPS / TVQ	Fourniture d'un service consistant à donner des cours et des examens menant à un certificat, un diplôme ou un permis	Annexe V-III-8 LTA / 127 LTVQ
TPS / TVQ	Fourniture d'un service consistant à donner un cours conforme à un programme d'études désigné par une administration scolaire ou pour lequel elle accorde un crédit	Annexe V-III-9 LTA / 128 LTVQ
TPS / TVQ	Fourniture d'un service consistant à donner des cours de langue seconde en français ou en anglais	Annexe V-III-11 LTA / 130 LTVQ
TPS / TVQ	Fourniture d'aliments ou de boissons dans la cafétéria d'une école primaire ou secondaire sauf lorsqu'ils sont fournis au moyen d'un distributeur automatique ou fournis pour une réception, une réunion ou une activité à caractère privée	Annexe V-III-12 LTA / 131 LTVQ
TPS / TVQ	Fourniture d'un droit de prendre au moins dix repas par semaine pour une contrepartie unique au profit d'un étudiant inscrit à une université ou un collège public	Annexe V-III-13 LTA / 132 LTVQ
TPS / TVQ	Fourniture d'aliments ou de boissons y compris le service de traiteur au profit d'une administration scolaire, d'une université ou d'un collège public aux termes d'un contrat visant à offrir ces aliments ou boissons à des étudiants visé à l'article V-III-13	Annexe V-III-14 LTA / 133 LTVQ
TPS / TVQ	Location d'un bien meuble au profit d'un élève du primaire ou du secondaire par une administration scolaire	Annexe V-III-15 LTA / 134 LTVQ
TPS / TVQ	Fourniture d'un service consistant à donner des cours faisant partie d'un programme constitué d'au moins deux cours	Annexe V-III-16 LTA / 135 LTVQ
SERVICES DE GARDE D'ENFANTS ET DE SOINS PERSONNELS		
TPS / TVQ	Fourniture de services de garde d'enfants de quatorze ans ou moins (moins de 24 heures)	Annexe V-IV-1 LTA / 136 LTVQ
TPS / TVQ	Fourniture de services consistant à assurer la garde et la surveillance des résidants d'un établissement pour personnes handicapées ou défavorisées	Annexe V-IV-2 LTA / 137 LTVQ
TPS / TVQ	Fourniture d'un service de soins et de surveillance d'une personne dont l'aptitude physique ou mentale sur le plan de l'autonomie ou de l'autocontrôle est limitée	Annexe V-IV-3 LTA / 137.1 LTVQ
SERVICES D'AIDE JURIDIQUE		
TPS / TVQ	Fourniture de services juridiques rendus dans le cadre d'un programme d'aide juridique	Annexe V-V-1 LTA /

		138 LTVQ
FOURNITURES PAR LES ORGANISMES DE BIENFAISANCE		
TPS / TVQ	Fourniture par un organisme de bienfaisance à l'exclusion de certaines fournitures	Annexe V-V.1-1 LTA / 138.1 LTVQ
TPS / TVQ	Fourniture d'un droit d'entrée à une activité de financement dans le cas où il est raisonnable de considérer une partie de la contrepartie comme un don à l'organisme pour lequel un reçu peut être délivré	Annexe V-V.1-2 LTA / 138.2 LTVQ
TPS / TVQ	Fourniture par vente d'un bien meuble ou d'un service dans le cadre des activités de financement d'un organisme de bienfaisance à l'exclusion de certaines fournitures	Annexe V-V.1-3 LTA / 138.3 LTVQ
TPS / TVQ	Fourniture d'aliments ou de boissons aux aînés ou aux personnes défavorisées ou handicapées	Annexe V-V.1-4 LTA / 138.4 LTVQ
TPS / TVQ	Fourniture de biens ou services à titre gratuit sauf la fourniture de sang ou de dérivés du sang	Annexe V-V.1-5 LTA / 138.5 LTVQ
TPS / TVQ	Vente d'un bien meuble corporel ou d'un service que l'organisme a acheté en vue de le vendre au profit d'un acquéreur dans le cas où le prix total de la fourniture est le prix habituel que l'organisme demande à ce type d'acquéreur pour ce type de fourniture ou le prix qui ne dépasse pas le coût direct	Annexe V-V.1-5.1 LTA / 138.6 LTVQ
TPS / TVQ	Fourniture d'aliments, de boissons ou d'un logement provisoire dans le cadre d'une activité dont l'objet consiste à alléger la pauvreté, la souffrance ou la détresse de particuliers et non à lever des fonds	Annexe V-V.1-5.2 LTA / 138.6.1 LTVQ
TPS / TVQ	Fourniture du droit d'entrée dans un lieu de divertissement où l'activité principale consiste à jouer à des jeux de hasard ou à parier	Annexe V-V.1-6 LTA / 138.7 LTVQ
FOURNITURES PAR LES ORGANISMES DU SECTEUR PUBLIC		
TPS / TVQ	Fourniture de biens meubles ou de services par une institution publique à l'exclusion de certaines fournitures	Annexe V-VI-2 LTA / 141 LTVQ
TPS / TVQ	Fourniture d'un droit d'entrée à une activité de financement par une institution publique dans le cas où il est raisonnable de considérer une partie de la contrepartie comme un don à l'organisme pour lequel un reçu peut être délivré	Annexe V-VI-3 LTA / 143.1 LTVQ
TPS / TVQ	Vente d'un bien meuble ou d'un service effectuée par une institution publique dans le cadre de ses activités de financement à l'exclusion de certaines fournitures	Annexe V-VI-3.1 LTA / 143.2 LTVQ
TPS / TVQ	Vente d'un bien meuble corporel si tous les vendeurs sont bénévoles et la contrepartie de chaque article vendu ne dépasse pas cinq dollars (autres conditions)	Annexe V-VI-4 LTA / 144 LTVQ
TPS / TVQ	Fourniture du droit d'entrée dans un lieu de divertissement effectuée par un organisme du secteur public	Annexe V-VI-5 LTA / 145 LTVQ

TPS / TVQ	Fourniture du droit (à l'exclusion du droit d'entrée) de jouer à un jeu de hasard ou d'y participer par une institution publique ou un organisme à but non lucratif	Annexe V-VI-5.1 LTA / 146 LTVQ
TPS / TVQ	Fourniture d'un service réputé être fourni par une intuition publique, un organisme à but non lucratif ou une course de chevaux, dans le cas où le service est relatif à un pari fait par l'intermédiaire d'un système de pari mutuel	Annexe V-VI-5.2 LTA / 147 LTVQ
TPS / TVQ	Vente d'un bien meuble corporel ou d'un service par un organisme de services publics (sauf une municipalité) dans le cas où le prix total de la fourniture est le prix habituel que l'organisme demande à ce type d'acquéreur pour ce type de fourniture ou le prix qui ne dépasse pas le coût direct	Annexe V-VI-6 LTA / 148 LTVQ
TPS / TVQ	Fourniture d'un droit d'entrée dans un lieu de divertissement pour une contrepartie inférieure ou égale à un dollar par un organisme du secteur public	Annexe V-VI-9 LTA / 151 LTVQ
TPS / TVQ	Fourniture de biens ou services à titre gratuit par un organisme du secteur public sauf la fourniture de sang ou de dérivés de sang	Annexe V-VI-10 LTA / 152 LTVQ
TPS / TVQ	Fourniture du droit d'être spectateur à un spectacle ou à un évènement sportif ou compétitif si la totalité ou la presque totalité des exécutants, des athlètes ou des compétiteurs y prenant part ne reçoivent pas de rémunération pour leur participation exception faite d'un montant raisonnable (les droits d'entrée pour assister à des événements compétitifs sont exclus)	Annexe V-VI-11 LTA / 153 LTVQ
TPS / TVQ	Fourniture d'un droit d'adhésion à un programme consistant en une série de cours ou d'activités de formation dans des domaines tels que l'athlétisme, les loisirs de plein airs, la musique, la danse, les arts, l'artisanat ou autres par un organisme du secteur public	Annexe V-VI-12 LTA / 154 LTVQ
TPS / TVQ	Fourniture de services de pension et d'hébergement ou de loisirs au profit de particuliers défavorisés ou handicapés physiquement ou mentalement par un organisme du secteur public	Annexe V-VI-13 LTA / 155 LTVQ
TPS / TVQ	Fourniture d'aliments, de boissons ou d'un logement provisoire par un organisme du secteur public dans le cadre d'une activité dont l'objet est d'alléger la pauvreté, la souffrance ou la détresse de particuliers autre qu'une levée de fonds	Annexe V-VI-14 LTA / 156 LTVQ
TPS / TVQ	Fourniture d'aliments ou de boissons offerts à domicile aux personnes âgées, infirmes, handicapées ou défavorisées par un organisme du secteur public	Annexe V-VI-15 LTA / 157 LTVQ
TPS / TVQ	Fourniture d'un droit d'adhésion à un organisme du secteur public donnant droit à certains avantages seulement	Annexe V-VI-17 LTA / 159 LTVQ
TPS / TVQ	Fourniture d'un droit d'adhésion nécessaire à la conservation d'un statut professionnel reconnu par la loi effectué par une organisation	Annexe V-VI-18 LTA / 160 LTVQ

TPS / TVQ	Fourniture d'un droit d'adhésion à un parti enregistré	Annexe V-VI-18.1 LTA / 160.1 LTVQ
TPS / TVQ	Fourniture effectuée par un parti enregistré s'il est raisonnable de considérer une partie de la contrepartie comme une contribution au parti et si l'acquéreur peut demander une déduction ou un crédit dans le calcul de son impôt payable en vertu de la *Loi de l'impôt sur le revenu*	Annexe V-VI-18.2 LTA / 160.2 LTVQ
TPS / TVQ	Fourniture par un organisme du secteur public du droit de faire des emprunts dans une bibliothèque publique	Annexe V-VI-19 LTA / 161 LTVQ
TPS / TVQ	Fournitures effectuées par un gouvernement, une municipalité ou une commission	Annexe V-VI-20 LTA / 162 et 163 LTVQ
TVQ	Fourniture d'un service dont l'objet consiste à recevoir et traiter les appels téléphoniques au moyen d'un centre d'urgence 9-1-1, effectuée à un gouvernement, à une municipalité, à une commission ou à un autre organisme établi par un gouvernement ou une municipalité	Article 162.1 LTVQ
TPS / TVQ	Fourniture d'un service municipal que le propriétaire ou l'occupant ne peut refuser ou qui est fourni du fait que le propriétaire ou l'occupant a manqué à une obligation imposée par la loi	Annexe V-VI-21 LTA / 164 LTVQ
TPS / TVQ	Fourniture d'un des services aux citoyens effectuée par une municipalité, par une commission ou autre organisme établi par une municipalité	Annexe V-VI-21.1 LTA / 164.1 LTVQ
TPS / TVQ	Fourniture d'un service d'installation ou réparation d'un réseau de distribution d'eau ou d'un système d'égouts ou de drainage par une municipalité ou par une administration qui exploite un réseau de distribution d'eau/égouts/drainage	Annexe V-VI-22 LTA / 165 LTVQ
TPS / TVQ	Fourniture d'eau non embouteillée	Annexe V-VI-23 LTA / 166 LTVQ
TPS / TVQ	Fourniture de services municipaux de transport au profit d'un membre du public	Annexe V-VI-24 LTA / 167 LTVQ
TPS / TVQ	Fourniture d'immeubles par un organisme de services publics (sauf une institution financière, une municipalité et un gouvernement) sauf certaines exclusions	Annexe V-VI-25 LTA / 168 LTVQ
TPS / TVQ	Fourniture entre un organisme sans but lucratif et un syndicat ou un autre organisme sans but lucratif constitué principalement au profit d'une organisation syndicale	Annexe V-VI-26 LTA / 169 LTVQ
TPS / TVQ	Fourniture d'un coquelicot ou d'une couronne par le ministre des anciens Combattants ou par la direction nationale, provinciale ou une filiale de la Légion royale canadienne	Annexe V-VI-27 LTA / 169.1 LTVQ
TPS / TVQ	Fourniture entre différentes entités	Annexe V-VI-28 LTA / 169.2 LTVQ
SERVICES FINANCIERS		
TPS / TVQ	Fourniture des services financiers, à l'exception des fournitures qui sont détaxées	Annexe V-VII-1 LTA/

		169.3 LTVQ
TPS / TVQ	Fourniture réputée par la loi être une fourniture de service financier (réputée en vertu du paragraphe 150(1) de la LTA ou de l'article 297.0.2.1 de la LTVQ)	Annexe V-VII-2 LTA / 169.4 LTVQ
TRAVERSIERS, ROUTES ET PONTS À PÉAGE		
TPS / TVQ	Fourniture d'un service de navette par bateau de passagers ou de biens dont l'objet principal consiste à transporter des véhicules à moteur et des passagers entre les parties d'un réseau routier qui sont séparée par une étendue d'eau sauf une fourniture détaxée	Annexe V-VIII-1 LTA / 170 LTVQ
TPS / TVQ	Fourniture du droit d'utiliser une route ou un pont à péage	Annexe V-VIII-2 LTA / 171 LTVQ

Tableau des remboursements et compensations (TPS et TVQ)

Le paragraphe 123(1) de la *Loi sur la taxe d'accise (TPS)* (la « LTA ») définit l'expression « fourniture exonérée » comme étant une « fourniture figurant à l'annexe V ». La *Loi sur la taxe de vente du Québec* (la « LTVQ »), quant à elle, définit cette expression à l'article 1 comme signifiant « une fourniture visée au chapitre troisième ». Le tableau ci-dessous illustre un récapitulatif des fournitures exonérées qui figurent à l'annexe V de la LTA et au chapitre troisième de la LTVQ.

Il est important de souligner que ces dispositions ne reflètent pas l'ensemble des fournitures qui sont exonérées en vertu de la LTA et de la LTVQ. À titre illustratif, les articles 189 et 189.1 de la LTA de même que les articles 172 et 172.1 de la LTVQ prévoient spécifiquement que certaines fournitures sont exonérées.

Toutefois, la définition de l'expression « fourniture exonérée » qui figure en vertu de la LTA et de la LTVQ n'inclut pas les fournitures qui sont réputées être exonérées en vertu d'une disposition qui ne figure pas respectivement à l'annexe V ou au chapitre troisième. Nous sommes donc en présence d'un vide législatif puisque techniquement, aucune définition n'est prévue pour définir les fournitures exonérées réputées. Par conséquent, l'auteur a proposé une modification législative à la définition de l'expression « fourniture exonérée » auprès du ministère des Finances du Canada et du ministère des Finances et de l'Économie (Québec) afin que cette définition se lise comme suit : « fourniture figurant à l'annexe V ou toute fourniture réputée exonérée en vertu de la présente partie » et « une fourniture visée au chapitre troisième ou toute fourniture réputée exonérée en vertu du présent titre » et ce, respectivement en vertu de la LTA et de la LTVQ.

Taxe(s) concernée(s)	Description de la fourniture exonérée	Dispositions législatives (LTA / LTVQ)
IMMEUBLES		
TPS / TVQ	Vente d'un immeuble d'habitation ou d'une adjonction à un immeuble d'habitation à logements multiples par une personne qui n'en est pas le constructeur	Annexe V-I-2 LTA / 94 LTVQ
TPS / TVQ	Vente d'un immeuble d'habitation ou d'une adjonction à un immeuble d'habitation par le constructeur	Annexe V-I-3 LTA / 95 LTVQ
TPS / TVQ	Vente d'un immeuble d'habitation à logement unique ou d'un logement en copropriété	Annexe V-I-4 LTA / 96 LTVQ
TPS / TVQ	Vente d'un immeuble d'habitation à logements multiples	Annexe V-I-5 LTA / 97 LTVQ
TPS / TVQ	Vente d'un bâtiment contenant une habitation	Annexe V-I-5.1 LTA / 97.1 LTVQ
TPS / TVQ	Vente d'un fonds faisant partie d'un immeuble d'habitation	Annexe V-I-5.2 LTA / 97.2 LTVQ
TPS / TVQ	Fourniture d'un parc à roulottes résidentiel	Annexe V-I-5.3 LTA / 97.3 LTVQ
TPS / TVQ	Location d'un immeuble d'habitation ou d'une habitation dans un tel immeuble	Annexe V-I-6 LTA / 98 LTVQ
TPS / TVQ	Location d'un immeuble au profit d'un preneur pour une période de location durant laquelle le preneur ou un sous-preneur effectue plusieurs fournitures du bien ou détient le bien en vue d'effectuer pareilles fournitures	Annexe V-I-6.1 LTA / 99 LTVQ
TPS / TVQ	Bail, licence ou accord semblable sur un immeuble d'habitation effectué au profit d'un preneur pour une période de location durant laquelle la totalité ou la presque totalité de l'immeuble est fourni ou utilisé par le preneur ou un sous-preneur en vue de l'occupation à titre résidentiel ou d'hébergement ou transféré au même titre	Annexe V-I-6.11 LTA / 99.0.1 LTVQ

TPS / TVQ	Fourniture de repas à l''occupant dans l''immeuble d'habitation dans le cadre d'un régime prévoyant la fourniture d'au moins dix repas par semaine pour une contrepartie unique	Annexe V-I-6.2 LTA / 99.1 LTVQ
TPS / TVQ	Location d'un fonds au profit du propriétaire ou du locataire d'une habitation fixée	Annexe V-I-7 LTA / 100 LTVQ
TPS / TVQ	Vente d'une aire de stationnement dans les limites d'un plan de lot de copropriété	Annexe V-I-8 LTA / 101 LTVQ
TPS / TVQ	Location d'une aire de stationnement pour une période d'au moins un mois	Annexe V-I-8.1 LTA / 101.1 LTVQ
TPS / TVQ	Vente d'un immeuble par un particulier ou une fiducie personnelle à l'exclusion de la fourniture d'immobilisation utilisée principalement dans une entreprise, de parties subdivisées de fonds de terre et de certaines autres exclusions	Annexe V-I-9(2) LTA / 101.1.1 et 102 LTVQ
TPS / TVQ	Vente d'une terre agricole par un particulier au profit d'un autre particulier qui lui est lié ou à son ex-époux / ex-conjoint de fait	Annexe V-I-10 LTA / 103 LTVQ
TPS / TVQ	Fourniture d'une terre agricole par un particulier qui était utilisée dans le cadre d'une activité commerciale agricole	Annexe V-I-11 LTA / 104 LTVQ
TPS / TVQ	Vente d'une terre agricole par une personne morale, une société de personnes ou une fiducie au profit d'un actionnaire/associé ou d'un particulier lié à l'actionnaire/associé	Annexe V-I-12 LTA / 105 LTVQ
TPS / TVQ	Fourniture d'un bien ou d'un service effectuée par une personne morale ou un syndicat établi à l'occasion de l'enregistrement d'un plan ou d'une description de lot de copropriété	Annexe V-I-13 LTA / 106 LTVQ
TPS / TVQ	Fourniture d'un bien ou d'un service effectuée par une coopérative d'habitation au profit d'un coopérateur ou d'un sous-locataire d'un tel coopérateur	Annexe V-I-13.1 LTA / 106.1 LTVQ
TPS / TVQ	Fourniture du droit d'utiliser un poste d'amarrage ou un quai relativement à l'utilisation d'une maison flottante à titre résidentiel effectuée au profit du propriétaire ou de l'occupant	Annexe V-I-13.2 LTA / 106.2 LTVQ
TPS / TVQ	Fourniture au profit d'un consommateur du droit d'utiliser une machine à laver ou une sécheuse située dans une partie commune d'un immeuble d'habitation	Annexe V-I-13.3 LTA / 106.3 LTVQ
TPS / TVQ	Location d'une fraction des parties communes d'un immeuble d'habitation réservée à la buanderie	Annexe V-I-13.4 LTA / 106.4 LTVQ
SERVICES DE SANTÉ		
TPS / TVQ	Fourniture de services de santé en établissement rendus à un patient ou à un résident d'un établissement	Annexe V-II-2 LTA / 109LTVQ
TPS / TVQ	Location d'équipement ou de matériel médical	Annexe V-II-3 LTA / 110 LTVQ
TPS / TVQ	Fourniture de services d'ambulance à l'exception de certains services d'ambulance aérienne	Annexe V-II-4 LTA /

		111 LTVQ
TPS / TVQ	Fourniture de services de consultation, de diagnostic ou de traitement ou d'autres services de santé rendus par un médecin	Annexe V-II-5 LTA / 112 LTVQ
TPS / TVQ	Fourniture de services de santé rendus par un infirmier	Annexe V-II-6 LTA / 113 LTVQ
TPS / TVQ	Fourniture de services de santé rendus par un médecin à un particulier	Annexe V-II-7 LTA / 114 LTVQ
TPS / TVQ	Fourniture de service de diététique rendu par un praticien de la diététique	Annexe V-II-7.1 LTA / 114.1 LTVQ
TPS / TVQ	Fourniture de services rendus dans le cadre de l'exercice de la profession de travailleur social	Annexe V-II-7.2 LTA / 114.2 LTVQ
TPS	Fourniture d'un service rendu dans le cadre de l'exercice de la profession de pharmacien	Annexe V-II-7.3 LTA /
TPS / TVQ	Fourniture d'un service d'hygiéniste dentaire	Annexe V-II-8 LTA / 115 LTVQ
TPS / TVQ	Fourniture d'un bien ou d'un service dont la contrepartie est payable ou remboursée par un gouvernement provincial aux termes d'un régime de service de santé offert aux assurés de la province	Annexe V-II-9 LTA / 116 LTVQ
TPS / TVQ	Fourniture d'un service de santé visé par un règlement si la fourniture est effectuée sur l'ordre d'un médecin/praticien ou d'un infirmier	Annexe V-II-10 LTA / 117 LTVQ
TPS / TVQ	Fourniture d'aliments et de boissons effectuée au profit de l'administrateur d'un établissement de santé aux termes d'un contrat visant à offrir des repas de façon régulière aux patients ou résidents de l'établissement	Annexe V-II-11 LTA / 118 LTVQ
TPS / TVQ	Fourniture d'un service ménager au domicile d'un particulier si le fournisseur est le gouvernement ou une municipalité	Annexe V-II-13 LTA / 119.1 LTVQ
TPS / TVQ	Fourniture d'un service de formation conçue spécialement pour aider les particuliers ayant un trouble ou une déficience	Annexe V-II-14 et 15 LTA / 119.2 LTVQ
SERVICES D'ENSEIGNEMENT		
TPS / TVQ	Fourniture de services par une administration scolaire consistant à donner des cours (primaire et secondaire)	Annexe V-III-2 LTA / 121 LTVQ
TPS / TVQ	Fourniture d'aliments, de boissons, de services ou de droits d'entrée effectuée par une administration scolaire dans le cadre d'activités parascolaires (primaire et secondaire)	Annexe V-III-3 LTA / 122 LTVQ
TPS / TVQ	Fourniture par une administration scolaire d'un service exécuté par un élève du primaire ou du secondaire ou par un enseignant dans le cours normal de l'instruction de l'élève	Annexe V-III-4 LTA / 123 LTVQ
TPS / TVQ	Fourniture par une administration scolaire d'un service consistant à assurer le transport d'un élève	Annexe V-III-5 LTA / 124 LTVQ

TPS / TVQ	Fourniture d'un service consistant à donner des cours et des examens menant à une accréditation ou à un titre professionnel	Annexe V-III-6 LTA / 125 LTVQ
TPS / TVQ	Fourniture d'un service consistant à donner des cours ou des examens menant à un diplôme	Annexe V-III-7 LTA / 126 LTVQ
TPS / TVQ	Fourniture d'un service ou d'un droit d'adhésion liés à des cours ou examens menant à un diplôme	Annexe V-III-7.1 LTA / 126.1 LTVQ
TPS / TVQ	Fourniture d'un service consistant à donner des cours et des examens menant à un certificat, un diplôme ou un permis	Annexe V-III-8 LTA / 127 LTVQ
TPS / TVQ	Fourniture d'un service consistant à donner un cours conforme à un programme d'études désigné par une administration scolaire ou pour lequel elle accorde un crédit	Annexe V-III-9 LTA / 128 LTVQ
TPS / TVQ	Fourniture d'un service consistant à donner des cours de langue seconde en français ou en anglais	Annexe V-III-11 LTA / 130 LTVQ
TPS / TVQ	Fourniture d'aliments ou de boissons dans la cafétéria d'une école primaire ou secondaire sauf lorsqu'ils sont fournis au moyen d'un distributeur automatique ou fournis pour une réception, une réunion ou une activité à caractère privée	Annexe V-III-12 LTA / 131 LTVQ
TPS / TVQ	Fourniture d'un droit de prendre au moins dix repas par semaine pour une contrepartie unique au profit d'un étudiant inscrit à une université ou un collège public	Annexe V-III-13 LTA / 132 LTVQ
TPS / TVQ	Fourniture d'aliments ou de boissons y compris le service de traiteur au profit d'une administration scolaire, d'une université ou d'un collège public aux termes d'un contrat visant à offrir ces aliments ou boissons à des étudiants visé à l'article V-III-13	Annexe V-III-14 LTA / 133 LTVQ
TPS / TVQ	Location d'un bien meuble au profit d'un élève du primaire ou du secondaire par une administration scolaire	Annexe V-III-15 LTA / 134 LTVQ
TPS / TVQ	Fourniture d'un service consistant à donner des cours faisant partie d'un programme constitué d'au moins deux cours	Annexe V-III-16 LTA / 135 LTVQ
SERVICES DE GARDE D'ENFANTS ET DE SOINS PERSONNELS		
TPS / TVQ	Fourniture de services de garde d'enfants de quatorze ans ou moins (moins de 24 heures)	Annexe V-IV-1 LTA / 136 LTVQ
TPS / TVQ	Fourniture de services consistant à assurer la garde et la surveillance des résidants d'un établissement pour personnes handicapées ou défavorisées	Annexe V-IV-2 LTA / 137 LTVQ
TPS / TVQ	Fourniture d'un service de soins et de surveillance d'une personne dont l'aptitude physique ou mentale sur le plan de l'autonomie ou de l'autocontrôle est limitée	Annexe V-IV-3 LTA / 137.1 LTVQ
SERVICES D'AIDE JURIDIQUE		
TPS / TVQ	Fourniture de services juridiques rendus dans le cadre d'un programme d'aide juridique	Annexe V-V-1 LTA /

		138 LTVQ
FOURNITURES PAR LES ORGANISMES DE BIENFAISANCE		
TPS / TVQ	Fourniture par un organisme de bienfaisance à l'exclusion de certaines fournitures	Annexe V-V.1-1 LTA / 138.1 LTVQ
TPS / TVQ	Fourniture d'un droit d'entrée à une activité de financement dans le cas où il est raisonnable de considérer une partie de la contrepartie comme un don à l'organisme pour lequel un reçu peut être délivré	Annexe V-V.1-2 LTA / 138.2 LTVQ
TPS / TVQ	Fourniture par vente d'un bien meuble ou d'un service dans le cadre des activités de financement d'un organisme de bienfaisance à l'exclusion de certaines fournitures	Annexe V-V.1-3 LTA / 138.3 LTVQ
TPS / TVQ	Fourniture d'aliments ou de boissons aux aînés ou aux personnes défavorisées ou handicapées	Annexe V-V.1-4 LTA / 138.4 LTVQ
TPS / TVQ	Fourniture de biens ou services à titre gratuit sauf la fourniture de sang ou de dérivés du sang	Annexe V-V.1-5 LTA / 138.5 LTVQ
TPS / TVQ	Vente d'un bien meuble corporel ou d'un service que l'organisme a acheté en vue de le vendre au profit d'un acquéreur dans le cas où le prix total de la fourniture est le prix habituel que l'organisme demande à ce type d'acquéreur pour ce type de fourniture ou le prix qui ne dépasse pas le coût direct	Annexe V-V.1-5.1 LTA / 138.6 LTVQ
TPS / TVQ	Fourniture d'aliments, de boissons ou d'un logement provisoire dans le cadre d'une activité dont l'objet consiste à alléger la pauvreté, la souffrance ou la détresse de particuliers et non à lever des fonds	Annexe V-V.1-5.2 LTA / 138.6.1 LTVQ
TPS / TVQ	Fourniture du droit d'entrée dans un lieu de divertissement où l'activité principale consiste à jouer à des jeux de hasard ou à parier	Annexe V-V.1-6 LTA / 138.7 LTVQ
FOURNITURES PAR LES ORGANISMES DU SECTEUR PUBLIC		
TPS / TVQ	Fourniture de biens meubles ou de services par une institution publique à l'exclusion de certaines fournitures	Annexe V-VI-2 LTA / 141 LTVQ
TPS / TVQ	Fourniture d'un droit d'entrée à une activité de financement par une institution publique dans le cas où il est raisonnable de considérer une partie de la contrepartie comme un don à l'organisme pour lequel un reçu peut être délivré	Annexe V-VI-3 LTA / 143.1 LTVQ
TPS / TVQ	Vente d'un bien meuble ou d'un service effectuée par une institution publique dans le cadre de ses activités de financement à l'exclusion de certaines fournitures	Annexe V-VI-3.1 LTA / 143.2 LTVQ
TPS / TVQ	Vente d'un bien meuble corporel si tous les vendeurs sont bénévoles et la contrepartie de chaque article vendu ne dépasse pas cinq dollars (autres conditions)	Annexe V-VI-4 LTA / 144 LTVQ
TPS / TVQ	Fourniture du droit d'entrée dans un lieu de divertissement effectuée par un organisme du secteur public	Annexe V-VI-5 LTA / 145 LTVQ

TPS / TVQ	Fourniture du droit (à l'exclusion du droit d'entrée) de jouer à un jeu de hasard ou d'y participer par une institution publique ou un organisme à but non lucratif	Annexe V-VI-5.1 LTA / 146 LTVQ
TPS / TVQ	Fourniture d'un service réputé être fourni par une intuition publique, un organisme à but non lucratif ou une course de chevaux, dans le cas où le service est relatif à un pari fait par l'intermédiaire d'un système de pari mutuel	Annexe V-VI-5.2 LTA / 147 LTVQ
TPS / TVQ	Vente d'un bien meuble corporel ou d'un service par un organisme de services publics (sauf une municipalité) dans le cas où le prix total de la fourniture est le prix habituel que l'organisme demande à ce type d'acquéreur pour ce type de fourniture ou le prix qui ne dépasse pas le coût direct	Annexe V-VI-6 LTA / 148 LTVQ
TPS / TVQ	Fourniture d'un droit d'entrée dans un lieu de divertissement pour une contrepartie inférieure ou égale à un dollar par un organisme du secteur public	Annexe V-VI-9 LTA / 151 LTVQ
TPS / TVQ	Fourniture de biens ou services à titre gratuit par un organisme du secteur public sauf la fourniture de sang ou de dérivés de sang	Annexe V-VI-10 LTA / 152 LTVQ
TPS / TVQ	Fourniture du droit d'être spectateur à un spectacle ou à un évènement sportif ou compétitif si la totalité ou la presque totalité des exécutants, des athlètes ou des compétiteurs y prenant part ne reçoivent pas de rémunération pour leur participation exception faite d'un montant raisonnable (les droits d'entrée pour assister à des événements compétitifs sont exclus)	Annexe V-VI-11 LTA / 153 LTVQ
TPS / TVQ	Fourniture d'un droit d'adhésion à un programme consistant en une série de cours ou d'activités de formation dans des domaines tels que l'athlétisme, les loisirs de plein airs, la musique, la danse, les arts, l'artisanat ou autres par un organisme du secteur public	Annexe V-VI-12 LTA / 154 LTVQ
TPS / TVQ	Fourniture de services de pension et d'hébergement ou de loisirs au profit de particuliers défavorisés ou handicapés physiquement ou mentalement par un organisme du secteur public	Annexe V-VI-13 LTA / 155 LTVQ
TPS / TVQ	Fourniture d'aliments, de boissons ou d'un logement provisoire par un organisme du secteur public dans le cadre d'une activité dont l'objet est d'alléger la pauvreté, la souffrance ou la détresse de particuliers autre qu'une levée de fonds	Annexe V-VI-14 LTA / 156 LTVQ
TPS / TVQ	Fourniture d'aliments ou de boissons offerts à domicile aux personnes âgées, infirmes, handicapées ou défavorisées par un organisme du secteur public	Annexe V-VI-15 LTA / 157 LTVQ
TPS / TVQ	Fourniture d'un droit d'adhésion à un organisme du secteur public donnant droit à certains avantages seulement	Annexe V-VI-17 LTA / 159 LTVQ
TPS / TVQ	Fourniture d'un droit d'adhésion nécessaire à la conservation d'un statut professionnel reconnu par la loi effectué par une organisation	Annexe V-VI-18 LTA / 160 LTVQ

TPS / TVQ	Fourniture d'un droit d'adhésion à un parti enregistré	Annexe V-VI-18.1 LTA / 160.1 LTVQ
TPS / TVQ	Fourniture effectuée par un parti enregistré s'il est raisonnable de considérer une partie de la contrepartie comme une contribution au parti et si l'acquéreur peut demander une déduction ou un crédit dans le calcul de son impôt payable en vertu de la *Loi de l'impôt sur le revenu*	Annexe V-VI-18.2 LTA / 160.2 LTVQ
TPS / TVQ	Fourniture par un organisme du secteur public du droit de faire des emprunts dans une bibliothèque publique	Annexe V-VI-19 LTA / 161 LTVQ
TPS / TVQ	Fournitures effectuées par un gouvernement, une municipalité ou une commission	Annexe V-VI-20 LTA / 162 et 163 LTVQ
TVQ	Fourniture d'un service dont l'objet consiste à recevoir et traiter les appels téléphoniques au moyen d'un centre d'urgence 9-1-1, effectuée à un gouvernement, à une municipalité, à une commission ou à un autre organisme établi par un gouvernement ou une municipalité	Article 162.1 LTVQ
TPS / TVQ	Fourniture d'un service municipal que le propriétaire ou l'occupant ne peut refuser ou qui est fourni du fait que le propriétaire ou l'occupant a manqué à une obligation imposée par la loi	Annexe V-VI-21 LTA / 164 LTVQ
TPS / TVQ	Fourniture d'un des services aux citoyens effectuée par une municipalité, par une commission ou autre organisme établi par une municipalité	Annexe V-VI-21.1 LTA / 164.1 LTVQ
TPS / TVQ	Fourniture d'un service d'installation ou réparation d'un réseau de distribution d'eau ou d'un système d'égouts ou de drainage par une municipalité ou par une administration qui exploite un réseau de distribution d'eau/égouts/drainage	Annexe V-VI-22 LTA / 165 LTVQ
TPS / TVQ	Fourniture d'eau non embouteillée	Annexe V-VI-23 LTA / 166 LTVQ
TPS / TVQ	Fourniture de services municipaux de transport au profit d'un membre du public	Annexe V-VI-24 LTA / 167 LTVQ
TPS / TVQ	Fourniture d'immeubles par un organisme de services publics (sauf une institution financière, une municipalité et un gouvernement) sauf certaines exclusions	Annexe V-VI-25 LTA / 168 LTVQ
TPS / TVQ	Fourniture entre un organisme sans but lucratif et un syndicat ou un autre organisme sans but lucratif constitué principalement au profit d'une organisation syndicale	Annexe V-VI-26 LTA / 169 LTVQ
TPS / TVQ	Fourniture d'un coquelicot ou d'une couronne par le ministre des anciens Combattants ou par la direction nationale, provinciale ou une filiale de la Légion royale canadienne	Annexe V-VI-27 LTA / 169.1 LTVQ
TPS / TVQ	Fourniture entre différentes entités	Annexe V-VI-28 LTA / 169.2 LTVQ
SERVICES FINANCIERS		
TPS / TVQ	Fourniture des services financiers, à l'exception des fournitures qui sont détaxées	Annexe V-VII-1 LTA/

		169.3 LTVQ
TPS / TVQ	Fourniture réputée par la loi être une fourniture de service financier (réputée en vertu du paragraphe 150(1) de la LTA ou de l'article 297.0.2.1 de la LTVQ)	Annexe V-VII-2 LTA / 169.4 LTVQ
TRAVERSIERS, ROUTES ET PONTS À PÉAGE		
TPS / TVQ	Fourniture d'un service de navette par bateau de passagers ou de biens dont l'objet principal consiste à transporter des véhicules à moteur et des passagers entre les parties d'un réseau routier qui sont séparée par une étendue d'eau sauf une fourniture détaxée	Annexe V-VIII-1 LTA / 170 LTVQ
TPS / TVQ	Fourniture du droit d'utiliser une route ou un pont à péage	Annexe V-VIII-2 LTA / 171 LTVQ

Table de concordance terminologique entre la Loi sur la taxe d'accise et la Loi sur la taxe de vente du Québec

Cette table donne, pour certains termes de la *Loi sur la taxe d'accise*, le terme concordant utilisé dans la *Loi sur la taxe de vente du Québec*

Loi sur la taxe d'accise	***Loi sur la taxe de vente du Québec***
Achevé en grande partie	Presque achevé
Acquéreur	Acquéreur; acheteur
Acquisition	Acquisition; achat
Aire ajoutée (parc à roulottes)	Superficie additionnelle
Aliments	Aliments; nourriture
Améliorations	Amélioration
Arrhes	Dépôt
Associé	Membre
Attribut fiscal	Attributs fiscaux
Bail	Louage
Combustible diesel	Carburant diesel
Conjoint de fait	Conjoint
Corporation de placement	Corporation de placements
Crédit de taxe sur les intrants	Remboursement de la taxe sur les intrants
Don	Don; donation
Exportation	Expédition; exportation
Fonds	Terrain; fonds de terre
Fourniture à titre gratuit	Fourniture effectuée sans contrepartie
Frais	Dépense
Garantie	Cautionnement
Grignotines	Grignotises
Installation de traitement complémentaire	Installation de traitement secondaire
Immeuble d'habitation à logement unique désigné	Immeuble d'habitation à logement unique déterminé
Importation	Apport
Livraison	Livraison; délivrance
Location	Louage
Magazine	Revue
Maison motorisée	Autocaravane
Ordonnance	Ordre, prescription
Ordre écrit	Ordonnance
Organisme à but non lucratif	Organisme sans but lucratif
Organisme désigné de régime provincial	Organisme désigné du gouvernement du Québec
Organisme non doté de la personnalité morale	Organisme non incorporé
Organisme provincial de réglementation	Organisme de réglementation
Parc à roulottes	Terrain de caravaning
Paiement échelonné	Paiement proportionnel
Parti enregistré	Parti autorisé
Pays étranger	Pays autre que le Canada
Pénalité	Amende
Périodique	Journal
Personne morale	Société
Point à l'étranger	Point hors du Canada
Remise	Rabais
Salarié; employé	Salarié
Service continu de transport de marchandises vers l'étranger	Service continu de transport de marchandises vers l'extérieur
Services de soins	Services infirmiers
Société de personnes	Société de personnes
Subvention	Montant de financement public
Subventionneur	Subventionnaire
Syndicat	Organisation syndicale
Syndicat ouvrier	Association de salariés
Taxe de vente fédérale estimativet	Taxe estimative
Taxe exigée non admise au crédi	Taxe exigée non admissible au remboursement de la taxe sur les intrants
Totalité ou presque	Presque totalité
Visé par règlement	Prescrit
Vol international	Vol extérieur
Voyage international	Voyage extérieur

Table de concordance entre la Loi sur la taxe de vente du Québec et la Loi sur la taxe d'accise

Cette table donne, pour chacune des dispositions de la *Loi sur la taxe de vente du Québec* (TVQ) la disposition équivalente de la *Loi sur la taxe d'accise* (TPS-TVH)

TVQ	TPS
1*« acquéreur »*	123(1)« acquéreur »
1*« activité commerciale »*	123(1)« activité commerciale »
1*« administration hospitalière »*	123(1)« administration hospitalière »
1*« administration scolaire »*	123(1)« administration scolaire »
1*« amélioration »*	123(1)« améliorations »
1*« année d'imposition »*	123(1)« année d'imposition »
1*« argent »*	123(1)« argent »
1*« assureur »*	123(1)« assureur »
1*« banque »*	123(1) « banque »
1*« bien »*	123(1)« bien »
1*« bien meuble corporel d'occasion »*	123(1)« bien meuble corporel d'occasion »
1*« bien meuble corporel désigné »*	123(1)« bien meuble corporel désigné »
1*« cadre »*	123(1)« cadre »
1*« caisse de crédit »*	123(1)« caisse de crédit »
1*« centre de congrès »*	123(1)« centre de congrès »
1*« charge »*	123(1)« charge »
1*« collège public »*	123(1)« collège public »
1*« congrès »*	123(1)« congrès »
1*« congrès étranger »*	123(1)« congrès étranger »
1*« conjoint »*	123(1)« conjoint de fait »
1*« consommateur »*	123(1)« consommateur »
1*« constructeur »*	123(1)« constructeur »
1*« contrepartie »*	123(1)« contrepartie »
1*« coopérative »*	123(1)« coopérative »
1*« coopérative d'habitation »*	123(1)« coopérative d'habitation »
1*« coût direct »*	123(1)« coût direct »
1*« créancier garanti »*	123(1)« créancier garanti »
1*« document »*	123(1)« document »
1*« droit d'adhésion »*	123(1)« droit d'adhésion »
1*« droit d'entrée »*	123(1)« droit d'entrée »
1*« droit en garantie »*	123(1)« droit en garantie »
1*« effet financier »*	123(1)« effet financier »
1 *« employeur »,*	123(1) « employeur »
1*« entreprise »*	123(1)« entreprise »
1*« entreprise de taxis »*	123(1)« entreprise de taxis »
1*« établissement domestique autonome »*	123(1)« établissement domestique autonome »
1*« établissement stable »*	123(1)« établissement stable »
1*« exclusif »*	123(1)« exclusif »
1*« facture »*	123(1)« facture »
1*« fédération de sociétés mutuelles d'assurance »*	123(1)« fédération de sociétés mutuelles d'assurance »
1*« fiducie non testamentaire »*	--
1*« fiducie personnelle »*	123(1)« fiducie personnelle », 123(1)« fiducie non testamentaire »
1*« fiducie testamentaire »*	123(1)« fiducie testamentaire »
1*« fonds réservé »*	123(1)« fonds réservé »
1*« fournisseur »*	--

TVQ	TPS
1*« fourniture »*	123(1)« fourniture »
1*« fourniture détaxée »*	123(1)« fourniture détaxée »
1*« fourniture exonérée »*	123(1)« fourniture exonérée »
1*« fourniture taxable »*	123(1)« fourniture taxable »
1*« fournitures liées à un congrès »*	123(1)« fournitures liées à un congrès »
1*« gouvernement »*	123(1)« gouvernement »
1*« habitation »*	123(1)« habitation »
1*« immeuble »*	123(1)« immeuble »
1*« immeuble d'habitation »*	123(1)« immeuble d'habitation »
1*« immeuble d'habitation à logement unique »*	123(1)« immeuble d'habitation à logement unique »
1*« immeuble d'habitation à logements multiples »*	123(1)« immeuble d'habitation à logements multiples »
1*« immeuble d'habitation en copropriété »*	123(1)« immeuble d'habitation en copropriété »
1*« immobilisation »*	123(1)« immobilisation »
1*« inscrit »*	123(1)« inscrit »
1*« installation de télécommunication »*	123(1)« installation de télécommunication »
1*« installation de traitement secondaire »*	123(1)« installation de traitement complémentaire »
1*« institution financière »*	123(1)« institution financière »
1*« institution financière désignée »*	123(1)« institution financière désignée », 149(1)a)
1*« institution publique »*	123(1)« institution publique »
1*« jeu de hasard »*	123(1)« jeu de hasard »
1*« lieu de divertissement »*	123(1)« lieu de divertissement »
1*« logement en copropriété »*	123(1)« logement en copropriété »
1*« logement provisoire »*	123(1)« logement provisoire »
1*« maison flottante »*	123(1)« maison flottante »
1*« maison mobile »*	123(1)« maison mobile », 123(1)« immeuble » al. c)
1*« masse nette »*	--
1*« métal précieux »*	123(1)« métal précieux »
1*« minéral »*	123(1)« minéral »
1*« mois »*	123(1)« mois »
1*« montant »*	123(1 « montant »
1*« municipalité »*	123(1)« municipalité »
1*« note de crédit »*	123(1)« note de crédit »
1*« note de débit »*	123(1)« note de débit »
1*« organisateur »*	123(1 « organisateur »
1*« organisme de bienfaisance »*	123(1)« organisme de bienfaisance »
1 *« organisme de services publics »*	123(1) « organisme de services publics »
1*« organisme du secteur public »*	123(1)« organisme du secteur public »
1*« organisme sans but lucratif »*	123(1)« organisme à but non lucratif »
1 *« particulier »*	--
1*« période de déclaration »*	123(1)« période de déclaration »
1*« personne »*	123(1)« personne »
1*« petit fournisseur »*	123(1)« petit fournisseur »

Table de concordance TVQ — TPS

TVQ	TPS
1« police d'assurance »	123(1)« police d'assurance »
1« produit soumis à l'accise »	123(1)« produit soumis à l'accise »
1« produit transporté en continu »	123(1)« produit transporté en continu »
1« promoteur »	123(1)« promoteur »
1« régime de placement »	149(5)
1« regroupement de sociétés mutuelles d'assurance »	123(1)« regroupement de sociétés mutuelles d'assurance »
1« rénovation majeure »	123(1)« rénovations majeures »
1« représentant personnel »	123(1)« représentant personnel »
1« ristourne »	123(1)« ristourne »
1« salarié »	123(1)« salarié »
1« service »	123(1)« service »
1« service commercial »	123(1)« service commercial »
1« service de gestion des actifs »	123(1)« service de gestion des actifs »
1« service de gestion ou d'administration »	123(1)« service de gestion ou d'administration »
1« service de télécommunication »	123(1)« service de télécommunication »
1« service financier »	123(1)« service financier »
1« surintendant »	123(1)« surintendant »
1« taxe »	123(1)« taxe »
1« télécommunication »	--
1« teneur en taxe »	123(1)« teneur en taxe »
1« terrain de caravaning »	123(1)« parc à roulottes »
1« terrain de caravaning résidentiel »	123(1)« parc à roulottes résidentiel »
1« titre de créance »	123(1)« titre de créance »
1« titre de participation »	123(1)« titre de participation »
1« transporteur »	123(1)« transporteur »
1« trimestre civil »	123(1)« trimestre civil »
1« université »	123(1)« université »
1« véhicule automobile »	--
1« véhicule de promenade »	--
1« véhicule routier »	--
1« vente »	123(1)« vente »
1« vente au détail »	--
1« voiture de tourisme »	123(1)« voiture de tourisme »
1.1	--
1.2	--
2	125
3	126(1), 126(2)
4	126(3)
5	127(1)
6	127(2)
7	127(3)a)
8	127(3)b)
9	127(4)
10	131
10.1	131(1)c), 131(2)
11	132(1)
11.1	132.1(1)
11.1.1	132(3)
11.2	132.1(2)
12	132(2)
12.1	132(5)
13	132(3)
14	132(3)
14.1	--
15	123(1)« juste valeur marchande »
16	165(1), 165(2), 165(3)
16.1	--
17	212, 213, 215
17.0.1	--
17.0.2	--
17.1	--
17.4	--
17.5	215.1(1)
17.6	215.1(1)
17.7	--
18	217, 218
18.0.1	218.1(1)
18.0.2	218.2
20.1	--
22.2« lieu de négociation »	Ann. IX:Partie I:1
22.2« période de location »	Ann. IX:Partie I:1
22.2« province »	123(1)« province participante », 123(1)« province non participante »
22.3	Ann. IX:Partie I:2
22.4	Ann. IX:Partie I:3
22.5	Ann. IX:Partie I:4
22.6	--
22.7	Ann. IX:Partie II:1
22.8	Ann. IX:Partie II:2
22.9	Ann. IX:Partie II:3
22.9.1	Ann. IX:Partie II:4
22.10	Ann. IX:Partie III:1
22.11	Ann. IX:Partie III:2, Ann. IX:Partie III:3
22.12	Ann. IX:Partie IV:1
22.13	Ann. IX:Partie IV:2, Ann. IX:Partie IV:3
22.14	Ann. IX:Partie V:1
22.15	Ann. IX:Partie V:2, Ann. IX:Partie V:3
22.15.1	--
22.16	Ann. IX:Partie VI:1
22.16« destination »	Ann. IX:Partie VI:1
22.16« escale »	Ann. IX:Partie VI:1
22.16« point d'origine »	Ann. IX:Partie VI:1
22.16« service de transport de marchandises »	Ann. IX:Partie VI:1
22.16« voyage continu »	Ann. IX:Partie VI:1
22.17	Ann. IX:Partie VI:2
22.18	Ann. IX:Partie VI:4
22.18.1	Ann. IX:Partie VI:4.1
22.19	Ann. IX:Partie VI:5
22.20	--
22.21	Ann. IX:Partie VII:1
22.21 « marque de permis »	Ann. IX:Partie VII:1
22.21 « timbre-poste »	Ann. IX:Partie VII:1
22.22	Ann. IX:Partie VII:2
22.23	Ann. IX:Partie VII:3
22.24	Ann. IX:Partie VII:4
22.25	Ann. IX:Partie VIII:1
22.26	Ann. IX:Partie VIII:2
22.27	Ann. IX:Partie VIII:3
22.28	Ann. IX:Partie IX:1
22.29	Ann. IX:Partie IX:2

Table de concordance TVQ — TPS

TVQ	TPS
22.30	Ann. IX:Partie IX:3
22.31	--
22.32	--
23	143(1)
24.1	143.1
24.2	--
24.3	--
25	132(4)
26	220
26.0.1	220(1)
26.0.2	220(2)
26.0.3	220(3)
26.0.4	220(4)
26.0.5	220(5)
26.1	--
27	133
28	134
29	135
30	136(1)
30.0.1	--
31	136(2)
32	136(3)
32.1	136(4)
32.2	136.1(1)
32.2.1	136.1(1.1)
32.3	136.1(2)
32.4	136.2
32.5	136.3
32.6	136.4(1)
32.7	136.4(2)
33	137
34	138
35	139
36	140
39	158
39.1	164.1(1)
39.2	164.1(2)
39.3	162(1)
39.4	162(4)
40	162(1)
41	162(2)
41.0.1	177(1.1)
41.0.2	177(1.11)
41.0.3	177(1.12)
41.1	177(1)
41.2	177(1.2)
41.2.1	177(1.3)
41.6	177(2)
42.0.1	141.01(1)
42.0.1.1	141.01(1.1)
42.0.1.2	141.01(1.2)
42.0.2	141.01(2)a)
42.0.3	141.01(2)b)
42.0.4	141.01(3)a)
42.0.5	141.01(3)b)
42.0.6	141.01(4)
42.0.7	141.01(5)
42.0.8	141.01(6)
42.0.9	141.01(7)
42.1	141.1(1)a)
42.2	141.1(1)b)
42.3	141.1(2)a)
42.4	141.1(2)b)
42.5	141.1(3)a)
42.6	141.1(3)b)
42.7	--
43	141(1)
44	141(2)
45	141(3)
46	141(4)
47	141(5)
48	141.2(1), 146
48.1	189.2
51	153(1)
52	154
53	153(2)
54	153(3)
54.1	153(4)
54.1.1	153(4.1)
54.1.2	153(4.2)
54.1.3	153(4.3)
54.1.4	153(4.4)
54.1.5	153(4.5)
54.1.6	153(4.6)
54.2	153(5)
54.3	153(6)
55	155
55.0.1	--
55.0.2	--
55.0.3	--
55.1	--
56	159
57	161
58.3	164.2
60	187
62	188(3), 188(4)
62.1	162.1
63	163(3)
63« fraction de référence »	163(3)« fraction de référence »
63« partie taxable »	163(3)« partie taxable »
63« pourcentage taxable »	163(3)« pourcentage taxable »
63« pourcentage taxable initial »	163(3)« pourcentage taxable initial »
63« premier fournisseur »	163(3)« premier fournisseur »
63« voyage organisé »	163(3)« voyage organisé »
64	163(1)a)
65	163(1)b)
66	163(2)
68	166
69	165.2(2)
69.1	165.1(1)
69.3.1	--
69.4.1	--
69.5	165.1(2)
69.6	165.2(1)
71	160
75	167(1)

TVQ	TPS
75.1	167(1.1)
75.2	167.1
75.3« banque étrangère autorisée »	167.11(1)« banque étrangère autorisée »
75.3« fourniture admissible »	167.11(1)« fourniture admissible »
75.3« succursale de banque étrangère »	167.11(1)« succursale de banque étrangère »
75.4	167.11(2)
75.5	167.11(3)
75.6	167.11(4)
75.7	167.11(5)
75.8	167.11(6)
75.9	167.11(7)
76	271
77	272
79.1	--
80	167(2)
80.1	--
80.1.1	--
80.1.2	--
80.3	167.2(2)
81	Ann. VII:1-10
82	168(1)
82.1	--
82.2	--
83	152(1), 152(2)
84	152(3)
85	168(2)
86	168(3)
87	168(4)
88	168(5)
89	168(6)
90	168(7)
91	168(8)
92	168(9)
94	Ann. V:Partie I:2
95	Ann. V:Partie I:3
96	Ann. V:Partie I:4
97	Ann. V:Partie I:5
97.1	Ann. V:Partie I:5.1
97.2	Ann. V:Partie I:5.2
97.3	Ann. V:Partie I:5.3
98	Ann. V:Partie I:6
99	Ann. V:Partie I:6.1
99.0.1	Ann. V:Partie I:6.11
99.1	Ann. V:Partie I:6.2
100	Ann. V:Partie I:7
101	Ann. V:Partie I:8
101.1	Ann. V:Partie I:8.1
101.1.1	Ann. V:Partie I:9(1)
102	Ann. V:Partie I:9(2)
103	Ann. V:Partie I:10
104	Ann. V:Partie I:11
105	Ann. V:Partie I:12
106	Ann. V:Partie I:13
106.1	Ann. V:Partie I:13.1
106.2	Ann. V:Partie I:13.2
106.3	Ann. V:Partie I:13.3

TVQ	TPS
106.4	Ann. V:Partie I:13.4
107	Ann. V:Partie I:14
108	Ann. V:Partie II:1
108« établissement de santé »	Ann. V:Partie II:1 « établissement de santé »
108« fourniture de services esthétiques »	Ann. V:Partie II:1 « fourniture de services esthétiques »
108« praticien »	Ann. V:Partie II:1 « praticien »
108« service de santé en établissement »	Ann. V:Partie II:1 « services de santé en établissement »
108« service ménager à domicile »	Ann. V:Partie II:1 « service ménager à domicile »
108.1	Ann. V:Partie II:1.1
109	Ann. V:Partie II:2
110	Ann. V:Partie II:3
111	Ann. V:Partie II:4
112	Ann. V:Partie II:5
113	Ann. V:Partie II:6
114	Ann. V:Partie II:7a)-j)
114.1	Ann. V:Partie II:7.1
114.2	Ann. V:Partie II:7.2
115	Ann. V:Partie II:8
116	Ann. V:Partie II:9
117	Ann. V:Partie II:10
118	Ann. V:Partie II:11
119.1	Ann. V:Partie II:13
119.2	Ann. V:Partie II:14
120	Ann. V:Partie III:1
120« école de formation professionnelle »	Ann. V:Partie III:1 « école de formation professionnelle »
120« élève du primaire ou du secondaire »	Ann. V:Partie III:1 « élève du primaire ou du secondaire »
120« organisme de réglementation »	Ann. V:Partie III:1 « organisme de réglementation »
121	Ann. V:Partie III:2
122	Ann. V:Partie III:3
123	Ann. V:Partie III:4
124	Ann. V:Partie III:5
125	Ann. V:Partie III:6
126	Ann. V:Partie III:7
126.1	Ann. V:Partie III:7.1
127	Ann. V:Partie III:8
128	Ann. V:Partie III:9
130	Ann. V:Partie III:11
131	Ann. V:Partie III:12
132	Ann. V:Partie III:13
133	Ann. V:Partie III:14
134	Ann. V:Partie III:15
135	Ann. V:Partie III:16
136	Ann. V:Partie IV:1
137	Ann. V:Partie IV:2
137.1	Ann. V:Partie IV:3
138	Ann. V:Partie V:1
138.1	Ann. V:Partie V.1:1
138.2	Ann. V:Partie V.1:2
138.3	Ann. V:Partie V.1:3
138.4	Ann. V:Partie V.1:4
138.5	Ann. V:Partie V.1:5
138.6	Ann. V:Partie V.1:5.1
138.6.1	Ann. V:Partie V.1:5.2

TVQ	TPS
138.7	Ann. V:Partie V.1:6
139	Ann. V:Partie VI:1
139« activité désignée »	Ann. V:Partie VI:1« activité désignée »
139« commission de transport »	Ann. V:Partie VI:1 « commission de transport »
139« municipalité locale »	Ann. V:Partie VI:1« municipalité locale »
139« municipalité régionale »	--
139« organisation paramunicipale »	Ann. V:Partie VI:1« organisation paramunicipale »
139« organisme de services publics »	Ann. V:Partie VI:1« organisme de services publics »
139« organisme désigné du gouvernement du Québec »	Ann. V:Partie VI:1« organisme désigné de régime provincial »
139« organisme du secteur public »	Ann. V:Partie VI:1« organisme du secteur public »
139« organisme municipal »	Ann. V:Partie VI:1« organisme municipal »
139« parti autorisé »	--
139« service municipal de transport »	Ann. V:Partie VI:1« service municipal de transport »
140.1	Ann. V:Partie VI:1« organisation paramunicipale »
141	Ann. V:Partie VI:2
143.1	Ann. V:Partie VI:3
143.2	Ann. V:Partie VI:3.1
144	Ann. V:Partie VI:4
145	Ann. V:Partie VI:5
146	Ann. V:Partie VI:5.1
147	Ann. V:Partie VI:5.2
148	Ann. V:Partie VI:6
151	Ann. V:Partie VI:9
152	Ann. V:Partie VI:10
153	Ann. V:Partie VI:11
154	Ann. V:Partie VI:12
155	Ann. V:Partie VI:13
156	Ann. V:Partie VI:14
157	Ann. V:Partie VI:15
159	Ann. V:Partie VI:17
159.1	--
160	Ann. V:Partie VI:18
160.1	Ann. V:Partie VI:18.1
160.2	Ann. V:Partie VI:18.2
161	Ann. V:Partie VI:19
162	Ann. V:Partie VI:20a)- i)
162.1	--
163	Ann. V:Partie VI:20j)- l)
164	Ann. V:Partie VI:21
164.1	Ann. V:Partie VI:21.1
165	Ann. V:Partie VI:22
166	Ann. V:Partie VI:23
167	Ann. V:Partie VI:24
168	Ann. V:Partie VI:25
169	Ann. V:Partie VI:26
169.1	Ann. V:Partie VI:27
169.2	Ann. V:Partie VI:28
170	Ann. V:Partie VIII:1
171	Ann. V:Partie VIII:2
172	189

TVQ	TPS
172.1	189.1
173« médecin »	Ann. VI:Partie I:1 « médecin »
173« particulier autorisé »	Ann. VI:Partie I:1 « particulier autorisé »
173« pharmacien »	Ann. VI:Partie I:1 « pharmacien »
173« prescription »	Ann. VI:Partie I:1 « ordonnance »
174	Ann. VI:Partie I:2-5
175	Ann. VI:Partie II:1
175.1	Ann. VI:Partie II:1.1
175.2	Ann. VI:Partie II:1.2
176	Ann. VI:Partie II:2-40
177	Ann. VI:Partie III:1
177.1	Ann. VI:Partie III:2
178	Ann. VI:Partie IV:1-10
179	Ann. VI:Partie V:1
180	Ann. VI:Partie V:2
180.1	Ann. VI:Partie V:2.1
180.3	Ann. VI:Partie V:2.2
181	Ann. VI:Partie V:3
182	Ann. VI:Partie V:4
183	Ann. VI:Partie V:5
184	Ann. VI:Partie V:6
184.1	Ann. VI:Partie V:6.1
184.2	Ann. VI:Partie V:6.2
185	Ann. VI:Partie V:7
186	Ann. VI:Partie V:8
187	Ann. VI:Partie V:9
188	Ann. VI:Partie V:10
188.1	Ann. VI:Partie V:10.1
189	Ann. VI:Partie V:11
189.1	Ann. VI:Partie V:16
190	Ann. VI:Partie V:12
191	Ann. VI:Partie V:13
191.1	Ann. VI:Partie V:14(1)
191.1« accessoire fixe »	Ann. VI:Partie V:14(1)« accessoire fixe »
191.1« calibre »	Ann. VI:Partie V:14(1)« calibre »
191.1« matrice »	Ann. VI:Partie V:14(1)« matrice »
191.1« moule »	Ann. VI:Partie V:14(1)« moule »
191.1« outil »	Ann. VI:Partie V:14(1)« outil »
191.2	Ann. VI:Partie V:14(2)
191.3	Ann. VI:Partie V:15
191.3.1	Ann. VI:Partie V:15.1
191.3.2	Ann. VI:Partie V:15.2
191.3.3	Ann. VI:Partie V:15.3
191.3.4	Ann. VI:Partie V:15.4
191.4	Ann. VI:Partie V:17
191.5	Ann. VI:Partie V:18
191.6	Ann. VI:Partie V:19
191.7	Ann. VI:Partie V:20
191.8	Ann. VI:Partie V:21
191.9	Ann. VI:Partie V:22
191.9.1	Ann. VI:Partie V:22.1
191.10	Ann. VI:Partie V:23
191.11	Ann. VI:Partie V:24
192	Ann. VI:Partie VI:1
193« destination »	Ann. VI:Partie VII:1(1)« destination »

TVQ	TPS
193« destination finale »	Ann. VI:Partie VII:1(1)« destination finale »
193« escale »	Ann. VI:Partie VII:1(1)« escale »
193« expéditeur »	Ann. VI:Partie VII:1(1)« expéditeur »
193« point d'origine »	Ann. VI:Partie VII:1(1)« point d'origine »
193« point hors du Canada »	Ann. VI:Partie VII:1(1)« point à l'étranger »
193« service continu de transport de marchandises »	Ann. VI:Partie VII:1(1)« service continu de transport de marchandises »
193« service continu de transport de marchandises vers l'extérieur »	Ann. VI:Partie VII:1(1)« service continu de transport de marchandises vers l'étranger »
193« service de transport de marchandises »	Ann. VI:Partie VII:1(1)« service de transport de marchandises »
193« voyage continu »	Ann. VI:Partie VII:1(1)« voyage continu »
194	Ann. VI:Partie VII:2-4
195	Ann. VI:Partie VII:2
196	Ann. VI:Partie VII:1(2)
197	Ann. VI:Partie VII:6-14
197.1	Ann. VI:Partie VII:15
197.2	--
198	167.2(1), Ann. VI:Partie VII:1, Ann. VI:Partie IX:1
198.0.1	--
198.1	--
198.2	--
198.3	--
198.4	--
198.5	--
199	169(1)
199.0.1	--
199.0.2	--
199.0.3	--
199.1	169(1.1)
201	169(4)
202	169(5)
202.1	--
203	170(1)
204	170(1)b), c)
206	170(2)
206.0.1	--
207	171(1)
208	171(2)
209	171(3)
210	171(4)
210.1	171(5)
210.2	171.1(1)
210.3	171.1(2)
210.4	171.1(3)
210.6	--
210.7	--
210.8	--
210.9	--
211	174
212	175(1)
212.1	175(2)
212.2	175.1
213	176(1), 176(4)

TVQ	TPS
220	190(1)
221	190(2)
222.1	190(3)
222.2	190(4)
222.3	190(5)
222.4	190.1(1)
222.5	190.1(2)
222.6	191(4.1)
223	191(1)
224	191(2)
224.1	--
224.2	--
224.3	--
224.4	--
224.5	--
225	191(3)
226	191(4)
226.1	--
227	191(5)
228	191(6)
228.1	191(6.1)
229	191(7)
230	--
231	191(9)
231.1	191(10)
231.2« montant de financement public »	191.1(1)« subvention »
231.2« subventionnaire »	191.1(1)« subventionneur »
231.3	191.1(2)
232	192
233	193(1)
234	193(2)
234.0.1	193(2.1)
234.1	193(3)
235	194
237	195
237.1	195.1(1)
237.2	195.1(2)
237.3	195.2(1)
237.4	195.2(3)
238	196(1)
238.0.1	196(2)
238.1	196.1
239	197
240	199(2)
241	199(4)
242	199(3)
243	200(2)
244	200(3)
244.1	200(4)
245	199(5)
246	199(1), 200(1)
247	201
248	202(1)
249	203(1)
250	202(2)
251	202(3)
252	202(4)

TVQ	TPS
253	203(2)
254	202(5)
255	203(3)
256	206(2)
257	206(3)
258	206(4)
259	206(5)
260	206(1)
261	207(1)
262	207(2)
263	208(1)
264	208(2)
265	208(3)
266	208(4)
267	209(1)
268	209(2)
272	211(1)
273	211(2)
274	211(3)
275	211(4)
276	211(5)
277	188(1)
278	188(2)
279	188(5)
280	--
281	--
285	172(1)
286	172(2)
287	172(3)
287.1	--
287.2	--
287.3	--
289.2	172.1(1)
289.2« employeur participant »	123(1)« employeur participant »
289.2« entité de gestion »	123(1)« entité de gestion »
289.2« régime de pension »	123(1)« régime de pension »
289.3	172.1(2)
289.4	172.1(4)
289.5	172.1(5)
289.6	172.1(6)
289.7	172.1(7)
289.8	172.1(8)
290	173(1)
292	173(1)
293	173(2)-(4)
294	148(1)
295	148(2)
296	--
296.1	148(3)
297	148(4)
297.0.1	148.1(1)
297.0.2	148.1(2)
297.0.3« commission de réseau »	178(1)« commission de réseau »
297.0.3« matériel de promotion »	178(1)« matériel de promotion »
297.0.3« produit déterminé »	178(1)« produit déterminé »
297.0.3« vendeur de réseau »	178(1)« vendeur de réseau »
297.0.4	178(2)
297.0.5	178(3)

TVQ	TPS
297.0.6	178(4)
297.0.7	178(5)
297.0.8	178(6)
297.0.9	178(7)
297.0.10	178(8)
297.0.11	178(9)
297.0.12	178(10)
297.0.13	178(11)
297.0.14	178(12)
297.0.15	178(13)
297.0.16	178(14)
297.0.17	178(15)
297.0.18	178(16)
297.0.19	178(17)
297.0.20	178(18)
297.0.21, al. 1	178(19)
297.0.21, al. 2	178(20)
297.0.22	178(21)
297.0.23	178(22)
297.0.24	--
297.0.25	--
297.1« acheteur »	178.1« acheteur »
297.1« démarcheur »	178.1« démarcheur »
297.1« distributeur »	178.1« distributeur »
297.1« entrepreneur indépendant »	178.1« entrepreneur indépendant »
297.1« matériel de promotion »	178.1« matériel de promotion »
297.1« prix de vente au détail suggéré »	178.1« prix de vente au détail suggéré »
297.1« produit exclusif »	178.1« produit exclusif »
297.1.1	178.2(1)
297.1.2	178.2(2)
297.1.3	178.2(3)
297.1.4	178.2(4)
297.1.5	178.2(5)
297.1.6	178.2(6)
297.1.7	178.2(7)
297.1.8	178.2(8)
297.1.9	178.2(9)
297.1.10	--
297.1.11	--
297.2	178.3(1)
297.5	178.3(2)
297.6	178.3(3)
297.7	178.3(4)
297.7.0.2	178.3(8)
297.7	178.3(4)
297.7.1	178.4(1)
297.7.2	178.4(2)
297.7.3	178.4(3)
297.7.4	178.4(4)
297.7.4.1	178.4(7)
297.7.4.2	178.4(8)
297.7.5	178.5(1)
297.7.6	178.5(2)
297.7.7	178.5(3)
297.7.8	178.5(4)
297.10	178.5(5)
297.10.1	178.5(6)

TVQ	TPS
297.11	178.5(7)
297.12	178.5(8)
297.13	178.5(9), 178.5(10)
297.14	178.5(11)
297.15	178.5(12)
298	184(1)
299	184(2)
300	184(3)
300.1	184(4)
300.2	184(5)
301	184(6)
301.1	184(6)
301.2	187(7)
301.3	187(7)
301.4	184.1(2)
302	265(1) préambule, 265(2)
302.1	265(1)a)
303	265(1)b)
304	265(1)c)
304.1	265(1)e)
304.2	265(1)f)
305	265(1)g)
306	265(1)g)(i)
307	265(1)g)(ii)
309	265(1)k)
310	266(1)
310« actif pertinent »	266(1)« actif pertinent »
310« entreprise »	266(1)« entreprise »
310« séquestre »	266(1)« séquestre », 266(2) préambule
311	266(2)a)
312	266(2)b)
312.1	266(2)c)
313	266(2)d)
314	266(2)e)
314.1	266(2)e)(i)
315	266(2)e)(ii)
316	266(2)f)
317.1	266(2)g)
317.2	266(2)h)
317.3	--
318	182(1)
318.0.1	182(2)
318.0.2	182(2.1)
318.1	182(3)
320	183(1)
321	183(2)
323	183(3)
323.1	183(4)
323.2	183(5)
323.3	183(6)
324	183(7)
324.1	183(7)
324.2	183(8)
324.3	183(8)
324.4	183(9)
324.5	183(10)
324.5.1	183(10.1)
324.6	183(11)
324.7	267
324.8« fiducie »	267.1(1)« fiducie »
324.8« fiduciaire »	267.1(1)« fiduciaire »
324.9	267.1(2)
324.10	267.1(3)
324.11	267.1(4)
324.12	267.1(5)
325	268
326	269
327	123(1)« non résidant »
327.1	179(1)
327.2	179(2)
327.3	179(3)
327.4	179(4)
327.5	179(5)
327.6	179(6)
327.7	180
327.8	180.1(1)
327.8« vol extérieur »	180.1(1)« vol international »
327.8« voyage extérieur »	180.1(1)« voyage international »
327.9	180.1(2)
327.10	156(1)« attribution »
328	123(1)« filiale déterminée » al. a)
329	123(1)« filiale déterminée » al. b), c), d)
329.1	156(1)
330	123(1)« groupe étroitement lié »
330.1	156(1)« membre admissible »
331	156(1)« membre déterminé »
331	156(1)« membre admissible »
331.0.1	156(1)« membre temporaire »
331.1	156(1)
331.2	156(1.1)
331.3	156(1.2)
331.4	156(1.3)
332	128(1)
333	128(2)
333.1	128(3)
334	156(2), 156(2.1)
335	156(3)
337	150(6)
337.1	150(7)
337.2	129(1)
338	129(2)
339	129(3)
340	129(4)
341	129(5)
341.0.1	--
341.1	129(6)
341.2	129(7)
341.3	129(7)
341.4	129.1(1)
341.5	129.1(2)
341.6	--
341.7	129.1(4)
341.8	129.1(5)
341.9	129.1(6)
342	130(1)

Table de concordance TVQ — TPS

TVQ	TPS
343	130(2)
344	130(3)
345	130(4)
345.1	272.1(1)
345.2	272.1(2)
345.3	272.1(3)
345.4	272.1(4)
345.5	272.1(5)
345.6	272.1(6)
345.7	272.1(7)
346	273(1)
346.1	273(1.1)
346.2	273(3)
346.3	273(4)
346.4	273(5)
347	273(6), 273(7)
348	273(2)
349	149(2)
350	149(3)
350.1« bon »	181(1)« bon »
350.1« fraction de taxe »	181(1)« fraction de taxe »
350.2	181(2)
350.3	181(3)
350.4	181(4)
350.5	181(5)
350.6	181.1
350.7	181.2
350.7.1	181.3(1)
350.7.2	181.3(2)
350.7.3	181.3(3)
350.7.4	181.3(4)
350.7.5	181.3(5)
350.7.6	181.3(6)
350.8« appareil de jeu »	188.1(1)« appareil de jeu »
350.8« distributeur »	188.1(1)« distributeur »
350.8« droit »	188.1(1)« droit »
350.8« émetteur »	188.1(1)« émetteur »
350.8« fourniture reliée aux appareils de jeu »	188.1(1)« fourniture reliée aux appareils de jeu »
350.9	188.1(2)
350.10	188.1(3)
350.11	188.1(4)
350.12	188.1(5)
350.13« dernier acquéreur »	178.6(1)« dernier acquéreur »
350.13« fournisseur initial »	178.6(1)« fournisseur initial »
350.13« fourniture intermédiaire »	178.6(1)« fourniture intermédiaire »
350.14	178.6(2)
350.15	178.6(3)
350.16	178.6(4)
350.17	178.6(5)
350.17.1	178.7(1)
350.17.2	178.7(2)
350.17.3	178.7(3)
350.17.4	178.7(4)
350.23.1	273.1(1)
350.23.2	273.1(2)
350.23.3	273.1(3)
350.23.4	273.1(4)

TVQ	TPS
350.23.5	273.1(5)
350.23.6	273.1(6)
350.23.7	273.1(7)
350.23.8	273.1(8)
350.23.9	273.1(9)
350.23.10	273.1(10)
350.23.11	273.1(11)
350.23.12	273.1(12)
350.23.13	273.1(13)
350.42.3« contenant consigné »	226(1)« contenant consigné »
350.42.3« distributeur »	226(1)« distributeur »
350.42.3« droit sur contenant consigné »	226(1)« droit sur contenant consigné »
350.42.3« montant obligatoire applicable »	226(1)« montant obligatoire applicable »
350.42.3« récupérateur »	226(1)« récupérateur »
350.42.3« recyclage »	226(1)« recyclage »
350.42.3« recycleur »	226(1)« recycleur »
350.42.3« remboursement »	226(1)« montant remboursé »
350.42.3« remboursement obligatoire aux consommateurs »	226(1)« remboursement obligatoire aux consommateurs »
350.42.3« vendeur au détail déterminé »	226(1)« vendeur au détail déterminé »
350.42.4	226(2)
350.42.5	226(3)
350.42.6	226(4), 226(5)
350.42.7	226(16)
350.42.8	226(18)
350.44	--
350.45	--
350.46	--
350.48	--
350.49	--
350.50« établissement de restauration »	--
350.50« repas »	--
350.51	--
350.52	--
350.53	--
350.54	--
350.55	--
350.56	--
350.57	--
350.58	--
350.59	--
350.60	--
351	252(1)
352	--
352.1	--
352.2	--
353	--
353.0.1	261.1(1)
353.0.2	261.4
353.0.3	261.3
353.0.4	261.4
353.1	252(2)
353.2	252(3)
357	252.2
357.1	252.3

TVQ	TPS
357.2	252.4(1)
357.3	252.4(2)
357.4	252.4(3)
357.5	252.4(4)
357.5.0.1	252.4(5)
357.5.1	252.41(1)
357.5.2	252.41(2)
357.5.3	252.41(3)
357.6	252.5
358	253(1)
359	253(2)
360	253(3)
360.1	253(4)
360.5	254(1), 254.1(1), 256(1)« immeuble d'habitation à logement unique »
360.6	254.1(1) « bail de longue durée »
362	262(3)
362.2	254(2)
362.3	254(2)
362.4	254(3)
366	254(4)
367	254(5)
368	--
368.1	--
370	254(6)
370.0.1	254.1(2)
370.0.3	254.1(3)
370.1	254.1(4)
370.2	254.1(5)
370.3	--
370.3.1	--
370.4	254.1(6)
370.5	255(2)
370.6	255(2)
370.7	255(3)
370.8	--
370.9	256(2)
370.9.1	256(2.01)
370.10	256(2)
370.11	256(2.1), 256(2.2)
370.12	256(3)
370.13	--
378.1	256.1(1)
378.2	256.1(1)
378.3	256.1(2)
378.4	256.2(1)
378.5	256.2(2)
378.6	256.2(3)
378.7	256.2(3)
378.8	256.2(4)
378.9	256.2(4)
378.10	256.2(5)
378.11	256.2(5)
378.12	256.2(6)
378.13	256.2(6)
378.14	--
378.15	--
378.15.1	256.2(6.1)

TVQ	TPS
378.16	256.2(7)
378.17	256.2(8)
378.18	--
378.19	256.2(10)
379	257(1)
379.0.1	257(1.1)
380	257(2)
380.1	257(3)
381	258(2)
382	258(3)
382.1	258.1(1)
382.2	258.1(2)
382.3	258.1(3)
382.4	258.1(4)
382.5	258.1(5)
382.6	258.1(6)
382.7	258.1(7)
382.8« louage à long terme »	--
382.8« véhicule hybride »	--
382.9	--
382.10	--
382.11	--
383« activités déterminées »	259(1)« activités déterminées »
383« exploitant d'établissement »	259(1)« exploitant d'établissement »
383« financement admissible »	259(1)« subvention admissible »
383« financement médical »	259(1)« subvention médicale »
383« fournisseur externe »	259(1)« fournisseur externe »
383« fourniture auxiliaire »	259(1)« fourniture connexe »
383« fourniture d'un bien ou d'un service médical à domicile »	259(1)« fourniture de biens ou services médicaux à domicile »
383« fourniture déterminée »	259(1)« fourniture déterminée »
383« fourniture en établissement »	259(1)« fourniture en établissement »
383« médecin »	259(1)« médecin »
383« municipalité »	259(1)« municipalité »
383« organisme de bienfaisance »	259(1)« organisme de bienfaisance »
383« organisme déterminé de services publics »	259(1)« organisme déterminé de services publics »
383« organisme sans but lucratif »	259(1)« organisme à but non lucratif »
383« période de demande »	259(1)« période de demande »
383« pourcentage de financement public »	259(1)« pourcentage de financement public »
383« sage-femme »	259(1)« sage-femme »
383« taxe exigée non admissible au remboursement de la taxe sur les intrants »	259(1)« taxe exigée non admise au crédit »
385	259(2)
385.1	259(2.1)
386	5 *Règlement sur les remboursements aux organismes de services publics*
386.2	259(4), 259(4.1)
386.3	259(4.01)
387	259(5)
387.1	259(5.1)
388	259(6)
388.1	--
388.2	--
388.3	--
388.4	--
389	259(12)

Table de concordance TVQ — TPS

TVQ	TPS
394	259(7)
395	259(8)
396	259(10)
397	259(11)
397.1	259(14)
397.2	259(15)
397.3	259.2(1)
397.4	259.2(2)
397.5	259.2(3)
397.6	259.2(4)
398	260(1)
399	260(2)
400	261(1), 261(2)
401	261(3)
402	261(4)
402.0.1	261(5)
402.0.2	261(6)
402.3	--
402.4	--
402.5	--
402.6	--
402.7	--
402.8	--
402.9	--
402.10	--
402.11	--
402.12	--
402.13	261.01(1)
402.14	261.01(2)
402.16	261.01(3)
402.17	261.01(4)
402.18	261.01(5)
402.19	261.01(6)
402.20	261.01(7)
402.21	261.01(8)
402.22	261.01(12)
403	262
404	263
404.1	--
404.2	--
405	123(1)« exercice »
407	240(1)
407.1	240(1.1)
407.2	--
407.3	--
407.4	--
407.5	--
408	--
409	240(4)
409.1	--
410	240(2)
410.1	240(2.1)
411	240(3)
411.0.1	--
411.1	240(3.1)
412	240(5)
415	241(1)
415.0.1	--
415.1	241(2)
416	242(1)
416.1	--
417	242(2)
417.1	242(2.1)
417.2	242(2.2)
417.2.1	242(2.3)
417.3	--
418	242(3)
418.1	--
422	221(1)
423	221(2)
424	221(3), 221(4)
424.1	222.1
425	223(1)
425.0.1	223(1.3)
425.1	--
425.1.1	--
425.2	--
426	223(2)
427	224
427.2	123(1), 221.1(1)
427.2« exercice »	123(1)« exercice »
427.2« stocks »	221.1(1)« stocks »
427.3	221.1(2)
427.4	221.1(3)
427.5	221.1(4)
427.6	221.1(5)
427.7	221.1(6)
427.8	221.1(7)
427.9	221.1(8)
428	225(1)
429	225(2)
430	225(3)
430.1	225(3)a)
430.2	225(3)b)
430.3	225(3.1)
431	225(4)
431.1	225(4.1)
432	225(5)
433.1	225.1(1)
433.2	225.1(2)
433.3	225.1(3)
433.4	225.1(4)a)
433.5	225.1(4)b)
433.6	225.1(4.1)
433.7	225.1(5)
433.8	225.1(6)
433.9	225.1(7)
433.10	225.1(8)
433.11	225.1(9)
433.12	225.1(10)
433.13	--
433.14	--
433.15	225.1(11)
434	227(1), 227(2)
435	227(3), 227(4), 227(4.1)
435.1	227(4)

TVQ	TPS
435.2	227(4.1)
435.3	227(4.2)
436	227(5)
436.1	227(6)
437	228(1)-(3)
438	228(4)
438.1	--
441	228(6)
442	228(7)
443	229(1)
443.1	--
444	231(1)
444.1	231(1.1)
446	231(3)
446.1	231(4)
447	232(1)
447.1	--
448	232(2)
449	232(3)
450	232(4)
450.0.1	232.01(1)
450.0.2	232.01(3)
450.0.3	232.01(4)
450.0.4	232.01(5)
450.0.5	232.02(2)
450.0.6	232.02(3)
450.0.7	232.02(4)
450.0.8	232.02(5)
450.0.9	232.02(6)
450.0.10	232.02(7)
450.0.11	232.02(9)
450.0.12	232.02(10)
450.1	232.1
451	233(1)
452	--
453	233(2)
454	233(3)
454.1	233(4)
454.2	233(5)
454.3	233(6)
455	234(1)
455.1	234(2)
455.2	234(2.1)
456	235(1)
457	235(2)
457.0.1	236.5(1)
457.0.2	236.5(2)
457.0.3	236.5(3)
457.0.4	236.5(4)
457.0.5	236.5(5)
457.1	236(1), 236(2)
457.1.1	236(1.1)
457.1.2	236(1.2)
457.1.3« année d'imposition »	--
457.1.3« bien »	--
457.1.3« entreprise »	--
457.1.3« exercice »	--
457.1.3« montant payé dans un endroit éloigné »	--
457.1.3« période de déclaration indiquée »	--
457.1.3« revenu brut »	--
457.1.4	236(1)
457.1.5	236(1)
457.1.6	236(1)
457.2	--
457.3	236.1
457.4	236.2(1)
457.5	236.2(2)
457.6	236.3(1)
457.7	236.3(2)
457.8	236.4(1)
457.9	236.4(2)
457.10	236.4(3)
457.11	236.4(4)
457.12	236.4(5)
457.13	236.4(6)
458.0.1	237(1)
458.0.2	237(2)
458.0.3	237(3)
458.0.4	280(2)
458.0.5	280(3)
458.1	123(1)« exercice », 243(1), 243(2)
458.1.1	243(1)
458.1.2	243(2)
458.2	243(3)
458.2.1	243(4)
458.4	244(1), 244(2), 244(4)
458.5	244(3), 244(4)
458.6	--
458.7	236.3(2)
459	245(1)
459.0.1	245(2)
459.2	246(1)
459.2.1	246(2)
459.3	246(1), 246(3)
459.4	247(1)
459.5	247(2)
460	248(1)
461	248(2)
461.1	248(3)
462	249(1)
462.1	249(2)
462.1.1	--
462.3	250
466	251(1)
467	251(2)
468	238(1)
469	238(3)
470	238(2)
471	238(4)
472	219
473	--
473.1	--
473.1.1	--

Table de concordance TVQ — TPS

TVQ	TPS
473.2	123(1)
473.2« exercice »	123(1)« exercice »
473.2« montant cumulatif »	238.1(1)« montant cumulatif »
473.2« période désignée »	238.1(1)« période désignée »
473.3	238.1(2)
473.4	238.1(3)
473.5	238.1(4)
473.6	238.1(5)
473.7	238.1(6)
473.8	238.1(7)
473.9	238.1(8)
474	239(1)
475	239(2)
476	239(3)
477	239(4)
477.1	--
478	274(1)
478« attributs fiscaux »	274(1)« attribut fiscal »
478« avantage fiscal »	274(1)« avantage fiscal »
478« opération »	274(1)« opération »
479	274(2)
480	274(3)
481	274(4)
482	274(5)
483	274(6)
484	274(7)
485	274(8)
485.1	--
485.2	--
485.3	--
486	--
486« bière »	--
486« consommation sur place »	--
486« période de déclaration »	--
486« personne »	--
486« vendeur »	--
486« vente au détail »	--
487	--
488	--
489	--
489.1	--
490	--
491	--
492	--
493	--
494	--
494.1	--
495	--
496	--
497	--
498	--
499	--
499.1	--
499.2	--
499.3	--
499.4	--
499.5	--
499.6	--

TVQ	TPS
499.7	--
500	--
501	--
502	--
503	--
504	--
505	--
505.1	--
505.2	--
505.3	--
506	--
506.1	--
507	--
508	--
509	--
510	--
511	--
512	--
513	--
514	--
515	--
516	--
517.1	--
518	--
519	--
520	--
521	--
522	--
522.1	--
523	--
524	--
525	--
526	--
526.1	--
526.2	--
527	--
527.1	--
527.2	--
527.3	--
528	--
528.1	--
529	--
530	--
531	--
532	--
533	--
534	--
535	--
536	--
537	--
538	--
539	--
540	--
540.1	--
541	--
541.23	--
541.23« acquéreur »	--
541.23« client »	--

Table de concordance TVQ — TPS

TVQ	TPS
541.23« établissement d'héberge-ment »	--
541.23« exploitant d'un établissement d'hébergement »	--
541.23« fourniture »	--
541.23« intermédiaire »	--
541.23« nuitée »	--
541.23« personne »	--
541.23« trimestre civil »	--
541.23« unité d'hébergement »	--
541.24	--
541.24.1	--
541.25	--
541.26	--
541.27	--
541.28	--
541.29	--
541.30	--
541.31	--
541.32	--
541.33	--
541.45	--
541.46	--
541.47	--
541.47.1	--
541.47.2	--
541.47.3	--
541.47.4	--
541.47.5	--
541.47.6	--
541.47.7	--
541.47.8	--
541.47.9	--
541.47.10	--
541.47.11	--
541.47.12	--
541.47.13	--
541.47.14	--
541.47.15	--
541.47.16	--
541.47.17	--
541.47.18	--
541.47.19	--
541.48« activité commerciale »	--
541.48« agent-percepteur »	--
541.48« location à long terme »	--
541.48« location au détail »	--
541.48« période de déclaration »	--
541.48« personne »	--
541.48« pneu »	--
541.48« pneu neuf »	--
541.48« véhicule routier »	--
541.48« véhicule routier muni de pneus neufs »	--
541.48« vendeur au détail »	--
541.48« vente »	--
541.48« vente au détail »	--
541.49	--

TVQ	TPS
541.50	--
541.51	--
541.52	--
541.53	--
541.54	--
541.55	--
541.56	--
541.57	--
541.58	--
541.59	--
541.60	--
541.61	--
541.62	--
541.63	--
541.64	--
541.65	--
541.66	--
541.67	--
541.68	--
541.69	--
618	--
619	336(1)
620	336(2)
621	336(3)
622	336(4)
622.1« notice d'offre »	336(6)« notice d'offre »
622.1« prix de souscription »	336(6)« prix de souscription »
622.2	336(5)
623	339
624	337(1), 337(1.1)
625	--
626	--
627	340(1)
628	340(2)
629	340(4)
630	340(5)
631	340(6), 340(7)
632	337(4)
633	--
634	--
635	--
635.1	--
635.2	--
635.3	--
635.4	--
635.5	--
635.6	--
635.7	--
635.8	--
635.9	--
635.12	--
635.13	--
636	--
637	341(1)
638	341(2)
639	341(3)
640	337(6)
641	341(4)

Table de concordance TVQ — TPS

TVQ	TPS
642	345
643	341(6)
643.1	341.1(1)
643.2	341.1(2)
643.3	341.1(3)
644	--
645	--
646	337(2), 337(3)
647	337(2)
648	337(3)
649	--
650	--
651	338(1)
652	338(2)
653	338(3)
654	338(4)
655	337(11)
656	344(1), 344(2)
657« bien désigné »	--
657« inventaire »	120(1)« inventaire »
658	120(3) (préambule, al. a))
659	120(3)b)
660	120(4)
661	125(5), 125(8)
662	120(7)
663	121(1)
663« immeuble d'habitation à logement unique déterminé »	121(1)« immeuble d'habitation à logement unique déterminé »
663« immeuble d'habitation déterminé »	121(1)« immeuble d'habitation déterminé »
663« taxe estimative »	121(1)« taxe de vente fédérale estimative »
664	121(2)a)-d)
665	121(2)
666	121(2)e), f)
667	121(3)
668	121(3)
669	121(4)
669.1	121(4.1)
670	121(5)
670.1	256.3(1)
670.2	256.3(1) *in fine*
670.3	256.3(2)
670.4	256.3(2) *in fine*
670.5	256.3(3)
670.6	--
670.7	256.3(4)
670.8	256.3(4) *in fine*
670.9	256.3(5)
670.10	256.3(5) *in fine*
670.11	256.3(6)
670.12	256.3(7)
670.13	256.4(1)
670.14	256.4(1) *in fine*
670.15	256.4(2)
670.16	256.4(2)
670.17	256.4(2)
670.18	--

TVQ	TPS
670.19	256.4(2)
670.20	--
670.21	256.4(3)
670.22	256.4(4)
670.23	256.5(1)
670.24	256.5(1) *in fine*
670.25	256.5(2)
670.26	256.5(3)
670.27	256.6(1)
670.28	256.6(1)
670.29	256.6(2)
670.30	256.7(1) al. 1
670.31	256.7(1) al. 2
670.32	256.7(2) al. 1
670.33	256.7(2) al. 2
670.34	256.7(3) al. 1
670.35	256.7(3) al. 2
670.36	256.7(4)
670.37	256.7(4)
670.38	256.7(5) al. 1
670.39	256.7(5) al. 2
670.40	256.7(6)
670.41	256.7(7)
670.42	256.71(1) al. 1
670.43	256.71(1) al. 2
670.44	256.71(1) al. 1
670.45	256.71(1) al. 2
670.46	256.71(2) al. 1
670.47	256.71(2) al. 2
670.48	256.71(2) al. 1
670.49	256.71(2) al. 2
670.50	256.71(3)
670.51	256.71(4)
670.52	256.72(1) al. 1
670.53	256.72(1) al. 2
670.54	256.72(2)
670.55	256.72(3)
670.56	256.73(1) al. 1
670.57	256.73(1) al. 2
670.58	256.73(2)
670.59	256.74(1) al. 1
670.60	256.74(1) al. 2
670.61	256.74(2) al. 1
670.62	256.74(2) al. 2
670.63	256.74(3) al. 1
670.64	256.74(3) al. 2
670.65	256.74(4) al. 1
670.66	256.74(4) al. 2
670.67	256.74(5) al. 1
670.68	256.74(5) al. 2
670.69	256.74(6)
670.70	256.74(7)
670.71	256.75(1) al. 1
670.72	256.75(1) al. 2
670.73	256.75(1) al. 1
670.74	256.75(1) al. 2
670.75	256.75(2) al. 1
670.76	256.75(2) al. 2

Table de concordance TVQ — TPS

TVQ	TPS
670.77	256.75(2) al. 1
670.78	256.75(2) al. 2
670.79	256.75(3)
670.80	256.75(4)
670.81	256.76(1) al. 1
670.82	256.76(1) al. 2
670.83	256.76(2)
670.84	256.76(3)
670.85	256.77(1) al. 1
670.86	256.77(1) al. 2
670.87	256.77(2)
671	--
672	--
673	--
674	--
674.1	--
674.2	--
674.3	--
674.4	--

TVQ	TPS
674.4.1	--
674.4.2	--
674.5	--
674.6	121.1
675	--
676	--
677	277
678	122
681	--
682	--
683	--
684	--
685	L.C. 1990, c. 45, par. 12(2)
686	L.C. 1990, c. 45, par. 12(3)
687	--
688	--

TABLE DE CONCORDANCE ENTRE LA LOI SUR LA TAXE D'ACCISE ET LA LOI SUR LA TAXE DE VENTE DU QUÉBEC

Cette table donne, pour chacune des dispositions de la *Loi sur la taxe d'accise* (TPS-TVH), la disposition équivalente de la *Loi sur la taxe de vente du Québec* (TVQ) ou de la *Loi sur l'Administration fiscale* (L.A.F.), lorsque c'est précisé.

TPS	TVQ
117(1)	—
117(2)	—
117(3)	—
118(1)	—
118(2)	--
118(3)	--
118(4)	--
118(5)	--
118(6)	--
118(6.1)	--
118(7)	--
119(1)	--
119(2)	--
120(1) « activité commercial »	--
120(1) « immobilisation »	--
120(1) « inventaire »	657 « inventaire »
120(1) « marchandises libérées de taxe »	--
120(1) « taxe de vente »	--
120(2)	--
120(2.1)	--
120(3)	658 et 659
120(3.1)	--
120(3.2)	--
120(4)	660
120(5)	661 (en partie)
120(6)	--
120(7)	662
120(8)	661
121(1) « immeuble d'habitation à logement unique déterminé »	663 « immeuble d'habitation à logement unique déterminé »
121(1) « immeuble d'habitation déterminé »	663 « immeuble d'habitation déterminé »
121(1) « taxe de vente fédérale estimative »	663 « taxe estimative »
121(2)	664 à 666
121(2.1)	--
121(3)	667 et 668
121(4)	669
121(4.1)	669.1
121(5)	670
121(6)	--
121.1	674.6
122	678
123(1) « acquéreur »	1 « acquéreur »
123(1) « activité commerciale »	1 « activité commerciale »
123(1) « activité extracôtière »	--
123(1) « administration hospitalière »	1 « administration hospitalière »
123(1) « administration scolaire »	1 « administration scolaire »
123(1) « Agence »	--
123(1) « améliorations »	1 « amélioration »
123(1) année d'imposition »	1 « année d'imposition »
123(1) « argent »	1 « argent »
123(1) « assureur »	1 « assureur »
123(1) « banque »	1 « banque »
123(1) « bien »	1 « bien » (en partie)
123(1) « bien meuble »	--
123(1) « bien meuble corporel désigné »	1 « bien meuble corporel désigné »
123(1) « bien meuble corporel d'occasion »	1 « bien meuble corporel d'occasion »
123(1) « bien municipal désigné »	--
123(1) « cadre »	1 « cadre »
123(1) « caisse de crédit »	1 « caisse de crédit »
123(1) « centre de congrès »	1 « centre de congrès »
123(1) « charge »	1 « charge »
123(1) « collège public »	1 « collège public »
123(1) « commissaire »	--
123(1) « congrès »	1 « congrès »
123(1) « congrès étranger »	1 « congrès étranger »
123(1) « conjoint de fait »	1 « conjoint »
123(1) « consommateur »	1 « consommateur »
123(1) « constructeur »	1 « constructeur »
123(1) « contrepartie »	1 « contrepartie »
123(1) « coopérative	1 « coopérative »
123(1) « coopérative d'habitation »	1 « coopérative d'habitation »
123(1) « cotisation »	L.A.F., art. 25
123(1) « coût direct »	1 « coût direct »
123(1) « créancier garanti »	1 « créancier garanti »
123(1) « dédouanement »	--
123(1) « document »	1 « document »
123(1) « droit d'adhésion »	1 « droit d'adhésion »
123(1) « droit d'entrée »	1 « droit d'entrée »
123(1) « droit en garantie »	1 « droit en garantie »
123(1) « effet financier »	1 « effet financier »
123(1) « employeur »	1 « employeur »
123(1) « employeur participant »	289.2 « employeur participant »
123(1) « entité de gestion »	289.2 « entité de gestion »
123(1) « entreprise »	1 « entreprise »
123(1) « entreprise de taxis	1 « entreprise de taxis »
123(1) « établissement domestique autonome »	1 « établissement domestique autonome »
123(1) « établissement stable »	1 « établissement stable »
123(1) « exclusif »	1 « exclusif »
123(1) « exercice »	405 et 458.1
123(1) « exportation »	--
123(1) « facture »	1 « facture »

TPS	TVQ
123(1) « fédération de sociétés mutuelles d'assurance »	1 « fédération de sociétés mutuelles d'assurance »
123(1) « fiducie personnelle »	1 « fiducie personnelle », « fiducie non testamentaire »
123(1) « fiducie testamentaire »	1 « fiducie testamentaire »
123(1) « filiale déterminée	328 et 329
123(1) « fonds réservé »	1 « fonds réservé »
123(1) « fourniture »	1 « fourniture »
123(1) « fourniture détaxée »	1 « fourniture détaxée »
123(1) « fourniture exonérée »	1 « fourniture exonérée »
123(1) « fourniture taxable »	1 « fourniture taxable »
123(1) « fournitures liées à un congrès »	1 « fourniture liées à un congrès »
123(1) « gouvernement »	1 « gouvernement »
123(1) « groupe étroitement lié »	330
123(1) « habitation »	1 « habitation »
123(1) « immeuble »	1 « immeuble »
123(1) « immeuble d'habitation »	1 « immeuble d'habitation »
123(1) « immeuble d'habitation à logements multiples »	1 « immeuble d'habitation à logements multiples »
123(1) « immeuble d'habitation à logement unique »	1 « immeuble d'habitation à logement unique »
123(1) « immeuble d'habitation en copropriété »	1 « immeuble d'habitation en copropriété »
123(1) « immobilisation »	1 « immobilisation »
123(1) « importation »	--
123(1) « inscrit »	1 « inscrit »
123(1) « installation de télécommunication »	1 « installation de télécommunication »
123(1) « installation de traitement complémentaire »	1 « installation de traitement secondaire »
123(1) « institution financière »	1 « institution financière »
123(1) « institution financière désignée »	1 « institution financière désignée » (préambule)
123(1) « institution financière désignée particulière »	--
123(1) « institution publique	1 « institution publique »
123(1) « jeu de hasard »	1 « jeu de hasard »
123(1) « juste valeur marchande »	15
123(1) « lieu de divertissement »	1 « lieu de divertissement »
123(1) « logement en copropriété »	1 « logement en copropriété »
123(1) « logement provisoire »	1 « logement provisoire »
123(1) « maison flottante »	1 « maison flottante »
123(1) « maison mobile »	1 « maison mobile »
123(1) « mandataire désigné »	677(57°)
123(1) « messager »	--
123(1) « métal précieux »	1 « métal précieux »
123(1) « minéral »	1 « minéral »
123(1) « ministre »	L.A.F., art. 1e)
123(1) « mois »	1 « mois »
123(1) « mois d'exercice »	--
123(1) « montant »	1 « montant »
123(1) « municipalité »	1 « municipalité »
123(1) « non résident »	327
123(1) « note de crédit »	1 « note de crédit »
123(1) « note de débit »	1 « note de débit »
123(1) « organisateur »	1 « organisateur »
123(1) « organisme à but non lucratif »	1 « organisme sans but lucratif »
123(1) « organisme de bienfaisance »	1 « organisme de bienfaisance »
123(1) « organisme de services publics »	1 « organisme de services publics »
123(1) « organisme du secteur public »	1 « organisme du secteur public »
123(1) « parc à roulottes »	1 « terrain de caravaning »
123(1) « parc à roulottes résidentiel »	1 « terrain de caravaning résidentiel »
123(1) « période de déclaration »	1 « période de déclaration »
123(1) « personne »	1 « personne »
123(1) « petit fournisseur »	1 « petit fournisseur »
123(1) « police d'assurance »	1 « police d'assurance »
123(1) « produits »	--
123(1) « produit soumis à l'accise »	--
123(1) « produit transporté en continu »	1 « produit transporté en continu »
123(1) « promoteur »	1 « promoteur »
123(1) « province »	--
123(1) « province non participante »	22.2 « province »
123(1) « province participante	22.2 « province »
123(1) « registre »	L.A.F., art. 1.0.1
123(1) « règlement »	L.A.F., art. 1c)
123(1) « regroupement de sociétés mutuelles d'assurance »	1 « regroupement de sociétés mutuelles d'assurance »
123(1) « rénovations majeures »	1 « rénovation majeure »
123(1) « représentant personnel »	1 « représentant personnel »
123(1) « ristourne »	1 « ristourne »
123(1) « salarié »	1 « salarié »
123(1) « service »	1 « service »
123(1) « service commercial »	1 « service commercial »
123(1) « service de télécommunication »	1 « service de télécommunication »
123(1) « service financier »	1 « service financier »
123(1) « taux de taxe »	--
123(1) « taxe »	1 « taxe »
123(1) « teneur en taxe »	1 « teneur en taxe »
123(1) « titre de créance »	1 « titre de créance »
123(1) « titre de participation »	1 « titre de participation »
123(1) « transporteur »	1 « transporteur »
123(1) « trimestre civil »	1 « trimestre civil »
123(1) « trimestre d'exercice »	--
123(1) « université »	1 « université »
123(1) « véhicule à moteur déterminé »	--
123(1) « vente »	1 « vente »
123(1) « voiture de tourisme »	1 « voiture de tourisme »
123(1) « zone extracôtière de la Nouvelle-Écosse »	--
123(1) « zone extracôtière de Terre-Neuve »	--
123(2)	--
123(3)	--
123(4)	--
124(1)	L.A.F., art. 28.1
124(2)	--
124(3)	--
124(4)	--
125	2
126(1)	3 al. 1
126(2)	3 al. 2
126(3)	4
127(1)	5

Table de concordance TPS - TVQ

TPS	TVQ
127(2)	6
127(3)	7 et 8
127(4)	9
128(1)	332
128(2)	333
128(3)	333.1
129(1)	337.2
129(2)	338
129(3)	339
129(4)	340
129(5)	341
129(6)	341.1
129(7)	341.2 et 341.3
129.1(1)	341.4
129.1(2)	341.5
129.1(4)	341.7
129.1(5)	341.8
129.1(6)	341.9
129.1(7)	--
130(1)	342
130(2)	343
130(3)	344
130(4)	345
131(1)	10
131(2)	10.1
132(1)	11
132(2)	12
132(3)	11, 13 et 14
132(4)	25
132(5)	12.1
132.1(1)	11.1
132.1(2)	11.2
133	27
134	28
135	29
136(1)	30
136(2)	31
136(3)	32
136(4)	32.1
136.1(1)	32.2
136.1(1.1)	32.2.1
136.1(2)	32.3
136.2	32.4
136.3	32.5
136.4(1)	32.6
136.4(2)	32.7
137	33
138	34
139	35
140	36
141(1)	43
141(2)	44
141(3)	45
141(4)	46
141(5)	47
141.01(1)	42.0.1
141.01(1.1)	42.0.1.1
141.01(1.2)	42.0.1.2
141.01(2)	42.0.2 et 42.0.3
141.01(3)	42.0.4 et 42.0.5
141.01(4)	42.0.6
141.01(5)	42.0.7
141.01(6)	42.0.8
141.01(7)	42.0.9
141.1(1)	42.1 et 42.2
141.1(2)	42.3 et 42.4
141.1(3)	42.5 et 42.6
141.2(1)	48
141.2(2)	--
142(1)	22.7 à 22.15
142(2)	22.32
142(3)	22.3
142.1(1)	22.25
142.1(2)	22.26
143(1)	23
143.1	24.1
144	--
144.01	--
144.1	--
146	48
148(1)	294 (1°)
148(2)	295 (1°)
148(3)	296.1
148(4)	297
148.1	297.0.1
148.1(2)	297.0.2
149(1)	--
149(2)	349
149(3)	350
149(4)	--
149(4.01)	--
149(4.1)	--
149(5)	1 « régime de placement »
150(1)	--
150(2)	--
150(2.1) « services exonérés » (Projet de modif. 13-09-2001)	--
150(2.1) « tiers non lié » (Projet de modif. 13-09-2001)	--
150(3)	--
150(4)	--
150(5)	--
150(6)	337
150(7)	337.1
151	--
152(1)	83, al. 1
152(2)	83, al. 2
152(3)	84
153(1)	51
153(2)	53
153(3)	54
153(4)	54.1
153(4.1)	54.1.1
153(4.2)	54.1.2
153(4.3)	54.1.3
153(4.4)	54.1.4

TPS	TVQ
153(4.5)	54.1.5
153(4.6)	54.1.6
153(5)	54.2
153(6)	54.3
154(1)	--
154(2)	52
154(3)	--
155(1)	55
155(2)	55
156(1) « groupe admissible »	329.1
156(1) « membre déterminé »	331
156(1) « société de personnes canadienne »	331.1
156(1.1)	331.2
156(1.2)	331.3
156(1.3)	331.4
156(2)	334
156(3)	335
156(4)	336
158	39
159	56
160	71
161	57
162(1)	39.3
162(2)	40
162(3)	41
162(4)	39.4
162.1	62.1
163(1)	64 et 65
163(2)	66
163(2.1)	--
163(2.2)	--
163(3) « partie non taxable au provincial »	--
163(3) « partie taxable »	63 « partie taxable »
163(3) « partie taxable au provincial	--
163(3) « pourcentage taxable »	63 « pourcentage taxable »
163(3) « pourcentage taxable de référence »	63 « fraction de référence »
163(3)	63 « pourcentage taxable initial »
163(3) « premier fournisseur »	63 « premier fournisseur »
163(3) « voyage organisé »	63 « voyage organisé »
164.1(1)	39.1
164.1(2)	39.2
164.2	58.3
165(1)	16, al. 1
165(2)	16, al. 1
165(3)	16 al. 2
165(4)	69
165.1(1)	69.1
165.1(2)	69.5
165.2(1)	69.6
165.2(2)	69
166	68
167(1)	75
167(1.1)	75.1
167(2)	80
167.1	75.2
167.2(1)	198
167.2(2)	80.3
168(1)	82
168(2)	85
168(3)	86
168(4)	87
168(5)	88
168(6)	89
168(7)	90
168(8)	91
168(9)	92
169(1)	199
169(1.1)	199.1
169(2)	--
169(3)	--
169(4)	201
169(5)	202
170(1)	203 et 204
170(2)	206
171(1)	207
171(2)	208
171(3)	209
171(4)	210
171(5)	210.1
171.1(1)	210.2
171.1(2)	210.3
171.1(3)	210.4
172(1)	285
172(2)	286
172(3)	287
172.1(1)	289.2
172.1(2)	289.3
172.1(4)	289.4
172.1(5)	289.5
172.1(6)	289.6
172.1(7)	289.7
172.1(8)	289.8
173(1)	290 et 292
173(2)	293
173(3)	293
173(4)	293
174	211
175(1)	212
175(2)	212.1
175.1	212.2
176 (1)	213, al. 1
176 (2)	213, al. 2
177(1)	41.1
177(1.1)	41.0.1
177(1.11)	—
177(1.12)	—
177(1.2)	41.2
177(1.3)	41.2.1
177(1.4)	--
177(2)	41.6
177.1(1) [P.L. C-48 (2012)]	—
177.1(2) [P.L. C-48 (2012)]	—
177.1(3) [P.L. C-48 (2012)]	—

TPS	TVQ
178.1 « acheteur »	297.1 « acheteur »
178.1 « démarcheur »	297.1 « démarcheur »
178.1 « distributeur »	297.1 « distributeur »
178.1 « entrepreneur indépendant »	297.1 « entrepreneur indépendant »
178.1 « matériel de promotion »	297.1 « matériel de promotion »
178.1 « prix de vente au détail suggéré »	297.1 « prix de vente au détail suggéré »
178.1 « produit exclusif »	297.1 « produit exclusif »
178.1 « taxe provinciale applicable »	--
178.2(1)	297.1.1
178.2(2)	297.1.2
178.2(3)	297.1.3
178.2(4)	297.1.4
178.2(5)	297.1.5
178.2(6)	297.1.6
178.2(7)	297.1.7
178.2(8)	297.1.8
178.2(9)	297.1.9
178.3(1)	297.2
178.3(2)	297.5
178.3(3)	297.6
178.3(4)	297.7
178.3(5)	--
178.3(6)	--
178.3(7)	297.7.0.1
178.3(8)	297.7.0.2
178.4(1)	297.7.1
178.4(2)	297.7.2
178.4(3)	297.7.3
178.4(4)	297.7.4
178.4(5)	--
178.4(6)	--
178.4(7)	297.7.4.1
178.4(8)	297.7.4.2
178.5(1)	297.7.5
178.5(2)	297.7.6
178.5(3)	297.7.7
178.5(4)	297.7.8
178.5(5)	297.10
178.5(6)	297.10.1
178.5(7)	297.11
178.5(8)	297.12
178.5(9)	297.13
178.5(10)	297.13
178.5(11)	297.14
178.5(12)	297.15
178.6(1) « dernier acquéreur	350.13 « dernier acquéreur
178.6(1) « fournisseur initial »	350.13 « fournisseur initial »
178.6(1) « fourniture intermédiaire »	350.13 « fourniture intermédiaire »
178.6(2)	350.14
178.6(3)	350.15
178.6(4)	350.16
178.6(5)	350.17
178.7(1)	350.17.1
178.7(2)	350.17.2
178.7(3)	350.17.3
178.7(4)	350.17.4
179(1)	327.1

TPS	TVQ
179(2)	327.2
179(3)	327.3
179(4)	327.4
179(5)	327.5
179(6)	327.6
179(7)	--
180	327.7
180.1(1) « vol international »	327.8 « vol extérieur »
180.1(1) « voyage international »	327.8 « voyage extérieur »
180.1(2)	327.9
181(1) « bon »	350.1 « bon »
181(1) « fraction de taxe »	350.1 « fraction de taxe »
181(2)	350.2
181(3)	350.3
181(4)	350.4
181(5)	350.5
181.1	350.6
181.2	350.7
181.3(1) « administrateur »	350.7.1 « administrateur »
181.3(1) « réseau de troc »	350.7.1 « réseau de troc »
181.3(2)	350.7.2
181.3(3)	350.7.3
181.3(4)	350.7.4
181.3(5)	350.7.5
181.3(6)	350.7.6
182(1)	318
182(2)	318.0.1
182(2.1)	318.0.2
182(3)	318.1
183(1)	320
183(2)	321
183(3)	323
183(4)	323.1
183(5)	323.2
183(6)	323.3
183(7)	324 et 324.1
183(8)	324.2 et 324.3
183(9)	324.4
183(10)	324.5
183(10.1)	324.5.1
183(11)	324.6
184(1)	298
184(2)	299
184(3)	300
184(4)	300.1
184(5)	300.2
184(6)	301 et 301.1
184(7)	301.2 et 301.3
184.1(1)	--
184.1(2)	301.4
184.1(3)	--
185(1)	--
185(2)	--
186(1)	--
186(2)	--
186(3)	--
187	60
188(1)	277

TPS	TVQ
188(2)	278
188(3)	62
188(4)	62, al. 2
188(5)	279
188.1(1) « appareil de jeu »	350.8 « appareil de jeu »
188.1(1) « distributeur »	350.8 « distributeur »
188.1(1) « droit »	350.8 « droit »
188.1(1) « émetteur »	350.8 « émetteur »
188.1(1) « fourniture reliée aux appareils de jeu »	350.8 « fourniture reliée aux appareils de jeu »
188.1(2)	350.9
188.1(3)	350.10
188.1(4)	350.11
188.1(5)	350.12
189	172
189.1	172.1
189.2	48.1
190(1)	220
190(2)	221
190(3)	222.1
190(4)	222.2
190(5)	222.3
190.1(1)	222.4
190.1(2)	222.5
191(1)	223
191(2)	224
191(3)	225
191(4)	226
191(4.1)	222.6
191(5)	227
191(6)	228
191(6.1)	228.1
191(7)	229
191(9)	231
191(10)	231.1
191.1(1) « subvention »	231.2 « montant de financement public »
191.1(1) « subventionneur »	231.2 « subventionneur »
191.1(2)	231.3
192	232
193(1)	233
193(2)	234
193(3)	234.1
194	235
195	237
195.1(1)	237.1
195.1(2)	237.2
195.2(1)	237.3
195.2(2)	--
195.2(3)	237.4
196(1)	238
196(2)	238.0.1
196.1	238.1
197	239
198	--
198.1(1)	--
198(2)	--
199(1)	246
199(2)	240
199(3)	242
199(4)	241
199(5)	245
200(1)	246
200(2)	243
200(3)	244
200(4)	244.1
200.1	--
201	247
202(1)	248
202(2)	250
202(3)	251
202(4)	252
202(5)	254
203(1)	249
203(2)	253
203(3)	255
203(4)	--
204(1)	--
204(2)	--
204(3)	--
205(1)	--
205(2)	--
205(3)	--
205(4)	--
205(5)	--
205(6)	--
205(7)	--
206(1)	260
206(2)	256
206(3)	257
206(4)	258
206(5)	259
207(1)	261
207(2)	262
208(1)	263
208(2)	264
208(3)	265
208(4)	266
209(1)	267
209(2)	268
211(1)	272
211(2)	273
211(3)	274
211(4)	275
211(5)	276
212	17, al. 1
212.1(1)	--
212.1(2)	--
212.1(3)	--
212.1(4)	--
213	17 al. 4
213.1	--
213.2(1)	--
213.2(2)	--
213.2(3)	--
213.2(4)	--

Table de concordance TPS - TVQ

TPS	TVQ
213.2(5)	--
214	--
214.1	--
215(1)	17 al. 2
215(2)	17, al. 3
215(3)	--
215.1(1)	17.5 et 17.6
215.1(2)	--
215.1(3)	--
216(1)	--
216(2)	--
216(3)	--
216(4)	--
216(5)	--
216(6)	--
216(7)	--
217	18, al. 1 (en partie) et al. 2 et 18.0.1
218	18
218.1(1)	18.0.1
218.1(1.1)	--
218.1(2)	--
218.1(3)	--
218.1(4)	--
218.2	18.0.2
219(1)	472, al. 1 et 2
220(1)	26.0.1
220(2)	26.0.2
220(3)	26.0.3
220(4)	26.0.4
220(5)	26.0.5
220.01	--
220.02	--
220.03	--
220.04	--
220.05(1)	--
220.05(2)	--
220.05(3)	--
220.05(4)	--
220.06(1)	--
220.06(2)	--
220.06(3)	--
220.06(4)	--
220.07(1)	--
220.07(2)	--
220.07(3)	--
220.07(4)	--
220.07(5)	--
220.08(1)	--
220.08(2)	--
220.08(3)	--
220.08(4)	--
220.08(5)	--
220.09(1)	--
221(1)	422
221(2)	423
221(3)	424, al. 1
221(4)	424, al. 2
221.1(1)	427.2

TPS	TVQ
221.1(2)	427.3
221.1(3)	427.4
221.1(4)	427.5
221.1(5)	427.6
221.1(6)	427.7
221.1(7)	427.8
221.1(8)	427.9
222(1)	L.A.F., art. 20, al. 1
222(1.1)	--
222(2)	L.A.F., art. 20, al. 3
222(3)	L.A.F., art. 20, al. 2
222(4)	--
222.1	424.1
223(1)	425, al. 1
223(1.1)	--
223(1.2)	--
223(1.3)	425.0.1
223(2)	426
224	427
225(1)	428
225(2)	429
225(3)	430, 430.1 et 430.2
225(3.1)	430.3
225(4)	431
225(4.1)	431.1
225(5)	432
225(6)	L.A.F., art. 30.3
225.1(1)	433.1
225.1(2)	433.2
225.1(3)	433.3
225.1(4)	433.4 et 433.5
225.1(4.1)	433.6
225.1(5)	433.7
225.1(6)	433.8
225.1(7)	433.9
225.1(8)	433.10
225.1(9)	433.11
225.1(10)	433.12
225.1(11)	433.15
225.2(1)	--
225.2(2)	--
225.2(3)	--
225.2(4)	--
225.2(5)	--
225.2(6)	--
225.2(7)	--
225.2(8)	--
225.3(1)	--
225.3(2)	--
225.3(3)	--
225.3(4)	--
225.3(5)	--
225.3(6)	--
225.4(1)	--
225.4(2)	--
225.4(3)	--
225.4(4)	--
225.4(5)	--

TPS	TVQ
225.4(6)	--
225.4(7)	--
225.4(8)	--
225.4(9)	--
225.4(10)	--
225.4(11)	--
226(1)« contenant consigné »	350.42.3« contenant consigné »
226(1)« distributeur »	350.42.3« distributeur »
226(1)« droit sur contenant consigné »	350.42.3« droit sur contenant consigné »
226(1)« montant obligatoire applicable »	350.42.3« montant obligatoire applicable »
226(1)« montant remboursé »	350.42.3« remboursement »
226(1)« récupérateur »	350.42.3« récupérateur »
226(1)« recyclage »	350.42.3« recyclage »
226(1)« recycleur »	350.42.3« recycleur »
226(1)« remboursement obligatoire aux consommateurs »	350.42.3« remboursement obligatoire aux consommateurs »
226(1)« vendeur au détail déterminé »	350.42.3« vendeur au détail déterminé »
226(2)	350.42.4
226(3)	350.42.5
226(4)	350.42.6
226(5)	350.42.6
226(6)	—
226(7)	—
226(8)	—
226(9)	—
226(10)	--
226(11)	--
226(12)	--
226(13)	--
226(14)	--
226(15)	--
226(16)	350.42.7
226(17)	--
226(18)	350.42.8
227(1)	434, al. 1
227(2)	434, al. 2
227(3)	435, al. 1
227(4)	435 et 435.1
227(4.1)	435 et 435.2
227(4.2)	435.3
227(5)	436
227(6)	436.1
228(1)	437, al. 1
228(2)	437, al. 2
228(2.1)	--
228(2.2)	--
228(2.3)	--
228(2.4)	--
228(3)	437, al. 3
228(4)	438
228(6)	441
228(7)	442
229(1)	443
229(2)	L.A.F., art. 30.1, al. 1
229(3)	L.A.F., art. 30, al. 1
229(4)	L.A.F., art. 30, al. 2

TPS	TVQ
230(1)	L.A.F., art. 21
230(2)	L.A.F., art. 30.1, al. 1
230(3)	L.A.F., art. 30, al. 1
230(4)	L.A.F., art. 30, al. 2
230.1	L.A.F., art. 32
230.2(1) « biens déterminés »	--
230.2(1) « institution agréée »	--
230.2(2)	--
231(1)	444
231(3)	446
231(4)	446.1
232(1)	447
232(2)	448
232(3)	449
232(4)	450
232.1	450.1
233(1)	451
233(2)	453
233(3)	454
233(4)	454.1
233(5)	454.2
233(6)	454.3
234(1)	455
234(2)	455.1
234(3)	--
234(4)	--
234(5)	--
235(1)	456
235(2)	457
236(1)	457.1, 457.1.4, 457.1.5, 457.1.6
236(1.1)	457.1.1
236(1.2)	457.1.2
236(2)	457.1, al. 3
236.1	457.3
236.2(1)	457.4
236.2(2)	457.5
236.3(1)	457.6
236.3(2)	457.7
237(1)	458.01
237(2)	458.02
237(3)	458.03
237(5)	--
238(1)	468
238(2)	470
238(2.1)	--
238(3)	469
238(4)	471
238.1(1) « montant cumulatif »	473.2 « montant cumulatif »
238.1(1) « période désignée »	473.2 « période désignée »
238.1(2)	473.3
238.1(3)	473.4
238.1(4)	473.5
238.1(5)	473.6
238.1(6)	473.7
238.1(7)	473.8
238.1(8)	473.9
239(1)	474
239(2)	475

Table de concordance TPS - TVQ

TPS	TVQ
239(3)	476
239(4)	477
240(1)	407
240(1.1)	407.1
240(1.2)	—
240(1.3)	—
240(1.4)	—
240(2)	410
240(2.1)	410.1
240(3)	411
240(3.1)	411.1
240(4)	409(1°)
240(5)	412
240(6)	--
240(7)	--
--	415.0.1
241(1)	415
241(2)	415.1
242(1)	416
242(1.1)	—
242(1.2)	—
242(1.3)	—
242(1.4)	—
242(2)	417 al. 1(1°)
242(2.1)	417.1
242(2.2)	417.2
242(3)	418
243(1)	458.1, 458.1.1 et 458.2
243(2)	458.1 et 458.1.2
243(3)	458.2
243(4)	458.2.1
244(1)	458.4
244(2)	458.4
244(3)	458.5
244(4)	458.4 et 458.5
244.1 (1)	—
244.1 (2)	—
244.1 (3)	—
245(1)	459
245(2)	459.0.1
246(1)	459.2 et 459.3
246(2)	459.2.1
246(3)	459.3
247(1)	459.4
247(2)	459.5
247(3)	—
248(1)	460
248(2)	461
248(3)	461.1
249(1)	462
249(2)	462.1
250	462.3
251(1)	466
251(2)	467
252(1)	351
252(2)	353.1
252(3)	353.2
252.1(1) « emplacement de camping »	353.6 « emplacement de camping »

TPS	TVQ
252.1(1) « voyage organisé »	353.6 « voyage organisé »
252.2	357
252.3	357.1
252.4(1)	357.2
252.4(2)	357.3
252.4(3)	357.4
252.4(4)	357.5
252.41(1)	357.5.1
252.41(2)	357.5.2
252.41(3)	357.5.3
252.5	357.6
253(1)	358
253(2)	359
253(3)	360
253(4)	360.1
253(5)	--
253(6)	--
253(7)	--
254(1) « immeuble d'habitation à logement unique »	360.5
254(1) « proche »	--
254(2)	362.2 et 360.3
254(2.01) [A.M.V.M. 28/12/2001]	--
254(2.02) [A.M.V.M. 28/12/2001]	--
254(2.1)	--
254(3)	362.4
254(4)	366
254(5)	367
254(6)	370
254.1(1) « bail de longue durée	360.6
254.1(1) « immeuble d'habitation à logement unique »	360.5
254.1(1) « proche »	--
254.1(2)	370.0.1
254.1(2.01) [A.M.V.M. 28/12/2001]	--
254.1(2.02) [A.M.V.M. 28/12/2001]	--
254.1(2.1)	--
254.1(2.2)	--
254.1(3)	370.0.3
254.1(4)	370.1
254.1(5)	370.2
254.1(6)	370.4
255(1)	--
255(2)	370.5 et 370.6
255(2.01) [A.M.V.M. 28/12/2001]	--
255(2.02) [A.M.V.M. 28/12/2001]	--
255(2.1)	--
255(3)	370.7
256(1) « immeuble d'habitation à logement unique »	360.5
256(1) « proche »	--
256(2)	370.9 et 370.10
256(2.01)	370.9.1
256(2.02) [A.M.V.M. 28/12/2001]	--
256(2.03) [A.M.V.M. 28/12/2001]	--
256(2.1)	370.11
256(2.2)	370.11
256(3)	370.12

TPS	TVQ
256.1(1)	378.1 et 378.2
256.1(2)	378.3
256.2(1)	378.4
256.2(2)	378.5
256.2(3)	378.6, 378.7
256.2(4)	378.8, 378.9
256.2(5)	378.10, 378.11
256.2(6)	378.12, 378.13
256.2(7)	378.16
256.2(8)	378.17
256.2(9)	378.18
256.2(10)	378.19
256.4(2)	670.16
257(1)	379
257(2)	380
257(3)	380.1
257.1(1)	--
257.1(2)	--
257.1(3)	--
258(1)	--
258(2)	381
258(3)	382
258.1(1)	382.1
258.1(2)	382.2
258.1(3)	382.3
258.1(4)	382.4
258.1(5)	382.5
258.1(6)	382.6
258.1(7)	382.7
258.2	--
259(1) « activités déterminées »	--
259(1) « exploitant d'établissement »	--
259(1) « fournisseur externe »	--
259(1) « fourniture connexe »	--
259(1) « fourniture de biens ou services médicaux à domicile »	--
259(1) « fourniture déterminée »	--
259(1) « fourniture en établissement »	--
259(1) « médecin »	--
259(1) « municipalité »	383 « municipalité »
259(1)« organisme à but non lucratif »	383 « organisme sans but lucratif »
259(1) « organisme de bienfaisance	383 « organisme de bienfaisance »
259(1) « organisme déterminé de services publics »	383 « organisme déterminé de services publics »
259(1)« période de demande »	383 « période de demande »
259(1)« pourcentage de financement public »	383 « pourcentage de financement public »
259(1)« pourcentage établi »	--
259(1)« pourcentage provincial établi »	--
259(1) « sage-femme »	--
259(1) « subvention admissible »	--
259(1) « subvention médicale »	--
259(1)« taxe exigée non admise au crédit »	383 « taxe exigée non admissible au remboursement de la taxe sur les intrants »
259(2)	385
259(2.1)	--
259(3)	386 al. 1

TPS	TVQ
259(4)	386.2
259(4.01)	--
259(4.1)	386.2
259(4.2)	--
259(4.21)	--
259(4.3)	--
259(5)	387
259(5.1)	387.1
259(6)	388
259(7)	394
259(8)	395
259(10)	396
259(11)	397
259(12)	389
259(13)	--
259(14)	--
259(15)	--
259.1(1) « bien déterminé »	--
259.1(1) « livre imprimé »	--
259.1(1) « organisme à but non lucratif admissible »	--
259.1(1) « période de demande »	--
259.1(1) « personne déterminée »	--
259.1(2)	--
259.1(3)	--
259.1(4)	--
259.1(5)	--
259.1(6)	--
259.2 (1)	397.3
259.2 (2)	397.4
259.2 (3)	397.5
259.2 (4)	397.6
260(1)	398
260(2)	399
261(1)	400
261(2)	400
261(3)	401
261(4)	402
261(5)	402.0.1
261(6)	402.0.2
261.01(1)	402.13
261.01(2)	402.14
261.01(3)	402.15
261.01(4)	402.16
261.01(5)	402.17
261.1(1)	--
261.1(2)	353.0.1
261.2	--
261.3(1)	353.0.3, al. 1
261.31(2)	--
261.31(3)	--
261.31(4)	--
261.31(5)	--
261.31(6)	--
261.31(7)	--
261.4	353.0.2 et 353.0.4
262(1)	403, al. 1
262(2)	403, al. 2

Table de concordance TPS - TVQ

TPS	TVQ
262(3)	362
263	404
263.01(1)	--
263.01(2)	--
263.01(3)	--
263.01(4)	--
263.1	L.A.F., art. 30.3
263.2 [A.M.V.M. 08/02/2002]	--
264(1)	--
264(2)	--
265(1)	302 à 309
265(2)	302, al. 2
266(1) « actif pertinent »	310, al. 2 « actif pertinent »
266(1) « entreprise »	310, al. 2 « entreprise »
266(1) « séquestre »	310, al. 2 « séquestre »
266(2)	310 à 317.2
267	324.7
267.1(1) « fiduciaire »	324.8 « fiduciaire »
267.1(1) « fiducie »	324.8 « fiducie »
267.1(2)	324.9
267.1(3)	324.10
267.1(4)	324.11
267.1(5)	324.12
268	325
269	326
270(1) « représentant »	--
270(1) « séquestre »	--
270(2)	L.A.F., art. 14, al. 1 à 4
270(3)	L.A.F., art. 14, al. 1 à 4
270(4)	L.A.F., art. 14, al. 5 à 8
271	76
272	77
272.1(1)	345.1
272.1(2)	345.2
272.1(3)	345.3
272.1(4)	345.4
272.1(5)	345.5
272.1(6)	345.6
272.1(7)	345.7
273(1)	346
273(1.1)	346.1
273(2)	348
273(3)	346.2
273(4)	346.3
273(5)	346.4
273(6)	347, al. 1
273(7)	347, al. 2
273.1(1)	350.23.1
273.1(2)	350.23.2
273.1(3)	350.23.3
273.1(4)	350.23.4
273.1(5)	350.23.5
273.1(6)	350.23.6
273.1(7)	350.23.7
273.1(8)	350.23.8
273.1(9)	350.23.9
273.1(10)	350.23.10
273.1(11)	350.23.11

TPS	TVQ
273.1(12)	350.23.12
273.1(13)	350.23.13
274(1) « attribut fiscal »	478 « attributs fiscaux »
274(1) « avantage fiscal »	478 « avantage fiscal »
274(1) « opération »	478 « opération »
274(2)	479
274(3)	480
274(4)	481
274(5)	482
274(6)	483, al. 1
274(7)	484
274(8)	485
275(1)	684 et L.A.F., art. 2, al. 2, 3 et 4
275(2)	L.A.F., art. 5 al. 1
275(3)	L.A.F., art. 6, al. 1
275(4)	L.A.F., art. 11
276(1)	L.A.F., art. 41, al. 1
276(2)	--
276(3)	L.A.F., art. 44 al. 1
276(4)	L.A.F., art. 44
276(5)	L.A.F., art. 45
276(6)	--
277(1)	677 al. 1
277(2)	677, al. 2
277.1(1)	--
277.1(2)	--
277.1(3)	--
278(1)	L.A.F., art. 24
278(2)	L.A.F., art. 24
278(3)	L.A.F., art. 24
278.1(1)	--
278.1(2)	--
278.1(3)	--
279	L.A.F., art. 58
280(1)	L.A.F., art. 28, al. 1 et art. 59.2, al. 1
280(1.1)	--
280(2)	458.04
280(3)	458.05
280(4)	--
280(4.01)	--
280(4.1)	L.A.F., art. 28.1
280(5)	--
280(6)	--
280(7)	--
281(1)	L.A.F., art. 36
281(2)	--
281.1(1)	L.A.F., art. 94
281.1(2)	L.A.F., art. 94
282	L.A.F., art. 39
283	L.A.F., art. 39.1
284	L.A.F., art. 59.0.2
285	L.A.F., art. 59.3
285.1(1)« activité d'évaluation »	--
285.1(1)« activité de planification »	--
285.1(1)« activité exclue »	--
285.1(1)« avantage fiscal »	--
285.1(1)« bien »	--

Table de concordance TPS - TVQ

TPS	TVQ
285.1(1)« conduite coupable »	L.A.F., art. 59.5.1 « conduite coupable »
285.1(1)« droits à paiement »	--
285.1(1)« entité »	--
285.1(1)« faux énoncé »	L.A.F., art. 59.5.1 « faux énoncé »
285.1(1)« participer »	L.A.F., art. 59.5.2
285.1(1)« rétribution brute »	L.A.F., art. 59.5.1 « rétribution brute »
285.1(1)« subalterne »	L.A.F., art. 59.5.1 « subalterne »
285.1(2)	--
285.1(3)	--
285.1(4)	L.A.F., art. 59.5.3
285.1(5)	L.A.F., art. 59.5.3
285.1(6)	L.A.F., art. 59.5.4
285.1(7)	--
285.1(8)	--
285.1(9)	L.A.F., art. 59.5.5
285.1(10)	--
285.1(11)	--
285.1(12)	L.A.F., art. 59.5.6
285.1(13)	L.A.F., art. 59.5.7
285.1(14)	--
285.1(15)	L.A.F., art. 59.5.8
285.1(16)	--
286(1)	L.A.F., art. 34, al. 1 et 2
286(2)	L.A.F., art. 35
286(3)	L.A.F., art. 35.1 et 35.2
286(3.1)	L.A.F., art. 35.1
286(3.2)	L.A.F., art. 35.1
286(4)	L.A.F., art. 35.4
286(5)	L.A.F., art. 35.5
286(6)	L.A.F., art. 35.6
287	--
287 « juge »	--
287 « maison d'habitation »	--
287 « personne autorisée »	--
288(1)	L.A.F., art. 38, al. 1 et 2
288(2)	--
288(3)	--
289(1)	L.A.F., art. 39
289(2)	--
289(3)	--
289(4)	--
289(5)	--
289(6)	--
289.1(1)	L.A.F., art. 39.2, al.1
289.1(2)	L.A.F., art. 39.2, al.2
289.1(3)	L.A.F., art. 39.2, al.1
289.1(4)	--
289.1(5)	L.A.F., art. 39.2, al.3
290(1)	L.A.F., art. 40, al. 1
290(2)	L.A.F., art. 40, al. 1
290(3)	L.A.F., art. 40, al. 3
290(4)	L.A.F., art. 40, al. 1 et 40.1
290(5)	L.A.F., art. 40.1 al. 1 et 2
290(6)	L.A.F., art. 40.1 al. 3
290(7)	L.A.F., art. 40.1 al. 4
290(8)	L.A.F., art. 40.2
291(1)	L.A.F., art. 42

TPS	TVQ
291(2)	L.A.F., art. 43
292(1)	--
292(2)	--
292(3)	--
292(4)	--
292(5)	--
292(6)	--
292(7)	--
292(8)	--
293(1) « avocat »	--
293(1) « fonctionnaire »	--
293(1) « gardien »	--
293(1) « juge »	--
293(1) « privilège des communications entre client et avocat »	L.A.F., art. 47
293(2)	L.A.F., art. 46
293(3)	L.A.F., art. 48
293(4)	L.A.F., art. 48
293(5)	L.A.F., art. 50 et 51
293(6)	L.A.F., art. 52, al. 1 et 2
293(7)	L.A.F., art. 52, al. 3
293(8)	--
293(9)	--
293(10)	--
293(11)	--
293(12)	--
293(13)	L.A.F., art. 48
293(14)	L.A.F., art. 49, al. 2
293(15)	L.A.F., art. 49, al. 1
293(16)	L.A.F., art. 43
294	--
295(1) « cour d'appel »	--
295(1) « fonctionnaire »	--
295(1) « numéro d'entreprise	--
295(1) « personne autorisée	--
295(1) « renseignement confidentiel	--
295(2)	L.A.F., art. 69, 69.0.0.10
295(3)	L.A.F., art. 69.9
295(4)	L.A.F., art. 69.9
295(4.1)	L.A.F., art. 69.0.0.11
295(5)	L.A.F., art. 69.0.0.6-69.0.0.9, 69.0.0.16, 69.0.1, 69.1
295(5.1)	L.A.F., art. 69.11
295(6)	L.A.F., art. 69.0.0.2, 69.0.0.10
295(6.1)	--
295(7)	L.A.F., art. 69.0.3
295(8)	--
295(9)	--
296(1)	L.A.F., art. 25, al. 1
296(2)	L.A.F., art. 30.5, al. 1
296(2.1)	L.A.F., art. 30.5, al. 1
296(3)	L.A.F., art. 30.6, al. 1, 2, 4 et 5
296(3.1)	L.A.F., art. 30.6, al. 1, 2, 4 et 5
296(4)	L.A.F., art. 30.6, al. 3
296(4.1)	L.A.F., art. 30.6, al. 3
296(5)	--
296(6)	--
296(7)	--

Table de concordance TPS - TVQ

TPS	TVQ
296(8)	--
297(1)	L.A.F., art. 25, al. 1
297(2)	L.A.F., art. 25, al. 1
297(2.1)	--
297(3)	--
297(4)	L.A.F., art. 30
297(5)	L.A.F., art. 30, al. 2
298(1)	L.A.F., art. 25, al. 2
298(2)	--
298(3)	--
298(4)	L.A.F., art. 25.1
298(5)	L.A.F., art. 25.1.1
298(6)	--
298(6.1)	--
298(7)	L.A.F., art. 25.1b)
298(8)	L.A.F., art. 25.3
299(1)	L.A.F., art. 95.1
299(2)	--
299(3)	--
299(3.1)	--
299(4)	--
299(5)	L.A.F., art. 93.29, al. 2
300(1)	L.A.F., art. 95
300(2)	L.A.F., art. 95
301(1)	L.A.F., art. 95
301(1.1)	L.A.F., art. 95
301(1.2)	--
301(1.3)	--
301(1.4)	--
301(1.5)	--
301(1.6)	--
301(2)	L.A.F., art. 95
301(3)	L.A.F., art. 95
301(4)	L.A.F., art. 95
301(5)	L.A.F., art. 95
302	L.A.F., art. 93.11 et 95
303(1)	L.A.F., art. 95
303(2)	L.A.F., art. 95
303(3)	L.A.F., art. 95
303(4)	L.A.F., art. 95
303(5)	L.A.F., art. 95
303(6)	L.A.F., art. 95
303(7)	L.A.F., art. 95
304(1)	L.A.F., art. 95
304(2)	L.A.F., art. 95
304(3)	L.A.F., art. 95
304(4)	L.A.F., art. 95
304(5)	L.A.F., art. 95
305(1)	L.A.F., art. 93.12 et 95
305(2)	L.A.F., art. 95
305(3)	L.A.F., art. 95
305(4)	L.A.F., art. 95
305(5)	L.A.F., art. 93.12 et 95
306	L.A.F., art. 93.2 et 95
306.1(1)	--
306.1(2)	--
307	L.A.F., art. 95
308(1)	L.A.F., art. 95

TPS	TVQ
308(2)	L.A.F., art. 95
309(1)	L.A.F., art. 95
310(1)	L.A.F., art. 95
310(2)	L.A.F., art. 95
311(1)	L.A.F., art. 95
311(2)	L.A.F., art. 95
311(3)	L.A.F., art. 95
311(4)	L.A.F., art. 95
311(5)	L.A.F., art. 95
311(6)	L.A.F., art. 95
311(7)	L.A.F., art. 95
312	L.A.F., art. 95
313(1)	--
313(1.1)	L.A.F., art. 12 al.1
313(2)	L.A.F., art. 12.0.2
313(2.1)	L.A.F., art. 27.3 al.1
313(2.2)	--
313(2.3)	--
313(2.4)	--
313(2.5)	--
313(2.6)	--
313(2.7)	--
313(2.8)	--
313(3)	--
314(1)	L.A.F., art. 10 al. 1
314(2)	L.A.F., art. 10 al. 2
314(3)	--
315(1)	--
315(2)	--
315(3)	--
316(1)	L.A.F., art. 13, al. 1
316(2)	L.A.F., art. 13, al. 3 et 4
316(3)	L.A.F., art. 13, al. 3
316(4)	--
316(5)	--
316(6)	--
316(7)	--
316(8)	--
316(9)	--
316(10)	--
316(10.1)	--
316(11)	--
317(1)	L.A.F., art. 15, al. 1
317(2)	L.A.F., art. 15.1
317(3)	L.A.F., art. 15, al. 2 et 15.2, al. 1
317(5)	L.A.F., art. 15.4
317(6)	L.A.F., art. 15.5
317(7)	L.A.F., art. 15.5
317(8)	L.A.F., art. 15.5
317(9)	--
317(10)	--
317(11)	--
317(12)	--
318	L.A.F., art. 31, al. 1
319	L.A.F., art. 17.1
320(1)	L.A.F., art. 15.3
320(2)	L.A.F., art. 15.4
321(1)	L.A.F., art. 16, al. 1

TPS	TVQ
321(2)	L.A.F., art. 16, al. 2
321(3)	--
321(4)	L.A.F., art. 16, al. 3
321(5)	L.A.F., art. 16, al. 4
322(1)	L.A.F., art. 17, al. 1
322(2)	L.A.F., art. 17, al. 2
322.1(1)« date d'audience »	--
322.1(1)« date de cotisation »	--
322.1(1)« juge »	--
322.1(1)« période visée »	--
322.1(2)	--
322.1(3)	--
322.1(4)	--
322.1(5)	--
322.1(6)	--
322.1(7)	--
322.1(8)	--
322.1(9)	--
322.1(10)	--
322.1(11)	--
322.1(12)	--
322.1(13)	--
322.1(14)	--
323(1)	L.A.F., art. 24.0.1
323(2)	L.A.F., art. 24.0.1
323(3)	L.A.F., art. 24.0.2, al. 1
323(4)	--
323(5)	L.A.F., art. 24.0.2, al. 2
323(6)	--
323(7)	--
323(8)	--
324(1)	--
324(2)	--
324(3)	--
325(1)	L.A.F., art. 14.4
325(1.1)	--
325(2)	L.A.F., art. 14.5
325(3)	L.A.F., art. 14.6
325(4)	L.A.F., art. 14.7
325(5)	--
326(1)	L.A.F., art. 60, al. 1
326(2)	L.A.F., art. 61.1
326(3)	--
327(1)	L.A.F., art. 62
327(2)	--
327(3)	L.A.F., art. 64
327(4)	L.A.F., art. 65
328(1)	L.A.F., art. 71.3.1
328(2)	L.A.F., art. 73.3.2
328(3)	--
329(1)	L.A.F., art. 59.2 al. 1
329(2)	L.A.F., art. 59.4
330	L.A.F., art. 68
331	L.A.F., art. 66
332(1)	L.A.F., art. 72
332(2)	--
332(3)	--
332(4)	L.A.F., art. 78

TPS	TVQ
333(1)	L.A.F., art. 80
333(2)	L.A.F., art. 80
334(1)	L.A.F., art. 87
334(2)	--
335(1)	L.A.F., art. 79
335(2)	L.A.F., art. 80
335(3)	L.A.F., art. 81
335(4)	L.A.F., art. 81
335(5)	L.A.F., art. 82
335(5.1) [P.L. C-26]	L.A.F., art. 82
335(6)	L.A.F., art. 83
335(7)	L.A.F., art. 84
335(8)	L.A.F., art. 86
335(8.1) [P.L. C-26]	L.A.F., art. 86
335(10)	L.A.F., art. 87
335(11)	L.A.F., art. 88
335(12)	L.A.F., art. 90
335(12.1)	--
335(13)	L.A.F., art. 91
335(14)	L.A.F., art. 92
336(1)	619
336(2)	620
336(3)	621
336(4)	622
336(5)	622.2
336(6) « notice d'offre »	622.1 « notice d'offre »
336(6) « prix de souscription »	622.1 « prix de souscription »
337(1)	624
337(1.1)	624
337(2)	646 (en partie) et 647
337(3)	646 (en partie) et 648
337(4)	632
337(5)	--
337(6)	640
337(7)	--
337(8)	--
337(10)	--
337(11)	655, al. 1
338(1)	651
338(2)	652
338(3)	653
338(4)	654
339	623
340(1)	627
340(2)	628
340(3)	--
340(4)	629
340(5)	630
340(6)	631, al. 1
340(7)	631, al. 2
340.1(1)	--
340.1(2)	--
341(1)	637
341(2)	638
341(3)	639
341(4)	641
341(5)	--
341(6)	643

Table de concordance TPS - TVQ

TPS	TVQ
341.1(1)	643.1
341.1(2)	643.2
341.1(3)	643.3
342(1)	--
342(2)	--
342(2.1)	--
342(3)	--
343(1)	--
343(2)	--
343(3)	--
344(1)	656
344(2)	656
344(3)	--
345	642
346(1)	--
346(2)	--
346(3)	--
346(4)	--
347(1)	--
347(2)	--
348 « date de mise en oeuvre »	--
348 « date de mise en oeuvre anticipée »	--
348 « date de publication »	--
348 « taxe de vente au détail »	--
349(1)	--
349(2)	--
349(3)	--
349(4)	--
350	--
351(1)	--
351(2)	--
351(3)	--
351(4)	--
351(5)	--
351(6)	--
351(7)	--
351(8)	--
352(1)	--
352(1.1)	--
352(2)	--
352(3)	--
352(4)	--
352(5)	--
352(6)	--
352(7)	--
352(8)	--
352(9)	--
352(10)	--
352(11)	--
352(12)	--
352(13)	--
353(1)	--
353(2)	--
353(3)	--
353(4)	--
354(1)	--
354(2)	--
354(3)	--
354(4)	--
354(4.1)	--
354(5)	--
354.1	--
355(1)	--
355(2)	--
356(1)	--
356(2)	--
356(3)	--
356(4)	--
356(5)	--
356(6)	--
356(7)	--
356(8)	--
357(1)	--
357(2)	--
357(3)	--
358(1)	--
358(2)	--
358(3)	--
358(4)	--
359(1)	--
359(2)	--
359(3)	--
360(1)	--
360(2)	--
360(3)	--
361(1)	--
361(2)	--
361(3)	--
362(1)	--
362(2)	--
362(3)	--
363(1)	--
363(2)	--
363(3)	--
363(4)	--
363.1	--
363.2(1)	--
363.2(2)	--
364 « catalogue national » [L.C. 1997, c. 10]	--
364 « étiquette de prix » [L.C. 1997, c. 10]	--
364 « fournisseur gouvernemental » [L.C. 1997, c. 10]	--
364 « fourniture déterminée » [L.C. 1997, c. 10]	--
364 « liste de prix » [L.C. 1997, c. 10]	--
364 « publicité écrite » [L.C. 1997, c. 10]	--
364 « publicité électronique » [L.C. 1997, c. 10]	--
364 « renseignements sur le prix » [L.C. 1997, c. 10]	--
365(1) [L.C. 1997, c. 10]	--
365(2) [L.C. 1997, c. 10]	--
365(3) [L.C. 1997, c. 10]	--

TPS	TVQ
365(4) [L.C. 1997, c. 10]	--
365(5) [L.C. 1997, c. 10]	--
366(1) [L.C. 1997, c. 10]	--
366(2) [L.C. 1997, c. 10]	--
366(3) [L.C. 1997, c. 10]	--
367 [L.C. 1997, c. 10]	--
368(1) [L.C. 1997, c. 10]	--
368(2) [L.C. 1997, c. 10]	--
368(3) [L.C. 1997, c. 10]	--
368(4) [L.C. 1997, c. 10]	--
2 (An. V, ptie I)	94
3 (An. V, ptie I)	95
4 (An. V, ptie I)	96
5 (An. V, ptie I)	97
5.1 (An. V, ptie I)	97.1
5.2 (An. V, ptie I)	97.2
5.3 (An. V, ptie I)	97.3
6 (An. V, ptie I)	98
6.1 (An. V, ptie I)	99
6.2 (An. V, ptie I)	99.1
7 (An. V, ptie I)	100
8 (An. V, ptie I)	101
8.1 (An. V, ptie I)	101.1
9 (An. V, ptie I)	101.1.1, 102
10 (An. V, ptie I)	103
11 (An. V, ptie I)	104
12 (An. V, ptie I)	105
13 (An. V, ptie I)	106
13.1 (An. V, ptie I)	106.1
13.2 (An. V, ptie I)	106.2
13.3 (An. V, ptie I)	106.3
13.4 (An. V, ptie I)	106.4
14 (An. V, ptie I)	107
1 (An. V, ptie II) « assuré »	--
1 (An. V, ptie II) « établissement de santé »	108 « établissement de santé »
1 (An. V, ptie II) « praticien »	108 « praticien »
1 (An. V, ptie II) « professionnel déterminé »	--
1 (An. V, ptie II) « services de santé en établissement »	108 « service de santé en établissement »
1 (An. V, ptie II) « service ménager à domicile »	108 « service ménager à domicile »
2 (An. V, ptie II)	109
3 (An. V, ptie II)	110
4 (An. V, ptie II)	111
5 (An. V, ptie II)	112
6 (An. V, ptie II)	113
7 (An. V, ptie II)	114
7.1 (An. V, ptie II)	114.1
7.2 (An. V, ptie II)	114.2
7.3 (An. V, ptie II)	--
8 (An. V, ptie II)	115
9 (An. V, ptie II)	116
10 (An. V, ptie II)	117
11 (An. V, ptie II)	118
13 (An. V, ptie II)	119.1
1 (An. V, ptie III) « école de formation professionnelle »	120 « école de formation professionnelle »
1 (An. V, ptie III) « élève du primaire ou du secondaire »	120 « élève du primaire ou du secondaire »
1 (An. V, ptie III) « organisme de réglementation »	120 « organisme de réglementation »
2 (An. V, ptie III)	121
3 (An. V, ptie III)	122
4 (An. V, ptie III)	123
5 (An. V, ptie III)	124
6 (An. V, ptie III)	125
7 (An. V, ptie III)	126
7.1 (An. V, ptie III)	126.1
8 (An. V, ptie III)	127
9 (An. V, ptie III)	128
11 (An. V, ptie III)	130
12 (An. V, ptie III)	131
13 (An. V, ptie III)	132
14 (An. V, ptie III)	133
15 (An. V, ptie III)	134
16 (An. V, ptie III)	135
1 (An. V, ptie IV)	136
2 (An. V, ptie IV)	137
3 (An. V, ptie IV)	137.1
1 (An. V, ptie V)	138
1 (An. V, ptie V.1)	138.1
2 (An. V, ptie V.1)	138.2
3 (An. V, ptie V.1)	138.3
4 (An. V, ptie V.1)	138.4
5 (An. V, ptie V.1)	138.5
5.1 (An. V, ptie V.1)	138.6
5.2 (An. V, ptie V.1)	138.6.1
6 (An. V, ptie V.1)	138.7
1 (An. V, ptie VI) « activité désignée »	139, 140 et 141 « activité désignée »
1 (An. V, ptie VI) « commission de transport »	139 « commission de transport »
1 (An. V, ptie VI) « municipalité locale »	139 « municipalité locale »
1 (An. V, ptie VI) « organisation paramunicipale »	139 « organisation paramunicipale » et 140.1
1 (An. V, ptie VI) « organisme de services publics »	139 « organisme de services publics »
1 (An. V, ptie VI) « organisme désigné de régime provincial »	139 « organisme désigné du gouvernement du Québec »
1 (An. V, ptie VI) « organisme du secteur public »	--
1 (An. V, ptie VI) « organisme municipal »	139 « organisme municipal »
1 (An. V, ptie VI) « parti enregistré »	139 « parti autorisé »
1 (An. V, ptie VI) « service municipal de transport »	139 « service municipal de transport »
2 (An. V, ptie VI)	141
3 (An. V, ptie VI)	143.1
3.1 (An. V, ptie VI)	143.2
4 (An. V, ptie VI)	144
5 (An. V, ptie VI)	145
5.1 (An. V, ptie VI)	146
5.2 (An. V, ptie VI)	147
6 (An. V, ptie VI)	148
9 (An. V, ptie VI)	151
10 (An. V, ptie VI)	152
11 (An. V, ptie VI)	153

Table de concordance TPS - TVQ

TPS	TVQ
12 (An. V, ptie VI)	154
13 (An. V, ptie VI)	155
14 (An. V, ptie VI)	156
15 (An. V, ptie VI)	157
17 (An. V, ptie VI)	159
18 (An. V, ptie VI)	160
18.1 (An. V, ptie VI)	160.1
18.2 (An. V, ptie VI)	160.2
19 (An. V, ptie VI)	161
20 (An. V, ptie VI)	162 et 163
21 (An. V, ptie VI)	164
21.1 (An. V, ptie VI)	164.1
22 (An. V, ptie VI)	165
23 (An. V, ptie VI)	166
24 (An. V, ptie VI)	167
25 (An. V, ptie VI)	168
26 (An. V, ptie VI)	169
27 (An. V, ptie VI)	169.1
28 (An. V, ptie VI)	169.2
1 (An. V, ptie VII)	--
2 (An. V, ptie VII)	--
1 (An. V, ptie VIII)	170
2 (An. V, ptie VIII)	171
1 (An. VI, ptie I) « ordonnance »	173 « prescription »
1 (An. VI, ptie I) « pharmacien »	173 « pharmacien »
2 (An. VI, ptie I)	174(1°)
3 (An. VI, ptie I)	174(2°)
4 (An. VI, ptie I)	174(3°)
5 (An. VI, ptie I)	174(4°)
1 (An. VI, ptie II) « cosmétique »	176 (25°)
2 (An. VI, ptie II)	176 (1°)
3 (An. VI, ptie II)	176 (2°)
4 (An. VI, ptie II)	176 (3°)
5 (An. VI, ptie II)	176 (4°)
5.1 (An. VI, ptie II)	176 (4.1°)
5.2 (An. VI, ptie II)	176 (4.2°)
6 (An. VI, ptie II)	176 (5°)
7 (An. VI, ptie II)	176 (6°)
8 (An. VI, ptie II)	176 (7°)
9 (An. VI, ptie II)	176 (8°)
10 (An. VI, ptie II)	176 (9°)
11 (An. VI, ptie II)	176 (10°)
11.1 (An. VI, ptie II)	176 (10.1°)
12 (An. VI, ptie II)	176 (11°)
13 (An. VI, ptie II)	176 (12°)
14 (An. VI, ptie II)	176 (13°)
15 (An. VI, ptie II)	176 (14°)
16 (An. VI, ptie II)	176 (15°)
17 (An. VI, ptie II)	176 (16°)
18 (An. VI, ptie II)	176 (17°)
18.1 (An. VI, ptie II)	176 (17.1°)
19 (An. VI, ptie II)	176 (18°)
20 (An. VI, ptie II)	176 (19°)
21 (An. VI, ptie II)	176 (20°)
21.1 (An. VI, ptie II)	176 (20.1°)
21.2 (An. VI, ptie II)	176 (20.2°)
21.3 (An. VI, ptie II)	176 (20.2°)
22 (An. VI, ptie II)	176 (21°)

TPS	TVQ
23 (An. VI, ptie II)	176 (22°)
23.1 (An. VI, ptie II (An. VI, ptie II))	176 (22.1°)
24 (An. VI, ptie II)	176 (23°)
24.1 (An. VI, ptie II)	176 (23.1°)
25 (An. VI, ptie II)	176 (24°)
26 (An. VI, ptie II)	176 (25°)
27 (An. VI, ptie II)	176 (26°)
28 (An. VI, ptie II)	176 (27°)
29 (An. VI, ptie II)	176 (28°)
29.1 (An. VI, ptie II) (A.M.V.M. 29/03/2012 - Budget)	--
30 (An. VI, ptie II)	176 (29°)
31 (An. VI, ptie II)	176 (30°)
32 (An. VI, ptie II)	176 (31°)
33 (An. VI, ptie II)	176 (32°)
33.1 (An. VI, ptie II)	176 (32.1°)
34 (An. VI, ptie II)	par. 176 (33°)
35 (An. VI, ptie II)	176 (34°)
36 (An. VI, ptie II)	176 (35°)
37 (An. VI, ptie II)	176 (36°)
38 (An. VI, ptie II)	176 (37°)
39 (An. VI, ptie II)	176 (38°)
40 (An. VI, ptie II)	176 (39°)
1 (An. VI, ptie III)	177
2 (An. VI, ptie III)	177.1
1 (An. VI, ptie IV)	178 (1°)
1.1 (An. VI, ptie IV)	178 (1.1°)
2 (An. VI, ptie IV)	178 (2°)
2.1 (An. VI, ptie IV)	178 (2.1°)
3 (An. VI, ptie IV)	178 (3°)
3.1 (An. VI, ptie IV) (Prop.lég. 12-04-2001)	--
4 (An. VI, ptie IV)	178 (4°)
5 (An. VI, ptie IV)	178 (5°)
6 (An. VI, ptie IV)	178 (6°)
7 (An. VI, ptie IV)	178 (7°)
8 (An. VI, ptie IV)	178 (8°)
9 (An. VI, ptie IV)	178 (9°)
10 (An. VI, ptie IV)	178 (10°)
1 (An. VI, ptie V)	179
1.1 (An. VI, ptie V)	179.1
1.2 (An. VI, ptie V)	179.2
2 (An. VI, ptie V)	180
2.1 (An. VI, ptie V)	180.1
2.2 (An. VI, ptie V)	180.3
3 (An. VI, ptie V)	181
4 (An. VI, ptie V)	182
5 (An. VI, ptie V)	183
6 (An. VI, ptie V)	184
6.1 (An. VI, ptie V)	184.1
6.2 (An. VI, ptie V)	184.2
7 (An. VI, ptie V)	185
8 (An. VI, ptie V)	186
9 (An. VI, ptie V)	187
10 (An. VI, ptie V)	188
11 (An. VI, ptie V)	189
12 (An. VI, ptie V)	190
13 (An. VI, ptie V)	191

TPS	TVQ
14(1) (An. VI, ptie V) « accessoire fixe »	191.1 « accessoire fixe »
14(1) (An. VI, ptie V) « calibre »	191.1 « calibre »
14(1) (An. VI, ptie V) « matrice »	191.1 « matrice »
14(1) (An. VI, ptie V) « moule »	191.1 « moule »
14(1) (An. VI, ptie V) « outil »	191.1 « outil »
14(2) (An. VI, ptie V)	191.2
15 (An. VI, ptie V)	191.3
15.1 (An. VI, ptie V)	191.3.1
15.2 (An. VI, ptie V)	191.3.2
15.3 (An. VI, ptie V)	191.3.3
15.4 (An. VI, ptie V)	191.3.4
16 (An. VI, ptie V)	189.1
17 (An. VI, ptie V)	191.4
18 (An. VI, ptie V)	191.5
19 (An. VI, ptie V)	191.6
20 (An. VI, ptie V)	191.7
21 (An. VI, ptie V)	191.8
22 (An. VI, ptie V)	191.9
22.1 (An. VI, ptie V)	191.9.1
23 (An. VI, ptie V)	191.10
24 (An. VI, ptie V)	191.11
1 (An. VI, ptie VI)	192
1(1) (An. VI, ptie VII)	193
1(1) (An. VI, ptie VII) « destination »	193 « destination »
1(1) (An. VI, ptie VII) « destination finale »	193 « destination finale »
1(1) (An. VI, ptie VII) « escale »	193 « escale »
1(1) (An. VI, ptie VII) « expéditeur »	193 « expéditeur »
1(1) (An. VI, ptie VII) « point à l'étranger »	193 « point à l'étranger »
1(1) (An. VI, ptie VII) « point d'origine »	193 « point d'origine »
1(1) (An. VI, ptie VII) « service continu de transport de marchandises »	193 « service continu de transport de marchandises »
1(1) (An. VI, ptie VII) « service continu de transport de marchandises vers l'étranger »	193 « service continu de transport de marchandises vers l'étranger »
1(1) (An. VI, ptie VII) « service de transport de marchandises »	193 « service de transport de marchandises »
1(1) (An. VI, ptie VII) « voyage continu »	193 « voyage continu »
1(1) (An. VI, ptie VII) « zone de taxation »	193 « zone de taxation »
1(2) (An. VI, ptie VII)	196
2 (An. VI, ptie VII)	194 (1°)
3 (An. VI, ptie VII)	194 (1°)
4 (An. VI, ptie VII)	par. 194 (2°)
5 (An. VI, ptie VII)	--
5.1 (An. VI, ptie VII)	par. 194(5°)
6 (An. VI, ptie VII)	par. 197 (1°)
7 (An. VI, ptie VII)	197 (2°)
8 (An. VI, ptie VII)	197 (4°)
9 (An. VI, ptie VII)	197 (5°)
10 (An. VI, ptie VII)	196 et 197 (6°)
11 (An. VI, ptie VII)	196 et 197 (7°)
12 (An. VI, ptie VII)	197 (8°)
13 (An. VI, ptie VII)	197 (9°)
14 (An. VI, ptie VII)	197 (10°)
15 (An. VI, ptie VII)	197.1

TPS	TVQ
1 (An. VI, ptie VIII)	198 (2°)
2 (An. VI, ptie VIII)	--
1 (An. VI, ptie IX)	198(1°)
2 (An. VI, ptie IX)	198(1°)
3 (An. VI, ptie IX)	--
1 (An. VI, ptie X)	--
1 (An. VII)	81 (1°)
1.1 (An. VII)	--
2 (An. VII)	81 (3°)
3 (An. VII)	81 (4°)
4 (An. VII)	81 (5°)
5 (An. VII)	81 (6°)
5 .1 (An. VII)	--
6 (An. VII)	81 (7°)
7 (An. VII)	81 (8°)
7.1 (An. VII)	81 (8.1°)
8 (An. VII)	81 (9°)
8 .1 (An. VII)	--
8 .2 (An. VII)	--
8 .3 (An. VII)	--
9 (An. VII)	81 (10°)
10 (An. VII)	81 (11°)
11 (An. VII)	--
12 (An. VII) (Prop. lég. 12-04-2001)	--
1 (An. VIII)	--
2 (An. VIII)	--
3 (An. VIII)	--
5 (An. VIII)	--
1 (An. IX, ptie I) « lieu de négociation »	22.2 « lieu de négociation »
1 (An. IX, ptie I) « période de location »	22.2 « période de location »
2 (An. IX, ptie I)	22.3
3 (An. IX, ptie I)	22.4
4 (An. IX, ptie I)	22.5
5 (An. IX, ptie I)	--
1 (An. IX, ptie II)	22.7
2 (An. IX, ptie II)	22.8
3 (An. IX, ptie II)	22.9
4 (An. IX, ptie II)	22.9.1
1 (An. IX, ptie III)	22.10
2 (An. IX, ptie III)	22.11
3 (An. IX, ptie III)	22.11
1 (An. IX, ptie IV)	22.12
2 (An. IX, ptie IV)	22.13
3 (An. IX, ptie IV)	22.13
1 (An. IX, ptie V)	22.14
2 (An. IX, ptie V)	22.15
3 (An. IX, ptie V)	22.15
1 (An. IX, ptie VI) « destination »	22.16 « destination »
1 (An. IX, ptie VI) « destination finale »	22.16 « destination »
1 (An. IX, ptie VI) « escale »	22.16 « escale »
1 (An. IX, ptie VI) « étape »	--
1 (An. IX, ptie VI) « point d'origine »	22.16 « point d'origine »
1 (An. IX, ptie VI) « service de transport de marchandises »	22.16 « service de transport de marchandises »
1 (An. IX, ptie VI) « voyage continu »	22.16 « voyage continu »
2 (An. IX, ptie VI)	22.17

Table de concordance TPS - TVQ

TPS	TVQ
3 (An. IX, ptie VI)	--
4 (An. IX, ptie VI)	22.18
4.1 (An. IX, ptie VI)	22.18.1
5 (An. IX, ptie VI)	22.19
1 (An. IX, ptie VII) « marque de permis »	22.21 « marque de permis »
1 (An. IX, ptie VII) « timbre-poste »	22.21 « timbre-poste »
2 (An. IX, ptie VII)	22.22
3 (An. IX, ptie VII)	22.23
4 (An. IX, ptie VII)	22.24
1 (An. IX, ptie VIII)	22.25
2 (An. IX, ptie VIII)	22.26
3 (An. IX, ptie VIII)	22.27
1 (An. IX, ptie IX)	22.28
2 (An. IX, ptie IX)	22.29
3 (An. IX, ptie IX)	22.30
1 (An. X, ptie I)	--
2 (An. X, ptie I)	--
3 (An. X, ptie I)	--
4 (An. X, ptie I)	--
5 (An. X, ptie I)	--
6 (An. X, ptie I)	--
7 (An. X, ptie I)	--
8 (An. X, ptie I)	--
9 (An. X, ptie I)	--

TPS	TVQ
10 (An. X, ptie I)	--
11 (An. X, ptie I)	--
12 (An. X, ptie I)	--
13 (An. X, ptie I)	--
14 (An. X, ptie I)	--
15 (An. X, ptie I)	--
16 (An. X, ptie I)	--
17 (An. X, ptie I)	--
19 (An. X, ptie I)	--
20 (An. X, ptie I)	--
21 (An. X, ptie I)	--
22 (An. X, ptie I)	--
23 (An. X, ptie I)	--
24 (An. X, ptie I)	--
25 (An. X, ptie I)	--
26 (An. X, ptie I)	--
1 (An. X, ptie II)	--
2 (An. X, ptie II)	--
3 (An. X, ptie II)	--
4 (An. X, ptie II)	--
5 (An. X, ptie II)	--
6 (An. X, ptie II)	--
7 (An. X, ptie II)	--

LTA (TPS)

TABLE DES MATIÈRES DE LA LOI SUR LA TAXE D'ACCISE (TPS)

Table sommaire

LOI SUR LA TAXE D'ACCISE (TPS)

L.R.C. 1985, ch. E-15, telle que modifiée par L.C. 1990, ch. 45; L.C. 1992, ch. 27, ch. 28; L.C. 1993, ch. 27; L.C. 1994, ch. 9, ch. 13, ch. 21, ch. 29; L.C. 1996, ch. 21, ch. 23; L.C. 1997, ch. 10; L.C. 1998, ch. 19; L.C. 1999, ch. 17, ch. 26, ch. 28, ch. 31; L.C. 2000, ch. 12, ch. 14, ch. 19, ch. 30, ch. 34; L.C. 2001, ch. 13, ch. 15, ch. 16, ch. 17; L.C. 2002, ch. 8, ch. 22; L.C. 2004, ch. 11, ch. 22, ch. 25; L.C. 2005, ch. 30, ch. 38; L.C. 2006, ch. 4; L.C. 2007, ch. 18, ch. 29, ch. 35; L.C. 2008, ch. 28; L.C. 2009, ch. 2, ch. 32; L.C. 2010, ch. 12; L.C. 2011, ch. 15; L.C. 2012, ch. 19; L.C. 2012, ch. 31.

[Note : Les articles 1 à 116, qui ne touchent pas à la TPS, sont reproduits sous « Loi sur la taxe d'accise (autre que TPS) ».]

PARTIE VIII — DISPOSITIONS TRANSITOIRES

117. (1) Définition de « service taxable » — Pour l'application du présent article, « service taxable » s'entend au sens des paragraphes 21.1(1) et 21.22(1).

Notes historiques: Le paragraphe 117(1) a été ajouté par L.C. 1990, c. 45, par. 12(1).

Concordance québécoise: LTVQ, art. 542 - 617.

(2) Taxe prévue par les parties II.1 et II.2 — Aucune taxe sur le montant exigé par une personne pour un service taxable qu'elle rend n'est imposée, prélevée ou perçue en vertu de la partie II.1 ou II.2 si le montant est exigé :

a) après avril 1991;

b) après août 1990 pour une période commençant après 1990.

Notes historiques: Le paragraphe 117(2) a été ajouté par L.C. 1990, c. 45, par. 12(1).

Concordance québécoise: LTVQ, art. 542-617.

(3) Idem — Aucune taxe n'est imposée, prélevée ou perçue en vertu de la partie II.1 ou II.2 sur le montant exigé, par une personne pour un service taxable qu'elle rend, après août 1990 pour une période commençant avant 1991 et se terminant après 1990, dans la mesure où ce montant se rapporte à la partie du service qui est rendue après 1990.

Notes historiques: Le paragraphe 117(3) a été ajouté par L.C. 1990, c. 45, par. 12(1).

Concordance québécoise: aucune.

Définitions [art. 117]: « personne » — 123(1); « service taxable » — 123(1).

Mémorandums [art. 117]: TPS 500-6-6, 16/11/90, *Transactions chevauchantes*, par. 41, 42.

118. (1) Taxe prévue par la partie VI — Aucune taxe n'est imposée, prélevée ou perçue en vertu de la partie VI sur les marchandises suivantes :

a) les marchandises vendues par un marchand en gros titulaire de licence qui ne sont pas livrées à l'acheteur avant 1991 et dont la propriété ne lui est pas transmise avant 1991;

b) les marchandises dont l'importation n'a pas fait l'objet d'une déclaration en détail ou provisoire aux termes des paragraphes 2032(1), (2) ou (5) de la *Loi sur les douanes* avant 1991;

c) les marchandises fabriquées ou produites au Canada qui ne sont pas livrées à l'acheteur avant 1991 et dont la propriété ne lui est pas transmise avant 1991;

d) les marchandises retenues par le fabricant ou le producteur ou par un marchand en gros titulaire de licence, pour son propre usage après 1990 ou pour être louées par lui à d'autres après 1990.

Notes historiques: L'alinéa 118(1)b) a été modifié par L.C. 1993, c. 27, par. 5(1) par l'ajout des mots « ou provisoire » après les mots « déclaration en détail ». Il est réputé entré en vigueur le 17 décembre 1990.

Le paragraphe 118(1) a été ajouté par L.C. 1990, c. 45, par. 12(1).

Concordance québécoise: aucune.

(2) Idem — Les marchandises vendues par un marchand en gros titulaire de licence qui sont livrées à l'acheteur après 1990 mais dont la propriété est transmise à celui-ci avant 1991 sont réputées, pour l'application de l'alinéa 50(1)c), livrées à l'acheteur le jour où leur propriété lui est transmise.

Notes historiques: Le paragraphe 118(2) a été ajouté par L.C. 1990, c. 45, par. 12(1).

Concordance québécoise: aucune.

(3) Idem — Dans le cas où un fabricant ou producteur a conclu, avant novembre 1989, un contrat visé au sous-alinéa 50(1)a)(ii) pour la vente de marchandises qu'il a fabriquées ou produites, les règles suivantes s'appliquent :

a) aucune taxe n'est imposée, prélevée ou perçue en vertu de la partie VI sur les versements qui deviennent exigibles aux termes de ce contrat après 1990;

b) le paragraphe 152(1) ne s'applique pas aux versements exigibles aux termes de ce contrat après 1990 qui sont visés par des factures établies ou datées antérieurement à 1991.

Notes historiques: Le paragraphe 118(3) a été ajouté par L.C. 1990, c. 45, par. 12(1).

Concordance québécoise: aucune.

(4) Idem — Dans le cas où un fabricant ou producteur a conclu, après octobre 1989, un contrat visé au sous-alinéa 50(1)a)(ii) pour la vente de marchandises qu'il a fabriquées ou produites, lesquelles marchandises n'ont pas été livrées à l'acheteur, et leur propriété ne lui a pas été transmise, avant 1991, les règles suivantes s'appliquent :

a) aucune taxe n'est imposée, prélevée ou perçue en vertu de la partie VI sur les versements qui deviennent exigibles aux termes de ce contrat après 1990;

b) le paragraphe 152(1) ne s'applique pas aux versements exigibles aux termes de ce contrat après 1990 qui sont visés par des factures établies ou datées antérieurement à 1991.

Notes historiques: Le paragraphe 118(4) a été ajouté par L.C. 1990, c. 45, par. 12(1).

Concordance québécoise: aucune.

(5) Idem — Dans le cas où un fabricant ou producteur a conclu, après octobre 1989, un contrat visé au sous-alinéa 50(1)a)(ii) pour la vente de marchandises de sa fabrication ou production, qui sont livrées à l'acheteur ou dont la propriété lui est transmise, avant 1991, les versements qui deviennent exigibles aux termes du contrat après novembre 1990 sont réputés, pour l'application de la présente loi, être devenus exigibles le 31 décembre 1990.

Notes historiques: Le paragraphe 118(5) a été modifié par L.C. 1993, c. 27, par. 5(2) et est réputé entré en vigueur le 17 décembre 1990. Il se lisait comme suit :

> (5) Dans le cas où un fabricant ou producteur a conclu, après octobre 1989, un contrat visé au sous-alinéa 50(1)a)(ii) pour la vente de marchandises de sa fabrication ou production, qui sont livrées à l'acheteur ou dont la propriété lui est transmise, avant 1991 :
>
> a) le sous-alinéa 50(1)a)(ii) ne s'applique pas aux versements qui deviennent exigibles après novembre 1990 aux termes de ce contrat;
>
> b) les versements qui deviennent exigibles aux termes du contrat après novembre 1990 sont réputés, pour l'application de la présente loi, être exigibles le 31 décembre 1990.

Le paragraphe 118(5) a été édicté par L.C. 1990, c. 45, par. 12(1).

Concordance québécoise: aucune.

(6) Idem — Par dérogation au paragraphe (3), le paragraphe (5) s'applique aux versements indiqués dans un contrat conclu avant novembre 1989 qui fait l'objet, après octobre 1989 et avant 1991, de modifications touchant le calendrier ou le montant des versements, sauf si ces modifications sont propres à permettre qu'un changement soit apporté à la contrepartie totale exigible aux termes du contrat.

Notes historiques: Le paragraphe 118(6) a été ajouté par L.C. 1990, c. 45, par. 12(1).

Concordance québécoise: aucune.

(6.1) Affectation postérieure à 1990 — La taxe prévue à la partie VI n'est pas imposée, ni prélevée, ni perçue en application des paragraphes 50(7) ou (8) lorsque l'un des événements visés à ces paragraphes se produit après 1990.

Notes historiques: Le paragraphe 118(6.1) a été ajouté par L.C. 1993, c. 27, par. 5(3) et est réputé entré en vigueur le 17 décembre 1990.

Concordance québécoise: aucune.

(7) Fournitures continues — Dans le cas où la partie VI s'applique à des marchandises facturées à intervalles réguliers ou périodiquement par un vendeur — marchand en gros titulaire de licence ou fabricant ou producteur de ces marchandises — qui les livre de façon continue au moyen d'un fil, d'un pipeline ou d'une autre canalisation et qui délivre une facture à l'acheteur après août 1990, aucune taxe n'est imposée, prélevée ou perçue en vertu de cette partie relativement aux marchandises dans la mesure où elles sont livrées à l'acheteur, et leur propriété lui est transmise, après 1990.

Notes historiques: Le paragraphe 118(7) a été ajouté par L.C. 1990, c. 45, par. 12(1).

Concordance québécoise: aucune.

Définitions [art. 118]: « fabricant ou producteur » — 2(1), 3, (4.1); « marchand en gros titulaire de licence » — 42; « personne » — 123(1); « présente loi » — 2(1).

Renvois [art. 118]: 120(2) (marchandises à l'inventaire), 121.1 (application de la règle anti-évitement), 152(1) (contrepartie due), 337(2) (disposition transitoire — fournitures continues), 337(5) (6) (fourniture après 1990), 337(7)b) (fournitures à des consommateurs payées d'avance).

Jurisprudence [art. 118]: *Kramer Ltd. c. La Reine*, [1994] G.S.T.C. 47 (CCI); *CIBC World Markets Inc. v. R.*, [2010] G.S.T.C. 134 (CCI [procédure générale]).

Bulletins de l'information technique [art. 118]: B-034, 27/01/92, *Rajustement à la taxe de vente fédérale après 1990.*

Mémorandums [art. 118]: TPS 500-2-6, 23/01/91, *Autres déclarations de TPS*, par. 22; TPS 500-5-5, 23/01/91, *Autres déclarations de TPS*, par. 22; TPS 800-4, 31/03/93, *Taux de taxes*; TPS 800, 19/02/91, *Autres taxes et droits*; TPS 800-1, 29/03/93, *Taxes d'accise*; TPS 800-4, 31/03/93, *Taux de taxes*; TPS 900, 25/03/91, *Remboursement de la taxe de vente à l'inventaire*, par. 5.

119. (1) Retrait d'approbation — Le paragraphe 49(2) ne s'applique pas à la taxe imposée en vertu de la partie VI si l'approbation donnée à l'égard d'une demande en application du paragraphe 48(3) est annulée après 1990.

Notes historiques: Le paragraphe 119(1) a été ajouté par L.C. 1990, c. 45, par. 12(1).

Concordance québécoise: aucune.

(2) Annulation de licence d'un marchand en gros — Le paragraphe 56(3) ne s'applique pas à la taxe imposée en vertu de la partie VI si une licence accordée en application de l'article 55 est annulée après 1990.

Notes historiques: Le paragraphe 119(2) a été ajouté par L.C. 1990, c. 45, par. 12(1).

Concordance québécoise: aucune.

Remboursement de la taxe de vente à l'inventaire

120. (1) Définitions — Les définitions qui suivent s'appliquent au présent article.

« activité commerciale » L'exploitation d'une entreprise par une personne (à l'exception d'une entreprise exploitée par un particulier sans attente raisonnable de profit), sauf dans la mesure où l'entreprise comporte la réalisation par la personne de fournitures exonérées, au sens du paragraphe 123(1).

Notes historiques: La définition d'« activité commerciale » au paragraphe 120(1) a été ajoutée par L.C. 1993, c. 27, par. 6(3) et est réputée entrée en vigueur le 17 décembre 1990.

Concordance québécoise: aucune.

« immobilisation » Bien qui est une immobilisation d'une personne au sens de la *Loi de l'impôt sur le revenu*, ou qui le serait si la personne était un contribuable aux termes de cette loi, à l'exclusion des biens visés aux catégories 12 ou 14 de l'annexe II du *Règlement de l'impôt sur le revenu*.

Notes historiques: La définition de « immobilisation » au paragraphe 120(1) a été remplacée par L.C. 1999, c. 31, art. 233 et cette modification est entrée en vigueur le 17 juin 1999. Antérieurement, cette définition se lisait comme suit :

> « immobilisation » Bien qui est le bien en immobilisation d'une personne au sens de la Loi de l'impôt sur le revenu, ou qui le serait si la personne était un contribuable aux termes de cette loi, à l'exclusion des biens visés aux catégories 12 ou 14 de l'annexe II du Règlement de l'impôt sur le revenu.

La définition de « immobilisation » au paragraphe 120(1) a été ajoutée par L.C. 1990, c. 45, par. 12(1).

Concordance québécoise: aucune.

« inventaire » État descriptif des marchandises libérées de taxe d'une personne à un moment donné qui figurent à l'inventaire de la personne au Canada à ce moment et qui, à ce même moment, selon le cas :

a) sont destinées à être vendues ou louées séparément pour un prix ou un loyer en argent, dans le cours normal d'une activité commerciale de la personne;

b) sont des matériaux de construction réservés à l'usage de la personne dans le cadre d'une entreprise de construction, de rénovation ou d'amélioration de bâtiments ou de constructions qu'elle exploite, à l'exclusion de telles marchandises qui, avant ce moment, faisaient partie de constructions nouvelles ou de rénovations ou d'améliorations ou ont autrement été livrées à un chantier de construction, de rénovation ou d'amélioration.

Ne sont pas de telles marchandises :

c) les immobilisations de la personne;

d) les marchandises que la personne destine à la construction, à la rénovation ou à l'amélioration d'un bien qui est son immobilisation ou doit le devenir;

e) les marchandises figurant à l'inventaire d'une autre personne à ce moment.

Notes historiques: L'alinéa a) de la définition d'« inventaire » au paragraphe 120(1) a été modifié par L.C. 1993, c. 27, par. 6(1) et est réputé entré en vigueur le 17 décembre 1990. Il se lisait auparavant comme suit :

> a) sont destinées à la fourniture taxable (au sens du paragraphe 123(1)) par vente ou location à d'autres dans le cours normal de l'entreprise de la personne;

La définition du mot « inventaire » au paragraphe 120(1) a été ajoutée par L.C. 1990, c. 45, par 12(1).

Concordance québécoise: LTVQ, art. 657« inventaire ».

« marchandises libérées de taxe » Marchandises, acquises par une personne avant 1991, qui n'ont jamais été radiées des livres comptables de l'entreprise de la personne pour l'application de la *Loi de l'impôt sur le revenu*, dont le prix de vente ou la quantité vendue a été frappé de la taxe prévue au paragraphe 50(1) (sauf la taxe payable en conformité avec le sous-alinéa 50(1)a)(ii)), laquelle a été payée et serait irrécouvrable en l'absence du présent article, et qui sont, au début du 1er janvier 1991 :

a) des marchandises neuves qui n'ont jamais servi;

b) des marchandises qui ont été refabriquées ou reconstruites et qui n'ont jamais servi depuis;

c) des marchandises d'occasion.

Notes historiques: Le préambule de la définition de « marchandises libérées de taxe » au paragraphe 120(1) a été modifié par L.C. 1993, c. 27, par. 6(2) et est réputé entré en vigueur le 17 décembre 1990. Il se lisait auparavant comme suit :

> « marchandises libérées de taxe » Marchandises, acquises par une personne avant 1991, qui n'ont jamais été radiées des livres comptables de l'entreprise de la personne pour l'application de la *Loi de l'impôt sur le revenu*, relativement auxquelles la taxe imposée par le paragraphe 50(1) (sauf la taxe payée par la personne en application du sous-alinéa 50(1)a)(ii)) est payée et ne serait pas recouvrable en l'absence du présent article, et qui sont, au début du 1er janvier 1991 :

La définition de « marchandises libérées de taxe » au paragraphe 120(1) a été ajoutée par L.C. 1990, c. 45, par. 12(1).

Concordance québécoise: aucune.

« taxe de vente » La taxe de consommation ou de vente imposée par la partie VI.

Notes historiques: La définition de « taxe de vente » au paragraphe 120(1) a été ajoutée par L.C. 1990, c. 45, par 12(1).

Concordance québécoise: aucune.

(2) Marchandises à l'inventaire — Dans le cas où, aux termes d'un contrat visé au paragraphe 118(3), la taxe de vente a été payée sur des versements prévus par le contrat relativement à des marchandises figurant à l'inventaire de l'acheteur et livrées à celui-ci, ou dont la propriété lui est transmise, avant 1991, les marchandises ne figurent à l'inventaire de l'acheteur que dans la mesure des versements effectués à leur titre avant 1991 aux termes du contrat.

Notes historiques: Le paragraphe 120(2) a été ajouté par L.C. 1990 c. 45, par. 12(1).

Concordance québécoise: aucune.

(2.1) Vente improbable — Pour l'application de l'alinéa a) de la définition de « inventaire » au paragraphe (1), la partie des marchandises libérées de taxe qui figurent à l'inventaire d'une personne au Canada à un moment donné qui sera vraisemblablement consommée ou utilisée par la personne est réputée ne pas être destinée, à ce moment, à la vente ou à la location.

Notes historiques: Le paragraphe 120(2.1) a été ajouté par L.C. 1993 c. 27, par. 6(4) et est réputé entré en vigueur le 17 décembre 1990.

Concordance québécoise: aucune.

(3) Remboursement de la taxe de vente — Sous réserve du présent article, dans le cas où l'inventaire d'une personne inscrite aux termes de la sous-section d de la section V de la partie IX le 1er janvier 1991 comprend, au début de cette date, des marchandises libérées de taxe, les règles suivantes s'appliquent :

a) si les marchandises libérées de taxe ne sont pas des marchandises d'occasion, le ministre verse à la personne, sur sa demande, un remboursement en conformité avec les paragraphes (5) et (8);

b) si les marchandises libérées de taxe sont des marchandises d'occasion, elles sont réputées, pour l'application de l'article 176, être des biens meubles corporels d'occasion fournis par vente à la personne au Canada le 1er janvier 1991 relativement auxquels la taxe n'est pas payable par la personne, et avoir été acquises pour fourniture dans le cadre des activités commerciales de la personne pour une contrepartie payée à cette date égale à 50 % du montant auquel les marchandises seraient évaluées à cette date aux fins du calcul du revenu de la personne provenant d'une entreprise pour l'application de la *Loi de l'impôt sur le revenu*.

Notes historiques: Le paragraphe 120(3) a été ajouté par L.C. 1990 c. 45, par. 12(1).

Concordance québécoise: LTVQ, art. 658, 659.

(3.1) Restriction au remboursement — Lorsque l'article 178.3 s'applique à un démarcheur le 1er janvier 1991, les produits exclusifs de celui-ci qui, sans le présent paragraphe, figureraient, au début de ce jour, à l'inventaire de son entrepreneur indépendant — qui n'est pas un distributeur à l'égard duquel l'approbation accordée en application du paragraphe 178.2(4) est alors en vigueur — sont réputés, pour l'application du présent article, ne pas y figurer.

Notes historiques: Le paragraphe 120(3.1) a été ajouté par L.C. 1993 c. 27, par. 6(5) et est réputé entré en vigueur le 17 décembre 1990.

Concordance québécoise: aucune.

(3.2) Définitions — Au paragraphe (3.1), les expressions « démarcheur », « distributeur », « entrepreneur indépendant » et « produit exclusif » s'entendent au sens de l'article 178.1.

Notes historiques: Le paragraphe 120(3.2) a été ajouté par L.C. 1993 c. 27, par. 6(5) et est réputé entré en vigueur le 17 décembre 1990.

Concordance québécoise: aucune.

(4) Dressage de l'inventaire — Pour l'application du paragraphe (3), l'inventaire d'une personne doit être établi au début du 1er janvier 1991 et peut être dressé :

a) le 1er janvier 1991;

b) dans le cas où l'entreprise de la personne n'est pas exploitée activement au 1er janvier 1991, le premier jour suivant cette date, ou le dernier jour avant cette date, où elle est ainsi exploitée;

c) à une date antérieure ou postérieure au 1er janvier 1991, si le ministre est convaincu que le système de contrôle des stocks de la personne est propre à permettre de dresser son inventaire de façon adéquate à cette date.

Notes historiques: Le paragraphe 120(4) a été ajouté par L.C. 1990 c. 45, par. 12(1).

Concordance québécoise: LTVQ, art. 660.

(5) Calcul du remboursement — Sous réserve du paragraphe (8) et pour l'application du paragraphe (3), le remboursement à verser à une personne relativement à son inventaire au début du 1er janvier 1991 correspond, sous réserve du paragraphe 337(7), au montant calculé selon une méthode prescrite utilisant des facteurs prescrits.

Notes historiques: Le paragraphe 120(5) a été ajouté par L.C. 1990 c. 45, par. 12(1).

Concordance québécoise: LTVQ, art. 661 (en partie).

(6) Application des parties VI et VII — Les parties VI et VII, à l'exclusion du paragraphe 72(7), s'appliquent aux demandes de remboursement et aux versements, prévus par le présent article, comme s'il s'agissait de demandes présentées en application de l'article 68 et de versements faits en application de l'article 72.

Notes historiques: Le paragraphe 120(6) a été modifié par L.C. 1993 c. 27, par. 6(6) et est réputé entré en vigueur le 17 décembre 1990. Il se lisait comme suit :

> Les parties VI et VII, à l'exclusion du paragraphe 72(7), s'appliquent aux demandes de remboursement et aux versements, prévus par le présent article, comme s'ils étaient faits en application de l'article 72.

Le paragraphe 120(6) a été édicté par L.C. 1990, c. 45, par. 12(1).

Concordance québécoise: aucune.

(7) Intérêts sur le remboursement — Des intérêts sur le remboursement à verser à une personne en application du présent article — composés mensuellement sur le total du remboursement et des intérêts impayés — sont payés à la personne, au taux prescrit, pour la période commençant le dernier en date des jours suivants et se terminant le jour où le remboursement est versé :

a) le 1er mars 1991;

b) le vingt et unième jour suivant la réception de la demande par le ministre.

Notes historiques: Le paragraphe 120(7) a été ajouté par L.C. 1990 c. 45, par. 12(1).

Concordance québécoise: LTVQ, art. 662.

(8) Restriction — Le ministre ne verse le remboursement que si demande lui en est faite avant 1992.

Notes historiques: Le paragraphe 120(8) a été ajouté par L.C. 1990 c. 45, par. 12(1).

Concordance québécoise: LTVQ, art. 661.

Définitions [art. 120]: « fourniture taxable », « ministre », « personne », « règlement » — 123(1); « inventaire » — 120(1); « démarcheur », « distributeur », « entrepreneur indépendant », « produit exclusif » — 120(3.2).

Renvois [art. 120]: 118(3) (taxe prévue par la partie VI); 121.1 (application de la règle anti-évitement); 176 (biens meubles corporels d'occasion ou désignés); 178.1, 178.3 (démarcheurs); 240, 241 (inscription); 271 (fusion); 272 (liquidation); 337(7)a) (fournitures à des consommateurs payées d'avance); 54b); II:Cat. 12, 14.

Règlements [art. 120]: *Règlement sur les taux d'intérêt*, art. 2b); *Règlement sur le remboursement de la taxe de vente fédérale à l'inventaire*, art. 1; art. 3; art. 4.

Jurisprudence [art. 120]: *TechTouch Business Systems Ltd. c. MNR*, [1992] G.S.T.C. 12 (TCCE); *Valleybrook Gardens Ltd. c. MNR*, [1992] G.S.T.C. 13 (TCCE); *Gullco International Ltd. c. MNR*, [1992] G.S.T.C. 16 (TCCE); *A.J.V. Tools Ltd. c. MNR*, [1992] G.S.T.C. 19 (TCCE); *Renaissance Jewellery Inc. c. MNR*, [1992] G.S.T.C. 20; *Leach c. MNR*, [1993] G.S.T.C. 2 (TCCE); *J & D Trophies & Engraving c. MNR*, [1993] G.S.T.C. 3 (TCCE); *Archer's Signs & Trophies c. MNR*, [1993] G.S.T.C. 4 (TCCE); *Oasis Gallery c. MNR*, [1993] G.S.T.C. 5 (TCCE); *MVP Trophies c. MNR*, [1993] G.S.T.C. 7 (TCCE); *Nifty Ware Ltd. c. MNR*, [1993] G.S.T.C. 8 (TCCE); *Artland Gallery & Framing c. MNR*, [1993] G.S.T.C. 9 (TCCE); *Akos Development Corp. c. MNR*, [1993] G.S.T.C. 13 (TCCE); *Hypertec Systèmes Inc. c. MNR*, [1993] G.S.T.C. 14 (TCCE); *P.R.E.P. Consulting Ltd. c. MNR*, [1993] G.S.T.C. 15 (TCCE); *Sako Auto Leasing*, [1993] G.S.T.C. 17 (TCCE); *Pal-Bac Developments Ltd. c. MNR*, [1993] G.S.T.C. 18 (TCCE); *Northwest Wholesale Co. c. MNR*, [1993] G.S.T.C. 19 (TCCE); *Artecal Exhibit and Displays c. MNR*, [1993] G.S.T.C. 21 (TCCE); *Ambiance Gallery c. MNR*, [1993] G.S.T.C. 24 (TCCE); *Rutherford Auto Sales Ltd. c. MNR*, [1993] G.S.T.C. 26 (TCCE); *Alternate Solutions c. MNR*, [1993] G.S.T.C. 27 (TCCE); *C.M.C.A. Ltd. c. MNR*, [1993] G.S.T.C. 28 (TCCE); *McDonald's Restaurants of Canada Ltd. c. MNR*,

[1993] G.S.T.C. 29 (TCCE); *Century International Arms Ltd. c. MNR*, [1993] G.S.T.C. 31 (TCCE); *Butterfield c. MNR*, [1993] G.S.T.C. 32 (TCCE); *Northern Aircool Engines Co. c. MNR*, [1993] G.S.T.C. 40 (TCCE); *Tracom Ltd. c. MNR*, [1993] G.S.T.C. 46 (TCCE); *Lakhani Gift Store c. MNR*, [1993] G.S.T.C. 47 (TCCE); *Vern Glass Company (1976) Ltd. c. MNR*, [1993] G.S.T.C. 51 (TCCE); *Gilcam Enterprises Ltd. c. MNR*, [1993] G.S.T.C. 52 (TCCE); *W.G. Abrams Constructions Specialties Ltd. c. MNR*, [1993] G.S.T.C. 53 (TCCE); *Demure Enterprises Inc. c. MNR*, [1993] G.S.T.C. 55 (TCCE); *Memorial Gardens (Manitoba) Ltd. c. MNR*, [1993] G.S.T.C. 56 (TCCE); *Rudolph Furniture Ltd. c. MNR*, [1994] G.S.T.C. 1 (TCCE); *Esterhazy Hardware & Furniture Co. Ltd. c. MNR*, [1994] G.S.T.C. 2 (TCCE); *Lumitrol Ltd. c. MNR*, [1994] G.S.T.C. 4 (TCCE); *Daybo Rentals Inc. c. La Reine*, [1994] G.S.T.C. 6 (CCI); *Tropicana Pet Shop c. MNR*, [1994] G.S.T.C. 7 (TCCE); *G.D. Byrne Ltd. c. MNR*, [1994] G.S.T.C. 8 (TCCE); *Caleb Ltd. c. MNR*, [1994] G.S.T.C. 9 (TCCE); *Caldwell & Choong Salon c. MNR*, [1994] G.S.T.C. 10 (TCCE); *Moto Optical Ltd. c. MNR*, [1994] G.S.T.C. 11 (TCCE); *Best Buy Car and Truck Rentals Inc. c. La Reine*, [1994] G.S.T.C. 12 (CCI); *Jim's Motor Repairs (Calgary) Ltd. c. MNR*, [1994] G.S.T.C. 14 (TCCE); [1996] G.S.T.C. 54 (CF); *Wood (J.) c. MNR*, [1994] G.S.T.C. 15 (TCCE); *IGL Canada Ltd. c. MNR*, [1994] G.S.T.C. 16 (TCCE); *Jeriel Enterprises Ltd. c. MNR*, [1994] G.S.T.C. 17 (TCCE); *Light Touch Stenographic Services Ltd. c. MNR*, [1994] G.S.T.C. 18 (TCCE); *788870 Ontario Ltd. c. MNR*, [1994] G.S.T.C. 22 (TCCE); *Progressive Services Ltd. c. MNR*, [1994] G.S.T.C. 23 (TCCE); *Gruenberg c. MNR*, [1994] G.S.T.C. 24 (TCCE); *Barry c. MNR*, [1994] G.S.T.C. 28 (TCCE); *De Mers Electric Ltd. c. MNR*, [1994] G.S.T.C. 29 (TCCE); *Cosman International Inc. c. MNR*, [1994] G.S.T.C. 33 (TCCE); *Josten Canada Ltd. c. MNR*, [1994] G.S.T.C. 34 (TCCE); *M-M Electric c. MNR*, [1994] G.S.T.C. 35 (TCCE); *Hergert Electric Ltd. c. MNR*, [1994] G.S.T.C. 38 (TCCE); *Oakwood Radiator Service Ltd. c. MNR*, [1994] G.S.T.C. 39 (TCCE); *All Canadian Awards & Gift Sales Ltd. c. MNR*, [1994] G.S.T.C. 40 (TCCE); *Guy Vaillancourt Holdings Inc. c. MNR*, [1994] G.S.T.C. 42 (TCCE); *Parkview Superette (1985) Ltd. c. MNR*, [1994] G.S.T.C. 43 (TCCE); *Bogar-Paterson Heating and Air Conditioning c. MNR*, [1994] G.S.T.C. 45 (TCCE); *Kramer Ltd. c. La Reine*, [1994] G.S.T.C. 47 (CCI); *MM Leasing c. La Reine*, [1994] G.S.T.C. 50 (CCI); [1995] G.S.T.C. 9 (CAF); *The Satellite Station c. MNR*, [1994] G.S.T.C. 52 (TCCE); *Video Adventures Ltd. c. Canada*, [1994] G.S.T.C. 59 (CCI); *Grand Valley Mechanical Ltd. c. MNR*, [1994] G.S.T.C. 60 (TCCE); *International Rebuilders Components Inc. c. MNR*, [1994] G.S.T.C. 62 (TCCE); *Orleans Glass Inc. c. MNR*, [1994] G.S.T.C. 63 (TCCE); *Lucien Turcotte & Fils Inc. c. MNR*, [1994] G.S.T.C. 65 (TCCE); *Paling c. MNR*, [1994] G.S.T.C. 67 (TCCE); *Delcan Corp. c. MNR*, [1994] G.S.T.C. 68 (TCCE); *Direct Appliance Sales Ltd. c. MNR*, [1994] G.S.T.C. 74 (TCCE); *Montana Electric Inc. c. MNR*, [1994] G.S.T.C. 77 (TCCE); *Technessen Ltd. c. MNR*, [1994] G.S.T.C. 81 (TCCE); *Healy Motors Ltd. c. MNR*, [1995] G.S.T.C. 6 (TCCE); *Holand Leasing Ltd. c. Canada*, [1995] G.S.T.C. 8 (CCI); *Bernauer (D.) c. MNR*, [1995] G.S.T.C. 11 (TCCE); *Barry Rodko Goldsmiths Ltd. c. MNR*, [1995] G.S.T.C. 13 (TCCE); *Impressions Gallery Inc. c. MNR*, [1995] G.S.T.C. 15 (TCCE); *Canada Trustco c. Hyundai Auto Canada Inc.*, [1995] G.S.T.C. 29 (NSSC); *Creative Camera & Sound Ltd. c. La Reine*, [1995] G.S.T.C. 33 (CCI); *Budget Steel Ltd. c. La Reine*, [1995] G.S.T.C. 42 (CCI); [1996] G.S.T.C. 90 (CAF); *Richmond Development Corp. c. MNR*, [1995] G.S.T.C. 48 (TCCE); *Abas c. MNR*, [1995] G.S.T.C. 52 (TCCE); *George Strange Ltd. c. MNR*, [1995] G.S.T.C. 53 (TCCE); *Alex Excavating Inc. c. La Reine*, [1995] G.S.T.C. 57 (CCI); *Holand Leasing Ltd. c. La Reine*, [1995] G.S.T.C. 8 (CCI); *Reichert's Sales and Service Ltd. c. MNR*, [1996] G.S.T.C. 6 (TCCE); *United Power Ltd. c. Canada*, [1996] G.S.T.C. 8 (CCI); *BDR Sportsnutrition Laboratoiries Ltd. c. MNR*, [1996] G.S.T.C. 18; *Super Générateur Inc. c. MNR*, [1996] G.S.T.C. 19 (TCCE); *Maurice Jacob Inc. c. MNR*, [1996] G.S.T.C. 20 (TCCE); *Elm City Chrysler Ltd. c. La Reine*, [1996] G.S.T.C. 29 (CCI); *Codispoti's Creative Jewelry Co. Ltd. c. MNR*, [1996] G.S.T.C. 31 (TCCE); *Sharp Design Products Inc. c. MNR*, [1996] G.S.T.C. 37 (TCCE); *Hebert's Flooring Ltd. c. MNR*, [1996] G.S.T.C. 60 (TCCE); *Forsythe (A.) c. MNR*, [1996] G.S.T.C. 68 (TCCE); *Shoppers Autobody Refinishers Ltd. c. MNR*, [1996] G.S.T.C. 69 (TCCE); *Automobiles Dieudonné Rosseau Inc. c. Canada*, [1996] G.S.T.C. 82 (CCI); *King Framing c. MNR*, [1996] G.S.T.C. 89 (TCCE); *Russell (N.P.) c. MNR*, [1996] G.S.T.C. 91 (TCCE); *Denmam Graphics Ltd. c. MNR*, [1996] G.S.T.C. 92 (TCCE); *Sidewinder Conversion Ltd. c. MNR*, [1996] G.S.T.C. 93 (TCCE); *Lawton's Drug Stores Ltd. c. MNR*, [1997] G.S.T.C. 8 (TCCE); *Lawton's Drug Stores Ltd. c. MNR*, [1997] G.S.T.C. 8; *Gerald the Swiss Goldsmith c. MNR*, [1997] G.S.T.C. 9 (TCCE); *Hardy Bay Machine Works c. MNR*, [1997] G.S.T.C. 64 (CCI); *Newport Manufacturing Co. Ltd. c. MNR*, [1997] G.S.T.C. 65 (CCI); *Ferland Soudure Enr. c. M.N.R.*, [1997] G.S.T.C. 66 (CCI); *Sako Auto Leasing c. Canada (No. 2)*, [1997] G.S.T.C. 102 (CCI); *Lorna's Flowers Ltd. c. MNR*, [1997] G.S.T.C. 86; *Matthew & Co., Ltd. c. MNR*, [1997] G.S.T.C. 87; *Wellsley Investments Inc. c. MNR*, [1997] G.S.T.C. 10; *Purewall (J.S.) c. MNR*, [1998] G.S.T.C. 9 (TCCE); *Raymond Rioux Distribution c. MNR*, [1998] G.S.T.C. 72; *Technessen Ltd. c. Canada*, [1998] G.S.T.C. 10 (CF); *Miracor Holdings Inc. c. Canada*, [1998] G.S.T.C. 126 (CCI); *United Power Ltd. c. MNR*, [1998] G.S.T.C. 88; *Miracor Holdings Inc. c. Canada*, [1998] G.S.T.C. 26 (CCI); *Bijoux LSM Ltée c. La Reine*, [1999] G.S.T.C. 59 (CF); *Advance Building Products Ltd. c. MNR*, [1999] G.S.T.C. 78 (TCCE); *Plourde (R.) c. MNR*, [2000] G.S.T.C. 7 (TCCE); *Société des Alcools du Québec c. R.*, [2000] G.S.T.C. 70 (CF); *Lady Rosedale Inc. c. MNR*, [2001] G.S.T.C. 1 (TCCE); *IBM Canada Ltd. c. R.*, [2001] G.S.T.C. 128 (CF); *Société des Alcools du Québec c. R.*, [2002] G.S.T.C. 20 (CAF).

Bulletins d'interprétation (Impôt) [art. 120]: IT-102R2, 22/07/85, *Conversion de biens, autres qu'un bien immeuble, de ou à l'inventaire*; IT-473, 17/03/81 (modifié le 25/05/84, le 5/12/86 et le 30/04/93), *Évaluation des biens figurant dans un inventaire*.

Énoncés de politique [art. 120]: P-093, 07/09/94, *Droit de demander un remboursement en application du paragraphe 183(7)*; P-114, 10/03/94, *Application de remboursement de la TVF et de crédit fictif de taxe sur les intrants à un bien meuble corporel saisi et à un bien meuble corporel récupéré*; P-127, 29/03/94, *Traitement des articles enlevés des marchandises libérées de taxe et attribués à l'inventaire et traitement des marchandises à l'essai pour l'application du remboursement de la TVF à l'inventaire*; P-133, 22/04/94, *Allégement transitoire pour les biens en location ou en crédit-bail*; P-141, 26/04/94, *Période à utiliser pour déterminer l'utilisation passée pour la répartition de l'inventaire dans le calcul du remboursement de la TVF à l'inventaire*.

Bulletins de l'information technique [art. 120]: B-004, 12/12/90, *Remboursement de la TVF: Boissons alcoolisées et boissons gazeuses*; B-015, 12/12/90; B-040, 16/01/91, *Révisions aux politiques de remboursement de la TVF à l'inventaire*; B-047, 25/02/91, *Règlement sur le remboursement de la TVF à l'inventaire à l'égard des supports de transmission des données*.

Mémorandums [art. 120]: TPS 200-5, 11/01/91, *Inscription au choix*, par. 9; TPS 200-7, 11/01/91, *Droits et obligations des inscrits*, par. 11–13; TPS 400-1-2, 8/11/90, *Documents requis*; TPS 900, 25/03/91, *Remboursement de la taxe de vente fédérale à l'inventaire*, par. 1–5, 7, 10, 12–33 et l'annexe.

Formulaires [art. 120]: GST207, *Demande de remboursement de la taxe de vente fédérale à l'inventaire*.

Remboursement pour habitations neuves

121. (1) Définitions — Les définitions qui suivent s'appliquent au présent article.

« immeuble d'habitation à logement unique déterminé » Immeuble d'habitation — immeuble d'habitation à logement unique ou immeuble d'habitation à logements multiples de deux habitations — dont la construction ou les rénovations majeures commencent avant 1991 et qui n'est pas occupé à titre résidentiel ou d'hébergement entre le début des travaux et 1991. La présente définition exclut les maisons flottantes et les maisons mobiles.

Notes historiques: La définition de « immeuble d'habitation à logement unique déterminé » au paragraphe 121(1) a été modifiée par L.C. 1993 c. 27, par. 7(1) et est réputée entrée en vigueur le 17 décembre 1990. Elle se lisait comme suit :

> « immeuble d'habitation à logement unique déterminé » Immeuble d'habitation à logement unique dont la construction ou les rénovations majeures commencent avant 1991 et qui n'est pas occupé à titre résidentiel ou de pension entre le début des travaux et 1991. La présente définition exclut les maisons mobiles.

Cette définition a été édictée par L.C. 1990, c. 45, par. 12(1).

Concordance québécoise: LTVQ, art. 663« immeuble d'habitation à logement unique déterminé ».

« immeuble d'habitation déterminé »

a) Immeuble d'habitation à logements multiples de plus de deux habitations, dont la construction ou les rénovations majeures commencent avant 1991 et auquel le paragraphe 191(3) ne s'applique pas, ou ne s'appliquerait pas malgré les paragraphes 191(6) et (7), entre le début des travaux et 1991;

b) logement en copropriété dans le cas où la construction ou les rénovations majeures de l'immeuble d'habitation en copropriété dans lequel il est situé commencent avant 1991 et où les paragraphes 191(1) et (2) ne s'appliquent pas, entre le début des travaux et 1991, de sorte que la fourniture du logement soit réputée effectuée.

Notes historiques: L'alinéa a) de la définition de « immeuble d'habitation déterminé » au paragraphe 121(1) a été modifié par L.C. 1993 c. 27, par. 7(2) et est réputé entré en vigueur le 17 décembre 1990. Il se lisait auparavant comme suit :

> a) Immeuble d'habitation à logements multiples dont la construction ou les rénovation majeures commencent avant 1991, si le paragraphe 191(3) ne s'applique pas, entre le début des travaux et 1991, de sorte que la fourniture de l'immeuble soit réputée effectuée;

La définition d'« immeuble d'habitation déterminé » au paragraphe 121(1) a été ajoutée par L.C. 1990, c. 45, par. 12(1).

Concordance québécoise: LTVQ, art. 663« immeuble d'habitation déterminé ».

« taxe de vente fédérale estimative » Montant déterminé par règlement relativement à un immeuble d'habitation.

Notes historiques: La définition de « taxe de vente fédérale estimative » au paragraphe 121(1) a été modifiée par L.C. 1994, c. 9, par. 1(1) et est réputée entrée en vigueur le 17 décembre 1990. Également, toutes les dispositions réglementaires prises en vertu de cette définition peuvent prendre effet à partir de cette date. Elle se lisait comme suit :

S'agissant de la taxe de vente fédérale estimative applicable à un immeuble d'habitation à logement unique déterminé ou à un immeuble d'habitation déterminé, le montant calculé selon la formule suivante :

$$A \times B$$

où :

A représente le montant visé par règlement pour l'application de la présente définition relativement à ces immeubles;

B le nombre de mètres carrés de la surface visée par règlement de ces immeubles.

La définition de « taxe de vente fédérale estimative » au paragraphe 121(1) a été édictée par L.C. 1990, c. 45, par 12(1).

Concordance québécoise: LTVQ, art. 663« taxe estimative ».

(2) Remboursement pour immeuble d'habitation à logement unique déterminé — Sous réserve des paragraphes (4) et (4.1), le ministre rembourse un particulier ou, en cas d'application du sous-alinéa a)(i), un constructeur si les conditions suivantes sont réunies :

a) le constructeur a construit un immeuble d'habitation à logement unique déterminé et, selon le cas :

(i) en transfère la possession à une personne aux termes d'un bail, d'une licence ou d'un accord semblable et, ainsi, est réputé par les paragraphes 191(1) ou (3) avoir effectué une fourniture taxable de l'immeuble,

(ii) en effectue une fourniture taxable par vente au profit du particulier;

b) la taxe prévue à la partie IX est payable relativement à la fourniture;

c) le particulier ou la personne prend possession de l'immeuble pour la première fois après 1990 et avant 1995;

d) la construction ou les rénovations majeures de l'immeuble sont achevées en grande partie :

(i) avant juillet 1991, dans le cas où le particulier ou la personne prend possession de l'immeuble pour la première fois avant juillet 1991,

(ii) avant 1991, dans les autres cas.

Le montant remboursable est égal au suivant :

e) ⅔ de la taxe de vente fédérale estimative applicable à l'immeuble si, avant avril 1991, les travaux sont achevés en grande partie et la possession de l'immeuble est transférée;

f) ⅓ de la taxe de vente fédérale estimative applicable à l'immeuble, dans les autres cas.

Notes historiques: Le paragraphe 121(2) a été modifié par L.C. 1993, c. 27, par. 7(4) et est réputé entré en vigueur le 17 décembre 1990. Toutefois, il n'est pas tenu compte des mentions de la construction ou des rénovations majeures pour l'application de ce paragraphe aux immeubles d'habitation à l'égard desquels une demande de remboursement visée à l'article 121 est produite en conformité avec cet article avant le 15 septembre 1992. Il se lisait comme suit :

(2) Sous réserve du paragraphe (5), le ministre verse un remboursement à un particulier ou, en cas d'application du sous-alinéa a)(i), à un constructeur si les conditions suivantes sont réunies :

a) le constructeur a construit un immeuble d'habitation à logement unique déterminé et, selon le cas :

(i) en transfère la possession à une personne aux termes d'un bail, d'une licence ou d'un accord semblable et, ainsi, est réputé par le paragraphe 191(1) avoir effectué une fourniture taxable de l'immeuble,

(ii) en effectue une fourniture taxable par vente au profit du particulier;

b) la taxe prévue à la partie IX est payable relativement à la fourniture;

c) le particulier ou la personne prend possession de l'immeuble pour la première fois entre 1990 et avril 1991;

d) l'immeuble est achevé en grande partie avant avril 1991.

Le remboursement est égal à l'excédent éventuel du montant visé à l'alinéa e) ou f) sur tout remboursement visant l'immeuble qui est versé à une autre personne en application du présent paragraphe :

e) ⅔ de la taxe de vente fédérale estimative applicable à l'immeuble, si celui-ci est achevé en grande partie et la possession est transmise avant le 15 février 1991;

f) sauf si l'alinéa e) s'applique, ⅓ de la taxe de vente fédérale estimative applicable à l'immeuble, si celui-ci est achevé en grande partie et la possession est transmise avant avril 1991.

Le paragraphe 121(2) a été édicté par L.C. 1990, c. 45, par. 12(1).

Concordance québécoise: LTVQ, art. 664–666.

(2.1) Responsabilité du constructeur — Lorsque le montant remboursable est versé soit à un particulier qui n'est pas un constructeur de l'immeuble d'habitation, soit au cessionnaire d'un tel particulier, le constructeur de l'immeuble est réputé, pour l'application de l'article 81.39, avoir reçu ce montant comme s'il en avait fait la demande, si les conditions suivantes sont réunies :

a) le constructeur a donné au particulier ou au ministre des renseignements écrits inexacts quant à l'état d'achèvement de la construction ou des rénovations majeures de l'immeuble avant 1991;

b) le constructeur savait ou aurait dû savoir que les renseignements étaient inexacts;

c) le particulier ne savait pas et ne pouvait vraisemblablement pas savoir que les renseignements étaient inexacts.

Notes historiques: Le paragraphe 121(2.1) a été ajouté par L.C. 1993, c. 27, par. 7(4) et est réputé entré en vigueur le 17 décembre 1990. Toutefois, il n'est pas tenu compte des mentions de la construction ou des rénovations majeures pour l'application de ce paragraphe aux immeubles d'habitation à l'égard desquels une demande de remboursement visée à l'article 121 est produite en conformité avec cet article avant le 15 septembre 1992.

Concordance québécoise: aucune.

(3) Remboursement pour immeuble d'habitation déterminé — Sous réserve des paragraphes (4) et (4.1), le ministre rembourse au constructeur d'un immeuble d'habitation déterminé (sauf le constructeur auquel les paragraphes 191(1) à (4) ne s'appliquent pas par l'effet des paragraphes 191(5) ou (6)) qui, immédiatement avant 1991, a la propriété ou la possession de l'immeuble et qui n'en a pas transféré la propriété ou la possession aux termes d'un contrat de vente à une personne qui n'est pas le constructeur de l'immeuble. Le montant remboursable est égal au suivant :

a) s'il s'agit d'un immeuble d'habitation à logements multiples :

(i) 50 % de la taxe de vente fédérale estimative applicable à l'immeuble, si la construction ou les rénovations majeures de l'immeuble étaient, le 1er janvier 1991, achevées à plus de 25 % mais non à plus de 50 %,

(ii) 75 % de la taxe de vente fédérale estimative applicable à l'immeuble, si la construction ou les rénovations majeures de l'immeuble étaient, le 1er janvier 1991, achevées à plus de 50 %;

b) s'il s'agit d'un logement en copropriété situé dans un immeuble d'habitation en copropriété :

(i) 50 % de la taxe de vente fédérale estimative applicable au logement, si la construction ou les rénovations majeures de l'immeuble étaient, le 1er janvier 1991, achevées à plus de 25 % mais non à plus de 50 %,

(ii) 75 % de la taxe de vente fédérale estimative applicable au logement, si la construction ou les rénovations majeures de l'immeuble étaient, le 1er janvier 1991, achevées à plus de 50 %.

Notes historiques: Le paragraphe 121(3) a été modifié par L.C. 1993, c. 27, par. 7(4) et est réputé entré en vigueur le 17 décembre 1990. Toutefois, il n'est pas tenu compte de la mention « ou (6) » pour l'application de ce paragraphe aux immeubles d'habitation dont le constructeur est une personne à laquelle les paragraphes 191(1) à (4) ne s'appliquent pas par l'effet du paragraphe 191(6) et à l'égard desquels une demande de remboursement visée à l'article 121 est produite en conformité avec cet article avant le 15 septembre 1992. De plus, il n'est pas tenu compte des mentions de la construction ou des rénovations majeures pour l'application de ce paragraphe aux immeubles d'habitation à l'égard desquels une telle demande de remboursement est produite. Il se lisait comme suit :

(3) Sous réserve du paragraphe (4), le ministre verse un remboursement au constructeur d'un immeuble d'habitation déterminé (sauf le constructeur auquel les paragraphes 191(1) à (4) ne s'appliquent pas par l'effet du paragraphe 191(5)) qui a la propriété et la possession de l'immeuble et qui n'en a pas transféré la propriété ou la possession aux termes d'un contrat de vente à une personne qui n'est

pas le constructeur de l'immeuble. Ce remboursement est égal au montant suivant :

a) s'il s'agit d'un immeuble d'habitation à logements multiples, l'excédent éventuel du montant visé au sous-alinéa (i) ou (ii) sur tout remboursement visant l'immeuble qui est versé à une autre personne en application du présent paragraphe :

(i) le montant correspondant à 50 % de la taxe de vente fédérale estimative applicable à l'immeuble, si celui-ci est, le 1er janvier 1991, achevé à plus de 25 % mais non à plus de 50 %,

(ii) le montant correspondant à 75 % de la taxe de vente fédérale estimative applicable à l'immeuble, si celui-ci est, le 1er janvier 1991, achevé à plus de 50 %;

b) s'il s'agit d'un logement en copropriété, l'excédent éventuel du montant visé au sous-alinéa (i) ou (ii) sur tout remboursement visant le logement qui est versé à une autre personne en application du présent paragraphe :

(i) le montant correspondant à 50 % de la taxe de vente fédérale estimative applicable au logement, si l'immeuble d'habitation en copropriété dans lequel celui-ci est situé est, le 1er janvier 1991, achevé à plus de 25 % mais non à plus de 50 %,

(ii) le montant correspondant à 75 % de la taxe de vente fédérale estimative applicable au logement, si l'immeuble d'habitation en copropriété dans lequel celui-ci est situé est, le 1er janvier 1991, achevé à plus de 50 %.

Le paragraphe 121(3) a été édicté par L.C. 1990, c. 45, par. 12(1).

Concordance québécoise: LTVQ, art. 667, 668.

Formulaires [art. 121(3)]: RC4052, *Renseignements sur la TPS/TVH pour l'industrie de la construction résidentielle.*

(4) Demande de remboursement — Le montant est remboursé à l'égard d'un immeuble d'habitation si la personne en fait la demande au ministre avant 1995 en la forme et selon les modalités qu'il détermine. Toutefois, il n'est pas remboursé si un autre montant a déjà été remboursé à l'égard du même immeuble à une autre personne qui y avait droit en vertu du présent article.

Notes historiques: Le paragraphe 121(4) a été modifié par L.C. 1993, c. 27, par. 7(4) et est réputé entré en vigueur le 17 décembre 1990. Il se lisait comme suit :

(4) Le remboursement n'est versé que si la personne en fait la demande au ministre avant 1995 en la forme et selon les modalités qu'il détermine.

Le paragraphe 121(4) a été édicté par L.C. 1990, c. 45, par. 12(1).

Concordance québécoise: LTVQ, art. 669.

(4.1) Remboursement fondé sur la contrepartie — Lorsque la taxe de vente fédérale estimative applicable à un immeuble d'habitation est fondée sur tout ou partie de la contrepartie de la fourniture de l'immeuble, le montant n'est remboursé à l'égard de l'immeuble que si la personne en fait la demande après que la taxe prévue à la partie IX est devenue payable relativement à la fourniture.

Notes historiques: Le paragraphe 121(4.1) a été ajouté par L.C. 1993, c. 27, par. 7(4) et est réputé entré en vigueur le 17 décembre 1990.

Concordance québécoise: LTVQ, art. 669.1.

(5) Application de l'article 191 — Pour l'application du présent article, l'article 191 est réputé avoir été en vigueur en tout temps avant 1991.

Notes historiques: Le paragraphe 121(5) a été ajouté par L.C. 1990, c. 45, par. 12(1).

Concordance québécoise: LTVQ, art. 670.

(6) Application des parties VI et VII — Les parties VI et VII s'appliquent aux demandes de remboursement et aux versements, prévus par le présent article, comme s'il s'agissait de demandes présentées en vertu de l'article 68 et de versements faits en application de l'article 72.

Notes historiques: Le paragraphe 121(6) a été modifié par L.C. 1993, c. 27, par. 7(5) et est réputé entré en vigueur le 17 décembre 1990. Il se lisait comme suit :

(6) Les parties VI et VII s'appliquent aux demandes de remboursement et aux versements, prévus par le présent article, comme s'ils étaient faits en application de l'article 72.

Le paragraphe 121(6) a été édicté par L.C. 1990, c. 45, par. 12(1).

Concordance québécoise: aucune.

Définitions [art. 121]: « constructeur », « contrepartie » — 123(1); « écrit » — 35(1) *Loi d'interprétation*; « fourniture », « fourniture », « fourniture taxable », « immeuble d'habitation à logements multiples », « immeuble d'habitation à logement unique » — 123(1); « immeuble d'habitation à logement unique déterminé » — 121(1); « immeuble d'habitation en copropriété », « habitation », « logement en copropriété », « maison flottante », « maison mobile », « montant », « personne », « règlement », « rénovations majeures », « taxe », « vente » — 123(1).

Renvois [art. 121]: 191 (fourniture à soi-même d'un immeuble); 336(2)e) (transfert d'un immeuble d'habitation à logement unique après 1990).

Règlements [art. 121]: *Règlement concernant le remboursement de la taxe de vente fédérale sur les habitations neuves*, art. 1; art. 3; art. 4; *Règlement sur la cession des dettes de la Couronne (Loi sur la gestion des finances publiques)*, par. 13(1) (avis de cession du remboursement de l'acquéreur au constructeur).

Jurisprudence [art. 121]: *Hi-Grove Holdings Ltd. c. MNR*, [1998] G.S.T.C. 79 (CCI); *Bernard Homes Ltd. c. Canada*, [1998] G.S.T.C. 82 (CCI); *Raj (P.) c. Canada*, [1998] G.S.T.C. 61 (CCI); *Sir Wynne Highlands Inc. c. Canada*, [2000] G.S.T.C. 6 (CCI).

Énoncés de politique [art. 121]: P-027, 15/09/92, *Les remboursements de TVF et les remboursements pour résidences étudiantes*; P-042, 25/10/92, *Calculs du remboursement pour habitations neuves*; P-064, 25/05/93, *Traitement du temps partagé (des multipropriétés)*; P-070R, 20/01/99, *Statut aux fins de la TPS/TVH des dispositifs de soutènement et des éléments connexes pour les maisons mobiles, les remorques de tourisme, les maisons motorisées et les véhicules ou les remorques semblables lorsqu'ils sont fournis autrement que par vente*; P-083, 17/09/98, *Conventions d'achat visant une habitation neuve en Alberta*; P-087, 30/06/93 (publié en février 1995), *Pourcentage d'achèvement*; P-093, 07/09/94 *Droit de demander un remboursement en application du paragraphe 183(7)*; P-111R, 25/05/93, *Définition d'une vente à l'égard d'un immeuble*; P-130, 05/08/92, *Lieu de résidence*; P-153, 02/09/94, *Construction d'un ajout majeur à un immeuble d'habitation à logement unique.*

Mémorandums [art. 121]: TPS 500-4-5-2, 12/10/93, *Remboursements de la TVF pour habitations neuves cédés aux constructeurs*; TPS 500-6-6, 16/11/90, *Transactions chevauchantes*, par. 49; TPS 900-1, 27/08/92, *Habitations neuves*, par. 1, 4–8, 10–43.

Série de mémorandums [art. 121]: Mémorandum 1.5, 09/94, *Définitions*.

Formulaires [art. 121]: FP-2190.A, *Remboursement de taxes demandé par le propriétaire pour une nouvelle habitation et un terrain achetés d'un même constructeur — taux de TPS à 5 % et de TVQ à 7.5 %*; GST212, *Demande de remboursement de la taxe de vente fédérale pour habitations neuves.*

121.1 Application de la règle anti-évitement — L'article 274 s'applique à la présente partie avec les adaptations nécessaires. À cette fin, la mention à cet article de cotisation, nouvelle cotisation ou cotisation supplémentaire vaut aussi mention de détermination ou de nouvelle détermination.

Notes historiques: L'article 121.1 a été ajouté par L.C. 1993, c. 27, par. 8(1) et est réputé entré en vigueur le 17 décembre 1990.

Concordance québécoise: LTVQ, art. 674.6.

Énoncés de politique [art. 121.1]: P-027, 04/09/92, *Les remboursements de TVF et les remboursements pour résidences étudiantes.*

PARTIE IX — TAXE SUR LES PRODUITS ET SERVICES

Notes historiques [Partie IX]: *Règles particulières d'application*

L'article 260 de L.C. 1997, c. 10 prévoit ce qui suit :

260. Toute disposition de la *Loi sur la taxe d'accise*, édictée ou modifiée par L.C. 1997, c. 10, qui s'applique aux produits importés un jour donné ou postérieurement s'applique également aux produits importés avant ce jour et qui n'ont pas fait l'objet d'une déclaration en détail ou provisoire avant ce jour aux termes de l'article 32 de la *Loi sur les douanes.*

L.C. 1990, c. 45, art. 12 prévoit ce qui suit :

12. (1) [Les parties VIII et IX de la *Loi sur la taxe d'accise* ont été édictées, article 117 à 346]

(2) La partie IX de la même loi, édictée par le paragraphe (1), s'applique :

a) sous réserve de la section IX de la partie IX de la même loi, édictée par le paragraphe (1), aux fournitures suivantes :

(i) les fournitures de biens meubles ou de services dont la totalité de la contrepartie devient due ou est payée, ou est réputée devenir due ou être payée, après 1990 et n'est pas payée, ou est réputée ne pas être payée, avant 1991 et ne devient pas due, ou est réputée ne pas devenir due, avant 1991,

(ii) les fournitures de biens meubles ou de services dont une partie de la contrepartie devient due ou est payée, ou est réputée devenir due ou être payée, après 1990; toutefois, aucune taxe n'est payable en vertu de la partie IX de la même loi (autrement que par l'effet de la section IX de cette partie) relativement à la partie de la contrepartie des fournitures qui devient due ou est payée avant 1991 et qui n'est pas réputée devenir due ou être payée après 1990,

(iii) les fournitures qui sont réputées effectuées après 1990,

(iv) les fournitures sur lesquelles la taxe est réputée perçue,

(v) les fournitures par vente d'immeubles dont la propriété et la possession sont transférées après 1990,

(vi) les fournitures d'immeubles par bail, licence ou accord semblable, dont la totalité de la contrepartie devient due ou est payée, ou est réputée devenir due ou être payée, après 1990 et n'est pas payée, ou est réputée ne pas être payée, avant 1991 et ne devient pas due, ou est réputée ne pas devenir due, avant 1991,

(vii) les fournitures d'immeubles par bail, licence ou accord semblable, dont une partie de la contrepartie devient due ou est payée, ou est réputée devenir due ou être payée, après 1990; toutefois, aucune taxe n'est payable en vertu de la partie IX de la même loi (autrement que par l'effet de la section IX de cette partie) relativement à la partie de la contrepartie de la fourniture qui devient due ou est payée avant 1991 et qui n'est pas réputée devenir due ou être payée après 1990;

b) aux marchandises importées après 1990 ou faisant l'objet après 1990 d'une déclaration en détail ou provisoire aux termes des paragraphes 32(1), (2) ou (5) de la *Loi sur les douanes*;

c) aux fournitures à l'égard desquelles la taxe est payable par application de la section IX de la partie IX de la même loi, édictée par le paragraphe (1);

d) aux fournitures visées à l'article 182 de la même loi, édicté par le paragraphe (1), effectuées avant 1991; toutefois, aucune taxe n'est payable en vertu de la partie IX de la même loi relativement aux montants payés ou ayant fait l'objet d'une renonciation, ou aux dettes ou autres obligations réduites ou remises, avant 1991.

(3) Par dérogation au paragraphe (2), l'article 274 de la même loi, édicté par le paragraphe (1), s'applique aux opérations effectuées après mars 1990 et comme si les mentions, à cet article, de « la présente partie » étaient remplacées par des mentions de « la présente partie et la partie VIII », compte tenu des adaptations grammaticales nécessaires.

Les sous-alinéas 12(2)a)(i) et (ii) ont été modifiés par L.C. 1993, c. 27 par. 229(1) et sont réputés entrés en vigueur le 17 décembre 1990.

Les sous-alinéas 12(2)a)(vi) et (vii) ont été ajoutés par L.C. 1993, c. 27, par. 229(2) et sont réputés entrés en vigueur le 17 décembre 1990.

L'alinéa 12(2)b) a été modifié par L.C. 1993, c. 27, par. 229(3) et est réputé entré en vigueur le 17 décembre 1990.

L'alinéa 12(2)d) a été ajouté par L.C. 1997, c. 10, art. 271 et est réputé entré en vigueur le 24 avril 1996.

122. Sa Majesté — La présente partie lie :

a) Sa Majesté du chef du Canada;

b) Sa Majesté du chef d'une province en ce qui concerne une obligation à titre de fournisseur de percevoir et de verser la taxe relative aux fournitures taxables qu'elle effectue.

c) (*Abrogé*)

Notes historiques: L'alinéa 122a) a été modifié par L.C. 1993, c. 27, par. 9(1) et est réputé entré en vigueur le 17 décembre 1990. Il se lisait auparavant comme suit :

a) Sa Majesté du chef du Canada en ce qui concerne une obligation à titre de fournisseur de percevoir et de verser la taxe relative aux fournitures taxables qu'elle effectue;

L'alinéa 122c) a été abrogé par L.C. 1993, c. 27, par. 9(2) rétroactivement au 17 décembre 1990. Il se lisait auparavant comme suit :

c) les mandataires de Sa Majesté du chef du Canada, désignés par règlement.

L'article 122 a été ajouté par L.C. 1990, c. 45, par. 12(1).

Concordance québécoise: LTVQ, art. 678.

Définitions: « fourniture taxable », « province », « règlement », « taxe » — 123(1).

Renvois: 221 (perception de la taxe); 228(2), (5) (versement de la taxe).

Règlements: *Règlement sur les mandataires désignés*, art. 1.

Décrets de remise: *Décret de remise concernant la TPS accordée aux ministères fédéraux* C.P. 1990-2854; *Décret de remise visant le Bureau du commissaire provisoire du Nunavut* C.P. 2000-1113.

Jurisprudence: *Référence au projet de Loi C-62*, [1992] G.S.T.C. 2; *Mueller c. La Reine*, [1993] G.S.T.C. 11; *P.H.L.F. Family Holdings Ltd. c. La Reine*, [1994] G.S.T.C. 41; *Référence à la taxe de vente du Québec*, [1994] G.S.T.C. 44; *Hoffman (H.) c. La Reine*, [1996] G.S.T.C. 34 (CF, Protonotaire); *Capco Developments Ltd. c. La Reine*, [1996] G.S.T.C. 58 (CCI); *Ricken Leroux Inc. c. Québec (Ministère du Revenu)*, [1998] G.S.T.C. 11 (C.A. Qué); permission d'appeler refusée [1998] G.S.T.C. 25 (CSC); *Schultheiss (H.) c. Canada*, [1998] G.S.T.C. 13 (CCI); *White (R.) c. Canada*, [1998] G.S.T.C. 76 (CCI); *Tessmer Law Corp. c. Canada*, [1999] G.S.T.C. 41 (CCI); *Brant (R.G.) c. Canada*, [1999] G.S.T.C. 55 (CCI); *Centre Provincial de Ressources Pédagogiques c. Canada*, [1999] G.S.T.C. 62 (CCI); *Saskatchewan Telecommunications c. Canada*, [1999] G.S.T.C. 69 (CCI); *Villa Ridge Construction Ltd. c. R.*, [2000] G.S.T.C. 85 (CCI); *Regina (City) c. R.*, [2001] G.S.T.C. 68 (CCI); *R. c. McGrath*, [2001] G.S.T.C. 110 (Nfld TD); *Thompson Trailbreakers Snowmobile Club Inc. c. R.*, [2005] G.S.T.C. 124; *Factums Instanter S.E.N.C. c. R.*, [2006] G.S.T.C. 11 (CCI); *Québec (Sous-ministre du Revenu) c. Cun* (13 novembre 2008), 2008 CarswellQue 11822; *Toronto District School Board v. R.* (2 janvier 2009), 2009 CarswellQue 1678 (CCI [procédure générale]).

Bulletins de l'information technique: B-006, 12/12/90, *Application de la taxe sur les produits et services (TPS) aux gouvernements provinciaux.*

Mémorandums: TPS 400-4, 18/01/91, *Organismes du secteur public*, par. 6, 8, 13, 16; TPS 500-6-2, 19/03/93, *Gouvernements provinciaux.*

Série de mémorandums: Mémorandum 3.1, 08/99, *Assujettissement à la taxe*; Mémorandum 18.2, 05/10, *Gouvernements provinciaux*.

Lettres d'interprétation (Québec): 02-0102299 — Décision portant sur l'application de la TPS — Interprétation relative à la TVQ, reprise d'un véhicule routier.

SECTION I — DÉFINITIONS ET INTERPRÉTATION

123. (1) Définitions — Les définitions qui suivent s'appliquent à l'article 121, à la présente partie et aux annexes V à X.

« accord d'harmonisation de la taxe de vente » S'entend au sens du paragraphe 2(1) de la *Loi sur les arrangements fiscaux entre le gouvernement fédéral et les provinces.*

Notes historiques: La définition de « accord d'harmonisation de la taxe de vente » au paragraphe 123(1) a été ajoutée par. L.C. 2009, c. 32, par. 2(4) et est entrée en vigueur le 1er juillet 2010.

Concordance québécoise: aucune.

« accord international désigné »

a) La Convention concernant l'assistance administrative mutuelle en matière fiscale, conclue à Strasbourg le 25 janvier 1988 et modifiée par tout protocole ou autre instrument international, tel que ratifié par le Canada;

b) tout accord général d'échange de renseignements fiscaux qui a été conclu par le Canada, et qui est en vigueur, à l'égard d'un autre pays ou territoire.

Notes historiques: La définition de « accord international désigné » au paragraphe 123(1) a été remplacée par L.C. 2011, c. 15, art. 11 et cette modification est réputée être entrée en vigueur le 26 juin 2011. Antérieurement, elle se lisait ainsi :

« accord international désigné » La Convention concernant l'assistance administrative mutuelle en matière fiscale, conclue à Strasbourg le 25 janvier 1988, et ses modifications successives.

La définition de « accord international désigné » au paragraphe 123(1) a été ajoutée par L.C. 2007, c. 18, par. 2(6) et entrera en vigueur le 22 juin 2007.

Concordance québécoise: aucune.

« acquéreur »

a) Personne qui est tenue, aux termes d'une convention portant sur une fourniture, de payer la contrepartie de la fourniture;

b) personne qui est tenue, autrement qu'aux termes d'une convention portant sur une fourniture, de payer la contrepartie de la fourniture;

c) si nulle contrepartie n'est payable pour une fourniture :

(i) personne à qui un bien, fourni par vente, est livré ou à la disposition de qui le bien est mis,

(ii) personne à qui la possession ou l'utilisation d'un bien, fourni autrement que par vente, est transférée ou à la disposition de qui le bien est mis,

(iii) personne à qui un service est rendu.

Par ailleurs, la mention d'une personne au profit de laquelle une fourniture est effectuée vaut mention de l'acquéreur de la fourniture.

Notes historiques: La définition de « acquéreur » au paragraphe 123(1) a été modifiée par L.C. 1993, c. 27, par. 10(1) et est réputée entrée en vigueur le 17 décembre 1990. Elle se lisait auparavant comme suit :

« acquéreur » Personne qui paie, ou accepte de payer, la contrepartie d'une fourniture ou, à défaut de contrepartie, destinataire de la fourniture.

Cette définition a été édictée par L.C. 1990, c. 45, par. 12(1).

juin 2011, Notes explicatives: Le terme « accord international désigné », au paragraphe 123(1), désigne la *Convention concernant l'assistance administrative mutuelle* *en matière fiscale*, conclue à Strasbourg le 25 janvier 1988, et ses modifications successives. Cette convention prévoit un cadre qui facilite l'échange de renseignements entre les autorités fiscales nationales afin de lutter contre l'évitement fiscal et l'évasion fiscale à l'échelle mondiale.

Ce terme se retrouve au paragraphe 289(1) et à l'alinéa 295(5)n). Le paragraphe 289(1) prévoit que le ministre du Revenu national peut, par avis, exiger d'une personne qu'elle livre tout renseignement ou document pour l'application ou l'exécution d'un accord international désigné ou de la partie IX de la Loi. Par ailleurs, selon l'alinéa 295(5)n), un fonctionnaire peut fournir un renseignement confidentiel, ou en permettre l'examen ou l'accès, pour l'application d'une disposition figurant dans un accord international désigné (les termes « fonctionnaire » et « renseignement confidentiel » sont définis au paragraphe 295(1)).

La définition de « accord international désigné » est modifiée de façon à ce que soit compris dans cette notion tout accord général d'échange de renseignements fiscaux qui a été conclu par le Canada, et qui est en vigueur, à l'égard d'un pays ou d'un territoire. Elle est également modifiée de façon à préciser que la *Convention concernant l'assistance administrative mutuelle en matière fiscale*, conclue à Strasbourg le 25 janvier 1988, comprend les modifications qui y ont été apportées par un protocole ou un autre instrument international, mais seulement dans la mesure où le Canada les a ratifiées.

Cette modification entre en vigueur à la date de sanction du projet de loi.

Concordance québécoise: LTVQ, art. 1« acquéreur ».

Définitions: « bien », « contrepartie », « fourniture », « personne », « service », « vente » — 123(1).

Renvois: 165(1) (assujettissement); 169 (CTI); 178.6(5) (groupe d'acheteurs); 252–264 (remboursements).

Jurisprudence: *Costco Wholesale Canada Ltd. v. R.* (30 mai 2012), 2012 CarswellNat 1650 (C.A.F.); *Calgary (City) v. R.* (26 avril 2012), 2012 CarswellNat 1146 (C.S.C.); *Services Sanitaires Roy Inc. c. St.-Patrice-de-Rivière-du-Loup (Municipalité)*, [1994] G.S.T.C. 57 (SC Que.); *Lloyd c. Reierson*, [1995] G.S.T.C. 26 (BC Prov Ct); *Club 63 North c. La Reine*, [1995] G.S.T.C. 75 (CCI); *163410 Canada Inc. c. Canada*, [1998] G.S.T.C. 116 (CCI); *Des Chênes (Commission Scolaire) c. R.*, [2000] G.S.T.C. 36 (CCI); *Immeubles Sansfaçon Inc. c. R.*, [2000] G.S.T.C. 86 (CCI); *Maritime Life Assurance Co. c. Canada*, [1999] G.S.T.C. 1 (CCI); [2000] G.S.T.C. 89 (CAF); *Des Chênes (Commission scolaire) c. R.*, [2001] G.S.T.C. 120 (CAF); *Vallée c. R.*, [2004] G.S.T.C. 60 (CCI); *A & W Trade Marks Inc. c. R.*, [2005] G.S.T.C. 149 (CCI); *Factums Instanter S.E.N.C. c. R.*, [2006] G.S.T.C. 11 (CCI); *9010-9869 Québec Inc. c. R.*, 2007 CCI 365 (CCI); *R. Marcoux & Fils Inc. c. R.*, [2007] G.S.T.C. 8 (CCI); *Telus Communications (Edmonton) Inc. v. R.* (13 février 2008), [2008] G.S.T.C. 39 (CCI [procédure générale]); *General Motors of Canada Ltd. v. R.* (22 février 2008), [2008] G.S.T.C. 41 (CCI [procédure générale]); *Société de Transport de Laval v. R.* (4 mars 2008), 2008 CarswellQue 511 (CCI [procédure générale]); *Québec (Sous-ministre du Revenu) c. Cun* (13 novembre 2008), 2008 CarswellQue 11822; *Société de transport de Laval (Ville) v. R.*, 2008 G.T.C. 374 (CCI [procédure générale]); *Price Chopper Canada Inc. v. R.* (14 août 2008), [2008] G.S.T.C. 167 (CCI [procédure informelle]); *Gatineau (Ville) v. R.* (4 mars 2009), 2009 CarswellNat 1778 (CCI [procédure générale]); *Lacroix c. R.*, 2010 CarswellNat 693, 2010 CCI 160, 2010 G.T.C. 287 (Fr.) (CCI [procédure générale]); *Calgary (City) v. R.*, 2010 CarswellNat 3090, 2010 CAF 127, [2010] G.S.T.C. 78 (CAF); *Merchant Law Group v. R.*, 2010 CarswellNat 3934, 2010 CAF 206, [2010] G.S.T.C. 116 (CAF); *1474282 Ontario Inc. v. R.* (3 décembre 2010), 2010 CarswellNat 5748, 2010 CCI 620, 2010 TCC 620 (CCI [procédure générale]); *Calgary (City) v. R.* (26 avril 2012), 2012 CarswellNat 1146, 2012 SCC 20, 2012 G.T.C. 1030 (CSC).

Mémorandums: Mémorandum 1.5, 09/94, *Définitions*; Mémorandum 3.1, 08/99, *Assujettissement à la taxe*.

Énoncés de politique: P-183, 09/05/95, *Acquisition d'une terre agricole en copropriété*; P-185R, 25/06/99, *Importation de publications visées par règlement et agents d'abonnement*; P-206, 11/07/97, *Services fournis à des non-résidents dans le cadre d'une instance* (Ébauche); P-208R, 23/05/05, *Sens de l'expression « établissement stable » au paragraphe 123(1) de la Loi sur la taxe d'accise (la Loi)*; P-210R, 06/06/01, *Règlement d'une réclamation en vertu d'un cautionnement de bonne exécution établi relativement à un contrat de construction*.

Lettres d'interprétation (Québec): 98-010117 — Interprétation relative à la TPS — Interprétation relative à la TVQ — Exportation de véhicules automobiles; 98-0110282 — Interprétation relative à la TPS — Interprétation relative à la TVQ — Comités; 98-0111256 — Interprétation relative à la TPS — Interprétation relative à la TVQ — Exportation de véhicules automobiles, CTI et RTI; 99-0106833 — Interprétation relative à la TPS et à la TVQ — Fourniture d'activités de loisir aux citoyens d'une municipalité; 00-0102509 — Interprétation relative à la TPS et à la TVQ — Services rendus par une ressource intermédiaire; 02-0100400 — Interprétation relative à la TPS — Acquisition d'un véhicule par un prête-nom; 06-0106861 — Interprétation relative à la TPS et à la TVQ — Détermination d'une relation de mandataire — Droit à des CTI-RTI.

« activité commerciale » Constituent des activités commerciales exercées par une personne :

a) l'exploitation d'une entreprise (à l'exception d'une entreprise exploitée sans attente raisonnable de profit par un particulier, une fiducie personnelle ou une société de personnes dont l'ensemble des associés sont des particuliers), sauf dans la mesure où l'entreprise comporte la réalisation par la personne de fournitures exonérées;

b) les projets à risque et les affaires de caractère commercial (à l'exception de quelque projet ou affaire qu'entreprend, sans attente raisonnable de profit, un particulier, une fiducie personnelle ou une société de personnes dont l'ensemble des associés sont des particuliers), sauf dans la mesure où le projet ou l'affaire comporte la réalisation par la personne de fournitures exonérées;

c) la réalisation de fournitures (sauf des fournitures exonérées) d'immeubles appartenant à la personne, y compris les actes qu'elle accomplit dans le cadre ou à l'occasion des fournitures.

Notes historiques: Les alinéas a) et b) de la définition de « activité commerciale » au paragraphe 123(1) ont été modifiés par L.C. 1997, c. 10, par. 1(2) et sont réputés entrés en vigueur le 24 avril 1996. Auparavant, ces alinéas se lisaient comme suit :

> a) l'exploitation d'une entreprise (à l'exception d'une entreprise exploitée sans attente raisonnable de profit par un particulier ou une société de personnes dont l'ensemble des associés sont des particuliers), sauf dans la mesure où l'entreprise comporte la réalisation par la personne de fournitures exonérées;
>
> b) les projets à risque et les affaires de caractère commercial (à l'exception de quelque projet ou affaire qu'entreprend, sans attente raisonnable de profit, un particulier ou une société de personnes dont l'ensemble des associés sont des particuliers), sauf dans la mesure où le projet ou l'affaire comporte la réalisation par la personne de fournitures exonérées;

Auparavant, cette définition a été modifiée par L.C. 1993, c. 27, par. 10(1) et s'appliquait après septembre 1992. La définition de « activité commerciale » au paragraphe 123(1), ajoutée par L.C. 1990, c. 45, par. 12(1), se lisait comme suit :

> « activité commerciale » Constituent des activités commerciales exercées par une personne :
>
> a) l'exploitation d'une entreprise;
>
> b) les projets à risques et les affaires de caractère commercial;
>
> c) les activités comportant la fourniture d'immeubles ou de droits sur des immeubles.
>
> La présente définition exclut :
>
> d) les activités exercées par une personne, dans la mesure où elles comportent la réalisation par celle-ci d'une fourniture exonérée;
>
> e) les activités exercées par un particulier sans attente raisonnable de profit;
>
> f) les fonctions ou activités accomplies dans le cadre d'une charge ou d'un emploi.

Concordance québécoise: LTVQ, art. 1« activité commerciale ».

Définitions: « entreprise », « fiducie personnelle », « fourniture », « fourniture exonérée », « fourniture taxable », « immeuble », « personne » — 123(1).

Renvois: 141 (utilisation dans le cadre d'activités.commerciales); 141.1 (présomptions d'activités.commerciales); 146 (fournitures par les gouvernements et.municipalités); V (fournitures exonérées).

Jurisprudence: *Costco Wholesale Canada Ltd. v. R.* (30 mai 2012), 2012 CarswellNat 1650 (C.A.F.); *Calgary (City) v. R.* (26 avril 2012), 2012 CarswellNat 1146 (C.S.C.); *Scott v. R.* (25 juillet 2012), 2012 CarswellNat 2716 (C.C.I.); *Hleck, Kanuka, Thuringer c. La Reine*, [1994] G.S.T.C. 46 (CCI); *B.J. Northern Enterprises Ltd. c. La Reine*, [1995] G.S.T.C. 12 (CCI); *Glengarry Bingo Association c. La Reine*, [1995] G.S.T.C. 41 (CCI); *Leowski (A.D.) c. La Reine*, [1996] G.S.T.C. 55 (CCI); *Borrowers' Action Society c. La Reine*, [1996] G.S.T.C. 61 (CCI); *Town Centre Children's School Inc. c. Canada*, [1997] G.S.T.C. 13 (CCI); *Trudeau (S.) c. Canada*, [1997] G.S.T.C. 36 (CCI); *Aubrett Holdings Ltd. c. Canada*, [1998] G.S.T.C. 17 (CCI); *Two Carlton Financing Ltd. c. Canada*, [1998] G.S.T.C. 59 (CCI); [2000] G.S.T.C. 2 (CAF); *Graveline (D.) c. Canada*, [1998] G.S.T.C. 109 (CCI); *Hidden Valley Golf Resort Assn. c. Canada*, [1998] G.S.T.C. 95 (CCI); [2000] G.S.T.C. 42 (CAF); *398722 Alberta Ltd. c. Canada*, [1998] G.S.T.C. 117 (CCI); [2000] G.S.T.C. 32 (CAF); *898673 Ontario Inc. c. Canada*, [1998] G.S.T.C. 118 (CCI); *LaBuick (E.P.) c. Canada*, [1998] G.S.T.C. 122 (CCI); *Republic National Bank of New York c. Canada*, [1999] G.S.T.C. 32 (CCI); *Strachan (K.R.) c. Canada*, [1999] G.S.T.C. 72 (CCI); *Harberdan Construction Inc. c. Canada*, [1999] G.S.T.C. 80 (CCI); *Hegerat (B.) c. Canada*, [1999] G.S.T.C. 95 (CCI); [2000] G.S.T.C. 48 (CAF); *Meadow Lake Swimming Pool Committee Inc. c. Canada*, [1999] G.S.T.C. 96 (CCI); *Saskatchewan Pesticide Container Management Assn. Inc. c. Canada*, [1999] G.S.T.C. 115 (CCI); *Elgin Mills Leslie Holdings Ltd. c. Canada*, [2000] G.S.T.C. 8 (CCI); *Glengarry Bingo Association c. Canada*, [1995] G.S.T.C. 41 (CCI); [1999] G.S.T.C. 15 (CAF); permission d'appeler refusée [2000] G.S.T.C. 9 (CSC); *Spence c. R.*, [2000] G.S.T.C. 22 (CCI); *Insch c. R.*, [2000] G.S.T.C. 27 (CCI); *Tusket Sales and Service Ltd. c. R.*, [2000] G.S.T.C. 60 (CCI); *Szirtes c. R.*, [2000] G.S.T.C. 96 (CCI); *Raymond c. R.*, [2000] G.S.T.C. 105 (CCI); *Midland Hutterian Brethren c. Canada*, [1999] G.S.T.C. 18 (CCI); [2000] G.S.T.C. 109 (CAF); *London Life Insurance Co. c. Canada*, [1998] G.S.T.C. 93 (CCI); [2000] G.S.T.C. 111 (CAF); *Gestion Alain St-Pierre Inc. c. R.*, [2001] G.S.T.C. 36 (CCI); *Mallow c. R.*, [2001] G.S.T.C. 79 (CCI);

Pension Positive Inc. c. R., [2001] G.S.T.C. 104 (CCI); *Partridge c. R.*, [2001] G.S.T.C. 108 (CCI); *Avenue Business Campuses Ltd. c. R.*, [2001] G.S.T.C. 125 (CCI); *Des Chênes (Commission scolaire) c. R.*, [2001] G.S.T.C. 120 (CAF); *Enright c. R.*, [2002] G.S.T.C. 90 (CCI); *BJ Services Co. Canada c. R.*, [2002] G.S.T.C. 124 (CCI); *Ko c. R.*, [2003] G.S.T.C. 3 (CCI); *Partridge v. R.*, [2003] G.S.T.C. 40 (CAF); *Corp. de l'École Polytechnique c. R.*, 2004 G.T.C. 213 (Eng.) (CCI); *Commission scolaire du Fer c. R.*, [2004] G.S.T.C. 143 (CCI); *Couillard c. R.*, [2004] G.S.T.C. 164 (CCI); *Janitsch c. R.*, [2004] G.S.T.C. 70 (CCI); *Scierie St-Elzéar inc. c. R.*, [2005] G.S.T.C. 189 (CCI); *Gatineau (Ville de) c. R.*, [2005] G.S.T.C. 111 (CCI); *Matane (Ville) c. R.*, 2005 G.T.C. 783 (CCI); *Tachi Ltd. c. R.*, [2006] G.S.T.C. 87 (CCI); *Corp. de l'École Polytecnique c. R.*, 325 N.R. 64 (CAF); *Îles-de-la Madeleine (Comté) c. R.*, 2006 G.T.C. 267 (CCI); *Promotions D.N.D. Inc. c. R.*, 2006 G.T.C. 166 (CCI); *Université de Sherbrooke c. R.*, 2007 CCI 229 (CCI); *173122 Canada Inc. c. R.*, [2007] G.S.T.C. 15; *General Motors of Canada Ltd. v. R.* (22 février 2008), [2008] G.S.T.C. 41 (CCI [procédure générale]); *Slade v. R.* (13 mars 2008), 2008 CarswellNat 1738 (CCI [procédure informelle]); *Société de Transport de Laval v. R.* (4 mars 2008), 2008 CarswellNat 511 (CCI [procédure générale]); *Canadian Medical Protective Assn. v. R.* (10 avril 2008), [2008] G.S.T.C. 88 (CCI [procédure générale]); *Triple G. Corp. v. R.* (24 avril 2008), [2008] G.S.T.C. 102 (CCI [procédure générale]); *Perfection Dairy Group Ltd. v. R.* (10 juin 2008), [2008] G.S.T.C. 124 (CCI [procédure informelle]); *Stantec Inc. v. R.* (30 juin 2008), [2008] G.S.T.C. 137 (CCI [procédure informelle]); *Société de transport de Laval (Ville) v. R.*, 2008 G.T.C. 374 (CCI [procédure générale]); *Desrosiers c. R.*, 2008 G.T.C. 799 (CCI [procédure informelle]); *Price Chopper Canada Inc. v. R.* (14 août 2008), [2008] G.S.T.C. 167 (CCI [procédure informelle]); *Québec (Sous-ministre du Revenu) c. Cun* (13 novembre 2008), 2008 CarswellQue 11822; *Traitement de Déchets JRG Inc. c. R.* (2 février 2009), 2009 G.T.C. 997-51 (CCI [procédure générale]); *Gatineau (Ville) v. R.* (4 mars 2009), 2009 CarswellNat 1778 (CCI [procédure générale]); *614730 Ontario Inc. v. R.*, 2010 CarswellNat 1382, 2010 CCI 7, [2010] G.S.T.C. 27 (CCI [procédure informelle]); *Roberge Transport Inc. v. R.*, 2010 CarswellNat 2453, 2010 CCI 155, [2010] G.S.T.C. 43 (CCI [procédure générale]); *Newell v. R.*, 2010 CarswellNat 1632, 2010 CCI 196, [2010] G.S.T.C. 61 (CCI [procédure informelle]); *Buckingham v. R.*, 2010 CarswellNat 3577, 2010 CCI 247, [2010] G.S.T.C. 71 (CCI [procédure générale]); *Calgary (City) v. R.*, 2010 CarswellNat 3090, 2010 CAF 127, [2010] G.S.T.C. 78 (CAF); *Lyncorp International Ltd. v. R.*, 2010 CarswellNat 5519, 2010 CCI 532, [2010] G.S.T.C. 150 (CCI [procédure générale]); *Bowden v. R.*, 2011 CarswellNat 4348, 2011 TCC 418, 2011 G.T.C. 994 (CCI [procédure informelle]); *Sydney Mines Fireman's Club v. R.*, 2011 CarswellNat 4219, 2011 CCI 403, 2011 G.T.C. 990 (CCI [procédure informelle]); *Eirikson v. R.* (9 décembre 2011), 2011 CarswellNat 6077, 2011 CCI 562, 2012 G.T.C. 10 (CCI [procédure informelle]); *Calgary Board of Education v. R.* (8 janvier 2012), 2012 CarswellNat 1285, 2012 CCI 7, 2012 G.T.C. 11 (CCI [procédure générale]); *Doiron v. R.* (7 mars 2012), 2012 CarswellNat 496, 2012 CAF 71, 2012 G.T.C. 1023 (CAF); *Calgary (City) v. R.* (26 avril 2012), 2012 CarswellNat 1146, 2012 SCC 20, 2012 G.T.C. 1030 (CSC).

Énoncés de politique: P-046, 02/11/92, *Le traitement des règlements de sinistre sous le régime de la TPS* (Ébauche); P-167R, 29/03/00, *Signification de la première partie de la définition du terme « entreprise »*; P-176R, 30/09/98, *Application du critère de profit à l'exploitation d'une entreprise*; P-183, 09/05/95, *Acquisition d'une terre agricole en copropriété*; P-205, 08/06/95, *Signification de la deuxième partie de la définition du terme « entreprise »*; P-208R, 23/05/05, *Sens de l'expression « établissement stable » au paragraphe 123(1) de la Loi sur la taxe d'accise (la Loi)*; P-210R, 06/06/01, *Règlement d'une réclamation en vertu d'un cautionnement de bonne exécution établi relativement à un contrat de construction*.

Bulletins de l'information technique: B-068, 20/01/93, *Simples fiducies*.

Mémorandums: TPS 300, 7/03/91, *Taxe sur les fournitures*, par. 8; TPS 300-4, 02/11/93, *Fournitures exonérées*, par. 6; TPS 400-1-1, 25/02/91, *Crédit intégral de taxe sur les intrants*, par. 7; TPS 700-5-6, 9/12/91, *Crédits de taxe sur les intrants et sociétés de portefeuille, prises de contrôle, et personnes morales à paliers multiples*, par. 8, 9.

Série de mémorandums: Mémorandum 1.5, 09/94, *Définitions*; Mémorandum 2.1, 05/99, *Inscription requise*, par. 17; Mémorandum 2.3, 06/95, *Inscription au choix*, par. 5, 6; Mémorandum 3.1, 08/99, *Assujettissement à la taxe*; Mémorandum 8-1, 05/15 *Règles générales d'admissibilité*; Mémorandum 19.4.1, 08/99, *Immeubles commerciaux — Ventes et locations*; Mémorandum 19.5, 06/02, *Fonds de terre et immeubles connexes*.

Lettres d'interprétation (Québec): 98-0104954 — Décision portant sur l'application de la TPS — Interprétation relative à la TVQ; 98-0108146 — Interprétation relative à la TPS et à la TVQ — Prix reçus par un athlète professionnel; 98-0109078 — Interprétation relative à la TPS et à la TVQ — Contrepartie symbolique; 99-0104671 — Interprétation relative à la TPS et à la TVQ — Demande de CTI et de RTI par un dentiste; 99-0111064 — Convention entre [une ville] et un inscrit en TPS/TVQ; 02-010777 — Interprétation relative à la TPS et à la TVQ Règles générales, résidences pour personnes âgées.

Info TPS/TVQ: GI-122 — *Les incidences de la TPS/TVH à la suite de l'acquisition de panneaux solaires en vertu du Programme de tarifs de rachats garantis pour les microprojets en Ontario*.

« activité extracôtière »

a) En ce qui concerne une activité exercée dans la zone extracôtière de la Nouvelle-Écosse, activité relativement à laquelle un impôt serait institué sous le régime de l'article 212 de la *Loi de mise en œuvre de l'Accord Canada — Nouvelle-Écosse sur les hydrocarbures extracôtiers* si la présente partie comptait parmi les lois sur l'impôt indirect, au sens de l'article 211 de cette loi;

b) en ce qui concerne une activité exercée dans la zone extracôtière de Terre-Neuve, activité relativement à laquelle un impôt serait institué sous le régime de l'article 207 de la *Loi de mise en œuvre de l'Accord atlantique Canada — Terre-Neuve* si la présente partie comptait parmi les lois sur l'impôt indirect, au sens de l'article 206 de cette loi.

Notes historiques: La définition d'« activité extracôtière » au paragraphe 123(1) a été ajoutée par L.C. 1997, c. 10, par. 150(6) et est réputée entrée en vigueur le 1er avril 1997.

Concordance québécoise: aucune.

Définitions: « zone extracôtière de la Nouvelle-Écosse », « zone extracôtière de Terre-Neuve » — 123(1).

« administration hospitalière » Institution qui administre un hôpital public et qui est désignée par le ministre comme administration hospitalière pour l'application de la présente partie.

Notes historiques: La définition de « administration hospitalière » au paragraphe 123(1) a été modifiée par L.C. 1997, c. 10, par. 1(1) et cette modification est réputée entrée en vigueur le 24 avril 1996. Elle se lisait comme suit :

> « administration hospitalière » Institution ou partie d'institution qui administre un hôpital public et qui est désignée par le ministre comme administration hospitalière pour l'application de la présente partie.

Auparavant, cette définition a été modifiée par L.C. 1993, c. 27, par. 10(1) et s'applique à compter du 10 juin 1993. Elle se lisait auparavant comme suit :

> « administration hospitalière » Institution ou partie d'institution qui administre un hôpital public certifié par le ministère de la Santé nationale et du Bien-être social.

La définition de « administration hospitalière » au paragraphe 123(1) a été ajoutée par L.C. 1990, c. 45, par. 12(1).

Concordance québécoise: LTVQ, art. 1« administration hospitalière ».

Définitions: « ministre », « organisme de services publics » — 123(1); « organisme déterminé de services publics » — 259(1).

Renvois: 149(4.1) (institution financière — règle *de minimis*); VI:Partie I:2 (drogues); VI:Partie II (appareils médicaux).

Règlements: *Règlement sur les remboursements aux organismes de services publics (TPS/TVH)*, al. 5c) (pourcentage du remboursement); *Règlement sur la comptabilité abrégée (TPS/TVH)* al. 19(3)d) (taux pour la méthode rapide spéciale).

Jurisprudence: *Niagara Peninsula Rehabilitation Centre c. La Reine*, [1996] G.S.T.C. 77 (CCI).

Bulletins de l'information technique: B-075RR, 23/04/96, *Modifications proposées à la TPS*.

Mémorandums: TPS 500-4-4, 31/03/93, *Administrations hospitalières*, par. 5, 6.

Série de mémorandums: Mémorandum 1.5, 09/94, *Définitions*; Mémorandum 25.2, 07/98, *Désignation comme administration hospitalière*.

Énoncés de politique: P-245, 16/18/05, *Établissement des « activités exercées par un organisme dans le cadre de l'exploitation d'un hôpital public »*.

Formulaires: GST66, *Demande de remboursement de la TPS/TVH pour organismes de services publics et de TPS pour gouvernements autonomes*.

« administration scolaire » Institution qui administre une école primaire ou secondaire dont le programme d'études est conforme aux normes en matière d'enseignement établies par le gouvernement de la province où l'école est administrée.

Notes historiques: La définition de « administration scolaire » au paragraphe 123(1) a été modifiée par L.C. 1997, c. 10, par. 1(1) et cette modification est réputée entrée en vigueur le 24 avril 1996. Elle se lisait comme suit :

> « administration scolaire » Institution ou partie d'institution qui administre dans une province une école primaire ou secondaire dont le programme d'études est conforme aux normes du gouvernement provincial en matière d'enseignement.

Cette définition a été ajoutée par L.C. 1990, c. 45, par. 12(1).

Concordance québécoise: LTVQ, art. 1« administration scolaire ».

Définitions: « organisme de services publics », « province » — 123(1); « organisme déterminé de services publics » — 259(1).

Renvois: 149(4.1) (institution financière — exception); 259.1 (livres imprimés); V:Partie III (services d'enseignement exonérés); V:Partie VI:2) (cours).

Règlements: *Règlement sur le remboursements aux organismes de services publics (TPS/TVH)*, al. 5c) (pourcentage du remboursement); *Règlement sur la comptabilité abrégée (TPS/TVH)*, al. 19(3)b) (taux pour la méthode rapide spéciale).

LTA (TPS)

Jurisprudence: *Philippe Plamondon Inc. c. Canada*, [1998] G.S.T.C. 19 (CCI); *North Vancouver School District No. 44 v. R.*, [2008] G.S.T.C. 171 (CCI [procédure générale]).

Bulletins de l'information technique: B-075R, 23/04/96, *Modifications proposées à la TPS*.

Mémorandums: TPS 500-4-3, 10/05/91, *Universités, administrations scolaires et collèges publics*.

Série de mémorandums: Mémorandum 1.5, 09/94, *Définitions*.

Formulaires: GST66, *Demande de remboursement de la TPS/TVH pour organismes de services publics et de TPS pour gouvernements autonomes*.

« Agence » L'Agence du revenu du Canada, prorogée par le paragraphe 4(1) de la *Loi sur l'Agence du revenu du Canada*.

Notes historiques: La définition de « Agence » au paragraphe 123(1) a été remplacée par L.C. 2005, c. 38, art. 104 et cette modification est entrée en vigueur le 12 décembre 2005 [C.P. 2005-2041 du 21 novembre 2005 (TR/2005-119)]. Antérieurement, elle se lisait ainsi :

> « Agence » L'Agence des douanes et du revenu du Canada créée par le paragraphe 4(1) de la *Loi sur l'Agence des douanes et du revenu du Canada*.

La définition de « Agence » au paragraphe 123(1) a été ajoutée par L.C. 1999, c. 17, par. 152(2) et est entrée en vigueur le 1er novembre 1999.

Concordance québécoise: aucune.

Définitions: « bien », « contrepartie », « immobilisation », « personne », « produit », « service » — 123(1).

Décrets de remise: *Décret de remise visant le fonds appelé Nova Scotia Public Service Long Term Disability Plan Trust Fund* C.P.2000-354; *Décret de remise visant certaines municipalités* C.P.2003-124; *Décret de remise visant la province d'Alberta (« Civil Enforcement Agencies »)* C.P.2003-909.

Jurisprudence: *Patry c. R.*, [2003] G.S.T.C. 132 (CCI); *Swift c. R.*, [2004] G.S.T.C. 125 (CAF); *Promotions D.N.D. Inc. c. R.*, 2006 G.T.C. 166 (CCI); *Federico c. R.*, [2005] G.S.T.C. 103 (CCI).

Mémorandums: TPS 500-3-1, 20/03/92, *Application et exécution cotisations et pénalités vérifications fiscales*; TPS 500-3-2-1, 14/03/94, *Administration et exécution cotisations et pénalités à annulation ou renonciation à pénalités et intérêts*.

Série de mémorandums: Mémorandum 1.1, 09/94, *Programme de l'information technique sur la taxe sur les produits et services (TPS)*; Mémorandum , 09/94, *Répertoire des bulletins de l'information technique*; Mémorandum 1.4, 12/06, *Décisions concernant la taxe sur les produits et services*; Mémorandum 2.1, 05/99, *Inscription requise*; Mémorandum 16.3, 01/09, *Annulation ou renonciation — Pénalités et/ou intérêts*.

« améliorations » Biens ou services fournis à une personne, ou produits importés par celle-ci, en vue d'améliorer un de ses biens, dans la mesure où la contrepartie payée ou payable par elle pour les biens ou les services, ou la valeur des produits, est incluse dans le calcul du coût du bien pour elle ou, s'il s'agit d'une immobilisation, du prix de base rajusté du bien pour elle, pour l'application de la *Loi de l'impôt sur le revenu*, ou serait ainsi incluse si elle était un contribuable aux termes de cette loi.

Notes historiques: La définition de « améliorations » au paragraphe 123(1) a été modifiée par L.C. 1997, c. 10, par. 1(1) et cette modification est réputée entrée en vigueur le 24 avril 1996. Elle se lisait comme suit :

> « améliorations » Biens ou services fournis à une personne, ou produits importés par celle-ci, en vue d'améliorer son immobilisation dans la mesure où la contrepartie payée ou payable par elle pour les biens ou les services, ou la valeur des produits, est incluse dans le calcul du prix de base rajusté pour elle de l'immobilisation pour l'application de la *Loi de l'impôt sur le revenu*, ou le serait si elle était un contribuable aux termes de cette loi.

Cette définition a été ajoutée par L.C. 1990, c. 45, par. 12(1).

Concordance québécoise: LTVQ, art. 1 « amélioration ».

Définitions: « bien », « contrepartie », « immobilisation », « personne », « produits », « service » — 123(1); « prix de base rajusté » — 54.

Bulletins de l'information technique: B-075R, 23/04/96, *Modifications proposées à la TPS*; B-098, 26/08/11, *Application de l'article 141.02 aux institutions financières qui sont des institutions admissibles*.

Jurisprudence: *Polley v. R.*, 2008 CarswellNat 2642 (24 avril 2008) (CCI [procédure informelle]).

Énoncés de politique: P-085R, 25/03/98, *Montants donnant droit au remboursement de TPS pour habitations neuves visés à l'article 256*.

Série de mémorandums: Mémorandum 19.2.1, 02/00, *Immeubles résidentiels — Ventes*; Mémorandum 8.3, 02/12, *Calcul des crédits de taxe sur les intrants*.

« année d'imposition »

a) Dans le cas d'un contribuable au sens de la *Loi de l'impôt sur le revenu*, à l'exclusion d'une personne non constituée en société qui, par l'effet du paragraphe 149(1) de cette loi, est exonérée de l'impôt prévu à la partie I de cette loi sur tout ou partie de son revenu imposable, son année d'imposition pour l'application de cette loi;

b) dans le cas d'une société de personnes visée au sous-alinéa 249.1(1)b)(ii) de cette loi, l'exercice de son entreprise, déterminé selon le paragraphe 249.1(1) de cette loi;

c) dans les autres cas, la période qui représenterait l'année d'imposition d'une personne pour l'application de cette loi si elle était une personne morale autre qu'une société professionnelle, au sens du paragraphe 248(1) de cette loi.

Notes historiques: L'alinéa b) de la définition de « année d'imposition » au paragraphe 123(1) a été modifié par L.C. 1996, c. 21, par. 64(1) et cette modification s'applique aux exercices qui commencent après 1994. Auparavant, cet alinéa se lisait comme suit :

> b) dans le cas de toute autre personne, la période qui représenterait son année d'imposition pour l'application de cette loi si elle était une société.

L'alinéa c) de la définition de « année d'imposition » au paragraphe 123(1) a été ajouté par L.C. 1996, c. 21, par. 64(1) et cette modification s'applique aux exercices qui commencent après 1994.

Auparavant, cette définition a été remplacée par L.C. 1994, c. 9, par. 2(1) et est réputée entrée en vigueur le 10 juin 1993. Elle se lisait comme suit :

> « année d'imposition »
>
> a) Dans le cas d'un contribuable au sens de la *Loi de l'impôt sur le revenu*, son année d'imposition pour l'application de cette loi;
>
> b) dans les autres cas, la période qui représenterait l'année d'imposition d'une personne pour l'application de cette loi si elle était une personne morale.

La définition de « année d'imposition » au paragraphe 123(1) a été ajoutée par L.C. 1990, c. 45, par. 12(1).

Concordance québécoise: LTVQ, art. 1« année d'imposition ».

Définitions: « contribuable » — 248(1); « exercice », « personne » — 123(1) LIR.

Renvois: 217.1(5) (CTI pour services financiers); 244 (choix d'exercice).

Série de mémorandums: Mémorandum 1.5, 09/94, *Définitions*.

« argent » Y sont assimilés la monnaie, les chèques, les billets à ordre, les lettres de crédit, les traites, les chèques de voyage, les lettres de change, les bons de poste, les mandats-poste, les versements postaux et tout autre effet, canadien ou étranger, de même nature. La présente définition exclut la monnaie dont la juste valeur marchande dépasse la valeur nominale dans le pays d'origine et celle fournie ou détenue pour sa valeur numismatique.

Notes historiques: La définition de « argent » au paragraphe 123(1) a été ajoutée par L.C. 1990, c. 45, par. 12(1)

Concordance québécoise: LTVQ, art. 1« argent ».

Définitions: « bien », « document », « effet financier », « juste valeur marchande », « montant », « service », « service financier », « titre de créance » — 123(1).

Renvois: 153 (valeur de la contrepartie); 181.2 (certificats-cadeaux).

Énoncés de politique: P-218R, 10/08/07, *Statut fiscal des montants versés en dédommagement, qu'ils soient ou non visés par l'article 182 de la Loi sur la taxe d'accise*.

Jurisprudence: *Global Cash Access (Canada) Inc. v. R.* (18 mai 2012), 2012 CarswellNat 3817 (C.C.I.).

Mémorandums: TPS 300-7, 14/09/90, *Valeur de la fourniture*, par. 7.

Série de mémorandums: Mémorandum 1.5, 09/94, *Définitions*; Mémorandum 3.1, 08/99, *Assujettissement à la taxe*.

« assureur » Personne titulaire d'un permis ou autrement autorisée par la législation fédérale ou provinciale à exploiter une entreprise d'assurance au Canada, ou par la législation d'une autre administration à exploiter une telle entreprise dans cette administration.

Notes historiques: La définition de « assureur » au paragraphe 123(1) a été ajoutée par L.C. 1990, c. 45, par. 12(1).

Concordance québécoise: LTVQ, art. 1« assureur ».

Définitions: « Canada », « entreprise », « fonds réservé », « personne », « police d'assurance », « province », « service financier » — 123(1).

Renvois: 123(2) (Canada); 128(1) (personnes morales étroitement liées); 131 (fonds réservé — personne distincte); 184 (règlement de sinistre).

Jurisprudence: *Healthcare Insurance Reciprocal c. R.*, [2000] G.S.T.C. 50 (CCI).

Énoncés de politique: P-126, 29/03/94, *Répartition des déclarations de TPS.*

Bulletins de l'information technique: B-052, 12/04/91, *Traitement des produits et services des compagnies d'assurance-vie et d'assurance-maladie sous le régime de la TPS*; B-097, 08/11, *Déterminer si une institution financière est une institution admissible pour l'application de l'article 141.02.*

Série de mémorandums: Mémorandum 1.5, 09/94, *Définitions*; Mémorandum 17.1, 04/99, *Définition d'« effet financier »*; Mémorandum 17.2.3, 08/04, *Produits et services offerts par des compagnies d'assurance-vie et d'assurance-maladie*; Mémorandum 17.6, 09/99, *Définition d'« institution financière désignée »*; Mémorandum 17.9, 08/99, *Agents et courtiers d'assurance.*

« banque » Banque et banque étrangère autorisée, au sens de l'article 2 de la *Loi sur les banques*.

Notes historiques: La définition de « banque » au paragraphe 123(1) de la *Loi sur la taxe d'accise* a été ajoutée par L.C. 1999, c. 28, art. 159 et est réputée entrée en vigueur à compter du 28 juin 1999.

Concordance québécoise: LTVQ, art. 1« banque ».

Renvois: 149(1) (institutions financières).

Bulletins de l'information technique: B-097, 08/11, *Déterminer si une institution financière est une institution admissible pour l'application de l'article 141.02.*

« bien » À l'exclusion d'argent, tous biens — meubles et immeubles — tant corporels qu'incorporels, y compris un droit quelconque, une action ou une part.

Notes historiques: La définition de « bien » au paragraphe 123(1) a été ajoutée par L.C. 1990, c. 45, par. 12(1).

Concordance québécoise: LTVQ, art. 1« bien » (en partie).

Définitions: « immobilisation », « inventaire » — 120(1); « améliorations », « argent », « bien meuble », « entreprise », « immeuble », « immobilisation », « juste valeur marchande », « vente » — 123(1).

Renvois: 134 (transfert à titre de garantie); 137 (enveloppes et contenants); 138 (fournitures accessoires); 169 (CTI); 341(4) (droit d'adhésion et droit d'entrée); 356(4) (TVH — droit d'adhésion et droit d'entrée).

Jurisprudence: *Global Cash Access (Canada) Inc. v. R.* (18 mai 2012), 2012 CarswellNat 3817 (C.C.I.); *Costco Wholesale Canada Ltd. v. R.* (30 mai 2012), 2012 CarswellNat 1650 (C.A.F.); *B.J. Northern Enterprises Ltd. c. La Reine*, [1995] G.S.T.C. 12 (CCI); *Phillips c. R.*, [2006] G.S.T.C. 12 (CCI); *Triple G. Corp. v. R.* (24 avril 2008), [2008] G.S.T.C. 102 (CCI [procédure générale]); *Costco Wholesale Canada Ltd. v. R.*, 2010 CarswellNat 487, 2010 CAF 9, [2010] G.S.T.C. 4 (CAF); *614730 Ontario Inc. v. R.*, 2010 CarswellNat 1382, 2010 CCI 7, [2010] G.S.T.C. 27 (CCI [procédure informelle]); *Costco Wholesale Canada Ltd. v. R.*, 2010 CarswellNat 5522, 2010 CCI 609 (CCI [procédure générale]).

Énoncés de politique: P-169R, 25/05/99, *Définition des expressions « lié à un immeuble situé au Canada » et « lié à un bien meuble corporel qui est situé au Canada au moment de l'exécution du service » pour l'application des articles 7 et 23 de la partie V de l'annexe VI de la Loi sur la taxe d'accise*; P-218R, 10/08/07, *Statut fiscal des montants versés en dédommagement, qu'ils soient ou non visés par l'article 182 de la Loi sur la taxe d'accise*; P-225, 04/01/99, *Paiements pour perte ou dommages en vertu de contrats de location de véhicules*; P-236, 29/03/00, *Fourniture de photocopies.*

Bulletins de l'information technique: B-090, 07/02, *La TPS/TVH et le commerce électronique*; B-101, 04/08, *Fiducies.*

Série de mémorandums: Mémorandum 1.5, 09/94, *Définitions*; Mémorandum 3.1, 08/99, *Assujettissement à la taxe.*

Lettres d'interprétation (Québec): 01-0108918 — Promesse bilatérale.

Lettre d'interprétation (Québec) [par. 165(1)]: 12-014001-001 — *Interprétation relative à la TPS/TVH - Interprétation relative à la TVQ (Commerce électronique).*

« bien meuble » Tout bien qui n'est pas immeuble.

Notes historiques: La définition de « bien meuble » au paragraphe 123(1) a été ajoutée par L.C. 1990, c. 45, par. 12(1).

Concordance québécoise: aucune.

Définitions: « bien », « immeuble » — 123(1).

Renvois: 136 (bail ou licence); 137 (enveloppes et contenants); 195–205 (immobilisations); 337, 340, 341, 343 (dispositions transitoires).

Énoncés de politique: P-169R, 25/05/99, *Définition des expressions « lié à un immeuble situé au Canada » et « lié à un bien meuble corporel qui est situé au Canada au moment de l'exécution du service » pour l'application des articles 7 et 23 de la partie V de l'annexe VI de la Loi sur la taxe d'accise*; P-218R, 10/08/07, *Statut fiscal des montants versés en dédommagement, qu'ils soient ou non visés par l'article 182 de la Loi sur la taxe d'accise.*

Bulletins de l'information technique: B-090, 07/02, *La TPS/TVH et le commerce électronique.*

Mémorandums: TPS 300-4-3, 10/01/92, *Services d'enseignement*; TPS 400-3-6, 24/03/93, *Bien meuble corporel désigné ou d'occasion.*

Série de mémorandums: Mémorandum 1.5, 09/94, *Définitions*; Mémorandum 3.1, 27/08/90, *Assujettissement à la taxe*; Mémorandum 8-1, 10/05/05, *Règles générales d'admissibilité.*

Info TPS/TVQ: GI-122 — *Les incidences de la TPS/TVH à la suite de l'acquisition de panneaux solaires en vertu du Programme de tarifs de rachats garantis pour les micro-projets en Ontario.*

« bien meuble corporel désigné » L'un des biens suivants ou droit sur un tel bien :

a) estampes, gravures, dessins, tableaux, sculptures ou autres œuvres d'art de même nature;

b) bijoux;

c) in-folio rares, manuscrits rares ou livres rares;

d) timbres;

e) pièces de monnaie;

f) biens meubles visés par règlement.

Notes historiques: La définition de « bien meuble corporel désigné » au paragraphe 123(1) a été ajoutée par L.C. 1990, c. 45, par. 12(1).

Concordance québécoise: LTVQ, art. 1« bien meuble corporel désigné ».

Définitions: « bien », « bien meuble », « règlement » — 123(1).

Renvois: 176 (biens meubles corporels d'occasion ou désignés).

Règlements: Aucun bien meuble n'est encore visé par règlement, aux fins de l'alinéas f)..

Bulletins de l'information technique: B-084, 29/07/97, *Traitement des produits d'occasion.*

Mémorandums: TPS 400-3-6, 24/03/93, *Bien meuble corporel désigné ou d'occasion*, par. 6, 7, 27–29.

Série de mémorandums: Mémorandum 1.5, 09/94, *Définitions.*

« bien meuble corporel d'occasion » Bien meuble corporel qui a été utilisé au Canada.

Notes historiques: La définition de « bien meuble corporel d'occasion » au paragraphe 123(1) a été modifiée par L.C. 1997, c. 10, par. 1(1) et cette modification est réputée entrée en vigueur le 24 avril 1996. Elle se lisait comme suit :

> « bien meuble corporel d'occasion » Bien meuble corporel qui a déjà été utilisé au Canada. L'expression « bien meuble corporel désigné d'occasion » ("used specified tangible personal property") s'entend d'un bien meuble corporel désigné, sauf s'il peut être établi de manière satisfaisante que le bien :
>
> a) étant une estampe, une gravure, un dessin, un tableau, une sculpture ou une autre œuvre d'art de même nature, est détenu au Canada uniquement pour être fourni dans le cours normal d'une entreprise par un inscrit depuis le dernier en date des jours suivants :
>
> (i) le jour où le créateur du bien en a effectué une fourniture par vente pour la première fois,
>
> (ii) le début du 1er janvier 1991,
>
> (iii) le jour où le bien a été importé pour la dernière fois;
>
> b) n'étant pas visé à l'alinéa a), est détenu au Canada uniquement pour être fourni dans le cours normal d'une entreprise par un inscrit depuis le dernier en date des jours suivants :
>
> (i) le début du 1er janvier 1991,
>
> (ii) le jour où le bien a été importé pour la dernière fois.

Cette définition a été ajoutée par L.C. 1990, c. 45, par. 12(1).

Concordance québécoise: LTVQ, art. 1« bien meuble corporel d'occasion ».

Définitions: « bien meuble », « bien meuble corporel désigné » — 123(1); « Canada » — 123(2), (3); « dernière imporatation » — 195.2(1); « entreprise », « fourniture », « inscrit », « importation », « personne », « vente » — 123(1).

Renvois: 176 (biens meubles corporels d'occasion ou désignés).

Bulletins de l'information technique: B-075R, 23/04/96, *Modifications proposées à la TPS.*

Mémorandums: TPS 400, 18/05/90, *Crédits de taxe sur les intrants*, alinéa 5c), par. 36; TPS 400-3-6, 24/03/93, *Bien meuble corporel désigné ou d'occasion*, par. 6, 7, 27–29.

Série de mémorandums: Mémorandum 1.5, 09/94, *Définitions.*

« bien municipal désigné » Bien à l'égard duquel les conditions suivantes sont réunies :

a) il s'agit du bien d'une personne qui, à un moment donné, est désignée comme municipalité pour l'application de l'article 259;

b) la personne avait l'intention, à ce moment, de consommer, d'utiliser ou de fournir le bien dans le cadre d'activités précisées dans la désignation et autrement qu'exclusivement dans le cadre d'activités qui ne sont pas des activités ainsi précisées;

c) un montant inclus dans le total de la taxe applicable au bien ou au service, aux termes de l'alinéa a) de la définition de « taxe exigée non admise au crédit » au paragraphe 259(1), représente, relativement au bien ou à des améliorations afférentes, l'un des montants suivants :

(i) la taxe relative à une fourniture effectuée au profit de la personne à ce moment, ou à des améliorations visant le bien, à son transfert dans une province participante ou à son importation, effectués par la personne à ce moment,

(ii) un montant réputé avoir été payé ou perçu à ce moment par la personne,

(iii) un montant à ajouter en application du paragraphe 129(7) dans le calcul de la taxe nette de la personne du fait qu'une de ses succursales ou divisions est devenue une division de petit fournisseur à ce moment,

(iv) un montant à ajouter en application de l'alinéa 171(4)b) dans le calcul de la taxe nette de la personne du fait qu'elle a cessé d'être un inscrit à ce moment.

Notes historiques: La définition de « bien municipal désigné » au paragraphe 123(1) a été ajoutée par L.C. 2004, c. 22, par. 29(1) et est réputée être entrée en vigueur le 1er février 2004.

Concordance québécoise: aucune.

« cadre » Personne qui occupe une charge.

Notes historiques: La définition de « cadre » au paragraphe 123(1) a été modifiée par L.C. 1997, c. 10, par. 1(1) et cette modification est réputée entrée en vigueur le 17 décembre 1990. Elle se lisait comme suit :

« cadre » Y sont assimilés :

a) le membre d'un bureau de direction, d'un conseil d'administration ou de tout autre comité de gestion d'un organisme — personne morale, association, syndicat, club ou autre;

b) le fonctionnaire judiciaire ou le membre d'un organisme judiciaire, quasi judiciaire ou administratif;

c) le ministre fédéral ou provincial;

d) le sénateur ou le député fédéral;

e) le député provincial;

f) le titulaire d'une charge élu ou nommé à titre représentatif.

Cette définition a été ajoutée par L.C. 1990, c. 45, par. 12(1).

Concordance québécoise: LTVQ, art. 1« cadre ».

Définitions: « charge » — 123(1); « législature » — 35(1) *Loi d'interprétation*; « ministre », « personne » — 123(1); « personne morale » — 35(1) *Loi d'interprétation*; « province » — 123(1).

Jurisprudence: *C.I. Mutual Funds Inc. c. Canada*, [1997] G.S.T.C. 84 (CCI); [1999] G.S.T.C. 12 (CAF); *Ricken Leroux Inc. c. Quebec (Minister of Revenue)*, [1998] G.S.T.C. 11 (C.A. Qué); [1998] G.S.T.C. 25 (CSC).

Bulletins de l'information technique: B-075R, 23/04/96, *Modifications proposées à la TPS*.

Série de mémorandums: Mémorandum 1.5, 09/94, *Définitions*.

Lettres d'interprétation (Québec): 05-0100809 — Interprétation relative à la TPS et à la TVQ — remboursement d'un compte de dépenses d'un secrétaire non membre d'un conseil d'administration]; 06-0103082 — Interprétation relative à la TPS et à la TVQ — Jetons de présence et rémunération annuelle versés aux administrateurs d'un fiduciaire corporatif.

« caisse de crédit » S'entend au sens du paragraphe 137(6) de la *Loi de l'impôt sur le revenu*. Y est assimilée la corporation d'assurance-dépôts visée au sous-alinéa 137.1(5)a)(i) de cette loi.

Notes historiques: La définition de « caisse de crédit » au paragraphe 123(1) a été ajoutée par L.C. 1990, c. 45, par. 12(1).

Concordance québécoise: LTVQ, art. 1« caisse de crédit ».

Définitions: « personne morale » — 35(1) *Loi d'interprétation*.

Série de mémorandums: Mémorandum 1.5, 09/94, *Définitions*; Mémorandum 17.6, 09/99, *Définition d'« institution financière désignée »*; Mémorandum 17.8, 04/99, *Caisses de crédit*.

« centre de congrès » Immeuble acquis par bail, licence ou accord semblable par le promoteur ou l'organisateur d'un congrès pour utilisation exclusive comme lieu du congrès.

Notes historiques: La définition de « centre de congrès » au paragraphe 123(1) a été ajoutée par L.C. 1993, c. 27, par. 10(18) et est réputée entrée en vigueur le 17 décembre 1990.

Concordance québécoise: LTVQ, art. 1« centre de congrès ».

Définitions: « congrès », « exclusif », « immeuble », « organisateur », « promoteur » — 123(1).

Renvois: 167.2 (droit d'entrée à un congrès); 252.3, 252.4 (remboursement — congrès).

Bulletins de l'information technique: B-071, 19/03/93, *Remboursement de la taxe sur les produits et services relatif à un congrès*.

Série de mémorandums: Mémorandum 1.5, 09/94, *Définitions*.

Info TPS/TVQ: GI-027 — *Programme d'incitation pour congrès étrangers et voyages organisés — Promoteurs de congrès nationaux : application de la TPS/TVH aux droits d'entrée vendus à des non-résidents*; GI-029 — *Programme d'incitation pour congrès étrangers et voyages organisés — Promoteurs de congrès étrangers : ce qu'est un congrès étranger et remboursement de la taxe payée sur les achats afférents*; GI-030 — *Programme d'incitation pour congrès étrangers et voyages organisés — Organisateurs non inscrits de congrès étrangers : remboursement de la taxe payée sur les achats*; GI-031 — *Programme d'incitation pour congrès étrangers et voyages organisés — Exploitants inscrits de centre de congrès et organisateurs inscrits : remboursement versé et crédité pour des congrès étrangers.*

« charge » S'entend au sens du paragraphe 248(1) de la *Loi de l'impôt sur le revenu*. Les fonctions suivantes ne sont pas des charges :

a) syndic de faillite;

b) séquestre, y compris un séquestre au sens du paragraphe 266(1);

c) fiduciaire d'une fiducie ou représentant personnel d'une personne décédée, lorsque le montant auquel il a droit à ce titre est inclus, pour l'application de cette loi, dans le calcul de son revenu ou, s'il est un particulier, dans le calcul de son revenu tiré d'une entreprise.

Notes historiques: La définition de « charge » au paragraphe 123(1) a été ajoutée par L.C. 1997, c. 10, par. 1(12) et est réputée entrée en vigueur le 17 décembre 1990.

Concordance québécoise: LTVQ, art. 1« charge ».

Définitions: « entreprise », « montant », « personne », « représentant personnel » — 123(1).

Jurisprudence: *C.I. Mutual Funds Inc. c. Canada*, [1997] G.S.T.C. 84 (CCI); [1999] G.S.T.C. 12 (CAF).

Bulletins de l'information technique: B-075R, 23/04/96, *Modifications proposées à la TPS*.

Lettres d'interprétation (Québec): 05-0100809 — Interprétation relative à la TPS et à la TVQ — remboursement d'un compte de dépenses d'un secrétaire non membre d'un conseil d'administration].

« collège public » Institution qui administre un collège d'enseignement postsecondaire ou un institut technique d'enseignement postsecondaire qui, à la fois :

a) reçoit d'un gouvernement ou d'une municipalité des fonds destinés à l'aider à offrir des services d'enseignement au public de façon continue;

b) a pour principal objet d'offrir des programmes de formation professionnelle, technique ou générale.

Notes historiques: Le préambule et l'alinéa a) de la définition de « collège public » au paragraphe 123(1) ont été modifiés par L.C. 1997, c. 10, par. 1(7) et cette modification s'applique à compter de 1997. Toutefois, en ce qui a trait au calcul du remboursement prévu à l'article 259, cette modification s'applique aux demandes reçues par le ministre du Revenu national après le 22 avril 1996 ou réputées produites par l'effet de l'alinéa 296(5)a) par suite d'une cotisation établie après le 23 avril 1996. Ce préambule et cet alinéa se lisait auparavant comme suit :

« collège public » Institution ou partie d'institution qui administre un collège d'enseignement postsecondaire ou un institut technique d'enseignement postsecondaire qui, à la fois :

a) reçoit des subventions d'un gouvernement ou d'une municipalité;

La définition de « collège public » au paragraphe 123(1) a été ajoutée par L.C. 1990, c. 45, par. 12(1).

10 juillet 1997, Notes explicatives: La modification de la définition de « collège public » précise que, pour être réputé collège public, un organisme doit recevoir d'un gouvernement ou d'une municipalité des fonds destinés à l'aider à offrir des services d'enseignement au public de façon continue, par opposition à des sommes versées à un organisme dans le cadre d'ententes spéciales conclues avec un gouvernement ou une municipalité pour la formation d'un groupe particulier d'étudiants. Par exemple, les fonds versés dans le cadre d'un programme comme le Programme de la planification de l'emploi ne sont pas conformes aux critères concernant les fonds destinés à aider à offrir des services d'enseignement au public de façon continue.

La définition de « collège public » est également modifiée pour supprimer le terme « partie » (d'une institution). Cette modification découle de l'ajout du paragraphe 259(4.1), qui prévoit des règles précises de répartition du remboursement accordé aux organismes déterminés de services publics, comme des collèges publics, qui exécutent des activités en différentes qualités (voir les notes concernant le paragraphe 69(7) du projet de loi [C-70 (L.C. 1997, ch. 10) — n.d.l.r.]).

La définition modifiée de « collège public » s'applique au calcul du remboursement prévu à l'article 259, pour lequel une demande est parvenue à un bureau de Revenu Canada après le 22 avril 1996. Dans les autres cas, la modification s'applique à compter du 1er janvier 1997.

Concordance québécoise: LTVQ, art. 1« collège public ».

Définitions: « gouvernement », « municipalité », « organisme de services publics » — 123(1); « organisme déterminé de services publics » — 259(1).

Renvois: 149(4.1) (institution financière — exception); 259.1(1) (livres imprimés); V:Partie III (services d'enseignement).

Jurisprudence: *United Power Ltd. c. MNR*, [1997] G.S.T.C. 18 (CCI); *Academy of Learning Niagara c. Canada*, [1997] G.S.T.C. 18 (CCI); *Murch (A.J.) c. Canada*, [1997] G.S.T.C. 31 (CCI); *Peach Hill Management Ltd. c. Canada*, [1999] G.S.T.C. 11 (CCI); [2000] G.S.T.C. 45 (CAF).

Énoncés de politique: P-186R, 10/03/99, *Financement des collèges publics*.

Bulletins de l'information technique: B-075R, 23/04/96, *Modifications proposées à la TPS*.

Mémorandums: TPS 500-4-3, 10/05/91, *Universités, administrations scolaires et collèges publics*.

Série de mémorandums: Mémorandum 1.5, 09/94, *Définitions*.

Lettres d'interprétation (Québec): 98-0108112 — Décision portant sur l'application de la TPS — Interprétation relative à la TVQ — Collège public; 98-0110266 — Interprétation relative à la TPS — Interprétation relative à la TVQ — Services d'enseignement.

Formulaires: GST66, *Demande de remboursement de la TPS/TVH pour organismes de services publics et de TPS pour gouvernements autonomes*.

« commissaire » Le commissaire du revenu, nommé en application de l'article 25 de la *Loi sur l'Agence du revenu du Canada*.

Notes historiques: La définition de « commissaire » au paragraphe 123(1) a été remplacée par L.C. 2005, c. 38, art. 104 et cette modification est entrée en vigueur le 12 décembre 2005 [C.P. 2005-2041 du 21 novembre 2005 (TR/2005-119)]. Antérieurement, elle se lisait ainsi :

> « commissaire » Le commissaire des douanes et du revenu nommé en vertu de l'article 25 de la *Loi sur l'Agence des douanes et du revenu du Canada*.

La définition de « commissaire » au paragraphe 123(1) a été ajoutée par L.C. 1999, c. 17, par. 152(2) et est entrée en vigueur le 1er novembre 1999.

Concordance québécoise: aucune.

« congrès » Réunion ou assemblée officielle qui n'est pas ouverte au grand public. N'est pas un congrès la réunion ou l'assemblée dont l'objet principal consiste, selon le cas :

a) à offrir des attractions, des divertissements ou des distractions de tout genre;

b) à tenir des concours ou mener des jeux de hasard;

c) à permettre à l'instigateur du congrès ou aux congressistes de réaliser des affaires soit dans le cadre d'une foire commerciale ouverte au grand public, soit autrement que dans le cadre d'une foire commerciale.

Notes historiques: La définition de « congrès » au paragraphe 123(1) a été ajoutée par L.C. 1993, c. 27, par. 10(18) et est réputée entrée en vigueur le 17 décembre 1990.

Concordance québécoise: LTVQ, art. 1« congrès ».

Définitions: « centre de congrès », « congrès étranger », « entreprise », « jeu de hasard » — 123(1).

Renvois: 167.2 (droit d'entrée à un congrès); 189.2 (fourniture par le promoteur d'un congrès étranger); 252.3, 252.4 (remboursement — congrès).

Bulletins de l'information technique: B-071, 19/03/93, *Remboursement de la taxe sur les produits et services relatif à un congrès*.

Série de mémorandums: Mémorandum 1.5, 09/94, *Définitions*; Mémorandum 2.1, 06/95, *Inscription requise*, par. 6–9; Mémorandum 2.5, 06/95, *Inscription des non-résidents*, par. 4–6; Mémorandum 27.2, 04/95, *Congrès*.

Info TPS/TVQ: GI-027 — *Programme d'incitation pour congrès étrangers et voyages organisés — Promoteurs de congrès nationaux : application de la TPS/TVH aux droits d'entrée vendus à des non-résidents*; GI-028 — *Programme d'incitation pour congrès étrangers et voyages organisés — Exposants non résidents : application de la TPS/TVH aux achats, et remboursement*; GI-029 — *Programme d'incitation pour congrès étrangers et voyages organisés — Promoteurs de congrès étrangers : ce qu'est un congrès étranger et remboursement de la taxe payée sur les achats afférents*; GI-030 — *Programme d'incitation pour congrès étrangers et voyages organisés — Organisateurs non inscrits de congrès étrangers : remboursement de la taxe payée sur les achats*; GI-031 — *Programme d'incitation pour congrès étrangers et voyages organisés — Exploitants inscrits de centre de congrès et organisateurs inscrits : remboursement versé et crédité pour des congrès étrangers*.

« congrès étranger » Congrès qui présente les caractéristiques suivantes :

a) il est raisonnable de s'attendre, au moment où le promoteur du congrès établit le montant de la contrepartie du droit d'entrée au congrès, à ce qu'au moins 75 % de ces droits soient fournis à des personnes non-résidentes;

b) le promoteur du congrès est une organisation dont le siège social est situé à l'étranger ou, à défaut de siège social, qui est contrôlée et gérée par une personne non-résidente ou par des personnes dont la majorité sont des non-résidents.

Notes historiques: La définition de « congrès étranger » au paragraphe 123(1) a été ajoutée par L.C. 1993, c. 27, par. 10(18) et est réputée entrée en vigueur le 17 décembre 1990.

Concordance québécoise: LTVQ, art. 1« congrès étranger ».

Définitions: « Canada », « congrès », « contrepartie », « droit d'entrée », « montant », « non résidant », « personne », « promoteur » — 123(1).

Renvois: 189.2 (fourniture par le promoteur d'un congrès étranger); 252.4 (remboursement — congrès).

Énoncés de politique: P-095, 05/12/93, *Transfert d'un droit indivis dans une coentreprise*.

Série de mémorandums: Mémorandum 1.5, 09/94, *Définitions*; Mémorandum 2.1, 05/99, *Inscription requise*, par. 8; Mémorandum 2.5, 05/99, *Inscription des non-résidents*.

Lettres d'interprétation (Québec): 02-0104758 — Interprétation relative à la TPS et à la TVQ — Organisation d'un congrès international.

Info TPS/TVQ: GI-027 — *Programme d'incitation pour congrès étrangers et voyages organisés — Promoteurs de congrès nationaux : application de la TPS/TVH aux droits d'entrée vendus à des non-résidents*; GI-028 — *Programme d'incitation pour congrès étrangers et voyages organisés — Exposants non résidents : application de la TPS/TVH aux achats, et remboursement*; GI-029 — *Programme d'incitation pour congrès étrangers et voyages organisés — Promoteurs de congrès étrangers : ce qu'est un congrès étranger et remboursement de la taxe payée sur les achats afférents*; GI-030 — *Programme d'incitation pour congrès étrangers et voyages organisés — Organisateurs non inscrits de congrès étrangers : remboursement de la taxe payée sur les achats*; GI-031 — *Programme d'incitation pour congrès étrangers et voyages organisés — Exploitants inscrits de centre de congrès et organisateurs inscrits : remboursement versé et crédité pour des congrès étrangers*.

« conjoint de fait » Quant à un particulier à un moment donné, personne qui est le conjoint de fait du particulier à ce moment pour l'application de la *Loi de l'impôt sur le revenu*

Notes historiques: La définition de « conjoint de fait » au paragraphe 123(1) a été ajoutée par L.C. 2000, c. 12, par. 111(2) et est entrée en vigueur le 1er janvier 2001.

L'article 114 de L.C. 2000, c. 12 (projet de loi concernant les conjoints de même sexe qui a remplacé le terme « conjoint » par l'expression « époux ou conjoint de fait ») prévoit ce qui suit :

> 114. Malgré les paragraphes 298(1) et (2) de la *Loi sur la taxe d'accise*, le ministre du Revenu national peut établir à tout moment une cotisation ou une nouvelle cotisation concernant un montant prévu à la partie IX de cette loi sur le calcul duquel le choix prévu à l'article 144 de la présente loi influerait.

L'article 144 de cette même loi prévoit ce qui suit :

> 144. Dans le cas où un contribuable et la personne qui aurait été son conjoint de fait au cours de l'année d'imposition 1998, 1999 ou 2000 si les articles 130 à 142 s'étaient appliqués à cette année en font conjointement le choix pour cette année par avis adressé au ministre du Revenu national, selon les modalités prescrites, au plus tard à la date d'échéance de production qui leur est applicable pour l'année de la sanction de la présente loi, les articles 130 à 142 s'appliquent à eux pour l'année d'imposition en question et pour les années d'imposition suivantes.

Concordance québécoise: LTVQ, art. 1« conjoint ».

Définitions: « personne » — 123(1).

« consommateur » Particulier qui acquiert ou importe un bien ou un service, à ses frais, pour sa consommation ou son utilisation personnelles ou pour celles d'un autre particulier. La présente définition exclut le particulier qui acquiert ou importe le bien ou le service pour consommation, utilisation ou fourniture dans le cadre de ses activités commerciales ou d'activités dans l'exercice desquelles il effectue des fournitures exonérées.

Notes historiques: La définition de « consommateur » au paragraphe 123(1) a été ajoutée par L.C. 1990, c. 45, par. 12(1).

Concordance québécoise: LTVQ, art. 1« consommateur ».

Définitions: « activité commerciale », « bien », « fourniture », « fourniture exonérée », « importation », « service » — 123(1).

Jurisprudence: *R. Marcoux & Fils Inc. c. R.*, [2007] G.S.T.C. 8 (CCI).

Série de mémorandums: Mémorandum 1.5, 09/94, *Définitions*.

Info TPS/TVQ: GI-032 — *Programme d'incitation pour congrès étrangers et voyages organisés — Non-résidents qui achètent des voyages organisés : remboursement de la taxe payée sur les voyages organisés admissibles*.

« constructeur » Est constructeur d'un immeuble d'habitation ou d'une adjonction à un immeuble d'habitation à logements multiples la personne qui, selon le cas :

a) réalise, elle-même ou par un intermédiaire, à un moment où elle a un droit sur l'immeuble sur lequel l'immeuble d'habitation est situé :

(i) dans le cas d'une adjonction à un immeuble d'habitation à logements multiples, la construction de l'adjonction,

(ii) dans le cas d'un logement en copropriété, la construction de l'immeuble d'habitation en copropriété dans lequel ce logement est situé,

(iii) dans les autres cas, la construction ou des rénovations majeures de l'immeuble d'habitation;

b) acquiert un droit sur l'immeuble à un moment où :

(i) dans le cas d'une adjonction à un immeuble d'habitation à logements multiples, cette adjonction est en construction,

(ii) dans les autres cas, l'immeuble d'habitation est en construction ou fait l'objet de rénovations majeures;

c) dans le cas d'une maison mobile ou d'une maison flottante, fournit la maison avant qu'elle soit utilisée ou occupée à titre résidentiel;

d) acquiert un droit sur l'immeuble d'habitation au moment suivant, en vue principalement soit d'effectuer par vente des fournitures de tout ou partie de l'immeuble, ou de droits sur celui-ci, soit d'effectuer des fournitures de tout ou partie de l'immeuble par bail, licence ou accord semblable au profit de personnes autres que des particuliers qui acquièrent l'immeuble ou la partie d'immeuble en dehors du cadre d'une entreprise, d'un projet à risques ou d'une affaire de caractère commercial :

(i) dans le cas d'un immeuble d'habitation en copropriété ou d'un logement en copropriété, soit à un moment où l'immeuble n'est pas enregistré à titre d'immeuble d'habitation en copropriété, soit avant qu'il soit occupé à titre résidentiel ou d'hébergement,

(ii) dans les autres cas, avant qu'il soit occupé à titre résidentiel ou d'hébergement;

e) dans tous les cas, est réputée par le paragraphe 190(1) être le constructeur de l'immeuble.

N'est pas un constructeur :

f) le particulier visé aux alinéas a), b) ou d) qui, en dehors du cadre d'une entreprise, d'un projet à risques ou d'une affaire de caractère commercial,

(i) soit construit ou fait construire l'immeuble d'habitation ou l'adjonction, ou y fait ou y fait faire des rénovations majeures,

(ii) soit acquiert l'immeuble ou un droit afférent;

g) le particulier visé à l'alinéa c) qui fournit la maison mobile ou la maison flottante en dehors du cadre d'une entreprise, d'un projet à risques ou d'une affaire de caractère commercial;

h) la personne visée aux alinéas a) à c) dont le seul droit sur l'immeuble est celui d'acheter du constructeur l'immeuble ou un droit afférent.

Notes historiques: L'alinéa c) de la définition de « constructeur » au paragraphe 123(1) a été modifié par L.C. 1993, c. 27, par. 10(2) et est réputé entré en vigueur le 17 décembre 1990. Il se lisait auparavant comme suit :

c) dans le cas d'une maison mobile, fabrique celle-ci;

Le préambule de l'alinéa d) de la définition de « constructeur » a été modifié par L.C. 1993, c. 27, par. 10(4) et est réputé entré en vigueur le 1er janvier 1993. Il se lisait auparavant comme suit :

d) acquiert un droit sur l'immeuble d'habitation au moment suivant, en vue principalement de fournir tout ou partie de l'immeuble ou un droit sur celui-ci, par vente :

Les sous-alinéas d)(i) et (ii) de la définition de « constructeur » au paragraphe 123(1) ont été remplacés par L.C. 1994, c. 9, par. 2(2) et sont réputés entrés en vigueur le 17 décembre 1990. Ils se lisaient auparavant comme suit :

(i) dans le cas d'un immeuble d'habitation en copropriété ou d'un logement en copropriété, au moment où l'immeuble n'est pas enregistré à titre d'immeuble d'habitation en copropriété,

(ii) dans tous les cas, avant qu'il soit occupé à titre résidentiel ou d'hébergement;

Le sous-alinéa d)(ii) de la définition de « constructeur » au paragraphe 123(1) a été modifié par L.C. 1993, c. 27, par. 10(3) et est réputé entré en vigueur le 17 décembre 1990. Il se lisait auparavant comme suit :

(ii) dans tous les cas, avant qu'il soit occupé à titre résidentiel ou de pension, aux termes d'un accord conclu à cette fin;

Le passage suivant l'alinéa d) de la définition de « constructeur » au paragraphe 123(1) a été modifié par L.C. 1993, c. 27, par. 10(5) et est réputé entré en vigueur le 17 décembre 1990. Il se lisait auparavant comme suit :

e) est réputée par le paragraphe 190(1) être le constructeur de l'immeuble.

N'est pas un constructeur le particulier, visé à l'un des alinéas a) à d), qui construit l'immeuble d'habitation ou l'adjonction, ou y fait des rénovations majeures, ou qui acquiert l'immeuble d'habitation ou un droit y afférent, autrement que dans le cadre d'une entreprise, d'un projet à risques ou d'une affaire de caractère commercial, ni la personne visée à l'un des alinéas a) à c) dont le droit sur l'immeuble lui permet d'acheter l'immeuble du constructeur.

Les alinéas f), g) et h) de la définition de « constructeur » au paragraphe 123(1) ont été ajoutés par L.C. 1993, c. 27, par. 10(5) et sont réputés entrés en vigueur le 17 décembre 1990.

La définition de « constructeur » au paragraphe 123(1) a été ajoutée par L.C. 1990, c. 45, par. 12(1).

Concordance québécoise: LTVQ, art. 1« constructeur ».

Définitions: « entreprise », « fourniture », « immeuble », « immeuble d'habitation », « immeuble d'habitation à logements multiples », « immeuble d'habitation en copropriété », « logement en copropriété », « maison mobile », « maison flottante », « personne », « rénovations majeures », « vente » — 123(1).

Renvois: 190(1) (conversion d'un immeuble à un usage résidentiel — personne réputée être un constructeur); 190.1(1) (construction de maison mobile ou flottante — personne réputée être un constructeur); 351(2) (fourniture d'un immeuble d'habitation à logement unique).

Jurisprudence: *Boissonneault Groupe Immobilier Inc. c. R.* (16 octobrew 2013), 2012 CarswellNat 3949 (C.C.I.); *Brial Holding Ltd. c. MNR*, [1993] G.S.T.C. 33 (TCCE); *Tugwell c. MNR*, [1994] G.S.T.C. 31 (TCCE); *Brown (C.G.) c. La Reine*, [1995] G.S.T.C. 38 (CCI); *Lacina (G.) c. La Reine*, [1996] G.S.T.C. 11 (CCI); *Strumecki (J.) c. La Reine*, [1996] G.S.T.C. 23 (CCI); *Genge (D.) c. La Reine*, [1996] G.S.T.C. 38 (CCI); *McEachern (W.) c. La Reine*, [1996] G.S.T.C. 67 (CCI); *La Guercia Investments Ltd. c. La Reine*, [1996] G.S.T.C. 87 (CCI); *Richards (J.S.) c. MNR*, [1996] G.S.T.C. 96 (TCCE); *Nagra (H.) c. Canada*, [1997] G.S.T.C. 78 (CCI); *Mar-Phi Ltc. c. Canada*, [1997] G.S.T.C. 88 (CCI); *Superior Modular Homes Inc. c. Canada*, [1997] G.S.T.C. 107 (CCI); *Loewen (M.) c. Canada*, [1998] G.S.T.C. 6 (CCI); *Raj (P.) c. Canada*, [1998] G.S.T.C. 61 (CCI); *Hi-Grove Holdings Ltd. c. MNR*, [1998] G.S.T.C. 79; *Wallace Construction c. Canada*, [1999] G.S.T.C. 97 (CCI); *Martinuzzi (B.T.) c. Canada*, [1999] G.S.T.C. 100 (CCI); *Cheema c. R.*, [2001] G.S.T.C. 13 (CCI); *Lind (J.) c. R.*, [2001] G.S.T.C. 136 (CCI); *Moss (D.) c. Canada*, [2001] G.S.T.C. 137 (CAF); *Moss (D.) c. Canada*, [1999] G.S.T.C. 89 (CCI); [2001] G.S.T.C. 137 (CAF); *Immeubles Le Séjour Inc. c. La Reine*, [2002] G.S.T.C. 98 (GST); *Ko c. R.*, [2003] G.S.T.C. 3 (CCI); *Lind c. R.*, [2003] G.S.T.C. 63 (CAF); *Seni v. R.*, [2005] G.S.T.C. 15 (CCI); *Best for Less Painting & Decorating Ltd. c. R.*, [2005] G.S.T.C. 116 (CCI); *Seni c. R.*, [2005] G.S.T.C. 15 (CCI); *S.E.R. Contracting Ltd. v. R.*, [2006] G.S.T.C. 2 (CCI); *Slade v. R.* (13 mars 2008), 2008 CarswellNat 1738 (CCI [procédure informelle]); *Rego c. R.* (23 janvier 2009), 2009 G.T.C. 997-20 (CCI [procédure informelle]); *Rob Walde Holdings Ltd. v. R.* (6 février 2009), 2009 CarswellNat 913 (CCI [procédure informelle]); *Coates v. R.* (8 février 2011), 2011 CarswellNat 908 (CCI [procédure informelle]).

Énoncés de politique: P-064, 25/05/93, *Traitement du temps partagé (des multipropriétés)*; P-061, 01/01/95, *Portée accrue de la politique concernant les paiements de* *transfert*; P-083, 17/09/98, *Conventions d'achat visant une habitation neuve en Alberta*; P-104, 23/02/11, *La TPS/TVH et la fourniture d'un fonds pour les unités récréatives telles que les maisons préfabriquées mobiles, les roulottes de parc et les remorques de tourisme*; P-209R, 19/07/04, *Débours effectués par les avocats*; P-218R, 10/08/07, *Statut fiscal des montants versés en dédommagement, qu'ils soient ou non visés par l'article 182 de la Loi sur la taxe d'accise*; P-223, 08/09/99, *Service consistant à donner un cours pour lequel une administration scolaire accorde un crédit* .

Mémorandums: TPS 500-4-5, 15/04/94, *Remboursements pour habitations et autres immeubles*, par. 8.

Série de mémorandums: Mémorandum 1.5, 09/94, *Définitions*; Mémorandum 19.1, 10/97, *Immeubles — TPS/TVH*; Mémorandum 19.2, 02/98, *Immeubles résidentiels*; Mémorandum 19.2.1, 03/98, *Immeubles résidentiels — Ventes*; Mémorandum 19.3, 07/98, *Remboursements pour immeubles*.

Lettres d'interprétation (Québec): 99-0113664 — Interprétation relative à la TPS et à la TVQ — Notion de constructeur — Fourniture à soi-même.

Formulaires: RC4052, *Renseignements sur la TPS/TVH pour l'industrie de la construction résidentielle*.

Info TPS/TVQ: GI-004 — *Ventes par des particuliers — Habitations occupées par le propriétaire*; GI-005 — *Vente d'une résidence par un constructeur qui est un particulier*; GI-083 — *Taxe de vente harmonisée-Renseignements pour les constructeurs d'habitations neuves en Ontario*; GI-084 — *Taxe de vente harmonisée-Renseignements pour les constructeurs d'habitations neuves en Colombie-Britannique*; GI-090 — *Taxe de vente harmonisée-Exigences de divulgation à l'intention des constructeurs en Ontario et en Colombie-Britannique*; GI-091 — *Taxe de vente harmonisée-Renseignements à l'intention des propriétaires d'habitations locatives neuves*; GI-099 — *Les constructeurs et les exigences de production par voie électronique* ; GI-100 — *Taxe de vente harmonisée-Les constructeurs et l'exigence de récupération des crédits de taxe sur les intrants* ; GI-118 — *Les constructeurs et IMPÔTNET TPS/TVH* ; GI-120 — *Cession d'un contrat de vente d'une habitation neuve ou d'un logement en copropriété neuf* .

« contrepartie » Est assimilé à une contrepartie tout montant qui, par effet de la loi, est payable pour une fourniture.

Notes historiques: La définition de « contrepartie » au paragraphe 123(1) a été ajoutée par L.C. 1993, c. 27, par. 10(18) et est réputée entrée en vigueur le 17 décembre 1990.

Concordance québécoise: LTVQ, art. 1« contrepartie ».

Définitions: « fourniture », « montant » — 123(1).

Jurisprudence: *Costco Wholesale Canada Ltd. v. R.* (30 mai 2012), 2012 CarswellNat 1650 (C.A.F.); *Acme Video Inc. c. Canada*, [1995] G.S.T.C. 49 (CCI); *Edmonds (V.) c. Actton Super-Save Gas Stations Ltd.*, [1996] G.S.T.C. 63 (BCSC); *Sako Auto Leasing c. Canada*, [1997] G.S.T.C. 50 (CCI); *Imperial Parking Ltd. c. Canada*, [1998] G.S.T.C. 129 (CCI); [2000] G.S.T.C. 52 (CAF); *Republic National Bank of New York c. Canada*, [1999] G.S.T.C. 32 (CCI); *Meadow Lake Swimming Pool Committee Inc. c. Canada*, [1999] G.S.T.C. 96 (CCI); *ITA Travel Agency Ltd. c. R.*, [2001] G.S.T.C. 5 (CCI); *Mallow c. R.*, [2001] G.S.T.C. 79 (CCI); *Des Chênes (Commission scolaire) c. R.*, [2001] G.S.T.C. 120; *Découvreurs (Commission scolaire) c. R.*, [2004] G.S.T.C. 49 (CCI); *Miller c. R.*, [2005] G.S.T.C. 130 (CCI); *Société de Transport de Laval v. R.* (4 mars 2008), 2008 CarswellNat 511 (CCI [procédure générale]); *Québec (Sous-ministre du Revenu) c. Cun* (13 novembre 2008), 2008 CarswellQue 11822; *Société de transport de Laval (Ville) v. R.*, 2008 G.T.C. 374 (CCI [procédure générale]); *Calgary (City) v. R.*, 2010 CarswellNat 3090, 2010 CAF 127, [2010] G.S.T.C. 78 (CAF); *Baribeau c. R.*, 2011 CarswellNat 4945, 2011 CCI 544 (CCI [procédure informelle]).

Série de mémorandums: Mémorandum 19.1, 10/97, *Immeubles — TPS/TVH*.

Bulletins de l'information technique: B-098, 26/08/11, *Application de l'article 141.02 aux institutions financières qui sont des institutions admissibles*; B-099, 26/08/11, *Application de l'article 141.02 aux institutions financières qui ne sont pas des institutions admissibles*.

Lettres d'interprétation (Québec): 99-0104929 — Décision portant sur l'application de la TPS — Interprétation relative à la TVQ — Approvisionnement en commun de biens et services pour les établissements de santé; 00-0106351 — Interprétation relative à la TPS et à la TVQ — Subvention vs Contrepartie; Droits d'adhésion à un organisme du secteur public; 00-0106377 — Interprétation relative à la TPS et à la TVQ — Entente entre une municipalité et un organisme de bienfaisance; 01-0102002 — Interprétation relative à la TPS et à la TVQ — Sommes versées par une municipalité : Subvention ou contrepartie d'une fourniture; 01-0105039 — Interprétation relative à la TPS et à la TVQ — Entente intermunicipale à l'égard d'une bibliothèque municipale; 01-0105567 — Interprétation relative à la TPS et à la TVQ — Vente d'un terrain viabilisé par une municipalité à un particulier; 01-0106094 — Interprétation relative à la TPS et à la TVQ — Montants versés par une municipalité à une corporation de loisirs; 01-0106227 — Somme versée ou terrains cédés par un promoteur à une municipalité en vertu de règlements municipaux; 02-0100673 — Interprétation relative à la TPS et à la TVQ — Sommes versées par des municipalités : Subvention ou contrepartie de fournitures; 02-0102158 — Décision portant sur l'application de la TPS — Interprétation relative à la TVQ — Contributions versées dans le cadre d'un projet relatif à la création d'emplois; 02-0104675 — Décision portant sur l'application de la TPS — Interprétation relative à la TVQ — Montants versés par des municipalités; 03-0108310 — Fourniture d'un service de concessionnaire alimentaire dans une résidence pour personnes âgées; 04-0106643 — Activité commerciale — Réclamation de CTI et de RTI; 05-0105352 — Interprétation relative à la TPS et à la TVQ Programmes d'achat de produits et de services; 06-0101847 — Interprétation relative à la TPS à et la TVQ Gestion du complexe sportif d'une municipalité par un OSBL.

Série de mémorandums: Mémorandum 8.3, 02/12, *Calcul des crédits de taxe sur les intrants*.

« coopérative » S'entend d'une coopérative d'habitation ou de toute autre corporation coopérative, au sens du paragraphe 136(2) de la *Loi de l'impôt sur le revenu*.

Notes historiques: La définition de « coopérative » au paragraphe 123(1) a été ajoutée par L.C. 1993, c. 27, par. 10(18) et est réputée entrée en vigueur le 17 décembre 1990.

15 octobre 2012, Notes explicatives: Le paragraphe 123(1) est modifié par l'ajout des définitions de « employeur participant », « entité de gestion » et « régime de pension ». Par souci d'éviter la répétition, ces définitions sont retirées de l'article 172.1 de la Loi et insérées au paragraphe 123(1). Elles s'appliquent désormais à l'article 121et à la partie IX de la Loi et aux annexes V à X de la Loi.

Ces définitions sont réputées être entrées en vigueur le 23 septembre 2009.

Concordance québécoise: LTVQ, art. 1« coopérative ».

Définitions: « coopérative d'habitation » — 123(1).

Renvois: 140 (fourniture d'un droit d'adhésion).

Série de mémorandums: Mémorandum 1.5, 09/94, *Définitions*; Mémorandum 19.2.4, 06/98, *Immeubles résidentiels — Sujets particuliers*.

« coopérative d'habitation » Personne morale constituée sous le régime d'une loi fédérale ou provinciale la concernant ou concernant la constitution de coopératives, en vue de fournir à ses membres, par bail, licence ou accord semblable, des habitations pour occupation à titre résidentiel, si les conditions suivantes sont réunies :

a) la loi sous le régime de laquelle elle est constituée, sa charte, ses statuts constitutifs ou ses règlements administratifs ou encore les contrats qu'elle conclut avec ses membres, requièrent que ses activités couvrent autant que possible leurs frais après la constitution de réserves suffisantes et laissent entrevoir la possibilité de répartition des excédents provenant de ces activités entre ses membres en proportion de leur apport commercial;

b) nul membre, sauf d'autres coopératives, n'a plus d'une voix dans la conduite des affaires de la coopérative;

c) au moins 90 % de ses membres sont des particuliers ou d'autres coopératives, qui détiennent ensemble au moins 90 % de ses parts.

Notes historiques: La définition de « coopérative d'habitation » au paragraphe 123(1) a été ajoutée par L.C. 1993, c. 27, par. 10(18) et est réputée entrée en vigueur le 17 décembre 1990.

Concordance québécoise: LTVQ, art. 1« coopérative d'habitation ».

Définitions: « coopérative », « fourniture », « habitation », « personne » — 123(1); « personne morale » — 35(1) *Loi d'interprétation*; « province » — 123(1).

Renvois: 140 (fourniture d'un droit d'adhésion); V:Partie I:13.1 (bien ou service fourni par une coopérative d'habitation).

Série de mémorandums: Mémorandum 1.5, 09/94, *Définitions*; Mémorandum 19.2.1, 02/98, *Immeubles résidentiels — Ventes*; Mémorandum 19.2.4, 06/98, *Immeubles résidentiels — Sujets particuliers Juin 1998*; Mémorandum 19.3.3, 07/98, *Remboursement pour habitation en coopérative*.

« cotisation » Cotisation ou nouvelle cotisation établie aux termes de la présente partie.

Notes historiques: La définition de « cotisation » au paragraphe 123(1) a été ajoutée par L.C. 1990, c. 45, par. 12(1).

Concordance québécoise: LTVQ, art. 1« cotisation ».

Renvois: 274 (cotisation — opération d'évitement); 296–300 (cotisations).

Jurisprudence: *Résidences Majeau Inc. c. R.* (28 mai 2009), 2009 G.T.C. 1062 (CCI [procédure générale]).

Série de mémorandums: Mémorandum 1.5, 09/94, *Définitions*.

« coût direct » Quant à la fourniture d'un bien meuble corporel ou d'un service, le total des montants représentant chacun la contrepartie payée ou payable par le fournisseur :

a) soit pour le bien ou le service, s'il l'a acheté afin d'en effectuer la fourniture par vente;

b) soit pour un article ou du matériel, sauf une immobilisation du fournisseur, qu'il a acheté, dans la mesure où l'article ou le matériel doit être incorporé au bien, ou en être une partie constitutive, ou être consommé ou utilisé directement dans la fabrication, la production, le traitement ou l'emballage du bien.

Pour l'application de la présente définition, la contrepartie payée ou payable par le fournisseur pour un bien ou un service est réputée comprendre les éléments suivants :

c) la taxe prévue par la présente partie qui est payable par le fournisseur relativement à l'acquisition ou à l'importation du bien ou du service par lui;

d) si le bien a été transféré dans une province participante en provenance d'une autre province, la taxe prévue par la présente partie qui est payable par le fournisseur relativement au transfert du bien dans la province participante;

e) les frais, droits ou taxes, visés par règlement pris pour l'application de l'article 154, qui sont payables relativement à l'acquisition ou à l'importation du bien ou du service par le fournisseur, à l'exclusion de la partie des frais, droits ou taxes (sauf la taxe qui est devenue payable par le fournisseur aux termes du premier alinéa de l'article 16 de la *Loi sur la taxe de vente du Québec*, L.R.Q., c. T-0.1, à un moment où il était un inscrit au sens de l'article 1 de cette loi) qui est recouvrée ou recouvrable par le fournisseur.

Notes historiques: Le passage suivant l'alinéa b) de la définition « coût direct » au paragraphe 123(1) a été remplacé par L.C. 2000, c. 30, par. 18(2) et s'applique aux fournitures dont la contrepartie, même partielle, devient due après 1996 ou est payée après cette année sans être devenue due. Toutefois :

a) l'alinéa d) de la définition de « coût direct » au paragraphe 123(1) de la même loi, édicté par le paragraphe (2), ne s'applique qu'aux fournitures dont la contrepartie, même partielle, devient due après mars 1997 ou est payée après ce mois sans être devenue due;

b) en ce qui concerne les fournitures effectuées avant le 27 novembre 1997, à l'exception de celles relativement auxquelles le fournisseur demande à l'acquéreur un montant au titre de la taxe prévue à la partie IX :

(i) si la contrepartie de la fourniture est devenue due ou a été payée avant avril 1997, l'alinéa e) de cette définition est remplacé par ce qui suit :

e) les frais, droits ou taxes, visés par règlement pris pour l'application de l'article 154, qui sont payables relativement à l'acquisition ou à l'importation du bien ou du service par le fournisseur, à l'exclusion de la partie de ces frais, droits ou taxes qui est recouvrée ou recouvrable par le fournisseur.

(ii) si la contrepartie, même partielle, de la fourniture devient due après mars 1997 ou est payée après ce mois sans être devenue due, l'alinéa e) de cette définition est remplacé par ce qui suit :

e) les frais, droits ou taxes, visés par règlement pris pour l'application de l'article 154, qui sont payables relativement à l'acquisition ou à l'importation du bien ou du service par le fournisseur.

Auparavant, ce passage se lisait comme suit :

Pour l'application de la présente définition, la contrepartie payée ou payable par le fournisseur pour un bien ou un service est réputée comprendre les frais, droits ou taxes visés par règlement pris pour l'application de l'article 154 ou imposés en vertu de la présente partie, qui sont payables par le fournisseur relativement à l'acquisition ou à l'importation du bien ou du service et, dans le cas où le bien a été transféré dans une province participante par le fournisseur, la taxe prévue par la présente partie qui est devenue payable par celui-ci relativement au bien au moment de son transfert.

Le passage de la définition de « coût direct » au paragraphe 123(1) suivant l'alinéa b) a été modifié par L.C. 1997, c. 10, par. 150(3) et cette modification est entrée en vigueur le 1er avril 1997. Auparavant, ce passage se lisait comme suit :

Pour l'application de la présente définition, la contrepartie payée ou payable par le fournisseur pour un bien ou un service est réputée comprendre les frais, droits ou taxes qui sont payables par le fournisseur relativement à l'acquisition ou à l'importation du bien ou du service et qui sont soit visés par règlement pris pour l'application de l'article 154 et ni recouvrés ni recouvrables par le fournisseur, soit imposés en vertu de la présente partie.

L'alinéa d) de la définition de « coût direct » au paragraphe 123(1) a été remplacé par. L.C. 2009, c. 32, par. 2(3) et cette modification est entrée en vigueur le 1er juillet 2010. Antérieurement, il se lisait ainsi :

d) si le bien a été transféré dans une province participante en provenance d'une province non participante, la taxe prévue par la présente partie qui est payable par le fournisseur relativement au transfert du bien dans la province participante;

La définition de « coût direct » au paragraphe 123(1) a été ajoutée par L.C. 1997, c. 10, par. 1(12) et est réputée entrée en vigueur le 1er janvier 1997. Cette définition s'applique également aux fournitures effectuées avant cette date et dont la contrepartie, même partielle, devient due à cette date ou postérieurement ou est payée à cette date ou postérieurement sans qu'elle soit devenue due.

Concordance québécoise: LTVQ, art. 1« coût direct ».

Définitions: « bien », « contrepartie », « fourniture », « immobilisation », « montant », « province participante » — 123(1).

Bulletins de l'information technique: B-075R, 23/04/96, *Modifications proposées à la TPS*.

Lettres d'interprétation (Québec): 99-0103475 — Interprétation relative à la TPS et à la TVQ — Fourniture de matériel par un magasin scolaire universitaire; 99-0106064 — Interprétation relative à la TPS et à la TVQ — Fournitures effectuées par un CHSLD.

« créancier garanti »

a) Personne donnée qui a un droit en garantie sur le bien d'une autre personne;

b) mandataire de la personne donnée quant à ce droit, y compris :

(i) un fiduciaire désigné dans un acte de fiducie portant sur un droit en garantie,

(ii) un séquestre ou un séquestre-gérant nommé par la personne donnée ou par un tribunal à la demande de cette personne,

(iii) un administrateur-séquestre,

(iv) toute autre personne dont les fonctions sont semblables à celles d'une personne visée à l'un des sous-alinéas (i) à (iii).

Notes historiques: La définition de « créancier garanti », au paragraphe 123(1) a été ajoutée par L.C. 2000, c. 30, par. 18(6) et cette définition est réputée entrée en vigueur le 20 octobre 2000.

Concordance québécoise: LTVQ, art. 1« créancier garanti ».

Concordance québécoise: aucune.

« date d'harmonisation » Quant à une province participante :

a) le 1er avril 1997, dans le cas de la Nouvelle-Écosse, du Nouveau-Brunswick, de Terre-Neuve-et-Labrador, de la zone extracôtière de la Nouvelle-Écosse et de la zone extracôtière de Terre-Neuve;

b) le 1er juillet 2010, dans le cas de l'Ontario et de la Colombie-Britannique;

Non en vigueur — 123(1)« date d'harmonisation »b)

b) le 1er juillet 2010, dans le cas de l'Ontario;

Application: L'alinéa b) de la définition de « date d'harmonisation » au paragraphe 123(1) a été remplacé par L.C. 2012, c. 19, par. 20(1) et cette modification entrera en vigueur ou sera réputée être entrée en vigueur le 1er avril 2013. Toutefois, pour l'application du paragraphe 256.21(7), l'alinéa b) de la définition de « date d'harmonisation », au paragraphe 123(1) sera réputé avoir le libellé ci-après avant le 2 juillet 2014 :

b) le 1er juillet 2010, dans le cas de l'Ontario ou de la Colombie-Britannique;

Notes explicatives: La définition de « date d'harmonisation » fixe la date de mise en œuvre de la TVH au 1er avril 1997 dans le cas de la Nouvelle-Écosse, du Nouveau-Brunswick et de Terre-Neuve-et-Labrador et au 1er juillet 2010 dans le cas de l'Ontario et de la Colombie-Britannique. Elle permet par ailleurs de prévoir par règlement une autre date de mise en œuvre pour le cas où une province choisirait d'adhérer au régime de la TVH.

La modification apportée à cette définition consiste à supprimer la mention de la Colombie-Britannique en raison de la décision de cette province de se retirer du régime de la TVH.

c) la date prévue par règlement, dans le cas de toute autre province participante.

Notes historiques: La définition de « date d'harmonisation » au paragraphe 123(1) a été ajoutée par. L.C. 2009, c. 32, par. 2(4) et est entrée en vigueur le 1er juillet 2010.

avril 2012, Notes explicatives: La définition de « date d'harmonisation » fixe la date de mise en œuvre de la TVH au 1er avril 1997 dans le cas de la Nouvelle-Écosse, du Nouveau-Brunswick et de Terre-Neuve-et-Labrador et au 1er juillet 2010 dans le cas de l'Ontario et de la Colombie-Britannique. Elle permet par ailleurs de prévoir par règlement une autre date de mise en œuvre pour le cas où une province choisirait d'adhérer au régime de la TVH.

La modification apportée à cette définition consiste à supprimer la mention de la Colombie-Britannique en raison de la décision de cette province de se retirer du régime de la TVH.

De façon générale, cette modification entre en vigueur le 1er avril 2013.

« dédouanement » S'entend au sens de la *Loi sur les douanes*.

Notes historiques: La définition de « dédouanement » au paragraphe 123(1) a été ajoutée par L.C. 1990, c. 45, par. 12(1).

Concordance québécoise: aucune.

Renvois: 144 (fourniture avant dédouanement).

« document » Y sont assimilés l'argent, les titres et les registres.

Notes historiques: La définition de « document » au paragraphe 123(1) a été ajoutée par L.C. 1990, c. 45, par. 12(1).

Concordance québécoise: LTVQ, art. 1« document ».

Définitions: « argent », « facture », « registre » — 123(1).

Série de mémorandums: Mémorandum 1.5, 09/94, *Définitions*.

« droit d'adhésion » Est assimilé au droit d'adhésion le droit conféré par une personne par lequel le titulaire du droit peut obtenir des services fournis par la personne ou faire usage d'installations gérées par elle, lesquels ne sont pas mis à la disposition de personnes non titulaires d'un tel droit ou s'ils le sont, ne le sont pas dans la même mesure ou au même coût. Y est également assimilé un tel droit dont l'obtention requiert qu'une personne soit propriétaire ou acquéreur d'une action, d'une obligation ou d'un autre titre.

Notes historiques: La définition de « droit d'adhésion » au paragraphe 123(1) a été modifiée par L.C. 1993, c. 27, par. 10(1) et est réputée entrée en vigueur le 17 décembre 1990. Elle se lisait comme suit :

> « droit d'adhésion » Y est assimilé le droit conféré par une personne par lequel le titulaire du droit peut obtenir des services fournis par la personne ou faire usage d'installations gérées par elle qui ne sont pas mis à la disposition de personnes non titulaires d'un tel droit ou, si elles le sont, ne le sont pas dans la même mesure ou au même coût. Y est également assimilé un tel droit prévu par les conditions d'une action, d'une obligation ou d'un autre titre émis.

Cette définition a été édictée par L.C. 1990, c. 45, par. 12(1).

Concordance québécoise: LTVQ, art. 1« droit d'adhésion ».

Définitions: « personne », « service » — 123(1).

Renvois: 140 (fourniture d'un titre réputée être la fourniture d'un droit d'adhésion); 341(4) (disposition transitoire).

Énoncés de politique: P-064, 25/05/93, *Traitement du temps partagé (des multipropriétés)*; P-098R, 08/02/99, *Garanties d'un club de golf*.

Série de mémorandums: Mémorandum 1.5, 09/94, *Définitions*.

Lettres d'interprétation (Québec): 02-0104477 — Interprétation relative à la TPS et à la TVQ — Fourniture d'une part sociale.

« droit d'entrée » Droit d'accès à un lieu de divertissement, un colloque, une activité ou un événement ou droit d'y entrer ou d'y assister.

Notes historiques: La définition de « droit d'entrée » au paragraphe 123(1) a été ajoutée par L.C. 1990, c. 45, par. 12(1).

Concordance québécoise: LTVQ, art. 1« droit d'entrée ».

Définitions: « lieu de divertissement » — 123(1).

Jurisprudence: *Phillips c. R.*, [2006] G.S.T.C. 12 (CCI).

Série de mémorandums: Mémorandum 1.5, 09/94, *Définitions*.

« droit en garantie » Droit sur un bien qui garantit l'exécution d'une obligation, notamment un paiement. Sont notamment des droits en garantie les droits nés ou découlant de débentures, hypothèques, mortgages, privilèges, nantissements, sûretés, fiducies réputées ou réelles, cessions et charges, quelle qu'en soit la nature, de quelque façon ou à quelque date qu'ils soient créés, réputés exister ou prévus par ailleurs.

Notes historiques: La définition de « droit en garantie », au paragraphe 123(1) a été ajoutée par L.C. 2000, c. 30, par. 18(6) et cette définition est réputée entrée en vigueur le 20 octobre 2000.

Concordance québécoise: LTVQ, art. 1« droit en garantie ».

« effet financier »

a) Titre de créance;

b) titre de participation;

c) police d'assurance;

d) participation dans une société de personnes ou une fiducie ou droit dans une succession, ou droit y afférent;

e) métal précieux;

f) option ou contrat, négocié dans une bourse de commerce reconnue, pour la fourniture à terme de marchandises;

g) effet visé par règlement;

h) garantie, acceptation ou indemnité visant un effet visé à l'alinéa a), b), d), e) ou g);

i) option ou contrat pour la fourniture à terme d'argent ou d'un effet visé à l'un des alinéas a) à h).

Notes historiques: L'alinéa d) de la définition de « effet financier » au paragraphe 123(1) a été modifiée par L.C. 1997, c. 10, par. 1(3) et cette modification est réputée entrée en vigueur le 17 décembre 1990. Il se lisait auparavant comme suit :

> d) participation dans une société de personnes ou une fiducie, ou droit y afférent;

La définition de « effet financier » au paragraphe 123(1) a été ajoutée par L.C. 1990, c. 45, par. 12(1).

Concordance québécoise: LTVQ, art. 1« effet financier ».

Définitions: « argent », « fourniture », « métal précieux », « police d'assurance », « règlement », « service financier », « titre de créance », « titre de participation » — 123(1).

Renvois: VII:10 (importation non taxable).

Règlements: Aucun effet visé par règlement, aux fins de l'al. g).

Jurisprudence: *Global Cash Access (Canada) Inc. v. R.* (18 mai 2012), 2012 CarswellNat 3817 (C.C.I.); *Locator of Missing Heirs Inc. c. La Reine*, [1995] G.S.T.C. 63 (CCI); [1997] G.S.T.C. 16 (CAF); *Bombay Jewellers Ltd. c. Canada*, [1998] G.S.T.C. 94 (CCI); *Healthcare Insurance Reciprocal c. R.*, [2000] G.S.T.C. 50 (CCI).

Énoncés de politique: P-192, 11/11/95, *Fourniture de métaux précieux*; P-210R, 16/06/01, *Règlement d'une réclamation en vertu d'un cautionnement de bonne exécution établi relativement à un contrat de construction*.

Bulletins de l'information technique: B-075R, 23/04/96, *Modifications proposées à la TPS*; B-101, 04/08, *Fiducies*.

Mémorandums: TPS 700, 22/03/93, *Services financiers*, par. 6 à 8.

Série de mémorandums: Mémorandum 1.5, 09/94, *Définitions*; Mémorandum 17.1, 04/99, *Définition d'« effet financier »*; Mémorandum 17.2.3, 08/04, *Produits et services offerts par des compagnies d'assurance-vie et d'assurance-maladie*.

Lettres d'interprétation (Québec): 98-0107809 — Décision portant sur l'application de la TPS — Interprétation relative à la TVQ — Contrats d'assurance relatifs à la vente d'une automobile; 98-0110175 — Services rendus par un concessionnaire d'automobiles Revenus de commissions; 99-0100166 — Interprétation relative à la TPS — Interprétation relative à la TVQ — Cautionnement (frais d'analyse de dossier); 99-0109134 — Interprétation relative à la TPS — Interprétation relative à la TVQ — Vente sous contrôle de justice — certificats d'actions; 02-0109989 — Interprétation relative à la TVQ Frais réclamés lorsqu'un transfert de fonds est refusé ou qu'un chèque est retourné par l'institution financière du locataire d'un véhicule routier; 06-0103728 — Interprétation relative à la TPS et à la TVQ Montants payables dans le cadre de programmes de garantie de remplacement de véhicule automobile.

« employeur » Est considérée comme l'employeur d'un salarié la personne qui lui verse un traitement, un salaire, une rémunération ou toute autre rétribution.

Notes historiques: La définition de « employeur » au paragraphe 123(1) a été ajoutée par L.C. 1993, c. 27, par. 10(18) et est réputée entrée en vigueur le 17 décembre 1990.

Concordance québécoise: LTVQ, art. 1« employeur ».

Définitions: « cadre », « personne » — 123(1).

Renvois: 164.2 (paiements par un syndicat ou une association).

« employeur participant » Employeur qui cotise ou est tenu de cotiser à un régime de pension pour ses salariés actuels ou anciens, ou qui verse à ceux-ci ou est tenu de leur verser des sommes provenant du régime, y compris tout employeur qui est visé par règlement pour l'application de la définition de « employeur participant » au paragraphe 147.1(1) de la *Loi de l'impôt sur le revenu*.

Notes historiques: La définition de « employeur participant » au paragraphe 123(1) a été ajoutée par L.C. 2012, c. 31, par. 74(2) et est réputée être entrée en vigueur le 23 septembre 2009.

Concordance québécoise: LTVQ, art. 289.2« employeur ».

« entreprise » Sont compris parmi les entreprises les commerces, les industries, les professions et toutes affaires quelconques avec ou sans but lucratif, ainsi que les activités exercées de façon régulière ou continue qui comportent la fourniture de biens par bail, licence ou accord semblable. En sont exclus les charges et les emplois.

Notes historiques: La définition de « entreprise » au paragraphe 123(1) a été ajoutée par L.C. 1990, c. 45, par. 12(1).

Concordance québécoise: LTVQ, art. 1« entreprise ».

Définitions: « activité commerciale », « assureur », « bien », « bien meuble corporel d'occasion », « bien meuble corporel désigné d'occasion », « constructeur », « entreprise de taxis », « établissement stable », « fourniture » — 123(1).

Renvois: 143(1)a) (fourniture non réputée effectuée à l'étranger); 149(3) (acquisition d'une entreprise); 167 (actif d'une « entreprise »); 167.1 (achalandage); 266(1) (séquestres — définition d'art. 273 (choix concernant les coentreprises).

Jurisprudence: *Costco Wholesale Canada Ltd. v. R.* (30 mai 2012), 2012 CarswellNat 1650 (C.A.F.); *Calgary (City) v. R.* (26 avril 2012), 2012 CarswellNat 1146 (C.S.C.); *B.J. Northern Enterprises Ltd. c. La Reine*, [1995] G.S.T.C. 12 (CCI); *Glengarry Bingo Association c. La Reine*, [1995] G.S.T.C. 41 (CCI); *Borrowers'Action Society c. La Reine*, [1996] G.S.T.C. 61 (CCI); *McEachern (W.) c. La Reine*, [1996] G.S.T.C. 67 (CCI); *Town Centre Children's School Inc. c. Canada*, [1997] G.S.T.C. 13 (CCI); *Quesnel & District Minor Hockey Assn. c. Canada*, [1997] G.S.T.C. 41 (CCI); *Aubrett Holdings Ltd. c. Canada*, [1998] G.S.T.C. 17 (CCI); *Two Carlton Financing Ltd. c. Canada*, [1998] G.S.T.C. 59 (CCI); *Camp Kahquah Corp. Ltd. c. Canada*, [1998] G.S.T.C. 100 (CCI); *898673 Ontario Inc. c. Canada*, [1998] G.S.T.C. 118 (CCI); *LaBuick (E.P.) c. Canada*, [1998] G.S.T.C. 122 (CCI); *Strachan (K.R.) c. Canada*, [1999] G.S.T.C. 72 (CCI); *Zivkovic c. R.*, [2000] G.S.T.C. 16 (CCI); *O'Brien c. R.*, [2001] G.S.T.C. 12 (CCI); *Zachariya v. R.*, 2005 CCI 815 (CCI); *Tachi Ltd. c. R.*, [2006] G.S.T.C. 87 (CCI); *Îles-de-la Madeleine (Comté) c. R.*, 2006 G.T.C. 267 (CCI); *General Motors of Canada Ltd. v. R.* (22 février 2008), [2008] G.S.T.C. 41 (CCI [procédure générale]); *Perfection Dairy Group Ltd. v. R.* (10 juin 2008), [2008] G.S.T.C. 124 (CCI [procédure informelle]); *Stantec Inc. v. R.* (30 juin 2008), [2008] G.S.T.C. 137 (CCI [procédure informelle]); *Desrosiers c. R.*, 2008 G.T.C. 799 (CCI [procédure informelle]); *Rego c. R.* (23 janvier 2009), 2009 G.T.C. 997-20 (CCI [procédure informelle]); *Traitement de Déchets JRG Inc. c. R.* (2 février 2009), 2009 G.T.C. 997-51 (CCI [procédure générale]); *614730 Ontario Inc. v. R.*, 2010 CarswellNat 1382, 2010 CCI 7, [2010] G.S.T.C. 27 (CCI [procédure informelle]); *Roberge Transport Inc. v. R.*, 2010 CarswellNat 2453, 2010 CCI 155, [2010] G.S.T.C. 43 (CCI [procédure générale]); *Calgary (City) v. R.*, 2010 CarswellNat 3090, 2010 CAF 127, [2010] G.S.T.C. 78 (CAF); *Sydney Mines Fireman's Club v. R.*, 2011 CarswellNat 4219, 2011 CCI 403, 2011 G.T.C. 990 (CCI [procédure informelle]); *Doiron v. R.* (7 mars 2012), 2012 CarswellNat 496, 2012 CAF 71, 2012 G.T.C. 1023 (CAF); *Calgary (City) v. R.* (26 avril 2012), 2012 CarswellNat 1146, 2012 SCC 20, 2012 G.T.C. 1030 (CSC).

Énoncés de politique: P-051R2, 29/04/05, *Exploitation d'une entreprise au Canada*; P-059, 03/03/93, *Entreprise par opposition à projet à risques ou affaire de caractère commercial relativement à la vente d'un immeuble*; P-103R, 04/08/98, *Transfert d'un droit indivis dans une co-entreprise*; P-167R, 29/03/00, *Signification de la première partie de la définition du terme « entreprise »*; P-173, 01/03/95, *Les coûts qui sont visés par le paragraphe 183(2)* (Ébauche); P-176R, 31/03/95, *Application du critère de profit à l'exploitation d'une entreprise*; P-179, 11/02/99, *Interprétation d'une « entreprise . . . établie » aux fins du paragraphe 167(1) de la LTA*; P-188, 25/10/95, *Fourniture de tout ou d'une partie de l'entreprise*; P-205R, 01/09/98, *Signification de la deuxième partie de la définition du terme « entreprise » et application ou non de la définition aux activités, qu'il y ait ou non attente de profit.*

Bulletins de l'information technique: B-032, 08/11, *Régimes enregistrés de pension.*

Série de mémorandums: Mémorandum 1.5, 09/94, *Définitions*; Mémorandum 2.1, 06/95, *Inscription requise*, par. 12; Mémorandum 2.5, 05/99, *Inscription des non-résidents*, par. 8-14; Mémorandum 8-1, 05/05, *Règles générales d'admissibilité*, par. 8-14; Mémorandum 14-4, 12/10, *Vente d'une entreprise ou d'une partie d'entreprise*; Mémorandum 17.6, 09/99, *Définition d'« institution financière désignée »*.

Lettres d'interprétation (Québec): 98-0101398 — Interprétation relative à la TPS — Institution financière désignée; 98-0108146 — Interprétation relative à la TPS et à la TVQ — Prix reçus par un athlète professionnel; 98-0109078 — Interprétation relative à la TPS et à la TVQ — Contrepartie symbolique; 99-0101339 — Interprétation relative à la TPS et à la TVQ — Institution financière aux fins de la taxe compensatoire.

Info TPS/TVQ: GI-122 — *Les incidences de la TPS/TVH à la suite de l'acquisition de panneaux solaires en vertu du Programme de tarifs de rachats garantis pour les microprojets en Ontario.*

« entité de gestion » S'entend, relativement à un régime de pension :

a) d'une personne mentionnée à l'alinéa a) de la définition de « régime de pension »;

b) d'une personne morale mentionnée à l'alinéa b) de cette définition;

c) d'une personne visée par règlement.

Notes historiques: La définition de « entité de gestion » au paragraphe 123(1) a été ajoutée par L.C. 2012, c. 31, par. 74(2) et est réputée être entrée en vigueur le 23 septembre 2009.

Concordance québécoise: LTVQ, art. 289.2« employeur ».

« entreprise de taxis » Entreprise exploitée au Canada qui consiste à transporter des passagers par taxi ou autre véhicule semblable à des prix réglementés par les lois fédérales ou provinciales.

Notes historiques: La définition de « entreprise de taxis » au paragraphe 123(1) a été ajoutée par L.C. 1993, c. 27, par. 10(18) et est réputée entrée en vigueur le 17 décembre 1990.

Concordance québécoise: LTVQ, art. 1« entreprise de taxis ».

Définitions: « Canada » — 123(2), (3); « entreprise », « province » — 123(1).

Renvois: 123(2) (Canada); 171.1 (début ou cessation d'inscription); 240(1.1) (inscription obligatoire).

Série de mémorandums: Mémorandum 1.5, 09/94, *Définitions*; Mémorandum 2.1, 05/99, *Inscription requise*, par. 2.

Formulaires: RC4125, *Renseignements généraux sur la TPS/TVH pour les exploitants de taxis et de limousines.*

« établissement domestique autonome » S'entend au sens du paragraphe 248(1) de la *Loi de l'impôt sur le revenu.*

Notes historiques: La définition de « établissement domestique autonome » au paragraphe 123(1) a été ajoutée par L.C. 1997, c. 10, par. 1(12) et est réputée entrée en vigueur le 17 décembre 1990.

Concordance québécoise: LTVQ, art. 1« établissement domestique autonome ».

Bulletins de l'information technique: B-075R, 23/04/96, *Modifications proposées à la TPS.*

Série de mémorandums: Mémorandum 19.2.3, 06/98, *Immeubles résidentiels — Fournitures réputées.*

« établissement stable »

a) Installation fixe d'une personne, par l'entremise de laquelle elle effectue des fournitures, y compris :

(i) le siège de direction, la succursale, le bureau, l'usine ou l'atelier,

(ii) les mines, les puits de pétrole ou de gaz, les carrières, les terres à bois ou tout autre lieu d'extraction de ressources naturelles;

b) installation fixe d'une autre personne — à l'exclusion d'un courtier, d'un commissaire général et d'un autre mandataire indépendant agissant dans le cours normal de son entreprise — qui est au Canada mandataire de la personne visée à l'alinéa a) et par l'intermédiaire de laquelle celle-ci effectue des fournitures dans le cours normal d'une entreprise.

Notes historiques: La définition de « établissement stable » au paragraphe 123(1) a été ajoutée par L.C. 1990, c. 45, par. 12(1).

Concordance québécoise: LTVQ, art. 1« établissement stable ».

Définitions: « Canada » — 123(2), (3); « commissaire », « entreprise », « fourniture », « personne » — 123(1); « contrepartie admissible », « tâche accomplie » — 217.1(1).

Renvois: 123(2) (Canada); 132.1(2) (résidence dans une province — définition d'« établissement stable »; 132(4) (fournitures entre établissements stables); 217.1(3) (tâches accomplies à l'étranger).

Énoncés de politique: P-126, 24/03/94, *Répartition des coûts à l'intérieur d'une société étrangère*; P-182R, 28/08/03, *Du mandat*; P-208R, 23/05/05, *Sens de l'expression « établissement stable » au paragraphe 123(1) de la Loi sur la taxe d'accise (la Loi).*

Bulletins de l'information technique: B-090, 07/02, *La TPS/TVH et le commerce électronique.*

Série de mémorandums: Mémorandum 1.5, 09/94, *Définitions*; Mémorandum 2.6, 05/99, *Exigences de garantie des non-résidents*, par. 4, 5; Mémorandum 3.4, 04/00, *Résidence.*

Formulaires: FP-303, *Demande de compensation de la TPS/TVH au moyen d'un remboursement de TPS/TVH*

Lettres d'interprétation (Québec): 06-0103629 — Interprétation relative à la TVQ Contrat de franchise vendue par un non-résident à un résident du Québec.

« exclusif » S'entend, dans le cas des personnes autres que les institutions financières, de la totalité, ou presque, de la consommation, de l'utilisation ou de la fourniture d'un bien ou d'un service et, dans le cas des institutions financières, de la totalité de pareille consommation, utilisation ou fourniture.

Notes historiques: La définition de « exclusif » au paragraphe 123(1) a été modifiée par L.C. 1993, c. 27, par. 10(1) et est réputée entrée en vigueur le 17 décembre 1990. Elle se lisait comme suit :

> « exclusif » S'entend de la totalité, ou presque, de la consommation, de l'utilisation ou de la fourniture d'un bien ou d'un service. L'expression « totalité, ou presque, » (*"all or substantially all"*) s'entend de la totalité de la consommation, de l'utilisation ou de la fourniture d'un bien ou d'un service par une institution financière.

Cette définition a été édictée par L.C. 1990, c. 45, par. 12(1).

Concordance québécoise: LTVQ, art. 1« exclusif ».

Définitions: « bien », « fourniture », « immeuble d'habitation », « institution financière », « rénovations majeures », « service » — 123(1).

Renvois: 141 (utilisation dans le cadre d'activités commerciales).

Jurisprudence: *Ruhl (W.) c. Canada*, [1998] G.S.T.C. 4 (CCI); *Koppert (N.J.) c. Canada*, [1998] G.S.T.C. 128 (CCI); *McKay c. R.*, [2000] G.S.T.C. 93 (CCI); *Cinnamon City Bakery Café Inc. c. R.*, [2001] G.S.T.C. 134 (CCI); *Cousineau c. R.*, [2001] G.S.T.C. 135 (CCI); *Landry c. R.*, [2003] G.S.T.C. 46 (CCI); *Fournier c. R.*, [2004] G.S.T.C. 159 (CCI).

Énoncés de politique: P-023, 04/09/92, *L'interprétation de l'expression « la totalité, ou presque »*; P-053, 02/11/92, *Application du critère de la totalité ou presque au immeubles d'habitation.*

Série de mémorandums: Mémorandum 1.5, 09/94, *Définitions.*

« ex-conjoint » [*Abrogée*]

Notes historiques: La définition de « ex-conjoint » au paragraphe 123(1) a été abrogée par L.C. 2000, c. 12, par. 111(1). Cette modification est entrée en vigueur le 1er janvier 2001. Antérieurement, elle se lisait ainsi :

> « ex-conjoint » Est l'ex-conjoint d'un particulier la personne de sexe opposé qui a vécu avec ce dernier dans une situation assimilable à une union conjugale.

La définition de « ex-conjoint » au paragraphe 123(1) a été ajoutée par L.C. 1990, c. 45, par. 12(1).

« exercice » L'exercice d'une personne correspond à celle des périodes ci-après qui est applicable :

a) si l'article 244.1 s'applique à la personne, la période déterminée selon cet article;

b) s'il ne s'applique pas à la personne et que celle-ci a fait le choix prévu à l'article 244 qui est en vigueur, la période que la personne a choisie comme son exercice;

c) dans les autres cas, l'année d'imposition de la personne.

Notes historiques: La définition de « exercice » au paragraphe 123(1) a été remplacée par L.C. 2012, c. 31, par. 74(1) et cette modification est réputée être entrée en vigueur le 1er juillet 2009. Antérieurement, elle se lisait ainsi :

> « exercice »
>
> a) Période choisie par une personne comme son exercice conformément à l'article 244, si ce choix est en vigueur;
>
> b) sinon, année d'imposition de la personne.

En vertu de L.C. 1996, c. 21, art. 68, dans le cas où, pour l'application de la *Loi de l'impôt sur le revenu*, l'exercice de l'entreprise d'une société de personne ou de l'entreprise d'un particulier, ou d'une fiducie, dont l'exercice, pour l'application de la partie IX, correspond à celui de l'entreprise se termine à la fin de 1995, mais se serait terminé après 1995 si un associé de la société de personnes, le particulier, la fiducie, selon le cas, avait fait, relativement à l'exercice, le choix qu'il avait le droit de faire en vertu de l'article 249.1 de la *Loi de l'impôt sur le revenu*, édicté par L.C. 1996, c. 21, art. 61, pour déterminer son exercice pour l'application de la partie IX, le même art. 249.1 ne s'applique qu'aux exercices de l'entreprise qui commencent après 1995.

La définition de « exercice » au paragraphe 123(1) a été ajoutée par L.C. 1990, c. 45, par. 12(1).

15 octobre 2012, Notes explicatives: Selon le paragraphe 123(1), l'exercice d'une personne correspond à son année d'imposition, au sens de ce même paragraphe, sauf si elle a fait le choix prévu à l'article 244 de la Loi qui est en vigueur, auquel cas son exercice correspond à la période qu'elle a choisie comme exercice. La définition de « exercice » est modifiée de façon à prévoir que, si le nouvel article 244.1 de la Loi s'applique à une personne, l'exercice de celle-ci correspond plutôt à la période déterminée selon cet article.

Les modifications apportées à cette définition sont réputées être entrées en vigueur le 1er juillet 2009.

Concordance québécoise: LTVQ, art. 405, 458.1.

Définitions: « année d'imposition », « personne » — 123(1).

Renvois: 237 (acomptes provisionnels); 243, 244 (exercices); 245–251 (périodes de déclaration).

Énoncés de politique: P-068, 25/05/93, *Définition des périodes créées suite à l'exercice d'un choix ou à la révocation d'un choix visant à modifier un exercice.*

Mémorandums: TPS 500-2, 25/03/91, *Déclarations et paiements*, par. 12; TPS 500-2-1, 21/12/90, *Acomptes provisionnels*, par. 8, 9 et 12.

Série de mémorandums: Mémorandum 1.5, 09/94, *Définitions.*

« exportation » Ce qui est exporté du Canada.

Notes historiques: La définition de « exportation » au paragraphe 123(1) a été ajoutée par L.C. 1990, c. 45, par. 12(1).

Concordance québécoise: aucune.

Renvois: 123(2) (Canada); VI:Partie V (exportations).

Série de mémorandums: Mémorandum 1.5, 09/94, *Définitions.*

« facture » Y sont assimilés les états de compte, les notes, les additions et les documents semblables, sans égard à leur forme ni à leurs caractéristiques, ainsi que les relevés ou reçus de caisse.

Notes historiques: La définition de « facture » au paragraphe 123(1) a été ajoutée par L.C. 1990, c. 45, par. 12(1).

Concordance québécoise: LTVQ, art. 1« facture ».

Définitions: « document », « registre » — 123(1).

Mémorandums: TPS 300-6, 14/09/90, *Moment d'assujettissement de la fourniture*, par. 11; TPS 300-6-1, 10/01/92, *Règle générale* par. 8; TPS 300-6-3, 20/03/91, *Factures* par. 6, 7, 11–14, 16; TPS 300-6-13, 14/01/91, *Contrats de construction*, par. 10.

Série de mémorandums: Mémorandum 1.5, 09/94, *Définitions.*

Lettres d'interprétation (Québec): 02-0108031 — Abolition de l'envoi de factures originales.

« fédération de sociétés mutuelles d'assurance » Personne morale dont chacun des membres est une société mutuelle d'assurance tenue, aux termes d'une loi provinciale, d'être membre de la personne morale. N'est pas une fédération de sociétés mutuelles d'assurance la personne morale dont l'objet principal, selon le cas :

a) est lié à l'assurance-automobile;

b) consiste à indemniser les réclamants et les titulaires de polices d'assurance contre les assureurs insolvables;

c) consiste à établir et à administrer un fonds de garantie, un fonds de liquidité, un fonds d'entraide ou un autre fonds semblable pour le bénéfice de ses membres et à aider au paiement des pertes subies lors de leur liquidation ou dissolution.

Notes historiques: La définition de « fédération de sociétés mutuelles d'assurance » au paragraphe 123(1) a été ajoutée par L.C. 1993, c. 27, par. 10(18) et est réputée entrée en vigueur le 17 décembre 1990.

Concordance québécoise: LTVQ, art. 1« fédération de sociétés mutuelles d'assurance ».

Définitions: « assureur » — 123(1); « personne morale » — 35(1) *Loi d'interprétation*; « police d'assurance », « province », « regroupement de sociétés mutuelles d'assurance » — 123(1).

Série de mémorandums: Mémorandum 1.5, 09/94, *Définitions.*

« fiducie personnelle »

a) Fiducie testamentaire;

b) fiducie non testamentaire qui est une fiducie personnelle, au sens du paragraphe 248(1) de la *Loi de l'impôt sur le revenu*, dont l'ensemble des bénéficiaires, sauf les bénéficiaires subsidiaires, sont des particuliers et dont l'ensemble des bénéficiaires subsidiaires sont des particuliers, des organismes de bienfaisance ou des institutions publiques.

Notes historiques: La définition de « fiducie personnelle » au paragraphe 123(1) a été ajoutée par L.C. 1997, c. 10, par. 1(12) et est réputée entrée en vigueur le 17 décembre 1990. Pour l'application de la définition de « fiducie personnelle » :

> (i) il n'est pas tenu compte du passage « qui est une fiducie personnelle, au sens du paragraphe 248(1) de la *Loi de l'impôt sur le revenu*, » à l'alinéa b) de cette définition en ce qui a trait aux fournitures effectuées avant le 24 avril 1996,
>
> (ii) la mention de « des particuliers, des organismes de bienfaisance ou des institutions publiques » à l'alinéa b) de cette définition vaut mention de « des particuliers ou des organismes de bienfaisance » en ce qui a trait aux fournitures effectuées avant 1997.

Concordance québécoise: LTVQ, art. 1« fiducie personnelle », 1« fiducie non testamentaire ».

Définitions: « institution publique », « fiducie testamentaire », « organisme de bienfaisance » — 123(1).

Jurisprudence: *Arsenault c. R.*, [2000] G.S.T.C. 88 (CCI).

Bulletins de l'information technique: B-075R, 23/04/96, *Modifications proposées à la TPS.*

Série de mémorandums: Mémorandum 19.5, 06/02, *Fonds de terre et immeubles connexes.*

« fiducie testamentaire » S'entend au sens du paragraphe 248(1) de la *Loi de l'impôt sur le revenu.*

Notes historiques: La définition de « fiducie testamentaire » au paragraphe 123(1) a été ajoutée par L.C. 1997, c. 10, par. 1(12) et est réputée entrée en vigueur le 17 décembre 1990.

Concordance québécoise: LTVQ, art. 1« fiducie testamentaire ».

Bulletins de l'information technique: B-075R, 23/04/96, *Modifications proposées à la TPS.*

« filiale déterminée » Sont des filiales déterminées d'une personne morale donnée les personnes morales suivantes :

a) la personne morale dont au moins 90 % de la valeur et du nombre des actions du capitalactions émises et en circulation, comportant plein droit de vote en toutes circonstances, sont la propriété de la personne morale donnée;

b) la personne morale qui est une filiale déterminée de la filiale déterminée de la personne morale donnée;

c) si la personne morale donnée est une caisse de crédit, chacune des autres caisses de crédit.

d) si la personne morale donnée est membre d'un regroupement de sociétés mutuelles d'assurance, chacun des autres membres de ce regroupement.

Notes historiques: Le passage précédant l'alinéa b) de la définition de « filiale déterminée » au paragraphe 123(1) a été remplacé par L.C. 2007, c. 18, par. 2(5) et cette modification est réputée être entrée en vigueur le 17 novembre 2005. Antérieurement, il se lisait ainsi :

> « filiale déterminée » Sont des filiales déterminées d'une personne morale donnée les personnes morales suivantes :
>
> a) la personne morale qui réside au Canada et dont au moins 90 % de la valeur et du nombre des actions du capital-actions émises et en circulation, comportant en toutes circonstances plein droit de vote, sont la propriété de la personne morale donnée;

L'alinéa d) de la définition de « filiale déterminée » au paragraphe 123(1) a été ajouté par L.C. 1993, c. 27, par. 10(11) et est réputé entré en vigueur le 17 décembre 1990. Cette définition a été ajoutée par L.C. 1990, c. 45, par. 12(1).

Concordance québécoise: LTVQ, art. 328, 329.

Définitions: « caisse de crédit » — 123(1); « personne morale » — 35(1) *Loi d'interprétation*; « regroupement de sociétés mutuelles d'assurance » — 123(1).

Renvois: 128(1)a) (personnes morales étroitement liées); 132 (présomption de résidence au Canada).

Série de mémorandums: Mémorandum 1.5, 09/94, *Définitions*; Mémorandum 17.8, 04/99, *Caisses de crédit*; Mémorandum 17.14, 07/11, *Choix visant les fournitures exonérées.*

Formulaires: FP-303, *Demande de compensation de la TPS/TVH au moyen d'un remboursement de TPS/TVH*.

Lettres d'interprétation (Québec): 97-0110953 — Interprétation relative à la TPS — Personnes morales étroitement liées.

« fonds réservé » Groupe déterminé de biens détenus par un assureur relativement à des polices d'assurance dont tout ou partie des provisions varient selon la juste valeur marchande des biens.

Notes historiques: La définition de « fonds réservé » au paragraphe 123(1) a été modifiée par L.C. 1993, c. 27, par. 10(1) pour remplacer les mots « polices d'assurance-vie » par les mots « polices d'assurance ». Cette définition est réputée entrée en vigueur le 17 décembre 1990. Elle a été ajoutée par L.C. 1990, c. 45, par. 12(1).

Concordance québécoise: LTVQ, art. 1« fonds réservé ».

Définitions: « assureur », « bien », « juste valeur marchande », « montant », « police d'assurance » — 123(1).

Renvois: 131 (personne distincte).

Série de mémorandums: Mémorandum 1.5, 09/94, *Définitions*.

« fourniture » Sous réserve des articles 133 et 134, livraison de biens ou prestation de services, notamment par vente, transfert, troc, échange, louage, licence, donation ou aliénation.

Notes historiques: La définition de « fourniture » au paragraphe 123(1) a été ajoutée par L.C. 1990, c. 45, par. 12(1).

Concordance québécoise: LTVQ, art. 1« fourniture ».

Définitions: « acquéreur », « activité commerciale », « bien », « bien meuble corporel d'occasion », « consommateur », « effet financier », « entreprise », « établissement stable », « exclusif », « fourniture détaxée », « fourniture exonérée », « fournitures liées à un congrès », « fourniture taxable », « habitation », « immeuble d'habitation », « juste valeur marchande » — 123(1); « personnes liées » — 126(2), (3); « service », « service financier », « vente » — 123(1).

Renvois: 129(6), 129.1(4) (fourniture réputée par une nouvelle division de petit fournisseur); 132(4) (fournitures réputées entre établissements stables); 133 (convention portant sur une fourniture); 134 (transfert à titre de garantie); 135 (parrainage des activités de service public); 136 (fournitures d'immeubles); 142 (fourniture réputée au Canada); 143 (fourniture réputée à l'étranger); 162(1) (redevances sur ressources naturelles); 162.1 (matériel roulant, droit de stationnement et surestaries); 171(3) (cessation d'inscription); 172(1) (changement d'utilisation); 173 (avantages taxables); 175.1b) (fourniture réputée — remboursement du bénéficiaire d'une garantie); 177(1) (mandataire); 177(1.2) (fourniture par un encanteur); 178.3(2)b), 178.4(2)b) (fourniture réputée par un démarcheur et un distributeur); 179(1)c), c.2) (fourniture réputée — livraison au consignataire d'un non-résident); 181.1d) (fourniture réputée — remise); 181.2 (fourniture réputée — certificats cadeaux); 182 (fourniture réputée — renonciation et remise de dette); 183 (saisie-arrêt et reprise de possession); 187 (fourniture réputée — paris); 188(2)a) (fourniture réputée — remise de prix à un compétiteur); 190(2)a) (fourniture réputée — début d'utilisation à titre résidentiel ou personnel); 191 (fourniture à soi-même par le constructeur); 192a) (fourniture réputée — rénovations mineures); 196.1 (fourniture réputée — utilisation à titre d'immobilisation); 199(3)a) (fourniture réputée — principale utilisation d'immobilisations); 200(2)a) (fourniture réputée — utilisation non principale d'immobilisations); 200(3) (vente d'immobilisations); 203(2)a) (utilisation non exclusive d'une voiture de tourisme ou d'un aéronef); 206(2)a) (début d'utilisation d'immobilisations dans le cadre d'activités commerciales); 206(3)a) (fourniture réputée — utilisation accrue d'immobilisations dans le cadre d'activités commerciales); 206(4)a), 206(5)a), 207(1)a), 207(2)a) (fourniture réputée — utilisation réduite d'immobilisations dans le cadre d'activités commerciales); 208(2)a), 208(3)a) (fourniture réputée — utilisation d'immobilisations dans le cadre d'activités commerciales par un particulier); 211 (choix visant l'immeuble d'un organisme de services publics); 220 (fournitures entre succursales); 268, 269 (fiducies); 271c) (fusion); 272b) (liquidation); 273(1)c) (choix concernant les coentreprises); VI:Partie VII:1(2) (Service de transport de passagers faisant partie d'un voyage continu qui ne comporte pas de transport aérien).

Jurisprudence: *Costco Wholesale Canada Ltd. v. R.* (30 mai 2012), 2012 CarswellNat 1650 (C.A.F.); *Calgary (City) v. R.* (26 avril 2012), 2012 CarswellNat 1146 (C.S.C.); *Brial Holdings Ltd. c. La Reine*, [1993] G.S.T.C. 33 (TCCE); *32262 BC Ltd. c. Nova Entreprises Ltd.*, [1993] G.S.T.C. 41 (NSTD); *The Cookie Florist Canada Ltd. c. La Reine*, [1995] G.S.T.C. 37 (CCI); *O.A. Brown Ltd. c. La Reine*, [1995] G.S.T.C. 40 (CCI); *Budget Steel Ltd. c. La Reine*, [1995] G.S.T.C. 42 (CCI); [1996] G.S.T.C. 90 (CAF); *Club 63 North c. La Reine*, [1995] G.S.T.C. 75 (CCI); *Borrowers' Action Society c. La Reine*, [1996] G.S.T.C. 61 (CCI); *Oxford Frozen Foods Ltd. c. La Reine*, [1996] G.S.T.C. 76 (CCI); *Club Med Sales Inc. c. Canada*, [1997] G.S.T.C. 28 (CCI); *914115 Ontario Inc. c. Canada*, [1997] G.S.T.C. 43 (CCI); *Low Cost Furniture Ltd. c. Canada*, [1997] G.S.T.C. 77 (CCI); *Imperial Drywall Contracting Inc. c. Canada*, [1997] G.S.T.C. 81 (CCI); *R.M.S. Enviro Solv. Inc. c. Cecil Shaver Ltd.*, [1997] G.S.T.C. 90 (CCI); *Loewen (M.) c. Canada*, [1998] G.S.T.C. 6 (CCI); *Westcan Malting Ltd. c. Canada*, [1998] G.S.T.C. 34 (CCI); *Winnipeg Livestock Sales Ltd. c. Canada*, [1998] G.S.T.C. 87 (CCI); *Sterling Business Academy Inc. c. Canada*, [1998] G.S.T.C. 130 (CCI); *Evergreen Forestry Services Ltd. c. Canada*, [1999] G.S.T.C. 35 (CCI); *Skylink Voyages Inc. c. Canada*, [1999] G.S.T.C. 43 (CCI); *Meadow Lake Swimming Pool Committee Inc. c. Canada*, [1999] G.S.T.C. 96 (CCI); *Transport Touchette Inc. c. Canada*, [1999] G.S.T.C. 90 (CCI); *Vanex Truck Service Ltd. c. Canada*, [1999] G.S.T.C. 101 (CCI) insurance; *Sir Wynne Highlands Inc. c. Canada*, [2000] G.S.T.C. 6 (CCI); *Hidden Valley Golf Resort Assn. c. Canada*, [2000] G.S.T.C. 42 (CAF); *Imperial Parking Ltd. c. Canada*, [1998] G.S.T.C. 129 (CCI); [2000] G.S.T.C. 52 (CAF); *O'Connor Group Realty Inc. c. R.*, [2000] G.S.T.C. 55 (CCI); *Ladas c. R.*, [2000] G.S.T.C. 72 (CCI); *Maritime Life Assurance Co. c. Canada*, [1999] G.S.T.C. 1 (CCI); [2000] G.S.T.C. 89 (CAF); *Tremblay c. R.*, [2001] G.S.T.C. 30 (CCI); *Gestion Alain St-Pierre Inc. c. R.*, [2001] G.S.T.C. 36, [2001] G.S.T.C. 95 (CCI); *Libra Transport (B.C.) Ltd. c. R.*, [2001] G.S.T.C. 57 (CCI); *Regina (City) c. R.*, [2001] G.S.T.C. 68 (CCI); *Vanex Truck Service Ltd. c. Canada*, [1999] G.S.T.C. 101 (CCI); [2001] G.S.T.C. 70 (CAF); *Riverfront Medical Evaluations Ltd. v. R.*, [2001] G.S.T.C. 80 (CCI); *Riverside Country Club v. R.*, [2001] G.S.T.C. 89 (CCI); *Pro-Ex Trading Co. c. R.*, [2001] G.S.T.C. 111 (CCI); *Sarai c. R.*, [2001] G.S.T.C. 114 (CCI); *Ingle Manor Farms, Inc. c. R.*, [2001] G.S.T.C. 118 (CCI); *Des Chênes (Commission Scolaire) c. R.*, [2000] G.S.T.C. 36 (CCI); [2001] G.S.T.C. 120 (CAF); *Robertson. c. R.*, [2002] G.S.T.C. 13 (CCI); *Ladas c. R.*, [2002] G.S.T.C. 69 (CFC); *Ko c. R.*, [2003] G.S.T.C. 3 (CCI); *Thompson Trailbreakers Snowmobile Club Inc. c. R.*, [2005] G.S.T.C. 124; *Hawkins Taxidermists of Canada Ltd. c. R.*, 2005 TCC 376 (CCI); *Miller c. R.*, [2005] G.S.T.C. 130 (CCI); *Great Canadian Trophy Hunts Inc. c. R.*, [2005] G.S.T.C. 162 (CCI); *Phillips c. R.*, [2006] G.S.T.C. 12 (CCI); *Banque Canadienne Impériale de Commerce c. R.*, [2006] G.S.T.C. 105 (CCI); *Location Tourisme Estrie Inc. c. R.*, 2007 G.T.C. 874 (CCI); *Camp Mini-Yo-We Inc. v. R.*, [2006] G.S.T.C. 154 (CAF); *Triple G. Corp. v. R.* (24 avril 2008), [2008] G.S.T.C. 102 (CCI [procédure générale]); *Québec (Sous-ministre du Revenu) c. Cun* (13 novembre 2008), 2008 CarswellQue 11822; *Pauwels v. R.* (12 février 2009), 2009 CarswellNat 980 (CCI [procédure informelle]); *Lacroix c. R.*, 2010 CarswellNat 693, 2010 CCI 160, 2010 G.T.C. 287 (Fr.) (CCI [procédure générale]); *J. Hudon Enterprises Ltd. v. R.*, 2010 CarswellNat 912, 2010 CAF 37, [2010] G.S.T.C. 17 (CAF); *614730 Ontario Inc. v. R.*, 2010 CarswellNat 1382, 2010 CCI 7, [2010] G.S.T.C. 27 (CCI [procédure informelle]); *Calgary (City) v. R.*, 2010 CarswellNat 3090, 2010 CAF 127, [2010] G.S.T.C. 78 (CAF); *Merchant Law Group v. R.*, 2010 CarswellNat 3934, 2010 CAF 206, [2010] G.S.T.C. 116 (CAF); *Costco Wholesale Canada Ltd. v. R.*, 2010 CarswellNat 5522, 2010 CCI 609 (CCI [procédure générale]); *Calgary Board of Education v. R.* (8 janvier 2012), 2012 CarswellNat 1285, 2012 CCI 7, 2012 G.T.C. 11

(CCI [procédure générale]); *Calgary (City) v. R.* (26 avril 2012), 2012 CarswellNat 1146, 2012 SCC 20, 2012 G.T.C. 1030 (CSC).

Énoncés de politique: P-061, 25/05/93, *Portée accrue de la politique concernant les paiements de transfert*; P-077R2, 26/04/04, *Fourniture unique et fournitures multiples*; P-126, 24/03/94, *Formule GST44 produite par le fournisseur plutôt que par l'acquéreur*; P-158, 19/06/94, *Produits d'occasion acquis pour être fournis*; P-192, 11/11/95, *Fournitures de métaux précieux* (Ébauche); P-198, 11/01/96, *Taxes municipales impayées et rachat par l'ancien propriétaire* (Ébauche); P-209, 11/03/97, *Débours d'avocats* (Ébauche); P-218R, 10/08/07, *Statut fiscal des montants versés en dédommagement, qu'ils soient ou non visés par l'article 182 de la Loi sur la taxe d'accise*; P-225, 04/01/99, *Paiements pour perte ou dommages en vertu de contrats de location de véhicules*; P-252, 13/01/09, *Matériel agricole fourni avec des accessoires*; P-254, 09/10/09, *Engrais et/ou produits antiparasitaires fournis avec un service d'application*.

Bulletins de l'information technique: B-067, 24/04/92, *Traitement des subventions et des contributions sous le régime de la Taxe sur les produits et services*.

Mémorandums: TPS 300, 7/03/91, *Taxe sur les fournitures*, par. 3; TPS 300-7-7, 24/04/91, *Publicité en coopération*.

Série de mémorandums: Mémorandum 1.5, 09/94, *Définitions*; Mémorandum 3.1, 08/99, *Assujettissement à la taxe*; Mémorandum 9.1, 11/11, *Avantages taxables (autres que les avantages relatifs aux automobiles)* .

Lettres d'interprétation (Québec): 98-0108146 — Interprétation relative à la TPS et à la TVQ — Prix reçus par un athlète professionnel; 01-0108918 — Promesse bilatérale; 02-0102158 — Décision portant sur l'application de la TPS — Interprétation relative à la TVQ — Contributions versées dans le cadre d'un projet relatif à la création d'emplois; 04-0107872 — Décision portant sur l'application de la TPS — interprétation relative à la TVQ — fourniture ou subvention [par l'ARC].

Info TPS/TVQ: GI-051 — *Matériel agricole détaxé*; GI-052 — *Secteur du démarchage-La méthode pour les vendeurs de réseau à l'intention des vendeurs de réseau et des représentants commerciaux* .

« fourniture détaxée » Fourniture figurant à l'annexe VI.

Notes historiques: La définition de « fourniture détaxée » au paragraphe 123(1) a été ajoutée par L.C. 1990, c. 45, par. 12(1).

Concordance québécoise: LTVQ, art. 1« fourniture détaxée ».

Définitions: « fourniture » — 123(1).

Renvois: 165(3) (taux de la taxe); VI (fournitures détaxées).

Jurisprudence: *Buccal Services Ltd. c. La Reine*, [1994] G.S.T.C. 70 (CCI); *Triple G. Corp. v. R.* (24 avril 2008), [2008] G.S.T.C. 102 (CCI [procédure générale]).

Mémorandums: TPS 300-3, 30/12/93, *Fournitures détaxées Réimpression*; TPS 300-3-3, 27/08/90, *Produits alimentaires de base*; TPS 300-3-8, 30/11/90, *Organismes internationaux et représentants*; TPS 300-3-9, 26/03/91, *Services financiers*.

Série de mémorandums: Mémorandum 1.5, 09/94, *Définitions*; Mémorandum 3.1, 08/99, *Assujettissement à la taxe*; Mémorandum 4.5.1, 01/98, *Exportations — Déterminer le statut de résidence*.

Info TPS/TVQ: GI-051 — *Matériel agricole détaxé*.

« fourniture exonérée » Fourniture figurant à l'annexe V.

Notes historiques: La définition de « fourniture exonérée » au paragraphe 123(1) a été ajoutée par L.C. 1990, c. 45, par. 12(1).

Concordance québécoise: LTVQ, art. 1« fourniture exonérée ».

Définitions: « activité commerciale »; « fourniture »; « fourniture taxable » — 123(1).

Renvois: V (fournitures exonérées); 189 (cotisations relatives à l'emploi); 189.1 (frais à verser à un gouvernement); 259 (remboursement — organisme de services publics).

Jurisprudence: *Costco Wholesale Canada Ltd. v. R.* (30 mai 2012), 2012 CarswellNat 1650 (C.A.F.); *Calgary (City) v. R.* (26 avril 2012), 2012 CarswellNat 1146 (C.S.C.); *Daruwala v. R.* (17 juillet 2012), 2012 CarswellNat 2560 (C.C.I.); *Buccal Services Ltd. c. La Reine*, [1994] G.S.T.C. 70 (CCI); *Locator of Missing Heirs Inc. c. La Reine*, [1995] G.S.T.C. 63 (CCI); *Camp Kahquah Corp. Ltd. c. Canada*, [1998] G.S.T.C. 100 (CCI); *Pension Positive Inc. c. R.*, [2001] G.S.T.C. 104 (CCI); *Des Chênes (Commission scolaire) c. R.*, [2001] G.S.T.C. 120 (CAF); *Ko c. R.*, [2003] G.S.T.C. 3 (CCI); *Slade v. R.* (13 mars 2008), 2008 CarswellNat 1738 (CCI [procédure informelle]); *General Motors of Canada Ltd. v. R.* (22 février 2008), [2008] G.S.T.C. 41 (CCI [procédure générale]); *Société de Transport de Laval v. R.* (4 mars 2008), 2008 CarswellNat 511 (CCI [procédure générale]); *Canadian Medical Protective Assn. v. R.* (10 avril 2008), [2008] G.S.T.C. 88 (CCI [procédure générale]); *Société de transport de Laval (Ville) v. R.*, 2008 G.T.C. 374 (CCI [procédure générale]); *Gatineau (Ville) v. R.* (4 mars 2009), 2009 CarswellNat 1778 (CCI [procédure générale]); *614730 Ontario Inc. v. R.*, 2010 CarswellNat 1382, 2010 CCI 7, [2010] G.S.T.C. 27 (CCI [procédure informelle]); *Calgary (City) v. R.*, 2010 CarswellNat 3090, 2010 CAF 127, [2010] G.S.T.C. 78 (CAF); *Sydney Mines Fireman's Club v. R.*, 2011 CarswellNat 4219, 2011 CCI 403, 2011 G.T.C. 990 (CCI [procédure informelle]); *Calgary (City) v. R.* (26 avril 2012), 2012 CarswellNat 1146, 2012 SCC 20, 2012 G.T.C. 1030 (CSC).

Énoncés de politique: P-207, 13/12/96, *Statut aux fins de la TPS de la fourniture d'un service de chirurgie oculaire au laser* (Ébauche).

Mémorandums: TPS 300, 7/03/91, *Taxe sur les fournitures*, par. 8; TPS 300-4, 02/11/93, *Fournitures exonérées*; TPS 300-4-2, 31/05/91, *Services de santé*; TPS 300-4-3, 10/01/92, *Services d'enseignement*; TPS 300-4-4, 26/11/91, *Services de garde d'enfants et de soins personnels*; TPS 300-4-5, 27/08/90, *Services d'aide juridique*; TPS 300-4-6, 31/05/91, *Organismes du secteur public*; TPS 300-4-8, 9/12/91, *Traversiers, routes et ponts à péage*.

Série de mémorandums: Mémorandum 1.5, 09/94, *Définitions*; Mémorandum 2.1, 06/95, par. 13.

Lettres d'interprétation (Québec): 01-0107092 — Décision portant sur l'application de la TPS — Interprétation relative à la TVQ — Fournitures entre la commission scolaire et la ville; 02-0102836 — Interprétation relative à la TPS et à la TVQ — Fourniture de rapports d'examen ou d'évaluation par une psychologue dans le cadre du programme d'évaluation des conducteurs aux prises avec un problème de toxicomanie; 02-0104832 — Services d'un chiropraticien facturés par une société; 02-0105110 — Interprétation relative à la TPS et à la TVQ — Fourniture de services de supervision et d'enseignement par un organisme de bienfaisance; 02-0105599 — Services de psychologues facturés par une société.

« fourniture taxable » Fourniture effectuée dans le cadre d'une activité commerciale.

Notes historiques: La définition de « fourniture taxable » au paragraphe 123(1) a été modifiée par L.C. 1993, c. 27, par. 10(1) et est applicable après septembre 1992. Elle se lisait auparavant comme suit :

> Fourniture, sauf une fourniture exonérée, effectuée dans le cadre d'une activité commerciale.

Cette définition a été ajoutée par L.C. 1990, c. 45, par. 12(1).

Concordance québécoise: LTVQ, art. 1« fourniture taxable ».

Définitions: « activité commerciale », « fourniture », « fourniture exonérée » [N.D.L.R.: voir aussi définition sous « fourniture » 123(1)].

Jurisprudence: *Scott v. R.* (25 juillet 2012), 2012 CarswellNat 2716 (C.C.I.); *Locator of Missing Heirs Inc. c. La Reine*, [1995] G.S.T.C. 63 (CCI); *Club 63 North c. La Reine*, [1995] G.S.T.C. 75 (CCI); *Grewal (M.) c. La Reine*, [1996] G.S.T.C. 59 (CCI); *Borrowers' Action Society c. La Reine*, [1996] G.S.T.C. 61 (CCI); *914115 Ontario Inc. c. Canada*, [1997] G.S.T.C. 43 (CCI); *R.M.S. Enviro Solv. Inc. c. Cecil Shaver Ltd*, [1997] G.S.T.C. 90 (CCI); *Westcan Malting Ltd. c. Canada*, [1997] G.S.T.C. 34 (CCI); *Hidden Valley Gold Resort Assn. c. Canada*, [1998] G.S.T.C. 95 (CCI); [2000] G.S.T.C. 42 (CAF); *Imperial Parking Ltd. c. Canada*, [1998] G.S.T.C. 129 (CCI); [2000] G.S.T.C. 52 (CAF); *O'Connor Group Realty Inc. c. R.*, [2000] G.S.T.C. 55 (CCI); *Szirtes c. R.*, [2000] G.S.T.C. 96 (CCI); *Des Chênes (Commission scolaire) c. R.*, [2001] G.S.T.C. 120 (CAF); *Ko c. R.*, [2003] G.S.T.C. 3 (CCI); *General Motors of Canada Ltd. v. R.* (22 février 2008), [2008] G.S.T.C. 41 (CCI [procédure générale]); *Société de Transport de Laval v. R.* (4 mars 2008), 2008 CarswellNat 511 (CCI [procédure générale]); *Canadian Medical Protective Assn. v. R.* (10 avril 2008), [2008] G.S.T.C. 88 (CCI [procédure générale]); *Triple G. Corp. v. R.* (24 avril 2008), [2008] G.S.T.C. 102 (CCI [procédure générale]); *Perfection Dairy Group Ltd. v. R.* (10 juin 2008), [2008] G.S.T.C. 124 (CCI [procédure informelle]); *Rexe v. R.*, [2008] G.S.T.C. 129 (18 juin 2008) (CCI [procédure générale]); *Société de transport de Laval (Ville) v. R.*, 2008 G.T.C. 374 (CCI [procédure générale]); *Québec (Sous-ministre du Revenu) c. Cun* (13 novembre 2008), 2008 CarswellQue 11822; *Pauwels v. R.* (12 février 2009), 2009 CarswellNat 980 (CCI [procédure informelle]); *J. Hudon Enterprises Ltd. v. R.*, 2010 CarswellNat 912, 2010 CAF 37, [2010] G.S.T.C. 17 (CAF); *614730 Ontario Inc. v. R.*, 2010 CarswellNat 1382, 2010 CCI 7, [2010] G.S.T.C. 27 (CCI [procédure informelle]); *Merchant Law Group v. R.*, 2010 CarswellNat 3934, 2010 CAF 206, [2010] G.S.T.C. 116 (CAF); *Costco Wholesale Canada Ltd. v. R.*, 2010 CarswellNat 5522, 2010 CCI 609 (CCI [procédure générale]); *Khan v. R.*, 2011 CarswellNat 5028, 2011 CCI 481 (CCI [procédure informelle]); *CIBC World Markets Inc. v. R.*, 2011 CarswellNat 4618, 2011 CAF 270, 2011 G.T.C. 2051 (CAF); *Calgary Board of Education v. R.* (8 janvier 2012), 2012 CarswellNat 1285, 2012 CCI 7, 2012 G.T.C. 11 (CCI [procédure générale]).

Énoncés de politique: P-218R, 10/08/07, *Statut fiscal des montants versés en dédommagement, qu'ils soient ou non visés par l'article 182 de la Loi sur la taxe d'accise*.

Mémorandums: TPS 300-4-6, 31/05/91, *Organismes du secteur public*, par. 4.

Série de mémorandums: Mémorandum 1.5, 09/94, *Définitions*; Mémorandum 3.1, 08/99, *Assujettissement à la taxe*; Mémorandum 8-1, 05/05, *Règles générales d'admissibilité*; Mémorandum 19.4.1, 08/99, *Immeubles commerciaux — Ventes et locations*.

Info TPS/TVQ: GI-002 — *Ventes par des particuliers — terres agricoles*; GI-003 — *Ventes par des particuliers — terrains vacants*; GI-037 — *Exploitation de camps pour enfants par des organismes du secteur public*.

Lettres d'interprétation (Québec): 99-0100885 — Primes d'assurance payables par un Indien; 99-0109209 — Décision portant sur l'application de la TPS — Interprétation relative à la TVQ — Indemnisation des frais payés pour la réparation des dommages occasionnés à un véhicule routier loué; 99-0111833 — Interprétation relative à la TVQ — Service de répartition des appels d'urgence relatifs à un service de transport par ambulance; 01-0109668 — Interprétation relative à la TVQ — Frais relatifs à la location d'un véhicule automobile.

LTA (TPS)

« fournitures liées à un congrès » Biens ou services acquis, importés ou transférés dans une province participante par une personne exclusivement pour consommation, utilisation ou fourniture par elle dans le cadre d'un congrès, à l'exception des biens et services suivants :

a) les services de transport autres que les services nolisés que la personne acquiert dans l'unique but de transporter les congressistes entre le centre de congrès, leur lieu d'hébergement et les terminaux;

b) les divertissements;

c) sauf pour l'application du paragraphe 167.2(1) et de l'article 252.4, les aliments et les boissons, ou les biens et les services fournis à la personne aux termes d'un contrat visant un service de traiteur;

d) les biens et les services fournis par la personne dans le cadre du congrès pour une contrepartie distincte de la contrepartie du droit d'entrée au congrès, sauf si l'acquéreur de la fourniture acquiert les biens et les services exclusivement pour consommation ou utilisation dans le cadre de la promotion, au congrès, de biens ou de services fournis par lui ou par son entreprise.

Notes historiques: Les alinéas b) et c) de la définition de « fournitures liées à un congrès », au paragraphe 123(1) ont été remplacés par L.C. 2000, c. 30, par. 18(4) et cette modification s'applique aux biens et services acquis, importés, ou transférés dans une province participante à l'occasion d'un congrès pour lequel l'ensemble des fournitures de droits d'entrée sont effectuées après le 24 février 1998. Antérieurement, ils se lisaient comme suit :

b) les aliments, les boissons et les divertissements;

c) les biens et les services fournis à la personne aux termes d'un contrat visant un service de traiteur;

L'alinéa c) de la définition de « fournitures liées à un congrès », au paragraphe 123(1) a été remplacé par L.C. 2000, c. 30, par. 18(5) et cette modification s'applique aux biens et services acquis, importés, ou transférés dans une province participante à l'occasion d'un congrès pour lequel l'ensemble des fournitures de droits d'entrée sont effectuées après le 4 juin 1999. Antérieurement, il se lisait comme suit :

c) sauf pour l'application de l'article 252.4, les aliments et les boissons, ou les biens et les services fournis à la personne aux termes d'un contrat visant un service de traiteur;

La définition de « fournitures liées à un congrès » au paragraphe 123(1) a été modifiée par L.C. 1997, c. 10, art. 255 pour remplacer les mots « acquis ou importés » par les mots « acquis, importés ou transférés dans une province participante ». Cette modification est entrée en vigueur le 1er avril 1997.

La définition de « fournitures liées à un congrès » au paragraphe 123(1) a été ajoutée par L.C. 1993, c. 27, par. 10(18) et est réputée entrée en vigueur le 17 décembre 1990.

Concordance québécoise: LTVQ, art. 1« fournitures liées à un congrès ».

Définitions: « acquéreur », « bien », « centre de congrès », « congrès », « contrepartie », « entreprise », « fourniture » — 23(1); « personne », « province participante », « service » — 123(1).

Renvois: 252.3, 252.4 (remboursement — congrès).

Énoncés de politique: P-224, 04/01/99, *L'expression service de traiteur est utilisée à plusieurs endroits dans la Loi sur la taxe d'accise (la Loi). Cependant, la Loi ne donne pas de définition de service de traiteur.*

Bulletins de l'information technique: B-071, 19/03/93, *Remboursement de la taxe sur les produits et services relatif à un congrès.*

Série de mémorandums: Mémorandum 1.5, 09/94, *Définitions*; Mémorandum 27.2, 04/95, *Congrès.*

Info TPS/TVQ: GI-027 — *Programme d'incitation pour congrès étrangers et voyages organisés — Promoteurs de congrès nationaux: application de la TPS/TVH aux droits d'entrée vendus à des non-résidents*; GI-028 — *Programme d'incitation pour congrès étrangers et voyages organisés — Exposants non résidents: application de la TPS/TVH aux achats, et remboursement*; GI-029 — *Programme d'incitation pour congrès étrangers et voyages organisés Promoteurs de congrès étrangers: ce qu'est un congrès étranger et remboursement de la taxe payée sur les achats afférents*; GI-030 — *Programme d'incitation pour congrès étrangers et voyages organisés — Organisateurs non inscrits de congrès étrangers: remboursement de la taxe payée sur les achats*; GI-031 — *Programme d'incitation pour congrès étrangers et voyages organisés — Exploitants inscrits de centre de congrès et organisateurs inscrits: remboursement versé et crédité pour des congrès étrangers.*

« fraction de contrepartie » [*Abrogée*]

Notes historiques: La définition de « fraction de contrepartie » au paragraphe 123(1) a été abrogée par L.C. 1997, c. 10, par. 150(2) et cette abrogation est réputée entrée en vigueur le 1er avril 1997. Elle se lisait comme suit :

« fraction de contrepartie » 100/107.

Cette définition a été ajoutée par L.C. 1990, c. 45, par. 12(1).

« fraction de taxe » [*Abrogée*]

Notes historiques: La définition de « fraction de taxe » au paragraphe 123(1) a été abrogée par L.C. 1997, c. 10, par. 150(2) et cette abrogation est réputée entrée en vigueur le 1er avril 1997. Elle se lisait comme suit :

« fraction de taxe » 7/107.

Cette définition a été ajoutée par L.C. 1990, c. 45, par. 12(1).

« gouvernement » Sa Majesté du chef du Canada ou d'une province.

Notes historiques: La définition de « gouvernement » au paragraphe 123(1) a été ajoutée par L.C. 1990, c. 45, par. 12(1).

Concordance québécoise: LTVQ, art. 1« gouvernement ».

Définitions: « province » — 123(1); « Sa Majesté » — 35(1) *Loi d'interprétation.*

Renvois: 122 (Sa Majesté); 123(2) (Canada); 146 (fournitures par les gouvernements et municipalités); 200(4) (vente du bien meuble d'un gouvernement); V:Partie VI:20 (fournitures effectuées par un gouvernement).

Mémorandums: TPS 400-4, 18/01/91, *Organismes du secteur public*, par. 6, 12, 13.

Série de mémorandums: Mémorandum 1.5, 09/94, *Définitions.*

« groupe étroitement lié » Groupe de personnes morales dont chaque membre est un inscrit résidant au Canada et est étroitement lié, au sens de l'article 128, à chacun des autres membres du groupe. Pour l'application de la présente définition :

a) l'assureur non-résident qui a un établissement stable au Canada est réputé résider au Canada;

b) les caisses de crédit et les membres d'un regroupement de sociétés mutuelles d'assurance sont réputés être des inscrits.

Notes historiques: La définition de « groupe étroitement lié » au paragraphe 123(1) a été remplacée par L.C. 2007, c. 18, par. 2(1) et cette modification est réputée être entrée en vigueur le 17 novembre 2005. Antérieurement, elle se lisait ainsi :

« groupe étroitement lié » Groupe de personnes morales étroitement liées, au sens de l'article 128.

La définition de « groupe étroitement lié » au paragraphe 123(1) a été ajoutée par L.C. 1990, c. 45, par. 12(1).

Concordance québécoise: LTVQ, art. 330.

Définitions: « contrepartie » — 35(1) *Loi d'interprétation.*

Renvois: 128 (personnes morales étroitement liées); 150, 151 (choix visant les fournitures exonérées); 156 (choix visant les fournitures sans contrepartie); 231(2) (créances irrécouvrables).

Série de mémorandums: Mémorandum 1.5, 09/94, *Définitions*; Mémorandum 17.8, 04/99, *Caisses de crédit*; Mémorandum 17.14, 07/11, *Choix visant les fournitures exonérées.*

Formulaires: FP-303, *Demande de compensation de la TPS/TVH au moyen d'un remboursement de TPS/TVH*

Lettres d'interprétation (Québec): 02-0102091 — Interprétation relative à la TPS/TVH — Interprétation relative à la TVQ — Choix relatif aux fournitures sans contrepartie.

« habitation » Maison individuelle, jumelée ou en rangée, unité en copropriété, maison mobile, maison flottante, appartement, chambre d'hôtel, de motel, d'auberge ou de pension, chambre dans une résidence d'étudiants, d'aînés, de personnes handicapées ou d'autres particuliers ou tout gîte semblable, ou toute partie de ceux-ci, qui est, selon le cas :

a) occupée à titre résidentiel ou d'hébergement;

b) fournie par bail, licence ou accord semblable, pour être utilisée à titre résidentiel ou d'hébergement;

c) vacante et dont la dernière occupation ou fourniture était à titre résidentiel ou d'hébergement;

d) destinée à servir à titre résidentiel ou d'hébergement sans avoir servi à une fin quelconque.

Notes historiques: Le préambule de la définition de « habitation » au paragraphe 123(1) a été modifié par L.C. 1993, c. 27, par. 10(16) et est réputé entré en vigueur le 17 décembre 1990. Il se lisait comme suit :

> « habitation » Maison individuelle, jumelée ou en rangée; unité en copropriété; maison mobile; appartement; chambre d'hôtel, de motel, d'auberge ou de maison de pension; chambre dans une résidence d'étudiants, de personnes âgées ou d'autres particuliers; ou tout local analogue, ou toute partie de ceux-ci qui est, selon le cas :

Les alinéas a) à d) de la définition de « habitation » au paragraphe ont été modifié par L.C. 1993, c. 27, par. 204(1) (annexe II) pour remplacer les mots « à titre résidentiel ou de pension » par les mots « à titre résidentiel ou d'hébergement » et sont réputés entrés en vigueur le 17 décembre 1990.

La définition de « habitation », au paragraphe 123(1) a été modifiée par L.C. 1997, c. 10, par. 1(10) et est réputée entrée en vigueur le 20 mars 1997. Auparavant, cette définition se lisait comme suit :

> « habitation » Maison individuelle, jumelée ou en rangée; unité en copropriété; maison mobile; maison flottante; appartement; chambre d'hôtel, de motel, d'auberge ou de pension; chambre dans une résidence d'étudiants, de personnes âgées ou handicapées ou d'autres particuliers; ou tout gîte semblable, ou toute partie de ceux-ci, qui est, selon le cas :
>
> a) occupé à titre résidentiel ou d'hébergement;
>
> b) fourni par bail, licence ou accord semblable, pour être utilisé à titre résidentiel ou d'hébergement;
>
> c) vacant et dont la dernière occupation ou fourniture était à titre résidentiel ou d'hébergement;
>
> d) destiné à servir à titre résidentiel ou d'hébergement sans jamais avoir servi à une fin quelconque.

La définition de « habitation » au paragraphe 123(1) a été ajoutée par L.C. 1990, c. 45, par. 12(1).

Concordance québécoise: LTVQ, art. 1« habitation ».

Définitions: « immeuble d'habitation », « immeuble d'habitation à logements multiples », « immeuble d'habitation à logement unique », « logement provisoire », « maison flottante », « maison mobile », « personne » — 123(1).

Jurisprudence: *Camp Kahquah Corp. Ltd. c. Canada*, [1998] G.S.T.C. 100 (CCI); *Immeubles Le Séjour Inc. c. La Reine*, [2002] G.S.T.C. 98 (GST); *Samson Bélair Deloitte & Touche Inc. c. R.*, [2004] G.S.T.C. 155 (CCI); *North Shore Health Region v. R.*, [2008] G.S.T.C. 1 (CAF); *Yakabuski v. R.*, 2008 CarswellNat 1026, [2008] G.S.T.C. 10 (CCI [procédure informelle]); *Sand, Surf & Sea Ltd. v. R.*, [2008] G.S.T.C. 71 (11 mars 2008) (CCI [procédure informelle]); *Coutu c. R.*, 2009 G.T.C. 908 (25 novembre 2008) (CCI [procédure informelle]).

Énoncés de politique: P-064, 25/05/93, *Traitement du temps partagé (des multipropriétés)*; P-087, 30/06/93, *Pourcentage d'achèvement*; P-099, 16/12/93, *Le sens des mots et expressions « hôtel », « motel », « auberge », « maison de pension », « résidence », « tout local analogue » utilisés dans la définition d'un « immeuble d'habitation », d'une « habitation »*; P-104, 23/02/11, *La TPS/TVH et la fourniture d'un fonds pour les unités récréatives telles que les maisons préfabriquées mobiles, les roulottes de parc et les remorques de tourisme*; P-223, 20/01/99, *La signification de « dont la fabrication et l'assemblage sont achevés ou achevés en grande partie » dans la définition de « maison mobile »*..

Mémorandums: TPS 300-4-1, 8/03/91, *Immeubles*, par. 18.

Série de mémorandums: Mémorandum 1.5, 09/94, *Définitions*; Mémorandum 19.2, 02/98, *Immeubles résidentiels*; Mémorandum 19.2.2, 02/03, *Immeubles résidentiels — Locations*.

Lettres d'interprétation (Québec): 98-010493 — Interprétation relative à la TPS — Interprétation relative à la TVQ — Fournitures de chambres dans un ensemble immobilier exploité en partie comme un motel; 98-0106306 — Application des taxes dans le cas de location de chambres au mois; 99-0103129 — Demande d'interprétation relative à la TPS et à la TVQ — Fourniture exonérée — Location d'une habitation à prix modique; 00-0101717 — Interprétation relative à la TPS et à la TVQ — Fourniture par une université de chambres dans une résidence d'étudiants à des personnes autres que des étudiants; 03-0111231 — Interprétation relative à la TPS et à la TVQ — fourniture par bail de tentes situées sur un terrain de camping.

« immeuble » Les immeubles comprennent :

a) au Québec, les immeubles et les baux y afférents;

b) ailleurs qu'au Québec, les terres, les fonds et les immeubles, de toute nature et désignation, ainsi que les droits y afférents, qu'ils soient fondés en droit ou en équité;

c) les maisons mobiles, les maisons flottantes ainsi que les tenures à bail ou autres droits de propriété afférents.

Notes historiques: L'alinéa c) de la définition de « immeuble » au paragraphe 123(1) a été modifié par L.C. 1993, c. 27, par. 10(12) pour ajouter les mots « les maisons flottantes ainsi que les tenures à bail ou autres droits de propriété afférents » à la suite des mots « maisons mobiles » et est réputé entré en vigueur le 17 décembre 1990.

La définition de « immeuble » au paragraphe 123(1) a été ajoutée par L.C. 1990, c. 45, par. 12(1).

Concordance québécoise: LTVQ, art. 1« immeuble ».

Définitions: « bien » — 123(1); « Canada » — 123(2); « maison flottante », « maison mobile » — 123(1).

Renvois: 123(2) (Canada); 136 (fournitures d'immeubles); 136.2 (fourniture d'un immeuble en partie hors d'une province); 142(1)d), 142(2)d) (lieu de la fourniture); 142(3) (maisons mobiles et maisons flottantes); 190–192 (immeubles); 206–208 (immobilisations); 220.01 (TVH — maisons mobiles et maisons flottantes réputées biens meubles); 221(2) (perception de la taxe); 257(1) (vente d'immeuble par un non-inscrit); 336 (disposition transitoire); 349(1), 350, 351 (TVH — dispositions transitoires); V:Partie I (fournitures exonérées d'immeubles); VI:Partie V:24 (maisons flottantes et maisons mobiles réputées biens meubles); IX:Partie I:2 (TVH — maisons mobiles et maisons flottantes réputées biens meubles); *Code civil du Québec*, 899-907 (distinction des biens).

Jurisprudence: *On-Guard Self-Storage Ltd. c. La Reine*, [1996] G.S.T.C. 9 (CCI); *Leowski (A.D.) c. La Reine*, [1996] G.S.T.C. 55 (CCI); *Sand, Surf & Sea Ltd. v. R.*, [2008] G.S.T.C. 71 (11 mars 2008) (CCI [procédure informelle]); *Polley v. R.*, 2008 CarswellNat 2642 (24 avril 2008) (CCI [procédure informelle]); *Coutu c. R.*, 2009 G.T.C. 908 (25 novembre 2008) (CCI [procédure informelle]); *Rob Walde Holdings Ltd. v. R.* (6 février 2009), 2009 CarswellNat 913 (CCI [procédure informelle]); *Lemieux c. R.*, 2009 G.T.C. 997-151 (CCI [procédure informelle]).

Énoncés de politique: P-064, 25/05/93, *Traitement du temps partagé (des multipropriétés)*; P-074, 01/12/92, *Statut fiscal des frais d'entreposage*; P-083, 17/09/98, *Conventions d'achat visant une habitation neuve en Alberta*; P-111R, 25/05/93, *Définition d'une vente à l'égard d'un immeuble* ; P-154, 06/09/94, *Conséquences à l'égard de la TPS du déplacement d'un immeuble que faisait auparavant partie d'un immeuble d'habitation*; P-169R, 25/05/99, *Définition des expressions « lié à un immeuble situé au Canada » et « lié à un bien meuble corporel qui est situé au Canada au moment de l'exécution du service » pour l'application des articles 7 et 23 de la partie V de l'annexe VI de la Loi sur la taxe d'accise*; P-172R, 31/03/94, *Fourniture d'espace, au profit de participants à une coentreprise, dans un immeuble appartenant en copropriété à ces participants qui possèdent des droits indivis*; P-174, 31/03/94, *Baux emphytéotiques* (Ébauche); P-176R, 31/03/95, *Application du critère de profit à l'exploitation d'une entreprise*; P-178, 29/03/95, *Possession adversative d'un immeuble (droits de squatteur)*; P-223, 20/01/99, *La signification de « dont la fabrication et l'assemblage sont achevés ou achevés en grande partie » dans la définition de « maison mobile »*..

Bulletins de l'information technique: B-073, 19/06/94, *Vente de titres de minéraux*.

Mémorandums: TPS 300-6-5, 2/01/91, *Immeubles*, par. 6.

Série de mémorandums: Mémorandum 1.5, 09/94, *Définitions*; Mémorandum 3.1, 08/99, *Assujettissement à la taxe*; Mémorandum 19.1, 10/97, *Les immeubles et la TPS/TVH*; Mémorandum 19.1.1, 11/97, *Règles spéciales s'appliquant aux immeubles dans le régime de la TVH*; Mémorandum 19.4.1, 08/99, *Immeubles commerciaux — Ventes et locations*; Mémorandum 19.5, 06/02, *Fonds de terre et immeubles connexes*.

Lettres d'interprétation (Québec): 04-0106502 — Interprétation relative à la TPS et la TVQ — droit pour un OSBL de demander des CTI/RTI relativement à des améliorations locatives.

Info TPS/TVQ: GI-092 — *Taxe de vente harmonisée - Locations d'immeubles en Ontario et en Colombie Britannique*; GI-120 — *Cession d'un contrat de vente d'une habitation neuve ou d'un logement en copropriété neuf* ; GI-122 — *Les incidences de la TPS/TVH à la suite de l'acquisition de panneaux solaires en vertu du Programme de tarifs de rachats garantis pour les micro-projets en Ontario*.

« immeuble d'habitation »

a) La partie constitutive d'un bâtiment qui comporte au moins une habitation, y compris :

(i) la fraction des parties communes et des dépendances et du fonds contigu au bâtiment qui est raisonnablement nécessaire à l'usage résidentiel du bâtiment,

(ii) la proportion du fonds sous-jacent au bâtiment correspondant au rapport entre cette partie constitutive et l'ensemble du bâtiment;

b) la partie d'un bâtiment, y compris la proportion des parties communes et des dépendances du bâtiment, et du fonds sous-jacent ou contigu à celui-ci, qui est attribuable à l'habitation et raisonnablement nécessaire à son usage résidentiel, qui constitue :

(i) d'une part, tout ou partie d'une maison jumelée ou en rangée, d'un logement en copropriété ou d'un local semblable qui est, ou est destinée à être, une parcelle séparée ou une autre division d'immeuble sur lequel il y a, ou il est prévu qu'il y ait, un droit de propriété distinct des droits de propriété des autres parties du bâtiment,

(ii) d'autre part, une habitation;

c) la totalité du bâtiment visé à l'alinéa a) ou du local visé au sous-alinéa b)(i), qui est la propriété d'un particulier, ou qui lui a été fourni par vente, et qui sert principalement de résidence au particulier, à son ex-époux ou ancien conjoint de fait ou à un particulier lié à ce particulier, y compris :

(i) dans le cas d'un bâtiment visé à l'alinéa a), les dépendances, le fonds sous-jacent et la partie du fonds contigu qui sont raisonnablement nécessaires à l'usage du bâtiment,

(ii) dans le cas d'un local visé au sous-alinéa b)(i), la fraction des parties communes et des dépendances du bâtiment, et du fonds sous-jacent ou contigu à celui-ci, qui est attribuable à l'immeuble et raisonnablement nécessaire à son usage;

d) une maison mobile, y compris ses dépendances et, si elle est fixée à un fonds (sauf un emplacement dans un parc à roulottes résidentiel) destiné à en permettre l'usage résidentiel, le fonds sous-jacent ou contigu qui est attribuable à la maison et qui est raisonnablement nécessaire à son usage résidentiel;

e) une maison flottante.

Ne sont pas des immeubles d'habitation tout ou partie d'un bâtiment qui est un hôtel, un motel, une auberge, une pension ou un gîte semblable, ni le fonds et les dépendances qui y sont attribuables, si le bâtiment n'est pas visé à l'alinéa c) et si la totalité ou la presque totalité des baux, licences ou accords semblables, aux termes desquels les habitations dans le bâtiment ou dans la partie de bâtiment sont fournies, prévoient, ou sont censés prévoir, des périodes de possession ou d'utilisation continues de moins de 60 jours.

Notes historiques: Le préambule de l'alinéa a) de la définition de « immeuble d'habitation » au paragraphe 123(1) a été modifié par L.C. 1993, c. 27, par. 10(13) pour enlever les mots « (y compris une maison mobile) » après le mot « bâtiment » et est réputé entré en vigueur le 17 décembre 1990.

Le préambule de l'alinéa c) de la définition de « immeuble d'habitation » au paragraphe 123(1) a été modifié par L.C. 2000, c. 12, al. 3a), ann.1 par le remplacement de « ex-conjoint » par « ex-époux ou ancien conjoint de fait ». Cette modification est entrée en vigueur le 1er janvier 2001.

Le passage de la définition de « immeuble d'habitation » au paragraphe 123(1) qui suit l'alinéa c) a été modifié par L.C. 1993, c. 27, par. 10(15) et est réputé entré en vigueur le 30 septembre 1992. Pour la période du 17 décembre 1990 au 30 septembre 1992, ce passage comprend les alinéas c.1) et c.2), qui doivent se lire comme suit :

c.1) une maison mobile, y compris ses dépendances et, si elle est fixée à un fonds (sauf un emplacement dans un parc à roulottes résidentiel) destiné à en permettre l'usage résidentiel, le fonds sous-jacent ou contigu qui est attribuable à la maison et qui est raisonnablement nécessaire à son usage résidentiel;

c.2) une maison flottante.

(i) dans le cas d'un bâtiment visé à l'alinéa a), les dépendances, le fonds sous-jacent et la partie du fonds contigu qui sont raisonnablement nécessaires à l'usage du bâtiment,

(ii) dans le cas d'un local visé au sous-alinéa b)(i), la fraction des parties communes et des dépendances du bâtiment, et du fonds sous-jacent ou contigu à celui-ci, qui est attribuable à l'immeuble et raisonnablement nécessaire à son usage.

Le passage de la définition de « immeuble d'habitation » au paragraphe 123(1) qui suit l'alinéa c) se lisait auparavant comme suit :

N'est pas un immeuble d'habitation une partie d'un bâtiment, ou du fonds ou des dépendances qui y sont attribuables, si, à la fois :

d) le bâtiment comprend un hôtel, un motel, une auberge, une maison de pension ou un local semblable;

e) le bâtiment n'est pas visé à l'alinéa c);

f) la totalité, ou presque, des fournitures d'habitation dans le bâtiment, par bail, licence ou accord semblable, se font, ou sont censées se faire, pour des périodes de moins de 60 jours.

En vertu de L.C. 1997, c. 10, par. 1(20), sauf pour le calcul d'une déduction (sauf un crédit ou une déduction réputé demandé par l'effet de l'alinéa 296(5)a) par suite d'une cotisation établie après le 23 avril 1996) qui est demandée, au titre d'un redressement, d'un remboursement ou d'un crédit prévu au paragraphe 232(1), dans une déclaration présentée aux termes de la section V de la partie IX, ou dans une demande présentée aux termes de la section VI de cette partie, et reçue par le ministre du Revenu national avant le 23 avril 1996, l'alinéa f) de la définition de « immeuble d'habitation » au paragraphe 123(1), en son état avant le 30 septembre 1992, est remplacé par ce qui suit en ce qui a trait à son application aux fournitures effectuées en application d'une convention conclue après le 14 septembre 1992 et avant le 30 septembre 1992 :

f) la totalité, ou presque, des fournitures d'habitation dans le bâtiment, par bail, licence ou accord semblable, se font, ou sont censées se faire, pour des périodes de possession ou d'utilisation continues de moins de 60 jours.

Le passage de la définition de « immeuble d'habitation », au paragraphe 123(1) suivant l'alinéa e) a été modifié par L.C. 1997, c. 10, par. 150(4) et cette modification est entrée en vigueur le 1er avril 1997. Auparavant, ce passage a été modifié par L.C. 1997, c. 10, par. 1(8). Sauf pour le calcul d'une déduction (sauf un crédit ou une déduction réputé demandé par l'effet de l'alinéa 296(5)a) par suite d'une cotisation établie après le 23 avril 1996) qui est demandée, au titre d'un redressement, d'un remboursement ou d'un crédit prévu au paragraphe 232(1), dans une déclaration présentée aux termes de la section V de la partie IX, ou dans une demande présentée aux termes de la section VI de cette partie, et reçue par le ministre du Revenu national avant le 23 avril 1996, cette modification est réputée entrée en vigueur le 30 septembre 1992. Ce passage, modifié par L.C. 1997, c. 10, par. 1(8), se lisait ainsi :

Ne sont pas des immeubles d'habitation tout ou partie d'un bâtiment qui est un hôtel, un motel, une auberge, une pension ou un gîte semblable, ni le fonds et les dépendances qui y sont attribuables, si le bâtiment n'est pas visé à l'alinéa c) et si la totalité, ou presque, des fournitures d'habitation dans le bâtiment ou dans la partie de bâtiment, par bail, licence ou accord semblable, sont effectuées, ou censées l'être, pour des périodes de possession ou d'utilisation continues de moins de 60 jours.

Auparavant, ce passage se lisait comme suit :

Ne sont pas un immeuble d'habitation tout ou partie d'un bâtiment qui est un hôtel, un motel, une auberge, une pension ou un gîte semblable, ni le fonds et les dépendances qui y sont attribuables, si le bâtiment n'est pas visé à l'alinéa c) et si la totalité, ou presque, des fournitures d'habitation dans le bâtiment ou dans la partie de bâtiment, par bail, licence ou accord semblable, se font, ou sont censées se faire, pour des périodes de moins de 60 jours.

La définition de « immeuble d'habitation », au paragraphe 123(1) a été ajoutée par L.C. 1990, c. 45, par. 12(1).

Concordance québécoise: LTVQ, art. 1« immeuble d'habitation ».

Définitions: « conjoint de fait », « constructeur », « exclusif », « ex-conjoint », « fourniture », « habitation », « immeuble », « immeuble d'habitation à logements multiples », « immeuble d'habitation à logement unique », « immeuble d'habitation en copropriété », « logement en copropriété », « logement provisoire », « maison flottante », « maison mobile », « parc à roulottes résidentiel », « vente » — 123(1).

Renvois: 136(2) (fournitures combinées d'immeubles); 126(2)(3) (lien de dépendance); 141(5) (immeuble d'habitation dans un immeuble); 190 (conversion à un usage résidentiel); 191 (fourniture à soi-même); 192 (rénovations mineures); 351 (TVH — disposition transitoire); V:Partie I (fournitures exonérées d'immeubles).

Jurisprudence: *Cragg & Cragg Design Group Ltd. c. MNR*, [1996] G.S.T.C. 53 (TCCE); *Beau Rivage Apartments c. La Reine*, [1996] G.S.T.C. 79 (CCI); *Stafford, Stafford & Jakeman c. La Reine*, [1996] G.S.T.C. 7 (CCI); *On-Guard Self-Storage Ltd. c. La Reine*, [1996] G.S.T.C. 9 (CCI); *Vacation Villas of Collingwood Inc. c. La Reine*, [1996] G.S.T.C. 12 (CCI); [1996] G.S.T.C. 13 (CAF); *Leowski (A.D.) c. La Reine*, [1996] G.S.T.C. 55 (CCI); *Grewal (M.) c. LaReine*, [1996] G.S.T.C. 59 (CCI); *327119 B.C. Ltd. c. La Reine*, [1996] G.S.T.C. 94 (CCI); *Balicki (A.L.) c. Canada*, [1997] G.S.T.C. 57 (CCI); *Cragg & Cragg Design Group Ltd. c. MNR*, [1994] G.S.T.C. 53 (TCCE); [1998] G.S.T.C. 66 (CF); *Koppert (N.J.) c. Canada*, [1998] G.S.T.C. 128 (CCI); *Atlantic Mini & Modular Homes (Truro) Ltd. c. Canada*, [1999] G.S.T.C. 68 (CCI); *Sir Wynne Highlands Inc. c. Canada*, [2000] G.S.T.C. 6 (CCI); *Sneyd (R.B.) c. Canada*, [1999] G.S.T.C. 36 (CCI); [2000] G.S.T.C. 46 (CAF); *Lessard c. R.*, [2000] G.S.T.C. 98 (CCI); *Erickson c. R.*, [2001] G.S.T.C. 19 (CCI); *Immeubles Le Séjour Inc. c. La Reine*, [2002] G.S.T.C. 98 (GST); *Ko c. R.*, [2003] G.S.T.C. 3 (CCI); *Samson Bélair Deloitte & Touche Inc. c. R.*, [2004] G.S.T.C. 155 (CCI); *North Shore Health Region v. R.*, [2008] G.S.T.C. 1 (CAF); *Slade v. R.*, 2008 CarswellNat 1738 (CCI [procédure informelle]); *Yakabuski v. R.*, 2008 CarswellNat 1026, [2008] G.S.T.C. 10 (CCI [procédure informelle]); *Camiré c. R.*, [2008] G.S.T.C. 38 (CCI [procédure informelle]); *Rob Walde Holdings Ltd. v. R.* (6 février 2009), 2009 CarswellNat 913 (CCI [procédure informelle]); *Coutu c. R.*, 2009 G.T.C. 908 (25 novembre 2008) (CCI [procédure informelle]).

Énoncés de politique: P-014, 15/06/94, *Fourniture à soi-même de réparations de biens dans le cadre d'une demande d'indemnité d'assurance*; P-052, 03/03/93, *Les montants admissibles au remboursement de la TPS pour habitations neuves prévu à l'article 254 lorsqu'il s'agit de maisons achetées d'un constructeur*; P-053, 02/11/92, *Application du critère de la « totalité ou presque » aux immeubles d'habitation*; P-064, 25/05/93, *Traitement du temps partagé (des multipropriétés)*; P-069, 25/05/93, *Fonds admissibles pour immeubles d'habitation*; P-083, 17/09/98, *Conventions d'achat visant une habitation neuve en Alberta*; P-087, 30/06/93, *Pourcentage d'achèvement*; P-099, 16/12/93, *Le sens des mots et expressions « hôtel », « motel », « auberge », « maison de pension », « résidence » et « tout local analogue » utilisés dans la définition d'un « immeuble d'habitation » et d'une « habitation »*; P-104, 23/02/11, *La TPS/TVH et la fourniture d'un fonds pour les unités récréatives telles que les maisons préfabriquées mobiles, les roulottes de parc et les remorques de tourisme*; P-121, 24/11/92, *Vente d'un terrain faisant partie d'une immeuble d'habitation*; P-153, 02/09/94, *Construction d'un* *ajout majeur à un immeuble d'habitation à logement*; P-154, 06/09/94, *Conséquences à l'égard de la TPS du déplacement d'immeuble qui faisait auparavant partie d'un immeuble d'habitation*; P-165R, 16/10/97, *Juste valeur marchande aux fins de la partie IX de la Loi sur la taxe d'accise*; P-223, 20/01/99, *La signification de « dont la fabrication et l'assemblage sont achevés ou achevés en grande partie » dans la définition de « maison mobile »*.

Bulletins de l'information technique: B-092A, 01/05, *Rénovations majeures et remboursement de la TPS/TVH pour habitations neuves*.

Mémorandums: TPS 300-4-1, 8/03/91, *Immeubles*, par. 13; TPS 900-1, 27/08/92, *Habitations neuves*, par. 3.

Série de mémorandums: Mémorandum 1.5, 09/94, *Définitions*; Mémorandum 19.1, 10/97, *Les immeubles et la TPS/TVH*; Mémorandum 19.2, 02/98, *Immeubles résidentiels*; Mémorandum 19.2.1, 02/98, *Immeubles résidentiels — Ventes*; Mémorandum 19.2.2, 02/03, *Immeubles résidentiels — Locations*; Mémorandum 19.2.4, 06/98, *Immeubles résidentiels — Sujets particuliers*; Mémorandum 19.3.7, 07/98, *Remboursements pour immeubles — Sujets particuliers*; Mémorandum 19.5, 06/02, *Fonds de terre et immeubles connexes*.

Lettres d'interprétation (Québec): 98-010493 — Interprétation relative à la TPS — Interprétation relative à la TVQ — Fournitures de chambres dans un ensemble immobilier exploité en partie comme un motel; 98-0106306 — Application des taxes dans le cas de location de chambres au mois; 98-0107213 — Interprétation en TPS et en TVQ — Construction d'un ajout à une résidence; 98-0112627 — Définition d'« immeuble d'habitation »; 99-0103129 — Demande d'interprétation relative à la TPS et à la TVQ — Fourniture exonérée — Location d'une habitation à prix modique; 99-0108003 — Interprétation en TPS et en TVQ — Rénovations majeures; 02-0109674 — Immeuble, changement d'usage.

Info TPS/TVQ: GI-120 — *Cession d'un contrat de vente d'une habitation neuve ou d'un logement en copropriété neuf*.

« immeuble d'habitation à logements multiples » Immeuble d'habitation, à l'exclusion d'un immeuble d'habitation en copropriété, qui contient au moins deux habitations.

Notes historiques: La définition de « immeuble d'habitation à logement multiples » au paragraphe 123(1) a été ajoutée par L.C. 1990, c. 45, par. 12(1).

Concordance québécoise: LTVQ, art. 1« immeuble d'habitation à logements multiples ».

Définitions: « immeuble d'habitation déterminé » — 121(1); « constructeur », « habitation », « immeuble d'habitation », « immeuble d'habitation en copropriété » — 123(1); « immeuble d'habitation à logement unique » — 254(1); « bail de longue durée » — 254.1(1); « immeuble d'habitation à logement unique » — 256(1).

Renvois: 121(3)a) (remboursement pour immeuble d'habitation déterminé); 191(3), (4) (fourniture à soi-même); par 254(2) (remboursement); 254.1(2) (remboursement); par 256(2) (remboursement).

Jurisprudence: *327119 B.C. Ltd. c. La Reine*, [1996] G.S.T.C. 94 (CCI); *Stafford, Stafford & Jakeman c. La Reine*, [1995] G.S.T.C. 7 (CCI); *Immeubles Le Séjour Inc. c. La Reine*, [2002] G.S.T.C. 98 (GST); *North Shore Health Region v. R.*, [2008] G.S.T.C. 1 (CAF); *Coutu c. R.*, 2009 G.T.C. 908 (25 novembre 2008) (CCI [procédure informelle]).

Énoncés de politique: P-069, 25/05/93, *Fonds admissibles pour immeubles d'habitation*; P-087, 30/06/93, *Pourcentage d'achèvement*; P-104, 23/02/11, *La TPS/TVH et la fourniture d'un fonds pour les unités récréatives telles que les maisons préfabriquées mobiles, les roulottes de parc et les remorques de tourisme*; P-154, 06/09/94, *Conséquences à l'égard de la TPS du déplacement d'un immeuble que faisait auparavant partie d'un immeuble d'habitation*.

Mémorandums: TPS 900-1, 27/08/92, *Habitations neuves*, par. 2 et 3.

Série de mémorandums: Mémorandum 1.5, 09/94, *Définitions*; Mémorandum 19.2, 02/98, *Immeubles résidentiels*.

« immeuble d'habitation à logement unique » Immeuble d'habitation, à l'exclusion d'un logement en copropriété, qui contient au plus une habitation.

Notes historiques: La définition de « immeuble d'habitation à logement unique » au paragraphe 123(1) a été ajoutée par L.C. 1990, c. 45, par. 12(1).

Concordance québécoise: LTVQ, art. 1« immeuble d'habitation à logement unique ».

Définitions: « habitation », « immeuble d'habitation », « logement en copropriété » — 123(1); « immeuble d'habitation à logement unique déterminé » — 121(1); « immeuble d'habitation à logement unique » — 254(1); « immeuble d'habitation à logement unique » — 254.1(1); « immeuble d'habitation à logement unique » — 256(1).

Renvois: 191(1) (fourniture à soi-même); 254(2) (remboursement); 254.1(2) (remboursement); 256(2) (remboursement); 336(2) (disposition transitoire).

Jurisprudence: *Chauvette c. Québec (Sous-ministre du Revenu)* (27 janvier 1998), 400-32-002267-974, 1998 CarswellQue 4589; *Tasko (J.) c. Canada*, [1997] G.S.T.C. 5 (CCI); *Sir Wynne Highlands Inc. c. Canada*, [2000] G.S.T.C. 6 (CCI); *Sneyd (R.B.) c. Canada*, [1999] G.S.T.C. 36 (CCI); [2000] G.S.T.C. 46 (CAF); *Thompson c. R.*, [2003] G.S.T.C. 53 (CCI); *Sand, Surf & Sea Ltd. v. R.*, [2008] G.S.T.C. 71 (11 mars 2008) (CCI [procédure informelle]); *Rob Walde Holdings Ltd. v. R.* (6 février 2009), 2009 CarswellNat 913 (CCI [procédure informelle]).

Énoncés de politique: P-153, 02/09/94, *Construction d'un ajout majeur à un immeuble d'habitation à logement*; P-223, 20/01/99, *La signification de « dont la fabrication et l'assemblage sont achevés ou achevés en grande partie » dans la définition de « maison mobile »*..

Mémorandums: TPS 900-1, 28/03/91, *Habitations neuves*, par. 2 et 3.

Série de mémorandums: Mémorandum 1.5, 09/94, *Définitions*; Mémorandum 19.2, 02/98, *Immeubles résidentiels*; Mémorandum 19.3.7, 07/98, *Remboursements pour immeubles — Sujets particulier*.

« immeuble d'habitation en copropriété » Immeuble d'habitation qui contient au moins deux logements en copropriété.

Notes historiques: La définition de « immeuble d'habitation en copropriété » au paragraphe 123(1) a été ajoutée par L.C. 1990, c. 45, par. 12(1).

Concordance québécoise: LTVQ, art. 1« immeuble d'habitation en copropriété ».

Définitions: « constructeur », « immeuble d'habitation », « immeuble d'habitation à logements multiples », « logement en copropriété » — 123(1); « immeuble d'habitation déterminé » — 121(1).

Renvois: 121(3)b) (remboursement); 191 (fourniture à soi-même); 336(4) (disposition transitoire); 351(5)(6) (TVH — immeuble d'habitation en copropriété); V:Partie I:4a) (conversion d'un immeuble d'habitation à logements multiples en copropriété).

Jurisprudence: *Cragg & Cragg Design Group Ltd. c. MNR*, [1994] G.S.T.C. 53 (TCCE); [1998] G.S.T.C. 66 (CF); *Beau Rivage Apartments c. La Reine*, [1994] G.S.T.C. 79 (CCI); *Stafford, Stafford and Jakeman c. La Reine*, [1995] G.S.T.C. 7 (CCI).

Bulletins de l'information technique: B-092A, 01/05, *Rénovations majeures et remboursement de la TPS/TVH pour habitations neuves*.

Énoncés de politique: P-052, 03/03/93, *Les montants admissibles au remboursement de la TPS pour habitations neuves prévu à l'article 254 lorsqu'il s'agit de maisons achetées d'un constructeur*; P-064, 25/05/93, *Traitement du temps partagé (des multi-propriétés)*; P-069, 25/05/93, *Fonds admissibles pour immeubles d'habitation*; P-087, 30/06/93, *Pourcentage d'achèvement*.

Série de mémorandums: Mémorandum 1.5, 09/94, *Définitions*; Mémorandum 19.2, 02/99, *Immeubles résidentiels*.

« immobilisation » Bien d'une personne qui est son immobilisation au sens de la *Loi de l'impôt sur le revenu*, ou qui le serait si la personne était un contribuable aux termes de cette loi, à l'exclusion des biens visés aux catégories 12, 14 ou 44 de l'annexe II du *Règlement de l'impôt sur le revenu*.

Notes historiques: La définition d'« immobilisation », au paragraphe 123(1) a été remplacée par L.C. 1994, c. 9, par. 2(1) et s'applique aux biens acquis après le 26 avril 1993. Elle se lisait auparavant comme suit :

> « immobilisation » Bien qui est le bien en immobilisation d'une personne au sens de la *Loi de l'impôt sur le revenu*, ou qui le serait si la personne était un contribuable aux termes de cette loi, à l'exclusion des biens visés aux catégories 12 ou 14 de l'annexe II du *Règlement de l'impôt sur le revenu*.

La définition d'« immobilisation » au paragraphe 123(1) a été ajoutée par L.C. 1990, c. 45, par. 12(1).

Concordance québécoise: LTVQ, art. 1« immobilisation ».

Définitions: « améliorations », « bien », « personne » — 123(1).

Renvois: 195–211 (immobilisations).

Jurisprudence: *Sako Auto Leasing*, [1993] G.S.T.C. 17 (TCCE); *MM Leasing c. La Reine*, [1994] G.S.T.C. 50 (TCCE); *Holand Leasing Ltd. c. La Reine*, [1995] G.S.T.C. 8 (CCI); *Creative Camera & Sound Ltd. c. La Reine*, [1995] G.S.T.C. 33 (CCI); *Polley v. R.*, 2008 CarswellNat 2642 (24 avril 2008) (CCI [procédure informelle]).

Bulletins de l'information technique: B-098, 26/08/11, *Application de l'article 141.02 aux institutions financières qui sont des institutions admissibles*.

Énoncés de politique: P-060, 25/05/93, *Définition du coût d'une immobilisation*; P-156R, 01/03/94, *Calcul du crédit fictif de taxe sur les intrants que peut demander un créancier en vertu du paragraphe 183(7)*.

Mémorandums: TPS 400-3-9, 27/03/92, *Immobilisations (biens meubles)*, par. 20; TPS 700-5-3, 31/07/92, *Caisses de crédit*, par. 23.

Série de mémorandums: Mémorandum 1.5, 09/94, *Définitions*; Mémorandum 8.3, 02/12, *Calcul des crédits de taxe sur les intrants*; Mémorandum 17.8, 04/99, *Caisses de crédit*; Mémorandum 19.4.2, 08/99, *Immeubles commerciaux — Fournitures réputées*.

Lettres d'interprétation (Québec): 04-0106502 — Interprétation relative à la TPS et la TVQ — droit pour un OSBL de demander des CTI/RTI relativement à des améliorations locatives; 07-0101217 — Décision portant sur l'application de la TPS — interprétation relative à la TVQ — application de la méthode de calcul de la taxe nette pour les organismes de bienfaisance.

Auparavant, cette définition a été modifiée par L.C. 1993, c. 27, par. 204(1) (annexe II) pour remplacer les mots « à titre résidentiel ou de pension » par les mots « à titre résidentiel ou d'hébergement » et est réputée entrée en vigueur le 17 décembre 1990. Elle se lisait comme suit :

> « logement provisoire » Immeuble d'habitation ou habitation fournis par bail, licence ou accord semblable, pour être occupé à titre résidentiel ou d'hébergement par un particulier donné pendant une durée de moins d'un mois.

La définition de « logement provisoire » au paragraphe 123(1) a été ajoutée par L.C. 1990, c. 45, par. 12(1).

Concordance québécoise: LTVQ, art. 1« logement provisoire ».

Définitions: « acquéreur », « habitation », « immeuble d'habitation », « fourniture », « mois » — 123(1).

Renvois: 252.1 (remboursement aux non-résidents).

Jurisprudence: *Camp Kahquah Corp. Ltd. c. Canada*, [1998] G.S.T.C. 100 (CCI).

Bulletins de l'information technique: B-071, 19/03/93, *Remboursement de la taxe sur les produits et services relatif à un congrès*; B-075R, 23/04/96, *Modifications proposées à la TPS*.

Série de mémorandums: Mémorandum 1.5, 09/94, *Définitions*; Mémorandum 19.2, 06/98, *Immeubles résidentiels*; Mémorandum 19.3, 02/02, *Remboursements pour immeubles*; Mémorandum 19.2.4, 02/98, *Immeubles résidentiels — Sujets particuliers*; Mémorandum 27.3, 06/03, *Remboursement pour logement aux fournisseurs non résidents et non inscrits*.

Lettres d'interprétation (Québec): 00-0101717 — Interprétation relative à la TPS et à la TVQ — Fourniture par une université de chambres dans une résidence d'étudiants à des personnes autres que des étudiants.

« maison flottante » Construction constituée d'une plate-forme flottante et d'un bâtiment, fixé de façon permanente sur cette plate-forme, qui est conçu pour être occupé à titre résidentiel, à l'exclusion des appareils ou du mobilier non encastrés vendus avec la construction. Ne sont pas des maisons flottantes les constructions munies d'un moyen de propulsion ou pouvant facilement en être munies.

Notes historiques: La définition de « maison flottante » au paragraphe 123(1) a été ajoutée par L.C. 1993, c. 27, par. 10(18) et est réputée entrée en vigueur le 17 décembre 1990.

Concordance québécoise: LTVQ, art. 1« maison flottante ».

Définitions: « immeuble d'habitation » — 123(1).

Renvois: 142(3) (lieu de la fourniture); 190.1 (construction et rénovation de maison mobile ou flottante); 220.01 (bien meuble corporel); 256(2.2) (remboursement — acheteur réputé avoir construit la maison); 261.1(1)a) (remboursement pour produits retirés d'une province participante); V:Partie I:13.2 (amarrage d'une maison flottante); VI:Partie V:24 (exportations — bien meuble corporel); IX:Partie I:2 (TVH — bien meuble corporel); X:Partie I:25 (TVH — maisons mobiles et maisons flottantes utilisées ou occupées).

Série de mémorandums: Mémorandum 1.5, 09/94, *Définitions*; Mémorandum 19.1, 10/97, *Les immeubles et la TPS/TVH*; Mémorandum 19.2, 02/98, *Immeubles résidentiels*.

« maison mobile » Bâtiment, dont la fabrication et l'assemblage sont achevés ou achevés en grande partie, qui est équipé d'installations complètes de plomberie, d'électricité et de chauffage et conçu pour être déplacé jusqu'à un emplacement pour y être placé sur des fondations, raccordé à des installations de service et occupé à titre résidentiel. La présente définition exclut les véhicules et remorques conçus pour les loisirs, tels que les remorques de tourisme, les maisons motorisées et les tentes roulottes.

Notes historiques: La définition de « maison mobile » au paragraphe 123(1) a été modifiée par L.C. 1997, c. 10, par. 1(1) et cette modification est réputée entrée en vigueur le 24 avril 1996. Toutefois, pour l'application de l'article 254, cette définition de « maison mobile » s'applique également aux fournitures de maisons mobiles effectuées avant cette date et dont la contrepartie, même partielle, devient due à cette date ou postérieurement ou est payée à cette date ou postérieurement sans qu'elle soit devenue due. Pour l'application de la partie IX à la fourniture d'un fonds, y compris un emplacement dans un parc à roulottes, effectuée par bail, licence ou accord semblable au profit du propriétaire, du locataire, de l'occupant ou du possesseur d'une maison mobile, au sens du paragraphe 123(1) ainsi modifié pour une période qui commence avant le 24 avril 1996 et se termine après le 23 avril 1996, la livraison du fonds pour la partie de la période antérieure au 24 avril 1996, et la livraison du fonds pour le reste de la période, sont chacune réputées constituer une fourniture distincte, et la fourniture du fonds pour le reste de la période est réputée effectuée le 24 avril 1996. Auparavant, cette définition a été ajoutée par L.C. 1990, c. 45, par. 12(1) et se lisait comme suit :

> « maison mobile » Unité d'au moins trois mètres de largeur et huit mètres de longueur, équipée d'installations complètes de plomberie, d'électricité et de chauffage et conçue pour être remorquée sur son propre châssis sur roues jusqu'à un emplacement pour y être placée sur des fondations et raccordée à des installations de service et être occupée à titre résidentiel. La présente définition exclut les appareils ou les meubles non intégrés à la maison mobile et vendus avec celle-ci, ainsi que les véhicules et remorques destinés aux loisirs tels que les remorques de tourisme, les maisons motorisées et les tentes roulottes.

Concordance québécoise: LTVQ, art. 1« maison mobile ».

Définitions: « immeuble d'habitation » d), « parc à roulottes », « parc à roulottes résidentiel » — 123(1).

Renvois: 142(3) (lieu de la fourniture); 190.1 (construction et rénovation de maison mobile ou flottante); 220.01 (bien meuble corporel); 256(2.2) (remboursement — acheteur réputé avoir construit la maison); 261.1(1)a) (remboursement pour produits retirés d'une province participante); V:Partie I:7 (location d'un fonds au profit du propriétaire ou du locataire d'une habitation fixée); VI:Partie V:24 (exportations — bien meuble corporel); IX:Partie I:2 (TVH — bien meuble corporel); X:Partie I:25 (TVH — maisons mobiles et maisons flottantes utilisées ou occupées).

Jurisprudence: *Mar-Phi Ltd. c. Canada*, [1997] G.S.T.C. 88 (CCI); *Superior Modular Homes Inc. c. Canada*, [1997] G.S.T.C. 107 (CCI).

Énoncés de politique: P-052, 03/03/93, *Les montants admissibles au remboursement de la TPS pour habitations neuves prévu à l'article 254 lorsqu'il s'agit de maisons achetées d'un constructeur*; P-070, 06/07/93, *Fondations et dispositifs de soutènement de maisons mobiles*; P-104, 23/02/11, *La TPS/TVH et la fourniture d'un fonds pour les unités récréatives telles que les maisons préfabriquées mobiles, les roulottes de parc et les remorques de tourisme*; P-223, 20/01/99, *La signification de dont la fabrication et l'assemblage sont achevés ou achevés en grande partie dans la définition de maison mobile*.

Mémorandums: TPS 300-4-1, 8/03/91, *Immeubles*, par. 18; TPS 500-4-5, 15/04/94, *Remboursements pour habitations et autres immeubles*, par. 53-55.

Série de mémorandums: Mémorandum 1.5, 09/94, *Définitions*; Mémorandum 19.1, 10/97, *Les immeubles et la TPS/TVH*; Mémorandum 19.2, 02/98, *Immeubles résidentiels*; Mémorandum 19.3.7, 07/98, *Remboursements pour immeubles — Sujets particuliers*.

« mandataire désigné »

a) Mandataire de Sa Majesté du chef du Canada, désigné par règlement;

b) mandataire de Sa Majesté du chef d'une province :

(i) soit qui paie la taxe par l'effet d'un accord visé à l'article 32 de la *Loi sur les arrangements fiscaux entre le gouvernement fédéral et les provinces*, conclu par le gouvernement de la province,

(ii) soit qui est désigné par règlement.

Notes historiques: La définition de « mandataire désigné », au paragraphe 123(1) a été remplacée par L.C. 2000, c. 30, par. 18(1) et cette modification est réputée entrée en vigueur le 11 décembre 1998. Auparavant, elle se lisait comme suit :

> « mandataire désigné » Mandataire de Sa Majesté du chef du Canada, désigné par règlement.

La définition de « mandataire désigné » au paragraphe 123(1) a été ajoutée par L.C. 1993, c. 27, par. 10(18) et est réputée entrée en vigueur le 17 décembre 1990.

Concordance québécoise: LTVQ, art. 677:57°.

Définitions: « gouvernement », « province », « règlement » — 123(1); « Sa Majesté » — 35(1) *Loi d'interprétation*; « taxe » — 123(1).

Renvois: 200(4) (vente de biens meubles d'un gouvernement); 209(1) (immeubles).

Règlements: *Règlement sur les mandataires de sa Majesté*, art. 1.

Énoncés de politique: P-182R 23/05/95, *Du mandat*.

Série de mémorandums: Mémorandum 1.5, 09/94, *Définitions*; Mémorandum 19.4.2, 08/99, *Immeubles commerciaux — Fournitures réputées*.

« messager » S'entend au sens du paragraphe 2(1) de la *Loi sur les douanes*.

Notes historiques: La définition de « messager » au paragraphe 123(1) a été ajoutée par L.C. 1993, c. 27, par. 10(18) et est réputée entrée en vigueur le jour de l'entrée en vigueur d'une disposition réglementaire prise en vertu de la *Loi sur les douanes* et définissant l'expression « messager » pour l'application de cette loi.

Concordance québécoise: aucune.

Renvois: 143.1 (fourniture par la poste ou par messager réputée effectuée au Canada); 240(4) (inscription).

Règlements: *Règlement sur la déclaration en détail des marchandises importées et le paiement des droits (Loi sur les douanes)*, art. 2.

« métal précieux » Barre, lingot, pièce ou plaquette composée d'or, d'argent ou de platine dont la pureté est d'au moins :

a) 99,5 %, dans le cas de l'or et du platine;

b) 99,9 %, dans le cas de l'argent.

Notes historiques: La définition de « métal précieux » au paragraphe 123(1) a été ajoutée par L.C. 1990, c. 45, par. 12(1).

Concordance québécoise: LTVQ, art. 1« métal précieux ».

Renvois: VI:Partie IX:3 (services financiers détaxés).

Jurisprudence: *Khong Island Jeweller Ltd. c. La Reine*, [1995] G.S.T.C. 23 (CCI); *Bombay Jewellers Ltd. c. Canada*, [1998] G.S.T.C. 94 (CCI); *Said Joaillier Ltée c. R.*, 2006 G.T.C. 137 (CCI).

Énoncés de politique: P-192, 11/11/95, *Fourniture de métaux précieux*.

Série de mémorandums: Mémorandum 1.5, 09/94, *Définitions*; Mémorandum 17.1, 04/99, *Définition d'« effet financier »*, par. 20-27.

Lettres d'interprétation (Québec): 05-0104173 — Commerce d'or.

« minéral » Sont compris parmi les minéraux l'ammonite, le charbon, le chlorure de calcium, le gravier, le kaolin, le sable, les sables bitumineux, les schistes bitumineux, la silice et le pétrole, le gaz naturel et les hydrocarbures connexes.

Notes historiques: La définition de « minéral », au paragraphe 123(1) a été remplacée par L.C. 2000, c. 30, par. 18(1) et cette modification est réputée entrée en vigueur le 17 décembre 1990. Auparavant, elle se lisait comme suit :

« minéral » Pétrole, gaz naturel et hydrocarbures connexes, sable et gravier.

La définition de « minéral » au paragraphe 123(1) a été ajoutée par L.C. 1990, c. 45, par. 12(1).

Concordance québécoise: LTVQ, art. 1« minéral ».

Renvois: 146c) (fourniture par un gouvernement ou une municipalité); 162 (redevances sur ressources naturelles); 273(1) (coentreprises); V:Partie VI:20k) (fourniture non exonérée).

Série de mémorandums: Mémorandum 1.5, 09/94, *Définitions*.

« ministère » [*Abrogée*]

Notes historiques: La définition de « ministère » au paragraphe 123(1) a été abrogée par L.C. 1999, c. 17, par. 152(1). Cette abrogation est entrée en vigueur le 1er novembre 1999. Auparavant, cette définition se lisait ainsi :

« ministère » Le ministère du Revenu national.

La définition de « ministère » au paragraphe 123(1) a été ajoutée par L.C. 1990, c. 45, par. 12(1).

« ministre » Le ministre du Revenu national.

Notes historiques: La définition de « ministre » au paragraphe 123(1) a été ajoutée par L.C. 1990, c. 45, par. 12(1).

Concordance québécoise: LAF, art. 1e)« ministre ».

Renvois: 275(1) (fonctions du ministre); 275(3) (fonctionnaire désigné); 276(1) (personne autorisée à faire enquête).

Série de mémorandums: Mémorandum 1.5, 09/94, *Définitions*.

« mois » Période qui commence un quantième donné et prend fin :

a) la veille du même quantième du mois suivant;

b) si le mois suivant n'a pas de quantième correspondant au quantième donné, le dernier jour de ce mois.

Notes historiques: La définition de « mois » au paragraphe 123(1) a été ajoutée par L.C. 1993, c. 27, par. 10(18) et est réputée entrée en vigueur le 17 décembre 1990.

Concordance québécoise: LTVQ, art. 1« mois ».

Renvois: 243(2) (mois civil).

Jurisprudence: *Buckingham v. R.*, 2010 CarswellNat 3577, 2010 CCI 247, [2010] G.S.T.C. 71 (CCI [procédure générale]).

Série de mémorandums: Mémorandum 1.5, 09/94, *Définitions*.

« mois d'exercice » Période déterminée en application de l'article 243.

Notes historiques: La définition de « mois d'exercice » au paragraphe 123(1) a été ajoutée par L.C. 1990, c. 45, par. 12(1).

Concordance québécoise: LTVQ, art. 458.1.

Définitions: « personne » — 123(1).

Renvois: 243(2) (mois d'exercice); 243 (4) (détermination par le ministre); 246 (choix de mois d'exercice).

Série de mémorandums: Mémorandum 1.5, 09/94, *Définitions*.

« montant » Argent, ou bien ou service exprimé sous forme d'un montant d'argent ou d'une valeur en argent.

Notes historiques: La définition de « montant » au paragraphe 123(1) a été ajoutée par L.C. 1990, c. 45, par. 12(1).

Concordance québécoise: LTVQ, art. 1« montant ».

Définitions: « argent », « bien », « service » — 123(1).

Renvois: 153(1) (valeur de la contrepartie).

Série de mémorandums: Mémorandum 1.5, 09/94, *Définitions*.

« municipalité »

a) Administration métropolitaine, ville, village, canton, district, comté ou municipalité rurale constitués en personne morale ou autre organisme municipal ainsi constitué quelle qu'en soit la désignation;

b) telle autre administration locale à laquelle le ministre confère le statut de municipalité pour l'application de la présente partie.

Notes historiques: La définition de « municipalité » au paragraphe 123(1) a été ajoutée par L.C. 1990, c. 45, par. 12(1).

Concordance québécoise: LTVQ, art. 1« municipalité ».

Définitions: « institution publique », « ministre », « organisme à but non lucratif », « organisme de services publics » — 123(1); « municipalité » — 259(1).

Renvois: 146 (fournitures par les gouvernements et municipalités); 149(4.1) (institution financière — exception); 259(3), (4) (remboursement aux municipalités); 259(4.1) (répartition du remboursement); 259.1 (livres imprimés); V:Partie VI (organismes du secteur public).

Énoncés de politique: P-097R2, 19/12/00, *Allocation de dépenses aux conseillers municipaux et aux membres d'une commission scolaire*; P-168R, 17/01/95, *Droit des municipalités à demander des CTI's à l'égard de la TPS payée relativement à l'aménagement de terrains destinés être vendus en parcelles viabilisées*; P-204, 19/01/96, *Date d'entrée en vigueur des désignations comme municipalité et des octrois du statut de municipalité par le ministre*; P-245, 17/08/05, *Établissement des « . . .activités exercées par un organisme dans le cadre de l'exploitation d'un hôpital public » aux fins du remboursement de 83 % prévu pour les organismes de services publics et applicable aux administrations hospitalières* .

Bulletins de l'information technique: B-046, 22/02/91, *Lignes directrices administratives à l'intention des municipalités*.

Mémorandums: TPS 300-4-6, 31/03/91, *Dépenses de salariés et d'associés*, par. 44-46; TPS 500-4-2, 15/01/91, *Remboursements aux municipalités*, par. 4-12.

Série de mémorandums: Mémorandum 1.5, 09/94, *Définitions*.

Formulaires: GST66, *Demande de remboursement de la TPS/TVH pour organismes de services publics et de TPS pour gouvernements autonomes*.

Lettres d'interprétation (Québec): 98-0104210 — Interprétation relative à la TPS — Remboursement partiel — Immeuble d'habitation détenu par une municipalité; 00-0108456 — Définition de l'expression « organisme établi par une municipalité ».

« non résidant » Qui ne réside pas au Canada.

Notes historiques: La définition de « non résidant » au paragraphe 123(1) a été ajoutée par L.C. 1990, c. 45, par. 12(1).

Concordance québécoise: LTVQ, art. 327.

Définitions: « Canada » — 123(2), (3); « personne qui réside au Canada » — 132.

Renvois: 123(2) (Canada); 128(1) (personnes morales étroitement liées); 132(2), (3) (présomptions); 143(1), (2) (fourniture au Canada et à l'étranger); 148(3) (petit fournisseur); 179, 180 (fournitures au Canada); 238(3) (artistes); 240 (inscription); 252 (remboursement de la taxe); 292(6) (livraison de renseignements et de documents étrangers); 294 (renseignements à fournir au ministre); VI:Partie V (exportations); VI:Partie IX:1, 2 (services financiers); VII:5 (importation non taxable).

Énoncés de politique: P-001, 12/05/92, *Dépôt de garantie requis des non-résidents avec peu d'activité au Canada*; P-005, 03/04/92, *Signification de fourniture effectuée au profit d'une personne non résidante*; P-009, 03/04/92, *Déterminer la preuve de la résidence et du statut relatif à l'inscription*; P-086R, 05/05/99, *Signification de l'expression « non-résident », appliquée aux particuliers*; P-201, 13/02/96, *Montant de la garantie exigée de non-résidents*.

Mémorandums: TPS 300-3-5, 12/10/92, *Exportations*, par. 15-21.

Série de mémorandums: Mémorandum 1.5, 09/94, *Définitions*; Mémorandum 2.5, 09/95, *Inscription des non-résidents*; Mémorandum 2.6, 06/95, *Exigences de garantie des non-résidents*; Mémorandum 3.3, 04/00, *Lieu de fourniture*; Mémorandum 3.3.1, 06/08, *Livraisons directes*; Mémorandum 3.4, 04/00, *Résidence*; Mémorandum 4.5.1, 01/98, *Exportations — Déterminer le statut de résidence*; Mémorandum 4.5.2, 11/97, *Exportations — Biens meubles corporels*.

Info TPS/TVQ: GI-027 — *Programme d'incitation pour congrès étrangers et voyages organisés — Promoteurs de congrès nationaux : application de la TPS/TVH aux droits d'entrée vendus à des non-résidents*; GI-028 — *Programme d'incitation pour congrès étrangers et voyages organisés — Exposants non résidents : application de la TPS/TVH aux achats, et remboursement*; GI-029 — *Programme d'incitation pour congrès étrangers et voyages organisés Promoteurs de congrès étrangers : ce qu'est un congrès étranger et remboursement de la taxe payée sur les achats afférents*; GI-030 — *Programme d'incitation pour congrès étrangers et voyages organisés — Organisateurs non inscrits de congrès étrangers : remboursement de la taxe payée sur les achats* ; GI-032 — *Programme d'incitation pour congrès étrangers et voyages organisés — Non-ré-*

sidents qui achètent des voyages organisés : remboursement de la taxe payée sur les voyages organisés admissibles ; GI-033 — *Programme d'incitation pour congrès étrangers et voyages organisés — Organisateurs non résidents de voyages : remboursement de la taxe payée sur l'hébergement vendu dans un voyage organisé admissible*.

« note de crédit » Note de crédit remise en application du paragraphe 232(3).

Notes historiques: La définition de « note de crédit » au paragraphe 123(1) a été modifiée par L.C. 1993, c. 27, par. 10(1) pour ajouter les mots « de crédit » à la suite du mot « note ». Cette définition est réputée entrée en vigueur le 17 décembre 1990.

La définition de « note de crédit » au paragraphe 123(1) a été ajoutée par L.C. 1990, c. 45, par. 12(1).

Concordance québécoise: LTVQ, art. 1« note de crédit ».

Renvois: 232(3) (remboursement ou redressement de la taxe); 338(3) (plans à versements égaux).

Série de mémorandums: Mémorandum 1.5, 09/94, *Définitions*; Mémorandum 12.2, 04/08, *Remboursement, redressement ou crédit de la TPS/TVH en vertu de l'article 232 de la Loi sur la taxe d'accise.*

« note de débit » Note de débit remise en application du paragraphe 232(3).

Notes historiques: La définition de « note de débit » au paragraphe 123(1) a été ajoutée par L.C. 1993, c. 27, par. 10(18) et est réputée entrée en vigueur le 17 décembre 1990.

Concordance québécoise: LTVQ, art. 1« note de débit ».

Renvois: 232(3) (remboursement ou redressement de la taxe).

Série de mémorandums: Mémorandum 1.5, 09/94, *Définitions*; Mémorandum 12.2, 04/08, *Remboursement, redressement ou crédit de la TPS/TVH en vertu de l'article 232 de la Loi sur la taxe d'accise.*

« nouveau régime de la taxe à valeur ajoutée harmonisée » S'entend au sens du paragraphe 277.1(1).

Notes historiques: La définition de « nouveau régime de la taxe à valeur ajoutée harmonisée » au paragraphe 123(1) a été ajoutée par. L.C. 2009, c. 32, par. 2(4) et est entrée en vigueur le 1er juillet 2010.

Concordance québécoise: aucune.

« organisateur » Personne qui acquiert un centre de congrès ou des fournitures liées à un congrès et qui organise le congrès pour une autre personne qui en est le promoteur.

Notes historiques: La définition de « organisateur » au paragraphe 123(1) a été ajoutée par L.C. 1993, c. 27, par. 10(18) et est réputée entrée en vigueur le 17 décembre 1990.

Concordance québécoise: LTVQ, art. 1« organisateur ».

Définitions: « centre de congrès », « congrès »,« fournitures liées à un congrès », « personne », « promoteur » — 123(1); « personnes liées » — 126(2), (3).

Renvois: 252.4 (remboursement — congrès).

Bulletins de l'information technique: B-071, 19/03/93, *Remboursement de la taxe sur les produits et services relatif à un congrès.*

Série de mémorandums: Mémorandum 1.5, 09/94, *Définitions*.

Info TPS/TVQ: GI-029 — *Programme d'incitation pour congrès étrangers et voyages organisés Promoteurs de congrès étrangers : ce qu'est un congrès étranger et remboursement de la taxe payée sur les achats afférents*; GI-030 — *Programme d'incitation pour congrès étrangers et voyages organisés — Organisateurs non inscrits de congrès étrangers : remboursement de la taxe payée sur les achats* ; GI-031 — *Programme d'incitation pour congrès étrangers et voyages organisés — Exploitants inscrits de centre de congrès et organisateurs inscrits : remboursement versé et crédité pour des congrès étrangers* .

Lettres d'interprétation (Québec): 02-0104758 — Interprétation relative à la TPS et à la TVQ — Organisation d'un congrès international.

« organisme à but non lucratif » Personne constituée et administrée exclusivement à des fins non lucratives et dont aucun revenu n'est payable à un propriétaire, à un membre ou à un actionnaire ou ne peut par ailleurs être disponible pour servir à leur profit personnel, sauf s'ils forment un club ou une association ayant comme principal objectif la promotion du sport amateur au Canada. La présente définition exclut les particuliers, les successions, les fiducies, les organismes de bienfaisance, les institutions publiques, les municipalités et les gouvernements.

Notes historiques: La définition de « organisme à but non lucratif » au paragraphe 123(1) a été modifiée par L.C. 1997, c. 10, par. 1(1) et cette modification est réputée entrée en vigueur le 1er janvier 1997. Elle se lisait comme suit :

> « organisme à but non lucratif » À l'exclusion d'un particulier, d'une succession, d'une fiducie, d'un organisme de bienfaisance, d'une municipalité et d'un gouvernement, personne qui est constituée et administrée exclusivement à des fins non lucratives et dont aucun revenu n'est payable à un propriétaire, un membre ou un actionnaire ou ne peut par ailleurs être disponible pour servir à leur profit personnel, sauf s'ils forment un club ou une association ayant comme principal objectif la promotion du sport amateur au Canada.

Auparavant, cette définition a été modifiée par L.C. 1993, c. 27, par. 10(1) pour ajouter l'exclusion d'une municipalité ou d'un gouvernement. Cette modification s'applique après septembre 1992.

La définition de « organisme à but non lucratif » au paragraphe 123(1) a été ajoutée par L.C. 1990, c. 45, par. 12(1).

Concordance québécoise: LTVQ, art. 1« organisme sans but lucratif ».

Définitions: « Canada » — 123(2), (3); « organisme de bienfaisance », « gouvernement », « institution publique », « organisme de services publics », « personne » — 123(1); « organisme de bienfaisance » — 259(1).

Renvois: 123(2) (Canada); 259(3), (4), (5), (7) (remboursement); 259.1(1) (livres imprimés).

Jurisprudence: *Saskatchewan Pesticide Container Management Assn. Inc. c. Canada*, [1999] G.S.T.C. 115 (CCI).

Énoncés de politique: P-215, 16/09/98, *Déterminer si une entité est un « organisme à but non lucratif » aux fins de la Loi sur la taxe d'accise (LTA)*; P-245, 17/08/05, *Établissement des « . . .activités exercées par un organisme dans le cadre de l'exploitation d'un hôpital public » aux fins du remboursement de 83 % prévu pour les organismes de services publics et applicable aux administrations hospitalières* .

Bulletins de l'information technique: B-075R, 23/04/96, *Modifications proposées à la TPS*; B-101, 04/08, *Fiducies.*

Série de mémorandums: Mémorandum 1.5, 09/94, *Définitions.*

Formulaires: GST66, *Demande de remboursement de la TPS/TVH pour organismes de services publics et de TPS pour gouvernements autonomes.*

Lettres d'interprétation (Québec): 99-0109001 — Décision portant sur l'application de la TPS — Interprétation relative à la TVQ — Fourniture d'un immeuble par un organisme à but non lucratif pour une contrepartie symbolique; 99-0109779 — Interprétation relative à la TPS et à la TVQ — Qualification à titre d'organisme à but non lucratif; 99-0111346 — Interprétation relative à la TPS et à la TVQ — Qualification à titre d'organisme à but non lucratif; 00-0100610 — Interprétation relative à la TPS et à la TVQ — Qualification à titre d'organisme à but non lucratif et à titre d'organisme à but non lucratif admissible; 01-0103877 — Interprétation relative à la TPS et à la TVQ — Statut d'une bande indienne; 06-010411 — Interprétation relative à la TPS et à la TVQ Organisation d'un congrès par un organisme sans but lucratif.

« organisme de bienfaisance » Organisme de bienfaisance enregistré ou association canadienne enregistrée de sport amateur, au sens où ces expressions s'entendent au paragraphe 248(1) de la *Loi de l'impôt sur le revenu*, à l'exclusion d'une institution publique.

Notes historiques: La définition de « organisme de bienfaisance » au paragraphe 123(1) a été modifiée par L.C. 1997, c. 10, par. 1(1) et cette modification est réputée entrée en vigueur le 1er janvier 1997. Cette définition s'applique également aux fournitures effectuées avant cette date par une personne qui, à cette date, est une institution publique, au sens donné à cette expression à cette date, et dont la contrepartie, même partielle, devient due à cette date ou postérieurement ou est payée à cette date ou postérieurement sans qu'elle soit devenue due. Elle se lisait comme suit :

> « organisme de bienfaisance » S'entend d'un organisme de charité enregistré ou d'une association canadienne enregistrée de sport amateur, au sens de la *Loi de l'impôt sur le revenu*. [N.D.L.R : voir disposition transitoire sous par. 200(2): L.C. 1997, c. 10, art. 258].

Auparavant, cette définition a été ajoutée par L.C. 1990, c. 45, par. 12(1).

Voir aussi les modalités particulières prévues dans les Notes historiques du par. 200(2).

Concordance québécoise: LTVQ, art. 1« organisme de bienfaisance ».

Définitions: « institution publique », « organisme à but non lucratif », « organisme de services publics » — 123(1); « association canadienne enregistrée de sport amateur », « organisme de charité enregistré » — 248(1).

Renvois: 148.1 (statut de petit fournisseur); 149(4.1) (institution financière); 259(4), (5), (7) (remboursement); 259.1 (livres imprimés); V:Partie V.1: (fournitures exonérées par les organismes de bienfaisance).

Jurisprudence: *Centre Provincial de Ressources Pédagogiques c. Canada*, [1999] G.S.T.C. 62 (CCI); *Greater Europe Mission (Canada) c. Canada*, [1996] G.S.T.C. 79 (CCI); [1999] G.S.T.C. 98 (CAF); permission d'appeler refusée [2000] G.S.T.C. 62 (CSC).

Énoncés de politique: P-135, 02/05/94, *Application de l'article 9, partie I de l'annexe V aux sucessions*; P-215, 16/09/98, *Déterminer si une entité est un « organisme à* *but non lucratif » aux fins de la Loi sur la taxe d'accise (LTA)*; P-245, 17/08/05, *Établissement des « . . .activités exercées par un organisme dans le cadre de l'exploitation d'un hôpital public » aux fins du remboursement de 83 % prévu pour les organismes de services publics et applicable aux administrations hospitalières* .

Bulletins de l'information technique: B-075R, 23/04/96, *Modifications proposées à la TPS*.

Série de mémorandums: Mémorandum 1.5, 09/94, *Définitions*; Mémorandum 2.2, 10/00, *Petits fournisseurs*.

Formulaires: GST66, *Demande de remboursement de la TPS/TVH pour organismes de services publics et de TPS pour gouvernements autonomes*; RC4082, *Renseignements sur la TPS/TVH pour les organismes de bienfaisance*.

Info TPS/TVQ: GI-037 — *Exploitation de camps pour enfants par des organismes du secteur public*.

Lettres d'interprétation (Québec): 98-0102842 — Fournitures de services d'entretien ménager commercial par un organisme de charité.

« organisme de services publics » Organisme à but non lucratif, organisme de bienfaisance, municipalité, administration scolaire, administration hospitalière, collège public ou université.

Notes historiques: La définition de « organisme de services publics » au paragraphe 123(1) a été ajoutée par L.C. 1990, c. 45, par. 12(1).

Concordance québécoise: LTVQ, art. 1« organisme de services publics ».

Définitions: « administration hospitalière », « administration scolaire », « collège public », « municipalité », « organisme à but non lucratif », « organisme de bienfaisance », « organisme de services publics », « université » — 123(1).

Renvois: 129(1) (divisions d'un organisme de services publics); 129.1 (fourniture par une division de petit fournisseur); 259(1) (remboursement — définition d'« organisme de services publics »).

Jurisprudence: *Academy of Learning Niagara c. Canada*, [1997] G.S.T.C. 18 (CCI); *Murch (A.J. c. Canada*, [1997] G.S.T.C. 31 (CCI); *Peach Hill Management Ltd. c. Canada*, [1999] G.S.T.C. 11 (CCI); [2000] G.S.T.C. 45 (CAF); *Fraser International College Ltd v. R.*, 2010 CarswellNat 1321, 2010 CCI 63, [2010] G.S.T.C. 21 (CCI [procédure générale]).

Mémorandums: TPS 400-4, 18/01/91, *Organismes du secteur public*.

Série de mémorandums: Mémorandum 1.5, 09/94, *Définitions*; Mémorandum 2.2, 05/99, *Petits fournisseurs*.

Info TPS/TVQ: GI-037 — *Exploitation de camps pour enfants par des organismes du secteur public*; GI-121 — *Déterminer si un organisme de services publics réside dans une province aux fins du remboursement pour les organismes de services publics* .

Lettres d'interprétation (Québec): 99-0109423 — Décision portant sur l'application de la TPS — Interprétation relative à la TVQ — Locations d'immeubles, CTI/RTI; 01-0103877 — Interprétation relative à la TPS et à la TVQ — Statut d'une bande indienne; 02-0105581 — Fournitures effectuées par un organisme à but non lucratif.

« organisme du secteur public » Gouvernement ou organisme de services publics.

Notes historiques: La définition de « organisme du secteur public » au paragraphe 123(1) a été ajoutée par L.C. 1990, c. 45, par. 12(1).

Concordance québécoise: LTVQ, art. 1« organisme du secteur public ».

Définitions: « gouvernement », « organisme de services publics » — 123(1).

Renvois: V:Partie V1 (fournitures exonérées).

Jurisprudence: *Philippe Plamondon Inc. c. Canada*, [1998] G.S.T.C. 19 (CCI); *North Vancouver School District No. 44 v. R.*, [2008] G.S.T.C. 171 (CCI [procédure générale]).

Énoncés de politique: P-245, 17/08/05, *Établissement des « . . .activités exercées par un organisme dans le cadre de l'exploitation d'un hôpital public » aux fins du remboursement de 83 % prévu pour les organismes de services publics et applicable aux administrations hospitalières* .

Mémorandums: TPS 400-4, 18/01/91, *Organismes du secteur public*.

Série de mémorandums: Mémorandum 1.5, 09/94, *Définitions*.

Lettres d'interprétation (Québec): 02-0103453 — Interprétation relative à la TPS et à la TVQ — Fournitures effectuées par un organisme à but non lucratif; 02-0105581 — Fournitures effectuées par un organisme à but non lucratif; 06-010414 — Fournitures effectuées par un organisme à but non lucratif.

« parc à roulottes » Fonds dont une personne est locataire ou propriétaire, qui est composé exclusivement de ce qui suit :

a) des emplacements que la personne fournit, ou est censée fournir, par bail, licence ou accord semblable, au propriétaire, locataire, occupant ou possesseur soit d'une maison mobile, soit d'une remorque de tourisme, d'une maison motorisée ou de quelque véhicule ou remorque semblable qui est situé sur l'emplacement ou qui y sera situé;

b) d'autres fonds qui sont vraisemblablement nécessaires :

(i) soit à l'usage des emplacements par des particuliers qui résident dans une maison mobile ou dans une remorque de tourisme, une maison motorisée ou quelque véhicule ou remorque semblable qui est situé sur l'emplacement ou qui y sera situé, ou qui occupent semblable maison, véhicule ou remorque,

(ii) soit à l'exploitation d'une entreprise qui consiste à fournir les emplacements par bail, licence ou accord semblable.

Notes historiques: La définition de « parc à roulottes » au paragraphe 123(1) a été ajoutée par L.C. 1993, c. 27, par. 10(18) et est réputée entrée en vigueur le 17 décembre 1990.

Concordance québécoise: LTVQ, art. 1« terrain de caravaning ».

Définitions: « entreprise », « exclusif », « maison mobile », « parc à roulottes résidentiel », « personne » — 123(1).

Énoncés de politique: P-070R, 20/01/99, *Statut aux fins de la TPS/TVH des dispositifs de soutènement et des éléments connexes pour les maisons mobiles, les remorques de tourisme, les maisons motorisées et les véhicules ou les remorques semblables lorsqu'ils sont fournis autrement que par vente*; P-104, 23/02/11, *La TPS/TVH et la fourniture d'un fonds pour les unités récréatives telles que les maisons préfabriquées mobiles, les roulottes de parc et les remorques de tourisme*; P-223, 20/01/99, *La signification de dont la fabrication et l'assemblage sont achevés ou achevés en grande partie dans la définition de maison mobile*.

Mémorandums: TPS 500-4-5, 15/04/94, *Remboursements pour habitations et autres immeubles*, par. 53-55.

Série de mémorandums: Mémorandum 1.5, 09/94, *Définitions*; Mémorandum 19.2, 02/98, *Immeubles résidentiels*; Mémorandum 19.5, 06/02, *Fonds de terre et immeubles connexes*.

« parc à roulottes résidentiel » Fonds qui fait partie du parc à roulottes d'une personne ou, si la personne possède plusieurs parcs à roulottes contigus, fonds qui fait partie de ceux-ci, ainsi que les bâtiments, installations fixes et autres dépendances du fonds qui sont vraisemblablement nécessaires :

a) soit à l'usage d'emplacements situés dans ces parcs par des particuliers qui résident dans une maison mobile ou dans une remorque de tourisme, une maison motorisée ou quelque véhicule ou remorque semblable qui est situé sur ces emplacements ou qui y sera situé, ou qui occupent semblable maison, véhicule ou remorque;

b) soit à l'exploitation d'une entreprise qui consiste à fournir de tels emplacements par bail, licence ou accord semblable.

Ne sont visés par la présente définition que les parcs à roulottes dont les fonds et dépendances, ou leurs parties, comptent chacun au moins deux emplacements et dont la totalité, ou presque, des emplacements répondent aux conditions suivantes :

c) ils sont fournis, ou censés l'être, aux termes d'un bail, d'une licence ou d'un accord semblable prévoyant la possession ou l'utilisation continues d'un emplacement pour la période minimale suivante :

(i) un mois, dans le cas d'une maison mobile ou d'une autre habitation,

(ii) douze mois, dans le cas d'une remorque de tourisme, d'une maison motorisée ou de quelque véhicule ou remorque semblable qui n'est pas une habitation;

d) si des maisons mobiles y étaient situées, ils pourraient être utilisés à titre résidentiel durant toute l'année.

Notes historiques: Le préambule de l'alinéa c) de la définition de « parc à roulottes résidentiel » au paragraphe 123(1) a été modifié par L.C. 1997, c. 10, par. 150(5) et cette modification est entrée en vigueur le 1er avril 1997. Il se lisait comme suit :

> c) ils sont fournis, ou censés l'être, par bail, licence ou accord semblable prévoyant la possession ou l'utilisation continues d'un emplacement pour la période minimale suivante :

Auparavant, ce passage a été modifié par L.C. 1997, c. 10, par. 1(9) et cette modification est réputée entrée en vigueur le 15 septembre 1992. Toutefois, il ne s'applique pas au calcul d'un montant demandé (sauf un crédit ou une déduction réputé demandé par l'effet de l'alinéa 296(5)a) par suite d'une cotisation établie après le 23 avril 1996) :

> a) soit dans une demande présentée aux termes de la section VI de la partie IX et reçue par le ministre du Revenu national avant le 23 avril 1996;

LTA (TPS)

b) soit comme déduction, au titre d'un rajustement, d'un remboursement ou d'un crédit prévu au paragraphe 232(1), dans une déclaration présentée aux termes de la section V de cette partie et reçue par le ministre avant cette date.

Auparavant, le préambule de l'alinéa c) se lisait comme suit :

c) ils sont fournis, ou sont censés être fournis, par bail, licence ou accord semblable pour la période minimale suivante :

La définition de « parc à roulottes résidentiel » au paragraphe 123(1) a été ajoutée par L.C. 1993, c. 27, par. 10(18) et est réputée entrée en vigueur le 17 décembre 1990.

Concordance québécoise: LTVQ, art. 1« terrain de caravaning résidentiel ».

Définitions: « entreprise », « habitation », « maison mobile », « mois », « parc à roulottes », « personne » — 123(1).

Renvois: V:Partie I:5.3 (fourniture exonérée); V:Partie I:7b) (location d'un emplacement).

Énoncés de politique: P-070R, 20/01/99, *Statut aux fins de la TPS/TVH des dispositifs de soutènement et des éléments connexes pour les maisons mobiles, les remorques de tourisme, les maisons motorisées et les véhicules ou les remorques semblables lorsqu'ils sont fournis autrement que par vente*; P-104, 23/02/11, *La TPS/TVH et la fourniture d'un fonds pour les unités récréatives telles que les maisons préfabriquées mobiles, les roulottes de parc et les remorques de tourisme*; P-223, 20/01/99, *La signification de dont la fabrication et l'assemblage sont achevés ou achevés en grande partie dans la définition de maison mobile.*

Série de mémorandums: Mémorandum 1.5, 09/94, *Définitions*; Mémorandum 19.2, 02/98, *Immeubles résidentiels*; Mémorandum 19.2.3, 06/98, *Immeubles résidentiels — Fournitures réputées* ; Mémorandum 19.5, 06/02, *Fonds de terre et immeubles connexes.*

« période de déclaration » La période de déclaration d'une personne, prévue aux articles 245 à 251.

Notes historiques: La définition de « période de déclaration » au paragraphe 123(1) a été ajoutée par L.C. 1990, c. 45, par. 12(1).

Concordance québécoise: LTVQ, art. 1« période de déclaration ».

Définitions: « personne » — 123(1).

Renvois: 217 (période de déclaration — importations); 235(2) (période de déclaration indiquée — location de voiture de tourisme); 251 (début et cessation d'inscription); 265(1)g) (périodes de déclaration du failli); 266(2)e) (périodes de déclaration — séquestre); 363.3(2) (TVH — révocation du choix pour comptabilité abrégée).

Mémorandums: TPS 500-2-1, 12/90, *Application et exécution déclarations et paiements exercices autorisés et périodes de déclaration.*

Série de mémorandums: Mémorandum 1.5, 09/94, *Définitions.*

« personne » Particulier, société de personnes, personne morale, fiducie ou succession, ainsi que l'organisme qui est un syndicat, un club, une association, une commission ou autre organisation; ces notions sont visées dans des formulations générales, impersonnelles ou comportant des pronoms ou adjectifs indéfinis[1].

Notes historiques: La définition de « personne » au paragraphe 123(1) a été ajoutée par L.C. 1990, c. 45, par. 12(1).

Concordance québécoise: LTVQ, art. 1« personne ».

Définitions: « personne morale » — 35(1) *Loi d'interprétation.*

Renvois: 126 (personnes liées); 127 (personnes associées); 128 (personnes morales étroitement liées); 129 (divisions d'un organisme de services publics — personnes distinctes); 130 (organisme non doté de la personnalité morale — personne distincte); 131 (fonds réservé — personne distincte); 132 (personne qui réside au Canada); 240 (inscription obligatoire); 271 (fusion — personne distincte); 272 (liquidation même personne).

Jurisprudence: *Timber Lodge Ltd. c. La Reine*, [1994] G.S.T.C. 73 (CCI); *B.J. Northern Enterprises Ltd. c. La Reine*, [1995] G.S.T.C. 12 (CCI); *La Guercia Investments Ltd c. La Reine*, [1996] G.S.T.C. 87 (CCI); *Loewen (M.) c. Canada*, [1998] G.S.T.C. 6 (CCI); *Ricken Leroux Inc. c. Québec (Ministère du Revenu)*, [1998] G.S.T.C. 11 (C.A. Qué); [1998] G.S.T.C. 25 (CSC); *Cherny (P.) c. Canada*, [1998] G.S.T.C. 97 (CCI); *550285 Alberta Ltd. c. Canada*, [1998] G.S.T.C. 99 (CCI); *Brant (R.G.) c. Canada*, [1998] G.S.T.C. 101 (CCI); *C.I. Mutual Funds Inc. c. Canada*, [1997] G.S.T.C. 84 (CCI); [1999] G.S.T.C. 12 (CAF); *Glengarry Bingo Association c. Canada*, [1995] G.S.T.C. 41 (CCI); [1999] G.S.T.C. 15 (CAF); permission d'appeler refusée [2000] G.S.T.C. 9 (CSC); *Massarotto (J.) c. Canada*, [1999] G.S.T.C. 61 (CCI); *Carnelian Investments Ltd. c. Canada*, [1999] G.S.T.C. 92 (CCI); *Decaire (L.) c. Canada*, [1999] G.S.T.C. 93 (CCI); *GKO Engineering v. R.*, [2000] G.S.T.C. 29 (TCC); [2001] G.S.T.C. 53 (FCA); *Corélo Inc. c. R.*, [2001] G.S.T.C. 105 (CCI); *Ko c. R.*, [2003] G.S.T.C. 3 (CCI); *Vallée c. R.*, [2004] G.S.T.C. 60 (CCI); *Bains c. R.*, [2005] G.S.T.C. 178 (CAF); *Best for Less Painting & Decorating Ltd. c. R.*, [2005] G.S.T.C. 116 (CCI); *Coburn Realty Ltd. v. R.*, [2006] G.S.T.C. 54 (CCI); *S.E.R. Contracting Ltd. v. R.*, [2006] G.S.T.C. 2 (CCI); *General Motors of Canada Ltd. v. R.* (22 février 2008), [2008] G.S.T.C. 41 (CCI [procédure générale]); *Minister of National Revenue v. Stanchfield*, 2009 CarswellNat 1079 (CF); *Rob Walde Holdings Ltd. v. R.* (6 février 2009), 2009 CarswellNat 913 (CCI [procédure informelle]); *Calandra v. R.* (7 janvier 2011), 2011 CarswellNat 361, 2011 CCI 7 (CCI [procédure informelle]).

Énoncés de politique: P-012R, 04/01/99, *Responsabilité de verser une taxe nette sur le transfert des éléments d'actif d'une entreprise*; P-015, 20/07/94, *Le traitement des simples fiducies en vertu de la Loi sur la taxe d'accise*; P-056R2, 25/05/05, *Services d'experts en sinistres (anciennement appelé Octroi de licences à des experts en sinistres)*; P-171, 21/02/95, *Distinction entre coentreprise et société de personnes aux fins de l'article 273 « Choix concernant les coentreprises ».*

Bulletins de l'information technique: B-068, 20/03/93, *Simples fiducies*; B-101, 04/08, *Fiducies.*

Série de mémorandums: Mémorandum 1.5, 09/94, *Définitions*; Mémorandum 2.1, 05/99, *Inscription*, par. 12-14; Mémorandum 2.4, 06/95, *Succursales et divisions.*

Lettres d'interprétation (Québec): 98-0105035 — Interprétation relative à la TPS et à la TVQ — Convention de partage des dépenses d'un groupe de médecins; 98-0110282 — Interprétation relative à la TPS — Interprétation relative à la TVQ — Comités; 00-0107094 — [Embauche d'employés par un représentant des syndicats de copropriétaires et définition de mandat].

« petit fournisseur » Personne qui est un petit fournisseur aux termes des articles 148 ou 148.1

Notes historiques: La définition de « petit fournisseur » au paragraphe 123(1) a été remplacée par L.C. 1994, c. 9, par. 2(1) et est réputée entrée en vigueur le 1er avril 1993. Elle se lisait auparavant comme suit :

« petit fournisseur » Personne qui, à un moment donné, est un petit fournisseur aux termes de l'article 148.

La définition de « petit fournisseur » au paragraphe 123(1) a été ajoutée par L.C. 1990, c. 45, par. 12(1).

Concordance québécoise: LTVQ, art. 1« petit fournisseur ».

Définitions: « personne » — 123(1).

Renvois: 148 (petit fournisseur); 166 (dispense de perception); 171(1) (nouvel inscrit); 240 (inscription); 242(2) (annulation d'inscription).

Série de mémorandums: Mémorandum 1.5, 09/94, *Définitions.*

« police d'assurance »

a) Police ou contrat d'assurance (sauf une garantie portant sur la qualité, le bon état ou le bon fonctionnement d'un bien corporel, lorsque la garantie est fournie à une personne qui acquiert le bien à une fin autre que sa vente) établis par un assureur, y compris :

(i) la police de réassurance établie par un assureur,

(ii) le contrat de rente établi par un assureur ou le contrat établi par un assureur qui serait un contrat de rente sauf que les paiements qui y sont faits :

(A) sont payables périodiquement à des intervalles dépassant, ou ne dépassant pas, un an,

(B) varient selon la valeur d'un groupe déterminé d'éléments d'actif ou selon la fluctuation des taux d'intérêt,

(iii) le contrat établi par un assureur, aux termes duquel tout ou partie des provisions de l'assureur pour le contrat varient selon la valeur d'un groupe déterminé d'éléments d'actif;

b) police ou contrat d'assurance-accidents et d'assurance-maladie, que la police soit établie, ou le contrat conclu, par un assureur ou non;

c) cautionnement de soumission, de bonne exécution, d'entretien ou de paiement établi relativement à un contrat de construction.

Notes historiques: Le préambule de l'alinéa a) de la définition de « police d'assurance » au paragraphe 123(1) a été modifié par L.C. 1993, c. 27 par. 10(10) et s'applique aux garanties fournies après 1990 relativement à des biens meubles et aux garanties fournies après 1992 relativement à des immeubles. Il se lisait auparavant comme suit :

a) Police ou contrat d'assurance établis par un assureur, y compris :

---

[1] La version anglaise de la définition de l'expression « person » ne comprend pas l'équivalent des mots « ces notions sont visées dans des formulations générales, impersonnelles ou comportant des pronoms ou adjectifs indéfinis. » qui se trouvent dans la version française de la définition de l'expression « personne » — n.d.l.r.

L'alinéa b) de la définition de « police d'assurance » a été modifié par L.C. 1997, c. 10, par. 1(6) et cette modification est réputée entrée en vigueur le 17 décembre 1990. Auparavant, cet alinéa se lisait comme suit :

> b) police ou contrat d'assurance-accidents, d'assurance-maladie ou d'assurance de soins dentaires, indépendamment du fait que la police soit établie, ou le contrat conclu, par un assureur.

L'alinéa c) de la définition de « police d'assurance » a été ajouté par L.C. 1997, c. 10, par. 1(6) et cette modification est réputée entrée en vigueur le 17 décembre 1990.

La définition de « police d'assurance » au paragraphe 123(1) a été ajoutée par L.C. 1990, c. 45, par. 12(1).

Concordance québécoise: LTVQ, art. 1« police d'assurance ».

Définitions: « assureur », « bien », « montant », « personne » — 123(1).

Jurisprudence: *Consolidated Canadian Contractors Inc. c. Canada*, [1997] G.S.T.C. 34 (CCI); [1998] G.S.T.C. 91 (CAF); *Healthcare Insurance Reciprocal c. R.*, [2000] G.S.T.C. 50 (CCI); *Maritime Life Assurance Co. c. Canada*, [1999] G.S.T.C. 1 (CCI); [2000] G.S.T.C. 89 (CAF); *Libra Transport (B.C.) Ltd. c. R.*, [2001] G.S.T.C. 57 (CCI).

Énoncés de politique: P-014, 15/06/94, *Fourniture à soi-même de réparations de biens dans le cadre d'une demande d'indemnité d'assurance*; P-046, 02/11/92, *Le traitement des règlements de sinistre sous le régime de la TPS* (Ébauche); P-091, 25/10/92, *Location d'automobiles et règlements de sinistre abstraction faite de la TPS*; P-136R, 04/01, *Services administratifs seulement assortis d'une mesure limitant les pertes*; P-210R, 06/06/01, *Règlement d'une réclamation en vertu d'un cautionnement de bonne exécution établi relativement à un contrat de construction*; P-225, 04/01/99, *Paiements pour perte ou dommages en vertu de contrats de location de véhicules.*

Bulletins de l'information technique: B-052, 12/04/91, *Les montants admissibles au remboursement de la TPS pour habitations neuves prévu à l'article 254 lorsqu'il s'agit de maisons achetées d'un constructeur*; B-075R, 23/04/96, *Modifications proposées à la TPS*; B-091, 11/08, *Application de la TPS/TVH aux arrangements de services funéraires payés d'avance.*

Série de mémorandums: Mémorandum 1.5, 09/94, *Définitions*; Mémorandum 17.1, 04/99, *Définition d'« effet financier »*, par. 11; Mémorandum 17.2.3, 08/04, *Produits et services offerts par des compagnies d'assurance-vie et d'assurance-maladie*; Mémorandum 17.16, 03/01, *Traitement des règlements de sinistres sous le régime de la TPS/TVH.*

Lettres d'interprétation (Québec): 98-0107809 — Décision portant sur l'application de la TPS — Interprétation relative à la TVQ — Contrats d'assurance relatifs à la vente d'une automobile; 99-0100166 — Interprétation relative à la TPS — Interprétation relative à la TVQ — Cautionnement (frais d'analyse de dossier); 06-0103728 — Interprétation relative à la TPS et à la TVQ — montants payables dans le cadre de programmes de garantie de remplacement de véhicule automobile.

« produits » S'entend de « marchandises » au sens de la *Loi sur les douanes*.

Notes historiques: La définition de « produits » au paragraphe 123(1) a été ajoutée par L.C. 1990, c. 45, par. 12(1).

Concordance québécoise: aucune.

Définitions: « produit soumis à l'accise » — 123(1).

Renvois: 212–216 (taxe sur l'importation de produits).

Série de mémorandums: Mémorandum 1.5, 09/94, *Définitions.*

« produit soumis à l'accise » La bière et la liqueur de malt, au sens de l'article 4 de la *Loi sur l'accise*, ainsi que les spiritueux, le vin et les produits du tabac, au sens de l'article 2 de la *Loi de 2001 sur l'accise*.

Notes historiques: La définition de « produit soumis à l'accise » au paragraphe 123(1) a été remplacée par L.C. 2002, c. 22, art. 387 et cette modification est entrée en vigueur le 1er juillet 2003 [C.P. 2003-388]. Antérieurement, elle se lisait ainsi :

> « produit soumis à l'accise » Produit qui est frappé d'un droit d'accise aux termes de la *Loi sur l'accise*, ou qui le serait s'il était d'origine canadienne.

La définition de « produit soumis à l'accise » au paragraphe 123(1) a été ajoutée par L.C. 1990, c. 45, par. 12(1).

Concordance québécoise: LTVQ, art. 1« produit soumis à l'accise ».

Définitions: « Canada », « produits » — 123(1).

Renvois: 123(2) (Canada); VI:Partie V:1, 3 (fourniture détaxée d'un produit soumis à l'accise).

Mémorandums: TPS 800-2, 05/07/91, *Droit d'accise.*

Série de mémorandums: Mémorandum 1.5, 09/94, *Définitions.*

« produit transporté en continu » L'électricité, le pétrole brut, le gaz naturel ou tout bien meuble corporel, qui est transportable au moyen d'un fil, d'un pipeline ou d'une autre canalisation.

Notes historiques: La définition de « produit transporté en continu », au paragraphe 123(1) a été ajoutée par L.C. 2000, c. 30, par. 18(6) et est réputée entrée en vigueur le 7 août 1998.

Concordance québécoise: LTVQ, art. 1« produit transporté en continu ».

Définitions: « bien meuble » — 123(1).

Jurisprudence: *Tenaska Marketing Canada v. Canada (Minister of Public Safety & Emergency Preparedness)*, [2006] G.S.T.C. 66 (CF).

« promoteur » Instigateur d'un congrès qui fournit les droits d'entrée à celui-ci.

Notes historiques: La définition de « promoteur » au paragraphe 123(1) a été ajoutée par L.C. 1993, c. 27, par. 10(18) et est réputée entrée en vigueur le 17 décembre 1990.

Concordance québécoise: LTVQ, art. 1« promoteur ».

Définitions: « congrès », « droit d'entrée », « personne » — 123(1).

Renvois: 167.2, 189.2, 252.4 (remboursement aux visiteurs).

Bulletins de l'information technique: B-071, 19/03/93, *Remboursement de la taxe sur les produits et services relatif à un congrès.*

Série de mémorandums: Mémorandum 1.5, 09/94, *Définitions.*

Info TPS/TVQ: GI-027 — *Programme d'incitation pour congrès étrangers et voyages organisés — Promoteurs de congrès nationaux : application de la TPS/TVH aux droits d'entrée vendus à des non-résidents*; GI-028 — *Programme d'incitation pour congrès étrangers et voyages organisés — Exposants non résidents : application de la TPS/TVH aux achats, et remboursement*; GI-029 — *Programme d'incitation pour congrès étrangers et voyages organisés Promoteurs de congrès étrangers : ce qu'est un congrès étranger et remboursement de la taxe payée sur les achats afférents*; GI-030 — *Programme d'incitation pour congrès étrangers et voyages organisés — Organisateurs non inscrits de congrès étrangers : remboursement de la taxe payée sur les achats* ; GI-031 — *Programme d'incitation pour congrès étrangers et voyages organisés — Exploitants inscrits de centre de congrès et organisateurs inscrits : remboursement versé et crédité pour des congrès étrangers* .

Lettres d'interprétation (Québec): 02-0104758 — Interprétation relative à la TPS et à la TVQ — Organisation d'un congrès international.

« province » Y sont assimilées les provinces participantes.

Notes historiques: La définition de « province » au paragraphe 123(1) a été ajoutée par L.C. 1997, c. 10, par. 150(6) et est réputée entrée en vigueur le 1er avril 1997.

Concordance québécoise: aucune.

Définitions: « province participante » — 123(1).

« province non participante »

a) Province qui n'est pas une province participante;

b) autre zone au Canada située à l'extérieur des provinces participantes.

Notes historiques: La définition de « province non participante » au paragraphe 123(1) a été ajoutée par L.C. 1997, c. 10, par. 150(6) et est réputée entrée en vigueur le 1er avril 1997.

Concordance québécoise: LTVQ, art. 22.2« province ».

Définitions: « Canada » — 123(2), (3); « province », « province participante » — 123(1).

Renvois: 123(2) (Canada).

« province participante »

a) Province ou zone figurant à l'annexe VIII, à l'exclusion de la zone extracôtière de la Nouvelle-Écosse et de la zone extracôtière de Terre-Neuve sauf dans la mesure où des activités extracôtières y sont exercées;

b) si un accord d'harmonisation de la taxe de vente a été conclu avec le gouvernement d'une province relativement au nouveau régime de la taxe à valeur ajoutée harmonisée et que la province est une province visée par règlement, cette province.

Notes historiques: La définition de « province participante » au paragraphe 123(1) a été remplacée par. L.C. 2009, c. 32, par. 2(1) et cette modification est entrée en vigueur le 1er juillet 2010. Antérieurement, elle se lisait ainsi :

> « province participante » Province ou zone figurant à l'annexe VIII. La zone extracôtière de la Nouvelle-Écosse et la zone extracôtière de Terre-Neuve ne sont des provinces participantes que dans la mesure où des activités extracôtières y sont exercées.

La définition de « province participante » au paragraphe 123(1) a été ajoutée par L.C. 1997, c. 10, par. 150(6) et est réputée entrée en vigueur le 1er avril 1997.

Concordance québécoise: LTVQ, art. 22.2« province ».

Définitions: « activité extracôtière », « province », « zone extracôtière de la Nouvelle-Écosse », « zone extracôtière de Terre-Neuve » — 123(1).

Renvois: 144.1 (fourniture dans une province); IX (fourniture dans une province).

LTA (TPS)

Série de mémorandums: Mémorandum 8-1, 05/05, *Règles générales d'admissibilité*.

« régime de pension » Régime de pension agréé, au sens du paragraphe 248(1) de la *Loi de l'impôt sur le revenu*, qui, selon le cas :

a) régit une personne qui est une fiducie ou qui est réputée l'être pour l'application de cette loi;

b) est un régime à l'égard duquel une personne morale est, à la fois :

(i) constituée et exploitée :

(A) soit uniquement pour l'administration du régime,

(B) soit pour l'administration du régime et dans l'unique but d'administrer une fiducie régie par une convention de retraite, au sens du paragraphe 248(1) de cette loi, ou d'agir en qualité de fiduciaire d'une telle fiducie, dans le cas où les conditions de la convention ne permettent d'assurer des prestations qu'aux particuliers auxquels des prestations sont assurées par le régime,

(ii) acceptée par le ministre, aux termes du sous-alinéa 149(1)o.1)(ii) de cette loi, comme moyen de financement aux fins d'agrément du régime;

c) est un régime à l'égard duquel une personne est visée par règlement pour l'application de la définition de « entité de gestion ».

Notes historiques: La définition de « régime de pension » au paragraphe 123(1) a été ajoutée par L.C. 2012, c. 31, par. 74(2) et est réputée être entrée en vigueur le 23 septembre 2009.

Concordance québécoise: LTVQ, art. 289.2« employeur ».

« registre » Sont compris parmi les registres les comptes, conventions, livres, graphiques et tableaux, diagrammes, formulaires, images, factures, lettres, cartes, notes, plans, déclarations, états, télégrammes, pièces justificatives et toute autre chose renfermant des renseignements, qu'ils soient par écrit ou sous toute autre forme.

Notes historiques: La définition de « registre » au paragraphe 123(1) de la *Loi sur la taxe d'accise* a été remplacée par L.C. 1998, c. 19, art. 281 et est réputée entrée en vigueur le 18 juin 1998. Antérieurement elle se lisait comme suit :

> « registre »Y sont assimilés les livres, comptes, états, pièces justificatives, factures, lettres, télégrammes, conventions et notes, quels que soient leur support et le procédé devant leur être appliqué pour les rendre intelligibles.

La définition de « registre » au paragraphe 123(1) a été ajoutée par L.C. 1990, c. 45, par. 12(1).

Concordance québécoise: LAF, art. 1.0.1.

Définitions: « document », « facture », « inscrit » — 123(1).

Renvois: 286 (obligation de tenir des registres).

Série de mémorandums: Mémorandum 1.5, 09/94, *Définitions*; Mémorandum 15, 07/99, *Livre et registres* ; Mémorandum 15.1, 05/05, *Exigences générales relatives aux livres et registres*; Mémorandum 15.2, 05/05, *Registres informatisés*.

« règlement » et expressions comportant le mot « règlement » y sont assimilées les règles prévues par règlement.

Notes historiques: La définition de « règlement » au paragraphe 123(1) a été ajoutée par L.C. 1993, c. 27, par. 10(19) et est réputée entrée en vigueur le 17 décembre 1990.

Concordance québécoise: LAF, art. 1c)« règlement ».

Définitions: « ministre » — 123(1).

Renvois: 277 (pouvoir réglementaire).

Énoncés de politique: P-187, 16/10/97, *Forme déterminée de choix concernant les coentreprises*.

« regroupement de sociétés mutuelles d'assurance » Groupe composé des éléments suivants :

a) une fédération de sociétés mutuelles d'assurance et ses membres;

b) si les membres de la fédération de sociétés mutuelles d'assurance sont les seuls investisseurs d'un fonds de placement, ce fonds;

c) s'il existe une société mutuelle de réassurance dont chaque membre est membre de la fédération de sociétés mutuelles d'assurance et ne peut souscrire à de la réassurance auprès d'une autre société de réassurance, cette société mutuelle de réassurance.

Notes historiques: La définition de « regroupement de sociétés mutuelles d'assurance » au paragraphe 123(1) a été ajoutée par L.C. 1993, c. 27, par. 10(18) et est réputée entrée en vigueur le 17 décembre 1990.

Concordance québécoise: LTVQ, art. 1« regroupement de sociétés mutuelles d'assurance ».

Définitions: « fédération de sociétés mutuelles d'assurance », « filiale déterminée » — 123(1).

Renvois: 128 (personnes morales étroitement liée); 150(7) (choix visant les fournitures exonérées).

Série de mémorandums: Mémorandum 1.5, 09/94, *Définitions*.

« rénovations majeures » Fait l'objet de rénovations majeures le bâtiment qui est rénové ou transformé au point où la totalité, ou presque, du bâtiment qui existait immédiatement avant les travaux, exception faite des fondations, des murs extérieurs, des murs intérieurs de soutien, des planchers, du toit et des escaliers, a été enlevée ou remplacée, dans le cas où, après l'achèvement des travaux, le bâtiment constitue un immeuble d'habitation ou fait partie d'un tel immeuble.

Notes historiques: La définition de « rénovations majeures » au paragraphe 123(1) a été ajoutée par L.C. 1990, c. 45, par. 12(1).

Concordance québécoise: LTVQ, art. 1« rénovation majeure ».

Définitions: « immeuble d'habitation » — 123(1).

Renvois: 190(1) (conversion d'un immeuble à un usage résidentiel); 190.1(2) (rénovations majeures d'une maison mobile ou flottante); 192 (rénovations mineures).

Jurisprudence: *Blades v. R.* (28 juin 2012), 2012 CarswellNat 3131 (C.C.I.); *McEachern (W.) c. La Reine*, [1996] G.S.T.C. 67 (CCI); *Warnock (C.W.) c. La Reine*, [1996] G.S.T.C. 86 (CCI); *Balicki (A.L.) c. Canada*, [1997] G.S.T.C. 57 (CCI); *Hole (D.S.) c. Canada*, [1998] G.S.T.C. 144 (CCI); *McLean (A. & L.) c. Canada*, [1998] G.S.T.C. 57 (CCI); *Sneyd (R.B.) c. Canada*, [1999] G.S.T.C. 36 (CCI); [2000] G.S.T.C. 46 (CAF); *Bélanger c. R.*, [2002] G.S.T.C. 4 (CCI); *Cousineau c. R.*, [2001] G.S.T.C. 135, (CCI); *St. Charles Place Holdings Ltd. c. R.*, 2005 G.T.C. 603 (CCI); *9103-9438 Québec Inc. c. R.*, [2005] G.S.T.C. 68 (CCI); *King c. R.*, 2006 CCI 374 (CCI); *Shotlander c. R.*, [2006] G.S.T.C. 170 (CCI); *Bellefleur c. R.*, [2007] G.S.T.C. 30 (CCI); *Harrison v. R.*, 2008 CarswellNat 1743 (CCI [procédure informelle]); *Camiré c. R.*, [2008] G.S.T.C. 38 (CCI [procédure informelle]); *Lemieux c. R.*, 2009 G.T.C. 997-151 (CCI [procédure informelle]); *Rhodenizer c. R.*, CarswellNat 471, 2010 CCI 128, 2010 G.T.C. 234 (Fr.) (CCI [procédure informelle]).

Bulletins de l'information technique: B-092A, 01/05, *Rénovations majeures et remboursement de la TPS/TVH pour habitations neuves*.

Énoncés de politique: P-153, 02/09/94, *Construction d'un ajout majeur à un immeuble d'habitation à logement*; P-154, 06/09/94, *Conséquences à l'égard de la TPS du déplacement d'un immeuble que faisait auparavant partie d'un immeuble d'habitation*.

Mémorandums: TPS 500-4-5, 15/04/94, *Remboursements pour habitations et autres immeubles*, par. 40.

Série de mémorandums: Mémorandum 1.5, 09/94, *Définitions*; Mémorandum 19.2, 02/98, *Immeubles résidentie*; Mémorandum 19.3, 07/98, *Remboursements pour immeubles*; Mémorandum 19.3.7, 07/98, *Remboursements pour immeubles — Sujets particuliers*.

Lettres d'interprétation (Québec): 99-0108003 — Interprétation en TPS et en TVQ — Rénovations majeures.

« représentant personnel » Quant à une personne décédée ou à sa succession, le liquidateur de succession, l'exécuteur testamentaire, l'administrateur de la succession ou toute personne chargée, selon la législation applicable, de la perception, de l'administration, de l'aliénation et de la répartition de l'actif successoral.

Notes historiques: La définition de « représentant personnel » au paragraphe 123(1) a été remplacée par L.C. 2001, c. 17, art. 236 et cette modification est entrée en vigueur le 14 juin 2001. Antérieurement, elle se lisait ainsi :

> « représentant personnel » Quant à une personne décédée ou à sa succession, le liquidateur de succession, l'administrateur de la succession ou toute personne chargée, selon la législation applicable, de la perception, de l'administration, de l'aliénation et de la répartition de l'actif successoral.

La définition de « représentant personnel » au paragraphe 123(1) a été ajoutée par L.C. 1997, c. 10, par. 1(12) et est réputée entrée en vigueur le 17 décembre 1990.

Concordance québécoise: LTVQ, art. 1« représentant personnel ».

Définitions: « personne » — 123(1).

Renvois: 267.1 (responsabilité du fiduciaire).

Bulletins de l'information technique: B-075R, 23/04/96, *Modifications proposées à la TPS*.

« ristourne » Montant déductible en application de l'article 135 de la *Loi de l'impôt sur le revenu* dans le calcul, pour l'application de cette loi, du revenu de la personne qui le paie.

Notes historiques: La définition de « ristourne » au paragraphe 123(1) a été ajoutée par L.C. 1990, c. 45, par. 12(1).

Concordance québécoise: LTVQ, art. 1« ristourne ».

Définitions: « montant », « personne », « service financier » — 123(1).

Renvois: 233 (ristourne).

Série de mémorandums: Mémorandum 1.5, 09/94, *Définitions*.

« salarié » Est assimilée à un salarié la personne qui reçoit un traitement, une rémunération ou toute autre rétribution.

Notes historiques: La définition de « salarié » au paragraphe 123(1) a été ajoutée par L.C. 1993, c. 27, par. 10(18) et est réputée entrée en vigueur le 17 décembre 1990.

Concordance québécoise: LTVQ, art. 1« salarié ».

Définitions: « cadre », « personne » — 123(1).

Renvois: 173 (avantages aux salariés et aux actionnaires).

Jurisprudence: *Agence de Sécurité Mauricienne (1983) Inc. c. R.*, [2003] G.S.T.C. 97 (TCC); *Zachariya v. R.*, 2005 CCI 815 (CCI).

Lettres d'interprétation (Québec): 05-0100809 — Interprétation relative à la TPS et à la TVQ — remboursement d'un compte de dépenses d'un secrétaire non membre d'un conseil d'administration].

« service » Tout ce qui n'est ni un bien, ni de l'argent, ni fourni à un employeur par une personne qui est un salarié de l'employeur, ou a accepté de l'être, relativement à sa charge ou à son emploi.

Notes historiques: La définition de « service » au paragraphe 123(1) a été modifiée par L.C. 1993, c. 27, par. 10(1) pour enlever les mots « cadre ou un » avant le mot « salarié » et est réputée entrée en vigueur le 17 décembre 1990. La définition de « service » au paragraphe 123(1) a été ajoutée par L.C. 1990, c. 45, par. 12(1).

Concordance québécoise: LTVQ, art.1« service ».

Définitions: « argent », « bien », « cadre », « employeur », « personne », « salarié » — 123(1).

Renvois: 169(1.3); 265(1)a) (faillite — service réputé); 267.1(5)b) (fiduciaire — service réputé); 341(4), 356(4) (droits d'adhésion et d'entrée).

Jurisprudence: *Costco Wholesale Canada Ltd. v. R.* (30 mai 2012), 2012 CarswellNat 1650 (C.A.F.); *Calgary (City) v. R.* (26 avril 2012), 2012 CarswellNat 1146 (C.S.C.); *River Road Co-op Ltd c. La Reine*, [1995] G.S.T.C. 34 (CCI); *Comeau (R.) c. La Reine*, [1996] G.S.T.C. 3 (CCI); *Canadian Copper & Brass Development Assn. c. Canada*, [1997] G.S.T.C. 11 (CCI); *LaBuick (E.P.) c. Canada*, [1998] G.S.T.C. 122 (CCI); *Skylink Voyages Inc. c. Canada*, [1999] G.S.T.C. 43 (CCI); *Greater Europe Mission (Canada) c. Canada*, [1996] G.S.T.C. 79 (CCI); [1999] G.S.T.C. 98 (CAF); permission d'appeler refusée [2000] G.S.T.C. 62 (CSC); *Hawkins Taxidermists of Canada Ltd. c. R.*, 2005 TCC 376 (CCI); *Location Tourisme Estrie Inc. c. R.*, 2007 G.T.C. 874 (CCI); *Triple G. Corp. v. R.* (24 avril 2008), [2008] G.S.T.C. 102 (CCI [procédure générale]); *Calgary (City) v. R.*, 2010 CarswellNat 3090, 2010 CAF 127, [2010] G.S.T.C. 78 (CAF); *Golf Canada's West Ltd. v. R.* (3 novembre 2011), 2011 CarswellNat 6023, 2012 CCI 11, 2012 G.T.C. 14 (CCI [procédure informelle]); *Calgary (City) v. R.* (26 avril 2012), 2012 CarswellNat 1146, 2012 SCC 20, 2012 G.T.C. 1030 (CSC).

Énoncés de politique: P-218R, 10/08/07, *Statut fiscal des montants versés en dédommagement, qu'ils soient ou non visés par l'article 182 de la Loi sur la taxe d'accise*; P-225, 04/01/99, *Paiements pour perte ou dommages en vertu de contrats de location de véhicules*; P-236, 29/03/00, *Fourniture de photocopies*.

Bulletins de l'information technique: B-090, 07/02, *La TPS/TVH et le commerce électronique*.

Mémorandums: TPS 300-7-7, 24/04/91, *Publicité en coopération*.

Série de mémorandums: Mémorandum 1.5, 09/94, *Définitions*; Mémorandum 3.1, 08/99, *Assujettissement à la taxe*; Mémorandum 9.1, 11/11, *Avantages taxables (autres que les avantages relatifs aux automobiles)* ; Mémorandum 9.2, 11/11, *Avantages relatifs aux automobiles* ; Mémorandum 19.1, 10/97, *Les immeubles et la TPS/TVH*.

Lettres d'interprétation (Québec): 98-0108146 — Interprétation relative à la TPS et à la TVQ — Prix reçus par un athlète professionnel; 99-0104929 — Décision portant sur l'application de la TPS — Interprétation relative à la TVQ — Approvisionnement en commun de biens et services pour les établissements de santé.

« service commercial » Service relatif à un bien meuble corporel, sauf un service d'expédition du bien fourni par un transporteur et un service financier.

Notes historiques: La définition de « service commercial » au paragraphe 123(1) a été modifiée par L.C. 1993, c. 27, par. 10(20) et est réputée entrée en vigueur le 27 mars 1991. Pour la période du 17 décembre 1990 au 26 mars 1991, la définition de « service commercial », ajoutée par L.C. 1993, c. 27, par. 10(18), doit se lire comme suit :

« service commercial » Service de traitement au sens du paragraphe 252(5).

Concordance québécoise: LTVQ, art. 1« service commercial ».

Définitions: « bien meuble », « service », « service financier », « transporteur » — 123(1).

Renvois: 179 (livraison au consignataire d'un non-résident); 180 (réception d'un bien d'un non-résident).

Énoncés de politique: P-151, 15/06/94, *Interprétation de service commercial*.

Série de mémorandums: Mémorandum 1.5, 09/94, *Définitions*; Mémorandum 3.3.1, 06/08, *Livraisons directes*.

« service de gestion des actifs » Service, sauf un service visé par règlement, qui est rendu par une personne donnée relativement aux éléments d'actif ou de passif d'une autre personne et qui consiste, selon le cas :

a) à gérer ou à administrer ces éléments d'actif ou de passif, indépendamment du niveau de pouvoir discrétionnaire dont la personne donnée dispose pour la gestion de tout ou partie de ces éléments;

b) à effectuer des recherches ou des analyses, à donner des conseils ou à établir des rapports relativement aux éléments d'actif ou de passif;

c) à prendre des décisions quant à l'acquisition ou à la disposition d'éléments d'actif ou de passif;

d) à agir de façon à atteindre les objectifs de rendement ou d'autres objectifs relatifs aux éléments d'actif ou de passif.

Notes historiques: La définition de « service de gestion des actifs » au paragraphe 123(1) a été ajoutée par L.C. 2010, c. 12, par. 55(4) et est réputée être entrée en vigueur le 17 décembre 1990. Toutefois, pour l'application de la partie IX, à l'exclusion de sa section IV, cette modification ne s'applique pas relativement au service rendu aux termes d'une convention, constatée par écrit, portant sur une fourniture si, à la fois :

a) la totalité de la contrepartie de la fourniture est devenue due ou a été payée avant le 15 décembre 2009;

b) le fournisseur n'a pas exigé, perçu ni versé de montant avant cette date au titre de la taxe prévue par la partie IX relativement à la fourniture;

c) le fournisseur n'a pas exigé, perçu ni versé de montant avant cette date au titre de la taxe prévue par la partie IX relativement à une autre fourniture, effectuée aux termes de la convention, qui comprend la prestation d'un service visé à l'un des alinéas q), q.1) et r.3) à r.5) de la définition de « service financier » au paragraphe 123(1), modifiée par les paragraphes 55(1) à (4) de L.C. 2010, c. 12.

Concordance québécoise: LTVQ, art. 1« service de gestion des actifs ».

Bulletins de l'information technique: B-105, 02/11, *Modifications apportées à la définition de service financier*.

« service de gestion ou d'administration » Y est assimilé le service de gestion des actifs.

Notes historiques: La définition de « service de gestion ou d'administration » au paragraphe 123(1) a été ajoutée par L.C. 2010, c. 12, par. 55(4) et est réputée être entrée en vigueur le 17 décembre 1990. Toutefois, pour l'application de la partie IX, à l'exclusion de sa section IV, cette modification ne s'applique pas relativement au service rendu aux termes d'une convention, constatée par écrit, portant sur une fourniture si, à la fois :

a) la totalité de la contrepartie de la fourniture est devenue due ou a été payée avant le 15 décembre 2009;

b) le fournisseur n'a pas exigé, perçu ni versé de montant avant cette date au titre de la taxe prévue par la partie IX relativement à la fourniture;

c) le fournisseur n'a pas exigé, perçu ni versé de montant avant cette date au titre de la taxe prévue par la partie IX relativement à une autre fourniture, effectuée aux termes de la convention, qui comprend la prestation d'un service visé à l'un des alinéas q), q.1) et r.3) à r.5) de la définition de « service financier » au paragraphe 123(1), modifiée par les paragraphes 55(1) à (4) de L.C. 2010, c. 12.

Concordance québécoise: LTVQ, art. 1« service de gestion ou d'administration ».

Bulletins de l'information technique: B-105, 02/11, *Modifications apportées à la définition de service financier*.

« service de télécommunication »

a) Service qui consiste à émettre, à transmettre ou à recevoir des signes, signaux, écrits, images, sons ou renseignements de toute nature par système électromagnétique — notamment les fils, câbles et systèmes radio ou optiques — ou par un procédé technique semblable;

b) le fait, pour une personne qui exploite une entreprise qui consiste à fournir des services visés à l'alinéa a), de mettre à la disposition de quiconque des installations de télécommunication en vue de pareille émission, transmission ou réception.

Notes historiques: La définition de « service de télécommunication » au paragraphe 123(1) a été ajoutée par L.C. 1997, c. 10, par. 1(12). Cette définition s'applique en ce qui a trait aux fournitures effectuées après le 23 avril 1996.

Concordance québécoise: LTVQ, art. 1« service de télécommunication ».

Définitions: « écrit » — 35(1) *Loi d'interprétation*; « installation de télécommunication » — 123(1).

Bulletins de l'information technique: B-075R, 23/04/96, *Modifications proposées à la TPS*; B-090, 07/02, *La TPS/TVH et le commerce électronique*.

Série de mémorandums: Mémorandum 3.3, 04/00, *Lieu de fourniture*; Mémorandum 4.5.3, 06/98, *Exportations — Services et propriété intellectuelle*.

Lettres d'interprétation (Québec): 99-0104218 — Interprétation relative à la TPS — Interprétation relative à la TVQ — Hébergement / conception d'un site Web; 99-0109159 — Interprétation relative à la TPS / TVH — Interprétation relative à la TVQ — Conception / hébergement d'un site Web; 04-0106379 — Interprétation relative à la TPS/TVH — interprétation relative à la TVQ — service de diffusion sur Internet.

« service financier »

a) L'échange, le paiement, l'émission, la réception ou le transfert d'argent, réalisé au moyen d'échange de monnaie, d'opération de crédit ou de débit d'un compte ou autrement;

b) la tenue d'un compte d'épargne, de chèques, de dépôt, de prêts, d'achats à crédit ou autre;

c) le prêt ou l'emprunt d'un effet financier;

d) l'émission, l'octroi, l'attribution, l'acceptation, l'endossement, le renouvellement, le traitement, la modification, le transfert de propriété ou le remboursement d'un effet financier;

e) l'offre, la modification, la remise ou la réception d'une garantie, d'une acceptation ou d'une indemnité visant un effet financier;

f) le paiement ou la réception d'argent à titre de dividendes sauf les ristournes, d'intérêts, de principal ou d'avantages, ou tout paiement ou réception d'argent semblable, relativement à un effet financier;

f.1) le paiement ou la réception d'un montant en règlement total ou partiel d'une réclamation découlant d'une police d'assurance;

g) l'octroi d'une avance ou de crédit ou le prêt d'argent;

h) la souscription d'un effet financier;

i) un service rendu en conformité avec les modalités d'une convention portant sur le paiement de montants visés par une pièce justificative de carte de crédit ou de paiement;

j) le service consistant à faire des enquêtes et des recommandations concernant l'indemnité accordée en règlement d'un sinistre prévu par :

(i) une police d'assurance maritime,

(ii) une police d'assurance autre qu'une police d'assurance-accidents, d'assurance-maladie ou d'assurance-vie, dans le cas où le service est fourni :

(A) soit par un assureur ou une personne autorisée par permis obtenu en application de la législation d'une province à rendre un tel service,

(B) soit à un assureur ou un groupe d'assureurs par une personne qui serait tenue d'être ainsi autorisée n'eût été le fait qu'elle en est dispensée par la législation d'une province;

j.1) le service consistant à remettre à un assureur ou au fournisseur du service visé à l'alinéa j) une évaluation des dommages causés à un bien ou, en cas de perte d'un bien, de sa valeur, à condition que le fournisseur de l'évaluation examine le bien ou son dernier emplacement connu avant sa perte;

k) une fourniture réputée par le paragraphe 150(1) ou l'article 158 être une fourniture de service financier;

l) le fait de consentir à effectuer, ou de prendre les mesures en vue d'effectuer, un service qui, à la fois :

(i) est visé à l'un des alinéas a) à i),

(ii) n'est pas visé aux alinéas n) à t);

m) un service visé par règlement.

Modification proposée — 123(1)« service financier » al. m)

Protocole d'entente concernant l'harmonisation des taxes de vente en vue de la conclusion d'une entente intégrée globale de coordination fiscale entre le Canada et le Québec, 30 septembre 2011: *Services financiers*

13. Le Québec s'engage à ce que les textes législatifs concernant la TVQ reflètent les règles relatives aux services financiers et aux institutions financières prévues par les textes législatifs concernant la TPS/TVH. Le Québec veillera à ce que l'harmonisation du régime de la TVQ à celui de la TPS/TVH à cet égard se fasse en évitant les cas de double taxation et d'absence de taxation et en assurant la neutralité du régime fiscal pour les entreprises de ce secteur. Les parties se pencheront sur cette question en tenant compte des principes énoncés ci-dessus et le Québec déterminera la meilleure façon de parvenir à ce résultat dans le cadre de la législation québécoise.

Document d'information, 30 septembre 2011: [Voir sous l'art. 142 — n.d.l.r.]

La présente définition exclut :

n) le paiement ou la réception d'argent en contrepartie de la fourniture d'un bien autre qu'un effet financier ou d'un service autre qu'un service financier;

o) le paiement ou la réception d'argent en règlement d'une réclamation (sauf une réclamation en vertu d'une police d'assurance) en vertu d'une garantie ou d'un accord semblable visant un bien autre qu'un effet financier ou un service autre qu'un service financier;

p) les services de conseil, sauf un service visé aux alinéas j) ou j.1);

q) l'un des services suivants rendus soit à un régime de placement, au sens du paragraphe 149(5), soit à une personne morale, à une société de personnes ou à une fiducie dont l'activité principale consiste à investir des fonds, si le fournisseur est une personne qui rend des services de gestion ou d'administration au régime, à la personne morale, à la société de personnes ou à la fiducie :

(i) un service de gestion ou d'administration,

(ii) tout autre service (sauf un service prévu par règlement);

q.1) un service de gestion des actifs;

r) les services professionnels rendus par un comptable, un actuaire, un avocat ou un notaire dans l'exercice de sa profession;

r.1) le fait de prendre des mesures en vue du transfert de la propriété des parts du capital social d'une coopérative d'habitation;

r.2) le service de recouvrement de créances rendu aux termes d'une convention conclue entre la personne qui consent à effectuer le service, ou qui prend des mesures afin qu'il soit effectué, et une personne donnée (sauf le débiteur) relativement à tout ou partie d'une créance, y compris le service qui consiste à tenter de recouvrer la créance, à prendre des mesures en vue de son recouvrement, à en négocier le paiement ou à réaliser ou à tenter de réaliser une garantie donnée à son égard; en est exclu le service qui consiste uniquement à accepter d'une personne (sauf la personne donnée) un paiement en règlement de tout ou partie d'un compte, sauf si la personne qui effectue le service, selon le cas :

(i) peut, aux termes de la convention, soit tenter de recouvrer tout ou partie du compte, soit réaliser ou tenter de réaliser une garantie donnée à son égard,

(ii) a pour entreprise principale le recouvrement de créances;

r.3) le service, sauf un service visé par règlement, qui consiste à gérer le crédit relatif à des cartes de crédit ou de paiement, à des comptes de crédit, d'achats à crédit ou de prêts ou à des comptes portant sur une avance, rendu à une personne qui consent ou pourrait consentir un crédit relativement à ces cartes ou comptes, y compris le service rendu à cette personne qui consiste, selon le cas :

(i) à vérifier, à évaluer ou à autoriser le crédit,

(ii) à prendre, en son nom, des décisions relatives à l'octroi de crédit ou à une demande d'octroi de crédit,

(iii) à créer ou à tenir, pour elle, des dossiers relatifs à l'octroi de crédit ou à une demande d'octroi de crédit ou relatifs aux cartes ou aux comptes,

(iv) à contrôler le registre des paiements d'une autre personne ou à traiter les paiements faits ou à faire par celle-ci;

r.4) le service, sauf un service visé par règlement, qui est rendu en préparation de la prestation effective ou éventuelle d'un service visé à l'un des alinéas a) à i) et l), ou conjointement avec un tel service, et qui consiste en l'un des services suivants :

(i) un service de collecte, de regroupement ou de communication de renseignements,

(ii) un service d'étude de marché, de conception de produits, d'établissement ou de traitement de documents, d'assistance à la clientèle, de publicité ou de promotion ou un service semblable;

r.5) un bien, sauf un effet financier ou un bien visé par règlement, qui est livré à une personne, ou mis à sa disposition, conjointement avec la prestation par celle-ci d'un service visé à l'un des alinéas a) à i) et l);

s) les services dont la fourniture est réputée taxable aux termes de la présente partie;

t) les services visés par règlement.

Notes historiques: L'alinéa f) de la définition de « service financier » a été modifié par L.C. 1993, c. 27, par. 10(6) et s'applique aux services fournis après le 14 septembre 1992. Il se lisait auparavant comme suit :

f) le paiement ou la réception de dividendes (sauf les dividendes en nature et les ristournes), d'intérêts, de principal, de réclamations, d'avantages ou d'autres montants relativement à un effet financier;

L'alinéa f.1) de la définition de « service financier » au paragraphe 123(1) a été ajouté par L.C. 1993, c. 27, par. 10(6) et s'applique aux services fournis après le 14 septembre 1992.

L'alinéa j) de la définition de « service financier » a été modifié par L.C. 1997, c. 10, par. 1(4) et cette modification s'applique aux fournitures suivantes :

a) celles dont la contrepartie, même partielle, devient due après le 23 avril 1996 ou est payée après cette date sans qu'elle soit devenue due;

b) celles dont la contrepartie est devenue due ou a été payée avant le 24 avril 1996, sauf si l'un des faits suivants se vérifie :

(i) le fournisseur n'a pas demandé ou perçu, avant le 24 avril 1996, un montant au titre de la taxe prévue à la partie IX relativement à la fourniture,

(ii) le fournisseur a demandé ou perçu un montant au titre de la taxe prévue à la partie IX relativement à la fourniture et, avant le 23 avril 1996, le ministre du Revenu national a reçu une demande visant le remboursement prévu au paragraphe 261(1) relativement à ce montant ou une déclaration dans laquelle le fournisseur a demandé, au titre d'un redressement, d'un remboursement ou d'un crédit dont le montant a fait l'objet par l'effet du paragraphe 232(1), une déduction qui n'est pas réputée avoir été ainsi demandée par l'effet de l'alinéa 296(5)a) par suite d'une cotisation établie après cette date.

En ce qui a trait aux fournitures dont la contrepartie est devenue due ou a été payée avant le 24 avril 1996, il n'est pas tenu compte de la division j)(ii)(B) de cette définition.

Auparavant, l'alinéa j) de la définition de « service financier » a été modifié par L.C. 1993, c. 27, par. 10(7) et est réputé entré en vigueur le 17 décembre 1990. Il se lisait comme suit :

j) le service consistant à faire des enquêtes et des recommandations concernant l'indemnité accordée en règlement d'une réclamation faite aux termes d'une police d'assurance, qui est fourni par un assureur ou par une autre personne qui, sauf s'il s'agit d'une réclamation faite aux termes d'une police d'assurance maritime, est autorisée par permis obtenu en application de la législation provinciale à rendre un tel service;

Auparavant, il se lisait comme suit :

j) les services consistant à faire des enquêtes et des recommandations concernant l'indemnité accordée en règlement d'une réclamation faite aux termes d'une police d'assurance offerte par un assureur ou par une personne titulaire d'un permis, obtenu en application de la législation provinciale, qui l'autorise à offrir de tels services;

L'alinéa j.1) de la définition de « service financier » a été modifiée par L.C. 1997, c. 10, par. 1(4) et cette modification s'applique aux fournitures suivantes :

a) celles dont la contrepartie, même partielle, devient due après le 23 avril 1996 ou est payée après cette date sans qu'elle soit devenue due;

b) celles dont la contrepartie est devenue due ou a été payée avant le 24 avril 1996, dans le cas où l'un des faits suivants se vérifie :

(i) le fournisseur n'a pas demandé ou perçu, avant le 24 avril 1996, un montant au titre de la taxe prévue à la partie IX relativement à la fourniture,

(ii) le fournisseur a demandé ou perçu un montant au titre de la taxe prévue à la partie IX relativement à la fourniture et, avant le 23 avril 1996, le ministre du Revenu national a reçu une demande visant le remboursement prévu au paragraphe 261(1) relativement à ce montant ou une déclaration dans laquelle le fournisseur a demandé, au titre d'un redressement, d'un remboursement ou d'un crédit dont le montant a fait l'objet par l'effet du paragraphe 232(1), une déduction qui n'est pas réputée avoir été ainsi demandée par l'effet de l'alinéa 296(5)a) par suite d'une cotisation établie après cette date.

Pour ce qui est des services rendus avant octobre 1992, l'alinéa j.1) de cette définition est remplacé par ce qui suit :

j.1) le service consistant à remettre à un assureur ou au fournisseur du service visé à l'alinéa j) une évaluation des dommages causés à un bien, autres que sa perte;

Auparavant, l'alinéa j.1) de la définition de « service financier » a été ajouté par L.C. 1993, c. 27, par. 10(7) et est réputé entré en vigueur le 17 décembre 1990. Il se lisait comme suit :

j.1) le service consistant à remettre au fournisseur du service visé à l'alinéa j) relativement à un bien une évaluation des dommages causés au bien ou, en cas de perte du bien, de sa valeur, à condition que le fournisseur de l'évaluation examine le bien ou son dernier emplacement connu avant sa perte;

Toutefois, pour ce qui est des services rendus avant octobre 1992, cet alinéa devait se lire comme suit :

j.1) le service consistant à remettre à la personne qui fournit le service visé à l'alinéa j) relativement à un bien une évaluation des dommages causés au bien, autres que sa perte;

De plus, lorsqu'un comptable, actuaire, avocat ou notaire fournit dans l'exercice de sa profession, avant octobre 1992, le service visé à l'alinéa j.1) de la définition de « service financier », au paragraphe 123(1), les présomptions suivantes s'appliquaient :

a) la taxe prévue à cette partie est réputée ne pas avoir été payable relativement à la fourniture;

b) si aucun montant n'a été exigé ni perçu par le fournisseur avant octobre 1992 au titre de la taxe prévue à cette partie relativement à la fourniture, celle-ci est réputée être une fourniture exonérée.

L'alinéa l) de la définition de « service financier » au paragraphe 123(1) a été remplacée par L.C. 2010, c. 12, par. 55(1) et cette modification est réputée être entrée en vigueur le 17 décembre 1990. Toutefois, pour l'application de la partie IX, à l'exclusion de sa section IV, cette modification ne s'applique pas relativement au service rendu aux termes d'une convention, constatée par écrit, portant sur une fourniture si, à la fois :

a) la totalité de la contrepartie de la fourniture est devenue due ou a été payée avant le 15 décembre 2009;

b) le fournisseur n'a pas exigé, perçu ni versé de montant avant cette date au titre de la taxe prévue par la partie IX relativement à la fourniture;

c) le fournisseur n'a pas exigé, perçu ni versé de montant avant cette date au titre de la taxe prévue par la partie IX relativement à une autre fourniture, effectuée aux termes de la convention, qui comprend la prestation d'un service visé à l'un des alinéas q), q.1) et r.3) à r.5) de la définition de « service financier » au paragraphe 123(1), modifiée par les paragraphes 55(1) à (4) de L.C. 2010, c. 12.

Antérieurement, il se lisait ainsi :

l) le fait de consentir à effectuer un service visé à l'un des alinéas a) à i) ou de prendre les mesures en vue de l'effectuer;

L'alinéa p) de la définition de « service financier » a été modifié par L.C. 1993, c. 27, par. 10(8) pour ajouter l'exclusion du service visé à l'alinéa j.1) et est réputé entré en vigueur le 17 décembre 1990.

Le préambule de l'alinéa q) de la définition de « service financier » au paragraphe 123(1) a été remplacé par L.C. 2000, c. 30, par. 18(3) et cette modification est réputée entrée en vigueur le 17 décembre 1990. Toutefois, en ce qui concerne les fournitures dont la totalité de la contrepartie est devenue due ou a été payée avant le 30 juillet 1998 :

a) si la contrepartie, même partielle, de la fourniture est devenue due ou a été payée avant le 8 décembre 1994 et si le fournisseur n'a pas, avant cette date, exigé ni perçu de montant au titre de la taxe prévue à la partie IX relativement à la fourniture, l'alinéa q) de la définition de « service financier » au paragraphe 123(1) est remplacé par ce qui suit :

q) les services de gestion ou d'administration rendus à une personne morale, à une société de personnes ou à une fiducie dont l'activité principale consiste à investir des fonds pour le compte d'actionnaires, d'associés ou d'autres personnes;

b) si la contrepartie de la fourniture est devenue due après le 7 décembre 1994 ou a été payée après cette date sans être devenue due et si, selon le cas :

(i) le fournisseur n'a pas, avant le 30 juillet 1998, exigé ni perçu de montant au titre de la taxe prévue à la partie IX relativement à la fourniture,

(ii) le fournisseur a exigé ou perçu un montant au titre de la taxe prévue à la partie IX relativement à la fourniture et le ministre du Revenu national a reçu l'un des documents suivants avant le 29 juillet 1998 :

(A) une demande visant le remboursement, prévu au paragraphe 261(1) de la même loi, du montant,

(B) une déclaration produite en vertu de la section V de la partie IX dans laquelle une déduction a été demandée à titre de redressement ou de remboursement du montant ou d'un crédit y afférent en application du paragraphe 232(1),

cet alinéa est remplacé par ce qui suit :

q) l'un des services suivants rendus à une personne morale, à une société de personnes ou à une fiducie dont l'activité principale consiste à investir des fonds, si le fournisseur est une personne qui rend des services de gestion ou d'administration à la personne morale, à la société de personnes ou à la fiducie :

(i) un service de gestion ou d'administration,

(ii) tout autre service (sauf un service prévu par règlement);

Antérieurement, le préambule de l'alinéa q) de la définition « service financier » se lisait comme suit :

q) l'un des services suivants rendus à une personne morale, à une société de personnes ou à une fiducie dont l'activité principale consiste à investir des fonds, par une personne qui lui rend des services de gestion ou d'administration :

L'alinéa q) de la définition de « service financier » a été modifié par L.C. 1997, c. 10, par. 1(5) et cette modification est réputée entrée en vigueur le 17 décembre 1990. Toutefois, elle ne s'applique pas aux fournitures pour lesquelles le fournisseur n'a pas demandé ou perçu, avant le 8 décembre 1994, un montant au titre de la taxe prévue à la partie IX. Auparavant, cet alinéa se lisait comme suit :

q) les services de gestion ou d'administration rendus à une personne morale, société de personnes ou fiducie dont l'activité principale consiste à investir des fonds pour le compte d'actionnaires, d'associés ou d'autres personnes;

L'alinéa q.1) de la définition de « service financier » au paragraphe 123(1) a été ajouté par L.C. 2010, c. 12, par. 55(2) et est réputé être entré en vigueur le 17 décembre 1990. Toutefois, pour l'application de la partie IX, à l'exclusion de sa section IV, cette modification ne s'applique pas relativement au service rendu aux termes d'une convention, constatée par écrit, portant sur une fourniture si, à la fois :

a) la totalité de la contrepartie de la fourniture est devenue due ou a été payée avant le 15 décembre 2009;

b) le fournisseur n'a pas exigé, perçu ni versé de montant avant cette date au titre de la taxe prévue par la partie IX relativement à la fourniture;

c) le fournisseur n'a pas exigé, perçu ni versé de montant avant cette date au titre de la taxe prévue par la partie IX relativement à une autre fourniture, effectuée aux termes de la convention, qui comprend la prestation d'un service visé à l'un des alinéas q), q.1) et r.3) à r.5) de la définition de « service financier » au paragraphe 123(1), modifiée par les paragraphes 55(1) à (4) de L.C. 2010, c. 12.

Malgré l'article 298, le ministre du Revenu national peut établir une cotisation, une nouvelle cotisation ou une cotisation supplémentaire à l'égard de tout montant à payer ou à verser par une personne relativement à la fourniture d'un service visé à l'un des alinéas q), q.1) et r.3) à r.5) de la définition de « service financier » au paragraphe 123(1), modifiée par les paragraphes 55(2) à (4), au plus tard le dernier en date du jour qui suit d'un an le 12 juillet 2010 et du dernier jour de la période où il est permis par ailleurs, aux termes de cet article, d'établir la cotisation, la nouvelle cotisation ou la cotisation supplémentaire.

L'alinéa r.1) de la définition de « service financier » a été ajouté par L.C. 1993, c. 27, par. 10(9) et est réputé entré en vigueur le 30 septembre 1992. Toutefois, il ne s'applique pas aux services consistant à prendre des mesures en vue du transfert de la propriété de parts lorsque les services sont fournis aux termes d'une convention écrite conclue au plus tard le 30 septembre 1992.

L'alinéa r.2) de la définition de « service financier » au paragraphe 123(1) a été ajouté par L.C. 2006, c. 4, par. 136(1). Cet ajout s'applique aux services de recouvrement de créances rendus aux termes d'une convention portant sur une fourniture si, selon le cas :

a) tout ou partie de la contrepartie de la fourniture devient due après le 17 novembre 2005 ou est payée après cette date sans être devenue due;

b) la totalité de la contrepartie de la fourniture est devenue due ou a été payée au plus tard à cette date, sauf si aucune somme au titre de la taxe prévue à la partie IX de la même loi n'a été exigée, recouvrée ou versée par le fournisseur, à cette date ou antérieurement, relativement à la fourniture ou relativement à toute autre fourniture, effectuée aux termes de la même convention, qui comprend un service de recouvrement de créances.

Les alinéas r.3) à r.5) de la définition de « service financier » au paragraphe 123(1) ont été ajoutés par L.C. 2010, c. 12, par. 55(3) et ont réputés être entrés en vigueur le 17 décembre 1990. Toutefois, pour l'application de la partie IX, à l'exclusion de sa section IV, cette modification ne s'applique pas relativement au service rendu aux termes d'une convention, constatée par écrit, portant sur une fourniture si, à la fois :

a) la totalité de la contrepartie de la fourniture est devenue due ou a été payée avant le 15 décembre 2009;

b) le fournisseur n'a pas exigé, perçu ni versé de montant avant cette date au titre de la taxe prévue par la partie IX relativement à la fourniture;

c) le fournisseur n'a pas exigé, perçu ni versé de montant avant cette date au titre de la taxe prévue par la partie IX relativement à une autre fourniture, effectuée aux termes de la convention, qui comprend la prestation d'un service visé à l'un des alinéas q), q.1) et r.3) à r.5) de la définition de « service financier » au paragraphe 123(1), modifiée par les paragraphes 55(1) à (4) de L.C. 2010, c. 12.

Malgré l'article 298, le ministre du Revenu national peut établir une cotisation, une nouvelle cotisation ou une cotisation supplémentaire à l'égard de tout montant à payer ou à verser par une personne relativement à la fourniture d'un service visé à l'un des alinéas q), q.1) et r.3) à r.5) de la définition de « service financier » au paragraphe 123(1), modifiée par les paragraphes 55(2) à (4), au plus tard le dernier en date du jour qui suit d'un an le 12 juillet 2010 et du dernier jour de la période où il est permis par ailleurs, aux termes de cet article, d'établir la cotisation, la nouvelle cotisation ou la cotisation supplémentaire.

La définition de « service financier » au paragraphe 123(1) a été ajoutée par L.C. 1990, c. 45, par. 12(1).

Concordance québécoise: LTVQ, art. 1« service financier ».

Définitions: « argent », « assureur », « bien », « contrepartie », « coopérative d'habitation », « effet financier », « fourniture », « fourniture taxable », « montant », « personne », « police d'assurance », « règlement », « service » — 123(1).

Renvois: 139 (services financiers dans une fourniture mixte); 140 (fourniture d'un droit d'adhésion avec un titre); 150(1) (choix par le membre d'un groupe étroitement lié — fourniture réputée de service financier); 150(6)c) (fourniture réputée de service financier par une caisse de crédit); 158 (cession du droit au remboursement — fourniture réputée de service financier); 181(5)b) (rachat d'un bon réputé ne pas être un service financier); 181.3(6) (services financiers réputés ne pas en être); 182(2) (service financier lié aux activités commerciales); 185(1) (CTI); 198 (CTI — utilisation dans le cadre d'une fourniture de services financiers); 261.31(2) (remboursement pour services de gestion fournis à un fonds de placement); VI:Partie IX (services financiers détaxés).

Règlements: *Règlement sur les services financiers (TPS/TVH)*, art. 1.

Jurisprudence: *Global Cash Access (Canada) Inc. v. R.* (18 mai 2012), 2012 CarswellNat 3817 (C.C.I.); *Costco Wholesale Canada Ltd. v. R.* (30 mai 2012), 2012 CarswellNat 1650 (C.A.F.); *Nineteen Ninety Clothing Co. Inc. c. La Reine*, [1994] G.S.T.C. 89 (CCI); *Khong Island Jeweller Ltd. c. La Reine*, [1995] G.S.T.C. 23 (CCI); *Locator of Missing Heirs Inc. c. La Reine*, [1995] G.S.T.C. 63 (CCI); *On-Guard Self-Storage Ltd. c. La Reine*, [1996] G.S.T.C. 9 (CCI); *Stobbe Construction Ltd. c. La Reine*, [1996] G.S.T.C. 41 (CCI); *Borrowers' Action Society c. La Reine*, [1996] G.S.T.C. 61 (CCI); *Club Med Sales Inc. c. Canada*, [1997] G.S.T.C. 28 (CCI); *C.I. Mutual Funds Inc. c. Canada*, [1997] G.S.T.C. 84 (CCI); *Two Carlton Financing Ltd. c. Canada*, [1998] G.S.T.C. 59 (CCI); *London Life Insurance Co. c. Canada*, [1998] G.S.T.C. 93 (CCI); [2000] G.S.T.C. 111 (CAF); *Bombay Jewellers Ltd. c. Canada*, [1998] G.S.T.C. 94 (CCI); *Mitchell Verification Services Group Inc c. Canada*, [1998] G.S.T.C. 104 (CCI); *Skylink Voyages Inc. c. Canada*, [1999] G.S.T.C. 43 (CCI); *Maritime Life Assurancd Co. c. Canada*, [1999] G.S.T.C. 1 (CCI); [2000] G.S.T.C. 89 (CAF); *Sir Wynne Highlands Inc. c. Canada*, [2000] G.S.T.C. 6 (CCI); *Elgin Mills Leslie Holdings Ltd. c. Canada*, [2000] G.S.T.C. 8 (CCI); *Healthcare Insurance Reciprocal c. R.*, [2000] G.S.T.C. 50 (CCI); *Drug Trading Co. c. R.*, [2001] G.S.T.C. 48 (CCI); *BJ Services Co. Canada c. R.*, [2002] G.S.T.C. 124 (CCI); *Banque Canadienne Impériale de Commerce c. R.*, [2005] G.S.T.C. 181 (CCI); *Royal Bank c. R.*, [2005] G.S.T.C. 198 (CCI); *Assurance-Vie Banque Nationale, cie d'assurance-vie c. R.*, [2006] G.S.T.C. 176 (CCI); *Assurance-Vie Banque Nationale, cie d'assurance-vie c. R.*, 2006 G.T.C. 1191 (CAF); *Banque Nationale du Canada c. R.*, [2006] G.S.T.C. 80 (CCI); *Banque Canadienne Impériale de Commerce c. R.*, [2006] G.S.T.C. 105 (CCI); *Promotions D.N.D. Inc. c. R.*, 2006 G.T.C. 166 (CCI); *Canadian Medical Protective Assn. v. R.* (10 avril 2008), [2008] G.S.T.C. 88 (CCI [procédure générale]); *General Motors of Canada Ltd. v. R.* (22 février 2008), [2008] G.S.T.C. 41 (CCI [procédure générale]); *614730 Ontario Inc. v. R.*, 2010 CarswellNat 1382, 2010 CCI 7, [2010] G.S.T.C. 27 (CCI [procédure informelle]); *Desjardins c. R.* (15 octobre 2010), 2010 CarswellNat 3790, 2010 CCI 521 , 2010 G.T.C. 104 (Fr.) (CCI [procédure informelle]); *Costco Wholesale Canada Ltd. v. R.*, 2010 CarswellNat 5522, 2010 CCI 609 (CCI [procédure générale]).

Énoncés de politique: P-014, 15/06/92, *Fourniture à soi-même de réparations de biens dans le cadre d'une demande d'indemnité d'assurance*; P-048, 05/02/93, *Commission des agents immobiliers et parts du capital social d'une coopérative d'habitation*; P-049, 22/06/92, *Exonération des services d'évaluation professionnelle offerts aux assureurs et aux experts en sinistres*; P-056R2, 25/05/05, *Services d'experts en sinistres (anciennement appelé Octroi de licences à des experts en sinistres)*; P-119, 22/02/94, *Honoraires de service (commission remorque)*; P-120, 21/02/94, *Transfert du titre d'un bien à l'acheteur/emprunteur lors du règlement d'une dette*; P-122, 02/02/94, *Article 134 — Cession d'une garantie*; P-126, 24/03/94, *Formule GST44 produite par le fournisseur plutôt que par l'acquéreur*; P-129, 17/03/94, *Prêteurs sur gage*; P-136R, 04/01, *Services administratifs seulement assortis d'une mesure limitant les pertes*; P-192,

11/11/95, *Fourniture de métaux précieux*; P-208R, 23/05/05, *Sens de l'expression « établissement stable » au paragraphe 123(1) de la Loi sur la taxe d'accise (la Loi)*; P-210R, 06/06/01, *Règlement d'une réclamation en vertu d'un cautionnement de bonne exécution établi relativement à un contrat de construction*; P-225, 04/01/99, *Paiements pour perte ou dommages en vertu de contrats de location de véhicules*; P-239, 30/01/02, *Signification de l'expression « prendre les mesures en vue de l'effectuer » que l'on trouve dans la définition de « service financier »*.

Bulletins de l'information technique: B-052, 12/04/91, *Traitement des produits et services des compagnies d'assurance-vie et d'assurance-maladie sous le régime de la TPS*; B-057, 02/08/91, *Traitement des produits et services des sociétés de fiducies*; B-63, 14/02/92, *Traitement des produits et services des courtiers en valeurs mobilières sous le régime de la TPS*; B-075R, 23/04/96, *Modifications proposées à la TPS*; B-083R, 23/05/97, *Services financiers sous le régime de la TVH*; B-101, 04/08, *Fiducies*; B-105, 02/11, *Modifications apportées à la définition de service financier.*

Mémorandums: TPS 300-3-9, 17/08/92, *Services financiers*, par. 12–20; TPS 300-4-7, 02/12/93, *Services financiers*, par. 7–10, 18; TPS 700, 22/03/93, *Services financiers*, par. 2–4; TPS 700-5-1, 27/07/92, *Services financiers dispositions particulières relatives aux institutions financières répartition des CTI pour les institutions financières*; TPS 700-5-3, 31/07/92, *Caisses de crédit*, par. 6, 7, 11–13.

Série de mémorandums: Mémorandum 1.5, 09/94, *Définitions*; Mémorandum 17, 04/99, *Institutions financières*; Mémorandum 17.1.1, 11/01, *Traitement des produits et services fournis par des courtiers en valeurs mobilières*; Mémorandum 17.2, 04/00, *Produits et services des institutions financières de dépôt* ; Mémorandum 17.2.3, 08/04, *Produits et services offerts par des compagnies d'assurance-vie et d'assurance-maladie*; Mémorandum 17.8, 04/99, *Caisses de crédit*; Mémorandum 17.9, 08/99, *Agents et courtiers d'assurance*; Mémorandum 17.14, 07/11, *Choix visant les fournitures exonérées*; Mémorandum 17.16, 03/01, *Traitement des règlements de sinistres sous le régime de la TPS/TVH*.

Info TPS/TVQ: GI-006R — *Services se rapportant aux guichets automatiques bancaires*.

Lettres d'interprétation (Québec): 98-010106 — Interprétation relative à la TPS — Interprétation relative à la TVQ — Service de gestion ou d'administration; 98-0110084 — Interprétation relative à la TPS et à la TVQ — Rachat anticipé d'unités de participation dans un fonds mutuel; 98-0110175 — Services rendus par un concessionnaire d'automobiles Revenus de commissions; 98-0111272 — Interprétation relative à la TPS et à la TVQ — Contrat de location avec option d'achat; 98-0113419 — Interprétation relative à la TPS — Interprétation relative à la TVQ — Surcommission versée à un gérant de district; 99-0100166 — Interprétation relative à la TPS — Interprétation relative à la TVQ — Cautionnement (frais d'analyse de dossier); 99-0101495 — Interprétation relative à la TPS et à la TVQ — Services de sollicitation; 99-0107898 — Interprétation relative à la TPS et à la TVQ — Frais d'administration relatifs à un régime enregistré d'épargne-retraite; 99-0109134 — Interprétation relative à la TPS — Interprétation relative à la TVQ — Vente sous contrôle de justice — certificats d'actions; 99-0109308[A] — Décision portant sur l'application de la TPS — Interprétation relative à la TVQ — Perception des frais liés à la publication de droits au registre des droits personnels et réels mobiliers du ministère de la Justice et frais de consultation; 00-0106062 — Interprétation relative à la TPS et à la TVQ — Services rendus par un courtier chargé de compte à un courtier remisier; 01-0105906 — Interprétation relative à la TPS et à la TVQ — Règlement d'une réclamation d'assurance; 01-0106029 — Statut fiscal d'un service rendu par un représentant à un courtier en valeurs mobilières; 02-0109773 — Interprétation relative à la TPS et à la TVQ — Services rendus par des courtiers immobiliers à des institutions financières; 02-0109963 — Interprétation relative à la TVQ Location de véhicules — Échange de véhicule grevé d'une sûreté; 02-0109989 — Interprétation relative à la TVQ Frais réclamés lorsqu'un transfert de fonds est refusé ou qu'un chèque est retourné par l'institution financière du locataire d'un véhicule routier; 03-0102081 — Paiements de réclamation — Assurance de dommages — Paiement incluant la TPS et la TVQ; 03-0107403 — Fournitures d'un service d'évaluation en matière de perte d'animaux de ferme; 04-0103368 — Interprétation relative à la TPS — services financiers [conception de formulaires]; 06-0102159 — Interprétation relative à la TPS et à la TVQ — Pénalités et frais d'administration et d'ouverture de dossier; 06-0103082 — Interprétation relative à la TPS et à la TVQ Jetons de présence et rémunération annuelle versés aux administrateurs d'un fiduciaire corporatif; 06-0103728 — Interprétation relative à la TPS et à la TVQ Montants payables dans le cadre de programmes de garantie de remplacement de véhicule automobile; 07-0100375 — Décision portant sur l'application de la TPS — fourniture d'un service d'accès à la Bourse de Toronto; 07-0100360 — Décision portant sur l'application de la TPS — interprétation relative à la TVQ — ententes de distribution.

« sous-ministre » [*Abrogée*]

Notes historiques: La définition de « sous-ministre » au paragraphe 123(1) a été abrogée par L.C. 1999, c. 17, par. 152(1). Cette abrogation s'applique à partir du 1er novembre 1999. Auparavant cette définition se lisait ainsi :

« sous-ministre » Le sous-ministre du Revenu national.

La définition de « sous-ministre » au paragraphe 123(1) avait été modifiée par L.C. 1994, c. 13, al. 7(1)g) afin de remplacer l'expression « sous-ministre du Revenu national (Douanes et Accise) » par l'expression « sous-ministre du Revenu national », avec les adaptations nécessaires.

La définition de « sous-ministre » au paragraphe 123(1) a été ajoutée par L.C. 1990, c. 45, par. 12(1).

« surintendant » Le surintendant des institutions financières nommé conformément à la *Loi sur le Bureau du surintendant des institutions financières*.

Notes historiques: La définition de « surintendant » au paragraphe 123(1) a été ajoutée par L.C. 2007, c. 18, par. 2(6) et est réputée être entrée en vigueur le 28 juin 1999.

Concordance québécoise: LTVQ, art. 1« surintendant ».

« taux de taxe » Quant à une province participante :

a) si un accord d'harmonisation de la taxe de vente a été conclu avec le gouvernement de la province relativement au nouveau régime de la taxe à valeur ajoutée harmonisée, le taux réglementaire applicable à la province;

b) si la province est une zone extracôtière visée à la définition de « province participante », le taux réglementaire qui lui est applicable;

c) à défaut de taux réglementaire applicable à la province, le taux figurant en regard du nom de la province à l'annexe VIII.

Notes historiques: La définition de « taux de taxe » au paragraphe 123(1) a été remplacée par L.C. 2009, c. 32, par. 2(1) et cette modification est entrée en vigueur le 1er juillet 2010. Antérieurement, elle se lisait ainsi :

« taux de taxe » Quant à une province participante, le taux figurant en regard du nom de la province à l'annexe VIII.

La définition de « taux de taxe » au paragraphe 123(1) a été ajoutée par L.C. 1997, c. 10, par. 150(6) et est réputée entrée en vigueur le 1er avril 1997.

Concordance québécoise: aucune.

Définitions: « province participante » — 123(1).

Renvois: 165(2) (taux de la taxe dans les provinces participantes); 165(3) (taux de taxe — fourniture détaxée).

Info TPS/TVQ: GI-073 — *Transition à la taxe de vente harmonisée — paiements de la TPS/TVH par les entités des gouvernements de l'Ontario et de la Colombie-Britannique*.

« taxe » Taxe payable en application de la présente partie.

Notes historiques: La définition de « taxe » au paragraphe 123(1) a été ajoutée par L.C. 1990, c. 45, par. 12(1).

Concordance québécoise: LTVQ, art. 1« taxe ».

Renvois: 165 (assujettissement); 212, 212.1, 218, 218.1 (taxe sur l'importation de produits).

Jurisprudence: *Olson Realty Corp. c. Canada*, [1998] G.S.T.C. 27 (CCI); *ITA Travel Agency Ltd. c. R.*, [2001] G.S.T.C. 5 (CCI).

Énoncés de politique: P-066, 06/07/93, *Exclusion d'éléments, autres que la contrepartie et la taxe, afin d'établir le rajustement pour créances irrécouvrables*.

Série de mémorandums: Mémorandum 1.5, 09/94, *Définitions*.

« teneur en taxe » Quant au bien d'une personne à un moment donné :

a) sauf en cas d'application de l'alinéa b), le résultat du calcul suivant :

$$(A - B) \times C$$

où :

A représente le total des montants suivants :

(i) la taxe qui était payable par la personne relativement à la dernière acquisition ou importation du bien par elle,

(ii) la taxe qui était payable par la personne relativement aux améliorations apportées au bien, qu'elle a acquises, importées ou transférées dans une province participante après la dernière acquisition ou importation du bien par elle,

(iii) la taxe prévue à l'article 165 qui aurait été payable par la personne relativement à la dernière acquisition du bien par elle, ou relativement aux améliorations apportées au bien qu'elle a acquises après la dernière acquisition ou importation du bien par elle, n'eût été le paragraphe 153(4), l'article 167, l'article 167.11 (s'il s'agit d'un bien acquis aux termes d'une convention portant sur une fourniture admissible, au sens de cet article, qui n'était pas, immédiatement avant cette acquisition, une immobilisation du fournisseur) ou le fait que la personne a acquis le bien ou les

LTA (TPS)

améliorations pour les consommer, les utiliser ou les fournir exclusivement dans le cadre d'activités commerciales,

(iv) la taxe prévue aux articles 218 ou 218.1 ou à la section IV.1 qui serait devenue payable par la personne relativement à la dernière acquisition ou importation du bien par elle et la taxe prévue à ces articles ou cette section qui serait devenue payable par elle relativement aux améliorations apportées au bien, qu'elle a acquises, importées ou transférées dans une province participante après la dernière acquisition ou importation du bien par elle, n'eût été le fait qu'elle a acquis ou importé le bien ou les améliorations, ou a transféré les améliorations dans la province participante, pour consommation, utilisation ou fourniture exclusive dans le cadre de ses activités commerciales,

(v) les montants déterminés selon la formule suivante :

$$D \times E \times F/G$$

où :

D représente un montant de taxe, prévue au paragraphe 165(1) ou aux articles 212 ou 218, (sauf une taxe que la personne n'avait pas à payer par l'effet d'une autre loi) visé à l'un des sous-alinéas (i) à (iii) de l'élément A qui est devenu payable par la personne pendant qu'elle était une institution financière désignée particulière, ou qui serait devenu ainsi payable dans les circonstances prévues à ce sous-alinéa,

E le pourcentage applicable à la personne quant à une province participante, déterminé pour l'application du paragraphe 225.2(2), pour son année d'imposition qui comprend le moment auquel ce montant est ainsi devenu payable ou serait ainsi devenu payable,

F le taux de taxe applicable à cette province,

G :

(A) 7 %, dans le cas où le montant déterminé selon l'élément D est compris dans l'élément A de la formule figurant au paragraphe 225.2(2) pour une période de déclaration de l'institution financière désignée particulière se terminant avant le 1er juillet 2006, ou le serait si la taxe devenait payable,

(B) 6 %, dans le cas où le montant déterminé selon l'élément D est compris dans l'élément A de la formule figurant au paragraphe 225.2(2) pour une période de déclaration de l'institution financière désignée particulière se terminant après le 30 juin 2006 mais avant le 1er janvier 2008, ou le serait si la taxe devenait payable,

(C) 5 %, dans les autres cas,

B le total des montants suivants :

(i) les taxes visées aux sous-alinéas (i) à (iv) de l'élément A que la personne n'avait pas à payer par l'effet d'une autre loi,

(ii) les taxes (sauf celles visées au sous-alinéa (i)) prévues au paragraphe 165(2) et à l'article 212.1, visées à l'un des sous-alinéas (i) à (iv) de l'élément A, qui sont devenues payables par la personne pendant qu'elle était une institution financière désignée particulière, ou qui seraient devenues ainsi payables dans les circonstances prévues à ce sous-alinéa,

(iii) les montants (sauf les crédits de taxe sur les intrants et les montants visés aux sous-alinéas (i) et (ii)) relatifs à la taxe visée aux sous-alinéas (i) et (ii) de l'élément A que la personne avait le droit de recouvrer par voie de remboursement, de remise ou d'un autre moyen en vertu de la présente loi ou d'une autre loi ou aurait eu le droit de recouvrer ainsi si le bien ou les améliorations avaient été acquis pour utilisation exclusive dans le cadre d'activités non commerciales,

(iv) les montants (sauf les crédits de taxe sur les intrants et les montants visés aux sous-alinéas (i) et (ii)) relatifs à la taxe visée aux sous-alinéas (iii) et (iv) de l'élément A que la personne aurait eu le droit de recouvrer par voie de remboursement, de remise ou d'un autre moyen en vertu de la présente loi ou d'une autre loi si cette taxe avait été payable et si le bien ou les améliorations avaient été acquis pour utilisation exclusive dans le cadre d'activités non commerciales,

C 1 ou, s'il est inférieur, le résultat du calcul suivant :

$$\frac{H}{I}$$

où :

H représente la juste valeur marchande du bien au moment donné,

I le total des montants suivants :

(i) la valeur de la contrepartie de la dernière fourniture du bien effectuée au profit de la personne ou, si le bien a été importé en dernier par celle-ci, sa valeur déterminée selon l'article 215,

(ii) si la personne a acquis ou importé des améliorations au bien après qu'il a été ainsi acquis ou importé en dernier, le total des montants représentant chacun la valeur de la contrepartie d'une fourniture de telles améliorations effectuée au profit de la personne ou, si ces améliorations constituent des biens que la personne a importés ou transférés dans une province participante, leur valeur déterminée selon l'article 215 ou les paragraphes 220.05(1), 220.06(1) ou 220.07(3), selon le cas;

b) si la personne a transféré le bien dans une province participante en provenance d'une autre province pour consommation, utilisation ou fourniture dans la province participante dans des circonstances où elle était tenue de payer la taxe relative au bien en vertu de l'article 220.05 ou aurait été ainsi tenue n'eût été le fait que le bien a été transféré dans cette province pour consommation, utilisation ou fourniture exclusive dans le cadre d'activités commerciales ou que la personne n'avait pas à payer cette taxe par l'effet d'une autre loi, le résultat du calcul suivant :

$$(J - K) \times L$$

où :

J représente le total des montants suivants :

(i) la teneur en taxe du bien, déterminé selon l'alinéa a), immédiatement avant le transfert du bien dans la province,

(ii) la taxe qui est devenue payable par la personne relativement au bien en vertu de l'article 220.05 au moment du transfert du bien dans la province participante,

(iii) la taxe qui était payable par la personne relativement aux améliorations apportées au bien, qu'elle a acquises, importées ou transférées dans une province participante après le transfert du bien dans cette province,

(iv) la taxe prévue à l'article 165 qui aurait été payable par la personne, relativement aux améliorations apportées au bien qu'elle a acquises après le transfert du bien dans la province participante, n'eût été le paragraphe 153(4), l'article 167, l'article 167.11 (s'il s'agit d'un bien acquis aux termes d'une convention portant sur une fourniture admissible, au sens de cet article, qui n'était pas, immédiatement avant cette acquisition, une immobilisation du fournisseur) ou le fait que la personne a acquis les améliorations pour les consommer, les utiliser ou les fournir exclusivement dans le cadre d'activités commerciales,

(v) la taxe prévue à l'article 220.05 qui serait devenue payable par la personne relativement au bien et la taxe prévue aux articles 218 ou 218.1 ou à la section IV.1 qui serait devenue payable par elle relativement aux améliorations apportées au bien, qu'elle a acquises, importées ou transférées dans une province participante après le transfert du bien dans cette province, si ce n'était le fait qu'elle a transféré le bien dans la province, ou a acquis ou importé les améliorations, ou les a transférés dans la province, pour consommation, utilisation ou fourniture exclusive dans le cadre de ses activités commerciales,

(vi) les montants déterminés selon la formule suivante :

$$M \times N \times \frac{O}{P}$$

où :

M représente un montant de taxe, prévue au paragraphe 165(1) ou aux articles 212 ou 218, (sauf la taxe que la personne n'avait pas à payer par l'effet d'une autre loi) visé aux sous-alinéas (iii) ou (iv) de l'élément J qui est devenu payable par la personne après le transfert du bien dans la province participante et pendant que la personne était une institution financière désignée particulière, ou qui serait devenu ainsi payable dans les circonstances prévues à ce sous-alinéa,

N le pourcentage applicable à la personne quant à une province participante, déterminé pour l'application du paragraphe 225.2(2), pour son année d'imposition qui comprend le moment auquel ce montant est devenu ainsi payable ou serait ainsi devenu payable,

O le taux de taxe applicable à cette province,

P :

(A) 7 %, dans le cas où le montant déterminé selon l'élément M est compris dans l'élément A de la formule figurant au paragraphe 225.2(2) pour une période de déclaration de l'institution financière désignée particulière se terminant avant le 1er juillet 2006, ou le serait si la taxe devenait payable,

(B) 6 %, dans le cas où le montant déterminé selon l'élément M est compris dans l'élément A de la formule figurant au paragraphe 225.2(2) pour une période de déclaration de l'institution financière désignée particulière se terminant après le 30 juin 2006 mais avant le 1er janvier 2008, ou le serait si la taxe devenait payable,

(C) 5 %, dans les autres cas,

K le total des montants suivants :

(i) les taxes visées aux sous-alinéas (ii) à (v) de l'élément J que la personne n'avait pas à payer par l'effet d'une autre loi,

(ii) les taxes (sauf celles visées au sous-alinéa (i)) prévues au paragraphe 165(2) et à l'article 212.1, visées à l'un des sous-alinéas (ii) à (v) de l'élément J, qui sont devenues payables par la personne pendant qu'elle était une institution financière désignée particulière, ou qui seraient devenues ainsi payables dans les circonstances prévues à ce sous-alinéa,

(iii) les montants (sauf les crédits de taxe sur les intrants et les montants visés aux sous-alinéas (i) ou (ii)) relatifs à la taxe visée aux sous-alinéas (ii) et (iii) de l'élément J que la personne avait le droit de recouvrer par voie de remboursement, de remise ou d'un autre moyen en vertu de la présente loi ou d'une autre loi ou aurait eu le droit de recouvrer ainsi si le bien ou les améliorations avaient été acquis pour utilisation exclusive dans le cadre d'activités non commerciales,

(iv) les montants (sauf les crédits de taxe sur les intrants et les montants visés aux sous-alinéas (i) et (ii)) relatifs à la taxe visée aux sous-alinéas (iv) et (v) de l'élément J que la personne aurait eu le droit de recouvrer par voie de remboursement, de remise ou d'un autre moyen en vertu de la présente loi ou d'une autre loi si cette taxe avait été payable et si le bien ou les améliorations avaient été acquis pour utilisation exclusive dans le cadre d'activités non commerciales,

L 1 ou, s'il est inférieur, le résultat du calcul suivant :

$$\frac{Q}{R}$$

où :

Q représente la juste valeur marchande du bien au moment donné,

R le total des montants suivants :

(i) la valeur du bien, déterminée selon les paragraphes 220.05(1), 220.06(1) ou 220.07(3), selon le cas, au moment du transfert du bien dans la province participante,

(ii) si la personne a acquis ou importé des améliorations au bien après le transfert du bien dans la province participante, le total des montants représentant chacun la valeur de la contrepartie d'une fourniture de telles améliorations effectuée au profit de la personne ou, si ces améliorations constituent des biens que la personne a importés ou apportés dans une province participante, la valeur des améliorations déterminée selon l'article 215 ou les paragraphes 220.05(1), 220.06(1) ou 220.07(3), selon le cas.

Notes historiques: Le sous-alinéa (iii) de l'élément A de la formule de l'alinéa a) de la définition de « teneur en taxe » au paragraphe 123(1) a été remplacé par L.C. 2007, c. 18, par. 2(3) et cette modification est réputée être entrée en vigueur le 28 juin 1999. Antérieurement, il se lisait ainsi :

(iii) la taxe prévue à l'article 165 qui aurait été payable par la personne relativement à la dernière acquisition du bien par elle ou relativement aux améliorations apportées au bien, qu'elle a acquises après la dernière acquisition ou importation du bien par elle, n'eût été le paragraphe 153(4), l'article 167 ou le fait que la personne a acquis le bien ou les améliorations pour consommation, utilisation ou fourniture exclusivement dans le cadre d'activités commerciales,

La division (B) de l'élément G de la deuxième formule de l'alinéa a) de la définition de « teneur en taxe » au paragraphe 123(1) a été remplacée et la division (C) a été ajoutée par L.C. 2007, c. 35, par. 183(1) et ces modifications sont réputées être entrées en vigueur le 1er janvier 2008. Antérieurement, la division (B) se lisait ainsi :

(B) 6 %, dans les autres cas,

L'élément G de la formule de l'alinéa a) de la définition de « teneur en taxe » au paragraphe 123(1) a été remplacé par L.C. 2006, c. 4, par. 2(1) et cette modification est entrée en vigueur le 1er juillet 2006. Antérieurement, il se lisait comme suit:

G 7 %,

Le préambule de l'alinéa b) de la définition de « teneur en taxe » au paragraphe 123(1) a été remplacé par. L.C. 2009, c. 32, par. 2(2) et cette modification est être entrée en vigueur le 1er juillet 2010. Antérieurement, il se lisait ainsi :

b) si la personne a transféré le bien d'une province non participante dans une province participante pour consommation, utilisation ou fourniture dans cette dernière dans des circonstances où elle était tenue de payer la taxe relative au bien en vertu de l'article 220.05 ou aurait été ainsi tenue n'eût été le fait que le bien a été transféré dans cette province pour consommation, utilisation ou fourniture exclusive dans le cadre d'activités commerciales ou que la personne n'avait pas à payer cette taxe par l'effet d'une autre loi, le résultat du calcul suivant :

Le sous-alinéa (iv) de l'élément J de la formule de l'alinéa b) de la définition de « teneur en taxe » au paragraphe 123(1) a été remplacé par L.C. 2007, c. 18, par. 2(4) et cette modification est réputée être entrée en vigueur le 28 juin 1999. Antérieurement, il se lisait ainsi :

(iv) la taxe prévue à l'article 165 qui aurait été payable par la personne relativement aux améliorations apportées au bien, qu'elle a acquises après le transfert du bien dans la province participante, n'eût été le paragraphe 153(4), l'article 167 ou le fait que la personne a acquis les améliorations pour consommation, utilisation ou fourniture exclusivement dans le cadre d'activités commerciales,

La division (B) de l'élément P de la deuxième formule de l'alinéa b) de la définition de « teneur en taxe » au paragraphe 123(1) a été remplacée et la division (C) a été ajoutée par L.C. 2007, c. 35, par. 183(2) et ces modifications sont réputées être entrées en vigueur le 1er janvier 2008. Antérieurement, la division (B) se lisait ainsi :

(B) 6 %, dans les autres cas,

L'élément P de la formule de l'alinéa b) de la définition de « teneur en taxe » au paragraphe 123(1) a été remplacé par L.C. 2006, c. 4, par. 2(2) et cette modification est entrée en vigueur le 1er juillet 2006. Antérieurement, il se lisait comme suit:

P 7 %,

La définition de « teneur en taxe » au paragraphe 123(1) a été ajoutée par L.C. 1997, c. 10, par. 150(6) et est réputée entrée en vigueur le 1er avril 1997.

Concordance québécoise: LTVQ, art. 1« teneur en taxe ».

Définitions: « améliorations », « activité commerciale », « année d'imposition », « bien », « contrepartie » — 123(1); « crédit de taxe sur les intrants » — 169(1); « dernière acquisition ou importation » — 195.2; « fourniture », « imporation », « institution financière désignée particulière », « juste valeur marchande » — 123(1); « loi provinciale » — 35(1) *Loi d'interprétation*; « montant », « personne », « province non participante », « province participante », « règlement », « taux de taxe », « taxe » — 123(1); « valeur de la contrepartie » — 153, 154.

Renvois: 125 (résultats négatifs); 153, 154 (valeur de la contrepartie); 167.11(4) (banques étrangères); 169(1) (CTI); 195.2 (dernière acquisition ou importation); 198.1 (teneur en taxe du bien d'une municipalité); 256.2 (« fraction admissible de teneur en taxe »).

Jurisprudence: *Brose c. R.*, [2006] G.S.T.C. 47 (CCI).

Énoncés de politique: P-019R, 04/08/99, *Droit aux CTI relatifs aux frais de démarrage — biens en immobilisations admissibles*.

Bulletin de l'information technique: B-087, 05/02/02, *Remboursement de la TPS-TVH pour immeubles d'habitation locatifs neufs*.

Série de mémorandums: Mémorandum 3.1, 08/99, *Assujettissement à la taxe*; Mémorandum 19.2.3, 02/02, *Immeubles résidentiels — Fournitures réputées*; Mémorandum 19.3.6, 08/98, *Remboursement relatif à la vente d'un immeuble par un non-inscrit*; Mémorandum 19.4.2, 08/99, *Immeubles commerciaux — Fournitures réputées*.

Lettres d'interprétation (Québec): 98-0111033 [A] — Inscription d'un petit fournisseur et teneur en taxe d'un camion; 99-0103111 — Interprétation relative à la TPS — Interprétation relative à la TVQ — Fusion d'organismes de services publics.

« titre de créance » Droit de se faire payer de l'argent, y compris le dépôt d'argent. La présente définition exclut le bail, la licence ou l'accord semblable visant l'utilisation ou le droit d'utilisation de biens autres que des effets financiers.

Notes historiques: La définition de « titre de créance » au paragraphe 123(1) a été ajoutée par L.C. 1990, c. 45, par. 12(1).

Concordance québécoise: LTVQ, art. 1« titre de créance ».

Définitions: « argent », « bien », « effet financier » — 123(1).

Jurisprudence: *On-Guard Self-Storage Ltd. c. La Reine*, [1996] G.S.T.C. 9 (CCI); [1996] G.S.T.C. 88 (CAF); *A.M.E. Aeroworks Services Ltd. c. Canada*, [1999] G.S.T.C. 19 (CCI); *Elgin Mills Leslie Holdings Ltd. c. Canada*, [2000] G.S.T.C. 8 (CCI).

Énoncés de politique: P-170, 01/12/94, *Titre de créance et montants éventuels*.

Série de mémorandums: Mémorandum 1.5, 09/94, *Définitions*; Mémorandum 17.1, 01/95, *Définition d'effet financier*, par. 5–8.

« titre de participation » Action du capital-actions d'une personne morale ou droit y afférent.

Notes historiques: La définition de « titre de participation » au paragraphe 123(1) a été ajoutée par L.C. 1990, c. 45, par. 12(1).

Concordance québécoise: LTVQ, art. 1« titre de participation ».

Définitions: « effet financier » — 123(1); « personne morale » — 35(1) *Loi d'interprétation*.

Jurisprudence: *Borrowers' Action Society c. Sa Majesté la Reine*, [1996] G.S.T.C. 61 (CCI); *Locator of Missing Heirs Inc. c. Sa Majesté la Reine*, [1995] G.S.T.C. 63 (CCI); [1997] G.S.T.C. 16 (CAF).

Mémorandums: TPS 700-2, 28/22/91, *Définition d'effet financier*, par. 19–21.

Série de mémorandums: Mémorandum 1.5, 09/94, *Définitions*; Mémorandum 17.1, 01/95, *Définition d'effet financier*, par. 9, 10.

« transporteur » Personne qui fournit un service de transport de marchandises au sens du paragraphe 1(1) de la partie VII de l'annexe VI.

Notes historiques: La définition de « transporteur » au paragraphe 123(1) a été ajoutée par L.C. 1993, c. 27, par. 10(18) et est réputée entrée en vigueur le 17 décembre 1990.

Concordance québécoise: LTVQ, art. 1« transporteur ».

Définitions: « fourniture », « personne » — 123(1).

Renvois: 179 (livraison au consignataire d'un non-résident).

Jurisprudence: *Dangerous Goods Packaging Ltd. c. La Reine*, [1994] G.S.T.C. 87 (CCI); *482733 Ontario Inc. [KM Delivery Service] c. R.*, [2001] G.S.T.C. 49 (CCI); *Bam Packaging Ltd. c. R.*, [2001] G.S.T.C. 76 (CCI); *Vuruna c. R.* (28 octobre 2010), 2010 CarswellNat 4896, 2010 CCI 365 (CCI [procédure informelle]).

Série de mémorandums: Mémorandum 1.5, 09/94, *Définitions*; Mémorandum 28.2, 01/99, *Services de transport de marchandises*.

« trimestre civil » Période de trois mois débutant le premier jour de janvier, avril, juillet et octobre de l'année civile.

Notes historiques: La définition de « trimestre civil » au paragraphe 123(1) a été ajoutée par L.C. 1990, c. 45, par. 12(1).

Concordance québécoise: LTVQ, art. 1« trimestre civil ».

Définitions: « année civile » — 37(1)a) *Loi d'interprétation*; « mois » — 123(1); « période de déclaration » — 217.

Renvois: 243 (trimestre d'exercice).

Série de mémorandums: Mémorandum 1.5, 09/94, *Définitions*.

« trimestre d'exercice » Période déterminée en application de l'article 243.

Notes historiques: La définition de « trimestre d'exercice » au paragraphe 123(1) a été ajoutée par L.C. 1990, c. 45, par. 12(1).

Concordance québécoise: aucune.

Définitions: « personne », « trimestre civil » — 123(1).

Série de mémorandums: Mémorandum 1.5, 09/94, *Définitions*.

« université » Institution reconnue qui décerne des diplômes, y compris l'organisation qui administre une école affiliée à une telle institution ou l'institut de recherche d'une telle institution.

Notes historiques: La définition de « université » au paragraphe 123(1) a été modifiée par L.C. 1997, c. 10, par. 1(1) et cette modification est réputée entrée en vigueur le 24 avril 1996. Auparavant, cette définition a été ajoutée par L.C. 1990, c. 45, par. 12(1). Elle se lisait comme suit :

> « université » Institution reconnue qui décerne des diplômes, y compris l'institution ou la partie d'une institution qui administre une école affiliée à une telle institution ou l'institut de recherche d'une telle institution.

Concordance québécoise: LTVQ, art. 1« université ».

Renvois: 149(4.1) (institution financière — exception); 259.1 (livres imprimés); V:Partie III (services d'enseignement exonérés).

Jurisprudence: *City University c. La Reine*, [1996] G.S.T.C. 24 (CCI); *Centre Provincial de Ressources Pédagogiques c. Canada*, [1999] G.S.T.C. 62 (CCI); *Fraser International College Ltd. v. R.*, CarswellNat 1321, 2010 CCI 63, [2010] G.S.T.C. 21 (CCI [procédure générale]).

Énoncés de politique: P-214R, 02/02/98, *Entité située à l'étranger admissible à titre d'« université » aux fins de la Loi sur la taxe d'accise (« LTA »)*; P-220, 26/10/98, *Entités canadiennes qui sont admissibles en tant qu'« université » au sens de la Loi sur la taxe d'accise (LTA)*; P-245, 17/08/05, *Établissement des « . . .activités exercées par un organisme dans le cadre de l'exploitation d'un hôpital public » aux fins du remboursement de 83 % prévu pour les organismes de services publics et applicable aux administrations hospitalières* .

Bulletins de l'information technique: B-075R, 23/04/96, *Modifications proposées à la TPS*.

Mémorandums: TPS 500-4-3, 10/05/91, *Universités, administrations scolaires et collèges publics*.

Série de mémorandums: Mémorandum 1.5, 09/94, *Définitions*.

Formulaires: GST66, *Demande de remboursement de la TPS/TVH pour organismes de services publics et de TPS pour gouvernements autonomes*.

« véhicule à moteur déterminé »

a) Produits qui sont classés sous le numéro tarifaire 8701.20.00, les sous-positions 8701.30 et 8701.90, la position 87.02, le numéro tarifaire 8703.10.10, les sous-positions 8703.21 à 8703.90 et 8704.21 à 8704.90, la position 87.05, les numéros tarifaires 8711.20.00 à 8711.90.00 et 8713.90.00, 8716.10.21, 8716.10.29 et 8716.39.30 à 8716.40.00 et la sous-position 8716.80 de l'annexe I du *Tarif des douanes*, ou qui seraient ainsi classés s'ils étaient importés, à l'exception des voitures de course classées sous la position 87.03 de cette annexe et des véhicules à moteur visés par règlement;

b) véhicules à moteur visés par règlement.

Notes historiques: La définition de « véhicule à moteur déterminé » au paragraphe 123(1) a été ajoutée par L.C. 1997, c. 10, par. 150(6) et est réputée entrée en vigueur le 1er avril 1997.

Concordance québécoise: aucune.

Définitions: « importation », « produits », « règlement » — 123(1).

Règlements: Aucun véhicule à moteur n'est encore visé par règlement, aux fins des alinéas a) ou b).

Jurisprudence: *Amberhill Collection Inc. v. R.*, 2009 CarswellNat 499 (CCI [procédure informelle]).

Bulletins de l'information technique: B-078, 28/02/97, *Règle sur le lieu de fourniture sous le régime de la TVH*; B-079, 28/02/97, *Autocotisation de la TVH sur les four-*

nitures transférées dans une province participante; B-102, 07/07/11, *Taxe sur les produits et services des Premières nations - Lieu de fourniture*.

Info TPS/TVQ: GI-119 — *Taxe de vente harmonisée-Nouvelle règle sur le lieu de fourniture pour les ventes de véhicules à moteur déterminés*; GI-120 — *Cession d'un contrat de vente d'une habitation neuve ou d'un logement en copropriété neuf* .

« vente » Y sont assimilés le transfert de la propriété d'un bien et le transfert de la possession d'un bien en vertu d'une convention prévoyant le transfert de la propriété du bien.

Notes historiques: La définition de « vente » au paragraphe 123(1) a été ajoutée par L.C. 1990, c. 45, par. 12(1).

Concordance québécoise: LTVQ, art. 1« vente ».

Définitions: « bien », « fourniture » — 123(1).

Jurisprudence: *Brial Holdings Ltd. c. MNR*, [1993] G.S.T.C. 33 (TCCE); *Granbury Developments Limited c. La Reine*, [1995] G.S.T.C (CCI); *Hawkins Taxidermists of Canada Ltd. c. R.*, 2005 TCC 376 (CCI).

Énoncés de politique: P-062, 25/05/93, *Distinction entre bail, licence et accord semblable*; P-064, 25/05/93, *Traitement du temps partagé (des multipropriétés)*; P-083, 17/09/98, *Conventions d'achat visant une habitation neuve en Alberta*; P-111R, 25/05/93, *Définition d'une vente à l'égard d'un immeuble*; P-131R, 14/09/94, *Versement de taxe par un tiers*; P-164, 15/02/94, *Contrat de location avec option d'achat*; P-176R, 31/03/95, *Application du critère de profit à l'exploitation d'une entreprise*; P-178, 29/03/95, *Possession adversative d'un immeuble (droits de squatteur)*; P-198, 11/01/96, *Taxes municipales impayées et rachat par l'ancien propriétaire* (Ébauche).

Mémorandums: TPS 300-6, 14/09/90, *Moment d'assujettissement de la fourniture*, par. 23, 24; TPS 300-6-11, 23/01/92, *Règle de primauté*, par. 8.

Série de mémorandums: Mémorandum 1.5, 09/94, *Définitions*; Mémorandum 13.4, 07/02, *Remboursements pour les livres imprimés, les enregistrements sonores de livres imprimés et les versions imprimées des Écritures d'une religion*; Mémorandum 19.1, 10/97, *Les immeubles et la TPS/TVH*; Mémorandum 19.2.3, 06/98, *Immeubles résidentiels — Fournitures réputées*; Mémorandum 19.4.1, 08/99, *Immeubles commerciaux — Ventes et locations*; Mémorandum 19.5, 06/02, *Fonds de terre et immeubles connexes*.

Lettres d'interprétation (Québec): 98-0101901 — Décision portant sur l'application de la TPS — Interprétation relative à la TVQ — Transferts de quotes-parts indivises d'immeubles; 99-0113078 — Interprétation relative à la TPS et à la TVQ — Promesse d'achat-vente et bail relatifs à un immeuble d'habitation à logement unique; 00-0112086 — Interprétation relative à la TPS et à la TVQ — Fourniture par vente d'un véhicule et « contre-lettre ».

Info TPS/TVQ: GI-120 — *Cession d'un contrat de vente d'une habitation neuve ou d'un logement en copropriété neuf* .

« voiture de tourisme » S'entend au sens du paragraphe 248(1) de la *Loi de l'impôt sur le revenu*.

Notes historiques: La définition de « voiture de tourisme » au paragraphe 123(1) a été ajoutée par L.C. 1990, c. 45, par. 12(1).

Concordance québécoise: LTVQ, art. 1« voiture de tourisme ».

Renvois: 173(2) (choix); 201 (valeur); 202 (amélioration et CTI); 203 (vente); 235 (location).

Jurisprudence: *Myshak (D.) c. Canada*, [1997] G.S.T.C. 59 (CCI); *Ruhl (W.) c. Canada*, [1998] G.S.T.C. 4 (CCI); *McKay c. R.*, [2000] G.S.T.C. 93 (CCI); *Bush Apes Inc. c. R.*, [2001] G.S.T.C. 72 (CCI); *Fournier c. R.*, [2004] G.S.T.C. 159 (CCI); *Distribution S.C.T. inc. c. R.*, 2006 G.T.C. 517 (CCI); *Fournier c. R.*, [2006] G.S.T.C. 52, 2006 (CAF); *Jenner c. R.*, 2007 G.T.C. 904 (CCI); 2008 CarswellNat 1630 (CAF); *Betcher v. R.*, [2008] G.S.T.C. 103 (30 avril 2008) (CCI [procédure générale]).

Décrets de remise: *Décret de remise visant certaines fournitures de véhicule routier*, C.P.2001-896.

Mémorandums: TPS 500-7, 26/11/91 *Interaction entre la Loi sur la taxe d'accise et la Loi de l'impôt sur le revenu*, par. 32–39.

Série de mémorandums: Mémorandum 1.5, 09/94, *Définitions*; Mémorandum 9.2, 11/11, *Avantages relatifs aux automobiles* .

« zone extracôtière de la Nouvelle-Écosse » Zone extracôtière au sens de l'article 2 de la *Loi de mise en œuvre de l'Accord Canada — Nouvelle-Écosse sur les hydrocarbures extracôtiers*.

Notes historiques: La définition de « zone extracôtière de la Nouvelle-Écosse » au paragraphe 123(1) a été ajoutée par L.C. 1997, c. 10, par. 150(6) et est réputée entrée en vigueur le 1er avril 1997.

Concordance québécoise: aucune.

Série de mémorandums: Mémorandum 8-1, 05/05, *Règles générales d'admissibilité*.

« zone extracôtière de Terre-Neuve » Zone extracôtière au sens de l'article 2 de la *Loi de mise en œuvre de l'Accord atlantique Canada — Terre-Neuve*.

Notes historiques: La définition de « zone extracôtière de Terre-Neuve » au paragraphe 123(1) a été ajoutée par L.C. 1997, c. 10, par. 150(6) et est réputée entrée en vigueur le 1er avril 1997.

Concordance québécoise: aucune.

Notes historiques [par. 123(1)]: Le préambule du paragraphe 123(1) a été modifié par L.C. 1997, c. 10, par. 150(1) et cette modification est entrée en vigueur le 1er avril 1997. Auparavant, il se lisait ainsi :

> 123. (1) Les définitions qui suivent s'appliquent à l'article 121, à la présente partie et aux annexes V, VI et VII.

(2) Canada — Pour l'application de la présente partie, le Canada comprend, sous réserve du paragraphe (3) :

a) le fond de la mer et le sous-sol des zones sous-marines contiguës au littoral du Canada à l'égard desquels un gouvernement peut accorder un droit, une licence ou un privilège visant l'exploitation de minéraux ou l'exploration y afférente;

b) les eaux et l'espace aérien situés au-dessus de ces zones, en ce qui a trait aux activités exercées en rapport avec l'exploitation de minéraux ou l'exploration y afférente.

Notes historiques: Le paragraphe 123(2) a été ajouté par L.C. 1990, c. 45, par. 12(1).

Concordance québécoise: aucune.

(3) Canada — section III — Pour l'application de la section III, « Canada » s'entend au sens de la *Loi sur les douanes*.

Notes historiques: Le paragraphe 123(3) a été ajouté par L.C. 1990, c. 45, par. 12(1).

Concordance québécoise: aucune.

(4) Application aux annexes — Les dispositions qui s'appliquent à la présente partie s'appliquent également aux annexes V à X.

Notes historiques: Le paragraphe 123(4) a été modifié par L.C. 1997, c. 10, par. 150(7) et est entré en vigueur le 1er avril 1997. Ce paragraphe, ajouté par L.C. 1990, c. 45, par. 12(1), se lisait comme suit :

> (4) Les dispositions qui s'appliquent à la présente partie s'appliquent également aux annexes V, VI et VII.

Concordance québécoise: aucune.

Guides: IN-228 — La TVQ et la TPS/TVH pour les organismes de bienfaisance.

Définitions [123]: « droit d'accès », « exporation », « gouvernement », « minéral », « province », « taux de taxe » — 123(1); « » — 123(4).

Renvois [art. 123]: 142–144 (fourniture réputée au Canada et hors du Canada).

Jurisprudence [123]: *Paquet c. R.*, [2002] G.S.T.C. 31 (CCI); *Edible What Candy Corp. v. R.*, [2002] G.S.T.C. 33 (CCI); *Khun c. R.*, [2002] G.S.T.C. 101 (CCI); *Centre hospitalier Le Gardeur c. R.*, 2007 CCI 425 (CCI).

Énoncés de politique [art. 123]: P-152R, 20/05/98, *Signification du mot « Canada » aux fins de la taxe de la section II*.

Série de mémorandums [art. 123]: Mémorandum 1.5, 09/94, *Définitions*; Mémorandum 3.3, 08/99, *Assujettissement à la taxe*.

Formulaires [art. 123]: FP-66, *Demande de remboursement de la TPS/TVH à l'intention des organismes de services publics*; FP-66.G, *Guide de la demande de remboursement de la TPS-TVH à l'intention des organismes de services publics*.

Lettres d'interprétation (Québec) [art. 123]: 03-0104608 — Interprétation relative à la TPS et à la TVQ — Montants versés à un organisme à but non lucratif; 03-0105936 — Entente services de loisirs.

124. (1) Intérêts composés — Les intérêts calculés au taux réglementaire et les pénalités calculées à un taux annuel, en application de la présente partie, sont composés quotidiennement.

Notes historiques: L'article 124 est devenu le paragraphe 124(1) par L.C. 1993, c. 27, par. 11(1) rétroactivement au 17 décembre 1990.

Concordance québécoise: LAF, art. 28.1.

(2) Idem — Les intérêts et les pénalités calculées à un taux annuel qui sont à être composés un jour donné sont, ce jour-là, composés ensemble à un taux unique égal au total du taux de la pénalité et du taux des intérêts. À cette fin, la pénalité et les intérêts sont réputés représenter des intérêts calculés à ce taux unique.

Notes historiques: Le paragraphe 124(2) a été ajouté par L.C. 1993, c. 27, par. 11(1) et est réputé entré en vigueur le 17 décembre 1990.

Concordance québécoise: aucune.

(3) Intérêts — Lorsqu'une modification apportée à la présente partie ou une modification ou un texte législatif afférent à cette partie entre en vigueur un jour donné, s'applique à une période donnée ou s'applique à l'auteur ou au bénéficiaire d'un acte, à un bien ou à un service ayant fait l'objet d'une fourniture ou de quelque mesure ou à quelque événement ou opération et que le jour, tout ou partie de la période, l'acte, la fourniture, la mesure, l'événement ou l'opération, selon le cas, est antérieur à la date de sanction ou de promulgation de la modification ou du texte, pour l'application des dispositions de la présente partie qui concernent ou prévoient le paiement d'intérêts sur un montant, ou l'obligation de payer pareils intérêts, ce montant est déterminé, et les intérêts afférents calculés, comme si la modification ou le texte avait été sanctionné ou promulgué avant le jour donné ou le début de la période donnée ou avant la réalisation de l'acte, de la fourniture, de la mesure, de l'événement ou de l'opération, selon le cas.

Notes historiques: Le paragraphe 124(3) a été ajouté par L.C. 1993, c. 27, par. 11(1) et est réputé entré en vigueur le 17 décembre 1990. Toutefois, aucun intérêt n'est calculé sur un montant payable ou à verser par une personne autre que le ministre du Revenu national en application du paragraphe 124(3) pour toute période qui prend fin avant octobre 1992.

Concordance québécoise: aucune.

(4) Exception — Le paragraphe (3) ne s'applique pas au calcul des pénalités en vertu de la présente partie.

Notes historiques: Le paragraphe 124(4) a été ajouté par L.C. 1993, c. 27, par. 11(1) et est réputé entré en vigueur le 17 décembre 1990.

Concordance québécoise: aucune.

Définitions [art. 124]: « bien », « fourniture », « montant », « personne », « service » — 123(1).

Renvois [art. 124]: 280(4.1) (paiement des pénalités et intérêts); 281.1 (prorogation des délais de production).

Règlements [art. 124]: *Règlement sur les taux d'intérêt*, art. 2b).

Mémorandums [art. 124]: TPS 500-3, 4/10/91, *Cotisations et pénalités*, par. 21; TPS 500-3-2, 16/03/94, *Pénalités et intérêts*, par. 8, 9, 11, 12; TPS 500-3-2-1, 14/03/94, *Administration ou renonciation — pénalités et intérêts*, par. 1.

Série de mémorandums [art. 124]: Mémorandum 16.2, 01/09, *Pénalités et intérêts*; Mémorandum 16.3, 01/09, *Annulation ou renonciation — Pénalités et/ou intérêts*.

COMMENTAIRES: La pénalité typique dans le régime de la TPS/TVH varie entre 5 000 $ à 20 000 $. En particulier, les petites entreprises qui ne jouissent pas des services d'experts pouvant ainsi leur assurer une stricte observation de la *Loi sur la taxe d'accise (TPS)* sont exposées à des risques financiers considérables. Comme la période de vérification générale des cotisations TPS est de quatre ans, il est possible qu'une importante dette fiscale s'accumule avant d'être découverte par un vérificateur. Ce problème s'aggrave encore du fait que les intérêts et la pénalité se composent quotidiennement en vertu de l'article 124.

L'article 67.6 de la *Loi de l'impôt sur le revenu* restreint la déductibilité de pénalités pour la plupart des pénalités imposées après le 22 mars 2004, sous réserve de l'article 7309 du Règlement de l'impôt sur le revenu qui exclut les pénalités en vertu de l'article 280 de la *Loi sur la taxe d'accise (TPS/TVH)* et qui demeurent donc, à ce titre, déductibles aux fins de l'impôt sur le revenu. Voir notamment à cet effet: Agence du revenu du Canada, Lettre de l'Administration centrale sur la TPS, 2011-040056117 — *GST deductible under Income Tax Act* (19 avril 2011).

Dans ce contexte, il faut souligner la possibilité de déposer une demande dans le cadre d'une divulgation volontaire et qui permet l'annulation des pénalités. Dans certaines circonstances exceptionnelles, il est également possible que l'Agence du revenu du Canada ou Revenu Québec annule également les intérêts reliés à la créance fiscale.

Le paragraphe (3) est similaire à l'article 221.1 de la *Loi de l'impôt sur le revenu*. En bref, cette règle prévoit que l'intérêt se calcule à compter de date d'entrée en vigueur de la législation rétroactive. Toutefois, le paragraphe (4) prévoit que cette règle ne s'applique pas aux pénalités.

125. Résultats négatifs — Sauf disposition contraire, tout montant ou nombre dont la présente partie prévoit le calcul selon une formule algébrique et qui, une fois calculé, est négatif doit être considéré comme égal à zéro.

Notes historiques: L'article 125 a été ajouté par L.C. 1990, c. 45, par. 12(1).

Concordance québécoise: LTVQ, art. 2.

Définitions: « montant » — 123(1).

COMMENTAIRES: De façon générale, un montant calculé en vertu de la *Loi sur la taxe d'accise (TPS)* ne peut être négatif. Toutefois, il existe certaines exceptions à ce principe, notamment le paragraphe 225(1) qui permet à l'inscrit, dans le cadre de son calcul de la taxe nette, d'avoir un résultat négatif à l'égard de celle-ci. Dans ce contexte, c'est-à-dire dans la mesure où le montant est négatif, l'inscrit pourra réclamer un remboursement de sa taxe nette.

La question se pose à savoir si cet article s'applique également aux règlements auxquels réfèrent les articles de la présente loi. De l'avis de l'auteur, il est raisonnable de croire que cet article devrait également s'appliquer aux dispositions réglementaires qui sont adoptées en vertu d'un article de la *Loi sur la taxe d'accise (TPS)*. À cet effet, l'article 16 de la *Loi d'interprétation* (L.R.C. (1985), ch. I-21) indique que les termes figurant dans les règlements d'application d'un texte ont le même sens que celui-ci.

Personnes liées, personnes associées, personnes distinctes et résidence

126. (1) Lien de dépendance — Pour l'application de la présente partie, les personnes liées sont réputées avoir un lien de dépendance. La question de savoir si des personnes non liées entre elles sont sans lien de dépendance à un moment donné en est une de fait.

Notes historiques: Le paragraphe 126(1) a été ajouté par L.C. 1990, c. 45, par. 12(1).

Concordance québécoise: LTVQ, art. 3, al. 1.

(2) Personnes liées — Les paragraphes 251(2) à (6) de la *Loi de l'impôt sur le revenu* s'appliquent aux fins de déterminer si des personnes sont liées pour l'application de la présente partie.

Notes historiques: Le paragraphe 126(2) a été ajouté par L.C. 1990, c. 45, par. 12(1).

Concordance québécoise: LTVQ, art. 3, al. 2.

(3) Société de personnes — Pour l'application de la présente partie, l'associé d'une société de personnes est réputé lié à celle-ci.

Notes historiques: Le paragraphe 126(3) a été ajouté par L.C. 1990, c. 45, par. 12(1).

Concordance québécoise: LTVQ, art. 4.

Définitions [art. 126]: « personne » — 123(1); « personnes liées » — 126(2), (3).

Jurisprudence [art. 126]: *Vachon c. R.*, 2008 G.T.C. 838 (CCI [procédure informelle]); *Ministic Air Ltd. v. R.*, [2008] G.S.T.C. 123 (13 mai 2008) (CCI [procédure générale]); *Stantec Inc. v. R.*, [2008] G.S.T.C. 137 (20 juin 2008) (CCI [procédure informelle]).

Renvois [art. 126]: 131 (fonds réservé — personne distincte); 132(4) (fournitures entre établissements stables); 155(1) (fourniture entre personnes liées); 220b) (fournitures entre succursales); 325 (transfert entre personnes ayant un lien de dépendance).

Bulletins d'interprétation (Impôt) [art. 126]: IT-419R, 24/08/95, *Définition de l'expression « sans lien de dépendance »*.

Énoncés de politique [art. 126]: P-137, 16/05/94, *Possibilité pour les sociétés de portefeuille d'obtenir des CTI sur le coût d'acquisition*.

Bulletin de l'information technique [art. 126]: B-032, 08/11, *Régimes enregistrés de pension*.

Mémorandums [art. 126]: TPS 300-7, 14/09/90, *Valeur de la fourniture*, par. 23; TPS 300-3-9, 26/03/91, *Services financiers*; TPS 500-7, 26/11/97, *Interaction entre la Loi sur la Taxe d'accise et la Loi de l'impôt sur le revenu*, par. 59; TPS 700-4, 25/11/93, *Institutions financières visées par la règle du seuil*, par. 14, 15.

Série de mémorandums [art. 126]: Mémorandum 1.5, 09/94, *Définitions*; Mémorandum 9.1, 11/11, *Avantages taxables (autres que les avantages relatifs aux automobiles)* ; Mémorandum 9.2, 11/11, *Avantages relatifs aux automobiles* ; Mémorandum 19.3, 07/98, *Remboursements pour immeubles*; Mémorandum 19.5, 06/02, *Fonds de terre et immeubles connexes*.

Info TPS/TVQ [art. 126]: GI-098 — *Taxe de vente harmonisée-Reventes d'habitations neuves en Ontario et en Colombie-Britannique*.

COMMENTAIRES: De façon générale, cet article prévoit une règle de présomption absolue à l'effet que des personnes liées en vertu des paragraphes 251(2) à 251(6) de la *Loi de l'impôt sur le revenu* sont réputées avoir entre elles un lien de dépendance aux fins du régime de la TPS/TVH.

Plusieurs articles de la *Loi sur la taxe d'accise (TPS)* font référence à la notion de « lien de dépendance » pour les fins de déterminer, notamment, les responsabilités, droits ou obligations résultant de l'application de la présente loi.

À titre illustratif, le paragraphe 325(1) réfère à la responsabilité solidaire dans un contexte où une personne transfère un bien, directement ou indirectement, en faveur notamment d'une personne avec laquelle elle a un lien de dépendance. Voir notamment à cet effet : *Schaefer c. R.*, 1998 CarswellNat 3817 (C.C.I.); *Vachon c. R.*, 2008 CarswellNat 3610 (C.C.I.); et *Moreau c. R.*, 2010 CarswellNat 2109 (C.C.I.).

Également, le paragraphe 231(1) qui s'applique dans une situation de créance irrécouvrable réfère à la notion de « lien de dépendance ». À titre d'exemple, voir notamment : *Ministic Air Ltd. c. R.*, 2008 CarswellNat 3271 (C.C.I.); et *Rockport Developments Inc. c. R.*, 2009 CarswellNat 5255 (C.C.I.).

127. (1) Personnes morales associées — Les paragraphes 256(1) à (6) de la *Loi de l'impôt sur le revenu* s'appliquent aux fins de déterminer si des personnes morales sont associées pour l'application de la présente partie.

Notes historiques: Le paragraphe 127(1) a été ajouté par L.C. 1990, c. 45, par. 12(1).

Concordance québécoise: LTVQ, art. 5.

(2) Personne associée à une personne morale — Une personne autre qu'une personne morale est associée à une personne morale pour l'application de la présente partie si elle la contrôle, seule ou avec un groupe de personnes associées les unes aux autres dont elle est membre.

Notes historiques: Le paragraphe 127(2) a été ajouté par L.C. 1990, c. 45, par. 12(1).

Concordance québécoise: LTVQ, art. 6.

(3) Personne associée à une société de personnes ou une fiducie — Pour l'application de la présente partie, une personne est associée :

a) à une société de personnes si le total des parts sur les bénéfices de celle-ci auxquelles la personne et les personnes qui lui sont associées ont droit représente plus de la moitié des bénéfices totaux de la société ou le représenterait si celle-ci avait des bénéfices;

b) à une fiducie si la valeur globale des participations dans celle-ci qui appartiennent à la personne et aux personnes qui lui sont associées représente plus de la moitié de la valeur globale de l'ensemble des participations dans la fiducie.

Notes historiques: Le paragraphe 127(3) a été ajouté par L.C. 1990, c. 45, par. 12(1).

Concordance québécoise: LTVQ, art. 7, 8.

(4) Personnes associées à un tiers — Pour l'application de la présente partie, des personnes sont associées si chacune d'elles est associée à un tiers.

Notes historiques: Le paragraphe 127(4) a été ajouté par L.C. 1990, c. 45, par. 12(1).

Concordance québécoise: LTVQ, art. 9.

Définitions [art. 127]: « personne » — 123(1); « personne morale » — 35(1) *Loi d'interprétation*.

Renvois [art. 127]: 129(2) (divisions d'un organisme de services publics).

Mémorandums [art. 127]: TPS 500-7, 26/11/91, *Interaction entre la Loi sur la taxe d'accise et la Loi de l'impôt sur le revenu*, par. 61–63.

Série de mémorandums [art. 127]: Mémorandum 1.5, 09/94, *Définitions*; Mémorandum 16.3.1R, 04/10, *Réduction des pénalités et des intérêts dans les cas d'opérations sans effet fiscal* .

Info TPS/TVQ [art. 127]: GI-098 — *Taxe de vente harmonisée-Reventes d'habitations neuves en Ontario et en Colombie-Britannique*.

COMMENTAIRES: Plusieurs exemples démontrant l'application des règles relatives à l'association dans un contexte de personnes morales et de sociétés de personnes ont été soumis à Revenu Québec dans le cadre de la position administrative suivante : Lettre d'interprétation, 97-0110987 — *Application des règles relatives au concept de personnes associées* (20 mars 1998). Ainsi, dans le cadre de celle-ci, Revenu Québec a appliqué les règles d'association prévues au présent article de la façon suivante :

Exemple 1 :

M. X.	M. X.	et Mme X (son épouse)
100 %	50 %	50 %
société X inc.	société de personnes	

Revenu Québec indique que la société X inc. et la société de personnes ne sont pas associées puisque :

(i) M. X et la société X inc. sont associés en vertu du paragraphe 127(2) compte tenu que M. X contrôle la Société X inc;

(ii) M. X et Mme X ne sont pas associés individuellement à la société de personnes. Aucun de ces particuliers ne possède plus de 50 % des parts sur les bénéfices de la société de personnes; et

(iii) M. X et Mme X ne sont pas associés l'un à l'autre aux termes du paragraphe 127(4) parce qu'ils ne sont pas associés à une même tierce personne.

Exemple 2 :

M. X.	M. X.	et Mme X (son épouse)
100 %	50 %	50 %
société X inc.	société Y inc.	

Revenu Québec est d'avis que la société X inc. et la société Y inc. sont associées en vertu du paragraphe 127(1) par l'application de l'alinéa 256(1)(d) de la *Loi de l'impôt sur le revenu*. En effet, dans le présent cas, M. X contrôle la société X inc. Il est lié aux deux membres du groupe lié qui contrôle la société Y inc. soit à lui-même et à son épouse. De plus, M. X détient 50 % des actions émises d'une catégorie que Revenu Québec présume comme étant non-exclue du capital-actions de la société Y inc.

Exemple 3 :

M. X.	M. X.	et Mme X (son épouse)
100 %	60 %	40 %
société X inc.	société de personnes	

Revenu Québec souligne que la société X inc. et la société de personnes sont associées en vertu du paragraphe 127(2) et de l'alinéa 127(3)(a).

M. X est associé à la Société X inc. en vertu du paragraphe 127(2). Il contrôle seul la société X inc.

De plus, la société X inc. est associée à la société de personnes aux termes de l'alinéa 127(3)(a) car le total des parts sur les bénéfices de la société de personnes auxquelles ont droit la société X inc. et M. X représente plus de 50 % des bénéfices totaux de la société de personnes. En effet, M. X possède 60 % des parts sur les bénéfices de la société de personnes.

Exemple 4 :

M. X et Mme X	M. X et Mme X.	M. X Mme X et leur fils
50 % 50 %	50 % 50 %	1 / 3 1 / 3 1 / 3
société X inc.	société de personnes Y	société de personnes Z

a) -- La société X inc.

M. X et Mme X ne sont pas associés individuellement avec la société X inc. selon le paragraphe 127(2) parce que ni l'un ni l'autre contrôle seul la société X inc.

M. X et Mme X ne sont pas associés l'un à l'autre aux termes du paragraphe 127(4) car ils ne sont pas associés à une même tierce personne.

En conséquence, de l'avis de Revenu Québec, M. X et Mme X ne peuvent être considérés comme étant membres d'un groupe de personnes associées les unes aux autres qui contrôlent la société X inc.

b) --La société de personnes Y

M. X et Mme X ne sont pas associés individuellement à la société de personnes Y selon l'alinéa 127(3)(a) parce qu'ils ne possèdent pas chacun plus de 50 % des parts sur les bénéfices de cette société de personnes. M. X et Mme X ne peuvent être associés l'un à l'autre conformément au paragraphe 127(4) car ils ne sont pas associés à une même tierce personne.

En conséquence, Revenu Québec souligne que M. X et Mme X ne peuvent être considérés comme étant membres d'un groupe de personnes associées les unes aux autres qui contrôlent la société de personnes Y.

c) -- La société de personnes Z

M. X, Mme X et leur fils ne sont pas associés individuellement à la société de personnes Z selon le paragraphe 127(2) compte tenu qu'aucun de ces particuliers ne contrôle seul la société de personnes Z.

M. X, Mme X et leur fils ne peuvent être associés entre eux aux termes du paragraphe 127(4) car ils ne sont pas associés à une même tierce personne.

En conséquence, Revenu Québec est d'avis que M. X, Mme X et leur fils ne peuvent être considérés comme étant membres d'un groupe de personnes associées les unes aux autres qui contrôlent la société de personnes Z.

128. (1) Personnes morales étroitement liées — Pour l'application de la présente partie, une personne morale donnée et une autre personne morale sont étroitement liées l'une à l'autre à un moment donné si, à ce moment, selon le cas :

a) au moins 90 % de la valeur et du nombre des actions du capital-actions de l'autre personne morale, émises et en circulation et comportant plein droit de vote en toutes circonstances, sont la propriété d'une des personnes suivantes :

(i) la personne morale donnée,

(ii) la filiale déterminée de la personne morale donnée,

(iii) la personne morale dont la personne morale donnée est une filiale déterminée,

(iv) la filiale déterminée d'une personne morale dont la personne morale donnée est une filiale déterminée,

(v) plusieurs des personnes morales ou filiales visées aux sous-alinéas (i) à (iv),

b) l'autre personne morale est une personne morale visée par règlement quant à la personne morale donnée.

Notes historiques: Le passage précédant le sous-alinéa a)(i) du paragraphe 128(1) a été remplacé par L.C. 2007, c. 18, par. 3(1) et cette modification est réputée être entrée en vigueur le 17 novembre 2005. Antérieurement, il se lisait ainsi :

> 128. (1) Pour l'application de la présente partie, une personne morale donnée et une autre personne morale sont étroitement liées à un moment donné si, à ce moment, elle réside au Canada, elle est un inscrit et, selon le cas :
>
> a) l'autre personne morale est un inscrit qui réside au Canada et au moins 90 % de la valeur et du nombre des actions de son capital-actions, émises et en circulation et comportant en toutes circonstances plein droit de vote, sont la propriété d'une des personnes suivantes :

Le sous-alinéa 128(1)a)(vi) a été abrogé par L.C. 1993, c. 27, par. 12(1), rétroactivement au 17 décembre 1990. Il se lisait comme suit :

> (vi) une personne ou un groupe d'au plus cinq personnes qui sont propriétaires d'au moins 90 % de la valeur et du nombre des actions du capital-actions de la personne morale donnée, émises et en circulation et comportant en toutes circonstances plein droit de vote;

Le passage suivant l'al. b) du paragraphe 128(1) a été abrogé par L.C. 2007, c. 18, par. 3(2) et cette abrogation est réputée être entrée en vigueur le 17 novembre 2005. Antérieurement, il se lisait ainsi :

> Pour l'application du présent article, l'assureur non résidant qui a un établissement stable au Canada est réputé résider au Canada.

Le paragraphe 128(1) a été ajouté par L.C. 1990, c. 45, par. 12(1).

Concordance québécoise: LTVQ, art. 332.

(2) Personnes morales étroitement liées à un tiers — Les personnes morales qui, aux termes du paragraphe (1), sont étroitement liées à la même personne morale sont étroitement liées l'une à l'autre pour l'application de la présente partie.

Notes historiques: Le paragraphe 128(2) a été remplacé par L.C. 2007, c. 18, par. 3(3) et cette modification est réputée être entrée en vigueur le 17 novembre 2005. Antérieurement, il se lisait ainsi :

> (2) Les personnes morales résidant au Canada qui sont étroitement liées à un tiers, ou qui le seraient si celui-ci résidait au Canada, sont étroitement liées pour l'application de la présente partie.

Le paragraphe 128(2) a été ajouté par L.C. 1990, c. 45, par. 12(1).

Concordance québécoise: LTVQ, art. 333.

(3) Fonds de placement — Pour l'application du présent article, les fonds de placement membres d'un regroupement de sociétés mutuelles d'assurance sont réputés être des personnes morales.

Notes historiques: Le paragraphe 128(3) a été remplacé par L.C. 2007, c. 18, par. 3(3) et cette modification est réputée être entrée en vigueur le 17 novembre 2005. Antérieurement, il se lisait ainsi :

> (3) Les présomptions suivantes s'appliquent au présent article :
>
> a) les caisses de crédit et les membres d'un regroupement de sociétés mutuelles d'assurance sont réputés être des inscrits;
>
> b) les fonds de placement membres d'un regroupement de sociétés mutuelles d'assurance sont réputés être des personnes morales.

Le paragraphe 128(3) a été ajouté par L.C. 1993, c. 27, par. 12(2) et est réputé entré en vigueur le 17 décembre 1990.

Concordance québécoise: LTVQ, art. 333.1.

Définitions [art. 128]: « Canada » — 123(2); « assureur », « caisse de crédit », « établissement stable », « filiale déterminée », « groupe étroitement lié », « inscrit », « non résidant », « personne » — 123(1); « personne morale » — 35(1) *Loi d'interprétation*; « personne qui réside au Canada » — 132; « regroupement de sociétés mutuelles d'assurances » — 123(1).

Renvois [art. 128]: 123(2) (Canada); 132 (personne qui réside au Canada; 150 (choix par un membre d'un groupe étroitement lié — fourniture réputée de service financier); 156 (choix visant les fournitures exonérées — fourniture réputée à titre gratuit); 213.2 (certificat d'importation); 228(7) (remboursement d'une autre personne); 231(2) (créances irrécouvrables).

Règlements [art. 128]: *Règlement sur les personnes morales étroitement liées (TPS/TVH)*, art. 1.

Jurisprudence [art. 128]: *897366 Ontario Ltd. c. R.*, [2000] G.S.T.C. 13 (CCI); *Germain Pelletier Ltée c. R.*, [2001] G.S.T.C. 90 (CCI); *Rockport Developments Inc. v. R.*, [2008] G.S.T.C. 205 (CCI [procédure générale]).

Mémorandums [art. 128]: TPS 300-4-7, 02/12/93, *Taxe sur les fournitures — fournitures exonérées — services financiers*; TPS 300-7, 14/09/90, *Valeur de la fourniture*, par. 18; TPS 700-5-3, 31/07/92, *Caisses de crédit*, par. 40.

Série de mémorandums [art. 128]: Mémorandum 1.5, 09/94, *Définitions*; Mémorandum 3.4, 04/00, *Résidence*; Mémorandum 16.3.1R, 04/10, *Réduction des pénalités et des intérêts dans les cas d'opérations sans effet fiscal* ; Mémorandum 17.8, 04/99, *Caisses de crédit*; Mémorandum 17.14, 07/11, *Choix visant les fournitures exonérées*.

Formulaires [art. 128]: FP-303, *Demande de compensation de la TPS/TVH au moyen d'un remboursement de TPS/TVH* .

Lettres d'interprétation (Québec) [art. 128]: 97-0110953 — Interprétation relative à la TPS — Personnes morales étroitement liées; 00-0107961 — Interprétation relative à la TPS et à la TVQ — Choix visant les fournitures sans contrepartie; 02-0102091 — Interprétation relative à la TPS/TVH — Interprétation relative à la TVQ — Choix relatif aux fournitures sans contrepartie.

COMMENTAIRES: Une autre exception à la règle relative au versement de la taxe figure à l'article 156 qui prévoit que deux personnes morales étroitement liées (et certaines sociétés de personnes) peuvent faire un choix pour que certaines opérations soient effectuées sans que la TPS soit facturée. Cette disposition a pour but d'accorder un allégement comme celui que les appelantes voulaient obtenir lorsqu'elles se sont mises à avoir des problèmes d'encaisse peu après le début des travaux du projet et alors qu'elles se fournissaient des services entre elles. Le paragraphe 156(2) prévoit la détaxation de certaines opérations effectuées dans un groupe en faisant en sorte que les fournitures taxables soient réputées avoir été effectuées sans contrepartie. Seuls les « membres déterminés » d'un « groupe admissible » peuvent faire ce choix. Le paragraphe 156(1) définit l'expression « groupe admissible » comme un groupe de personnes morales dont chaque membre est étroitement lié au sens du paragraphe 128(1) — il faut qu'au moins 90 % du capital-actions d'une personne morale donnée soit la propriété d'un des membres du groupe.

Il est à noter que le test qui figure à l'alinéa 128(1)(a) réfère à 90 % de la valeur et du nombre des actions du capital-actions émises et en circulation et comportant plein de droit vote en toutes circonstances. Nous désirons partager les réflexions suivantes : (i) ce test est similaire à celui que l'on retrouve pour les sociétés rattachées en vertu du paragraphe 186(4) de la *Loi de l'impôt sur le revenu* — ce paragraphe peut donc être utile pour les fins de l'interprétation de l'alinéa 128(1)(a); (ii) le test réfère uniquement aux actions émises et en circulation, donc semble écarter les options d'achat d'actions; et (iii) le test relatif au pourcentage de 90 % en vote et en valeur se fait à l'égard de l'ensemble des catégories d'actions émises.

L'expression « filiale déterminée » est définit au paragraphe 123(1).

Finalement, Revenu Québec a indiqué que cet article s'applique également à des sociétés non-résidentes et/ou non-inscrites. Voir notamment à cet effet : Revenu Québec, Lettre d'interprétation, 97-0110953 — *Interprétation relative à la TPS — Personnes morales étroitement liées* (26 janvier 2000). Il est à noter toutefois que le critère de résidence canadienne se réfugie à l'article 156 pour les fins du choix sans contrepartie entre personnes morales étroitement liées.

À titre illustratif, prenons la situation suivante qui a été analysée par l'Agence du revenu du Canada (voir notamment à cet effet : Agence du revenu du Canada, Lettre de l'Administration centrale sur la TPS, 2001/12/18 — *Personnes morales étroitement liées — Para. 128(1) LTA* (18 décembre 2001)) :

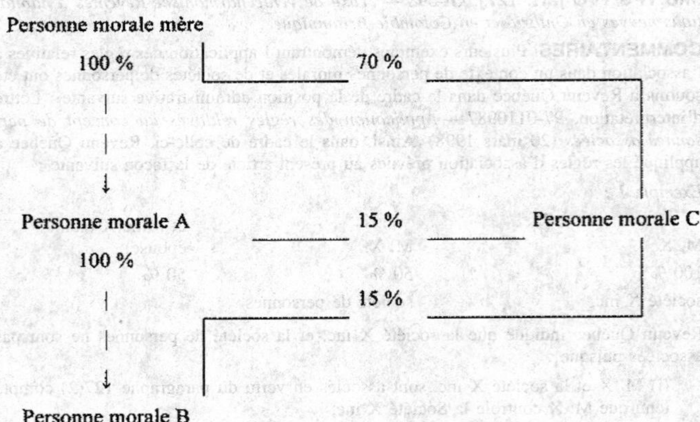

Dans la situation actuelle, nous devons souligner que les quatre (4) personnes morales en question résident au Canada et sont inscrits pour les fins de la TPS/TVH. De plus, les pourcentages susmentionnés relatifs à la propriété des actions représentent les pourcentages de la valeur et du nombre des actions émises et en circulation du capital-actions des personnes morales et comportant en toutes circonstances plein droit de vote. Il s'agit ici de déterminer si la Personne morale C est étroitement liée aux autres personnes morales membres du groupe corporatif à savoir, à la Personne morale mère, à la Personne morale A et à la Personne morale B conformément au paragraphe 128(1).

Premièrement, puisque la Personne morale mère détient 100 % des actions de la Personne morale A, celles-ci sont étroitement liées en vertu du sous-alinéa 128(1)a)(i). Pareillement, puisque la Personne morale A détient 100 % des actions de la Personne morale B, celles-ci sont étroitement liées en vertu du sous-alinéa 128(1)a)(i). Également, la Personne morale mère et la Personne morale B sont étroitement liées en vertu du sous-alinéa 128(1)a)(ii) puisque la Personne morale B, une filiale déterminée de la Personne morale A et également une filiale déterminée de la Personne morale mère selon la définition d'une « filiale déterminée » au paragraphe 123(1) qui inclut une filiale déterminée (la Personne morale B) de la filiale déterminée (la Personne morale A) de la personne morale donnée.

Deuxièmement, la Personne morale C est étroitement liée à la Personne morale mère, à la Personne morale A et à la personne morale B en vertu du sous-alinéa 128(1)a)(v) en ce que : la Personne morale C est étroitement liée à la Personne morale mère puisque toutes les actions de la Personne morale C sont la propriété de la Personne morale mère, la personne morale donnée selon le sous-alinéa (i), de la Personne morale A, une filiale déterminée de la Personne morale mère selon le sous-alinéa (ii), et de la Personne morale B, une filiale déterminée de la Personne morale A et également une filiale déterminée de la Personne morale mère selon la définition d'une « filiale déterminée » au paragraphe 123(1) qui inclut une filiale déterminée (la Personne morale B) de la filiale déterminée (la Personne morale A) de la personne morale donnée (la Personne morale mère) selon le sous-alinéa (ii);

La Personne morale C est étroitement liée à la Personne morale A puisque toutes les actions de la Personne morale C sont la propriété de la Personne morale A, la personne morale donnée selon le sous-alinéa (i), de la Personne morale B, une filiale déterminée de la personne morale donnée selon le sous-alinéa (ii), et de la Personne morale mère, une personne morale dont la personne morale donnée est une filiale déterminée selon le sous-alinéa (iii); et

La Personne morale C est étroitement liée à la Personne morale B puisque toutes les actions de la Personne morale C sont la propriété de la Personne morale B, la personne morale donnée selon le sous-alinéa (i), de la Personne morale A, la personne morale dont la personne morale donnée est une filiale déterminée selon le sous-alinéa (iii), et de la Personne morale mère, une personne morale dont la personne morale donnée est une filiale déterminée selon la définition d'une « filiale déterminée » au paragraphe 123(1) qui inclut une filiale déterminée (la Personne morale B) d'une filiale déterminée (la Personne morale A) selon le sous-alinéa (iii).

129. (1) Définition de « division de petit fournisseur » — Au présent article et à l'article 129.1, est une division de petit fournisseur d'un organisme de services publics à, un moment donné, la succursale ou division de l'organisme qui répond aux conditions suivantes à ce moment :

a) elle a été désignée par le ministre comme division à laquelle le présent article s'applique;

b) elle serait un petit fournisseur aux termes de l'article 148 si, à la fois :

(i) elle était une personne distincte de l'organisme et de ses autres succursales ou divisions,

(ii) elle n'était pas associée à d'autres personnes,

(iii) les fournitures que l'organisme effectue par son intermédiaire étaient effectuées par elle.

Notes historiques: En vertu de L.C. 1997, c. 10, art. 257, lorsque la succursale ou division d'un organisme de services publics qui est un inscrit devient une division de petit fournisseur, au sens du paragraphe 129(1), à un moment de la période de deux ans qui commence le 23 avril 1996, les règles suivantes s'appliquent :

a) l'organisme n'est pas réputé, par l'effet du paragraphe 129(6), avoir fourni, immédiatement avant ce moment, un bien qu'il détenait alors pour consommation, utilisation ou fourniture dans le cadre des activités qu'il exerçait par l'intermédiaire de la succursale ou division, ni avoir perçu la taxe relative au bien;

b) toute consommation, utilisation ou fourniture du bien dans le cadre des activités que l'organisme exerce par l'intermédiaire de la succursale ou division au cours de la période commençant à ce moment et se terminant au moment où la succursale ou division cesse d'être une division de petit fournisseur est réputée, pour l'application des paragraphes 129.1(4) à (6), ne pas être effectuée dans le cadre des activités exercées par l'intermédiaire d'une division de petit fournisseur;

c) l'alinéa 129(7)e) [N.D.L.R. : vraisemblablement al. 129(7)b)] ne s'applique pas au calcul de la taxe nette de l'organisme pour sa période de déclaration qui comprend ce moment.

La disposition transitoire contenue à l'alinéa 257c) de L.C. 1997, c. 10 a été remplacée par L.C. 2000, c. 30, par. 142(1) et se lit dorénavant comme suit :

c) l'alinéa 129(7)b) de cette loi ne s'applique pas au calcul de la taxe nette de l'organisme pour sa période de déclaration qui comprend ce moment.

Cette modification est réputée entrée en vigueur le 20 mars 1997.

Le préambule de l'alinéa 129(1)b) a été remplacé par L.C. 1994, c. 9, par. 3(1) et est réputé entré en vigueur le 1er avril 1993. Il se lisait auparavant comme suit :

b) elle serait un petit fournisseur si, à la fois :

Le paragraphe 129(1) a été modifié par L.C. 1993, c. 27, par. 13(1) et est réputé entré en vigueur le 17 décembre 1990. L'ancien paragraphe 129(1), édicté par L.C. 1990, c. 45, par. 12(1), a été intégré au paragraphe 129(2) et se lisait comme suit :

129. (1) L'organisme de services publics qui exerce une activité dans des succursales ou divisions distinctes peut présenter au ministre une demande, établie en la forme et avec les renseignements déterminés par celui-ci, pour que chaque succursale ou division qui y est précisée soit réputée être une personne distincte pour l'application des articles 148 et 171.

Concordance québécoise: LTVQ, art. 337.2.

(2) Divisions d'un organisme de services publics — L'organisme de services publics qui exerce des activités dans des succursales ou divisions distinctes peut présenter au ministre une demande, établie en la forme et contenant les renseignements déterminés par celui-ci, pour que la succursale ou division qui y est précisée soit désignée par le ministre comme division à laquelle le présent article s'applique.

Notes historiques: Le paragraphe 129(2) a été modifié par L.C. 1993, c. 27, par. 13(1) et est réputé entré en vigueur le 17 décembre 1990. Il correspond à l'ancien paragraphe 129(1). L'ancien paragraphe 129(2), édicté par L.C. 1990, c. 45, par. 12(1), a été intégré au paragraphe 129(3) et se lisait comme suit :

(2) Le ministre peut approuver par écrit la demande s'il est convaincu que la succursale ou la division peut être reconnue distinctement par son emplacement ou la nature des activités qui y sont exercées et que des registres, des livres de comptes et des systèmes comptables sont tenus séparément pour la succursale ou la division. Dès l'approbation, la succursale ou la division est réputée, pour l'application des articles 148 et 171 mais non en ce qui concerne la livraison de biens ou la prestation de services entre les succursales ou divisions de l'organisme, être une personne distincte et ne pas être associée aux autres succursales ou divisions de l'organisme.

Concordance québécoise: LTVQ, art. 338.

(3) Désignation par le ministre — Le ministre peut, par avis écrit, désigner la succursale ou division précisée dans la demande comme division à laquelle le présent article s'applique à compter du jour indiqué dans l'avis, s'il est convaincu de ce qui suit :

a) la succursale ou division peut être reconnue distinctement par son emplacement ou la nature des activités qu'elle exerce;

b) des registres, des livres de comptes et des systèmes comptables sont tenus séparément pour la succursale ou division;

c) la suppression de la désignation de la succursale ou division, effectuée à la demande de l'organisme en application du paragraphe (4), n'a pas pris effet au cours de la période de 365 jours qui prend fin ce jour-là.

Notes historiques: Le paragraphe 129(3) a été modifié par L.C. 1993, c. 27, par. 13(1) et est réputé entré en vigueur le 17 décembre 1990. Toutefois, dans le cas où, avant le 10 juin 1993, une demande concernant une succursale ou division est approuvée en vertu de la version antérieure de l'article 129, et que l'approbation n'est pas retirée avant cette date, la succursale ou division est réputée avoir été désignée, en vertu du paragraphe 129(3), comme division à laquelle l'article 129 s'applique. Le paragraphe 129(3) correspond à l'ancien paragraphe 129(2).

L'ancien paragraphe 129(3), édicté par L.C. 1990, c. 45, par. 12(1), a été intégré au paragraphe 129(4) et se lisait comme suit :

(3) Le ministre peut retirer par écrit l'approbation si les conditions visées au paragraphe (2) ne sont plus remplies. Dès la révocation, la succursale ou la division est réputée, pour l'application des articles 148 et 171, ne plus être une personne distincte.

Concordance québécoise: LTVQ, art. 339.

(4) Suppression — Le ministre peut, par écrit, supprimer la désignation d'une succursale ou division d'un organisme de services publics si les conditions visées aux alinéas (3)a) ou b) ne sont plus remplies ou si l'organisme lui en fait la demande par écrit.

Notes historiques: Le paragraphe 129(4) a été modifié par L.C. 1993, c. 27, par. 13(1) et est réputé entré en vigueur le 17 décembre 1990. Il correspond à l'ancien paragraphe 129(3). L'ancien paragraphe 129(4), édicté par L.C. 1990, c. 45, par. 12(1), a été intégré au paragraphe 129(5) et se lisait comme suit :

(4) Le ministre informe l'inscrit du retrait de l'approbation dans un avis écrit précisant la date d'entrée en vigueur du retrait.

[N.D.L.R. : voir disposition transitoire sous par. 171(1): L.C. 1997, c. 10, art. 257].

Concordance québécoise: LTVQ, art. 340.

(5) Avis de suppression — Le ministre informe l'organisme de services publics de la suppression de la désignation de sa succursale ou division dans un avis écrit précisant la date de la prise d'effet de la suppression.

Notes historiques: Le paragraphe 129(5) a été ajouté par L.C. 1993, c. 27, par. 13(1) et est réputé entré en vigueur le 17 décembre 1990. Il correspond à l'ancien paragraphe 129(4). [N.D.L.R. : voir disposition transitoire sous par. 171(1): L.C. 1997, c. 10, art. 257].

Concordance québécoise: LTVQ, art. 341.

(6) Fourniture par une nouvelle division de petit fournisseur — Pour l'application de la présente partie, l'inscrit qui est un organisme de services publics dont une succursale ou division devient, à un moment donné, une division de petit fournisseur et qui ne cesse pas alors d'être un inscrit est réputé :

a) avoir fourni, immédiatement avant le moment donné, chacun de ses biens, sauf les immobilisations et les améliorations afférentes, qu'il détenait alors pour consommation, utilisation ou fourniture dans le cadre de ses activités commerciales, mais qu'il commence, immédiatement après ce moment, à détenir pour consommation, utilisation oufourniture principalement dans le cadre des activités qu'il exerce par l'intermédiaire de ses divisions de petits fournisseurs;

b) sauf s'il s'agit d'une fourniture exonérée, avoir perçu, immédiatement avant le moment donné et relativement à la fourniture, la taxe égale au total des crédits de taxe sur les intrants qu'il pouvait demander jusqu'alors relativement au bien.

Notes historiques: Le paragraphe 129(6) a été ajouté par L.C. 1993, c. 27, par. 13(1) et est réputé entré en vigueur le 17 décembre 1990. Toutefois, ce paragraphe n'a pas pour effet de présumer que la fourniture d'un bien a été effectuée avant 1992 si le transfert de propriété ou de possession du bien à l'organisme est antérieure à 1991.

Voir la Note historique prévue par L.C. 1997, c. 10, art. 257 sous le par. 129(1) — n.d.l.r.

Concordance québécoise: LTVQ, art. 341.1.

(7) Biens loués et services par une nouvelle division de petit fournisseur — Lorsqu'une succursale ou division d'un organisme de services publics qui est un inscrit devient une division de petit fournisseur à un moment d'une période de déclaration donnée de l'organisme et que l'organisme ne cesse pas alors d'être un inscrit, les règles suivantes s'appliquent si, au cours de cette période ou antérieurement, la taxe est devenue payable par l'organisme, ou a été payée par lui sans qu'elle soit devenue payable, sur tout ou partie d'une contrepartie soit qui représente un loyer, une redevance ou un paiement semblable relatif à un bien et qui est imputable à une période, dite « période de location » au présent paragraphe, postérieure au moment en question, soit qui est imputable à des services à rendre après ce moment :

a) nulle fraction du résultat du calcul suivant n'est incluse dans le calcul des crédits de taxe sur les intrants relatifs à cette taxe, que l'organisme demande dans la déclaration qu'il produit en application de l'article 238 pour la période de déclaration donnée ou pour une période de déclaration subséquente :

$$A \times B$$

où :

A représente cette taxe,

B le pourcentage qui représente la mesure dans laquelle l'organisme utilise le bien au cours de la période de location, ou acquiert ou importe les services pour consommation, utilisation ou fourniture, dans le cadre des activités qu'il exerce par l'intermédiaire de la succursale ou division;

b) le montant ou la partie de montant déterminé en application de la formule figurant à l'alinéa a) qui a été inclus dans le calcul d'un crédit de taxe sur les intrants que l'organisme a demandé dans la déclaration qu'il a produite en application de l'article 238 pour une de ses périodes de déclaration qui a pris fin avant la période de déclaration donnée est ajouté dans le calcul de la taxe nette pour cette période.

Notes historiques: Le paragraphe 129(7) a été ajouté par L.C. 1993, c. 27, par. 13(1) et est réputé entré en vigueur le 17 décembre 1990.

Voir les règles d'application particulières sous le paragraphe 129(1).

Concordance québécoise: LTVQ, art. 341.2, 341.3.

Définitions [art. 129]: « activité commerciale », « améliorations », « bien », « contrepartie » — 123(1); « crédit de taxe sur les intrants » — 169(1); « division de petit fournisseur » — 129(1); « écrit » — 35(1) *Loi d'interprétation*; « fourniture », « fourniture exonérée », « inscrit », « montant », « ministre », « organisme de services publics », « période de déclaration » — 123(1); « période de location » — 129(7); « personne », « registre », « service », « taxe » — 123(1).

Renvois [art. 129]: 129.1 (fourniture par une division de petit fournisseur); 148 (seuil de petit fournisseur); 259(1) (taxe exigée non admise au crédit); 259(4) (remboursement aux municipalités désignées); 259(4.2) (Exclusions); 259(4.21) (exclusions); 259(4.3) (remboursement à certains organismes déterminés de services publics de Terre-Neuve); IX:Partie IX:1 (fournitures de biens réputées).

Jurisprudence [art. 129]: *Hamilton Hunt Co. c. Canada*, [1999] G.S.T.C. 112 (CCI).

Bulletins de l'information technique [art. 129]: B-078, 28/02/97, *Règles sur le lieu de la fourniture sous le régime de la TVH*; B-083R, 23/05/97, *Services financiers sous le régime de la TVQ*; B-103, 02/10, *Taxe de vente harmonisée — Règles sur le lieu de fourniture pour déterminer si une fourniture est effectuée dans une province*.

Mémorandums [art. 129]: TPS 500-4-2, 15/01/91, *Remboursements aux municipalités*, par. 27–34.

Série de mémorandums [art. 129]: Mémorandum 1.5, 09/94, *Définitions*; Mémorandum 2.2, 05/99, *Petits fournisseurs*, par. 15; Mémorandum 2.3, 05/99, *Succursales et divisions*, par. 13, 14; Mémorandum 2.4, 06/95, *Succursales et divisions*.

Formulaires [art. 129]: FP-631, *Demande formulée par un organisme de services publics afin que ses succursales et ses divisions soient réputées être des personnes distinctes pour l'application des règles relatives aux petits fournisseurs*; GST31, *Succursales et divisions d'organismes de services publics — Demande d'un organisme de services publics désirant que ses succursales et divisions soient réputées être des personnes distinctes au titre de petit fournisseur*.

COMMENTAIRES: La désignation à titre « division de petit fournisseur » est assujettie à la discrétion de l'Agence du revenu du Canada ou de Revenu Québec. En effet, il n'y a aucune obligation d'accorder la désignation même si les conditions sont rencontrées. Cette interprétation ressort du texte introductif au paragraphe (3) et qui indique que « le ministre peut, par avis écrit ».

Toutefois, la révocation de la désignation est assujettie aux conditions particulières énoncées aux alinéas 3(a) et 3(b). Une demande en vertu de cet article devrait également s'accompagner d'une demande en vertu de l'article 239 afin de produire des déclarations de TPS/TVH séparées.

Une désignation rétroactive est également possible puisque le texte introductif du paragraphe (3) indique que le ministre peut accorder ladite désignation « à compter du jour indiqué dans l'avis ». Toutefois, malgré la désignation rétroactive, la division visée devra néanmoins remettre la TPS perçue, si c'est effectivement le cas, puisqu'elle détient la TPS à titre de mandataire du ministre. Voir notamment à cet effet : *Hamilton Hunt Co. c. R.*, 1999 CarswellNat 4106 (C.C.I.).

Il est primordial de rencontrer les critères énoncés à l'article 148 pour les fins de la définition de « petit fournisseur » pour obtenir la désignation de l'article 129, en plus de maintenir des registres, de livres de comptes et des systèmes comptables séparés. De plus, son emplacement ou ses activités doivent être séparément identifiables. Voir notamment à cet effet : Agence du revenu du Canada, Lettre de l'Administration centrale sur la TPS, 11601-3, 11925-8 — *Application of the GST/HST to the activities of the XXXXX* (12 mai 2005).

Évidemment, si la division (désignée petit fournisseur) excède, suite à sa désignation, le montant de 50 000 $, l'organisme de services publics devra alors prendre en considération la TPS des fournitures taxables de cette division. Voir notamment à cet effet : Agence du revenu du Canada, Lettre de l'Administration centrale sur la TPS, 11830-4 — *Interpretation on Section [1]29 ETA — Charity* (22 mars 1996), et Agence du revenu du Canada, Lettre de l'Administration centrale sur la TPS, 11601-3, 11925-8 — *Application of the GST/HST to the activities of the XXXXX* (12 mai 2005).

129.1 (1) Fourniture par une division de petit fournisseur — Lorsqu'un organisme de services publics effectue, par l'intermédiaire de sa succursale ou division, une fourniture taxable dont tout ou partie de la contrepartie lui devient due à un moment où la succursale ou division est une division de petit fournisseur, ou lui est payée à un tel moment sans qu'elle soit devenue due, la contrepartie ou partie de celle-ci, selon le cas, n'est pas incluse dans le calcul de la taxe payable relativement à la fourniture ni dans le calcul du montant déterminant applicable à l'organisme en vertu de l'article 249 et la fourniture est réputée, pour l'application de la présente partie, ne pas avoir été effectuée par un inscrit, sauf s'il s'agit d'une des fournitures suivantes :

a) la fourniture d'un immeuble par vente;

b) la fourniture par vente, effectuée par une municipalité, d'un bien meuble qui fait partie des immobilisations de la municipalité;

c) la fourniture par vente d'un bien municipal désigné d'une personne désignée comme municipalité pour l'application de l'article 259, qui fait partie des immobilisations de la personne.

Notes historiques: Le paragraphe 129.1(1) a été remplacé par L.C. 2007, c. 18, par. 4(1) et cette modification s'applique aux fournitures dont la contrepartie, même partielle, soit deviendra due après le 27 novembre 2006, soit sera payée après cette date sans être devenue due. Toutefois, elle ne s'applique pas aux fournitures effectuées conformément à une convention écrite conclue avant le 28 novembre 2006. Antérieurement, il se lisait ainsi :

129.1 (1) Lorsqu'un organisme de services publics effectue, par l'intermédiaire de sa succursale ou division, une fourniture taxable, sauf une fourniture d'immeuble par vente, dont tout ou partie de la contrepartie lui devient due à un moment où la succursale ou division est une division de petit fournisseur, ou lui est payée à un tel moment sans qu'elle soit devenue due, les règles suivantes s'appliquent :

a) la contrepartie ou partie de celle-ci, selon le cas, n'est pas incluse dans le calcul de la taxe payable relativement à la fourniture ni dans le calcul du montant déterminant applicable à l'organisme en vertu de l'article 249;

b) pour l'application de la présente partie, la fourniture est réputée ne pas avoir été effectuée par un inscrit.

Le paragraphe 129.1(1) a été ajouté par L.C. 1993, c. 27, par. 13(1) et est réputé entré en vigueur le 17 décembre 1990.

Concordance québécoise: LTVQ, art. 341.4.

(2) Restriction du crédit de taxe sur les intrants pour achats — N'est pas inclus dans le calcul du crédit de taxe sur les intrants d'un organisme de services publics un montant relatif à la taxe qui, à un moment donné postérieur au 27 mars 1991, est devenue payable par l'organisme, ou a été payée par lui sans qu'elle soit devenue payable, dans la mesure où cette taxe, selon le cas :

a) se rapporte à un bien (sauf une immobilisation et des améliorations y afférentes) que l'organisme a acquis, importé ou transféré dans une province participante pour consommation, utilisation ou fourniture dans le cadre des activités qu'il exerce par l'intermédiaire de sa division de petit fournisseur;

b) est calculée sur tout ou partie de la contrepartie imputable à des services qui, avant le moment donné, ont été consommés, utilisés ou fournis par l'organisme dans le cadre des activités qu'il exerce par l'intermédiaire de sa division de petit fournisseur ou qui, à ce moment, sont censés être ainsi consommés, utilisés ou fournis.

Notes historiques: L'alinéa 129.1(2)a) a été modifié par L.C. 1997, c. 10, par 151(1) et cette modification est entré en vigueur le 1er avril 1997. Auparavant, il se lisait comme suit :

a) se rapporte à l'acquisition ou à l'importation d'un bien de l'organisme (sauf une immobilisation et des améliorations afférentes) destiné à être consommé, utilisé ou fourni dans le cadre des activités qu'il exerce par l'intermédiaire de sa division de petit fournisseur;

Le paragraphe 129.1(2) a été ajouté par L.C. 1993, c. 27, par. 13(1) et est réputé entré en vigueur le 17 décembre 1990.

Concordance québécoise: LTVQ, art. 341.5.

(3) [*Abrogé*]

Notes historiques: Le paragraphe 129.1(3) a été abrogé par L.C. 1997, c. 10, par 151(2) et cette abrogation est entrée en vigueur le 1er avril 1997. Il se lisait comme suit :

(3) Lorsqu'un bien est fourni par bail, licence ou accord semblable à un organisme de services publics pour une contrepartie qui comprend plusieurs paiements périodiques imputables à des intervalles successifs de la période pour laquelle la possession ou l'utilisation du bien est offerte en vertu de l'accord, et que, postérieurement au 27 mars 1991 et au cours d'une période de déclaration de l'organisme, la taxe relative à la fourniture, calculée sur un paiement périodique donné, devient payable par l'organisme ou est payée par lui sans qu'elle soit devenue payable, cette taxe n'est pas incluse dans le calcul d'un crédit de taxe sur les intrants de l'organisme relativement au bien pour cette période de déclaration dans la mesure où l'organisme avait l'intention, au début de l'intervalle auquel le paiement périodique est imputable, d'utiliser le bien dans le cadre des activités qu'il exerce par l'intermédiaire de sa division de petit fournisseur.

Ce paragraphe avait été ajouté par L.C. 1993, c. 27, par. 13(1) et est réputé entré en vigueur le 17 décembre 1990.

(4) Changement d'utilisation d'un bien autre qu'une immobilisation — L'organisme de services publics qui est un inscrit et qui commence, à un moment postérieur au 27 mars 1991, à détenir, pour consommation, utilisation ou fourniture principalement dans le cadre des activités qu'il exerce par l'intermédiaire de ses divisions de petits fournisseurs, un bien, sauf une immobilisation, qu'il détenait immédiatement avant ce moment pour consommation, utilisation ou fourniture dans le cadre de ses activités commerciales et autrement que principalement dans le cadre des activités qu'il exerce par l'intermédiaire de ses divisions de petits fournisseurs est réputé, sauf en cas d'application des paragraphes 129(6) ou 171(3), avoir fourni le bien immédiatement avant ce moment et, sauf s'il s'agit d'une fourniture exonérée, avoir perçu immédiatement avant ce moment et relativement à la fourniture la taxe égale au total des crédits de taxe sur les intrants relatifs au bien qu'il pouvait demander à ce moment ou avant.

Notes historiques: Le paragraphe 129.1(4) a été ajouté par L.C. 1993, c. 27, par. 13(1) et est réputé entré en vigueur le 17 décembre 1990.

Voir la Note historique prévue par L.C. 1997, c. 10, art. 257 sous le par. 129(1).

Concordance québécoise: LTVQ, art. 341.7.

(5) Idem — Aux fins du calcul de son crédit de taxe sur les intrants, l'organisme de services publics qui commence, à un moment donné postérieur au 27 mars 1991, à détenir, pour consommation, utilisation ou fourniture principalement dans le cadre des activités qu'il exerce autrement que par l'intermédiaire de ses divisions de petits fournisseurs, un bien, sauf une immobilisation, qu'il détenait immédiatement avant ce moment pour consommation, utilisation ou fourniture principalement dans le cadre des activités qu'il exerce par l'intermédiaire de ces divisions, mais qu'il détient, immédiatement après, pour consommation, utilisation ou fourniture dans le cadre des activités commerciales qu'il exerce autrement que par cet intermédiaire, est réputé, sauf en cas d'application du paragraphe 171(1), avoir reçu une fourniture du bien et avoir payé, à ce moment et relativement à la fourniture, la taxe égale au moins élevé des montants suivants :

a) l'excédent éventuel du total visé au sous-alinéa (i) sur le total visé au sous-alinéa (ii) :

(i) le total des montants représentant chacun la taxe qui, avant le moment donné, soit a été payée ou est devenue payable par l'organisme relativement à la dernière acquisition ou importation du bien par lui, soit est réputée par le paragraphe 129(6) avoir été perçue par lui relativement au bien,

(ii) le total des crédits de taxe sur les intrants et des remboursements que l'organisme pouvait demander en vertu de la présente partie avant le moment donné relativement à cette acquisition ou importation;

b) la taxe calculée sur la juste valeur marchande du bien au moment donné.

Notes historiques: Le paragraphe 129.1(5) a été ajouté par L.C. 1993, c. 27, par. 13(1) et est réputé entré en vigueur le 17 décembre 1990.

Voir la Note historique prévue par L.C. 1997, c. 10, art. 257 sous le par. 129(1).

Concordance québécoise: LTVQ, art. 341.8.

(6) Utilisation d'une immobilisation — Aux fins du calcul d'un crédit de taxe sur les intrants relativement à l'immobilisation d'un organisme de services publics et pour l'application de la sous-section d de la section II, une activité exercée par l'organisme est réputée ne pas être une activité commerciale de celui-ci dans la mesure où elle est exercée par l'intermédiaire d'une division de petit fournisseur de l'organisme.

Notes historiques: Le paragraphe 129.1(6) a été ajouté par L.C. 1993, c. 27, par. 13(1) et est réputé entré en vigueur le 17 décembre 1990.

Concordance québécoise: LTVQ, art. 341.9.

(7) **Application des règles sur le changement d'utilisation** — Les paragraphes 200(2) et 206(4) et (5) ne s'appliquent pas aux organismes de services publics relativement à la réduction de l'utilisation qu'ils font d'un bien dans le cadre de leurs activités commerciales, si la réduction se produit avant le 28 mars 1991 par suite de l'application du paragraphe (6) et non parce qu'une succursale ou division de l'organisme est devenue une division de petit fournisseur.

Notes historiques: Le paragraphe 129.1(7) a été ajouté par L.C. 1993, c. 27, par. 13(1) et est réputé entré en vigueur le 17 décembre 1990.

Concordance québécoise: aucune.

Définitions [art. 129.1]: « acquéreur », « activité commerciale », « améliorations », , « fourniture exonérée », « immobilisation », « importation », « inscrit », « juste valeur marchande », « montant », « organisme de services publics », « petit fournisseur », « province participante » — 123(1); « taxe exigée non admise au crédit » — 259(1).

Renvois [art. 129.1]: 127 (personnes morales associées); 129 (division de petit fournisseur); 148 (seuil du petit fournisseur); 166 (petit fournisseur); IX (fourniture dans une province) partie IX (fournitures réputées et fournitures visées par règlement).

Jurisprudence [art. 129.1]: *Hamilton Hunt Co. c. Canada*, [1999] G.S.T.C. 112 (CCI).

Bulletins de l'information technique [art. 129.1]: B-078, 28/02/97, *Règles sur le lieu de la fourniture sous le régime de la TVQ*; B-083R, 23/05/97, *Services financiers sous le régime de la TVH*; B-103, 02/10, *Taxe de vente harmonisée — Règles sur le lieu de fourniture pour déterminer si une fourniture est effectuée dans une province.*

Série de mémorandums [art. 129.1]: Mémorandum 2.2, 05/99, *Petits fournisseurs*, par. 15; Mémorandum 2.3, 05/99, *Succursales et divisions*, par. 15-18; Mémorandum 2.4, 06/95, *Succursales et divisions.*

COMMENTAIRES: Les fournitures d'une division désignée à titre de petit fournisseur seront réputées être faits par un non-inscrit. Toutefois, cette division demeure néanmoins une part entière de l'organisme sans but lucratif. Voir notamment à cet effet : Agence du revenu du Canada, Lettre de l'Administration centrale sur la TPS, 11830-1 [D] — *Section 129 — Small Supplier Designation* (9 février 1999).

130. (1) Membres d'organismes non dotés de la personnalité morale — L'organisme non doté de la personnalité morale et l'autre semblable organisme dont il est membre peuvent présenter au ministre une demande conjointe, établie en la forme et avec les renseignements déterminés par celui-ci, pour que le premier organisme soit réputé être une succursale de l'autre organisme et non une personne distincte.

Notes historiques: Le paragraphe 130(1) a été ajouté par L.C. 1990, c. 45, par. 12(1).

Concordance québécoise: LTVQ, art. 342.

(2) **Approbation par le ministre** — S'il est convaincu du bien-fondé de la demande pour l'application de la présente partie, le ministre peut l'approuver par écrit. Dès lors, l'organisme est réputé, pour l'application de la présente partie, sauf les fins pour lesquelles l'organisme est réputé en application du paragraphe 129(2)[2] être une personne distincte, être une succursale de l'autre organisme et non une personne distincte.

Notes historiques: Le paragraphe 130(2) a été ajouté par L.C. 1990, c. 45, par. 12(1).

Concordance québécoise: LTVQ, art. 343.

(3) **Retrait de l'approbation** — Le ministre peut retirer l'approbation à la demande écrite de l'un ou l'autre des organismes. Dès lors, l'organisme est réputé être une personne distincte et non une succursale de l'autre organisme.

Notes historiques: Le paragraphe 130(3) a été ajouté par L.C. 1990, c. 45, par. 12(1).

Concordance québécoise: LTVQ, art. 344.

(4) **Avis de retrait** — Le ministre informe les organismes intéressés du retrait de l'approbation dans un avis écrit précisant la date d'entrée en vigueur du retrait.

Notes historiques: Le paragraphe 130(4) a été ajouté par L.C. 1990, c. 45, par. 12(1).

Concordance québécoise: LTVQ, art. 345.

Définitions [art. 130]: « ministre », « montant », « personne » — 123(1).

Renvois [art. 130]: 129(3) (désignation de division de petit fournisseur).

Série de mémorandums [art. 130]: Mémorandum 2.3, 05/99, *Succursales et divisions*, par. 21–24; Mémorandum 2.4, 06/95, *Succursales et divisions*, par. 3–6; Mémorandum 7.5, 04/03, *Transmission électronique des déclarations et des versements.*

Formulaires [art. 130]: FP-632, *Demande formulée par un organisme non doté de la personnalité morale afin d'être considéré comme une succursale d'un autre organisme semblable*; GST32, *Succursales d'organismes non dotés de la personnalité morale — Demande d'un organisme non doté de la personnalité morale demande d'être réputé une succursale d'un autre organisme semblable.*

COMMENTAIRES: Cet article permet à des organismes non dotés de la personnalité morale qui fonctionnent dans la même organisation de présenter une demande conjointe pour qu'un organisme soit considéré comme étant la succursale de l'autre et ne pas être une personne distincte. Ainsi, à ce titre, ils peuvent produire des déclarations de TPS sur une base consolidée et les transactions entre ceux-ci sont ignorées pour les fins de la TPS.

Sous réserve de certaines conditions, un résultat similaire se produit avec l'application de l'article 186 pour les fins, notamment, du calcul de crédits de taxe sur les intrants pour la société mère en vertu de l'article 186. Nous vous référons à nos commentaires en vertu de cet article.

En revanche, nous soulignons l'absence de disposition similaire pour une société de personnes membre d'une autre société de personnes et pour une fiducie membre d'une autre fiducie.

131. (1) Fonds réservé — personne distincte — Pour l'application de la présente partie, le fonds réservé d'un assureur est réputé être une fiducie qui est une personne distincte de l'assureur et qui a, avec celui-ci, un lien de dépendance. À cette fin :

a) l'assureur est réputé être un fiduciaire de la fiducie;

b) les activités du fonds réservé sont réputées être celles de la fiducie et non de l'assureur.

c) les présomptions suivantes s'appliquent dans le cas où un montant (sauf un montant au titre de la taxe prévue par la présente partie) est déduit du fonds à un moment donné :

(i) si le montant se rapporte à un bien ou à un service qui est considéré, par l'effet des dispositions de la présente partie, sauf le présent alinéa, comme ayant été acquis de l'assureur par le fonds, cette fourniture est réputée être une fourniture taxable et le montant, en être la contrepartie qui devient due à ce moment,

(ii) si le montant ne se rapporte pas à un bien ou à un service qui est considéré, par l'effet des dispositions de la présente partie, sauf le présent alinéa, comme ayant été acquis de l'assureur ou d'une autre personne par le fonds, l'assureur est réputé avoir effectué et le fonds avoir reçu, à ce moment, la fourniture taxable d'un service et le montant est réputé être la contrepartie de la fourniture qui devient due à ce moment.

Notes historiques: L'article 131 a été renuméroté par L.C. 2000, c. 30, par. 19(1) pour devenir le paragraphe 131(1).

L'alinéa c) du paragraphe 131(1) a été ajouté par L.C. 2000, c. 30, par. 19(2).

Ces modifications s'appliquent aux montants suivants :

a) le montant déduit, après le 15 mars 1999, du fonds réservé d'un assureur;

b) le montant déduit avant le 16 mars 1999 du fonds réservé d'un assureur et relativement auquel un montant donné a été déduit du fonds, avant cette date, au titre de la taxe prévue par la partie IX sauf si, avant cette date, le ministre du Revenu national a reçu l'un des documents suivants :

(i) une demande visant le remboursement, prévu au paragraphe 261(1) du montant donné,

(ii) une déclaration produite en vertu de la section V de la partie IX dans laquelle une déduction a été demandée à titre de redressement ou de remboursement du montant donné ou d'un crédit y afférent en application du paragraphe 232(1) .

Concordance québécoise: LTVQ, art. 10 et 10.1 en partie.

(2) **Exceptions** — L'alinéa (1)c) ne s'applique pas au montant déduit du fonds réservé d'un assureur si le montant, selon le cas :

a) représente une répartition de revenu, un paiement de prestation ou le montant d'un rachat, relativement au droit d'une autre personne dans le fonds;

[2] N.D.L.R. : vraisemblablement le paragraphe 129(3)

b) est visé par règlement.

Notes historiques: Le paragraphe 131(2) a été ajouté par L.C. 2000, c. 30, par. 19(3) et s'applique aux montants suivants :

a) le montant déduit, après le 15 mars 1999, du fonds réservé d'un assureur;

b) le montant déduit avant le 16 mars 1999 du fonds réservé d'un assureur et relativement auquel un montant donné a été déduit du fonds, avant cette date, au titre de la taxe prévue par la partie IX sauf si, avant cette date, le ministre du Revenu national a reçu l'un des documents suivants :

(i) une demande visant le remboursement, prévu au paragraphe 261(1) du montant donné,

(ii) une déclaration produite en vertu de la section V de la partie IX dans laquelle une déduction a été demandée à titre de redressement ou de remboursement du montant donné ou d'un crédit y afférent en application du paragraphe 232(1) .

Concordance québécoise: LTVQ, art. 10.1.

Notes historiques: L'article 131 a été ajouté par L.C. 1990, c. 45, par. 12(1).

Définitions [art. 131]: « assureur », « fonds réservé », « personne » — 123(1).

Jurisprudence [art. 131]: *Maritime Life Assurance Co. c. Canada*, [1999] G.S.T.C. 1 (CCI); [2000] G.S.T.C. 89 (CAF).

Bulletins de l'information technique [art. 131]: B-107, 10/11, *Régimes de placement (y compris les fonds réservés d'assureur) et la TVH* .

Série de mémorandums [art. 131]: Mémorandum 2.1, 05/99, *Inscription requise*; Mémorandum 17.6, 09/99, *Définition d'« institution financière désignée »*.

132. (1) Personne qui réside au Canada — Pour l'application de la présente partie, sont réputés résider au Canada à un moment donné :

a) la personne morale constituée ou prorogée exclusivement au Canada;

b) le club, l'association ou l'organisation non dotée de la personnalité morale ou la société de personnes, ou une succursale de ceux-ci, dont le membre ou la majorité des membres la contrôlant et la gérant résident au Canada à ce moment;

c) le syndicat ouvrier qui exerce au Canada des activités à ce titre et y a une unité ou section locale à ce moment;

d) le particulier qui est réputé, par l'un des alinéas 250(1)b) à f) de la *Loi de l'impôt sur le revenu*, résider au Canada à ce moment.

Notes historiques: Le paragraphe 132(1)d) a été ajouté par L.C. 1997, c. 10, par. 2(1) et s'applique à compter du 24 avril 1996. Les paragraphes 132(1)a), b) et c) ont été ajoutés par L.C. 1990, c. 45, par. 12(1).

Concordance québécoise: LTVQ, art. 11.

Bulletins de l'information technique [art. 132(1)]: B-101, 04/08, *Fiducies*; B-XX5, 09/11, *Taxe de vente harmonisée Autocotisation de la partie provinciale de la TVH à l'égard des biens et services transférés dans une province participante* .

(2) Présomption de résidence — Pour l'application de la présente partie, la personne non résidante qui a un établissement stable au Canada est réputée y résider en ce qui concerne les activités qu'elle exerce par l'entremise de l'établissement.

Notes historiques: Le paragraphe 132(2) a été ajouté par L.C. 1990, c. 45, par. 12(1).

Concordance québécoise: LTVQ, art. 12.

Jurisprudence [art. 132(2)]: *SWS Communication Inc. v. R.* (4 juin 2012), 2012 CarswellNat 3916 (C.C.I.).

(3) Présomption de non-résidence — Pour l'application de la présente partie, la personne qui réside au Canada et qui a un établissement stable à l'étranger est réputée être une personne non résidante en ce qui concerne les activités qu'elle exerce par l'entremise de l'établissement.

Notes historiques: Le paragraphe 132(3) a été ajouté par L.C. 1990, c. 45, par. 12(1).

Concordance québécoise: LTVQ, art. 13, 114.

Bulletins de l'information technique [art. 132(3)]: B-107, 10/11, *Régimes de placement (y compris les fonds réservés d'assureur) et la TVH* .

(4) Fournitures entre établissements stables — Pour l'application de la présente partie, dans le cas où une personne exploite une entreprise par l'intermédiaire de son établissement stable au Canada et d'un autre établissement stable à l'étranger, les présomptions suivantes s'appliquent :

a) le transfert d'un bien meuble ou la prestation d'un service par l'établissement au Canada à l'établissement à l'étranger est réputé être une fourniture;

b) en ce qui concerne cette fourniture, les établissements sont réputés être des personnes distinctes sans lien de dépendance.

Notes historiques: Le paragraphe 132(4) a été ajouté par L.C. 1990, c. 45, par. 12(1).

Concordance québécoise: LTVQ, art. 25.

(5) Lieu de résidence des sociétés de transport international — La personne morale qui, en application du paragraphe 250(6) de la *Loi de l'impôt sur le revenu*, est réputée pour l'application de cette loi résider dans un pays étranger tout au long de son année d'imposition et ne résider au Canada à aucun moment de l'année est réputée, pour l'application de la présente partie mais sous réserve du paragraphe (2), résider exclusivement dans le pays étranger tout au long de l'année.

Notes historiques: Le paragraphe 132(5) a été ajouté par L.C. 1993, c. 27, par. 14(1) et s'applique aux années d'imposition commençant après février 1991.

Concordance québécoise: LTVQ, art. 12.1.

Définitions [art. 132]: « année d'imposition », « bien meuble » — 123(1); « Canada » — 123(2); « contrepartie admissible » — 217.1(1); « entreprise », « établissement stable », « fourniture », « non résidant », « personne » — 123(1); « personne morale » — 35(1) *Loi d'interprétation*; « service » — 123(1).

Renvois [art. 132]: 132.1(1) (personne résidant dans une province); 123(2) (Canada); 220 (taxe sur les fournitures taxables importées — fournitures entre succursales); 221(2)a) (immeuble — perception).

Énoncés de politique [art. 132]: P-051R2, 29/04/05, *Exploitation d'une entreprise au Canada*; P-086R, 20/01/94, *Signification de l'expression « non-résident », appliquée aux particuliers*; P-208R, 23/05/05, *Sens de l'expression « établissement stable » au paragraphe 123(1) de la Loi sur la taxe d'accise (la Loi)*.

Bulletins de l'information technique [art. 132]: B-075R, 23/04/96, *Modifications proposées à la TPS*; B-090, 07/02, *La TPS/TVH et le commerce électronique*.

Mémorandums [art. 132]: TPS 300-3-5, 12/10/92, *Exportations*, par. 15–25.

Série de mémorandums [art. 132]: Mémorandum 1.5, 09/94, *Définitions*; Mémorandum 2.5, 06/95, *Inscription des non-résidents*, par. 12; Mémorandum 3.3, 04/00, *Lieu de fourniture*; Mémorandum 3.4, 04/00, *Résidence*; Mémorandum 4.5.1, 01/98, *Exportations — Déterminer le statut de résidence*; Mémorandum 17.14, 07/11, *Choix visant les fournitures exonérées*.

Lettres d'interprétation (Québec) [art. 132]: 99-0112518 — Interprétation relative à la TVQ — Lieu de résidence d'une société; 06-0103629 — Interprétation relative à la TVQ Contrat de franchise vendue par un non-résident à un résident du Québec.

Formulaires [art. 132]: FP-303, *Demande de compensation de la TPS/TVH au moyen d'un remboursement de TPS/TVH* .

Info TPS/TVQ [art. 132]: GI-121 — *Déterminer si un organisme de services publics réside dans une province aux fins du remboursement pour les organismes de services publics* .

COMMENTAIRES: Cet article énonce, au paragraphe (1), une règle de présomption absolue pour la résidence d'une personne au Canada.

Il faut souligner que l'alinéa 132(1)(d) ne réfère pas à l'alinéa 250(1)(a) de la *Loi de l'impôt sur le revenu* pour les fins de la résidence d'un particulier au Canada. En d'autres termes, le concept de séjour au Canada pendant une période de 183 jours ou plus pendant une année ne s'applique pas au régime de la TPS/TVH.

À l'égard des personnes morales, il est à noter que celles-ci peuvent également être résidentes du Canada non seulement en vertu des règles de présomption absolue qui figurent au paragraphe (1) mais également en vertu des règles de « central management and control », c'est-à-dire l'endroit où normalement le conseil d'administration se rencontre et prend des décisions. Voir notamment : *De Beers Consolidated Mines Ltd. v. Howe*, [1906] A.C. 455 (U.K.H.L.).

À titre illustratif, aux fins de la détermination de la résidence d'une société de personnes, l'Agence du revenu du Canada a indiqué que même si tous les associés commanditaires d'une société en commandite étaient résident du Canada, ce n'était pas eux qui exerçaient le contrôle. En l'espèce, le contrôle est exercé par le biais d'un établissement à l'extérieur du Canada de l'associé commandité. Ainsi, puisque la gestion et le contrôle sont effectués par le non-résident, la société en commandite est réputée ne pas être résidente du Canada en vertu de l'alinéa 132(1)(b). Voir notamment à cet effet : Agence du revenu du Canada, Lettre de l'Administration centrale sur la TPS, 11680-5-3a — *Interpretation — ETA s. 132 — XXXXX* (30 août 1995). Voir également au même effet : Agence du revenu du Canada, Lettre de l'Administration centrale sur la TPS, 11601-3, 11755-18, 11585-28 — *Section 156 of the Excise Tax Act* (26 janvier 2001).

L'Agence du revenu du Canada réfère au paragraphe 123(1) pour la définition de l'expression « établissement stable ». Dans ce contexte, de l'avis de l'Agence du revenu du Canada, un immeuble commercial au Canada appartenant à un non-résident est une évidence prima facie d'un établissement stable d'une personne. Ainsi, lorsqu'un propriétaire non-résident loue un immeuble à une autre personne, alors il sera considéré avoir effectué la fourniture par le biais de cet établissement stable. Voir notamment à cet effet : Agence du revenu du Canada, Lettre de l'Administration centrale sur la TPS, 11601-3, 11680-4 — *Permanent Establishment* (27 juin 2005). Voir également au même effet : Agence du revenu du Canada, Lettre de l'Administration centrale sur la TPS, 139980 — *GST/HST Interpretation — [Whether a non-resident company is considered to have a] Permanent Establishment [in Canada]*(23 janvier 2012).

Également à titre illustratif, la situation suivante a été soumise à l'Agence du revenu du Canada : (i) une société non-résidente non-inscrite engage des distributeurs indépendants au Canada qui acceptent d'acheter et de revendre les biens de la société non-résidente, et (ii) il est possible que la société non-résidente envoie, de temps à autre, des employés au Canada pour rencontrer les distributeurs indépendants pour des fins de formation. Dans ce contexte, l'Agence du revenu du Canada a indiqué que les distributeurs indépendants ne seraient pas considérés comme un établissement permanent pour la société non-résidente en vertu de la définition qui figure au paragraphe 123(1). Voir à cet effet : question 30, Agence du revenu du Canada, Conférence annuelle entre l'Association du Barreau Canadien et l'Agence du revenu du Canada, *Questions et commentaires en TPS/TVH*, 24 février 2011.

Finalement, il est à noter que les dispositions relatives aux services détaxés ne s'appliquent pas aux services exportés à l'égard des activités reliées à un établissement stable au Canada d'une société non-résidente, puisque la société non-résidente est réputée être résidente du Canada pour les fins des activités reliées à son établissement stable. Voir notamment à cet effet : Agence du revenu du Canada, Lettre de l'Administration centrale sur la TPS, 47787 — *Tax Residency* (16 juin 2006).

132.1 (1) Personne résidant dans une province — Pour l'application des dispositions de la présente partie, sauf celles qui permettent de déterminer le lieu de résidence d'un particulier en sa qualité de consommateur, sont réputés résider dans une province, s'ils résident au Canada :

a) la personne morale constituée en vertu de la législation de la province ou prorogée exclusivement en vertu de cette législation;

b) le club, l'association ou l'organisation qui n'est pas une personne morale ou la société de personnes, ou une succursale de ceux-ci, dont le membre ou la majorité des membres la contrôlant ou la gérant résident dans la province;

c) le syndicat ouvrier qui exerce dans la province des activités à ce titre et y a une unité ou section;

d) la personne qui a un établissement stable dans la province.

Notes historiques: Le paragraphe 132.1(1) a été ajouté par L.C. 1997, c. 10, par. 152(1) et est entré en vigueur le 1er avril 1997.

Concordance québécoise: LTVQ, art. 11.1.

Bulletins de l'information technique [art. 132.1(1)]: B-XX5, 09/11, *Taxe de vente harmonisée Autocotisation de la partie provinciale de la TVH à l'égard des biens et services transférés dans une province participante* .

Info TPS/TVQ [art. 132.1(1)]: GI-121 — *Déterminer si un organisme de services publics réside dans une province aux fins du remboursement pour les organismes de services publics* .

(2) Définition de « établissement stable » — Pour l'application du présent article et de l'annexe IX, « établissement stable » d'une personne s'entend :

a) dans le cas d'un particulier, de la succession d'un particulier décédé ou d'une fiducie exploitant une entreprise au sens du paragraphe 248(1) de la *Loi de l'impôt sur le revenu*, de l'établissement stable de la personne, au sens de la partie XXVI du *Règlement de l'impôt sur le revenu*;

b) dans le cas d'une personne morale exploitant une entreprise au sens du paragraphe 248(1) de cette loi, de l'établissement stable de la personne, au sens de la partie IV de ce règlement;

c) dans le cas d'une société de personnes donnée :

(i) de l'établissement stable, au sens de la partie XXVI de ce règlement, d'un associé qui est un particulier, la succession d'un particulier décédé ou une fiducie, si l'établissement est lié à une entreprise, au sens du paragraphe 248(1) de cette loi, exploitée par la société donnée,

(ii) de l'établissement stable, au sens de la partie IV de ce règlement, d'un associé qui est une personne morale, si l'établissement est lié à une entreprise, au sens du paragraphe 248(1) de cette loi, exploitée par la société donnée,

(iii) de l'établissement stable, au sens du présent paragraphe, d'un associé qui est une société de personnes, si l'établissement est lié à une entreprise, au sens du paragraphe 248(1) de cette loi, exploitée par la société donnée;

d) dans les autres cas, le lieu qui serait un établissement stable, au sens de la partie IV de ce règlement, de la personne si elle était une personne morale et si ses activités constituaient une entreprise pour l'application de cette loi.

Notes historiques: Le paragraphe 132.1(2) a été ajouté par L.C. 1997, c. 10, par. 152(1) et est entré en vigueur le 1er avril 1997.

Concordance québécoise: LTVQ, art. 11.2.

Bulletins de l'information technique [art. 132.1(2)]: B-XX5, 09/11, *Taxe de vente harmonisée Autocotisation de la partie provinciale de la TVH à l'égard des biens et services transférés dans une province participante* .

(3) Établissement stable dans une province — Est réputée, dans les circonstances prévues par règlement et à des fins prévues par règlement, avoir un établissement stable dans une province visée par règlement toute personne visée par règlement ou faisant partie d'une catégorie réglementaire.

Notes historiques: Le paragraphe 132.1(3) a été ajouté par L.C. 2009, c. 32, par. 3(1) et s'applique relativement aux exercices d'une personne se terminant après juin 2008.

Concordance québécoise: aucune.

Bulletins de l'information technique [art. 132.1(3)]: B-XX5, 09/11, *Taxe de vente harmonisée Autocotisation de la partie provinciale de la TVH à l'égard des biens et services transférés dans une province participante* .

Info TPS/TVQ [art. 132.1(3)]: GI-121 — *Déterminer si un organisme de services publics réside dans une province aux fins du remboursement pour les organismes de services publics* .

Définitions [art. 132.1]: « Canada » — 123(2); « consommateur », « établissement stable », « personne », « province » — 123(1); « contrepartie admissible », « tâche accomplie » — 217.1(1); « personne qui réside au Canada » — 123(1); « personne morale » — 35(1) *Loi d'interprétation*; « province » — 123(1).

Renvois [art. 132.1]: 123(2) (Canada); 132 (résidence au Canada); 217.1(3) (tâches accomplies à l'étranger); 218.1(1.3) (taxe dans une province participante).

Bulletins de l'information technique [art. 132.1]: B-090, 07/02, *La TPS/TVH et le commerce électronique*.

Série de mémorandums [art. 132.1]: Mémorandum 3.4, 04/00, *Résidence*.

COMMENTAIRES: Cet article portant sur la résidence dans une province est pertinent principalement pour les fins de la TVH et se base essentiellement sur l'article 132. Nous vous référons à nos commentaires sous cet article, avec les adaptations nécessaires.

Fournitures et activités commerciales

133. Convention portant sur une fourniture — Pour l'application de la présente partie, la fourniture objet d'une convention est réputée effectuée à la date de conclusion de la convention. La livraison du bien ou la prestation du service aux termes de la convention est réputée faire partie de la fourniture et ne pas constituer une fourniture distincte.

Notes historiques: L'article 133 a été ajouté par L.C. 1990, c. 45, par. 12(1).

Concordance québécoise: LTVQ, art. 27.

Définitions: « bien », « fourniture », « service » — 123(1).

Renvois: 136.1 (bail ou licence visant un bien).

Jurisprudence: *The Metropolitan Toronto Hockey League c. La Reine*, [1994] G.S.T.C. 55 (CCI); [1995] G.S.T.C. 31 (CAF); *Loewen (M.) c. Canada*, [1998] G.S.T.C. 6 (CCI); *Armcorp 4-18 Ltd. (Re)*, [1999] G.S.T.C. 39 (CA Alberta); *Fedak (B.) c. Canada*, [1999] G.S.T.C. 65 (CCI); *Lepage c. R.*, [2000] G.S.T.C. 94 (CCI); *Phillips c. R.*, [2006] G.S.T.C. 12 (CCI); *Insurance Corp. of British Columbia v. R.*, [2008] G.S.T.C. 28 (30 janvier 2008) (CCI); *Costco Wholesale Canada Ltd. v. R.*, 2010 CarswellNat 5522, 2010 CCI 609 (CCI [procédure générale]).

Énoncés de politique: P-083, 17/09/98, *Conventions d'achat visant une habitation neuve en Alberta*; P-144, 01/06/94, *Services d'aide aux voyageurs fournis à des organisateurs non résidants de voyages*; P-164, 15/02/94, *Contrat de location avec option d'achat*; P-200R, 01/01/96, *Lieu de fourniture de biens meubles incorporels et d'immeubles*.

Mémorandums: TPS 300-3, 30/12/93, *Fournitures détaxées Réimpression*; TPS 300-6-3, 20/03/91, *Factures*, par. 9; TPS 300-6-4, 15/01/91, *Conventions écrites*, par. 8.

Série de mémorandums: Mémorandum 3.1, 08/99, *Assujettissement à la taxe.*

Lettres d'interprétation (Québec): 98-0108633 — Interprétation relative à la TPS et à la TVQ — Droit aux CTI et aux RTI à l'égard des coûts de construction d'un immeuble; 99-0104580 — Décision portant sur l'application de la TPS/TVQ — Interprétation relative à la TVQ — Fourniture de glace; 00-0112086 — Lettres d'interprétation, 00-0112086 — Interprétation relative à la TPS et à la TVQ — Fourniture par vente d'un véhicule et « contre-lettre ».

COMMENTAIRES: Cet article élimine le débat entourant la fourniture unique globale vs. les fournitures séparées dans le contexte de la fourniture d'un bien ou d'un service accompagné, respectivement, de sa livraison ou de sa prestation.

Puisque la fourniture objet d'une convention est réputée effectuée à la date de conclusion de la convention, cet article semble permettre une date d'entrée en vigueur effective antérieure, au besoin, à laquelle la personne peut devenir un inscrit en TPS/TVH pour les fins, notamment, de réclamer un crédit de taxe sur les intrants en vertu de l'article 169 ou de valider un choix en vertu des articles 156 ou 167.

La Cour d'appel fédérale a analysé l'article 133 dans l'affaire *Metropolitan Toronto Hockey League c. Canada*, 1995 CarswellNat 31 (C.C.I.), 1995 CarswellNat 31 (C.A.F.). Dans cette affaire, la ligue louait du temps de glace aux municipalités pour la saison d'hiver, pour un certain nombre d'heures chaque semaine. La question en litige était de savoir si un « bail, licence ou accord semblable » était constitué pour une période de moins d'un mois, auquel cas les locations étaient taxables. La Cour d'appel fédérale a conclu que le « bail, licence ou accord semblable » était pour la saison entière et donc n'était pas exemptée aux fins de la TPS/TVH. Toutefois, la Cour d'appel fédérale a indiqué que l'article 133 était inapplicable, malgré le fait que la location du temps de glace était faite en vertu d'une seule convention. À cet égard, la Cour d'appel fédérale s'exprime comme suit (paragraphe 13): « traduction libre] Le terme conjonctif » et « [and] qui appert [dans la version anglaise]à la fin du paragraphe 133(a) signifie que (a) et (b) doivent être lus ensemble. [...] En bref, l'objectif de cet article est d'éviter la double imposition à l'égard d'une même fourniture d'un bien ou d'un service ».

Nous partageons les commentaires de David M. Sherman à l'effet que, avec égards, les commentaires de la Cour d'appel fédérale sont inconsistant avec la législation, notamment pour les raisons suivantes que nous résumerons brièvement comme suit:

(1) La Cour lit le terme « et » entre les paragraphes 133(a) et 133(b) comme signifiant que les paragraphes doivent être lus ensembles. Toutefois, l'emploi du terme « et » dans ce contexte est utilisé uniquement pour des fins grammaticales; et

(2) La Cour interprète l'article 133 comme voulant prévenir la double taxation. Avec égards, comme le souligne l'auteur Sherman, cela n'est pas du tout le cas. Le moment où la TPS sera due se fait en vertu des articles 152 et 168 et sont basés lorsque la contrepartie est « due » ou « payable ».

De surcroît, l'auteur désire souligner une raison additionnelle soutenant la position de l'interprétation erronée de la Cour d'appel fédérale et celle-ci réside en la rédaction française de l'article 133. En effet, contrairement à la version anglaise, la version française n'utilise pas le mot « et » et l'article n'est pas non plus divisé en paragraphes (a) et (b). À cet égard, l'intention du législateur se révèle davantage dans la version française que dans la version anglaise. Nous ne pensons pas que la Cour d'appel fédérale aurait rendu un jugement similaire si cette dernière, avec égards, avait consulté la version française de l'article 133. Nous espérons que les tribunaux auront à se prononcer de nouveau sur l'article 133 en reconsidérant les éléments soulevés ci-dessus.

Cet article a également été analysé dans l'affaire *Costco Wholesale Canada Inc. c. R.*, 2010 CarswellNat 4432 (C.C.I.), confirmé par la Cour d'appel fédérale, 2012 CarswellNat 1650 (C.A.F.). Aux termes de l'article 133, la fourniture visée par une convention est réputée effectuée à la date de conclusion de la convention et la livraison du bien aux termes de la convention est réputée faire partie de la fourniture. Ainsi, s'agissant du bien en cause, soit une chose non possessoire, le bien commence à exister et est fourni au même moment. Mais en quoi consiste la livraison ultérieure du bien? C'est lorsque Costco se conforme tout simplement à l'engagement qu'elle a pris. Concrètement, Costco ne livre rien, n'accomplit rien. C'est simplement la réalisation de l'engagement stipulé au contrat qui est censé être la fourniture. En l'espèce, selon la compréhension de la Cour d'appel fédérale, Costco obtient les services prévus par la carte de crédit Amex en contrepartie de Z à condition de ne pas accepter les autres cartes (de ne pas circuler sur des routes non asphaltées). Amex fournit les services prévus par sa carte de crédit à un client qui n'a pas de carte de crédit; voilà en quoi consiste la fourniture. Si les droits d'action qui correspondent aux droits d'exclusivité constituent la livraison du bien, qu'advient il alors de tous les autres engagements que Costco a contractés dans la convention de marchand? La Cour d'appel fédérale retient notamment de la convention de marchand que Costco s'engage par ce contrat :

- à accepter la carte Amex dans tous ses magasins canadiens;
- à créer un dossier de crédit;
- à s'assurer que la carte n'est pas modifiée;
- à s'assurer que la carte est utilisée au cours de sa période de validité;
- à s'assurer que la carte est signée;
- à obtenir une autorisation;
- à remplir un dossier de crédit;
- à soumettre tous les frais dans un délai de sept jours;
- à divulguer la politique de remboursement aux titulaires de la carte;
- à afficher les affiches, décalques, insignes, etc. d'Amex;
- à ne pas accepter la carte pour le remboursement de dettes;
- à vérifier l'équipement; et
- à former le personnel.

En signant la convention de marchand par laquelle elle accepte qu'Amex lui facture X, Costco livre également tous les droits d'action en question à Amex en s'obligeant à s'abstenir de faire un certain nombre de choses. Vraisemblablement, si Costco ne respectait pas ses nombreuses obligations, Amex pouvait la poursuivre en justice. Pourtant, tous ces éléments se rapportent certainement à la livraison par Amex des services prévus par sa carte de crédit. À strictement parler, ces éléments ne sont pas différents de l'engagement de Costco de ne pas accepter d'autres cartes. De l'avis de la Cour d'appel fédérale, aucune de ces « choses non possessoires » n'est livrée de façon isolée; aucune ne serait livrée sans le contrat de livraison d'Amex à Costco et, en conséquence, la TPS ne devrait être facturée qu'en cas de manquement ou que s'il existe une disposition prévoyant explicitement un paiement se rapportant à une chose non possessoire précise.

134. Transfert à titre de garantie — Pour l'application de la présente partie, le transfert d'un bien, ou d'un droit y afférent, aux termes d'une convention concernant une dette ou une obligation et visant à garantir le paiement de la dette ou l'exécution de l'obligation est réputé ne pas constituer une fourniture. Il en est de même pour le retour du bien ou du droit, une fois la dette payée ou remise ou l'obligation exécutée ou remise.

Notes historiques: L'article 134 a été ajouté par L.C. 1990, c. 45, par. 12(1).

Concordance québécoise: LTVQ, art. 28.

Définitions: « bien », « fourniture », « personne » — 123(1).

Renvois: 183(1) (saisie et reprise de possession).

Jurisprudence: *Pembina Finance (Alta) Ltd. c. Canada*, [1998] G.S.T.C. 119 (CCI); *Pro-Ex Trading Co. c. R.*, [2001] G.S.T.C. 111 (CCI).

Énoncé de politique: P-115, 21/02/94, *Article 134 — Remplacement de garantie*; P-120, 21/02/94, *Transfert du titre d'un bien à l'acheteur/emprunteur lors du règlement d'une dette*; P-122, 02/02/94, *Article 134 — Cession d'une garantie*; P-129, 17/03/94, *Prêteurs sur gage.*

Série de mémorandums: Mémorandum 3.1, 08/99, *Assujettissement à la taxe.*

COMMENTAIRES: La définition du terme « fourniture » qui figure au paragraphe 123(1) exclut expressément l'article 134.

Cet article a un pendant en matière d'impôt sur le revenu à l'alinéa d) de la définition du terme « disposition » en vertu de l'article 54 de la *Loi de l'impôt sur le revenu.*

Cet article répute qu'il n'y a aucune fourniture lorsqu'il y a un transfert à titre d'une garantie. De façon générale, l'Agence du revenu du Canada indique que cet article s'appliquera lorsqu'il y aura une relation directe entre le débiteur et le créancier. De plus, l'expression « aux termes d'une convention concernant une dette ou une obligation » peut avoir une interprétation très large et s'appliquer également aux conventions impliquant des tiers. Ainsi, une convention prévoyant le transfert d'une garantie à un tiers, pour les fins de garantir un paiement entre le débiteur et le créancier, pourrait se qualifier en vertu de l'article 134. Voir notamment à cet effet : Agence du revenu du Canada, Lettre de l'Administration centrale sur la TPS, 95 GTI 474 — *Transfer of Security Interest* (25 mai 1995).

Dans l'une des premières décisions qui a analysé directement l'article 134, la Cour canadienne de l'impôt, dans l'affaire *Pro-Ex Trading Co. c. R.*, 2001 CarswellNat 1954 (C.C.I.) rappelle qu'en vertu de cet article, le transfert d'un bien visant à garantir le paiement d'une dette ne constitue pas une « fourniture » et n'est donc pas visé par la TPS. Il en est de même pour le retour du bien en question. Dans l'affaire *Pembina Finance (Alta) Ltd. c. La Reine*, 1998 CarswellNat 2260 (C.C.I.), l'unique décision rendue à ce jour sur l'article 134, le juge Bowie a été saisi d'un appel où le contribuable a fait valoir qu'il n'avait pas vendu les deux grues en question, mais qu'il les avait transférées à des fins de garantie. L'appel a été rejeté, le juge Bowie ayant conclu que le responsable du contribuable n'était pas crédible et que son témoignage était « évasif », « intéressé » et « peu plausible » et qu'il n'était « pas fiable, plus particulièrement lorsqu'il est en conflit avec la preuve documentaire portant sur ces opérations ». Pour les principaux motifs qui suivent, la Cour conclut que les opérations constituent des prêts et que l'équipement en cause a été remis à titre de garantie de remboursement de ces prêts :(1) le principe selon lequel le fond l'emporte sur la forme doit être appliqué; (2) il y a lieu de prendre en considération le fait que les autres parties aux opérations n'ont demandé aucun crédit de taxe sur les intrants et qu'elles ont déclaré que les opérations étaient en fait des prêts — en d'autres termes, si l'appelante avait perçu la TPS, ces parties auraient sans aucun doute demandé les crédits de taxe sur les intrants se rapportant à la TPS perçue; (3) la situation financière de l'appelante et son besoin d'un apport financier, ainsi qu'il est mentionné précédemment, indiquent fortement que les parties en cause souhaitaient effectuer des prêts et non des ventes. De l'avis de la Cour canadienne de l'impôt, la preuve révèle que, nonobstant les écritures comptables, aucune TPS n'a en fait été perçue. En outre, lors de certaines opérations, M. Sutherland, le responsable de l'appelante, a accordé une garantie personnelle, ce qui n'est pas compatible avec la notion de vente.

Ainsi, le juge a conclut que les transactions étaient faites à titre de garanties, et non à titre de ventes. Ainsi, l'article 134 s'appliquait et Pro-Ex n'avait pas à percevoir et remettre la TPS. L'équipement était simplement utilisé comme un collatéral pour obtenir

LTA (TPS)

du financement. Cette décision est un rappel à l'effet que la documentation juridique doit refléter correctement la situation factuelle d'une transaction.

135. Parrainage d'organismes du secteur public — Pour l'application de la présente partie, est réputé ne pas être une fourniture le fait pour un organisme du secteur public de fournir un service à une personne qui parraine l'une de ses activités, ou de lui fournir, par licence, l'utilisation d'un droit d'auteur, d'une marque de commerce, d'une raison sociale ou d'un autre bien semblable lui appartenant, exclusivement pour faire la publicité de l'entreprise de la personne, sauf s'il est raisonnable de considérer que la contrepartie de la fourniture vise principalement un service de publicité à la télévision ou la radio ou dans un journal, un magazine ou autre périodique ou un service visé par règlement.

Notes historiques: L'article 135 a été modifié par L.C. 1997, c. 10, par. 3(1) et cette modification s'applique aux fournitures effectuées après septembre 1992. Il se lisait comme suit :

> 135. Pour l'application de la présente partie, est réputé ne pas être une fourniture le fait pour un organisme de services publics de fournir un service à une personne qui parraine l'une de ses activités, ou de lui fournir, par licence, l'utilisation d'un droit d'auteur, d'une marque de commerce, d'une raison sociale ou d'un autre bien semblable lui appartenant, exclusivement pour faire la publicité de l'entreprise de la personne, sauf s'il est raisonnable de considérer que la contrepartie de la fourniture vise principalement un service de publicité à la télévision ou la radio ou dans un journal, un magazine ou autre périodique ou un service visé par règlement.

Cet article a été ajouté par L.C. 1990, c. 45, par. 12(1).

Concordance québécoise: LTVQ, art. 29.

Définitions: « bien », « contrepartie », « entreprise », « fourniture », « organisme de services publics », « personne » — 123(1); « radio » — 35(1) *Loi d'interprétation*; « règlement », « ristourne », « service » — 123(1).

Bulletins de l'information technique: B-075R, 23/04/96, *Modifications proposées à la TPS*.

Série de mémorandums [art. 135]: Mémorandum 8.3, 02/12, *Calcul des crédits de taxe sur les intrants*.

Lettres d'interprétation (Québec): 97-0102422 — Interprétation relative à la TPS — Interprétation relative à la TVQ — Parrainage; 00-0102731 — Interprétation relative à la TPS et à la TVQ — Remise d'un véhicule automobile à une corporation pour un tirage; 04-0106254 — Interprétation relative à la TVQ — parrainage de tournois de hockey ou de baseball ôrganisés par OSBL]; 05-0105352 — Interprétation relative à la TPS et à la TVQ — programmes d'achat de produits et de services; 05-0105832 — Interprétation relative à la TPS et à la TVQ — montant versé à titre de parrainage.

COMMENTAIRES: De façon générale, lorsqu'un organisme de services publics fournit un service à une personne qui parraine l'une de ses activités (à l'exception de certains services de publicité) pour faire exclusivement de la publicité du parrain, alors aucune TPS ne s'applique dans ce contexte.

Ainsi, le parrainage est assimilable, de par sa nature, à un don ou une subvention, qui, en principe sont effectués sans qu'il n'y ait fourniture offerte en contrepartie. Dans le cas du parrainage, la présomption prévue à cette disposition fait en sorte que même si des services ont été rendus par le commandité en contrepartie de la commandite, ces derniers seront réputés ne pas constituer une fourniture.

En date des présentes, nous n'avons répertorié aucune décision jurisprudentielle appliquant cet article.

Revenu Québec souligne qu'il est important que le service rendu par l'organisme serve exclusivement (90 % ou plus) à rendre un service de publicité à la personne qui parraine afin que la fourniture du service de publicité puisse bénéficier de la présomption prévue par l'article 135. Bien qu'aucune TPS ne soit payable relativement à la fourniture du service de publicité, l'organisme doit cependant percevoir la TPS à l'égard des autres fournitures qui demeurent taxables. Ainsi, si la considération reçue par l'organisme pour l'ensemble des fournitures correspond à un montant unique, l'organisme doit percevoir la TPS sur la portion du montant qui correspond aux autres fournitures. Voir notamment à cet effet : Revenu Québec, Lettre d'interprétation, 97-0102422 [B] — *Interprétation relative à la TPS — Interprétation relative à la TVQ — Parrainage* (24 novembre 1999).

Dans le cas où l'article 135 s'applique, Revenu Québec est d'avis qu'il n'y a pas nécessairement de corrélation entre le montant reçu par le commandité et la valeur des services fournis au commanditaire. Le facteur important est que le service rendu au commanditaire par l'organisme doit servir exclusivement, c'est à dire à 90 % ou plus, à rendre un service promotionnel à l'entreprise et que la contrepartie de cette fourniture ne doit pas viser principalement un service de publicité à la télévision ou la radio ou dans un journal, un magazine ou autre périodique ou un service visé par règlement. Ainsi, selon Revenu Québec, la valeur des services visés par l'application de l'article 135 pourrait être égale à la valeur des biens et/ou services donnés par le commanditaire. Voir notamment à cet effet : Revenu Québec, Lettre d'interprétation, 95-0112375[B] — *Interprétation relative à la TPS — Interprétation relative à la TVQ — Parrainage d'un organisme du secteur public* (1er avril 1999).

Finalement, à titre illustratif, lorsque l'organisme reçoit la somme de 5 000 $ d'une entreprise et lui permet en contrepartie d'installer des banderoles sur le site, lui accorde une page publicitaire dans le programme souvenir, lui octroie le privilège d'effectuer un lancer protocolaire et lui permet de distribuer dans la foule du matériel promotionnel, ces divers services fournis par l'organisme sont réputés ne pas être une fourniture. Par contre, si l'organisme qui reçoit ce montant fournit à l'entreprise, outre le service promotionnel, des billets d'admission, l'organisme doit alors percevoir la TPS sur la portion du montant reçu qui correspond à la contrepartie de la fourniture des droits d'entrée lorsque la fourniture est taxable. S'agissant ici de la fourniture, effectuée par un organisme à but non lucratif, du droit d'être spectateur à un évènement sportif, une telle fourniture est toutefois exonérée en vertu de l'article 11 de la partie VI de l'annexe V, les conditions de l'exonération étant satisfaites. Voir notamment à cet effet : Revenu Québec, Lettre d'interprétation, 04-0106254 — *Interprétation relative à la TVQ — Parrainage de tournois de hockey ou de baseball* (22 décembre 2004). Voir également au même effet : Revenu Québec, Lettre d'interprétation, 05-0105832 — *Interprétation relative à la TPS et à la TVQ — Montant versé à titre de parrainage* (13 février 2006).

136. (1) Bail ou licence visant un bien — Pour l'application de la présente partie, la fourniture, par bail, licence ou accord semblable, de l'utilisation ou du droit d'utilisation d'un immeuble ou d'un bien meuble corporel est réputée être une fourniture d'un tel bien.

Notes historiques: Le paragraphe 136(1) a été ajouté par L.C. 1990, c. 45, par. 12(1).

Concordance québécoise: LTVQ, art. 30.

(2) Fourniture combinée d'immeubles — Pour l'application de la présente partie, dans le cas où la fourniture d'un immeuble comprend deux catégories de biens, visées respectivement aux alinéas a) et b), les biens de chaque catégorie sont réputés être des biens distincts et être l'objet de fournitures distinctes et aucune des fournitures n'est accessoire à l'autre :

a) un immeuble qui est, selon le cas :

(i) un immeuble d'habitation,

(ii) un fonds, un bâtiment ou une partie de bâtiment qui fait partie d'un immeuble d'habitation ou dont il est raisonnable de s'attendre à ce qu'il en fasse partie,

(iii) un parc à roulottes résidentiel;

b) d'autres immeubles qui ne font pas partie de l'immeuble visé à l'alinéa a).

Notes historiques: Les alinéas 136(2)a) et b) ont été modifiés par L.C. 1997, c. 10, par. 4(1) et cette modification est réputée entrée en vigueur le 17 décembre 1990. Auparavant, le paragraphe 136(2) avait été modifié par L.C. 1993, c. 27, par. 15(1) et cette modification était réputée entrée en vigueur le 1er janvier 1993. Ces alinéas se lisaient comme suit :

> a) un immeuble d'habitation ou quelque fonds, bâtiment ou partie de bâtiment qui fait partie d'un immeuble d'habitation, ou qu'il est raisonnable de s'attendre à ce qu'il en fasse partie;
>
> b) d'autres immeubles qui ne font pas partie d'un immeuble d'habitation, et qu'il n'est pas raisonnable de s'attendre à ce qu'ils en fassent partie.

Le paragraphe 136(2), édicté par L.C. 1990, c. 45, par. 12(1), se lisait comme suit :

> (2) Pour l'application de la présente partie, dans le cas où la fourniture d'un immeuble comprend un immeuble d'habitation et d'autres immeubles qui ne font pas partie de l'immeuble d'habitation, l'immeuble d'habitation et les autres immeubles sont réputés chacun être des biens distincts et être l'objet de fournitures distinctes et aucune des fournitures n'est accessoire à une autre.

Concordance québécoise: LTVQ, art. 31.

(2.1) [*Abrogé*]

Notes historiques: Le paragraphe 136(2.1) a été abrogé par L.C. 1997, c. 10, par 153(1) et cette abrogation est entrée en vigueur le 1er avril 1997. Ce paragraphe, ajouté par L.C. 1993, c. 27, par. 15(1), est réputé entré en vigueur le 1er janvier 1993. Il se lisait comme suit :

> (2.1) Pour l'application de la présente partie, dans le cas où l'un des biens visés à l'article 6.1 de la partie I de l'annexe V est fourni par bail, licence ou accord semblable dans les conditions suivantes :
>
> a) la fourniture est effectuée au cours d'une période où le locataire ou un sous-locataire effectue une ou plusieurs fournitures visées aux alinéas a) ou b) de cet article ou détient le bien en vue d'effectuer pareilles fournitures,
>
> b) la contrepartie de la fourniture comprend plusieurs paiements périodiques imputables à des parties successives (chacune étant appelées « période de lo-

cation » au présent paragraphe et à cet article) de la période pendant laquelle l'accord permet la possession ou l'utilisation du bien,

le fournisseur est réputé avoir effectué, et le locataire avoir reçu, une fourniture distincte du bien pour chaque période de location, et le paiement périodique (ou, en cas d'application du paragraphe (2) à des biens qui comprennent le bien en question, la partie du paiement périodique qu'il est raisonnable d'attribuer à ce bien) qui est imputable à une période de location donnée est réputé être une contrepartie payable relativement à la fourniture distincte du bien en question pour la période de location donnée.

(3) Idem — Pour l'application de la présente partie, dans le cas où le constructeur d'une adjonction à un immeuble d'habitation à logements multiples fournit par vente l'immeuble, ou un droit afférent, et où la fourniture serait une fourniture taxable sans le présent paragraphe et une fourniture exonérée aux termes de l'article de la partie I de l'annexe V si l'adjonction n'avait pas été construite, l'adjonction et le reste de l'immeuble sont réputés chacun être des biens distincts et la vente de l'adjonction ou du droit afférent, être une fourniture distincte de la vente du reste de l'immeuble ou du droit afférent, et aucune des fournitures n'est accessoire à l'autre.

Notes historiques: Le paragraphe 136(3) a été modifié par L.C. 1993, c. 27, par. 15(2) et est réputé entré en vigueur le 17 décembre 1990. Le paragraphe 136(3), édicté par L.C. 1990, c. 45, par. 12(1), se lisait comme suit :

(3) Pour l'application de la présente partie, dans le cas où la fourniture par vente d'un immeuble d'habitation à logements multiples par le constructeur d'une adjonction à l'immeuble constitue une fourniture exonérée aux termes de l'article 5 de la partie I de l'annexe V, contrairement à la partie de la fourniture qui porte sur l'adjonction, l'adjonction et le reste de l'immeuble sont réputés chacun être des biens distincts et la vente de l'adjonction, être une fourniture distincte de la vente du reste de l'immeuble et aucune des fournitures n'est accessoire à l'autre.

Concordance québécoise: LTVQ, art. 32.

(4) Idem — Pour l'application de la présente partie, lorsqu'une personne fournit son parc à roulottes résidentiel ou un droit afférent, après avoir augmenté la superficie du fonds et que la fourniture serait une fourniture taxable sans le présent paragraphe et une fourniture exonérée aux termes de l'article 5.3 de la partie I de l'annexe V si la superficie du fonds n'avait pas augmentée [*sic*], l'aire ajoutée et le reste du parc sont réputés chacun être des biens distincts et la vente de l'aire ou du droit afférent, être une fourniture distincte de la vente du reste du parc ou du droit afférent, et aucune des fournitures n'est accessoire à l'autre.

Notes historiques: Le paragraphe 136(4) a été ajouté par L.C. 1993, c. 27, par. 15(2) et est réputé entré en vigueur le 17 décembre 1990. Toutefois, ce paragraphe ne s'applique pas aux fournitures de parcs à roulottes résidentiels ou d'un droit afférent si la propriété ou la possession du parc ou du droit est transférée à l'acquéreur avant le 6 novembre 1991 ou si la fourniture est effectuée aux termes d'une convention écrite conclue avant cette date.

Concordance québécoise: LTVQ, art. 32.1.

Définitions [art. 136]: « bien », « bien meuble », « constructeur », « contrepartie », « fourniture », « fourniture exonérée », « fourniture taxable », « immeuble », « immeuble d'habitation », « immeuble d'habitation à logements multiples », « parc à roulottes », « parc à roulottes résidentiel », « vente » — 123(1).

Renvois [art. 136]: 141(5) (immeuble d'habitation dans immeuble).

Jurisprudence [art. 136]: *Grewal (M.) c. Canada*, [1996] G.S.T.C. 59 (CCI); *A.M.E. Aeroworks Services Ltd. c. Canada*, [1999] G.S.T.C. 19 (CCI); *Lessard c. R.*, [2000] G.S.T.C. 98 (CCI); *Mallow c. R.*, [2001] G.S.T.C. 79 (CCI); *9103-9438 Québec Inc. c. R.*, [2005] G.S.T.C. 68 (CCI); *Brose c. R.*, [2006] G.S.T.C. 47 (CCI); *Polley v. R.*, 2008 CarswellNat 2642 (24 avril 2008) (CCI [procédure informelle]).

Énoncés de politique [art. 136]: P-062, 25/05/93, *Distinction entre bail, licence et accord semblable*; P-074, 01/12/92, *Statut fiscal des frais d'entreposage*; P-174, 08/06/95, *Baux emphytéotiques* (Ébauche); P-200R, 05/05/99, *Lieu de fourniture de biens meubles incorporels et d'immeubles*.

Bulletins de l'information technique [art. 136]: B-075R, 23/04/96, *Modifications proposées à la TPS*.

Mémorandums [art. 136]: TPS 300-6-4, 15/01/91, *Taxe sur les fournitures moment d'assujettissement de la fourniture conventions écrites*; TPS 300-6-5, 2/01/91, *Immeubles*, par. 11, 12; TPS 500-2-4, 19/03/91, *Calcul de la taxe*, annexe B.

Série de mémorandums [art. 136]: Mémorandum 3.1, 08/99, *Assujettissement à la taxe*; Mémorandum 17.1, 04/99, *Définition d'« effet financier »*; Mémorandum 19.1, 10/97, *Les immeubles et la TPS/TVH*; Mémorandum 19.2.1, 03/98, *Immeubles résidentiels — Ventes*; Mémorandum 19.2.2, 02/03, *Immeubles résidentiels — Locations*; Mémorandum 19.4.1, 08/99, *Immeubles commerciaux — Ventes et locations*; Mémorandum 19.5, 06/02, *Fonds de terre et immeubles connexes*.

Lettres d'interprétation (Québec) [art. 136]: 98-0109078 — Interprétation relative à la TPS et à la TVQ — Contrepartie symbolique; 01-0107092 — Décision portant sur l'application de la TPS — Interprétation relative à la TVQ — Fournitures entre la commission scolaire et la ville.

COMMENTAIRES: Sans l'existence de cet article, la fourniture par bail, licence ou accord semblable, de l'utilisation ou du droit d'utilisation d'un immeuble ou d'un bien meuble corporel serait considérée comme une fourniture d'un bien meuble incorporel, puisqu'un tel droit est un bien meuble incorporel.

Il est à noter que la cession d'un bail ne se qualifie pas en vertu de cet article puisque ce n'est pas une fourniture par bail, licence ou accord semblable. Toutefois, la cession constitue une vente d'un immeuble, en raison de la définition du terme « immeuble » qui figure au paragraphe 123(1).

En évitant le mot « accessoire » aux paragraphes (2) à (4), on s'assure ainsi que l'article 138 ne s'appliquera pas et que le débat entourant la fourniture unique vs fourniture multiple sera évité. En présence de deux fournitures, il faudra faire une allocation raisonnable entre les deux. Voir notamment à cet effet : *9103-9438 Québec Inc. c. R.*, 2004 CarswellNat 2079 (C.C.I)

Dans l'affaire *Hidden Valley Golf Resort Assn. c. R.*, 2000 CarswellNat 4792 (C.A.F.), la Cour d'appel fédérale a indiqué qu'il ne fait aucun doute que les sous-baux constituent la fourniture d'un immeuble qui est un immeuble d'habitation, de sorte qu'il y a fourniture d'un immeuble correspondant à l'alinéa 136(2)*a*). Toutefois, le paragraphe 136(2) ne peut s'appliquer que s'il y a aussi fourniture d'un immeuble qui ne fait pas partie de l'immeuble d'habitation et qui correspond à l'alinéa 136(2)*b*). À part les lots, les sous-baux ne prévoient la fourniture de rien d'autre qui corresponde à la définition d'« immeuble ». Il est certain que les droits que l'avocat de la Couronne a appelé « tous les aspects de la vie de villégiature » ne relèvent pas de cette catégorie. Il s'ensuit que la Cour d'appel fédérale ne voit aucun fondement justifiant l'application du paragraphe 136 (2) à la présente décision.

Dans l'affaire *Mallow c. R.*, 2001 CarswellNat 4931 (C.C.I.), l'appelant a fourni au locataire le droit d'utiliser l'immeuble locatif. Il a donc effectué la fourniture d'un immeuble au sens du paragraphe 136(1), ce qui constitue une fourniture taxable. L'appelant n'a pas réellement touché de loyer, mais il a loué l'immeuble en contrepartie du règlement d'un prêt, et il a néanmoins effectué la fourniture d'un droit d'utiliser le bien immeuble par bail, licence ou accord semblable au sens du paragraphe 136(1). En conséquence, la Cour canadienne de l'impôt conclut que l'appelant a effectué une fourniture taxable et il était tenu de percevoir et de verser la TPS relativement à cette fourniture.

Dans l'affaire *152633 Canada Inc. c. R.*, 1997 CarswellNat 966 (C.C.I.), la Cour canadienne souligne que la fourniture par bail de l'utilisation ou du droit d'utilisation d'un bien meuble corporel est réputée être une fourniture d'un tel bien. De l'avis de la Cour canadienne de l'impôt, la fourniture par bail d'un véhicule automobile ne comprend pas le service rendu par le locateur d'avancer le paiement des amendes imposées par suite d'une contravention commise par le locataire. En agissant ainsi, le propriétaire du véhicule automobile (le locateur) ne fait qu'acquitter une dette dont il est solidairement responsable avec le locataire face aux autorités municipales. L'engagement pris contractuellement par le locataire de rembourser le montant des amendes dont il est responsable n'est pas un élément dont il a été tenu en compte dans l'établissement de la contrepartie donnée pour la location de l'automobile. De plus, l'amende ne fait pas partie (et ne peut être réputée faire partie) de la fourniture par bail du véhicule automobile. Par conséquent, de l'avis de la Cour canadienne de l'impôt, le remboursement des amendes par les locataires n'était pas assujetti à la TPS.

À titre illustratif, aux termes du paragraphe 136(2), Revenu Québec a souligné que lorsque la fourniture d'un immeuble comprend, en l'occurrence, un fonds faisant partie d'un immeuble d'habitation et un fonds ne faisant pas partie d'un tel immeuble, les deux fonds sont réputés être des biens distincts et être l'objet de fournitures distinctes et aucune des fournitures n'est accessoire à l'autre. Conséquemment, la fourniture du fonds sous-jacent à la partie du bâtiment qui ne comporte aucune habitation, lequel doit correspondre au rapport entre cette partie et l'ensemble du bâtiment, ainsi que le fonds contigu au bâtiment qui n'est pas raisonnablement nécessaire à l'usage résidentiel de celui-ci constitue une fourniture taxable. Quant à la fourniture du fonds sous-jacent à la partie du bâtiment qui comporte les habitations, lequel doit correspondre au rapport entre cette partie et l'ensemble du bâtiment, ainsi que le fonds contigu au bâtiment qui est raisonnablement nécessaire à l'usage résidentiel de celui-ci, elle constitue une fourniture exonérée en vertu de l'article 5.2 de la partie I de l'annexe V en autant que l'emphytéote ait versé la TPS calculée sur la juste valeur marchande de l'immeuble d'habitation suite à l'application de la règle de la fourniture à soi-même prévue au paragraphe 191(3). Voir notamment à cet effet : Revenu Québec, Lettre d'interprétation, 94-010688 — *Vente d'un terrain faisant l'objet d'un bail emphytéotique* (11 février 1997). Voir également au même effet : Agence du revenu du Canada, Lettre de l'Administration centrale sur la TPS, 11870-5, 11950-3 — *GST Interpretation — mixed residential/commercial property & section 167* (11 février 1997), et Agence du revenu du Canada, Lettre de l'Administration centrale sur la TPS, 61722 — *GST Treatment of Sale of Shares and Associated Rights to Use Land* (18 novembre 2008).

Finalement, à titre illustratif, dans la situation d'une vente d'un immeuble constitué d'appartements (94 %) et de commerces (6 %), le paragraphe 136(2) répute qu'il s'agit de deux fournitures séparées. La vente des appartements, est, règle générale, exonéré de la TPS. La partie du prix de vente alloué à la partie commerciale est assujettie à la TPS puisqu'il s'agit de la vente d'un immeuble dans le cadre d'activités commerciales. Ces conclusions restent inchangées même si la partie commerciale de l'immeuble est de moins de 10 % de l'utilisation de l'immeuble dans son entièreté et ce, en vertu des paragraphes 136(2) et 141(5). Voir notamment au même effet : *9103-9438 Québec Inc. c. R.*, 2004 CarswellNat 2079 (C.C.I.).

136.1 (1) Bail ou licence visant un bien — Pour l'application de la présente partie, lorsqu'un bien est fourni à une personne par bail, licence ou accord semblable pour une contrepartie qui comprend un paiement attribuable à une période (appelée « période de location » au présent paragraphe) qui représente tout ou partie de la période pendant laquelle l'accord permet la possession ou l'utilisation du bien, les règles suivantes s'appliquent :

a) le fournisseur est réputé avoir effectué, et la personne avoir reçu, une fourniture distincte du bien pour la période de location;

b) la fourniture du bien pour la période de location est réputée effectuée au premier en date des jours suivants :

(i) le premier jour de cette période,

(ii) le jour où le paiement attribuable à cette période devient dû,

(iii) le jour où le paiement attribuable à cette période est effectué;

c) le paiement attribuable à la période de location est réputé être une contrepartie payable relativement à la fourniture du bien pour cette période.

d) dans le cas où, en l'absence de l'alinéa a), la fourniture du bien aux termes de l'accord serait réputée être effectuée soit au Canada, soit à l'étranger, la totalité des fournitures du bien qui, par l'effet de cet alinéa, sont réputées être effectuées aux termes de l'accord sont réputées être effectuées au Canada ou à l'étranger, selon le cas.

Notes historiques: Le préambule du paragraphe 136.1(1) a été remplacé par L.C. 2000, c. 30, par. 20(1). Cette modification est réputée entrée en vigueur le 10 décembre 1998. Antérieurement, il se lisait comme suit :

136.1 (1) Pour l'application de la présente partie, lorsqu'un bien est fourni à une personne par bail, licence ou accord semblable pour une contrepartie qui comprend un paiement attribuable à une période (appelée « période de location » au présent paragraphe) qui représente tout ou partie de la période pendant laquelle l'accord permet la possession ou l'utilisation du bien, les présomptions suivantes s'appliquent :

L'alinéa 136.1(1)d) a été ajouté par L.C. 2000, c. 30, par. 20(2) et s'applique aux fournitures visant des périodes de location ou de facturation, effectuées après le 10 décembre 1998.

Le paragraphe 136.1(1) a été ajouté par L.C. 1997, c. 10, par. 154(1) et s'applique aux périodes de location et de facturation qui commencent après mars 1997.

Concordance québécoise: LTVQ, art. 32.2.

Série de mémorandums: Mémorandum 8.3, 02/12, *Calcul des crédits de taxe sur les intrants.*

Info TPS/TVQ: GI-092 — *Taxe de vente harmonisée - Locations d'immeubles en Ontario et en Colombie Britannique*; GI-108 — *Application de la hausse du taux de la TVH en Nouvelle-Écosse (2010)-Biens meubles* .

(1.1) Livraison en cas d'exercice d'une option d'achat — Pour l'application de la présente partie, lorsque l'acquéreur de la fourniture par bail, licence ou accord semblable d'un bien meuble corporel exerce une option d'achat du bien qui est prévue par l'accord et que la possession du bien lui est transférée aux termes du contrat d'achat et de vente du bien au moment et à l'endroit où il cesse de posséder le bien à titre de preneur ou de titulaire de licence dans le cadre de l'accord, il est entendu que ce moment et cet endroit sont réputés être ceux auxquels le bien lui est livré, ou est mis à sa disposition, dans le cadre de sa fourniture par vente effectuée à son profit.

Notes historiques: Le paragraphe 136.1(1.1) a été ajouté par L.C. 2000, c. 30, par. 20(3) et est réputé entré en vigueur le 1er avril 1997 et s'applique aux options d'achat exercées après mars 1997.

Concordance québécoise: LTVQ, art. 32.2.1.

(2) Services continus — Pour l'application de la présente partie, lorsqu'un service est fourni à une personne pour une contrepartie qui comprend un paiement attribuable à une période (appelée « période de facturation » au présent paragraphe) qui représente tout ou partie de la période pendant laquelle le service est rendu ou à rendre aux termes de la convention portant sur la fourniture, les règles suivantes s'appliquent :

a) le fournisseur est réputé avoir effectué, et la personne avoir reçu, une fourniture distincte du service pour la période de facturation;

b) la fourniture du service pour la période de facturation est réputée effectuée au premier en date des jours suivants :

(i) le premier jour de cette période,

(ii) le jour où le paiement attribuable à cette période devient dû,

(iii) le jour où le paiement attribuable à cette période est effectué;

c) le paiement attribuable à la période de facturation est réputé être une contrepartie payable relativement à la fourniture du service pour cette période.

d) dans le cas où, en l'absence de l'alinéa a), la fourniture du service aux termes de la convention serait réputée être effectuée soit au Canada, soit à l'étranger, la totalité des fournitures du service qui, par l'effet de cet alinéa, sont réputées être effectuées aux termes de la convention sont réputées, sauf dans le cas d'un service de télécommunication, être effectuées au Canada ou à l'étranger, selon le cas.

Notes historiques: Le préambule du paragraphe 136.1(2) a été remplacé par L.C. 2000, c. 30, par. 20(4) et cette modification est réputée entrée en vigueur le 10 décembre 1998. Antérieurement, il se lisait comme suit :

(2) Pour l'application de la présente partie, lorsqu'un service est fourni à une personne pour une contrepartie qui comprend un paiement attribuable à une période (appelée « période de facturation » au présent paragraphe) qui représente tout ou partie de la période pendant laquelle le service est rendu ou à rendre aux termes de la convention portant sur la fourniture, les présomptions suivantes s'appliquent :

L'alinéa 136.1(2)d) a été ajouté par L.C. 2000, c. 30, par. 20(5) et s'applique aux fournitures visant des périodes de location ou de facturation, effectuées après le 10 décembre 1998.

Le paragraphe 136.1(2) a été ajouté par L.C. 1997, c. 10, par. 154(1) et s'applique aux périodes de location et de facturation qui commencent après mars 1997.

Concordance québécoise: LTVQ, art. 32.3.

Série de mémorandums: Mémorandum 8.3, 02/12, *Calcul des crédits de taxe sur les intrants.*

Définitions [art. 136.1]: « acquéreur », « bien », « bien meuble », « contrepartie » — 123(1); « contrepartie due » — 152; « fourniture », « hors du Canada », « personne » — 123(1); « période de location » — V:Partie I:6.1; IX:Partie I:1; « service de télécommunication », « vente » — 123(1).

Renvois [art. 136.1]: 152 (contrepartie due); 183(8) (location d'un bien meuble); 184(7) (location d'un bien meuble — assureur); 354.1 (location de véhicules à moteur déterminés); V:Partie I:6.1 (location d'un immeuble); V:Partie I:6.11 (location d'un immeuble au profit d'un preneur); IX:Partie II:4b) (présomption — fourniture d'un bien meuble corporel effectué dans une province); X:Partie I:19 (biens non taxables aux fins de la TVH).

Énoncés de politique [art. 136.1]: P-193R, 10/02/99, *Les fournitures de biens meubles corporels effectuées autrement que par vente*; P-230R, 15/01/03, *Application de la Loi sur la taxe d'accise (LTA) aux fournitures de biens meubles corporels effectuées par bail, licence ou accord semblable à des Indiens, des bandes indiennes et des entités mandatées par une bande.*

Bulletins de l'information technique [art. 136.1]: B-078, 28/02/97, *Règles sur le lieu de la fourniture sous le régime de la TVH*; B-102, 07/07/11, *Taxe sur les produits et services des Premières nations - Lieu de fourniture.*

Série de mémorandums [art. 136.1]: Mémorandum 3.3, 04/00, *Lieu de fourniture*; Mémorandum 8.2, 03/08, *Restrictions générales*; Mémorandum 19.1, 11/97, *Règles spéciales s'appliquant aux immeubles dans le régime de la TVH*; Mémorandum 19.2.2, 02/03, *Immeubles résidentiels — Locations.*

Lettres d'interprétation (Québec) [art. 136.1]: 98-0103568 — Interprétation relative à la TPS — Interprétation relative à la TVQ — Fourniture de véhicules routiers; 98-0104210 — Interprétation relative à la TPS — Remboursement partiel — Immeuble d'habitation détenu par une municipalité; 99-0111510 — Projet d'investissement à caractère international; 00-0106674 — Interprétation relative à la TPS et à la TVQ — Fourniture par bail d'un véhicule routier à un Indien, une bande ou une entité mandatée par une bande; 06-0101144 — Interprétation relative à la TPS/TVH — interprétation relative à la TVQ — contrat de location : clause de renouvellement; 06-0103397 — Décision portant sur l'application de la TPS Interprétation relative à la TVQ Acte de propriété superficiaire et de servitudes.

COMMENTAIRES: Le paragraphe (1) requiert que le bail, licence ou accord semblable soit réparti en fournitures séparées pour chaque période de location. Cela permet ainsi une détermination séparée pour le statut de la TPS.

La rédaction de l'alinéa 136.1(1)(d) est claire à l'effet que le paragraphe 136.1(1) ne s'applique pas à l'analyse entourant la question de savoir si une fourniture a lieu au Canada ou à l'extérieur du Canada.

À titre illustratif de l'application de l'alinéa 136.1(1)(d), prenons la situation suivante : (i) un locateur non-résident loue de l'équipement à une société canadienne qui reçoit possession et utilisation de l'équipement aux États-Unis, (ii) le locateur vend l'équipement loué à une compagnie résident du Canada (le « Nouveau locateur ») qui est un inscrit en TPS et le locateur cède le bail au Nouveau locateur, et (iii) il n'y a pas novation à la convention de bail et le locataire peut ne pas être informé du transfert de locateur. Dans cette situation, en vertu de l'alinéa 136.1(1)(d) et de l'alinéa 142(2)(b), l'Agence du revenu du Canada a indiqué que les fournitures faites par le Nouveau locateur pour chaque période de location subséquemment à la cession du bail sont réputée être faites à l'extérieur du Canada puisque la possession et l'utilisation originale des biens avait été donnée ou rendue disponible au locataire à l'extérieur du Canada en vertu de la convention de bail. Voir à cet effet : question 22, Agence du revenu du Canada, *Questions et commentaires en TPS/TVH* — Conférence annuelle entre l'Association du Barreau Canadien et l'Agence du revenu du Canada (23 février 2012).

Également, de l'avis de Revenu Québec, en vertu du sous-paragraphe 142(1)b) LTA, un bien ou un service est réputé fourni au Canada si, s'agissant d'un bien meuble corporel fourni autrement que par vente, sa possession ou son utilisation est accordée à l'acquéreur au Canada ou y est mise à sa disposition. L'article 136.1 fait en sorte que le bien fourni par bail, licence ou accord semblable pour une période de paiement prévue par l'accord, soit considéré comme ayant fait l'objet d'une fourniture distincte pour la période. Toutefois, cette règle ne doit pas s'appliquer, selon Revenu Québec, lorsqu'il s'agit de déterminer si la totalité de la fourniture est considérée comme étant effectuée au Canada ou à l'étranger. En effet, le sous- paragraphe 136.1(1)d) a pour effet de confirmer que la question de savoir si une fourniture de bien par bail, licence ou accord semblable est effectuée au Canada ou à l'étranger est une question que l'on tranche une fois pour toutes, indépendamment de la règle sur les fournitures distinctes. Par exemple, dans le cas d'un bien meuble corporel, la question sera déterminée, de façon générale, d'après l'endroit où le bien a été légalement livré à l'acquéreur aux termes de l'accord (c'est-à-dire l'endroit où la possession ou l'utilisation a été accordée à l'acquéreur, ou mise à sa disposition, pour la première fois). Une fois cette question déterminée, l'ensemble des fournitures réputées effectuées aux termes de l'accord sont considérées comme étant effectuées au même endroit (c'est-à-dire au Canada ou à l'étranger), indépendamment du fait que le bien se soit trouvé au Canada pendant certaines périodes de location et à l'étranger pendant d'autres périodes. Ainsi, si le lieu de fourniture du bien, abstraction faite de la présomption énoncée au sous-alinéa 136.1(1)a), est considéré comme étant au Canada, l'ensemble des fournitures qui, par l'effet de cet alinéa, sont réputées être effectuées aux termes de l'accord seront réputées être effectuées au Canada. Dans le même ordre d'idées, si le lieu de fourniture est considéré comme étant à l'étranger, l'ensemble des fournitures seront réputées être effectuées à l'étranger. Par ailleurs, l'ajout subséquent d'une clause de renouvellement ou d'un droit d'option a pour effet de modifier fondamentalement le contrat au point de constituer un nouvel accord quant à son objet. De nouveaux droits et responsabilités étant créés, nous sommes d'avis qu'il y a, en pareil cas, novation au sens des articles 1660 à 1666 du Code civil du Québec. Il en résulte, aux fins de la TPS/TVH, qu'une nouvelle entente est conclue relativement à une nouvelle fourniture. Voir notamment à cet effet : Revenu Québec, Lettre d'interprétation, 06-0101144 — *Interprétation relative à la TPS/TVH — Interprétation relative à la TVQ — Contrat de location : clause de renouvellement* (4 janvier 2007). Voir notamment au même effet : Agence du revenu du Canada, Lettre de l'Administration centrale sur la TPS, 11680-6D — *GST/HST Interpretation — Advertising Services* (10 décembre 2002).

L'alinéa 136.1(2)(a) prévoit qu'il y a des fournitures distinctes pour chaque période de facturation lors de services continus. Les règles du lieu de fourniture doivent être déterminées pour chaque période. Toutefois, cela ne s'applique pas pour les fins de déterminer si une fourniture de service est considérée faite au Canada ou à l'extérieur du Canada. Voir notamment à cet effet : Agence du revenu du Canada, Lettre de l'Administration centrale sur la TPS, 130623 — *GST/HST Ruling and Interpretation — Application of the GST/HST to [...] ownership [interest] of [...][products]* (21 juin 2012).

136.2 Fourniture d'un immeuble en partie hors d'une province — Afin de déterminer dans quelle province participante la fourniture taxable d'un immeuble est effectuée ainsi que la taxe payable aux termes du paragraphe 165(2) relativement à la fourniture pour l'application de la présente partie, lorsque la fourniture porte notamment sur un immeuble situé en partie dans une province donnée et en partie dans une autre province ou à l'étranger, les deux parties de l'immeuble font chacune l'objet d'une fourniture taxable distincte effectuée pour une contrepartie distincte égale à la fraction de la contrepartie totale qu'il est raisonnable d'attribuer à la partie.

Notes historiques: L'article 136.2 a été ajouté par L.C. 1997, c. 10, par. 154(1) et est entré en vigueur le 1er avril 1997.

Concordance québécoise: LTVQ, art. 32.4.

Définitions: « Canada » — 123(2); « contrepartie », « fourniture », « fourniture taxable », « immeuble », « province participante » — 123(1).

Renvois: 123 (2) (Canada); IX:Partie IV:1 (fourniture d'immeuble dans une province).

Bulletins de l'information technique: B-078, 23/02/97, *Règle sur le lieu de la fourniture sous le régime de la TVH*.

Série de mémorandums: Mémorandum 19.1.1, 11/97, *Règles spéciales s'appliquant aux immeubles dans le régime de la TVH*.

COMMENTAIRES: Cet article s'applique uniquement pour les fins du paragraphe 165(2), c'est-à-dire pour les fins de la détermination du taux provincial de la TVH et a préséance sur l'article 133.

Cet article prévoit la règle visant la situation où la fourniture d'un immeuble est effectuée en partie dans une province participante et en partie à l'extérieur de celle-ci. Dans ce contexte, les deux fournitures sont considérées de façon séparée pour les fins de la TPS/TVH et le prix sera alloué entre eux.

136.3 Fournitures distinctes de services de transport de biens — Afin de déterminer, dans le cadre de la présente partie, la taxe payable en vertu du paragraphe 165(2) relativement à la fourniture d'un service de transport de marchandises, au sens de la partie VI de l'annexe IX, qui consiste notamment à transporter un bien meuble corporel donné vers une destination située dans une province et un autre semblable bien vers une destination à l'extérieur de la province, et de déterminer dans quelle province participante la fourniture est effectuée, le service de transport du bien donné et celui de l'autre bien font chacun l'objet d'une fourniture distincte effectuée pour une contrepartie distincte égale à la fraction de la contrepartie totale qu'il est raisonnable d'attribuer au transport de l'un ou l'autre des biens, selon le cas.

Notes historiques: L'article 136.3 a été ajouté par L.C. 1997, c. 10, par. 154(1) et est entré en vigueur le 1er avril 1997.

Concordance québécoise: LTVQ, art. 32.5.

Définitions: « bien meuble », « contrepartie », « fourniture », « province », « province participante », « service » — 123(1); « destination », « service de transport de marchandises » — IX:Partie VI:1.

Renvois: IX:Partie VI:1 (5) (TVH — Fourniture d'un service de transport de marchandises).

Série de mémorandums: Mémorandum 28.2, 01/99, *Services de transport de marchandises*.

Formulaires: RC4080, *Renseignements sur la TPS/TVH pour les transporteurs de marchandises*.

COMMENTAIRES: Cet article s'applique uniquement pour les fins du paragraphe 165(2), c'est-à-dire pour les fins de la détermination du taux provincial de la TVH et a préséance sur l'article 133.

Cet article est similaire au paragraphe 136(2) qui requiert qu'une allocation soit faite entre un immeuble résidentiel et commercial dans le contexte où ceux-ci sont considérés comme des fournitures distinctes et analysés de façon séparée pour les fins de la TPS.

136.4 (1) Définition de « voie de télécommunication » — Au présent article, « voie de télécommunication » s'entend d'un circuit, d'une ligne, d'une fréquence, d'une voie ou d'une voie partielle de télécommunication ou d'un autre moyen d'envoyer ou de recevoir une télécommunication, à l'exclusion d'une voie de satellite.

Notes historiques: Le paragraphe 136.4(1) a été ajouté par L.C. 1997, c. 10, par. 154(1) et est entré en vigueur le 1er avril 1997.

Concordance québécoise: LTVQ, art. 32.6.

(2) Voie de télécommunication réservée — Pour l'application de la présente partie, lorsqu'une personne fournit un service de télécommunication qui consiste à accorder à l'acquéreur l'unique accès à une voie de télécommunication pour la transmission de télécommunications entre un endroit situé dans une province donnée et un endroit situé dans une autre province, les présomptions suivantes s'appliquent :

a) la personne est réputée avoir effectuée une fourniture distincte du service dans chacune des deux provinces ainsi que dans chaque province les séparant;

b) la contrepartie de la fourniture dans chaque province est réputée égale au résultat du calcul suivant :

$$\frac{A}{B} \times C$$

où :

A représente la distance sur laquelle les télécommunications seraient transmises dans la province si elles étaient transmises uniquement par câble et les installations de télécommunication connexes situées au Canada qui relieraient, en ligne directe, les transmetteurs d'émission et de réception des télécommunications;

B la distance sur laquelle les télécommunications seraient transmises au Canada si elles étaient transmises uniquement par ces moyens;

C la contrepartie totale payée ou payable par l'acquéreur pour l'accès unique à la voie de télécommunication.

Notes historiques: Le paragraphe 136.4(2) a été ajouté par L.C. 1997, c. 10, par. 154(1) et est entré en vigueur le 1er avril 1997.

Concordance québécoise: LTVQ, art. 32.7.

Définitions [art. 136.4]: « acquéreur » — 123(1); « Canada » — 123(2); « contrepartie », « fourniture », « personne », « province », « service de télécommunication » — 123(1); « télécommunictions » — 35(1) *Loi d'interprétation*; « voie de télécommunication » — 136.4(1).

Renvois [art. 136.4]: IX:Partie VIII:3 (accès à une voie de télécomunication).

Bulletin de l'information technique [art. 136.4]: B-078, 28/02/97, *Règle sur le lieu de la fourniture sous le régime de la TVH*.

Lettres d'interprétation (Québec) [art. 136.4]: 97-0108577 — Interprétation TPS/TVQ — Transmission par voie de télécommunications.

COMMENTAIRES: En vertu du paragraphe 136.4(2), la fourniture qui consiste à accorder l'unique accès à une voie de télécommunication pour la transmission de télécommunications entre deux provinces sera réputée être une fourniture séparée dans chacune de ces provinces ainsi que dans chacune des provinces intermédiaires. Voir notamment à cet effet : Agence du revenu du Canada, Lettre de l'Administration centrale sur la TPS, 11960-01; 11965 — *GST/HST Interpretation — GST Application on Telecommunication Line Charges* (27 octobre 2000).

Cet article a préséance sur l'article 133.

Il est intéressant de souligner que, contrairement à ce qui prévaut dans le régime de la TVH compte tenu du libellé du paragraphe 136.4 (2) de la *Loi sur la taxe d'accise* (L.R.C. 1985, c. E-15), telle que modifiée par la *Loi modifiant la Loi sur la taxe d'accise*, la *Loi sur les arrangements fiscaux entre le gouvernement fédéral et les provinces*, la *Loi de l'impôt sur le revenu*, la *Loi sur le compte de service et de réduction de la dette et des lois connexes* (L.C. 1997, c. 10), la fourniture d'une ligne de télécommunication qui ne fait que traverser le Québec demeure non assujettie à la TVQ. Par conséquent, la fourniture d'une ligne de télécommunication n'est assujettie à la TVQ que s'il existe un accès à cette ligne au Québec. La TVQ s'applique alors en proportion de la longueur de la partie de la ligne située au Québec par rapport à la longueur totale de cette ligne. Voir à cet effet notamment : Revenu Québec, Lettre d'interprétation, 97-0108858 — *Fourniture d'une ligne de télécommunication* (9 septembre 1997).

137. Enveloppes et contenants — Pour l'application de la présente partie, l'enveloppe ou le contenant — habituel pour une catégorie de biens — dans lequel un bien meuble corporel de cette catégorie est fourni est réputé faire partie du bien.

Notes historiques: L'article 137 a été ajouté par L.C. 1990, c. 45, par. 12(1).

Concordance québécoise: LTVQ, art. 33.

Définitions: « bien », « bien meuble », « fourniture » — 123(1).

Renvois: 168(9) (arrhes); 176(3) (contenant consigné); 226 (contenant à boisson consigné).

Bulletins de l'information technique: B-038R, 03/08, *Contenants retournables autres que les contenants de boisson*.

Mémorandums: TPS 300-3-3, 22/06/92, (rév. 24/03/97), *Produits alimentaires de base*, par. 43; TPS 300-6-8, 15/01/91, *Déposer*; TPS 400-3-6, 24/03/93, *Bien meuble corporel désigné ou d'occasion*, par. 38, 47, 48.

Série de mémorandums: Mémorandum 4.3, 01/07, *Produits alimentaires de base*, par. 25.

COMMENTAIRES: Il est à noter que cet article ne s'applique pas à l'égard des contenants consignés qui sont plutôt visés par l'article 226.

À titre illustratif, Revenu Québec considère qu'une caisse de bois ou de plastique servant à la manutention des contenants consignés de boissons gazeuses ne constitue pas une « enveloppe » ou un « contenant » visé à l'article 137. Par conséquent, les dispositions de cet article ne s'appliquent pas à l'égard des caisses de bois ou de plastique utilisées par le fabricant et/ou l'embouteilleur de boissons gazeuses et ce, que les bouteilles consignées soient vides ou pleines. Voir notamment à cet effet : Revenu Québec, Lettre d'interprétation, 96-0107993 — *Demande d'interprétation relative aux contenants retournables* (11 juillet 1996).

Également à titre illustratif, la fourniture d'ingrédients, tels que de l'huile ou du sirop, s'effectue souvent en grande quantité. Ainsi, le baril utilisé à répétition par la corporation pour effectuer la fourniture d'une catégorie de biens peut dans ce contexte être considéré comme un contenant visé par l'article 137. En conséquence, le baril peut recevoir le même traitement fiscal que l'huile ou le sirop qu'il contient et lorsque la fourniture de ces produits alimentaires de base est détaxée, la TPS ne s'appliquera pas sur le montant distinct de 45 $ facturé à l'égard de chacun de ces barils. Par ailleurs, Revenu Québec confirme que lorsqu'un baril est retourné et qu'un montant de 45 $ est alors crédité au client, ce crédit accordé pour le retour du contenant peut être considéré comme un remboursement effectué par le fournisseur au profit de son client. Voir notamment à cet effet : Revenu Québec, Lettre d'interprétation, 95-0113563 — *Contenant habituel — baril* (25 septembre 1996). Voir également : Revenu Québec, Lettre d'interprétation, 95-0110221 — *Demande d'interprétation — Produits alimentaires de base* (26 mars 1996).

138. Fournitures accessoires — Pour l'application de la présente partie, le bien ou le service dont la livraison ou la prestation peut raisonnablement être considérée comme accessoire à la livraison ou à la prestation d'un autre bien ou service est réputé faire partie de cet autre bien ou service s'ils ont été fournis ensemble pour une contrepartie unique.

Notes historiques: Le paragraphe 138(1) a été ajouté par L.C. 1990, c. 45, par. 12(1).

Concordance québécoise: LTVQ, art. 34.

Définitions: « bien », « contrepartie », « fourniture », « service » — 123(1).

Renvois: 136 (2), (2.1), (3) (fourniture combinée d'immeuble); 139 (services financiers dans une fourniture mixte); 163(2) (parties taxable et non taxable d'un voyage organisé); 168(8) (fourniture combinée); 184.1(3) (calcul du crédit pour intrants de construction); 226(2)a) (boisson dans un contenant consigné); V:Partie I:8.1 (espace de stationnement).

Jurisprudence: *Global Cash Access (Canada) Inc. v. R.* (18 mai 2012), 2012 CarswellNat 3817 (C.C.I.); *L'Association Récréative Les Jardins du Château inc. c. La Reine*, [1994] G.S.T.C. 32 (CCI); *Interior Mediquip Ltd. c. La Reine*, [1994] G.S.T.C. 86 (CCI); *O.A. Brown Ltd. c. La Reine*, [1995] G.S.T.C. 40 (CCI); *Oxford Frozen Foods Ltd. c. La Reine*, [1996] G.S.T.C. 76 (CCI); *Club Med Sales INc. c. Canada*, [1997] G.S.T.C. 28 (CCI); *Sako Auto Leasing c. Canada*, [1997] G.S.T.C. 50 (CCI); *Sterling Business Academy Inc. c. Canada*, [1998] G.S.T.C. 130 (CCI); *Drug Trading Co. c. R.*, [2001] G.S.T.C. 48 (CCI); *Alveberg c. R.*, [2001] G.S.T.C. 113 (CCI); *Coleman c. R.*, [2002] G.S.T.C. 105 (CCI); *Great Canadian Trophy Hunts Inc. c. R.*, [2005] G.S.T.C. 162 (CCI); *Camp Mini-Yo-We Inc. v. R.*, [2006] G.S.T.C. 154 (CAF); *Artistic Ideas Inc. v. Minister of National Revenue*, 2008 CarswellNat 5702 (CCI [procédure générale]); *Triple G. Corp. v. R.* (24 avril 2008), [2008] G.S.T.C. 102 (CCI [procédure générale]); *9056-2059 Québec Inc. c. R.*, 2010 CarswellNat 1973, 2010 CCI 358 (CCI [procédure générale]); *Costco Wholesale Canada Ltd. v. R.*, 2010 CarswellNat 5522, 2010 CCI 609 (CCI [procédure générale]); *Jema International Travel Clinic Inc. v. R.*, 2011 CarswellNat 5021, 2011 CCI 462, 2011 G.T.C. 995 (CCI [procédure générale]); *9056-2059 Québec Inc. c. R.*, 2011 CarswellNat 4270, 2011 CAF 296, 2011 G.T.C. 2054 (CAF).

Énoncés de politique: P-052, 03/03/93, *Les montants admissibles au remboursement de la TPS pour habitations neuves prévu à l'article 254 lorsqu'il s'agit de maisons achetées d'un constructeur*; P-070R, 20/01/99, *Statut aux fins de la TPS/TVH des dispositifs de soutènement et des éléments connexes pour les maisons mobiles, les remorques de tourisme, les maisons motorisées et les véhicules ou les remorques semblables lorsqu'ils sont fournis autrement que par vente*; P-077R2, 26/04/04, *Fourniture unique et fournitures multiples*; P-128R2, 05/01/06, *Traitement fiscal de la fourniture d'une participation directe indivise dans l'actif d'une mine ou d'un puits de gaz ou de pétrole*; P-159R1, 08/03/99, *Sens de l'expression « peut raisonnablement être considérée comme accessoire »*; P-160R, 01/04/98, *Sens de l'expression « ...est réputé faire partie (d'un) autre bien ou service s'ils ont été fournis ensemble... »*; P-252, 13/01/09, *Matériel agricole fourni avec des accessoires*.

Bulletins de l'information technique: B-093R, 11/08, *Application de la TPS/TVH aux droits d'inhumation et aux accords de prévoyance pour biens ou services de cimetière*; B-105, 02/11, *Modifications apportées à la définition de service financier*; B-106, 08/11, *Méthodes d'attribution des crédits de taxe sur les intrants pour les institutions financières en application de l'article 141.02 de la Loi sur la taxe d'accise*.

Mémorandums: TPS 300-6-3, 20/03/91, *Factures*; TPS 400-3-6, 24/03/93, *Bien meuble corporel désigné ou d'occasion*, par. 49; TPS 500-4-5, 15/04/94, *Remboursements pour habitations et autres immeubles*, par. 14; TPS 700-5-1, 27/07/92, *Répartition des CTI pour les institutions financières*, par. 30.

Série de mémorandums: Mémorandum 8-1, 05/05, *Règles générales d'admissibilité*; Mémorandum 19.5, 06/02, *Fonds de terre et immeubles connexes*.

Lettres d'interprétation (Québec): 98-0109656 — Décision portant sur l'application de la TPS — Interprétation relative à la TVQ — Fourniture unique et fournitures multiples — Droit d'entrée dans un musée accompagné d'un tour de ville; 99-

0100984 — Décision portant sur l'application de la TPS — Interprétation relative à la TVQ — Fourniture unique et fournitures multiples; 99-0109076 — Interprétation relative à la TPS et à la TVQ — Fournitures relatives au traitement de matières recyclables; 99-0110744 — Interprétation relative à la TVQ — Location de camions avec service d'entretien et de réparation; 99-0111338 — Fourniture d'appareil et de service d'orthodontie pour une contrepartie unique.

COMMENTAIRES: Aux termes de l'article 138, le bien ou le service dont la livraison ou la prestation peut raisonnablement être considérée comme accessoire à la livraison ou à la prestation d'un autre bien ou service est réputé faire partie de cet autre bien ou service s'ils sont fournis ensemble pour une contrepartie unique.

Avant tout, il faut déterminer s'il s'agit d'une seule fourniture unique ou de fournitures distinctes. Si l'on ne peut se qualifier en vertu de l'article 138, alors on peut appliquer l'article 139. Le cas échéant, il faudra procéder par le biais d'une allocation séparée et déterminer de façon indépendante les différentes fournitures.

Une façon d'éviter l'application de l'article 138 serait de procéder à la facturation des éléments séparément, évitant ainsi le paiement d'une contrepartie unique. Ainsi, dans l'affaire *Jema International Travel Clinic Inc. c. R.*, 2011 CarswellNat 5021 (C.C.I.), la Cour canadienne de l'impôt a indiqué que l'article 138 ne s'appliquait pas puisque les deux fournitures avaient été effectuées moyennant des contreparties distinctes.

À titre illustratif, Revenu Québec a indiqué que la livraison d'une carte peut raisonnablement être considérée comme accessoire à la vente de la messe. Puisque la messe et la carte sont fournies ensemble pour un prix unique, l'ensemble de la transaction est exonérée, la vente des messes étant exonérée. Donc, l'organisme concerné n'a pas à percevoir la TPS lorsqu'une carte est fournie en même temps que la messe pour un prix unique. Voir notamment à cet effet : Revenu Québec, Lettre d'interprétation, 99-0100984 — *Décision portant sur l'application de la TPS — Interprétation relative à la TVQ — Fourniture unique et fournitures multiples* (12 mars 1999).

Également, à titre d'exemple, la fourniture par un orthodontiste pour une contrepartie unique d'un appareil d'orthodontie ainsi que de services de pose, d'examens, d'entretien et d'ajustement constitue une fourniture unique exonérée de services d'orthodontie. Revenu Québec a déterminé qu'il s'agit d'une fourniture unique pour les motifs suivants: (i) l'appareil d'orthodontie doit être fabriqué sur mesure, (ii) l'appareil d'orthodontie acquis seul ne serait d'aucune utilité pour l'acquéreur, (iii) le service et l'appareil d'orthodontie doivent être acquis ensemble et ne peuvent être acquis séparément, et (iv) même si l'acquéreur est informé des éléments précis de l'ensemble, ces éléments ne peuvent pas être acquis d'autres fournisseurs et ne seraient pas utiles s'ils étaient acquis seuls. De plus, Revenu Québec a indiqué qu'il s'agit d'une fourniture de services d'orthodontie notamment en raison du fait que le travail de l'orthodontiste ne peut être qualifié d'accessoire. En effet, en l'espèce, le travail occupe une place déterminante dans l'objet de la transaction. On peut donc conclure à un contrat de service. Voir notamment à cet effet : Revenu Québec, Lettre d'interprétation, 99-0111338[A] — *Fourniture d'appareil et de service d'orthodontie pour une contrepartie unique* (6 janvier 2000).

Dans l'affaire *Camp Mini-Yo-We Inc. c. R.*, 2006 CarswellNat 6383 (C.A.F.), une des questions en litige présentées à la Cour d'appel fédérale était de savoir si la transaction consistait en une fourniture unique composée de deux éléments inter-reliés, ou si l'on était en présence de fournitures multiples, soit deux services fournis pour une contrepartie unique avec une composante dominante et une composante récessive. Le juge de la Cour canadienne de l'impôt avait conclu que cette transaction était une fourniture unique; les sommes étaient payées pour l'ensemble de l'expérience de camping. Pour l'application de la présente partie, le bien ou le service dont la livraison ou la prestation peut raisonnablement être considérée comme accessoire à la livraison ou à la prestation d'un autre bien ou service est réputé faire partie de cet autre bien ou service s'ils ont été fournis ensemble pour une contrepartie unique. D'après l'analyse de la Cour d'appel fédérale, l'article 138 s'applique seulement dans le cadre de fournitures multiples. S'il n'y a qu'une fourniture unique (avec plusieurs composantes), alors cet article ne trouve pas application. Pour déterminer si des services multiples ont été fournis, la Cour d'appel fédérale se reporte à l'analyse du juge Sharlow dans l'arrêt *Hidden Valley Golf Resort Assn. v. R.*, 2000 CarswellNat 4792 (C.A.F.), au paragraphe 17 où il indique que dans chaque cas, il est utile de se demander s'il serait possible d'acheter chacun des divers éléments séparément et d'obtenir néanmoins un article ou service utile. En l'espèce, selon la preuve présentée, il n'était pas possible de facturer des sommes distinctes pour les services religieux et pour des services récréatifs et sportifs fournis par l'appelante. Les activités étaient trop inter-reliées. Ainsi, de l'avis de la Cour d'appel fédérale, le juge de la Cour canadienne de l'impôt a, avec raison, conclu que l'article 138 était inapplicable en l'espèce.

L'affaire *9056-2059 Québec Inc. c. R.*, 2011 CarswellNat 4270 (C.A.F.) est une décision clé dans l'interprétation de l'article 138. De l'avis de la Cour d'appel fédérale, il ressort que deux conditions sont requises pour que l'on soit en présence de fournitures multiples en vertu de l'article 138: (1) deux ou plusieurs fournitures doivent être fournies pour une contrepartie unique; et (2) l'une des fournitures doit être raisonnablement considérée comme l'accessoire de l'autre. Afin d'examiner si la première condition est présente, il est utile de se rappeler la règle énoncée dans *O.A. Brown Ltd. v. R.*, [1995] T.C.J. No. 678 (C.C.I.), laquelle est reprise par madame la juge Sharlow dans *Hidden Valley Golf Resort Assn. v. R.*, 2000 CarswellNat 4792 (C.A.F.) et citée à nouveau au paragraphe 28 de l'arrêt *Camp Mini-Yo-We Inc. c. R.*, 2006 CarswellNat 6383 (C.A.F.): Dans chaque cas, il est utile de se demander s'il serait possible d'acheter chacun des divers éléments séparément et d'obtenir néanmoins un article ou service utile. Car si cela n'est pas possible, il faut alors nécessairement conclure qu'une fourniture mixte qui ne peut pas être divisée aux fins de la taxe est en cause. L'achat de miel et l'utilisation du labyrinthe ne sont pas interreliés et ne forment pas ensemble une fourniture unique à multiples composantes. Les services offerts par l'appelante ne sont pas interreliés au point de ne pouvoir utilement être séparés. La preuve a d'ailleurs révélé que les usagers qui achètent une passe saisonnière pour accéder au labyrinthe n'ont pas à se procurer un produit du terroir à chaque visite. 9056 explique que ceux-ci paient davantage pour le premier coupon vendu alors au prix de 50 $. Ce premier coupon leur permet de se procurer notamment des coupons supplémentaires, s'ils le souhaitent, sont disponibles pour 1 $ chacun. Sur cette base, la Cour d'appel fédérale conclut que la première condition de l'article 138 est remplie. Étant en présence de fournitures multiples, lequel du labyrinthe ou du miel est l'accessoire de l'autre? ou, pour reprendre les propos du juge, « ... l'accès à la patinoire désignée comme labyrinthe, constituait-il pour la période visée par la cotisation une fourniture exonérée ou s'agissait-il plutôt d'une fourniture taxable? » (motifs du jugement, paragraphe 19). Tel que mentionné précédemment, le juge a conclu que le miel était l'accessoire du labyrinthe. Le juge exprime ainsi le raisonnement qui soustend sa conclusion: De façon générale, il s'agit de choses [ou de] composantes indissociables souvent non tangibles. Par contre, lorsqu'il s'agit, comme en l'espèce de biens individuels n'ayant strictement rien en commun, cela soulève instantanément un réflexe de questionnement aux fins notamment d'identifier le principal versus l'accessoire. Bien qu'il existe plusieurs décisions en la matière, il n'existe ni formule objective ou recette magique assorties de différents critères permettant d'obtenir un résultat tranchant et fiable. La Cour d'appel fédérale est d'avis que le cheminement et l'analyse doivent être guidés par une approche élémentaire bon sens exercé dans un contexte de raisonnabilité. [...] Bien que l'applicabilité de l'article 138 ait été examinée à quelques reprises par cette Cour ou par la Cour canadienne de l'impôt, aucune décision n'en traite de manière détaillée ou n'établit de norme quant à l'évaluation du caractère accessoire d'une fourniture De fait, dans la plupart de ces causes, l'article 138 a été exclu parce qu'il s'agissait d'une fourniture unique à composantes multiples. Néanmoins, avant de procéder à l'analyse de la preuve, le juge se devait d'articuler la norme juridique qui guiderait son raisonnement. Ici, sans cerner la raison d'être de l'article 138, pas plus que la définition du terme « accessoire » s'y retrouvant, le juge s'est contenté de faire l'énumération des activités de 9056-2059 Québec Inc. relatives à l'apiculture et au labyrinthe et de conclure que la nette prépondérance de la preuve est à l'effet que le miel, ses produits dérivés, le sirop d'érable ou autres produits n'étaient pas les éléments dominants; il s'agissait plutôt d'éléments secondaires, l'élément dominant, principal et ou déterminant étant, le droit d'accéder aux sentiers. Mais l'article 138 s'entend d'un élément secondaire au sens de mineur ou non essentiel. Ne suffit pas, de l'avis de la Cour d'appel fédérale, pour que la seconde condition soit remplie que la fourniture ou le service soit secondaire, faut-il encore que cette fourniture ou service soit minime par rapport à l'activité principale. C'est d'ailleurs ce qui ressort de l'énoncé de politique P-159R1, *Sens de l'expression « peut raisonnablement être considérée comme accessoire »*, révisé le 8 mars 1999, portant sur les fournitures multiples. Bien que les interprétations administratives ne lient pas les tribunaux, elles peuvent avoir un certain poids et même constituer un facteur important dans l'interprétation des lois (*Stantec Inc. v. R.*, 2009 CarswellNat 3025 (C.F.A.), citant *Silicon Graphics Ltd. v. R.*, 2002 CarswellNat 1377 (C.A.F.)). Cette politique administrative explique, en premier lieu, que l'article 138 « a trait aux opérations commerciales qui se répètent, lorsqu'il est difficile pour le fournisseur sur le plan administratif de répartir le prix d'achat entre deux articles ou plus fournis ensemble, particulièrement si l'opération se répète fréquemment et que la valeur en dollars du produit ou du service est minime ». La preuve n'a pas démontré qu'il serait administrativement difficile pour l'appelante de répartir le prix du premier coupon entre ses services de miel et de labyrinthe. Ces deux fournitures sont fort différentes et engendrent des frais d'exploitation propres que l'appelante peut aisément identifier, comme en font foi ses documents financiers. Cet énoncé de politique propose aussi deux questions permettant de décider du caractère accessoire d'une fourniture: (1) l'objectif premier du fournisseur est-il de fournir un bien ou un service donné, ou de fournir ensemble plusieurs biens ou services? et (2) la valeur de la contrepartie exigée en retour de ces plusieurs biens ou services est-elle la même que la valeur de la contrepartie du bien ou du service principal s'il avait été fourni seul, ou n'en diffère-t-elle que très peu? La première question vise à déterminer l'objectif du fournisseur. En l'espèce, le juge a trouvé que l'appelante vendait l'accès à ses sentiers en espérant des retombées positives quant à la vente de son miel. Le juge a aussi conclu que les clients cherchaient principalement à se procurer l'accès aux sentiers. Sur la foi du dossier tel que constitué, la Cour d'appel fédérale ne voit aucune erreur manifeste et dominante justifiant l'intervention de notre Cour. La seconde question que propose l'énoncé de politique concerne la valeur de la contrepartie exigée à l'égard du bien ou du service principal. En règle générale, lorsque la valeur de la contrepartie exigée à l'égard du bien ou du service principal fourni en même temps que plusieurs autres biens ou services est la même que celle qui aurait été exigée à l'égard du bien ou du service principal s'il avait été fourni seul, ou diffère de celle-ci de très peu seulement, la livraison ou prestation des biens ou des services secondaires peut être considérée comme accessoire à la livraison ou à la prestation du bien ou du service principal (mémoire de l'appelante, paragraphe 54). À cet égard, le juge a conclu que le miel « était l'équivalent de la surprise dans la boîte de céréales ». Il a jugé disproportionné le coût du coupon initial par rapport à la quantité de miel reçue (12 $ pour un pot de 50 g de miel). Pour lui, le miel n'avait qu'une valeur symbolique dans la valeur du premier coupon vendu au client. Tout comme le juge de première instance, la Cour d'appel fédérale la disproportion entre le prix du premier coupon et la quantité de miel auquel il donne droit. La comparaison entre la nature et l'étendue des activités disponibles à l'achat d'un coupon, c'est-à-dire plusieurs heures d'activités de plein air opposées à 50 g de miel ou 1 suçon à l'érable tend à démontrer que le volet apicole de la transaction est secondaire au volet récréotouristique. Mais ce second rang ne donne pas automatiquement au miel un rôle mineur et non essentiel (en anglais « incidental ») par rapport à l'autre service offert. La preuve au dossier, pour l'exercice financier se terminant au 31 décembre 2005, montre que le miel représente 51 % du chiffre d'affaires réalisé par l'appelante alors que 50 % des dépenses d'entretien sont attribuables à l'apiculture. De même, les coûts de production du miel sont de 89 % par rapport à son prix de vente, ce qui explique pourquoi 9056-2059 Québec Inc. ne peut vendre son produit de fabrication artisanale au prix des supermarchés sans générer des pertes financières. Le coût de production du miel et de ses produits dérivés est trop important pour qu'on le traite de minime par rapport au prix du coupon initial. La politique précitée rappelle que l'article 138 « vise les situations où la valeur en dollars de la livraison ou de la prestation présumée accessoire est minime. En règle générale, il ne s'applique pas aux opérations pour lesquelles son application aurait des conséquences importantes du point de vue des recettes fiscales. » Ce serait ici le cas s'il s'appliquait. L'appelante a convaincue la Cour d'appel fédérale que le juge avait eu tort de ne pas retenir ces facteurs lors de son analyse de l'applicabilité de l'article 138. Ces faits, à la lumière de la norme juridique applicable, suffisaient à renverser l'hypothèse du ministre selon laquelle un produit de la ferme était obtenu *accessoirement* au paiement du droit d'entrée (motifs du jugement, alinéa 3*h*)). Puisque la Cour d'appel fédérale répond à la seconde question par la négative, l'article 138 ne s'applique pas en l'instance.

Les faits de l'arrêt *Calgary (City) c. R.*, 2012 CarswellNat 1146 (C.S.C.) rendu par la Cour suprême du Canada sont les suivants : La ville établit une distinction entre (1) l'exploitation des installations de transport et (2) leur construction, leur acquisition et leur mise à disposition. Elle fait valoir que la province est l'unique acquéreur de la seconde fourniture, à l'exclusion de la population de Calgary. Si la prétention est juste, la seconde fourniture échappe à l'application de l'art. 24 de l'annexe V, partie VI, elle est taxable et la ville a droit au crédit de taxe sur les intrants. Si la prétention est infondée et qu'il y a seulement fourniture d'un service municipal de transport à la population, cette fourniture est exonérée et ne donne pas droit au crédit de taxe sur les intrants. De l'avis de la Cour suprême du Canada, le bon sens veut que, de par leur nature véritable, les « services liés aux installations de transport » fournis par la ville soient préparatoires à la fourniture d'un service municipal de transport à la population. Les installations de transport ont été construites, acquises et mises à disposition en vue de la fourniture d'un service municipal de transport aux résidants de Calgary. J'en conclus que les « services liés aux installations de transport » que l'on prétend distincts sont en fait un élément de la fourniture globale de « services de transport en commun » aux citoyens de Calgary. De plus, il appert que pour recourir à l'analyse opposant fourniture unique et fournitures multiples, il faut pouvoir distinguer les différents éléments ou composantes d'une fourniture. Or, en l'espèce, les fournitures que l'on prétend distinctes sont si liées les unes aux autres qu'il serait difficile d'en distinguer les différents éléments ou composants. L'interdépendance et l'interconnexion des « services liés aux installations de transport » et des « services de transport en commun » sont évidentes. L'application du critère permettant d'établir le caractère distinct d'une fourniture mène à la conclusion qu'il n'y a eu en l'espèce qu'une seule fourniture. Cependant, les décisions de principe sur le sujet résultent d'affaires où les fournitures que l'on prétendait distinctes n'avaient qu'un seul acquéreur. Elles ne visent pas le cas où il y aurait deux acquéreurs d'une ou de plusieurs fournitures. Selon la jurisprudence relative à l'existence d'une fourniture unique ou de fournitures multiples, la construction et l'acquisition des installations de transport constituent des intrants dans la fourniture du « service municipal de transport » à la population. En outre, ni les dispositions législatives applicables ni les accords intervenus ne permettent de conclure à l'existence de la fourniture distincte, par la ville à la province, de services liés aux installations de transport. Pour ces motifs, la ville n'a effectué qu'une seule fourniture en l'espèce, celle d'un service municipal de transport.

Voir également pour une discussion de l'Agence du revenu du Canada sur cette décision : Agence du revenu du Canada, *Nouvelles sur l'accise et la TPS/TVH* (été 2012).

Finalement, la Cour canadienne de l'impôt, dans l'affaire *Global Cash Access (Canada) Inc. c. R.*, 2012 CarswellNat 3817 (C.C.I.) (demande d'appel déposée à la Cour d'appel fédérale, [2012] G.S.T.C. 42 (C.A.F.), souligne que la *Loi sur la taxe d'accise (TPS)* prévoit également des règles spéciales applicables à des fournitures multiples pour une contrepartie unique. Il n'est pas tenu compte d'une fourniture qui est accessoire à une fourniture principale pour les besoins de la TPS. L'article 138 prévoit que, lorsqu'il y a des fournitures multiples pour une contrepartie unique, une fourniture accessoire est réputée faire partie de la fourniture principale. Les principes à appliquer pour arriver à cette détermination ont récemment été décrits dans l'arrêt *9056-2059 Québec Inc. c. Canada*, 2011 CarswellNat 4370 (C.A.F.) au par. 34: l'article 138 s'entend d'un élément secondaire au sens de mineur ou non essentiel. Ne suffit pas pour que la seconde condition soit remplie que la fourniture ou le service soit secondaire, faut-il encore que cette fourniture ou service soit minime par rapport à l'activité principale. [...] Quant à la règle de la fourniture accessoire, aucun de ces éléments ne constitue qu'une partie mineure de la fourniture, de façon à être accessoire au sens décrit dans la décision *9056-2059 Québec Inc.* La Cour canadienne de l'impôt convient donc de répartir la contrepartie entre les fournitures taxables et les fournitures exonérées en attribuant la contrepartie dans une proportion de 25 % à l'encaissement des chèques. Il s'agit d'une fourniture essentielle, mais non de la fourniture dominante. La fourniture dominante se rapporte à l'émission des chèques de Global. Cela comporte le fait de permettre l'installation de kiosques dans les locaux et la fourniture des services des caissiers, par exemple quant au processus de transaction et aux transactions effectuées pour les clients. Global reconnaît la chose dans ses observations écrites.

De l'avis de l'auteur, la décision de la Cour canadienne de l'impôt est juste et respecte les enseignements des décisions antérieures à l'égard de l'application de l'article 138. Il sera intéressant de voir si la Cour d'appel fédérale va suivre le raisonnement de la Cour canadienne de l'impôt dans cette affaire.

139. Services financiers dans une fourniture mixte — Pour l'application de la présente partie, dans le cas où au moins un service financier est fourni avec au moins un service non financier ou un bien qui n'est pas une immobilisation du fournisseur, pour une contrepartie unique, la fourniture de chacun des services et biens est réputée être une fourniture de service financier si les conditions suivantes sont réunies :

a) le service financier est lié au service non financier ou au bien;

b) le fournisseur a l'habitude de fournir ces services ou des services semblables, ou des biens et des services semblables, ensemble dans le cours normal de son entreprise;

c) le total des montants dont chacun représenterait la contrepartie d'un service financier ainsi fourni, s'il était fourni séparément, compte pour plus de la moitié du total des montants dont chacun représenterait la contrepartie d'un service ou d'un bien ainsi fourni, s'ils étaient fournis séparément.

Notes historiques: L'article 139 a été modifié par L.C. 1993, c. 27, par. 16(1) et s'applique aux fournitures effectuées après le 14 septembre 1992. Il se lisait auparavant comme suit :

139. Pour l'application de la présente partie, dans le cas où un service financier est fourni avec un bien ou un service non financier et où le total des montants dont chacun représenterait la contrepartie d'un service financier ainsi fourni, s'il était fourni séparément, compte pour plus de la moitié de la contrepartie unique, la fourniture du bien ou du service est réputée être une fourniture de service financier.

L'article 139 a été ajouté par L.C. 1990, c. 45, par. 12(1).

Concordance québécoise: LTVQ, art. 35.

Définitions: « bien », « contrepartie », « entreprise », « fourniture », « immobilisation », « montant », « service financier » — 123(1).

Renvois: 1328 (fournitures accessoires); 158 (cession du droit au remboursement à un escompteur); 168(9) (arrhes).

Jurisprudence: *Global Cash Access (Canada) Inc. v. R.* (18 mai 2012), 2012 CarswellNat 3817 (C.C.I.); *Maritime Life Assurance Co. c. Canada*, [1999] G.S.T.C. 1 (CCI); [2000] G.S.T.C. 89 (CAF); *Costco Wholesale Canada Ltd. v. R.*, 2010 CarswellNat 5522, 2010 CCI 609 (CCI [procédure générale]); *Jema International Travel Clinic Inc. v. R.*, 2011 CarswellNat 5021, 2011 CCI 462, 2011 G.T.C. 995 (CCI [procédure générale]).

Mémorandums: TPS 700-5-1, 27/07/92, *Répartition des CTI pour les institutions financières*, par. 29; TPS 700-5-3, 31/07/92, *Caisses de crédit*, par. 8.

Série de mémorandums: Mémorandum 17.2, 04/00, *Produits et services des institutions financières de dépôt* ; Mémorandum 17.8, 04/99, *Caisses de crédit*; Mémorandum 17.8, 04/99, *Caisses de crédit*.

Lettres d'interprétation (Québec): 97-0106662 — Décision portant sur l'application de la TPS — Interprétation relative à la TVQ — Négociateur autonome.

COMMENTAIRES: La version antérieure à l'article 139 était applicable aux fournitures effectuées avant le 15 septembre 1992. Les exigences de la version actuelle sont plus rigoureuses que ne l'étaient les exigences de la version initiale, de sorte que, si l'on satisfait aux exigences de la version modifiée, on satisfait à celles de la version précédente.

Le but de cet article est d'établir que, lorsque des services financiers et non financiers sont fournis pour une contrepartie unique et que la contrepartie des services financiers représenterait, si les services financiers étaient fournis séparément, plus de 50 % de cette contrepartie unique, la fourniture de chacun des services doit être considérée comme une fourniture de service financier, soit une fourniture exonérée de taxe.

Toutefois, dans la mesure où une seule fourniture est fournie, alors l'élément prédominant doit être déterminé pour établir la nature de la fourniture. Si l'élément prédominant est la fourniture d'un service financier, alors toute la fourniture sera un service financier. Par ailleurs, si nous sommes en présence de plusieurs fournitures, alors les articles 138 et 139 peuvent trouver application. Voir notamment à cet effet : Agence du revenu du Canada, Lettre de l'Administration centrale sur la TPS, 98811 — *GST/HST Ruling — Payment of GST on group [life and health insurance] commission* (5 janvier 2012).

Si la fourniture de service financier est accessoire aux autres fournitures taxables, alors l'article 138 s'appliquera et la fourniture de service financier sera taxable.

Dans l'affaire *Maritime Life Assurance Co. c. R.*, 1999 CarswellNat 4136 (C.C.I.), 2000 CarswellNat 4811 (C.A.F.), la Cour d'appel fédérale a renversé la décision de la Cour canadienne de l'impôt. Dans cette affaire, la compagnie soutient que si les frais d'administration de placements constituent la contrepartie d'une quelconque fourniture, ils font partie de la contrepartie des polices d'assurance-vie délivrées aux titulaires de police, à l'égard desquelles ces derniers ont payé des primes. En pareil cas, aucune TPS n'est payable parce que la fourniture d'une police d'assurance constitue par définition la fourniture d'un « service financier » qui est exclu de la définition de « fourniture taxable ». Cet argument est intéressant en ce sens qu'il reconnaît la réalité commerciale, à savoir que la compagnie s'occupe d'assurance-vie et que les primes qui sont payées par les titulaires de police constituent en fin de compte l'unique source de recettes et de profits de compagnie. Le juge de la Cour canadienne de l'impôt n'a pas retenu cet argument, mais il a néanmoins conclu qu'aucune TPS n'était payable. Il indique également dans le cadre de sa décision que la compagnie fournissait deux genres de service aux titulaires de polices, les services d'assurance représentés par la délivrance et l'administration des polices, et les services représentés par la gestion des fonds réservés. Il a finalement statué qu'étant donné que ces derniers services ne sont pas des « services financiers » au sens de la *Loi sur la taxe d'accise (TPS)*, l'article 139 doit s'appliquer. En vertu de l'article 139, lorsque la fourniture d'un service financier est effectuée avec la fourniture d'un service autre que financier pour une seule contrepartie, et que la valeur du service financier représente plus de 50 p. 100 de la valeur des deux services ensemble, la contrepartie globale devrait être considérée aux fins de la TPS comme la contrepartie d'un service financier, et elle est donc exonérée. Le juge de la Cour de l'impôt a conclu qu'en fait, la valeur du service financier était supérieure à la valeur de l'autre service. Cela étant, il a conclu que la contrepartie dans son ensemble doit être considérée comme la contrepartie du service financier, soit une fourniture exonérée, et par conséquent qu'aucune TPS n'était payable. Avec égards, la Cour d'appel fédérale ne souscrit pas à cette analyse. La fourniture de polices est la seule fourniture que la compagnie effectue en faveur des titulaires de police. La compagnie administre les polices et maintient les placements qui garantissent ses obligations en vertu de la police, mais tel est le travail qu'elle doit faire en vue de s'assurer d'être en mesure de s'acquitter des obligations qui lui incombent en vertu de la police. Ce travail ne devrait pas être considéré comme un service que la compagnie fournit aux titulaires de police, pas plus que le travail qu'un service d'entretien effectue en vue de maintenir en bon état son matériel n'est un service fourni à ses clients. Par la suite, la Cour d'appel fédérale souligne que si l'analyse fondée sur les deux fournitures est rejetée, il reste simplement la thèse selon laquelle les primes constituent l'unique contrepartie que la compagnie a reçue et que, puisque les primes ont été payées pour des fournitures exonérées, aucune TPS n'est payable sur les primes. Par conséquent, aucune TPS n'est payable sur la partie de la prime qui n'a pas été conservée dans les fonds réservés, mais que la compagnie a utilisée en vue de couvrir ses frais et à l'aide de laquelle elle ferait des profits.

Récemment, la Cour canadienne de l'impôt, dans l'affaire *Jema International Travel Clinic Inc. c. R.*, 2011 CarswellNat 5021 (C.C.I.), a analysé l'article 139. Toutefois, dans cette affaire, la Cour a indiqué que cette disposition ne s'appliquait pas puisqu'aucune des fournitures visées, c'est-à-dire les services de consultation et de vaccination, ne constituaient pas la fourniture d'un service financier.

Finalement, dans le cadre de l'analyse de l'article 139, l'Agence du revenu du Canada a souligné avec justesse que :

(1) la manière dont le prix est fixé pour une transaction ne détermine pas en soi s'il s'agit d'une fourniture ou de plusieurs fournitures. Ainsi, la présence d'un prix unique ne veut pas nécessairement dire qu'il s'agit d'une seule fourniture; et

(2) lorsqu'un acquéreur a une option d'acquérir ou non un service ou un bien lorsqu'il acquiert un autre service, ce service ou bien optionnel sera généralement considéré être comme une fourniture distincte, peu importe si un montant est payable pour le service et le bien additionnel.

Voir notamment à cet effet : Agence du revenu du Canada, Lettre de l'Administration centrale sur la TPS, 92312 — *GST /HST Interpretation — Consulting services sold in conjunction with an insurance policy* (13 mars 2008).

140. Fourniture d'un droit d'adhésion avec un titre — Pour l'application de la présente partie, la fourniture d'un titre — action, obligation ou autre titre, sauf une part du capital social d'une caisse de crédit ou d'une coopérative autre que celle dont le principal objet consiste à offrir des installations pour les repas, les loisirs ou les sports, — qui fait partie du capital ou des créances d'une organisation est réputée être la fourniture d'un droit d'adhésion, et non la fourniture d'un service financier, dans le cas où l'obtention, par l'acquéreur de la fourniture ou par une autre personne, d'un droit d'adhésion à l'organisation ou à une autre organisation qui lui est liée, ou du droit d'acquérir un tel droit, requiert que l'acquéreur soit propriétaire du titre.

Notes historiques: L'article 140, modifié par L.C. 1993, c. 27, par. 17(1), s'applique aux fournitures suivantes [L.C. 1994, c. 9, art. 36] :

a) la fourniture d'une part d'une coopérative autre que celle dont le principal objet consiste à offrir des installations pour les repas, les loisirs ou les sports, si tout ou partie de la contrepartie de la fourniture devient due après 1990 ou est payée après 1990 sans qu'elle soit devenue due;

b) la fourniture d'un autre titre à l'égard de laquelle tout ou partie de la contrepartie devient due après le 5 novembre 1991 ou est payée après ce jour sans qu'elle soit devenue due.

Il se lisait auparavant comme suit :

> 140. Pour l'application de la présente partie, la fourniture d'un droit d'adhésion, ou du droit d'acquérir un tel droit, prévu par les conditions d'une action, d'une obligation ou d'un autre titre émis (sauf une action d'une caisse de crédit) est réputée ne pas être une fourniture de service financier.

L'article 140 a été ajouté par L.C. 1990, c. 45, par. 12(1).

Concordance québécoise: LTVQ, art. 36.

Définitions: « acquéreur », « caisse de crédit », « coopérative », « droit d'adhésion », « fourniture », « personne », « service financier » — 123(1).

Renvois: 126 (lien de dépendance); 139 (services financiers dans une fourniture mixte).

Jurisprudence: *Riverside Country Club c. R.*, [2001] G.S.T.C. 89 (CCI).

Énoncés de politique: P-064, 25/05/93, *Traitement du temps partagé (des multipropriétés)*; P-098R, 08/02/99, *Garanties d'un club de golf*.

Mémorandums: TPS 700-5-3, 31/07/92, *Caisses de crédit*, par. 46.

Série de mémorandums: Mémorandum 17.8, 04/99, *Caisses de crédit*.

Lettres d'interprétation (Québec): 02-0104477 — Interprétation relative à la TPS et à la TVQ — Fourniture d'une part sociale.

COMMENTAIRES: Cet article vise principalement les clubs de golf. En effet, certains clubs de golf exigent de leurs membres de payer une « cotisation annuelle » au club. Le montant de cette cotisation annuelle représente un « droit d'adhésion » en raison de la définition de cette expression au paragraphe 123(1) qui prévoit ce qui suit : « est assimilé au droit d'adhésion le droit conféré par une personne par lequel le titulaire du droit peut obtenir des services fournis par la personne ou faire usage d'installations gérées par elle, lesquels ne sont pas mis à la disposition de personnes non titulaires d'un tel droit ou, s'ils le sont, ne le sont pas dans la même mesure ou au même coût. Y est également assimilé un tel droit dont l'obtention requiert qu'une personne soit propriétaire ou acquéreur d'une action, d'une obligation ou d'un autre titre ». De façon générale, l'article 140 crée une présomption pour les fins l'application de la TPS, à savoir que la fourniture d'un titre qui fait partie du capital ou des créances d'une organisation est réputée être la fourniture d'un droit d'adhésion, et non la fourniture d'un service financier, dans le cas où l'obtention, par l'acquéreur d'un droit d'adhésion à l'organisation ou à une autre organisation qui lui est liée, requiert que l'acquéreur soit propriétaire du titre.

À titre illustratif, chaque membre du club doit bénéficier d'une part sociale ou d'un droit d'entrée au club avant de pouvoir acquérir la cotisation annuelle leur permettant d'y jouer au golf. Par conséquent, en raison de la présomption prévue à l'article 140, la part sociale ainsi que le droit d'entrée au club constituent des « droits d'adhésion ». Voir notamment à cet effet : Revenu Québec, Lettre d'interprétation, 02-0104477 — *Interprétation relative à la TPS et à la TVQ — Fourniture d'une part sociale* (6 juin 2002).

Dans l'affaire *Sutter Salmon Club Ltd. c. R.*, 2004 CarswellNat 7327 (C.C.I.), la Cour canadienne de l'impôt a convenu avec l'avocate de l'appelante que les deux parties de l'article 140 sont conjonctives. À tout événement, la Cour canadienne de l'impôt est convaincue que la deuxième partie de l'article 140 ne s'applique pas parce que rien n'indique que les apports de capital des actionnaires étaient une condition de l'obtention d'un droit d'adhésion à l'appelante. De plus, la preuve présentée à la Cour ne démontre pas que les bailleurs de fonds étaient considérés comme des membres. En fait, ils ont toujours été considérés comme des actionnaires. S'ils étaient des membres, ils l'étaient avant les années en question. Dans ce cas, les apports de capital faits en 1998, en 1999 et en 2000 n'étaient pas une condition de l'obtention d'un droit d'adhésion ou du droit d'obtenir un tel droit, contrairement à ce qu'exige la deuxième partie de l'article 140. La Cour réfère à l'affaire *Riverside Country Club c. Canada*, 2001 CarswellNat 4939, où le juge suppléant Rowe a examiné l'article 140 et a conclu qu'un paiement forfaitaire ou un prêt n'était pas une action, une obligation ou un autre titre visé au paragraphe 123(1) et que, même si c'était le cas, l'exercice de l'option de prêt n'était pas une condition de l'obtention d'un droit d'adhésion au club ou du droit d'acquérir un tel droit. De l'avis de la Cour canadienne de l'impôt, cette affaire est semblable à l'affaire en l'espèce puisque la Cour est convaincue que les actionnaires n'ont pas reçu d'actions en échange de leurs apports de capital et que, bien que le versement ou le non-versement de ceux-ci comportât des répercussions financières pour les actionnaires, les apports de capital ne constituaient pas une condition de l'obtention du droit d'adhésion à l'appelante, et ce, même si la Cour conclurait qu'ils avaient acquis un tel droit. Ce droit d'adhésion existait avant les années en question.

141. (1) Utilisation dans le cadre d'activités commerciales — Pour l'application de la présente partie, la consommation ou l'utilisation d'un bien ou d'un service par une personne, sauf une institution financière, est réputée se faire en totalité dans le cadre de ses activités commerciales si elle se fait presque en totalité dans ce cadre.

Notes historiques: Le paragraphe 141(1) a été modifié par L.C. 1993, c. 27, par. 18(2) et est réputé entré en vigueur le 1er octobre 1992. Il se lisait auparavant comme suit :

> 141. (1) Pour l'application de la présente partie, la consommation, l'utilisation ou la fourniture d'un bien ou d'un service par une personne est réputée se faire en totalité dans le cadre de ses activités commerciales si elle se fait presque en totalité dans ce cadre.

Le paragraphe 141(1) a été ajouté par L.C. 1990, c. 45, par. 12(1).

Concordance québécoise: LTVQ, art. 43.

(2) Utilisation projetée dans le cadre d'activités commerciales — Pour l'application de la présente partie, la consommation ou l'utilisation pour laquelle une personne, sauf une institution financière, a acquis ou importé un bien ou un service, ou l'a transféré dans une province participante, est réputée se faire en totalité dans le cadre de ses activités commerciales si elle se fait presque en totalité dans ce cadre.

Notes historiques: Le paragraphe 141(2) a été modifié par L.C. 1997, c. 10, par. 155(1) et cette modification est entrée en vigueur le 1er avril 1997. Il se lisait comme suit :

(2) Pour l'application de la présente partie, la consommation ou l'utilisation pour laquelle une personne, sauf une institution financière, a acquis ou importé un bien ou un service est réputée se faire en totalité dans le cadre de ses activités commerciales si elle se fait presque en totalité dans ce cadre.

Le paragraphe 141(2) a auparavant été modifié par L.C. 1993, c. 27, par. 18(2) et est réputé entré en vigueur le 1er octobre 1992. Il se lisait comme suit :

(2) Pour l'application de la présente partie, la consommation, l'utilisation ou la fourniture pour laquelle une personne a acquis un bien ou un service est réputée se faire en totalité dans le cadre de ses activités commerciales si elle se fait presque en totalité dans ce cadre.

Le paragraphe 141(2) a été ajouté par L.C. 1990, c. 45, par. 12(1).

Concordance québécoise: LTVQ, art. 44.

(3) Utilisation dans le cadre d'autres activités — Pour l'application de la présente partie, la consommation ou l'utilisation d'un bien ou d'un service par une personne, sauf une institution financière, est réputée se faire en totalité dans le cadre de ses activités non commerciales si elle se fait presque en totalité dans ce cadre.

Notes historiques: Le paragraphe 141(3) a été modifié par L.C. 1993, c. 27, par. 18(2) et est réputé entré en vigueur le 1er octobre 1992. Il se lisait auparavant comme suit :

(3) Pour l'application de la présente partie, la consommation, l'utilisation ou la fourniture d'un bien ou d'un service par une personne est réputée se faire en totalité dans le cadre de ses activités autres que commerciales si elle se fait presque en totalité dans ce cadre.

Le paragraphe 141(3) a été ajouté par L.C. 1990, c. 45, par. 12(1).

Concordance québécoise: LTVQ, art. 45.

(4) Utilisation projetée dans le cadre d'autres activités — Pour l'application de la présente partie, la consommation ou l'utilisation pour laquelle une personne, sauf une institution financière, a acquis ou importé un bien ou un service, ou l'a transféré dans une province participante, est réputée se faire en totalité dans le cadre de ses activités non commerciales si elle se fait presque en totalité dans ce cadre.

Notes historiques: Le paragraphe 141(4) a été modifié par L.C. 1997, c. 10, par. 155(2) et cette modification est entrée en vigueur le 1er avril 1997. Il se lisait comme suit :

(4) Pour l'application de la présente partie, la consommation ou l'utilisation pour laquelle une personne, sauf une institution financière, a acquis ou importé un bien ou un service est réputée se faire en totalité dans le cadre de ses activités non commerciales si elle se fait presque en totalité dans ce cadre.

Auparavant, le paragraphe 141(4) a été modifié par L.C. 1993, c. 27, par. 18(2) et est réputé entré en vigueur le 1er octobre 1992. Il se lisait comme suit :

(4) Pour l'application de la présente partie, la consommation, l'utilisation ou la fourniture d'un bien ou d'un service par une personne est réputée se faire en totalité dans le cadre de ses activités autres que commerciales si elle se fait presque en totalité dans ce cadre.

Le paragraphe 141(4) a été ajouté par L.C. 1990, c. 45, par. 12(1).

Concordance québécoise: LTVQ, art. 46.

(5) Immeuble d'habitation dans un immeuble — Pour l'application des paragraphes (1) à (4), dans le cas où un immeuble comprend un immeuble d'habitation et une autre constituante qui ne fait pas partie de l'immeuble d'habitation :

a) l'immeuble d'habitation et l'autre constituante sont réputés chacun être des biens distincts;

b) les paragraphes (1) à (4) ne s'appliquent au bien ou au service acquis, importé ou transféré dans une province participante pour consommation ou utilisation relativement à l'immeuble que dans la mesure où le bien ou le service est ainsi acquis, importé ou transféré dans la province relativement à la constituante qui ne fait pas partie de l'immeuble d'habitation.

Notes historiques: L'alinéa 141(5)b) a été modifié par L.C. 1997, c. 10, par. 155(3) et cette modification est entrée en vigueur le 1er avril 1997. Cet alinéa se lisait comme suit :

b) les paragraphes (1) à (4) ne s'appliquent au bien ou au service acquis pour consommation ou utilisation relativement à l'immeuble que dans la mesure où le bien ou le service est ainsi acquis relativement à la constituante qui ne fait pas partie de l'immeuble d'habitation.

Le paragraphe 141(5) a été modifié par L.C. 1993, c. 27, par. 18(2) et est réputé entré en vigueur le 1er octobre 1992. Pour la période du 17 décembre 1990 au 30 septembre 1992, sauf pour le calcul d'un montant demandé ou mentionné dans une déclaration produite avant octobre 1992 aux termes de la section V de la partie IX de la loi, l'alinéa 141(5)a) se lit comme suit :

a) les actes accomplis dans le cadre d'une activité visée aux alinéas a) ou b) de la définition de « activité commerciale » au paragraphe 123(1);

Auparavant, il se lisait comme suit :

(5) Pour l'application de la présente partie, les actes suivants sont réputés faire partie d'une activité commerciale :

a) les actes accomplis dans le cadre d'une activité visée à l'alinéa a) ou b) de la définition de « activité commerciale » au paragraphe 123(1), ou en vue de développer une telle activité;

b) les actes accomplis relativement à la fourniture de biens consommés ou utilisés, ou acquis ou importés en vue d'être consommés ou utilisés, dans le cadre de l'activité commerciale;

c) les actes accomplis relativement à la constitution, l'acquisition, la réorganisation, l'aliénation ou la cessation de l'activité commerciale.

Le paragraphe 141(5) correspond à l'ancien paragraphe 141(7). L'ancien paragraphe 141(5) a été intégré à l'article 141.1. Le paragraphe 141(5) a été édicté par L.C. 1990, c. 45, par. 12(1).

Concordance québécoise: LTVQ, art. 47.

(6) [*Abrogé*]

Notes historiques: Le paragraphe 141(6) a été abrogé par L.C. 1993, c. 45, par. 18(2), rétroactivement au 1er octobre 1992. L'ancien paragraphe 141(6) a été intégré aux paragraphes 141(1) à (4). Il se lisait auparavant comme suit :

(6) Les paragraphes (1) à (4) ne s'appliquent pas aux institutions financières.

Le paragraphe 141(6) a été ajouté par L.C. 1990, c. 45, par. 12(1).

(7) [*Abrogé*]

Notes historiques: Le paragraphe 141(7) a été abrogé par L.C. 1993, c. 45, par. 18(2), rétroactivement au 1er octobre 1992. L'ancien 141(7) a été intégré au paragraphe 141(5). Il se lisait auparavant comme suit :

(7) Pour l'application des paragraphes (1) à (4), dans le cas où un immeuble comprend un immeuble d'habitation et une autre partie qui ne fait pas partie de l'immeuble d'habitation :

a) l'immeuble d'habitation et l'autre partie sont réputés chacun être des biens distincts;

b) les paragraphes (1) à (4) ne s'appliquent au bien ou au service acquis pour consommation ou utilisation relativement à l'immeuble que dans la mesure où le bien ou le service est ainsi acquis relativement à la partie qui ne fait pas partie de l'immeuble d'habitation.

Le paragraphe 141(7) a été ajouté par L.C. 1990, c. 45, par. 12(1).

Définitions [art. 141]: « activité commerciale », « bien », « exclusif », « fourniture », « immeuble », « immeuble d'habitation », « immobilisation », « importation », « institution financière », « personne », « province participante », « service » — 123(1).

Renvois [art. 141]: 136(2) (fourniture combinée d'immeubles); 141.1 (activité commerciale); 169 (CTI); 186 (personnes morales liées).

Jurisprudence [art. 141]: *On-Guard Self-Storage Ltd. c. La Reine*, [1996] G.S.T.C. 9 (CCI); *Aubrett Holdings Ltd. c. Canada*, [1998] G.S.T.C. 17 (CCI); *London Life Insurance Co. c. Canada*, [1998] G.S.T.C. 93 (CCI); *London Life Insurance Co. c. Canada*, [1998] G.S.T.C. 117 (CCI); *Pembina Finance (Alta) Ltd. c. Canada*, [1998] G.S.T.C. 119 (CCI); *Elgin Mills Leslie Holdings Ltd. c. Canada*, [2000] G.S.T.C. 8 (CCI); *398722 Alberta Ltd. c. Canada*, [1998] G.S.T.C. 117 (CCI); [2000] G.S.T.C. 32 (CAF); *Gamache c. R.*, [2002] G.S.T.C. 70 (CFC); *Montréal (Ville) c. R.*, [2003] G.S.T.C. 131 (CCI); *Dr. James Singer Inc. v. R.*, [2006] G.S.T.C. 43 (CCI); *Société de Transport de Laval v. R.*, 2008 G.T.C. 374 (4 mars 2008) (CCI [procédure générale]); *Nikel v. R.*, [2008] G.S.T.C. 195 (14 octobre 2008) (CCI [procédure infromelle]); *614730 Ontario Inc. v. R.*, 2010 CarswellNat 1382, 2010 CCI 7, [2010] G.S.T.C. 27 (CCI [procédure informelle]); *CIBC World Markets Inc. v. R.*, 2010 CarswellNat 5197, 2010 CCI 460, [2010] G.S.T.C. 134 (CCI [procédure générale]).

Énoncés de politique [art. 141]: P-019R, 04/09/92, *Droit aux CTI relatifs aux frais de démarrage à biens en immobilisations admissibles*; P-053, 02/11/92, *Application du critère de la totalité ou presque aux immeubles d'habitation*; P-145, 16/05/94, *Possibilité pour des syndics de faillite et des séquestres d'effectuer le choix prévu au paragraphe 167(1)*; P-166, 15/01/95, *Traitement de la vente d'un cabinet de médecin ou de dentiste sous le régime de la TPS*.

Mémorandums [art. 141]: TPS 400-4, 18/01/91, *Organismes du secteur public*.

Série de mémorandums [art. 141]: Mémorandum 8-1, 05/05, *Règles générales d'admissibilité*; Mémorandum 8.3, 02/12, *Calcul des crédits de taxe sur les intrants*;

Mémorandum 19.1, 10/97, *Les immeubles et la TPS/TVH*; Mémorandum 19.4.2, 08/99, *Immeubles commerciaux — Fournitures réputées.*

Info TPS/TVQ [art. 141]: GI-004 — *Ventes par des particuliers — habitations occupées par le propriétaire*; GI-007 — *Exploitation d'un gîte touristique dans votre maison.*

Lettres d'interprétation (Québec) [art. 141]: 00-0104281 — Commissions versées par une compagnie américaine; 02-0112082 — Décision portant sur l'application de la TPS — Interprétation relative à la TVQ — Montants versés dans le cadre de transactions effectuées au moyen de guichets automatiques privés.

COMMENTAIRES: En vertu de cet article, avec un objectif de faciliter le calcul des crédits de taxe sur les intrants qui figure à l'article 169, si des biens ou des services sont utilisés par une personne presque en totalité dans le cadre de ses activités commerciales, soit à 90 % et plus, ils sont réputés être utilisés en totalité dans ce cadre. Inversement, lorsqu'ils sont utilisés presque en totalité dans le cadre des activités non commerciales de la personne, ces biens ou services sont réputés être utilisés dans ce cadre.

L'Agence du revenu du Canada confirme que le paragraphe 141(1) répute tous les biens utilisés pour des fins commerciales si la personne l'utilise dans une proportion de 90 % ou plus dans le cadre de ses activités commerciales. Ainsi, à titre d'exemple, lorsque l'utilisation d'un immeuble est à 85 % dans le cadre d'activités commerciales et que son utilisation à cet effet augmente à 92 %, alors par le biais des règles sur le changement d'usage et le paragraphe 141(1), l'utilisation pour les fins d'activités commerciales va augmenter de 85 % à 100 %, avec une augmentation de 15 % dans le cadre des activités commerciales. Voir notamment à cet effet : Agence du revenu du Canada, Lettre de l'Administration centrale sur la TPS, 112841r — *ITCs on increase in use of real property in commercial activities* (7 janvier 2011). Voir également au même effet : Agence du revenu du Canada, Lettre de l'Administration centrale sur la TPS, 82341 — *Eligibility to claim Input Tax Credits (ITCs) in respect of hedging activities* (10 janvier 2007).

Dans l'affaire *On-Guard Self-Storage Ltd. c. Canada*, 1996 CarswellNat 5 (C.C.I.), la Cour canadienne de l'impôt a conclut que l'appelant ne pouvait bénéficier du paragraphe 141(1) puisque l'immeuble d'habitation était réputé ne pas faire partie des activités commerciales en vertu de l'alinéa 141(5)(b). Ce dernier alinéa a préséance sur le paragraphe 141(1). Ainsi, puisque l'entrepôt contenait un immeuble d'habitation pour le directeur, le paragraphe 141(1) ne s'appliquait pas et il n'était pas possible pour l'appelant de réclamer des crédits de taxe sur les intrants sur le coût des rénovations de l'immeuble d'habitation du directeur. Il est à noter que la décision de la Cour canadienne de l'impôt a été renversée par la Cour d'appel fédérale, 1996 CarswellNat 1999 (C.A.F.), mais sur d'autres points et ne s'est pas prononcé sur l'interaction entre paragraphe 141(1) et de l'alinéa 141(5)(b).

Finalement, dans l'affaire *Midland Hutterian Brethren c. R.*, 2000 CarswellNat 4833 (C.A.F.), la Cour d'appel fédérale souligne que dans un but de faciliter le calcul prévu au sous-alinéa 169(1)(B)c), le paragraphe 141(2) prévoit que si l'utilisation du bien se fait presqu'en totalité dans le cadre des activités commerciales, l'utilisation est réputée se faire à 100 % dans ce cadre. La Cour est informée qu'aux fins administratives, l'Agence du Revenu du Canada interprète l'expression « presqu'en totalité » comme voulant dire 90 % ou plus. De la même façon, si l'utilisation prévue se fait « presqu'en totalité » (90 % ou plus) à des fins non commerciales, en vertu du paragraphe 141(4), elle est réputée être nulle et aucun crédit de taxe sur les intrants ne sera accordé à l'inscrit. Si l'utilisation dans le cadre des activités commerciales se situe entre 10 % et 90 %, alors cette proportion déterminera également le facteur B aux fins du calcul prévu au sous-alinéa 169(1)(B)c). Sur la base de cette analyse, le fait qu'une partie du travail en cause puisse être utilisée à une fin autre qu'aux activités commerciales ne vient pas nécessairement exclure toute possibilité de réclamer un crédit de taxe sur les intrants Toutefois, en vertu du sous-alinéa 169(1)(B*c*), il faut déterminer quel est le pourcentage d'utilisation du bien acquis qui se situe dans le cadre de l'activité commerciale.

141.01 (1) Définition de « initiative » — Au présent article, constituent les initiatives d'une personne :

a) ses entreprises;

b) ses projets à risque et ses affaires de caractère commercial;

c) la réalisation de fournitures d'immeubles lui appartenant, y compris les actes qu'elle accomplit dans le cadre ou à l'occasion des fournitures.

Notes historiques: L'alinéa 141.01(1)a) a été modifié par L.C. 1997, c. 10, par. 5(1) et cette modification est réputée entrée en vigueur le 24 avril 1996. Cet alinéa se lisait comme suit :

> a) ses entreprises, à l'exception d'une entreprise dans le cours normal de laquelle elle n'a pas effectué de fournitures et n'a pas l'intention d'en effectuer;

Le paragraphe 141.01(1) a été ajouté par L.C. 1994, c. 9, par. 4(1) et est réputé entré en vigueur le 17 décembre 1990.

Concordance québécoise: LTVQ, art. 42.0.1.

Jurisprudence [art. 141.01(1)]: *614730 Ontario Inc. v. R.*, 2010 CarswellNat 1382, 2010 CCI 7, [2010] G.S.T.C. 27 (CCI [procédure informelle]).

(1.1) Sens de « contrepartie » — Pour l'application des paragraphes (1.2), (2) et (3), une contrepartie symbolique n'est pas une contrepartie.

Notes historiques: Le paragraphe 141.01(1.1) a été ajouté par L.C. 1997, c. 10, par. 5(2) et est réputé entré en vigueur le 17 décembre 1990.

Concordance québécoise: LTVQ, art. 42.0.1.1.

Jurisprudence [art. 141.01(1.1)]: *614730 Ontario Inc. v. R.*, 2010 CarswellNat 1382, 2010 CCI 7, [2010] G.S.T.C. 27 (CCI [procédure informelle]).

(1.2) Primes et subventions — Pour l'application du présent article, le montant d'aide — prime, subvention, prêt à remboursement conditionnel ou autre montant semblable — qu'un inscrit reçoit d'une des personnes suivantes et qui n'est pas la contrepartie d'une fourniture, mais qu'il est raisonnable de considérer comme étant accordé en vue de financer une activité de l'inscrit comportant la réalisation de fournitures taxables à titre gratuit, est réputé être la contrepartie de ces fournitures :

a) un gouvernement, une municipalité ou une bande, au sens de l'article 2 de la *Loi sur les Indiens*;

b) une personne morale contrôlée par une personne visée à l'alinéa a) et dont l'un des principaux objets est d'accorder de tels montants d'aide;

c) une fiducie, une commission ou un autre organisme qui est établi par une personne visée aux alinéas a) ou b) et dont l'un des principaux objets est d'accorder de tels montants d'aide.

Notes historiques: Le paragraphe 141.01(1.2) a été ajouté par L.C. 1997, c. 10, par. 5(2) et est réputé entré en vigueur le 17 décembre 1990.

Concordance québécoise: LTVQ, art. 42.0.1.2.

Énoncés de politique: P-XX8, 01/05, *Examen de ce qui constitue un « autre organisme établi par un gouvernement » pour l'application de la Loi sur la taxe d'accise (LTA).*

(2) Acquisition afin d'effectuer une fourniture — La personne qui acquiert ou importe un bien ou un service, ou le transfère dans une province participante, pour consommation ou utilisation dans le cadre de son initiative est réputée, pour l'application de la présente partie, l'acquérir, l'importer ou le transférer dans la province, selon le cas, pour consommation ou utilisation :

a) dans le cadre de ses activités commerciales, dans la mesure où elle l'acquiert, l'importe ou le transfère dans la province afin d'effectuer, pour une contrepartie, une fourniture taxable dans le cadre de l'initiative;

b) hors du cadre de ses activités commerciales, dans la mesure où elle l'acquiert, l'importe ou le transfère dans la province :

(i) afin d'effectuer, dans le cadre de l'initiative, une fourniture autre qu'une fourniture taxable effectuée pour une contrepartie,

(ii) à une fin autre que celle d'effectuer une fourniture dans le cadre de l'initiative.

Notes historiques: Le paragraphe 141.01(2) a été modifié par L.C. 1997, c. 10, par. 156(1) et cette modification est entrée en vigueur le 1er avril 1997. Il se lisait comme suit :

> (2) La personne qui acquiert ou importe un bien ou un service pour consommation ou utilisation dans le cadre de son initiative est réputée, pour l'application de la présente partie, l'acquérir ou l'importer pour consommation ou utilisation :
>
> a) dans le cadre de ses activités commerciales, dans la mesure où elle l'acquiert ou l'importe afin d'effectuer, pour une contrepartie, une fourniture taxable dans le cadre de l'initiative;
>
> b) hors du cadre de ses activités commerciales, dans la mesure où elle l'acquiert ou l'importe :
>
> (i) afin d'effectuer, dans le cadre de l'initiative, une fourniture autre qu'une fourniture taxable effectuée pour une contrepartie,
>
> (ii) à une fin autre que celle d'effectuer une fourniture dans le cadre de l'initiative.

L'alinéa 141.01(2)a) et le sous-alinéa 141.01(2)b)(i) ont été modifiés par L.C. 1997, c. 10, par. 5(3) et 5(4) et ces modifications sont réputées entrées en vigueur le 17 décembre 1990.

Ils se lisaient comme suit :

a) dans le cadre de ses activités commerciales, dans la mesure où elle l'acquiert ou l'importe afin d'effectuer une fourniture taxable dans le cadre de l'initiative;

(i) afin d'effectuer une fourniture, autre qu'une fourniture taxable, dans le cadre de l'initiative,

Le paragraphe 141.01(2) a été ajouté par L.C. 1994, c. 9, par. 4(1) et est réputé entré en vigueur le 17 décembre 1990. Toutefois, avant octobre 1992, le préambule de ce paragraphe est remplacé par ce qui suit :

(2) Malgré le paragraphe 141(5), la personne qui acquiert ou importe un bien ou un service pour consommation ou utilisation dans le cadre de son initiative est réputée, pour l'application de la présente partie, l'acquérir ou l'importer pour consommation ou utilisation :

Concordance québécoise: LTVQ, art. 42.0.2, 42.0.3.

Renvois: 185(1) (service acquis, importé ou transféré dans le cadre de la fourniture de services financiers).

Jurisprudence [art. 141.01(2)]: *614730 Ontario Inc. v. R.*, 2010 CarswellNat 1382, 2010 CCI 7, [2010] G.S.T.C. 27 (CCI [procédure informelle]).

(3) Utilisation afin d'effectuer une fourniture — La consommation ou l'utilisation d'un bien ou d'un service par une personne dans le cadre de son initiative est réputée, pour l'application de la présente partie, se faire :

a) dans le cadre des activités commerciales de la personne, dans la mesure où elle a pour objet la réalisation, pour une contrepartie, d'une fourniture taxable dans le cadre de l'initiative;

b) hors du cadre des activités commerciales de la personne, dans la mesure où elle a pour objet :

(i) la réalisation, dans le cadre de l'initiative, d'une fourniture autre qu'une fourniture taxable effectuée pour une contrepartie,

(ii) une autre fin que la réalisation d'une fourniture dans le cadre de l'initiative.

Notes historiques: L'alinéa 141.01(3)a) a été modifié par L.C. 1997, c. 10, par. 5(5) et cette modification est réputée entrée en vigueur le 17 décembre 1990. Il se lisait comme suit :

a) dans le cadre des activités commerciales de la personne, dans la mesure où elle a pour objet la réalisation d'une fourniture taxable dans le cadre de l'initiative;

Le sous-alinéa 141.01(3)b)(i) a été modifié par L.C. 1997, c. 10, par. 5(6) et cette modification est réputée entrée en vigueur le 17 décembre 1990. Auparavant, il se lisait comme suit :

(i) la réalisation d'une fourniture, autre qu'une fourniture taxable, dans le cadre de l'initiative,

Le paragraphe 141.01(3) a été ajouté par L.C. 1994, c. 9, par. 4(1) et est réputé entré en vigueur le 17 décembre 1990. Toutefois, avant octobre 1992, le préambule de ce paragraphe est remplacé par ce qui suit :

(3) Malgré le paragraphe 141(5), la consommation ou l'utilisation d'un bien ou d'un service par une personne dans le cadre de son initiative est réputée, pour l'application de la présente partie, se faire :

Concordance québécoise: LTVQ, art. 42.0.4, 42.0.5.

(4) Fournitures gratuites — Lorsqu'un fournisseur effectue, dans le cadre de son initiative, la fourniture taxable (appelée « fourniture gratuite » au présent paragraphe) d'un bien ou d'un service à titre gratuit ou pour une contrepartie symbolique et qu'il est raisonnable de considérer que la fourniture gratuite a pour objet notamment de faciliter, de favoriser ou de promouvoir soit une initiative, soit l'acquisition, la consommation ou l'utilisation d'autres biens ou services par une autre personne, les présomptions suivantes s'appliquent :

a) pour l'application du paragraphe (2), le fournisseur est réputé, dans la mesure où il a acquis ou importé un bien ou un service, ou l'a transféré dans une province participante, afin d'en effectuer la fourniture gratuite ou afin de le consommer ou de l'utiliser dans le cadre de pareille fourniture, avoir acquis ou importé ce bien ou ce service, ou l'avoir transféré dans la province, selon le cas, à la fois :

(i) afin de l'utiliser dans le cadre de son initiative,

(ii) aux fins auxquelles la fourniture gratuite est effectuée et non pas afin d'effectuer cette fourniture;

b) pour l'application du paragraphe (3), le fournisseur est réputé, dans la mesure où il a consommé ou utilisé un bien ou un service afin d'effectuer la fourniture gratuite, avoir consommé ou utilisé ce bien ou ce service aux fins auxquelles la fourniture gratuite est effectuée et non pas afin d'effectuer cette fourniture.

Notes historiques: Le préambule de l'alinéa 141.01(4)a) a été modifié par L.C. 1997, c. 10, par. 156(2) et cette modification est entrée en vigueur le 1er avril 1997. Ce passage se lisait comme suit :

a) pour l'application du paragraphe (2), le fournisseur est réputé, dans la mesure où il a acquis ou importé un bien ou un service afin d'en effectuer la fourniture gratuite ou afin de le consommer ou de l'utiliser dans le cadre de pareille fourniture, avoir acquis ou importé ce bien ou ce service, à la fois :

Le paragraphe 141.01(4) a été ajouté par L.C. 1994, c. 9, par. 4(1) et est réputé entré en vigueur le 17 décembre 1990.

[N.D.L.R. : la disposition transitoire suivante, ajoutée par L.C. 1994, c. 9, al. 4(2)c), a été abrogée par L.C. 1997, c. 10, art. 272. Cette abrogation est entrée en vigueur le 20 mars 1997.

Toutefois, il ne s'applique pas lorsqu'il s'agit de déterminer ce qui suit :

(i) un montant demandé, sauf un crédit ou une déduction réputé par l'alinéa 296(5)a) avoir été demandé, dans une déclaration présentée aux termes de la section V de la partie IX au plus tard le 14 février 1994 ou dans une demande présentée aux termes de la section VI de cette partie au plus tard ce même jour,

(ii) un changement d'utilisation dont un bien a fait l'objet au plus tard ce même jour.]

Concordance québécoise: LTVQ, art. 42.0.6.

(5) Méthodes de mesure de l'utilisation — Sous réserve de l'article 141.02, seules des méthodes justes et raisonnables et suivies tout au long d'un exercice peuvent être employées par une personne au cours de l'exercice pour déterminer la mesure dans laquelle :

a) la personne acquiert, importe ou transfère dans une province participante des biens ou des services afin d'effectuer une fourniture taxable pour une contrepartie ou à d'autres fins;

b) des biens ou des services sont consommés ou utilisés en vue de la réalisation d'une fourniture taxable pour une contrepartie ou à d'autres fins.

Notes historiques: Le préambule du paragraphe 141.01(5) a été remplacé par L.C. 2010, c. 12, par. 56(1) et cette modification est réputée être entrée en vigueur le 1er avril 2007. Antérieurement, il se lisait ainsi :

(5) Seules des méthodes justes et raisonnables et suivies tout au long d'un exercice peuvent être employées par une personne au cours de l'exercice pour déterminer la mesure dans laquelle :

L'alinéa 141.01(5)a) a été modifié par L.C. 1997, c. 10, par. 156(3) et cette modification est entrée en vigueur le 1er avril 1997. Il se lisait comme suit :

a) la personne acquiert ou importe des biens ou des services afin d'effectuer une fourniture taxable pour une contrepartie ou à d'autres fins;

Les alinéas 141.01(5)a) et b) ont été modifiés par L.C. 1997, c. 10, par. 5(7) et cette modification est réputée entrée en vigueur le 17 décembre 1990. Auparavant, ils se lisaient comme suit :

a) la personne acquiert ou importe des biens ou des services afin d'effectuer une fourniture taxable ou à d'autres fins;

b) des biens ou des services sont consommés ou utilisés afin d'effectuer une fourniture taxable ou à d'autres fins.

Le paragraphe 141.01(5), ajouté par L.C. 1994, c. 9, par. 4(1), est réputé entré en vigueur le 17 décembre 1990.

janvier 2007, Notes explicatives: L'article 141.01 précise et confirme l'exigence selon laquelle l'utilisation que l'on fait d'intrants doit être répartie en fonction de la mesure dans laquelle ils sont utilisés ou consommés, ou acquis, importés ou transférés dans une province participante en vue d'être utilisés ou consommés, dans le but d'effectuer des fournitures taxables pour une contrepartie et de la mesure dans laquelle ils sont utilisés ou consommés, ou acquis, importés ou ainsi transférés en vue d'être utilisés ou consommés, dans un autre but. Cette répartition entre en jeu lorsqu'il s'agit de déterminer les crédits de taxe sur les intrants. Le paragraphe 141.01(5) prévoit essentiellement que la méthode de répartition des intrants employée par une personne doit être juste et raisonnable et suivie tout au long d'un exercice.

Ce paragraphe est modifié afin d'en assujettir l'application au nouvel article 141.02 de la loi. Cet article prévoit des règles plus précises concernant les méthodes d'attribution des crédits de taxe sur les intrants à l'usage des institutions financières.

Cette modification entre en vigueur le 1er avril 2007.

Concordance québécoise: LTVQ, art. 42.0.7.

Jurisprudence: *Société de Transport de Laval v. R.*, 2008 CarswellNat 511 (CCI [procédure générale]).

(6) Présomption de faits ou de circonstances — Lorsqu'une présomption de faits ou de circonstances prévue par une disposition de la présente partie, sauf les paragraphes (2) à (4), s'applique à la condition qu'un bien ou un service soit, ou ait été, consommé ou utilisé, ou acquis, importé ou transféré dans une province participante pour consommation ou utilisation, dans une certaine mesure dans le cadre des activités, commerciales ou autres, d'une personne, ou hors de ce cadre, cette mesure est déterminée en conformité avec les paragraphes (2) ou (3) en vue d'établir si la condition est remplie. Toutefois, si cette condition est ainsi remplie et que les autres conditions d'application de la disposition soient [*sic*] réunies, la présomption prévue par cette disposition s'applique malgré les paragraphes (2) et (3).

Notes historiques: Le paragraphe 141.01(6) a été modifié par L.C. 1997, c. 10, art. 255 pour remplacer les mots « acquis ou importé » par les mots « acquis, importé ou transféré dans une province participante ». Cette modification est entrée en vigueur le 1er avril 1997.

Le paragraphe 141.01(6) a été ajouté par L.C. 1994, c. 9, par. 4(1) et est réputé entré en vigueur le 17 décembre 1990.

Concordance québécoise: LTVQ, art. 42.0.8.

(7) Présomption de non-fourniture, etc. — Les dispositions de la présente partie portant que la contrepartie d'une fourniture est réputée ne pas en être une, qu'une fourniture est réputée effectuée à titre gratuit ou qu'une personne est réputée ne pas avoir effectué une fourniture ne s'appliquent pas aux paragraphes (1) à (4).

Notes historiques: Le paragraphe 141.01(7) a été ajouté par L.C. 1994, c. 9, par. 4(1) et est réputé entré en vigueur le 17 décembre 1990.

Concordance québécoise: LTVQ, art. 42.0.9.

Définitions [art. 141.01]: « activité commerciale », « année d'imposition », « bien », « contrepartie », « entreprise », « exercice », « fourniture », « fourniture taxable », « gouvernement », « immeuble », « importation », « inscrit », « montant », « personne », « province participante », « service » — 123(1).

Renvois [art. 141.01]: 141 (utilisation dans le cadre d'activités commerciales); 141.1 (activité commerciale); 169 (CTI); 185(1) (inscrit autre qu'une institution financière); 186 (personnes morales liées); 198 (utilisation dans le cadre d'une fourniture de services financières); 195–211 (immobilisations — changement d'utilisation); 218.1(2), 220.04 (institutions financières désignées particulières); 225.2(3)c) (calcul de la taxe nette d'une institution financière désignée particulière — exclusion); 363(4) (exclusion — calcul de l'accompte provisionnel d'une institution financière désignée particulière).

Jurisprudence [art. 141.01]: *Cosmopolitan Music Society c. La Reine*, [1995] G.S.T.C. 19 (CCI); *Navaho Inn c. La Reine*, [1995] G.S.T.C. 21 (CCI); *Club 63 North c. La Reine*, [1995] G.S.T.C. 75 (CCI); *Royal Canadian Legion Branch #164 c. La Reine*, [1996] G.S.T.C. 98 (CCI); *C.I. Mutual Funds Inc. c. Canada*, [1997] G.S.T.C. 814 (CCI); *Westcan Malting Ltd. c. Canada*, [1998] G.S.T.C. 34 (CCI); *Two Carlton Financing Ltd. c. Canada*, [1998] G.S.T.C. 59 (CCI); [2000] G.S.T.C. 2 (CAF); *London Life Insurance Co. c. Canada*, [1998] G.S.T.C. 93 (CCI); *Saskatchewan Pesticide Container Management Assn. Inc. c. Canada*, [1999] G.S.T.C. 115 (CCI); *Elgin Mills Leslie Holdings Ltd. c. Canada*, [2000] G.S.T.C. 8 (CCI); *Magog (City) c. Canada*, [1999] G.S.T.C. 118, [2000] G.S.T.C. 81 (CCI); [2001] G.S.T.C. 98, [2001] G.S.T.C. 138 (CAF); *Pension Positive Inc. c. R.*, [2001] G.S.T.C. 104 (CCI); *Blanchard c. R.*, [2001] G.S.T.C. 94 (CCI); *Pension Positive Inc. c. R.*, [2001] G.S.T.C. 104 (CCI); *Granbury Developments Ltd. c. La Reine*, [2002] G.S.T.C. 123 (CFC); *BJ Services Co. Canada c. R.*, [2002] G.S.T.C. 124 (CCI); *Montréal (Ville) c. R.*, [2003] G.S.T.C. 131 (CCI); *Thompson Trailbreakers Snowmobile Club Inc. c. R.*, [2005] G.S.T.C. 124; *Matane (Ville) c. R.*, 2005 G.T.C. 783 (CCI); *Sandhu c. R.*, 2006 TCC 50 (CCI); *Dr. James Singer Inc. v. R.*, [2006] G.S.T.C. 43 (CCI); *Îles-de-la Madeleine (Comté) c. R.*, 2006 G.T.C. 267 (CCI); *Perfection Dairy Group Ltd. v. R.* (10 juin 2008), [2008] G.S.T.C. 124 (CCI [procédure informelle]); *Stantec Inc. v. R.*, [2008] G.S.T.C. 137 (20 juin 2008) (CCI [procédure informelle]); *Nikel v. R.*, [2008] G.S.T.C. 195 (14 octobre 2008) (CCI [procédure infromelle]); *614730 Ontario Inc. v. R.*, 2010 CarswellNat 1382, 2010 CCI 7, [2010] G.S.T.C. 27 (CCI [procédure informelle]); *CIBC World Markets Inc. v. R.*, 2011 CarswellNat 4618, 2011 CAF 270, 2011 G.T.C. 2051 (CAF).

Énoncés de politique [art. 141.01]: P-035, 17/09/92, *Les services financiers détaxés et le seuil du petit fournisseur*; P-063, 25/02/93, *Méthode de répartition des crédits de taxe sur les intrants fondée sur les extrants*; P-138R, 14/05/99, *L'effet d'un choix concernant une coentreprise sur la capacité d'un participant de s'inscrire et de demander des crédits de taxe sur les intrants*; P-167R, 29/03/00, *Signification de la première partie de la définition du terme « entreprise »*; P-168R, 29/06/04, *Droit des municipalités de demander des crédits de taxe sur les intrants pour la TPS/TVH payée sur l'aménagement de terrains destinés à être vendus en parcelles viabilisées*; P-196R, 10/08/07, *Les frais administratifs généraux sont-ils visés par le paragraphe 186(1) de la Loi sur la taxe d'accise?*; P-247, 04/11/05, *Examen de ce qui constitue un « autre organisme établi par un gouvernement » pour l'application de la Loi sur la taxe d'accise (la Loi)*.

Bulletins de l'information technique [art. 141.01]: B-075R, 23/04/96, *Modifications proposées à la TPS*; B-083R, 23/05/97, *Services financiers sous le régime de la TVH*; B-098, 26/08/11, *Application de l'article 141.02 aux institutions financières qui sont des institutions admissibles.*

Mémorandums [art. 141.01]: TPS 500-4-4, 31/03/93, *Administrations hospitalières*, par. 51; TPS 700-4, 25/11/93, *Institutions financières visées par la règle du seuil*, par. 25, 26; TPS 700-5-1, 27/07/92, *Répartition des CTI pour les institutions financières*, par. 20–24; TPS 700-5-3, 31/07/92, *Caisses de crédit*, par. 21.

Série de mémorandums [art. 141.01]: Mémorandum 1.5, 09/94, *Définitions*; Mémorandum 8-1, 05/05, *Règles générales d'admissibilité*; Mémorandum 8.3, 02/12, *Calcul des crédits de taxe sur les intrants*; Mémorandum 17.10, 05/99, *Escompteurs d'impôt*; Mémorandum 19.1, 10/97, *Les immeubles et la TPS/TVH*; Mémorandum 19.5, 06/02, *Fonds de terre et immeubles connexes.*

Info TPS/TVQ [art. 141.01]: GI-007 — *Exploitation d'un gîte touristique dans votre maison.*

Lettres d'interprétation (Québec) [art. 141.01]: 98-0105282 — Modification à une interprétation — Implants mammaires; 98-0108146 — Interprétation relative à la TPS et à la TVQ — Prix reçus par un athlète professionnel; 98-0108633 — Interprétation relative à la TPS et à la TVQ — Droit aux CTI et aux RTI à l'égard des coûts de construction d'un immeuble; 99-0107617 — Interprétation relative à la TPS et à la TVQ — Droit pour un entrepreneur indépendant d'un démarcheur de demander des CTI/RTI; 99-0109001 — Décision portant sur l'application de la TPS — Interprétation relative à la TVQ — Fourniture d'un immeuble par un organisme à but non lucratif pour une contrepartie symbolique; 99-0109423 — Décision portant sur l'application de la TPS — Interprétation relative à la TVQ — Locations d'immeubles, CTI/RTI; 99-0111064 — Convention entre [une ville] et un inscrit en TPS/TVQ; 00-0100602 — Admissibilité des CTI et RTI relativement aux frais de préposés aux contraventions pour les aires de stationnement d'une municipalité; 00-0102731 — Interprétation relative à la TPS et à la TVQ — Remise d'un véhicule automobile à une corporation pour un tirage; 02-0100673 — Interprétation relative à la TPS et à la TVQ — Sommes versées par des municipalités — Subvention ou contrepartie de fournitures; 06-0104114 — Interprétation relative à la TPS et à la TVQ — organisation d'un congrès par un organisme sans but lucratif.

141.02 (1) Définitions — Les définitions qui suivent s'appliquent au présent article.

« institution admissible » Les définitions qui suivent s'appliquent au présent article. « institution admissible » Est une institution admissible pour un exercice la personne qui remplit les critères suivants :

a) elle est une institution financière d'une catégorie réglementaire tout au long de l'exercice;

b) elle a deux exercices qui précèdent immédiatement l'exercice en cause et, pour chacun de ces deux exercices :

(i) son montant de crédit de taxe rajusté est égal ou supérieur au montant réglementaire applicable à cette catégorie pour l'exercice en cause,

(ii) son taux de crédit de taxe est égal ou supérieur au pourcentage réglementaire applicable à cette catégorie pour l'exercice en cause.

janvier 2007, Notes explicatives: Les termes suivants sont définis au nouveau paragraphe 141.02(1) pour l'application de l'article 141.02.

Est une « institution admissible » l'institution financière qui remplit, pour son exercice, les critères énoncés aux alinéas a), b) et c) de la définition.

Selon l'alinéa a), l'institution financière doit être une institution financière d'une catégorie réglementaire tout au long de l'exercice. À l'heure actuelle, il existe trois catégories réglementaires d'institutions financières : les banques, les assureurs et les courtiers en valeurs mobilières. Selon le paragraphe 141.02(3), la personne qui est une institution financière d'une catégorie réglementaire à un moment de son exercice est réputée l'être tout au long de l'exercice.

Selon l'alinéa b), le montant de crédit de taxe, au sens du paragraphe 141.02(1), de l'institution financière pour chacun des deux exercices précédant l'exercice en cause doit être égal ou supérieur au montant réglementaire applicable à la catégorie réglementaire d'institutions financières dont elle fait partie pour l'exercice en cause. À l'heure actuelle, le montant réglementaire pour chacune des trois catégories d'institutions financières s'établit à 500 000 $.

Selon l'alinéa c), le taux de crédit de taxe, au sens du paragraphe 141.02(1), de l'institution financière pour chacun des deux exercices précédant l'exercice en cause doit être égal ou supérieur au pourcentage réglementaire applicable à la catégorie réglementaire d'institutions financières dont elle fait partie pour l'exercice en cause. À l'heure actuelle, le pourcentage réglementaire s'établit à 12 % dans le cas des banques, à 10 % dans le cas des assureurs et à 15 % dans le cas des courtiers en valeurs mobilières.

La définition d'« institution admissible » s'applique en vue du calcul de la taxe nette d'une personne pour ses périodes de déclaration comprises dans ses exercices commençant après mars 2007. Toutefois, lorsqu'il s'agit d'établir si une institution financière est une institution admissible, les alinéas b) et c) de cette définition s'appliquent comme si le nouvel article 141.02 et le paragraphe 141.01(5), dans sa version modifiée, étaient entrés en vigueur le 1er avril 2005. Par conséquent, au cours de ses deux premiers exercices commençant après mars 2007, l'institution financière qui veut savoir si elle est une institution admissible tout au long de l'un ou l'autre de ces exercices doit calculer son montant de crédit de taxe et son taux de crédit de taxe pour les deux exercices précédents comme si les nouvelles règles s'étaient appliquées à elle pendant cette période.

Concordance québécoise: aucune.

« intrant d'entreprise » Intrant exclu, intrant exclusif ou intrant résiduel.

« intrant direct » Tout bien ou service, à l'exception des suivants :

a) les intrants exclus;

b) les intrants exclusifs;

c) les intrants non attribuables.

janvier 2007, Notes explicatives: Sont des « intrants directs » les biens ou les services, à l'exclusion des intrants exclus, des intrants exclusifs et des intrants non attribuables (au sens du paragraphe 141.02(1)), qui sont acquis, importés ou transférés dans une province participante. De façon générale, les intrants directs sont des intrants (autres que des immobilisations) qui sont attribuables à la production d'extrants en particulier et qui sont consommés ou utilisés dans le but d'effectuer des fournitures taxables pour une contrepartie ainsi que dans d'autres buts.

Concordance québécoise: aucune.

« intrant exclu » Est un intrant exclu d'une personne :

a) le bien qui est destiné à être utilisé par elle à titre d'immobilisation;

b) le bien ou le service qu'elle acquiert, importe ou transfère dans une province participante et qui est destiné à être utilisé à titre d'améliorations d'un bien visé à l'alinéa a);

c) tout bien ou service visé par règlement.

janvier 2007, Notes explicatives: Ce terme désigne, de façon générale, les biens — meubles et immeubles — qu'une personne utilise à titre d'immobilisations et les biens et services qu'elle acquiert, importe ou transfère dans une province participante en vue de les utiliser à titre d'améliorations d'immobilisations. Des biens et services visés par règlement pourraient également être compris parmi les intrants exclus, mais aucun n'est ainsi visé pour le moment.

Concordance québécoise: aucune.

« intrant exclusif » Bien ou service, à l'exception d'un intrant exclu, qu'une personne acquiert, importe ou transfère dans une province participante en vue de le consommer ou de l'utiliser soit directement et exclusivement dans le but d'effectuer des fournitures taxables pour une contrepartie, soit directement et exclusivement dans un autre but.

janvier 2007, Notes explicatives: Est un « intrant exclusif » d'une personne le bien ou le service qu'elle utilise ou consomme soit directement et exclusivement dans le but d'effectuer des fournitures taxables pour une contrepartie, soit directement et exclusivement dans un autre but. Il est important de rappeler que le terme « exclusif », au sens du paragraphe 123(1) de la loi, s'entend de 100 % dans le cas des institutions financières. Les intrants exclus — à savoir, selon la définition de ce terme figurant au paragraphe 141.02(1), les immobilisations, les améliorations apportées à des immobilisations et les biens et services visés par règlement — sont expressément exclus de la notion d'« intrant exclusif ». Est un exemple d'intrant exclusif le service d'évaluation qui sert uniquement à offrir un service financier exonéré consistant à consentir des prêts hypothécaires à des acheteurs d'habitations au Canada et qui ne sert aucunement à effectuer une fourniture taxable pour une contrepartie.

Concordance québécoise: aucune.

« intrant non attribuable » Est un intrant non attribuable d'une personne le bien ou le service qui, à la fois :

a) n'est pas un intrant exclu ni un intrant exclusif de la personne;

b) est acquis, importé ou transféré dans une province participante par la personne;

c) n'est pas attribuable à la réalisation par la personne d'une fourniture en particulier.

janvier 2007, Notes explicatives: Est un « intrant non attribuable » le bien ou le service qui répond aux conditions suivantes : il est acquis, importé ou transféré dans une province participante, il n'est pas attribuable à la réalisation d'une fourniture en particulier ni à un but autre que celui d'effectuer une fourniture et il n'est ni un intrant exclu ni un intrant exclusif, au sens du paragraphe 141.02(1). Les intrants non attribuables sont donc des intrants qui sont consommés ou utilisés à la fois dans le but d'effectuer des fournitures taxables pour une contrepartie et dans d'autres buts. Ils ne sont pas des biens meubles en immobilisation ni des immeubles en immobilisation (ni des améliorations à ces derniers) et ne peuvent être attribués à une fourniture ou à un centre de coûts se rapportant à des fournitures en particulier. Est un exemple d'intrant non attribuable le montant de certains frais généraux liés aux réunions de conseils d'administration.

Concordance québécoise: aucune.

« intrant résiduel » Intrant direct ou intrant non attribuable.

janvier 2007, Notes explicatives: Est un « intrant résiduel » le bien ou le service qui est soit un intrant direct, soit un intrant non attribuable (au sens du paragraphe 141.02(1)). Ce terme désigne donc les biens et services d'une personne qui ne sont ni des intrants exclus ni des intrants exclusifs (au sens du même paragraphe). Il s'agit, par conséquent, d'intrants qui sont consommés ou utilisés à la fois dans le but d'effectuer des fournitures taxables pour une contrepartie et dans d'autres buts et qui ne sont ni des biens meubles en immobilisation ni des immeubles en immobilisation (ni des améliorations à ces derniers).

Concordance québécoise: aucune.

« mesure d'acquisition » Selon le cas, mesure dans laquelle un bien ou un service est acquis, importé ou transféré dans une province participante dans le but d'effectuer des fournitures taxables pour une contrepartie ou mesure dans laquelle un bien ou un service est acquis, importé ou ainsi transféré dans un autre but.

janvier 2007, Notes explicatives: Le terme « mesure d'acquisition » s'entend de la mesure dans laquelle un bien ou un service est acquis, importé ou transféré dans une province participante dans le but d'effectuer des fournitures taxables pour une contrepartie. Il s'entend aussi de la mesure dans laquelle il est acquis, importé ou transféré dans une province participante dans un autre but.

Concordance québécoise: aucune.

« mesure d'utilisation » Selon le cas, mesure dans laquelle un bien ou un service est consommé ou utilisé dans le but d'effectuer des fournitures taxables pour une contrepartie ou mesure dans laquelle un bien ou un service est consommé ou utilisé dans un autre but.

janvier 2007, Notes explicatives: Le terme « mesure d'utilisation » s'entend de la mesure dans laquelle un bien ou un service est consommé ou utilisé dans le but d'effectuer des fournitures taxables pour une contrepartie. Il s'entend aussi de la mesure dans laquelle il est consommé ou utilisé dans un autre but.

Concordance québécoise: aucune.

« méthode d'attribution directe » Méthode, conforme à des critères, des règles et des modalités fixés par le ministre, qui permet de déterminer de la manière la plus directe la mesure d'utilisation et la mesure d'acquisition d'un bien ou d'un service.

janvier 2007, Notes explicatives: Le terme « méthode d'attribution directe » s'entend d'une méthode qui permet de déterminer de la manière la plus directe la mesure d'utilisation et la mesure d'acquisition (au sens du paragraphe 141.02(1)) de l'intrant — bien ou service — d'une personne. Cette méthode doit être conforme à des critères, des règles et des modalités fixés par le ministre du Revenu national, lesquels pourraient faire l'objet d'un bulletin d'interprétation de l'Agence du revenu du Canada.

Concordance québécoise: aucune.

« méthode déterminée » Méthode, conforme à des critères, des règles et des modalités fixés par le ministre, qui permet de déterminer la mesure d'utilisation et la mesure d'acquisition d'un bien ou d'un service.

janvier 2007, Notes explicatives: Le terme « méthode déterminée » s'entend d'une méthode qui permet de déterminer la mesure d'utilisation et la mesure d'acquisition (au sens du paragraphe 141.02(1)) de l'intrant — bien ou service — d'une personne. Cette méthode doit être conforme à des critères, des règles et des modalités fixés par le ministre du Revenu national, lesquels pourraient faire l'objet d'un bulletin d'interprétation de l'Agence du revenu du Canada.

Concordance québécoise: aucune.

« montant de crédit de taxe » Le montant de crédit de taxe d'une personne pour son exercice correspond à celui des montants ci-après qui est applicable :

a) dans le cas où la personne a fait pour l'exercice le choix prévu au paragraphe (9), le total des montants représentant chacun un crédit de taxe sur les intrants pour l'exercice auquel elle aurait droit en vertu de la présente partie, en l'absence de ce paragraphe, relativement à son montant de taxe pour intrant résiduel pour l'exercice;

b) dans le cas où la personne est une institution admissible pour l'exercice, n'a pas fait pour l'exercice le choix prévu aux paragraphes (7) ou (27) et n'a pas reçu du ministre l'autorisation d'employer pour l'exercice les méthodes particulières exposées dans la demande visée au paragraphe (18), le total des montants représentant chacun un crédit de taxe sur les intrants pour l'exercice auquel elle aurait droit en vertu de la présente partie relativement à son montant de taxe pour intrant résiduel pour l'exercice si, pour l'exercice, elle n'était pas une institution admissible et ne faisait pas le choix prévu au paragraphe (9);

c) dans les autres cas, le total des montants représentant chacun un crédit de taxe sur les intrants pour l'exercice auquel la personne a droit en vertu de la présente partie relativement à son montant de taxe pour intrant résiduel pour l'exercice.

janvier 2007, Notes explicatives: De façon générale, le « montant de crédit de taxe » correspond au total des crédits de taxe sur les intrants auxquels une personne a droit pour un exercice relativement à ses intrants résiduels (c'est-à-dire, selon la définition de ce terme figurant au paragraphe 141.02(1), ses intrants directs et intrants non attribuables). Pour la majorité des institutions financières (à savoir celles qui calculent leurs crédits de taxe sur les intrants relatifs à des intrants résiduels selon des méthodes déterminées, des méthodes d'attribution directe ou des méthodes autorisées par le ministre du Revenu national aux termes du paragraphe 141.02(20) pour un exercice donné), le montant de crédit de taxe pour l'exercice correspond au total réel des crédits de taxe sur les intrants auxquels elles ont droit relativement à des intrants résiduels pour l'exercice.

Toutefois, l'institution financière qui a calculé les crédits de taxe sur les intrants auxquels elle a droit relativement à des intrants résiduels pour un exercice selon la méthode fondée sur le pourcentage réglementaire doit déterminer son montant de crédit de taxe relativement à ces intrants comme si elle était régie par les paragraphes 141.02(10), (11), (12), (13), (16) et (17). Elle devra donc employer une méthode déterminée pour chacun de ses intrants non attribuables selon le paragraphe 141.02(10) ou, si une telle méthode ne s'applique pas à l'intrant, une autre méthode comme le prévoit le paragraphe 141.02(11). Dans le même ordre d'idées, l'institution financière devra employer une méthode d'attribution directe pour chacun de ses intrants directs selon le paragraphe 141.02(12) ou, si une telle méthode ne s'applique pas à l'intrant, une autre méthode comme le prévoit le paragraphe 141.02(13). Toute méthode qu'elle emploie doit être conforme au paragraphe 141.02(16) et peut, selon le paragraphe 141.02(17), être modifiée ou remplacée par une autre méthode, mais seulement avec le consentement écrit du ministre. Le montant de crédit de taxe ainsi calculé sert à déterminer si une personne est une institution admissible, au sens du paragraphe 141.02(1), pour chaque exercice en cause.

L'alinéa a) de la définition de « montant de crédit de taxe » s'applique aux institutions financières qui, selon le paragraphe 141.02(9), ont choisi d'utiliser pour leur exercice le pourcentage réglementaire pour déterminer les crédits de taxe sur les intrants auxquels elles ont droit relativement à des intrants résiduels. Selon cet alinéa, le montant de crédit de taxe de l'institution financière pour l'exercice correspond au total des montants représentant chacun un crédit de taxe sur les intrants relatif à un intrant résiduel auquel l'institution financière aurait eu droit pour l'exercice, en l'absence du paragraphe 141.02(9), au titre de la taxe relative à l'intrant soit qui est devenue payable au cours de l'exercice et n'a pas été payée avant cet exercice, soit qui a été payée au cours du même exercice sans être devenue payable. En d'autres termes, il s'agit du montant qui correspondrait au montant de crédit de taxe de l'institution financière si elle n'avait pas fait le choix en question et, par conséquent, avait été tenue de calculer les crédits de taxe sur les intrants auxquels elle a droit relativement à des intrants résiduels pour l'exercice selon les paragraphes 141.02(10), (11), (12), (13), (16) et (17).

L'alinéa b) de la définition s'applique aux institutions admissibles qui sont tenues, en vertu du paragraphe 141.02(8), d'utiliser pour leur exercice le pourcentage réglementaire pour déterminer les crédits de taxe sur les intrants auxquels elles ont droit relativement à des intrants résiduels. Selon cet alinéa, le montant de crédit de taxe de l'institution financière pour l'exercice correspond au total des montants représentant chacun un crédit de taxe sur les intrants auquel elle aurait droit si elle n'était pas une institution admissible pour l'exercice et ne faisait pas le choix prévu au paragraphe 141.02(9) pour l'exercice, au titre de la taxe relative à l'intrant soit qui est devenue payable au cours de l'exercice et n'a pas été payée avant cet exercice, soit qui a été payée au cours du même exercice sans être devenue payable. En d'autres termes, il s'agit du montant qui correspondrait au montant de crédit de taxe de l'institution financière si elle n'était pas une institution admissible, n'avait pas fait le choix prévu au paragraphe 141.02(9) et, par conséquent, avait été tenue de calculer les crédits de taxe sur les intrants auxquels elle a droit relativement à des intrants résiduels pour l'exercice selon les paragraphes 141.02(10), (11), (12), (13), (16) et (17).

L'alinéa c) de la définition s'applique dans le cas où les alinéas a) et b) ne s'appliquent pas, c'est-à-dire, dans le cas où la personne a calculé les crédits de taxe sur les intrants auxquels elle a droit pour un exercice selon une méthode autre que la méthode fondée sur le pourcentage réglementaire. Selon cet alinéa, le montant de crédit de taxe de la personne pour l'exercice correspond au total des montants représentant chacun un crédit de taxe sur les intrants auquel la personne a droit relativement à un intrant résiduel au titre de la taxe relative à l'intrant soit qui est devenue payable au cours de l'exercice et n'a pas été payée avant cet exercice, soit qui a été payée au cours du même exercice sans être devenue payable. Cette règle s'applique dans le cas où le droit aux crédits a été déterminé conformément aux paragraphes 141.01(7), (10), (11), (12), (13), (16), (17) et (21).

Concordance québécoise: aucune.

« montant de crédit de taxe rajusté » Le montant obtenu par la formule ci-après relativement à l'exercice d'une personne :

$$A \times 365/B$$

où :

A représente le montant de crédit de taxe de la personne pour l'exercice;

B le nombre de jours de l'exercice.

Concordance québécoise: aucune.

« montant de taxe pour intrant résiduel » Le montant de taxe pour intrant résiduel d'une personne pour un exercice correspond à celui des montants ci-après qui est applicable :

a) si la personne est une institution financière désignée particulière au cours de l'exercice, un montant de taxe prévu au paragraphe 165(1) ou à l'un des articles 212, 218 et 218.01, relativement à la fourniture ou à l'importation d'un intrant résiduel, soit qui est devenu payable par la personne au cours de l'exercice et n'a pas été payé avant cet exercice, soit qui a été payé par elle au cours de ce même exercice sans être devenu payable;

b) dans les autres cas, un montant de taxe relatif à la fourniture ou à l'importation d'un intrant résiduel, ou à son transfert dans une province participante, soit qui est devenu payable par la personne au cours de l'exercice et n'a pas été payé avant cet exercice, soit qui a été payé par elle au cours de ce même exercice sans être devenu payable.

« montant total de taxe » Le montant total de taxe d'une personne pour son exercice correspond au total des montants représentant chacun son montant de taxe pour intrant résiduel pour l'exercice.

Concordance québécoise: aucune.

« montant total de taxe rajusté » Le montant obtenu par la formule ci-après relativement à l'exercice d'une personne :

$$A \times 365/B$$

où :

A représente le montant total de taxe de la personne pour l'exercice;

B le nombre de jours de l'exercice.

Concordance québécoise: aucune.

« renseignement demandé » Tout renseignement, renseignement supplémentaire ou document que le ministre demande par écrit à une personne relativement à la demande qu'elle lui a présentée en vertu du paragraphe (18).

Concordance québécoise: aucune.

« taux de crédit de taxe » Le taux de crédit de taxe d'une personne pour son exercice correspond au quotient (exprimé en pourcentage) obtenu par division du montant de crédit de taxe de la personne pour l'exercice par son montant total de taxe pour l'exercice.

janvier 2007, Notes explicatives: Le terme « taux de crédit de taxe » s'entend, de façon générale, du pourcentage de taxe payable par une personne au cours d'un exercice, ou payé par elle au cours de l'exercice sans qu'il soit devenu payable, relativement à des intrants résiduels, que la personne peut demander à titre de crédit de taxe sur les intrants. Ce taux s'obtient par la division du montant de crédit de taxe, au sens du paragraphe 141.02(1), de la personne par le total de la taxe qui était payable par elle au cours de l'exercice, ou qui a été payée par elle au cours de l'exercice sans être devenue payable, relativement à des intrants résiduels.

Concordance québécoise: aucune.

Bulletins de l'information technique: B-107, 10/11, *Régimes de placement (y compris les fonds réservés d'assureur) et la TVH*.

(2) Sens de « contrepartie » — Pour l'application du présent article, une contrepartie symbolique n'est pas une contrepartie.

janvier 2007, Notes explicatives: Selon le nouveau paragraphe 141.02(2), une contrepartie symbolique n'est pas une contrepartie pour l'application de l'article 141.02. Les fournitures effectuées pour une contrepartie symbolique sont donc assimilées à des fournitures effectuées sans contrepartie. Par conséquent, la personne qui acquiert ou importe un bien ou un service, ou qui le transfère dans une province participante, dans le but d'effectuer des fournitures taxables pour une contrepartie symbolique est réputée pour l'application de l'article 141.02 avoir acquis ou importé le bien ou le service, ou l'avoir transféré dans une province participante, dans un autre but que celui d'effectuer des fournitures taxables pour une contrepartie.

Concordance québécoise: aucune.

(3) Institution financière tout au long d'une année — Pour l'application du présent article, la personne qui est une institution financière d'une catégorie réglementaire à un moment de son exercice est réputée l'être tout au long de cet exercice.

janvier 2007, Notes explicatives: Le nouveau paragraphe 141.02(3) prévoit que, pour l'application de l'article 141.02, la personne qui est une institution financière d'une catégorie réglementaire à un moment de son exercice est réputée l'être tout au long de l'exercice. Ainsi, la personne morale qui est une institution financière de la catégorie réglementaire des assureurs à un moment d'un exercice est considérée, pour l'application de l'article 141.02, comme un assureur tout au long de l'exercice même si son entreprise d'assurance cesse d'être son entreprise principale au Canada au cours de l'exercice.

Concordance québécoise: aucune.

(4) Fusions — Si des personnes morales fusionnent pour former une nouvelle personne morale autrement que par suite soit de l'acquisition des biens d'une personne morale par une autre après achat de ces biens par cette dernière, soit de la distribution des biens à l'autre personne morale lors de la liquidation de la première, les règles ci-après s'appliquent malgré l'article 271 en vue du calcul du montant de crédit de taxe et du taux de crédit de taxe de la nouvelle personne morale pour un exercice de celle-ci :

a) la nouvelle personne morale est réputée avoir eu deux exercices — comptant chacun 365 jours — immédiatement avant son premier exercice;

b) le montant de crédit de taxe de la nouvelle personne morale pour son exercice (appelé « exercice antérieur » au présent paragraphe) précédant son premier exercice est réputé être égal au total des montants représentant chacun le montant de crédit de taxe rajusté d'une personne morale fusionnante pour le dernier exercice de celle-ci (appelé « exercice antérieur » au présent paragraphe) se terminant avant la fusion autrement que par suite de la fusion;

c) le montant de crédit de taxe de la nouvelle personne morale pour son exercice (appelé « deuxième exercice antérieur » au présent paragraphe) précédant son exercice antérieur est réputé être égal au total des montants représentant chacun le montant de crédit de taxe rajusté d'une personne morale fusionnante pour l'exercice de celle-ci (appelé « deuxième exercice antérieur » au présent paragraphe) précédant son exercice antérieur;

d) le montant total de taxe de la nouvelle personne morale pour son exercice antérieur est réputé correspondre au total des montants représentant chacun le montant total de taxe rajusté d'une personne morale fusionnante pour son exercice antérieur;

e) le montant total de taxe de la nouvelle personne morale pour son deuxième exercice antérieur est réputé correspondre au total des montants représentant chacun le montant total de taxe rajusté d'une personne morale fusionnante pour son deuxième exercice antérieur.

janvier 2007, Notes explicatives: Le nouveau paragraphe 141.02(4) aide à établir si la personne morale issue d'une fusion (ou nouvelle personne morale) peut, au cours d'un exercice postérieur à la fusion, être considérée comme une institution admissible, au sens du paragraphe 141.02(1), ou faire le choix prévu au paragraphe 141.02(9). Il est à noter que le paragraphe 141.02(4) ne s'applique que pour le besoins du calcul du montant de crédit de taxe et du taux de crédit de taxe de la nouvelle personne morale; il est sans effet sur les crédits de taxe sur les intrants auxquels les personnes morales ont droit pour toute période antérieure à la fusion.

Le paragraphe 141.02(4) s'applique à la personne morale issue d'une fusion à laquelle s'appliquerait l'article 271 de la loi. Les règles qui y sont énoncées l'emportent toutefois sur les règles énoncées à cet article.

Selon l'alinéa 141.02(4)a), la nouvelle personne morale est réputée avoir eu deux exercices immédiatement avant son premier exercice (c'est-à-dire, l'exercice qui commence à la date de la fusion). Selon l'alinéa 141.02(4)b), son montant de crédit de taxe pour l'exercice antérieur réputé (à savoir, l'exercice réputé précédant son premier exercice) est réputé correspondre au total des montants représentant chacun le montant de crédit de taxe d'une personne morale fusionnante pour l'exercice antérieur de celle-ci. L'exercice antérieur d'une personne morale fusionnante s'entend de son dernier exercice complet qui correspond, de façon générale, à un exercice de 365 jours se terminant avant la fusion et non pas à l'exercice raccourci d'une durée de moins d'un an qui a pris fin la veille de la fusion. Dans le même ordre d'idées, l'alinéa 141.02(4)c) prévoit que le montant de crédit de taxe de la nouvelle personne morale pour le deuxième exercice antérieur réputé (à savoir, l'exercice réputé précédant son exercice antérieur) est réputé correspondre au total des montants représentant chacun le montant de crédit de taxe d'une personne morale fusionnante pour le deuxième exercice antérieur de celle-ci (c'est-à-dire, l'exercice qui précède son exercice antérieur).

Selon les alinéas 141.01(4)d) et e), le taux de crédit de taxe de la nouvelle personne morale pour chacun de ses deux exercices antérieurs correspond au pourcentage obtenu par la division de ses montants de crédit de taxe pour l'exercice antérieur et le deuxième exercice antérieur respectivement (déterminés respectivement selon les alinéas 141.02(4)b) et c)) par le total des montants représentant chacun un montant de taxe, relatif à la fourniture, à l'importation ou au transfert dans une province participante d'un intrant résiduel, qui, en ce qui concerne chaque personne morale fusionnante, soit est devenu payable par celle-ci au cours de son exercice antérieur ou de son deuxième exercice antérieur respectivement et n'a pas été payé avant cet exercice, soit a été payé par elle au cours de cet exercice sans être devenu payable.

Concordance québécoise: aucune.

(5) Liquidation — Si une personne morale donnée est liquidée et qu'au moins 90 % des actions émises de chaque catégorie de son capital-actions étaient la propriété d'une autre personne morale immédiatement avant la liquidation, les règles ci-après s'appliquent malgré l'article 272 en vue du calcul du montant de crédit de taxe et du taux de crédit de taxe de l'autre personne morale pour un exercice de celle-ci :

a) le montant de crédit de taxe de l'autre personne morale pour son exercice (appelé « exercice déterminé » au présent paragraphe) qui comprend la date à laquelle la personne morale donnée est liquidée est réputé être égal au total des montants suivants :

(i) le montant qui correspondrait au montant de crédit de taxe rajusté de l'autre personne morale pour l'exercice déterminé si le présent paragraphe ne s'appliquait pas à la liquidation de la personne morale donnée,

(ii) le montant qui correspond au montant de crédit de taxe rajusté de la personne morale donnée pour son dernier exercice (appelé « exercice antérieur » au présent paragraphe) se terminant avant cette date;

b) le montant de crédit de taxe de l'autre personne morale pour son exercice (appelé « exercice antérieur » au présent paragraphe) précédant son exercice déterminé est réputé être égal au total des montants suivants :

(i) le montant qui correspondrait au montant de crédit de taxe rajusté de l'autre personne morale pour son exercice antérieur si le présent paragraphe ne s'appliquait pas à la liquidation de la personne morale donnée,

(ii) le montant qui correspond au montant de crédit de taxe rajusté de la personne morale donnée pour son exercice (appelé « deuxième exercice antérieur » au présent paragraphe) précédant son exercice antérieur;

c) le montant total de taxe de l'autre personne morale pour son exercice déterminé est réputé correspondre au total des montants suivants :

(i) le montant qui correspondrait au montant total de taxe rajusté de l'autre personne morale pour son exercice déterminé si le présent paragraphe ne s'appliquait pas à la liquidation de la personne morale donnée,

(ii) le montant qui correspond au montant total de taxe rajusté de la personne morale donnée pour son exercice antérieur;

d) le montant total de taxe de l'autre personne morale pour son exercice antérieur est réputé correspondre au total des montants suivants :

(i) le montant qui correspondrait au montant total de taxe rajusté de l'autre personne morale pour son exercice antérieur si le présent paragraphe ne s'appliquait pas à la liquidation de la personne morale donnée,

(ii) le montant qui correspond au montant total de taxe rajusté de la personne morale donnée pour son deuxième exercice antérieur.

janvier 2007, Notes explicatives: Le nouveau paragraphe 141.02(5) s'applique dans le cas où une filiale (appelée « personne morale donnée » à ce paragraphe) est liquidée par sa personne morale mère (appelée « autre personne morale » à ce paragraphe) dans des circonstances où l'article 272 de la loi s'applique. Ce paragraphe aide à établir si la personne morale mère peut, au cours d'un exercice ultérieur, être considérée comme une institution admissible, au sens du paragraphe 141.02(1), ou faire le choix prévu au paragraphe 141.02(9). Il est à noter que le paragraphe 141.02(5) ne s'applique que pour le besoins du calcul du montant de crédit de taxe et du taux de crédit de taxe de la personne morale mère; il est sans effet sur les crédits de taxe sur les intrants auxquels celle-ci ou la filiale a droit pour toute période antérieure à la liquidation. Les nouvelles règles énoncées au paragraphe 141.02(5) l'emportent sur les règles énoncées à l'article 272.

Selon l'alinéa 141.02(5)a), le montant de crédit de taxe de la personne morale mère pour son « exercice déterminé » (à savoir, l'exercice qui comprend la liquidation) est réputé correspondre au total du montant qui, en l'absence du paragraphe 141.02(5), correspondrait à son montant de crédit de taxe pour cet exercice et du montant qui correspond au montant de crédit de taxe de la filiale pour son exercice antérieur (à savoir, son dernier exercice complet qui correspond, de façon générale, à un exercice de 365 jours se terminant avant la liquidation et non pas à l'exercice raccourci d'une durée de moins d'un an qui a pris fin au début de la liquidation). Dans le même ordre d'idées, l'alinéa 141.02(5)b) prévoit que le montant de crédit de taxe de la personne morale mère pour son exercice antérieur (à savoir, l'exercice précédant son exercice déterminé) est réputé correspondre au total du montant qui, en l'absence du paragraphe 141.02(5), correspondrait à son montant de crédit de taxe pour cet exercice antérieur et du montant qui correspond au montant de crédit de taxe de la filiale pour son deuxième exercice antérieur (à savoir, l'exercice précédant son exercice antérieur).

Selon l'alinéa 141.01(5)c), le taux de crédit de taxe de la personne morale mère pour son exercice déterminé correspond au pourcentage obtenu par la division de son montant de crédit de taxe pour cet exercice (déterminé selon l'alinéa 141.02(5)a)) par le total des montants représentant chacun un montant de taxe, relatif à la fourniture, à l'importation ou au transfert dans une province participante d'un intrant résiduel qui soit est devenu payable par la personne morale mère au cours de son exercice déterminé ou par la filiale au cours de son exercice antérieur et n'a pas été payé avant cet exercice, soit a été payé par celles-ci au cours de l'exercice applicable sans être devenu payable. Dans le même ordre d'idées, l'alinéa 141.02(5)d) prévoit que le taux de crédit de taxe de la personne morale mère pour son exercice antérieur correspond au pourcentage obtenu par la division de son montant de crédit de taxe pour cet exercice (déterminé selon l'alinéa 141.02(5)b)) par le total des montants représentant chacun un montant de taxe, relatif à la fourniture, à l'importation ou au transfert dans une province participante d'un intrant résiduel, qui soit est devenu payable par la personne morale mère au cours de son exercice antérieur ou par la filiale au cours de son deuxième exercice antérieur et n'a pas été payé avant cet exercice, soit a été payé par celles-ci au cours de l'exercice applicable sans être devenu payable.

Concordance québécoise: aucune.

(6) Attribution des intrants exclusifs — Pour l'application de la présente partie, les règles ci-après s'appliquent relativement à tout intrant exclusif d'une institution financière :

a) si l'intrant est acquis, importé ou transféré dans une province participante en vue d'être consommé ou utilisé directement et exclusivement dans le but d'effectuer des fournitures taxables pour une contrepartie, l'institution financière est réputée l'avoir acquis, importé ou ainsi transféré pour le consommer ou l'utiliser exclusivement dans le cadre de ses activités commerciales;

b) si l'intrant est acquis, importé ou transféré dans une province participante en vue d'être consommé ou utilisé directement et exclusivement dans un autre but, l'institution financière est réputée l'avoir acquis, importé ou ainsi transféré pour le consommer ou l'utiliser exclusivement hors du cadre de ses activités commerciales.

janvier 2007, Notes explicatives: Le nouveau paragraphe 141.02(6) contient des règles sur l'attribution par les institutions financières des intrants exclusifs (à savoir, selon la définition de ce terme figurant au paragraphe 141.02(1), des biens ou services, autres que des intrants exclus, qui sont utilisés ou consommés directement et exclusivement soit dans le but d'effectuer des fournitures taxables pour une contrepartie, soit dans un autre but). Rappelons que le terme « exclusif », au sens du paragraphe 123(1), s'entend de 100 % dans le cas des institutions financières.

Selon l'alinéa 141.02(6)a), si un intrant exclusif est acquis, importé ou transféré dans une province participante en vue d'être consommé ou utilisé directement et exclusivement (c'est-à-dire, à 100 %) dans le but d'effectuer des fournitures taxables pour une contrepartie, l'institution financière est réputée avoir acquis ou importé la totalité de l'intrant, ou l'avoir transféré dans la province, pour le consommer ou l'utiliser exclusivement (c'est-à-dire, à 100 %) dans le cadre de ses activités commerciales. Par conséquent, pour le calcul d'un crédit de taxe sur les intrants relatif à l'intrant selon l'article 169 de la loi, l'élément B de la formule figurant au paragraphe 169(1) correspond à 100 %, sous réserve des restrictions ou rajustements ultérieurs prévus par la loi (par exemple, la récupération des crédits de taxe sur les intrants au titre des dépenses de repas et de divertissements).

Selon l'alinéa 141.02(6)b), si un intrant exclusif est acquis, importé ou transféré dans une province participante en vue d'être consommé ou utilisé directement et exclusivement dans un but autre que celui d'effectuer des fournitures taxables pour une contrepartie, l'institution financière est réputée avoir acquis ou importé la totalité de l'intrant, ou l'avoir transféré dans la province, pour le consommer ou l'utiliser exclusivement hors du cadre de ses activités commerciales. Par conséquent, pour le calcul d'un crédit de taxe sur les intrants relatif à l'intrant selon l'article 169, l'élément B de la formule figurant au paragraphe 169(1) correspond à 0 %, sous réserve des rajustements ultérieurs prévus par la loi.

Le paragraphe 141.02(6) ne s'applique pas aux intrants exclusifs d'une institution admissible pour tout exercice relativement auquel le paragraphe 141.02(21) s'applique à l'institution.

Concordance québécoise: aucune.

(7) Intrants résiduels — choix visant l'année de transition — Dans le cas où une personne est une institution admissible pour son premier exercice commençant après mars 2007, où le ministre a établi une cotisation à l'égard de la taxe nette de la personne pour une période de déclaration comprise dans l'un des quatre exercices précédant ce premier exercice, où l'avis de cotisation, de cotisation postérieure ou de nouvelle cotisation visant la période de déclaration en cause ne reflète rien d'inadéquat quant aux méthodes que la personne a employée pour calculer les crédits de taxe sur les intrants relatifs à ses intrants résiduels et où ces méthodes seraient justes et raisonnables si la personne les employait de la même manière, au cours de ce premier exercice, pour déterminer la mesure d'utilisation et la mesure d'acquisition de l'ensemble de ses intrants résiduels, la personne peut choisir d'employer ces méthodes de cette manière pour ce premier exercice pour déterminer, pour l'application de la présente partie, la mesure d'utilisation et la mesure d'acquisition de l'ensemble de ses intrants résiduels.

janvier 2007, Notes explicatives: Le nouveau paragraphe 141.02(7) permet aux personnes qui sont des institutions admissibles, au sens du paragraphe 141.02(1), de faire un choix transitoire pour leur premier exercice commençant après mars 2007. Par suite de ce choix, ces personnes peuvent employer une méthode d'attribution déjà vérifiée pour déterminer les crédits de taxe sur les intrants relatifs à leurs intrants résiduels, au sens du paragraphe 141.02(1), pour l'exercice en cause. Ce choix ne peut être fait relativement aux exercices postérieurs au premier exercice commençant après mars 2007.

Pour être admissible à ce choix, la personne doit remplir les critères suivants : elle doit être une institution admissible pour son premier exercice commençant après mars 2007; elle doit avoir fait l'objet d'une vérification au cours d'au moins un des quatre exercices précédant l'exercice en cause; et le ministre du Revenu national doit avoir accepté les méthodes d'attribution des crédits de taxe sur les intrants employées au cours d'un des exercices vérifiés (cette acceptation étant constatée par l'avis de cotisation, de cotisation postérieure ou de nouvelle cotisation visant l'exercice vérifié, lequel avis ne doit refléter rien d'inadéquat relativement aux méthodes employées par la personne pour déterminer les crédits de taxe sur les intrants relatifs à ses intrants résiduels). En outre, il doit s'agir de méthodes qui seraient justes et raisonnables si la personne les employait de la même manière pour déterminer la mesure d'utilisation et la mesure d'acquisition (au sens du paragraphe 141.02(1)) de ses intrants résiduels pour son premier exercice. Lorsque ces conditions sont réunies, la personne peut choisir d'employeur les méthodes d'attribution en cause pour déterminer la mesure d'utilisation et la mesure d'acquisition de ses intrants résiduels pour son premier exercice. En l'absence de ce choix, la personne doit déterminer la mesure d'utilisation et la mesure d'acquisition de ses intrants résiduels pour cet exercice conformément au nouveau paragraphe 141.02(8).

Pour être valide, le choix prévu au paragraphe 141.02(7) doit remplir les conditions énoncées au paragraphe 141.02(23). Une fois fait, il peut être révoqué pourvu que les exigences énoncées au paragraphe 141.02(24) soient remplies.

Concordance québécoise: aucune.

(8) Intrants résiduels — mesure prévue par règlement — Pour l'application de la présente partie, si une institution financière est une institution admissible pour son exercice et n'a pas fait pour l'exercice le choix prévu au paragraphe (7), les règles ci-après s'appliquent pour l'exercice relativement à chacun de ses intrants résiduels :

a) la mesure dans laquelle l'intrant résiduel est consommé ou utilisé dans le but d'effectuer des fournitures taxables pour une contrepartie est réputée être égale au pourcentage réglementaire applicable à la catégorie réglementaire dont l'institution fait partie;

b) la mesure dans laquelle l'intrant résiduel est consommé ou utilisé dans un autre but est réputée être égale à la différence entre

100 % et le pourcentage réglementaire applicable à la catégorie réglementaire dont l'institution fait partie;

c) la mesure dans laquelle l'institution acquiert ou importe l'intrant résiduel, ou le transfère dans une province participante, dans le but d'effectuer des fournitures taxables pour une contrepartie est réputée être égale au pourcentage réglementaire applicable à la catégorie réglementaire dont elle fait partie;

d) la mesure dans laquelle l'institution acquiert ou importe l'intrant résiduel, ou le transfère dans une province participante, dans un autre but est réputée être égale à la différence entre 100 % et le pourcentage réglementaire applicable à la catégorie réglementaire dont elle fait partie;

e) lorsqu'il s'agit de calculer un crédit de taxe sur les intrants relatif à l'intrant résiduel, la valeur de l'élément B de la formule figurant au paragraphe 169(1) est réputée correspondre au pourcentage réglementaire applicable à la catégorie réglementaire dont l'institution fait partie.

janvier 2007, Notes explicatives: Le nouveau paragraphe 141.02(8) prévoit des règles concernant les demandes de crédit de taxe sur les intrants visant les intrants résiduels. Il s'applique aux institutions financières qui sont des institutions admissibles, au sens du paragraphe 141.02(1), au cours d'un exercice. Lorsque le paragraphe 141.02(8) s'applique aux intrants résiduels d'une institution financière, la mesure dans laquelle chacun de ces intrants est utilisé dans le but d'effectuer des fournitures taxables pour une contrepartie est réputée correspondre au pourcentage réglementaire applicable à la catégorie réglementaire dont l'institution financière fait partie. À l'heure actuelle, les pourcentages réglementaires sont les suivants : 12 % dans le cas des banques; 10 % dans le cas des assureurs; et 15 % dans le cas des courtiers en valeurs mobilières. Par conséquent, le pourcentage de taxe qui peut être recouvré à titre de crédit de taxe sur les intrants, sous réserve d'autres restrictions prévues par la partie IX de la loi, sera réputé être égal au pourcentage réglementaire applicable à la catégorie réglementaire dont l'institution financière fait partie.

Le paragraphe 141.02(8) est une règle par défaut qui s'applique aux institutions financières qui sont des institutions admissibles au cours de l'exercice en cause, mais qui n'ont pas été autorisées par le ministre du Revenu national, selon le paragraphe 141.02(20), à employer les méthodes indiquées dans une demande présentée en conformité avec les paragraphes 141.02(18) et (19) relativement à leur exercice. Si ces conditions sont réunies, les règles énoncées aux alinéas a) à e) s'appliquent relativement à chaque intrant résiduel de l'institution admissible.

Selon l'alinéa 141.02(8)a), la mesure dans laquelle chacun des intrants résiduels de l'institution admissible est consommé ou utilisé dans le but d'effectuer des fournitures taxables pour une contrepartie est réputée être égale au pourcentage réglementaire applicable à la catégorie réglementaire dont l'institution fait partie.

Selon l'alinéa 141.02(8)b), la mesure dans laquelle chacun des intrants résiduels de l'institution admissible est consommé ou utilisé dans un but autre que celui d'effectuer des fournitures taxables pour une contrepartie est réputée être égale à la différence entre 100 % et le pourcentage réglementaire applicable à la catégorie réglementaire dont l'institution fait partie.

Selon l'alinéa 141.02(8)c), la mesure dans laquelle chacun des intrants résiduels de l'institution admissible est acquis, importé ou transféré dans une province participante par l'institution dans le but d'effectuer des fournitures taxables pour une contrepartie est réputée être égale au pourcentage réglementaire applicable à la catégorie réglementaire dont l'institution fait partie.

Selon l'alinéa 141.02(8)d), la mesure dans laquelle chacun des intrants résiduels de l'institution admissible est acquis, importé ou transféré dans une province participante par l'institution dans un but autre que celui d'effectuer des fournitures taxables pour une contrepartie est réputée être égale à la différence entre 100 % et le pourcentage réglementaire applicable à la catégorie réglementaire dont l'institution fait partie.

Enfin, l'alinéa 141.02(8)e) prévoit que la valeur de l'élément B de la formule figurant au paragraphe 169(1) est réputée correspondre au pourcentage réglementaire applicable à la catégorie réglementaire dont l'institution admissible fait partie. Ainsi, dans le cas où le paragraphe 141.02(8) s'applique aux intrants résiduels d'une banque, celle-ci pourrait être en mesure de recouvrer à titre de crédit de taxe sur les intrants une somme correspondant à 12 % de la taxe payable au cours de l'exercice, ou payée au cours de l'exercice sans être devenue payable, relativement à chaque intrant. L'utilisation du pourcentage réglementaire au paragraphe 169(1) continuera d'être assujettie aux autres restrictions applicables aux demandes de crédits de taxe sur les intrants selon la partie IX de la loi (notamment celles prévues à l'article 170 de la loi).

Concordance québécoise: aucune.

(9) Intrants résiduels — mesure faisant l'objet d'un choix — Pour l'application de la présente partie, la personne qui est une institution financière (mais non une institution admissible) d'une catégorie réglementaire tout au long de son exercice et dont le taux de crédit de taxe pour chacun des deux exercices précédant l'exercice en cause est égal ou supérieur au pourcentage réglementaire applicable à la catégorie réglementaire d'institutions financières dont elle fait partie pour cet exercice peut faire un choix afin que les règles ci-après s'appliquent pour ce même exercice relativement à chacun de ses intrants résiduels :

a) la mesure dans laquelle l'intrant résiduel est consommé ou utilisé dans le but d'effectuer des fournitures taxables pour une contrepartie est réputée être égale au pourcentage réglementaire applicable à la catégorie réglementaire;

b) la mesure dans laquelle l'intrant résiduel est consommé ou utilisé dans un autre but est réputée être égale à la différence entre 100 % et le pourcentage réglementaire applicable à la catégorie réglementaire;

c) la mesure dans laquelle la personne acquiert ou importe l'intrant résiduel, ou le transfère dans une province participante, dans le but d'effectuer des fournitures taxables pour une contrepartie est réputée être égale au pourcentage réglementaire applicable à la catégorie réglementaire;

d) la mesure dans laquelle la personne acquiert ou importe l'intrant résiduel, ou le transfère dans une province participante, dans un autre but est réputée être égale à la différence entre 100 % et le pourcentage réglementaire applicable à la catégorie réglementaire;

e) lorsqu'il s'agit de calculer un crédit de taxe sur les intrants relatif à l'intrant résiduel, la valeur de l'élément B de la formule figurant au paragraphe 169(1) est réputée correspondre au pourcentage réglementaire applicable à la catégorie réglementaire.

janvier 2007, Notes explicatives: Le nouveau paragraphe 141.02(9) permet aux personnes qui remplissent les conditions énoncées aux alinéas a) et c) de la définition d'« institution admissible » au paragraphe 141.02(1) pour leur exercice, mais non celle énoncée à l'alinéa b) de cette définition, de faire un choix. Il s'agit des personnes qui sont des institutions financières d'une catégorie réglementaire tout au long de l'exercice en cause et dont le taux de crédit de taxe pour les deux exercices précédant cet exercice est égal ou supérieur au pourcentage réglementaire applicable à la catégorie réglementaire d'institutions financières dont elles font partie pour l'exercice. Si leur montant de crédit de taxe pour chacun des deux exercices précédant l'exercice en cause est égal ou supérieur au montant réglementaire applicable à la catégorie réglementaire d'institutions financières dont elles font partie pour cet exercice, il ne leur est pas permis de faire le choix.

Lorsqu'une personne admissible fait le choix prévu au paragraphe 141.02(9) pour son exercice, la mesure dans laquelle chacun de ses intrants résiduels est consommé ou utilisé au cours de l'exercice est réputée être égale au pourcentage réglementaire applicable à la catégorie réglementaire d'institutions financières dont elle fait partie. À l'heure actuelle, le pourcentage réglementaire est fixé à 12 % dans le cas des banques, à 10 % dans le cas des assureurs et à 15 % dans le cas des courtiers en valeurs mobilières. Par conséquent, le pourcentage de taxe qui peut être recouvré à titre de crédit de taxe sur les intrants, sous réserve d'autres restrictions prévues par la partie IX de la loi, est réputé être égal au pourcentage réglementaire applicable à la catégorie réglementaire d'institutions financières dont la personne fait partie. Si une personne admissible fait le choix prévu au paragraphe 141.02(9) pour son exercice, les paragraphes 141.02(10), (11), (12) et (13) ne s'appliquent pas à elle pour l'exercice. En revanche, les règles énoncées aux alinéas a) à e) s'appliquent à chacun de ses intrants résiduels.

Selon l'alinéa 141.02(9)a), la mesure dans laquelle chacun des intrants résiduels d'une personne est consommé ou utilisé dans le but d'effectuer des fournitures taxables pour une contrepartie est réputée être égale au pourcentage réglementaire applicable à la catégorie réglementaire d'institutions financières dont la personne fait partie.

Selon l'alinéa 141.02(9)b), la mesure dans laquelle chacun des intrants résiduels d'une personne est consommé ou utilisé dans un but autre que celui-ci d'effectuer des fournitures taxables pour une contrepartie est réputée être égale à la différence entre 100 % et le pourcentage réglementaire applicable à la catégorie réglementaire d'institutions financières dont la personne fait partie.

Selon l'alinéa 141.02(9)c), la mesure dans laquelle chacun des intrants résiduels d'une personne est acquis, importé ou transféré dans une province participante par la personne dans le but d'effectuer des fournitures taxables pour une contrepartie est réputée être égale au pourcentage réglementaire applicable à la catégorie réglementaire d'institutions financières dont elle fait partie.

Selon l'alinéa 141.02(9)d), la mesure dans laquelle chacun des intrants résiduels d'une personne est acquis, importé ou transféré dans une province participante par la personne dans un but autre que celui-ci d'effectuer des fournitures taxables pour une contrepartie est réputée être égale à la différence entre 100 % et le pourcentage réglementaire applicable à la catégorie réglementaire d'institutions financières dont elle fait partie.

Enfin, l'alinéa 141.02(9)e) prévoit que la valeur de l'élément B de la formule figurant au paragraphe 169(1) est réputée correspondre au pourcentage réglementaire applicable à la catégorie réglementaire d'institutions financières dont la personne fait partie. Ainsi, dans le cas où le paragraphe 141.02(9) s'applique aux intrants résiduels d'une banque, celle-ci pourrait être en mesure de recouvrer à titre de crédit de taxe sur les intrants une somme correspondant à 12 % de la taxe payable au cours de l'exercice, ou payée au cours de l'exercice sans être devenue payable, relativement à chaque intrant. L'utilisation du pourcentage réglementaire au paragraphe 169(1) continuera d'être assujettie aux autres restrictions applicables aux demandes de crédit de taxe sur les intrants en vertu de la partie IX de la loi (notamment celles prévues à l'article 170).

Le choix prévu au paragraphe 141.02(9) doit remplir les critères énoncés au paragraphe 141.02(23) et peut être révoqué en conformité avec le paragraphe 141.02(24).

Le paragraphe 141.02(9) s'applique en vue du calcul de la taxe nette d'une personne pour ses périodes de déclaration comprises dans ses exercices commençant après mars 2007. Toutefois, lorsqu'il s'agit d'établir si le taux de crédit de taxe de la personne pour chacun des deux exercices précédant son premier exercice qui commence après mars 2007 est égal ou supérieur au pourcentage réglementaire applicable à la catégorie réglementaire d'institutions financières dont elle fait partie, le paragraphe 141.02(9) s'applique comme si le nouvel article 141.02 et le paragraphe 141.01(5), dans sa version modifiée, étaient entrés en vigueur le 1er avril 2005. Par conséquent, au cours de ses deux premiers exercices commençant après mars 2007, l'institution financière qui veut savoir si elle est admissible au choix prévu au paragraphe 141.02(9) doit calculer son taux de crédit de taxe pour les deux exercices précédents comme si les nouvelles règles s'étaient appliquées à elle pendant cette période.

Concordance québécoise: aucune.

(10) Intrants non attribuables — méthode déterminée — Pour l'application de la présente partie, l'institution financière (sauf une institution admissible) qui n'a pas fait le choix prévu au paragraphe (9) relativement à son exercice est tenue d'employer une méthode déterminée afin de déterminer pour l'exercice la mesure d'utilisation et la mesure d'acquisition de chacun de ses intrants non attribuables.

janvier 2007, Notes explicatives: Le nouveau paragraphe 141.02(10) a trait à la détermination de la mesure d'utilisation et de la mesure d'acquisition des intrants non attribuables de certaines institutions financières. Il s'applique aux institutions financières qui, relativement à leur exercice, ne sont pas des institutions admissibles et n'ont pas fait le choix prévu au paragraphe 141.02(9). Si le paragraphe 141.02(10) s'applique à une institution financière pour son exercice, celle-ci est tenue, sous réserve de l'exception prévue au paragraphe 141.02(11), d'employer une méthode déterminée (au sens du paragraphe 141.02(1)) qui répond aux critères énoncés au paragraphe 141.02(16) pour déterminer la mesure d'utilisation et la mesure d'acquisition de chacun de ses intrants non attribuables pour l'exercice. La mesure d'utilisation et la mesure d'acquisition servent à déterminer la mesure dans laquelle l'intrant non attribuable est utilisé ou consommé dans le but d'effectuer des fournitures taxables pour une contrepartie, et cette dernière mesure, sous réserve des rajustements ou restrictions prévus par la partie IX de la loi, sert à déterminer le montant de tout crédit de taxe sur les intrants auquel l'institution financière a droit en vertu du paragraphe 169(1) au titre de l'intrant.

Concordance québécoise: aucune.

(11) Intrants non attribuables — exception — Pour l'application de la présente partie, malgré le paragraphe (10), l'institution financière (sauf une institution admissible) qui n'a pas fait le choix prévu au paragraphe (9) relativement à son exercice et dont l'un des intrants non attribuables ne se prête à aucune méthode déterminée au cours de l'exercice est tenue d'employer une autre méthode d'attribution afin de déterminer pour l'exercice la mesure d'utilisation et la mesure d'acquisition de l'intrant.

janvier 2007, Notes explicatives: Le nouveau paragraphe 141.02(11) s'applique dans le cas où une institution financière est tenue, par le paragraphe 141.02(10), d'employer une méthode déterminée pour déterminer la mesure d'utilisation et la mesure d'acquisition d'un intrant non attribuable pour son exercice, mais ne peut le faire parce qu'aucune méthode déterminée ne s'applique à l'intrant. Cela se produira lorsque le ministre du Revenu national n'a pas établi de critères ou de règles à l'égard du type d'intrant en cause. Dans ce cas, l'institution financière est tenue d'employer une autre méthode pour déterminer la mesure d'utilisation et la mesure d'acquisition de l'intrant. La mesure d'utilisation et la mesure d'acquisition servent à déterminer la mesure dans laquelle l'intrant non attribuable est utilisé ou consommé dans le but d'effectuer des fournitures taxables pour une contrepartie, et cette dernière mesure, sous réserve des rajustements ou restrictions prévus par la partie IX de la loi, sert à déterminer le montant de tout crédit de taxe sur les intrants auquel l'institution financière a droit en vertu du paragraphe 169(1) au titre de l'intrant. Il est à noter que la méthode que l'institution financière choisit d'employer pour l'application du paragraphe 141.02(11) doit être conforme aux critères énoncés au paragraphe 141.02(16).

Concordance québécoise: aucune.

(12) Intrants directs — méthode d'attribution directe — Pour l'application de la présente partie, l'institution financière (sauf une institution admissible) qui n'a pas fait le choix prévu au paragraphe (9) relativement à son exercice est tenue d'employer une méthode d'attribution directe afin de déterminer pour l'exercice la mesure d'utilisation et la mesure d'acquisition de chacun de ses intrants directs.

janvier 2007, Notes explicatives: Le nouveau paragraphe 141.02(12) a trait à la détermination de la mesure d'utilisation et de la mesure d'acquisition des intrants directs de certaines institutions financières. Il s'applique aux institutions financières qui, relativement à leur exercice, ne sont pas des institutions admissibles et n'ont pas fait le choix prévu au paragraphe 141.02(9). Si le paragraphe 141.02(12) s'applique à une institution financière pour son exercice, celle-ci est tenue, sous réserve de l'exception prévue au paragraphe 141.02(13), d'employer une méthode d'attribution directe (au sens du paragraphe 141.02(1)) qui répond aux critères énoncés au paragraphe 141.02(16) pour déterminer la mesure d'utilisation et la mesure d'acquisition de chacun de ses intrants directs pour l'exercice. La mesure d'utilisation et la mesure d'acquisition servent à déterminer la mesure dans laquelle l'intrant direct est utilisé ou consommé dans le but d'effectuer des fournitures taxables pour une contrepartie, et cette dernière mesure, sous réserve des rajustements ou restrictions prévus par la partie IX de la loi, sert à déterminer le montant de tout crédit de taxe sur les intrants auquel l'institution financière a droit en vertu du paragraphe 169(1) au titre de l'intrant.

Concordance québécoise: aucune.

(13) Intrants directs — exception — Pour l'application de la présente partie, malgré le paragraphe (12), l'institution financière (sauf une institution admissible) qui n'a pas fait le choix prévu au paragraphe (9) relativement à son exercice et dont l'un des intrants directs ne se prête à aucune méthode d'attribution directe au cours de l'exercice est tenue d'employer une autre méthode d'attribution afin de déterminer de la manière la plus directe pour l'exercice la mesure d'utilisation et la mesure d'acquisition de l'intrant.

janvier 2007, Notes explicatives: Le nouveau paragraphe 141.02(13) s'applique dans le cas où une institution financière est tenue, par le paragraphe 141.02(12), d'employer une méthode d'attribution directe pour déterminer la mesure d'utilisation et la mesure d'acquisition d'un intrant direct, mais ne peut le faire parce qu'aucune méthode d'attribution directe ne s'applique à l'intrant. Cela se produira lorsque le ministre du Revenu national n'a pas établi de critères ou de règles à l'égard du type d'intrant en cause. Dans ce cas, l'institution financière est tenue d'employer une autre méthode pour déterminer la mesure d'utilisation et la mesure d'acquisition de l'intrant. La mesure d'utilisation et la mesure d'acquisition servent à déterminer la mesure dans laquelle l'intrant direct est utilisé ou consommé dans le but d'effectuer des fournitures taxables pour une contrepartie, et cette dernière mesure, sous réserve des rajustements ou restrictions prévus par la partie IX de la loi, sert à déterminer le montant de tout crédit de taxe sur les intrants auquel l'institution financière a droit en vertu du paragraphe 169(1) au titre de l'intrant. Il est à noter que la méthode que l'institution financière choisit d'employer pour l'application du paragraphe 141.02(13) doit être conforme aux critères énoncés au paragraphe 141.02(16).

Concordance québécoise: aucune.

(14) Intrants exclus — méthode déterminée — Pour l'application de la présente partie, toute institution financière est tenue d'employer une méthode déterminée afin de déterminer pour son exercice la mesure d'utilisation et la mesure d'acquisition de chacun de ses intrants exclus.

janvier 2007, Notes explicatives: Le nouveau paragraphe 141.02(14) a trait à la détermination de la mesure d'utilisation et de la mesure d'acquisition des intrants exclus d'institutions financières, lesquels comprennent les immobilisations des institutions selon la définition figurant au paragraphe 141.02(1). Le paragraphe 141.02(14) prévoit que l'institution financière est tenue, sous réserve de l'exception prévue au paragraphe 141.02(15), d'employer une méthode déterminée, au sens du paragraphe 141.02(1), qui répond aux critères énoncés au paragraphe 141.02(16) pour déterminer la mesure d'utilisation et la mesure d'acquisition de chacun de ses intrants exclus. La mesure d'utilisation et la mesure d'acquisition servent à déterminer la mesure dans laquelle l'intrant exclu est utilisé ou consommé dans le but d'effectuer des fournitures taxables pour une contrepartie, et cette dernière mesure, sous réserve des rajustements ou restrictions prévus par la partie IX de la loi, sert à déterminer le montant de tout crédit de taxe sur les intrants auquel l'institution financière a droit en vertu du paragraphe 169(1) au titre de l'intrant.

Le paragraphe 141.02(14) ne s'applique pas aux intrants exclus d'une institution admissible pour tout exercice à l'égard duquel le paragraphe 141.02(21) s'applique à l'institution.

Concordance québécoise: aucune.

(15) Intrants exclus — exception — Pour l'application de la présente partie, malgré le paragraphe (14), l'institution financière dont l'un des intrants exclus ne se prête à aucune méthode déterminée au cours d'un exercice de l'institution est tenue d'employer une autre méthode d'attribution afin de déterminer pour l'exercice la mesure d'utilisation et la mesure d'acquisition de l'intrant.

janvier 2007, Notes explicatives: Le nouveau paragraphe 141.02(15) s'applique dans le cas où une institution financière est tenue, par le paragraphe 141.02(14), d'employer une méthode déterminée pour déterminer la mesure d'utilisation et la mesure d'acquisition d'un intrant exclu, mais ne peut le faire parce qu'aucune méthode déterminée ne s'applique à l'intrant. Cela se produit lorsque le ministre du Revenu national n'a pas établi de critères ou de règles à l'égard du type d'intrant en cause. Dans ce cas, l'institution financière est tenue d'employer une autre méthode pour déterminer la mesure d'utilisation et la mesure d'acquisition de l'intrant. La mesure d'utilisation et la mesure d'acquisition servent à déterminer la mesure dans laquelle l'intrant exclu est utilisé ou consommé dans le but d'effectuer des fournitures taxables pour une contrepartie, et cette dernière mesure, sous réserve des rajustements ou restrictions prévus par la partie IX de la loi, sert à déterminer le montant de tout crédit de taxe sur les intrants auquel l'institution financière a droit en vertu du paragraphe 169(1) au titre de l'intrant. Il est à noter que la méthode que l'institution financière choisit d'employer pour l'application du paragraphe 141.02(15) doit être conforme aux conditions énoncées au paragraphe 141.02(16).

Le paragraphe 141.02(15) ne s'applique pas aux intrants exclus d'une institution admissible pour tout exercice à l'égard duquel le paragraphe 141.02(21) s'applique à l'institution.

Concordance québécoise: aucune.

(16) Méthode d'attribution — conditions — La méthode qu'une institution financière est tenue d'employer selon les paragraphes (10) à (15) relativement à son exercice doit être, à la fois :

a) juste et raisonnable;

b) suivie par l'institution financière tout au long de l'exercice;

c) sous réserve du paragraphe (17), établie par l'institution financière au plus tard à la date limite où elle est tenue de présenter au ministre, aux termes de la section V, une déclaration visant la première période de déclaration comprise dans l'exercice.

janvier 2007, Notes explicatives: Le nouveau paragraphe 141.02(16) prévoit les conditions applicables à toute méthode employée par une institution financière conformément aux paragraphes 141.02(10), (11), (12), (13), (14) ou (15).

Les alinéas 141.02(16)a) et b) prévoient respectivement que la méthode doit être juste et raisonnable et qu'elle doit être suivie de façon constante tout au long de l'exercice de l'institution financière (en d'autres termes, l'institution financière ne peut changer de méthode en cours d'exercice). Ces conditions sont les mêmes que celles, prévues au paragraphe 141.01(5), qui s'appliquent aux méthodes d'attribution des crédits de taxe sur les intrants en général.

Selon l'alinéa 141.02(16)c), la méthode employée pour l'application des paragraphes 141.02(10), (11), (12), (13), (14) ou (15) pour un exercice doit être établie par l'institution financière au plus tard à la date limite où celle-ci est tenue de produire sa déclaration visant la première période de déclaration comprise dans l'exercice. Par exemple, l'institution financière qui produit une déclaration annuelle et dont l'exercice correspond à l'année civile sera tenue d'établir la méthode à employer pour l'exercice allant du 1er janvier au 31 décembre 2008 au plus tard le 31 mars 2009, date à laquelle elle doit produire sa déclaration pour cet exercice. Si elle produit une déclaration mensuelle, elle sera tenue d'établir la méthode à employer pour l'exercice en cause au plus tard le 29 février 2008, date limite où elle doit produire la déclaration pour sa première période de déclaration de l'exercice.

Concordance québécoise: aucune.

(17) Modification ou remplacement de méthode — Sauf sur consentement écrit du ministre, toute méthode employée par une institution financière selon les paragraphes (10) à (15) relativement à son exercice ne peut être modifiée ni remplacée par une autre méthode pour l'exercice après la date limite où l'institution est tenue de présenter au ministre, aux termes de la section V, une déclaration visant la première période de déclaration comprise dans l'exercice.

janvier 2007, Notes explicatives: Selon le nouveau paragraphe 141.02(17), la méthode d'attribution employée par une institution financière pour l'application des paragraphes 141.02(10), (11), (12), (13), (14) ou (15) relativement à un exercice ne peut être modifiée ni remplacée par une autre méthode pour l'exercice, après la date limite où l'institution financière est tenue de produire une déclaration visant la première période de déclaration comprise dans l'exercice, sans le consentement écrit du ministre du Revenu national. Cette règle est conforme à l'intention de la politique que traduit le paragraphe 141.01(5) et à la pratique selon laquelle la méthode qu'une personne a employée au cours d'un exercice pour l'application de ce paragraphe ne peut être modifiée, ni subséquemment ni rétroactivement, relativement à l'exercice sans le consentement du ministre.

Concordance québécoise: aucune.

(18) Demande d'approbation de méthode — La personne qui est une institution admissible pour un exercice, ou dont il est raisonnable de s'attendre à ce qu'elle le soit, peut demander au ministre l'autorisation d'employer des méthodes particulières afin de déterminer pour l'exercice la mesure d'utilisation et la mesure d'acquisition de chacun de ses intrants d'entreprise.

janvier 2007, Notes explicatives: Le nouveau paragraphe 141.02(18) permet à la personne qui est une institution admissible, au sens du paragraphe 141.02(1), pour un exercice de demander au ministre du Revenu national l'autorisation d'employer des méthodes particulières pour déterminer, relativement à l'exercice, la mesure d'utilisation et la mesure d'acquisition, au sens du paragraphe 141.02(1), de ses biens et services.

La demande peut viser plusieurs exercices. Toutefois, l'approbation de la demande par le ministre selon le paragraphe 141.02(20) n'autorise pas la personne à employer une méthode pré-approuvée pour un exercice au cours duquel elle ne remplit pas toutes les exigences énoncées à la définition de « institution admissible ».

Concordance québécoise: aucune.

Formulaires: FP-4522, *Choix ou révocation d'un choix pour une institution admissible d'employer les méthodes particulières indiquées dans une demande en vertu du paragraphe 141.02(18)*.

(19) Forme et modalités de la demande — La demande d'une personne doit, à la fois :

a) être établie en la forme déterminée par le ministre et contenir les renseignements qu'il détermine, notamment un exposé de la méthode particulière qui sera employée à l'égard de chaque intrant direct, intrant exclu, intrant exclusif et intrant non attribuable de la personne;

b) être présentée au ministre, selon les modalités qu'il détermine, au plus tard :

(i) le cent quatre-vingtième jour précédant le début de l'exercice qu'elle vise,

(ii) à toute date postérieure que le ministre peut fixer sur demande de la personne.

janvier 2007, Notes explicatives: Le nouveau paragraphe 141.02(19) prévoit les exigences à remplir pour présenter une demande valide en vertu du paragraphe 141.02(18).

Selon l'alinéa 141.02(19)a), la demande doit être faite en la forme déterminée par le ministre du Revenu national et contenir les renseignements requis.

Selon l'alinéa 141.02(19)b), la demande doit préciser la méthode que l'on propose d'employer relativement à chaque intrant — bien ou service — de la personne. En effet, les méthodes proposées dans la demande doivent viser tous les biens et services de la personne pour l'exercice en cause. Au besoin, la personne peut demander l'autorisation d'employer des méthodes différentes selon la catégorie d'intrants.

Selon l'alinéa 141.02(19)c), la demande doit être présentée au ministre, selon les modalités qu'il détermine, au plus tard le 180e jour précédant le début de l'exercice auquel elle s'applique. Toutefois, le sous-alinéa 141.02(19)c)(ii) permet au ministre d'accepter les demandes présentées après l'expiration de ce délai.

Concordance québécoise: aucune.

(20) Autorisation — Sur réception de la demande visée au paragraphe (18), le ministre :

a) examine la demande et autorise ou refuse l'emploi des méthodes particulières;

b) avise la personne de sa décision par écrit au plus tard :

(i) au dernier en date des jours suivants :

(A) le cent quatre-vingtième jour suivant la réception de la demande,

(B) le cent quatre-vingtième jour précédant le début de l'exercice visé par la demande,

(ii) à toute date postérieure que le ministre peut préciser, si elle figure dans une demande écrite que la personne lui présente.

janvier 2007, Notes explicatives: Le nouveau paragraphe 141.02(20) prévoit les pouvoirs et les obligations du ministre du Revenu national en ce qui concerne la demande qu'une personne en application du paragraphe 141.02(18). Le ministre doit en effet examiner la demande et, dans les 180 jours suivant sa réception, autoriser ou refuser l'emploi des méthodes qui y sont indiquées. Il est également tenu d'aviser la personne de sa décision, par courrier recommandé ou certifié, dans les 180 jours suivant la réception de la demande.

Concordance québécoise: aucune.

(21) Effet de l'autorisation — Pour l'application de la présente partie, si le ministre autorise l'emploi de méthodes particulières relativement à l'exercice d'une personne, les règles suivantes s'appliquent :

a) les méthodes particulières doivent être suivies par la personne tout au long de l'exercice et selon ce qui est indiqué dans la demande afin de déterminer la mesure d'utilisation et la mesure d'acquisition de chacun des intrants d'entreprise de la personne;

b) les paragraphes (6) à (15) et (27) ne s'appliquent pas pour l'exercice relativement aux intrants d'entreprise de la personne.

janvier 2007, Notes explicatives: Le nouveau paragraphe 141.02(21) prévoit certaines règles et conditions qui s'appliquent dans le cas où le ministre du Revenu national a autorisé l'emploi de méthodes indiquées dans la demande visée au paragraphe 141.02(18). En effet, l'autorisation doit viser un exercice donné de la personne et celle-ci doit être une institution admissible pour cet exercice. Il est à noter que si le ministre a autorisé l'emploi de méthodes relativement à plusieurs exercices, les conditions doivent être réunies par chacun de ceux-ci.

L'alinéa 141.02(21)a) prévoit que, dans le cas où ces conditions sont réunies, les méthodes indiquées dans la demande qui permettent de déterminer la mesure d'utilisation et la mesure d'acquisition des biens et services de la personne doivent être suivies par celle-ci de façon constante tout au long de l'exercice et de la manière précisée dans la demande. La mesure d'utilisation et la mesure d'acquisition servent à déterminer la mesure dans laquelle l'intrant est utilisé ou consommé dans le but d'effectuer des fournitures taxables pour une contrepartie, et cette dernière mesure, sous réserve des rajustements ou restrictions prévus par la partie IX de la loi, sert à déterminer le montant de tout crédit de taxe sur les intrants auquel la personne a droit en vertu du paragraphe 169(1) au titre de l'intrant.

L'alinéa 141.02(21)b) prévoit que, lorsque les conditions énoncées ci-dessus sont réunies, les paragraphes 141.02(6), (8), (14) et (15) ne s'appliquent pas relativement aux biens et services de la personne pour l'exercice en cause.

Concordance québécoise: aucune.

(22) Raisons du refus — Si le ministre refuse l'emploi de méthodes particulières exposées dans une demande faite selon le paragraphe (18) et que la personne, lors de sa demande, s'est conformée aux exigences énoncées au paragraphe (19) et a livré au ministre tous les renseignements demandés dans un délai raisonnable fixé dans l'avis écrit demandant les renseignements, le ministre avise la personne par écrit des raisons du refus au plus tard au dernier en date des jours suivants :

a) le soixantième jour suivant le jour où la personne a livré au ministre, la dernière fois, tout renseignement demandé;

b) le jour où la personne doit au plus tard être avisée de la décision du ministre selon le paragraphe (20).

janvier 2007, Notes explicatives: Le nouveau paragraphe 141.02(22) prévoit la révocation de l'autorisation accordée à une personne en vertu du paragraphe 141.02(20) relativement à son exercice. Il s'applique dans le cas où la personne a demandé en application du paragraphe 141.02(18) — et obtenu du ministre du Revenu national — l'autorisation d'employer des méthodes au cours de son exercice, mais que, avant le début de l'exercice en cause, le ministre ou la personne souhaite révoquer l'autorisation et ainsi mettre fin à son effet exposé au paragraphe 141.02(21). Le ministre peut révoquer l'autorisation en envoyant un avis de révocation à la personne au plus tard le 60e jour précédant le début de l'exercice. Pour sa part, la personne peut la révoquer en présentant au ministre un avis de révocation en la forme déterminée par celui-ci et contenant les renseignements requis. Le ministre doit recevoir cet avis au plus tard le 60e jour précédant le début de l'exercice. Une fois révoquée, l'autorisation accordée selon le paragraphe 141.02(20) cesse d'avoir effet le premier jour de l'exercice, et les paragraphes 141.02(6), (8), (14) et (15) s'appliquent aux biens et services de la personne pour cet exercice.

Concordance québécoise: aucune.

(23) Révocation — L'autorisation accordée à une personne en vertu du paragraphe (20) relativement à son exercice cesse d'avoir effet au début de l'exercice et est réputée, pour l'application de la présente partie, ne jamais avoir été accordée si, selon le cas :

a) le ministre la révoque et envoie un avis de révocation à la personne au plus tard le soixantième jour précédant le début de l'exercice;

b) la personne présente au ministre, selon les modalités déterminées par lui, un avis de révocation, établi en la forme et contenant les renseignements déterminés par lui, au plus tard le soixantième jour précédant le début de l'exercice;

c) la personne n'est pas une institution admissible pour l'exercice.

janvier 2007, Notes explicatives: Le nouveau paragraphe 141.02(23) prévoit les modalités applicables aux choix prévus aux paragraphes 141.02(7) et (9).

Selon l'alinéa 141.02(23)a), le choix doit être fait en la forme déterminée par le ministre du Revenu national et contenir les renseignements requis.

Selon l'alinéa 141.02(23)b), il doit être présenté au ministre, selon les modalités qu'il détermine, au plus tard à la date limite où une déclaration aux termes de la section V de la partie IX de la loi doit être produite pour la première période de déclaration comprise dans l'exercice qu'il vise, à moins que le ministre permette qu'il soit produit après l'expiration de ce délai. Par exemple, la banque qui produit une déclaration annuelle, qui peut faire le choix prévu au paragraphe 141.02(9) et dont l'exercice commence le 1er novembre sera tenue de faire le choix pour l'exercice allant du 1er novembre 2008 au 31 octobre 2009 au plus tard le 31 janvier 2010, date limite où elle doit produire sa déclaration pour cet exercice. Si elle produit une déclaration mensuelle, elle sera tenue de faire le choix pour l'exercice en cause au plus tard le 31 décembre 2008, date limite où elle doit produire sa déclaration pour la première période de déclaration de l'exercice. Il est à noter que le sous-alinéa 141.02(23)b)(ii) permet au ministre d'accepter, à la demande de la personne, les choix présentés après l'expiration de ce délai.

Concordance québécoise: aucune.

(24) Demande de désignation à titre d'institution admissible — Une personne peut demander au ministre, dans un document établi en la forme et contenant les renseignements déterminés par lui, d'être désignée à titre d'institution admissible pour son exercice si les conditions suivantes sont réunies :

a) la personne est une institution financière d'une catégorie réglementaire tout au long de l'exercice, ou il est raisonnable de s'attendre à ce qu'elle le soit;

b) l'un des faits suivants s'avère :

(i) la personne a deux exercices qui précèdent l'exercice en cause et, pour chacun de ces deux exercices, son montant de crédit de taxe rajusté est égal ou supérieur au montant réglementaire applicable à cette catégorie pour l'exercice en cause, ou il est raisonnable de s'attendre à ce qu'il le soit,

(ii) l'autorisation accordée en vertu du paragraphe (20) pour l'exercice en cause a cessé d'avoir effet en raison seulement de l'application de l'alinéa (23)c).

janvier 2007, Notes explicatives: Le nouveau paragraphe 141.02(24) permet à une personne de révoquer un choix valide fait en vertu de l'un ou l'autre des paragraphes 141.02(7) et (9). Pour être valide, la révocation doit être faite en la forme déterminée par le ministre du Revenu national et contenir les renseignements requis. Elle doit aussi être présentée au ministre, selon les modalités qu'il détermine, au plus tard à la date limite où une déclaration aux termes de la section V de la partie IX de la loi doit être produite pour la première période de déclaration comprise dans l'exercice qu'elle vise. Par exemple, l'assureur qui produit une déclaration annuelle, dont l'exercice correspond à l'année civile et qui souhaite révoquer le choix qu'il a fait selon le paragraphe 141.02(9) sera tenu de présenter l'avis de révocation pour l'exercice allant du 1er janvier au 31 décembre 2009 au plus tard le 31 mars 2010, date limite où il doit produire sa déclaration pour cet exercice. S'il produit une déclaration mensuelle, il sera tenu de présenter l'avis de révocation pour l'exercice en cause au plus tard le 28 février 2009, date limite où il doit produire sa déclaration pour la première période de déclaration de l'exercice.

Concordance québécoise: aucune.

(25) Effet de l'approbation — Sur réception de la demande, le ministre, avec diligence, examine la demande et avise la personne par écrit de sa décision. Si le ministre accède à la demande, la personne est réputée pour l'application du paragraphe (18) et de l'alinéa (23)c) être une institution admissible pour l'exercice visé par la demande.

janvier 2007, Notes explicatives: Le paragraphe 141.02(25) contient des règles sur le fardeau de la preuve relatif à l'appel d'une cotisation établie en vertu de la partie IX de la loi pour une période de déclaration comprise dans l'exercice d'une institution financière. Ces règles s'appliquent dans le cas où l'appel porte sur une question liée à la détermination, selon les paragraphes 141.02(10), (11), (12), (13), (14) ou (15), de la mesure d'utilisation ou de la mesure d'acquisition d'un intrant non attribuable, d'un intrant direct ou d'un intrant exclu de l'institution financière. Selon le paragraphe 141.02(25), l'institution financière qui n'établit pas, selon la prépondérance des probabilités, qu'elle satisfait aux exigences énoncées à ce paragraphe ne peut avoir gain de cause dans un tel appel.

Selon l'alinéa 141.02(25)a), l'institution financière est tenue d'établir, selon la prépondérance des probabilités, qu'elle a employé une méthode déterminée de façon constante tout au long de l'exercice pour déterminer la mesure d'utilisation ou la mesure d'acquisition (d'un intrant non attribuable ou d'un intrant exclu) qui fait l'objet de l'appel.

L'alinéa 141.02(25)b) s'applique dans le cas où l'institution financière a employé, comme le lui permet les paragraphes 141.02(11) ou (15), sa propre méthode, au lieu d'une méthode déterminée, pour déterminer la mesure d'utilisation ou la mesure d'acquisition (d'un intrant non attribuable ou d'un intrant exclu) qui fait l'objet de l'appel. Cet alinéa prévoit que l'institution financière doit établir, selon la prépondérance des probabilités, qu'elle s'est efforcée d'employer une méthode déterminée, mais qu'aucune ne s'appliquait dans les circonstances. Elle doit aussi établir que la méthode qu'elle a employée pour déterminer la mesure était juste et raisonnable et a été suivie par elle de façon constante tout au long de l'exercice.

Selon l'alinéa 141.02(25)c), l'institution financière est tenue d'établir, selon la prépondérance des probabilités, qu'elle a employé une méthode d'attribution directe de façon constante tout au long de l'exercice pour déterminer la mesure d'utilisation ou la mesure d'acquisition (d'un intrant direct) qui fait l'objet de l'appel.

L'alinéa 141.02(25)d) s'applique dans le cas où l'institution financière a employé, comme le lui permet le paragraphe 141.02(13), sa propre méthode, au lieu d'une méthode d'attribution directe, pour déterminer la mesure d'utilisation ou la mesure d'acquisition (d'un intrant direct) qui fait l'objet de l'appel. Cet alinéa prévoit que l'institution financière doit établir, selon la prépondérance des probabilités, qu'elle s'est efforcée d'employer une méthode d'attribution directe, mais qu'aucune ne s'appliquait dans les circonstances. Elle doit également établir que l'autre méthode d'attribution qu'elle a employée pour déterminer la mesure était juste et raisonnable et a été suivie par elle de façon constante tout au long de l'exercice.

Concordance québécoise: aucune.

Formulaires: FP-4521, *Demande pour une institution financière d'une catégorie réglementaire d'être désignée à titre d'institution admissible ou révocation d'une désignation précédemment accordée.*

(26) Révocation de la désignation — La désignation d'une personne à titre d'institution admissible pour son exercice cesse d'être en vigueur au début de l'exercice et est réputée, pour l'application de la présente partie, ne jamais avoir été accordée si, au plus tard le soixantième jour précédant le début de l'exercice :

a) le ministre la révoque et envoie un avis de révocation à la personne;

b) la personne présente au ministre, selon les modalités déterminées par lui, un avis de révocation établi en la forme et contenant les renseignements déterminés par lui.

janvier 2007, Notes explicatives: Le nouveau paragraphe 141.02(26) confère au ministre du Revenu national le pouvoir d'ordonner à une institution financière d'employer une autre méthode que celle qu'elle a choisie d'employer. Ce paragraphe s'applique dans le cas où l'institution financière a employé, pour un exercice, une méthode donnée pour l'application des paragraphes 141.02(10), (11), (12), (13), (14) ou (15), mais que le ministre établit qu'elle devrait plutôt employer une autre méthode pour l'application du paragraphe en cause. Le ministre peut en effet ordonner à une institution financière de remplacer la méthode qu'elle emploie par une autre méthode choisie par le ministre s'il décide que la méthode de l'institution n'est pas celle qui convient le mieux dans les circonstances. Il peut ordonner que l'institution financière emploie la méthode de remplacement tout au long de l'exercice en cause ou de tout exercice subséquent. Cette méthode doit toutefois être juste et raisonnable dans les circonstances.

Concordance québécoise: aucune.

(27) Méthodes propres à l'institution admissible — Malgré les paragraphes (6), (8), (14) et (15), une institution admissible pour un exercice peut choisir d'employer pour l'exercice des méthodes particulières afin de déterminer, pour l'application de la présente partie, la mesure d'utilisation et la mesure d'acquisition de chacun de ses intrants d'entreprise si les conditions suivantes sont réunies :

a) les méthodes particulières sont exposées dans une demande, présentée par l'institution pour l'exercice selon le paragraphe (18), qui, à la fois :

(i) est conforme aux exigences énoncées au paragraphe (19),

(ii) est la dernière demande semblable présentée par l'institution admissible pour l'exercice;

b) l'emploi des méthodes particulières n'a pas été autorisé par le ministre aux termes de l'alinéa (20)a);

c) l'institution a livré tous les renseignements demandés dans le délai fixé dans l'avis écrit demandant les renseignements;

d) le ministre ne s'est pas conformé aux exigences d'avis énoncées à l'alinéa (20)b) et au paragraphe (22) relativement à la demande;

e) si le ministre a fait part, par écrit, de modifications aux méthodes particulières au plus tard au dernier en date des jours mentionnés au paragraphe (22), les méthodes particulières ainsi modifiées ne sont pas justes et raisonnables lorsqu'il s'agit de déterminer la mesure d'utilisation et la mesure d'acquisition des intrants d'entreprise de l'institution pour l'exercice.

janvier 2007, Notes explicatives: Le nouveau paragraphe 141.02(27) prévoit une exception au paragraphe 141.02(25). En effet, si le ministre du Revenu national donne l'ordre prévu au paragraphe 141.02(26) relativement à un intrant non attribuable, un intrant direct ou un intrant exclu et que cet ordre est en vigueur pour une période de déclaration comprise dans un exercice de l'institution financière, le paragraphe 141.02(25) ne s'applique pas à l'appel d'une cotisation, établie pour cette période de déclaration, concernant une question liée à la détermination, selon les paragraphes 141.02(10), (11), (12), (13), (14) ou (15), de la mesure d'utilisation ou de la mesure d'acquisition de l'intrant en cause. Par conséquent, lorsque la détermination de la mesure d'utilisation ou de la mesure d'acquisition d'un intrant non attribuable, d'un intrant direct ou d'un intrant exclu fait l'objet d'un ordre du ministre, l'institution financière n'a pas à prouver qu'elle a employé une méthode déterminée ou une méthode d'attribution directe pour déterminer le mesure en cause, ni à établir qu'elle s'est efforcée d'employer une telle méthode ou que la méthode qu'elle a employée était juste et raisonnable. En effet, dans le cas d'une méthode à employer sur l'ordre du ministre, le fardeau de la preuve repose sur le ministre et consiste à établir que la méthode est juste et raisonnable dans les circonstances, non pas que la méthode de l'institution financière est injuste ou déraisonnable.

Concordance québécoise: aucune.

Formulaires: FP-4522, *Choix ou révocation d'un choix pour une institution admissible d'employer les méthodes particulières indiquées dans une demande en vertu du paragraphe 141.02(18)* .

(28) Méthode choisie — conditions — Si une institution admissible fait le choix prévu au paragraphe (27), les méthodes particulières doivent être, à la fois :

a) justes et raisonnables lorsqu'il s'agit de déterminer la mesure d'utilisation et la mesure d'acquisition des intrants d'entreprise de l'institution pour l'exercice;

b) suivies par l'institution tout au long de l'exercice et selon ce qui est indiqué dans la demande visée à l'alinéa (27)a).

Concordance québécoise: aucune.

(29) Modalités — Le choix prévu aux paragraphes (7), (9) ou (27) relativement à l'exercice d'une personne doit, à la fois :

a) être établi en la forme et contenir les renseignements déterminés par le ministre;

b) être présenté au ministre, selon les modalités qu'il détermine, au plus tard à celle des dates suivantes qui est applicable :

(i) la date limite où une déclaration doit être produite aux termes de la section V pour la première période de déclaration comprise dans l'exercice,

(ii) toute date postérieure que le ministre peut fixer sur demande de la personne.

Concordance québécoise: aucune.

(30) Révocation du choix — Le choix prévu aux paragraphes (7), (9) ou (27) relativement à l'exercice d'une personne cesse d'être en vigueur au début de l'exercice et est réputé, pour l'application de la présente partie, ne jamais avoir été fait si, selon le cas :

a) un avis de révocation du choix, contenant les renseignements déterminés par le ministre, est présenté à celui-ci, en la forme et selon les modalités qu'il détermine, au plus tard à la date limite où une déclaration doit être produite aux termes de la section V pour la première période de déclaration comprise dans l'exercice;

b) dans le cas du choix, prévu au paragraphe (7), d'employer des méthodes pour l'exercice afin de déterminer, pour l'application de la présente partie, la mesure d'utilisation et la mesure d'acquisition de l'ensemble des intrants résiduels de la personne :

(i) la personne n'est pas une institution admissible pour l'exercice,

(ii) les méthodes, selon le cas :

(A) ne sont pas justes et raisonnables lorsqu'il s'agit de déterminer la mesure d'utilisation et la mesure d'acquisition de ces intrants,

(B) ne sont pas suivies par l'institution financière tout au long de l'exercice;

c) dans le cas du choix prévu au paragraphe (9) :

(i) la personne n'est pas une institution financière d'une catégorie réglementaire tout au long de l'exercice,

(ii) le taux de crédit de taxe de la personne pour chacun des deux exercices précédant l'exercice en cause n'est pas égal ou supérieur au pourcentage réglementaire applicable à la catégorie réglementaire d'institutions financières dont la personne fait partie pour l'exercice;

d) dans le cas du choix prévu au paragraphe (27) :

(i) l'une des exigences énoncées à ce paragraphe n'est pas remplie,

(ii) les méthodes particulières visées à ce paragraphe, selon le cas :

(A) ne sont pas justes et raisonnables lorsqu'il s'agit de déterminer la mesure d'utilisation et la mesure d'acquisition des intrants d'entreprise de l'institution admissible pour l'exercice,

(B) ne sont pas suivies par l'institution admissible tout au long de l'exercice ou selon ce qui est indiqué dans la demande visée à l'alinéa (27)a).

Concordance québécoise: aucune.

(31) Fardeau de la preuve — L'institution financière qui fait appel d'une cotisation établie en vertu de la présente partie pour une période de déclaration comprise dans son exercice concernant une question liée à la détermination, selon l'un des paragraphes (7), (10) à (15), (21) et (27), de la mesure d'utilisation ou de la mesure d'acquisition d'un intrant d'entreprise est tenue d'établir selon la prépondérance des probabilités, lors de toute procédure judiciaire concernant la cotisation :

a) s'agissant de la détermination de la mesure d'utilisation ou de la mesure d'acquisition de l'intrant d'entreprise selon le paragraphe (7), que les méthodes qu'elle a employées pour déterminer la mesure d'utilisation et la mesure d'acquisition de l'ensemble de ses intrants résiduels pour l'exercice sont, à la fois :

(i) justes et raisonnables,

(ii) suivies par elle tout au long de l'exercice;

b) s'agissant de la détermination de la mesure d'utilisation ou de la mesure d'acquisition de l'intrant d'entreprise selon les paragraphes (10) ou (14), qu'elle a suivie une méthode déterminée tout au long de l'exercice afin de déterminer cette mesure;

c) s'agissant de la détermination de la mesure d'utilisation ou de la mesure d'acquisition de l'intrant d'entreprise selon les paragraphes (11) ou (15), qu'aucune méthode déterminée ne s'appliquait à l'intrant et que l'autre méthode d'attribution qu'elle a employée pour déterminer cette mesure était juste et raisonnable et a été suivie par elle tout au long de l'exercice;

d) s'agissant de la détermination de la mesure d'utilisation ou de la mesure d'acquisition de l'intrant d'entreprise selon le paragraphe (12), qu'elle a suivi une méthode d'attribution directe tout au long de l'exercice afin de déterminer cette mesure;

e) s'agissant de la détermination de la mesure d'utilisation ou de la mesure d'acquisition de l'intrant d'entreprise selon le paragraphe (13), qu'aucune méthode d'attribution directe ne s'appliquait à l'intrant et que l'autre méthode d'attribution qu'elle a employée pour déterminer cette mesure était juste et raisonnable et a été suivie par elle tout au long de l'exercice;

f) s'agissant de la détermination de la mesure d'utilisation ou de la mesure d'acquisition de l'intrant d'entreprise selon le paragraphe (21), que les méthodes particulières visées à ce paragraphe ont été suivies tout au long de l'exercice et selon ce qui est indiqué dans la demande visée à ce même paragraphe;

g) s'agissant de la détermination de la mesure d'utilisation ou de la mesure d'acquisition de l'intrant d'entreprise selon le paragraphe (27) :

(i) que les méthodes exposées par elle dans la demande visée à ce paragraphe sont, à la fois :

(A) justes et raisonnables,

(B) suivies par elle tout au long de l'exercice et selon ce qui est indiqué dans la demande visée à l'alinéa (27)a),

(ii) si le ministre a fait part de modifications à ces méthodes selon l'alinéa (27)e), que les méthodes modifiées ne sont pas justes et raisonnables lorsqu'il s'agit de déterminer la mesure d'utilisation et la mesure d'acquisition des intrants d'entreprise de l'institution pour l'exercice.

Concordance québécoise: aucune.

(32) Ordre du ministre — Si une institution financière est tenue d'employer une méthode conformément à l'un des paragraphes (10) à (15) relativement à son exercice, le ministre peut lui ordonner à tout moment, par avis écrit, d'employer, lorsqu'il s'agit de déterminer pour l'exercice ou pour tout exercice postérieur la mesure d'utilisation et la mesure d'acquisition de chaque intrant d'entreprise mentionné au paragraphe en cause, une autre méthode qui est juste et raisonnable. Le cas échéant, l'autre méthode et non la méthode initiale s'applique à ces fins.

Concordance québécoise: aucune.

(33) Méthode employée sur ordre du ministre — appels — Si le ministre ordonne à une institution financière, selon le paragraphe (32), d'employer une méthode relativement à un intrant d'entreprise pour un exercice, qu'il établit une cotisation à l'égard de la taxe nette de l'institution financière pour une période de déclaration comprise dans l'exercice et que l'institution financière fait appel de la cotisation en vertu de la présente partie relativement à une question liée à l'application de ce paragraphe, les règles suivantes s'appliquent :

a) le ministre est tenu d'établir selon la prépondérance des probabilités que la méthode est juste et raisonnable;

b) si les tribunaux décident en dernier ressort que la méthode n'est pas juste et raisonnable, le ministre ne peut ordonner à l'institution financière, selon le paragraphe (32), d'employer une autre méthode pour l'exercice relativement à l'intrant d'entreprise.

Concordance québécoise: aucune.

Notes historiques: L'article 141.02 a été ajouté par L.C. 2010, c. 12, par. 57(1). Les paragraphes 141.02(1) à (17), (29), (30) et (32) s'appliquent en vue du calcul de la taxe nette d'une personne pour toute période de déclaration de celle-ci comprise dans son exercice commençant après mars 2007. Toutefois, pour l'application de la définition de « institution admissible » au paragraphe 141.02(1) et du paragraphe 141.02(9), l'alinéa b) de cette définition et le paragraphe 141.02(9) s'appliquent comme si les paragraphes (1) et 56(1) étaient entrés en vigueur le 1er avril 2005.

Les paragraphes 141.02(18) à (28) s'appliquent en vue du calcul de la taxe nette d'une personne pour toute période de déclaration de celle-ci comprise dans son exercice commençant après mars 2008.

janvier 2007, Notes explicatives: Le nouvel article 141.02 prévoit des règles concernant l'obligation qu'ont les institutions financières de répartir l'utilisation qu'elles font de leurs intrants en fonction de la mesure dans laquelle ils sont utilisés ou consommés, ou acquis, importés ou transférés dans une province participante en vue d'être utilisés ou consommés, dans le but d'effectuer des fournitures taxables pour une contrepartie et de la mesure dans laquelle ils sont utilisés ou consommés, ou acquis, importés ou ainsi transférés en vue d'être utilisés ou consommés, dans un autre but. Ces règles, de même que les règles d'application plus générale énoncées au paragraphe 141.01(5) de la loi, s'adressent aux institutions financières, notamment les institutions financières désignées et les autres institutions financières visées au paragraphe 149(1) de la loi.

De façon générale, l'article 141.02 s'applique en vue du calcul de la taxe nette d'une personne pour ses périodes de déclaration comprises dans ses exercices commençant après mars 2007. Toutefois, les paragraphes 141.02(18) à (22) s'appliquent en vue du calcul de la taxe nette d'une personne pour ses périodes de déclaration comprises dans ses exercices commençant après mars 2008. En outre, des dispositions spéciales d'entrée en vigueur s'appliquent à la définition d'« institution admissible » au paragraphe 141.02(1) ainsi qu'au paragraphe 141.02(9). Elles sont expliquées dans les notes concernant ces paragraphes. Les paragraphes 141.02(25) et (27) entrent en vigueur à la date de sanction du projet de loi.

Définitions [par. 141.02]: « province participante » — 123(1).

Bulletins de l'information technique [art. 141.02]: B-XX3, 08/08, *Appel aux commentaires du public*; B-097, 08/11, *Déterminer si une institution financière est une institution admissible pour l'application de l'article 141.02*; B-098, 26/08/11, *Application de l'article 141.02 aux institutions financières qui sont des institutions admissibles*; B-099, 26/08/11, *Application de l'article 141.02 aux institutions financières qui ne sont pas des institutions admissibles*; B-106, 08/11, *Méthodes d'attribution des crédits de taxe sur les intrants pour les institutions financières en application de l'article 141.02 de la Loi sur la taxe d'accise.*

Série de mémorandums [art. 141.02]: Mémorandum 8.4, 08/12, *Documents requis pour demander des crédits de taxe sur les intrants.*

141.1 (1) Aliénation d'un bien meuble — Pour l'application de la présente partie :

a) la fourniture d'un bien meuble, sauf une fourniture exonérée, est réputée effectuée dans le cadre des activités commerciales du fournisseur si, selon le cas :

(i) il a acquis ou importé le bien la dernière fois, ou l'a transféré dans une province participante après l'avoir acquis ou importé la dernière fois, en vue de le consommer ou de l'utiliser dans le cadre de ses activités commerciales, ou il l'a consommé ou utilisé dans ce cadre après l'avoir acquis ou importé la dernière fois,

(ii) il a fabriqué ou produit le bien dans le cadre de ses activités commerciales ou en vue de le consommer ou de l'utiliser dans ce cadre, ou il l'a fabriqué ou produit et consommé ou utilisé dans ce cadre, et le bien n'est pas réputé par la présente partie avoir été acquis par lui;

b) la fourniture d'un bien meuble, sauf une fourniture effectuée par bail, licence ou accord semblable dans le cadre d'une entreprise du fournisseur, est réputée effectuée en dehors du cadre des activités commerciales du fournisseur si, selon le cas :

(i) il a acquis ou importé le bien la dernière fois exclusivement en vue de le consommer ou de l'utiliser en dehors du cadre de ses activités commerciales, il ne l'a pas transféré dans une province participante pour le consommer ou l'utiliser dans le cadre de ses activités commerciales après l'avoir acquis ou importé la dernière fois et il ne l'a pas consommé ou utilisé dans le cadre de ses activités commerciales après l'avoir acquis ou importé la dernière fois,

(ii) il a fabriqué ou produit le bien en dehors du cadre de ses activités commerciales exclusivement en vue de le consommer ou de l'utiliser en dehors de ce cadre, il ne l'a pas transféré dans une province participante pour le consommer ou l'utiliser dans le cadre de ses activités commerciales et il ne l'a pas consommé ou utilisé dans le cadre de ses activités commerciales, et le bien n'est pas réputé par la présente partie avoir été acquis par lui.

Notes historiques: Le sous-alinéa 141.1(1)a)(i) a été modifié par L.C. 1997, c. 10, par. 157(1) et cette modification est entrée en vigueur le 1er avril 1997. Ce sous-alinéa se lisait auparavant comme suit :

(i) il a acquis ou importé le bien la dernière fois en vue de le consommer ou de l'utiliser dans le cadre de ses activités commerciales, ou il l'a consommé ou utilisé dans ce cadre après l'avoir acquis ou importé la dernière fois,

Les sous-alinéas 141.1(1)b)(i) et (ii) ont été modifiés par L.C. 1997, c. 10, par. 157(2) et cette modification est entrée en vigueur le 1er avril 1997. Ces sous-alinéas se lisaient auparavant comme suit :

(i) il a acquis ou importé le bien la dernière fois exclusivement en vue de le consommer ou de l'utiliser en dehors du cadre de ses activités commerciales, et il ne l'a pas consommé ou utilisé dans ce cadre après l'avoir acquis ou importé la dernière fois,

(ii) il a fabriqué ou produit le bien en dehors du cadre de ses activités commerciales exclusivement en vue de le consommer ou de l'utiliser en dehors du cadre et ne l'a pas consommé ou utilisé dans ce cadre, et le bien n'est pas réputé par la présente partie avoir été acquis par lui.

Le paragraphe 141.1(1) a été ajouté par L.C. 1993, c. 27, par. 18(2) et est réputé entré en vigueur le 1er octobre 1992. Le paragraphe 141.1(1) correspond à l'ancien alinéa 141(5)b).

Concordance québécoise: LTVQ, art. 42.1,42.2.

(2) Aliénation de biens figurant à l'inventaire — Pour l'application de la présente partie :

a) la personne qui fournit, par vente, un bien meuble ou un service qu'elle a acquis, importé, transféré dans une province participante, fabriqué ou produit exclusivement pour le fournir par vente dans le cadre de son entreprise ou de son projet à risques ou affaire de caractère commercial est réputée avoir effectué la fourniture dans le cadre de ses activités commerciales sauf si, selon le cas :

(i) la fourniture est une fourniture exonérée,

(ii) l'alinéa b) s'applique à la fourniture,

(iii) la personne est un particulier, ou une société de personnes dont l'ensemble des associés sont des particuliers, qui exploite l'entreprise ou mène le projet à risques ou l'affaire sans attente raisonnable de profit;

b) la personne qui fournit, par vente, un bien meuble ou un service qu'elle a acquis, importé, fabriqué ou produit exclusivement pour le vendre dans le cadre d'une fourniture exonérée est réputée avoir effectué la fourniture en dehors du cadre d'une activité commerciale.

Notes historiques: Le préambule de l'alinéa 141.1(2)a) a été modifié par L.C. 1997, c. 10, par. 157(3) et cette modification est entrée en vigueur le 1er avril 1997. Ce passage se lisait auparavant comme suit :

a) la personne qui fournit, par vente, un bien meuble ou un service qu'elle a acquis, importé, fabriqué ou produit exclusivement pour le fournir par vente dans le cadre de son entreprise ou de son projet à risques ou affaire de caractère commercial est réputée avoir effectué la fourniture dans le cadre de ses activités commerciales sauf si, selon le cas :

Le paragraphe 141.1(2) a été ajouté par L.C. 1993, c. 27, par. 18(2) et est réputé entré en vigueur le 1er octobre 1992.

Concordance québécoise: LTVQ, art 42.3, 42.4.

(3) Acquisition d'activités — Pour l'application de la présente partie :

a) dans la mesure où elle accomplit un acte, sauf la réalisation d'une fourniture, à l'occasion de l'acquisition, de l'établissement, de l'aliénation ou de la cessation d'une de ses activités commerciales, une personne est réputée avoir accompli l'acte dans le cadre de ses activités commerciales;

b) dans la mesure où elle accomplit un acte, sauf la réalisation d'une fourniture, à l'occasion de l'acquisition, de l'établissement, de l'aliénation ou de la cessation d'une de ses activités non commerciales, une personne est réputée avoir accompli l'acte en dehors du cadre d'une activité commerciale.

Notes historiques: Le paragraphe 141.1(3) a été ajouté par L.C. 1993, c. 27, par. 18(2) et est réputé entré en vigueur le 1er octobre 1992. Le paragraphe 141.1(3) est semblable à l'ancien alinéa 141(5)c).

Concordance québécoise: LTVQ, art 42.5, 42.6.

Définitions [art. 141.1]: « activité commerciale », « bien », « bien meuble » — 123(1); « dernière acquisition ou importation » — 195.2(1); « entreprise », « exclusif », « fourniture », « fourniture exonérée », « importation », « personne », « province participante », « service », « vente » — 123(1).

Renvois [art. 141.1]: 195.2(1) (dernière acquisition ou importation); 200(3) (vente d'immobilisations); 200(4) (vente de biens meubles d'un gouvernement); 203(3) (vente d'une voiture de tourisme ou d'un aéronef).

Jurisprudence [art. 141.1]: *Kramer Ltd. c. La Reine*, [1994] G.S.T.C. 47 (CCI); *Comeau (R.) c. La Reine*, [1996] G.S.T.C. 3 (CCI); *Aubrett Holdings Ltd. c. Canada*, [1998] G.S.T.C. 17 (CCI); *Strachan (K.R.) c. Canada*, [1999] G.S.T.C. 72 (CCI); *Two Carlton Financing Ltd. c. Canada*, [1998] G.S.T.C. 59 (CCI); [2000] G.S.T.C. 2 (CAF); *Szirtes c. R.*, [2000] G.S.T.C. 96 (CCI); *London Life Insurance Co. c. Canada*, [1998] G.S.T.C. 93 (CCI); [2000] G.S.T.C. 111 (CAF); *DiMaria c. R.*, [2001] G.S.T.C. 102 (CCI); *Tachi Ltd. c. R.*, [2006] G.S.T.C. 87 (CCI); *173122 Canada Inc. c. R.*, [2007] G.S.T.C. 15; *Perfection Dairy Group Ltd. v. R.* (10 juin 2008), [2008] G.S.T.C. 124 (CCI [procédure informelle]); *614730 Ontario Inc. v. R.*, 2010 CarswellNat 1382, 2010 CCI 7, [2010] G.S.T.C. 27 (CCI [procédure informelle]).

Énoncés de politique [art. 141.1]: P-19R, 04/12/92, *Droit aux CTI relatifs aux frais de démarrage à biens en immobilisations admissibles*; P-166, 15/01/95, *Vente d'un cabinet de médecin ou de dentiste entre deux non-inscrits*; P-242, 16/03/03, *La question est de savoir si une liste de clients est un bien meuble qui peut être produit par une personne pour l'application des alinéas 141.1(1)a) et 141.1(1)b) de la Loi sur la taxe d'accise.*

Mémorandums [art. 141.1]: TPS 400-3-1, 1/04/92, *Début et cessation de l'inscription*, par. 21.

Série de mémorandums [art. 141.1]: Mémorandum 2.1, 05/99, *Inscription requise*, par. 30; Mémorandum 8-1, 05/05, *Règles générales d'admissibilité*; Mémorandum 14-4, 12/10, *Vente d'une entreprise ou d'une partie d'entreprise.*

Info TPS/TVQ [art. 141.1]: GI-122 — *Les incidences de la TPS/TVH à la suite de l'acquisition de panneaux solaires en vertu du Programme de tarifs de rachats garantis pour les micro-projets en Ontario.*

141.2 (1) Vente de biens meubles d'une municipalité — Malgré l'article 141.1, pour l'application de la présente partie, la fourniture par vente (sauf la fourniture exonérée) du bien meuble d'une municipalité est réputée avoir été effectuée dans le cadre des activités commerciales de celle-ci.

Concordance québécoise: LTVQ, art 48.

(2) Vente de biens meubles d'une municipalité désignée — Malgré l'article 141.1, pour l'application de la présente partie, la fourniture par vente (sauf la fourniture exonérée) du bien meuble d'une personne désignée comme municipalité pour l'application de l'article 259 est réputée avoir été effectuée dans le cadre des activités commerciales de la personne si le bien fait partie de ses biens municipaux désignés.

Concordance québécoise: aucune.

Notes historiques: L'article 141.2 a été ajouté par L.C. 2004, c. 22, par. 30(1) et s'applique aux fournitures dont la contrepartie, même partielle, devient due après le 9 mars 2004 ou est payée après cette date sans être devenue due. Toutefois, il ne s'applique pas aux fournitures effectuées conformément à une convention écrite conclue avant le 10 mars 2004.

Renvois [art. 141.2]: 200(3) (Vente d'immobilisations); 200(4) (Vente de biens meubles d'un gouvernement); 209(1) (Immeubles de certains organismes de services publics); 209(3) (Exception).

142. (1) Règle générale — Canada — Pour l'application de la présente partie et sous réserve des articles 143, 144 et 179, un bien ou un service est réputé fourni au Canada si :

a) s'agissant d'un bien meuble corporel fourni par vente, il est, ou sera, livré à l'acquéreur au Canada ou y est, ou y sera, mis à sa disposition;

b) s'agissant d'un bien meuble corporel fourni autrement que par vente, sa possession ou son utilisation est accordée à l'acquéreur au Canada ou y est mise à sa disposition;

c) s'agissant d'un bien meuble incorporel, selon le cas :

(i) il peut être utilisé en totalité ou en partie au Canada,

(ii) il se rapporte à un immeuble situé au Canada, à un bien meuble corporel qui y est habituellement situé ou à un service à y être rendu;

d) s'agissant d'un immeuble ou d'un service y afférent, l'immeuble est situé au Canada;

e) [*Abrogé*]

f) il s'agit d'un service visé par règlement;

g) s'agissant de tout autre service, il est, ou sera, rendu en tout ou en partie au Canada.

Notes historiques: Le préambule du 142(1) a été modifié par L.C. 1993, c. 27, par. 19(1) et est réputé entré en vigueur le 17 décembre 1990. Il se lisait auparavant comme suit :

> 142. (1) Pour l'application de la présente partie et sous réserve des articles 143 et 144, un bien ou un service est réputé fourni au Canada si :

Le sous-alinéa 142(1)c)(i) a été modifié par L.C. 1997, c. 10, par. 6(1) et cette modification s'applique aux fournitures effectuées après le 23 avril 1996. Auparavant, il se lisait comme suit :

> (i) il peut être utilisé en tout ou en partie au Canada et l'acquéreur réside au Canada ou est un inscrit aux termes de la sous-section d de la section V,

L'alinéa 142(1)e) a été abrogé par L.C. 1997, c. 10, par. 6(2) et cette modification s'applique aux fournitures effectuées après le 23 avril 1996. Auparavant, cet alinéa se lisait comme suit :

> e) s'agissant d'un service de télécommunication, les installations ou l'appareil permettant l'émission, la transmission ou la réception du service facturé, ou à être facturé, sont habituellement situés au Canada;

Le paragraphe 142(1) a été ajouté par L.C. 1990, c. 45, par. 12(1).

Concordance québécoise: LTVQ, art 22.7, 22.8, 22.11.1, 22.11.2, 22.11.3, 22.11.4, 22.12, 22.13, 22.15.0.1, 22.15.0.2, 22.15.0.3, 22.15.0.4, 22.15.0.5, 22.15.0.6.

(2) Règle générale — hors du Canada — Pour l'application de la présente partie, un bien ou un service est réputé fourni à l'étranger si :

a) s'agissant d'un bien meuble corporel fourni par vente, il est, ou sera, livré à l'acquéreur à l'étranger ou est, ou sera, mis à sa disposition à l'étranger;

b) s'agissant d'un bien meuble corporel fourni autrement que par vente, sa possession ou son utilisation est accordée à l'acquéreur à l'étranger ou est mise à sa disposition à l'étranger;

c) s'agissant d'un bien meuble incorporel, selon le cas :

(i) il ne peut être utilisé au Canada,

(ii) il se rapporte à un immeuble situé à l'étranger, à un bien meuble corporel habituellement situé à l'étranger ou à un service à être rendu entièrement à l'étranger;

d) s'agissant d'un immeuble ou d'un service y afférent, l'immeuble est situé à l'étranger;

e) [*Abrogé*]

f) il s'agit d'un service visé par règlement;

g) s'agissant de tout autre service, il est, ou sera, rendu entièrement à l'étranger.

Notes historiques: L'alinéa 142(2)e) a été abrogé par L.C. 1997, c. 10, par. 6(3) et cette modification s'applique aux fournitures effectuées après le 23 avril 1996. Auparavant, cet alinéa se lisait comme suit :

> e) s'agissant d'un service de télécommunication, les installations ou l'appareil permettant l'émission, la transmission ou la réception du service facturé, ou à être facturé, sont habituellement situés à l'étranger;

Le paragraphe 142(2) a été ajouté par L.C. 1990, c. 45, par. 12(1).

Concordance québécoise: aucune.

Info TPS/TVQ [art. 142(2)]: GI-047 — *Taxidermie-Naturalisation des mammifères, des oiseaux et des poissons.*

(3) Maisons mobiles et maisons flottantes — Pour l'application du présent article, les maisons mobiles qui ne sont pas fixées à un fonds et les maisons flottantes sont réputées être des biens meubles corporels et non des immeubles.

Notes historiques: Le paragraphe 142(3) a été ajouté par L.C. 1993, c. 27, par. 19(2) et est réputé entré en vigueur le 17 décembre 1990.

Concordance québécoise: LTVQ, art 22.3.

Modification proposée — 142

Protocole d'entente concernant l'harmonisation des taxes de vente en vue de la conclusion d'une entente intégrée globale de coordination fiscale entre le Canada et le Québec, 30 septembre 2011: *Règles sur le lieu de fourniture*

12. Le Québec s'engage à ce que les textes législatifs concernant la TVQ reflètent les règles sur le lieu de fourniture prévues par les textes législatifs concernant la TPS/TVH. À cet égard, il s'engage à éliminer les cas de double taxation et d'absence de taxation.

Document d'information, 30 septembre 2011: *Harmonisation de la Taxe de vente du Québec*

Le protocole d'entente (PE) qu'ont signé le Canada et le Québec le 30 septembre 2011 engage le Québec à harmoniser la Taxe de vente du Québec (TVQ) avec la Taxe sur les produits et services. Dans le cadre de ce PE, le Québec continuera d'administrer, de manière générale, la TVQ et la Taxe sur les produits et services/taxe de vente harmonisée (TPS/TVH) dans la province, tandis que la TVQ sera toujours régie par le Québec.

Le PE se traduira par l'harmonisation de la TPS et des assiettes et règles fiscales de la TPS et de la TVQ, ce qui allègera le fardeau des entreprises en matière d'observation des règles fiscales.

Une fois pleinement mis en œuvre, le PE éliminera complètement la TVQ sur des intrants clés tels que les télécommunications et l'énergie et permettra de s'assurer que le traitement fiscal des services financiers est conforme aux fins de l'application de la TVQ et de la TPS.

Principales caractéristiques du PE entre le Canada et le Québec

Selon le PE :

Le Canada versera au Québec des paiements totalisant 2,2 milliards de dollars – 733 millions de dollars le 1er janvier 2013, après la mise en œuvre de la TVQ modifiée, et 1,467 milliard de dollars le 1er janvier 2014.

Le Québec veillera à ce que l'assiette fiscale de la TVQ et les paramètres administratifs, structurels et définitionnels connexes produisent des résultats identiques à ceux obtenus dans le cadre du régime de la TPS/TVH et soient administrés de façon à produire des résultats identiques (sous réserve d'exceptions décrites dans le PE et expliquées ci-dessous).

Le Québec entreprendra d'éliminer la TPS de l'assiette fiscale de la TVQ (plus de taxe sur la taxe).

En vertu des dispositions législatives de la TVQ, le Québec s'engage à apporter toute modification que le Canada apportera en vertu des dispositions législatives de la TPS. En général, la modification s'appliquera à la même date que celle de l'entrée en vigueur de la modification à la TPS, mais, en tout état de cause, au plus tard 60 jours à partir de la date d'entrée en vigueur de la modification à la TPS.

Le traitement fiscal des services financiers au Québec sera harmonisé avec celui de la TPS.

Le Québec entreprendra de reproduire, en vertu des dispositions législatives de la TVQ, les règles sur le lieu de fourniture en vertu des dispositions législatives de la TPS/TVH, afin d'éviter les cas de non-taxe et de double taxe (les règles sur le lieu de fourniture précisent si les fournisseurs font payer la TVQ sur leurs produits).

Le Québec entreprendra d'éliminer progressivement ses restrictions actuelles sur les remboursements de taxe sur les intrants au cours d'une période transitoire d'au plus huit ans.

Le Québec adoptera les paramètres administratifs, structurels et définitionnels de la TPS pour les remboursements municipaux à compter du 1er janvier 2014.

Le Canada et le Québec conviennent de payer la TPS/TVH et la TVQ sur les achats gouvernementaux à compter du 1er avril 2013, afin de simplifier le processus d'observation des règles fiscales pour les entreprises. Lorsque les règles de l'exclusivité des compétences s'appliquent, la taxe payée sera récupérée à l'aide d'un mécanisme de rabais.

Le Québec continuera à fixer le taux de la TVQ et pourra conserver un nombre limité de ses mesures actuelles. Cela tient compte de l'existence de la TVQ depuis le 1er juillet 1992.

Comme pour les autres provinces, l'assiette fiscale de la TVQ pourra afficher un écart d'au plus 5 p. cent par rapport à l'assiette fiscale de la TPS.

Le Canada et le Québec feront de leur mieux pour conclure une Entente intégrée globale de coordination fiscale (EIGCF) d'ici le 1er avril 2012. L'EIGCF est un accord détaillé qui décrit les droits et obligations des parties liées par l'entente. Ce processus consistant à conclure un PE qui débouche sur une EIGCF est identique à celui que suit l'Ontario.

Définitions [art. 142]: « acquéreur », « bien » — 123(1); « Canada » — 123(2); « fourniture », « immeuble », « inscrit », « maison flottante », « maison mobile » — 123(1); « personne qui réside au Canada » — 132; « règlement », « service » — 123(1); « télécommunictions » — 35(1) *Loi d'interprétation*; « vente » — 123(1).

Renvois [art. 142]: 123(2) (Canada); 143.1 (fourniture par la poste ou par messager); 132 (résidence au Canada); 142.1a) (lieu de facturation d'un service de télécommunication); 144 (fourniture avant dédouanement); 179(2) (livraison au consignataire d'un non-résident); 180.1 (vols et voyages internationaux); 249 (montant déterminant); VI:Partie V (fournitures détaxées — exportations); IX:Partie II:1, Partie III:2, Partie IV:1, 2, Partie V:5 (province de fourniture — TVH).

Règlements [art. 142]: Aucun service n'est encore visé par règlement, aux fins des alinéas 142(1)f) et 142(2)f) — n.d.l.r.

Jurisprudence [art. 142]: *Club Med Sales Inc. c. Canada*, [1997] G.S.T.C. 28 (CCI); *ADV Ltd. c. Canada*, [1997] G.S.T.C. 64 (CAF); *Toyota Tsusho America, Inc. c. Canada*, [1997] G.S.T.C. 83 (CCI); *Schroeder (H.) c. Canada*, [1998] G.S.T.C. 98 (CCI); *Ingle Manor Farms, Inc. c. R.*, [2001] G.S.T.C. 118 (CCI); *Federico c. R.*, [2005] G.S.T.C. 103 (CCI); *Dawn's Place Ltd c. R.*, [2006] G.S.T.C. 1 37; *Évasion Hors Piste Inc. c. R.*, 2006 G.T.C. 489 (CCI); *Gagné-Lessard Sports Inc. c. R.*, 2007 CCI 300 (CCI); *Roberge Transport Inc. v. R.*, 2010 CarswellNat 2453, 2010 CCI 155, [2010] G.S.T.C. 43 (CCI [procédure générale]).

Énoncés de politique [art. 142]: P-078R, 16/03/99, *Sens de l'expression « Livré à l'acquéreur ou mis à sa disposition au Canada (ou à l'étranger) »*; P-125R, 01/06/07, *Droit à des crédits de taxe sur les intrants pour la taxe sur les produits importés*; P-144, 01/06/94, *Services d'aide aux voyageurs fournis à des organisateurs non résidents de voyages*; P-150, 14/07/94, *Application de la taxe sur les logiciels importés*; P-193R, 10/02/99, *Les fournitures de biens meubles corporels effectuées autrement que par vente*; P-200R, 05/05/99, *Lieu de fourniture de biens meubles incorporels et d'immeubles*.

Bulletins de l'information technique [art. 142]: B-037R, 01/11/94, *Logiciel importé*; B-075R, 23/04/96, *Modifications proposées à la TPS*; B-090, 07/02, *La TPS/TVH et le commerce électronique*; B-102, 07/07/11, *Taxe sur les produits et services des Premières nations - Lieu de fourniture*; B-103, 02/10, *Taxe de vente harmonisée — Règles sur le lieu de fourniture pour déterminer si une fourniture est effectuée dans une province*.

Mémorandums [art. 142]: TPS 300-3-5, 12/10/92, *Exportations*, par. 7, 8; TPS 300-8, 06/02/91, *Taxe sur les fournitures produits importés*.

Série de mémorandums [art. 142]: Mémorandum 3.1, 08/99, *Assujettissement à la taxe*; Mémorandum 3.3, 04/00, *Lieu de fourniture*; Mémorandum 3.3.1, 06/08, *Livraisons directes*; Mémorandum 4.5.1, 01/98, *Exportations — Déterminer le statut de résidence*; Mémorandum 19.1, 10/97, *Les immeubles et la TPS/TVH*; Mémorandum 28.2, 01/99, *Services de transport de marchandises*.

Lettres d'interprétation (Québec) [art. 142]: 98-0107494 — Application de la *Loi sur la taxe d'accise* (L.R.C. 1985, c. E-15; « la LTA ») et de la *Loi sur la taxe de vente du Québec* (L.R.Q., c. T-0.1; « la LTVQ »); 98-0110910 — Interprétation en TPS et en TVQ(« Organisme ») — Construction d'un futur hôpital; 99-0106247 — Interprétation relative à la TPS — Interprétation relative à la TVQ [relative à la fourniture de services de marketing et de communication à des entreprises qui utilisent Internet]; 99-0107187 — Interprétation TPS/TVQ — Fourniture d'un catalogue à un non-résident; 99-0109159 — Interprétation relative à la TPS / TVH Interprétation relative à la TVQ — Conception / hébergement d'un site Web; 99-0111510 — Projet d'investissement à caractère international; 00-0108332 — Importation et exportation; 00-0109900 — Interprétation relative à la TPS et à la TVQ — Fourniture de documents à des destinataires hors Québec ou hors Canada; 01-0105666 — Interprétation relative à la TPS et à la TVQ; 01-0106649 — Vente d'images numérisées par Internet-Interprétation relative à la TPS/TVH — Interprétation relative à la TVQ; 03-0101794 — Interprétation relative à la TPS/TVH — Interprétation relative à la TVQ; 03-0106520 — Interprétation relative à la TPS/TVH — Interprétation relative à la TVQ — [Fourniture d'un bien meuble incorporel — Internet]; 04-0108185 — Interprétation relative à la TPS/TVH, Interprétation relative à la TVQ, Destruction biologique de produits contaminés.

COMMENTAIRES: Aux termes de l'alinéa 142(1)(a), la fourniture d'un bien meuble corporel est réputée avoir été effectuée au Canada si le bien est livré à l'acquéreur ou y est mis à sa disposition au Canada. Dans un tel cas, la TPS s'applique à la fourniture. En revanche, l'alinéa 142(2)(a) prévoit que la fourniture d'un bien meuble corporel est réputée avoir été effectuée à l'étranger si le bien est, ou doit être, livré à l'acquéreur ou mis à sa disposition à l'étranger, auquel cas aucune TPS n'est applicable. Dans l'affaire *Artistic Ideas Inc. c. R.*, 2008 CarswellNat 2703 (C.C.I.), l'achat et la livraison du bien avait lieu aux États-Unis et ce, même si les acquéreurs étaient résidents du Canada. Puisque la livraison a eu lieu à l'extérieur du Canada, en vertu de l'alinéa 142(2)(a), aucune TPS n'était applicable audit bien. Toutefois, il faut souligner que sous réserve de certaines conditions, la TPS pourra être imposée au moment de l'importation du bien meuble corporel au Canada.

L'Agence du revenu du Canada a définit le sens de l'expression « livré ou mis à sa disposition » de la façon suivante (voir notamment à cet effet : Agence du revenu du Canada, mémorandum 3.3 — *Lieu de fourniture* (révisé le 14 avril 2004)) :

> « Livré » s'entend dans les cas où la livraison du bien meuble corporel en vertu des règles de droit sur la vente d'objets est effectuée par livraison réelle. Donc, on fait référence au doit de la province dans laquelle la livraison a lieu.
>
> « Mis à disposition » s'entend des cas où la livraison du bien meuble corporel en vertu des règles de droit sur la vente d'objets est effectuée par présomption de livraison (c'est-à-dire que la possession matérielle réelle du bien meuble corporel n'est pas encore transférée à l'acquéreur de la fourniture mais qu'elle est reconnue comme voulue par les parties et suffisante en droit).

En général, l'endroit où le bien meuble corporel est livré ou mis à la disposition de l'acquéreur peut être déterminé par renvoi aux modalités du contrat. Ces modalités contractuelles peuvent, à l'occasion, faire référence à des incoterms. Voir notamment à cet effet : Agence du revenu du Canada, Lettre de l'Administration centrale sur la TPS, 11680 — 1D — *GST/HST Place of Supply — CIP (Named Place in Canada) Incoterms 2000* (10 septembre 2003); et Agence du revenu du Canada, Lettre de l'Administration centrale sur la TPS, 132635 — *Place of supply of tangible personal property by way of sale* (7 juin 2011); Agence du revenu du Canada, Lettre de l'Administration centrale sur la TPS, 133042 — *Tax status of supplies made by a non-resident* (13 juin 2011). Voir également au même effet : Agence du revenu du Canada, Lettre de l'Administration centrale sur la TPS, 132635 — *Place of supply of tangible personal property by way of sale* (7 juin 2011); et Agence du revenu du Canada, Lettre de l'Administration centrale sur la TPS, 130623 — *GST/HST Ruling and Interpretation — Application of the GST/HST to [...] ownership [interest] of [...] [products]* (21 juin 2012).

En 2010, de nouveaux incoterms ont été mis en vigueur. De façon générale, ceux-ci sont expliqués brièvement dans le tableau ci-dessous :

	Départ usine	Transport principal non acquitté			Transport principal acquitté par l'exportateur				Frais d'acheminement supportés par l'exportateur jusqu'a destination		
Incoterms	EXW	FCA	FAS	FOB	CFR	CIF	CPT	CIP	DAT	DAP	DDP
Emballage	E	E	E	E	E	E	E	E	E	E	E
Chargement a l'usine	I	E	E	E	E	E	E	E	E	E	E
Pré acheminement	I	Lieu	E	E	E	E	1er	1er	E	E	E
Douane export	I	E	E	E	E	E	E	E	E	E	E
Manutention au départ	I	I	E/I	E	E	E	I	I	E	E	E
Transport principal	I	I	I	I	I	I	I	I	E	E	E
Manutention à l'arrivée	I	I	I	I	I	I	I	I	Term	Lieu	E
Douane import	I	I	I	I	I	I	I	I	I	I	E
Post acheminement	I	I	I	I	I	I	I	I	I	Lieu	E
Déchargement	I	I	I	I	I	I	I	I	I	I	I

E : Exportateur

I : Importateur

Lieu : au lieu convenu

1er : au premier transporteur

Term : au terminal convenu

L'Agence du revenu du Canada indique que l'endroit où le bien sera livré sera déterminé en fonction de la livraison en vertu de l'*incoterm* choisi. Voir notamment à cet effet : Agence du revenu du Canada, Lettre de l'Administration centrale sur la TPS, 132635 — *Place of supply of tangible personal property by way of sale* (7 juin 2011).

Par ailleurs, même si une fourniture est réputée effectuée au Canada d'après les principes juridiques généraux sous l'article 142, la fourniture peut néanmoins être réputée effectuée à l'étranger en vertu des dispositions de l'article 143 lorsqu'un non-résident effectue la fourniture. Ainsi, par exemple, l'alinéa 143(1)(a), qui a préséance sur l'article 142, prévoit qu'un bien meuble qui est fourni au Canada par un non-résident non-inscrit est réputé fourni à l'étranger sauf si la fourniture est effectuée dans le cadre d'une entreprise exploitée activement au Canada par un non-résident.

L'Agence du revenu du Canada a analysé l'alinéa 142(1)(d) à l'égard de l'étendue de la notion d'un service afférant à un immeuble et à ce titre, a évoqué à plusieurs critères permettant d'établir un lien direct entre le service et l'immeuble. Notamment, on doit déterminer si le service a été conçu, développé pour répondre à un besoin particulier d'un immeuble. Le but proposé est souvent indiqué dans le contrat entre l'acquéreur et le fournisseur de service. Voir notamment à cet effet : Agence du revenu du Canada, Lettre de l'Administration centrale sur la TPS, 142112 — *GST/HST Interpretation — Place of supply of leasing services* (12 décembre 2012). Voir également au même effet : Agence du revenu du Canada, Lettre de l'Administration centrale sur la TPS, 140160 — *GST/HST Ruling and Interpretation — Application of GST/HST with respect to [...][program]* (2 novembre 2012).

142.1 (1) Lieu de facturation — Pour l'application du présent article, le lieu de facturation d'un service de télécommunication fourni à un acquéreur se trouve au Canada si :

a) dans le cas où la contrepartie payable pour le service est imputée à un compte que l'acquéreur a avec une personne qui exploite une entreprise qui consiste à fournir des services de télécommunication et où le compte se rapporte à une installation de télécommunication que l'acquéreur utilise pour obtenir des services de télécommunication, ou qui est mise à sa disposition à cette fin, cette installation se trouve habituellement au Canada;

b) dans les autres cas, l'installation de télécommunication qui sert à engager le service se trouve au Canada.

Notes historiques: Le paragraphe 142.1(1) a été ajouté par L.C. 1997, c. 10, par. 7(1) et s'applique aux fournitures effectuées après le 23 avril 1996.

Concordance québécoise: LTVQ, art 22.25.

(2) Lieu de fourniture d'un service de télécommunication — Pour l'application de la présente partie, la fourniture d'un service de télécommunication est réputée, malgré l'article 142 et sous réserve de l'article 143, effectuée au Canada si :

a) dans le cas d'un service de télécommunication qui consiste à mettre des installations de télécommunication à la disposition d'une personne, ces installations, ou une partie de celles-ci, se trouvent au Canada;

b) dans les autres cas :

(i) la télécommunication est émise et reçue au Canada,

(ii) la télécommunication est émise ou reçue au Canada et le lieu de facturation du service se trouve au Canada.

Notes historiques: Le paragraphe 142.1(2) a été ajouté par L.C. 1997, c. 10, par. 7(1) et s'applique aux fournitures effectuées après le 23 avril 1996.

Concordance québécoise: LTVQ, art 22.26.

Définitions [art. 142.1]: « acquéreur » — 123(1); « Canada » — 123(2); « contrepartie », « entreprise », « fourniture », « installation de télécommunication » — 123(1); « lieu de facturation » — 142.1(1); « personne » — 123(1).

Renvois [art. 142.1]: VI:Partie V:22.1 (service de télécommunication à un non-résident non-inscrit); IX:Partie VIII:2 (province de fourniture — TVH).

Bulletins de l'information technique [art. 142.1]: B-075R, 23/04/96, *Modifications proposées à la TPS*; B-090, 07/02, *La TPS/TVH et le commerce électronique*.

Série de mémorandums [art. 142.1]: Mémorandum 3.3, 04/00, *Lieu de fourniture*.

Lettres d'interprétation (Québec) [art. 142.1]: 99-0104218 — Interprétation relative à la TPS — Interprétation relative à la TVQ — Hébergement / conception d'un site Web; 99-0106247 — Interprétation relative à la TPS — Interprétation relative à la TVQ [relative à la fourniture de services de marketing et de communication à des entreprises qui utilisent Internet]; 99-0109159 — Interprétation relative à la TPS / TVH — Interprétation relative à la TVQ — Conception / hébergement d'un site Web; 03-0106892 — Demande d'interprétation de la TPS et de la TVQ — cartes d'appel prépayées; 04-0106379 — Interprétation relative à la TPS/TVH — interprétation relative à la TVQ — service de diffusion sur Internet.

COMMENTAIRES: La LTA définit l'expression « installation de télécommunication » à son paragraphe 123(1) comme signifiant une installation, un appareil ou toute autre chose (y compris les fils, câbles, systèmes radio ou optiques et autres systèmes électromagnétiques et les procédés techniques semblables, ou toute partie de tels systèmes ou procédés) servant ou pouvant servir à la télécommunication. Les serveurs informatiques sont généralement visés par cette définition. Ainsi, en l'espèce, il ressort des faits soumis que la télécommunication est émise au Canada puisque le serveur à partir duquel la diffusion est effectuée est situé au Canada. De plus, le lieu de facturation, tel que défini à l'alinéa b) de la définition de cette expression, est également situé au Canada puisque l'installation de télécommunication qui sert à engager le service, soit le serveur, se trouve au Canada. Il en résulte que la fourniture du service de diffusion en temps réel sur le Web effectuée par l'entremise d'un serveur constitue une fourniture effectuée au Canada en vertu du sous-alinéa 142.1(2)b)(ii). Dans le cas où une fourniture qui n'est pas détaxée est effectuée au Canada, une analyse supplémentaire doit être faite dans le but de déterminer dans quelle province la fourniture est effectuée, ceci afin d'appliquer le taux approprié de la taxe. Voir notamment à cet effet : Revenu Québec, Lettre d'interprétation, 04-0106379 — *Interprétation relative à la TPS/TVH — Interprétation relative à la TVQ — service de diffusion sur Internet* (19 octobre 2004).

Afin de déterminer si une telle fourniture est effectuée au Canada, il faut recourir à la règle du lieu de fourniture prévue à l'alinéa 142.1(2) b). Cette règle connue sous l'appellation « règle 2 de 3 » est à l'effet que la fourniture d'un service de télécommunication est effectuée au Canada si la télécommunication est émise et reçue au Canada ou si la télécommunication est émise ou reçue au Canada et que le lieu de facturation se trouve au Canada. Le lieu de facturation est défini au paragraphe 142.1(1) et correspond, dans le cas d'une carte d'appel qui n'est pas reliée à un numéro de téléphone émis à un abonné d'un réseau de télécommunication, à la règle prévue au sous-paragraphe 142.1(1) (b). En vertu de cette dernière, un service de télécommunication fourni à un acquéreur est facturé au Canada, dans le cas où l'installation de télécommunication qui sert à engager le service se trouve au Canada. L'expression « installation de télécommunication » est par ailleurs définie au paragraphe 123(1) et vise une installation, un appareil ou toute autre chose qui sert ou peut servir à la télécommunication. Est ainsi compris parmi les installations de télécommunication, un appareil comme un téléphone. Selon l'entente intervenue entre le fournisseur et la société, le service de télécommunication vendu par le fournisseur, pour être revendu par la société sous forme de cartes d'appel, permet au client d'effectuer des appels provenant et se terminant aux États-Unis ou des appels interurbains provenant des États-Unis, du Mexique, de Puerto Rico et des Iles Vierges et se terminant au Mexique ou à n'importe quelle destination internationale. D'après les termes de cette entente, un appel téléphonique, fait à l'aide d'une carte d'appel émise par la société a nécessairement comme point d'origine et comme lieu de facturation les États-Unis (l'appel est engagé au moyen d'un appareil de téléphone situé aux États-Unis). La fourniture du service n'est pas considérée comme étant effectuée au Canada car une seule des conditions de la règle 2 de 3 peut être éventuellement remplie. En conséquence, la fourniture du service de télécommunication n'est pas assujettie à la TPS. Voir notamment à ce sujet : Revenu Québec, Lettre d'interprétation, 03-0106892 — *Demande d'interprétation de la TPS et de la TVQ — cartes d'appel prépayées* (16 décembre 2003). Voir également au même effet : Agence du revenu du Canada, Lettre de l'Administration centrale sur la TPS, 11975,11960 — *GST/HST Interpretation — Teleconferencing Service* (26 mars 2002).

143. (1) Personne non résidante — fourniture à l'étranger — Pour l'application de la présente partie, un bien meuble ou un service fourni au Canada par une personne non résidante est réputé fourni à l'étranger, sauf dans les cas suivants :

a) la fourniture est effectuée dans le cadre d'une entreprise exploitée au Canada;

b) la personne est inscrite aux termes de la sous-section d de la section V au moment où la fourniture est effectuée;

c) il s'agit de la fourniture d'un droit d'entrée relativement à un lieu de divertissement, un colloque, une activité ou un événement, que la personne n'a pas acquis d'une autre personne.

Notes historiques: Le paragraphe 143(1) a été ajouté par L.C. 1990, c. 45, par. 12(1).

Concordance québécoise: LTVQ, art. 23.

(2) [*Abrogé*]

Notes historiques: Le paragraphe 143(2) a été abrogé par L.C. 1993, c. 27, par. 20(2) pour les fournitures effectuées après 1992. Il se lisait auparavant comme suit :

> Pour l'application de la présente partie, la fourniture d'un bien meuble corporel par une personne non résidante est réputée effectuée au Canada si les conditions suivantes sont réunies :
>
> a) le bien est visé par règlement ou est fourni par une personne visée par règlement;

b) le bien est envoyé à l'acquéreur à une adresse au Canada par courrier ou messager;

c) la valeur du bien, déterminée conformément au paragraphe 215(1), n'est pas supérieure à 40 $;

d) la personne est inscrite aux termes de la sous-section d de la section V.

L'alinéa d) du paragraphe 143(2) a été modifié par L.C. 1993, c. 27, par. 20(1) et est réputé entré en vigueur le 17 décembre 1990. Il se lisait auparavant comme suit :

d) la personne est un inscrit.

Le paragraphe 143(2) a été ajouté par L.C. 1990, c. 45, par. 12(1).

Définitions [art. 143]: « bien meuble » — 123(1); « Canada » — 123(2); « droit d'entrée », « entreprise », « fourniture », « lieu de divertissement », « non résidant », « personne », « service » — 123(1).

Renvois [art. 143]: 123(2) (Canada); 142(1) (fourniture au Canada); 143.1 (fourniture par la poste ou par messager); 148(3) (statut de petit fournisseur); 217 (fourniture taxable importée); 238(3) (obligation de produire une déclaration et de verser la taxe); 240(2) (inscription).

Règlements [art. 143]: *Règlement concernant la fourniture de publications par un inscrit non résidant*, art. 1.

Jurisprudence [art. 143]: *ADV Ltd. c. Canada*, [1998] G.S.T.C. 64 (CAF); *Roberge Transport Inc. v. R.*, 2010 CarswellNat 2453, 2010 CCI 155, [2010] G.S.T.C. 43 (CCI [procédure générale]).

Énoncés de politique [art. 143]: P-051R2, 29/04/05, *Exploitation d'une entreprise au Canada*; P-200R, 05/05/99, *Lieu de fourniture de biens meubles incorporels et d'immeubles*.

Bulletins de l'information technique [art. 143]: B-090, 07/02, *La TPS/TVH et le commerce électronique*.

Mémorandums [art. 143]: TPS 300-8, 6/02/91, *Produits importés*, par. 62, 65.

Série de mémorandums [art. 143]: Mémorandum 2.5, 05/99, *Inscription des non-résidents*, par. 22, 23; Mémorandum 3.3, 04/00, *Lieu de fourniture*.

Lettres d'interprétation (Québec) [art. 143]: 99-0111510 — Projet d'investissement à caractère international; 00-0104281 — Commissions versées par une compagnie américaine; 04-0103608 — Interprétation relative à la TPS et à la TVQ — exploitation d'un centre de désintoxication [par des résidents à l'étranger].

COMMENTAIRES: Cet article a préséance sur l'article 142.

Dans la mesure où une des trois exceptions qui figurent aux alinéas (a) à (c) s'appliquent, il faudra se référer de nouveau à l'article 142 pour déterminer le lieu de fourniture.

L'alinéa (a) réfère à l'exploitation d'une entreprise au Canada par un non-résident. L'Agence du revenu du Canada a analysé la notion d'exploitation d'une entreprise au Canada. En se référant à l'énoncé de politique P-051R2, l'Agence du revenu du Canada indique que les facteurs suivants seront notamment pris en considération : (i) l'endroit où les employés du non-résident travaillent; (ii) l'endroit de livraison, (iii) l'endroit du paiement, (iv) l'endroit où l'achat est fait ou les biens sont acquis, (v) l'endroit d'où la transaction a été sollicité, (vi) l'endroit où le contrat a été conclu; et (vii) l'emplacement du compte bancaire. L'importance d'un facteur sera dépendent de chaque situation à la lumière de son industrie. De façon générale, l'Agence du revenu du Canada indique qu'un non-résident doit avoir une présence significative au Canada pour être considéré comme y exploitant une entreprise. Voir notamment à cet effet : Agence du revenu du Canada, Lettre de l'Administration centrale sur la TPS, 140855r — *GST/HST Interpretation — Carrying on business in Canada* (20 août 2012). Voir également au même effet : Agence du revenu du Canada, Lettre de l'Administration centrale sur la TPS, 137186 — *GST/HST Ruling — [Whether carrying on Business in Canada] — Supplies of Electronic Books Via the Internet* (29 mars 2012) et; Agence du revenu du Canada, Lettre de l'Administration centrale sur la TPS, 121400 — *Non-resident Registration* (23 février 2010).

L'alinéa (b) peut poser un problème pour les grandes entreprises qui ont plusieurs divisions. En effet, dans la mesure où une division est exemptée et une autre division est inscrite au sein de la même entreprise, le résultat de l'application de l'alinéa (b) est que toute la société sera considérée comme enregistrée pour les fins du régime de la TPS/TVQ et la division qui n'était pas inscrite ne pourra plus bénéficier de son statut privilégié. Dans une telle situation, il pourrait donc être avantageux de séparer les activités de la grande entreprise par le biais de filiale, c'est-à-dire une personne morale.

Il est à noter que dépendamment des circonstances, l'acquéreur pourrait avoir à s'autocotiser en vertu de l'article 217.

Dans l'affaire *Paradigm Ventures Inc. c. R.*, 2010 CarswellNat 4892 (C.C.I.), la Cour canadienne de l'impôt indique que l'appelante n'a produit les noms de ses clients non-résidents qu'après l'ajournement de la première audience. Cela a permis à l'Agence du revenu du Canada de déterminer la question de savoir s'il avait été satisfait aux conditions de l'article 143. Parmi les cinq clients, deux étaient inscrits: LOA et WindChaser. Cela exclut les commissions provenant de ces sociétés de la protection relative à la détaxation, prévue par l'article 143. La question suivante consiste à savoir si les trois sociétés restantes exploitaient une entreprise au Canada. Si oui, cela exclurait ces commissions de la protection relative à la détaxation prévue par l'article 143. En l'espèce, aucune hypothèse n'a été formulée quant à la question de savoir si les clients de l'appelante exploitaient une entreprise au Canada. Aucune hypothèse n'a été formulée selon laquelle les déclarations de l'appelante avaient cet effet. On tient pour acquis que l'appelante fournissait des services consistant à faire passer des commandes, à obtenir de telles commandes ou à faire des démarches pour en obtenir. Cela amène la Cour à penser qu'il n'est nullement affirmé que la nature de la « relation de mandant et de mandataire » en ce qui à trait à l'appelante n'est pas telle qu'elle permettrait à la Cour canadienne de l'impôt de conclure que ses clients exploitaient une entreprise au Canada du fait de cette relation. En fait, comme on pourrait s'y attendre étant donné le témoignage de l'agent d'appels, les hypothèses du ministre ayant trait à l'application de l'article 143 sont, pour ainsi dire, inexistantes. Même si ses clients avaient, dans une large mesure, fait preuve de diligence raisonnable et donné des assurances importantes, cela ne l'aurait peut-être pas soustraite au risque que ses services ne soient pas détaxés aux termes de cette disposition déterminative. Par conséquent, la possibilité de faire détaxer ses services en vertu du paragraphe 142(2) pourrait, de nouveau, être considérée comme souhaitable. Cependant, comme cela a été souligné plus haut, cette possibilité est assujettie à des conditions. Par conséquent, l'appelante étant libérée du fardeau de la preuve relativement à l'application de la disposition déterminative de l'article 143, il s'avère en l'espèce que cet article est applicable sauf dans le cas de LOA et de WindChaser, lesquelles étaient l'une et l'autre inscrites aux termes de la Loi en 2006.

143.1 Fourniture par la poste ou par messager — Malgré les paragraphes 142(2) et 143(1), la fourniture d'un bien meuble corporel visé par règlement, par une personne qui est inscrite aux termes de la sous-section d de la section V, est réputée, pour l'application de la présente partie, effectuée au Canada si le bien est envoyé à l'acquéreur, par la poste ou par messager, à une adresse au Canada.

Notes historiques: L'article 143.1 a été ajouté par L.C. 1993, c. 27, par. 21(1) et s'applique aux fournitures effectuées après 1992.

Concordance québécoise: LTVQ, art. 24.1.

Définitions: « acquéreur », « bien meuble » — 123(1); « Canada » — 123(2); « fourniture », « messager », « personne », « règlement » — 123(1).

Renvois: 123(2) (Canada); 142(1) (fourniture au Canada); 240(4) (fournisseurs de biens visés par règlement); VII:7.1 (importation non taxable).

Règlements: *Règlement concernant la fourniture de publications par un inscrit non résidant*, art. 1.

Énoncés de politique: P-185R, 25/06/99, *Importation de publications visées par règlement et agents d'abonnement*.

Bulletins de l'information technique: B-081, 28/02/97, *Application de la TVH aux importations*.

Mémorandums: TPS 300-8, 06/02/91, *Produits importés*, par. 61–65.

Série de mémorandums: Mémorandum 2.1, 06/95, *Inscription requise*, par. 4, 5; Mémorandum 2.5, 05/99, *Inscription des non-résidents*, par. 4; Mémorandum 3.3, 04/00, *Lieu de fourniture*.

Formulaires: RC4103, *Renseignements sur la TPS/TVH pour les fournisseurs de publications*.

COMMENTAIRES: Cet article, en combinaison avec le paragraphe 240(4), a pour effet d'exiger les éditeurs étrangers de livre ou de périodique à s'enregistrer pour les fins de la TPS/TVH.

Il est à noter que cet article n'est pas restreint aux fournisseurs non-résidents. En effet, il peut s'appliquer à un résident du Canada qui fournit certaines publications étrangères. Récemment, l'Agence du revenu du Canda a souligné l'exigence de l'article 4 du *Règlement concernant la fourniture de publications par un inscrit* (TPS/TVH), DORS/91-43 dans le contexte d'application de l'article 143.1 relativement à la preuve d'inscription. Ainsi, de façon générale, lorsqu'une personne effectue la fourniture d'une publication visée à l'alinéa 3(a) (c'est-à-dire livre, journal, périodique, etc.) et que la fourniture est réputée effectuée au Canada selon l'article 143.1, la personne doit indiquer son numéro d'inscription soit : (i) le cartouche de la publication ou sur l'une des cinq premières page de la publication si le cartouche ne se trouve pas dans ces pages, (ii) à l'endos de la publication lorsque l'adresse de cette personne y est indiquée, ou (iii) sur l'étiquette d'envoi apposée à la publication. Agence du revenu du Canada, Lettre de l'Administration centrale sur la TPS, 123250 — *Evidence of Registration for Purposes of the Publications Supplied by a Registrant (GST/HST) Regulations* (13 mai 2011).

144. Fourniture avant dédouanement — Pour l'application de la présente partie, la fourniture de produits importés, conformément à la *Loi sur les douanes* ou à une autre loi fédérale qui interdit, contrôle ou réglemente l'importation de produits, qui n'ont pas été dédouanés avant d'être livrés à l'acquéreur au Canada, ou d'y être mis à sa disposition, est réputée effectuée à l'étranger.

Notes historiques: Le paragraphe 144(1) a été ajouté par L.C. 1990, c. 45, par. 12(1).

Concordance québécoise: aucune.

Définitions: « acquéreur », « dédouanement », « fourniture », « importation », « produits » — 123(1); « fourniture déterminée » — 178.8(1); « point à l'étranger » — Ann. VI:Partie VII:1.

Renvois: 123(2) (Canada); 142(1) (fourniture au Canada); 212–216 (taxe sur l'importation de produits).

Jurisprudence [art. 144]: *Roberge Transport Inc. v. R.*, 2010 CarswellNat 2453, 2010 CCI 155, [2010] G.S.T.C. 43 (CCI [procédure générale]).

Mémorandums: TPS 300-8, 6/02/91, *Produits importés*, par. 23, 24.

Série de mémorandums: Mémorandum 3.3, 04/00, *Lieu de fourniture*; Mémorandum 19.1.1, 11/97, *Règles spéciales s'appliquant aux immeubles dans le régime de la TVH*.

144.01 Biens en transit — Pour l'application de la présente partie, sauf les articles 4, 15.3 et 15.4 de la partie V de l'annexe VI, est réputé n'être ni exporté ni importé au cours de son transport ou nouveau transport au moyen d'un fil, d'un pipeline ou d'une autre canalisation le produit transporté en continu qui, selon le cas :

a) passe par l'étranger au cours de sa livraison par ce moyen d'un endroit au Canada à un autre endroit au Canada et seulement aux fins de cette livraison;

b) passe par le Canada au cours de sa livraison par ce moyen d'un endroit à l'étranger à un autre endroit à l'étranger et seulement aux fins de cette livraison;

c) passe d'un endroit au Canada à un endroit à l'étranger où il est stocké ou pris à titre d'excédent pendant une période jusqu'à ce qu'il soit transporté de nouveau par ce moyen, en une quantité équivalente et dans le même état, jusqu'à un endroit au Canada, sauf dans la mesure où il est consommé ou modifié d'une façon nécessaire ou accessoire à son transport;

d) passe d'un endroit à l'étranger à un endroit au Canada où il est stocké ou pris à titre d'excédent pendant une période jusqu'à ce qu'il soit transporté de nouveau par ce moyen, en une quantité équivalente et dans le même état, jusqu'à un endroit à l'étranger, sauf dans la mesure où il est consommé ou modifié d'une façon nécessaire ou accessoire à son transport.

Notes historiques: L'article 144.01 a été ajouté par L.C. 2000, c. 30, par. 21(1) et s'applique au transport d'un produit transporté en continu d'un point d'origine vers une destination, y compris tout transport intermédiaire à destination ou en provenance d'un endroit où le produit est stocké ou pris à titre d'excédent, si le transport à partir du point d'origine commence après le 7 août 1998.

Concordance québécoise: aucune.

Définitions: « Canada » — 123(2); « exportation », « fourniture », « importation », « produit transporté en continu » — 123(1).

Jurisprudence: *Tenaska Marketing Canada v. Canada (Minister of Public Safety & Emergency Preparedness)*, [2006] G.S.T.C. 66 (CF).

144.1 Fourniture dans une province — Pour l'application de la présente partie, une fourniture est réputée effectuée dans une province si elle est effectuée au Canada ainsi que dans la province aux termes des règles énoncées à l'annexe IX. Dans les autres cas, elle est réputée effectuée hors de la province. Par ailleurs, les fournitures effectuées au Canada qui ne sont pas effectuées dans une province participante sont réputées effectuées dans une province non participante.

Notes historiques: Le paragraphe 144.1 a été ajouté par L.C. 1997, c. 10, par. 158(1) et est entré en vigueur le 1er avril 1997.

Concordance québécoise: aucune.

Définitions: « Canada » — 123(2); « fourniture », « province », « province non participante », « province participante » — 123(1).

Renvois: 123(2) (Canada); 142–144 (fourniture au Canada).

Énoncés de politique: P-219, 26/05/99, *Lieu de fourniture (TVH) dans le cas des contrats nationaux d'entretien d'équipement* (Ébauche).

Bulletins de l'information technique: B-078, 28/02/97, *Règles sur le lieu de la fourniture sous le régime de la TVH*; B-090, 07/02, *La TPS/TVH et le commerce électronique*; B-103, 02/10, *Taxe de vente harmonisée — Règles sur le lieu de fourniture pour déterminer si une fourniture est effectuée dans une province*.

Série de mémorandums: Mémorandum 3.1, 08/99, *Assujettissement à la taxe*; Mémorandum 3.3, 04/00, *Lieu de fourniture*; Mémorandum 19.1.1, 11/97, *Règles spéciales s'appliquant aux immeubles dans le régime de la TVH*; Mémorandum 28.2, 01/99, *Services de transport de marchandises*; Mémorandum 28.3, 12/98, *Services de transport de passagers*, par. 31.

Lettres d'interprétation (Québec): 98-0107239 — Demande d'interprétation TPS/TVQ; 01-0106649 — Vente d'images numérisées par Internet — interprétation relative à la TPS/TVH — interprétation relative à la TVQ; 04-0106379 — Interprétation relative à la TPS/TVH — interprétation relative à la TVQ — service de diffusion sur Internet.

145. *[Abrogé]*

Notes historiques: L'article 145 a été abrogé par L.C. 1997, c. 10, par. 8(1) et cette abrogation est réputée entrée en vigueur le 24 avril 1996. Cet article, ajouté par L.C. 1990, c. 45, par. 12(1), se lisait comme suit :

145. (1) Pour l'application de la présente partie, l'activité qu'un associé d'une société de personnes exerce à ce titre est réputée être une activité de la société et non de l'associé.

(2) Par dérogation au paragraphe (1), dans le cas où une personne morale — associée d'une société de personnes — acquiert ou importe à un moment où elle est inscrite aux termes de la sous-section d de la section V un bien ou un service pour consommation, utilisation ou fourniture dans le cadre d'une activité de la société de personnes, sauf si le bien ou service est acquis ou importé par la société, les présomptions suivantes s'appliquent aux fins du calcul du crédit de taxe sur les intrants relatif à cette acquisition ou importation :

a) la personne morale est réputée exercer cette activité;

b) la société de personnes est réputée ne pas avoir acquis ou importé le bien ou le service à ce moment.

146. Fournitures par les gouvernements et municipalités — Pour l'application de la présente partie, il est entendu que les fournitures suivantes, sauf les fournitures exonérées, qu'effectue pour une contrepartie un gouvernement ou une municipalité, ou une commission ou autre organisme établi par ceux-ci, sont réputées effectuées dans le cadre d'une activité commerciale :

a) la fourniture du service d'essai ou d'inspection d'un bien pour vérifier s'il est conforme à certaines normes de qualité ou s'il se prête à un certain mode de consommation, d'utilisation ou de fourniture, ou pour le confirmer;

b) la fourniture à un consommateur d'un droit de chasse ou de pêche;

c) la fourniture du droit d'extraire ou de prendre des produits forestiers, des produits de la pêche, des produits poussant dans l'eau, des minéraux ou de la tourbe qui est effectuée au profit de l'une des personnes suivantes :

(i) un consommateur,

(ii) un non-inscrit qui acquiert le droit dans le cadre de son entreprise consistant à fournir de tels produits, des minéraux ou de la tourbe à des consommateurs.

d) la fourniture d'une licence, d'un permis, d'un contingent ou d'un droit semblable relatif à l'importation de boissons alcooliques;

e) la fourniture du droit d'utilisation d'un bien du gouvernement, de la municipalité ou de l'organisme ou du droit d'y entrer ou d'y accéder.

Notes historiques: L'alinéa 146c) a été modifié par L.C. 1993, c. 27, par. 22(1) et est réputé entré en vigueur le 17 décembre 1990. Il se lisait auparavant comme suit :

c) la fourniture du droit d'extraire ou de prendre des minéraux, des produits forestiers ou des produits de l'eau ou de la pêche :

(i) soit à un consommateur,

(ii) soit à un non-inscrit qui acquiert le droit dans le cadre d'une entreprise consistant à fournir des minéraux ou de tels produits à des consommateurs;

L'article 146 a été ajouté par L.C. 1990, c. 45, par. 12(1).

Concordance québécoise: LTVQ, art. 48.

Définitions: « activité commerciale », « bien », « consommateur », « contrepartie », « entreprise », « fourniture », « fourniture exonérée », « gouvernement », « importation », « minéral », « municipalité », « service » — 123(1).

Renvois: 162 (redevances sur ressources naturelles); V:Partie VI:20c), 20j), 20l), 21 (fournitures non exonérées); VI:Partie V:21 (essai ou examen d'un bien meuble corporel).

Énoncés de politique: P-247, 04/11/05, *Examen de ce qui constitue un « autre organisme établi par un gouvernement » pour l'application de la Loi sur la taxe d'accise (la Loi)*; P-XX8, 01/05, *Examen de ce qui constitue un « autre organisme établi par un gouvernement » pour l'application de la Loi sur la taxe d'accise (LTA)*.

fournisseur n'est pas un inscrit n'est pas à inclure dans le calcul de la taxe payable relativement à cette fourniture. L'article 166 prévoit donc que la TPS n'est pas payable sur des fournitures taxables effectuées par des petits fournisseurs. Toutefois, si le petit fournisseur est un inscrit, les dispositions de l'article 166 ne sont pas applicables. Étant donné que l'appelant était inscrit en 1999 et qu'il n'avait pris aucune mesure pour annuler son inscription selon l'article 242 (ce qu'il n'aurait peut-être pas pu faire en tout état de cause si ses fournitures taxables étaient, de manière constante, supérieures à 30 000 $ dans tous les quatre trimestres civils consécutifs depuis 1999), il était toujours inscrit en 2008 et, par conséquent, il était un inscrit en 2008. Il ne pouvait donc pas se fonder sur l'article 166. L'appelant ne peut pas, unilatéralement et de manière arbitraire, prendre la décision d'arrêter de percevoir la TPS. En ce qui concerne l'argument de l'appelant selon lequel le revenu net de celui-ci n'était que d'environ 20 000 $, le montant que l'appelant aurait dû percevoir au titre de la TPS est fondé sur les fournitures taxables de l'appelant, et non sur les revenus nets de ce dernier. Le montant net à verser est simplement la différence entre le montant perçu au titre de la TPS (ou à percevoir) sur les fournitures taxables qu'il a effectuées en 2008 et le montant perçu au titre de la TPS qu'il a versé (ou qu'il devait verser) sur les fournitures taxables qu'il a acquises aux fins de l'exercice de son activité commerciale. La taxe nette est fondée sur les fournitures taxables effectuées ou acquises, et non sur le revenu net de l'appelant.

148.1 (1) Définition de « recettes brutes » — Au présent article, « recettes brutes » d'une personne pour son exercice s'entend de l'excédent éventuel du total visé à l'alinéa a) sur le total visé à l'alinéa b) :

a) le total des montants — non inclus dans le calcul du total prévu au présent alinéa pour un des exercices antérieurs de la personne — représentant chacun, selon le cas :

(i) un don reçu ou devenu à recevoir par la personne au cours de l'exercice, selon la méthode comptable qu'elle utilise pour déterminer ses recettes pour l'exercice (appelée « méthode comptable » au présent alinéa),

(ii) quelque prime, subvention, prêt à remboursement conditionnel ou autre montant d'aide en argent (à l'exception d'un montant remboursé ou d'un crédit au titre des taxes, droits ou frais imposés par une loi fédérale ou provinciale) reçu ou devenu à recevoir, selon la méthode comptable, par la personne au cours de son exercice d'un gouvernement, d'une municipalité ou d'une autre administration publique,

(iii) des recettes — non visées au sous-alinéa (ii) — qui sont incluses, pour l'application de la *Loi de l'impôt sur le revenu*, dans le calcul du revenu de la personne pour l'exercice tiré d'un bien, d'une entreprise, d'un projet à risque ou d'une affaire de caractère commercial ou d'une autre source, ou qui seraient ainsi incluses si la personne était un contribuable aux termes de cette loi,

(iv) un montant qui est un gain en capital pour l'exercice pour l'application de la *Loi de l'impôt sur le revenu*, réalisé lors de la disposition d'un bien de la personne, ou qui serait un tel gain si la personne était un contribuable aux termes de cette loi,

(v) d'autres recettes, quelle qu'en soit la nature mais à l'exception d'un montant qui est inclus dans le calcul d'un gain en capital ou d'une perte en capital de la personne pour l'application de la *Loi de l'impôt sur le revenu* ou qui serait ainsi inclus si la personne était un contribuable aux termes de cette loi, reçues ou devenues à recevoir, selon la méthode comptable, par la personne au cours de l'exercice;

b) le total des montants dont chacun représente une perte en capital pour l'exercice pour l'application de la *Loi de l'impôt sur le revenu*, subie lors de la disposition d'un bien de la personne, ou représenterait une telle perte si la personne était un contribuable aux termes de cette loi.

Notes historiques: Le paragraphe 148.1(1) a été ajouté par L.C. 1994, c. 9, par. 6(1) et est réputé entré en vigueur le 1er avril 1993.

Concordance québécoise: LTVQ, art. 297.0.1.

(2) Organismes de bienfaisance et institutions publiques réputés petits fournisseurs — Pour l'application de la présente partie, une personne est un petit fournisseur tout au long de son exercice au cours duquel elle est un organisme de bienfaisance ou une institution publique si, selon le cas :

a) l'exercice en question est son premier exercice;

b) l'exercice en question est son deuxième exercice et ses recettes brutes pour son premier exercice n'ont pas dépassé 250 000 $;

c) l'exercice en question n'est ni son premier ni son deuxième exercice et ses recettes brutes pour l'un de ses deux exercices qui ont précédé l'exercice en question n'ont pas dépassé 250 000 $.

Notes historiques: Le préambule du paragraphe 148.1(2) a été modifié par L.C. 1997, c. 10, par. 10(1) et cette modification est réputée entrée en vigueur le 1er janvier 1997. Auparavant, il se lisait comme suit :

(2) Pour l'application de la présente partie, une personne est réputée être un petit fournisseur tout au long de son exercice au cours duquel elle est un organisme de bienfaisance si, selon le cas :

Les alinéas 148.1(2)b) et c) ont été modifiés par L.C. 1997, c. 10, par. 10(1) et ces modifications sont réputées entrées en vigueur le 23 avril 1996. Auparavant, ces alinéas, ajoutés par L.C. 1994, c. 9, par. 6(1), se lisaient comme suit :

b) l'exercice en question est son deuxième exercice, et les recettes brutes pour son premier exercice n'ont pas dépassé 175 000 $;

c) l'exercice en question n'est ni son premier ni son deuxième, et les recettes brutes pour l'un des deux exercices qui ont précédé l'exercice n'ont pas dépassé 175 000 $.

Le paragraphe 148.1(2) a été ajouté par L.C. 1994, c. 9, par. 6(1) et est réputé entré en vigueur le 1er avril 1993.

Concordance québécoise: LTVQ, art. 297.0.2.

Info TPS/TVQ [par. 148.1(2)]: GI-067 — *Lignes directrices générales en matière de TPS/TVH pour les organismes de bienfaisance.*

Définitions [art. 148.1]: « activité commerciale », « année d'imposition », « argent », « bien », « entreprise », « exercice », « gouvernement », « institution publique », « montant », « municipalité », « organisme de bienfaisance », « personne », « petit fournisseur », « province » — 123(1).

Renvois [art. 148.1]: 127 (personnes associées); 148 (petit fournisseur); 166 (petit fournisseur); 171(1) (nouvel inscrit); 171(3) (cessation de l'inscription); 240(1), (3) (inscription); 242(2) (annulation d'inscription).

Bulletins de l'information technique [art. 148.1]: B-075R, 23/04/96, *Modifications proposées à la TPS.*

Mémorandums [art. 148.1]: TPS 300-4, 02/11/93, *Fournitures exonérées*, par. 5.

Série de mémorandums [art. 148.1]: Mémorandum 1.5, 09/94, *Définitions « recettes brutes »*; Mémorandum 2.2, 05/99, *Petits fournisseurs*, par. 8-11; Mémorandum 2.4, 06/95, *Succursales et divisions*, par. 8; Mémorandum 3.1, 08/99, *Assujettissement à la taxe.*

Formulaires [art. 148.1]: RC4082, *Renseignements sur la TPS/TVH pour les organismes de bienfaisance.*

Info TPS/TVQ [art. 148.1]: GI-068 — *Lignes directrices générales en matière de TPS/TVH pour les institutions publiques*; GI-122 — *Les incidences de la TPS/TVH à la suite de l'acquisition de panneaux solaires en vertu du Programme de tarifs de rachats garantis pour les micro-projets en Ontario.*

COMMENTAIRES: Cet article prévoit un test applicable pour les organismes de bienfaisance et institutions publiques. Ainsi, de façon générale, en plus de ne pas avoir plus de 50 000 $ de fournitures taxables annuelles, un organisme de bienfaisance ou institution publique sera un petit fournisseur si le total de ses revenus, incluant les donations, n'excède pas 250 000 $.

Institutions financières

149. (1) Institutions financières — Pour l'application de la présente partie, une personne est une institution financière tout au long de son année d'imposition si, selon le cas :

a) elle est, à un moment de l'année :

(i) une banque,

(ii) une personne morale titulaire d'un permis ou autrement autorisée par la législation fédérale ou provinciale à exploiter au Canada une entreprise d'offre au public de services de fiduciaire,

(iii) une personne dont l'entreprise principale est celle d'un courtier ou d'un négociant en effets financiers ou en argent, ou d'un vendeur de tels effets ou d'argent,

(iv) une caisse de crédit,

(v) un assureur ou une autre personne dont l'entreprise principale consiste à offrir de l'assurance dans le cadre de polices d'assurance,

(vi) le fonds réservé d'un assureur,

(vii) la Société d'assurance-dépôts du Canada,

(viii) une personne dont l'entreprise principale consiste à prêter de l'argent ou à acheter des titres de créance, ou les deux,

(ix) un régime de placement,

(x) une personne qui offre les services visés à l'article 158,

(xi) une personne morale réputée être une institution financière par l'article 151;

b) le total (appelé « recettes financières » au présent article) des montants représentant chacun des intérêts, des dividendes (sauf des dividendes en nature ou des ristournes) ou des frais distincts pour un service financier inclus dans le calcul, pour l'application de la *Loi de l'impôt sur le revenu*, de son revenu ou, s'il s'agit d'un particulier, de son revenu provenant d'une entreprise, pour son année d'imposition précédant l'année, dépasse le plus élevé des montants suivants :

(i) 10 % du total des montants suivants :

(A) le montant qui, en l'absence du paragraphe (4), correspondrait aux recettes financières,

(B) le total des contreparties devenues dues au cours de cette année précédente, ou payées au cours de celle-ci sans être devenues dues, à la personne pour des fournitures qu'elle a effectuées, sauf des fournitures par vente de ses immobilisations et des fournitures de services financiers qui ne sont pas des fournitures détaxées visées à l'article 3 de la partie IX de l'annexe VI,

(ii) le montant calculé selon la formule :

$$10\,000\,000\ \$ \times \frac{A}{365}$$

où :

A représente le nombre de jours de cette année précédente;

c) le total des montants représentant chacun un montant inclus dans le calcul, pour l'application de la *Loi de l'impôt sur le revenu*, de son revenu ou, s'il s'agit d'un particulier, de son revenu provenant d'une entreprise, pour son année d'imposition précédant l'année, et qui constitue des intérêts, ou des frais distincts, se rapportant soit à une carte de crédit ou de paiement émise par la personne, soit à l'octroi d'une avance ou de crédit ou à un prêt d'argent, dépasse le montant calculé selon la formule :

$$1\,000\,000\ \$ \times \frac{A}{365}$$

où :

A représente le nombre de jours de cette année précédente.

Notes historiques: Le sous-alinéa 149(1)a)(iii) a été modifié par L.C. 1993, c. 27, par. 24(1) et est réputé entré en vigueur le 1er avril 1991. Il se lisait auparavant comme suit :

(iii) une personne dont l'entreprise principale est celle d'un courtier ou d'un négociant en effets financiers ou d'un vendeur de tels effets,

Le préambule de l'alinéa 149(1)b) a été remplacé par L.C. 2000, c. 30, par. 22(1) et cette modification s'applique aux fins de déterminer si une personne est une institution financière tout au long de ses années d'imposition commençant après le 23 avril 1996. Antérieurement, il se lisait comme suit :

b) le total (appelé « recettes financières » au présent alinéa) des montants représentant chacun des intérêts, des dividendes (sauf des dividendes en nature ou des ristournes) ou des frais distincts pour un service financier inclus dans le calcul, pour l'application de la *Loi de l'impôt sur le revenu*, de son revenu ou, s'il s'agit d'un particulier, de son revenu provenant d'une entreprise, pour son année d'imposition précédant l'année, dépasse le plus élevé des montants suivants :

La division 149(1)b)(i)(B) a été remplacée par L.C. 2000, c. 30, par. 22(2) et cette modification s'applique aux fins de déterminer si une personne est une institution financière tout au long de ses années d'imposition commençant après le 23 avril 1996. Antérieurement, elle se lisait comme suit :

(B) le total des contreparties devenues dues au cours de cette année précédente, ou payées au cours de celle-ci sans qu'elles soient devenues dues, à la personne pour des fournitures qu'elle a effectuées, sauf des fournitures par vente de ses immobilisations et des fournitures de services financiers,

L'alinéa 149(1)b) a été modifié par. L.C. 1997, c. 10, par. 11(1) et cette modification s'applique aux années d'imposition qui commencent après le 23 avril 1996. L'alinéa 149(1)b) se lisait auparavant comme suit :

b) sauf si elle est, au début de l'année, un organisme de bienfaisance au sens du paragraphe 259(1), une municipalité, une administration scolaire, une administration hospitalière, un collège public ou une université ou est, le dernier jour de son année d'imposition précédant l'année, un organisme à but non lucratif admissible au sens du paragraphe 259(2) :

(i) le total des montants dont chacun représente un montant inclus dans le calcul, pour l'application de la *Loi de l'impôt sur le revenu*, de son revenu ou, s'il s'agit d'un particulier, de son revenu provenant d'une entreprise, pour son année d'imposition précédant l'année, et qui constitue des intérêts, des dividendes, sauf des dividendes en nature et des ristournes, ou des frais distincts pour un service financier,

dépasse :

(ii) soit le montant correspondant à 10 % de l'ensemble du montant qui, en l'absence du paragraphe (4), serait le total visé au sous-alinéa (i) et du total des contreparties devenues dues au cours de cette année précédente, ou payées au cours de celle-ci sans qu'elles soient devenues dues, à la personne pour des fournitures (sauf des fournitures par vente de ses immobilisations ou des fournitures de services financiers) qu'elle a effectuées,

(iii) soit le montant calculé selon la formule :

$$10\,000\,000\ \$ \times \frac{A}{365}$$

où

A représente le nombre de jours de cette année précédente.

Le passage de l'alinéa 149(1)b) qui précède le sous-alinéa (ii) a été modifié par L.C. 1993, c. 27, par. 24(2) et est réputé entré en vigueur le 17 décembre 1990. Il se lisait auparavant comme suit :

b) pour son année d'imposition précédente :

(i) le total des montants dont chacun représente un montant inclus dans le calcul, pour l'application de la *Loi de l'impôt sur le revenu*, de son revenu, ou, s'il s'agit d'un particulier, de son revenu provenant d'une entreprise, pour cette année précédente, qui constitue des intérêts, des dividendes (sauf des dividendes en nature et des ristournes) ou des frais distincts pour un service financier,

L'alinéa 149(1)c) a été ajouté par L.C. 1997, c. 10, par 11(1) et cet ajout s'applique aux années d'imposition qui commencent après le 23 avril 1996.

En vertu de L.C. 1996, c. 21, art. 69, modifié par L.C. 1997, c. 10, art. 273, pour déterminer si une société de personnes à laquelle s'applique L.C. 1996, c. 21, art. 68 [N.D.L.R. : voir les notes historiques sous par. 123(1) « exercice »] est, pour l'application de la partie IX, une institution financière tout au long de son année d'imposition qui commence le 1er janvier 1997, les alinéas 149(1)b) et c) sont remplacés par ce qui suit :

b) le total des montants représentant chacun les montants suivants dépasse 10 000 000 $:

le montant qui serait inclus dans le calcul, pour l'application de la *Loi de l'impôt sur le revenu*, du revenu de la personne pour la période qui correspond à son année d'imposition précédente s'il s'agissait d'un exercice de l'entreprise de la personne pour l'application de cette loi,

(ii) le montant qui représente des intérêts, des dividendes, sauf des dividendes en nature et des ristournes, ou des frais distincts pour un service financier;

c) la personne était, autrement que par l'effet de l'alinéa a), une institution financière tout au long de cette période.

En vertu de L.C. 1996, c. 21, art. 70, lorsque, pour l'application de la *Loi de l'impôt sur le revenu*, l'exercice de l'entreprise d'une société ou d'une société de personnes, sauf si la société de personnes à laquelle s'applique L.C. 1996, c. 21, art. 68 [N.D.L.R. : voir les notes historiques sous par. 123(1) « exercice »] commence après le 1er janvier 1995 et se termine à la fin de 1995 par l'effet de l'alinéa 249.1(1)b) et que la société ou la société de personnes exploitait l'entreprise à la fin de 1994, pour déterminer si la société ou la société de personnes est, pour l'application de la partie IX, une institution financière tout au long de son année d'imposition qui a commencé le 1er janvier 1996, le sous-alinéa 149(1)b)(i) et le passage de l'alinéa 149(1)b) suivant ce sous-alinéa sont remplacés par ce qui suit :

(i) le total des montants représentant chacun les montants suivants dépasse 10 000 000 $:

(A) le montant inclus dans le calcul, pour l'application de la *Loi de l'impôt sur le revenu*, du revenu de la personne pour son année d'imposition précédant l'année,

(B) le montant qui représente des intérêts, des dividendes, sauf des dividendes en nature et des ristournes, ou des frais distincts pour un service financier,

(ii) la personne était, par l'effet du présent alinéa, une institution financière tout au long de son année d'imposition précédant l'année.

Le paragraphe 149(1) a été ajouté par L.C. 1990, c. 45, par. 12(1).

Concordance québécoise: aucune.

Formulaires [art. 149(1)]: RC4050, *Renseignements sur la TPS/TVH à l'intention des institutions financières désignées particulières.*

Bulletins de l'information technique [art. 149(1)]: B-107, 10/11, *Régimes de placement (y compris les fonds réservés d'assureur) et la TVH* ; B-XX5, 09/11, *Taxe de vente harmonisée Autocotisation de la partie provinciale de la TVH à l'égard des biens et services transférés dans une province participante* .

(2) Fusions — Pour l'application de la présente partie, la personne morale issue d'une fusion et qui, immédiatement après la fusion, a comme entreprise principale une entreprise identique ou semblable à celle d'une des personnes morales fusionnantes qui, jusqu'à la fusion, était une institution financière, est une institution financière tout au long de son année d'imposition commençant à la fusion.

Notes historiques: Le paragraphe 149(2) a été ajouté par L.C. 1990, c. 45, par. 12(1).

Concordance québécoise: LTVQ, art. 349.

(3) Acquisition d'une entreprise — Pour l'application de la présente partie, la personne qui acquiert, au cours de son année d'imposition, une entreprise en exploitation d'une autre personne — institution financière immédiatement avant l'acquisition — et qui, immédiatement après l'acquisition, a comme entreprise principale celle qu'elle a ainsi acquise est une institution financière tout au long de la partie de cette année qui suit l'acquisition.

Notes historiques: Le paragraphe 149(3) a été ajouté par L.C. 1990, c. 45, par. 12(1).

Concordance québécoise: LTVQ, art. 350.

(4) Éléments à exclure — Les intérêts et les dividendes provenant d'une personne morale liée à une personne sont exclus du calcul du total visé aux alinéas (1)b) ou c) pour celle-ci.

Notes historiques: Le paragraphe 149(4) a été modifié par L.C. 1997, c. 10, par 11(2) et cette modification s'applique aux années d'imposition qui commencent après le 23 avril 1996. Ce paragraphe se lisait comme suit :

> (4) Les intérêts ou les dividendes provenant d'une personne morale liée à une personne sont exclus du calcul du total visé au sous-alinéa (1)b)(i) pour la personne.

Le paragraphe 149(4) a été modifié par L.C. 1993, c. 27, par. 24(3) et est réputé entré en vigueur le 17 décembre 1990. Il se lisait comme suit :

> (4) Les intérêts ou les dividendes provenant d'une personne morale liée à une personne sont inclus dans le calcul du total visé au sous-alinéa (1)b)(i) pour la personne, dans la mesure où ils sont inclus dans le calcul du revenu de celle-ci tiré d'une entreprise pour l'application de la *Loi de l'impôt sur le revenu.*

Le paragraphe 149(4) a été édicté par L.C. 1990, c. 45, par. 12(1).

Concordance québécoise: aucune.

(4.01) Exclusion — ventes de métaux précieux — Des frais distincts pour un service financier dont la fourniture est une fourniture détaxée visée à l'article 3 de la partie IX de l'annexe VI ne sont pas inclus dans le calcul d'un montant de recettes financières.

Notes historiques: Le paragraphe 149(4.01), ajouté par L.C. 2000, c. 30, par. 22(3) a été remplacé par L.C. 2000, c. 30, par. 22(4). Cette modification s'applique aux fins de déterminer si une personne est une institution financière tout au long de ses années d'imposition commençant après le 23 avril 1996. Antérieurement, il se lisait comme suit :

> (4.01) Des frais distincts pour un service financier dont la fourniture est une fourniture détaxée visée à l'article 3 de la partie IX de l'annexe VI ne sont pas inclus dans le calcul d'un total pour une personne selon le sous-alinéa (1)b)(i).

Le paragraphe 149(4.01) a été ajouté par L.C. 2000, c. 30, par. 22(3) et est réputé entré en vigueur le 17 décembre 1990.

Concordance québécoise: aucune.

(4.02) [*Abrogé*]

Notes historiques: Le paragraphe 149(4.02) a été abrogé par L.C. 2000, c. 30, par. 22(4). Cette abrogation s'applique aux fins de déterminer si une personne est une institution financière tout au long de ses années d'imposition commençant après le 23 avril 1996. Antérieurement, il se lisait comme suit :

> (4.02) Métaux précieux — Malgré la division (1)b)(ii)(B), est à inclure dans le calcul d'un total pour une personne selon cette division le total des contreparties qui lui sont devenues dues au cours de l'année d'imposition visée à cette division, ou qui lui ont été payées au cours de cette année sans être devenues dues, pour des fournitures de services financiers qui sont des fournitures détaxées visées à l'article 3 de la partie IX de l'annexe VI.

Le paragraphe 149(4.02) a été ajouté par L.C. 2000, c. 30, par. 22(3) et est réputé entré en vigueur le 17 décembre 1990.

(4.1) Exception — Les alinéas (1)b) et c) ne s'appliquent pas lorsqu'il s'agit de déterminer si une personne est une institution financière tout au long d'une année d'imposition dans le cas où la personne est, selon le cas :

a) au début de l'année :

(i) soit un organisme de bienfaisance, une municipalité, une administration scolaire, une administration hospitalière, un collège public ou une université,

(ii) soit un organisme à but non lucratif qui exploitait, autrement qu'à des fins lucratives, un établissement de santé, au sens de l'alinéa c) de la définition de cette expression à l'article 1 de la partie II de l'annexe V;

b) le dernier jour de son année d'imposition précédant l'année, un organisme à but non lucratif admissible, au sens du paragraphe 259(2).

Notes historiques: Le paragraphe 149(4.1) a été ajouté par L.C. 1997, c. 10, par 11(2) et s'applique aux années d'imposition qui commencent après le 23 avril 1996.

Concordance québécoise: aucune.

(5) Définition de « régime de placement » — Au présent article, « régime de placement » s'entend de :

a) la fiducie régie par un des régimes, fiducies ou conventions suivants, chacun s'entendant au sens de la *Loi de l'impôt sur le revenu* ou du *Règlement de l'impôt sur le revenu* :

(i) régime de pension agréé,

(ii) régime de participation des employés aux bénéfices,

(iii) régime enregistré de prestations supplémentaires de chômage,

(iv) régime enregistré d'épargne-retraite,

(v) régime de participation différée aux bénéfices,

(vi) régime enregistré d'épargne-études,

(vii) fonds enregistré de revenu de retraite,

(viii) régime de prestations aux employés,

(ix) fiducie d'employés,

(x) fiducie de fonds mutuels,

(xi) fiducie de fonds mis en commun,

(xii) fiducie d'investissement à participation unitaire,

(xiii) convention de retraite;

b) la corporation de placement, au sens de cette loi;

c) la corporation de placements hypothécaires, au sens de cette loi;

d) la corporation de fonds mutuels, au sens de cette loi;

e) la corporation de placement appartenant à des non-résidents, au sens de cette loi;

f) la personne morale exonérée d'impôt en vertu de cette loi par l'effet de l'alinéa 149(1)o.1) ou o.2) de cette loi.

g) toute personne visée par règlement ou faisant partie d'une catégorie réglementaire, mais seulement dans le cas où elle serait une institution financière désignée particulière pour une période de déclaration comprise dans un exercice se terminant dans son année d'imposition si elle était une institution financière désignée visée au sous-alinéa 149(1)a)(ix) au cours de cette année d'imposition et de son année d'imposition précédente.

Notes historiques: Le sous-alinéa 149(5)a)(i) a été modifié par L.C. 1993, c. 27, par. 24(4) et est réputé entré en vigueur le 17 décembre 1990. Il se lisait auparavant comme suit :

> (i) régime ou caisse enregistré de pensions,

L'alinéa 149(5)g) a été ajouté par L.C. 2009, c. 32, par. 4(1) et s'applique relativement aux années d'imposition d'une personne se terminant après juin 2008.

Le paragraphe 149(5) a été ajouté par L.C. 1990, c. 45, par. 12(1).

Concordance québécoise: LTVQ, art. 1« régime de placement ».

Bulletins de l'information technique [art. 149(5)]: B-107, 10/11, *Régimes de placement (y compris les fonds réservés d'assureur) et la TVH* .

Définitions [art. 149]: « administration hospitalière », « administration scolaire », « année d'imposition », « argent », « assureur », « banque », « caisse de crédit », « collège public », « contrepartie », « effet financier », « entreprise », « fonds réservé », « fourniture », « immobilisation », « institution financière », « institution financière désignée », « municipalité », « montant », « organisme de bienfaisances », « organisme à but non lucratif », « personne », « police d'assurance », « province », « ristourne », « service financier », « titre de créance », « vente », « université » — 123(1); « Canada » — 123(2); « contrepartie due » — 152; « convention de retraite », « corporation de fonds mutuels », « corporation de placement », « corporation de placement appartenant à des non-résidents », « corporation de placements hypothécaires », « fiducie d'employés », « fiducie de fonds mutuels », « fiducie d'investissement à participation unitaire », « fonds enregistré de revenu de retraite », « régime de participation différée aux bénéfices », « régime de participation des employés aux bénéfices », « régime de pension agréé », « régime enregistré d'épargne-études », « régime enregistré d'épargne-retraite », « régime enregistré de prestations supplémentaires de chômage » — 149(1)o.1), o.2), par. 248(1); « fiducie de fonds mis en commun » — 5000(7) *Règlement de l'impôt sur le revenu*.

Renvois [art. 149]: 123(2) (Canada); 126 (lien de dépendance); 151 (effet du choix prévu au 150(1)); 185 (CTI — institution non financière); 186 (personnes morales liées); 205(2) (inscrit devenu une institution financière); 205(3) (inscrit cessant d'être une institution financière); 205g) (fusion); 225.2(1) (définition de « fourniture déterminée »; 231(2) (créance irrécouvrable acquise d'une personne liée); 245(2)c) (période de déclaration).

Jurisprudence [art. 149]: *Elgin Mills Leslie Holdings Ltd. c. Canada*, [2000] G.S.T.C. 8 (CCI); *Ekmekjian c. R.*, [2000] G.S.T.C. 43 (CCI); *Blanchard c. R.*, [2001] G.S.T.C. 94 (CCI); *General Motors of Canada Ltd. v. R.* (22 février 2008), [2008] G.S.T.C. 41 (CCI [procédure générale]); *Fraser International College Ltd. v. R.*, CarswellNat 1321, 2010 CCI 63, [2010] G.S.T.C. 21 (CCI [procédure générale]); *614730 Ontario Inc. v. R.*, 2010 CarswellNat 1382, 2010 CCI 7, [2010] G.S.T.C. 27 (CCI [procédure informelle]); *CIBC World Markets Inc. v. R.*, 2010 CarswellNat 5197, 2010 CCI 460, [2010] G.S.T.C. 134 (CCI [procédure générale]).

Énoncés de politique [art. 149]: P-007, 15/06/92, *L'incidence du paragraphe 156(1) sur le calcul du seuil*; P-021, 04/09/92, *L'application du paragraphe 149(3)*; P-033, 17/09/92, *Période de déclaration d'un inscrit qui présente un choix en application du paragraphe 150(1)*.

Bulletins de l'information technique [art. 149]: B-032, 08/11, *Régimes enregistrés de pension*; B-057, 2/08/91, *Traitement des produits et services des sociétés de fiducie*; B-063, 14/02/92, *Traitement des produits et services des courtiers en valeur mobilières sous le régime de la TPS*; B-075R, 23/04/96, *Modifications proposées à la TPS*; B-083R, 23/05/97, *Services financiers sous le régime de la TVH*; B-097, 08/11, *Déterminer si une institution financière est une institution admissible pour l'application de l'article 141.02*; B-098, 26/08/11, *Application de l'article 141.02 aux institutions financières qui sont des institutions admissibles*; B-099, 26/08/11, *Application de l'article 141.02 aux institutions financières qui ne sont pas des institutions admissibles*; B-105, 02/11, *Modifications apportées à la définition de service financier*; B-106, 08/11, *Méthodes d'attribution des crédits de taxe sur les intrants pour les institutions financières en application de l'article 141.02 de la Loi sur la taxe d'accise*.

Mémorandums [art. 149]: TPS 300-3-9, 17/08/92, *Services financiers*, par. 6, 8, 9; TPS 300-4-7, 02/11/93, *Services financiers*, par. 1–5; TPS 400-3-5, 8/01/92, *Biens et services des institutions non financières*, par. 9–13; TPS 500-7, 26/11/91, *Interaction entre la Loi sur la taxe d'accise et la Loi de l'impôt sur le revenu*, par. 47; TPS 500-2-2, 08/02/91, *Application et exécution — déclarations et paiements — acomptes provisionnels*; TPS 500-7, 26/11/91, *Interaction entre la Loi sur la taxe d'accise et la Loi de l'impôt sur le revenu*; TPS 700, 22/03/93, *Services financiers*, par. 10–19; TPS 700-4, 25/11/93, *Institutions financières visées par la règle du seuil*, par. 1–23; TPS 700-5-3, 31/07/92, *Caisses de crédit*, par. 1–5; TPS 700-5-6, 9/12/91, *Crédits de taxe sur les intrants et sociétés de portefeuille, prises de contrôle, et personnes morales à paliers multiples*, par. 11, 13–15.

Série de mémorandums [art. 149]: Mémorandum 1.5, 09/94, *Définitions*; Mémorandum 8-1, 05/05, *Règles générales d'admissibilité*; Mémorandum 17.2, 04/00, *Produits et services des institutions financières de dépôt* ; Mémorandum 17.6, 09/99, *Définition d'« institution financière désignée »*; Mémorandum 17.8, 04/99, *Caisses de crédit*; Mémorandum 17.9, 08/99, *Agents et courtiers d'assurance*; Mémorandum 17.10, 05/99, *Escompteurs d'impôt*; Mémorandum 17.14, 07/11, *Choix visant les fournitures exonérées*; Mémorandum 17.16, 03/01, *Traitement des règlements de sinistres sous le régime de la TPS/TVH*.

Formulaires [art. 149]: FP-27, *Choix ou avis de révocation de choix visant à faire considérer comme des fournitures de services financiers les fournitures effectuées entre membres d'un groupe étroitement lié dont une institution financière désignée fait partie*; FPZ-111, *Annexe 1 — Feuille de renseignements annuels sur la TPS/TVH pour les institutions financières*; GST111, *Annexe 1 — Feuille de renseignements annuels sur la TPS/TVH pour les institutions financières*; RC4419, *Renseignements sur la TPS/TVH pour les organismes de bienfaisance*.

Info TPS/TVQ [art. 149]: GI-035 — *Feuille de renseignements annuels pour les institutions financières.*

Lettres d'interprétation (Québec) [art. 149]: 98-0101398 — Interprétation relative à la TPS — Institution financière désignée; 99-0101339 — Interprétation relative à la TPS et à la TVQ — Institution financière aux fins de la taxe compensatoire; 99-010898 — Taxe compensatoire des institutions financières (ci-après: la « SEC »); 01-0108553 — Syndicat professionnel ne se qualifiant pas à titre d'institution financière désignée.

150. (1) Choix visant les fournitures exonérées — Pour l'application de la présente partie, un membre d'un groupe étroitement lié, dont une institution financière désignée est membre, et une personne morale qui est également membre du groupe peuvent faire un choix conjoint pour que chaque fourniture de biens, par bail, licence ou accord semblable, ou de services qui est effectuée entre eux, à un moment où le choix est en vigueur, et qui, sans le présent paragraphe, constituerait une fourniture taxable, soit réputée être une fourniture de services financiers.

Notes historiques: Le paragraphe 150(1) a été modifié par L.C. 1997, c. 10, par. 12(1) et cette modification s'applique aux fournitures dont la contrepartie, même partielle, devient due après le 7 décembre 1994 ou est payée après cette date sans qu'elle soit devenue due. Toutefois, la taxe prévue à la section IV de la partie IX de la loi n'est pas payable relativement à la contrepartie, même partielle, qui est devenue due ou a été payée avant le 8 décembre 1994, dans le cas où la taxe ne serait pas payable relativement à la fourniture sans cette modification. Ce paragraphe se lisait comme suit :

> 150. (1) Pour l'application de la présente partie, sauf la section IV, un membre d'un groupe étroitement lié, dont une institution financière désignée est membre, et une personne morale qui est également membre du groupe peuvent faire un choix conjoint pour que chaque fourniture de biens, par bail, licence ou accord semblable, ou de services qui est effectuée entre eux, à un moment où le choix est en vigueur, et qui, en l'absence du présent paragraphe, constituerait une fourniture taxable, soit réputée être une fourniture de service financier.

Le paragraphe 150(1) a été ajouté par L.C. 1990, c. 45, par. 12(1).

Concordance québécoise: aucune.

Formulaires [art. 159(1)]: RC4050, *Renseignements sur la TPS/TVH à l'intention des institutions financières désignées particulières*.

(2) Exceptions — Le paragraphe (1) ne s'applique pas à ce qui suit :

a) un bien ou un service que le membre d'un groupe étroitement lié détient ou rend à titre de participant dans une coentreprise avec une autre personne à un moment où le choix fait conjointement par le participant et l'autre personne en vertu de l'article 273 est en vigueur;

b) une fourniture taxable importée, au sens de l'article 217;

c) une fourniture de services liés à la compensation ou au règlement de chèques et d'autres instruments de paiement dans le cadre du système national de paiement de l'Association canadienne des paiements, si l'acquéreur (appelé « acheteur lié » au présent alinéa) acquiert la totalité ou une partie des services afin d'effectuer une fourniture de services exonérés au profit :

(i) soit d'un tiers non lié,

(ii) soit d'un fournisseur qui est membre d'un groupe étroitement lié dont l'acheteur lié est membre et qui acquiert la totalité ou une partie des services exonérés afin d'effectuer une fourniture de services exonérés au profit d'un tiers non lié ou d'un fournisseur visé au présent sous-alinéa.

Notes historiques: Le paragraphe 150(2) a été remplacé par L.C. 2007, c. 18, par. 5(1) et cette modification est réputée être entrée en vigueur le 14 septembre 2001, à l'exception de l'alinéa 150(2)c) qui ne s'applique pas à ce qui suit :

> a) les services rendus avant le 14 septembre 2001;
>
> b) une fourniture de services effectuée au profit d'un acheteur lié, au sens de cet alinéa, si la convention portant sur la fourniture de la totalité ou d'une partie des services au profit du tiers non lié, au sens du paragraphe 150(2.1), a été conclue avant le 14 septembre 2001.

Pour l'application de la partie IX , si la fourniture visée à l'alinéa 150(2)c), effectuée au profit de l'acheteur lié, au sens de cet alinéa, comprend la prestation de services au cours d'une période commençant avant le 14 septembre 2001 et se terminant à cette date ou par la suite :

> a) la prestation des services (appelés « services exclus » au présent paragraphe) rendus au cours de la partie de la période qui est antérieure au 14 septembre 2001 et la prestation des services (appelés « services touchés » au présent paragraphe) rendus au cours du reste de la période seont réputées être des fournitures distinctes;

LTA (TPS)

b) la contrepartie de la fourniture des services exclus est réputée être égale à la partie de la contrepartie totale des services rendus au cours de la période qu'il est raisonnable d'imputer aux services exclus;

c) la contrepartie de la fourniture des services touchés est réputée être égale à la partie de la contrepartie totale des services rendus au cours de la période qu'il est raisonnable d'imputer aux services touchés.

Antérieurement, le paragraphe 150(2) se lisait ainsi :

(2) **Exception** — Le paragraphe (1) ne s'applique ni aux fournitures taxables importées, au sens de l'article 217, ni aux biens ou aux services que le membre d'un groupe étroitement lié détient ou rend à titre de participant dans une coentreprise avec une autre personne à un moment où le choix prévu à l'article 273 entre le participant et l'autre personne est en vigueur.

Le paragraphe 150(2) a été modifié par L.C. 1997, c. 10, par. 12(1) et cette modification s'applique aux fournitures dont la contrepartie, même partielle, devient due après le 7 décembre 1994 ou est payée après cette date sans qu'elle soit devenue due. Toutefois, la taxe prévue à la section IV de la partie IX n'est pas payable relativement à la contrepartie, même partielle, qui est devenue due ou a été payée avant le 8 décembre 1994, dans le cas où la taxe ne serait pas payable relativement à la fourniture sans cette modification. Ce paragraphe se lisait comme suit :

(2) Le paragraphe (1) ne s'applique pas aux biens ou aux services que le membre d'un groupe étroitement lié détient ou rend à titre de participant dans une coentreprise avec une autre personne à un moment où le choix prévu à l'article 273 est en vigueur entre le participant et l'autre personne.

Le paragraphe 150(2) a été ajouté par L.C. 1990, c. 45, par. 12(1).

Concordance québécoise: aucune.

(2.1) Définitions — Les définitions qui suivent s'appliquent au paragraphe (2).

« services exonérés » Services visés à l'article 3 du *Règlement sur les services financiers (TPS/TVH)*.

Concordance québécoise: aucune.

« tiers non lié » En ce qui concerne une fourniture de services, personne qui n'est pas membre d'un groupe étroitement lié dont le fournisseur est membre et qui acquiert les services afin d'effectuer une fourniture de services liés à la compensation ou au règlement de chèques et d'autres instruments de paiement dans le cadre du système national de paiement de l'Association canadienne des paiements.

Concordance québécoise: aucune.

Notes historiques: Le paragraphe 150(2.1) a été ajouté par L.C. 2007, c. 18, par. 5(1) et est réputé être entré en vigueur le 14 septembre 2001.

(3) Forme et modalités du choix — Le choix concernant les fournitures effectuées entre le membre d'un groupe étroitement lié et une personne morale doit être conforme aux conditions suivantes :

a) il est fait en la forme et avec les renseignements déterminés par le ministre;

b) il précise le jour de son entrée en vigueur;

c) le membre le présente au ministre, selon les modalités déterminées par celui-ci, au plus tard le jour où il est tenu par la section V de produire une déclaration pour sa période de déclaration au cours de laquelle le choix doit entrer en vigueur.

Notes historiques: Le paragraphe 150(3) a été ajouté par L.C. 1990, c. 45, par. 12(1).

Concordance québécoise: aucune.

(4) Effet du choix — Le choix est en vigueur pour la période commençant le jour qui y est précisé et se terminant au premier en date des jours suivants :

a) le jour où l'un des membres cesse d'être membre du groupe étroitement lié;

b) le jour à compter duquel le groupe étroitement lié ne compte plus d'institutions financières désignées (sauf une personne qui n'est une institution financière que par l'effet de l'article 151);

c) le jour que les membres précisent dans un avis de révocation présenté conjointement au ministre en la forme, selon les modalités et avec les renseignements qu'il détermine, lequel jour tombe au moins 365 jours après le jour précisé dans le choix.

Notes historiques: Le paragraphe 150(4) a été ajouté par L.C. 1990, c. 45, par. 12(1).

Concordance québécoise: aucune.

(5) Choix subséquents — Le membre d'un groupe étroitement lié et la personne morale dont le choix conjoint fait en application du paragraphe (1) n'est plus en vigueur ne peuvent plus faire un tel choix sans le consentement écrit du ministre.

Notes historiques: Le paragraphe 150(5) a été ajouté par L.C. 1990, c. 45, par. 12(1).

Concordance québécoise: aucune.

(6) Présomption de choix par une caisse de crédit — Les présomptions suivantes s'appliquent à la présente partie :

a) chaque caisse de crédit est réputée en tout temps être membre d'un groupe étroitement lié dont chaque autre caisse de crédit est membre;

b) chaque caisse de crédit est réputée avoir fait le choix prévu au paragraphe (1) avec chaque autre caisse de crédit, lequel choix est en vigueur en tout temps;

c) la fourniture d'un bien meuble corporel par une caisse de crédit, sauf une immobilisation de celle-ci, effectuée au profit d'une autre caisse de crédit est réputée être une fourniture de service financier;

d) [*Abrogé*]

Notes historiques: L'alinéa 150(6)d) a été abrogé par L.C. 1993, c. 27, par. 25(1) rétroactivement au 17 décembre 1990. Il se lisait auparavant comme suit :

d) pour l'application de l'article 128, une caisse de crédit est réputée être un inscrit.

Le paragraphe 150(6) a été ajouté par L.C. 1990, c. 45, par. 12(1).

Concordance québécoise: LTVQ, art. 337.

(7) Présomption de choix — regroupement de sociétés mutuelles d'assurance — Pour l'application de la présente partie, chaque membre d'un regroupement de sociétés mutuelles d'assurance est réputé :

a) être en tout temps membre d'un groupe étroitement lié dont chaque autre membre du regroupement est membre;

b) avoir fait le choix prévu au paragraphe (1) avec chaque autre membre du regroupement, lequel choix est en vigueur en tout temps.

Notes historiques: Le paragraphe 150(7) a été ajouté par L.C. 1993, c. 27, par. 25(2) et est réputé entré en vigueur le 17 décembre 1990.

Lorsqu'une personne est réputée par le paragraphe 150(7) avoir fait le choix prévu au paragraphe 150(1) et que le montant de sa taxe nette en vertu de la partie IX pour une période de déclaration qui a pris fin au plus tard le 5 novembre 1991 excède le montant qui représenterait cette taxe pour cette période si la personne n'était pas réputée avoir fait ce choix, le ministre du Revenu national peut annuler tout ou partie de quelque pénalité ou intérêt payable par la personne en application de la partie IX sur cet excédent, ou y renoncer, pour la période commençant le jour où la pénalité ou l'intérêt commence à courir et se terminant le jour où la personne est tenue de produire une déclaration aux termes de la partie IX pour sa période de déclaration qui comprend le 5 novembre 1991.

Concordance québécoise: LTVQ, art. 337.1.

Définitions [art. 150]: « acquéreur », « bien », « caisse de crédit », « fourniture », « fourniture taxable », « groupe étroitement lié », « immobilisation », « inscrit », « institution financière désignée » — 123(1); « membre déterminé » — 156(1); « ministre », « personne » — 123(1); « personnes liées » — 126(2), (3); « personne morale » — 35(1) *Loi d'interprétation*; « règlement », « regroupement de sociétés mutuelles d'assurance », « service », « service financier » — 123(1).

Renvois [art. 150]: 128 (personnes morales étroitement liées); 149 (institutions financières); 151 (institution financière réputée); 156(1) (« membre déterminé »); 184.1(2) (non-application au cautionnement de bonne exécution); 205 (immobilisations — biens meubles) 225.2(4) (choix — TVH); 225.2(2)Ab) (redressement de la taxe nette); 271 (fusion); 272 (liquidation); 363(2)c)d) (calcul de l'acompte provisionnel d'une institution financière désignée particulière)); V:Partie VII:2 (fourniture exonérée — service financier).

Énoncés de politique [art. 150]: P-025, 04/09/92, *La date d'entrée en vigueur de la révocation d'un choix*; P-033, 17/09/92, *Période de déclaration d'un inscrit qui présente un choix en application du paragraphe 150(1)*; P-044, 01/12/92, *Effet de la révocation du choix sur les immobilisations (biens meubles) de moins de 50 000 $*; P-072, 09/07/93, *Règle relative à l'utilisation principale et choix en application du paragraphe 150(1)*.

Bulletins de l'information technique [art. 150]: B-075R, 23/04/96, *Modifications proposées à la TPS*; B-083R, 23/05/97, *Services financiers sous le régime de la TVQ*; B-097, 08/11, *Déterminer si une institution financière est une institution admissible pour l'application de l'article 141.02*; B-106, 08/11, *Méthodes d'attribution des crédits de taxe sur les intrants pour les institutions financières en application de l'article 141.02 de la Loi sur la taxe d'accise*; B-107, 10/11, *Régimes de placement (y compris les fonds réservés d'assureur) et la TVH* .

Mémorandums [art. 150]: TPS 300-3-9, 26/03/91, *Services financiers*, par. 14, 15; TPS 300-4-7, 02/11/93, *Services financiers*, par. 1–5; TPS 300-4-7, 02/12/93, *Services financiers*, par. 10–16; TPS 700-4, 25/11/93, *Institutions financières visées par la règle du seuil*, par. 34; TPS 700-5-1, 27/07/92, *Répartition des CTI pour les institutions financières*, par. 25–27; TPS 700-5-3, 31/07/92, *Caisses de crédit*, par. 10, 13, 14, 35, 38, 39, 41, 42; TPS 700-5-6, 9/12/91, *Crédits de taxe sur les intrants et société de portefeuille, prises de contrôle, et personnes morales à paliers multiples*, par. 16.

Série de mémorandums [art. 150]: Mémorandum 17.6, 09/99, *Définition d'« institution financière désignée »*; Mémorandum 17.8, 04/99, *Caisses de crédit*; Mémorandum 17.14, 07/11, *Choix visant les fournitures exonérées*; Mémorandum 19.4.1, 08/99, *Immeubles commerciaux — Ventes et locations*.

Formulaires [art. 150]: FP-27, *Choix visant les fournitures exonérées — Choix visant à faire considérer, comme des fournitures de services financiers les fournitures entre membres d'un groupe étroitement liés dont une institution financière désignée fait partie*; FP-27.S, *Formulaire supplémentaire de choix visant les fournitures exonérées*; FP-210, *Avis de révocation du choix visant à faire considérer comme des fournitures de services financiers les fournitures entre membres d'un groupe étroitement lié dont une institution financière désignée fait partie*; FP-210.S, *Formulaire supplémentaire de révocation de choix visant les fournitures exonérées*; GST27, *Choix visant les fournitures exonérées — Choix visant à exonérer les fournitures taxables entre personnes morales étroitement liées à une institution financière établie qui est un membre pour fournitures des services financiers*; GST210, *Avis de révocation du choix visant les fournitures exonérées*.

151. Effet du choix prévu au paragraphe 150(1) — Pour l'application de la présente partie, la personne morale, membre d'un groupe étroitement lié, qui fait le choix prévu au paragraphe 150(1) est réputée être une institution financière tout au long de la période au cours de laquelle le choix est en vigueur.

Notes historiques: L'article 151 a été ajouté par L.C. 1990, c. 45, par. 12(1).

Concordance québécoise: aucune.

Définitions: « groupe étroitement lié », « institution financière » — 123(1); « institution financière » — 149(1)a)(xi).

Renvois: 150(4)b) (effet du choix).

Énoncés de politique: P-033, 17/09/92, *Période de déclaration d'un inscrit qui présente un choix en application du paragraphe 150(1)*.

Série de mémorandums: Mémorandum 17.6, 09/99, *Définition d'« institution financière désignée »*; Mémorandum 17.14, 07/11, *Choix visant les fournitures exonérées*.

Lettres d'interprétation (Québec): 01-0109668 — Interprétation relative à la TVQ — Frais relatifs à la location d'un véhicule automobile; 02-0107223 — Interprétation relative à la TPS et à la TVQ — Cotisation annuelle [Application de la loi aux avis de].

Contrepartie

152. (1) Contrepartie due — Pour l'application de la présente partie, tout ou partie de la contrepartie d'une fourniture taxable est réputée devenir due le premier en date des jours suivants :

a) le premier en date du jour où le fournisseur délivre, pour la première fois, une facture pour tout ou partie de la contrepartie et du jour apparaissant sur la facture;

b) le jour où le fournisseur aurait délivré une facture pour tout ou partie de la contrepartie, n'eût été un retard injustifié;

c) le jour où l'acquéreur est tenu de payer tout ou partie de la contrepartie au fournisseur conformément à une convention écrite.

Notes historiques: Le paragraphe 152(1) a été ajouté par L.C. 1990, c. 45, par. 12(1).

Concordance québécoise: LTVQ, art. 83, al. 1.

(2) Contrepartie en cas de bail — Par dérogation au paragraphe (1), tout ou partie de la contrepartie relative à un bien fourni par bail, licence ou accord semblable faisant l'objet d'une convention écrite est réputée, pour l'application de la présente partie, devenir due le jour où l'acquéreur est tenu de la payer au fournisseur aux termes de la convention.

Notes historiques: Le paragraphe 152(2) a été ajouté par L.C. 1990, c. 45, par. 12(1).

Concordance québécoise: LTVQ, art. 83, al. 2.

(3) Paiement — Pour l'application de la présente partie, tout ce qui est donné ou à donner à titre de contrepartie, sauf de l'argent, est réputé payé ou payable à ce titre.

Notes historiques: Le paragraphe 152(3) a été ajouté par L.C. 1990, c. 45, par. 12(1).

Concordance québécoise: LTVQ, art. 84.

Définitions [art. 152]: « acquéreur », « argent », « bien » — 123(1); « bail ultérieur » — 153(4.3), (4.4); « bien ou service réputé fourni à l'étranger » — 142(2), 143(1); « bien repris » — 153(4); « contrepartie » — 123(1); « crédit à l'achat » — 153(4.1)B; « crédit à l'achat total inutilisé » — 153(4.1)B(ii)B_1; « écrit » — 35(1) *Loi d'interprétation*; « facture », « fourniture », « fourniture taxable », « inscrit », « installation de traitement complémentaire » — 123(1); « lien de dépendance » — 126(1); « liquides de gaz naturel » — 156(6)a); « nombre déterminé » — 153(4.2); « valeur de la contrepartie » — 153; « vente » — 123(1).

Renvois [art. 152]: 118(3)b) et 118(4)b) (taxe prévue par la partie VI); 160 (appareils automatiques); 166 (petit fournisseur); 168 (taxe payable); 173(2) (avantages taxables); 218(2) (taxe payable); 337(5) (contrepartie avant 1991); 339a) (paiements échelonnés avant 1991); 340 (paiement anticipé de loyer et de redevances avant 1991); 341 (services antérieurs à 1991); 342 (transport de particuliers); 343 (transport de marchandises); 345 (abonnements à vie); 346(1) (crédit transitoire pour la petite entreprise); 352(8) (paiement anticipé de bien meuble corporel postérieur à la mise en œuvre anticipée); 356(3) (paiement anticipé de services postérieur à la mise en œuvre anticipée); 356(6) (abonnements à vie); 358(3), (4) (laissez-passer de transport); 359(2) (services de transport de marchandises après la mise en œuvre).

Jurisprudence [art. 152]: *DHM Energy Consultants Ltd c. La Reine*, [1995] G.S.T.C. 3 (CCI); *Services Sanitaires Roy Inc. c. St.-Patrice-de-Rivière-du-Loup (Municipalité)*, [1994] G.S.T.C. 57 (SC Que.); [1997] G.S.T.C. 21 (C.A. Qué); *Armcorp 4-18 Ltd. (Re.)*, [1999] G.S.T.C. 39 (QB Alberta); *Rockwood Motor Products c. R.*, 2005 CCI 204 (CCI); *General Motors of Canada Ltd. v. R.* (22 février 2008), [2008] G.S.T.C. 41 (CCI [procédure générale]); *Lacroix c. R.*, 2010 CarswellNat 693, 2010 CCI 160, 2010 G.T.C. 287 (Fr.) (CCI [procédure générale]); *Tendances et concepts inc. c. R.* (8 mars 2011), 2011 CarswellNat 504, 2011 CCI 141 (CCI [procédure informelle]); *Lacroix c. R.* (8 avril 2011), 2011 CarswellNat 1094, 2011 CAF 128 (CAF); *Baribeau c. R.*, 2011 CarswellNat 4945, 2011 CCI 544 (CCI [procédure informelle]).

Énoncés de politique [art. 152]: P-164, 15/02/94, *Contrat de location avec option d'achat*.

Mémorandums [art. 152]: TPS 300, 7/03/91, *Taxe sur les fournitures*, par. 14; TPS 300-6, 14/09/90, *Moment d'assujettissement de la fourniture*, par. 15, 16; TPS 300-6-1, 10/01/92, *Règle générale*, par. 9, 11; TPS 300-6-2, 26/03/91, *Paiements*, par. 4, 8; TPS 300-6-3, 20/03/91, *Factures*, par. 5, 8, 10, 12; TPS 300-6-4, 15/01/91, *Conventions écrites*, par. 5, 6, 7, 9, 19; TPS 300-6-5, 2/01/91, *Immeubles*, par. 12; TPS 300-6-6, 10/01/92, *Fournitures continues*, par. 6; TPS 300-6-7, 15/01/92, *Paiements partiels*, par. 8, 9; TPS 300-6-8, 15/01/91, *Arrhes*, par. 4; TPS 300-6-13, 14/01/91, *Contrats de construction*, par. 8, 9, 10; TPS 300-6-16, 11/01/91, *Taxe sur les fournitures — moment d'assujettissement de la fourniture — fournitures combinées*; TPS 300-7-7, 24/04/91, *Taxe sur les fournitures valeur de la fourniture publicité en coopération*; TPS 300-9, 02/01/91, *Taxe sur les fournitures services et biens incorporels importés*.

Série de mémorandums [art. 152]: Mémorandum 2.2, 05/99, *Petits fournisseurs*, par. 17; Mémorandum 8-1, 05/05, *Règles générales d'admissibilité*; Mémorandum 19.1, 10/97, *Les immeubles et la TPS/TVH*.

Info TPS/TVQ [art. 152]: GI-013 — *Réduction du taux de la TPS/TVH*; GI-092 — *Taxe de vente harmonisée - Locations d'immeubles en Ontario et en Colombie Britannique*; GI-108 — *Application de la hausse du taux de la TVH en Nouvelle-Écosse (2010)-Biens meubles* ; GI-109 — *Application de la hausse du taux de la TVH en Nouvelle-Écosse (2010)-Services* ; GI-110 — *Application de la hausse du taux de la TVH en Nouvelle-Écosse (2010)-Droits d'entrée et droits d'adhésion*; GI-111 — *Application de la hausse du taux de la TVH en Nouvelle-Écosse (2010)-Services de transport et laissez-passer*.

Lettres d'interprétation (Québec) [art. 152]: 99-0101388 — Interprétation relative à la TPS et à la TVQ — Droit aux CTI et aux RTI à l'égard des coûts de construction d'un bâtiment dans le cadre d'un droit d'emphytéose; 99-0103467 — Interprétation relative à la TPS et à la TVQ — Droit aux CTI et aux RTI à l'égard des coûts de construction d'un bâtiment; 99-0104002 — Décision portant sur l'application de la TPS — Interprétation relative à la TVQ — Droit aux CTI et aux RTI à l'égard des coûts de construction d'un bâtiment dans le cadre d'un droit d'emphytéose; 00-0112623 — Décision portant sur l'application de la TPS — Interprétation relative à la TVQ — Montant porté au crédit de l'acquéreur à l'égard d'un véhicule routier accidenté échangé et indemnité versée par une compagnie d'assurance; 01-0108918 — Promesse bilatérale; 02-0107223 — Interprétation relative à la TPS et à la TVQ — Cotisation annuelle [Application de la loi aux avis de].

COMMENTAIRES: En générale, les fournisseurs voudront envoyer leurs factures au début de leur période de déclaration, afin que celles-ci soient payées par l'acquéreur avant que les taxes ne soient remises par les fournisseurs.

À titre illustratif, dans le cas où une personne effectue un envoi de matériel au mois de novembre et qu'au moment de sa livraison une facture sur laquelle apparaissent tous les paiements qui devront éventuellement être effectués est délivrée à l'acquéreur, alors la

TPS sur l'ensemble des paiements devient payable dès ce moment, soit le jour où la facture est délivrée pour la première fois à l'acquéreur (ou le jour apparaissant sur la facture s'il est antérieur au jour de la délivrance de la facture) et ce, en application du paragraphe 168(2) et de l'alinéa 152(1)a). Voir notamment à cet effet : Revenu Québec, Lettre d'interprétation, 96-0108660 — *Paiement de la TPS et de la TVQ* (15 juillet 1996).

Dans l'affaire *DHM Energy Consultants Ltd. c. Canada*, 1995 CarswellNat 10 (C.C.I.), la Cour canadienne de l'impôt est d'avis, à l'égard de l'alinéa 152(1)(b), que puisque l'acquéreur est celui qui ultimement paie la taxe, il est logique de considérer que si le fournisseur a un retard injustifié dans l'émission de la facture, l'acquéreur ne devrait pas supporter le fardeau de la taxe qu'il n'aurait pas eu autrement à payer. Dans ce contexte, le retard injustifié doit provenir du fournisseur et non de l'acquéreur. Toutefois, dans le présent cas, l'envoi des factures a été retardé à la demande de l'acquéreur. Ainsi, le test de « retard injustifié » n'est pas rencontré. Par conséquent, l'appelant n'est pas couvert par l'exception prévue à l'alinéa 152(1)(b).

Les notes techniques de l'alinéa 152(1)(b) énoncent que la notion de « retard injustifiée » est similaire au concept qui se retrouve également à l'alinéa 12(1)(b) de la *Loi de l'impôt sur le revenu*. Dans l'affaire *Spur Oil Ltd. c. La Reine*, 1981 CarswellNat 525 (C.A.F.), en matière d'impôt sur le revenu, le terme « injustifié » a été interprété comme signifiant « excessif ». En appliquant cette décision à l'alinéa 152(1)(b), cela entraîne une interprétation restrictive de l'expression « retard injustifié » qui s'y retrouve. Voir notamment l'affaire *DHM Energy Consultants Ltd. c. Canada*, 1995 CarswellNat 10 (C.C.I.) où la Cour a analysé l'alinéa 152(1)(b) et a conclu que la notion de « retard injustifié » devait être analysé en fonction du fournisseur et non en fonction de l'acquéreur de la fourniture taxable. De l'avis de l'auteur, ce retard injustifié devrait être analysé en fonction des pratiques et coutumes d'une industrie visée.

Dans l'affaire *Lacroix c. R.*, 2011 CarswellNat 1094 (C.A.F.) 2012 CarswellNat 185 (permission d'en appeler à la Cour suprême du Canada refusée), la question fondamentale qui se pose est à savoir si la juge de la Cour canadienne de l'impôt pouvait s'en remettre au critère prévu à l'alinéa 168(3)*c*) pour déterminer le moment auquel la facture devait être délivrée malgré le fait que la condition préalable à l'application de cette disposition, soit l'existence d'une entente écrite, n'était pas présente. L'essentiel du raisonnement de la juge de la Cour canadienne de l'impôt quant à cette question est le suivant: [...] Même s'il n'y a aucune convention écrite, il appert que le critère de la fin des travaux prévu à l'alinéa 168(3)*c*) est un critère raisonnable pour déterminer si une contrepartie était due, qui peut s'appliquer tout autant en présence ou en l'absence d'une convention écrite. De fait, si dans le cas de l'existence d'une convention écrite, le législateur a cru bon de dire que la contrepartie ne devient due que lorsque les travaux sont presque achevés, ceci est donc une bonne référence pour déterminer quand la contrepartie devient due dans le cas où le fournisseur n'a pas délivré de facture pour la contrepartie. L'alinéa 152(1)*b*) prévoit que la contrepartie est réputée devenir due le jour où le fournisseur aurait dû délivrer une facture, n'eût été un retard injustifié. Puisque les travaux étaient loin d'être complétés au moment où l'avis d'hypothèque légale a été enregistré, la Cour d'appel fédérale ne croit pas qu'on puisse parler d'un retard injustifié à délivrer une facture à cette date. La difficulté que soulève ce raisonnement est que selon les termes mêmes de l'alinéa 152(1)*b*), l'émission d'une facture peut être assujettie à un retard injustifié, même si les travaux ne sont que partiellement complétés puisque la disposition fait état d'une facture « pour tout ou partie de la contrepartie ». Il s'ensuit que la juge de la Cour canadienne de l'impôt ne pouvait arrêter son analyse sur le simple fait que les travaux n'étaient pas substantiellement complétés et conclure dès lors qu'une facture n'avait pas à être délivrée. Elle devait se demander si, selon la preuve, une facture devait être délivrée aux fins de l'alinéa 152(1)*b*) pour la partie des travaux qui avait été effectuée. De l'avis de la Cour d'appel fédérale, si la juge de la Cour canadienne de l'impôt s'était posée cette question, elle n'aurait pu faire autrement que conclure dans l'affirmative. En effet, la preuve démontre que les travaux effectués par Canadevim se sont arrêtés à compter du moment où Harry Adams découvre sa maladie alors qu'ils étaient complétés à 55 %. C'est lorsque Harry Adams a fait don de son terrain à une fiducie pour sa conjointe quelques mois plus tard que Canadevim a constaté que le projet et les fonds qu'elle avait investis étaient en péril (motifs, para. 9; dossier d'appel, vol. II, pp. 180, 181). L'hypothèque légale fut enregistrée le 10 juillet 1998 et la requête en délaissement forcé et prise en paiement des terrains fut déposée sept mois plus tard. Canadevim n'a pas cru bon de mettre cette requête en preuve mais il est clair que pour la déposer, Canadevim devait alléguer l'existence de sa créance, son exigibilité et le défaut du débiteur. D'ailleurs, le jugement de la Cour supérieure rendu en date du 31 mai 2001 fait état du fait que Canadevim a allégué dans cette requête ne pas avoir été payée et personne ne peut remettre en question le fait que la requête avait pour but de prendre les terrains en paiement du montant impayé. Ceci confirme la thèse du ministre selon laquelle le mandat initial conféré à Canadevim a pris fin après la première vague de travaux et que c'est en vertu d'un contrat distinct impliquant une autre partie que les travaux nécessaires à l'ouverture du golf ont été complétés. En toute logique, une facture pour le montant impayé devait être délivrée avant que ne soit déposée la requête en délaissement forcé et prise en paiement. De fait, cette requête ne pouvait être déposée sans qu'une demande de paiement ne soit effectuée sous une forme quelconque. Dans ce contexte, l'omission d'émettre une facture ne peut se justifier. De plus, la Cour souligne que la décision de la Cour d'appel du Québec dans l'affaire *Beleyrian* n'affecte en rien ce raisonnement. Ce qui découle de cet arrêt est que la plus-value résultant des travaux effectués n'a pas à être quantifiée lors de l'inscription de l'avis d'hypothèque légale. Aucune telle question ne se soulève dans le cadre du présent appel. Quant au montant qui devait être facturé, l'hypothèque légale enregistrée par Canadevim fut calculée en fonction des coûts réels encourus pour effectuer les travaux et Yoland Lacasse, qui témoignait sur ce plan tant au nom de Canadevim qu'en son propre nom et celui de Yoland Lacasse *in trust*, a confirmé que l'entente verbale donnait droit à un montant calculé en fonction des coûts encourus. À part avoir allégué que l'hypothèque qu'elle a enregistrée serait illégale — parce qu'enregistrée sur deux terrains plutôt qu'un — Canadevim n'a pas démontré qu'un montant autre que celui indiqué aurait dû être inscrit ou que le montant qu'elle a réclamé dans sa requête était différent de celui qu'elle a enregistré. J'en viens donc à la conclusion que n'eût été d'un retard injustifié, Canadevim aurait délivré une facture pour le montant de 1,2 million de dollars à un moment quelconque entre l'arrêt des travaux à l'automne 1997 et le 1er février 1999, date du dépôt de la requête en délaissement forcé et prise en paiement. Il s'ensuit que selon les termes du paragraphe 152(1), la contrepartie de la fourniture taxable effectuée par Canadevim est « devenue due » au plus tard le 1er février 1999. Canadevim a par ailleurs prétendu que les événements subséquents au dépôt de cette requête démontrent que sa créance n'était pas de 1,2 million de dollars. Elle soutient que l'entente hors cour intervenue en janvier 2001 démontre qu'en ce qui a trait à la partie des travaux effectués sur le terrain appartenant à l'époque à Harry Adams, la contrepartie a été réduite à zéro puisqu'elle a renoncé à tout montant qui pouvait lui être dû par la succession Adams. Le fait que la succession Adams n'ait rien payé n'établit pas que Canadevim a réduit la contrepartie qui lui était due. En effet, rien n'explique pourquoi Canadevim aurait fait don de sa créance ou choisi de l'abandonner. Ceci laisse plutôt croire que l'obligation de payer Canadevim a été assumée par ceux qui avaient intérêt à faire avancer le projet. J'ai à l'esprit notamment la Société Les Vieux Moulins laquelle a acquis de la succession le terrain sur lequel les améliorations furent apportées. Finalement, la règle qui se dégage de la décision de la Cour canadienne de l'impôt dans *Rockport Developments* ne peut s'appliquer en l'espèce. La Cour devait dans cette affaire se prononcer sur l'assujettissement à la TPS de frais supplémentaires pour des travaux sur lesquels les parties ne s'étaient pas entendues. Aucune telle question ne se soulève ici puisqu'il y avait entente quant aux travaux qui devaient être effectués et à la considération qui devait être payée.

Dans l'affaire *Rockport Developments Inc. c. R.*, 2009 CarswellNat 5255 (C.C.I.), la Cour canadienne de l'impôt a souligné que la taxe à payer est déterminée en fonction de la date à laquelle la contrepartie est due. Le paragraphe 152(1) détermine à quel moment la contrepartie est due. Aux fins de l'application du paragraphe 152(1), il faut donc tenir pour acquis qu'il existe une contrepartie valide dont il a été convenu de façon à ce que, si la valeur de la contrepartie est contestée ou fait l'objet d'un litige, il ne peut pas être considéré qu'il s'agit d'une contrepartie valide dont il a été convenu. En l'espèce, les factures alléguées ont toutes été établies à l'égard de frais supplémentaires et d'autres frais qui sont tirés des rapports d'étape quotidiens qu'Enbridge et Exelon ont refusé d'admettre et d'accepter pour toutes sortes de raisons, dont le fait que les rapports n'avaient pas été approuvés par Enbridge. Enbridge avait expressément mis de côté toutes ces demandes de paiement en vue de les traiter plus tard. Comme Enbridge et Exelon refusaient de payer les frais supplémentaires et d'autres frais, Robinson s'était vue contrainte de déposer une revendication de privilège en vertu de la *Loi sur le privilège des constructeurs et des fournisseurs de matériaux* du Nouveau-Brunswick, et des factures avaient été établies pour que Robinson puisse satisfaire aux exigences de cette loi et être en mesure de quantifier sa revendication. Seules les sommes contestées n'ont pas été payées par Enbridge et Exelon, et ces sommes étaient relatives à un contrat dont la valeur s'élevait à presque 12 millions de dollars.

Dans l'affaire *Tendances & concepts inc. c. R.*, 2011 CarswellNat 504 (C.C.I.), la Cour canadienne de l'impôt a souligné qu'à la lecture du paragraphe 152(1), il semble clair que le moment où les arrhes deviennent un acompte ne peut être postérieur au moment où la facture est délivrée, car c'est à ce moment que la contrepartie est réputée devenir due et, par le fait même, taxable. En conséquence, la taxe n'est généralement pas exigible avant la facturation s'il s'agit d'arrhes et, s'il s'agit plutôt d'un acompte, la taxe est exigible dès sa réception. Ces deux règles différentes illustrent l'importance de bien caractériser et distinguer les différents types de paiements faits d'avance, soit l'acompte et les arrhes. Il importe de définir la notion d'arrhes par rapport à celle d'acompte, l'acompte étant tout simplement un paiement partiel à valoir sur une somme due.

À l'égard du crédit-bail, Revenu Québec est d'avis que ce contrat constitue une convention de louage de biens et que c'est le paragraphe 168(2) qui doit s'appliquer relativement à la détermination du moment où la taxe est payable. La taxe est donc payable à chacun des jours qui est le premier en date du jour où une partie de la contrepartie est payée et du jour où cette partie devient due, calculée sur la valeur de la partie de la contrepartie qui est payée ou qui devient due ce jour-là. À cet égard, le paragraphe 152(2) précise que tout ou partie de la contrepartie relative à un bien fourni par bail, licence ou accord semblable faisant l'objet d'une convention écrite est réputée devenir due le jour où l'acquéreur est tenu de la payer au fournisseur aux termes de la convention. Voir notamment à cet effet : Revenu Québec, Lettre d'interprétation, 00-0105098 — *Interprétation relative à la TPS et à la TVQ — Convention de crédit-bail avec option d'achat* (14 mai 2001).

Dans le cadre d'une position administrative, Revenu Québec a indiqué que le fournisseur, inscrit au registre de la TPS, devrait percevoir la TPS payable sur les loyers qui seront devenus échus pendant la période de location écoulée entre le 1er janvier 1997 et le 31 décembre 1997, vu la teneur de l'article 221, et des paragraphes 168(2) et 152(2), et ce, même s'ils ne sont pas payés par le locataire. En effet, même si impayés, les loyers, lorsqu'échus, seraient réputés être devenus dus vu le paragraphe 152(2). Ceci étant, la TPS sur chacun des loyers serait payable et, par conséquent, percevable à chaque jour où ils deviendraient dus en vertu du contrat de location intervenu entre les parties (par. 168(2)). Dans un tel cas, le fournisseur devrait rendre compte à Revenu Québec de la TPS appliquée sur la valeur des loyers en question, quitte à déduire subséquemment, dans le calcul de sa taxe nette à remettre à Revenu Québec, un montant correspondant à la TPS qu'il n'aurait pas réussi à recouvrer du locataire, et ce, lorsqu'il serait en mesure d'établir que la totalité ou partie des loyers dus et de la TPS applicable sur ces loyers, seraient devenus une créance irrécouvrable et que les autres conditions pour ce faire seraient rencontrées. Voir notamment à cet égard : Revenu Québec, Lettre d'interprétation, 97-0105698 — *Assujettissement à la TPS et à la TVQ — Résiliation d'un contrat de location à long terme d'une automobile* (7 juillet 1997).

153. (1) Valeur de la contrepartie — Pour l'application de la présente partie et sous réserve de la présente section, la valeur de tout ou partie de la contrepartie d'une fourniture est réputée correspondre, si la contrepartie est sous forme d'un montant d'argent, à ce montant; sinon, à sa juste valeur marchande au moment de la fourniture.

Notes historiques: Le paragraphe 153(1) a été ajouté par L.C. 1990, c. 45, par. 12(1).

Concordance québécoise: LTVQ, art. 51.

(2) Contrepartie combinée — Pour l'application de la présente partie, dans le cas où une contrepartie est payée pour une fourniture et une autre contrepartie est payée pour une ou plusieurs autres fournitures ou choses et où la contrepartie d'une des fournitures ou choses dépasse celle qui serait raisonnable si l'autre fourniture n'était pas effectuée, ou l'autre chose livrée, la contrepartie pour chacune des fournitures et choses est réputée égale à la fraction du total des montants dont chacun représente la contrepartie d'une de ces fournitures ou choses qu'il est raisonnable d'imputer à chacune des fournitures et choses.

Notes historiques: Le paragraphe 153(2) a été ajouté par L.C. 1990, c. 45, par. 12(1).

Concordance québécoise: LTVQ, art. 53.

(3) Troc entre inscrits — La valeur de tout ou partie de la contrepartie de la fourniture d'un bien d'une catégorie donnée ou d'un type donné est réputée nulle si les conditions suivantes sont réunies :

a) tout ou partie de la contrepartie est constituée de biens de cette catégorie ou de ce type;

b) le fournisseur et l'acquéreur sont tous deux des inscrits;

c) le bien est acquis par l'acquéreur et tout ou partie de la contrepartie est acquise par le fournisseur à titre d'inventaire pour utilisation exclusive dans le cadre de leurs activités commerciales.

Notes historiques: Le paragraphe 153(3) a été ajouté par L.C. 1990, c. 45, par. 12(1).

Concordance québécoise: LTVQ, art. 54.

(4) Contrepartie constituée de biens meubles corporels d'occasion — Sous réserve du paragraphe (5), dans le cas où un fournisseur, au moment où il fournit un bien meuble corporel, accepte en contrepartie, même partielle, un autre bien — bien meuble corporel d'occasion ou droit de tenure à bail y afférent — (appelé « bien repris » au présent paragraphe et au paragraphe (5)) qu'il acquiert pour consommation, utilisation ou fourniture dans le cadre de ses activités commerciales et que l'acquéreur n'est pas tenu de percevoir la taxe relative à la fourniture du bien repris, la valeur de la contrepartie de la fourniture effectuée par le fournisseur est réputée, pour l'application de la présente partie, être égale à l'excédent éventuel de la valeur de la contrepartie de cette fourniture, déterminée par ailleurs selon la présente partie, sur le montant suivant :

a) sauf en cas d'application de l'alinéa b), le montant porté au crédit de l'acquéreur au titre du bien repris;

b) dans le cas où le fournisseur et l'acquéreur ont entre eux un lien de dépendance au moment de la fourniture et que le montant porté au crédit de l'acquéreur au titre du bien repris dépasse la juste valeur marchande de ce bien au moment du transfert de sa propriété au fournisseur, cette juste valeur marchande.

Notes historiques: Le paragraphe 153(4) a été ajouté par L.C. 1997, c. 10, par. 13(1) et s'applique aux fournitures effectuées après le 23 avril 1996, à l'exception d'une fourniture, effectuée au profit d'un acquéreur, d'un bien pour lequel le fournisseur a accepté, à titre de contrepartie, même partielle, aux termes d'une convention écrite conclue avant juillet 1996, un autre bien meuble corporel (appelé « bien repris » au présent paragraphe), dans le cas où le fournisseur a exigé ou perçu, relativement à la fourniture, une taxe calculée compte non tenu du montant qu'il a porté au crédit de l'acquéreur au titre du bien repris.

Concordance québécoise: LTVQ, art. 54.1.

(4.1) Contrats de cession-bail — Pour l'application de la présente partie, dans le cas où les conditions suivantes sont réunies :

a) une personne (appelée « preneur » au présent paragraphe et aux paragraphes (4.2) à (4.5)) fournit par vente un bien meuble corporel à une autre personne (appelée « bailleur » au présent paragraphe),

b) le preneur n'est pas tenu de percevoir la taxe relative à cette fourniture,

c) le bailleur effectue aussitôt une fourniture taxable du bien par bail au profit du preneur aux termes d'une convention (appelée « contrat de cession-bail initial » au présent paragraphe et aux paragraphes (4.2) à (4.5),

la valeur de la contrepartie d'une fourniture du bien par bail qui, à un moment donné, devient due ou est payée sans être devenue due aux termes d'une convention donnée qui est le contrat de cession-bail initial ou un bail ultérieur relatif à ce contrat est réputée être égale au montant obtenu par la formule suivante :

$$A - B$$

où :

A représente la valeur de cette contrepartie, déterminée par ailleurs selon la présente partie;

B le montant (appelé « crédit à l'achat » au présent paragraphe) égal au moins élevé des montants suivants :

(i) le valeur de l'élément A,

(ii) le montant obtenu par la formule suivante :

$$B1/B2$$

où :

B1 représente l'excédent éventuel (appelé « crédit à l'achat total inutilisé » au présent paragraphe et au paragraphe (4.5)) de la contrepartie de la fourniture par vente sur le total des montants représentant chacun le crédit à l'achat qui a été déterminé dans le calcul du montant réputé par le présent paragraphe être la valeur d'une contrepartie qui, avant le moment donné, est devenue due ou a été payée sans être devenue due aux termes du contrat de cession-bail initial ou d'un bail ultérieur relatif à ce contrat,

B2 le nombre déterminé de paiements de location restants prévus par la convention donnée au moment donné,

(iii) s'il n'y a pas de crédit à l'achat total inutilisé, zéro.

Notes historiques: Le paragraphe 153(4.1) a été ajouté par L.C. 2000, c. 30, par. 23(1) et s'applique aux fournitures suivantes :

a) la fourniture par bail d'un bien, effectuée par une personne au profit d'un acquéreur aux termes d'un contrat de cession-bail initial, au sens du paragraphe 153(4.1), conclu à un moment postérieur à 1998 et la fourniture par vente du bien par l'acquéreur au profit de la personne immédiatement avant ce moment;

b) la fourniture par bail du bien, effectuée au profit de l'acquéreur aux termes d'un bail ultérieur relatif au contrat de cession-bail initial, au sens des paragraphes 153(4.3) ou (4.4);

c) la fourniture par vente du bien effectuée à l'occasion de l'exercice d'une option d'achat du bien prévue par le contrat de cession-bail initial ou par un bail ultérieur, au sens de ces paragraphes 153(4.3) ou (4.4), relatif à ce contrat.

Toutefois, lorsque le contrat de cession-bail initial fait l'objet d'une modification ou d'un renouvellement qui a pour effet de changer le nombre de paiements que l'acquéreur est tenu de faire pour des fournitures par bail du bien aux termes de ce contrat et que la modification ou le renouvellement entre en vigueur avant juillet 1999, le paragraphe 153(4.4) ne s'applique pas à la modification ou au renouvellement.

Concordance québécoise: LTVQ, art. 54.1.1.

(4.2) Sens de « nombre déterminé de paiements de location restants » — Au paragraphe (4.1), « nombre déterminé de paiements de location restants » à un moment donné relativement à une convention donnée portant sur la fourniture d'un bien par bail qui est un contrat de cession-bail initial ou un bail ultérieur relatif à ce contrat, s'entend du nombre obtenu par la formule suivante :

$$A - B$$

où :

A représente le nombre total de paiements que le preneur était tenu de faire au titre de la contrepartie des fournitures du bien effectuées par bail aux termes de la convention donnée, d'après les modalités de cette convention au moment de sa conclusion;

B le nombre total de paiements visés à l'élément A qui, avant le moment donné, sont devenus dus ou ont été payés par le preneur.

Notes historiques: Le paragraphe 153(4.2) a été ajouté par L.C. 2000, c. 30, par. 23(1) et s'applique aux fournitures suivantes :

a) la fourniture par bail d'un bien, effectuée par une personne au profit d'un acquéreur aux termes d'un contrat de cession-bail initial, au sens du paragraphe 153(4.1), conclu à un moment postérieur à 1998 et la fourniture par vente du bien par l'acquéreur au profit de la personne immédiatement avant ce moment;

b) la fourniture par bail du bien, effectuée au profit de l'acquéreur aux termes d'un bail ultérieur relatif au contrat de cession-bail initial, au sens des paragraphes 153(4.3) ou (4.4);

c) la fourniture par vente du bien effectuée à l'occasion de l'exercice d'une option d'achat du bien prévue par le contrat de cession-bail initial ou par un bail ultérieur, au sens de ces paragraphes 153(4.3) ou (4.4), relatif à ce contrat.

Toutefois, lorsque le contrat de cession-bail initial fait l'objet d'une modification ou d'un renouvellement qui a pour effet de changer le nombre de paiements que l'acquéreur est tenu de faire pour des fournitures par bail du bien aux termes de ce contrat et que la modification ou le renouvellement entre en vigueur avant juillet 1999, le paragraphe 153(4.4) ne s'applique pas à la modification ou au renouvellement.

Concordance québécoise: LTVQ, art. 54.1.2.

(4.3) Sens de « bail ultérieur » — Aux paragraphes (4.1) à (4.5), « bail ultérieur » relatif à un contrat de cession-bail initial portant sur la fourniture par bail d'un bien au profit d'un preneur s'entend, selon le cas :

a) d'une convention portant sur la fourniture par bail du bien, qui constitue une nouvelle convention entre le preneur et le cessionnaire des droits et obligations de la personne qui est le fournisseur aux termes du contrat de cession-bail initial ou aux termes d'une convention visée au présent alinéa ou à l'alinéa b);

b) d'une convention portant sur la fourniture par bail du bien au profit du preneur qui succède, à titre de nouvelle convention, soit au contrat de cession-bail initial, soit à une convention donnée visée à l'alinéa a) ou au présent alinéa découlant du renouvellement ou de la modification de ce contrat de cession-bail initial ou de la convention donnée.

Notes historiques: Le paragraphe 153(4.3) a été ajouté par L.C. 2000, c. 30, par. 23(1) et s'applique aux fournitures suivantes :

a) la fourniture par bail d'un bien, effectuée par une personne au profit d'un acquéreur aux termes d'un contrat de cession-bail initial, au sens du paragraphe 153(4.1), conclu à un moment postérieur à 1998 et la fourniture par vente du bien par l'acquéreur au profit de la personne immédiatement avant ce moment;

b) la fourniture par bail du bien, effectuée au profit de l'acquéreur aux termes d'un bail ultérieur relatif au contrat de cession-bail initial, au sens des paragraphes 153(4.3) ou (4.4);

c) la fourniture par vente du bien effectuée à l'occasion de l'exercice d'une option d'achat du bien prévue par le contrat de cession-bail initial ou par un bail ultérieur, au sens de ces paragraphes 153(4.3) ou (4.4), relatif à ce contrat.

Toutefois, lorsque le contrat de cession-bail initial fait l'objet d'une modification ou d'un renouvellement qui a pour effet de changer le nombre de paiements que l'acquéreur est tenu de faire pour des fournitures par bail du bien aux termes de ce contrat et que la modification ou le renouvellement entre en vigueur avant juillet 1999, le paragraphe 153(4.4) ne s'applique pas à la modification ou au renouvellement.

Concordance québécoise: LTVQ, art. 54.1.3.

(4.4) Présomption — bail ultérieur — Pour l'application des paragraphes (4.1), (4.2) et (4.5), lorsqu'un fournisseur convient, à un moment donné, de renouveler, de modifier ou de céder une convention donnée portant sur la fourniture d'un bien par bail au profit d'un preneur qui est un contrat de cession-bail initial ou un bail ultérieur relatif à ce contrat, ou de mettre fin à une telle convention (autrement qu'à l'occasion de l'exercice d'une option d'achat), et que le renouvellement, la modification, la cession ou la cessation, sans constituer une novation de la convention donnée, a pour effet de changer le nombre de paiements que le preneur est tenu de faire pour des fournitures par bail du bien, effectuées aux termes de la convention donnée, les présomptions suivantes s'appliquent :

a) le fournisseur et le preneur sont réputés avoir conclu, à ce moment, un bail ultérieur relatif au contrat de cession-bail initial;

b) les fournitures par bail dont la contrepartie, même partielle, devient due, ou est payée sans être devenue due, au moment de l'entrée en vigueur du renouvellement, de la modification, de la cession ou de la cessation ou postérieurement et qui seraient effectuées aux termes de la convention donnée si ce n'était le présent paragraphe sont réputées être effectuées aux termes de ce bail ultérieur et non aux termes de la convention donnée.

Notes historiques: Le paragraphe 153(4.4) a été ajouté par L.C. 2000, c. 30, par. 23(1) et s'applique aux fournitures suivantes :

a) la fourniture par bail d'un bien, effectuée par une personne au profit d'un acquéreur aux termes d'un contrat de cession-bail initial, au sens du paragraphe 153(4.1), conclu à un moment postérieur à 1998 et la fourniture par vente du bien par l'acquéreur au profit de la personne immédiatement avant ce moment;

b) la fourniture par bail du bien, effectuée au profit de l'acquéreur aux termes d'un bail ultérieur relatif au contrat de cession-bail initial, au sens des paragraphes 153(4.3) ou (4.4);

c) la fourniture par vente du bien effectuée à l'occasion de l'exercice d'une option d'achat du bien prévue par le contrat de cession-bail initial ou par un bail ultérieur, au sens de ces paragraphes 153(4.3) ou (4.4), relatif à ce contrat.

Toutefois, lorsque le contrat de cession-bail initial fait l'objet d'une modification ou d'un renouvellement qui a pour effet de changer le nombre de paiements que l'acquéreur est tenu de faire pour des fournitures par bail du bien aux termes de ce contrat et que la modification ou le renouvellement entre en vigueur avant juillet 1999, le paragraphe 153(4.4) ne s'applique pas à la modification ou au renouvellement.

Concordance québécoise: LTVQ, art. 54.1.4.

(4.5) Exercice d'une option d'achat — Pour l'application de la présente partie, sauf une fin visée à l'alinéa (5)a), lorsqu'un bien est fourni par vente à un preneur à l'occasion de l'exercice par celui-ci d'une option d'achat du bien prévue par un contrat de cession — bail initial qu'il a conclu relativement au bien, ou par un bail ultérieur relatif à ce contrat, auquel le paragraphe (4.1) s'est appliqué et que, immédiatement avant le premier moment où la contrepartie, même partielle, de la fourniture devient due ou est payée sans être devenue due, il existe un crédit à l'achat total inutilisé relatif au bien, les règles suivantes s'appliquent :

a) la valeur de la contrepartie de la fourniture est réputée être égale au montant obtenu par la formule suivante :

$$A - B$$

où :

A représente la valeur de cette contrepartie, déterminée par ailleurs selon la présente partie,

B ce crédit à l'achat total inutilisé;

b) le paragraphe (4.1) ne s'applique pas à toute contrepartie qui, après ce premier moment, devient due ou est payée sans être devenue due relativement à une fourniture par bail du bien qui a été effectuée aux termes du contrat de cession–bail initial ou aux termes d'un bail ultérieur relatif à ce contrat.

Notes historiques: Le paragraphe 153(4.5) a été ajouté par L.C. 2000, c. 30, par. 23(1) et s'applique aux fournitures suivantes :

a) la fourniture par bail d'un bien, effectuée par une personne au profit d'un acquéreur aux termes d'un contrat de cession-bail initial, au sens du paragraphe 153(4.1), conclu à un moment postérieur à 1998 et la fourniture par vente du bien par l'acquéreur au profit de la personne immédiatement avant ce moment;

b) la fourniture par bail du bien, effectuée au profit de l'acquéreur aux termes d'un bail ultérieur relatif au contrat de cession-bail initial, au sens des paragraphes 153(4.3) ou (4.4);

c) la fourniture par vente du bien effectuée à l'occasion de l'exercice d'une option d'achat du bien prévue par le contrat de cession-bail initial ou par un bail ultérieur, au sens de ces paragraphes 153(4.3) ou (4.4), relatif à ce contrat.

Toutefois, lorsque le contrat de cession-bail initial fait l'objet d'une modification ou d'un renouvellement qui a pour effet de changer le nombre de paiements que l'acquéreur est tenu de faire pour des fournitures par bail du bien aux termes de ce contrat et que la modification ou le renouvellement entre en vigueur avant juillet 1999, le paragraphe 153(4.4) ne s'applique pas à la modification ou au renouvellement.

Concordance québécoise: LTVQ, art. 54.1.5.

(4.6) Fournitures entre personnes liées — Pour l'application du paragraphe (4.1), lorsqu'une personne fournit par vente un bien à un acquéreur avec lequel elle a un lien de dépendance et que la contrepartie de la fourniture excède la juste valeur marchande du bien au moment du transfert de sa propriété à l'acquéreur, la contrepartie de la fourniture est réputée être égale à cette juste valeur marchande.

Notes historiques: Le paragraphe 153(4.6) a été ajouté par L.C. 2000, c. 30, par. 23(1) et s'applique aux fournitures suivantes :

a) la fourniture par bail d'un bien, effectuée par une personne au profit d'un acquéreur aux termes d'un contrat de cession-bail initial, au sens du paragraphe 153(4.1), conclu à un moment postérieur à 1998 et la fourniture par vente du bien par l'acquéreur au profit de la personne immédiatement avant ce moment;

b) la fourniture par bail du bien, effectuée au profit de l'acquéreur aux termes d'un bail ultérieur relatif au contrat de cession-bail initial, au sens des paragraphes 153(4.3) ou (4.4);

c) la fourniture par vente du bien effectuée à l'occasion de l'exercice d'une option d'achat du bien prévue par le contrat de cession-bail initial ou par un bail ultérieur, au sens de ces paragraphes 153(4.3) ou (4.4), relatif à ce contrat.

Toutefois, lorsque le contrat de cession-bail initial fait l'objet d'une modification ou d'un renouvellement qui a pour effet de changer le nombre de paiements que l'acquéreur est tenu de faire pour des fournitures par bail du bien aux termes de ce contrat et que la modification ou le renouvellement entre en vigueur avant juillet 1999, le paragraphe 153(4.4) ne s'applique pas à la modification ou au renouvellement.

Concordance québécoise: LTVQ, art. 54.1.6.

(5) Exception — Les paragraphes (4) et (4.1) ne s'appliquent pas :

a) aux fins de déterminer, pour l'application d'une disposition de la présente partie ou d'une annexe de la présente loi, sauf les annexes I à IV, si la valeur de la contrepartie de la fourniture d'un bien est égale ou inférieure à un autre montant précisé dans la disposition, ou excède un tel montant;

b) dans le cadre des articles 148 ou 249;

c) si la fourniture du bien repris, ou la fourniture par vente visée à l'alinéa (4.1)a), selon le cas, constitue :

(i) une fourniture détaxée,

(ii) une fourniture effectuée à l'étranger,

(iii) une fourniture relativement à laquelle aucune taxe n'est payable par l'effet du paragraphe 156(2) ou de l'alinéa 167(1.1)a).

Notes historiques: Le préambule du paragraphe 153(5) a été remplacé par L.C. 2000, c. 30, par. 23(2) et cette modification s'applique aux fournitures suivantes :

a) la fourniture par bail d'un bien, effectuée par une personne au profit d'un acquéreur aux termes d'un contrat de cession-bail initial, au sens du paragraphe 153(4.1), conclu à un moment postérieur à 1998 et la fourniture par vente du bien par l'acquéreur au profit de la personne immédiatement avant ce moment;

b) la fourniture par bail du bien, effectuée au profit de l'acquéreur aux termes d'un bail ultérieur relatif au contrat de cession-bail initial, au sens des paragraphes 153(4.3) ou (4.4) de la même loi, édictés par le paragraphe (1);

c) la fourniture par vente du bien effectuée à l'occasion de l'exercice d'une option d'achat du bien prévue par le contrat de cession-bail initial ou par un bail ultérieur, au sens de ces paragraphes 153(4.3) ou (4.4), relatif à ce contrat.

Toutefois, lorsque le contrat de cession-bail initial fait l'objet d'une modification ou d'un renouvellement qui a pour effet de changer le nombre de paiements que l'acquéreur est tenu de faire pour des fournitures par bail du bien aux termes de ce contrat et que la modification ou le renouvellement entre en vigueur avant juillet 1999, le paragraphe 153(4.4) ne s'applique pas à la modification ou au renouvellement.

Antérieurement, le préambule du paragraphe 153(5) se lisait comme suit :

(5) Le paragraphe (4) ne s'applique pas :

L'alinéa 153(5)c) a été remplacé par L.C. 2000, c. 30, par. 23(3) et cette modification s'applique aux fournitures suivantes :

a) la fourniture par bail d'un bien, effectuée par une personne au profit d'un acquéreur aux termes d'un contrat de cession-bail initial, au sens du paragraphe 153(4.1), conclu à un moment postérieur à 1998 et la fourniture par vente du bien par l'acquéreur au profit de la personne immédiatement avant ce moment;

b) la fourniture par bail du bien, effectuée au profit de l'acquéreur aux termes d'un bail ultérieur relatif au contrat de cession-bail initial, au sens des paragraphes 153(4.3) ou (4.4);

c) la fourniture par vente du bien effectuée à l'occasion de l'exercice d'une option d'achat du bien prévue par le contrat de cession-bail initial ou par un bail ultérieur, au sens de ces paragraphes 153(4.3) ou (4.4), relatif à ce contrat.

Toutefois, lorsque le contrat de cession-bail initial fait l'objet d'une modification ou d'un renouvellement qui a pour effet de changer le nombre de paiements que l'acquéreur est tenu de faire pour des fournitures par bail du bien aux termes de ce contrat et que la modification ou le renouvellement entre en vigueur avant juillet 1999, le paragraphe 153(4.4) ne s'applique pas à la modification ou au renouvellement.

Antérieurement, l'alinéa 153(5)c) se lisait comme suit :

c) aux fournitures de biens repris qui constituent des fournitures détaxées, aux fournitures effectuées à l'étranger ni aux fournitures relativement auxquelles aucune taxe n'est payable par l'effet du paragraphe 156(2) ou de l'alinéa 167(1.1)a).

Le paragraphe 153(5) a été ajouté par L.C. 1997, c. 10, par. 13(1) et s'applique aux fournitures effectuées après le 23 avril 1996, à l'exception d'une fourniture, effectuée au profit d'un acquéreur, d'un bien pour lequel le fournisseur a accepté, à titre de contrepartie, même partielle, aux termes d'une convention écrite conclue avant juillet 1996, un autre bien meuble corporel (appelé « bien repris » au présent paragraphe), dans le cas où le fournisseur a exigé ou perçu, relativement à la fourniture, une taxe calculée compte non tenu du montant qu'il a porté au crédit de l'acquéreur au titre du bien repris.

Concordance québécoise: LTVQ, art. 54.2.

(6) Échange de liquides de gaz naturel contre du gaz d'appoint — Pour l'application de la présente partie, dans le cas où les conditions suivantes sont réunies :

a) du gaz naturel est transporté par pipeline jusqu'à une installation de traitement complémentaire où des liquides de gaz naturel ou de l'éthane (appelés chacun « liquides de gaz naturel » au présent paragraphe) sont récupérés à partir du gaz naturel,

b) après la récupération, le gaz résiduaire est retourné au pipeline avec d'autre gaz naturel (appelé « gaz d'appoint » au présent paragraphe) qui est fourni dans le seul but de compenser la perte de contenu énergétique résultant de la récupération,

c) la totalité ou une partie de la contrepartie de toute fourniture des liquides de gaz naturel (ou du droit de les récupérer) ou de toute fourniture du gaz d'appoint est constituée :

(i) du gaz d'appoint, dans le cas d'une fourniture des liquides de gaz naturel ou du droit de les récupérer,

(ii) des liquides de gaz naturel ou du droit de les récupérer, dans le cas d'une fourniture du gaz d'appoint,

la valeur de cette contrepartie ou de cette partie de contrepartie, selon le cas, est réputée nulle.

Notes historiques: Le paragraphe 153(6) a été ajouté par L.C. 2000, c. 30, par. 23(4) et s'applique à l'échange de liquides de gaz naturel, d'éthane, ou du droit de récupérer de tels liquides ou de l'éthane, contre du gaz d'appoint si, après le 7 août 1998 et aux termes de la convention portant sur l'échange, l'une des situations suivantes se produit :

a) du gaz d'appoint est donné en contrepartie des liquides de gaz naturel, de l'éthane ou du droit de récupérer de tels liquides ou de l'éthane;

b) des liquides de gaz naturel, de l'éthane ou le droit de récupérer de tels liquides ou de l'éthane sont donnés en contrepartie du gaz d'appoint.

Concordance québécoise: LTVQ, art. 54.3.

Définitions [art. 153]: « acquéreur », « activité commerciale », « argent », « bien », « bien meuble », « contrepartie », « fourniture », « fourniture détaxée », « inscrit », « juste valeur marchande », « montant » — 123(1).

Renvois [art. 153]: 142(2), 143(1) (fourniture hors du Canada); 154–164 (cas spéciaux); 164.1 (contrepartie réputée — fourniture dans un parc d'engraissement); 164.2 (paiements par un syndicat à une association); 168(8) (fourniture combinée); 168(9) (arrhes); 176 (produits d'occasion); 178.3(1)a), 178.4(1)a) (démarcheurs); 181 (bon); 181.2 (certificats-cadeaux); 183 (saisie et reprise de possession); 184(1) (fourniture à l'assureur sur règlement de sinistre); 187 (pari); 188(3) (contributions-compétiteur) 220 (fournitures entre succursales); 268b) (fiducie non testamentaire); 269 (distribution par une fiducie); VI:PartieV:15b) (fourniture de gaz naturel à des fins d'exportation).

Jurisprudence [art. 153]: *Fridel Ltd. c. La Reine*, [1994] G.S.T.C. 25 (CCI); *River Road Co-op Ltd. c. La Reine*, [1995] G.S.T.C. 34 (CCI); *Trengrove Developments Inc. c. La Reine*, [1996] G.S.T.C. 35 (CCI); [1999] G.S.T.C. 3 (CSC); *Borrowers' Action Society c. La Reine*, [1996] G.S.T.C. 61 (CCI); *Consolidated Canadian Contractors Inc. c. Canada*, [1997] G.S.T.C. 34 (CCI); [1998] G.S.T.C. 91 (CAF); *Bernard Homes Ltd. c. Canada*, [1998] G.S.T.C. 82 (CCI); *Republic National Bank of New York c. Canada*, [1999] G.S.T.C. 32 (CCI); *Fedak (B.) c. Canada*, [1999] G.S.T.C. 65 (CCI) ; *Ladas c. R.*, [2000] G.S.T.C. 72 (CCI); *Mallow c. R.*, [2001] G.S.T.C. 79 (CCI); *Riverside Country Club c. R.*, [2001] G.S.T.C. 89 (CCI); *510577 Ontario Ltd. c. R.*, [2001] G.S.T.C. 139 (CCI); *Ladas c. R.*, [2002] G.S.T.C. 69 (CFC); *Reid's Heritage Homes Ltd. v. R.*, [2003] G.S.T.C. 6 (CCI); *Witzke c. R.*, [2004] G.S.T.C. 21 (CCI); *Beaupré c. R.*, 2004 G.T.C. 225 (CCI); *Beaupré c. R.*, [2006] G.S.T.C. 53 (CAF); *9022-8891 Québec Inc. c. R.*, [2006] G.S.T.C. 174 (CCI); *Artistic Ideas Inc. v. Minister of National Revenue*, 2008 CarswellNat 5702 (CCI [procédure générale]); *Costco Wholesale Canada Ltd. v. R.*, 2010 CarswellNat 5522, 2010 CCI 609 (CCI [procédure générale]); *Baribeau c. R.*, 2011 CarswellNat 4945, 2011 CCI 544 (CCI [procédure informelle]).

Bulletins d'interprétation (Impôt) [art. 153]: IT-220R2, 25/5/90, *Déduction pour amortissement — Produits de disposition de biens amortissables*, par. 5–8.

Énoncés de politique [art. 153]: P-146, 08/08/93, *Demandes de CTI fictifs lorsqu'il est établi par la suite que la taxe était payable*; P-163, 07/11/94, *Situation fiscale d'une* *amodiation d'un avoir dans le secteur des ressources naturelles*; P-209, 11/03/97, *Débours d'avocats* (Ébauche); P-221, 12/11/98, *Signification de l'expression d'une catégorie donnée ou d'un type donné telle qu'on la trouve dans le paragraphe 153(3) de la Loi.*

Bulletins de l'information technique [art. 153]: B-075R, 23/04/96, *Modifications proposées à la TPS*; B-084, 29/07/97, *Traitement des produits d'occasion.*

Mémorandums [art. 153]: TPS 300, 7/03/91, *Taxe sur les fournitures*, par. 16; TPS 300-7, 14/09/90, *Valeur de la fourniture*, par. 7–15, 20; TPS 300-7-7, 24/04/91, *Publicité en coopération.*

Série de mémorandums [art. 153]: Mémorandum 8.3, 02/12, *Calcul des crédits de taxe sur les intrants*; Mémorandum 19.1, 10/97, *Les immeubles et la TPS/TVH*; Mémorandum 19.3.11, 07/98, *Le remboursement fait partie de la valeur de la contrepartie*; Mémorandum 19.5, 06/02, *Fonds de terre et immeubles connexes.*

Lettres d'interprétation (Québec) [art. 153]: 96-011289 — Interprétation relative à la TPS — Interprétation relative à la TVQ / Règles d'échange et remise en argent au particulier; 97-0102422 — Interprétation relative à la TPS — Interprétation relative à la TVQ — Parrainage; 97-0111886 — [Fourniture d'une voiture et cession d'un bail entre un concessionnaire d'automobiles et une compagnie de location]; 98-0111033 [A] — Inscription d'un petit fournisseur et teneur en taxe d'un camion; 99-0101388 — Interprétation relative à la TPS et à la TVQ — Droit aux CTI et aux RTI à l'égard des coûts de construction d'un bâtiment dans le cadre d'un droit d'emphytéose; 99-0103467 — Interprétation relative à la TPS et à la TVQ — Droit aux CTI et aux RTI à l'égard des coûts de construction d'un bâtiment; 99-0104002 — Décision portant sur l'application de la TPS — Interprétation relative à la TVQ — Droit aux CTI et aux RTI à l'égard des coûts de construction d'un bâtiment dans le cadre d'un droit d'emphytéose; 01-0101418 — Interprétation relative à la TPS et à la TVQ — Réduction de la contrepartie d'une fourniture; 01-0102473 — Interprétation relative à la TPS et à la TVQ — Indemnité versée en matière d'expropriation; 01-0106227 — Somme versée ou terrains cédés par un promoteur à une municipalité en vertu de règlements municipaux; 01-0107258 — Application de la TPS — Interprétation relative à la TVQ — Fin prématurée d'un contrat de location — Exercice de l'option d'achat prévue à ce contrat — « Montant porté au crédit de l'acquéreur »; 02-0100913 — Interprétation relative à la TVQ — Fourniture d'un véhicule automobile usagé; 02-0101663 — Interprétation relative à la TVQ — Application de la règle d'échange aux transferts de véhicules routiers effectués par les grandes entreprises; 02-0102802 — Interprétation relative à la TPS et à la TVQ — Échange de véhicules routiers entre des concessionnaires; 02-0105581 — Interprétation relative à la TPS et à la TVQ — Échange de véhicules routiers entre des concessionnaires; 04-0106478 — Interprétation relative à la TPS et à la TVQ — Application du paragraphe 153(4) de la LTA et de l'article 54.1 de la LTVQ.

COMMENTAIRES: C'est article établit la valeur de la contrepartie.

Le paragraphe 153(2) est similaire en application à l'article 68 de la *Loi de l'impôt sur le revenu* et requiert une allocation raisonnable en cas de contrepartie combinée.

Dans l'affaire *Ladas c. R.*, 2002 CarswellNat 1271 (C.A.F.), la Cour d'appel fédérale a suivi la décision de la Cour canadienne de l'impôt et a jugé que l'allocation de la contrepartie proposée par le juge de première instance, en vertu du paragraphe (2) était raisonnable dans les circonstances. En effet, une allocation à 50 % avait été faite entre les fournitures détaxées et les autres services.

De l'avis de Revenu Québec, le troc est un échange. L'article 1795 du *Code civil du Québec* définit l'échange comme étant un contrat par lequel les parties se transfèrent respectivement la propriété d'un bien, autre qu'une somme d'argent. Par conséquent, pour qu'il y ait un échange, toute la contrepartie ou une partie de la contrepartie de la fourniture doit être constituée d'un bien. Le paragraphe 153(3) s'applique à la fourniture d'un véhicule routier si les conditions qui y sont mentionnées sont satisfaites. Une des conditions d'application du paragraphe 153(3) est qu'un bien de même catégorie ou type que celui qui est fourni doit constituer toute ou partie de la contrepartie de la fourniture. Si la contrepartie de la fourniture est constituée uniquement d'un montant d'argent, le paragraphe 153(3) ne s'applique pas. Rappelons que l'argent n'est pas un « bien » au sens donné à ce terme à l'article 123. Lorsque les conditions d'application du paragraphe 153(3) sont satisfaites, c'est-à-dire notamment lorsque tout ou partie de la contrepartie est constituée de biens, la valeur de tout ou partie de la contrepartie de la fourniture est réputée nulle. Cela implique que la partie de la contrepartie constituée d'argent demeure assujettie aux règles habituelles, n'étant pas réputée nulle. Ainsi, lorsque l'acquéreur du véhicule doit payer un montant en argent, à savoir une soulte, en plus de remettre, en paiement partiel, un véhicule routier, le montant en argent demeure assujetti à la TPS lorsqu'il constitue partie de la contrepartie d'une fourniture taxable autre que détaxée. Pour que le paragraphe 153(3) s'applique, toute ou partie de la contrepartie doit être constituée d'un bien de la même catégorie ou du même type que le bien fourni. Rien dans les faits soumis ne permet de croire que le prix de vente est constitué, en tout ou en partie d'un véhicule routier. Ainsi, de l'avis de Revenu Québec, le paragraphe 153(3 ne peut donc pas s'appliquer à la fourniture. Voir notamment à cet effet : Revenu Québec, Lettre d'interprétation, 96-0112902[A] — *Troc entre inscrits* (6 novembre 1996).

À titre illustratif, Revenu Québec est d'avis que les billes de bois et les copeaux de bois ne constituent pas des biens d'une « catégorie donnée » ou d'un « type donné » au sens du paragraphe 153(3). En effet, bien qu'il s'agisse de produits du bois, ces biens se distinguent aux plans de leur aspect, de leurs dimensions, de leurs qualités et de leur usage et ne pourront, du fait, être d'une même catégorie donnée ou d'un même type donné. Conséquemment, le paragraphe 153(3) ne peut s'appliquer à l'égard de la fourniture de tels biens effectuée entre la papetière et la scierie dans les circonstances décrites précédemment. Voir notamment à cet effet : Revenu Québec, Lettre d'interprétation, 96-0112902[A] — *Troc entre inscrits* (6 novembre 1996).

Finalement, fans l'affaire *9022-8891 Québec Inc. c. R.*, 2006 CarswellNat 536 (C.C.I.), la Cour canadienne de l'impôt a indiqué que selon le paragraphe 153(3), la valeur des échanges entre inscrits ne serait pas assujettie à la TPS et aucun crédit de taxe sur les intrants ne pourrait être demandé. Dans le cas de l'appelante, il semblerait que la quantité d'alcool consommée par les personnes avec qui l'appelante avait fait les échanges était comprise dans les quantités présumées par la vérificatrice avoir été vendues dans le cadre des opérations de l'appelante. La vérificatrice aurait aussi, en calculant les ventes de repas, calculé un montant pour des repas qui correspondait à l'alcool consommé par l'autre partie à l'accord d'échange. Compte tenu du paragraphe 153(3), il est clair que les boissons alcoolisées consommées et les repas pris dans de telles circonstances ne sont pas taxables. Alors, l'appelante a droit à une réduction du chiffre de ses ventes totales établi par l'intimée, réduction qui correspond au montant des contrats d'échange.

154. (1) Définition de « prélèvement provincial » — Au présent article, « prélèvement provincial » s'entend des frais, droits ou taxes imposés en application d'une loi provinciale relativement à la fourniture, à la consommation ou à l'utilisation d'un bien ou d'un service.

Concordance québécoise: LTVQ, art. 52, al. 1.

(2) Composition de la contrepartie — Pour l'application de la présente partie, les éléments suivants sont compris dans la contrepartie de la fourniture d'un bien ou d'un service :

a) les frais, droits ou taxes imposés en application d'une loi fédérale (sauf la taxe imposée en vertu de la présente partie qui est payable par l'acquéreur) qui sont payables par l'acquéreur, ou payables ou percevables par le fournisseur, relativement à cette fourniture ou relativement à la production, à l'importation, à la consommation ou à l'utilisation du bien ou du service;

b) tout prélèvement provincial (sauf celui visé par règlement qui est payable par l'acquéreur) qui est payable par l'acquéreur, ou payable ou percevable par le fournisseur, relativement à cette fourniture ou relativement à la consommation ou à l'utilisation du bien ou du service;

c) tout autre montant percevable par le fournisseur en application d'une loi provinciale qui est égal à un prélèvement provincial, ou qui est percevable à son titre, sauf si le montant est payable par l'acquéreur et que le prélèvement provincial soit visé par règlement.

Concordance québécoise: LTVQ, art. 52.

(3) Mention d'acquéreur — Dans le cas où une personne est réputée, aux termes de la présente partie, être l'acquéreur d'une fourniture relativement à laquelle une autre personne serait l'acquéreur si ce n'était cette présomption, la mention au présent article de l'acquéreur de la fourniture vaut mention de cette autre personne.

Concordance québécoise: LTVQ, art. 52, al. 3.

Notes historiques: Le paragraphe 154(3) a été ajouté par L.C. 2000, c. 30, par. 24(2) et est réputé entré en vigueur le 4 juin 1999.

L'article 154 a été remplacé par L.C. 2000, c. 30, par. 24(1). Cette modification s'applique aux fins du calcul de la contrepartie de fournitures effectuées après le 26 novembre 1997.

Antérieurement, il se lisait comme suit :

> 154. Pour l'application de la présente partie, la contrepartie de la fourniture d'un bien ou d'un service comprend les frais, droits ou taxes (sauf ceux visés par règlement, et la taxe imposée en vertu de la présente partie, qui sont payables par l'acquéreur relativement à la fourniture) imposés par une loi fédérale ou provinciale relativement à la fourniture, à la production, à l'importation, à la consommation ou à l'utilisation du bien ou du service, qui sont payables par l'acquéreur ou sont payables ou percevables par le fournisseur.

L'article 154 a été modifié par L.C. 1997, c. 10, par. 14(1) et cette modification est réputée entrée en vigueur le 17 décembre 1990. Cet article se lisait comme suit :

> 154. Pour l'application de la présente partie, la contrepartie d'une fourniture comprend les frais, droits ou taxes — sauf la taxe relative à la fourniture et payable par l'acquéreur en application de la présente partie ou les frais, droits ou taxes visés par règlement — imposés à l'acquéreur ou au fournisseur par une loi fédérale ou provinciale, et payables par eux, relativement à la fourniture, à la production, à l'importation, à la consommation ou à l'utilisation des biens ou des services fournis.

L'article 154 a été ajouté par L.C. 1990, c. 45, par. 12(1).

Définitions [art. 154]: « acquéreur », « bien », « contrepartie », « coût direct », « fourniture », « importation » — 123(1); « contrepartie admissible » — 217.1(1); « législature », « loi provincial » — 35(1) *Loi d'interprétation*; « prélèvement provincial » — 154(1); « province », « règlement », « service », « taxe » — 123(1); « taxe provincial applicable » — 231(5).

Renvois [art. 154]: 173(1) (avantages aux salariés et aux actionnaires); 178.1 (taxe provinciale applicable); 184.1(2) (cautionnement de bonne exécution).

Règlements [art. 154]: *Règlement sur les frais, droits et taxes (TPS/TVH)*, art. 1.

Jurisprudence [art. 154]: *J.A. Porter Holdings Ltd. c. La Reine*, [1996] G.S.T.C. 25 (CCI); *Kemp (B.E.) c. La Reine*, [1996] G.S.T.C. 32 (CCI); *Edmonds (V.) c. Actton Super-Save Gas Stations Ltd.*, [1996] G.S.T.C. 63 (BCSC); *Stobbe Construction Ltd. c. La Reine*, [1996] G.S.T.C. 41 (CCI); *Consolidated Canadian Contractors Inc. c. Canada*, [1997] G.S.T.C. 34 (CCI); [1998] G.S.T.C. 91 (CAF); *Trengrove Developments Inc. c. La Reine*, [1996] G.S.T.C. 35 (CCI); [1998] G.S.T.C. 49 (CAF); [1999] G.S.T.C. 3 (CSC); *Schubert Railings Ltd. c. Canada*, [1999] G.S.T.C. 105 (CCI); *Miller c. R.*, [2005] G.S.T.C. 130 (CCI); *Bondfield Construction Co. (1983) Ltd. c. R.*, 2005 CCI 78; *Baribeau c. R.*, 2011 CarswellNat 4945, 2011 CCI 544 (CCI [procédure informelle]).

Énoncés de politique [art. 154]: P-066, 06/07/93, *Exclusion d'éléments, autres que la contrepartie et la taxe, afin d'établir le rajustement pour créances irrécouvrables*; P-069, 25/05/93, *Fonds admissibles pour immeubles d'habitation*; P-190, 14/11/95, *Signification du mot « imposé » à l'article 154 de la LTA*.

Bulletins de l'information technique [art. 154]: B-053, 15/04/91, *Contrats de construction prévoyant la fourniture et l'installation*; B-075R, 23/04/96, *Modifications proposées à la TPS*.

Mémorandums [art. 154]: TPS 300, 7/03/91, *Taxe sur les fournitures*, par. 17, 18; TPS 300-7, 14/09/90, *Valeur de la fourniture*, par. 5, 28, 29; TPS 300-7-6, 13/02/91, *Remise des fabricants*, par. 5; TPS 300-7-8, 11/02/91, *Paiements anticipés ou en retard*, par. 5; TPS 500-7, 26/11/91, *Interaction entre la Loi sur la taxe d'accise et la Loi de l'impôt sur le revenu*, par. 16, 20; TPS 800, 19/02/91, *Autres droits et taxes*; TPS 800-1, 25/05/92, *Taxes d'accise*; TPS 800-2, 5/07/91, *Droits d'accise*.

Série de mémorandums [art. 154]: Mémorandum 2.2, 05/99, *Petits fournisseurs*, par. 21; Mémorandum 19.1, 10/97, *Les immeubles et la TPS/TVH*; Mémorandum 19.2.3, 06/98, *Immeubles résidentiels — Fournitures réputées*.

Lettres d'interprétation (Québec) [art. 154]: 99-0111064 — Convention entre [une ville] et un inscrit en TPS/TVQ.

155. (1) Fourniture entre personnes liées — Pour l'application de la présente partie, la contrepartie d'une fourniture effectuée à titre gratuit ou pour une valeur inférieure à la juste valeur marchande, au moment de la fourniture, du bien ou du service entre personnes ayant entre elles un lien de dépendance et dont l'acquéreur n'est pas un inscrit qui acquiert le bien ou le service pour le consommer, l'utiliser ou le fournir exclusivement dans le cadre de ses activités commerciales est réputée égale à la juste valeur marchande du bien ou du service au moment de la fourniture, et payée, relativement à la fourniture à titre gratuit, à ce moment.

Notes historiques: L'article 155, édicté par L.C. 1990, c. 45, par. 12(1), est devenu le paragraphe 155(1) par L.C. 1993, c. 27, par. 26(1) rétroactivement au 17 décembre 1990.

Concordance québécoise: LTVQ, art. 55.

(2) Exception — Le paragraphe (1) ne s'applique pas à la fourniture d'un bien ou d'un service dans les cas suivants :

a) un montant est réputé, par l'article 173, être la contrepartie totale de la fourniture;

b) en l'absence du paragraphe (1), selon le cas :

(i) le fournisseur, par l'effet du paragraphe 170(1), n'aurait pas droit à un crédit de taxe sur les intrants relativement à l'acquisition ou à l'importation, par lui, du bien ou du service,

(ii) le paragraphe 172(2) s'appliquerait à la fourniture,

(iii) la fourniture serait une fourniture exonérée incluse aux parties V.1 ou VI de l'annexe V.

Notes historiques: Le paragraphe 155(2) a été modifié par L.C. 1997, c. 10, par. 15(1) et cette modification s'applique aux fournitures effectuées après le 23 avril 1996. Toutefois, le sous-alinéa 155(2)b)(iii) est remplacé par ce qui suit en ce qui a trait aux fournitures dont la contrepartie devient due ou est payée avant 1997 :

(iii) la fourniture serait incluse à l'un des articles 6 à 10 de la partie VI de l'annexe V.

Le paragraphe 155(2) se lisait comme suit :

Le paragraphe (1) ne s'applique pas aux fournitures incluses aux articles 6 à 10 de la partie VI de l'annexe V.

Le paragraphe 155(2) a été ajouté par L.C. 1993, c. 27, par. 26(1) et est réputé entré en vigueur le 17 décembre 1990.

Concordance québécoise: LTVQ, art. 55.

Définitions [art. 155]: « acquéreur », « activité commerciale », « bien », « contrepartie », « fourniture », « inscrit », « juste valeur marchande » — 123(1); « lien de dépendance » — 126(1); « personne », « service » — 123(1).

Renvois [art. 155]: 126 (personnes liées); 153(4) (contrepartie constituée de biens meubles corporels d'occasion); 176(4), (4.1) (produits d'occasion); 178.5(12) (démarcheur); 178.8(4) (entente d'importation); 181.3 (échange d'une unité de troc); 184.1(2) (cautionnement de bonne exécution); 272.1 (3)b) (fourniture au profit d'une société de personnes); 272.1(4)c) (présomption de fourniture au profit de l'associé).

Jurisprudence [art. 155]: *9004-5733 Québec Inc. c. R.*, [2003] G.S.T.C. 94 (CCI); *S.E.R. Contracting Ltd. v. R.*, [2006] G.S.T.C. 2 (CCI); *Chartrand c. R.*, 2010 CarswellNat 604, 2010 CCI 92, 2010 D.T.C. 3111 (Fr.), 2010 G.T.C. 272 (Fr.) (CCI [procédure générale]); *Baribeau c. R.*, 2011 CarswellNat 4945, 2011 CCI 544 (CCI [procédure informelle]).

Énoncés de politique [art. 155]: P-069, 25/05/93, *Fonds admissibles pour immeubles d'habitation*; P-109, 30/06/93, *Cession d'une terre agricole par un agriculteur ayant la propriété exclusive à une ou à plusieurs personnes liées et à lui-même à titre de copropriétaires*.

Bulletins de l'information technique [art. 155]: B-032, 08/11, *Régimes enregistrés de pension*; B-075R, 23/04/96, *Modifications proposées à la TPS*.

Mémorandums [art. 155]: TPS 300-7, 14/09/90, *Valeur de la fourniture*, par. 21, 22.

Série de mémorandums [art. 155]: Mémorandum 8.3, 02/12, *Calcul des crédits de taxe sur les intrants*; Mémorandum 19.5, 06/02, *Fonds de terre et immeubles connexes*.

Lettres d'interprétation (Québec) [art. 155]: 93-0113493 — Interprétation relative à la TPS et à la TVQ — Méthode rapide spéciale réservée aux organismes de services publics; 05-010263 — Interprétation relative à la TPS et à la TVQ — transfert d'un véhicule routier entre particuliers liés.

COMMENTAIRES: Le paragraphe 155(1) prévoit que la contrepartie de la fourniture d'un bien ou d'un service effectuée entre personnes ayant un lien de dépendance à titre gratuit ou pour une valeur inférieure à la juste valeur marchande du bien ou du service et dont l'acquéreur qui n'est pas un inscrit acquiert le bien ou le service pour le consommer, l'utiliser ou le fournir exclusivement dans le cadre de ses activités commerciales, est réputée égale à la juste valeur marchande du bien ou du service. Toutefois, le paragraphe 155(2) prévoit que cette règle ne s'applique pas aux fournitures avec lien de dépendance lorsque celles-ci sont autrement exonérées en vertu de la partie V.I ou de la partie VI de l'annexe V. L'article 155 n'a pas préséance sur ces exonérations. Voir notamment : Revenu Québec, Lettre d'interprétation, 97-0106464 - *Fourniture de biens entre personnes ayant un lien de dépendance* (9 juillet 1997).

Cette règle est similaire, en quelque sorte, à l'article 69 de la *Loi de l'impôt sur le revenu* mais s'applique dans des circonstances plus restreintes. Lorsque le paragraphe 155(1) s'applique, la contrepartie équivaut à la juste valeur marchande de la fourniture réputée avoir été payée.

À titre illustratif, lorsque le particulier inscrit donne, à un moment donné, à sa conjointe une voiture de tourisme qu'il utilise exclusivement dans le cadre de ses activités commerciales, il commence à ce moment à l'utiliser autrement. En conséquence, il est réputé, en application du paragraphe 203(2), avoir effectué, immédiatement avant ce moment, une fourniture taxable par vente de cette voiture et avoir perçu à ce moment et relativement à la fourniture, une taxe égale à la teneur en taxe de la voiture immédiatement avant ce moment. Conséquemment, ce don, en entraînant une disposition présumée de la voiture de tourisme, donne lieu à une obligation de versement, par le particulier inscrit, d'un montant de TPS correspondant à la teneur en taxe de la voiture immédiatement avant le moment où est effectué le don. Par la suite, la fourniture de la voiture de tourisme effectuée à titre gratuit entre des personnes ayant un lien de dépendance n'entraîne aucune autre conséquence dans le régime de la TPS, même si elle est réputée effectuée pour une contrepartie égale à la juste valeur marchande de la voiture en vertu de l'article 155, cette fourniture n'étant pas effectuée dans le cadre d'activités commerciales, conformément à l'article 200(3) de la LTA. Voir notamment à cet effet : Revenu Québec, Lettre d'interprétation, 05-0102631 — *Interprétation relative à la TPS et à la TVQ — Transfert d'un véhicule routier entre particuliers liés* (16 octobre 2006). Voir également au même effet : Agence du revenu du Canada, Lettre de l'Administration centrale sur la TPS, 135772 — *GST/HST Interpretation — Eligibility for input tax credits on the acquisition of real property and construction services* (18 septembre 2012).

Également à titre illustratif, la Cour canadienne de l'impôt, dans l'affaire *9004-5733 Québec Inc. c. R.*, 2003 CarswellNat 1305 (C.C.I.), a conclu à l'application du paragraphe 155(1) puisque ce paragraphe prévoit que la contrepartie d'une fourniture effectuée pour une valeur inférieure à la juste valeur marchande sera réputée égale à la juste valeur marchande dans les cas où il existe un lien de dépendance entre le fournisseur et l'acquéreur et où l'acquéreur n'est pas un inscrit qui acquiert le bien ou le service pour le consommer, l'utiliser ou le fournir dans le cadre de ses activités commerciales. Il a été admis par les deux parties que les deux circonstances mentionnées existent. Le lien de dépendance ne fait pas de doute et les activités de location sont exonérées. Il ne s'agit donc pas d'activités commerciales.

156. (1) Définitions — Les définitions qui suivent s'appliquent au présent article.

LTA (TPS)

« attribution » S'entend au sens du paragraphe 55(1) de la *Loi de l'impôt sur le revenu.*

Notes historiques: La définition de « attribution » au paragraphe 156(1) a été ajoutée par L.C. 2007, c. 18, par. 6(2) et est réputée être entrée en vigueur le 17 novembre 2005.

Concordance québécoise: LTVQ, art. 327.10.

« créancier garanti » [*Abrogée*]

Notes historiques: La définition de « créancier garanti » au paragraphe 156(1), édictée par L.C. 2000, c. 30, par. 25(1) a été abrogée par L.C. 2000, c. 30, par. 25(2) et cette abrogation est réputée entrée en vigueur le 20 octobre 2000. Antérieurement, elle se lisait comme suit :

« créancier garanti » S'entend au sens du paragraphe 317(4).

« garantie » [*Abrogée*]

Notes historiques: Ladéfinition de « garantie » au paragraphe 156(1), édictée par L.C. 2000, c. 30, par. 25(1) a été abrogée par L.C. 2000, c. 30, par. 25(2) et cette abrogation est réputée entrée en vigueur le 20 octobre 2000. Antérieurement, elle se lisait comme suit :

« garantie » S'entend au sens du paragraphe 317(4).

« groupe admissible »

a) Groupe de personnes morales dont chaque membre est étroitement lié, au sens de l'article 128, à chacun des autres membres du groupe;

b) groupe de sociétés de personnes canadiennes, ou de sociétés de personnes canadiennes et de personnes morales, dont chaque membre est étroitement lié, au sens du présent article, à chacun des autres membres du groupe.

Notes historiques: La définition de « groupe admissible » au paragraphe 156(1) a été remplacée par L.C. 2007, c. 18, par. 6(1) et cette modification est réputée être entrée en vigueur le 17 novembre 2005. Antérieurement, elle se lisait ainsi :

« groupe admissible »

a) Groupe étroitement lié;

b) groupe de sociétés de personnes canadiennes, ou de sociétés de personnes canadiennes et de personnes morales résidant au Canada, dont chaque membre est étroitement lié, au sens du présent article, à chacun des autres membres du groupe.

Concordance québécoise: LTVQ, art. 329.1.

« membre admissible » Est membre admissible d'un groupe admissible l'inscrit qui est soit une personne morale résidant au Canada, soit une société de personnes canadienne et qui répond aux conditions suivantes :

a) il est membre du groupe;

b) il n'est pas partie à un choix fait en application du paragraphe 150(1);

c) il a fabriqué, produit, acquis ou importé, la dernière fois, la totalité ou la presque totalité de ses biens, autres que des effets financiers, pour les consommer, les utiliser ou les fournir exclusivement dans le cadre de ses activités commerciales ou, s'il n'a pas de biens autres que des effets financiers, la totalité ou la presque totalité de ses fournitures sont des fournitures taxables.

Notes historiques: La définition de « membre admissible » au paragraphe 156(1) a été ajoutée par L.C. 2007, c. 18, par. 6(2) et est réputée être entrée en vigueur le 17 novembre 2005.

Concordance québécoise: LTVQ, art. 330.1, art. 331.

« membre déterminé » Est membre déterminé d'un groupe admissible :

a) le membre admissible du groupe;

b) le membre temporaire du groupe pendant la réorganisation visée à l'alinéa f) de la définition de « membre temporaire ».

Notes historiques: La définition de « membre déterminé » au paragraphe 156(1) a été remplacée par L.C. 2007, c. 18, par. 6(1) et cette modification est réputée être entrée en vigueur le 17 novembre 2005. Antérieurement, elle se lisait ainsi :

« membre déterminé » Quant à un groupe admissible, personne morale ou société de personnes qui répond aux conditions suivantes :

a) elle est membre du groupe;

b) elle n'est pas partie à un choix fait en application du paragraphe 150(1);

c) elle a fabriqué, produit, acquis ou importé, la dernière fois, la totalité ou la presque totalité de ses biens, autres que des effets financiers, pour consommation, utilisation ou fourniture exclusive dans le cadre de ses activités commerciales ou, si elle n'a pas de biens autres que des effets financiers, la totalité ou la presque totalité de ses fournitures sont taxables.

Concordance québécoise: LTVQ, art. 331.

« membre temporaire » Est membre temporaire d'un groupe admissible la personne morale qui répond aux conditions suivantes :

a) elle est un inscrit;

b) elle réside au Canada;

c) elle est membre du groupe;

d) elle n'est pas un membre admissible du groupe;

e) elle n'est pas partie à un choix fait en application du paragraphe 150(1);

f) elle reçoit une fourniture de bien effectuée en prévision d'une attribution faite dans le cadre d'une réorganisation visée au sous-alinéa 55(3)b)(i) de la *Loi de l'impôt sur le revenu* de la société cédante visée à ce sousalinéa qui est un membre admissible du groupe;

g) avant de recevoir la fourniture, elle n'exploitait pas d'entreprise ni n'avait de biens autres que des effets financiers;

h) ses actions sont transférées au moment de l'attribution.

Notes historiques: La définition de « membre temporaire » au paragraphe 156(1) a été ajoutée par L.C. 2007, c. 18, par. 6(2) et est réputée être entrée en vigueur le 17 novembre 2005.

Concordance québécoise: LTVQ, art. 331.0.1.

« société de personnes canadienne » Société de personnes dont chaque associé est une personne morale ou une société de personnes et réside au Canada.

Concordance québécoise: LTVQ, art. 331.1.

Notes historiques: Le paragraphe 156(1) a été remplacé par L.C. 2000, c. 30, par. 25(1) et cette modification est réputée entrée en vigueur le 8 octobre 1998. Antérieurement, il se lisait comme suit :

156. (1) Pour l'application du présent article, est membre déterminé d'un groupe étroitement lié la personne morale qui répond aux conditions suivantes :

a) elle est membre du groupe;

b) elle n'est pas partie au choix prévu au paragraphe 150(1);

c) elle a fabriqué, produit, acquis ou importé, la dernière fois, la totalité, ou presque, de ses biens, autres que des effets financiers, pour consommation, utilisation ou fourniture exclusive dans le cadre de ses activités commerciales, ou, si elle n'a pas de biens, autres que des effets financiers, la totalité, ou presque, de ses fournitures sont taxables.

Le paragraphe 156(1) a été modifié par L.C. 1993, c. 27, par. 27(4) et est réputé entré en vigueur le 1er octobre 1992. Il se lisait auparavant comme suit :

156. (1) Pour l'application de la présente partie, deux membres déterminés d'un groupe étroitement lié dont un est une personne morale peuvent faire un choix conjoint pour que chaque fourniture taxable (sauf la fourniture taxable d'un immeuble par vente et la fourniture d'un bien ou d'un service non destiné à une utilisation, une consommation ou une fourniture exclusive dans le cadre des activités commerciales de l'acquéreur) effectuée entre eux, au moment où le choix est en vigueur, soit réputée effectuée à titre gratuit.

Le paragraphe 156(1) a été ajouté par L.C. 1990, c. 45, par. 12(1).

(1.1) Personnes étroitement liées — Pour l'application du présent article, une société de personnes canadienne donnée et une autre personne — société de personnes canadienne ou personne morale — sont étroitement liées l'une à l'autre à un moment donné si, à ce moment :

a) dans le cas où l'autre personne est une société de personnes canadienne, l'une des situations suivantes se vérifie :

(i) la totalité ou la presque totalité des participations dans l'autre personne sont détenues :

(A) soit par la société de personnes donnée,

(B) soit par une personne morale, ou une société de personnes canadienne, qui est membre d'un groupe admissible dont la société de personnes donnée est membre,

(C) soit par toute combinaison de personnes morales ou de sociétés de personnes visées aux divisions (A) et (B),

(ii) la société de personnes donnée, selon le cas :

(A) est propriétaire d'au moins 90 % de la valeur et du nombre des actions, émises et en circulation et comportant plein droit de vote en toutes circonstances, du capital-actions d'une personne morale qui est membre d'un groupe admissible dont l'autre personne est membre,

(B) détient la totalité ou la presque totalité des participations dans une société de personnes canadienne qui est membre d'un groupe admissible dont l'autre personne est membre;

b) dans le cas où l'autre personne est une personne morale, l'une des situations suivantes se vérifie :

(i) au moins 90 % de la valeur et du nombre des actions de son capital-actions, émises et en circulation et comportant plein droit de vote en toutes circonstances, appartiennent :

(A) soit à la société de personnes donnée,

(B) soit à une personne morale, ou une société de personnes canadienne, qui est membre d'un groupe admissible dont la société de personnes donnée est membre,

(C) soit à toute combinaison de personnes morales ou de sociétés de personnes visées aux divisions (A) et (B),

(ii) au moins 90 % de la valeur et du nombre des actions du capital-actions d'une personne morale, émises et en circulation et comportant plein droit de vote en toutes circonstances, appartiennent :

(A) à l'autre personne, si la personne morale est membre d'un groupe admissible dont la société de personnes donnée est membre,

(B) à la société de personnes donnée, si la personne morale est membre d'un groupe admissible dont l'autre personne est membre,,

(iii) la totalité ou la presque totalité des participations dans la société de personnes donnée sont détenues :

(A) soit par l'autre personne,

(B) soit par une personne morale, ou une société de personnes canadienne, qui est membre d'un groupe admissible dont l'autre personne est membre,

(C) soit par toute combinaison de personnes morales ou de sociétés de personnes visées aux divisions (A) et (B),

(iv) la totalité ou la presque totalité des participations dans une société de personnes canadienne sont détenues :

(A) par l'autre personne, si la société de personnes canadienne est membre d'un groupe admissible dont la société de personnes donnée est membre,

(B) par la société de personnes donnée, si la société de personnes canadienne est membre d'un groupe admissible dont l'autre personne est membre.

Notes historiques: Le passage précédant le sous-alinéa a)(i) du paragraphe 156(1.1) a été remplacé par L.C. 2007, c. 18, par. 6(3) et cette modification est réputée être entrée en vigueur le 17 novembre 2005. Antérieurement, il se lisait ainsi :

(1.1) Pour l'application du présent article, une société de personnes canadienne donnée et une autre personne — société de personnes canadienne ou personne morale résidant au Canada — sont étroitement liées l'une à l'autre à un moment donné si, à ce moment, elles sont des inscrits et si :

a) dans le cas où l'autre personne est une société de personnes canadienne, l'une des situations suivantes se vérifie :

La division 156(1.1)a)(i)(B) a été remplacée par L.C. 2007, c. 18, par. 6(4) et cette modification est réputée être entrée en vigueur le 17 novembre 2005. Antérieurement, elle se lisait ainsi :

(B) soit par une personne morale résidant au Canada, ou une société de personnes canadienne, qui est membre d'un groupe admissible dont la société de personnes donnée est membre,

La division 156(1.1)a)(ii)(A) a été remplacée par L.C. 2007, c. 18, par. 6(5) et cette modification est réputée être entrée en vigueur le 17 novembre 2005. Antérieurement, elle se lisait ainsi :

(A) est propriétaire d'au moins 90 % de la valeur et du nombre des actions, émises et en circulation et comportant plein droit de vote en toutes circonstances, du capital-actions d'une personne morale résidant au Canada qui est membre d'un groupe admissible dont l'autre personne est membre,

La division 156(1.1)b)(i)(B) a été remplacée par L.C. 2007, c. 18, par. 6(7) et cette modification est réputée être entrée en vigueur le 17 novembre 2005. Antérieurement, elle se lisait ainsi :

(B) soit à une personne morale résidant au Canada, ou une société de personnes canadienne, qui est membre d'un groupe admissible dont la société de personnes donnée est membre,

Le préambule du sous-alinéa 156(1.1)b)(ii) a été remplacé par L.C. 2007, c. 18, par. 6(8) et cette modification est réputée être entrée en vigueur le 17 novembre 2005. Antérieurement, il se lisait ainsi :

(ii) au moins 90 % de la valeur et du nombre des actions du capital-actions d'une personne morale résidant au Canada, émises et en circulation et comportant plein droit de vote en toutes circonstances, appartiennent :

La division 156(1.1)b)(iii)(B) a été remplacée par L.C. 2007, c. 18, par. 6(9) et cette modification est réputée être entrée en vigueur le 17 novembre 2005. Antérieurement, elle se lisait ainsi :

(B) soit par une personne morale résidant au Canada, ou une société de personnes canadienne, qui est membre d'un groupe admissible dont l'autre personne est membre,

Le paragraphe 156(1.1) a été ajouté par L.C. 2000, c. 30, par. 25(1) et est réputé entré en vigueur le 8 octobre 1998.

Concordance québécoise: LTVQ, art. 331.2.

(1.2) Personnes étroitement liées à la même personne — Sont étroitement liées l'une à l'autre pour l'application du présent article les personnes qui, aux termes du paragraphe (1.1), sont étroitement liées à la même personne morale ou société de personnes, ou le seraient si chaque associé de cette société de personnes résidait au Canada.

Notes historiques: Le paragraphe 156(1.2) a été remplacé par L.C. 2007, c. 18, par. 6(10) et cette modification est réputée être entrée en vigueur le 17 novembre 2005. Antérieurement, il se lisait ainsi :

(1.2) Sont étroitement liées l'une à l'autre pour l'application du présent article deux personnes qui, aux termes du paragraphe (1.1), sont étroitement liées à la même personne morale ou société de personnes, ou le seraient si cette personne morale ou chaque associé de cette société de personnes, selon le cas, résidait au Canada.

Le paragraphe 156(1.2) a été ajouté par L.C. 2000, c. 30, par. 25(1) et est réputé entré en vigueur le 8 octobre 1998.

Concordance québécoise: LTVQ, art. 331.3.

(1.3) Participation dans une société de personnes — Pour l'application du présent article, une personne ou un groupe de personnes ne détient, à un moment donné, la totalité ou la presque totalité des participations dans une société de personnes que si, à ce moment, les conditions suivantes sont réunies :

a) la personne, ou chaque membre du groupe, est l'associé de la société de personnes;

b) la personne, ou les membres du groupe collectivement, selon le cas, répondent aux conditions suivantes :

(i) ils ont droit à au moins 90 % de ce qui suit :

(A) si la société de personnes avait un revenu pour son dernier exercice, au sens de la *Loi de l'impôt sur le revenu*, s'étant terminé avant ce moment (ou pour son premier exercice s'il comprend ce moment), le total des montants représentant chacun la part de ce revenu tiré de toutes sources qui revient à chaque associé,

(B) si la société de personnes n'avait pas de revenu pour le dernier ou le premier exercice visé à la division (A), selon le cas, le total des montants représentant chacun la part du revenu de la société de personnes qui reviendrait à chaque associé si le revenu de la société de personnes provenant de chaque source s'établissait à un dollar,

(ii) ils ont droit à au moins 90 % du montant total qui serait payé à l'ensemble des associés de la société de personnes (autrement qu'au titre de la part du revenu de la société de personnes qui leur revient) si elle était liquidée à ce moment,

(iii) ils ont la capacité de diriger tant les affaires internes que les activités de la société de personnes, ou l'auraient si aucun créancier garanti n'avait de droit en garantie sur une participation dans la société de personnes ou sur ses biens.

Notes historiques: Le sous-alinéa 156(1.3)b)(iii) a été remplacé par L.C. 2000, c. 30, par. 25(3). Cette modification est réputée entrée en vigueur le 20 octobre 2000. Antérieurement, il se lisait comme suit :

(iii) ils ont la capacité de diriger tant les affaires internes que les activités de la société de personnes, ou l'auraient si aucun créancier garanti n'avait de garantie sur une participation dans la société de personnes ou sur ses biens.

Le paragraphe 156(1.3) a été ajouté par L.C. 2000, c. 30, par. 25(1) et est réputé entré en vigueur le 8 octobre 1998.

Concordance québécoise: LTVQ, art. 331.4.

(2) Choix visant les fournitures sans contrepartie — Pour l'application de la présente partie, deux membres déterminés d'un groupe admissible peuvent faire un choix conjoint pour que chaque fourniture taxable effectuée entre eux, pendant que le choix est en vigueur, soit réputée être effectuée sans contrepartie.

Notes historiques: Le paragraphe 156(2) a été remplacé par L.C. 2007, c. 18, par. 6(11) et cette modification s'applique aux fournitures effectuées après le 16 novembre 2005. Antérieurement, il se lisait ainsi :

(2) Pour l'application de la présente partie, deux membres déterminés d'un groupe admissible peuvent faire un choix conjoint pour que chaque fourniture taxable (sauf la fourniture d'un bien ou d'un service, acquis par l'acquéreur à une fin autre que sa consommation, utilisation ou fourniture exclusive dans le cadre de ses activités commerciales, et la fourniture par vente d'un immeuble) effectuée entre eux, au moment où le choix est en vigueur, soit réputée effectuée à titre gratuit.

Le paragraphe 156(2) a été remplacé par L.C. 2000, c. 30, par. 25(1) et cette modification est réputée entrée en vigueur le 8 octobre 1998. Antérieurement, il se lisait comme suit :

(2) Pour l'application de la présente partie, deux membres déterminés d'un groupe étroitement lié dont un est une personne morale peuvent faire un choix conjoint pour que chaque fourniture taxable (sauf la fourniture d'un bien ou d'un service, acquis par l'acquéreur autrement que pour consommation, utilisation ou fourniture exclusive dans le cadre de ses activités commerciales et la fourniture d'un immeuble par vente) effectuée entre eux, au moment où le choix est en vigueur, soit réputée effectuée à titre gratuit.

Le paragraphe 156(2) a été modifié par L.C. 1993, c. 27, par. 27(4) et est réputé entré en vigueur le 1er octobre 1992. Il se lisait auparavant comme suit :

2 Pour l'application du paragraphe (1), est membre déterminé d'un groupe étroitement lié la personne morale qui en est membre et dont la totalité, ou presque, des fournitures sont taxables.

Le paragraphe 156(2) a été ajouté par L.C. 1990, c. 45, par. 12(1).

Concordance québécoise: LTVQ, art. 334, 1er al.

(2.1) Exception — Le paragraphe (2) ne s'applique pas aux fournitures suivantes :

a) la fourniture par vente d'un immeuble;

b) la fourniture d'un bien, ou d'un service, qui n'est pas acquis par l'acquéreur pour consommation, utilisation ou fourniture exclusivement dans le cadre de ses activités commerciales;

c) la fourniture qui n'est pas une fourniture de bien effectuée en prévision d'une attribution faite dans le cadre d'une réorganisation visée au sous-alinéa 55(3)b)(i) de la *Loi de l'impôt sur le revenu*, si l'acquéreur de la fourniture est un membre temporaire.

Notes historiques: Le paragraphe 156(2.1) a été ajouté par L.C. 2007, c. 18, par. 6(11) et cette modification s'applique aux fournitures effectuées après le 16 novembre 2005.

Concordance québécoise: LTVQ, art. 334, 2e al.

(3) Cessation — Le choix cesse d'être en vigueur au premier en date des jours suivants :

a) le jour où l'une des parties au choix cesse d'être membre déterminé du groupe admissible;

b) le jour où l'autre partie au choix cesse d'être un tel membre;

c) le jour où les parties au choix le révoque conjointement.

Notes historiques: Le paragraphe 156(3) a été remplacé par L.C. 2000, c. 30, par. 25(1) et cette modification est réputée entrée en vigueur le 8 octobre 1998. Antérieurement, il se lisait comme suit :

(3) Le choix cesse d'être en vigueur au premier en date des jours suivants :

a) le jour où l'une des parties au choix cesse d'être membre déterminé du groupe étroitement lié;

b) le jour où la révocation du choix conjoint par les parties au choix entre en vigueur.

Le paragraphe 156(3) a été remplacé par L.C. 1993, c. 27, par. 27(4) et cette modification est réputée entrée en vigueur le 1er octobre 1992. Antérieurement, il se lisait ainsi :

(3) Le choix fait conjointement par deux parties et sa révocation sont présentés en la forme déterminée par le ministre, contiennent les renseignements requis par celui-ci et précisent le jour de leur entrée en vigueur, lequel jour fait partie de l'exercice de l'une des parties, dite le « déclarant » au présent paragraphe, et correspond :

a) dans le cas d'un choix, au jour ci-après :

(i) le premier jour d'une période de déclaration du déclarant, qui fait partie de l'exercice en question, au cours de laquelle l'une ou l'autre des parties devient membre déterminé du groupe,

(ii) en cas d'inapplication du sous-alinéa (i), le premier jour de l'exercice en question;

b) dans le cas d'une révocation de choix, le premier jour d'une période de déclaration du déclarant qui commence au cours de son exercice suivant l'exercice au cours duquel le choix est entré en vigueur.

Le paragraphe 156(3) a été remplacé par L.C. 1993, c. 27, par. 27(1) et cette modification est réputée entrée en vigueur le 27 avril 1992. Il se lisait auparavant comme suit :

(3) Le choix concernant les fournitures effectuées entre le membre déterminé d'un groupe étroitement lié et une personne morale doit être présenté au ministre par le membre, en la forme, selon les modalités et avec les renseignements déterminés par le ministre :

a) au plus tard le jour où le membre est tenu par la section V de produire une déclaration pour la première période de déclaration de son exercice;

b) dans le cas où le membre ou la personne morale est devenu membre du groupe au cours d'une période de déclaration de l'exercice du membre, au plus tard le jour où le membre ou la personne morale est, le premier, tenu par la section V de produire une déclaration pour cette période.

Le paragraphe 156(3) a été ajouté par L.C. 1990, c. 45, par. 12(1).

Concordance québécoise: LTVQ, art. 335.

(4) Forme du choix et de la révocation — Le choix et sa révocation sont présentés en la forme déterminée par le ministre, contiennent les renseignements requis par celui-ci et précisent la date de leur entrée en vigueur.

Notes historiques: Le préambule du paragraphe 156(4) a été remplacé par L.C. 1993 par. 27(2) et cette modification est réputée entrée en vigueur le 27 avril 1992. Antérieurement, il se lisait ainsi :

(4) Le choix est en vigueur pour la période commençant le premier jour de la période de déclaration visée au paragraphe (3) et se terminant le premier en date des jours suivants :

L'alinéa 156(4)c) a été remplacé par L.C. 1993, c. 27, par. 27(3) et cette modification est réputée entrée en vigueur le 27 avril 1992. Antérieurement, il se lisait ainsi :

c) le jour que le membre ou la personne morale précise dans un avis de révocation présenté au ministre en la forme, selon les modalités et avec les renseignements déterminés par celui-ci, lequel jour :

(i) arrive après la fin de l'exercice de la personne qui a produit l'avis mettant le choix à effet,

(ii) dans le cas où l'avis est produit au plus tard le jour où la personne qui le produit est tenue par la section V de produire une déclaration pour une période de déclaration, le premier jour de cette période.

Le paragraphe 156(4) a été modifié par L.C. 1993, c. 27, par. 27(4) et est réputé entré en vigueur le 1er octobre 1992. Antérieurement, il se lisait ainsi :

(4) Le choix fait conjointement par un membre déterminé d'un groupe étroitement lié et une personne morale cesse d'être en vigueur au premier en date des jours suivants :

a) le jour où le membre ou la personne morale cesse d'être membre du groupe étroitement lié;

b) le premier jour de l'exercice au cours duquel le membre ou la personne morale cesse d'être membre déterminé du groupe;

c) le jour où la révocation du choix par le membre ou la personne morale entre en vigueur.

Le paragraphe 156(4) a été ajouté par L.C. 1990, c. 45, par. 12(1).

Concordance québécoise: aucune.

(5) [*Abrogé*]

Notes historiques: Le paragraphe 156(5) a été abrogé par L.C. 1993, c. 27, par. 27(4) rétroactivement au 1er octobre 1992. Il se lisait auparavant comme suit :

(5) Par dérogation au paragraphe (4), le choix que font le membre d'un groupe étroitement lié et une personne morale n'est pas en vigueur pour la période au cours de laquelle le choix fait par le membre selon le paragraphe 150(1) est en vigueur.

Le paragraphe 156(5) a été ajouté par L.C. 1990, c. 45, par. 12(1).

Définitions [art. 156]: « acquéreur », « activité commerciale », « bien », « contrepartie », « effet financier », « exclusif », « entreprise », « exercice », « fourniture », « fourniture taxable » — 123(1); « garantie » — 35(1) *Loi d'interprétation*; « groupe admissible » — 156(1); « groupe étroitement lié », « immeuble », « importation », « la totalité, ou presque », « ministre », « montant » — 123(1); « nombre déterminé » — 156(1); « participation dans une société de personnes » — 156(1.3); « personne », « règlement », « service », « vente » — 123(1); « personne qui réside au Canada » — 132; « personnes liées » — 126(2), (3); « règlement », « service », « vente » — 123(1).

Renvois [art. 156]: 128 (personnes morales étroitement liées); 150(1) (choix visant les fournitures exonérées); 153(5)c) (bien repris); 176(2) (exportation d'un bien meuble corporel d'occasion); 184.1(2) (non-application au cautionnement de bonne exécution); 195.2 (dernière acquisition ou importation); 226(8), (9) (contenants à boisson consignés); 226(10), (11) (changement de pratiques commerciales dans la fourniture de boisson dans un contenant consigné); 226(12) (cessation de l'inscription d'un fournisseur de boisson dans un contenant consigné); 226(13) (fourniture de boisson dans un contenant consigné); 226(14), (15) (taxe réputée perçue à l'égard d'une fourniture de boisson dans un contenant consigné); 226.1(1)a) d)(déduction pour organisme de bienfaisance); 226(2), (3) (fourniture taxable de boisson dans un contenant consigné); 238 (déclaration).

Jurisprudence [art. 156]: *Construction Biagio Maiorino Inc. v. R.* (28 novembre 2012), 2012 CarswellNat 4719 (C.C.I.); *Elm City Chrysler Ltd. c. Canada*, [1996] G.S.T.C. 29 (CCI); [1998] G.S.T.C. 85 (CAF); *897366 Ontario Ltd. c. R.*, [2000] G.S.T.C. 13 (CCI); *Germain Pelletier Ltée c. R.*, [2001] G.S.T.C. 90 (CCI); *Rockport Developments Inc. v. R.*, [2008] G.S.T.C. 205 (CCI [procédure générale]); *Baribeau c. R.*, 2011 CarswellNat 4945, 2011 CCI 544 (CCI [procédure informelle]).

Énoncés de politique [art. 156]: P-007, 15/06/92, *L'incidence du paragraphe 156(1) sur le calcul du seuil*; P-019R, 04/09/92, *Droit aux CTI relatifs aux frais de démarrage — biens en immobilisations admissibles*; P-023, 04/09/92, *L'interprétation de l'expression « la totalité, ou presque »*.

Bulletin de l'information technique [art. 156]: B-065, 13/07/92, *Le plan en six points en vue de simplifier la TPS*; B-074, 28/11/94, *Lignes directrices visant la réduction des pénalités et des intérêts dans les cas d'« opérations sans effet fiscal »*.

Mémorandums [art. 156]: TPS 700-4, 25/11/93, *Institutions financières visées par la règle du seuil*, par. 36-40.

Série de mémorandums [art. 156]: Mémorandum 1.5, 09/94, *Définitions « membre déterminé »*; Mémorandum 16.3, 01/09, *Annulation ou renonciation — Pénalités et/ou intérêts*; Mémorandum 16.3.1. 09/00, *Réduction des pénalités et des intérêts dans les cas d'opérations sans effet fiscal*; Mémorandum 17.14, 07/11, *Choix visant les fournitures exonérées*; Mémorandum 19.4.1, 08/99, *Immeubles commerciaux — Ventes et locations*.

Formulaires [art. 156]: FP-25, *Choix concernant les fournitures sans contrepartie — Choix exercé afin que les fournitures taxables effectuées entre des personne morales étroitement liées soient réputées avoir été effectuées sans contrepartie*; FP-25.S, *Formulaire supplémentaire concernant les fournitures sans contrepartie*; FP-361, *Avis de révocation d'un choix visant à faire considérer les fournitures taxables entre membres d'un groupe étroitement lié comme ayant été effectuées sans contrepartie*; FP-361.S, *Formulaire supplémentaire de révocation du choix visant les fournitures sans contrepartie*; GST25, *Choix visant les fournitures sans contrepartie — Choix visant à considérer les fournitures comme taxables entre personnes morales étroitement liées comme ayant été effectuées à titre gratuit* [N.D.L.R. le bulletin de l'information technique B-065 indique que l'obligation de présenter ce formulaire est éliminée. Toutefois, les inscrits sont tenus de remplir le formulaire].

Lettres d'interprétation (Québec) [art. 156]: 98-0101059 — Groupe étroitement lié — Choix visant les fournitures sans contrepartie; 98-0107643 — Détermination du « montant déterminant »; 98-0112718 — Interprétation relative à la TPS et à la TVQ — Choix visant les fournitures sans contrepartie; 00-0107961 — Interprétation relative à la TPS et à la TVQ — Choix visant les fournitures sans contrepartie; 02-0102091 — Interprétation relative à la TPS/TVH — Interprétation relative à la TVQ — Choix relatif aux fournitures sans contrepartie.

COMMENTAIRES: Cet article permet de faire un choix afin que les transactions entre des personnes étroitement liées soient réputées être effectuées sans contrepartie. L'objectif est de permettre un soulagement au niveau des problèmes d'encaisse qui peuvent survenir lorsqu'un membre d'un groupe corporatif fourni un bien ou des services à un autre membre. À titre d'exemple, il y aurait la situation où des frais de gestion sont facturés entre une société mère et sa filiale.

Il est à noter que ce choix n'a pas à être produit auprès des autorités fiscales compétentes. Il est toutefois recommandé de conserver une preuve de ce choix dans ses livres et registres de la société afin qu'il soit disponible dans le cadre d'une vérification éventuelle.

Le choix peut être rétroactif.

Dans la mesure où le choix aurait pu être fait mais ne l'a pas été, les autorités fiscales indiquent qu'elles vont traitées cette situation comme une transaction sans effet fiscal, ce qui a pour effet de réduire le taux des intérêts et pénalités à 4 %. Voir notamment à cet effet : Agence du revenu du Canada, Lettre de l'Administration centrale sur la TPS, 97602 — *Wash Transactions Policy* (22 janvier 2008).

Il est à noter que le paragraphe (1.1) a été amendé en 2007 pour retirer, notamment, les termes « résidant au Canada » dans le contexte d'une société de personnes canadienne ou d'une personne morale résidant au Canada. Toutefois, la notion de résidence canadienne figure dorénavant à la définition des expressions « groupe admissible » et « membre admissible », empêchant ainsi la possibilité pour un non-résident de se prévaloir de ce choix.

À titre illustratif, la « société de personnes canadienne » est définie au paragraphe 156 (1) comme étant : « société de personnes dont chaque associé est une personne morale ou une société de personnes et réside au Canada. » Ainsi, la société en commandite résidante du Québec et constituée d'un commanditaire « personne morale » et d'un commandité « personne morale » se qualifie à titre de « société de personnes canadienne ». Le paragraphe 156(1.3) apporte des précisions quant à la notion de détention de la totalité ou presque totalité des participations dans une société de personnes dans le contexte du paragraphe 156(1.1). Ainsi, pour autant que le commanditaire et le commandité détiennent collectivement la totalité ou la presque totalité des participations dans une société de personnes, au sens du paragraphe 156(1.3), le commanditaire et le commandité seront chacun étroitement liés à la Société et ce, aux termes de la division 156(1.1)b)iii)C), et chacune de ces personnes morales et la Société se qualifieront de « groupe admissible » au sens du paragraphe 156(1). Voir notamment à cet effet : Revenu Québec, Lettre d'interprétation, 00-0107961 — *Interprétation relative à la TPS et à la TVQ — Choix visant les fournitures sans contrepartie* (13 février 2001). Voir également au même effet : Agence du revenu du Canada, Lettre de l'Administration centrale sur la TPS, 11601-3, 11755-18 — *Use of the election in section 156 of the ETA* (1er octobre 2005); Agence du revenu du Canada, Lettre de l'Administration centrale sur la TPS, 131654 — *[...] [Joint election and entitlement to ITCs]* (15 février 2011); et Agence du revenu du Canada, Lettre de l'Administration centrale sur la TPS, 119159 — *GST/HST Interpretation — Closely related corporations* (5 juillet 2012).

Finalement, dans l'affaire *Rockport Developments Inc. c. R.*, 2009 CarswellNat 5255 (C.C.I.), la Cour canadienne de l'impôt souligne une autre exception à la règle relative au versement de la taxe qui figure à l'article 156, qui prévoit que deux personnes morales étroitement liées (et certaines sociétés de personnes) peuvent faire un choix pour que certaines opérations soient effectuées sans que la TPS soit facturée. Cette disposition a pour but d'accorder un allègement comme celui que les appelantes ont voulu obtenir lorsqu'elles se sont mises à avoir des problèmes d'encaisse peu après le début des travaux du projet et alors qu'elles se fournissaient des services entre elles. Le paragraphe156(2) prévoit la détaxation de certaines opérations effectuées dans un groupe en faisant en sorte que les fournitures taxables soient réputées avoir été effectuées sans contrepartie. Seuls les « membres déterminés » d'un « groupe admissible » peuvent faire ce choix. Le paragraphe 156(1) définit l'expression « groupe admissible » comme un groupe de personnes morales dont chaque membre est étroitement lié au sens du paragraphe 128(1) — il faut qu'au moins 90 % du capital-actions d'une personne morale donnée soit la propriété d'un des membres du groupe. La structure organisationnelle des appelantes ne correspond pas à la définition de l'expression « personnes morales étroitement liées »; les appelantes ne peuvent donc pas exercer le choix prévu à l'article 156. En l'espèce, Ni Goldsboro, ni Martin, ni Pine Glen, ni Rockport, ni Bend, ni CMJ ni Codiac ne pouvaient se prévaloir de l'article 156, qui aurait permis que leurs opérations soient exemptes de TVH. Finalement, la Cour canadienne de l'impôt désire souligner que l'intimée a considéré les opérations effectuées entre les appelantes comme des opérations sans effet fiscal afin de réduire les montants de pénalité et d'intérêts établis en application de l'article 280. Les opérations sans effet fiscal ont notamment lieu entre des membres de groupes étroitement liés ou des personnes associées.

157. [*Abrogé*]

Ajout proposé — 157

157. (1) Au présent article, « employeur admissible désigné » s'entend au sens du paragraphe 172.1(9).

(2) Pour l'application de la présente partie, si un employeur participant à un régime de pension en fait le choix conjointement avec une entité de gestion du régime, toute fourniture taxable qu'il effectue au profit de l'entité à un moment où le choix est en vigueur est réputée être effectuée à titre gratuit.

(3) Le paragraphe (2) ne s'applique pas aux fournitures suivantes :

a) toute fourniture qui est réputée, en vertu de l'article 172.1, avoir été effectuée;

b) la fourniture d'un bien ou d'un service qui n'est pas acquis par une entité de gestion d'un régime de pension en vue d'être consommé, utilisé ou fourni par elle dans le cadre d'activités de pension, au sens du paragraphe 172.1(1), relatives au régime;

c) la fourniture de tout ou partie d'un bien ou d'un service effectuée par un employeur participant à un régime de pension au profit d'une entité de gestion du régime, si l'employeur est un employeur admissible désigné du régime au moment où il acquiert le bien ou le service;

d) la fourniture d'un bien ou d'un service effectuée par un employeur participant à un régime de pension au profit d'une entité de gestion du régime, si l'employeur est un employeur admissible désigné du régime au moment où il consomme ou utilise une de ses ressources d'employeur, au sens du paragraphe 172.1(1), dans le but d'effectuer la fourniture;

e) toute fourniture effectuée soit dans des circonstances prévues par règlement, soit par une personne visée par règlement.

(4) Les personnes qui font conjointement le choix prévu au paragraphe (2) peuvent le révoquer conjointement.

(5) Le document concernant le choix prévu au paragraphe (2) ou la révocation prévue au paragraphe (4) doit :

a) être établi en la forme déterminée par le ministre et contenir les renseignements qu'il détermine;

b) préciser la date de prise d'effet du choix ou de la révocation, laquelle date doit correspondre au premier jour d'un exercice de l'employeur participant;

c) être présenté au ministre par l'employeur participant, selon les modalités déterminées par le ministre, au plus tard à la date de prise d'effet du choix ou de la révocation ou à toute date postérieure fixée par le ministre.

(6) Le choix fait conjointement selon le paragraphe (2) par un employeur participant à un régime de pension et une entité de gestion du régime cesse d'être en vigueur au premier en date des jours suivants :

a) le jour où l'employeur cesse d'être un employeur participant au régime;

b) le jour où l'entité cesse d'être une entité de gestion du régime;

c) le jour où la révocation du choix, effectuée conjointement par l'employeur et l'entité, prend effet;

d) le jour précisé dans l'avis de révocation du choix envoyé à l'employeur aux termes du paragraphe (9).

(7) Si le choix fait conjointement selon le paragraphe (2) par un employeur participant à un régime de pension et une entité de gestion du régime est en vigueur au cours d'un exercice de l'employeur et que celui-ci omet de rendre compte, selon les modalités et dans les délais prévus à la présente partie, de toute taxe qu'il est réputé avoir perçue le dernier jour de l'exercice, selon les paragraphes 172.1(5) ou (6), relativement au régime, le ministre peut envoyer à l'employeur et à l'entité un avis écrit (appelé « avis d'intention » au présent article) de son intention de révoquer le choix à compter du premier jour de l'exercice.

(8) Sur réception d'un avis d'intention, l'employeur participant doit convaincre le ministre qu'il n'a pas omis de rendre compte, selon les modalités et dans les délais prévus à la présente partie, de la taxe qu'il est réputé avoir perçue selon les paragraphes 172.1(5) ou (6) relativement au régime de pension.

(9) Si, au terme d'une période de 60 jours suivant l'envoi par le ministre d'un avis d'intention à l'employeur participant, le ministre n'est pas convaincu que celui-ci n'a pas omis de rendre compte, selon les modalités et dans les délais prévus à la présente partie, de la taxe qu'il est réputé avoir perçue le dernier jour d'un exercice donné selon les paragraphes 172.1(5) ou (6), il peut envoyer à l'employeur et à l'entité de gestion du régime de pension avec laquelle l'employeur a fait le choix un avis écrit (appelé « avis de révocation » au présent article) selon lequel le choix est révoqué à compter de la date précisée dans l'avis de révocation, laquelle ne peut être antérieure à la date précisée dans l'avis d'intention et doit être le premier jour d'un exercice donné quelconque.

(10) Pour l'application de la présente partie, le choix prévu au paragraphe (2) qui a été révoqué par le ministre selon le paragraphe (9) est réputé ne pas être en vigueur à compter de la date précisée dans l'avis de révocation.

Application: L'article 157 sera ajouté par le par. 7(1) de l'*Avis de motion de voies et moyens accompagnant le budget fédéral* du 21 mars 2013 et s'appliquera aux fournitures effectuées après le 21 mars 2013.

Budget fédéral, Renseignements supplémentaires, 21 mars 2013: *Règles de TPS/TVH relatives aux régimes de pension*

Aux termes des règles actuelles de la TPS/TVH, un employeur participant à un régime de pension agréé est réputé avoir effectué une fourniture taxable et avoir perçu la TPS/TVH à l'égard de cette fourniture taxable lorsqu'il acquiert, utilise ou consomme des biens ou des services (« intrants ») pour utilisation dans le cadre d'activités reliées au régime de pension. L'employeur est tenu d'ajouter ce montant de TPS/TVH à sa taxe nette. Un employeur est tenu de rendre compte de la TPS/TVH aux termes de ces règles de fournitures taxables réputées, même s'il est tenu, en vertu des règles générales régissant la TPS/TVH, de rendre compte de la TPS/TVH à l'égard d'une fourniture taxable réelle effectuée à une fiducie, ou société de gestion, de pension (appelée « entité de gestion »). Lorsqu'un employeur est tenu de rendre compte deux fois de la TPS/TVH (c'est-à-dire à l'égard d'une fourniture taxable réelle et d'une fourniture taxable réputée), cet employeur peut procéder à un « ajustement de taxe« en rapport avec sa taxe nette de manière à assurer que la taxe n'est à verser qu'à l'égard d'une seule fourniture.

Le budget de 2013 contient deux mesures proposées pour simplifier l'observation de ces règles par les employeurs dans certaines circonstances.

Choix en vue de ne pas comptabiliser la TPS/TVH à l'égard de fournitures taxables réelles

Il est proposé dans le budget de 2013 de permettre à un employeur participant à un régime de pension agréé de faire un choix conjointement avec l'entité de gestion de ce régime de pension afin qu'une fourniture taxable réelle effectuée par l'employeur à l'entité de gestion soit réputée avoir été effectuée sans contrepartie lorsque l'employeur rend compte de la taxe à l'égard de la fourniture taxable réputée et la verse. Cette mesure servira à simplifier les modalités d'observation pour les employeurs, car ceux-ci n'auront plus à rendre compte de la taxe à l'égard de la fourniture taxable réelle puis procéder subséquemment à un ajustement de taxe à la taxe nette.

Une fois qu'un choix conjoint est fait, ce choix demeure en vigueur jusqu'à ce qu'il fasse l'objet d'une révocation conjointe de la part de l'employeur et de l'entité de gestion, cette révocation prenant effet au début d'un exercice de l'employeur. De plus, le ministre du Revenu national pourra à sa discrétion annuler le choix, cette annulation prenant effet au début d'un exercice de l'employeur, si ce dernier a omis de verser la taxe à l'égard des fournitures taxables réputées effectuées durant cet exercice lorsque ces fournitures sont rattachées à des fournitures taxables réelles effectuées à l'entité de gestion. Dans un tel cas, le ministre pourra établir une cotisation à l'égard de l'employeur concernant à la fois la taxe sur les fournitures taxables réputées et celle sur toutes les fournitures taxables réelles effectuées depuis la date de prise d'effet de l'annulation du choix (avec les ajustements de taxe qui auraient été par ailleurs disponibles à l'égard de ces montants de taxe en vertu de la législation régissant la TPS/TVH); l'employeur pourrait aussi avoir à payer des intérêts.

Cette mesure s'appliquera aux fournitures effectuées après le 21 mars 2013.

Notes historiques: L'article 157 a été abrogé par L.C. 1993, c. 27, par. 28(1) rétroactivement au 17 décembre 1990. L'ancien paragraphe 157(1) a été intégré aux paragraphes 181(1) et (2) et l'ancien paragraphe 157(2) a été intégré à l'article 181.2. Cet article se lisait ainsi :

> 157. Pour l'application de la présente partie, la valeur de la contrepartie de la fourniture dans le cadre de laquelle le fournisseur accepte, en contrepartie totale ou partielle, un bon — y compris une pièce justificative, un reçu, un billet ou une autre pièce, à l'exclusion d'un certificat-cadeau — qui est échangeable contre un bien ou un service ou qui permet à l'acquéreur de bénéficier d'une réduction ou d'un rabais sur le prix d'un bien ou d'un service est réputée correspondre à l'excédent éventuel de la valeur de la contrepartie de la fourniture déterminée par ailleurs en application de la présente partie sur le rabais ou la valeur d'échange du bon.
>
> Pour l'application de la présente partie, la délivrance ou la vente d'un certificat-cadeau à titre onéreux est réputée ne pas être une fourniture. Toutefois, le certificat-cadeau qui est appliqué en réduction du prix d'un bien ou d'un service est réputé être une contrepartie de la fourniture de ceux-ci.

L'article 157 a été ajouté par L.C. 1990 c. 45, par. 12(1).

158. Cessions du droit au remboursement — Pour l'application de la présente partie, l'escompteur, au sens de la *Loi sur la cession du droit au remboursement en matière d'impôt*, qui paie un montant à une personne pour acquérir le droit à un remboursement d'impôt, au sens de cette loi, est réputé, par dérogation à l'article 139, avoir effectué :

a) d'une part, la fourniture taxable d'un service pour une contrepartie égale au moins élevé des montants suivants :

(i) ⅔ de l'excédent éventuel du remboursement sur le montant ainsi payé par l'escompteur,

(ii) 30 $,

b) d'autre part, la fourniture d'un service financier pour une contrepartie égale à l'excédent du remboursement sur le total du montant ainsi payé par l'escompteur et du montant calculé en application de l'alinéa a).

Notes historiques: L'article 158 a été ajouté par L.C. 1990, c. 45, par. 12(1).

Concordance québécoise: LTVQ, art. 39.

Définitions: « fourniture », « fourniture taxable », « montant », « personne », « service », « service financier » — 123(1).

Renvois: 139 (services financiers dans une fourniture mixte); 149(1)a)(x) (institution financière).

Énoncés de politique: P-123, 17/03/94, *Radiation de créances irrécouvrables par des escompteurs d'impôt*.

Mémorandums: TPS 300-4-7, 02/12/93, *Services financiers*, par. 10, 17; TPS 300-7, 14/09/90, *Valeur de la fourniture*, par. 47, 48; TPS 300-7-10, 15/03/94, *Devise étrangère*; par. 3–6.

Série de mémorandums: Mémorandum 17.6, 09/99, *Définition d'« institution financière désignée »*; Mémorandum 17.10, 05/99, *Escompteurs d'impôt*.

159. Valeur étrangère — Pour l'application de la présente partie, la valeur de la contrepartie d'une fourniture exprimée en devise étrangère est calculée en fonction de la valeur de cette devise en monnaie canadienne le jour où la taxe est payable ou tout autre jour acceptable au ministre.

Notes historiques: Le paragraphe 159(1) a été ajouté par L.C. 1990, c. 45, par. 12(1).

Concordance québécoise: LTVQ, art. 56.

Définitions: « contrepartie », « fourniture », « ministre », « taxe » — 123(1).

Renvois: 168 (taxe payable).

Énoncés de politique: P-222, 10/012/98, *Sources de taux de change acceptables pour la conversion en devise canadienne de la valeur de la contrepartie exprimée en devise étrangère aux fins de l'article 159 de la Loi sur la taxe d'accise*.

Mémorandums: TPS 300-7, 14/09/90, *Valeur de la fourniture*, par. 47, 48; TPS 300-7-10, 15/03/94, *Devise étrangère*; par. 6–17; TPS 700-5-5, 29/12/92, *Escompteurs d'impôt*, par. 3–6.

COMMENTAIRES: L'Agence du revenu du Canada a indiqué que le taux d'échange reflété par la Banque du Canada était acceptable pour les fins de l'article 159. Voir notamment à cet effet : Agence du revenu du Canada, Lettre de l'Administration centrale sur la TPS, 117783 — *Exchange Rates* (19 janvier 2010).

Récemment, l'Agence du revenu du Canada a accepté une méthodologie particulière de conversion par le fournisseur. Cette méthode consistait à utiliser le taux du jour précédent la transaction qui se concluait avant midi et d'utiliser le taux du jour pour les transactions qui avaient lieu en après-midi. L'Agence du revenu du Canada souligne qu'il est important de maintenir de la documentation, livre et registre pour démontrer le taux utilisé le jour de la conversion. Également, l'Agence du revenu du Canada souligne qu'une méthode de conversion, autre que celle qui est reflété à l'article 159 ou au mémorandum 300-7-10, doit être soumise au Ministre pour approbation avant de l'appliquer. Voir notamment à cet effet : Agence du revenu du Canada, Lettre de l'Administration centrale sur la TPS, 132220 — *GST/HST Interpretation — Request for Approval of Foreign Currency Exchange Methodologies* (13 octobre 2011). Voir également au même effet : Agence du revenu du Canada, Lettre de l'Administration centrale sur la TPS, 138753 — *GST/HST Interpretation — Request for Approval of Foreign Currency Exchange Methodologies* (13 octobre 2011).

Selon l'Agence du revenu du Canada, les jours suivants sont également acceptables pour les fins de la détermination de la valeur en devise en monnaie canadienne de la contrepartie exprimée en devise étrangère : (i) le jour où la contrepartie de la fourniture est payé, (ii) le jour où la devise étrangère a été acquise, et (iii) un taux moyen d'échange pour le mois en vertu duquel la taxe est payable. Voir notamment à cet effet : Agence du revenu du Canada, Lettre de l'Administration centrale sur la TPS, I-11680-6 — *GST/HST Interpretation — Advertising Services Supplied by a Non-Resident* (31 octobre 2003).

160. Appareils automatiques — Dans le cas où une fourniture est effectuée, et la contrepartie y afférente payée, au moyen d'un appareil automatique, les présomptions suivantes s'appliquent aux fins de la présente partie :

a) l'acquéreur est réputé, le jour où la contrepartie de la fourniture est insérée dans l'appareil, avoir reçu la fourniture et payé la contrepartie y afférente ainsi que la taxe payable qui y est relative;

b) le fournisseur est réputé, le jour où la contrepartie de la fourniture est retirée de l'appareil, avoir effectué la fourniture, reçu la contrepartie y afférente et perçu la taxe payable qui y est relative.

Notes historiques: L'article 160 a été ajouté par L.C. 1990, c. 45, par. 12(1).

Concordance québécoise: LTVQ, art. 71.

Définitions: « acquéreur », « contrepartie », « fourniture », « taxe » — 123(1).

Renvois: 165.1(1) (téléphones payants); 165.1(2) (appareils automatiques); 169(5) (CTI — Dispense-documents); V:Partie I:13.3 (machines dans un immeuble d'habitation); VI:Partie III:1(p) (distributeur automatique).

Jurisprudence: *914115 Ontario Inc. c. La Reine*, 96-3722 (GST); *Distribution Lévesque Vending (1986) Ltée c. Canada*, [1997] G.S.T.C. 38 (CCI); *Bombay Jewellers Ltd. c. Canada*, [1998] G.S.T.C. 94 (CCI); *Amusements Jolin Inc. c. La Reine*, [2002] G.S.T.C. 111 (GST); *Marchildon c. R.*, [2004] G.S.T.C. 10 (CCI); *Baribeau c. R.*, 2011 CarswellNat 4945, 2011 CCI 544 (CCI [procédure informelle]).

Mémorandums: TPS 300-6, 14/09/90, *Moment d'assujettissement de la fourniture*, par. 18; TPS 300-6-2, 26/03/91, *Paiements*, par. 11; TPS 300-6-10, 14/12/90, *Appareils automatiques*, par. 5–7; TPS 400-1-2, 14/12/90, *Crédits de taxe sur les intrants — Documents requis*, par. 35-40.

Série de mémorandums: Mémorandum 8.4, 08/12, *Documents requis pour demander des crédits de taxe sur les intrants*.

COMMENTAIRES: Cet article répute que la TPS est incluse dans le prix payé par l'acquéreur.

Revenu Québec souligne qu'en raison de l'absence de définition de l'expression « appareil automatique » en vertu de la *Loi sur la taxe d'accise (TPS)*, il y a lieu de référer au sens communément accepté, tel que rapporté par les dictionnaires, pour ce genre d'appareils, lequel renvoie à tout appareil qui opère au moyen de mécanismes. Il est donc certain que les appareils visés par l'article 160 comprennent toutes sortes de distributeurs automatiques, y compris les monosélecteurs mécaniques. Par conséquent, Revenu Québec d'avis que la présomption prévue à l'article 160 s'applique à l'égard de toute fourniture effectuée au moyen de monosélecteurs mécaniques. Voir notamment à cet effet : Revenu Québec, Lettre d'interprétation, 94-0107725 — *Les monosélecteurs mécaniques* (20 avril 1995).

À titre illustratif, la Cour canadienne de l'impôt, dans l'affaire *914115 Ontario Inc. c. R.*, 1997 CarswellNat 527 (C.C.I.), indique que l'article 160 est suffisamment large d'application pour comprendre les machines à laver et sécheuses.

Dans l'affaire *Amusements Jolin Inc. c. R.*, 2002 CarswellNat 2530 (C.C.I.), l'intimée soutient que l'appelante à l'obligation de percevoir et de verser la TPS sur les fournitures effectuées au moyen des appareils automatiques décrits ci-haut. L'expression équivalente à « appareils automatiques », dans la version anglaise, est « coin-operated devices » mais le résultat est le même au niveau des présomptions que cet article crée. Cette disposition ne laissait aucune marge de manœuvre à un fournisseur quant à l'obligation de remettre la TPS qu'il était réputé, en vertu de la *Loi sur la taxe d'accise (TPS)*, avoir perçue au moyen des appareils automatiques. Pour répondre à la première question en litige, il est nécessaire de déterminer si les appareils sont des appareils automatiques à fonctionnement mécanique conçus pour n'accepter, comme contrepartie totale de la fourniture, qu'une seule pièce de monnaie de 0,25 $ ou moins. Il faut donc que ces deux conditions soient remplies pour que l'appelante puisse invoquer l'exemption prévue au paragraphe 165.1(2). Ce qui ressort de toute cette preuve, c'est le fait que les appareils en litige, à l'exception des tables de billard et de soccer, sont des appareils électroniques plutôt que mécaniques, sauf que le percepteur de pièces de monnaie a, lui, une fonction mécanique qui ne lui permet d'accepter qu'une seule pièce de 0,25 $. Il faut donc déterminer si la fourniture est effectuée en vertu du percepteur de monnaie ou en vertu du jeu électronique et de son déclencheur dans les appareils qui ont une composante mécanique ainsi qu'électronique. À mon avis, si la partie d'un appareil automatique qui sert à accepter ou rejeter les pièces de monnaie est mécanique, l'appareil est un appareil automatique à fonctionnement mécanique pour les fins de l'application du paragraphe 165.1(2), même si la partie de l'appareil automatique qui démarre le jeu est électronique. Si ces appareils sont conçus pour n'accepter, comme contrepartie totale de la fourniture, qu'une seule pièce de monnaie de 0,25 $ ou moins, ils sont visés par cette disposition. Le fait que certains de ces appareils permettent à l'utilisateur d'accumuler des crédits en y insérant plus d'un 0,25 $ ne change pas le fait que la contrepartie totale de chaque crédit est de 0,25 $ tout comme le 0,25 $ qui y est ajouté pour prolonger une partie. Les appareils en litige, à l'exception de ceux qui prennent plus que 0,25 $ pour fonctionner et à l'égard desquels l'appelante a versé 1 000 $ au titre de la taxe, sont des appareils automatiques à fonctionnement mécanique et la taxe payable à leur égard est nulle.

Dans l'affaire *Folz Vending Co. c. R.*, 2008 CarswellNat 1307 (C.A.F.) (permission d'en appeler à la Cour suprême du Canada refusée, 2008 CarswellNat 3657), la Cour d'appel fédérale devait répondre à la question de savoir si les appareils mono-sélecteurs mécaniques de l'appelant étaient des appareils automatiques. D'emblée, la Cour d'appel fédérale réfère à la décision *Distribution Lévesque Vending (1986) Ltée*, 1998 CarswellNat

(B) dans les autres cas, le moment où la propriété de l'apport supplémentaire de l'amodiateur est transférée à l'amodiataire,

(iii) la contrepartie de l'apport supplémentaire de l'amodiateur et la contrepartie du service réputé fourni par l'amodiataire sont réputées devenir dues au moment du transfert,

(iv) si, en plus de l'apport de l'amodiataire, celui-ci fournit à l'amodiateur d'autres biens ou services (sauf le service réputé par le sous-alinéa (i) avoir été fourni) pour une contrepartie constituée en partie de l'apport supplémentaire de l'amodiateur, la valeur de la contrepartie de la fourniture des autres biens ou services est réputée être égale à l'excédent éventuel de la valeur de cette contrepartie, déterminée compte non tenu du présent sous-alinéa, sur la juste valeur marchande de l'apport supplémentaire de l'amodiateur.

Notes historiques: Le paragraphe 162(4) de la *Loi sur la taxe d'accise* a été ajouté par L.C. 2000, c. 30, par. 26(3) et est réputé entré en vigueur le 17 décembre 1990. Toutefois, l'alinéa 162(4)c) ne s'applique pas aux accords conclus avant le 8 août 1998.

Concordance québécoise: LTVQ, art. 39.4.

Définitions [art. 162]: « accord d'amodiation » — 162(1); « amodiataire », « amodiateur » — 162(4); « bien » — 123(1); « bien non prouvé » — 162(1); « consommateur » — 123(1); « écrit » — 35(1) *Loi d'interprétation*; « entreprise », « exclusif », « fourniture », « inscrit » — 123(1); « matériel déterminé » — 162(1); « minéral », « montant », « personne » — 123(1); « réserves estimées » — 162(1); « service » — 123(1).

Renvois [art. 162]: 146 (fourniture par gouvernement ou municipalité réputée effectuée dans le cadre d'une activité commerciale); 273 (coentreprise); V:Partie VI:23; VI:Partie III:2 (eau non embouteillée).

Jurisprudence [art. 162]: *Ross (M.) c. La Reine*, [1996] G.S.T.C. 33 (CCI); *Okanagan Opal Inc. v. R.*, [2002] G.S.T.C. 86 (CCI); *Baribeau c. R.*, 2011 CarswellNat 4945, 2011 CCI 544 (CCI [procédure informelle]).

Énoncés de politique [art. 162]: P-105R, 13/01/99, *Statut fiscal du paiement de location d'une ressource naturelle*; P-110R, 27/10/93, *Montants payés pour des fournitures de minéraux, de tourbe, ou de produits forestiers, halieutiques ou de l'eau*; P-128R2, 05/01/06, *Traitement fiscal de la fourniture d'une participation directe indivise dans l'actif d'une mine ou d'un puits de gaz ou de pétrole*; P-163, 07/11/94, *Situation fiscale d'une amodiation d'un avoir dans le secteur des ressources naturelles* (Ébauche).

Bulletin de l'information technique [art. 162]: B-073, 19/06/94, *Vente de titres francs de minéraux*.

Mémorandums [art. 162]: TPS 300-4-6, 31/05/91, *Organismes du secteur public*, par. 38; TPS 300-7, 14/09/90, *Valeur de la fourniture*, par. 50, 51; TPS 400-3-1, 01/04/92, *Début et cessation de l'inscription*.

162.1 Pénalité applicable au matériel roulant, droit de stationnement et surestaries — Pour l'application de la présente partie, est réputé ne pas être la contrepartie d'une fourniture le montant payé :

a) à titre de surestaries ou de droit de stationnement;

b) par une compagnie de chemin de fer à une autre au titre d'une pénalité pour défaut de remettre du matériel roulant dans le délai imparti.

Notes historiques: L'article 162.1 a été ajouté par L.C. 1993, c. 27, par. 29(1) et est réputé entré en vigueur le 17 décembre 1990.

Concordance québécoise: LTVQ, art. 62.1.

Définitions: « contrepartie », « fourniture », « montant » — 123(1).

Renvois: 182(3) (renonciation); 273 (coentreprise).

Énoncés de politique: P-217, 21/01/99, *Signification du terme « matériel roulant »*.

Série de mémorandums: Mémorandum 28.2, 01/99, *Services de transport de marchandises*.

163. (1) Contrepartie pour parties d'un voyage organisé — Pour le calcul de la taxe payable relativement aux parties d'un voyage organisé, la contrepartie de la fourniture de la partie taxable au provincial du voyage ou de sa partie non taxable au provincial, selon le cas, (appelée « partie déterminée » au présent paragraphe) est réputée égale au montant suivant :

a) si la fourniture est effectuée par le premier fournisseur du voyage, le résultat du calcul suivant :

$$A \times B$$

où :

A représente le pourcentage taxable relativement à la partie déterminée au moment de la fourniture,

B la contrepartie totale de l'ensemble du voyage;

b) si la fourniture est effectuée par une autre personne, le résultat du calcul suivant :

$$A \times B$$

où :

A représente le pourcentage exprimé par le rapport entre la contrepartie de la fourniture, au profit de la personne, de la partie déterminée et la contrepartie totale payée ou payable par la personne pour l'ensemble du voyage,

B la contrepartie totale payée ou payable à la personne pour l'ensemble du voyage.

Notes historiques: Le paragraphe 163(1) a été modifié par L.C. 1997, c. 10, par. 159(1) et cette modification s'applique aux voyages organisés fournis pour une contrepartie qui devient due après mars 1997 ou qui est payée après ce mois sans qu'elle soit devenue due. Il se lisait comme suit :

(1) Pour l'application de la présente partie, la contrepartie de la fourniture de la partie taxable d'un voyage organisé est réputée égale au montant suivant :

a) si la fourniture est effectuée par le premier fournisseur du voyage, le montant calculé selon la formule suivante :

$$A \times B$$

où :

A représente le pourcentage taxable du voyage au moment de la fourniture;

B la contrepartie totale de l'ensemble du voyage;

b) si la fourniture est effectuée par une autre personne, le montant calculé selon la formule suivante :

$$A \times B$$

où :

A représente le pourcentage exprimé par le rapport entre la contrepartie de la fourniture, au profit de la personne, de la partie taxable du voyage et la contrepartie totale payée ou payable par la personne pour l'ensemble du voyage;

B la contrepartie totale payée ou payable à la personne pour l'ensemble du voyage.

Ce paragraphe a été ajouté par L.C. 1990, c. 45, par. 12(1).

Concordance québécoise: LTVQ, art. 64, 65.

(2) Parties taxable et non taxable — Pour le calcul de la taxe payable relativement à un voyage organisé et pour l'application de la partie VI de l'annexe VI, l'élément de la partie taxable du voyage qui n'est pas compris dans ses parties taxables au provincial et l'élément du voyage qui n'est pas compris dans sa partie taxable sont réputés chacun être l'objet de fournitures distinctes et ne pas être accessoire à l'autre.

Notes historiques: Le paragraphe 163(2) a été modifié par L.C. 1997, c. 10, par. 159(1) et cette modification s'applique aux voyages organisés fournis pour une contrepartie qui devient due après mars 1997 ou qui est payée après ce mois sans qu'elle soit devenue due. Il se lisait comme suit :

(2) Pour l'application de la présente partie, la partie taxable d'un voyage organisé et l'autre partie sont réputées chacune être l'objet de fournitures distinctes et aucune n'est accessoire à l'autre.

Ce paragraphe a été ajouté par L.C. 1990, c. 45, par. 12(1).

Concordance québécoise: LTVQ, art. 66.

(2.1) Partie taxable au provincial — Pour le calcul de la taxe payable relativement à un voyage organisé et pour l'application de la partie VI de l'annexe VI, l'élément de la partie taxable du voyage qui représente sa partie taxable au provincial quant à une province participante est réputé être l'objet d'une fourniture effectuée dans la province. Cet élément et les autres éléments du voyage — qui sont réputés fournis à l'extérieur de la province — sont réputés chacun être l'objet de fournitures distinctes et ne pas être accessoire à aucun autre.

Notes historiques: Le paragraphe 163(2.1) a été ajouté par L.C. 1997, c. 10, par. 159(1) et s'applique aux voyages organisés fournis pour une contrepartie qui devient due après mars 1997 ou qui est payée après ce mois sans qu'elle soit devenue due.

Concordance québécoise: aucune.

(2.2) Transition — Lorsque la partie taxable au provincial d'un voyage organisé quant à une province participante est fournie par un fournisseur qui a acquis le voyage d'une autre personne sans être tenu de payer la taxe applicable prévue au paragraphe 165(2), le fournisseur est réputé être le premier fournisseur du voyage pour ce qui est du calcul du pourcentage de référence, du pourcentage taxable et du pourcentage taxable initial, relativement à la partie taxable au provincial du voyage et à sa partie non taxable au provincial.

Notes historiques: Le paragraphe 163(2.2) a été ajouté par L.C. 1997, c. 10, par. 159(1) et s'applique aux voyages organisés fournis pour une contrepartie qui devient due après mars 1997 ou qui est payée après ce mois sans qu'elle soit devenue due.

Concordance québécoise: aucune.

(3) Définitions — Les définitions qui suivent s'appliquent au présent article et à la partie VI de l'annexe VI.

« fraction de référence » [*Abrogée*]

Notes historiques: La définition de « fraction de référence » au paragraphe 163(3) a été abrogée par L.C. 1997, c. 10, par. 159(2) et cette abrogation s'applique aux voyages organisés fournis pour une contrepartie qui devient du après mars 1997 ou qui est payée après ce mois-ci sans qu'elle soit devenue due. Voir la version antérieure sous la définition de « pourcentage de référence ».

« partie non taxable au provincial » Les biens et les services compris dans la partie taxable d'un voyage organisé qui ne sont pas compris dans ses parties taxables au provincial.

Notes historiques: La définition de « partie non taxable au provincial » au paragraphe 163(3) a été ajoutée par L.C. 1997, c. 10, par. 159(3) et est réputée entrée en vigueur le 1er avril 1997.

Concordance québécoise: aucune.

« partie taxable » Biens et services compris dans un voyage organisé et au titre desquels la taxe prévue à la section II serait payable s'ils étaient fournis autrement que dans le cadre d'un tel voyage.

Notes historiques: La définition de « partie taxable » au paragraphe 163(3) a été ajoutée par L.C. 1990, c. 45, par. 12(1).

Concordance québécoise: LTVQ, art. 63« partie taxable ».

« partie taxable au provincial » Quant à une province participante, les biens et les services compris dans un voyage organisé et dont la fourniture, si elle était effectuée hors du cadre du voyage, constituerait une fourniture effectuée dans la province participante relativement à laquelle la taxe prévue au paragraphe 165(2) serait payable.

Notes historiques: La définition de « partie taxable au provincial » au paragraphe 163(3) a été ajoutée par L.C. 1997, c. 10, par. 159(3) et est réputée entrée en vigueur le 1er avril 1997.

Concordance québécoise: aucune.

« pourcentage de référence » À un moment donné, quant à la partie taxable au provincial d'un voyage organisé ou à sa partie non taxable au provincial, selon le cas, (appelée « partie déterminée » dans la présente définition), le résultat du calcul suivant :

$$\frac{A}{B}$$

où :

A représente la partie du montant (appelé « prix de référence » dans la présente définition) que le premier fournisseur du voyage exigerait pour la fourniture à ce moment qu'il est alors raisonnable d'imputer à la partie déterminée;

B le prix de référence.

Notes historiques: La définition de « pourcentage de référence » au paragraphe 163(3) a été modifiée par L.C. 1997, c. 10, par. 159(2) et cette modification est entrée en vigueur le 1er avril 1997. Auparavant, cette définition a été ajoutée sous le terme « fraction de référence » par L.C. 1990, c. 45, par. 12(1) et se lisait comme suit :

> « pourcentage de référence » S'agissant de la fraction de référence d'un voyage organisé à un moment donné, correspond à la fraction suivante :
>
> $$\frac{A}{B}$$
>
> où :
>
> A représente la partie du montant que le premier fournisseur du voyage exigerait pour la fourniture à ce moment qu'il est alors raisonnable d'imputer à la partie taxable du voyage;
>
> B le montant que le premier fournisseur du voyage exigerait pour la fourniture à ce moment.

Concordance québécoise: LTVQ, art. 63« fraction de référence ».

« pourcentage taxable » À un moment donné, quant à la partie taxable au provincial d'un voyage organisé ou à sa partie non taxable au provincial, selon le cas, (appelée « partie déterminée » dans la présente définition), l'un des pourcentages suivants :

a) si l'écart entre le pourcentage de référence à ce moment quant à la partie déterminée et le pourcentage taxable initial quant à cette partie ou le pourcentage de référence à un moment antérieur quant à cette partie est de plus de 10 points, le pourcentage de référence au moment donné quant à cette partie;

b) sinon, le pourcentage taxable initial quant à la partie déterminée.

Notes historiques: La définition de « pourcentage taxable » au paragraphe 163(3) a été modifiée par L.C. 1997, c. 10, par. 159(2) et cette modification est entrée en vigueur le 1er avril 1997. Auparavant, elle se lisait comme suit :

> « pourcentage taxable » S'agissant du pourcentage taxable d'un voyage organisé à un moment donné, s'entend :
>
> a) si l'écart entre la fraction de référence du voyage à ce moment et le pourcentage taxable initial du voyage ou la fraction de référence du voyage à un moment antérieur est de plus de 10 %, de la fraction de référence du voyage au moment donné;
>
> b) sinon, du pourcentage taxable initial du voyage.

Cette définition a été ajoutée par L.C. 1990, c. 45, par. 12(1).

Concordance québécoise: LTVQ, art. 63« pourcentage taxable ».

« pourcentage taxable initial » Quant à la partie taxable au provincial d'un voyage organisé ou à sa partie non taxable au provincial, selon le cas, (appelée « partie déterminée » dans la présente définition), le résultat du calcul suivant effectué au moment où le premier fournisseur du voyage détermine, pour la première fois, le montant (appelé « prix initial » dans la présente définition) à exiger pour la fourniture :

$$\frac{A}{B}$$

où :

A représente la partie du prix initial qu'il est raisonnable d'imputer à ce moment à la partie déterminée;

B le prix initial.

Notes historiques: La définition de « pourcentage taxable initial » au paragraphe 163(3) a été modifiée par L.C. 1997, c. 10, par. 159(2) et cette modification est entrée en vigueur le 1er avril 1997. Auparavant, elle se lisait comme suit :

> « pourcentage taxable initial » Fraction d'un voyage organisé calculée selon la formule suivante au moment où le premier fournisseur du voyage détermine le montant à exiger pour la fourniture :
>
> $$\frac{A}{B}$$
>
> où :
>
> A représente la partie de ce montant qu'il est raisonnable d'imputer à ce moment à la partie taxable du voyage;
>
> B ce montant.

Cette définition a été ajoutée par L.C. 1990, c. 45, par. 12(1).

Concordance québécoise: LTVQ, art. 63« pourcentage taxable initial ».

« premier fournisseur » Personne qui la première fournit un voyage organisé au Canada.

Notes historiques: La définition de « premier fournisseur » au paragraphe 163(3) a été ajoutée par L.C. 1990, c. 45, par. 12(1).

Concordance québécoise: LTVQ, art. 63« premier fournisseur ».

« voyage organisé » Ensemble de services, ou de biens et de services, qui comprend le service de transport, le logement, le droit d'utiliser un terrain de camping ou les services d'un guide ou d'un interprète, si les biens et les services sont fournis en bloc pour un prix forfaitaire.

Notes historiques: La définition de « voyage organisé » au paragraphe 163(3) a été ajoutée par L.C. 1990, c. 45, par. 12(1).

Concordance québécoise: LTVQ, art. 63« voyage organisé ».

Définitions [art. 163]: « bien », « contrepartie », « fourniture », « montant », « personne », « province participante », « service » — 123(1); « voyage organisé » — 252.1(1).

Renvois [art. 163]: 123(2) (Canada); 252.1 (« emplacement de camping »); VI:Partie VI (services aux voyageurs).

Jurisprudence [art. 163]: *Vacation Villas of Collingwood Inc. c. La Reine*, [1996] G.S.T.C. 12 (CCI); *American Adventures 2000 c. La Reine*, [1996] G.S.T.C. 100 (CCI); *Club Tour Sat inc. c. R.*, [2001] G.S.T.C. 92 (CCI); *Marco Polo Travel Ltd. v. R.*, [2003] G.S.T.C. 187 (CCI); *Great Canadian Trophy Hunts Inc. c. R.*, [2005] G.S.T.C. 162 (CCI); *Triple G. Corp. v. R.* (24 avril 2008), [2008] G.S.T.C. 102 (CCI [procédure générale]); *Baribeau c. R.*, 2011 CarswellNat 4945, 2011 CCI 544 (CCI [procédure informelle]); *Golf Canada's West Ltd. v. R.* (3 novembre 2011), 2011 CarswellNat 6023, 2012 CCI 11, 2012 G.T.C. 14 (CCI [procédure informelle]).

Énoncés de politique [art. 163]: P-089, 23/07/93, *Remboursement pour logement provisoire*.

Bulletins de l'information technique [art. 163]: B-078, 23/02/97, *Règle sur le lieu de fourniture sous le régime de la TVH*; B-103, 02/10, *Taxe de vente harmonisée — Règles sur le lieu de fourniture pour déterminer si une fourniture est effectuée dans une province.*

Série de mémorandums [art. 163]: Mémorandum 1.5, 09/94, *Définitions*; Mémorandum 27.1, 06/07, *Calcul de la TPS/TVH sur les voyages organisés*; Mémorandum 27.3, 05/03, *Remboursement pour logement aux fournisseurs non résidents et non inscrits*; Mémorandum 27.3R, 01/10, *Programme d'incitation pour congrès étrangers et voyages organisés — Remboursement de la taxe payée sur les voyages organisés admissibles et sur l'hébergement fourni dans le cadre d'un voyage organisé admissible.*

Info TPS/TVQ [art. 163]: GI-026 — *Programme de remboursement aux visiteurs Quand le remboursement continue-t-il d'être accordé aux non-résidents qui achètent de l'hébergement?*; GI-032 — *Programme d'incitation pour congrès étrangers et voyages organisés — Non-résidents qui achètent des voyages organisés: remboursement de la taxe payée sur les voyages organisés admissibles*; GI-033 — *Programme d'incitation pour congrès étrangers et voyages organisés — Organisateurs non résidents de voyages: remboursement de la taxe payée sur l'hébergement vendu dans un voyage organisé admissible*; GI-044 — *Programme d'incitation pour congrès étrangers et voyages organisés — Voyages organisés : ce qu'est un voyage organisé admissible*; GI-046 — *Programme d'incitation pour congrès étrangers et voyages organisés-Voyages à forfait de chasse et de pêche* ; GI-071 — *Transition à la taxe de vente harmonisée de l'Ontario et de la Colombie Britannique — les voyages organisés.*

164. [*Abrogé*]

Notes historiques: L'article 164 a été abrogé par L.C. 1997, c. 10, par. 16(1) et cette abrogation s'applique aux fournitures effectuées après 1996. Toutefois, cette abrogation ne s'applique pas aux fournitures de droits d'entrée à un dîner, un bal, un concert, un spectacle ou une activité semblable pour lesquels le fournisseur a fourni des droits d'entrée avant 1997. L'article 164 se lisait auparavant comme suit :

> 164. (1) Pour l'application de la présente partie, les présomptions suivantes s'appliquent :
>
> a) la valeur de la contrepartie de la fourniture, par un organisme de bienfaisance ou un parti enregistré, d'un droit d'entrée à une activité de financement — dîner, bal, concert, spectacle ou activité semblable — est réputée égale à la moins élevée de la valeur réelle de la contrepartie et de la juste valeur marchande de la fourniture;
>
> b) une partie de la contrepartie d'une fourniture effectuée par un parti enregistré est réputée ne pas être une contrepartie de la fourniture si les conditions suivantes sont réunies :
>
> (i) il est raisonnable de considérer la partie comme une contribution au parti enregistré,
>
> (ii) l'acquéreur peut demander une déduction ou un crédit dans le calcul de l'impôt dont il est redevable aux termes de la *Loi de l'impôt sur le revenu* ou d'une loi semblable d'une province relativement au total de ces contributions.
>
> (2) Pour l'application du paragraphe (1), « parti enregistré » s'entend d'un parti, y compris les associations régionales ou locales d'un tel parti, d'un comité référendaire ou d'un candidat assujettis à une loi fédérale ou provinciale qui régit les dépenses électorales ou référendaires.

L'article 164, modifié par L.C. 1993, c. 27, par. 30(1), est réputé entré en vigueur le 17 décembre 1990. Toutefois, le paragraphe 164(1) ne s'applique pas aux droits d'entrée, fournis par un parti enregistré, à des événements qui ont lieu avant le 5 novembre 1991 dans le cadre d'une élection autre que l'élection d'un député fédéral ou provincial. L'article 164, édicté par L.C. 1990, c. 45, par. 12(1), se lisait ainsi :

> 164. Est réputée ne pas être une contrepartie la partie de la contrepartie d'une fourniture qu'un organisme de bienfaisance ou un parti enregistré, au sens de la *Loi électorale du Canada*, effectue au profit d'une personne, s'il est raisonnable de considérer qu'elle constitue un don à l'organisme ou une contribution, au sens du paragraphe 127(4.1) de la *Loi de l'impôt sur le revenu*, au parti, pour lequel un reçu visé au paragraphe 110.1(2), 118.1(2) ou 127(3) de cette loi peut être délivré ou, s'agissant d'un don, pourrait être délivré si l'acquéreur de la fourniture était un particulier.

164.1 (1) Définition de « aliments pour animaux » — Pour l'application du présent article, sont des aliments pour animaux :

a) les graines, les semences ou le fourrage, décrits à l'article 2 de la partie IV de l'annexe VI, qui servent à nourrir le bétail habituellement destiné à la consommation humaine ou élevé ou gardé pour produire des aliments pour la consommation humaine ou de la laine;

b) les aliments qui constituent un aliment complet, un complément, un macro-prémélange, un micro-prémélange ou un aliment minéral, sauf un complément d'oligo-éléments et de sel, et dont la fourniture en vrac en quantité d'au moins 20 kg est une fourniture détaxée figurant à la partie IV de l'annexe VI;

c) les sous-produits de l'industrie alimentaire et les produits d'origine végétale ou animale dont la fourniture en vrac en quantité d'au moins 20 kg est une fourniture détaxée figurant à la partie IV de l'annexe VI.

Notes historiques: L'alinéa 164.1(1)b) a été modifié et l'alinéa 164.1(1)c) a été ajouté par L.C. 1994, c. 9, par. 7(1) et ces modifications s'appliquent aux fournitures de biens livrés à des acquéreurs après le 10 juin 1993. L'alinéa 164.1(1)b) se lisait auparavant comme suit :

> b) les aliments qui constituent un aliment complet, un complément, un macro-prémélange ou un micro-prémélange et dont la fourniture en vrac en quantité d'au moins 20 kg est détaxée.

Le paragraphe 164.1(1) a été ajouté par L.C. 1993, c. 27, par. 30(1) et est réputé entré en vigueur le 17 décembre 1990.

Concordance québécoise: LTVQ, art. 39.1.

(2) Fournitures dans un parc d'engraissement — Pour l'application de la présente partie, lorsqu'une personne effectue, dans le cadre de l'exploitation d'un parc d'engraissement qui constitue une entreprise agricole au sens de la *Loi de l'impôt sur le revenu*, une fourniture de service dont la contrepartie (appelée « prix total » au présent paragraphe) comprend un montant distinct qui, selon la facture ou la convention écrite concernant la fourniture, est attribuable à des aliments pour animaux, les présomptions suivantes s'appliquent :

a) les aliments sont réputés faire l'objet d'une fourniture qui est distincte de la fourniture du service et qui n'est accessoire à aucune remise de biens ou de prestation de services;

b) la proportion, n'excédant pas 90 %, du prix total qui est attribuable aux aliments et qui est incluse dans le montant distinct est réputée représenter la contrepartie de la fourniture des aliments;

c) la différence entre le prix total et la contrepartie de la fourniture des aliments est réputée représenter la contrepartie de la fourniture du service.

Notes historiques: Le paragraphe 164.1(2) a été ajouté par L.C. 1993, c. 27, par. 30(1) et est réputé entré en vigueur le 17 décembre 1990

Concordance québécoise: LTVQ, art. 39.2.

Définitions: « contrepartie », « fourniture », « fourniture détaxée », « montant », « personne », « service » — 123(1); « agriculture » — 248(1).

Renvois: VI:Partie IV:2.1 (fourniture d'aliments pour animaux détaxée), 10 (biens visés par règlement détaxés).

Bulletins d'interprétation (Impôt): IT-433R, 04/06/93, *Entreprise agricole — Utilisation de la méthode de comptabilité de caisse*, par. 7, 8.

Série de mémorandums: Mémorandum 1.5, 09/94, *Définitions*; Mémorandum 4.4, 07/07, *Agriculture et pêche*.

Lettres d'interprétation (Québec): 00-0105502 — Interprétation relative à la TPS et à la TVQ — Parc d'engraissement pour animaux.

164.2 Paiements par un syndicat ou une association — Pour l'application de la présente partie, lorsqu'un particulier membre d'un syndicat ou d'une association visé à l'alinéa 189a) participe à ce titre à des activités du syndicat ou de l'association et ne peut, par conséquent, s'acquitter envers son employeur, pendant la durée de sa participation, des tâches prévues par son contrat d'emploi, est réputé ne pas être la contrepartie d'une fourniture le montant que le syndicat ou l'association verse à l'employeur en compensation soit des dépenses engagées par ce dernier par suite de la participation du particulier à ces activités, soit de la rémunération ou des avantages versés par l'employeur au particulier pour la période où il participe à ces activités.

Notes historiques: L'article 164.2 a été ajouté par L.C. 1993, c. 27, par. 30(1) et est réputé entré en vigueur le 17 décembre 1990.

Concordance québécoise: LTVQ, art. 58.3.

Série de mémorandums: Mémorandum 3.1, 08/99, *Assujettissement à la taxe*.

Lettres d'interprétation (Québec): 98-0110282 — Interprétation relative à la TPS — Interprétation relative à la TVQ — Comités; 99-0103491 — Interprétation relative à la TPS et à la TVQ — Transfert d'achalandage; 99-0104929 — Décision portant sur l'application de la TPS — Interprétation relative à la TVQ — Approvisionnement en commun de biens et services pour les établissements de santé; 99-0108441 — Interprétation en TPS et en TVQ — Installations récréatives.

SECTION II — TAXE SUR LES PRODUITS ET SERVICES

Sous-section a — Assujettissement

165. (1) Taux de la taxe sur les produits et les services — Sous réserve des autres dispositions de la présente partie, l'acquéreur d'une fourniture taxable effectuée au Canada est tenu de payer à Sa Majesté du chef du Canada une taxe calculée au taux de 5 % sur la valeur de la contrepartie de la fourniture.

Notes historiques: Le paragraphe 165(1) a été remplacé par L.C. 2007, c. 35, par. 184(1) et cette modification s'applique :

a) à toute fourniture (sauf celle qui est réputée en vertu de l'article 191 avoir été effectuée) effectuée après décembre 2007;

b) au calcul de la taxe relative à toute fourniture (sauf la fourniture d'un immeuble par vente) effectuée avant janvier 2008, mais seulement en ce qui a trait à la partie de cette taxe qui, selon le cas :

(i) devient payable après décembre 2007 et n'a pas été payée avant janvier 2008,

(ii) est payée après décembre 2007 sans être devenue payable;

c) au calcul de la taxe relative à toute fourniture (sauf celle qui est réputée avoir été effectuée en vertu de la partie IX) d'un immeuble par vente effectuée avant janvier 2008, si la propriété et la possession de l'immeuble sont transférées à l'acquéreur après décembre 2007 aux termes de la convention portant sur la fourniture, sauf s'il s'agit d'une fourniture d'immeuble d'habitation effectuée conformément à un contrat de vente, constaté par écrit, conclu avant le 31 octobre 2007;

d) au calcul, selon l'article 181.1, d'une taxe ou d'un crédit de taxe sur les intrants relativement à la fourniture d'un bien ou d'un service à l'égard de laquelle la taxe est devenue payable après décembre 2007;

e) dans le cadre de l'élément A de la formule figurant à la division 184.1(2)d)(i)(A) relativement à une personne qui agit à titre de caution en vertu d'un cautionnement de bonne exécution relatif à un contrat portant sur une fourniture taxable de services de construction, si un paiement contractuel, au sens de l'alinéa 184.1(2)a), devient dû à la personne après décembre 2007, ou lui est payé après ce mois sans être devenu dû, du fait qu'elle exerce l'activité de construction;

f) à toute fourniture par vente d'un immeuble d'habitation — immeuble d'habitation à logement unique, au sens du paragraphe 123(1), ou logement en copropriété — qui est réputée en vertu du paragraphe 191(1) avoir été effectuée après décembre 2007, sauf si la fourniture est réputée avoir été effectuée du fait que le constructeur transfère la possession de l'immeuble à une personne aux termes d'une convention, conclue avant le 31 octobre 2007, portant sur la fourniture par vente de tout ou partie du bâtiment dans lequel est située l'habitation faisant partie de l'immeuble;

g) à toute fourniture par vente d'un logement en copropriété qui est réputée en vertu du paragraphe 191(2) avoir été effectuée après décembre 2007, sauf si la possession du logement a été transférée avant janvier 2008 à la personne visée à ce paragraphe;

h) à toute fourniture par vente d'un immeuble d'habitation qui est réputée en vertu du paragraphe 191(3) avoir été effectuée après décembre 2007, sauf si la fourniture est réputée avoir été effectuée du fait que le constructeur a transféré la possession d'une habitation de l'immeuble à une personne aux termes d'une convention portant sur la fourniture par vente de tout ou partie du bâtiment faisant partie de l'immeuble et, selon le cas :

(i) cette convention a été conclue avant le 31 octobre 2007,

(ii) une autre convention portant sur la fourniture par vente de tout ou partie du bâtiment faisant partie de l'immeuble a été conclue par le constructeur et une autre personne :

(A) soit avant le 3 mai 2006, et il n'a pas été mis fin à cette autre convention avant juillet 2006,

(B) soit avant le 31 octobre 2007, et il n'a pas été mis fin à cette autre convention avant janvier 2008;

i) à toute fourniture par vente d'une adjonction à un immeuble d'habitation qui est réputée en vertu du paragraphe 191(4) de la même loi avoir été effectuée après décembre 2007, sauf si la fourniture est réputée avoir été effectuée du fait que le constructeur a transféré la possession d'une habitation de l'adjonction à une personne aux termes d'une convention portant sur la fourniture par vente de tout ou partie du bâtiment faisant partie de l'immeuble et, selon le cas :

(i) cette convention a été conclue avant le 31 octobre 2007,

(ii) une autre convention portant sur la fourniture par vente de tout ou partie du bâtiment faisant partie de l'adjonction a été conclue par le constructeur et une autre personne :

(A) soit avant le 3 mai 2006, et il n'a pas été mis fin à cette autre convention avant juillet 2006,

(B) soit avant le 31 octobre 2007, et il n'a pas été mis fin à cette autre convention avant janvier 2008;

j) au calcul de la taxe sur le coût, pour une autre personne, de la fourniture d'un bien ou d'un service au profit d'une institution financière en vertu de l'alinéa c) de l'élément A de la formule figurant au paragraphe 225.2(2) pour une période de déclaration de l'institution financière qui prend fin après décembre 2007;

k) dans le cadre de l'élément E de la formule figurant au paragraphe 225.2(2) pour ce qui est du calcul de la taxe nette d'une institution financière pour une période de déclaration se terminant après décembre 2007;

l) dans le cadre de l'élément A de la formule figurant au paragraphe 253(1) et aux sous-alinéas 253(2)a)(ii) et c)(ii) pour ce qui est du calcul du montant remboursable en vertu du paragraphe 253(1) pour une année civile postérieure à 2007;

m) dans le cadre des sous-alinéas (i) et (ii) de l'élément C de la formule figurant au paragraphe 21.3(2) du *Règlement sur la comptabilité abrégée* (TPS/TVH) pour ce qui est du calcul, selon ce paragraphe, d'un montant de taxe qui est devenu payable par un inscrit au cours de périodes de déclaration se terminant après 2007, ou qui a été payé par lui au cours de telles périodes sans être devenu payable; toutefois, pour la période de déclaration de l'inscrit qui comprend le 1er janvier 2008, la formule figurant à ce paragraphe, ainsi que la description de ses éléments A, B, C et D, sont réputées avoir le libellé suivant :

$$(A \times B) + (C \times D)$$

où :

A représente :

a) dans le cas où la taxe prévue au paragraphe 165(2) ou à l'article 212.1 de la Loi était payable relativement à la fourniture ou à l'importation, 14/114,

b) dans les autres cas, 6/106;

B le total des montants représentant chacun :

a) la contrepartie qui est devenue due par l'inscrit au cours de la période donnée, mais avant le 1er janvier 2008, ou qui a été payée par lui au cours de cette période, mais avant cette date, sans être devenue due, relativement à la fourniture,

b) la taxe prévue par les sections II ou III qui est devenue payable par l'inscrit au cours de la période donnée, mais avant le 1er janvier 2008, ou qui a été payée par lui au cours de cette période, mais avant cette date, sans être devenue payable, relativement à la fourniture ou à l'importation,

c) dans le cas d'un bien meuble corporel importé par l'inscrit, une taxe ou un droit imposé sur le bien en vertu de la Loi, sauf la partie IX, de la *Loi sur les douanes*, de la *Loi sur les mesures spéciales d'importation* ou de toute autre loi en matière douanière qui est devenu dû par l'inscrit au cours de la période donnée, mais avant le 1er janvier 2008, ou qui a été payé par lui au cours de cette période, mais avant cette date, sans être devenu dû,

d) les taxes, droits ou frais visés aux alinéas 3b) ou c) du *Règlement sur les frais, droits et taxes* (TPS/TVH) qui sont devenus dus par l'inscrit au cours de la période donnée, mais avant le 1er janvier 2008, ou qui ont été payés par lui au cours de cette période, mais avant cette date, sans être devenus dus, relativement au bien ou au service, à l'exception d'une taxe imposée en application d'une loi provinciale dans la mesure où elle est recouvrable par l'inscrit aux termes de cette loi,

e) un pourboire raisonnable payé par l'inscrit au cours de la période donnée, mais avant le 1er janvier 2008, dans le cadre de la fourniture,

f) les intérêts, pénalités ou autres montants payés par l'inscrit au cours de la période donnée, mais avant le 1er janvier 2008, qui ont été exigés de l'inscrit par le fournisseur du fait qu'un montant de contrepartie, ou un montant de taxes, droits ou frais visés aux alinéas c) ou d), payable relativement à la fourniture ou à l'importation est impayé;

C :

a) dans le cas où la taxe prévue au paragraphe 165(2) ou à l'article 212.1 était payable relativement à la fourniture ou à l'importation, 13/113,

b) dans les autres cas, 5/105;

D le total des montants représentant chacun :

a) la contrepartie qui est devenue due par l'inscrit au cours de la période donnée, mais après le 31 décembre 2007, ou qui a été payée par lui au cours de cette période, mais après cette date, sans être devenue due, relativement à la fourniture,

b) la taxe prévue par les sections II ou III qui est devenue payable par l'inscrit au cours de la période donnée, mais après le 31 décembre 2007, ou qui a été payée par lui au cours de cette période, mais après cette date, sans être devenue payable, relativement à la fourniture ou à l'importation,

c) dans le cas d'un bien meuble corporel importé par l'inscrit, une taxe ou un droit imposé sur le bien en vertu de la Loi, sauf la partie IX, de la *Loi sur les douanes*, de la *Loi sur les mesures spéciales d'importation* ou de toute autre loi en matière douanière qui est devenu dû par l'inscrit au cours de la période donnée, mais après le 31 décembre 2007, ou qui a été payé par lui au cours de cette période, mais après cette date, sans être devenu dû,

d) les taxes, droits ou frais visés aux alinéas 3b) ou c) du *Règlement sur les frais, droits et taxes* (TPS/TVH) qui sont devenus dus par l'inscrit au cours de la période donnée, mais après le 31 décembre 2007, ou qui ont été payés par lui au cours de cette période, mais après cette date, sans être devenus dus, relativement au bien ou au service, à l'exception d'une taxe imposée en application d'une loi provinciale dans la mesure où elle est recouvrable par l'inscrit aux termes de cette loi,

e) un pourboire raisonnable payé par l'inscrit au cours de la période donnée, mais après le 31 décembre 2007, dans le cadre de la fourniture,

f) les intérêts, pénalités ou autres montants payés par l'inscrit au cours de la période donnée, mais après le 31 décembre 2007, qui ont été exigés de l'inscrit par le fournisseur du fait qu'un montant de contrepartie, ou un montant de taxes, droits ou frais visés aux alinéas c) ou d), payable relativement à la fourniture ou à l'importation est impayé.

n) dans le cadre des sous-alinéas (i) et (ii) de l'élément C de la formule figurant à l'alinéa 21.3(4)b) du *Règlement sur la comptabilité abrégée* (TPS/TVH) pour ce qui est du calcul du montant qui est exclu, selon le paragraphe 21.3(4) de ce règlement, du calcul d'un crédit de taxe sur les intrants relativement à une voiture de tourisme à l'égard de laquelle la taxe sur l'acquisition ou l'importation est devenue payable pour la première fois après 2007 ou a été payée pour la première fois après 2007 sans être devenue payable;

o) au calcul des montants ci-après, si aucun des alinéas a) à n) ne s'applique :

(i) un montant de taxe après décembre 2007,

(ii) un montant de taxe qui n'est pas payable, mais qui aurait été payable après décembre 2007 en l'absence de certaines circonstances prévues par la même loi,

(iii) tout montant ou nombre déterminé après décembre 2007 selon une formule algébrique qui fait mention du taux fixé au paragraphe 165(1).

Malgré l'alinéa e) [voir plus haut], pour l'application de l'élément A de la formule figurant à la division 184.1(2)d)(i)(A) au calcul du total des crédits de taxe sur les intrants relatifs aux intrants directs (au sens de l'alinéa 184.1(2)c)), si une caution exerce une activité de construction à l'égard d'un immeuble situé au Canada, en exécution, même partielle, de ses obligations en vertu d'un cautionnement, qu'un paiement contractuel (au sens de l'alinéa 184.1(2)a)), sauf celui qui ne se rapporte pas à l'activité de construction, devient dû avant le 1er janvier 2008 ou est payé avant cette date sans être devenu dû et qu'un autre paiement contractuel (au sens de l'alinéa 184.1(2)a)), sauf celui qui ne se rapporte pas à l'activité de construction, devient dû à cette date ou par la suite sans avoir été payé avant cette date, ou est payé après décembre 2007 sans être devenu dû, la division 184.1(2)d)(i)(A) est réputée avoir le libellé suivant :

(A) le montant obtenu par la formule suivante :

$$(A \times B) + (C \times D) + (E \times F)$$

où :

A représente :

(I) si la fourniture qui est réputée par le sous-alinéa a)(i) être effectuée par la caution est effectuée dans une province participante, la somme de 7 % et du taux de taxe applicable à cette province,

(II) dans les autres cas, 7 %

B le total des paiements contractuels (sauf ceux qui ne se rapportent pas à l'activité de construction) qui deviennent dus à la caution avant le 1er juillet 2006 ou qui lui sont payés avant cette date sans être devenus dus,

C :

(I) si la fourniture qui est réputée par le sous-alinéa a)(i) être effectuée par la caution est effectuée dans une province participante, la somme de 6 % et du taux de taxe applicable à la province,

(II) dans les autres cas, 6 %,

D le total des paiements contractuels (sauf ceux qui ne se rapportent pas à l'activité de construction) qui deviennent dus à la caution après juin 2006 et avant janvier 2008 et qui ne sont pas payés avant juillet 2006 ou qui lui sont payés après juin 2006 et avant janvier 2008 sans être devenus dus,

E :

(I) si la fourniture qui est réputée par le sous-alinéa a)(i) être effectuée par la caution est effectuée dans une province participante, la somme de 5 % et du taux de taxe applicable à cette province,

(II) dans les autres cas, 5 %

F le total des paiements contractuels (sauf ceux qui ne se rapportent pas à l'activité de construction) qui deviennent dus à la caution après décembre 2007 et qui ne sont pas payés avant janvier 2008 ou qui lui sont payés après décembre 2007 sans être devenus dus,

Antérieurement, le paragraphe 165(1) se lisait ainsi :

165. (1) Sous réserve des autres dispositions de la présente partie, l'acquéreur d'une fourniture taxable effectuée au Canada est tenu de payer à Sa Majesté du chef du Canada une taxe calculée au taux de 6 % sur la valeur de la contrepartie de la fourniture.

Le paragraphe 165(1) a été remplacé par L.C. 2006, c. 4, par. 3(1) cette modification s'applique :

a) à toute fourniture (sauf celle qui est réputée en vertu de l'article 191 de la même loi avoir été effectuée) effectuée après juin 2006;

b) au calcul de la taxe relative à toute fourniture (sauf la fourniture d'un immeuble par vente) effectuée avant juillet 2006, mais seulement en ce qui a trait à la partie de cette taxe qui, selon le cas :

(i) devient payable après juin 2006 et n'a pas été payée avant juillet 2006,

(ii) est payée après juin 2006 sans être devenue payable;

c) au calcul de la taxe relative à toute fourniture (sauf celle qui est réputée avoir été effectuée en vertu de la partie IX de la même loi) d'un immeuble par vente effectuée avant juillet 2006, si la propriété et la possession de l'immeuble sont transférées à l'acquéreur après juin 2006 aux termes de la convention portant sur la fourniture, sauf s'il s'agit d'une fourniture d'immeuble d'habitation effectuée conformément à un contrat de vente, constaté par écrit, conclu avant le 3 mai 2006;

d) à toute fourniture par vente d'un immeuble d'habitation — immeuble d'habitation à logement unique, au sens du paragraphe 123(1) de la même loi, ou logement en copropriété — qui est réputée en vertu du paragraphe 191(1) de la même loi avoir été effectuée après juin 2006, sauf si la fourniture est réputée avoir été effectuée du fait que le constructeur transfère la possession de l'immeuble à une personne aux termes d'une convention, conclue avant le 3 mai 2006, portant sur la fourniture par vente de tout ou partie du bâtiment dans lequel est située l'habitation faisant partie de l'immeuble;

e) à toute fourniture par vente d'un logement en copropriété qui est réputée en vertu du paragraphe 191(2) de la même loi avoir été effectuée après juin 2006, sauf si la possession du logement a été transférée avant juillet 2006 à la personne visée à ce paragraphe;

f) à toute fourniture par vente d'un immeuble d'habitation qui est réputée en vertu du paragraphe 191(3) de la même loi avoir été effectuée après juin 2006, sauf si la fourniture est réputée avoir été effectuée du fait que le constructeur a transféré la possession d'une habitation de l'immeuble à une personne aux termes d'une convention portant sur la fourniture par vente de tout ou partie du bâtiment faisant partie de l'immeuble et sauf si, selon le cas :

(i) à toute fourniture par vente d'un immeuble d'habitation qui est réputée en vertu du paragraphe 191(3) de la même loi avoir été effectuée après juin 2006, sauf si la fourniture est réputée avoir été effectuée du fait que le constructeur a transféré la possession d'une habitation de l'immeuble à une personne aux termes d'une convention portant sur la fourniture par vente de tout ou partie du bâtiment faisant partie de l'immeuble et sauf si, selon le cas :

(ii) la convention a été conclue avant le 3 mai 2006,

g) une autre convention entre le constructeur et une autre personne, portant sur la fourniture par vente de tout ou partie du bâtiment faisant partie de l'immeuble, a été conclue avant le 3 mai 2006 et n'a pas pris fin avant juillet 2006;

(i) à toute fourniture par vente d'une adjonction à un immeuble d'habitation qui est réputée en vertu du paragraphe 191(4) de la même loi avoir été effectuée après juin 2006, sauf si la fourniture est réputée avoir été effectuée du fait que le constructeur a transféré la possession d'une habitation de l'adjonction à une personne aux termes d'une convention portant sur la fourniture par vente de tout ou partie du bâtiment faisant partie de l'immeuble et sauf si, selon le cas :

(ii) une autre convention entre le constructeur et une autre personne, portant sur la fourniture par vente de tout ou partie du bâtiment faisant partie de l'adjonction, a été conclue avant le 3 mai 2006 et n'a pas pris fin avant juillet 2006;

h) au calcul de la taxe sur le coût, pour une autre personne, de la fourniture d'un bien ou d'un service au profit d'une institution financière en vertu de l'alinéa c) de l'élément A de la formule figurant au paragraphe 225.2(2) de la même loi, si la période de déclaration de l'institution financière prend fin après juin 2006;

i) au calcul des montants ci-après, si aucun des alinéas a) à h) ne s'applique :

(i) un montant de taxe après juin 2006,

(ii) un montant de taxe qui n'est pas payable, mais qui aurait été payable après juin 2006 en l'absence de certaines circonstances prévues par la même loi,

(iii) tout montant ou nombre déterminé après juin 2006 selon une formule algébrique qui fait mention du taux fixé au paragraphe 165(1) de la même loi.

Antérieurement, il se lisait comme suit:

165. (1) Sous réserve des autres dispositions de la présente partie, l'acquéreur d'une fourniture taxable effectuée au Canada est tenu de payer à Sa Majesté du chef du Canada une taxe calculée au taux de 7 % sur la valeur de la contrepartie de la fourniture.

Le paragraphe 165(1) a été modifié par L.C. 1997, c. 10, par. 160(1) et cette modification est entrée en vigueur le 1er avril 1997. Il se lisait comme suit :

165. (1) Sous réserve des autres dispositions de la présente partie, l'acquéreur d'une fourniture taxable effectuée au Canada doit payer à Sa Majesté du chef du Canada une taxe égale à 7 % de la valeur de la contrepartie de la fourniture.

Ce paragraphe a été ajouté par L.C. 1990, c. 45, par. 12(1).

Concordance québécoise: LTVQ, art. 16, al. 1.

Décrets de remise [art. 165(1)]: *Décret de remise visant l'établissement indien de Camp Ipperwash (2003)* C.P.2003-989; *Décret de remise visant le Saskatchewan Indian Federated College (2003)* C.P.2003-910.

Bulletins de l'information technique [art. 165(1)]: B-107, 10/11, *Régimes de placement (y compris les fonds réservés d'assureur) et la TVH* ; B-XX5, 09/11, *Taxe de vente harmonisée Autocotisation de la partie provinciale de la TVH à l'égard des biens et services transférés dans une province participante* .

Jurisprudence [art. 165(1)]: *Costco Wholesale Canada Ltd. v. R.* (30 mai 2012), 2012 CarswellNat 1650 (C.A.F.); *Scott v. R.* (25 juillet 2012), 2012 CarswellNat 2716 (C.C.I.).

Série de mémorandums [art. 165(1)]: Mémorandum 9.3, 06/12, *Indemnités*.

Lettre d'interprétation (Québec) [par. 165(1)]: 12-014001-001 — *Interprétation relative à la TPS/TVH - Interprétation relative à la TVQ (Commerce électronique)*.

(2) Taux de la taxe dans les provinces participantes — Sous réserve des autres dispositions de la présente partie, l'acquéreur d'une fourniture taxable effectuée dans une province participante est tenu de payer à Sa Majesté du chef du Canada, outre la taxe imposée par le paragraphe (1), une taxe calculée au taux de taxe applicable à la province sur la valeur de la contrepartie de la fourniture.

Notes historiques: Le paragraphe 165(2) a été modifié par L.C. 1997, c. 10, par. 160(1) et cette modification est entrée en vigueur le 1er avril 1997. Il se lisait comme suit :

(2) Le taux de la taxe relative à une fourniture détaxée est nul.

L'ancien paragraphe 165(2) a été intégré au paragraphe 165(3).

Le paragraphe 165(2) a été ajouté par L.C. 1990, c. 45, par. 12(1).

Concordance québécoise: LTVQ, art. 16, al. 1.

Bulletins de l'information technique [art. 165(2)]: B-107, 10/11, *Régimes de placement (y compris les fonds réservés d'assureur) et la TVH* ; B-XX5, 09/11, *Taxe de vente harmonisée Autocotisation de la partie provinciale de la TVH à l'égard des biens et services transférés dans une province participante* .

Lettre d'interprétation (Québec) [par. 165(2)]: 12-014001-001 — *Interprétation relative à la TPS/TVH - Interprétation relative à la TVQ (Commerce électronique)*.

Info TPS/TVQ [par. 165(2)]: GI-087 — *Taxe de vente harmonisée — prix convenu déduction faite du remboursement de la TPS/TVH pour habitations neuves en Nouvelle-Écosse*.

(3) Fourniture détaxée — Le taux de la taxe relative à une fourniture détaxée est nul.

Notes historiques: Le paragraphe 165(3) a été modifié par L.C. 1997, c. 10, par. 160(1) et cette modification est entrée en vigueur le 1er avril 1997. Il se lisait comme suit :

(3) La taxe payable relativement à la contrepartie de la fourniture d'un service de télécommunication payée au moyen de pièces de monnaie insérées dans un téléphone est égal au montant suivant :

a) si le montant inséré dans l'appareil est égal ou inférieur à 0,25 $, zéro;

b) dans les autres cas, le montant calculé en application du paragraphe (1); toutefois, lorsque ce montant est égal à la somme d'un multiple de 0,05 $ et d'une fraction de 0,05 $, les règles suivantes s'appliquent dans le cadre du présent article :

(i) il n'est pas tenu compte des fractions inférieures à 0,025 $,

(ii) les fractions égales ou supérieures à 0,025 $ sont réputées égales à 0,05 $.

Auparavant, le paragraphe 165(3) a été modifié par L.C. 1997, c. 10, par. 17(1) et cette modification s'applique aux fournitures dont la contrepartie est payée par l'acquéreur après le 23 avril 1996. Il se lisait comme suit :

(3) La taxe payable relativement à la contrepartie de la fourniture d'un service téléphonique payée au moyen de pièces de monnaie insérées dans un téléphone est égale au montant suivant :

a) si le montant inséré dans l'appareil est inférieur à 0,70 $, zéro;

b) si le montant inséré dans l'appareil est de 0,70 $, 0,05 $;

c) dans les autres cas, le montant calculé en application du paragraphe (1); toutefois, lorsque ce montant est égal au total d'un multiple de 0,05 $ et d'une fraction de 0,05 $, les règles suivantes s'appliquent aux fins du présent article :

(i) il n'est pas tenu compte des fractions inférieures à 0,025 $,

(ii) les fractions égales ou supérieures à 0,025 $ sont réputées égales à 0,05 $.

L'alinéa 165(3)b a été modifié par L.C. 1993, c. 27, par. 31(1) et cette modification est réputée entrée en vigueur le 17 décembre 1993.

L'alinéa 165(3)b) se lisait auparavant comme suit :

b) dans les autres cas, 0,05 $ par tranche de 0,70 $.

L'alinéa 165(3)c) a été ajouté par L.C. 1993, c. 27, par. 31(1) et est réputé entré en vigueur le 17 décembre 1993.

Le paragraphe 165(3) correspond à l'ancien paragraphe 165(2). L'ancien paragraphe 165(3) a été intégré au paragraphe 165.1(1).

Le paragraphe 165(3) a été ajouté par L.C. 1990, c. 45, par. 12(1)

Concordance québécoise: LTVQ, art. 16, al. 2.

(3.1) [*Abrogé*]

Notes historiques: Le paragraphe 165(3.1) a été abrogé par L.C. 1997, c. 10, par. 160(1) et cette abrogation est entrée en vigueur le 1er avril 1997. Il se lisait comme suit :

(3.1) La taxe payable relativement à la fourniture d'un bien meuble corporel distribué, ou d'un service rendu, au moyen d'un appareil automatique à fonctionnement mécanique qui est conçu pour n'accepter, comme contrepartie totale de la fourniture, qu'une seule pièce de monnaie est égale au montant suivant :

a) si le montant calculé en application du paragraphe (1) est inférieur à 0,025 $, zéro;

b) si le montant calculé en application du paragraphe (1) est égal ou supérieur à 0,025 $ mais inférieur à 0,05 $,

c) dans les autres cas, le montant calculé en application du paragraphe (1).

Ce paragraphe a été ajouté par L.C. 1997, c. 10, par. 17(2) et s'applique aux fournitures effectuées après le 23 avril 1996.

(3.2) [*Abrogé*]

Notes historiques: Le paragraphe 165(3.2) a été abrogé par L.C. 2007, c. 18, par. 7(2) et cette abrogation est réputée être entrée en vigueur le 1er avril 1997. Antérieurement, il se lisait ainsi :

(3.2) Fourniture du droit d'utiliser un appareil — Pour l'application du paragraphe (3.1), la fourniture du droit d'utiliser l'appareil visé à ce paragraphe est réputée être la fourniture d'un service rendu au moyen de cet appareil.

Le paragraphe 165(3.2) a été ajouté par L.C. 2007, c. 18, par. 7(1) et s'applique aux fournitures effectuées après le 23 avril 1996.

(4) Application dans les zones extracôtières — Le paragraphe (2) ne s'applique à la fourniture d'un bien ou d'un service effectuée dans la zone extracôtière de la Nouvelle-Écosse ou la zone extracôtière de Terre-Neuve que si le fournisseur l'effectue dans le cadre d'une activité extracôtière ou si l'acquéreur acquiert le bien ou le service pour consommation, utilisation ou fourniture dans le cadre d'une telle activité.

Comité d'organisation des Jeux olympiques et paralympiques d'hiver de 2010 à Vancouver (TPS/TVH) C.P.2010-116.

Énoncés de politique [art. 165]: P-012R, 04/01/99, *Responsabilité de verser une taxe nette sur le transfert des éléments d'actif d'une entreprise*; P-064, 25/05/93, *Traitement du temps partagé (des multipropriétés)*; P-077R2, 26/04/04, *Fourniture unique et fournitures multiples*; P-112R, 08/03/00, *Établissement d'une cotisation à l'égard de la taxe à payer si l'acheteur n'est pas solvable*; P-118, 01/03/94, *Établissement d'une cotisation sur la base de la taxe comprise ou de la taxe non comprise*; P-138R, 05/05/99, *L'effet d'un choix concernant une coentreprise sur la capacité d'un participant de s'inscrire et de demander des crédits de taxe sur les intrants*; P-146, 15/07/94, *Demandes de CTI fictifs lorsqu'il est établi par la suite que la taxe était payable*; P-150, 14/07/94, *Application de la taxe sur les logiciels importés*; P-172R, 11/03/98, *Fourniture d'espace, au profit de participants à une coentreprise, dans un immeuble appartenant en copropriété à ces participants qui possèdent des droits indivis*; P-174, 31/03/95, *Baux emphytéotiques*; P-191, 12/11/95, *Traitement de la fourniture des lits d'hôpitaux aux fins de la TPS*; P-198, 11/01/96, *Taxes municipales impayées et rachat par l'ancien propriétaire* (Ébauche); P-206, 22/07/97, *Services fournis à des non-résidents dans le cadre d'une instance*; P-218R, 10/08/07, *Statut fiscal des montants versés en dédommagement, qu'ils soient ou non visés par l'article 182 de la Loi sur la taxe d'accise*; P-225, 04/01/99, *Paiements pour perte ou dommages en vertu de contrats de location de véhicules*; P-230R, 15/01/03, *Application de la Loi sur la taxe d'accise (LTA) aux fournitures de biens meubles corporels effectuées par bail, licence ou accord semblable à des Indiens, des bandes indiennes et des entités mandatées par une bande*; P-246, 24/10/05, *Magasins situés dans des endroits éloignés et autres magasins situés à l'extérieur d'une réserve qui réalisent d'importantes ventes auprès d'Indiens, de bandes indiennes et d'entités mandatées par une bande*.

Bulletins de l'information technique [art. 165]: B-003, 23/11/90, *Caisses enregistreuses*; B-039R3, 08/06, *Politique administrative de la TPS/TVH application de la TPS/TVH aux indiens*; B-048R, 25/11/93, *Avis de modification au BIT B-048R*; B-057, 2/08/91, *Traitement des produits et services des sociétés de fiducie*; B-063, 14/02/92, *Traitement des produits et services des courtiers en valeurs mobilières sous le régime de la TPS*; B-075R, 23/04/96, *Modifications proposées à la TPS*; B-102, 07/07/11, *Taxe sur les produits et services des Premières nations - Lieu de fourniture*; B-103, 02/10, *Taxe de vente harmonisée — Règles sur le lieu de fourniture pour déterminer si une fourniture est effectuée dans une province.*

Mémorandums [art. 165]: TPS 300, 7/03/91, *Taxe sur les fournitures*, par. 4, 12; TPS 300-3-3, 22/06/92, *Produits alimentaires de base (TPS-300-3-3) Réimpression*; TPS 300-3-5, 12/10/92, Exportations, par. 8, 10; TPS 300-3-8, 23/04/93, *Organismes internationaux et représentants*, par. 1–6; TPS 300-3-9, 26/03/91, *Services financiers*; TPS 300-4, 02/11/93, *Taxe sur les fournitures fournitures exonérées*; TPS 300-7, 14/09/90, *Valeur de la fourniture*, par. 4; TPS 300-7-6, 13/02/91, *Remise des fabricants*, par. 4; TPS 300-7-7, 24/04/91, *Publicité en coopération*, par. 4; TPS 300-7-8, 11/02/91, *Paiements anticipés ou en retard*, par. 4; TPS 300-8, 06/02/91, *Produits importés*, par. 61; TPS 400-3-6, 24/03/93, *Bien meuble corporel désigné ou d'occasion*, par. 12; TPS 500-2-4, 19/03/91, *Calcul de la taxe*, par. 3; TPS 500-6-2, 19/03/93, *Gouvernements provinciaux*, par. 6, 17, 18; TPS 800-4, 31/03/93, *Taux des taxes*.

Série de mémorandums [art. 165]: Mémorandum 3.1, 08/99, *Assujettissement à la taxe*; Mémorandum 8-1, 05/05, *Règles générales d'admissibilité*; Mémorandum 17.2, 04/00, *Produits et services des institutions financières de dépôt* ; Mémorandum 19.1, 10/97, *Les immeubles et la TPS/TVH*.

Info TPS/TVQ [art. 165]: GI-013 — *Réduction du taux de la TPS/TVH*; GI-014 — *Application du taux réduit de la TPS/TVH aux indemnités et aux remboursements*; GI-015 — *Réduction du taux de la TPS/TVH et les acheteurs d'habitations neuves*; GI-018 — *Application du taux réduit de la TPS/TVH aux rajustements de prix et de la TPS/TVH facturée en trop et aux produits retournés*; GI-038 — *Réduction du taux de la TPS/TVH (2008)*; GI-039 — *Application du taux réduit de la TPS/TVH (2008) aux indemnités et aux remboursements*; GI-042 — *Application du taux réduit de la TPS/TVH (2008) aux rajustements de prix et de la TPS/TVH facturée en trop et aux produits retournés*; GI-043 — *La réduction du taux de la TPS/TVH (2008) et les achats d'habitations neuves*; GI-054 — *Transition à la taxe de vente harmonisée de l'Ontario et de la Colombie-Britannique — services de transport de passagers*; GI-055 — *Transition à la taxe de vente harmonisée de l'Ontario et de la Colombie-Britannique — laisse-passer de transport de passagers*; GI-056 — *Transition à la taxe de vente harmonisée de l'Ontario et de la Colombie-Britannique — service de transport de marchandise*; GI-072 — *La TVH et les Premières nations en Ontario et en Colombie-Britannique* ; GI-106 — *Exigences de déclaration à l'intention des fournisseurs inscrits aux fins de la TPS/TVH visant l'allégement de taxe accordé au point de vente aux Premières nations de l'Ontario*; GI-114 — *Application de la TPS/TVH aux Indiens particuliers*; GI-115 — *Application de la TPS/TVH aux bandes indiennes et aux entités mandatées par une bande*; GI-116 — *Renseignements pour les entreprises situées dans une réserve*; GI-117 — *Renseignements pour les entreprises à l'extérieur des réserves qui vendent des produits ou offrent des services aux Indiens, aux bandes indiennes et aux entités mandatées par une bande*; GI-127 — *Preuves documentaires requises pour certaines ventes effectuées aux Indiens et aux bandes indiennes par téléphone, Internet ou autres moyens*.

Formulaires [art. 165]: GST189, *Demande générale de remboursement de la TPS/TVH*; GST288, *Demande générale de remboursement de la taxe sur les produits et services (TPS)/Taxe de vente harmonisée (TVH)*; RC4022, *Renseignements généraux sur la TPS/TVH pour les inscrits* ; RC4027, *Renseignements sur la TPS/TVH pour les non-résidents qui font affaire au Canada*; RC4033, *Demande générale de remboursement de la TPS/TVH — Y compris les formulaires GST189, GST288, et GST507*.

Lettres d'interprétation (Québec) [art. 165]: 98-0105035 — Interprétation relative à la TPS et à la TVQ — Convention de partage des dépenses d'un groupe de médecins; 98-0107619 — Interprétation relative à la TVQ — Taxe sur les services professionnels (services juridiques) — Conseil de bande autochtone; 99-0100497 — Interprétation relative à la TPS — Interprétation relative à la TVQ — Responsabilité pour paiement des taxes; 00-0101717 — Interprétation relative à la TPS et à la TVQ — Fourniture par une université de chambres dans une résidence d'étudiants à des personnes autres que des étudiants; 00-0105666 — Interprétation relative à la TPS et à la TVQ; 00-0112094 — Contrat de mandat; 00-0110932 — Interprétation relative à la TPS et à la TVQ — Fourniture d'un service de téléphonie cellulaire à un Indien; 01-0102473 — Interprétation relative à la TPS et à la TVQ — Indemnité versée en matière d'expropriation; 01-0103042 — Interprétation relative à la TPS et à la TVQ — Acquisition d'un bien conclue par un Indien au moyen d'Internet; 01-0103984 — Interprétation relative à la TPS et à la TVQ — Subvention vs contrepartie pour des services; 02-0100160 — Interprétation relative à la TPS et à la TVQ — Qualification d'un service rendu à ses membres par une association (« Asso »); 02-0100400 — Interprétation relative à la TPS — Acquisition d'un véhicule par un prête-nom; 02-0102299 — Décision portant sur l'application de la TPS — Interprétation relative à la TVQ, reprise d'un véhicule routier; 02-0102588 — Interprétation relative à la TPS et à la TVQ — Vente d'un terrain par une municipalité à un particulier; 02-0104477 — Interprétation relative à la TPS et à la TVQ — Fourniture d'une part sociale; 02-0105581 — Fournitures effectuées par un organisme à but non lucratif; 02-0108601 — Interprétation relative à la TPS et à la TVQ — Achat d'un véhicule par un Indien et un non-Indien; 03-0101794 — Interprétation relative à la TPS et à la TVH — Interprétation relative à la TVQ — [Activités reliées au secteur de l'informatique]; 03-0108310 — Fourniture d'un service de concessionnaire alimentaire dans une résidence pour personnes âgées; 05-0101997 — Interprétation relative à la TPS et à la TVQ — Remise accordée par un commerçant.

COMMENTAIRES: La Cour suprême du Canada, dans l'affaire *Calgary (City) c. R.*, 2012 CarswellNat 1146 (C.S.C.) décrit brièvement, mais avec aisance le fonctionnement de notre système de TPS comme suit au paragraphe 16 :

> 16. Dans le *Reference re Excise Tax Act (Canada)*, [1992] 2 S.C.R. 445 (S.C.C.), la Cour explique bien la mécanique fondamentale de la TPS. S'agissant d'une taxe à la consommation, la LTA vise trois catégories de biens et de services: (1) les fournitures taxables, (2) les fournitures exonérées et (3) les fournitures détaxées. Une taxe sur les produits et services de 5 % frappe actuellement la vente de toute fourniture taxable (elle était alors de 7 %). L'acheteur d'une fourniture taxable qui utilise le bien ou le service pour produire une autre fourniture taxable, c'est-à-dire dans l'exercice d'une activité commerciale, a droit à un CTI et peut obtenir de l'État le remboursement de la taxe payée. Il en est ainsi pour empêcher les prélèvements successifs de TPS et permettre que l'obligation d'acquitter la TPS passe au consommateur final. En ce qui concerne les deux autres catégories de biens et de services, les fournitures exonérées et les fournitures détaxées, le consommateur final ne paie pas de TPS. Le vendeur de fournitures exonérées, bien qu'il paie la TPS sur ses achats, n'a pas droit au CTI, de sorte que la TPS est prélevée par l'État fédéral à l'avant-dernière étape de la chaîne de production, et non auprès du consommateur final.

Le terme « taxe », qui figure au paragraphe (1), est défini en vertu du paragraphe 123(1) comme étant une « taxe payable en application de la présente partie », c.-à-d. la TPS. La taxe s'applique sur la valeur de la contrepartie de la fourniture. Ainsi, dans le cas d'un don, aucune taxe n'est applicable puisqu' il n'y a aucune contrepartie.

Il est de la responsabilité du fournisseur de remettre les montants perçus suite au paiement de la TPS par l'acquéreur. Ainsi, dans la mesure où un acquéreur paie à un de ses fournisseurs qui est un inscrit la TPS payable relativement à une fourniture qu'il acquiert, l'acquéreur ne peut être tenue responsable du défaut éventuel de son fournisseur de faire remise de la somme perçue, pour autant qu'il possède des preuves démontrant que la TPS a effectivement été payée. Voir notamment à cet égard : Revenu Québec, Lettre d'interprétation, 99-0100497 — *Interprétation relative à la TPS — Interprétation relative à la TVQ — Responsabilité pour paiement des taxes* (3 mars 1999). Voir également la décision de la Cour canadienne de l'impôt dans l'affaire *Airport Auto Ltd. c. R.*, 2003 CarswellNat 5233 (C.C.I.).

Le paragraphe (2) réfère à la partie provinciale de la TVH des provinces participantes. À titre de rappel, nous soulignons que la TVQ, bien qu'elle ait été récemment harmonisée, ne constitue pas une TVH aux fins de la *Loi sur la taxe d'accise (TPS)*.

Finalement, le paragraphe (3) indique que le taux de la fourniture détaxée est de 0 %. Aux fins de la TPS/TVH, une fourniture détaxée est une fourniture taxable qui permet ainsi à l'acquéreur de réclamer, lorsqu'applicable, des crédits de taxe sur les intrants.

Finalement, nous désirons souligner qu'en vertu notamment de l'article 44 de l'*Entente intégrée globale de coordination fiscale entre le gouvernement du Canada et le gouvernement du Québec*, les parties signataires, c.-à-d. les gouvernements provincial et fédéral, conviennent de payer la TPS/TVH et la TVQ relativement aux fournitures effectuées au profit de leurs gouvernements respectifs ou des mandataires de ceux-ci et ce, à compter du 1er avril 2013.

165.1 (1) Téléphones payants — La taxe payable relativement à la fourniture d'un service de télécommunication dont la contrepartie est payée au moyen de pièces de monnaie insérées dans un téléphone est égal au montant suivant :

a) si le montant inséré dans l'appareil est égal ou inférieur à 0,25 $, zéro;

b) dans les autres cas, le total des montants calculés en application des paragraphes 165(1) et (2); toutefois, lorsque ce total est égal à la somme d'un multiple de 0,05 $ et d'une fraction de 0,05 $, les règles suivantes s'appliquent dans le cadre de la présente partie :

(i) il n'est pas tenu compte des fractions inférieures à 0,025 $,

(ii) les fractions égales ou supérieures à 0,025 $ sont réputées égales à 0,05 $.

Notes historiques: Le paragraphe 165.1(1) a été ajouté par L.C. 1997, c. 10, par. 160(1) et est entré en vigueur le 1er avril 1997. Le paragraphe 165.1(1) correspond à l'ancien paragraphe 165(3).

Concordance québécoise: LTVQ, art. 69.1.

(2) Appareils automatiques — La taxe payable relativement à la fourniture d'un bien meuble corporel distribué, ou d'un service rendu, au moyen d'un appareil automatique à fonctionnement mécanique qui est conçu pour n'accepter, comme contrepartie totale de la fourniture, qu'une seule pièce de monnaie de 0,25 $ ou moins est nulle.

Notes historiques: Le paragraphe 165.1(2) a été ajouté par L.C. 1997, c. 10, par. 160(1) et est entré en vigueur le 1er avril 1997. Le paragraphe 165.1(2) correspond à l'ancien paragraphe 165(3.1).

Concordance québécoise: LTVQ, art. 69.5.

(3) Fourniture du droit d'utiliser un appareil — Pour l'application du paragraphe (2), la fourniture du droit d'utiliser l'appareil visé à ce paragraphe est réputée être la fourniture d'un service rendu au moyen de cet appareil.

Notes historiques: Le paragraphe 165.1(3) a été ajouté par L.C. 2007, c. 18, par. 8(1) et est réputé être entré en vigueur le 1er avril 1997.

Concordance québécoise: aucune.

Définitions [art. 165.1]: « bien meuble », « contrepartie », « fourniture », « service », « service de télécommunication », « taxe » — 123(1).

Renvois [art. 165.1]: 160 (appareils automatiques).

Jurisprudence [art. 165.1]: *Amusements Jolin Inc. c. La Reine*, [2002] G.S.T.C. 111 (GST); *Janda Products Canada Ltd. v. Minister of National Revenue*, [2003] G.S.T.C. 33 (CAF); *Janda Products Canada Ltd. v. Minister of National Revenue*, [2004] G.S.T.C. 144 (CF); *469527 Ontario Ltd. v. R.* (2004), 253 F.T.R. 183 (CF); *971346 Ontario Inc. v. Canada (Attorney General)* (2004), 253 F.T.R. 139 (CF); *Folz Vending Co. c. R.*, 2007 G.T.C. 880 (CCI); 2008 CarswellQue 1307 (CAF).

Décrets de remise [art. 165.1]: *Décret de remise sur les appareils automatiques* C.P.1999-326; *Décret de remise sur les appareils automatiques (utilisateurs de la comptabilité abrégée)* C.P.2003-1620.

Série de mémorandums [art. 165.1]: Mémorandum 4.3R, 01/07, *Produits alimentaires de base*.

Lettres d'interprétation (Québec) [art. 165.1]: 98-0109037 — Interprétation relative à la TPS — Interprétation relative à la TVQ — Organisme de bienfaisance; 98-0113724 — Interprétation relative à la TPS (Interprétation relative à la TVQ) — Appareils automatiques; 99-0100158 — Interprétation relative à la TPS — Interprétation relative à la TVQ — Appareils automatiques; 99-0100869 — Appareils automatiques.

COMMENTAIRES: Puisqu'il n'y a aucune taxe à payer dans le cas de la fourniture d'un bien meuble corporel distribué, ou dans la situation où un service est rendu, au moyen d'un appareil automatique à fonctionnement mécanique conçu pour n'accepter qu'une seule pièce de monnaie de 0,25 $, le fournisseur doit prendre en considération cet élément afin de ne pas être assujetti aux règles de TPS/TVH.

À ce titre, la Cour fédérale, dans l'affaire *971346 Ontario Inc. c. Canada (Attorney General)* 2004 CarswellNat 1534 (C.F.), a indiqué, dans le contexte de l'article 165.1, qu'une personne qui insère une nouvelle pièce de 0,25 $ pour continuer à jouer joue en fait une nouvelle partie chaque fois qu'elle introduit une pièce de 0,25 $. Ainsi, cette personne ne joue pas un jeu continu pour une contrepartie de 0,50 $.

Revenu Québec, pour sa part, indique que le paragraphe 165.1(2) constitue une mesure d'exception à la règle générale applicable aux fournitures effectuées au moyen d'appareils automatiques qui prévoit, par ailleurs, l'article 160. Ainsi, le paragraphe 165.1(2) vise uniquement la fourniture effectuée au moyen d'un appareil automatique à fonctionnement mécanique conçu pour n'accepter, comme contrepartie totale de la fourniture, qu'une seule pièce de monnaie de 0,25 $ ou moins. Par le fait même, cela exclut, entre autres, les appareils automatiques qui peuvent effectuer une fourniture pour une contrepartie totale de plus de 0,25 $ et les appareils automatiques qui acceptent plus d'une pièce de monnaie à titre de contrepartie de la fourniture. Revenu Québec, Lettre d'interprétation, 99-0100158 — *Interprétation relative à la TPS — Interprétation relative à la TVQ — Appareils automatiques* (9 juin 1999). Voir également notamment au même effet : Revenu Québec, Lettre d'interprétation, 98-0100630 — *Interprétation relative à la TVQ — Appareils automatiques — Règle d'arrondissement* (2 juin 1998), Revenu Québec, Lettre d'interprétation, 97-0102513 — *Appareils automatiques — règle d'arrondissement* (17 avril 1997).

165.2 (1) Calcul de la taxe sur plusieurs fournitures — Lorsque plusieurs fournitures taxables font l'objet d'une même facture ou convention ou d'un même reçu et que la taxe prévue à l'article 165 est imposée au même taux relativement à chacune d'elles, la taxe payable relativement aux fournitures, calculée sur leur contrepartie qui est indiquée sur la facture ou le reçu ou dans la convention, peut être calculée sur le total de cette contrepartie.

Notes historiques: Le paragraphe 165.2(1) a été ajouté par L.C. 1997, c. 10, par. 160(1) et est entré en vigueur le 1er avril 1997.

Concordance québécoise: LTVQ, art. 69.6.

(2) Arrondissement — Lorsque la taxe payable en vertu de la présente section relativement à une ou plusieurs fournitures faisant l'objet d'une même facture ou convention ou d'un même reçu comprend une fraction de cent, les règles suivantes s'appliquent dans le cadre de la présente partie :

a) il n'est pas tenu compte des fractions inférieures à un demi-cent;

b) les fractions égales ou supérieures à un demi-cent sont réputées égales à un cent.

Notes historiques: Le paragraphe 165.2(2) a été ajouté par L.C. 1997, c. 10, par. 160(1) et est entré en vigueur le 1er avril 1997. Le paragraphe 165.2(2) correspond à l'ancien paragraphe 165(4).

Concordance québécoise: LTVQ, art. 69.

Définitions [165.2]: « contrepartie », « facture », « fourniture », « fourniture taxable », « province participante » — 123(1).

COMMENTAIRES: L'Agence du revenu du Canada confirme que le paragraphe 165.2(1) s'applique à la situation où deux ou plusieurs fournitures taxables sont incluses dans la même facture et que le taux de taxe est le même pour chacune des fournitures. Lorsque c'est le cas, le fournisseur peut calculer la taxe sur la contrepartie totale pour les fournitures, plutôt que de les calculer individuellement. À tout événement, les deux méthodes de calcul sont acceptables. Et peu importe la méthode choisie, la taxe payable est assujettie à la règle d'arrondissement prévue au paragraphe 165.2(2). Voir à cet effet : Agence du revenu du Canada, Lettre de l'Administration centrale sur la TPS, 125136 — *GST/HST Interpretation — [Correct method of] HST Calculation* (28 novembre 2011). Voir également au même effet : Agence du revenu du Canada, Lettre de l'Administration centrale sur la TPS, 128286 — *Supply of customized meal packages* (9 juin 2011), Agence du revenu du Canada, Lettre de l'Administration centrale sur la TPS, 11625-7, 11650-10 — *GST/HST Interpretation — Documentary Requirements* (24 août 2001).

Il est à noter que le paragraphe (1) offre une possibilité pour le fournisseur de calculer la taxe sur la contrepartie totale. À ce titre, il ne s'agit pas d'une obligation légale.

166. Petit fournisseur — La contrepartie ou la partie de contrepartie d'une fourniture taxable effectuée par un petit fournisseur, qui devient due, ou qui est payée avant qu'elle devienne due, à un moment où le petit fournisseur n'est pas un inscrit, n'est pas à inclure dans le calcul de la taxe payable relativement à la fourniture, sauf s'il s'agit d'une des fournitures suivantes :

a) la fourniture d'un immeuble par vente;

b) la fourniture par vente, effectuée par une municipalité, d'un bien meuble qui fait partie des immobilisations de la municipalité;

c) la fourniture par vente d'un bien municipal désigné d'une personne désignée comme municipalité pour l'application de l'article 259, qui fait partie des immobilisations de la personne.

Notes historiques: L'article 166 a été remplacé par L.C. 2004, c. 22, par. 31(1) et cette modification s'applique aux fournitures dont la contrepartie, même partielle, devient due après le 9 mars 2004 ou est payée après cette date sans être devenue due. Toutefois, cette modification ne s'applique pas aux fournitures effectuées conformément à une convention écrite conclue avant le 10 mars 2004. Antérieurement, l'article 166 se lisait ainsi :

> 166. La contrepartie ou la partie de contrepartie d'une fourniture taxable, sauf la fourniture d'un immeuble par vente, effectuée par un petit fournisseur, qui devient due, ou qui est payée avant qu'elle devienne due, à un moment où le petit fournisseur n'est pas un inscrit, n'est pas à inclure dans le calcul de la taxe payable relativement à la fourniture.

L'article 166 a été ajouté par L.C. 1990, c. 45, par. 12(1).

LTA (TPS)

organisme du secteur public); 203(4) (vente d'une voiture de tourisme par une municipalité); 205(4), (5) (acquisition d'une entreprise — institution financière); 205(4), (5) (acquisition d'une entreprise par une institution financière); 206(3), (5) (changements d'utilisation); 207 (réduction ou cessation d'utilisation); 208(3)b) (utilisation accrue d'une immobilisation); 211(2)a)(i) (choix visant l'immeuble d'un organisme de services publics); 226(8), (9) (contenant à boisson consigné); 226(10), (11) (changement de pratiques commerciales dans la fourniture de boisson dans un contenant consigné); 226(12) (cessation de l'inscription d'un fournisseur de boisson dans un contenant consigné); 226(13) (fourniture de boisson dans un contenant consigné); 226(14), (15) (taxe réputée perçue à l'égard d'une fourniture de boisson dans un contenant consigné); 226.1(1)a) d)(déduction pour organisme de bienfaisance); 256.1 (1) (remboursement au propriétaire d'un fonds loué pour usage résidentiel); 257.1 (1) (vente de biens meubles par une municipalité non inscrite); 267 (effet du décès); 267.1(1) (fiducie); 267.1(5) (actes du fiduciaire présumés ceux de la fiducie).

Jurisprudence [art. 167]: *Comeau (R.) c. La Reine*, [1996] G.S.T.C. 3 (CCI); *Low-Cost Furniture Ltd. v. Canada c. Canada*, [1997] G.S.T.C. 77 (CCI); *2955-4201 Québec inc. c. Canada*, [1997] G.S.T.C. 99, [1997] G.S.T.C. 100 (CCI); *Aubrett Holdings Ltd. c. Canada*, [1998] G.S.T.C. 17 (CCI); *Helsi Construction Management Inc. c. La Reine*, [2002] G.S.T.C. 113 (CFC); *Telus Communications (Edmonton) Inc. v. R.* (13 février 2008), [2008] G.S.T.C. 39 (CCI [procédure générale]); *Sauvageau c. R.* , 2008 CarswellNat 1008 (CCI).

Énoncés de politique [art. 167]: P-012R, 09/04/92, *Responsabilité de verser une taxe nette sur le transfert des éléments d'actif d'une entreprise*; P-013, 22/04/92, *Comptes débiteurs pour consommation dans le cadre d'activités commerciales*; P-031, 01/10/92, *La fourniture des biens d'entreprise d'une personne décédée*; P-054, 05/02/93, *Application de l'article 167(1) — Vente d'une entreprise, à l'exclusion des immeubles*; P-103R, 22/09/93, *Transfert d'un droit indivis dans une coentreprise*; P-117, 23/02/94, *Fourniture d'un magasin unique par une personne possédant une chaîne de magasins*; P-124, 24/03/94, *Article 167 — formule GST44 produits par le fournisseur plutôt que par l'acquéreur*; P-143, 16/05/94, *Possibilité pour des créanciers de recourir au paragraphe 167(1) dans les cas de saisie ou de reprise de possession*; P-145, 16/05/94, *Possibilité pour des syndics de faillite, des séquestres d'effectuer le choix prévu au paragraphe 167(1)*; P-166, 15/01/95, *Traitement de la vente d'un cabinet de médecin ou de dentiste sous le régime de la TPS*; P-179, 07/06/95, *Interprétation d'une « entreprise...établie » aux fins du paragraphe 167(1) de la LTA*; P-181, 07/06/95, *Sommes à verser pour certains services et licences et choix prévu au paragraphe 167(1) de la LTA*; P-188, 25/10/95, *Fourniture de tout ou d'une partie de l'entreprise*.

Bulletin de l'information technique [art. 167]: B-065, 13/07/92, *Le plan en six points en vue de simplifier la TPS*; B-075R, 23/04/96, *Modifications proposées à la TPS*; B-106, 08/11, *Méthodes d'attribution des crédits de taxe sur les intrants pour les institutions financières en application de l'article 141.02 de la Loi sur la taxe d'accise*.

Série de mémorandums [art. 167]: Mémorandum 14-4, 12/10, *Vente d'une entreprise ou d'une partie d'entreprise*; Mémorandum 19.4.1, 08/99, *Immeubles commerciaux — Ventes et locations*; Mémorandum 19.5, 06/02, *Fonds de terre et immeubles connexes*; Mémorandum 27.2, 08/95, *Congrès*.

Formulaires [art. 167]: FP-644, *Choix visant l'acquisition d'une entreprise ou d'une partie d'entreprise*; FP-2044, *Choix visant l'acquisition d'une entreprise ou d'une partie d'entreprise*; GST44, *Choix visant l'acquisition d'une entreprise ou d'une partie d'entreprise*; GST45, *Fourniture des biens d'entreprise d'une personne décédée — Choix visant la fourniture des biens d'entreprise d'une personne décédée* [N.D.L.R.: le bulletin de l'information technique B-065 indique que l'obligation de remplir ou de présenter ce formulaire est éliminée].

Info TPS/TVQ [art. 167]: GI-002 — *Ventes par des particuliers — terres agricoles.*

Lettres d'interprétation (Québec) [art. 167]: 98-0101059 — Groupe étroitement lié — Choix visant les fournitures sans contrepartie; 98-0105795 — Décision portant sur l'application de la TPS / Interprétation relative à la TVQ / Choix des paragraphes 167 (1)et (1.1) de la *Loi sur la taxe d'accise*; 98-0111983 — Vente d'entreprise.

COMMENTAIRES: Sous réserve de certaines conditions, cet article soustrait l'assujettissement à la TPS/TVH sur la vente d'actifs d'une entreprise.

Si le vendeur est un inscrit, tel que ce terme est défini par le paragraphe 123(1) comme incluant non seulement la personne inscrite, mais également celle qui est tenue de l'être, l'acquéreur doit également être un inscrit sinon le choix ne peut être fait. Cela a pour effet d'éviter que des actifs, qui seraient normalement assujetti à la TPS (voir l'alinéa 141.1(1)(a)) et pour lesquels l'acquéreur ne peut réclamer de crédit de taxe sur les intrants, soient transférer à un non inscrit sans l'application de la TPS/TVH.

Si le vendeur est un inscrit et l'acquéreur est une nouvelle entité qui n'a pas encore débuté ses activités commerciales, l'inscription doit être effectuée avant le transfert pour que le choix soit valide. Techniquement, l'inscription volontaire n'est pas disponible en vertu de l'article 240. En pratique, toutefois, l'inscription est généralement permise par l'Agence du revenu du Canada et Revenu Québec lorsqu'une entreprise est sur le point d'être acquise (en montrant, notamment, les documents légaux entourant l'acquisition). Nous vous référons à nos commentaires sous l'article 240 qui discutent des pratiques administratives des autorités fiscales concernant l'inscription rétroactive.

Si l'acheteur est un non-inscrit, et que le fournisseur est également un non-inscrit, le choix doit être fait dans la forme prescrite, mais il n'est pas requis de produire le formulaire auprès de l'Agence du revenu du Canada ou de Revenu Québec et ce, en raison de l'utilisation des termes « lorsqu'un acquéreur qui est un inscrit » qui figure au texte introductif du paragraphe 167(1.1).

À titre récapitulatif et sous réserve de conditions supplémentaires, le tableau ci-dessous illustre les situations en vertu desquelles le choix sous l'article 167 est possible :

Fournisseur (vendeur)	Acquéreur (acheteur)	Choix
Inscrit	Inscrit	Oui
Inscrit	Non-inscrit	Non
Non-inscrit	Inscrit	Oui
Non-inscrit	Non-inscrit	Oui

Le choix en vertu du paragraphe (1) doit être produit par l'acquéreur, la raison principale étant que ce dernier a davantage intérêt que le vendeur à ce que le choix soit produit auprès des autorités fiscales appropriées. En effet, ce choix évite le paiement de TPS/TVH par l'acquéreur et améliore de ce fait son niveau de liquidité.

En pratique, les conventions prévoient généralement des dispositions et représentations particulières afin que le vendeur obtienne une garantie et une indemnité de l'acquéreur en cas de défaut de production du choix ou de refus du choix par les autorités fiscales. En effet, dans ces circonstances, le vendeur sera responsable des TPS/TVH non perçues. Par conséquent, nous recommandons que l'indemnité payable au vendeur couvre également les intérêts et pénalités payables afférents à la non-remise de la TPS/TVH.

Le choix sous l'article 167 doit être produit au plus tard le jour où l'acquéreur est tenu de produire sa déclaration visant sa première période de déclaration au cours de laquelle la taxe serait devenue payable, n'eût été le choix. Il est à noter qu'une demande tardive de production du choix sous l'article 167 est possible, sujet à la discrétion du ministre de l'accepter (ou non), en vertu du texte introductif au paragraphe (1.1).

L'Agence du revenu du Canada a indiqué, de façon générale, que le contexte unique de la transaction et les faits spécifiques à la transaction doivent être pris en considération pour déterminer si le critère de « la totalité ou presque » des biens nécessaires à l'exploitation de l'entreprise est satisfait. Il est donc primordial de se référer aux normes de l'industrie concernée ou du type d'entreprise. Voir à cet effet : Agence du revenu du Canada, Lettre de l'Administration centrale sur la TPS, 11735-15G — *GST/HST Interpretation — Section 167 Election and Leased Property* (10 octobre 2000). Voir également au même effet'entreprise est satisfait. Il es: question 28, Agence du revenu du Canada, Questions et commentaires en TPS/TVH — Conférence annuelle entre l'Association du Barreau Canadien et l'Agence du revenu du Canada (23 février 2012).

À titre illustratif, dans la situation suivante'entreprise est satisfait. Il es: (i) un inscrit vend son entreprise pour un montant de 150 000 $;(ii) l'entreprise est exploitée dans un immeuble loué; (iii) le vendeur avait signé un bail de cinq ans à raison de 1 000 $ par mois et le bail est en vigueur pour encore trois années; et (iv) l'acquéreur, lui aussi inscrit, a convenu avec le propriétaire de l'immeuble d'assumer le bail, mais seulement pour une période de six mois. De l'avis de Revenu Québec, puisque le vendeur avait fourni à l'acquéreur un bail renégocié de six mois, le test de la totalité, ou presque, doit s'effectuer en tenant compte du bail faisant l'objet de la convention, soit celui ayant un terme de six mois. En ce qui concerne la durée du bail, celle-ci doit être raisonnable en regard de la nature de l'entreprise de même que selon la norme prévalant dans le secteur d'activités dans lequel œuvre l'entreprise. Voir notamment à cet effet'entreprise est satisfait. Il es: Revenu Québec, Lettre d'interprétation, 98-0111983 — *Vente d'entreprise* (14 juin 2000).

L'article 167 prévoit que le franchiseur et le franchisé peuvent également bénéficier du choix pour que le paragraphe 167(1.1) de cet article s'applique aux équipements et à la franchise dans la mesure où le franchiseur fournit tout ou partie de l'entreprise qu'il a établie ou exploitée, et que la convention portant sur la fourniture prévoit que le franchisé acquiert la propriété, la possession ou l'utilisation de la totalité, ou presque, des biens qu'il est raisonnable de considérer comme nécessaires à l'exploitation par lui de l'entreprise ou de la partie d'entreprise. Tel qu'énoncé au paragraphe 167 (1.1), lorsque le choix visé au paragraphe 167(1) est effectué, nulle taxe n'est payable relativement à la fourniture d'un bien ou d'un service effectuée aux termes de la convention, sauf, entre autres, s'il s'agit de la fourniture taxable d'un service à rendre par le franchiseur ou de la fourniture taxable d'un bien par bail, licence ou accord semblable. Par conséquent, aucune taxe n'est payable à l'égard de la contrepartie relative à l'équipement et aux contrats d'entretien. Par contre, le choix effectué conformément au paragraphe 167(1) n'a pas pour effet de soustraire à l'assujettissement des frais de franchise à la TPS s'ils sont versés par le franchisé en contrepartie de la fourniture taxable d'un service à rendre par le franchiseur ou de la fourniture taxable d'un bien par bail, licence ou accord semblable. Ainsi, lorsque les frais sont payés pour la formation par le franchiseur des employés, pour une licence visant le droit d'utilisation de la marque de commerce ou d'un logo ou pour le manuel de formation, ces frais demeurent assujettis à la TPS. Voir notamment à cet effet'entreprise est satisfait. Il es: Revenu Québec, Lettre d'interprétation, 98-0105795 — *Décision portant sur l'application de la TPS/Interprétation relative à la TVQ/ Choix des paragraphes 167(1) et (1.1) de la Loi sur la taxe d'accise* (24 août 1998).

L'Agence du revenu du Canada a indiqué que dans la mesure où la contrepartie de la vente des actifs de l'entreprise inclut, dans la convention de vente, des paiements basés sur les ventes futures de certains produits, et que le choix de l'article 167 s'applique, alors la contrepartie de ces paiements ne sera pas assujettie à la TPS sous l'article 167. Voir notamment à cet effet : Agence du revenu du Canada, Lettre de l'Administration centrale sur la TPS, 63440 — *Treatment of Royalty Payments* (31 mars 2006)

Dans l'affaire *Cinnamon City Bakery Café Inc. c. R.*, 2001 CarswellNat 2575 (C.C.I.), la Cour canadienne de l'impôt a fait une revue des critères énoncés sous l'article 167. Dans ce contexte, elle a indiqué que le service de formation aux franchisés était exclu du choix, de même que les frais reliés à la licence pour le droit d'utiliser la marque de commerce, conformément respectivement aux sous-alinéas 167(1.1)(a)(i) et 167(1.1.)(a)(ii). En l'espèce, toutefois, l'ensemble du choix sous 167 n'a pas été permis puisque les formulaires de choix ont été produits en retard. Cette décision est une des premières qui traitent de la substance de l'article 167. En pratique, l'appelant devrait être en mesure de réclamer la TPS payée des franchisés et ceux-ci devraient être en mesure de réclamer la TPS payée par le biais de leurs crédits de taxe sur les intrants.

Selon l'Agence du revenu du Canada, il sera difficile de satisfaire les exigences de l'article 167 si un des actifs assujettis à la vente, telle qu'une licence, ne peut légalement être transféré par le fournisseur (vendeur). Voir notamment à cet effet : question 15, Agence du revenu du Canada, *Questions et commentaires en TPS/TVH* — Conférence annuelle entre l'Association du Barreau Canadien et l'Agence du revenu du Canada (26 février 2009).

L'Agence du revenu du Canada a également indiqué que le choix sous 167 est valide nonobstant le situs des biens, c.-à-d. que ces biens se situent au Canada ou à l'étranger. Voir notamment à cet effet : question 23, Agence du revenu du Canada, *Questions et commentaires en TPS/TVH* — Conférence annuelle entre l'Association du Barreau Canadien et l'Agence du revenu du Canada (4 mars 2010).

Finalement, il est à noter que le paragraphe 167(1) réfère à un seul transfert à un seul acquéreur. En effet, ce choix ne peut s'appliquer s'il y a deux acquéreurs à moins que chacune des transactions puisse être considérée comme un transfert de « tout ou partie d'une entreprise ». Voir notamment à cet effet : Revenu Québec, Lettre d'interprétation, 99-0103491 — *Interprétation relative à la TPS et à la TVQ — Transfert d'achalandage* (13 septembre 1999). Voir également au même effet : Agence du revenu du Canada, Lettre de l'Administration centrale sur la TPS, 11735-15E — *Election under section 167* (29 juin 2000).

Il en est également de même pour les vendeurs, c.-à-d. un transfert doit être fait par un seul vendeur. Dans ce dernier cas, il faudrait prétendre que chaque vendeur transfère une partie de l'entreprise.

Dans une position administrative datée du 9 juillet 2003, l'Agence du revenu du Canada a indiqué qu'un choix sous 167 n'est pas possible à la dissolution d'une société de personnes, principalement en raison du fait que la fourniture d'un intérêt indivis dans une société de personnes en faveur d'un associé ne sera pas considéré comme étant la fourniture d'une entreprise ou d'une partie de celle-ci puisque celle-ci ne peut s'opérer avec un seul associé. Voir à cet effet : Agence du revenu du Canada, Lettre de l'Administration centrale sur la TPS, 11635-8, 11650-8, 11735-11 — *Partnership Issues — Interpretative Concerns/Legislative Deficiencies* (9 juillet 2003)

Toutefois, l'Agence du revenu du Canada semble avoir modifié sa position précédente puisque dans le cadre d'une position datée du 26 février 2009, l'Agence du revenu du Canada était d'avis que dans la mesure où les conditions sont rencontrées, le paragraphe 167(1) pourrait s'appliquer au transfert de l'ensemble des biens d'une société de personnes à un seul associé, dans le contexte de la dissolution de la société de personnes. Cette position administrative ne réfère pas à la position antérieure datée du 9 juillet 2003. Voir notamment à cet effet : question 5, Agence du revenu du Canada, *Questions et commentaires en TPS/TVH* — Conférence annuelle entre l'Association du Barreau Canadien et l'Agence du revenu du Canada (26 février 2009).

De l'avis de l'auteur, la dernière position de l'Agence du revenu du Canada doit être favorisée puisqu'il pourrait exister des situations où le dernier associé décide de continuer l'entreprise de la société de personnes.

Lorsque des actifs qui sont utilisés principalement ou exclusivement pour rendre des fournitures exonérées sont vendus, le choix prévu en vertu du paragraphe 167(1) n'est pas requis. En effet, le cumul du paragraphe 200(3) et de l'alinéa 141.1(1)(b) permet, de façon générale, à ce qu'une telle vente ne soit pas taxable.

Le vendeur doit s'assurer de percevoir la TPS/TVH sur les actifs qui ne sont pas visés par le choix sous l'article 167.

Finalement, dans la mesure où le choix sous le paragraphe 167(1) ne s'applique pas, il faut également considérer la possibilité d'effectuer les choix permis en vertu des articles 150 ou 156. Nous vous invitons à consulter nos commentaires sous ces articles.

167.1 Achalandage — Pour l'application de la présente partie, lorsqu'une personne fournit tout ou partie d'une entreprise qu'elle a établie ou exploitée, ou qu'elle a acquise après qu'une autre personne l'a établie ou exploitée, que l'acquéreur acquiert la propriété, la possession ou l'utilisation de la totalité, ou presque, des biens qu'il est raisonnable de considérer comme nécessaires à l'exploitation par lui de l'entreprise ou de la partie d'entreprise et qu'une partie de la contrepartie est imputable à l'achalandage afférent, cette partie n'est pas incluse dans le calcul de la taxe payable relativement à la fourniture.

Notes historiques: L'article 167.1 a été ajouté par L.C. 1993, c. 27, art. 33 et s'applique aux fournitures d'entreprises ou de parties d'entreprise dans le cadre desquelles la propriété ou la possession de la totalité, ou presque, des éléments d'actifs compris dans la fourniture est transférée à l'acquéreur après septembre 1992. Pour la période du 11 mars 1992 au 30 septembre 1992, l'article 167.1 doit se lire comme suit :

> 167.1 Pour l'application de la présente partie, lorsqu'une personne, sauf une institution financière, fournit tout ou partie d'une entreprise qu'elle a établie ou exploitée au Canada, ou qu'elle a acquise après qu'une autre personne l'a établie ou exploitée, que l'acquéreur acquiert la propriété, la possession ou l'utilisation de la totalité, ou presque, des biens qu'il est raisonnable de considérer comme nécessaires à l'exploitation par lui de l'entreprise ou de la partie d'entreprise et qu'une partie de la contrepartie de la fourniture est imputable à l'achalandage afférent, les règles suivantes s'appliquent :
>
> a) si le fournisseur est une institution financière, cette partie n'est pas incluse dans le calcul de la taxe payable relativement à la fourniture, sauf dans la mesure où l'achalandage est imputable à des activités commerciales du fournisseur;
>
> b) si le fournisseur n'est pas une institution financière et que l'achalandage soit principalement imputable à des activités commerciales du fournisseur, cette partie n'est pas incluse dans le calcul de la taxe payable relativement à la fourniture, sauf dans la mesure où l'achalandage est imputable à ces activités;
>
> c) dans les autres cas, cette partie n'est pas incluse dans le calcul de la taxe payable relativement à la fourniture.

Pour la période du 6 novembre 1991 au 10 mars 1992, l'article 167.1 doit se lire comme suit :

> 167.1 Pour l'application de la présente partie, lorsqu'une personne, sauf une institution financière, fournit tout ou partie d'une entreprise qu'elle a établie ou exploitée au Canada, ou qu'elle a acquise après qu'une autre personne l'a établie ou exploitée, que l'acquéreur acquiert la propriété, la possession ou l'utilisation de la totalité, ou presque, des biens qu'il est raisonnable de considérer comme nécessaires à l'exploitation par lui de l'entreprise ou de la partie d'entreprise et qu'une partie de la contrepartie de la fourniture est imputable à l'achalandage afférent, les règles suivantes s'appliquent :
>
> a) si l'achalandage est principalement imputable à des activités commerciales du fournisseur, cette partie n'est pas incluse dans le calcul de la taxe payable relativement à la fourniture, sauf dans la mesure où l'achalandage est imputable à ces activités;
>
> b) dans les autres cas, cette partie n'est pas incluse dans le calcul de taxe payable relativement à la fourniture.

Concordance québécoise: LTVQ, art. 75.2.

Définitions: « acquéreur », « activité commerciale », « contrepartie », « entreprise », « exclusif », « fourniture », « personne », « taxe » — 123(1).

Renvois: 123(2) (Canada); 148 (seuil de petit fournisseur); 148(1)a), 148(2)a) (achalandage exclu du statut de petit fournisseur); 167(1) (actif d'une entreprise); 249(2) (montant déterminant pour le trimestre d'exercice).

Jurisprudence: *Aubrett Holdings Ltd. c. Canada*, [1998] G.S.T.C. 17 (CCI).

Énoncés de politique: P-166, 15/01/95, *Traitement de la vente d'un cabinet de médecin ou de dentiste sous le régime de la TPS.*

Lettres d'interprétation (Québec) [art. 167.1]: 99-0103491 — Interprétation relative à la TPS et à la TVQ — Transfert d'achalandage.

COMMENTAIRES: Cet article prévoit qu'il n'y a aucune taxe pour la vente de l'achalandage dans le cadre de la vente de tout ou partie d'une entreprise.

À ce titre, aucun formulaire n'a à être rempli pour se qualifier sous ce choix. Voir notamment à cet effet : *Cinnamon City Bakery Café Inc. c. R.*, 2001 CarswellNat 2575 (C.C.I.).

Le terme « achalandage » n'est pas défini dans la *Loi sur la taxe d'accise (TPS)*. Toutefois, la Cour d'appel fédérale, dans l'affaire *Transalta Corporation c. R.*, 2012 CarswellNat 124 (C.A.F.), a indiqué, aux paragraphes 53 à 56 de sa décision, les caractéristiques de l'achalandage. De l'avis de la Cour d'appel fédérale, l'achalandage est un concept difficile à définir. Il se compose de divers éléments et sa composition varie d'un métier à l'autre et, dans un même secteur, d'une entreprise à l'autre. Par conséquent, même après des études poussées et de nombreuses publications sur le sujet, les milieux juridiques et comptables n'ont pas encore arrêté une définition. À l'instar des comptables, la Cour conclut que toute tentative de définir l'achalandage est vouée à l'échec. Il convient plutôt de dégager les diverses caractéristiques inhérentes à la notion d'achalandage pour ensuite procéder à une analyse au cas par cas. De l'avis de la Cour d'appel fédérale, trois caractéristiques doivent être présentes pour qu'il y ait achalandage : a) l'achalandage doit être un actif incorporel non déterminé, par opposition à un bien corporel ou à un bien incorporel déterminé, comme une marque de commerce, un brevet ou une franchise; b) l'achalandage doit découler de l'attente de futurs gains, rendements ou autres avantages supérieurs à ceux que produirait normalement une entreprise comparable; c) l'achalandage doit être indissociable de l'entreprise à laquelle il se rattache et ne peut normalement être vendu séparément de l'entreprise en exploitation. En présence de ces trois caractéristiques, il est raisonnable de conclure qu'il y a achalandage. De l'avis de la Cour d'appel fédérale, une réputation établie, la satisfaction de la clientèle, un produit ou un procédé exclusif qui confère une situation de monopole, une bonne gestion ou une gestion astucieuse, un emplacement favorable, l'efficacité opérationnelle, des relations de travail harmonieuses, la publicité, la qualité des produits et la situation financière sont tous considérés comme des facettes de l'achalandage, dans la mesure où ils respectent les trois caractéristiques. Ainsi, en l'espèce, la gestion efficience de TransAlta et les nouvelles occasions d'affaires que présente l'entreprise de transmission de TransAlta peuvent être qualifiées d'achalandage selon la Cour. En effet, ces actifs incorporels découlent de l'attente de futurs gains, rendements ou autres avantages supérieurs à ceux que produirait normalement une entreprise comparable, ils sont indissociables de l'entreprise à laquelle ils se rattachent et ne peuvent normalement être vendus séparément de l'entreprise en exploitation. Ce sont là, selon le tribunal, les caractéristiques de l'achalandage.

Finalement, il est à noter que l'achalandage qui ne se qualifie pas en vertu de l'article 167.1 peut être taxé, sauf dans la mesure où il se qualifie en vertu de l'alinéa 141.1(1)(b).

167.11 (1) Définitions — Les définitions qui suivent s'appliquent au présent article.

« banque étrangère autorisée » S'entend au sens de l'article 2 de la *Loi sur les banques*.

Concordance québécoise: LTVQ, art. 75.3« banque étrangère autorisée ».

« fourniture admissible » Fourniture de bien ou de service qui est effectuée au Canada aux termes d'une convention portant sur la fourniture (sauf une convention entre un fournisseur inscrit et un acquéreur non inscrit au moment de la conclusion de la convention) et qui, à la fois :

a) est effectuée par une personne morale résidant au Canada qui est liée à l'acquéreur;

b) est effectuée après le 27 juin 1999 et avant celui des jours ci-après qui est applicable :

(i) si le surintendant délivre l'ordonnance d'agrément visée au paragraphe 534(1) de la *Loi sur les banques* relativement à l'acquéreur après la date de sanction de la loi édictant le présent article, mais avant le jour qui suit d'un an cette date, le jour qui suit d'un an la date de délivrance de l'ordonnance,

(ii) dans les autres cas, le jour qui suit d'un an la date de sanction visée au sous-alinéa (i);

c) est reçue par un acquéreur qui, à la fois :

(i) est une personne non-résidente,

(ii) est une banque étrangère autorisée ou a présenté au surintendant une demande en vue d'obtenir, en vertu du paragraphe 524(1) de la *Loi sur les banques*, un arrêté l'autorisant à devenir une telle banque,

(iii) a acquis le bien ou le service pour le consommer, l'utiliser ou le fournir dans le cadre de l'établissement et du lancement au Canada d'une entreprise à titre de banque étrangère autorisée dans une succursale de banque étrangère de celle-ci.

Concordance québécoise: LTVQ, art. 75.3« fourniture admissible ».

« succursale de banque étrangère » S'entend d'une succursale, au sens de l'alinéa b) de la définition de ce terme à l'article 2 de la *Loi sur les banques*.

Concordance québécoise: LTVQ, art. 75.3« succursale de banque étrangère ».

(2) Fourniture d'éléments d'actif — Pour l'application de la présente partie, si le fournisseur et l'acquéreur d'une fourniture admissible en font conjointement le choix conformément au paragraphe (7) relativement à la fourniture, les règles suivantes s'appliquent :

a) le fournisseur est réputé avoir effectué — et l'acquéreur, avoir reçu — une fourniture distincte de chacun des biens et services fournis aux termes de la convention portant sur la fourniture admissible, pour une contrepartie égale à la partie de la contrepartie de la fourniture admissible qu'il est raisonnable d'imputer au bien ou au service;

b) toute partie de la contrepartie de la fourniture admissible qui est imputée à l'achalandage est réputée être imputée à la fourniture taxable d'un bien meuble incorporel, sauf si l'article 167.1 s'applique à la fourniture admissible;

c) les paragraphes (3) à (6) s'appliquent à la fourniture de chacun des biens et services fournis aux termes de la convention portant sur la fourniture admissible.

Concordance québécoise: LTVQ, art. 75.4.

(3) Effet du choix — Pour l'application de la présente partie, les règles ci-après s'appliquent à l'égard du fournisseur et de l'acquéreur qui font le choix conjoint prévu au paragraphe (2) relativement à une fourniture admissible effectuée à un moment donné :

a) nulle taxe n'est payable relativement à la fourniture d'un bien ou d'un service effectuée aux termes de la convention portant sur la fourniture admissible, sauf s'il s'agit de l'une des fournitures suivantes :

(i) la fourniture taxable d'un service à rendre par le fournisseur,

(ii) la fourniture taxable d'un service, sauf si l'alinéa 167(1)a) s'applique à la fourniture admissible,

(iii) la fourniture taxable d'un bien par bail, licence ou accord semblable,

(iv) si l'acquéreur n'est pas un inscrit, la fourniture taxable d'un immeuble par vente,

(v) la fourniture taxable d'un bien ou service qui, aux termes d'une convention portant sur une fourniture admissible, a déjà fait l'objet d'une fourniture relativement à laquelle nulle taxe n'était payable par l'effet du présent paragraphe,

(vi) la fourniture taxable d'un bien meuble incorporel (sauf une immobilisation), si le pourcentage obtenu par la formule ci-après est supérieur à 10 % :

$$A - B$$

où :

A représente le pourcentage qui représente la mesure dans laquelle le fournisseur a utilisé le bien dans le cadre de ses activités commerciales immédiatement avant le moment donné par rapport à l'utilisation totale qu'il en fait,

B le pourcentage qui représente la mesure dans laquelle l'acquéreur a utilisé le bien dans le cadre de ses activités commerciales immédiatement après le moment donné par rapport à l'utilisation totale qu'il en fait;

b) dans le cas où, en l'absence du présent paragraphe, une taxe aurait été payable par l'acquéreur relativement à la fourniture, effectuée aux termes de la convention portant sur la fourniture admissible, d'une immobilisation du fournisseur que l'acquéreur acquiert pour l'utiliser comme immobilisation, l'acquéreur est réputé avoir acquis l'immobilisation à cette fin pour l'utiliser exclusivement dans le cadre de ses activités commerciales;

c) dans le cas où, malgré le présent paragraphe, nulle taxe n'aurait été payable par l'acquéreur relativement à la fourniture, effectuée aux termes de la convention portant sur la fourniture admissible, d'une immobilisation du fournisseur que l'acquéreur acquiert pour l'utiliser comme immobilisation, l'acquéreur est réputé avoir acquis l'immobilisation à cette fin pour l'utiliser exclusivement hors du cadre de ses activités commerciales;

d) dans le cas où l'acquéreur acquiert, aux termes de la convention portant sur la fourniture admissible, un bien du fournisseur que celui-ci utilisait autrement qu'à titre d'immobilisation immédiatement avant le moment donné et où, en l'absence du présent alinéa, une taxe aurait été payable par l'acquéreur relativement à la fourniture du bien, l'acquéreur est réputé avoir acquis le bien pour le consommer, l'utiliser ou le fournir dans le cadre de ses activités commerciales et autrement qu'à titre d'immobilisation.

Concordance québécoise: LTVQ, art. 75.5.

(4) Teneur en taxe — Pour l'application de la présente partie, si un fournisseur et un acquéreur font le choix conjoint prévu au paragraphe (2) relativement à une fourniture admissible, que le fournisseur fournit, aux termes de la convention portant sur la fourniture admissible, un bien qui était l'une de ses immobilisations immédiatement avant que la fourniture admissible soit effectuée et que nulle taxe n'est payable relativement à la fourniture de ce bien par l'effet du paragraphe (3), la teneur en taxe du bien de l'acquéreur à un moment quelconque est déterminée selon les règles suivantes :

a) si la dernière acquisition du bien par l'acquéreur correspond à l'acquisition par celui-ci au moment où la fourniture admissible est effectuée, toute mention, aux alinéas a) et b) de la définition de « teneur en taxe » au paragraphe 123(1), de la dernière acquisition ou importation du bien par la personne vaut mention de la dernière acquisition ou importation du bien par le fournisseur et non de l'acquisition par l'acquéreur au moment où la fourniture admissible est effectuée;

b) si la dernière fourniture du bien effectuée au profit de l'acquéreur correspond à la fourniture effectuée au profit de celui-ci au moment où la fourniture admissible est effectuée, toute mention, à l'alinéa a) de la définition de « teneur en taxe » au paragraphe 123(1), de la dernière fourniture du bien effectuée au profit de la personne vaut mention de la dernière fourniture du bien effectuée au profit du fournisseur et non de la fourniture effectuée au profit de l'acquéreur au moment où la fourniture admissible est effectuée;

c) si, à un moment donné depuis la dernière acquisition ou importation du bien par le fournisseur, mais avant le moment où la fourniture admissible est effectuée, le bien — ou des améliorations le visant — sont acquis, importés ou transférés dans une province participante :

(i) toute mention, aux alinéas a) et b) de la définition de « teneur en taxe » au paragraphe 123(1), d'une acquisition, d'une importation ou d'un transfert dans une province participante (appelés « mesures » au présent alinéa) du bien — ou d'améliorations le visant — au moment donné par la personne vaut mention de mesures prises par le fournisseur et non de mesures prises par l'acquéreur,

(ii) toute mention, à ces alinéas, d'une taxe qui était, aurait été, serait devenue, est devenue ou avait été payable par la personne relativement à ces mesures au moment donné vaut mention d'une taxe qui était, aurait été, serait devenue, est devenue ou avait été payable par le fournisseur et non par l'acquéreur,

(iii) toute mention, à ces alinéas, de la personne relativement à ces mesures au moment donné, ou relativement à sa qualité à ce moment, vaut mention du fournisseur et non de l'acquéreur,

(iv) toute mention, à ces alinéas, d'une taxe que la personne n'avait pas à payer relativement à ces mesures au moment donné vaut mention d'une taxe que le fournisseur, et non l'acquéreur, n'avait pas à payer,

(v) toute mention, à ces alinéas, du pourcentage applicable à la personne quant à une province participante, déterminé pour l'application du paragraphe 225.2(2) pour son année d'imposition qui comprend le moment auquel un montant de taxe est devenu payable, ou le serait devenu pendant que la personne était une institution financière désignée particulière, vaut mention du pourcentage applicable au fournisseur quant à une province participante, déterminé pour l'application du paragraphe 225.2(2) pour son année d'imposition qui comprend le moment auquel un montant de taxe est devenu payable, ou le serait devenu pendant que le fournisseur était une institution financière désignée particulière,

(vi) toute mention, à ces alinéas, des montants que la personne avait ou aurait eu le droit de recouvrer par voie de remboursement, de remise ou d'un autre moyen relativement à ces mesures au moment donné vaut mention des montants que le fournisseur, et non l'acquéreur, avait ou aurait eu le droit de recouvrer ainsi relativement à ces mesures.

Concordance québécoise: LTVQ, art. 75.6.

(5) Redressement de la taxe nette — Pour l'application de la présente partie, si un fournisseur et un acquéreur font le choix conjoint prévu au paragraphe (2) relativement à une fourniture admissible effectuée avant le 17 novembre 2005 aux termes d'une convention portant sur cette fourniture et que l'acquéreur paie une taxe relativement à un bien ou un service fourni aux termes de cette convention même si nulle taxe n'est payable relativement à cette fourniture par l'effet du paragraphe (3), la taxe est réputée, sauf pour l'application du paragraphe (4) et malgré le paragraphe (3), avoir été payable par l'acquéreur relativement à la fourniture du bien ou du service. Par ailleurs, l'acquéreur peut déduire, dans le calcul de sa taxe nette pour sa période de déclaration au cours de laquelle le choix est présenté au ministre, le total des montants dont chacun est déterminé selon la formule suivante :

$$A - B$$

où :

A représente le montant de taxe que l'acquéreur a payé relativement à la fourniture du bien ou du service effectuée aux termes de la convention portant sur la fourniture admissible, malgré qu'aucune taxe ne soit payable par l'effet du paragraphe (3);

B le total des montants suivants :

a) les montants représentant chacun un crédit de taxe sur les intrants que l'acquéreur pouvait demander relativement au bien ou au service fourni aux termes de la convention en cause,

b) les montants représentant chacun un montant (sauf un montant déterminé selon le présent paragraphe) que l'acquéreur peut déduire en vertu de la présente partie dans le calcul de sa taxe nette pour une période de déclaration relativement au bien ou au service fourni aux termes de cette convention,

c) les montants (sauf ceux visés aux alinéas a) et b)) relatifs à la taxe payée que l'acquéreur peut recouvrer par ailleurs par voie de remboursement, de remise ou d'un autre moyen relativement au bien ou au service fourni aux termes de cette convention.

Concordance québécoise: LTVQ, art. 75.7.

(6) Prescription en cas de choix — Si un fournisseur et un acquéreur font le choix conjoint prévu au paragraphe (2) relativement à une fourniture admissible, l'article 298 s'applique à toute cotisation, nouvelle cotisation ou cotisation supplémentaire visant un montant payable par l'acquéreur relativement à la fourniture d'un bien ou d'un service effectuée aux termes de la convention portant sur la fourniture admissible. Toutefois, le ministre dispose d'un délai de quatre ans à compter du jour où le choix prévu au paragraphe (2) lui est présenté ou, s'il est postérieur, du jour où la fourniture admissible est effectuée pour établir une cotisation, nouvelle cotisation ou cotisation supplémentaire visant uniquement à tenir compte d'un montant de taxe ou de taxe nette ou d'un autre montant payable par l'acquéreur, ou à verser par le fournisseur, relativement à une fourniture de bien ou de service effectuée aux termes de la convention portant sur la fourniture admissible.

Concordance québécoise: LTVQ, art. 75.8.

(7) Validité du choix — Le choix conjoint prévu au paragraphe (2) que font un fournisseur et un acquéreur relativement à une fourniture admissible n'est valide que si les conditions suivantes sont réunies :

a) l'acquéreur présente le choix au ministre, dans un document établi en la forme déterminée par celui-ci et contenant les renseignements requis, au plus tard au dernier en date des jours suivants :

(i) celui des jours ci-après qui est applicable :

(A) si l'acquéreur est un inscrit au moment où la fourniture admissible est effectuée, le jour limite où il est tenu de produire aux termes de la section V la déclaration visant sa période de déclaration au cours de laquelle une taxe serait devenue payable, en l'absence du présent article, relativement à la fourniture d'un bien ou d'un service effectuée aux termes de la convention portant sur la fourniture admissible,

(B) sinon, le jour qui suit d'un mois la fin de sa période de déclaration au cours de laquelle une taxe serait devenue payable, en l'absence du présent article, relativement à la fourniture d'un bien ou d'un service effectuée aux termes de la convention portant sur la fourniture admissible,

(ii) le jour qui suit d'un an la date de sanction de la loi édictant le présent article,

(iii) le jour fixé par le ministre sur demande de l'acquéreur;

b) la fourniture admissible est effectuée au plus tard le jour qui suit d'un an le jour où l'acquéreur reçoit pour la première fois une fourniture admissible relativement à laquelle le choix prévu au paragraphe (2) a été fait;

c) le choix prévu au paragraphe 167(1.1) n'a pas été fait par l'acquéreur relativement à la fourniture admissible au plus tard le jour où le choix prévu au paragraphe (2) relativement à cette fourniture est présenté au ministre.

Concordance québécoise: LTVQ, art. 75.9.

Notes historiques: L'article 167.11 a été ajouté par L.C. 2007, c. 18, par. 9(1) et est réputé être entré en vigueur le 28 juin 1999.

Définitions [par. 167.11]: « province participante » — 123(1).

Bulletin de l'information technique [art. 167.11]: B-106, 08/11, *Méthodes d'attribution des crédits de taxe sur les intrants pour les institutions financières en application de l'article 141.02 de la Loi sur la taxe d'accise.*

Renvois [art. 167.11]: 205(4.1), (5.1) (acquisition d'un élément d'actif — institution financière); 240(3)e) (banque étrangère).

COMMENTAIRES: Le choix conjoint prévu à cet article s'applique à l'égard d'une fourniture admissible qui se traduit, essentiellement, comme une fourniture provenant d'une succursale canadienne d'une banque étrangère en faveur d'une banque étrangère autorisée. De façon générale, ce choix permet, sous réserve de certaines conditions, un transfert de certains biens et de services sans l'application de la TPS /TVH dans le cadre, notamment, d'une réorganisation de la banque étrangère.

Il est à noter que l'alinéa 240(3)(e) permet à l'acquéreur d'une fourniture admissible de s'inscrire aux fichiers de la TPS/TVH sur une base volontaire.

Ce choix s'applique dans la mesure où aucun choix n'a été fait en vertu des paragraphes 167(1) et 167(1.1).

Nous vous invitons à consulter la position administrative de l'Agence du revenu du Canada suivante pour obtenir une explication détaillée sur les éléments qui doivent être reflétés pour effectuer le choix. Agence du revenu du Canada, Avis 223, *Produire un choix en application de l'article 167.11 de la Loi sur la taxe d'accise* (Mai 2008).

À titre informatif, le formulaire conjoint doit être envoyé dans les délais du paragraphe 167.11(7) à l'adresse suivante :

Directeur

Division des applications techniques et des évaluations

Direction générale des programmes d'observation

Agence du revenu du Canada

Place de Ville, tour B, 13e étage

112, rue Kent

Ottawa (Ontario) K1A 0L5

167.2 (1) Droit d'entrée à un congrès — non-résident — Lorsque le promoteur d'un congrès effectue, au profit d'une personne non-résidente, la fourniture taxable d'un droit d'entrée au congrès, les montants suivants ne sont pas inclus dans le calcul de la taxe payable relativement à la fourniture :

a) la partie de la contrepartie du droit d'entrée qu'il est raisonnable d'imputer à l'obtention du centre de congrès ou aux fournitures liées au congrès, à l'exclusion des aliments et boissons, et des biens ou services fournis aux termes d'un contrat visant un service de traiteur;

b) le montant représentant 50 % de la partie de la contrepartie du droit d'entrée qu'il est raisonnable d'imputer aux fournitures liées au congrès qui constituent des aliments ou boissons, ou des biens et services fournis aux termes d'un contrat visant un service de traiteur.

Notes historiques: Le paragraphe 167.2(1) a été remplacé par L.C. 2000, c. 30, par. 27(1). Cette modification s'applique aux fournitures de droits d'entrée à un congrès pour lequel l'ensemble des fournitures de droits d'entrée sont effectuées après le 4 juin 1999. Antérieurement, il se lisait comme suit :

> 167.2 (1) Lorsque le promoteur d'un congrès effectue, au profit d'une personne non-résidente, la fourniture taxable d'un droit d'entrée au congrès, la partie de la contrepartie du droit d'entrée qui est imputable à l'obtention du centre de congrès ou aux fournitures liées au congrès n'est pas incluse dans le calcul de la taxe payable relativement à la fourniture.

Le paragraphe 167.2(1) a été ajouté par L.C. 1993, c. 27, par. 34(1) et est réputé entré en vigueur le 17 décembre 1990.

Concordance québécoise: LTVQ, art. 198.

(2) Fourniture à l'exposant non-résident — Aucune taxe n'est payable relativement à la fourniture d'un immeuble que le promoteur d'un congrès effectue par bail, licence ou accord semblable au profit d'une personne non-résidente qui acquiert l'immeuble pour utilisation exclusive comme lieu de promotion, lors du congrès, de son entreprise ou de biens ou de services qu'elle fournit. De plus, aucune taxe n'est alors payable relativement à la fourniture par le promoteur au profit de la personne de biens ou de services que celle-ci acquiert pour consommation ou utilisation à titre de fournitures liées au congrès.

Notes historiques: Le paragraphe 167.2(2) a été ajouté par L.C. 1993, c. 27, par. 34(1) et est réputé entré en vigueur le 17 décembre 1990.

Concordance québécoise: LTVQ, art. 80.3.

Définitions [art. 167.2]: « acquéreur », « bien », « centre de congrès », « congrès », « contrepartie », « droit d'entrée », « entreprise », « exclusif », « fourniture taxable », « fournitures liées à un congrès », « immeuble », « montant », « non résidant », « personne », « promoteur », « service », « taxe » — 123(1).

Énoncés de politique [art. 167.2]: P-224, 04/01/99, *Sens de services de traiteur.*

Bulletins de l'information technique [art. 167.2]: B-071, 19/03/93, *Remboursement de la taxe sur les produits et services relatif à un congrès.*

Série de mémorandums [art. 167.2]: Mémorandum 27.2, 04/95, *Congrès*; Mémorandum 27.3R, 01/10, *Programme d'incitation pour congrès étrangers et voyages organisés — Remboursement de la taxe payée sur les voyages organisés admissibles et sur l'hébergement fourni dans le cadre d'un voyage organisé admissible.*

Info TPS/TVQ [art. 167.2]: GI-027 — *Programme d'incitation pour congrès étrangers et voyages organisés — Promoteurs de congrès nationaux : application de la TPS/TVH aux droits d'entrée vendus à des non-résidents*; GI-028 — *Programme d'incitation pour congrès étrangers et voyages organisés — Exposants non résidents : application de la TPS/TVH aux achats, et remboursement.*

COMMENTAIRES: L'alinéa 142(1)(c) prévoit que la fourniture d'un bien meuble incorporel, tel que le droit de participer à un congrès ou un banquet, est réputée effectuée au Canada lorsqu'il peut être utilisé en totalité ou en partie au Canada. Ainsi, des fournitures de droits d'entrée à des non-résidents sont réputées être faites au Canada. À ce titre, la TPS /TVH s'appliquent puisqu'il s'agit d'une fourniture taxable, sous réserve toutefois du paragraphe 167.2(1).

La définition du terme « congrès » qui figure au paragraphe 123(1) et aux fins du paragraphe 167.2(2), souligne que n'est pas un congrès, la réunion ou l'assemblée dont l'objet principal consiste, notamment à permettre à l'instigateur du congrès ou au congressistes de réaliser des affaires, soit dans le cadre d'une foire commerciale ouverte au grand public, soit autrement que dans le cadre d'une foire commerciale.

En général, il n'y aura pas de TPS/TVH sur les droits d'entrée d'un congrès pour un non-résident qui y assiste. Nous vous référons à nos commentaires en vertu du paragraphe 132(1) pour la définition de l'expression « non-résident ». Lorsque les conditions sont rencontrées, la TPS ne s'applique pas à la contrepartie du droit d'entrée qu'il est raisonnable d'imputer à l'obtention du centre de congrès.

Taxe payable

168. (1) Règle générale — La taxe prévue à la présente section est payable par l'acquéreur au premier en date du jour où la contrepartie de la fourniture taxable est payée et du jour où cette contrepartie devient due.

Notes historiques: Le paragraphe 168(1) a été ajouté par L.C. 1990, c. 45, par. 12(1).

Concordance québécoise: LTVQ, art. 82.

(2) Contrepartie partielle — Par dérogation au paragraphe (1), la taxe prévue à la présente section relativement à une fourniture taxable dont la contrepartie est payée ou devient due plus d'une fois est payable à chacun des jours qui est le premier en date du jour où une partie de la contrepartie est payée et du jour où cette partie devient due et est calculée sur la valur de la partie de la contrepartie qui est payée ou qui devient due ce jour-là.

Notes historiques: Le paragraphe 168(2) a été ajouté par L.C. 1990, c. 45, par. 12(1).

Concordance québécoise: LTVQ, art. 8

(3) Fourniture terminée — dérogation aux paragraphes (1) et (2), la taxe prévue à la présente tion, calculée sur la valeur de tout ou partie de la contreparti fourniture taxable, est payable le dernier jour du mois qui premier mois où l'un des faits suivants se réalise, dans la tout ou partie de la contrepartie n'est pas payée ou devenu plus tard ce jour-là :

a) s'il s'agit de iture par vente d'un bien meuble corporel, sauf la fourn à l'alinéa b) ou c), la propriété ou la possession du nsférée à l'acquéreur;

b) s'il s urniture par vente d'un bien meuble corporel livré à l'acquéreur par le fournisseur sur ap prob ation avec ou sans reprise des invendus ou au tr mblables —, l'acquéreur acquiert la propriété rel — urnit à une personne autre que le fournisseur;

une fourniture prévue par une convention écrite la réalisation de travaux de construction, rénovation, n ou réparation d'un immeuble ou d'un bateau ou nt de mer — étant raisonnable de s'attendre dans ce à ce que les travaux durent plus de trois mois —, les ont presque achevés.

ques: Le paragraphe 168(3) a été ajouté par L.C. 1990, c. 45, par. 12(1).

ce québécoise: LTVQ, art. 86.

rnitures continues — Le paragraphe (3) ne s'applique a fourniture d'eau, d'électricité, de gaz naturel, de vapeur ou un autre bien, si le bien est livré à l'acquéreur, ou mis à sa disposition, de façon continue au moyen d'un fil, d'un pipeline ou d'une autre canalisation et si le fournisseur facture l'acquéreur pour la fourniture de façon régulière ou périodique.

Notes historiques: Le paragraphe 168(4) a été ajouté par L.C. 1990, c. 45, par. 12(1).

Concordance québécoise: LTVQ, art. 87.

Info TPS/TVQ [art. 168(4)]: GI-076 — *Transition à la taxe de vente harmonisée de l'Ontario et de la Colombie-Britannique — fournitures continues et plans à versements égaux.*

(5) Vente d'un immeuble — Par dérogation aux paragraphes (1) et (2), la taxe prévue à la présente section relativement à la fourniture taxable d'un immeuble par vente est payable :

a) s'il s'agit de la fourniture d'un logement en copropriété dont la possession est transférée à l'acquéreur, après 1990 et avant l'enregistrement de l'immeuble d'habitation en copropriété dans lequel le logement est situé, aux termes de la convention relative à la fourniture, au premier en date du jour où la propriété du logement est transférée à l'acquéreur et du soixantième jour après le jour d'enregistrement;

b) dans les autres cas, au premier en date du jour du transfert à l'acquéreur de la propriété du bien et du jour du transfert à celui-ci de la possession du bien aux termes de la convention portant sur la fourniture.

Notes historiques: Le paragraphe 168(5) a été ajouté par L.C. 1990, c. 45, par. 12(1).

Concordance québécoise: LTVQ, art. 88.

(6) Contrepartie invérifiable — Pour l'application des paragraphes (3) et (5), la taxe calculée sur la valeur de tout ou partie d'une contrepartie est payable le jour qui est déterminé à ces paragraphes pour la partie vérifiable de la valeur ce jour-là et est payable le jour où elle devient vérifiable pour le reste.

Notes historiques: Le paragraphe 168(6) a été ajouté par L.C. 1990, c. 45, par. 12(1).

Concordance québécoise: LTVQ, art. 89.

(7) Contrepartie retenue — Par dérogation aux paragraphes (1), (2), (3), (5) et (6), la taxe prévue à la présente section, calculée sur la valeur d'une partie de la contrepartie d'une fourniture taxable que l'acquéreur retient, conformément à une loi fédérale ou provinciale ou à une convention écrite portant sur la construction, la rénovation, la transformation ou la réparation d'un immeuble ou d'un bateau ou autre bâtiment de mer, en attendant que tout ou partie de la fourniture soit effectuée de façon complète et satisfaisante, est payable au premier en date du jour où la partie de la contrepartie est payée et du jour où elle devient payable.

Notes historiques: Le paragraphe 168(7) a été ajouté par L.C. 1990, c. 45, par. 12(1).

Concordance québécoise: LTVQ, art. 90.

(8) Fourniture combinée — Pour l'application du présent article, dans le cas où sont fournis à la fois un service, un bien meuble et un immeuble — chacun étant appelé « élément » au présent paragraphe — ou l'un et l'autre de ceux-ci, et où la contrepartie de chaque élément n'est pas identifiée séparément, les présomptions suivantes s'appliquent :

a) s'il est raisonnable de considérer que la valeur d'un élément dépasse celle de chacun des autres éléments, seul cet élément est réputé fourni;

b) dans les autres cas, si l'un des éléments est un immeuble, seul cet immeuble est réputé fourni; sinon, seul le service est réputé fourni.

Notes historiques: Le paragraphe 168(8) a été ajouté par L.C. 1990, c. 45, par. 12(1).

Concordance québécoise: LTVQ, art. 91.

(9) Arrhes — Pour l'application du présent article, les arrhes (sauf celles afférentes à une enveloppe ou un contenant auxquels l'article 137 s'applique), remboursables ou non, versées au titre d'une fourniture ne sont considérées comme la contrepartie payée à ce titre que lorsque le fournisseur les considère ainsi.

Notes historiques: Le paragraphe 168(9) a été ajouté par L.C. 1990, c. 45, par. 12(1).

Concordance québécoise: LTVQ, art. 92.

Définitions [art. 168]: « acquéreur », « bien », « bien meuble », « contrepartie », « facture », « fourniture taxable », « immeuble », « immeuble d'habitation en copropriété », « logement en copropriété », « mois », « province », « service », « taxe », « vente » — 123(1); « fournitures accessoires » — 138.

Renvois [art. 168]: 137 (enveloppes et contenants); 138« fournitures accessoires »; 152 (moment où la contrepartie est réputée devenir due); 153(2) (contrepartie combinée); 178.8(4) (entente d'importation); 191(1) (fourniture à soi-même d'un logement en copropriété); 337(10) (fourniture terminée); 338(4) (fournitures continues); 339c) (paiements échelonnés); 341(5) (fourniture combinée); 352(12) (TVH — fourniture remisée); 356(7) (TVH — fournitures combinées).

Jurisprudence [art. 168]: *Services Sanitaires Roy Inc. c. St.-Patrice-de-Rivière-du-Loup (Municipalité)*, [1994] G.S.T.C. 57 (SC Que.); *Beau Rivage Appartements c. La Reine*, [1994] G.S.T.C. 79 (CCI); *Grandbury Developments Ltd. c. La Reine*, [1995] G.S.T.C. 73 (CCI); *Trengrove Developments Inc. c. La Reine*, [1996] G.S.T.C. 35 (CCI); *Douglas (K.S.) c. La Reine*, [1996] G.S.T.C. 39 (CCI); *277287 Alberta Ltd c. Canada*, [1997] G.S.T.C. 44 (CCI); *Tatarnic (S.) c. Canada*, [1997] G.S.T.C. 54 (CCI); *Jeffs (R.N.) c. Canada*, [1999] G.S.T.C. 48 (CCI); *O'Connor Group Realty Inc. c. R.*, [2000] G.S.T.C. 55 (CCI); *Trudel c. R.*, [2001] G.S.T.C. 23 (CCI); *Toitures Lancourt Inc. c. R.*, [2002] G.S.T.C. 3 (CCI); *Patoine c. R.*, 2007 G.T.C. 884 (CCI); *Melinte v. R.*, [2008] G.S.T.C. 95 (16 avril 2008) (CCI [procédure informelle]); *General Motors of Canada Ltd. v. R.* (22 février 2008), [2008] G.S.T.C. 41 (CCI [procédure générale]); *Lacroix c. R.*, 2010 CarswellNat 693, 2010 CCI 160, 2010 G.T.C. 287 (Fr.) (CCI [procédure générale]); *Tendances et concepts inc. c. R.* (8 mars 2011), 2011 CarswellNat 504, 2011 CCI 141 (CCI [procédure informelle]); *Lacroix c. R.* (8 avril 2011), 2011 CarswellNat 1094, 2011 CAF 128 (CAF).

Énoncés de politique [art. 168]: P-019R, 04/09/92, *Droit aux CTI relatifs aux frais de démarrage — biens en immobilisations admissibles*; P-083, 17/09/98, *Conventions d'achat visant une habitation neuve en Alberta*; P-042, 25/10/92, *Calculs du remboursement pour habitations neuves*; P-111R, 25/03/93, *Définition d'une vente à l'égard d'un immeuble*; P-164, 15/02/94, *Contrat de location avec option d'achat.*

Bulletins de l'information technique [art. 168]: B-091, 11/08, *Application de la TPS/TVH aux arrangements de services funéraires payés d'avance*; B-093R, 11/08, *Application de la TPS/TVH aux droits d'inhumation et aux accords de prévoyance pour biens ou services de cimetière.*

Mémorandums [art. 168]: TPS 300, 7/03/91, *Taxe sur les fournitures*, par. 14; TPS 300-6, 14/09/90, *Moment d'assujettissement de la fourniture*, par. 4, 9, 20–29, 37, 39, 40, 42, 44–47; TPS 300-6-1, 10/01/92, *Règle générale*, par. 3, 5, 11; TPS 300-6-2, 26/03/91, *Paiements*, par. 1, 5, 6, 9, 10; TPS 300-6-3, 20/03/91, *Factures*, par. 3; TPS 300-6-4, 15/01/91, *Conventions écrites*, par. 3, 11–14, 16; TPS 300-6-5, 2/01/91, *Immeubles*, par. 4, 8, 9, 12; TPS 300-6-6, 10/01/92, *Fournitures continues*, par. 3, 5, 6, 7, 10; TPS 300-6-7, 2/01/92, *Paiements partiels*, par. 3, 5, 6, 7, 10, 11, 12, 14; TPS 300-6-

LTA (TPS)

8, 15/01/91, *Arrhes*, par. 3, 5, 7–10, 15; TPS 300-6-9, 27/03/92, *Ventes en consignation*, par. 3, 5–10; TPS 300-6-10, 8/01/92, *Appareils automatiques*, par. 3; TPS 300-6-11, 23/01/92, *Règle de primauté*, par. 2, 4, 6–10, 12–16; TPS 300-6-13, 14/01/91, *Contrats de construction*, par. 3, 5–11; TPS 300-6-14, 10/01/92, *Retenues*, par. 3, 5-9; TPS 300-6-15, 23/01/92, *Valeur invérifiable*, par. 3, 5, 11-18; TPS 300-6-16, 11/01/91, *Fournitures combinées*, par. 3, 5, 11, 12, 13; TPS 500-6-6, 16/11/90, *Transactions chevauchantes*, par. 1, 61.

Série de mémorandums [art. 168]: Mémorandum 3.1, 08/99, *Assujettissement à la taxe*; Mémorandum 8-1, 05/05, *Règles générales d'admissibilité*; Mémorandum 19.1, 10/97, *Les immeubles et la TPS/TVH*; Mémorandum 19.1.1, 11/97, *Règles spéciales s'appliquant aux immeubles dans le régime de la TVH.*

Info TPS/TVQ [art. 168]: GI-009 — *Produits vendus en consignation*; GI-013 — *Réduction du taux de la TPS/TVH*; GI-016 — *Application du taux réduit de la TPS/TVH aux arrangements de services funéraires payés d'avance et aux accords de prévoyance Juin 2006 pour biens ou services de cimetière*; GI-038 — *Réduction du taux de la TPS/TVH (2008)*; GI-040 — *Application du taux réduit de la TPS/TVH (2008) aux arrangements de services funéraires payés d'avance et aux accords de prévoyance pour biens ou services de cimetière*; GI-092 — *Taxe de vente harmonisée - Locations d'immeubles en Ontario et en Colombie Britannique*; GI-103 — *Hausse du taux de la TVH de la Nouvelle Écosse - Paiements échelonnés et retenues.*

Lettres d'interprétation (Québec) [art. 168]: 98-010842 — Commerce au détail; 98-0103568 — Interprétation relative à la TPS — Interprétation relative à la TVQ — Fourniture de véhicules routiers; 99-0101388 — Interprétation relative à la TPS et à la TVQ — Droit aux CTI et aux RTI à l'égard des coûts de construction d'un bâtiment dans le cadre d'un droit d'emphytéose; 99-0103467 — Interprétation relative à la TPS et à la TVQ — Droit aux CTI et aux RTI à l'égard des coûts de construction d'un bâtiment; 99-0104002 — Décision portant sur l'application de la TPS — Interprétation relative à la TVQ — Droit aux CTI et aux RTI à l'égard des coûts de construction d'un bâtiment dans le cadre d'un droit d'emphytéose; 99-0106833 — Interprétation relative à la TPS et à la TVQ — Fourniture d'activités de loisir aux citoyens d'une municipalité; 99-0109126 — Interprétation relative à la TPS — Interprétation relative à la TVQ — Notion de dépôt; 00-0105098 — Interprétation relative à la TPS et à la TVQ — Convention de crédit-bail avec option d'achat.

COMMENTAIRES: Cet article prévoit le moment où la taxe est payable par un acquéreur. Lorsque l'acquéreur paie la taxe, le fournisseur a par la suite l'obligation de détenir ce montant en fiducie pour Sa Majesté. Nous vous invitons à consulter nos commentaires sous le paragraphe 222(1) à cet effet.

Selon le paragraphe 168 (1), la taxe est payable par l'acquéreur au premier en date du jour où la contrepartie de la fourniture taxable est payée et du jour où cette contrepartie devient due. De façon générale, la contrepartie d'une fourniture devient due lorsque le fournisseur délivre, pour la première fois, une facture pour tout ou partie de la contrepartie et du jour apparaissant sur la facture. Ainsi, lorsqu'un commerçant doit, dans les circonstances ci-dessus mentionnées, remettre gratuitement le bien au consommateur, Revenu Québec est d'avis que la taxe ne doit pas être payée par le consommateur puisqu'il s'agit d'une fourniture sans contrepartie. Dans ce cas, si la taxe est devenue payable, c'est-à-dire qu'une facture a été émise, ou si la taxe a été perçue par le commerçant, celui-ci pourra faire les ajustements conformément au paragraphe 232(2). Voir notamment à cet effet : Revenu Québec, Lettre d'interprétation, 01-0101418 — *Interprétation relative à la TPS et à la TVQ — Réduction de la contrepartie d'une fourniture* (15 mars 2001).

Dans le cas où il ne s'agit pas d'une fourniture exonérée, la TPS s'applique à l'égard de la fourniture taxable des terrains par emphytéose quant à la partie de la contrepartie de la fourniture qui est constituée des rentes annuelles, le cas échéant, le premier en date du jour où elles sont payées et du jour où elles sont réputées devenir dues. Quant à la partie de la contrepartie de la fourniture qui est constituée de la fourniture du bâtiment par vente, la TPS s'applique au premier en date du jour où le bâtiment est remis au propriétaire et du jour où celui-ci est réputé lui être remis (paragraphes 168(1) et 152(2)), soit généralement à la fin de l'emphytéose. La TPS doit être calculée sur la juste valeur marchande du bâtiment au moment de la fourniture des terrains par emphytéose, c'est-à-dire au début de l'emphytéose (paragraphe 153(1)). Voir notamment à cet effet : Revenu Québec, Lettre d'interprétation, 99-0104002 — *Décision portant sur l'application de la TPS — Interprétation relative à la TVQ — Droit aux CTI et aux RTI à l'égard des coûts de construction d'un bâtiment dans le cadre d'un droit d'emphytéose* (17 septembre 1999).

Plus précisément, l'alinéa a) du paragraphe 168(3) prévoit le moment où la taxe devient payable dans certains cas de vente. Comme la définition de « vente » est prévue à la *Loi sur la taxe d'accise (TPS)*, mais que la notion de transfert de propriété sur laquelle elle se base n'y est pas définie, il y a lieu de référer aux dispositions pertinentes du *Code civil du Québec* aux fins d'interprétation. En effet, le droit fiscal étant un droit accessoire, il n'existe qu'au niveau des effets découlant des contrats et ce n'est qu'une fois la nature de ces derniers déterminée par le droit civil que le droit fiscal intervient pour imposer des conséquences fiscales. À cet égard, l'article 947 du Code civil du Québec définit la propriété par « l'ensemble des droits d'user, de jouir et de disposer librement et complètement d'un bien ». Plus particulièrement, dans le cas d'un contrat de crédit-bail, il est établi par les articles 1842 et suivants du *Code civil du Québec* et reconnu par la doctrine et la jurisprudence que le crédit-bailleur est le détenteur des droits de propriété de l'objet loué et que cet objet doit lui être remis à la fin du bail, à moins que le crédit-preneur n'ait levé une option permettant d'en faire l'acquisition. Il est de plus établi qu'un crédit-bail n'emporte pas transfert de propriété, sauf dans le *cas où le crédit-preneur* lève une option d'achat *incluse dans le contrat*. Dans un tel cas, la propriété

n'est toutefois transférée au crédit-preneur qu'à partir du moment où il lève l'option, et ce, sans égard au montant qu'il doit verser pour ce faire. Ainsi, en l'espèce, comme un crédit-bail n'emporte pas transfert de propriété de l'objet loué en faveur du crédit-preneur, tout comme une option d'achat jusqu'à ce qu'elle soit levée, Revenu Québec est d'avis qu'il n'y a pas transfert de propriété au sens du *Code civil du Québec* dans un tel cas et qu'il ne peut donc y avoir eu fourniture par vente au sens de l'alinéa a) du paragraphe 168(3). Revenu Québec est plutôt d'avis que ce crédit-bail constitue une convention de louage de biens et que c'est le paragraphe *168(2)* qui doit s'appliquer relativement à la détermination du moment où la taxe est payable. La taxe est donc payable chacun des jours qui est le premier en date du jour où ... partie de la contrepartie est payée et du jour où cette partie devient due, calculée ... valeur de la partie de la contrepartie qui est payée ou qui devient due ce jour ... notamment à cet effet : Revenu Québec, Lettre d'interprétation, 00-0105098 — *Interprétation relative à la TPS et à la TVQ — Convention de crédit-bail avec option d'achat* (... 2001).

Dans le cadre de projets d'infrastructures réalisés par le ... partenariat public-privé, la question peut se poser à l'égard de l'alinéa 168(3)(c) ... particulièrement à l'effet de savoir si les bâtiments résultant de deux phases de ... devraient être considérés comme un seul immeuble aux fins de cet alinéa. ... critères suivants sont pris en considération par les tribunaux pour ... plusieurs bâtiments sont suffisamment rattachés pour être considérés ... bâtiment aux fins de la définition de l'expression « immeuble d'hab... au paragraphe 123(1) : (i) un projet de construction sur le même lot, (... des ... architecture commun, (iii) un stationnement commun, (iv) une fondation ... des coûts communs, *c.-à-d.* la démolition, l'excavation, l'installation ... égouts, les services de gaz, la construction des routes, des trottoirs, le co... terrain et le palplanche, (vi) des servitudes communes, et (vii) un centre réc... mun. De par leur nature, il existe une certaine similitude entre les termes « bâti... « immeuble » et il serait possible d'argumenter, de l'avis de l'auteur, que les ... développés par la jurisprudence quant au concept de rattachement pourrait égal... s'appliquer dans le contexte d'un « immeuble » aux fins des règles de l'autocotisatio... vertu de l'alinéa 168(3)(c). Toutefois, étant donné que la définition du terme « imme... ble » prévue au paragraphe 123(1) nous renvoie spécifiquement, au Québec, au *Code civil du Québec*, il est alors important d'analyser la jurisprudence civile quant à la définition d'un immeuble situé au Québec aux fins civiles, car un tribunal fiscal pourrait s'inspirer fortement de celle-ci pour interpréter la définition d'un immeuble aux fins de la *Loi sur la taxe d'accise (TPS)*. Pour une revue de la jurisprudence, voir notamment à cet effet : *Cragg & Cragg Design Group Ltd c. MNR*, 1998 GTC 6216 (C.F.), *327199 BC Ltd. c. The Queen*, [1997] 5 GTC 1010 (C.C.I.), *St. Boniface General Hospital c. Assessor* (City of Winnipeg), 2003 PTC -MB-03 (Cour d'appel du Manitoba).

Par dérogation au paragraphe 168(1), le paragraphe 168(7) permet de reporter le moment où la taxe est payable sur un montant retenu, lorsque l'acquéreur d'une fourniture taxable retient, conformément à une convention écrite portant sur la construction d'un immeuble, une partie de la contrepartie en attendant que tout ou partie de la fourniture soit effectuée de façon complète et satisfaisante, au premier en date du jour où le montant retenu est payé et du jour où la retenue devient due conformément à la convention écrite. Pour une illustration de l'application du paragraphe 168(7), voir notamment : Revenu Québec, Lettre d'interprétation, 12-015140-001 — *Interprétation relative à la TPS — Interprétation relative à la TVQ — Retenues sur les contrats de construction* (27 septembre 2012).

Il est à noter qu'une demande de remboursement de taxe payée par erreur peut être présentée si la TPS/TVH a été payée avant qu'elle ne soit due conformément au paragraphe (7). Voir notamment à cet égard : question 18, Agence du revenu du Canada, Questions et commentaires en TPS/TVQ — Conférence annuelle entre l'Association du Barreau Canadien et l'Agence du revenu du Canada (24 février 2011).

Aux fins de l'application du paragraphe 168(9), Revenu Québec distingue la notion de « dépôt/acompte » et d'« arrhes ». Le paiement à titre de garantie ne peut être considéré comme des arrhes en vertu du paragraphe 168(9). Pour l'application du paragraphe 168(9), sont considérées comme des arrhes, un montant que l'acquéreur donne en garantie pour assurer l'exécution d'une obligation qui lui incombe. Ce montant peut être remboursable ou pas. Par ailleurs, Revenu Québec définit la notion d'acompte comme étant le paiement partiel de la contrepartie d'une fourniture lors de la formation du contrat donnant lieu à la fourniture. En conséquence, étant donné que le paiement en garantie est remis par l'acquéreur lors de la signature du contrat de vente, et que ce montant représente une exécution partielle par l'acquéreur de son obligation de payer la contrepartie, Revenu Québec est d'avis que ce montant doit être considéré comme un acompte et, par le fait même, la taxe devrait être payée conformément au paragraphe 168(2). Voir à cet effet : Revenu Québec, Lettre d'interprétation 99-0109126 — *Interprétation relative à la TPS — Interprétation relative à la TVQ — Notion de dépôt* (17 janvier 2000).

Récemment, dans l'affaire *Tendances & concepts Inc. c. R.*, 2011 CarswellNat 504 (C.C.I.), la Cour canadienne de l'impôt a fait une étude exhaustive de la notion d'arrhes qui figure au paragraphe 168(9), en droit civil et en common law, ainsi que la définition qu'elle doit avoir en vertu de la *Loi sur la taxe d'accise (TPS)*. Les arrhes sont un concept de droit civil qui n'a pas été repris dans le nouveau *Code civil du Québec*. De l'avis de la Cour canadienne de l'impôt, le but du dépôt est de s'assurer de l'exécution des obligations de l'acheteur (comme le « deposit » de *common law*), mais il prend les attributs des arrhes du droit civil, à l'exception de la réciprocité. Pour ces raisons, le tribunal est d'avis que le dépôt, tel que défini par Revenu Québec correspond à ce que devrait être le « deposit » ou les arrhes selon le paragraphe 168(9).

Les décisions *Lacroix c. R.*, 2011 CarswellNat 1094, 2011 CAF 128 (C.A.F) (permission d'en appeler à la Cour suprême du Canada refusée, [2011] G.S.T.C.62) et *Rockport Developments Inc. c. R.*, 2009 CarswellNat 1137 (C.C.I.) analysent l'interaction entre

vient due et est calculée sur la valeur de la partie de la contrepartie qui est payée ou qui devient due ce jour-là.

Notes historiques: Le paragraphe 168(2) a été ajouté par L.C. 1990, c. 45, par. 12(1).

Concordance québécoise: LTVQ, art. 85.

(3) **Fourniture terminée** — Par dérogation aux paragraphes (1) et (2), la taxe prévue à la présente section, calculée sur la valeur de tout ou partie de la contrepartie d'une fourniture taxable, est payable le dernier jour du mois qui suit le premier mois où l'un des faits suivants se réalise, dans le cas où tout ou partie de la contrepartie n'est pas payée ou devenue due au plus tard ce jour-là :

a) s'il s'agit de la fourniture par vente d'un bien meuble corporel, sauf la fourniture visée à l'alinéa b) ou c), la propriété ou la possession du bien est transférée à l'acquéreur;

b) s'il s'agit de la fourniture par vente d'un bien meuble corporel — le bien étant livré à l'acquéreur par le fournisseur sur approbation, consignation avec ou sans reprise des invendus ou autres modalités semblables — , l'acquéreur acquiert la propriété du bien ou le fournit à une personne autre que le fournisseur;

c) s'il s'agit d'une fourniture prévue par une convention écrite qui porte sur la réalisation de travaux de construction, rénovation, transformation ou réparation d'un immeuble ou d'un bateau ou autre bâtiment de mer — étant raisonnable de s'attendre dans ce dernier cas à ce que les travaux durent plus de trois mois — , les travaux sont presque achevés.

Notes historiques: Le paragraphe 168(3) a été ajouté par L.C. 1990, c. 45, par. 12(1).

Concordance québécoise: LTVQ, art. 86.

(4) **Fournitures continues** — Le paragraphe (3) ne s'applique pas à la fourniture d'eau, d'électricité, de gaz naturel, de vapeur ou d'un autre bien, si le bien est livré à l'acquéreur, ou mis à sa disposition, de façon continue au moyen d'un fil, d'un pipeline ou d'une autre canalisation et si le fournisseur facture l'acquéreur pour la fourniture de façon régulière ou périodique.

Notes historiques: Le paragraphe 168(4) a été ajouté par L.C. 1990, c. 45, par. 12(1).

Concordance québécoise: LTVQ, art. 87.

Info TPS/TVQ [art. 168(4)]: GI-076 — *Transition à la taxe de vente harmonisée de l'Ontario et de la Colombie-Britannique — fournitures continues et plans à versements égaux.*

(5) **Vente d'un immeuble** — Par dérogation aux paragraphes (1) et (2), la taxe prévue à la présente section relativement à la fourniture taxable d'un immeuble par vente est payable :

a) s'il s'agit de la fourniture d'un logement en copropriété dont la possession est transférée à l'acquéreur, après 1990 et avant l'enregistrement de l'immeuble d'habitation en copropriété dans lequel le logement est situé, aux termes de la convention relative à la fourniture, au premier en date du jour où la propriété du logement est transférée à l'acquéreur et du soixantième jour après le jour d'enregistrement;

b) dans les autres cas, au premier en date du jour du transfert à l'acquéreur de la propriété du bien et du jour du transfert à celui-ci de la possession du bien aux termes de la convention portant sur la fourniture.

Notes historiques: Le paragraphe 168(5) a été ajouté par L.C. 1990, c. 45, par. 12(1).

Concordance québécoise: LTVQ, art. 88.

(6) **Contrepartie invérifiable** — Pour l'application des paragraphes (3) et (5), la taxe calculée sur la valeur de tout ou partie d'une contrepartie est payable le jour qui est déterminé à ces paragraphes pour la partie vérifiable de la valeur ce jour-là et est payable le jour où elle devient vérifiable pour le reste.

Notes historiques: Le paragraphe 168(6) a été ajouté par L.C. 1990, c. 45, par. 12(1).

Concordance québécoise: LTVQ, art. 89.

(7) **Contrepartie retenue** — Par dérogation aux paragraphes (1), (2), (3), (5) et (6), la taxe prévue à la présente section, calculée sur la valeur d'une partie de la contrepartie d'une fourniture taxable que l'acquéreur retient, conformément à une loi fédérale ou provinciale ou à une convention écrite portant sur la construction, la rénovation, la transformation ou la réparation d'un immeuble ou d'un bateau ou autre bâtiment de mer, en attendant que tout ou partie de la fourniture soit effectuée de façon complète et satisfaisante, est payable au premier en date du jour où la partie de la contrepartie est payée et du jour où elle devient payable.

Notes historiques: Le paragraphe 168(7) a été ajouté par L.C. 1990, c. 45, par. 12(1).

Concordance québécoise: LTVQ, art. 90.

(8) **Fourniture combinée** — Pour l'application du présent article, dans le cas où sont fournis à la fois un service, un bien meuble et un immeuble — chacun étant appelé « élément » au présent paragraphe — ou l'un et l'autre de ceux-ci, et où la contrepartie de chaque élément n'est pas identifiée séparément, les présomptions suivantes s'appliquent :

a) s'il est raisonnable de considérer que la valeur d'un élément dépasse celle de chacun des autres éléments, seul cet élément est réputé fourni;

b) dans les autres cas, si l'un des éléments est un immeuble, seul cet immeuble est réputé fourni; sinon, seul le service est réputé fourni.

Notes historiques: Le paragraphe 168(8) a été ajouté par L.C. 1990, c. 45, par. 12(1).

Concordance québécoise: LTVQ, art. 91.

(9) **Arrhes** — Pour l'application du présent article, les arrhes (sauf celles afférentes à une enveloppe ou un contenant auxquels l'article 137 s'applique), remboursables ou non, versées au titre d'une fourniture ne sont considérées comme la contrepartie payée à ce titre que lorsque le fournisseur les considère ainsi.

Notes historiques: Le paragraphe 168(9) a été ajouté par L.C. 1990, c. 45, par. 12(1).

Concordance québécoise: LTVQ, art. 92.

Définitions [art. 168]: « acquéreur », « bien », « bien meuble », « contrepartie », « facture », « fourniture taxable », « immeuble », « immeuble d'habitation en copropriété », « logement en copropriété », « mois », « province », « service », « taxe », « vente » — 123(1); « fournitures accessoires » — 138.

Renvois [art. 168]: 137 (enveloppes et contenants); 138« fournitures accessoires »; 152 (moment où la contrepartie est réputée devenir due); 153(2) (contrepartie combinée); 178.8(4) (entente d'importation); 191(1) (fourniture à soi-même d'un logement en copropriété); 337(10) (fourniture terminée); 338(4) (fournitures continues); 339c) (paiements échelonnés); 341(5) (fourniture combinée); 352(12) (TVH — fourniture remisée); 356(7) (TVH — fournitures combinées).

Jurisprudence [art. 168]: *Services Sanitaires Roy Inc. c. St.-Patrice-de-Rivière-du-Loup (Municipalité)*, [1994] G.S.T.C. 57 (SC Que.); *Beau Rivage Appartements c. La Reine*, [1994] G.S.T.C. 79 (CCI); *Grandbury Developments Ltd. c. La Reine*, [1995] G.S.T.C. 73 (CCI); *Trengrove Developments Inc. c. La Reine*, [1996] G.S.T.C. 35 (CCI); *Douglas (K.S.) c. La Reine*, [1996] G.S.T.C. 39 (CCI); *277287 Alberta Ltd c. Canada*, [1997] G.S.T.C. 44 (CCI); *Tatarnic (S.) c. Canada*, [1997] G.S.T.C. 54 (CCI); *Jeffs (R.N.) c. Canada*, [1999] G.S.T.C. 48 (CCI); *O'Connor Group Realty Inc. c. R.*, [2000] G.S.T.C. 55 (CCI); *Trudel c. R.*, [2001] G.S.T.C. 23 (CCI); *Toitures Lancourt Inc. c. R.*, [2002] G.S.T.C. 3 (CCI); *Patoine c. R.*, 2007 G.T.C. 884 (CCI); *Melinte v. R.*, [2008] G.S.T.C. 95 (16 avril 2008) (CCI [procédure informelle]); *General Motors of Canada Ltd. v. R.* (22 février 2008), [2008] G.S.T.C. 41 (CCI [procédure générale]); *Lacroix c. R.*, 2010 CarswellNat 693, 2010 CCI 160, 2010 G.T.C. 287 (Fr.) (CCI [procédure générale]); *Tendances et concepts inc. c. R.* (8 mars 2011), 2011 CarswellNat 504, 2011 CCI 141 (CCI [procédure informelle]); *Lacroix c. R.* (8 avril 2011), 2011 CarswellNat 1094, 2011 CAF 128 (CAF).

Énoncés de politique [art. 168]: P-019R, 04/09/92, *Droit aux CTI relatifs aux frais de démarrage — biens en immobilisations admissibles*; P-083, 17/09/98, *Conventions d'achat visant une habitation neuve en Alberta*; P-042, 25/10/92, *Calculs du remboursement pour habitations neuves*; P-111R, 25/03/93, *Définition d'une vente à l'égard d'un immeuble*; P-164, 15/02/94, *Contrat de location avec option d'achat.*

Bulletins de l'information technique [art. 168]: B-091, 11/08, *Application de la TPS/TVH aux arrangements de services funéraires payés d'avance*; B-093R, 11/08, *Application de la TPS/TVH aux droits d'inhumation et aux accords de prévoyance pour biens ou services de cimetière.*

Mémorandums [art. 168]: TPS 300, 7/03/91, *Taxe sur les fournitures*, par. 14; TPS 300-6, 14/09/90, *Moment d'assujettissement de la fourniture*, par. 4, 9, 20–29, 37, 39, 40, 42, 44–47; TPS 300-6-1, 10/01/92, *Règle générale*, par. 3, 5, 11; TPS 300-6-2, 26/03/91, *Paiements*, par. 1, 5, 6, 9, 10; TPS 300-6-3, 20/03/91, *Factures*, par. 3; TPS 300-6-4, 15/01/91, *Conventions écrites*, par. 3, 11–14, 16; TPS 300-6-5, 2/01/91, *Immeubles*, par. 4, 8, 9, 12; TPS 300-6-6, 10/01/92, *Fournitures continues*, par. 3, 5, 6, 7, 10; TPS 300-6-7, 2/01/92, *Paiements partiels*, par. 3, 5, 6, 7, 10, 11, 12, 14; TPS 300-6-

8, 15/01/91, *Arrhes*, par. 3, 5, 7–10, 15; TPS 300-6-9, 27/03/92, *Ventes en consignation*, par. 3, 5–10; TPS 300-6-10, 8/01/92, *Appareils automatiques*, par. 3; TPS 300-6-11, 23/01/92, *Règle de primauté*, par. 2, 4, 6–10, 12–16; TPS 300-6-13, 14/01/91, *Contrats de construction*, par. 3, 5–11; TPS 300-6-14, 10/01/92, *Retenues*, par. 3, 5-9; TPS 300-6-15, 23/01/92, *Valeur invérifiable*, par. 3, 5, 11-18; TPS 300-6-16, 11/01/91, *Fournitures combinées*, par. 3, 5, 11, 12, 13; TPS 500-6-6, 16/11/90, *Transactions chevauchantes*, par. 1, 61.

Série de mémorandums [art. 168]: Mémorandum 3.1, 08/99, *Assujettissement à la taxe*; Mémorandum 8-1, 05/05, *Règles générales d'admissibilité*; Mémorandum 19.1, 10/97, *Les immeubles et la TPS/TVH*; Mémorandum 19.1.1, 11/97, *Règles spéciales s'appliquant aux immeubles dans le régime de la TVH*.

Info TPS/TVQ [art. 168]: GI-009 — *Produits vendus en consignation*; GI-013 — *Réduction du taux de la TPS/TVH*; GI-016 — *Application du taux réduit de la TPS/TVH aux arrangements de services funéraires payés d'avance et aux accords de prévoyance Juin 2006 pour biens ou services de cimetière*; GI-038 — *Réduction du taux de la TPS/TVH (2008)*; GI-040 — *Application du taux réduit de la TPS/TVH (2008) aux arrangements de services funéraires payés d'avance et aux accords de prévoyance pour biens ou services de cimetière*; GI-092 — *Taxe de vente harmonisée - Locations d'immeubles en Ontario et en Colombie Britannique*; GI-103 — *Hausse du taux de la TVH de la Nouvelle Écosse - Paiements échelonnés et retenues.*

Lettres d'interprétation (Québec) [art. 168]: 98-010842 — Commerce au détail; 98-0103568 — Interprétation relative à la TPS — Interprétation relative à la TVQ — Fourniture de véhicules routiers; 99-0101388 — Interprétation relative à la TPS et à la TVQ — Droit aux CTI et aux RTI à l'égard des coûts de construction d'un bâtiment dans le cadre d'un droit d'emphytéose; 99-0103467 — Interprétation relative à la TPS et à la TVQ — Droit aux CTI et aux RTI à l'égard des coûts de construction d'un bâtiment; 99-0104002 — Décision portant sur l'application de la TPS — Interprétation relative à la TVQ — Droit aux CTI et aux RTI à l'égard des coûts de construction d'un bâtiment dans le cadre d'un droit d'emphytéose; 99-0106833 — Interprétation relative à la TPS et à la TVQ — Fourniture d'activités de loisir aux citoyens d'une municipalité; 99-0109126 — Interprétation relative à la TPS — Interprétation relative à la TVQ — Notion de dépôt; 00-0105098 — Interprétation relative à la TPS et à la TVQ — Convention de crédit-bail avec option d'achat.

COMMENTAIRES: Cet article prévoit le moment où la taxe est payable par un acquéreur. Lorsque l'acquéreur paie la taxe, le fournisseur a par la suite l'obligation de détenir ce montant en fiducie pour Sa Majesté. Nous vous invitons à consulter nos commentaires sous le paragraphe 222(1) à cet effet.

Selon le paragraphe 168 (1), la taxe est payable par l'acquéreur au premier en date du jour où la contrepartie de la fourniture taxable est payée et du jour où cette contrepartie devient due. De façon générale, la contrepartie d'une fourniture devient due lorsque le fournisseur délivre, pour la première fois, une facture pour tout ou partie de la contrepartie et du jour apparaissant sur la facture. Ainsi, lorsqu'un commerçant doit, dans les circonstances ci-dessus mentionnées, remettre gratuitement le bien au consommateur, Revenu Québec est d'avis que la taxe ne doit pas être payée par le consommateur puisqu'il s'agit d'une fourniture sans contrepartie. Dans ce cas, si la taxe est devenue payable, c'est-à-dire qu'une facture a été émise, ou si la taxe a été perçue par le commerçant, celui-ci pourra faire les ajustements conformément au paragraphe 232(2). Voir notamment à cet effet : Revenu Québec, Lettre d'interprétation, 01-0101418 — *Interprétation relative à la TPS et à la TVQ — Réduction de la contrepartie d'une fourniture* (15 mars 2001).

Dans le cas où il ne s'agit pas d'une fourniture exonérée, la TPS s'applique à l'égard de la fourniture taxable des terrains par emphytéose quant à la partie de la contrepartie de la fourniture qui est constituée des rentes annuelles, le cas échéant, le premier en date du jour où elles sont payées et du jour où elles sont réputées devenir dues. Quant à la partie de la contrepartie de la fourniture qui est constituée de la fourniture du bâtiment par vente, la TPS s'applique au premier en date du jour où le bâtiment est remis au propriétaire et du jour où celui-ci est réputé lui être remis (paragraphes 168(1) et 152(2)), soit généralement à la fin de l'emphytéose. La TPS doit être calculée sur la juste valeur marchande du bâtiment au moment de la fourniture des terrains par emphytéose, c'est-à-dire au début de l'emphytéose (paragraphe 153(1)). Voir notamment à cet effet : Revenu Québec, Lettre d'interprétation, 99-0104002 — *Décision portant sur l'application de la TPS — Interprétation relative à la TVQ — Droit aux CTI et aux RTI à l'égard des coûts de construction d'un bâtiment dans le cadre d'un droit d'emphytéose* (17 septembre 1999).

Plus précisément, l'alinéa a) du paragraphe 168(3) prévoit le moment où la taxe devient payable dans certains cas de vente. Comme la définition de « vente » est prévue à la *Loi sur la taxe d'accise (TPS)*, mais que la notion de transfert de propriété sur laquelle elle se base n'y est pas définie, il y a lieu de référer aux dispositions pertinentes du *Code civil du Québec* aux fins d'interprétation. En effet, le droit fiscal étant un droit accessoire, il n'existe qu'au niveau des effets découlant des contrats et ce n'est qu'une fois la nature de ces derniers déterminée par le droit civil que le droit fiscal intervient pour imposer des conséquences fiscales. À cet égard, l'article 947 du Code civil du Québec définit la propriété par « l'ensemble des droits d'user, de jouir et de disposer librement et complètement d'un bien ». Plus particulièrement, dans le cas d'un contrat de crédit-bail, il est établi par les articles 1842 et suivants du *Code civil du Québec* et reconnu par la doctrine et la jurisprudence que le crédit-bailleur est le détenteur des droits de propriété de l'objet loué et que cet objet doit lui être remis à la fin du bail, à moins que le crédit-preneur n'ait levé une option permettant d'en faire l'acquisition. Il est de plus établi qu'un crédit-bail n'emporte pas transfert de propriété, sauf dans le cas où le crédit-preneur lève une option d'achat incluse dans le contrat. Dans un tel cas, la propriété n'est toutefois transférée au crédit-preneur qu'à partir du moment où il lève l'option, et ce, sans égard au montant qu'il doit verser pour ce faire. Ainsi, en l'espèce, comme un crédit-bail n'emporte pas transfert de propriété de l'objet loué en faveur du crédit-preneur, tout comme une option d'achat jusqu'à ce qu'elle soit levée, Revenu Québec est d'avis qu'il n'y a pas transfert de propriété au sens du *Code civil du Québec* dans un tel cas et qu'il ne peut donc y avoir eu fourniture par vente au sens de l'alinéa a) du paragraphe 168(3). Revenu Québec est plutôt d'avis que ce crédit-bail constitue une convention de louage de biens et que c'est le paragraphe 168(2) qui doit s'appliquer relativement à la détermination du moment où la taxe est payable. La taxe est donc payable chacun des jours qui est le premier en date du jour où une partie de la contrepartie est payée et du jour où cette partie devient due, calculée sur la valeur de la partie de la contrepartie qui est payée ou qui devient due ce jour-là. Voir notamment à cet effet : Revenu Québec, Lettre d'interprétation, 00-0105098 — *Interprétation relative à la TPS et à la TVQ — Convention de crédit-bail avec option d'achat* (14 mai 2001).

Dans le cadre de projets d'infrastructures réalisés par le biais d'un partenariat public-privé, la question peut se poser à l'égard de l'alinéa 168(3)(c), et plus particulièrement à l'effet de savoir si les bâtiments résultant de deux phases de construction peuvent être considérés comme un seul immeuble aux fins de cet alinéa. En bref, l'ensemble des critères suivants sont pris en considération par les tribunaux pour déterminer si deux ou plusieurs bâtiments sont suffisamment rattachés pour être considérés comme un seul bâtiment aux fins de la définition de l'expression « immeuble d'habitation » qui figure au paragraphe 123(1) : (i) un projet de construction sur le même lot, (ii) un projet d'architecture commun, (iii) un stationnement commun, (iv) une fondation commune, (v) des coûts communs, *c.-à-d.* la démolition, l'excavation, l'installation de l'eau, les égouts, les services de gaz, la construction des routes, des trottoirs, le compactage du terrain et le palplanche, (vi) des servitudes communes, et (vii) un centre récréatif commun. De par leur nature, il existe une certaine similitude entre les termes « bâtiment » et « immeuble » et il serait possible d'argumenter, de l'avis de l'auteur, que les critères développés par la jurisprudence quant au concept de rattachement pourrait également s'appliquer dans le contexte d'un « immeuble » aux fins des règles de l'autocotisation en vertu de l'alinéa 168(3)(c). Toutefois, étant donné que la définition du terme « immeuble » prévue au paragraphe 123(1) nous renvoie spécifiquement, au Québec, au *Code civil du Québec*, il est alors important d'analyser la jurisprudence civile quant à la définition d'un immeuble situé au Québec aux fins civiles, car un tribunal fiscal pourrait s'inspirer fortement de celle-ci pour interpréter la définition d'un immeuble aux fins de la *Loi sur la taxe d'accise (TPS)*. Pour une revue de la jurisprudence, voir notamment à cet effet : *Cragg & Cragg Design Group Ltd c. MNR*, 1998 GTC 6216 (C.F.), *327199 BC Ltd. c. The Queen*, [1997] 5 GTC 1010 (C.C.I.), *St. Boniface General Hospital c. Assessor* (City of Winnipeg), 2003 PTC -MB-03 (Cour d'appel du Manitoba).

Par dérogation au paragraphe 168(1), le paragraphe 168(7) permet de reporter le moment où la taxe est payable sur un montant retenu, lorsque l'acquéreur d'une fourniture taxable retient, conformément à une convention écrite portant sur la construction d'un immeuble, une partie de la contrepartie en attendant que tout ou partie de la fourniture soit effectuée de façon complète et satisfaisante, au premier en date du jour où le montant retenu est payé et du jour où la retenue devient due conformément à la convention écrite. Pour une illustration de l'application du paragraphe 168(7), voir notamment : Revenu Québec, Lettre d'interprétation, 12-015140-001 — *Interprétation relative à la TPS — Interprétation relative à la TVQ — Retenues sur les contrats de construction* (27 septembre 2012).

Il est à noter qu'une demande de remboursement de taxe payée par erreur peut être présentée si la TPS/TVH a été payée avant qu'elle ne soit due conformément au paragraphe (7). Voir notamment à cet égard : question 18, Agence du revenu du Canada, Questions et commentaires en TPS/TVQ — Conférence annuelle entre l'Association du Barreau Canadien et l'Agence du revenu du Canada (24 février 2011).

Aux fins de l'application du paragraphe 168(9), Revenu Québec distingue la notion de « dépôt/acompte » et d'« arrhes ». Le paiement à titre de garantie ne peut être considéré comme des arrhes en vertu du paragraphe 168(9). Pour l'application du paragraphe 168(9), sont considérées comme des arrhes, un montant que l'acquéreur donne en garantie pour assurer l'exécution d'une obligation qui lui incombe. Ce montant peut être remboursable ou pas. Par ailleurs, Revenu Québec définit la notion d'acompte comme étant le paiement partiel de la contrepartie d'une fourniture lors de la formation du contrat donnant lieu à la fourniture. En conséquence, étant donné que le paiement en garantie est remis par l'acquéreur lors de la signature du contrat de vente, et que ce montant représente une exécution partielle par l'acquéreur de son obligation de payer la contrepartie, Revenu Québec est d'avis que ce montant doit être considéré comme un acompte et, par le fait même, la taxe devrait être payée conformément au paragraphe 168(2). Voir à cet effet : Revenu Québec, Lettre d'interprétation 99-0109126 — *Interprétation relative à la TPS — Interprétation relative à la TVQ — Notion de dépôt* (17 janvier 2000).

Récemment, dans l'affaire *Tendances & concepts Inc. c. R.*, 2011 CarswellNat 504 (C.C.I.), la Cour canadienne de l'impôt a fait une étude exhaustive de la notion d'arrhes qui figure au paragraphe 168(9), en droit civil et en common law, ainsi que la définition qu'elle doit avoir en vertu de la *Loi sur la taxe d'accise (TPS)*. Les arrhes sont un concept de droit civil qui n'a pas été repris dans le nouveau *Code civil du Québec*. De l'avis de la Cour canadienne de l'impôt, le but du dépôt est de s'assurer de l'exécution des obligations de l'acheteur (comme le « deposit » de *common law*), mais il prend les attributs des arrhes du droit civil, à l'exception de la réciprocité. Pour ces raisons, le tribunal est d'avis que le dépôt, tel que défini par Revenu Québec correspond à ce que devrait être le « deposit » ou les arrhes selon le paragraphe 168(9).

Les décisions *Lacroix c. R.*, 2011 CarswellNat 1094, 2011 CAF 128 (C.A.F) (permission d'en appeler à la Cour suprême du Canada refusée, [2011] G.S.T.C.62) et *Rockport Developments Inc. c. R.*, 2009 CarswellNat 1137 (C.C.I.) analysent l'interaction entre les articles 152 et 168. Nous vous invitons à consulter notre analyse de ces décisions sous l'article 152.

Sous-section b — Crédit de taxe sur les intrants

169. (1) Règle générale — Sous réserve des autres dispositions de la présente partie, un crédit de taxe sur les intrants d'une personne, pour sa période de déclaration au cours de laquelle elle est un inscrit, relativement à un bien ou à un service qu'elle acquiert, importe ou transfère dans une province participante, correspond au résultat du calcul suivant si, au cours de cette période, la taxe relative à la fourniture, à l'importation ou au transfert devient payable par la personne ou est payée par elle sans qu'elle soit devenue payable :

$$A \times B$$

où

A représente la taxe relative à la fourniture, à l'importation ou au transfert, selon le cas, qui, au cours de la période de déclaration, devient payable par la personne ou est payée par elle sans qu'elle soit devenue payable;

B :

a) dans le cas où la taxe est réputée, par le paragraphe 202(4), avoir été payée relativement au bien le dernier jour d'une année d'imposition de la personne, le pourcentage que représente l'utilisation que la personne faisait du bien dans le cadre de ses activités commerciales au cours de cette année par rapport à l'utilisation totale qu'elle en faisait alors dans le cadre de ses activités commerciales et de ses entreprises;

b) dans le cas où le bien ou le service est acquis, importé ou transféré dans la province, selon le cas, par la personne pour utilisation dans le cadre d'améliorations apportées à une de ses immobilisations, le pourcentage qui représente la mesure dans laquelle la personne utilisait l'immobilisation dans le cadre de ses activités commerciales immédiatement après sa dernière acquisition ou importation de tout ou partie de l'immobilisation;

c) dans les autres cas, le pourcentage qui représente la mesure dans laquelle la personne a acquis ou importé le bien ou le service, ou l'a transféré dans la province, selon le cas, pour consommation, utilisation ou fourniture dans le cadre de ses activités commerciales.

Notes historiques: Le paragraphe 169(1) a été modifié par L.C. 1997, c. 10, par. 161(1) et cette modification est entrée en vigueur le 1er avril 1997. Il se lisait comme suit :

> 169. (1) Sous réserve de la présente partie, le crédit de taxe sur les intrants d'une personne, pour sa période de déclaration au cours de laquelle elle est un inscrit, relativement à un bien ou à un service qu'elle importe ou qui lui est fourni, correspond au résultat du calcul suivant si, au cours de cette période, la taxe relative à l'importation ou à la fourniture devient payable par la personne ou est payée par elle sans qu'elle soit devenue payable :
>
> $$A \times B$$
>
> où :
>
> A représente la taxe relative à l'importation ou à la fourniture qui, au cours de la période de déclaration, devient payable par la personne ou est payée par elle sans qu'elle soit devenue payable;
>
> B représente :
>
> a) dans le cas où la taxe est réputée, par le paragraphe 202(4), avoir été payée relativement au bien le dernier jour d'une année d'imposition de la personne, le pourcentage que représente l'utilisation que la personne faisait du bien dans le cadre de ses activités commerciales au cours de cette année par rapport à l'utilisation totale qu'elle en faisait alors dans le cadre de ses activités commerciales et de ses entreprises;
>
> b) dans le cas où le bien ou le service est acquis ou importé par la personne pour utilisation dans le cadre d'améliorations apportées à une de ses immobilisations, le pourcentage qui représente la mesure dans laquelle la personne utilisait l'immobilisation dans le cadre de ses activités commerciales immédiatement après sa dernière acquisition ou importation de tout ou partie de l'immobilisation;
>
> c) dans les autres cas, le pourcentage qui représente la mesure dans laquelle la personne a acquis ou importé le bien ou le service pour consommation, utilisation ou fourniture dans le cadre de ses activités commerciales.

Le paragraphe 169(1) a été modifié par L.C. 1993, c. 27, par. 35(1) et était réputé entré en vigueur le 17 décembre 1990. Toutefois :

> a) en ce qui concerne les biens relativement auxquels la taxe est réputée, par le paragraphe 202(4), avoir été payée au cours d'une année d'imposition se terminant avant octobre 1992, l'alinéa a) de l'élément B de la formule figurant au paragraphe 169(1) est remplacé par ce qui suit :
>
> a) dans le cas où la taxe est réputée, par le paragraphe 202(4), avoir été payée relativement au bien le dernier jour d'une année d'imposition de la personne, le pourcentage que représente l'utilisation, dans le cadre d'activités commerciales de la personne, pour laquelle le bien a été acquis ou importé par rapport à l'utilisation, dans le cadre de ces activités et des entreprises de la personne, pour laquelle le bien a été acquis ou importé;
>
> b) en ce qui concerne les améliorations apportées aux immobilisations qu'une personne a acquises ou importées avant avril 1991, l'élément B de la formule figurant au paragraphe 169(1) est remplacé par ce qui suit :
>
> B le pourcentage qui représente la mesure dans laquelle la personne a acquis ou importé le bien ou le service pour consommation, utilisation ou fourniture dans le cadre de ses activités commerciales.

Le paragraphe 169(1) se lisait comme suit :

> 169. (1) Sous réserve de la présente partie, le crédit de taxe sur les intrants relatif à un bien ou à un service pour la période de déclaration de l'inscrit qui l'acquiert ou l'importe pour consommation, utilisation ou fourniture exclusive dans le cadre de ses activités commerciales correspond au montant de la taxe devenue payable ou, si elle n'est pas devenue payable, payée par lui au cours de cette période relativement à l'acquisition ou à l'importation.

Le paragraphe 169(1) correspond aux anciens paragraphes 169(1) et (2). Le paragraphe 169(1) a été ajouté par L.C. 1990, c. 45, par. 12(1).

Concordance québécoise: LTVQ, art. 199.

Jurisprudence [art. 169(1)]: *Calgary (City) v. R.* (26 avril 2012), 2012 CarswellNat 1146 (C.S.C.); *Toupin c. R.* (6 novembre 2012), 2012 CarswellNat 4375 (C.C.I.); *Hleck, Kanuka, Thuringer c. The Queen*, 1994 CarswellNat 53 (CCI), (billet d'avion payé à la conjointe d'un associé d'une firme); *Kramer Ltd. c. Canada*, CarswellNat 54 (CCI), (échange de véhicule pour un neuf); *Jerdar Entreprises Inc. c. Canada*, 1994 CarswellNat 60 (CCI), (voiture acquise par l'actionnaire d'une société); *Buccal Services Ltd. c. Canada*, 1994 CarswellNat 73 (CCI), (services exemptés d'un dentiste); *Timber Lodge Ltd. c. Canada*, 1994 CarswellNat 75 (CCI), (JVM de résidences multifamiliales); *San Clara Holdings Ltd. c. Canada*, 1994 CarswellNat 84 (CCI), (sous-contracteurs non inscrits); *Nineteen Ninety Clothing Co. Inc. c. Canada (T.C.C.)*, 1994 CarswellNat 88 (CCI), (CIT pour frais de services reliés à la carte de crédit); *B.J. Northern Enterprises Ltd. c. Canada*, 1995 CarswellNat 18 (CCI), (partenariat entre deux compagnies dont l'actionnaire de l'une agit comme consultant pour l'autre); *Cosmopolitan Music Society c. Canada*, 1995 CarswellNat 24 (CCI), (cotisations de membre d'une société de musique récréative); *Navaho Inn c. Canada*, 1995 CarswellNat 26 (CCI), (chambres d'hôtel louées à court et long terme); *White Rock Management Corp. c. Canada*, 1995 CarswellNat 42 (CCI), (courtier demandant un CTI pour remboursement de taxes suite à un mauvais conseil à des clients); *Verge c. Canada*, 1995 CarswellNat 46 (CCI), (habitation à usage locatif ayant déjà servi); *Metro Exteriors Ltd. c. Canada*, 1995 CarswellNat 50 (CCI), (numéro d'inscription des sous-contracteurs non soumis); *Trudeau (S.) c. Canada*, 1996 CarswellNat 2672 (CCI), (entreprise de transport-absence de preuve d'activité commerciale); *Clear Customs Brokers Ltd. c. Canada*, 1996 CarswellNat 1246 (CCI), (commissionnaire en douanes); *Orle Developments Inc. c. Canada*, 1996 CarswellNat 1836 (CCI), (reprise de possession par la banque); *2955-4201 Québec Inc. c. Canada*, 1996 CarswellNat 2788 (CCI)1997 CarswellNat 1770 (CFC)1997 CarswellNat 2657 (CFC), (achat d'actifs d'une concession d'automobile); *Automobiles Dieudonné Rousseau Inc. c. Canada*, 1995 CarswellNat 1640 (CCI)(, concessionnaire réparant et vendant des véhicules accidentés) ; *York Toros Hockey Association c. Canada*, 1996 CarswellNat 2393 (CCI), (association sans but lucratif d'hockey); *Technogold Imports Inc. c. Canada*, 1998 CarswellNat 1087 (CCI), (véhicule au nom de l'actionnaire); *Elm City Chrysler Ltd. c. R.*, 1996 CarswellNat 837 (CCI), 1998 CarswellNat 1482 (CAF), (rachat de véhicules); *Two Carlton Financing Ltd. c. R.*, 1998 CarswellNat 974 (CCI), 2000 CarswellNat 8 (CAF), (services financiers); *London Life Insurance Co. c. R.*, 1998 CarswellNat 1592 (CCI), (améliorations et vente de fourniture de bureau par une compagnie d'assurance); *398722 Alberta Ltd. c. R*, 1998 CarswellNat 2109 (CCI), (résidence pour les employés d'un hôtel); *Graveline c. R.*, 1998 CarswellNat 2885 (CCI), (élévage de chats domestiques); *163410 Canada Inc. v. R*, 1998 CarswellNat 1862 (CCI), (honoraires d'avocat); *898673 Ontario Inc. v. R.*, 1998 CarswellNat 2211 (CCI), (services de taxi scolaire); *Saskatchewan Pesticide Container Management Assn. Inc. v. R.*, 1999 CarswellNat 2695 (CCI), (entreprise de recyclage de contenants de pesticides-activité commerciale); *Elgin Mills Leslie Holdings Ltd. v. R*, 2000 CarswellNat 207 (CCI), (entreprise d'encaissement de chèques); *Spence c. R.*, 2000 CarswellNat 612 (CCI), (ferme — activité commerciale); *Insch v. R.*, 1999 CarswellNat 3022 (CCI), (vente de photo, matériel et livres par internet-activité commercial versus passe-temps); *Hegerat v. R.*, 1997 CarswellNat 3022

(CCI), 2000 CarswellNat 1272 (CAF), (inventeur amateur-activité commerciale); *Gamache c. R.*, 2000 CarswellNat 1646 (CCI), 2002 CarswellNat 1333 (CAF), (résidence privée opérant un gîte du passant); *Immeubles Sansfaçon Inc. c. R.*, 2000 CarswellNat 1980 (CCI), (factures d'entrepreneur soumis à la municipalité mais payées par le promoteur); *Midland Hutterian Brethren v. R.*, 1999 CarswellNat 299 (CCI), 2000 CarswellNat 2969 (CAF), (vêtements de travail d'une communauté religieuse); *Pension Positive Inc. c. R.*, 2001 CarswellNat 1817 (CCI), (entreprise de vente de produits financiers taxables et détaxés); *Tri-Bec Inc. c. R.*, 2002 CarswellNat 553 (CCI), (dépenses personnelles versus dépenses d'affaires); *Raif Holdings Ltd. v. R.*, 2002 CarswellNat 5142 (CCI), (factures impayées); *BJ Services Co. Canada v. R.*, 2002 CarswellNat 5064 (CCI), (honoraires pour conseils aux actionnaires); *Montréal (Ville) c. R.*, 2003 CarswellNat 2311 (CCI), (service de collecte des ordures et des matières recyclables); *3859681 Canada Inc. v. R.*, 2003 CarswellNat 5231 (CCI), (indemnité de relocalisation des employés); *Voitures Orly Inc. / Orly Automobiles Inc. c. R.*, [2005] G.S.T.C. 200 (CAF); *Janitsch c. R.*, [2004] G.S.T.C. 70 (CCI); *Scierie St-Elzéar inc. c. R.*, [2005] G.S.T.C. 189 (CCI); *Haggart c. R.*, [2005] G.S.T.C. 98; *A & W Trade Marks Inc. c. R.*, [2005] G.S.T.C. 149 (CCI); *Best for Less Painting & Decorating Ltd. c. R.*, [2005] G.S.T.C. 116 (CCI); *Gatineau (Ville de) c. R.*, [2005] G.S.T.C. 111 (CCI); *Crabtree (Municipalité) c. R.*, 2006 G.T.C. 111 (CCI); *Sandhu c. R.*, 2006 TCC 50 (CCI); *Wagg c. R.*, [2006] G.S.T.C. 5 (CAF); *Brose c. R.*, [2006] G.S.T.C. 47 (CCI); *Tachi Ltd. c. R.*, [2006] G.S.T.C. 87 (CCI); *Sport Collection Paris Inc. c. R.*, [2006] G.S.T.C. 91 (CCI); *Reakes Enterprises Ltd. c. R.*, [2006] G.S.T.C. 119 (CCI); *Îles-de-la Madeleine (Comté) c. R.*, 2006 G.T.C. 267 (CCI); *Fournier c. R.*, [2006] G.S.T.C. 52, 2006 (CAF); *Telus Communications (Edmonton) Inc. v. R.* (13 février 2008), [2008] G.S.T.C. 39 (CCI [procédure générale]); *General Motors of Canada Ltd. v. R.* (22 février 2008), [2008] G.S.T.C. 41 (CCI [procédure générale]); *Sand, Surf & Sea Ltd. v. R.*, [2008] G.S.T.C. 71 (11 mars 2008) (CCI [procédure informelle]); *Perfection Dairy Group Ltd. v. R.* (10 juin 2008), [2008] G.S.T.C. 124 (CCI [procédure informelle]); *Rexe v. R.*, [2008] G.S.T.C. 129 (18 juin 2008) (CCI [procédure générale]); *Price Chopper Canada Inc. v. R.* (14 août 2008), [2008] G.S.T.C. 167 (CCI [procédure informelle]); *Nikel v. R.*, [2008] G.S.T.C. 195 (14 octobre 2008) (CCI [procédure infromelle]); *Québec (Sous-ministre du Revenu) c. Cun* (13 novembre 2008), 2008 CarswellQue 11822; *Société de transport de Laval (Ville) v. R.*, 2008 G.T.C. 374 (CCI [procédure générale]); *Desrosiers c. R.*, 2008 G.T.C. 799 (CCI [procédure informelle]); *Traitement de Déchets JRG Inc. c. R.* (2 février 2009), 2009 G.T.C. 997-51 (CCI [procédure générale]); *Gatineau (Ville) v. R.* (4 mars 2009), 2009 CarswellNat 1778 (CCI [procédure générale]); *ExxonMobil Canada Ltd. v.*, 2010 CarswellNat 1132, 2010 FCA 1 (CAF); *614730 Ontario Inc. v. R.*, 2010 CarswellNat 1382, 2010 CCI 7, [2010] G.S.T.C. 27 (CCI [procédure informelle]); *Toronto Dominion Bank v. R.*, 2010 CarswellNat 1921, 2010 CAF 73, [2010] G.S.T.C. 41 (CAF); *Gatineau (Ville) v. R.*, 2010 CarswellNat 1800, 2010 CAF 82, [2010] G.S.T.C. 48 (CAF); *Newell v. R.*, 2010 CarswellNat 1632, 2010 CCI 196, [2010] G.S.T.C. 61 (CCI [procédure informelle]); *Buckingham v. R.*, 2010 CarswellNat 3577, 2010 CCI 247, [2010] G.S.T.C. 71 (CCI [procédure générale]); *Welch v. R.*, 2010 CarswellNat 4641, 2010 CCI 449, [2010] G.S.T.C. 127 (CCI [procédure générale]); *CIBC World Markets Inc. v. R.*, 2010 CarswellNat 5197, 2010 CCI 460, [2010] G.S.T.C. 134 (CCI [procédure générale]); *Société en Commandite Sigma-Lamaque c. R.* (10 septembre 2010), 2010 CarswellNat 3211, 2010 CCI 415, 2010 G.T.C. 96 (Fr.) (CCI [procédure générale]); *1474282 Ontario Inc. v. R.* (3 décembre 2010), 2010 CarswellNat 5748, 2010 CCI 620, 2010 TCC 620 (CCI [procédure générale]); *208539 Alberta Ltd. v. R.* (17 février 2011), 2011 CarswellNat 910, 2011 CCI 106, 2011 TCC 106 (CCI [procédure informelle]).

Série de mémorandums [art. 169(1)]: Mémorandum 3.3.1, 06/08, *Livraisons directes*; Mémorandum 8.2, 03/08, *Restrictions générales*; Mémorandum 8.3, 02/12, *Calcul des crédits de taxe sur les intrants*; Mémorandum 9.3, 06/12, *Indemnités*; Mémorandum 9.4, 06/12, *Remboursements*; Mémorandum 14-4, 12/10, *Vente d'une entreprise ou d'une partie d'entreprise*.

Lettres d'interprétation (Québec) [art. 169(1)]: 06-0106861 — Interprétation relative à la TPS et à la TVQ — Détermination d'une relation de mandataire — Droit à des CTI-RTI.

Info TPS/TVQ [art. 169(1)]: GI-122 — *Les incidences de la TPS/TVH à la suite de l'acquisition de panneaux solaires en vertu du Programme de tarifs de rachats garantis pour les micro-projets en Ontario*.

(1.1) Améliorations — Lorsqu'une personne acquiert ou importe un bien ou un service, ou le transfère dans une province participante, pour l'utiliser partiellement dans le cadre d'améliorations apportées à une de ses immobilisations et partiellement à d'autres fins, les présomptions suivantes s'appliquent aux fins du calcul de son crédit de taxe sur les intrants relativement au bien ou au service :

a) malgré l'article 138, la partie du bien ou du service qui est à utiliser dans le cadre d'améliorations apportées à l'immobilisation et l'autre partie du bien ou du service sont réputées être des biens ou des services distincts qui sont indépendants l'un de l'autre;

b) la taxe payable relativement à la fourniture, à l'importation ou au transfert, selon le cas, de la partie du bien ou du service qui est à utiliser dans le cadre d'améliorations apportées à l'immobilisation est réputée correspondre au résultat du calcul suivant :

$$A \times B$$

où :

A représente la taxe payable (appelée « taxe totale payable » au présent article) par la personne relativement à la fourniture, à l'importation ou au transfert, selon le cas, du bien ou du service, calculée compte non tenu du présent article,

B le pourcentage qui représente la mesure dans laquelle la contrepartie totale payée ou payable par la personne pour la fourniture au Canada du bien ou du service, ou la valeur des produits importés ou du bien transféré dans la province, est incluse dans le calcul du prix de base rajusté de l'immobilisation pour la personne pour l'application de la *Loi de l'impôt sur le revenu*, ou le serait si la personne était un contribuable aux termes de cette loi;

c) la taxe payable relativement à l'autre partie du bien ou du service est réputée égale à la différence entre la taxe totale payable et le montant calculé selon l'alinéa b).

Notes historiques: Le paragraphe 169(1.1) a été modifié par L.C. 1997, c. 10, par. 161(1) et cette modification est entrée en vigueur le 1er avril 1997. Il se lisait comme suit :

(1.1) Lorsqu'une personne acquiert ou importe un bien ou un service pour l'utiliser partiellement dans le cadre d'améliorations apportées à une de ses immobilisations et partiellement à d'autres fins, les présomptions suivantes s'appliquent aux fins du calcul de son crédit de taxe sur les intrants relativement au bien ou au service :

a) la livraison de cette partie du bien ou la prestation de cette partie du service qui est acquise ou importée pour utilisation dans le cadre d'améliorations apportées à l'immobilisation et la livraison de l'autre partie du bien ou la prestation de l'autre partie du service sont réputées chacune être des fournitures distinctes, et aucune des fournitures n'est accessoire à l'autre;

b) la taxe payable relativement à la fourniture de cette partie du bien ou du service qui est acquise ou importée pour utilisation dans le cadre d'améliorations apportées à l'immobilisation est réputée correspondre au résultat du calcul suivant :

$$A \times B$$

où :

A représente la taxe payable (appelée « taxe totale payable » au présent article) par la personne relativement à la fourniture ou à l'importation du bien ou du service, calculée abstraction faite du présent article,

B le pourcentage qui représente la mesure dans laquelle la contrepartie totale payée ou payable par la personne pour la fourniture au Canada du bien ou du service, ou la valeur des produits importés, est incluse dans le calcul du prix de base rajusté de l'immobilisation pour la personne pour l'application de la *Loi de l'impôt sur le revenu*, ou le serait si la personne était un contribuable aux termes de cette loi;

c) la taxe payable relativement à la fourniture de l'autre partie du bien ou du service est réputée égale à la différence entre la taxe totale payable et le montant calculé selon l'alinéa b).

Le paragraphe 169(1.1) a été ajouté par L.C. 1993, c. 27, par. 35(1), est réputé entré en vigueur le 17 décembre 1990. Toutefois, il ne s'applique pas aux biens et services acquis ou importés avant octobre 1992 par une personne pour les utiliser partiellement en vue d'améliorer son immobilisation.

Concordance québécoise: LTVQ, art. 199.1.

Série de mémorandums [art. 169(1.1)]: Mémorandum 8.3, 02/12, *Calcul des crédits de taxe sur les intrants*.

(1.2) [*Abrogé*]

Notes historiques: Le paragraphe 169(1.2) a été abrogé par L.C. 1997, c. 10, par. 161(2) et cette abrogation est entrée en vigueur le 1er avril 1997. Il se lisait comme suit :

(1.2) Lorsqu'un bien est fourni par bail, licence ou accord semblable à une personne pour une contrepartie qui comprend plusieurs paiements périodiques imputables à des parties successives (chacune étant appelée « période de location » au présent paragraphe) de la période pendant laquelle la personne a la possession ou l'usage du bien aux termes de l'accord et que, à un moment donné, la taxe relative à la fourniture, calculée sur un paiement périodique donné, devient payable par la personne ou est payée par elle sans qu'elle soit devenue payable, les présomptions suivantes s'appliquent aux fins de déterminer le crédit de taxe sur les intrants de la personne relativement au bien :

a) la personne est réputée avoir reçu, à ce moment, une fourniture distincte du bien pour la période de location à laquelle le paiement donné est imputable;

b) la taxe calculée sur le paiement donné est réputée être la taxe payable relativement à la fourniture distincte.

Ce paragraphe a été ajouté par L.C. 1993, c. 27, par 35(1) et est réputé entré en vigueur le 17 décembre 1990.

(1.3) [*Abrogé*]

Notes historiques: Le paragraphe 169(1.3) a été abrogé par L.C. 1997, c. 10, par. 161(2) et cette abrogation est entrée en vigueur le 1er avril 1997.

Ce paragraphe se lisait comme suit :

(1.3) Lorsque la contrepartie de la fourniture d'un service comprend plusieurs paiements imputables à diverses parties (chacune étant appelée « période de facturation » au présent paragraphe) de la période au cours de laquelle le service est rendu ou est à rendre aux termes de la convention le concernant et que, à un moment donné, la taxe relative à la fourniture, calculée sur un paiement donné, devient payable par l'acquéreur ou est payée par lui à ce moment sans qu'elle soit devenue payable, les présomptions suivantes s'appliquent aux fins de déterminer le crédit de taxe sur les intrants de l'acquéreur relativement au service :

a) l'acquéreur est réputé avoir reçu, à ce moment, une fourniture distincte du service rendu ou à rendre pour la période de facturation à laquelle le paiement donné est imputable;

b) la taxe calculée sur le paiement donné est réputée être la taxe payable relativement à la fourniture distincte.

Le paragraphe 169(1.3) a été ajouté par L.C. 1993, c. 27, par. 35(1) et est réputé entré en vigueur le 17 décembre 1990.

(2) Produits importés en vue d'un service commercial — Sous réserve de la présente partie, lorsqu'un inscrit importe des produits d'une personne non-résidente qui n'est pas inscrite aux termes de la sous-section d de la section V, en vue d'effectuer, au profit de cette dernière, la fourniture taxable d'un service commercial relatif aux produits et que, au cours d'une période de déclaration de l'inscrit, la taxe relative à l'importation devient payable par lui ou est payée par lui sans qu'elle soit devenue payable, le crédit de taxe sur les intrants de l'inscrit relativement aux produits pour la période de déclaration est égal à cette taxe.

Notes historiques: Le paragraphe 169(2) a été modifié par L.C. 1993, c. 27, par. 35(1) et est réputé entré en vigueur le 17 décembre 1990. L'ancien paragraphe 169(2) a été intégré au paragraphe 169(1). Il se lisait ainsi :

(2) Sous réserve de la présente partie et si le paragraphe (1) ne s'applique pas, le crédit de taxe sur les intrants relatif à un bien ou à un service pour la période de déclaration de l'inscrit qui l'acquiert ou l'importe pour consommation, utilisation ou fourniture partielle dans le cadre de ses activités commerciales est calculé selon la formule suivante :

$$A \times B$$

où :

A représente le montant qui serait calculé selon le paragraphe (1) relativement au bien ou au service, compte non tenu, à ce paragraphe, du mot « exclusive »;

B représente :

a) dans le cas où la taxe est réputée, en application du paragraphe 202(4), avoir été payée relativement au bien, la proportion que représente l'utilisation, dans le cadre des activités commerciales de l'inscrit, pour laquelle le bien a été acquis ou importé par rapport à l'utilisation, dans le cadre de ces activités et d'autres activités qu'il exerce en effectuant des fournitures exonérées, pour laquelle le bien a été acquis ou importé,

b) dans les autres cas, la proportion que représente l'utilisation, dans le cadre des activités commerciales de l'inscrit, pour laquelle le bien ou le service a été acquis ou importé par rapport à l'utilisation totale pour laquelle il a été acquis ou importé.

Le paragraphe 169(1) a été édicté par L.C. 1990, c. 45, par. 12(1).

Concordance québécoise: aucune.

Renvois [art. 169(2)]: 178.8(9) (exception aux ententes d'importation).

(3) Crédit limité aux institutions financières désignées particulières — Un montant n'est inclus dans le calcul du crédit de taxe sur les intrants d'une personne au titre de la taxe qui devient payable par elle aux termes du paragraphe 165(2) ou de l'article 212.1 pendant qu'elle est une institution financière désignée particulière que si, selon le cas :

a) le crédit de taxe sur les intrants se rapporte :

(i) soit à la taxe que la personne est réputée avoir payée aux termes des paragraphes 171(1), 171.1(2), 206(2) ou (3) ou 208(2) ou (3),

(ii) soit à un montant de taxe qui est visé par règlement pour l'application de l'alinéa a) de l'élément F de la formule figurant au paragraphe 225.2(2);

b) la personne peut demander le crédit de taxe sur les intrants aux termes des paragraphes 193(1) ou (2).

c) il s'agit d'un montant visé par règlement.

Notes historiques: L'alinéa 169(3)a) a été remplacé par L.C. 2000, c. 30, par. 28(1) et cette modification est réputée entrée en vigueur le 1er avril 1997. Antérieurement, il se lisait comme suit :

a) le crédit de taxe sur les intrants se rapporte à la taxe que la personne est réputée avoir payée aux termes du paragraphe 171(1), 171.1(2), 206(2) ou (3) ou 208(2) ou (3);

L'alinéa 169(3)c) a été ajoutée par. L.C. 2009, c. 32, par. 5(1) et s'applique relativement aux périodes de déclaration d'une personne se terminant après juin 2010.

Le paragraphe 169(3) a été réédicté par L.C. 1997, c. 10, par. 161(3) et est entré en vigueur le 1er avril 1997.

Auparavant, il avait été abrogé par L.C. 1993, c. 27, par. 35(2), rétroactivement au 1er janvier 1993. Pour la période du 17 décembre 1990 au 31 décembre 1992, il doit se lire comme suit :

(3) Pour l'application des paragraphes (1) à (1.3), la taxe prévue à la présente section calculée sur le montant facturé à une personne pour une fourniture taxable effectuée au Canada à son profit est réputée, sauf si le paragraphe 152(2) s'applique à la fourniture, devenue payable à la date apparaissant sur la facture.

Toutefois, il n'est pas tenu compte du passage « sauf si le paragraphe 152(2) s'applique à la fourniture » pour l'application de cette version du paragraphe 169(3) aux factures datées d'une date antérieure à octobre 1992.

Le paragraphe 169(3) se lisait ainsi :

(3) Pour l'application du paragraphe (1), la taxe prévue à la présente section calculée sur le montant facturé à un inscrit pour une fourniture taxable effectuée au Canada à son profit est réputée devenue payable le jour apparaissant sur la facture.

Le paragraphe 169(3) a été édicté par L.C. 1990, c. 45, par. 12(1)

Concordance québécoise: aucune.

Bulletins de l'information technique [art. 169(3)]: B-107, 10/11, *Régimes de placement (y compris les fonds réservés d'assureur) et la TVH* .

(4) Documents — L'inscrit peut demander un crédit de taxe sur les intrants pour une période de déclaration si, avant de produire la déclaration à cette fin :

a) il obtient les renseignements suffisants pour établir le montant du crédit, y compris les renseignements visés par règlement;

b) dans le cas où le crédit se rapporte à un bien ou un service qui lui est fourni dans des circonstances où il est tenu d'indiquer la taxe payable relativement à la fourniture dans une déclaration présentée au ministre aux termes de la présente partie, il indique la taxe dans une déclaration produite aux termes de la présente partie.

Notes historiques: Le préambule du paragraphe 169(4) a été modifié par L.C. 1993, c. 27, par. 35(3) et est réputé entré en vigueur le 30 septembre 1992. Il se lisait auparavant comme suit :

(4) L'inscrit peut demander le crédit de taxe sur les intrants relativement à la fourniture d'un bien ou d'un service pour une période de déclaration si, avant de produire la déclaration à cette fin :

L'alinéa 169(4)b) a été modifié par L.C. 1997, c. 10, par. 161(4) et cette modification est entrée en vigueur le 1er avril 1997. Il se lisait comme suit :

b) dans le cas où le crédit se rapporte à un immeuble fourni par vente dans des circonstances où le paragraphe 221(2) s'applique, il indique la taxe relative à la fourniture dans une déclaration produite aux termes de la présente partie.

Auparavant, cet alinéa avait été modifié par L.C. 1997, c. 10, par. 19(1) et cette modification est réputée entrée en vigueur le 1er janvier 1997. Il se lisait comme suit :

b) dans le cas où le crédit se rapporte à un immeuble fourni par vente dans des circonstances où le paragraphe 221(2) s'applique, il produit la déclaration prévue au paragraphe 228(4).

Cet alinéa, modifié par L.C. 1993, c. 27, par. 35(4) est réputé entré en vigueur le 30 septembre 1992. Il se lisait comme suit :

b) dans le cas d'un immeuble fourni par vente dans des circonstances où le paragraphe 221(2) s'applique, il produit la déclaration prévue au paragraphe 228(4) relativement à la fourniture.

Le paragraphe 169(4) a été ajouté par L.C. 1990, c. 45, par. 12(1).

Concordance québécoise: LTVQ, art. 201.

Jurisprudence [art. 169(4)]: *Pro-Poseurs Inc. c. R.* (29 juin 2012), 2012 CarswellNat 2201 (C.A.F.); *Gaslight Heat Services v. The Queen*, 1996 CarswellNat 2252 (CCI), (défaut de produire le numéro de TPS); *Jadam Holding Ltd. v. Canada*, 1996 CarswellNat 2254 (CCI), (défaut de produire le numéro de TPS et mention de « libre et quitte »); *Borovac v. R.*, 1997 CarswellNat 30 (CCI)(défaut de produire le nom des individus); *Colas c. R.*, 1996 CarswellNat 2958 (CCI), (réclamation pour crédit de taxes payées par l'entreprise du conjoint); *P.L. Construction Ltd. v. R*, 1998 CarswellNat 1047 (CCI), (détermination de la JVM d'un complexe commercial); *Design Build Ltd. v. R*, 1997 CarswellNat 1646 (CAF), (factures personnelles et défaut de produire le numéro de TPS); *Helsi Construction Management Inc. v. R*, 1997 CarswellNat 2607 (CCI), (CCI); 1999 CarswellNat 2138 (CAF); 2001 CarswellNat 459 (CCI); 2002 CarswellNat 3940 (CAF), (documents insuffisants); *Hayworth Equipment Sales (1983) Ltd. v. R*, 1998 CarswellNat 194 (CCI), (documentation insuffisante, absence de numéro de TPS, bien acquis pour usage personnel); *Olson Realty Corp. v. R*, 1998 CarswellNat 376 (CCI), (agence immobilière dont les agents n'ont pas de numéro de TPS); *Spectra Development Corp. v. R*, 1998 CarswellNat 908 (CCI), (demande de CIT pour paiement de TPS effectué par une autre entité reliée).; *Tatarnic v. R.*, 1997 CarswellNat 1034 (CCI), (demande de remboursement préalable au paiement des taxes); *Flynn Rivard c. R.*, 1997 CarswellNat 2846 (CCI)1997 CarswellNat 2552, (double demande de CIT); *Kurbis v. R.*, 1998 CarswellNat 1130 (CCI), (crédibilité de la preuve); *Schroeder v. R.*, 1998 CarswellNat 1679 (CCI), (crédibilité de la preuve); *Pembina Finance (Alta) Ltd. v. R.*, 1998 CarswellNat 2909 (CCI), (preuve générale et imprécise); *E.R. Design Ideas Inc. v. R.*, 1999 CarswellNat 565 (CCI), (chèques annulés comme preuve); *D & P Holdings Ltd. v. R.*, 1999 CarswellNat 2599 (CCI), (destruction de la preuve); *Davis c. R.*, 2000 CarswellNat 797 (CCI), (documentation insuffisante); *Rapid Transit Courier Ltd. v. R.*, 2000 CarswellNat 1589 (CCI), (entreprise de messagerie n'ayant pas les numéros de TPS de ses sous-contracteurs); *Tremblay c. R.*, 2001 CarswellNat 278 (CCI), (absence de montant précis démontrant le paiement de taxe d'un service exonéré dans une facture de construction générale); *Dussault c. R.*, 2001 CarswellNat 2444 (CCI), (factures incomplètes); *Centre de la Cité Pointe Claire c. R.*, 2001 CarswellNat 2187 (CCI), (numéro de TPS invalide sur la facture); *Edible What Candy Corp. v. R.*, 2002 CarswellNat 5130 (CCI), (défaut de diligence raisonnable lors de la production de documents); *Alexander Nix Group Inc. v. R.*, 2002 CarswellNat 5009 (CCI), (défaut d'obtenir le numéro de TPS du fournisseur); *Payette c. R.*, 2003 CarswellNat 606 (CCI), (absence de factures relatives à des travaux effectué sur un immeuble pour montant de 60,000 $); *Société de Commerce Acadex Inc. c. R.*, 2003 CarswellNat 2453 (CCI), (diligence raisonnable dans la vérification du numéro de TPS d'un fournisseur); *Joseph Ribkoff Inc. c. R.*, 2003 CarswellNat 1718 (CCI), (fournisseur utilisant des sociétés de façade); *1116186 Ontario Inc. v. R.*, 2003 CarswellNat 5238 (CCI), (absence de preuve concernant la revente de billets de spectacles ou d'événements sportifs payés comptant); *Owraki v. R.*, 2004 CarswellNat 5666 (CCI), (preuve perdue); *ATS Automotive Ltd. v. R.*, 2004 CarswellNat 5529 (CCI), (aucune TPS payée sur les transferts d'actifs); *Fournier c. R.*, 2004 CarswellNat 4403 (CCI), 2005 CarswellNat 926 (CAF), (fourgeonnette adaptée et VTT utilisés à plus de 90 % dans le cadre des activités commerciales); *9036-9695 Québec Inc. c. R.*, 2004 CarswellNat 1457 (CCI), (mauvaise comptabilité); *Voitures Orly Inc./ Orly Automobiles Inc. v. R.*, 2004 CarswellNat 1228 (CCI); 2005 CarswellNat 5449 (CAF), (stratagème frauduleux consistant à demander des CTI relatifs à la TPS non payée); *R171 Enterprises Ltd. c. R.*, [2004] G.S.T.C. 78 (CCI); *Safeloop.com Inc. c. R.*, [2004] G.S.T.C. 27 (CCI); *Sikora c. R.*, 2005 TCC 261 (CCI); *Bonik Inc. c. R.*, [2006] G.S.T.C. 77 (CCI); *1277302 Ontario Ltd. v. R.*, [2006] G.S.T.C. 21 (CCI); *Vasarhelyi v. R.*, [2006] G.S.T.C. 107 (CCI); *Nettoyage Docknet Inc. c. R.*, [2006] G.S.T.C. 177 (CCI); *Sport Collection Paris Inc. c. R.*, [2006] G.S.T.C. 91 (CCI); *Baker c. R.*, [2007] G.S.T.C. 22; *173122 Canada Inc. c. R.*, [2007] G.S.T.C. 15; *St-Isidore Écono Centre Inc. c. R.*, 2008 G.T.C. 689 (CCI [procédure informelle]), (factures n'ayant pas de numéro de TPS); *Développement Priscilla Inc. c. R.*, [2007] G.S.T.C. 181 (CCI [procédure informelle]), (montants non suportés par un document); *2870258 Canada Inc. [Manco] c. R.* , [2007] G.S.T.C. 104 (CCI [procédure informelle]), (numéro de TPS invalide); *2000676 Ontario Ltd. v. R.*, [2007] G.S.T.C. 177 (CCI [procédure informelle]), (absence de documents); *Sand, Surf & Sea Ltd. v. R.*, [2008] G.S.T.C. 71 (11 mars 2008) (CCI [procédure informelle]); *Oak Ridges Lumber Corp. v. R.*, [2008] G.S.T.C. 108 (8 mai 2008) (CCI [procédure informelle]); *Rexe v. R.*, [2008] G.S.T.C. 129 (18 juin 2008) (CCI [procédure générale]); *Lori Jewellery Inc. v. R.*, [2008] G.S.T.C. 193 (3 octobre 2008) (CCI [procédure informelle]); *Desrosiers c. R.*, 2008 G.T.C. 799 (CCI [procédure informelle]); *Landry c. R.*, 2009 G.T.C. 997-82 (CCI [procédure informelle]); *Camions DM Inc. c. R.*, 2009 G.T.C. 997-133 (6 mars 2009) (CCI [procédure générale]); *1418499 Ontario Ltd. v. R.*, 2009 CarswellNat 1469 (20 mars 2009) (CCI [procédure informelle]); *Amiante Spec Inc. c. R.*, 2009 G.T.C. 2090 (8 mai 2009) (CAF); *Vrsic v. R.*, 2010 CarswellNat 1253, 2010 CCI 127, [2010] G.S.T.C. 34 (CCI [procédure informelle]); *Hajek v. R.*, 2010 CarswellNat 2305, 2010 CCI 154, [2010] G.S.T.C. 46 (CCI [procédure générale]); *Newell v. R.*, 2010 CarswellNat 1632, 2010 CCI 196, [2010] G.S.T.C. 61 (CCI [procédure informelle]); *CIBC World Markets Inc. v. R.*, 2010 CarswellNat 5197, 2010 CCI 460, [2010] G.S.T.C. 134 (CCI [procédure générale]); *Bijouterie Almar Inc. v. R.* (2 décembre 2010), 2010 CarswellNat 4563, 2010 CCI 618 (CCI [procédure générale]); *1474282 Ontario Inc. v. R.* (3 décembre 2010), 2010 CarswellNat 5748, 2010 CCI 620, 2010 TCC 620 (CCI [procédure générale]); *208539 Alberta Ltd. v. R.* (17 février 2011), 2011 CarswellNat 910, 2011 CCI 106, 2011 TCC 106 (CCI [procédure informelle]); *Pro-Poseurs Inc. c. Séguin* (1er mars 2011), 2011 CarswellNat 394, 2011 CCI 113, 2011 G.T.C. 950 (Fr.) (CCI [procédure générale]); *3922731 Canada Inc. c. R.* (25 mars 2011), 2011 CarswellNat 755, 2011 CCI 186 (CCI [procédure informelle]).

Série de mémorandums [art. 169(4)]: Mémorandum 8.4, 08/12, *Documents requis pour demander des crédits de taxe sur les intrants*; Mémorandum 9.4, 06/12, *Remboursements*.

Info TPS/TVQ [art. 169(4)]: GI-122 — *Les incidences de la TPS/TVH à la suite de l'acquisition de panneaux solaires en vertu du Programme de tarifs de rachats garantis pour les micro-projets en Ontario.*

(5) Dispense — Le ministre peut, s'il est convaincu qu'il existe ou existera des documents suffisants pour établir les faits relatifs à une fourniture ou à une importation, ou à une catégorie de fournitures ou d'importations, ainsi que pour calculer la taxe relative à la fourniture ou à l'importation, qui est payée ou payable en application de la présente partie :

a) dispenser un inscrit, une catégorie d'inscrits ou les inscrits en général des exigences prévues au paragraphe (4) relativement à la fourniture ou à l'importation ou à une fourniture ou une importation de la catégorie;

b) préciser les modalités de la dispense.

Notes historiques: Le passage du paragraphe 169(5) précédant l'alinéa b) a été modifié par L.C. 1993, c. 27, par. 35(5) et est réputé entré en vigueur le 30 septembre 1992. Il se lisait auparavant comme suit :

> (5) Le ministre peut, s'il est convaincu que les documents suffisants pour établir les faits relatifs à une fourniture taxable — ou à une catégorie de telles fournitures — et pour calculer la taxe y afférente payée ou payable en application de la présente section sont disponibles :
>
> a) dispenser un inscrit, une catégorie d'inscrits ou les inscrits en général des exigences prévues au paragraphe (4) relativement à la fourniture ou à une fourniture de la catégorie;

Le paragraphe 169(5) a été ajouté par L.C. 1990, c. 45, par. 12(1).

Concordance québécoise: LTVQ, art. 202.

Jurisprudence [art. 169(5)]: *Douglas (K.S) v. Canada*, 1996 CarswellNat 1029 (CCI), (liste de clients); *Rexe v. R.*, [2008] G.S.T.C. 129 (18 juin 2008) (CCI [procédure générale]); *Hajek v. R.*, 2010 CarswellNat 2305, 2010 CCI 154, [2010] G.S.T.C. 46 (CCI [procédure générale]); *3922731 Canada Inc. c. R.* (25 mars 2011), 2011 CarswellNat 755, 2011 CCI 186 (CCI [procédure informelle]).

Série de mémorandums [art. 169(5)]: Mémorandum 9.3, 06/12, *Indemnités*; Mémorandum 9.4, 06/12, *Remboursements*.

Définitions [art. 169]: « acquéreur », « activité commerciale », « bien », « exclusif », « facture », « fourniture », « fourniture exonérée », « fourniture taxable », « importation », « inscrit », « institution financière désignée », « immeuble », « immobilisation », « ministre », « montant », « non résidant », « période de déclaration », « personne », « province participante », « règlement », « service », « service commercial », « taxe » — 123(1).

Renvois [art. 169]: 129(7), 129.1(2), 129.1(5) (division de petit fournisseur); 141 (utilisation dans le cadre d'une activité commerciale); 141.02(8) (institutions financières); 145 (associé d'une société de personne); 141.01(5) (méthodes de mesure de l'utilisation); 170 (restrictions); 171(1), (2) (nouvel inscrit); 171(4) (cessation d'inscription); 171.1 (entreprise de taxis); 174, 175 (indemnités et remboursements); 178.5 (3), (4) (retrait de l'approbation accordée au distributeur d'un démarcheur); 179 (livraison au consignataire d'un non-résident); 180 (réception d'un bien d'un non-résident); 181.1 (remise); 182(1) (renonciation à un montant); 183 (saisie et reprise de possession); 184 (règlement de sinistre); 184.1(3) (calcul du crédit pour intrants de construction); 185(1) (inscrit autre qu'une institution financière); 186(1) (personnes morales liées); 188 (paris et jeux de hasard); 190(2) (début d'utilisation à titre résidentiel ou personnel); 191 (fourniture à soi-même d'un immeuble résidentiel); 192 (rénovations mineures); 193(1), (2) (vente d'un immeuble); 194 (déclaration erronée); 196.1 (utilisation à titre d'immobilisation); 199(2) (acquisition d'immobilisation); 199(3) (principale utilisation d'immobilisation); 199(4) (amélioration — utilisation principale d'une immobilisation); 202 (immobilisations — voitures de tourisme); 203(1) (vente d'une voiture de tourisme); 206 (immobilisation — utilisation dans le cadre d'activités commerciales); 208 (acquisition d'une immobilisation par un particulier); 209 (immeubles de certains organismes du secteur public); 217.1 (7) (CTI pour services financiers); 222(2) (retraits de montants en fiducie); 223 (indication de la taxe); 225 (versement de la taxe nette); 225(4) (taxe nette — organisme de bienfaisance); 225.2 (remboursement aux non-résidents — restriction); 226(4) (contenants consignés); 227 (choix pour comptabilité abrégée); 228 (calcul de la taxe nette); 234(4) (fourniture dans une province participante — restriction); 235(1) (location de voiture de tourisme); 236 (aliments, boissons et divertissements); 238 (déclarations); 252(5) (services de traitement); 253 (salariés et associés); 263.01; 272.1(2) (acquisition ou importation par associé d'une société de personnes); 274(5) (attributs fiscaux); 296(2) (cotisation — prise en compte du crédit); 337(7) (fournitures à des consommateurs payées d'avances); 351 (TVH — transition); 248(16), (17), (18).

Règlements [art. 169]: *Règlement sur les renseignements nécessaires à une demande de crédit de taxe sur les intrants (TPS/TVH)*, art. 1.

Jurisprudence [art. 169]: *Magog (Ville) c. R.*, 1999 CarswellNat 2340 (CCI), (méthode de calcul de la taxe); *Côté c. R.*, 2000 CarswellNat 206 (CCI), (absence de preuve); *Constructions L.J.P. Inc. c. R.*, [2005] G.S.T.C. 137 (CCI); *736728 Ontario Ltd. c. R.*, [2005] G.S.T.C. 168 (CCI); *Matane (Ville) c. R.*, 2005 G.S.T.C. 783 (CCI); *9010-9869 Québec Inc. c. R.*, 2007 CCI 365 (CCI); *Gypse & Joints MPG Rive-Nord c. R.*, 2008 G.T.C. 177 (CCI [procédure générale]); *Desrosiers c. R.*, 2008 G.T.C. 799 (CCI [procédure informelle]); *Stantec Inc. v. R.*, [2008] G.S.T.C. 137 (20 juin 2008) (CCI [procédure informelle]); *Traitement de Déchets JRG Inc. c. R.* (2 février 2009), 2009 G.T.C. 997-51 (CCI [procédure générale]); *ExxonMobil Canada Ltd. v.*, 2010 CarswellNat 1132, 2010 FCA 1 (CAF); *614730 Ontario Inc. v. R.*, 2010 CarswellNat 1382, 2010 CCI 7, [2010] G.S.T.C. 27 (CCI [procédure informelle]); *Calgary (City) v. R.*, 2010 CarswellNat 3090, 2010 CAF 127, [2010] G.S.T.C. 78 (CAF); *Layte v. R.*, 2010 CarswellNat 2308, 2010 CCI 281, [2010] G.S.T.C. 80 (CCI [procédure informelle]); *CIBC World Markets Inc. v. R.*, 2010 CarswellNat 5197, 2010 CCI 460, [2010] G.S.T.C. 134 (CCI [procédure générale]); *Pro-Poseurs Inc. c. Séguin* (1er mars 2011), 2011 CarswellNat 394, 2011 CCI 113, 2011 G.T.C. 950 (Fr.) (CCI [procédure générale]); *Hunter v. R.*, 2011 CarswellNat 5548, 2011 CCI 502 (CCI [procédure informelle]); *Eirikson v. R.* (9 décembre 2011), 2011 CarswellNat 6077, 2011 CCI 562, 2012 G.T.C. 10 (CCI [procédure informelle]); *Balthazard c. R.* (28 novembre 2011), 2011 CarswellNat 4964, 2011 CAF 331, 2012 G.T.C. 1006 (CAF); *Doiron v. R.* (7 mars 2012), 2012 CarswellNat 496, 2012 CAF 71, 2012 G.T.C. 1023 (CAF); *Calgary (City) v. R.* (26 avril 2012), 2012 CarswellNat 1146, 2012 SCC 20, 2012 G.T.C. 1030 (CSC).

Énoncés de politique [art. 169]: P-015, 20/07/94, *Le traitement des simples fiducies en vertu de la Loi sur la taxe d'accise*; P-18R, 29/03/00, *Délai relatif à l'admissibilité aux CTI lorsqu'une personne devient un inscrit*; P-019R, 04/08/99, *Droit aux CTI relatifs aux frais de démarrage — biens en immobilisations admissibles*; P-022, 04/09/92, *L'application de l'alinéa 186(1)b) et du paragraphe 169(2)*; P-045, 09/11/92, *Les transactions papillon*; P-046, 02/11/92, *Le traitement des règlements de sinistre sous le régime de la TPS*; P-063, 25/02/93, *Méthode de répartition des crédits de taxe sur les intrants fondée sur les extrants*; P-091R, 25/10/92, *Location d'automobiles et réclamations d'assurance nettes de la TPS/TVH*; P-108, 26/01/94, *Améliorations apportées aux immobilisations*; P-125R, 17/03/94, *Importateur et droit à un CTI*; P-137, 16/05/94, *Possibilité pour des sociétés de portefeuille d'obtenir des CTI sur le coût d'acquisition*; P-138R, 02/05/94, *L'effet d'un choix concernant une coentreprise sur la capacité d'un participant de s'inscrire et de demander des crédits de taxe sur les intrants*; P-151, 15/06/94, *Interprétation de service commercial*; P-158, 19/07/94, *Produits d'occasion acquis pour être fournis*; P-167R, 29/03/00, *Signification de la première partie de la définition du terme « entreprise »*; P-168R, 17/02/95, *Droit des municipalités à demander des CTI à l'égard de la TPS payée relativement à l'aménagement de terrains destinés à être vendus en parcelles viabilisées*; P-183, 09/05/95, *Acquisition d'une terre agricole en copropriété*; P-184R, 31/07/08, *Utilisation de la méthode factorielle par les inscrits qui demandent des crédits de taxe sur les intrants à l'égard des dépenses payées par cartes de crédit*; P-191R, 25/05/99, *Location d'automobiles et réclamations d'assurance nettes de la TPS/TVH*; P-208R, 23/05/05, *Sens de l'expression « établissement stable » au paragraphe 123(1) de la Loi sur la taxe d'accise (la Loi)*; P-210R, 06/06/01, *Règlement d'une réclamation en vertu d'un cautionnement de bonne exécution établi relativement à un contrat de construction*; P-225, 04/01/99, *Paiements pour perte ou dommages en vertu de contrats de location de véhicules*; P-XX10, 06/05, *Cartes d'achat — Exigences documentaires relatives aux demandes de crédits de taxe sur les intrants*.

Bulletins de l'information technique [art. 169]: B-032, 08/11, *Régimes enregistrés de pension*; B-068, 20/01/93, *Simples fiducies*; B-075R, 23/04/96, *Modifications proposées à la TPS*; B-083R, 23/05/97, *Services financiers sous le régime de la TVH*; B-098, 26/08/11, *Application de l'article 141.02 aux institutions financières qui sont des institutions admissibles*; B-106, 08/11, *Méthodes d'attribution des crédits de taxe sur les intrants pour les institutions financières en application de l'article 141.02 de la Loi sur la taxe d'accise*.

Mémorandums [art. 169]: TPS 300, 7/03/91, *Taxe sur les fournitures*, par. 7, 8, 9, 22; TPS 300-3-5, 12/10/92, *Exportations*, par. 4; TPS 300-3-9, 17/08/92, *Services financiers*, par. 24, 25, 30; TPS 300-4, 02/11/93, *Fournitures exonérées*, par. 10–18; TPS 300-4-8, 16/12/93, *Traversiers, routes et ponts à péage*, par. 3; TPS 300-6-2, 26/03/91, *Taxe sur les fournitures moment d'assujettissement de la fourniture paiements*; TPS 300-6-8, 15/01/91, *Arrhes*, par. 12, 13; TPS 300-9, 02/01/91, *Taxe sur les fournitures services et biens incorporels importés*; TPS 400, 18/05/90, *Crédits de taxe sur les intrants*, par. 4, 5, 6; TPS 400-1-1, 25/02/91, *Crédit intégral de taxe sur les intrants*; TPS 400-1-2, 8/11/90, *Documents requis*; TPS 400-2, 28/03/91, *Restrictions — Généralités*, par. 10, 11, 17, 18; TPS 400-3-1, 1/04/92, *Début et cessation de l'inscription*, par. 6, 15, 23; TPS 400-3-2, 19/02/92, *Avantages aux salariés et aux actionnaires*, par. 2, 4; TPS 400-3-2-1, 12/02/92, *Avantages relatifs à l'utilisation d'automobiles*, par. 43, 47; TPS 400-3-3, 4/10/91, *Aliments, boissons et divertissements*, par. 2, 4; TPS 400-3-4, 12/09/92, *Voitures de tourisme et aéronefs*; TPS 400-3-5, 8/01/92, *Biens et services des institutions non financières*, par. 2, 4, 6; TPS 400-3-6, 24/03/93, *Bien meuble corporel désigné ou d'occasion*, par. 1, 2, 13; TPS 400-3-7, 6/03/91, *Cotisations relatives à l'emploi*, par. 24, 27, 28; TPS 400-3-9, 27/03/92, *Immobilisations (biens meubles)*, par. 6; TPS 400-3-11, 7/02/92, *Indemnités et remboursements*, par. 2, 4, 6; TPS 400-4, 18/01/91, *Organismes du secteur public*, par. 41, 42; TPS 500-6-2, 19/03/93, *Gouvernements provinciaux*, par. 10; TPS 500-7, 26/11/91, *Interaction en la Loi sur la taxe d'accise et la Loi de l'impôt sur le revenu*, par. 8–14; TPS 700-4, 25/11/93, *Institutions financières visées par la règle du seuil*, par. 24; TPS 700-5-1, 27/07/92, *Répartition des CTI pour les institutions financières*; TPS 700-5-3, 31/07/92, *Caisses de crédit*, 18–21, 24, 28; TPS 700-5-6, 9/12/91, *Crédits de taxe sur les intrants et sociétés de portefeuille, prises de contrôle, et personnes morales à paliers multiples*, par. 1, 2, 3, 4, 7.

Série de mémorandums [art. 169]: Mémorandum 3.1, 08/99, *Assujettissement à la taxe*; Mémorandum 8-1, 05/05, *Règles générales d'admissibilité*; Mémorandum 15.1, 05/05, *Exigences générales relatives aux livres et registres*; Mémorandum 19.1, 10/97, *Les immeubles et la TPS/TVH*; Mémorandum 19.2.3, 06/98, *Immeubles résidentiels — Fournitures réputées*; Mémorandum 19.2.4, 06/98, *Immeubles résidentiels — Sujets particuliers juin 1998*; Mémorandum 19.3.7, 07/98, *Immeubles résidentiels — Sujets particuliers juin 1998*; Mémorandum 19.5, 06/02, *Fonds de terre et immeubles connexes*; Mémorandum 17.10, 05/99, *Escompteurs d'impôt*; Mémorandum 17.14, 07/11, *Choix visant les fournitures exonérées*; Mémorandum 17.16, 03/01, *Traitement des règlements de sinistres sous le régime de la TPS/TVH*.

Formulaires [art. 169]: GST62, *Déclaration de la taxe sur les produits et services/taxe de vente harmonisée (non personnalisée)*.

Info TPS/TVQ [art. 169]: GI-006R — *Services se rapportant aux guichets automatiques bancaires*; GI-011 — *Transporteurs d'eau*; GI-025 — *Achat, utilisation et vente de propriétés de vacances par des particuliers*.

Lettres d'interprétation (Québec) [art. 169]: 98-0102057 — Interprétation relative à la TPS et à la TVQ/Amendes — CTI/RTI RTI à l'égard des frais d'avocats, d'huissiers et de sténographes; 98-0102037 — Interprétation relative à la TPS — Interprétation relative à la TVQ; 98-0102859 — Achat de droits de propriété intellectuelle; 98-0104954 — Décision portant sur l'application de la TPS — Interprétation relative à la TVQ; 98-0108146 — Interprétation relative à la TPS et à la TVQ — Prix reçus par un athlète professionnel; 98-010842 — Commerce au détail; 98-0108898 — Rapports d'expertise médicale; 98-0109078 — Interprétation relative à la TPS et à la TVQ — Contrepartie symbolique; 99-0100190 — Travaux d'infrastructures municipales — CTI/RTI, notion de mandataire; 99-0101339 — Interprétation relative à la TPS et à la TVQ — Institution financière aux fins de la taxe compensatoire; 99-0101388 — Interprétation relative à la TPS et à la TVQ — Droit aux CTI et aux RTI à l'égard des coûts de construction d'un bâtiment dans le cadre d'un droit d'emphytéose; 99-0103111 — Interprétation relative à la TPS — Interprétation relative à la TVQ — Fusion d'organismes de services publics; 99-0103467 — Interprétation relative à la TPS et à la TVQ — Droit aux CTI et aux RTI à l'égard des coûts de construction d'un bâtiment; 99-0104002 — Décision portant sur l'application de la TPS — Interprétation relative à la TVQ — Droit aux CTI et aux RTI à l'égard des coûts de construction d'un bâtiment dans le cadre d'un droit d'emphytéose; 99-0104671 — Interprétation relative à la TPS et à la TVQ — Demande de CTI et de RTI par un dentiste; 99-0105637 — Entrepreneurs forestiers — interprétation relative à la TPS/TVH — interprétation relative à la TVQ; 99-0108854 — Interprétation relative à la TPS et à la TVQ — Location d'un immeuble; 99-0109076 — Interprétation relative à la TPS et à la TVQ — Fournitures relatives au traitement de matières recyclables; 99-0109423 — Décision portant sur l'application de la TPS — Interprétation relative à la TVQ — Locations d'immeubles, CTI/RTI; 99-0111064 — Convention entre [une ville] et un inscrit en TPS/TVQ; 99-0113169 — Interprétation relative à la TPS et à la TVQ — [Fourniture d'infrastructures par un organisme de bienfaisance]; 00-0100602 — Admissibilité des CTI et RTI relativement aux frais de préposés aux contraventions pour les aires de stationnement d'une municipalité; 00-0101568 — Interprétation relative à la TPS — Interprétation relative à la TVQ — Admissibilité aux CTI/RTI; 00-0104281 — Commissions versées par une compagnie américaine; 00-0105666 — Interprétation relative à la TPS et à la TVQ; 00-0106377 — Interprétation relative à la TPS et à la TVQ — Entente entre une municipalité et une organisme de bienfaisance; 01-0105906 — Interprétation relative à la TPS et à la TVQ — Règlement d'une réclamation d'assurance; 01-0107092 — Décision portant sur l'application de la TPS — Interprétation relative à la TVQ — Fourniture entre la commission scolaire et la ville; 02-0100400 — Interprétation relative à la TPS — Acquisition d'un véhicule par un prête-nom; 02-0104501 — Interprétation relative à la TPS et à la TVQ — CTI et RTI — Électricité; 02-0108031 — Abolition de l'envoi de factures originales; 02-0112082 — Décision portant sur l'application de la TPS — interprétation relative à la TVQ — montants versés dans le cadre de tansactions effectuées au moyen de guichets automatiques privés; 03-010035 — [Suffisance des renseignements]; 04-0106643 — Activité commerciale — réclamation de CTI et de RTI; 07-0104443 — Interprétation relative à la TPS et à la TVQ — fourniture d'argent.

COMMENTAIRES: Le crédit de taxe sur les intrants est le mécanisme qui permet de s'assurer que le paiement de la TPS/TVH a un impact neutre au niveau des opérations commerciales d'un inscrit.

Il est intéressant de souligner que le terme « acquéreur » n'apparaît pas au paragraphe 169(1). Toutefois, la Cour canadienne de l'impôt, dans l'affaire *General Motors of Canada Ltée c. R.*, 2008 CCI 117 (C.C.I.), qui a été par la suite confirmée par la Cour d'appel fédérale, (2009 CarswellNat 3282 (C.A.F.)) a indiqué que le mot « acquiert » qui figure au paragraphe 169(1) indique qu'il s'agit d'un acquéreur. Cette interprétation a également été réitérée récemment par la Cour canadienne de l'impôt dans l'affaire *1474282 Ontario inc c. R.*, 2010 CarswellNat 5748 (C.C.I.).

À titre illustratif, le tableau ci-dessous représente un comparatif entre le pourcentage d'utilisation dans le cadre d'activités commerciales et l'étendue du crédit de taxe sur les intrants que peut réclamer un inscrit :

	Pourcentage d'utilisation dans le cadre d'activités commerciales	Règle générale	Institution financière	OSP (autre qu'une institution financière et gouvernement)
Immobilisations (immeubles)*	Moins de 10 %	Aucun	Prorata	Aucun
	10 % à 50 %	Prorata	Prorata	Aucun

	Plus de 50 % à moins de 90 %	Prorata	Prorata	100 %
	90 % et plus	100 %	Prorata	100 %
Immobilisations (biens meubles, sauf les automobiles)	< ou = 50 %	Aucun	Prorata	Aucun
	Plus de 50 %	100 %	Prorata	100 %
Autres biens et services	Moins de 10 %	Aucun	Prorata	Aucun
	10 % à moins de 90 %	Prorata	Prorata	Prorata
	90 % et plus	100 %	Prorata	100 %

Note: * (i) Exception : un particulier ne peut pas réclamer de crédit de taxe sur les intrants pour un immeuble acquis principalement (plus de 50 %) pour son utilisation personnelle; et (ii) le choix en vertu de l'article 211 n'est pas produit par l'organisme de services publics.

Il est intéressant de souligner qu'en raison du texte introductif du paragraphe 169(4) et de l'alinéa a), l'inscrit n'a pas à fournir les documents requis par le Règlement lors d'une vérification ou d'une audience. En effet, le critère est qu'il doit les obtenir avant de produire sa déclaration. Dans la mesure où l'inscrit ne peut fournir les documents appuyant sa demande de crédits de taxe sur les intrants au vérificateur ou au tribunal, il devra convaincre les autorités fiscales ou le tribunal qu'il a obtenu la documentation requise par le passé. Il s'agit donc d'une question de crédibilité du témoin et de la preuve soumise. Voir notamment à cet effet : *Dosanjh c. R.*, 2004 CarswellNat 895 (C.C.I.).

Tel que la jurisprudence l'enseigne, les renseignements visés par le *Règlement sur les renseignements nécessaires à une demande de crédit de taxe sur les intrants (TPS/TVH)* (le « Règlement ») sont obligatoires et un seul manquement à ceux-ci peut être fatal à la demande d'un crédit de taxe sur les intrants. Voir notamment à cet effet, la décision dans l'affaire *Helsi Construction Management Inc. c. R.*, 2001 CarswellNat 4910 et 2002 CarswellNat 2574 (C.A.F.). L'objectif poursuivi par l'alinéa 169(4)(a) consiste à protéger le fisc contre les violations tant frauduleuses qu'innocentes. Ainsi, l'objectif ne peut être accompli qu'à la condition que les renseignements visés par le Règlement soient obligatoires.

À titre illustratif, voici quelques décisions qui ont été rendues à l'égard du paragraphe 169(4) :

***Forestech Industries Ltd. c. R.*, 2009 CarswellNat 3826 (C.C.I.)**

La seule question qui se pose dans cette affaire est de savoir si l'appelante a satisfait aux exigences relatives aux documents qui sont énoncées au paragraphe 169(4) et dans le Règlement. De l'avis de la Cour canadienne de l'impôt, les exigences relatives aux documents qui sont énoncées au paragraphe 169(4) et dans le Règlement sont obligatoires (*Systematix Technology Consultants Inc. c. Canada*, [2007] G.S.T.C. 74). Toutefois, il est important, de l'avis du tribunal, d'examiner ce que cette disposition exige réellement. En particulier, elle exige que les documents requis soient obtenus « avant de produire la déclaration à cette fin ». À ce titre, il fallait donc que l'appelante obtienne les documents requis à un moment donné, avant de produire ses déclarations relatives à la TPS, en 2005. Or, les documents n'étaient pas disponibles lors de la vérification et il semble qu'ils ne l'aient pas non plus été lorsque les déclarations relatives à la TPS ont été préparées et produites. Les crédits de taxe sur les intrants ont été calculés sur la base des dépenses dont la déduction était demandée et des immobilisations acquises, compte tenu uniquement des dépenses à l'égard desquelles la TPS était payable, de la taxe de vente provinciale qui était payable à l'égard de certaines dépenses et des vendeurs qui n'étaient pas inscrits pour l'application de la *Loi sur la taxe d'accise (TPS)*. James Smith et le comptable de l'appelante ont témoigné à l'audience. Les actionnaires de l'appelante étaient mariés l'un à l'autre, mais Wendy Smith a quitté James Smith au mois de mai 2005. La rupture du mariage s'est faite dans un climat acrimonieux. Il semble que les conjoints aient quitté les lieux qu'ils habitaient en 2005. De plus, en 2005, leur fils est décédé. Par suite du bouleversement de leurs vies personnelles, il semble que les diverses factures et autres documents qu'ils avaient en leur possession à l'égard de la TPS payable pour les biens et services qui avaient été acquis par l'appelante au cours de la période ici en cause aient été égarés. Le fait que l'inscrit peut calculer ses crédits de taxe sur les intrants en se fondant sur des documents autres que ceux qui sont requis ne devrait pas lui faire perdre ses crédits de taxe sur les intrants s'il peut établir que le montant calculé est exact et qu'il avait en sa possession les documents requis (même si l'inscrit n'a pas utilisé ces documents en préparant ses déclarations). De l'avis de la Cour canadienne de l'impôt, si l'inscrit peut établir que le montant des crédits de taxe sur les intrants demandés est exact, la façon dont ce montant a été calculé ne devrait pas importer, dans la mesure où l'inscrit a obtenu les documents requis à un moment donné avant de produire les déclarations relatives à la TPS. En l'espèce, l'appelante s'est acquittée de l'obligation qui lui incombait d'établir qu'elle avait en sa possession les documents requis à un moment donné avant de produire ses déclarations relatives à la TPS.

De l'avis de l'auteur, cette décision illustre le fait que le paragraphe 169(4) ne requiert pas la présence de la documentation au procès, mais simplement la preuve que l'inscrit avait la documentation avant la production de sa déclaration. Il s'agit donc d'une question de preuve et de crédibilité. Dans le contexte d'une audience ou d'une rencontre avec un vérificateur ou un agent d'opposition, il est donc primordial de bien préparer son témoin.

***Hajek c. R.*, 2010 CarswellNat 602 (C.C.I.)**

De l'avis de la Cour canadienne de l'impôt, l'appelant n'a pas réclamé le crédit de taxe sur les intrants d'une façon appropriée. De plus, le document qu'il a fourni n'indique pas le numéro d'inscription de Clairvoyance, ce qui l'aurait sans doute empêché de demander le crédit de taxe sur les intrants de toute façon. Dans l'arrêt*Systematix Technology Consultants Inc. c. La Reine*, la Cour d'appel fédérale a conclu que la loi exige que les personnes ayant versé des sommes au titre de la TPS à des fournisseurs veillent à fournir des numéros d'inscription des fournisseurs valides lorsqu'elles demandent un crédit de taxe sur les intrants. La présente cour a également refusé des crédits de taxe sur les intrants par suite de l'omission d'indiquer dans les factures les numéros d'inscription aux fins de la TPS : voir *San Clara Holdings Ltd. c. La Reine*, 1994 CarswellNat 84 et *Metro Exteriors Ltd. c. La Reine*, 1995 CarswellNat 50.

***Vrsic c. R.*, 2010 CarswellNat 465 (C.C.I.)**

À l'égard de la possibilité de déduire des crédits de taxe sur les intrants, l'avocat de l'intimée a renvoyé aux observations formulées par M. le juge Bowie dans la décision *Key Property Management Corp. c. R*, 2004 CarswellNat 634 (C.C.I.), où la Cour se demandait si les exigences prévues au paragraphe 169(4) en matière de demande de crédit de taxe sur les intrants sont de nature obligatoire ou si elles s'apparentent davantage à une indication : L'intimée a reconnu qu'il n'est pas nécessaire de produire devant le tribunal les documents requis aux termes du Règlement, mais il doit y avoir une certaine preuve testimoniale établissant que de tels documents existaient au moment pertinent. En réalité, la Cour canadienne de l'impôt souligne qu'elle n'est saisie d'aucun élément de preuve sur ce point. Dans son témoignage, M. Vrsic a fait état des ventes de la société au cours des deux derniers trimestres, mais il n'a offert aucun élément de preuve quant aux dépenses de la société, ou à ses fournisseurs; rien qui puisse justifier au tribunal de conclure que les exigences fixées au paragraphe 169(4) ont été remplies relativement à une quelconque somme donnée. Même s'il pouvait être conforme au bon sens commercial de penser que les fournitures étaient de l'ordre de 25 pour 100 au cours des deux derniers trimestres, et que les crédits de taxe sur les intrants devraient être accordés sur ce fondement, il s'agirait d'une totale conjecture de la part de la Cour, que la preuve ne permettrait nullement d'étayer. La Cour canadienne de l'impôt ne peut donc accorder des crédits de taxe sur les intrants dans ces circonstances.

***Comtronic Computer Inc. c. R.*, 2010 CarswellNat 177 (C.C.I.)**

Le paragraphe 169(4) énonce clairement qu'un inscrit ne peut demander un crédit de taxe sur les intrants que s'il obtient les renseignements visés par le Règlement. L'article 3 du Règlement dit clairement que les renseignements qui y sont visés doivent comprendre le nom ou le nom commercial du fournisseur et le numéro d'inscription attribué au fournisseur. Dans l'arrêt *Systematix Technology Consultants Inc. c. Canada*, 2007 CAF 226, la Cour d'appel fédérale a eu l'occasion de se pencher sur cette même question dans un cas où une demande de crédit de taxe sur les intrants avait été faite dans des circonstances malheureuses, semblables à celles en l'espèce, où, pour diverses raisons, les fournisseurs n'avaient pas de numéro d'inscription valide aux fins de la TPS. Compte tenu du libellé de l'alinéa 169(4)(*a*), ainsi que des motifs du jugement du juge Archambault de la Cour de l'impôt (2006 CCI 277, [2006] G.S.T.C. 120), qui avait siégé en première instance, motifs auxquels la Cour d'appel fédérale a souscrit, la Cour canadienne de l'impôt estime qu'en parlant de « numéros d'inscription des fournisseurs valides », la Cour d'appel a voulu dire des numéros d'inscription aux fins de la TPS qui avaient été valablement attribués à ces fournisseurs. Dans l'arrêt *Systematix*, la Cour d'appel a poursuivi en citant avec approbation un passage tiré de la décision *Key Property Management Corp. c. La Reine*, 2004 CarswellNat 634 (C.C.I.) où le juge Bowie avait écrit que le but de l'alinéa 169(4)a) et de l'article 3 du Règlement, qui est de protéger le fisc contre les violations tant frauduleuses qu'innocentes, ne peut être atteint que si les exigences sont considérées comme étant obligatoires et sont rigoureusement appliquées. La Cour d'appel fédérale a insisté sur les termes « que si les exigences sont considérées comme étant obligatoires et sont rigoureusement appliquées ». La Cour d'appel fédérale a en outre cité avec approbation un passage tiré de la décision *Davis c. La Reine*, 2004 CCI 662, [2004] G.S.T.C. 134, où la juge Campbell avait écrit qu'étant donné leur libellé très précis, ces dispositions sont manifestement obligatoires et il n'est pas possible de les contourner. En l'espèce, la Cour canadienne de l'impôt est lié par la décision que la Cour d'appel fédérale a rendue dans l'affaire *Systematix*. La Cour doit toutefois souligner que (comme l'a fait remarquer le juge Archambault, qui a statué sur l'affaire *Systematix* en première instance) cette approche stricte est une source potentielle d'injustice pour l'acheteur qui paye la TPS de bonne foi. Elle a pour conséquence que les entreprises canadiennes doivent supporter le risque lié à la fraude, au vol d'identité et aux actes illicites, et les obligent dans les faits à mettre en place des mesures de gestion du risque dans leurs relations tant avec leurs nouveaux fournisseurs qu'avec leurs fournisseurs existants de manière à déterminer quels renseignements fournis par les fournisseurs peuvent nécessiter qu'elles fassent des recherches plus approfondies. De l'avis de la Cour, un tel résultat peut s'avérer sévère et injuste, mais il est loisible au législateur fédéral d'instaurer un tel régime et le tribunal est tenu d'appliquer les dispositions législatives telles qu'elles ont déjà été interprétées par la Cour d'appel fédérale. En ce qui concerne les deux arguments invoqués par l'appelante, la Cour ne voit pas en quoi le libellé général des dispositions pertinentes, qui exige que les personnes qui demandent des crédits de taxe sur les intrants possèdent le numéro d'inscription attribué au fournisseur, et l'interprétation qui en a été faite par la Cour d'appel fédérale, selon laquelle ce libellé crée une obligation et doit être rigoureusement appliqué, devraient entraîner un résultat différent en l'espèce. De la même façon, même si, en première instance, le juge Archambault a fait une distinction entre l'affaire *Systematix*, dont il était saisi, et l'affaire *Joseph Ribkoff Inc. c. R.*, 2003 CarswellNat 1718, et même si la Cour d'appel fédérale a conclu que le juge de première instance n'avait commis aucune erreur, le tribunal ne voit pas comment l'approche adoptée par notre Cour dans la décision *Ribkoff* et dans d'autres décisions antérieures peut encore valoir compte tenu de la décision rendue par la Cour d'appel fédérale dans l'affaire *Systematix*.

***Bijouterie Almar Inc. c. R.*, 2010 CarswellNat 4562 (C.C.I.)**

Les factures fournies par l'appelante établissaient le nom de l'acquéreur et du fournisseur, le numéro d'inscription du fournisseur, la date et le montant total payé, et donnaient une description globale, soit « assorted gold jewellery ». Le Règlement dit que la description doit être suffisante pour identifier chaque fourniture. Le ministre a indiqué dans ses présomptions que la description n'était pas suffisante en ce que les quantités et la qualité des bijoux fournis, de même que la contrepartie exigée pour chacun d'eux, n'y apparaissaient pas. Chacun des trois témoins assignés par l'appelante qui n'avaient aucun lien avec elle, soit David Malka, Ani Hovanessian et Kevin Klieman, ont dit qu'ils avaient acheté des bijoux de Michel Henri et a fourni des factures identiques ou quasi identiques à celles fournies par l'appelante. L'intimée n'a pas questionné ces personnes sur la description que contenaient ces factures. L'intimée n'a pas non plus remis en cause le témoignage de ces trois personnes ni n'a attaqué leur crédibilité. Par ailleurs, il a été mis en preuve que les factures établies pour les achats de bijoux à l'étranger sont plus détaillées, en ce qu'elles indiquent parfois le poids, parfois la quantité, parfois les deux, ainsi qu'une description, parfois sommaire, des produits achetés. On y indique également dans certains cas le prix de l'or ou de la main d'oeuvre, dans d'autres cas le prix unitaire. Des témoignages entendus, il ressort qu'on différencie la facturation pour les produits importés de celle effectuée pour les bijoux achetés localement. Bien que la preuve soit très mince à ce sujet, la Cour croit comprendre qu'il serait beaucoup trop fastidieux de produire une description détaillée de chaque bijou acheté sur chaque facture. Le Règlement exige une description suffisante pour identifier chaque fourniture. L'intimée a allégué que pour ce faire, la facture doit indiquer la quantité, la qualité et la contrepartie exigée pour chaque bijou. L'intimée n'a pas expliqué sur quoi elle se basait pour identifier de telles exigences. De la preuve, la Cour canadienne de l'impôt retient que les pièces justificatives soumises en preuve ne sont pas hors norme dans l'industrie. Toutefois, la description des produits achetés ne correspond évidemment pas à ce que l'intimée allègue dans ses présomptions. Mais la question demeure : que signifie l'exigence du Règlement qui dit que la pièce justificative doit comporter comme renseignement une description suffisante pour identifier chaque fourniture? Le Règlement ne parle pas des exigences requises selon l'intimée. Le Règlement parle d'une description suffisante pour identifier chaque fourniture. Que faut-il entendre par « chaque fourniture »? Dans le cas actuel, peut-on dire qu'un bijou est une fourniture, ou bien un lot de bijoux est-il une fourniture? Dans le premier cas, les pièces justificatives ne seraient pas conformes, dans le deuxième cas, elles pourraient l'être. Les parties n'ont pas mis l'accent sur ce point. Compte tenu du peu d'éléments présentés en l'espèce, et de l'expression plutôt vague utilisée dans le Règlement, et puisque la Cour conclut que l'intimée n'a pas démontré l'existence de factures de complaisance, la Cour canadienne de l'impôt est d'avis de considérer les factures soumises comme étant conformes au Règlement. Si la pratique commerciale, usuelle dans l'industrie n'est pas conforme au Règlement selon l'intimée, il lui reviendra de faire une démonstration plus approfondie que les exigences qu'elle invoque sont celles qui sont requises. En l'instance, le tribunal considère que l'appelante a démontré, selon la prépondérance des probabilités, que les factures soumises sont conformes aux termes de l'article 3 du Règlement. Pour ces motifs, la Cour canadienne de l'impôt est d'avis d'accueillir l'appel et de renvoyer la cotisation au ministre pour nouvel examen et nouvelle cotisation.

***Pro-Poseurs Inc. c. R.*, 2011 CarswellNat 2363 (C.C.I.), 2012 CarswellNat 2201 (C.A.F.)**

Le but même de l'alinéa 169(4)*a*) et du Règlement est de protéger le Trésor contre les violations tant frauduleuses qu'innocentes. Ce but ne peut être atteint que si les exigences sont considérées comme étant obligatoires et sont rigoureusement appliquées. Le fait de les envisager simplement comme une indication ne serait pas seulement malencontreux, mais serait une grave violation de l'intégrité du texte législatif. À cet égard, la Cour est également d'accord avec la juge Campbell lorsqu'elle affirme ce qui suit dans la décision *Davis c. La Reine*, 2004 CCI 662. De l'avis du tribunal, il n'est pas possible de contourner ces dispositions, étant donné que leur libellé est très précis. Elles sont manifestement obligatoires, et l'appelant n'a tout simplement pas respecté les exigences techniques de la Loi et le Règlement lui imposent à titre de participant à un régime d'autocotisation.

Il convient de souligner que la Cour d'appel fédérale a confirmé, dans l'arrêt *Systematix Technology Consultants Inc. c. Canada*, 2007 CAF 226, la position des juges Bowie et Campbell à cet égard. En l'espèce, la preuve a révélé que le montant payé à l'égard de chacune des fournitures par les sous traitants douteux est de 150 $ ou plus. Par conséquent, chacune des factures déposées en preuve par les appelants devait notamment contenir une description suffisante pour identifier chaque fourniture. Puisque le but visé par l'alinéa 169(4)*a*) et par le Règlement est de protéger le Trésor contre les violations tant frauduleuses qu'innocentes, la Cour est d'avis qu'une description est suffisante si elle permet à l'Agence d'identifier les travaux effectués par les fournisseurs. De l'avis de la Cour canadienne de l'impôt, les factures déposées en preuve par les appelants ne peuvent respecter la condition prévue au sous alinéa 3(c)(iv) du Règlement que si elles comprennent au moins les renseignements suivants. L'examen de toutes les factures mises en preuve par les appelants amène la Cour à conclure qu'aucune d'elles n'est conforme à l'article 169 et au Règlement, puisque pour chacune d'elles, il manque au moins un renseignement obligatoire. Par conséquent, l'appelante ne peut demander les crédits de taxe sur les intrants liés à ces factures. L'argument des appelants voulant qu'il ne faut pas exiger des intervenants de l'industrie de la construction qu'ils inscrivent sur leurs factures une description suffisante pour identifier chaque fourniture, puisqu'ils n'ont pas la plume facile, apparaît faible et insoutenable. La Cour souligne qu'il ne faut pas avoir la plume facile pour indiquer l'endroit précis où des plaques de plâtre ont été installées et le nombre de pieds carrés de plaques installées. Quant à l'argument voulant que la description des fournitures apparaissant sur les factures déposées en preuve par les appelants est suffisante, puisqu'elle satisfait aux normes de l'industrie, la Cour est d'avis qu'il est tout aussi faible et insoutenable. À cet égard, le tribunal souligne premièrement que les appelants n'ont pas fait la preuve de cette supposée norme de l'industrie à l'égard de la description des fournitures. De toute façon, souscrire à cet argument équivaudrait à donner à l'industrie le droit de déterminer ce que le législateur entend par les mots « description suffisante pour identifier chaque fourniture ». Il appartient à la Cour et non à l'industrie de déterminer ce que le législateur entend par les mots « description suffisante pour identifier chaque fourniture ». Par ailleurs, le tribunal ne voit pas en quoi la position des appelants voulant qu'il soit notoire que lorsque les fournisseurs ne sont pas en défaut fiscal, des factures rédigées à peu près de la même façon ne font pas l'objet d'une mise en question par le ministre du Revenu du Québec, ce qui laisse supposer que c'est beaucoup plus l'identité du fournisseur que la manière dont la facture est rédigée qui sous-tend l'action du ministre du Revenu du Québec, constitue un argument valable. Finalement, le tribunal ajoute à cet égard que la Cour, contrairement au ministre, ne peut se permettre de faire preuve de laxisme (si tel est le cas) dans l'application de la *Loi sur la taxe d'accise (TPS)* et du Règlement.

Contrairement à la position du juge Lamarre reflétée dans l'affaire *Bijouterie Almar*, le juge Bédard adopte une position différente en soulignant que les pratiques de l'industrie de la construction ne doivent pas être prises en considération dans l'application des renseignements visés par le Règlement. Le juge Bédard va même plus loin en appliquant ce principe non seulement à l'industrie de la construction, mais à toute industrie. Le juge Bédard n'a pas fait référence aux arguments soulevés par le juge Lamarre dans l'affaire *Bijouterie Almar*, ce qui est pour le moins surprenant. Nous partageons l'avis de David M. Sherman à l'effet que les tribunaux subséquents devraient suivre la position du juge Lamarre, à l'effet que les normes spécifiques d'une industrie doivent être prises en compte aux fins du paragraphe 169(4). De surcroît, cette tendance épouse les positions administratives de l'Agence du revenu du Canada dans le contexte du choix de l'article 167 où celle-ci a indiqué que les normes de l'industrie doivent être analysées pour déterminer si la vente d'une entreprise, ou de la quasi-totalité de celle-ci a été effectuée. À cet égard, voir notamment : Agence du revenu du Canada, Lettre de l'Administration centrale sur la TPS, 11735-15G — *GST/HST Interpretation — Section 167 Election and Leased Property* (10 octobre 2000). Voir également au même effet : question 28, Agence du revenu du Canada, Questions et commentaires en TPS/TVH — Conférence annuelle entre l'Association du Barreau Canadien et l'Agence du revenu du Canada (23 février 2012).

***3922731 Canada Inc. c. R.*, 2011 CarswellNat 755 (C.C.I.)**

L'appelante ne peut réclamer de crédit de taxe sur les intrants, car les formalités énoncées aux alinéas 3(c) et 3(b)(i) du Règlement n'est pas respectée. La facture doit indiquer le numéro d'inscription du fournisseur. Les « technicalités » de la *Loi sur la taxe d'accise (TPS)*, telles que qualifiées par l'avocate de l'appelante, doivent être respectées. La Cour canadienne de l'impôt est d'avis que la *Loi sur la taxe d'accise (TPS)* exige que les personnes ayant versé des sommes au titre de la TPS à des fournisseurs veillent à fournir des numéros d'inscription des fournisseurs valides lorsqu'elles demandent un crédit de taxe sur les intrants. Le tribunal est d'accord avec le juge Bowie lorsqu'il affirme ce qui suit dans l'affaire *Key Property Management Corp. c. R.*, [2004] G.S.T.C. 32 (CCI): le but même de l'alinéa 169(4)a) et du Règlement est de protéger le Trésor contre les violations tant frauduleuses qu'innocentes. Ce but ne peut être atteint que si les exigences sont considérées comme étant obligatoires et sont rigoureusement appliquées. Le fait de les envisager simplement comme une indication ne serait pas seulement malencontreux, mais serait une grave violation de l'intégrité du texte législatif. L'appelante ne peut pas réclamer de crédit de taxe sur les intrants si la facture ne présente pas le numéro d'inscription du fournisseur. Le ministre aurait pu accorder les crédits de taxe sur les intrants conformément au paragraphe 169(5), mais il a choisi de ne pas exercer son pouvoir discrétionnaire dans ce cas-ci. La Cour ne peut pas lui forcer la main.

***208539 Alberta Ltd. c. R.*, 2011 CarswellNat 910 (C.C.I.)**

La dernière question soulevée par l'intimée était que l'appelante n'avait pas fourni à l'Agence du revenu du Canada les documents exigés au paragraphe 169(4). Les renseignements prescrits sont contenus dans le Règlement pris en application de la *Loi sur la taxe d'accise (TPS)*. Il ressort clairement du libellé du Règlement que ce dernier n'est censé s'appliquer qu'à la taxe payée par un acquéreur à un fournisseur selon la section II de la*Loi sur la taxe d'accise (TPS)*. Le Règlement ne s'applique pas aux taxes perçues par Douanes Canada selon la section III de la *Loi sur la taxe d'accise (TPS)*. L'appelante a satisfait aux exigences documentaires prescrites par l'alinéa 169(4)a) lorsqu'elle a fourni à l'Agence du revenu du Canada des renseignements suffisants pour que le montant du crédit de taxe sur les intrants puisse être établi.

***Les Constructions Marabella Inc. c. R.*, 2012 CarswellNat 5300 (C.C.I.)**

Lorsqu'une personne inscrite réclame les intrants contre toute somme à payer sur la TPS, elle doit observer les termes de la législation. En l'espèce, la Cour canadienne de l'impôt retient donc qu'avant d'en faire la demande, mais pour la soutenir, l'appelante doit avoir et présenter le vrai nom de son fournisseur et son numéro d'inscription, son propre nom, le montant payé ou à payer, les modalités de paiement et une description suffisante pour identifier chaque fourniture. M. Marabella est un petit entrepreneur faisant affaire sous le nom *Les Constructions Marabella Inc.*, inscrite au régime de TPS-TVQ. Sa compagnie n'a aucun autre employé, sauf peut-être son épouse, Mme J. Graciοppo, qui en fait la comptabilité et représente l'appelante dans cet appel. Cette compagnie construit, pour les vendre, jusqu'à trois demeures par an, dépendant des conditions économiques et de la disponibilité de terrains de construction. M. Marabella savait aussi que ces factures étaient très sobres de détails, et venaient de différentes compagnies avec lesquelles il n'avait pas traité. Mais il les payait sans autre question, parce qu'il était satisfait du travail d'Alain Archambault, qui lui présentait celles-ci comme les siennes. En l'espèce, ce n'est pas le numéro d'inscription qui est en question, mais l'identité du fournisseur même. Évidemment, si ce n'est pas le vrai fournisseur, son numéro d'inscription est invalide vis-à-vis de l'acquéreur qui réclame le crédit de taxe sur les intrants. Le nom du fournisseur doit correspondre au numéro d'inscription, et il doit être, de fait, le fournisseur. L'appelante a accepté les représentations d'Alain Archambault, son fournisseur actuel, par erreur et l'a fait sans vérifier leur exactitude. Sans une telle vérification, cette erreur de fait n'est pas raisonnable, surtout étant donné les circonstances qui les ont provoquées, les ennuis financiers du fournisseur actuel. La Cour canadienne de l'impôt note la bonne foi de M. Marabella qui commettait cette erreur. Elle n'est malheureusement pas un moyen de défense dans ces questions administratives où seulement la diligence raisonnable excuse soit l'erreur de fait raisonnable, soit la prise de précautions raisonnables pour se conformer à la loi (*Corporation de l'École Polytechnique c. Canada*, 2004 CarswellNat 2170 (C.A.F.), paragraphe 28). Il n'était pas raisonnable (ou prudent) de la part de l'appelante de payer les factures présentées par M. Archambault, son fournisseur, sur la direction de ce dernier, à d'autres fournisseurs présumés, sans obtenir le numéro d'inscription de ce premier, et sans avoir fait affaire avec ces dernières. Sachant qu'Alain Archambault, son fournisseur, avait des ennuis avec le régime de la TPS et avait besoin d'argent rapidement, l'appelante, pour se protéger, devait vérifier ces représentations, avant de payer un étranger. En l'absence d'une telle vérification, ces erreurs de fait n'étaient pas raisonnables.

***Services d'entretien L.C. Inc. c. R.*, 2013 CarswellNat 198 (C.C.I.)**

L'alinéa 169(4)(*a*) énonce clairement qu'un inscrit peut demander un crédit de taxe sur les intrants pour une période de déclaration si, avant de produire la déclaration à cette fin, il obtient les renseignements suffisants pour établir le montant de crédit, y compris les renseignements visés par le Règlement. L'article 3 du Règlement prévoit que les renseignements à fournir doivent comprendre le numéro d'inscription attribué au fournisseur. L'avocate de l'appelante a admis que les factures à l'égard desquelles les crédits de taxe sur les intrants ont été réclamés par l'appelante n'étaient pas conformes aux exigences de la *Loi sur la taxe d'accise (TPS)* et du Règlement parce que les numéros de taxes du fournisseur de services n'y étaient pas mentionnés. Par contre, elle a soutenu que l'appelante avait droit aux crédits de taxe sur les intrants parce que le montant chargé pour les prestations de services comprenait les taxes. Dans l'arrêt *3922731 Canada Inc. c. R.* [2011 CarswellNat 755 (C.C.I.), le juge en chef Rip a eu à se prononcer sur cette question et il a conclu qu'il importait peu de déterminer si la facture était « taxe incluse » ou non. Dans le présent cas, l'appelante ne s'est pas déchargée de son obligation de produire les pièces nécessaires à l'obtention des crédits de taxe sur les intrants à l'égard des factures émises par monsieur Jorge Barcelona. L'appel est rejeté.

***Modes Crystal Inc. c. R.*, 2013 CarswellNat 186 (C.C.I.)**

En l'espèce, présumant que les factures sont valides et ne sont pas fausses, est-ce que les pièces justificatives contiennent suffisamment de renseignements pour établir les montants de crédits de taxe sur les intrants? L'intimée prétend que les factures en question n'ont pas de numéros d'inscription et donc, les renseignements nécessaires n'y sont pas présents. Par contre, il est évident que la vérificatrice interne s'est trompée à cet égard, car toutes les factures portent les numéros TPS et TVQ des sous-traitants. L'intimée affirme aussi que certaines factures apparaissent comme payées en 2009, mais sont datées de 2002. De plus, un bon de commande est daté du 3 février 2003 alors qu'il apparaît avoir été facturé en 2009. De l'avis de la Cour canadienne de l'impôt, les erreurs de date peuvent simplement être des erreurs de frappe du clavier ou d'écriture; ce que des gens peuvent souvent faire sans le vouloir et sans que ces petites erreurs soient qualifiées d'insouciances ou de négligences. Le tribunal ne considère pas que ce genre d'erreur constitue un manquement à fournir des renseignements nécessaires et suffisants, car dans le contexte de tous les documents considérés ensemble, il est certainement possible de facilement établir la vraie date de facture. Il est évident que les pièces justificatives portent le nom du fournisseur, le montant payé, le nom de l'acquéreur et les modalités de paiement. Est-ce que les pièces justificatives donnent une description suffisante pour identifier chaque fourniture? La Cour est d'avis que oui. Les pièces justificatives indiquent le nombre de vêtements, le numéro de style de chaque vêtement, le numéro de lot, la couleur de chaque vêtement, la grandeur de chaque vêtement et le prix de chaque vêtement. De l'avis du tribunal, les pièces justificatives contiennent tous les renseignements nécessaires et suffisants pour établir le montant du crédit de taxe sur les intrants. En l'espèce, le tribunal conclut toutefois que Modes Crystal inc. n'a pas acquis les fournitures en question pour lesquelles elle a demandé des crédits de taxe sur les intrants dans le calcul de sa taxe nette. À titre récapitulatif, les décisions jurisprudentielles rendues à l'égard du paragraphe 169(4) et ce, à compter de l'année 2011 sont reflétées dans le tableau ci-dessous :

	Année	Juridiction	Identité de la partie envers qui un jugement favorable a été rendu	Raisons principales
***3922731 Canada Inc. c. R.*, 2011CarswellNat 755**	2011	C.C.I.	Ministère	Les crédits de taxe sur les intrants ne peuvent être réclamés, car le numéro d'inscription du fournisseur n'apparaît pas sur la facture (paragraphes 20 et 21)
***208539 Alberta Ltd. c. R.*, 2011 CarswellNat 910**	2011	C.C.I.	Appelant	Le Règlement sur les renseignements nécessaires ne s'applique pas à l'égard des taxes perçues en vertu de la partie III de la LTA (paragraphe 26) et les exigences documentaires étaient satisfaites en vertu du paragraphe 169(4) (paragraphe 27)
***Land & Sea Enterprises Ltd. c. R.*, 2011 CarswellNat 320**	2011	C.C.I.	Appelant, en partie	Certaines factures ne remplissaient aucun des critères du Règlement (paragraphe 20)
***Maquito c.R.*, 2011 CarswellNat 1041**	2011	C.C.I.	Appelant, en partie	Suite au dépôt lors de l'instance de documents concernant l'automobile de l'appelant, le juge a accordé des crédits de taxe sur les intrants en proportion du taux d'utilisation à titre professionnel de l'automobile (paragraphe 11 et 12)
***Pro-Poseurs Inc. c. R.*, 2012 CarswellNat 2201**	2012	C.A.F.	Ministère	Les factures ne reflètent pas l'ensemble des critères requis par le Règlement. La C.C.I. n'a pas fait suite à l'argument voulant que l'industrie de la construction ne requière pas une description détaillée de la fourniture sur la facture (paragraphe 47), contrairement à la position adoptée par le juge Lamarre dans l'affaire *Bijouterie Almar*.
***Les Construction Marabella Inc. c. R.*, 2012 CarswellNat 5300**	2012	C.C.I.	Ministère	Mauvaise identité du fournisseur. (paragraphe 27)
***Thelwell c.R.*, 2012 CarswellNat 1807**	2012	C.C.I.	Ministère	L'appelante n'a pas fourni des pièces justificatives suffisantes pour permettre au juge de déterminer si les dépenses avaient réellement été engagées par l'entreprise et, encore moins, si elles avaient été encourues pour l'entreprise. (paragraphe 7)

***Kedzierskic. R.*, 2012 CarswellNat 1429**	2012	C.C.I.	Appelant en partie	Le juge a accordé des crédits de taxe sur les intrants malgré que les numéros de TPS ne figuraient pas sur la facture originale suite au dépôt de documents additionnels étayant une transaction douanière statuant que la TPS avait été payée bien que les montants ne correspondent pas exactement. (paragraphes 12, 13 et 14) Le juge a rejeté plusieurs factures sur la base que les numéros de TPS étaient inexacts et que la description de la fourniture n'étaient pas fiable « pièces ». (paragraphe 20). La fiabilité des pièces justificatives et la mauvaise tenue de registre comptable ont également été reprochées à l'appelant.
***Modes Crystal Inc.* c. *R.*, 2013 CarswellNat 186**	2013	C.C.I.	Appelant (mais le Ministère a gagné la cause)	L'ensemble de pièces justificatives (bon de commande, facture, etc.) contient l'ensemble des renseignements requis pour établir le montant de crédit de taxe sur les intrants. Fait intéressant : la Cour ne considère pas que des erreurs de frappe ou d'écriture constituent un manquement à fournir des renseignements nécessaires et suffisants, car dans le contexte de tous les documents considérés ensemble, il est possible, par exemple, de facilement établir la vraie date de la facture (paragraphe 24)
***Services d'entretien L.C. Inc.* c. *R.*, 2013 CarswellNat 198**	2013	C.C.I.	Ministère	Les numéros de taxes du fournisseur de service ne figuraient pas sur la facture (paragraphes 13 et 14)

De l'avis de l'auteur, l'interprétation des tribunaux s'arrime avec le texte du paragraphe 169(4). En effet, les dispositions du Règlement sont tributaires de l'intention du législateur qui consiste à s'assurer que le fisc est protégé contre les violations tant frauduleuses qu'innocentes. En réponse au caractère rigide des renseignements visés par le Règlement, les alternatives suivantes sont proposées :

1) Déposer une demande en vertu du paragraphe 169(5) requérant le ministre d'utiliser de son pouvoir discrétionnaire afin d'octroyer une dispense quant au caractère obligatoire de renseignements visés par le Règlement;

2) Analyser la possibilité d'utiliser la méthode simplifiée de comptabilité en vertu de l'article 227. Dans ce cas, les dispositions du Règlement et du paragraphe 169(4) ne s'appliquent pas;

3) S'assurer d'avoir une documentation appropriée pouvant refléter l'ensemble des renseignements requis par le Règlement, par exemple, par le biais de contrats, de systèmes informatiques, etc. puisque les renseignements requis en vertu du Règlement peuvent figurer sur plusieurs documents et n'ont pas à émaner nécessairement du fournisseur;

4) Obtenir, de façon consensuelle, l'émission d'une nouvelle facture incorporant tous les éléments requis;

5) Certains auteurs ont suggéré d'utiliser le processus de rectification afin de corriger des factures incomplètes ou non conformes. Dans un premier temps, ce processus de rectification peut se faire de façon consensuelle avec les autorités fiscales appropriées. Le cas échéant, une requête en rectification peut être déposée à la Cour supérieure du Québec et la jurisprudence tend à supporter la viabilité d'une telle requête aux fins de la correction d'erreurs qui se retrouvent sur une facture;

6) Dans la mesure où les erreurs proviennent de documents internes de la compagnie, c.-à-d. des livres de minutes, etc., l'existence d'un nouveau recours en vertu de l'article 458 de la *Loi sur les sociétés par actions* (Québec) pourrait être utilisé. En bref, ce recours permet de demander à un tribunal de corriger, valider ou altérer les conséquences légales d'une irrégularité qui est survenue dans les affaires de la société. Ce recours n'a pas d'équivalent au fédéral.

7) L'auteur allègue qu'un changement législatif devrait être apporté, similaire à celui qui prévaut sous l'article 194 et qui protège l'acquéreur de bonne foi qui s'est fié sur les informations soumises par le vendeur dans le contexte de la vente d'un immeuble. À titre indicatif, nous reproduisons l'extrait suivant des débats parlementaires de la Chambre des communes du Canada entourant le projet de loi C-112 — (3e session, 34e législature, 1991-1993) où Madame Marlene Starrs, chef, Politiques législatives, ministère des Finances a indiqué ce qui suit à l'égard de l'article 194 et ce, afin de bien comprendre le contexte dans lequel cet article a été adopté : « À des fins de vérification, on exige des inscrits qui demander des crédits de taxe sur les intrants de fournir les documents relatifs à leurs achats, soit les factures qui viennent étayer leurs demandes. Normalement, ce sont leurs fournisseurs qui leur transmettent ces documents. Généralement, cela se fait dans le cours ordinaire de la conduite de leurs affaires et ne cause aucun problème particulier. Cette prolongation de la période de demande d'un crédit de taxe sur les intrants fait en sorte que si le fournisseur, que ce soit par négligence ou autrement, omet de fournir à l'acheteur le document dont il a besoin, ce dernier n'est pas pénalisé parce que dans un sens, il dépend d'une autre personne pour l'obtention de son crédit de taxe sur les intrants. [...] Il peut arriver qu'après coup, une fois une transaction réalisée, les parties, qui l'eût d'abord cru non taxables, constatent, de bonne foi, qu'elle était effectivement taxable et procèdent subséquemment aux rajustements qui s'imposent dans ce cas. ». Ce changement législatif éviterait, comme le souligne le juge Boyle dans l'affaire *Comtronic* au paragraphe 29 de la décision, que les entreprises canadiennes supportent le risque lié à la fraude, au vol d'identité et autres actes illicites.

Finalement, nous désirons souligner la position pour le moins surprenante de l'Agence du revenu du Canada qui a récemment indiqué que, bien que les remboursements des organismes de services publics n'avaient pas des dispositions similaires à celles du paragraphe 169(4) et du Règlement, ceux-ci étaient assujettis aux mêmes conditions que celles qui prévalent en vertu des dispositions applicables à la demande d'un crédit de taxe sur les intrants dans le contexte de leurs demandes de remboursement en vertu de l'article 259. Voir à cet effet : Agence du revenu du Canada, Lettre de l'Administration centrale sur la TPS, 1466S1 — *GST /HST Interpretation — Municipal PSB Rebate Claims* (8 novembre 2012).

170. (1) Restriction — Le calcul du crédit de taxe sur les intrants d'un inscrit n'inclut pas de montant au titre de la taxe payable par celui-ci relativement aux biens ou services suivants :

a) le droit d'adhésion, ou le droit d'acquérir un tel droit, à une association dont l'objet principal est d'offrir des installations pour les loisirs, les sports ou les repas, sauf dans le cas où l'inscrit acquiert le droit pour fourniture exclusive dans le cours normal de son entreprise qui consiste à fournir de tels droits;

a.1) le bien ou le service acquis, importé ou transféré dans une province participante pour la consommation ou l'utilisation de l'inscrit, ou, si celui-ci est une société de personnes, pour celle d'un particulier qui en est un associé, relativement à la partie d'un établissement domestique autonome où l'inscrit ou le particulier réside, sauf si cette partie, selon le cas :

(i) est le principal lieu d'affaires de l'inscrit,

(ii) est utilisée exclusivement pour tirer un revenu d'une entreprise et est utilisée pour rencontrer des clients ou des patients de l'inscrit de façon régulière et continue dans le cadre de l'entreprise;

b) le bien ou le service acquis, importé ou transféré dans une province participante au cours d'une période de déclaration de l'inscrit, ou antérieurement, exclusivement pour la consommation ou l'utilisation personnelles — appelées « avantage » au présent alinéa — au cours de cette période, soit d'un particulier qui est le cadre ou le salarié de l'inscrit — ou qui a accepté ou a cessé de l'être — , soit d'un autre particulier lié à un tel particulier, sauf si, selon le cas :

(i) l'inscrit a effectué, au profit de l'un de ces particuliers, une fourniture taxable du bien ou du service pour une contrepartie, qui devient due au cours de cette période, égale à la juste valeur marchande du bien ou du service au moment où la contrepartie devient due,

(ii) aucun montant n'étant payable par le particulier pour l'avantage, aucun montant n'est inclus en application de l'article 6 de la *Loi de l'impôt sur le revenu* relativement à l'avantage dans le calcul de son revenu aux fins de cette loi;

c) le bien fourni par bail, licence ou accord semblable au cours de la période de déclaration de l'inscrit, ou avant, principalement pour la consommation ou l'utilisation personnelles d'un des particuliers suivants au cours de cette période, sauf si l'inscrit a effectué au cours de cette période, au profit d'un tel particulier, une fourniture taxable du bien pour une contrepartie, qui devient due au cours de cette période, égale à la juste valeur marchande de la fourniture au moment où la contrepartie devient due :

(i) si l'inscrit est un particulier, lui-même ou un autre particulier qui lui est lié,

(ii) s'il est une société de personnes, le particulier qui en est un associé ou un autre particulier qui est le salarié, le cadre ou l'actionnaire de l'associé ou qui est lié à celui-ci,

(iii) s'il est une personne morale, le particulier qui est son actionnaire ou un autre particulier qui est lié à celui-ci,

(iv) s'il est une fiducie, le particulier qui est son bénéficiaire ou un autre particulier qui est lié à celui-ci.

Notes historiques: Le préambule du paragraphe 170(1) a été modifié par L.C. 1997, c. 10, par. 162(1) et cette modification est entrée en vigueur le 1er avril 1997. Ce préambule se lisait auparavant comme suit :

170. (1) Le calcul du crédit de taxe sur les intrants d'un inscrit n'inclut pas le montant de la taxe payable par celui-ci relativement aux biens ou services suivants qui lui ont été fournis ou qu'il a importés :

L'alinéa 170(1)a) a été modifié par L.C. 1993, c. 27, par. 36(1), et est réputé entré en vigueur le 17 décembre 1990.

Toutefois, l'alinéa 170(1)a) ne s'applique pas aux fournitures du droit d'acquérir un droit d'adhésion qui est acquis par l'acquéreur avant 1992. L'alinéa 170(1)a) se lisait auparavant comme suit :

a) le droit d'adhésion à une association dont l'objet principal est d'offrir des installations pour les loisirs, les sports ou les repas;

Le préambule de l'alinéa 170(1)a.1) a été modifié par L.C. 1997, c. 10, par. 162(2) et cette modification est entrée en vigueur le 1er avril 1997.

Cet alinéa s'applique aux biens importés après le 23 avril 1996 ainsi qu'aux fournitures dont la contrepartie devient due après cette date ou est payée après cette date sans qu'elle soit devenue due. Le préambule de l'alinéa 170(1)a.1) se lisait comme suit :

a.1) le bien ou le service acquis ou importé pour la consommation ou l'utilisation de l'inscrit, ou, si celui-ci est une société de personnes, pour celle d'un particulier qui en est un associé, relativement à la partie d'un établissement domestique autonome où l'inscrit ou le particulier réside, sauf si cette partie, selon le cas :

Cet alinéa a été ajouté par L.C. 1997, c. 10, par. 20(1).

Le préambule de l'alinéa 170(1)b) a été modifié par L.C. 1997, c. 10, par. 162(3) et cette modification est entrée en vigueur le 1er avril 1997. Auparavant, ce passage se lisait comme suit :

b) le bien ou le service acquis ou importé au cours d'une période de déclaration de l'inscrit, ou avant, exclusivement pour la consommation ou l'utilisation personnelles — appelées « avantage » au présent alinéa — au cours de cette période, soit d'un particulier qui est le cadre ou le salarié de l'inscrit — ou qui a accepté ou a cessé de l'être — soit d'un autre particulier lié à un tel particulier, sauf si, selon le cas :

Le paragraphe 170(1) a été ajouté par L.C. 1990, c. 45, par. 12(1).

Concordance québécoise: LTVQ, art. 203, 204.

Série de mémorandums [art. 170(1)]: Mémorandum 9.2, 11/11, *Avantages relatifs aux automobiles* .

(2) Autre restriction — Le calcul du crédit de taxe sur les intrants d'un inscrit n'inclut pas de montant au titre de la taxe payable par celui-ci relativement à un bien ou un service qu'il a acquis, importé ou transféré dans une province participante, sauf dans la mesure où :

a) d'une part, la consommation ou l'utilisation du bien ou du service, compte tenu de leur qualité, nature ou coût, est raisonnable dans les circonstances, eu égard à la nature des activités commerciales de l'inscrit;

b) d'autre part, le montant est calculé sur la contrepartie du bien ou du service ou sur la valeur du bien qui est raisonnable dans les circonstances.

Notes historiques: Le paragraphe 170(2) a été modifié par L.C. 1997, c. 10, par. 162(4) et cette modification est entrée en vigueur le 1er avril 1997. Il se lisait comme suit :

(2) Le calcul du crédit de taxe sur les intrants d'un inscrit n'inclut pas de montant au titre de la taxe payable par l'inscrit relativement à un bien ou un service qui lui est fourni, ou à un produit qu'il importe, sauf dans la mesure où :

a) d'une part, la consommation ou l'utilisation du bien, du service ou du produit, compte tenu de leur qualité, nature ou coût, est raisonnable dans les circonstances, eu égard à la nature des activités commerciales de l'inscrit;

b) d'autre part, le montant est calculé sur la contrepartie du bien ou du service ou sur la valeur du produit qui est raisonnable dans les circonstances.

Ce paragraphe a été ajouté par L.C. 1990, c. 45, par. 12(1).

Concordance québécoise: LTVQ, art. 206.

Série de mémorandums [art. 170(2)]: Mémorandum 9.1, 11/11, *Avantages taxables (autres que les avantages relatifs aux automobiles)* ; Mémorandum 9.2, 11/11, *Avantages relatifs aux automobiles* .

Définitions [art. 170]: « acquéreur », « activité commerciale », « bien », « cadre », « contrepartie », « droit d'adhésion », « entreprise », « établissement domestique autonome », « exclusif », « fourniture », « fourniture taxable », « importation », « inscrit », « juste valeur marchande », « montant », « période de déclaration », « province participante », « salarié », « service », « taxe » — 123(1).

Renvois [art. 170]: 126 (personne liée); 155(2) (fourniture entre personnes liées — exception); 172(3) (utilisation non commerciale); 173(1) (avantages à un salarié ou un actionnaire); 193(1) (vente d'un immeuble); 203(1) (vente d'une voiture de tourisme utilisée comme immobilisation); 203(4) (vente d'une voiture de tourisme par une municipalité); 235(1)B a)b) (taxe nette en cas de location de voiture de tourisme) *Loi de l'impôt sur le revenu*, 6, 251(2)a), 251(6); 236(1.2) (montants déraisonnables).

Jurisprudence [art. 170]: *Clive Tregaskiss Investment Inc. v. R.*, [2003] G.S.T.C. 106 (CCI); *Cofamek Inc. c. R.*, [2003] G.S.T.C. 115 (CCI); *3859681 Canada Inc. v. R.*, [2003] G.S.T.C. 123 (CCI); *Couillard c. R.*, [2004] G.S.T.C. 164 (CCI); *Sandhu c. R.*, 2006 TCC 50 (CCI); *Coburn Realty Ltd. v. R.*, [2006] G.S.T.C. 54 (CCI); *Reakes Enterprises Ltd. c. R.*, [2006] G.S.T.C. 119 (CCI); *ExxonMobil Canada Ltd. v.*, 2010 CarswellNat 1132, 2010 FCA 1 (CAF).

Bulletins d'interprétation (Impôt) [art. 170]: IT-63R5, 04/06/93, *Avantages, y compris les frais pour droit d'usage d'une automobile après 1992, qui découlent de l'usage à des fins personnelles d'un véhicule automobile fourni par l'employeur*; IT-470R, 8/04/88, *Avantages sociaux des employés* (modifié le 11 décembre 1989).

Énoncés de politique [art. 170]: P-098R, 08/02/99, *Garanties d'un club de golf.*

Bulletins de l'information technique [art. 170]: B-075R, 23/04/96, *Modifications proposées à la TPS*; B-098, 26/08/11, *Application de l'article 141.02 aux institutions financières qui sont des institutions admissibles.*

Mémorandums [art. 170]: TPS 300, 07/03/91, *Taxe sur les fournitures*; TPS 300-4, 02/11/93, *Taxe sur les fournitures fournitures exonérées*; TPS 300-6, 14/09/90, *Taxe sur les fournitures moment d'assujettissement de la fourniture*; TPS 400, 18/05/90, *Crédits de taxe sur les intrants*; TPS 400-1-1, 25/02/91, *Crédit intégral de taxe sur les intrants*, par. 1, 2; TPS 400-1-2, 8/11/90, *Document requis*, par. 15, 19; TPS 400-2, 28/03/91, *Restrictions — généralités*, par. 7, 8, 11, 12; TPS 400-3-2, 19/02/92, *Avantages aux salariés et aux actionnaires*; TPS 400-3-2-1, 12/02/92, *Avantages relatifs à l'utilisation d'automobiles*, par. 20–25, 47; TPS 500-2-4, 19/03/91, *Calcul de la taxe*, annexe B; TPS 500-7, 26/11/91, *Interaction entre la Loi sur la taxe d'accise et la Loi de l'impôt sur le revenu*, par. 7, 12, 23, 24, 26; Mémorandum 19.1, 10/97, *Les immeubles et la TPS/TVH.*

Série de mémorandums [art. 170]: Mémorandum 8.2, 03/08, *Restrictions générales.*

Lettres d'interprétation (Québec) [art. 170]: 99-0102311 — Interprétation relative à la TVQ — Demande d'un RTI à l'égard d'un ordinateur; 00-0111302 — Interprétation relative à la TPS et à la TVQ — Réclamation de CTI/RTI; 01-0107910 — Interprétation relative à la TVQ — Article 318 de la LTVQ et dédommagement accordé à des inscrits — demande de précision; 02-0103453 — Interprétation relative à la TPS et à la TVQ — Fournitures effectuées par un organisme à but non lucratif; 02-0107777 — Interprétation relative à la TPS et à la TVQ — Règles générales, résidences pour personnes âgées; 03-0109003 — Dépenses relatives à un bureau à domicile; 03-0110936 — Interprétation relative à la TPS et à la TVQ — Taux du remboursement partiel des taxes — Construction d'un immeuble par une municipalité; 05-0101013 — Interprétation relative à la TPS et à la TVQ — allocations versées aux employés — raisonnabilité; 05-0105683 — CTI/RTI réclamés par un avocat pour des vêtements.

COMMENTAIRES: Cet article prévoit certaines situations qui limitent la possibilité pour un inscrit de réclamer un crédit de taxe sur les intrants en vertu de l'article 169.

À titre illustratif, lorsque, dans le cadre de ses activités commerciales, la société achète les vêtements pour son cadre ou son employé, l'article 170 vient apporter la restriction suivante à sa réclamation de crédit de taxe sur les intrants : les vêtements sont acquis pour l'utilisation personnelle de l'avocat et non pas pour utilisation dans le cadre des activités de la société. Par conséquent, Revenu Québec est d'avis que la société n'a droit à aucun crédit de taxe sur les intrants à l'égard de cette dépense sauf si aucun montant n'est inclus en application de l'article 6 de la *Loi de l'impôt sur le revenu* relativement à l'avantage dans le calcul du revenu de l'avocat aux fins de cette loi. Dans l'hypothèse où, suite à un remboursement de dépenses ou au versement d'une allocation, la société était réputée, par l'effet des articles 174 ou 175, avoir reçu une fourniture des vêtements, la restriction aux crédits de taxe sur les intrants prévue à l'alinéa 170(1)b) s'appliquerait de la même manière que si elle avait engagé elle-même la dépense. Voir notamment à cet effet : Revenu Québec, Lettre d'interprétation, 05-0105683 — *CTI/RTI réclamés par un avocat pour des vêtements* (18 novembre 2005).

L'affaire *Louiseville Automobile Ltee c. R.*, 2010 CarswellNat 3980 (C.C.I.) est un exemple d'application par la Cour canadienne de l'impôt du critère énoncé à l'alinéa 170(1)(b). Dans cette affaire, l'intimée prétend que l'alinéa 170(1)b) s'applique parce que l'autocaravane a été acquise exclusivement pour la consommation ou l'utilisation personnelle de M. Lessard et que l'exclusion au sous-alinéa 170(1)*b*)(i) ne s'applique pas parce que la location n'était pas à la juste valeur marchande. L'appelante, de son côté, prétend que l'alinéa 170(1)*b*) ne s'applique pas parce que, d'une part, l'autocaravane n'a pas été acquise exclusivement pour l'utilisation personnelle de M. Lessard et que, d'autre part, la location s'est faite à la juste valeur marchande. L'autocaravane fut-elle acquise exclusivement pour l'utilisation de M. Lessard? Le mot exclusivement est défini au paragraphe 123(1) comme la totalité ou presque. Il est bien connu que la pratique de l'Agence du revenu du Canada est d'interpréter cette expression comme signifiant 90 % ou plus, bien que la jurisprudence a parfois considéré aussi peu qu'environ 80 % comme étant la totalité ou presque. Dans ce cas, l'appelante prétend que l'autocaravane n'était pas acquise exclusivement pour l'utilisation de M. Lessard parce que l'appelante avait l'intention de faire de l'argent avec l'autocaravane, notamment en la revendant. Le tribunal n'est pas d'accord avec cette approche pour les raisons suivantes. La preuve n'est pas compatible avec la conclusion selon laquelle l'autocaravane a été achetée pour revente à plus ou moins court terme. Premièrement, signer un bail de 10 ans n'est pas compatible avec une revente à court terme. Deuxièmement, la Cour note que M. Lessard a témoigné qu'à l'origine c'est lui qui voulait s'acheter une autocaravane et que, par la suite, il a été décidé que la compagnie pourrait en profiter. Troisièmement, la première preuve d'intention de revente, autre que le témoignage de M. Lessard, est la facture de l'annonce de vente datée en juin 2005. Le fait que l'autocaravane fut entreposée en Floride pendant l'hiver de 2003 à 2004 et à Las Vegas pendant l'hiver de 2004 à 2005 est incompatible avec une revente à plus court terme.

De l'avis de l'auteur, il est étrange que cette affaire n'ait pas été décidée par le biais de la procédure informelle qui, de toute évidence, aurait été moins onéreuse pour l'appelant.

L'affaire *ExxonMobil Canada Ltd. c. R.*, 2010 CarswellNat 12 (C.A.F.) a analyse l'interaction entre les articles 170 et 174 de la *Loi sur la taxe d'accise (TPS)*. Dans cette affaire, le juge de la Cour de l'impôt a indiqué que, en vertu de l'alinéa 170(1)b), l'employeur ne peut demander de crédit de taxe sur les intrants relativement à la fourniture d'un bien ou d'un service acquis exclusivement pour la consommation ou l'utilisation personnelle d'un employé, si le bien ou le service ainsi fourni constitue un avantage imposable selon la *Loi de l'impôt sur le revenu*. Étant donné que le bien fourni constituait un avantage imposable dans la présente affaire (étant donné que les indemnités sont imposables), le juge de la Cour de l'impôt a conclu que l'alinéa 170(1)*b*) s'appliquait et que les appelantes n'avaient donc pas droit aux crédits de taxe sur les intrants. De l'avis de la Cour d'appel fédérale, bien que les articles 170 et 174 visent des situations qui peuvent sembler analogues, il ressort clairement des régimes distincts applicables que le législateur voulait qu'ils s'appliquent de manière distincte, en fonction de leurs propres conditions. De l'avis du tribunal, il s'ensuit que les conditions prévues à l'article 170 ne s'appliquent pas à la demande faite en vertu de l'article 174, et qu'inversement les conditions prévues à l'article 174 ne s'appliquent pas à la demande fondée sur l'article 170. Toutefois, cela ne veut pas dire qu'il faut interpréter ces dispositions isolément ou sans tenir compte l'une de l'autre. Par conséquent, la Cour d'appel fédérale est d'avis, à la lumière des faits en l'espèce, que la condition prévue au sous-alinéa 174*a*)(iv) n'a pas été remplie, étant donné que les fournitures de biens ou de services que les indemnités étaient censées financer (telles qu'elles figurent dans les avis d'appel respectifs) étaient destinées à l'utilisation personnelle exclusive des employés. La Cour d'appel fédérale convient donc avec le juge de la Cour de l'impôt que les appelantes n'avaient pas de droit aux crédits de taxe sur les intrants en vertu de l'article 174, mais pour des motifs différents de ceux qu'il a exposés.

Finalement, au niveau provincial, l'affaire *Technostructur inc. (175094 Canada Inc.) c. Québec (Sous-ministre du Revenu)*, 2011 Carswell 4240 (C.Q.) est une décision intéressante de la Cour du Québec qui souligne les différences entre les articles 170 et 174 de la *Loi sur la taxe d'accise (TPS)* et qui conclut qu'il est possible qu'une dépense soit déductible en vertu de la *Loi de l'impôt sur le revenu*, mais ne donne pas ouverture aux RTI en vertu de la *Loi sur la taxe de vente du Québec*. Il est à noter qu'il est raisonnable de conclure que cette décision peut s'appliquer mutatis mutandis à l'égard des crédits de taxe sur les intrants au niveau fédéral. Dans cette affaire, la Cour du Québec, en tenant compte des commentaires suivants de la Cour d'appel fédérale dans *ExxonMobil*, et bien que les articles 170 et 174 visent des situations qui peuvent sembler analogues, il ressort clairement des régimes distincts applicables que le législateur voulait qu'ils s'appliquent de manière distincte, en fonction de leurs propres conditions. De l'avis de la Cour du Québec, il s'ensuit que les conditions prévues à l'article 170 ne s'appliquent pas à la demande faite en vertu de l'article 174, et qu'inversement les conditions prévues à l'article 174 ne s'appliquent pas à la demande fondée sur l'article 170. Toutefois, cela ne veut pas dire que la Cour du Québec doit interpréter ces dispositions isolément ou sans tenir compte l'une de l'autre. Il y a lieu de souligner que les dispositions en matière de taxe font le parallèle avec celles de l'impôt sur le revenu : à titre d'exemple, la *Loi sur la taxe de vente du Québec* renvoie aux dispositions de la *Loi sur les impôts* concernant la limite de 50 % quant aux frais de repas. Dans la mesure où l'inscrit est limité par la *Loi sur les impôts* quant aux dépenses de repas, il est limité dans la même proportion quant à ses RTI. À cet égard, il y a toutefois lieu de préciser que ce n'est pas parce qu'une dépense est admissible en impôt sur le revenu qu'elle donne droit aux RTI : en effet, en impôt, la dépense est, en principe, déductible dans la mesure où elle a été faite dans le but de gagner un revenu d'entreprise. En taxes, le droit aux RTI dépend, entre autres, du fait que cette dépense soit reliée à la fourniture d'un bien ou d'un service consommé, utilisé ou fourni dans le cadre des activités commerciales de l'inscrit (taxe payée directement par l'inscrit ou remboursée au salarié) ou, encore, que cette dépense ait été faite dans le but de permettre à un salarié d'acquérir des fournitures de biens ou de services relativement aux activités exercées par l'inscrit.

Sous-section c — Cas spéciaux

Début et cessation de l'inscription

171. (1) Nouvel inscrit — La personne qui était un petit fournisseur immédiatement avant le moment donné où elle devient un inscrit est réputée, aux fins du calcul de son crédit de taxe sur les intrants :

a) avoir reçu, au moment donné, une fourniture par vente de chacun de ses biens qu'elle détenait, immédiatement avant ce moment, pour consommation, utilisation ou fourniture dans le cadre de ses activités commerciales;

b) avoir payé, au moment donné, la taxe relative à la fourniture, égale à la teneur en taxe du bien à ce moment.

Notes historiques: L'alinéa 171(1)b) a été modifié par L.C. 1997, c. 10, par. 163(1) et cette modification est entrée en vigueur le 1er avril 1997. Cet alinéa se lisait comme suit :

> b) avoir payé, au moment donné, la taxe relative à la fourniture, égale au résultat du calcul suivant :
>
> $$A \times B$$
>
> où :
>
> A représente le moins élevé des montants suivants :
>
> (i) le total de la taxe qui, avant le moment donné, est devenue payable, ou a été payée, par elle relativement à sa dernière acquisition ou importation du bien, et de la taxe qui, avant le moment donné, est devenue payable, ou a été payée, par elle relativement aux améliorations apportées au bien qu'elle a acquises ou importées après cette dernière acquisition ou importation,
>
> (ii) la taxe calculée sur la juste valeur marchande du bien au moment donné,
>
> B 100 % ou, si elle pouvait demander un remboursement en application de l'article 259 relativement à une taxe incluse dans le total visé au sous-alinéa (i) de l'élément A, la différence entre 100 % et le pourcentage réglementaire visé à cet article qui s'appliquait au calcul du montant remboursable.

Le paragraphe 171(1) a été modifié par L.C. 1993, c. 27, par. 37(1) et est réputé entré en vigueur le 1er octobre 1992. Il se lisait auparavant comme suit :

> 171. (1) Le petit fournisseur est réputé, aux fins de déterminer son crédit de taxe sur les intrants pour sa première période de déclaration suivant le moment où il devient un inscrit :
>
> a) avoir acquis, par achat, d'un inscrit, immédiatement après ce moment, chaque bien qui, jusqu'alors, était détenu pour consommation, utilisation ou fourniture dans le cadre de ses activités commerciales;
>
> b) avoir payé, à ce moment, la taxe relative à la fourniture, égale au moins élevé des montants suivants :
>
> (i) l'excédent éventuel du total de la taxe payable par lui avant ce moment relativement à l'acquisition, à l'importation ou aux améliorations du bien et de la taxe qu'il est réputé, en application du paragraphe (3) ou 200(2), avoir perçue avant ce moment relativement au bien sur le total des crédits de taxe sur les intrants et des remboursements qu'il a demandés aux termes de la présente partie avant ce moment relativement à ces acquisitions, importations et améliorations,
>
> (ii) la taxe qui serait payable par lui si le bien lui avait été fourni à ce moment par un inscrit pour une contrepartie égale à sa juste valeur marchande à ce moment.

Le paragraphe 171(1) a été ajouté par L.C. 1990, c. 45, par. 12(1).

Concordance québécoise: LTVQ, art. 207.

Bulletins de l'information technique [art. 171(1)]: B-107, 10/11, *Régimes de placement (y compris les fonds réservés d'assureur) et la TVH*.

Info TPS/TVQ [art. 171(3)]: GI-122 — *Les incidences de la TPS/TVH à la suite de l'acquisition de panneaux solaires en vertu du Programme de tarifs de rachats garantis pour les micro-projets en Ontario.*

(2) Services et biens de location — Sous réserve des dispositions de la présente section, le calcul des crédits de taxe sur les intrants d'une personne, pour sa première période de déclaration se terminant après le moment où elle devient un inscrit :

a) peut inclure toute taxe qui est devenue payable par la personne avant ce moment, dans la mesure où cette taxe était soit payable relativement aux services à lui fournir après ce moment pour consommation, utilisation ou fourniture dans le cadre de ses activités commerciales, soit calculée sur la valeur de la contrepartie qui constitue un loyer, une redevance ou un paiement semblable imputable à une période postérieure à ce moment relativement à un bien utilisé dans le cadre de ses activités commerciales;

b) exclut la taxe qui devient payable par la personne après ce moment, dans la mesure où cette taxe est soit payable relativement aux services qui lui sont fournis avant ce moment, soit calculée sur la valeur de la contrepartie qui constitue un loyer, une redevance ou un paiement semblable imputable à une période antérieure à ce moment.

Notes historiques: Le paragraphe 171(2) a été ajouté par L.C. 1990, c. 45, par. 12(1). [N.D.L.R. : voir disposition transitoire sous par. 242(2): L.C. 1997, c. 10, art. 256].

Concordance québécoise: LTVQ, art. 208.

(3) Cessation de l'inscription — Pour l'application de la présente partie, les présomptions suivantes s'appliquent à la personne qui cesse d'être un inscrit à un moment donné :

a) la personne est réputée :

(i) avoir fourni, immédiatement avant le moment donné, chacun de ses biens, sauf les immobilisations, qu'elle détenait alors pour consommation, utilisation ou fourniture dans le cadre de ses activités commerciales et avoir perçu, immédiatement avant ce moment, la taxe relative à la fourniture, calculée sur la juste valeur marchande du bien à ce moment;

(ii) avoir reçu, au moment donné, une fourniture du bien par vente et avoir payé, à ce moment et relativement à la fourniture, la taxe visée au sous-alinéa (i);

b) la personne est réputée, immédiatement avant le moment donné, avoir cessé d'utiliser dans le cadre de ses activités commerciales les immobilisations qu'elle utilisait alors dans ce cadre.

Notes historiques: Le paragraphe 171(3) a été modifié par L.C. 1993, c. 27, par. 37(2) et est réputé entré en vigueur le 17 décembre 1990. Il se lisait auparavant comme suit :

(3) Pour l'application de la présente partie, la personne qui, exerçant des activités commerciales, cesse d'être un inscrit à un moment donné est réputée :

a) dans le cas d'un bien, sauf son immobilisation :

(i) avoir fourni, immédiatement avant ce moment, chaque bien qui, jusqu'alors, lui appartenait et qu'elle consommait, utilisait ou fournissait dans le cadre de ses activités commerciales,

(ii) avoir perçu immédiatement avant ce moment, sauf s'il s'agit d'une fourniture exonérée, la taxe relative à la fourniture, calculée sur la juste valeur marchande du bien à ce moment;

b) dans le cas de son immobilisation, avoir cessé, immédiatement avant ce moment, de l'utiliser dans le cadre d'activités commerciales.

Le paragraphe 171(3) a été ajouté par L.C. 1990, c. 45, par. 12(1). [N.D.L.R. : voir disposition transitoire sous par. 242(2): L.C. 1997, c. 10, art. 256].

Concordance québécoise: LTVQ, art. 209.

(4) Services et biens de location — Dans le cas où une personne, exerçant des activités commerciales, cesse d'être un inscrit à un moment donné :

a) le calcul de ses crédits de taxe sur les intrants pour sa dernière période de déclaration commençant avant ce moment peut inclure toute taxe qui devient payable par elle après ce moment, dans la mesure où cette taxe est soit payable relativement aux services qui lui sont fournis avant ce moment pour consommation, utilisation ou fourniture dans le cadre de ses activités commerciales, soit calculée sur la valeur de la contrepartie qui constitue un loyer, une redevance ou un paiement semblable imputable à une période antérieure à ce moment relativement à un bien utilisé dans le cadre de ses activités commerciales;

b) aux fins du calcul de sa taxe nette pour sa dernière période de déclaration commençant avec ce moment, le total visé à l'élément A de la formule au paragraphe 225(1) est majoré de tout crédit de taxe sur les intrants qu'elle a demandé avant ce moment dans la mesure où ce crédit est lié à des services qui lui seront fournis après ce moment ou à la valeur de la contrepartie qui constitue un loyer, une redevance ou un paiement semblable imputable à une période postérieure à ce moment.

Notes historiques: Le paragraphe 171(4) a été ajouté par L.C. 1990, c. 45, par. 12(1).

Concordance québécoise: LTVQ, art. 210.

(5) Exception — Les paragraphes (1) à (4) ne s'appliquent pas dans le cas où l'article 171.1 s'applique, et le paragraphe (3) ne s'applique pas aux biens qu'une personne détient immédiatement avant de cesser d'être un inscrit dans le cas où les paragraphes 178.3(1), 178.4(1) ou 178.5(1) ou (2) se sont déjà appliqués à la personne.

Notes historiques: Le paragraphe 171(5) a été ajouté par L.C. 1993, c. 27, par. 37(3) et est réputé entré en vigueur le 1er octobre 1992.

Concordance québécoise: LTVQ, art. 210.1.

Définitions [art. 171]: « activité commerciale », « améliorations », « bien », « contrepartie », « fourniture », « fourniture exonérée », « immobilisation », « importation », « inscrit », « juste valeur marchande », « montant », « période de déclaration », « personne », « petit fournisseur », « service », « taxe », « teneur en taxe » — 123(1); « taxe exigée non admise au crédit » — 259(1).

Renvois [art. 171]: 123(1) (bien municipal désigné); 129(1)–(3) (division de petit fournisseur); 129.1 (division de petit fournisseur); 148 (petit fournisseur); 169(3) (CTI); 178.5(1) (biens réservés aux entrepreneurs); 178.5(11) (démarcheur — matériel de promotion); 195.2 (dernière acquisition ou importation); 198.1a)(i) (changement d'utilisation par suite de l'application de la partie IX); 206(4) (cessation d'utilisation dans le cadre d'activités commerciales); 222 (montants perçus détenus en fiducie); 225(1) (calcul de la taxe nette); 240(3) (inscription); 241 (inscription — petit fournisseur); 242(2) (annulation d'inscription); 251 (période de déclaration); 259(1) (remboursement); 259(4) (remboursement aux municipalités désignées); 259(4.2) (exclusions); 259(4.21) (exclusions); 259(4.3) (remboursement à certains organismes déterminés de services publics de Terre-Neuve); 272.1(6) (continuation de la société de personnes); IX:Partie IX:1 (fournitures réputées — TVQ).

Jurisprudence [art. 171]: *Kornacker (A.) c. La Reine* (1996), G.S.T.C. 21 (CCI); *Edible What Candy Corp. v. R.*, [2002] G.S.T.C. 33 (CCI); *Brose c. R.*, [2006] G.S.T.C. 47 (CCI).

Énoncés de politique [art. 171]: P-18R, 29/03/00, *Délai relatif à l'admissibilité aux CTI lorsqu'une personne devient un inscrit*; P-019R, 04/08/99, *Droit aux CTI relatifs aux frais de démarrage — biens en immobilisations admissibles*; P-109, 30/06/93, *Cession d'une terre agricole par un agriculteur ayant la propriété exclusive à une ou à plusieurs personnes liées et à lui-même à titre de copropriétaires*; P-183, 07/06/95, *Acquisition d'une terre agricole en copropriété.*

Bulletins de l'information technique [art. 171]: B-068, 20/01/93, *Simples fiducies*; B-078, 28/02/97, *Règles sur le lieu de fourniture sous le régime de la TVH*; B-103, 02/10, *Taxe de vente harmonisée — Règles sur le lieu de fourniture pour déterminer si une fourniture est effectuée dans une province.*

Mémorandums [art. 171]: TPS 400, 18/05/90, *Crédits de taxe sur les intrants*, par. 18, 19, 21, 22; TPS 400-3-1, 1/04/92, *Début et cessation de l'inscription*, par. 12–18, 20, 22, 23, 29–39; TPS 500-2-4, 19/03/91, *Calcul de la taxe*; TPS 500-4-3, 17/05/91, *Application et exécution — remboursements — universités, administrations scolaires et collèges publics*; TPS 500-4-4, 31/03/93, *Application et exécution remboursements administrations hospitalières*; TPS 500-4-8, 31/05/91, *Application et exécution remboursements organismes a but non lucratif*; TPS 500-4-9, 31/05/91, *Application et exécution remboursements organismes de bienfaisance.*

Série de mémorandums [art. 171]: Mémorandum 2.7, 05/05, *Annulation de l'inscription*, par. 13-17; Mémorandum 3.1, 08/99, *Assujettissement à la taxe*; Mémorandum 8-1, 05/05, *Règles générales d'admissibilité*; Mémorandum 19.2.4, 06/98, *Immeubles résidentiels — Sujets particuliers*; Mémorandum 19.4.2, 08/99, *Immeubles commerciaux — Fournitures réputées*; Mémorandum 19.5, 06/02, *Fonds de terre et immeubles connexes.*

Info TPS/TVQ [art. 171]: GI-007 — *Exploitation d'un gîte touristique dans votre habitation.*

Lettres d'interprétation (Québec) [art. 171]: 98-0108633 — Interprétation relative à la TPS et à la TVQ — Droit aux CTI et aux RTI à l'égard des coûts de construction d'un immeuble; 98-0111033 — Inscription d'un petit fournisseur et teneur en taxe d'un camion; 99-0103111 — Interprétation relative à la TPS — Interprétation relative à la TVQ — Fusion d'organismes de services publics.

COMMENTAIRES: Une personne qui décide de s'inscrire au régime de la TPS doit exercer ou avoir l'intention d'exercer une activité commerciale au Canada selon la définition mentionnée au paragraphe 123(1) pour être en mesure de compléter une demande d'inscription. L'inscription est alors acceptée par Revenu Québec ou l'Agence du revenu du Canada pour autant qu'il existe à ce moment une activité commerciale y incluant les activités reliées aux démarrages d'une entreprise. Toutefois, une institution financière désignée, une société de portefeuille ainsi que certaines personnes non résidentes peuvent choisir de s'inscrire sans être obligées d'exercer une telle activité commerciale. Ainsi, selon l'application générale de la *Loi sur la taxe d'accise (TPS)*, une personne ne peut donc pas s'inscrire au régime de la TPS immédiatement avant de commencer une activité commerciale.

Il est à noter que le paragraphe 241(1) prévoit une date effective de l'inscription, qui n'est pas nécessairement la même que le numéro d'inscription est émis ou la même qui est reflété dans la demande d'inscription.

Le paragraphe (1) prévoit que le petit fournisseur qui devient un inscrit est réputé avoir reçu la fourniture par vente des biens qu'il détient alors, pour utilisation dans le cadre de ses activités commerciales, et avoir payé la taxe afférente, permettant ainsi un crédit de taxe sur les intrants. Les mots clés suivants sont reflétés à l'alinéa 171(1)(a) « une personne ...est réputé avoir payé ». Le particulier aura donc droit à un crédit de taxe sur les intrants à l'égard du montant de la TPS ainsi calculée, ce suivant le pourcentage qui représente la mesure dans laquelle le particulier utilisait chacun de ses biens dans le cadre de ses activités commerciales immédiatement après le moment où il devenu un inscrit. Il s'agit là de l'application du paragraphe 169(1).

À titre illustratif, prenons la situation où une personne a débuté ses activités commerciales le 15 janvier 2013 et a présenté sa demande d'inscription à cette date pour qu'elle soit en vigueur le 1er janvier 2013. Un avis de Revenu Québec daté du 20 janvier 2013 est émis afin de confirmer son statut d'inscrit à compter du 1er janvier 2013. Elle détenait un ordinateur acquis en 2010 qu'elle utilisait à des fins personnelles. Elle décide d'utiliser cet ordinateur, dès le début de ses activités commerciales, soit le 15 janvier 2013, principalement dans le cadre de ses activités commerciales. La date d'entrée en vigueur de l'inscription obligatoire d'une personne est la date où cette dernière doit présenter sa demande ou la date où elle était tenue de le faire. Dans le cas d'une inscription au choix, la date d'entrée en vigueur est la date de réception de la demande à moins que la personne n'indique une date antérieure à cette date et sous réserve de certaines pratiques administratives de Revenu Québec. Nous vous référons à nos commentaires sous l'article 240 à cet effet. Sur la base des faits soumis, Revenu Québec est d'avis que la date d'entrée en vigueur de l'inscription ne peut être que le 15 janvier 2013, soit la date du début de ses activités commerciales malgré le fait qu'une autre date ait été inscrite sur l'avis de Revenu Québec. C'est à cette date que le paragraphe (1) peut s'appliquer au nouvel inscrit. Ce dernier peut ainsi réclamer un crédit de taxe sur les intrants à l'égard de l'ordinateur qu'il utilise ou entend utiliser au cours de la période pendant laquelle le crédit est réclamé dans le cadre de ses activités commerciales. Ainsi, l'intention de l'inscrit concernant l'usage du bien au moment de l'inscription est le facteur déterminant à considérer pour l'application du paragraphe (1). Il n'y a pas lieu de tenir compte de l'usage du bien au cours de la période antérieure à l'inscription ni de l'intention de l'acquéreur au moment de l'acquisition du bien.Voir notamment à cet effet : Revenu Québec, Lettre d'interprétation, 97-0102984 — *Application des paragraphes 171(1) et 199(3)* (16 juin 1997).

Revenu Québec a également souligné que pour l'application du paragraphe (1), une personne est nécessairement un petit fournisseur immédiatement avant le moment donné où elle devient un inscrit étant donné qu'elle y exerce déjà à ce moment une activité commerciale. Il n'y a pas lieu de tenir compte de l'usage du bien au cours de la période antérieure à l'inscription ni de l'intention de l'acquéreur au moment de l'acquisition du bien. Voir notamment à cet effet : Revenu Québec, Lettre d'interprétation, 96-0114114 [B] — *CTI/RTI lors de l'inscription* (11 juillet 1997), et Revenu Québec, Lettre d'interprétation 96-0112076 — *Nouvel inscrit et améliorations à un immeuble* (30 octobre 1996).

Il est à noter que le paragraphe (2) s'applique à « une personne », et n'est pas limité aux petits fournisseurs qui deviennent des inscrits. Ce paragraphe peut donc s'appliquer également au non-résident qui devient inscrit.

Finalement, nous désirons souligner la décision de la Cour canadienne de l'impôt dans *Edible What Candy Corp. c. R.*, 2002 CarswellNat 5130 (C.C.I.) où une pénalité pour faute lourde a été appliquée en raison, notamment, de l'incompréhension de l'appelante des dispositions de l'article 171. Dans cette affaire, l'appelante a soutenu que ses crédits de taxe sur les intrants qui avaient été demandés relativement à des dépenses engagées avant son inscription ne devraient pas être considérés comme une présentation erronée des faits parce qu'elle ne comprenait pas comment l'article 171 s'appliquait. La Cour canadienne de l'impôt souligne (à son paragraphe 14) que l'« on ne peut nier que le libellé de l'article 171 est alambiqué et difficile à comprendre ». Néanmoins, de l'avis du tribunal, l'appelante aurait dû prendre les mesures raisonnables pour obtenir les précisions nécessaires. En effet, en l'espèce, l'appelante n'a pas sollicité l'aide d'un comptable compétent ou communiqué avec l'Agence du revenu du Canada pour clarifier la question de l'admissibilité de ses dépenses.

Entreprises de taxis

171.1 (1) Petits fournisseurs — Lorsque, à un moment donné, un petit fournisseur exploite une entreprise de taxis et exerce d'autres activités commerciales au Canada, sauf la fourniture d'immeubles par vente, et que son inscription en vertu de la présente partie n'est pas valable pour ces autres activités, les présomptions suivantes s'appliquent :

a) pour l'application de la présente partie, le fournisseur est réputé ne pas être un inscrit au moment donné, sauf en ce qui concerne l'entreprise de taxis et les actes qu'il accomplit dans le cadre de cette entreprise;

b) pour l'application de l'article 169 et de la sous-section d, les autres activités sont réputées ne pas être des activités commerciales du fournisseur au moment donné.

Notes historiques: Le paragraphe 171.1(1) a été ajouté par L.C. 1993, c. 27, par. 38(1) et est réputé entré en vigueur le 1er octobre 1992.

Concordance québécoise: LTVQ, art. 210.2.

(2) Début d'inscription aux fins d'autres activités — Lorsque, à un moment donné, une personne exploite une entreprise de taxis et exerce d'autres activités commerciales au Canada, sauf la fourniture d'immeubles par vente, et que son inscription en vertu de la présente partie commence, à ce moment, à être valable pour ces autres activités, les règles suivantes s'appliquent :

a) pour le calcul de son crédit de taxe sur les intrants, la personne est réputée avoir reçu, au moment donné, la fourniture par vente de chacun de ses biens, sauf les immobilisations, qu'elle détenait immédiatement avant ce moment pour consommation, utilisation ou fourniture dans le cadre de ces autres activités et avoir payé à ce moment, relativement à la fourniture, une taxe égale à la teneur en taxe du bien à ce moment;

b) la taxe qui est devenue payable par la personne avant le moment donné peut être incluse dans le calcul des crédits de taxe sur les intrants de la personne pour sa période de déclaration qui comprend ce moment dans la mesure où cette taxe est calculée sur tout ou partie d'une contrepartie qui, selon le cas :

(i) est imputable à un service à lui rendre après ce moment et qu'elle a acquis pour consommation, utilisation ou fourniture dans le cadre de ces autres activités,

(ii) constitue un loyer, une redevance ou un paiement semblable relatif à un bien qui est imputable à une période postérieure à ce moment au cours de laquelle le bien est utilisé dans le cadre de ces autres activités.

Notes historiques: L'alinéa 171.1(2)a) a été modifié par L.C. 1997, c. 10, par. 164(1) et cette modification est entrée en vigueur le 1er avril 1997. Il se lisait comme suit :

a) aux fins du calcul de son crédit de taxe sur les intrants, la personne est réputée avoir reçu, au moment donné, la fourniture par vente de chacun de ses biens, sauf les immobilisations, qu'elle détenait immédiatement avant ce moment pour consommation, utilisation ou fourniture dans le cadre de ces autres activités et avoir payé à ce moment, relativement à la fourniture, une taxe égale au moins élevé des montants suivants :

(i) la taxe qui, avant le moment donné, est devenue payable, ou a été payée, par la personne relativement à la dernière acquisition ou importation du bien par elle,

(ii) la taxe calculée sur la juste valeur marchande du bien au moment donné;

Le sous-alinéa 171.1(2)b)(i) a été modifié par L.C. 1997, c. 10, par. 164(2) et cette modification est entrée en vigueur le 1er avril 1997. Cet alinéa se lisait comme suit :

(i) est imputable à un service à lui rendre après ce moment et qu'elle a acquis ou importé pour consommation, utilisation ou fourniture dans le cadre de ces autres activités,

Le paragraphe 171.1(2), ajouté par L.C. 1993, c. 27, par. 38(1), est réputé entré en vigueur le 1er octobre 1992.

Concordance québécoise: LTVQ, art. 210.3.

Bulletins de l'information technique [art. 171.1(2)]: B-107, 10/11, *Régimes de placement (y compris les fonds réservés d'assureur) et la TVH* .

(3) Cessation d'inscription aux fins d'autres activités — Lorsque, à un moment donné, une personne exploite une entreprise de taxis et exerce d'autres activités commerciales au Canada, sauf la fourniture d'immeubles par vente, et que son inscription en vertu de la présente partie cesse, à ce moment, d'être valable pour ces autres activités, les règles suivantes s'appliquent :

a) pour l'application de la présente partie, la personne est réputée :

(i) avoir fourni, immédiatement avant le moment donné, chacun de ses biens, sauf les immobilisations, qu'elle détenait immédiatement avant ce moment pour consommation, utilisation ou fourniture dans le cadre de ces autres activités, et avoir perçu, immédiatement avant ce moment, la taxe relative à la fourniture, calculée sur la juste valeur marchande du bien à ce moment,

(ii) avoir reçu, au moment donné, une fourniture du bien par vente et avoir payé à ce moment, relativement à la fourniture, la taxe visée au sous-alinéa (i);

b) la taxe qui devient payable par la personne après le moment donné peut être incluse dans le calcul des crédits de taxe sur les intrants de la personne pour sa période de déclaration qui comprend ce moment, dans la mesure où cette taxe est calculée sur tout ou partie d'une contrepartie qui, selon le cas :

(i) est imputable à des services rendus à la personne avant ce moment et qu'elle a acquis pour consommation, utilisation ou fourniture dans le cadre de ces autres activités,

(ii) constitue un loyer, une redevance ou un paiement semblable relatif à un bien qui est imputable à une période antérieure à ce moment au cours de laquelle le bien était utilisé dans le cadre de ces autres activités;

c) est ajouté dans le calcul de la taxe nette de la personne, pour sa période de déclaration qui comprend le moment donné, le montant inclus dans le calcul d'un crédit de taxe sur les intrants qu'elle a demandé, dans une déclaration produite en vertu de l'article 238 pour une de ses périodes de déclaration qui prend fin avant ce moment, au titre de la taxe calculée sur tout ou partie d'une contrepartie qui, selon le cas :

(i) est imputable à des services à rendre à la personne après ce moment,

(ii) constitue un loyer, une redevance ou un paiement semblable relatif à un bien qui est imputable à une période (appelée « période de location » au présent alinéa) postérieure à ce moment;

Ce montant est ainsi ajouté dans la mesure où la personne utilise le bien au cours de la période de location, ou acquiert les services pour consommation, utilisation ou fourniture, dans le cadre de ces autres activités.

Notes historiques: Le sous-alinéa 171.1(3)b)(i) a été modifié par L.C. 1997, c. 10, par. 164(3) et cette modification est entrée en vigueur le 1er avril 1997. Cet alinéa se lisait comme suit :

(i) est imputable à des services rendus à la personne avant ce moment et qu'elle a acquis ou importés pour consommation, utilisation ou fourniture dans le cadre de ces autres activités,

Le passage de l'alinéa 171.1(3)c) suivant le sous-alinéa (ii) a été modifié par L.C. 1997, c. 10, par. 164(5) et cette modification est entrée en vigueur le 1er avril 1997. Ce passage se lisait comme suit :

Ce montant est ainsi ajouté dans la mesure où la personne utilise le bien au cours de la période de location, ou acquiert ou importe les services pour consommation, utilisation ou fourniture, dans le cadre de ces autres activités.

Le paragraphe 171.1(3), ajouté par L.C. 1993, c. 27, par. 38(1), est réputé entré en vigueur le 17 décembre 1990.

Concordance québécoise: LTVQ, art. 210.4.

Définitions [art. 171.1]: « activité commerciale », « bien », « contrepartie », « entreprise de taxis », « fourniture », « immeuble », « immobilisation », « importation », « inscrit », « juste valeur marchande », « montant », « période de déclaration », « personne », « petit fournisseur », « service », « taxe », « teneur en taxe », « vente » — 123(1).

Renvois [art. 171.1]: 123(2) (Canada); 129(1)–(3) (division de petit fournisseur); 129.1 (division de petit fournisseur); 148 (petit fournisseur); 169(3) (CTI); 171(5) (début et cessation de l'inscription); 195.2 (dernière acquisition ou importation); 198.1a)(ii) (changement d'utilisation par suite de l'application de la partie IX); 240(1.1); 240(3.1) (inscription); 241(2) (validité de l'inscription); 242(2.1) (modification d'inscription); 251 (période de déclaration); IX:Partie IX:1 (fournitures réputées — TVH).

Énoncés de politique [art. 171.1]: P-18R, 29/03/00, *Délai relatif à l'admissibilité aux CTI lorsqu'une personne devient un inscrit*; P-019R, 04/08/99, *Droit aux CTI relatifs aux frais de démarrage — biens en immobilisations admissibles.*

Bulletins de l'information technique [art. 171.1]: B-078, 28/02/97, *Règles sur le lieu de fourniture sous le régime de la TVH*; B-103, 02/10, *Taxe de vente harmonisée — Règles sur le lieu de fourniture pour déterminer si une fourniture est effectuée dans une province.*

Série de mémorandums [art. 171.1]: Mémorandum 2.6, 06/95, *Exigences de garantie des non-résidents*, par. 9; Mémorandum 2.7, 05/05, *Annulation de l'inscription*, par. 13-17; Mémorandum 8-1, 05/05, *Règles générales d'admissibilité.*

COMMENTAIRES: En vertu du paragraphe 240(1.1), chaque petit fournisseur qui exploite une entreprise de taxis est tenu d'être inscrit à l'égard des activités de son entreprise. Par conséquent, les règles énoncées au paragraphe 171 ne s'appliquent pas dans ce contexte, en vertu du paragraphe 171(5). Ainsi, de façon générale, cet article a pour effet de scinder les activités de l'exploitation d'une entreprise de taxis et les autres activités commerciales d'une même personne. Dans ce dernier cas, les règles générales s'appliquent, notamment en vertu des articles 171 et 240.

Dans le cas d'un petit fournisseur qui exploite une entreprise de taxis et qui exerce d'autres activités commerciales, les autres activités sont réputées non commerciales selon le paragraphe (1) lorsque l'inscription ne concerne que l'entreprise de taxis. C'est pourquoi cette personne ne peut réclamer de crédit de taxe sur les intrants pour les biens détenus pour consommation, utilisation ou fourniture dans le cadre des autres activités. Cependant, lorsque l'inscription commence à être valable pour les autres activités, le paragraphe (2) édicte que la personne est réputée avoir reçu, au moment donné, la fourniture de chacun de ses biens pour consommation, utilisation ou fourniture dans le cadre de ces autres activités. La personne est aussi réputée avoir payé une taxe égale à la teneur en taxe du bien à ce moment-là. C'est pourquoi la personne peut réclamer un crédit de taxe sur les intrants pour une taxe réputée avoir été payée, selon les restrictions normales qui s'appliquent aux crédits de taxe sur les intrants.

Pour ce qui est des services pour consommation, utilisation ou fourniture dans le cadre des activités commerciales d'une personne, les paragraphes 171(2) et 171.1(2) édictent, de façon générale, qu'un crédit de taxe sur les intrants peut être réclamé pour la taxe qui était payable, avant que la personne devienne un inscrit, relativement aux services à lui fournir après qu'elle soit devenue un inscrit. La même règle s'applique à la taxe payable pour un loyer, une redevance ou un paiement semblable imputable à une période postérieure à l'inscription relativement à un bien utilisé dans le cadre des activités commerciales de la personne. Selon ces dispositions, le montant de taxe peut être inclus dans le calcul des crédits de taxe sur les intrants de la personne pour la première période de déclaration, qui se termine après le moment où la personne est devenue un inscrit.

Le paragraphe 225(4) prévoit un délai durant lequel on peut réclamer un crédit de taxe sur les intrants pour une période de déclaration donnée. En ce qui touche les services, les loyers, les redevances ou les paiements semblables, les paragraphes 171(2) et 171.1 (2) édictent que les montants, comme il a été discuté plus haut, peuvent être inclus dans le calcul des crédits de taxe sur les intrants d'une personne pour la première période de déclaration se terminant après le moment où la personne est devenue un inscrit. L'Agence du revenu du Canada est d'avis que les montants qui peuvent être inclus dans le calcul des crédits de taxe sur les intrants de la personne pour la première période de déclaration se terminant après le moment où la personne est devenue un inscrit sont assujettis aux délais de réclamation des crédits de taxe sur les intrants prévus au paragraphe 225(4). En d'autres termes, les montants qui peuvent servir à calculer les crédits de taxe sur les intrants en vertu des paragraphes 171(2) et 171.1(2) peuvent être réclamés en tant que crédit de taxe sur les intrants dans des périodes de déclaration ultérieures pourvu que ces montants soient réclamés à l'intérieur des délais prescrits au paragraphe 225(4). Voir notamment à cet effet : Agence du revenu du Canada, Énoncé de politique P-18R — *Délai relatif à l'admissibilité aux CTI lorsqu'une personne devient un inscrit* (4 septembre 1992, révisé le 29 mars 2000).

Utilisation de biens et de services

172. (1) Utilisation autre que dans le cadre d'activités commerciales — Pour l'application de la présente partie, l'inscrit, étant un particulier, qui acquiert, fabrique ou produit, dans le cadre de ses activités commerciales, un bien (sauf son immobilisation) ou acquiert ou exécute un service qu'il réserve, à un moment donné, pour sa consommation ou son utilisation personnelles, ou celle d'un particulier qui lui est lié, est réputé :

a) avoir effectué une fourniture pour une contrepartie, payée à ce moment, égale à la juste valeur marchande du bien ou du service à ce moment;

b) avoir perçu à ce moment, sauf s'il s'agit d'une fourniture exonérée, la taxe relative à la fourniture, calculée sur cette contrepartie.

Notes historiques: Le paragraphe 172(1) a été ajouté par L.C. 1990, c. 45, par. 12(1).

Concordance québécoise: LTVQ, art. 285.

(2) Avantages aux actionnaires, associés ou membres — Pour l'application de la présente partie, l'inscrit — personne morale, société de personnes, fiducie, organisme de bienfaisance, institution publique ou organisme à but non lucratif — qui, à un moment donné, réserve à l'usage de l'un de ses actionnaires, associés, bénéficiaires ou membres ou d'un particulier lié à l'un de ceux-ci (autrement qu'au moyen d'une fourniture effectuée pour une contrepartie égale à la juste valeur marchande du bien ou du service) un bien, sauf son immobilisation, acquis, fabriqué ou produit, ou un service acquis ou exécuté, dans le cadre de ses activités commerciales est réputé :

a) avoir effectué une fourniture pour une contrepartie, payée à ce moment, égale à la juste valeur marchande du bien ou du service à ce moment;

b) avoir perçu à ce moment, sauf s'il s'agit d'une fourniture exonérée, la taxe relative à la fourniture, calculée sur cette contrepartie.

Notes historiques: Le préambule du paragraphe 172(2) a été modifié par L.C. 1997, c. 10, par. 21(1) et cette modification est réputée entrée en vigueur le 1er janvier 1997. Ce préambule se lisait auparavant comme suit :

(2) Pour l'application de la présente partie, l'inscrit — personne morale, société de personnes, fiducie, organisme de bienfaisance ou organisme à but non lucratif — qui, à un moment donné, réserve à l'usage de son actionnaire, associé, bénéficiaire ou membre ou d'un particulier lié à ceux-ci (autrement qu'au moyen d'une fourniture effectuée pour une contrepartie d'une valeur égale à la juste valeur marchande du bien ou du service) un bien, sauf son immobilisation, acquis, fabriqué ou produit, ou un service acquis ou exécuté, dans le cadre de ses activités commerciales est réputé :

Le paragraphe 172(2) a été ajouté par L.C. 1990, c. 45, par. 12(1).

Concordance québécoise: LTVQ, art. 286.

(3) Champ d'application — Le présent article ne s'applique pas au bien ou au service qu'un inscrit réserve à l'usage d'une personne si, selon le cas :

a) l'inscrit ne pouvait pas, par l'effet de l'article 170, demander un crédit de taxe sur les intrants relativement à sa dernière acquisition ou importation du bien ou du service;

b) l'article 173 s'applique au bien ou au service ainsi réservé en vue de le mettre à la disposition de la personne.

Notes historiques: Le paragraphe 172(3) a été modifié par L.C. 1993, c. 27, par. 39(2) et est réputé entré en vigueur le 17 décembre 1990. Il se lisait comme suit :

(3) Le présent article ne s'applique pas à l'inscrit qui, par l'effet de l'article 170, n'a pas le droit d'inclure dans le calcul du crédit de taxe sur les intrants un montant au titre de la taxe payable par lui relativement à un bien ou un service réservé à son usage ou celui de son actionnaire, associé, bénéficiaire ou membre ou d'un particulier lié à ceux-ci.

Le paragraphe 172(3) a été édicté par L.C. 1990, c. 45, par. 12(1).

Concordance québécoise: LTVQ, art. 287.

Définitions [art. 172]: « activité commerciale », « bien », « fourniture », « fourniture exonérée », « immobilisation », « inscrit », « juste valeur marchande », « organisme à but non lucratif », « organisme de bienfaisance », « personne », « service », « taux de taxe », « taxe » — 123(1).

Renvois [art. 172]: 126 (lien de dépendance); 169 (CTI); 190(2) (début d'utilisation à titre résidentiel ou personnel); 196.1 (utilisation à titre d'immobilisation); 225.1(1)c), 225.1(2)Ab)(ii) (fourniture déterminée — organisme de bienfaisance); IX:Partie IX (fournitures réputées — TVH).

Jurisprudence [art. 172]: *Callaham (R.J.) c. La Reine*, [1996] G.S.T.C. 15 (CCI); *Passucci c. R.*, [2006] G.S.T.C. 83 (CCI); *Milojevic v. R.*, [2008] G.S.T.C. 189 (6 octobre 2008) (CCI [procédure informelle]).

Bulletins de l'information technique [art. 172]: B-078, 28/02/97, *Règles sur le lieu de fourniture sous le régime de la TVH*; B-103, 02/10, *Taxe de vente harmonisée — Règles sur le lieu de fourniture pour déterminer si une fourniture est effectuée dans une province*.

Mémorandums [art. 172]: TPS 300-4, 02/11/93, *Taxe sur les fournitures fournitures exonérées*; TPS 300-7, 14/09/90, *Valeur de la fourniture*, par. 4; TPS 400, 18/05/90, *Crédit de taxe sur les intrants*, par. 12, 13; TPS 400-4, 18/01/91, *Organismes du secteur public*, par. 40; TPS 500-2-4, 19/03/91, *Calcul de la taxe*, annexe B; TPS 600-1, 27/04/94, *Méthodes comptables simplifiées à l'intention des petites entreprises*.

Série de mémorandums [art. 172]: Mémorandum 2.2, 05/99, *Petits fournisseurs*, par. 19; Mémorandum 3.1, 08/99, *Assujettissement à la taxe*.

COMMENTAIRES: Tel que reflété au paragraphe 169(1), l'admissibilité au crédit de taxe sur les intrants dépend de l'intention pour laquelle le bien ou le service a été acquis (test d'intention). Ainsi, dans la mesure où un bien (sauf une immobilisation) ou un service est acquis pour fins commerciales, mais est par la suite réservée pour fins personnelles, le paragraphe 172(1) fera en sorte que le crédit de taxe sur les intrants réclamé sera remboursé, en réclamant de nouveau le paiement de la TPS. En effet, les crédits de taxe sur les intrants relatifs au coût du bien ou du service ont déjà été réclamés en vertu du paragraphe 169(1), en raison de l'intention au moment où les biens ou les services ont été acquis.

À titre illustratif, la Cour canadienne de l'impôt, dans l'affaire *Callahan (R.J.) c. Canada*, 1996 CarswellNat 634 (C.C.I.), a rejeté l'appel de l'appelant qui était le propriétaire d'un restaurant qui buvait, à l'occasion, des bières de son restaurant.

Cet article ne s'applique pas aux immobilisations puisque ce sont les règles de changement d'usage qui vont s'appliquer dans ce contexte.

Régimes de pension

172.1 (1) Définitions — Les définitions qui suivent s'appliquent au présent article.

« activité de main-d'œuvre » En ce qui concerne une personne, tout acte accompli par un particulier qui est le salarié de la personne, ou a accepté de l'être, relativement à sa charge ou à son emploi.

Concordance québécoise: LTVQ, art. 289.2« activité de main-d'oeuvre ».

« activité de pension » Activité relative à un régime de pension, à l'exception d'une activité exclue, qui a trait, selon le cas :

a) à l'établissement, à la gestion ou à l'administration du régime ou d'une entité de gestion du régime;

b) à la gestion ou à l'administration des actifs du régime.

Concordance québécoise: LTVQ, art. 289.2« activité de pension ».

« activité exclue » Activité relative à un régime de pension qui est entreprise exclusivement dans l'un des buts suivants :

a) l'observation par un employeur participant au régime, en sa qualité d'émetteur réel ou éventuel de valeurs mobilières, d'exigences en matière de déclaration imposées par une loi fédérale ou provinciale concernant la réglementation de valeurs mobilières;

b) l'évaluation de la possibilité de créer, de modifier ou de liquider le régime ou de l'incidence financière d'un tel projet sur un employeur participant au régime, à l'exception d'une activité qui a trait à l'établissement, au sujet du régime, d'un rapport actuariel exigé par une loi fédérale ou provinciale;

c) l'évaluation de l'incidence financière du régime sur l'actif et le passif d'un employeur participant au régime;

d) la négociation avec un syndicat ou une organisation semblable de salariés de modifications touchant les prestations prévues par le régime;

e) toute fin visée par règlement.

Concordance québécoise: LTVQ, art. 289.2« activité exclue ».

« employeur participant » (*définition abrogée*).

« entité de gestion » (*définition abrogée*).

« facteur provincial » En ce qui concerne un régime de pension et une province participante pour l'exercice d'une personne qui est un employeur participant au régime, le pourcentage obtenu par la formule suivante :

$$A \times B$$

où :

A représente le taux de taxe applicable à la province participante le dernier jour de l'exercice;

B :

a) si la personne a versé au régime au cours de l'exercice des cotisations qu'elle peut déduire en application de l'alinéa 20(1)q) de la *Loi de l'impôt sur le revenu* (appelées « cotisations patronales » au présent alinéa) dans le calcul de son revenu et que le nombre de participants actifs du régime qui étaient des salariés de la personne à la date qui correspond au dernier jour de la dernière année civile se terminant au plus tard à la fin de l'exercice est supérieur à zéro, le montant obtenu par la formule suivante :

$$[(C/D) + (E/F)]/2$$

où :

C représente le total des cotisations patronales versées au régime par la personne au cours de l'exercice relativement à ses salariés qui résidaient dans la province participante à cette date,

D le total des cotisations patronales versées au régime par la personne au cours de l'exercice relativement à ses salariés,

E le nombre de participants actifs du régime qui, à cette date, étaient des salariés de la personne et résidaient dans la province participante,

F le nombre de participants actifs du régime qui étaient des salariés de la personne à cette date;

b) si l'alinéa a) ne s'applique pas et que le nombre de participants actifs du régime qui étaient des salariés de la personne à la date qui correspond au dernier jour de la dernière année civile se terminant au plus tard à la fin de l'exercice est supérieur à zéro, le montant obtenu par la formule suivante :

$$G/H$$

où :

G représente le nombre de participants actifs du régime qui, à cette date, étaient des salariés de la personne et résidaient dans la province participante,

H le nombre de participants actifs du régime qui étaient des salariés de la personne à cette date;

c) dans les autres cas, zéro.

Concordance québécoise: LTVQ, art. 289.2« facteur provincial ».

Ajout proposé — 172.1(1)« fourniture déterminée »

« fourniture déterminée » Est une fourniture déterminée d'un employeur participant à un régime de pension à ce régime :

a) la fourniture taxable, réputée avoir été effectuée en vertu du paragraphe (5), de tout ou partie d'un bien ou d'un service que l'employeur a acquis dans le but de le fournir en tout ou en partie à une entité de gestion du régime;

b) la fourniture taxable, réputée avoir été effectuée en vertu du paragraphe (6), d'une ressource d'employeur de l'employeur que celui-ci a consommée ou utilisée dans le but d'effectuer une fourniture de bien ou de service au profit d'une entité de gestion du régime;

c) la fourniture taxable, réputée avoir été effectuée en vertu du paragraphe (7), d'une ressource d'employeur de l'employeur que celui-ci a consommée ou utilisée dans le cadre d'activités de pension relatives au régime.

Application: La définition de « fourniture déterminée » au paragraphe 172.1(1) sera ajoutée par le par. 8(1) de l'*Avis de motion de voies et moyens accompagnant le budget fédéral* du 21 mars 2013 et s'appliquera relativement aux exercices d'une personne commençant après le 21 mars 2013.

Budget fédéral, Renseignements supplémentaires, 21 mars 2013: *Exemption de l'obligation de comptabiliser la taxe à l'égard de fournitures taxables réputées*

Aux termes des règles actuelles d'application de la TPS/TVH, un employeur participant à un régime de pension agréé doit rendre compte de la TPS/TVH et la verser en application des règles sur les fournitures taxables réputées à l'égard de toute acquisition, utilisation ou consommation de ressources d'employeur dans le cadre d'une activité de pension, même si la participation de l'employeur au régime de pension est minimale, se limitant par exemple à percevoir et à verser les cotisations de pension.

Dans le but de simplifier les modalités d'observation des règles d'application de la TPS/TVH par les employeurs, il est proposé dans le budget de 2013 qu'un employeur qui participe à un régime de pension agréé soit exempté en totalité ou en partie de l'obligation de rendre compte de la taxe à l'égard de fournitures taxables réputées lorsque les activités de l'employeur qui se rattachent au régime de pension se situent en deçà de certains seuils.

Plus précisément, un employeur n'aura pas à appliquer les règles relatives aux fournitures taxables réputées pour un de ses exercices si le montant de la TPS (et de la composante fédérale de la TVH) dont il était tenu (ou aurait été tenu, en l'absence de la présente mesure) de rendre compte et de verser aux termes des règles en question lors de son exercice précédent est inférieur aux montants suivants :

- 5 000 $;
- 10 % de la TPS nette totale (et de la composante fédérale nette totale de la TVH) payée par l'ensemble des entités de gestion du régime de pension au cours de l'exercice précédent de l'employeur.

Un employeur n'aura pas droit à une exemption totale aux termes de cette mesure à l'égard des fournitures taxables réputées effectuées au cours d'un exercice lorsqu'un choix conjoint qu'il a effectué afin de ne pas rendre compte de la taxe à l'égard des fournitures taxables réelles effectuées est en vigueur durant cet exercice.

Dans le cas des employeurs qui ne remplissent pas les conditions précédentes relatives aux seuils de 5 000 $ et de 10 %, une exemption plus restreinte sera disponible dans certaines circonstances à l'égard des « activités de pension internes » d'un employeur, c'est-à-dire à l'égard d'intrants acquis en vue d'être consommés ou utilisés dans le cadre d'activités de l'employeur ayant trait au régime de pension autrement qu'en vue d'effectuer des fournitures à l'entité de gestion (par exemple, le temps consacré par un employé des services de la paye à calculer les déductions au titre des cotisations des employés au régime de pension). Plus précisément, l'employeur n'aura pas à appliquer les règles relatives aux fournitures taxables réputées à l'égard de ses activités de pension internes si le montant de la TPS (et de la composante fédérale de la TVH) dont il était tenu (ou aurait été tenu, en l'absence de la présente mesure) de rendre compte et de verser au cours de son exercice précédent, en vertu des règles sur les fournitures réputées et à l'égard uniquement des activités en question, est inférieur aux seuils de 5 000 $ et de 10 %. Cette exemption restreinte sera disponible même si un employeur a fait un choix conjoint qui est en vigueur durant un exercice afin de ne pas comptabiliser la taxe à l'égard des fournitures taxables réelles effectuées durant cet exercice.

Des règles spéciales s'appliqueront à l'égard de l'application des seuils de 5 000 $ et de 10 % dans le cas d'employeurs liés qui participent au même régime de pension et en cas de fusion ou de liquidation d'employeurs participants.

Cette mesure s'appliquera à l'égard de tout exercice d'un employeur commençant après le 21 mars 2013.

« participant actif » S'entend au sens du paragraphe 8500(1) du *Règlement de l'impôt sur le revenu.*

Concordance québécoise: LTVQ, art. 289.2« participant actif ».

« régime de pension » (*définition abrogée*).

« ressource d'employeur » Sont des ressources d'employeur d'une personne :

a) tout ou partie d'une activité de main-d'œuvre de la personne, à l'exception de la partie de cette activité qu'elle consomme ou utilise au cours du processus qui consiste à créer, à mettre au point ou à faire naître un bien;

b) tout ou partie d'un bien ou d'un service fourni à la personne, à l'exception de la partie du bien ou du service qu'elle consomme ou utilise au cours du processus qui consiste à créer, à mettre au point ou à faire naître un bien;

c) tout ou partie d'un bien que la personne a créé, mis au point ou fait naître;

d) toute combinaison des éléments mentionnés aux alinéas a) à c).

15 octobre 2012, Notes explicatives: Le paragraphe 172.1(1) définit certains termes pour l'application de l'article 172.1.

Les modifications apportées à ce paragraphe consistent à abroger les définitions de « employeur participant », « entité de gestion » et « régime de pension ». Elles font suite à l'ajout de ces définitions au paragraphe 123(1) de la Loi.

Ces modifications sont réputées être entrées en vigueur le 23 septembre 2009.

Bulletins de l'information technique [art. 172.1(1)]: B-107, 10/11, *Régimes de placement (y compris les fonds réservés d'assureur) et la TVH* ; B-XX5, 09/11, *Taxe de vente harmonisée Autocotisation de la partie provinciale de la TVH à l'égard des biens et services transférés dans une province participante* .

(2) Ressource exclue — Pour l'application du présent article, le bien ou le service qui est fourni à une personne donnée qui est un employeur participant à un régime de pension par une autre personne est une ressource exclue de la personne donnée relativement au régime dans le cas où, à la fois :

a) pour ce qui est de chaque entité de gestion du régime, aucune taxe ne deviendrait payable en vertu de la présente partie relativement à la fourniture si, à la fois :

(i) la fourniture était effectuée par l'autre personne au profit de l'entité et non au profit de la personne donnée,

…aient entre elles aucun lien …

…meuble corporel effectuée …as une fourniture taxable im… …la personne donnée était un …nt des activités commerciales.

…3.

…Pour l'application du présent ar… …ent si un bien visé aux alinéas …ment donné à une personne qui est …gime de pension et que, à un mo… …l'article 212 devient payable par la …voir été effectuée au profit de la per… …r et non au moment donné; …r été payable relativement à la fourni… …ur.

…une.

…**éterminée** — Si une personne est un em… …égime de pension qui, selon le cas, compte …on tout au long de l'exercice de la personne … au cours de l'exercice, les règles suivantes …

… premier cas, l'entité est l'entité de gestion déterminée …égime relativement à la personne pour l'exercice;

b) dans le second cas, la personne et l'une des entités de gestion peuvent faire un choix conjoint, dans un document établi en la forme et contenant les renseignements déterminés par le ministre, afin que cette entité soit l'entité de gestion déterminée du régime relativement à la personne pour l'exercice.

Concordance québécoise: LTVQ, art. 289.4.

(5) Acquisition d'un bien ou d'un service aux fins de fourniture — Si une personne qui est un inscrit et un employeur participant à un régime de pension acquiert un bien ou un service (appelés « ressource déterminée » au présent paragraphe) en vue de le fournir, ou d'en fournir une partie, à une entité de gestion du régime pour que celle-ci consomme, utilise ou fournisse la ressource déterminée, ou la partie en cause, dans le cadre d'activités de pension relatives au régime et que la ressource déterminée n'est pas une ressource exclue de la personne relativement au régime, les règles suivantes s'appliquent :

a) pour l'application de la présente partie, la personne est réputée avoir effectué une fourniture taxable de la ressource déterminée, ou de la partie en cause, le dernier jour de l'exercice au cours duquel elle a acquis cette ressource;

Modification proposée — 172.1(5) passage précédant le par. b)

(5) Acquisition d'un bien ou d'un service aux fins de fourniture — Si une personne est, à un moment de son exercice, un inscrit et un employeur participant à un régime de pension, mais non un employeur admissible désigné du régime, qu'elle acquiert, à ce moment, un bien ou un service (appelés « ressource déterminée » au présent paragraphe) en vue de le fournir, ou d'en fournir une partie, à une entité de gestion du régime pour que celle-ci consomme, utilise ou fournisse la ressource déterminée, ou la partie en cause, dans le cadre d'activités de pension relatives au régime et que la ressource déterminée n'est pas une ressource exclue de la personne relativement au régime, les règles ci-après s'appliquent :

a) pour l'appplication de la présente partie, la personne est réputée avoir effectué une fourniture taxable de la ressource déterminée, ou de la partie en cause, le dernier jour de l'exercice;

Application: Le passage précédant l'alinéa b) du paragraphe 172.1(5) sera remplacé par le par. 8(2) de l'*Avis de motion de voies et moyens accompagnant le budget fédéral* du 21 mars 2013 et cette modification s'appliquera relativement aux exercices d'une personne commençant après le 21 mars 2013.

b) pour l'application de la présente partie, la taxe relative à la fourniture taxable est réputée être devenue payable le dernier jour de cet exercice et la personne est réputée l'avoir perçue ce jour-là;

c) pour l'application de la présente partie, la taxe visée à l'alinéa b) est réputée être égale au montant obtenu par la formule suivante :

$$A + B$$

où :

A représente le montant obtenu par la formule suivante :

$$C \times D$$

où :

C représente la juste valeur marchande de la ressource déterminée, ou de la partie en cause, au moment où la personne l'a acquise,

D le taux fixé au paragraphe 165(1),

B le total des montants dont chacun s'obtient, pour une province participante, par la formule suivante :

$$E \times F$$

où :

E représente la juste valeur marchande de la ressource déterminée, ou de la partie en cause, au moment où la personne l'a acquise,

F le facteur provincial relatif au régime et à la province participante pour l'exercice mentionné à l'alinéa a);

d) pour le calcul d'un crédit de taxe sur les intrants de l'entité de gestion en vertu de la présente partie et pour l'application des articles 232.01, 232.02 et 261.01, l'entité est réputée, à la fois :

(i) avoir reçu une fourniture de la ressource déterminée, ou de la partie en cause, le dernier jour de l'exercice mentionné à l'alinéa a),

(ii) avoir payé le dernier jour de cet exercice, relativement à cette fourniture, une taxe égale à celui des montants ci-après qui est applicable :

(A) si l'entité est une institution financière désignée particulière ce jour-là, la valeur de l'élément A de la formule figurant à l'alinéa c) qui entre dans le calcul du montant de taxe déterminé selon cet alinéa,

(B) dans les autres cas, le montant de taxe déterminé selon l'alinéa c),

(iii) avoir acquis la ressource déterminée, ou la partie en cause, en vue de la consommer, de l'utiliser ou de la fournir dans le cadre de ses activités commerciales dans la même mesure que celle dans laquelle la personne l'a acquise en vue de la fournir à l'entité pour que celle-ci la consomme, l'utilise ou la fournisse dans le cadre d'activités de pension relatives au régime qui font partie de ses activités commerciales.

Concordance québécoise: LTVQ, art. 289.5.

Bulletins de l'information technique [art. 172.1(5)]: B-107, 10/11, *Régimes de placement (y compris les fonds réservés d'assureur) et la TVH* ; B-XX5, 09/11, *Taxe de vente harmonisée Autocotisation de la partie provinciale de la TVH à l'égard des biens et services transférés dans une province participante* .

(6) Consommation ou utilisation d'une ressource d'employeur aux fins de fourniture — Si une personne qui est un inscrit et un employeur participant à un régime de pension à un moment de son exercice consomme ou utilise, à ce moment, une de ses ressources d'employeur en vue d'effectuer la fourniture d'un bien ou d'un service (appelée « fourniture de pension » au présent paragraphe) au profit d'une entité de gestion du régime pour que celle-ci le consomme, l'utilise ou le fournisse dans le cadre d'activités de pension relatives au régime et que la ressource d'employeur

LTA (TPS)

n'est pas une ressource exclue de la personne relativement au régime, les règles suivantes s'appliquent :

Modification proposée — 172.1(6) préambule

(6) Consommation ou utilisation d'une ressource d'employeur aux fins de fourniture — Si une personne est, à un moment de son exercice, un inscrit et un employeur participant à un régime de pension, mais non un employeur admissible désigné du régime, qu'elle consomme ou utilise, à ce moment, une de ses ressources d'employeur en vue d'effectuer la fourniture d'un bien ou d'un service (appelée « fourniture de pension » au présent paragraphe) au profit d'une entité de gestion du régime pour que celle-ci le consomme, l'utilise ou le fournisse dans le cadre d'activités de pension relatives au régime et que la ressource d'employeur n'est pas une ressource exclue de la personne relativement au régime, les règles ci-après s'appliquent :

Application: Le préambule du paragraphe 172.1(6) sera remplacé par le par. 8(3) de l'*Avis de motion de voies et moyens accompagnant le budget fédéral* du 21 mars 2013 et cette modification s'appliquera relativement aux exercices d'une personne commençant après le 21 mars 2013.

a) pour l'application de la présente partie, la personne est réputée avoir effectué une fourniture taxable de la ressource d'employeur (appelée « fourniture de ressource d'employeur » au présent paragraphe) le dernier jour de l'exercice;

b) pour l'application de la présente partie, la taxe relative à la fourniture de ressource d'employeur est réputée être devenue payable le dernier jour de l'exercice et la personne est réputée l'avoir perçue ce jour-là;

c) pour l'application de la présente partie, la taxe visée à l'alinéa b) est réputée être égale au montant obtenu par la formule suivante :

$$A + B$$

où :

A représente le montant obtenu par la formule suivante :

$$C \times D$$

où :

C représente :

(i) si la ressource d'employeur a été consommée par la personne au cours de l'exercice en vue d'effectuer la fourniture de pension, le résultat de la multiplication de la juste valeur marchande de cette ressource au moment de l'exercice où la personne a commencé à la consommer par le pourcentage qui représente la mesure dans laquelle cette consommation s'est produite pendant que la personne était un inscrit et un employeur participant au régime par rapport à la consommation totale de cette ressource par la personne au cours de l'exercice,

(ii) sinon, le résultat de la multiplication de la juste valeur marchande de l'utilisation de la ressource d'employeur au cours de l'exercice, déterminée le dernier jour de l'exercice, par le pourcentage qui représente la mesure dans laquelle la ressource a été utilisée au cours de l'exercice en vue d'effectuer la fourniture de pension pendant que la personne était un inscrit et un employeur participant au régime par rapport à l'utilisation totale de cette ressource par la personne au cours de l'exercice,

D le taux fixé au paragraphe 165(1),

B le total des montants dont chacun s'obtient, pour une province participante, par la formule suivante :

$$E \times F$$

où :

E représente la valeur de l'élément C,

F le facteur provincial relatif au régime et à la province participante pour l'exercice;

d) pour le calcul d'un [...] sur les intrants de l'entité de gestion en vertu de la présente [...] pour l'application des articles 232.01, 232.02 et 26[...] réputée, à la fois :

(i) avoir reçu une fourniture [...] le dernier jour de l'exercice,

(ii) avoir payé le dernier jour [...] cette fourniture, une taxe égale [...] qui est applicable :

(A) si l'entité est une institution [...] culière ce jour-là, la valeur de l'[...] figurant à l'alinéa c) qui entre dans l[...] taxe déterminé selon cet alinéa,

(B) dans les autres cas, le montant de ta[...] l'alinéa c),

(iii) avoir acquis la ressource d'employeur en [...] sommer, de l'utiliser ou de la fournir dans le cad[...] vités commerciales dans la même mesure que ce[...] quelle le bien ou le service qui a fait l'objet de la fou[...] pension a été acquis par l'entité pour qu'elle le con[...] l'utilise ou le fournisse dans le cadre d'activités de p[...] relatives au régime qui font partie de ses acti[...] commerciales.

Concordance québécoise: LTVQ, art. 289.6.

Bulletins de l'information technique [art. 172.1(6)]: B-107, 10/11, *Régimes de placement (y compris les fonds réservés d'assureur) et la TVH* ; B-XX5, 09/11, *Taxe de vente harmonisée Autocotisation de la partie provinciale de la TVH à l'égard des biens et services transférés dans une province participante*.

(7) Consommation ou utilisation d'une ressource d'employeur autrement que pour fourniture — Si une personne qui est un inscrit et un employeur participant à un régime de pension à un moment de son exercice consomme ou utilise, à ce moment, une de ses ressources d'employeur dans le cadre d'activités de pension relatives au régime, que la ressource n'est pas une ressource exclue de la personne relativement au régime et que le paragraphe (6) ne s'applique pas à cette consommation ou utilisation, les règles suivantes s'appliquent :

Modification proposée — 172.1(7) préambule

(7) Consommation ou utilisation d'une ressource d'employeur autrement que pour fourniture — Si une personne est, à un moment de son exercice, un inscrit et un employeur participant à un régime de pension, mais non un employeur admissible du régime, qu'elle consomme ou utilise, à ce moment, une de ses ressources d'employeur dans le cadre d'activités de pension relatives au régime, que la ressource n'est pas une ressource exclue de la personne relativement au régime et que le paragraphe (6) ne s'applique pas à cette consommation ou utilisation, les règles ci-après s'appliquent :

Application: Le préambule du paragraphe 172.1(7) sera remplacé par le par. 8(4) de l'*Avis de motion de voies et moyens accompagnant le budget fédéral* du 21 mars 2013 et cette modification s'appliquera relativement aux exercices d'une personne commençant après le 21 mars 2013.

a) pour l'application de la présente partie, la personne est réputée avoir effectué une fourniture taxable de la ressource d'employeur (appelée « fourniture de ressource d'employeur » au présent paragraphe) le dernier jour de l'exercice;

b) pour l'application de la présente partie, la taxe relative à la fourniture de ressource d'employeur est réputée être devenue payable le dernier jour de l'exercice et la personne est réputée l'avoir perçue ce jour-là;

c) pour l'application de la présente partie, la taxe visée à l'alinéa b) est réputée être égale au montant obtenu par la formule suivante :

$$A + B$$

où :

A représente le montant obtenu par la formule suivante :

$$C \times D$$

où :

C représente :

(i) si la ressource d'employeur a été consommée par la personne au cours de l'exercice dans le cadre d'activités de pension relatives au régime, le résultat de la multiplication de la juste valeur marchande de cette ressource au moment de l'exercice où la personne a commencé à la consommer par le pourcentage qui représente la mesure dans laquelle cette consommation s'est produite pendant que la personne était un inscrit et un employeur participant au régime par rapport à la consommation totale de cette ressource par la personne au cours de l'exercice,

(ii) sinon, le résultat de la multiplication de la juste valeur marchande de l'utilisation de la ressource d'employeur au cours de l'exercice, déterminée le dernier jour de l'exercice, par le pourcentage qui représente la mesure dans laquelle la ressource a été utilisée au cours de l'exercice dans le cadre d'activités de pension relatives au régime pendant que la personne était un inscrit et un employeur participant au régime par rapport à l'utilisation totale de cette ressource par la personne au cours de l'exercice,

D le taux fixé au paragraphe 165(1),

B le total des montants dont chacun s'obtient, pour une province participante, par la formule suivante :

$$E \times F$$

où :

E représente la valeur de l'élément C,

F le facteur provincial relatif au régime et à la province participante pour l'exercice;

d) pour le calcul, selon l'article 261.01, du montant admissible applicable à l'entité de gestion déterminée du régime relativement à la personne pour l'exercice, l'entité est réputée avoir payé, le dernier jour de l'exercice, une taxe égale à celui des montants ci-après qui est applicable :

(i) si l'entité est une institution financière désignée particulière ce jour-là, la valeur de l'élément A de la formule figurant à l'alinéa c) qui entre dans le calcul du montant de taxe déterminé selon cet alinéa,

(ii) dans les autres cas, le montant de taxe déterminé selon l'alinéa c).

Concordance québécoise: LTVQ, art. 289.7.

Bulletins de l'information technique [art. 172.1(7)]: B-107, 10/11, *Régimes de placement (y compris les fonds réservés d'assureur) et la TVH* .

(8) Communication de renseignements à l'entité de gestion — En cas d'application des paragraphes (5), (6) ou (7) relativement à une personne qui est un employeur participant à un régime de pension, la personne est tenue de communiquer, en la forme et selon les modalités déterminées par le ministre, les renseignements déterminés par celui-ci à l'entité de gestion du régime qui est réputée avoir payé une taxe en vertu du paragraphe en cause.

Concordance québécoise: LTVQ, art. 289.8.

Ajout proposé — 172.1(9)-(13)

(9) Pour l'application du présent article, un employeur participant donné à un régime de pension est un employeur admissible désigné du régime pour son exercice donné si aucun choix fait selon le paragraphe 157(2) — conjointement par l'employeur et une entité de gestion du régime — n'est en vigueur au cours de cet exercice, si l'employeur n'est pas devenu un employeur participant au régime au cours de l'exercice donné, si la valeur de l'élément A de la formule ci-après est inférieure à 5 000 $ et si le montant, exprimé en pourcentage, obtenu par cette formule est inférieur à 10 % :

$$A/(B - C)$$

A représente le total des montants dont chacun représente :

a) un montant de taxe réputé avoir été perçu selon le paragraphe (5), (6) ou (7) par l'employeur participant donné relativement à une fourniture déterminée de cet employeur au régime au cours de l'exercice de l'employeur (appelé « exercice précédent » au présent paragraphe) qui précède l'exercice donné, moins la valeur de l'élément B de la formule figurant à celui des alinéas (5)c), (6)c) ou (7)c) qui est applicable, qui entre, le cas échéant, dans le calcul de ce montant de taxe,

b) si l'employeur participant donné est un employeur admissible désigné du régime pour l'exercice précédent, un montant de taxe qui aurait été réputé avoir été perçu par lui selon le paragraphe (5) ou (6) au cours de cet exercice relativement à une fourniture qui aurait été réputée avoir été effectuée selon ce paragraphe et qui serait une fourniture déterminée de l'employeur au régime, s'il n'était pas un employeur admissible désigné, moins la valeur de l'élément B de la formule figurant à celui des alinéas (5)c) ou (6)c) qui est applicable, qui entre, le cas échéant, dans le calcul de ce montant de taxe,

c) si l'employeur participant donné est un employeur admissible du régime pour l'exercice précédent, un montant de taxe qui aurait été réputé avoir été perçu par lui selon le paragraphe (7) au cours de cet exercice relativement à une fourniture qui aurait été réputée avoir été effectuée selon ce paragraphe et qui serait une fourniture déterminée de l'employeur au régime, s'il n'était pas un employeur admissible, moins la valeur de l'élément B de la formule figurant à l'alinéa (7)c) qui entre, le cas échéant, dans le calcul de ce montant de taxe,

d) un montant de taxe réputé avoir été perçu selon le paragraphe (5), (6) ou (7) par un autre employeur participant au régime relativement à une fourniture déterminée de cet employeur au régime au cours de l'exercice de l'employeur se terminant dans l'exercice précédent — pourvu qu'il soit lié à l'employeur participant donné au cours de l'exercice précédent —, moins la valeur de l'élément B de la formule figurant à celui des alinéas (5)c), (6)c) ou (7)c) qui est applicable, qui entre, le cas échéant, dans le calcul de ce montant de taxe,

e) un montant de taxe qui aurait été réputé avoir été perçu selon le paragraphe (5) ou (6) par un autre employeur participant au régime au cours de son exercice se terminant dans l'exercice précédent relativement à une fourniture qui aurait été réputée avoir été effectuée selon ce paragraphe et qui serait une fourniture déterminée de cet employeur au régime, s'il n'était pas un employeur admissible désigné — pourvu qu'il soit lié à l'employeur participant donné au cours de l'exercice précédent et qu'il soit un employeur admissible désigné du régime pour son exercice se terminant dans l'exercice précédent —, moins la valeur de l'élément B de la formule figurant à celui des alinéas (5)c) ou (6)c) qui est applicable, qui entre, le cas échéant, dans le calcul de ce montant de taxe,

f) un montant de taxe qui aurait été réputé avoir été perçu selon le paragraphe (7) par un autre employeur participant au régime au cours de son exercice se terminant dans l'exercice précédent relativement à une fourniture qui aurait été réputée avoir été effectuée selon ce paragraphe et qui serait une fourniture déterminée de cet employeur au régime, s'il n'était pas un employeur admissible — pourvu qu'il soit lié à l'employeur participant donné au cours de l'exercice précédent et qu'il soit un employeur admissible du régime pour son exercice se terminant dans l'exercice précédent —, moins la valeur de l'élément B de la formule figurant à l'alinéa (7)c) qui entre, le cas échéant, dans le calcul de ce montant de taxe;

B le total des montants dont chacun représente :

a) un montant de taxe prévu au paragraphe 165(1) ou aux articles 212, 218 ou 218.01 payé par une entité de gestion du régime au cours d'un exercice de celle-ci se terminant dans l'exercice précédent, mais seulement dans la mesure où le montant est un montant admissible, au sens du paragraphe 261.01(1), pour une période de demande, au sens du même paragraphe, de l'entité,

b) un montant de taxe réputé avoir été perçu selon le paragraphe (5), (6) ou (7) par un employeur participant au régime, y compris l'employeur participant donné, au cours d'un exercice de l'employeur participant se terminant dans l'exercice précédent relativement à une fourniture déterminée de l'employeur au régime, moins la valeur de l'élément B de la formule figurant à celui des alinéas (5)c), (6)c) ou (7)c) qui est applicable, qui entre, le cas échéant, dans le calcul de ce montant de taxe,

c) un montant à ajouter à la taxe nette d'une entité de gestion du régime en application des alinéas 232.01(5)b) ou 232.02(4)b) pour une période de déclaration de l'entité se terminant dans l'exercice précédent du fait qu'une note de redressement de taxe a été délivrée selon les articles 232.01 ou 232.02 ou, s'il est moins élevé, le montant qui serait à ajouter ainsi si l'entité était une institution financière désignée particulière;

C le total des montants dont chacun représente :

a) le montant de composante fédérale indiqué dans une note de redressement de taxe délivrée selon les articles 232.01 ou 232.02 par un employeur participant au régime, y compris l'employeur participant donné, à une entité de gestion du régime au cours d'un exercice de celle-ci se terminant dans l'exercice précédent,

b) un montant recouvrable, au sens du paragraphe 261.01(1), relativement à une entité de gestion du régime pour une période de demande se terminant dans un exercice de l'entité qui prend fin dans l'exercice précédent, mais seulement dans la mesure où ce montant se rapporte à la valeur de l'élément A de la formule figurant à celui des alinéas (5)c), (6)c) ou (7)c) qui est applicable, qui entre dans le calcul d'un montant de taxe réputé avoir été payé par l'entité en vertu du présent article pour l'application de l'article 261.01.

(10) Pour l'application du présent article, un employeur participant donné à un régime de pension est un employeur admissible du régime pour son exercice donné s'il n'est pas devenu un employeur participant au régime au cours de cet exercice, si la valeur de l'élément A de la formule ci-après est inférieure à 5 000 $ et si le montant, exprimé en pourcentage, obtenu par cette formule est inférieur à 10 % :

$$A/(B - C)$$

A représente le total des montants dont chacun représente :

a) un montant de taxe réputé avoir été perçu selon le paragraphe (7) par l'employeur participant donné relativement à une fourniture déterminée de l'employeur au régime au cours de l'exercice de l'employeur (appelé « exercice précédent » au présent paragraphe) qui précède l'exercice donné, moins la valeur de l'élément B de la formule figurant à l'alinéa (7)c) qui entre, le cas échéant, dans le calcul de ce montant de taxe,

b) si l'employeur participant donné est un employeur admissible du régime pour l'exercice précédent, un montant de taxe qui aurait été réputé avoir été perçu selon le paragraphe (7) par l'employeur participant donné au cours de l'exercice précédent relativement à une fourniture qui aurait été réputée avoir été effectuée selon ce paragraphe et qui serait une fourniture déterminée de l'employeur au régime, s'il n'était pas un employeur admissible, moins la valeur de l'élément B de la formule figurant à l'alinéa (7)c) qui entre, le cas échéant, dans le calcul de ce montant de taxe,

c) un montant de taxe réputé avoir été perçu selon le paragraphe (7) par un autre employeur participant au régime relativement à une fourniture déterminée de cet employeur au régime au cours de l'exercice de l'employeur se terminant dans l'exercice précédent — pourvu qu'il soit lié à l'employeur participant donné au cours de l'exercice précédent —, moins la valeur de l'élément B de la formule figurant à l'alinéa (7)c) qui entre, le cas échéant, dans le calcul de ce montant de taxe,

d) un montant de taxe qui aurait été réputé avoir été perçu selon le paragraphe (7) par un autre employeur participant au régime au cours de son exercice se terminant dans l'exercice précédent relativement à une fourniture qui aurait été réputée avoir été effectuée selon ce paragraphe et qui serait une fourniture déterminée de cet employeur au régime, s'il n'était pas un employeur admissible — pourvu qu'il soit lié à l'employeur participant donné au cours de l'exercice précédent et qu'il soit un employeur admissible du régime pour son exercice se terminant dans l'exercice précédent —, moins la valeur de l'élément B de la formule figurant à l'alinéa (7)c) qui entre, le cas échéant, dans le calcul de ce montant de taxe;

B le total des montants dont chacun représente :

a) un montant de taxe prévu au paragraphe 165(1) ou aux articles 212, 218 ou 218.01 payé par une entité de gestion du régime au cours d'un exercice de celle-ci se terminant dans l'exercice précédent, mais seulement dans la mesure où le montant est un montant admissible, au sens du paragraphe 261.01(1), pour une période de demande, au sens du même paragraphe, de l'entité,

b) un montant de taxe réputé avoir été perçu selon le paragraphe (5), (6) ou (7) par un employeur participant au régime, y compris l'employeur participant donné, au cours d'un exercice de l'employeur participant se terminant dans l'exercice précédent relativement à une fourniture déterminée de l'employeur au régime, moins la valeur de l'élément B de la formule figurant à celui des alinéas (5)c), (6)c) ou (7)c) qui est applicable, qui entre, le cas échéant, dans le calcul de ce montant de taxe,

c) un montant à ajouter à la taxe nette d'une entité de gestion du régime en application des alinéas 232.01(5)b) ou 232.02(4)b) pour une période de déclaration de l'entité se terminant dans l'exercice précédent du fait qu'une note de redressement de taxe a été délivrée selon les articles 232.01 ou 232.02 ou, s'il est moins élevé, le montant qui serait à ajouter ainsi si l'entité était une institution financière désignée particulière;

C le total des montants dont chacun représente :

a) le montant de composante fédérale indiqué dans une note de redressement de taxe délivrée selon les articles 232.01 ou 232.02 par un employeur participant au régime, y compris l'employeur participant donné, à une entité de gestion du régime au cours d'un exercice de celle-ci se terminant dans l'exercice précédent,

b) un montant recouvrable, au sens du paragraphe 261.01(1), relativement à une entité de gestion du régime pour une période de demande se terminant dans un exercice de l'entité qui prend fin dans l'exercice précédent, mais seulement dans la mesure où ce montant se rapporte à la valeur de l'élément A de la formule figurant à celui des alinéas (5)c), (6)c) ou (7)c) qui est applicable, qui entre dans le calcul d'un montant de taxe réputé avoir été payé par l'entité en vertu du présent article pour l'application de l'article 261.01.

(11) Pour l'application du présent article, la personne qui devient un employeur participant à un régime de pension au cours d'un exercice donné est :

a) un employeur admissible désigné du régime pour l'exercice donné s'il est raisonnable de s'attendre, au moment où elle devient un employeur participant au régime, à ce qu'elle soit un employeur admissible désigné du régime pour son exercice suivant l'exercice donné;

b) un employeur admissible du régime pour l'exercice donné s'il est raisonnable de s'attendre, au moment où elle devient un employeur participant au régime, à ce qu'elle soit un employeur admissible du régime pour son exercice suivant l'exercice donné.

(12) Si des personnes morales — dont au moins une est un employeur participant à un régime de pension — fusionnent pour former une personne morale (appelée « nouvelle personne morale » au présent paragraphe) qui est un employeur participant au régime, autrement que par suite soit de l'acquisition des biens d'une personne morale par une autre après achat de ces biens par cette dernière, soit de la distribution des biens à l'autre personne morale lors de la liquidation de la première, les règles ci-après s'appliquent, malgré l'article 271, pour l'application des paragraphes (9) à (11) à la nouvelle personne morale :

a) la nouvelle personne morale est réputée avoir un exercice de 365 jours (appelé « exercice antérieur » au présent paragraphe) immédiatement avant son premier exercice;

b) tout montant de taxe qui est réputé avoir été perçu selon le présent alinéa ou l'un des paragraphes (5), (6), (7) et (13) par une personne morale fusionnante, ou qui aurait été réputé avoir été perçu selon les paragraphes (5), (6) ou (7) si celle-ci n'était ni un employeur admissible désigné ni un employeur admissible, au cours de la période de 365 jours précédant le premier exercice de la nouvelle personne morale est réputé avoir été perçu par celle-ci, et non par la personne morale fusionnante, le dernier jour de l'exercice antérieur de la nouvelle personne morale;

c) toute fourniture déterminée d'une personne morale fusionnante à un régime de pension relativement à une fourniture taxable qui est réputée avoir été effectuée selon les paragraphes (5), (6) ou (7), ou qui aurait été réputée avoir été effectuée selon l'un de ces paragraphes si la personne morale fusionnante n'était ni un employeur admissible désigné ni un employeur admissible, au cours de la période de 365 jours précédant le premier exercice de la nouvelle personne morale est réputée être une fourniture déterminée de la nouvelle personne morale, et non de la personne morale fusionnante, au régime;

d) la nouvelle personne morale est réputée ne pas être devenue un employeur participant au régime.

(13) Si une personne morale donnée qui est un employeur participant à un régime de pension est liquidée et qu'au moins 90 % des actions émises de chaque catégorie de son capital-actions étaient, immédiatement avant la liquidation, la propriété d'une autre personne morale qui est un employeur participant au régime, malgré le paragraphe (11) et l'article 272 et pour l'application de la définition de « fourniture déterminée » au paragraphe (1) relativement à l'autre personne morale ainsi que pour l'application à celle-ci des paragraphes (9) et (10), l'autre personne morale est réputée être la même personne morale que la personne morale donnée et en être la continuation.

Application: Les paragraphes 172.1(9) à (13) seront ajoutés par le par. 8(5) de l'*Avis de motion de voies et moyens accompagnant le budget fédéral* du 21 mars 2013 et s'appliqueront relativement aux exercices d'une personne commençant après le 21 mars 2013.

Notes historiques: La définition de « employeur participant » au paragraphe 172.1(1) a été abrogée par L.C. 2012, c. 31, par. 75(1) et cette abrogation est réputée être entrée en vigueur le 23 septembre 2009. Antérieurement, elle se lisait ainsi :

« employeur participant » Employeur qui cotise ou est tenu de cotiser à un régime de pension pour ses salariés actuels ou anciens, ou qui verse à ceux-ci ou est tenu de leur verser des sommes provenant du régime, y compris tout employeur qui est visé par règlement pour l'application de la définition de « employeur participant » au paragraphe 147.1(1) de la *Loi de l'impôt sur le revenu*.

La définition de « entité de gestion » au paragraphe 172.1(1) a été abrogée par L.C. 2012, c. 31, par. 75(1) et cette abrogation est réputée être entrée en vigueur le 23 septembre 2009. Antérieurement, elle se lisait ainsi :

« entité de gestion » S'entend, relativement à un régime de pension :

a) d'une personne mentionnée à l'alinéa a) de la définition de « régime de pension »;

b) d'une personne morale mentionnée à l'alinéa b) de cette définition;

c) d'une personne visée par règlement.

La définition de « régime de pension » au paragraphe 172.1(1) a été abrogée par L.C. 2012, c. 31, par. 75(1) et cette abrogation est réputée être entrée en vigueur le 23 septembre 2009. Antérieurement, elle se lisait ainsi :

« régime de pension » Régime de pension agréé, au sens du paragraphe 248(1) de la *Loi de l'impôt sur le revenu*, qui, selon le cas :

a) régit une personne qui est une fiducie ou qui est réputée l'être pour l'application de cette loi;

b) est un régime à l'égard duquel une personne morale est, à la fois :

(i) constituée et exploitée :

(A) soit uniquement pour l'administra-tion du régime,

(B) soit pour l'administration du régime et dans l'unique but d'administrer une fiducie régie par une convention de retraite, au sens du paragraphe 248(1) de cette loi, ou d'agir en qualité de fiduciaire d'une telle fiducie, dans le cas où les conditions de la convention ne permettent d'assurer des prestations qu'aux particuliers auxquels des presta-tions sont assurées par le régime,

(ii) acceptée par le ministre, aux termes du sous-alinéa 149(1)o.1)(ii) de cette loi, comme moyen de financement aux fins d'agrément du régime;

c) est un régime à l'égard duquel une personne est visée par règlement pour l'application de la définition de « entité de pension ».

L'article 172.1 et l'intertitre le précédant ont été ajoutés par L.C. 2010, c. 12, par. 58(1) et s'appliquent aux exercices d'une personne commençant après le 22 septembre 2009. Toutefois :

a) si une personne qui est un employeur participant à un régime de pension acquiert un bien ou un service dans le but de le fournir en tout ou en partie à une entité de gestion du régime, mais non dans le but de le fournir ainsi après juin 2010, la valeur de l'élément B de la formule figurant à l'alinéa 172.1(5)c), pour l'Ontario ou la Colombie-Britannique relativement à une fourniture taxable de tout ou partie du bien ou du service qui est réputée avoir été effectuée en vertu de l'alinéa 172.1(5)a) est nulle;

a.1) si une personne qui est un employeur participant à un régime de pension acquiert un bien ou un service dans le but de le fournir en tout ou en partie à une entité de gestion du régime, mais non dans le but de le fournir ainsi après juin 2010, la valeur de l'élément B de la formule figurant à l'alinéa 172.1(5)c) de la même loi, édicté par le paragraphe (1), pour la Nouvelle-Écosse relativement à une fourniture taxable de tout ou partie du bien ou du service qui est réputée avoir été effectuée en vertu de l'alinéa 172.1(5)a) de la même loi, édicté par le paragraphe (1), le dernier jour d'un exercice de la personne est déterminée comme si le taux de taxe applicable à la Nouvelle-Écosse le dernier jour de l'exercice s'établissait à 8 %;

b) si l'exercice d'une personne commence avant le 1er juillet 2010 et se termine à cette date ou par la suite, la troisième formule figurant à l'alinéa 172.1(6)c) et à l'alinéa 172.1(7)c) et les éléments de cette formule, sont réputés avoir le libellé suivant :

$$E \times [(F \times G/H) - (I \times J/H)]$$

où :

E représente la valeur de l'élément C,

F le facteur provincial relatif au régime et à la province participante pour l'exercice,

G :

(i) si la province participante est l'Ontario ou la Colombie-Britannique, le nombre de jours de l'exercice qui sont postérieurs à juin 2010,

(ii) dans les autres cas, le nombre de jours de l'exercice,,

H le nombre de jours de l'exercice,

I le pourcentage qui correspondrait au facteur provincial relatif au régime et à la province participante pour l'exercice si le taux de taxe applicable à la province le dernier jour de l'exercice s'établissait à 2 %,

J :

(i) si la province participante est la Nouvelle-Écosse, le nombre de jours de l'exercice qui sont antérieurs à juillet 2010,

(ii) dans les autres cas, zéro;

Le libellé du paragraphe 58(2) de la *Loi sur l'emploi et la croissance économique* (L.C. 2010, c. 12) a été modifié par L.C. 2012, c. 31, par. 93(1) par l'ajout de l'alinéa a.1). Cette modification est réputée entrée en vigueur le 14 décembre 2012.

Le libellé du paragraphe 58(2)b) de la *Loi sur l'emploi et la croissance économique* (L.C. 2010, c. 12) a été modifié par L.C. 2012, c. 31, par. 93(2) par le remplacement de la formule qui y figure. Cette modification sera réputée entrée en vigueur le 14 décembre 2012.

Définitions [par. 172.1]: « province participante » — 123(1).

Avantages taxables

173. (1) Avantages aux salariés et aux actionnaires — Dans le cas où un inscrit effectue la fourniture d'un bien ou d'un service, sauf une fourniture exonérée ou détaxée, au profit d'un particulier ou d'une personne liée à celui-ci et que, selon le cas :

a) un montant (appelé « avantage » au présent paragraphe) relatif à la fourniture est à inclure, en application des alinéas 6(1)a), e), k) ou l) ou du paragraphe 15(1) de la *Loi de l'impôt sur le revenu*, dans le calcul du revenu du particulier pour son année d'imposition,

b) la fourniture se rapporte à l'utilisation ou au fonctionnement d'une automobile, et le particulier ou une personne qui lui est liée paie un montant (appelé « montant de remboursement » au présent paragraphe) qui réduit le montant relatif à la fourniture qui serait à inclure par ailleurs, en application des alinéas 6(1)e), k) ou l) ou du paragraphe 15(1) de la *Loi de l'impôt sur le revenu*, dans le calcul du revenu du particulier pour son année d'imposition,

les présomptions suivantes s'appliquent :

c) dans le cas de la fourniture d'un bien autrement que par vente, l'inscrit est réputé, pour l'application de la présente partie, utiliser le bien dans le cadre de ses activités commerciales lorsqu'il prend des mesures en vue de le livrer au particulier ou à la personne liée à celui-ci; dans la mesure où l'inscrit a acquis ou importé le bien, ou l'a transféré dans une province participante, pour effectuer cette fourniture, il est réputé, pour l'application de la présente partie, l'avoir ainsi acquis, importé ou transféré dans la province pour utilisation dans le cadre de ses activités commerciales;

d) pour le calcul de la taxe nette de l'inscrit :

(i) le total de l'avantage et des montants de remboursement est réputé être la contrepartie totale payable relativement à la livraison du bien ou à la prestation du service, au cours de l'année, au particulier ou à la personne qui lui est liée,

(ii) la taxe calculée sur la contrepartie totale est réputée égale au montant suivant :

(A) dans le cas où l'avantage représente un montant qui est à inclure, en application des alinéas 6(1)k) ou l) de la *Loi de l'impôt sur le revenu*, dans le calcul du revenu du particulier, ou qui le serait si le particulier était un salarié de l'inscrit et si aucun montant de remboursement n'était payé, le pourcentage réglementaire de la contrepartie totale,

(B) dans les autres cas, le résultat du calcul suivant :

$$\frac{A}{B} \times C$$

où

A représente :

(I) si l'un ou l'autre des faits suivants s'avère :

1. l'avantage est à inclure, en application des alinéas 6(1)a) ou e) de la *Loi de l'impôt sur le revenu*, dans le calcul du revenu du particulier tiré dune charge ou dun emploi et le dernier établissement de lemployeur auquel le particulier travaillait ou se présentait habituellement au cours de lannée dans le cadre de cette charge ou de cet emploi est situé dans une province participante,

2. l'avantage est à inclure, en application du paragraphe 15(1) de cette loi, dans le calcul du revenu du particulier et celui-ci réside dans une province participante à la fin de lannée, la somme de 4 % et du pourcentage déterminé selon les modalités réglementaires relativement à la province ou, en labsence dun tel pourcentage, la somme de 4 % et du taux de taxe applicable à la province,

(II) dans les autres cas, 4 %,

B la somme de 100 % et du pourcentage déterminé selon l'élément A,

C la contrepartie totale,

(iii) la taxe visée au sous-alinéa (ii) est réputée être devenue percevable par l'inscrit, et avoir été perçue par lui, à la date suivante :

(A) sauf en cas d'application de la division (B), le dernier jour de février de l'année subséquente,

(B) dans le cas où l'avantage est à inclure, en application du paragraphe 15(1) de la *Loi de l'impôt sur le revenu*, dans le calcul du revenu du particulier, ou le serait si aucun montant de remboursement n'était payé, et se rapporte à la livraison du bien ou à la prestation du service au cours d'une année d'imposition de l'inscrit, le dernier jour de cette année.

Toutefois, les présomptions visées aux sous-alinéas (i) à (iii) ne s'appliquent pas dans les cas suivants :

(iv) l'inscrit ne pouvait pas, par l'effet de l'article 170, demander un crédit de taxe sur les intrants relativement à sa dernière acquisition ou importation du bien ou du service ou à son dernier transfert de ceux-ci dans une province participante,

(v) le choix prévu au paragraphe (2) relativement au bien est en vigueur au début de l'année d'imposition,

(vi) l'inscrit est un particulier ou une société de personnes, et le bien est sa voiture de tourisme ou son aéronef qu'il n'utilise pas exclusivement dans le cadre de ses activités commerciales,

(vii) l'inscrit n'est pas un particulier, une société de personnes ou une institution financière, et le bien est sa voiture de tourisme ou son aéronef qu'il n'utilise pas principalement dans le cadre de ses activités commerciales.

Notes historiques: Le préambule du paragraphe 173(1) et le sous-alinéa 173(1)b)(ii) ont été modifiés respectivement par L.C. 1994, c. 21, par. 126(2) et (3) pour ajouter la référence aux alinéas 6(1)k) et l) de la *Loi de l'impôt sur le revenu.*

L'alinéa 173(1)a) est devenu l'alinéa 173(1)c) par L.C. 1997, c. 10, par. 22(1). Les sous-alinéas 173(1)b)(iv) à (vii) sont devenus les sous-alinéas 173(1)d)(iv) à (vii) par L.C. 1997, c. 10, par. 22(1). Le paragraphe 173(1) a été modifié par L.C. 1997, c. 10, par. 22(1) et cette modification s'applique aux années d'imposition 1996 et suivantes. Le paragraphe 173(1), modifié par L.C. 1994, c. 21, art. 126 s'applique aux montants à inclure dans le calcul du revenu d'une personne pour l'application de la *Loi de l'impôt sur le revenu* pour les années d'imposition 1993 et suivantes. Il se lisait comme suit :

173. (1) Lorsqu'un inscrit fournit à une personne en dehors du cadre d'une fourniture exonérée, un bien ou un service au titre duquel un montant, dit « avantage » au présent paragraphe, est à inclure, en application des alinéas 6(1)a, e), k) ou l) ou du paragraphe 15(1) de la *Loi de l'impôt sur le revenu*, dans le calcul du revenu de la personne pour une année d'imposition de celle-ci, les présomptions suivantes s'appliquent :

a) dans le cas où le bien est fourni autrement que par vente, l'inscrit est réputé, pour l'application de la présente partie, utiliser le bien dans le cadre de ses activités commerciales lorsqu'il prend les mesures en vue de le livrer à la personne; dans la mesure où l'inscrit a acquis le bien pour effectuer cette fourniture, il est réputé, pour l'application de la présente partie, avoir ainsi acquis le bien pour utilisation dans le cadre de ses activités commerciales;

b) aux fins du calcul de la taxe nette de l'inscrit :

(i) l'inscrit est réputé avoir effectué la fourniture au profit de la personne pour une contrepartie égale au total de la contrepartie de la fourniture, déterminée par ailleurs, et de l'excédent, dit « avantage modifié » au présent alinéa, de l'avantage sur la somme incluse dans l'avantage qui est imputable à une taxe imposée en vertu d'une loi provinciale et visée par règlement pour l'application de l'article 154,

(ii) la taxe calculée sur l'avantage modifié est réputée être devenue percevable par l'inscrit, et avoir été perçue par lui, à la date suivante :

(A) dans le cas d'une fourniture relativement à laquelle un montant est à inclure, en application des alinéas 6(1)a), e), k) ou l) de la *Loi de l'impôt sur le revenu*, dans le calcul du revenu de la personne pour une année d'imposition de celle-ci, le dernier jour de février de l'année subséquente,

(B) dans le cas d'une fourniture relativement à laquelle un montant est à inclure, en application du paragraphe 15(1) de la *Loi de l'impôt sur le revenu*, dans le calcul du revenu de la personne, le dernier jour de l'année d'imposition de l'inscrit au cours de laquelle le bien ou le service est ainsi fourni à la personne,

(iii) dans le cas où l'avantage est un montant qui est à inclure dans le calcul du revenu de la personne en application des alinéas 6(1)k) ou l) de la *Loi de l'impôt sur le revenu*, ou qui serait ainsi à inclure si la personne était un salarié de l'inscrit, la taxe calculée sur l'avantage modifié est réputée correspondre au pourcentage de cet avantage, fixé par règlement.

Toutefois, les présomptions visées aux sous-alinéas (i) et (ii) ne s'appliquent pas dans les cas suivants :

(iv) l'inscrit ne pouvait pas, par l'effet de l'article 170, demander un crédit de taxe sur les intrants relativement à sa dernière acquisition ou importation du bien ou du service,

(v) le choix prévu au paragraphe (2) a effet relativement au bien au moment de la fourniture,

(vi) l'inscrit est un particulier ou une société de personnes, et le bien est sa voiture de tourisme ou son aéronef qu'il n'utilise pas exclusivement dans le cadre de ses activités commerciales,

(vii) l'inscrit n'est pas un particulier, une société de personnes ou une institution financière, et le bien est sa voiture de tourisme ou son aéronef qu'il n'utilise pas principalement dans le cadre de ses activités commerciales.

Les sous-alinéas 173(1)b)(iii), (iv), (v) et (vi) étaient devenus respectivement les sous-alinéas 173(1)b)(iv), (v), (vi) et (vii) par L.C. 1994, c. 21, par. 126(1) et un nouveau sous-alinéa 173(1)b)(iii) a été ajouté par L.C. 1994, c. 21, par. 126(3).

L'alinéa 173(1)c) a été modifié par L.C. 1997, c. 10, par. 165(1) et cette modification est entrée en vigueur le 1er avril 1997. Il se lisait comme suit :

c) dans le cas de la fourniture d'un bien autrement que par vente, l'inscrit est réputé, pour l'application de la présente partie, utiliser le bien dans le cadre de ses activités commerciales lorsqu'il prend des mesures en vue de le livrer au particulier ou à la personne liée à celui-ci; dans la mesure où l'inscrit a acquis ou importé le bien pour effectuer cette fourniture, il est réputé, pour l'application de la présente partie, l'avoir ainsi acquis ou importé pour utilisation dans le cadre de ses activités commerciales;

La subdivision (I) de l'élément A de la formule figurant à la division 173(1)d)(ii)(B) a été remplacée par L.C. 2009, c. 32, par. 6(1) et cette modification est entrée en vigueur le 1er juillet 2010. Antérieurement, elle se lisait ainsi :

(I) la somme de 4 % et de celui des pourcentages suivants qui est applicable :

1. lorsque l'avantage est à inclure, en application des alinéas 6(1)a) ou e) de la *Loi de l'impôt sur le revenu*, dans le calcul du revenu du particulier tiré d'une charge ou d'un emploi et que le dernier établissement de l'employeur auquel le particulier travaillait ou se présentait habituellement au cours de l'année dans le cadre de cette charge ou cet emploi est situé dans une province participante, le taux de taxe applicable à cette province,

2. lorsque l'avantage est à inclure, en application du paragraphe 15(1) de cette loi, dans le calcul du revenu du particulier et que celui-ci réside dans une province participante à la fin de l'année, le taux de taxe applicable à cette province,

L'élément A de la formule de la division 173(1)d)(ii)(B) a été remplacé par L.C. 2007, c. 35, par. 185(1) et cette modification s'applique aux années d'imposition 2008 et suivantes de particuliers. Antérieurement, il se lisait ainsi :

A représente la somme de 5 % et de celui des pourcentages suivants qui est applicable :

(I) selon le cas :

1. lorsque l'avantage est à inclure, en application des alinéas 6(1)a) ou e) de la *Loi de l'impôt sur le revenu*, dans le calcul du revenu du particulier tiré d'une charge ou d'un emploi et que le dernier établissement de l'employeur auquel le particulier travaillait ou se présentait habituellement au cours de l'année dans le cadre de cette charge ou cet emploi est situé dans une province participante, le taux de taxe applicable à cette province,

2. lorsque l'avantage est à inclure, en application du paragraphe 15(1) de cette loi, dans le calcul du revenu du particulier et que celui-ci réside dans une province participante à la fin de l'année, le taux de taxe applicable à cette province,

(II) dans les autres cas, 5 %,

La division 173(1)d)(ii)(B) a été modifiée par L.C. 1997, c. 10, par. 165(2) et cette modification s'applique aux années d'imposition 1997 et suivantes. Toutefois, en ce qui concerne l'année d'imposition 1997, les mentions « le taux de taxe applicable à cette province » aux sous-subdivisions (I)1 et 2 de l'élément A de la formule figurant à la division 173(1)d)(ii)(B) valent mention de « 6 % ». La division 173(1)d)(ii)(B) se lisait comme suit :

(B) dans les autres cas, 6/106 de la contrepartie totale,

L'élément A de la formule de la division 173(1)d)(ii)(B) a été remplacé par L.C. 2006, c. 4, par. 4(1) et cette modification s'applique aux années d'imposition 2006 et suivantes de particuliers. Toutefois, en ce qui concerne l'année d'imposition 2006, la mention « 5 % » à l'élément A de la formule figurant à la division 173(1)d)(ii)(B) vaut mention de « 5,5 % ». Antérieurement, il se lisait comme suit:

A représente la somme de 6 % et de celui des pourcentages suivants qui est applicable :

(I) selon le cas :

1. lorsque l'avantage est à inclure, en application des alinéas 6(1)a) ou e) de la *Loi de l'impôt sur le revenu*, dans le calcul du revenu du particulier tiré d'une charge ou d'un emploi et que le dernier établissement de l'employeur auquel le particulier travaillait ou se présentait habituellement au cours de l'année dans le cadre de cette charge ou cet emploi est situé dans une province participante, le taux de taxe applicable à cette province,

2. lorsque l'avantage est à inclure, en application du paragraphe 15(1) de cette loi, dans le calcul du revenu du particulier et que celui-ci réside dans une province participante à la fin de l'année, le taux de taxe applicable à cette province,

(II) dans les autres cas, 6 %,

Le sous-alinéa 173(1)d)(iv) a été modifié par L.C. 1997, c. 10, par. 165(4) et cette modification est entrée en vigueur le 1er avril 1997. Cet alinéa se lisait comme suit :

(iv) l'inscrit ne pouvait pas, par l'effet de l'article 170, demander un crédit de taxe sur les intrants relativement à sa dernière acquisition ou importation du bien ou du service,

Le paragraphe 173(1) a auparavant été modifié par L.C. 1993, c. 27, par. 40(1) et est réputé entré en vigueur le 17 décembre 1990. Le paragraphe 173(1) correspond aux anciens paragraphes 173(1), (2) et (4). Il se lisait comme suit :

Sous réserve du présent article et pour l'application de la présente partie, l'inscrit qui met à la disposition d'une personne un bien ou un service — sauf ceux qui, par l'effet du paragraphe 170(1) ou (2), ne lui donnent pas droit au crédit de taxe sur les intrants — au titre duquel un montant doit être inclus en application de l'alinéa 6(1)a) ou e) ou du paragraphe 15(1) ou (1.4) de la *Loi de l'impôt sur le revenu* dans le calcul du revenu de la personne pour une année d'imposition de celle-ci est réputé en avoir effectué la fourniture pour une contrepartie égale à l'excédent du montant sur la somme éventuelle incluse dans ce montant qu'il est raisonnable de considérer comme imputée à une taxe imposée en vertu d'une loi provinciale et visée par règlement pour l'application de l'article 154.

Le paragraphe 173(1) a été édicté par L.C. 1990, c. 45, par. 12(1).

Concordance québécoise: LTVQ, art. 290, 292.

(2) Choix visant une voiture de tourisme ou un aéronef — Peut faire un choix relativement à une voiture de tourisme ou un aéronef l'inscrit qui, selon le cas :

a) n'est pas une institution financière et qui acquiert un tel bien par bail au cours d'une période de déclaration pour utilisation autrement que principalement dans le cadre de ses activités commerciales ou utilise au cours de cette période, autrement que principalement dans ce cadre, un tel bien dont la dernière acquisition par lui s'est faite par bail;

b) est une institution financière qui acquiert un tel bien par achat ou par bail au cours d'une période de déclaration ou qui utilise au cours de cette période un tel bien dont la dernière acquisition par lui s'est faite par achat ou par bail.

Le choix prend effet le premier jour de la période de déclaration en question.

Notes historiques: Le paragraphe 173(2) a été modifié par L.C. 1993, c. 27, par. 40(1) et est réputé entré en vigueur le 17 décembre 1990. Le paragraphe 173(2) correspond au préambule de l'ancien paragraphe 173(3). L'ancien paragraphe 173(2) a été intégré au paragraphe 173(1). Il se lisait comme suit :

(2) Pour l'application du paragraphe (1), la contrepartie de la fourniture est réputée devenir due à l'inscrit :

a) s'agissant d'une fourniture pour laquelle un montant est à inclure en application de l'alinéa 6(1)a) ou e) de la *Loi de l'impôt sur le revenu* dans le calcul du revenu d'une personne pour son année d'imposition, le dernier jour de février de l'année suivant cette année d'imposition;

b) s'agissant d'une fourniture pour laquelle un montant est à inclure en application du paragraphe 15(1) ou (1.4) de cette loi dans le calcul du revenu d'une personne pour son année d'imposition, le dernier jour de l'année d'imposition de l'inscrit au cours de laquelle le bien ou le service est mis à la disposition de la personne.

Le paragraphe 173(2) a été édicté par L.C. 1990, c. 45, par. 12(1).

Concordance québécoise: LTVQ, art. 293.

(3) Effet du choix — Pour l'application de la présente partie, les règles suivantes s'appliquent lorsque le choix d'un inscrit relativement à un bien prend effet au cours d'une période de déclaration donnée de celui-ci :

a) malgré l'alinéa (1)c), l'inscrit est réputé commencer, le jour de la prise d'effet du choix, à utiliser le bien exclusivement dans le cadre de ses activités non commerciales et continuer à l'utiliser ainsi sans interruption jusqu'à ce qu'il l'aliène ou cesse de le louer;

b) lorsque la dernière fourniture du bien au profit de l'inscrit a été effectuée par bail :

(i) la taxe calculée sur tout ou partie de la contrepartie de la fourniture imputable à une période postérieure à la prise d'effet du choix n'est pas incluse dans le calcul du crédit de taxe sur les intrants que l'inscrit demande dans la déclaration produite en application de l'article 238 pour la période donnée ou pour une période de déclaration ultérieure,

(ii) tout montant au titre de la taxe visée au sous-alinéa (i) qui est inclus dans le calcul du crédit de taxe sur les intrants que l'inscrit demande dans la déclaration produite en application de l'article 238 pour une période de déclaration prenant fin avant la période donnée est ajouté dans le calcul de la taxe nette de l'inscrit pour la période donnée;

c) lorsque la dernière fourniture du bien au profit de l'inscrit a été effectuée par vente, que l'inscrit est une institution financière et que le coût du bien pour lui est égal ou inférieur à 50 000 $:

(i) la taxe calculée sur tout ou partie de la contrepartie de la fourniture et la taxe relative à des améliorations apportées au bien, que l'inscrit a acquises, importées ou transférées dans une province participante après que le bien a été ainsi acquis, importé ou transféré pour la dernière fois, ne sont pas incluses dans le calcul du crédit de taxe sur les intrants que l'inscrit demande dans la déclaration produite en application de l'article 238 pour la période donnée ou pour une période de déclaration ultérieure,

(ii) tout montant au titre de la taxe visée au sous-alinéa (i) qui est inclus dans le calcul du crédit de taxe sur les intrants que l'inscrit demande dans la déclaration produite en application de l'article 238 pour une période de déclaration prenant fin avant la période donnée est ajouté dans le calcul de la taxe nette de l'inscrit pour la période donnée;

d) la taxe calculée sur un montant de contrepartie, ou sur la valeur déterminée selon l'article 215 ou les paragraphes 220.05(1), 220.06(1) ou 220.07(1), qu'il est raisonnable d'attribuer à l'un des éléments suivants n'est pas incluse dans le calcul du crédit de taxe sur les intrants que l'inscrit demande dans la déclaration produite en application de l'article 238 pour la période donnée ou pour une période de déclaration ultérieure :

(i) un bien acquis, importé ou transféré dans une province participante pour consommation ou utilisation dans le cadre du fonctionnement de la voiture ou de l'aéronef visé par le choix, qui est utilisé ou consommé, ou le sera, après le jour de la prise d'effet du choix,

(ii) la partie d'un service se rapportant au fonctionnement de la voiture ou de l'aéronef, qui est rendue, ou le sera, après le jour de la prise d'effet du choix;

e) tout montant au titre de la taxe visée à l'alinéa d) qui est inclus dans le calcul du crédit de taxe sur les intrants que l'inscrit demande dans la déclaration produite en application de l'article 238 pour une période de déclaration se terminant avant la période donnée est à ajouter dans le calcul de sa taxe nette pour la période donnée.

Notes historiques: L'alinéa 173(3)a) a été modifié par L.C. 1997, c. 10, par. 22(2) et cette modification s'applique aux années d'imposition 1996 et suivantes. Cet alinéa se lisait comme suit :

a) malgré l'alinéa (1)a), l'inscrit est réputé commencer, le jour de la prise d'effet du choix, à utiliser le bien exclusivement dans le cadre de ses activités non commerciales et continuer à l'utiliser ainsi sans interruption jusqu'à ce qu'il l'aliène ou cesse de le louer;

Le sous-alinéa 173(3)c)(i) a été modifié par L.C. 1997, c. 10, par. 165(6) et cette modification est entrée en vigueur le 1er avril 1997. Ce sous-alinéa se lisait comme suit :

(i) la taxe calculée sur tout ou partie de la contrepartie de la fourniture et la taxe relative à des améliorations apportées au bien, que l'inscrit a acquises ou importées après cette fourniture du bien, ne sont pas incluses dans le calcul du crédit de taxe sur les intrants que l'inscrit demande dans la déclaration produite en application de l'article 238 pour la période donnée ou pour une période de déclaration ultérieure,

Les alinéas 173(3)d) et e) ont été ajoutés par L.C. 1997, c. 10, par. 22(3) et s'appliquent au calcul de la taxe nette d'un inscrit pour les périodes de déclaration qui se terminent après 1995. Toutefois, l'alinéa 173(3)d) s'applique aux biens et aux services acquis ou importés pour consommation ou utilisation dans le fonctionnement d'une voiture ou d'un aéronef relativement auxquels le choix prévu au paragraphe 173(2) prend effet avant 1996 comme si le choix avait pris effet le 1er janvier 1996.

Le passage de l'alinéa 173(3)d) précédant le sous-alinéa (ii) a été modifié par L.C. 1997, c. 10, par. 165(7) et cette modification est entrée en vigueur le 1er avril 1997. Ce passage se lisait comme suit :

d) la taxe calculée sur un montant de contrepartie, ou sur la valeur déterminée selon l'article 215, qu'il est raisonnable d'attribuer à l'un des éléments suivants n'est pas incluse dans le calcul du crédit de taxe sur les intrants que l'inscrit demande dans la déclaration produite en application de l'article 238 pour la période donnée ou pour une période de déclaration ultérieure :

(i) un bien acquis ou importé pour consommation ou utilisation dans le cadre du fonctionnement de la voiture ou de l'aéronef visé par le choix, qui est utilisé ou consommé, ou le sera, après le jour de la prise d'effet du choix,

Le paragraphe 173(3), auparavant modifié par L.C. 1993, c. 27, par. 40(1), est réputé entré en vigueur le 17 décembre 1990. Toutefois, l'alinéa 173(3)b) ne s'applique pas aux biens relativement auxquels le choix prévu au paragraphe 173(2) a été fait avant avril 1991. Une partie de l'ancien paragraphe 173(3) a été intégrée au paragraphe 173(2). Il se lisait comme suit :

(3) L'inscrit qui, n'étant pas une institution financière, acquiert par bail une voiture de tourisme ou un aéronef à utiliser principalement dans le cadre de ses activités autres que commerciales ou qui, étant une institution financière, acquiert une voiture de tourisme ou un aéronef par achat ou par bail peut faire un choix pour que les présomptions suivantes s'appliquent :

a) l'inscrit est réputé avoir commencé, à l'entrée en vigueur du choix, à utiliser la voiture ou l'aéronef exclusivement dans le cadre de ses activités autres que commerciales;

b) si l'inscrit est une institution financière et a acquis le bien par achat à un coût de 50 000 $ ou moins, il est réputé avoir effectué et reçu, le jour où le choix entre en vigueur, une fourniture taxable par vente du bien et avoir perçu la taxe relative à la fourniture, égale au total des crédits de taxe sur les intrants qu'il a demandés ou auxquels il a droit relativement à l'acquisition, à l'importation ou aux améliorations du bien;

c) après l'entrée en vigueur du choix et jusqu'à ce qu'il aliène la voiture ou l'aéronef ou cesse de le louer, l'inscrit est réputé l'utiliser exclusivement dans le cadre de ses activités autres que commerciales.

Le paragraphe 173(3) a été édicté par L.C. 1990, c. 45, par. 12(1).

Concordance québécoise: LTVQ, art. 293.

(4) Forme du choix — Le choix contient les renseignements requis par le ministre et lui est présenté selon les modalités et en la forme déterminées par celui-ci.

Notes historiques: Le paragraphe 173(4) a été modifié par L.C. 1993, c. 27, par. 40(2) et est réputé entré en vigueur le 17 décembre 1990. Toutefois, en ce qui concerne le choix prévu au paragraphe 173(2) qui prendrait effet au cours d'une période de déclaration prenant fin avant le 27 avril 1992, le paragraphe 173(4) doit se lire comme suit :

(4) Le choix contient les renseignements requis par le ministre et lui est présenté selon les modalités et en la forme déterminées par celui-ci. Il accompagne la déclaration que la personne produit en application de l'article 238 pour sa période de déclaration au cours de laquelle le choix prend effet.

Le paragraphe 173(4) correspond à l'ancien paragraphe 173(5). L'ancien paragraphe 173(4) a été intégré au paragraphe 173(1). Il se lisait comme suit :

(4) Le paragraphe (1) ne s'applique pas aux voitures de tourisme et aux aéronefs :

a) qu'un inscrit — particulier ou une société de personnes — acquiert par achat et qu'il n'utilise pas exclusivement dans le cadre de ses activités commerciales;

b) qu'un inscrit — ni particulier, ni société de personnes, ni institution financière — acquiert par achat et qu'il n'utilise pas principalement dans le cadre de ses activités commerciales;

c) pour lesquels un inscrit a fait le choix prévu au paragraphe (3).

Le paragraphe 173(4) a été édicté par L.C. 1990, c. 45, par. 12(1).

Concordance québécoise: LTVQ, art. 293.

(5) [*Abrogé*]

Notes historiques: Le paragraphe 173(5) a été abrogé par L.C. 1993, c. 27, par. 40(1), rétroactivement au 17 décembre 1990. Il est devenu le paragraphe 173(4). Il se lisait auparavant comme suit :

(5) Le choix est présenté au ministre en la forme, selon les modalités et avec les renseignements qu'il détermine, et accompagne la déclaration que la personne doit produire aux termes de la section V pour sa période de déclaration au cours de laquelle le choix doit entrer en vigueur. Le choix entre en vigueur le premier jour de cette période.

Le paragraphe 173(5) a été ajouté par L.C. 1990, c. 45, par. 12(1).

juin 2006, Notes explicatives: L'article 173 porte sur le calcul du montant de taxe à verser relativement à une fourniture, effectuée par un inscrit au profit de son salarié ou actionnaire, qui donne lieu à un avantage imposable sous le régime de l'impôt sur le revenu. La formule figurant à la division 173(1)d)(vi)(B) permet de calculer la taxe à verser sur un avantage imposable conféré à un salarié ou à un actionnaire, sauf s'il s'agit d'un avantage lié aux dépenses de fonctionnement d'une automobile auquel un pourcentage réglementaire s'applique.

Selon la division 173(1)d)(vi)(B), lorsque l'acquéreur est un actionnaire qui réside dans une province participante à la fin de l'année d'imposition ou qu'il est un salarié et que le dernier établissement de l'employeur auquel il travaillait ou se présentait habituellement au cours de l'année est situé dans une province participante, le versement de taxe correspond au produit de la contrepartie totale de l'avantage par le facteur 14/114. Dans les autres cas, la contrepartie totale est multipliée par le facteur 6/106.

La modification apportée à cette division consiste à ramener le pourcentage de base à 5 % lorsqu'il s'agit de déterminer les facteurs qui entrent dans le calcul de la taxe applicable à un avantage imposable conféré à un salarié ou à un actionnaire. Cette modification fait suite au changement apporté au paragraphe 165(1), qui consiste à ramener de 7 % à 6 % le taux de la taxe imposée en vertu de ce paragraphe. Par conséquent, les nouveaux facteurs pour la TPS et la TVH s'établiront respectivement à 5/105 et à 13/113.

La modification apportée à la division 173(1)d)(vi)(B) s'applique aux années d'imposition 2006 et suivantes d'un particulier. Toutefois, pour l'année d'imposition 2006, la mention « 5 % » vaut mention de « 5,5 % ».

Définitions [art. 173]: « acquéreur », « activité commerciale », « améliorations », « année d'imposition », « bien », « contrepartie », « fourniture », « fourniture exonérée », « importation », « inscrit », « institution financière », « ministre », « montant », « période de déclaration », « personne », « province participante », « règlement », « service », « taxe », « vente », « voiture de tourisme » — 123(1).

Renvois [art. 173]: 155(2)a) (fournitures entre personnes liées — exception); 172(3) (utilisation non commerciale); 195.2 (dernière acquisition ou importation); 225.1(1)c), 225.1(2) A b)(ii) (fourniture déterminée — organisme de bienfaisance); 253 (salariés et associés) *Loi de l'impôt sur le revenu*, 6(1)a), e), 15(1), (1.4).

Règlements [art. 173]: *Règlement sur l'avantage relié aux frais de fonctionnement d'une automobile (TPS/TVH)*, art. 1.

Jurisprudence [art. 173]: *Hayworth Equipment Sales (1983) Ltd. c. Canada*, [1998] G.S.T.C. 14 (CCI); *Saskatchewan Telecommunications c. Canada*, [1999] G.S.T.C. 69 (CCI); *Cofamek Inc. c. R.*, [2003] G.S.T.C. 115 (CCI); *Service B. Ouellet (1997) Inc. c. R.*, 2004 G.T.C. 207 (CCI); *9036-9695 Québec Inc. c. R.*, [2004] G.S.T.C. 66 (CCI); *Startec Refrigeration Service Ltd. c. R.*, [2005] G.S.T.C. 9 (CCI); *Carroll Pontiac Buick Ltd. v. R.* (25 juillet 2008), [2008] G.S.T.C. 155 (CCI [procédure informelle]); *J. Raymond Couvreur Inc. c. R.*, 2009 G.T.C. 923 (30 octobre) (CCI [procédure informelle]).

Énoncés de politique [art. 173]: P-060, 25/05/93, *Définition du coût d'une immobilisation.*

Bulletins de l'information technique [art. 173]: B-065, 13/07/92, *Le plan en six points en vue de simplifier la TPS*; B-075R, 23/04/96, *Modifications proposées à la TPS.*

Mémorandums [art. 173]: TPS 300-6, 14/09/90, *Moment d'assujettissement de la fourniture*, par. 48; TPS 400, 18/05/90, *Crédits de taxe sur les intrants*, par. 15, 17.1, 17.2; TPS 400-3-2, 19/02/92, *Avantages aux salariés et aux actionnaires*; TPS 400-3-2-1, 12/02/92, *Avantages relatifs à l'utilisation d'automobiles*, par. 6–17, 20, 21, 27–41, 45, 47–64; TPS 500-2-4, 19/03/91, *Calcul de la taxe*, annexe B; TPS 500-7, 26/11/91, *Interaction entre la Loi sur la taxe d'accise et la Loi de l'impôt sur le revenu*, par. 16-20, 33 et 34; TPS 700-5-3, 31/07/92, *Caisses de crédit*, par. 29.

Série de mémorandums [art. 173]: Mémorandum 3.1, 08/99, *Assujettissement à la taxe*; Mémorandum 9.1, 11/11, *Avantages taxables (autres que les avantages relatifs aux automobiles)* ; Mémorandum 9.2, 11/11, *Avantages relatifs aux automobiles* .

Formulaires [art. 173]: FP-30, *Choix concernant l'utilisation d'une voiture de tourisme ou d'un aéronef dans le cadre d'activités non commerciales*; GST30, *Choix pour qu'une voiture de tourisme ou un aéronef soit réputé utilisé dans le cadre d'activités non commerciales* [N.D.L.R. le bulletin de l'information technique B-065 indique que l'obligation de présenter ce formulaire est éliminée. Toutefois, les inscrits sont tenus de remplir le formulaire].

Documents du Secrétariat du Conseil du Trésor [art. 173]: TB-1F — *Politique relative à l'application de la taxe sur les produits et services et de la taxe de vente harmonisée dans les ministères et organismes du gouvernement du Canada.*

Info TPS/TVQ [art. 173]: GI-013 — *Réduction du taux de la TPS/TVH*; GI-038 — *Réduction du taux de la TPS/TVH (2008).*

Lettres d'interprétation (Québec) [art. 173]: 98-0112957 — Interprétation relative à la TPS et à la TVQ — Véhicule utilisé par un salarié d'un concessionnaire d'automobiles; 00-0110288 — Interprétation relative à la TPS et à la TVQ — Dépenses remboursées par un employeur; 02-0103453 — Interprétation relative à la TPS et à la TVQ — Fournitures effectuées par un organisme à but non lucratif; 06-0104403 — Interprétation relative à la TPS et à la TVQ — Points de récompense accordés par un inscrit à des employés ou à des clients.

COMMENTAIRES: Le paragraphe (1) s'applique lorsqu'un inscrit effectue la fourniture d'un bien ou d'un service, sauf une fourniture exonérée ou détaxée, et qu'un montant relatif à la fourniture est à inclure selon les alinéas 6(1)(a)(e)(k) ou (l) ou du paragraphe 15(1) de la *Loi de l'impôt sur le revenu* dans le calcul du revenu du particulier pour son année d'imposition.

À titre de rappel, l'article 170 a pour effet de ne pas inclure, dans le calcul du crédit de taxe sur les intrants, un bien ou un service (autre qu'une fourniture détaxée ou exonérée) qui est acquis exclusivement pour les fournitures relatives à un employé et qui sont destinées à son avantage. Nous vous référons à nos commentaires sous cet article. L'objectif étant, de façon générale, de prévenir la réclamation d'un crédit de taxe sur les intrants à l'égard d'une fourniture qui sera fournie au consommateur final.

Le paragraphe (1) accomplit le même objectif lorsque l'article 170 ne s'applique pas, notamment parce que la fourniture n'a pas été acquise pour fins exclusives pour consommation personnelle. Toutefois, contrairement à l'article 170 qui refuse un crédit de taxe sur les intrants, cet article provoque le paiement de la TPS sur la portion de la fourniture qui est pour les fins personnelles d'un employé ou d'un actionnaire.

Revenu Québec s'est prononcé à l'égard d'une situation où il était difficile pour l'employeur de connaître le moment pour la remise de la TPS dans un contexte où des points de récompenses étaient donnés par un inscrit pour récompenser ses employés, points qui par la suite pouvaient être échangés contre des primes (*c.-à-d.* billets d'avion, hôtels, etc.). Dans ce contexte, Revenu Québec a indiqué, en premier lieu, que c'est l'employeur qui est tenu de remettre la TPS réputée sur le montant de l'avantage. De façon générale, il est difficile pour l'employeur de remplir ses obligations puisqu'il n'a généralement pas le contrôle du moment où l'employé utilisera les points mis à sa disposition. Suivant les principes applicables aux termes de la *Loi de l'impôt sur le revenu*, lorsque la valeur d'un avantage imposable doit être incluse dans le revenu, l'employeur doit la déterminer ou en faire une estimation raisonnable et l'inscrire dans le formulaire T4 — Supplémentaire intitulée « Revenus d'emploi avant retenues » ainsi que dans la case appropriée de la section intitulée « Avantages imposables ». Lorsque l'employeur n'a pas le contrôle sur l'usage des points, l'employé a la responsabilité de déterminer la juste valeur marchande de l'avantage qu'il a reçu et de l'inclure dans son revenu. Les dispositions actuelles de la *Loi de l'impôt sur le revenu* n'obligent pas l'employé à informer son employeur de l'inclusion de l'avantage dans son revenu. Il revient donc à l'employeur de prendre les dispositions administratives nécessaires pour assurer le respect des obligations qui lui incombent en vertu du paragraphe 173(1). À l'égard de la valeur de la contrepartie des points, la TPS est réputée être devenue percevable et avoir été perçue par l'employeur dans la mesure où, comme l'indique l'alinéa 173(1)a), un montant est à inclure, en application des alinéas 6(1)a), e), k) ou l) de la *Loi de l'impôt sur le revenu*, dans le calcul du revenu de l'employé pour son année d'imposition. La TPS est donc calculée sur le montant de l'avantage qui doit être inclus dans le calcul du revenu de l'employé aux fins de l'impôt. Voir à cet effet : Revenu Québec, Lettre d'interprétation, 06-0104403 — *Interprétation relative à la TPS et à la TVQ — Points de récompense accordés par un inscrit à des employés ou à des clients* (20 mars 2007).

Indemnités et remboursements

174. Indemnités pour déplacement et autres — Pour l'application de la présente partie, une personne est réputée avoir reçu la fourniture d'un bien ou d'un service dans le cas où, à la fois :

a) la personne verse une indemnité à l'un de ses salariés, à l'un de ses associés si elle est une société de personnes ou à l'un de ses bénévoles si elle est un organisme de bienfaisance ou une institution publique :

(i) soit pour des fournitures dont la totalité, ou presque, sont des fournitures taxables, sauf des fournitures détaxées, de biens ou de services que le salarié, l'associé ou le bénévole a acquis au Canada relativement à des activités qu'elle exerce,

(ii) soit pour utilisation au Canada d'un véhicule à moteur relativement à des activités qu'elle exerce;

b) un montant au titre de l'indemnité est déductible dans le calcul du revenu de la personne pour une année d'imposition en application de la *Loi de l'impôt sur le revenu*, ou le serait si elle était un contribuable aux termes de cette loi et l'activité, une entreprise;

c) lorsque l'indemnité constitue une allocation à laquelle les sous-alinéas 6(1)b)(v), (vi), (vii) ou (vii.1) de la *Loi de l'impôt sur le revenu* s'appliqueraient si l'indemnité était une allocation raisonnable aux fins de ces sous-alinéas, les conditions suivantes sont remplies :

(i) dans le cas où la personne est une société de personnes et où l'indemnité est versée à l'un de ses associés, ces sous-alinéas s'appliqueraient si l'associé était un salarié de la société,

(ii) si la personne est un organisme de bienfaisance ou une institution publique et que l'indemnité est versée à l'un de ses bénévoles, ces sous-alinéas s'appliqueraient si le bénévole était un salarié de la personne,

(iii) la personne considère, au moment du versement de l'indemnité, que celle-ci est une allocation raisonnable aux fins de ces sous-alinéas,

(iv) il est raisonnable que la personne l'ait considérée ainsi à ce moment.

De plus :

d) toute consommation ou utilisation du bien ou du service par le salarié, l'associé ou le bénévole est réputée effectuée par la personne et non par l'un de ceux-ci;

e) la personne est réputée avoir payé, au moment du versement de l'indemnité et relativement à la fourniture, une taxe égale au résultat du calcul suivant :

$$A \times (B/C)$$

où

A représente le montant de l'indemnité,

B :

(i) dans les circonstances prévues par règlement relativement à une province participante, le pourcentage déterminé selon les modalités réglementaires,

(ii) dans les autres cas, le taux fixé au paragraphe 165(1),

C la somme de 100 % et du pourcentage déterminé selon l'élément B.

Notes historiques: Le préambule et l'alinéa a) de l'article 174 ont été modifiés par L.C. 1997, c. 10, par. 23(1) et cette modification est réputée entrée en vigueur le 1er janvier 1997. Ce passage est réputé entré en vigueur le 17 décembre 1990. Il se lisait comme suit :

174. Pour l'application de la présente partie, une personne est réputée avoir reçu la fourniture taxable d'un bien ou d'un service dans le cas où, à la fois :

a) la personne verse une indemnité à l'un de ses salariés, à l'un de ses associés, si elle est une société de personnes, ou à l'un de ses bénévoles, si elle est un organisme de bienfaisance :

Le sous-alinéa 174c)(ii) a été modifié par L.C. 1997, c. 10, par. 12(1) et cette modification est réputée en vigueur le 1er janvier 1997. Ce sous-alinéa, auparavant modifié par L.C. 1994, c. 9, par. 9(1), est réputé entré en vigueur le 17 décembre 1990. Il se lisait comme suit :

(ii) dans le cas où la personne est un organisme de bienfaisance et où l'indemnité est versée à l'un de ses bénévoles, ces sous-alinéas s'appliqueraient si le bénévole était un salarié de l'organisme,

Le passage de l'article 174 suivant l'alinéa c) a été modifié par L.C. 1997, c. 10, par. 166(1) et cette modification s'applique aux indemnités versées après mars 1997. Il se lisait comme suit :

De plus, toute consommation ou utilisation du bien ou du service par le salarié, l'associé ou le bénévole est réputée effectuée par la personne et non par l'un de ceux-ci, et la personne est réputée avoir payé, au moment du versement de l'indemnité et relativement à la fourniture, la taxe égale à la fraction de taxe de l'indemnité.

Auparavant, il avait été modifié par L.C. 1997, c. 10, par. 23(2) et cette modification était réputée entrée en vigueur le 17 décembre 1990. Toutefois, il ne s'appliquait pas au calcul d'un montant demandé (sauf un crédit ou une déduction réputé demandé par l'effet de l'alinéa 296(5)a) par suite d'une cotisation établie après le 23 avril 1996) dans une déclaration présentée aux termes de la section V de la partie IX, ou dans une demande présentée aux termes de la section VI de cette partie, et reçue par le ministre du Revenu national avant le 23 avril 1996.

Ce passage se lisait auparavant comme suit :

De plus, la personne est réputée avoir payé, au moment du versement de l'indemnité et relativement à la fourniture, la taxe égale à la fraction de taxe de l'indemnité et avoir acquis le bien ou le service pour utilisation dans le cadre de ses activités commerciales dans la même mesure que celle dans laquelle le bien ou le service a été acquis par son salarié, par son associé ou par le bénévole pour consommation ou utilisation dans le cadre des activités commerciales de la personne.

Le sous-alinéa (i) de l'élément B de la formule figurant à l'alinéa 174e) a été remplacé par. L.C. 2009, c. 32, par. 7(1) et cette modification s'applique aux indemnités versées par une personne après juin 2010. Antérieurement, il se lisait ainsi :

(i) la somme du taux fixé au paragraphe 165(1) et du taux de taxe applicable à une province participante si, selon le cas :

(A) la totalité ou la presque totalité des fournitures relativement auxquelles l'indemnité est versée ont été effectuées dans des provinces participantes,

(B) l'indemnité est versée en vue de l'utilisation du véhicule à moteur dans des provinces participantes, (ii) dans les autres cas, le taux fixé au paragraphe 165(1),

L'alinéa 174e) a été remplacé par L.C. 2006, c. 4, par. 5(1) et cette modification s'applique aux indemnités versées par une personne après juin 2006. Antérieurement, il se lisait comme suit:

e) la personne est réputée avoir payé, au moment du versement de l'indemnité et relativement à la fourniture, une taxe égale au résultat du calcul suivant :

$$A \times B$$

où

A représente le montant de l'indemnité,

B

(i) $^{15}/_{115}$ si, selon le cas :

(A) la totalité, ou presque, des fournitures relativement auxquelles l'indemnité est versée ont été effectuées dans les provinces participantes,

(B) l'indemnité est versée en vue de l'utilisation du véhicule à moteur dans les provinces participantes,

(ii) dans les autres cas, $^{7}/_{107}$.

L'article 174 a été modifié par L.C. 1994, c. 9, par. 9(1) et est réputé entré en vigueur le 17 décembre 1990. Il se lisait comme suit :

174. Pour l'application de la présente partie, une personne est réputée avoir reçu une fourniture taxable d'un service pour utilisation dans le cadre de ses activités commerciales dans la même mesure qu'un bien ou service acquis par son salarié ou, si elle est une société de personnes, son salarié est pour consommation ou utilisation dans le cadre de ses activités commerciales si les conditions suivantes sont réunies :

a) la personne verse une indemnité au salarié ou à l'associé :

(i) soit pour des fournitures dont la totalité, ou presque, sont des fournitures taxables, sauf des fournitures détaxées, de biens ou de services que le salarié ou l'associé a acquis au Canada relativement à une activité exercée par la personne,

(ii) soit pour l'utilisation au Canada d'un véhicule à moteur relativement à pareille activité;

b) un montant au titre de l'indemnité est déductible dans le calcul du revenu de la personne pour une année d'imposition en application de la *Loi de l'impôt sur le revenu*, ou le serait si elle était un contribuable aux termes de cette loi et l'activité était une entreprise;

c) dans le cas où l'indemnité constitue une allocation à laquelle les sous-alinéas 6(1)b)(v), (vi), (vii) ou (vii.1) de la *Loi de l'impôt sur le revenu* s'appliqueraient si l'indemnité était une allocation raisonnable aux fins de ces sous-alinéas et si, la personne étant une société de personne et l'indemnité étant versée à un de ses associés, l'associé était un salarié de la personne, la personne considère, au moment du versement de l'indemnité, que celle-ci est une allocation raisonnable à ces fins et il est raisonnable qu'elle l'ait considérée ainsi à ce moment.

De plus, la personne est réputée avoir payé, au moment du versement de l'indemnité et relativement à la fourniture, la taxe égale à la fraction de taxe de l'indemnité.

L'article 174, modifié par L.C. 1993, c. 27, par. 40(1), se lisait comme suit :

174. Pour l'application de la présente partie, dans le cas où une personne verse une indemnité raisonnable à son salarié ou, si elle est une société de personnes, à un associé, pour des fournitures dont la totalité, ou presque, est constituée de fournitures taxables, sauf des fournitures détaxées, dont ils étaient les acquéreurs au Canada relativement à une activité exercée par la personne, ou pour l'utilisation au Canada d'un véhicule à moteur relativement à cette activité, et où un montant au titre de cette indemnité est déductible dans le calcul du revenu de la personne pour son année d'imposition en application de la *Loi de l'impôt sur le revenu*, ou le serait si elle était un contribuable aux termes de cette loi et l'activité, une entreprise, la personne est réputée :

a) avoir reçu une fourniture taxable;

b) avoir payé, au moment où elle verse l'indemnité, la taxe relative à la fourniture, égale à la fraction de taxe de l'indemnité.

L'article 174 a été édicté par L.C. 1990, c. 45, par. 12(1)

juin 2006, Notes explicatives: L'article 174 porte sur les indemnités versées aux salariés, aux associés et aux bénévoles au titre des dépenses qu'ils ont engagées. Il prévoit que la personne qui verse l'indemnité est réputée avoir reçu une fourniture et avoir payé la taxe applicable. Le montant de taxe que cette personne est réputée avoir payé est déterminé selon la formule figurant à l'alinéa 174e) (dans la version française de la loi) ou à l'alinéa 174f) (dans la version anglaise).

Cette formule utilise le facteur 15/115, ce qui tient compte des fournitures qui auraient été taxables au taux de la TVH de 15 % si la totalité ou la presque totalité des fournitures relativement auxquelles l'indemnité est versée avaient été effectuées dans une province participante ou si l'indemnité avait été versée au titre de l'utilisation d'un véhicule à moteur dans une telle province. Dans ce cas, le montant de taxe qui est réputé avoir été payé correspond au montant de l'indemnité multiplié par le facteur 15/115. Dans les autres cas, le facteur 7/107 est appliqué au montant de taxe qui est réputé avoir été payé, ce qui tient compte des fournitures qui auraient été taxables au taux de 7 %.

L'alinéa 174e) de la version française de la loi et 174f) de la version anglaise sont modifiés de sorte que le taux utilisé dans la formule soit le taux fixé au paragraphe 165(1) au titre de la TPS ou de la composante fédérale de la TVH. Ces modifications font suite au changement apporté à ce paragraphe, qui consiste à ramener de 7 % à 6 % le taux de la taxe qui y est prévue.

Concordance québécoise: LTVQ, art. 211.

Définitions [art. 174]: « activité commerciale », « année d'imposition », « bien », « entreprise », « fourniture », « fourniture détaxée », « fourniture taxable », « fraction de taxe », « institution publique », « montant », « organisme de bienfaisance », « personne », « province participante », « salarié », « service » — 123(1); « Canada » — 123(2); « taxe exigée non admise au crédit » — s-al. 259(1)a)(iii).

Renvois [art. 174]: 236(1) (calcul de la taxe nette — aliments, boissons et divertissements); 259(1)a)(iii) (remboursement).

Jurisprudence [art. 174]: *Brantford (City) c. Canada*, [1998] G.S.T.C. 125 (CCI); *Tri-Bec Inc. c. R.*, [2002] G.S.T.C. 27 (CCI); *Melville Motors Ltd. v. R.*, [2003] G.S.T.C. 128 (CCI); *3859681 Canada Inc. v. R.*, [2003] G.S.T.C. 123 (CCI); *Centres jeunesse des Laurentides c. R.*, [2004] G.S.T.C. 149 (CCI); *Startec Refrigeration Service Ltd. c. R.*, [2005] G.S.T.C. 9 (CCI); *Centres jeunesse des Laurentides c. R.*, [2007] G.S.T.C. 11 (CAF); *ExxonMobil Canada Ltd. v.*, 2010 CarswellNat 1132, 2010 FCA 1 (CAF).

Énoncés de politique [art. 174]: P-075R, 22/07/93, *Indemnités et remboursements*; P-097R2, 19/12/00, *Allocation de dépenses aux conseillers municipaux et aux membres d'une commission scolaire*; P-113R, 17/02/94, *Demande de remboursement de TPS à l'égard de dépenses pour une automobile lorsqu'un particulier a reçu une allocation raisonnable.*

Mémorandums [art. 174]: TPS 400, 18/05/90, *Crédits de taxe sur les intrants*, par. 56; TPS 400-1-2, 8/11/90, *Documents requis*, par. 58–62, 71–77; TPS 400-3-3, 4/10/91, *Aliments, boissons et divertissements*, par. 16–21; TPS 400-3-7, 6/03/91, *Cotisations relatives à l'emploi*, par. 7–17, 24–28; TPS 400-3-11, 07/02/92, *Indemnités et remboursements*, par. 7–17, 27, 28; TPS 500-2-4, 19/03/91, *Calcul de la taxe*, annexe D; TPS 500-7, 26/11/91, *Interaction entre la Loi sur la taxe d'accise et la Loi de l'impôt sur le revenu*, par. 22–25.

Série de mémorandums [art. 174]: Mémorandum 3.1, 08/99, *Assujettissement à la taxe*; Mémorandum 8-1, 05/05, *Règles générales d'admissibilité*; Mémorandum 8.4, 08/12, *Documents requis pour demander des crédits de taxe sur les intrants*; Mémorandum 9.3, 06/12, *Indemnités*.

Info TPS/TVQ [art. 174]: GI-013 — *Réduction du taux de la TPS/TVH*; GI-014 — *Application du taux réduit de la TPS/TVH aux indemnités et aux remboursements*; GI-038 — *Réduction du taux de la TPS/TVH (2008)*; GI-039 — *Application du taux réduit de la TPS/TVH (2008) aux indemnités et aux remboursements.*

Lettres d'interprétation (Québec) [art. 174]: 98-0102792 — Cotisations professionnelles de salariés et associés; 98-0104061 — Cotisations professionnelles de salariés et associés; 98-0107650 — Interprétation relative à la TPS et à la TVQ — Indemnité versée pour un véhicule à moteur; 98-0108138 — Interprétation relative à la TPS et à la TVQ — CTI/RTI à l'égard de certaines allocations de dépenses; 99-0109720 — Assujettissement de sommes versées par un employé à un employeur au titre d'un remboursement de frais de formation; 00-0103374 — Interprétation relative à la TVQ — Indemnité pour dépenses engagées au Canada et à l'extérieur du Canada; 00-0105031 — Interprétation relative à la TPS et à la TVQ — Remboursement de dépenses par une municipalité à des bénévoles ou des salariés; 00-0109892 — Interprétation relative à la TPS et à la TVQ — Allocations mensuelles de dépenses; 00-0110288 — Interprétation relative à la TPS et à la TVQ — Dépenses remboursées par un employeur; 04-0101651 — Interprétation relative à la TPS et à la TVQ — allocations de dépenses pour hébergement; 05-0100809 — Interprétation relative à la TPS et à la TVQ — remboursement d'un compte de dépenses d'un secrétaire non membre d'un conseil d'administration]; 05-0101013 — Interprétation relative à la TPS et à la TVQ — allocations versées aux employés — raisonnabilité; 05-0105428 — Interprétation relative à la TVQ — Application de l'article 358 de la LTVQ; 05-0105683 — CTI/RTI réclamés par un avocat pour des vêtements; 07-0101274 — Interprétation relative à la TPS et à la TVQ — allocations versées aux pompiers d'une municipalité.

COMMENTAIRES: Les articles 174 et 175 prévoient des règles spéciales à l'égard des remboursements et des indemnités versés aux salariés. En effet, lorsque l'employeur paie à un salarié les frais engagés par ce dernier, le montant versé peut comprendre de la taxe, taxe que l'employeur peut réclamer s'il satisfait aux conditions de ces dispositions. En termes simples, l'article 174 permet une indemnité payée à un employé, associé ou bénévole d'être traité comme inclusif de la TPS. Ainsi, l'employeur pourra réclamer un crédit de taxe sur les intrants. Cette disposition est logique puisque le crédit de taxe sur les intrants est attribué à la personne qui paie, *c.-à-d.* l'employeur. Bien entendu, si le montant payé par l'employeur est en lien avec une indemnité couvrant des fournitures pour lesquelles aucune TPS/TVH n'a été perçue, alors, dans cette situation, il est logique que l'employeur ne puisse réclamer de crédit de taxe sur les intrants puisqu'aucune taxe n'a été payée.

Revenu Québec a indiqué que c'est la personne qui rembourse les dépenses ou qui paie l'indemnité à son « salarié » qui peut se prévaloir de l'article 174. Le fait que la personne à qui est effectué le remboursement ou à qui est versée l'indemnité reçoive un traitement ou un salaire d'une autre personne n'autorise pas cette dernière à se prévaloir des dispositions de l'article 174 si ce n'est pas elle qui a payé le remboursement ou l'indemnité. Ainsi, en l'espèce, la société mère ne pouvait se prévaloir de cet article puisque ce n'est pas elle qui paie l'indemnité ou effectue le remboursement. Voir notamment à cet effet : Revenu Québec, Lettre d'interprétation, 05-0100809 — *Interprétation relative à la TPS et à la TVQ* (3 mars 2005).

Il n'est pas clair si l'expression « acquis au Canada » qui figure au sous-alinéa 174(1)(ii) est similaire à l'expression « fait au Canada » qui se retrouvent aux articles 142 et 144. Nous vous invitons à consulter nos commentaires sous ces articles.

De plus, si l'indemnité concerne les dépenses personnelles de l'employé, celle-ci ne se qualifiera pas aux fins de l'article 174. Ce principe a été réitéré notamment dans l'affaire *ExxonMobil Canada Ltd. c. R.*, 2010 CarswellNat 12 (C.A.F.) dans laquelle la Cour d'appel fédérale a accepté la décision de la Cour canadienne de l'impôt à l'effet de refuser à l'inscrit le droit au crédit de taxe sur les intrants à l'égard d'indemnités de déménagement versées à ses employés. Les faits dans cette affaire sont fort simples : les appelantes oeuvrent dans l'industrie pétrolière et gazière. Elles exercent leurs activités dans presque chaque province et territoire du Canada. Dans le cadre de ces activités, les appelantes doivent réinstaller leurs employés un peu partout au pays, et parfois dans des régions éloignées. Il est admis que la réinstallation régulière des employés, particulièrement des spécialistes, est un volet essentiel des activités des appelantes et que la politique de réinstallation adoptée par celles-ci visait à faciliter les mutations en faisant en sorte qu'elles dérangent le moins possible les employés [...]. Suivant cette politique de réinstallation, non seulement les appelantes payaient ou remboursaient les frais directs de déménagement engagés par les employés réinstallés, mais elles leur versaient également une indemnité de déménagement d'un maximum de 15 pour cent de leur salaire. L'objet de l'indemnité de déménagement était de dédommager les employés réinstallés pour les frais accessoires du déménagement qui n'étaient pas remboursables au titre de frais de déménagement. Les frais non remboursables au titre de déménagement sont, entre autres, les frais liés à l'achat de rideaux, aux débranchements et retranchements de services publics, au paiement de pénalités pour rupture de contrat, à l'obtention de permis de conduire dans une autre province, etc. Pour une première tranche de 650 $, les employés doivent fournir les reçus, mais pour le surplus, ils peuvent utiliser l'indemnité à leur entière discrétion. Pour la portion discrétionnaire, ils se voient conférer un avantage imposable et des retenues à la source sont effectuées. La Cour canadienne de l'impôt conclut que les sociétés n'ont pas droit au crédit de taxe sur les intrants « relativement à la fourniture d'un bien ou d'un service acquis exclusivement pour la consommation ou l'utilisation personnelle d'un employé, si le bien ou le service ainsi fourni constitue un avantage imposable selon la *Loi de l'impôt sur le revenu* ». Devant la Cour d'appel fédérale, l'avocate du ministre du Revenu national ne soutient plus la prétention que les crédits de taxe sur les intrants doivent être refusés au motif qu'ils consti-

LTA (TPS)

tuent un avantage imposable pour l'employé, mais invoque plutôt l'article 174 concernant le versement d'indemnités. Se fondant sur cette distinction, l'intimée soutient que les biens ou services devant être acquis au moyen des indemnités — tels que les tapis, les services de nettoyage du domicile, etc., qui sont destinés exclusivement à la consommation ou l'utilisation personnelle des employés — n'ont aucun rapport avec les activités des appelantes et, par conséquent, ne sont pas admissibles. Par contre, les indemnités visant la fourniture de biens ou de services qui sont liés aux activités de l'employeur, telles que les indemnités de déplacement et les fournitures de bureau, sont admissibles. La Cour d'appel fédérale conclut que le fait qu'une indemnité soit liée aux activités de l'employeur, et donc déductible au niveau de l'impôt sur le revenu, ne signifie pas nécessairement que les fournitures de biens ou de services que ces indemnités sont censées financer sont reliées aux activités de l'employeur. En appliquant ces critères, on constate que les biens ou services que l'employeur destine à l'utilisation personnelle exclusive des employés et qui se prêtent à une telle utilisation n'ont aucun rapport avec les activités de l'employeur. Par contre, les biens ou services que les employés peuvent utiliser dans le cadre de leurs activités professionnelles, et qui sont destinés à une telle utilisation sont en rapport avec les activités de l'employeur. Par conséquent, la Cour conclut que la fourniture de biens ou de services que les indemnités étaient censées financer était destinée à l'utilisation personnelle exclusive des employés. Par conséquent, celles-ci n'étaient pas liées aux activités de l'appelante. Voir également pour une analyse similaire : *Whitehorse (City) c. R.*, 2012 CarswellNat 3019 (C.C.I.) (en appel, 2012 CarswellNat 3019).

Au niveau provincial, la Cour du Québec, dans l'affaire *Technostructur inc. (175094 Canada Inc.) c. Québec (Sous-ministre du Revenu)*, 2011 CarswellQue 4240 (C.Q.), la Cour du Québec, en se basant sur la décision dans l'affaire *ExxonMobil*, s'est questionnée sur le droit au remboursement de la taxe sur les intrants concernant les allocations faisant l'objet du litige, et ce, bien que le sous-ministre ne soulève pas ce point. Cette position s'explique probablement par le fait que la preuve révèle que les montants payés, que ce soit en sus ou hors décret, ont dans tous les cas été versés parce que l'employeur n'avait pas le choix, et ce, en raison des forces du marché : comme mentionné précédemment, si les sociétés refusaient de se conformer, elles n'avaient tout simplement personne pour exécuter leurs contrats. Dans les circonstances, bien que certains biens ou services faisant l'objet du litige soient destinés à l'utilisation personnelle des employés (gîte et couvert), ils ont, contrairement à la situation dans l'affaire *ExxonMobil*, un rapport étroit avec les activités des entreprises. Par ailleurs, à la lecture de l'article 199 de la *Loi sur la taxe de vente du Québec*, un premier constat s'impose : pour qu'il y ait lieu à une réclamation de remboursement de la taxe sur les intrants, encore faut-il que la taxe ait été payée ou soit devenue payable par l'inscrit ou encore, comme nous le verrons plus loin, que le législateur établisse une présomption que la taxe a été payée par l'inscrit. Ceci explique pourquoi les entreprises n'ont pas droit à un remboursement de la taxe sur les intrants sur les allocations pour temps de transport versées aux salariés en conformité avec les décrets de la construction, allocations par ailleurs non imposables pour ces derniers. En effet, ces sommes ne constituent pas des fournitures taxables, par opposition aux allocations visant à défrayer les coûts de transport qui eux sont des fournitures taxables. Pour une discussion détaillée, nous vous invitons à consulter nos commentaires en vertu de la *Loi sur la taxe de vente du Québec*.

Le paragraphe 174(c) réfère à un concept de raisonnabilité de l'indemnité.

Bien qu'il s'agisse d'une question de fait, en règle générale, une indemnité devrait être raisonnable si : (1) le montant payé est un montant pré-déterminé, (2) le montant est payé pour un certain but, (3) le montant payé doit être à la disposition entière de la personne qui reçoit le paiement, et (4) il n'y a aucune obligation pour la personne qui reçoit le paiement de la repayer et l'employé n'a pas à fournir de la documentation à l'employeur prouvant l'objet de la dépense. Voir notamment à cet effet : Agence du revenu du Canada, Lettre de l'Administration centrale sur la TPS, 1387632 — *GST/HST Interpretation — Eligibility to claim input ax credit (ITC) on clothing allowances* (5 avril 2012).

À titre illustratif, Revenu Québec a indiqué qu'un montant versé quotidiennement pour les dépenses de vêtements spéciaux et pour les autres frais particuliers, que les employés ont à encourir en raison de l'éloignement, constitue une indemnité pour l'application de l'article 174. Ainsi, dans la mesure où cette indemnité est raisonnable et qu'elle n'a pas, en vertu de la *Loi de l'impôt sur le revenu*, à être incluse dans le revenu du salarié qui la reçoit, l'inscrit peut demander un crédit de taxe sur les intrants à l'égard de cette allocation dans la mesure où toutes les conditions de l'article 174 sont rencontrées. Voir à cet effet : Revenu Québec, Lette d'interprétation, 98-0108138 — *Interprétation relative à la TPS et à la TVQ — CTI/RTI à l'égard de certaines allocations de dépenses* (16 juin 2000).

Également, Revenu Québec a conclu que dans la mesure où les pompiers sont les bénévoles d'une municipalité, l'article 174 ne peut s'appliquer puisque la municipalité ne se qualifie pas en tant qu'organisme de bienfaisance ou d'institution publique au sens du paragraphe 123(1). Toutefois, dans la situation où une municipalité verse une allocation de 500 $ à des pompiers qui sont ses salariés pour l'achat et le nettoyage de vêtements utilisés lors des sinistres, l'article 174 s'appliquera dans la mesure où le montant au titre de l'indemnité est déductible dans le calcul du revenu de la municipalité pour une année d'imposition en application de la *Loi de l'impôt sur le revenu*, ou le serait si elle était un contribuable aux termes de cette législation et l'activité était une entreprise. Voir à cet effet : Revenu Québec, Lettre d'interprétation, 07-0101274 — *Interprétation relative à la TPS et à la TVQ — Allocations versées aux pompiers d'une municipalité* (17 juillet 2007).

Dans l'affaire *I-D Foods Corp. c. R.*, 2013 CarswellNat 67 (C.C.I.), la Cour canadienne de l'impôt a conclut que le fait que l'article 174 ne réfère pas spécifiquement au sous-alinéa 6(1)(b)(x) de la *Loi de l'impôt sur le revenu* ne veut pas dire qu'il n'y réfère pas implicitement. En effet, ce sous-alinéa répute certaines allocations comme étant non raisonnables. De l'avis de la Cour canadienne de l'impôt, il s'agit de l'interprétation à préférer puisqu'elle est plus raisonnable et qu'il est évident que le législateur a voulu que les dispositions des articles 174, 253 et 6(1)(b)(v), qui réfère implicitement à 6(1)(b)(x), soient interconnectées.(paragraphes 24 à 29 de la décision).

De l'avis de l'auteur, cette décision est juste et répond à l'esprit de la *Loi de l'impôt sur le revenu* et à son contexte.

Finalement, dans l'affaire *Centres jeunesses des Laurentides c. R.*, 2004 CarswellNat, 6855 (C.C.I.) 2005 CarswellNat 5852 (C.A.F.) (confirme la décision de la Cour canadienne de l'impôt), les parties ont débattu sur le fondement de la question de savoir si l'allocation quotidienne est divisible en des allocations distinctes qui se qualifient alors à titre d'indemnité aux fins de l'article 174. À cet égard, la Cour canadienne de l'impôt a conclu que l'allocation ne pouvait être subdivisée.

175. (1) Remboursement aux salariés, associés ou bénévoles — Dans le cas où une personne rembourse, relativement à un bien ou un service, un montant à l'un de ses salariés, à l'un de ses associés si elle est une société de personnes ou à l'un de ses bénévoles si elle est un organisme de bienfaisance ou une institution publique, qui a acquis ou importé le bien ou le service, ou l'a transféré dans une province participante, pour consommation ou utilisation dans le cadre des activités de la personne et payé la taxe applicable à l'acquisition, à l'importation ou au transfert, les présomptions suivantes s'appliquent dans le cadre de la présente partie :

a) la personne est réputée avoir reçu une fourniture du bien ou du service;

b) toute consommation ou utilisation du bien ou du service par le salarié, l'associé ou le bénévole dans le cadre des activités de la personne est réputée être celle de la personne et non celle de ceux-ci;

c) la personne est réputée avoir payé, au moment du remboursement et relativement à la fourniture, une taxe égale au résultat du calcul suivant :

$$A \times B$$

où :

A représente la taxe payée par le salarié, l'associé ou le bénévole relativement à l'acquisition, à l'importation ou au transfert dans une province participante du bien ou du service,

B le moins élevé des pourcentages suivants :

(i) le pourcentage du coût du bien ou du service pour le salarié, l'associé ou le bénévole qui est remboursé,

(ii) le pourcentage qui représente la mesure dans laquelle le bien ou le service a été acquis, importé ou transféré dans la province par le salarié, l'associé ou le bénévole pour consommation ou utilisation dans le cadre des activités de la personne.

Notes historiques: Le préambule du paragraphe 175(1) a été modifié par L.C. 1997, c. 10, par. 167(1) et cette modification est entrée en vigueur le 1er avril 1997. Le préambule du paragraphe 175(1) se lisait comme suit :

> 175. (1) Dans le cas où une personne rembourse, relativement à un bien ou un service, un montant à l'un de ses salariés, à l'un de ses associés si elle est une société de personnes ou à l'un de ses bénévoles si elle est un organisme de bienfaisance ou une institution publique, qui a acquis ou importé le bien ou le service pour consommation ou utilisation dans le cadre des activités de la personne et payé la taxe applicable à l'acquisition ou à l'importation, les présomptions suivantes s'appliquent dans le cadre de la présente partie :

Auparavant, le paragraphe 175(1) a été modifié par L.C. 1997, c. 10, par. 24(1) et cette modification est réputée entrée en vigueur le 17 décembre 1990. Toutefois, il ne s'applique pas au calcul d'un montant demandé (sauf un crédit ou une déduction réputé demandé par l'effet de l'alinéa 296(5)a) par suite d'une cotisation établie après le 23 avril 1996) dans une déclaration présentée aux termes de la section V de la partie IX, ou dans une demande présentée aux termes de la section VI de cette partie, et reçue par le ministre du Revenu national avant le 23 avril 1996.

Il se lisait comme suit :

> 175. (1) Pour l'application de la présente partie, la personne qui rembourse un montant à l'un de ses salariés, à l'un de ses associés, si elle est une société de personnes, ou à l'un de ses bénévoles, si elle est un organisme de bienfaisance, au titre d'un bien ou d'un service acquis ou importé par le salarié, l'associé ou le

bénévole pour consommation ou utilisation dans le cadre des activités de la personne, est réputée :

a) avoir reçu la fourniture taxable du bien ou du service;

b) avoir ainsi acquis le bien ou le service pour utilisation dans le cadre de ses activités commerciales dans la même mesure que celle dans laquelle le bien ou le service a été acquis ou importé par le salarié, l'associé ou le bénévole pour consommation ou utilisation dans le cadre des activités commerciales de la personne;

c) avoir payé, au moment où le montant est remboursé et relativement à la fourniture, une taxe égale au montant éventuel inclus dans le montant remboursé, au titre de la taxe payée ou payable par le salarié, l'associé ou le bénévole relativement à l'acquisition ou à l'importation du bien ou du service par ceux-ci.

L'élément A de la formule figurant à l'alinéa 175(1)c) a été modifié par L.C. 1997, c. 10, par. 167(2) et cette modification est entrée en vigueur le 1er avril 1997. Cet élément se lisait comme suit :

A représente la taxe payée par le salarié, l'associé ou le bénévole relativement à l'acquisition ou à l'importation du bien ou du service,

Le sous-alinéa (ii) de l'élément B de la formule figurant à l'alinéa 175(1)c) a été modifié par L.C. 1997, c. 10, par. 167(3) et cette modification est entrée en vigueur le 1er avril 1997. Ce sous-alinéa se lisait comme suit :

(ii) le pourcentage qui représente la mesure dans laquelle le bien ou le service a été acquis ou importé par le salarié, l'associé ou le bénévole pour consommation ou utilisation dans le cadre des activités de la personne.

L'article 175, modifié par L.C. 1994, c. 9, par. 9(1), est réputé entré en vigueur le 17 décembre 1990. Il se lisait comme suit :

175. Pour l'application de la présente partie, la taxe incluse dans le montant qu'un employeur rembourse à son salarié, ou qu'une société de personnes rembourse à un associé, pour les frais qu'ils ont engagés est réputée avoir été payée par l'employeur ou la société et non par le salarié ou l'associé.

L'article 175 a été édicté par L.C. 1990, c. 45, par. 12(1).

Concordance québécoise: LTVQ, art. 212.

(2) Exception — Le paragraphe (1) ne s'applique pas au remboursement relatif à un bien ou un service acquis, importé ou transféré dans une province participante par un associé d'une société de personnes si l'alinéa 272.1(2)b) s'applique à l'acquisition, à l'importation ou au transfert, selon le cas, et si le montant du remboursement est versé à l'associé après qu'il a présenté au ministre, en application de l'article 238, une déclaration dans laquelle il demande un crédit de taxe sur les intrants relatif au bien ou au service.

Notes historiques: Le paragraphe 175(2) a été modifié par L.C. 1997, c. 10, par. 167(4) et cette modification est entrée en vigueur le 1er avril 1997. Il se lisait comme suit :

(2) Le paragraphe (1) ne s'applique pas au remboursement relatif à un bien ou un service acquis ou importé par un associé d'une société de personnes si l'alinéa 272.1(2)b) s'applique à l'acquisition ou à l'importation et si le montant du remboursement est versé à l'associé après qu'il a présenté au ministre, en application de l'article 238, une déclaration dans laquelle il demande un crédit de taxe sur les intrants relatif au bien ou au service.

Le paragraphe 175(2) a été édicté par L.C. 1997, c. 10, par. 24(1) et est réputé entré en vigueur le 17 décembre 1990. Toutefois, il ne s'applique pas au calcul d'un montant demandé (sauf un crédit ou une déduction réputé demandé par l'effet de l'alinéa 296(5)a) par suite d'une cotisation établie après le 23 avril 1996) dans une déclaration présentée aux termes de la section V de la partie IX, ou dans une demande présentée aux termes de la section VI de cette partie, et reçue par le ministre du Revenu national avant le 23 avril 1996. Pour l'application du paragraphe 175(2), avant le 24 avril 1996, la mention de l'alinéa 272.1(2)b) qui figure à ce paragraphe vaut mention du paragraphe 145(2).

Concordance québécoise: LTVQ, art. 212.1.

Définitions [art. 175]: « activité commerciale », « bien », « employeur », « fourniture », « fourniture taxable », « institution publique », « ministre », « montant », « organisme de bienfaisance », « province participante », « salarié », « service », « taxe » — 123(1).

Renvois [art. 175]: 236(1) (calcul de la taxe nette — aliments, boissons et divertissements); 259(1)a)(iv) (taxe exigée non admise au crédit).

Jurisprudence [art. 175]: *Design Build Ltd. c. Canada*, [1997] G.S.T.C. 96 (CAF); *Club de hockey Les Seigneurs de Kamouraska Inc. c. R.*, [2003] G.S.T.C. 166 (TCC); *Sand, Surf & Sea Ltd. v. R.*, [2008] G.S.T.C. 71 (11 mars 2008) (CCI [procédure informelle]).

Énoncés de politique [art. 175]: P-075R, 22/08/93, *Indemnités et remboursements*; P-184R, 31/07/08, *Utilisation de la méthode factorielle par les inscrits qui demandent des crédits de taxe sur les intrants à l'égard des dépenses payées par cartes de crédit.*

Bulletins de l'information technique [art. 175]: B-075R, 23/04/96, *Modifications proposées à la TPS.*

Mémorandums [art. 175]: TPS 400, 18/05/90, *Crédit de taxe sur les intrants*, par. 57, 58; TPS 400-1-2, 8/11/90, *Documents requis*, par. 52–57, 63–70; TPS 400-3-3, 4/10/91, *Aliments, boissons et divertissements*, par. 22–25; TPS 400-3-7, 6/03/91, *Cotisations relatives à l'emploi*, par. 18, 19, 24–28; TPS 400-3-11, 07/02/92, *Indemnités et remboursements*, par. 24–28; TPS 500-2-4, 19/03/91, *Calcul de la taxe*, annexe D; TPS 500-7, 26/11/91, *Interaction entre la Loi sur la taxe d'accise et la Loi de l'impôt sur le revenu*, par. 26.

Série de mémorandums [art. 175]: Mémorandum 3.1, 08/99, *Assujettissement à la taxe*; Mémorandum 8.4, 08/12, *Documents requis pour demander des crédits de taxe sur les intrants*; Mémorandum 9.4, 06/12, *Remboursements*; Mémorandum 27.3R, 01/10, *Programme d'incitation pour congrès étrangers et voyages organisés — Remboursement de la taxe payée sur les voyages organisés admissibles et sur l'hébergement fourni dans le cadre d'un voyage organisé admissible.*

Formulaires [art. 175]: RC4091, *Remboursement de la TPS/TVH à l'intention des associés — Y compris le formulaire GST370.*

Info TPS/TVQ [art. 175]: GI-014 — *Application du taux réduit de la TPS/TVH aux indemnités et aux remboursements*; GI-039 — *Application du taux réduit de la TPS/TVH (2008) aux indemnités et aux remboursements.*

Lettres d'interprétation (Québec) [art. 175]: 98-0102792 — Cotisations professionnelles de salariés et associés; 98-0104061 — Cotisations professionnelles de salariés et associés; 98-0110209 — Interprétation relative à la TPS et à la TVQ — Remboursement des frais de déplacement, d'hébergement et de repas aux accompagnateurs des personnes handicapées; 99-0103293 — Interprétation relative à la TPS et à la TVQ; 99-0109720 — Assujettissement de sommes versées par un employé à un employeur au titre d'un remboursement de frais de formation; 00-0105031 — Interprétation relative à la TPS et à la TVQ — Remboursement de dépenses par une municipalité à des bénévoles ou des salariés; 05-0100809 — Interprétation relative à la TPS et à la TVQ — remboursement d'un compte de dépenses d'un secrétaire non membre d'un conseil d'administration]; 05-0105683 — CTI/RTI réclamés par un avocat pour des vêtements.

COMMENTAIRES: En termes simples, l'article 175 met l'employeur dans la même position que lorsqu'il rembourse l'employé pour un montant imposable comme si l'employeur avait encouru lui-même la dépense.

Cet article prévoit que les remboursements versés aux employés à l'égard de leurs achats, qui incluent la TPS, sont traités comme incluant le paiement de la TPS par l'employeur. Ainsi, ce dernier peut réclamer son crédit de taxe sur les intrants. Dans la mesure où il s'agit d'un organisme de services publics, alors la TPS ainsi payée pourra être assujettie au remboursement prévu à l'article 259.

Revenu Québec a indiqué que c'est la personne qui rembourse les dépenses ou qui paie l'indemnité à son « salarié » qui peut se prévaloir de l'article 175. Le fait que la personne à qui est effectué le remboursement ou à qui est versée l'indemnité reçoive un traitement ou un salaire d'une autre personne n'autorise pas cette dernière à se prévaloir des dispositions de l'article 175 si ce n'est pas elle qui a payé le remboursement ou l'indemnité. Ainsi, en l'espèce, la société mère ne pouvait se prévaloir de cet article puisque ce n'est pas elle qui paie l'indemnité ou effectue le remboursement. Voir notamment à cet effet : Revenu Québec, Lettre d'interprétation, 05-0100809 — *Interprétation relative à la TPS et à la TVQ* (3 mars 2005).

Il faut noter que l'article 175 n'est pas utile dans une situation où l'achat a été effectué par un employé à titre de mandataire de l'employeur. Dans ce cas, l'employeur est considéré avoir fait l'achat lui-même et peut réclamer ses crédits de taxe sur les intrants sans recourir à l'article 175.

À titre illustratif de l'application de cet article, Revenu Québec a conclu que les présomptions prévues à l'article 175 ne s'appliquent pas lorsque la personne qui rembourse un bénévole est une municipalité au sens de l'alinéa 123(1)a). En conséquence, la municipalité ne peut pas réclamer au ministre un crédit de taxe sur les intrants ou un remboursement partiel de la TPS à l'égard de la taxe comprise dans le montant du remboursement effectué au bénévole. Cependant, il y a lieu de déterminer si le bénévole peut être considéré comme agissant à titre de mandataire de la municipalité lors de l'acquisition d'articles de quincaillerie. Dans un tel cas, la municipalité, en sa qualité de mandant, pourrait avoir droit à un crédit de taxe sur les intrants ou à un remboursement partiel de la TPS à l'égard de la taxe payée au titre des biens acquis par le biais de son mandataire. En vertu l'article 2130 du *Code civil du Québec*, l'établissement d'une relation mandant-mandataire exige que le mandataire détienne le pouvoir de représenter le mandant dans l'accomplissement d'un acte juridique avec un tiers. De plus, il découle de l'un des principaux effets du mandat, prévu à l'article 2157 du CCQ, que le mandant est tenu personnellement envers le tiers avec qui son mandataire a contracté dans les limites de son mandat. L'établissement d'un mandat nécessite une analyse de l'ensemble des faits de l'espèce. Dans le cas soumis, Revenu Québec conclut qu'il n'existe aucune relation de mandant-mandataire entre la municipalité et le bénévole. En effet, Revenu Québec est d'avis que le bénévole a engagé, pour son propre compte, une dépense dans le cadre de la fourniture d'un service de bénévolat rendu à la municipalité. En conséquence, la municipalité ne peut pas obtenir un crédit de taxe sur les intrants ou un remboursement partiel de la TPS à l'égard de la taxe payée au titre des biens acquis par le bénévole. Revenu Québec a indiqué que lorsqu'un employeur rembourse à son salarié une cotisation professionnelle que ce dernier doit payer et qui est en relation avec son travail, l'article 175 prévoit que l'employeur est alors réputé avoir acquis lui-même le bien que représente la cotisation professionnelle. De plus, cette disposition prévoit que l'employeur est réputé utiliser ce bien dans l'exercice de ses activités. Cette présomption permet à l'employeur de réclamer un crédit de taxe sur les intrants à l'égard de la TPS payée sur le montant remboursé dans la mesure où l'employeur effectue cette dépense dans le cadre de ses activités commerciales, c'est-à-dire dans le but d'effectuer, pour une contrepartie, des fournitures taxables. Voir à cet effet : Revenu Québec, Lettre d'interprétation, 00-0105031 — *Interprétation relative à la TPS et à la TVQ — Remboursement de dépenses par une municipalité à des bénévoles ou des salariés* (26 septembre 2000). Voir notamment également à cet effet : Revenu Québec, Lettre d'interprétation, 99-0103293 — *Interprétation relative à la TPS et à la TVQ* (3 février 2000), et Revenu Québec, Lettre d'interprétation, 98-0104061 — *Cotisations professionnelles de salariés et associés* (29 avril 1998).

Cet article soulève des questions similaires à l'article 175 et nous vous invitons à consulter nos commentaires en vertu de l'article 175. Cet article, contrairement à l'article 175, concerne les remboursements des bénéficiaires d'une garantie. Lorsque toutes les conditions sont rencontrées, le fournisseur de la garantie (qui, en pratique, est le manufacturier) peut réclamer un crédit de taxe sur les intrants.

175.1 Remboursement du bénéficiaire d'une garantie — Dans le cas où le bénéficiaire d'une garantie, sauf une police d'assurance, portant sur la qualité, le bon état ou le bon fonctionnement d'un bien corporel acquiert ou importe un bien ou un service, ou le transfère dans une province participante, est tenu de payer la taxe relative à l'acquisition, à l'importation ou au transfert et obtient d'un inscrit, selon les termes de la garantie, un remboursement relatif au bien ou au service accompagné d'un écrit portant qu'une partie du montant remboursé représente un montant de taxe, les règles suivantes s'appliquent :

a) l'inscrit peut demander, pour sa période de déclaration qui comprend le moment du remboursement, un crédit de taxe sur les intrants égal au résultat du calcul suivant :

$$A \times \frac{B}{C}$$

où :

A représente la taxe payable par le bénéficiaire,

B le montant du remboursement,

C le coût du bien ou du service pour le bénéficiaire;

b) pour l'application de la présente partie, le bénéficiaire est réputé, s'il est un inscrit qui peut demander un crédit de taxe sur les intrants, ou un remboursement en vertu de la section VI, relativement au bien ou au service, avoir effectué une fourniture taxable et avoir perçu, au moment du remboursement, la taxe relative à la fourniture, calculée selon la formule suivante :

$$A \times \frac{B}{C}$$

où :

A représente le résultat du calcul prévu à l'alinéa a),

B le total des crédits de taxe sur les intrants et des remboursements visés à la section VI qu'il pouvait demander relativement au bien ou au service,

C la taxe payable par lui relativement à la fourniture ou à l'importation.

Notes historiques: Le préambule de l'article 175.1 a été modifié par L.C. 1997, c. 10, par. 168(1) et cette modification est entrée en vigueur le 1er avril 1997. Ce préambule se lisait auparavant comme suit :

> 175.1 Dans le cas où le bénéficiaire d'une garantie, sauf une police d'assurance, portant sur la qualité, le bon état ou le bon fonctionnement d'un bien corporel acquiert ou importe un bien ou un service relativement auquel il est tenu de payer la taxe et obtient d'un inscrit, selon les termes de la garantie, un remboursement relatif au bien ou au service accompagné d'un écrit portant qu'une partie du montant remboursé représente un montant de taxe, les règles suivantes s'appliquent :

L'élément A de la formule figurant à l'alinéa 175.1a) a été modifié par L.C. 1997, c. 10, par. 168(2) et cette modification est entrée en vigueur le 1er avril 1997. Cet élément se lisait auparavant comme suit :

> A représente la taxe payable par le bénéficiaire relativement à la fourniture ou à l'importation,

L'article 175.1 a été ajouté par L.C. 1997, c. 10, par. 24(1) et est réputé entré en vigueur le 17 décembre 1990. Toutefois, il ne s'applique pas au calcul d'un montant demandé (sauf un crédit ou une déduction réputé demandé par l'effet de l'alinéa 296(5)a) par suite d'une cotisation établie après le 23 avril 1996) dans une déclaration présentée aux termes de la section V de la partie IX, ou dans une demande présentée aux termes de la section VI de cette partie, et reçue par le ministre du Revenu national avant le 23 avril 1996. L'article 175.1 ne s'applique qu'aux montants remboursés après le 23 avril 1996.

Concordance québécoise: LTVQ, art. 212.2.

Définitions [art. 175.1]: « bien », « importation », « inscrit », « montant », « période de déclaration », « police d'assurance », « province participante », « service », « taxe » — 225.1(1)b).

Renvois [art. 175.1]: 225.1(1)b) (fourniture déterminée).

Bulletins de l'information technique [art. 175.1]: B-075R, 23/04/96, *Modifications proposées à la TPS*.

Contenants consignés d'occasion

Notes historiques: L'intertitre précédant l'article 176 a été modifié par L.C. 1997, c. 10, par. 24.1(1) et est réputé entré en vigueur le 1er avril 1996. Auparavant, il se lisait « Biens meubles corporels d'occasion ou désignés ».

juin 2006, Notes explicatives: Selon le paragraphe 176(1), l'inscrit qui, dans certaines circonstances, acquiert des contenants consignés d'une personne qui n'est pas tenue d'exiger la taxe est réputé avoir payé la taxe. Pour le calcul du montant de taxe qui ainsi réputé avoir été payé, le paragraphe 176(1) contient une formule qui est fondée sur le taux actuel de la TPS, soit 7 %.

La modification apportée à cette formule consiste à remplacer la mention « 7 % » par « le taux fixé au paragraphe 165(1) ». Cette modification fait suite au changement apporté au paragraphe 165(1), qui consiste à ramener de 7 % à 6 % le taux de la taxe imposée par ce paragraphe.

176. (1) Acquisition de contenants consignés — Pour l'application de la présente partie mais sous réserve de la présente section, un inscrit est réputé avoir payé, dès qu'un montant est versé en contrepartie d'une fourniture de biens meubles corporels d'occasion, sauf des contenants consignés au sens du paragraphe 226(1), la taxe relative à la fourniture (sauf si l'article 167 s'applique à la fourniture) si les conditions suivantes sont réunies :

a) les biens sont des enveloppes ou des contenants d'une catégorie donnée dans lesquels un bien, autre qu'un bien dont la fourniture constitue une fourniture détaxée, est habituellement livré et lui sont fournis par vente au Canada;

b) la taxe n'est pas payable par lui relativement à la fourniture;

c) les biens sont acquis pour consommation, utilisation ou fourniture dans le cadre de ses activités commerciales;

d) il paie une contrepartie au moins égale au total des montants suivants :

(i) la contrepartie qu'il demande pour ses fournitures d'enveloppes ou de contenants d'occasion de cette catégorie,

(ii) les taxes calculées sur la contrepartie visée au sous-alinéa (i).

Cette taxe correspond au résultat du calcul suivant :

$$\frac{A}{B} \times C$$

où :

A représente :

a) si la fourniture est effectuée dans une province participante, la somme du taux fixé au paragraphe 165(1) et du taux de taxe applicable à la province,

b) dans les autres cas, le taux fixé au paragraphe 165(1);

B la somme de 100 % et du pourcentage déterminé selon l'élément A;

C le montant payé à titre de contrepartie de la fourniture.

Notes historiques: Le passage précédant l'alinéa b) du paragraphe 176(1) a été remplacé par L.C. 2007, c. 18, par. 10(1) et cette modification s'applique aux fournitures dont la contrepartie, même partielle, devient due après le 15 juillet 2002 ou est payée après cette date sans être devenue due. Antérieurement, il se lisait ainsi :

> 176. (1) Pour l'application de la présente partie mais sous réserve de la présente section, un inscrit est réputé avoir payé, dès qu'un montant est versé en contrepartie d'une fourniture de biens meubles corporels d'occasion, sauf si l'article 167

s'applique à la fourniture, la taxe relative à la fourniture si les conditions suivantes sont réunies :

a) les biens sont des enveloppes ou des contenants d'une catégorie donnée dans lesquels un bien, autre qu'un bien dont la fourniture constitue une fourniture détaxée, est habituellement livré et lui sont fournis par vente au Canada;

Le préambule du paragraphe 176(1) a été modifié par L.C. 1997, c. 10, par. 169(1) et cette modification est entrée en vigueur le 1er avril 1997. Il se lisait comme suit :

176. (1) Pour l'application de la présente partie mais sous réserve de la présente section, un inscrit est réputé avoir payé, dès qu'un montant est versé en contrepartie d'une fourniture de biens meubles corporels d'occasion, sauf si l'article 167 s'applique à la fourniture, la taxe relative à la fourniture, égale à la fraction de taxe de ce montant si les conditions suivantes sont réunies :

Ce préambule a auparavant été modifié par L.C. 1997, c. 10, par. 25(1) et cette modification s'applique aux fournitures effectuées après le 23 avril 1996, sauf les suivantes :

a) la fourniture, effectuée par une personne au profit d'un inscrit avant juillet 1996, d'un bien meuble corporel d'occasion que l'inscrit n'a pas accepté en contrepartie, même partielle, de la fourniture d'un autre bien meuble corporel qu'il a effectuée au profit de la personne;

b) la fourniture, effectuée par une personne au profit d'un inscrit, d'un bien meuble corporel d'occasion donné que l'inscrit a accepté, aux termes d'une convention écrite conclue avant juillet 1996, en contrepartie, même partielle, de la fourniture qu'il a effectuée au profit de la personne d'un autre bien meuble corporel relativement auquel il a exigé ou perçu une taxe calculée compte non tenu du montant qu'il a porté au crédit de la personne relativement au bien donné.

Il se lisait comme suit :

176. (1) Pour l'application de la présente partie, un inscrit est réputé avoir payé, dès qu'un montant est versé en contrepartie d'une fourniture, sauf s'il s'agit d'une fourniture détaxée ou si l'article 167 s'applique à la fourniture, la taxe relative à la fourniture, égale à la fraction de taxe de ce montant si :

Le préambule du paragraphe 176(1), auparavant modifié par L.C. 1993, c. 27, par. 41(1), est réputé en vigueur le 17 décembre 1990. Il se lisait comme suit :

176. (1) Aux fins du calcul du crédit de taxe sur les intrants et sous réserve des dispositions de la présente section, un inscrit est réputé avoir payé dès qu'un montant est payé en contrepartie d'une fourniture — sauf s'il s'agit d'une fourniture détaxée ou si l'article 167 s'applique à la fourniture — la taxe relative à la fourniture, égale à la fraction de taxe de ce montant si :

a) des biens meubles corporels d'occasion lui sont fournis par vente au Canada après 1993, la taxe n'est pas payable par lui relativement à la fourniture et les biens sont acquis pour consommation, utilisation ou fourniture dans le cadre de ses activités commerciales;

b) des biens meubles corporels d'occasion lui sont fournis par vente au Canada avant 1994, la taxe n'est pas payable par lui relativement à la fourniture et les biens sont acquis pour être fournis dans le cadre de ses activités commerciales.

Le préambule de l'alinéa 176(1)d) a été remplacé par L.C. 2007, c. 18, par. 10(2) et cette modification s'applique aux fournitures dont la contrepartie, même partielle, devient due après le 15 juillet 2002 ou est payée après cette date sans être devenue due. Antérieurement, il se lisait ainsi :

d) il paie au fournisseur une contrepartie au moins égale au total des montants suivants, sauf si les biens sont des contenants consignés, au sens de l'article 226, d'une catégorie qu'il ne fournit pas une fois remplis et scellés :

Le sous-alinéa 176(1)d)(ii) a été modifié par L.C. 1997, c. 10, par. 169(2) et cette modification est entrée en vigueur le 1er avril 1997. Ce sous-alinéa se lisait comme suit :

(ii) la taxe calculée sur la contrepartie visée au sous-alinéa (i).

Le passage qui suit l'alinéa 176(1)d) a été ajouté par L.C. 1997, c. 10, par. 169(3) est entré en vigueur le 1er avril 1997.

L'élément A de la formule au paragraphe 176(1) a été remplacé par L.C. 2006, c. 4, par. 6(1) et cette modification s'applique aux fournitures effectuées après juin 2006. Antérieurement, il se lisait ainsi :

A représente :

a) si la fourniture est effectuée dans une province participante, la somme de 7 % et du taux de taxe applicable à la province,

b) dans les autres cas, 7 %;

Le paragraphe 176(1) a été ajouté par L.C. 1990, c. 45, par. 12(1).

Concordance québécoise: LTVQ, art. 213, al. 1.

(2) Contrepartie supérieure à la juste valeur marchande — Pour l'application du paragraphe (1), la valeur de la contrepartie de la fourniture d'un bien meuble corporel d'occasion qu'effectue une personne au profit d'un inscrit avec lequel elle a un lien de dépendance pour une contrepartie supérieure à la juste valeur marchande du bien au moment du transfert de la propriété du bien à l'inscrit est réputée égale à la juste valeur marchande du bien à ce moment.

Notes historiques: Le paragraphe 176(2) a été modifié par L.C. 1997, c. 10, par 25(2) et cette modification s'applique aux fournitures effectuées après le 23 avril 1996. Il correspond à l'ancien paragraphe 176(4). L'ancien paragraphe 176(2) a été abrogé par L.C. 1997, c. 10, par. 25(2) et cette abrogation s'applique aux fournitures effectuées après le 23 avril 1996. L'ancien paragraphe 176(2) se lisait comme suit :

(2) Lorsqu'un inscrit effectue par vente, avant 1994, la fourniture détaxée ou la fourniture à l'étranger d'un bien meuble corporel d'occasion et que l'inscrit, ou une personne avec laquelle il a un lien de dépendance, est réputé par le paragraphe (1) avoir payé la taxe relative au bien, ou lorsqu'un inscrit effectue par vente la fourniture détaxée ou la fourniture à l'étranger d'un bien meuble corporel désigné d'occasion qu'il a acquis par achat pour une contrepartie supérieure au montant visé par règlement relativement au bien et que l'inscrit a payé la taxe relativement à l'acquisition du bien, ou aurait été tenu de la payer sans les articles 156 ou 167, les présomptions suivantes s'appliquent aux fins de la présente partie :

a) la fourniture est réputée effectuée au Canada;

b) l'inscrit est réputé avoir perçu, au moment de la fourniture, la taxe relative à celle-ci, égale au montant suivant :

(i) s'il s'agit d'un bien corporel d'occasion, autre qu'un bien meuble corporel désigné d'occasion, le moins élevé des montants suivants :

(A) la taxe qui serait payable relativement à la fourniture, s'il s'agissait d'une fourniture effectuée au Canada, sauf une fourniture détaxée,

(B) la taxe éventuelle que l'inscrit a payée relativement à l'acquisition du bien, est réputé avoir payée selon le paragraphe (1) ou serait tenu de payer en l'absence de l'article 156 ou 167,

(ii) s'il s'agit d'un bien meuble corporel désigné d'occasion, le moins élevé des montants suivants :

(A) la taxe qui serait payable relativement à la fourniture, s'il s'agissait d'une fourniture effectuée au Canada, sauf une fourniture détaxée,

(B) la taxe éventuelle que l'inscrit est réputé avoir payée relativement à l'acquisition du bien selon le paragraphe (1),

(C) le pourcentage, fixé par règlement, soit de la taxe éventuelle payée (sauf la taxe réputée payée selon le paragraphe (1)), soit de la taxe que l'inscrit serait tenu de payer relativement à l'acquisition du bien en l'absence de l'article 156 ou 167;

(D) lorsqu'une autre personne a effectué une fourniture taxable par vente du bien au profit de l'inscrit et que cette personne ou une autre ont, à un moment antérieur, été réputées par le paragraphe (1) avoir payé la taxe relativement à l'acquisition du bien à ce moment antérieur, que la déclaration que l'inscrit produit aux termes de la présente partie pour sa période de déclaration qui comprend ce moment est accompagnée de renseignements établissant le montant de cette taxe de manière satisfaisante et enfin, que le bien n'est détenu au Canada depuis ce même moment que pour fourniture dans le cadre d'activités commerciales, le montant de cette taxe.

Le préambule de l'ancien paragraphe 176(2) avait été modifié par L.C. 1993, c. 27, par. 41(2) et était réputé entré en vigueur le 17 décembre 1990. Toutefois, pour l'application du paragraphe 176(2) aux fournitures de biens meubles corporels désignés d'occasion effectuées avant le 15 septembre 1992, il n'était tenu compte du passage « ou lorsqu'un inscrit effectue par vente la fourniture détaxée ou la fourniture à l'étranger d'un bien meuble corporel désigné d'occasion qu'il a acquis par achat pour une contrepartie supérieure au montant visé par règlement relativement au bien et que l'inscrit a payé la taxe relativement à l'acquisition du bien, ou aurait été tenu de la payer sans les article 156 ou 167 », du passage « autre qu'un bien meuble corporel désigné d'occasion » au sous-alinéa 176(2)b)(i), ni du sous-alinéa 176(2)b)(ii). Le préambule de l'ancien paragraphe 176(2) se lisait auparavant comme suit :

(2) Lorsqu'un inscrit effectue par vente la fourniture détaxée ou la fourniture à l'étranger d'un bien meuble corporel désigné d'occasion qu'il a acquis par achat pour une contrepartie supérieure au montant visé par règlement relativement au bien, ou lorsqu'il effectue par vente, avant 1994, la fourniture détaxée ou la fourniture à l'étranger d'un bien meuble corporel d'occasion, les présomptions suivantes s'appliquent aux fins de la présente partie, si l'inscrit a payé la taxe relative à l'acquisition du bien, est réputé l'avoir payée selon le paragraphe (1) ou serait tenu de la payer en l'absence de l'article 167 :

Le paragraphe 176(2) à été ajouté par L.C. 1990, c. 45, par. 12(1).

Concordance québécoise: LTVQ, art. 213, al. 2.

(3) [*Abrogé*]

Notes historiques: Le paragraphe 176(3) a été abrogé par L.C. 1997, c. 10, par. 25(2) et cette abrogation s'applique aux fournitures effectuées après le 23 avril 1996. Ce paragraphe se lisait auparavant comme suit :

(3) Dans le cas où un inscrit est l'acquéreur de la fourniture d'une enveloppe ou d'un contenant d'une catégorie donnée dans lequel un bien est habituellement livré, sauf un bien dont la fourniture constitue une fourniture détaxée, le paragraphe (1) ne s'applique que si l'inscrit paie au fournisseur pour la fourniture une contrepartie au moins égale au total des montants suivants :

a) la contrepartie que l'inscrit demande pour ses fournitures d'enveloppes ou de contenants d'occasion de cette catégorie;

b) la taxe calculée sur cette contrepartie.

Le présent paragraphe ne s'applique pas aux contenants consignés (au sens de l'article 226) d'une catégorie que l'inscrit ne fournit pas une fois remplis et scellés.

Ce paragraphe 176(3) avait été modifié par L.C. 1993, c. 27, par. 41(3) et était réputé entré en vigueur le 1er octobre 1992. Il se lisait comme suit :

(3) Dans le cas où un inscrit est l'acquéreur de la fourniture d'un bien meuble corporel d'occasion qui est l'enveloppe ou le contenant habituel dans lequel un bien est livré, sauf un bien dont la fourniture constitue une fourniture détaxée, le paragraphe (1) ne s'applique que si l'inscrit paie au fournisseur un montant égal au total des montants suivants :

a) la contrepartie de la fourniture;

b) la taxe qui serait payable par l'inscrit relativement à la fourniture si le fournisseur était un inscrit et si la fourniture était effectuée dans le cadre d'une activité commerciale.

En pareil cas, la contrepartie de la fourniture est réputée, pour l'application du paragraphe (1), correspondre à ce total.

Le paragraphe 176(3) a été ajouté par L.C. 1990, c. 45, par. 12(1).

(4) [*Abrogé*]

Notes historiques: L'ancien paragraphe 176(4) a été intégré au paragraphe 176(2) par L.C. 1997, c. 10, par. 25(2) et s'applique aux fournitures effectuées après le 23 avril 1996. Il se lisait comme suit :

(4) Pour l'application du paragraphe (1), la valeur de la contrepartie de la fourniture d'un bien meuble corporel d'occasion qu'effectue une personne au profit d'un inscrit avec lequel elle a un lien de dépendance pour une contrepartie supérieure à la juste valeur marchande du bien au moment du transfert de la propriété du bien à l'inscrit est réputée égale à la juste valeur marchande du bien à ce moment.

Auparavant, il a été modifié par L.C. 1993, c. 27, par. 41(4) et s'applique aux fournitures de biens dont la contrepartie est payée ou devient due après 1990, sauf celles dont la contrepartie est payée ou devient due avant octobre 1992. Il se lisait comme suit :

(4) Pour l'application du paragraphe (1), la valeur de la contrepartie de la fourniture d'un bien meuble corporel d'occasion qu'effectue une personne au profit d'un inscrit avec lequel elle a un lien de dépendance pour une contrepartie qui ne correspond pas à la juste valeur marchande du bien au moment de la fourniture est réputée égale à la juste valeur marchande du bien à ce moment.

Le paragraphe 176(4) a été ajouté par L.C. 1990, c. 45, par. 12(1).

(4.1) [*Abrogé*]

Notes historiques: Le paragraphe 176(4.1) a été abrogé par L.C. 1997, c. 10, par. 25(2) et cette abrogation s'applique aux fournitures effectuées après le 23 avril 1996. Il se lisait comme suit :

(4.1) Pour l'application du paragraphe (2), lorsqu'un inscrit effectue, au profit d'un acquéreur avec lequel il a un lien de dépendance, la fourniture taxable par vente d'un bien meuble corporel d'occasion à titre gratuit ou pour une contrepartie inférieure à la juste valeur marchande du bien au moment du transfert de la propriété du bien à l'acquéreur, celui-ci est réputé, sauf si l'article 155 s'applique à la fourniture, avoir payé la taxe relative à la fourniture, calculée sur cette juste valeur marchande.

Ce paragraphe et été ajouté par L.C. 1993, c. 27, par. 41(5) et s'applique aux fournitures de biens dont la propriété est transférée après le 27 mars 1991.

(5) [*Abrogé*]

Notes historiques: Le paragraphe 176(5) a été abrogé par L.C. 1997, c. 10, par. 25(3) et cette abrogation s'applique aux fournitures effectuées après le 24 avril 1996. Il se lisait comme suit :

(5) L'inscrit qui a soit acquis par achat un bien meuble corporel désigné pour une contrepartie dépassant le montant visé par règlement relativement au bien, soit importé un tel bien dont la valeur, calculée selon la section III, dépasse ce montant, soit acquis, par bail, licence ou accord semblable, un tel bien dont la valeur dépasse ce montant, lequel bien est acquis autrement qu'exclusivement pour fourniture, est réputé avoir acquis le bien pour utilisation et l'utiliser en tout temps exclusivement dans le cadre d'activités autres que commerciales.

Ce paragraphe a été ajouté par L.C. 1990, c. 45, par. 12(1).

(6) [*Abrogé*]

Notes historiques: Le paragraphe 176(6) a été abrogé par L.C. 1997, c. 10, par. 25(3) et cette abrogation s'applique aux fournitures effectuées après le 24 avril 1996. Il se lisait comme suit :

(6) Le paragraphe (5) ne s'applique pas dans le cas où un inscrit, à la fois :

a) soit acquiert par achat un bien meuble corporel désigné pour une contrepartie dépassant le montant visé par règlement relativement au bien, soit importe un tel bien dont la valeur, calculée selon la section III, dépasse ce montant, pour l'exposer dans son musée, sa galerie ou son établissement semblable où il effectue, ou a l'intention d'effectuer, des fournitures taxables de droits d'entrée;

b) fait un choix relativement au bien, en la forme déterminée par le ministre avec la déclaration qu'il est tenu de produire aux termes de la section V pour la période de déclaration au cours de laquelle le bien a été importé ou acquis.

De plus, l'inscrit est réputé, pour l'application du paragraphe (1), avoir acquis ou importé le bien pour le fournir dans le cadre d'activités commerciales.

Ce paragraphe a été ajouté par L.C. 1990, c. 45, par. 12(1).

(7) [*Abrogé*]

Notes historiques: Le paragraphe 176(7) a été abrogé par L.C. 1997, c. 10, par. 25(3) et cette abrogation s'applique aux fournitures effectuées après le 24 avril 1996. Il se lisait comme suit :

(7) Si l'inscrit fait le choix prévu au paragraphe (6), les fournitures du bien qu'il effectue sont réputées taxables.

Ce paragraphe a été ajouté par L.C. 1990, c. 45, par. 12(1).

Définitions [art. 176]: « acquéreur », « activité commerciale », « bien », « bien meuble corporel désigné », « bien meuble corporel désigné d'occasion », « bien meuble corporel d'occasion », « contrepartie », « droit d'entrée », « fourniture », « fourniture détaxée », « fraction de taxe », « inscrit », « juste valeur marchande », « province participante », « règlement », « taux de taxe », « taxe », « vente » — 123(1).

Renvois [art. 176]: 120(3)b) (remboursement de taxe à l'inventaire); 123(2) (Canada); 126 (lien de dépendance); 137 (enveloppes et contenants); 177(1.3) (mandataire ou encanteur); 183(5)a)(ii), (6)a)(ii) (utilisation d'un bien meuble saisi); 226 (contenant consigné); 232(4) (remboursement ou redressement de la taxe).

Règlements [art. 176]: *Règlement sur les biens meubles corporels désignés (TPS/TVH)*, art. 1.

Jurisprudence [art. 176]: *Holand Leasing Ltd. c. La Reine*, [1995] G.S.T.C. 8 (CCI); *Budget Steel Limited c. La Reine*, [1995] G.S.T.C. 42 (CCI); [1996] G.S.T.C. 90 (CAF); *Elm City Chrysler Ltd. c. La Reine*, [1996] G.S.T.C. (CCI); *Miracor Holdings Inc. c. Canada*, [1998] G.S.T.C. 26 (CCI); *Rexe v. R.*, [2008] G.S.T.C. 129 (18 juin 2008) (CCI [procédure générale]).

Énoncés de politique [art. 176]: P-114, 10/03/94, *Application de remboursement de la TVF et de crédit fictif de taxe sur les intrants à un bien meuble corporel saisi et à un bien meuble corporel récupéré*; P-133, 22/04/94, *Allégement transitoire pour les biens en location ou en crédit-bail*; P-146, 15/07/94, *Demandes de CTI fictifs lorsqu'il est établi par la suite que la taxe était payable*; P-158, 19/07/94, *Produits d'occasion acquis pour être fournis*.

Bulletins de l'information technique [art. 176]: B-075R, 23/04/96, *Modifications proposées à la TPS*; B-089, 23/04/02, *Contenants consignés*.

Mémorandums [art. 176]: TPS 400, 18/05/90, *Crédits de taxe sur les intrants*, par. 5c), 36–39, 41; TPS 400-1-2, 8/11/90, *Documents requis*; TPS 400-3-4, 12/09/92, *Voitures de tourisme et aéronefs*, par. 9, 11; TPS 400-3-6, 24/03/93, *Bien meuble corporel désigné ou d'occasion*, par. 2, 15–40, 50–63; TPS 500-2-4, 19/03/91, *Calcul de la taxe*, annexes B, D; TPS 900, 25/03/91, *Remboursement de la taxe de vente fédérale à l'inventaire*, par. 3.

Série de mémorandums [art. 176]: Mémorandum 19.2.4, 06/98, *Immeubles résidentiels — Sujets particuliers*, par. 9.

Formulaires [art. 176]: FP-28, *Choix relatif à l'acquisition ou à l'importation d'un bien meuble corporel désigné en vue de le fournir dans le cadre d'activités commerciales*; GST28, *Choix de l'exposant visant à considérer l'acquisition ou l'importation d'un bien meuble corporel désigné comme effectuée en vue de le fournir dans le cadre d'activités commerciales*.

COMMENTAIRES: Cet article prévoit la possibilité de réclamer des crédits de taxe sur les intrants sur l'acquisition de certains contenants consignés d'occasion, dans la mesure où l'article 226 ne s'applique pas.

Pour une discussion détaillée portant sur l'interaction entre les articles 176 et 226, nous vous invitons à consulter : Agence du revenu du Canada, Lettre de l'Administration centrale sur la TPS, 971016 — *Returnable Containers* (16 octobre 1997).

Nous vous référons à nos commentaires sous l'article 142 pour une discussion de l'expression « livré et lui sont fournis par vente au Canada », qui figure à l'alinéa 176(1)(a).

Mandataires

177. (1) Fourniture pour une personne non tenue de percevoir la taxe — Dans le cas où une personne (appelée « mandant » au présent paragraphe) effectue, autrement que par vente aux enchères, la fourniture, sauf une fourniture exonérée ou détaxée, d'un bien meuble corporel au profit d'un acquéreur relativement à laquelle elle n'est pas tenue de percevoir la taxe, sauf disposition contraire prévue au présent paragraphe, et qu'un inscrit (appelé « mandataire » au présent paragraphe), agissant à titre de mandataire dans le cadre de ses activités commerciales, effectue la fourniture pour le compte du mandant, les présomptions suivantes s'appliquent :

a) lorsque le mandant est un inscrit et que la dernière utilisation du bien, ou sa dernière acquisition pour consommation ou utilisation, a été effectuée par le mandant dans le cadre d'une de ses initiatives, au sens du paragraphe 141.01(1), la fourniture est réputée, si le mandant et le mandataire en font conjointement le choix par écrit, être une fourniture taxable aux fins suivantes :

(i) pour l'application de la présente partie, mais non pour déterminer si le mandant a droit à un crédit de taxe sur les intrants pour les biens ou les services qu'il a acquis ou importés pour consommation ou utilisation dans le cadre de la fourniture effectuée au profit de l'acquéreur,

(ii) pour déterminer si le mandant a droit à un crédit de taxe sur les intrants pour les services que le mandataire a fournis relativement à la fourniture du bien effectuée au profit de l'acquéreur;

b) dans les autres cas, la fourniture du bien est réputée, pour l'application de la présente partie, être une fourniture taxable effectuée par le mandataire et non par le mandant, et le mandataire est réputé, pour l'application des dispositions de la présente partie, sauf l'article 180, ne pas avoir effectué, au profit du mandant, une fourniture de services liée à la fourniture effectuée au profit de l'acquéreur.

Notes historiques: Le paragraphe 177(1) a été remplacé par L.C. 1997, c. 10, par. 26(1) et cette modification s'applique aux fournitures effectuées après le 23 avril 1996 par un inscrit au profit d'un acquéreur pour le compte d'un tiers ainsi qu'aux fournitures effectuées par l'inscrit au profit du tiers de services liés à la fourniture effectuée au profit de l'acquéreur. Toutefois :

a) cette modification ne s'applique pas à la fourniture d'un bien meuble corporel effectuée avant juillet 1996 si, selon le cas :

(i) elle est effectuée par un mandataire autrement que par vente aux enchères pour le compte d'un mandant qui n'aurait pas été tenu de percevoir la taxe relative à la fourniture s'il avait effectué la fourniture autrement que par l'intermédiaire d'un mandataire et :

(A) le mandataire ayant informé l'acquéreur de la fourniture, par écrit, qu'il effectuait la fourniture pour le compte d'un tiers non tenu de percevoir la taxe relativement à la fourniture, aucun montant de taxe n'a été exigé ou perçu relativement à la fourniture,

(B) dans les autres cas, le mandataire paie au mandant, ou porte à son crédit, le montant, au titre de la fourniture, déterminé par le calcul prévu à l'alinéa 177(1.1)c), dans sa version applicable aux fournitures effectuées avant le 23 avril 1996,

(ii) elle est effectuée par une vente aux enchères pour le compte d'un mandant et l'encanteur paie à celui-ci, ou porte à son crédit, le montant, au titre de la fourniture, déterminé selon le paragraphe 177(1.3) aux fins du paragraphe 177(1.2), dans leur version applicable aux fournitures effectuées avant le 23 avril 1996;

b) en ce qui concerne les fournitures de biens meubles corporels, effectuées par vente aux enchères avant avril 1997, il n'est pas tenu compte des passages « , autrement que par vente aux enchères, » aux paragraphes 177(1) et (1.1), ni des paragraphes 177(1.2) et (1.3).

Antérieurement, il se lisait ainsi :

177. (1) Pour l'application de la présente partie, lorsqu'un inscrit qui agit à titre de mandataire d'un inscrit dans le cadre d'une activité commerciale effectue la fourniture taxable, autrement que par vente aux enchères, d'un bien ou d'un service au profit d'un acquéreur sans informer celui-ci par écrit du nom du mandant et du numéro d'inscription attribué à celui-ci en vertu de la sous-section d de la section V, les présomptions suivantes s'appliquent :

a) le mandant est réputé ne pas avoir effectué la fourniture au profit de l'acquéreur;

b) le mandataire est réputé avoir effectué la fourniture au profit de l'acquéreur, mais ne pas avoir effectué, au profit du mandant, de fourniture de services liés à la fourniture effectuée au profit de l'acquéreur;

c) le mandant est réputé avoir fourni le bien ou le service au mandataire, lequel est réputé avoir reçu de lui pareille fourniture;

d) lorsqu'un montant devient dû ou est payé en contrepartie de la fourniture du bien ou du service au profit de l'acquéreur et que le mandataire verse au mandant, ou porte à son crédit, une ou plusieurs sommes au titre de ce montant, le mandataire est réputé avoir payé, et le mandant avoir reçu, au moment où la première de ces sommes est versée au mandant ou portée à son crédit, la contrepartie de la fourniture qui est réputée par l'alinéa c) avoir été effectuée au profit du mandataire, égale au résultat du calcul suivant :

$$A - B$$

où :

A représente le montant,

B la contrepartie devenue due ou payée relativement à la fourniture de services — liés à la fourniture effectuée au profit de l'acquéreur — qui, sans le présent paragraphe, serait effectuée par le mandataire au profit du mandant ou, si la fourniture au profit de l'acquéreur a été effectuée par bail, licence ou accord semblable, la partie de cette contrepartie qui est imputable à la période à laquelle le montant se rapporte et qui n'a pas été imputée à une période antérieure.

Le paragraphe 177(1), remplacé par L.C. 1993, c. 27, par. 42(1), s'applique aux fournitures qu'un inscrit effectue pour une personne après avril 1991.

Toutefois, en ce qui concerne les fournitures effectuées après avril 1991 mais avant 1993, le paragraphe 177(1) doit se lire comme suit :

177. (1) Pour l'application de la présente partie, lorsqu'un inscrit qui agit à titre de mandataire d'un inscrit dans le cadre d'une activité commerciale effectue la fourniture taxable, autrement que par vente aux enchères, d'un bien ou d'un service au profit d'un acquéreur sans conclure de convention écrite avec celui-ci, ni sans délivrer de facture, au nom du mandant, les présomptions suivantes s'appliquent :

a) le mandant est réputé ne pas avoir effectué la fourniture au profit de l'acquéreur;

b) le mandataire est réputé avoir effectué la fourniture au profit de l'acquéreur, mais ne pas avoir effectué, au profit du mandant, de fourniture de services liés à la fourniture effectuée au profit de l'acquéreur;

c) le mandant est réputé avoir fourni le bien ou le service au mandataire, lequel est réputé avoir reçu pareille fourniture, pour une contrepartie, payée au moment où la fourniture est effectuée au profit de l'acquéreur, égale à l'excédent éventuel de la contrepartie de cette dernière fourniture sur la contrepartie de la fourniture de services — liés à la fourniture effectuée au profit de l'acquéreur — qui, sans le présent paragraphe, serait effectuée par le mandataire au profit mandant.

Antérieurement, le paragraphe 177(1) se lisait ainsi :

177. (1) Dans le cas où un inscrit, agissant dans le cadre d'une activité commerciale, fournit un bien meuble à titre de mandataire d'un vendeur non inscrit à un acquéreur sans informer celui-ci par écrit qu'il fait la fourniture à ce titre, ou effectue la fourniture taxable d'un bien ou d'un service à titre de mandataire d'un vendeur qui est un inscrit, au profit d'un acquéreur, sans conclure de convention écrite avec celui-ci ou sans délivrer de facture ou de reçu au nom du vendeur, les présomptions suivantes s'appliquent aux fins de la présente partie :

a) le vendeur est réputé ne pas avoir fourni les biens ou les services à l'acquéreur;

b) le mandataire est réputé avoir fourni les biens ou les services à l'acquéreur et ne pas avoir fourni au vendeur des services liés à cette fourniture;

c) le vendeur est réputé avoir fourni les biens ou les services au mandataire et celui-ci les avoir reçus du vendeur, pour une contrepartie, payée au moment où la fourniture est effectuée, égale à l'excédent éventuel de la contrepartie de la fourniture au profit de l'acquéreur sur la contrepartie de la fourniture de services qui, en l'absence du présent article, serait effectuée par le mandataire au profit du vendeur en vue de la fourniture au profit de l'acquéreur.

Le paragraphe 177(1) a été ajouté par L.C. 1990, c. 45, par. 12(1).

Concordance québécoise: LTVQ, art. 41.1.

(1.1) Choix du mandataire de comptabiliser la taxe — Lorsqu'un inscrit, agissant à titre de mandataire dans le cadre de ses activités commerciales, effectue pour le compte d'une personne, autrement que par vente aux enchères, une fourniture relativement à laquelle la personne est tenue de percevoir la taxe autrement que par suite de l'application de l'alinéa (1)a), les règles suivantes s'appliquent si l'inscrit et la personne en font conjointement le choix en la forme déterminée par le ministre et contenant les renseignements requis :

a) la taxe percevable relativement à la fourniture ou tout montant exigé ou perçu par l'inscrit pour le compte de la personne au titre de la taxe relative à la fourniture est réputé être percevable, exigé ou perçu, selon le cas, par l'inscrit et non par la personne pour ce qui est :

(i) du calcul de la taxe nette de l'inscrit et de la personne,

(ii) de l'application des articles 222 et 232;

b) l'inscrit et la personne sont solidairement responsables des obligations prévues à la présente partie qui découlent :

(i) du fait que la taxe devient percevable,

(ii) en ce qui concerne un montant de taxe nette de l'inscrit, ou un montant que celuici est tenu de verser en application de l'article 230.1, qu'il est raisonnable d'attribuer à la fourniture, du défaut de verser un tel montant, ou d'en rendre compte, selon les modalités de temps ou autres prévues à la présente partie,

(iii) de la déduction par l'inscrit en application des articles 231 ou 232, relativement à la fourniture, d'un montant auquel il n'avait pas droit ou dépassant celui auquel il avait droit,

(iv) du défaut de verser, selon les modalités de temps ou autres prévues à la présente partie, un montant de taxe nette que l'inscrit a payé en moins, ou un montant qu'il est tenu de verser en application de l'article 230.1, et qu'il est raisonnable d'attribuer à la déduction visée au sous-alinéa (iii),

(v) du recouvrement de la totalité ou d'une partie d'une créance irrécouvrable liée à la fourniture relativement à laquelle l'inscrit a déduit un montant en application du paragraphe 231(1),

(vi) en ce qui concerne un montant de taxe nette de l'inscrit, ou un montant que celuici est tenu de verser en application de l'article 230.1, qu'il est raisonnable d'attribuer à un montant à ajouter, en application du paragraphe 231(3), à la taxe nette de l'inscrit relativement à la créance irrécouvrable visée au sous-alinéa (v), du défaut de verser un tel montant, ou d'en rendre compte, selon les modalités de temps ou autres prévues à la présente partie;

c) les montants déterminants applicables à l'inscrit et à la personne selon les paragraphes 249(1) et (2) sont calculés comme si la contrepartie, même partielle, qui est devenue due à la personne, ou qui lui a été payée sans être devenue due, relativement à la fourniture était devenue due à l'inscrit et non à la personne, ou avait été payée à l'inscrit et non à la personne sans être devenue due, selon le cas.

Notes historiques: Les alinéas 177(1.1)a) et b) ont été remplacés et l'alinéa 177(1.1)c) a été ajouté par L.C. 2007, c. 18, par. 11(1). Les alinéas 177(1.1)a) et c) s'appliquent aux fournitures effectuées après le 20 décembre 2002. L'alinéa 177(1.1)b) s'applique aux fournitures effectuées après le 23 avril 1996 relativement auxquelles le choix prévu au paragraphe 177(1.1) est fait à un moment quelconque. Toutefois, en ce qui concerne les fournitures effectuées avant le 21 décembre 2002 relativement auxquelles le choix prévu à ce paragraphe a été fait avant cette date :

a) le sous-alinéa 177(1.1)b)(ii) est réputé avoir le libellé suivant :

(ii) du défaut de verser la taxe ou d'en rendre compte,

b) la mention « des articles 231 ou 232 » au sous-alinéa 177(1.1)b)(iii) vaut mention de « de l'article 231 ».

Antérieurement, les alinéas 177(1.1)a) et b) se lisaient ainsi :

a) la taxe percevable relativement à la fourniture entre dans le calcul de la taxe nette de l'inscrit et non de celle de la personne, comme si la taxe était percevable par l'inscrit;

b) l'inscrit et la personne sont solidairement responsables des obligations prévues par la présente partie qui découlent du fait que la taxe devient percevable ou n'est pas versée ou qu'il n'en est pas rendu compte.

Le paragraphe 177(1.1) a été remplacé par L.C. 1997, c. 10, par. 26(1) et cette modification s'applique selon les mêmes modalités que celles prévues pour l'application du paragraphe 177(1). Antérieurement, il se lisait comme suit :

(1.1) Lorsqu'un inscrit qui agit à titre de mandataire dans le cadre d'une activité commerciale effectue, autrement que par vente aux enchères, la fourniture d'un bien meuble relativement à laquelle le mandant n'est pas tenu de percevoir la taxe sans informer l'acquéreur par écrit qu'il effectue la fourniture pour une personne qui n'est pas tenue de percevoir la taxe relative à la fourniture, les présomptions suivantes s'appliquent aux fins de la présente partie :

a) le mandant est réputé ne pas avoir effectué la fourniture au profit de l'acquéreur;

b) le mandataire est réputé avoir effectué la fourniture au profit de l'acquéreur, mais ne pas avoir effectué, au profit du mandant, de fourniture de services liés à la fourniture effectuée au profit de l'acquéreur;

c) lorsque le mandataire verse au mandant, ou porte à son crédit, une ou plusieurs sommes relativement à la fourniture, le mandant est réputé avoir effectué une fourniture du bien au profit du mandataire, et celui-ci l'avoir reçue de lui, pour une contrepartie, payée au moment où la première de ces sommes est versée au mandant ou portée à son crédit, égale au résultat du calcul suivant :

$$A - B$$

où :

A représente le total de la contrepartie de la fourniture du bien effectuée au profit de l'acquéreur et de la taxe payable relativement à cette fourniture,

B le total de la contrepartie de la fourniture de services — liés à la fourniture effectuée au profit de l'acquéreur — qui, sans le présent paragraphe, serait effectuée par le mandataire au profit du mandant et de la taxe, calculée sur cette contrepartie, qui, sans le présent paragraphe, serait payable par le mandant.

Le paragraphe 177(1.1) a été ajouté par L.C. 1993, c. 27, par. 42(1) et s'applique aux fournitures qu'un inscrit effectue pour une personne après avril 1991.

Toutefois, en ce qui concerne les fournitures effectuées après avril 1991 mais avant 1993, le paragraphe 177(1.1) doit ce lire comme suit :

(1.1) Pour l'application de la présente partie, lorsqu'un inscrit qui agit dans le cadre d'une activité commerciale à titre de mandataire d'un mandant qui n'est pas un inscrit effectue, autrement que par vente aux enchères, la fourniture d'un bien meuble au profit d'un acquéreur sans informer celui-ci par écrit qu'il effectue la fourniture pour un non-inscrit, les présomptions suivantes s'appliquent :

a) le mandant est réputé ne pas avoir effectué la fourniture au profit de l'acquéreur;

b) le mandataire est réputé avoir effectué la fourniture au profit de l'acquéreur, mais ne pas avoir effectué, au profit du mandant, de fourniture de services liés à la fourniture effectuée au profit de l'acquéreur;

c) le mandant est réputé avoir effectué une fourniture du bien au profit du mandataire, et celui-ci l'avoir reçue du mandant, pour une contrepartie, payée au moment où la fourniture est effectuée au profit de l'acquéreur, égale au résultat du calcul suivant :

$$A - B$$

où :

A représente le total de la contrepartie de la fourniture du bien effectuée au profit de l'acquéreur et de la taxe payable relativement à cette fourniture,

B le total de la contrepartie de la fourniture de services — liés à la fourniture effectuée au profit de l'acquéreur — qui, sans le présent paragraphe, serait effectuée par le mandataire au profit du mandant et de la taxe, calculée sur cette contrepartie, qui, sans le présent paragraphe, serait payable par le mandant.

Concordance québécoise: LTVQ, art. 41.0.1.

(1.11) Agent de facturation — L'inscrit qui, à titre de mandataire d'un fournisseur, exige et perçoit la contrepartie, même partielle, et la taxe payable relativement à une fourniture effectuée par le fournisseur, mais qui n'effectue pas la fourniture à ce titre, est réputé avoir effectué la fourniture à ce titre pour l'application des dispositions suivantes :

a) le paragraphe (1.1);

b) si le choix prévu au paragraphe (1.1) est fait relativement à la fourniture, toute autre disposition qui fait état d'une fourniture relativement à laquelle un tel choix a été fait.

Notes historiques: Le paragraphe 177(1.11) a été ajouté par L.C. 2007, c. 18, par. 11(2) et s'applique aux fournitures effectuées après le 20 décembre 2002.

Concordance québécoise: LTVQ, art. 41.0.2.

(1.12) Révocation conjointe — L'inscrit et le fournisseur qui ont fait conjointement le choix prévu au paragraphe (1.1) peuvent, dans un document établi en la forme déterminée par le ministre et contenant les renseignements requis, le révoquer conjointement pour ce qui est de toute fourniture effectuée à la date de prise d'effet précisée dans la révocation ou par la suite. Dès lors, le choix est réputé, pour l'application de la présente partie, ne pas avoir été fait relativement à la fourniture en cause.

Notes historiques: Le paragraphe 177(1.12) a été ajouté par L.C. 2007, c. 18, par. 11(2) et est réputé être entré en vigueur le 20 décembre 2002.

Concordance québécoise: LTVQ, art. 41.0.3.

(1.2) Fourniture par un encanteur — Lorsqu'un inscrit, qui agit à titre d'encanteur et de mandataire dans le cadre d'une activité commerciale, effectue la fourniture par vente aux enchères d'un bien meuble corporel au profit d'un acquéreur, la fourniture est réputée, pour l'application de la présente partie, être une fourniture taxable effectuée par l'encanteur et non par le mandant et l'encanteur est réputé, pour l'application de la présente partie, sauf l'article 180, ne pas avoir effectué, au profit du mandant, une fourniture de services liée à la fourniture du bien effectuée au profit de l'acquéreur.

Notes historiques: Le paragraphe 177(1.2) a été remplacé par L.C. 1997, c. 10, par. 26(1) et cette modification s'applique selon les mêmes modalités que celles prévues pour l'application du paragraphe 177(1). Antérieurement, il se lisait comme suit :

> (1.2) Lorsqu'un inscrit, qui agit à titre d'encanteur et de mandataire dans le cadre d'une activité commerciale, effectue soit la fourniture par vente aux enchères d'un bien meuble, soit, dans le cas où le mandant est lui-même un inscrit, la fourniture taxable par vente aux enchères d'un immeuble ou d'un service, les présomptions suivantes s'appliquent aux fins de la présente partie :
>
> a) la fourniture est réputée avoir été effectuée par l'encanteur et non par le mandant;
>
> b) lorsque l'encanteur verse au mandant, ou porte à son crédit, une ou plusieurs sommes relativement à la fourniture effectuée au profit de l'acquéreur, le mandant est réputé avoir effectué une fourniture du bien ou du service au profit de l'encanteur, et celui-ci l'avoir reçue du mandant, pour la contrepartie suivante, payée au moment où la première de ces sommes est versée au mandant ou portée à son crédit :
>
> (i) si la taxe n'est pas payable relativement à la fourniture réputée effectuée par le mandant, le total de la contrepartie de la fourniture effectuée au profit de l'acquéreur et de la taxe payable par celui-ci relativement à cette fourniture,
>
> (ii) dans les autres cas, la contrepartie de la fourniture effectuée au profit de l'acquéreur.

Le paragraphe 177(1.2) a été ajouté par L.C. 1993, c. 27, par. 42(1) et s'applique aux fournitures qu'un inscrit effectue pour une personne après avril 1991.

Concordance québécoise: LTVQ, art. 41.2.

(1.3) Exception — Dans le cas où les conditions suivantes sont réunies :

a) un inscrit (appelé « encanteur » au présent paragraphe) effectue à une date donnée, par vente aux enchères, pour le compte d'un autre inscrit (appelé « mandant » au présent paragraphe) la fourniture de biens visés par règlement qui serait une fourniture taxable effectuée par le mandant si ce n'était le paragraphe (1.2),

b) l'encanteur et le mandant font un choix conjoint, établi en la forme et contenant les renseignements déterminés par le ministre, concernant la fourniture en question,

c) la totalité ou la presque totalité de la contrepartie des fournitures que l'encanteur effectue par vente aux enchères pour le compte du mandant à cette date est imputable à des fournitures de biens visés par règlement relativement auxquelles l'encanteur et le mandant ont fait le choix prévu au présent paragraphe,

le paragraphe (1.2) ne s'applique pas à la fourniture en question ni aux fournitures que l'encanteur effectue au profit du mandant de services liés à cette fourniture.

Notes historiques: Le paragraphe 177(1.3) a été modifié par L.C. 1997, c. 10, par. 26(1) et cette modification s'applique selon les mêmes modalités que celles prévues pour l'application du paragraphe 177(1). Antérieurement, il se lisait comme suit :

> (1.3) Lorsqu'un inscrit fournit un bien meuble pour une personne dans des circonstances où il est réputé par les paragraphes (1.1) ou (1.2) avoir reçu une fourniture du bien de la personne et avoir payé une contrepartie égale à un montant donné déterminé selon l'alinéa (1.1)c) ou le sous-alinéa(1.2)b)(i), les règles suivantes s'appliquent :
>
> a) pour l'application de l'article 176, le bien est réputé être un bien meuble corporel d'occasion;
>
> b) l'article 176 s'applique à la fourniture réputée avoir été reçue par l'inscrit si celui-ci verse à la personne, ou porte à son crédit, le montant suivant relatif à la fourniture du bien effectuée pour le compte de la personne :
>
> (i) en cas d'application du paragraphe (1.1), le montant donné,
>
> (ii) en cas d'application du paragraphe (1.2), l'excédent éventuel du montant donné sur le total de la contrepartie de la fourniture de services — liés à la fourniture du bien effectuée pour la personne — effectuée par l'inscrit au profit de la personne et de la taxe payable par cette personne relativement à cette fourniture.

Le paragraphe 177(1.3) a été ajouté par L.C. 1993, c. 27, par. 42(1) et s'applique aux fournitures qu'un inscrit effectue pour une personne après avril 1991.

Concordance québécoise: LTVQ, art. 41.2.1.

(1.4) [*Abrogé*]

Notes historiques: Le paragraphe 177(1.4) a été abrogé par L.C. 1997, c. 10 par 26(1) et cette abrogation s'applique selon les mêmes modalités que celles prévues pour l'application du paragraphe 177(1). Antérieurement, il se lisait comme suit :

> (1.4) Pour l'application du présent article, lorsqu'un inscrit fournit un bien ou un service par vente ou par un autre moyen pour une personne, toute fourniture du bien ou du service qui, en conséquence, est réputée par le présent article avoir été effectuée par la personne au profit de l'inscrit est réputée effectuée par le même moyen.

Le paragraphe 177(1.4) a été ajouté par L.C. 1993, c. 27, par. 42(1) et s'applique aux fournitures qu'un inscrit effectue pour une personne après avril 1991.

(2) Fourniture pour le compte d'un artiste — Pour l'application de la présente partie, sauf les articles 148 et 249, dans le cas où un inscrit visé par règlement, agissant dans le cadre d'une activité commerciale, fournit un bien meuble incorporel à titre de mandataire d'une autre personne relativement à l'œuvre d'un écrivain, d'un exécutant, d'un peintre, d'un sculpteur ou d'un autre artiste, les présomptions suivantes s'appliquent :

a) l'autre personne est réputée ne pas avoir fourni le bien à l'acquéreur;

b) l'inscrit est réputé avoir fourni le bien à l'acquéreur;

c) l'inscrit est réputé ne pas avoir fourni à l'autre personne un service lié à la fourniture effectuée au profit de l'acquéreur.

Notes historiques: Le paragraphe 177(2) a été ajouté par L.C. 1990, c. 45, par. 12(1).

Concordance québécoise: LTVQ, art. 41.6.

Définitions [art. 177]: « acquéreur », « activité commerciale », « bien », « bien meuble », « contrepartie », « facture », « fourniture », « fourniture exonérée », « fourniture taxable », « immeuble », « inscrit », « montant », « personne », « règlement », « service », « vente » — 123(1); « déclarant » — 231(5).

Renvois [art. 177]: 241(1) (numéro d'inscription); 125 (résultats négatifs); 168(1) (CTI); 176(1) (acquisition de produits d'occasion); 225(1) (taxe nette); 225.1(1)d) (fourniture déterminée); 225.1(2)Ab)(iii) (fourniture déterminée — organisme de bienfaisance); 225.1(2)Ba)(iv), (v) (crédits de taxe sur intrants — organisme de bienfaisance); 273(1)b) (choix concernant les coentreprises).

Règlements [art. 177]: *Règlement sur les représentants d'artistes (TPS/TVH)*, art. 1.

Jurisprudence [art. 177]: *403570 BC Ltd. c. La Reine*, [1994] G.S.T.C. 48 (CCI); *Khong Island Jeweller Ltd. c. La Reine*, [1995] G.S.T.C. 23 (CCI); *Acme Video Inc. c. La Reine*, [1995] G.S.T.C. 49 (CCI); *Glengarry Bingo Association c. La Reine*, [1995] G.S.T.C. 41 (CCI); *United Power Ltd. c. La Reine*, [1996] G.S.T.C. 8 (CCI); *Vacation Villas of Collingwood Inc. c. La Reine*, [1996] G.S.T.C. 12 (CCI); [1996] G.S.T.C. 13 (CAF); *Leowski (A.D) c. La Reine*, [1996] G.S.T.C. 55 (CCI); *Atlantic Mini & Modular Homes (Truro) Ltd. c. Canada*, [1999] G.S.T.C. 68 (CCI); *Caravane Taschereau Inc. c. R.*, [2002] G.S.T.C. 79 (CCI); *Dick Irwin Group Ltd. v. R.*, [2003] G.S.T.C. 133 (CCI); *Horsnall c. R.*, 2005 CCI 581 (CCI); *Moran c. R.*, [2005] G.S.T.C. 50 (CCI); *Horsnall c. R.*, [2006] G.S.T.C. 147 (CAF); *9070-2945 Qubec Inc. c. R.*, [2006] G.S.T.C. 46 (CCI); *Syndicat des producteurs de bois de la Gaspésie c. R.*, 2008 CarswellNat 889 (CCI [procédure informelle]).

Énoncés de politique [art. 177]: P-015, 20/08/94, *Le traitement des simples-fiducies en vertu de la Loi sur la taxe d'accise*; P-131R, 15/09/04, *Versement de la taxe qu'une personne, autre que le fournisseur, perçoit dans des cas en particulier*; P-139R, 30/04/99, *Assujettissement à la taxe et admissibilité aux crédits de taxe sur les intrants pour les participants à une coentreprise n'ayant pas présenté de choix*; P-182R, 28/08/03, *Du mandat*.

Bulletins de l'information technique [art. 177]: B-068, 20/01/93, *Simples fiducies*; B-075R, 23/04/96, *Modifications proposées à la TPS*.

Mémorandums [art. 177]: TPS 300-7, 14/9/90, *Valeur de la fourniture*, par. 52–54; TPS 400, 18/05/90, *Crédits de taxe sur les intrants*, par. 44–46; TPS 500-2-4, 19/03/91, *Calcul de la taxe*, annexes B, D.

Série de mémorandums [art. 177]: Mémorandum 3.1, 08/99, *Assujettissement à la taxe*.

Formulaires [art. 177]: FP-153, *Autorisation d'une tierce personne*; FP-2506, *Attestation ou révocation d'un choix fait conjointement par le mandant et le mandataire ou l'encanteur*; GST502, *Attestation ou révocation d'un choix fait conjointement par le mandant et le mandataire ou l'encanteur*; GST506, *Attestation ou révocation d'un choix fait conjointement par le mandant et le mandataire ou l'encanteur*.

Info TPS/TVQ [art. 177]: GI-009 — *Produits vendus en consignation*; GI-010 — *Encanteurs*; GI-012 — *Mandataires*.

Lettres d'interprétation (Québec) [art. 177]: 97-0114013 — Syndic de faillite — inscription et statut de mandataire; 98-0100382 — Décision portant sur l'application de la TPS — Interprétation relative à la TVQ — Relation de mandataire; 98-0111256 — Interprétation relative à la TPS — Interprétation relative à la TVQ — Exportation de véhicules automobiles, CTI et RTI; 99-0100182 — Relation contractuelle entre des entités (notion de « mandataire »); 99-0102600 — Interprétation relative à la TPS et à la TVQ — Choix concernant une coentreprise; 99-0106833 — Interprétation relative à la TPS et à la TVQ — Fourniture d'activités de loisir aux citoyens d'une municipalité; 99-0112070 — Décision portant sur l'application de la TPS — Interprétation relative à la TVQ; 99-0113102 — Décision portant sur l'application de la TPS — Interprétation relative à la TVQ — Application de la TPS et de la TVQ aux montants facturés [par une Fédération aux clubs membres]; 00-0107094 — [Embauche d'employés par un représentant des syndicats de copropriétaires et définition de mandat]; 00-0108472 — Livres en consignation; 00-0109702 — Interprétation relative à la TPS et à la TVQ — Services de gérance d'artistes; 01-0108900 — Montants transférés dans un compte bancaire en vue de procéder au versement du salaire d'un gardien de sécurité; 02-0100400 — Interprétation relative à la TPS — Acquisition d'un véhicule par un prête-nom; 03-0107627 — Interprétation relative à la TPS et à la TVQ — fourniture de biens par un mandataire [d'une institution d'enseignement]; 03-0108310 — Fourniture d'un service de concessionnaire alimentaire dans une résidence pour personnes âgées; 04-0102519 — [Vente de véhicules récréatifs en consignation]; 04-0102766 — Interprétation relative à la TPS et à la TVQ — Location de condominiums.

COMMENTAIRES: Cet article énonce les règles particulières applicables à l'égard de la relation entre un mandant et un mandataire. Dans la mesure où cet article ne peut trouver application, le choix de la coentreprise disponible en vertu de l'article 273 devrait être examiné.

Le paragraphe (1.1) permet au mandataire de percevoir la TPS en lieu et place du mandant. Toutefois, cela ne permet pas au mandataire de réclamer les crédits de taxe sur les intrants afférents. Cela peut entraîner une distinction entre le mandant qui réclame des crédits de taxe sur les intrants et le mandataire qui remet la TPS perçue. De plus, le mandant demeure responsable si le mandataire fait défaut de remettre la TPS. Ainsi, lorsque le choix a été effectué, il est recommandé au mandant de mettre en place un mécanisme pour s'assurer que le mandataire remette la TPS dans les délais et la forme prescrits.

Pour être en présente d'une relation mandant-mandataire, il est important qu'une personne (le mandataire) effectue la fourniture pour le compte du mandant. Dans l'affaire *Dick Irwin Group Ltd. c. R.*, 2003 CarswellNat 5365 (C.C.I.), l'appelante est un courtier. Un courtier est une forme limitée d'une relation de mandant et mandataire. Les courtiers, comme les commissionnaires, sont des agents de commerce. Il existe toutefois une distinction entre ces catégories de mandataires en ce sens que les courtiers sont des mandataires à qui l'on n'a pas accordé la possession de biens ou de titre documentaire. La large portée des définitions reconnaît l'existence d'un grand nombre de types de courtiers — courtiers en hypothèques, courtiers en immeubles, courtiers d'assurance et courtiers maritimes, lesquels sont les plus courants dans le domaine moderne des affaires. L'alinéa 177(1)c) décrit une personne qui « effectue la fourniture pour le compte du mandant ». Dans la présente affaire, il ne s'agit pas de ce que fait un courtier ni de ce qu'a fait l'appelante en l'espèce. Toutes ces exceptions à la relation de mandant et mandataire sont prévues à l'article 177, et ce dernier ne s'applique pas à l'appelante.

L'Agence du revenu du Canada a indiqué, aux fins du paragraphe 169(4) et du Règlement afférant, que le mandant est autorisé à réclamer ses crédits de taxe sur les intrants même si le nom et l'adresse du mandataire autorisé figure sur les factures. Voir notamment à cet effet : Agence du revenu du Canada, Lettre de l'Administration centrale sur la TPS, 110027 — *GST/HST reporting by nominee corporations* (16 mars 2009).

Lorsque le mandant est non-résident non-inscrit et n'exploite pas une entreprise au Canada, les règles prévues au paragraphe 177(1) ne s'applique pas. Dans ce contexte, le paragraphe 143(1) répute la fourniture être effectuée à l'extérieur du Canada et, à ce titre, aucune taxe n'est à percevoir.

Encore faut-il qu'il y ait un mandat. Le « mandat » n'est pas défini dans la *Loi sur la taxe d'accise (TPS)* ni dans la *Loi sur la taxe de vente du Québec*. On doit donc s'en remettre aux principes de droit commun pour déterminer si la relation entre les parties peut se qualifier de mandat. En vertu de l'article 2130 du *Code civil du Québec*, le mandat est défini comme étant le contrat par lequel une personne, le mandant, donne le pouvoir de la représenter dans l'accomplissement d'un acte juridique avec un tiers, à une autre personne, le mandataire qui, par le fait de son acceptation, s'oblige à l'exercer. Ce pouvoir et, le cas échéant, l'écrit qui le constate, s'appellent aussi procuration. De plus, la preuve de l'existence d'un mandat incombe à celui qui l'invoque. Or, les éléments portés à l'attention de Revenu Québec ne permettent pas de conclure à l'existence d'une telle relation entre les parties, pour la période du 1er octobre 1994 au 30 septembre 1996.En effet, il ressort des termes de la convention, que la société s'engage plutôt à poser des gestes matériels et non à « représenter » le syndicat dans le cadre « d'actes juridiques ». En l'absence de l'élément fondamental du mandat, c'est-à-dire le pouvoir de représenter le syndicat dans l'accomplissement d'actes juridiques, on ne peut pas prétendre que la société agit à titre de mandataire du syndicat. Dès lors, Revenu Québec est d'avis que le contrat soumis porte sur la fourniture d'un service autre qu'un service de mandataire. Ainsi, toutes sommes payées par le syndicat à la société, aux termes de la convention, constituent la contrepartie de la fourniture taxable d'un service effectuée par la société. Voir notamment à cet effet : Revenu Québec, Lettre d'interprétation, 99-0100182 — *Relation contractuelle entre des entités (notion de « mandataire »)* (18 juin 1999).

La Cour canadienne de l'impôt, dans l'affaire *Artistic Ideas Inc. c. Minister of National Revenue*, 2008 CarswellNat 5702 (C.C.I.), a donné raison à l'appelant à l'effet que les actes de celle-ci ne sont pas incompatibles avec une relation de mandataire avec les vendeurs des lithographies. En effet, il y a des éléments de preuve tendant à démontrer que les vendeurs ont consenti à ce que l'appelante agisse comme mandataire, et des éléments de preuve suivant lesquels les vendeurs ont accordé à l'appelante l'autorisation nécessaire pour qu'elle soit liée par les contrats d'achat. Le risque prévu par ces contrats était assumé par les vendeurs plutôt que par l'appelante, ce qui confirme aussi l'existence d'un mandat. Ce n'est que dans certains cas que l'appelante a assumé des risques en ce qui a trait au paiement, mais ce risque était négligeable par rapport à la quantité globale de lithographies vendues. L'appelante a effectivement rendu compte aux vendeurs du produit de la vente et de la partie de certaines dépenses partagées assumées par les vendeurs. Il est vrai que la comptabilité était plutôt rudimentaire, mais elle répondait aux exigences des parties dans les circonstances. Dans l'ensemble, de l'avis de la Cour canadienne de l'impôt, les rapports que l'appelante entretenait avec les vendeurs américains répondent à la définition généralement admise du « mandat » que donne Fridman dans *The Law of Agency* (7e éd.) à la page 11: Le mandat est la relation qui existe entre deux personnes, l'une étant appelée *le mandataire* et étant considérée en droit comme représentant l'autre, *le mandant*, de façon à pouvoir modifier la position juridique de ce dernier envers des tiers à la relation en concluant des contrats ou en disposant de biens.

Dans l'affaire *Syndicat des producteurs de bois de la Gaspésie c. R.*, 2008 CarswellNat 889 (C.C.I.), la Cour devait déterminer si le Syndicat devait percevoir la TPS sur les services qu'il rend aux producteurs de bois de la Gaspésie conformément à l'article 177. Les conditions d'application du paragraphe 177(1) sont au nombre de cinq. Selon la première, il doit y avoir une relation de mandant/mandataire, point qui est en litige. Selon la deuxième, le mandant doit être une personne qui n'est pas tenue de percevoir la taxe. En l'espèce, cette condition est remplie puisque les 900 producteurs ne sont pas des inscrits au sens de la *Loi sur la taxe d'accise (TPS)*. En vertu de la troisième condition, la fourniture effectuée par le mandant doit être la fourniture d'un bien meuble corporel, et elle ne doit pas être une fourniture exonérée ou une fourniture détaxée. En l'espèce, les 900 producteurs produisent du bois, un bien meuble corporel qui n'est pas une fourniture exonérée ni détaxée. Selon la quatrième condition, le mandataire doit être un inscrit et doit agir dans le cadre de ses activités commerciales. En l'espèce, le syndicat est un inscrit au sens de la *Loi sur la taxe d'accise (TPS)* et son activité commerciale est la mise en marché du bois sur le territoire de la Gaspésie. En vertu de la dernière condition, le mandataire doit effectuer la fourniture pour le compte du mandant. Il faut donc déterminer en l'espèce si le syndicat effectue la fourniture de bois aux acquéreurs pour le compte de 900 producteurs de bois non-inscrits. De l'avis de la Cour canadienne de l'impôt, le syndicat ne peut être considéré comme un mandataire des producteurs puisqu'il n'est pas soumis aux directives et au contrôle général de ceux-ci, mais plutôt se doit d'agir en conformité avec la *Loi sur la mise en marché et ses règlements*.

À titre illustratif de l'application de cet article, Revenu Québec a analysé une situation où la coentreprise n'était pas admissible au choix prévu à l'article 273. L'inscrit ne peut donc pas se prévaloir de ces règles et continuer à percevoir et à remettre la TPS sur les fournitures effectuées au nom des coentrepreneurs dans le cadre des activités de la coentreprise. Toutefois, les coentrepreneurs, étant inscrits au fichier de la TPS, pourraient être éligibles au choix prévu au paragraphe 177(1.1). Ainsi, si les coentrepreneurs et l'inscrit décident conjointement d'exercer ce choix, et que l'inscrit agisse à titre de mandataire des coentrepreneurs, l'inscrit pourra, en vertu du paragraphe 177(1.1), percevoir et remettre la taxe au nom des coentrepreneurs. Par ailleurs, à défaut d'exercer ce choix, ce sont les règles générales du droit civil régissant le mandat qui trouveront application. En vertu de ces règles, la fourniture effectuée par une personne, à titre de mandataire d'une autre personne, soit le mandant, doit être considérée comme étant effectuée par le mandant plutôt que le mandataire. En conséquence, si le choix visé au paragraphe 177(1.1) n'est pas exercé, la fourniture des travaux de géomatique effectuée au nom des coentrepreneurs par l'inscrit au profit des acquéreurs doit être considérée comme ayant été effectuée par chacun des coentrepreneurs, à titre de mandants. Ces derniers devront percevoir et remettre la TPS à l'égard de cette fourniture en considérant le pourcentage de participation de chacun d'eux dans la coentreprise. Voir notamment à cet égard : Revenu Québec, Lettre d'interprétation, 99-0102600 — *Interprétation relative à la TPS et à la TVQ / Choix concernant une coentreprise* (30 septembre 1999).

Également, Revenu Québec a souligné qu'en vertu des règles de droit civil sur le mandat, la fourniture effectuée par une personne à titre de mandataire d'une autre personne doit être considérée comme étant effectuée par le mandant plutôt que par le mandataire. C'est donc l'institution d'enseignement qui effectue la fourniture de l'immeuble et c'est elle qui doit percevoir et rendre compte de la taxe payable à l'égard des fournitures taxables effectuées, le cas échéant. Le fait que les revenus soient comptabilisés dans les états financiers du gestionnaire immobilier ne modifie pas ces règles. Selon l'article 177(1.1), lorsqu'un inscrit, agissant à titre de mandataire dans le cadre de ses activités commerciales, effectue pour le compte d'un mandant une fourniture relativement à laquelle le mandant est tenu de percevoir la taxe, le mandataire et le mandant peuvent faire un choix conjoint auquel cas : (i) la taxe percevable relativement à la fourniture entre dans le calcul de la taxe nette du mandataire et non de celle du mandant, comme si la taxe était percevable par le mandataire; et (ii) le mandant et le mandataire sont solidairement responsables des obligations qui découlent du fait que la taxe devient percevable. L'institution d'enseignement et la corporation peuvent faire le choix de l'article 177(1.1) si la corporation agit dans le cadre de ses activités commerciales, *c.-à-d.* dans le cadre de la réalisation de fournitures taxables moyennant une contrepartie autre qu'une contrepartie symbolique. Le choix fait en sorte que la corporation pourra inclure la TPS perçue dans le calcul de sa taxe nette même si ce n'est pas elle le fournisseur. Toutefois, un tel choix ne vient pas modifier les règles relatives aux CTI. Plus particulièrement, le choix ne permet pas à la corporation de réclamer un CTI à la place de l'institution d'enseignement. De plus, l'institution d'enseignement demeure solidairement responsable du versement de la taxe. Le choix pourra être accepté rétroactivement pour autant que le mandant et le mandataire satisfont les conditions de l'article 177(1.1) et qu'ils ont agi dans le passé comme si un tel choix avait été effectué. Voir notamment à cet effet : Revenu Québec, Lettre d'interprétation, 03-0107627 — *Interprétation relative à la TPS et à la TVQ — Fourniture de biens par un mandataire* (6 juillet 2004).

De plus, Revenu Québec a indiqué qu'une relation mandant-mandataire peut exister entre une compagnie et son propriétaire. En présence d'une fourniture effectuée par un mandataire, ce sont les règles générales du mandat qui s'appliquent sous réserve d'un choix qui peut être fait en vertu du paragraphe 177(1.1). Donc, lorsqu'un mandataire (compagnie) effectue une fourniture (autrement que par vente aux enchères) dans le cadre de ses activités commerciales, pour le compte d'un mandant (propriétaire), qui est un inscrit et qui est tenu de percevoir la taxe, ils peuvent exercer le choix conjoint à l'effet que la taxe percevable relativement à la fourniture entre dans le calcul de la taxe nette de l'inscrit agissant à titre de mandataire (compagnie). Le mandataire aura alors l'obligation de percevoir et de remettre la taxe sur la fourniture. Si le choix du paragraphe 177(1.1) n'a pas été fait, la fourniture effectuée par une personne à titre de mandataire d'une autre personne doit être considérée comme étant effectuée par le mandant (propriétaire) plutôt que par le mandataire (compagnie). Par conséquent, si le mandant (propriétaire) est un inscrit et est tenu de percevoir la taxe, il doit percevoir et rendre compte de la taxe payable à l'égard de la fourniture. Prenez note que le contrat de mandat peut prévoir que ce sera le mandataire qui percevra la taxe pour le compte du mandant qui est un inscrit et qui est tenu de percevoir la taxe. Néanmoins, le mandant conservera toujours l'obligation de remettre la taxe. En effet, la fourniture étant effectuée par le mandant, c'est celui-ci en tant qu'inscrit doit, dans sa déclaration, calculer la taxe nette, laquelle doit comprendre tous les montants de taxes qu'il est dans l'obligation de percevoir. Voir notamment à cet effet : Revenu Québec, Lettre d'interprétation, 04-0102766 — *Interprétation relative à la TPS et à la TVQ — Location de condominiums* (11 février 2005).

Dans un contexte de faillite, Revenu Québec indique que le paragraphe 265(1) doit avoir préséance sur les dispositions du paragraphe 177(1) lorsque les conditions d'application de ces deux paragraphes sont rencontrées. L'alinéa 256(1)(a) mentionne qu'aux fins de la partie IX de la *Loi sur la taxe d'accise (TPS)*, le syndic de faillite est réputé fournir au failli des services de syndic de faillite, et tout montant auquel il a droit à ce titre est réputé être une contrepartie payable pour cette fourniture; par ailleurs, le syndic de faillite est réputé agir à titre de mandataire du failli et tout bien ou service qu'il fournit ou reçoit, et tout acte qu'il accomplit dans le cadre de la gestion des actifs du failli ou de l'exploitation de l'entreprise de celui-ci sont réputés fournis, reçus et accomplis à ce titre. Par conséquent, en application de l'alinéa 265(1)(a), le syndic de faillite qui, dans le cadre des activités reliées à la faillite, effectue la vente d'un bien meuble corporel appartenant à un failli qui n'est pas un inscrit et qui n'exerce aucune activité commerciale, n'a pas, à titre de mandataire du failli, à percevoir la TPS à l'égard de cette fourniture. Voir notamment à cet effet : Revenu Québec, Lettre d'interprétation, 97-0114013 — *Syndic de faillite — inscription et statut de mandataire* (26 février 1999).

Finalement, il est intéressant de souligner que de l'avis de l'auteur, un associé ne peut être mandataire de la société de personnes aux fins du paragraphe 177(1.1) puisque le paragraphe 272.1(1) répute les actions d'un associé d'avoir été prises par la société de personnes elle-même. Nous vous invitons à consulter nos commentaires sous l'article 272.

Ajout proposé — 177.1

177.1 Organismes de perception et sociétés de gestion — (1) Définition de « société de gestion » — Au présent article, **« société de gestion »** s'entend d'une société de gestion, au sens de l'article 2 de la *Loi sur le droit d'auteur*, qui est un inscrit.

octobre 2011, Notes explicatives: Les paragraphes 177.1(1) et (2) définissent des termes pour l'application du nouvel article 177.1.

« artiste-interprète admissible »

Ce terme est défini dans la *Loi sur le droit d'auteur*. Il s'agit, de façon générale, de l'artiste-interprète canadien d'une œuvre musicale fixée au moyen d'un enregistrement sonore.

« organisme de perception »

Ce terme est défini dans la *Loi sur le droit d'auteur*. Il s'agit, de façon générale, de la société de gestion, ou d'une autre société, association ou personne morale, qui est établie par la Commission du droit d'auteur pour administrer la redevance sur les supports vierges payable aux termes de cette loi.

« producteur admissible »

Ce terme est défini dans la *Loi sur le droit d'auteur*. Il s'agit, de façon générale, du producteur canadien d'un enregistrement sonore d'une œuvre musicale.

« société de gestion »

Il s'agit d'une société de gestion au sens de la *Loi sur le droit d'auteur*. De façon générale, une société de gestion est une association, une société ou une personne morale qui se livre à la gestion collective de la redevance sur les supports vierges ou du régime de redevances établi en vertu de la *Loi sur le droit d'auteur*.

Concordance québécoise: aucune.

(2) Terminologie — Au présent article, **« artiste-interprète admissible »**, **« auteur admissible »**, **« organisme de perception »** et **« producteur admissible »** s'entendent au sens de l'article 79 de la *Loi sur le droit d'auteur*.

Concordance québécoise: aucune.

(3) Fourniture par un organisme de perception ou une société de gestion — Si un organisme de perception ou une société de gestion effectue une fourniture taxable au profit d'une personne qui est un artiste- interprète admissible, un auteur admissible, un producteur admissible ou une société de gestion et que la fourniture comprend un service de perception ou de distribution de la redevance payable en vertu de l'article 82 de la *Loi sur le droit d'auteur*, pour le calcul de la taxe payable relativement à la fourniture, la valeur de la contrepartie de la fourniture est réputée correspondre au montant obtenu par la formule suivante :

$$A - B$$

où :

A représente la valeur de la contrepartie déterminée par ailleurs pour l'application de la présente partie;

B la partie de la valeur de la contrepartie visée à l'élément A qui est exclusivement attribuable au service.

octobre 2011, Notes explicatives: Le paragraphe 177.1(3) prévoit que, pour déterminer la taxe payable relativement à la fourniture d'un service de perception ou de distribution de la redevance sur les supports vierges prévue par la *Loi sur le droit d'auteur*, une société de gestion, au sens du paragraphe 177.1(1), ou un organisme de perception, au sens du paragraphe 177.1(2), est tenu d'utiliser une formule pour calculer la valeur de la contrepartie de la fourniture de ce service effectuée soit au profit d'un artiste-interprète admissible, d'un auteur admissible ou d'un producteur admissible (au sens du paragraphe 177.1(2)), soit au profit d'une autre société de gestion. À cette fin, la valeur de la contrepartie est réputée, selon la formule, correspondre à la valeur de la contrepartie de la fourniture déterminée par ailleurs pour l'application de la partie IX de la *Loi sur la taxe d'accise*, moins la partie de la valeur de cette contrepartie qui est exclusivement attribuable à la perception et à la distribution de la redevance.

Concordance québécoise: aucune.

Application: L'article 177.1 sera ajouté par le par. 415(1) du *Projet de loi C-48* (Partie 6 — Dispositions de coordination) (première lecture le 21 novembre 2012) et sera réputé être entré en vigueur le 19 mars 1998.

Notes explicatives: Le nouvel article 177.1 prévoit que la valeur de la contrepartie de la fourniture d'un service de perception ou de distribution de la redevance sur les supports vierges, payable aux termes de la *Loi sur le droit d'auteur*, qui est effectuée par une société de gestion, au sens du paragraphe 177.1(1), ou un organisme de perception, au sens du paragraphe 177.1(2), doit être déterminée selon la formule figurant au paragraphe 177.1(3).

L'article 177.1 s'applique aux fournitures effectuées après le 18 mars 1998, veille de l'entrée en vigueur des dispositions de la *Loi sur le droit d'auteur* établissant la redevance sur les supports vierges.

Les paragraphes 177.1(1) et (2) définissent des termes pour l'application du nouvel article 177.1.

« artiste-interprète admissible »

Ce terme est défini dans la *Loi sur le droit d'auteur*. Il s'agit, de façon générale, de l'artiste-interprète canadien d'une œuvre musicale fixée au moyen d'un enregistrement sonore.

« auteur admissible »

Ce terme est défini dans la *Loi sur le droit d'auteur*. Il s'agit, de façon générale, de l'auteur d'une œuvre musicale canadienne fixée au moyen d'un enregistrement sonore.

« organisme de perception »

Ce terme est défini dans la *Loi sur le droit d'auteur*. Il s'agit, de façon générale, de la société de gestion, ou d'une autre société, association ou personne morale, qui est établie par la Commission du droit d'auteur pour administrer la redevance sur les supports vierges payable aux termes de cette loi.

« producteur admissible »

Ce terme est défini dans la *Loi sur le droit d'auteur*. Il s'agit, de façon générale, du producteur canadien d'un enregistrement sonore d'une œuvre musicale.

« société de gestion »

Il s'agit d'une société de gestion au sens de la *Loi sur le droit d'auteur*. De façon générale, une société de gestion est une association, une société ou une personne morale qui se livre à la gestion collective de la redevance sur les supports vierges ou du régime de redevances établi en vertu de la *Loi sur le droit d'auteur*.

Le paragraphe 177.1(3) prévoit que, pour déterminer la taxe payable relativement à la fourniture d'un service de perception ou de distribution de la redevance sur les supports vierges prévue par la *Loi sur le droit d'auteur*, une société de gestion, au sens du paragraphe 177.1(1), ou un organisme de perception, au sens du paragraphe 177.1(2), est tenu d'utiliser une formule pour calculer la valeur de la contrepartie de la fourniture de ce service effectuée soit au profit d'un artiste-interprète admissible, d'un auteur admissible ou d'un producteur admissible (au sens du paragraphe 177.1(2)), soit au profit d'une autre société de gestion. À cette fin, la valeur de la contrepartie est réputée, selon la formule, correspondre à la valeur de la contrepartie de la fourniture déterminée par ailleurs pour l'application de la partie IX de la *Loi sur la taxe d'accise*, moins la partie de la valeur de cette contrepartie qui est exclusivement attribuable à la perception et à la distribution de la redevance sur les supports vierges.

octobre 2011, Notes explicatives: Le nouvel article 177.1 prévoit que la valeur de la contrepartie de la fourniture d'un service de perception ou de distribution de la redevance sur les supports vierges, payable aux termes de la *Loi sur le droit d'auteur*, qui est effectuée par une société de gestion, au sens du paragraphe 177.1(1), ou un organisme de perception, au sens du paragraphe 177.1(2), doit être déterminée selon la formule figurant au paragraphe 177.1(3).

L'article 177.1 s'applique aux fournitures effectuées après le 18 mars 1998, veille de l'entrée en vigueur des dispositions de la *Loi sur le droit d'auteur* établissant la redevance sur les supports vierges.

COMMENTAIRES: Cet article a été ajouté des propositions législatives en date du 31 octobre 2011 et sera réputé en vigueur à compter du 19 mars 1998. En date des présentes, ces propositions législatives n'ont pas encore été intégrées dans un projet de loi.

Le 31 octobre 2011, le ministère des Finances a rendu public, aux fins de consultations, un ensemble de modifications techniques (communiqué 2011-108). On y propose notamment d'ajouter l'article 177.1. Si cette modification est promulguée, elle ferait en sorte que, pour déterminer la taxe payable relativement à la fourniture d'un service de perception ou de distribution de la redevance sur les supports vierges prévue par la *Loi sur le droit d'auteur*, une société de gestion ou un organisme de perception serait tenu d'utiliser une formule pour calculer la valeur de la contrepartie de la fourniture de ce service effectuée soit au profit d'un artiste-interprète admissible, d'un auteur admissible ou d'un producteur admissible, soit au profit d'une autre société de gestion. Plus précisément, la valeur de la contrepartie serait réputée, selon la formule, correspondre à la valeur de la contrepartie de la fourniture déterminée par ailleurs pour l'application de la TPS/TVH, moins la partie de la valeur de cette contrepartie qui est exclusivement attribuable à la perception et à la distribution de la redevance. De plus, les propositions comprennent des modifications techniques concernant la déclaration des crédits de taxe sur les intrants récupérés. Voir notamment à cet effet : Agence du revenu du Canada, *Nouvelles sur l'accise et la TPS/TVH*, numéro 83, (hiver 2012).

En pratique, l'effet de cet article sera qu'aucune taxe ne s'appliquera au service de perception ou de distribution de la redevance. La formule prévue au paragraphe (3) a pour objet d'enlever du total de la taxe à payer ce montant, *c.-à-d.* en lien avec le service de perception ou de distribution de la redevance, puisque l'organisme de perception ou la société de gestion peuvent effectuer d'autres services.

Vendeurs de réseau

178. (1) Définitions — Les définitions qui suivent s'appliquent au présent article et à l'article 236.5.

« commission de réseau » S'entend, à l'égard d'un représentant commercial d'une personne, d'un montant qui est payable par la personne au représentant commercial aux termes d'un accord conclu entre eux :

a) soit en contrepartie de la fourniture d'un service, effectuée par le représentant commercial, qui consiste à prendre des mesures en vue de vendre un produit déterminé ou du matériel de promotion de la personne;

b) soit uniquement par suite de la fourniture d'un service, effectuée par tout représentant commercial de la personne visée à l'alinéa a) de la définition de « représentant commercial », qui consiste à prendre des mesures en vue de vendre un produit déterminé ou du matériel de promotion de la personne.

Concordance québécoise: LTVQ, art. 297.0.3« commission de réseau ».

« matériel de promotion » S'agissant du matériel de promotion d'une personne donnée qui est un vendeur de réseau ou le représentant commercial d'un tel vendeur, biens, à l'exclusion des produits déterminés d'une personne, qui, à la fois :

a) sont des imprimés commerciaux sur commande ou des échantillons, des trousses de démonstration, des articles promotionnels ou pédagogiques, des catalogues ou des biens meubles semblables que la personne donnée acquiert, fabrique ou produit en vue de les vendre pour faciliter la promotion, la vente ou la distribution de produits déterminés du vendeur;

b) ne sont ni vendus ni détenus en vue de leur vente par la personne donnée à un représentant commercial du vendeur qui acquiert les biens afin de les utiliser à titre d'immobilisations.

Concordance québécoise: LTVQ, art. 297.0.3« matériel de promotion ».

« produit déterminé » Est le produit déterminé d'une personne tout bien meuble corporel qui, à la fois :

a) est acquis, fabriqué ou produit par la personne pour qu'elle le fournisse moyennant contrepartie, autrement qu'à titre de bien d'occasion, dans le cours normal de son entreprise;

b) est habituellement acquis par des consommateurs au moyen d'une vente.

Concordance québécoise: LTVQ, art. 297.0.3« produit déterminé ».

« représentant commercial » Est le représentant commercial d'une personne donnée :

a) toute personne (sauf un salarié de la personne donnée ou une personne agissant, dans le cadre de ses activités commerciales, à titre de mandataire en vue d'effectuer des fournitures de produits déterminés de la personne donnée pour le compte de celle-ci) qui répond aux conditions suivantes :

(i) elle a le droit contractuel, prévu par un accord conclu avec la personne donnée, de prendre des mesures en vue de vendre des produits déterminés de celle-ci,

(ii) des mesures en vue de la vente de produits déterminés de la personne donnée ne sont pas prises principalement à son installation fixe, sauf s'il s'agit d'une résidence privée;

b) toute personne (sauf un salarié de la personne donnée ou une personne agissant, dans le cadre de ses activités commerciales, à titre de mandataire en vue d'effectuer des fournitures de produits déterminés de la personne donnée pour le compte de celle-ci) qui a le droit contractuel, prévu par un accord conclu avec la personne donnée, de recevoir un montant de celle-ci uniquement par suite de la fourniture d'un service, effectuée par une personne visée à l'alinéa a), qui consiste à prendre des mesures en vue de vendre un produit déterminé ou du matériel de promotion de la personne donnée.

« vendeur de réseau » Toute personne qui a reçu du ministre un avis d'approbation selon le paragraphe (5).

Concordance québécoise: LTVQ, art. 297.0.3« vendeur de réseau ».

(2) Vendeur de réseau admissible — Pour l'application du présent article, une personne est un vendeur de réseau admissible tout au long de son exercice si les conditions suivantes sont réunies :

a) la totalité ou la presque totalité des contreparties, incluses dans le calcul du revenu tiré d'une entreprise de la personne pour l'exercice, de fournitures effectuées au Canada par vente vise, selon le cas :

(i) des fournitures de produits déterminés de la personne, que celle-ci effectue par vente au terme de mesures prises par ses représentants commerciaux (appelées « fournitures déterminées » au présent paragraphe),

(ii) dans le cas où la personne est un démarcheur au sens de l'article 178.1, des fournitures par vente de ses produits exclusifs, au sens de cet article, qu'elle effectue au profit de ses entrepreneurs indépendants, au sens du même article, à un moment où une approbation du ministre pour l'application de l'article 178.3 à la personne est en vigueur;

b) la totalité ou la presque totalité des contreparties, incluses dans le calcul du revenu tiré d'une entreprise de la personne pour l'exercice, de fournitures déterminées vise des fournitures déterminées effectuées au profit de consommateurs;

c) la totalité ou la presque totalité des représentants commerciaux de la personne auxquels des commissions de réseau deviennent payables par la personne au cours de l'exercice sont des représentants commerciaux ayant chacun de telles commissions de réseau d'un total n'excédant pas le montant obtenu par la formule suivante :

$$30\,000\ \$ \times A/365$$

où :

A représente le nombre de jours de l'exercice;

d) la personne a fait, conjointement avec chacun de ses représentants commerciaux, le choix prévu au paragraphe (4).

Concordance québécoise: LTVQ, art. 297.0.4.

(3) Demande — Une personne peut demander au ministre, dans un document présenté en la forme déterminée par le ministre et contenant les renseignements déterminés par lui, que les dispositions du paragraphe (7) soient appliquées à elle et à chacun de ses représentants commerciaux à compter du premier jour de son exercice, à condition, à la fois :

a) qu'elle soit inscrite aux termes de la sous-section d de la section V et qu'il soit raisonnable de s'attendre :

(i) d'une part, à ce qu'elle exerce exclusivement des activités commerciales tout au long de l'exercice,

(ii) d'autre part, à ce qu'elle soit un vendeur de réseau admissible tout au long de l'exercice;

b) qu'elle présente la demande, selon les modalités déterminées par le ministre, avant celui des jours ci-après qui est applicable :

(i) si elle n'a jamais effectué de fournitures de ses produits déterminés, le jour de l'exercice où elle effectue une telle fourniture pour la première fois,

(ii) dans les autres cas, le premier jour de l'exercice.

Concordance québécoise: LTVQ, art. 297.0.5.

(4) Choix conjoint — Toute personne à laquelle le paragraphe (3) s'applique ou toute personne qui est un vendeur de réseau peut faire, conjointement avec son représentant commercial, un choix, dans un document établi en la forme déterminée par le ministre et contenant les renseignements déterminés par lui, afin que les dispositions du paragraphe (7) leur soient appliquées à tout moment où l'approbation accordée en application du paragraphe (5) est en vigueur.

Concordance québécoise: LTVQ, art. 297.0.6.

(5) Approbation ou refus — S'il reçoit d'une personne la demande visée au paragraphe (3), le ministre peut approuver l'application du paragraphe (7) à la personne et à chacun de ses représentants commerciaux à compter du premier jour d'un exercice de la personne ou la refuser. Dans un cas comme dans l'autre, il avise la personne de sa décision par écrit, précisant, dans le cas où la demande est approuvée, la date d'entrée en vigueur de l'approbation.

Concordance québécoise: LTVQ, art. 297.0.7.

(6) Preuve de choix conjoints — Tout vendeur de réseau est tenu de conserver des preuves, que le ministre estime acceptables, établissant qu'il a fait le choix prévu au paragraphe (4) conjointement avec chacun de ses représentants commerciaux.

Concordance québécoise: LTVQ, art. 297.0.8.

(7) Conséquences de l'approbation — Pour l'application de la présente partie, lorsque, à un moment où l'approbation accordée en application du paragraphe (5) à l'égard d'un vendeur de réseau et de chacun de ses représentants commerciaux est en vigueur, une commission de réseau devient payable par le vendeur à l'un de ses représentants commerciaux en contrepartie de la fourniture taxable d'un service (sauf une fourniture détaxée) que celui-ci a effectuée au Canada, la fourniture taxable est réputée ne pas être une fourniture.

Concordance québécoise: LTVQ, art. 297.0.9.

(8) Matériel de promotion — Pour l'application de la présente partie, est réputée ne pas être une fourniture la fourniture taxable de matériel de promotion d'un vendeur de réseau ou de son représentant commercial, que ceux-ci effectuent par vente au Canada au profit d'un représentant commercial du vendeur à un moment où l'approbation accordée en application du paragraphe (5) à l'égard du vendeur et de chacun de ses représentants commerciaux est en vigueur.

Concordance québécoise: LTVQ, art. 297.0.10.

(9) Service d'accueil — Pour l'application de la présente partie, lorsque, à un moment où l'approbation accordée en application du paragraphe (5) à l'égard d'un vendeur de réseau et de chacun de ses représentants commerciaux est en vigueur, le vendeur de réseau ou un représentant commercial donné de ce vendeur effectue la fourniture d'un bien au profit d'un particulier en contrepartie de la fourniture, par celui-ci, d'un service d'accueil lors d'une manifestation organisée afin de permettre à un représentant commercial du vendeur ou au représentant commercial donné, selon le cas, de promouvoir des produits déterminés du vendeur ou de prendre des mesures en vue de la vente de tels produits, le particulier est réputé ne pas avoir effectué une fourniture du service et le service est réputé ne pas être la contrepartie d'une fourniture.

Concordance québécoise: LTVQ, art. 297.0.11.

(10) Avis de refus — Toute personne qui reçoit du ministre un avis de refus selon le paragraphe (5) à un moment où elle a fait le choix prévu au paragraphe (4) conjointement avec son représentant commercial est tenue d'aviser celui-ci du refus sans délai, d'une manière que le ministre estime acceptable.

Concordance québécoise: LTVQ, art. 297.0.12.

(11) Retrait d'approbation par le ministre — Le ministre peut, à compter du premier jour d'un exercice d'un vendeur de réseau, retirer l'approbation accordée en application du paragraphe (5) si, avant ce jour, il avise le vendeur du retrait et de la date de son entrée en vigueur et si, selon le cas :

a) le vendeur ne se conforme pas aux dispositions de la présente partie;

b) il est raisonnable de s'attendre à ce que le vendeur ne soit pas un vendeur de réseau admissible tout au long de l'exercice;

c) le vendeur demande au ministre, par écrit, de retirer l'approbation;

d) le préavis mentionné au paragraphe 242(1) a été donné au vendeur ou la demande visée au paragraphe 242(2) a été présentée par lui;

e) il est raisonnable de s'attendre à ce que le vendeur n'exerce pas exclusivement des activités commerciales tout au long de l'exercice.

Concordance québécoise: LTVQ, art. 297.0.13.

(12) Retrait réputé — Lorsque l'approbation accordée en application du paragraphe (5) à l'égard d'un vendeur de réseau et de chacun de ses représentants commerciaux est en vigueur au cours d'un exercice donné du vendeur et que, au cours du même exercice, le vendeur cesse d'exercer exclusivement des activités commerciales ou le ministre annule l'inscription du vendeur, l'approbation est réputée être retirée, à compter du premier jour de l'exercice du vendeur qui suit l'exercice donné, sauf si, ce jour-là, le vendeur est inscrit aux termes de la sous-section d de la section V et il est raisonnable de s'attendre à ce qu'il exerce exclusivement des activités commerciales tout au long de l'exercice subséquent en cause.

Concordance québécoise: LTVQ, art. 297.0.14.

(13) Conséquences du retrait — En cas de retrait selon les paragraphes (11) ou (12) de l'approbation accordée en application du paragraphe (5) à l'égard d'un vendeur de réseau et de chacun de ses représentants commerciaux, les règles suivantes s'appliquent :

a) l'approbation cesse d'être en vigueur immédiatement avant le jour de l'entrée en vigueur de son retrait;

b) le vendeur est tenu d'aviser sans délai chacun de ses représentants commerciaux du retrait et de la date de son entrée en vigueur, d'une manière que le ministre estime acceptable;

c) toute approbation subséquente accordée en application du paragraphe (5) à l'égard du vendeur et de chacun de ses représentants commerciaux ne peut entrer en vigueur avant le premier jour d'un exercice du vendeur qui suit d'au moins deux ans la date où l'approbation cesse d'être en vigueur.

Concordance québécoise: LTVQ, art. 297.0.15.

(14) Défaut d'avis du retrait d'approbation — Pour l'application de la présente partie, la fourniture taxable d'un service (sauf une fourniture détaxée) effectuée au Canada par le représentant commercial d'un vendeur de réseau est réputée ne pas être une fourniture dans le cas où, à la fois :

a) la contrepartie de la fourniture constitue une commission de réseau qui devient payable par le vendeur au représentant commercial après la date où l'approbation accordée en application du paragraphe (5) cesse d'être en vigueur du fait qu'elle a été retirée par l'effet de l'un des alinéas (11)a) à c);

b) l'approbation n'aurait pas pu être retirée par l'effet des alinéas (11)d) ou e) et n'aurait pas été retirée par ailleurs en vertu du paragraphe (12);

c) au moment où la commission de réseau devient payable, le représentant commercial, à la fois :

(i) n'a pas été avisé du retrait par le vendeur, comme celui-ci est tenu de le faire selon l'alinéa (13)b), ou par le ministre,

(ii) ne sait pas ni ne devrait savoir que l'approbation a cessé d'être en vigueur;

d) aucun montant n'a été exigé ni perçu au titre de la taxe relative à la fourniture.

Concordance québécoise: LTVQ, art. 297.0.16.

(15) Défaut d'avis du retrait d'approbation — Le paragraphe (16) s'applique dans le cas où les conditions suivantes sont réunies :

a) la contrepartie de la fourniture taxable d'un service (sauf une fourniture détaxée) effectuée au Canada par le représentant commercial d'un vendeur de réseau constitue une commission de réseau qui devient payable par le vendeur au représentant commercial après la date où l'approbation accordée en application du paragraphe (5) cesse d'être en vigueur du fait qu'elle a été retirée en vertu des paragraphes (11) ou (12);

b) l'approbation a été retirée par l'effet des alinéas (11)d) ou e) ou aurait pu l'être par ailleurs à tout moment, ou elle a été retirée en vertu du paragraphe (12) ou l'aurait été par ailleurs à tout moment;

c) au moment où la commission de réseau devient payable, le représentant commercial, à la fois :

(i) n'a pas été avisé du retrait par le vendeur, comme celui-ci est tenu de le faire selon l'alinéa (13)b), ou par le ministre,

(ii) ne sait pas ni ne devrait savoir que l'approbation a cessé d'être en vigueur;

d) aucun montant n'a été exigé ni perçu au titre de la taxe relative à la fourniture.

Concordance québécoise: LTVQ, art. 297.0.17.

(16) Défaut d'avis du retrait d'approbation — Si les conditions énoncées aux alinéas (15)a) à d) sont réunies, les règles ci-après s'appliquent à la présente partie :

a) l'article 166 ne s'applique pas relativement à la fourniture taxable visée à l'alinéa (15)a);

b) la taxe qui devient payable relativement à cette fourniture, ou qui le deviendrait en l'absence de l'article 166, n'est pas incluse dans le calcul de la taxe nette du représentant commercial mentionné à l'alinéa (15)a);

c) la contrepartie de cette fourniture n'est pas incluse dans le total visé aux alinéas 148(1)a) ou (2)a) lorsqu'il s'agit de déterminer si le représentant commercial est un petit fournisseur.

Concordance québécoise: LTVQ, art. 297.0.18.

(17) Matériel de promotion — retrait d'approbation — Pour l'application de la présente partie, la fourniture taxable de matériel de promotion d'un représentant commercial donné d'un vendeur de réseau effectuée au Canada par vente au profit d'un autre représentant commercial du vendeur est réputée ne pas être une fourniture si, à la fois :

a) la contrepartie de la fourniture devient payable après la date où l'approbation accordée en application du paragraphe (5) cesse d'être en vigueur du fait qu'elle a été retirée en vertu des paragraphes (11) ou (12);

b) au moment où la contrepartie devient payable, le représentant commercial donné, à la fois :

(i) n'a pas été avisé du retrait par le vendeur, comme celui-ci est tenu de le faire selon l'alinéa (13)b), ou par le ministre,

(ii) ne sait pas ni ne devrait savoir que l'approbation a cessé d'être en vigueur;

c) aucun montant n'a été exigé ni perçu au titre de la taxe relative à la fourniture.

Concordance québécoise: LTVQ, art. 297.0.19.

(18) Restriction applicable au crédit de taxe sur les intrants — Dans le cas où les conditions suivantes sont réunies :

a) un inscrit — vendeur de réseau à l'égard duquel l'approbation accordée en application du paragraphe (5) est en vigueur — acquiert, importe ou transfère dans une province participante un bien (à l'exception d'un produit déterminé du vendeur) ou un service pour le fournir à un représentant commercial du vendeur ou à un particulier qui est lié au représentant commercial,

b) la taxe devient payable relativement à l'acquisition, à l'importation ou au transfert,

c) la fourniture est effectuée à titre gratuit ou pour une contrepartie inférieure à la juste valeur marchande du bien ou du service,

d) le représentant commercial ou le particulier n'acquiert pas le bien ou le service pour consommation, utilisation ou fourniture exclusivement dans le cadre de ses activités commerciales,

les règles suivantes s'appliquent :

e) aucune taxe n'est payable relativement à la fourniture;

f) aucun montant n'est inclus dans le calcul du crédit de taxe sur les intrants de l'inscrit au titre de la taxe qui devient payable par lui, ou qui est payée par lui sans qu'elle soit devenue payable, relativement au bien ou au service.

Concordance québécoise: LTVQ, art. 297.0.20.

(19) Biens réservés aux représentants commerciaux — Pour l'application de la présente partie, l'inscrit — vendeur de réseau à l'égard duquel l'approbation accordée en application du paragraphe (5) est en vigueur — qui réserve, à un moment donné, un bien (à l'exception d'un produit déterminé du vendeur) acquis, fabriqué ou produit dans le cadre de ses activités commerciales, ou un service acquis ou exécuté dans ce cadre, à l'usage de l'un de ses représentants commerciaux, ou d'un particulier qui est lié à celui-ci, qui n'acquiert pas le bien ou le service pour consommation, utilisation ou fourniture exclusivement dans le cadre de ses activités commerciales de quelque manière que ce soit mais autrement que par fourniture pour une contrepartie égale à la juste valeur marchande du bien ou du service, est réputé :

a) avoir fourni le bien ou le service pour une contrepartie payée au moment donné et égale à la juste valeur marchande du bien ou du service à ce moment;

b) sauf dans le cas d'une fourniture exonérée, avoir perçu, à ce moment et relativement à la fourniture, la taxe calculée sur cette contrepartie.

Concordance québécoise: LTVQ, art. 297.0.21, al. 1.

(20) Exception — Le paragraphe (19) ne s'applique pas aux biens ou aux services réservés par l'inscrit mais pour lesquels celui-ci ne peut demander de crédit de taxe sur les intrants par l'effet de l'article 170.

Concordance québécoise: LTVQ, art. 297.0.21, al. 2.

(21) Cessation — Lorsque le représentant commercial d'un vendeur de réseau cesse d'être un inscrit à un moment où l'approbation accordée en application du paragraphe (5) est en vigueur, l'alinéa 171(3)a) ne s'applique pas au matériel de promotion du représentant commercial qui lui a été fourni par le vendeur ou par un autre représentant commercial de celui-ci à un moment où l'approbation était en vigueur.

Concordance québécoise: LTVQ, art. 297.0.22.

(22) Fourniture entre personnes ayant un lien de dépendance — L'article 155 ne s'applique pas à la fourniture visée au paragraphe (9) effectuée au profit d'un particulier qui fournit un service d'accueil.

Concordance québécoise: LTVQ, art. 297.0.23.

Notes historiques: L'article 178 a été réintroduit par L.C. 2010, c. 12, par. 59(1) et s'applique relativement aux exercices d'une personne commençant après 2009. Toutefois, pour l'application de l'article 178 relativement à un exercice d'une personne commençant en 2010, il faut également tenir compte des règles suivantes :

a) malgré les sous-alinéas 178(3)b)(i) et (ii), une personne peut demander aux termes du paragraphe 178(3) que les dispositions du paragraphe 178(7) soient appliquées à elle et à chacun de ses représentants commerciaux à compter d'un jour en 2010 qu'elle précise dans la demande, si elle produit cette demande avant ce jour et que ce jour correspond au premier jour d'une de ses périodes de déclaration commençant dans l'exercice;

b) si la personne fait une demande conformément à l'alinéa a) :

(i) la mention « exercice » aux paragraphes 178(2), (3), (5) et (11) vaut mention de « période admissible »,

(ii) les mentions « exercice donné » et « même exercice » au paragraphe 178(12) valent mention respectivement de « période admissible » et « même période »;

c) est une « période admissible » d'une personne la période commençant le jour qui est précisé dans une demande faite par la personne conformément à l'alinéa a) et se terminant le dernier jour de l'exercice.

L'article 178 a été abrogé par L.C. 1997, c. 10, par. 27(1) et cette abrogation est réputée entrée en vigueur le 24 avril 1996. Il se lisait comme suit :

178. Pour l'application de la présente partie, la somme que l'acquéreur d'un service rembourse au fournisseur pour les frais que celui-ci a engagés lors de la fourniture, sauf dans la mesure où il engage ces frais à titre de mandataire de l'acquéreur, est réputée faire partie de la contrepartie de la fourniture.

Cet article a été ajouté par L.C. 1990, c. 45, par 12(1).

Définitions [par. 178]: « province participante » — 123(1).

Info TPS/TVQ [art. 178]: GI-052 — *Secteurs du démarchage — la méthode pour les vendeurs de réseau à l'intention des vendeurs de réseau et des représentants commerciaux.*

Démarcheurs

178.1 Définitions — Les définitions qui suivent s'appliquent au présent article ainsi qu'aux articles 178.2 à 178.5.

« acheteur » Personne qui acquiert un produit exclusif d'un démarcheur à une fin autre que sa fourniture pour une contrepartie.

Notes historiques: La définition de « acheteur » à l'article 178.1 a été ajoutée par L.C. 1993, c. 27, par. 43(1) et est réputée entrée en vigueur le 17 décembre 1990.

Concordance québécoise: LTVQ, art. 297.1« acheteur ».

« démarcheur » Personne qui vend ses produits exclusifs à ses entrepreneurs indépendants.

Notes historiques: La définition de « démarcheur » à l'article 178.1 a été ajoutée par L.C. 1993, c. 27, par. 43(1) et est réputée entrée en vigueur le 17 décembre 1990.

Concordance québécoise: LTVQ, art. 297.1« démarcheur ».

Info TPS/TVQ [art. 178.1« démarcheur »]: GI-069 — *Transition à la taxe de vente harmonisée de l'Ontario et de la Colombie-Britannique — les démarcheurs et les entrepreneurs indépendants.*

« distributeur » Entrepreneur indépendant d'un démarcheur qui, dans le cadre de son entreprise et après avoir acquis des produits exclusifs du démarcheur, les vend en tout ou en partie à d'autres entrepreneurs indépendants du démarcheur.

Notes historiques: La définition de « distributeur » à l'article 178.1 a été ajoutée par L.C. 1993, c. 27, par. 43(1) et est réputée entrée en vigueur le 17 décembre 1990.

Concordance québécoise: LTVQ, art. 297.1« distributeur ».

« entrepreneur indépendant » Est l'entrepreneur indépendant d'un démarcheur la personne, sauf un mandataire ou un salarié du démarcheur ou de son distributeur, qui répond aux conditions suivantes :

a) elle a le droit contractuel d'acheter des produits exclusifs du démarcheur de celui-ci ou de son distributeur;

b) elle achète des produits exclusifs du démarcheur en vue de les vendre à d'autres entrepreneurs indépendants de celui-ci ou à des acheteurs;

c) les démarches précontractuelles et la conclusion de contrats en vue de vendre les produits exclusifs du démarcheur à des acheteurs ne se font pas principalement à son installation fixe, sauf s'il s'agit d'une résidence privée.

Notes historiques: La définition de « entrepreneur indépendant » à l'article 178.1 a été ajoutée par L.C. 1993, c. 27, par. 43(1) et est réputée entrée en vigueur le 17 décembre 1990.

Concordance québécoise: LTVQ, art. 297.1« entrepreneur indépendant ».

Info TPS/TVQ [art. 178.1« entrepreneur indépendant »]: GI-069 — *Transition à la taxe de vente harmonisée de l'Ontario et de la Colombie-Britannique — les démarcheurs et les entrepreneurs indépendants.*

« matériel de promotion » S'agissant du matériel de promotion d'une personne qui est un démarcheur ou l'entrepreneur indépendant d'un démarcheur :

a) biens — imprimés commerciaux sur commande ou échantillons, trousses de démonstration, articles promotionnels ou pédagogiques, catalogues ou autres articles semblables — qu'une personne acquiert, fabrique ou produit en vue de les vendre pour faciliter la promotion, la vente ou la distribution de produits exclusifs du démarcheur, à l'exclusion d'un produit exclusif du démarcheur et du bien que la personne vend, ou tient en vue de vendre, à un entrepreneur indépendant du démarcheur qui acquiert le bien pour utilisation à titre d'immobilisation;

b) service d'exécution des commandes, d'expédition ou de manutention d'un bien visé à l'alinéa a) ou d'un produit exclusif du démarcheur.

Notes historiques: La définition de « matériel de promotion » à l'article 178.1 a été remplacée par L.C. 2000, c. 30, par. 29(1) et cette modification est réputée entrée en vigueur le 24 février 1998. Toutefois, l'alinéa b) ne s'applique à un service que si aucune partie de la contrepartie de sa fourniture n'est devenue due ou n'a été payée avant le 25 février 1998. Antérieurement, cette définition se lisait comme suit :

« matériel de promotion » Biens meubles — imprimés commerciaux sur commande ou échantillons, trousses de démonstration, articles promotionnels ou pédagogiques, catalogues ou autres articles semblables — qu'une personne — démarcheur ou entrepreneur indépendant de celui-ci — acquiert, fabrique ou produit en vue de les vendre pour faciliter la promotion, la vente ou la distribution de produits exclusifs du démarcheur n'est pas du matériel de promotion le produit exclusif du démarcheur ou le bien que la personne vend, ou tient en vue de vendre, à un entrepreneur indépendant du démarcheur, qui acquiert le bien pour utilisation comme immobilisation.

Cette définition a été ajoutée par L.C. 1993, c. 27, par. 43(1) et est réputée entrée en vigueur le 17 décembre 1990. Toutefois, pour son application avant avril 1993, cette définition doit se lire comme suit :

« matériel de promotion » Biens meubles — échantillons, trousses de démonstration, articles promotionnels ou pédagogiques, catalogues, imprimés commerciaux sur commande ou autres articles semblables — fournis par un démarcheur ou par son entrepreneur indépendant pour faciliter la promotion, la vente ou la distribution de produits exclusifs du démarcheur.

L'exception ci-dessus ne s'applique pas pour déterminer si une personne est un petit fournisseur aux fins du paragraphe 242(2.2), tel qu'édicté par L.C. 1993, c. 27, par. 102(2).

Concordance québécoise: LTVQ, art. 297.1« matériel de promotion ».

« prix de vente au détail suggéré » Prix le plus bas d'un produit exclusif d'un démarcheur à un moment donné, annoncé par ce dernier et applicable aux fournitures du produit effectuées à ce moment au profit d'acheteurs, à l'exclusion de tout montant au titre de la taxe.

Notes historiques: La définition de « prix de vente au détail suggéré » à l'article 178.1 a été ajoutée par L.C. 1993, c. 27, par. 43(1) et est réputée entrée en vigueur le 17 décembre 1990.

Concordance québécoise: LTVQ, art. 297.1« prix de vente au détail suggéré ».

« produit exclusif » Bien meuble qu'un démarcheur acquiert, fabrique ou produit en vue de le vendre, dans le cours normal de son entreprise, à l'un de ses entrepreneurs indépendants, dans l'attente que le bien soit vendu pour une contrepartie, autrement qu'à titre de bien d'occasion, par un de ses entrepreneurs indépendants dans le cours normal de l'entreprise de celui-ci, à une personne qui n'est pas un entrepreneur indépendant du démarcheur.

Notes historiques: La définition de « produit exclusif » à l'article 178.1 a été ajoutée par L.C. 1993, c. 27, par. 43(1) et est réputée entrée en vigueur le 17 décembre 1990. Toutefois, pour son application avant avril 1993, cette définition doit se lire comme suit :

> « produit exclusif » Bien meuble d'une personne, sauf du matériel de promotion, que la personne vend à ses entrepreneurs indépendants.

L'exception ci-dessus ne s'applique pas pour déterminer si une personne est un petit fournisseur aux fins du paragraphe 242(2.2), tel qu'édicté par L.C. 1993, c. 27, par. 102(2).

Concordance québécoise: LTVQ, art. 297.1« produit exclusif ».

« taxe provinciale applicable » Tout montant qu'il est raisonnable d'imputer à des frais, droits ou taxes imposés en application d'une loi provinciale et visés par règlement pris pour l'application de l'article 154.

Notes historiques: La définition de « taxe provinciale applicable » à l'article 178.1 a été ajoutée par L.C. 2000, c. 30, par. 29(2) et est réputée entrée en vigueur le 24 février 1998.

Concordance québécoise: aucune.

Définitions [art. 178.1« taxe provinciale applicable »]: « bien meuble », « contrepartie », « entreprise », « exclusif », « fourniture », « immobilisation », « importation », « montant », « personne », « salarié », « taxe », « vente » — 123(1).

Renvois [art. 178.1« taxe provinciale applicable »]: 120(3.2) (remboursement de la taxe de vente à l'inventaire).

Énoncés de politique [art. 178.1« taxe provinciale applicable »]: P-182R, 28/08/03, *Du mandat.*

Série de mémorandums [art. 178.1« taxe provinciale applicable »]: Mémorandum 1.5, 09/94, *Définitions*; Mémorandum 14.1, 01/95, *Démarcheurs*, par. 4-11 et 61.

Info TPS/TVQ [art. 178.1« taxe provinciale applicable »]: GI-019 — *Livreurs de journaux*; GI-023 — *Matériel de promotion des démarcheurs.*

178.2 (1) Demande concernant la méthode simplifiée — Le démarcheur qui est un inscrit peut demander au ministre que lui soient appliquées les dispositions de l'article 178.3. La demande est présentée en la forme et selon les modalités déterminées par le ministre, avec les renseignements requis.

Notes historiques: Le paragraphe 178.2(1) a été ajouté par L.C. 1993, c. 27, par. 43(1) et est réputé entré en vigueur le 17 décembre 1990.

Concordance québécoise: LTVQ, art. 297.1.1.

(2) Demande conjointe — Le démarcheur et son distributeur qui sont des inscrits peuvent demander au ministre que leur soient appliquées les dispositions de l'article 178.4. La demande est présentée conjointement en la forme et selon les modalités déterminées par le ministre, avec les renseignements requis.

Notes historiques: Le paragraphe 178.2(2) a été ajouté par L.C. 1993, c. 27, par. 43(1) et est réputé entré en vigueur le 17 décembre 1990.

Concordance québécoise: LTVQ, art. 297.1.2.

(3) Approbation — Le ministre peut, par écrit, approuver la demande visée au paragraphe (1). Le cas échéant, il avise par écrit le démarcheur de l'approbation et de la date de son entrée en vigueur.

Notes historiques: Le paragraphe 178.2(3) a été ajouté par L.C. 1993, c. 27, par. 43(1) et est réputé entré en vigueur le 17 décembre 1990.

Concordance québécoise: LTVQ, art. 297.1.3.

(4) Approbation de demande conjointe — Le ministre peut, par écrit, approuver la demande conjointe visée au paragraphe (2). Le cas échéant, il avise par écrit le démarcheur et le distributeur de l'approbation et de la date de son entrée en vigueur.

Notes historiques: Le paragraphe 178.2(4) a été ajouté par L.C. 1993, c. 27, par. 43(1) et est réputé entré en vigueur le 17 décembre 1990.

Concordance québécoise: LTVQ, art. 297.1.4.

Bulletins de l'information technique [art. 178.2(4)]: B-XX5, 09/11, *Taxe de vente harmonisée Autocotisation de la partie provinciale de la TVH à l'égard des biens et services transférés dans une province participante*.

(5) Présomption d'approbation — Lorsque l'approbation accordée en application du paragraphe (4) relativement au distributeur d'un démarcheur entre en vigueur à un moment où une approbation relative au démarcheur pour l'application de l'article 178.3 ne serait pas en vigueur sans le présent paragraphe, et qu'aucune autre approbation accordée en application de ce paragraphe relativement à quelque distributeur du démarcheur n'est en vigueur à ce moment, le démarcheur est réputé, pour l'application du présent article et des articles 178.3 à 178.5, avoir obtenu l'approbation visée au paragraphe (3), laquelle entre en vigueur immédiatement avant ce moment.

Notes historiques: Le paragraphe 178.2(5) a été ajouté par L.C. 1993, c. 27, par. 43(1) et est réputé entré en vigueur le 17 décembre 1990.

Concordance québécoise: LTVQ, art. 297.1.5.

(6) Retrait d'approbation — Le ministre peut, à compter d'un jour donné, retirer l'approbation accordée en application du paragraphe (3) relativement à un démarcheur lorsqu'une approbation accordée en application du paragraphe (4) relativement à un distributeur du démarcheur n'est pas en vigueur ce jour-là et que le démarcheur, selon le cas :

a) ne se conforme pas aux dispositions de la présente partie;

b) sauf si la présomption prévue par le paragraphe (5) s'applique, demande au ministre, par écrit, de retirer l'approbation.

Le cas échéant, le ministre avise par écrit le démarcheur du retrait et de la date de son entrée en vigueur.

Notes historiques: Le paragraphe 178.2(6) a été ajouté par L.C. 1993, c. 27, par. 43(1) et est réputé entré en vigueur le 17 décembre 1990.

Concordance québécoise: LTVQ, art. 297.1.6.

(7) Idem — Le ministre peut retirer l'approbation accordée en application du paragraphe (4) à la demande écrite et conjointe du démarcheur et du distributeur ou lorsque ce dernier ne se conforme pas aux dispositions de la présente partie. Le ministre avise par écrit le démarcheur et le distributeur du retrait et de la date de son entrée en vigueur.

Notes historiques: Le paragraphe 178.2(7) a été ajouté par L.C. 1993, c. 27, par. 43(1) et est réputé entré en vigueur le 17 décembre 1990.

Concordance québécoise: LTVQ, art. 297.1.7.

(8) Cessation — L'approbation accordée en application du paragraphe (3) cesse d'être en vigueur au premier en date des jours suivants :

a) le jour où le démarcheur cesse d'être un inscrit;

b) le jour où l'approbation accordée en application du paragraphe (4) cesse d'être en vigueur et où aucune autre approbation accordée en application de ce paragraphe n'est en vigueur;

c) le jour de l'entrée en vigueur du retrait de l'approbation prévu au paragraphe (6).

Notes historiques: Le paragraphe 178.2(8) a été ajouté par L.C. 1993, c. 27, par. 43(1) et est réputé entré en vigueur le 17 décembre 1990.

Concordance québécoise: LTVQ, art. 297.1.8.

(9) Idem — L'approbation accordée en application du paragraphe (4) cesse d'être en vigueur au premier en date des jours suivants :

a) le jour où le démarcheur cesse d'être un inscrit;

b) le jour où le distributeur cesse d'être un inscrit;

c) le jour de l'entrée en vigueur du retrait de l'approbation prévu au paragraphe (7).

Notes historiques: Le paragraphe 178.2(9) a été ajouté par L.C. 1993, c. 27, par. 43(1) et est réputé entré en vigueur le 17 décembre 1990.

Concordance québécoise: LTVQ, art. 297.1.9.

Définitions [art. 178.2]: « inscrit », « ministre », « règlement » — 123(1); « démarcheur », « distributeur » — 178.1.

Renvois [art. 178.2]: 120(3.1), (3.2) (remboursement de la taxe de vente à l'inventaire); 178.3 (conséquences de l'approbation pour le démarcheur); 178.4 (conséquences de l'approbation pour le distributeur); 178.5 (produits détenus et fournitures); 242(2.2) (annulation de l'inscription de l'entrepreneur indépendant).

Série de mémorandums [art. 178.2]: Mémorandum 14.1, 01/95, *Démarcheurs*, par 4, 12–23, annexe.

Info TPS/TVQ [art. 178.2]: GI-125 — *Secteur du démarchage : La méthode facultative de perception à l'intention des démarcheurs autorisés et des distributeurs autorisés*; GI-126 — *Secteur du démarchage : La méthode facultative de perception à l'intention des entrepreneurs indépendants*.

178.3 (1) Conséquences de l'approbation pour le démarcheur — Pour l'application de la présente partie, lorsque le démarcheur auquel le présent article s'applique du fait qu'une approbation du ministre à cet effet est en vigueur effectue au Canada, au profit de son entrepreneur indépendant — qui n'est pas un distributeur à l'égard duquel l'approbation accordée en application du paragraphe 178.2(4) est alors en vigueur ou entre en vigueur immédiatement après la fourniture —, la fourniture taxable par vente, sauf une fourniture détaxée, de son produit exclusif, les règles suivantes s'appliquent :

a) la fourniture est réputée avoir été effectuée pour une contrepartie qui, à la fois :

(i) devient due, et est payée, dès le moment où une partie de la contrepartie de la fourniture devient due ou est payée,

(ii) correspond au prix de vente au détail suggéré du produit au moment de la fourniture;

b) la taxe est réputée ne pas être payable par l'entrepreneur relativement à la fourniture;

c) l'entrepreneur n'a pas droit à un remboursement en vertu de l'article 261 relativement à la fourniture;

d) est ajouté dans le calcul de la taxe nette du démarcheur pour sa période de déclaration qui comprend le moment visé au sous-alinéa a)(i) un montant égal à la taxe calculée sur le prix de vente au détail suggéré du produit au moment de la fourniture.

Notes historiques: Le paragraphe 178.3(1) a été ajouté par L.C. 1993, c. 27, par. 43(1) et est réputé entré en vigueur le 17 décembre 1990. Toutefois, pour son application à une fourniture dont une partie de la contrepartie est devenue due ou a été payée avant avril 1993, le passage du paragraphe 178.3(1) qui suit l'alinéa c) se lit comme suit :

d) est ajouté dans le calcul de la taxe nette du démarcheur pour sa période de déclaration qui comprend le moment visé au sous-alinéa a)(i) un montant égal à la taxe calculée sur le prix de vente au détail suggéré du produit au moment de la fourniture;

e) le démarcheur est réputé avoir reçu de l'entrepreneur au moment visé au sous-alinéa a)(i), et l'entrepreneur, avoir effectué au profit du démarcheur à ce moment, la fourniture taxable d'un service pour une contrepartie, qui devient due et est payée à ce moment, égale au résultat du calcul suivant :

$$A + (A \times B) - C$$

où :

A représente le prix de vente au détail suggéré du produit au moment où le démarcheur fournit le produit à l'entrepreneur,

B le taux de la taxe imposée selon le paragraphe 165(1),

C la contrepartie, déterminée compte non tenu de l'alinéa a), de cette fourniture du produit.

Pour déterminer si une personne est un petit fournisseur aux fins du paragraphe 242(2.2), tel qu'édicté par L.C. 1993, c. 27, par. 102(2), le paragraphe 178.3(1) est réputé entré en vigueur le 17 décembre 1990, sans tenir compte des exceptions ci-dessus.

Concordance québécoise: LTVQ, art. 297.2.

Bulletins de l'information technique [art. 178.3(1)]: B-XX5, 09/11, *Taxe de vente harmonisée Autocotisation de la partie provinciale de la TVH à l'égard des biens et services transférés dans une province participante* .

Info TPS/TVQ [art. 178.3(1)]: GI-069 — *Transition à la taxe de vente harmonisée de l'Ontario et de la Colombie-Britannique — les démarcheurs et les entrepreneurs indépendants*.

(2) Idem — Lorsque l'entrepreneur indépendant donné d'un démarcheur auquel le présent article s'applique du fait qu'une approbation du ministre à cet effet en est vigueur effectue au Canada la fourniture taxable par vente, sauf une fourniture exonérée, d'un produit exclusif du démarcheur et que l'entrepreneur n'est pas un distributeur à l'égard duquel l'approbation accordée en application du paragraphe 178.2(4), à la suite de la demande faite conjointement avec le démarcheur, est alors en vigueur ou entre en vigueur immédiatement après la fourniture, les règles suivantes s'appliquent si le paragraphe (1) s'est appliqué à une fourniture antérieure du produit ou si le paragraphe 178.5(1) s'est déjà appliqué au produit :

a) si l'acquéreur de la fourniture est un autre entrepreneur indépendant du démarcheur, la fourniture est réputée, pour l'application de la présente partie, exception faite de l'article 178.1 et du présent article, ne pas avoir été effectuée par l'entrepreneur donné et ne pas avoir été reçue par l'autre entrepreneur,

b) si l'acquéreur de la fourniture n'est pas le démarcheur ni un autre entrepreneur indépendant du démarcheur :

(i) la fourniture est réputée, pour l'application de la présente partie, exception faite de l'article 178.1 et des paragraphes (4) à (6) et 178.5(7), être une fourniture taxable effectuée par le démarcheur, et non par l'entrepreneur donné, pour une contrepartie égale à la contrepartie réelle de la fourniture ou, s'il est inférieur, au prix de vente au détail suggéré du produit au moment de sa fourniture,

(ii) toute taxe relative à la fourniture du produit qui est perçue par l'entrepreneur donné est réputée avoir été perçue pour le compte du démarcheur,

(iii) la taxe relative à la fourniture du produit n'est pas incluse dans le calcul de la taxe nette du démarcheur pour une période de déclaration.

Notes historiques: Le paragraphe 178.3(2) a été ajouté par L.C. 1993, c. 27, par. 43(1) et est réputé entré en vigueur le 17 décembre 1990. Toutefois, pour son application à une fourniture dont une partie de la contrepartie est devenue due ou a été payée avant avril 1993, l'alinéa 178.3(2)a) se lit comme suit :

a) si l'acquéreur de la fourniture est un autre entrepreneur indépendant du démarcheur :

(i) la fourniture est réputée, pour l'application de la présente partie, exception faite de l'article 178.1 et du présent article, ne pas avoir été effectuée par l'entrepreneur donné et ne pas avoir été reçue par l'autre entrepreneur,

(ii) pour l'application de la présente partie, l'entrepreneur donné est réputé avoir reçu de l'autre entrepreneur et celui-ci, avoir effectué au profit de l'entrepreneur donné, dès le moment où un montant devient dû ou est payé en contrepartie de la fourniture du produit, la fourniture taxable d'un service pour une contrepartie, qui devient due et est payée à ce moment, égale au résultat du calcul suivant :

$$A + (A \times B) - C$$

où :

A représente le prix de vente au détail suggéré du produit au moment de sa fourniture,

B le taux de la taxe imposée selon le paragraphe 165(1),

C la contrepartie de la fourniture du produit [L.C. 1993, c. 27, s-al. 43(2)c)(i)];

Le sous-alinéa 178.3(2)b)(i) a été modifié par L.C. 1997, c. 10, par. 170(1) et cette modification est entrée en vigueur le 1er avril 1997. Il se lisait auparavant comme suit :

(i) la fourniture est réputée, pour l'application de la présente partie, exception faite de l'article 178.1 et des paragraphes 178.3(4) et 178.5(7), être une fourniture taxable effectuée par le démarcheur, et non par l'entrepreneur donné, pour une contrepartie égale au moins élevé de la contrepartie réelle de la fourniture et du prix de vente au détail suggéré du produit au moment de sa fourniture,

Également, pour l'application du paragraphe 178.3(2) à une fourniture dont une partie de la contrepartie est devenue due ou a été payée avant avril 1993, le sous-alinéa 178.3(2)b)(i) se lisait comme suit :

(i) la fourniture est réputée, pour l'application de la présente partie, exception faite de l'article 178.1, être une fourniture effectuée par le démarcheur, et non par l'entrepreneur donné, pour une contrepartie égale au prix de vente au détail suggéré du produit au moment de sa fourniture taxable,[L.C. 1993, c. 27, s-al. 43(2)c)(ii)]

Pour déterminer si une personne est un petit fournisseur aux fins du paragraphe 242(2.2), tel qu'édicté par L.C. 1993, c. 27, par. 102(2), le paragraphe 178.3(2) est réputé entré en vigueur le 17 décembre 1990, sans tenir compte des exceptions ci-dessus.

Concordance québécoise: LTVQ, art. 297.5.

(3) Redressement de la taxe nette du démarcheur — Pour l'application de la présente partie, lorsqu'un démarcheur fournit son produit exclusif dans des circonstances telles qu'un montant est à ajouter en vertu de l'alinéa (1)d) dans le calcul de sa taxe nette et que son entrepreneur indépendant lui fournit par la suite le produit au cours d'une période de déclaration du démarcheur, les règles suivantes s'appliquent :

a) l'entrepreneur est réputé ne pas avoir ainsi fourni le produit;

b) le montant peut être déduit, dans le calcul de la taxe nette du démarcheur pour la période de déclaration en question ou pour une période de déclaration postérieure, dans une déclaration qu'il produit aux termes de la section V dans les quatre ans suivant le jour où la déclaration visant la période de déclaration en question est à produire aux termes de cette section.

Notes historiques: Le paragraphe 178.3(3) a été modifié par L.C. 1997, c. 10, par. 28(1) et cette modification s'applique aux déductions relatives aux fournitures de produits exclusifs effectuées par des entrepreneurs indépendants après juin 1996. Il se lisait comme suit :

(3) Pour l'application de la présente partie, lorsqu'un démarcheur fournit son produit exclusif dans des circonstances telles qu'un montant doit être ajouté en vertu de l'alinéa (1)d) dans le calcul de sa taxe nette, et que son entrepreneur indépendant lui fournit par la suite le produit au cours d'une période de déclaration du démarcheur, l'entrepreneur est réputé ne pas avoir ainsi fourni le produit, et le montant est déductible dans le calcul de la taxe nette du démarcheur pour la période de déclaration en question ou pour une période de déclaration postérieure se terminant au plus tard quatre ans après le jour où cette période prend fin.

Ce paragraphe a été ajouté par L.C. 1993, c. 27, par. 43(1) et est réputé entré en vigueur le 17 décembre 1990.

Concordance québécoise: LTVQ, art. 297.6.

(4) Redressement de la taxe nette du démarcheur — Un démarcheur peut déduire le montant déterminé selon l'alinéa c), dans le calcul de sa taxe nette pour sa période de déclaration donnée au cours de laquelle il verse ce montant à son entrepreneur indépendant, ou le porte à son crédit, ou pour une période de déclaration postérieure, dans une déclaration qu'il produit aux termes de la section V dans les quatre ans suivant le jour où la déclaration visant la période de déclaration donnée est à produire aux termes de cette section, si les conditions suivantes sont réunies :

a) le démarcheur fournit, à un moment donné, l'un de ses produits exclusifs dans des circonstances telles qu'un montant est à ajouter en vertu de l'alinéa (1)d) dans le calcul de sa taxe nette;

b) après mars 1993, l'entrepreneur, selon le cas :

(i) effectue une fourniture du produit qui est :

(A) soit une fourniture détaxée,

(B) soit une fourniture effectuée à l'étranger,

(C) soit une fourniture à l'égard de laquelle l'acquéreur n'est pas tenu, par l'effet d'une loi fédérale, de payer de taxe,

(ii) fournit le produit à une personne autre qu'un entrepreneur indépendant du démarcheur, pour une contrepartie non négligeable mais inférieure à son prix de vente au détail suggéré au moment donné et sur laquelle est calculée la taxe payée par la personne,

(iii) fournit le produit à une personne autre qu'un entrepreneur indépendant du démarcheur à titre gratuit ou pour une contrepartie négligeable ou réserve le produit pour sa consommation ou son utilisation personnelles;

c) le démarcheur verse à l'entrepreneur, ou porte à son crédit, le montant suivant relatif au produit :

(i) en cas d'application du sous-alinéa b)(i), la taxe calculée sur le prix de vente au détail suggéré du produit au moment donné,

(ii) en cas d'application des sous-alinéas b)(ii) ou (iii), le résultat du calcul suivant :

$$A - B$$

où :

A représente la taxe calculée sur le prix de vente au détail suggéré du produit au moment donné,

B représente :

(A) en cas d'application du sous-alinéa b)(ii), la taxe calculée sur la contrepartie de la fourniture effectuée par l'entrepreneur,

(B) en cas d'application du sous-alinéa b)(iii), la taxe calculée sur la contrepartie, déterminée compte non tenu de l'alinéa (1)a), de la fourniture à l'entrepreneur.

Notes historiques: Le préambule 178.3(4) a été modifié par L.C. 1997, c. 10, par. 28(2) et cette modification s'applique aux déductions relatives aux fournitures de produits exclusifs effectuées par des entrepreneurs indépendants après juin 1996. Le préambule du paragraphe 178.3(4) se lisait auparavant comme suit :

(4) Un démarcheur peut déduire le montant déterminé selon l'alinéa c) dans le calcul de sa taxe nette pour sa période de déclaration donnée au cours de laquelle il verse ce montant à son entrepreneur indépendant, ou le porte à son crédit, ou pour une période de déclaration postérieure se terminant au plus tard quatre ans après le jour où la période donnée prend fin, si les conditions suivantes sont réunies :

Le paragraphe 178.3(4) a été ajouté par L.C. 1993, c. 27, par. 43(1), est réputé entré en vigueur le 17 décembre 1990.

Concordance québécoise: LTVQ, art. 297.7.

(5) Redressement pour fourniture en dehors d'une province participante — Un démarcheur peut déduire le montant déterminé selon l'alinéa d) dans le calcul de sa taxe nette pour sa période de déclaration donnée au cours de laquelle il verse ce montant à son entrepreneur indépendant, ou le porte à son crédit, ou pour une période de déclaration postérieure, dans une déclaration qu'il produit aux termes de la section V dans les quatre ans suivant la date limite où il est tenu de produire aux termes de cette section la déclaration visant la période donnée, si les conditions suivantes sont réunies :

a) le démarcheur fournit, à un moment donné, un de ses produits exclusifs dans une province participante dans des circonstances telles qu'un montant est à ajouter en vertu de l'alinéa (1)d) dans le calcul de sa taxe nette;

b) la taxe payable aux termes du paragraphe 165(2) relativement à la fourniture est incluse dans le montant visé à l'alinéa a);

c) l'entrepreneur fournit le produit en dehors des provinces participantes;

d) le démarcheur verse à l'entrepreneur, ou porte à son crédit, au titre du produit, un montant égal à la taxe payable aux termes du paragraphe 165(2) calculée sur le prix de vente au détail suggéré du produit au moment donné.

Notes historiques: Le paragraphe 178.3(5) a été ajouté par L.C. 1997, c. 10, par. 170(2) et est entré en vigueur le 1er avril 1997.

Concordance québécoise: aucune.

(6) Redressement pour fourniture dans une province participante — Lorsqu'un démarcheur fournit un de ses produits exclusifs en dehors des provinces participantes dans des circonstances telles qu'un montant est à ajouter en vertu de l'alinéa (1)d) dans le calcul de sa taxe nette, que la taxe prévue au paragraphe 165(2) relative à la fourniture n'est pas incluse dans ce montant et qu'un entrepreneur indépendant du démarcheur fournit le produit, à un moment donné, dans une province participante, est ajouté dans le calcul de la taxe nette du démarcheur pour sa période de déclaration qui comprend ce moment un montant égal à la taxe qui serait payable aux termes du paragraphe 165(2) relativement à la fourniture, calculée sur le prix de vente au détail suggéré du produit à ce moment, si le démarcheur fournissait le produit, à ce moment, dans cette province.

Notes historiques: Le paragraphe 178.3(6) a été ajouté par L.C. 1997, c. 10, par. 170(2) et est entré en vigueur le 1er avril 1997.

Concordance québécoise: aucune.

(6.1) Redressement — provinces participantes — Dans le calcul de sa taxe nette pour sa période de déclaration qui comprend un moment prévu par règlement, un démarcheur est tenu d'ajouter ou peut déduire, selon le cas, un montant déterminé selon les modalités réglementaires si, à la fois :

a) il fournit un de ses produits exclusifs dans une province participante dans des circonstances où un montant est à ajouter, en application de l'alinéa (1)d), dans le calcul de sa taxe nette;

b) la taxe payable en vertu du paragraphe 165(2) relativement à la fourniture est incluse dans le montant à ajouter, en application de l'alinéa (1)d), dans le calcul de sa taxe nette;

c) l'un de ses entrepreneurs indépendants effectue une fourniture du produit exclusif dans une autre province participante;

d) les conditions prévues par règlement, le cas échéant, sont réunies.

Notes historiques: Le paragraphe 178.3(6.1) a été ajouté par L.C. 2009, c. 32, par. 8(1) et s'applique relativement aux périodes de déclaration d'un démarcheur se terminant après juin 2010.

Concordance québécoise: aucune.

(7) Créance irrécouvrable — Un démarcheur peut déduire le montant visé à l'alinéa d) dans le calcul de sa taxe nette pour sa période de déclaration donnée au cours de laquelle ce montant est versé ou crédité ou pour une période de déclaration postérieure, dans une déclaration qu'il produit aux termes de la section V dans les quatre ans suivant la date limite où la déclaration visant la période donnée doit être produite, si les conditions suivantes sont réunies :

a) le démarcheur a fourni un de ses produits exclusifs dans des circonstances où un montant était à ajouter en application de l'alinéa (1)d) dans le calcul de sa taxe nette;

b) un entrepreneur indépendant donné du démarcheur a également effectué ou aurait également effectué, n'eût été l'alinéa (2)b), une fourniture du produit au profit d'une personne (sauf le démarcheur et un autre de ses entrepreneurs indépendants) avec laquelle il n'a aucun lien de dépendance;

c) le démarcheur a obtenu des preuves, que le ministre estime acceptables, que la contrepartie et la taxe payable relativement à la fourniture effectuée par l'entrepreneur donné sont devenues, en totalité ou en partie, une créance irrécouvrable et que cette créance a été radiée, à un moment donné, des livres de compte de l'entrepreneur donné;

d) le démarcheur verse à l'entrepreneur donné, ou porte à son crédit, à l'égard du produit, le montant obtenu par la formule suivante :

$$A \times B/C$$

où :

A représente la taxe payable relativement à la fourniture effectuée par l'entrepreneur donné,

B la somme de la contrepartie, de la taxe et de la taxe provinciale applicable relativement à cette fourniture qui demeurent impayées et qui ont été radiées au moment donné à titre de créance irrécouvrable,

C la somme de la contrepartie, de la taxe et de la taxe provinciale applicable payables relativement à cette fourniture.

Notes historiques: Le paragraphe 178.3(7) a été ajouté par L.C. 2000, c. 30, par. 30(1) et s'applique aux créances irrécouvrables se rapportant à des fournitures effectuées après le 24 février 1998.

Concordance québécoise: LTVQ, art. 297.7.0.1.

(8) Recouvrement de créance irrécouvrable — En cas de recouvrement de la totalité ou d'une partie d'une créance irrécouvrable relativement à laquelle un démarcheur a déduit un montant en application du paragraphe (7), le démarcheur doit ajouter, dans le calcul de sa taxe nette pour sa période de déclaration où la créance, ou la partie de celle-ci, est recouvrée, le montant obtenu par la formule suivante :

$$A \times B/C$$

où :

A représente le montant recouvré;

B la taxe payable relativement à la fourniture à laquelle la créance se rapporte;

C la somme de la contrepartie, de la taxe et de la taxe provinciale applicable payables relativement à cette fourniture.

Notes historiques: Le paragraphe 178.3(8) a été ajouté par L.C. 2000, c. 30, par. 30(1) et s'applique aux créances irrécouvrables se rapportant à des fournitures effectuées après le 24 février 1998.

Concordance québécoise: LTVQ, art. 297.7.0.2.

Définitions [art. 178.3]: « acquéreur », « contrepartie », « fourniture », « fourniture détaxée », « fourniture exonérée », « fourniture taxable », « inscrit », « ministre », « montant », « période de déclaration », « personne », « province participante », « service », « taxe », « vente » — 123(1); « démarcheur », « distributeur », « entrepreneur indépendant », « prix de vente au détail suggéré », « produit exclusif » — 178.1.

Renvois [art. 178.3]: 120(3.1), (3.2) (remboursement de la taxe de vente à l'inventaire); 123(2) (Canada); 125 (résultats négatifs); 142(2) (fourniture à l'étranger); 171(5) (début et cessation de l'inscription); 178.2 (demande concernant la méthode simplifiée); 178.5 (fournitures); 225 (taxe nette); 361(1) (disposition transitoire — TVH); X:Partie I, 26 (TVH — biens transférés dans une province participante).

Bulletins de l'information technique [art. 178.3]: B-075R, 23/04/96, *Modifications proposées à la TPS*.

Série de mémorandums [art. 178.3]: Mémorandum 3.1, 08/99, *Assujettissement à la taxe*; Mémorandum 14.1, 01/95, *Démarcheurs*, par. 4, 24–35, 62–64.

Info TPS/TVQ [art. 178.3]: GI-019 — *Livreurs de journaux*; GI-125 — *Secteur du démarchage : La méthode facultative de perception à l'intention des démarcheurs autorisés et des distributeurs autorisés*; GI-126 — *Secteur du démarchage : La méthode facultative de perception à l'intention des entrepreneurs indépendants*.

Lettres d'interprétation (Québec) [art. 178.3]: 99-0107617 — Interprétation relative à la TPS et à la TVQ — Droit pour un entrepreneur indépendant d'un démarcheur de demander des CTI/RTI; 05-0104751 — Interprétation relative à la TPS/TVH, Interprétation relative à la TVQ — [Biens destinés à des Indiens].

178.4 (1) Conséquences de l'approbation pour le distributeur — Pour l'application de la présente partie, lorsque le distributeur du démarcheur auquel le présent article s'applique du fait qu'une approbation du ministre à cet effet est en vigueur effectue au Canada, au profit d'un entrepreneur indépendant du démarcheur — lequel entrepreneur n'est pas un distributeur à l'égard duquel l'approbation accordée en application du paragraphe 178.2(4) est alors en vigueur ou entre en vigueur immédiatement après la fourniture —, la fourniture taxable par vente, sauf une fourniture détaxée, d'un produit exclusif du démarcheur, les règles suivantes s'appliquent :

a) la fourniture est réputée avoir été effectuée pour une contrepartie qui, à la fois :

(i) devient due, et est payée, dès le moment où une partie de la contrepartie de la fourniture devient due ou est payée,

(ii) correspond au prix de vente au détail suggéré du produit au moment de la fourniture;

b) la taxe est réputée ne pas être payable par l'entrepreneur relativement à la fourniture;

c) l'entrepreneur n'a pas droit à un remboursement en vertu de l'article 261 relativement à la fourniture;

d) est ajouté dans le calcul de la taxe nette du distributeur pour sa période de déclaration qui comprend le moment visé au sous-alinéa a)(i) un montant égal à la taxe calculée sur le prix de vente au détail suggéré du produit au moment de la fourniture.

Notes historiques: Le paragraphe 178.4(1) a été ajouté par L.C. 1993, c. 27, par. 43(1) et est réputé entré en vigueur le 17 décembre 1990. Toutefois, pour son application à une fourniture dont une partie de la contrepartie est devenue due ou a été payée avant avril 1993, il se lit comme suit :

178.4 (1) Pour l'application de la présente partie, lorsque le distributeur du démarcheur auquel le présent article s'applique du fait qu'une approbation du ministre à cet effet est en vigueur effectue au Canada, au profit d'un acheteur ou d'un entrepreneur indépendant du démarcheur — lequel entrepreneur n'est pas un distributeur à l'égard duquel l'approbation accordée en application du paragraphe 178.2(4) est alors en vigueur ou entre en vigueur immédiatement après la fourniture —, la fourniture taxable par vente, sauf une fourniture détaxée, d'un produit exclusif du démarcheur, les règles suivantes s'appliquent :

a) la fourniture est réputée avoir été effectuée pour une contrepartie qui, à la fois :

(i) devient due, et est payée, dès le moment où une partie de la contrepartie de la fourniture devient due ou est payée,

(ii) correspond au prix de vente au détail suggéré du produit au moment de la fourniture;

b) la taxe est réputée ne pas être payable par l'acheteur ou l'entrepreneur relativement à la fourniture, sauf aux fins du calcul du crédit de taxe sur les intrants ou du remboursement prévu à l'article 259 que peut demander l'acheteur relativement au produit;

c) l'acheteur ou l'entrepreneur n'a pas droit à un remboursement en vertu de l'article 261 relativement à la fourniture;

d) est ajouté dans le calcul de la taxe nette du distributeur pour sa période de déclaration qui comprend le moment visé au sous-alinéa a)(i) un montant égal à la taxe calculée sur le prix de vente au détail suggéré du produit au moment de la fourniture;

e) dans le cas où la fourniture est effectuée au profit de l'entrepreneur, le distributeur est réputé avoir reçu de l'entrepreneur au moment visé au sous-alinéa a)(i), et l'entrepreneur, avoir effectué au profit du distributeur à ce moment, la fourniture taxable d'un service pour une contrepartie, qui devient due et est payée à ce moment, égale au résultat du calcul suivant :

$$A + (A \times B) - C$$

où :

A représente le prix de vente au détail suggéré du produit au moment où le distributeur fournit le produit à l'entrepreneur,

B le taux de la taxe imposée selon le paragraphe 165(1),

C la contrepartie, déterminée compte non tenu de l'alinéa a), de cette fourniture du produit [L.C. 1993, c. 27, al. 43(2)d)].

Pour déterminer si une personne est un petit fournisseur aux fins du paragraphe 242(2.2), tel qu'édicté par L.C. 1993, c. 27, par. 102(2), le paragraphe 178.4(1) est réputé entré en vigueur le 17 décembre 1990, sans tenir compte des exceptions ci-dessus.

Concordance québécoise: LTVQ, art. 297.7.1.

Bulletins de l'information technique [art. 178.4(1)]: B-XX5, 09/11, *Taxe de vente harmonisée Autocotisation de la partie provinciale de la TVH à l'égard des biens et services transférés dans une province participante*.

(2) Idem — Lorsque le présent article s'applique au distributeur d'un démarcheur du fait qu'une approbation du ministre à cet effet est en vigueur à un moment où un entrepreneur indépendant donné du démarcheur, sauf le distributeur, effectue au Canada la fourniture taxable par vente, sauf une fourniture détaxée, du produit exclusif du démarcheur, et que le paragraphe (1) s'est appliqué à une fourniture antérieure du produit effectuée par un entrepreneur indépendant du démarcheur ou que le paragraphe 178.5(2) s'est déjà appliqué au produit, les règles suivantes s'appliquent :

a) si l'acquéreur de la fourniture taxable est un autre entrepreneur indépendant du démarcheur, autre que le distributeur, la fourniture est réputée, pour l'application de la présente partie, exception faite de l'article 178.1 et du présent article, ne pas avoir été effectuée par l'entrepreneur donné et ne pas avoir été reçue par l'autre entrepreneur;

b) si l'acquéreur de la fourniture taxable n'est pas le distributeur ni un autre entrepreneur indépendant du démarcheur :

(i) la fourniture est réputée, pour l'application de la présente partie, exception faite de l'article 178.1 et des paragraphes (4) à (6) et 178.5(7), être une fourniture taxable effectuée par le distributeur, et non par l'entrepreneur donné, pour une contrepartie égale à la contrepartie réelle de la fourniture ou, s'il est inférieur, au prix de vente au détail suggéré du produit au moment de sa fourniture,

(ii) toute taxe relative à la fourniture du produit qui est perçue par l'entrepreneur donné est réputée avoir été perçue pour le compte du distributeur,

(iii) la taxe relative à la fourniture du produit n'est pas incluse dans le calcul de la taxe nette du distributeur pour une période de déclaration.

Notes historiques: Le sous-alinéa 178.4(2)b)(i) a été modifié par L.C. 1997, c. 10, par. 171(1) et cette modification est entrée en vigueur le 1er avril 1997. Ce sous-alinéa se lisait auparavant comme suit :

(i) la fourniture est réputée, pour l'application de la présente partie, exception faite de l'article 178.1 et des paragraphes 178.4(4) et 178.5(7), être une fourniture taxable effectuée par le distributeur, et non par l'entrepreneur donné, pour une contrepartie égale au moins élevé de la contrepartie réelle de la fourniture et du prix de vente au détail suggéré du produit au moment de sa fourniture,

Le paragraphe 178.4(2) a été ajouté par L.C. 1993, c. 27, par. 43(1) et est réputé entré en vigueur le 17 décembre 1990. Toutefois, pour son application à une fourniture dont une partie de la contrepartie est devenue due ou a été payée avant avril 1993, l'alinéa 178.4(2)a) se lit comme suit :

a) si l'acquéreur de la fourniture est un autre entrepreneur indépendant du démarcheur, autre que le distributeur :

(i) la fourniture est réputée, pour l'application de la présente partie, exception faite de l'article 178.1 et du présent article, ne pas avoir été effectuée par l'entrepreneur donné et ne pas avoir été reçue par l'autre entrepreneur,

(ii) pour l'application de la présente partie, l'entrepreneur donné est réputé avoir reçu de l'autre entrepreneur et celui-ci, avoir effectué au profit de l'entrepreneur donné, dès le moment où un montant devient dû ou est payé en contrepartie de la fourniture du produit, la fourniture taxable d'un service pour une contrepartie, qui devient due et est payée à ce moment, égale au résultat du calcul suivant :

$$A + (A \times B) - C$$

où :

A représente le prix de vente au détail suggéré du produit au moment de la fourniture taxable,

B le taux de la taxe imposée selon le paragraphe 165(1),

C la contrepartie de la fourniture taxable [L.C. 1993, c. 27, s-al. 43(2)e)(i)];

Également, pour l'application du paragraphe 178.4(2) à une fourniture dont une partie de la contrepartie est devenue due ou a été payée avant avril 1993, le sous-alinéa 178.4(2)b)(i) se lit comme suit :

(i) la fourniture est réputée, pour l'application de la présente partie, exception faite de l'article 178.1, être une fourniture taxable effectuée par le distributeur, et non par l'entrepreneur donné, pour une contrepartie égale au prix de vente au détail suggéré du produit au moment de sa fourniture [L.C. 1993, c. 27, s-al. 43(2)e)(ii)],

Pour déterminer si une personne est un petit fournisseur aux fins du paragraphe 242(2.2), tel qu'édicté par L.C. 1993, c. 27, par. 102(2), le paragraphe 178.4(2) est réputé entré en vigueur le 17 décembre 1990, sans tenir compte des exceptions ci-dessus.

Concordance québécoise: LTVQ, art. 297.7.2.

(3) Redressement de la taxe nette du distributeur — Pour l'application de la présente partie, lorsque le distributeur d'un démarcheur fournit le produit exclusif de celui-ci dans des circonstances telles qu'un montant est à ajouter en application de l'alinéa (1)d) dans le calcul de sa taxe nette et qu'un autre entrepreneur indépendant du démarcheur lui fournit par la suite le produit au cours d'une période de déclaration du distributeur, les règles suivantes s'appliquent :

a) l'autre entrepreneur est réputé ne pas avoir ainsi fourni le produit;

b) le montant peut être déduit, dans le calcul de la taxe nette du distributeur pour la période de déclaration en question ou pour une période de déclaration postérieure, dans une déclaration qu'il produit aux termes de la section V dans les quatre ans suivant le jour où la déclaration visant la période de déclaration en question est à produire aux termes de cette section.

Notes historiques: Le paragraphe 178.4(3) a été modifié par L.C. 1997, c. 10, par. 29(1) et cette modification s'applique aux déductions relatives aux fournitures de produits exclusifs effectuées par des entrepreneurs indépendants après juin 1996. Il se lisait comme suit :

(3) Pour l'application de la présente partie, lorsque le distributeur d'un démarcheur fournit le produit exclusif de celui-ci dans des circonstances telles qu'un montant doit être ajouté en vertu de l'alinéa (1)d) dans le calcul de sa taxe nette, et qu'un autre entrepreneur indépendant du démarcheur lui fournit par la suite le produit au cours d'une période de déclaration du distributeur, l'autre entrepreneur est réputé ne pas avoir ainsi fourni le produit, et le montant est déductible dans le calcul de la taxe nette du distributeur pour la période de déclaration en question ou pour une période de déclaration postérieure se terminant au plus tard quatre ans après le jour où cette période prend fin.

Ce paragraphe a été ajouté par L.C. 1993, c. 27, par. 43(1) et est réputé entré en vigueur le 17 décembre 1990.

Concordance québécoise: LTVQ, art. 297.7.3.

(4) Redressement de la taxe nette du distributeur — Le distributeur d'un démarcheur peut déduire le montant déterminé selon l'alinéa c), dans le calcul de sa taxe nette pour sa période de déclaration donnée au cours de laquelle il verse ce montant à un entrepreneur indépendant du démarcheur, ou le porte à son crédit, ou pour une période de déclaration postérieure, dans une déclaration qu'il produit aux termes de la section V dans les quatre ans suivant le jour où la déclaration visant la période de déclaration donnée est à produire aux termes de cette section, si les conditions suivantes sont réunies :

a) le distributeur fournit, à un moment donné, l'un des produits exclusifs du démarcheur dans des circonstances telles qu'un montant est à ajouter en vertu de l'alinéa (1)d) dans le calcul de sa taxe nette;

b) après mars 1993, l'entrepreneur, selon le cas :

(i) effectue une fourniture du produit qui est :

(A) soit une fourniture détaxée;

(B) soit une fourniture effectuée à l'étranger;

(C) soit une fourniture à l'égard de laquelle l'acquéreur n'est pas tenu, par l'effet d'une loi fédérale, de payer de taxe,

(ii) fournit le produit à une personne autre qu'un entrepreneur indépendant du démarcheur pour une contrepartie non négligeable mais inférieure à son prix de vente au détail suggéré au moment donné et sur laquelle est calculée la taxe payée par la personne;

(iii) fournit le produit à une personne autre qu'un entrepreneur indépendant du démarcheur à titre gratuit ou pour une contrepartie négligeable ou réserve le produit pour sa consommation ou son utilisation personnelles,

c) le distributeur verse à l'entrepreneur, ou porte à son crédit, le montant suivant relatif au produit :

(i) en cas d'application du sous-alinéa b)(i), la taxe calculée sur le prix de vente au détail suggéré du produit au moment donné,

(ii) en cas d'application des sous-alinéas b)(ii) ou (iii), le résultat du calcul suivant :

$$A - B$$

où :

A représente la taxe calculée sur le prix de vente au détail suggéré du produit au moment donné,

B représente :

(A) en cas d'application du sous-alinéa b)(ii), la taxe calculée sur la contrepartie de la fourniture effectuée par l'entrepreneur,

(B) en cas d'application du sous-alinéa b)(iii), la taxe calculée sur la contrepartie, déterminée compte non tenu de l'alinéa (1)a), de la fourniture à l'entrepreneur.

Notes historiques: Le préambule du paragraphe 178.4(4) a été modifié par L.C. 1997, c. 10, par. 29(2) et cette modification s'applique aux déductions relatives aux fournitures de produits exclusifs effectuées par des entrepreneurs indépendants après juin 1996. Il se lisait auparavant comme suit :

(4) Le distributeur d'un démarcheur peut déduire le montant déterminé selon l'alinéa c) dans le calcul de sa taxe nette pour sa période de déclaration donnée au cours de laquelle il verse ce montant à un entrepreneur indépendant du démarcheur autre que le distributeur, ou le porte à son crédit, ou pour une période de déclaration postérieure se terminant au plus tard quatre ans après le jour où la période donnée prend fin, si les conditions suivantes sont réunies :

Le paragraphe 178.4(4), ajouté par L.C. 1993, c. 27, par. 43(1), est réputé entré en vigueur le 17 décembre 1990.

Concordance québécoise: LTVQ, art. 297.7.4.

(5) Redressement pour fourniture en dehors d'une province participante — Le distributeur d'un démarcheur peut déduire le montant déterminé selon l'alinéa d) dans le calcul de sa taxe nette pour sa période de déclaration donnée au cours de laquelle il verse ce montant à un entrepreneur indépendant du démarcheur autre que le distributeur, ou le porte à son crédit, ou pour une période de déclaration postérieure, dans une déclaration qu'il produit aux termes de la section V dans les quatre ans suivant la date limite où il est tenu de produire aux termes de cette section la déclaration visant la période donnée, si les conditions suivantes sont réunies :

a) le distributeur fournit, à un moment donné, un des produits exclusifs du démarcheur dans une province participante dans des circonstances telles qu'un montant est à ajouter en vertu de l'alinéa (1)d) dans le calcul de sa taxe nette;

b) la taxe payable aux termes du paragraphe 165(2) relativement à la fourniture est incluse dans le montant visé à l'alinéa a);

c) l'entrepreneur fournit le produit en dehors des provinces participantes;

d) le distributeur verse à l'entrepreneur, ou porte à son crédit, au titre du produit, un montant égal à la taxe payable aux termes du paragraphe 165(2) calculée sur le prix de vente au détail suggéré du produit au moment donné.

Notes historiques: Le paragraphe 178.4(5) a été ajouté par L.C. 1997, c. 10, par. 170(2) et est réputé entré en vigueur le 1er avril 1997.

Concordance québécoise: aucune.

(6) Redressement pour fourniture dans une province participante — Lorsque le distributeur d'un démarcheur fournit un des produits exclusifs de ce dernier en dehors des provinces participantes dans des circonstances telles qu'un montant est à ajouter en vertu de l'alinéa (1)d) dans le calcul de la taxe nette du distributeur, que la taxe prévue au paragraphe 165(2) relative à la fourniture n'est pas incluse dans ce montant et qu'un entrepreneur indépendant du démarcheur autre que le distributeur fournit le produit, à un moment donné, dans une province participante, est ajouté dans le calcul de la taxe nette du distributeur pour sa période de déclaration qui comprend ce moment un montant égal à la taxe qui serait payable aux termes du paragraphe 165(2) relativement à la fourniture, calculée sur le prix de vente au détail suggéré du produit à ce moment, si le distributeur fournissait le produit, à ce moment, dans cette province.

Notes historiques: Le paragraphe 178.4(6) a été ajouté par L.C. 1997, c. 10, par. 170(2) et est réputé entré en vigueur le 1er avril 1997.

Concordance québécoise: aucune.

(6.1) Redressement — provinces participantes — Dans le calcul de sa taxe nette pour sa période de déclaration qui comprend un moment prévu par règlement, le distributeur d'un démarcheur est tenu d'ajouter ou peut déduire, selon le cas, un montant déterminé selon les modalités réglementaires si, à la fois :

a) il fournit un des produits exclusifs du démarcheur dans une province participante dans des circonstances où un montant est à ajouter, en application de l'alinéa (1)d), dans le calcul de sa taxe nette;

b) la taxe payable en vertu du paragraphe 165(2) relativement à la fourniture est incluse dans le montant à ajouter, en application de l'alinéa (1)d), dans le calcul de sa taxe nette;

c) l'un des entrepreneurs indépendants du démarcheur (sauf le distributeur) effectue une fourniture du produit exclusif dans une autre province participante;

d) les conditions prévues par règlement, le cas échéant, sont réunies.

Notes historiques: Le paragraphe 178.4(6.1) a été ajouté par L.C. 2009, c. 32, par. 9(1) et s'applique relativement aux périodes de déclaration du distributeur d'un démarcheur se terminant après juin 2010.

Concordance québécoise: aucune.

(7) Créance irrécouvrable — Le distributeur d'un démarcheur peut déduire le montant visé à l'alinéa d) dans le calcul de sa taxe nette pour sa période de déclaration donnée au cours de laquelle ce montant est versé ou crédité ou pour une période de déclaration postérieure, dans une déclaration qu'il produit aux termes de la section V dans les quatre ans suivant la date limite où la déclaration visant la période donnée doit être produite, si les conditions suivantes sont réunies :

a) le distributeur a fourni un produit exclusif du démarcheur dans des circonstances où un montant était à ajouter en application de l'alinéa (1)d) dans le calcul de la taxe nette du distributeur;

b) un entrepreneur indépendant donné du démarcheur (sauf le distributeur) a également effectué ou aurait également effectué, n'eût été l'alinéa (2)b), une fourniture du produit au profit d'une personne (sauf le démarcheur, le distributeur et un autre entrepreneur indépendant du démarcheur) avec laquelle il n'a aucun lien de dépendance;

c) le distributeur a obtenu des preuves, que le ministre estime acceptables, que la contrepartie et la taxe payable relativement à la fourniture effectuée par l'entrepreneur donné sont devenues, en totalité ou en partie, une créance irrécouvrable et que cette créance a été radiée, à un moment donné, des livres de compte de l'entrepreneur donné;

d) le distributeur verse à l'entrepreneur donné, ou porte à son crédit, à l'égard du produit, le montant obtenu par la formule suivante :

A x B/C

où :

A représente la taxe payable relativement à la fourniture effectuée par l'entrepreneur donné,

B la somme de la contrepartie, de la taxe et de la taxe provinciale applicable relativement à cette fourniture qui demeurent impayées et qui ont été radiées au moment donné à titre de créance irrécouvrable,

C la somme de la contrepartie, de la taxe et de la taxe provinciale applicable payables relativement à cette fourniture.

Notes historiques: Le paragraphe 178.4(7) a été ajouté par L.C. 2000, c. 30, par. 31(1) et s'applique aux créances irrécouvrables se rapportant à des fournitures effectuées après le 24 février 1998.

Concordance québécoise: LTVQ, art. 297.7.4.1.

(8) Recouvrement de créance irrécouvrable — En cas de recouvrement de la totalité ou d'une partie d'une créance irrécouvrable relativement à laquelle le distributeur d'un démarcheur a déduit un montant en application du paragraphe (7), le distributeur doit ajouter, dans le calcul de sa taxe nette pour sa période de déclaration où la créance, ou la partie de celle-ci, est recouvrée, le montant obtenu par la formule suivante :

A x B/C

où :

A représente le montant recouvré;

B la taxe payable relativement à la fourniture à laquelle la créance se rapporte;

C la somme de la contrepartie, de la taxe et de la taxe provinciale applicable payables relativement à cette fourniture.

Notes historiques: Le paragraphe 178.4(8) a été ajouté par L.C. 2000, c. 30, par. 31(1) et s'applique aux créances irrécouvrables se rapportant à des fournitures effectuées après le 24 février 1998.

Concordance québécoise: LTVQ, art. 297.7.4.2.

Définitions [art. 178.4]: « acquéreur », « contrepartie », « fourniture », « fourniture détaxée », « fourniture taxable », « inscrit », « ministre », « montant », « période de déclaration », « personne », « province participante », « taxe », « vente » — 123(1); « démarcheur », « distributeur », « entrepreneur indépendant », « prix de vente au détail suggéré », « produit exclusif » — 178.1.

Renvois [art. 178.4]: 123(2) (Canada); 125 (résultats négatifs); 142(2) (fourniture à l'étranger); 171(5) (début et cessation de l'inscription); 178.2 (demande concernant la méthode simplifiée); 225 (taxe nette).

Bulletins de l'information technique [art. 178.4]: B-075R, 23/04/96, *Modifications proposées à la TPS*.

Série de mémorandums [art. 178.4]: Mémorandum 3.1, 08/99, *Assujettissement à la taxe*, par. 91-96; Mémorandum 14.1, 01/95, *Démarcheurs*, par. 4, 36–47, 62–64.

Info TPS/TVQ [art. 178.4]: GI-125 — *Secteur du démarchage : La méthode facultative de perception à l'intention des démarcheurs autorisés et des distributeurs autorisés*; GI-126 — *Secteur du démarchage : La méthode facultative de perception à l'intention des entrepreneurs indépendants*.

178.5 (1) Produits détenus au moment de l'approbation — L'inscrit — entrepreneur indépendant d'un démarcheur à l'égard duquel l'approbation accordée en application du paragraphe 178.2(3) entre en vigueur à un moment donné après le 1er janvier 1991 — qui n'est pas un distributeur à l'égard duquel l'approbation accordée en application du paragraphe 178.2(4), à la suite de la demande faite conjointement avec le démarcheur, est en vigueur à ce moment ou entre en vigueur immédiatement après ce moment et qui, à ce moment, compte parmi ses stocks un produit exclusif du démarcheur est réputé, pour l'application de la présente partie, exception faite des articles 148 et 249 :

a) avoir fourni le produit immédiatement avant ce moment pour une contrepartie, qui devient due et est payée immédiatement avant ce moment, égale au prix de vente au détail suggéré du produit à ce moment;

b) avoir perçu, immédiatement avant ce moment et relativement à la fourniture, la taxe calculée sur cette contrepartie.

Notes historiques: Le paragraphe 178.5(1) a été ajouté par L.C. 1993, c. 27, par. 43(1) et est réputé entré en vigueur le 17 décembre 1990.

Concordance québécoise: LTVQ, art. 297.7.5.

(2) Produits détenus au moment du retrait — Lorsque, au moment où l'approbation accordée au distributeur d'un démarcheur en application du paragraphe 178.2(4) cesse d'être en vigueur, le distributeur compte parmi ses stocks un produit exclusif du démarcheur et que l'approbation accordée au démarcheur en application du paragraphe 178.2(3) ne cesse pas d'être en vigueur à ce moment, le distributeur est réputé, pour l'application de la présente partie, exception faite des articles 148 et 249 :

a) avoir fourni le produit immédiatement avant ce moment pour une contrepartie, qui devient due et est payée immédiatement avant ce moment, égale au prix de vente au détail suggéré du produit à ce moment;

b) avoir perçu, immédiatement avant ce moment et relativement à la fourniture, la taxe calculée sur cette contrepartie.

Notes historiques: Le paragraphe 178.5(2) a été ajouté par L.C. 1993, c. 27, par. 43(1) et est réputé entré en vigueur le 17 décembre 1990.

Concordance québécoise: LTVQ, art. 297.7.6.

(3) Idem — Pour l'application de la présente partie, lorsque l'approbation accordée au distributeur d'un démarcheur en application du paragraphe 178.2(4) et celle accordée au démarcheur en application du paragraphe 178.2(3) cessent d'être en vigueur au même moment, chaque entrepreneur indépendant du démarcheur — autre qu'un distributeur à l'égard duquel l'approbation accordée en application du paragraphe 178.2(4) cesse d'être en vigueur à ce moment — est réputé :

a) avoir reçu, immédiatement après ce moment, une fourniture de chaque produit exclusif du démarcheur qu'il compte parmi ses stocks à ce moment pour une contrepartie, qui devient due et est payée immédiatement après ce moment, égale au prix de vente au détail suggéré du produit à ce moment;

b) avoir payé, immédiatement après ce moment et relativement à la fourniture, la taxe calculée sur cette contrepartie.

Notes historiques: Le paragraphe 178.5(3) a été ajouté par L.C. 1993, c. 27, par. 43(1) et est réputé entré en vigueur le 17 décembre 1990.

Concordance québécoise: LTVQ, art. 297.7.7.

(4) Idem — Pour l'application de la présente partie, lorsque l'approbation accordée à un démarcheur en application du paragraphe 178.2(3) cesse d'être en vigueur à un moment donné après mars 1993 et que le paragraphe (3) ne s'applique pas, chaque entrepreneur indépendant du démarcheur est réputé :

a) avoir reçu, immédiatement après ce moment, une fourniture de chaque produit exclusif du démarcheur qu'il compte parmi ses stocks à ce moment pour une contrepartie, qui devient due et est payée immédiatement après ce moment, égale au prix de vente au détail suggéré du produit à ce moment;

b) avoir payé, immédiatement après ce moment et relativement à la fourniture, la taxe calculée sur cette contrepartie.

Notes historiques: Le paragraphe 178.5(4) a été ajouté par L.C. 1993, c. 27, par. 43(1) et est réputé entré en vigueur le 17 décembre 1990.

Concordance québécoise: LTVQ, art. 297.7.8.

(5) Matériel de promotion — Pour l'application de la présente partie, est réputée ne pas être une fourniture la fourniture taxable de matériel de promotion d'un démarcheur ou de son entrepreneur indépendant, que ceux-ci effectuent par vente au Canada au profit d'un entrepreneur indépendant du démarcheur à un moment où l'approbation accordée au démarcheur en application de l'article 178.3 est en vigueur.

Notes historiques: Le paragraphe 178.5(5) a été ajouté par L.C. 1993, c. 27, par. 43(1) et est réputé entré en vigueur le 17 décembre 1990. Toutefois, il ne s'applique pas à une fourniture dont une partie de la contrepartie est devenue due ou a été payée avant avril 1993.

Pour déterminer si une personne est un petit fournisseur aux fins du paragraphe 242(2.2), tel qu'édicté par L.C. 1993, c. 27, par. 102(2), le paragraphe 178.5(5) est réputé entré en vigueur le 17 décembre 1990, sans tenir compte des exceptions ci-dessus.

Concordance québécoise: LTVQ, art. 297.10.

(6) Primes — Pour l'application de la présente partie, est réputée ne pas être une contrepartie de fourniture le montant payé ou payable par un démarcheur ou son entrepreneur indépendant à un entrepreneur indépendant du démarcheur, à un moment après mars 1993 où l'approbation accordée au démarcheur en application de l'article 178.3 est en vigueur, à titre de prime versée en raison du volume des achats ou des ventes de produits exclusifs du démarcheur ou de matériel de promotion, mais non en contrepartie de la fourniture de ces produits ou de ce matériel.

Notes historiques: Le paragraphe 178.5(6) a été ajouté par L.C. 1993, c. 27, par. 43(1) et est réputé entré en vigueur le 17 décembre 1990.

Concordance québécoise: LTVQ, art. 297.10.1.

(7) Service d'accueil — Pour l'application de la présente partie, lorsque, à un moment après mars 1993, l'entrepreneur indépendant d'un démarcheur à l'égard duquel l'approbation accordée en application de l'article 178.3 est en vigueur, lequel entrepreneur n'est pas un distributeur à l'égard duquel l'approbation accordée en application du paragraphe 178.2(4) par suite d'une demande conjointe faite avec le démarcheur est en vigueur à ce moment ou prend effet immédiatement après ce moment, effectue la fourniture d'un bien à une personne en contrepartie de la fourniture, par celle-ci, d'un service d'accueil lors d'une manifestation organisée afin de permettre à l'entrepreneur de promouvoir ou de distribuer les produits exclusifs du démarcheur, la personne est réputée ne pas avoir effectué une fourniture du service et le service est réputé ne pas être la contrepartie d'une fourniture.

Notes historiques: Le paragraphe 178.5(7) a été ajouté par L.C. 1993, c. 27, par. 43(1) et est réputé entré en vigueur le 17 décembre 1990.

Concordance québécoise: LTVQ, art. 297.11.

(8) Restriction applicable au crédit de taxe sur les intrants — Aucun montant n'est inclus dans le calcul du crédit de taxe sur les intrants d'un inscrit — démarcheur à l'égard duquel l'approbation accordée en application du paragraphe 178.2(3) est en vigueur ou distributeur d'un tel démarcheur — au titre d'une taxe qui devient payable par l'inscrit, ou qui est payée par lui sans qu'elle soit devenue payable, relativement à un bien (à l'exception d'un produit exclusif du démarcheur) ou à un service que l'inscrit acquiert, importe ou transfère dans une province participante pour le fournir à un entrepreneur indépendant du démarcheur, ou à un particulier qui est lié à l'entrepreneur, et aucune taxe n'est payable relativement à la fourniture si, à la fois :

a) la fourniture est effectuée à titre gratuit ou pour une contrepartie inférieure à la juste valeur marchande du bien ou du service;

b) l'entrepreneur ou le particulier n'acquiert pas le bien ou le service pour consommation, utilisation ou fourniture exclusivement dans le cadre de ses activités commerciales.

Notes historiques: Le préambule du paragraphe 178.5(8) a été modifié par L.C. 1997, c. 10, par. 172(1) et cette modification est entrée en vigueur le 1er avril 1997. Ce préambule se lisait comme suit :

178.5 (8) Aucun montant n'est inclus dans le calcul du crédit de taxe sur les intrants d'un inscrit — démarcheur à l'égard duquel l'approbation accordée en application du paragraphe 178.2(3) est en vigueur ou distributeur d'un tel démarcheur — au titre d'une taxe qui devient payable par l'inscrit, ou qui est payée par lui sans qu'elle soit devenue payable, relativement à un bien (à l'exception d'un produit exclusif du démarcheur) ou à un service que l'inscrit acquiert ou importe pour le fournir à un entrepreneur indépendant du démarcheur, ou à un particulier qui est lié à l'entrepreneur, et aucune taxe n'est payable relativement à la fourniture si, à la fois :

Le paragraphe 178.5(8) a été ajouté par L.C. 1993, c. 27, par. 43(1) et est réputé entré en vigueur le 17 décembre 1990.

Concordance québécoise: LTVQ, art. 297.12.

(9) Biens réservés aux entrepreneurs — Pour l'application de la présente partie, l'inscrit — démarcheur à l'égard duquel l'approbation accordée en application du paragraphe 178.2(3) est en vigueur ou distributeur d'un tel démarcheur — qui réserve, à un moment donné après mars 1993, un bien (à l'exception d'un produit exclusif du démarcheur) acquis, fabriqué ou produit dans le cadre de ses activités commerciales, ou un service acquis ou exécuté dans ce cadre, à l'usage de l'un de ses entrepreneurs indépendants, ou d'un particulier qui est lié à l'entrepreneur, qui n'acquiert pas le bien ou le service pour consommation, utilisation ou fourniture exclusivement dans le cadre de ses activités commerciales de quelque manière que ce soit mais autrement que par fourniture pour une contrepartie égale à la juste valeur marchande du bien ou du service, est réputé :

a) avoir fourni le bien ou le service pour une contrepartie payée au moment donné et égale à la juste valeur marchande du bien ou du service à ce moment;

b) sauf dans le cas d'une fourniture exonérée, avoir perçu, à ce moment et relativement à la fourniture, la taxe calculée sur cette contrepartie.

Notes historiques: Le paragraphe 178.5(9) a été ajouté par L.C. 1993, c. 27, par. 43(1) et est réputé entré en vigueur le 17 décembre 1990.

Concordance québécoise: LTVQ, art. 297.13.

(10) Exception — Le paragraphe (9) ne s'applique pas aux biens ou aux services réservés par l'inscrit mais pour lesquels celui-ci ne peut demander de crédit de taxe sur les intrants par l'effet de l'article 170.

Notes historiques: Le paragraphe 178.5(10) a été ajouté par L.C. 1993, c. 27, par. 43(1) et est réputé entré en vigueur le 17 décembre 1990.

Concordance québécoise: LTVQ, art. 297.13.

(11) Cessation — Lorsque l'entrepreneur indépendant d'un démarcheur cesse d'être un inscrit à un moment, après mars 1993, où l'approbation accordée au démarcheur en application du paragraphe 178.2(3) est en vigueur, l'alinéa 171(3)a) ne s'applique pas au matériel de promotion de l'entrepreneur qui lui a été fourni par le démarcheur ou par un autre entrepreneur indépendant de celui-ci à un moment où l'approbation était en vigueur.

Notes historiques: Le paragraphe 178.5(11) a été ajouté par L.C. 1993, c. 27, par. 43(1) et est réputé entré en vigueur le 17 décembre 1990.

Concordance québécoise: LTVQ, art. 297.14.

(12) Fourniture entre personnes liées — L'article 155 ne s'applique pas aux fournitures visées aux sous-alinéas 178.3(4)b)(ii) et (iii) et 178.4(4)b)(ii) et (iii) et au paragraphe (7).

Notes historiques: Le paragraphe 178.5(12) a été ajouté par L.C. 1993, c. 27, par. 43(1) et est réputé entré en vigueur le 17 décembre 1990. Toutefois, il ne s'applique pas à une fourniture dont une partie de la contrepartie est devenue due ou a été payée avant avril 1993.

Pour déterminer si une personne est un petit fournisseur aux fins du paragraphe 242(2.2), tel qu'édicté par L.C. 1993, c. 27, par. 102(2), le paragraphe 178.5(12) est réputé entré en vigueur le 17 décembre 1990, sans tenir compte des exceptions ci-dessus.

Concordance québécoise: LTVQ, art. 297.15.

Définitions [art. 178.5]: « activité commerciale », « bien », « contrepartie », « exclusif », « fourniture », « fourniture exonérée », « fourniture taxable », « inscrit », « juste valeur marchande », « montant », « période de déclaration », « personne », « province participante », « service », « taxe », « vente » — 123(1); « démarcheur », « distributeur », « entrepreneur indépendant », « matériel de promotion », « prix de vente au détail suggéré », « produit exclusif » — 178.1.

Renvois [art. 178.5]: 123(2) (Canada); 126 (lien de dépendance); 169 (CTI); 171(5) (début et cessation de l'inscription); 178.2 (demande concernant la méthode simplifiée).

Série de mémorandums [art. 178.5]: Mémorandum 3.1, 08/99, *Assujettissement à la taxe*, par. 91-96; Mémorandum 14.1, 01/95, *Démarcheurs*, par. 4, 48-60 et 68.

Info TPS/TVQ [art. 178.5]: GI-023 — *Matériel de promotion des démarcheurs.*

Groupes d'acheteurs

178.6 (1) Définitions — Les définitions qui suivent s'appliquent au présent article.

« dernier acquéreur » Acquéreur d'une fourniture intermédiaire.

Concordance québécoise: LTVQ, art. 350.13« dernier acquéreur ».

« fournisseur initial » Personne qui effectue la fourniture taxable d'un bien meuble corporel ou d'un service au profit d'une autre personne qui, à son tour, le fournit au moyen d'une fourniture intermédiaire.

Concordance québécoise: LTVQ, art. 350.13« fournisseur initial ».

« fourniture intermédiaire » Fourniture taxable d'un bien meuble corporel ou d'un service effectuée par une personne pour une contrepartie égale à la contrepartie payée ou payable par la personne au fournisseur qui lui a fourni le bien ou le service.

Concordance québécoise: LTVQ, art. 350.13« fourniture intermédiaire ».

Notes historiques: Le paragraphe 178.6(1) a été ajouté par L.C. 1993, c. 27, par. 43(1) et est réputé entré en vigueur le 17 décembre 1990.

(2) Demande de désignation à titre d'acheteur — Une personne peut demander au ministre, en lui présentant les renseignements requis en la forme et selon les modalités qu'il détermine, d'être désignée à titre d'acheteur si les conditions suivantes sont réunies :

a) la totalité, ou presque, des fournitures de biens et de services effectuées par le demandeur dans le cours normal de son entreprise constituent des fournitures intermédiaires;

b) en ce qui concerne chaque fourniture intermédiaire de bien meuble corporel ou de service effectuée par le demandeur, le fournisseur initial du bien ou du service fait transférer la possession matérielle du bien, ou rend le service, au dernier acquéreur ou à une autre personne pour le compte de celui-ci, et non au demandeur;

c) en ce qui concerne chaque fourniture intermédiaire de bien meuble corporel ou de service effectuée par le demandeur, le dernier acquéreur paie au fournisseur initial du bien ou du service le montant payable par le demandeur au fournisseur initial en contrepartie du bien ou du service.

Notes historiques: Le paragraphe 178.6(2) a été ajouté par L.C. 1993, c. 27, par. 43(1) et est réputé entré en vigueur le 17 décembre 1990.

Concordance québécoise: LTVQ, art. 350.14.

(3) Désignation à titre d'acheteur — Sur réception de la demande, le ministre peut désigner la personne à titre d'acheteur, sous réserve des conditions qu'il peut imposer à tout moment. Le cas échéant, il avise la personne par écrit de la désignation et de la date de son entrée en vigueur.

Notes historiques: Le paragraphe 178.6(3) a été ajouté par L.C. 1993, c. 27, par. 43(1) et est réputé entré en vigueur le 17 décembre 1990.

Concordance québécoise: LTVQ, art. 350.15.

(4) Retrait de désignation — Le ministre peut retirer la désignation d'une personne à la demande de celle-ci ou par suite de l'inobservation d'une condition imposée relativement à la désignation. Le cas échéant, il avise la personne par écrit de la date à laquelle la désignation cesse d'être en vigueur.

Notes historiques: Le paragraphe 178.6(4) a été ajouté par L.C. 1993, c. 27, par. 43(1) et est réputé entré en vigueur le 17 décembre 1990.

Concordance québécoise: LTVQ, art. 350.16.

(5) Groupe d'acheteurs — Lorsqu'une personne effectue la fourniture intermédiaire d'un bien meuble corporel ou d'un service à un moment où la désignation de la personne à titre d'acheteur est en vigueur, les règles suivantes s'appliquent aux fins de la présente partie, sauf l'article 148, le présent article et la sous-section de la section V :

a) la fourniture du bien ou du service par le fournisseur initial est réputée avoir été effectuée au profit du dernier acquéreur et non au profit de la personne;

b) la personne est réputée ne pas avoir reçu la fourniture du bien ou du service du fournisseur initial ni avoir fourni le bien ou le service au dernier acquéreur;

c) la contrepartie payable pour la fourniture par le fournisseur initial ainsi que la taxe payable par lui relativement à la fourniture sont réputées payables par le dernier acquéreur, et tout montant payé au titre de la contrepartie ou de la taxe est réputé l'avoir été par le dernier acquéreur;

d) malgré l'alinéa c), la personne et le dernier acquéreur sont solidairement tenus au paiement de la taxe relative à la fourniture effectuée par le fournisseur initial;

e) si le montant exigé ou perçu par le fournisseur initial du bien ou du service au titre de la taxe prévue à la section II relativement à la fourniture dépasse la taxe prévue à cette section qui était percevable relativement à la fourniture, ou si la taxe prévue à cette section et percevable relativement à la fourniture est réduite par suite d'une réduction de la contrepartie de la fourniture et que le fournisseur initial remet une note de crédit à la personne, ou reçoit une note de débit de la personne, relativement à la fourniture, la personne est réputée avoir reçu ou remis la note au nom du dernier acquéreur.

Notes historiques: Le paragraphe 178.6(5) a été ajouté par L.C. 1993, c. 27, par. 43(1) et est réputé entré en vigueur le 17 décembre 1990.

Concordance québécoise: LTVQ, art. 350.17.

Définitions [art. 178.6]: « acquéreur », « bien », « bien meuble », « contrepartie », « entreprise », « fourniture », « fourniture taxable », « ministre », « montant », « note de crédit », « note de débit », « personne », « règlement », « service », « taxe » — 123(1).

Jurisprudence [art. 178.6]: *Parkland Crane Service Ltd. c. La Reine*, 1994 G.S.T.C. 58 (CCI).

Série de mémorandums [art. 178.6]: Mémorandum 1.5, 09/94, *Définitions*; Mémorandum 3.1, 08/99, *Assujettissement à la taxe*; Mémorandum 8-1, 05/05, *Règles générales d'admissibilité*.

Organismes de bienfaisance désignés

Notes historiques: Cet intertitre a été ajouté par L.C. 2000, c. 30, par. 32(1) et est réputé entré en vigueur le 24 février 1998 et s'applique aux périodes de déclaration commençant après cette date.

178.7 (1) Sens de « service déterminé » — Pour l'application du présent article, « service déterminé » s'entend de tout service, sauf celui qui répond aux conditions suivantes :

a) il consiste, selon le cas :

(i) à prodiguer des soins, à fournir un emploi ou à offrir une formation professionnelle à des personnes handicapées;

(ii) à offrir un service de placement à ces personnes;

(iii) à offrir un service d'enseignement visant à aider ces personnes à trouver un emploi.

b) l'acquéreur du service est un organisme du secteur public ou une commission ou autre organisme établi par un gouvernement ou une municipalité.

Notes historiques: L'alinéa 178.7(1)b) a été remplacé par L.C. 2007, c. 18, par. 12(1) et cette modification est réputée être entrée en vigueur le 24 février 1998 et s'applique aux périodes de déclaration commençant après cette date. Antérieurement, il se lisait ainsi :

> b) le bénéficiaire du service est un organisme du secteur public ou une commission ou autre organisme établi par un gouvernement ou une municipalité.

Le paragraphe 178.7(1) a été ajouté par L.C. 2000, c. 30, par. 32(1) et est réputé entré en vigueur le 24 février 1998 et s'applique aux périodes de déclaration commençant après cette date.

Concordance québécoise: LTVQ, art. 350.17.1.

(2) Fourniture d'un service déterminé par un organisme de bienfaisance — L'organisme de bienfaisance qui répond aux conditions suivantes peut demander au ministre d'être désigné pour l'application de l'alinéa de la partie V.1 de l'annexe V :

a) l'une des principales missions de l'organisme consiste à offrir des emplois, une formation professionnelle ou des services de placement à des personnes handicapées ou des services d'enseignement pour les aider à trouver un emploi;

b) l'organisme fournit, de façon régulière, des services déterminés exécutés en totalité ou en partie par des personnes handicapées.

La demande doit être établie en la forme, et contenir les renseignements, déterminés par le ministre.

Notes historiques: Le paragraphe 178.7(2) a été ajouté par L.C. 2000, c. 30, par. 32(1) et est réputé entré en vigueur le 24 février 1998 et s'applique aux périodes de déclaration commençant après cette date.

Concordance québécoise: LTVQ, art. 350.17.2.

(3) Désignation — Le ministre peut désigner, par avis écrit, pour l'application de l'alinéa 1d.1) de la partie V.1 de l'annexe V l'organisme de bienfaisance qui en fait la demande en application du paragraphe (2) si les conditions suivantes sont réunies :

a) il est convaincu que les conditions énoncées aux alinéas (2)a) et b) sont remplies;

b) la révocation prévue au paragraphe (4), effectuée à la demande de l'organisme, n'est pas entrée en vigueur au cours de la période de 365 jours se terminant immédiatement avant la date d'entrée en vigueur de la désignation, à savoir le premier jour de la période de déclaration précisée dans l'avis.

Notes historiques: Le paragraphe 178.7(3) a été ajouté par L.C. 2000, c. 30, par. 32(1) et est réputé entré en vigueur le 24 février 1998 et s'applique aux périodes de déclaration commençant après cette date.

Concordance québécoise: LTVQ, art. 350.17.3.

(4) Révocation de la désignation — Le ministre peut, par avis écrit, révoquer la désignation d'un organisme de bienfaisance si, selon le cas :

a) il est convaincu que l'organisme ne remplit plus les conditions énoncées aux alinéas (2)a) et b);

b) l'organisme lui demande par écrit de révoquer la désignation, laquelle n'est pas entrée en vigueur au cours de la période de 365 jours se terminant immédiatement avant ce jour.

La révocation entre en vigueur le premier jour de la période de déclaration précisée dans l'avis.

Notes historiques: Le paragraphe 178.7(4) a été ajouté par L.C. 2000, c. 30, par. 32(1) et est réputé entré en vigueur le 24 février 1998 et s'applique aux périodes de déclaration commençant après cette date.

Concordance québécoise: LTVQ, art. 350.17.4.

Guides: IN-228 — La TVQ et la TPS/TVH pour les organismes de bienfaisance.

Renvois [art. 178.7]: 225.1 (11) (taxe nette d'un organisme de bienfaisance- exception); 227 (1) (comptabilité abrégée); V:Partie V.1:1(d.1) (fourniture de biens ou de services par un organisme de bienfaisance).

Règlements [art. 178.7]: *Règlement sur la comptabilité abrégée (TPS/TVH), C.P. 1990-2748 (Règlement prévoyant les méthodes de comptabilité abrégée et d'autres éléments pour l'application de l'article 227 de la Loi sur la taxe d'accise).*

Énoncés de politique [art. 178.7]: P-247, 04/11/05, *Examen de ce qui constitue un « autre organisme établi par un gouvernement » pour l'application de la Loi sur la taxe d'accise (la Loi)*; P-XX8, 01/05, *Examen de ce qui constitue un « autre organisme établi par un gouvernement » pour l'application de la Loi sur la taxe d'accise (LTA).*

Lettres d'interprétation (Québec) [art. 178.7]: 02-0103784 — Demande d'interprétation — Service déterminé.

COMMENTAIRES: De façon générale, un organisme de bienfaisance rend des fournitures exonérées et ne peut, à ce titre, réclamer de crédits de taxe sur les intrants. Toutefois, il est admissible au remboursement partiel. En rendant certains services taxables, l'organisme de bienfaisance qui demande d'être désigné a ainsi la possibilité de récupérer les crédits de taxe sur les intrants afférents. Ainsi, les organismes de bienfaisance désignés seront exclus de l'exemption générale à l'article 1 de la partie V.1 de l'Annexe V. Voir notamment à cet effet : Agence du revenu du Canada, Lettre de l'Administration centrale sur la TPS, 11601-3, 11830-1, 11846-3 — *Application of GST/HST to Charity's Operations* (21 avril 2005), et Revenu Québec, Lettre d'interprétation, 02-0103784 — *Demande d'interprétation — Service déterminé* (23 mai 2002).

Toutefois, mentionnons que demeurera exonérée la fourniture d'un service qui est exonérée expressément en vertu de dispositions autres que l'exonération générale de l'article 1 de la partie V.1 de l'Annexe V visant les organismes de bienfaisance.

Finalement, il faut souligner qu'un organisme de bienfaisance désigné en vertu de cet article devra calculer sa taxe nette en vertu de la méthode générale, comme le prévoit le paragraphe 225.1(11). Toutefois, si l'organisme le désire, il pourra choisir une méthode de comptabilité abrégée en vertu de l'article 227.

Ententes d'importation

178.8 (1) Définition de « fourniture déterminée » — Au présent article, « fourniture déterminée » s'entend d'une fourniture de produits qui, selon le cas :

a) sont importés une fois la fourniture effectuée;

b) ont été importés dans des circonstances où la fourniture est réputée, en vertu de l'article 144, avoir été effectuée à l'étranger.

Concordance québécoise: aucune.

(2) Importateur réputé — Sous réserve des paragraphes (4) et (7), si l'acquéreur d'une fourniture déterminée de produits effectuée à l'étranger ne fournit pas les produits à l'étranger avant leur dédouanement et que l'acquéreur ou toute autre personne importe les produits pour consommation, utilisation ou fourniture par l'acquéreur (appelé « importateur effectif » au présent article), l'importateur effectif est réputé avoir ainsi importé les produits et tout montant payé ou payable sur les produits au titre de la taxe prévue à la section III relativement à l'importation est réputé avoir été payé ou payable, selon le cas, par l'importateur effectif ou pour son compte, à l'exclusion de toute autre personne.

Concordance québécoise: aucune.

(3) Accord — fourniture considérée comme effectuée au Canada — Si une fourniture déterminée de produits, qui est une fourniture taxable, est effectuée à l'étranger par un inscrit, que l'acquéreur de la fourniture est l'importateur effectif des produits et qu'un montant, s'il est fait abstraction du paragraphe (2), est payé ou payable sur les produits par l'inscrit, ou pour son compte, au titre de la taxe prévue à la section III relativement à l'importation, l'inscrit et l'acquéreur peuvent, à tout moment, conclure un accord, établi en la forme déterminée par le ministre et contenant les renseignements requis, pour que le paragraphe (4) s'applique relativement à la fourniture et à l'importation.

Concordance québécoise: aucune.

(4) Effet de l'accord — Si un inscrit et l'importateur effectif de produits ont conclu l'accord visé au paragraphe (3) relativement à la fourniture et à l'importation des produits et que l'importateur effectif n'a pas conclu l'accord visé au paragraphe (5) relativement à un montant payé sur les produits au titre de la taxe prévue à la section III relativement à l'importation, les règles suivantes s'appliquent :

a) la fourniture est réputée avoir été effectuée au Canada à l'adresse ou au lieu suivant :

(i) si l'importateur effectif est un particulier auquel une autre personne a expédié les produits à une destination au Canada, l'adresse à laquelle l'expéditeur a expédié les produits par courrier ou messager, la destination précisée dans le contrat de factage visant les produits ou la destination à laquelle l'expéditeur a demandé au transporteur public ou au consignataire engagé pour le compte de l'importateur effectif de transférer la possession matérielle des produits,

(ii) dans les autres cas, le lieu du dédouanement des produits;

b) sauf en cas d'application du paragraphe 155(1), la contrepartie de la fourniture est réputée être égale au montant déterminé par

LTA (TPS)

ailleurs pour l'application de la présente partie, majoré de tout montant (appelé « contrepartie additionnelle » au présent alinéa) qui n'est pas inclus par ailleurs dans cette contrepartie que l'importateur effectif, à un moment donné, paie ou est tenu de payer à l'inscrit au titre des droits ou taxes à payer sur les produits en vertu de la présente loi (à l'exception de la présente partie), du *Tarif des douanes*, de la *Loi de 2001 sur l'accise*, de la *Loi sur les mesures spéciales d'importation ou de toute autre loi douanière*, et, malgré l'article 168, la taxe relative à la fourniture qui est calculée sur la contrepartie additionnelle devient payable au moment donné;

c) l'inscrit est réputé avoir importé les produits en vue de les fournir dans le cadre de ses activités commerciales;

d) tout montant payé ou payable sur les produits au titre de la taxe prévue à la section III relativement à l'importation est réputé avoir été payé ou payable, selon le cas, par l'inscrit ou pour son compte, à l'exclusion de toute autre personne.

Concordance québécoise: aucune.

(5) Accord concernant les remboursements et abattements — Si l'importateur effectif de produits est réputé, en vertu du paragraphe (2), être la personne qui importe les produits, mais qu'une autre personne (appelée « importateur déterminé » au présent article) a été identifiée, pour les besoins de la *Loi sur les douanes*, comme importateur des produits au moment de leur déclaration en détail ou provisoire en vertu de l'article 32 de cette loi et a payé, s'il est fait abstraction du paragraphe (2), un montant sur les produits au titre de la taxe prévue à la section III, l'importateur effectif et l'importateur déterminé peuvent conclure un accord écrit pour que le paragraphe (7) s'applique relativement à ce montant.

Concordance québécoise: aucune.

(6) Restriction — Le paragraphe (5) ne s'applique pas au montant relativement auquel l'importateur effectif de produits, par l'effet de l'article 263.01, n'aurait pas droit au remboursement visé à cet article s'il le payait sur les produits au titre de la taxe prévue à la section III.

Concordance québécoise: aucune.

(7) Effet de l'accord — Si l'importateur effectif de produits et l'importateur déterminé ont conclu l'accord visé au paragraphe (5) pour que le présent paragraphe s'applique relativement à un montant payé sur les produits au titre de la taxe prévue à la section III et que l'importateur effectif n'a pas conclu l'accord visé au paragraphe (3) avec le fournisseur des produits relativement à l'importation, les règles suivantes s'appliquent :

a) les paragraphes 215.1(2) et (3) et 216(6) et (7) s'appliquent comme si l'importateur déterminé et non l'importateur effectif était la personne qui avait importé les produits et payé le montant, à condition que, dans un délai raisonnable après que le montant a fait l'objet d'un remboursement en vertu des paragraphes 215.1(2) ou 216(6) ou a fait l'objet d'un abattement ou d'un remboursement par l'effet des paragraphes 215.1(3) ou 216(7), l'importateur déterminé délivre à l'importateur effectif une note (appelée « note de redressement de taxe » au présent paragraphe), établie en la forme déterminée par le ministre et contenant les renseignements requis, indiquant le montant du remboursement ou de l'abattement;

b) pour l'application des paragraphes 215.1(2) ou (3) relativement au montant conformément à l'alinéa a), il n'est pas tenu compte de leurs sous-alinéas a)(i) et (ii) ni de leur alinéa c);

c) si l'importateur effectif reçoit une note de redressement de taxe indiquant le montant d'un remboursement ou d'un abattement :

(i) le montant qui fait l'objet du remboursement ou de l'abattement est réputé avoir été payable à titre de taxe et avoir été recouvré par l'importateur effectif et, sauf pour l'application de l'article 232, la note de redressement de taxe est réputée être une note de crédit visée à cet article que l'importateur effectif a reçue pour le montant du remboursement ou de l'abattement,

(ii) le montant du remboursement ou de l'abattement est ajouté dans le calcul de la taxe nette de l'importateur effectif pour la période de déclaration au cours de laquelle la note de redressement de taxe est reçue, dans la mesure où il a été inclus dans le calcul d'un crédit de taxe sur les intrants que l'importateur effectif a demandé dans une déclaration produite pour cette période ou pour une période de déclaration antérieure ou dans la mesure où l'importateur effectif peut ou pouvait recevoir, aux termes d'une garantie et en dédommagement des pertes découlant de l'une des circonstances ayant donné lieu au remboursement ou à l'abattement, une fourniture de pièces de rechange, ou de biens de remplacement, qui constituent des produits figurant à l'article 5 de l'annexe VII,

(iii) si le montant qui fait l'objet du remboursement ou de l'abattement a été inclus dans le calcul d'un remboursement prévu à la section VI qui a été versé à l'importateur effectif, ou appliqué en réduction d'un montant dont il est redevable, avant le jour de la réception de la note de redressement de taxe et que le remboursement ainsi versé ou appliqué excède celui prévu à cette section auquel l'importateur effectif aurait eu droit si le montant ayant fait l'objet du remboursement ou de l'abattement n'avait pas été versé, l'importateur effectif verse l'excédent au receveur général en application de l'article 264 comme s'il s'agissait d'un excédent du remboursement prévu à cette section qui a été versé à l'importateur effectif à la date suivante :

(A) si l'importateur effectif est un inscrit, la date limite où il est tenu de produire sa déclaration visant la période de déclaration qui comprend le jour de la réception de la note de redressement de taxe,

(B) sinon, le dernier jour du mois civil suivant celui qui comprend le jour de la réception de cette note.

Concordance québécoise: aucune.

(8) Application — Sous réserve du paragraphe (9), les paragraphes (2) à (7) s'appliquent dans le cadre des dispositions de la présente partie, à l'exception :

a) des dispositions de la section III, sauf les paragraphes 215.1(2) et (3) et 216(6) et (7);

b) des articles 220.07, 236.3 et 273.1;

c) de l'annexe VII;

d) du *Règlement sur les produits importés non taxables (TPS/TVH)* et du *Règlement sur la valeur des importations (TPS/TVH)*.

Concordance québécoise: aucune.

(9) Application — Les paragraphes (2) à (7) ne s'appliquent pas relativement aux produits importés dans les circonstances visées au paragraphe 169(2) ou dans les circonstances où une personne est réputée, en vertu de l'article 180, avoir payé, relativement à la fourniture d'un bien, une taxe égale à celle prévue à la section III relativement à l'importation de produits.

Concordance québécoise: aucune.

(10) Prescription — Si un inscrit et un importateur effectif concluent l'accord visé au paragraphe (3) relativement à une importation antérieure de produits, le ministre dispose, malgré l'article 298, d'un délai de quatre ans à compter de la date de la conclusion de l'accord pour établir toute cotisation, nouvelle cotisation ou cotisation supplémentaire ayant pour objet de tenir compte d'un montant à payer ou à verser par l'inscrit ou l'importateur effectif par suite de l'application du paragraphe (4).

Concordance québécoise: aucune.

Notes historiques: L'article 178.8 a été ajouté par L.C. 2007, c. 18, par. 13(1) et s'applique aux produits importés le 3 octobre 2003 ou par la suite, ainsi qu'aux produits importés avant cette date qui n'auront pas fait l'objet, avant cette date, de la déclaration en détail ou provisoire prévue à l'article 32 de la *Loi sur les douanes*.

Énoncés de politique [art. 178.8]: P-125R, 05/02/93, *Importateur et droit à un CTI.*

Bulletins de l'information technique [art. 178.8]: B-103, 02/10, *Taxe de vente harmonisée — Règles sur le lieu de fourniture pour déterminer si une fourniture est effectuée dans une province.*

Personne non résidante

179. (1) Livraison au consignataire d'un non-résident — Pour l'application de la présente partie, lorsque les circonstances suivantes sont réunies :

a) un inscrit, en application d'une convention qu'il a conclue avec une personne non-résidente qui n'est pas inscrite aux termes de la sous-section d) de la section V :

(i) effectue au Canada, au profit de la personne non-résidente, la fourniture taxable d'un bien meuble corporel par vente ou d'un service qui consiste à fabriquer ou à produire un tel bien, ou acquiert la possession matérielle d'un bien meuble corporel (sauf un bien d'une personne qui réside au Canada ou qui est inscrite aux termes de la sous-section d de la section V) en vue d'effectuer, au profit de la personne non-résidente, la fourniture taxable d'un service commercial relatif au bien;

(ii) à un moment donné, fait transférer, au Canada, la possession matérielle du bien à un tiers (appelé « consignataire » au présent paragraphe) ou à la personne non-résidente,

b) la personne non-résidente n'est pas consommatrice du bien ou du service fourni par l'inscrit aux termes de la convention,

les présomptions suivantes s'appliquent :

c) l'inscrit est réputé avoir effectué, au profit de la personne non-résidente, et celle-ci, avoir reçu de l'inscrit, une fourniture taxable du bien;

c.1) si la possession matérielle du bien a été ainsi transférée à un endroit situé dans une province participante, cette fourniture est réputée, sous réserve des paragraphes (2) et (3), avoir été effectuée dans cette province;

c.2) cette fourniture est réputée avoir été effectuée pour une contrepartie, qui devient due et est payée au moment donné, égal au montant suivant :

(i) si l'inscrit a fait transférer la possession matérielle du bien à un consignataire auquel la personne non-résidente a fourni le bien à titre gratuit, zéro;

(ii) dans les autres cas, la juste valeur marchande du bien au moment donné;

d) l'inscrit est réputé ne pas avoir fourni à la personne non-résidente un service visé au sous-alinéa a)(i) relativement au bien, sauf s'il s'agit d'un service d'entreposage ou d'expédition du bien.

Notes historiques: Le sous-alinéa 179(1)a)(i) a été remplacé par L.C. 1997, c. 10, par. 30(1) et cette modification est réputée en vigueur le 17 décembre 1990. Ce sous-alinéa se lisait comme suit :

(i) effectue au Canada, au profit de la personne non-résidente, la fourniture taxable d'un bien meuble corporel par vente ou d'un service qui consiste à fabriquer ou à produire un tel bien, ou acquiert la possession matérielle d'un bien meuble corporel (sauf un bien d'une personne qui réside au Canada) en vue d'effectuer, au profit de celle-ci, la fourniture taxable d'un service commercial relatif au bien,

L'alinéa 179(1)c) a été modifié par L.C. 1997, c. 10, par. 173(1) et cette modification est entrée en vigueur le 1er avril 1997.

L'alinéa 179(1)c) se lisait auparavant comme suit :

c) l'inscrit est réputé avoir effectué, au profit de la personne non-résidente, et celle-ci, avoir reçu de l'inscrit, une fourniture taxable du bien pour une contrepartie, qui devient due et est payée au moment donné, égale au montant suivant :

(i) si l'inscrit a fait transférer la possession matérielle du bien à un consignataire et si le bien n'est pas fourni à celui-ci pour une contrepartie, zéro;

(ii) si l'inscrit a fait transférer la possession matérielle du bien à un consignataire et si le bien est fourni à celui-ci pour une contrepartie, le total des montants suivants :

(A) la juste valeur marchande du bien au moment donné,

(B) si l'inscrit a fourni à la personne non-résidente un service relatif au bien et si la contrepartie de la fourniture n'est pas incluse dans la juste valeur marchande du bien, déterminée selon la division (A), la contrepartie de la fourniture du service relatif au bien,

(iii) si l'inscrit a fait transférer la possession matérielle du bien à la personne non-résidente ou à un consignataire, le total des montants suivants :

(A) la juste valeur marchande du bien au moment donné,

(B) si l'inscrit a fourni à la personne non-résidente un service relatif au bien et si la contrepartie de la fourniture n'est pas incluse dans la juste valeur marchande du bien, déterminée selon la division (A), cette contrepartie;

Auparavant, les sous-alinéas 179(1)c)(i) à (iii) ont été remplacés par L.C. 1997, c. 10, par. 30(2) et cette modification s'applique aux fournitures effectuées après le 23 avril 1996.3 Ils se lisaient comme suit :

(i) si l'inscrit a fait transférer la possession matérielle du bien à un consignataire auquel la personne non-résidente a fourni le bien à titre gratuit, zéro;

(ii) dans les autres cas, la juste valeur marchande du bien au moment donné;

Les alinéas c.1) et c.2) ont été ajoutés par L.C. 1997, c. 10, par. 173(1) et sont entrés en vigueur le 1er avril 1997.

L'alinéa 179(1)d) a été modifié par L.C. 1997, c. 10, par. 30(3) et cette modification s'applique aux fournitures effectuées après le 23 avril 1996. Cet alinéa se lisait auparavant comme suit :

d) l'inscrit est réputé ne pas avoir fourni à la personne non-résidente un service visé au sous-alinéa a)(i) relativement au bien.

Auparavant, le paragraphe 179(1) a été modifié par L.C. 1993, c. 27, par. 44(1) et est réputé entré en vigueur le 17 décembre 1990. Toutefois lorsque l'inscrit qui a livré un bien à une personne au Canada avant le 28 mars 1991 est réputé avoir fourni le bien, et avoir perçu la taxe relative à la fourniture, en application de l'article 179 édicté par L.C. 1990, c. 45, par. 12(1), et qu'il a inclus un montant au titre de cette taxe dans le calcul de sa taxe nette pour une de ses périodes de déclaration commençant avant cette date, cet article s'applique à la livraison du bien comme si la modification apportée par L.C. 1993, c. 27, art. 44 n'était pas entrée en vigueur.

L'ancien article 179 est devenu le paragraphe 179(1). Il se lisait comme suit :

179. (1) Pour l'application de la présente partie, l'inscrit qui, ayant acquis, fabriqué ou produit un bien, le livre à une autre personne au Canada, en exécution de l'obligation d'une personne non résidante qui n'est pas un inscrit de fournir le bien, est réputé :

a) avoir effectué une fourniture au Canada au profit de la personne non résidante pour une contrepartie égale au montant suivant :

(i) la plus élevée de la valeur de la contrepartie de la fourniture entre l'inscrit et la personne non résidante et de la valeur de la contrepartie de la fourniture entre la personne non résidante et l'autre personne,

(ii) lorsque la personne non résidante et l'autre personne ont entre elles un lien de dépendance ou que l'inscrit ne peut pas déterminer de façon raisonnable la valeur de la contrepartie conformément au sous-alinéa (i), la valeur qui serait raisonnable dans les circonstances si, au moment où le bien a été livré à l'autre personne ou mis à sa disposition, celle-ci et la personne non résidante n'avaient entre elles aucun lien de dépendance;

b) avoir perçu au moment de la livraison, sauf s'il s'agit d'une fourniture exonérée, la taxe relative à la fourniture, calculée sur cette contrepartie.

Le paragraphe 179(1) a été édicté par L.C. 1990, c. 45, par. 12(1).

Concordance québécoise: LTVQ, art. 327.1.

(2) Exception en cas de livraison à un inscrit — Pour l'application de la présente partie, le paragraphe (1) ne s'applique pas à la fourniture visée au sous-alinéa a)(i) si les conditions suivantes sont réunies :

a) un inscrit, en application d'une convention qu'il a conclue avec une personne non-résidente qui n'est pas inscrite aux termes de la sous-section d de la section V :

(i) effectue au Canada, au profit de la personne non-résidente, la fourniture taxable d'un bien meuble corporel par vente ou d'un service qui consiste à fabriquer ou à produire un tel bien, ou acquiert la possession matérielle d'un bien meuble corporel (sauf un bien d'une personne qui réside au Canada) en vue d'effectuer, au profit de celle-ci, la fourniture taxable d'un service commercial relatif au bien;

(ii) fait transférer, au Canada, la possession matérielle du bien à un tiers (appelé « consignataire » au présent paragraphe) qui est inscrit aux termes de la sous-section d de la section V;

LTA (TPS)

b) la personne non-résidente n'est pas consommatrice du bien ou du service fourni par l'inscrit aux termes de la convention;

c) le consignataire remet à l'inscrit un certificat qui, à la fois :

(i) indique le nom du consignataire et le numéro d'inscription qui lui a été attribué en application du paragraphe 241(1);

(ii) reconnaît que le consignataire, en prenant possession matérielle du bien, assume l'obligation de payer ou de verser un montant qui est ou peut devenir payable ou à verser par lui en vertu du paragraphe (1) ou de la section IV relativement au bien.

L'inscrit est tenu de conserver le certificat; de plus, il est réputé avoir effectué la fourniture à l'étranger, sauf s'il s'agit d'une fourniture qui consiste à expédier le bien.

Notes historiques: Le paragraphe 179(2) *in fine* a été remplacé par L.C. 2001, c. 15, par. 4(1). Cette modification s'applique aux fournitures dont la contrepartie devient due après le 28 février 2000 ou est payée après cette date sans être devenue due. Antérieurement, il se lisait ainsi :

(2) L'inscrit est tenu de conserver le certificat; de plus, il est réputé avoir effectué la fourniture à l'étranger, sauf s'il s'agit d'une fourniture qui consiste à entreposer ou à expédier le bien.

Le paragraphe 179(2) a été ajouté par L.C. 1993, c. 27, par. 44(1) et est réputé entré en vigueur le 17 décembre 1990. Toutefois, l'alinéa 179(2)c) ne s'applique pas à un inscrit relativement à un bien si l'inscrit, avant le 30 octobre 1992, transfère la possession matérielle du bien à une personne qui est inscrite aux termes de la sous-section d de la section V de la partie IX.

Concordance québécoise: LTVQ, art. 327.2.

(3) Exception en cas d'exportation — Pour l'application de la présente partie, le paragraphe (1) ne s'applique pas aux fournitures visées à l'alinéa a) si les conditions suivantes sont réunies :

a) un inscrit, en application d'une convention qu'il a conclue avec une personne non-résidente qui n'est pas inscrite aux termes de la sous-section d de la section V :

(i) effectue, au Canada, la fourniture taxable d'un bien meuble corporel par vente au profit de la personne non-résidente,

(ii) effectue, au Canada, la fourniture taxable d'un service de fabrication ou de production d'un bien meuble corporel au profit de la personne non-résidente,

(iii) acquiert la possession matérielle d'un bien meuble corporel (sauf un bien d'une personne qui réside au Canada) en vue d'effectuer, au profit de celle-ci, la fourniture taxable d'un service commercial relatif au bien.

b) la personne non-résidente n'est pas consommatrice du bien ou du service fourni par l'inscrit aux termes de la convention;

c) l'une ou l'autre des situations suivantes se présente :

(i) l'inscrit fait transférer la possession matérielle du bien soit à une personne à un endroit à l'étranger, soit à un transporteur, ou expédie le bien par la poste, en vue de son exportation et de sa livraison à l'étranger,

(ii) toutes les conditions suivantes sont réunies :

(A) l'inscrit fait transférer la possession matérielle du bien au Canada à la personne non-résidente ou à toute autre personne (chacune étant appelée « exportateur » au présent sous-alinéa) pour exportation,

(B) une fois la possession matérielle du bien transférée à l'exportateur, celui-ci exporte le bien dans un délai raisonnable, compte tenu des circonstances entourant l'exportation et, le cas échéant, des pratiques commerciales courantes de l'exportateur et du propriétaire du bien,

(C) le bien n'a pas été acquis par la personne non-résidente ou par un propriétaire du bien pour consommation, utilisation ou fourniture, au Canada, à un moment donné entre le transfert de la possession matérielle du bien à l'exportateur et son exportation,

(D) entre le transfert de la possession matérielle du bien à l'exportateur et son exportation, le bien ne subit pas d'autres traitements, transformations ou modifications, sauf dans la mesure qu'il est raisonnable de considérer comme nécessaire ou accessoire à son transport,

(E) l'inscrit tient des documents propres à convaincre le ministre que le bien a été exporté ou l'exportateur, s'il s'est fait accorder l'autorisation prévue au paragraphe 221.1(2), remet à l'inscrit un certificat dans lequel il déclare que le bien sera exporté dans les circonstances visées aux divisions (B) à (D).

De plus, l'inscrit est réputé avoir effectué les fournitures visées à l'alinéa a) à l'étranger, sauf s'il s'agit de fournitures qui consistent à expédier le bien.

Notes historiques: Le paragraphe 179(3) *in fine* a été remplacé par L.C. 2001, c.15, par. 4(2). Cette modification s'applique aux fournitures dont la contrepartie devient due après le 28 février 2000 ou est payée après cette date sans être devenue due. Antérieurement, il se lisait ainsi :

(3) De plus, l'inscrit est réputé avoir effectué les fournitures visées à l'alinéa a) à l'étranger, sauf s'il s'agit de fournitures qui consistent à entreposer ou à expédier le bien.

Le paragraphe 179(3) a été ajouté par L.C. 1993, c. 27, par. 44(1) et est réputé entré en vigueur le 17 décembre 1990.

Concordance québécoise: LTVQ, art. 327.3.

(4) Maintien de la possession — Pour l'application du présent article, de l'article 180 et de l'alinéa b) de la définition de « fourniture taxable importée » à l'article 217, lorsque les conditions suivantes sont réunies :

a) un inscrit transfère, à un moment donné, la propriété d'un bien meuble corporel à une personne non-résidente qui n'est pas inscrite aux termes de la sous-section d) de la section V en application d'une convention concernant la fourniture du bien,

b) l'inscrit, ou un autre inscrit qui a la possession matérielle du bien au moment donné et qui remet à l'inscrit le certificat visé à l'alinéa (2)c), conserve la possession matérielle du bien après ce moment en vue :

(i) soit de transférer la possession matérielle du bien à la personne non-résidente, à une personne qui acquiert ultérieurement la propriété du bien ou à une personne désignée par la personne non-résidente ou par la personne qui acquiert ultérieurement la propriété du bien,

(ii) soit de fournir un service commercial relatif au bien à la personne non-résidente ou à une autre personne qui acquiert ultérieurement la propriété du bien,

(iii) soit de consommer, d'utiliser ou de fournir le bien aux termes d'une convention que la personne non-résidente, une personne qui acquiert ultérieurement la propriété du bien ou un locataire ou sous-locataire de l'une de ces personnes conclut en vue de fournir le bien par vente ou location à l'inscrit,

les présomptions suivantes s'appliquent :

c) l'inscrit, s'il conserve ainsi la possession matérielle du bien après le moment donné, est réputé l'avoir transférée à ce moment à un autre inscrit, avoir obtenu de celui-ci le certificat visé à l'alinéa (2)c) et avoir acquis la possession matérielle du bien à ce moment aux fins visées à l'alinéa b);

d) l'inscrit est réputé, si un autre inscrit conserve ainsi la possession matérielle du bien après le moment donné, l'avoir transférée à ce dernier à ce moment; l'autre inscrit est alors réputé avoir acquis la possession matérielle du bien à ce moment aux fins visées à l'alinéa b).

Notes historiques: Le préambule de l'alinéa 179(4)b) a été modifié par L.C. 1993, c. 27, par. 44(2) et est réputé entré en vigueur le 30 octobre 1992. Il se lisait auparavant comme suit :

b) l'inscrit, ou un autre inscrit qui a la possession matérielle du bien au moment donné, demeure en possession matérielle du bien après ce moment en vue :

Le paragraphe 179(4) a été ajouté par L.C. 1993, c. 27, par. 44(1) et est réputé entré en vigueur le 17 décembre 1990.

Concordance québécoise: LTVQ, art. 327.4.

(5) Transfert de la possession au dépositaire — Pour l'application du présent article, de l'article 180 et de l'alinéa b) de la définition de « fourniture taxable importée » à l'article 217, lorsqu'un inscrit transfère, à un moment donné, la possession matérielle d'un bien meuble corporel à une personne qui est dépositaire ou transporteur (appelée « dépositaire » au présent paragraphe) uniquement en vue de l'entreposage ou de l'expédition du bien et que le dépositaire soit est un transporteur auquel la possession matérielle du bien a été transférée uniquement en vue de l'expédition du bien, soit n'avait pas, au moment donné, remis à l'inscrit le certificat visé à l'alinéa (2)c), les présomptions suivantes s'appliquent :

a) si, aux termes de la convention conclue avec le dépositaire concernant l'entreposage ou l'expédition du bien, le dépositaire est tenu de transférer la possession matérielle du bien à une personne, autre que l'inscrit, désignée nommément dans la convention au moment donné :

(i) l'inscrit est réputé avoir transféré la possession matérielle du bien à cette personne au moment donné, et celle-ci est réputée l'avoir acquise à ce moment,

(ii) l'inscrit est réputé ne pas avoir transféré la possession matérielle du bien au dépositaire, et celui-ci est réputé ne pas l'avoir acquise;

b) si, aux termes de la convention conclue avec le dépositaire concernant l'entreposage ou l'expédition du bien, le dépositaire est tenu de transférer la possession matérielle du bien à l'inscrit ou à une autre personne (appelée « consignataire » au présent alinéa) à identifier plus tard :

(i) l'inscrit est réputé conserver la possession matérielle du bien, et le dépositaire est réputé ne pas l'avoir acquise, durant la période allant du moment donné jusqu'au premier en date des moments suivants :

(A) le moment où le consignataire est identifié,

(B) le moment où le dépositaire transfère la possession matérielle du bien à l'inscrit,

(C) si le dépositaire n'est pas un transporteur auquel la possession matérielle du bien a été transférée uniquement en vue de l'expédition du bien, le moment où le dépositaire remet à l'inscrit le certificat visé à l'alinéa (2)c),

(ii) si le dépositaire n'est pas un transporteur auquel la possession matérielle du bien a été transférée uniquement en vue de l'expédition du bien et s'il remet à l'inscrit, à un moment quelconque avant l'identification du consignataire, le certificat visé à l'alinéa (2)c), l'inscrit est réputé avoir transféré la possession matérielle du bien au dépositaire à ce moment, et celui-ci est réputé l'avoir acquise à ce moment en vue de fournir au propriétaire du bien un service commercial relatif au bien aux termes d'une convention conclue avec lui,

(iii) si le consignataire est identifié à un moment quelconque avant que le dépositaire ne remette à l'inscrit le certificat visé à l'alinéa (2)c) dans les circonstances visées au sous-alinéa (ii), l'inscrit est réputé avoir transféré la possession matérielle du bien au consignataire à ce moment, et celui-ci est réputé l'avoir acquise à ce moment.

Pour l'application du présent alinéa, un consignataire est identifié au premier en date des moments suivants :

(iv) le moment où l'inscrit remet au consignataire les documents dont il a besoin pour obtenir que le dépositaire lui transfère la possession matérielle du bien,

(v) le moment où l'inscrit ordonne par écrit au dépositaire de transférer la possession matérielle du bien au consignataire,

(vi) le moment où le dépositaire transfère la possession matérielle du bien au consignataire.

Notes historiques: Le paragraphe 179(5) a été modifié par L.C. 1993, c. 27, par. 44(3) et cette modification est réputée entrée en vigueur le 30 octobre 1992. Antérieurement, il se lisait ainsi :

(5) Pour l'application du présent article, de l'article 180 et de l'alinéa b) de la définition de « fourniture taxable importée » à l'article 217, lorsqu'un inscrit transfère, à un moment donné, la possession matérielle d'un bien meuble corporel à un transporteur uniquement en vue de l'expédition du bien, les présomptions suivantes s'appliquent :

a) si, aux termes de la convention conclue avec le transporteur concernant l'expédition du bien, le transporteur est tenu de transférer la possession matérielle du bien à une personne autre que l'inscrit :

(i) l'inscrit est réputé avoir transféré la possession matérielle du bien à cette personne au moment donné, et celle-ci est réputée l'avoir acquise à ce moment,

(ii) l'inscrit est réputé ne pas avoir transféré la possession matérielle du bien au transporteur, et celui-ci est réputé ne pas l'avoir acquise;

b) si, aux termes de la convention conclue avec le transporteur concernant l'expédition du bien, le transporteur est tenu de transférer la possession matérielle du bien à l'inscrit, celui-ci est réputé conserver la possession matérielle du bien, et le transporteur est réputé ne pas l'avoir acquise, durant la période allant du moment donné jusqu'au moment où le transporteur transfère la possession matérielle du bien à l'inscrit.

Ce paragraphe a été ajouté par L.C. 1993, c. 27, par. 44(1) et est réputé entré en vigueur le 17 décembre 1990.

Concordance québécoise: LTVQ, art. 327.5.

(6) Produits transférés au dépositaire par un non-résident — Pour l'application du présent article, de l'article 180 et de l'alinéa b) de la définition de « fourniture taxable importée » à l'article 217, lorsqu'une personne non-résidente qui n'est pas inscrite aux termes de la sous-section d de la section V transfère à une personne donnée — dépositaire ou transporteur — qui est un inscrit la possession matérielle d'un bien meuble corporel uniquement en vue de l'entreposage ou de l'expédition du bien, la personne donnée est réputée ne pas avoir acquis la possession matérielle du bien si, selon le cas :

a) elle est un transporteur qui acquiert la possession matérielle du bien uniquement en vue de l'expédition du bien;

b) elle ne demande pas de crédit de taxe sur les intrants relativement au bien.

Notes historiques: L'alinéa 179(6)b) a été modifié par L.C. 1997, c. 10, par. 173(2) et cette modification est entrée en vigueur le 1er avril 1997. Cet alinéa se lisait auparavant comme suit :

b) elle ne demande pas de crédit de taxe sur les intrants relativement à l'acquisition ou à l'importation du bien.

Le paragraphe 179(6) a été ajouté par L.C. 1993, c. 27, par. 44(3) et est réputé entré en vigueur le 30 octobre 1992.

Concordance québécoise: LTVQ, art. 327.6.

(7) Utilisation de matériel roulant de chemin de fer — Pour l'application de la division (3)c)(ii)(C), le matériel roulant de chemin de fer qui, entre le transfert de sa possession matérielle conformément à cette division et son exportation subséquente, n'est utilisé que pour transporter des biens meubles corporels ou des passagers à l'occasion de cette exportation est réputé être utilisé entièrement à l'étranger si l'exportation est effectuée dans les 60 jours suivant le transfert.

Notes historiques: Le paragraphe 179(7) a été ajouté par L.C. 2001, c. 15, par. 4(3) et s'applique au matériel roulant de chemin de fer dont la possession matérielle est transférée par un inscrit à l'occasion d'une fourniture par vente qu'il effectue et dont la contrepartie devient due après le 28 février 2000 ou est payée après cette date sans être devenue due.

Concordance québécoise: aucune.

Définitions [art. 179]: « acquéreur », « bien », « bien meuble », « consommateur », « contrepartie », « document », « fourniture », « fourniture taxable », « importation », « inscrit », « juste valeur marchande », « ministre », « montant », « non résidant », « personne », « province participante », « service », « service commercial », « taxe », « transporteur », « vente » — 123(1); « fourniture taxable importée » — 217.

Renvois [art. 179]: 123(2) (Canada); 126(1) (lien de dépendance); 132 (résidence); 142(1) (lieu de la fourniture — Canada); 169(2) (CTI — produits importés en vue d'un service commercial); 180b) (réception d'un bien d'un non-résident); VI:Partie V:13b) (fourniture détaxée).

Jurisprudence [art. 179]: *Roberge Transport Inc. v. R.*, 2010 CarswellNat 2453, 2010 CCI 155, [2010] G.S.T.C. 43 (CCI [procédure générale]).

Énoncés de politique [art. 179]: P-107R, 05/05/99, *Certificat de livraisons directes avant l'étape de la vente au détail*; P-217, 21/01/99, *Signification du terme « matériel roulant »*.

Bulletins de l'information technique [art. 179]: B-075R, 23/04/96, *Modifications proposées à la TPS*; B-088, 04/07/02, *Programme de centres de distribution des exportations*; B-103, 02/10, *Taxe de vente harmonisée — Règles sur le lieu de fourniture pour déterminer si une fourniture est effectuée dans une province.*

Mémorandums [art. 179]: TPS 400, 18/05/90, *Crédits de taxe sur les intrants*, par. 10; TPS 500-2-4, 19/03/91, *Calcul de la taxe*, annexe B.

Série de mémorandums [art. 179]: Mémorandum 3.1, 08/99, *Assujettissement à la taxe*; Mémorandum 3.3, 04/00, *Lieu de fourniture*; Mémorandum 3.3.1, 06/08, *Livraisons directes*; Mémorandum 3.4, 04/00, *Résidence*.

Lettres d'interprétation (Québec) [art. 179]: 00-0108332 — Importation et exportation.

COMMENTAIRES: En pratique, cet article réfère aux livraisons directes et a pour objectif principal de s'assurer que la TPS/TVH sera adéquatement perçue même si un non-résident est impliqué dans une chaine qui, essentiellement, consiste en une fourniture par un inscrit Canadien en faveur d'un acquéreur au Canada.

En vertu du paragraphe 179(2), Revenu Québec a indiqué que la compagnie n'a effectivement pas à exiger de son client américain le paiement de la TPS applicable à l'égard de la fourniture par vente de marchandises qu'elle lui effectue si, en vertu de la convention donnant lieu à cette fourniture, elle fait transférer la possession matérielle des marchandises au Québec à un consignataire qui est inscrit au fichier de la TPS. Pour ce faire, toujours suivant cette disposition législative, le consignataire doit lui remettre un certificat indiquant son numéro d'inscription de même qu'une mention à l'effet qu'il s'engage à payer ou à verser la TPS qui pourrait par ailleurs être payable à l'égard du bien en vertu du paragraphe 179(1) ou de la section IV (art. 217 et suivants). Voir à cet effet Revenu Québec, Lettre d'interprétation, 96-0104156 — *Application de la TPS et de la TVQ aux fournitures par vente de marchandises effectuées à des non-résidents du Canada* (16 avril 1996). Voir également au même effet : Agence du revenu du Canada, Lettre de l'Administration centrale sur la TPS, 11680-7 — *GST/HST Interpretation — GST/HST Tax Treatment — Drop-Shipment Rules* (12 février 2001).

À titre informatif, nous reproduisons ci-dessous l'annexe B du mémorandum 3.3.1 — *Livraisons directes* (Juin 2008) émis par l'Agence du revenu du Canada et qui résume les éléments que doivent inclure un certificat de livraison directe requis en vertu de l'alinéa 179(2)(c) :

CERTIFICAT DE LIVRAISON DIRECTE	
1. Inscrit à qui le certificat de livraison directe est remis (« l'inscrit »)	
Dénomination sociale	
2. Inscrit qui remet le certificat de livraison directe (« le consignataire inscrit »)	
Dénomination sociale	Numéro d'entreprise
3. Description des produits livrés directement	
Veuillez fournir suffisamment de détails pour identifier clairement le ou les produits. Si vous avez besoin de plus d'espace, veuillez joindre une feuille séparément.	
4. Portée du certificat	
Précisez la portée du certificat *(cochez une seule case)* : [ ] Livraison directe du ou des produits décrits ci-dessus le A - M - J [ ] Livraisons directes multiples des produits décrits ci-dessus le A - M - J [ ] Livraisons directes permanentes des produits décrits ci-dessus à partir du A - M - J [ ] Livraisons directes des produits décrits ci-dessus au cours de la période précise : du A - M - J au A - M - J	
Le consignataire inscrit a, ou recevra, la possession matérielle des produits décrits ci-dessus au Canada de l'inscrit qui a *(cochez une seule case)*	
[ ]	soit effectué par vente au Canada une fourniture taxable de produits à un non-résident non inscrit nommé ....,
[ ]	soit effectué au Canada une fourniture taxable de service qui consiste à produire ou à fabriquer des produits à un non-résident non inscrit nommé ....,
[ ]	soit acquis la possession matérielle des produits appartenant à un non-résident non inscrit en vue d'effectuer une fourniture taxable de service commercial relatif aux produits à un non-résident non inscrit nommé ....,
et le consignataire *(cochez une seule case)*	
[ ]	est l'acquéreur d'une fourniture taxable (autre qu'une fourniture détaxée) de produits effectuée par un non-résident non inscrit nommé .... Dans ce cas, le consignataire sera tenu de payer la taxe par autocotisation sur une fourniture taxable importée de produits s'il n'acquiert pas les produits pour les consommer, utiliser ou fournir exclusivement dans le cadre de ses activités commerciales, ou si le produit est une voiture de tourisme acquise pour être utilisée au Canada à titre d'immobilisation dans le cadre de ses activités commerciales, et que le coût en capital de la voiture pour le consignataire dépasse le montant réputé être ce coût pour lui aux fins de l'impôt sur le revenu.
[ ]	acquiert la possession matérielle des produits appartenant à un non-résident non inscrit nommé en vue d'effectuer une fourniture taxable de service commercial relatif aux produits à un non-résident non inscrit nommé .... ou d'effectuer au Canada une fourniture taxable de service qui consiste à produire ou à fabriquer des produits (également appelés ci-dessous les « produits ») à un non-résident non inscrit nommé .... Dans ce cas, le consignataire sera tenu de percevoir la taxe sur la fourniture des produits conformément au paragraphe 179(1) s'il en transfère la possession matérielle à une autre personne au Canada, à moins que les produits soient exportés conformément au paragraphe 179(3), ou que l'autre personne soit une personne inscrite qui remet au consignataire un certificat de livraison directe relatif à la fourniture des produits et qu'elle ait l'obligation éventuelle de percevoir la taxe sur la fourniture des produits en raison du paragraphe 179(1), soit l'obligation éventuelle de payer la taxe par autocotisation sur la fourniture taxable importée des produits, en vertu de la section IV.
5. Attestation	
Je, ..., atteste et reconnaît par la présente que les renseignements fournis dans le présent formulaire sont, autant que je sache, vrais, exacts et complets à tous égards, et que je suis le consignataire ou que je suis la personne autorisée à signer au nom du consignataire.	
Signature du consignataire ou de la personne autorisée	

L'Agence du revenu du Canada souligne la présence du paragraphe 179(3) à titre d'exception à la règle générale reflétée au paragraphe 179(1). Ainsi, dans la mesure où une preuve documentaire satisfaisante permet de démontrer que les produits seront exportés, la fourniture sera réputée être effectuée à l'étranger. De plus, la règle générale énoncée au paragraphe 179(1) ne s'appliquera pas. Voir notamment à cet effet : Agence du revenu du Canada, Lettre de l'Administration centrale sur la TPS, 120380 — *Entitlement to Input Tax Credits in Respect of Goods Imported into Canada* (14 juin 2010).

180. Réception d'un bien d'un non-résident — Aux fins du calcul du crédit de taxe sur les intrants d'une personne donnée ou du montant du remboursement payable à cette personne en vertu des articles 259 ou 260, lorsqu'une personne non-résidente qui n'est pas inscrite aux termes de la sous-section d de la section V :

a) selon le cas :

(i) fournit un bien meuble corporel à la personne donnée et le lui livre au Canada, ou l'y met à sa disposition, avant qu'il n'y soit utilisé par elle ou pour son compte,

(ii) si la personne donnée est un inscrit, lui fait transférer, au Canada, la possession matérielle d'un bien meuble corporel dans des circonstances telles qu'elle l'acquiert en vue d'effectuer, au profit de la personne non-résidente, la fourniture taxable d'un service commercial relatif au bien,

b) a payé la taxe prévue à la section III relativement à l'importation du bien ou a payé la taxe relative à la fourniture du bien qui est réputée, par le paragraphe 179(1), avoir été effectuée par un inscrit,

c) remet à l'inscrit des documents propres à convaincre le ministre que la taxe a été payée,

la personne donnée est réputée :

d) avoir payé, au moment où la personne non-résidente a payé cette taxe et relativement à une fourniture du bien effectuée au profit de la personne donnée, une taxe égale à cette taxe;

e) dans le cas visé au sous-alinéa a)(ii), avoir acquis le bien pour utilisation exclusive dans le cadre de ses activités commerciales.

Notes historiques: L'article 180 a été modifié par L.C. 1993, c. 27, par. 45(1) et est réputé entré en vigueur le 17 décembre 1990. Il se lisait comme suit :

(1) Dans le cas où une personne non résidante qui n'est pas un inscrit effectue la fourniture par vente d'un bien meuble corporel au profit d'un inscrit, le lui livre au Canada avant qu'il n'y soit utilisé, ou l'y met à sa disposition, paie la taxe prévue par la section III relativement à l'importation du bien et remet à l'inscrit des preuves, satisfaisantes au ministre, que cette taxe a été payée, l'inscrit est réputé, aux fins du calcul de son crédit de taxe sur les intrants, avoir payé, au moment où la personne non résidante a payé la taxe, une taxe relative à la fourniture égale à cette taxe.

(2) Dans le cas où une personne non résidante, à l'exclusion d'un inscrit, fournit à un inscrit un bien meuble corporel qui a été acquis, fabriqué ou produit par un autre inscrit, paye la taxe réputée par l'article 179 avoir été perçue par l'autre inscrit relativement à la fourniture du bien au profit de cette personne et remet à l'inscrit des preuves, pouvant convaincre le ministre, que la taxe a été payée, l'inscrit est réputé aux fins du calcul de son crédit de taxe sur les intrants, si le

bien lui est livré au Canada, ou y est mis à sa disposition, par l'autre inscrit en exécution de l'obligation de la personne non résidante de lui fournir le bien, avoir payé, au moment où la personne non résidante a payé la taxe, une taxe relative à la fourniture égale à cette taxe.

L'article 180 a été édicté par L.C. 1990, c. 45, par. 12(1).

Concordance québécoise: LTVQ, art. 327.7.

Définitions: « acquéreur », « bien », « bien meuble », « exclusif », « fourniture », « fourniture taxable », « importation », « inscrit », « ministre », « montant », « non résidant », « personne », « service commercial », « taxe », « vente » — 123(1).

Renvois: 123(2) (Canada); 132 (résidence); 142(1) (lieu de la fourniture — Canada); 169 (CTI); 179(4)–(6) (transfert de biens au nom de non-résidents non inscrits); 225.1 (2)(v) (crédits de taxe sur les intrants-organisme de bienfaisance); 240(3) (inscription au choix).

Énoncés de politique: P-125R, 05/02/93, *Importateur et droit à un CTI*.

Mémorandums: TPS 400, 18/05/90, *Crédits de taxe sur les intrants*, par. 11; TPS 500-2-4, 19/03/91, *Calcul de la taxe*, annexe D.

Série de mémorandums: Mémorandum 3.3.1, 06/08, *Livraisons directes*.

Lettres d'interprétation (Québec): 00-0108548 — Interprétation relative à la TPS — Application de l'article 180 de la Loi fédérale.

COMMENTAIRES: Alors que l'article 179 prévoit l'imposition de la TPS dans une situation où son paiement aurait pu être évité en raison de la présence d'un non-résident dans la chaine de facturation, cet article prévoit un crédit de taxe sur les intrants, ou un remboursement en vertu de l'article 259, pour prévenir que la TPS soit payée deux fois en raison de la présence du non-résident qui a été facturé et qui a payé la TPS sans être en mesure de réclamer un crédit de taxe sur les intrants équivalent.

De façon générale, lorsque les conditions sont remplies, la personne résidente du Canada sera réputée avoir payé la TPS qui aura été payée par le non-résident. Ainsi, puisque c'est le résident du Canada qui sera en mesure de réclamer le crédit de taxe sur les intrants, le montant facturé au non-résident devrait être inclusif de la TPS.

L'Agence du revenu du Canada souligne que l'article 180 permet un « flow-through » des crédits de taxe sur les intrants d'un non-résident non-inscrit en faveur d'un inscrit, en l'espèce, pour la TPS payée par le non-résident dans la mesure où le non-résident fournit à l'inscrit une preuve suffisante à l'effet que la TPS a effectivement été payée. Voir notamment à cet effet : Agence du revenu du Canada, Lettre de l'Administration centrale sur la TPS, 11650 — 1E — *Section 180 — Entitlement to Input Tax Credit* (12 novembre 2004). Voir également au même effet : Agence du revenu du Canada, Lettre de l'Administration centrale sur la TPS et décision anticipée, 145581R, *GST/HST Interpretation — Importation of U.S. Based Aircraft* (5 novembre 2012), Agence du revenu du Canada, Lettre de l'Administration centrale sur la TPS, 120380 — *Entitlement to Input Tax Credits in Respect of Goods Imported in Canada* (14 juin 2010); Agence du revenu du Canada, Lettre, 132324 — *Services Provided by a Non-Resident Supplier* (7 juin 2011).

Vols et voyages internationaux

180.1 (1) Définitions — Les définitions qui suivent s'appliquent au présent article.

« vol international » Vol d'un aéronef exploité dans le cadre d'une entreprise qui consiste à fournir des services de transport de passagers, sauf le vol qui commence et prend fin au Canada.

Notes historiques: La définition de « vol international » au paragraphe 180.1(1) a été ajoutée par L.C. 1997, c. 10, par. 31(1) et s'applique aux fournitures effectuées après le 23 avril 1996.

Concordance québécoise: LTVQ, art. 327.8« vol international ».

« voyage international » Voyage d'un navire exploité dans le cadre d'une entreprise qui consiste à fournir des services de transport de passagers, sauf le voyage qui commence et prend fin au Canada.

Notes historiques: La définition de « voyage international » au paragraphe 180.1(1) a été ajoutée par L.C. 1997, c. 10, par. 31(1) et s'applique aux fournitures effectuées après le 23 avril 1996.

Concordance québécoise: LTVQ, art. 327.8« voyage international ».

(2) Livraison lors d'un vol ou d'un voyage international — Pour l'application de la présente partie, le bien meuble corporel ou le service, sauf un service de transport de passagers, qui est fourni à un particulier à bord d'un aéronef lors d'un vol international ou à bord d'un navire lors d'un voyage international est réputé avoir été fourni à l'étranger, si la possession matérielle du bien est transférée au particulier, ou le service exécuté entièrement, à bord de l'aéronef ou du navire.

Notes historiques: Le paragraphe 180.1(2) a été ajouté par L.C. 1997, c. 10, par. 31(2) et s'applique aux fournitures effectuées après le 23 avril 1996.

Concordance québécoise: LTVQ, art. 327.9.

Définitions [art. 180.1]: « bien meuble », « entreprise », « fourniture », « personne », « service » — 123(1).

Renvois [art. 180.1]: 123(2) (Canada); IX:Partie VI:3 (TVH — fourniture à bord d'un moyen de transport).

Bulletins de l'information technique [art. 180.1]: B-075R, 23/04/96, *Modifications proposées à la TPS*.

Série de mémorandums [art. 180.1]: Mémorandum 3.3, 04/00, *Lieu de fourniture*; Mémorandum 28.3, 12/98, *Services de transport de passagers*, par. 20-22.

COMMENTAIRES: Les produits livrés ou les services exécutés à bord de vols internationaux sont réputés effectués à l'étranger et par conséquent, ils ne sont pas assujettis à la TPS/TVH. Voir notamment à cet effet : *Grand River Enterprises Six Nations Ltd. c. Reine*, 2012 CarswellNat 3531 (C.A.F.) (demande de permission d'en appeler à la Cour suprême du Canada déposée, 2012 CarswellNat 4677).

Il faut noter que la définition d'aéronef, de par son sens usuel, inclut un hélicoptère.

Dans le contexte où des frais sont facturés à un passager d'un vol international pour l'utilisation d'un téléphone dont l'appel a été transmis par le biais d'une station basée au Canada, l'Agence du revenu du Canada a indiqué que l'article 180.1 ne s'appliquerait pas puisque la fourniture de ce service n'a pas été exécutée entièrement à bord de l'avion. Voir notamment à cet effet : Lettre de l'Administration centrale sur la TPS, 11975-1(C) — *GST/HST Interpretation — Telephone Calls charged to passengers on foreign-owned aircraft* (27 juillet 1998).

Également, en raison de la définition de l'expression « vol international » au paragraphe (1), notamment à ce que le vol soit fait dans le cadre d'une entreprise qui consiste à fournir des services de transport de passagers, il semble que cet article ne peut trouver application dans le contexte d'un vol privé.

Finalement, de l'avis de l'auteur, les frais reliés aux repas dans le cadre d'un vol international, bien que réputé fait à l'extérieur du Canada, devraient se qualifier à titre de fourniture incidente sous l'article 138 et devraient avoir le même statut de TPS/TVH que le billet d'avion.

Bons et remises

181. (1) Définitions — Les définitions qui suivent s'appliquent au présent article.

« bon » Sont compris parmi les bons les pièces justificatives, reçus, billets et autres pièces. En sont exclus les certificats-cadeaux et les unités de troc au sens de l'article 181.3.

Notes historiques: La définition de « bon », au paragraphe 181(1) a été remplacée par L.C. 2000, c. 30, par. 33(1) et s'applique :

a) aux fins de l'application de l'article 181 à compter du 10 décembre 1998;

b) aux fins de l'application de cet article, à toute chose acceptée ou rachetée avant cette date, dans le cadre du calcul des montants suivants :

(i) le remboursement prévu au paragraphe 261(1) qui fait l'objet d'une demande reçue par le ministre du Revenu national après le 9 décembre 1998,

(ii) un crédit de taxe sur les intrants ou une déduction demandé dans une déclaration reçue par le ministre après le 9 décembre 1998.

Antérieurement, cette définition se lisait comme suit :

« bon » Sont compris parmi les bons les pièces justificatives, reçus, billets et autres pièces. En sont exclus les certificats-cadeaux.

La définition de « bon » au paragraphe 181(1) a été modifiée par L.C. 1997, c. 10, par. 174(1) et cette modification est réputée entrée en vigueur le 1er avril 1997. Auparavant, cette définition a été modifiée par L.C. 1993, c. 27, par. 46(1) et est réputée entrée en vigueur le 17 décembre 1990. Elle se lisait comme suit :

« bon » Pour l'application du présent article, sont assimilés à des bons les pièces justificatives, les reçus, les billets et les autres pièces, à l'exclusion des certificats-cadeaux.

Le paragraphe 181(1) correspond à l'ancien paragraphe 157(1) (en partie). L'ancien paragraphe 181(1), édicté par L.C. 1990, c. 45, par. 12(1), a été intégré au paragraphe 181(5). Il se lisait comme suit :

181. (1) Pour l'application de la présente partie, dans le cas où le fournisseur d'une fourniture taxable d'un bien ou d'un service accepte, en contrepartie totale ou partielle, un bon — y compris une pièce justificative ou une autre pièce, mais à l'exclusion d'un certificat-cadeau — qui est échangeable contre le bien ou le service ou qui permet à l'acquéreur de bénéficier d'une réduction ou d'un rabais sur le prix du bien ou du service et où une autre personne verse un montant au fournisseur pour racheter le bon, les présomptions suivantes s'appliquent :

a) le montant est réputé ne pas être la contrepartie d'une fourniture;

b) le versement ou la réception du montant est réputé ne pas être un service financier.

Concordance québécoise: LTVQ, art. 350.1.

« **fraction de taxe** » Quant à la valeur ou la valeur de rabais ou d'échange d'un bon :

a) dans le cas où le bon est accepté en contrepartie, même partielle, d'une fourniture effectuée dans une province participante, le résultat du calcul suivant :

$$A/B$$

où :

A représente la somme du taux fixé au paragraphe 165(1) et du taux de taxe applicable à la province,

B la somme de 100 % et du pourcentage déterminé selon l'élément A;

b) dans les autres cas, le résultat du calcul suivant :

$$C/D$$

où :

C représente le taux fixé au paragraphe 165(1),

D la somme de 100 % et du pourcentage déterminé selon l'élément C.

Notes historiques: La définition de « fraction de taxe » au paragraphe 181(1) a été remplacée par L.C. 2006, c. 4, par. 7(1) et cette modification s'applique aux bons acceptés, après juin 2006, en contrepartie, même partielle, de fournitures. Antérieurement, elle se lisait ainsi :

« fraction de taxe » Quant à la valeur ou la valeur de rabais ou d'échange d'un bon :

a) dans le cas où le bon est accepté en contrepartie, même partielle, d'une fourniture effectuée dans une province participante, le résultat du calcul suivant :

$$\frac{A}{B}$$

où :

A représente la somme de 7 % et du taux de taxe applicable à la province,

B la somme de 100 % et du pourcentage déterminé selon l'élément A;

b) dans les autres cas, $7/107$.

La définition de « fraction de taxe » au paragraphe 181(1) a été ajoutée par L.C. 1997, c. 10, par. 174(1) et est réputée entrée en vigueur le 1er avril 1997.

Concordance québécoise: LTVQ, art. 350.1.

(2) Acceptation d'un bon remboursable — Pour l'application de la présente partie, sauf le paragraphe 223(1), lorsqu'un inscrit accepte, en contrepartie, même partielle, de la fourniture taxable d'un bien ou d'un service, sauf une fourniture détaxée, un bon qui permet à l'acquéreur de bénéficier d'une réduction du prix du bien ou du service égale au montant fixe indiqué sur le bon (appelé « valeur du bon » au présent paragraphe) et que l'inscrit peut raisonnablement s'attendre à recevoir un montant pour le rachat du bon, les présomptions suivantes s'appliquent :

a) la taxe percevable par l'inscrit relativement à la fourniture est réputée égale à celle qui serait percevable s'il n'acceptait pas le bon;

b) l'inscrit est réputé avoir perçu, au moment de l'acceptation du bon, la partie de la taxe percevable qui correspond à la fraction de taxe de la valeur du bon;

c) la taxe payable par l'acquéreur relativement à la fourniture est réputée égale au montant calculé selon la formule suivante :

$$A - B$$

où :

A représente la taxe percevable par l'inscrit relativement à la fourniture,

B la fraction de taxe de la valeur du bon.

Notes historiques: Le paragraphe 181(2) a été modifié par L.C. 1993, c. 27, par. 46(1) et est réputé entré en vigueur le 17 décembre 1990. Le paragraphe 181(2) correspond à l'ancien paragraphe 157(1) (en partie). L'ancien paragraphe 181(2) a été intégré à l'article 181.1. Il se lisait comme suit :

(2) Dans le cas où un fournisseur effectue la fourniture taxable au Canada, sauf une fourniture détaxée, d'un bien ou d'un service qu'une personne acquiert du fournisseur ou de quelqu'un d'autre et verse à la personne une remise relativement au bien ou au service, les présomptions suivantes s'appliquent :

a) si la fourniture est effectuée lorsque le fournisseur est un inscrit, le fournisseur est réputé, aux fins du calcul d'un crédit de taxe sur les intrants :

(i) avoir reçu la fourniture taxable d'un service à utiliser exclusivement dans le cadre de son activité commerciale,

(ii) avoir payé, au moment du versement de la remise, la taxe relative à la fourniture, égale à la fraction de taxe de la remise;

b) pour l'application de la présente partie, la personne est réputée, si elle est un inscrit et a droit au crédit de taxe sur les intrants ou à un remboursement de taxe relativement à l'acquisition :

(i) avoir effectué la fourniture taxable d'un service,

(ii) avoir perçu, au moment du versement de la remise, la taxe relative à la fourniture, calculée selon la formule suivante :

$$A \times \frac{B}{C} \times D$$

où :

A représente la fraction de taxe;

B le crédit de taxe sur les intrants de la personne ou son remboursement de taxe relativement à l'acquisition;

C le total de la taxe payable par elle relativement à l'acquisition;

D la remise que le fournisseur lui a versée.

Le paragraphe 181(2) a été édicté par L.C. 1990, c. 45, par. 12(1).

Concordance québécoise: LTVQ, art. 350.2.

(3) Acceptation d'un bon non remboursable — Lorsqu'un inscrit accepte, en contrepartie, même partielle, de la fourniture taxable (sauf une fourniture détaxée) d'un bien ou d'un service un bon qui permet à l'acquéreur de bénéficier d'une réduction sur le prix du bien ou du service égale au montant fixe indiqué sur le bon ou à un pourcentage fixe, indiqué sur le bon, du prix (le montant de la réduction étant, dans chaque cas, appelé « valeur du bon » au présent paragraphe) et que l'inscrit peut raisonnablement s'attendre à ne pas recevoir de montant pour le rachat du bon, les règles suivantes s'appliquent :

a) pour l'application de la présente partie, l'inscrit doit considérer que le bon :

(i) soit réduit la valeur de la contrepartie de la fourniture en conformité avec le paragraphe (4);

(ii) soit représente un paiement au comptant partiel qui ne réduit pas la valeur de la contrepartie de la fourniture,

b) si l'inscrit considère que le bon est un paiement au comptant partiel qui ne réduit pas la valeur de la contrepartie de la fourniture, les alinéas (2)a) à c) s'appliquent à la fourniture et au bon, et l'inscrit peut demander, pour sa période de déclaration qui comprend le moment de l'acceptation du bon, un crédit de taxe sur les intrants égal à la fraction de taxe de la valeur du bon;

Notes historiques: Le paragraphe 181(3) a été modifié par L.C. 1997, c. 10, par. 174(1) et cette modification est entrée en vigueur le 1er avril 1997. Il se lisait comme suit :

(3) Pour l'application de la présente partie, l'inscrit qui accepte, en contrepartie, même partielle, de la fourniture taxable d'un bien ou d'un service, sauf une fourniture détaxée, un bon qui permet à l'acquéreur de bénéficier d'une réduction sur le prix du bien ou du service égale au montant fixe indiqué sur le bon (appelé « valeur du bon » au présent paragraphe) et qui peut raisonnablement s'attendre à ne pas recevoir de montant pour le rachat du bon doit considérer que le bon :

a) soit réduit la valeur de la contrepartie de la fourniture en conformité avec le paragraphe (4);

b) soit représente un paiement au comptant partiel qui ne réduit pas la valeur de la contrepartie, auquel cas le paragraphe (2) s'applique et l'inscrit peut demander, pour sa période de déclaration qui comprend le moment de l'acceptation du bon, un crédit de taxe sur les intrants égal à la fraction de taxe de la valeur du bon.

Auparavant, ce paragraphe, modifié par L.C. 1993, c. 27, par. 46(1) et réputé entré en vigueur le 17 décembre 1990, se lisait comme suit :

(3) paragraphes (1) et (2) ne s'appliquent pas si le montant payé par le fournisseur au titre du bon, de la pièce justificative ou autre pièce, ou par l'inscrit au titre du bien ou du service, représente un redressement, un remboursement ou un crédit auquel le paragraphe 232(3) s'applique.

L'ancien paragraphe 181(3) a été édicté par L.C. 1990, c. 45, par. 12(1) et intégré au paragraphe 181(5).

Concordance québécoise: LTVQ, art. 350.3.

(4) **Acceptation d'autres bons** — Pour l'application de la présente partie, lorsqu'un inscrit accepte, en contrepartie, même partielle, de la fourniture d'un bien ou d'un service, un bon auquel les alinéas (2)a) à c) ne s'appliquent pas et qui est échangeable contre le bien ou le service ou qui permet à l'acquéreur de bénéficier d'une réduction ou d'un rabais sur le prix du bien ou du service, la valeur de la contrepartie de la fourniture est réputée égale à l'excédent éventuel de cette valeur, déterminée par ailleurs pour l'application de la présente partie, sur la valeur de rabais ou d'échange du bon.

Notes historiques: Le paragraphe 181(4) a été remplacé par L.C. 2000, c. 30, par. 33(2) et cette modification est réputée entrée en vigueur le 1er avril 1997. Antérieurement, il se lisait comme suit :

(4) Pour l'application de la présente partie, lorsqu'un inscrit accepte, en contrepartie, même partielle, de la fourniture d'un bien ou d'un service, un bon auquel le paragraphe (2) ne s'applique pas et qui est échangeable contre le bien ou le service ou qui permet à l'acquéreur de bénéficier d'une réduction ou d'un rabais sur le prix du bien ou du service, la valeur de la contrepartie de la fourniture est réputée égale à l'excédent éventuel de cette valeur, déterminée par ailleurs pour l'application de la présente partie, sur la valeur de rabais ou d'échange du bon.

Le paragraphe 181(4) a été ajouté par L.C. 1993, c. 27, par. 46(1) et est réputé entré en vigueur le 17 décembre 1990.

Concordance québécoise: LTVQ, art. 350.4.

(5) **Rachat** — Pour l'application de la présente partie, lorsqu'un fournisseur qui est un inscrit accepte, en contrepartie, même partielle, de la fourniture taxable d'un bien ou d'un service, un bon qui est échangeable contre le bien ou le service ou qui permet à l'acquéreur de bénéficier d'une réduction ou d'un rabais sur le prix du bien ou du service, et qu'une autre personne verse dans le cadre de ses activités commerciales un montant au fournisseur pour racheter le bon, les règles suivantes s'appliquent :

a) le montant est réputé ne pas être la contrepartie d'une fourniture;

b) le versement et la réception du montant sont réputés ne pas être des services financiers;

c) lorsque la fourniture n'est pas une fourniture détaxée et que le bon permet à l'acquéreur de bénéficier d'une réduction sur le prix du bien ou du service égale au montant fixe indiqué sur le bon (appelé « valeur du bon » au présent alinéa), l'autre personne, si elle est un inscrit (sauf un inscrit visé par règlement pour l'application du paragraphe 188(5)) au moment du versement, peut demander, pour sa période de déclaration qui comprend ce moment, un crédit de taxe sur les intrants égal à la fraction de taxe de la valeur du bon, sauf si tout ou partie de cette valeur représente le montant d'un redressement, d'un remboursement ou d'un crédit auquel s'applique le paragraphe 232(3).

Notes historiques: Le préambule du paragraphe 181(5) a été modifié par L.C. 1994, c. 9, par. 10(1) et est réputé entré en vigueur le 17 décembre 1990. Le préambule du paragraphe 181(5), édicté par L.C. 1993, c. 27, par 46(1), se lisait comme suit :

(5) Pour l'application de la présente partie, lorsqu'un fournisseur qui est un inscrit accepte, en contrepartie, même partielle, de la fourniture taxable d'un bien ou d'un service (sauf une fourniture détaxée), un bon qui est échangeable contre le bien ou le service ou qui permet à l'acquéreur de bénéficier d'une réduction ou d'un rabais sur le prix du bien ou du service, et qu'une autre personne verse dans le cadre de ses activités commerciales un montant au fournisseur pour racheter le bon, les règles suivantes s'appliquent :

L'alinéa 181(5)c) a été remplacé par L.C. 2000, c. 30, par. 33(3). Cette modification est réputée entrée en vigueur le 1er avril 1997. Toutefois, elle ne s'applique pas à un bon si la personne qui verse un montant en vue de le racheter a demandé un crédit de taxe sur les intrants au titre de ce montant dans une déclaration présentée aux termes de la section V de la partie IX et que le ministre du Revenu national a reçue, compte non tenu de l'application du paragraphe 334(1) avant le 26 novembre 1997. Antérieurement, il se lisait comme suit :

c) lorsque la fourniture n'est pas une fourniture détaxée et que le bon permet à l'acquéreur de bénéficier d'une réduction sur le prix du bien ou du service égale au montant fixe indiqué sur le bon ou à un pourcentage fixe, indiqué sur le bon, du prix (le montant de la réduction étant, dans chaque cas, appelé « valeur du bon » au présent paragraphe), l'autre personne, si elle est un inscrit (sauf un inscrit visé par règlement pour l'application du paragraphe 188(5)) au moment du versement, peut demander, pour sa période de déclaration qui comprend ce moment, un crédit de taxe sur les intrants égal à la fraction de taxe de la valeur du bon, sauf si tout ou partie de cette valeur représente le montant d'un redressement, d'un remboursement ou d'un crédit auquel s'applique le paragraphe 232(3).

L'alinéa 181(5)c) a été modifié par L.C. 1997, c. 10, par. 175(1) et cette modification est entrée en vigueur le 1er avril 1997. Il se lisait comme suit :

c) lorsque la fourniture n'est pas une fourniture détaxée et que le bon permet à l'acquéreur de bénéficier d'une réduction sur le prix du bien ou du service égale au montant fixe indiqué sur le bon, l'autre personne, si elle est un inscrit (sauf un inscrit visé par règlement pour l'application du paragraphe 188(5)) au moment du versement, peut demander, pour sa période de déclaration qui comprend ce moment, un crédit de taxe sur les intrants égal à la fraction de taxe de ce montant, sauf si tout ou partie de ce montant représente le montant d'un redressement, d'un remboursement ou d'un crédit auquel le paragraphe 232(3) s'applique.

Auparavant, cet alinéa, modifié par L.C. 1994, c. 9, par. 10(2) et réputé entré en vigueur le 17 décembre 1990, se lisait comme suit :

c) lorsque le bon permet à l'acquéreur de bénéficier d'une réduction sur le prix du bien ou du service égale au montant fixe indiqué sur le bon, l'autre personne, si elle est un inscrit (sauf un inscrit visé par règlement pour l'application du paragraphe 188(5)) au moment du versement, peut demander, pour sa période de déclaration qui comprend ce moment, un crédit de taxe sur les intrants égal à la fraction de taxe de ce montant, sauf si tout ou partie de ce montant représente le montant d'un redressement, d'un remboursement ou d'un crédit auquel le paragraphe 232(3) s'applique.

L'alinéa 181(5)c) a été édicté par L.C. 1993, c. 27, par. 46(1).

Le paragraphe 181(5) correspond aux anciens paragraphes 181(1) et (3). Il a été ajouté par L.C. 1993, c. 27, par. 46(1) et est réputé entré en vigueur le 17 décembre 1990.

Concordance québécoise: LTVQ, art. 350.5.

juin 2006, Notes explicatives: L'article 181 porte sur le traitement sous le régime de la taxe de vente des fournitures à l'égard desquelles un bon est accepté en contrepartie totale ou partielle. Dans le but de préciser le traitement des bons selon cet article, le terme « fraction de taxe » est défini au paragraphe 181(1). À l'heure actuelle, la fraction de taxe correspond à 15/115, dans le cas des bons acceptés en contrepartie de fournitures effectuées dans les provinces participantes, et à 7/107, dans les autres cas (lorsque les fournitures sont effectuées dans des provinces non participantes).

Le paragraphe 181(1) est modifié de façon que la formule qui figure dans la définition de « fraction de taxe » utilise le taux fixé au paragraphe 165(1) au titre de la TPS ou de la composante fédérale de la TVH. Cette modification fait suite au changement apporté au paragraphe 165(1) qui consiste à ramener de 7 % à 6 % le taux de la taxe imposée par ce paragraphe.

Définitions [art. 181]: « acquéreur », « activité commerciale », « bien », « contrepartie », « fourniture », « fourniture détaxée », « fourniture taxable », « fraction de taxe », « inscrit », « montant », « période de déclaration », « province participante », « service », « service financier », « taux de taxe », « taxe » — 123(1).

Renvois [art. 181]: 125 (résultats négatifs); 181.2 (certificats-cadeaux).

Bulletins de l'information technique [art. 181]: B-002, 23/11/90, *Les bons et les contenants consignés*.

Jurisprudence [art. 181]: *Tele-Mobile Co. Partnership v. R.* (17 juillet 2012), 2012 CarswellNat 5031 (C.C.I.).

Mémorandums [art. 181]: TPS 300-7, 14/09/90, *Valeur de la fourniture*, par. 34, 36; TPS 300-7-6, 13/02/91, *Remises des fabricants*; TPS 400, 18/05/90, *Crédits de taxe sur les intrants*, par. 28, 29; TPS 500-2-4, 19/03/91, *Calcul de la taxe*, annexes B, D.

Série de mémorandums [art. 181]: Mémorandum 1.5, 09/94, *Définitions*.

Lettres d'interprétation (Québec) [art. 181]: 93-0113493 — Interprétation relative à la TPS et à la TVQ — Méthode rapide spéciale réservée aux organismes de services publics; 98-0100697 — Ristournes promotionnelles; 99-0103442 — Interprétation relative à la TPS et à la TVQ — Remboursement partiel d'un coupon-rabais; 02-0109955 — Interprétation relative à la TPS et à la TVQ — Bon non remboursable accepté; 05-0105238 — Bons de réduction.

181.1 Remises — Lorsqu'un inscrit effectue au Canada la fourniture taxable, sauf une fourniture détaxée, d'un bien ou d'un service qu'une personne acquiert de l'inscrit ou de quelqu'un d'autre et verse à la personne, relativement au bien ou au service, une remise, à

LTA (TPS)

laquelle le paragraphe 232(3) ne s'applique pas, accompagnée d'un écrit portant qu'une partie de la remise représente un montant de taxe, les règles suivantes s'appliquent :

a) l'inscrit peut demander, pour sa période de déclaration qui comprend le moment du versement de la remise, un crédit de taxe sur les intrants égal au produit du montant de la remise par la fraction (appelée « fraction de taxe relative à la remise » au présent article) déterminée selon le calcul suivant :

$$\frac{A}{B}$$

où :

A représente :

(i) si la taxe prévue au paragraphe 165(2) était payable relativement à la fourniture du bien ou du service au profit de la personne, la somme du taux fixé au paragraphe 165(1) et du taux de taxe applicable à la province participante dans laquelle cette fourniture a été effectuée,

(ii) dans les autres cas, le taux fixé au paragraphe 165(1),

B la somme de 100 % et du pourcentage déterminé selon l'élément A;

b) pour l'application de la présente partie, la personne est réputée, si elle est un inscrit qui peut demander un crédit de taxe sur les intrants, ou un remboursement en vertu de la section VI, relativement à l'acquisition, avoir effectué une fourniture taxable et avoir perçu, au moment du versement de la remise, la taxe relative à la fourniture, calculée selon la formule suivante :

$$A \times \frac{B}{C} \times D$$

où :

A représente la fraction de taxe relative à la remise,

B le crédit de taxe sur les intrants ou le remboursement visé à la section VI que la personne pouvait demander relativement à l'acquisition,

C la taxe payable par elle relativement à l'acquisition,

D la remise que l'inscrit lui a versée.

Notes historiques: L'élément A de la formule de l'alinéa 181.1a) a été remplacé par L.C. 2006, c. 4, par. 8(1) et cette modification s'applique à la fourniture d'un bien ou d'un service à l'égard de laquelle la taxe est devenue payable après juin 2006 et qui est effectuée au profit d'une personne à laquelle un inscrit verse une remise relativement au bien ou au service. Antérieurement, il se lisait ainsi :

A représente :

(i) dans le cas où la taxe prévue au paragraphe 165(2) était payable relativement à la fourniture du bien ou du service au profit de la personne, la somme de 7 % et du taux de taxe applicable à la province participante dans laquelle cette fourniture a été effectuée,

(ii) dans les autres cas, 7 %,

L'alinéa 181.1a) a été modifié par L.C. 1997, c. 10, par. 175(1) et cette modification est entrée en vigueur le 1er avril 1997. Il se lisait comme suit :

a) l'inscrit peut demander un crédit de taxe sur les intrants égal à la fraction de taxe de la remise pour sa période de déclaration qui comprend le moment du versement de la remise;

L'élément A de la formule à l'alinéa 181.1b) a été modifié par L.C. 1997, c. 10, par. 175(2) et cette modification est entrée en vigueur le 1er avril 1997. Auparavant, cet élément se lisait comme suit :

A représente la fraction de taxe,

L'article 181.1 a auparavant été modifié par L.C. 1993, c. 27, par. 46(2) et s'applique aux remises versées après 1992. L'article 181.1 correspond à l'ancien paragraphe 181(2). Il se lisait auparavant comme suit :

181.1 Lorsqu'un fournisseur effectue au Canada la fourniture taxable, sauf une fourniture détaxée, d'un bien ou d'un service qu'une personne acquiert du fournisseur ou de quelqu'un d'autre et verse à la personne, relativement au bien ou au service, une remise à laquelle le paragraphe 232(3) ne s'applique pas, les présomptions suivantes s'appliquent :

a) s'il est un inscrit au moment de la fourniture, le fournisseur est réputé, aux fins du calcul d'un crédit de taxe sur les intrants, avoir reçu la fourniture taxable d'un service pour utilisation exclusive dans le cadre de son activité commerciale et avoir payé, au moment du versement de la remise et relativement à la fourniture, la taxe égale à la fraction de taxe de la remise;

b) pour l'application de la présente partie, la personne est réputée, si elle est un inscrit qui peut demander un crédit de taxe sur les intrants, ou un remboursement en vertu de la section VI, relativement à l'acquisition, avoir effectué une fourniture taxable et avoir perçu, au moment du versement de la remise, la taxe relative à la fourniture, calculée selon la formule suivante :

$$A \times \frac{B}{C} \times D$$

où :

A représente la fraction de taxe,

B le crédit de taxe sur les intrants ou le remboursement visé à la section VI que la personne pouvait demander relativement à l'acquisition,

C la taxe payable par elle relativement à l'acquisition,

D la remise que le fournisseur lui a versée.

L'article 181.1 a été ajouté par L.C. 1993, c. 27, par. 46(1) et est réputé entré en vigueur le 17 décembre 1990.

juin 2006, Notes explicatives: L'article 181.1 porte sur les remises, relatives aux produits ou services taxables au taux de 7 %, offertes directement au client qui acquiert le produit ou le service du fabricant ou d'un autre vendeur (par exemple, les remises du fabricant). Lorsque l'émetteur de la remise est un inscrit et qu'il avise le client que la remise comprend la TPS, le montant de la remise est réputé comprendre un montant de taxe égal à la fraction de taxe applicable (soit 7/107 ou, dans les provinces participantes, 15/115), que l'émetteur peut demander à titre de crédit de taxe sur les intrants (CTI). Inversement, certains clients sont réputés avoir effectué une fourniture taxable égale au montant de la remise et avoir perçu la taxe sur ce montant jusqu'à concurrence du montant de taxe qui a été demandé à titre de CTI. Les fractions de taxe utilisées aux alinéas 181.1a) et b) de la version française de la loi et aux alinéas 181.1e) et f) de la version anglaise sont fondées sur le taux actuel de la TPS, à savoir 7 %.

Les alinéas 181.1a) de la version française de la loi et 181.1e) de la version anglaise sont modifiés de sorte que les fractions de taxe qui y figurent (et, indirectement, qui figurent aux alinéas 181.1b) de la version française et 181.1 f) de la version anglaise) soit fondée sur le taux fixé au paragraphe 165(1). Cette modification fait suite au changement apporté à ce paragraphe, qui consiste à ramener de 7 % à 6 % le taux de la taxe qui y est prévue.

Concordance québécoise: LTVQ, art. 350.6.

Définitions: « activité commerciale », « bien », « exclusif », « fourniture », « fourniture détaxée », « fourniture taxable », « fraction de taxe », « inscrit », « montant », « période de déclaration », « personne », « province participante », « service », « taux de taxe », « taxe » — 123(1).

Renvois: 123(2) (Canada); 142(1) (lieu de la fourniture — Canada); 169(1) (CTI); 225.1(1) b) (organisme de bienfaisance — fourniture déterminée); 232.1 (ristournes promotionnelles).

Jurisprudence: *Tele-Mobile Co. Partnership v. R.* (17 juillet 2012), 2012 CarswellNat 5031 (C.C.I.); *Dowbrands Canada Inc. c. Canada*, [1997] G.S.T.C. 85 (CCI); *William E. Coutts Co. Ltd. c. Canada*, [1999] G.S.T.C. 50 (CCI).

Bulletins de l'information technique: B-083R, 23/05/97, *Services financiers sous le régime de la TVH*.

Mémorandums: TPS 300-7-6, 13/02/91, *Remises des fabricants*.

Lettres d'interprétation (Québec): 99-0101354 — Interprétation relative à la TPS et à la TVQ — Service de publicité aux fournisseurs de produits; 99-0103814 — Interprétation relative à la TPS et à la TVQ — Service de publicité aux fournisseurs de produits; 00-0112359 — Interprétation relative à la TPS et à la TVQ — Escompte pour paiement anticipé.

181.2 Certificats-cadeaux — Pour l'application de la présente partie, la délivrance ou la vente d'un certificat-cadeau à titre onéreux est réputée ne pas être une fourniture. Toutefois, le certificat-cadeau donné en contrepartie de la fourniture d'un bien ou d'un service est réputé être de l'argent.

Notes historiques: L'article 181.2 correspond à l'ancien paragraphe 157(2). Il a été ajouté par L.C. 1993, c. 27, par. 46(1) et est réputé entré en vigueur le 17 décembre 1990.

Concordance québécoise: LTVQ, art. 350.7.

Définitions: « argent », « bien », « contrepartie », « fourniture », « service », « vente » — 123(1).

Énoncés de politique: P-202, 20/02/96, *Certificats-cadeaux*.

Série de mémorandums: Mémorandum 1.5, 09/94, *Définitions*.

181.3 (1) Définitions — Les définitions qui suivent s'appliquent au présent article.

« administrateur » S'agissant de l'administrateur d'un réseau de troc, personne chargée d'administrer ou de tenir un système de comptes au crédit desquels des unités de troc peuvent être portées, ces comptes étant ceux de membres du réseau.

Concordance québécoise: LTVQ, art. 350.7.1« administrateur ».

« réseau de troc » Groupe de personnes dont chaque membre a convenu par écrit d'accepter, en contrepartie totale ou partielle de la fourniture de biens ou de services qu'il effectue au profit d'un autre membre du groupe, un ou plusieurs crédits (appelés « unités de troc » au présent article) qui sont portés à son compte que tient l'unique administrateur des comptes des membres, lesquels crédits peuvent servir de contrepartie totale ou partielle de fournitures de biens ou de services entre les membres du groupe.

Concordance québécoise: LTVQ, art. 350.7.1« réseau de troc ».

Notes historiques: Le paragraphe 181.3(1) a été ajouté par L.C. 2000, c. 30, par. 34(1) et est réputé entré en vigueur le 10 décembre 1998.

Si la désignation d'un réseau de troc en vertu de l'article 181.3 entre en vigueur le 20 octobre 2000, ce paragraphe s'applique à la remise d'un bien, d'un service ou de l'argent, effectuée avant cette date par un membre du réseau ou l'administrateur du réseau, en échange d'une unité de troc qui pourrait servir de contrepartie totale ou partielle de fournitures de biens ou de services entre les membres du réseau comme si la désignation et cet article avaient été en vigueur au moment de la remise, pourvu qu'aucun montant n'ait été perçu au titre de la taxe relative à la fourniture de l'unité de troc.

(2) Demande de désignation — L'administrateur d'un réseau de troc peut demander au ministre, en lui présentant les renseignements qu'il requiert en la forme et selon les modalités qu'il détermine, de désigner le réseau pour l'application du paragraphe (5).

Notes historiques: Le paragraphe 181.3(2) a été ajouté par L.C. 2000, c. 30, par. 34(1) et est réputé entré en vigueur le 10 décembre 1998.

Si la désignation d'un réseau de troc en vertu de l'article 181.3 entre en vigueur le 20 octobre 2000, ce paragraphe s'applique selon les mêmes modalités que celles prévues pour l'application du paragraphe 181.3(1).

Concordance québécoise: LTVQ, art. 350.7.2.

(3) Désignation d'un réseau de troc — Sur réception de la demande, le ministre peut désigner un réseau de troc pour l'application du paragraphe (5). Le cas échéant, il avise l'administrateur par écrit de la désignation et de la date de son entrée en vigueur.

Notes historiques: Le paragraphe 181.3(3) a été ajouté par L.C. 2000, c. 30, par. 34(1) et est réputé entré en vigueur le 10 décembre 1998.

Si la désignation d'un réseau de troc en vertu de l'article 181.3 entre en vigueur le 20 octobre 2000, ce paragraphe s'applique selon les mêmes modalités que celles prévues pour l'application du paragraphe 181.3(1).

Concordance québécoise: LTVQ, art. 350.7.3.

(4) Avis par l'administrateur — Sur réception de l'avis, l'administrateur avise chaque membre du réseau par écrit, dans un délai raisonnable, de la désignation et de la date de son entrée en vigueur.

Notes historiques: Le paragraphe 181.3(4) a été ajouté par L.C. 2000, c. 30, par. 34(1) et est réputé entré en vigueur le 10 décembre 1998.

Si la désignation d'un réseau de troc en vertu de l'article 181.3 entre en vigueur le 20 octobre 2000, ce paragraphe s'applique selon les mêmes modalités que celles prévues pour l'application du paragraphe 181.3(1).

Concordance québécoise: LTVQ, art. 350.7.4.

(5) Échange d'une unité de troc — Lorsqu'un membre d'un réseau de troc ou l'administrateur d'un tel réseau remet, à un moment où la désignation du réseau est en vigueur, un bien, un service ou de l'argent en échange d'une unité de troc, la valeur du bien, du service ou de l'argent à titre de contrepartie pour l'unité de troc est réputée, pour l'application de la présente partie et malgré l'article 155, être nulle.

Notes historiques: Le paragraphe 181.3(5) a été ajouté par L.C. 2000, c. 30, par. 34(1) et est réputé entré en vigueur le 10 décembre 1998.

Si la désignation d'un réseau de troc en vertu de l'article 181.3 entre en vigueur le 20 octobre 2000, ce paragraphe s'applique selon les mêmes modalités que celles prévues pour l'application du paragraphe 181.3(1).

Concordance québécoise: LTVQ, art. 350.7.5.

(6) Services financiers réputés ne pas en être — Pour l'application de la présente partie, les activités suivantes sont réputées ne pas être des services financiers :

a) la tenue ou l'administration d'un système de comptes au crédit desquels des unités de troc peuvent être portées, ces comptes étant ceux de membres d'un réseau de troc;

b) le fait de porter une unité de troc au crédit d'un tel compte;

c) la fourniture, la réception ou le rachat d'une unité de troc;

d) le fait de consentir à effectuer l'une des activités visées aux alinéas a) à c) ou de prendre des mesures en vue de les effectuer.

Notes historiques: Le paragraphe 181.3(6) a été ajouté par L.C. 2000, c. 30, par. 34(1) et est réputé entré en vigueur le 10 décembre 1998.

Si la désignation d'un réseau de troc en vertu de l'article 181.3 entre en vigueur le 20 octobre 2000, ce paragraphe s'applique selon les mêmes modalités que celles prévues pour l'application du paragraphe 181.3(1).

Concordance québécoise: LTVQ, art. 350.7.6.

Définitions [art. 181.3]: « argent », « bien » — 123(1); « bon » — 181(1); « contrepartie », « fourniture », « service », « service financier » — 123(1).

Renvois [art. 181.3]: 153(3) (Troc entre inscrits).

182. (1) Renonciation et remise de dette — Pour l'application de la présente partie, dans le cas où, à un moment donné, par suite de l'inexécution, de la modification ou de la résiliation, après 1990, d'une convention portant sur la réalisation d'une fourniture taxable au Canada, sauf une fourniture détaxée, par un inscrit au profit d'une personne, un montant est payé à l'inscrit, ou fait l'objet d'une renonciation en sa faveur, autrement qu'à titre de contrepartie de la fourniture, ou encore une dette ou autre obligation de l'inscrit est réduite ou remise sans paiement au titre de la dette ou de l'obligation, les présomptions suivantes s'appliquent :

a) la personne est réputée avoir payé, au moment donné, un montant de contrepartie pour la fourniture égal au résultat du calcul suivant :

$$\frac{A}{B} \times C$$

où :

A représente 100 %,

B le pourcentage suivant :

(i) si la taxe prévue au paragraphe 165(2) était payable relativement à la fourniture, la somme de 100 %, du taux fixé au paragraphe 165(1) et du taux de taxe applicable à la province participante où la fourniture a été effectuée,

(ii) dans les autres cas, la somme de 100 % et du taux fixé au paragraphe 165(1),

C le montant payé, ayant fait l'objet de la renonciation ou remis, ou le montant dont la dette ou l'obligation a été réduite;

b) la personne est réputée avoir payé, et l'inscrit avoir perçu, au moment donné, la totalité de la taxe relative à la fourniture qui est calculée sur cette contrepartie, laquelle taxe est réputée égale au montant suivant :

(i) si la taxe prévue au paragraphe 165(2) était payable relativement à la fourniture, le total des taxes prévues à ce paragraphe et au paragraphe 165(1) calculées sur cette contrepartie,

(ii) dans les autres cas, la taxe prévue au paragraphe 165(1), calculée sur cette contrepartie.

Notes historiques: L'élément B de la formule de l'alinéa 182(1)a) a été remplacé par L.C. 2006, c. 4, par. 9(1) et cette modification s'applique aux montants payés ou ayant fait l'objet d'une renonciation après le 30 juin 2006 ainsi qu'aux dettes ou autres obligations réduites ou remises, après cette date, sans paiement effectué à leur titre. Antérieurement, il se lisait ainsi :

B le pourcentage suivant :

(i) si la taxe prévue au paragraphe 165(2) était payable relativement à la fourniture, la somme de 107 % et du taux de taxe applicable à la province participante où la fourniture a été effectuée,

(ii) dans les autres cas, 107 %,

Les alinéas 182(1)a) et b) ont été modifiés par L.C. 1997, c. 10, par. 176(1) et cette modification est entrée en vigueur le 1er avril 1997. Ils se lisaient comme suit :

a) la fraction de contrepartie du montant payé, ayant fait l'objet de la renonciation ou remis ou du montant dont la dette ou l'obligation a été réduite est réputée être la contrepartie de la fourniture payée par la personne au moment donné;

b) la personne est réputée avoir payé, et l'inscrit avoir perçu, au moment donné et relativement à la fourniture, la taxe calculée sur cette contrepartie.

Le paragraphe 182(1), modifié par L.C. 1997, c. 10, par. 32(1), est réputé entré en vigueur le 24 avril 1996. L'article 182 se lisait comme suit :

182. Pour l'application de la présente partie, dans le cas où, à un moment donné, par suite de l'inexécution, de la modification ou de l'annulation, après 1990, d'une convention portant sur la réalisation d'une fourniture taxable au Canada, sauf une fourniture détaxée, par un inscrit, un montant est payé par une personne à l'inscrit, ou fait l'objet d'une renonciation par une personne en faveur de l'inscrit, autrement qu'à titre de contrepartie de la fourniture, les présomptions suivantes s'appliquent :

a) l'inscrit est réputé avoir effectué au profit de la personne, et celle-ci avoir reçu de l'inscrit, une fourniture taxable pour une contrepartie égale à la fraction de contrepartie du montant payé ou ayant fait l'objet de la renonciation;

b) à moins que la convention n'ait été conclue par écrit avant 1991, que le montant n'ait été payé ou n'ait fait l'objet d'une renonciation après 1992 et que la taxe relative au montant n'ait pas été prévue par la convention, l'inscrit est réputé avoir perçu, et la personne avoir payé, au moment donné et relativement à la fourniture, la taxe calculée sur cette contrepartie.

Le paragraphe 182(1) a été ajouté par L.C. 1993, c. 27, par. 46(1) et est réputé entré en vigueur le 17 décembre 1990. Toutefois, il s'applique aux montants devenus payables par une personne à un moment donné avant 1993 comme si la personne avait payé ces montants à ce moment.

Le paragraphe 182(1) correspond à l'article 182 édicté par L.C. 1990, c. 45, par. 12(1).

Concordance québécoise: LTVQ, art. 318.

(2) Convention conclue avant 1991 — L'alinéa (1)b) ne s'applique pas aux montants payés ou ayant fait l'objet d'une renonciation, ou aux dettes ou autres obligations réduites ou remises, par suite de l'inexécution, de la modification ou de la résiliation d'une convention, dans le cas où, à la fois :

a) la convention a été conclue par écrit avant 1991;

b) le montant est payé ou fait l'objet d'une renonciation, ou la dette ou l'obligation est réduite ou remise, après 1992;

c) la convention ne tenait pas compte de la taxe relative au montant payé, remis ou ayant fait l'objet d'une renonciation, ni de celle relative au montant dont la dette ou l'obligation a été réduite.

Notes historiques: Le paragraphe 182(2) a été modifié par L.C. 1997, c. 10, par. 32(1) et cette modification est réputée entrée en vigueur le 24 avril 1996. Il se lisait comme suit :

(2) Pour l'application de la présente partie, dans le cas où, à un moment donné, par suite de l'inexécution, de la modification ou de l'annulation, après 1990, d'une convention portant sur la réalisation d'une fourniture taxable au Canada, sauf une fourniture détaxée, par un inscrit ou à son profit, une dette ou autre obligation (sauf la contrepartie de la fourniture) de l'inscrit envers une personne est réduite ou remise sans paiement au titre de la dette ou de l'obligation, les présomptions suivantes s'appliquent :

a) l'inscrit est réputé avoir effectué au profit de la personne, et celle-ci avoir reçu de l'inscrit, une fourniture taxable pour une contrepartie égale à la fraction de contrepartie du montant remis ou du montant dont la dette ou l'obligation a été réduite;

b) à moins que la convention n'ait été conclue par écrit avant 1991, que la dette ou l'obligation n'ait été réduite ou remise après 1992 et que la taxe relative au montant n'ait pas été prévue par la convention, l'inscrit est réputé avoir perçu, et la personne avoir payé, au moment donné et relativement à la fourniture, la taxe calculée sur cette contrepartie.

Ce paragraphe a été ajouté par L.C. 1993, c. 27, par. 46(1) et est réputé entré en vigueur le 17 décembre 1990.

Concordance québécoise: LTVQ, art. 318.0.1.

(2.1) Exception — section IX — La section IX ne s'applique pas dans le cadre du paragraphe (1).

Notes historiques: Le paragraphe 182(2.1) a été ajouté par L.C. 1997, c. 10, par. 32(1) et est réputé entré en vigueur le 24 avril 1996.

Concordance québécoise: LTVQ, art. 318.0.2.

(3) Exception — Le paragraphe (1) ne s'applique pas à la partie de tout montant payée ou remise relativement à l'inexécution, la modification ou l'annulation d'une convention portant sur la réalisation d'une fourniture, si cette partie constitue, selon le cas :

a) un montant supplémentaire visé à l'article 161 et exigé d'une personne parce que la contrepartie n'est pas versée dans un délai raisonnable;

b) un montant versé par une compagnie de chemin de fer à une autre au titre d'une pénalité pour défaut de remettre du matériel roulant dans le délai imparti;

c) une surestarie ou un droit de stationnement.

Notes historiques: Le paragraphe 182(3) a été ajouté par L.C. 1997, c. 10, par. 46(1) et est réputé entré en vigueur le 17 décembre 1990.

Concordance québécoise: LTVQ, art. 318.1.

juin 2006, Notes explicatives: L'article 182 porte sur le cas où, par suite de l'inexécution, de la modification ou de la résiliation d'une convention portant sur la réalisation d'une fourniture taxable, des montants sont payés, ou font l'objet d'une renonciation, par une personne à un inscrit autrement qu'à titre de contrepartie de la fourniture. Cet article porte aussi sur le cas où une dette ou autre obligation d'un inscrit envers une personne est réduite ou remise sans paiement effectué à son titre. Dans les deux cas, l'inscrit est réputé avoir effectué une fourniture taxable au profit de l'autre personne et avoir perçu un montant de taxe égal aux 7/107e du montant payé, réduit, remis ou ayant fait l'objet de la renonciation. La personne qui renonce au montant, ou qui le paie, est réputée avoir payé cette taxe. L'élément B de la formule figurant à l'alinéa 182(1)a) contient deux facteurs qui s'appliquent au montant payé, réduit, remis ou ayant fait l'objet de la renonciation, en vue du calcul de la contrepartie sur laquelle la taxe s'applique. Il s'agit de 100/115, dans le cas d'une fourniture effectuée dans une province participante, et de 100/107, dans les autres cas.

Les modifications apportées à l'alinéa 182(1)a) consistent à supprimer la mention de 107 % pour la remplacer par « la somme de 100 % et du taux fixé au paragraphe 165(1) ». Le taux de la TPS étant fixé à 6 %, la description de l'élément B, dans sa version modifiée, permettra de déterminer la contrepartie en appliquant les facteurs de 100/114, dans le cas d'une fourniture effectuée dans une province participante, et de 100/106, dans les autres cas. Ces modifications font suite au changement apporté au paragraphe 165(1), qui consiste à ramener de 7 % à 6 % le taux de la taxe imposée par ce paragraphe.

Les modifications apportées à l'alinéa 182(1)a) s'appliquent aux montants payés ou ayant fait l'objet d'une renonciation après le 30 juin 2006 ainsi qu'aux dettes ou autres obligations réduites ou remises, après cette date, sans paiement effectué à leur titre.

Définitions [art. 182]: « bien », « contrepartie », « fourniture », « fourniture détaxée », « fourniture taxable », « inscrit », « montant », « personne », « province participante », « service », « taux de taxe », « taxe » — 123(1).

Renvois [art. 182]: 123(2) (Canada); 133 (convention portant sur une fourniture); 142–144 (fourniture au Canada et à l'étranger); 165(1) (application de la taxe).

Jurisprudence [art. 182]: *32262 BC Ltd. c. Nova Enterprises Ltd.*, [1993] G.S.T.C. 41 (NSTD); *Laurentian Bank of Canada c. London Life Insurance*, [1997] G.S.T.C. 3; [1999] G.S.T.C. 16 (CAF); *Polaris Canada Ltée c. Groupe LGS Inc.*, [1997] G.S.T.C. 51 (CS Qué); *Low Cost Furniture Ltd. c. Canada*, [1997] G.S.T.C. 77 (CCI); *R.M.S. Enviro Solv. Inc. c. Cecil Shaver Ltd.*, [1997] G.S.T.C. 90 (Ont Small Claims Ct); *Armcorp 4-18 Ltd. (Re)*, [1999] G.S.T.C. 39 (CA Alberta); *Kordish c. Innotech Multimedia Corp.*, [1999] G.S.T.C. 51 (Ont SCJ); *Imperial Parking Ltd. c. Canada*, [2000] G.S.T.C. 52 (CAF); *General Motors Acceptance Corp. du Canada ltée c. Plante*, 2002 CarswellQue 301 (CA Qué); *R171 Enterprises Ltd. c. R.*, [2004] G.S.T.C. 78 (CCI); *Haggart c. R.*, [2005] G.S.T.C. 98; *Frigstad v. R.*, [2008] G.S.T.C. 29 (CCI [procédure informelle]); *Insurance Corp. of British Columbia v. R.*, [2008] G.S.T.C. 28 (30 janvier 2008) (CCI); *Beaulieu Immobilier Inc. c. Industrielle Alliance, assurances & services financiers inc.* (20 mai 2010), 2010 CarswellQue 4913, J.E. 2010-956, EYB 2010-174301 (C.A. Qué); *Société en Commandite Sigma-Lamaque c. R.* (10 septembre 2010), 2010 CarswellNat 3211, 2010 CCI 415, 2010 G.T.C. 96 (Fr.) (CCI [procédure générale]); *Costco Wholesale Canada Ltd. v. R.*, 2010 CarswellNat 5522, 2010 CCI 609 (CCI [procédure générale]); *Tendances et concepts inc. c. R.* (8 mars 2011), 2011 CarswellNat 504, 2011 CCI 141 (CCI [procédure informelle]).

Énoncés de politique [art. 182]: P-217, 21/01/99, *Signification du terme « matériel roulant »*; P-218R, 10/08/07, *Statut fiscal des montants versés en dédommagement, qu'ils soient ou non visés par l'article 182 de la Loi sur la taxe d'accise*; P-225, 04/01/99, *Paiements pour perte ou dommages en vertu de contrats de location de véhicules*.

Bulletins de l'information technique [art. 182]: B-075R, 23/04/96, *Modifications proposées à la TPS*.

Mémorandums [art. 182]: TPS 300-6-2, 26/03/91, *Paiements comptants*, par. 7; TPS 300-6-8, 15/01/91, *Arrhes*, par. 10–13; TPS 400, 18/05/90, *Crédits de taxe sur les intrants*, par. 47; TPS 500-2-4, 19/03/91, *Calcul de la taxe*, annexes B, D.

Série de mémorandums [art. 182]: Mémorandum 19.1, 10/97, *Les immeubles et la TPS/TVH*; Mémorandum 19.4.1, 08/99, *Immeubles commerciaux — Ventes et locations*.

Lettres d'interprétation (Québec) [art. 182]: 98-0101737 — Interprétation relative à la TPS et à la TVQ — Indemnité versée à titre de dommages suite à la résiliation d'un bail commercial; 98-0102594 — Décision portant sur l'application de la TPS — Interprétation relative à la TVQ — Indemnité suite à la modification d'un contrat — Remboursement partiel de la TVQ aux municipalités; 98-0107221 — Application de la TPS/TVQ à un paiement effectué dans le cadre d'un règlement hors cour; 01-0107910 — Interprétation relative à la TVQ — Article 318 de la LTVQ et dédommagement accordé à des inscrits — Demande de précision; 02-0111324 — Interprétation relative à la TVQ Frais engagés lors d'une reprise de possession — Location d'un véhicule automobile; 03-0109193 — Interprétation relative à la TPS et à la TVQ — résiliation de contrats [à l'égard d'une société de cimetière]; 04-0100208 — Montant versé par le fabricant au détaillant suite à l'abandon d'une activité — abandon [d'une marque]; 04-0103632 — Renonciation à un droit de poursuite en contrepartie d'une somme d'argent — application de la taxe sur les produits et services (la « TPS ») et de la taxe de vente du Québec (la « TVQ »); 06-0102159 — Interprétation relative à la TPS et à la TVQ — pénalités et frais d'administration et d'ouverture de dossier.

183. (1) Saisie et reprise de possession — Dans le cas où, après 1990, le bien d'une personne est saisi ou fait l'objet d'une reprise de possession par un créancier en exécution d'un droit ou d'un pouvoir qu'il peut exercer, à l'exception d'un droit ou d'un pouvoir qu'il possède dans le cadre d'un bail, d'une licence ou d'un accord semblable aux termes duquel la personne a acquis le bien ou du fait qu'il est partie à un tel bail ou accord ou à une telle licence, et en acquittement total ou partiel d'une dette ou d'une obligation de la personne envers lui, les présomptions suivantes s'appliquent :

a) pour l'application de la présente partie, la personne est réputée avoir effectué et le créancier, avoir reçu, au moment donné, une fourniture du bien par vente;

b) pour l'application de la présente partie, sauf les articles 193 et 257, cette fourniture est réputée avoir été effectuée à titre gratuit;

c) dans le cas où la fourniture visée à l'alinéa a) est la fourniture taxable d'un immeuble, la taxe payable relativement à la fourniture est réputée, pour l'application des articles 193 et 257, égale à la taxe calculée sur la juste valeur marchande du bien au moment donné;

d) dans le cas où la fourniture visée à l'alinéa a) est une fourniture d'immeuble incluse à l'article 9 de la partie I de l'annexe V, à l'article 1 de la partie V.1 de cette annexe ou à l'article 25 de la partie VI de cette annexe, pour l'application des articles 193 et 257, la fourniture est réputée être une fourniture taxable et la taxe payable relativement à la fourniture, être égale à la taxe calculée sur la juste valeur marchande du bien au moment donné.

Notes historiques: Le préambule du paragraphe 183(1) a été modifié par L.C. 1993, c. 27, par. 47(1) et est réputé entré en vigueur le 17 décembre 1990. Il se lisait ainsi :

> 183. (1) Pour l'application de la présente partie, dans le cas où le bien d'une personne est saisi ou fait l'objet d'une reprise de possession, en acquittement total ou partiel d'une de ses dettes ou obligations, par une autre personne en exécution d'un droit ou d'un pouvoir qu'elle peut exercer, les présomptions suivantes s'appliquent :
>
> a) la personne est réputée avoir effectué, au moment de la saisie ou de la reprise de possession, une fourniture du bien à titre gratuit;
>
> b) sous réserve des paragraphes (3) et (5), l'autre personne est réputée avoir acquis le bien à titre gratuit.

Le passage suivant le préambule du paragraphe 183(1) a été modifié par L.C. 1993, c. 27, par. 47(2) et s'applique aux biens ayant fait l'objet d'une reprise de possession après le 27 mars 1991. Il se lisait comme suit :

> a) la personne est réputée, pour l'application de la présente partie, avoir effectué, au moment de la saisie ou de la reprise de possession, une fourniture du bien à titre gratuit;
>
> b) le créancier est réputé, pour l'application de la présente partie, avoir acquis le bien à ce moment à titre gratuit.

L'alinéa 183(1)d) a été modifié par L.C. 1997, c. 10, par. 33(1) et cette modification s'applique aux fournitures effectuées après 1996. Auparavant, cet alinéa, modifié par L.C. 1993, c. 27, par. 47(2), se lisait comme suit :

> d) dans le cas où la fourniture visée à l'alinéa a) est une fourniture incluse à l'article 9 de la partie I de l'annexe V ou à l'article 25 de la partie VI de cette annexe, pour l'application des articles 193 et 257, la fourniture est réputée être une fourniture taxable et la taxe payable relativement à la fourniture, être égale à la taxe calculée sur la juste valeur marchande du bien au moment donné.

Le paragraphe 183(1) a été édicté par L.C. 1990, c. 45, par. 12(1).

Concordance québécoise: LTVQ, art. 320.

(2) Fourniture dans le cadre d'une activité commerciale — Sous réserve du paragraphe (3), le créancier qui fournit, en dehors du cadre d'une fourniture exonérée, un bien qu'il a saisi ou dont il a repris possession dans les circonstances visées au paragraphe (1) est réputé, pour l'application de la présente partie, avoir fourni le bien dans le cadre d'une activité commerciale, sauf si l'un des paragraphes (4) à (6) s'est déjà appliqué relativement à l'utilisation du bien par lui. Par ailleurs, tout acte accompli par le créancier dans le cadre, ou à l'occasion, de la réalisation de la fourniture mais non à l'occasion de la saisie ou de la reprise de possession est réputé accompli dans le cadre de l'activité commerciale.

Notes historiques: Le paragraphe 183(2) a été modifié par L.C. 1993, c. 27, par. 47(1) et est réputé entré en vigueur le 17 décembre 1990. Il se lisait ainsi :

> (2) Sous réserve du paragraphe (4), la personne qui fournit, autrement que dans le cadre d'une fourniture exonérée, un bien qu'elle a saisi ou dont elle a repris possession dans les circonstances visées au paragraphe (1), est réputée avoir fourni le bien dans le cadre de ses activités commerciales.

Le paragraphe 183(2) a été édicté par L.C. 1990, c. 45, par. 12(1).

Concordance québécoise: LTVQ, art. 321.

(3) Saisie par un tribunal — Pour l'application de la présente partie, le tribunal qui ordonne à un shérif, un huissier ou autre fonctionnaire judiciaire de saisir un bien du débiteur en vertu d'un jugement en acquittement d'un montant dû par suite du jugement et qui fournit le bien ultérieurement est réputé avoir effectué la fourniture en dehors du cadre d'une activité commerciale.

Notes historiques: Le paragraphe 183(3) a été modifié par L.C. 1993, c. 27, par. 47(1) et est réputé entré en vigueur le 17 décembre 1990. Toutefois, pour son application aux fournitures effectuées par un tribunal avant 1993, le paragraphe 183(3) doit se lire comme suit :

> (3) Pour l'application de la présente partie, la fourniture par un tribunal d'un bien saisi par un fonctionnaire judiciaire en exécution d'une ordonnance est réputée effectuée en dehors du cadre d'une activité commerciale.

Le paragraphe 183(3) se lisait ainsi :

> (3) Pour l'application de la présente partie, la personne qui, à un moment donné, commence à utiliser le bien qu'elle a saisi ou dont elle a repris possession autrement que pour la réalisation d'une fourniture de ce bien est réputée avoir effectué une fourniture du bien et, sauf s'il s'agit d'une fourniture exonérée ou détaxée :
>
> a) avoir perçu à ce moment la taxe relative à la fourniture, égale à la fraction de taxe de la juste valeur marchande du bien à ce moment;
>
> b) si elle est un inscrit, avoir acquis le bien immédiatement avant ce moment d'un autre inscrit et avoir payé alors cette taxe.

Le paragraphe 183(3) a été édicté par L.C. 1990, c. 45, par. 12(1).

Concordance québécoise: LTVQ, art. 323.

(4) Utilisation d'un immeuble — Pour l'application de la présente partie, le créancier qui, à un moment donné, commence à utiliser l'immeuble — qu'il a saisi ou dont il a repris possession dans les circonstances visées au paragraphe (1), ou qui seraient visées à ce paragraphe sans le paragraphe (11) — à une fin autre que la réalisation de sa fourniture est réputé avoir effectué une fourniture de l'immeuble à ce moment et, sauf s'il s'agit d'une fourniture exonérée :

a) avoir perçu, à ce moment et relativement à la fourniture, une taxe égale au résultat du calcul suivant :

$$\frac{A}{B} \times C$$

où :

A représente :

(i) si la fourniture est effectuée dans une province participante, la somme du taux fixé au paragraphe 165(1) et du taux de taxe applicable à la province,

(ii) dans les autres cas, le taux fixé au paragraphe 165(1),

B la somme de 100 % et du pourcentage déterminé selon l'élément A,

C la juste valeur marchande de l'immeuble à ce moment;

b) avoir acquis l'immeuble et payé cette taxe à ce moment.

Notes historiques: L'élément A de la formule de l'alinéa 183(4)a) a été remplacé par L.C. 2006, c. 4, par. 10(1) et cette modification s'applique aux biens ayant fait l'objet d'une saisie ou d'une reprise de possession par un créancier qui commence, après juin 2006, à utiliser les biens à une fin autre que la réalisation de leur fourniture. Antérieurement, il se lisait ainsi :

A représente :

(i) dans le cas où la fourniture est effectuée dans une province participante, la somme de 7 % et du taux de taxe applicable à la province,

(ii) dans les autres cas, 7 %,

L'alinéa 183(4)a) a été modifié par L.C. 1997, c. 10, par. 177(1) et cette modification est entrée en vigueur le 1er avril 1997. Auparavant, cet alinéa se lisait comme suit :

a) avoir perçu, à ce moment et relativement à la fourniture, une taxe égale à la fraction de taxe de la juste valeur marchande de l'immeuble à ce moment;

Le paragraphe 183(4) a été modifié par L.C. 1993, c. 27, par. 47(1) et est réputé entré en vigueur le 17 décembre 1990. Il se lisait ainsi :

Pour l'application de la présente partie, la fourniture par un tribunal d'un bien saisi par un fonctionnaire judiciaire en exécution d'une ordonnance est réputée effectuée autrement que dans le cadre d'une activité commerciale.

Le paragraphe 183(4) a été édicté par L.C. 1990, c. 45, par. 12(1).

Concordance québécoise: LTVQ, art. 323.1.

(5) **Utilisation d'un bien meuble saisi avant 1994** — Pour l'application de la présente partie, lorsqu'un créancier commence, à un moment donné, à utiliser le bien meuble d'une personne — qu'il a saisi ou dont il a repris possession avant 1994 dans les circonstances visées au paragraphe (1), ou qui seraient visées à ce paragraphe sans le paragraphe (11) — à une fin autre que la réalisation de sa fourniture, les présomptions suivantes s'appliquent :

a) le créancier est réputé avoir reçu, immédiatement après le moment donné, une fourniture du bien par vente;

b) dans le cas où la taxe aurait été payable si le bien avait été acheté au Canada de la personne au moment de la saisie ou de la reprise de possession, le créancier est réputé :

(i) avoir effectué, au moment donné, une fourniture taxable du bien et avoir perçu, à ce moment et relativement à cette fourniture, une taxe égale au résultat du calcul suivant :

$$\frac{A}{B} \times C$$

où :

A représente :

(A) si le bien est situé dans une province participante à ce moment, la somme du taux fixé au paragraphe 165(1) et du taux de taxe applicable à la province,

(B) dans les autres cas, le taux fixé au paragraphe 165(1),

B la somme de 100 % et du pourcentage déterminé selon l'élément A,

C la juste valeur marchande du bien au moment de la saisie ou de la reprise de possession,

(ii) avoir payé, immédiatement après le moment donné et relativement à la fourniture visée au sous-alinéa a)(i), une taxe égale au montant déterminé selon le sous-alinéa (i).

Notes historiques: L'alinéa 183(5)a) a été modifié par L.C. 1997, c. 10, par. 33(2) et cette modification s'applique à compter du 24 avril 1996. Auparavant, cet alinéa se lisait comme suit :

a) le créancier est réputé :

(i) avoir reçu, immédiatement après le moment donné, une fourniture du bien par vente,

(ii) si le bien était, au moment de la saisie ou de la reprise de possession, un bien meuble corporel désigné dont la juste valeur marchande dépasse le montant visé par règlement relativement au bien pour l'application de l'article 176, avoir acquis le bien pour utilisation exclusive dans le cadre d'activités non commerciales et continuer à l'utiliser ainsi sans interruption jusqu'à son aliénation;

L'élément A de la formule du sous-alinéa 183(5)b)(i) a été remplacé par L.C. 2006, c. 4, par. 10(2) et cette modification s'applique aux biens ayant fait l'objet d'une saisie ou d'une reprise de possession par un créancier qui commence, après juin 2006, à utiliser les biens à une fin autre que la réalisation de leur fourniture. Antérieurement, il se lisait ainsi :

A représente :

(A) si le bien est situé dans une province participante à ce moment, la somme de 7 % et du taux de taxe applicable à la province,

(B) dans les autres cas, 7 %,

Le sous-alinéa 183(5)b)(i) a été modifié par L.C. 1997, c. 10, par. 177(2) et cette modification est entrée en vigueur le 1er avril 1997. Auparavant, il se lisait comme suit :

(i) avoir effectué, au moment donné, une fourniture taxable du bien et avoir perçu, à ce moment et relativement à cette fourniture, une taxe égale à la fraction de taxe de la juste valeur marchande du bien au moment de la saisie ou de la reprise de possession,

Le paragraphe 183(5) a été modifié par L.C. 1993, c. 27, par. 47(1) et est réputé entré en vigueur le 17 décembre 1990. Toutefois, lorsqu'un créancier commence, avant octobre 1992, à utiliser un bien dans les circonstances visées au paragraphe 183(5), il n'est pas tenu compte du sous-alinéa 183(5)a)(ii) pour l'application du paragraphe 183(5) au créancier relativement à ce bien. Il se lisait comme suit :

Pour l'application de la présente partie, l'inscrit qui effectue la fourniture taxable d'un bien qu'il a saisi ou dont il a repris possession d'une personne et qui convainc le ministre que la personne n'a pas reçu, ni n'a le droit de recevoir, un crédit de taxe sur les intrants ou un remboursement relatif au bien est réputé :

a) avoir acquis le bien immédiatement avant la fourniture pour une contrepartie égale à celle de la fourniture taxable;

b) avoir payé, immédiatement avant la fourniture, la taxe relative à l'acquisition du bien, calculée sur cette contrepartie.

Le paragraphe 183(5) a été édicté par L.C. 1990, c. 45, par. 12(1).

Concordance québécoise: LTVQ, art. 323.2.

(6) **Utilisation d'un bien meuble saisi après 1993** — Pour l'application de la présente partie, lorsqu'un créancier commence, à un moment donné, à utiliser le bien meuble d'une personne — qu'il a saisi ou dont il a repris possession après 1993 dans les circonstances visées au paragraphe (1), ou qui seraient visées à ce paragraphe sans le paragraphe (11) — à une fin autre que la réalisation de sa fourniture, les présomptions suivantes s'appliquent :

a) le créancier est réputé :

(i) avoir reçu, immédiatement après le moment donné, une fourniture du bien par vente,

(ii) avoir payé, immédiatement après le moment donné, la totalité de la taxe payable relativement à cette fourniture, laquelle taxe est réputée égale au résultat du calcul ci-après, sauf si l'un des faits suivants se vérifie :

(A) la fourniture est une fourniture détaxée,

(B) dans le cas d'un bien qui, au moment de la saisie ou de la reprise de possession, est un bien meuble corporel désigné dont la juste valeur marchande dépasse le montant visé par règlement relativement au bien, aucune taxe n'aurait été payable si le bien avait été acheté au Canada auprès de la personne à ce moment,

$$\frac{A}{B} \times C$$

où :

A représente :

(I) le taux fixé au paragraphe 165(1), dans le cas où :

1. le bien est situé dans une province participante au moment donné et a été saisi ou a fait lobjet dune reprise de possession avant le jour qui suit de trois ans la date dharmonisation applicable à la province et aucune taxe naurait été payable si le bien avait été acheté au Canada auprès de la personne au moment de la saisie ou de la reprise de possession,

2. le bien est situé dans une province non participante au moment donné,

(II) dans les autres cas, la somme du taux fixé au paragraphe 165(1) et du taux de taxe applicable à la province participante où le bien est situé au moment donné,

B la somme de 100 % et du pourcentage déterminé selon l'élément A,

C la juste valeur marchande du bien au moment de la saisie ou de la reprise de possession;

b) dans le cas où la taxe aurait été payable si le bien avait été acheté au Canada de la personne au moment de la saisie ou de la reprise de possession, le créancier est réputé avoir effectué, au moment donné, une fourniture taxable du bien et avoir perçu, à ce moment, la totalité de la taxe payable relativement à cette fourniture, laquelle taxe est réputée égale au résultat du calcul suivant :

$$\frac{A}{B} \times C$$

où

A représente :

(i) si le bien est situé dans une province participante à ce moment, la somme du taux fixé au paragraphe 165(1) et du taux de taxe applicable à la province,

(ii) dans les autres cas, le taux fixé au paragraphe 165(1),

B la somme de 100 % et du pourcentage déterminé selon l'élément A,

C la juste valeur marchande du bien au moment de la saisie ou de la reprise de possession.

Notes historiques: La sous-subdivision (I)1 de l'élément A de la formule figurant au sous-alinéa 183(6)a)(ii) a été remplacée par. L.C. 2009, c. 32, par. 10(1) et cette modification est entrée en vigueur le 1er juillet 2010. Antérieurement, elle se lisait ainsi :

1. le bien est situé dans une province participante au moment donné et a été saisi ou a fait l'objet d'une reprise de possession avant le jour qui suit de trois ans la date de mise en œuvre applicable à la province, au sens de l'article 348, et aucune taxe n'aurait été payable si le bien avait été acheté au Canada de la personne au moment de la saisie ou de la reprise de possession,

L'élément A de la formule du sous-alinéa 183(6)a)(ii) a été remplacé par L.C. 2006, c. 4, par. 10(3) et cette modification s'applique aux biens ayant fait l'objet d'une saisie ou d'une reprise de possession par un créancier qui commence, après juin 2006, à utiliser les biens à une fin autre que la réalisation de leur fourniture. Antérieurement, il se lisait ainsi :

A représente :

(A) 7 %, dans le cas où :

(I) le bien est situé dans une province participante au moment donné et a été saisi ou a fait l'objet d'une reprise de possession avant le jour qui suit de trois ans la date de mise en œuvre applicable à la province, au sens de l'article 348, et aucune taxe n'aurait été payable si le bien avait été acheté au Canada de la personne au moment de la saisie ou de la reprise de possession,

(II) le bien est situé dans une province non participante au moment donné,

(B) dans les autres cas, la somme de 7 % et du taux de taxe applicable à la province participante où le bien est situé au moment donné,

Le passage du sous-alinéa 183(6)a)(ii) précédant la formule a été remplacé par L.C. 2000, c. 30, par. 35(1). Cette modification est réputée entrée en vigueur le 1er avril 1997. Antérieurement, il se lisait comme suit :

(ii) avoir payé, immédiatement après le moment donné, la totalité de la taxe payable relativement à cette fourniture, laquelle taxe est réputée égale au résultat du calcul ci-après, sauf si les conditions suivantes sont réunies :

(A) le bien est, au moment de la saisie ou de la reprise de possession, un bien meuble corporel désigné dont la juste valeur marchande dépasse le montant visé par règlement relativement au bien,

(B) aucune taxe n'aurait été payable si le bien avait été acheté au Canada auprès de la personne au moment de la saisie ou de la reprise de possession,

La division (A) de l'élément A de la formule figurant au sous-alinéa 183(6)a)(ii) a été remplacée par L.C. 2000, c. 30, par. 35(2). Cette modification est réputée entrée en vigueur le 1er avril 1997. Antérieurement, elle se lisait comme suit :

(A) si le bien est situé dans une province participante au moment donné et a été saisi ou a fait l'objet d'une reprise de possession dans les trois ans suivant la date de mise en œuvre applicable à la province, au sens de l'article 348, ou si le bien est situé dans une province non participante à ce moment, 7 %,

Le sous-alinéa 183(6)a)(ii) a été modifié par L.C. 1997, c. 10, par. 177(3) et cette modification est entrée en vigueur le 1er avril 1997. Auparavant, ce sous-alinéa se lisait comme suit :

(ii) avoir payé, immédiatement après le moment donné et relativement à cette fourniture, une taxe égale à la fraction de taxe de la juste valeur marchande du bien au moment de la saisie ou de la reprise de possession, sauf si les conditions suivantes sont réunies :

(A) le bien est, au moment de la saisie ou de la reprise de possession, un bien meuble corporel désigné dont la juste valeur marchande dépasse le montant visé par règlement relativement au bien,

(B) aucune taxe n'aurait été payable si le bien avait été acheté au Canada auprès de la personne au moment de la saisie ou de la reprise de possession;

Les sous-alinéas 183(6)a)(i) et (ii) ont été modifiés par L.C. 1997, c. 10, par. 33(3) et cette modification s'applique à compter du 24 avril 1996. Ils se lisaient comme suit :

(i) avoir reçu, immédiatement après le moment donné, une fourniture du bien et avoir payé, immédiatement après ce moment et relativement à cette fourniture, une taxe égale à la fraction de taxe de la juste valeur marchande du bien au moment de la saisie ou de la reprise de possession,

(ii) si le bien était, au moment de la saisie ou de la reprise de possession, un bien meuble corporel désigné dont la juste valeur marchande dépasse le montant visé par règlement relativement au bien pour l'application de l'article 176, avoir acquis le bien pour utilisation exclusive dans le cadre d'activités non commerciales et continuer à l'utiliser ainsi sans interruption jusqu'à son aliénation;

Ces sous-alinéas ont été ajoutés par L.C. 1993, c. 27, par. 47(1).

L'élément A de la formule de l'alinéa 183(6)b) a été remplacé par L.C. 2006, c. 4, par. 10(4) et cette modification s'applique aux biens ayant fait l'objet d'une saisie ou d'une reprise de possession par un créancier qui commence, après juin 2006, à utiliser les biens à une fin autre que la réalisation de leur fourniture. Antérieurement, il se lisait ainsi :

A représente

(i) si le bien est situé dans une province participante à ce moment, la somme de 7 % et du taux de taxe applicable à la province,

(ii) dans les autres cas, 7 %,

L'alinéa 183(6)b) a été modifié par L.C. 1997, c. 10, par. 177(4) et cette modification est entrée en vigueur le 1er avril 1997. Auparavant, cet alinéa se lisait comme suit :

b) dans le cas où la taxe aurait été payable si le bien avait été acheté au Canada de la personne au moment de la saisie ou de la reprise de possession, le créancier est réputé avoir effectué, au moment donné, une fourniture taxable du bien et avoir perçu, à ce moment et relativement à cette fourniture, une taxe égale à la fraction de taxe de la juste valeur marchande du bien au moment de la saisie ou de la reprise de possession.

Le paragraphe 183(6) a été ajouté par L.C. 1993, c. 27, par. 47(1) et est réputé entré en vigueur le 17 décembre 1990. Toutefois, lorsqu'un créancier commence, avant octobre 1992, à utiliser un bien dans les circonstances visées au paragraphe 183(6), il n'est pas tenu compte du sous-alinéa 183(6)a)(ii) pour l'application du paragraphe 183(6) au créancier relativement à ce bien.

Concordance québécoise: LTVQ, art. 323.3.

(7) **Vente d'un bien meuble** — Pour l'application de la présente partie, le créancier qui effectue, à un moment donné, la fourniture taxable par vente, sauf une fourniture réputée par la présente partie avoir été effectuée, du bien meuble d'une personne — bien saisi par lui ou dont il a repris possession dans les circonstances visées au paragraphe (1) — qui n'est pas réputé par les paragraphes (5), (6) ou (8) avoir déjà reçu une fourniture du bien et qui n'aurait eu aucune taxe à payer s'il l'avait acheté auprès de la personne au Canada au moment de la saisie ou de la reprise de possession est réputé :

a) avoir reçu, immédiatement avant le moment donné, une fourniture du bien par vente pour une contrepartie égale à celle de la fourniture taxable;

b) sauf si la fourniture réputée par l'alinéa a) avoir été reçue est une fourniture détaxée, avoir payé, immédiatement avant le moment donné, la totalité de la taxe payable relativement à la fourniture réputée avoir été reçue, laquelle taxe est réputée égale au montant obtenu par la formule suivante :

$$A - B$$

où :

A représente :

(i) la taxe prévue au paragraphe 165(1), calculée sur cette contrepartie, si, selon le cas :

(A) le créancier a saisi le bien, ou en a repris possession, dans une province participante avant le jour qui suit de trois ans la date d'harmonisation applicable à la province et la fourniture taxable est soit effectuée à l'étranger, soit une fourniture détaxée,

(B) le bien a été saisi ou a fait l'objet d'une reprise de possession dans une province non participante ou la fourniture taxable est une fourniture (sauf une fourniture détaxée) effectuée dans une telle province,

(ii) dans les autres cas, la somme des taxes suivantes :

(A) la taxe prévue au paragraphe 165(1), calculée sur cette contrepartie,

(B) la taxe prévue au paragraphe 165(2), calculée sur cette contrepartie au taux de taxe applicable à la province participante où la fourniture taxable est effectuée ou, s'il est inférieur, au taux de taxe applicable à la province participante où le bien a été saisi ou a fait l'objet d'une reprise de possession,

B le total des montants représentant chacun un crédit de taxe sur les intrants ou un montant remboursable en vertu de la présente partie que le créancier pouvait demander relativement au bien ou à des améliorations afférentes.

Le présent paragraphe ne s'applique pas si :

c) d'une part, la fourniture taxable est effectuée à l'étranger ou constitue une fourniture détaxée;

d) d'autre part, le bien est saisi ou fait l'objet d'une reprise de possession par le créancier avant 1994 ou est, au moment de la saisie ou de la reprise de possession, un bien meuble corporel désigné dont la juste valeur marchande dépasse le montant visé par règlement relativement au bien.

Notes historiques: Le préambule du paragraphe 183(7) a été modifié par L.C. 1997, c. 10, par. 33(4) et cette modification s'applique aux biens fournis par un créancier après le 23 avril 1996. Auparavant, ce préambule, modifié par L.C. 1993, c. 27, par. 47(3), se lisait comme suit :

(7) Pour l'application de la présente partie, le créancier qui effectue, à un moment donné, la fourniture taxable par vente, sauf une fourniture réputée par une disposition de la présente partie autre que l'article 177 avoir été effectuée, du bien meuble d'une personne — qu'il a saisi ou dont il a repris possession dans les circonstances visées au paragraphe (1) — qui n'est pas réputé par les paragraphes (5), (6) ou (8) avoir déjà reçu une fourniture du bien et qui n'aurait eu aucune taxe à payer s'il avait acheté le bien de la personne au Canada au moment de la saisie ou de la reprise de possession est réputé :

L'alinéa 183(7)a) a été remplacé par L.C. 2000, c. 30, par. 35(3). Cette modification est réputée entrée en vigueur le 1er avril 1997. Antérieurement, il se lisait comme suit :

a) avoir reçu, immédiatement avant le moment donné, une fourniture du bien pour une contrepartie égale à celle de la fourniture taxable;

Le passage de l'alinéa 183(7)b) précédant le sous-alinéa (ii) de l'élément A de la formule a été remplacé par L.C. 2000, c. 30, par. 35(4). Cette modification est réputée entrée en vigueur le 1er avril 1997. Antérieurement, ce passage se lisait comme suit :

b) avoir payé, immédiatement avant le moment donné, la totalité de la taxe payable relativement à la fourniture réputée par l'alinéa a) avoir été reçue, laquelle taxe est réputée égale au résultat du calcul suivant :

A – B

où :

A représente :

(i) la taxe prévue au paragraphe 165(1), calculée sur cette contrepartie, si, selon le cas :

(A) le créancier a saisi le bien, ou en a repris possession, dans une province participante dans les trois ans suivant la date de mise en œuvre applicable à la province, au sens de l'article 348, et la fourniture taxable est soit effectuée à l'étranger, soit une fourniture détaxée,

(B) le bien a été saisi ou a fait l'objet d'une reprise de possession dans une province non participante ou la fourniture taxable est effectuée dans une telle province,

Le passage de l'alinéa 183(7)b) précédant l'élément B a été modifié par L.C. 1997, c. 10, par. 177(5) et cette modification est entrée en vigueur le 1er avril 1997. Auparavant, ce passage se lisait comme suit :

b) avoir payé, immédiatement avant le moment donné et relativement à la fourniture réputée par l'alinéa a) avoir été reçue, une taxe égale au résultat du calcul suivant :

A – B

où :

A représente la taxe calculée sur cette contrepartie,

La division 183(7)b)(i)(A) a été remplacée par. L.C. 2009, c. 32, par. 10(2) et cette modification est entrée en vigueur le 1er juillet 2010. Antérieurement, elle se lisait ainsi :

(A) le créancier a saisi le bien, ou en a repris possession, dans une province participante avant le jour qui suit de trois ans la date de mise en œuvre applicable à la province, au sens de l'article 348, et la fourniture taxable est soit effectuée à l'étranger, soit une fourniture détaxée,

L'alinéa 183(7)d) a été modifié par L.C. 1997, c. 10, par. 33(5) et cette modification s'applique aux biens fournis par un créancier après le 23 avril 1996. Auparavant, cet alinéa se lisait comme suit :

d) d'autre part, le bien a été saisi ou a fait l'objet d'une reprise de possession par le créancier avant 1994 ou était, au moment de la saisie ou de la reprise de possession, un bien meuble corporel désigné d'occasion dont la juste valeur marchande dépasse le montant visé par règlement relativement au bien pour l'application de l'article 176.

Le paragraphe 183(7) a été modifié par L.C. 1993, c. 27, par. 47(3) et s'applique aux biens saisis ou ayant fait l'objet d'une reprise de possession après le 27 mars 1991. Il se lisait comme suit :

(7) Pour l'application de la présente partie, le créancier qui effectue, à un moment donné, la fourniture taxable par vente, sauf une fourniture réputée par une disposition de la présente partie autre que l'article 177 avoir été effectuée, du bien d'une personne — qu'il a saisi ou dont il a repris possession d'une personne dans les circonstances visées au paragraphe (1) — qui n'est pas réputé par les paragraphes (4), (5), (6) ou (8) avoir déjà effectué ou reçu une fourniture du bien et qui convainc le ministre que la personne n'a pas reçu, ni n'a le droit de recevoir, un crédit de taxe sur les intrants ou un montant remboursable relativement au bien est réputé :

a) avoir reçu, immédiatement avant le moment donné, une fourniture du bien pour une contrepartie égale à celle de la fourniture taxable;

b) avoir payé, immédiatement avant le moment donné et relativement à la fourniture réputée par l'alinéa a) avoir été reçue, une taxe égale au résultat du calcul suivant :

A – B

où :

A représente la taxe calculée sur cette contrepartie,

B le total des montants représentant chacun un crédit de taxe sur les intrants ou un montant remboursable en vertu de la présente partie que le créancier pouvait demander relativement au bien ou à des améliorations afférentes.

Le paragraphe 183(7) a été ajouté par L.C. 1993, c. 27, par. 47(1) et est réputé entré en vigueur le 17 décembre 1990.

Concordance québécoise: LTVQ, art. 324, 324.1.

(8) **Location d'un bien meuble** — Pour l'application de la présente partie, le créancier qui, à un moment donné, effectue, par bail, licence ou accord semblable pour la première période de location, au sens du paragraphe 136.1(1), relativement à l'accord, la fourniture taxable du bien meuble d'une personne — qu'il a saisi ou dont il a repris possession dans les circonstances visées au paragraphe (1) — , qui n'est pas réputé par les paragraphes (5) ou (6) avoir déjà reçu une fourniture du bien et qui n'aurait eu à payer aucune taxe s'il avait acheté le bien au Canada auprès de la personne au moment de la saisie ou de la reprise de possession est réputé :

a) avoir reçu une fourniture du bien par vente immédiatement avant le moment donné;

b) sauf si cette fourniture est une fourniture détaxée, avoir payé, immédiatement avant le moment donné, la totalité de la taxe payable relativement à la fourniture, laquelle taxe est réputée égale au montant suivant :

(i) la taxe prévue au paragraphe 165(1), calculée sur la juste valeur marchande du bien au moment de la saisie ou de la reprise de possession, si, selon le cas :

(A) le créancier a saisi le bien, ou en a repris possession, dans une province participante avant le jour qui suit de trois ans la date d'harmonisation applicable à la province et la fourniture taxable est soit effectuée à l'étranger, soit une fourniture détaxée,

(B) le bien a été saisi ou a fait l'objet d'une reprise de possession dans une province non participante ou la fourniture taxable est une fourniture (sauf une fourniture détaxée) effectuée dans une telle province,

(ii) dans les autres cas, la somme des taxes suivantes :

(A) la taxe prévue au paragraphe 165(1), calculée sur cette juste valeur marchande,

(B) la taxe prévue au paragraphe 165(2), calculée sur cette juste valeur marchande au taux de taxe applicable à la province participante où la fourniture taxable est effectuée ou, s'il est inférieur, au taux de taxe applicable à la province participante où le bien a été saisi ou a fait l'objet d'une reprise de possession.

Le présent paragraphe ne s'applique pas si :

c) d'une part, la fourniture taxable est effectuée à l'étranger ou constitue une fourniture détaxée;

d) d'autre part, le bien est saisi ou fait l'objet d'une reprise de possession par le créancier avant 1994 ou est, au moment de la saisie ou de la reprise de possession, un bien meuble corporel désigné dont la juste valeur marchande dépasse le montant visé par règlement relativement au bien.

Notes historiques: Le préambule du paragraphe 183(8) a été modifié par L.C. 2000, c. 30, par. 35(5) et cette modification s'applique aux périodes de location commençant après mars 1997. Il se lisait auparavant comme suit :

(8) Pour l'application de la présente partie, le créancier qui, à un moment donné, effectue la fourniture taxable par bail, licence ou accord semblable du bien d'une personne — qu'il a saisi ou dont il a repris possession d'une personne dans les circonstances visées au paragraphe (1) — qui n'est pas réputé par les paragraphes (5) ou (6) avoir déjà reçu une fourniture du bien et qui n'aurait eu à payer aucune taxe s'il avait acheté le bien au Canada de la personne au moment de la saisie ou de la reprise de possession est réputé :

Le préambule du paragraphe 183(8) a été modifié par L.C. 1993, c. 27, par. 47(4) et s'applique aux biens saisis ayant fait l'objet d'une reprise de possession après le 27 mars 1991. Il se lisait auparavant comme suit :

(8) Pour l'application de la présente partie, le créancier qui, à un moment donné, effectue la fourniture taxable par bail, licence ou accord semblable du bien d'une personne — qu'il a saisi ou dont il a repris possession d'une personne dans les circonstances visées au paragraphe (1) — qui n'est pas réputé par l'un des paragraphes (4) à (6) avoir déjà effectué ou reçu une fourniture du bien et qui n'aurait eu à payer aucune taxe s'il avait acheté le bien au Canada de la personne au moment de la saisie ou de la reprise de possession est réputé :

L'alinéa 183(8)a) a été remplacé par L.C. 2000, c. 30, par. 35(6). Cette modification est réputée entrée en vigueur le 1er avril 1997. Antérieurement, il se lisait comme suit :

a) avoir reçu une fourniture du bien immédiatement avant le moment donné;

Le passage de l'alinéa 183(8)b) précédant le sous-alinéa (ii) a été remplacé par L.C. 2000, c. 30, par. 35(7). Cette modification est réputée entrée en vigueur le 1er avril 1997. Antérieurement, ce passage se lisait comme suit :

b) avoir payé, immédiatement avant le moment donné, la totalité de la taxe payable relativement à la fourniture, laquelle taxe est réputée égale au montant suivant :

(i) la taxe prévue au paragraphe 165(1), calculée sur la juste valeur marchande du bien au moment de la saisie ou de la reprise de possession, si, selon le cas :

(A) le créancier a saisi le bien, ou en a repris possession, dans une province participante dans les trois ans suivant la date de mise en œuvre applicable à la province, au sens de l'article 348, et la fourniture taxable est soit effectuée à l'étranger, soit une fourniture détaxée,

(B) le bien a été saisi ou a fait l'objet d'une reprise de possession dans une province non participante ou la fourniture taxable est effectuée dans une telle province,

La division 183(8)b)(i)(A) a été remplacée par. L.C. 2009, c. 32, par. 10(4) et cette modification est entrée en vigueur le 1er juillet 2010. Antérieurement, elle se lisait ainsi :

(A) le créancier a saisi le bien, ou en a repris possession, dans une province participante avant le jour qui suit de trois ans la date de mise en œuvre applicable à la province, au sens de l'article 348, et la fourniture taxable est soit effectuée à l'étranger, soit une fourniture détaxée,

L'alinéa 183(8)b) a été modifié par L.C. 1997, c. 10, par. 177(6) et cette modification est entrée en vigueur le 1er avril 1997. Auparavant, cet alinéa se lisait comme suit :

b) avoir payé, immédiatement avant le moment donné et relativement à cette fourniture, la taxe calculée sur la juste valeur marchande du bien au moment de la saisie ou de la reprise de possession.

L'alinéa 183(8)d) a été modifié par L.C. 1997, c. 10, par. 33(6) et cette modification s'applique aux biens fournis par un créancier après le 23 avril 1996. Auparavant, cet alinéa se lisait comme suit :

d) d'autre part, le bien a été saisi ou a fait l'objet d'une reprise de possession par le créancier avant 1994 ou était, au moment de la saisie ou de la reprise de possession, un bien meuble corporel désigné d'occasion dont la juste valeur marchande dépasse le montant visé par règlement relativement au bien pour l'application de l'article 176.

Le paragraphe 183(8) a été ajouté par L.C. 1993, c. 27, par. 47(1) et est réputé entré en vigueur le 17 décembre 1990.

Concordance québécoise: LTVQ, art. 324.2, 324.3.

(9) Transfert volontaire — Pour l'application du présent article, lorsqu'une personne transfère volontairement un bien à une autre personne en acquittement de tout ou partie d'une dette ou d'une obligation en souffrance, l'autre personne est réputée avoir saisi le bien au moment du transfert, ou en avoir repris possession à ce moment, dans les circonstances visées au paragraphe (1).

Notes historiques: Le paragraphe 183(9) a été ajouté par L.C. 1993, c. 27, par. 47(5) et s'applique aux transferts volontaires de biens effectués après le 4 novembre 1991.

Concordance québécoise: LTVQ, art. 324.4.

(10) Garantie relative à une dette — Pour l'application de la présente partie, le créancier qui exerce, en vertu d'une loi fédérale ou provinciale ou d'une convention visant un titre de créance, son droit de faire fournir un bien en règlement de tout ou partie d'une dette ou d'une obligation d'une personne est réputé avoir saisi le bien immédiatement avant cette fourniture si le paragraphe (3) ne s'y applique pas et si un séquestre, au sens du paragraphe 266(1), n'a pas le pouvoir de gérer le bien. Par ailleurs, cette fourniture est réputée effectuée par le créancier et non par la personne.

Notes historiques: Le paragraphe 183(10) a été modifié par L.C. 1997, c. 10, par. 33(7) et cette modification s'applique aux fournitures suivantes :

a) celles effectuées après le 23 avril 1996;

b) celles effectuées avant le 24 avril 1996, sauf si l'un des faits suivants se vérifie :

(i) aucun montant n'a été demandé ou perçu, avant le 24 avril 1996, au titre de la taxe prévue à la partie IX relativement à la fourniture,

(ii) un montant a été demandé ou perçu au titre de la taxe prévue à la partie IX relativement à la fourniture et, avant le 23 avril 1996, le ministre du Revenu national a reçu une demande (sauf une demande réputée produite par l'effet de l'alinéa 296(5)a) par suite d'une cotisation établie avant cette date) visant le remboursement prévu au paragraphe 261(1) relativement à ce montant. Il se lisait comme suit :

Pour l'application du présent article, le créancier qui exerce, en vertu d'un titre de créance, son droit de faire fournir un bien en règlement de tout ou partie d'une dette ou obligation d'une personne est réputé avoir saisi le bien immédiatement avant cette fourniture si le paragraphe (3) ne s'y applique pas et si un séquestre, au sens du paragraphe 266(1), n'a pas le pouvoir de gérer le bien. Par ailleurs, cette fourniture est réputée effectuée par le créancier et non par la personne.

Le paragraphe 183(10) a été ajouté par L.C. 1993, c. 27, par. 47(6) et réputé entré en vigueur le 1er octobre 1992.

Concordance québécoise: LTVQ, art. 324.5.

(10.1) Rachat d'un bien — Pour l'application de la présente partie, dans le cas où les conditions suivantes sont réunies :

a) un créancier exerce, en vertu d'une loi fédérale ou provinciale ou d'une convention visant un titre de créance, son droit de faire fournir un bien (opération appelée « première fourniture » au présent paragraphe) en règlement de tout ou partie d'une dette ou d'une obligation d'une personne (appelée « débiteur » au présent paragraphe),

b) l'acquéreur de la première fourniture a payé un montant au titre de la taxe relative à la fourniture,

c) le débiteur exerce le droit que lui confère la loi ou la convention de racheter le bien,

les règles suivantes s'appliquent :

d) le rachat du bien est réputé en être une fourniture par vente effectuée à titre gratuit par l'acquéreur de la première fourniture au profit du débiteur;

e) dans le cas où le bien a été racheté à l'acquéreur de la première fourniture et qu'un montant a été remboursé à ce dernier ou au créancier par le débiteur au titre du montant visé à l'alinéa b) :

(i) sauf pour l'application du présent article, le débiteur est réputé ne pas avoir fourni le bien au créancier selon le paragraphe (1) ni avoir reçu une fourniture du bien au moment du rachat,

(ii) le débiteur est réputé, pour l'application de l'article 261, avoir payé par erreur au moment du rachat une taxe égale au montant ainsi remboursé,

(iii) dans le cas où le montant visé à l'alinéa b) a été inclus dans le calcul d'un remboursement ou d'un crédit de taxe sur les intrants demandé par cet acquéreur dans une demande ou une déclaration, le montant du remboursement ou du crédit est ajouté dans le calcul de la taxe nette de cet acquéreur pour la période de déclaration au cours de laquelle le bien a été racheté,

(iv) le montant visé à l'alinéa b) n'est pas inclus dans le calcul d'un remboursement ou d'un crédit de taxe sur les intrants demandé par cet acquéreur dans une demande ou une déclaration présentée après le rachat du bien.

Notes historiques: Le paragraphe 183(10.1) a été ajouté par L.C. 1997, c. 10, par. 33(8) et s'applique aux rachats de biens effectués après le 23 avril 1996.

Concordance québécoise: LTVQ, art. 324.5.1.

(11) Application de l'article 266 — L'article 266, contrairement aux paragraphes (1), (2) et (7) à (9), s'applique dans les cas suivants :

a) un créancier — séquestre (au sens du paragraphe 266(1)) relativement à un bien — exerce son droit ou son pouvoir de saisir le bien, ou d'en reprendre possession, en acquittement de tout ou partie d'une dette ou obligation d'une personne;

b) un créancier nomme un mandataire — séquestre (au sens du paragraphe 266(1)) relativement à un bien — pour exercer un droit ou un pouvoir de saisir le bien, ou d'en reprendre possession, en acquittement de tout ou partie d'une dette ou obligation d'une personne.

Notes historiques: Le paragraphe 183(11) a été ajouté par L.C. 1993, c. 27, par. 47(7) et s'applique aux séquestres investis de pouvoirs ou nommés après 1992.

Concordance québécoise: LTVQ, art. 324.6.

Info TPS/TVQ [art. 183(11)]: GI-012 — *Mandataires*.

juin 2006, Notes explicatives: L'article 183 porte sur l'application de la TPS aux biens saisis ou ayant fait l'objet d'une reprise de possession par un créancier. Au moment de la saisie ou de la reprise de possession, le créancier est réputé avoir acquis le bien par vente à titre gratuit. Selon les paragraphes 183(4), (5) et (6), une fourniture est réputée être effectuée et, sauf s'il s'agit d'une fourniture exonérée, un montant de taxe est réputé être payé et perçu par le créancier, si le bien a été saisi ou a fait l'objet d'une reprise de possession par le créancier et est réservé à son propre usage. La taxe correspond à un pourcentage de la juste valeur marchande du bien. Le paragraphe 183(4) s'applique aux fournitures taxables d'immeubles, le paragraphe 183(5), aux biens meubles saisis ou ayant fait l'objet d'une reprise de possession avant 1994 et le paragraphe 183(6), aux biens meubles saisis ou ayant fait l'objet d'une reprise de possession après 1993.

Les modifications apportées aux paragraphes 183(4), (5) et (6) consistent à supprimer la mention de 7 % pour la remplacer par « le taux fixé au paragraphe 165(1) ». Ainsi, la taxe calculée sur la juste valeur marchande du bien est calculée au taux de 14/114, si le bien est situé dans une province participante, et au taux de 6/106, dans les autres cas. Ces modifications font suite au changement apporté au paragraphe 165(1), qui consiste à ramener de 7 % à 6 % le taux de la taxe imposée par ce paragraphe.

Les modifications apportées aux paragraphes 183(4), (5) et (6) s'appliquent aux biens saisis ou ayant fait l'objet d'une reprise de possession par un créancier qui commence, après juin 2006, à utiliser les biens à une fin autre que la réalisation de leur fourniture.

L'article 184 s'applique dans le cas où une personne transfère un bien à un assureur dans le cadre du règlement d'un sinistre. Au moment du transfert, l'assureur est réputé avoir acquis le bien par vente à titre gratuit. Selon les paragraphes 184(3), (4) et (5), une fourniture est réputée être effectuée et, sauf s'il s'agit d'une fourniture exonérée, un montant de taxe est réputé être payé et perçu par l'assureur, si le bien lui est transféré et est réservé à son propre usage. La taxe correspond à un pourcentage de la juste valeur marchande du bien. Le paragraphe 184(3) s'applique aux fournitures taxables d'immeubles, le paragraphe 184(4), aux biens meubles transférés à un assureur avant 1994 et le paragraphe 184(5), aux biens meubles transférés à un assureur après 1993.

Les modifications apportées aux paragraphes 184(3), (4) et (5) consistent à supprimer la mention de 7 % pour la remplacer par « le taux fixé au paragraphe 165(1) ». Ainsi, la taxe calculée sur la juste valeur marchande du bien est calculée au taux de 14/114, si le bien est situé dans une province participante, et au taux de 6/106, dans les autres cas. Ces modifications font suite au changement apporté au paragraphe 165(1), qui consiste à ramener de 7 % à 6 % le taux de la taxe imposée par ce paragraphe.

Les modifications apportées aux paragraphes 184(3), (4) et (5) s'appliquent aux biens transférés à un assureur qui commence, après juin 2006, à utiliser les biens à une fin autre que la réalisation de leur fourniture.

Définitions [art. 183]: « activité commerciale », « améliorations », « bien », « bien meuble », « bien meuble corporel désigné », « cadre », « contrepartie », « date d'harmonisation », « exclusif », « fourniture », « fourniture détaxée », « fourniture exonérée », « fourniture taxable », « fraction de taxe », « immeuble », « inscrit », « juste valeur marchande », « ministre », « montant », « personne », « province », « province non participante », « province participante », « règlement », « taux de taxe », « taxe », « titre de créance », « vente » — 123(1).

Renvois [art. 183]: 123(2) (Canada); 134 (transfert d'un bien à titre de garantie réputé ne pas être une fourniture); 142–144 (fourniture effectuée au Canada et à l'étranger); 169(1) (CTI), 193(3) (crédit pour immeuble); 225.1(1)b) (fourniture déterminée — organisme de bienfaisance); 257(3) (remboursement — rachat d'un immeuble) 259(1) « taxe exigée non admise au crédit »; V:Partie I (immeubles); V:Partie VI:25i) (vente par organisme de services publics — exclusion); IX:Partie IX:1 (TVH — fournitures réputées).

Règlements [art. 183]: *Règlement sur les biens meubles corporels désignés (TPS/TVH)*, art. 1.

Jurisprudence [art. 183]: *Kirkland Lake Industrial Plaza Ltd. c. La Reine*, [1996] G.S.T.C. 103 (CCI); *W.P. Buck Investments Inc. c. Canada*, [1998] G.S.T.C. 48 (CCI); *Sun Life Trust Co. c. Canada*, [1998] G.S.T.C. 63 (CCI); *Republic National Bank of New York c. Canada*, [1999] G.S.T.C. 32 (CCI); *A.M.E. Aeroworks Services Ltd. c. Canada*, [1999] G.S.T.C. 19 (CCI); *ATS Automotive Ltd. v. R.*, [2004] T.C.C. 216 (CCI).

Énoncés de politique [art. 183]: P-024R, 12/05/99, *Importation temporaire de moyens de transport*; P-026, 04/09/92, *Les biens saisis ou ayant fait l'objet d'une reprise de possession et le seuil de petit fournisseur*; P-057, 23/02/93, *Application de la TPS à une renonciation exécutée avant le 5 novembre 1991*; P-093, 19/11/93, *Droit de demander un remboursement en application du paragraphe 183(7)*; P-096, 13/08/93, *Droit du débiteur de demander des CTI à l'égard de biens ayant fait l'objet d'une saisie ou d'une reprise de possession par un créancier après 1990 et avant le 28 mars 1991*; P-102, 11/11/93, *Saisies et reprises de possession*; P-114, 10/03/94, *Application de remboursement de la TVF et de crédit fictif de taxe sur les intrants à un bien meuble corporel saisi et à un bien meuble corporel récupéré*; P-129, 17/03/94, *Prêteurs sur gage*; P-143, 16/05/94, *Possibilité pour des créanciers de recourir au paragraphe 167(1) dans les cas de saisie ou de reprise de possession*; P-156R, 30/04/99, *Calcul du crédit fictif de taxe sur les intrants que peut demander un créancier en vertu du paragraphe 183(7)*; P-175, 11/02/99, *Les coûts qui sont visés par le paragraphe 183(2)*; P-182R, 28/08/03, *Du mandat*; P-198, 11/11/96, *Taxes municipales impayées et rachat par l'ancien propriétaire (Ébauche)*; P-226, 24/02/99, *Application de la TPS/TVH aux fournitures effectuées en application des divers recours offerts aux créanciers*.

Bulletins de l'information technique [art. 183]: B-075R, 23/04/96, *Modifications proposées à la TPS*; B-103, 02/10, *Taxe de vente harmonisée — Règles sur le lieu de fourniture pour déterminer si une fourniture est effectuée dans une province*.

Mémorandums [art. 183]: TPS 300-4-6, 31/05/91, *Organismes du secteur public*; TPS 400, 18/05/90, *Crédits de taxe sur les intrants*, par. 48–51; TPS 500-2-4, 19/03/91, *Calcul de la taxe*, annexes B, D; TPS 700-5-3, 31/07/92, *Caisses de crédit*, par. 43, 44.

Série de mémorandums [art. 183]: Mémorandum 3.1, 08/99, *Assujettissement à la taxe*; Mémorandum 17.8, 04/99, *Caisses de crédit*; Mémorandum 19.1, 10/97, *Les immeubles et la TPS/TVH*.

Lettres d'interprétation (Québec) [art. 183]: 97-3800733 — Interprétation relative à la TPS — Interprétation relative à la TVQ — Ventes sous contrôle de justice — perception et remise de la taxe; 98-8100129[B] — Interprétation relative à la TPS — Interprétation relative à la TVQ — Ventes sous contrôle de justice — perception et remise de la taxe; 00-0106740 — Interprétation relative à la TPS et à la TVQ — Transfert volontaire d'un bien mobilier corporel en paiement d'une obligation; 00-0110916 — Interprétation relative à la TPS et à la TVQ — Vente sous contrôle de justice.

Biens acquis par les assureurs sur règlement de sinistre

184. (1) Fourniture à l'assureur sur règlement de sinistre — Pour l'application de la présente partie, lorsque le bien d'une personne est transféré à un assureur après 1990 dans le cadre du règlement d'un sinistre, les présomptions suivantes s'appliquent :

a) pour l'application de la présente partie, la personne est réputée avoir effectué et l'assureur, avoir reçu, au moment donné, une fourniture du bien par vente;

b) pour l'application de la présente partie, sauf les articles 193 et 257, cette fourniture est réputée avoir été effectuée à titre gratuit;

c) dans le cas de la fourniture taxable d'un immeuble, la taxe payable relativement à la fourniture est réputée, pour l'application des articles 193 et 257, égale à la taxe calculée sur la juste valeur marchande du bien au moment donné;

d) dans le cas d'une fourniture d'immeuble incluse à l'article 9 de la partie I de l'annexe V, à l'article 1 de la partie V.1 de cette annexe ou à l'article 25 de la partie VI de cette annexe, pour l'application des articles 193 et 257, la fourniture est réputée être une fourniture taxable et la taxe payable relativement à la fourniture, être égale à la taxe calculée sur la juste valeur marchande du bien au moment du transfert.

Notes historiques: Les alinéas 184(1)a) et b) ont été modifiés par L.C. 1993, c. 27, par. 48(2) et s'appliquent aux biens transférés après le 27 mars 1991. Ils se lisaient ainsi :

a) la personne est réputée avoir fourni le bien à titre gratuit au moment du transfert;

b) l'assureur est réputé avoir acquis le bien à titre gratuit au moment du transfert.

L'alinéa 184(1)d) a été modifié par L.C. 1997, c. 10, par. 34(1) et cette modification s'applique aux fournitures effectuées après 1996. Auparavant, cet alinéa se lisait comme suit :

d) dans le cas d'une fourniture incluse à l'article 9 de la partie I de l'annexe V ou à l'article 25 de la partie VI de cette annexe, pour l'application des articles 193 et 257, la fourniture est réputée être une fourniture taxable et la taxe payable relativement à la fourniture, être égale à la taxe calculée sur la juste valeur marchande du bien au moment donné.

Les alinéas 184(1) c) et d) ont été ajoutés par L.C. 1993, c. 27, par. 48(2) et s'appliquent aux biens transférés après le 27 mars 1991.

Le paragraphe 184(1) a été modifié par L.C. 1993, c. 27, par. 48(1), rétroactivement au 17 décembre 1990. Il se lisait ainsi :

184. (1) Pour l'application de la présente partie, dans le cas où une personne transfère un bien à un assureur dans le cadre du règlement d'un sinistre, les présomptions suivantes s'appliquent :

a) la personne est réputée avoir fourni le bien à titre gratuit au moment du transfert;

b) sous réserve du paragraphe (3), l'assureur est réputé avoir acquis le bien à titre gratuit.

Le paragraphe 184(1) a été édicté par L.C. 1990, c. 45, par. 12(1).

Concordance québécoise: LTVQ, art. 298.

(2) Fourniture dans le cadre d'une activité commerciale — Pour l'application de la présente partie, l'assureur qui effectue la fourniture, sauf la fourniture exonérée, d'un bien qui lui a été transféré dans les circonstances visées au paragraphe (1) est réputé, sauf si l'un des paragraphes (3) à (5) s'est déjà appliqué relativement à son utilisation du bien, avoir fourni le bien dans le cadre, ou à l'occasion, d'une activité commerciale. Par ailleurs, tout acte accompli par l'assureur dans le cadre de la réalisation de la fourniture mais non à l'occasion du transfert du bien est réputé accompli dans le cadre de l'activité commerciale.

Notes historiques: Le paragraphe 184(2) a été modifié par L.C. 1993, c. 27, par. 48(1) et est réputé entré en vigueur le 17 décembre 1990. Il se lisait ainsi :

(2) Pour l'application de la présente partie, l'assureur qui effectue la fourniture d'un bien, sauf une fourniture exonérée, qui lui a été transféré dans le cadre du règlement d'un sinistre est réputé avoir effectué une fourniture dans le cadre de ses activités commerciales.

Le paragraphe 184(2) a été édicté par L.C. 1990, c. 45, par. 12(1).

Concordance québécoise: LTVQ, art. 299.

(3) Utilisation d'un immeuble — Pour l'application de la présente partie, l'assureur qui, à un moment donné, commence à utiliser un immeuble — qui lui a été transféré dans les circonstances visées au paragraphe (1) — à une fin autre que la réalisation de sa fourniture est réputé avoir fourni l'immeuble à ce moment et, sauf s'il s'agit d'une fourniture exonérée :

a) avoir perçu, à ce moment et relativement à la fourniture, une taxe égale au résultat du calcul suivant :

$$\frac{A}{B} \times C$$

où :

A représente :

(i) si la fourniture est effectuée dans une province participante, la somme du taux fixé au paragraphe 165(1) et du taux de taxe applicable à la province,

(ii) dans les autres cas, le taux fixé au paragraphe 165(1),

B la somme de 100 % et du pourcentage déterminé selon l'élément A,

C la juste valeur marchande de l'immeuble à ce moment;

b) avoir acquis l'immeuble et avoir payé cette taxe à ce moment.

Notes historiques: L'élément A de la formule de l'alinéa 184(3)a) a été remplacé par L.C. 2006, c. 4, par. 11(1) et cette modification s'applique aux biens transférés à un assureur qui commence, après juin 2006, à utiliser les biens à une fin autre que la réalisation de leur fourniture. Antérieurement, il se lisait ainsi :

A représente :

(i) si la fourniture est effectuée dans une province participante, la somme de 7 % et du taux de taxe applicable à la province,

(ii) dans les autres cas, 7 %,

L'alinéa 184(3)a) a été modifié par L.C. 1997, c. 10, par. 178(1) et cette modification est entrée en vigueur le 1er avril 1997. Auparavant, cet alinéa se lisait comme suit :

a) avoir perçu, à ce moment et relativement à la fourniture, une taxe égale à la fraction de taxe de la juste valeur marchande de l'immeuble à ce moment;

Le paragraphe 184(3) a été modifié par L.C. 1993, c. 27, par. 48(1) et est réputé entré en vigueur le 17 décembre 1990. Il se lisait ainsi :

(3) Pour l'application de la présente partie, l'assureur qui, à un moment donné, commence à utiliser un bien — qui lui a été transféré dans le cadre du règlement d'un sinistre — autrement qu'en vue d'en effectuer la fourniture est réputé avoir effectué la fourniture du bien et, sauf s'il s'agit d'une fourniture exonérée ou détaxée :

a) avoir perçu, à ce moment, la taxe relative à la fourniture, égale à la fraction de taxe de la juste valeur marchande du bien à ce moment;

b) s'il est un inscrit, avoir acquis le bien immédiatement avant ce moment d'un autre inscrit et avoir payé alors cette taxe.

Le paragraphe 184(3) a été édicté par L.C. 1990, c. 45, par. 12(1).

Concordance québécoise: LTVQ, art. 300.

(4) Utilisation d'un bien meuble transféré avant 1994 — Pour l'application de la présente partie, lorsqu'un assureur commence, à un moment donné, à utiliser un bien meuble — qu'une personne lui a transféré avant 1994 dans les circonstances visées au paragraphe (1) — à une fin autre que la réalisation de sa fourniture, les présomptions suivantes s'appliquent :

a) l'assureur est réputé avoir reçu, immédiatement après le moment donné, une fourniture du bien par vente;

b) dans le cas où la taxe aurait été payable si le bien avait été acheté au Canada de la personne pour une contrepartie au moment de son transfert, l'assureur est réputé :

(i) avoir effectué, au moment donné, une fourniture taxable du bien et avoir perçu, à ce moment et relativement à la fourniture, une taxe égale au résultat du calcul suivant :

$$\frac{A}{B} \times C$$

où :

A représente :

(A) si le bien est situé dans une province participante à ce moment, la somme du taux fixé au paragraphe 165(1) et du taux de taxe applicable à la province,

(B) dans les autres cas, le taux fixé au paragraphe 165(1),

B la somme de 100 % et du pourcentage déterminé selon l'élément A,

C la juste valeur marchande du bien au moment de son transfert,

(ii) avoir payé, immédiatement après le moment donné et relativement à la fourniture visée au sous-alinéa a)(i), une taxe égale au montant déterminé au sous-alinéa (i).

Notes historiques: L'alinéa 184(4)a) a été modifié par L.C. 1997, c. 10, par. 34(2) et cette modification s'applique à compter du 24 avril 1996. Auparavant, cet alinéa se lisait comme suit :

a) l'assureur est réputé :

(i) avoir reçu, immédiatement après le moment donné, une fourniture du bien,

(ii) si le bien était, au moment de son transfert, un bien meuble corporel désigné dont la juste valeur marchande dépasse le montant visé par règlement relativement au bien pour l'application de l'article 176, avoir acquis le bien pour utilisation exclusive dans le cadre d'activités non commerciales et continuer à l'utiliser ainsi jusqu'à son aliénation;

L'élément A de la formule du sous-alinéa 184(4)b)(i) a été remplacé par L.C. 2006, c. 4, par. 11(2) et cette modification s'applique aux biens transférés à un assureur qui commence, après juin 2006, à utiliser les biens à une fin autre que la réalisation de leur fourniture. Antérieurement, il se lisait ainsi :

A représente :

(A) si le bien est situé dans une province participante à ce moment, la somme de 7 % et du taux de taxe applicable à la province,

(B) dans les autres cas, 7 %,

Le sous-alinéa 184(4)b)(i) a été modifié par L.C. 1997, c. 10, par.178(2) et cette modification est entrée en vigueur le 1er avril 1997. Auparavant, ce sous-alinéa se lisait comme suit :

(i) avoir effectué, au moment donné, une fourniture taxable du bien et avoir perçu, à ce moment et relativement à cette fourniture, une taxe égale à la fraction de taxe de la juste valeur marchande du bien au moment de son transfert,

Le paragraphe 184(4) a été modifié par L.C. 1993, c. 27, par. 48(1) et est réputé entré en vigueur le 17 décembre 1990. Toutefois, lorsqu'un assureur commence, avant octobre 1992, à utiliser un bien dans les circonstances visées au paragraphe 184(4), il n'est pas tenu compte du sous-alinéa 184(4)a)(ii) pour l'application du paragraphe 184(4) à l'assureur relativement à ce bien. Il se lisait ainsi :

(4) Pour l'application de la présente partie, l'assureur qui effectue la fourniture taxable d'un bien — qui lui a été transféré par une personne dans le cadre du règlement d'un sinistre — et qui convainc le ministre que la personne n'a pas reçu, ni n'a le droit de recevoir, un crédit de taxe sur les intrants ou un remboursement relatif au bien est réputé :

a) avoir acquis le bien immédiatement avant la fourniture pour une contrepartie égale à celle de la fourniture taxable;

b) avoir payé, immédiatement avant la fourniture, la taxe relative à l'acquisition du bien, calculée sur cette contrepartie.

Le paragraphe 184(4) a été édicté par L.C. 1990, c. 45, par. 12(1).

Concordance québécoise: LTVQ, art. 300.1.

(5) Utilisation d'un bien meuble transféré après 1993 — Pour l'application de la présente partie, lorsqu'un assureur commence, à un moment donné, à utiliser un bien meuble — qui lui a été transféré par une personne après 1993 dans les circonstances visées au paragraphe (1) — à une fin autre que la réalisation de sa fourniture, les présomptions suivantes s'appliquent :

a) l'assureur est réputé :

(i) avoir reçu, immédiatement après le moment donné, une fourniture du bien par vente,

(ii) avoir payé, immédiatement après le moment donné, la totalité de la taxe payable relativement à la fourniture visée au sous-alinéa (i), laquelle taxe est réputée égale au résultat du calcul ci-après, sauf si l'un des faits suivants se vérifie :

(A) cette fourniture est une fourniture détaxée,

(B) dans le cas d'un bien qui, au moment de son transfert, est un bien meuble corporel désigné dont la juste valeur marchande dépasse le montant visé par règlement relativement au bien, aucune taxe n'aurait été payable si le bien avait été acheté au Canada auprès de la personne à ce moment,

$$\frac{A}{B} \times C$$

où :

A représente :

(A) le taux fixé au paragraphe 165(1), dans le cas où :

(I) le bien est situé dans une province participante au moment donné et a été transféré avant le jour qui suit de trois ans la date dharmonisation applicable à la province et aucune taxe naurait été payable si le bien avait été acheté au Canada auprès de la personne au moment de son transfert,

(II) le bien est situé dans une province non participante au moment donné,

(B) dans les autres cas, la somme du taux fixé au paragraphe 165(1) et du taux de taxe applicable à la province participante où le bien est situé au moment donné,

B la somme de 100 % et du pourcentage déterminé selon l'élément A,

C la juste valeur marchande du bien au moment de son transfert;

b) dans le cas où la taxe aurait été payable si le bien avait été acheté au Canada de la personne au moment de son transfert, l'assureur est réputé avoir effectué, au moment donné, une fourniture taxable du bien et avoir perçu, à ce moment, la totalité de la taxe payable relativement à cette fourniture, laquelle taxe est réputée égale au résultat du calcul suivant :

$$\frac{A}{B} \times C$$

où :

A représente :

(i) si le bien est situé dans une province participante à ce moment, la somme du taux fixé au paragraphe 165(1) et du taux de taxe applicable à la province,

(ii) dans les autres cas, le taux fixé au paragraphe 165(1),

B la somme de 100 % et du pourcentage déterminé selon l'élément A,

C la juste valeur marchande du bien au moment de son transfert.

Notes historiques: Le passage du sous-alinéa 184(5)a)(ii) précédant la formule a été remplacé par L.C. 2000, c. 30, par. 36(1). Cette modification est réputée entrée en vigueur le 1er avril 1997. Antérieurement, ce passage se lisait comme suit :

(ii) avoir payé, immédiatement après le moment donné, la totalité de la taxe payable relativement à la fourniture visée au sous-alinéa (i), laquelle taxe est réputée égale au résultat du calcul ci-après, sauf si les conditions suivantes sont réunies :

(A) le bien est, au moment de son transfert, un bien meuble corporel désigné dont la juste valeur marchande dépasse le montant visé par règlement relativement au bien,

(B) aucune taxe n'aurait été payable si le bien avait été acheté au Canada auprès de la personne au moment de son transfert,

La subdivision (A)(I) de l'élément A de la formule figurant au sous-alinéa 184(5)a)(ii) a été remplacée par. L.C. 2009, c. 32, par. 11(1) et cette modification est en vigueur le 1er juillet 2010. Antérieurement, elle se lisait ainsi :

(I) le bien est situé dans une province participante au moment donné et a été transféré avant le jour qui suit de trois ans la date de mise en œuvre applicable à la province, au sens de l'article 348, et aucune taxe n'aurait été payable si le bien avait été acheté au Canada auprès de la personne au moment de son transfert,

La division (A) de l'élément A de la formule figurant au sous-alinéa 184(5)a)(ii) a été remplacée par L.C. 2000, c. 30, par. 36(2). Cette modification est réputée entrée en vigueur le 1er avril 1997. Antérieurement, elle se lisait comme suit :

(A) si le bien est situé dans une province participante au moment donné et a été transféré dans les trois ans suivant la date de mise en œuvre applicable à la province, au sens de la section X, ou si le bien est situé dans une province non participante à ce moment, 7 %,

L'élément A de la formule du sous-alinéa 184(5)a)(ii) a été remplacé par L.C. 2006, c. 4, par. 11(3) et cette modification s'applique aux biens transférés à un assureur qui commence, après juin 2006, à utiliser les biens à une fin autre que la réalisation de leur fourniture. Antérieurement, il se lisait ainsi :

A représente :

(A) 7 %, dans le cas où :

(I) le bien est situé dans une province participante au moment donné et a été transféré avant le jour qui suit de trois ans la date de mise en œuvre applicable à la province, au sens de l'article 348, et aucune taxe n'aurait été payable si le bien avait été acheté au Canada auprès de la personne au moment de son transfert,

(II) le bien est situé dans une province non participante au moment donné,

(B) dans les autres cas, la somme de 7 % et du taux de taxe applicable à la province participante où le bien est situé au moment donné,

Les sous-alinéas 184(5)a)(i) et (ii) ont été modifiés par L.C. 1997, c. 10, par 34(3) et cette modification s'applique à compter du 24 avril 1996. Auparavant, ces sous-alinéas se lisaient comme suit :

(i) avoir reçu, immédiatement après le moment donné, une fourniture du bien et avoir payé, immédiatement après ce moment et relativement à cette fourniture, une taxe égale à la fraction de taxe de la juste valeur marchande du bien au moment de son transfert,

(ii) si le bien était, au moment de son transfert, un bien meuble corporel désigné dont la juste valeur marchande dépasse le montant visé par règlement relativement au bien pour l'application de l'article 176, avoir acquis le bien pour utilisation exclusive dans le cadre d'activités non commerciales et continuer à l'utiliser ainsi jusqu'à son aliénation;

Le sous-alinéa 184(5)a)(ii) a été modifié par L.C. 1997, c. 10, par. 178(3) et cette modification est entrée en vigueur le 1er avril 1997. Auparavant, ce sous-alinéa se lisait comme suit

(ii) avoir payé, immédiatement après le moment donné et relativement à la fourniture visée au sous-alinéa (i), une taxe égale à la fraction de taxe de la juste valeur marchande du bien au moment de son transfert, sauf si les conditions suivantes sont réunies :

(A) le bien est, au moment de son transfert, un bien meuble corporel désigné dont la juste valeur marchande dépasse le montant visé par règlement relativement au bien,

(B) aucune taxe n'aurait été payable si le bien avait été acheté au Canada auprès de la personne au moment de son transfert;

L'élément A de la formule de l'alinéa 184(5)b) a été remplacé par L.C. 2006, c. 4, par. 11(4) et cette modification s'applique aux biens transférés à un assureur qui commence, après juin 2006, à utiliser les biens à une fin autre que la réalisation de leur fourniture. Antérieurement, il se lisait ainsi :

A représente :

(i) si le bien est situé dans une province participante à ce moment, la somme de 7 % et du taux de taxe applicable à la province,

(ii) dans les autres cas, 7 %,

L'alinéa 184(5)b) a été modifié par L.C. 1997, c. 10, par. 178(4) et cette modification est entrée en vigueur le 1er avril 1997. Auparavant, cet alinéa se lisait comme suit :

b) dans le cas où la taxe aurait été payable si le bien avait été acheté au Canada de la personne au moment de son transfert, l'assureur est réputé avoir effectué, au moment donné, une fourniture taxable du bien et avoir perçu, à ce moment et relativement à cette fourniture, une taxe égale à la fraction de taxe de la juste valeur marchande du bien au moment de son transfert.

Le paragraphe 184(5) a été ajouté par L.C. 1993, c. 27, par. 48(1) et est réputé entré en vigueur le 17 décembre 1990. Toutefois, lorsqu'un assureur commence, avant octobre 1992, à utiliser un bien dans les circonstances visées au paragraphe 184(5), il n'est pas tenu compte du sous-alinéa 184(5)a)(ii) pour l'application du paragraphe 184(5) à l'assureur relativement à ce bien.

Concordance québécoise: LTVQ, art. 300.2.

(6) Vente d'un bien meuble — Pour l'application de la présente partie, l'assureur qui effectue, à un moment donné, la fourniture taxable par vente, sauf une fourniture réputée par la présente partie avoir été effectuée, d'un bien meuble qui lui a été transféré par une personne dans les circonstances visées au paragraphe (1), qui n'est pas réputé par les paragraphes (4), (5) ou (7) avoir déjà reçu une fourniture du bien et qui n'aurait eu aucune taxe à payer s'il avait acheté le bien auprès de la personne au Canada au moment de son transfert est réputé :

a) avoir reçu, immédiatement avant le moment donné, une fourniture du bien par vente pour une contrepartie égale à celle de la fourniture taxable;

b) sauf si la fourniture réputée par l'alinéa a) avoir été reçue est une fourniture détaxée, avoir payé, immédiatement avant le moment donné, la totalité de la taxe payable relativement à la fourniture réputée avoir été reçue, laquelle taxe est réputée égale au montant obtenu par la formule suivante :

$$A - B$$

où :

A représente :

(i) la taxe prévue au paragraphe 165(1), calculée sur cette contrepartie, si, selon le cas :

(A) la personne a détenu le bien la dernière fois dans une province participante avant de le transférer à l'assureur, le bien a été ainsi transféré avant le jour qui suit de trois ans la date d'harmonisation applicable à la province et la fourniture taxable est soit effectuée à l'étranger, soit une fourniture détaxée,

(B) la personne a détenu le bien la dernière fois dans une province non participante avant de le transférer ou la fourniture taxable est une fourniture (sauf une fourniture détaxée) effectuée dans une telle province,

(ii) dans les autres cas, la somme des taxes suivantes :

(A) la taxe prévue au paragraphe 165(1), calculée sur cette contrepartie,

(B) la taxe prévue au paragraphe 165(2), calculée sur cette contrepartie au taux de taxe applicable à la province participante où la fourniture taxable est effectuée ou, s'il est inférieur, au taux de taxe applicable à la province participante où la personne a détenu le bien la dernière fois avant de le transférer,

B le total des montants représentant chacun un crédit de taxe sur les intrants ou un montant remboursable en vertu de la présente partie que l'assureur pouvait demander relativement au bien ou à des améliorations afférentes.

Le présent paragraphe ne s'applique pas si :

c) d'une part, la fourniture taxable est effectuée à l'étranger ou constitue une fourniture détaxée;

d) d'autre part, le bien est transféré à l'assureur avant 1994 ou est, au moment de son transfert, un bien meuble corporel désigné dont la juste valeur marchande dépasse le montant visé par règlement relativement au bien.

Notes historiques: Le préambule du paragraphe 184(6) a été modifié par L.C. 1997, c. 10, par. 34(4) et cette modification s'applique aux biens fournis par un assureur après le 23 avril 1996. Auparavant, ce préambule se lisait comme suit :

(6) Pour l'application de la présente partie, l'assureur qui effectue, à un moment donné, la fourniture taxable par vente, sauf une fourniture réputée par une disposition de la présente partie autre que l'article 177 avoir été effectuée, d'un bien meuble qui lui a été transféré par une personne dans les circonstances visées au paragraphe (1), qui n'est pas réputé par les paragraphes (4), (5) ou (7) avoir déjà reçu une fourniture du bien et qui n'aurait eu aucune taxe à payer s'il avait acheté le bien de la personne au Canada au moment de son transfert est réputé :

L'alinéa 184(6)a) est remplacé par L.C. 2000, c. 30, par. 36(3). Cette modification est réputée entrée en vigueur le 1er avril 1997. Antérieurement, il se lisait comme suit :

a) avoir reçu une fourniture du bien immédiatement avant le moment donné pour une contrepartie égale à celle de la fourniture taxable;

Le passage de l'alinéa 184(6)b) précédant le sous-alinéa (ii) de l'élément A de la formule figurant à cet alinéa est remplacé par L.C. 2000, c. 30, par. 36(4). Cette modification est réputée entrée en vigueur le 1er avril 1997. Antérieurement, ce passage se lisait comme suit :

b) avoir payé, immédiatement avant le moment donné, la totalité de la taxe payable relativement à la fourniture réputée par l'alinéa a) avoir été reçue, laquelle taxe est réputée égale au résultat du calcul suivant :

A – B

où :

A représente :

(i) la taxe prévue au paragraphe 165(1), calculée sur cette contrepartie, si, selon le cas :

(A) la personne a détenu le bien la dernière fois dans une province participante avant de le transférer à un assureur dans les trois ans suivant la date de mise en œuvre applicable à la province, au sens de la section X, et la fourniture taxable est soit effectuée à l'étranger, soit une fourniture détaxée,

(B) la personne a détenu le bien la dernière fois dans une province non participante avant de le transférer ou la fourniture taxable est effectuée dans une telle province,

Le passage de l'alinéa 184(6)b) précédant l'élément B a été modifié par L.C. 1997, c. 10, par. 178(5) et cette modification est entrée en vigueur le 1er avril 1997. Auparavant, ce passage se lisait comme suit :

b) avoir payé, immédiatement avant le moment donné et relativement à la fourniture réputée par l'alinéa a) avoir été reçue, une taxe égale au résultat du calcul suivant :

A – B

où :

A représente la taxe calculée sur cette contrepartie,

La division (i)(A) de l'élément A de la formule figurant à l'alinéa 184(6)b) a été remplacée par L.C. 2009, c. 32, par. 11(2) et cette modification est entrée en vigueur le 1er juillet 2010. Antérieurement, elle se lisait ainsi :

(A) la personne a détenu le bien la dernière fois dans une province participante avant de le transférer à l'assureur, le bien a été ainsi transféré avant le jour qui suit de trois ans la date de mise en œuvre applicable à la province, au sens de l'article 348, et la fourniture taxable est soit effectuée à l'étranger, soit une fourniture détaxée,

L'alinéa 184(6)d) a été modifié par L.C. 1997, c. 10, par. 34(5) et cette modification s'applique aux biens fournis par un assureur après le 23 avril 1996. Auparavant, cet alinéa se lisait comme suit :

d) d'autre part, le bien a été transféré à l'assureur avant 1994 ou était, au moment de son transfert, un bien meuble corporel désigné d'occasion dont la juste valeur marchande dépasse le montant visé par règlement relativement au bien pour l'application de l'article 176.

Le paragraphe 184(6) a été modifié par L.C. 1993, c. 27, par. 48(3) et s'applique aux biens transférés après le 27 mars 1991. Il se lisait auparavant comme suit :

(6) Pour l'application de la présente partie, l'assureur qui effectue, à un moment donné, la fourniture taxable par vente, sauf une fourniture réputée par une disposition de la présente partie autre que l'article 177 avoir été effectuée, d'un bien qui lui a été transféré par une personne dans les circonstances visées au paragraphe (1), qui n'est pas réputé par les paragraphes (3), (4), (5) ou (7) avoir déjà effectué ou reçu une fourniture du bien et qui convainc le ministre que la personne n'a pas reçu, ni n'a le droit de recevoir, un crédit de taxe sur les intrants ou un montant remboursable relativement au bien est réputé :

a) avoir reçu une fourniture du bien immédiatement avant le moment donné pour une contrepartie égale à celle de la fourniture taxable;

b) avoir payé, immédiatement avant le moment donné et relativement à la fourniture réputée par l'alinéa a) avoir été reçue, une taxe égale au résultat du calcul suivant :

A – B

où :

A représente la taxe calculée sur cette contrepartie,

B le total des montants représentant chacun un crédit de taxe sur les intrants ou un montant remboursable en vertu de la présente partie que l'assureur pouvait demander relativement au bien ou à des améliorations afférentes.

Le paragraphe 184(6) a été ajouté par L.C. 1993, c. 27, par. 48(1) et est réputé entré en vigueur le 17 décembre 1990.

Concordance québécoise: LTVQ, art. 301, 301.1.

(7) Location d'un bien meuble — Pour l'application de la présente partie, l'assureur qui, à un moment donné, effectue, par bail, licence ou accord semblable pour la première période de location, au sens du paragraphe 136.1(1), relativement à l'accord, la fourniture taxable d'un bien meuble qui lui a été transféré par une personne dans les circonstances visées au paragraphe (1), qui n'est pas réputé par les paragraphes (4) ou (5) avoir déjà reçu une fourniture du bien et qui n'aurait eu à payer aucune taxe s'il avait acheté le bien au Canada auprès de la personne au moment de son transfert est réputé :

a) avoir reçu une fourniture du bien par vente immédiatement avant le moment donné;

b) sauf si cette fourniture est une fourniture détaxée, avoir payé, immédiatement avant le moment donné, la totalité de la taxe payable relativement à la fourniture, laquelle taxe est réputée égale au montant suivant :

(i) la taxe prévue au paragraphe 165(1), calculée sur la juste valeur marchande du bien au moment de son transfert, si, selon le cas :

(A) la personne a détenu le bien la dernière fois dans une province participante avant de le transférer à l'assureur, le bien a été ainsi transféré avant le jour qui suit de trois ans la date d'harmonisation applicable à la province et la fourniture taxable est soit effectuée à l'étranger, soit une fourniture détaxée,

(B) la personne a détenu le bien la dernière fois dans une province non participante avant de le transférer ou la fourniture taxable est une fourniture (sauf une fourniture détaxée) effectuée dans une telle province,

(ii) dans les autres cas, la somme des taxes suivantes :

(A) la taxe prévue au paragraphe 165(1), calculée sur cette juste valeur marchande,

(B) la taxe prévue au paragraphe 165(2), calculée sur cette juste valeur marchande au taux de taxe applicable à la province participante où la fourniture taxable est effectuée ou, s'il est inférieur, au taux de taxe applicable à la province participante où la personne a détenu le bien la dernière fois avant de le transférer.

Le présent paragraphe ne s'applique pas si :

c) d'une part, la fourniture taxable est effectuée à l'étranger ou constitue une fourniture détaxée;

d) d'autre part, le bien est transféré à l'assureur avant 1994 ou est, au moment de son transfert, un bien meuble corporel désigné dont la juste valeur marchande dépasse le montant visé par règlement relativement au bien.

Notes historiques: Le préambule du paragraphe 184(7) a été modifié par L.C. 2000, c. 30, par. 36(5) et cette modification s'applique aux périodes de location commençant après mars 1997. Il se lisait auparavant comme suit :

(7) Pour l'application de la présente partie, l'assureur qui, à un moment donné, effectue la fourniture taxable par bail, licence ou accord semblable d'un bien meuble qui lui a été transféré par une personne dans les circonstances visées au paragraphe (1), qui n'est pas réputé par les paragraphes (4) ou (5) avoir déjà reçu une fourniture du bien et qui n'aurait eu à payer aucune taxe s'il avait acheté le bien au Canada de la personne au moment de son transfert est réputé :

Le préambule du paragraphe 184(7) a été modifié par L.C. 1993, c. 27, par. 48(4) et s'applique aux biens transférés après le 27 mars 1991. Il se lisait auparavant comme suit :

(7) Pour l'application de la présente partie, l'assureur qui, à un moment donné, effectue la fourniture taxable par bail, licence ou accord semblable d'un bien qui lui a été transféré par une personne dans les circonstances visées au paragraphe (1), qui n'est pas réputé par l'un des paragraphes (3) à (5) avoir déjà effectué ou reçu une fourniture du bien et qui n'aurait eu à payer aucune taxe s'il avait acheté le bien au Canada de la personne au moment de son transfert est réputé :

L'alinéa 184(7)a) a été modifié par L.C. 2000, c. 30, par. 36(6) et cette modification est réputée entrée en vigueur le 1er avril 1997. Auparavant, cet alinéa se lisait comme suit :

a) avoir reçu une fourniture du bien immédiatement avant le moment donné;

Le passage de l'alinéa 184(7)b) précédant le sous-alinéa (ii) a été remplacé par L.C. 2000, c. 30, par. 36(7). Cette modification est réputée entrée en vigueur le 1er avril 1997. Antérieurement, ce passage se lisait comme suit :

b) avoir payé, immédiatement avant le moment donné, la totalité de la taxe payable relativement à cette fourniture, laquelle taxe est réputée égale au montant suivant :

(i) la taxe prévue au paragraphe 165(1), calculée sur la juste valeur marchande du bien au moment de son transfert, si, selon le cas :

(A) la personne a détenu le bien la dernière fois dans une province participante avant de le transférer à l'assureur dans les trois ans suivant la date de mise en oeuvre applicable à la province, au sens de la section X, et la fourniture taxable est soit effectuée à l'étranger, soit une fourniture détaxée,

(B) la personne a détenu le bien la dernière fois dans une province non participante avant de le transférer ou la fourniture taxable est effectuée dans une telle province,

L'alinéa 184(7)b) a été modifié par L.C. 1997, c. 10, par. 178(6) et cette modification est entrée en vigueur le 1er avril 1997. Auparavant, cet alinéa se lisait comme suit :

b) avoir payé, immédiatement avant le moment donné et relativement à cette fourniture, la taxe calculée sur la juste valeur marchande du bien au moment de son transfert.

La division 184(7)d)(i)(A) a été remplacée par. L.C. 2009, c. 32, par. 11(4) et cette modification est entrée en vigueur le 1er juillet 2010. Antérieurement, elle se lisait ainsi :

(A) la personne a détenu le bien la dernière fois dans une province participante avant de le transférer à l'assureur, le bien a été ainsi transféré avant le jour qui suit de trois ans la date de mise en œuvre applicable à la province, au sens de l'article 348, et la fourniture taxable est soit effectuée à l'étranger, soit une fourniture détaxée,

L'alinéa 184(7)d) a été modifié par L.C. 1997, c. 10, par. 34(6) et cette modification s'applique aux biens fournis par un assureur après le 23 avril 1996. Auparavant, cet alinéa se lisait comme suit :

d) d'autre part, le bien a été transféré à l'assureur avant 1994 ou était, au moment de son transfert, un bien meuble corporel désigné d'occasion dont la juste valeur marchande dépasse le montant visé par règlement relativement au bien pour l'application de l'article 176.

Le paragraphe 184(7) a été ajouté par L.C. 1993, c. 27, par. 48(1) et est réputé entré en vigueur le 17 décembre 1990.

Concordance québécoise: LTVQ, art. 301.2, 301.3.

Définitions [art. 184]: « activité commerciale », « assureur », « bien », « bien meuble », « bien meuble corporel désigné d'occasion », « contrepartie », « date d'harmonisation », « exclusif », « fourniture », « fourniture détaxée », « fourniture exonérée », « fourniture taxable », « fraction de taxe », « immeuble », « inscrit », « juste valeur marchande », « montant », « personne », « province non participante », « province participante », « règlement », « taux de taxe », « taxe », « vente » — 123(1).

Renvois [art. 184]: 123(2) (Canada); 125 (résultats négatifs); 142–144 (fourniture effectuée au Canada et à l'étranger); 169(1) (CTI); IX:Partie IX:1 (TVH — fournitures réputées).

Règlements [art. 184]: *Règlement sur les biens meubles corporels désignés (TPS/TVH)*, art. 1.

Mémorandums [art. 184]: TPS 400, 18/05/90, *Crédits de taxe sur les intrants*, par. 52–55; TPS 500-2-4, 19/03/91, *Calcul de la taxe*, annexes B, D.

Série de mémorandums [art. 184]: Mémorandum 3.1, 08/99, *Assujettissement à la taxe*; Mémorandum 17.16, 03/01, *Traitement des règlements de sinistres sous le régime de la TPS/TVH*.

Bulletins de l'information technique [art. 184]: B-103, 02/10, *Taxe de vente harmonisée — Règles sur le lieu de fourniture pour déterminer si une fourniture est effectuée dans une province*.

Lettres d'interprétation (Québec) [art. 184]: 05-0102847 — [CTI/RTI auxquels ont droit les assureurs dans le cadre de la fourniture d'un véhicule automobile].

184.1 (1) Exercice d'une activité de construction — Au présent article, la mention d'une personne qui exerce une activité de construction vaut également mention d'une personne qui engage une autre personne, en acquérant ses services, pour exercer une activité de construction pour son compte.

Notes historiques: Le paragraphe 184.1(1) a été ajouté par L.C. 2000, c. 30, par. 37(1) et s'applique comme suit en ce qui concerne la caution qui, en vertu d'un cautionnement de bonne exécution relatif à un contrat visant une fourniture de services de construction, exerce une activité de construction en exécution, même partielle, de ses obligations prévues par le cautionnement, ou engage une autre personne pour exercer une telle activité pour son compte :

a) ce paragraphe s'applique dans le cas où, après le 8 octobre 1998, la caution commence à exercer l'activité de construction, ou engage pour la première fois une autre personne pour l'exercer, sauf si, tout à la fois, avant le 9 octobre 1998 :

(i) un montant qui serait un paiement contractuel, au sens de ce paragraphe, relativement à l'activité de construction est devenu dû ou a été payé par le créancier à la caution,

(ii) la caution n'a pas exigé ni perçu de montant au titre de la taxe prévue à la partie IX relativement au montant;

b) ce paragraphe s'applique également dans le cas où :

(i) avant le 9 octobre 1998, la caution commence à exercer l'activité de construction, ou engage pour la première fois une autre personne pour l'exercer,

(ii) avant cette date, la caution a exigé ou perçu un montant au titre de la taxe prévue à la partie IX relativement à chaque montant qui serait un paiement contractuel, au sens de ce paragraphe, relativement à l'activité de construction et qui, avant cette date, est devenu dû ou a été payé par le créancier à la caution,

(iii) la caution n'a pas, avant cette date, redressé, remboursé ou crédité, conformément à l'article 232, le montant visé au sous-alinéa (ii) qui a été exigé ou perçu au titre de la taxe.

Concordance québécoise: aucune.

(2) Cautionnement de bonne exécution — Dans le cas où une personne (appelée « caution » au présent paragraphe) exerce, à titre de caution en vertu d'un cautionnement de bonne exécution relatif à un contrat visant une fourniture taxable donnée de services de construction concernant un immeuble situé au Canada, une activité de construction en exécution, même partielle, de ses obligations en vertu du cautionnement, les règles suivantes s'appliquent :

a) pour l'application des dispositions de la présente partie, sauf l'alinéa b) du présent paragraphe, si la caution est en droit de recevoir du créancier à un moment donné, en raison de l'exercice de l'activité de construction, un montant (appelé « paiement contractuel » au présent paragraphe) qui n'est pas un montant à l'égard duquel la taxe était ou sera à inclure dans le calcul de la taxe nette du débiteur principal en vertu du cautionnement, ni un montant payé ou payable au titre soit de la taxe prévue à la présente partie, soit de frais, droits ou taxes payables par le créancier et visés par règlement pris pour l'application de l'article 154 :

(i) en ce qui concerne l'exercice de l'activité de construction, la caution est réputée effectuer, là où la fourniture donnée a été effectuée, une fourniture taxable,

(ii) les articles 150, 156 et 166 ne s'appliquent pas à cette fourniture,

(iii) le paiement contractuel est réputé être la contrepartie de cette fourniture;

b) pour déterminer la mesure dans laquelle la caution acquiert ou importe un bien ou un service, ou le transfère dans une province participante, pour consommation, utilisation ou fourniture dans le cadre d'activités commerciales ainsi que la mesure dans laquelle elle le consomme, l'utilise ou le fournit dans ce cadre, l'exercice de l'activité de construction est réputée ne pas avoir pour objet la réalisation d'une fourniture taxable et ne pas être une activité commerciale de la caution;

c) malgré l'alinéa b), si la caution est réputée par l'alinéa a) effectuer une fourniture taxable, le bien ou le service (chacun étant appelé « intrant direct » au présent article) qu'elle acquiert, importe, ou transfère dans une province participante pour consommation, utilisation ou fourniture exclusive et directe dans le cadre de l'exercice de l'activité de construction et non pour utilisation à titre d'immobilisation lui appartenant, ni en vue d'améliorer une de ses immobilisations, est réputé, pour l'application des dispositions de la présente partie, sauf les articles 155 et 156 et les sections IV et IV.1, avoir été acquis, importé ou transféré par elle pour consommation, utilisation ou fourniture exclusive dans le cadre de ses activités commerciales;

d) le total des crédits de taxe sur les intrants relatifs aux intrants directs que la caution peut demander correspond à ce total, déterminé compte non tenu du présent alinéa, ou, s'il est moins élevé, au montant applicable suivant :

(i) si le montant visé à la division (A) excède le total visé à la division (B), cet excédent :

(A) le montant obtenu par la formule suivante :

$$A \times B$$

où :

A représente :

(I) si la fourniture qui est réputée par le sous-alinéa a)(i) être effectuée par la caution est effectuée dans une province participante, la somme du taux fixé au paragraphe 165(1) et du taux de taxe applicable à cette province,

LTA (TPS)

(II) dans les autres cas, le taux fixé au paragraphe 165(1),

B le total des paiements contractuels (sauf ceux qui se ne rapportent pas à l'activité de construction),

(B) le total des montants dont chacun serait un crédit de taxe sur les intrants de la caution relatif à un intrant direct si ce n'était le fait que la taxe n'est pas payable par elle relativement à l'acquisition ou à l'importation de l'intrant, ou à son transfert dans une province participante, par l'effet des articles 150 ou 167 ou du fait qu'elle est réputée avoir acquis, importé ou transféré l'intrant pour consommation, utilisation ou fourniture exclusive dans le cadre de ses activités commerciales,

(ii) dans les autres cas, zéro.

Notes historiques: L'élément A de la formule de l'alinéa 184.1(2)d)(i) a été remplacé par L.C. 2006, c. 4, par. 12(1) et cette modification s'applique à la personne qui agit à titre de caution en vertu d'un cautionnement de bonne exécution relatif à un contrat portant sur une fourniture taxable de services de construction, si un paiement contractuel, au sens du paragraphe 184.1(2), devient dû à la personne après le 30 juin 2006, ou lui est payé après cette date sans être devenu dû, du fait qu'elle exerce l'activité de construction. Antérieurement, il se lisait ainsi :

A représente :

(I) si la fourniture qui est réputée par le sous-alinéa a)(i) être effectuée par la caution est effectuée dans une province participante, la somme de 7 % et du taux de taxe applicable à cette province,

(II) dans les autres cas, 7 %,

Malgré ce qui précède, pour ce qui est du calcul du total des crédits de taxe sur les intrants relatifs aux intrants directs (au sens de l'alinéa 184.1(2)c) de la même loi), si une caution exerce une activité de construction à l'égard d'un immeuble situé au Canada, en exécution, même partielle, de ses obligations en vertu d'un cautionnement, qu'un paiement contractuel (au sens de l'alinéa 184.1(2)a) de la même loi), sauf celui qui ne se rapporte pas à l'activité de construction, devient dû avant le 1er juillet 2006 ou est payé avant cette date sans être devenu dû et qu'un autre paiement contractuel (au sens de l'alinéa 184.1(2)a) de la même loi), sauf celui qui ne se rapporte pas à l'activité de construction, devient dû à cette date ou par la suite sans avoir été payé avant cette date, ou est payé après juin 2006 sans être devenu dû, la division 184.1(2)d)(i)(A) est réputée avoir le libellé suivant :

(A) le montant obtenu par la formule suivante :

$$(A \times B) + (C \times D)$$

où :

A représente :

(I) si la fourniture qui est réputée par le sous-alinéa a)(i) être effectuée par la caution est effectuée dans une province participante, la somme de 7 % et du taux de taxe applicable à cette province,

(II) dans les autres cas, 7 %,

B le total des paiements contractuels (sauf ceux qui ne se rapportent pas à l'activité de construction) qui deviennent dus à la caution avant le 1er juillet 2006 ou qui lui sont payés avant cette date sans être devenus dus,

C

(I) si la fourniture qui est réputée par le sous-alinéa a)(i) être effectuée par la caution est effectuée dans une province participante, la somme de 6 % et du taux de taxe applicable à la province,

(II) dans les autres cas, 6 %,

D dans les autres cas, 6 %, D le total des paiements contractuels (sauf ceux qui ne se rapportent pas à l'activité de construction) qui deviennent dus à la caution après juin 2006 et qui ne sont pas payés avant juillet 2006 ou qui lui sont payés après juin 2006 sans être devenus dus,

Le paragraphe 184.1(2) a été ajouté par L.C. 2000, c. 30, par. 37(1) et s'applique comme suit en ce qui concerne la caution qui, en vertu d'un cautionnement de bonne exécution relatif à un contrat visant une fourniture de services de construction, exerce une activité de construction en exécution, même partielle, de ses obligations prévues par le cautionnement, ou engage une autre personne pour exercer une telle activité pour son compte :

a) ce paragraphe s'applique dans le cas où, après le 8 octobre 1998, la caution commence à exercer l'activité de construction, ou engage pour la première fois une autre personne pour l'exercer, sauf si, tout à la fois, avant le 9 octobre 1998 :

(i) un montant qui serait un paiement contractuel, au sens de ce paragraphe, relativement à l'activité de construction est devenu dû ou a été payé par le créancier à la caution,

(ii) la caution n'a pas exigé ni perçu de montant au titre de la taxe prévue à la partie IX relativement au montant;

b) ce paragraphe (sauf ses alinéas (2)b) à d)) s'applique également dans le cas où :

(i) avant le 9 octobre 1998, la caution commence à exercer l'activité de construction, ou engage pour la première fois une autre personne pour l'exercer,

(ii) avant cette date, la caution a exigé ou perçu un montant au titre de la taxe prévue à la partie IX relativement à chaque montant qui serait un paiement contractuel, au sens de ce paragraphe, relativement à l'activité de construction et qui, avant cette date, est devenu dû ou a été payé par le créancier à la caution,

(iii) la caution n'a pas, avant cette date, redressé, remboursé ou crédité, conformément à l'article 232, le montant visé au sous-alinéa (ii) qui a été exigé ou perçu au titre de la taxe.

Toutefois, pour l'application de l'alinéa 184.1(2)a) dans les circonstances visées aux sous-alinéas b)(i) à (iii), il n'est pas tenu compte du passage « sauf l'alinéa b) ».

Concordance québécoise: LTVQ, art. 301.4.

(3) Calcul du crédit pour intrants de construction — Lorsqu'une personne acquiert ou importe un bien ou un service, ou le transfère dans une province participante, pour consommation, utilisation ou fourniture exclusive et directe dans le cadre de travaux de construction qui comprennent l'activité de construction donnée qui est entreprise en exécution, même partielle, des obligations de la personne à titre de caution en vertu d'un cautionnement de bonne exécution et d'autres activités de construction, les présomptions suivantes s'appliquent dans le cadre du présent article et aux fins du calcul d'un crédit de taxe sur les intrants de la personne et du total de ses crédits de taxe sur les intrants relatifs aux intrants directs qu'elle est en droit de demander :

a) malgré l'article 138, la partie (appelée « intrant donné » au présent paragraphe) du bien ou du service qui est à consommer, à utiliser ou à fournir dans le cadre de l'exercice de l'activité de construction donnée et l'autre partie (appelée « intrant supplémentaire » au présent paragraphe) du bien ou du service sont réputées être des biens ou des services distincts qui sont indépendants l'un de l'autre;

b) l'intrant donné est réputé avoir été acquis, importé ou transféré, selon le cas, exclusivement et directement pour utilisation dans le cadre de l'exercice de l'activité de construction donnée;

c) l'intrant supplémentaire est réputé ne pas avoir été acquis, importé ou transféré, selon le cas, pour consommation, utilisation ou fourniture dans le cadre de l'exercice de l'activité de construction donnée;

d) la taxe payable relativement à la fourniture, à l'importation ou au transfert, selon le cas, de l'intrant donné est réputée égale au montant obtenu par la formule suivante :

$$A \times B$$

où :

A représente la taxe payable (appelée « taxe totale payable » au présent paragraphe) par la personne relativement à la fourniture, à l'importation ou au transfert, selon le cas, du bien ou du service, calculée compte non tenu du présent paragraphe,

B le pourcentage qui représente la mesure dans laquelle le bien ou le service a été acquis, importé ou transféré, selon le cas, pour consommation, utilisation ou fourniture dans le cadre de l'exercice de l'activité de construction donnée;

e) la taxe payable relativement à l'intrant supplémentaire est réputée égale à la différence entre la taxe totale payable et le montant déterminé selon l'alinéa d).

Notes historiques: Le paragraphe 184.1(3) a été ajouté par L.C. 2000, c. 30, par. 37(1) et s'applique comme suit en ce qui concerne la caution qui, en vertu d'un cautionnement de bonne exécution relatif à un contrat visant une fourniture de services de construction, exerce une activité de construction en exécution, même partielle, de ses obligations prévues par le cautionnement, ou engage une autre personne pour exercer une telle activité pour son compte :

a) ce paragraphe s'applique dans le cas où, après le 8 octobre 1998, la caution commence à exercer l'activité de construction, ou engage pour la première fois une autre personne pour l'exercer, sauf si, tout à la fois, avant le 9 octobre 1998 :

(i) un montant qui serait un paiement contractuel, au sens de ce paragraphe, relativement à l'activité de construction est devenu dû ou a été payé par le créancier à la caution,

(ii) la caution n'a pas exigé ni perçu de montant au titre de la taxe prévue à la partie IX relativement au montant;

Concordance québécoise: aucune.

juin 2006, Notes explicatives: Le paragraphe 184.1(2) s'applique dans le cas où une caution effectue des fournitures taxables de services de construction se rapportant à la construction d'un immeuble situé au Canada, si les services de construction sont exécutés en règlement total ou partiel de ses obligations en vertu d'un cautionnement de bonne exécution. Un cautionnement de bonne exécution est une convention tripartite entre la caution qui émet le cautionnement, le créancier qui conclut un contrat avec un entrepreneur et l'entrepreneur qui effectue la construction. Aux termes du cautionnement, la caution s'engage à remédier à tout manquement commis par l'entrepreneur dans le cadre de son contrat avec le créancier. Dans certains cas, la caution peut prendre la place de l'entrepreneur en défaut et continuer la construction. La caution, si elle est en droit de recevoir des paiements contractuels (au sens de l'alinéa 184.1(2)a)) du créancier du fait qu'elle a convenu de continuer la construction, est réputée effectuer cette construction. Les crédits de taxe sur les intrants que la caution peut demander au titre des intrants directs (au sens de l'alinéa 184.1(2)c)) qui sont consommés, utilisés ou fournis exclusivement et directement dans le cadre de l'exercice de l'activité de construction ne peuvent excéder 7 %, ou 15 %, du total des paiements contractuels.

Les modifications apportées au paragraphe 184.1(2) consistent à supprimer la mention de 7 % pour la remplacer par « le taux fixé au paragraphe 165(1) ». Ainsi, la caution pourra calculer les crédits de taxe sur les intrants sans excéder le plafond de 14 % du total des paiements contractuels qu'elle a reçus relativement à sa fourniture de services de construction, si la fourniture est effectuée dans une province participante, ou le plafond de 6 % de ce total, dans les autres cas. Ces modifications font suite au changement apporté au paragraphe 165(1), qui consiste à ramener de 7 % à 6 % le taux de la taxe imposée par ce paragraphe.

Les modifications apportées au paragraphe 184.1(2) s'appliquent à la personne agissant à titre de caution en vertu d'un cautionnement de bonne exécution relatif à un contrat portant sur la fourniture taxable de services de construction, si un paiement contractuel (au sens de l'alinéa 184.1(2)a)) devient dû après le 30 juin 2006 ou est payé après cette date sans être devenu dû, du fait qu'elle exerce l'activité de construction. Une règle transitoire spéciale a pour effet d'ajuster le plafond du crédit de taxe sur les intrants afin de tenir compte du fait des paiements contractuels sont effectués tout au long de processus de construction. En effet, des paiements contractuels peuvent devenir dus, ou être payés sans être devenus dus, avant le 1er juillet 2006 et après cette date. Pour ce qui est d'une activité de construction donnée, le plafond tiendra compte de la réduction de la TPS relativement aux paiements contractuels qui deviennent dus, ou sont payés sans être devenus dus, avant le 1er juillet 2006, et aux paiements contractuels qui deviennent dus et sont payés après cette date.

Définitions [art. 184.1]: « activité commerciale », « contrepartie », « fourniture », « intrant d'entreprise », « personne », « province participante », « taux de taxe » — 123(1).

Renvois [art. 184.1]: 169(1) (CTI); 225.2(1) (institutions financières désignées particulières); 263.01(3) (remboursement à une institution financière désignée particulière).

Énoncés de politique [art. 184.1]: P-210R, 06/06/01, *Règlement d'une réclamation en vertu d'un cautionnement de bonne exécution établi relativement à un contrat de construction.*

Lettres d'interprétation (Québec) [art. 184.1]: 99-0111841 — Cautionnement d'exécution; 05-0107333 — [Projet de construction — Cautionnement].

Biens et services pour services financiers

185. (1) Services financiers — crédits de taxe sur les intrants — Dans le cas où la taxe applicable à un bien ou un service acquis, importé ou transféré dans une province participante par un inscrit devient payable par l'inscrit à un moment où il n'est ni une institution financière désignée ni une personne qui est une institution financière par l'effet de l'alinéa 149(1)b), les règles ci-après s'appliquent dans le cadre de la sous-section d et en vue du calcul du crédit de taxe sur les intrants applicable, dans la mesure (déterminée en conformité avec les paragraphes 141.01(2) et 141.02(6)) où le bien ou le service a été acquis, importé ou transféré dans la province, selon le cas, pour être consommé, utilisé ou fourni dans le cadre de la fourniture de services financiers liés aux activités commerciales de l'inscrit :

a) dans le cas où l'inscrit est une institution financière par l'effet de l'alinéa 149(1)c), le bien ou le service est réputé, malgré les paragraphes 141.01(2) et 141.02(6), avoir été ainsi acquis, importé ou transféré dans la province pour être consommé, utilisé ou fourni dans le cadre de ces activités commerciales, sauf dans la mesure où il a été ainsi acquis, importé ou transféré dans la province pour être consommé, utilisé ou fourni dans le cadre des activités de l'inscrit qui sont liées :

(i) soit à des cartes de crédit ou de paiement qu'il a émises,

(ii) soit à l'octroi d'une avance ou de crédit ou à un prêt d'argent;

b) dans les autres cas, le bien ou le service est réputé, malgré les paragraphes 141.01(2) et 141.02(6), avoir été ainsi acquis, importé ou transféré dans la province pour être consommé, utilisé ou fourni dans le cadre de ces activités commerciales.

Notes historiques: Le paragraphe 185(1) a été remplacé par L.C. 2010, c. 12, par. 60(1) et cette modification est réputée être entrée en vigueur le 1er avril 2007. Antérieurement, il se lisait ainsi :

> 185. (1) Dans le cas où la taxe applicable à un bien ou un service acquis, importé ou transféré dans une province participante par un inscrit devient payable par l'inscrit à un moment où il n'est ni une institution financière désignée, ni une personne qui est une institution financière par l'effet de l'alinéa 149(1)b), les présomptions suivantes s'appliquent dans le cadre de la sous-section d et aux fins du calcul du crédit de taxe sur les intrants applicable, dans la mesure (déterminée en conformité avec le paragraphe 141.01(2)) où le bien ou le service a été acquis, importé ou transféré dans la province, selon le cas, pour être consommé, utilisé ou fourni dans le cadre de la fourniture de services financiers liés aux activités commerciales de l'inscrit :
>
> a) dans le cas où l'inscrit est une institution financière par l'effet de l'alinéa 149(1)c), le bien ou le service est réputé, malgré le paragraphe 141.01(2), avoir été ainsi acquis, importé ou transféré dans la province pour consommation, utilisation ou fourniture dans le cadre de ces activités commerciales, sauf dans la mesure où il a été ainsi acquis, importé ou transféré dans la province pour consommation, utilisation ou fourniture dans le cadre des activités de l'inscrit qui sont liées :
>
> (i) soit à des cartes de crédit ou de paiement qu'il a émises,
>
> (ii) soit à l'octroi d'une avance ou de crédit ou à un prêt d'argent;
>
> b) dans les autres cas, le bien ou le service est réputé, malgré le paragraphe 141.01(2), avoir été ainsi acquis, importé ou transféré dans la province pour consommation, utilisation ou fourniture dans le cadre de ces activités commerciales.

Le paragraphe 185(1) a été modifié par L.C. 1997, c. 10, par 179(1) et cette modification est entrée en vigueur le 1er avril 1997. Il se lisait comme suit :

> 185. (1) Dans le cas où la taxe applicable à un bien ou un service acquis ou importé par un inscrit qui exerce des activités commerciales devient payable par l'inscrit à un moment où il n'est ni une institution financière désignée, ni une personne qui est une institution financière par l'effet de l'alinéa 149(1)b), les présomptions suivantes s'appliquent dans le cadre de la sous-section d et aux fins du calcul du crédit de taxe sur les intrants applicable, dans la mesure (déterminée en conformité avec le paragraphe 141.01(2)) où le bien ou le service a été acquis ou importé pour être consommé, utilisé ou fourni dans le cadre de la fourniture de services financiers liés aux activités commerciales de l'inscrit :
>
> a) dans le cas où l'inscrit est une institution financière par l'effet de l'alinéa 149(1)c), le bien ou le service est réputé, malgré le paragraphe 141.01(2), avoir été acquis ou importé pour consommation, utilisation ou fourniture dans le cadre de ces activités commerciales, sauf dans la mesure où il a été acquis ou importé pour consommation, utilisation ou fourniture dans le cadre des activités de l'inscrit qui sont liées :
>
> (i) soit à des cartes de crédit ou de paiement qu'il a émises,
>
> (ii) soit à l'octroi d'une avance ou de crédit ou à un prêt d'argent;
>
> b) dans les autres cas, le bien ou le service est réputé, malgré le paragraphe 141.01(2), avoir été acquis ou importé pour consommation, utilisation ou fourniture dans le cadre de ces activités commerciales.

Auparavant, ce paragraphe a été modifié par L.C. 1997, c. 10, par. 35(1) et cette modification s'applique aux biens et services acquis ou importés au cours des années d'imposition qui commencent après le 23 avril 1996. Il se lisait comme suit :

> 185. (1) Pour l'application de la sous-section d et aux fins du calcul du crédit de taxe sur les intrants, le bien ou le service qu'un inscrit exerçant des activités commerciales acquiert ou importe et relativement auquel la taxe applicable devient payable par l'inscrit à un moment où celui-ci n'est pas une institution financière est réputé, malgré le paragraphe 141.01(2) mais dans la mesure (déterminée en conformité avec ce paragraphe) où le bien ou le service a été acquis ou importé pour être consommé, utilisé ou fourni dans le cadre de fournitures de services financiers (sauf ceux qui ne sont pas liés aux activités commerciales de l'inscrit), avoir été acquis ou importé pour consommation, utilisation ou fourniture dans le cadre de ces activités commerciales.

Auparavant, ce paragraphe a été modifié par L.C. 1994, c. 9, par. 11(1) et est réputé entré en vigueur le 17 décembre 1990. Il se lisait comme suit :

> 185. (1) Le bien ou le service qu'un inscrit exerçant des activités commerciales acquiert ou importe et au titre duquel la taxe applicable devient payable à un moment où l'inscrit n'est pas une institution financière est réputé, pour l'application de la sous-section d et aux fins du calcul du crédit de taxe sur les intrants y afférent et dans la mesure où le bien ou le service a été acquis ou importé pour être consommé, utilisé ou fourni dans le cadre de fournitures de services financiers

(sauf ceux qui ne sont pas liés aux activités commerciales de l'inscrit), avoir été acquis ou importé pour consommation, utilisation ou fourniture dans le cadre de ces activités commerciales.

Le paragraphe 185(1) a été édicté par L.C. 1990, c. 45, par. 12(1).

janvier 2007, Notes explicatives: Le paragraphe 185(1) a pour effet de simplifier l'application de la taxe pour les personnes, sauf les institutions financières, qui offrent certains services financiers accessoires dans le cadre de leurs activités commerciales. Il prévoit que les intrants liés à ces services sont réputés être destinés à être utilisés dans le cadre des activités commerciales de la personne. La personne n'a donc pas à les répartir. Dans certains cas, ce paragraphe s'applique également aux personnes qui ne sont des institutions financières que par l'effet de l'alinéa 149(1)c) de la loi (selon lequel une personne est une institution financière tout au long d'une année si ses intérêts et son revenu donnant droit à des crédits ont dépassé 1 000 000 $ au cours de l'année précédente). Le paragraphe 185(1) ne s'applique pas aux institutions financières désignées ni aux personnes qui sont des institutions financières par l'effet de l'alinéa 149(1)b) (selon lequel une personne est une institution financière tout au long d'une année si son revenu pour l'année précédente provenant d'intérêts, de dividendes et de frais distincts pour des services financiers ont dépassé 10 000 000 $ ou, s'il est plus élevé, 10 % du total de son revenu provenant de ces sources et de fournitures autres que des ventes d'immobilisations et de services financiers).

Le paragraphe 185(1) prévoit que la mesure dans laquelle des biens et des services sont acquis ou importés en vue d'être consommés, utilisés ou fournis dans le cadre de la fourniture de certains services financiers est déterminée selon le paragraphe 141.01(2) de la loi. Ces biens et services sont alors réputés par le paragraphe 185(1), sous réserve des restrictions applicables aux institutions financières, avoir été, dans cette même mesure, acquis, importés ou transférés dans une province participante en vue d'être consommés, utilisés ou fournis dans le cadre d'activités commerciales.

Le paragraphe 185(1) est modifié de façon à prévoir que la mesure dans laquelle des biens et des services sont acquis, importés ou transférés dans une province participante en vue d'être consommés, utilisés ou fournis dans le cadre de la fourniture de certains services financiers doit aussi être déterminée en conformité avec le nouveau paragraphe 141.02(6) de la loi, lequel ne s'applique qu'aux institutions financières. Selon ce dernier paragraphe, les intrants exclusifs, au sens du paragraphe 141.02(1), acquis, importés ou transférés dans une province participante dans un but autre que celui d'effectuer des fournitures taxables pour une contrepartie sont réputés être des intrants qui sont ainsi acquis, importés ou transférés en vue d'être consommés ou utilisés exclusivement hors du cadre d'activités commerciales (c'est-à-dire, des intrants qui sont directement et exclusivement consommés ou utilisés dans le but d'effectuer des fournitures de services financiers exonérés). Toutefois, dans le cas où les conditions énoncées au paragraphe 185(1) sont réunies, ces mêmes intrants exclusifs sont réputés avoir été acquis, importés ou transférés dans une province participante en vue d'être consommés, utilisés ou fournis dans le cadre d'activités commerciales. La modification apportée au paragraphe 185(1) ne touche que les personnes qui sont des institutions financières par l'effet de l'alinéa 149(1)c).

Les modifications apportées au paragraphe 185(1) entrent en vigueur le 1er avril 2007.

Concordance québécoise: aucune.

(2) Service financier lié aux activités commerciales — Pour l'application du paragraphe (1), un service financier n'est réputé lié aux activités commerciales d'un particulier que dans la mesure où les recettes et dépenses y afférentes entrent dans le calcul du revenu du particulier provenant d'une entreprise aux fins de la *Loi de l'impôt sur le revenu*.

Notes historiques: Le paragraphe 185(2) a été ajouté par L.C. 1990, c. 45, par. 12(1).

Concordance québécoise: aucune.

Définitions [art. 185]: « activité commerciale », « entreprise » — 248(1); « bien », « entreprise », « fourniture », « importation », « inscrit », « institution financière », « institution financière désignée », « province participante », « service », « service financier », « taxe » — 123(1).

Renvois [art. 185]: 9 (revenu d'entreprise); 149 (institutions financières); 169 (CTI); 195–211 (immobilisations).

Jurisprudence [art. 185]: *BJ Services Co. Canada c. R.*, [2002] G.S.T.C. 124 (CCI).

Énoncés de politique [art. 185]: P-094R, 20/12/93, *Application des paragraphes 185(1) et 186(1) aux sociétés de portefeuille*; P-108, 26/01/94, *Améliorations apportées aux immobilisations*.

Bulletins de l'information technique [art. 185]: B-075R, 23/04/96, *Modifications proposées à la TPS*.

Mémorandums [art. 185]: TPS 400, 18/05/90, *Crédits de taxe sur les intrants*, par. 32, 33; TPS 400-3-5, 8/01/92, *Biens et services des institutions non financières*, par. 8–10, 15, 16; TPS 500-2-4, 19/03/91, *Calcul de la taxe*, annexe D; TPS 500-7, 26/11/91, *Interaction entre la Loi sur la taxe d'accise et la Loi de l'impôt sur le revenu*, par. 49, 50.

Série de mémorandums [art. 185]: Mémorandum 8-1, 05/05, *Règles générales d'admissibilité*.

Lettres d'interprétation (Québec): 02-0112082 — Décision portant sur l'application de la TPS — interprétation relative à la TVQ — montants versés dans le cadre de tansactions effectuées au moyen de guichets automatiques privés.

COMMENTAIRES: L'objectif de cet article est de simplifier l'application de la taxe pour les personnes qui offrent certains services financiers, dans le cadre de leurs activités commerciales, mais qui ne sont pas des institutions financières. Ainsi, les intrants liés aux services financiers seront réputés destinés à être utilisés dans le cadre de leurs activités commerciales et ainsi, ils ne devront pas être répartis. Il est donc possible de réclamer des crédits de taxe sur les intrants à 100 % en application de l'article 169.

Dans certains cas, le paragraphe (1) est non-nécessaire en raison du paragraphe 141(2) qui répute que des intrants sont utilisés aux fins d'une activité commerciale si (90 % ou plus) des intrants sont destinés à des activités commerciales. Il faut noter que le paragraphe (1) n'a aucun d'effet sur le statut du service financier en tant que tel en ce sens qu'il s'agit toujours d'une fourniture exonérée.

À titre informatif, il est intéressant de souligner qu'en raison du fait que les services financiers seront exonérés en vertu de la *Loi sur la taxe de vente du Québec*, l'article 185, dont son équivalent provincial était jusqu'à présent inexistant, aura son pendant au niveau provincial en vertu de l'article 199.1 de la *Loi sur la taxe de vente du Québec* et sera réputé entré en vigueur le 1er janvier 2013, tel qu'il appert du projet de loi no. 5, 2012, chapitre 28.

Récemment, dans l'affaire *FP Newspapers Inc. c. R.*, 2013 CarswellNat 197 (C.C.I.), la Cour canadienne de l'impôt a indiqué que l'appelant n'avait pas établi l'existence d'activité commerciale, outre un degré négligeable, par la société de personnes. Par conséquent, la Cour n'a pas été en mesure d'appliquer le paragraphe 185(1).

Pour que l'article 185 s'applique, on doit être en présence d'un service financier. Dans l'affaire *BJ Services Co. Canada c. R.*, 2002 CarswellNat 5064 (C.C.I.), la Cour canadienne de l'impôt a souligné que nonobstant l'argument de l'appelant fondé sur l'article 185, selon lequel la fourniture d'informations aux actionnaires par les administrateurs constitue un service financier, le tribunal est d'avis que ces services sont plus de la nature d'un conseil et, par conséquent, spécifiquement exclus de la définition de service financier. La fourniture n'est donc pas une fourniture exonérée sur ce fondement, ni n'est couverte par aucune autre catégorie de l'annexe V.

Finalement, le juge Hogan de la Cour canadienne de l'impôt s'est prononcé dans l'affaire *Mac's Convenience Stores Inc. c. R.*, 2012 CarswellNat 4470 (C.C.I.), où les parties étaient en accord quant à la fourniture de services financiers par l'appelant. En effet, l'appelant fournissait des services financiers à ses clients par le biais des opérations de guichets automatiques bancaires (« GAB ») qu'il détenait. La question en litige était relative à la possibilité de réclamer les crédits de taxe sur les intrants pour la TPS payée à l'achat des GAB qui ont été placés dans des magasins. Le juge Hogan a analysé l'expression anglaise « relate to », qui se traduit par « dans le cadre de » dans la version française. La Cour a fait référence à la décision de la Cour suprême du Canada dans l'affaire *Canada Trustco Mortgage*, 2011 CarswellNat 2541 (C.S.C.) qui soulignait que le sens ordinaire des mots doit jouer un rôle prédominant lorsque leurs sens est inéquivoque. À la lumière de ce principe, la Cour indique que les services financiers n'ont pas à être subsidiaires ou corollaires aux activités de l'appelant. Le test en vertu du paragraphe 185(1) est beaucoup moins élevé. L'intimé a également soulevé que cela pourrait entraîner un avantage fiscal indu pour l'appelant, puisqu'il recevrait un crédit de taxe sur les intrants entier pour la TPS payée sur l'achat des GAB alors que le service du retrait d'argent est un service exonéré. Le juge Hogan a indiqué que le paragraphe 185(1) est une mesure de simplification. L'objectif étant de réduire la controverse en évitant aux inscrits de départager les activités qui donnent droit à un crédit de taxe sur les intrants contrairement aux autres activités. Le législateur a choisi de réputer les intrants de services financiers dans ce contexte pour être des intrants reliés aux activités commerciales. Les revenus gagnés de ces transactions ne sont pas assujettis à la TPS, car elles sont exonérées. Le législateur était conscient de ce fait et a préféré la simplicité sur la neutralité fiscale aux fins du paragraphe 185(1). En l'espèce, il y a suffisamment de lien entre les activités de l'appelant.

De l'avis de l'auteur, la décision du juge Hogan est juste en ce qu'elle applique l'article 185 dont l'objectif était de créer une mesure de simplification.

186. (1) Personnes morales liées — Sous réserve du paragraphe (2) et pour le calcul de son crédit de taxe sur les intrants, une personne morale mère qui acquiert, importe ou transfère dans une province participante, à un moment donné, un bien ou un service est réputée l'avoir acquis, importé ou transféré dans la province pour utilisation dans le cadre de ses activités commerciales dans la mesure où il est raisonnable de considérer qu'elle l'a ainsi acquis, importé ou transféré dans la province pour consommation ou utilisation relativement à des actions du capital-actions d'une autre personne morale qui lui est liée à ce moment, ou à des créances contre cette autre personne, si les conditions suivantes sont réunies :

a) la personne morale mère est un inscrit qui réside au Canada;

b) au moment où la taxe relative à l'acquisition, à l'importation ou au transfert devient payable, ou est payée sans être devenue payable, par la personne morale mère, la totalité, ou presque, des biens de l'autre personne morale sont des biens qu'elle a acquis ou importés la dernière fois pour consommation, utilisation ou fourniture par celle-ci exclusivement dans le cadre de ses activités commerciales.

Notes historiques: Le paragraphe 186(1) a été modifié par L.C. 1997, c. 10, par 180(1) et cette modification est entré en vigueur le 1er avril 1997. Il se lisait comme suit :

186. (1) Sous réserve du paragraphe (2) et aux fins du calcul de son crédit de taxe sur les intrants, une personne morale mère qui acquiert ou importe, à un moment donné, un bien ou un service est réputée l'avoir acquis ou importé pour utilisation dans le cadre de ses activités commerciales dans la mesure où il est raisonnable de considérer qu'elle l'a acquis ou importé, au moment donné, pour consommation ou utilisation, à ce moment, relativement à ses actions du capital-actions d'une autre personne morale qui lui est liée à ce moment, ou à ses créances contre cette autre personne, si les conditions suivantes sont réunies :

a) la personne morale mère est un inscrit qui réside au Canada;

b) au moment où la taxe relative à l'acquisition ou à l'importation devient payable, ou est payée sans être devenue payable, par la personne morale mère, la totalité, ou presque, des biens de l'autre personne morale sont des biens qu'elle a acquis ou importés la dernière fois pour consommation, utilisation ou fourniture par celle-ci exclusivement dans le cadre de ses activités commerciales.

Auparavant, il a été modifié par L.C. 1993, c. 27, par. 49(1) et cette modification s'applique aux biens et aux services acquis ou importés pour consommation ou utilisation relativement aux actions du capital-actions ou aux créances d'une personne morale et pour lesquels la taxe relative à leur acquisition ou importation devient payable après septembre 1992 ou est payée après cette date sans être devenue payable. Il se lisait auparavant comme suit :

186. (1) Dans le cas où, au cours d'un exercice, un inscrit — étant une personne morale mère qui réside au Canada et qui est l'acquéreur de la fourniture d'un bien ou d'un service — est propriétaire d'actions du capital-actions ou détient des créances d'une autre personne morale qui lui est liée, et où, tout au long de la période de l'exercice au cours de laquelle elle est propriétaire des actions ou détentrice des créances, la totalité, ou presque, des biens de l'autre personne morale sont des biens acquis ou importés pour consommation, utilisation ou fourniture par celle-ci exclusivement dans le cadre de ses activités commerciales, les présomptions suivantes s'appliquent :

a) pour l'application du paragraphe 169(1), les actions dont la personne morale mère est propriétaire ou ses créances sont réputées constituer ses biens qu'elle utilise exclusivement dans le cadre de ses activités commerciales;

b) aux fins du crédit de taxe sur les intrants, la taxe relative à la fourniture du bien ou du service qu'il est raisonnable de considérer comme liée à ces actions ou créances est réputée être devenue payable et avoir été payée par la personne morale mère le dernier en date des jours suivants :

(i) le dernier jour de son exercice,

(ii) le jour où la taxe est devenue payable ou a été payée.

Le paragraphe 186(1) a été ajouté par L.C. 1990, c. 45, par. 12(1).

Concordance québécoise: aucune.

Série de mémorandums [art. 186(1)]: Mémorandum 8.6, 11/11, *Crédits de taxe sur les intrants-sociétés de portefeuille et prises de contrôle.*

(2) Frais de prise de contrôle — Pour l'application de la présente partie, le bien ou le service qu'un inscrit — personne morale résidant au Canada — (appelé « acheteur » au présent paragraphe) acquiert, importe, ou transfère dans une province participante est réputé avoir été acquis, importé, ou transféré dans la province participante, selon le cas, pour utilisation exclusive dans le cadre de ses activités commerciales, si les conditions suivantes sont réunies :

a) le bien ou le service est lié à l'acquisition réelle ou projetée par l'acheteur de la totalité ou de la presque totalité des actions, émises et en circulation et comportant plein droit de vote en toutes circonstances, du capital-actions d'une autre personne morale;

b) tout au long de la période commençant soit au début de l'exécution du service, soit au moment où l'acheteur, selon le cas, a acquis ou importé le bien, ou l'a transféré dans la province participante, et se terminant au dernier en date des jours visés à l'alinéa c), la totalité ou la presque totalité des biens de l'autre personne morale sont des biens acquis ou importés pour consommation, utilisation ou fourniture exclusive dans le cadre d'activités commerciales.

Aux fins du crédit de taxe sur les intrants, la taxe relative à la fourniture du bien ou du service à l'acheteur, ou à l'importation ou au transfert du bien par lui, est réputée être devenue payable et avoir été payée par lui au dernier en date des jours suivants :

c) le jour où l'acheteur a acquis la totalité ou la presque totalité des actions ou, s'il est postérieur, le jour où il a renoncé à les acquérir;

d) le jour où la taxe est devenue payable ou a été payée par lui.

Notes historiques: Le paragraphe 186(2) a été remplacé par L.C. 2000, c. 30, par. 38(1). Cette modification est réputée entrée en vigueur le 1er avril 1997. Antérieurement, il se lisait comme suit :

(2) Pour l'application de la présente partie, dans le cas où un inscrit — personne morale résidant au Canada — est l'acquéreur de la fourniture d'un bien ou d'un service lié à l'acquisition réelle ou projetée par elle de la totalité, ou presque, des actions émises et en circulation et comportant plein droit de vote en toutes circonstances du capital-actions d'une autre personne morale, et où, tout au long de la période commençant au moment où l'acquéreur a acheté le bien ou au début de l'exécution du service et se terminant le dernier en date des jours visés à l'alinéa a), la totalité, ou presque, des biens de l'autre personne morale sont des biens acquis ou importés pour consommation, utilisation ou fourniture exclusive dans le cadre d'activités commerciales, le bien ou le service est réputé fourni pour utilisation exclusive dans le cadre des activités commerciales de l'acquéreur. Aux fins du crédit de taxe sur les intrants, la taxe relative à la fourniture du bien ou du service à l'acquéreur est réputée être devenue payable et avoir été payée par lui le dernier en date des jours suivants :

a) le dernier en date du jour où il acquiert la totalité, ou presque, des actions et du jour où il a renoncé à les acquérir;

b) le jour où la taxe est devenue payable ou a été payée par lui.

Le paragraphe 186(2) a été ajouté par L.C. 1990, c. 45, par. 12(1).

Concordance québécoise: aucune.

(3) Actions détenues par des personnes morales — Pour l'application du présent article, dans le cas où, à un moment donné, la totalité, ou presque, des biens d'une personne morale sont des biens qu'elle a acquis ou importés pour consommation, utilisation ou fourniture exclusive dans le cadre de ses activités commerciales, toutes les actions du capital-actions de la personne morale qui sont la propriété d'une autre personne morale qui lui est liée, ainsi que toutes les dettes qu'elle a envers cette autre personne morale, sont réputées être, à ce moment, des biens que l'autre personne morale a acquis pour utilisation exclusive dans le cadre de ses activités commerciales.

Notes historiques: Le paragraphe 186(3) a été modifié par L.C. 1993, c. 27, par. 49(2) et est réputé entré en vigueur le 17 décembre 1990. Il se lisait auparavant comme suit :

(3) Pour l'application des paragraphes (1) et (2), dans le cas où, à un moment donné, la totalité, ou presque, des biens d'une personne morale sont des biens qu'elle a acquis ou importés pour consommation, utilisation ou fourniture exclusive dans le cadre de ses activités commerciales, toutes les actions du capital-actions et les créances de la personne morale qui sont la propriété ou sont détenues par une autre personne morale qui lui est liée sont réputées, à ce moment, être des biens que l'autre personne morale a acquis pour utilisation exclusive dans le cadre de ses activités commerciales.

Aux fins du calcul de son crédit de taxe sur les intrants relatif à des biens ou des services, une personne morale est réputée avoir toujours été un inscrit et avoir acquis ou importé les biens ou les services pour consommation ou utilisation dans le cadre de ses activités commerciales dans la même mesure que, si elle avait toujours été un inscrit, elle serait réputée en vertu de l'article 186, les avoir ainsi acquis ou importés, si les conditions suivantes sont réunies :

a) elle réside au Canada et devient un inscrit en application de l'article 241 après avoir présenté sa demande d'inscription en vertu de l'alinéa 240(3)d) avant le 9 août 1993.

b) avant la prise d'effet de l'inscription, la taxe prévue par la partie IX a été payée ou est devenue payable par elle à l'égard des biens et services;

c) elle a acquis ou importé les biens ou les services pour consommation ou utilisation relativement :

(i) soit à ses actions du capital-actions d'une personne morale qui lui est liée,

(ii) soit à ses créances contre une personne morale qui lui est liée,

(iii) soit à l'acquisition, même projetée, par elle de la totalité, ou presque, des actions du capital-actions d'une personne morale, émises et en circulation et comportant en toutes circonstances plein droit de vote du capital-actions d'une personne morale.

La taxe prévue aux sections II ou IV de la partie IX qui, avant octobre 1992, devient payable, ou est payée sans qu'elle soit devenue payable, par une personne relativement à un bien ou à un service auxquels s'applique l'article 186, est réputée, aux fins du calcul du crédit de taxe sur les intrants de la personne en vertu de cette partie, devenue payable par la personne le jour ci-après et ne pas avoir été payée avant ce jour :

a) si l'exercice de la personne qui comprend le jour donné prend fin avant octobre 1992, le dernier jour de cet exercice;

b) dans les autres cas, le dernier jour de la période de déclaration de la personne qui comprend le 30 septembre 1992.

Le paragraphe 186(3) a été édicté par L.C. 1990, c. 45, par. 12(1).

Concordance québécoise: aucune.

Définitions [art. 186]: « acquéreur », « activité commerciale », « bien », « exclusif », « exercice », « fourniture », « importation », « inscrit », « personne », « province participante », « service », « taxe » — 123(1).

Renvois [art. 186]: 126 (personnes liées); 132 (résidence au Canada); 141(5), 141.1 (fournitures réputées effectuées dans le cadre d'activités commerciales); 169(1), (2) (CTI); 195.2 (dernière acquisition ou importation); 240(3) (inscription au choix).

Jurisprudence [art. 186]: *Scierie St-Elzéar inc. c. R.*, [2005] G.S.T.C. 189 (CCI); *Stantec Inc. v. R.*, [2008] G.S.T.C. 137 (20 juin 2008) (CCI [procédure informelle]); *Perfection Dairy Group Ltd. v. R.* (10 juin 2008), [2008] G.S.T.C. 124 (CCI [procédure informelle]).

Énoncés de politique [art. 186]: P-013, 22/04/92, *Comptes débiteurs pour consommation dans le cadre d'activités commerciales*; P-022, 04/09/92, *L'application de l'alinéa 186(1)b) et du paragraphe 169(2)*; P-023, 04/09/92, *L'interprétation de l'expression « la totalité, ou presque »*; P-032, 20/07/92, *Sociétés de portefeuille — Inscription et crédits de taxe sur les intrants*; P-094R, 20/12/93, *Application des paragraphes 185(1) et 186(1) aux sociétés en portefeuille*; P-137, 16/05/94, *Possibilité pour des sociétés de portefeuille d'obtenir des CTI sur le coût d'acquisition*; P-196R, 10/08/07, *Les frais administratifs généraux sont-ils visés par le paragraphe 186(1) de la Loi sur la taxe d'accise?*.

Mémorandums [art. 186]: TPS 400, 18/05/90, *Crédits de taxe sur les intrants*, par. 34, 35; TPS 400-3-5, 8/01/92, *Biens et services des institutions non financières*, par. 21–26; TPS 500-2-4, 19/03/91, *Calcul de la taxe*, annexe D; TPS 700-4, 25/11/93, *Institutions financières visées par la règle du seuil*, par. 41, 42; TPS 700-5-6, 9/12/91, *Crédits de taxe sur les intrants et sociétés de portefeuille, prises de contrôle, et personnes morales à paliers multiples*, par. 18–38.

COMMENTAIRES: Le paragraphe (1) permet à une société de portefeuille de réclamer un crédit de taxe sur les intrants, lorsque la filiale opère des activités commerciales. Techniquement, une société de portefeuille n'effectue pas de fourniture taxable puisqu'elle détient des actions d'une autre compagnie. Il s'agit donc d'un service financier qui, en l'absence du paragraphe (1), ne permettrait pas de réclamer un crédit de taxe sur les intrants.

En effet, la détention d'actions entraîne souvent des coûts légaux et comptables. De surcroît, la façon pour une personne de structurer ses affaires ne devrait pas la pénaliser, et ce, même si une société de portefeuille est impliquée dans la structure corporative.

Il est à noter que cet article ne s'applique qu'aux sociétés et ne s'applique pas, par exemple, aux sociétés de personnes ou aux fiducies. Nous sommes d'avis toutefois qu'en raison de l'augmentation des fiducies dans le contexte de réorganisation corporative, l'article 186 devrait s'étendre à d'autres types de véhicules corporatifs, dont la fiducie.

L'alinéa 240(3)(d) permet une inscription volontaire si la société mère ne fait que détenir des actions. En tant qu'inscrit, la société de portefeuille pourra alors prendre avantage du paragraphe 186(1).

À titre illustratif, la Cour canadienne de l'impôt, dans l'affaire *Perfection Dairy Group Ltd. c. R.*, 2008 CarswellNat 1718 (C.C.I.), a conclu que le paragraphe 186(1) s'appliquait et que les honoraires professionnels de l'appelant pouvaient être sujets à la réclamation de crédit de taxe sur les intrants. De plus, la Cour souligne que puisque 186(1) s'applique seulement à l'égard de certaines situations, un conflit entre le paragraphe 141.01(6) devrait faire en sorte, en se basant sur la décision *Canada Trustco*, que la disposition particulière, soit le paragraphe 186(1), devrait prévaloir. De l'avis de l'auteur, cette décision est juste puisqu'elle épouse l'esprit de la législation. Ainsi, dans la mesure où les conditions à l'article 186 sont remplies, il sera possible de réclamer un crédit de taxe sur les intrants en vertu de l'article 169.

Également à titre illustratif, l'affaire *Pay Linx Financial Corp. c. R.*, 2011 Carswell 1129 (C.C.I.) est un exemple où l'appelant n'a pas réussi à établir son droit de réclamer des crédits de taxe sur les intrants. En effet, de l'avis de la Cour canadienne de l'impôt, les montants de crédit de taxe sur les intrants sur lesquels se basait l'appelant pour réclamer des crédits de taxe sur les intrants en vertu des articles 169 et 186 n'étaient pas reliés à l'investissement de sa filiale. De surcroît, la filiale n'avait pas d'activité commerciale, alors que le paragraphe186(1) requiert que la filiale exerce des activités commerciales.

L'Agence du revenu du Canada a indiqué que le paragraphe (1) s'appliquait à l'égard de tous les coûts directs et indirects reliés à l'investissement de la société mère dans la filiale, et non à aucune autre activité de la société mère. Voir notamment à cet effet : Agence du revenu du Canada, Lettre de l'Administration centrale sur la TPS, 11585-11 — *Section 186 of the Excise Tax Act* (29 novembre 2004).

À titre d'exemple, prenons la situation où une société mère détient 100 % des actions de sa filiale au 25 janvier 2012. Au 1er mars 2012, une transaction intervient pour permettre la vente de 60 % des actions de la filiale à un tiers. La société mère et la filiale ne sont alors plus liées. Le 1er avril 2012, un cabinet d'avocats facture la société mère. De l'avis de l'Agence du revenu du Canada, la société mère et la filiale étaient liées lorsque les services juridiques étaient rendus à l'égard de la vente de 60 % des actions de la filiale. Sur cette base, l'Agence du revenu du Canada a indiqué, de façon générale, que dans la mesure où les services juridiques ont été rendus à l'égard de la vente des actions de la filiale, les services seraient réputés, en vertu du paragraphe 186(1), avoir été acquis dans le cadre des activités commerciales de la société mère. Par conséquent, la société mère pouvait réclamer un crédit de taxe sur les intrants sur la TVH payée à l'égard des honoraires juridiques qui lui ont été facturés. Ainsi, on regarde le moment où les services juridiques ont été rendus (soit jusqu'au 1er mars 2012) pour la détermination d'une société liée, et non le moment où la TPS/TVH est payable (soit le 1er avril 2012). Voir à cet effet : question 29, Agence du revenu du Canada, *Questions et commentaires en TPS/TVH*, Conférence annuelle entre l'Association du Barreau Canadien et l'Agence du revenu du Canada (23 février 2012).

Le paragraphe (2) prévoit que les crédits de taxe sur les intrants sont disponibles pour les frais de prise de contrôle, lorsque l'acheteur acquiert la presque totalité des actions de la société cible. Ce paragraphe s'applique seulement à une société résidente du Canada. Nous vous référons toutefois au paragraphe 132(2) pour le non-résident qui a un établissement stable au Canada.

Le paragraphe (2) ne s'applique que pour la société qui propose d'acquérir une société cible. Si la société cible résiste, il est raisonnable de croire que l'Agence du revenu du Canada aurait raison à ce que les dépenses encourues ne soient pas admissibles à un crédit de taxe sur les intrants, car celles-ci n'ont pas été encourues dans le cadre de ses activités commerciales. Voir notamment à cet effet : Agence du revenu du Canada, Lettre de l'Administration centrale sur la TPS, 106684 — *ITC re Completion Fee* (27 mars 2009).

Il est intéressant de souligner que l'alinéa 186(2)(a) utilise l'expression « actions émises et en circulation et comportant plein droit de vote en toutes circonstances ». Il s'agit d'une expression commune que l'on retrouve à l'article 184 de la *Loi de l'impôt sur le revenu* dans le contexte des sociétés rattachés. Cet article de la *Loi de l'impôt sur le revenu* ainsi que l'interprétation qui en a été fait pas les tribunaux et les autorités fiscales peut donc servir d'outil interprétatif à cet égard.

La Cour canadienne de l'impôt et la Cour d'appel fédérale ont reconnu, dans l'affaire *Stantec Inc. c. R.*, 2008 CarswellNat 2839 (C.C.I.) (décision confirmée en Cour d'appel fédérale, 2009 CarswellNat 3025 (C.A.F.), que les paragraphes (1) et (2) sont des dispositions dans lesquelles la situation unique en son genre d'une société de portefeuille est reconnue; selon ces dispositions, une société de portefeuille est réputée, dans certaines circonstances, exercer des activités commerciales. Il restait donc à examiner la quatrième condition pour l'application du paragraphe (1) : est-il raisonnable de considérer que les services d'inscription ont été acquis pour utilisation « relativement à » des actions de Keith Companies ou à des actions de Stantec California? L'expression « raisonnable de considérer relativement à » a une portée fort étendue. La Cour suprême du Canada a examiné l'expression « relativement à » dans l'arrêt *Slattery (Trustee of) v. Slattery*, 1993 CarswellNat 122, laquelle porte à croire qu'il y a lieu d'adopter une vue large plutôt qu'étroite, en établissant un lien entre deux questions. Lorsque les mots « raisonnable de considérer » mènent à cette approche générale, la Cour canadienne de l'impôt arrive à la conclusion inévitable selon laquelle il n'en faudrait pas beaucoup pour établir un lien entre l'acquisition des services d'inscription et les actions de Keith Companies ou de Stantec California. Il existe sans aucun doute un lien étroit entre les services d'inscription et les actions de Stantec — il s'agissait des actions mêmes qui étaient inscrites, mais ce lien n'a pas à être d'une nature primordiale ou substantielle ou de la nature d'un lien direct. L'idée que comporte l'expression « relativement à » n'est pas une idée de prédominance et encore moins d'exclusivité. Les faits sont très clairs — les services d'inscription ont été acquis pour que Stantec puisse conclure le marché en vue de détenir toutes les actions de la société résultant de la fusion de Keith Companies et de Stantec California. La Cour conclut qu'il est facile et raisonnable de considérer que ces services ont été acquis relativement aux actions de Keith Companies ou de Stantec California ou aux actions de la société fusionnée, c'est-à-dire, l'investissement par Stantec dans sa nouvelle acquisition. L'intimée invoque l'énoncé de politique P-196R, dans lequel on donne l'exemple d'une personne morale mère qui détient 51 p. 100 d'une filiale et qui emprunte de l'argent en émettant ses propres actions, de façon à pouvoir financer l'acquisition d'actions supplémentaires de la filiale. Le gouvernement n'appliquerait pas le paragraphe (1) en vue d'accorder les crédits de taxe sur les intrants se rapportant aux services professionnels se rattachant à l'émission des actions, étant donné qu'il n'est pas raisonnable de considérer que la personne morale mère acquiert les services pour utilisation relativement aux actions de la société active. La politique P-196R permet l'application du paragraphe (1) si la société de portefeuille subit des coûts simplement afin d'acheter les actions d'une société active, sans emprunter de l'argent en émettant ses propres actions. Selon la Cour canadienne de l'impôt, le paragraphe (1) s'applique de fait dans ce cas-ci. Cela suffit pour que l'appel interjeté par Stantec soit accueilli, mais la Cour conclut également que le paragraphe (2) s'applique. Le premier argument que l'intimée invoque en rejetant l'application du paragraphe (2) est que l'opération de fusion ne constituait pas une « acquisition » des actions de Keith Companies pour l'application du paragraphe (2), étant donné qu'il n'y a pas eu acquisition réelle de ces actions. De l'avis de la Cour, l'intimée donne un sens beaucoup trop restreint à l'« acquisition » d'actions. Dans la Série des mémorandums du gouvernement, chapitre 8.1, le mot « acquérir » est défini comme suit: le mot « acquérir » n'est pas défini dans la *Loi sur la taxe d'accise (TPS)*. Dans un dictionnaire ordinaire, ce mot est défini comme suit: « devenir propriétaire de (un bien, [...]), par achat, échange, succession; arriver à posséder; procurer la possession, [...] ». En ce qui concerne un bien, la jurisprudence pertinente indique qu'un bien est acquis en obtenant la propriété ou des éléments habituels de propriété comme la possession, l'utilisation ou le risque. Stantec a-t-elle acquis Keith Companies? De toute évidence, selon la Cour, Stantec a acquis Keith Companies, et ce, quelle que soit la façon dont le mot « acquis » est interprété. L'intimée fait valoir que cela ne constitue pas une acquisition des actions de Keith Companies; pourtant, conformément à la convention de fusion, ces actions de Keith Companies donnent le droit de recevoir des actions de Stantec ou des actions et de l'argent. Stantec paie pour obtenir quelque chose, et ce quelque chose est l'annulation des actions de Keith Companies et la propriété de toutes les actions de la société fusionnée. Effectivement, Stantec obtient la pleine propriété de Keith Companies. Elle le fait en ayant, en vertu d'un contrat, le contrôle de la disposition de ces actions sous la forme de leur annulation. Étant donné que Stantec détenait déjà toutes les actions d'une société remplacée, elle obtient, au moyen de cette opération, la totalité du droit de contrôler l'autre société remplacée, dont les activités sont maintenant exercées par la nouvelle société fusionnée. Le paragraphe (2) vise les prises de contrôle. Il s'agissait ici d'une prise de contrôle. Le rejet de l'application de cette disposition à cause de certaines particularités existant dans le droit des sociétés de la Californie et d'une approche trop stricte à l'égard de la notion d'acquisition d'actions va à l'encontre de l'essence du paragraphe (2). La Cour est d'avis qu'en concluant un contrat aux fins de l'annulation des actions de Keith Companies et en détenant toutes les actions de la société fusionnée, Stantec a effectivement, pour l'application du paragraphe (2), acquis toutes les actions de Keith Companies. L'intimée soutient ensuite que les services d'inscription ne se rapportent pas à l'acquisition. La Cour se fonde sur les mêmes motifs que ceux que j'ai énoncés au sujet du paragraphe (1) pour conclure qu'il existe un lien suffisant entre les services d'inscription et l'acquisition de Keith Companies pour que l'un se rapporte à l'autre. La Cour conclut que les circonstances dans lesquelles Stantec a pris le contrôle de Keith Companies sont clairement visées au paragraphe (2). L'application des paragraphes (1) et (2) suffit pour qu'il soit possible de tirer une conclusion en faveur de Stantec et d'accorder les crédits de taxe sur les intrants.

Il est à noter que dans le cadre son nouveau mémorandum sur la TPS/TVH 8.6 — *Crédits de taxe sur les intrants — sociétés de portefeuille et prises de contrôle* (novembre 2011), l'Agence du revenu du Canada a réitéré ses positions déjà énoncées, positions qui n'ont pas changé malgré la cause *Stantec*. Ainsi, l'Agence du revenu du Canada semble appliquer toujours de façon restrictive l'expression « raisonnable de considérer ...relativement à » qui figure au paragraphe 186(1). Dans l'affaire *Stantec*, le tribunal avait indiqué que ces termes avaient une portée très large. Il est étonnant de constater la position restrictive qui est adoptée par l'Agence du revenu du Canada. Nous pensons que d'autres litiges suivront et il reste à voir si la position adoptée par la Cour d'appel fédérale dans l'affaire *Stantec* sera suivie.

Finalement, le paragraphe (3) prévoit le cas où la filiale est elle-même une société de portefeuilles.

Paris et jeux de hasard

187. Présomption d'acquisition — Pour l'application de la présente partie, lorsqu'une personne donnée parie un montant dans un jeu de hasard, une course ou autre événement, les présomptions suivantes s'appliquent :

a) la personne qui prend le pari est réputée avoir fourni un service à la personne donnée;

b) si le montant est parié dans une province participante, cette fourniture est réputée avoir été effectuée dans la province;

c) la contrepartie de cette fourniture est réputée égale au résultat du calcul suivant :

$$\frac{A}{B} \times (C - D)$$

où :

A représente 100 %,

B :

(i) si cette fourniture est effectuée dans une province participante, la somme de 100 %, du taux fixé au paragraphe 165(1) et du taux de taxe applicable à la province,

(ii) dans les autres cas, la somme de 100 % et du taux fixé au paragraphe 165(1),

C le montant total, relatif au montant parié, que la personne donnée verse à la personne qui prend le pari, y compris tout montant versé au titre de la taxe dont la personne donnée est redevable aux termes d'une loi provinciale ou de la présente partie,

D le montant de la taxe dont la personne donnée est redevable au titre du montant parié, aux termes d'une loi provinciale.

Notes historiques: L'élément B de la formule de l'alinéa 187c) a été remplacé par L.C. 2006, c. 4, par. 13(1) et cette modification est entrée en vigueur le 1er juillet 2006. Antérieurement, il se lisait ainsi :

B

(i) si cette fourniture est effectuée dans une province participante, la somme de 107 % et du taux de taxe applicable à la province,

(ii) dans les autres cas, 107 %.

L'article 187 a été modifié par L.C. 1997, c. 10, par. 181(1) et cette modification est entrée en vigueur le 1er avril 1997. Il se lisait comme suit :

187. Pour l'application de la présente partie, la personne auprès de laquelle une autre personne parie un montant dans un jeu de hasard, une course ou autre événement est réputée avoir fourni à l'autre personne un service pour une contrepartie égale au montant calculé selon la formule suivante :

$$A \times (B - C)$$

où :

A représente la fraction de contrepartie;

B le montant parié;

C le montant de la taxe dont l'autre personne est redevable au titre du montant parié, aux termes d'une loi provinciale.

Auparavant, l'élément B de la formule se trouvant à l'article 187 a été modifié par L.C. 1993, c. 27, par. 50(1) et est réputé entré en vigueur le 17 décembre 1990. Il se lisait ainsi :

B le montant total, relatif au montant parié, que l'autre personne verse à la personne qui prend le pari, y compris tout montant versé au titre de la taxe dont l'autre personne est redevable aux termes d'une loi provinciale ou de la présente partie;

L'article 187 a été ajouté par L.C. 1990, c. 45, par. 12(1).

juin 2006, Notes explicatives: Selon l'article 187, la prise d'un pari est réputée être une fourniture de service. La contrepartie de ce service est calculée selon la formule figurant à l'alinéa 187c). Cette formule, qui soustrait toute taxe provinciale payée sur le montant du pari et multiplie la somme restante par 100/107, ou 100/115 dans le cas des provinces participantes, est fondée sur le taux actuel de la TPS, soit 7 %.

La modification apportée à la formule figurant à l'alinéa 187c) consiste à remplacer la mention de 107 % par la somme de 100 % et du taux fixé au paragraphe 165(1). Cette modification fait suite au changement apporté au paragraphe 165(1), qui consiste à ramener de 7 % à 6 % le taux de la taxe imposée par ce paragraphe.

Concordance québécoise: LTVQ, art. 60.

Définitions: « contrepartie », « fourniture », « fraction de contrepartie », « jeu de hasard », « montant », « personne », « province », « province participante », « service », « taux de taxe », « taxe » — 123(1).

Renvois: 148(1)b) (petit fournisseur); 148(2)b) (petit fournisseur); 188 (montant versé à titre de prix ou de gain); V:Partie VI: 5, 5.1, 5.2 (fournitures exonérées — organismes du secteur public).

Règlements: *Règlement sur les jeux de hasard (TPS/TVH)*, art. 1.

Mémorandums: TPS 400, 18/05/90, *Crédits de taxe sur les intrants*, par. 42, 43; TPS 500-2-4, 19/03/91, *Calcul de la taxe*, annexe B; TPS 500-6-10, 1/05/92, *Jeux d'argent, paris et jeux de hasard*, par. 12, 14, 23, 24, 27, 40–47.

Série de mémorandums: Mémorandum 2.2, 05/99, *Petits fournisseurs*, par. 20.

COMMENTAIRES: Le paragraphe 123(1) définit l'expression « jeu de hasard » comme étant une loterie ou autre mécanisme par lequel des prix ou des gains sont attribués à la suite d'une désignation fondée entièrement ou principalement sur le hasard.

De façon générale, cet article prévoit que lorsqu'une personne parie, elle est réputé avoir reçu un service de la part de la personne qui prend le parti. Le montant parié est ainsi réputé inclure un montant de TPS ou de TVH.

À titre illustratif, l'Agence du revenu du Canada s'est prononcée à l'effet que la fourniture de biens et de services dans le cadre de l'opération d'une « roue de la fortune » était assujettie à la TPS. L'article 187 prévoit une règle particulière réputant avoir fourni un service à la personne donnée et à ce titre, la TPS est applicable. Voir à cet effet : Agence du revenu du Canada, Lettre de l'Administration centrale sur la TPS, 62015 — *Application of GST to a Game of Chance* (7 février 2006). Voir également au même effet : Agence du revenu du Canada, Lettre de l'Administration centrale sur la TPS, 95 GTI 459 — *Games of Chance* (16 janvier 1995); Agence du revenu du Canada, Lettre de l'Administration centrale sur la TPS, 11855-1 — *GST/HST Interpretation — Bets and Games of Chance* (20 janvier 2000).

En date des présentes, nous n'avons répertorié aucune jurisprudence à l'égard de cet article.

Prix

188. (1) Paris et jeux de hasard — L'inscrit, auquel le paragraphe (5) ne s'applique pas, qui, dans le cadre de son activité commerciale qui consiste à prendre des paris ou à organiser des jeux de hasard, verse une somme d'argent à un moment donné d'une période de déclaration à titre de prix ou de gains au parieur ou à la personne qui joue aux jeux ou y participe est réputé, aux fins du calcul de son crédit de taxe sur les intrants, avoir reçu à ce moment la fourniture taxable d'un service à utiliser exclusivement dans le cours de l'activité et avoir payé à ce même moment la taxe relative à la fourniture, égale au montant obtenu par la formule suivante :

$$(A/B) \times C$$

où :

A représente :

a) si la fourniture est effectuée dans une province participante, la somme du taux fixé au paragraphe 165(1) et du taux de taxe applicable à la province,

b) dans les autres cas, le taux fixé au paragraphe 165(1);

B la somme de 100 % et du pourcentage déterminé selon l'élément A;

C la somme d'argent versée à titre de prix ou de gains.

Notes historiques: Le paragraphe 188(1) a été remplacé par L.C. 2006, c. 4, par. 14(1) et cette modification est réputée être entrée en vigueur le 1er avril 1997. Antérieurement, il se lisait ainsi :

188. (1) L'inscrit, auquel le paragraphe (5) ne s'applique pas, qui, dans le cadre de son activité commerciale qui consiste à prendre des paris ou à organiser des jeux de hasard, verse un montant d'argent au cours d'une période de déclaration à titre de prix ou de gains au parieur ou à la personne qui joue aux jeux ou y participe est réputé, aux fins du calcul de son crédit de taxe sur les intrants, avoir reçu au cours de la période la fourniture taxable d'un service à utiliser exclusivement dans le cours de l'activité et avoir payé alors la taxe relative à la fourniture, égale à la fraction de taxe du montant d'argent versé à titre de prix ou de gains.

Le paragraphe 188(1) a été modifié par L.C. 1994, c. 9, par. 12(1) et est réputé entré en vigueur le 17 décembre 1990. Il se lisait comme suit :

188. (1) L'inscrit, auquel le paragraphe (5) ne s'applique pas, qui, dans le cadre d'une activité commerciale qui consiste à prendre des paris ou à organiser des jeux de hasard, verse un montant d'argent au cours d'une période de déclaration à titre de prix ou de gains au parieur ou à la personne qui joue aux jeux ou y participe est réputé, aux fins du calcul de son crédit de taxe sur les intrants, avoir reçu au cours de la période la fourniture taxable d'un service à utiliser exclusivement dans le cours de l'activité et avoir payé alors la taxe relative à la fourniture, égale à la fraction de taxe du montant d'argent versé à titre de prix ou de gains.

Le paragraphe 188(1) a été édicté par L.C. 1990, c. 45, par. 12(1).

juin 2006, Notes explicatives: Selon le paragraphe 188(1), l'inscrit qui verse une somme d'argent à un parieur à titre de prix ou de gains est réputé avoir reçu la fourniture taxable d'un service et avoir payé la taxe sur ce service. Il a donc droit à un crédit de taxe sur les intrants égal au montant de taxe qu'il est réputé avoir payé. Selon le paragraphe 188(1), le montant de cette taxe correspond au produit du total de la somme d'argent versée à titre de prix ou de gains par la « fraction de taxe », c'est-à-dire 7/107e.

La modification apportée au paragraphe 188(1) consiste à remplacer la formule de calcul de la taxe par une formule fondée sur le taux fixé au paragraphe 165(1). Cette modification fait suite au changement apporté au paragraphe 165(1), qui consiste à ramener de 7 % à 6 % le taux de la taxe imposée par ce paragraphe.

Concordance québécoise: LTVQ, art. 277.

(2) Compétition — Les règles suivantes s'appliquent dans le cas où une personne remet, dans le cadre d'une activité qui comporte l'organisation, la promotion, l'animation ou la présentation d'une compétition, un prix à un compétiteur :

a) pour l'application de la présente partie, la remise du prix est réputée ne pas être une fourniture;

b) pour l'application de la présente partie, le prix est réputé ne pas être la contrepartie d'une fourniture par le compétiteur au profit de la personne;

c) la taxe payable par la personne relativement à un bien qui constitue le prix n'est pas incluse dans le calcul de son crédit de taxe sur les intrants pour une période de déclaration.

Notes historiques: Le paragraphe 188(2) a été ajouté par L.C. 1990, c. 45, par. 12(1).

Concordance québécoise: LTVQ, art. 278.

(3) Contributions par le compétiteur — Pour l'application de la présente partie, la contribution du compétiteur à un prix visé au paragraphe (2) est réputée ne pas être la contrepartie d'une fourniture.

Notes historiques: Le paragraphe 188(3) a été ajouté par L.C. 1990, c. 45, par. 12(1).

Concordance québécoise: LTVQ, art. 62.

(4) Inapplication du paragraphe (3) — Le paragraphe (3) ne s'applique pas si la contribution à un prix n'est pas identifiée séparément à ce titre et fait partie de la somme que le compétiteur paie pour obtenir le droit ou le privilège de participer à la compétition.

Notes historiques: Le paragraphe 188(4) a été ajouté par L.C. 1990, c. 45, par. 12(1).

Concordance québécoise: LTVQ, art. 62, al. 2.

(5) Taxe nette d'un inscrit visé par règlement — La taxe nette d'un inscrit pour la période de déclaration au cours de laquelle il est visé par règlement est déterminée selon les modalités réglementaires.

Notes historiques: Le paragraphe 188(5) a été modifié par L.C. 1993, c. 27, par. 51(1) et est réputé entré en vigueur le 17 décembre 1990. Auparavant, il se lisait comme suit :

(5) Les règles suivantes s'appliquent dans le cas où un inscrit, visé par règlement tout au long d'une période de déclaration, effectue des fournitures taxables de droits de jouer ou de participer à des jeux de hasard :

a) l'inscrit peut demander un crédit de taxe sur les intrants pour la période, égal à l'excédent éventuel du montant visé au sous-alinéa (i) sur le montant visé au sous-alinéa (ii) :

(i) le total des taxes (sauf celle que l'inscrit est réputé en application de la présente partie avoir perçue) relatives à toutes les fournitures effectuées par l'inscrit, devenues percevables au cours de la période,

(ii) le montant correspondant à 7 % du total des montants dont chacun représente, selon le cas :

(A) la contrepartie qui devient due au cours de la période, ou qui est payée au cours de la période sans qu'elle soit devenue due, pour la fourniture d'un bien ou d'un service effectuée au profit de l'inscrit,

(B) un montant, sauf la contrepartie incluse à la division (A) pour une période de déclaration, que l'inscrit a payé au cours de la période à une personne, ou à son profit, et qui est à inclure en application de l'article 6 de la *Loi de l'impôt sur le revenu*, ou le serait si la personne résidait au Canada, dans le revenu que la personne tire d'une charge ou d'un emploi;

b) la taxe qui devient payable par l'inscrit, ou qui est payée par lui sans qu'elle soit devenue payable, au cours de la période relativement à des fournitures effectuées à son profit n'est pas incluse dans le calcul d'un remboursement en vertu de l'article 259 ou d'un crédit de taxe sur les intrants (sauf celui déterminé selon l'article 193) de l'inscrit pour une période de déclaration au cours de laquelle il est visé par règlement;

c) le bien ou le service que l'inscrit acquiert au cours de la période est réputé avoir été acquis pour utilisation exclusive dans le cadre d'activités autres que les activités commerciales de l'inscrit;

d) l'inscrit est réputé ne pas avoir augmenté, au cours d'une période de déclaration où il est visé par règlement, la mesure dans laquelle il utilise son immobilisation dans le cadre de ses activités commerciales.

Le paragraphe 188(5) a été édicté par L.C. 1990, c. 45, par. 12(1).

Concordance québécoise: LTVQ, art. 279.

Définitions [art. 188]: « activité commerciale », « argent », « bien », « exclusif », « fourniture », « fourniture taxable », « fraction de taxe », « immobilisation », « inscrit », « jeu de hasard », « montant », « période de déclaration », « personne », « province participante », « règlement », « service », « taux de taxe », « taxe » — 123(1).

Renvois [art. 188]: 132 (résidence au Canada); 181(5)c) (bon); 188.1 (distributeur — billet de loterie); 259(3) (remboursement aux personnes autres que des municipalités désignées).

Règlements [art. 188]: *Règlement sur les jeux de hasard (TPS/TVH)*, art. 1.

Jurisprudence [art. 188]: *J. Hudon Enterprises Ltd. v. R.*, [2008] G.S.T.C. 165 (CCI [procédure générale]); *J. Hudon Enterprises Ltd. v. R.*, 2010 CarswellNat 912, 2010 CAF 37, [2010] G.S.T.C. 17 (CAF); *Grand River Enterprises Six Nations Ltd. v. R.* (19 décembre 2011), 2011 CarswellNat 6154, 2011 CCI 554 (CCI [procédure générale]).

Mémorandums [art. 188]: TPS 400, 18/05/90, *Crédits de taxe sur les intrants*, par. 23–25; TPS 500-2-4, 19/03/91, *Calcul de la taxe*, annexe D; TPS 600, 21/12/90, *Mesures spéciales*, par. 7, 27; TPS 500-6-10, 1/05/91, *Jeux d'argent, paris et jeux de hasard*, par. 5, 13, 14, 25, 27, 32, 35, 40–47.

Série de mémorandums [art. 188]: Mémorandum 2.2, 05/99, *Petits fournisseurs*, par. 20.

Lettres d'interprétation (Québec) [art. 188]: 98-0108146 — Interprétation relative à la TPS et à la TVQ — Prix reçus par un athlète professionnel.

COMMENTAIRES: Cet article édicte des règles de présomption absolue. Ainsi, l'inscrit qui, dans le cadre de son activité commerciale qui consiste à prendre des paris ou à organiser des jeux de hasard, verse une somme d'argent au parieur, notamment, est réputé avoir payé la taxe. À ce titre, il peut donc réclamer un crédit de taxe sur les intrants.

L'affaire *J. Hudon Enterprises Ltd. c. R.*, 2010 CarswellNat 912 (C.A.F.) (demande d'autorisation d'en appeler à la Cour suprême du Canada refusée, 2010 CarswellNat 1656) a expliqué, notamment, la définition du terme « prix ». De l'avis de la Cour d'appel fédérale, le paragraphe 188(2) est passablement détaillé. Cette disposition concerne la remise et la réception de « prix » et non le paiement et la réception d'honoraires. Il faut, sur le fondement du sens ordinaire qui leur est attribué, distinguer ces deux termes. On entend par « prix », au sens du paragraphe 188(2), une récompense décernée à celui ou celle qui l'emporte dans une compétition ou qui s'y est distingué, alors que par honoraires on entend une rétribution, des émoluments, ou une indemnité qu'une personne gagne pour avoir fourni des services dans le cadre d'un contrat, de travail ou autre. Des honoraires calculés en fonction du rendement, du résultat, ou de la profitabilité — par exemple la rémunération au résultat, les commissions, les honoraires conditionnels et les primes — ne sont pas pour autant des « prix ». Ils demeurent des honoraires pour services rendus. Seule la méthode suivant laquelle ils sont calculés est différente. Toute autre interprétation aurait pour effet d'étendre l'exemption aux honoraires calculés en fonction du rendement, du résultat ou de la profitabilité. Il faudrait un texte législatif beaucoup plus précis pour qu'il en soit ainsi. Pour déterminer si certains paiements sont des « prix » au sens du paragraphe 188(2), il faut déterminer la véritable nature des paiements en question et de la « fourniture » dans le contexte du paragraphe 123(1) (c.-à-d. la nature des biens ou services livrés ou fournis par vente, transfert, troc, échange, louage, licence, donation ou aliénation en contrepartie des paiements). Il faut tenir compte de l'ensemble des circonstances, notamment le but poursuivi en effectuant le paiement, la véritable nature de la relation entre les parties, et toute entente ou disposition législative applicable. En l'espèce, la Cour d'appel fédérale est d'avis qu'il faut nécessairement conclure que les sommes d'argent reçues par l'intimée constituent une rémunération au résultat accordée en échange des services qu'elle a fournis en tant que conducteur et entraîneur aux propriétaires et non un « prix » au sens du paragraphe 188(2).

Le paragraphe 188(2) prévoit des règles particulières à l'égard de la remise d'un prix à un compétiteur. Dans l'hypothèse où un prix est remis à une société plutôt qu'à un compétiteur, les conditions d'application ne semblent pas rencontrées. Cependant, de l'avis de Revenu Québec, seule une lecture de la convention régissant le versement du prix à la société plutôt qu'au compétiteur permettrait d'établir si la remise d'un tel prix bénéficie des mesures prévues au paragraphe 188(2). Il est à noter qu'aux fins du calcul du montant servant à déterminer le statut de « petit fournisseur », les prix reçus dans le cadre de 188(2) ne sont pas considérés puisque le prix est réputé ne pas être la contrepartie d'une fourniture effectuée par le compétiteur. Voir notamment à cet effet : Revenu Québec, Lettre d'interprétation, 98-0108146 — *Interprétation relative à la TPS et à la TVQ — Prix reçu par un athlète professionnel* (9 juillet 1999).

188.1 (1) Définitions — Les définitions qui suivent s'appliquent au présent article.

« appareil de jeu » Appareil permettant à la personne qui le fait fonctionner de jouer à un jeu de hasard où l'élément de chance dépend de l'appareil, à l'exclusion d'un appareil distributeur de billets, jetons ou autres pièces qui font foi du droit de jouer ou de participer à un ou plusieurs jeux de hasard, ou de recevoir un prix ou des gains dans le cadre de tels jeux, sauf si, pour chacun de ces jeux, la pièce constitue, à elle seule, une preuve suffisante pour établir si son détenteur a droit à un prix ou à des gains ou, s'agissant d'un imprimé, renferme des renseignements suffisants, à eux seuls, pour l'établir.

Notes historiques: La définition de « appareil de jeu » au par. 188.1(1) a été ajoutée par L.C. 2000, c. 30, par. 39(2). Elle est réputée entrée en vigueur le 17 décembre 1990.

Concordance québécoise: LTVQ, art. 350.8« appareil de jeu ».

« distributeur » Personne qui, à l'égard d'un émetteur :

a) soit fournit des droits de l'émetteur à titre de mandataire de celui-ci;

b) soit fournit des droits de l'émetteur pour son propre compte.

c) soit accepte, pour le compte de l'émetteur, un pari dans un jeu de hasard organisé par celui-ci;

d) soit effectue une fourniture reliée aux appareils de jeu au profit de l'émetteur.

Notes historiques: Les alinéas c) et d) de la définition de « distributeur » au par. 188.1(1) ont été ajoutés par L.C. 2000, c. 30, par. 39(1). Ils sont réputés entrés en vigueur le 17 décembre 1990.

Concordance québécoise: LTVQ, art. 350.8« distributeur ».

« droit » Droit de jouer ou de participer à un jeu de hasard organisé par un émetteur.

Notes historiques: La définition de « droit » au par. 188.1(1) a été ajoutée par L.C. 1993, c. 27, par. 52(1) et est réputée entrée en vigueur le 17 décembre 1990.

Concordance québécoise: LTVQ, art. 350.8« droit ».

« émetteur » Inscrit qui est visé par règlement pour l'application du paragraphe 188(5).

Notes historiques: La définition de « émetteur » au par. 188.1(1) a été ajoutée par L.C. 1993, c. 27, par. 52(1) et est réputée entrée en vigueur le 17 décembre 1990.

Concordance québécoise: LTVQ, art. 350.8« émetteur ».

« fourniture reliée aux appareils de jeu » Fourniture relative à un appareil de jeu effectuée au profit d'un émetteur, à l'égard de laquelle les conditions suivantes sont réunies :

a) il s'agit d'une fourniture :

(i) de l'appareil, ou d'un endroit où il est utilisé, effectuée par bail, licence ou accord semblable,

(ii) d'un service de réparation ou d'entretien de l'appareil ou d'un service consistant à assurer son bon fonctionnement ou à attribuer, verser ou livrer les prix remportés dans les jeux de hasard résultant de son fonctionnement;

b) aux termes de la convention portant sur la fourniture, la totalité ou une partie de la contrepartie de la fourniture représente un pourcentage du produit que l'émetteur tire de ces jeux.

Notes historiques: La définition de « fourniture reliée aux appareils de jeu » au par. 188.1(1) a été ajoutée par L.C. 2000, c. 30, par. 39(2). Elle est réputée entrée en vigueur le 17 décembre 1990.

Concordance québécoise: LTVQ, art. 350.8« fourniture reliée aux appareils de jeu ».

(2) Fourniture par l'émetteur — Pour l'application de la présente partie, les règles suivantes s'appliquent à l'émetteur qui fournit un droit à son distributeur :

a) la taxe est réputée ne pas être payable par le distributeur relativement à la fourniture;

b) le distributeur n'a pas droit à un remboursement en vertu de l'article 261 relativement à la fourniture.

Notes historiques: Le paragraphe 188.1(2) a été ajouté par L.C. 1993, c. 27, par. 52(1) et est réputé entré en vigueur le 17 décembre 1990.

Concordance québécoise: LTVQ, art. 350.9.

(3) Fourniture par un distributeur — Lorsque le distributeur d'un émetteur fournit un droit de ce dernier, les présomptions suivantes s'appliquent :

a) si l'acquéreur de la fourniture est un autre distributeur de l'émetteur, la fourniture est réputée, pour l'application de la présente partie, exception faite du présent article, ne pas avoir été effectuée par le distributeur et ne pas avoir été reçue par l'autre distributeur;

b) si l'acquéreur de la fourniture est l'émetteur, la fourniture est réputée, pour l'application de la présente partie, exception faite du présent article, ne pas avoir été effectuée par le distributeur;

c) si l'acquéreur de la fourniture est une autre personne :

(i) la fourniture est réputée, pour l'application de la présente partie, avoir été effectuée par l'émetteur et non par le distributeur,

(ii) la taxe relative à la fourniture qui est perçue par le distributeur est réputée, pour l'application de la présente partie, avoir été perçue par l'émetteur et non par le distributeur.

Notes historiques: Le paragraphe 188.1(3) a été ajouté par L.C. 1993, c. 27, par. 52(1) et est réputé entré en vigueur le 17 décembre 1990.

Concordance québécoise: LTVQ, art. 350.10.

(4) **Fournitures réputées ne pas en être** — Pour l'application de la présente partie, les fournitures suivantes sont réputées ne pas en être :

a) la fourniture d'un service, effectuée par le distributeur d'un émetteur au profit de ce dernier, relativement :

(i) à la fourniture de droits de l'émetteur,

(ii) à la remise, au paiement ou à la livraison de prix gagnés lors de jeux de hasard organisés par l'émetteur,

(iii) à l'entretien ou à la réparation de matériel que le distributeur utilise lors de la fourniture de droits de l'émetteur;

a.1) les fournitures, effectuées par le distributeur d'un émetteur au profit de ce dernier, d'un service relatif à l'acceptation, pour le compte de l'émetteur, de paris dans des jeux de hasard organisés par celui-ci, y compris un service consistant à gérer et à administrer les activités de jeux courantes de l'émetteur rattachées à l'un de ses casinos et à en assurer le déroulement;

a.2) les fournitures reliées aux appareils de jeu effectuées par le distributeur d'un émetteur au profit de ce dernier;

b) la fourniture d'un service, effectuée par un émetteur au profit de son distributeur, relativement :

(i) à la fourniture de droits de l'émetteur,

(ii) à la remise, au paiement ou à la livraison de prix gagnés lors de jeux de hasard organisés par l'émetteur.

Notes historiques: Les alinéas 188.1(4)a.1) et a.2) ont été ajoutés par L.C. 2000, c. 30, par. 39(3). Ils sont réputés entrés en vigueur le 17 décembre 1990.

Le paragraphe 188.1(4) a été ajouté par L.C. 1993, c. 27, par. 52(1) et est réputé entré en vigueur le 17 décembre 1990.

Concordance québécoise: LTVQ, art. 350.11.

(5) **Contreparties réputées ne pas en être** — Pour l'application de la présente loi, les montants suivants sont réputés ne pas être des contreparties de fournitures :

a) les primes et prix promotionnels remis par un émetteur à son distributeur relativement à la fourniture par ce dernier de droits de l'émetteur;

b) les montants payés à un émetteur par son distributeur relativement aux dommages causés à des biens de l'émetteur.

Notes historiques: Le paragraphe 188.1(5) a été ajouté par L.C. 1993, c. 27, par. 52(1) et est réputé entré en vigueur le 17 décembre 1990.

Concordance québécoise: LTVQ, art. 350.12.

Définitions [art. 188.1]: « acquéreur », « bien », « contrepartie », « fourniture », « inscrit », « jeu de hasard », « montant », « personne », « règlement », « service », « taxe » — 123(1).

Énoncés de politique [art. 188.1]: P-182R, 28/08/03, *Du mandat*.

Lettres d'interprétation (Québec) [art. 188.1]: 01-0107621 — Interprétation relative à la TPS et à la TVQ — Déclarations au secteur public et aux taxes spécifiques.

Info TPS/TVQ [art. 188.1]: GI-012 — *Mandataires*.

COMMENTAIRES: De façon générale, les distributeurs sont ignorés aux fins de la TPS. En vertu du paragraphe (3), lorsqu'un distributeur vend un billet de loterie à un consommateur, le billet est réputé être vendu par l'émetteur. La TPS inclut dans le billet est réputée avoir été perçue par l'émetteur et non le distributeur. En vertu du paragraphe (4), les transactions entre le distributeur et l'émettre sont ignorées en TPS.

L'Agence du revenu du Canada a indiqué que la vente de billets de loteries étrangères constitue des fournitures qui sont faites à l'extérieur du Canada et sont donc exclues de la TPS. Toutefois, il est possible de réclamer des crédits de taxe sur les intrants à l'égard des dépenses engagées au Canada pour la fourniture de ces billets de loteries étrangères. Voir notamment à cet effet : Agence du revenu du Canada, Lettre de l'administration centrale sur la TPS, E0612A — *Sale of Lottery Tickets to Non-Residents* (7 mars 1995).

Le paragraphe (4) est réputé ne pas donner lieu à une fourniture, le service rendu par le distributeur à l'émetteur relatif à la fourniture d'un droit de jouer ou de participer à un jeu de hasard organisé par l'émetteur. Cependant, en vertu du paragraphe 141.01(7), toute disposition qui fait en sorte qu'une fourniture est réputée ne pas être une fourniture ne s'applique pas aux paragraphes 141.01(1) à 141.01(4) qui donnent droit à un crédit de taxe sur les intrants dans la mesure du respect des conditions qui y sont prévues. Ainsi, en vertu du paragraphe 141.01(3) et dans la mesure où il est un inscrit, le distributeur est éligible, aux fins de 169(1), à demander un crédit de taxe sur les intrants à l'égard des biens et des services . ou utilisés dans le cadre de la fourniture des services qu'il rend à l'émetteur. Voir notamment à cet effet : Revenu Québec, Lettre d'interprétation, 01-0107621 — *Demande d'inscription rétroactive* (2 novembre 2001).

Nous n'avons répertorié aucune jurisprudence en date des présentes.

Cotisations

189. Cotisations relatives à l'emploi — Pour l'application de la présente partie, une organisation est réputée effectuer une fourniture exonérée au profit de la personne qui lui verse un montant — réputé contrepartie de la fourniture — à titre, selon le cas :

a) de cotisation d'adhésion versée à une association de fonctionnaires dont le principal objet consiste à favoriser l'amélioration des conditions d'emploi ou de travail des membres ou versée à un syndicat au sens :

(i) soit de l'article 3 du *Code canadien du travail*,

(ii) soit d'une loi provinciale édictant des règles d'enquêtes, de conciliation ou de règlement de conflits de travail;

b) de cotisation qui, conformément aux dispositions d'une convention collective, a été retenue par la personne sur la rémunération d'un particulier et versée à un syndicat ou une association visé à l'alinéa a) dont il n'était pas membre;

c) de cotisation à un comité paritaire ou consultatif ou à un groupement semblable, dont la législation provinciale prévoit le paiement relativement à l'emploi d'un particulier.

Notes historiques: Le paragraphe 189(1) a été ajouté par L.C. 1990, c. 45, par. 12(1).

Concordance québécoise: LTVQ, art. 172.

Définitions: « contrepartie », « droit d'adhésion », « fourniture », « fourniture exonérée », « montant », « personne », « province » — 123(1).

Renvois: 164.2 (paiements par un syndicat ou une association); V:Partie VI:26a) (fourniture exonérée).

Jurisprudence: *O'Connor Group Realty Inc. c. R.*, [2000] G.S.T.C. 55 (CCI).

Énoncés de politique: P-247, 04/11/05, *Examen de ce qui constitue un « autre organisme établi par un gouvernement » pour l'application de la Loi sur la taxe d'accise (la Loi).*

Mémorandums: TPS 300-4-6, 31/05/91, *Organismes du secteur public*, par. 38; TPS 400-3-7, 6/03/91, *Cotisations relatives à l'emploi*, 1, 4–7.

Lettres d'interprétation (Québec): 03-0106207 — Décision portant sur l'application de la TPS — Interprétation relative à la TVQ.

COMMENTAIRES: Cet article répute une fourniture d'être exonérée. À ce titre, cette fourniture ne peut donner ouverture à la réclamation d'un crédit de taxe sur les intrants.

La définition de l'expression « fourniture exonérée » qui figure en vertu du paragraphe 123(1) n'inclut pas les fournitures qui sont réputées être exonérées, telle qu'à l'article 189. Au contraire, cette définition ne fait que référence aux dispositions figurant à l'annexe V. Nous sommes donc en présence d'un vide législatif puisque techniquement, aucune définition n'est prévue pour définir les fournitures exonérées réputées. Par conséquent, l'auteur a proposé une modification législative à la définition de l'expression « fourniture exonérée » auprès du ministère des Finances du Canada afin que cette définition se lise comme suit : « fourniture figurant à l'annexe V ou toute fourniture réputée exonérée en vertu de la présente partie ».

À titre illustratif de l'application de cet article, la Cour canadienne de l'impôt, dans le contexte de la procédure informelle de la décision *O'Connor Group Realty Inc. c. R.*, 2000 CarswellNat 4476 (C.C.I.) a rejeté l'appel et a conclu que la position du ministre était exacte. En effet, pour que les cotisations ou paiements soient exonérés de la taxe sur les produits et services, le montant payé doit être versé à une organisation décrite à l'article 189. En l'espèce, le paiement de 150 $ en question, requis par la *Loi sur le courtage commercial et immobilier* pour que l'agent conserve son permis n'a pas été fait à une organisation décrite à l'article 189, ce qui est requis aux fins d'une exonération de TPS. Par conséquent, l'exonération prévue à l'article 189 ne s'applique pas et la fourniture est taxable.

Frais

189.1 Frais à verser à un gouvernement — Pour l'application de la présente partie, lorsque le titulaire ou le demandeur d'un droit dont la fourniture est une fourniture exonérée visée à l'alinéa 20c) de la partie VI de l'annexe V est tenu de verser à un gouvernement, à une municipalité ou à une commission ou autre organisme établi par un gouvernement ou une municipalité un montant qui est perçu en vue de recouvrer le coût de l'application d'un programme de réglementation concernant le droit et à défaut du versement duquel la personne perdrait le droit, se le verrait refuser, ne pourrait l'exercer pleinement ou verrait se modifier les pouvoirs qu'il lui confère, le gouvernement, la municipalité ou l'organisme est réputé avoir effectué une fourniture exonérée au profit de la personne, et le montant est réputé être la contrepartie de cette fourniture.

Notes historiques: L'article 189.1 et l'intertitre le précédant ont été ajoutés par L.C. 1993, c. 27, par. 53(1) et sont réputés entrés en vigueur le 17 décembre 1990.

Concordance québécoise: LTVQ, art. 172.1.

Définitions: « contrepartie », « fourniture », « fourniture exonérée », « gouvernement », « montant », « municipalité », « personne » — 123(1).

Décrets de remise [art. 189.1]: *Décret de remise visant la province d'Alberta (« Civil Enforcement Agencies »)* C.P.2003-909.

Mémorandums: TPS 300-4-6, 31/05/91, *Organismes du secteur public*, par. 38.

Énoncés de politique: P-XX8, 01/05, *Examen de ce qui constitue un « autre organisme établi par un gouvernement » pour l'application de la Loi sur la taxe d'accise (LTA).*

COMMENTAIRES: De l'avis de l'auteur, il est étrange que cet article ne se retrouve pas à l'article 20, de la partie VI de l'annexe V qui concerne les fournitures exonérées effectuées par le gouvernement. Le fait que cette exonération réputée ne se retrouve pas dans l'annexe V cause un problème d'interprétation.En effet, la définition de l'expression « fourniture exonérée » qui figure en vertu du paragraphe 123(1) n'inclut pas les fournitures qui sont réputées être exonérées, telle qu'à l'article 189.1. Au contraire, cette définition ne fait que référence aux dispositions figurant à l'annexe V. Nous sommes donc en présence d'un vide législatif puisque techniquement, aucune définition n'est prévue pour définir les fournitures exonérées réputées. Par conséquent, l'auteur a proposé une modification législative à la définition de l'expression « fourniture exonérée » auprès du ministère des Finances du Canada afin que cette définition se lise comme suit : « fourniture figurant à l'annexe V ou toute fourniture réputée exonérée en vertu de la présente partie ».

À titre illustratif, l'Agence du revenu du Canada a confirmé que les frais annuels facturés par Santé Canada à l'égard du droit et du privilège de produire ou de vendre un produit contre les insectes au Canada sont réputés être la contrepartie d'une fourniture exonérée en vertu de l'article 189.1 qui n'est, par conséquent, pas assujettie à la TPS. Voir à cet effet : Agence du revenu du Canada, Lettre de l'Administration centrale sur la TPS et decision anticipée, 98/06/26c — *GST/HST/Application Ruling — Services Provided by the Pest Control Regulatory Agency* (26 juin 1998)

Congrès étrangers

189.2 Congrès étrangers — Les fournitures suivantes, effectuées par le promoteur d'un congrès étranger, sont réputées effectuées en dehors du cadre des activités commerciales du promoteur :

a) la fourniture d'un droit d'entrée au congrès;

b) la fourniture, par bail, licence ou accord semblable, d'un immeuble que l'acquéreur utilise exclusivement comme lieu de promotion, lors du congrès, de son entreprise ou des biens et services qu'il fournit;

c) des fournitures liées au congrès, effectuées au profit de l'acquéreur de la fourniture visée à l'alinéa b).

Notes historiques: L'article 189.2 et l'intertitre le précédant ont été ajoutés par L.C. 1993, c. 27, par. 53(1) et sont réputés entrés en vigueur le 17 décembre 1990.

Concordance québécoise: LTVQ, art. 48.1.

Définitions: « acquéreur », « activité commerciale », « bien », « congrès », « congrès étranger », « droit d'entrée », « entreprise », « exclusif », « fourniture », « fournitures liées à un congrès », « immeuble », « promoteur », « service » — 123(1).

Renvois: 252.4 (remboursement au promoteur d'un congrès étranger).

Énoncés de politique: P-095, 05/12/93, *Comment le promoteur non résidant d'un congrès peut-il déterminer le pourcentage des inscriptions?*.

Bulletins de l'information technique: B-071, 19/03/93, *Remboursement de la taxe sur les produits et services relatif à un congrès.*

Série de mémorandums: Mémorandum 2.1, 06/95, *Inscription requise*, par. 6; Mémorandum 2.5, 06/95, *Inscription des non-résidents*, par. 4; Mémorandum 2.5, 05/99, *Inscription des non-résidents*, par. 5-7; Mémorandum 27.2, 04/95, *Congrès*, par. 4; Mémorandum 27.3R, 01/10, *Programme d'incitation pour congrès étrangers et voyages organisés — Remboursement de la taxe payée sur les voyages organisés admissibles et sur l'hébergement fourni dans le cadre d'un voyage organisé admissible.*

Lettres d'interprétation (Québec): 01-0101616 — Interprétation relative à la TPS et à la TVQ — Organisation d'un congrès international; 02-0104758 — Interprétation relative à la TPS et à la TVQ — Organisation d'un congrès international.

COMMENTAIRES: En vertu de cet article, le promoteur d'un congrès étranger qui fournit des droits d'entrée au congrès est réputé effectuer ces fournitures autrement que dans le cadre de son activité commerciale et, par conséquent, ceci implique que le promoteur n'a pas à s'inscrire aux fins de la TPS et qu'il n'est pas dans l'obligation de facturer la TPS sur les droits d'entrée exigés des participants (canadiens ou non-résidents). Comme il ne s'agit pas d'une fourniture taxable, la TPS ne s'appliquera pas et aucun crédit de la taxe sur les intrants ne pourra être réclamé.

Revenu Québec est d'avis que la situation qui lui est soumise concerne un congrès étranger au sens de la *Loi sur la taxe d'accise (TPS)* puisque le promoteur, en l'occurrence l'organisme, est un non-résident dont le siège social est situé à l'étranger ou, à défaut de siège social, qui est contrôlé et géré par une personne non-résidente ou par des personnes dont la majorité sont des non-résidents et que les droits d'entrée à ce congrès seront fournis à des personnes non-résidentes dans une proportion d'au moins 75 %. Voir notamment à cet effet : Revenu Québec, Lettre d'interprétation, 02-0104758 — *Interprétation relative à la TPS et à la TVQ — Organisation d'un congrès international* (25 juillet 2002). Voir également au même effet : Revenu Québec, Lettre d'interprétation, 01-0101616 — *Interprétation relative à la TPS et à la TVQ — Organisation d'un congrès international* (13 mars 2001).

L'Agence du revenu du Canada est d'avis que les fournitures d'admissions, frais d'inscription et autres reliés au congrès par un promoteur d'un congrès étranger ne sont pas soumis à la TPS en vertu de l'article 189.2. Aux fins de la définition de l'expression « congrès étranger » qui se retrouver au paragraphe 123(1), l'Agence du revenu du Canada a indiqué que pour déterminer le nombre de délégués Canadiens qui raisonnablement peuvent être attendus à un événement, il est possible d'utiliser le pourcentage de : (i) les résidents Canadiens qui sont membres de l'association, (ii) les résidents Canadiens délégués qui sont formellement invités à l'événement, et/ou (iii) le pourcentage de résidents Canadiens qui étaient présents dans des conventions antérieures. Voir notamment à cet effet : Agence du revenu du Canada, Lettre de l'Administration centrale sur la TPS, 820-4 — *Foreign Conventions — Conference Registration Fees* (20 février 1995).

Immeubles

190. (1) Conversion à un usage résidentiel — Lorsque, à un moment donné, une personne commence à détenir ou à utiliser à titre d'immeuble d'habitation un immeuble qui a été acquis par elle à cette fin la dernière fois qu'elle en a fait l'acquisition ou qui, immédiatement avant le moment donné, était détenu pour fourniture dans le cadre de son entreprise ou de son activité commerciale ou était utilisé ou détenu pour utilisation, à titre d'immobilisation, dans ce cadre, les présomptions suivantes s'appliquent à la présente partie dans le cas où, immédiatement avant le moment donné, l'immeuble n'était pas un immeuble d'habitation et où la personne n'a pas procédé à la construction ou à des rénovations majeures de l'immeuble d'habitation et n'en serait pas le constructeur en l'absence du présent article :

a) la personne est réputée avoir fait des rénovations majeures à l'immeuble d'habitation;

b) les rénovations sont réputées avoir débuté à ce moment et avoir été achevées en grande partie au premier en date du moment où l'immeuble d'habitation est occupé à titre résidentiel ou d'hébergement et du moment où la personne en transfère la propriété à une autre personne;

c) la personne est réputée être un constructeur de l'immeuble d'habitation, sauf si elle est :

(i) un particulier qui acquiert le bien à ce moment pour le détenir ou l'utiliser exclusivement comme résidence pour lui, son ex-époux ou ancien conjoint de fait ou un autre particulier qui lui est lié,

(ii) une fiducie personnelle qui acquiert le bien à ce moment pour le détenir ou l'utiliser exclusivement comme résidence d'un particulier bénéficiaire de la fiducie.

Notes historiques: Le préambule du paragraphe 190(1) a été modifié par L.C. 1993, c. 27, par. 54(1) et est réputé entré en vigueur le 17 décembre 1990. Il se lisait auparavant comme suit :

> 190. (1) Dans le cas où, à un moment donné, une personne commence à détenir ou à utiliser à titre d'immeuble d'habitation un immeuble qui avait été acquis par elle à cette fin ou qui, immédiatement avant ce moment, était détenu pour fourniture dans le cadre de son entreprise ou de son activité commerciale ou était utilisé ou détenu pour utilisation, à titre d'immobilisation, dans ce cadre, les présomptions suivantes s'appliquent à la présente partie si, immédiatement avant ce moment, l'immeuble n'était pas un immeuble d'habitation et si la personne n'a pas procédé à la construction ou à des rénovations majeures de l'immeuble d'habitation et n'en serait pas le constructeur en l'absence du présent article :

L'alinéa 190(1)b) a été modifié par L.C. 1993, c. 27, art. 204 (annexe II) pour remplacer les mots « à titre résidentiel ou de pension » par les mots « à titre résidentiel ou d'hébergement » et est réputé entré en vigueur le 17 décembre 1990.

Le sous-alinéa 190(1)c)(i) a été modifié par L.C. 2000, c. 12, al. 3b), ann.1 par le remplacement de « ex-conjoint » par « ex-époux ou ancien conjoint de fait ». Cette modification est entrée en vigueur le 1er janvier 2001.

Le sous-alinéa 190(1)c)(ii) a été modifié par L.C. 1997, c. 10, par. 36(1) et cette modification s'applique à compter du 24 avril. Auparavant, ce sous-alinéa se lisait comme suit :

(ii) une fiducie dont l'ensemble des bénéficiaires, sauf les bénéficiaires subsidiaires, sont des particuliers et dont l'ensemble des bénéficiaires subsidiaires sont des particuliers ou des organismes de bienfaisance, qui acquièrent [*sic*] le bien à ce moment pour le détenir ou l'utiliser exclusivement comme résidence d'un particulier bénéficiaire de la fiducie.

L'alinéa 190(1)c) a été modifié par L.C. 1993, c. 27, par. 54(2) et est réputé entré en vigueur le 17 décembre 1990. Il se lisait auparavant comme suit :

c) la personne est réputée être un constructeur de l'immeuble d'habitation.

Le paragraphe 190(1) a été ajouté par L.C. 1990, c. 45, par. 12(1).

Concordance québécoise: LTVQ, art. 220.

(2) Début d'utilisation à titre résidentiel ou personnel — Pour l'application de la présente partie, le particulier qui réserve un immeuble à son usage personnel ou à celui d'un autre particulier qui lui est lié ou de son ex-époux ou ancien conjoint de fait, lequel immeuble, immédiatement avant ce moment, n'était pas un immeuble d'habitation et était détenu pour fourniture dans le cadre de l'entreprise ou de l'activité commerciale du particulier ou était utilisé, ou détenu pour utilisation, à titre d'immobilisation dans ce cadre, est réputée :

a) avoir effectué et reçu une fourniture taxable par vente de l'immeuble immédiatement avant ce moment;

b) avoir payé à titre d'acquéreur et perçu à titre de fournisseur, à ce moment, la taxe relative à la fourniture, calculée sur la juste valeur marchande de l'immeuble à ce moment.

Notes historiques: Le préambule du paragraphe 190(2) a été modifié par L.C. 2000, c. 12, al. 3c), ann.1 par le remplacement de « ex-conjoint » par « ex-époux ou ancien conjoint de fait ». Cette modification est entrée en vigueur le 1er janvier 2001.

Le paragraphe 190(2) a été ajouté par L.C. 1990, c. 45, par. 12(1).

Concordance québécoise: LTVQ, art. 221.

(3) Location d'un fonds pour usage résidentiel — Pour l'application de la présente partie, la personne qui fournit, par bail, licence ou accord semblable, un fonds sur lequel elle a un droit et qui transfère la possession du fonds à l'acquéreur aux termes de l'accord est réputée avoir effectué, immédiatement avant le moment du transfert, une fourniture taxable du fonds par vente, avoir perçu, à ce moment et relativement à la fourniture, la taxe calculée sur la juste valeur marchande du fonds à ce moment, avoir reçu au moment du transfert une fourniture taxable du fonds par vente et avoir versé, à ce moment et relativement à la fourniture, la taxe calculée sur la juste valeur marchande du fonds à ce moment, si les conditions suivantes sont réunies :

a) la fourniture constitue une fourniture exonérée visée à l'article 6.1 ou à l'alinéa 7a) de la partie I de l'annexe V;

b) la dernière utilisation du fonds par la personne avant le moment du transfert a eu lieu en dehors du cadre d'un accord portant sur une fourniture visée à l'alinéa a);

c) la personne n'est pas réputée par les paragraphes 200(2), 206(4) ou 207(1) avoir fourni le fonds au moment du transfert ou immédiatement avant;

d) l'acquéreur n'acquiert pas la possession du fonds pour y construire un immeuble d'habitation dans le cadre d'une activité commerciale ni pour en effectuer une fourniture exonérée visée à l'article 6.1 de la partie I de l'annexe V.

Notes historiques: Le paragraphe 190(3) a été ajouté par L.C. 1993, c. 27, par. 54(3) et s'applique aux fournitures de fonds dont la possession est transférée à l'acquéreur après le 27 mars 1991, sauf si le transfert est effectué aux termes d'une convention écrite conclue avant le 28 mars 1991.

Concordance québécoise: LTVQ, art. 222.1.

(4) Première utilisation d'un parc à roulottes résidentiel — Pour l'application de la présente partie, la personne qui fournit, par bail, licence ou accord semblable, un emplacement situé dans son parc à roulottes résidentiel et qui, aux termes de l'accord, transfère la possession de l'emplacement à l'acquéreur ou lui en permet l'occupation est réputée avoir effectué, immédiatement avant le moment du transfert, une fourniture taxable du parc par vente, avoir perçu, à ce moment et relativement à la fourniture, la taxe calculée sur la juste valeur marchande du parc à ce moment, avoir reçu au moment du transfert une fourniture taxable du parc par vente et avoir versé, à ce moment et relativement à la fourniture, la taxe calculée sur la juste valeur marchande du parc à ce moment, si les conditions suivantes sont réunies :

a) la fourniture constitue une fourniture exonérée visée à l'alinéa 7b) de la partie I de l'annexe V;

b) aucun des emplacements du parc n'était occupé, immédiatement avant le moment du transfert, aux termes d'un accord portant sur une fourniture visée à l'alinéa a);

c) selon le cas :

(i) la dernière acquisition du parc par la personne ne s'est pas faite dans le cadre d'une fourniture exonérée visée à l'article 5.3 de la partie I de l'annexe V, et la personne n'est pas réputée avoir effectué, soit avant le moment du transfert en application du présent paragraphe, soit à ce moment ou immédiatement avant en application des paragraphes 200(2), 206(4) ou 207(1), la fourniture d'un fonds qui fait partie du parc du fait qu'elle l'a utilisé aux fins du parc,

(ii) après la dernière acquisition du parc ou du fonds par elle ou après qu'il est réputé fourni par elle, la personne peut demander un crédit de taxe sur les intrants relativement à l'acquisition du parc ou du fonds ou des améliorations qui y sont apportées.

Notes historiques: Le paragraphe 190(4) a été ajouté par L.C. 1993, c. 27, par. 54(3) et s'applique aux fournitures d'emplacements dans un parc à roulottes résidentiel, sauf les fournitures dans le cadre desquelles la possession de l'emplacement est transférée à l'acquéreur, ou son occupation par lui est permise, avant le 6 novembre 1991 ou aux termes d'un bail, d'une licence ou d'un accord semblable conclu par écrit avant cette date.

Concordance québécoise: LTVQ, art. 222.2.

(5) Première utilisation d'une adjonction — Pour l'application de la présente partie, la personne qui augmente la superficie du fonds de son parc à roulottes résidentiel, qui fournit, par bail, licence ou accord semblable, un emplacement situé dans l'aire ajoutée et qui, aux termes de l'accord, transfère la possession de l'emplacement à l'acquéreur ou lui en permet l'occupation est réputée avoir effectué, immédiatement avant le moment du transfert, une fourniture taxable de l'aire ajoutée par vente, avoir perçu, à ce moment et relativement à la fourniture, la taxe calculée sur la juste valeur marchande de l'aire ajoutée à ce moment, avoir reçu au moment du transfert une fourniture taxable de l'aire ajoutée par vente et avoir versé, à ce moment et relativement à la fourniture, la taxe calculée sur la juste valeur marchande de l'aire ajoutée à ce moment, si les conditions suivantes sont réunies :

a) la fourniture constitue une fourniture exonérée visée à l'alinéa 7b) de la partie I de l'annexe V;

b) aucun des emplacements de l'aire ajoutée n'était occupé immédiatement avant le moment du transfert aux termes d'un accord portant sur une fourniture visée à l'alinéa a);

c) selon le cas :

(i) la dernière acquisition de l'aire ajoutée par la personne ne s'est pas faite dans le cadre d'une fourniture exonérée visée à l'article 5.3 de la partie I de l'annexe V, et la personne n'est pas réputée avoir effectué, soit avant le moment du transfert en application du présent article, soit à ce moment ou immédiatement avant en application des paragraphes 200(2), 206(4) ou 207(1), la fourniture de l'aire ajoutée du fait qu'elle l'a utilisée aux fins du parc,

(ii) après la dernière acquisition par elle de l'aire ajoutée ou après qu'elle est réputée fournie par elle, la personne peut demander un crédit de taxe sur les intrants relativement à l'acquisition de l'aire ajoutée ou des améliorations qui y sont apportées.

Notes historiques: Le paragraphe 190(5) a été ajouté par L.C. 1993, c. 27, par. 54(3) et s'applique aux fournitures d'emplacements dans un parc à roulottes résidentiel, sauf les fournitures dans le cadre desquelles la possession de l'emplacement est transférée à l'acquéreur, ou son occupation par lui est permise, avant le 6 novembre 1991 ou aux termes d'un bail, d'une licence ou d'un accord semblable conclu par écrit avant cette date.

Concordance québécoise: LTVQ, art. 222.3.

Définitions [art. 190]: « acquéreur », « activité commerciale », « constructeur », « entreprise », « ex-conjoint », « fourniture », « fourniture exonérée », « fourniture taxable », « immeuble », « immeuble d'habitation », « immobilisation », « juste valeur marchande », « organisme de bienfaisance », « parc à roulottes résidentiel », « personne », « rénovations majeures », « taxe », « vente » — 123(1).

Renvois [art. 190]: 126(2), (3) (personnes liées); 169(1) (CTI); 172 (utilisation autre que dans le cadre d'activités commerciales); 193(2) (organisme du secteur public — crédit de taxe sur les intrants); 195.2(3) (dernière acquisition); 207(1)a) (cessation d'utilisation dans le cadre des activités commerciales); 207(2)b) (réduction d'utilisation dans le cadre des activités commerciales); 256.1(1) (remboursement au propriétaire d'un fonds loué pour un usage résidentiel); 256.2 (6) (remboursement pour fonds loué à des fins résidentielles); V:Partie I:11 (fourniture d'une terre agricole); V:Partie I:14 (190(4), (5) réputés en vigueur).

Formulaires [art. 190]: FP-190, *Remboursement de la TPS pour une habitation neuve*; FP-190.A, *Renseignements concernant les travaux de construction.*

Jurisprudence [art. 190]: *McEachern (W.) c. La Reine*, [1996] G.S.T.C. 67 (CCI); *Samson Bélair Deloitte & Touche Inc. c. R.*, [2004] G.S.T.C. 155 (CCI).

Énoncés de politique [art. 190]: P-165R, 03/98, *Juste valeur marchande aux fins de la partie IX de la Loi sur la taxe d'accise.*

Bulletins de l'information technique [art. 190]: B-075R, 23/04/96, *Modifications proposées à la TPS*; B-087, 05/02/02, *Remboursement de la TPS-TVH pour immeubles d'habitation locatifs neufs*; B-092A, 01/05, *Rénovations majeures et remboursement de la TPS/TVH pour habitations neuves.*

Mémorandums [art. 190]: TPS 300-4, 02/11/93, *Fournitures exonérées*, par. 4; TPS 300-4-1, 8/03/91, *Immeubles*, par. 22; TPS 400, 18/05/90, *Crédit de taxe sur les intrants*, par. 78; TPS 500-2-4, 19/03/91, *Calcul de la taxe*, annexe B.

Série de mémorandums [art. 190]: Mémorandum 19.2, 02/98, *Immeubles résidentiels*; Mémorandum 19.2.1, 03/98, *Immeubles résidentiels — Ventes*; Mémorandum 19.2.3, 06/98, *Immeubles résidentiels — Fournitures réputées*; Mémorandum 19.3, 07/98, *Remboursements pour immeubles*; Mémorandum 19.3.5, 08/98, *Remboursement au propriétaire d'un fonds loué pour usage résidentiel*; Mémorandum 19.4.2, 08/99, *Immeubles commerciaux — Fournitures réputées*; Mémorandum 19.5, 06/02, *Fonds de terre et immeubles connexes.*

Lettres d'interprétation (Québec) [art. 190]: 98-0100614 — Interprétation relative à la TPS et à la TVQ/Vente d'un centre d'hébergement et de soins de longue durée (« CHSLD »); 02-0109674 — Immeuble, changement d'usage.

COMMENTAIRES: De façon générale, cet article s'applique lorsqu'une personne convertit un immeuble commercial en un immeuble d'habitation sans qu'il y ait construction ou rénovation majeure. Si la personne commence à utiliser ou détenir l'immeuble à titre d'immeuble d'habitation, les règles d'auto-cotisation à l'article 191 s'appliqueront et la personne concernée sera réputée être un constructeur. Si la personne vend l'immeuble à une tierce partie, l'exonération de TPS en vertu de l'article 2, Partie I, Annexe V ne s'appliquera pas puisque la personne est réputée un constructeur. À ce titre, la fourniture sera une fourniture taxable et la TPS sera payable.

Le paragraphe 190(2) prévoit des règles de fourniture à soi-même lorsqu'un particulier réserve pour son usage personnel ou celui d'un particulier qui lui est lié, un immeuble, autre qu'un immeuble d'habitation qui était détenu pour fourniture dans le cadre de son entreprise ou de ses activités commerciales ou était utilisé, ou détenu pour utilisation, à titre d'immobilisation dans ce cadre. Dans le cadre d'une situation présentée à Revenu Québec, l'utilisation de l'unité par M. X à des fins résidentielles donnait lieu à l'application des règles de fourniture à soi-même prévu à ce paragraphe. En effet, l'unité réservée à son usage personnel à compter de l'an 5 n'était pas, avant ce moment, un immeuble d'habitation au sens donné à cette expression au paragraphe 123(1) et était détenue pour fourniture ou pour utilisation à titre d'immobilisation dans le cadre de l'entreprise ou de l'activité commerciale de M. X. L'exclusion de l'unité à titre d'immeuble d'habitation avant l'an 5 tient compte du fait que l'unité peut être considérée comme étant tout ou partie d'un bâtiment qui est un hôtel, un motel ou un gîte semblable. Dans de telles circonstances, l'exception qui figure au paragraphe 123(1) *in fine* de la définition d'immeuble d'habitation s'applique à l'égard de l'unité visée par votre demande. Conformément aux règles prévues au paragraphe 190(2), le propriétaire de l'unité, lorsqu'il la réserve à son usage personnel, est réputé avoir effectué et reçu une fourniture taxable par vente de l'unité immédiatement avant ce moment. Il est réputé également avoir payé à titre d'acquéreur et perçu à titre de fournisseur, à ce moment, la taxe relative à la fourniture, calculée sur la juste valeur marchande de l'unité à ce moment. De plus, le propriétaire a droit, puisqu'il est réputé avoir effectué la fourniture taxable d'un immeuble et qu'il est non-inscrit, au remboursement prévu au paragraphe 257(1). Ce remboursement est égal au moins élevé des montants suivants : soit la teneur en taxe de l'immeuble au moment de la fourniture, soit la taxe payable suite à l'application du paragraphe 190(2). Enfin, concernant la vente de l'unité en l'an 6, elle sera exonérée en vertu de l'article 2 de la partie I de l'annexe V, car il s'agit de la vente d'un immeuble d'habitation occupé antérieurement par une personne autre qu'un constructeur. Voir à cet effet : Revenu Québec, Lettre d'interprétation, 02-0109674 — *Immeuble, changement d'usage* (26 novembre 2003). Voir également au même effet : Revenu Québec, Lettre d'interprétation, 95-0100198 — *Changement d'utilisation d'une unité en copropriété* (15 mai 1995), et Agence du revenu du Canada, Lettre de l'Administration centrale sur la TPS, 103798 — *XXXXXXXXX land sales* (5 juin 2008).

La Cour canadienne de l'impôt a analysé l'article 190 dans l'affaire *Samson Bélair Deloitte & Touche Inc. c. R.*, 2004 CarswellNat 6262 (C.C.I.). Dans cette décision, la description du travail fait pour convertir le Motel Normandie en un immeuble d'habitation ne satisfaisait pas les critères reliés aux rénovations majeures. En effet, la conversion avait été faite pour des raisons de sécurité et d'esthétismes pour répondre aux besoins des personnes âgées. Ce n'était pas un cas où l'intérieur était complètement rénové. Ceci étant dit, le fait qu'une personne a commencé à utilisé un immeuble d'habitation qui était auparavant utilisée pour des activités commerciales amène l'application du paragraphe 190(1). En l'espèce, ici, le paragraphe 190(1) déclenche les règles d'autocotisation ans 191(3) puisque l'immeuble d'habitation est un immeuble d'habitation à logements multiples. Tel que mentionné dans l'affaire *Immeubles le Séjour inc.*, 2002 CarswellNat 4742, le but des provisions sur l'autocotisation dans la *Loi sur la taxe d'accise (TPS)* est d'éviter de donner à une personne qui est le constructeur de son propre projet de construction de lui donner un avantage sur une personne qui achète un immeuble d'habitation d'un constructeur et qui doit payer la TPS sur cet achat. L'appelant aurait dû s'auto-cotiser, sur la juste valeur marchande de l'immeuble d'habitation basée sur l'alinéa 191(3)(e).

190.1 (1) Construction de maison mobile ou flottante — Pour l'application de la présente partie, la personne qui fournit une maison mobile ou une maison flottante avant qu'elle soit utilisée ou occupée à titre résidentiel ou d'hébergement est réputée en avoir entrepris la construction et l'avoir achevée en grande partie au premier en date du moment du transfert de la propriété de la maison à l'acquéreur et du moment du transfert à celui-ci de la possession de la maison aux termes de la convention portant sur la fourniture.

Notes historiques: Le paragraphe 190.1(1) a été ajouté par L.C. 1993, c. 27, par. 55(1) et est réputé entré en vigueur le 17 décembre 1990.

Concordance québécoise: LTVQ, art. 222.4.

(2) Rénovations majeures d'une maison mobile ou flottante — Pour l'application de la présente partie, la maison mobile ou la maison flottante qui fait l'objet de rénovations majeures est réputée n'avoir jamais été utilisée ni occupée auparavant à titre résidentiel ou d'hébergement.

Notes historiques: Le paragraphe 190.1(2) a été ajouté par L.C. 1993, c. 27, par. 55(1) et est réputé entré en vigueur le 17 décembre 1990. Toutefois, il ne s'applique pas aux rénovations majeures apportées aux maisons mobiles et aux maisons flottantes, si elles sont achevées en grande partie avant octobre 1992 ou si elles sont entreprises en vue de la fourniture de la maison aux termes d'une convention écrite conclue avant octobre 1992.

Concordance québécoise: LTVQ, art. 222.5.

Définitions [art. 190.1]: « acquéreur », « fourniture », « maison flottante », « maison mobile », « personne », « rénovations majeures » — 123(1).

Renvois [art. 190.1]: 191 (fourniture à soi-même); 254 (remboursement pour habitations neuves).

Énoncés de politique [art. 190.1]: P-130, 05/08/92, *Lieu de résidence.*

COMMENTAIRES: En pratique, le paragraphe (1) indique que si le vendeur agit dans le cours des activités de son entreprise, celui-ci sera qualifié de « constructeur » au sens du paragraphe 123(1) et la vente sera donc taxable. L'acheteur, quant à lui, sera admissible au remboursement pour habitation neuve en vertu du paragraphe 256(2.2).

Le paragraphe (2) est consistent avec les règles d'autocotisation qui sont reflétées à l'article 191 et de la définition du terme « constructeur » qui figure au paragraphe 123(1).

191. (1) Fourniture à soi-même d'un immeuble d'habitation à logement unique ou d'un logement en copropriété — Pour l'application de la présente partie, lorsque les conditions suivantes sont réunies :

a) la construction ou les rénovations majeures d'un immeuble d'habitation — immeuble d'habitation à logement unique ou logement en copropriété — sont achevées en grande partie,

b) le constructeur de l'immeuble :

(i) soit en transfère la possession ou l'utilisation à une personne aux termes d'un bail, d'une licence ou d'un accord semblable (sauf un accord qui est connexe à un contrat de vente visant l'immeuble et qui porte sur la possession ou l'occupation de l'immeuble jusqu'au transfert de sa propriété à l'acheteur aux termes du contrat) conclu en vue de l'occupation de l'immeuble à titre résidentiel,

(ii) soit en transfère la possession ou l'utilisation à une personne aux termes d'une convention, sauf une convention portant sur la fourniture d'une maison mobile et d'un emplacement pour celle-ci dans un parc à roulottes résidentiel, portant sur l'une des fournitures suivantes :

(A) la fourniture par vente de tout ou partie du bâtiment dans lequel est située l'habitation faisant partie de l'immeuble,

(B) la fourniture par bail du fonds faisant partie de l'immeuble ou la fourniture d'un tel bail par cession,

(iii) soit, s'il est un particulier, occupe lui-même l'immeuble à titre résidentiel,

c) le constructeur, la personne ou tout particulier qui a conclu avec celle-ci un bail, une licence ou un accord semblable visant l'immeuble est le premier à occuper l'immeuble à titre résidentiel après que les travaux sont achevés en grande partie,

le constructeur est réputé :

d) avoir effectué et reçu, par vente, la fourniture taxable de l'immeuble le jour où les travaux sont achevés en grande partie ou, s'il est postérieur, le jour où la possession ou l'utilisation de l'immeuble est transférée à la personne ou l'immeuble est occupé par lui;

e) avoir payé à titre d'acquéreur et perçu à titre de fournisseur, au dernier en date de ces jours, la taxe relative à la fourniture, calculée sur la juste valeur marchande de l'immeuble ce jour-là.

Notes historiques: Le sous-alinéa 191(1)b)(i) a été remplacé par L.C. 2008, c. 28, par. 73(1) et cette modification s'applique relativement à un immeuble d'habitation ou à une adjonction à un tel immeuble si le moment considéré est :

a) postérieur au 26 février 2008;

b) antérieur au 27 février 2008, dans le cas où le constructeur de l'immeuble ou de l'adjonction, à la fois :

(i) aurait été réputé par l'article 191 de la même loi avoir effectué par vente, au moment considéré, une fourniture taxable de l'immeuble ou de l'adjonction si cet article, dans sa version modifiée de L.C. 2008, c. 28, paragraphes 73(1) à (13), s'était appliqué à ce moment,

(ii) ayant appliqué l'article 191 de la même loi relativement à l'immeuble ou à l'adjonction, a indiqué un montant à titre de taxe dans sa déclaration produite aux termes de la section V de la partie IX de la même loi pour une période de déclaration pour laquelle une déclaration est produite avant le 27 février 2008 ou doit être produite aux termes de cette section au plus tard à une date antérieure à cette date.

En vertu de L.C. 2008, c. 28, par. 73(14), pour l'application du paragraphe précédent, le moment considéré relativement à un immeuble d'habitation ou à une adjonction à un tel immeuble est le dernier en date des moments suivants :

a) le moment où la construction ou les rénovations majeures de l'immeuble ou de l'adjonction sont achevées en grande partie;

b) le moment où le constructeur de l'immeuble ou de l'adjonction transfère, pour la première fois, la possession ou l'utilisation de l'immeuble, ou d'une habitation de l'immeuble ou de l'adjonction, à une personne en vue de son occupation à titre résidentiel ou, s'il est antérieur, le moment où l'immeuble ou de l'adjonction est occupé par le constructeur à titre résidentiel.

En vertu de L.C. 2008, c. 28, par. 73(18), pour l'application de la loi, dans le cas où les conditions suivantes sont réunies :

a) une personne donnée est le constructeur d'un immeuble d'habitation ou d'une adjonction à un immeuble d'habitation à logement multiples,

b) elle est réputée selon les paragraphes 191(1), (3) ou (4) avoir effectué et reçu par vente, à un moment donné postérieur au 26 février 2008, une fourniture taxable de l'immeuble ou de l'adjonction et avoir payé à titre d'acquéreur, et perçu à titre de fournisseur, un montant de taxe donné relativement à cette fourniture,

c) elle n'a pas demandé ni déduit de montant (appelé « crédit non demandé » au présent paragraphe) relativement à un bien ou un service dans le calcul de sa taxe nette pour toute période de déclaration pour laquelle une déclaration est produite avant le 27 février 2008 ou doit être produite aux termes de la section V de la partie IX de la même loi au plus tard à une date antérieure à cette date et, à la fois :

(i) le bien ou le service, au cours d'une période de déclaration se terminant avant le 27 février 2008, selon le cas :

(A) a été acquis, importé ou transféré dans une province participante pour consommation ou utilisation dans le cadre de la fourniture taxable,

(B) a été acquis, importé ou transféré dans une province participante relativement à l'immeuble ou à l'adjonction et aurait été acquis, importé ou transféré dans la province pour consommation ou utilisation dans le cadre de la fourniture taxable si l'article 191 s'était appliqué dans sa version modifiée par L.C. 2008, c. 28,

(ii) le crédit non demandé est un crédit de taxe sur les intrants de la personne ou le serait si l'article 191 s'appliquait dans sa version modifiée par L.C. 2008, c. 28,

le crédit non demandé de la personne est réputé être son crédit de taxe sur les intrants pour sa période de déclaration qui comprend le 26 février 2008 et ne pas l'être pour toute autre période de déclaration.

En vertu de L.C. 2008, c. 28, par. 73(19), pour l'application de la modification :

a) le paragraphe 191(9) s'applique lorsqu'il s'agit de déterminer le jour où la construction ou les rénovations majeures d'un immeuble d'habitation ou d'une adjonction à un tel immeuble sont achevées en grande partie;

b) le paragraphe 191(10) , dans sa version modifiée par L.C. 2008, c. 28, paragraphe 73(13), s'applique lorsqu'il s'agit de déterminer le moment auquel la possession d'un immeuble d'habitation ou d'une habitation d'un tel immeuble ou d'une adjonction à un tel immeuble est transférée à une personne.

Antérieurement, le sous-alinéa 191(1)b)(i) se lisait ainsi :

(i) soit en transfère la possession à une personne aux termes d'un bail, d'une licence ou d'un accord semblable (sauf un accord qui est connexe à un contrat de vente visant l'immeuble et qui porte sur la possession ou l'occupation de l'immeuble jusqu'au transfert de sa propriété à l'acheteur aux termes du contrat) conclu en vue de l'occupation de l'immeuble à titre résidentiel,

Le préambule du sous-alinéa 191(1)b)(ii) a été remplacé par L.C. 2008, c. 28, par. 73(2) [voir les modalités d'application sous les notes historiques du sous-alinéa 191(1)b)(i) — n.d.l.r.]. Antérieurement, il se lisait ainsi :

(ii) soit en transfère la possession à une personne aux termes d'une convention, sauf une convention portant sur la fourniture d'une maison mobile et d'un emplacement pour celle-ci dans un parc à roulottes résidentiel, portant sur l'une des fournitures suivantes :

L'alinéa 191(1)b) a été modifié par L.C. 1993, c. 27, par. 56(2) et s'applique aux fournitures d'immeubles d'habitation, sauf celles dans le cadre desquelles la possession de l'immeuble est transférée à l'acquéreur avant le 28 mars 1991 ou celles qui sont visées par une convention écrite conclue avant cette date. Antérieurement, il se lisait auparavant comme suit :

b) le constructeur de l'immeuble en transfère la possession à une personne, qui n'est pas l'acheteur en vertu d'un contrat de vente visant l'immeuble, aux termes d'un bail, d'une licence ou d'un accord semblable conclu en vue de l'occupation de l'immeuble à titre résidentiel ou, s'il est un particulier, occupe lui-même l'immeuble à titre résidentiel,

Le sous-alinéa 191(1)c) a été remplacé par L.C. 2008, c. 28, par. 73(3) [voir les modalités d'application sous les notes historiques du sous-alinéa 191(1)b)(i) — n.d.l.r.]. Antérieurement, il se lisait ainsi :

c) le constructeur, la personne ou le particulier locataire de celle-ci ou titulaire d'un permis de celle-ci est le premier à occuper l'immeuble à titre résidentiel après que les travaux sont achevés en grande partie,

Le sous-alinéa 191(1)d) a été remplacé par L.C. 2008, c. 28, par. 73(4) [voir les modalités d'application sous les notes historiques du sous-alinéa 191(1)b)(i) — n.d.l.r.]. Antérieurement, il se lisait ainsi :

d) avoir effectué et reçu, par vente, la fourniture taxable de l'immeuble au dernier en date du jour où les travaux sont achevés en grande partie et du jour où la possession de l'immeuble est transférée à la personne ou l'immeuble est occupé par lui;

Le paragraphe 191(1) a été modifié par L.C. 1993, c. 27, par. 56(1) et est réputé entré en vigueur le 17 décembre 1990. Il se lisait ainsi :

191. (1) Pour l'application de la présente partie, lorsque la construction ou les rénovations majeures d'un immeuble d'habitation — immeuble d'habitation à logement unique ou logement en copropriété — sont achevées en grande partie et que le constructeur de l'immeuble en transfère la possession à une personne, qui n'est pas l'acheteur en vertu du contrat de vente visant l'immeuble, aux termes d'un bail, d'une licence ou d'un accord semblable conclu en vue de l'occupation de l'immeuble à titre résidentiel ou, étant un particulier, occupe lui-même l'immeuble à ce titre, le constructeur est réputé, si lui-même, la personne ou le particulier locataire de celle-ci ou titulaire d'un permis de celle-ci est le premier à occuper l'immeuble à ce titre après que les travaux sont achevés en grande partie :

a) avoir effectué et reçu, par vente, la fourniture taxable de l'immeuble;

b) avoir payé à titre d'acquéreur et perçu à titre de fournisseur, relativement à la fourniture, au dernier en date du jour où les travaux sont achevés en grande partie et du jour où la possession de l'immeuble est ainsi transférée ou l'immeuble ainsi occupé par le constructeur, la taxe prévue à la présente section, calculée sur la juste valeur marchande de l'immeuble ce jour-là.

Le paragraphe 191(1) a été édicté par L.C. 1990, c. 45, par. 12(1).

Concordance québécoise: LTVQ, art. 223.

Jurisprudence [art. 191(1)]: *Daruwala v. R.* (17 juillet 2012), 2012 CarswellNat 2560 (C.C.I.).

(2) Fourniture à soi-même d'un logement en copropriété — Pour l'application de la présente partie, lorsque la construction ou les rénovations majeures d'un logement en copropriété sont achevées en grande partie et que le constructeur du logement en transfère la possession à une personne qui en est l'acheteur en vertu d'un contrat de vente conclu à un moment où l'immeuble d'habitation en copropriété dans lequel le logement est situé n'est pas enregistré comme tel, le constructeur est réputé, si la personne ou le particulier locataire de celle-ci ou titulaire d'un permis de celle-ci est le premier à occuper le logement à titre résidentiel après que les travaux sont achevés en grande partie et s'il est mis fin au contrat de vente à un moment donné, autrement que par exécution du contrat, sans qu'un autre contrat de vente visant le logement soit conclu entre le constructeur et la personne à ce moment :

a) avoir effectué et reçu, par vente, la fourniture taxable du logement au moment où il est mis fin au contrat;

b) sauf si la possession du logement est transférée à la personne avant 1991, avoir payé à titre d'acquéreur et perçu à titre de fournisseur, au moment où il est mis fin au contrat, la taxe relative à la fourniture, calculée sur la juste valeur marchande du logement à ce moment.

Notes historiques: Les alinéas 191(2)a) et b) ont été modifiés par L.C. 1993, c. 27, par. 56(3) et sont réputés entrés en vigueur le 17 décembre 1990. Ils se lisaient auparavant comme suit :

a) avoir effectué et reçu, par vente, la fourniture taxable du logement;

b) sauf si la possession du logement est transférée à la personne avant 1991, avoir payé à titre d'acquéreur et perçu à titre de fournisseur, relativement à la fourniture, au moment où il est mis fin au contrat, la taxe prévue à la présente section, calculée sur la juste valeur marchande du logement à ce moment.

Le paragraphe 191(2) a été ajouté par L.C. 1990, c. 45, par. 12(1).

Concordance québécoise: LTVQ, art. 224.

(3) Fourniture à soi-même d'un immeuble d'habitation à logements multiples — Pour l'application de la présente partie, lorsque les conditions suivantes sont réunies :

a) la construction ou les rénovations majeures d'un immeuble d'habitation à logements multiples sont achevées en grande partie,

b) le constructeur, selon le cas :

(i) transfère à une personne, qui n'est pas l'acheteur en vertu du contrat de vente visant l'immeuble, la possession ou l'utilisation d'une habitation de celui-ci aux termes d'un bail, d'une licence ou d'un accord semblable conclu en vue de l'occupation de l'habitation à titre résidentiel,

(i.1) transfère à une personne la possession ou l'utilisation d'une habitation de l'immeuble aux termes d'une convention prévoyant :

(A) d'une part, la fourniture par vente de tout ou partie du bâtiment faisant partie de l'immeuble,

(B) d'autre part, la fourniture par bail du fonds faisant partie de l'immeuble ou la fourniture d'un tel bail par cession,

(ii) étant un particulier, occupe lui-même à titre résidentiel une habitation de l'immeuble,

c) le constructeur, la personne ou tout particulier qui a conclu avec celle-ci un bail, une licence ou un accord semblable visant une habitation de l'immeuble est le premier à occuper une telle habitation à titre résidentiel après que les travaux sont achevés en grande partie,

le constructeur est réputé :

d) avoir effectué et reçu, par vente, la fourniture taxable de l'immeuble le jour où les travaux sont achevés en grande partie ou, s'il est postérieur, le jour où la possession ou l'utilisation de l'habitation est transférée à la personne ou l'habitation est occupée par lui;

e) avoir payé à titre d'acquéreur et perçu à titre de fournisseur, au dernier en date de ces jours, la taxe relative à la fourniture, calculée sur la juste valeur marchande de l'immeuble ce jour-là.

Notes historiques: Le sous-alinéa 191(3)b)(i) a été remplacé par L.C. 2008, c. 28, par. 73(5) [voir les modalités d'application sous les notes historiques du sous-alinéa 191(1)b)(i) — n.d.l.r.]. Antérieurement, il se lisait ainsi :

(i) transfère à une personne, qui n'est pas l'acheteur en vertu du contrat de vente visant l'immeuble, la possession d'une habitation de celui-ci aux termes d'un bail, d'une licence ou d'un accord semblable conclu en vue de l'occupation de l'habitation à titre résidentiel,

Le préambule du sous-alinéa 191(3)b)(i.1) a été remplacé par L.C. 2008, c. 28, par. 73(6) [voir les modalités d'application sous les notes historiques du sous-alinéa 191(1)b)(i) — n.d.l.r.]. Antérieurement, il se lisait ainsi :

(i.1) transfère à une personne la possession d'une habitation de l'immeuble aux termes d'une convention prévoyant :

L'alinéa 191(3)c) a été remplacé par L.C. 2008, c. 28, par. 73(7) [voir les modalités d'application sous les notes historiques du sous-alinéa 191(1)b)(i) — n.d.l.r.]. Antérieurement, il se lisait ainsi :

c) le constructeur, la personne ou un particulier locataire de celle-ci ou titulaire d'un permis de celle-ci est le premier à occuper à titre résidentiel une habitation de l'immeuble après que les travaux sont achevés en grande partie,

L'alinéa 191(3)d) a été remplacé par L.C. 2008, c. 28, par. 73(8) [voir les modalités d'application sous les notes historiques du sous-alinéa 191(1)b)(i) — n.d.l.r.]. Antérieurement, il se lisait ainsi :

d) avoir effectué et reçu, par vente, la fourniture taxable de l'immeuble le jour où les travaux sont achevés en grande partie ou, s'il est postérieur, le jour où la possession de l'habitation est transférée à la personne ou l'habitation est occupée par lui;

Le paragraphe 191(3) a été remplacé par L.C. 2000, c. 30, par. 40(1). Cette modification est réputée entrée en vigueur le 26 novembre 1997 et s'applique en cas de transfert, par le constructeur d'un immeuble d'habitation ou d'une adjonction à un tel immeuble, de la possession d'une habitation de l'immeuble ou de l'adjonction, selon le cas, après le 25 novembre 1997, sauf si le transfert est effectué aux termes d'une convention écrite conclue avant le 26 novembre 1997 et portant sur la fourniture par vente de tout ou partie du bâtiment faisant partie de l'immeuble. Antérieurement, il se lisait comme suit :

(3) Pour l'application de la présente partie, lorsque la construction ou les rénovations majeures d'un immeuble d'habitation à logements multiples sont achevées en grande partie et que le constructeur transfère à une personne, qui n'est pas l'acheteur en vertu du contrat de vente visant l'immeuble, la possession d'une habitation de celui-ci aux termes d'un bail, d'une licence ou d'un accord semblable conclu en vue de l'occupation de l'immeuble à titre résidentiel, ou, étant un particulier, occupe lui-même à ce titre une habitation de l'immeuble, le constructeur est réputé, si lui-même, la personne ou un particulier locataire de celle-ci ou titulaire d'un permis de celle-ci est le premier à occuper à ce titre une habitation de l'immeuble après que les travaux sont achevés en grande partie :

a) avoir effectué et reçu, par vente, la fourniture taxable de l'immeuble au dernier en date du jour où les travaux sont achevés en grande partie et du jour où la possession de l'habitation est transférée à la personne ou l'habitation est occupée par lui;

b) avoir payé à titre d'acquéreur et perçu à titre de fournisseur, au dernier en date de ces jours, la taxe relative à la fourniture, calculée sur la juste valeur marchande de l'immeuble ce jour-là.

Les alinéas 191(3)a) et b) ont été modifiés par L.C. 1993, c. 27, par. 56(4) et sont réputés entrés en vigueur le 17 décembre 1990. Ils se lisaient auparavant comme suit :

a) avoir effectué et reçu, par vente, la fourniture taxable de l'immeuble;

b) avoir payé à titre d'acquéreur et perçu à titre de fournisseur, relativement à la fourniture, au dernier en date du jour où les travaux sont achevés en grande partie et du jour où la possession de l'habitation est ainsi transférée à la personne ou l'habitation ainsi occupée par le constructeur, la taxe prévue à la présente section, calculée sur la juste valeur marchande de l'immeuble ce jour-là.

Le paragraphe 191(3) a été ajouté par L.C. 1990, c. 45, par. 12(1).

Concordance québécoise: LTVQ, art. 225.

Jurisprudence [art. 191(3)]: *Boissonneault Groupe Immobilier Inc. c. R.* (16 octobrew 2013), 2012 CarswellNat 3949 (C.C.I.).

(4) Fourniture à soi-même d'une adjonction à un immeuble d'habitation à logements multiples — Pour l'application de la présente partie, lorsque les conditions suivantes sont réunies :

a) la construction d'une adjonction à un immeuble d'habitation à logements multiples est achevée en grande partie,

b) le constructeur de l'adjonction, selon le cas :

(i) transfère à une personne, qui n'est pas l'acheteur en vertu du contrat de vente visant l'immeuble, la possession ou l'utilisation d'une habitation de l'adjonction aux termes d'un bail, d'une licence ou d'un accord semblable conclu en vue de l'occupation de l'habitation à titre résidentiel,

(i.1) transfère à une personne la possession ou l'utilisation d'une habitation de l'adjonction aux termes d'une convention prévoyant :

(A) d'une part, la fourniture par vente de tout ou partie du bâtiment faisant partie de l'immeuble,

(B) d'autre part, la fourniture par bail du fonds faisant partie de l'immeuble ou la fourniture d'un tel bail par cession,

(ii) étant un particulier, occupe lui-même une telle habitation à titre résidentiel,

c) le constructeur, la personne ou tout particulier qui a conclu avec celle-ci un bail, une licence ou un accord semblable visant une habitation de l'adjonction est le premier à occuper une telle habitation à titre résidentiel après que les travaux sont achevés en grande partie,

le constructeur est réputé :

d) avoir effectué et reçu, par vente, la fourniture taxable de l'adjonction le jour où les travaux sont achevés en grande partie ou, s'il est postérieur, le jour où la possession ou l'utilisation de l'habitation est transférée à la personne ou l'habitation est occupée par lui;

e) avoir payé à titre d'acquéreur et perçu à titre de fournisseur, au dernier en date de ces jours, la taxe relative à la fourniture, calculée sur la juste valeur marchande de l'adjonction ce jour-là.

Notes historiques: Le sous-alinéa 191(4)b)(i) a été remplacé par L.C. 2008, c. 28, par. 73(9) [voir les modalités d'application sous les notes historiques du sous-alinéa 191(1)b)(i) — n.d.l.r.]. Antérieurement, il se lisait ainsi :

(i) transfère à une personne, qui n'est pas l'acheteur en vertu du contrat de vente visant l'immeuble, la possession d'une habitation de l'adjonction aux termes d'un bail, d'une licence ou d'un accord semblable conclu en vue de l'occupation de l'habitation à titre résidentiel,

Le préambule du sous-alinéa 191(4)b)(i.1) a été remplacé par L.C. 2008, c. 28, par. 73(10) [voir les modalités d'application sous les notes historiques du sous-alinéa 191(1)b)(i) — n.d.l.r.]. Antérieurement, il se lisait ainsi :

(i.1) transfère à une personne la possession d'une habitation de l'adjonction aux termes d'une convention prévoyant :

L'alinéa 191(4)c) a été remplacé par L.C. 2008, c. 28, par. 73(11) [voir les modalités d'application sous les notes historiques du sous-alinéa 191(1)b)(i) — n.d.l.r.]. Antérieurement, il se lisait ainsi :

c) le constructeur, la personne ou un particulier locataire de celle-ci ou titulaire d'un permis de celle-ci est le premier à occuper à titre résidentiel une telle habitation après que les travaux sont achevés en grande partie,

L'alinéa 191(4)d) a été remplacé par L.C. 2008, c. 28, par. 73(12) [voir les modalités d'application sous les notes historiques du sous-alinéa 191(1)b)(i) — n.d.l.r.]. Antérieurement, il se lisait ainsi :

d) avoir effectué et reçu, par vente, la fourniture taxable de l'adjonction le jour où les travaux sont achevés en grande partie ou, s'il est postérieur, le jour où la possession de l'habitation est transférée à la personne ou l'habitation est occupée par lui;

Le paragraphe 191(4) a été remplacé par L.C. 2000, c. 30, par. 40(2). Cette modification est réputée entrée en vigueur le 26 novembre 1997 et s'applique en cas de transfert, par le constructeur d'un immeuble d'habitation ou d'une adjonction à un tel immeuble, de la possession d'une habitation de l'immeuble ou de l'adjonction, selon le cas, après le 25 novembre 1997, sauf si le transfert est effectué aux termes d'une convention écrite conclue avant le 26 novembre 1997 et portant sur la fourniture par vente de tout ou partie du bâtiment faisant partie de l'immeuble. Antérieurement, il se lisait comme suit :

(4) Pour l'application de la présente partie, lorsque la construction d'une adjonction à un immeuble d'habitation à logements multiples est achevée en grande partie et que le constructeur de l'adjonction transfère à une personne, qui n'est pas l'acheteur en vertu du contrat de vente visant l'immeuble, la possession d'une habitation de l'adjonction aux termes d'un bail, d'une licence ou d'un accord semblable conclu en vue de l'occupation de l'habitation à titre résidentiel, ou, étant un particulier, occupe lui-même une telle habitation à ce titre, le constructeur est réputé, si lui-même, la personne ou un particulier locataire de celle-ci ou titulaire d'un permis de celle-ci est le premier à occuper à ce titre une telle habitation après que les travaux sont achevés en grande partie :

a) avoir effectué et reçu, par vente, la fourniture taxable de l'adjonction au dernier en date du jour où les travaux sont achevés en grande partie et du jour où la possession de l'habitation est transférée à la personne ou l'habitation est occupée par lui;

b) avoir payé à titre d'acquéreur et perçu à titre de fournisseur, au dernier en date de ces jours, la taxe relative à la fourniture, calculée sur la juste valeur marchande de l'adjonction ce jour-là.

Les alinéas 191(4)a) et b) ont été modifiés par L.C. 1993, c. 27, par. 56(5) et sont réputés entrés en vigueur le 17 décembre 1990. Ils se lisaient auparavant comme suit :

a) avoir effectué et reçu, par vente, la fourniture taxable de l'adjonction;

b) avoir payé à titre d'acquéreur et perçu à titre de fournisseur, relativement à la fourniture, au dernier en date du jour où les travaux sont achevés en grande partie et du jour où la possession est ainsi transférée ou l'habitation ainsi occupée par le constructeur, la taxe prévue à la présente section, calculée sur la juste valeur marchande de l'adjonction à ce moment.

Le paragraphe 191(4) a été ajouté par L.C. 1990, c. 45, par. 12(1).

Concordance québécoise: LTVQ, art. 226.

(4.1) Mention de « bail » — La mention, au présent article, d'un bail relatif à un fonds vaut mention d'un bail, d'une licence ou d'un accord semblable.

Notes historiques: Le paragraphe 191(4.1) a été ajouté par L.C. 2000, c. 30, par. 40(3). Cette modification est réputée entrée en vigueur le 20 octobre 2000.

Concordance québécoise: LTVQ, art. 222.6.

(5) Exception — utilisation personnelle — Les paragraphes (1) à (4) ne s'appliquent pas au constructeur d'un immeuble d'habitation ou d'une adjonction à celui-ci si :

a) le constructeur est un particulier;

b) à un moment donné après que la construction ou les rénovations de l'immeuble ou de l'adjonction sont achevées en grande partie, l'immeuble est utilisé principalement à titre résidentiel par le particulier, son ex-époux ou ancien conjoint de fait ou un particulier lié à ce particulier;

c) l'immeuble n'est pas utilisé principalement à une autre fin entre le moment où les travaux sont achevés en grande partie et le moment donné;

d) le particulier n'a pas demandé de crédit de taxe sur les intrants relativement à l'acquisition de l'immeuble ou aux améliorations qui y ont été apportées.

Notes historiques: L'alinéa 191(5)b) a été modifié par L.C. 2000, c. 12, al. 3d), ann. 1 par le remplacement de « ex-conjoint » par « ex-époux ou ancien conjoint de fait ». Cette modification est entrée en vigueur le 1er janvier 2001.

Le paragraphe 191(5) a été ajouté par L.C. 1990, c. 45, par. 12(1).

Concordance québécoise: LTVQ, art. 227.

(6) Exception — résidence étudiante — Les paragraphes (1) à (4) ne s'appliquent pas au constructeur d'un immeuble d'habitation ou d'une adjonction à celui-ci si :

a) le constructeur est une université, un collège public ou une administration scolaire;

b) la construction ou les rénovations de l'immeuble ou de l'adjonction sont effectuées, ou l'immeuble est acquis, principalement pour loger les étudiants qui fréquentent l'université, le collège ou une école de l'administration scolaire.

Notes historiques: Le paragraphe 191(6) a été ajouté par L.C. 1990, c. 45, par. 12(1).

Concordance québécoise: LTVQ, art. 228.

(6.1) Exception — organismes communautaires — Les paragraphes (1) à (4) ne s'appliquent pas au constructeur d'un immeuble d'habitation ou d'une adjonction à celui-ci si :

a) le constructeur est une communauté, une association ou une assemblée de particuliers à laquelle s'applique l'article 143 de la *Loi de l'impôt sur le revenu*;

b) la construction ou les rénovations majeures de l'immeuble ou de l'adjonction sont effectuées exclusivement en vue de loger des membres de la communauté, de l'association ou de l'assemblée.

Notes historiques: Le paragraphe 191(6.1) a été ajouté par L.C. 1997, c. 10, par. 37(1) et est réputé entré en vigueur le 17 décembre 1990.

Concordance québécoise: LTVQ, art. 228.1.

(7) Lieu de travail éloigné — Pour l'application de la présente partie, dans le cas où les conditions suivantes sont réunies :

a) le constructeur d'un immeuble d'habitation ou d'une adjonction à celui-ci est un inscrit,

b) la construction ou les rénovations majeures de l'immeuble ou de l'adjonction sont effectuées, ou l'immeuble est acquis, en vue de loger un particulier à un endroit :

(i) où il est tenu d'être pour exercer ses fonctions à titre :

(A) soit de salarié de l'inscrit,

(B) soit d'entrepreneur chargé par l'inscrit de lui rendre des services à cet endroit, ou de salarié d'un tel entrepreneur,

(C) soit de sous-traitant chargé par l'entrepreneur visé à la division (B) de rendre à cet endroit des services que celui-ci acquiert en vue de fournir des services à l'inscrit, ou de salarié d'un tel sous-traitant,

(ii) dont l'éloignement d'une collectivité est tel qu'il n'est pas raisonnable de s'attendre à ce que le particulier y établisse et y tienne un établissement domestique autonome,

c) l'inscrit fait un choix, en la forme déterminée par le ministre et contenant les renseignements requis, relativement à l'immeuble ou à l'adjonction,

les présomptions suivantes s'appliquent jusqu'à ce que l'immeuble soit fourni par vente ou par bail, licence ou accord semblable principalement à des personnes qui ne sont pas des employés, des entrepreneurs ou des sous-traitants visés au sous-alinéa b)(i) qui acquièrent l'immeuble ou les habitations de celui-ci dans les circonstances prévues à ce sous-alinéa, ni des particuliers liés à ces salariés, entrepreneurs ou sous-traitants :

d) la fourniture de l'immeuble ou d'une habitation dans celui-ci à titre résidentiel ou d'hébergement est réputée ne pas en être une;

e) l'occupation de l'immeuble ou de l'habitation à ce titre est réputée ne pas être une occupation à ce titre.

Notes historiques: Le paragraphe 191(7) a été modifié par L.C. 1997, c. 10, par. 37(2) et cette modification est réputée entrée en vigueur le 17 décembre 1990. Auparavant, ce paragraphe se lisait comme suit :

> (7) Pour l'application de la présente partie, dans le cas où la construction ou les rénovations majeures d'un immeuble d'habitation ou d'une adjonction à celui-ci sont effectuées, ou l'immeuble est acquis, en vue de loger les salariés du constructeur de l'immeuble ou de l'adjonction à l'endroit où ils sont tenus d'être pour exercer leurs fonctions et où l'éloignement de l'endroit d'une collectivité est tel qu'il n'est pas raisonnable de s'attendre à ce que les salariés y établissent et y tiennent un établissement domestique autonome, le constructeur, qui est un inscrit, peut faire un choix, en la forme déterminée par le ministre et contenant les renseignements requis, relativement à l'immeuble ou à l'adjonction pour que les présomptions suivantes s'appliquent jusqu'à ce que l'immeuble soit fourni par vente ou par bail, licence ou accord semblable principalement à des personnes qui ne sont ni des salariés du constructeur, ni des particuliers liés à ceux-ci :
>
> a) la fourniture de l'immeuble ou d'une habitation dans celui-ci à titre résidentiel ou d'hébergement est réputée ne pas en être une;
>
> b) l'occupation de l'immeuble ou de l'habitation est réputée ne pas être une occupation à ce titre.

Le préambule du paragraphe 191(7) a été modifié par L.C. 1993, c. 27, par. 56(7). Il s'applique aux choix faits relativement à un immeuble d'habitation, ou à une adjonction à un tel immeuble, dont la construction ou les rénovations majeures sont terminées en grande partie après le 26 avril 1992. Pour les choix antérieurs, le préambule du paragraphe (7) a été modifié par L.C. 1993, c. 27, par. 56(6), rétroactivement au 17 décembre 1990 et doit se lire comme suit :

> (7) Pour l'application de la présente partie, dans le cas où la construction ou les rénovations majeures d'un immeuble d'habitation ou d'une adjonction à celui-ci sont effectuées, ou l'immeuble est acquis, en vue de loger les salariés du constructeur de l'immeuble ou de l'adjonction à l'endroit où ils sont tenus d'être pour exercer leurs fonctions et où l'éloignement de l'endroit d'une collectivité est tel qu'il n'est pas raisonnable de s'attendre à ce que les salariés y établissent et y tiennent un établissement domestique autonome, le constructeur, qui est un inscrit, peut faire un choix relativement à l'immeuble ou à l'adjonction pour que les présomptions suivantes s'appliquent jusqu'à ce que l'immeuble soit fourni par vente ou par bail, licence ou accord semblable principalement à des personnes qui ne sont ni des salariés du constructeur, ni des particuliers liés à ceux-ci :

Le préambule du paragraphe 191(7) se lisait auparavant comme suit :

> (7) Pour l'application de la présente partie, dans le cas où la construction ou les rénovations majeures d'un immeuble d'habitation ou d'une adjonction à celui-ci sont effectuées, ou l'immeuble est acquis, en vue de loger les cadres ou les salariés du constructeur de l'immeuble ou de l'adjonction à l'endroit où ils sont tenus d'être pour exercer leurs fonctions et où l'éloignement de l'endroit est tel qu'il n'est pas raisonnable de s'attendre à ce que les cadres ou salariés y établissent et y tiennent un établissement domestique autonome, le constructeur, qui est un inscrit, peut faire un choix relativement à l'immeuble ou à l'adjonction pour que les présomptions suivantes s'appliquent jusqu'à ce que l'immeuble soit fourni par vente ou par bail, licence ou accord semblable principalement à des personnes qui ne sont ni des cadres ou salariés du constructeur, ni des particuliers liés à ceux-ci :

L'alinéa 191(7)a) a été modifié par L.C. 1993, c. 27, art. 204 (annexe II) pour remplacer les mots « à titre résidentiel ou de pension » par les mots « à titre résidentiel ou d'hébergement » et est réputé entré en vigueur le 17 décembre 1990.

Le paragraphe 191(7) a été ajouté par L.C. 1990, c. 45, par. 12(1).

Concordance québécoise: LTVQ, art. 229.

(8) [*Abrogé*]

Notes historiques: Le paragraphe 191(8) a été abrogé par L.C. 1993, c. 27, par. 56(8) pour les choix fait en application du paragraphe 191(7) relativement à un immeuble d'habitation, ou à une adjonction à un tel immeuble, dont la construction ou les rénovations majeures sont terminées en grande partie après le 26 avril 1992. Le paragraphe 191(8) se lisait auparavant comme suit :

> (8) Le choix n'est valide que s'il est présenté au ministre en la forme, selon les modalités et avec les renseignements déterminés par celui-ci et avant que la construction ou les rénovations de l'immeuble d'habitation ou de l'adjonction soient achevées en grande partie.

Le paragraphe 191(8) a été ajouté par L.C. 1990, c. 45, par. 12(1).

(9) Achèvement des travaux — Pour l'application du présent article, la construction ou les rénovations majeures d'un immeuble d'habitation à logements multiples ou d'un immeuble d'habitation en copropriété, ou la construction d'une adjonction à un immeuble d'habitation à logements multiples, sont réputées être achevées en grande partie au plus tard le jour où la totalité, ou presque, des logements de l'immeuble ou de l'adjonction sont occupés après le début des travaux.

Notes historiques: Le paragraphe 191(9) a été ajouté par L.C. 1990, c. 45, par. 12(1)

Concordance québécoise: LTVQ, art. 231.

(10) Transfert de possession attribué au constructeur — Pour l'application du présent article, dans le cas où les conditions suivantes sont réunies :

a) le constructeur d'un immeuble d'habitation ou d'une adjonction à un immeuble d'habitation à logements multiples effectue la fourniture par bail, licence ou accord semblable — fourniture exonérée visée aux articles 6.1 ou 6.11 de la partie I de l'annexe V — de l'immeuble ou d'une habitation de celui-ci ou de l'adjonction,

b) l'acquéreur de la fourniture acquiert l'immeuble ou l'habitation en vue de l'utiliser ou de le fournir dans le cadre de fournitures exonérées et, à l'occasion d'une fourniture exonérée, la possession ou l'utilisation de l'immeuble, de l'habitation ou d'habitations de l'immeuble est transférée par l'acquéreur aux termes d'un bail, d'une licence ou d'un accord semblable qui prévoit l'occupation de l'immeuble ou de l'habitation à titre résidentiel ou d'hébergement,

c) le constructeur transfère la possession de l'immeuble ou de l'habitation à l'acquéreur aux termes de l'accord,

le constructeur est réputé, au moment de ce transfert, transférer la possession de l'immeuble ou de l'habitation à un particulier aux termes d'un bail, d'une licence ou d'un accord semblable conclu en vue d'en permettre l'occupation résidentielle.

Notes historiques: Le paragraphe 191(10) précédant l'alinéa c) a été remplacé par L.C. 2008, c. 28, par. 73(13) et cette modification s'applique relativement à un immeuble d'habitation ou à une adjonction à un tel immeuble si le moment considéré est :

a) postérieur au 26 février 2008;

b) antérieur au 27 février 2008, dans le cas où le constructeur de l'immeuble ou de l'adjonction, à la fois :

(i) aurait été réputé par l'article 191 de la même loi avoir effectué par vente, au moment considéré, une fourniture taxable de l'immeuble ou de l'adjonction si cet article, dans sa version modifiée de L.C. 2008, c. 28, paragraphes 73(1) à (13), s'était appliqué à ce moment,

(ii) ayant appliqué l'article 191 de la même loi relativement à l'immeuble ou à l'adjonction, a indiqué un montant à titre de taxe dans sa déclaration produite aux termes de la section V de la partie IX de la même loi pour une période de déclaration pour laquelle une déclaration est produite avant le 27 février 2008 ou doit être produite aux termes de cette section au plus tard à une date antérieure à cette date.

En vertu de L.C. 2008, c. 28, par. 73(16), pour l'application du paragraphe précédent, le moment considéré relativement à un immeuble d'habitation ou à une adjonction à un tel immeuble est le dernier en date des moments suivants :

a) le moment où la construction ou les rénovations majeures de l'immeuble ou de l'adjonction sont achevées en grande partie;

b) le moment où le constructeur de l'immeuble ou de l'adjonction transfère, pour la première fois, la possession ou l'utilisation de l'immeuble, ou d'une habitation de l'immeuble ou de l'adjonction, à une personne qui acquiert l'immeuble ou l'habitation en vue de l'utiliser ou de le fournir dans le cadre de fournitures exonérées si, à l'occasion d'une fourniture exonérée, la possession ou l'utilisation de l'immeuble, de l'habitation ou d'habitations de l'immeuble est transférée par la personne aux termes d'un bail, d'une licence ou d'un accord semblable qui prévoit l'occupation de l'immeuble ou de l'habitation à titre résidentiel ou d'hébergement.

En vertu de L.C. 2008, c. 28, par. 73(18), pour l'application de la loi, dans le cas où les conditions suivantes sont réunies :

a) une personne donnée est le constructeur d'un immeuble d'habitation ou d'une adjonction à un immeuble d'habitation à logement multiples,

b) elle est réputée selon les paragraphes 191(1), (3) ou (4) avoir effectué et reçu par vente, à un moment donné postérieur au 26 février 2008, une fourniture taxable de l'immeuble ou de l'adjonction et avoir payé à titre d'acquéreur, et perçu à titre de fournisseur, un montant de taxe donné relativement à cette fourniture,

c) elle n'a pas demandé ni déduit de montant (appelé « crédit non demandé » au présent paragraphe) relativement à un bien ou un service dans le calcul de sa taxe nette pour toute période de déclaration pour laquelle une déclaration est produite avant le 27 février 2008 ou doit être produite aux termes de la section V de la partie IX de la même loi au plus tard à une date antérieure à cette date et, à la fois :

(i) le bien ou le service, au cours d'une période de déclaration se terminant avant le 27 février 2008, selon le cas :

(A) a été acquis, importé ou transféré dans une province participante pour consommation ou utilisation dans le cadre de la fourniture taxable,

(B) a été acquis, importé ou transféré dans une province participante relativement à l'immeuble ou à l'adjonction et aurait été acquis, importé ou transféré dans la province pour consommation ou utilisation dans le cadre de la fourniture taxable si l'article 191 s'était appliqué dans sa version modifiée par L.C. 2008, c. 28,

(ii) le crédit non demandé est un crédit de taxe sur les intrants de la personne ou le serait si l'article 191 s'appliquait dans sa version modifiée par L.C. 2008, c. 28,

le crédit non demandé de la personne est réputé être son crédit de taxe sur les intrants pour sa période de déclaration qui comprend le 26 février 2008 et ne pas l'être pour toute autre période de déclaration.

En vertu de L.C. 2008, c. 28, paragraphe 73(19), pour l'application de la modification :

a) le paragraphe 191(9) s'applique lorsqu'il s'agit de déterminer le jour où la construction ou les rénovations majeures d'un immeuble d'habitation ou d'une adjonction à un tel immeuble sont achevées en grande partie;

b) le paragraphe 191(10) , dans sa version modifiée par L.C. 2008, c. 28, paragraphe 73(13), s'applique lorsqu'il s'agit de déterminer le moment auquel la possession d'un immeuble d'habitation ou d'une habitation d'un tel immeuble ou d'une adjonction à un tel immeuble est transférée à une personne.

Antérieurement, il se lisait ainsi :

(10) Pour l'application du présent article, dans le cas où les conditions suivantes sont réunies :

a) le constructeur d'un immeuble d'habitation ou d'une adjonction à un immeuble d'habitation à logements multiples effectue la fourniture par bail, licence ou accord semblable — fourniture exonérée visée à l'article 6.1 de la partie I de l'annexe V — de l'immeuble ou d'une habitation de celui-ci ou de l'adjonction;

b) l'acquéreur de la fourniture acquiert l'immeuble ou l'habitation en vue d'effectuer une fourniture visée à l'article 6 de la partie I de l'annexe V;

Le paragraphe 191(10) a été ajouté par L.C. 1993, c. 27, par. 56(9) et est réputé entré en vigueur le 1er janvier 1993.

Concordance québécoise: LTVQ, art. 231.1.

Définitions [art. 191]: « acquéreur », « administration scolaire », « améliorations », « cadre », « collège public », « constructeur », « établissement domestique autonome », « exclusif » (« la totalité, ou presque, »), « ex-conjoint », « fourniture », « fourniture taxable », « habitation », « immeuble d'habitation », « immeuble d'habitation à logements multiples », « immeuble d'habitation à logement unique », « immeuble d'habitation en copropriété », « inscrit », « juste valeur marchande », « logement en copropriété », « maison mobile », « ministre », « parc à roulottes résidentiel », « personne », « rénovations majeures », « salarié », « taxe », « université », « vente » — 123(1).

Renvois [art. 191]: 121 (remboursement pour habitations neuves); 126 (personnes liées); 169 (CTI); 190.1 (construction de maison mobile ou flottante); 191.1(2) (immeubles d'habitation subventionnés); 193(1) (vente d'un immeuble); 195.1 (immeuble d'habitation réputé immobilisation); 254.1(2)d) (remboursement — habitation neuve); 236.4 (choix visant un immeuble d'habitation); 256.1 (remboursement au propriétaire d'un fonds loué pour usage résidentiel); 256.2(3) (remboursement pour fonds et bâtiment loué à des fins résidentielles); 256.2(5) (remboursement pour coopérative d'habitation); 256.71, 256.75 (remboursement transitoire en cas de l'application de l'article 254.1 — réduction de taux pour 2008); 256.72, 256.76 (remboursement transitoire à l'acheteur — réduction de taux pour 2008); 256.73 (remboursement transitoire au constructeur — réduction de taux pour 2008); 259(1)« taxe exigée non admise au crédit »; 261.01(3) (exceptions — remboursement pour fiducie de régime interentreprises); 336(2)b) (transfert d'un immeuble d'habitation à logement unique après 1990); 336(3)b) (transfert d'un logement en copropriété après 1990); 336(4)b) (transfert d'un immeuble d'habitation en copropriété après 1990); 336(5) (fourniture à soi-même d'un logement en copropriété par une société en commandite); 351(1)c) (transfert d'un immeuble d'habitation à logement unique après la mise en œuvre); V:Partie I:4 (fourniture exonérée d'un immeuble d'habitation à logement unique ou d'un logement en copropriété); V:Partie I:5 (fourniture exonérée d'un immeuble d'habitation à logements multiples); V:Partie I:5.1 (vente d'un bâtiment contenant une habitation); V:Partie I:14 (application de l'article 191 et des articles 4 et 5 de l'annexe V, partie I).

Jurisprudence [art. 191]: *Construction MDGG inc. c. SMRQ* (13 mars 2008), 200-80-002119-061, 2008 CarswellQue 2224; *984321 Ontario Limited c. La Reine*, [1993] G.S.T.C. 44 (CCI); *Timber Lodge Limited c. La Reine*, [1994] G.S.T.C. 73 (CCI); *Ryerson Polytechnical Institute c. La Reine*, [1994] G.S.T.C. 78 (CCI); *Beau Rivage Apartments c. La Reine*, [1994] G.S.T.C. 79 (CCI); *Stafford, Stafford & Jakeman c. La Reine*, [1995] G.S.T.C. 7 (CCI); *Brown (C.G.) c. La Reine*, [1995] G.S.T.C. 38 (CCI); *Lawson (W.) c. La Reine*, [1995] G.S.T.C. 59 (CCI); *Marall Homes Ltd. c. La Reine*, [1995] G.S.T.C. 70 (CCI); *Granbury Developments Ltd. c. La Reine*, [1995] G.S.T.C. 73 (CCI); *Lacina (G.) c. La Reine*, [1996] G.S.T.C. 11 (CCI); *Strumecki (J.) c. La Reine*, [1996] G.S.T.C. 23 (CCI); *Genge (D.) c. La Reine*, [1996] G.S.T.C. 38 (CCI); *McEachern (W.) c. La Reine*, [1996] G.S.T.C. 67 (CCI); *Wong (E.) c. La Reine*, [1996] G.S.T.C. 73 (CCI); *Pabla Partnership c. La Reine*, [1996] G.S.T.C. 81 (CCI); *La Guercia Investments Ltd. c. La Reine*, [1996] G.S.T.C. 87 (CCI); *327119 B.C. Ltd. c. La Reine*, [1996] G.S.T.C. 94 (CCI); *Green Timbers Retirement Housing Society c. La Reine* (1996), [1996] G.S.T.C. 101 (CCI); *Budden (J.W.) c. Canada*, [1997] G.S.T.C. 7 (CCI); *Nagra (H.) c. Canada*, [1997] G.S.T.C. 78 (CCI); *P.L. Construction Ltd. c. Canada*, [1997] G.S.T.C. 80 (CCI); *R. Mullen Construction Ltd. c. Canada*, [1997] G.S.T.C. 106 (CCI); *Budden (J.W.) c. La Reine*, [1997] G.S.T.C. 7 (CCI); *Loewen (M.) c. Canada*, [1998] G.S.T.C. 6 (CCI); *Charleswood Legion Non-Profit Housing Inc. c. Canada*, [1998] G.S.T.C. 65 (CCI); *Pinelli (N. & L.) c. Canada*, [1998] G.S.T.C. 75 (CCI); *Taylor (J.) c. Canada*, [1998] G.S.T.C. 80 (CCI); *Jorstead (D.E.) c. Canada*, [1998] G.S.T.C. 86 (CCI); *Gestion 69691 In.c c. Canada*, [1998] G.S.T.C. 113 (CCI); *Gestion 69692 Inc. c. Canada*, [1998] G.S.T.C. 114 (CCI); *398722 Alberta Ltd. c. Canada*, [1998] G.S.T.C. 117 (CCI); [2000] G.S.T.C. 32 (CAF); *Construction Jacques (1977) Inc. c. Canada*, 1999 CarswellQue 4149 (C.S. Qué); *Moss (D.) c. Canada*, [1999] G.S.T.C. 89 (CCI); *Wallace Construction c. Canada*, [1999] G.S.T.C. 97 (CCI); *Martinuzzi (B.T.) c. Canada*, [1999] G.S.T.C. 100 (CCI); *Moss (R.) c. Canada*, [1999] G.S.T.C. 113 (CCI); *Sir Wynne Highlands Inc. c. Canada*, [2000] G.S.T.C. 6 (CCI); *Rehmat c. R.*, [2000] G.S.T.C. 67 (CCI); *1036705 Ontario Ltd. c. R.*, [2000] G.S.T.C. 73 (CCI); *Villa Ridge Construction Ltd. c. R.*, [2000] G.S.T.C. 85 (CCI); *Cheema c. R.*, [2001] G.S.T.C. 13 (CCI); *Trudel c. R.*, [2001] G.S.T.C. 23 (CCI); *Lind (J.) c. Canada*, [1999] G.S.T.C. 116 (CCI); [2001] G.S.T.C. 82 (CAF); *Polygon Southampton Development c. R.*, [2002] G.S.T.C. 17 (CCI); *Immeubles Le Séjour Inc. c. La Reine*, [2002] G.S.T.C. 98 (GST); *Khun c. R.*, [2002] G.S.T.C. 101 (CCI); *Reid's Heritage Homes Ltd. v. R.*, [2003] G.S.T.C. 6 (CCI); *11675 Société en commandite c. R.*, [2003] G.S.T.C. 7 (CCI); *Déziel c. R.*, [2003] G.S.T.C. 88 (CCI); *Dufour c. R.*, [2003] G.S.T.C. 150 (CCI); *Clive Tregaskiss Investment Inc. v. R.*, [2003] G.S.T.C. 106 (CCI); *Payette c. R.*, [2003] G.S.T.C. 52 (CCI); *Clark. v. R.*, [2004] G.S.T.C. 152 (CAF); *Paquet c. R.*, [2004] G.S.T.C. 157 (CAF); *Samson Bélair Deloitte & Touche Inc. c. R.*, [2004] G.S.T.C. 155 (CCI); *Déziel c. R.*, [2004] G.S.T.C. 161 (CAF); *9103-9438 Québec Inc. c. R.*, [2005] G.S.T.C. 68 (CCI); *Seni v. R.*, [2005] G.S.T.C. 15 (CCI); *Déziel c. R.*, [2005] G.S.T.C. 19 (CCI); *Bergeron c. R.*, [2005] G.S.T.C. 71 (CCI); *27 Cardigan Inc. c. R.*, [2005] G.S.T.C. 54 (CAF); *Best for Less Painting & Decorating Ltd. c. R.*, [2005] G.S.T.C. 116 (CCI); *Bonik Inc. c. R.*, [2006] G.S.T.C. 77 (CCI); *Villa Béliveau Inc. c. R.*, [2006] G.S.T.C. 59 (CAF); *Kimm Holdings Ltd. c. R.*, [2006] G.S.T.C. 34 (CCI); *S.E.R. Contracting Ltd. v. R.*, [2006] G.S.T.C. 2 (CCI); *Construction Bergeroy Inc. c. R.*, 2007 G.T.C. 866 (CCI); *Construction Daniel Provencher Inc. c. R.*, 2007 G.T.C. 863 (CCI); *North Shore Health Region v. R.*, [2008] G.S.T.C. 1, 2008 CAF 2, 371 N.R. 315;

Sand, Surf & Sea Ltd. v. R., [2008] G.S.T.C. 71 (11 mars 2008) (CCI [procédure informelle]); *Coutu c. SMRQ* (20 novembre 2008), 2008 CarswellQue 12958; *Coutu c. R.*, 2009 G.T.C. 908 (25 novembre 2008) (CCI [procédure informelle]); *Rego c. R.* (23 janvier 2009), 2009 G.T.C. 997-20 (CCI [procédure informelle]); *Rob Walde Holdings Ltd. v. R.* (6 février 2009), 2009 CarswellNat 913 (CCI [procédure informelle]); *Résidences Majeau Inc. c. R.* (28 mai 2009), 2009 G.T.C. 1062 (CCI [procédure générale]); *Fraser International College Ltd. v. R.*, CarswellNat 1321, 2010 CCI 63, [2010] G.S.T.C. 21 (CCI [procédure générale]); *Chartrand c. R.*, 2010 CarswellNat 604, 2010 CCI 92, 2010 D.T.C. 3111 (Fr.), 2010 G.T.C. 272 (Fr.) (CCI [procédure générale]); *Desjardins c. R.* (15 octobre 2010), 2010 CarswellNat 3790, 2010 CCI 521, 2010 G.T.C. 104 (Fr.) (CCI [procédure informelle]); *Coates v. R.* (8 février 2011), 2011 CarswellNat 908 (CCI [procédure informelle]).

Décrets de remise [art. 191]: *Décret de remise de la taxe sur les produits et services (constructeurs)* C.P. 1995-317.

Énoncés de politique [art. 191]: P-027, 04/09/92, *Les remboursements de TVF et les remboursements pour résidences étudiantes*; P-064, 25/05/93, *Traitement du temps partagé (des multipropriétés)*; P-069, 25/05/93, *Fonds admissibles pour immeubles d'habitation*; P-087, 30/06/93, *Pourcentage d'achèvement* (Ébauche); P-090, 25/05/93, *Lieu de travail éloigné*; P-111R, 25/05/93, *Définition d'une vente à l'égard d'un immeuble*; P-153, 02/09/94, *Construction d'un ajout majeur à un immeuble d'habitation à logement unique*; P-164, 15/02/94, *Contrat de location avec option d'achat*; P-165R, 03/98, *Juste valeur marchande aux fins de la partie IX de la Loi sur la taxe d'accise*; P-174, 08/06/95, *Baux emphytéotiques* (Ébauche).

Bulletins de l'information technique [art. 191]: B-065, 13/07/92, *Le plan en six points en vue de simplifier la TPS*; B-075R, 23/04/96, *Modifications proposées à la TPS*; B-096, 07/07, *Réduction du taux de la TPS/TVH et les immeubles*.

Mémorandums [art. 191]: TPS 300-4, 02/11/93, *Fournitures exonérées*, par. 4; TPS 500-2-4, 19/03/91, *Calcul de la taxe*, annexes B, D; TPS 900-1, 27/08/92, *Habitations neuves*, par. 7, 14, 15.

Série de mémorandums [art. 191]: Mémorandum 1.5, 09/94, *Définitions*; Mémorandum 3.1, 08/99, *Assujettissement à la taxe*; Mémorandum 19.2, 02/98, *Immeubles résidentiels*; Mémorandum 19.2.1, 03/98, *Immeubles résidentiels — Ventes*; Mémorandum 19.2.3, 06/98, *Immeubles résidentiels — Fournitures réputées*; Mémorandum 19.2.4, 06/98, *Immeubles résidentiels — Sujets particuliers*; Mémorandum 19.3.2, 07/98, *Remboursement pour habitation construite par un constructeur (fonds loué)*; Mémorandum 19.3.3, 07/98, *Remboursement pour habitation en coopérative*; Mémorandum 19.3.5, 08/98, *Remboursement au propriétaire d'un fonds loué pour usage résidentiel*; Mémorandum 19.3.7, 07/98, *Remboursements pour immeubles — Sujets particuliers*; Mémorandum 19.4.2, 08/99, *Immeubles commerciaux — Fournitures réputées*; Mémorandum 19.5, 06/02, *Fonds de terre et immeubles connexes*.

Formulaires [art. 191]: GST17, *Travail éloigné — Choix concernant la fourniture d'une résidence ou de logements à des cadres ou des salariés dans un lieu de travail éloigné* [N.D.L.R.: le bulletin de l'information technique B-065 indique que l'obligation de remplir ou de présenter ce formulaire est éliminée mais il est néanmoins requis]; RC4052, *Renseignements sur la TPS/TVH à l'intention de l'industrie de la construction*.

Info TPS/TVQ [art. 191]: GI-005 — *Vente d'une résidence par un constructeur qui est un particulier*; GI-045 — *Les établissements de soins pour bénéficiaires internes et les modifications proposées dans le budget de 2008*; GI-050 — *Les établissements de soins pour bénéficiaires internes Pour l'application du présent document d'information, un « établissement de soins pour bénéficiaires internes »*; GI-091 — *Taxe de vente harmonisée-Renseignements à l'intention des propriétaires d'habitations locatives neuves*; GI-101 — *Taxe de vente harmonisée-Renseignements à l'intention des constructeurs d'habitations non inscrits en Ontario, en Colombie-Britannique et en Nouvelle-Écosse*.

Lettres d'interprétation (Québec) [art. 191]: 98-0103659 — Remboursement de la TPS et de la TVQ pour habitations neuves; 98-0108633 — Interprétation relative à la TPS et à la TVQ — Droit aux CTI et aux RTI à l'égard des coûts de construction d'un immeuble; 99-0113078 — Interprétation relative à la TPS et à la TVQ — Promesse d'achat-vente et bail relatifs à un immeuble d'habitation à logement unique; 99-0109423 — Décision portant sur l'application de la TPS — Interprétation relative à la TVQ — Locations d'immeubles, CTI/RTI; 99-0113664 — Interprétation relative à la TPS et à la TVQ — Notion de constructeur — Fourniture à soi-même; 00-0110916 — Interprétation relative à la TPS et à la TVQ — Vente sous contrôle de justice; 01-0101970 — Interprétation relative à la TPS et à la TVQ — Remboursement pour immeubles d'habitation locatifs neufs.

COMMENTAIRES: Cet article prévoit les règles d'autocotisation pour les immeubles d'habitation uniquement.

À titre illustratif de l'application de cet article, Revenu Québec a indiqué que lorsqu'un particulier construit un immeuble d'habitation avec l'intention de le vendre ou de le louer en tout ou en partie, le Ministère considère qu'il a construit cet immeuble dans le cadre d'une entreprise, d'un projet à risques ou d'une affaire de caractère commercial. Le particulier se qualifie donc de « constructeur » selon le sens donné à cette expression dans la *Loi sur la taxe d'accise (TPS)*. Dans la situation où un particulier construit un duplex en vue d'occuper une habitation à titre résidentiel et de louer l'autre habitation également à titre résidentiel, mais que celui-ci n'utilise pas le duplex principalement (soit dans une proportion de plus de 50 %) à titre résidentiel, le paragraphe 191(5) ne s'applique pas et le particulier est réputé avoir effectué et reçu, par vente, la fourniture taxable du duplex en vertu du paragraphe 191(3). Dans ce contexte, la question est de déterminer si le particulier doit s'inscrire en vertu du paragraphe 240(1) ou s'il peut être considéré comme une personne visée par l'exclusion prévue à l'alinéa b) de ce même paragraphe, c'est-à-dire une personne dont la seule activité commerciale consiste à effectuer, par vente, des fournitures d'immeubles en dehors du cadre d'une entreprise. La fourniture taxable dont il est question au paragraphe 240(1) comprend une fourniture réputée taxable, comme celles prévues à l'article 191. Le particulier devrait donc être tenu de s'inscrire. Toutefois, en vertu de l'alinéa 240(1)b), il ne sera pas tenu de le faire si sa seule activité commerciale consiste à effectuer, par vente, des fournitures d'immeubles en dehors du cadre d'une entreprise. Les fournitures d'immeubles par vente dont il est question à cet alinéa comprennent également les fournitures réputées par vente, comme celles prévues à l'article 191. Conséquemment, tout dépendant de l'ampleur des activités de construction du particulier (soit les activités qui ont donné lieu à la fourniture réputée), c'est-à-dire la fréquence ou la régularité d'opérations semblables, celui-ci pourrait être tenu de s'inscrire de l'avis de Revenu Québec. Voir notamment à cet effet : Revenu Québec, Lettre d'interprétation, 96-0110534 — *Inscription du constructeur d'un immeuble d'habitation* (30 août 1996). Voir également au même effet : Revenu Québec, Lettre d'interprétation, 94-0110984 — *Fourniture à soi-même d'un duplex* (7 avril 1995).

Également à titre illustratif, Revenu Québec a indiqué que lorsqu'un constructeur transfère à une personne la possession d'une habitation située dans un immeuble d'habitation à logements multiples aux termes d'un bail ou d'un accord semblable conclu en vue de l'occupation de l'immeuble à titre résidentiel, le constructeur devient assujetti aux règles de la fourniture à soi-même en vertu du paragraphe 191(3). Conformément à ce paragraphe, le constructeur est réputé avoir effectué et reçu, par vente, la fourniture taxable de l'immeuble au dernier en date du jour où les travaux ont été achevés en grande partie et du jour où la possession de l'habitation a été transférée à la personne, et avoir payé à titre d'acquéreur et perçu à titre de fournisseur, au dernier en date de ces jours, la TPS relative à la fourniture, calculée sur la juste valeur marchande de l'immeuble ce jour-là. Toutefois, il existe une exclusion prévue au paragraphe 191(5). En effet, la règle de la fourniture à soi-même ne s'applique pas à un constructeur qui est un particulier et qui, notamment, utilise l'immeuble d'habitation principalement (soit dans une proportion de plus de 50 %) à titre résidentiel pour lui-même, son ex-conjoint ou un particulier qui lui est lié.

Cette exclusion ne peut cependant s'appliquer à votre situation puisqu'il appert des faits soumis que les immeubles ont été construits à des fins locatives et non à des fins de résidences personnelles pour vous-même ou vos enfants.

Voir notamment à cet effet : Revenu Québec, Lettre d'interprétation, 99-0113664 — *Interprétation relative à la TPS et à la TVQ — Notion de constructeur — Fourniture à soi-même* (29 août 2000).

191.1 (1) Définitions — Les définitions qui suivent s'appliquent au présent article.

« subvention » Quant à un immeuble d'habitation, somme d'argent (y compris un prêt à remboursement conditionnel mais à l'exclusion de tout autre prêt et des remboursements ou crédits au titre des frais, droits ou taxes imposés par une loi) payée ou payable par l'une des personnes suivantes au constructeur de l'immeuble ou d'une adjonction à celui-ci pour que des habitations de l'immeuble soient mises à la disposition de personnes visées à l'alinéa (2)b) :

a) un subventionneur;

b) une organisation qui a reçu la somme d'un subventionneur ou d'une autre organisation qui a reçu la somme d'un subventionneur.

Notes historiques: La définition de « subvention » au paragraphe 191.1(1) a été ajoutée par L.C. 1997, c. 10, par. 38(1) et s'applique à compter du 24 avril 1996. Toutefois, elle ne s'applique pas à un immeuble d'habitation ou une adjonction à celui-ci si, à la fois :

a) le constructeur de l'immeuble ou de l'adjonction, selon le cas :

(i) a reçu une subvention d'un subventionneur relativement à l'immeuble avant le 24 avril 1996,

(ii) ayant reçu une lettre d'intention, un protocole d'entente ou un autre document d'un subventionneur avant le 24 avril 1996, peut raisonnablement s'attendre à recevoir une subvention du subventionneur relativement à l'immeuble;

b) la construction ou les rénovations majeures de l'immeuble ou de l'adjonction ont commencé avant le 24 avril 1996 et sont achevées en grande partie avant le 24 avril 1998.

Concordance québécoise: LTVQ, art. 231.2« montant de financement public ».

« subventionneur »

a) Gouvernement ou municipalité, à l'exclusion d'une personne morale dont la totalité, ou presque, des activités consistent à exercer des activités commerciales ou à fournir des services financiers, ou à faire les deux;

b) bande, au sens de l'article 2 de la *Loi sur les Indiens*;

c) personne morale contrôlée par un gouvernement, une municipalité ou une bande visée à l'alinéa b) et dont l'une des principales missions consiste à subventionner des initiatives de bienfaisance ou à but non lucratif;

d) fiducie, conseil, commission ou autre entité établi par un gouvernement, une municipalité, une bande visée à l'alinéa b) ou une personne morale visée à l'alinéa c) et dont l'une des principales missions consiste à subventionner des initiatives de bienfaisance ou à but non lucratif.

Notes historiques: La définition de « subventionneur » au paragraphe 191.1(1) a été ajoutée par L.C. 1997, c. 10, par. 38(1) et s'applique à compter du 24 avril 1996. Toutefois, elle ne s'applique pas à un immeuble d'habitation ou une adjonction à celui-ci si, à la fois :

a) le constructeur de l'immeuble ou de l'adjonction, selon le cas :

(i) a reçu une subvention d'un subventionneur relativement à l'immeuble avant le 24 avril 1996,

(ii) ayant reçu une lettre d'intention, un protocole d'entente ou un autre document d'un subventionneur avant le 24 avril 1996, peut raisonnablement s'attendre à recevoir une subvention du subventionneur relativement à l'immeuble;

b) la construction ou les rénovations majeures de l'immeuble ou de l'adjonction ont commencé avant le 24 avril 1996 et sont achevées en grande partie avant le 24 avril 1998.

Concordance québécoise: LTVQ, art. 231.2 « subventionneur ».

(2) Immeubles d'habitation subventionnés — Pour l'application des paragraphes 191(1) à (4), dans le cas où les conditions suivantes sont réunies :

a) le constructeur d'un immeuble d'habitation ou d'une adjonction à celui-ci est réputé par l'un des paragraphes 191(1) à (4) avoir effectué et reçu la fourniture de l'immeuble ou de l'adjonction à un moment donné,

b) la possession ou l'utilisation d'au moins 10 % des habitations de l'immeuble d'habitation est destinée à être transférée afin que l'un ou plusieurs des groupes ci-après puissent occuper les habitations à titre résidentiel ou d'hébergement :

(i) les aînés,

(ii) les jeunes,

(iii) les étudiants,

(iv) les personnes handicapées,

(v) les personnes dans la détresse ou ayant besoin d'aide,

(vi) les personnes dont le droit d'occuper les habitations à titre résidentiel ou d'hébergement ou le droit à une réduction des paiements relatifs à cette occupation dépend des ressources ou du revenu,

(vii) les personnes pour le compte desquelles aucune autre personne, exception faite des organismes du secteur public, ne paie de contrepartie pour des fournitures qui comprennent le transfert de la possession ou de l'utilisation des habitations en vue de leur occupation à titre résidentiel ou d'hébergement et qui soit ne paient aucune contrepartie pour les fournitures, soit en paient une qui est considérablement moindre que celle qu'il serait raisonnable de s'attendre à payer pour des fournitures comparables effectuées par une personne dont l'entreprise consiste à effectuer de telles fournitures en vue de réaliser un profit,

c) le constructeur, sauf s'il est un gouvernement ou une municipalité, a reçu ou peut raisonnablement s'attendre à recevoir, au moment donné ou antérieurement, une subvention relativement à l'immeuble d'habitation,

la taxe relative à la fourniture, calculée sur la juste valeur marchande de l'immeuble d'habitation ou de l'adjonction, selon le cas, est réputée égale au plus élevé des montants suivants :

d) le montant qui, si ce n'était le présent paragraphe, correspondrait à la taxe calculée sur cette juste valeur marchande;

e) le total des montants représentant chacun la taxe payable par le constructeur relativement :

(i) soit à un immeuble qui fait partie de l'immeuble d'habitation ou de l'adjonction,

(ii) soit à des améliorations apportées à cet immeuble.

Notes historiques: Le préambule de l'alinéa 191.1(2)b) a été remplacé par L.C. 2008, c. 28, par. 74(1) et cette modification s'applique relativement à un immeuble d'habitation ou à une adjonction à un tel immeuble si le moment considéré est :

a) postérieur au 26 février 2008;

b) antérieur au 27 février 2008, dans le cas où le constructeur de l'immeuble ou de l'adjonction, à la fois :

(i) aurait été réputé par l'article 191 avoir effectué par vente, au moment considéré, une fourniture taxable de l'immeuble ou de l'adjonction si cet article, dans sa version modifiée par L.C. 2008, c. 28, paragraphes 73(1) à (13), s'était appliqué à ce moment,

(ii) ayant appliqué l'article 191 relativement à l'immeuble ou à l'adjonction, a indiqué un montant à titre de taxe dans sa déclaration produite aux termes de la section V de la partie IX pour une période de déclaration pour laquelle une déclaration est produite avant le 27 février 2008 ou doit être produite aux termes de cette section au plus tard à une date antérieure à cette date.

En vertu de L.C. 2008, c. 28, paragraphe 74(3), pour l'application de la modification à l'alinéa 191.1(2)b), le moment considéré relativement à un immeuble d'habitation ou à une adjonction à un tel immeuble est le dernier en date des moments suivants :

a) le moment où la construction ou les rénovations majeures de l'immeuble ou de l'adjonction sont achevées en grande partie;

b) le moment où le constructeur de l'immeuble ou de l'adjonction transfère, pour la première fois, la possession ou l'utilisation de l'immeuble ou d'une habitation de l'immeuble ou de l'adjonction à une personne en vue de son occupation à titre résidentiel ou, s'il est antérieur, le moment où l'immeuble ou une habitation de l'immeuble ou de l'adjonction est occupé par le constructeur à titre résidentiel.

En vertu de L.C. 2008, c. 28, paragraphe 74(5), pour l'application de la modification à l'alinéa 191.1(2)b) :

a) le paragraphe 191(9) s'applique lorsqu'il s'agit de déterminer le jour où la construction ou les rénovations majeures d'un immeuble d'habitation ou d'une adjonction à un tel immeuble sont achevées en grande partie;

b) le paragraphe 191(10) dans sa version modifiée par L.C. 2008, c. 28, par. 73(13), s'applique lorsqu'il s'agit de déterminer le moment auquel la possession d'un immeuble d'habitation ou d'une habitation d'un tel immeuble ou d'une adjonction à un tel immeuble est transférée à une personne.

Antérieurement, il se lisait ainsi :

b) au moins 10 % des habitations de l'immeuble d'habitation sont destinées à être fournies à l'un ou plusieurs des groupes suivants :

Les sous-alinéa 191.1(2)b)(vi) et (vii) ont été remplacés par L.C. 2008, c. 28, par. 74(2) [voir les modalités d'application sous les notes historiques du préambule de l'alinéa 191.1(2)b) — n.d.l.r.]. Antérieurement, ils se lisaient ainsi :

(vi) les personnes dont l'admissibilité à titre d'occupants des habitations ou le droit à une réduction de loyer dépend des ressources ou du revenu,

(vii) les personnes pour le compte desquelles aucune autre personne, exception faite des organismes du secteur public, ne paie de contrepartie pour les fournitures des habitations et qui soit ne paient aucune contrepartie pour les fournitures, soit en paient une qui est considérablement moindre que celle qu'il serait raisonnable de s'attendre à payer pour des fournitures comparables effectuées par une personne dont l'entreprise consiste à effectuer de telles fournitures en vue de réaliser un profit,

Le paragraphe 191.1(2) a été ajouté par L.C. 1997, c. 10, par. 381(1) et cette modification s'applique à compter du 24 avril 1996. Toutefois, il ne s'applique pas à un immeuble d'habitation ou une adjonction à celui-ci si, à la fois :

a) le constructeur de l'immeuble ou de l'adjonction, selon le cas :

(i) a reçu une subvention d'un subventionneur relativement à l'immeuble avant le 24 avril 1996,

(ii) ayant reçu une lettre d'intention, un protocole d'entente ou un autre document d'un subventionneur avant le 24 avril 1996, peut raisonnablement s'attendre à recevoir une subvention du subventionneur relativement à l'immeuble;

b) la construction ou les rénovations majeures de l'immeuble ou de l'adjonction ont commencé avant le 24 avril 1996 et sont achevées en grande partie avant le 24 avril 1998.

Concordance québécoise: LTVQ, art. 231.3.

Guides: IN-228 — La TVQ et la TPS/TVH pour les organismes de bienfaisance.

Définitions [art. 191.1]: « améliorations », « argent », « constructeur », « contrepartie », « entreprise », « fourniture », « gouvernement », « immeuble », « immeuble d'habitation », « juste valeur marchande », « montant », « municipalité », « organisme du secteur public », « personne », « service financier », « taxe » — 123(1).

Renvois [art. 191.1]: 169(1) (CTI).

Jurisprudence [art. 191.1]: *Charleswood Legion Non-Profit Housing Inc. c. Canada*, [1998] G.S.T.C. 65 (CCI); *Villa Béliveau Inc. c. R.*, [2006] G.S.T.C. 59 (CAF).

Énoncés de politique: P-165R, 03/98, *Juste valeur marchande aux fins de la partie IX de la Loi sur la taxe d'accise*; P-XX8, 01/05, *Examen de ce qui constitue un « autre organisme établi par un gouvernement » pour l'application de la Loi sur la taxe d'accise (LTA).*

Bulletins de l'information technique [art. 191.1]: B-075R, 23/04/96, *Modifications proposées à la TPS.*

COMMENTAIRES: Le problème d'évaluation d'immeuble d'habitation subventionné a poussé l'introduction de l'article 191.1. En effet, de par sa nature, ces immeubles valent souvent moins que leur coût de construction, d'où le besoin de subvention gouvernementale. Toutefois, dans la mesure où l'évaluation de l'immeuble était plus bas que le coût de construction, le constructeur pouvait faire un « profit » sur la TPS, en réclamant les crédits de taxe sur les intrants en entiers mais en remettant moins que ces crédits par la TPS réputée en vertu du paragraphe 191(3). L'article 191.1 vient donc établir un plancher quant à la valeur sur laquelle la TPS doit être perçue en vertu, notamment, de 191(3). Ainsi, les crédits de taxes sur les intrants ne peuvent jamais excéder la TPS remise.

Le terme « subvention » est défini au paragraphe 191.1(1) et que pour qu'un montant d'argent soit qualifié de subvention, l'argent doit être payé ou payable par un subventionneur, tel que définit également au paragraphe 191.1(1). L'Agence du revenu du Canada souligne également qu'un subventionneur s'étend à une personne morale qui est contrôlée par un gouvernement. Voir notamment à cet effet : Agence du revenu du Canada, Lettre de l'administration centrale sur la TPS, 111118 — *Residential Care Facilities of XXXXXXXXXX* (23 décembre 2009).

L'Agence du revenu du Canada a énoncé plusieurs conclusions concernant la subvention aux fins de l'article 191.1, notamment : (1) en général, lorsqu'un montant forfaitaire de subvention est versé par le gouvernement au constructeur pour défrayer les coûts de constructions, ce montant devrait se qualifier à titre de subvention, (2) un paiement d'une subvention post-construction à être appliqué pour réduire les frais d'habitation, devrait, sous réserve de certaines conditions, se qualifier de subvention, (3) il n'y a pas de position administrative ou de test « de minimis » quant au niveau de subvention gouvernementale, et (4) des cadeaux en nature (par exemple, un terrain) fait par le gouvernement ne se qualifie pas à titre de subvention aux fins de l'article 191.1, qui réfère davantage à des montants d'argent. Voir notamment à cet effet : Agence du revenu du Canada, Lettre de l'Administration centrale sur la TPS, 11950-1B — *GST/HST Interpretation — Interpretation Section 191.1* (29 décembre 2003).

192. Rénovations mineures — Pour l'application de la présente partie, la personne qui, dans le cadre d'une entreprise consistant à fournir des immeubles, procède à des rénovations ou à des transformations de son immeuble d'habitation, lesquelles ne constituent pas des rénovations majeures, est réputée :

a) avoir effectué et reçu une fourniture taxable, dans la province où l'immeuble est situé et au moment où les rénovations sont achevées en grande partie ou, s'il est antérieur, au moment où la propriété de l'immeuble est transférée, pour une contrepartie égale au total des montants représentant chacun un montant relatif aux rénovations ou à la transformation (sauf le montant de la contrepartie payée ou payable par la personne pour un service financier ou pour un bien ou service au titre duquel elle est redevable d'une taxe) qui serait inclus dans le calcul du prix de base rajusté de l'immeuble pour la personne pour l'application de la *Loi de l'impôt sur le revenu* si l'immeuble était son immobilisation et si elle était un contribuable aux termes de cette loi;

b) avoir payé à titre d'acquéreur et perçu à titre de fournisseur, à ce moment, la taxe relative à la fourniture, calculée sur le total déterminé à l'alinéa a).

Notes historiques: L'alinéa 192a) a été modifié par L.C. 1997, c. 10, par. 182(1) et cette modification est entrée en vigueur le 1er avril 1997. Auparavant, cet alinéa se lisait comme suit :

a) avoir effectué et reçu une fourniture taxable, au premier en date du moment où les rénovations sont achevées en grande partie et du moment où la propriété de l'immeuble est transférée, pour une contrepartie égale au total des montants dont chacun représente un montant relatif aux rénovations ou à la transformation (sauf le montant de la contrepartie payée ou payable par la personne pour un service financier ou pour un bien ou service au titre duquel elle est redevable d'une taxe) qui serait inclus dans le calcul du prix de base rajusté de l'immeuble pour la personne pour l'application de la *Loi de l'impôt sur le revenu* si l'immeuble était son immobilisation et si elle était un contribuable aux termes de cette loi;

L'article 192 a été ajouté par L.C. 1990, c. 45, par. 12(1).

Concordance québécoise: LTVQ, art. 232.

Définitions [art. 192]: « acquéreur », « bien », « contrepartie », « entreprise », « fourniture », « fourniture taxable », « immeuble », « immeuble d'habitation », « montant », « personne », « province », « rénovations majeures », « service », « service financier », « taxe » — 123(1); « prix de base rajusté » — 248(1).

Renvois [art. 192]: LIR 18(3.1) (dépense en capital); 54a) (prix de base rajusté).

Jurisprudence [art. 192]: *Seabrook Investments Inc. c. R.*, [2001] G.S.T.C. 62 (CCI); *St. Charles Place Holdings Ltd. c. R.*, 2005 G.T.C. 603 (CCI).

Énoncés de politique [art. 192]: P-153, 02/09/94, *Construction d'un ajout majeur à un immeuble d'habitation à logement unique.*

Mémorandums [art. 192]: TPS 500-2-4, 19/03/91, *Calcul de la taxe*, annexe B.

Série de mémorandums [art. 192]: Mémorandum 19.2.3, 06/98, *Immeubles résidentiels — Fournitures réputées.*

COMMENTAIRES: L'article 192 établit une règle de fourniture à soi-même qui s'applique lorsqu'une personne, dans le cadre d'une entreprise consistant à fournir des immeubles, procède à des rénovations ou à des transformations mineures de son immeuble d'habitation. Selon cette disposition, le montant de la TPS à verser est calculé uniquement sur une fraction de la valeur ajoutée à l'immeuble par l'appelante, plutôt que sur le prix de vente global de l'immeuble visé par la cotisation établie par le ministre.

Cet article impose une taxe à l'autocotisation sur des rénovations mineures. En pratique, cette taxe réfère aux coûts reliés au travail des employés et aux autres coûts exonérés de TPS (autre que des services financiers), tels que les permis municipaux, qui forment partie du coût en capital de la propriété aux fins de l'impôt sur le revenu. Si le complexe est utilisé aux fins de résidence personnelle plutôt que dans le cadre d'une entreprise consistant à fournir des immeubles, l'article 192 n'a aucun impact et n'affecte pas le statut fiscal des contrats de services concernés.

L'Agence du revenu du Canada a souligné que : (i) un petit fournisseur qui remplit les conditions énoncées à l'article 192 est tenu, en vertu des paragraphes 225(1) et 228(2), de remettre la taxe réputée, en vertu de l'alinéa 192(b), d'avoir été perçu par ce dernier, et (ii) la contrepartie de la fourniture taxable réputée être faite sous l'article 192 ne devrait pas être incluse aux fins de déterminer si une personne est un petit fournisseur en vertu du paragraphe 148(1). Voir notamment à cet effet : Agence du revenu du Canada, Lettre de l'Administration centrale sur la TPS, 11665-2; 116651; 11690-12 [C]; 11870-5 [F] — *GST/HST Interpretation — Small suppliers and non-substantial renovations* (15 septembre 1998).

Finalement, dans l'affaire *1096288 Ontario Ltd. c. R.*, 2009 CarswellNat 6523 (C.C.I.), confirmé par la Cour d'appel fédérale, 2010 CarswellNat 4704 (nous soulignons que la Cour d'appel fédérale n'a pas traité de l'analyse de l'article 192), la Cour canadienne de l'impôt indique que, de façon générale, l'article 192 prévoit que, dans le cas d'une rénovation mineure apportée à un immeuble, la TPS relative à la vente de cet immeuble est calculée uniquement sur le coût des rénovations plutôt que sur le prix de vente global de l'immeuble. L'appelante maintient que, même si elle a construit les immeubles d'habitation en question, les travaux qu'elle a exécutés ne constituaient que des rénovations mineures des immeubles et que l'article 192 s'applique. La Cour canadienne de l'impôt est d'accord avec l'intimée lorsqu'elle affirme que l'article 192 s'applique uniquement aux rénovations ou aux transformations apportées à des immeubles d'habitation préexistants. Pour les motifs qui ont ci-dessus été énoncés, les structures des maisons déménagées n'étaient pas des immeubles d'habitation pendant le transport, et les activités de l'appelante étaient assimilables à la construction de nouveaux immeubles d'habitation. Cette interprétation est conforme à l'économie de la *Loi sur la taxe d'accise (TPS)*, à savoir imposer la taxe relative à la vente d'immeubles d'habitation nouvellement construits sur la contrepartie globale qui a été payée.

Crédits pour immeubles

193. (1) Vente d'un immeuble — Sous réserve du paragraphe (2.1), l'inscrit qui effectue la fourniture taxable d'un immeuble par vente à un moment donné (sauf une fourniture qui est réputée par les paragraphes 206(5) ou 207(2) avoir été effectuée ou une fourniture, effectuée par un organisme du secteur public autre qu'une institution financière, portant sur des biens à l'égard desquels le choix fait par l'organisme en application de l'article 211 n'est pas en vigueur au moment donné) peut demander, malgré l'article 170 et la sous-section d, un crédit de taxe sur les intrants pour la période de déclaration au cours de laquelle la taxe relative à la fourniture devient payable ou est réputée avoir été perçue, égal au résultat du calcul suivant :

$$A \times B$$

où :

A représente le moins élevé des montants suivants :

a) la teneur en taxe de l'immeuble au moment donné;

b) la taxe qui est payable relativement à la fourniture ou qui le serait en l'absence des articles 167 ou 167.11;

B le pourcentage que représente, immédiatement avant le moment donné, l'utilisation qu'il fait de l'immeuble hors du cadre de ses activités commerciales par rapport à l'utilisation totale de l'immeuble.

Notes historiques: Le préambule du paragraphe 193(1) a été remplacé par L.C. 2006, c. 4, par. 15(1) et cette modification s'applique aux fournitures relativement auxquelles tout ou partie de la taxe devient payable après le 30 juin 2006. Antérieurement, il se lisait ainsi :

> 193. (1) Malgré l'article 170 et la sous-section d, l'inscrit qui effectue la fourniture taxable d'un immeuble par vente (sauf une fourniture qui est réputée par les paragraphes 206(5) ou 207(2) avoir été effectuée ou une fourniture, effectuée par un organisme du secteur public autre qu'une institution financière, portant sur des biens à l'égard desquels le choix fait par l'organisme en application de l'article 211 n'est pas en vigueur au moment donné) peut demander un crédit de taxe sur les intrants pour la période de déclaration au cours de laquelle la taxe relative à la fourniture devient payable ou est réputée avoir été perçue, égal au résultat du calcul suivant :

L'alinéa b) de l'élément A de la formule du paragraphe 193(1) a été remplacé par L.C. 2007, c. 18, par. 14(1) et cette modification est réputé être entré en vigueur le 28 juin 1999. Antérieurement, il se lisait ainsi :

> b) la taxe qui est payable relativement à la fourniture ou qui le serait si ce n'était l'article 167;

Le paragraphe 193(1) a été modifié par L.C. 1993, c. 27, par. 57(3) et est réputé entré en vigueur le 1er octobre 1992.

La formule figurant au paragraphe 193(1) et le passage de ce paragraphe suivant cette formule ont été modifiés par L.C. 1997, c. 10, par. 183(1) et cette modification s'applique aux fournitures effectuées après mars 1997. Cette formule se lisait comme suit :

$$A \times B \times C$$

où :

A représente le moins élevé des montants suivants :

a) le total (appelé « total de la taxe applicable à l'immeuble » au présent paragraphe) de la taxe payable par l'inscrit relativement à sa dernière acquisition de l'immeuble et de la taxe payable par lui relativement aux améliorations apportées à l'immeuble qu'il a acquises ou importées après cette dernière acquisition;

b) la taxe qui est payable relativement à la fourniture ou qui le serait sans l'article 167;

B le pourcentage que représente, immédiatement avant le moment donné, l'utilisation qu'il fait de l'immeuble en dehors du cadre de ses activités commerciales par rapport à l'utilisation totale de l'immeuble;

C 100 % ou, si l'inscrit peut demander un remboursement en vertu de l'article 259 au titre d'une taxe incluse dans le total de la taxe applicable à l'immeuble et si la fourniture en question n'est pas réputée par le paragraphe 206(4) avoir été effectuée, la différence entre 100 % et le pourcentage réglementaire, visé à l'article 259, qui sert au calcul du montant remboursable.

Pour la période du 17 décembre 1990 au 30 septembre 1992, l'alinéa b) de l'élément A de la formule figurant au paragraphe 193(1) a été modifié par L.C. 1993, c. 27, par. 57(1). Il doit se lire comme suit :

> b) la taxe payable ou réputée perçue relativement à la fourniture de l'immeuble au moment donné;

Le paragraphe 193(1) se lisait auparavant comme suit :

> 193. (1) L'inscrit, à l'exclusion d'un organisme du secteur public qui n'est pas une institution financière (sauf si l'organisme a fait le choix prévu à l'article 211), qui effectue par vente, à un moment donné, la fourniture taxable d'un immeuble (sauf une fourniture qui est réputée par le paragraphe 206(5) ou 207(2) avoir été effectuée) peut demander un crédit de taxe sur les intrants pour la période de déclaration au cours de laquelle la taxe relative à la fourniture est devenue payable, égal au montant calculé selon la formule suivante :

$$A \times B$$

où :

A représente le moins élevé des montants suivants :

a) l'excédent éventuel du total visé au sous-alinéa (i) sur le total visé au sous-alinéa (ii) :

(i) le total de la taxe payable par l'inscrit relativement à l'acquisition de l'immeuble et de la taxe payable par lui relativement aux améliorations qui y sont apportées ou, s'il est réputé par l'article 191 ou le paragraphe 206(4), 207(1) ou 211(2) avoir fourni l'immeuble à un moment antérieur, le total de la taxe qu'il est réputé par cet article ou ce paragraphe avoir perçue à ce moment antérieur et de la taxe payable par lui après ce même moment relativement aux améliorations,

(ii) le total des remboursements relatifs à la taxe visée au sous-alinéa (i) que l'inscrit a demandés ou auxquels il a droit;

b) la taxe percevable par l'inscrit relativement à la fourniture taxable de l'immeuble;

B la proportion que représente, immédiatement avant ce moment, l'utilisation qu'il fait de l'immeuble autrement que dans le cadre de ses activités commerciales par rapport à l'utilisation totale de l'immeuble.

Le paragraphe 193(1) a été ajouté par L.C. 1990, c. 45, par. 12(1).

Concordance québécoise: LTVQ, art. 233.

Bulletins de l'information technique [art. 193(1)]: B-107, 10/11, *Régimes de placement (y compris les fonds réservés d'assureur) et la TVH* .

(2) Vente par un organisme du secteur public — Sous réserve du paragraphe (2.1), l'inscrit qui, étant un organisme du secteur public autre qu'une institution financière, effectue la fourniture taxable d'un immeuble par vente à un moment donné, sauf une fourniture qui est réputée par les paragraphes 200(2) ou 206(5) avoir été effectuée, et qui, immédiatement avant le moment où la taxe devient payable relativement à la fourniture, a utilisé l'immeuble autrement que principalement dans le cadre de ses activités commerciales peut demander, malgré l'article 170 et la sous-section d, sauf si le paragraphe (1) s'applique, un crédit de taxe sur les intrants pour la période de déclaration au cours de laquelle la taxe relative à la fourniture est devenue payable ou est réputée avoir été perçue, égal au moins élevé des montants suivants :

a) la teneur en taxe de l'immeuble au moment donné;

b) la taxe qui est payable relativement à la fourniture ou qui le serait si ce n'était l'article 167.

Notes historiques: Le préambule du paragraphe 193(2) a été remplacé par L.C. 2006, c. 4, par. 15(2) et cette modification s'applique aux fournitures relativement auxquelles tout ou partie de la taxe devient payable après le 30 juin 2006. Antérieurement, il se lisait ainsi :

> (2) Malgré l'article 170 et la sous-section d, l'inscrit qui, étant un organisme du secteur public autre qu'une institution financière, effectue la fourniture taxable d'un immeuble par vente à un moment donné, sauf une fourniture qui est réputée par les paragraphes 200(2) ou 206(5) avoir été effectuée, et qui, immédiatement avant le moment où la taxe devient payable relativement à la fourniture, a utilisé l'immeuble autrement que principalement dans le cadre de ses activités commerciales peut demander, sauf si le paragraphe (1) s'applique, un crédit de taxe sur les intrants pour la période de déclaration au cours de laquelle la taxe relative à la fourniture est devenue payable ou est réputée avoir été perçue, égal au moins élevé des montants suivants :

Pour la période du 17 décembre 1990 au 30 septembre 1992, le préambule du paragraphe 193(2) a été modifié par L.C. 1993, c. 27, par. 57(2) et doit se lire comme suit :

> (2) L'inscrit qui, étant un gouvernement, effectue la fourniture taxable d'un immeuble par vente, sauf une fourniture qui est réputée par le paragraphe 200(2) avoir été effectuée, ou, étant un organisme de services publics, est réputé par l'article 190 ou le paragraphe 211(2) avoir effectué la fourniture taxable d'un immeuble, et qui, immédiatement avant le moment où la taxe est payable relativement à la fourniture, a utilisé le bien autrement que principalement dans le cadre de ses activités commerciales peut demander un crédit de taxe sur les intrants pour la période de déclaration au cours de laquelle la taxe relative à la fourniture est devenue payable, égal au moins élevé des montants suivants :

Le paragraphe 193(2) a été modifié par L.C. 1997, c. 10, par. 183(2) et cette modification s'applique aux fournitures effectuées après mars 1997. Il se lisait comme suit :

> (2) Malgré l'article 170 et la sous-section d, l'inscrit qui, étant un organisme du secteur public autre qu'une institution financière, effectue la fourniture taxable d'un immeuble par vente, sauf une fourniture qui est réputée par le paragraphe 200(2) avoir été effectuée, et qui, immédiatement avant le moment où la taxe devient payable relativement à la fourniture, a utilisé l'immeuble autrement que principalement dans le cadre de ses activités commerciales peut demander, sauf si le paragraphe (1) s'applique, un crédit de taxe sur les intrants pour la période de déclaration au cours de laquelle la taxe relative à la fourniture est devenue payable ou est réputée avoir été perçue, égal au résultat du calcul suivant :

$$A \times B$$

où :

A représente le moins élevé des montants suivants :

a) le total (appelé « total de la taxe applicable à l'immeuble » au présent paragraphe) de la taxe payable par l'inscrit relativement à sa dernière acquisition de l'immeuble et de la taxe payable par lui relativement aux améliorations apportées à l'immeuble qu'il a acquises ou importées après cette dernière acquisition;

b) la taxe qui est payable relativement à la fourniture ou qui le serait sans l'article 167;

B 100 % ou, si l'inscrit peut demander un remboursement en vertu de l'article 259 au titre d'une taxe incluse dans le total de la taxe applicable à l'immeuble, la différence entre 100 % et le pourcentage réglementaire, visé à cet article, qui sert au calcul du montant remboursable.

Auparavant, ce paragraphe a été modifié par L.C. 1993, c. 27, par. 57(3) et est réputé entré en vigueur le 1er octobre 1992.

Le paragraphe 193(2) se lisait auparavant comme suit :

(2) L'inscrit qui, étant un gouvernement, effectue la fourniture taxable d'un immeuble par vente (sauf une fourniture qui est, par application de l'article 210, réputée par le paragraphe 200(2) avoir été effectuée) ou, étant un organisme de services publics, est réputé par l'article 190 ou le paragraphe 211(2) avoir effectué la fourniture taxable d'un immeuble, et qui, immédiatement avant le moment où la taxe est payable relativement à la fourniture, a utilisé le bien autrement que principalement dans le cadre de ses activités commerciales, peut demander un crédit de taxe sur les intrants pour la période de déclaration au cours de laquelle la taxe relative à la fourniture est devenue payable, égal au moins élevé des montants suivants :

a) l'excédent éventuel du total visé au sous-alinéa (i) sur le total visé au sous-alinéa (ii) :

(i) le total de la taxe qui est payable par l'inscrit, ou qui le serait en l'absence de l'article 167, relativement à l'acquisition du bien et de la taxe qui est payable par lui relativement aux améliorations apportées au bien ou, si l'inscrit est réputé par le paragraphe 200(2) avoir effectué une fourniture du bien à un moment antérieur, le total de la taxe qu'il est réputé par ce paragraphe avoir perçue à ce moment antérieur et de la taxe payable par lui après ce même moment relativement aux améliorations,

(ii) le total des remboursements relatifs à la taxe visée au sous-alinéa (i) que l'inscrit a demandés ou auxquels il a droit;

b) la taxe percevable par l'inscrit relativement à la fourniture du bien.

Le paragraphe 193(2) a été ajouté par L.C. 1990 c. 45, par. 12(1).

Concordance québécoise: LTVQ, art. 234.

Bulletins de l'information technique [art. 193(2)]: B-107, 10/11, *Régimes de placement (y compris les fonds réservés d'assureur) et la TVH* .

(2.1) Restriction — Si la fourniture taxable d'immeuble mentionnée aux paragraphes (1) ou (2) est effectuée à un moment donné par un organisme du secteur public au profit d'une autre personne avec laquelle l'organisme a un lien de dépendance, la valeur de l'élément A de la formule figurant au paragraphe (1) et le crédit de taxe sur les intrants mentionné au paragraphe (2) ne peuvent excéder le moins élevé des montants suivants :

a) la teneur en taxe de l'immeuble à ce moment;

b) le montant obtenu par la formule suivante :

$$(A/B) \times C$$

où :

A le montant obtenu par la formule suivante :

B le montant qui correspondrait à la teneur en taxe de l'immeuble à ce moment s'il était calculé compte non tenu de l'élément B de la formule figurant à l'alinéa a) de la définition de « teneur en taxe » au paragraphe 123(1) ni de l'élément K de la formule figurant à l'alinéa b) de cette définition,

C la taxe qui est payable relativement à la fourniture ou qui le serait en l'absence de l'article 167.

Notes historiques: Le paragraphe 193(2.1) a été ajouté par L.C. 2006, c. 4, par. 15(3) et s'applique aux fournitures relativement auxquelles tout ou partie de la taxe devient payable après le 30 juin 2006.

Concordance québécoise: LTVQ, art. 234.0.1 .

(3) Rachat d'un immeuble — Dans le cas où un créancier exerce, en vertu d'une loi fédérale ou provinciale ou d'une convention visant un titre de créance, son droit de faire fournir un immeuble en règlement de tout ou partie d'une dette ou d'une obligation d'une personne (appelée « débiteur » au présent paragraphe) et où la loi ou la convention confère au débiteur le droit de racheter l'immeuble, les règles suivantes s'appliquent :

a) le débiteur n'a droit à un crédit de taxe sur les intrants en vertu du présent article relativement à l'immeuble que si le délai de rachat de l'immeuble a expiré sans qu'il le rachète;

b) dans le cas où le débiteur a droit au crédit visé à l'alinéa a), le crédit est applicable à la période de déclaration au cours de laquelle le délai de rachat de l'immeuble expire.

Notes historiques: Le paragraphe 193(3) a été réédicté par L.C. 1997, c. 10, par. 39(1) et est réputé entré en vigueur le 24 avril 1996.

Auparavant, l'ancien paragraphe 193(3) a été abrogé par L.C. 1993, c. 27, par. 57(3), rétroactivement au 1er octobre 1992. Il se lisait comme suit :

(3) Le paragraphe (2) ne s'applique pas à l'inscrit qui est une institution financière.

L'ancien paragraphe 193(3) a été ajouté par L.C. 1990, c. 45, par. 12(1).

Concordance québécoise: LTVQ, art. 234.1.

juin 2006, Notes explicatives: L'article 193 permet à l'inscrit qui effectue la fourniture taxable d'un immeuble par vente de demander, dans certaines circonstances, un crédit de taxe sur les intrants au titre d'un montant de taxe précédemment irrécouvrable se rapportant à l'immeuble et aux améliorations dont il a fait l'objet.

Le paragraphe 193(1) porte sur le crédit de taxe sur les intrants qu'un inscrit peut demander dans certaines circonstances au titre d'un montant de taxe précédemment irrécouvrable se rapportant à la vente taxable d'un immeuble (sauf les ventes expressément exclues de l'application de ce paragraphe).

Ce paragraphe est modifié de sorte que le crédit de taxe sur les intrants qu'il prévoit soit assujetti au nouveau paragraphe 193(2.1), qui s'applique dans le cas où la vente d'un immeuble au titre de laquelle le crédit de taxe sur les intrants est demandé est effectuée par un organisme du secteur public au profit d'une autre personne avec laquelle l'organisme a un lien de dépendance.

Le paragraphe 193(1), dans sa version modifiée, s'applique aux fournitures relativement auxquelles la taxe devient payable après le 30 juin 2006 ou serait devenue payable après cette date en l'absence de l'article 167.

Le paragraphe 193(2) porte sur le crédit de taxe sur les intrants que peut demander dans certaines circonstances l'inscrit qui est un organisme du secteur public autre qu'une institution financière, au titre d'un montant de taxe irrécouvrable se rapportant à la vente taxable d'un immeuble à l'égard duquel le choix prévu à l'article 211 est en vigueur au moment de la vente.

Ce paragraphe est modifié de sorte que le crédit de taxe sur les intrants qu'il prévoit soit assujetti au nouveau paragraphe 193(2.1), qui s'applique dans le cas où la vente d'un immeuble au titre de laquelle le crédit de taxe sur les intrants est demandé est effectuée par un organisme du secteur public au profit d'une autre personne avec laquelle l'organisme a un lien de dépendance.

Le nouveau paragraphe 193(2.1) s'applique dans le cas où la vente d'un immeuble relativement à laquelle un crédit de taxe sur les intrants est demandé en vertu des paragraphes 193(1) et (2) est effectuée par un organisme du secteur public au profit d'une autre personne avec laquelle l'organisme a un lien de dépendance.

En cas d'application du paragraphe 193(2.1), la valeur de l'élément A de la formule figurant au paragraphe 193(1) ou le crédit de taxe sur les intrants prévu au paragraphe 193(2), selon le cas, ne peut dépasser la teneur en taxe de l'immeuble au moment de la vente ou, s'il est moins élevé, le montant déterminé selon la formule figurant à l'alinéa 193(2.1)b).

La « teneur en taxe » du bien d'une personne est définie au paragraphe 123(1). Il s'agit, de façon générale, du montant de taxe prévu par la partie IX de la loi que la personne est tenue de payer sur le bien et sur les améliorations qui y sont apportées, déduction faite des sommes (sauf les crédits de taxe sur les intrants) qu'elle peut recouvrer par voie de remboursement ou de remise ou par un autre moyen (ou aurait pu ainsi recouvrer si le bien avait été acquis pour utilisation exclusive dans le cadre d'activités autres que des activités commerciales) et compte tenu de toute dépréciation du bien.

Selon la formule figurant à l'alinéa 193(2.1)b), le montant de taxe qui est payable relativement à la vente d'un immeuble (ou qui serait payable en l'absence de l'article 167) doit être multiplié par le rapport entre la teneur en taxe réelle de l'immeuble au moment de la vente et le montant qui correspondrait à la teneur en taxe de l'immeuble à ce moment si des montants (sauf des crédits de taxe sur les intrants) que la personne pouvait recouvrer par voie de remboursement ou de remise ou par un autre moyen (ou aurait pu ainsi recouvrer si l'immeuble avait été acquis pour utilisation exclusive dans le cadre d'activités autres que des activités commerciales) n'étaient pas déduits dans le calcul de la teneur en taxe.

Le nouveau paragraphe 193(2.1) s'applique aux fournitures relativement auxquelles la taxe devient payable après le 30 juin 2006 ou serait devenue payable après cette date en l'absence de l'article 167.

Définitions [art. 193]: « activité commerciale », « améliorations », « bien », « fourniture », « fourniture taxable », « gouvernement », « immeuble », « inscrit », « institution financière », « montant », « organisme du secteur public », « organisme de services publics », « période de déclaration », « taxe », « teneur en taxe », « titre de créance », « vente » — 123(1).

Renvois [art. 193]: 149(1) (institutions financières); 169 (CTI); 183(1)c), d) (saisie ou reprise de possession); 184(1)c), d) (fourniture à l'assureur sur règlement de sinistre); 195.2(3) (dernière acquisition); 204(3) (biens meubles acquis par une institution financière); 205(1), (2) (choix d'une institution financière); 205(4.1) (acquisition d'un élément d'actif — institution financière); 211 (choix visant l'immeuble d'un organisme de services publics); 256.1 (remboursement au propriétaire d'un fonds loué pour usage résidentiel); 257 (vente d'immeuble par un non inscrit).

Jurisprudence [art. 193]: *398722 Alberta Ltd. c. Canada,* [1998] G.S.T.C. 117 (CCI); [2000] G.S.T.C. 32 (CAF).

Énoncés de politique [art. 193]: P-044, 01/12/92, *Effet de la révocation du choix sur les immobilisations (biens meubles) de moins de 50 000 $*; P-057, 23/02/93, *Application de la TPS à une renonciation exécutée avant le 6 novembre 1991*; P-072, 09/07/93, *Règle relative à l'utilisation principale et choix en application du paragraphe 150(1)*; P-198, 11/01/96, *Taxes municipales impayées et rachat par l'ancien propriétaire* (Ébauche).

Bulletins de l'information technique [art. 193]: B-075R, 23/04/96, *Modifications proposées à la TPS*; B-096, 07/07, *Réduction du taux de la TPS/TVH et les immeubles*.

Mémorandums [art. 193]: TPS 400, 18/05/90, *Crédits de taxe sur les intrants*, par. 79, 80; TPS 500-2-4, 19/03/91, *Calcul de la taxe*, annexe D.

Série de mémorandums [art. 193]: Mémorandum 14.4, 12/10, *Vente d'une entreprise ou d'une partie d'entreprise*; Mémorandum 17.14, 07/11, *Choix visant les fournitures exonérées*; Mémorandum 19.1, 10/97, *Les immeubles et la TPS/TVH*; Mémorandum 19.2.3, 06/98, *Immeubles résidentiels — Fournitures réputées*; Mémorandum 19.4.2, 08/99, *Immeubles commerciaux — Fournitures réputées*; Mémorandum 19.5, 06/02, *Fonds de terre et immeubles connexes*.

Lettres d'interprétation (Québec) [art. 193]: 99-0103111 — Interprétation relative à la TPS — Interprétation relative à la TVQ — Fusion d'organismes de services publics.

Formulaires [art. 193]: FP-2022, Choix de faire considérer comme taxable la vente d'un immeuble.

COMMENTAIRES: L'objectif de cet article permet de respecter un élément fondamental de notre politique fiscal qui veut qu'un immeuble n'est taxé qu'une seule fois.

Revenu Québec a indiqué que le paragraphe 211(1) autorise la municipalité, en tant qu'organisme de services publics, à faire un choix relativement à un immeuble en particulier pour que le paragraphe 193(1) et l'article 206, et non les articles 209 et 210, s'appliquent à l'immeuble. Dans ce cas, le choix a pour effet que la vente ultérieure de l'immeuble ou sa location ultérieure à des fins commerciales ne sont pas exonérées pendant que le choix est en vigueur (étant donné que l'immeuble est exclu de l'exonération accordée en vertu de l'article 25 de la partie VI de l'annexe V). Cela signifie également que les crédits de taxe sur les intrants relatifs à l'immeuble sont calculés au prorata selon l'utilisation réelle qui en est faite dans le cadre d'activités commerciales. Voir à cet effet : Revenu Québec, Lettre d'interprétation, 00-0106377 — *Interprétation relative à la TPS et à la TVQ — Entente entre une municipalité et un organisme de bienfaisance* (12 février 2002). Voir également au même effet : Agence du revenu du Canada, Lettre de l'Administration centrale sur la TPS, 11950-1G, 11890-1 — Section 211 Election (24 juillet 2000).

Déclaration concernant l'utilisation d'un immeuble

194. Déclaration erronée — Pour l'application de la présente partie, dans le cas où un fournisseur effectue par vente la fourniture taxable d'un immeuble et déclare erronément par écrit à l'acquéreur qu'il s'agit d'une fourniture exonérée visée aux articles 2 à 5.3, 8 ou 9 de la partie I de l'annexe V, sauf si l'acquéreur sait ou devrait savoir qu'il ne s'agit pas d'une telle fourniture, les présomptions suivantes s'appliquent :

a) la taxe payable relativement à la fourniture est réputée égale au résultat du calcul suivant :

$$\frac{A}{B} \times C$$

où

A représente :

(i) si la taxe prévue au paragraphe 165(2) était payable relativement à la fourniture, la somme du taux fixé au paragraphe 165(1) et du taux de taxe applicable à la province participante où la fourniture a été effectuée,

(ii) dans les autres cas, le taux fixé au paragraphe 165(1),

B la somme de 100 % et du pourcentage déterminé selon l'élément A,

C la contrepartie de la fourniture;

b) le fournisseur est réputé avoir perçu et l'acquéreur avoir payé cette taxe le premier en date du jour du transfert à l'acquéreur de la propriété du bien et du jour du transfert à l'acquéreur de la possession du bien aux termes de la convention portant sur la fourniture.

Notes historiques: Le préambule de l'article 194 a été modifié par L.C. 1993, c. 27, par. 58(1) et est réputé entré en vigueur le 17 décembre 1990. Il se lisait auparavant comme suit :

194. Pour l'application de la présente partie, dans le cas où un fournisseur, ayant effectué par vente la fourniture taxable d'un immeuble, déclare erronément par écrit à l'acquéreur qu'il s'agit d'une fourniture exonérée aux termes de l'un des articles 2 à 5, 8 et 9 de la partie I de l'annexe V, sauf si l'acquéreur savait ou aurait dû savoir qu'il ne s'agissait pas d'une telle fourniture, les présomptions suivantes s'appliquent :

L'élément A de la formule de l'alinéa 194a) a été remplacé par L.C. 2006, c. 4, par. 16(1) et cette modification s'applique aux fournitures d'immeubles dont la propriété et la possession aux termes de la convention portant sur la fourniture sont transférées après juin 2006. Antérieurement, il se lisait ainsi :

A représente :

(i) si la taxe prévue au paragraphe 165(2) était payable relativement à la fourniture, la somme de 7 % et du taux de taxe applicable à la province participante où la fourniture a été effectuée,

(ii) dans les autres cas, 7 %,

L'alinéa 194a) a été modifié par L.C. 1997, c. 10, par. 184(1) et cette modification s'applique aux fournitures d'immeubles dont la propriété et la possession sont transférées à l'acquéreur après mars 1997. Auparavant, cet alinéa se lisait comme suit :

a) la taxe payable relativement à la fourniture est réputée égale à la fraction de taxe de la contrepartie de la fourniture;

L'article 194 a été ajouté par L.C. 1990, c. 45, par. 12(1).

juin 2006, Notes explicatives: L'article 194 a pour effet d'assujettir à un montant de taxe le fournisseur qui effectue la vente taxable d'un immeuble, mais qui déclare ou atteste erronément qu'il s'agit d'une fourniture exonérée d'immeuble d'habitation ou d'une fourniture exonérée d'immeuble en vertu de l'article 9 de la partie I de l'annexe V de la loi. Dans ce cas, le fournisseur est assujetti à la taxe relative à la fourniture, sauf dans le cas où l'acheteur savait ou aurait dû savoir qu'il ne s'agissait pas d'une fourniture exonérée. La taxe payable relativement à la fourniture diffère selon que la composante provinciale de a TVH imposée selon le paragraphe 165(2) est payable relativement à la fourniture. Si cette composante est payable, la taxe correspond aux 15/115e de la contrepartie. Sinon, elle correspond aux 7/107e de la contrepartie.

La modification consiste à supprimer la mention de 7 % pour la remplacer par « le taux fixé au paragraphe 165(1) ». Ainsi, la taxe payable relativement à la fourniture correspond aux 14/114e de la contrepartie de la fourniture, si elle a été effectuée dans une province participante, et aux 6/106e de cette contrepartie, dans les autres cas. Ces modifications font suite au changement apporté au paragraphe 165(1), qui consiste à ramener de 7 % à 6 % le taux de la taxe imposée par ce paragraphe.

Concordance québécoise: LTVQ, art. 235.

Définitions: « acquéreur », « bien », « contrepartie », « fourniture exonérée », « fourniture taxable », « fraction de taxe », « immeuble », « province participante », « taux de taxe », « taxe », « vente » — 123(1).

Jurisprudence: *Prospect Builders Ltd. c. Fraser*, [1996] G.S.T.C. 5 (Ont Gen Div); *Lacina (G.) c. Canada*, [1996] G.S.T.C. 11 (CCI); [1997] G.S.T.C. 69 (CAF); *Rive c. Newton*, [2001] G.S.T.C. 85 (Ont SCJ).

Énoncés de politique: P-118R, 01/03/94, *Établissement d'une cotisation sur la base de la taxe comprise ou de la taxe non comprise*.

Mémorandums: TPS 400, 18/05/90, *Crédit de taxe sur les intrants*, par. 81; TPS 500-2-4, 19/03/91, *Calcul de la taxe*, annexes B, D.

Série de mémorandums: Mémorandum 19.1, 10/97, *Les immeubles et la TPS/TVH*.

COMMENTAIRES: L'objectif de cet article est de corriger une erreur commise par le vendeur, et ce, sans pénaliser l'acheteur. En effet, le statut de fourniture exonérée dépend principalement des informations que sont détenues par le vendeur. À ce titre, le législateur n'a pas voulu pénaliser l'acheteur de bonne foi qui a été induit en errer et répute alors que le montant payé par l'acheteur incluait la TPS et que le vendeur doit donc remettre cette taxe payée.

Il est donc primordial pour le vendeur de s'assurer du statut de la fourniture de la vente d'un immeuble.

Dans l'affaire Polygon *Southampton Development Ltd. v. R.*, 2002 CarswellNat 255 (C.C.I.), renversée par la Cour d'appel fédérale, 2003 CarswellNat 1070 (C.A.F.), la Cour d'appel fédérale a conclu que l'article 194 s'appliquait puisque l'appelant avait représenté aux acheteurs que les ventes étaient exonérées, et alors l'appelant était réputé avoir collecté la TPS.

Également, à titre illustratif, l'affaire *Manoussi c. Davis*, 2006 CarswellQue 2792 (C.S.), est une affaire où il n'y avait aucune preuve à l'effet que l'acheteur savait ou devait savoir que la vente était taxable. Par conséquent, la Cour supérieure du Québec a conclu que l'article 194 s'appliquait et le fournisseur était réputé avoir perçu la taxe et devait donc la payer. Dans cette situation, le demandeur ne pouvait poursuivre le défendeur pour le paiement des taxes en raison de sa propre fausse représentation (paragraphe 43) au moment de la vente. C'est l'équivalent d'une « fin de non-recevoir ».

Sous-section d — Immobilisations

195. Biens visés par règlement — Pour l'application de la présente partie, les biens visés par règlement qu'une personne acquiert, importe ou transfère dans une province participante pour les utiliser comme immobilisations sont réputés être des biens meubles.

Notes historiques: L'article 195 a été modifié par L.C. 1997, c. 10, par. 185(1) et cette modification est entrée en vigueur le 1er avril 1997. Il se lisait comme suit :

> 195. Pour l'application de la présente partie, les biens visés par règlement qu'une personne acquiert ou importe pour les utiliser comme immobilisations sont réputés être des biens meubles.

Cet article a été modifié par L.C. 1993, c. 27, par. 59(1) et est réputé entré en vigueur le 17 décembre 1990. Il se lisait auparavant comme suit :

> 195. Pour l'application de la présente sous-section, les biens visés par règlement sont réputés être des biens meubles.

L'article 195 a été édicté par L.C. 1990, c. 45, par. 12(1).

Concordance québécoise: LTVQ, art. 237.

Définitions: « bien », « bien meuble », « immeuble », « importation », « personne », « province participante », « règlement » — 123(1).

Jurisprudence: *Immeubles Le Séjour Inc. c. La Reine*, [2002] G.S.T.C. 98 (GST).

Mémorandums: TPS 300-4-1, 08/03/91, *Immeubles*; TPS 400, 18/05/90, *Crédits de taxe sur les intrants*, par. 60; TPS 400-3-9, 27/03/92, *Immobilisations (biens meubles)*, par. 8.

Série de mémorandums: Mémorandum 19.1, 10/97, *Les immeubles et la TPS/TVH*.

COMMENTAIRES: En date de la rédaction des présentes, il n'y avait aucun règlement en vigueur. Cette disposition est donc, pour le moment, inapplicable.

195.1 (1) Immeuble d'habitation réputé immobilisation — Pour l'application de la présente partie, sauf les articles 148 et 249, un immeuble d'habitation est réputé être l'immobilisation de son constructeur à un moment donné si les conditions suivantes sont réunies :

a) la construction ou les rénovations majeures de l'immeuble étaient achevées en grande partie au moment donné;

b) au cours de la période allant du moment où les travaux sont achevés en grande partie jusqu'au moment donné, le constructeur a reçu une fourniture exonérée de l'immeuble ou est réputé par l'article 191 en avoir reçu une fourniture taxable.

Notes historiques: Le paragraphe 195.1(1) a été ajouté par L.C. 1993, c. 27, par. 59(1) et est réputé entré en vigueur le 17 décembre 1990.

Concordance québécoise: LTVQ, art. 237.1.

(2) Adjonction réputée immobilisation — Pour l'application de la présente partie, sauf les articles 148 et 249, l'adjonction d'un immeuble d'habitation à logements multiples est réputée être l'immobilisation de son constructeur à un moment donné si les conditions suivantes sont réunies :

a) la construction de l'adjonction était achevée en grande partie au moment donné;

b) au cours de la période allant du moment où les travaux sont achevés en grande partie jusqu'au moment donné, le constructeur a reçu une fourniture exonérée de l'immeuble ou est réputé par le paragraphe 191(4) avoir reçu une fourniture taxable de l'adjonction.

Notes historiques: Le paragraphe 195.1(2) a été ajouté par L.C. 1993, c. 27, par. 59(1) et est réputé entré en vigueur le 17 décembre 1990.

Concordance québécoise: LTVQ, art. 237.2.

Définitions [art. 195.1]: « bien meuble », « constructeur », « fourniture exonérée », « fourniture taxable », « immeuble d'habitation », « immeuble d'habitation à logements multiples », « immobilisation », « rénovations majeures » — 123(1).

Renvois [art. 195.1]: 206 (immobilisations — immeubles).

Jurisprudence [art. 195.1]: *Samson Bélair Deloitte & Touche Inc. c. R.*, [2004] G.S.T.C. 155 (CCI).

Série de mémorandums [art. 195.1]: Mémorandum 19.2.3, 06/98, *Immeubles résidentiels — Fournitures réputées*; Mémorandum 19.4.2, 08/99, *Immeubles commerciaux — Fournitures réputées.*

Formulaires [art. 195.1]: RC4052, *Renseignements sur la TPS/TVH à l'intention de l'industrie de la construction.*

COMMENTAIRES: Aux fins de la partie IX de la *Loi sur la taxe d'accise (TPS)* (et non seulement l'application des règles de changement d'usage en vertu de l'article 206), cet article répute, sous réserve de certaines exceptions, qu'un immeuble d'habitation et une adjonction à celui-ci sont réputés être des immobilisations. Les deux exceptions concernent (i) la détermination du statut du petit fournisseur qui figure à l'article 148, et (ii) l'article 249 qui réfère au calcul du montant déterminant pour un exercice.

La Cour canadienne de l'impôt, dans l'affaire *Samson Bélair Deloitte & Touche Inc. c. R.*, 2004 CarswellNat 6262 (C.C.I.), souligne que la règle de présomption absolue quant à l'immobilisation en vertu de 195.1 n'intervient qu'après que les conditions aient été rencontrées, ce qui n'était pas le cas en l'espèce. Par conséquent, la Cour a appliqué les règles de l'auto-cotisation sur la juste valeur marchande de l'immeuble d'habitation en vertu du paragraphe 191(3). Voir également au même effet : Agence du revenu du Canada, Lettre de l'Administration centrale sur la TPS, 109407 — *Lease of XXXXXX Long-term Care Facility* (31 mars 2009), et Agence du revenu du Canada, Lettre de l'Administration centrale sur la TPS, 111118 — *Residential Care Facilities of XXXXX* (23 décembre 2009).

195.2 (1) Dernière acquisition ou importation — Pour l'application de la présente partie, sauf la section III et l'annexe VII, l'importation d'un bien n'est pas prise en compte lorsqu'il s'agit de déterminer le moment de la dernière acquisition ou importation du bien dans les cas suivants :

a) la taxe prévue à la section III applicable au bien relativement à cette importation n'a pas été payée du fait que le bien était soit inclus aux articles 1 ou 9 de l'annexe VII, soit inclus à l'article 8 de cette annexe et classé sous les numéros 98.13 ou 98.14 à l'annexe I du *Tarif des douanes*, ou serait ainsi classé en l'absence de la note 11a) du chapitre 98 de l'annexe I de cette loi;

b) la taxe prévue à la section III applicable au bien relativement à cette importation a été calculée sur une valeur déterminée aux termes du *Règlement sur la valeur des importations (TPS/ TVH)*, exception faite de ses articles 8 ou 12 ou d'un autre article de ce règlement visé par règlement;

c) le bien a été acquis ou importé dans les circonstances visées par règlement.

Notes historiques: L'alinéa 195.2(1)b) a été modifié par L.C. 2007, c. 18, al. 63(1)a) par le remplacement de « (TPS) » par « (TPS/ TVH) ». Cette modification est réputée être entrée en vigueur le 1er avril 1997.

Le paragraphe 195.2(1) a été ajouté par L.C. 1993, c. 27, par. 60(1) et est réputé entré en vigueur le 1er octobre 1992.

Concordance québécoise: LTVQ, art. 237.3.

(2) Importation d'améliorations — Pour l'application de la présente partie, sauf la section III et l'annexe VII, l'importation par une personne de son immobilisation qui a fait l'objet d'améliorations à l'étranger est réputée être une importation des améliorations si la taxe prévue à la section III est payable sur une valeur, déterminée aux termes du *Règlement sur la valeur des importations (TPS/ TVH)*, qui ne dépasse pas la valeur des améliorations.

Notes historiques: Le paragraphe 195.2(2) a été modifié par L.C. 2007, c. 18, al. 63(1)b) par le remplacement de « (TPS) » par « (TPS/ TVH) ». Cette modification est réputée être entrée en vigueur le 1er avril 1997.

Le paragraphe 195.2(2) a été ajouté par L.C. 1993, c. 27, par. 60(1) et est réputé entré en vigueur le 1er octobre 1992.

Concordance québécoise: aucune.

(3) Application avant 1991 — Pour déterminer le moment de la dernière acquisition ou importation d'un bien, la présente partie est réputée avoir été en vigueur en tout temps avant 1991.

Notes historiques: Le paragraphe 195.2(3) a été ajouté par L.C. 1993, c. 27, par. 60(1) et est réputé entré en vigueur le 1er octobre 1992.

Concordance québécoise: LTVQ, art. 237.4.

Définitions [art. 195.2]: « améliorations », « bien », « immobilisation », « importation », « personne », « produits », « règlement » — 123(1).

Renvois [art. 195.2]: 123(2) (Canada).

Règlements [art. 195.2]: *Règlement sur la valeur des importations (TPS)*, art. 1.

COMMENTAIRES: L'expression « dernière acquisition ou importation » est utilisée à plusieurs reprises par le législateur dans la *Loi sur la taxe d'accise (TPS)*, notamment pour l'application des règles de changement d'usage.

La notion de « dernière acquisition » est utilisée pour identifier le taux d'utilisation précédent des activités commerciales. Le paragraphe 195.2(1) pourrait être ainsi utilisé à titre interprétatif lorsque cette expression est utilisée dans d'autres dispositions de la *Loi sur la taxe d'accise (TPS)*.

196. (1) Utilisation prévue et réelle — Pour l'application de la présente partie, la personne qui acquiert, importe ou réserve un bien pour l'utiliser comme immobilisation dans une mesure déterminée à une fin déterminée est réputée l'utiliser ainsi immédiatement après l'avoir acquis, importé ou réservé.

Notes historiques: L'article 196 est devenu le paragraphe 196(1) par L.C. 1997, c. 10, par. 186(1) et cette modification est entrée en vigueur le 1er avril 1997. Auparavant, le paragraphe 196(1) était numéroté article 196. L'article 196 a été modifié par L.C. 1993, c. 27, par. 61(2) et est réputé entré en vigueur le 1er avril 1991. Il doit se lire comme suit :

> 196. Pour l'application de la présente partie, la personne qui acquiert ou importe un bien pour l'utiliser dans une mesure déterminée à une fin déterminée est réputée l'utiliser ainsi immédiatement après l'avoir acquis ou importé.

Pour la période du 17 décembre 1990 au 31 mars 1991, l'article 196 a été modifié par L.C. 1993, c. 27, par. 61(1). Il se lisait ainsi :

> 196. Pour l'application de la présente sous-section, l'inscrit qui acquiert un bien pour l'utiliser dans une mesure déterminée à une fin déterminée est réputé l'utiliser ainsi immédiatement après l'avoir acquis.

L'article 196 a été édicté par L.C. 1990, c. 45, par. 12(1).

Concordance québécoise: LTVQ, art. 238.

(2) Utilisation prévue et réelle — Pour l'application de la présente partie, la personne qui transfère dans une province participante donnée, en provenance d'une autre province, son immobilisation qu'elle utilisait dans une mesure déterminée à une fin déterminée immédiatement après l'avoir acquise, importée ou transférée dans une province participante en tout ou en partie la dernière fois est réputée la transférer dans la province donnée en vue de l'utiliser ainsi.

Notes historiques: Le paragraphe 196(2) a été remplacé par. L.C. 2009, c. 32, par. 12(1) et cette modification est entrée en vigueur le 1er juillet 2010. Antérieurement, il se lisait ainsi :

> (2) Pour l'application de la présente partie, la personne qui transfère d'une province non participante dans une province participante son immobilisation qu'elle utilisait dans une mesure déterminée à une fin déterminée immédiatement après l'avoir acquise ou importée en tout ou en partie la dernière fois est réputée la transférer dans la province participante en vue de l'utiliser ainsi.

Le paragraphe 196(2) a été ajouté par L.C. 1997, c. 10, par. 186(1) et est entré en vigueur le 1er avril 1997.

Concordance québécoise: LTVQ, art. 238.0.1.

Définitions [art. 196]: « bien », « immobilisation », « importation », « inscrit », « province non participante », « province participante » — 123(1).

Renvois [art. 196]: 195.1 (immeuble d'habitation réputé immobilisation).

Jurisprudence [art. 196]: *Navaho Inn. c. La Reine*, [1995] G.S.T.C. 21 (CCI); *Strachan (K.R.) c. Canada*, [1999] G.S.T.C. 72 (CCI).

Mémorandums [art. 196]: TPS 400, 18/05/90, *Crédits de taxe sur les intrants*, par. 60, 68; TPS 400-3-9, 27/03/92, *Immobilisations (biens meubles)*, par. 9.

COMMENTAIRES: Cet article prévoit que si une immobilisation est acquise pour une fin déterminée, mais qu'elle n'est jamais utilisée pour cette fin, alors les règles concernant le changement d'usage prévues aux articles 195 à 211 vont s'appliquer.

Dans l'affaire *Strachan c. R.*, 1999 CarswellNat 4164 (C.C.I.), la Cour canadienne de l'impôt a indiqué que l'article 196 édicte que la personne qui acquiert un bien pour l'utiliser comme immobilisation dans une mesure déterminée, à une fin déterminée, est réputée l'avoir utilisé ainsi immédiatement après l'avoir acquis. L'appelante avait l'intention d'utiliser le bien à 70 p. 100 pour des fins commerciales et à 30 p. 100 pour des fins résidentielles. Elle ne l'a pas utilisé ainsi en réalité et, par conséquent, il y a eu changement d'utilisation.

196.1 Utilisation à titre d'immobilisation — Pour l'application de la présente partie, lorsqu'un inscrit, à un moment donné, réserve un de ses biens pour l'utiliser comme immobilisation, ou dans le cadre d'améliorations à apporter à son immobilisation, alors que le bien, immédiatement avant ce moment, ne faisait pas partie de ses immobilisations ni ne constituait des améliorations pouvant leur être apportées, les présomptions suivantes s'appliquent :

a) l'inscrit est réputé :

(i) avoir effectué, immédiatement avant le moment donné, une fourniture du bien par vente,

(ii) si l'inscrit a acquis ou importé le bien la dernière fois avant le moment donné pour consommation, utilisation ou fourniture dans le cadre de ses activités commerciales, ou s'il a consommé ou utilisé le bien dans ce cadre avant ce moment, avoir perçu, à ce moment et relativement à la fourniture, la taxe calculée sur la juste valeur marchande du bien à ce moment;

b) l'inscrit est réputé avoir reçu, au moment donné, une fourniture du bien par vente et avoir payé, à ce moment et relativement à la fourniture, la taxe suivante :

(i) si l'inscrit a acquis ou importé le bien la dernière fois avant le moment donné pour consommation, utilisation ou fourniture dans le cadre de ses activités commerciales, ou s'il a consommé ou utilisé le bien dans ce cadre avant ce moment, et s'il ne s'agit pas d'une fourniture exonérée, la taxe calculée sur la juste valeur marchande du bien à ce moment,

(ii) dans les autres cas, la teneur en taxe du bien au moment donné.

Notes historiques: Le sous-alinéa 196.1b)(ii) a été modifié par L.C. 1997, c. 10, par. 187(1) et cette modification est entrée en vigueur le 1er avril 1997. Ce sous-alinéa se lisait auparavant comme suit :

> (ii) dans les autres cas, le résultat du calcul suivant :
>
> $$A \times B$$
>
> où :
>
> A représente le moins élevé des montants suivants :
>
> (A) la taxe payable par l'inscrit relativement à sa dernière acquisition ou importation du bien,
>
> (B) la taxe calculée sur la juste valeur marchande du bien au moment donné,
>
> B 100 %, ou, si l'inscrit peut demander un remboursement en vertu de l'article 259 au titre de la taxe payable par lui relativement à la dernière acquisition ou importation du bien, la différence entre 100 % et le pourcentage réglementaire, visé à l'article 259, qui sert au calcul du montant remboursable.

L'article 196.1 a été ajouté par L.C. 1993, c. 27, par. 61(2) et est réputé entré en vigueur le 1er avril 1991.

Concordance québécoise: LTVQ, art. 238.1.

Définitions [art. 196.1]: « activité commerciale », « améliorations », « bien », « fourniture », « immobilisation », « importation », « inscrit », « juste valeur marchande », « montant », « taxe », « teneur en taxe », « vente » — 123(1).

Renvois [art. 196.1]: 172(1) (utilisation autre que dans le cadre d'activités commerciales); IX:Partie IX:1 (TVH — fournitures réputées) art. 195.2 (dernière acquisition ou importation).

Jurisprudence [art. 196.1]: *Holand Leasing Ltd. c. La Reine*, [1995] G.S.T.C. 8 (CCI).

Série de mémorandums [art. 196.1]: Mémorandum 19.4.2, 08/99, *Immeubles commerciaux — Fournitures réputées.*

Bulletins de l'information technique [art. 196.1]: B-103, 02/10, *Taxe de vente harmonisée — Règles sur le lieu de fourniture pour déterminer si une fourniture est effectuée dans une province.*

COMMENTAIRES: Cet article prévoit que les règles du changement d'usage à l'égard d'un bien en immobilisation s'appliquent pour un bien qui ne faisait pas partie d'immobilisation lors de son acquisition. Lorsque l'article 196.1 s'applique, on répute l'inscrit d'avoir vendu le bien en question. Ainsi, l'inscrit va devoir payer de la TPS sur la valeur dudit bien.

197. Changement d'utilisation négligeable — Pour l'application des paragraphes 206(2), (3) et (5), 207(2) et 208(2) et (3), lorsqu'un bien à utiliser dans le cadre des activités commerciales d'un inscrit a fait l'objet, au cours de la période commençant au dernier en date des jours suivants et se terminant après ce jour, d'un changement d'utilisation qui représente un changement de moins de 10 % par rapport à son utilisation totale, l'inscrit est réputé avoir utilisé le bien durant cette période dans la même mesure et à la même fin qu'il l'utilisait au début de cette période :

a) le jour où l'inscrit a acquis ou importé le bien la dernière fois pour l'utiliser comme immobilisation;

b) le jour où les paragraphes 206(3) ou (5), 207(2) ou 208(3) se sont appliqués au bien pour la dernière fois.

Le présent paragraphe ne s'applique pas si l'inscrit est un particulier qui a commencé, au cours de la période en question, à utiliser le bien principalement pour son usage personnel ou celui d'un particulier qui lui est lié.

Notes historiques: Le préambule de l'article 197 a été remplacé par L.C. 2000, c. 30, art. 41. Cette modification est réputée entrée en vigueur le 20 octobre 2000. Antérieurement, il se lisait comme suit :

197. Pour l'application des paragraphes 206(2), (3) et (5), 207(2) et 208(2) et (3), lorsqu'un bien à utilisé [*sic*] dans le cadre des activités commerciales d'un inscrit à [*sic*] fait l'objet, au cours de la période commençant le dernier en date des jours suivants et se terminant après ce jour, d'un changement d'utilisation qui représente un changement de moins de 10 % par rapport à son utilisation totale, l'inscrit est réputé avoir utilisé le bien durant cette période dans la même mesure et à la même fin qu'il l'utilisait au début de cette période :

L'article 197 a été modifié par L.C. 1993, c. 27, par. 62(1) et est réputé entré en vigueur le 1er avril 1991. Il se lisait auparavant comme suit :

197. (1) Pour l'application de la présente sous-section, le bien dont l'utilisation change de façon négligeable au cours de la période commençant le dernier en date des jours suivants et se terminant après ce jour est réputé ne pas changer d'utilisation au cours de cette période :

a) le jour où un inscrit a acquis le bien pour la dernière fois;

b) le jour où une disposition de la présente sous-section applicable au changement d'utilisation de biens s'est appliquée au bien pour la dernière fois.

(2) Pour l'application du présent article, n'est pas un changement négligeable le fait de commencer à utiliser principalement à une certaine fin le bien qui auparavant était utilisé principalement à une autre fin; cependant, tout changement d'utilisation d'un bien qui représente un changement de moins de 10 % par rapport à son utilisation totale est considéré négligeable.

L'article 197 a été ajouté par L.C. 1990, c. 45, par. 12(1).

Concordance québécoise: LTVQ, art. 239.

Définitions: « activité commerciale », « bien », « immobilisation », « importation », « inscrit » — 123(1).

Renvois: 126 (personnes liées); 141.01(5) (méthodes de mesure de l'utilisation); 195.2 (dernière acquisition ou importation); 205(4) (acquisition d'entreprise — institution financière); 205(4.1), (5.1) (acquisition d'un élément d'actif — institution financière).

Jurisprudence: *Immeubles Le Séjour Inc. c. La Reine*, [2002] G.S.T.C. 98 (GST); *Nikel v. R.*, [2008] G.S.T.C. 195 (14 octobre 2008) (CCI [procédure infromelle]).

Mémorandums: TPS 400, 18/05/90, *Crédits de taxe sur les intrants*, par. 60; TPS 400-3-4, 12/09/92, *Voitures de tourisme et aéronefs*, par. 48–50; TPS 400-3-9, 27/03/92, *Immobilisations (biens meubles)*, par. 10, 11; TPS 400-4, 19/01/91, *Organismes du secteur public*, par. 29, 30, 34; TPS 700-5-3, 31/07/92, *Caisses de crédit*, par. 32.

Série de mémorandums: Mémorandum 14-4, 12/10, *Vente d'une entreprise ou d'une partie d'entreprise*; Mémorandum 19.4.2, 08/99, *Immeubles commerciaux — Fournitures réputées*.

Info TPS/TVQ: GI-025 — *Achat, utilisation et vente de propriétés de vacances par des particuliers*.

COMMENTAIRES: L'objectif de cet article est de prévenir l'application des règles sur le changement d'usage lorsque le changement d'utilisation est négligeable. Ainsi, de façon générale, dans la mesure où le changement d'utilisation représente un changement de moins de 10 % par rapport à son utilisation totale, les règles prévues aux articles 199 à 211 sont ignorées.

À titre illustratif, dans l'affaire *Nikel c. R.*, 2008 CarswellNat 3649 (C.C.I.), l'appelant a pris la position que l'allocation raisonnable pour usage personnel devait se faire sur la base du ratio entre les jours qu'il a utilisés le condo sur une base personnelle et les jours qu'il a été disponible pour la location. En vertu de cette allocation, le changement d'utilisation n'était jamais supérieur à 10 %. La Cour canadienne de l'impôt a donné raison à l'appelant. En effet, de l'avis de la Cour, il n'y avait rien d'apparent à ce que la méthode utilisée par l'appelante ou le ministère était plus raisonnable. Celle utilisée par l'appelant était juste et raisonnable. Ainsi, en raison de l'article 197, il n'y avait aucune autocotisation à effectuer en vertu du paragraphe 207(2).

198. Utilisation dans le cadre d'une fourniture de services financiers — Les présomptions suivantes s'appliquent dans le cadre de la présente partie dans la mesure où un inscrit qui n'est ni une institution financière désignée ni une personne qui est une institution financière par l'effet de l'alinéa 149(1)b) utilise un bien comme immobilisation dans le cadre de la fourniture de services financiers liés à ses activités commerciales :

a) dans le cas où il est une institution financière par l'effet de l'alinéa 149(1)c), l'inscrit est réputé utiliser le bien dans le cadre de ces activités commerciales seulement dans la mesure où il ne l'utilise pas dans le cadre de ses activités qui sont liées :

(i) soit à des cartes de crédit ou de paiement qu'il a émises,

(ii) soit à l'octroi d'une avance ou de crédit ou à un prêt d'argent;

b) dans les autres cas, l'inscrit est réputé utiliser le bien dans le cadre de ces activités commerciales.

Notes historiques: L'article 198 a été modifié par L.C. 1997, c. 10, par. 40(1) et cette modification s'applique aux années d'imposition qui commencent après le 23 avril 1996. Il se lisait comme suit :

198. Pour l'application de la présente partie, l'inscrit qui n'est pas une institution financière mais qui utilise un bien comme immobilisation dans le cadre de la fourniture de services financiers liés à ses activités commerciales est réputé, dans la mesure où il utilise ainsi le bien, l'utiliser dans le cadre de ces activités.

Auparavant, cet article a été modifié par L.C. 1993, c. 27, par. 63(1) et est réputé entré en vigueur le 17 décembre 1990. Il se lisait comme suit :

198. Pour l'application de la présente sous-section, l'inscrit qui exerce des activités commerciales et qui, à un moment où il n'est pas une institution financière, utilise un bien comme immobilisation dans le cadre de la fourniture de services financiers liés à ces activités est réputé, dans la mesure où le bien est ainsi utilisé, l'utiliser comme immobilisation dans le cadre de ces activités commerciales.

L'article 198 a été édicté par L.C. 1990, c. 45, par. 12(1).

Concordance québécoise: aucune.

Définitions: « activité commerciale », « année d'imposition », « bien », « fourniture », « immobilisation », « inscrit », « institution financière », « institution financière désignée », « organisme de bienfaisance », « personne », « service financier » — 123(1).

Renvois: 185 (fourniture de services financiers par une institution non financière).

Jurisprudence: *Seni c. R.*, [2005] G.S.T.C. 15 (CCI); *Kern c. R.*, [2006] G.S.T.C. 89 (CAF); *Grand River Enterprises Six Nations Ltd. v. R.* (19 décembre 2011), 2011 CarswellNat 6154, 2011 CCI 554 (CCI [procédure générale]).

Bulletins de l'information technique: B-075R, 23/04/96, *Modifications proposées à la TPS*.

Mémorandums: TPS 400, 18/05/90, *Crédits de taxe sur les intrants*, par. 60; TPS 400-3-9, 27/03/92, *Immobilisations (biens meubles)*, par. 14.

Série de mémorandums: Mémorandum 8-1, 05/05, *Règles générales d'admissibilité*.

COMMENTAIRES: Cet article est le parallèle de l'article 185 et prévoit qu'une immobilisation est réputée être utilisée pour des activités commerciales lorsqu'elle est utilisée dans des services financiers qui sont reliés aux activités commerciales.

Il est intéressant de noter que cet article n'incorpore pas le pendant du paragraphe (2) de l'article 185.

Tout comme l'article 185, cet article n'a aucun impact sur la détermination du statut des services financiers offerts. Ainsi, ceux-ci sont toujours exonérés et aucune TPS n'est payable à cet égard.

198.1 (1) Teneur en taxe du bien d'une municipalité — La teneur en taxe, après le 30 janvier 2004, d'un bien d'une municipalité qui n'est pas une institution financière désignée est déterminée selon les règles suivantes :

a) la taxe visée à l'un des sous-alinéas (i) à (v) de l'élément A de la première formule figurant à l'alinéa a) de la définition de « teneur en taxe » au paragraphe 123(1) n'est incluse dans le calcul de la valeur de cet élément que si, selon le cas :

(i) elle est devenue payable après janvier 2004 en vertu du paragraphe 165(1) ou des articles 212 ou 218 relativement au bien, ou le serait devenue en l'absence des circonstances prévues aux sous-alinéas (iii) ou (iv) de cet élément,

(ii) elle était payable en vertu des paragraphes 165(2), 212.1(2) ou 218.1(1) ou de la section IV.1 relativement au bien, ou l'aurait été en l'absence des circonstances prévues aux sous-alinéas (iii) ou (iv) de cet élément;

b) pour le calcul de la valeur de l'élément B de la première formule figurant à l'alinéa a) de la définition de « teneur en taxe » au paragraphe 123(1), la mention à cet élément des taxes visées à l'un des sous-alinéas de l'élément A vaut mention d'une taxe qui n'est prise en compte que si elle est incluse dans le calcul de la valeur de l'élément A conformément à l'alinéa a) du présent paragraphe;

c) pour le calcul de la valeur de l'élément J de la première formule figurant à l'alinéa b) de la définition de « teneur en taxe » au paragraphe 123(1) :

(i) d'une part, les alinéas a) et b) du présent paragraphe s'appliquent au calcul de la teneur en taxe dont il est question au sous-alinéa (i) de cet élément,

(ii) d'autre part, la taxe visée à l'un des sous-alinéas (iii) à (vi) de cet élément n'est incluse dans le calcul de la valeur de cet élément que si, selon le cas :

(A) elle est devenue payable après janvier 2004 en vertu du paragraphe 165(1) ou des articles 212 ou 218 relativement aux améliorations apportées au bien, ou le serait devenue en l'absence des circonstances prévues aux sous-alinéas (iv) ou (v) de cet élément,

(B) elle était payable en vertu des paragraphes 165(2), 212.1(2) ou 218.1(1) ou de la section IV.1 relativement aux améliorations apportées au bien, ou l'aurait été en l'absence des circonstances prévues aux sous-alinéas (iv) ou (v) de cet élément;

d) pour le calcul de la valeur de l'élément K de la première formule figurant à l'alinéa b) de la définition de « teneur en taxe » au paragraphe 123(1), la mention à cet élément des taxes visées à l'un des sous-alinéas de l'élément J vaut mention d'une taxe qui n'est prise en compte que si elle est incluse dans le calcul de la valeur de l'élément J conformément à l'alinéa c) du présent paragraphe.

Concordance québécoise: aucune.

(2) **Application à une municipalité désignée** — Pour l'application du paragraphe (1), est assimilée à une municipalité la personne qui est désignée comme municipalité pour l'application de l'article 259 et le terme « bien » s'entend, dans le cas de cette personne, d'un bien de celle-ci au 31 janvier 2004 qui, à cette date, a été consommé, utilisé ou fourni par elle autrement qu'exclusivement dans le cadre d'activités qui ne sont pas des activités précisées dans la désignation.

Concordance québécoise: aucune.

Notes historiques: L'article 198.1 a été ajouté par L.C. 2004, c. 22, par. 32(1) et est réputé être entré en vigueur le 31 janvier 2004.

L'article 198.1 a été abrogé par L.C. 1997, c. 10, par 187(1) et cette abrogation est entrée en vigueur le 1er avril 1997. Il se lisait comme suit :

198.1 Aux fins du calcul de la taxe qui est réputée par l'un des paragraphes 200(2), 203(2), 206(4) et 207(1) avoir été perçue ou payée, selon le cas, à un moment donné, la taxe calculée sur la juste valeur marchande d'un bien au moment donné est réputée ne pas dépasser le total de la taxe qui est payable par l'inscrit, ou qui le serait en l'absence de l'article 167, relativement à sa dernière acquisition ou importation du bien et de la taxe qui est payable par lui relativement à des améliorations apportées au bien, qu'il a acquises ou importées après cette dernière acquisition ou importation lorsque l'une des situations suivantes existe :

a) l'inscrit, par suite d'une modification apportée à la présente partie ou à l'annexe V, est réputé par les paragraphes 200(2), 203(2), 206(4) ou 207(1) avoir effectué la fourniture du bien et avoir perçu la taxe afférente au moment donné;

b) l'inscrit, par suite de l'un des événements visés aux sous-alinéas (i) à (iii), est réputé par les paragraphes 200(2), 203(2), 206(4) ou 207(1) avoir effectué la fourniture soit du bien qui lui a été initialement fourni, ou qu'il a initialement importé, avant 1991, soit du bien meuble corporel qui lui a été initialement fourni au Canada avant 1994 comme bien meuble corporel d'occasion dans des circonstances où aucune taxe n'était payable relativement à la fourniture, et avoir perçu la taxe afférente au moment donné :

(i) l'application de l'alinéa 171(3)b),

(ii) l'application de l'alinéa 171.1(1)b) au moment où l'inscription de l'inscrit en vertu de la présente partie cesse d'être valable pour certaines de ses activités commerciales,

(iii) le fait qu'une succursale ou division de l'inscrit devient une division de petit fournisseur, au sens du paragraphe 129(1).

Toutefois, en cas de réduction, avant avril 1991, de l'utilisation qu'une personne fait, dans le cadre de ses activités commerciales, d'un bien qu'elle a initialement acquis ou importé avant 1991, le sous-alinéa 198.1b)(i) doit se lire comme suit :

(i) l'entrée en vigueur du choix que l'inscrit fait en vertu du paragraphe 150(1) ou l'application de l'alinéa 171(3)b),

Cet article a été ajouté par L.C. 1993, c. 27, par. 64(1) et est réputé entré en vigueur le 17 décembre 1990.

COMMENTAIRES: Cet article prévoit des règles particulières pour déterminer la teneur en taxe d'une municipalité ou d'une municipalité désignée. Essentiellement, cet article a pour effet d'exclure la taxe payée avant le 1er février 2004.

L'Agence du revenu du Canada a indiqué que l'article 198.1 limite la responsabilité fiscale imposée en vertu du paragraphe 171(3) à l'égard d'immobilisations acquises avant 1994 et pour lesquelles la TPS n'était pas payable. Voir à cet effet : Agence du revenu du Canada, Lettre de l'Administration centrale sur la TPS, T0126A/R690-4-1 — *Properties on Ceasing to Be Registrant — GST Liability Respecting Dispositions of Capital Property* (Mars 1996). Voir également au même effet : Agence du revenu du Canada, Lettre de l'Administration centrale sur la TPS, 11685-1, 11695-7-2, 11950-2/1005 — *Re : GST Interpretation Supply of Land by Way of Lease* (17 juin 1994).

198.2 [*Abrogé*]

Notes historiques: L'article 198.2 a été abrogé par L.C. 1997, c. 10, par. 188(1) et cette abrogation s'applique à partir du 1er avril 1997. Il se lisait comme suit :

198.2 Pour l'application de l'article 198.1, des paragraphes 206(3), (4) et (5), de l'article 207 et des paragraphes 208(3) et 211(2), l'inscrit qui est l'acquéreur de la fourniture taxable d'un bien meuble ou d'un service effectuée à l'étranger est réputé, d'une part, avoir payé, au moment visé à l'alinéa a) et relativement à la fourniture, une taxe égale à 7 % de la valeur de la contrepartie de la fourniture, déterminée en conformité avec la section IV, et, d'autre part, avoir demandé, dans une déclaration qu'il a produite en vertu de la section V pour sa période de déclaration qui comprend le moment visé à l'alinéa a), un crédit de taxe sur les intrants relatif au bien ou au service égal à cette taxe si les conditions suivantes sont réunies :

a) la taxe relative à la fourniture serait devenue payable par l'inscrit à un moment donné en vertu de l'article 218 si l'inscrit n'avait pas acquis le bien ou le service pour consommation, utilisation ou fourniture exclusive dans le cadre de ses activités commerciales;

b) l'inscrit :

(i) étant l'acquéreur de la fourniture d'un bien meuble, a acquis le bien pour l'utiliser comme immobilisation,

(ii) dans tous les cas, a acquis le bien ou le service pour le consommer ou l'utiliser dans le cadre d'améliorations à son immobilisation qu'il utilisait, au moment donné, exclusivement dans le cadre de ses activités commerciales.

Il a été ajouté par L.C. 1993, c. 27, par. 65(1) et s'applique aux fournitures réputées effectuées en application de l'un des paragraphes 206(3), (4) et (5), de l'article 207 et des paragraphes 208(3) et 211(2), sauf si elles sont réputées effectuées avant 1993.

Immobilisations (biens meubles)

199. (1) Champ d'application — Le présent article ne s'applique pas :

a) aux biens de l'inscrit qui est une institution financière ou d'un inscrit visé par règlement;

b) aux voitures de tourisme et aéronefs de l'inscrit qui est un particulier ou une société de personnes.

Notes historiques: Le paragraphe 199(1) a été ajouté par L.C. 1990, c. 45, par. 12(1).

Concordance québécoise: LTVQ, art. 246.

(2) **Acquisition d'immobilisations** — Les règles suivantes s'appliquent à l'inscrit qui acquiert, importe ou transfère dans une province participante un bien meuble à utiliser comme immobilisation :

a) la taxe payable par lui relativement à l'acquisition, à l'importation ou au transfert du bien n'est incluse dans le calcul de son crédit de taxe sur les intrants pour une période de déclaration que si le bien est acquis, importé ou transféré, selon le cas, en vue d'être utilisé principalement dans le cadre de ses activités commerciales;

b) pour l'application de la présente partie, il est réputé avoir acquis, importé ou transféré le bien pour l'utiliser exclusivement dans le cadre de ses activités commerciales s'il l'a acquis, importé ou transféré, selon le cas, pour l'utiliser principalement dans ce cadre.

Notes historiques: Le paragraphe 199(2) a été modifié par L.C. 1997, c. 10, par. 189(1) et cette modification est entrée en vigueur le 1er avril 1997. Il se lisait comme suit :

(2) Les règles suivantes s'appliquent à l'inscrit qui acquiert ou importe un bien meuble à utiliser comme immobilisation :

a) la taxe payable par lui relativement à la fourniture ou à l'importation du bien n'est incluse dans le calcul de son crédit de taxe sur les intrants pour une période de déclaration que si le bien est acquis ou importé en vue d'être utilisé principalement dans le cadre de ses activités commerciales;

b) pour l'application de la présente partie, il est réputé avoir acquis ou importé le bien pour l'utiliser exclusivement dans le cadre de ses activités commerciales s'il l'a acquis ou importé pour l'utiliser principalement dans ce cadre.

Ce paragraphe a été ajouté par L.C. 1990, c. 45, par. 12(1).

Concordance québécoise: LTVQ, art. 240.

Série de mémorandums [art. 199(2)]: Mémorandum 8.3, 02/12, *Calcul des crédits de taxe sur les intrants*.

Info TPS/TVQ [art. 199(2)]: GI-122 — *Les incidences de la TPS/TVH à la suite de l'acquisition de panneaux solaires en vertu du Programme de tarifs de rachats garantis pour les micro-projets en Ontario*.

(3) Principale utilisation d'immobilisations — Pour l'application de la présente partie, l'inscrit qui a acquis ou importé un bien meuble la dernière fois en vue de l'utiliser comme immobilisation mais non principalement dans le cadre de ses activités commerciales et qui commence, à un moment donné, à l'utiliser comme immobilisation principalement dans le cadre de ses activités commerciales est réputé, sauf s'il devient un inscrit à ce moment :

a) avoir reçu, au moment donné, une fourniture du bien par vente;

b) avoir payé, au moment donné et relativement à la fourniture, sauf s'il s'agit d'une fourniture exonérée, une taxe égale à la teneur en taxe du bien à ce moment.

Notes historiques: L'alinéa 199(3)b) a été modifié par L.C. 1997, c. 10, par. 189(2) et cette modification est entrée en vigueur le 1er avril 1997. Il se lisait comme suit :

b) avoir payé, au moment donné et relativement à la fourniture, sauf s'il s'agit d'une fourniture exonérée, une taxe égale au résultat du calcul suivant :

$$A \times B$$

où :

A représente le moins élevé des montants suivants :

(i) le total (appelé « total de la taxe applicable au bien » au présent paragraphe) de la taxe qui est payable par lui, ou qui le serait en l'absence de l'article 167, relativement à sa dernière acquisition ou importation du bien et de la taxe payable par lui relativement aux améliorations apportées au bien, qu'il a acquises ou importées après cette dernière acquisition ou importation,

(ii) la taxe calculée sur la juste valeur marchande du bien au moment donné;

B 100 % ou, si l'inscrit peut demander un remboursement en vertu de l'article 259 au titre d'une taxe incluse dans le total de la taxe applicable au bien, la différence entre 100 % et le pourcentage réglementaire, visé à l'article 259, qui sert au calcul du montant remboursable.

Auparavant, le paragraphe 3 a été modifié par L.C. 1993, c. 27, par. 66(1) et est réputé entré en vigueur le 1er octobre 1992. Il se lisait comme suit :

(3) Pour l'application de la présente partie, l'inscrit qui acquiert ou importe un bien meuble pour l'utiliser à une fin qui ne lui donne pas droit au crédit de taxe sur les intrants, ou qui est réputé par le paragraphe 200(2) l'avoir fourni, et qui commence, à un moment donné, à l'utiliser comme immobilisation principalement dans le cadre de ses activités commerciales est réputé :

a) avoir reçu le bien immédiatement avant ce moment, dans le cadre d'une fourniture, lequel bien est à utiliser comme immobilisation exclusivement dans le cadre de ses activités commerciales;

b) avoir payé, à ce moment, la taxe relative à la fourniture, égale au moins élevé des montants suivants :

(i) l'excédent éventuel du total visé à la division (A) sur le total visé à la division (B) :

(A) le total de la taxe payable par lui relativement à l'acquisition ou à l'importation du bien et de la taxe payable par lui relativement aux améliorations qui y sont apportées ou, s'il est réputé par le paragraphe 200(2) avoir fourni le bien à un moment antérieur, le total de la taxe qu'il est réputé par ce paragraphe avoir perçue à ce moment antérieur et de la taxe payable par lui après ce même moment relativement aux améliorations,

(B) le total des remboursements relatifs à la taxe visée à la division (A) que l'inscrit a demandés ou auxquels il a droit,

(ii) la taxe qui serait payable par lui, s'il avait acquis le bien, au moment donné, par suite d'une fourniture taxable effectuée par un autre inscrit pour une contrepartie égale à la juste valeur marchande du bien à ce moment.

Le paragraphe 199(3) a été ajouté par L.C. 1990, c. 45, par. 12(1).

Concordance québécoise: LTVQ, art. 242.

(4) Amélioration — utilisation principale d'une immobilisation — La taxe payable par un inscrit relativement à l'acquisition, à l'importation ou au transfert dans une province participante des améliorations à un bien meuble qui est son immobilisation est incluse dans le calcul de son crédit de taxe sur les intrants si l'immobilisation, au moment où cette taxe devient payable ou est payée sans qu'elle soit devenue payable, est utilisée principalement dans le cadre de ses activités commerciales.

Notes historiques: Le paragraphe 199(4) a été modifié par L.C. 1997, c. 10, par. 199(3) et cette modification est entrée en vigueur le 1er avril 1997. Il se lisait comme suit :

(4) La taxe payable par un inscrit relativement à l'acquisition ou à l'importation des améliorations à un bien meuble qui est son immobilisation est incluse dans le calcul de son crédit de taxe sur les intrants si l'immobilisation, au moment où cette taxe devient payable ou est payée sans qu'elle soit devenue payable, est utilisée principalement dans le cadre de ses activités commerciales.

Auparavant, ce paragraphe a été modifié par L.C. 1993, c. 27, par. 66(2) et s'applique aux améliorations acquises ou importées après mars 1991. Il se lisait comme suit :

(4) Les règles suivantes s'appliquent à l'inscrit qui acquiert ou importe des améliorations à un bien meuble qui est son immobilisation :

a) si le bien, immédiatement après que les améliorations y sont apportées, est à utiliser principalement dans le cadre des activités commerciales de l'inscrit, celui-ci est réputé, pour l'application de la présente partie, avoir acquis les améliorations pour les utiliser exclusivement dans ce cadre;

b) la taxe payable par l'inscrit relativement aux améliorations n'est incluse dans le calcul de son crédit de taxe sur les intrants pour une période de déclaration que si le bien, immédiatement après que les améliorations y sont apportées, est à utiliser principalement dans le cadre de ses activités commerciales.

Le paragraphe 199(4) a été ajouté par L.C. 1990, c. 45, par. 12(1).

Concordance québécoise: LTVQ, art. 241.

Série de mémorandums [art. 199(4)]: Mémorandum 8.3, 02/12, *Calcul des crédits de taxe sur les intrants*.

(5) Utilisation d'un instrument de musique — Pour l'application des paragraphes (2) et (3) et 200(2) et (3), le particulier qui est un inscrit et qui utilise un instrument de musique qui est son immobilisation dans le cadre de son emploi ou d'une entreprise exploitée par une société de personnes dont il est un associé est réputé l'utiliser dans le cadre de ses activités commerciales.

Notes historiques: Le paragraphe 199(5) a été modifié par L.C. 1997, c. 10, par. 189(3) et cette modification est entrée en vigueur le 1er avril 1997. Il se lisait comme suit :

(5) Pour l'application des paragraphes (2) et (3) et 200(2) et (3), le particulier qui est un inscrit et qui, ayant acquis ou importé un instrument de musique, l'utilise dans le cadre de son emploi ou d'une entreprise exploitée par une société de personnes dont il est un associé est réputé l'utiliser dans le cadre de ses activités commerciales.

Ce paragraphe a été ajouté par L.C. 1990, c. 45, par. 12(1).

Concordance québécoise: LTVQ, art. 245.

Définitions [art. 199]: « activité commerciale », « améliorations », « bien », « bien meuble », « contrepartie », « entreprise », « exclusif », « fourniture », « fourniture taxable », « immobilisation », « importation », « inscrit », « institution financière », « juste valeur marchande », « période de déclaration », « province participante », « règlement », « taxe », « teneur en taxe », « vente », « voiture de tourisme » — 123(1).

Renvois [art. 199]: 141.01(5) (méthodes de mesure de l'utilisation); 169(1) (CTI); 195.2 (dernière acquisition ou importation); 199(5) (utilisation d'un instrument de musique); 201 (valeur d'une voiture de tourisme); 202(2), (4) (CTI — voitures de tourisme); 203(1) (vente d'une voiture de tourisme); 204, 205 (changement d'utilisation — institutions financières); 209 (1)(2) (immeubles de certains organismes du secteur public); 253 (remboursement); X:Partie I:22 (transfert de biens dans une province participante).

Règlements [art. 199]: *Règlement sur les jeux de hasard (TPS/TVH)*, art. 1.

Jurisprudence [art. 199]: *Jerdar Enterprises Inc. c. La Reine*, [1994] G.S.T.C. 54 (CCI); *Navaho Inn c. La Reine*, [1995] G.S.T.C. 21 (CCI); *Hayworth Equipment Sales (1983) Ltd. c. Canada*, [1998] G.S.T.C. 14 (CCI); *Burrows (J.A.) c. Canada*, [1998] G.S.T.C. 78 (CCI); *510628 Ontario Ltd. c. R.*, [2000] G.S.T.C. 58 (CCI); *9004-5733 Québec Inc. c. R.*, [2003] G.S.T.C. 94 (CCI); *Gélinas v. R.*, [2004] G.S.T.C. 58 (CCI); *Fournier c. R.*, [2004] G.S.T.C. 159 (CCI); *Wiley c. R.*, 2005 TCC 659 (CCI); *Fournier c. R.*, [2006] G.S.T.C. 52, 2006 (CAF); *Coburn Realty Ltd. v. R.*, [2006] G.S.T.C. 54 (CCI); *Îles-de-la Madeleine (Comté) c. R.*, 2006 G.T.C. 267 (CCI); *Université de Sherbrooke c. R.*, 2007 CCI 229 (CCI); *Société de Transport de Laval v. R.*, 2008 CarswellNat 511 (CCI [procédure générale]); *Société de transport de Laval (Ville) v. R.*, 2008 G.T.C. 374 (CCI [procédure générale]); *9180-2801 Québec Inc. c. R.* (28 février 2011), 2011 CarswellNat 392, 2011 CCI 129, 2011 G.T.C. 949 (Fr.) (CCI [procédure informelle]).

Énoncés de politique [art. 199]: P-072, 09/07/93, *Règle relative à l'utilisation principale et choix en application du paragraphe 150(1)*.

Mémorandums [art. 199]: TPS 400, 18/05/90, *Crédits de taxe sur les intrants*, par. 60, 61, 63, 65; TPS 400-3-4, 12/09/92, *Voitures de tourisme et aéronefs*, par. 20–28; TPS 400-3-9, 27/03/92, *Immobilisations (biens meubles)*, par. 6, 7, 15, 17–19, 21, 24; TPS 400-4, 19/01/91, *Organismes du secteur public*, par. 29, 30, 34; TPS 500-2-4, 19/03/90, *Calcul de la taxe*, annexe D; TPS 700-4, 25/11/93, *Institutions financières visées par la règle du seuil*, par. 27; TPS 700-5-1, 27/07/92, *Répartition des CTI pour les institutions financières*, par. 5; TPS 700-5-3, 31/07/92, *Caisses de crédit*, par. 24.

Série de mémorandums [art. 199]: Mémorandum 8-1, 05/05, *Règles générales d'admissibilité*; Mémorandum 8.2, 03/08, *Restrictions générales*; Mémorandum 14-4, 12/10, *Vente d'une entreprise ou d'une partie d'entreprise*; Mémorandum 17.14, 07/11, *Choix visant les fournitures exonérées*; Mémorandum 19.1, 10/97, *Les immeubles et la TPS/TVH*.

Info TPS/TVQ [art. 199]: GI-006R — *Services se rapportant aux guichets automatiques bancaires*; GI-011 — *Transporteurs d'eau*.

Lettres d'interprétation (Québec) [art. 199]: 99-0102311 — Interprétation relative à la TVQ — Demande d'un RTI à l'égard d'un ordinateur; 99-0108946 — Interprétation relative à la TPS et à la TVQ; 00-0104281 — Commissions versées par une compagnie américaine; 02-0106571 — Immeubles détenus par des organismes de service publics; 02-0107777 — Interprétation relative à la TPS et à la TVQ — Règles générales, résidences pour personnes âgées; 02-0112082 — Décision portant sur l'application de la TPS — interprétation relative à la TVQ — montants versés dans le cadre de tansactions effectuées au moyen de guichets automatiques privés; 04-0106502 — Interprétation relative à la TPS et la TVQ — droit pour un OSBL de demander des CTI/RTI relativement à des améliorations locatives.

COMMENTAIRES: Le paragraphe (1) prévoit que les règles prévues aux paragraphes (2) à (4) ne s'appliquent pas dans des circonstances précises, telles que notamment, aux biens de l'inscrit qui est une institution financière.

En termes simples, le paragraphe (2) prévoit que, aux fins d'une immobilisation, si le bien meuble a été acquis pour une utilisation entre 0 % et 50 % dans le cadre de la réalisation de fournitures taxables, alors aucun crédit de taxe sur les intrants n'est disponible. Toutefois, un crédit de taxe sur les intrants équivalent à 100 % pourra être réclamé dans le cas où l'utilisation du bien meuble est supérieure à 50 % dans la réalisation de fournitures taxables.

Le paragraphe (2) a été analysé récemment par la Cour canadienne de l'impôt dans l'affaire *9180-2801 Québec Inc. c. R.*, 2011 CarswellNat 856 (C.C.I.). De l'avis de la Cour canadienne de l'impôt, le test imposé par le paragraphe 199(2) , en tant que tel, ne précise pas une période d'évaluation. Cette disposition législative exige que le véhicule ait été acquis en vue d'être utilisé principalement pour des fins commerciales. Il fallait donc que l'appelante démontre que telle était l'intention au moment de l'acquisition. Dans l'affaire *Coburn Realty Ltd. c. R.*, 2006 TCC 245, 2006 CarswellNat 1091, le juge en chef Bowman, tel qu'il était alors, s'exprimait ainsi à propos du paragraphe 199(2): « L'extrait du paragraphe 199(2) où il est indiqué « [...] en vue d'être utilisé principalement dans le cadre de ses activités commerciales » renferme des notions de but ou d'intention. La version anglaise de la disposition est compatible avec cette interprétation: [...] for use primarily in commercial activities [...]. Les énoncés que fait le contribuable de ses buts et de ses intentions ne sont pas nécessairement et toujours le fondement le plus fiable sur lequel une question de ce genre peut être tranchée. L'utilisation réelle du bien constitue souvent la meilleure preuve du but de l'acquisition. Dans la décision *510628 Ontario Ltd. v. R.*, [2000] G.S.T.C. 58, 2000 G.T.C. 877 (T.C.C.), il est indiqué ce qui suit : « Il y a lieu de noter que l'expression « en vue d'être utilisé [...] » nécessite la détermination de l'objet de l'acquisition, non de l'utilisation réelle. Néanmoins, je crois qu'en pratique, si un bien est utilisé en fait principalement à des fins commerciales, il est raisonnable d'inférer qu'il a été acquis à ces fins. Je me penche donc sur l'utilisation réelle du bateau. M. Coburn a témoigné que le bateau était utilisé pour recevoir des clients et récompenser ses vendeurs. Il a fait savoir que l'appelante cherchait à étendre ses activités à l'exploitation du marché immobilier de la région du chalet. J'accepte le fait qu'il voulait étendre les activités commerciales de l'appelante, mais je ne suis pas convaincu que le bateau était utilisé ou qu'il avait été acquis en vue d'être utilisé principalement dans le cadre des activités commerciales de l'appelante. Bien que j'estime que le bateau avait probablement été utilisé à des fins commerciales de temps à autre, les éléments de preuve relatifs à l'utilisation réelle du bateau n'appuient pas la conclusion selon laquelle il a été acquis en vue d'être utilisé principalement dans le cadre des activités commerciales de l'appelante. En règle générale, il est considéré que le terme « principalement » équivaut à une proportion de plus de 50 %. Toutefois, le problème qui se pose est celui de savoir à quoi il faut appliquer le 51 %. Faut-il l'appliquer à la durée de l'utilisation du bateau, au nombre de sorties en bateau, à la distance parcourue, au nombre de passagers, à la durée du voyage, à la valeur des affaires conclues ou au nombre de visites de terrains qui pourraient être vendus? Tous ces facteurs peuvent être pertinents et ils permettent de constater qu'il est difficile d'appliquer un critère mécanique à la situation. Il s'agit, en fin de compte, d'une question de jugement et de bon sens. Dans l'éventualité où l'utilisation du bateau à des fins commerciales accroît au point où il peut être affirmé que cette utilisation constitue l'utilisation principale du bateau, l'appelante pourra obtenir un certain allègement dans une année ultérieure en vertu du paragraphe 199(3) de la Loi. Ce n'était pas le cas en 2003. Il aurait fallu que la preuve soit plus convaincante et exhaustive que celle qui a été présentée. »

En l'espèce, la Cour canadienne de l'impôt est d'avis que la preuve ne démontre pas que selon l'utilisation réelle du véhicule automobile, l'intention au départ était de l'utiliser principalement pour des fins commerciales. L'appelante n'a pas apporté non plus de preuve suffisante établissant qu'au moment de l'acquisition, le but premier de cet achat était tel. En fait, de l'avis de la Cour canadienne de l'impôt, si l'on regarde attentivement l'utilisation du véhicule dans le mois suivant l'achat, celui-ci n'a été utilisé pratiquement qu'à des fins personnelles. Par la suite, ce ne sont que dans les mois d'avril, mai et octobre 2009 que l'utilisation aux fins d'affaires a nettement dépassé l'utilisation personnelle. Dans tous les autres mois, à l'exception du mois de novembre où l'utilisation commerciale a légèrement dépassé l'usage personnel, ce dernier usage prédominait. Par conséquent, la Cour canadienne de l'impôt conclut que l'appelante n'a pas démontré, selon la prépondérance des probabilités, qu'elle a acquis le véhicule automobile de marque Mazda de l'année 2009 en vue d'être utilisé principalement dans le cadre de ses activités commerciales pour avoir droit au crédit de taxe sur les intrants sur le prix d'acquisition de ce véhicule au cours de la période en litige, aux termes du paragraphe 199(2).

À l'égard du paragraphe (3), Revenu Québec a indiqué qu'une personne qui commence à utiliser un bien meuble, qui est une immobilisation, principalement dans le cadre d'une activité commerciale lorsque cette personne devient un inscrit à ce moment, ne peut aux termes du paragraphe 199(3), réclamer un crédit de taxe sur les intrants sauf s'il est un petit fournisseur juste avant ce moment. En application du paragraphe 199(3), il est nécessaire que le bien meuble acquis ou importé par l'inscrit constitue un bien en immobilisation au sens de la *Loi sur l'impôt sur le revenu*, ou qui le serait si la personne était un contribuable aux termes de cette loi à l'exclusion des biens visés aux catégories 12, 14 ou 44 de l'annexe II du *Règlement sur les impôts*. Ainsi, avant d'envisager un changement d'utilisation d'un bien en immobilisation, il est nécessaire de voir si le bien constitue un bien en immobilisation et non pas un bien meuble détenu à des fins personnelles qui est utilisé, après inscription, comme immobilisation dans le cadre d'activités commerciales. Le changement d'utilisation d'un bien meuble détenu à des fins personnelles en un bien en immobilisation n'étant visé par aucune des dispositions relatives au changement d'utilisation prévues par la *Loi sur la taxe d'accise (TPS)*, le nouvel inscrit n'a droit à aucun crédit de taxe sur les intrants. Dans le cas d'un petit fournisseur, le paragraphe 171(1) prévoit les règles applicables à l'égard des biens qu'il détenait pour consommation, utilisation ou fourniture dans le cadre de ses activités commerciales juste avant le moment de son inscription. Voir notamment à cet effet : Revenu Québec, Lettre d'interprétation, 96-0114114[A] — *CTI/RTI lors de l'inscription* (13 décembre 1996).

Finalement, en vertu du paragraphe 209(1), le paragraphe 199(4) s'applique aux améliorations apportées aux immeubles qui font partie des immobilisations d'un organisme de services publics comme s'il s'agissait de biens meubles. L'expression « immobilisation » est définie au paragraphe 123(1) et fait référence au sens qui est donné à cette expression dans la *Loi de l'impôt sur le revenu* et vise notamment tout bien amortissable. De l'avis de Revenu Québec, le coût en capital d'un bien amortissable de la catégorie 13 comprend le montant qu'un locataire dépense pour des améliorations ou des modifications à un bien loué. Voir notamment à cet effet : Revenu Québec, Lettre d'interprétation, 04-0106502 — *Interprétation relative à la TPS et à la TVQ — Droit pour un OSBL de demander des CTI/RTI relativement à des améliorations locatives* (18 novembre 2004).

Dans l'affaire *Université de Sherbrooke c. R.*, 2007 Carswell 5028 (C.C.I.), la Cour canadienne de l'impôt a souligné que l'appelante a démontré tout au plus qu'elle avait une vague intention (par opposition à une intention bien arrêtée et formelle) lors de la conception du projet, de rentabiliser le stade en y tenant à l'occasion des événements culturels ou sportifs à caractère commercial sans pour autant faire la preuve, selon la prépondérance des probabilités, qu'elle avait l'intention bien arrêtée lors de l'acquisition du stade, de l'utiliser principalement à des fins commerciales, c'est à dire à plus de 50 %, et ce, en termes de temps d'utilisation et de superficie utilisée. L'appelante doit comprendre que l'objectif, même bien arrêté lors de l'acquisition d'un bien, de le rentabiliser et l'objectif à ce moment de l'utiliser principalement à des fins commerciales sont deux objectifs bien distincts et différents. En effet, il est fort possible qu'un inscrit ait l'intention bien arrêtée lors de l'acquisition d'un bien de le rentabiliser tout en ayant l'intention bien arrêtée à ce moment de ne pas l'utiliser principalement à des fins commerciales. À titre d'exemple, l'appelante aurait très bien pu atteindre son objectif de rentabilité en tirant la majorité de ses revenus de la tenue occasionnelle d'événements sportifs ou culturels à caractère commercial tout en utilisant le stade à ces fins qu'à 10 % en termes de temps d'utilisation ou de superficie utilisée. En l'espèce, la preuve a révélé très clairement que, dès la conception du projet, l'appelante avait prévu que le stade servirait principalement de site d'entraînement et de compétition en athlétisme après la tenue des Championnats, et qu'ainsi l'appelante, n'avait pas l'intention de l'utiliser principalement, et ce, en termes de temps d'utilisation ou de superficie utilisée, à des fins commerciales. De plus, la Cour canadienne de l'impôt est d'avis que l'appelante n'a même pas réussi à faire la preuve qu'elle avait l'intention bien arrêtée, lors de la conception du projet, de rentabiliser le stade en y tenant des événements culturels ou sportifs à caractère commercial. Le tribunal est aussi d'avis que l'appelante n'avait pas de chances raisonnables de donner suite à ses vagues intentions manifestées lors de la conception du projet, et ce, dans un délai raisonnable. Tout au plus, l'appelante a démontré qu'elle avait manifesté une vague intention lors de la conception du projet de rentabiliser le stade en y tenant de tels événements et qu'elle voulait confier la réalisation de cet objectif à une société de gestion dont elle serait co partenaire avec la Ville. Une personne comme l'appelante qui prétend avoir eu, dès la conception du projet, une intention bien arrêtée et formelle de rentabiliser son stade aurait dû, à mon avis, poser des gestes concrets pour réaliser son objectif en attendant la formation de la société de gestion. Elle aurait pu planifier, dès la conception, du projet la tenue de tels événements à caractère commercial en donnant formellement à ses employés ou encore à une entreprise indépendante le mandat d'organiser de tels événements. Pour la période allant de la conception du projet à la formation de la société de gestion, l'appelante n'a posé aucun geste concret en ce sens. Même après la formation de la société de gestion, l'appelante n'a pas insisté auprès de ses représentants qui siégeaient au comité de gestion de la société de gestion pour que son objectif de rentabilité soit réalisé. D'ailleurs, le stade n'avait toujours pas accueilli (à l'exception de deux matches de soccer) de tels événements à la date d'audition du présent appel et son exploitation était toujours à cette date déficitaire. De l'avis de la Cour, le retard de l'appelante à donner suite à sa vague intention manifestée lors de la conception du projet s'explique avant tout par les problèmes, non encore résolus, qui sont liés à l'utilisation de la surface gazonnée du stade lors de la tenue de tels événements. En effet, la preuve a révélé que, dès la conception du projet, les instances sportives de l'appelante étaient réfractaires à la tenue de tels événements sur la surface gazonnée du stade. La preuve a aussi révélé que les représentants de l'appelante au comité de gestion de la société de gestion étaient en 2005 et 2006 tout aussi réfractaires à la tenue de tels événements, et ce, pour les mêmes motifs. Ceci démontre clairement, à mon avis, que l'appelante n'a pas satisfait objectivement au critère selon lequel il y avait des chances raisonnables qu'elle donne suite à son intention manifestée lors de la conception du projet, et ce, dans un délai raisonnable. Pour ces motifs, la Cour canadienne de l'impôt conclut que le stade n'a pas été utilisé principalement par l'appelante dans le cadre de ses activités commerciales. Bien que les autres questions, soulevées par l'intimée, qui sont liées à la notion d'amélioration d'une immobilisation et à la méthode raisonnable pour demander les crédits de taxe sur les intrants soient fort intéressantes, la Cour ne croit pas qu'il soit indispensable, en l'espèce, de les traiter compte tenu de ma décision sur le premier point en litige. Finalement, bien que cela ne soit pas nécessairement pertinent à l'issue du présent litige, la Cour canadienne de l'impôt note que l'appelante pourrait de toute façon demander les crédits de taxe sur les intrants liés à l'acquisition du stade dès qu'elle aura atteint un niveau d'exploitation commerciale à plus de 50 % en termes de temps d'exploitation et de superficie utilisée, et ce, conformément aux règles de changement d'usage. Il me semble que cette avenue prévue par le législateur soit plus conforme à son intention liée à l'emploi de l'expression « en vue d'être utilisée » à l'alinéa 199(2)a) de ne pas accorder de crédit de taxe sur les intrants à une personne qui n'a que de vagues intentions, lors de l'acquisition d'un bien, de l'utiliser principalement à des fins commerciales.

200. (1) Champ d'application — Le présent article ne s'applique pas :

a) aux biens de l'inscrit qui est une institution financière ou d'un inscrit visé par règlement;

b) aux voitures de tourisme et aéronefs de l'inscrit qui est un particulier ou une société de personnes.

Notes historiques: Le paragraphe 200(1) a été ajouté par L.C. 1990, c. 45, par. 12(1).

Concordance québécoise: LTVQ, art. 246.

(2) Utilisation non principale d'immobilisations — Pour l'application de la présente partie, l'inscrit qui a acquis ou importé un bien meuble la dernière fois en vue de l'utiliser comme immobilisation principalement dans le cadre de ses activités commerciales et qui commence, à un moment donné, à l'utiliser principalement à d'autres fins est réputé :

a) avoir fourni le bien par vente immédiatement avant ce moment et avoir perçu, à ce moment et relativement à la fourniture, une taxe égale à la teneur en taxe du bien à ce moment;

b) avoir reçu, à ce moment, une fourniture du bien par vente et avoir payé, à ce moment et relativement à la fourniture, une taxe égale à la teneur en taxe du bien à ce moment.

Notes historiques: Les alinéas a) et b) du paragraphe 200(2) ont été modifiés par L.C. 1997, c. 10, par. 190(1) et cette modification est entrée en vigueur le 1er avril 1997. Ces alinéas se lisaient comme suit :

> a) avoir fourni le bien par vente immédiatement avant le moment donné et avoir perçu, au moment donné et relativement à la fourniture, la taxe calculée sur la juste valeur marchande du bien à ce moment;
>
> b) avoir reçu, au moment donné, une fourniture du bien par vente et avoir payé, à ce moment et relativement à la fourniture, la taxe calculée sur la juste valeur marchande du bien à ce moment.

En vertu de L.C. 1997, c. 10, art. 258, dans le cas où, en raison de l'édiction d'une disposition de L.C. 1997, c. 10, un organisme de bienfaisance, au sens du paragraphe 123(1), est réputé par les paragraphes 200(2), 203(2) ou 206(4) ou (5) avoir effectué la fourniture d'un bien et perçu, à un moment donné, la taxe applicable, pour déterminer le montant de taxe qui est réputé par ce paragraphe avoir été perçu ou payé à ce moment, la taxe calculée sur la juste valeur marchande du bien à ce moment est réputée égale à zéro.

Le paragraphe 200(2) a été modifié par L.C. 1993, c. 27, par. 67(1) et est réputé entré en vigueur le 30 septembre 1992. Il se lisait auparavant comme suit :

> (2) Pour l'application de la présente partie, l'inscrit qui acquiert ou importe un bien meuble pour l'utiliser comme immobilisation principalement dans le cadre de ses activités commerciales et qui commence, à un moment donné, à l'utiliser autrement que principalement dans ce cadre est réputé :
>
> a) avoir fourni le bien par vente pour une contrepartie égale à la juste valeur marchande du bien à ce moment;
>
> b) avoir perçu, à ce moment, la taxe relative à la fourniture, calculée sur cette contrepartie.

Le paragraphe 200(2) a été ajouté par L.C. 1990, c. 45, par. 12(1).

Concordance québécoise: LTVQ, art. 243.

(3) Vente d'immobilisations — Malgré l'alinéa 141.1(1)a) mais sous réserve de l'article 141.2, pour l'application de la présente partie, la fourniture par vente, effectuée par un inscrit (sauf un gouvernement), d'un bien meuble qui est son immobilisation est réputée avoir été effectuée dans le cadre des activités non commerciales de l'inscrit si, avant le moment du transfert de la propriété du bien à l'acquéreur ou, s'il est antérieur, le moment du transfert de sa possession à celui-ci aux termes de la convention concernant la fourniture, l'inscrit a utilisé le bien la dernière fois autrement que principalement dans le cadre de ses activités commerciales.

Notes historiques: Le paragraphe 200(3) a été remplacé par L.C. 2004, c. 22 par. 33(1) et cette modification s'applique aux fournitures dont la contrepartie, même partielle, devient due après le 9 mars 2004 ou est payée après cette date sans être devenue due. Toutefois, cette modification ne s'applique pas aux fournitures effectuées conformément à une convention écrite conclue avant le 10 mars 2004. Antérieurement, il se lisait comme suit :

> (3) Malgré l'alinéa 141.1(1)a) et pour l'application de la présente partie, la fourniture par vente, effectuée par un inscrit (sauf un gouvernement), d'un bien meuble qui est son immobilisation est réputée avoir été effectuée dans le cadre des activités non commerciales de l'inscrit si, avant le moment du transfert de la propriété du bien à l'acquéreur ou, s'il est antérieur, le moment du transfert de sa possession à celui-ci aux termes de la convention concernant la fourniture, l'inscrit a utilisé le bien la dernière fois autrement que principalement dans le cadre de ses activités commerciales.

Le paragraphe 200(3) a été remplacé par L.C. 2000, c. 30, par. 42(1) et cette modification s'applique aux fournitures effectuées après le 29 janvier 1999. Antérieurement, il se lisait comme suit :

> (3) Malgré l'alinéa 141.1(1)a) et pour l'application de la présente partie, la fourniture par vente, effectuée par un inscrit, d'un bien meuble qui est son immobilisation est réputée effectuée dans le cadre des activités non commerciales de l'inscrit si, avant le premier en date du moment du transfert de la propriété du bien à l'acquéreur et du moment du transfert de sa possession à celui-ci aux termes de la convention concernant la fourniture, l'inscrit a utilisé le bien la dernière fois autrement que principalement dans le cadre de ses activités commerciales.

Le paragraphe 200(3) a été modifié par L.C. 1993, c. 27, par. 67(1) et est réputé entré en vigueur le 30 septembre 1992. Toutefois, en ce qui concerne les fournitures de biens dans le cadre desquelles la propriété ou la possession du bien est transférée à l'acquéreur au plus tard à cette date, le paragraphe 200(3) est remplacé par ce qui suit :

> (3) Malgré l'alinéa 141.1(1)a) et pour l'application de la présente partie, la fourniture par vente, effectuée par un inscrit, d'un bien meuble qui est son immobilisation est réputée ne pas être une fourniture taxable si, immédiatement avant le transfert de la propriété du bien à l'acquéreur, l'inscrit utilisait le bien autrement que principalement dans le cadre de ses activités commerciales.

Le paragraphe 200(3) se lisait auparavant comme suit :

> (3) Pour l'application de la présente partie, la fourniture par vente d'un bien meuble, qui est une immobilisation, effectuée par un inscrit est réputée ne pas être une fourniture taxable si, immédiatement avant le transfert de la propriété du bien, l'inscrit utilisait le bien autrement que principalement dans le cadre de ses activités commerciales.

Le paragraphe 200(3) a été ajouté par L.C. 1990, c. 45, par. 12(1).

Concordance québécoise: LTVQ, art. 244.

(4) Vente de biens meubles d'un gouvernement — Malgré le paragraphe 141.1(1) mais sous réserve de l'article 141.2, pour l'application de la présente partie, si un fournisseur qui est un gouvernement fournit par vente un bien meuble donné qui est son immobilisation, les règles suivantes s'appliquent :

a) si les conditions suivantes sont réunies, la fourniture est réputée avoir été effectuée dans le cadre des activités non commerciales du fournisseur :

(i) selon le cas :

(A) le fournisseur est un mandataire de Sa Majesté du chef du Canada qui est désigné par règlement pour l'application de la définition de « mandataire désigné » au paragraphe 123(1),

(B) le fournisseur est un mandataire de Sa Majesté du chef d'une province qui est désigné par règlement pour l'application de cette définition, et le bien donné est visé par règlement,

(C) le fournisseur est un mandataire de Sa Majesté du chef d'une province et, s'il a acquis ou importé le bien donné la dernière fois après 1990 pour consommation, utilisation ou fourniture dans le cadre d'activités données qu'il exerce, ce bien a été ainsi acquis ou importé au cours d'une période pendant laquelle, par l'effet d'un accord visé à l'article 32 de la *Loi sur les arrangements fiscaux entre le gouvernement fédéral et les provinces* qui a été conclu par le gouvernement de la province, le fournisseur, en règle générale, a payé la taxe relative aux biens ou aux services acquis ou importés pour consommation, utilisation ou fourniture dans le cadre des activités données et n'a pas recouvré cette taxe en vertu d'un droit prévu par cette loi ou par la *Loi constitutionnelle de 1867*,

(ii) le fournisseur est un inscrit,

(iii) avant le moment du transfert de la propriété du bien donné à l'acquéreur ou, s'il est antérieur, le moment du transfert de sa possession à celui-ci aux termes de la convention concernant la fourniture, le fournisseur a utilisé le bien donné la dernière fois autrement que principalement dans le cadre de ses activités commerciales;

b) si aucune des divisions a)(i)(A) à (C) ne s'applique, la fourniture est réputée avoir été effectuée dans le cadre des activités commerciales du fournisseur.

Notes historiques: Le préambule du paragraphe 200(4) a été remplacé par L.C. 2004, c. 22, par. 33(2) et cette modification s'applique aux fournitures dont la contrepartie, même partielle, devient due après le 9 mars 2004 ou est payée après cette date sans être devenue due. Toutefois, cette modification ne s'appliquera pas aux fournitures effectuées conformément à une convention écrite conclue avant le 10 mars 2004. Antérieurement, le préambule du paragraphe 200(4) se lisait comme suit :

> (4) Malgré le paragraphe 141.1(1) et pour l'application de la présente partie, lorsqu'un fournisseur qui est un gouvernement fournit par vente un bien meuble donné qui est son immobilisation, les présomptions suivantes s'appliquent :

Le paragraphe 200(4) a été remplacé par L.C. 2000, c. 30, par. 42(1) et cette modification s'applique aux fournitures effectuées après le 29 janvier 1999. Antérieurement, il se lisait comme suit :

> (4) Malgré l'alinéa 141.1(1)b) et le paragraphe (3), et pour l'application de la présente partie, le gouvernement (sauf un mandataire désigné) qui fournit par vente un bien meuble qui est son immobilisation est réputé l'avoir fourni dans le cadre de ses activités commerciales.

Le paragraphe 200(4) a été ajouté par L.C. 1993, c. 27, par. 67(2) et s'applique aux fournitures de biens, sauf celles dans le cadre desquelles la propriété ou la possession du bien est transférée à l'acquéreur avant le 6 novembre 1991.

Concordance québécoise: LTVQ, art. 244.1.

Définitions [art. 200]: « activité commerciale », « bien », « bien meuble », « contrepartie », « fourniture », « fourniture taxable », « gouvernement », « immobilisation », « importation », « inscrit », « institution financière », « juste valeur marchande », « mandataire désigné », « règlement », « taxe », « teneur en taxe », « vente », « voiture de tourisme » — 123(1).

Renvois [art. 200]: 129.1 (fourniture par une division de petit fournisseur); 141.01(5) (méthodes de mesure de l'utilisation); 141.1 (aliénation d'un bien meuble); 153, 154 (contrepartie); 171(1)b)(i) (nouvel inscrit); 190 (conversion à un usage résidentiel); 193(2) (vente par un organisme du secteur public); 195.2 (dernière acquisition ou importation); 198.1 (changement d'utilisation); 199(3), (5) (principale utilisation d'immobilisations); 209 (immeubles de certains organismes du secteur public); 210(1), (2) (application aux organismes); 211(2)b)(i) (choix visant les immobilisations); 256.2 (6) (remboursement pour fonds loué à des fins résidentielles); 259(1)« taxe exigée non admise au crédit »; V:Partie I:5.3 (fourniture d'un parc à roulottes résidentiel).

Règlements [art. 200]: *Règlement sur les jeux de hasard (TPS/TVH)*, art. 1.

Jurisprudence [art. 200]: *Wiley c. R.*, 2005 TCC 659 (CCI).

Énoncés de politique [art. 200]: P-146, 15/07/94, *Demandes de CTI fictifs lorsqu'il est établi par la suite que la taxe était payable.*

Mémorandums [art. 200]: TPS 200-3, 26/03/91, *Calcul du seuil des petits fournisseurs*, par. 23; TPS 400-3-4, 12/09/92, *Voitures de tourisme et aéronefs*, par. 29, 30, 33; TPS 400-3-9, 27/03/92, *Immobilisations (biens meubles)*, par. 20, 22, 23; TPS 400-4, 18/01/91, *Organismes du secteur public*, par. 30; TPS 500-2-4, 19/03/91, *Calcul de la taxe*, annexe B; TPS 500-4-2, 15/01/1991, *Remboursements aux municipalités*, par. 40–43; TPS 500-4-3, 17/05/91, *Universités, administrations scolaires et collèges publics*, par. 32, 33; TPS 500-4-4, 31/03/93, *Administrations hospitalières*, par. 42–49; TPS 500-4-9, 31/05/91, *Application et exécution remboursements organismes de bienfaisance.*

Série de mémorandums [art. 200]: Mémorandum 3.1, 08/99, *Assujettissement à la taxe*; Mémorandum 14-4, 12/10, *Vente d'une entreprise ou d'une partie d'entreprise*; Mémorandum 19.5, 06/02, *Fonds de terre et immeubles connexes.*

Info TPS/TVQ [art. 200]: GI-122 — *Les incidences de la TPS/TVH à la suite de l'acquisition de panneaux solaires en vertu du Programme de tarifs de rachats garantis pour les micro-projets en Ontario.*

Lettres d'interprétation (Québec) [art. 200]: 93-0113493 — Interprétation relative à la TPS et à la TVQ — Méthode rapide spéciale réservée aux organismes de services publics; 05-010263 — Interprétation relative à la TPS et à la TVQ — transfert d'un véhicule routier entre particuliers liés.

COMMENTAIRES: Le paragraphe 200(1) est similaire au paragraphe 199(1).

De façon générale, lorsqu'une immobilisation est utilisée principalement dans le cadre d'activités commerciales et que son utilisation commence à être utilisée principalement à d'autres fins, le paragraphe 200(2) permet de récupérer les crédits de taxe sur les intrants réclamés antérieurement. Voir notamment à cet effet : Agence du revenu du Canada, Lettre de l'Administration centrale sur la TPS, 11690-411650-1 — *Capital Pool Companies — Claiming Input Tax Credits* (28 juillet 2003).

Il est à noter que le choix des méthodes permettant de déterminer le pourcentage de l'utilisation d'activités commerciales est du ressort de l'inscrit, tant que celles-ci sont justes et raisonnables. Plusieurs méthodes peuvent être utilisées. Nous vous invitons à consulter nos commentaires sous le paragraphe 141.01(5) à cet effet.

Selon le paragraphe 200(3), la fourniture par vente, effectuée par un inscrit, d'un bien meuble qui est son immobilisation est réputée avoir été effectuée dans le cadre des activités non commerciales de l'inscrit si, avant le moment du transfert de la propriété du bien à l'acquéreur, l'inscrit a utilisé le bien la dernière fois autrement que principalement dans le cadre de ses activités commerciales.

Revenu Québec indique que les critères du paragraphe 200(3) sont rencontrés lorsque le dentiste vendeur n'a pas utilisé ces biens principalement dans le cadre de ses activités commerciales. Conséquemment, la fourniture des équipements par le dentiste vendeur peut bénéficier du non-assujettissement à la TPS prévu au paragraphe 200(3). Il en est autrement de la fourniture se rapportant à l'achalandage qui ne peut être considérée comme une immobilisation du fournisseur. Sa fourniture sera assujettie à la TPS puisqu'aucune mesure d'exception ne prévoit ni son exonération ni son non-assujettissement. Voir notamment à cet effet : Revenu Québec, Lettre d'interprétation, 95-0105064[A] — *TPS-TVQ et les sociétés* (8 décembre 1995).

Finalement, le paragraphe (4) permet que la fourniture de biens meubles par le gouvernement soit réputée faite dans le cadre de ses activités commerciales. Ainsi, la fourniture est taxable. Le terme « gouvernement » est défini au paragraphe 123(1). Voir notamment à cet effet : Agence du revenu du Canada, Lettre de l'Administration centrale sur la TPS, *Sale of Residential Complexes* (27 mars 2001).

200.1 Crédit pour la vente de biens meubles d'une municipalité — Le paragraphe 193(2) s'applique, avec les adaptations nécessaires, aux biens meubles (sauf les voitures de tourisme, les aéronefs d'un inscrit qui est un particulier ou une société de personnes et les biens d'une personne désignée comme municipalité pour l'application de l'article 259 qui ne font pas partie de ses biens municipaux désignés) qu'un inscrit, qui est une municipalité ou une personne désignée comme municipalité pour l'application de l'article 259, acquiert ou importe pour utilisation à titre d'immobilisations, comme s'il s'agissait d'immeubles.

Notes historiques: L'article 200.1 a été ajouté par L.C. 2004, c. 22, par. 34(1) et s'applique aux fournitures dont la contrepartie, même partielle, devient due après le 9 mars 2004 ou est payée après cette date sans être devenue due. Toutefois, il ne s'applique pas aux fournitures effectuées conformément à une convention écrite conclue avant le 10 mars 2004.

Concordance québécoise: aucune.

COMMENTAIRES: Cet article fait partie d'un ensemble d'amendements législatifs relatifs au changement de taux de remboursement pour les municipalités (et les municipalités désignées) qui est passé de 57.14 % à 100 % en 2004.

Cet article n'a pas d'équivalent en TVQ. Cette absence de disposition législative résulte du fait que le taux de remboursement en TVQ pour les municipalités est de 0 %.

201. Valeur d'une voiture de tourisme — Pour le calcul du crédit de taxe sur les intrants d'un inscrit relativement à une voiture de tourisme qu'il a acquise, importée ou transférée dans une province participante, à un moment donné, pour utilisation comme immobilisation dans le cadre de ses activités commerciales, la taxe payable par l'inscrit relativement à l'acquisition, à l'importation ou au transfert, selon le cas, de la voiture à ce moment est réputée égale au moins élevé des montants suivants :

a) la taxe payable par lui relativement à l'acquisition, à l'importation ou au transfert, selon le cas, de la voiture;

b) le résultat du calcul suivant :

$$(A \times B) - C$$

où :

A représente la taxe qui serait payable par lui relativement à la voiture s'il l'avait acquise à l'endroit ci-après au moment donné pour une contrepartie égale au montant qui serait réputé par les alinéas 13(7)g) ou h) de la *Loi de l'impôt sur le revenu* être, pour l'application de l'article 13 de cette loi, le coût en capital pour un contribuable d'une voiture de tourisme à laquelle l'alinéa en cause s'applique s'il n'était pas tenu compte de l'élément B de la formule figurant à l'alinéa 7307(1)b) du *Règlement de l'impôt sur le revenu* :

(i) dans le cas où l'inscrit transfère la voiture dans une province participante à ce moment, dans cette province,

(ii) dans les autres cas, au Canada,

B 100 % ou, si l'inscrit est réputé par les paragraphes 199(3) ou 206(2) ou (3) avoir acquis tout ou partie de la voiture au moment donné, ou s'il transfère la voiture à ce moment dans une province participante, et s'il pouvait antérieurement demander un remboursement en vertu de l'article 259 relativement à la voiture ou à des améliorations afférentes, la différence entre 100 % et le pourcentage établi, au sens de cet article, qui sert au calcul du montant remboursable,

C zéro ou, si l'inscrit transfère la voiture au moment donné dans une province participante, le total des crédits de taxe sur les intrants qu'il pouvait demander relativement à la dernière acquisition ou importation de la voiture par lui ou relativement aux améliorations apportées à la voiture, qu'il a acquises ou importées après cette dernière acquisition ou importation.

Notes historiques: L'élément A de la formule de l'alinéa 201b) a été remplacé par L.C. 2007, c. 18, par. 15(1) et cette modification s'applique aux voitures de tourisme qui sont acquises, importées ou transférées dans une province participante après le 27 novembre 2006, ainsi qu'aux voitures de tourisme qui sont acquises, importées ou transférées dans une province participante au plus tard à cette date, sauf si un crédit de taxe sur les intrants relatif à l'acquisition, à l'importation ou au transfert a été, à la fois :

a) demandé conformément à l'article 201 dans une déclaration produite aux termes de la section V de la partie IX au plus tard à cette date;

b) calculé comme si le coût en capital de la voiture de tourisme pour l'application de la *Loi de l'impôt sur le revenu* comprenait les taxes de vente fédérale et provinciale.

Antérieurement, il se lisait ainsi :

A représente la taxe qui serait payable par lui relativement à la voiture s'il l'avait acquise à l'endroit suivant au moment donné pour une contrepartie égale au montant réputé par les alinéas 13(7)g) ou h) de la *Loi de l'impôt sur le revenu* être, pour l'application de l'article 13 de cette loi, le coût en capital pour un contribuable d'une voiture de tourisme à laquelle l'un de ces alinéas s'applique :

(i) dans le cas où l'inscrit transfère la voiture dans une province participante à ce moment, dans cette province,

(ii) dans les autres cas, au Canada,

L'élément B de la formule figurant à l'alinéa 201b) a été remplacé par L.C. 2004, c. 22, par. 35(1) et cette modification s'applique au calcul du crédit de taxe sur les intrants d'un inscrit relativement à une voiture de tourisme qu'il acquiert, importe ou transfère dans une province participante après janvier 2004. Il se lisait antérieurement comme suit :

B 100 % ou, si l'inscrit est réputé par les paragraphes 199(3) ou 206(2) ou (3) avoir acquis tout ou partie de la voiture au moment donné, ou s'il transfère la voiture à ce moment dans une province participante, et s'il pouvait antérieurement demander un remboursement en vertu de l'article 259 relativement à la voiture ou à des améliorations afférentes, la différence entre 100 % et le pourcentage réglementaire, visé à l'article 259, qui sert au calcul du montant remboursable,

L'article 201 a été modifié par L.C. 1997, c. 10, par. 191(1) et cette modification est entrée en vigueur le 1er avril 1997. Il se lisait comme suit :

201. Aux fins du calcul du crédit de taxe sur les intrants de l'inscrit qui, à un moment donné, acquiert ou importe une voiture de tourisme pour l'utiliser comme immobilisation dans le cadre de ses activités commerciales, la taxe payable par l'inscrit relativement à l'acquisition ou à l'importation de la voiture à ce moment est réputée égale au moins élevé des montants suivants :

a) la taxe payable par lui relativement à l'acquisition ou à l'importation de la voiture au moment donné;

b) le résultat du calcul suivant :

$$A \times B$$

où :

A représente la taxe qui serait payable par lui relativement à la voiture s'il l'avait acquise pour une contrepartie égale au montant réputé par les alinéas 13(7)g) ou h) de la *Loi de l'impôt sur le revenu* être, pour l'application de l'article 13 de cette loi, le coût en capital pour un contribuable d'une voiture de tourisme à laquelle l'un de ces alinéas s'applique,

B 100 % ou, si l'inscrit est réputé par les paragraphes 199(3) ou 206(2) ou (3) avoir acquis tout ou partie de la voiture au moment donné et s'il peut demander un remboursement en vertu de l'article 259 relativement à l'acquisition ou à l'importation de la voiture ou à des améliorations afférentes, la différence entre 100 % et le pourcentage réglementaire, visé à l'article 259, qui sert au calcul du montant remboursable.

Auparavant, cet article a été modifié par L.C. 1993, c. 27, par. 68(1) et est entré en vigueur le 1er octobre 1992. Il se lisait comme suit :

201. Aux fins du calcul du crédit de taxe sur les intrants, sauf celui calculé en application du paragraphe 203(1), de l'inscrit qui a acquis ou importé une voiture de tourisme pour l'utiliser comme immobilisation dans le cadre de ses activités commerciales, la taxe payable par l'inscrit relativement à la voiture est réputée égale au moins élevé des montants suivants :

a) la taxe effectivement payable par lui relativement à la voiture;

b) la taxe qui serait payable par lui relativement à la voiture s'il l'avait acquise pour une contrepartie égale au montant réputé par l'alinéa 13(7g) ou h) de la *Loi de l'impôt sur le revenu* être, pour l'application de l'article 13 de cette loi, le coût en capital pour un contribuable d'une voiture de tourisme à laquelle cet alinéa s'applique.

L'article 201 a été ajouté par L.C. 1990, c. 45, par. 12(1).

Concordance québécoise: LTVQ, art. 247.

Définitions: « activité commerciale », « améliorations », « contrepartie », « immobilisation », « importation », « inscrit », « montant », « province participante », « taxe », « voiture de tourisme » — 123(1).

Renvois: 123(2) (Canada); 125 (résultats négatifs); 153, 154 (contrepartie); 195.2 (dernière acquisition ou importation); 199(3) (principale utilisation d'immobilisations); 203(1) (vente d'une voiture de tourisme); 206(2), (3) (changement d'utilisation); 217b)(iii) (fournitures taxables importées); 235(1) (taxe nette en cas de location de voiture de tourisme).

Jurisprudence: *Myshak (D.) c. Canada*, [1997] G.S.T.C. 59 (CCI); *Ruhl (W.) c. Canada*, [1998] G.S.T.C. 4 (CCI); *510628 Ontario Ltd. c. R.*, [2000] G.S.T.C. 58 (CCI); *Bush Apes Inc. c. R.*, [2001] G.S.T.C. 72 (CCI); *Distribution S.C.T. inc. c. R.*, 2006 G.T.C. 517 (CCI); *Jenner c. R.*, 2007 G.T.C. 904 (CCI); 2008 CarswellNat 1630 (CAF); *Amberhill Collection Inc. v. R.*, 2009 CarswellNat 499 (CCI [procédure informelle]).

Mémorandums: TPS 400, 18/05/90, *Crédit de taxe sur les intrants*; TPS 400-2, 28/03/91, *Restrictions — Généralités*, par. 9; TPS 400-3-4, 12/09/92, *Voitures de tourisme et aéronefs*, par. 6, 21; TPS 400-3-2-1, 12/02/92, *Avantages relatifs à l'utilisation d'automobiles*, par. 42; TPS 500-2-4, 19/03/91, *Calcul de la taxe*, annexe D; TPS 500-7, 26/11/91, *Interaction entre la Loi sur la taxe d'accise et la Loi de l'impôt sur le revenu*, par. 35.

Série de mémorandums: Mémorandum 8-2, 01/08, *Restrictions générales*.

Lettres d'interprétation (Québec): 00-0104281 — Commissions versées par une compagnie américaine.

COMMENTAIRES: Cet article est similaire à l'alinéa 13(7)(g) de la *Loi de l'impôt sur le revenu*. Lorsqu'une voiture est achetée pour fins commerciales, seulement le premier 30 000 $ est permis à titre de dépenses d'entreprise, sur la théorie que le surplus consiste en des options luxueuses et ne devraient pas être déductibles aux fins de l'impôt sur le revenu. Par conséquent, l'article 201 limite le crédit de taxe sur les intrants admissible à l'égard de l'achat du véhicule à un coût de 30 000 $.

La limite du montant à 30 000 $ remonte au mois de mars 2001 et est demeurée inchangée depuis cette date. De l'avis de l'auteur, il serait tout indiqué pour le législateur d'augmenter ce coût maximal et ce, afin de refléter adéquatement l'augmentation du coût de la vie depuis les douze dernières années.

Cet article ne s'applique que pour les crédits de taxe sur les intrants, et ne s'applique pas à l'égard des remboursements.

Pour que l'article 201 s'applique, l'inscrit doit avoir une « voiture de tourisme ». Cette expression a été analysée notamment dans l'affaire *Amberhill Collection Inc. c. R.*, 2009 CarswellNat 499 (C.C.I.) En l'espèce, la Cour canadienne de l'impôt devait déterminer si le camion Yukon Denali (le « camion ») dont l'appelante était propriétaire était une « voiture de tourisme » au sens de la *Loi sur la taxe d'accise (TPS)*. L'appelante a demandé des crédits de taxe sur les intrants relativement à l'intégralité du prix d'achat du camion au motif qu'il ne s'agissait pas d'une « voiture de tourisme »; en établissant une nouvelle cotisation à l'égard de l'appelante, le ministre en a décidé autrement, et a diminué le montant déductible à titre de crédit de taxe sur les intrants afin qu'il soit conforme à la limite pécuniaire imposée par l'article 201. De l'avis de la Cour canadienne de l'impôt, en l'espèce, compte tenu des circonstances, celle-ci est convaincue que le camion ne comptait pas plus de trois places assises. Par conséquent, il est exclu de la définition de « voiture de tourisme » en vertu du sous-alinéa 248(1)*d*)(i), et il n'est pas une « voiture de tourisme » au sens de la *Loi sur la taxe d'accise (TPS)*. Par la suite, la Cour canadienne de l'impôt indique que l'étape suivante consiste à définir dans quelle mesure l'appelante a utilisé le camion dans le cadre de ses activités commerciales. En se fiant au kilométrage dont il est fait état dans les registres afférents au véhicule que l'appelante a fourni pendant la vérification, M. Bolta a calculé que le véhicule avait été utilisé à des fins commerciales 62 % du temps en 2004, et 72 % du temps en 2005, ce qui, d'après le ministre, ne suffit pas à satisfaire aux exigences de la loi. Dans l'avis d'appel, Mme Dukelow a admis que le véhicule n'était pas utilisé à des fins commerciales plus de 90 % du temps. Tout bien considéré, la Cour canadienne de l'impôt est convaincue que l'appelante a utilisé le camion à des fins commerciales 85 % du temps, ce qui est suffisant pour justifier du fait que « la totalité ou la presque totalité » de son utilisation était à des fins commerciales comme l'exige la *Loi sur la taxe d'accise (TPS)*. L'appel est accueilli, et l'affaire est renvoyée au ministre pour qu'il procède à un nouvel examen et établisse une nouvelle cotisation en tenant compte du fait que le camion n'était pas une « voiture de tourisme » au sens de la *Loi sur la taxe d'accise (TPS)*.

De l'avis de l'auteur, cette décision est intéressante puisqu'elle illustre que l'étendue de la définition de l'expression « la totalité ou la presque totalité » doit se faire sur une base individuelle, au cas par cas. Dans cette affaire, la Cour canadienne de l'impôt a conclu, avec justesse, qu'un taux de 85 % remplissait les exigences de cette expression. Ces commentaires s'appliquent *mutatis mutandis* pour le choix disponible en vertu de l'article 167.

À titre illustratif, la Cour canadienne de l'impôt, dans l'affaire *Jenner c. R.*, 2008 CarswellNat 1630 (C.A.F.) (permission d'en appeler à la Cour suprême du Canada refusée, 2009 CarswellNat 80) a constaté à la lumière de la preuve que le contrat de bail ne visait que la simple location du véhicule. L'appelant n'avait qu'un seul client. L'entretien ordinaire du véhicule ne nécessitait aucune intervention de sa part. La preuve cependant n'avait pas révélé qu'une telle dépense ait été engagée, et selon le premier juge, on ne pouvait par conséquent considérer l'appelant comme ayant exploité une entreprise de location. Son cas s'apparentait à celui du locateur qui tire un revenu d'un bien. Par conséquent, l'appelant n'a pas satisfait les critères de l'article 201. La Cour d'appel fédérale a maintenu la décision de première instance.

202. (1) Améliorations à une voiture de tourisme — Dans le cas où la contrepartie payée ou payable par un inscrit pour les améliorations apportées à sa voiture de tourisme porte le coût de la voiture pour lui à un montant excédant le montant qui serait réputé par les alinéas 13(7)g) ou h) de la *Loi de l'impôt sur le revenu* être, pour l'application de l'article 13 de cette loi, le coût en capital pour un contribuable d'une voiture de tourisme à laquelle l'alinéa en cause s'applique s'il n'était pas tenu compte de l'élément B de la formule figurant à l'alinéa 7307(1)b) du *Règlement de l'impôt sur le revenu*, la taxe relative à l'excédent n'est pas incluse dans le calcul du crédit de taxe sur les intrants de l'inscrit pour une période de déclaration.

Notes historiques: Le paragraphe 202(1) a été remplacé par L.C. 2007, c. 18, par. 16(1) et cette modification s'applique aux améliorations à une voiture de tourisme qui sont acquises, importées ou transférées dans une province participante après le 27 novembre 2006, ainsi qu'aux améliorations à une voiture de tourisme qui sont acquises, importées ou transférées dans une province participante au plus tard à cette date, sauf si un crédit de taxe sur les intrants relatif à l'acquisition, à l'importation ou au transfert a été, à la fois :

a) demandé conformément à l'article 202 dans une déclaration produite aux termes de la section V de la partie IX au plus tard à cette date;

b) calculé comme si le coût en capital de la voiture de tourisme pour l'application de la *Loi de l'impôt sur le revenu* comprenait les taxes de vente fédérale et provinciale.

Antérieurement, il se lisait ainsi :

> 202. (1) Dans le cas où la contrepartie payée ou payable par un inscrit pour les améliorations apportées à sa voiture de tourisme porte le coût de la voiture pour lui à un montant excédant le montant réputé par l'alinéa 13(7)g) ou h) de la *Loi de l'impôt sur le revenu* être, pour l'application de l'article 13 de cette loi, le coût en capital pour un contribuable d'une voiture de tourisme à laquelle cet alinéa s'applique, la taxe relative à l'excédent n'est pas incluse dans le calcul du crédit de taxe sur les intrants de l'inscrit pour une période de déclaration.

Le paragraphe 202(1) a été ajouté par L.C. 1990, c. 45, par. 12(1).

Concordance québécoise: LTVQ, art. 248.

(2) Crédit pour voiture de tourisme ou aéronef — La taxe, sauf celle réputée payable par le paragraphe (4), payable par l'inscrit — particulier ou société de personnes — relativement à l'acquisition, à l'importation ou au transfert dans une province participante d'une voiture de tourisme ou d'un aéronef, qu'il acquiert, importe ou transfère ainsi pour utilisation comme immobilisation, n'est incluse dans le calcul de son crédit de taxe sur les intrants que s'il a acquis ou importé la voiture ou l'aéronef, ou l'a transféré dans la province, selon le cas, pour utilisation exclusive dans le cadre de ses activités commerciales.

Notes historiques: Le paragraphe 202(2) a été modifié par L.C. 1997, c. 10, par. 192(1) et cette modification est entrée en vigueur le 1er avril 1997. Il se lisait comme suit :

> (2) La taxe, sauf celle réputée payable par le paragraphe (4), payable par l'inscrit — particulier ou société de personnes — relativement à l'acquisition ou à l'importation d'une voiture de tourisme ou d'un aéronef, qu'il acquiert ou importe pour l'utiliser comme immobilisation, n'est incluse dans le calcul de son crédit de taxe sur les intrants que si la voiture ou l'aéronef a été acquis ou importé pour utilisation exclusive dans le cadre de ses activités commerciales.

Auparavant, ce paragraphe a été modifié par L.C. 1993, c. 27, par. 69(1) et est entré en vigueur le 1er octobre 1992. Il se lisait comme suit :

> (2) La taxe, sauf la taxe réputée payable par le paragraphe (4), payable par l'inscrit — particulier ou société de personnes — relativement à l'acquisition ou à l'importation d'une voiture de tourisme ou d'un aéronef, qu'il acquiert ou importe pour utiliser comme immobilisation dans le cadre de ses activités commerciales, n'est incluse dans le calcul de son crédit de taxe sur les intrants pour une période de déclaration que si la voiture ou l'aéronef ont été acquis ou importés pour être utilisés exclusivement dans ce cadre.

Le paragraphe 202(2) a été ajouté par L.C. 1990, c. 45, par. 12(1).

Concordance québécoise: LTVQ, art. 250.

(3) Améliorations à une voiture de tourisme ou à un aéronef — Dans le cas où un inscrit — particulier ou société de personnes — acquiert, importe ou transfère dans une province participante des améliorations à une voiture de tourisme ou à un aéronef qui fait partie de ses immobilisations, la taxe payable par l'inscrit relativement aux améliorations n'est incluse dans le calcul de son crédit de taxe sur les intrants que si la voiture ou l'aéronef a été utilisé exclusivement dans le cadre de ses activités commerciales durant la période commençant le jour où il a initialement acquis ou importé la voiture ou l'aéronef ou, s'il est postérieur, le jour où il est devenu un inscrit et se terminant le jour où la taxe relative aux améliorations devient payable ou est payée sans qu'elle soit devenue payable.

Notes historiques: Le paragraphe 202(3) a été modifié par L.C. 1997, c. 10, par. 192(2) et cette modification est entrée en vigueur le 1er avril 1997. Il se lisait comme suit :

> (3) Dans le cas où un inscrit — particulier ou société de personnes — acquiert ou importe des améliorations à une voiture de tourisme ou à un aéronef qui fait partie de ses immobilisations, la taxe payable par l'inscrit relativement aux améliorations n'est incluse dans le calcul de son crédit de taxe sur les intrants que si la voiture ou l'aéronef a été utilisé exclusivement dans le cadre de ses activités commerciales durant la période commençant au dernier en date du jour où il a initialement acquis ou importé la voiture ou l'aéronef et du jour où il est devenu un inscrit et se terminant le jour où la taxe relative aux améliorations devient payable ou est payée sans qu'elle soit devenue payable.

Pour les améliorations acquises ou importées après mars 1991 et avant octobre 1992, le paragraphe 202(3) doit se lire comme suit :

> (3) Dans le cas où un inscrit — particulier ou société de personnes — acquiert ou importe des améliorations à une voiture de tourisme ou à un aéronef qui font partie de ses immobilisations, la taxe payable par l'inscrit relativement aux améliorations n'est incluse dans le calcul de son crédit de taxe sur les intrants que si la voiture ou l'aéronef a été utilisé exclusivement dans le cadre de ses activités com-

merciales durant la période commençant le jour où il a acquis ou importé la voiture ou l'aéronef et se terminant le jour où la taxe relative aux améliorations devient payable ou est payée sans qu'elle soit devenue payable.

Auparavant, il a été modifié par L.C. 1993, c. 27, par. 69(3) et s'applique aux améliorations acquises ou importées après septembre 1992. Il se lisait auparavant comme suit :

(3) Dans le cas où un inscrit — particulier ou société de personnes — acquiert ou importe des améliorations à une voiture de tourisme ou à un aéronef qui font partie de ses immobilisations, la taxe payable par l'inscrit relativement aux améliorations n'est incluse dans le calcul de son crédit de taxe sur les intrants pour une période de déclaration que si :

a) tout au long de la période commençant le jour où il a acquis ou importé la voiture ou l'aéronef et se terminant le jour où les améliorations ont été acquises ou importées, la voiture ou l'aéronef a été utilisé exclusivement dans le cadre de ses activités commerciales;

b) immédiatement après que les améliorations y sont apportées, la voiture ou l'aéronef est utilisé exclusivement dans le cadre de ses activités commerciales.

Le paragraphe 202(3) a été ajouté par L.C. 1990, c. 45, par. 12(1).

Concordance québécoise: LTVQ, art. 251.

(4) Utilisation non exclusive d'une voiture de tourisme ou d'un aéronef — Malgré les paragraphes (2) et (3), pour le calcul de son crédit de taxe sur les intrants, l'inscrit — particulier ou société de personnes — qui, à un moment donné, acquiert ou importe une voiture de tourisme ou un aéronef, ou le transfère dans une province participante, pour utilisation comme immobilisation mais non exclusivement dans le cadre de ses activités commerciales et qui est tenu de payer une taxe relative à l'acquisition, à l'importation ou au transfert est réputé :

a) avoir acquis la voiture ou l'aéronef le dernier jour de chacune de ses années d'imposition se terminant après le moment donné;

b) avoir payé, ce jour-là et relativement à l'acquisition de la voiture ou de l'aéronef, une taxe égale au résultat du calcul suivant :

$$A \times B$$

où :

A représente :

(i) dans le cas d'une acquisition ou d'une importation relativement à laquelle seule la taxe prévue au paragraphe 165(1) ou aux articles 212 ou 218 est payable et de l'acquisition réputée effectuée par le paragraphe (5) d'une voiture ou d'un aéronef relativement auquel la taxe prévue au paragraphe 165(2) n'était pas payable par l'inscrit, le montant obtenu par la formule suivante :

$$C/D$$

où :

C représente le taux fixé au paragraphe 165(1),

D la somme de 100 % et du pourcentage déterminé selon l'élément C,

(ii) dans le cas du transfert de la voiture ou de l'aéronef dans une province participante en provenance d'une province non participante et d'une acquisition relativement à laquelle la taxe prévue à l'article 220.06 est payable, le montant obtenu par la formule suivante :

$$E/F$$

où :

E représente le taux de taxe applicable à la province participante,

F la somme de 100 % et du pourcentage déterminé selon l'élément E,

(iii) dans le cas d'une acquisition ou d'une importation relativement à laquelle la taxe prévue au paragraphe 165(2), à l'article 212.1 ou au paragraphe 218.1(1), calculée au taux de taxe applicable à une province participante, est payable, le montant obtenu par la formule suivante :

$$G/H$$

où :

G représente la somme du taux fixé au paragraphe 165(1) et du taux de taxe applicable à la province,

H la somme de 100 % et du pourcentage déterminé selon l'élément G,

(iv) dans les autres cas, le montant obtenu par la formule suivante :

$$I/J$$

où :

I représente le taux déterminé selon les modalités réglementaires,

J la somme de 100 % et du pourcentage déterminé selon l'élément I,

B représente :

(i) dans le cas où un montant relatif à la voiture ou à l'aéronef est à inclure en application de l'alinéa 6(1)e) ou du paragraphe 15(1) de la *Loi de l'impôt sur le revenu* dans le calcul du revenu d'un particulier pour son année d'imposition se terminant au cours de l'année d'imposition de l'inscrit, zéro,

(ii) dans les autres cas, la déduction pour amortissement applicable à la voiture ou à l'aéronef aux termes de la *Loi de l'impôt sur le revenu* dans le calcul du revenu de l'inscrit tiré de ces activités pour cette année d'imposition.

Notes historiques: Le préambule du paragraphe 202(4) a été modifié par L.C. 1997, c. 10, par. 192(3) et cette modification est entrée en vigueur le 1er avril 1997. Ce préambule se lisait comme suit :

(4) Malgré les paragraphes (2) et (3), aux fins du calcul de son crédit de taxe sur les intrants, l'inscrit — particulier ou société de personnes — qui, à un moment donné, acquiert ou importe une voiture de tourisme ou un aéronef, relativement auquel il est tenu de payer une taxe, pour l'utiliser comme immobilisation mais non exclusivement dans le cadre de ses activités commerciales est réputé :

Le sous-alinéa (iii) de l'élément A de la formule figurant à l'alinéa 202(4)b) a été remplacé et le sous-alinéa (iv) a été ajouté par. L.C. 2009, c. 32, par. 13(1) et ces modifications s'appliquent aux années d'imposition d'un inscrit se terminant après juin 2010. Antérieurement, le sous-alinéa (iii) se lisait ainsi :

(iii) dans les autres cas, le montant obtenu par la formule suivante :

$$G/H$$

où :

G représente la somme du taux fixé au paragraphe 165(1) et du taux de taxe applicable à une province participante,

H la somme de 100 % et du pourcentage déterminé selon l'élément G;

L'élément A de la formule de l'alinéa 202(4)b) a été remplacé par L.C. 2006, c. 4, par. 17(1) et cette modification s'applique aux années d'imposition d'un inscrit se terminant après juin 2006. Toutefois, en ce qui concerne son année d'imposition qui comprend le 1er juillet 2006, l'élément A de la formule figurant à l'alinéa 202(4)b) est réputé avoir le libellé suivant :

A représente :

(i) dans le cas d'une acquisition ou d'une importation relativement à laquelle seule la taxe prévue au paragraphe 165(1) ou aux articles 212 ou 218 est payable et de l'acquisition réputée effectuée par le paragraphe (5) d'une voiture ou d'un aéronef relativement auquel la taxe prévue au paragraphe 165(2) n'était pas payable par l'inscrit, 6,5/106,5,

(ii) dans le cas du transfert de la voiture ou de l'aéronef dans une province participante en provenance d'une province non participante et d'une acquisition relativement à laquelle la taxe prévue à l'article 220.06 est payable, 8/108,

(iii) dans les autres cas, 14,5/114,5;

Antérieurement, il se lisait ainsi :

A représente :

(i) dans le cas d'une acquisition ou d'une importation relativement à laquelle seule la taxe prévue au paragraphe 165(1) ou aux articles 212 ou 218 est payable et de l'acquisition réputée effectuée par le paragraphe (5) d'une voiture ou d'un aéronef relativement auquel la taxe prévue au paragraphe 165(2) n'était pas payable par l'inscrit, $7/107$,

(ii) dans le cas du transfert de la voiture ou de l'aéronef dans une province participante en provenance d'une province non participante et d'une acquisition relativement à laquelle la taxe prévue à l'article 220.06 est payable, $8/108$,

(iii) dans les autres cas, $15/115$;

L'élément A de la formule figurant à l'alinéa 202(4)b) a été modifié par L.C. 1997, c. 10, par. 192(4) et cette modification est entrée en vigueur le 1er avril 1997. Cet élément se lisait comme suit :

A représente la fraction de taxe,

Auparavant, le paragraphe 202(4) a été modifié par L.C. 1993, c. 27, par. 69(4) et est réputé entré en vigueur le 17 décembre 1990. Toutefois, en ce qui concerne les années d'imposition d'un inscrit se terminant avant avril 1991, l'élément B de la formule figurant à l'alinéa 202(4)b) est remplacé par ce qui suit :

B la déduction pour amortissement applicable à la voiture ou à l'aéronef aux termes de la *Loi de l'impôt sur le revenu* dans le calcul du revenu de l'inscrit tiré de ces activités pour l'année d'imposition de l'inscrit.

Il se lisait ainsi :

(4) Pour l'application de la présente partie, aux fins du calcul de son crédit de taxe sur les intrants, l'inscrit — particulier ou société de personnes — qui, au cours de son année d'imposition, acquiert ou importe une voiture de tourisme ou un aéronef, relativement auquel il doit payer une taxe, pour utilisation non exclusive comme immobilisation dans le cadre de ses activités commerciales est réputé avoir payé relativement à la voiture ou l'aéronef la taxe, devenue payable le dernier jour de sa dernière période de déclaration commençant pendant cette année et chaque année d'imposition postérieure, calculée selon la formule suivante :

$$A \times B$$

où :

A représente la fraction de taxe;

B la déduction pour amortissement applicable à la voiture ou à l'aéronef aux termes de la *Loi de l'impôt sur le revenu* dans le calcul de son revenu tiré de ces activités pour cette année ou l'année d'imposition postérieure.

Le paragraphe 202(4) a été édicté par L.C. 1990, c. 45, par. 12(1).

Concordance québécoise: LTVQ, art. 252.

(5) Présomption d'acquisition — Pour l'application du paragraphe (4), l'inscrit qui est réputé par l'article 203 avoir effectué la fourniture taxable d'une voiture de tourisme ou d'un aéronef est réputé avoir acquis ceux-ci au moment de la fourniture et la taxe payable par l'inscrit relativement à la voiture ou à l'aéronef est réputée payable à ce moment.

Notes historiques: Le paragraphe 202(5) a été ajouté par L.C. 1990, c. 45, par. 12(1).

Concordance québécoise: LTVQ, art. 254.

juin 2006, Notes explicatives: L'article 202 porte sur le calcul des crédits de taxe sur les intrants relatifs aux voitures de tourisme et aux aéronefs, et aux améliorations qui y sont apportées, acquis ou importés pour utilisation à titre d'immobilisations d'un inscrit. À cet égard, le paragraphe 202(4) prévoit qu'un inscrit — particulier ou société de personnes — peut, à la fin de son année d'imposition, demander un crédit de taxe sur les intrants relativement à une voiture de tourisme ou un aéronef qui est une immobilisation utilisée autrement qu'exclusivement dans le cadre de ses activités commerciales. Pour le calcul du crédit, l'inscrit est réputé avoir acquis la voiture ou l'aéronef le dernier jour de chacune de ses années d'imposition et avoir payé, relativement à cette acquisition, un montant de taxe déterminé selon la formule figurant au paragraphe 202(4).

Selon cette formule, le facteur 7/107 s'applique dans le cas où la voiture ou l'aéronef est acquis ou importé, ou réputé avoir été acquis en vertu du paragraphe 202(5), dans des circonstances où seul le taux de TPS de 7 % s'appliquait. Le facteur 8/108 s'applique dans le cas où la voiture ou l'aéronef (ou les améliorations) est transféré dans une province participante à partir d'une province non participante ou est acquis dans une province non participante d'une personne non résidente non inscrite qui n'avait pas à payer la taxe sur la voiture, l'aéronef ou les améliorations, deux circonstances qui n'entraînent que l'application de la composante provinciale de la TVH. Enfin, le facteur 15/115 s'applique dans le cas où l'acquisition ou l'importation, ou l'acquisition réputée en vertu du paragraphe 202(5), donne lieu à l'application de la TVH de 15 %.

Le paragraphe 202(4) est modifié de sorte que la formule utilise, selon le cas, le taux fixé au paragraphe 165(1) au titre de la TPS ou de la composante fédérale de la TVH ou le taux applicable à une province participante. Cette modification fait suite au changement apporté au paragraphe 165(1), qui consiste à ramener de 7 % à 6 % le taux de la taxe imposée par ce paragraphe.

La modification apportée au paragraphe 202(4) s'applique relativement aux années d'imposition d'un inscrit se terminant après juin 2006. Toutefois, en ce qui concerne son année d'imposition qui comprend le 1er juillet 2006, les facteurs qui entrent dans le calcul du crédit de taxe sur les intrants sont réputés être 6,5/106,5 pour la TPS, 8/108 pour la composante provinciale de la TVH et 14,5/114,5 pour la TVH.

Définitions [art. 202]: « activité commerciale », « améliorations », « année d'imposition », « contrepartie », « exclusif », « fourniture », « fourniture taxable », « fraction de taxe », « immobilisation », « importation », « inscrit », « montant », « période de déclaration », « province non participante », « province participante », « taux de taxe », « taxe », « voiture de tourisme » — 123(1).

Renvois [art. 202]: 169(1), a de l'élément B de la formule (CTI); 201 (valeur d'une voiture de tourisme); 203(1) (vente d'une voiture de tourisme); 253(1) (remboursement aux salariés et associés).

Jurisprudence [art. 202]: *McKay c. R.*, [2000] G.S.T.C. 93 (CCI); *Landry c. R.*, [2003] G.S.T.C. 46 (CCI); *Fournier c. R.*, [2004] G.S.T.C. 159 (CCI); *Sandhu c. R.*, 2006 TCC 50 (CCI); *Fournier c. R.*, [2006] G.S.T.C. 52, 2006 (CAF); *Betcher v. R.*, [2008] G.S.T.C. 103 (30 avril 2008) (CCI [procédure générale]).

Mémorandums [art. 202]: TPS 400, 18/05/90, *Crédits de taxe sur les intrants*, al. 8d), par. 66, 67; TPS 400-3-4, 12/09/92, *Voitures de tourisme et aéronefs*, par. 34–41; TPS 500-2-4, 19/03/91, *Calcul de la taxe*, annexe D; TPS 500-7, 26/11/91, *Interaction entre la Loi sur la taxe d'accise et la Loi de l'impôt sur le revenu*, par. 37, 38; TPS 700-5-1, 27/07/92, *Répartition des CTI pour les institutions financières*, par. 16.

Série de mémorandums [art. 202]: Mémorandum 8.2, 03/08, *Restrictions générales*; Mémorandum 8.3, 02/12, *Calcul des crédits de taxe sur les intrants*.

Info TPS/TVQ [art. 202]: GI-122 — *Les incidences de la TPS/TVH à la suite de l'acquisition de panneaux solaires en vertu du Programme de tarifs de rachats garantis pour les micro-projets en Ontario*.

COMMENTAIRES: Aux termes du paragraphe 202(2) seul un inscrit qui est un particulier ou une société de personnes qui acquiert une voiture de tourisme ou un aéronef pour utilisation exclusive (90 p. 100 ou plus) comme immobilisation dans le cadre de ses activités commerciales peut inclure la taxe payable dans le calcul de son crédit de taxe sur les intrants relativement à l'acquisition (y compris l'amélioration) de la voiture.

L'affaire *Muller c. R.*, 2004 CarswellNat 6741 (C.C.I.) réfère à l'application du paragraphe 202(2) et à la définition de l'expression « voiture de tourisme ». L'article 123 prévoit que l'expression « voiture de tourisme » s'entend au sens du paragraphe 248(1) de la *Loi de l'impôt sur le revenu*. La Cour canadienne de l'impôt n'accepte pas l'argument de l'avocat de l'intimée selon lequel il faut une preuve d'expert pour déterminer à quelles fins est conçue telle ou telle automobile. Selon son sens et son usage courant, une automobile sert au transport de personnes et elle est donc conçue à cette fin. Par conséquent, si notre lecture se limite au premier paragraphe de la définition d'« automobile », il en ressort qu'une camionnette ou un *pick-up* n'en fait pas partie, étant donné que celui-ci, selon son sens et son usage courant, sert à transporter des marchandises et du matériel et donc qu'il est conçu à cette fin. Sa conception et son but sont qualifiés par le nom « camionnette » ou « *pick-up* ». Il est intéressant de remarquer qu'avant la modification de 1994, la version de la définition du terme « automobile » applicable aux années financières et aux périodes comptables commençant après 1987 incluait spécifiquement une camionnette ou un *pick-up*, mais cette inclusion explicite a disparu dans la définition applicable à la période en question. En date de la rédaction du jugement, la définition se limite à ce qui suit: véhicule à moteur principalement conçu [...] pour transporter des particuliers [...] sur les routes et dans les rues et comptant au maximum neuf places assises, y compris celle du conducteur, [...]. Ensuite, le législateur cherche à exclure certains types de véhicules à moteur, notamment les camionnettes ou les *pick-up* « comptant au maximum trois places assises, y compris celle du conducteur ». La Cour canadienne de l'impôt a conclu que, notamment, la camionnette ou le *pick-up* en question ne compte pas plus de « trois places assises ». Toutefois, en ce qui concerne ces deux sous-alinéas, (i) et (ii), même en l'absence de preuve quant à l'utilisation concrète, la Cour canadienne de l'impôt conclut que, ayant été achetée pour l'exploitation agricole, la camionnette a servi à ces fins au cours de cette partie du mois de décembre 1997, étant donné qu'il n'existe aucune trace d'un autre achat. Par conséquent, l'appel sera accueilli avec dépens.

Les principes applicables qui se dégagent des dispositions, notamment, de l'article 202 sont résumés dans l'affaire *Nelson c. R.*, 2011 CarswellNat 1903 (C.C.I.). Dans cette affaire, les principes suivants ont été établis :

a) Si la voiture est une voiture de tourisme d'un coût supérieur à 30 000 $, le crédit de taxe sur les intrants est calculé au prorata en conséquence (art. 201).

b) Le crédit de taxe sur les intrants n'est pas calculé de nouveau au prorata si l'utilisation de la voiture est faite en totalité, ou presque, dans le cadre d'activités commerciales (par. 123(1), 202(2) et 203(2)).

c) Le crédit de taxe sur les intrants est calculé de nouveau au prorata si l'utilisation de la voiture n'est pas faite en totalité, ou presque, dans le cadre d'activités commerciales (par. 123(1), 202(4) et 203(2)).

Les appelants reconnaissent qu'ils sont assujettis au principe, énoncé à l'alinéa a) ci-dessus, du calcul au prorata à l'égard d'une voiture de tourisme dont le coût dépasse 30 000 $ (limite en mars 2013). Dans leur situation particulière, le crédit de taxe sur les intrants est réduit à 60 % de la TPS payée pour la voiture.

Les appelants soutiennent que le principe énoncé à l'alinéa b) ci-dessus s'applique également à eux compte tenu du fait que l'utilisation de la voiture est faite en totalité, ou presque, dans le cadre d'activités commerciales. Ils soutiennent qu'une utilisation commerciale dans une proportion de 54 % devrait répondre à ce critère parce que cela correspond à 90 % (la totalité, ou presque) des 60 % qui sont autorisés en vertu du principe énoncé à l'alinéa *a* ci-dessus. Si le critère de l'exclusivité énoncé à l'alinéa b) ci-dessus ne s'applique pas aux appelants, le critère énoncé à l'alinéa c) s'applique. Dans ce cas, il est admis qu'aucun crédit de taxe sur les intrants ne peut être demandé. Le crédit de taxe sur les intrants visé à l'alinéa c) ci-dessus est fondé sur une déduction pour amortissement qui a été appliquée à l'égard de la voiture en vertu de la *Loi de l'impôt sur le revenu*. La déduction pour amortissement est une déduction discrétionnaire, et aucune n'a été demandée en l'espèce. Le représentant des appelants a expliqué qu'il était insensé de demander une déduction pour amortissement étant donné que la déduction serait assujettie aux dispositions relatives aux pertes agricoles restreintes. Les appelants n'ont présenté aucun élément de preuve à l'audience. Leur représentant a soutenu que l'intimée concevait trop étroitement le critère de l'exclusivité lorsqu'elle interprétait les mots « la totalité, ou presque » comme correspondant à 90 %. Le représentant des appelants avance qu'une utilisation à des fins commerciales dans une proportion de 54 % devrait suffire, étant donné que cela correspond à 90 % des 60 % qui sont autorisés en raison du coût de la voiture. Toutefois, indépendamment des considérations touchant l'équité, l'interprétation que préconisent les appelants ne peut pas être justifiée eu égard au libellé des dispositions législatives. Afin d'éviter un calcul au prorata de l'utilisation de la voiture à des fins personnelles, il faut que la voiture soit utilisée en totalité, ou presque, dans le cadre d'activités commerciales. Les mots « la totalité, ou presque » signifient une utilisation tout juste moindre qu'une utilisation totale. Le pourcentage que les appelants proposent, soit 54 %, ne répond pas à ce critère. Pour ces motifs, la demande du crédit de taxe sur les intrants sera refusée.

Bien que ce résultat soit malheureux pour les appelants, la mesure de redressement qu'ils cherchent à obtenir est contraire à des dispositions législatives claires. De l'avis de l'auteur, la décision de la Cour canadienne de l'impôt est juste en ce sens que les mots « la totalité, ou presque » ne peuvent correspondre à un taux aussi peu élevé que 54 %. En effet, ce taux d'utilisation est bas contrairement au taux de 85 % qui avait été accordé par la Cour canadienne de l'impôt dans l'affaire *Amberhill Collection Inc.*

À tout événement, peu importe si le camion se qualifie de voiture de tourisme ou non, le délai pour réclamer un crédit de taxe sur les intrants est de quatre ans, en vertu de l'alinéa 225(4)(b).

203. (1) Vente d'une voiture de tourisme — L'inscrit (sauf une municipalité) qui effectue par vente, à un moment donné de sa période de déclaration, la fourniture taxable d'une voiture de tourisme (sauf celle qui est le bien municipal désigné d'une personne désignée comme municipalité à ce moment pour l'application de l'article 259) qui, immédiatement avant ce moment, était utilisée comme immobilisation dans le cadre de ses activités commerciales peut demander, malgré l'article 170, l'alinéa 199(2)a) et les paragraphes 199(4) et 202(1), un crédit de taxe sur les intrants pour cette période égal au montant obtenu par la formule suivante :

$$A \times (B - C) / B$$

où :

A représente la teneur en taxe de la voiture au moment donné;

B le total des montants suivants :

a) la taxe payable par l'inscrit relativement à la dernière acquisition ou importation de la voiture par lui,

b) si l'inscrit a transféré la voiture dans une province participante après l'avoir acquise ou importée la dernière fois, la taxe payable par lui relativement à ce transfert,

c) la taxe payable par l'inscrit relativement aux améliorations apportées à la voiture, qu'il a acquises, importées ou transférées dans une province participante après la dernière acquisition ou importation de la voiture;

C le total des crédits de taxe sur les intrants que l'inscrit pouvait demander au titre d'une taxe incluse dans le total visé à l'élément B.

Notes historiques: Le préambule du paragraphe 203(1) a été remplacé par L.C. 2004, c. 22, par. 36(1) et cette modification s'applique aux fournitures dont la contrepartie, même partielle, devient due après le 9 mars 2004 ou est payée après cette date sans être devenue due. Toutefois, cette modification ne s'applique pas aux fournitures effectuées conformément à une convention écrite conclue avant le 10 mars 2004. Antérieurement, il se lisait comme suit :

203. (1) L'inscrit qui effectue par vente, à un moment donné de sa période de déclaration, la fourniture taxable d'une voiture de tourisme utilisée, immédiatement avant ce moment, comme immobilisation dans le cadre de ses activités commerciales peut demander, malgré l'article 170, les alinéas 199(2)a) et (4)a) et le paragraphe 202(1), un crédit de taxe sur les intrants pour cette période égal au résultat du calcul suivant :

Les alinéas 203(1)a) et b) ont été modifiés par L.C. 1993, c. 27, par. 70(2) et s'appliquent aux fournitures de voitures de tourisme par vente, sauf celles dans le cadre desquelles la propriété ou la possession de la voiture est transférée à l'acquéreur avant octobre 1992. Pour les fournitures de voitures de tourisme par vente dans le cadre desquelles la propriété ou la possession de la voiture est transférée à l'acquéreur avant octobre 1992 et après mars 1991, ces alinéas ont été modifiés par L.C. 1993, c. 27, par. 70(1) et doivent se lire comme suit :

a) le résultat du calcul suivant :

$$A - B$$

où :

A représente le total, calculé compte non tenu de l'article 201, de la taxe payable par l'inscrit relativement à l'acquisition ou à l'importation initiales de la voiture par lui et de la taxe payable par lui relativement aux améliorations apportées à la voiture, qu'il a acquises ou importées après cette acquisition ou importation,

B le total des crédits de taxe sur les intrants que l'inscrit pouvait demander avant le moment donné relativement à la voiture et aux améliorations afférentes;

b) le résultat du calcul suivant :

$$C \times \frac{D}{E}$$

où :

C représente le montant calculé à l'alinéa a),

D le moins élevé de la valeur de la contrepartie de la fourniture taxable et de l'élément E,

E le total des montants représentant chacun :

(i) la contrepartie payable par l'inscrit ou la valeur déterminée selon l'article 215 relativement à l'acquisition ou à l'importation initiales de la voiture par lui,

(ii) si l'inscrit a acquis ou importé des améliorations à la voiture, la contrepartie payable par lui ou la valeur déterminée selon l'article 215 relativement aux améliorations.

Le paragraphe 203(1) a été modifié par L.C. 1997, c. 10, par. 193(1) et cette modification est entrée en vigueur le 1er avril 1997. Ce paragraphe se lisait comme suit :

203. (1) L'inscrit qui effectue par vente, à un moment donné de sa période de déclaration, la fourniture taxable d'une voiture de tourisme utilisée, immédiatement avant ce moment, comme immobilisation dans le cadre de ses activités commerciales peut demander, malgré l'article 170, les alinéas 199(2)a) et (4)a) et le paragraphe 202(1), un crédit de taxe sur les intrants pour cette période égal au moins élevé des montants suivants :

a) le résultat du calcul suivant :

$$A - B$$

où :

A représente le total, calculé compte non tenu de l'article 201, de la taxe qui est payable par l'inscrit, ou qui le serait en l'absence de l'article 167, relativement à sa dernière acquisition ou importation de la voiture et de la taxe payable par lui relativement aux améliorations apportées à la voiture, qu'il a acquises ou importées après cette dernière acquisition ou importation,

B le total des montants remboursés en vertu de l'article 259 et des crédits de taxe sur les intrants que l'inscrit pouvait demander au titre d'une taxe incluse dans le total visé à l'élément A;

b) le résultat du calcul suivant :

$$C \times \frac{D}{E}$$

où :

C représente le montant calculé à l'alinéa a),

D le moins élevé de la valeur de la contrepartie de la fourniture taxable et de l'élément E,

E le total des montants représentant chacun :

(i) la contrepartie payable par l'inscrit ou la valeur déterminée selon l'article 215 relativement à la dernière acquisition ou importation de la voiture par lui,

(ii) si l'inscrit a acquis ou importé des améliorations à la voiture après cette dernière acquisition ou importation, la contrepartie payable par lui ou la valeur déterminée selon l'article 215 relativement aux améliorations.

Le paragraphe 203(1) a été modifié par L.C. 1993, c. 27, par. 70(1) et s'applique aux fournitures de voitures de tourisme par vente, sauf celles dans le cadre desquelles la propriété ou la possession de la voiture est transférée à l'acquéreur avant avril 1991. Il se lisait auparavant comme suit :

203. (1) L'inscrit qui effectue par vente, à un moment d'une période de déclaration, la fourniture taxable d'une voiture de tourisme utilisée, immédiatement avant ce moment, comme immobilisation dans le cadre de ses activités commerciales peut demander un crédit de taxe sur les intrants pour cette période égal au moins élevé des montants suivants :

a) l'excédent éventuel de la taxe payable par lui au titre de l'acquisition, de l'importation ou des améliorations de la voiture sur le crédit de taxe sur les intrants qu'il avait le droit de demander à ce titre;

b) le montant calculé selon la formule suivante :

$$A \times \frac{B}{C}$$

où :

A représente le montant calculé à l'alinéa a);

B le moins élevé de la valeur de la contrepartie de la fourniture taxable et de l'élément C;

C le total des valeurs suivantes :

(i) la valeur de la contrepartie qui était payable par l'inscrit pour la voiture qui lui a été fournie ou, s'il a importé la voiture, la valeur de celle-ci, déterminée à l'article 215,

(ii) la valeur de la contrepartie des améliorations apportées à la voiture.

Le paragraphe 203(1) a été ajouté par L.C. 1990, c. 45, par. 12(1).

Concordance québécoise: LTVQ, art. 249.

(2) Utilisation non exclusive d'une voiture de tourisme ou d'un aéronef — Pour l'application de la présente partie, l'inscrit — particulier ou société de personnes — qui acquiert ou importe une voiture de tourisme ou un aéronef pour les utiliser comme immobilisation exclusivement dans le cadre de ses activités commerciales et qui commence, à un moment donné, à les utiliser autrement qu'exclusivement dans ce cadre est réputé :

a) avoir effectué, immédiatement avant ce moment, la fourniture taxable par vente de la voiture ou de l'aéronef;

b) avoir perçu, à ce moment et relativement à la fourniture, une taxe égale à la teneur en taxe de la voiture ou de l'aéronef immédiatement avant ce moment.

Notes historiques: Les alinéas 203(2)a) et b) ont été modifiés par L.C. 1997, c. 10, par. 193(2) et cette modification est entrée en vigueur le 1er avril 1997. Auparavant, ces alinéas se lisaient comme suit :

a) avoir effectué, immédiatement avant ce moment, la fourniture taxable par vente de la voiture ou de l'aéronef pour une contrepartie égale à sa juste valeur marchande à ce moment;

b) avoir perçu, à ce moment et relativement à la fourniture, la taxe calculée sur cette contrepartie.

L'alinéa b) a été modifié par L.C. 1993, c. 27, par. 70(3) et est réputé entré en vigueur le 17 décembre 1990. Il se lisait comme suit :

b) avoir perçu, immédiatement avant ce moment, la taxe relative à la fourniture, calculée sur cette contrepartie.

Le paragraphe 203(2) a été ajouté par L.C. 1990, c. 45, par. 12(1).

[Voir disposition transitoire sous par. 200(2), L.C. 1997, c. 10, art. 258 — n.d.l.r.].

Concordance québécoise: LTVQ, art. 253.

(3) Vente d'une voiture de tourisme ou d'un aéronef — Malgré l'alinéa 141.1(1)a), pour l'application de la présente partie, la fourniture par vente d'une voiture de tourisme ou d'un aéronef (sauf ceux qui sont des biens municipaux désignés d'une personne désignée comme municipalité au moment de la fourniture pour l'application de l'article 259) qui fait partie des immobilisations d'un inscrit qui est un particulier ou une société de personnes (sauf une municipalité) est réputée ne pas être une fourniture taxable si l'inscrit n'a pas utilisé la voiture ou l'aéronef exclusivement dans le cadre de ses activités commerciales entre le moment où il est devenu un inscrit et le moment de la fourniture.

Notes historiques: Le paragraphe 203(3) a été remplacé par L.C. 2004, c. 22, par. 36(2) et cette modification s'applique aux fournitures dont la contrepartie, même partielle, devient due après le 9 mars 2004 ou est payée après cette date sans être devenue due. Toutefois, elle ne s'applique pas aux fournitures effectuées conformément à une convention écrite conclue avant le 10 mars 2004. Il se lisait antérieurement comme suit :

(3) Malgré l'alinéa 141.1(1)a) et pour l'application de la présente partie, la fourniture par vente d'une voiture de tourisme ou d'un aéronef qui fait partie des immobilisations d'un inscrit — particulier ou société de personnes — est réputée ne pas être une fourniture taxable si l'inscrit n'a pas utilisé la voiture ou l'aéronef exclusivement dans le cadre de ses activités commerciales entre le moment où il est devenu un inscrit et le moment de la fourniture.

Le paragraphe 203(3) a été modifié par L.C. 1993, c. 27, par. 70(4) et s'applique aux fournitures de voitures de tourisme ou d'aéronefs, sauf celles dans le cas desquelles la propriété ou la possession de la voiture ou de l'aéronef est transférée à l'acquéreur avant octobre 1992. Il se lisait comme suit :

(3) Pour l'application de la présente partie, la fourniture par vente d'une immobilisation qui est une voiture de tourisme ou un aéronef par un inscrit — particulier ou société de personnes — qui l'a déjà utilisée autrement qu'exclusivement dans le cadre de ses activités commerciales, est réputée ne pas être une fourniture taxable.

Ce paragraphe a été ajouté par L.C. 1990, c. 45, par. 12(1).

Concordance québécoise: LTVQ, art. 255.

(4) Vente d'une voiture de tourisme par une municipalité — L'inscrit (sauf un particulier et une société de personnes) qui est une municipalité ou une personne désignée comme municipalité pour l'application de l'article 259 et qui effectue par vente, à un moment donné de sa période de déclaration, la fourniture taxable d'une voiture de tourisme (sauf celle d'une personne désignée comme municipalité pour l'application de l'article 259 qui n'est pas un bien municipal désigné de la personne) qui, immédiatement avant ce moment, faisait partie de ses immobilisations peut demander, malgré l'article 170, l'alinéa 199(2)a) et les paragraphes 199(4) et 202(1), un crédit de taxe sur les intrants pour cette période égal au moins élevé des montants suivants :

a) le montant obtenu par la formule suivante :

$$A \times (B - C)/B$$

où :

A représente la teneur en taxe de la voiture au moment donné,

B le total des montants suivants :

(i) la taxe payable par l'inscrit relativement à la dernière acquisition ou importation de la voiture par lui,

(ii) si l'inscrit a transféré la voiture dans une province participante après l'avoir acquise ou importée la dernière fois, la taxe payable par lui relativement à ce transfert,

(iii) la taxe payable par l'inscrit relativement aux améliorations apportées à la voiture, qu'il a acquises, importées ou transférées dans une province participante après la dernière acquisition ou importation de la voiture,

C le total des crédits de taxe sur les intrants que l'inscrit pouvait demander au titre d'une taxe incluse dans le total visé à l'élément B;

b) la taxe qui est payable relativement à la fourniture, ou qui le serait en l'absence de l'article 167.

Notes historiques: Le paragraphe 203(4) a été ajouté par L.C. 2004, c. 22, par. 36(2) et s'applique aux fournitures dont la contrepartie, même partielle, devient due après le 9 mars 2004 ou est payée après cette date sans être devenue due. Toutefois, il ne s'applique pas aux fournitures effectuées conformément à une convention écrite conclue avant le 10 mars 2004.

Concordance québécoise: aucune.

Définitions [art. 203]: « activité commerciale », « améliorations », « contrepartie », « exclusif », « fourniture », « fourniture taxable », « immobilisation », « importation », « inscrit », « juste valeur marchande », « montant », « période de déclaration », « province participante », « taxe », « teneur en taxe », « vente », « voiture de tourisme » — 123(1).

Renvois [art. 203]: 141.01(5) (méthodes de mesure de l'utilisation); 169 (CTI); 195.2 (dernière acquisition ou importation); 198.1 (changement d'utilisation); 202(5) (présomption d'acquisition).

Mémorandums [art. 203]: TPS 400-3-4, 12/09/92, *Voitures de tourisme et aéronefs*, par. 31, 32, 37, 38, 42, 44, 51–53; TPS 500-2-4, 19/03/91, *Calcul de la taxe*, annexes B, D.

Série de mémorandums [art. 203]: Mémorandum 8.2, 03/08, *Restrictions générales*.

Lettres d'interprétation (Québec) [art. 203]: 05-010263 — Interprétation relative à la TPS et à la TVQ — transfert d'un véhicule routier entre particuliers liés.

COMMENTAIRES: Le paragraphe (1) concerne les cas où la voiture de tourisme qui est vendue était utilisée (au moins partiellement) dans le cadre d'activités commerciales avant la vente. En vertu de l'alinéa 141.1(a), la vente sera considérée comme une fourniture taxable et la TPS sera payable. À ce moment, les crédits de taxe sur les intrants qui n'avaient pu être réclamés sont permis au vendeur, et ce, afin d'éviter de taxer deux fois la même voiture de tourisme.

Aux termes du paragraphe (3), la fourniture par vente d'une voiture de tourisme est réputée ne pas être une fourniture taxable si l'inscrit qui est un particulier ou une société de personnes n'a pas utilisé la voiture exclusivement dans le cadre de ses activités commerciales entre le moment où il est devenu un inscrit et le moment de la fourniture.

Le paragraphe 203(2) prévoit que le particulier inscrit qui acquiert une voiture de tourisme pour l'utiliser exclusivement dans le cadre de ses activités commerciales et qui commence, à un moment donné, à l'utiliser autrement est réputé avoir effectué, immédiatement avant ce moment, la fourniture taxable par vente de la voiture et avoir perçu, à ce moment et relativement à la fourniture, une taxe égale à la teneur en taxe de la voiture immédiatement avant ce moment. Par ailleurs, l'article 155 prévoit que la contrepartie d'une fourniture effectuée à titre gratuit entre personnes ayant un lien de dépendance est réputée égale à la juste valeur marchande du bien au moment de la fourniture. Aussi, lorsque le particulier inscrit donne, à un moment donné, à sa conjointe la voiture de tourisme qu'il utilise exclusivement dans le cadre de ses activités commerciales, il commence à ce moment à l'utiliser autrement. En conséquence, il est réputé, en application du paragraphe 203(2), avoir effectué, immédiatement avant ce moment, une fourniture taxable par vente de cette voiture et avoir perçu à ce moment et relativement à la fourniture, une taxe égale à la teneur en taxe de la voiture immédiatement avant ce moment. Conséquemment, ce don, en entraînant une disposition présumée de la voiture de tourisme, donne lieu à une obligation de versement, par le particulier inscrit, d'un montant de TPS correspondant à la teneur en taxe de la voiture immédiatement avant le moment où est effectué le don. Voir à cet effet : Revenu Québec, Lettre d'interprétation, 05-0102631 — *Interprétation relative à la TPS et à la TVQ — Transfert d'un véhicule routier entre particuliers liés* (16 octobre 2006).

204. (1) Application — Le présent article ne s'applique pas aux biens meubles d'une institution financière dont le coût pour celle-ci est d'au plus 50 000 $.

Notes historiques: Le paragraphe 204(1) a été modifié par L.C. 1993, c. 27, par. 71(1) et est réputé entré en vigueur le 17 décembre 1990. Le paragraphe 204(1) correspond à l'ancien article 204 (en partie) et se lisait ainsi :

> 204. (1) Les paragraphes 206(2) et (3) s'appliquent, compte tenu des adaptations de circonstance, aux biens meubles acquis ou importés par un inscrit qui est une institution financière et dont le coût pour celui-ci est supérieur à 50 000 $, comme s'il s'agissait d'immeubles.

Le paragraphe 204(1) a été édicté par L.C. 1990, c. 45, par. 12(1).

Concordance québécoise: aucune.

(2) Bien meuble d'une institution financière — Lorsqu'une institution financière est un inscrit, les paragraphes 206(2) à (5) s'appliquent, avec les adaptations nécessaires, aux biens meubles qu'elle acquiert ou importe pour les utiliser comme immobilisations, ainsi qu'aux améliorations apportées à des biens meubles qui font partie de ses immobilisations, comme s'il s'agissait d'immeubles.

Notes historiques: Le paragraphe 204(2) a été ajouté par L.C. 1993, c. 27, par. 71(1) et est réputé entré en vigueur le 17 décembre 1990. Il correspond à l'ancien article 204 (en partie) et à l'ancien paragraphe 205(1).

Concordance québécoise: aucune.

(3) Crédit lors de la vente — Lorsqu'une institution financière est un inscrit, le paragraphe 193(1) s'applique, avec les adaptations nécessaires, aux biens meubles, sauf les voitures de tourisme, qu'elle acquiert ou importe pour les utiliser comme immobilisations, comme s'il s'agissait d'immeubles.

Notes historiques: Le paragraphe 204(3) a été ajouté par L.C. 1993, c. 27, par. 71(1) et est réputé entré en vigueur le 17 décembre 1990. Il correspond à l'ancien paragraphe 205(2).

Concordance québécoise: aucune.

Définitions [art. 204]: « améliorations », « bien », « bien meuble », « immeuble », « immobilisations », « importation », « inscrit », « institution financière », « voiture de tourisme » — 123(1).

Renvois [art. 204]: 195 (biens meubles).

Bulletins de l'information technique [art. 204]: B-106, 08/11, *Méthodes d'attribution des crédits de taxe sur les intrants pour les institutions financières en application de l'article 141.02 de la Loi sur la taxe d'accise*.

Énoncés de politique [art. 204]: P-060, 25/05/93, *Définition du coût d'une immobilisation*.

Mémorandums [art. 204]: TPS 400-3-4, 12/09/92, *Voitures de tourismes, aéronefs*, par. 45, 46; TPS 400-3-9, 27/03/92, *Immobilisations (biens meubles)*, par. 12; TPS 700-4, 25/11/93, *Institutions financières visées par la règle du seuil*, par. 29–30; TPS 700-5-1, 27/07/92, *Répartition des CTI pour les institutions financières*, par. 6; TPS 700-5-3, 31/07/92, *Caisses de crédit*, par. 25, 26, 27, 31, 33.

Série de mémorandums [art. 204]: Mémorandum 17.14, 07/11, *Choix visant les fournitures exonérées*; Mémorandum 19.4.2, 08/99, *Immeubles commerciaux — Fournitures réputées*.

COMMENTAIRES: En pratique, les institutions financières sont généralement sophistiquées et il a été considéré comme pertinent que les règles de changement d'usage prévues à l'article 206 ne s'appliquent que lorsque le coût des biens meubles pour celles-ci est de plus de 50 000 $.

Le coût du bien meuble est le coût net, déduction faite du crédit de taxe sur les intrants ou remboursements réclamés.

205. (1) Choix d'une institution financière concernant des fournitures exonérées — Lorsqu'un inscrit qui est une institution financière fait le choix prévu au paragraphe 150(1) et réduit, par suite de l'entrée en vigueur du choix et au moment de cette entrée en vigueur, l'utilisation qu'il fait de son bien meuble comme immobilisation dans le cadre de ses activités commerciales, les paragraphes 193(1) et 206(4) et (5) s'appliquent, avec les adaptations nécessaires, à la réduction d'utilisation comme si le bien était un immeuble.

Notes historiques: Le paragraphe 205(1) a été modifié par L.C. 1993, c. 27, par. 71(1) et est réputé entré en vigueur le 17 décembre 1990. Il correspond aux anciens paragraphes 205(3) et (4). L'ancien paragraphe 205(1) a été intégré au paragraphe 204(2). Il se lisait ainsi :

> 205. (1) Les paragraphes 206(4) et (5) s'appliquent, compte tenu des adaptations de circonstance, aux biens meubles acquis ou importés par un inscrit qui est une institution financière et dont le coût pour celui-ci est supérieur à 50 000 $, comme s'il s'agissait d'immeubles.

Le paragraphe 205(1) a été édicté par L.C. 1990, c. 45, par. 12(1).

Concordance québécoise: aucune.

(2) Inscrit devenu institution financière — Lorsqu'un inscrit devient une institution financière à un moment donné et, immédiatement avant ce moment, utilisait son bien meuble comme immobilisation, les règles suivantes s'appliquent :

a) dans le cas où, immédiatement avant le moment donné, l'inscrit n'utilisait pas le bien principalement dans le cadre de ses activités commerciales et que, immédiatement après ce moment, le bien est à utiliser dans ce cadre, l'inscrit est réputé, pour l'application de la présente partie, changer, à ce moment, l'utilisation qu'il fait du bien dans ce cadre; le paragraphe 206(2) s'applique alors, avec les adaptations nécessaires, au changement d'utilisation comme si le bien était un immeuble qui n'était pas utilisé, immédiatement avant ce moment, dans le cadre des activités commerciales de l'inscrit;

b) dans le cas où, immédiatement avant le moment donné, l'inscrit utilisait le bien principalement dans le cadre de ses activités commerciales et que, immédiatement après ce moment, le bien n'est pas à utiliser exclusivement dans ce cadre, l'inscrit est réputé, pour l'application de la présente partie, changer, à ce moment, l'utilisation qu'il fait du bien dans ce cadre; les paragraphes 193(1) et 206(4) et (5) s'appliquent alors, avec les adaptations nécessaires, au changement d'utilisation comme si le bien était un immeuble utilisé, immédiatement avant ce moment, exclusivement dans le cadre des activités commerciales de l'inscrit.

Notes historiques: Le paragraphe 205(2) a été modifié par L.C. 1993, c. 27, par. 71(2) et est réputé entré en vigueur le 1er octobre 1992. L'ancien paragraphe 205(2) a été intégré au paragraphe 204(3). Il se lisait ainsi :

> (2) Le paragraphe 193(1) s'applique, compte tenu des adaptations de circonstance, aux biens meubles, sauf des voitures de tourisme, acquis par un inscrit qui est une institution financière et dont le coût pour celui-ci est supérieur à 50 000 $, comme s'il s'agissait d'immeubles.

Pour la période du 17 décembre 1990 au 30 septembre 1992, le paragraphe 205(2) a été modifié par L.C. 1993, c. 27, par. 71(1) et doit se lire comme suit :

> (2) Pour l'application de la présente partie, un inscrit est réputé changer, à un moment donné, l'utilisation qu'il fait de son bien meuble dans le cadre de ses activités commerciales si les conditions suivantes sont réunies :
>
> a) par suite du choix qu'il fait en application du paragraphe 150(1), l'inscrit devient une institution financière au moment donné;
>
> b) immédiatement avant le moment donné, l'inscrit utilise le bien comme immobilisation principalement dans le cadre de ses activités commerciales;
>
> c) immédiatement après le moment donné, le bien n'est pas à utiliser exclusivement dans le cadre des activités commerciales de l'inscrit.
>
> Les paragraphes 193(1) et 206(4) et (5) s'appliquent alors, avec les adaptations nécessaires, au changement d'utilisation comme si le bien était un immeuble uti-

lisé, immédiatement avant le moment donné, exclusivement dans le cadre des activités commerciales de l'inscrit.

Le paragraphe 205(2) a été édicté par L.C. 1990, c. 45, par. 12(1).

Concordance québécoise: aucune.

(3) Inscrit cessant d'être une institution financière — Lorsqu'un inscrit cesse d'être une institution financière à un moment donné et, immédiatement avant ce moment, utilisait son bien meuble comme immobilisation, les règles suivantes s'appliquent :

a) dans le cas où, immédiatement avant le moment donné, l'inscrit utilisait le bien comme immobilisation mais non exclusivement dans le cadre de ses activités commerciales et que, immédiatement après ce moment, le bien est à utiliser principalement dans ce cadre, l'inscrit est réputé, pour l'application de la présente partie, commencer à ce moment à utiliser le bien exclusivement dans ce cadre; les paragraphes 206(2) et (3) s'appliquent alors, avec les adaptations nécessaires, au changement d'utilisation comme si le bien était un immeuble;

b) dans le cas où, immédiatement avant le moment donné, l'inscrit utilisait le bien comme immobilisation dans le cadre de ses activités commerciales et que, immédiatement après ce moment, le bien n'est pas à utiliser principalement dans ce cadre, l'inscrit est réputé, pour l'application de la présente partie, cesser à ce moment d'utiliser le bien dans le cadre de ses activités commerciales; les paragraphes 193(1) et 206(4) s'appliquent alors, avec les adaptations nécessaires, au changement d'utilisation comme si le bien était un immeuble.

Notes historiques: Le paragraphe 205(3) a été réédicté par L.C. 1993, c. 27, par. 71(2) et est réputé entré en vigueur le 1er octobre 1992. Pour la période du 17 décembre 1990 au 30 septembre 1992, le paragraphe 205(3) a été abrogé par L.C. 1993, c. 27, par. 71(1). Il se lisait comme suit :

(3) Dans le cas où, par suite du choix prévu au paragraphe 150(1), une personne morale cesse d'utiliser son bien admissible dans le cadre de ses activités commerciales ou réduit l'utilisation qu'elle en fait dans ce cadre, les paragraphes 193(1) et 206(4) et (5) s'appliquent au changement d'utilisation comme s'il était fait abstraction, aux paragraphes (1) et (2), du passage « et dont le coût pour celui-ci est supérieur à 50 000 $ ».

Le paragraphe 205(3) a été édicté par L.C. 1990, c. 45, par. 12(1).

Concordance québécoise: aucune.

(4) Acquisition d'une entreprise — Malgré l'article 197, lorsque, à l'occasion de l'acquisition d'une entreprise, ou d'une partie d'entreprise, d'un inscrit, une institution financière qui est un inscrit est réputée par le paragraphe 167(1) avoir acquis un bien pour utilisation exclusive dans le cadre de ses activités commerciales et que, immédiatement après le transfert de la possession du bien à l'institution aux termes de la convention concernant la fourniture de l'entreprise ou de la partie d'entreprise, le bien est à utiliser par l'institution comme immobilisation mais non exclusivement dans le cadre de ses activités commerciales, les paragraphes 193(1) et 206(4) et (5) s'appliquent, avec les adaptations nécessaires, au changement d'utilisation comme si le bien était un immeuble.

Notes historiques: Le paragraphe 205(4) a été modifié par L.C. 1993, c. 27, par. 71(2) et est réputé entré en vigueur le 1er octobre 1992. Pour la période du 17 décembre 1990 au 30 septembre 1992, le paragraphe 205(4) a été abrogé par L.C. 1993, c. 27, par. 71(1). Le paragraphe 205(4) se lisait comme suit :

(4) Pour l'application du paragraphe (3), le bien dont une personne morale est propriétaire à l'entrée en vigueur du choix prévu au paragraphe 150(1) est un bien admissible.

Le paragraphe 205(4) a été ajouté par L.C. 1990, c. 45, par. 12(1).

Concordance québécoise: aucune.

(4.1) Acquisition d'un élément d'actif — Malgré l'article 197, le paragraphe 193(1) s'applique au fournisseur qui fournit un bien meuble en immobilisation aux termes d'une convention portant sur une fourniture admissible, au sens du paragraphe 167.11(1), et les paragraphes 206(4) et (5) s'appliquent à l'acquéreur de la fourniture de ce bien, avec les adaptations nécessaires, comme si le bien était un immeuble, pourvu que les conditions suivantes soient réunies :

a) le fournisseur et l'acquéreur sont tous deux des inscrits au moment où la fourniture admissible est effectuée et font le choix conjoint prévu au paragraphe 167.11(2) relativement à cette fourniture;

b) lors de l'acquisition du bien, l'acquéreur est réputé en vertu du paragraphe 167.11(3) l'avoir acquis pour l'utiliser exclusivement dans le cadre de ses activités commerciales;

c) immédiatement après le transfert de la propriété du bien ou le transfert de sa possession — le premier en date étant à retenir — à l'acquéreur aux termes de la convention, le bien est destiné à être utilisé par l'acquéreur comme immobilisation mais non exclusivement dans le cadre de ses activités commerciales.

Notes historiques: Le paragraphe 205(4.1) a été ajouté par L.C. 2007, c. 18, par. 17(1) et est réputé être entré en vigueur le 28 juin 1999.

Concordance québécoise: aucune.

(5) Idem — Malgré l'article 197, lorsque, à l'occasion de l'acquisition d'une entreprise, ou d'une partie d'entreprise, d'un inscrit, une institution financière qui est un inscrit est réputée par le paragraphe 167(1) avoir acquis un bien à une fin autre que son utilisation dans le cadre de ses activités commerciales, que la possession du bien est transférée à l'institution aux termes de la convention concernant la fourniture de l'entreprise ou de la partie d'entreprise après 1993 et que, immédiatement après ce transfert de possession, le bien est à utiliser par l'institution comme immobilisation dans le cadre de ses activités commerciales, le paragraphe 206(2) s'applique, avec les adaptations nécessaires, au changement d'utilisation comme si le bien était un immeuble.

Notes historiques: Le paragraphe 205(4) a été ajouté par L.C. 1993, c. 27, par. 71(2) et est réputé entré en vigueur le 1er octobre 1992.

Concordance québécoise: aucune.

(5.1) Acquisition d'un élément d'actif — Malgré l'article 197, le paragraphe 206(2) s'applique à l'acquéreur de la fourniture, effectuée aux termes d'une convention portant sur une fourniture admissible, au sens du paragraphe 167.11(1), d'un bien meuble en immobilisation, avec les adaptations nécessaires, comme si le bien était un immeuble, pourvu que les conditions suivantes soient réunies :

a) le fournisseur du bien et l'acquéreur sont tous deux des inscrits au moment où la fourniture admissible est effectuée et font le choix conjoint prévu au paragraphe 167.11(2) relativement à cette fourniture;

b) lors de l'acquisition du bien, l'acquéreur est réputé en vertu du paragraphe 167.11(3) l'avoir acquis pour l'utiliser exclusivement hors du cadre de ses activités commerciales;

c) immédiatement après le transfert de la propriété du bien ou le transfert de sa possession — le premier en date étant à retenir — à l'acquéreur aux termes de la convention, le bien est destiné à être utilisé par l'acquéreur comme immobilisation dans le cadre de ses activités commerciales.

Notes historiques: Le paragraphe 205(5.1) a été ajouté par L.C. 2007, c. 18, par. 17(2) et est réputé être entré en vigueur le 28 juin 1999.

Concordance québécoise: aucune.

(6) Fusion — Lorsqu'une personne morale donnée qui n'est pas une institution financière, qu'au moins une autre personne morale fusionnent, dans les circonstances visées à l'article 271, pour former une nouvelle personne morale qui est une institution financière et un inscrit et que les biens meubles qui faisaient partie des immobilisations de la personne morale donnée deviennent, à un moment donné, les biens de la nouvelle personne morale par suite de la fusion, le paragraphe (2) s'applique aux biens comme si la nouvelle personne morale était devenue une institution financière au moment donné.

Notes historiques: Le paragraphe 205(6) a été ajouté par L.C. 1993, c. 27, par. 71(2) et est réputé entré en vigueur le 1er octobre 1992.

Concordance québécoise: aucune.

(7) Liquidation — Lorsqu'une personne morale donnée qui n'est pas une institution financière est liquidée dans les circonstances visées à l'article 272, qu'au moins 90 % des actions émises de chaque catégorie de son capital-actions appartenaient, immédiatement avant la liquidation, à une autre personne morale qui est une institution financière et un inscrit et que les biens meubles qui font partie des immobilisations de la personne morale donnée deviennent les biens de l'autre personne morale par suite de la liquidation, le paragraphe (2) s'applique aux biens comme si l'autre personne morale était devenue une institution financière au moment de la liquidation.

Notes historiques: Le paragraphe 205(7) a été ajouté par L.C. 1993, c. 27, par. 71(2) et est réputé entré en vigueur le 1er octobre 1992.

Concordance québécoise: aucune.

Définitions [art. 205]: « activité commerciale », « bien », « bien meuble », « entreprise », « exclusif », « immeuble », « immobilisation », « importation », « inscrit », « institution financière », « voiture de tourisme » — 123(1).

Renvois [art. 205]: 149(2) (fusion avec une institution financière).

Bulletins de l'information technique [art. 205]: B-106, 08/11, *Méthodes d'attribution des crédits de taxe sur les intrants pour les institutions financières en application de l'article 141.02 de la Loi sur la taxe d'accise.*

Énoncés de politique [art. 205]: P-044, 01/12/92, *Effet de la révocation du choix sur les immobilisations (biens meubles) de moins de 50 000 $*; P-072, 09/07/93, *Règle relative à l'utilisation principale et choix en application du paragraphe 150(1).*

Mémorandums [art. 205]: TPS 700-5-1, 27/07/92, *Répartition des CTI pour les institutions financières*, par. 6; TPS 700-5-3, 31/07/92, *Caisses de crédit*, par. 27, 31, 33; TPS 700-4, 25/11/93, *Institutions financières visées par la règle du seuil*, par. 31–33.

Série de mémorandums [art. 205]: Mémorandum 14-4, 12/10, *Vente d'une entreprise ou d'une partie d'entreprise*; Mémorandum 17.14, 07/11, *Choix visant les fournitures exonérées*; Mémorandum 19.4.2, 08/99, *Immeubles commerciaux — Fournitures réputées.*

COMMENTAIRES: Les règles sur le changement d'utilisation visant les immeubles en immobilisation s'appliquent aussi aux biens meubles en immobilisation d'une institution financière en certaines circonstances.

Immobilisations (immeubles)

206. (1) Champ d'application — Sous réserve du paragraphe 211(1), le présent article ne s'applique pas aux biens acquis par l'inscrit qui est un particulier, un organisme du secteur public autre qu'une institution financière ou un inscrit visé par règlement.

Notes historiques: Le paragraphe 206(1) a été ajouté par L.C. 1990, c. 45, par. 12(1).

Concordance québécoise: LTVQ, art. 260.

(2) Début d'utilisation dans le cadre d'activités commerciales — Pour l'application de la présente partie, l'inscrit qui a acquis un immeuble la dernière fois en vue de l'utiliser comme immobilisation mais en dehors du cadre de ses activités commerciales et qui commence, à un moment donné, à l'utiliser comme immobilisation dans ce cadre est réputé, sauf s'il devient un inscrit à ce moment :

a) avoir reçu, au moment donné, une fourniture de l'immeuble par vente;

b) avoir payé à ce moment et relativement à la fourniture, sauf s'il s'agit d'une fourniture exonérée, une taxe égale à la teneur en taxe de l'immeuble au moment donné.

Notes historiques: L'alinéa 206(2)b) a été modifié par L.C. 1997, c. 10, par. 194(1) et cette modification est entrée en vigueur le 1er avril 1997. Auparavant, cet alinéa se lisait comme suit :

b) avoir payé au moment donné et relativement à la fourniture, sauf s'il s'agit d'une fourniture exonérée, une taxe égale au résultat du calcul suivant :

$$A \times B$$

où :

A représente le moins élevé des montants suivants :

(i) le total (appelé « total de la taxe applicable à l'immeuble » au présent paragraphe) de la taxe payable par l'inscrit relativement à sa dernière acquisition de l'immeuble et de la taxe payable par lui relativement aux améliorations apportées à l'immeuble, qu'il a acquises ou importées après cette dernière acquisition,

(ii) la taxe calculée sur la juste valeur marchande de l'immeuble au moment donné,

B 100 % ou, si l'inscrit peut demander un remboursement en vertu de l'article 259 au titre d'une taxe incluse dans le total de la taxe applicable à l'immeuble, la différence entre 100 % et le pourcentage réglementaire, visé à l'article 259, qui sert au calcul du montant remboursable.

Le paragraphe 206(2) a été modifié par L.C. 1993, c. 27, par. 72(1) et est réputé entré en vigueur le 1er octobre 1992. Il se lisait ainsi :

(2) Pour l'application de la présente partie, l'inscrit qui acquiert un immeuble à une fin qui ne lui donne pas droit à un crédit de taxe sur les intrants, ou qui est réputé par le paragraphe (4) l'avoir fourni et qui commence, à un moment donné, à l'utiliser comme immobilisation dans le cadre de ses activités commerciales est réputé :

a) avoir reçu l'immeuble immédiatement avant ce moment dans le cadre d'une fourniture par vente;

b) avoir payé à ce moment, sauf s'il s'agit d'une fourniture exonérée, la taxe relative à la fourniture, égale au moins élevé des montants suivants :

(i) l'excédent éventuel du total visé à la division (A) sur le total visé à la division (B) :

(A) le total de la taxe payable par lui relativement à l'acquisition de l'immeuble et de la taxe payable par lui relativement aux améliorations qui y sont apportées ou, s'il est réputé par le paragraphe (4) ou 211(2) avoir fourni l'immeuble à un moment antérieur, le total de la taxe qu'il est réputé par ce paragraphe avoir perçue à ce moment antérieur et de la taxe payable par lui après ce même moment relativement aux améliorations,

(B) le total des remboursements relatifs à la taxe visée à la division (A) que l'inscrit a demandés ou auxquels il a droit,

(ii) la taxe qui serait payable par lui s'il avait acquis l'immeuble au moment donné pour une contrepartie égale à la juste valeur marchande de l'immeuble à ce moment.

Le paragraphe 206(2) a été ajouté par L.C. 1990, c. 45, par. 12(1).

Concordance québécoise: LTVQ, art. 256.

Bulletins de l'information technique [art. 206(2)]: B-107, 10/11, *Régimes de placement (y compris les fonds réservés d'assureur) et la TVH* .

(3) Utilisation accrue dans le cadre d'activités commerciales — L'inscrit qui a acquis un immeuble la dernière fois en vue de l'utiliser comme immobilisation dans le cadre de ses activités commerciales et qui accroît, à un moment donné, l'utilisation qu'il en fait dans ce cadre est réputé, aux fins du calcul de son crédit de taxe sur les intrants :

a) avoir reçu, immédiatement avant le moment donné, la fourniture d'une partie de l'immeuble pour l'utiliser comme immobilisation exclusivement dans le cadre de ses activités commerciales;

b) avoir payé à ce moment et relativement à la fourniture, sauf s'il s'agit d'une fourniture exonérée, une taxe égale au résultat du calcul suivant :

$$A \times B$$

où :

A représente la teneur en taxe de l'immeuble au moment donné,

B le pourcentage qui représente la mesure dans laquelle l'inscrit a accru l'utilisation qu'il fait de l'immeuble dans le cadre de ses activités commerciales au moment donné par rapport à l'utilisation totale qu'il en fait alors.

Notes historiques: L'alinéa 206(3)b) a été modifié par L.C. 1997, c. 10, par. 194(2) et cette modification est entrée en vigueur le 1er avril 1997. Auparavant, cet alinéa se lisait comme suit :

b) avoir payé au moment donné et relativement à la fourniture, sauf s'il s'agit d'une fourniture exonérée, une taxe égale au résultat du calcul suivant :

$$A \times B \times C$$

où :

A représente le moins élevé des montants suivants :

(i) le total (appelé « total de la taxe applicable à l'immeuble » au présent paragraphe) de la taxe qui est payable par l'inscrit, ou qui le serait en l'absence de l'article 167, relativement à sa dernière acquisition de l'immeuble et de la taxe payable par lui relativement aux améliorations apportées à l'immeuble, qu'il a acquises ou importées après cette dernière acquisition,

(ii) la taxe calculée sur la juste valeur marchande de l'immeuble au moment donné,

B le pourcentage qui représente la mesure dans laquelle l'inscrit a accru l'utilisation qu'il fait de l'immeuble dans le cadre de ses activités commerciales au moment donné par rapport à l'utilisation totale qu'il en fait alors,

C 100 % ou, si l'inscrit peut demander un remboursement en vertu de l'article 259 au titre d'une taxe incluse dans le total de la taxe applicable à l'immeuble, la différence entre 100 % et le pourcentage réglementaire, visé à l'article 259, qui sert au calcul du montant remboursable.

Le paragraphe 206(3) a été modifié par L.C. 1993, c. 27, par. 72(1) et est réputé entré en vigueur le 1er octobre 1992. Il se lisait comme suit :

(3) Pour l'application de la présente partie, l'inscrit, ayant acquis un immeuble pour l'utiliser comme immobilisation dans le cadre de ses activités commerciales, qui accroît, à un moment donné, l'utilisation qu'il en fait dans ce cadre est réputé :

a) avoir reçu, immédiatement avant ce moment, une partie de l'immeuble dans le cadre d'une fourniture par vente, pour l'utiliser comme immobilisation exclusivement dans le cadre de ses activités commerciales;

b) avoir payé à ce moment, sauf s'il s'agit d'une fourniture exonérée, la taxe relative à la fourniture, égale au montant calculé selon la formule suivante :

$$A \times (B - C)$$

où :

A représente le moins élevé des montants suivants :

(i) l'excédent éventuel du total visé à la division (A) sur le total visé à la division (B) :

(A) le total de la taxe qui est payable par l'inscrit, ou qui le serait en l'absence de l'article 167, relativement à l'acquisition de l'immeuble et de la taxe payable par lui relativement aux améliorations qui y sont apportées ou, si l'inscrit est réputé par le paragraphe (4) ou 211(2) avoir fourni l'immeuble à un moment antérieur, le total de la taxe qu'il est réputé par ce paragraphe avoir perçue à ce moment antérieur et de la taxe payable par lui après ce même moment relativement aux améliorations,

(B) le total des remboursements relatifs à la taxe visée à la division (A) que l'inscrit a demandés ou auxquels il a droit,

(ii) la taxe qui serait payable par l'inscrit s'il avait acquis l'immeuble au moment donné pour une contrepartie égale à la juste valeur marchande de l'immeuble à ce moment;

B 100 % ou, si l'immeuble n'est pas utilisé exclusivement dans le cadre des activités commerciales de l'inscrit immédiatement après le moment donné, la proportion que représente, immédiatement après ce moment, l'utilisation qu'il fait de l'immeuble dans ce cadre par rapport à l'utilisation totale de l'immeuble;

C la proportion que représente, immédiatement avant le moment donné, l'utilisation que l'inscrit fait de l'immeuble dans le cadre de ses activités commerciales par rapport à l'utilisation totale de l'immeuble.

Le paragraphe 206(3) a été ajouté par L.C. 1990, c. 45, par. 12(1).

Concordance québécoise: LTVQ, art. 257.

Bulletins de l'information technique [art. 206(3)]: B-107, 10/11, *Régimes de placement (y compris les fonds réservés d'assureur) et la TVH* .

(4) Cessation d'utilisation dans le cadre d'activités commerciales — Pour l'application de la présente partie, l'inscrit qui a acquis un immeuble la dernière fois en vue de l'utiliser comme immobilisation dans le cadre de ses activités commerciales et qui commence, à un moment donné, à l'utiliser exclusivement à d'autres fins est réputé :

a) avoir fourni l'immeuble par vente immédiatement avant le moment donné et, sauf s'il s'agit d'une fourniture exonérée, avoir perçu à ce moment et relativement à la fourniture une taxe égale à la teneur en taxe de l'immeuble à ce moment;

b) avoir reçu, au moment donné, une fourniture de l'immeuble par vente et, sauf s'il s'agit d'une fourniture exonérée, avoir payé à ce moment et relativement à la fourniture une taxe égale au montant calculé selon l'alinéa a).

Notes historiques: L'alinéa 206(4)a) a été modifié par L.C. 1997, c. 10, par. 194(3) et cette modification est entrée en vigueur le 1er avril 1997. Auparavant, cet alinéa se lisait comme suit :

a) avoir fourni l'immeuble par vente immédiatement avant le moment donné et, sauf s'il s'agit d'une fourniture exonérée, avoir perçu à ce moment et relativement à la fourniture une taxe égale au résultat du calcul suivant :

$$(A \times B \times C) + D \times (100\ \% - B) \times E$$

où :

A représente la taxe calculée sur la juste valeur marchande de l'immeuble au moment donné,

B le pourcentage que représente l'utilisation que l'inscrit faisait de l'immeuble dans le cadre de ses activités commerciales immédiatement avant le moment donné par rapport à l'utilisation totale qu'il en faisait alors,

C 100 % ou la différence entre 100 % et le pourcentage réglementaire, visé à l'article 259, qui sert ou aurait servi au calcul du montant remboursable, si l'inscrit, selon le cas :

(i) peut demander un remboursement en vertu de l'article 259 au titre d'une taxe payable relativement à sa dernière acquisition de l'immeuble ou, si la dernière acquisition est réputée effectuée en application du paragraphe (2), à son avant-dernière acquisition de l'immeuble, ou relativement aux améliorations apportées à l'immeuble, qu'il a acquises ou importées après cette dernière ou avant-dernière acquisition,

(ii) aurait pu demander un remboursement en vertu de l'article 259 au titre de la taxe payable relativement à cette dernière ou avant-dernière acquisition de l'immeuble ou à ces améliorations s'il n'avait pas acquis l'immeuble au moment de cette dernière ou avant-dernière acquisition pour utilisation exclusive dans le cadre de ses activités commerciales,

D le moins élevé des montants suivants :

(i) le total (appelé « total de la taxe applicable à l'immeuble » au présent paragraphe) de la taxe qui est payable par l'inscrit, ou qui le serait en l'absence de l'article 167, relativement à sa dernière acquisition de l'immeuble et de la taxe payable par lui relativement aux améliorations apportées à l'immeuble, qu'il a acquises ou importées après cette dernière acquisition,

(ii) la taxe calculée sur la juste valeur marchande de l'immeuble au moment donné,

E 100 % ou, si l'inscrit peut demander un remboursement en vertu de l'article 259 au titre d'une taxe incluse dans le total de la taxe applicable à l'immeuble, ou aurait pu demander un tel remboursement s'il n'avait pas acquis l'immeuble la dernière fois pour utilisation exclusive dans le cadre de ses activités commerciales, la différence entre 100 % et le pourcentage réglementaire, visé à l'article 259, qui sert ou aurait servi au calcul du montant remboursable;

Le paragraphe 206(4) a été modifié par L.C. 1993, c. 27, par. 72(1) et est réputé entré en vigueur le 1er octobre 1992. Il se lisait auparavant comme suit :

(4) Pour l'application de la présente partie, l'inscrit qui acquiert un immeuble pour l'utiliser comme immobilisation dans le cadre de ses activités commerciales et qui commence, à un moment donné, à l'utiliser exclusivement à d'autres fins est réputé :

a) avoir fourni l'immeuble par vente immédiatement avant ce moment;

b) avoir acquis l'immeuble à ce moment pour l'utiliser autrement que dans le cadre de ses activités commerciales;

c) avoir perçu à ce moment, sauf s'il s'agit d'une fourniture exonérée, la taxe relative à la fourniture, calculée selon la formule suivante :

$$(A \times B) + C \times (100\ \% - B)$$

où :

A représente la taxe calculée sur la juste valeur marchande de l'immeuble à ce moment;

B la proportion que représente, immédiatement avant la fourniture, l'utilisation que l'inscrit fait de l'immeuble dans le cadre de ses activités commerciales par rapport à l'utilisation totale de l'immeuble;

C le moins élevé des montants suivants :

(i) la taxe calculée sur la juste valeur marchande de l'immeuble à ce moment,

(ii) l'excédent éventuel du total visé à la division (A) sur le total visé à la division (B) :

(A) le total de la taxe qui est payable par l'inscrit, ou qui le serait en l'absence de l'article 167, relativement à l'acquisition de l'immeuble et de la taxe payable par lui relativement aux améliorations qui y sont apportées ou, si l'inscrit est réputé par le paragraphe (2) ou 211(2) avoir reçu une fourniture de l'immeuble à un moment antérieur, le total de la taxe qu'il est réputé par ce paragraphe avoir payée à ce moment antérieur et de la taxe payable par lui après ce même moment relativement aux améliorations,

(B) le total des remboursements relatifs à la taxe visée à la division (A) que l'inscrit a demandés ou auxquels il a droit.

Le paragraphe 206(4) a été ajouté par L.C. 1990, c. 45, par. 12(1).

Concordance québécoise: LTVQ, art. 258.

(5) Réduction d'utilisation dans le cadre d'activités commerciales — Sauf en cas d'application du paragraphe (4), l'inscrit qui a acquis un immeuble la dernière fois en vue de l'utiliser comme immobilisation dans le cadre de ses activités commerciales et qui réduit, à un moment donné, l'utilisation qu'il en fait dans ce cadre est réputé, aux fins du calcul de sa taxe nette pour sa période de déclaration qui comprend ce moment :

a) avoir fourni une partie de l'immeuble immédiatement avant le moment donné;

b) avoir perçu au moment donné et relativement à la fourniture, sauf s'il s'agit d'une fourniture exonérée, une taxe égale au résultat du calcul suivant :

$$A \times B$$

où :

A représente la teneur en taxe de l'immeuble à ce moment,

B le pourcentage qui représente la mesure dans laquelle l'inscrit a réduit l'utilisation qu'il fait de l'immeuble dans le cadre de ses activités commerciales à ce moment par rapport à l'utilisation totale qu'il en fait alors.

Notes historiques: L'alinéa 206(5)b) a été modifié par L.C. 1997, c. 10, par. 194(4) et cette modification est entrée en vigueur le 1er avril 1997. Auparavant, cet alinéa se lisait comme suit :

b) avoir perçu au moment donné et relativement à la fourniture, sauf s'il s'agit d'une fourniture exonérée, une taxe égale au résultat du calcul suivant :

$$A \times B \times C$$

où :

A représente le moins élevé des montants suivants :

(i) le total (appelé « total de la taxe applicable à l'immeuble » au présent paragraphe) de la taxe qui est payable par l'inscrit, ou qui le serait en l'absence de l'article 167, relativement à sa dernière acquisition de l'immeuble et de la taxe payable par lui relativement aux améliorations apportées à l'immeuble, qu'il a acquises ou importées après cette dernière acquisition,

(ii) la taxe calculée sur la juste valeur marchande de l'immeuble au moment donné,

B le pourcentage qui représente la mesure dans laquelle l'inscrit a réduit l'utilisation qu'il fait de l'immeuble dans le cadre de ses activités commerciales au moment donné par rapport à l'utilisation totale qu'il en fait alors,

C 100 % ou, si l'inscrit peut demander un remboursement en vertu de l'article 259 au titre d'une taxe incluse dans le total de la taxe applicable à l'immeuble, ou aurait pu demander un tel remboursement s'il n'avait pas acquis l'immeuble la dernière fois pour utilisation exclusive dans le cadre de ses activités commerciales, la différence entre 100 % et le pourcentage réglementaire, visé à l'article 259, qui sert ou aurait servi au calcul du montant remboursable.

Le paragraphe 206(5) a été modifié par L.C. 1993, c. 27, par. 72(1) et est réputé entré en vigueur le 1er octobre 1992. Il se lisait auparavant comme suit :

(5) Sauf en cas d'application du paragraphe (4), l'inscrit qui acquiert un immeuble pour l'utiliser comme immobilisation dans le cadre de ses activités commerciales et qui réduit, à un moment donné, l'utilisation qu'il en fait dans ce cadre est réputé pour l'application de la présente partie :

a) avoir fourni par vente une partie de l'immeuble immédiatement avant ce moment;

b) avoir perçu à ce moment, sauf s'il s'agit d'une fourniture exonérée, la taxe relative à la fourniture, égale au montant calculé selon la formule suivante :

$$A \times (B - C)$$

où :

A représente le moins élevé des montants suivants :

(i) la taxe calculée sur la juste valeur marchande de l'immeuble à ce moment,

(ii) l'excédent éventuel du total visé à la division (A) sur le total visé à la division (B) :

(A) le total de la taxe qui est payable par l'inscrit, ou qui le serait en l'absence de l'article 167, relativement à l'acquisition de l'immeuble et de la taxe payable par lui relativement aux améliorations qui y sont apportées ou, si l'inscrit est réputé par le paragraphe (2) ou 211(2) avoir reçu une fourniture de l'immeuble à un moment antérieur, le total de la taxe qu'il est réputé par ce paragraphe avoir payée à ce moment antérieur et de la taxe payable par lui après ce même moment relativement aux améliorations;

(B) le total des remboursements relatifs à la taxe visée à la division (A) que l'inscrit a demandés ou auxquels il a droit,

B la proportion que représente, immédiatement avant la fourniture, l'utilisation qu'il fait de l'immeuble dans le cadre de ses activités commerciales par rapport à l'utilisation totale de l'immeuble;

C la proportion que représente, immédiatement après ce moment, l'utilisation qu'il fait de l'immeuble dans le cadre de ses activités commerciales par rapport à l'utilisation totale de l'immeuble.

Le paragraphe 206(5) a été ajouté par L.C. 1990, c. 45, par. 12(1).

[N.D.L.R. : voir disposition transitoire sous par. 200(2), L.C. 1997, c. 10, art. 258].

Concordance québécoise: LTVQ, art. 259.

Définitions [art. 206]: « activité commerciale », « améliorations », « bien », « contrepartie », « exclusif », « fourniture », « fourniture exonérée », « immeuble », « immobilisation », « inscrit », « institution financière », « juste valeur marchande », « organisme du secteur public », « règlement », « taxe », « teneur en taxe », « vente » — 123(1).

Renvois [art. 206]: 129.1 (fourniture par une division de petit fournisseur); 141.01(5) (méthodes de mesure de l'utilisation); 169(3) (CTI); 171(1) (nouvel inscrit); 190 (conversion à un usage résidentiel); 193(1) (vente d'un immeuble); 195 (biens meubles); 195.2 (dernière acquisition ou importation); 197 (changement d'utilisation négligeable); 198.1 (changement d'utilisation par suite de l'application de la partie IX); 198.2 (acquisition d'une immobilisation à l'étranger); 201 (valeur d'une voiture de tourisme); 204(2) (bien meuble d'une institution financière); 205 (changement d'utilisation — personnes qui deviennent des institutions financières ou cessent de l'être); 211(1) (choix visant l'immeuble d'un organisme de services publics); 256.2 (6) (remboursement pour fonds loué à des fins résidentielles); V:Partie I:5.3 (fourniture d'un parc à roulottes résidentiel); V:Partie I:9d) (fourniture d'immeuble non exonérée).

Jurisprudence [art. 206]: *Immeubles Le Séjour Inc. c. La Reine*, [2002] G.S.T.C. 98 (GST); *Samson Bélair Deloitte & Touche Inc. c. R.*, [2004] G.S.T.C. 155 (CCI); *Simard c. R.*, 2006 G.T.C. 73 (CCI).

Énoncés de politique [art. 206]: P-044, 01/12/92, *Effet de la révocation du choix sur les immobilisations (biens meubles) de moins de 50 000 $)*; P-072, 09/07/93, *Règle relative à l'utilisation principale et choix en application du paragraphe 150(1)*.

Bulletins de l'information technique [art. 206]: B-083R, 23/05/97, *Services financiers sous le régime de la TVH*.

Mémorandums [art. 206]: TPS 400, 18/05/90, *Crédits de taxe sur les intrants*, par. 69, 70; TPS 500-2-4, 19/03/91, *Calcul de la taxe*, annexes B, D; TPS 700-4, 25/11/93, *Institutions financières visées par la règle du seuil*, par. 29; TPS 700-5-1, 27/07/92, *Répartition des CTI pour les institutions financières*.

Série de mémorandums [art. 206]: Mémorandum 3.1, 10/00, *Assujettissement à la taxe*; Mémorandum 14.4, 12/10, *Vente d'une entreprise ou d'une partie d'entreprise*; Mémorandum 17.14, 07/11, *Choix visant les fournitures exonérées*; Mémorandum 19.1, 10/97, *Les immeubles et la TPS/TVH*; Mémorandum 19.2.3, 06/98, *Immeubles résidentiels — Fournitures réputées* ; Mémorandum 19.4.2, 08/99, *Immeubles commerciaux — Fournitures réputées*; Mémorandum 19.5, 06/02, *Fonds de terre et immeubles connexes*.

Info TPS/TVQ [art. 206]: GI-007 — *Exploitation d'un gîte touristique dans votre maison*; GI-025 — *Achat, utilisation et vente de propriétés de vacances par des particuliers*.

Lettres d'interprétation (Québec) [art. 206]: 99-0103111 — Interprétation relative à la TPS — Interprétation relative à la TVQ — Fusion d'organismes de services publics; 02-0106571 — Immeubles détenus par des organismes de services publics; 02-0107777 — Interprétation relative à la TPS et à la TVQ — Règles générales, résidences pour personnes âgées.

COMMENTAIRES: Les articles 207 et 208 s'appliquent aux particuliers. Il faut souligner que contrairement à l'impôt sur le revenu, une fiducie n'est pas considérée comme un particulier aux fins de la *Loi sur la taxe d'accise (TPS)*.

Pour les organismes du secteur public, autre qu'une institution financière, l'article 209 s'applique plutôt que l'article 206, sous réserve de la production du choix en vertu de l'article 211.

Revenu Québec a indiqué que lorsqu'il sera requis d'appliquer les règles relatives aux changements d'usage prévues aux articles 199, 206 et suivants, pour les unités immobilières existantes avant la rénovation cadastrale, la nouvelle évaluation de la proportion d'utilisation dans le cadre d'activités commerciales devra être faite pour l'unité immobilière issue de la rénovation cadastrale. Voir notamment à cet effet : Revenu Québec, Lettre d'interprétation, 02-0106571 — *Immeubles détenus par des organismes de services publics* (5 novembre 2002).

L'application du paragraphe 191(3) dans le cas d'une fourniture à soi-même n'est pas la même que celle de l'article 206. Le seul point commun est la présomption du transfert d'une fourniture taxable. Les règles énoncées à l'article 206 ne s'appliquent qu'à l'égard d'un immeuble qui est une immobilisation. Le paragraphe 195.1(1) établit les critères permettant de déterminer quand un immeuble d'habitation est réputé être une immobilisation. À titre illustratif, la Cour canadienne de l'impôt, dans l'affaire *Immeubles le Séjour Inc. c. R.*, 2002 CarswellNat 2132 (C.C.I.), a souligné que si l'on tient pour acquis qu'en l'espèce la construction était achevée en mai 1995 et que l'immeuble a été acquis comme une fourniture exonérée, il était une immobilisation dès le début de la location aux fins touristiques en mai 1995 et les règles de l'article 206 s'appliqueraient alors à la cessation de l'utilisation de l'immeuble dans le cadre d'activités commerciales au 1er septembre 1995, et par la suite, à partir de la reprise de la location aux fins touristiques au 1er juin 1996. L'application de l'article 206 permet donc à l'appelante de réclamer, relativement à l'acquisition de l'immeuble, le crédit de taxe sur les intrants dans une proportion correspondant à la partie de l'exploitation de l'immeuble qui est comprise dans ses activités commerciales. La Cour canadienne de l'impôt indique que les règles de changement d'usage prévues à l'article 206 ne s'appliquent qu'à l'égard d'un immeuble qui se qualifie à titre d'immobilisation. Une question technique a été soulevée à l'effet qu'il aurait du y avoir un avis de cotisation émis en vertu de l'article 206 deux fois par année, *c.-à-d.* chaque mois de Juin et de Septembre, puisque l'immeuble en soi changeait de « complètement taxable » à « complètement exonérée ». Le ministre n'a pas suivi cette position qui, en pratique, serait difficile à administrer. Au contraire, l'autocotisation était requise en vertu du paragraphe 191(3) et le refus de 81 % des crédits de taxe sur les intrants arrivait au même résultat que celui résultant de l'application de l'article 206. La Cour canadienne de l'impôt a donné raison au ministre.

207. (1) Cessation d'utilisation par un particulier dans le cadre d'activités commerciales — Pour l'application de la présente partie, le particulier qui est un inscrit ayant acquis un immeuble la dernière fois en vue de l'utiliser comme immobilisation dans le cadre de ses activités commerciales, et non principalement pour son utilisation personnelle ou celle d'un particulier qui lui est lié, et qui commence, à un moment donné, à l'utiliser exclusivement à d'autres fins ou principalement pour son utilisation personnelle ou celle d'un particulier qui lui est lié, est réputé :

a) avoir fourni l'immeuble par vente immédiatement avant le moment donné et, sauf s'il s'agit d'une fourniture exonérée, avoir perçu à ce moment et relativement à la fourniture une taxe égale au résultat du calcul suivant :

$$A - B$$

où :

A représente la teneur en taxe de l'immeuble à ce moment,

B la taxe que le particulier est réputé par l'article 190 avoir perçue à ce moment relativement à l'immeuble;

b) avoir reçu, au moment donné, une fourniture de l'immeuble par vente et, sauf s'il s'agit d'une fourniture exonérée, avoir payé à ce moment et relativement à la fourniture une taxe égale au montant calculé selon l'alinéa a).

Notes historiques: L'alinéa 207(1)a) a été modifié par L.C. 1997, c. 10, par. 195(1) et cette modification est entrée en vigueur le 1er avril 1997. Auparavant, cet alinéa se lisait comme suit :

a) avoir fourni l'immeuble par vente immédiatement avant le moment donné et, sauf s'il s'agit d'une fourniture exonérée, avoir perçu à ce moment et relativement à la fourniture une taxe égale au résultat du calcul suivant :

$$(A \times B) + [C \times (100\% - B)] - D$$

où :

A représente la taxe calculée sur la juste valeur marchande de l'immeuble au moment donné,

B le pourcentage que représente l'utilisation que le particulier faisait de l'immeuble dans le cadre de ses activités commerciales immédiatement avant le moment donné par rapport à l'utilisation totale qu'il en faisait alors,

C le moins élevé des montants suivants :

(i) le total de la taxe qui est payable par le particulier, ou qui le serait en l'absence de l'article 167, relativement à sa dernière acquisition de l'immeuble et de la taxe payable par lui relativement aux améliorations apportées à l'immeuble, qu'il a acquises ou importées après cette dernière acquisition,

(ii) la taxe calculée sur la juste valeur marchande de l'immeuble au moment donné,

D la taxe que le particulier est réputé par l'article 190 avoir perçue au moment donné relativement à l'immeuble;

Le paragraphe 207(1) a été modifié par L.C. 1993, c. 27, par. 73(1) et est réputé entré en vigueur le 1er octobre 1992. Il se lisait auparavant comme suit :

207. (1) Pour l'application de la présente partie, l'inscrit, étant un particulier, qui acquiert un immeuble pour l'utiliser comme immobilisation dans le cadre de ses activités commerciales, et non principalement pour son utilisation personnelle ou celle d'un particulier qui lui est lié, et qui commence, à un moment donné, à l'utiliser exclusivement à d'autres fins ou principalement pour son utilisation personnelle ou celle d'un particulier qui lui est lié, est réputé :

a) avoir fourni l'immeuble par vente immédiatement avant ce moment;

b) avoir acquis l'immeuble à ce moment pour l'utiliser autrement que dans le cadre de ses activités commerciales;

c) avoir perçu à ce moment, sauf s'il s'agit d'une fourniture exonérée, la taxe relative à la fourniture, calculée selon la formule suivante :

$$(A \times B) + C \times (100\% - B) - D$$

où :

A représente la taxe calculée sur la juste valeur marchande de l'immeuble à ce moment;

B la proportion que représente, immédiatement avant la fourniture, l'utilisation que l'inscrit fait de l'immeuble dans le cadre de ses activités commerciales par rapport à l'utilisation totale de l'immeuble;

C le moins élevé des montants suivants :

(i) la taxe calculée sur la juste valeur marchande de l'immeuble à ce moment,

(ii) le total de la taxe qui est payable par l'inscrit, ou qui le serait en l'absence de l'article 167, relativement à l'acquisition de l'immeuble et de la taxe payable par lui relativement aux améliorations qui y sont apportées ou, si l'inscrit est réputé par le paragraphe 208(2) avoir reçu une fourniture de l'immeuble à un moment antérieur, le total de la taxe qu'il est réputé par ce paragraphe avoir payée à ce moment antérieur et de la taxe payable par lui après ce même moment relativement aux améliorations;

D la taxe que l'inscrit est réputé par l'article 190 avoir perçue à ce moment relativement à l'immeuble.

Ce paragraphe a été ajouté par L.C. 1990, c. 45, par. 12(1).

Concordance québécoise: LTVQ, art. 261.

(2) Réduction d'utilisation par un particulier dans le cadre d'activités commerciales — Sauf en cas d'application du paragraphe (1), le particulier qui est un inscrit ayant acquis un immeuble la dernière fois en vue de l'utiliser comme immobilisation dans le cadre de ses activités commerciales, et non principalement pour son utilisation personnelle ou celle d'un particulier qui lui est lié, et qui réduit, à un moment donné, l'utilisation qu'il fait de l'immeuble dans ce cadre sans commencer à l'utiliser principalement pour son utilisation personnelle ou celle d'un particulier qui lui est lié est réputé, aux fins du calcul de sa taxe nette :

a) avoir fourni une partie de l'immeuble par vente immédiatement avant le moment donné;

b) avoir perçu au moment donné et relativement à la fourniture, sauf s'il s'agit d'une fourniture exonérée, une taxe égale au résultat du calcul suivant :

$$(A \times B) - C$$

où :

A représente la teneur en taxe de l'immeuble à ce moment,

B le pourcentage qui représente la mesure dans laquelle le particulier a réduit l'utilisation qu'il fait de l'immeuble dans le cadre de ses activités commerciales à ce moment par rapport à l'utilisation totale qu'il en fait alors,

C la taxe que le particulier est réputé par l'article 190 avoir perçue à ce moment relativement à l'immeuble.

Notes historiques: L'alinéa 207(2)b) a été modifié par L.C. 1997, c. 10, par. 195(2) et cette modification est entrée en vigueur le 1er avril 1997. Auparavant, cet alinéa se lisait comme suit :

b) avoir perçu au moment donné et relativement à la fourniture, sauf s'il s'agit d'une fourniture exonérée, une taxe égale au résultat du calcul suivant :

$$(A \times B) - C$$

où :

A représente le moins élevé des montants suivants :

(i) le total de la taxe qui est payable par le particulier, ou qui le serait en l'absence de l'article 167, relativement à sa dernière acquisition de l'immeuble et de la taxe payable par lui relativement aux améliorations apportées à l'immeuble, qu'il a acquises ou importées après cette dernière acquisition,

(ii) la taxe calculée sur la juste valeur marchande de l'immeuble au moment donné,

B le pourcentage qui représente la mesure dans laquelle le particulier a réduit l'utilisation qu'il fait de l'immeuble dans le cadre de ses activités commerciales au moment donné par rapport à l'utilisation totale qu'il en fait alors,

C la taxe que le particulier est réputé par l'article 190 avoir perçue au moment donné relativement à l'immeuble.

Le paragraphe 207(2) a été modifié par L.C. 1993, c. 27, par. 73(1) et est réputé entré en vigueur le 1er octobre 1992. Il se lisait comme suit :

(2) Sauf en cas d'application du paragraphe (1), l'inscrit, étant un particulier, qui acquiert un immeuble pour l'utiliser comme immobilisation dans le cadre de ses activités commerciales et non principalement pour son utilisation personnelle ou celle d'un particulier qui lui est lié et qui réduit l'utilisation qu'il fait de l'immeuble dans ce cadre sans commencer à l'utiliser principalement pour son utilisation personnelle ou celle d'un particulier qui lui est lié est réputé pour l'application de la présente partie :

a) avoir fourni par vente une partie de l'immeuble immédiatement avant ce moment;

b) avoir perçu au moment de la réduction, sauf s'il s'agit d'une fourniture exonérée, la taxe relative à la fourniture, égale au montant calculé selon la formule suivante :

$$A \times (B - C) - D$$

où :

A représente le moins élevé des montants suivants :

(i) la taxe calculée sur la juste valeur marchande de l'immeuble à ce moment,

(ii) le total de la taxe qui est payable par l'inscrit, ou qui le serait en l'absence de l'article 167, relativement à l'acquisition de l'immeuble et de la taxe payable par lui relativement aux améliorations qui y sont apportées ou, si l'inscrit est réputé par le paragraphe 208(2) avoir reçu une fourniture de l'immeuble à un moment antérieur, le total de la taxe qu'il est réputé par ce paragraphe avoir payée à ce moment antérieur et de la taxe payable par lui après ce même moment relativement aux améliorations;

B la proportion que représente, immédiatement avant la fourniture, l'utilisation que l'inscrit fait de l'immeuble dans le cadre de ses activités commerciales par rapport à l'utilisation totale de l'immeuble;

C la proportion que représente, immédiatement après ce moment, l'utilisation que l'inscrit fait de l'immeuble dans le cadre de ses activités commerciales par rapport à l'utilisation totale de l'immeuble;

D la taxe que l'inscrit est réputé par l'article 190 avoir perçue à ce moment relativement à l'immeuble.

Ce paragraphe a été ajouté par L.C. 1990, c. 45, par. 12(1).

Concordance québécoise: LTVQ, art. 262.

Définitions [art. 207]: « activité commerciale », « améliorations », « exclusif », « fourniture », « fourniture exonérée », « immeuble », « immobilisation », « inscrit », « juste valeur marchande », « taxe », « taxe nette » — 225; « teneur en taxe », « vente » — 123(1).

Renvois [art. 207]: 125 (résultats négatifs); 126 (lien de dépendance); 141.01(5) (méthodes de mesure de l'utilisation); 193(1) (crédit pour immeuble); 195.2 (dernière acquisition ou importation); 197 (changement d'utilisation négligeable); 198.1 (changement d'utilisation par suite de l'application de la partie IX); 198.2 (acquisition d'une immobilisation à l'étranger); 208 (acquisition d'une immobilisation par un particulier); 225 (taxe nette); 256.2 (6) (remboursement pour fonds loué à des fins résidentielles); V:Partie I:5.3 (parc à roulottes résidentiel); V:Partie I:9d) (vente d'un immeuble); VI:Partie I:11 (terre agricole).

Jurisprudence [art. 207]: *Kornacker (A.) c. La Reine*, [1996] G.S.T.C. 21 (CCI); *Strachan (K.R.) c. Canada*, [1999] G.S.T.C. 72 (CCI); *Nikel v. R.*, [2008] G.S.T.C. 195 (14 octobre 2008) (CCI [procédure informelle]).

Mémorandums [art. 207]: TPS 400, 18/05/90, *Crédits de taxe sur les intrants*, par. 69, 70; TPS 500-2-4, 19/03/91, *Calcul de la taxe*, annexe B.

Série de mémorandums [art. 207]: Mémorandum 14-4, 12/10, *Vente d'une entreprise ou d'une partie d'entreprise*; Mémorandum 19.2.1, 03/98, *Immeubles résidentiels — Ventes*; Mémorandum 19.2.3, 06/98, *Immeubles résidentiels — Fournitures réputées*; Mémorandum 19.4.2, 08/99, *Immeubles commerciaux — Fournitures réputées*; Mémorandum 19.5, 06/02, *Fonds de terre et immeubles connexes*.

COMMENTAIRES: Le paragraphe (1) vise le cas du particulier qui est un inscrit ayant acquis une immobilisation en vue de l'utiliser dans le cadre d'une activité commerciale et non principalement pour son utilisation personnelle et qui, plus tard, commence à l'utiliser exclusivement à des fins non-commerciales ou principalement pour son utilisation personnelle. À partir de ce moment, ce particulier est réputé avoir vendu le bien (s'être cédé le bien à lui-même) en vue de l'utiliser autrement que dans le cadre de ses activités commerciales. L'inscrit est réputé avoir payé et perçu la TPS sur la portion du bien qui est vendue. Lorsqu'il y a changement d'utilisation, l'assujettissement à la TPS débute au cours de la période de déclaration durant laquelle il y a effectivement eu un tel changement.

208. (1) Acquisition d'une immobilisation par un particulier — Sous réserve du présent article, la taxe payable par un particulier, qui est un inscrit, relativement à l'acquisition d'un immeuble qu'il a acquis pour l'utiliser comme immobilisation, mais principalement pour son utilisation personnelle ou celle d'un particulier qui lui est lié, n'est pas incluse dans le calcul du crédit de taxe sur les intrants du particulier.

Notes historiques: Le paragraphe 208(1) a été modifié par L.C. 1993, c. 27, par. 74(1) et est réputé entre en vigueur le 1er octobre 1992. Il se lisait auparavant comme suit :

208. (1) Sous réserve du présent article, la taxe payable par l'inscrit, qui est un particulier, relativement à la fourniture d'un immeuble qu'il a acquis pour utiliser comme immobilisation dans le cadre de ses activités commerciales, mais principalement pour son utilisation personnelle ou celle d'un particulier qui lui est lié, n'est pas incluse dans le calcul du crédit de taxe sur les intrants de l'inscrit pour une période de déclaration.

Le paragraphe 208(1) a été ajouté par L.C. 1990, c. 45, par. 12(1).

Concordance québécoise: LTVQ, art. 263.

(2) Début d'utilisation dans le cadre d'activités commerciales — Pour l'application de la présente partie, le particulier qui est un inscrit ayant acquis un immeuble la dernière fois en vue de l'utiliser comme immobilisation, soit hors du cadre de ses activités commerciales, soit principalement pour son utilisation personnelle ou celle d'un particulier qui lui est lié, et qui commence, à un moment donné, à l'utiliser comme immobilisation dans le cadre de ses activités commerciales et non principalement pour son utilisation personnelle ou celle d'un particulier qui lui est lié est réputé :

a) avoir reçu, au moment donné, une fourniture de l'immeuble par vente;

b) avoir payé au moment donné et relativement à la fourniture, sauf s'il s'agit d'une fourniture exonérée, une taxe égale à la teneur en taxe de l'immeuble à ce moment.

Notes historiques: Le préambule du paragraphe 208(2) a été modifié par L.C. 1997, c. 10, par. 40.1(1) et cette modification est réputée entrée en vigueur le 1er octobre 1992. Ce préambule se lisait comme suit :

(2) Pour l'application de la présente partie, le particulier qui est un inscrit ayant acquis un immeuble la dernière fois en vue de l'utiliser comme immobilisation, mais principalement pour son utilisation personnelle ou celle d'un particulier qui lui est lié, et qui commence, à un moment donné, à l'utiliser comme immobilisation dans le cadre de ses activités commerciales et non principalement pour son utilisation personnelle ou celle d'un particulier qui lui est lié est réputé :

L'alinéa 208(2)b) a été modifié par L.C. 1997, c. 10, par. 196(1) et cette modification est entrée en vigueur le 1er avril 1997. Auparavant, cet alinéa, modifié par L.C. 1993, c. 27, par. 74(1), se lisait comme suit :

b) avoir payé au moment donné et relativement à la fourniture, sauf s'il s'agit d'une fourniture exonérée, une taxe égale au moins élevé des montants suivants :

(i) le total de la taxe payable par le particulier relativement à sa dernière acquisition de l'immeuble et de la taxe payable par lui relativement aux améliorations apportées à l'immeuble, qu'il a acquises ou importées après cette dernière acquisition,

(ii) la taxe calculée sur la juste valeur marchande de l'immeuble au moment donné.

Le paragraphe 208(2) a été modifié par L.C. 1993, c. 27, par. 74(1) et est réputé entré en vigueur le 1er octobre 1992. Il se lisait auparavant comme suit :

(2) Pour l'application de la présente partie, l'inscrit, étant un particulier, qui acquiert un immeuble à une fin qui ne lui donne pas droit à un crédit de taxe sur les intrants relativement à l'immeuble, ou qui est réputé par le paragraphe 207(1) l'avoir fourni, et qui commence, à un moment donné, à l'utiliser comme immobilisation dans le cadre de ses activités commerciales et non principalement pour son utilisation personnelle ou celle d'un particulier qui lui est lié est réputé :

a) avoir reçu l'immeuble immédiatement avant ce moment dans le cadre d'une fourniture par vente;

b) avoir payé à ce moment, sauf s'il s'agit d'une fourniture exonérée, la taxe relative à la fourniture, égale au moins élevé des montants suivants :

(i) le total de la taxe payable par l'inscrit relativement à l'acquisition de l'immeuble et de la taxe payable par lui relativement aux améliorations qui y sont apportées ou, si l'inscrit est réputé par le paragraphe 207(1) avoir fourni l'immeuble à un moment antérieur, le total de la taxe qu'il

LTA (TPS)

est réputé par ce paragraphe avoir perçue à ce moment antérieur et de la taxe payable par lui après ce même moment relativement aux améliorations,

(ii) la taxe qui serait payable par l'inscrit s'il avait acquis l'immeuble au moment donné pour une contrepartie égale à la juste valeur marchande de l'immeuble à ce moment.

Ce paragraphe a été ajouté par L.C. 1990, c. 45, par. 12(1).

Concordance québécoise: LTVQ, art. 264.

Bulletins de l'information technique [art. 208(2)]: B-107, 10/11, *Régimes de placement (y compris les fonds réservés d'assureur) et la TVH* .

(3) Utilisation accrue dans le cadre d'activités commerciales — Le particulier qui est un inscrit ayant acquis un immeuble la dernière fois en vue de l'utiliser comme immobilisation dans le cadre de ses activités commerciales, et non principalement pour son utilisation personnelle ou celle d'un particulier qui lui est lié, et qui accroît, à un moment donné, l'utilisation qu'il fait de l'immeuble dans ce cadre sans commencer à l'utiliser principalement pour son utilisation personnelle ou celle d'un particulier qui lui est lié, est réputé, aux fins du calcul de son crédit de taxe sur les intrants :

a) avoir reçu, au moment donné, la fourniture d'une partie de l'immeuble par vente pour l'utiliser comme immobilisation exclusivement dans le cadre de ses activités commerciales;

b) avoir payé au moment donné et relativement à la fourniture, sauf s'il s'agit d'une fourniture exonérée, une taxe égale au résultat du calcul suivant :

$$A \times B$$

où :

A représente la teneur en taxe de l'immeuble à ce moment,

B le pourcentage qui représente la mesure dans laquelle l'inscrit a accru l'utilisation qu'il fait de l'immeuble dans le cadre de ses activités commerciales au moment donné par rapport à l'utilisation totale qu'il en fait alors.

Notes historiques: L'élément A de la formule figurant à l'alinéa 208(3)b) a été modifié par L.C. 1997, c. 10, par. 196(2) et cette modification est entrée en vigueur le 1er avril 1997. Auparavant, cet élément se lisait comme suit :

A représente le moins élevé des montants suivants :

(i) le total de la taxe qui est payable par l'inscrit, ou qui le serait en l'absence de l'article 167, relativement à sa dernière acquisition de l'immeuble et de la taxe payable par lui relativement aux améliorations apportées à l'immeuble, qu'il a acquises ou importées après cette dernière acquisition,

(ii) la taxe calculée sur la juste valeur marchande de l'immeuble au moment donné,

Le paragraphe 208(3) a été modifié par L.C. 1993, c. 27, par. 74(1) et est réputé entré en vigueur le 1er octobre 1992. Il se lisait auparavant comme suit :

(3) Pour l'application de la présente partie, l'inscrit, étant un particulier, qui acquiert un immeuble pour l'utiliser comme immobilisation dans le cadre de ses activités commerciales et non principalement pour son utilisation personnelle ou celle d'un particulier qui lui est lié et qui accroît, à un moment donné, l'utilisation qu'il en fait dans ce cadre est réputé :

a) avoir reçu, immédiatement avant ce moment, une partie de l'immeuble dans le cadre d'une fourniture par vente, pour l'utiliser comme immobilisation exclusivement dans le cadre de ses activités commerciales;

b) avoir payé à ce moment, sauf s'il s'agit d'une fourniture exonérée, la taxe relative à la fourniture, égale au montant calculé selon la formule suivante :

$$A \times (B - C)$$

où :

A représente le moins élevé des montants suivants :

(i) le total de la taxe qui est payable par l'inscrit relativement à l'acquisition de l'immeuble, ou qui le serait en l'absence de l'article 167, et de la taxe payable par lui relativement aux améliorations qui y sont apportées ou, si l'inscrit est réputé par le paragraphe 207(1) avoir fourni l'immeuble à un moment antérieur, le total de la taxe qu'il est réputé par ce paragraphe avoir perçue à ce moment antérieur et de la taxe payable par lui après ce même moment relativement aux améliorations apportées à l'immeuble,

(ii) la taxe qui serait payable par l'inscrit s'il avait acquis l'immeuble au moment donné pour une contrepartie égale à la juste valeur marchande de l'immeuble à ce moment;

B 100 % ou, si l'immeuble n'est pas utilisé exclusivement dans le cadre des activités commerciales de l'inscrit immédiatement après le moment donné, la proportion que représente, immédiatement après ce moment, l'utilisation qu'il fait de l'immeuble dans ce cadre par rapport à l'utilisation totale de l'immeuble;

C la proportion que représente, immédiatement avant le moment donné, l'utilisation que l'inscrit fait de l'immeuble dans le cadre de ses activités commerciales par rapport à l'utilisation totale de l'immeuble.

Le paragraphe 208(3) a été ajouté par L.C. 1990, c. 45, par. 12(1).

Concordance québécoise: LTVQ, art. 265.

Bulletins de l'information technique [art. 208(3)]: B-107, 10/11, *Régimes de placement (y compris les fonds réservés d'assureur) et la TVH* .

(4) Améliorations à une immobilisation — Dans le cas où un particulier qui est un inscrit acquiert, importe ou transfère dans une province participante des améliorations à un immeuble qui est son immobilisation, la taxe payable par lui relativement aux améliorations n'est pas incluse dans le calcul de son crédit de taxe sur les intrants si, au moment où cette taxe devient payable ou est payée sans qu'elle soit devenue payable, l'immeuble est destiné principalement à son utilisation personnelle ou celle d'un particulier qui lui est lié.

Notes historiques: Le paragraphe 208(4) a été modifié par L.C. 1997, c. 10, par. 196(3) et cette modification est entrée en vigueur le 1er avril 1997. Il se lisait comme suit :

(4) Dans le cas où un particulier qui est un inscrit acquiert ou importe des améliorations à un immeuble qui est son immobilisation, la taxe payable par lui relativement aux améliorations n'est pas incluse dans le calcul de son crédit de taxe sur les intrants si, au moment où cette taxe devient payable ou est payée sans qu'elle soit devenue payable, l'immeuble est à utiliser principalement pour son utilisation personnelle ou celle d'un particulier qui lui est lié.

Auparavant, ce paragraphe a été modifié par L.C. 1993, c. 27, par. 74(2) et s'applique aux améliorations acquises ou importées après mars 1991. Il se lisait comme suit :

(4) Dans le cas où un inscrit, qui est un particulier, acquiert ou importe des améliorations à un immeuble qui est son immobilisation, la taxe payable par lui relativement aux améliorations n'est pas incluse dans le calcul de son crédit de taxe sur les intrants pour une période de déclaration si l'immobilisation, immédiatement après que les améliorations y sont apportées, est à utiliser principalement pour son utilisation personnelle ou celle d'un particulier qui lui est lié.

Le paragraphe 208(4) a été ajouté par L.C. 1990, c. 45, par. 12(1).

Concordance québécoise: LTVQ, art. 266.

Série de mémorandums [art. 208(4)]: Mémorandum 8.3, 02/12, *Calcul des crédits de taxe sur les intrants.*

Définitions [art. 208]: « activité commerciale »,« améliorations », « fourniture », « fourniture exonérée », « immeuble », « immobilisation », « importation », « inscrit », « juste valeur marchande », « montant », « période de déclaration », « province participante », « taxe », « teneur en taxe », « vente » — 123(1).

Renvois [art. 208]: 126 (lien de dépendance); 141.01(5) (méthodes de mesure de l'utilisation); 169(3) (CTI); 195.2 (dernière acquisition ou importation); 197 (changement d'utilisation négligeable); 198.2 (acquisition d'une immobilisation à l'étranger).

Jurisprudence [art. 208]: *Gamache c. R.*, [2000] G.S.T.C. 63 (CCI); *Polley v. R.*, 2008 CarswellNat 2642 (24 avril 2008) (CCI [procédure informelle]); *Hunter v. R.*, 2011 CarswellNat 5548, 2011 CCI 502 (CCI [procédure informelle]).

Mémorandums [art. 208]: TPS 400, 18/05/90, *Crédits de taxe sur les intrants*, par. 71–75; TPS 500-2-4, 19/03/91, *Calcul de la taxe*, annexe D.

Série de mémorandums [art. 208]: Mémorandum 19.1, 10/97, *Les immeubles et la TPS/TVH*; Mémorandum 19.2.1, 03/98, *Immeubles résidentiels — Ventes*; Mémorandum 19.3.7, 07/98, *Remboursements pour immeubles — Sujets particuliers*; Mémorandum 19.4.2, 08/99, *Immeubles commerciaux — Fournitures réputées.*

Info TPS/TVQ [art. 208]: GI-007 — *Exploitation d'un gîte touristique dans votre maison.*

Lettres d'interprétation (Québec) [art. 208]: 98-0107213 — Interprétation en TPS et en TVQ — Construction d'un ajout à une résidence; 02-0109674 — Immeuble, changement d'usage.

COMMENTAIRES: Le paragraphe (1) interdit la réclamation d'un crédit de taxe sur les intrants à l'égard de l'acquisition par un particulier d'un immeuble acquis pour l'utiliser comme immobilisation, mais principalement pour son utilisation personnelle.

Le paragraphe (2) concerne le début d'utilisation dans le cadre d'activités commerciales dans un contexte où aucun crédit de taxe sur les intrants n'a été réclamé auparavant, en raison du fait que l'immeuble était utilisé principalement pour son utilisation personnelle ou pour faire des fournitures exonérées.

L'objet du paragraphe 208(4) est d'empêcher qu'un crédit de taxe sur les intrants soit demandé relativement au coût d'améliorations apportées à une immobilisation si le bien est destiné principalement à une utilisation personnelle de la part de l'inscrit.

En vertu du paragraphe 208(4), lorsqu'un particulier apporte des améliorations à un immeuble qui est son immobilisation, la taxe payable par lui relativement aux améliorations ne donne droit à aucun crédit de taxe sur les intrants si l'immeuble est destiné principalement (soit plus de 50 %) à son utilisation personnelle ou celle d'un particulier qui lui est lié. Dans le présent cas analysé par Revenu Québec, la résidence a une superficie de 2 350 pieds carrés et l'ajout qui y est construit a une superficie de 880 pieds carrés. L'immeuble est donc destiné principalement à l'utilisation personnelle du particulier à titre de résidence et la taxe payable relativement aux améliorations ne vous donne droit à aucun crédit de taxe sur les intrants. D'autre part, si le particulier met fin à ses activités commerciales, il n'aura pas à considérer une vente présumée de votre local commercial à sa juste valeur marchande et payer la taxe réputée perçue sur cette vente présumée. En conséquence, il n'y aura pas d'autocotisation en vertu des paragraphes 190(2) et 207(1). De plus, si le particulier vend sa propriété, cette vente sera exonérée en vertu des articles 2 ou 3 de la partie I de l'annexe V. Voir à cet effet : Revenu Québec, Lettre d'interprétation, 98-0107213 — *Interprétation en TPS et en TVQ — Construction d'un ajout à une résidence* (1er février 1999).

La Cour canadienne de l'impôt s'est penchée sur l'application du paragraphe 208(4) dans l'affaire *Larivière c. R.*, 2009 CarswellNat 2568 (C.C.I.). Dans cette affaire, la remise a été construite pour abriter le système de chauffage requis pour le garage seulement. Les activités de soudure et de peinture exercées dans le garage présentaient des risques d'incendie. Les crédits de taxe sur les intrants ont été accordés sur le coût d'achat du système de chauffage à air chaud à l'huile, mais ont été refusés à l'égard du coût de construction de la remise elle-même parce que les conditions d'application du paragraphe 208(4) étaient rencontrées. De l'avis de la Cour canadienne de l'impôt, l'objet du paragraphe 208(4) est d'empêcher qu'un crédit de taxe sur les intrants soit demandé relativement au coût d'améliorations apportées à une immobilisation si le bien est destiné principalement à une utilisation personnelle de la part de l'inscrit. La *Loi sur la taxe d'accise (TPS)* ne fait pas de distinction entre une amélioration qui est effectuée uniquement à des fins commerciales et celle qui ne l'est pas. Si toutes les conditions du paragraphe 208(4) sont réunies, la taxe payée à l'égard de l'amélioration ne donne pas lieu à un crédit de taxe sur les intrants. Dans le cas présent, les conditions d'application du paragraphe 208(4) sont réunies du fait que l'immeuble considéré dans son ensemble est toujours, malgré les améliorations qui y ont été apportées, destiné principalement à l'utilisation personnelle de l'appelant.

Finalement, également à titre illustratif, la question de savoir si l'appelant a droit à des crédits de taxe sur les intrants à l'égard de la construction de son garage a été soulevée par la Cour canadienne de l'impôt dans l'affaire *Lavoie c. R.*, 2009 CarswellNat 4046 (C.C.I.). Le ministre s'est fondé sur le paragraphe 208 (4) en refusant d'accorder les crédits de taxe sur les intrants. Si toutes les conditions du paragraphe 208(4) sont réunies, la taxe payée relativement à l'amélioration ne donne pas lieu à un crédit de taxe sur les intrants. En l'espèce, la seule condition contestée est de savoir si le bien est néanmoins destiné principalement à l'utilisation personnelle de l'appelant, et ce, malgré la construction du garage. Une partie passablement importante de la propriété en question est sans aucun doute utilisée aux fins des activités commerciales de l'appelant, mais il serait contraire à la preuve d'inclure sous la rubrique des fins commerciales, dans le résumé de l'appelant qui est reproduit au paragraphe 5 des présents motifs, l'aire boisée située derrière le garage. Si nous excluons les 70 800 pieds carrés qui ne sont pas utilisés à des fins commerciales, il reste 10 540 pieds carrés d'utilisation commerciale sur une superficie totale de 124 735 pieds carrés. S'il est tenu compte de la superficie à elle seule, la propriété n'était clairement pas principalement utilisée à des fins commerciales. Il faut également se rappeler que le mot « principalement » pourrait être défini comme quelque chose de première importance, un élément principal ou premier, et que ce mot peut également vouloir dire plus de 50 p. 100 (voir *Mid-West Feed Ltd. v. Minister of National Revenue*, 1987 CarswellNat 497 (C.C.I.)). L'appelant a initialement acquis cette propriété à des fins personnelles, en y construisant sa résidence. Il a par la suite été décidé de construire le garage qui devait être utilisé dans le cadre des activités commerciales de l'appelant. De l'avis de la Cour canadienne de l'impôt, et selon la preuve, le résultat final est que la propriété a continué à être utilisée principalement aux fins personnelles de l'appelant, et ce, bien que le garage et le terrain l'entourant immédiatement aient exclusivement été utilisés dans le cadre des activités commerciales de l'appelant. L'appelant n'a donc pas réussi à établir selon la prépondérance des probabilités que la propriété en question n'était plus destinée principalement à son utilisation personnelle. L'appelant a soutenu qu'étant donné que le garage avait été construit afin d'être exclusivement utilisé à des fins commerciales, le paragraphe 208(2) devrait s'appliquer, de sorte qu'il est réputé avoir reçu une fourniture par vente et avoir payé relativement à la fourniture une taxe égale à la teneur en taxe du bien. Cette vente réputée donnerait lieu à une acquisition réputée de deux biens distincts aux termes du paragraphe 136(2), étant donné que le garage ne fait pas partie de l'immeuble d'habitation. La fourniture de l'immeuble d'habitation est donc réputée être une fourniture distincte de la partie composée du garage et ni l'une ni l'autre des fournitures n'est l'accessoire de l'autre. Le statut fiscal de chaque bien créé en vertu du paragraphe 136(2) devrait être considéré séparément, la partie résidentielle étant exonérée, de sorte que l'appelant peut demander le crédit de taxe sur les intrants sur la partie composée du garage. La Cour a examiné la question dans la décision *Polley c. R.*, 2008 CarswellNat 2642 (C.C.I.)), et celle-ci a conclu qu'il n'y avait pas de fourniture réputée, étant donné que l'application des dispositions concernant le changement d'utilisation du paragraphe 208(2) n'est pas déclenchée. Le paragraphe 208(2) porte sur un changement d'utilisation lorsque l'inscrit commence à utiliser un immeuble à titre d'immobilisation dans le cadre d'activités commerciales et qu'il ne l'utilise plus principalement à des fins personnelles. L'inscrit est alors réputé avoir reçu une fourniture de l'ensemble du bien par vente. Étant donné que la Cour canadienne de l'impôt a conclu que tel n'était pas ici le cas, il a été décidé que le paragraphe 208(2) ne s'applique pas. La propriété dans son ensemble est encore utilisée principalement comme lieu de résidence de l'appelant et elle n'a donc pas cessé d'être principalement utilisée à des fins personnelles. Il n'y a pas eu de changement d'utilisation, de sorte qu'il n'y a pas fourniture réputée ou fourniture réelle de l'immeuble. L'appel est donc rejeté.

209. (1) Immeubles de certains organismes de services publics — Si un inscrit (sauf une institution financière et un gouvernement) est un organisme de services publics, l'article 141.2 et les paragraphes 199(2) à (4) et 200(2) et (3) s'appliquent, avec les adaptations nécessaires, aux immeubles qu'il acquiert pour utilisation à titre d'immobilisations et, dans le cas du paragraphe 199(4), aux améliorations apportées aux immeubles qui font partie de ses immobilisations, comme s'il s'agissait de biens meubles.

Notes historiques: Le paragraphe 209(1) a été remplacé par L.C. 2004, c. 22, par. 37(1) et cette modification est réputée être entrée en vigueur le 1er février 2004. Antérieurement, il se lisait comme suit :

> 209. (1) Lorsqu'un inscrit (sauf une institution financière ou un gouvernement) est un organisme de services publics, les paragraphes 199(2) à (4) et 200(2) et (3) s'appliquent, avec les adaptations nécessaires, aux immeubles qu'il acquiert pour les utiliser à titre d'immobilisations et, dans le cas du paragraphe 199(4), aux améliorations apportées aux immeubles qui font partie de ses immobilisations, comme s'il s'agissait de biens meubles.

Le paragraphe 209(1) a été remplacé par L.C. 2000, c. 30, par. 43(1) et cette modification est réputée entrée en vigueur le 29 janvier 1999. Antérieurement, il se lisait comme suit :

> 209. (1) Dans le cas où un inscrit est un organisme de services publics, autre qu'une institution financière ou un gouvernement, ou un mandataire désigné (autre qu'une institution financière), les paragraphes 199(2) à (4) et 200(2) à (4) s'appliquent, avec les adaptations nécessaires, aux immeubles qu'il acquiert pour les utiliser comme immobilisations ainsi qu'aux améliorations apportées aux immeubles qui font partie de ses immobilisations, comme s'il s'agissait d'un bien meuble.

Le paragraphe 209(1) a été modifié par L.C. 1993, c. 27, par. 75(1) et est réputé entré en vigueur le 17 décembre 1990. Le paragraphe 209(1) correspond aux anciens articles 209 et 210. Il se lisait comme suit :

> 209. (1) Dans le cas où l'inscrit est un organisme du secteur public, mais non une institution financière, qui acquiert un immeuble pour l'utiliser comme immobilisation dans le cadre de ses activités commerciales, les règles suivantes s'appliquent :
>
> a) la taxe payable par l'inscrit relativement à la fourniture de l'immeuble à son profit n'est incluse dans le calcul de son crédit de taxe sur les intrants pour une période de déclaration que si l'immeuble est acquis pour être utilisé principalement dans le cadre de ses activités commerciales;
>
> b) pour l'application de la présente partie, l'inscrit est réputé avoir acquis l'immeuble pour l'utiliser exclusivement dans le cadre de ses activités commerciales s'il l'a acquis pour l'utiliser principalement dans ce cadre.

Le paragraphe 209(1) a été édicté par L.C. 1990, c. 45, par. 12(1).

Concordance québécoise: LTVQ, art. 267.

(2) Immeubles de certains mandataires de Sa Majesté — Si un inscrit (sauf une institution financière) est un mandataire désigné, l'article 141.2 et les paragraphes 199(2) à (4) et 200(2) et (4) s'appliquent, avec les adaptations nécessaires, aux immeubles qu'il acquiert pour utilisation à titre d'immobilisations et, dans le cas du paragraphe 199(4), aux améliorations apportées aux immeubles qui font partie de ses immobilisations, comme s'il s'agissait de biens meubles.

Notes historiques: Le paragraphe 209(2) a été remplacé par L.C. 2004, c. 22, par. 37(1) et cette modification est réputée être entrée en vigueur le 1er février 2004. Antérieurement, il se lisait comme suit :

> (2) Lorsqu'un inscrit (sauf une institution financière) est un mandataire désigné, les paragraphes 199(2) à (4) et 200(2) et (4) s'appliquent, avec les adaptations nécessaires, aux immeubles qu'il acquiert pour les utiliser à titre d'immobilisations et, dans le cas du paragraphe 199(4), aux améliorations apportées aux immeubles qui font partie de ses immobilisations, comme s'il s'agissait de biens meubles.

Le paragraphe 209(2) a été remplacé par L.C. 2000, c. 30, par. 43(1) et cette modification est réputée entrée en vigueur le 29 janvier 1999. Antérieurement, il se lisait comme suit :

(2) Malgré le paragraphe (1), le paragraphe 200(3) ne s'applique pas aux fournitures suivantes :

a) la fourniture d'un immeuble d'habitation, ou d'un droit afférent, qu'un organisme de services publics effectue par vente;

b) la fourniture d'un immeuble qu'un organisme de services publics effectue par vente au profit d'un particulier.

Le paragraphe 209(2) a été modifié par L.C. 1993, c. 27, par. 75(1) et est réputé entré en vigueur le 17 décembre 1990. Toutefois, le paragraphe 209(2) ne s'applique pas aux fournitures de biens si la propriété ou la possession du bien est transférée à l'acquéreur avant le 6 novembre 1991 ou la fourniture est effectuée aux termes d'une convention écrite conclue avant le 6 novembre 1991. Il se lisait comme suit :

(2) Dans le cas où l'inscrit est un organisme du secteur public, mais non une institution financière, qui acquiert ou importe des améliorations à un immeuble qui est son immobilisation, les règles suivantes s'appliquent :

a) la taxe payable par l'inscrit relativement à la fourniture ou à l'importation n'est incluse dans le calcul de son crédit de taxe sur les intrants pour une période de déclaration que si les conditions suivantes sont remplies :

(i) l'immeuble, immédiatement après que les améliorations y sont apportées, est à utiliser principalement dans le cadre de ses activités commerciales,

(ii) l'inscrit a acquis ou importé l'immeuble pour l'utiliser principalement dans le cadre de ses activités commerciales;

b) pour l'application de la présente partie, l'inscrit est réputé avoir acquis ou importé les améliorations pour consommation ou utilisation exclusives dans le cadre de ses activités commerciales si l'immeuble, immédiatement après que les améliorations y sont apportées, est à utiliser principalement dans ce cadre.

Le paragraphe 209(2) a été édicté par L.C. 1990, c. 45, par 12(1).

Concordance québécoise: aucune.

(3) Exception — Malgré les paragraphes (1) et (2), l'article 141.2 et les paragraphes 200(3) et (4) ne s'appliquent pas aux fournitures suivantes :

a) la fourniture par vente d'un immeuble d'habitation ou d'un droit sur un tel immeuble;

b) la fourniture par vente d'un immeuble effectuée au profit d'un particulier.

Notes historiques: Le préambule du paragraphe 209(3) a été remplacé par L.C. 2004, c. 22, par. 37(2) et cette modification est réputée être entrée en vigueur le 1er février 2004. Antérieurement, il se lisait comme suit :

(3) Malgré les paragraphes (1) et (2), les paragraphes 200(3) et (4) ne s'appliquent pas aux fournitures suivantes :

Le paragraphe 209(3) a été réédicté par L.C. 2000, c. 30, par. 43(1) et est réputé entré en vigueur le 29 janvier 1999.

Le paragraphe 209(3) a été abrogé par L.C. 1993, c. 27, par. 75(1) rétroactivement au 17 décembre 1990. Il se lisait comme suit :

(3) Le paragraphe 199(3) s'applique, compte tenu des adaptations de circonstance, aux immeubles acquis par l'inscrit qui est un organisme du secteur public, mais non une institution financière, comme s'il s'agissait de biens meubles.

Le paragraphe 209(3) a été édicté par L.C. 1990, c. 45, par. 12(1).

Concordance québécoise: LTVQ, art. 268.

Définitions [art. 209]: « améliorations », « bien meuble », « fourniture », « gouvernement », « immeuble », « immeuble d'habitation », « immobilisation », « inscrit », « institution financière », « mandataire désigné », « organisme de services publics », « vente » — 123(1).

Renvois [art. 209]: 211(1) (choix visant l'immeuble d'un organisme de services publics).

Règlements [art. 209]: *Règlement sur les jeux de hasard (TPS/TVH)*, art. 1.

Jurisprudence [art. 209]: *Îles-de-la Madeleine (Comté) c. R.*, 2006 G.T.C. 267 (CCI).

Énoncés de politique [art. 209]: P-168R, 17/02/95, *Droit des municipalités à demander des CTI à l'égard de la TPS payée relativement à l'aménagement de terrains destinés à être vendus en parcelles viabilisées*; P-182R, 28/08/03, *Du mandat.*

Mémorandums [art. 209]: TPS 400, 18/05/90, *Crédits de taxe sur les intrants*, par. 76, 77; TPS 400-4, 18/01/91, *Organismes du secteur public*, par. 32, 33, 34, 38; TPS 500-2-4, 19/03/91, *Calcul de la taxe*, annexes B, D.

Série de mémorandums [art. 209]: Mémorandum 19.1, 10/97, *Les immeubles et la TPS/TVH*; Mémorandum 19.2.1, 02/00, *Immeubles résidentiels — Ventes*; Mémorandum 19.4.2, 08/99, *Immeubles commerciaux — Fournitures réputées.*

Info TPS/TVQ [art. 208]: GI-007 — *Exploitation d'un gîte touristique dans votre maison.*

Lettres d'interprétation (Québec) [art. 209]: 02-0107777 — Interprétation relative à la TPS et à la TVQ — Règles générales, résidences pour personnes âgées; 04-0106502 — Interprétation relative à la TPS et la TVQ — droit pour un OSBL de demander des CTI/RTI relativement à des améliorations locatives.

COMMENTAIRES: En vertu du paragraphe (1), le paragraphe 199(4) s'applique aux améliorations apportées aux immeubles qui font partie des immobilisations d'un organisme de services publics comme s'il s'agissait de biens meubles. L'expression « immobilisation » est définie au paragraphe 123(1) et fait référence au sens qui est donné à cette expression dans la *Loi de l'impôt sur le revenu* et vise notamment tout bien amortissable.

Un organisme de services public qui désire éviter l'application du paragraphe (1) peut faire un choix en vertu de l'article 211.

Ainsi, tel que le souligne la Cour canadienne de l'impôt dans la décision, *Université de Sherbrooke c. R.*, 2007 CarswellNat 5028 (C.C.I.), il convient de préciser que l'appelante est un organisme de services publics aux termes du paragraphe 259(1) de la *Loi* et que le paragraphe 209(1) prévoit que lorsqu'un inscrit est un organisme de services publics, les paragraphes 199(2) et (4) et 200(2) et (3) s'appliquent, avec les adaptations nécessaires, aux immeubles qu'il acquiert pour les utiliser à titre d'immobilisation et, dans le cas du paragraphe 199(4), aux améliorations apportées aux immeubles qui font partie de ses immobilisations, comme s'il s'agissait de biens meubles.

À titre illustratif, Revenu Québec a indiqué qu'en ce qui concerne les dépenses en immobilisation, la taxe pour laquelle un crédit peut être demandé est proportionnelle à la mesure dans laquelle un bien est acquis afin de servir dans le cadre d'activités commerciales. La municipalité, en tant qu'organisme de service public, est réputée avoir acquis les immobilisations (meubles et immeubles) pour les utiliser exclusivement dans le cadre de ses activités commerciales lorsqu'elle les a acquises ou importées pour les utiliser principalement (à 50 % ou plus) dans ce cadre. Il s'agit là de l'application combinée de l'article 209 et des articles 199 et 200. En d'autres termes, la municipalité n'est pas tenue de répartir la taxe payée à l'achat d'un bien meuble ou immeuble qu'elle acquiert pour l'utiliser comme immobilisation ou à l'achat d'améliorations à celui-ci si l'immobilisation est utilisée principalement dans le cadre d'activités commerciales. Elle peut alors réclamer le montant intégral de la TPS payée à l'égard du bien. Par contre, si le bien est utilisé principalement dans le cadre d'activités exonérées, la municipalité n'aura pas droit à des crédits de taxe sur les intrants relativement à l'achat du bien et aux améliorations éventuellement apportées à celui-ci, même si une partie de l'immobilisation est utilisée dans le cadre d'activités commerciales. Par ailleurs, le paragraphe 211(1) autorise la municipalité, en tant qu'organisme de services publics, à faire un choix relativement à un immeuble en particulier pour que le paragraphe 193(1) et l'article 206, et non les articles 209 et 210, s'appliquent à l'immeuble. Dans ce cas, le choix a pour effet que la vente ultérieure de l'immeuble ou sa location ultérieure à des fins commerciales ne sont pas exonérées pendant que le choix est en vigueur (étant donné que l'immeuble est exclu de l'exonération accordée en vertu de l'article 25 de la partie VI de l'annexe V). Cela signifie également que les crédits de taxe sur les intrants relatifs à l'immeuble sont calculés au prorata selon l'utilisation réelle qui en est faite dans le cadre d'activités commerciales. Voir notamment à cet effet : Revenu Québec, Lettre d'interprétation, 00-0106377 — *Interprétation relative à la TPS et à la TVQ — Entente entre une municipalité et un organisme de bienfaisance* (12 février 2002). Voir également au même effet : Revenu Québec, Lettre d'interprétation, 02-0107777 — *Interprétation relative à la TPS et à la TVQ — Règles générales, résidences pour personnes âgées* (25 février 2003), et Agence du revenu du Canada, Lettre de l'Administration centrale sur la TPS, 109308R — *Construction activities undertaken by a charity* (12 janvier 2011).

210. [*Abrogé*]

Notes historiques: L'article 210 a été abrogé par L.C. 1993, c. 27, par. 75(1) rétroactivement au 17 décembre 1990 et a été intégré au paragraphe 209(1). Il se lisait comme suit :

210. (1) Le paragraphe 200(2) s'applique, compte tenu des adaptations de circonstance, aux immeubles acquis par un organisme du secteur public autre qu'une institution financière, comme s'il s'agissait de biens meubles.

(2) Le paragraphe 200(3) s'applique, compte tenu des adaptations de circonstance, aux immeubles acquis par un organisme de services publics autre qu'une institution financière, comme s'il s'agissait de biens meubles.

L'article 210 a été édicté par L.C. 1990, c. 45, par. 12(1).

211. (1) Choix visant l'immeuble d'un organisme de services publics — Un organisme de services publics peut faire un choix relativement aux immeubles suivants pour que le paragraphe 193(1) et l'article 206, mais non l'article 209, s'appliquent aux immeubles tout au long de la période au cours de laquelle le choix est en vigueur :

a) l'immeuble qui est son immobilisation;

b) l'immeuble qui lui appartient et qu'il tient en stock en vue de le fournir;

c) l'immeuble qu'il acquiert par bail, licence ou accord semblable en vue de le fournir par le même moyen ou de fournir l'accord par cession.

Notes historiques: Le paragraphe 211(1) a été modifié par L.C. 1993, c. 27, par. 76(1) et est réputé entré en vigueur le 6 novembre 1991. Il se lisait auparavant comme suit :

211. (1) L'organisme de services publics peut faire un choix relativement à un immeuble qui est son immobilisation tout au long de la période au cours de laquelle le choix est en vigueur pour que le paragraphe 193(1) et l'article 206, et non les articles 209 et 210, s'appliquent à l'immeuble.

Le paragraphe 211(1) a été ajouté par L.C. 1990, c. 45, par. 12(1).

Concordance québécoise: LTVQ, art. 272.

Série de mémorandums [art. 211(1)]: Mémorandum 8.3, 02/12, *Calcul des crédits de taxe sur les intrants*.

(2) **Présomption de vente en cas de choix** — Pour l'application de la présente partie, l'organisme de services publics qui fait le choix relativement à un immeuble visé aux alinéas (1)a) ou b) et qui n'acquiert pas l'immeuble le jour de l'entrée en vigueur du choix ou ne devient pas un inscrit ce jour-là est réputé :

a) avoir effectué, immédiatement avant ce jour-là, une fourniture taxable de l'immeuble par vente et avoir perçu, ce jour-là et relativement à la fourniture, une taxe égale à la teneur en taxe de l'immeuble ce jour-là;

b) avoir reçu, ce jour-là, une fourniture taxable de l'immeuble par vente et avoir payé, ce jour-là et relativement à la fourniture, une taxe égale au montant calculé selon l'alinéa a).

Notes historiques: L'alinéa 211(2)a) a été modifié par L.C. 1997, c. 10, par. 197(1) et cette modification est entrée en vigueur le 1er avril 1997. Antérieurement, il se lisait comme suit :

a) avoir effectué, immédiatement avant ce jour-là, une fourniture taxable de l'immeuble par vente et avoir perçu, ce jour-là et relativement à la fourniture, une taxe égale au moins élevé des montants suivants :

(i) le total de la taxe qui était payable par l'organisme, ou qui l'aurait été en l'absence de l'article 167, relativement à sa dernière acquisition de l'immeuble et de la taxe qui était payable par lui relativement aux améliorations apportées à l'immeuble, qu'il a acquises ou importées après cette dernière acquisition,

(ii) la taxe calculée sur la juste valeur marchande de l'immeuble ce jour-là;

Auparavant, le paragraphe 211(2) a été modifié par L.C. 1993, c. 27, par. 76(3) et est réputé entré en vigueur le 6 novembre 1991. Il se lisait comme suit :

(2) Pour l'application de la présente partie, l'organisme de services publics qui fait le choix est réputé :

a) avoir effectué, immédiatement avant le jour de l'entrée en vigueur du choix, et avoir reçu, ce jour-là, une fourniture taxable du bien par vente;

b) avoir payé à titre d'acquéreur et perçu à titre de fournisseur, ce jour-là, la taxe relative à la fourniture, égale au moins élevé des montants suivants :

(i) le total de la taxe qui était payable par l'organisme, ou qui l'aurait été en l'absence de l'article 167, relativement à l'acquisition de l'immeuble et de la taxe qui était payable par lui relativement aux améliorations qui y sont apportées ou, si l'organisme est réputé par le paragraphe 200(2) ou par le paragraphe (4) du présent article avoir effectué une fourniture de l'immeuble à un moment antérieur, le total de la taxe qu'il est réputé par ce paragraphe avoir perçue à ce moment antérieur et de la taxe payable par lui après ce même moment relativement aux améliorations,

(ii) la taxe qui serait payable par l'organisme s'il avait acquis l'immeuble le jour de l'entrée en vigueur du choix par suite d'une fourniture taxable effectuée par un inscrit pour une contrepartie égale à la juste valeur marchande de l'immeuble ce jour-là.

Le sous-alinéa 211(2)b)(i) a été remplacé par L.C. 1993, c. 27, par. 76(2) et est réputé entré en vigueur le 17 décembre 1990. Antérieurement, il se lisait comme suit :

(i) le total de la taxe qui est payable par l'organisme, ou qui le serait en l'absence de l'article 167, relativement à l'acquisition de l'immeuble et de la taxe qui est payable par lui relativement aux améliorations qui y sont apportées ou, si l'organisme est réputé par le paragraphe 200(2), par application de l'article 210, ou par le paragraphe (4) du présent article avoir effectué une fourniture de l'immeuble à un moment antérieur, le total de la taxe qu'il est réputé par ce paragraphe avoir perçue à ce moment antérieur et de la taxe payable par lui après ce même moment relativement aux améliorations,

Le paragraphe 211(2) a été ajouté par L.C. 1990, c. 45, par. 12(1).

Concordance québécoise: LTVQ, art. 273.

(3) **Effet du choix** — Le choix est en vigueur pour la période commençant le jour qui y est précisé et se terminant le jour que l'organisme de services publics précise dans un avis de révocation du choix produit aux termes du présent article.

Notes historiques: Le paragraphe 211(3) a été ajouté par L.C. 1990, c. 45, par. 12(1).

Concordance québécoise: LTVQ, art. 274.

(4) **Présomption de vente en cas de révocation** — Pour l'application de la présente partie, lorsque le choix fait par un organisme de services publics relativement à un immeuble visé aux alinéas (1)a) ou b) est révoqué et que l'organisme ne cesse pas d'être un inscrit le jour où le choix cesse d'être en vigueur, l'organisme est réputé :

a) avoir effectué, immédiatement avant ce jour-là, une fourniture taxable de l'immeuble par vente et avoir perçu, ce jour-là et relativement à la fourniture, un montant de taxe égal à la teneur en taxe de l'immeuble ce jour-là;

b) avoir reçu, ce jour-là, une fourniture taxable de l'immeuble par vente et avoir payé, ce jour-là et relativement à la fourniture, un montant de taxe égal à la teneur en taxe de l'immeuble ce jour-là.

Notes historiques: L'alinéa 211(4)a) a été remplacé par L.C. 2006, c. 4, par. 18(1) et cette modification s'applique relativement aux choix qui sont révoqués et qui cessent d'être en vigueur après le 1er mai 2006. Antérieurement, il se lisait ainsi :

a) avoir effectué, immédiatement avant ce jour-là, une fourniture taxable de l'immeuble par vente et avoir perçu, ce jour-là et relativement à la fourniture, la taxe calculée sur la juste valeur marchande de l'immeuble ce jour-là;

L'alinéa 211(4)b) a été remplacé par L.C. 2006, c. 4, par. 18(1) et cette modification s'applique relativement aux choix qui sont révoqués et qui cessent d'être en vigueur après le 1er mai 2006. Antérieurement, il se lisait ainsi :

b) avoir reçu, ce jour-là, une fourniture taxable de l'immeuble par vente et avoir payé, ce jour-là et relativement à la fourniture, la taxe calculée sur la juste valeur marchande de l'immeuble ce jour-là.

Le paragraphe 211(4) a été modifié par L.C. 1993, c. 27, par. 76(4) et est réputé entré en vigueur le 6 novembre 1991. Il se lisait auparavant comme suit :

(4) Pour l'application de la présente partie, en cas de révocation du choix, l'organisme de services publics est réputé :

a) avoir effectué immédiatement avant le jour où le choix cesse d'être en vigueur, et avoir reçu, ce jour-là, une fourniture taxable de l'immeuble par vente;

b) avoir payé à titre d'acquéreur et perçu à titre de fournisseur, ce jour-là, la taxe relative à la fourniture, calculée sur la juste valeur marchande du bien ce jour-là.

Le paragraphe 211(4) a été ajouté par L.C. 1990, c. 45, par. 12(1).

Concordance québécoise: LTVQ, art. 275.

(5) **Forme et contenu** — Le choix et l'avis de révocation doivent :

a) être présentés au ministre en la forme, selon les modalités et avec les renseignements déterminés par celui-ci;

b) indiquer l'immeuble auquel ils s'appliquent ainsi que le jour de l'entrée en vigueur du choix ou le jour où il cesse d'être en vigueur;

c) être produits dans un délai d'un mois suivant la fin de la période de déclaration de l'organisme de services publics au cours de laquelle le choix est entré en vigueur ou a cessé de l'être.

Notes historiques: Le paragraphe 211(5) a été ajouté par L.C. 1990, c. 45, par. 12(1).

Concordance québécoise: LTVQ, art. 276.

juin 2006, Notes explicatives: L'article 211 permet à un organisme de services publics de faire un choix pour chacun des immeubles visés aux alinéas 211(1)a) à c) qui lui appartiennent. Pendant que le choix est en vigueur, le paragraphe 193(1) et l'article 206 s'appliquent relativement à l'immeuble, tandis que l'article 209 ne s'y applique pas. Cela a généralement pour effet de permettre à l'organisme de demander des crédits de taxe sur les intrants relativement à l'utilisation qu'il fait de l'immeuble dans le cadre de ses activités commerciales même si cette utilisation n'excède pas 50 % de l'utilisation totale qu'il en fait. De plus, les fournitures de l'immeuble, qui seraient par ailleurs exonérées par l'effet de l'article 1 de la partie V.1 de l'annexe V de la loi, ou de l'article 25 de la partie VI de cette annexe, ne sont pas exonérées en vertu de ces articles.

L'organisme de services publics qui est propriétaire d'un immeuble peut généralement tirer profit du fait de faire un choix selon l'article 211 relativement à un immeuble lorsque la taxe exigée sur les paiements pour la fourniture par bail, licence ou accord semblable de l'immeuble qui deviennent taxables par suite du choix est recouvrable par le locataire (notamment sous forme de crédits de taxe sur les intrants) et que l'organisme lui-même devient en mesure de demander des crédits de taxe sur les intrants relativement à l'utilisation qu'il fait de l'immeuble dans le cadre de la réalisation des fournitures taxables.

Selon le paragraphe 211(4), lorsque le choix fait par une personne en vertu du paragraphe 211(1) est révoqué et cesse d'être en vigueur à une date donnée et que la personne ne cesse pas d'être un inscrit à cette date, la personne est réputée en vertu des alinéas 211(4)a) et b) avoir effectué et reçu une fourniture taxable du bien par vente et avoir perçu et payé, relativement à cette fourniture, un montant de taxe égal à la taxe calculée sur la juste valeur marchande du bien à cette date. Par suite de ces vente et achat réputés, la personne est tenue de verser la taxe calculée sur la juste valeur marchande du bien jusqu'à concurrence du montant qu'elle n'est pas en mesure de recouvrer, notamment au moyen de crédits de taxe sur les intrants ou de remboursements.

Selon les alinéas 211(4)a) et b), dans leur version modifiée, le montant de taxe qui est réputé avoir été payé et perçu relativement à la fourniture est égal à la teneur en taxe du bien à la date où le choix est révoqué et cesse d'être en vigueur, et non à la taxe calculée sur la juste valeur marchande du bien à cette date. La « teneur en taxe » du bien d'une personne est définie au paragraphe 123(1). Il s'agit, de façon générale, du montant de taxe prévu par la partie IX de la loi que la personne est tenue de payer sur le bien et sur les améliorations qui y sont apportées, déduction faite des sommes (sauf les crédits de taxe sur les intrants) qu'elle peut recouvrer par voie de remboursement ou de remise ou par un autre moyen et compte tenu de toute dépréciation du bien.

Définitions [art. 211]: « acquéreur », « améliorations », « fourniture », « fourniture taxable », « immeuble », « immobilisation », « importation », « juste valeur marchande », « ministre », « mois », « montant », « organisme de services publics », « période de déclaration », « personne », « règlement », « taxe », « teneur en taxe », « vente » — 123(1); « taxe exigée non admise au crédit » — 259(1).

Renvois [art. 211]: 193(1) (vente d'un immeuble); 193(2) (vente d'un immeuble par un organisme du secteur public); 195.2 (dernière acquisition ou importation); 198.2 (acquisition d'une immobilisation à l'étranger); 206(1) (immobilisation — immeuble); V:Partie V.1, al. 1m), V:Partie VI, al. 25g) (fourniture non exonérée).

Règlements [art. 211]: *Règlement sur les jeux de hasard (TPS/TVH)*, art. 1.

Décrets de remise [art. 211]: *Décret de remise visant les associations de pâtures à but non lucratif (TPS)* C.P.1993-117.

Énoncés de politique [art. 211]: P-168R, 17/02/95, *Droit des municipalités à demander des CTI à l'égard de la TPS payée relativement à l'aménagement de terrains destinés à être vendus en parcelles viabilisées.*

Bulletins de l'information technique [art. 211]: B-093R, 11/08, *Application de la TPS/TVH aux droits d'inhumation et aux accords de prévoyance pour biens ou services de cimetière*; B-096, 07/07, *Réduction du taux de la TPS/TVH et les immeubles*.

Mémorandums [art. 211]: TPS 400, 18/05/90, *Crédits de taxe sur les intrants*, par. 77; TPS 400-3-4, 19/02/92, *Voitures de tourisme et aéronefs*, par. 54, 55; TPS 400-4, 18/01/91, *Organismes du secteur public*, par. 35–38; TPS 500-2-4, 19/03/91, *Calcul de la taxe*, annexe B.

Série de mémorandums [art. 211]: Mémorandum 4.4, 07/07, *Agriculture et pêche*; Mémorandum 19.4.2, 08/99, *Immeubles commerciaux — Fournitures réputées*.

Formulaires [art. 211]: FP-531, *Immeuble d'un organisme de services publics — Avis de révocation du choix exercé par un organisme de services publics afin que la fourniture exonérée d'un immeuble soit considérée comme une fourniture taxable*; FP-2626, *Choix ou révocation du choix exercé par un organisme de services publics afin que la fourniture exonérée d'un immeuble soit considérée comme une fourniture taxable* ; GST26, *Choix de l'exposant visant à considérer l'acquisition ou l'importation d'un bien meuble corporel désigné comme effectuée en vue de le fournir dans le cadre d'activités commerciales*; GST304, *Immeuble d'un organisme de services publics — Avis de révocation du choix exercé par un organisme de services publics afin que la fourniture exonérée d'un immeuble soit considérée comme une fourniture taxable*.

Lettres d'interprétation (Québec) [art. 211]: 97-0103933 — Interprétation relative à la TPS et à la TVQ — droit pour un emphytéote de demander des CTI/RTI; 98-0102933 — Décision portant sur l'application de la TPS — Interprétation relative à la TVQ — Amarrage à un ponton et choix de l'article 211; 99-0103111 — Interprétation relative à la TPS — Interprétation relative à la TVQ — Fusion d'organismes de services publics; 99-0103137 — Interprétation relative à la TPS et à la TVQ — Droit aux CTI et RTI à l'égard des coûts de construction d'un bâtiment sur un immeuble faisant l'objet d'un droit d'emphytéose; 99-0104002 — Décision portant sur l'application de la TPS — Interprétation relative à la TVQ — Droit aux CTI et aux RTI à l'égard des coûts de construction d'un bâtiment dans le cadre d'un droit d'emphytéose; 99-0109001 — Décision portant sur l'application de la TPS — Interprétation relative à la TVQ — Fourniture d'un immeuble par un organisme à but non lucratif pour une contrepartie symbolique; 99-0109423 — Décision portant sur l'application de la TPS — Interprétation relative à la TVQ — Locations d'immeubles, CTI/RTI; 99-0113169 — Interprétation relative à la TPS et à la TVQ — [Fourniture d'infrastructures par un organisme de bienfaisance]; 00-0108506 — Interprétation relative à la TPS et à la TVQ — Conséquences fiscales de la désignation à titre de municipalité d'une régie intermunicipale; 01-0107092 — Décision portant sur l'application de la TPS — Interprétation relative à la TVQ — Fournitures entre la commission scolaire et la ville; 02-0106571 — Immeubles détenus par des organismes de service publics; 02-0107777 — Interprétation relative à la TPS et à la TVQ — Règles générales, résidences pour personnes âgées; 02-0102588 — Interprétation relative à la TPS et à la TVQ — Vente d'un terrain par un municipalité à un particulier; 03-0110936 — Interprétation relative à la TPS et à la TVQ — taux de remboursement partiel des taxes — construction d'un immeuble par une municipalité; 04-0107138 — Demande d'interprétation Immeuble et passerelle.

COMMENTAIRES: Cet article permet d'appliquer une règle de proportionnalité dans le calcul des crédits de taxes sur les intrants à l'égard des immeubles détenus par un organisme de services publics.

L'article 211 n'exige pas que la personne soit inscrite ou s'inscrive pour effectuer le choix prévu. En effet, le premier alinéa du paragraphe 211(2) prévoit clairement le cas où la personne qui a fait le choix ne devient pas un inscrit. Voir notamment à cet effet : Agence du revenu du Canada, Lettre de l'Administration centrale sur la TPS, 19971126a, *Interprétation de la TPS/TVH — Choix de l'article 211 par un non-inscrit — Formulaire FP-626* (26 novembre 1997).

La Cour canadienne de l'impôt, dans l'affaire *Algonquin College of Applied Arts & Technology c. R.*, 1999 CarswellNat 1447 (C.C.I.), indique que le choix doit avoir été produit pour bénéficier des présomptions de l'article 211.

À titre illustratif, Revenu Québec a conclu que puisque la Ville n'a pas produit le choix prévu à l'article 211 à l'égard de l'immeuble qu'elle s'est engagée à construire aux termes de la convention d'emphytéose intervenue entre elle et le propriétaire du fonds de terre objet de l'emphytéose, la fourniture par bail de l'immeuble étant donc exonérée, elle n'a pas le droit de demander des crédits de taxe sur les intrants à l'égard des biens et des services qu'elle a acquis pour la construction de celui-ci. Conclure autrement serait contraire au principe sous-jacent à la *Loi sur la taxe d'accise (TPS)* à l'effet qu'une personne ne peut avoir droit à des crédits de taxe sur les intrants à l'égard des biens et des services qu'elle a acquis pour effectuer des fournitures exonérées. Voir notamment à cet effet : Revenu Québec, Lettre d'interprétation, 97-0103933 — *Interprétation relative à la TPS et à la TVQ — Droit pour un emphytéote de demander des CTI/RTI* (12 septembre 2003).

Également à titre illustratif, Revenu Québec a indiqué que la fourniture par vente des infrastructures effectuée par l'organisme serait exonérée en application de l'article 1 de la partie V.1 de l'annexe V, sauf si la condition prévue à l'alinéa 1(m) de cette même partie est respectée. Ainsi, la fourniture des infrastructures par l'organisme serait taxable si le choix prévu à l'article 211 à l'égard de ces infrastructures est en vigueur au moment où la taxe devient payable. Dans le cas où la fourniture des infrastructures serait exonérée, l'organisme, s'il n'a pas d'autres activités, ne pourrait réclamer de crédit de taxe sur les intrants au titre de la TPS payée ou payable à l'égard des biens et des services acquis dans le but d'effectuer cette fourniture. Cependant, en application du paragraphe 259(3) et de l'article 5 du *Règlement sur le remboursement aux organismes de services publics*, il pourrait obtenir un remboursement partiel à hauteur de 50 % de la TPS payée ou payable à l'égard des biens et des services acquis dans le but d'effectuer cette fourniture. Dans le cas où la fourniture des infrastructures serait taxable, l'organisme ne serait pas éligible, en vertu du paragraphe 169(1), à un crédit de taxe sur les intrants au titre de la taxe payée ou payable à l'égard des biens et des services acquis dans le but d'effectuer cette fourniture. En effet, la fourniture des infrastructures serait réputée effectuée hors du cadre des activités commerciales de l'organisme puisque ce dernier n'effectuerait pas une fourniture taxable d'immeubles pour une contrepartie. L'organisme pourrait toutefois obtenir, en vertu du paragraphe 259(3), un remboursement partiel à hauteur de 50 % de la TPS payée ou payable à l'égard des biens et des services acquis dans le but d'effectuer cette fourniture. Voir notamment à cet effet : Revenu Québec, Lettre d'interprétation, 99-0113169 — *Interprétation relative à la TPS et à la TVQ — Fourniture d'infrastructures par un organisme de bienfaisance à XXXXX* (25 mai 2000).

Finalement, nous désirons souligner que l'Agence du revenu du Canada a publié un guide intitulé « Section 211 Elections : A Roadmap for Auditors » à l'égard du choix de l'article 211 en date du 12 octobre 2011. Ce guide est une réponse de l'Agence du revenu du Canada quant aux réclamations agressives de crédits de taxe sur les intrants par les organismes de services publics. Certains éléments importants ressortent de ce guide, dont les suivants : (1) le choix ne peut être rétroactif, sauf en cas de circonstances exceptionnelles approuvées par le ministre, (2) le calcul du pourcentage commercial doit se faire au moment où le choix est effectué, et (3) la méthode basée sur les intrants est préférée par l'Agence du revenu du Canada dans le contexte de la méthode de répartition.

SECTION III — TAXE SUR L'IMPORTATION DE PRODUITS

212. Taux de la taxe sur les produits et services — Sous réserve des autres dispositions de la présente partie, la personne qui est redevable de droits imposés, en vertu de la *Loi sur les douanes*, sur des produits importés, ou qui serait ainsi redevable si les produits étaient frappés de droits, est tenue de payer à Sa Majesté du chef du Canada une taxe calculée au taux de 5 % sur la valeur des produits.

Notes historiques: L'article 212 a été remplacé par L.C. 2007, c. 35, par. 186(1) et cette modification s'applique aux produits importés au Canada, ou dédouanés au sens de la *Loi sur les douanes*, après décembre 2007. Antérieurement, il se lisait ainsi :

> 212. Sous réserve des autres dispositions de la présente partie, la personne qui est redevable de droits imposés, en vertu de la *Loi sur les douanes*, sur des produits importés, ou qui serait ainsi redevable si les produits étaient frappés de droits, est

tenue de payer à Sa Majesté du chef du Canada une taxe calculée au taux de 6 % sur la valeur des produits.

L'article 212 a été remplacé par L.C. 2006, c. 4, par. 19(1) et cette modification s'applique aux produits importés au Canada, ou dédouanés au sens de la *Loi sur les douanes*, après juin 2006. Antérieurement, il se lisait ainsi :

> 212. Sous réserve des autres dispositions de la présente partie, la personne qui est redevable de droits imposés, en vertu de la *Loi sur les douanes*, sur des produits importés, ou qui serait ainsi redevable si les produits étaient frappés de droits, est tenue de payer à Sa Majesté du chef du Canada un [*sic*] taxe calculée au taux de 7 % sur la valeur des produits.

L'article 212 a été modifié par L.C. 1997, c. 10, par. 198(1) et cette modification est entrée en vigueur le 1er avril 1997. Il se lisait comme suit :

> 212. Sous réserve des autres dispositions de la présente partie, le redevable de droits imposés, en vertu de la *Loi sur les douanes*, sur des produits importés, ou la personne qui serait un redevable si les produits étaient frappés de droits, est tenu de payer à Sa Majesté du chef du Canada une taxe de 7 % sur la valeur des produits.

Auparavant, cet article a été modifié par L.C. 1993, c. 27, par. 77(1) et est réputé entré en vigueur le 17 décembre 1990. Il se lisait comme suit :

> 212. Sous réserve des autres dispositions de la présente partie, le redevable de droits sur des produits importés, en application de la *Loi sur les douanes*, ou la personne qui serait un redevable si les produits étaient frappés de droits, doit payer à Sa Majesté du chef du Canada une taxe de 7 % sur la valeur de ces produits.

L'article 212 a été édicté par L.C. 1990, c. 45, par. 12(1).

juin 2006, Notes explicatives: Selon l'article 212, la TPS est imposée au taux de 7 % sur les produits importés au Canada par une personne qui est redevable des droits imposés sur les produits en vertu de la *Loi sur les douanes*, ou qui serait redevable de ces droits si les produits en étaient frappés.

L'article 212 est modifié dans le but de mettre en œuvre la réduction du taux de la TPS et de la composante fédérale de la TVH, lequel passe de 7 % à 6 %.

Concordance québécoise: LTVQ, art. 17, al. 1.

Définitions: « contrepartie admissible » — 217.1(1); « personne », « produits », « taxe » — 123(1).

Renvois: 144 (fourniture avant dédouanement); 169 (CTI); 178.8(3) (entente d'importation); 180 (réception d'un bien d'un non-résident); 198.1 (teneur en taxe du bien d'une municipalité); 212.1 (taxe dans les provinces participantes); 213 (produits détaxés); 213.1 (garantie); 214 (paiement de la taxe); 215 (valeur des produits); 215.1 (remboursement pour biens retournés ou endommagés); 216(6) (remboursements); 217« fourniture taxable importée »; 218 (fourniture taxable importée); 235 (1)Ba) (taxe nette en cas de location de voiture de tourisme); 259(4.21) (exclusions); X:Partie I:20 (TVH — biens transférés dans une province participante).

Décrets de remise: *Décret de remise visant les projets conjoints des gouvernements du Canada et des États-Unis* C.P.1990-2848; *Décret de remise de 1994 relatif aux expéditions scientifiques ou exploratives* C.P.1995-132; *Décret de remise visant les Jeux de la Francophonie 2001*, C.P. 2001-1149; *Décret de remise visant les 8èmes Championnats du monde d'athlétisme de l'IAAF*, C.P. 2001-1150; *Décret de remise visant les 3 Championnats du monde d'athlétisme jeunesse de l'IAAF* C.P.2003-911; *Décret de remise visant les 14 Championnats du monde de semi-marathon de l'IAAF* C.P.2005-1507.

Jurisprudence: *Clear Customs Brockers Ltd. c. La Reine*, [1996] G.S.T.C. 46 (CCI); *Tenaska Marketing Canada v. Canada (Minister of Public Safety & Emergency Preparedness)*, [2006] G.S.T.C. 66 (CF); *United Parcel Service Canada Ltd. v. R.*, [2008] G.S.T.C. 34 (CAF); *Price Chopper Canada Inc. v. R.* (14 août 2008), [2008] G.S.T.C. 167 (CCI [procédure informelle]); *Toronto Dominion Bank v. R.*, 2010 CarswellNat 1921, 2010 CAF 73, [2010] G.S.T.C. 41 (CAF); *Buckingham v. R.*, 2010 CarswellNat 3577, 2010 CCI 247, [2010] G.S.T.C. 71 (CCI [procédure générale]); *Layte v. R.*, 2010 CarswellNat 2308, 2010 CCI 281, [2010] G.S.T.C. 80 (CCI [procédure informelle]); *Welch v. R.*, 2010 CarswellNat 4641, 2010 CCI 449, [2010] G.S.T.C. 127 (CCI [procédure générale]); *CIBC World Markets Inc. v. R.*, 2010 CarswellNat 5197, 2010 CCI 460, [2010] G.S.T.C. 134 (CCI [procédure générale]); *Calandra v. R.* (7 janvier 2011), 2011 CarswellNat 361, 2011 CCI 7 (CCI [procédure informelle]); *Wong v. R.* (25 janvier 2011), 2011 CarswellNat 710, 2011 CCI 30, [2011] 3 C.T.C. 2163 (CCI [procédure informelle]); *208539 Alberta Ltd. v. R.* (17 février 2011), 2011 CarswellNat 910, 2011 CCI 106, 2011 TCC 106 (CCI [procédure informelle]).

Énoncés de politique: P-024R, 22/06/92, *L'importation temporaire de moyens de transport*; P-047, 09/06/92, *Importations par des exportateurs de services de traitement. (Ébauche)*; P-125R, 05/02/93, *Importateur et droit à un CTI*; P-150, 14/07/94, *Application de la taxe sur les logiciels importés*; P-226, 24/02/99, *Application de la TPS/TVH aux fournitures effectuées en application des divers recours offerts aux créanciers*.

Bulletins de l'information technique: B-032, 08/11, *Régimes enregistrés de pension*; B-037R, 17/12/90, *Logiciel importé*; B-069, 25/02/93, *Traitement, aux fins de la taxe sur les produits et services, des importations de services de traitement (traitement intérieur) par des exportateurs*; B-081, 28/02/97, *Application de la TVH aux importations*; B-107, 10/11, *Régimes de placement (y compris les fonds réservés d'assureur) et la TVH* ; B-XX5, 09/11, *Taxe de vente harmonisée Autocotisation de la partie provinciale de la TVH à l'égard des biens et services transférés dans une province participante* .

Mémorandums: TPS 300-8, 6/01/91, *Produits importés*, par. 3.

Série de mémorandums: Mémorandum 3.1, 08/99, *Assujettissement à la taxe*.

Info TPS/TVQ: GI-038 — *Réduction du taux de la TPS/TVH (2008)*.

Formulaires: FPZ-34.CD, *Calcul détaillé de la TPS/TVH*.

Lettres d'interprétation (Québec): 99-0109720 — Assujettissement de sommes versées par un employé à un employeur au titre d'un remboursement de frais de formation.

212.1 (1) Définition de « produit commercial » — Au présent article, « produit commercial » s'entend d'un produit qui est importé pour vente ou pour usage commercial, industriel, professionnel, institutionnel ou semblable.

Notes historiques: Le paragraphe 212.1(1) a été ajouté par L.C. 1997, c. 10, par. 198(1) et est entré en vigueur le 1er avril 1997.

Concordance québécoise: aucune.

(2) Taxe dans les provinces participantes — Sous réserve des autres dispositions de la présente partie, la personne qui est redevable de droits imposés, en vertu de la *Loi sur les douanes*, sur des produits importés, ou qui serait ainsi redevable si les produits étaient frappés de droits, est tenue de payer à Sa Majesté du chef du Canada, outre la taxe imposée par l'article 212, une taxe sur les produits calculée au taux de taxe applicable à une province participante sur la valeur des produits si :

a) les produits sont visés par règlement et sont importés à un endroit situé dans la province participante;

b) les produits ne sont pas visés par règlement pour l'application de l'alinéa a) et la personne réside dans la province participante.

.

Notes historiques: Le paragraphe 212.1(2) a été remplacé par L.C. 2012, c. 19, par. 21(1) et cette modification s'applique aux produits importés après mai 2012. Antérieurement, il se lisait ainsi :

> (2) Sous réserve des autres dispositions de la présente partie, la personne résidant dans une province participante qui est redevable de droits imposés, en vertu de la *Loi sur les douanes*, sur des produits importés, ou qui serait ainsi redevable si les produits étaient frappés de droits, est tenue de payer à Sa Majesté du chef du Canada, outre la taxe imposée par l'article 212, une taxe calculée au taux de taxe applicable à cette province sur la valeur des produits.

Le paragraphe 212.1(2) a été ajouté par L.C. 1997, c. 10, par. 198(1) et est entré en vigueur le 1er avril 1997.

avril 2012, Notes explicatives: Selon le paragraphe 212.1(2), une taxe — qui correspond à la composante provinciale de la TVH — est à payer en vertu de la section III de la partie IX de la Loi relativement à certaines importations effectuées par des personnes résidant dans les provinces participantes. Cette taxe s'ajoute à celle qui est prévue par l'article 212 de la Loi.

Le paragraphe 212.1(2) est restructuré de sorte que la composante provinciale de la TVH relative aux produits importés par des personnes résidant dans une province participante continue d'être imposée en vertu de l'alinéa 212.1(2)b) au taux de taxe, au sens du paragraphe 123(1) de la Loi, applicable à cette province, sauf si les produits sont visés par règlement pour l'application du nouvel alinéa 212.1(2)a). Ce dernier alinéa fait en sorte que la composante provinciale de la TVH s'applique relativement aux produits visés par règlement (comme les produits visés au nouvel article 6.1 du *Règlement n° 2 sur le nouveau régime de la taxe à valeur ajoutée harmonisée*) qui sont importés à un endroit situé dans une province participante. Dans ce cas, la taxe est imposée au taux de taxe applicable à la province participante où les produits sont importés.

Les paragraphes 212.1(3) et (4) prévoient certaines exceptions à l'imposition de la composante provinciale de la TVH prévue au paragraphe 212.1(2). Ils sont modifiés, en raison de la modification apportée au paragraphe 212.1(2), afin que les exceptions relatives aux produits visés au nouvel alinéa 212.1(2)b) — lesquels ne sont pas visés par règlement pour l'application de l'alinéa 212.1(2)a) — continuent de s'appliquer.

Ces modifications s'appliquent aux produits importés après mai 2012.

Concordance québécoise: aucune.

(3) Exception — L'alinéa (2)b) ne s'applique pas aux produits déclarés, en détail ou provisoirement, à titre de produits commerciaux en vertu de l'article 32 de la *Loi sur les douanes*, aux véhicules à moteur déterminés, ni aux maisons mobiles ou aux maisons flottantes qu'un particulier a utilisées ou occupées au Canada.

LTA (TPS)

Notes historiques: Le paragraphe 212.1(3) a été remplacé par L.C. 2012, c. 19, par. 21(1) et cette modification s'applique aux produits importés après mai 2012. Antérieurement, il se lisait ainsi :

(3) La taxe prévue au paragraphe (2) ne s'applique pas aux produits déclarés, en détail ou provisoirement, à titre de produits commerciaux en vertu de l'article 32 de la *Loi sur les douanes*, aux véhicules à moteur déterminés, ni aux maisons mobiles ou aux maisons flottantes qu'un particulier a utilisées ou occupées au Canada.

Le paragraphe 212.1(3) a été ajouté par L.C. 1997, c. 10, par. 198(1) et est entré en vigueur le 1er avril 1997.

Concordance québécoise: aucune.

(4) Application dans les zones extracôtières — L'alinéa (2)b) ne s'applique pas aux produits importés par une personne résidant dans la zone extracôtière de la Nouvelle-Écosse ou la zone extracôtière de Terre-Neuve, ou pour son compte, à moins qu'ils ne soient importés pour consommation, utilisation ou fourniture dans le cadre d'une activité extracôtière ou que la personne ne réside également dans une province participante qui n'est pas une zone extracôtière.

Notes historiques: Le paragraphe 212.1(4) a été remplacé par L.C. 2012, c. 19, par. 21(1) et cette modification s'applique aux produits importés après mai 2012. Antérieurement, il se lisait ainsi :

(4) Le paragraphe (2) ne s'applique pas aux produits importés par une personne résidant dans la zone extracôtière de la Nouvelle-Écosse ou la zone extracôtière de Terre-Neuve, ou pour son compte, que s'ils sont importés pour consommation, utilisation ou fourniture dans le cadre d'une activité extracôtière ou si la personne réside également dans une province participante qui n'est pas une zone extracôtière.

Le paragraphe 212.1(4) a été ajouté par L.C. 1997, c. 10, par. 198(1) et est entré en vigueur le 1er avril 1997.

Concordance québécoise: aucune.

Définitions [art. 212.1]: « activité extracôtière », « importation », « maison flottante », « maison mobile », « produits », « province participante », « taux de taxe », « véhicule à moteur déterminé », « vente », « zone extracôtière de la Nouvelle-Écosse », « zone extracôtière de Terre-Neuve » — 123(1).

Renvois [art. 212.1]: 132.1 (personne résidant dans une province); 169(3) (crédit limité aux institutions financières désignées particulières); 198.1 (teneur en taxe du bien d'une municipalité); 212 (taux — importation de produits); 213 (produits détaxés); 214 (paiement de la taxe — *Loi sur les douanes*); 214.1 (déduction — rabais de taxe provinciale); 215 (valeur des produits); 215.1 (remboursement pour biens retournés); 218.1, 220.05 (taxe dans les provinces participantes); 220.06 (fourniture par un non-résident non inscrit); 220.07 (produits commerciaux importés); 234(4) (CTI — restriction); 256 (2.1) (remboursement en Nouvelle-Écosse pour habitation construite par soi-même); 256.2(1) (« fraction admissible de teneur en taxe »); 259(4.2) (exclusions); 259(4.3) (remboursement à certains organismes déterminés de services publics de Terre-Neuve); 261.2 (remboursement pour produits importés dans une province non participante); 263.01(1) (restriction au remboursement); 349(3) (produits importés — disposition transitoire); X:Partie I:20 (TVH — biens transférés dans une province participante).

Bulletins de l'information technique [art. 212.1]: B-081, 28/02/97, *Application de la TVH aux importations*; B-103, 02/10, *Taxe de vente harmonisée — Règles sur le lieu de fourniture pour déterminer si une fourniture est effectuée dans une province*; B-107, 10/11, *Régimes de placement (y compris les fonds réservés d'assureur) et la TVH* ; B-XX5, 09/11, *Taxe de vente harmonisée Autocotisation de la partie provinciale de la TVH à l'égard des biens et services transférés dans une province participante* .

Série de mémorandums [art. 212.1]: Mémorandum 3.1, 08/99, *Assujettissement à la taxe*.

213. Produits détaxés — La taxe prévue à la présente section n'est pas payable sur les produits figurant à l'annexe VII.

Notes historiques: Le paragraphe 213 a été ajouté par L.C. 1990, c. 45, par. 12(1).

Concordance québécoise: LTVQ, art. 17, al. 4.

Définitions: « produits », « taxe » — 123(1).

Renvois: 213.2 (certificat d'importation); 216(4), (5) (appel concernant le classement); VII (importations non taxables); X:Partie I:20 (TVH — biens transférés dans une province participante).

Énoncés de politique: P-024R, 12/05/99, *Importation temporaire de moyens de transport*; P-047, 09/06/92, *Importations par des exportateurs de services de traitement. (Ébauche)*.

Bulletins de l'information technique: B-069, 25/02/93, *Traitement, aux fins de la taxe sur les produits et services, des importations de services de traitement (traitement intérieur) par des exportateurs*; B-081, 28/02/97, *Application de la TVH aux importations*; B-103, 02/10, *Taxe de vente harmonisée — Règles sur le lieu de fourniture pour déterminer si une fourniture est effectuée dans une province*; B-XX5, 09/11, *Taxe de vente harmonisée Autocotisation de la partie provinciale de la TVH à l'égard des biens et services transférés dans une province participante* .

Mémorandums: TPS 300-8, 6/01/91, *Produits importés*, par. 5.

Série de mémorandums: Mémorandum 3.1, 08/99, *Assujettissement à la taxe*.

Formulaires: K-90, *Demande d'exonération des droits de douane conformément à l'article 80 (le traitement intérieur) du Tarif des douanes*.

213.1 Garantie — Pour l'application de la présente section, le ministre peut exiger que la personne visée aux articles 212 ou 212.1 qui importe des produits donne une garantie — soumise aux modalités établies par le ministre et d'un montant déterminé par lui — pour le paiement d'un montant qui est payable par elle en application de la présente section, ou peut le devenir. Le présent article ne s'applique pas lorsque les dispositions de la *Loi sur les douanes*, du *Tarif des douanes* ou d'autres lois douanières en vertu desquelles une garantie peut être exigée s'appliquent au paiement de ce montant.

Notes historiques: Le paragraphe 213.1 a été modifié par L.C. 1997, c. 10, par. 199(1) et cette modification est entrée en vigueur le 1er avril 1997. Il se lisait comme suit :

213.1 Pour l'application de la présente section, le ministre peut exiger que la personne visée à l'article 212 qui importe des produits donne une garantie — soumise aux modalités établies par le ministre et d'un montant déterminé par lui — pour le paiement d'un montant qui est payable par la personne en application de la présente section, ou peut le devenir. Le présent article ne s'applique pas lorsque les dispositions de la *Loi sur les douanes*, du *Tarif des douanes* ou d'autres lois douanières en vertu desquelles une garantie peut être exigée s'appliquent au paiement de ce montant.

Ce paragraphe a été ajouté par L.C. 1993, c. 27, par. 78(1) et est réputé entré en vigueur le 1er février 1992.

Concordance québécoise: aucune.

Définitions: « importation », « ministre », « montant », « personne », « produits » — 123(1).

Renvois: 213.2 (certificat d'importation); VII:11 (article faisant partie des stocks intérieurs, bien d'appoint ou produit de client).

Énoncés de politique: P-047, 09/06/92, *Importations par des exportateurs de services de traitement. (Ébauche)*.

Bulletins de l'information technique: B-069, 25/02/93, *Traitement, aux fins de la taxe sur les produits et services, des importations de services de traitement (traitement intérieur) par des exportateurs*; B-XX5, 09/11, *Taxe de vente harmonisée Autocotisation de la partie provinciale de la TVH à l'égard des biens et services transférés dans une province participante* .

213.2 (1) Certificat d'importation — Le ministre peut délivrer à l'inscrit importateur qui lui en fait la demande, sous réserve de conditions qu'il peut imposer, une autorisation écrite (appelée « certificat d'importation » au présent article) en vue de l'application, à compter de la date de prise d'effet indiquée dans l'autorisation, de l'article 8.1 de l'annexe VII à des produits d'une catégorie donnée importés par l'inscrit. Dans ce cas, le ministre attribue à l'inscrit un numéro à indiquer lors de la déclaration en détail ou provisoire des produits en application de l'article 32 de la *Loi sur les douanes*.

Notes historiques: Le paragraphe 213.2(1) a été remplacé par L.C. 2001, c. 15, par. 5(1). Cette modification est réputée entrée en vigueur le 1er février 1992. Antérieurement, il se lisait ainsi :

213.2 (1) Le ministre peut délivrer à l'inscrit importateur qui lui en fait la demande, sous réserve de conditions qu'il peut imposer, un certificat d'importation concernant des produits d'une catégorie donnée qui porte une date de prise d'effet ainsi qu'un numéro à indiquer lors de la déclaration en détail ou provisoire des produits en application de l'article 32 de la *Loi sur les douanes*, s'il est raisonnable de s'attendre à ce que l'inscrit importe ces produits dans des circonstances telles que les produits seraient inclus à l'annexe VII.

Le paragraphe 213.2(1) a été ajouté par L.C. 1993, c. 27, par. 78(1) et est réputé entré en vigueur le 1er février 1992.

Concordance québécoise: aucune.

Bulletins de l'information technique [art. 213.2(1)]: B-XX5, 09/11, *Taxe de vente harmonisée Autocotisation de la partie provinciale de la TVH à l'égard des biens et services transférés dans une province participante* .

(2) Demande — La demande de certificat d'importation contient les renseignements requis par le ministre et lui est présentée selon les modalités qu'il détermine.

Notes historiques: Le paragraphe 213.2(2) a été ajouté par L.C. 1993, c. 27, par. 78(1) et est réputé entré en vigueur le 1er février 1992.

Concordance québécoise: aucune.

(3) Révocation — Le ministre peut, sur préavis écrit suffisant donné au titulaire, révoquer le certificat d'importation si, selon le cas :

a) le titulaire ne respecte pas une condition du certificat ou une disposition de la présente section;

b) le ministre établit que le certificat n'est plus nécessaire, eu égard à la raison pour laquelle il a été délivré ou à l'objet de la présente section;

c) il est raisonnable de s'attendre à ce que le titulaire n'importe plus de produits d'une catégorie mentionnée dans le certificat dans des circonstances telles que les produits seraient inclus à l'annexe VII.

Le ministre informe le titulaire de la révocation du certificat dans un avis écrit précisant la date de prise d'effet de la révocation.

Notes historiques: Le paragraphe 213.2(3) a été ajouté par L.C. 1993, c. 27, par. 78(1) et est réputé entré en vigueur le 1er février 1992.

Concordance québécoise: aucune.

(4) Nouvelle demande — En cas de révocation du certificat d'une personne en application de l'alinéa (3)a), le ministre ne peut lui en délivrer un autre avant l'expiration d'un délai de deux ans suivant la prise d'effet de la révocation.

Notes historiques: Le paragraphe 213.2(4) a été ajouté par L.C. 1993, c. 27, par. 78(1) et est réputé entré en vigueur le 1er février 1992.

Concordance québécoise: aucune.

(5) Cessation — Le certificat d'importation cesse d'avoir effet trois ans après la date de sa prise d'effet ou, si elle est antérieure, à la date de la prise d'effet de la révocation du certificat en application du paragraphe (3).

Notes historiques: Le paragraphe 213.2(5) a été ajouté par L.C. 1993, c. 27, par. 78(1) et est réputé entré en vigueur le 1er février 1992.

Concordance québécoise: aucune.

Définitions [art. 213.2]: « importation », « inscrit », « ministre », « produits », « règlement » — 123(1).

Renvois [art. 213.2]: 169(2) (CTI); 213.1 (garantie); VII:8.1) (produits importés par un inscrit muni d'une autorisation).

Règlements [art. 213.2]: *Règlement sur les produits importés non taxables (TPS/TVH).*

Énoncés de politique [art. 213.2]: P-047, 09/06/92, *Importations par des exportateurs de services de traitement. (Ébauche).*

Bulletins de l'information technique [art. 213.2]: B-037, 21/12/90, *Logiciel importé*; B-069, 25/02/93, *Traitement, aux fins de la taxe sur les produits et services, des importations de services de traitement (traitement intérieur) par des exportateurs*; B-088, 04/07/02, *Programme de centres de distribution des exportations.*

Formulaires [art. 213.2]: K-90, *Demande d'exonération des droits de douane conformément à l'article 80 (le traitement intérieur) du Tarif des douanes.*

214. Paiement des taxes — Les taxes sur les produits prévues à la présente section sont payées et perçues aux termes de la *Loi sur les douanes* et les intérêts et pénalités sont imposés, calculés, payés et perçus aux termes de cette loi, comme s'il s'agissait de droits de douane imposés sur les produits en vertu du *Tarif des douanes*. À cette fin et sous réserve des dispositions de la présente section, la *Loi sur les douanes* s'applique, avec les adaptations nécessaires.

Notes historiques: L'article 214 a été modifié par L.C. 1997, c. 10, par. 200(1) et cette modification est entrée en vigueur le 1er avril 1997. Il se lisait comme suit :

> 214. La taxe sur les produits prévue à la présente section est payée et perçue aux termes de la *Loi sur les douanes* et les intérêts et pénalités sont imposés, calculés, payés et perçus aux termes de cette loi, comme s'il s'agissait de droits de douane imposés sur les produits en vertu du *Tarif des douanes*. À cette fin et sous réserve des dispositions de la présente section, la *Loi sur les douanes* s'applique, avec les adaptations nécessaires.

Auparavant, cet article a été modifié par L.C. 1993, c. 27, par. 79(1) et est réputé entré en vigueur le 17 décembre 1990. Il se lisait comme suit :

> 214. La taxe prévue à la présente section est payée et perçue aux termes de la *Loi sur les douanes* et les intérêts, frais et pénalités sont imposés, payés et perçus aux termes de cette loi, comme s'il s'agissait de droits de douane imposés en vertu du *Tarif des douanes* sur des produits importés. À cette fin, la *Loi sur les douanes* s'applique, compte tenu des adaptations de circonstance, sauf dispositions contraires à l'article 216.

L'article 214 a été édicté par L.C. 1990, c. 45, par. 12(1).

Concordance québécoise: aucune.

Définitions: « produits », « taxe » — 123(1).

Renvois: 212 (taxe sur l'importation de produits); 214.1 (déduction — rabais de taxe provinciale); 216 (application de la *Loi sur les douanes*).

Jurisprudence: *United Parcel Service Canada Ltd. v. R.*, [2008] G.S.T.C. 34 (CAF); *208539 Alberta Ltd. v. R.* (17 février 2011), 2011 CarswellNat 910, 2011 CCI 106, 2011 TCC 106 (CCI [procédure informelle]).

Mémorandums: TPS 300-8, 6/01/91, *Produits importés*, par. 25–28.

Série de mémorandums: Mémorandum 13.4, 07/02, *Remboursements pour les livres imprimés, les enregistrements sonores de livres imprimés et les versions imprimées des Écritures d'une religion.*

Formulaires: B3, Douanes Canada — Formule de codage.

214.1 Déduction — Le montant déterminé par règlement pour l'application du paragraphe 234(3) doit être déduit, dans le calcul du montant à payer et à percevoir aux termes de l'article 214, de la taxe payable par une personne aux termes de l'article 212.1 s'il représente tout ou partie de cette taxe.

Notes historiques: L'article 214.1 a été ajouté par L.C. 1997, c. 10, par. 200(1) et est entré en vigueur le 1er avril 1997.

Concordance québécoise: aucune.

Définitions: « montant », « personne », « règlement » — 123(1).

Renvois: 220.09(3) (déclaration de paiement — déduction); 259.1(6) (aucun redressement de la composante provinciale de la taxe).

Bulletins de l'information technique: B-081, 28/02/97, *Application de la TVH aux importations*; B-085, 23/03/98, *Remboursement au point de vente de la TVH pour les livres.*

215. (1) Valeur des produits — Pour l'application de la présente section, la valeur des produits est réputée égale au total des montants suivants :

a) la valeur des produits, déterminée aux termes de la *Loi sur les douanes* aux fins du calcul des droits imposés sur les produits selon un certain pourcentage, que les produits soient ou non frappés de droits;

b) le total des droits et taxes payables sur les marchandises aux termes du *Tarif des douanes*, de la *Loi de 2001 sur l'accise*, de la *Loi sur les mesures spéciales d'importation*, de la présente loi (sauf la présente partie) et de tout autre texte législatif concernant les douanes.

Notes historiques: Le passage du paragraphe 215(1) qui précède l'alinéa b) a été modifié par L.C. 1993, c. 27, par. 80(1) et est réputé entré en vigueur le 17 décembre 1990. Il se lisait auparavant comme suit :

> 215. (1) Pour l'application de la présente section, la valeur des produits importés est réputée égale au total des montants suivants :
>
> a) la valeur globale des produits, déterminée aux fins du calcul des droits, exprimés sous forme de pourcentage de la valeur, imposés par la législation sur les douanes et le *Tarif des douanes* sur les produits importés, que les produits soient ou non frappés de droits;

L'alinéa 215(1)b) a été remplacé par L.C. 2007, c. 18, par. 143(1) et cette modification est réputée être entrée en vigueur le 1er juillet 2003. Antérieurement, il se lisait ainsi :

> b) le total des droits et taxes payables sur les produits aux termes du *Tarif des douanes*, de la *Loi sur les mesures spéciales d'importation*, de la présente loi (sauf la présente partie) et de tout autre texte législatif concernant les douanes.

Le paragraphe 215(1) a été ajouté par L.C. 1990, c. 45, par. 12(1).

Concordance québécoise: aucune.

Bulletins de l'information technique [art. 215(1)]: B-XX5, 09/11, *Taxe de vente harmonisée Autocotisation de la partie provinciale de la TVH à l'égard des biens et services transférés dans une province participante* .

(2) Idem — Par dérogation au paragraphe (1) et pour l'application de la présente section, la valeur des produits importés dans les circonstances prévues par règlement est établie selon les modalités réglementaires.

Notes historiques: Le paragraphe 215(2) a été ajouté par L.C. 1990, c. 45, par. 12(1).

Concordance québécoise: LTVQ, art. 17, al. 3.

(3) Valeur de produits réimportés après traitement — La valeur, pour l'application de la présente section, de produits qui sont importés pour la première fois après avoir été traités (au sens du paragraphe 2(1) du *Règlement sur la valeur des importations (TPS/TVH)*) à l'étranger est déterminée sans égard à l'article 13 de ce règlement si, à la fois :

a) la valeur des produits pour l'application de la présente section serait déterminée en vertu de cet article si ce n'était le présent paragraphe;

b) il s'agit des mêmes produits, une fois traités, que d'autres produits importés pour la dernière fois dans des circonstances où aucune taxe n'était payable en vertu de la présente section par l'effet des articles 8.1 ou 11 de l'annexe VII, ou de tels autres produits y ont été incorporés lors du traitement.

Notes historiques: Le paragraphe 215(3) a été ajouté par L.C. 2001, c. 15, par. 6(1) et s'applique aux produits importés après février 1992. Toutefois, en ce qui concerne les produits importés avant le 1er janvier 2001, le passage « des articles 8.1 ou 11 » au paragraphe 215(3) sera remplacé par « de l'article 8.1 ».

Concordance québécoise: aucune.

Définitions [art. 215]: « importation », « produits », « règlement » — 123(1).

Renvois [art. 215]: 195.2(1)b) (dernière acquisition ou importation); 203(1) (vente d'une voiture de tourisme); 216 (appréciation de la valeur — appel); 236.3 (redressement en cas d'utilisation non valide d'un certificat de centre de distribution des exportations); 258.1(6) (achat d'un véhicule à moteur admissible à l'étranger ou à l'extérieur d'une province participante); 258.2 d)i) (remboursement pour service de modification); 273.1 (centres de distribution des exportations); VII:7 (importations non taxables).

Règlements [art. 215]: *Règlement établissant les modalités de détermination de la valeur des produits importés dans certaines circonstances*, art. 1.

Énoncés de politique [art. 215]: P-024R, 12/05/99, *Importation temporaire de moyens de transport*.

Bulletins de l'information technique [art. 215]: B-037R, 01/11/94, *Logiciel importé*.

Mémorandums [art. 215]: TPS 300-8, 06/01/91, *Produits importés*, par. 7-16, 20; TPS 800-1, 29/03/93, *Taxes d'accise*; TPS 800-4, 31/03/93, *Taux des taxes*.

215.1 (1) Remboursement pour biens retournés — Sous réserve de l'article 263, le ministre rembourse une personne dans le cas où les conditions suivantes sont réunies :

a) la personne a payé la taxe prévue à la présente section sur des produits qu'elle a acquis sur approbation, en consignation avec ou sans reprise des invendus ou selon d'autres modalités semblables;

b) dans les soixante jours suivant leur dédouanement et avant leur utilisation ou consommation autrement qu'à l'essai, les produits sont exportés par la personne en vue de leur retour au fournisseur et ne sont pas endommagés entre leur dédouanement et leur exportation;

c) dans les deux ans suivant le paiement de la taxe, la personne présente au ministre une demande de remboursement de la taxe, établie en la forme déterminée par celui-ci et contenant les renseignements requis.

Le montant remboursable est égal à la taxe payée sur les produits.

Notes historiques: L'alinéa 215.1(1)c) a été modifié par L.C. 1997, c. 10, par. 41(1) et cette modification s'applique aux remboursements visant des montants payés à titre de taxe après juin 1996. Il se lisait comme suit :

> c) dans les quatre ans suivant le paiement de la taxe, la personne présente au ministre une demande de remboursement de la taxe, établie en la forme déterminée par celui-ci et contenant les renseignements requis.

L'article 215.1 a été ajouté par L.C. 1993, c. 27, par. 81(1) et est réputé entré en vigueur le 17 décembre 1990.

Concordance québécoise: LTVQ, art. 17.5, 17.6.

(2) Remboursement pour biens endommagés — Sous réserve de l'article 263, le ministre rembourse une personne dans le cas où les conditions suivantes sont réunies :

a) la personne a payé un montant au titre de la taxe prévue à la présente section sur des produits importés :

(i) soit pour consommation, utilisation ou fourniture autrement qu'exclusivement dans le cadre de ses activités commerciales,

(ii) soit pour consommation, utilisation ou fourniture dans le cadre de ses activités commerciales si la personne est, au moment du dédouanement des produits, un petit fournisseur qui n'est pas inscrit aux termes de la sous-section d de la section V;

b) le ministre de la Sécurité publique et de la Protection civile a accordé un abattement ou un remboursement, en application de l'un des articles 73, 74 et 76 de la *Loi sur les douanes*, de tout ou partie des droits payés sur les produits;

c) la personne n'a pas reçu, et ne peut recevoir, aux termes d'une garantie, une fourniture de pièces de rechange, ou de biens de remplacement, qui constituent des produits figurant à l'article 5 de l'annexe VII, en dédommagement des pertes découlant de l'une des circonstances visées aux articles 73, 74 ou 76 de la *Loi sur les douanes*;

d) dans les deux ans suivant le paiement du montant au titre de la taxe prévue à la présente section, la personne présente au ministre une demande de remboursement du montant, établie en la forme déterminée par celui-ci et contenant les renseignements requis.

Le montant remboursable est égal au résultat du calcul suivant :

$$(A \times B) + (A \times \frac{B}{C} \times D)$$

où :

A représente le total du taux de la taxe imposée selon l'article 212 au moment de la déclaration en détail ou provisoire des produits en vertu des paragraphes 32(1), (2) ou (5) de la *Loi sur les douanes* et, dans le cas où un montant a été payé à titre de taxe en vertu de l'article 212.1, du taux de la taxe imposée selon cet article à ce moment;

B le montant de l'abattement ou du remboursement accordé en vertu de la *Loi sur les douanes*,

C le montant des droits visés par l'abattement ou le remboursement,

D la valeur en douane des produits aux termes de cette loi.

Notes historiques: L'alinéa 215.1(2)b) a été modifié par L.C. 2005, c. 38, par. 145 par le remplacement de « solliciteur général du Canada » par les mots « ministre de la Sécurité publique et de la Protection civile ». Cette modification est entrée en vigueur le 12 décembre 2005 [C.P. 2005-2041 du 21 novembre 2005 (TR/2005-119)].

L'alinéa 215.1(2)b) a été remplacé par L.C. 2005, c. 38, par. 105(1) et cette modification est entrée en vigueur le 12 décembre 2005 [C.P. 2005-2041 du 21 novembre 2005 (TR/2005-119)]. Antérieurement, il se lisait ainsi :

> b) le ministre a accordé un abattement ou un remboursement, en application de l'un des articles 73, 74 et 76 de la *Loi sur les douanes*, de tout ou partie des droits payés sur les produits;

L'alinéa 215.1(2)c) a été remplacé par L.C. 2000, c. 30, par. 44(1) et cette modification est réputée entrée en vigueur le 20 octobre 2000. Antérieurement, il se lisait comme suit :

> c) la personne n'a pas reçu, et ne peut recevoir, aux termes d'une garantie, une fourniture de pièces de rechange qui constituent des produits figurant à l'article 5 de l'annexe VII, en dédommagement des pertes découlant de l'une des circonstances visées aux articles 73, 74 ou 76 de la *Loi sur les douanes*;

L'alinéa 215.1(2)d) a été modifié par L.C. 1997, c. 10, par. 41(2) et cette modification s'applique aux remboursements visant des montants payés à titre de taxe après juin 1996. Auparavant, cet alinéa se lisait comme suit :

> d) dans les quatre ans suivant le paiement du montant au titre de la taxe prévue à la présente section, la personne présente au ministre une demande de remboursement du montant, établie en la forme déterminée par celui-ci et contenant les renseignements requis.

L'élément A de la formule figurant au paragraphe 215.1(2) a été modifié par L.C. 1997, c. 10, par. 201(1) et cette modification s'applique aux remboursements de montants payés à titre de taxe après mars 1997. Auparavant, cet élément se lisait comme suit :

> A représente le taux de la taxe imposée selon le paragraphe 165(1) au moment du paiement du montant au titre de la taxe prévue à la présente section,

Le paragraphe 215.1(2) a été ajouté par L.C. 1993, c. 27, par. 81(1) et est réputé entré en vigueur le 17 décembre 1990.

Concordance québécoise: aucune.

(3) Abattement ou remboursement de taxe assimilée à des droits — Sous réserve de l'article 263, les articles 73, 74 et 76 de la *Loi sur les douanes* s'appliquent, avec les adaptations nécessaires, au montant payé par une personne au titre de la taxe prévue à la présente section comme s'il s'agissait de droits payés en vertu de cette loi, si les circonstances suivantes sont réunies :

a) le montant a été payé à titre de taxe sur des produits importés :

(i) soit pour consommation, utilisation ou fourniture autrement qu'exclusivement dans le cadre des activités commerciales de la personne,

(ii) soit pour consommation, utilisation ou fourniture dans le cadre des activités commerciales de la personne, si celle-ci est, au moment du dédouanement des produits, un petit fournisseur qui n'est pas inscrit aux termes de la sous-section d de la section V;

b) si les produits avaient été assujettis à des droits payés en vertu de cette loi, un abattement ou un remboursement de tout ou partie des droits aurait pu être accordé, en vertu des articles 73, 74 ou 76 de cette loi, en raison, selon le cas :

(i) des circonstances visées aux alinéas 73a) ou b), à l'un des alinéas 74(1)a) à c) ou au paragraphe 76(1) de cette loi,

(ii) de circonstances dans lesquelles une erreur a été commise lors de la détermination, en application du paragraphe 58(2) de cette loi, de la valeur des produits, laquelle détermination n'a pas fait l'objet d'une décision en vertu de l'un des articles 59 à 61 de cette loi;

c) la personne n'a pas reçu, et ne peut recevoir, aux termes d'une garantie et en dédommagement des pertes découlant de l'une des circonstances visées à l'alinéa b), une fourniture de pièces de rechange, ou de biens de remplacement, qui constituent des produits figurant à l'article 5 de l'annexe VII;

d) dans les deux ans suivant le paiement du montant au titre de la taxe prévue à la présente section, la personne présente au ministre une demande de remboursement du montant, établie en la forme déterminée par celui-ci et contenant les renseignements requis.

Notes historiques: L'alinéa 215.1(3)b) a été modifié par L.C. 2005, c. 38, par. 145 par le remplacement de « solliciteur général du Canada » par les mots « ministre de la Sécurité publique et de la Protection civile ». Cette modification est entrée en vigueur le 12 décembre 2005 [C.P. 2005-2041 du 21 novembre 2005 (TR/2005-119)].

L'alinéa 215.1(3)b) a été remplacé par L.C. 2005, c. 38, par. 105(2) et cette modification est entrée en vigueur le 12 décembre 2005 [C.P. 2005-2041 du 21 novembre 2005 (TR/2005-119)]. Antérieurement, il se lisait ainsi :

> b) dans le cas où les produits ont été assujettis aux droits prévus à la *Loi sur les douanes*, le ministre aurait accordé, en vertu des articles 73, 74 ou 76 de cette loi, si les circonstances visées aux alinéas 73a) ou b), 74(1)a), b) ou c) ou au paragraphe 76(1) de cette loi s'appliquaient, un abattement ou un remboursement de tout ou partie des droits payés sur les produits;

L'alinéa 215.1(3)c) a été remplacé par L.C. 2000, c. 30, par. 44(2) et cette modification est réputée entrée en vigueur le 20 octobre 2000. Antérieurement, il se lisait comme suit :

> c) la personne n'a pas reçu, et ne peut recevoir, aux termes d'une garantie, une fourniture de pièces de rechange qui constituent des produits figurant à l'article 5 de l'annexe VII, en dédommagement des pertes découlant de l'une des circonstances visées à l'alinéa b);

L'alinéa 215.1(3)d) a été modifié par L.C. 1997, c. 10, par. 41(3) et cette modification s'applique aux remboursements visant des montants payés à titre de taxe après juin 1996. Auparavant, cet alinéa se lisait comme suit :

> d) dans les quatre ans suivant le paiement du montant au titre de la taxe prévue par la présente section, la personne présente au ministre une demande de remboursement du montant, établie en la forme déterminée par celui-ci et contenant les renseignements requis.

Le paragraphe 215.1(3) a été remplacé par L.C. 2007, c. 18, par. 18(1) et cette modification est réputée être entrée en vigueur le 1er janvier 1998. Toutefois, pour l'application du paragraphe 215.1(3), au calcul de remboursements selon ce paragraphe avant le 20 octobre 2000, l'alinéa 215.1(3)c) est réputé avoir le libellé suivant :

> c) la personne n'a pas reçu, et ne peut recevoir, aux termes d'une garantie et en dédommagement des pertes découlant de l'une des circonstances visées à l'alinéa b), une fourniture de pièces de rechange qui constituent des produits figurant à l'article 5 de l'annexe VII;

Antérieurement, il se lisait ainsi :

> (3) Sous réserve de l'article 263, les articles 73, 74 et 76 de la *Loi sur les douanes*, exception faite de l'alinéa 74(1)d) de cette loi, s'appliquent, avec les adaptations nécessaires, comme si un montant payé par une personne au titre de la taxe était un droit payé sur les produits en vertu de cette loi, si les circonstances suivantes sont réunies :
>
> a) la personne a payé le montant au titre de la taxe prévue à la présente section sur des produits importés :
>
> (i) soit pour consommation, utilisation ou fourniture autrement qu'exclusivement dans le cadre de ses activités commerciales,
>
> (ii) soit pour consommation, utilisation ou fourniture dans le cadre de ses activités commerciales si la personne est, au moment du dédouanement des produits, un petit fournisseur qui n'est pas inscrit aux termes de la sous-section d de la section V;
>
> b) dans le cas où les produits ont été assujettis aux droits prévus à la *Loi sur les douanes*, le ministre de la Sécurité publique et de la Protection civile aurait accordé, en vertu des articles 73, 74 ou 76 de cette loi, si les circonstances visées aux alinéas 73a) ou b), 74(1)a), b) ou c) ou au paragraphe 76(1) de cette loi s'appliquaient, un abattement ou un remboursement de tout ou partie des droits payés sur les produits;
>
> c) la personne n'a pas reçu, et ne peut recevoir, aux termes d'une garantie, une fourniture de pièces de rechange, ou de biens de remplacement, qui constituent des produits figurant à l'article 5 de l'annexe VII, en dédommagement des pertes découlant de l'une des circonstances visées à l'alinéa b);
>
> d) dans les deux ans suivant le paiement du montant au titre de la taxe prévue à la présente section, la personne présente au ministre une demande de remboursement du montant, établie en la forme déterminée par celui-ci et contenant les renseignements requis.

Le paragraphe 215.1(3) a été ajouté par L.C. 1993, c. 27, par. 81(1) et est réputé entré en vigueur le 17 décembre 1990.

Concordance québécoise: aucune.

Définitions [art. 215.1]: « activité commerciale », « dédouanement », « exclusif », « exportation », « fourniture », « importation », « inscrit », « ministre », « montant », « personne », « petit fournisseur », « produits », « règlement » — 123(1).

Renvois [art. 215.1]: 178.8(7) (entente d'importation); 178.8(8) (exception relative aux ententes d'importation); 212 (taxe sur l'importation de produits); 213.1 (garantie); 261(2)c) (remboursement d'un montant payé par erreur — restriction); 263 (restriction au remboursement); 263.01 (restriction au remboursement); 264(1) (montant remboursé en trop ou intérêts payés en trop); 297(1), (4) (détermination du remboursement par le ministre).

Règlements [art. 215.1]: *Règlement établissant les modalités de détermination de la valeur des produits importés dans certaines circonstances*, art. 1.

Jurisprudence [art. 215.1]: *United Parcel Service Canada Ltd. v. R.*, 2009 CarswellNat 907 (Cour suprême du Canada).

Bulletins de l'information technique [art. 215.1]: B-037R, 01/11/94, *Logiciel importé*; B-075R, 23/04/96, *Modifications proposées à la TPS*; B-081, 28/02/97, *Application de la TVH aux importations.*

Formulaires [art. 215.1]: B2, *Douanes Canada — Demande de rajustement*; B2G, *Demande informelle de rajustement des douanes.*

216. (1) Définition de « classement » — Au présent article, « classement » s'entend du classement tarifaire de produits, de la révision de ce classement ou du réexamen de cette révision, effectué en vue d'établir si les produits sont inclus ou non à l'annexe VII.

Notes historiques: Le paragraphe 216(1) a été modifié par L.C. 1993, c. 27, par. 82(1) et s'applique aux produits dédouanés (au sens du paragraphe 2(1) de la *Loi sur les douanes*) après le 10 juin 1993. Il se lisait auparavant comme suit :

> 216. (1) Pour l'application du présent article et des dispositions de la *Loi sur les douanes* qui interviennent, par l'effet de cet article, dans l'application de la présente section, « agent » s'entend au sens de cette loi et comprend le fonctionnaire chargé de l'application de la présente partie.

Le paragraphe 216(1) a été ajouté par L.C. 1990, c. 45, par. 12(1).

Concordance québécoise: aucune.

(2) Application de la *Loi sur les douanes* — Sous réserve des paragraphes (4) à (6), la *Loi sur les douanes*, sauf les paragraphes 67(2) et (3) et les articles 68 et 70, ainsi que les règlements d'application de cette loi s'appliquent, avec les adaptations nécessaires, au classement de produits pour l'application de la présente section comme s'il s'agissait du classement tarifaire des produits ou de la révision ou du réexamen de ce classement.

Notes historiques: Le paragraphe 216(2) a été modifié par L.C. 1993, c. 27, par. 82(1) et s'applique aux produits dédouanés (au sens du paragraphe 2(1) de la *Loi sur les douanes*) après le 10 juin 1993. Il se lisait auparavant comme suit :

> (2) Dans le cas où une personne n'accepte pas la détermination faite par un agent de la valeur de produits pour l'application de la présente section, les articles 58 à 66 de la *Loi sur les douanes* s'appliquent, compte tenu des adaptations de circonstance, comme si la détermination était un classement tarifaire effectué aux termes du paragraphe 58(1) de cette loi.

Le paragraphe 216(2) a été ajouté par L.C. 1990, c. 45, par. 12(1).

Concordance québécoise: aucune.

(3) Idem — La *Loi sur les douanes* et ses règlements d'application s'appliquent, avec les adaptations nécessaires, à l'appréciation de la valeur de produits pour l'application de la présente section, à la révision de cette appréciation ou au réexamen de cette révision, comme s'il s'agissait de l'appréciation de la valeur en douane des produits, de la révision de cette appréciation ou du réexamen de cette révision, selon le cas.

Notes historiques: Le paragraphe 216(3) a été modifié par L.C. 1993, c. 27, par. 82(1) et s'applique aux produits dédouanés (au sens du paragraphe 2(1) de la *Loi sur les douanes*) après le 10 juin 1993. Il se lisait auparavant comme suit :

> (3) La personne qui n'accepte pas la décision du sous-ministre, concernant la valeur de produits, prise pour l'application de la présente section aux termes de l'article 63 ou 64 de la *Loi sur les douanes*, peut en interjeter appel. Dès lors, les articles 67 à 69 de cette loi s'appliquent, compte tenu des adaptations de circonstance.

Le paragraphe 216(3) a été ajouté par L.C. 1990, c. 45, par. 12(1).

Concordance québécoise: aucune.

(4) Appel concernant le classement — Pour l'application de la *Loi sur les douanes* au classement de produits, les mentions, dans cette loi, du Tribunal canadien du commerce extérieur et du secrétaire du Tribunal canadien du commerce extérieur valent mention respectivement de la Cour canadienne de l'impôt et du greffier de la Cour canadienne de l'impôt.

Notes historiques: Le paragraphe 216(4) a été remplacé par L.C. 2007, c. 18, par. 19(1) et cette modification est réputée être entrée en vigueur le 1er janvier 1998. Antérieurement, il se lisait ainsi :

> (4) Pour l'application de la *Loi sur les douanes* concernant le classement de produits :
>
> a) la mention, aux alinéas 64d) et e) et au paragraphe 67(1) de cette loi, du Tribunal canadien du commerce extérieur vaut mention de la Cour canadienne de l'impôt;
>
> b) la mention, au paragraphe 67(1) de cette loi, du secrétaire du Tribunal canadien du commerce extérieur vaut mention du greffier de la Cour canadienne de l'impôt.

Le paragraphe 216(4) a été modifié par L.C. 1993, c. 27, par. 82(1) et s'applique aux produits dédouanés (au sens du paragraphe 2(1) de la *Loi sur les douanes*) après le 10 juin 1993. Il se lisait auparavant comme suit :

> La personne qui n'accepte pas la détermination faite par un agent, pour l'application de la présente section, d'une question ne portant pas sur la valeur de produits peut demander un remboursement en application de l'article 261.

Le paragraphe 216(4) a été ajouté par L.C. 1990, c. 45, par. 12(1).

Concordance québécoise: aucune.

(5) Application de la partie IX et de la *Loi sur la Cour canadienne de l'impôt* — Les dispositions de la présente partie et de la *Loi sur la Cour canadienne de l'impôt* concernant les appels interjetés en vertu de l'article 302 s'appliquent, avec les adaptations nécessaires, aux appels interjetés en vertu du paragraphe 67(1) de la *Loi sur les douanes* d'une décision du président de l'Agence des services frontaliers du Canada rendue conformément aux articles 60 ou 61 de cette loi quant au classement de produits, comme si cette décision était la confirmation d'une cotisation ou d'une nouvelle cotisation établie par le ministre en application des paragraphes 301(3) ou (4) par suite d'un avis d'opposition présenté aux termes du paragraphe 301(1.1) par la personne que le président est tenu d'aviser de la décision selon les articles 60 ou 61 de la *Loi sur les douanes*.

Notes historiques: Le paragraphe 216(5) a été remplacé par L.C. 2007, c. 18, par. 19(1) et cette modification est réputée être entrée en vigueur le 1er janvier 1998. Toutefois, avant le 12 décembre 2005 [C.P. 2005-2041 du 21 novembre 2005 (TR/2005-119)], le paragraphe 216(5) est réputé avoir le libellé suivant :

> (5) Les dispositions de la présente partie et de la *Loi sur la Cour canadienne de l'impôt* concernant les appels interjetés en vertu de l'article 302 s'appliquent, avec les adaptations nécessaires, aux appels interjetés en vertu du paragraphe 67(1) de la *Loi sur les douanes* d'une décision du commissaire rendue conformément aux articles 60 ou 61 de cette loi quant au classement de produits, comme si cette décision était la confirmation d'une cotisation ou d'une nouvelle cotisation établie par le ministre en application des paragraphes 301(3) ou (4) par suite d'un avis d'opposition présenté aux termes du paragraphe 301(1.1) par la personne que le commissaire est tenu d'aviser de la décision selon les articles 60 ou 61 de la *Loi sur les douanes*.

Antérieurement, il se lisait ainsi :

> (5) Les dispositions de la présente partie et de la *Loi sur la Cour canadienne de l'impôt* concernant les appels interjetés en vertu de l'article 302 s'appliquent, avec les adaptations nécessaires, aux appels interjetés en vertu du paragraphe 67(1) de la *Loi sur les douanes* d'une décision du président de l'Agence des services frontaliers du Canada rendue conformément aux articles 60 ou 61 de cette loi quant au classement de produits, comme si cette décision était la confirmation d'une cotisation ou d'une nouvelle cotisation établie par le ministre en application des paragraphes 301(3) ou (4) par suite d'un avis d'opposition présenté aux termes du paragraphe 301(1.1) par la personne que le président est tenu d'aviser de la décision selon les articles 60 ou 61 de la *Loi sur les douanes*.

Le paragraphe 216(5) a été remplacé par L.C. 2005, c. 38, art. 106 et cette modification est entrée en vigueur le 12 décembre 2005 [C.P. 2005-2041 du 21 novembre 2005 (TR/2005-119)]. Antérieurement, il se lisait ainsi :

> (5) Les dispositions de la présente partie et de la *Loi sur la Cour canadienne de l'impôt* concernant les appels interjetés en vertu de l'article 302 s'appliquent, avec les adaptations nécessaires, aux appels interjetés en vertu du paragraphe 67(1) de la *Loi sur les douanes* d'une décision du commissaire rendue conformément aux articles 63 ou 64 de cette loi quant au classement de produits, comme si cette décision était la confirmation d'une cotisation ou d'une nouvelle cotisation établie par le ministre en application des paragraphes 301(3) ou (4) par suite d'un avis d'opposition présenté aux termes du paragraphe 301(1.1) par la personne que le commissaire est tenu d'aviser de la décision selon les articles 63 ou 64 de la *Loi sur les douanes*.

Le paragraphe 216(5) a été modifié par le remplacement du mot « sous-ministre » par le mot « commissaire » par L.C. 1999, c. 17, art. 155d). Cette modification est entrée en vigueur le 1er novembre 1999.

Auparavant, le paragraphe 216(5) a été modifié par L.C. 1997, c. 10, par. 41.1(1) et cette modification s'applique aux appels d'une décision rendue conformément aux articles 63 ou 64 de la *Loi sur les douanes* quant à un classement effectué après avril 1996. Il se lisait comme suit :

> (5) Les dispositions de la présente partie et de la *Loi sur la Cour canadienne de l'impôt* concernant les appels interjetés en vertu de l'article 302 s'appliquent, avec les adaptations nécessaires, aux appels interjetés en vertu du paragraphe 67(1) de la *Loi sur les douanes* d'une décision du sous-ministre rendue conformément aux articles 63 ou 64 de cette loi quant au classement de produits, comme si cette décision était la confirmation d'une cotisation ou d'une nouvelle cotisation établie par le ministre en application des paragraphes 301(3) ou (4) par suite d'un avis d'opposition présenté aux termes du paragraphe 301(1) par la personne que le sous-ministre est tenu d'aviser de la décision selon les articles 63 ou 64 de la *Loi sur les douanes*.

Auparavant, ce paragraphe a été ajouté par L.C. 1993, c. 27, par. 82(1) et s'applique aux produits dédouanés (au sens du paragraphe 2(1) de la *Loi sur les douanes*) après le 10 juin 1993.

Concordance québécoise: aucune.

(6) Remboursements — Si, par suite de l'appréciation de la valeur de produits, de la révision de cette appréciation, du réexamen de cette révision ou du classement de produits, il est établi que le montant payé sur les produits au titre de la taxe prévue à la présente section excède la taxe à payer sur les produits aux termes de cette section et que cet excédent serait remboursé en application des alinéas 59(3)b) ou 65(1)b) de la *Loi sur les douanes* si la taxe prévue à la présente section constituait des droits de douanes imposés sur les produits en application du *Tarif des douanes*, l'excédent est remboursé à la personne qui l'a payé, sous réserve de l'article 263. Dès lors, les dispositions de la *Loi sur les douanes* qui portent sur le versement du montant remboursé et des intérêts afférents s'appliquent, avec les adaptations nécessaires, comme si le remboursement de l'excédent de taxe était un remboursement de droits.

Notes historiques: Le paragraphe 216(6) a été remplacé par L.C. 2007, c. 18, par. 19(1) et cette modification est réputée être entrée en vigueur le 1er janvier 1998. Antérieurement, il se lisait ainsi :

> (6) Lorsque, par suite de l'appréciation de la valeur de produits, de la révision de cette appréciation, du réexamen de cette révision ou du classement de produits, il est établi que le montant payé sur les produits au titre de la taxe prévue à la présente section excède la taxe à payer sur les produits aux termes de cette section et que cet excédent serait remboursé en application des alinéas 58(2)b), 62(1)b) ou 65(1)b) de la *Loi sur les douanes* si la taxe prévue à la présente section constituait des droits de douanes imposés sur les produits en application du *Tarif des douanes*, l'excédent est remboursé à la personne qui l'a payé, sous réserve de l'article 263. Dès lors, les dispositions de la *Loi sur les douanes* qui portent sur le versement du montant remboursé et des intérêts afférents s'appliquent, avec les adaptations nécessaires, comme si le remboursement de l'excédent de taxe était un remboursement de droits.

Le paragraphe 216(6) a été ajouté par L.C. 1993, c. 27, par. 82(1) et s'applique aux produits dédouanés (au sens du paragraphe 2(1) de la *Loi sur les douanes*) après le 10 juin 1993.

Concordance québécoise: aucune.

(7) Application de l'article 69 de la *Loi sur les douanes* — Sous réserve de l'article 263, l'article 69 de la *Loi sur les douanes* s'applique, avec les adaptations nécessaires, dans le cas où un appel concernant la valeur de produits ou leur classement est interjeté en vue de déterminer si la taxe prévue à la présente section est payable sur les produits ou d'établir le montant de cette taxe.

Notes historiques: Le paragraphe 216(7) a été ajouté par L.C. 1993, c. 27, par. 82(1) et s'applique aux produits dédouanés (au sens du paragraphe 2(1) de la *Loi sur les douanes*) après le 10 juin 1993.

Concordance québécoise: aucune.

Définitions [art. 216]: « commissaire », « cotisation », « ministre », « montant », « personne », « produits », « règlement », « taxe » — 123(1).

Renvois [art. 216]: 178.8(7) (entente d'importation); 178.8(8) (exception relative aux ententes d'importation); 214 (paiement de la taxe); 215 (valeur des produits); 261(2)c) (remboursement d'un montant payé par erreur — restriction); 263 (remboursement — restriction); 263.01 (restriction au remboursement); 264 (montant remboursé en trop ou intérêts payés en trop).

Jurisprudence [art. 216]: *9049-7769 Québec Inc. c. R.*, [2004] G.S.T.C. 14 (CCI); *United Parcel Service Canada Ltd. v. R.*, 2009 CarswellNat 907 (Cour suprême du Canada).

Bulletins de l'information technique [art. 216]: B-050, 12/03/91, *Dégrèvement de TPS accordé aux organisations, aux agents diplomatiques.*

Mémorandums [art. 216]: TPS 300-8, 6/01/91, *Produits importés*, par. 20, 21.

Formulaires [art. 216]: B2, *Douanes Canada — Demande de rajustement*; B2G, *Demande informelle de rajustement des douanes.*

SECTION IV — TAXE SUR LES FOURNITURES TAXABLES IMPORTÉES

Notes historiques: L'intertitre « Taxe sur les fournitures taxables importées autres que les produits » précédant l'article 217 a été modifié par L.C. 1997, c. 10, par. 202(1) pour « Taxe sur les fournitures taxables importées ».

217. Sens de « fourniture taxable importée » — Les définitions qui suivent s'appliquent à la présente section.

« fourniture taxable importée » Sont des fournitures taxables importées :

a) la fourniture taxable d'un service, sauf une fourniture détaxée ou visée par règlement, effectuée à l'étranger au profit d'une personne qui réside au Canada, à l'exclusion de la fourniture d'un service qui, selon le cas :

(i) est acquis pour consommation, utilisation ou fourniture exclusive dans le cadre des activités commerciales de la personne ou des activités qu'elle exerce exclusivement à l'étranger et qui ne font pas partie d'une entreprise ou d'un projet à risques ou d'une affaire de caractère commercial exploitée par elle au Canada,

(ii) est consommé par un particulier exclusivement à l'étranger, sauf un service de formation fourni à une personne qui n'est pas un consommateur,

(iii) se rapporte à un immeuble situé à l'étranger,

(iv) constitue un service, sauf un service de dépositaire ou de propriétaire pour compte relatif à des titres ou des métaux précieux de la personne, relatif à un bien meuble corporel qui :

(A) soit est situé à l'étranger au moment de l'exécution du service,

(B) soit est exporté dans un délai raisonnable après l'exécution du service, compte tenu des circonstances entourant l'exportation, et n'est ni consommé, ni utilisé ni fourni au Canada entre l'exécution du service et l'exportation du bien,

(v) constitue un service de transport,

(vi) constitue un service rendu à l'occasion d'une instance criminelle, civile ou administrative tenue à l'étranger, à l'exclusion d'un service rendu avant le début de l'instance;

b) la fourniture taxable d'un bien meuble corporel, sauf une fourniture détaxée ou visée par règlement, effectuée par une personne non-résidente qui n'est pas inscrite aux termes de la sous-section d de la section V, au profit d'un acquéreur qui est un inscrit, si les conditions suivantes sont réunies :

(i) la possession matérielle du bien est transférée à l'acquéreur au Canada par un autre inscrit qui, selon le cas :

(A) a effectué, au profit d'une personne non-résidente, la fourniture par vente du bien au Canada ou la fourniture au Canada d'un service de fabrication ou de production du bien,

(B) a acquis la possession matérielle du bien en vue d'effectuer, au profit d'une personne non-résidente, la fourniture d'un service commercial relativement au bien,

(ii) l'acquéreur remet à l'autre inscrit le certificat visé à l'alinéa 179(2)c),

(iii) l'acquéreur n'acquiert pas le bien pour consommation, utilisation ou fourniture exclusive dans le cadre de ses activités commerciales ou, si le bien est une voiture de tourisme que l'acquéreur acquiert pour utilisation au Canada à titre d'immobilisation dans le cadre de ses activités commerciales, le coût en capital de celle-ci pour l'acquéreur excède le montant réputé, en vertu des alinéas 13(7)g) ou h) de la *Loi de l'impôt sur le revenu*, être ce coût pour l'acquéreur pour l'application de l'article 13 de cette loi;

b.1) la fourniture taxable d'un bien meuble corporel, sauf une fourniture détaxée ou visée par règlement, effectuée, à un moment donné, par une personne non-résidente qui n'est pas inscrite aux termes de la sous-section d de la section V, au profit d'un acquéreur donné qui réside au Canada, si les conditions suivantes sont réunies :

(i) le bien est livré à l'acquéreur donné au Canada, ou y est mis à sa disposition, lequel acquéreur n'est pas un inscrit qui acquiert le bien exclusivement pour consommation, utilisation ou fourniture dans le cadre de ses activités commerciales,

(ii) la personne non-résidente a déjà effectué une fourniture taxable du bien par bail, licence ou accord semblable au profit d'un acquéreur avec lequel elle avait un lien de dépendance ou qui était lié à l'acquéreur donné, les conditions suivantes étant alors réunies :

(A) le bien a été livré à l'acquéreur au Canada, ou y a été mis à sa disposition,

(B) l'acquéreur pouvait demander un crédit de taxe sur les intrants pour le bien ou n'était pas tenu de payer la taxe prévue par la présente section relativement à la fourniture du seul fait qu'il a acquis le bien exclusivement pour consommation, utilisation ou fourniture dans le cadre de ses activités commerciales,

(C) cette fourniture a été la dernière fourniture du bien que la personne non-résidente a effectuée au profit d'un inscrit avant le moment donné;

b.11) la fourniture taxable donnée d'un bien par bail, licence ou accord semblable, sauf une fourniture détaxée, qui est réputée, en vertu du paragraphe 143(1), être effectuée à l'étranger au profit d'un acquéreur (appelé « preneur » au présent alinéa) qui réside au Canada, si, à la fois :

(i) le bien a déjà été fourni au preneur par bail, licence ou accord semblable (appelé « premier bail » au présent alinéa) dans le cadre d'une fourniture qui était réputée être effectuée au Canada en vertu du paragraphe 178.8(4),

(ii) la convention portant sur la fourniture taxable donnée est une convention (appelée « bail subséquent » au présent sous-alinéa) qui fait suite à la cession du premier bail ou d'un bail subséquent ou qui le remplace en raison de son renouvellement ou de sa modification,

(iii) le preneur n'est pas un inscrit qui acquiert le bien pour le consommer, l'utiliser ou le fournir exclusivement dans le cadre de ses activités commerciales

b.2) la fourniture taxable d'un produit transporté en continu, si la fourniture est réputée par l'article 143 être effectuée à l'étranger au profit d'un inscrit par une personne qui a été l'acquéreur d'une fourniture du produit — laquelle était une fourniture détaxée figurant à l'article 15.1 de la partie V de l'annexe VI, ou l'aurait été n'eût été le sous-alinéa a)(v) de cet article — et si l'inscrit n'acquiert pas le produit pour consommation, utilisation ou fourniture exclusive dans le cadre de ses activités commerciales;

b.3) la fourniture, figurant à l'article 15.2 de la partie V de l'annexe VI, d'un produit transporté en continu qui n'est ni exporté par l'acquéreur conformément à l'alinéa a) de cet article, ni fourni par lui conformément à l'alinéa b) de cet article, si l'acquéreur n'acquiert pas le produit pour consommation, utilisation ou fourniture exclusive dans le cadre de ses activités commerciales;

c) la fourniture taxable d'un bien meuble incorporel, sauf une fourniture détaxée ou visée par règlement, effectuée à l'étranger au profit d'une personne qui réside au Canada, à l'exclusion de la fourniture d'un bien qui, selon le cas :

(i) est acquis pour consommation, utilisation ou fourniture exclusive dans le cadre des activités commerciales de la personne ou des activités qu'elle exerce exclusivement à l'étranger et qui ne font pas partie d'une entreprise ou d'un projet à risques ou d'une affaire de caractère commercial exploitée par elle au Canada,

(ii) ne peut être utilisé au Canada,

(iii) se rapporte à un immeuble situé à l'étranger, à un service à exécuter entièrement à l'étranger ou à un bien meuble corporel situé à l'étranger.

c.1) la fourniture taxable d'un bien meuble incorporel, effectuée au Canada, qui est une fourniture détaxée du seul fait qu'elle est incluse aux articles 10 ou 10.1 de la partie V de l'annexe VI, à l'exclusion des fournitures suivantes :

(i) la fourniture effectuée au profit d'un consommateur du bien,

(ii) la fourniture d'un bien meuble incorporel qui est acquis pour consommation, utilisation ou fourniture exclusive dans le cadre des activités commerciales de l'acquéreur de la fourniture ou des activités qu'il exerce exclusivement à l'étranger et qui ne font pas partie d'une entreprise ou d'un projet à risques ou d'une affaire de caractère commercial exploitée par lui au Canada;

d) la fourniture d'un bien qui est une fourniture détaxée du seul fait qu'elle est incluse à l'article 1.1 de la partie V de l'annexe VI, si l'acquéreur n'acquiert pas le bien pour consommation, utilisation ou fourniture exclusives dans le cadre de ses activités commerciales et si, selon le cas :

(i) l'autorisation de l'acquéreur d'utiliser le certificat visé à cet article n'est pas en vigueur au moment de la fourniture,

(ii) l'acquéreur n'exporte pas le bien dans les circonstances visées aux alinéas 1b) à d) de cette partie;

e) la fourniture d'un bien qui est une fourniture détaxée du seul fait qu'elle est incluse à l'article 1.2 de la partie V de l'annexe VI, si l'acquéreur n'acquiert pas le bien pour consommation, utilisation ou fourniture exclusives dans le cadre de ses activités commerciales et si, selon le cas :

(i) l'autorisation de l'acquéreur d'utiliser le certificat visé à cet article n'est pas en vigueur au moment de la fourniture,

(ii) l'acquéreur n'acquiert par le bien pour utilisation ou fourniture à titre de stocks intérieurs ou de bien d'appoint, au sens où ces expressions s'entendent au paragraphe 273.1(1).

« activité au Canada » Toute activité qu'une personne exerce, pratique ou mène au Canada.

Notes historiques: La définition de « activité au Canada » à l'article 217 a été ajoutée par L.C. 2010, c. 12, par. 61(2) et s'applique aux années déterminées d'une personne se terminant après le 16 novembre 2005.

Concordance québécoise: aucune.

« année déterminée »

a) Dans le cas d'un contribuable admissible visé aux alinéas a) ou b) de la définition de « année d'imposition » au paragraphe 123(1), son année d'imposition;

b) dans le cas d'un contribuable admissible qui est un inscrit, mais qui n'est pas visé aux alinéas a) ou b) de cette définition, son exercice;

c) dans les autres cas, l'année civile.

Notes historiques: La définition de « année déterminée » à l'article 217 a été ajoutée par L.C. 2010, c. 12, par. 61(2) et s'applique aux années déterminées d'une personne se terminant après le 16 novembre 2005.

Concordance québécoise: aucune.

« chargement » Toute partie de la valeur de la contrepartie d'une fourniture de services financiers qui est attribuable aux frais d'administration, marges d'erreur ou de profit, coûts de gestion d'entreprise, commissions (sauf celles relatives à un service financier déterminé), dépenses de communication, coûts de gestion de sinistres, rétribution et avantages aux salariés, coûts de souscription ou de compensation, frais de gestion, coûts de marketing, frais de publicité, frais d'occupation ou d'équipement, frais de fonctionnement, coûts d'acquisition, coûts de recouvrement des primes, frais de traitement et autres coûts ou dépenses de la personne qui effectue la fourniture, à l'exclusion de la partie de la valeur de la contrepartie qui correspond aux montants suivants :

a) si le service financier comprend l'émission, le renouvellement, la modification ou le transfert de propriété d'une police d'assurance, à l'exclusion de tout autre instrument admissible, le montant estimatif de la prime nette de la police;

b) s'il comprend l'émission, le renouvellement, la modification ou le transfert de propriété d'un instrument admissible, à l'exclusion d'une police d'assurance, le montant estimatif de la prime de risque de défaut de paiement qui est directement rattachée à l'effet;

c) s'il comprend l'émission, le renouvellement, la modification ou le transfert de propriété d'une police d'assurance et d'un instrument admissible, à l'exclusion d'une police d'assurance, le montant obtenu par la formule suivante :

$$A + B$$

où :

A représente le montant estimatif de la prime nette de la police,

B le montant estimatif de la prime de risque de défaut de paiement qui est directement rattachée à l'effet.

Notes historiques: La définition de « chargement » à l'article 217 a été ajoutée par le par. 61(2) et s'applique aux années déterminées d'une personne se terminant après le 16 novembre 2005.

Concordance québécoise: aucune.

« contrepartie admissible » En ce qui concerne l'année déterminée d'un contribuable admissible relativement à une dépense engagée ou effectuée à l'étranger, le montant, relatif à cette dépense, obtenu par la formule suivante :

$$A - B$$

où :

A représente le montant de la dépense qui, à la fois :

a) donne droit à une déduction, à une allocation ou à une attribution au titre d'une provision en vertu de la *Loi de l'impôt sur le revenu* dans le calcul du revenu du contribuable pour l'année déterminée, ou y donnerait droit si, à la fois :

(i) le revenu du contribuable était calculé conformément à cette loi,

(ii) le contribuable exploitait une entreprise au Canada,

(iii) cette loi s'appliquait au contribuable,

b) peut raisonnablement être considéré comme se rapportant à une activité au Canada du contribuable;

B le total des montants dont chacun est inclus dans la valeur de l'élément A et représente, selon le cas :

a) un montant, sauf un montant visé à l'alinéa b), qui est une déduction autorisée pour l'année déterminée ou pour une année déterminée antérieure du contribuable,

b) un montant qui représente un coût pour un établissement admissible du contribuable situé dans un pays étranger, ou une part de bénéfice du contribuable qui est redistribuée à l'un de ses établissements admissibles situés dans un pays étranger à partir d'un de ses établissements admissibles situés au Canada, qui est attribuable uniquement à l'émission, au renouvellement, à la modification ou au transfert de propriété par le contribuable d'un effet financier qui est un instrument dérivé, pourvu que la totalité ou la presque totalité du montant soit :

(i) une marge d'erreur ou de profit, ou un montant de rétribution ou d'avantages aux salariés, qu'il est raisonnable d'attribuer à l'émission, au renouvellement, à la modification ou au transfert de propriété,

(ii) le montant estimatif de la prime de risque de défaut de paiement qui est directement rattachée à l'instrument dérivé.

Notes historiques: La définition de « contrepartie admissible » à l'article 217 a été ajoutée par L.C. 2010, c. 12, par. 61(2) et s'applique aux années déterminées d'une personne se terminant après le 16 novembre 2005.

Concordance québécoise: aucune.

« déduction autorisée » Est une déduction autorisée pour l'année déterminée d'un contribuable admissible tout montant qui représente, selon le cas :

a) la contrepartie de la fourniture d'un bien ou d'un service, ou la valeur de produits importés, sur laquelle la taxe prévue par la présente partie, sauf celle prévue à l'article 218.01 ou au paragraphe 218.1(1.2), est devenue payable par le contribuable au cours de l'année déterminée;

b) la taxe mentionnée à l'alinéa a) relativement à la fourniture ou à l'importation visée à cet alinéa;

c) un prélèvement provincial qui est visé par règlement pour l'application de l'article 154 et qui se rapporte à la fourniture mentionnée à l'alinéa a);

d) un montant qui est réputé, en vertu des paragraphes 248(18) ou (18.1) de la *Loi de l'impôt sur le revenu*, être un montant d'aide remboursé par le contribuable relativement à un bien ou un service mentionnés à l'alinéa a);

e) la contrepartie de la fourniture d'un bien ou d'un service (sauf un service financier) effectuée au profit du contribuable dans le cadre d'une opération ou d'une série d'opérations dont aucun des participants n'a de lien de dépendance avec le contribuable, sauf si, selon le cas :

(i) la contrepartie en cause est visée à l'alinéa a),

(ii) une activité exercée, pratiquée ou menée à l'étranger, par l'intermédiaire d'un établissement admissible du contribuable ou d'une personne qui lui est liée, se rapporte d'une façon quelconque à la fourniture;

f) la rétribution admissible d'un salarié du contribuable que celui-ci verse au cours de l'année déterminée, si ce salarié a accompli ses tâches principalement au Canada au cours de cette année;

g) des intérêts payés ou payables par le contribuable au titre de la contrepartie de la fourniture d'un service financier effectuée à son profit, à l'exception d'un montant que le contribuable verse à une personne, ou porte à son crédit, ou qu'il est réputé en vertu de la partie I de la *Loi de l'impôt sur le revenu* lui avoir versé ou avoir porté à son crédit au cours de l'année déterminée, au titre ou en paiement intégral ou partiel d'honoraires ou de frais de gestion ou d'administration, au sens du paragraphe 212(4) de cette loi;

h) des dividendes;

i) la contrepartie d'une fourniture déterminée entre personnes sans lien de dépendance effectuée au profit du contribuable, à l'exclusion des intérêts visés à l'alinéa g) et des dividendes visés à l'alinéa h);

j) la contrepartie de la fourniture (sauf une fourniture déterminée d'instrument dérivé) d'un service financier déterminé effectuée au profit du contribuable, à l'exclusion des intérêts visés à l'alinéa g) et des dividendes visés à l'alinéa h);

k) la contrepartie d'une fourniture déterminée entre personnes ayant un lien de dépendance effectuée au profit du contribuable, à l'exclusion des intérêts visés à l'alinéa g), des dividendes visés à l'alinéa h) et du chargement;

l) la contrepartie d'une fourniture déterminée d'instrument dérivé effectuée au profit du contribuable, à l'exclusion des intérêts visés à l'alinéa g) et des dividendes visés à l'alinéa h);

m) tout montant visé par règlement.

Notes historiques: La définition de « déduction autorisée » à l'article 217 a été ajoutée par L.C. 2010, c. 12, par. 61(2) et s'applique aux années déterminées d'une personne se terminant après le 16 novembre 2005. Toutefois, pour l'application de la définition de « déduction autorisée » relativement à un montant de contrepartie pour une fourniture déterminée entre personnes ayant un lien de dépendance qui est devenu dû au plus tard à cette date ou qui a été payé au plus tard à cette date sans être devenu dû, il n'est pas tenu compte du passage « et du chargement » à l'alinéa k) de cette définition.

Concordance québécoise: aucune.

« établissement admissible » Tout établissement stable au sens du paragraphe 123(1) ou du paragraphe 132.1(2).

Notes historiques: La définition de « établissement admissible » à l'article 217 a été ajoutée par L.C. 2010, c. 12, par. 61(2) et s'applique aux années déterminées d'une personne se terminant après le 16 novembre 2005.

Concordance québécoise: aucune.

« fourniture déterminée entre personnes ayant un lien de dépendance » Fourniture (sauf une fourniture déterminée d'instrument dérivé) d'un service financier (sauf un service financier déterminé) qui comprend l'émission, le renouvellement, la modification ou le transfert de propriété d'un instrument admissible, effectuée au profit d'un contribuable admissible dans le cadre d'une opération ou d'une série d'opérations dont au moins un des participants a un lien de dépendance avec le contribuable.

Notes historiques: La définition de « fourniture déterminée entre personnes ayant un lien de dépendance » à l'article 217 a été ajoutée par L.C. 2010, c. 12, par. 61(2) et s'applique aux années déterminées d'une personne se terminant après le 16 novembre 2005.

Concordance québécoise: aucune.

« fourniture déterminée entre personnes sans lien de dépendance » Fourniture (sauf une fourniture déterminée d'instrument dérivé) d'un service financier (sauf un service financier déterminé) qui est effectuée au profit d'un contribuable admissible dans le cadre d'une opération ou d'une série d'opérations dont les participants n'ont aucun lien de dépendance avec le contribuable.

Notes historiques: La définition de « fourniture déterminée entre personnes sans lien de dépendance » à l'article 217 a été ajoutée par L.C. 2010, c. 12, par. 61(2) et s'applique aux années déterminées d'une personne se terminant après le 16 novembre 2005.

Concordance québécoise: aucune.

« fourniture déterminée d'instrument dérivé » Fourniture à l'égard de laquelle les conditions suivantes sont réunies :

a) il s'agit d'une fourniture de service financier qui consiste à émettre, à renouveler ou à modifier un effet financier qui est un instrument dérivé, ou à en transférer la propriété, ou d'une fourniture effectuée par un mandataire, un vendeur ou un courtier qui consiste à prendre des mesures en vue de l'émission, du renouvellement, de la modification ou du transfert de propriété d'un tel effet;

b) la totalité ou la presque totalité de la valeur de la contrepartie est attribuable aux éléments suivants :

(i) une marge d'erreur ou de profit, ou un montant de rétribution ou d'avantages aux salariés, qu'il est raisonnable d'attribuer à la fourniture,

(ii) des montants qui ne constituent pas du chargement.

Notes historiques: La définition de « fourniture déterminée d'instrument dérivé » à l'article 217 a été ajoutée par L.C. 2010, c. 12, par. 61(2) et s'applique aux années déterminées d'une personne se terminant après le 16 novembre 2005.

Concordance québécoise: aucune.

« frais externes » En ce qui concerne l'année déterminée d'un contribuable admissible relativement à une dépense engagée ou effectuée qui est visée à l'un des alinéas 217.1(2)a) à c), le montant, relatif à cette dépense, obtenu par la formule suivante :

$$A - B$$

où :

A A représente le montant de la dépense qui, à la fois :

a) donne droit à une déduction, à une allocation ou à une attribution au titre d'une provision en vertu de la *Loi de l'impôt sur le revenu* dans le calcul du revenu du contribuable pour l'année déterminée, ou y donnerait droit si, à la fois :

(i) le revenu du contribuable était calculé conformément à cette loi,

(ii) le contribuable exploitait une entreprise au Canada,

(iii) cette loi s'appliquait au contribuable,

b) peut raisonnablement être considéré comme se rapportant à une activité au Canada du contribuable;

B le total des montants dont chacun est inclus dans la valeur de l'élément A et représente une déduction autorisée pour l'année déterminée ou pour une année déterminée antérieure du contribuable.

Notes historiques: La définition de « frais externes » à l'article 217 a été ajoutée par L.C. 2010, c. 12, par. 61(2) et s'applique aux années déterminées d'une personne se terminant après le 16 novembre 2005.

Concordance québécoise: aucune.

« instrument admissible » Argent, pièce justificative de carte de crédit ou de paiement ou effet financier.

Notes historiques: La définition de « instrument admissible » à l'article 217 a été ajoutée par L.C. 2010, c. 12, par. 61(2) et s'applique aux années déterminées d'une personne se terminant après le 16 novembre 2005.

Concordance québécoise: aucune.

« loi fiscale » Loi d'un pays, ou d'un État, d'une province ou d'une autre subdivision politique de ce pays, qui impose un prélèvement ou un droit d'application générale qui constitue un impôt sur le revenu ou sur les bénéfices.

Notes historiques: La définition de « loi fiscale » à l'article 217 a été ajoutée par L.C. 2010, c. 12, par. 61(2) et s'applique aux années déterminées d'une personne se terminant après le 16 novembre 2005.

Concordance québécoise: aucune.

« opération » Y sont assimilés les arrangements et les événements.

Notes historiques: La définition de « opération » à l'article 217 a été ajoutée par L.C. 2010, c. 12, par. 61(2) et s'applique aux années déterminées d'une personne se terminant après le 16 novembre 2005.

Concordance québécoise: aucune.

Notes historiques: Le préambule de l'article 217 a été remplacé par L.C. 2010, c. 12, par. 61(1) et cette modification s'applique aux années déterminées d'une personne se terminant après le 16 novembre 2005. Antérieurement, il se lisait ainsi :

> 217. Sens de « fourniture taxable importée » — Dans la présente section, sont des fournitures taxables importées :

Le préambule de l'article 217 a été remplacé par L.C 1999, c. 31, art. 86 et cette modification est réputée entrée en vigueur le 17 juin 1999. Auparavant, ce préambule se lisait comme suit :

> 217. Dans la présente section, sont des fournitures taxables importées :

Le préambule de l'article 217 a été modifié par L.C 1997, c. 10, par. 42(1) et cette modification est réputée entrée en vigueur le 1er janvier 1997. Auparavant, ce préambule se lisait comme suit :

> 217. Les définitions qui suivent s'appliquent à la présente section :

Le préambule de l'alinéa a) de l'article 217 a été modifié par L.C. 1997, c. 10, par. 42(1) et cette modification est réputée entrée en vigueur le 1er janvier 1997. Antérieurement, il se lisait comme suit :

> a) Fourniture taxable, sauf une fourniture détaxée ou visée par règlement, d'un service effectuée à l'étranger au profit d'une personne qui réside au Canada, à l'exclusion de la fourniture d'un service qui, selon le cas :

L'alinéa a) de la définition « fourniture taxable importée » de l'article 217 a été remplacé par L.C. 1993, c. 27, par. 83(2) et cette modification s'applique aux fournitures dont la contrepartie devient due ou est payée après septembre 1992, sauf celles dont la contrepartie devient due ou est payée avant octobre 1992. Antérieurement, il se lisait comme suit :

> « fourniture taxable importée »
>
> a) Fourniture taxable d'un bien meuble ou d'un service qui est effectuée à l'étranger au profit d'un acquéreur qui réside au Canada, s'il est raisonnable de considérer que l'acquéreur a reçu le bien ou le service pour utilisation au Canada autrement qu'exclusivement dans le cadre d'une activité commerciale; en sont exclues :
>
> (i) les fournitures détaxées ou visées par règlement,
>
> (ii) les fournitures de produits pour lesquelles la taxe prévue à la section III est payable,
>
> (iii) les fournitures pour lesquelles la taxe prévue à la section II est payable,
>
> (iv) les fournitures de produits inclus à l'annexe VII;

Le préambule de l'alinéa b) de l'article 217 a été modifié par L.C. 1997, c. 10, par. 42(3) et cette modification est réputée entrée en vigueur le 1er janvier 1997. Auparavant, il se lisait comme suit :

> b) fourniture taxable, sauf une fourniture détaxée ou visée par règlement, d'un bien meuble corporel effectuée par une personne non-résidente qui n'est pas inscrite aux termes de la sous-section d de la section V, au profit d'un acquéreur qui est un inscrit, si les conditions suivantes sont réunies :

Les divisions 217b)(i)(A) et (B) ont été remplacées par L.C. 2000, c. 30, par. 45(1) et cette modification s'applique aux fournitures effectuées après le 10 décembre 1998. Antérieurement, elles se lisaient comme suit :

> (A) a effectué, au profit de la personne non-résidente, la fourniture par vente du bien au Canada ou la fourniture au Canada d'un service de fabrication ou de production du bien,
>
> (B) a acquis la possession matérielle du bien en vue d'effectuer, au profit de la personne non-résidente, la fourniture d'un service commercial relativement au bien,

Le préambule de l'alinéa b.1) de à l'article 217 a été modifié par L.C. 1997, c. 10, par. 42(4) et cette modification est réputée entrée en vigueur le 1er janvier 1997. Auparavant, il se lisait comme suit :

> b.1) fourniture taxable, sauf une fourniture détaxée ou visée par règlement, d'un bien meuble corporel effectuée, à un moment donné, par une personne non-résidente qui n'est pas inscrite aux termes de la sous-section d de la section V, au profit d'un acquéreur donné qui réside au Canada, si les conditions suivantes sont réunies :

L'alinéa b.1) de la définition de « fourniture taxable importée » de l'article 217 a été ajouté par L.C. 1993, c. 27, par. 83(4) et s'applique aux fournitures dont la contrepartie devient due ou est payée après 1992, sauf celles dont la contrepartie devient due ou est payée avant 1993.

L'alinéa 217b.11) a été ajouté par L.C. 2007, c. 18, par. 20(1) et s'applique à toute fourniture de bien qui est une fourniture taxable donnée selon l'alinéa 217b.11) si le bien a déjà été fourni par bail, licence ou accord semblable à l'acquéreur de cette fourniture dans le cadre d'une fourniture qui était réputée être effectuée au Canada en vertu du paragraphe 178.8(4).

L'alinéa 217b.2) a été ajouté par L.C. 2000, c. 30, par. 45(2). Cet ajout s'applique aux fournitures effectuées à l'étranger après le 7 août 1998.

L'alinéa 217b.3) a été ajouté par L.C. 2000, c. 30, par. 45(3). Cet ajout s'applique aux fournitures effectuées après octobre 1998.

Le préambule de l'alinéa c) de l'article 217 a été modifié par L.C. 1997, c. 10, par. 42(5) et cette modification est réputée entrée en vigueur le 1er janvier 1997. Auparavant, ce préambule se lisait comme suit :

c) fourniture taxable, sauf une fourniture détaxée ou visée par règlement, d'un bien meuble incorporel effectuée à l'étranger au profit d'une personne qui réside au Canada, à l'exclusion de la fourniture d'un bien qui, selon le cas :

Auparavant, l'alinéa c) de la définition de « fourniture taxable importée » à l'article 217 a été ajouté par L.C. 1993, c. 27, par. 83(3) et s'applique aux fournitures dont la contrepartie devient due ou est payée après septembre 1992, sauf celles dont la contrepartie devient due ou est payée avant octobre 1992.

L'alinéa 217c.1) a été ajouté par L.C. 2007, c. 35, par. 2(1) et s'applique aux fournitures effectuées après le 19 mars 2007.

L'alinéa 217d) a été ajouté par L.C. 2001, c. 15, par. 7(1) et s'applique aux fournitures effectuées après 2000.

L'alinéa 217e) a été ajouté par L.C. 2001, c. 15, par. 7(1) et s'applique aux fournitures effectuées après 2000.

La définition de « fourniture taxable importée » de l'article 217 a été remplacée par L.Q. 1993, c. 27, par. 83(1) et cette modification est réputée entrée en vigueur le 17 décembre 1990. Toutefois, la modification s'applique compte non tenu :

a) de l'alinéa 217b) pour ce qui est des fournitures de biens dont la possession matérielle est transférée à l'acquéreur avant le 28 mars 1991;

b) du sous-alinéa 217b)(ii) pour ce qui est des fournitures de biens dont la possession matérielle est transférée à l'acquéreur entre le 27 mars 1991 et le 30 octobre 1992

Antérieurement, elle se lisait comme suit :

« Fourniture taxable importée » Fourniture taxable de biens meubles ou de services qui est effectuée à l'étranger au profit d'un acquéreur qui réside au Canada, s'il est raisonnable de considérer que l'acquéreur a reçu les biens et services pour utilisation au Canada autrement qu'exclusivement dans le cadre d'une activité commerciale. En sont exclues :

a) les fournitures pour lesquelles la taxe prévue à la section II est payable;

b) les fournitures de produits pour lesquels la taxe prévue à la section III est payable;

c) les fournitures détaxées;

d) les produits figurant à l'annexe VII;

e) les fournitures visées par règlement.

Renvois [art. 217]: 218.1(1)c) (taxe dans les provinces participantes); 221.1 (certificat d'exportation); 252.4 (remboursement au promoteur d'un congrès étranger); 352(2) (fourniture taxable importée visée par une convention antérieure à la mise en œuvre).

Jurisprudence [art. 217]: *BJ Services Co. Canada c. R.*, [2002] G.S.T.C. 124 (CCI); *Axa Canada Inc. c. M.N.R.*, [2006] G.S.T.C. 1 (CF).

Règlements [art. 217]: *Aucune fourniture taxable importée visée par le préambule des alinéas a), b), b.1) ou c).*

Énoncés de politique [art. 217]: P-126, 24/03/94, *Répartition des coûts à l'intérieur d'une société étrangère*; P-150, 14/07/94, *Application de la taxe sur les logiciels importés*; P-189, 22/08/95, *Signification de l'expression « service de dépositaire »*.

Bulletins de l'information technique [art. 217]: B-032, 08/11, *Régimes enregistrés de pension*; B-037R, 01/11/94, *Logiciel importé*; B-081, 28/02/97, *Application de la TVH aux importations*; B-090, 07/02, *La TPS/TVH et le commerce électronique*; B-095, 02/06/11, *Dispositions prévues à l'article 218.01 et au paragraphe 218.1(1.2) relatives à l'autocotisation des institutions financières (règles sur l'importation)*; B-107, 10/11, *Régimes de placement (y compris les fonds réservés d'assureur) et la TVH*.

Mémorandums [art. 217]: Mémorandum 300-9, 01/91, *Taxe sur les fournitures services et biens incorporels importés*; Mémorandum 500-2-6, 01/91, *Application et exécution déclarations et paiements — Autres déclarations de TPS.*

Série de mémorandums [art. 217]: Mémorandum 3.1, 08/99, *Assujettissement à la taxe*; Mémorandum 17.14, 07/11, *Choix visant les fournitures exonérées*; Mémorandum 27.3R, 01/10, *Programme d'incitation pour congrès étrangers et voyages organisés — Remboursement de la taxe payée sur les voyages organisés admissibles et sur l'hébergement fourni dans le cadre d'un voyage organisé admissible.*

Formulaires [art. 217]: GST59, *Déclaration de TPS/TVH visant les fournitures taxables importées et la contrepartie admissible.*

« période de déclaration » [*Abrogée*]

Notes historiques: La définition de « période de déclaration » à l'article 217 a été abrogée par L.C. 1997, c. 10, par. 42(6) et cette abrogation est réputée entrée en vigueur le 1er janvier 1997. Elle se lisait comme suit :

« période de déclaration » Les périodes suivantes en ce qui concerne un acquéreur :

a) si l'acquéreur est un inscrit, la période de déclaration déterminée aux articles 245 à 251;

b) dans les autres cas, un trimestre civil.

Cette définition a été ajoutée par L.C. 1990, c. 45, par. 12(1).

« rétribution admissible » Traitement, salaire et autre rémunération d'un salarié et tout autre montant qui est à inclure, dans le calcul de son revenu pour l'application de la *Loi de l'impôt sur le revenu*, à titre de revenu provenant d'une charge ou d'un emploi.

Notes historiques: La définition de « rétribution admissible » à l'article 217 a été ajoutée par L.C. 2010, c. 12, par. 61(2) et s'applique aux années déterminées d'une personne se terminant après le 16 novembre 2005.

Concordance québécoise: aucune.

« salarié » Sont compris parmi les salariés les particuliers qui acceptent de devenir des salariés.

Notes historiques: La définition de « salarié » à l'article 217 a été ajoutée par L.C. 2010, c. 12, par. 61(2) et s'applique aux années déterminées d'une personne se terminant après le 16 novembre 2005.

Concordance québécoise: aucune.

« service admissible » Tout service ou toute tâche.

Notes historiques: La définition de « service admissible » à l'article 217 a été ajoutée par L.C. 2010, c. 12, par. 61(2) et s'applique aux années déterminées d'une personne se terminant après le 16 novembre 2005.

Concordance québécoise: aucune.

« service financier déterminé » Service financier, fourni à un contribuable admissible par un mandataire, un vendeur ou un courtier, qui consiste à prendre des mesures en vue de l'émission, du renouvellement, de la modification ou du transfert de propriété d'un effet financier qui est le bien d'une personne autre que le mandataire, le vendeur ou le courtier.

Notes historiques: La définition de « service financier déterminé » à l'article 217 a été ajoutée par L.C. 2010, c. 12, par. 61(2) et s'applique aux années déterminées d'une personne se terminant après le 16 novembre 2005.

Concordance québécoise: aucune.

« tâche » Tout acte accompli par un salarié relativement à sa charge ou à son emploi.

Notes historiques: La définition de « tâche » à l'article 217 a été ajoutée par L.C. 2010, c. 12, par. 61(2) et s'applique aux années déterminées d'une personne se terminant après le 16 novembre 2005.

Concordance québécoise: aucune.

Concordance québécoise [217]: LTVQ, art. 18, al. 1 (en partie), al. 2.

217.1 (1) Contribuable admissible — Pour l'application de la présente section, une personne est un contribuable admissible tout au long de son année déterminée si, à la fois :

a) elle est une institution financière au cours de cette année;

b) au cours de cette même année, selon le cas :

(i) elle réside au Canada,

(ii) elle a un établissement admissible au Canada;

(iii) elle exerce, pratique ou mène des activités au Canada, dans le cas où une majorité de personnes ayant la propriété effective de ses biens au Canada résident au Canada.

(iv) elle est visée par règlement ou est membre d'une catégorie réglementaire.

Concordance québécoise: aucune.

Bulletins de l'information technique [art. 217.1(1)]: B-107, 10/11, *Régimes de placement (y compris les fonds réservés d'assureur) et la TVH*.

(2) Dépense engagée ou effectuée à l'étranger — Pour l'application de la présente section, sont compris parmi les dépenses engagées ou effectuées à l'étranger les montants représentant :

a) une dépense engagée ou effectuée par un contribuable admissible au titre, selon le cas :

(i) d'un bien qui lui est transféré en tout ou en partie à l'étranger,

(ii) d'un bien dont la possession ou l'utilisation est mise à sa disposition, ou lui est donnée, en tout ou en partie, à l'étranger,

(iii) d'un service qui, en tout ou en partie, est exécuté pour lui à l'étranger ou lui est rendu à l'étranger;

b) un redressement, au sens du paragraphe 247(2) de la *Loi de l'impôt sur le revenu*, apporté à une dépense mentionnée à l'alinéa a);

c) une dépense ou un achat relatif à une opération à déclarer, au sens de l'article 233.1 de la *Loi de l'impôt sur le revenu*, à l'égard de laquelle un contribuable admissible est tenu, en vertu de cet article, de présenter au ministre une déclaration sur le formulaire prescrit et contenant les renseignements prescrits, ou serait ainsi tenu s'il exploitait une entreprise au Canada et si cette loi s'appliquait à lui;

d) dans le cas d'un contribuable admissible qui réside au Canada, une rétribution admissible qu'il a versée à un salarié au cours d'une année déterminée si, à la fois :

(i) au cours de l'année déterminée, le salarié accomplit une tâche à l'étranger (appelée « tâche accomplie à l'étranger » au présent paragraphe) dans un établissement admissible du contribuable ou d'une personne qui lui est liée,

(ii) il ne s'agit pas d'un cas où la totalité ou la presque totalité des tâches accomplies à l'étranger par le salarié au cours de l'année déterminée sont accomplies ailleurs que dans de tels établissements admissibles;

e) dans le cas d'un contribuable admissible qui ne réside pas au Canada :

(i) l'attribution par le contribuable d'une dépense engagée ou effectuée au titre de montants relatifs à une entreprise qu'il exploite au Canada, en vue du calcul de son revenu en vertu de la *Loi de l'impôt sur le revenu*, ou un montant qui représenterait une telle attribution si, à la fois :

(A) le revenu du contribuable était calculé conformément à cette loi,

(B) tout acte accompli par le contribuable par l'intermédiaire de son établissement admissible au Canada consistait à exploiter une entreprise au Canada,

(C) cette loi s'appliquait au contribuable,

(ii) une dépense engagée ou effectuée qu'il est raisonnable de considérer, en vertu de la *Loi de l'impôt sur le revenu*, comme un montant applicable à un établissement admissible du contribuable au Canada ou qu'il serait raisonnable de considérer ainsi si cet établissement était un établissement stable pour l'application de cette loi, si le contribuable exploitait une entreprise au Canada et si cette loi s'appliquait à lui,

(iii) une rétribution admissible que le contribuable a versée à un salarié au cours d'une année déterminée.

janvier 2007, Notes explicatives: Le nouvel alinéa 217.1(2)a) prévoit des règles qui permettent d'établir si une personne a un établissement admissible au Canada pour l'application de la section IV de la partie IX. L'institution financière qui ne réside pas au Canada n'est considérée comme un « contribuable admissible » que si elle a un établissement admissible au Canada. La question de savoir si une personne a un établissement admissible au Canada est également pertinente pour l'application de plusieurs dispositions de l'article 217.1 visant les contribuables admissibles non résidents.

Selon l'alinéa 217.1(2)a), une personne est considérée comme ayant un établissement admissible au Canada au cours d'une année d'imposition si elle remplit l'une de deux conditions. La première repose sur la présence d'un établissement stable et est prévue au sous-alinéa 217.1(2)a)(i); la seconde est prévue au sous-alinéa 217.1(2)a)(ii). Selon ces sous-alinéas, une personne est considérée comme ayant un établissement admissible au Canada si, au cours d'une année d'imposition :

- elle a un établissement stable, au sens des paragraphes 123(1) ou 132.1(2) de la loi, au Canada; ou
- elle exerce des activités au Canada et la majorité des personnes ayant la propriété effective de ses biens y résident.

Par exemple, si un contribuable admissible est une personne morale qui exploite une entreprise d'assurance et qui est autorisée, par licence ou autrement, à mener des affaires au Canada ou dans une province canadienne, il a un établissement stable, au sens de l'alinéa 132.1(2)b), au Canada. Il est donc considéré, selon le sous-alinéa 217.1(2)a)(i), comme ayant un établissement admissible au Canada pour l'application de la section IV de la partie IX. En outre, selon le sous-alinéa 217.1(2)a)(ii), la fiducie qui exerce des activités au Canada sans y avoir d'établissement stable, au sens des paragraphes 123(1) ou 132.1(2), est considérée comme ayant un établissement admissible au Canada si la majorité de ses détenteurs d'unités résident au Canada.

Le nouvel alinéa 217.1(2)b) prévoit une règle qui permet d'établir si un contribuable admissible a un établissement admissible dans une province pour l'application de la section IV de la partie IX. Selon cet alinéa, un contribuable admissible a un établissement admissible dans une province au cours de son année d'imposition si, au cours de l'année, il y a un établissement stable, au sens des paragraphes 123(1) ou 132.1(2). Cette règle entre en jeu lorsqu'il s'agit d'établir si un contribuable admissible est réputé résider dans une province en vertu du paragraphe 218.1(1.3). Il est important d'établir ce fait pour l'application de la disposition sur l'autocotisation énoncée au paragraphe 218.1(1.2).

Concordance québécoise: aucune.

(3) Série d'opérations — Pour l'application de la présente section, toute série d'opérations est réputée comprendre les opérations connexes effectuées en prévision de la série.

janvier 2007, Notes explicatives: Pour l'application de la section IV de la partie IX, les diverses sommes prévues au nouveau paragraphe 217.1(3) sont considérées comme des dépenses engagées ou effectuées à l'étranger. La règle d'interprétation énoncée à ce paragraphe est importante du fait que le contribuable admissible est tenu de déterminer pour son année d'imposition un montant de « contrepartie admissible », au sens du paragraphe 217.1(1), relativement à chaque dépense qu'il engage ou effectue à l'étranger. Aussi, le paragraphe 217.1(3) prévoit-il que la mention, à la section IV de la partie IX, d'une dépense engagée ou effectuée à l'étranger s'entend des sommes suivantes.

Selon l'alinéa 217.1(3)a), toute dépense engagée ou effectuée par un contribuable admissible au titre d'un bien qui lui est transféré en tout ou en partie à l'étranger ou dont la possession ou l'utilisation est mise à sa disposition, ou lui est donnée, en tout ou en partie, à l'étranger est considérée comme une dépense engagée ou effectuée à l'étranger. Il en va de même pour toute dépense qu'il engage ou effectue au titre d'un service admissible (sauf une tâche accomplie par un salarié) qui, en tout ou en partie, est exécuté pour lui à l'étranger ou lui est rendu à l'étranger. Outre la dépense proprement dite, le montant de tout redressement, au sens du paragraphe 247(2) de la *Loi de l'impôt sur le revenu*, qui y est apporté est considéré, selon l'alinéa 217.1(3)b), comme une dépense engagée ou effectuée à l'étranger. Par exemple, si des services de traitement de données sont exécutés à l'étranger, en tout ou en partie, par la société mère étrangère d'un contribuable admissible canadien pour le compte de ce dernier, toute dépense engagée par le contribuable relativement à ces services, ainsi que tout redressement apporté à cette dépense conformément aux règles sur les prix de transfert prévues par la *Loi de l'impôt sur le revenu*, représentent des dépenses engagées à l'étranger.

Selon l'alinéa 217.1(3)c), la somme représentant une dépense ou un achat relatif à une opération à déclarer, au sens de l'article 233.1 de la *Loi de l'impôt sur le revenu*, à l'égard de laquelle le contribuable admissible est tenu de présenter une déclaration au ministre du Revenu national (ou y serait tenu s'il exploitait une entreprise au Canada et si cette loi s'appliquait à lui) est considérée comme une dépense engagée ou effectuée à l'étranger. Cette somme constitue donc une dépense engagée ou effectuée à l'étranger pour l'application de la section IV de la partie IX.

Dans le cas d'un contribuable admissible résidant au Canada, la rétribution admissible (au sens du paragraphe 217.1(1)) qu'il verse à son salarié au cours d'une année d'imposition constitue une dépense engagée ou effectuée à l'étranger si les deux conditions énoncées à l'alinéa 217.1(3)d) sont remplies. En premier lieu, il doit s'avérer au cours de l'année que les tâches accomplies par le salarié sont accomplies à l'étranger en tout ou en partie dans un établissement stable, au sens des paragraphes 123(1) ou 132.1(2), du contribuable ou d'une personne qui lui est liée. Pour que cette condition soit remplie, il suffit que le salarié d'un contribuable admissible résidant au Canada accomplisse des tâches au bureau d'une succursale à l'étranger ou au bureau à l'étranger d'une filiale liée. En second lieu, il doit s'avérer que la totalité ou la presque totalité des tâches accomplies à l'étranger par le salarié ne sont pas accomplies ailleurs que dans un tel établissement stable. En d'autres termes, la seconde condition est remplie si le salarié accomplit dans un tel établissement stable plus d'une fraction marginale des tâches qu'il accomplit à l'étranger. Lorsque ces deux conditions sont réunies, toute rétribution admissible que le contribuable verse au salarié au cours de l'année d'imposition représente une dépense engagée ou effectuée à l'étranger pour l'application de la section IV de la partie IX.

Dans le cas d'un contribuable admissible non résident, la rétribution admissible qu'il verse à son salarié au cours d'une année d'imposition constitue une dépense engagée ou effectuée à l'étranger selon le sous-alinéa 217.1(3)e)(iv), peu importe l'endroit où le salarié accomplit ses tâches. En plus de cette rétribution, le contribuable doit inclure dans ses dépenses engagées ou effectuées à l'étranger le montant des attributions suivantes, prévues aux sous-alinéas 217.1(3)e)(i) et (ii) :

- toute attribution, effectuée par le contribuable en vertu de la *Loi de l'impôt sur le revenu*, d'une dépense engagée ou effectuée au titre de montants relatifs à une entreprise qu'il exploite au Canada;
- toute dépense engagée ou effectuée que le contribuable serait tenu d'attribuer, en vertu de la *Loi de l'impôt sur le revenu*, au titre de montants relatifs à une entreprise qu'il exploite au Canada si son revenu était calculé conformément à cette loi, si tout acte qu'il accomplit par l'intermédiaire de son établissement admissible était une entreprise qu'il exploite au Canada et si cette loi s'appliquait à lui.

Afin de déterminer si les attributions ci-dessus constituent des dépenses engagées ou effectuées à l'étranger par un contribuable admissible non résident, il faut supposer que le contribuable est tenu de calculer son revenu conformément à la Loi de l'impôt sur le revenu et que la détermination est effectuée dans le contexte d'une attribution, par le contribuable, de dépenses au titre de sommes relatives à une entreprise au Canada. Par conséquent, la question de savoir si cette loi s'applique au contribuable n'est pas prise en compte lorsqu'il s'agit d'établir si les attributions en cause représentent des dépenses engagées ou effectuées à l'étranger pour l'application de la section IV de la partie IX.

Le sous-alinéa 217.1(3)e)(iii) prévoit en outre que toute dépense engagée ou effectuée qu'il est raisonnable de considérer, en vertu de la *Loi de l'impôt sur le revenu*, comme un montant applicable à l'établissement admissible d'un contribuable admissible non résident est considérée comme une dépense engagée ou effectuée à l'étranger. Afin d'établir s'il est raisonnable de considérer une dépense donnée comme un tel montant, il faut supposer que l'établissement admissible du contribuable est un établissement stable pour l'application de cette loi, que le contribuable exploite une entreprise au Canada et que cette loi s'applique à lui.

Le paragraphe 217.1(3) a pour effet de donner au terme « dépense engagée ou effectuée à l'étranger » un sens large pour l'application de la section IV de la partie IX.

Concordance québécoise: aucune.

(4) Frais internes — Pour l'application de la présente section, toute partie d'un montant relatif à des opérations ou rapports entre l'établissement admissible donné d'un contribuable admissible situé au Canada et un autre de ses établissements admissibles situé dans un pays étranger est un montant de frais internes pour une année déterminée du contribuable si, à la fois :

a) le montant remplit les conditions suivantes :

(i) le montant donnerait droit à une déduction, à une allocation ou à une attribution au titre d'une provision en vertu de la *Loi de l'impôt sur le revenu* dans le calcul du revenu de l'établissement donné pour l'année déterminée si, à la fois :

(A) cette loi s'appliquait à l'établissement donné,

(B) le revenu de l'établissement donné était calculé conformément à cette loi,

(C) pour l'application de cette même loi, à la fois :

(I) tout acte accompli par le contribuable par l'intermédiaire de l'établissement donné consistait à exploiter une entreprise au Canada,

(II) l'établissement donné était un établissement stable,

(III) l'année déterminée correspondait à l'année d'imposition de l'établissement donné,

(ii) dans le cas où le contribuable n'a pas précisé, conformément à l'alinéa 217.2(2)c), que le sous-alinéa (iii) doit s'appliquer dans tous les cas au calcul des frais internes pour l'année déterminée et où le pays étranger est un pays taxateur, au sens du paragraphe 126(7) de la *Loi de l'impôt sur le revenu*, qui a conclu avec le Canada un traité fiscal au sens du paragraphe 248(1) de cette loi, le montant serait à inclure, en vertu d'une loi fiscale du pays étranger qui s'applique au contribuable ou qui s'appliquerait à lui si l'autre établissement était un établissement stable pour l'application de cette dernière loi, dans le calcul du revenu ou des bénéfices de l'autre établissement pour toute période (appelée « période taxable » au présent alinéa) se terminant dans l'année déterminée si, à la fois :

(A) la loi fiscale s'appliquait à l'autre établissement,

(B) le revenu ou les bénéfices de l'autre établissement étaient calculés conformément à la loi fiscale,

(C) pour l'application de la loi fiscale, à la fois :

(I) tout acte accompli par le contribuable par l'intermédiaire de l'autre établissement consistait à exploiter une entreprise dans le pays étranger,

(II) l'autre établissement était un établissement stable et avait les mêmes périodes taxables que le contribuable aurait en vertu de la loi fiscale,

(iii) dans le cas où le sous-alinéa (ii) ne s'applique pas, le montant serait à inclure dans le calcul, en vertu de la *Loi de l'impôt sur le revenu*, du revenu de l'autre établissement pour l'année déterminée si, à la fois :

(A) les lois du Canada, et non celles du pays étranger, s'appliquaient dans ce pays, avec les adaptations nécessaires,

(B) la *Loi de l'impôt sur le revenu* s'appliquait à l'autre établissement,

(C) le revenu de l'autre établissement était calculé conformément à cette loi,

(D) pour l'application de cette même loi, à la fois :

(I) tout acte accompli par le contribuable par l'intermédiaire de l'autre établissement consistait à exploiter une entreprise dans le pays étranger,

(II) l'autre établissement était un établissement stable,

(III) l'année déterminée correspondait à l'année d'imposition de l'autre établissement;

b) la partie du montant n'est :

(i) ni un montant qui représente la valeur de l'élément A de la formule figurant à la définition de « frais externes » à l'article 217 qui entre dans le calcul d'un montant de frais externes du contribuable pour l'année déterminée ou pour une de ses années déterminées antérieures,

(ii) ni une déduction autorisée du contribuable pour l'année déterminée ou pour une de ses années déterminées antérieures, sauf s'il s'agit d'une déduction autorisée qui entre dans le calcul de la valeur de l'élément B de la formule figurant à la définition de « frais externes » à l'article 217, laquelle valeur entre dans le calcul d'un montant de frais externes du contribuable pour l'année déterminée ou pour une de ses années déterminées antérieures,

(iii) ni un montant qui représente un coût pour l'autre établissement, ou une part de bénéfice du contribuable qui est redistribuée à l'autre établissement à partir de l'établissement donné, qui est attribuable uniquement à l'émission, au renouvellement, à la modification ou au transfert de propriété par le contribuable d'un effet financier qui est un instrument dérivé, pourvu que la totalité ou la presque totalité du montant soit :

(A) une marge d'erreur ou de profit, ou un montant de rétribution ou d'avantages aux salariés, qu'il est raisonnable d'attribuer à l'émission, au renouvellement, à la modification ou au transfert de propriété,

(B) le montant estimatif de la prime de risque de défaut de paiement qui est directement rattachée à l'instrument dérivé,

(iv) ni un montant visé par règlement.

janvier 2007, Notes explicatives: Selon le nouveau paragraphe 217.1(4), la mention, à la section IV de la partie IX, d'une série d'opérations ou d'événements vaut également mention des opérations ou événements connexes effectués en prévision de la série.

Concordance québécoise: aucune.

(5) Entités distinctes — Pour l'application de l'alinéa (4)a) relativement à l'établissement admissible donné d'un contribuable admissible situé dans un pays étranger et à un autre de ses établissements admissibles situé au Canada, les règles suivantes s'appliquent :

a) l'établissement donné est réputé être une entreprise distincte du contribuable, exerçant des activités identiques ou analogues dans des conditions identiques ou analogues à celles de l'établissement donné et traitant en toute indépendance avec l'autre établissement ainsi qu'avec la partie du contribuable admissible (appelée « reste du contribuable » au présent paragraphe) qui n'est ni l'établissement donné ni l'autre établissement;

b) l'autre établissement est réputé être est une entreprise distincte du contribuable, exerçant des activités identiques ou analogues dans des conditions identiques ou analogues à celles de l'autre établissement et traitant en toute indépendance avec l'établissement donné ainsi qu'avec le reste du contribuable;

c) les opérations ou rapports entre l'établissement donné, l'autre établissement et le reste du contribuable sont réputés être des fournitures effectuées à des conditions qui auraient été convenues par des parties sans lien de dépendance.

janvier 2007, Notes explicatives: Le nouveau paragraphe 217.1(5) précise en quoi consiste l'« année d'imposition » d'un contribuable admissible pour l'application des articles 217.1 et 218.01, du paragraphe 218.1(1.2) et de l'article 218.3 de la loi. L'année d'imposition du contribuable admissible visé aux alinéas a) ou b) de la définition d'« année d'imposition » au paragraphe 123(1) correspond, pour l'application des dispositions énumérées ci-dessus, à l'année d'imposition au sens de ce paragraphe. L'année d'imposition du contribuable admissible qui n'est pas visé à ces alinéas, mais qui est inscrit sous le régime de la TPS/TVH, correspond à ces fins à l'exercice du contribuable. Dans les autres cas, l'année d'imposition du contribuable admissible correspond à l'année civile. Ainsi, l'année d'imposition de la fiducie qui n'est pas inscrite sous le régime de la TPS/TVH correspond à l'année civile.

La définition d'« année d'imposition » est importante du fait que la taxe prévue à l'article 218.01 et au paragraphe 218.1(1.2) doit être déterminée pour chaque année d'imposition d'un contribuable admissible.

Concordance québécoise: aucune.

(6) Calcul du crédit de taxe sur les intrants — Si un montant (appelé « dépense admissible » au présent paragraphe) de contrepartie admissible ou de frais externes d'un contribuable admissible relativement à une dépense engagée ou effectuée à l'étranger est supérieur à zéro et que, au cours de la période de déclaration du contribuable pendant laquelle il est un inscrit, la taxe prévue à l'article 218.01 ou au paragraphe 218.1(1.2) relativement à la dépense admissible devient payable par lui, ou est payée par lui sans être devenue payable, les règles ci-après s'appliquent en vue du calcul de son crédit de taxe sur les intrants :

a) la totalité ou la partie d'un bien (appelée « bien attribuable » au présent paragraphe et au paragraphe (8)) ou d'un service admissible (appelée « service attribuable » au présent paragraphe et au paragraphe (8)) à laquelle la dépense admissible est attribuable est réputée avoir été acquise par le contribuable au moment où la dépense a été engagée ou effectuée;

b) la taxe est réputée être la taxe relative à une fourniture du bien attribuable ou du service attribuable;

c) la mesure dans laquelle le contribuable a acquis le bien attribuable ou le service attribuable en vue de le consommer, de l'utiliser ou de le fournir dans le cadre de ses activités commerciales est réputée être la même que celle dans laquelle la totalité ou la partie de la dépense — qui correspond à la dépense admissible — a été engagée ou effectuée en vue de la consommation, de l'utilisation ou de la fourniture du bien attribuable ou du service attribuable dans ce cadre.

janvier 2007, Notes explicatives: Le nouveau paragraphe 217.1(6) prévoit des règles d'interprétation qui permettent au contribuable admissible d'établir s'il a droit à un crédit de taxe sur les intrants au titre de la taxe prévue à l'article 218.01 ou au paragraphe 218.1(1.2) qui devient payable par lui, ou qui est payée par lui sans être devenue payable, au cours de sa période de déclaration pendant laquelle il est un inscrit.

En règle générale, la dépense engagée ou effectuée par un contribuable admissible a pour but d'acquérir un bien ou un service admissible. Si une dépense engagée ou effectuée à l'étranger donne lieu à un montant de contrepartie admissible pour une année d'imposition du contribuable qui est supérieur à zéro, le contribuable est tenu, par l'article 218.01, d'établir la taxe applicable à ce montant par autocotisation. Puisque chacune de ces sommes positives a trait à une dépense engagée ou effectuée à l'étranger, elles représentent chacune une « dépense admissible » selon le paragraphe 217.1(6). Étant donné que chaque dépense admissible correspond à tout ou partie d'une dépense engagée ou effectuée à l'étranger, elle est attribuable à la totalité ou à une partie du bien ou du service admissible au titre de laquelle la totalité ou la partie de la dépense a été engagée ou effectuée. Pour l'application du paragraphe 217.1(6), la totalité ou la partie du bien et la totalité ou la partie du service admissible auxquelles la dépense admissible est attribuable représentent respectivement le « bien attribuable » et le « service admissible attribuable ».

Pour établir s'il a droit à un crédit de taxe sur les intrants pour une année d'imposition au titre de la taxe prévue à l'article 218.01 et au paragraphe 218.1(1.2), le contribuable admissible est tenu, de façon générale, d'analyser la mesure dans laquelle il a acquis un bien attribuable ou un service admissible attribuable dans le but d'effectuer une fourniture taxable du bien ou du service ou de le consommer ou de l'utiliser dans le cadre de ses activités commerciales.

Selon le paragraphe 217.1(6), les règles suivantes s'appliquent lorsqu'il s'agit de déterminer le crédit de taxe sur les intrants d'un contribuable admissible selon la partie IX de la loi au titre d'une dépense admissible qui donne lieu à une taxe prévue par l'une des dispositions sur l'autocotisation énoncées à l'article 218.01 ou au paragraphe 218.1(1.2) :

- le bien attribuable ou le service admissible attribuable est réputé, selon l'alinéa 217.1(6)a), avoir été acquis par le contribuable admissible au moment auquel la dépense - qui correspond à la dépense admissible - a été engagée ou effectuée à l'étranger;
- la taxe prévue à l'article 218.1 ou au paragraphe 218.1(1.2) est réputée, selon l'alinéa 217.1(6)b), être une taxe relative à une fourniture du bien attribuable ou du service admissible attribuable (c'est-à-dire, une fourniture de la totalité ou de la partie du bien ou du service à l'égard de laquelle la dépense admissible est attribuable);
- la mesure dans laquelle le contribuable admissible a acquis le bien attribuable ou le service admissible attribuable en vue de le consommer, de l'utiliser ou de le fournir dans le cadre de ses activités commerciales est réputée, selon l'alinéa 217.1(6)c), être la même que celle dans laquelle la totalité ou la partie de la dépense — qui correspond à la dépense admissible — a été engagée ou effectuée en vue de la consommation, de l'utilisation ou de la fourniture du bien attribuable ou du service admissible attribuable dans le cadre des activités commerciales du contribuable.

Concordance québécoise: aucune.

(7) Calcul du crédit de taxe sur les intrants — frais internes — Si la taxe (appelée « taxe interne » au présent paragraphe) prévue à l'article 218.01 ou au paragraphe 218.1(1.2) relativement à un montant de frais internes devient payable par un contribuable admissible, ou est payée par lui sans être devenue payable, et que le calcul du montant de frais internes est fondé en tout ou en partie sur l'inclusion d'une dépense qu'il a engagée ou effectuée à l'étranger, les règles ci-après s'appliquent en vue du calcul de son crédit de taxe sur les intrants :

a) la totalité ou la partie d'un bien (appelée « bien interne » au présent paragraphe et au paragraphe (8)) ou d'un service admissible (appelée « service interne » au présent paragraphe et au paragraphe (8)) à laquelle la dépense est attribuable est réputée avoir été fournie au contribuable au moment où la dépense a été engagée ou effectuée;

b) le montant de la taxe interne qu'il est raisonnable d'attribuer à la dépense est réputé être une taxe (appelée « taxe attribuée » au présent alinéa) relative à la fourniture du bien interne ou du service interne, et la taxe attribuée est réputée être devenue payable au moment où la taxe interne devient payable par le contribuable ou est payée par lui sans être devenue payable;

c) la mesure dans laquelle le contribuable a acquis le bien interne ou le service interne en vue de le consommer, de l'utiliser ou de le fournir dans le cadre de ses activités commerciales est réputée être la même que celle dans laquelle la dépense a été engagée ou effectuée en vue de la consommation, de l'utilisation ou de la fourniture du bien interne ou du service interne dans ce cadre.

janvier 2007, Notes explicatives: Par suite de l'introduction des concepts de « bien attribuable » et « service admissible attribuable » au paragraphe 217.1(6), le nouveau paragraphe 217.1(7) prévoit que la mention de bien ou de service, à l'article 169 de la loi, vaut mention de bien attribuable ou de service admissible attribuable lorsqu'il s'agit de calculer le crédit de taxe sur les intrants d'un contribuable admissible selon cet article au titre de la taxe à déterminer selon l'article 218.01 ou le paragraphe 218.1(1.2).

Concordance québécoise: aucune.

(8) Crédits de taxe sur les intrants — Pour le calcul, selon l'article 169, du crédit de taxe sur les intrants d'un contribuable admissible :

a) relativement à un bien attribuable ou à un service attribuable, la mention « à un bien ou à un service » à cet article vaut mention de « à un bien attribuable ou à un service attribuable, au sens de l'alinéa 217.1(6)a) »;

b) relativement à un bien interne ou à un service interne, la mention « à un bien ou à un service » à cet article vaut mention de « à un bien interne ou à un service interne, au sens de l'alinéa 217.1(7)a) ».

janvier 2007, Notes explicatives: Selon le nouveau paragraphe 217.1(8), la personne qui est un contribuable admissible à un moment de son année d'imposition est réputée l'être tout au long de l'année.

Concordance québécoise: aucune.

Notes historiques: L'article 217.1 a été ajouté par L.C. 2010, c. 12, par. 62(1) et s'applique aux années déterminées d'une personne se terminant après le 16 novembre 2005.

L.C. 2010, c. 12, par. 62(3) prévoit que si une déclaration concernant la taxe prévue à l'article 218.01, ou la taxe prévue au paragraphe 218.1(1.2), pour une année déterminée d'un contribuable admissible est à produire aux termes de l'article 219, au plus tard le 12 juillet 2010 le contribuable peut, malgré l'alinéa 217.2(2)d), faire le choix prévu au paragraphe 217.2(1), — lequel choix entrera en vigueur le premier jour de l'année déterminée —, à condition qu'il présente le document concernant le choix au ministre du Revenu national, selon les modalités déterminées par celui-ci, au plus tard le soixantième jour suivant le 12 juillet 2010.

L.C. 2010, c. 12, par. 62(4) prévoit que lorsqu'un contribuable admissible fait le choix prévu au paragraphe 217.2(1), lequel est en vigueur pour une année déterminée du contribuable se terminant avant le 12 juillet 2010, les règles suivantes s'appliquent :

a) si le contribuable a payé au receveur général, au plus tard à cette date, un montant pour l'année déterminée au titre de la taxe prévue à l'article 218.01 ou au paragraphe 218.1(1.2), et que ce montant est supérieur au montant total de taxe payable pour l'année déterminée en vertu de ces dispositions du fait que le choix est en vigueur pour cette année :

(i) le contribuable peut demander par écrit au ministre du Revenu national, au plus tard deux ans après le 12 juillet 2010, d'établir une cotisation, une nouvelle cotisation ou une cotisation supplémentaire en vue de tenir compte du fait que le choix était en vigueur pour l'année déterminée,

(ii) sur réception de la demande, le ministre, avec diligence :

(A) examine la demande,

(B) établit, en vertu de l'article 296 et malgré l'article 298, une cotisation, une nouvelle cotisation ou une cotisation supplémentaire concernant la taxe payable par le contribuable pour l'année déterminée en vertu de l'article 218.01 ou du paragraphe 218.1(1.2), et les intérêts, pénalités ou autres obligations du contribuable, mais seulement dans la mesure où il est raisonnable de considérer que la cotisation est établie en vue de tenir compte du fait que le choix était en vigueur pour l'année déterminée;

b) le ministre du Revenu national peut établir, en vertu de l'article 296 et malgré l'alinéa 298(1)d), une cotisation, une nouvelle cotisation ou une cotisation supplémentaire concernant la taxe payable par le contribuable pour l'année déterminée en vertu de l'article 218.01 ou du paragraphe 218.1(1.2), au plus tard sept ans après le dernier en date des jours suivants :

(i) le jour où le choix lui est présenté,

(ii) le jour où le contribuable était tenu, au plus tard, de produire la déclaration dans laquelle cette taxe payable devait être indiquée,

(iii) le jour où cette déclaration a été produite.

janvier 2007, Notes explicatives: Le nouvel article 217.1 prévoit diverses définitions et règles d'interprétation pour l'application des dispositions sur l'autocotisation énoncées au nouvel article 218.01 et au nouveau paragraphe 218.1(1.2) de la loi. De façon générale, l'article 218.01 exige des institutions financières qui sont des « contribuables admissibles », au sens du paragraphe 217.1(1), qu'elles établissent, par autocotisation, la taxe applicable à certaines dépenses qu'elles ont engagées ou effectuées. Sont comprises parmi ces dépenses celles qui sont engagées ou effectuées à l'étranger relativement à des activités au Canada dans la mesure où elles pourraient être déduites, même indirectement, en vertu de la *Loi de l'impôt sur le revenu* dans le calcul du revenu du contribuable admissible ou pourraient être déduites si le contribuable admissible était tenu de calculer son revenu conformément à cette loi, s'il exploitait une entreprise au Canada et si cette loi s'appliquait à lui.

L'article 217.1 s'applique aux années d'imposition d'un contribuable admissible se terminant après le 16 novembre 2005. Toutefois, une disposition transitoire est prévue pour l'application de cet article à l'année d'imposition du contribuable qui comprend le 17 novembre 2005. Dans ce cas, il n'est pas tenu compte de la mention « chargement » (au sens du paragraphe 217.1(1)), à l'alinéa k) de l'élément B de la formule figurant à la définition de « contrepartie admissible » à ce paragraphe, si la contrepartie de la fourniture déterminée entre personnes liées (au sens du même paragraphe) visée à cet alinéa devient due avant le 17 novembre 2005 ou est payée avant cette date sans être devenue due. En d'autres termes, si la contrepartie d'une fourniture déterminée entre personnes liées devient due après le 16 novembre 2005 ou est payée après cette date sans être devenue due, la définition de « contrepartie admissible » s'applique compte tenu de la mention « chargement ».

Est une « activité au Canada » du contribuable admissible qui réside au Canada toute activité qu'il y exerce, pratique ou mène. Si le contribuable admissible ne réside pas au Canada, ce terme s'entend de toute activité qu'il exerce, pratique ou mène au Canada par l'intermédiaire de son établissement admissible, au sens du paragraphe 217.1(2). L'utilisation des verbes exercer, pratiquer et mener dans ce contexte a pour objet de donner au terme « activité au Canada » un sens large.

De façon générale, la partie de la contrepartie d'une « fourniture déterminée entre personnes liées » (au sens du paragraphe 217.1(1)) qui est visée par la définition de « chargement » fait partie de l'assiette de la taxe sur les produits et services ou de la taxe de vente harmonisée (TPS/TVH) qui est assujettie aux dispositions sur l'autocotisation énoncées à l'article 218.01 et au paragraphe 218.1(1.2).

Le « chargement » est notamment constitué de toute partie de la contrepartie d'une fourniture déterminée entre personnes liées qui est attribuable aux sommes suivantes :

- les frais d'administration;
- les marges d'erreur ou de profit;
- les coûts de gestion d'entreprise;
- les commissions (sauf celles relatives à un service financier déterminé, au sens du paragraphe 217.1(1));
- les dépenses de communication;
- les coûts de gestion de sinistres;
- la rétribution et les avantages aux salariés;
- les coûts de souscription ou de compensation;
- les frais de gestion;
- les coûts de marketing et les frais de publicité;
- les frais d'occupation ou d'équipement;
- les frais de fonctionnement;
- les coûts d'acquisition;
- les coûts de recouvrement des primes;
- les frais de traitement;
- tout autre coût ou dépense d'une personne qui effectue la fourniture en cause.

La contrepartie d'une fourniture déterminée entre personnes liées peut comprendre par ailleurs certaines estimations de risques. Le cas échéant, ces estimations sont exclues expressément de la définition de « chargement ». Par exemple, si le service financier fourni dans le cadre de la fourniture déterminée entre personnes liées comprend l'émission, le renouvellement, la modification ou le transfert de propriété d'une police d'assurance (à l'exclusion de tout autre effet financier), l'estimation de la somme que l'assuré pourrait vraisemblablement réclamer dans le cadre de la police ne constitue pas du chargement. Il en va de même pour le service financier fourni dans le cadre d'une fourniture déterminée entre personnes liées qui comprend l'émission, le renouvellement, la modification ou le transfert de propriété d'un effet financier (à l'exclusion d'une police d'assurance) : l'estimation de la prime de risque qui est directement rattachée à l'effet ne constitue pas du chargement. Dans le cas où le service financier fourni dans le cadre de la fourniture déterminée entre personnes liées comprend l'émission, le renouvellement, la modification ou le transfert de propriété à la fois d'une police d'assurance et d'un autre effet financier, la somme des estimations dont il question ci-dessus ne constitue pas du chargement.

Les intrants relatifs à une fourniture déterminée entre personnes liées, qui sont en grande partie d'ordre administratif, sont visés par la définition de « chargement » et, partant, font partie de l'assiette qui est assujettie aux dispositions sur l'autocotisation énoncées à l'article 218.01 et au paragraphe 218.1(1.2). Toutefois, la partie de la contrepartie d'une fourniture déterminée entre personnes liées qui est clairement et fondamentalement d'ordre financier, comme c'est le cas des estimations spécifiques visées ci-dessus, n'est généralement pas visée par la définition de « chargement ». Elle ne fait donc pas partie de l'assiette qui est assujettie aux dispositions sur l'autocotisation énoncées à l'article 218.01 et au paragraphe 218.1(1.2).

Selon l'article 218.01, le contribuable admissible est tenu d'établir par autocotisation, pour chacune de ses années d'imposition, le total des sommes représentant chacune un montant de « contrepartie admissible » qui est supérieur à zéro. Le terme « contrepartie admissible » s'entend de toute somme que le contribuable admissible est tenu de déterminer pour son année d'imposition au titre de chaque dépense qu'il a engagée ou effectuée à l'étranger, au sens du paragraphe 217.1(3). La règle d'interprétation énoncée à ce paragraphe prévoit les divers types de sommes qui sont incluses dans la notion de « dépense engagée ou effectuée à l'étranger » pour l'application de la section IV de la partie IX. De façon générale, la « contrepartie admissible » relative à une dépense engagée ou effectuée à l'étranger correspond au montant de cette dépense qui fait partie de l'assiette qui est assujettie aux dispositions sur l'autocotisation énoncées à l'article 218.01 et au paragraphe 218.1(1.2).

Le montant d'une contrepartie admissible pour l'année d'imposition d'un contribuable admissible relativement à une dépense engagée ou effectuée à l'étranger s'obtient par la formule A - B. L'élément A de cette formule représente le montant d'une dépense engagée ou effectuée à l'étranger qui remplit deux conditions. La première condition prévoit que le montant de la dépense doit donner droit à une déduction, à une allocation ou à une répartition au titre d'une provision en vertu de la *Loi de l'impôt sur le revenu*, ou devrait y donner droit si le revenu du contribuable admissible était calculé conformément à cette loi, si le contribuable exploitait une entreprise au Canada et si cette loi s'appliquait à lui. Cette condition s'applique à l'ensemble des contribuables admissibles, sans égard à leur nature — personne morale, société de personnes, fiducie ou particulier — et indépendamment du fait qu'ils soient tenus de payer un impôt sur le revenu. La seconde condition est remplie s'il est raisonnable de considérer que le montant de la

LTA (TPS)

dépense se rapporte à une activité au Canada du contribuable admissible. À titre d'exemple, prenons le cas du contribuable admissible non résident qui possède une succursale canadienne. S'il lui est permis de déduire, dans le calcul de son revenu, une dépense qui est attribuable à la succursale, le montant de la dépense entre dans le calcul de la valeur de l'élément A de la formule.

La somme incluse à l'élément A peut être retranchée, en tout ou en partie, selon l'élément B si elle compte parmi les exclusions suivantes.

Est notamment exclue selon l'élément B la somme incluse à l'élément A qui représente la contrepartie d'une fourniture de bien ou de service, ou la valeur de produits importés, sur laquelle la TPS/TVH, sauf celle prévue à l'article 218.01 ou au paragraphe 218.1(1.2), est devenue payable par le contribuable admissible. On évite ainsi que la contrepartie d'une fourniture taxable fasse l'objet d'une double taxation. La TPS/TVH qui est devenue payable par le contribuable admissible sur la contrepartie d'une fourniture taxable est également exclue selon l'élément B. À titre d'exemple, reprenons le cas du contribuable admissible non résident qui possède une succursale au Canada. S'il acquiert une licence d'utilisation d'un logiciel d'un vendeur américain de logiciels qui a exigé la TPS/TVH relativement à la fourniture de la licence et qu'il attribue la contrepartie payée pour cette fourniture taxable de bien meuble incorporel (y compris la TPS/TVH exigée) à la succursale canadienne, le total de la contrepartie et de la TPS/TVH exigée — qui est inclus à l'élément A — est exclu selon l'élément B.

Est aussi exclue selon l'élément B la somme incluse à l'élément A qui est un prélèvement provincial visé par règlement pour l'application de l'article 154 de la loi qui est payable par le contribuable admissible relativement à une fourniture taxable sur laquelle la TPS/TVH est devenue payable. On s'assure ainsi que le prélèvement provincial visé par règlement — qui d'ordinaire ne ferait pas partie de la contrepartie d'une fourniture taxable — ne soit pas inclus dans l'assiette qui est assujettie aux dispositions sur l'autocotisation énoncées à l'article 218.01 et au paragraphe 218.1(1.2), même s'il entre dans le calcul de l'élément A.

Est également exclue selon l'élément B la somme — incluse à l'élément A — qui est réputée être un montant d'aide, au sens du paragraphe 248(18) de la *Loi de l'impôt sur le revenu*, remboursé par un contribuable admissible relativement à un bien ou à un service sur lequel la taxe prévue par la partie IX de la loi est devenue payable par lui. Par exemple, si un contribuable est tenu de rembourser un crédit de taxe sur les intrants qu'il a reçu précédemment et que ce crédit fait partie du montant de la dépense qui est incluse à l'élément A, le crédit est exclu selon l'élément B afin que le contribuable n'ait pas à calculer la TPS/TVH qui s'y applique.

De façon générale, est exclue selon l'élément B la somme incluse à l'élément A qui représente la contrepartie d'une fourniture de bien ou de service (sauf un service financier) entre personnes sans lien de dépendance. Toutefois, cette exclusion ne s'applique pas en présence de l'un de deux concours de circonstances. En premier lieu, si la TPS/TVH (sauf celle prévue à l'article 218.01 ou au paragraphe 218.1(1.2)) est devenue payable par le contribuable admissible sur la contrepartie de la fourniture, l'exclusion n'est pas applicable parce que la contrepartie d'une fourniture taxable (sur laquelle la TPS/TVH est devenue payable par le contribuable admissible) est déjà exclue selon l'élément B par l'effet d'une autre exclusion (voir l'exemple ci-dessus concernant la fourniture taxable d'un bien meuble incorporel). En second lieu, si une activité qui se rapporte de quelque façon à une fourniture entre personnes sans lien de dépendance a été exercée, pratiquée ou menée à l'étranger par l'intermédiaire d'un établissement stable, au sens des paragraphes 123(1) ou 132.1(2) de la loi, du contribuable admissible ou d'une personne qui lui est liée, l'exclusion en question n'est pas applicable. Par exemple, si la dépense incluse à l'élément A représente la contrepartie d'un service de traitement de chèques fourni au contribuable admissible par un fournisseur non résident auquel il n'est pas lié et qui n'est pas inscrit sous le régime de la TPS/TVH, elle est exclue de l'élément B. Cependant, si le fournisseur non lié, en effectuant la fourniture en cause, a utilisé des technologies ou du matériel dans l'établissement stable, situé à l'étranger, d'une personne morale liée au contribuable, l'exclusion ne s'applique pas.

Est exclue selon l'élément B la somme incluse à l'élément A qui représente les traitements et salaires qu'un contribuable admissible verse au cours d'une année d'imposition à son salarié qui a principalement travaillé au Canada au cours de l'année.

En règle générale, la somme incluse à l'élément A qui représente des intérêts payés ou payables par le contribuable admissible en contrepartie de la fourniture d'un service financier effectuée à son profit est exclue selon l'élément B. Toutefois, ces intérêts ne sont pas exclus s'ils représentent une somme que le contribuable admissible a versé à une personne, ou porté à son crédit, ou qu'il est réputé, en vertu de la partie I de la Loi de l'impôt sur le revenu, lui avoir versé ou avoir porté à son crédit au titre ou en paiement intégral ou partiel d'honoraires ou de frais de gestion ou d'administration, au sens du paragraphe 212(4) de cette loi.

Afin de veiller à ce que les dividendes ne fassent pas partie de l'assiette qui est assujettie aux dispositions sur l'autocotisation énoncées à l'article 218.01 et au paragraphe 218.1(1.2), tous les dividendes inclus à l'élément A sont exclus selon l'élément B.

Est par ailleurs exclue selon l'élément B la somme incluse à l'élément A qui représente tout ou partie de la contrepartie d'une fourniture de service financier (sauf un service financier déterminé, au sens du paragraphe 217.1(1)) effectuée au profit du contribuable admissible dans le cadre d'une opération ou d'une série d'opérations dont aucun des participants n'a de lien de dépendance avec le contribuable. Il est va de même pour la somme incluse à l'élément A qui représente tout ou partie de la contrepartie d'un service financier, fourni à un contribuable admissible par un mandataire, un vendeur ou un courtier, qui consiste à prendre des mesures en vue de l'émission, du renouvellement, de la modification ou du transfert de propriété d'un effet financier qui est le bien d'une personne autre que le mandataire, le vendeur ou le courtier. Toutefois, si la somme incluse à l'élément A représente tout ou partie de la contrepartie d'une fourniture de service financier (sauf un service financier déterminé) effectuée au profit du contribuable admissible dans le cadre d'une opération ou d'une série d'opérations dont un ou plusieurs des participants ont un lien de dépendance avec le contribuable et que la fourniture consiste notamment à émettre, à renouveler ou à modifier un effet financier, ou à en transférer la propriété, seule la partie de la somme qui ne représente pas du chargement (à savoir, la partie qui est clairement et fondamentalement d'ordre financier) est exclue selon l'élément B.

Les dispositions sur l'autocotisation énoncées à l'article 218.01 et au paragraphe 218.1(1.2) ne s'appliquent qu'aux contribuables admissibles.

Est un « contribuable admissible » la personne qui est une institution financière au cours de son année d'imposition et qui réside au Canada au cours de cette année. Les institutions financières non résidentes sont des contribuables admissibles si elles ont un établissement admissible au Canada (au sens de l'alinéa 217.1(2)a)) au cours de l'année en cause. Les présomptions énoncées aux paragraphes 132(2) et (3) de la loi ne sont pas prises en compte lorsqu'il s'agit d'établir si une personne est un contribuable admissible. Par ailleurs, selon le nouveau paragraphe 217.1(8), la personne qui est un contribuable admissible à un moment de son année d'imposition est réputée l'être tout au long de l'année.

Est une « fourniture déterminée entre personnes liées » la fourniture d'un service financier (sauf un service financier déterminé) qui comprend l'émission, le renouvellement, la modification ou le transfert de propriété d'un effet financier et qui est effectuée au profit d'un contribuable admissible dans le cadre d'une opération ou d'une série d'opérations dont au moins un des participants a un lien de dépendance avec le contribuable. Dans certains cas, il est permis au contribuable admissible d'exclure de l'assiette qui est assujettie aux dispositions sur l'autocotisation énoncées à l'article 218.01 et au paragraphe 218.1(1.2) la partie de la contrepartie d'une telle fourniture qui n'est pas visée par la définition de « chargement » au paragraphe 217.1(1).

Est une « fourniture déterminée entre personnes sans lien de dépendance » la fourniture d'un service financier (sauf un service financier déterminé) qui est effectuée au profit d'un contribuable admissible dans le cadre d'une opération ou d'une série d'opérations dont aucun des participants n'a de lien de dépendance avec le contribuable. Dans certains cas, il est permis au contribuable admissible d'exclure la contrepartie d'une telle fourniture de l'assiette qui est assujettie aux dispositions sur l'autocotisation énoncées à l'article 218.01 et au paragraphe 218.1(1.2).

Sont assimilés à des opérations les arrangements et les événements. Cette définition s'applique dans le cadre des définitions de « contrepartie admissible », « fourniture déterminée entre personnes liées » et « fourniture déterminée entre personnes sans lien de dépendance » et de certaines règles d'interprétation concernant les dispositions sur l'autocotisation énoncées à l'article 218.01 et au paragraphe 218.1(1.2).

Tout traitement, salaire et autre rémunération d'un salarié et tout autre montant qui est inclus ou à inclure, dans le calcul de son revenu pour l'application de la *Loi de l'impôt sur le revenu*, à titre de revenu provenant d'une charge ou d'un emploi constituent une « rétribution admissible » du salarié pour l'application de la section IV de la partie IX. Dans certains cas, la totalité ou une partie de la rétribution admissible versée par un contribuable admissible à son salarié fait partie de l'assiette qui est assujettie aux dispositions sur l'autocotisation énoncées à l'article 218.01 et au paragraphe 218.1(1.2). En règle générale, la rétribution admissible d'un salarié est incluse dans cette assiette, sauf s'il accomplit ses tâches principalement au Canada.

Sont compris parmi les « salariés » les particuliers qui acceptent de devenir des salariés, au sens du paragraphe 123(1) de la loi. Dans certains cas, la rétribution versée à un salarié par un contribuable admissible fait partie de l'assiette qui est assujettie aux dispositions sur l'autocotisation énoncées à l'article 218.01 et au paragraphe 218.1(1.2).

Le terme « service admissible » s'entend de toute tâche accomplie par un salarié ou de tout service, au sens du paragraphe 123(1). Le sens de ce terme est plus large que celui de « service ».

Est un « service financier déterminé » le service financier, fourni à un contribuable admissible par un mandataire, un vendeur ou un courtier, qui consiste à prendre des mesures en vue de l'émission, du renouvellement, de la modification ou du transfert de propriété d'un effet financier qui est le bien d'une personne autre que le mandataire, le vendeur ou le courtier. Dans certains cas, il est permis au contribuable admissible d'exclure la contrepartie de la fourniture d'un tel service de l'assiette qui est assujettie aux dispositions sur l'autocotisation énoncées à l'article 218.01 et au paragraphe 218.1(1.2). C'est le cas notamment des commissions (ou frais similaires) que le contribuable admissible paie au courtier qui prend, au nom du contribuable, des mesures en vue du transfert de propriété d'un titre appartenant à une personne autre que le courtier.

Le terme « tâche accomplie » s'entend de tout ce que fait un salarié relativement à sa charge ou à son emploi. Si les tâches accomplies par le salarié d'un contribuable admissible au cours d'une année d'imposition sont accomplies principalement au Canada, il peut être permis au contribuable admissible, dans certaines circonstances, d'exclure de l'assiette qui est assujettie aux dispositions sur l'autocotisation énoncées à l'article 218.01 et au paragraphe 218.1(1.2) certains montants de rétribution qu'il verse au salarié.

Bulletins de l'information technique [art. 217.1]: B-095, 02/06/11, *Dispositions prévues à l'article 218.01 et au paragraphe 218.1(1.2) relatives à l'autocotisation des institutions financières (règles sur l'importation).*

Série de mémorandums [art. 217.1]: Mémorandum 3.3.1, 06/08, *Livraisons directes.*

217.2 Choix — **(1)** Tout contribuable admissible qui réside au Canada peut faire le choix de déterminer la taxe prévue à l'article 218.01 conformément à l'alinéa 218.01a) et la taxe prévue au paragraphe 218.1(1.2) conformément à l'alinéa 218.1(1.2)a) pour chacune de ses années déterminées au cours desquelles le choix est en vigueur.

Concordance québécoise: aucune.

Formulaires [art. 217.2(1)]: FP-4600, *Choix ou révocation d'un choix en vertu du paragraphe 217.2(1).*

(2) Forme et contenu — Le document concernant le choix d'un contribuable admissible doit :

a) être établi en la forme et contenir les renseignements déterminés par le ministre;

b) préciser la première année déterminée du contribuable au cours de laquelle le choix est en vigueur;

c) préciser si le sous-alinéa 217.1(4)a)(iii) doit s'appliquer dans tous les cas au calcul des frais internes pour l'ensemble des années déterminées du contribuable au cours desquelles le choix est en vigueur;

d) être présenté au ministre, selon les modalités qu'il détermine, au plus tard à la date limite où la déclaration du contribuable concernant la taxe prévue à l'article 218.01 ou au paragraphe 218.1(1.2) pour la première année déterminée est à produire aux termes de l'article 219.

Concordance québécoise: aucune.

(3) Entrée en vigueur — Le choix entre en vigueur le premier jour de l'année déterminée précisée dans le document le concernant.

Concordance québécoise: aucune.

(4) Cessation du choix — Le choix cesse d'être en vigueur au premier en date des jours suivants :

a) le premier jour de l'année déterminée du contribuable admissible où celui-ci cesse de résider au Canada;

b) le jour où la révocation du choix entre en vigueur.

Concordance québécoise: aucune.

(5) Révocation — Le contribuable admissible qui a fait le choix peut le révoquer, avec effet le premier jour d'une année déterminée qui commence au moins deux ans après l'entrée en vigueur du choix. Pour ce faire, il présente au ministre, en la forme et selon les modalités déterminées par lui, un avis de révocation contenant les renseignements déterminés par lui, au plus tard à la date d'entrée en vigueur de la révocation.

Concordance québécoise: aucune.

(6) Restriction — En cas de révocation du choix — laquelle entre en vigueur à une date donnée —, tout choix subséquent fait en application du paragraphe (1) n'est valide que si le premier jour de l'année déterminée précisée dans le document concernant le choix subséquent suit d'au moins deux ans la date d'entrée en vigueur de la révocation

Concordance québécoise: aucune.

Notes historiques: L'article 217.2 a été ajouté par L.C. 2010, c. 12, par. 62(1) et s'applique aux années déterminées d'une personne se terminant après le 16 novembre 2005.

L.C. 2010, c. 12, par. 62(3) prévoit que si une déclaration concernant la taxe prévue à l'article 218.01, ou la taxe prévue au paragraphe 218.1(1.2), pour une année déterminée d'un contribuable admissible est à produire aux termes de l'article 219, au plus tard le 12 juillet 2010 le contribuable peut, malgré l'alinéa 217.2(2)d), faire le choix prévu au paragraphe 217.2(1), — lequel choix entrera en vigueur le premier jour de l'année déterminée — , à condition qu'il présente le document concernant le choix au ministre du Revenu national, selon les modalités déterminées par celui-ci, au plus tard le soixantième jour suivant le 12 juillet 2010.

L.C. 2010, c. 12, par. 62(4) prévoit que lorsqu'un contribuable admissible fait le choix prévu au paragraphe 217.2(1), lequel est en vigueur pour une année déterminée du contribuable se terminant avant le 12 juillet 2010, les règles suivantes s'appliquent :

a) si le contribuable a payé au receveur général, au plus tard à cette date, un montant pour l'année déterminée au titre de la taxe prévue à l'article 218.01 ou au paragraphe 218.1(1.2), et que ce montant est supérieur au montant total de taxe payable pour l'année déterminée en vertu de ces dispositions du fait que le choix est en vigueur pour cette année :

(i) le contribuable peut demander par écrit au ministre du Revenu national, au plus tard deux ans après le 12 juillet 2010, d'établir une cotisation, une nouvelle cotisation ou une cotisation supplémentaire en vue de tenir compte du fait que le choix était en vigueur pour l'année déterminée,

(ii) sur réception de la demande, le ministre, avec diligence :

(A) examine la demande,

(B) établit, en vertu de l'article 296 et malgré l'article 298, une cotisation, une nouvelle cotisation ou une cotisation supplémentaire concernant la taxe payable par le contribuable pour l'année déterminée en vertu de l'article 218.01 ou du paragraphe 218.1(1.2), et les intérêts, pénalités ou autres obligations du contribuable, mais seulement dans la mesure où il est raisonnable de considérer que la cotisation est établie en vue de tenir compte du fait que le choix était en vigueur pour l'année déterminée;

b) le ministre du Revenu national peut établir, en vertu de l'article 296 et malgré l'alinéa 298(1)d), une cotisation, une nouvelle cotisation ou une cotisation supplémentaire concernant la taxe payable par le contribuable pour l'année déterminée en vertu de l'article 218.01 ou du paragraphe 218.1(1.2), au plus tard sept ans après le dernier en date des jours suivants :

(i) le jour où le choix lui est présenté,

(ii) le jour où le contribuable était tenu, au plus tard, de produire la déclaration dans laquelle cette taxe payable devait être indiquée,

(iii) le jour où cette déclaration a été produite.

Bulletins de l'information technique [art. 217.2]: B-095, 02/06/11, *Dispositions prévues à l'article 218.01 et au paragraphe 218.1(1.2) relatives à l'autocotisation des institutions financières (règles sur l'importation).*

Série de mémorandums [art. 217.2]: Mémorandum 3.3.1, 06/08, *Livraisons directes.*

218. Taux de la taxe sur les produits et services — Sous réserve des autres dispositions de la présente partie, l'acquéreur d'une fourniture taxable importée est tenu de payer à Sa Majesté du chef du Canada une taxe calculée au taux de 5 % sur la valeur de la contrepartie de la fourniture.

Notes historiques: L'article 218 a été remplacé par L.C. 2007, c. 35, par. 187(1) et cette modification s'applique :

a) à toute fourniture taxable importée effectuée après décembre 2007;

b) au calcul de la taxe relative à toute fourniture taxable importée effectuée avant janvier 2008, mais seulement en ce qui a trait à la contrepartie qui devient due après décembre 2007 et qui n'a pas été payée avant janvier 2008, ou qui est payée après décembre 2007 sans être devenue due;

c) si ni l'alinéa a) ni l'alinéa b) ne s'appliquent, au calcul d'un montant de taxe qui n'est pas payable, mais qui aurait été payable après décembre 2007 en l'absence de certaines circonstances prévues par la même loi.

Antérieurement, il se lisait ainsi :

> 218. Sous réserve des autres dispositions de la présente partie, l'acquéreur d'une fourniture taxable importée est tenu de payer à Sa Majesté du chef du Canada une taxe calculée au taux de 6 % sur la valeur de la contrepartie de la fourniture.

L'article 218 a été remplacé par L.C. 2006, c. 4, par. 20(1) et cette modification s'applique :

a) à toute fourniture taxable importée effectuée après juin 2006;

b) au calcul de la taxe relative à toute fourniture taxable importée effectuée avant juillet 2006, mais seulement en ce qui a trait à la contrepartie qui devient due après juin 2006 et qui n'a pas été payée avant juillet 2006, ou qui est payée après juin 2006 sans être devenue due;

c) si ni l'alinéa a) ni l'alinéa b) ne s'appliquent, au calcul d'un montant de taxe qui n'est pas payable, mais qui aurait été payable après juin 2006 en l'absence de certaines circonstances prévues par la même loi.

Antérieurement, il se lisait ainsi :

> 218. Sous réserve des autres dispositions de la présente partie, l'acquéreur d'une fourniture taxable importée est tenu de payer à Sa Majesté du chef du Canada une taxe calculée au taux de 7 % sur la valeur de la contrepartie de la fourniture.

L'article 218 a été modifié par L.C. 1997, c. 10, par. 203(1) et cette modification est entrée en vigueur le 1er avril 1997. L'article 218 correspond à l'ancien paragraphe 218(1). Antérieurement, l'article 218 se lisait comme suit :

> 218. (1) Sous réserve des autres dispositions de la présente partie, l'acquéreur d'une fourniture taxable importée doit payer à Sa Majesté du chef du Canada une taxe de 7 % sur la valeur de la contrepartie de la fourniture.
>
> (2) La taxe prévue à la présente section est payable par l'acquéreur le premier en date du jour où la contrepartie de la fourniture taxable importée est payée et du jour où elle devient due.

L'article 218 a été ajouté par L.C. 1990, c. 45, par. 12(1).

juin 2006, Notes explicatives: Selon l'article 218, l'acquéreur d'une fourniture taxable importée, au sens de l'article 217, a l'obligation de payer une taxe calculée au taux de 7 % sur la valeur de la contrepartie de la fourniture. Sont comprises parmi les fournitures taxables importées les fournitures de biens meubles incorporels et de services qui sont effectuées à l'étranger ainsi que certaines fournitures de biens meubles corporels effectuées par des personnes non résidentes non inscrites, si la fourniture du bien est réputée être effectuée à l'étranger, mais que le bien est livré, ou sa possession transférée, au Canada sans que la taxe prévue aux sections II ou III ne s'y applique.

L'article 218 est modifié dans le but de mettre en œuvre la réduction du taux de la TPS et de la composante fédérale de la TVH, lequel passe de 7 % à 6 %.

Cette modification s'applique aux fournitures taxables importées effectuées après juin 2006. Elle s'applique également au calcul de la taxe relative à une fourniture taxable importée effectuée avant le 1er juillet 2006, mais seulement en ce qui a trait à la contrepartie qui devient due après juin 2006 et qui n'a pas été payée avant juillet 2006, ou qui est payée après juin 2006 sans être devenue due. Enfin, la modification s'applique dans d'autres circonstances non prévues ci-dessus aux fins du calcul de la taxe qui n'est pas payable, mais qui aurait été payable après juin 2006 en l'absence de certaines circonstances prévues par la loi, comme l'acquisition par une personne d'un bien devant être consommé, utilisé ou fourni exclusivement dans le cadre de ses activités commerciales.

Concordance québécoise: LTVQ, art. 18.

Renvois [art. 218]: 274.11 (Modification d'une convention — réduction de taux pour 2008).

Jurisprudence [art. 218]: *BJ Services Co. Canada c. R.*, [2002] G.S.T.C. 124 (CCI).

Énoncés de politique [art. 218]: P-126, 24/03/94, *Répartition des coûts à l'intérieur d'une société étrangère*; P-150, 14/07/94, *Application de la taxe sur les logiciels importés*.

Bulletins de l'information technique [art. 218]: B-107, 10/11, *Régimes de placement (y compris les fonds réservés d'assureur) et la TVH* .

Mémorandums [art. 218]: Mémorandum 500-2-6, 01/91, *Application et exécution déclarations et paiements — Autres déclarations de TPS*.

Série de mémorandums [art. 218]: Mémorandum 3.1, 08/99, *Assujettissement à la taxe*.

Info TPS/TVQ [art. 218]: GI-038 — *Réduction du taux de la TPS/TVH (2008)*.

218.01 Taxe sur les produits et services — Sous réserve de la présente partie, tout contribuable admissible est tenu de payer à Sa Majesté du chef du Canada, pour chacune de ses années déterminées, une taxe calculée au taux de 5 % sur celui des montants ci-après qui est applicable :

a) si le choix prévu au paragraphe 217.2(1) est en vigueur pour l'année déterminée, le montant obtenu par la formule suivante :

$$A + B$$

où :

A représente le total des montants représentant chacun un montant de frais internes pour l'année déterminée qui est supérieur à zéro,

B le total des montants représentant chacun un montant de frais externes pour l'année déterminée qui est supérieur à zéro;

b) dans les autres cas, le total des montants représentant chacun un montant de contrepartie admissible pour l'année déterminée qui est supérieur à zéro.

Notes historiques: L'article 218.01 a été remplacé par L.C. 2010, c. 12, par. 63(2) et cette modification s'applique aux années déterminées d'un contribuable admissible commençant après décembre 2007. Antérieurement, il se lisait ainsi :

218.01 Sous réserve de la présente partie, tout contribuable admissible est tenu de payer à Sa Majesté du chef du Canada, pour chacune de ses années déterminées, une taxe égale à celui des montants ci-après qui est applicable :

a) si le choix prévu au paragraphe 217.2(1) est en vigueur pour l'année déterminée, le montant obtenu par la formule suivante :

$$[(A + B) \times (C/D) \times E] + [(A + B) \times ((D - C)/D) \times F]$$

où :

A représente le total des montants représentant chacun un montant de frais internes pour l'année déterminée qui est supérieur à zéro,

B le total des montants représentant chacun un montant de frais externes pour l'année déterminée qui est supérieur à zéro,

C le nombre de jours de l'année déterminée qui sont antérieurs :

(i) à juillet 2006, si l'année déterminée commence avant ce mois,

(ii) à janvier 2008, dans les autres cas,

D le nombre total de jours de l'année déterminée,

E :

(i) si l'année déterminée commence avant juillet 2006, 7 %,

(ii) dans les autres cas, 6 %,

F :

(i) si l'année déterminée commence avant juillet 2006, 6 %,

(ii) dans les autres cas, 5 %;

b) dans les autres cas, le montant obtenu par la formule suivante :

$$[G \times (H/I) \times J] + [G \times ((I - H)/I) \times K]$$

où :

G représente le total des montants représentant chacun un montant de contrepartie admissible pour l'année déterminée qui est supérieur à zéro,

H le nombre de jours de l'année déterminée qui sont antérieurs :

(i) à juillet 2006, si l'année déterminée commence avant ce mois,

(ii) à janvier 2008, dans les autres cas,

I le nombre total de jours de l'année déterminée,

J :

(i) si l'année déterminée commence avant juillet 2006, 7 %,

(ii) dans les autres cas, 6 %,

K :

(i) si l'année déterminée commence avant juillet 2006, 6 %,

(ii) dans les autres cas, 5 %.

L'article 218.01 a été ajouté par L.C. 2010, c. 12, par. 63(1) et s'applique aux années déterminées d'un contribuable admissible se terminant après le 16 novembre 2005 et commençant avant janvier 2008.

janvier 2007, Notes explicatives: Le nouvel article 218.01 est une disposition d'autocotisation qui s'applique aux contribuables admissibles, au sens du paragraphe 217.1(1) de la loi. Si une dépense engagée ou effectuée à l'étranger donne lieu à un montant de contrepartie admissible pour l'année d'imposition d'un contribuable admissible qui est supérieur à zéro, le contribuable est tenu, selon cette disposition, d'établir par autocotisation la taxe sur ce montant. De façon générale, l'article 218.01 prévoit que le contribuable admissible est tenu de totaliser, pour chacune de ses années d'imposition, les montants de contrepartie admissible qui sont supérieurs à zéro et de calculer la taxe sur ce total.

Le contribuable admissible est tenu de calculer la taxe prévue à l'article 218.01 au taux de 6 % pour ses années d'imposition se terminant après le 16 novembre 2005. Toutefois, certains rajustements sont nécessaires en raison de la réduction du taux de la TPS et de la composante fédérale de la TVH lequel est passé de 7 % à 6 % le 1er juillet 2006. En effet, si l'année d'imposition du contribuable commence avant juillet 2006, il doit calculer la taxe au taux de 7 % pour le nombre de jours de l'année d'imposition qui sont antérieurs au 1er juillet 2006 et au taux de 6 % pour le nombre restant de jours de l'année.

Concordance québécoise: aucune.

Bulletins de l'information technique [art. 218.01]: B-095, 02/06/11, *Dispositions prévues à l'article 218.01 et au paragraphe 218.1(1.2) relatives à l'autocotisation des institutions financières (règles sur l'importation)*; B-107, 10/11, *Régimes de placement (y compris les fonds réservés d'assureur) et la TVH* .

Formulaires [art. 218.01]: FP-4600, *Choix ou révocation d'un choix en vertu du paragraphe 217.2(1)*.

218.1 (1) Taxe dans les provinces participantes — Sous réserve des autres dispositions de la présente partie :

a) toute personne résidant dans une province participante qui est l'acquéreur d'une fourniture taxable importée consistant en la fourniture d'un bien meuble incorporel ou d'un service qu'elle acquiert à une fin prévue par règlement relativement à la fourniture ou, en l'absence d'une telle fin, pour consommation, utilisation ou fourniture dans des provinces participantes dans la mesure prévue par règlement, est tenue de payer à Sa Majesté du chef du Canada, à tout moment où la totalité ou une partie de la contrepartie de la fourniture devient due ou est payée sans être devenue due et pour chaque province participante, une taxe, en plus de la taxe imposée par l'article 218, égale au montant obtenu par la formule suivante :

$$A \times B \times C$$

où :

A représente le taux de taxe applicable à la province,

B la valeur de cette contrepartie qui est payée ou devient due à ce moment,

C le pourcentage réglementaire relativement à la fourniture ou, en l'absence d'un tel pourcentage, le pourcentage qui représente la mesure dans laquelle la personne a acquis le bien ou le service pour consommation, utilisation ou fourniture dans la province;

b) les personnes ci-après sont tenues de payer une taxe à Sa Majesté du chef du Canada, outre la taxe imposée par l'article 218 :

(i) l'inscrit qui est l'acquéreur de la fourniture taxable, figurant à l'alinéa b) de la définition de « fourniture taxable importée » à l'article 217, d'un bien dont la possession matérielle lui a été transférée dans une province participante,

(ii) la personne qui est l'acquéreur de la fourniture, incluse à l'un des alinéas b.1) à b.3) de la définition de « fourniture taxable importée » à l'article 217, d'un bien qui lui est livré dans une province participante ou y est mis à sa disposition, et qui soit réside dans cette province, soit est un inscrit,

(iii) la personne qui est l'acquéreur d'une fourniture, incluse à l'un des alinéas c.1), d) ou e) de la définition de « fourniture taxable importée » à l'article 217, qui est effectuée dans une province participante.

Cette taxe, qui est à payer à tout moment où la totalité ou une partie de la contrepartie de la fourniture devient due ou est payée sans être devenue due, étant égale au montant obtenu par la formule suivante :

$$A \times B \times C$$

où :

A représente le taux de taxe applicable à la province,

B la valeur de cette contrepartie qui est payée ou devient due à ce moment,

C :

(A) s'il s'agit de la fourniture taxable importée d'un bien meuble corporel, 100 %,

(B) dans les autres cas, le pourcentage réglementaire relativement à la fourniture ou, en l'absence d'un tel pourcentage, le pourcentage qui représente la mesure dans laquelle la personne a acquis le bien ou le service pour consommation, utilisation ou fourniture dans la province.

Notes historiques: L'alinéa 218.1(1)a) a été remplacé par L.C. 2012, c. 31, par. 76(1) et cette modification s'applique relativement aux fournitures effectuées après juin 2010. Antérieurement, il se lisait ainsi :

a) toute personne résidant dans une province participante qui est l'acquéreur d'une fourniture taxable importée consistant en la fourniture d'un bien meuble incorporel ou d'un service qu'elle acquiert pour consommation, utilisation ou fourniture dans des provinces participantes dans la mesure prévue par règlement est tenue de payer à Sa Majesté du chef du Canada, à tout moment où la totalité ou une partie de la contrepartie de la fourniture devient due ou est payée sans être devenue due et pour chaque province participante, une taxe, en plus de la taxe imposée par l'article 218, égale au montant obtenu par la formule suivante :

$$A \times B \times C$$

où :

A représente le taux de taxe applicable à la province,

B la valeur de cette contrepartie qui est payée ou devient due à ce moment,

C le pourcentage qui représente la mesure dans laquelle la personne a acquis le bien ou le service pour consommation, utilisation ou fourniture dans la province;

La division (B) de l'élément C de la formule à l'alinéa 218.1(1)b) a été remplacée par L.C. 2012, c. 31, par. 76(2) et cette modification s'applique relativement aux fournitures effectuées après juin 2010. Antérieurement, elle se lisait ainsi :

(B) dans les autres cas, le pourcentage qui représente la mesure dans laquelle la personne a acquis le bien ou le service pour consommation, utilisation ou fourniture dans la province.

Les alinéas 218.1(1)c) et d) ont été remplacés par L.C. 2010, c. 12, par. 64(1) et s'appliquent aux années déterminées d'une personne se terminant après le 16 novembre 2005. Toutefois, en ce qui concerne les fournitures effectuées avant le 20 mars 2007, il n'est pas tenu compte de la mention « c.1) » figurant à l'alinéa 218.1(1)d).

L.C. 2010, c. 12, par. 95(4) prévoit que s'il reçoit la sanction royale après le 1er juillet 2010 :

a) L.C. 2010, c. 12, par. 64(1) modifiant les alinéas 218.1(1)c) et d), est réputé ne jamais être entré en vigueur et sera abrogé;

b) L.C. 2010, c. 12, par. 64(5)est réputé avoir le libellé suivant :

(5) Les paragraphes (2) et (4) s'appliquent aux années déterminées d'une personne se terminant après le 16 novembre 2005.

c) pour ce qui est de l'année déterminée d'une personne se terminant après le 16 novembre 2005, le paragraphe 218.1(1) est réputé avoir le libellé ci-après avant le 1er juillet 2010 :

218.1 (1) Sous réserve des autres dispositions de la présente partie, est tenu de payer une taxe à Sa Majesté du chef du Canada, outre la taxe imposée par l'article 218 :

a) la personne résidant dans une province participante qui est l'acquéreur d'une fourniture taxable importée consistant en la fourniture d'un bien meuble incorporel ou d'un service qu'elle acquiert pour consommation, utilisation ou fourniture principalement dans des provinces participantes;

b) l'inscrit qui est l'acquéreur de la fourniture taxable, incluse à l'alinéa b) de la définition de « fourniture taxable importée » à l'article 217, d'un bien dont la possession matérielle lui a été transférée dans une province participante;

c) la personne qui est l'acquéreur de la fourniture, incluse à l'un des alinéas b.1) à b.3) de la définition de « fourniture taxable importée » à l'article 217, d'un bien qui lui est livré dans une province participante ou y est mis à sa disposition, et qui soit réside dans cette province, soit est un inscrit;

d) la personne qui est l'acquéreur d'une fourniture, incluse à l'un des alinéas c.1), d) ou e) de la définition de « fourniture taxable importée » à l'article 217, qui est effectuée dans une province participante.

Cette taxe, qui est à payer à tout moment où la totalité ou une partie de la contrepartie de la fourniture devient due ou est payée sans qu'elle soit devenue due, est égale au résultat du calcul suivant :

$$A \times B \times C$$

où :

A représente le taux de taxe applicable à la province,

B la valeur de cette contrepartie qui est payée ou devient due à ce moment,

C :

a) s'il s'agit de la fourniture taxable importée d'un bien meuble corporel, 100 %,

b) dans les autres cas, le pourcentage qui représente la mesure dans laquelle la personne a acquis le bien ou le service pour consommation, utilisation ou fourniture dans la province.

d) pour ce qui des fournitures effectuées avant le 20 mars 2007, l'alinéa 218.1(1)d), dans sa version applicable selon l'alinéa c), s'applique compte non tenu du renvoi à l'alinéa c.1);

e) les sous-alinéas 218.1(1)b)(ii) et (iii), sont remplacés par ce qui suit :

(ii) la personne qui est l'acquéreur de la fourniture, incluse à l'un des alinéas b.1) à b.3) de la définition de « fourniture taxable importée » à l'article 217, d'un bien qui lui est livré dans une province participante ou y est mis à sa disposition, et qui soit réside dans cette province, soit est un inscrit,

(iii) la personne qui est l'acquéreur d'une fourniture, incluse à l'un des alinéas c.1), d) ou e) de la définition de « fourniture taxable importée » à l'article 217, qui est effectuée dans une province participante,

L'alinéa 218.1(1)c) a été remplacé par L.C. 2000, c. 30, par. 46(2). Cette modification s'applique aux fournitures effectuées après octobre 1998. Antérieurement, il se lisait comme suit :

c) la personne qui est l'acquéreur de la fourniture, figurant aux alinéas 217b.1) ou b.2), d'un bien qui lui est livré dans une province participante ou y est mis à sa disposition, et qui soit réside dans cette province, soit est un inscrit.

L'alinéa 218.1(1)c) a été remplacé par L.C. 2000, c. 30, par. 46(1). Cette modification s'applique aux fournitures effectuées après le 7 août 1998. Antérieurement, il se lisait comme suit :

c) la personne qui est l'acquéreur de la fourniture, figurant à l'alinéa b.1) de cette définition, d'un bien qui lui est livré dans une province participante ou y est mis à sa disposition, et qui soit réside dans cette province, soit est un inscrit.

L'alinéa 218.1(1)d) a été remplacé par L.C. 2007, c. 35, par. 3(1) et cette modification s'applique aux fournitures effectuées après le 19 mars 2007. Antérieurement, il se lisait ainsi :

d) la personne qui est l'acquéreur d'une fourniture, incluse aux alinéas 217d) ou e), qui est effectuée dans une province participante.

L'alinéa 218.1(1)d) a été ajouté par L.C. 2001, c. 15, par. 8(1) et s'applique aux fournitures effectuées après 2000.

Le paragraphe 218.1(1) a été remplacé par. L.C. 2009, c. 32, par. 14(1) et cette modification est entrée en vigueur le 1er juillet 2010. Antérieurement, il se lisait ainsi :

218.1 (1) Sous réserve des autres dispositions de la présente partie, est tenu de payer une taxe à Sa Majesté du chef du Canada, outre la taxe imposée par l'article 218 :

a) la personne résidant dans une province participante qui est l'acquéreur d'une fourniture taxable importée consistant en la fourniture d'un bien meuble incorporel ou d'un service qu'elle acquiert pour consommation, utilisation ou fourniture principalement dans des provinces participantes;

b) l'inscrit qui est l'acquéreur de la fourniture taxable, figurant à l'alinéa b) de la définition de « fourniture taxable importée » à l'article 217, d'un bien dont la possession matérielle lui a été transférée dans une province participante;

c) la personne qui est l'acquéreur de la fourniture, figurant à l'un des alinéas 217b.1) à b.3), d'un bien qui lui est livré dans une province participante ou y est mis à sa disposition, et qui soit réside dans cette province, soit est un inscrit.

d) la personne qui est l'acquéreur d'une fourniture, incluse à l'un des alinéas 217c.1), d) ou e), qui est effectuée dans une province participante.

Cette taxe, qui est à payer à tout moment où la totalité ou une partie de la contrepartie de la fourniture devient due ou est payée sans qu'elle soit devenue due, est égale au résultat du calcul suivant :

$$A \times B \times C$$

où :

A représente le taux de taxe applicable à la province;

B la valeur de cette contrepartie qui est payée ou devient due à ce moment;

C :

(a) s'il s'agit de la fourniture taxable importée d'un bien meuble corporel, 100 %,

(b) dans les autres cas, le pourcentage qui représente la mesure dans laquelle la personne a acquis le bien ou le service pour consommation, utilisation ou fourniture dans la province.

Le paragraphe 218.1(1) a été ajouté par L.C. 1997, c. 10, par. 198(1) et est entré en vigueur le 1er avril 1997.

15 octobre 2012, Notes explicatives: Le paragraphe 218.1(1) impose une taxe au titre de la composante provinciale de la TVH sur les fournitures taxables importées, effectuées à l'étranger, qui portent sur des biens ou des services acquis en vue d'être consommés, utilisés ou fournis dans une province participant à la TVH autrement qu'exclusivement dans le cadre d'une activité commerciale.

Selon l'alinéa 218.1(1)a), la personne résidant dans une province participante qui est l'acquéreur de la fourniture taxable importée d'un bien meuble incorporel ou d'un service est assujettie à la composante provinciale de la TVH si elle acquiert le bien ou le service en vue de le consommer, de l'utiliser ou de le fournir dans la mesure prévue par règlement (qui s'établit actuellement à au moins 10 %) dans les provinces participantes. Le montant de taxe payable dans ces circonstances est calculé par rapport à la mesure dans laquelle le bien incorporel ou le service sera consommé, utilisé ou fourni dans la province participante où l'acquéreur réside.

L'alinéa 218.1(1)a) est modifié de façon à prévoir que toute personne résidant dans une province participante qui est l'acquéreur de la fourniture taxable importée d'un bien meuble incorporel ou d'un service et qui acquiert le bien ou le service à une fin prévue par règlement relativement à la fourniture est assujettie à la composante provinciale de la TVH peu importe la mesure dans laquelle le bien ou le service a été acquis en vue d'être consommé, utilisé ou fourni dans les provinces participantes. Cet alinéa est également modifié de façon à prévoir que la taxe est calculée au moyen du pourcentage réglementaire relatif à la fourniture ou, en l'absence d'un tel pourcentage, du pourcentage qui représente la mesure dans laquelle le bien ou le service est acquis en vue d'être consommé, utilisé ou fourni dans la province participante où l'acquéreur réside.

Selon l'alinéa 218.1(1)b), est également assujetti à la composante provinciale de la TVH chaque inscrit qui est l'acquéreur d'une fourniture taxable visée à l'un des alinéas b.1), b.2), b.3), c.1), d) ou e) de la définition de « fourniture taxable importée » à l'article 217. Lorsque la fourniture taxable importée consiste en la fourniture d'un bien meuble incorporel ou d'un service, la taxe est calculée en fonction de la mesure dans laquelle le bien ou le service est acquis en vue d'être consommé, utilisé ou fourni dans la province participante où la fourniture est effectuée.

L'alinéa 218.1(1)b) est modifié de façon à prévoir que, dans le cas de la fourniture taxable importée d'un bien meuble incorporel ou d'un service, la taxe est calculée au moyen du pourcentage réglementaire relativement à la fourniture ou, en l'absence d'un tel pourcentage, du pourcentage qui représente la mesure dans laquelle le bien ou le service est acquis en vue d'être consommé, utilisé ou fourni dans la province participante où la fourniture est effectuée.

Les dispositions réglementaires proposées pour l'application des alinéas 218.1(1)a) et b) prévoient, de façon générale, que certains régimes de placement (au sens du paragraphe 149(5)) et fonds réservés d'assureurs (au sens du paragraphe 123(1)) doivent établir la taxe par autocotisation, notamment dans les cas suivants :

- Les séries provinciales (généralement, des séries créées exclusivement pour des investisseurs résidant dans une province donnée) de régimes de placement et de fonds réservés qui sont des institutions financières désignées particulières (au sens du paragraphe 225.2(1)) : lorsque la série provinciale est créée pour des investisseurs résidant dans une province participante, le régime de placement ou le fonds réservé serait tenu d'établir par autocotisation selon ces alinéas la composante provinciale de la TVH qui s'applique à cette province relativement aux biens et services qui se rapportent à la série.
- Les régimes de placement provinciaux (généralement, des régimes de placement ou des fonds réservés créés exclusivement pour des investisseurs résidant dans une province donnée) : lorsque le régime de placement provincial est créé pour des investisseurs résidant dans une province participante, le régime serait tenu d'établir par autocotisation selon ces alinéas la composante provinciale de la TVH qui s'applique à cette province.

Les modifications apportées au paragraphe 218.1(1) s'appliquent relativement aux fournitures effectuées après juin 2010.

Concordance québécoise: LTVQ, art. 18.0.1.

Bulletins de l'information technique [art. 218.1(1)]: B-XX5, 09/11, *Taxe de vente harmonisée Autocotisation de la partie provinciale de la TVH à l'égard des biens et services transférés dans une province participante* .

Info TPS/TVQ [art. 218.1(1)]: GI-053 — *Transition à la taxe de vente harmonisée de l'Ontario et de la Colombie-Britannique — service de transport de marchandise.*

(1.1) Livraison dans une province — L'article 3 de la partie II de l'annexe IX s'applique dans le cadre du sous-alinéa (1)b)(ii).

Notes historiques: Le paragraphe 218.1(1.1) a été remplacé par L.C. 2012, c. 31, par. 76(3) et cette modification est réputée être entrée en vigueur le 1er juillet 2010. Antérieurement, il se lisait ainsi :

(1.1) L'article 3 de la partie II de l'annexe IX s'applique dans le cadre de l'alinéa (1)c).

Le paragraphe 218.1(1.1) a été ajouté par L.C. 2001, c. 15, par. 8(2) et s'applique aux fournitures effectuées après le 4 octobre 2000.

15 octobre 2012, Notes explicatives: Par l'effet du paragraphe 218.1(1.1), la question de savoir si un bien est livré dans une province donnée pour l'application de la section IV est déterminée selon les mêmes règles que celles qui s'appliquent dans le cadre de la section II. La modification apportée au paragraphe 218.1(1.1) consiste à remplacer le renvoi à l'alinéa 218.1(1)c) — qui a été abrogé — par un renvoi au sous-alinéa 218.1(1)b)(ii).

Cette modification est réputée être entrée en vigueur le 1er juillet 2010.

Concordance québécoise: aucune.

(1.2) Taxe dans une province participante — Sous réserve de la présente partie, tout contribuable admissible qui réside dans une province participante est tenu de payer à Sa Majesté du chef du Canada, pour chacune de ses années déterminées et pour chaque province participante donnée, en sus de la taxe payable en vertu de l'article 218.01, une taxe calculée au taux applicable à la province donnée sur celui des montants ci-après qui est applicable :

a) si le choix prévu au paragraphe 217.2(1) est en vigueur pour l'année déterminée, le montant obtenu par la formule suivante :

$$A + B$$

où :

A représente le total des montants représentant chacun le montant, relatif à un montant de frais internes pour l'année déterminée qui est supérieur à zéro, obtenu par la formule suivante :

$$A_1 \times A_2$$

où :

A_1 représente le montant de frais internes,

A_2 le pourcentage réglementaire relativement à un montant de frais internes ou, en l'absence d'un tel pourcentage, le pourcentage qui représente la mesure dans laquelle le montant de frais internes est attribuable à des dépenses qui ont été engagées ou effectuées en vue de la consommation, de l'utilisation ou de la fourniture de tout ou partie d'un service admissible ou d'un bien — relativement auquel le montant de frais internes est attribuable — dans le cadre d'une activité que le contribuable exerce, pratique ou mène dans la province donnée,

B le total des montants représentant chacun le montant, relatif à un montant de frais externes pour l'année déterminée qui est supérieur à zéro, obtenu par la formule suivante :

$$B_1 \times B_2$$

où :

B_1 représente le montant de frais externes,

B_2 le pourcentage réglementaire relativement à un montant de frais externes ou, en l'absence d'un tel pourcentage, le pourcentage qui représente la mesure dans laquelle la totalité ou la partie de la dépense qui correspond au montant de frais externes a été engagée ou effectuée en vue de la consommation, de l'utilisation ou de la fourniture de tout ou partie d'un service admissible ou d'un bien — relativement auquel le montant de frais externes est attribuable — dans le cadre d'une activité que le contribuable exerce, pratique ou mène dans la province donnée;

b) dans les autres cas, le total des montants dont chacun représente le montant, relatif à un montant de contrepartie admissible pour l'année déterminée qui est supérieur à zéro, obtenu par la formule suivante :

$$C \times D$$

où :

C représente le montant de contrepartie admissible,

D le pourcentage réglementaire relativement à un montant de contrepartie admissible ou, en l'absence d'un tel pourcentage, le pourcentage qui représente la mesure dans laquelle la totalité ou une partie de la dépense qui correspond au montant de contrepartie admissible a été engagée ou effectuée en vue de la consommation, de l'utilisation ou de la fourniture de tout ou partie d'un service admissible ou d'un bien — relativement auquel le montant de contrepartie admissible est attribuable — dans le cadre d'une activité que le contribuable exerce, pratique ou mène dans la province donnée.

Notes historiques: Le paragraphe 218.1(1.2) a été ajouté par L.C. 2010, c. 12, par. 64(2) et s'applique aux années déterminées d'une personne se terminant après le 16 novembre 2005.

Le préambule du paragraphe 218.1(1.2) a été remplacé par L.C. 2010, c. 12, par. 64(3) et cette modification s'applique aux années déterminées d'une personne se terminant après juin 2010. Antérieurement, il se lisait ainsi :

(1.2) Sous réserve de la présente partie, tout contribuable admissible qui réside dans une province participante est tenu de payer à Sa Majesté du chef du Canada, pour chacune de ses années déterminées et pour chaque province participante donnée où il réside au cours de l'année déterminée, en sus de la taxe payable en vertu de l'article 218.01, une taxe calculée au taux applicable à la province donnée sur celui des montants ci-après qui est applicable :

Malgré les paragraphes (5) et (6), le montant de taxe payable par une personne en vertu du paragraphe 218.1(1.2) de la même loi, édicté par les paragraphes (2) et (3), pour son année déterminée commençant avant le 1er juillet 2010 et se terminant à cette date ou par la suite et pour la Nouvelle-Écosse ou la zone extracôtière de la Nouvelle-Écosse est égal au montant obtenu par la formule suivante :

$$A - [0{,}2 \times A \times (B/C)]$$

où :

A représente le montant qui, en l'absence du présent paragraphe, correspondrait à la taxe payable en vertu du paragraphe 218.1(1.2) de la même loi, édicté par les paragraphes (2) et (3), pour l'année déterminée et pour la Nouvelle-Écosse ou la zone extracôtière de la Nouvelle-Écosse, selon le cas;

B le nombre de jours de l'année déterminée qui sont antérieurs à juillet 2010;

C le nombre de jours de l'année déterminée.

Le libellé de l'article 64 de la *Loi sur l'emploi et la croissance économique* (L.C. 2010, c. 12) a été modifié par L.C. 2012, c. 31, art. 94 par l'ajout du paragraphe (8). Cette modification est réputée entrée en vigueur le 14 décembre 2012.

L'élément A_2 de la deuxième formule à l'alinéa 218.1(1.2)a) a été remplacé par L.C. 2012, c. 31, par. 76(4) et cette modification s'applique relativement aux années déterminées d'une personne se terminant après juin 2010. Antérieurement, il se lisait ainsi :

A_2 le pourcentage qui représente la mesure dans laquelle le montant de frais internes est attribuable à des dépenses qui ont été engagées ou effectuées en vue de la consommation, de l'utilisation ou de la fourniture de tout ou partie d'un service admissible ou d'un bien — relativement auquel le montant de frais internes est attribuable — dans le cadre d'une activité que le contribuable exerce, pratique ou mène dans la province donnée,

L'élément B_2 de la troisième formule à l'alinéa 218.1(1.2)a) a été remplacé par L.C. 2012, c. 31, par. 76(5) et s'applique relativement aux années déterminées d'une personne se terminant après juin 2010. Antérieurement, il se lisait ainsi :

B_2 le pourcentage qui représente la mesure dans laquelle la totalité ou la partie de la dépense qui correspond au montant de frais externes a été engagée ou effectuée en vue de la consommation, de l'utilisation ou de la fourniture de tout ou partie d'un service admissible ou d'un bien — relativement auquel le montant de frais externes est attribuable — dans le cadre d'une activité que le contribuable exerce, pratique ou mène dans la province donnée;

L'élément D de la formule à l'alinéa 218.1(1.2)b) a été remplacé par L.C. 2012, c. 31, par. 76(6) et cette modification s'applique relativement aux années déterminées d'une personne se terminant après juin 2010. Antérieurement, il se lisait ainsi :

D le pourcentage qui représente la mesure dans laquelle la totalité ou une partie de la dépense qui correspond au montant de contrepartie admissible a été engagée ou effectuée en vue de la consommation, de l'utilisation ou de la fourniture de tout ou partie d'un service admissible ou d'un bien — relativement auquel le montant de contrepartie admissible est attribuable — dans le cadre d'une activité que le contribuable exerce, pratique ou mène dans la province donnée.

15 octobre 2012, Notes explicatives: Le paragraphe 218.1(1.2) est une disposition d'autocotisation qui s'applique aux contribuables admissibles (au sens du paragraphe 217.1(1)) qui résident dans une province participante. La taxe imposée selon cette disposition doit être calculée pour chaque province participante si le contribuable admissible réside dans une province participante quelconque.

L'alinéa 218.1(1.2)a) s'applique dans le cas où le choix prévu au paragraphe 217.2(1) de la Loi est en vigueur pour une année déterminée, au sens de l'article 217. Selon cet alinéa, un contribuable admissible résidant dans une province participante doit analyser chaque montant relatif à un montant de frais internes (au sens du paragraphe 217.1(4)) ou de frais externes (au sens de l'article 217) pour l'année qui est supérieur à zéro et calculer la composante provinciale de la TVH sur une certaine proportion de ces montants.

L'alinéa 218.1(1.2)a) est modifié de façon à prévoir que la composante provinciale de la TVH relative à un montant de frais internes ou de frais externes n'est déterminée au moyen du pourcentage qui représente la mesure prévue à l'alinéa 218.1(1.2)a) en vigueur qu'en l'absence d'un pourcentage réglementaire relatif au montant de frais internes ou de frais externes, selon le cas. Si un pourcentage réglementaire existe relativement au montant de frais internes ou de frais externes, la composante provinciale de la TVH relative à ce montant est déterminée selon ce pourcentage.

L'alinéa 218.1(1.2)b) s'applique dans le cas où le choix prévu au paragraphe 217.2(1) n'est pas en vigueur pour une année déterminée. Selon cet alinéa, un contribuable admissible résidant dans une province participante doit analyser chaque montant de contrepartie admissible (au sens de l'article 217) pour l'année qui est supérieur à zéro et calculer la composante provinciale de la TVH sur une certaine proportion de ce montant.

L'alinéa 218.1(1.2)b) est modifié de façon à prévoir que la composante provinciale de la TVH relative à un montant de contrepartie admissible n'est déterminée au moyen du pourcentage qui représente la mesure prévue à l'alinéa 218.1(1.2)b) en vigueur qu'en l'absence d'un pourcentage réglementaire relatif au montant de contrepartie admissible. Si un pourcentage réglementaire existe relativement au montant de contrepartie admissible, la composante provinciale de la TVH relative à ce montant est déterminée selon ce pourcentage.

Les dispositions réglementaires proposées pour l'application des alinéas 218.1(1.2)a) et b) prévoient, de façon générale, que certains régimes de placement et fonds réservés d'assureurs doivent établir la taxe par autocotisation, notamment dans les cas suivants :

- Les séries provinciales (généralement, des séries créées exclusivement pour des investisseurs résidant dans une province donnée) de régimes de placement et de fonds réservés qui sont des institutions financières désignées particulières : lorsque la série provinciale est créée pour des investisseurs résidant dans une province participante, le régime de placement ou le fonds réservé serait tenu d'établir par autocotisation selon ces alinéas la composante provinciale de la TVH qui s'applique à cette province relativement aux montants de frais internes, de frais externes et de contrepartie admissible qui se rapportent à la série.
- Les régimes de placement provinciaux (généralement, des régimes de placement ou des fonds réservés créés exclusivement pour des investisseurs résidant dans une province donnée) : lorsque le régime de placement provincial est créé pour des investisseurs résidant dans une province participante, le régime serait tenu d'établir par autocotisation selon ces alinéas la composante provinciale de la TVH qui s'applique à cette province.

Les modifications apportées au paragraphe 218.1(1.2) s'appliquent relativement à toute année déterminée d'une personne qui prend fin après juin 2010.

janvier 2007, Notes explicatives: Le nouveau paragraphe 218.1(1.2) est une disposition d'autocotisation qui s'applique aux contribuables admissibles qui résident dans une province participante. La taxe imposée par ce paragraphe s'ajoute à celle prévue à l'article 218.01 et doit être calculée pour chaque province participante où le contribuable réside. De façon générale, le paragraphe 218.1(1.2) prévoit que le contribuable admissible qui réside dans une province participante doit analyser, pour chacune de ses années d'imposition, chaque montant de contrepartie admissible qui est supérieur à zéro et calculer la composante provinciale de la TVH sur une certaine proportion de chaque montant positif pour chaque province participante où il réside. La proportion en question, exprimée en pourcentage, correspond à la mesure dans laquelle la dépense (laquelle correspond au montant de contrepartie admissible) a été engagée ou effectuée en vue de consommer, d'utiliser ou de fournir la totalité ou une partie d'un bien ou d'un service admissible (à laquelle le montant de contrepartie admissible est attribuable) dans le cadre d'une activité que le contribuable exerce, pratique ou mène dans la province en cause. Étant donné que chaque montant positif de contrepartie admissible correspond à tout ou partie d'une dépense engagée ou effectuée à l'étranger, chacun de ces montants est attribuable à la totalité ou à la partie du bien ou du service admissible (au sens du paragraphe 217.1(1)) relativement à laquelle la totalité ou la partie de la dépense en cause a été engagée ou effectuée.

Concordance québécoise: aucune.

Formulaires [par. 218.1(1.2)]: FP-4600, *Choix ou révocation d'un choix en vertu du paragraphe 217.2(1).*

(1.3) Contribuable admissible résidant dans une province — Malgré l'article 132.1 et pour l'application du paragraphe (1.2), un contribuable admissible est réputé résider dans une province à un moment donné si à ce moment, selon le cas :

a) il a un établissement admissible dans la province;

b) s'agissant d'un contribuable admissible qui réside au Canada, il est :

(i) une personne morale constituée ou prorogée exclusivement en vertu de la législation de la province,

(ii) un club, une association, une organisation non constituée en personne morale ou une société de personnes, ou une succursale de ceux-ci, dont la majorité des membres qui en ont le contrôle et la gestion résident dans la province,

(iii) une fiducie qui exerce dans la province des activités à ce titre et qui y a un bureau local ou une succursale.

Notes historiques: Le paragraphe 218.1(1.3) a été ajouté par L.C. 2010, c. 12, par. 64(2) et s'applique aux années déterminées d'une personne se terminant après le 16 novembre 2005.

Malgré les paragraphes 64(5) et (6), le montant de taxe payable par une personne en vertu du paragraphe 218.1(1.2), pour son année déterminée commençant avant le 1er juillet 2010 et se terminant à cette date ou par la suite et pour l'Ontario ou la Colombie-Britannique est égal au montant obtenu par la formule suivante :

$$A \times (B/C)$$

où :

A représente le montant qui, en l'absence du présent paragraphe, correspondrait à la taxe payable en vertu du paragraphe 218.1(1.2), pour l'année déterminée et pour l'Ontario ou la Colombie-Britannique, selon le cas;

B le nombre de jours de l'année déterminée qui sont postérieurs à juin 2010;

C le nombre total de jours de l'année déterminée.

janvier 2007, Notes explicatives: La disposition d'autocotisation prévue au paragraphe 218.1(1.2) ne s'applique qu'aux contribuables admissibles qui résident dans une province participante. Le nouveau paragraphe 218.1(1.3) prévoit des règles qui permettent de déterminer les circonstances dans lesquelles un contribuable admissible est réputé résider dans une province pour l'application du paragraphe 218.1(1.2). Ces règles s'appliquent seulement dans le cadre du paragraphe 218.1(1.2) et malgré l'article 132.1 de la loi, lequel prévoit les règles générales qui permettent de déterminer les circonstances dans lesquelles une personne est réputée résider dans une province pour l'application de la partie IX de la loi.

Selon l'alinéa 218.1(1.3)a), le contribuable admissible qui réside au Canada est réputé résider dans une province dans des circonstances précises. En effet, s'il est une personne morale, il doit être constitué en vertu de la législation de la province ou prorogé exclusivement en vertu de cette législation. S'il est une société de personnes, une organisation non constituée en personne morale, un club ou une association, ou une succursale de ceux-ci, la majorité de ses membres qui le contrôlent ou le gèrent doivent résider dans la province. S'il est une fiducie, il doit exercer des activités à ce titre dans la province et y avoir un bureau local ou une succursale.

De plus, pour l'application du paragraphe 218.1(1.2) seulement, le contribuable admissible (quel que soit son lieu de résidence) qui a un établissement admissible dans une province (au sens de l'alinéa 217.1(2)b)) est réputé, selon l'alinéa 218.1(1.3)b), résider dans la province.

Concordance québécoise: aucune.

(2) Institutions financières désignées particulières — La taxe prévue aux paragraphes (1) ou (1.2) qui, en l'absence du présent paragraphe, deviendrait payable par une personne à un moment où elle est une institution financière désignée particulière n'est pas payable, sauf s'il s'agit d'un montant de taxe qui, selon le cas :

a) est visé par règlement pour l'application de l'alinéa a) de l'élément F de la formule figurant au paragraphe 225.2(2);

b) se rapporte à la fourniture taxable importée d'un bien ou d'un service acquis à une fin autre que pour consommation, utilisation ou fourniture dans le cadre d'une initiative, au sens du paragraphe 141.01(1), de la personne.

c) est visé par règlement.

Notes historiques: Le préambule du paragraphe 218.1(2) a été remplacé par L.C. 2010, c. 12, par. 64(4) et cette modification s'applique aux années déterminées d'une personne se terminant après le 16 novembre 2005. Antérieurement, il se lisait ainsi :

(2) La taxe prévue au paragraphe (1) qui, si ce n'était le présent paragraphe, deviendrait payable par une personne à un moment où elle est une institution financière désignée particulière n'est pas payable, sauf s'il s'agit d'un montant de taxe qui, selon le cas :

L'alinéa 218.1(2)c) a été ajouté par. L.C. 2009, c. 32, par. 14(2) et est entré en vigueur le 1er juillet 2010.

Le paragraphe 218.1(2) a été remplacé par L.C. 2000, c. 30, par. 46(3). Cette modification est réputée entrée en vigueur le 1er avril 1997. Antérieurement, il se lisait comme suit :

(2) La taxe (sauf un montant de taxe qui est visé par règlement pour l'application de l'alinéa a) de l'élément F de la formule figurant au paragraphe 225.2(2)) prévue au paragraphe (1) qui, n'étaitle présent paragraphe, deviendrait payable par une personne à un moment où elle est une institution financière désignée particulière n'est pas payable.

Le paragraphe 218.1(2) a été ajouté par L.C. 1997, c. 10, par. 203(1) et est entré en vigueur le 1er avril 1997.

janvier 2007, Notes explicatives: Le paragraphe 218.1(2) prévoit, de façon générale, que les institutions financières désignées particulières, au sens du paragraphe 225.2(1), n'ont pas à établir par autocotisation la taxe imposée en vertu du paragraphe 218.1(1) (à savoir, la composante provinciale de la TVH) relativement aux fournitures taxables importées visées à l'article 217 de la loi. En effet, ces institutions financières comptabilisent la composante provinciale de la TVH sur leurs achats au moyen de redressements apportés à leur taxe nette en vertu du paragraphe 225.2(2).

La modification apportée au paragraphe 218.1(2) fait en sorte que cette exception s'applique également à la composante provinciale de la TVH imposée aux termes du nouveau paragraphe 218.1(1.2).

Concordance québécoise: aucune.

Formulaires [art. 218.1(2)]: RC4050, *Renseignements sur la TPS/TVH à l'intention des institutions financières désignées particulières.*

(3) Application dans les zones extracôtières — Le paragraphe (1) ne s'applique pas aux fournitures suivantes :

a) la fourniture taxable importée d'un bien meuble incorporel ou d'un service effectuée au profit d'une personne qui réside dans la zone extracôtière de la Nouvelle-Écosse ou la zone extracôtière de Terre-Neuve, sauf si la personne acquiert le bien ou le service pour consommation, utilisation ou fourniture dans le cadre d'une activité extracôtière ou si elle réside également dans une province participante qui n'est pas une zone extracôtière;

b) la fourniture taxable importée d'un bien meuble corporel qui est livré à l'acquéreur dans la zone extracôtière de la Nouvelle-Écosse ou la zone extracôtière de Terre-Neuve ou y est mis à sa disposition, ou dont la possession matérielle l'y est transférée, sauf si l'acquéreur acquiert le bien pour consommation, utilisation ou fourniture dans le cadre d'une activité extracôtière.

Notes historiques: Le paragraphe 218.1(3) a été ajouté par L.C. 1997, c. 10, par. 203(1) et est entré en vigueur le 1er avril 1997.

Concordance québécoise: aucune.

(4) Utilisation dans les zones extracôtières — Pour l'application du paragraphe (1), la personne qui acquiert un bien ou un service pour consommation, utilisation ou fourniture dans la zone extracôtière de la Nouvelle-Écosse ou la zone extracôtière de Terre-Neuve est réputée l'acquérir pour consommation, utilisation ou fourniture dans cette zone seulement dans la mesure où il est acquis pour consommation, utilisation ou fourniture dans cette zone dans le cadre d'une activité extracôtière.

Notes historiques: Le paragraphe 218.1(4) a été ajouté par L.C. 1997, c. 10, par. 203(1) et est entré en vigueur le 1er avril 1997.

Concordance québécoise: aucune.

15 octobre 2012, Notes explicatives: L'article 218.1 impose une taxe au titre de la composante provinciale de la TVH sur les fournitures taxables importées, au sens de l'article 217, effectuées à l'étranger qui portent sur des biens ou des services acquis en vue d'être consommés, utilisés ou fournis autrement qu'exclusivement dans le cadre d'une activité commerciale. Il prévoit en outre une disposition d'autocotisation relative à la composante provinciale de la TVH qui s'applique aux contribuables admissibles, visés au paragraphe 217.1(1), qui résident dans une province participante.

Les modifications apportées à l'article 218.1 portent sur les règles d'autocotisation applicables à certains contribuables.

janvier 2007, Notes explicatives: La modification apportée à l'article 218.1 consiste à ajouter une disposition d'autocotisation, applicable à la composante provinciale de la TVH, visant les contribuables admissibles (au sens du paragraphe 217.1(1) de la loi) qui résident dans une province participante. Cet article est également modifié de façon à prévoir une règle qui permet d'établir si le contribuable admissible est réputé résider dans une province participante à un moment donné pour l'application du nouveau paragraphe 218.1(1.2). Une autre modification apportée à cet article concerne les contribuables admissibles qui sont des institutions financières désignées particulières, au sens du paragraphe 225.2(1) de la loi. Elle fait en sorte que l'exception applicable à ces institutions financières selon le paragraphe 218.1(2) s'applique aussi au calcul de la composante provinciale de la TVH selon le paragraphe 218.1(1.2).

Ces modifications s'appliquent aux années d'imposition des contribuables admissibles se terminant après le 16 novembre 2005.

Définitions [art. 218.1]: « acquéreur », « activité extracôtière », « bien », « bien meuble », « contrepartie », « contrepartie admissible », « fourniture », « institution financière désignée », « personne », « province participante », « service », « taux de taxe », « taxe », « zone extracôtière de la Nouvelle-Écosse », « zone extracôtière de Terre-Neuve » — 123(1).

Renvois [art. 218.1]: 132.1 (personne résidant dans une province); 152 (contrepartie due); 153, 154 (valeur de la contrepartie); 169(3) (CTI); 198.1 (teneur en taxe du bien d'une municipalité); 217 (fourniture taxable importée); 218 (taux de la taxe); 218.2 (taxe payable); 220.08 (taxe dans les provinces participantes); 225.2(2), (3) (institutions financières désignées — redressement de la taxe nette); 256 (2.1) (remboursement en Nouvelle-Écosse pour habitation construite par soi-même); 256.2(1) (« fraction admissible de teneur en taxe »); 259(4.2) (exclusions); 261.3 (remboursement pour un bien meuble incorporel ou service fourni dans une province participante); 261.31 (remboursement pour services de gestion fournis à un fonds de placement); 349(2), 352, 354.1, 356 (dispositions transitoires); X:Partie I:18 (TVH — biens transférés dans une province participante).

Bulletins de l'information technique [art. 218.1]: B-081, 28/02/97, *Application de la TVH aux importations*; B-083R, 23/05/97, *Services financiers sous le régime de la TVH*; B-095, 02/06/11, *Dispositions prévues à l'article 218.01 et au paragraphe 218.1(1.2) relatives à l'autocotisation des institutions financières (règles sur l'importation)*; B-107, 10/11, *Régimes de placement (y compris les fonds réservés d'assureur) et la TVH* .

Série de mémorandums [art. 218.1]: Mémorandum 3.1, 08/99, *Assujettissement à la taxe*; Mémorandum 3.3.1, 06/08, *Livraisons directes*.

Formulaires [art. 218.1]: GST59, *Déclaration de TPS/TVH visant les fournitures taxables importées et la contrepartie admissible*.

218.2 Taxe payable

218.2 Taxe payable — La taxe prévue à la présente section, sauf celle prévue à l'article 218.01 ou au paragraphe 218.1(1.2), qui est calculée sur un montant de contrepartie relatif à une fourniture devient payable au moment où le montant devient dû ou est payé sans être devenu dû.

Notes historiques: L'article 218.2 a été remplacé par L.C. 2010, c. 12, par. 65(1) et cette modification s'applique aux années déterminées d'un contribuable admissible se terminant après le 16 novembre 2005. Antérieurement, il se lisait ainsi :

> 218.2 La taxe prévue à la présente section qui est calculée sur un montant de contrepartie relatif à une fourniture devient payable au moment où le montant devient dû ou est payé sans qu'il soit devenu dû.

L'article 218.2 a été ajouté par L.C. 1997, c. 10, par. 203(1) et est entré en vigueur le 1er avril 1997.

janvier 2007, Notes explicatives: Selon l'article 218.2, la taxe prévue par la section IV de la partie IX de la loi qui est calculée sur un montant de contrepartie devient payable le jour où le montant est payé ou, s'il est antérieur, le jour où il devient dû.

Cet article est modifié de sorte qu'il ne s'applique pas dans le cadre du nouvel article 218.01 ni du nouveau paragraphe 218.1(1.2) de la loi, mais continue de s'appliquer lorsqu'il s'agit d'établir le moment auquel la taxe imposée en vertu de l'article 218 et du paragraphe 218.1(1) de la loi est payable.

Selon le nouvel article 218.3 de la loi, la taxe prévue à l'article 218.01 et au paragraphe 218.1(1.2) qui est calculée pour l'année d'imposition (au sens du paragraphe 217.1(5)) d'un contribuable admissible devient payable par celui-ci à la date suivante :

- si le contribuable est tenu, en vertu de la section I de la *Loi de l'impôt sur le revenu*, de produire une déclaration de revenu pour l'année, la date limite où la déclaration doit être produite;
- dans les autres cas, le jour qui suit de six mois la fin de l'année.

La modification apportée à l'article 218.2 et la nouvelle règle énoncée à l'article 218.3 s'appliquent aux années d'imposition de contribuables admissibles se terminant après le 16 novembre 2005.

Concordance québécoise: LTVQ, art. 18.0.2.

Définitions [art. 218.2]: « contrepartie », « montant » — 123(1).

Renvois [art. 218.2]: 152 (contrepartie due).

Bulletins de l'information technique [art. 218.2]: B-081, 28/02/97, *Application de la TVH aux importations*.

Série de mémorandums [art. 218.2]: Mémorandum 3.3.1, 06/08, *Livraisons directes*.

218.3 Taxe payable

218.3 Taxe payable — La taxe prévue à l'article 218.01 et au paragraphe 218.1(1.2) qui est calculée pour l'année déterminée d'un contribuable admissible devient payable par celui-ci à celle des dates ci-après qui est applicable :

a) si l'année déterminée est une année d'imposition du contribuable pour l'application de la *Loi de l'impôt sur le revenu* et que le contribuable est tenu, en vertu de la section I de cette loi, de produire une déclaration de revenu pour l'année déterminée, la date d'échéance de production pour cette année selon cette loi;

b) dans les autres cas, le jour qui suit de six mois la fin de l'année déterminée.

Notes historiques: L'article 218.3 a été ajouté par L.C. 2010, c. 12, par. 65(1) et s'applique aux années déterminées d'un contribuable admissible se terminant après le 16 novembre 2005.

Concordance québécoise: aucune.

Bulletins de l'information technique [art. 218.3]: B-095, 02/06/11, *Dispositions prévues à l'article 218.01 et au paragraphe 218.1(1.2) relatives à l'autocotisation des institutions financières (règles sur l'importation)*.

219. Production de la déclaration et paiement de la taxe

219. Production de la déclaration et paiement de la taxe — Le redevable de la taxe prévue à la présente section est tenu :

a) s'il est un inscrit, de payer la taxe au receveur général au plus tard à la date limite où la déclaration qu'il produit en vertu de l'article 238 pour la période de déclaration au cours de laquelle la taxe est devenue payable doit être produite et :

(i) s'il n'est pas un contribuable admissible, d'indiquer le montant de la taxe dans cette déclaration au plus tard à cette date,

(ii) s'il est un contribuable admissible, de présenter au ministre au plus tard à cette date, en la forme et selon les modalités déterminées par celui-ci, une déclaration concernant la taxe et contenant les renseignements déterminés par le ministre;

b) sinon, de payer la taxe au receveur général et de présenter au ministre, en la forme et selon les modalités déterminées par celui-ci, une déclaration concernant la taxe et contenant les renseignements requis, au plus tard le dernier jour du mois suivant le mois civil où elle est devenue payable.

Notes historiques: L'alinéa 219a) a été remplacé par L.C. 2010, c. 12, par. 66(1) et cette modification s'applique aux périodes de déclaration se terminant après le 16 novembre 2005. Antérieurement, il se lisait ainsi :

> a) s'il est un inscrit, de payer la taxe au receveur général et d'en indiquer le montant dans la déclaration qu'il produit en vertu de l'article 238 pour la période de déclaration au cours de laquelle elle est devenue payable, au plus tard à la date où cette déclaration est à produire;

L'article 219 a été modifié par L.C. 1997, c. 10, par. 43(1) et cette modification est réputée entrée en vigueur le 1er janvier 1997. L'article 219 correspond aux anciens paragraphes 219(1) et 219(2). Ils se lisaient comme suit :

> 219. (1) Le redevable de la taxe prévue à la présente section doit établir, pour sa période de déclaration pour laquelle la taxe devient payable, une déclaration en la forme et avec les renseignements déterminés par le ministre.
>
> (2) Le redevable doit présenter la déclaration au ministre selon les modalités que celui-ci détermine et verser au receveur général la taxe prévue à la présente sec-

tion qui est devenue payable au cours de la période de déclaration visée par la déclaration, au plus tard :

a) trois mois après la fin de la période de déclaration visée par la déclaration, dans le cas où cette période correspond à l'exercice du redevable;

b) un mois après la fin de cette période, dans les autres cas.

L'article 219 a été ajouté par L.C. 1990, c. 45, par. 12(1).

janvier 2007, Notes explicatives: L'article 219 prévoit la façon dont une personne est tenue de comptabiliser la taxe prévue par la section IV de la partie IX de la loi et le moment auquel elle doit le faire.

Cet article est modifié afin de veiller à ce que chaque contribuable admissible qui est redevable de la taxe prévue par la section IV de la partie IX de la loi conformément à l'article 218.01 et au paragraphe 218.1(1.2) de la loi soit tenu de produire une déclaration et d'y indiquer le montant de taxe.

Si le contribuable admissible est un inscrit, le nouvel alinéa 219a.1) lui permet d'indiquer la taxe dont il est redevable — et qui devient payable au cours d'une période de déclaration — dans une déclaration présentée au ministre du Revenu national, en la forme déterminée par celui-ci et contenant les renseignements requis, au plus tard à la date limite où il doit produire sa déclaration en vertu de l'article 238 de la loi pour la période de déclaration en cause. Selon l'alinéa 219b), les contribuables admissibles qui ne sont pas inscrits sont également tenus de présenter une déclaration au ministre et la taxe dont ils sont redevables en vertu de la section IV (y compris le nouvel article 218.01 et le nouveau paragraphe 218.1(1.2)) doit être payée au plus tard à la fin du mois qui suit celui au cours duquel cette taxe devient payable.

Cette modification s'applique aux années d'imposition de contribuables admissibles se terminant après le 16 novembre 2005.

Concordance québécoise: LTVQ, art. 472, al. 1, 2.

Définitions: « inscrit », « ministre », « mois », « montant », « période de déclaration », « personne », « règlement », « taxe » — 123(1).

Renvois: 217 (période de déclaration); 228(6) (compensation de remboursement); 228(7) (remboursement d'une autre personne); 278 (déclaration — présentation au ministre); 298(1)d) (période de cotisation); 326(1) (défaut de déclaration ou de respect de la loi); 329(1) (défaut de payer, percevoir ou verser la taxe).

Énoncés de politique: P-126, 24/03/94, *Formule GST44 produite par le fournisseur plutôt que par l'acquéreur.*

Bulletins de l'information technique: B-075R, 23/04/96, *Modifications proposées à la TPS*; B-081, 28/02/97, *Application de la TVH aux importations*; B-095, 02/06/11, *Dispositions prévues à l'article 218.01 et au paragraphe 218.1(1.2) relatives à l'autocotisation des institutions financières (règles sur l'importation).*

Mémorandums: TPS 300-9, 2/01/91, *Services et biens incorporels importés*, par. 10, 11, 12; TPS 500-2-6, 23/01/91, *Autres déclarations de TPS*, par. 10, 11, 12, annexe A.

Série de mémorandums: Mémorandum 3.3.1, 06/08, *Livraisons directes*; Mémorandum 7.5, 04/03, *Transmission électronique des déclarations et des versements.*

Formulaires: FP-34, *Calcul détaillé de la TPS/TVH*; FP-59, *Déclaration visant les fournitures taxables importées autres que les produits (section IV de la partie IX de la Loi sur la taxe d'accise)*; FP-505, *Formulaire de déclaration particulière*; GST59, *Déclaration de TPS/TVH visant les fournitures taxables importées et la contrepartie admissible.*

220. Définitions — **(1)** Les définitions qui suivent s'appliquent au présent article.

« activité de main-d'œuvre » Tout acte accompli par le salarié d'une personne déterminée relativement à la charge ou à l'emploi du salarié.

janvier 2007, Notes explicatives: Les termes suivants sont définis au paragraphe 220(1) pour l'application de l'article 220.

Est une « activité de main-d'œuvre » d'une personne déterminée tout ce que fait, relativement à sa charge ou à son emploi, le particulier qui est le salarié de la personne déterminée ou qui accepte de le devenir. Ce terme se retrouve dans les définitions de « capital d'appui », « capital incorporel » et « ressource d'appui » au paragraphe 220(1).

Concordance québécoise: LTVQ, art. 26.0.1« activité de main-d'œuvre ».

« capital d'appui » Tout ou partie d'un bien meuble incorporel qui est consommé ou utilisé par une personne déterminée au cours du processus qui consiste à créer, à mettre au point ou à faire naître un bien (sauf un bien meuble incorporel) ou à appuyer, à faciliter ou à favoriser une activité de main-d'œuvre de la personne.

janvier 2007, Notes explicatives: Le « capital d'appui » d'une personne déterminée est constitué de tout ou partie d'un bien meuble incorporel qui est consommé ou utilisé par la personne au cours du processus qui consiste à créer, à mettre au point ou à faire naître un bien (sauf un bien meuble incorporel) ou à appuyer, à faciliter ou à favoriser une activité de main-d'œuvre de la personne.

Ce terme se retrouve dans les définitions de « ressource d'appui » et « ressource incorporelle » au paragraphe 220(1).

Concordance québécoise: LTVQ, art. 26.0.1« capital d'appui ».

« capital incorporel » Un ou plusieurs des éléments ci-après qu'une personne déterminée consomme ou utilise au cours du processus qui consiste à créer, à mettre au point ou à faire naître un bien meuble incorporel :

a) tout ou partie d'une activité de main-d'œuvre de la personne;

b) tout ou partie d'un bien (sauf un bien meuble incorporel visé à l'alinéa a) de la définition de « ressource incorporelle »);

c) tout ou partie d'un service.

janvier 2007, Notes explicatives: Les éléments suivants constituent le « capital incorporel » d'une personne déterminée, au sens du paragraphe 220(1), s'ils sont consommés ou utilisés en tout ou en partie par la personne au cours du processus qui consiste à créer, à mettre au point ou à faire naître un bien meuble incorporel :

- une activité de main-d'œuvre, au sens du paragraphe 220(1);
- un bien, à l'exception d'un bien meuble incorporel visé par la définition de « ressource incorporelle » au sens du paragraphe 220(1);
- un service.

Le capital incorporel d'une personne déterminée fait partie de ses ressources incorporelles.

Concordance québécoise: LTVQ, art. 26.0.1« capital incorporel ».

« ressource d'appui » Sont des ressources d'appui d'une personne déterminée :

a) tout ou partie d'un bien (sauf un bien meuble incorporel) qui lui est fourni ou qu'elle a créé, mis au point ou fait naître et qui ne fait pas partie de son capital incorporel;

b) tout ou partie d'un service qui lui est fourni et qui ne fait pas partie de son capital incorporel;

c) tout ou partie de son activité de main-d'œuvre qui ne fait pas partie de son capital incorporel;

d) tout ou partie de son capital d'appui;

e) toute association d'éléments visés aux alinéas a) à d).

janvier 2007, Notes explicatives: Les « ressources d'appui » d'une personne déterminée sont constituées des éléments suivants :

- tout ou partie d'un bien (sauf un bien meuble incorporel) qui lui est fourni, ou qu'elle a créé, mis au point ou fait naître, et qui ne fait pas partie de son capital incorporel;
- tout ou partie d'un service qui lui est fourni et qui ne fait pas partie de son capital incorporel;
- tout ou partie de son activité de main-d'œuvre qui ne fait pas partie de son capital incorporel;
- son capital d'appui;
- toute combinaison d'éléments ci-dessus.

Par exemple, le rapport produit par les salariés d'une personne déterminée (lequel processus comprend les biens meubles incorporels qui ont servi à produire le rapport ou qui en ont facilité la production) constitue une ressource d'appui de la personne. En règle générale, si les ressources d'appui d'une personne déterminée font l'objet d'une utilisation interne au cours d'une année d'imposition, les présomptions énoncées au paragraphe 220(3) s'appliquent. Une ressource d'appui est réputée faire l'objet d'une utilisation interne au cours d'une année d'imposition si l'une ou l'autre des conditions énoncées à l'alinéa 220(2)a) est remplie.

Concordance québécoise: LTVQ, art. 26.0.1« ressource d'appui ».

« ressource incorporelle » Sont des ressources incorporelles d'une personne déterminée :

a) tout ou partie d'un bien meuble incorporel qui lui est fourni ou qu'elle a créé, mis au point ou fait naître et qui ne fait pas partie de son capital d'appui;

b) tout ou partie de son capital incorporel;

c) toute association d'éléments visés aux alinéas a) et b).

janvier 2007, Notes explicatives: Les « ressources incorporelles » d'une personne déterminée sont constituées des éléments suivants :

- tout ou partie d'un bien meuble incorporel qui lui est fourni, ou qu'elle a créé, mis au point ou fait naître, et qui ne fait pas partie de son capital d'appui, au sens du paragraphe 220(1);
- son capital incorporel, au sens du paragraphe 220(1);

• toute combinaison d'éléments ci-dessus.

Par exemple, la marque de commerce qui est mise au point par une personne déterminée (lequel processus comprend les biens meubles corporels, les immeubles, les services et les actes accomplis par ses salariés) constitue une ressource incorporelle de la personne. En règle générale, si les ressources incorporelles d'une personne déterminée font l'objet d'une utilisation interne au cours d'une année d'imposition, les présomptions énoncées au paragraphe 220(4) s'appliquent. Une ressource incorporelle est réputée faire l'objet d'une utilisation interne au cours d'une année d'imposition si l'une ou l'autre des conditions énoncées à l'alinéa 220(2)b) est remplie.

Concordance québécoise: LTVQ, art. 26.0.1« ressource incorporelle ».

(2) Personne et entreprise déterminées — Les règles ci-après s'appliquent au présent article :

a) une personne, sauf une institution financière, est une personne déterminée tout au long de son année d'imposition si, à la fois :

(i) elle exploite une entreprise au cours de l'année d'imposition par l'intermédiaire de son établissement stable à l'étranger,

(ii) elle exploite une entreprise au cours de l'année d'imposition par l'intermédiaire de son établissement stable au Canada;

b) une entreprise est l'entreprise déterminée d'une personne tout au long de l'année d'imposition de celle-ci si elle est exploitée au Canada au cours de l'année d'imposition par l'intermédiaire d'un établissement stable de la personne.

janvier 2007, Notes explicatives: L'alinéa 220(2)a) prévoit des règles qui permettent de déterminer si la ressource d'appui d'une personne déterminée a fait l'objet d'une utilisation interne au cours d'une année d'imposition de la personne. Dans l'affirmative, les présomptions énoncées au paragraphe 220(3) s'appliquent.

Pour l'application de l'article 220, dans sa version modifiée, la ressource d'appui d'une personne déterminée fait l'objet d'une utilisation interne au cours de l'année d'imposition de la personne si l'un de deux faits s'avère. Il peut y avoir utilisation interne de la ressource au cours de l'année si la personne utilise ou met en service à l'étranger une partie quelconque de la ressource dans le cadre de l'exploitation de son entreprise déterminée. Il peut aussi y avoir utilisation interne s'il est permis à la personne pour l'année, en vertu de la Loi de l'impôt sur le revenu, d'attribuer au titre d'un montant relatif à son entreprise déterminée soit une partie quelconque d'une dépense qu'elle a engagée ou effectuée relativement à une partie quelconque de la ressource, soit une partie quelconque d'une déduction, ou d'une répartition au titre d'une provision, relative à une partie quelconque de cette dépense.

Pour déterminer si le second fait s'avère, il faut supposer que la personne déterminée est tenue de calculer son revenu conformément à la *Loi de l'impôt sur le revenu* et que cette détermination est faite dans le contexte d'une attribution par la personne de dépenses au titre de montants relatifs à une entreprise au Canada. Par conséquent, la question de savoir si cette loi s'applique à la personne déterminée n'est pas prise en compte lorsqu'il s'agit d'établir si le second fait s'avère.

Essentiellement, si une personne déterminée utilise une ressource d'appui dans le cadre de l'exploitation de son entreprise déterminée ou s'il lui est permis d'attribuer, relativement à cette entreprise, une partie quelconque d'une dépense, d'une déduction ou d'une répartition au titre d'une provision relativement à une telle ressource, les présomptions énoncées au paragraphe 220(3) s'appliquent à elle pour les besoins de la section IV de la partie IX.

L'alinéa 220(2)b) est analogue à l'alinéa 220(2)a) et permet de déterminer si la ressource incorporelle d'une personne déterminée a fait l'objet d'une utilisation interne au cours d'une année d'imposition de la personne. Dans l'affirmative, les présomptions énoncées au paragraphe 220(4) s'appliquent.

Pour l'application de l'article 220, dans sa version modifiée, la ressource incorporelle d'une personne déterminée fait l'objet d'une utilisation interne au cours de l'année d'imposition de la personne si l'un de deux faits s'avère. Il peut y avoir utilisation interne de la ressource au cours de l'année si la personne utilise ou met en service à l'étranger une partie quelconque de la ressource dans le cadre de l'exploitation de son entreprise déterminée. Il peut aussi y avoir utilisation interne s'il est permis à la personne pour l'année, en vertu de la Loi de l'impôt sur le revenu, d'attribuer au titre d'un montant relatif à son entreprise déterminée soit une partie quelconque d'une dépense qu'elle a engagée ou effectuée relativement à une partie quelconque de la ressource, soit une partie quelconque d'une déduction, ou d'une répartition au titre d'une provision, relative à une partie quelconque de cette dépense.

Pour déterminer si le second fait s'avère, il faut supposer que la personne déterminée est tenue de calculer son revenu conformément à la *Loi de l'impôt sur le revenu* et que cette détermination est faite dans le contexte d'une attribution par la personne de dépenses au titre de montants relatifs à une entreprise au Canada. Par conséquent, la question de savoir si cette loi s'applique à la personne déterminée n'est pas prise en compte lorsqu'il s'agit d'établir si le second fait s'avère.

Essentiellement, si une personne déterminée utilise une ressource incorporelle dans le cadre de l'exploitation de son entreprise déterminée ou s'il lui est permis d'attribuer, relativement à cette entreprise, une partie quelconque d'une dépense ou d'une déduction relativement à une telle ressource, les présomptions énoncées au paragraphe 220(4) s'appliquent à elle pour les besoins de la section IV de la partie IX de la loi.

Concordance québécoise: LTVQ, art. 26.0.2.

(3) Utilisation interne — Pour l'application du présent article, la ressource d'appui ou la ressource incorporelle d'une personne déterminée fait l'objet d'une utilisation interne au cours d'une année d'imposition de la personne si, selon le cas :

a) à un moment de l'année d'imposition, la personne utilise à l'étranger une partie quelconque de la ressource dans le cadre de l'exploitation de son entreprise déterminée;

b) la personne est autorisée en vertu de la *Loi de l'impôt sur le revenu* à attribuer pour l'année d'imposition l'un des montants ci-après à titre de montant relatif à son entreprise déterminée, ou serait ainsi autorisée si cette loi s'appliquait à elle :

(i) une partie quelconque d'une dépense qu'elle a engagée ou effectuée relativement à une partie quelconque de la ressource,

(ii) une partie quelconque d'une déduction, ou d'une attribution au titre d'une provision, relativement à une partie quelconque d'une telle dépense.

janvier 2007, Notes explicatives: Si une personne déterminée remplit l'une des conditions énoncées à l'alinéa 220(2)a), sa ressource d'appui est réputée avoir fait l'objet d'une utilisation interne au cours de son année d'imposition. Dans ce cas, le paragraphe 220(3) prévoit certaines règles qui s'appliquent dans le cadre de la section IV de la partie IX de la loi.

En premier lieu, la personne déterminée est réputée avoir rendu, au cours de l'année en cause, un service qui consiste en l'utilisation interne de la ressource à son établissement stable à l'étranger dans le cadre de l'exploitation de son entreprise déterminée. En deuxième lieu, elle est réputée être la personne à qui ce service a été rendu, être l'acquéreur d'une fourniture du service effectuée à l'étranger et résider au Canada, si elle n'y réside pas. En troisième et dernier lieu, la fourniture effectuée à l'étranger est réputée ne pas être la fourniture d'un service qui se rapporte à un immeuble situé à l'étranger ou à un bien meuble corporel qui est situé à l'étranger au moment de l'exécution du service.

Outre les présomptions exposées ci-dessus, le paragraphe 220(3) prévoit que la valeur de la contrepartie de la fourniture effectuée à l'étranger est réputée correspondre à la valeur qui représenterait la juste valeur marchande de la contrepartie d'une fourniture de la ressource d'appui effectuée au profit de la personne déterminée par une personne avec laquelle elle n'a aucun lien de dépendance si la personne déterminée avait obtenu l'utilisation de la ressource de cette personne au cours de l'année d'imposition en cause. Cette contrepartie est réputée être devenue due le dernier jour de cette année, et la personne est réputée l'avoir payée ce jour-là.

Selon les sous-alinéas 220(3)a)(i) et (ii), si la ressource d'appui d'une personne déterminée a fait l'objet d'une utilisation interne au cours de l'année d'imposition de la personne, celle-ci est réputée, d'une part, avoir rendu un service qui consiste en l'utilisation interne de la ressource à l'étranger dans le cadre de l'exploitation d'une entreprise au Canada par l'intermédiaire d'un établissement stable et, d'autre part, être la personne à qui ce service a été rendu. Par conséquent, le service que la personne est réputée avoir rendu à l'étranger correspond à une ressource d'appui en particulier. Aussi, pour le calcul du crédit de taxe sur les intrants de la personne en vertu de la partie IX, celle-ci est réputée avoir importé le service dans le même but que celui dans lequel elle a acquis, consommé ou utilisé la ressource d'appui correspondante.

Dès qu'elle remplit l'une des deux conditions énoncées à l'alinéa 220(2)a) relativement à une ressource d'appui, la personne déterminée est réputée être l'acquéreur de la fourniture à l'étranger d'un service à l'égard duquel elle est réputée avoir payé une contrepartie égale à la juste valeur marchande du service le dernier jour de l'année d'imposition pour laquelle la condition est remplie. Si cette fourniture constitue une fourniture taxable, la personne déterminée est tenue de payer la taxe prévue par la section IV de la partie IX de la loi au même titre que si elle avait reçu à l'étranger une fourniture taxable comparable d'un tiers pour consommation, utilisation ou fourniture au Canada.

Concordance québécoise: LTVQ, art. 26.0.3.

(4) Opérations entre établissements stables — Les règles ci-après s'appliquent dans le cas où la ressource d'appui d'une personne déterminée fait l'objet d'une utilisation interne au cours d'une année d'imposition de la personne :

a) pour l'application de la présente section, la personne est réputée, à la fois :

(i) avoir rendu à elle-même, au cours de l'année d'imposition, un service qui consiste en l'utilisation interne de la ressource à son établissement stable à l'étranger dans le cadre de l'exploitation de son entreprise déterminée,

(ii) être l'acquéreur d'une fourniture du service effectuée à l'étranger,

(iii) résider au Canada, si elle est une personne déterminée non-résidente;

b) pour l'application de la présente section, la fourniture est réputée ne pas être la fourniture d'un service qui se rapporte :

(i) soit à un immeuble situé à l'étranger,

(ii) soit à un bien meuble corporel qui est situé à l'étranger au moment où le service est exécuté;

c) pour l'application de la présente section, la valeur de la contrepartie de la fourniture est réputée correspondre au total des montants représentant chacun la juste valeur marchande, à celui des moments ci-après qui est applicable, d'une partie de la ressource d'appui mentionnée au paragraphe (3) ou de l'utilisation d'une partie de cette ressource, selon le cas :

(i) si la partie est mentionnée seulement à l'alinéa (3)a), le moment mentionné à cet alinéa,

(ii) sinon, le dernier jour de l'année d'imposition;

d) pour l'application de la présente section, la contrepartie de la fourniture est réputée être devenue due, et avoir été payée par la personne, le dernier jour de l'année d'imposition;

e) pour l'application de l'article 217 et pour le calcul d'un crédit de taxe sur les intrants de la personne en vertu de la présente partie, la personne est réputée avoir acquis le service dans le même but que celui dans lequel elle a acquis, consommé ou utilisé la partie de la ressource d'appui mentionnée au paragraphe (3).

janvier 2007, Notes explicatives: Si une personne déterminée remplit l'une des conditions énoncées à l'alinéa 220(2)b), sa ressource incorporelle est réputée avoir fait l'objet d'une utilisation interne au cours de son année d'imposition. Dans ce cas, le paragraphe 220(4) prévoit certaines règles qui s'appliquent dans le cadre de la section IV de la partie IX de la loi.

En premier lieu, la personne déterminée est réputée avoir mis à sa propre disposition, au cours de l'année en cause, à son établissement stable à l'étranger un bien meuble incorporel dans le cadre de l'exploitation de son entreprise déterminée. En deuxième lieu, elle est réputée être l'acquéreur d'une fourniture du bien effectuée à l'étranger et résider au Canada, si elle n'y réside pas. En troisième et dernier lieu, la fourniture effectuée à l'étranger est réputée ne pas être la fourniture d'un bien qui se rapporte à un immeuble situé à l'étranger, à un service à exécuter en totalité à l'étranger ou à un bien meuble corporel situé à l'étranger.

Outre les présomptions exposées ci-dessus, le paragraphe 220(4) prévoit que la valeur de la contrepartie de la fourniture effectuée à l'étranger est réputée correspondre à la valeur qui représenterait la juste valeur marchande de la contrepartie d'une fourniture de la ressource incorporelle effectuée au profit de la personne déterminée par une personne avec laquelle elle n'a aucun lien de dépendance si la personne déterminée avait obtenu l'utilisation de la ressource de cette personne au cours de l'année d'imposition en cause. Cette contrepartie est réputée être devenue due le dernier jour de cette année, et la personne est réputée l'avoir payée ce jour-là.

Selon les sous-alinéas 220(4)a)(i) et (ii), si la ressource incorporelle d'une personne déterminée a fait l'objet d'une utilisation interne au cours de l'année d'imposition de la personne, celle-ci est réputée avoir mis à sa propre disposition à l'étranger un bien meuble incorporel dans le cadre de l'exploitation d'une entreprise au Canada par l'intermédiaire d'un établissement stable. Par conséquent, le bien que la personne est réputée avoir mis à sa propre disposition à l'étranger correspond à une ressource incorporelle en particulier. Aussi, pour le calcul du crédit de taxe sur les intrants de la personne en vertu de la partie IX de la loi, celle-ci est réputée avoir importé le bien dans le même but que celui dans lequel elle a acquis, consommé ou utilisé la ressource incorporelle correspondante.

Dès qu'elle remplit l'une des deux conditions énoncées à l'alinéa 220(2)b) relativement à une ressource incorporelle, la personne déterminée est réputée être l'acquéreur de la fourniture à l'étranger d'un bien meuble incorporel à l'égard duquel elle est réputée avoir payé une contrepartie égale à la juste valeur marchande du bien le dernier jour de l'année d'imposition pour laquelle la condition est remplie. Si cette fourniture constitue une fourniture taxable, la personne déterminée est tenue de payer par autocotisation la taxe prévue par la section IV de la partie IX de la loi au même titre que si elle avait reçu à l'étranger une fourniture taxable comparable d'un tiers pour consommation, utilisation ou fourniture au Canada.

Concordance québécoise: LTVQ, art. 26.0.4.

(5) Opérations entre établissements stables — Les règles ci-après s'appliquent dans le cas où la ressource incorporelle d'une personne déterminée fait l'objet d'une utilisation interne au cours d'une année d'imposition de la personne :

a) pour l'application de la présente section, la personne est réputée, à la fois :

(i) avoir mis à sa propre disposition, au cours de l'année d'imposition, à son établissement stable à l'étranger, un bien meuble incorporel dans le cadre de l'exploitation de son entreprise déterminée,

(ii) être l'acquéreur d'une fourniture du bien effectuée à l'étranger,

(iii) résider au Canada, si elle est une personne déterminée non-résidente;

b) pour l'application de la présente section, la fourniture est réputée ne pas être la fourniture d'un bien qui se rapporte à un immeuble situé à l'étranger, à un service à exécuter en totalité à l'étranger ou à un bien meuble corporel situé à l'étranger;

c) pour l'application de la présente section, la valeur de la contrepartie de la fourniture est réputée correspondre au total des montants représentant chacun la juste valeur marchande, à celui des moments ci-après qui est applicable, d'une partie de la ressource incorporelle mentionnée au paragraphe (3) ou de l'utilisation d'une partie de cette ressource, selon le cas :

(i) si la partie est mentionnée seulement à l'alinéa (3)a), le moment mentionné à cet alinéa,

(ii) sinon, le dernier jour de l'année d'imposition;

d) pour l'application de la présente section, la contrepartie de la fourniture est réputée être devenue due, et avoir été payée par la personne, le dernier jour de l'année d'imposition;

e) pour l'application de l'article 217 et pour le calcul d'un crédit de taxe sur les intrants de la personne en vertu de la présente partie, la personne est réputée avoir acquis le bien dans le même but que celui dans lequel elle a acquis, consommé ou utilisé la partie de la ressource incorporelle mentionnée au paragraphe (3).

janvier 2007, Notes explicatives: Selon le nouvel alinéa 220(5)a), l'entreprise qui est une entreprise déterminée d'une personne déterminée à un moment d'une année d'imposition de la personne est réputée l'être tout au long de l'année. Dans le même ordre d'idées, le nouvel alinéa 220(5)b) prévoit que la personne qui est une personne déterminée à un moment de son année d'imposition est réputée l'être tout au long de l'année.

Concordance québécoise: LTVQ, art. 26.0.5.

Notes historiques: L'alinéa c) de l'article 220 a été modifié par L.C. 1993, c. 27, par. 84(1) et s'applique aux biens transférés et aux services rendus après le 14 septembre 1992. Il se lisait auparavant comme suit :

c) la valeur de la contrepartie de cette fourniture est réputée égale au montant qui est déterminé relativement à la fourniture aux fins du calcul du revenu des établissements pour l'application de la *Loi de l'impôt sur le revenu*, ou qui serait ainsi déterminé si la personne était imposable aux termes de cette loi.

L'alinéa d) de l'article 220 a été ajouté par L.C. 1993, c. 27, par. 84(2) et est réputé entré en vigueur le 17 décembre 1990.

Le préambule de l'alinéa 220(2)a) a été remplacé par L.C. 2010, c. 12, par. 67(2) et cette modification s'applique aux années d'imposition d'une personne se terminant après le 16 novembre 2005. Antérieurement, il se lisait ainsi :

a) une personne est une personne déterminée tout au long de son année d'imposition si, à la fois :

L'article 220 a été remplacé par L.C. 2010, c. 12, par. 67(1) et cette modification est réputée être entrée en vigueur le 17 décembre 1990. Antérieurement, il se lisait ainsi :

220. Fournitures entre succursales — Pour l'application de la présente section, dans le cas où une personne exploite une entreprise par l'entremise de son établissement stable au Canada et d'un autre établissement stable à l'étranger, les présomptions suivantes s'appliquent :

a) le transfert d'un bien meuble ou la prestation d'un service par un établissement à l'autre est réputé être une fourniture du bien ou du service;

b) aux fins de cette fourniture, les établissements sont réputés être des personnes distinctes sans lien de dépendance;

c) la valeur de la contrepartie de cette fourniture est réputée égale à la juste valeur marchande de celle-ci au moment du transfert du bien ou de la prestation du service;

d) la contrepartie de cette fourniture est réputée être devenue due par l'établissement auquel le bien a été transféré ou le service, rendu, et avoir été payée par lui, à la fin de son année d'imposition où le bien a été transféré ou le service rendu à l'autre établissement.

Le paragraphe 220(1) a été ajouté par L.C. 1990, c. 45, par. 12(1).

janvier 2007, Notes explicatives: L'article 220 prévoit les règles qui s'appliquent, sous le régime de la TPS/TVH, aux opérations entre les établissements stables d'une personne situés à l'étranger et son établissement stable situé au Canada. Par l'effet des présomptions énoncées à cet article, les succursales canadiennes d'une organisation internationale sont tenues d'établir par autocotisation la taxe applicable, selon la section IV de la partie IX de la loi, aux biens ou services qu'elles reçoivent des succursales étrangères de l'organisation au même titre que si les biens ou services étaient acquis à l'étranger auprès d'une entité juridique distincte, puis importés en vue d'être consommés, utilisés ou fournis au Canada.

L'article 220 est modifié afin de préciser que les organisations internationales sont tenues de calculer la taxe sur la valeur de leurs ressources (c'est-à-dire, les biens et services, y compris la main-d'œuvre) qu'elles utilisent ou mettent en service à l'étranger dans le cadre de l'exploitation d'une entreprise au Canada par l'intermédiaire de leur établissement stable. Comme c'était le cas avant la modification, cette exigence d'autocotisation est analogue à celle qui s'appliquerait si l'organisation avait obtenu à l'étranger une ressource comparable d'une entité juridique distincte et l'avait importée en vue de la consommer, de l'utiliser ou de la fournir au Canada.

La modification apportée à l'article 220 entre en vigueur le 17 décembre 1990. Toutefois, la définition de « personne déterminée » au paragraphe 220(1), dans sa version modifiée, fait l'objet d'une modification additionnelle, applicable aux années d'imposition se terminant après le 16 novembre 2005, qui consiste à exclure les personnes qui sont des institutions financières. Par conséquent, dans le cas des institutions financières, la modification touchant l'article 220 ne s'applique qu'aux années d'imposition se terminant avant le 17 novembre 2005.

Concordance québécoise: LTVQ, art. 26.

Définitions: « acquéreur », « année d'imposition », « bien », « bien meuble », « contrepartie », « entreprise », « établissement stable », « fourniture », « juste valeur marchande », « montant », « personne », « service » — 123(1).

Renvois: 123(2) (Canada); 132(4) (fournitures entre établissements stables).

Jurisprudence: *Chapman v. Minister of National Revenue*, [2002] G.S.T.C. 80 (CFC).

Énoncés de politique: P-126, 24/03/94, *Formule GST44 produite par le fournisseur plutôt que par l'acquéreur.*

Bulletins de l'information technique: B-095, 02/06/11, *Dispositions prévues à l'article 218.01 et au paragraphe 218.1(1.2) relatives à l'autocotisation des institutions financières (règles sur l'importation).*

Mémorandums: TPS 300-9, 2/01/91, *Services et biens incorporels importés*, par. 14-16; TPS 500-7, 26/11/91, *Interaction entre la Loi sur la taxe d'accise et la Loi de l'impôt sur le revenu.*

Série de mémorandums: Mémorandum 3.4, 04/00, *Résidence.*

SECTION IV.1 — TAXE SUR LES PRODUITS ET SERVICES TRANSFÉRÉS DANS UNE PROVINCE PARTICIPANTE

Notes historiques: L'intertitre « Taxe sur les produits et services transférés dans une province participante » a été ajouté par L.C. 1997, c. 10, par. 204(1) et est entré en vigueur le 1er avril 1997.

220.01 Définitions — Les définitions qui suivent s'appliquent à la présente section.

« autorité provinciale » Ministère ou organisme provincial qui est habilité par les lois provinciales à percevoir, au moment de l'immatriculation dans la province d'un véhicule à moteur déterminé, la taxe provinciale déterminée imposée relativement au véhicule.

Concordance québécoise: aucune.

« bien meuble corporel » Sont assimilées aux biens meubles corporels les maisons mobiles qui ne sont pas fixées à un fonds et les maisons flottantes.

Concordance québécoise: aucune.

« taxe provinciale déterminée »

a) Dans le cas d'un véhicule immatriculé dans la province de la Nouvelle-Écosse, la taxe prévue à la partie IIA de la loi intitulée *Revenue Act*, S.N.S. 1995-96, ch. 17, et ses modifications successives;

b) dans le cas d'un véhicule immatriculé dans la province du Nouveau-Brunswick, la taxe prévue à la partie V de la *Loi sur la taxe de vente harmonisée*, L.N.B. 1997, ch. H-1.01, et ses modifications successives;

c) dans le cas d'un véhicule immatriculé dans la province de Terre-Neuve-et-Labrador, la taxe prévue par la loi intitulée *Retail Sales Tax Act*, R.S.N.L. 1990, ch. R-15, et ses modifications successives.

d) dans le cas d'un véhicule immatriculé dans une autre province participante, la taxe prévue par règlement.

Concordance québécoise: aucune.

« valeur déterminée » En ce qui concerne le véhicule à moteur déterminé qu'une personne est tenue de faire immatriculer aux termes de la législation d'une province participante sur l'immatriculation des véhicules à moteur, la valeur qui serait attribuée au véhicule par l'autorité provinciale de cette province en vue du calcul de la taxe provinciale déterminée à payer si, au moment de l'immatriculation, cette taxe était à payer relativement au véhicule.

Notes historiques: L'alinéa d) de la définition de « taxe provinciale déterminée » à l'article 220.01 a été ajouté par. L.C. 2009, c. 32, par. 15(1) et est entré en vigueur le 1er juillet 2010.

L'article 220.01 a été remplacé par L.C. 2007, c. 18, par. 21(1) et cette modification est réputée être entrée en vigueur le 1er avril 1997. Antérieurement, il se lisait ainsi :

> 220.01 Sens de « bien meuble corporel » — Dans la présente section, sont assimilées aux biens meubles corporels les maisons mobiles qui ne sont pas fixées à un fonds et les maisons flottantes.

L'article 220.01 a été ajouté par L.C. 1997, c. 10, par. 204(1) et est entré en vigueur le 1er avril 1997.

Définitions [par. 220.01]: « province participante » — 123(1).

Bulletins de l'information technique [art. 220.01]: B-079, 28/02/97, *Autocotisation de la TVH sur les fournitures transférées dans une province participante*; B-XX5, 09/11, *Taxe de vente harmonisée Autocotisation de la partie provinciale de la TVH à l'égard des biens et services transférés dans une province participante* .

Série de mémorandums [art. 220.01]: Mémorandum 3.1, 08/99, *Assujettissement à la taxe.*

220.02 Transporteurs — Pour l'application de la présente section, le bien qu'une personne transfère dans une province pour le compte d'une autre personne est réputé avoir été transféré dans la province par l'autre personne.

Notes historiques: L'article 220.02 a été ajouté par L.C. 1997, c. 10, par. 204(1) et est entré en vigueur le 1er avril 1997.

Concordance québécoise: aucune.

Définitions [art. 220.02]: « bien », « personne », « province » — 123(1).

Énoncés de politique [art. 220.02]: P-182R, 28/08/03, *Du mandat.*

Bulletins de l'information technique [art. 220.02]: B-081, 28/02/97, *Application de la TVH aux importations*; B-XX5, 09/11, *Taxe de vente harmonisée Autocotisation de la partie provinciale de la TVH à l'égard des biens et services transférés dans une province participante* .

Série de mémorandums [art. 220.02]: Mémorandum 3.1, 08/99, *Assujettissement à la taxe.*

220.03 Bien en transit — Le bien meuble corporel qui est transféré dans une province dans le cadre du transport de biens d'un endroit situé à l'extérieur de la province à un autre semblable endroit et qui n'est pas entreposé dans la province à des fins étrangères au transport est réputé, pour l'application de la présente section, ne pas avoir été transféré dans la province.

Notes historiques: L'article 220.03 a été ajouté par L.C. 1997, c. 10, par. 204(1) et est entré en vigueur le 1er avril 1997.

Concordance québécoise: aucune.

Bulletins de l'information technique [art. 220.03]: B-XX5, 09/11, *Taxe de vente harmonisée Autocotisation de la partie provinciale de la TVH à l'égard des biens et services transférés dans une province participante* .

Série de mémorandums [art. 220.03]: Mémorandum 3.1, 08/99, *Assujettissement à la taxe.*

220.04 Institutions financières désignées particulières — La taxe imposée par la présente section qui, en l'absence du présent article, deviendrait payable par une personne à un moment où elle est une institution financière désignée particulière n'est pas payable, sauf s'il s'agit d'un montant de taxe visé par règlement.

Notes historiques: L'article 220.04 a été remplacé par. L.C. 2009, c. 32, par. 16(1) et cette modification s'applique relativement à la taxe imposée par la section IV.1 qui, en l'absence de l'article 220.04, édicté par. L.C. 2009, c. 32, par. 16(1), deviendrait payable après juin 2010. Antérieurement, il se lisait ainsi :

> 220.04 La taxe imposée par la présente section qui, si ce n'était le présent article, deviendrait payable par une personne à un moment où elle est une institution financière désignée particulière n'est pas payable, sauf s'il s'agit d'un montant de taxe qui, selon le cas :
>
> a) est visé par règlement pour l'application de l'alinéa a) de l'élément F de la formule figurant au paragraphe 225.2(2);
>
> b) se rapporte à un bien ou un service transféré dans une province participante, ou acquis, à une fin autre que pour consommation, utilisation ou fourniture dans le cadre d'une initiative, au sens du paragraphe 141.01(1), de la personne.

L'article 220.04 a été remplacé par L.C. 2000, par. 47(1). Cette modification est réputée entrée en vigueur le 1er avril 1997. Antérieurement, il se lisait comme suit :

> 220.04 La taxe imposée par la présente section (sauf un montant de taxe qui est visé par règlement pour l'application de l'alinéa a) de l'élément F de la formule figurant au paragraphe 225.2(2)) qui, n'était le présent article, deviendrait payable par une personne à un moment où elle est une institution financière désignée particulière n'est pas payable.

Concordance québécoise: aucune.

Définitions [art. 220.04]: « institution financière désignée particulière », « personne » — 123(1).

Renvois [art. 220.04]: 225.2(2), (3) (taxe nette).

Bulletins de l'information technique [art. 220.04]: B-081, 28/02/97, *Application de la TVH aux importations*; B-083R, 23/05/97, *Services financiers sous le régime de la TVH*; B-XX5, 09/11, *Taxe de vente harmonisée Autocotisation de la partie provinciale de la TVH à l'égard des biens et services transférés dans une province participante* .

Série de mémorandums [art. 220.04]: Mémorandum 3.1, 08/99, *Assujettissement à la taxe*.

Formulaires [art. 220.04]: RC4050, *Renseignements sur la TPS/TVH à l'intention des institutions financières désignées particulières*.

Sous-section a — Taxe sur les biens meubles corporels

Notes historiques: L'intertitre « Taxe sur les biens meubles corporels » a été ajouté par L.C. 1997, c. 10, par. 204(1) et est entré en vigueur le 1er avril 1997.

220.05 (1) Taxe dans les provinces participantes — Sous réserve des autres dispositions de la présente partie, la personne qui transfère un bien meuble corporel à un moment donné d'une province à une province participante est tenue de payer à Sa Majesté du chef du Canada une taxe égale au montant déterminé selon les modalités réglementaires.

Notes historiques: L'alinéa a) de l'élément B de la formule du paragraphe 220.05(1) a été remplacé par L.C. 2007, c. 18, par. 22(1) et cette modification est réputée être entrée en vigueur le 1er avril 1997. Antérieurement, il se lisait ainsi :

> a) si le bien est un véhicule à moteur déterminé que la personne est tenue de faire immatriculer aux termes de la législation provinciale sur l'immatriculation des véhicules à moteur, la valeur déterminée par règlement,

Le paragraphe 220.05(1) a été remplacé par. L.C. 2009, c. 32, par. 17(1) et cette modification est entrée en vigueur le 1er juillet 2010. Antérieurement, il se lisait ainsi :

> 220.05 (1) Sous réserve des autres dispositions de la présente partie, la personne qui transfère un bien meuble corporel à un moment donné d'une province non participante à une province participante est tenue de payer à Sa Majesté du chef du Canada une taxe égale au résultat du calcul suivant :
>
> $$A \times B$$
>
> où :
>
> A représente le taux de taxe applicable à la province participante;
>
> B
>
> a) si le bien est un véhicule à moteur déterminé que la personne est tenue de faire immatriculer aux termes de la législation provinciale sur l'immatriculation des véhicules à moteur, la valeur déterminée,
>
> b) si le bien n'est pas un véhicule à moteur déterminé visé à l'alinéa a) et si une contrepartie a été payée ou était payable relativement à une fourniture du bien qu'une autre personne sans lien de dépendance avec la personne a effectuée par vente au profit de celle-ci, la valeur de cette contrepartie ou, si elle est inférieure, la juste valeur marchande du bien au moment donné,
>
> c) malgré les alinéas a) et b), si le bien est un bien visé par règlement qui est transféré dans une province dans les circonstances prévues par règlement, la valeur déterminée selon les modalités déterminées par le ministre,
>
> d) dans les autres cas, la juste valeur marchande du bien au moment donné.

Le paragraphe 220.05(1) a été ajouté par L.C. 1997, c. 10, par. 204(1) et est entré en vigueur le 1er avril 1997.

Concordance québécoise: aucune.

(2) Taxe payable — La taxe prévue au paragraphe (1) relativement au bien qu'une personne transfère dans une province participante devient payable à la date suivante :

a) dans le cas d'un véhicule à moteur déterminé que la personne est tenue de faire immatriculer aux termes de la législation provinciale sur l'immatriculation des véhicules à moteur, la date où elle fait ainsi immatriculer le véhicule ou, si elle est antérieure, la date limite où elle doit le faire immatriculer;

b) dans les autres cas, la date où elle transfère le bien dans la province.

Notes historiques: Le paragraphe 220.05(2) a été ajouté par L.C. 1997, c. 10, par. 204(1) et est entré en vigueur le 1er avril 1997.

Concordance québécoise: aucune.

(3) Bien non taxable — La taxe prévue au paragraphe (1) n'est pas payable :

a) relativement à un bien qui est inclus à la partie I de l'annexe X et n'est pas un bien visé par règlement;

b) dans les circonstances prévues par règlement.

Notes historiques: Le paragraphe 220.05(3) a été remplacé par. L.C. 2009, c. 32, par. 17(2) et cette modification est entrée en vigueur le 1er juillet 2010. Antérieurement, il se lisait ainsi :

> (3) La taxe prévue au paragraphe (1) n'est pas payable relativement à un bien si, selon le cas :
>
> a) l'acquéreur de la fourniture du bien a payé la taxe prévue à l'article 220.06 relativement au bien;
>
> b) la taxe prévue à l'article 220.07 a été payée relativement au bien;
>
> c) le bien est inclus à la partie I de l'annexe X.

Le paragraphe 220.05(3) a été ajouté par L.C. 1997, c. 10, par. 204(1) et est entré en vigueur le 1er avril 1997.

Concordance québécoise: aucune.

(3.1) Entités de gestion — La taxe prévue au paragraphe (1) n'est pas payable relativement à un bien si une personne qui est une entité de gestion d'un régime de pension est l'acquéreur d'une fourniture donnée du bien effectuée par un employeur participant au régime et que, selon le cas :

a) la valeur de l'élément B de la formule figurant à l'alinéa 172.1(5)c), déterminée relativement à une fourniture du même bien qui est réputée avoir été effectuée par l'employeur participant en vertu de l'alinéa 172.1(5)a), est supérieure à zéro;

b) la valeur de l'élément B de la formule figurant à l'alinéa 172.1(6)c), déterminée relativement à chaque fourniture — réputée avoir été effectuée en vertu de l'alinéa 172.1(6)a) — d'une ressource d'employeur (au sens du paragraphe 172.1(1)) consommée ou utilisée en vue d'effectuer la fourniture donnée, est supérieure à zéro.

Notes historiques: Le préambule du paragraphe 220.05(3.1) a été remplacé par L.C. 2012, c. 31, par. 77(1) et cette modification est réputée être entrée en vigueur le 23 septembre 2009. Antérieurement, il se lisait ainsi :

> (3.1) La taxe prévue au paragraphe (1) n'est pas payable relativement à un bien si une personne — entité de gestion d'un régime de pension, au sens du paragraphe 172.1(1) — est l'acquéreur d'une fourniture donnée du bien effectuée par un employeur participant, au sens du même paragraphe, au régime et que, selon le cas :

Le paragraphe 220.05(3.1) a été ajouté par L.C. 2010, c. 12, par. 68(1) et est réputé être entré en vigueur le 23 septembre 2009.

15 octobre 2012, Notes explicatives: Selon le paragraphe 220.05(3.1), la taxe prévue au paragraphe 220.05(1) n'est pas payable relativement au transfert d'un bien meuble corporel dans une province participante, effectuée par une entité de gestion d'un régime de pension, si le bien a été fourni à l'entité par un employeur participant au même régime et que le montant de la composante provinciale de la TVH, déterminé selon l'alinéa 172.1(5)c) (relativement à une fourniture du même bien effectuée par l'employeur participant) ou selon l'alinéa 172.1(6)c) (relativement à la fourniture, effectuée par l'employeur participant, d'une ressource d'employeur, visée au paragraphe 172.1(6), qui est consommée ou utilisée en vue d'effectuer la fourniture du même bien), est supérieur à zéro.

Des modifications corrélatives sont apportées au paragraphe 220.05(3.1) du fait que les définitions de « employeur participant », « entité de gestion » et « régime de pension » figurent désormais au paragraphe 123(1) et qu'elles s'appliquent à l'ensemble de la partie IX de la Loi.

Ces modifications sont réputées être entrées en vigueur le 23 septembre 2009.

Concordance québécoise: aucune.

(4) Application dans les zones extracôtières — Le paragraphe (1) ne s'applique au bien qu'une personne transfère dans la zone extracôtière de la Nouvelle-Écosse ou la zone extracôtière de Terre-Neuve que si elle l'y transfère pour consommation, utilisation ou fourniture dans le cadre d'une activité extracôtière.

Notes historiques: Le paragraphe 220.05(4) a été ajouté par L.C. 1997, c. 10, par. 204(1) et est entré en vigueur le 1er avril 1997.

Concordance québécoise: aucune.

Définitions [art. 220.05]: « acquéreur », « activité extracôtière », « bien meuble », « contrepartie », « fourniture », « juste valeur marchande », « montant », « personne », « province non participante », « province participante », « régime de pension », « règlement », « ressource d'employeur », « taxe », « véhicule à moteur déterminé », « zone extracôtière de la Nouvelle-Écosse », « zone extracôtière de Terre-Neuve » — 123(1); « bien meuble corporel » — 220.01.

Renvois [art. 220.05]: 141 (utilisation dans le cadre d'activités commerciales); 153, 154 (valeur de la contrepartie); 169(1), (3) (CTI); 212.1 (taxe dans les provinces participantes); 220.02 (transporteurs); 220.03 (biens en transit); 220.04 (institutions financières désignées particulières); 220.09 (déclarations de paiement); 234(4) (déduction pour remboursement — restriction); 256 (2.1) (remboursement en Nouvelle-Écosse pour habitation construite par soi-même); 259(4.2) (remboursement pour taxe dans les provinces participantes); 296(1)b), 298(1)d.1) (cotisation); 349(4), 352 (dispositions transitoires); X:Partie I:22 (TVH — biens transférés dans une province participante).

Règlements [art. 220.05]: *Règlement sur les véhicules à moteur déterminés (TPS/TVH)*, art. 1.

Bulletins de l'information technique [art. 220.05]: B-079, 28/02/97, *Autocotisation de la TVH sur les fournitures transférées dans une province participante*; B-104, 06/10, *Taxe de vente harmonisée — récupération temporaire des crédits de taxe sur les intrants en Ontario et en Colombie-Britanique*; B-XX5, 09/11, *Taxe de vente harmonisée Autocotisation de la partie provinciale de la TVH à l'égard des biens et services transférés dans une province participante* .

Série de mémorandums [art. 220.05]: Mémorandum 3.1, 08/99, *Assujettissement à la taxe*; Mémorandum 8.1, 05/05, *Règles générales d'admissibilité*.

Formulaires [art. 220.05]: GST489, *Déclaration aux fins de l'autocotisation de la composante provinciale de la taxe de vente harmonisée (TVH)*; RC4100, *La taxe de vente harmonisée et la taxe provinciale sur les véhicules à moteur*.

Info TPS/TVQ [art. 220.05]: GI-119 — *Taxe de vente harmonisée-Nouvelle règle sur le lieu de fourniture pour les ventes de véhicules à moteur déterminés*.

220.06 (1) Fourniture par un non-résident non inscrit — Sous réserve des autres dispositions de la présente partie, la personne qui est l'acquéreur de la fourniture taxable (sauf une fourniture détaxée ou visée par règlement) d'un bien meuble corporel qui, à un moment donné, lui est livré dans une province participante, ou y est mis à sa disposition, ou qui est envoyé par la poste ou par messagerie à une adresse dans cette province, par un fournisseur non-résident qui n'est pas inscrit aux termes de la sous-section d de la section V est tenue de payer à Sa Majesté du chef du Canada une taxe égale au résultat du calcul suivant :

$$A \times B$$

où :

A représente le taux de taxe applicable à la province;

B :

a) si le bien a été fourni par vente à la personne par une personne non-résidente sans lien de dépendance avec la personne, la valeur de la contrepartie payée ou payable relativement à la fourniture ou, si elle est inférieure, la juste valeur marchande du bien au moment donné,

b) malgré l'alinéa a), si le bien est un bien visé par règlement qui est fourni dans les circonstances prévues par règlement, la valeur déterminée selon les modalités déterminées par le ministre,

c) dans les autres cas, la juste valeur marchande du bien au moment donné.

Notes historiques: Le paragraphe 220.06(1) a été ajouté par L.C. 1997, c. 10, par. 204(1) et est entré en vigueur le 1er avril 1997.

Concordance québécoise: aucune.

(2) Taxe payable — La taxe prévue au paragraphe (1) relativement au bien fourni à une personne dans une province participante devient payable à la date où le bien est livré à la personne dans la province ou y est mis à sa disposition.

Notes historiques: Le paragraphe 220.06(2) a été ajouté par L.C. 1997, c. 10, par. 204(1) et est entré en vigueur le 1er avril 1997.

Concordance québécoise: aucune.

(3) Bien non taxable — La taxe prévue au paragraphe (1) n'est pas payable :

a) relativement à un bien qui est un véhicule à moteur déterminé qui doit être immatriculé aux termes de la législation d'une province participante sur l'immatriculation des véhicules à moteur, ou qui est inclus à la partie I de l'annexe X et n'est pas un bien visé par règlement;

b) dans les circonstances prévues par règlement.

Notes historiques: Le paragraphe 220.06(3) a été remplacé par. L.C. 2009, c. 32, par. 18(2) et cette modification est entrée en vigueur le 1er juillet 2010. Antérieurement, il se lisait ainsi :

(3) La taxe prévue au paragraphe (1) n'est pas payable relativement à un bien si, selon le cas :

a) le fournisseur du bien a payé la taxe prévue à l'article 220.05 relativement au bien;

b) la taxe prévue à l'article 220.07 a été payée relativement au bien;

c) le bien est inclus à la partie I de l'annexe X ou est un véhicule à moteur déterminé qui doit être immatriculé aux termes de la législation d'une province participante sur l'immatriculation des véhicules à moteur.

Le paragraphe 220.06(3) a été ajouté par L.C. 1997, c. 10, par. 204(1) et est entré en vigueur le 1er avril 1997.

Concordance québécoise: aucune.

(4) Application dans les zones extracôtières — Le paragraphe (1) ne s'applique à la fourniture d'un bien qui est livré à l'acquéreur dans la zone extracôtière de la Nouvelle-Écosse ou la zone extracôtière de Terre-Neuve, qui y est mis à sa disposition ou qui lui est envoyé à une adresse se trouvant dans cette zone que si l'acquéreur acquiert le bien pour consommation, utilisation ou fourniture dans le cadre d'une activité extracôtière.

Notes historiques: Le paragraphe 220.06(4) a été ajouté par L.C. 1997, c. 10, par. 204(1) et est entré en vigueur le 1er avril 1997.

Concordance québécoise: aucune.

Définitions [art. 220.06]: « acquéreur », « activité extracôtière », « bien meuble », « fourniture », « fourniture détaxée », « juste valeur marchande », « non résidant », « personne », « province participante », « règlement », « taux de taxe », « taxe », « véhicule à moteur déterminé », « vente », « zone extracôtière de la Nouvelle-Écosse », « zone extracôtière de Terre-Neuve » — 123(1); « bien meuble corporel » — 220.01.

Renvois [art. 220.06]: 126(1) (lien de dépendance); 153, 154 (valeur de la contrepartie); 169(3) (CTI); 169(4)b) (indication de la taxe); 220.04 (institutions financières désignées particulières); 220.09 (déclarations de paiement); 256 (2.1) (remboursement en Nouvelle-Écosse pour habitation construite par soi-même); 259(4.2) (remboursement pour taxe dans les provinces participantes); 296(1)b), 298(1)d.1) (cotisation); 349(4), 352 (dispositions transitoires).

Bulletins de l'information technique [art. 220.06]: B-079, 28/02/97, *Autocotisation de la TVH sur les fournitures transférées dans une province participante*; B-XX5, 09/11, *Taxe de vente harmonisée Autocotisation de la partie provinciale de la TVH à l'égard des biens et services transférés dans une province participante* .

Série de mémorandums [art. 220.06]: Mémorandum 3.1, 08/99, *Assujettissement à la taxe*; Mémorandum 13.4, 07/02, *Remboursements pour les livres imprimés, les enre-*

LTA (TPS)

gistrements sonores de livres imprimés et les versions imprimées des Écritures d'une religion.

Formulaires [art. 220.06]: GST489, *Déclaration aux fins de l'autocotisation de la composante provinciale de la taxe de vente harmonisée (TVH).*

220.07 (1) Produits commerciaux importés — Sous réserve des autres dispositions de la présente partie, la personne qui transfère dans une province participante en provenance de l'étranger l'un des biens suivants sur lequel elle est tenue, aux termes de la *Loi sur les douanes*, de payer des droits à ce moment, ou serait ainsi tenue si le bien était frappé de droits, doit payer, outre la taxe imposée par l'article 212, une taxe calculée au taux de taxe applicable à la province sur la valeur du bien :

a) un véhicule à moteur déterminé;

b) des marchandises déclarées provisoirement ou en détail à titre de produits commerciaux, au sens du paragraphe 212.1(1), en vertu de l'article 32 de cette loi.

Notes historiques: Le paragraphe 220.07(1) a été ajouté par L.C. 1997, c. 10, par. 204(1) et est entré en vigueur le 1er avril 1997.

Concordance québécoise: aucune.

(2) Exception — La taxe prévue au paragraphe (1) ne s'applique pas aux produits suivants :

a) les produits, sauf les véhicules à moteur déterminés, transférés dans une province participante en provenance de l'étranger par un inscrit (sauf celui dont la taxe nette est déterminée selon l'article 225.1 ou selon les parties IV ou V du *Règlement sur la comptabilité abrégée (TPS/ TVH)*) pour consommation, utilisation ou fourniture exclusive dans le cadre de ses activités commerciales;

b) les maisons mobiles ou les maisons flottantes utilisées ou occupées au Canada à titre résidentiel;

c) les produits inclus à l'annexe VII.

Notes historiques: L'alinéa 220.07(2)a) a été modifié par L.C. 2007, c. 18, al. 63(1)c) par le remplacement de « (TPS) » par « (TPS/ TVH) ». Cette modification est réputée être entrée en vigueur le 1er avril 1997.

Le paragraphe 220.07(2) a été ajouté par L.C. 1997, c. 10, par. 204(1) et est entré en vigueur le 1er avril 1997.

Concordance québécoise: aucune.

(3) Valeur d'un produit — Pour l'application du présent article, la valeur d'un produit transféré dans une province est la suivante :

a) dans le cas d'un véhicule à moteur déterminé qu'une personne est tenue de faire immatriculer aux termes de la législation provinciale sur l'immatriculation des véhicules à moteur, la valeur déterminée;

b) dans le cas d'un bien visé par règlement qui est transféré dans une province dans les circonstances prévues par règlement, la valeur établie selon les modalités fixées par règlement;

c) dans les autres cas, la valeur du produit déterminée en conformité avec l'article 215.

Notes historiques: L'alinéa 220.07(3)a) a été remplacé par L.C. 2007, c. 18, par. 23(1) et cette modification est réputée être entrée en vigueur le 1er avril 1997. Antérieurement, il se lisait ainsi :

> a) dans le cas d'un véhicule à moteur déterminé qu'une personne est tenue de faire immatriculer aux termes de la législation provinciale sur l'immatriculation des véhicules, la valeur déterminée par règlement;

Le paragraphe 220.07(3) a été ajouté par L.C. 1997, c. 10, par. 204(1) et est entré en vigueur le 1er avril 1997.

Concordance québécoise: aucune.

(4) Taxe payable — La taxe prévue au paragraphe (1) relativement au produit qu'une personne transfère dans une province participante devient payable par cette personne à la date suivante :

a) dans le cas d'un véhicule à moteur déterminé que la personne est tenue de faire immatriculer aux termes de la législation provinciale sur l'immatriculation des véhicules à moteur, la date où elle fait ainsi immatriculer le véhicule ou, si elle est antérieure, la date limite où elle doit le faire immatriculer;

b) dans les autres cas, la date où elle transfère le produit dans la province.

Notes historiques: Le paragraphe 220.07(4) a été ajouté par L.C. 1997, c. 10, par. 204(1) et est entré en vigueur le 1er avril 1997.

Concordance québécoise: aucune.

(5) Utilisation dans les zones extracôtières — Le paragraphe (1) ne s'applique aux produits qu'une personne transfère dans la zone extracôtière de la Nouvelle-Écosse ou la zone extracôtière de Terre-Neuve que si elle les y transfère pour consommation, utilisation ou fourniture dans le cadre d'une activité extracôtière.

Notes historiques: Le paragraphe 220.07(5) a été ajouté par L.C. 1997, c. 10, par. 204(1) et est entré en vigueur le 1er avril 1997.

Concordance québécoise: aucune.

Définitions [art. 220.07]: « activité extracôtière », « bien », « exclusif », « fourniture », « maison flottante », « maison mobile », « personne », « produits », « province participante », « règlement », « taux de taxe », « taxe », « véhicule à moteur déterminé », « zone extracôtière de la Nouvelle-Écosse », « zone extracôtière de Terre-Neuve » — 123(1).

Renvois [art. 220.07]: 123(2) (Canada); 169(3) (CTI); 169(4)b) (indication de la taxe); 178.8(8) (exception relative aux ententes d'importation); 220.02 (transporteur); 220.03 (biens en transit); 220.04 (institutions financières désignées particulières); 220.09 (déclarations de paiement); 256 (2.1) (remboursement en Nouvelle-Écosse pour habitation construite par soi-même); 259(4.2) (remboursement pour taxe dans les provinces participantes); 296(1)b), 298(1)d.1) (cotisation); 349(3), 352 (dispositions transitoires).

Règlements [art. 220.07]: *Règlement sur les véhicules à moteur déterminés (TPS/TVH), art. 1.*

Énoncés de politique [art. 220.07]: P-130, 05/08/92, *Lieu de résidence.*

Bulletins de l'information technique [art. 220.07]: B-079, 28/02/97, *Autocotisation de la TVH sur les fournitures transférées dans une province participante*; B-081, 28/02/97, *Application de la TVH aux importations.*

Série de mémorandums [art. 220.07]: Mémorandum 3.1, 08/99, *Assujettissement à la taxe.*

Formulaires [art. 220.07]: GST489, *Déclaration aux fins de l'autocotisation de la composante provinciale de la taxe de vente harmonisée (TVH).*

Info TPS/TVQ [art. 220.07]: GI-119 — *Taxe de vente harmonisée-Nouvelle règle sur le lieu de fourniture pour les ventes de véhicules à moteur déterminés.*

Sous-section b — Taxe sur les biens incorporels et les services

Notes historiques: L'intertitre « Taxe sur les biens incorporels et les services » a été ajouté par L.C. 1997, c. 10, par. 204(1) et est entré en vigueur le 1er avril 1997.

220.08 (1) Taxe dans les provinces participantes — Sous réserve des autres dispositions de la présente partie, la personne résidant dans une province participante qui est l'acquéreur de la fourniture taxable, effectuée dans une province donnée, d'un bien meuble incorporel ou d'un service qu'elle a acquis à une fin prévue par règlement relativement à la fourniture ou, en l'absence d'une telle fin, pour consommation, utilisation ou fourniture en tout ou en partie dans toute province participante autre que la province donnée est tenue de payer à Sa Majesté du chef du Canada, à tout moment où la totalité ou une partie de la contrepartie de la fourniture devient due ou est payée sans qu'elle soit devenue due, une taxe égale au montant déterminé selon les modalités réglementaires.

Notes historiques: Le paragraphe 220.08(1) a été remplacé par L.C. 2012, c. 31, par. 78(1) et cette modification s'applique relativement aux fournitures effectuées après juin 2010. Antérieurement, il se lisait ainsi :

> 220.08 (1) Sous réserve des autres dispositions de la présente partie, la personne résidant dans une province participante qui est l'acquéreur de la fourniture taxable, effectuée dans une province donnée, d'un bien meuble incorporel ou d'un service qu'elle a acquis pour consommation, utilisation ou fourniture en tout ou en partie dans toute province participante autre que la province donnée est tenue de payer à Sa Majesté du chef du Canada, à tout moment où la totalité ou une partie de la contrepartie de la fourniture devient due ou est payée sans qu'elle soit devenue due, une taxe égale au montant déterminé selon les modalités réglementaires.

Le paragraphe 220.08(1) a été remplacé par L.C. 2009, c. 32, par. 19(1) et cette modification est entrée en vigueur le 1er juillet 2010. Antérieurement, il se lisait ainsi :

220.08 (1) Sous réserve des autres dispositions de la présente partie, la personne résidant dans une province participante donnée qui est l'acquéreur de la fourniture taxable, effectuée dans une province non participante, d'un bien meuble incorporel ou d'un service qu'elle a acquis pour consommation, utilisation ou fourniture principalement dans des provinces participantes est tenue de payer à Sa Majesté du chef du Canada, à tout moment où la totalité ou une partie de la contrepartie de la fourniture devient due ou est payée sans qu'elle soit devenue due, une taxe égale au résultat du calcul suivant :

$$A \times B \times C$$

où :

A représente le taux de taxe applicable à la province donnée;

B la valeur de cette contrepartie qui est payée ou devient due à ce moment;

C le pourcentage qui représente la mesure dans laquelle la personne a acquis le bien ou le service pour consommation, utilisation ou fourniture dans des provinces participantes.

Le paragraphe 220.08(1) a été ajouté par L.C. 1997, c. 10, par. 204(1) et est entré en vigueur le 1er avril 1997.

15 octobre 2012, Notes explicatives: L'article 220.08 porte sur le régime d'autocotisation applicable aux personnes résidant dans une province participante qui sont les acquéreurs de certaines fournitures taxables de biens meubles incorporels ou de services acquis en vue d'être consommés, utilisés ou fournis dans une province participante.

Le paragraphe 220.08(1) prévoit l'autocotisation, par une personne résidant dans une province participante, de la composante provinciale de la TVH relative à la fourniture taxable d'un bien meuble incorporel ou d'un service qui est acquis en vue d'être consommé, utilisé ou fourni dans une province participante autre que la province où la fourniture est effectuée.

Ce paragraphe est modifié de façon à prévoir l'autocotisation, par une personne résidant dans une province participante, de la composante provinciale de la TVH relative à la fourniture taxable d'un bien meuble incorporel ou d'un service qui est acquis :

- soit à une fin prévue par règlement relativement à la fourniture;
- soit, en l'absence d'une telle fin, en vue d'être consommé, utilisé ou fourni dans une province participante autre que la province où la fourniture est effectuée.

Selon les dispositions réglementaires proposées pour l'application du paragraphe 220.08(1), les fins prévues par règlement comprennent l'autocotisation par certains régimes de placement (au sens du paragraphe 149(5)) et fonds réservés d'assureurs (au sens du paragraphe 123(1)), notamment dans les cas suivants :

- Les séries provinciales (généralement, des séries créées exclusivement pour des investisseurs résidant dans une province donnée) de régimes de placement et de fonds réservés qui sont des institutions financières désignées particulières (au sens du paragraphe 225.2(1)) : lorsque la série provinciale est créée pour des investisseurs résidant dans une province participante, le régime de placement ou le fonds réservé serait tenu d'établir par autocotisation selon ce paragraphe la composante provinciale de la TVH qui s'applique à cette province relativement aux biens et services qui se rapportent à la série.
- Les régimes de placement provinciaux (généralement, des régimes de placement ou des fonds réservés créés exclusivement pour des investisseurs résidant dans une province donnée) : lorsque le régime de placement provincial est créé pour des investisseurs résidant dans une province participante, le régime serait tenu d'établir par autocotisation selon ce paragraphe la composante provinciale de la TVH qui s'applique à cette province.

Les modifications apportées au paragraphe 220.08(1) s'appliquent relativement aux fournitures effectuées après juin 2010.

Concordance québécoise: aucune.

(2) Taxe payable — La taxe prévue au paragraphe (1) qui est calculée sur un montant de contrepartie relatif à une fourniture devient payable au moment où ce montant devient dû ou est payé sans qu'il soit devenu dû.

Notes historiques: Le paragraphe 220.08(2) a été ajouté par L.C. 1997, c. 10, par. 204(1) et est entré en vigueur le 1er avril 1997.

Concordance québécoise: aucune.

(3) Fournitures non taxables — La taxe prévue au paragraphe (1) n'est pas payable :

a) relativement à la fourniture d'un bien meuble incorporel ou d'un service qui est incluse à la partie II de l'annexe X et n'est pas une fourniture visée par règlement;

b) dans les circonstances prévues par règlement.

Notes historiques: Le paragraphe 220.08(3) a été remplacé par L.C. 2009, c. 32, par. 19(2) et cette modification est entrée en vigueur le 1er juillet 2010. Antérieurement, il se lisait ainsi :

(3) La taxe prévue au paragraphe (1) n'est pas payable relativement à la fourniture d'un bien meuble incorporel ou d'un service inclus à la partie II de l'annexe X.

Le paragraphe 220.08(3) a été ajouté par L.C. 1997, c. 10, par. 204(1) et est entré en vigueur le 1er avril 1997.

Concordance québécoise: aucune.

(3.1) Entités de gestion — La taxe prévue au paragraphe (1) n'est pas payable relativement à la fourniture donnée d'un bien ou d'un service effectuée par un employeur participant à un régime de pension au profit d'une personne qui est une entité de gestion du régime si, selon le cas :

a) la valeur de l'élément B de la formule figurant à l'alinéa 172.1(5)c), déterminée relativement à une fourniture du même bien ou service qui est réputée avoir été effectuée par l'employeur participant en vertu de l'alinéa 172.1(5)a), est supérieure à zéro;

b) la valeur de l'élément B de la formule figurant à l'alinéa 172.1(6)c), déterminée relativement à chaque fourniture — réputée avoir été effectuée en vertu de l'alinéa 172.1(6)a) — d'une ressource d'employeur (au sens du paragraphe 172.1(1)) consommée ou utilisée en vue d'effectuer la fourniture donnée, est supérieure à zéro.

Notes historiques: Le préambule du paragraphe 220.08(3.1) a été remplacé par L.C. 2012, c. 31, par. 78(2) et cette modification est réputée être entrée en vigueur le 23 septembre 2009. Antérieurement, il se lisait ainsi :

(3.1) La taxe prévue au paragraphe (1) n'est pas payable relativement à la fourniture donnée d'un bien ou d'un service effectuée par un employeur participant à un régime de pension, au sens du paragraphe 172.1(1), au profit d'une personne qui est une entité de gestion, au sens du même paragraphe, du régime si, selon le cas :

Le paragraphe 220.08(3.1) a été ajouté par L.C. 2010, c. 12, par. 69(1) et est réputé être entré en vigueur le 23 septembre 2009.

15 octobre 2012, Notes explicatives: Selon le paragraphe 220.08(3.1), l'exigence prévue au paragraphe 220.08(1) ne s'applique pas à la fourniture d'un bien meuble incorporel ou d'un service effectuée par un employeur participant à un régime de pension au profit d'une entité de gestion du même régime si le montant de la composante provinciale de la TVH, déterminé selon l'alinéa 172.1(5)c) (relativement à une fourniture du même bien ou service) ou selon l'alinéa 172.1(6)c) (relativement à la fourniture d'une ressource d'employeur, visée au paragraphe 172.1(6), qui est consommée ou utilisée en vue d'effectuer la fourniture du même bien ou service), est supérieur à zéro.

Des modifications corrélatives sont apportées au paragraphe 220.08(3.1) du fait que les définitions de « employeur participant », « entité de gestion » et « régime de pension » figurent désormais au paragraphe 123(1) et qu'elles s'appliquent à l'ensemble de la partie IX de la Loi.

Ces modifications sont réputées être entrées en vigueur le 23 septembre 2009.

Concordance québécoise: aucune.

(4) Application dans les zones extracôtières — Le paragraphe (1) ne s'applique à la fourniture d'un bien ou d'un service effectuée au profit d'une personne qui réside dans la zone extracôtière de la Nouvelle-Écosse ou la zone extracôtière de Terre-Neuve que si le bien ou le service est acquis pour consommation, utilisation ou fourniture dans le cadre d'une activité extracôtière ou si la personne réside également dans une province participante qui n'est pas une zone extracôtière.

Notes historiques: Le paragraphe 220.08(4) a été ajouté par L.C. 1997, c. 10, par. 204(1) et est entré en vigueur le 1er avril 1997.

Concordance québécoise: aucune.

(5) Utilisation dans les zones extracôtières — Pour l'application du paragraphe (1), la personne qui acquiert un bien ou un service pour consommation, utilisation ou fourniture dans la zone extracôtière de la Nouvelle-Écosse ou la zone extracôtière de Terre-Neuve est réputée l'acquérir pour consommation, utilisation ou fourniture dans cette zone seulement dans la mesure où il est acquis pour consommation, utilisation ou fourniture dans cette zone dans le cadre d'une activité extracôtière.

Notes historiques: Le paragraphe 220.08(5) a été ajouté par L.C. 1997, c. 10, par. 204(1) et est entré en vigueur le 1er avril 1997.

Concordance québécoise: aucune.

Définitions [art. 220.08]: « acquéreur », « activité extracôtière », « bien meuble », « contrepartie », « fourniture », « fourniture taxable », « montant », « personne », « produits », « province non participante », « province participante », « régime de pension », « ressource d'employeur », « service », « taux de taxe », « taxe », « zone extracôtière de la Nouvelle-Écosse », « zone extracôtière de Terre-Neuve » — 123(1).

Renvois [art. 220.08]: 123(2) (Canada); 132.1 (personne résidant dans une province); 152 (contrepartie due); 169(3) (CTI); 169(4)b) (indication de la taxe); 220.09 (déclarations de paiement); 259(4.2) (remboursement pour taxe dans les provinces participantes); 261.31 (remboursement pour services de gestion fournis à un fonds de placement); 296(1)b), 298(1)d.1) (cotisation); 349(2), 352, 356 (dispositions transitoires).

Bulletins de l'information technique [art. 220.08]: B-079, 28/02/97, *Autocotisation de la TVH sur les formulaires transférés dans une province participante*.

Série de mémorandums [art. 220.08]: Mémorandum 3.1, 08/99, *Assujettissement à la taxe*.

Formulaires [art. 220.08]: GST489, *Déclaration aux fins de l'autocotisation de la composante provinciale de la taxe de vente harmonisée (TVH)*.

Info TPS/TVQ [art. 220.08]: GI-053 — *Transition à la taxe de vente harmonisée de l'Ontario et de la Colombie-Britannique — service de transport de marchandise*.

Sous-section c — Déclarations et paiement de la taxe

Notes historiques: L'intertitre « Déclarations et paiement de la taxe » a été ajouté par L.C. 1997, c. 10, par. 204(1) et est entré en vigueur le 1er avril 1997.

220.09 (1) Déclarations et paiement — Lorsque la taxe prévue à la présente section devient payable par une personne :

a) si elle est un inscrit, la personne est tenue de payer la taxe au receveur général et de l'indiquer dans la déclaration visant la période de déclaration où elle est devenue payable, au plus tard à la date limite où cette déclaration est à produire en vertu de l'article 238;

b) dans les autres cas, la personne est tenue de payer la taxe au receveur général au plus tard le dernier jour du mois suivant celui où elle est devenue payable et de présenter au ministre dans ce délai une déclaration contenant les renseignements requis et établie en la forme et selon les modalités qu'il détermine.

Notes historiques: Le paragraphe 220.09(1) a été ajouté par L.C. 1997, c. 10, par. 204(1) et est entré en vigueur le 1er avril 1997.

Concordance québécoise: aucune.

(2) Exception — Malgré le paragraphe (1), la personne tenue de faire immatriculer un véhicule à moteur déterminé aux termes de la législation d'une province participante sur l'immatriculation des véhicules à moteur n'a pas, si elle est un inscrit, à indiquer dans une déclaration la taxe prévue aux articles 220.05, 220.06 ou 220.07 qui est payable par elle à Sa Majesté du chef du Canada relativement au véhicule ou, si elle n'est pas un inscrit, à produire une déclaration concernant cette taxe. Toutefois, la taxe doit être payée à l'autorité provinciale, en sa qualité de mandataire de Sa Majesté du chef du Canada, à la date où la personne fait immatriculer le véhicule ou, si elle est antérieure, à la date limite où elle doit le faire immatriculer.

Notes historiques: Le paragraphe 220.09(2) a été remplacé par L.C. 2007, c. 18, par. 24(1) et cette modification est réputée être entrée en vigueur le 1er avril 1997. Antérieurement, il se lisait ainsi :

> (2) Malgré le paragraphe (1), la personne tenue de faire immatriculer un véhicule à moteur déterminé aux termes de la législation d'une province participante sur l'immatriculation des véhicules à moteur n'a pas, si elle est un inscrit, à indiquer dans une déclaration la taxe prévue aux articles 220.05, 220.06 ou 220.07 qui est payable par elle relativement au véhicule ou, si elle n'est pas un inscrit, à produire une déclaration concernant cette taxe. Toutefois, la taxe doit être payée au receveur général, selon les modalités déterminées par le ministre, à la date où elle fait immatriculer le véhicule ou, si elle est antérieure, à la date limite où elle doit le faire immatriculer.

Le paragraphe 220.09(2) a été ajouté par L.C. 1997, c. 10, par. 204(1) et est entré en vigueur le 1er avril 1997.

Concordance québécoise: aucune.

(3) Déduction — Le montant déterminé par règlement pour l'application du paragraphe 234(3) doit être déduit, dans le calcul du montant à payer aux termes du paragraphe (1), de la taxe prévue à la présente section qui devient payable par une personne s'il représente tout ou partie de cette taxe.

Notes historiques: Le paragraphe 220.09(3) a été ajouté par L.C. 1997, c. 10, par. 209(3) et est entré en vigueur le 1er avril 1997.

Concordance québécoise: aucune.

(4) Déclaration non requise — Aucune déclaration n'est à produire aux termes de la présente section si le montant à payer au receveur général en application du paragraphe (1) est nul.

Notes historiques: Le paragraphe 220.09(4) a été ajouté par L.C. 1997, c. 10, par. 204(1) et est entré en vigueur le 1er avril 1997.

Concordance québécoise: aucune.

Définitions [art. 220.09]: « inscrit », « ministre », « mois », « personne », « province participante », « règlement », « véhicule à moteur déterminé » — 123(1).

Règlements [art. 220.09]: *Règlement sur les véhicules à moteur déterminés (TPS/TVH), art. 1.*

Bulletins de l'information technique [art. 220.09]: B-079, 28/02/97, *Autocotisation de la TVH sur les fournitures transférées dans une province participante*; B-081, 28/02/97, *Application de la TVH aux importations*; B-085, 23/03/98, *Remboursement au point de vente de la TVH pour les livres*.

Série de mémorandums [art. 220.09]: Mémorandum 3.1, 08/99, *Assujettissement à la taxe*.

Formulaires [art. 220.09]: GST489F, *Déclaration aux fins de l'autocotisation de la composante provinciale de la taxe de vente harmonisée (TVH)*.

SECTION V — PERCEPTION ET VERSEMENT DE LA TAXE PRÉVUE À LA SECTION II

Sous-section a — Perception

221. (1) Perception — La personne qui effectue une fourniture taxable doit, à titre de mandataire de Sa Majesté du chef du Canada, percevoir la taxe payable par l'acquéreur en vertu de la section II.

Notes historiques: Le paragraphe 220(1) a été ajouté par L.C. 1990, c. 45, par. 12(1).

Concordance québécoise: LTVQ, art. 422.

(2) Exception — fourniture d'un immeuble — Le fournisseur, sauf un fournisseur visé par règlement, qui effectue la fourniture taxable d'un immeuble par vente n'est pas tenu de percevoir la taxe payable par l'acquéreur en vertu de la section II si, selon le cas :

a) le fournisseur ne réside pas au Canada ou n'y réside que par application du paragraphe 132(2);

b) l'acquéreur est inscrit aux termes de la sous-section d) et, s'il est un particulier, l'immeuble n'est ni un immeuble d'habitation ni fourni à titre de concession dans un cimetière, de lieu d'inhumation, de sépulture ou de lieu de dépôt de dépouilles mortelles ou de cendres;

b.1) le fournisseur et l'acquéreur ont fait, relativement à la fourniture, le choix prévu à l'article 2 de la partie I de l'annexe V;

c) l'acquéreur est un acquéreur visé par règlement.

Notes historiques: L'alinéa 221(2)b) a été remplacé par L.C. 2000, c. 30, par. 48(1). Cette modification s'applique aux fournitures effectuées après le 10 décembre 1998. Antérieurement, il se lisait comme suit :

> b) l'acquéreur est inscrit aux termes de la sous-section d, et il ne s'agit pas de la fourniture d'un immeuble d'habitation au profit d'un particulier;

L'alinéa 221(2)b.1) été ajouté par L.C. 2001, c. 15, par. 9(1) et s'applique aux fournitures effectuées après le 4 octobre 2000.

Le paragraphe 221(2) a été ajouté par L.C. 1990, c. 45, par. 12(1).

Concordance québécoise: LTVQ, art. 423.

(3) Exception — fourniture d'un service de transport — Le transporteur qui effectue la fourniture taxable d'un service de transport d'un bien meuble corporel pour lequel l'expéditeur lui remet une déclaration visée à l'article 7 de la partie VII de l'annexe VI n'est pas tenu de percevoir la taxe relative à la fourniture ou à toute fourniture en découlant si, au plus tard au moment où la taxe relative à la fourniture devient payable, il ne savait pas et ne pouvait vraisemblablement pas savoir :

a) que le bien n'était pas destiné à l'exportation;

b) que le transport ne faisait pas partie d'un service continu de transport de marchandises vers l'étranger;

c) que le bien avait été réacheminé, ou le serait, vers une destination finale au Canada.

Notes historiques: Le paragraphe 221(3) a été ajouté par L.C. 1990, c. 45, par. 12(1).

Concordance québécoise: LTVQ, art. 424, al. 1.

(3.1) [*Abrogé*]

Notes historiques: Le paragraphe 221(3.1) été abrogé par L.C. 2001, c. 15, par. 9(2). Cette abrogation s'applique aux fournitures effectuées après 2000. Antérieurement, il se lisait ainsi :

> (3.1) Certificat d'exportation — L'inscrit qui effectue la fourniture taxable d'un bien meuble corporel pour lequel l'acquéreur lui remet un certificat visé à l'article 1 de la partie V de l'annexe VI n'est pas tenu de percevoir la taxe relative à la fourniture si, au plus tard au moment où cette taxe devient payable, il ne savait pas ou ne pouvait vraisemblablement pas savoir que le bien ne serait pas exporté par l'acquéreur dans les circonstances visées à cet article.

Le paragraphe 221(3.1) a été ajouté par L.C. 1993, c. 27, par. 85(1) et est réputé entré en vigueur le 17 décembre 1990.

(4) Définitions — Au paragraphe (3), « expéditeur » et « service continu de transport de marchandises vers l'étranger » s'entendent au sens de la partie VII de l'annexe VI.

Notes historiques: Le paragraphe 221(4) a été modifié par L.C. 1997, c. 10, par. 43.1(1) et cette modification est réputée entrée en vigueur le 17 décembre 1990. Il se lisait comme suit :

> Au paragraphe (3), « expéditeur », « service continu de transport de marchandises vers l'étranger » et « transporteur » s'entendent au sens de la partie VII de l'annexe VI.

Ce paragraphe a été ajouté par L.C. 1990, c. 45, par. 12(1).

Concordance québécoise: LTVQ, art. 424, al. 2.

Définitions [art. 221]: « acquéreur », « bien », « bien meuble », « exportation », « fourniture », « fourniture taxable », « immeuble », « immeuble d'habitation », « inscrit », « non résidant », « personne », « règlement », « taxe », « transporteur », « vente » — 123(1).

Renvois [art. 221]: 123(2) (Canada); 132 (résidence au Canada); 165(1) (assujettissement); 169(4)b) (CTI — documents); 221.1 (certificat d'exportation); 222(1) (montants perçus détenus en fiducie); 224 (droit du fournisseur d'intenter une action en recouvrement); 228(2) (versement de la taxe nette); 228(4) (immeuble fourni par une personne non tenue de percevoir la taxe); 278(2) (paiement et versement); 298(1)b) (période de cotisation); 329(1) (défaut de payer, percevoir ou verser la taxe).

Jurisprudence [art. 221]: *Construction Biagio Maiorino Inc. v. R.* (28 novembre 2012), 2012 CarswellNat 4719 (C.C.I.); *Construction MDGG inc. c. SMRQ* (13 mars 2008), 200-80-002119-061, 2008 CarswellQue 2224; *Construction Di Iorio Inc. c. Ville de Pointe-Claire*, [1992] G.S.T.C. 3 (CCI); *Marcel Charest & Fils inc. c. Ville de Rivière-du-Loup*, [1993] G.S.T.C. 22 ((CA Qué)); *Royal Trust c. Daine*, [1993] G.S.T.C. 16 (Ont. Div. Ct.); *Franklin Estates Inc. c. La Reine*, [1994] G.S.T.C. 64 (CCI); *Hatam (F.) c. La Reine*, [1995] G.S.T.C. 1 (CCI); *Acme Video Inc. c. La Reine*, [1995] G.S.T.C. 49 (CCI); *Alex Excavating Inc. c. La Reine* (1995), [1995] 57 (CCI); *Hubka (J.) c. La Reine*, [1995] G.S.T.C. 58 (CCI); *Comeau (R.) c. La Reine*, [1996] G.S.T.C. 3 (CCI); *Ross (M.) c. La Reine*, [1996] G.S.T.C. 33 (CCI); *Williston Wildcatters Oil Corp. (Re)*, [1996] G.S.T.C. 42 (Sask QB); *Grewal (M.) c. La Reine*, [1996] G.S.T.C. 59 (CCI); *Automobiles Dieudonné Rousseau Inc. c. La Reine*, [1996] G.S.T.C. 82 (CCI); *Dworak c. Kimpton*, [1996] G.S.T.C. 97 (BSCS); *Vacation Villas of Collingwood Inc. c. La Reine*, A-212-95; *Bates Paralegal and Administrative Services c. Canada*, [1998] G.S.T.C. 52 (CCI); *756289 Ontario Ltd. c. Harminc*, [1998] G.S.T.C. 90; *L.J. Meier Co. Ltd. c. Canada*, [1998] G.S.T.C. 84 (CCI); *Club Immobilier International Inc. c. Canada*, [1998] G.S.T.C. 115 (CCI); *A.M.E. Aeroworks Services Ltd. c. Canada*, [1999] G.S.T.C. 19 (CCI); *Carnelian Investments Ltd. c. Canada*, [1999] G.S.T.C. 92 (CCI); *Zivkovic c. R.*, [2000] G.S.T.C. 16 (CCI); *Niagara Resale Center Inc. c. CAAG Auto Auction Group*, [2000] G.S.T.C. 25 (Ont SCJ); *9000-6560 Québec Inc. c. R.*, [2000] G.S.T.C. 63 (CCI); *Pictou v. R.*, [2000] G.S.T.C. 39 (TCC); *9000-6560 Québec Inc. [Chrysler St-Jovite] c. R.*, [2001] G.S.T.C. 16, [2001] G.S.T.C. 31 (CCI); *Trudel c. R.*, [2001] G.S.T.C. 23 (CCI); *Centre de la Cité Pointe Claire c. R.*, 2001 G.S.T.C. 591 (CCI); *Dussault c. R.*, [2001] G.S.T.C. 131 (CCI); *Toitures Lancourt Inc. c. R.*, [2002] G.S.T.C. 3 (CCI); *Airport Auto Ltd. v. R.*, [2003] G.S.T.C. 151 (CCI); *Patry c. R.*, [2003] G.S.T.C. 132 (CCI); *Joseph Ribkoff Inc. c. R.*, [2003] G.S.T.C. 162 (CCI); *Pictou v. R.*, [2003] G.S.T.C. 13 (CAF); *Gestion V.C.C.C.C. Inc. c. R.*, [2004] G.S.T.C. 104 (CCI); *Condominiums Plan Nº 9422336 v. R.*, 2004 T.C.C. 46 (CCI); *Owraki v. R.*, [2004] G.S.T.C. 1 (CCI); *Patoine c. R.*, 2007 G.T.C. 884 (CCI); *Weinstein & Gavino Fabrique et Bar à pâtes compagnie ltée c. SMRQ* (19 décembre 2007), 500-17-015442-034, 2007 CarswellQue 12599; *Développement Priscilla Inc. c. R.*, 2007 G.S.T.C. 181 (CCI [procédure informelle]); *Herroug c. R.*, [2007] G.S.T.C. 161 (CCI [procédure générale]); *Triple G. Corp. v. R.* (24 avril 2008), [2008] G.S.T.C. 102 (CCI [procédure générale]); *Québec (Sous-ministre du Revenu) c. Cun* (13 novembre 2008), 2008 CarswellQue 11822; *Nguyen v. R.* (18 décembre 2008), [2008] G.S.T.C. 218 (CCI [procédure générale]); *Desrosiers c. R.*, 2008 G.T.C. 799 (CCI [procédure informelle]); *Pauwels v. R.* (12 février 2009), 2009 CarswellNat 980 (CCI [procédure informelle]); *Stanley J. Tessmer Law Corp. v. R.* (16 février 2009), 2008 CarswellNat 1665; *Résidences Majeau Inc. c. R.* (28 mai 2009), 2009 G.T.C. 1062 (CCI [procédure générale]); *Veitch Holdings Ltd. v. R.*, 2010 CarswellNat 1706, 2010 CCI 98, [2010] G.S.T.C. 39 (CCI [procédure informelle]); *Khan v. R.*, 2011 CarswellNat 5028, 2011 CCI 481 (CCI [procédure informelle]); *Chayer v. R.* (2 décembre 2012), 2011 CarswellNat 5803, 2011 CCI 553 (CCI [procédure informelle]); *Balthazard c. R.* (28 novembre 2011), 2011 CarswellNat 4964, 2011 CAF 331, 2012 G.T.C. 1006 (CAF).

Énoncés de politique [art. 221]: P-012R, 04/01/99, *Responsabilité de verser une taxe nette sur le transfert des éléments d'actif d'une entreprise*; P-026, 04/09/92, *Les biens saisis ou ayant fait l'objet d'une reprise de possession et le seuil de petit fournisseur*; P-057, 23/02/93, *Application de la TPS à une renonciation exécutée avant le 6 novembre 1991*; P-112R, 08/03/00, *Établissement d'une cotisation à l'égard de la taxe à payer si l'acheteur n'est pas solvable*; P-118R, 05/05/99, *Établissement d'une cotisation sur la base de la taxe comprise ou de la taxe non comprise*; P-128R2, 05/01/06, *Traitement fiscal de la fourniture d'une participation directe indivise dans l'actif d'une mine ou d'un puits de gaz ou de pétrole*; P-131R, 07/04/94, *Versement de taxe par un tiers*; P-138R, 05/05/99, *L'effet d'un choix concernant une coentreprise sur la capacité d'un participant de s'inscrire et de demander des crédits de taxe sur les intrants*; P-146, 15/07/94, *Demandes de CTI fictifs lorsqu'il est établi par la suite que la taxe était payable*; P-150, 14/07/94, *Application de la taxe sur les logiciels importés*; P-163, 07/11/94, *Situation fiscale d'une amodiation d'un avoir dans le secteur des ressources naturelles*; P-182R, 28/08/03, *Du mandat*; P-183, 09/05/95, *Acquisition d'une terre agricole en copropriété*.

Bulletin de l'information technique [art. 221]: B-073, 19/06/93, *Vente de titres francs de minéraux*.

Mémorandums [art. 221]: TPS 200-3, 26/03/91, *Qui est tenu de s'inscrire?*, par. 5; TPS 200-4, 29/01/91, *Quand doit s'inscrire une personne?*, par. 4; TPS 300-6, 14/09/90, *Moment d'assujettissement de la fourniture*, par. 4, 5, 13; TPS 300-6-4, 15/01/91, *Conventions écrites*, par. 8; TPS 300-6-5, 2/01/91, *Immeubles*, par. 2; TPS 300-7, 14/09/90, *Valeur de la fourniture*, par. 7; TPS 400-1-2, 08/11/90, *Documents requis*, par. 78-83; TPS 500-2, 25/03/91, *Déclarations et paiements*, par. 16–19 et les annexes C et E; TPS 500-3-1, 20/03/92, *Vérifications fiscales*, par. 4.

Série de mémorandums [art. 221]: Mémorandum 3.1, 08/99, *Assujettissement à la taxe*; Mémorandum 3.4, 04/00, *Résidence*; Mémorandum 6.2, 19/03/93, *Gouvernements provinciaux*, par. 7; Mémorandum 19.1, 10/97, *Les immeubles et la TPS/TVH*; Mémorandum 19.4.1, 08/99, *Immeubles commerciaux — Ventes et locations*; Mémorandum 19.5, 06/02, *Fonds de terre et immeubles connexes*.

Info TPS/TVQ [art. 221]: GI-019 — *Livreurs de journaux*.

Formulaires [art. 221]: FP-60, *Déclaration visant l'acquisition d'immeubles*; FP-505, *Formulaire de déclaration particulière*; GST60, *Taxe sur les produits et services/taxe de vente harmonisée — Déclaration visant l'acquisition d'immeubles*; RC4022, *Renseignements généraux sur la TPS/TVH pour les inscrits* ; RC4027, *Renseignements sur la TPS/TVH pour les non-résidents qui font affaire au Canada*.

Lettres d'interprétation (Québec) [art. 221]: 97-0108577 — Interprétation TPS/TVQ — Transmission par voie de télécommunications; 97-0111795 — Remboursement pour habitation neuve; 97-3800733 — Interprétation relative à la TPS — Interprétation relative à la TVQ — Ventes sous contrôle de justice — perception et remise de la taxe; 99-0106833 — Interprétation relative à la TPS et à la TVQ — Fourniture d'activités de loisir aux citoyens d'une municipalité; 99-0111064 — Convention entre [une ville] et un inscrit en TPS/TVQ; 00-0108506 — Interprétation relative à la TPS et à la TVQ — Conséquences fiscales de la désignation à titre de municipalité d'une régie intermunicipale; 02-0107223 — Interprétation relative à la TPS et à la TVQ — Cotisation annuelle [Application de la loi aux avis de]; 02-0112082 — Décision portant sur l'application de la TPS — interprétation relative à la TVQ — montants versés dans le cadre de tansactions effectuées au moyen de guichets automatiques privés; 06-0101904 — Interprétation relative à la TPS et à la TVQ — Perception et versement de la TPS et de la TVQ; 06-0103397 — Décision portant sur l'application de la TPS — interprétation relative à la TVQ — acte de propriété superficiaire et de servitudes; 12-014001-001 — *Interprétation relative à la TPS/TVH - Interprétation relative à la TVQ (Commerce électronique)*.

Guides (Québec) [art. 221]: IN-256 — Aide-mémoire pour les entreprises en démarrage — Les taxes.

COMMENTAIRES: Selon la règle générale concernant le moment d'assujettissement, en application du paragraphe 168(1), la taxe est payable par l'acquéreur d'une fourniture taxable le premier en date du jour où la contrepartie de cette fourniture est payée et du jour où elle devient exigible. L'article 221 prévoit que la personne qui effectue une fourniture taxable est tenue de percevoir, en tant que mandataire de Sa Majesté du chef du Canada, la taxe payable par l'acquéreur à l'égard de la fourniture.

Lorsque le fournisseur n'a pas perçu la taxe, l'alinéa 296(1)(b) prévoit que le ministre peut cotiser l'acquéreur à l'égard de la taxe non perçue par le fournisseur. En effet, Revenu Québec indique qu'une personne qui ne perçoit pas, comme le prévoit le paragraphe 221(1), la taxe payable lors d'une fourniture taxable peut être tenu de verser le montant de la taxe non perçue à Revenu Québec. Voir notamment à cet effet : Revenu Québec, Lettre d'interprétation, 97-0112058 — *Frais de copropriété* (15 avril 1998). En pratique, toutefois, l'Agence du revenu du Canada et Revenu Québec cotisent plutôt le fournisseur que l'acquéreur.

Dans l'affaire *Airport Auto ltd. c. R.*, 2003 CarswellNat 5233 (C.C.I.), l'appelante achetait des véhicules auprès de certains fournisseurs et avait payé la taxe sur chacune de ces fournitures. Par contre, les fournisseurs n'avaient pas remis la taxe relative à ces transactions. La question en litige devant la Cour canadienne de l'impôt était donc de déterminer si ministre pouvait percevoir la taxe à l'appelante qui avait, par ailleurs, déjà payé celle-ci au fournisseur. En d'autres termes, la Cour canadienne de l'impôt devait répondre à la question suivante : est-ce que l'appelante doit payer les taxes une deuxième fois lorsque le vendeur ou le fournisseur n'a pas versé la taxe qu'elle lui a payée ? De l'avis du tribunal, l'alinéa 296(1)b) précise que le ministre peut établir une cotisation pour déterminer la « taxe payable » en vertu de la section II de la loi, le paragraphe 165(1) faisant partie de cette section. Or, en l'espèce, l'appelante a payé la taxe et il n'y a donc plus de taxe payable. Ainsi, dès que la taxe est payée, mais non remise, elle ne peut plus être recouvrée par le ministre une deuxième fois étant donné qu'elle n'est plus payable. Le paragraphe 221(1) crée une relation de mandataire qui est différente de la notion classique que l'on connaît. Lorsque les sommes perçues deviennent des fonds en fiducie, la Couronne possède automatiquement un intérêt dans ces sommes en tant que bénéficiaire désigné. En l'absence de fraude ou de collusion, lorsque l'acquéreur paie la taxe à 165(1) à un fournisseur, qui la perçoit en sa qualité de mandataire, l'acquéreur n'est plus responsable de la taxe. De l'avis de l'auteur, cette décision est juste et est conforme à l'esprit de la loi et permet aux acquéreurs de bonne foi de ne plus être responsables, sous réserve de certaines conditions, du paiement de la TPS lorsque celle-ci est payée au fournisseur. En effet, la situation inverse aurait créé un niveau d'insécurité peu gérable dans le cadre du régime de TPS/TVH.

Également, lorsqu'un fournisseur agit à titre de mandataire pour la Couronne, la taxe perçue et remise n'est pas déductible aux fins de l'impôt sur le revenu. Voir notamment à cet effet : Agence du revenu du Canada, Lettre de l'Administration centrale sur la TPS, 2009-030929117 — *Deductibility of GST*.

Dans la mesure où les biens ou services sont détaxés, le vendeur ne sera pas requis de percevoir la taxe de l'acquéreur, et pourra réclamer un crédit de taxe sur les intrants, dans la mesure où les conditions énoncées à l'article 169 sont rencontrées. Voir notamment à cet effet : *Ladas c. R.*, 2000 CarswellNat 1729 (C.C.I.), confirmé par la Cour d'appel fédérale, 2002 CarswellNat 1271 (C.A.F.).

Dans le même contexte, un vendeur n'est pas tenu de percevoir la TPS/TVH lorsque le choix prévu à l'article 167 a été produit. Dans l'affaire *2955-4201 Québec Inc. c. R.*, 1996 CarswellNat 2788 (C.C.I.), confirmé en Cour d'appel fédérale, 1997 CarswellNat 1770 (C.A.F.), la venderesse et la requérante ont exercé le choix que leur offre l'article 167. Tel que le mentionne la Cour canadienne de l'impôt, la fourniture de l'entreprise n'est pas assujettie à la TPS puisque l'acquéreur (la requérante) n'est pas tenu, par dérogation aux exigences du paragraphe 165(1), d'acquitter la TPS relativement à cette fourniture et que la venderesse n'est pas tenue, par dérogation aux exigences du paragraphe 221(1), de percevoir la taxe à titre de mandataire de Sa Majesté relativement à cette fourniture. Par conséquent, à ce titre, le ministre n'a de recours en paiement de taxe relativement à cette fourniture ni contre la requérante ni contre la venderesse, puisqu'aucune taxe n'est payable.

Le principe qui figure au paragraphe (1) est assujetti à certaines exceptions qui se retrouvent au paragraphe (2). Ces exceptions concernent, de façon générale, la fourniture taxable d'un immeuble par vente.

Lorsque l'une des exceptions prévue au paragraphe (2) trouve application, c'est le paragraphe 228(4) qui s'applique et qui prévoit que l'acheteur devra s'autocotiser. Cette règle a pour effet de favoriser les transactions immobilières puisque l'acheteur qui s'autocotise pourra, de façon générale, réclamer dans le cadre de la même déclaration un crédit de taxe sur les intrants à l'égard de la TPS/TVH sur laquelle il s'autocotise. Ainsi, dans la mesure où toutes les conditions sont remplies, cela diminue les problèmes potentiels pouvant être reliés aux flux de trésorerie de l'acheteur. Voir notamment à cet effet : Revenu Québec, Lettre d'interprétation, 99-0101362 — *Décision portant sur l'application de la TPS — Interprétation relative à la TVQ — Transfert d'immeuble par le gouvernement* (15 février 1999). Voir également au même effet : Revenu Québec, Lettre d'interprétation, 98-010471 — *Interprétation relative à la TPS/Interprétation relative à la TVQ — Vente ou location de lots intramunicipaux* (9 juillet 1998). Voir également au même effet : Agence du revenu du Canada, Lettre de l'Administration centrale sur la TPS, 104648 — *Purchase of Real Property* (10 septembre 2008).

À titre illustratif, Revenu Québec a indiqué que la constitution de l'emphytéose sur un immeuble est considérée être une fourniture de l'immeuble par bail, licence ou accord semblable aux fins de la TPS et non une vente. Par conséquent, dans un tel cas, les dispositions des paragraphes 221(2) et 228(4) relatifs à la fourniture taxable d'un immeuble par vente, permettant à l'acquéreur de prendre lui-même les dispositions nécessaires pour verser les taxes au ministère, ne s'appliquent pas. Voir notamment à cet effet : Revenu Québec, Lettre d'interprétation, 0111347.94 — *Bail emphytéotique* (8 décembre 1994).

L'alinéa 221(2)(b) prévoit que le fournisseur n'est pas tenu de percevoir la TPS payable par l'acquéreur si l'acquéreur est inscrit au fichier de la TPS et qu'il ne s'agit pas de la fourniture d'un immeuble d'habitation au profit d'un particulier. Il est à noter que si l'acquéreur induit en erreur le fournisseur quant à la validité de son inscription au registre de la TPS/TVH, le fournisseur pourra néanmoins être responsable envers les autorités fiscales pour ne pas avoir perçu la taxe. Il est important de souligner qu'aux fins de cet alinéa, le fournisseur ne bénéficie pas d'une défense de diligence raisonnable, contrairement à ce qui est prévu notamment au paragraphe (3) ou à l'article 194. De surcroît, dans un contexte où la taxe n'est pas perçue, les autorités fiscales, en pratique, cotiseront plutôt le fournisseur que l'acquéreur. Il est donc important pour le vendeur de se protéger et de vérifier le jour de la transaction si l'acquéreur est dûment inscrit aux registres de la TPS/TVH par le biais du site internet de l'Agence du revenu du Canada. De plus, l'auteur suggère au fournisseur de se protéger contractuellement, c.-à-d. par le biais de représentations et garanties de l'acquéreur à l'effet que ce dernier est inscrit et que le cas échéant, dans le cas où le fournisseur est cotisé par les autorités fiscales en raison de la non-inscription de l'acquéreur, que ce dernier sera tenu d'indemniser le fournisseur au titre de la TPS/TVH payée, des pénalités, des intérêts et des frais professionnels engagés par le fournisseur dans ce contexte.

221.1 (1) Définition de « stocks » — Pour l'application du présent article, les stocks d'une personne sont composés des biens meubles corporels qu'elle a acquis au Canada ou importés pour fourniture par vente dans le cours normal d'une entreprise qu'elle exploite au Canada.

Notes historiques: Le paragraphe 221.1(1) a été ajouté par L.C. 1993, c. 27, par. 86(1) et est réputé entré en vigueur le 17 décembre 1990.

Concordance québécoise: LTVQ, art. 427.2.

(2) Certificat d'exportation — Le ministre peut, à la demande d'une personne inscrite aux termes de la sous-section d, accorder l'autorisation d'utiliser, à compter d'un jour donné d'un exercice et sous réserve des conditions qu'il peut fixer au besoin, un certificat (appelé « certificat d'exportation » au présent article) pour l'application de l'article 1.1 de la partie V de l'annexe VI, s'il est raisonnable de s'attendre à ce que les éventualités suivantes se réalisent :

a) au moins 90 % du total de la contrepartie des fournitures de stocks acquis au Canada au cours de la période de douze mois commençant immédiatement après le jour donné sera attribuable à des fournitures qui seraient visées à l'article 1 de la partie V de l'annexe VI s'il n'était pas tenu compte de son alinéa e);

b) le total de la contrepartie, incluse dans le calcul du revenu d'une entreprise de la personne pour l'exercice, des fournitures de stocks qu'elle a effectuées à l'étranger — lesquels stocks ne sont ni consommés, ni utilisés, ni traités, ni transformés ni modifiés entre le moment de leur acquisition au Canada ou de leur importation et le moment de leur fourniture — représentera au moins 90 % du total de la contrepartie, incluse dans le calcul de ce revenu, des fournitures de stocks effectuées par la personne.

Notes historiques: Le préambule du paragraphe 221.1(2) été remplacé par L.C. 2001, c. 15, par. 10(1). Cette modification est réputée entrée en vigueur le 1er janvier 2001. Antérieurement, il se lisait ainsi :

> (2) Le ministre peut, à la demande d'une personne inscrite aux termes de la sous-section d de la section V, accorder l'autorisation d'utiliser, à compter d'un jour donné d'un exercice et sous réserve des conditions que le ministre peut fixer au besoin, un certificat, dit « certificat d'exportation » au présent article, pour l'application de l'article 1 de la partie V de l'annexe VI, s'il est raisonnable de s'attendre à ce que les éventualités suivantes se réalisent :

L'alinéa 221.1(2)a) a été remplacé par L.C. 2007, c. 18, par. 25(1) et cette modification est réputée être entrée en vigueur le 1er janvier 2001. Antérieurement, il se lisait ainsi :

> a) au moins 90 % du total de la contrepartie des fournitures de stocks acquis au Canada au cours de la période de douze mois commençant immédiatement après le jour donné sera attribuable à des fournitures qui seraient visées à cet article compte non tenu de l'alinéa e) de celui-ci;

L'alinéa 221.1(2)a) a été remplacé par L.C. 2000, c. 30, par. 49(1). Cette modification s'applique aux biens fournis après octobre 1998. Antérieurement, il se lisait comme suit :

> a) au moins 90 % du total de la contrepartie des fournitures de stocks acquis au Canada au cours de la période de douze mois commençant immédiatement après le jour donné sera attribuable à des fournitures qui seraient visées à cet article compte non tenu de l'alinéa d) de celui-ci;

Le paragraphe 221.1(2) a été ajouté par L.C. 1993, c. 27, par. 86(1) et est réputé entré en vigueur le 17 décembre 1990.

Concordance québécoise: LTVQ, art. 427.3.

(3) Demande — La demande d'autorisation d'utiliser un certificat d'exportation contient les renseignements déterminés par le ministre et lui est présentée en la forme et selon les modalités qu'il détermine.

Notes historiques: Le paragraphe 221.1(3) a été ajouté par L.C. 1993, c. 27, par. 86(1) et est réputé entré en vigueur le 17 décembre 1990.

Concordance québécoise: LTVQ, art. 427.4.

(4) Avis d'autorisation — Le ministre informe l'inscrit de l'autorisation d'utiliser un certificat d'exportation dans un avis écrit qui précise les dates de prise d'effet et d'expiration de l'autorisation ainsi que le numéro d'identification attribué à l'inscrit ou à l'autorisation et que l'inscrit doit communiquer sur présentation du certificat pour l'application de l'article 1.1 de la partie V de l'annexe VI.

Notes historiques: Le paragraphe 221.1(4) été remplacé par L.C. 2001, c. 15, par. 10(2). Cette modification s'applique à l'autorisation accordée à une personne après 2000, qu'il s'agisse d'une première autorisation ou d'un renouvellement. Antérieurement, il se lisait ainsi :

(4) Le ministre informe l'inscrit de l'autorisation d'utiliser un certificat d'exportation dans un avis écrit qui précise la date de la prise d'effet de l'autorisation.

Le paragraphe 221.1(4) a été ajouté par L.C. 1993, c. 27, par. 86(1) et est réputé entré en vigueur le 17 décembre 1990.

Concordance québécoise: LTVQ, art. 427.5.

(5) Retrait de l'autorisation — Le ministre peut retirer, à compter d'un jour donné, l'autorisation accordée à un inscrit si, selon le cas :

a) l'inscrit ne se conforme pas à une condition de l'autorisation ou à une disposition de la présente partie;

b) il est raisonnable de s'attendre à ce que les exigences des alinéas (2)a) et b) ne soient pas respectées si la période mentionnée à l'alinéa (2)a) commence le jour donné.

Le cas échéant, le ministre fait parvenir à l'inscrit un avis écrit qui précise la date de prise d'effet du retrait.

Notes historiques: Le paragraphe 221.1(5) a été ajouté par L.C. 1993, c. 27, par. 86(1) et est réputé entré en vigueur le 17 décembre 1990.

Concordance québécoise: LTVQ, art. 427.6.

(6) Présomption de retrait — L'autorisation accordée à un inscrit à un moment donné est réputée retirée, à compter du lendemain du dernier jour d'un exercice de l'inscrit qui prend fin après ce moment, si la proportion visée à l'alinéa a) dépasse celle visée à l'alinéa b) :

a) la proportion obtenue par le calcul suivant :

$$\frac{A}{B}$$

où :

A représente le total des contreparties payées ou payables par l'inscrit pour des stocks qu'il a acquis au Canada au cours de l'exercice dans le cadre de son entreprise et à l'égard desquels il a remis un certificat d'exportation aux fournisseurs,

B le total des contreparties payées ou payables par l'inscrit pour des stocks qu'il a acquis au Canada au cours de l'exercice dans le cadre de cette entreprise;

b) la proportion obtenue par le calcul suivant :

$$\frac{C}{D}$$

où :

C représente le total des contreparties, incluses dans le calcul du revenu tiré de cette entreprise pour l'exercice, des fournitures de stocks que l'inscrit a effectuées à l'étranger, lesquels stocks ne sont ni consommés, ni utilisés, ni traités, ni transformés ni modifiés entre le moment de leur acquisition au Canada ou de leur importation et le moment de leur fourniture,

D le total des contreparties, incluses dans le calcul de ce revenu, des fournitures de stocks que l'inscrit a effectuées.

Notes historiques: Le paragraphe 221.1(6) a été ajouté par L.C. 1993, c. 27, par. 86(1) et est réputé entré en vigueur le 17 décembre 1990.

Concordance québécoise: LTVQ, art. 427.7.

(7) Cessation — L'autorisation accordée à un inscrit cesse d'avoir effet trois ans après la date de la prise d'effet de l'autorisation ou de son renouvellement, ou si elle est antérieure, à la date de la prise d'effet du retrait de l'autorisation.

Notes historiques: Le paragraphe 221.1(7) a été ajouté par L.C. 1993, c. 27, par. 86(1) et est réputé entré en vigueur le 17 décembre 1990.

Concordance québécoise: LTVQ, art. 427.8.

(8) Demande après retrait d'autorisation — Toute autorisation que le ministre accorde, en application du paragraphe (2), à un inscrit à qui il a déjà retiré une semblable autorisation à compter d'un jour donné ne peut prendre effet qu'à compter du jour suivant :

a) si l'autorisation a été retirée en vertu de l'alinéa (5)a), le jour qui tombe deux ans après le jour donné;

b) dans les autres cas, le premier jour du deuxième exercice de l'inscrit qui commence après le jour donné.

Notes historiques: Le paragraphe 221.1(8) a été ajouté par L.C. 1993, c. 27, par. 86(1) et est réputé entré en vigueur le 17 décembre 1990.

Concordance québécoise: LTVQ, art. 427.9.

Définitions [art. 221.1]: « bien meuble », « contrepartie », « entreprise », « exercice », « fourniture », « importation », « inscrit », « ministre », « mois », « personne », « vente » — 123(1).

Renvois [art. 221.1]: 123(2) (Canada); 142 (lieu d'une fourniture); 179(3)c) (exportation); 228(4) (immeuble fourni par une personne non tenue de percevoir la taxe); 236.2 (redressement en cas d'utilisation non valide d'un certificat d'exportation); VI:Partie V:1e) (bien meuble corporel- exportations); VI:Partie V:1.1) (bien meuble corporel-exportations).

Série de mémorandums [art. 221.1]: Mémorandum 4.5.2, 11/97, *Exportations — Biens meubles corporels.*

Lettres d'interprétation (Québec) [art. 221.1]: 99-0108920 — Interprétation en TPS et en TVQ — Certificats d'exportation et preuves de l'exportation d'un bien.

222. (1) Montants perçus détenus en fiducie — La personne qui perçoit un montant au titre de la taxe prévue à la section II est réputée, à toutes fins utiles et malgré tout droit en garantie le concernant, le détenir en fiducie pour Sa Majesté du chef du Canada, séparé de ses propres biens et des biens détenus par ses créanciers garantis qui, en l'absence du droit en garantie, seraient ceux de la personne, jusqu'à ce qu'il soit versé au receveur général ou retiré en application du paragraphe (2).

Notes historiques: Le paragraphe 222(1) a été remplacé par L.C. 2000, c. 30, par. 50(1). Cette modification est réputée entrée en vigueur le 20 octobre 2000. Antérieurement, il se lisait comme suit :

222. (1) La personne qui perçoit un montant au titre de la taxe prévue à la section II est réputée, à toutes fins utiles, détenir ce montant en fiducie pour Sa Majesté jusqu'à ce qu'il soit versé au receveur général ou retiré en application du paragraphe (2).

Le paragraphe 222(1) a été modifié par L.C. 1993, c. 27, par. 87(1) et est réputé entré en vigueur le 1er octobre 1992. Il se lisait auparavant comme suit :

222. (1) La personne qui, au cours d'une période de déclaration, perçoit la taxe prévue à la section II ou des montants au titre de cette taxe est réputée, à toutes fins utiles, sauf pour sa faillite, détenir cette taxe ou ces montants en fiducie pour Sa Majesté du chef du Canada jusqu'à ce qu'ils soient versés au receveur général ou retirés en application du paragraphe (2).

Le paragraphe 222(1) a été ajouté par L.C. 1990, c. 45, par. 12(1).

Concordance québécoise: LAF, art. 20, al. 1.

(1.1) Montants perçus avant la faillite — Le paragraphe (1) ne s'applique pas, à compter du moment de la faillite d'un failli, au sens de la *Loi sur la faillite et l'insolvabilité*, aux montants perçus ou devenus percevables par lui avant la faillite au titre de la taxe prévue à la section II.

Notes historiques: Le paragraphe 222(1.1) a été ajouté par L.C. 1993, c. 27, par. 87(1) et est réputé entré en vigueur le 1er octobre 1992.

Concordance québécoise: aucune.

(2) Retraits de montants en fiducie — La personne qui détient une taxe ou des montants en fiducie en application du paragraphe (1) peut retirer les montants suivants du total des fonds ainsi détenus :

a) le crédit de taxe sur les intrants qu'elle demande dans une déclaration produite aux termes de la présente section pour sa période de déclaration;

b) le montant qu'elle peut déduire dans le calcul de sa taxe nette pour sa période de déclaration.

Ce retrait se fait lors de la présentation au ministre de la déclaration aux termes de la présente section pour la période de déclaration au cours de laquelle le crédit est demandé ou le montant déduit.

Notes historiques: Le paragraphe 222(2) a été ajouté par L.C. 1990, c. 45, par. 12(1).

Concordance québécoise: LAF, art. 20, al. 3.

(3) Non-versement ou non-retrait — Malgré les autres dispositions de la présente loi (sauf le paragraphe (4) du présent article), tout autre texte législatif fédéral (sauf la *Loi sur la faillite et l'insolvabilité*), tout texte législatif provincial ou toute autre règle de droit, lorsqu'un montant qu'une personne est réputée par le paragraphe (1) détenir en fiducie pour Sa Majesté du chef du Canada n'est pas versé au receveur général ni retiré selon les modalités et dans le délai prévus par la présente partie, les biens de la personne — y compris les biens détenus par ses créanciers garantis qui, en l'absence du droit en garantie, seraient ses biens — d'une valeur égale à ce montant sont réputés :

a) être détenus en fiducie pour Sa Majesté du chef du Canada, à compter du moment où le montant est perçu par la personne, séparés des propres biens de la personne, qu'ils soient ou non assujettis à un droit en garantie;

b) ne pas faire partie du patrimoine ou des biens de la personne à compter du moment où le montant est perçu, que ces biens aient été ou non tenus séparés de ses propres biens ou de son patrimoine et qu'ils soient ou non assujettis à un droit en garantie.

Ces biens sont des biens dans lesquels Sa Majesté du chef du Canada a un droit de bénéficiaire malgré tout autre droit en garantie sur ces biens ou sur le produit en découlant, et le produit découlant de ces biens est payé au receveur général par priorité sur tout droit en garantie.

Notes historiques: Le paragraphe 222(3) a été remplacé par L.C. 2000, c. 30, par. 50(2). Cette modification est réputée entrée en vigueur le 20 octobre 2000. Antérieurement, il se lisait comme suit :

(3) En cas de liquidation, cession, mise sous séquestre ou faillite d'une personne, un montant égal à celui réputé par le paragraphe (1) détenu en fiducie pour Sa Majesté est considéré, à toutes fins utiles, comme tenu séparé et ne formant pas partie des actifs visés par la liquidation, cession, mise sous séquestre ou faillite, que ce montant ait été ou non, en fait, tenu séparé des propres fonds de la personne ou des actifs.

Le paragraphe 222(3) a été modifié par L.C. 1993, c. 27, par. 87(2) et est réputé entré en vigueur le 1er octobre 1992. Il se lisait auparavant comme suit :

(3) En cas de liquidation, cession, ou mise sous séquestre d'une personne, un montant égal à celui réputé par le paragraphe (1) détenu en fiducie pour Sa Majesté est considéré, à toutes fins utiles, comme tenu séparé et ne formant pas partie des actifs visés par la liquidation, cession, ou mise sous séquestre, que ce montant ait été ou non, en fait, tenu séparé des propres fonds de la personne ou des actifs.

Le paragraphe 222(3) a été ajouté par L.C. 1990, c. 45, par. 12(1).

Concordance québécoise: LAF, art. 20, al. 2.

(4) Sens de « droit en garantie » — Pour l'application des paragraphes (1) et (3), n'est pas un droit en garantie celui qui est visé par règlement.

Notes historiques: Le paragraphe 222(4) a été ajouté par L.C. 2000, c. 30, par. 50(2). Ce paragraphe est réputé entré en vigueur le 20 octobre 2000.

Concordance québécoise: aucune.

Définitions [art. 222]: « argent », « ministre », « montant », « période de déclaration », « personne », « taxe » — 123(1).

Renvois [art. 222]: 169 (CTI); 221(1) (perception de la taxe); 222.1 (vente d'un compte client); 225 (taxe nette); 228(2) (remise de la taxe); 238 (déclaration); 265 (faillite); 266 (séquestre).

Règlements [art. 222]: *Aucun droit en garantie du par. 222(4) n'est visé par le règlement; Voir art. 2201 RIR.*

Jurisprudence [art. 222]: *Bhattacharjee c. Strong Western Holding Ltd.*, [1993] G.S.T.C. 1 (BCSC); *Canada Trustco Mortgage Corp. c. Port O'Call Hotel Inc.*, [1994] G.S.T.C. 5, [1996] G.S.T.C. 17 (CSC) (Alta. CA); *Re Lynn Holdings Ltd.*, [1994] G.S.T.C. 85 (BCSC); [1996] G.S.T.C. 36 (BCCA); *Re San Diego Catering Ltd.*, [1995] G.S.T.C. 25 (BCSC); [1996] G.S.T.C. 49, [1996] G.S.T.C. 78 (BCCA); *Coastal Oceanic Contractors Inc. c. Matthews Contracting Inc.* (1995), [1995] G.S.T.C. 47 (BCSC); *Tsintzaras (T.) c. La Reine*, [1995] G.S.T.C. 65 (CCI); *McMartin (L.) c. La Reine*, [1996] G.S.T.C. 1 (CCI); *Williston Wildcatters Oil Corp. (Re)*, [1996] G.S.T.C. 42 (Sask QB re faillite); *Suen (C.) c. La Reine*, [1996] G.S.T.C. 53 (Sask QB); [1997] G.S.T.C. 40 (Sask QB); *Ishak (A.) c. La Reine*, [1996] G.S.T.C. 57 (CCI); *Davis (T.) c. Canada*, [1997] G.S.T.C. 19 (CCI); *St. Mary's Cement Corp. c. Construc Ltd.*, [1997] G.S.T.C. 24 (Ont Gen.Div.); *Armcorp 4-18 Ltd. (Re.)*, [1997] G.S.T.C. 27 (Alta QB); [1999] G.S.T.C. 39 (Alta CA); *Hollinger c. Rivard*, [1997] G.S.T.C. 39; *R. c. Teodori*, [1997] G.S.T.C. 48 (Que SC); *Tall Timber Golf Course c. Assessor of Area #15*, [1998] G.S.T.C. 22 (BCSC); *Dinn (J.) c. Canada*, [1999] G.S.T.C. 108 (CCI); *Hamilton Hunt Co. c. Canada*, [1999] G.S.T.C. 112 (CCI); *BlueStar Battery Systems International Corp., Re*, [2001] G.S.T.C. 2 (Ont SC); *Cargill Ltd. v. Compton Agro Inc.*, [1999] G.S.T.C. 25 (Man QB); [2000] G.S.T.C. 4 (Man CA); [2000] G.S.T.C. 23 (Man CA); *MNR c. Points North Freight Forwarding Inc.*, [2001] G.S.T.C. 87 (Sask QB); *Perrette Inc., Re*, [2001] G.S.T.C. 99 (Que SC); *Centre de la Cité Pointe Claire c. R.*, 2001 G.T.C. 591 (CCI); *Fremlin c. R.*, [2002] G.S.T.C. 65 (CCI); *9083-4185 Québec inc. (Syndic de)* (18 décembre 2007), 200-09-005582-066, 2007 CarswellNat 12231; *Herroug c. R.*, [2007] G.S.T.C. 161 (CCI [procédure générale]); *Carroll Pontiac Buick Ltd. v. R.* (25 juillet 2008), [2008] G.S.T.C. 155 (CCI [procédure informelle]); *Banque Toronto Dominion c. R.*, 2010 CarswellNat 1920, 2010 CAF 174 (CAF); *Barrett v. R.*, 2010 CarswellNat 3320, 2010 CCI 298, [2010] G.S.T.C. 84 (CCI [procédure générale]); *Nachar v. R.* (21 janvier 2011), 2011 CarswellNat 731, 2011 CCI 36 (CCI [procédure générale]); *Wong v. R.* (25 janvier 2011), 2011 CarswellNat 710, 2011 CCI 30, [2011] 3 C.T.C. 2163 (CCI [procédure informelle]).

Énoncés de politique [art. 222]: P-111R, 25/05/93, *Définition d'une vente à l'égard d'un immeuble*; P-131R, 07/04/94, *Versement de taxe par un tiers.*

Série de mémorandums [art. 222]: Mémorandum 3.1, 08/99, *Assujettissement à la taxe.*

Formulaires [art. 222]: GST258, *Preuve de réclamation « Loi sur la faillite »*.

COMMENTAIRES: La personne qui perçoit une taxe est réputée détenir cette somme en fiducie pour le gouvernement jusqu'à ce que la somme soit versée au gouvernement ou retirée en vertu du paragraphe 222(2) et ce, malgré toute garantie que la personne puisse consentir. Dans ce contexte, détenir une somme en fiducie signifie que cette somme est séparée des propres biens de la personne qui la perçoit et des biens détenus par ses créanciers garantis qui seraient dans le patrimoine de la personne, n'eût été du droit de garantie. Autrement dit, la taxe perçue n'est jamais dans le patrimoine du fournisseur et elle ne peut donc être saisie par ses créanciers garantis.

Certains vérificateurs peuvent exiger l'existence de comptes bancaires séparés servant exclusivement à la détention de la TPS/TVH. Toutefois, en pratique, la tenue de comptes bancaires séparés est peu commune et les tribunaux ne semblent pas l'exiger aux fins du présent article.

Le concept de fiducie présumée ne s'applique pas aux pénalités et intérêts cotisés en vertu de l'article 280, ce qui est logique avec l'esprit de la loi.

Le paragraphe (1.1) relativement aux montants de TPS/TVH perçus avant la faillite a fait couler beaucoup d'encre ces dernières années.

La Cour suprême du Canada s'est penchée sur cette question dans l'arrêt *Ted Leroy Trucking [Century Services] Ltd, Re*, [2010] CarswellBC 3419 (C.S.C.). De l'avis de la Cour suprême du Canada, le conflit apparent qui existe dans la présente affaire porte à se demander si la règle de la *Loi sur la taxe d'accise (TPS)* adoptée en 2000, selon laquelle les fiducies réputées visant la TPS s'appliquent malgré tout autre texte législatif fédéral sauf la *Loi sur la faillite et l'insolvabilité* (« LFI »), l'emporte sur la règle énoncée dans la *Loi sur les arrangements avec les créanciers des compagnies* (« LACC ») — qui a d'abord été édictée en 1997 à l'article 18.3- suivant laquelle, sous réserve de certaines exceptions explicites, les fiducies réputées établies par une disposition législative sont sans effet dans le cadre de la LACC. Avec égards pour l'opinion contraire exprimée par le juge Fish, la majorité de la Cour suprême du Canada est d'avis que l'on ne peut pas résoudre ce conflit apparent en niant son existence et en créant une règle qui exige à la fois une disposition législative établissant la fiducie présumée et une autre la confirmant. Une telle règle est inconnue en droit. Les tribunaux doivent reconnaître les conflits, apparents ou réels, et les résoudre lorsque la chose est possible. Ainsi, une analyse téléologique et contextuelle de la LTA et de la LACC conduisait à la conclusion que le législateur ne saurait avoir eu l'intention de redonner la priorité, dans le cadre de la LACC, à la fiducie réputée de la Couronne à l'égard de ses créances relatives à la TPS quand il a modifié la *Loi sur la taxe d'accise (TPS)*, en 2000. Le législateur avait mis un terme à la priorité accordée aux créances de la Couronne dans le cadre du droit de l'insolvabilité, sous le régime de la LACC et celui de la *Loi sur la faillite et l'insolvabilité* (LFI). Contrairement aux retenues à la source, aucune disposition législative expresse ne permettait de conclure que les créances relatives à la TPS bénéficiaient d'un traitement préférentiel sous le régime de la LACC ou celui de la LFI. La logique interne de la LACC allait également à l'encontre du maintien de la fiducie réputée à l'égard des créances découlant de la TPS. Le fait de faire primer la priorité de la Couronne sur les créances découlant de la TPS dans le cadre de procédures fondées sur la LACC mais pas en cas de faillite aurait pour effet, dans les faits, de priver les compagnies de la possibilité de se restructurer sous le régime plus souple et mieux adapté de la LACC. Il semblait probable que le législateur avait par inadvertance commis une anomalie rédactionnelle, laquelle pouvait être corrigée en donnant préséance à l'article 18.3 de la LACC. On ne pouvait plus considérer le paragraphe 222(3) comme ayant implicitement abrogé l'article 18.3 de la LACC parce qu'il avait été adopté après la LACC, compte tenu des modifications récemment apportées à la LACC. Le contexte législatif étayait la conclusion suivant laquelle le paragraphe 222(3) n'avait pas pour but de restreindre la portée de l'article 18.3 de la LACC. L'ampleur du pouvoir discrétionnaire conféré au tribunal par la LACC était suffisante pour établir une passerelle vers une liquidation opérée sous le régime de la LFI, de sorte qu'il avait, en vertu de la LACC, le pouvoir de lever la suspension partielle des procédures afin de permettre à la débitrice de procéder à la transition au régime de liquidation. Il n'y avait aucune certitude, en vertu de l'ordonnance du tribunal, que la Couronne était le bénéficiaire véritable de la fiducie ni de fondement pour donner naissance à une fiducie expresse, puisque les fonds étaient détenus à part jusqu'à ce que le litige entre le créancier et la Couronne soit résolu. Le montant perçu au titre de la TPS, mais non encore versé au receveur général du Canada ne faisait l'objet d'aucune fiducie présumée, priorité ou fiducie expresse en faveur de la Couronne. Le paragraphe 222(3) ne révèle aucune intention explicite du législateur d'abroger l'article 18.3 de la LACC. Il crée simplement un conflit apparent qui doit être résolu par voie d'interprétation législative. L'intention du législateur était donc loin d'être dépourvue d'ambiguïté quand il a adopté le paragraphe 222(3). S'il avait voulu donner priorité aux créances de la Couronne relatives à la TPS dans le cadre de la LACC, il aurait pu le faire de manière aussi explicite qu'il l'a fait pour les retenues à la source. Or, au lieu de cela, on se trouve réduit à inférer du texte du paragraphe 222(3) que le législateur entendait que la fiducie réputée visant la TPS produise ses effets dans les procédures fondées sur la LACC. La conclusion de la Cour suprême du Canada est renforcée par l'objectif de la LACC en tant que composante du régime réparateur instauré par la législation canadienne en matière d'insolvabilité.

Ainsi, les créanciers se retrouveront dans une situation identique selon que la LFI ou la LACC s'applique. De l'avis de l'auteur, cette décision est bienvenue et elle empêchera ainsi une situation où les créanciers pourraient forcer un débiteur à faire faillite, le tout dans l'unique but d'éviter l'application de la fiducie présumée aux fins de la TPS.

Également, dans l'arrêt *Alternative granite & marbre inc., Re*, 2009 CarswellQue 10706 (C.S.C.), la Cour suprême du Canada a souligné que les fiducies destinées à garantir les créances relatives à la TPS n'ont aucun effet en cas de faillite, aux termes du paragraphe 222(1.1). Bien que la législation québécoise régissant la TVQ ne comporte pas de disposition similaire, la loi provinciale ne peut modifier l'ordre de priorité prévu en matière d'insolvabilité. Le rôle du syndic ne se limite pas à représenter le failli. Non seulement le syndic gère-t-il le patrimoine du failli, mais il représente aussi les créanciers et est responsable de la liquidation ordonnée de ce patrimoine. Le fait que la taxe reposait sur l'acquéreur ne permettait pas de conclure que le fournisseur ou le syndic percevaient et remettaient la taxe en tant que bien ou chose de l'État. Il n'est pas requis de traiter la TPS et la TVQ à part. L'acquéreur doit la taxe à l'État, mais le fournisseur qui a remis la taxe due par l'acquéreur, mais ne l'a pas perçue a un recours à l'encontre de l'acquéreur. De façon générale, la Cour suprême du Canada a indiqué que la fiducie présumée sur la taxe perçue établie à l'article 222 cesse d'exister après une faillite.

Finalement, il faut noter que la fiducie présumée est diminuée des crédits de taxe sur les intrants et des déductions possibles en vertu de la taxe nette. Toutefois, en vertu du paragraphe (2), cette déduction s'enclenche seulement lorsque les déclarations sont produites.

222.1 Vente d'un compte client — Lorsqu'une personne effectue une fourniture taxable donnée engendrant un compte client et que la personne fournit cette dette par vente ou cession, les présomptions suivantes s'appliquent dans le cadre des articles 222, 225, 225.1 et 227 :

a) la personne est réputée avoir perçu, au moment de la fourniture de la dette, le montant éventuel de la taxe qu'elle n'a pas perçu avant ce moment relativement à la fourniture taxable donnée;

b) tout montant perçu par une personne après ce moment au titre de la taxe payable relativement à la fourniture taxable donnée est réputé ne pas être un montant perçu au titre de la taxe.

Notes historiques: L'article 222.1 a été ajouté par L.C. 2000, c. 30, par. 51(1). Cet ajout s'applique à la fourniture d'une dette dont la propriété est transférée aux termes de la convention portant sur la fourniture après le 10 décembre 1998.

Concordance québécoise: LTVQ, art. 424.1.

Jurisprudence: *A.M.E. Aeroworks Services Ltd. c. Canada*, [1999] G.S.T.C. 19 (CCI); *D & P Holdings Ltd. c. Canada*, [1999] G.S.T.C. 76 (CCI); *DiMaria c. R.*, [2001] G.S.T.C. 102 (CCI).

Énoncés de politique: P-131R, 07/04/94, *Versement de taxe par un tiers*; P-170, 01/12/94, *Titre de créance et montants éventuels*.

223. (1) Indication de la taxe — L'inscrit qui effectue une fourniture taxable (sauf une fourniture détaxée) doit indiquer à l'acquéreur, selon les modalités réglementaires ou sur la facture ou le reçu délivré à l'acquéreur ou dans la convention écrite conclue avec celui-ci :

a) soit la contrepartie payée ou payable par l'acquéreur pour la fourniture et la taxe payable relativement à celle-ci, de sorte que le montant de la taxe apparaisse clairement;

b) soit la mention que le montant payé ou payable par l'acquéreur pour la fourniture comprend cette taxe.

Notes historiques: Le paragraphe 223(1) a été remplacé par L.C. 2000, c. 30, par. 52(1). Cette modification est réputée entrée en vigueur le 7 avril 1997. Antérieurement, il se lisait comme suit :

> 223. (1) L'inscrit qui effectue une fourniture taxable doit :
>
> a) dans le cas où une facture ou un reçu est délivré à l'acquéreur, ou une convention écrite conclue avec celui-ci, indiquer sur la facture ou le reçu ou dans la convention :
>
> (i) soit le total de la taxe payable relativement à la fourniture, de sorte que ce total apparaisse clairement,
>
> (ii) soit le total des taux auxquels la taxe est payable relativement à la fourniture et, si la facture, le reçu ou la convention porte à la fois sur des fournitures relativement auxquelles une taxe est payable et des fournitures relativement auxquelles aucune taxe n'est payable, les fournitures relativement auxquelles la taxe à ces taux s'applique;
>
> b) dans les autres cas, indiquer selon les modalités réglementaires que le montant payé ou payable par l'acquéreur comprend la taxe payable relativement à la fourniture.

Le paragraphe 223(1) a été modifié par L.C. 1997, c. 10, par 205(1) et cette modification est entrée en vigueur le 7 avril 1997. Il se lisait comme suit :

> 223. (1) L'inscrit qui effectue une fourniture taxable doit indiquer à l'acquéreur, selon les modalités réglementaires ou sur la facture ou le reçu délivré à l'acquéreur ou dans une convention écrite conclue avec celui-ci :
>
> a) la contrepartie payée ou payable par l'acquéreur pour la fourniture et la taxe payable relativement à celle-ci, de sorte que le montant de la taxe apparaisse clairement;
>
> b) que le montant payé ou payable par l'acquéreur pour la fourniture comprend cette taxe.

Ce paragraphe a été ajouté par L.C. 1990, c. 45, par. 12(1).

Concordance québécoise: LTVQ, art. 425, al. 1.

(1.1) Indication du total — L'inscrit qui effectue une fourniture taxable (sauf une fourniture détaxée) et qui indique la taxe payable, ou le ou les taux auxquels la taxe est payable, relativement à la fourniture sur la facture ou le reçu délivré à l'acquéreur ou dans la convention écrite relative à la fourniture doit indiquer sur cette facture ou ce reçu, ou dans cette convention :

a) soit le total de la taxe payable relativement à la fourniture, de sorte que ce total apparaisse clairement;

b) soit le total des taux auxquels la taxe est payable relativement à la fourniture.

Notes historiques: Le paragraphe 223(1.1) a été ajouté par L.C. 2000, c. 30, par. 52(1) et est réputé entré en vigueur le 7 avril 1997.

Concordance québécoise: aucune.

(1.2) Exception — L'inscrit qui effectue une fourniture taxable dans une province participante et qui, aux termes du paragraphe 234(3), peut déduire un montant au titre de la fourniture dans le calcul de sa taxe nette n'a pas à inclure, en vertu des paragraphes (1) ou (1.1), la taxe prévue au paragraphe 165(2), ou le taux de cette taxe, dans le total de la taxe payable ou dans le total des taux de taxe payable, relativement à la fourniture.

Notes historiques: Le paragraphe 223(1.2) a été ajouté par L.C. 2000, c. 30, par. 52(1) et est réputé entré en vigueur le 7 avril 1997.

Concordance québécoise: aucune.

(1.3) Exception — Le paragraphe (1) ne s'applique pas à l'inscrit qui n'est pas tenu de percevoir la taxe payable relativement à la fourniture taxable qu'il effectue.

Notes historiques: Le paragraphe 223(1.3) a été ajouté par L.C. 2000, c. 30, par. 52(2) et s'applique aux fournitures effectuées après le 10 décembre 1998.

Concordance québécoise: LTVQ, art. 425.0.1.

(2) Renseignements concernant une fourniture — La personne qui effectue une fourniture taxable au profit d'une autre personne doit, à la demande de celle-ci, lui remettre, sans délai et par écrit, les renseignements requis par la présente partie pour justifier une demande de crédit de taxe sur les intrants ou une demande de remboursement par l'autre personne.

Notes historiques: Le paragraphe 223(2) a été ajouté par L.C. 1990, c. 45, par. 12(1).

Concordance québécoise: LTVQ, art. 426.

Définitions [art. 223]: « acquéreur », « contrepartie », « facture », « fourniture », « fourniture taxable », « inscrit », « personne », « province participante », « règlement », « taxe » — 123(1).

Renvois [art. 223]: 169(4) (CTI — documents); 181(2) (bon remboursable); 225 (taxe nette); 225.2(7) (documents); 284 (défaut de présenter des renseignements).

Règlements [art. 223]: *Règlement sur la divulgation de la taxe (TPS/TVH)*, art. 1.

Jurisprudence [art. 223]: *Theodore Allan Merchants Intl. Inc. c. Whistler Brewing Co. Ltd.*, [1997] G.S.T.C. 63 (BCSC); *Tremblay c. R.*, [2001] G.S.T.C. 30, [2001] G.S.T.C. 64 (CCI); *Tremblay c. R.*, [2001] G.S.T.C. 30 (CCI); *Birchard v. R.*, [2003] 3 C.T.C. 2039 (CCI); *North Vancouver School District No. 44 v. R.*, [2003] 3 C.T.C. 2039 (CCI).

Énoncés de politique [art. 223]: P-116, 27/01/94, *Perception de la TPS par le fournisseur lorsque la facture ne donne aucune indication quant à la taxe à payer*; P-118R, 05/05/99, *Établissement d'une cotisation sur la base de la taxe comprise ou de la taxe non comprise*; P-138R, 05/05/99, *L'effet d'un choix concernant une coentreprise sur la capacité d'un participant de s'inscrire et de demander des crédits de taxe sur les intrants*; P-146, 15/07/94, *Demandes de CTI fictifs lorsqu'il est établi par la suite que la taxe était payable*.

Bulletins de l'information technique [art. 223]: B-002, 23/11/90, *Les bons et les contenants consignés*; B-003, 23/11/90, *Caisses enregistreuses*; B-085, 23/03/98, *Remboursement au point de vente de la TVH pour les livres*.

Mémorandums [art. 223]: Mémorandum 3.1, 08/99, *Assujettissement à la taxe*; Mémorandum 13.4, 07/02, *Remboursements pour les livres imprimés, les enregistrements sonores de livres imprimés et les versions imprimées des Écritures d'une religion*; Mémorandum 15.1, 05/05, *Exigences générales relatives aux livres et registres*; Mémorandum 17.16, 03/01, *Traitement des règlements de sinistres sous le régime de la TPS/TVH*.

Série de mémorandums [art. 223]: Mémorandum 3.1, 08/99, *Assujettissement à la taxe*; Mémorandum 13.4, 07/02, *Remboursements pour les livres imprimés, les enregistrements sonores de livres imprimés et les versions imprimées des Écritures d'une religion*; Mémorandum 15.1, 05/05, *Exigences générales relatives aux livres et registres*; Mémorandum 17.16, 03/01, *Traitement des règlements de sinistres sous le régime de la TPS/TVH*.

Lettres d'interprétation (Québec) [art. 223]: 98-0103964 — Décision portant sur l'application de la TPS — Interprétation relative à la TVQ — Location de véhicules routiers avec valeur d'échange; 03-010035 — [Suffisance des renseignements]; 04-0103632 — Renonciation à un droit de poursuite en contrepartie d'une somme d'argent — application de la taxe sur les produits et services (la « TPS ») et de la taxe de vente du Québec (la « TVQ »).

Info TPS/TVQ [art. 223]: GI-106 — *Exigences de déclaration à l'intention des fournisseurs inscrits aux fins de la TPS/TVH visant l'allégement de taxe accordé au point de vente aux Premières nations de l'Ontario*.

COMMENTAIRES: Cet article impose notamment au fournisseur l'obligation de divulguer le montant de taxe perçue et de transmettre suffisamment d'information pour permettre à l'acquéreur de réclamer un crédit de taxe sur les intrants.

Cet article est limpide voulant qu'il ressorte de la discrétion des parties que le prix d'une transaction soit inclusif ou exclusif de la TPS/TVH.

En effet, dans une situation où le prix payé ou payable par l'acquéreur inclut la taxe, l'Agence du revenu du Canada indique qu'il doit y avoir une indication sur la facture, le reçu ou une convention écrite voulant que le montant payé ou payable inclut les taxes à l'égard de la fourniture. Voir notamment à cet effet: Agence du revenue du Canada, Lettre de l'Administration centrale sur la TPS, 11705-4 — *Contract silent on the tax payable* (17 septembre 2004).

224. Droit du fournisseur d'intenter une action en recouvrement — Le fournisseur, ayant effectué une fourniture taxable au profit d'un acquéreur et tenu par la présente partie de percevoir la taxe de celui-ci relativement à la fourniture, qui s'est conformé au paragraphe 223(1) en ce qui concerne la fourniture et qui a rendu compte au receveur général de la taxe payable relativement à la fourniture, ou la lui a versée, sans la percevoir de l'acquéreur peut intenter, devant un tribunal compétent, une action en recouvrement de la taxe de l'acquéreur comme s'il s'agissait d'un montant que celui-ci lui doit.

Notes historiques: Le paragraphe 224 a été ajouté par L.C. 1990, c. 45, par. 12(1).

Concordance québécoise: LTVQ, art. 427.

Définitions: « acquéreur », « fourniture », « fourniture taxable », « montant », « taxe » — 123(1).

Renvois: 221 (perception de la taxe).

Jurisprudence

TPS incluse dans le prix et/ou le vendeur incapable de recouvrer: *Construction Di Iorio Inc. c. Pointe Claire (Ville)*, [1992] G.S.T.C. 3 (Que. S.C.); *838 Developments c. Mensaghi*, [1992] G.S.T.C. 10 (Alta. Prov. Ct., Civil Div.); *Woodlawn Construction Ltd. c. Bedford Waterfront Development Corp. Ltd.*, [1993] G.S.T.C. 34 (NSTD); [1994] G.S.T.C. 51 (NSCA); *Governor's Hill Developments Ltd. c. Robert*, [1993] G.S.T.C. 35 (Ont. Gen. Div.); [1996] G.S.T.C. 43 (Ont. CA); *United Properties Ltd. c. Kuwica*, [1994] G.S.T.C. 72 (BCSC); *Great Lite Electric Ltd. c. VCI Controls Ltd.*, [1995] G.S.T.C. 5 (NBCA); *Pellizzari c. 529095 Ontario Ltd.*, [1995] G.S.T.C. 51 (Ont Small Claims Ct); *Pro Star Mechanical Contractors Ltd. c. Ladysmith and District Hospital Association*, [1995] G.S.T.C. 61 (BCSC); *Claveau c. Doyon*, [1995] G.S.T.C. 68 (Que Ct); *Eco-Zone Engineering Ltd. c. Exploits Regional Services Board*, [1996] G.S.T.C. 62 (Nfld TD); *Farmer Construction Ltd. c. Surrey (District)*, [1997] G.S.T.C. 46; *B.J. Carney & Co. c. Safe Enterprises D.L.S. Ltd.*, [1998] G.S.T.C. 12; *Deep Six Developments Inc. c. Kassam*, [1998] G.S.T.C. 36; *Raj (P.) c. Canada*, [1998] G.S.T.C. 61 (CCI); *Villa Nova Developments c. Hunter*, [1998] G.S.T.C. 74; *Hoggins c. Kirkbright*, [1999] G.S.T.C. 20 (Ont Gen Div); *Bumac Properties Inc. c. 1221 Limeridge Inc.*, [2001] G.S.T.C. 4 (Ont SC); *Rive c. Newton*, [2001] G.S.T.C. 85 (Ont SCJ); *S.P. Holdings Canada Inc. c. Ikea Ltd.*, 2001 CarswellQue 1664 (CA Qué); *Brose c. R.*, [2006] G.S.T.C. 47 (CCI); *Phillips c. R.*, [2006] G.S.T.C. 12 (CCI); *3092-8949 Québec Inc. c. R.*, [2006] G.S.T.C. 173 (CCI).

TPS en sus du prix et/ou le vendeur capable de recouvrer: *Winnipeg Waste Disposal c. Portage La Prairie (City)*, [1992] G.S.T.C. 11 (Man QB); [1993] G.S.T.C. 10 (Man CA); *Marcel Charest & Fils Inc. c. Rivière-du-Loup (Ville)*, [1993] G.S.T.C. 22 (CA Qué); *Telecom Leasing Canada Ltd. c. Creston Truck Service Ltd.*, [1994] G.S.T.C. 21 (BCSC); *R. McLaughlin Ltd. c. Camille Léger Ltée*, [1994] G.S.T.C. 27 (NBQB); *Ryan Custom Homes Ltd. c. Canada*, [1994] G.S.T.C. 49 (CCI); *Services Sanitaires Roy Inc. c. St.-Patrice-de-Rivière-du-Loup*, [1994] G.S.T.C. 57 (Municipalité); *Lloyd c. Reierson*, [1995] G.S.T.C. 26 (BC Prov Ct); *Concol Construction Ltd. c. Andrews*, [1995] G.S.T.C. 46 (Ont Small Claims Ct); *OCCO Development Ltd. c. McCauley*, [1995] G.S.T.C. 69 (NBQB); [1996] G.S.T.C. 16 (NBCA); *Lee c. OCCO Developments Ltd.*, [1995] G.S.T.C. 71 (NBQB); *Comeau (R.) c. La Reine du Canada*, [1996] G.S.T.C. 3 (CCI); *Prospect Builders Ltd c. Fraser*, [1996] G.S.T.C. 5 (Ont Gen Div); *Lee c. OCCO Developments Ltd.*, [1996] G.S.T.C. 75 (NBCA); *Jadam Holdings Ltd. c. La Reine*, [1996] G.S.T.C. 85 (CCI); *Dworak c. Kimpton*, [1996] G.S.T.C. 97 (BCSC); *Dancon Inc. c. 2782375 Canada Inc.*, [1997] G.S.T.C. 52 (CS); *Construction Frank Catania & Associés Inc. c. Montréal*, [1997] G.S.T.C. 89 (CS); *Rimouski c. 1847-2217 Québec inc.*, [1998] G.S.T.C. 1 (CAF); *Len's Construction Midland Ltd. c. Georgian Bay Native Friendship Centre Inc.*, [1998] G.S.T.C. 37 (Ont Gen Div); *756289 Ontario Ltd. c. Harminc*, [1998] G.S.T.C. 90 (Ont Gen Div); *Carman c. Jackson*, [1999] G.S.T.C. 24 (Alta Prov Ct); *Leong c. Princess Investments Ltd.*, [1999] G.S.T.C. 86 (BCSC); *B & B Music Ltd. c. Thompson River Music Co. Ltd.*, [1999] G.S.T.C. 87 (BCSC); *Niagara Resale Center Inc. c. CAAG Auto Auction Group*, [2000] G.S.T.C. 25 (Ont SCJ); *Association Coopérative de Taxi de L'est de Montréal c. STCUM*, [2000] G.S.T.C. 33 (CS Qué); *Construction & Rénovation M. Dubeau inc. c. 9059-7816 Québec inc.*, 2001 CarswellQue 2514 (CQ); *Szremski c. R.*, 2004 TCC 776 (CCI).

Énoncés de politique: P-116, 27/01/94, *Perception de la TPS par le fournisseur lorsque la facture ne donne aucune indication quant à la taxe à payer*; P-118R, 05/05/99, *Établissement d'une cotisation sur la base de la taxe comprise ou de la taxe non comprise*; P-146, 15/07/94, *Demandes de CTI fictifs lorsqu'il est établi par la suite que la taxe était payable*.

Mémorandums: Mémorandum 300-6, 10/90, *Taxe sur les fournitures — Moment d'assujettissement de la fourniture*; Mémorandum 500-7, 11/91, *Interaction entre la Loi sur la taxe d'accise et la Loi de l'impôt sur le revenu*.

Série de mémorandums: Mémorandum 3.1, 08/99, *Assujettissement à la taxe*; Mémorandum 8.1, 05/05, *Règles générales d'admissibilité*.

COMMENTAIRES: Cet article permet au fournisseur d'intenter une action en recouvrement pour l'acquéreur qui ne paie pas la TPS. En effet, il est possible qu'il y ait un débat à savoir si le prix était inclusif ou exclusif de la TPS/TVH. Il peut également s'agir d'un cas où les positions du fournisseur et de l'acquéreur quant à l'application de la taxe à l'égard d'une fourniture donnée sont opposées.

L'article 224 ne contient pas de délai de prescription. On se réfère donc à la loi provinciale applicable qui, au Québec, prévoit un délai de prescription de 3 ans en vertu de l'article 2925 du *Code civil du Québec*.

Il faut souligner que cet article ne permet pas au fournisseur d'intenter une poursuite envers l'acquéreur pour les intérêts et pénalités pouvant découler d'un avis de cotisation reflétant son refus de payer la TPS/TVH. Afin de protéger adéquatement le vendeur, ce dernier devrait obtenir une représentation et garantie de l'acquéreur à l'effet que si la TPS/TVH est applicable, celui-ci devra la payer, de même que les pénalités et intérêts cotisés à l'encontre du vendeur concernant le défaut du vendeur de remettre la TPS/TVH qui était impayée.

À titre illustratif, dans l'affaire *Obansawin c. R.*, 2010 CarswellNat 2847 (C.C.I.) (confirmée par la Cour d'appel fédérale, 2011 CarwellNat 1384 (C.A.F.)) la Cour canadienne de l'impôt a indiqué que l'appelant a fait l'objet d'une cotisation à l'égard des montants qu'il devait percevoir au titre de la TPS. Cette cotisation ne signifie pas nécessairement pour autant que l'appelant est maintenant assujetti à la taxe. Il s'agit simplement de la conséquence découlant du fait que l'appelant a omis de percevoir la TPS de ses clients. Si l'appelant avait perçu la TPS de ses clients et l'avait versée, il n'aurait pas fait l'objet d'une cotisation. Comme tout fournisseur, l'appelant s'est donc vu accorder, conformément à l'article 224, le droit de recouvrer de tout acquéreur la TPS qui a été versée à l'égard de la fourniture qu'il a effectuée au profit de cet acquéreur, sous réserve des conditions énoncées au paragraphe 223(1).

224.1 Irrecevabilité de l'action — Seule Sa Majesté du chef du Canada peut intenter une action ou une procédure contre une personne pour avoir perçu un montant au titre de la taxe en conformité, réelle ou intentionnelle, avec la présente partie.

Notes historiques: L'article 224.1 a été ajouté par L.C. 2010, c. 25, par. 135(1) et s'applique à toute action ou procédure qui, le 13 juillet 2010, n'avait pas été tranchée de façon définitive par les tribunaux compétents.

28 septembre 2010, Notes explicatives: Selon le nouvel article 224.1, seule Sa Majesté du chef du Canada peut intenter une action ou une procédure contre une personne pour avoir perçu un montant au titre de la taxe en conformité réelle ou intentionnelle avec la partie IX.

Cet article s'applique à toute action ou procédure qui, le 13 juillet 2010, n'avait pas été tranchée de façon définitive par les tribunaux compétents.

10 septembre 2010, Notes explicatives: Selon le nouvel article 224.1, seule Sa Majesté du chef du Canada peut intenter une action ou une procédure contre une personne pour avoir perçu un montant au titre de la taxe en conformité réelle ou intentionnelle avec la partie IX.

Cet article s'applique à toute action ou procédure qui, le 13 juillet 2010, n'avait pas été tranchée de façon définitive par les tribunaux compétents.

Concordance québécoise: aucune.

COMMENTAIRES: Cet article prévoit que personne ne peut intenter de poursuite, autre que Sa Majesté, à l'encontre d'une personne pour avoir perçu un montant au titre de la taxe.

Si un acquéreur a payé un montant de TPS/TVH par erreur, le fournisseur à l'option de le rembourser ou de lui créditer dans un délai de deux ans suivant le paragraphe 232(1). Toutefois, si le fournisseur choisi de ne pas rembourser ou créditer la taxe, notamment parce que ce dernier est incertain quant à l'application de la taxe, alors l'acquéreur peut présenter une demande de remboursement de la taxe payée par erreur en vertu de l'article 261. Si cette demande est refusée, alors l'acquéreur sera cotisé en vertu de l'article 297 et il pourra par la suite s'opposer en vertu de l'article 301. Cet article semble ainsi empêcher l'acquéreur d'intenter une poursuite contre le fournisseur, par exemple, dans un contexte où le délai en vertu des articles 232 et 261 serait expiré. Nous vous référons à nos commentaires en vertu de l'article 261 à cet égard.

En date des présentes, nous n'avons répertorié aucune décision jurisprudentielle concernant l'application de cet article.

Il sera intéressant de voir si cet article, qui n'a pas d'équivalent en date des présentes en vertu de la *Loi sur la taxe de vente du Québec* ou de la *Loi sur l'administration fiscale*, ou un article similaire sera adoptée aux fins de l'harmonisation de la TVQ avec la TPS/TVH.

Sous-section b — Versement de la taxe

225. (1) Taxe nette — Sous réserve des autres dispositions de la présente sous-section, la taxe nette pour une période de déclaration donnée d'une personne correspond au montant, positif ou négatif, obtenu parla formule suivante :

$$A - B$$

où :

A représente le total des montants suivants :

a) les montants devenus percevables et les autres montants perçus par la personne au cours de la période donnée au titre de la taxe prévue à la section II;

b) les montants à ajouter aux termes de la présente partie dans le calcul de la taxe nette de la personne pour la période donnée;

B le total des montants suivants :

a) l'ensemble des montants dont chacun représente un crédit de taxe sur les intrants pour la période donnée ou une période de déclaration antérieure de la personne, que celle-ci a demandé dans la déclaration produite en application de la présente section pour la période donnée;

b) l'ensemble des montants dont chacun représente un montant que la personne peut déduire en application de la présente partie dans le calcul de sa taxe nette pour la période donnée et qu'elle a indiqué dans la déclaration produite en application de la présente section pour cette période.

Notes historiques: Le paragraphe 225(1) a été modifié par L.C. 1993, c. 27, art. 203 (annexe I) afin de remplacer le mot « inscrit » par « personne » avec les adaptations nécessaires et est réputé entré en vigueur le 17 décembre 1990. Le paragraphe 225(1) correspond en partie à l'ancien article 226. Le paragraphe 225(1) a été ajouté par L.C. 1990, c. 45, par. 12(1).

Concordance québécoise: LTVQ, art. 428.

Série de mémorandums [art. 225(1)]: Mémorandum 9.1, 11/11, *Avantages taxables (autres que les avantages relatifs aux automobiles)* .

(2) Restriction à l'élément A — Un montant n'est pas à inclure dans le total visé à l'élément A du paragraphe (1) pour la période de déclaration d'une personne dans la mesure où il y a déjà été inclus pour une période de déclaration antérieure de la personne.

Notes historiques: Le paragraphe 225(2) a été modifié par L.C. 1993, c. 27, art. 203 (annexe I) afin de remplacer le mot « inscrit » par « personne » avec les adaptations nécessaires et est réputé entré en vigueur le 17 décembre 1990. Le paragraphe 225(2) a été ajouté par L.C. 1990, c. 45, par. 12(1).

Concordance québécoise: LTVQ, art. 429.

(3) Restriction à l'élément B — Un montant n'est pas à inclure dans le total visé à l'élément B de la formule figurant au paragraphe (1) pour la période de déclaration donnée d'une personne dans la mesure où il a été demandé ou inclus à titre de crédit de taxe sur les intrants ou de déduction dans le calcul de la taxe nette pour une période de déclaration antérieure de la personne. Le présent paragraphe ne s'applique pas si les conditions suivantes sont réunies :

a) la personne n'avait pas le droit de déduire le montant dans le calcul de la taxe nette pour la période antérieure du seul fait qu'elle ne remplissait pas les conditions prévues au paragraphe 169(4) relativement au montant avant de produire la déclaration visant cette période;

b) si la personne demande le montant dans une déclaration pour la période donnée et que le ministre ne l'ait pas refusé à titre de crédit de taxe sur les intrants lors de l'établissement d'une cotisation visant la taxe nette de la personne pour la période antérieure :

(i) la personne déclare au ministre par écrit, au plus tard au moment de la production de la déclaration visant la période donnée, qu'elle a commis une erreur en demandant le montant dans le calcul de sa taxe nette pour la période antérieure,

(ii) si elle ne déclare pas l'erreur au ministre au moins trois mois avant l'échéance du délai fixé au paragraphe 298(1) pour l'établissement d'une cotisation visant sa taxe nette pour la période antérieure, la personne paie le montant au receveur général, ainsi que les intérêts applicables, au plus tard au moment de la production de la déclaration visant la période donnée.

Notes historiques: Le sous-alinéa 225(3)b)(ii) a été modifié par L.C. 2006, c. 4, par. 137(1) par l'abrogation des mots « pénalités et ». Cette modification s'applique au calcul de la taxe nette pour toute période de déclaration d'une personne si sa période de déclaration antérieure, visée au paragraphe 225(3), prend fin le 1er avril 2007 ou par la suite.

Le paragraphe 225(3) a été modifié par L.C. 1997, c. 10, par. 44(1) et cette modification est réputée entrée en vigueur le 23 avril 1996. Il se lisait comme suit :

> Un montant n'est pas à inclure dans le total visé à l'élément B du paragraphe (1) pour la période de déclaration d'une personne dans la mesure où, selon le cas :
>
> a) il y a déjà été inclus aux fins du calcul de la taxe nette pour une période de déclaration antérieure de la personne;
>
> b) avant la fin de la période, il est devenu remboursable à la personne conformément à la présente loi ou à une autre loi fédérale ou il lui a été remis en application de la *Loi sur la gestion des finances publiques* ou du *Tarif des douanes*.

Auparavant, le paragraphe 225(3) a été modifié par L.C. 1993, c. 27, art. 203 (annexe I) afin de remplacer le mot « inscrit » par « personne » avec les adaptations nécessaires et est réputé entré en vigueur le 17 décembre 1990.

Ce paragraphe a été ajouté par L.C. 1990, c. 45, par. 12(1).

juin 2006, Notes explicatives: Le paragraphe 225(3) permet d'éviter le double comptage d'un montant qui réduirait le montant de taxe nette d'une personne pour une période de déclaration; en règle générale, un montant demandé dans une déclaration antérieure ne peut être demandé à nouveau.

Par contre, les alinéas 225(3)a) et b) permettent à une personne de redemander un crédit de taxe sur les intrants dans les cas où cette personne n'avait pas le droit de déduire un montant pour une période antérieure ou a commis une erreur dans la demande qu'elle a présentée antérieurement. En vertu du sous-alinéa 225(3)b)(ii), si l'erreur n'est pas déclarée au ministre du Revenu national au moins trois mois avant l'échéance du délai fixé au paragraphe 298(1) pour l'établissement d'une cotisation visant sa taxe nette pour la période antérieure, la personne doit rembourser le crédit de taxe sur les intrants demandé antérieurement au receveur général, ainsi que les pénalités et intérêts applicables.

Le sous-alinéa 225(3)b)(ii) est modifié par suppression du renvoi aux « pénalités », Cette modification découle de l'instauration des nouvelles règles sur les intérêts, à l'article 280, qui s'appliquent aux fins de la partie IX de la loi.

Concordance québécoise: LTVQ, art. 430, 1430.1, 1430.2.

(3.1) Autre restriction — Un montant n'est pas à inclure dans le total visé à l'élément B de la formule figurant au paragraphe (1) pour la période de déclaration d'une personne dans la mesure où, avant la fin de la période, il a été remboursé à la personne conformément à la présente loi ou à une autre loi fédérale ou il lui a été remis en application de la *Loi sur la gestion des finances publiques* ou du *Tarif des douanes*.

Notes historiques: Le paragraphe 225(3.1) a été ajouté par L.C. 1997, c. 10, par. 44(1) et est réputé entré en vigueur le 23 avril 1996.

Concordance québécoise: LTVQ, art. 430.3.

(4) Délai — La personne qui demande un crédit de taxe sur les intrants pour sa période de déclaration donnée doit produire une déclaration aux termes de la présente section au plus tard le jour suivant :

a) dans le cas où elle est une personne déterminée au cours de la période donnée :

(i) si le crédit de taxe sur les intrants vise un bien ou un service qui lui est fourni par un fournisseur qui n'a pas, avant la fin de la période donnée, exigé relativement à la fourniture la taxe qui est devenue payable au cours de cette période et si elle a payé cette taxe après la fin de cette période et avant de demander le crédit de taxe sur les intrants, le premier en date des jours suivants :

(A) le jour où la déclaration aux termes de la présente section est à produire pour sa dernière période de déclaration se terminant dans les deux ans suivant la fin de son exercice au cours duquel le fournisseur exige la taxe,

(B) le jour où la déclaration aux termes de la présente section est à produire pour sa dernière période de déclaration se terminant dans les quatre ans suivant la fin de la période donnée,

(ii) si le crédit de taxe sur les intrants a été demandé dans une déclaration produite aux termes de la présente section, au plus tard le jour où la déclaration aux termes de la présente section est à produire pour la dernière période de déclaration de la personne se terminant dans les deux ans suivant la fin de son exercice qui comprend la période donnée, par une autre personne qui n'y avait pas droit et si la personne a payé la taxe payable relativement à l'acquisition ou à l'importation du bien ou du service, le jour où la déclaration aux termes de la présente section est à produire pour la dernière période de déclaration de la personne se terminant dans les quatre ans suivant la fin de la période donnée,

(iii) dans les autres cas, le jour où la déclaration aux termes de la présente section est à produire pour la dernière période de déclaration de la personne se terminant dans les deux ans suivant la fin de son exercice qui comprend la période donnée;

b) dans le cas où la personne n'est pas une personne déterminée au cours de la période donnée, le jour où la déclaration aux termes de la présente section est à produire pour la dernière période de déclaration de la personne se terminant dans les quatre ans suivant la fin de la période donnée;

c) dans le cas où, à la fois :

(i) le crédit de taxe sur les intrants vise un bien ou un service fourni à la personne par un fournisseur qui n'a pas, avant la fin de la dernière période de déclaration de la personne se terminant dans les quatre ans suivant la fin de la période donnée, exigé relativement à la fourniture la taxe qui est devenue payable au cours de la période donnée et le fournisseur informe la personne par écrit que le ministre a établi une cotisation à l'égard de cette taxe,

(ii) la personne a payé cette taxe après la fin de cette dernière période et avant de demander le crédit de taxe sur les intrants,

le jour où la déclaration aux termes de la présente section est à produire pour la période de déclaration de la personne au cours de laquelle elle paie cette taxe.

Notes historiques: Le paragraphe 225(4) a été modifié par L.C. 1997, c. 10, par. 44(1) et cette modification s'applique aux crédits de taxe sur les intrants suivants :

a) ceux visant les périodes de déclaration qui se terminent après juin 1996;

b) ceux visant les périodes de déclaration qui se terminent avant juillet 1996, à l'exception de ceux qui sont demandés dans une déclaration produite aux termes de la section V de la partie IX avant le 1er juillet 1998;

c) ceux visant les périodes de déclaration qui se terminent avant juillet 1996 et demandés dans une déclaration produite aux termes de cette section dans les circonstances prévues à l'alinéa 225(4)c). Antérieurement, il se lisait comme suit :

> L'inscrit qui demande un crédit de taxe sur les intrants pour sa période de déclaration doit produire une déclaration en application de la présente section dans les quatre ans suivant le jour où il est tenu de produire pour cette période la déclaration prévue par la présente section.

Le paragraphe 225(4) a été ajouté par L.C. 1990, c. 45, par. 12(1).

Concordance québécoise: LTVQ, art. 431.

Info TPS/TVQ [art. 225(4)]: GI-122 — *Les incidences de la TPS/TVH à la suite de l'acquisition de panneaux solaires en vertu du Programme de tarifs de rachats garantis pour les micro-projets en Ontario.*

(4.1) Personne déterminée — Pour l'application du paragraphe (4), est une personne déterminée au cours d'une période de déclaration :

a) la personne qui est une institution financière désignée visée à l'un des sous-alinéas 149(1)a)(i) à (x) au cours de la période;

b) la personne dont le montant déterminant, calculé selon le paragraphe 249(1), pour son exercice donné qui comprend la période ainsi que pour son exercice précédent dépasse 6 000 000 $.

Les personnes qui ne sont pas des institutions financières désignées visées à l'un des sous-alinéas 149(1)a)(i) à (x) au cours de la période ne sont pas des personnes déterminées si elles sont des organismes de bienfaisance au cours de la période ou si la totalité, ou presque, des fournitures qu'elles effectuent au cours de l'un ou l'autre de leurs deux exercices précédant l'exercice donné (sauf les fournitures de services financiers) sont des fournitures taxables.

Notes historiques: Le paragraphe 225(4.1) a été ajouté par L.C. 1997, c. 10, par. 44(1) et est réputé entré en vigueur le 1er juillet 1996. Aux fins de la mention de « organisme de bienfaisance » à ce paragraphe, les définitions de « institution publique » et « organisme de bienfaisance » au paragraphe 123(1), édictés par L.C. 1997, c. 10 par. 1(1) et (12), sont réputées entrées en vigueur à cette date.

Concordance québécoise: LTVQ, art. 431.1.

Jurisprudence [art. 225(4.1)]: *Vincent v. R.* (24 juillet 2012), 2012 CarswellNat 3728 (C.C.I.).

(5) Délai — immeuble d'habitation — L'inscrit qui effectue par vente la fourniture exonérée d'un immeuble d'habitation ne peut demander, dans une déclaration produite au plus tôt le jour où il transfère la propriété ou la possession de l'immeuble à l'acquéreur, de crédit de taxe sur les intrants relativement soit à sa dernière acquisition de l'immeuble, soit à son acquisition, importation ou transfert dans une province participante, après cette dernière acquisition de l'immeuble, des améliorations apportées à celui-ci.

Notes historiques: Le paragraphe 225(5) a été modifié par L.C. 1997, c. 10, par. 206(1) et cette modification est entrée en vigueur le 1er avril 1997. Il se lisait comme suit :

> L'inscrit qui effectue par vente la fourniture exonérée d'un immeuble d'habitation ne peut demander, dans une déclaration produite au plus tôt le jour où il transfère la propriété ou la possession de l'immeuble à l'acquéreur, de crédit de taxe sur les intrants relativement soit à sa dernière acquisition de l'immeuble, soit à son acquisition ou importation, après cette dernière acquisition de l'immeuble, des améliorations apportées à celui-ci.

Auparavant, ce paragraphe a été modifié par L.C. 1993, c. 27, par. 88(1) et est réputé entré en vigueur le 17 décembre 1990. Il se lisait comme suit :

> L'inscrit qui effectue par vente la fourniture exonérée d'un immeuble d'habitation ne peut demander de crédit de taxe sur les intrants relativement à l'immeuble dans une déclaration produite le jour, ou après le jour, où il transfère la propriété ou la possession de l'immeuble à l'acquéreur.

Le paragraphe 225(5) a été édicté par L.C. 1990, c. 45, par. 12(1).

Concordance québécoise: LTVQ, art. 432.

(6) Montant exclu du calcul du crédit — En cas de nomination, en application de la *Loi sur la faillite et l'insolvabilité*, d'un syndic pour voir à l'administration de l'actif d'un inscrit failli, les règles suivantes s'appliquent :

a) le total des crédits de taxe sur les intrants demandés et des montants déduits, dans une déclaration produite après la nomination pour une période de déclaration de l'inscrit qui prend fin avant la nomination, ne peut excéder le total des montants suivants :

(i) le montant qui correspondrait à la taxe nette pour la période si nul crédit de taxe sur les intrants n'était demandé, et nul montant déduit, dans le calcul de la taxe nette pour cette période,

(ii) les montants à verser par l'inscrit en application de la présente partie pour les périodes de déclaration qui prennent fin avant cette période ainsi que les montants payables par lui en vertu de cette partie au titre des pénalités, intérêts, acomptes provisionnels de taxe ou restitutions relativement à ces périodes de déclaration;

b) un crédit de taxe sur les intrants, ou un montant déductible dans le calcul de la taxe nette, pour une période de déclaration de l'inscrit qui prend fin avant la nomination ne peut être demandé ni déduit dans une déclaration visant une période de déclaration de l'inscrit qui prend fin après le mandat du syndic.

Toutefois, le présent paragraphe ne s'applique pas si, au plus tard le jour de la production de la déclaration, les déclarations à produire en application de la présente partie pour les périodes de déclaration de l'inscrit qui prennent fin avant la nomination, ou relativement à des acquisitions d'immeubles effectuées au cours de ces périodes, ont été produites et si les montants à verser par l'inscrit en application de la présente partie ainsi que les montants payables par lui en vertu de cette partie au titre des pénalités, intérêts, acomptes provisionnels de taxe ou restitutions relativement à ces périodes de déclaration ont été versés ou payés, selon le cas.

Notes historiques: Le paragraphe 225(6) a été ajouté par L.C. 1993, c. 27, par. 88(2) et s'applique aux déclarations produites après septembre 1992.

Concordance québécoise: LAF, art. 30.3.

Définitions [art. 225]: « acquéreur », « améliorations », « année d'imposition », « fourniture exonérée », « fourniture taxable », « immeuble », « immeuble d'habitation », « inscrit », « institution financière désignée », « montant », « organisme de bienfaisance », « période de déclaration », « personne », « province participante », « service financier », « taxe », « vente » — 123(1).

Renvois [art. 225]: 129(7)e) (biens loués et services par une nouvelle division de petit fournisseur); 169 (CTI); 171(3) (cessation de l'inscription); 171(4)b) (services et biens de location); 172(1)b) (taxe réputée perçue — utilisation autre que dans le cadre d'activités commerciales); 172(2) (avantages aux actionnaires, associés ou membres); 173(1) (avantages aux salariés et aux actionnaires); 175.1b) (remboursement du bénéficiaire d'une garantie); 177(1.1) (choix du mandataire de comptabiliser la taxe); 178.3, 178.4 (démarcheur); 179 (livraison au consignataire ou dépositaire d'un non-résident); 181.1 (remises); 182 (renonciation); 183 (saisie et reprise de possession); 184 (fourniture à l'assureur sur règlement de sinistre); 188(5) (inscrit visé par règlement); 190–192 (immeubles); 194 (déclaration erronée sur utilisation d'un immeuble); 195–211 (immobilisation); 195.2 (dernière acquisition ou importation); 196.1 (utilisation à titre d'immobilisation); 200(2)b) (utilisation non principale d'immobilisations); 203(2)b) (utilisation non exclusive d'une voiture de tourisme ou d'un aéronef); 206(4)a), 206(5)b), 207(1)a), 207(2)b) (taxe réputée perçue — cessation ou réduction d'utilisation dans le cadre des activités commerciales); 211(2) (présomption de vente en cas de choix visant l'immeuble d'un organisme de services publics); 222(2)b) (retraits de montants en fiducie); 222.1 (vente d'un compte client); 225.1 (comptabilité abrégée — organismes de bienfaisance); 225.2(2), (3) (redressement de la taxe nette — institutions financières désignées particulières); 226(3) (contenant consigné); 227 (choix pour comptabilité abrégée); 230.1 (montant remboursé en trop); 230.2 (déduction de la taxe nette — institutions agréées), 231 (créance irrécouvrable); 232(3) (notes de crédit ou de débit); 234(1) (remboursement pour habitation); 234(2) (remboursement — fournitures à des non-résidents); 235(1) (location de voiture de tourisme); 236(1) (aliments, boissons et divertissements); 236.1 (redressement — non-exportation ou non-fourniture); 236.2 (redressement — certificat d'exportation); 236.4 (choix visant un immeuble d'habitation); 238 (déclaration); 263.1 (remboursement — restriction en cas de faillite); 265 (faillite); 271 (fusion); 272 (liquidation); 274(5)a) (règle anti-évitement); 296(2) (prise en compte du crédit); 296(2.1) (application d'un montant de remboursement non demandé); 296(4), (4.1) (prise en compte du remboursement); 336(2)d), 336(3)d), 336(4)d) (taxe réputée perçue — transfert d'un immeuble d'habitation après 1990), 337(7) (fourniture avant 1991); 337(9) (biens retournés après 1990); 346(1)a) (crédit transitoire pour la petite entreprise); 347(1) (crédit transitoire pour entreprises de taxis); V:Partie I:2, 5 (fournitures exonérées d'immeubles d'habitation).

Règlements [art. 225]: *Règlement sur les jeux de hasard (TPS/TVH)*, art. 1.

Jurisprudence [art. 225]: *Musselman (A.) c. La Reine*, [1995] G.S.T.C. 60 (CCI); *Metro Exteriors Ltd. c. La Reine*, [1995] G.S.T.C. 62 (CCI); *Clear Customs Brokers Ltd. c. La Reine*, [1995] G.S.T.C. 46 (CCI); *Rathgeber's Holdings III Ltd. c. Canada*, [1997] G.S.T.C. 23 (CCI); *Tartanic (S.) c. Canada*, [1997] G.S.T.C. 54 (CCI); *599186 Saskatchewan Ltd. c. Canada*, [1997] G.S.T.C. 56 (CCI); *Roberts (K.) c. Canada*, [1997] G.S.T.C. 58 (CCI); *Stan's Paving Ltd. c. Canada*, [1998] G.S.T.C. 105 (CCI); *Hamilton Hunt Co. c. Canada*, [1999] G.S.T.C. 112 (CCI); *Island Orthotics Ltd. c. Canada*, [1999] G.S.T.C. 88 (CCI); *Battista c. R.*, [2000] G.S.T.C. 44 (CCI); *9000-6560 Québec Inc. c. R.*, [2000] G.S.T.C. 63 (CCI); *Gastown Actors Studio Ltd. c. Canada*, [1999] G.S.T.C. 79 (TCC); [2000] G.S.T.C. 108 (CAF); *ITA Travel Agency Ltd. c. R.*, [2001] G.S.T.C. 5 (CCI); *GKO Engineering c. R.*, [2000] G.S.T.C. 29 (CCI); *GKO Engineering (A Partnership) v. R*, [2001] G.S.T.C. 53 (CAF); *Trudel c. R.*, [2001] G.S.T.C. 23 (CCI); *Siddiqi c. R.*, [2001] G.S.T.C. 61 (CCI); *Genoway c. R.*, [2001] G.S.T.C. 63 (CCI); *Dussault c. R.*, [2001] G.S.T.C. 131 (CCI); *Shvartsman c. R.*, [2002] G.S.T.C. 30 (CCI); *Clive Tregaskiss Investment Inc. v. R.*, [2003] G.S.T.C. 106 (CCI); *Airport Auto Ltd. v. R.*, [2003] G.S.T.C. 151 (CCI); *Gestion V.C.C.C.C. Inc. c. R.*, [2004] G.S.T.C. 104 (CCI); *Owraki v. R.*, [2004] G.S.T.C. 1 (CCI); *971346 Ontario Inc. v. Canada (Attorney General)*, 253 F.T.R. 139 (CF); *469527 Ontario Ltd. v. R.*, 253 F.T.R. 183 (CF); *Paquin c. R.*, [2004] G.S.T.C. 116 (CCI); *Voitures Orly Inc. Orly Automobiles Inc. c. R.*, [2004] G.S.T.C. 57 (CCI); *Szremski c. R.*, 2004 TCC 776 (CCI); *Montréal Timbres & Monnaies Champagne Inc. c. R.*, [2005] G.S.T.C. 119 (CCI); *800537 Ontario Inc. v. R.*, [2005] G.S.T.C. 165 (CAF); *Phillips c. R.*, [2006] G.S.T.C. 12 (CCI); *Lévis (Ville) c. R.*, [2006] G.S.T.C. 151 (CCI); *3092-8949 Québec Inc. c. R.*, [2006] G.S.T.C. 173 (CCI); *Patoine c. R.*, 2007 G.T.C. 884 (CCI); *Weinstein & Gavino Fabrique et Bar à pâtes compagnie ltée c. SMRQ* (19 décembre 2007), 500-17-015442-034, 2007 CarswellQue 12599; *St-Isidore Écono Centre Inc. c. R.*, 2008 CarswellNat 2198 (CCI [procédure informelle]), (factures n'ayant pas de numéro de TPS); *Byrnes v. R.*, [2008] G.S.T.C. 55 (CCI [procédure générale]); *Société de Transport de Laval v. R.*, 2008 CarswellNat 511 (CCI [procédure générale]); *Développement Priscilla Inc. c. R.*, [2007] G.S.T.C. 181 (CCI [procédure informelle]), (montants non suportés par un document); *Herroug c. R.*, [2007] G.S.T.C. 161 (CCI [procédure générale]); *Triple G. Corp. v. R.* (24 avril 2008), [2008] G.S.T.C. 102 (CCI [procédure générale]); *Carroll Pontiac Buick Ltd. v. R.* (25 juillet 2008), [2008] G.S.T.C. 155 (CCI [procédure informelle]); *Société de transport de Laval (Ville) v. R.*, 2008 G.T.C. 374 (CCI [procédure générale]); *Desrosiers c. R.*, 2008 G.T.C. 799 (CCI [procédure informelle]); *Insurance Corp. of British Columbia v. R.*, [2008] G.S.T.C. 28 (30 janvier 2008) (CCI); *Telus Communications (Edmonton) Inc. v. R.* (13 février 2008), [2008] G.S.T.C. 39 (CCI [procédure générale]); *St-Isidore Écono Centre Inc. c. R.*, 2008 G.T.C. 689 (CCI [procédure informelle]); *Québec (Sous-ministre du Revenu) c. Cun* (13 novembre 2008), 2008 CarswellQue 11822; *Résidences Majeau Inc. c. R.* (28 mai 2009), 2009 G.T.C. 1062 (CCI [procédure générale]); *United Parcel Service Canada Ltd. v. R.*, 2009 CarswellNat 907 (Cour suprême du Canada); *Lacroix c. R.*, 2010 CarswellNat 693, 2010 CCI 160, 2010 G.T.C. 287 (Fr.) (CCI [procédure générale]); *Khan v. R.*, 2011 CarswellNat 5028, 2011 CCI 481 (CCI [procédure informelle]); *CIBC World Markets Inc. v. R.*, 2011 CarswellNat 4618, 2011 CAF 270, 2011 G.T.C. 2051 (CAF); *Balthazard c. R.* (28 novembre 2011), 2011 CarswellNat 4964, 2011 CAF 331, 2012 G.T.C. 1006 (CAF).

Décrets de remise [art. 225]: *Décret de remise sur les appareils automatiques (utilisateurs de la comptabilité abrégée)* C.P.2003-1620.

Énoncés de politique [art. 225]: P-18R, 29/03/00, *Délai relatif à l'admissibilité aux CTI lorsqu'une personne devient un inscrit*; P-30R, 04/09/92, *Notes de crédit et de débit et redressements de taxe nette*; P-131R, 07/04/94, *Versement de taxe par un tiers*; P-149R, 21/09/99, *Politique administrative concernant le redressement des déclarations de la taxe sur les produits et services/taxe de vente harmonisée*; P-162, 15/12/94, *Recouvrement par voie de compensation par suite d'une faillite*; P-216, 08/04/98, *Inscription d'un associé*.

Bulletins de l'information technique [art. 225]: B-075R, 23/04/96, *Modifications proposées à la TPS*.

Mémorandums [art. 225]: TPS 400-1-1, 25/02/91, *Crédit intégral de taxe sur les intrants*, par. 1, 2, 50, 52–55; TPS 400-2, 28/03/91, *Restrictions — Généralités*, par. 3; TPS 500-2, 25/03/91, *Déclarations et paiements*, par. 16–19 et les annexes C et E; TPS 500-2-4, 19/03/91, *Calcul de la taxe*, par. 5, 6 et les annexes B, C, D et E.

Série de mémorandums [art. 225]: Mémorandum 3.1, 08/99, *Assujettissement à la taxe*; Mémorandum 8.1, 05/05, *Règles générales d'admissibilité*; Mémorandum 9.2, 11/11, *Avantages relatifs aux automobiles* ; Mémorandum 17.14, 07/11, *Choix visant les fournitures exonérées*; Mémorandum 19.1, 10/97, *Les immeubles et la TPS/TVH*.

LTA (TPS)

Formulaires [art. 225]: GST34, *Déclaration des inscrits — Taxe sur les produits et services*; GST62, *Déclaration de la taxe sur les produits et services/taxe de vente harmonisée (non personnalisée)*; GST426, *Versement de la taxe sur les produits et services/taxe de vente harmonisée (non personnalisée)*.

Lettres d'interprétation (Québec) [art. 225]: 97-3800733 — Interprétation relative à la TPS — Interprétation relative à la TVQ — Ventes sous contrôle de justice — perception et remise de la taxe; 98-010842 — Commerce au détail; 99-0109134 — Interprétation relative à la TPS — Interprétation relative à la TVQ — Vente sous contrôle de justice — certificats d'actions; 00-0111302 — Interprétation relative à la TPS et à la TVQ — Réclamation de CTI/RTI; 01-0101970 — Interprétation relative à la TPS et à la TVQ — Remboursement pour immeubles d'habitation locatifs neufs; 02-0107223 — Interprétation relative à la TPS et à la TVQ — Cotisation annuelle [Application de la loi aux avis de].

Guides (Québec) [art. 225]: IN-256 — Aide-mémoire pour les entreprises en démarrage — Les taxes.

Info TPS/TVQ [art. 225]: GI-101 — *Taxe de vente harmonisée-Renseignements à l'intention des constructeurs d'habitations non inscrits en Ontario, en Colombie-Britannique et en Nouvelle-Écosse*.

225.1 (1) Définition de « fourniture déterminée » — Au présent article, « fourniture déterminée » s'entend d'une fourniture taxable autre que les fournitures suivantes :

a) la fourniture par vente d'un immeuble ou d'une immobilisation;

b) la fourniture qui est réputée, par les articles 175.1 ou 181.1 ou les paragraphes 183(5) ou (6), avoir été effectuée;

c) la fourniture à laquelle s'appliquent les paragraphes 172(2) ou 173(1);

d) la fourniture réputée par les paragraphes 177(1) ou (1.2) avoir été effectuée par un mandataire.

Notes historiques: L'alinéa 225.1(1)d) a été ajouté par L.C. 2000, c. 30, par. 53(1). Cet alinéa s'applique aux fins du calcul de la taxe nette pour les périodes de déclaration se terminant après le 26 novembre 1997.

Le paragraphe 225.1(1) a été ajouté par L.C. 1997, c. 10, par. 45(2) et s'applique au calcul de la taxe nette d'un organisme de bienfaisance pour ses périodes de déclaration qui commencent après 1996.

Concordance québécoise: LTVQ, art. 433.1.

(2) Taxe nette — Sous réserve du paragraphe (7), la taxe nette pour une période de déclaration donnée d'un organisme de bienfaisance qui est un inscrit correspond au résultat positif ou négatif du calcul suivant :

$$A - B$$

où :

A représente le total des montants suivants :

a) 60 % du total des montants représentant chacun un montant percevable par l'organisme qui, au cours de la période donnée, est devenu percevable par lui, ou a été perçu par lui avant de devenir percevable, au titre de la taxe relative aux fournitures déterminées qu'il a effectuées,

b) le total des montants devenus percevables et des autres montants perçus par l'organisme au cours de la période donnée au titre de la taxe relative aux fournitures suivantes qu'il a effectuées :

(i) les fournitures par vente d'immobilisations ou d'immeubles,

(ii) les fournitures auxquelles s'appliquent les paragraphes 172(2) ou 173(1),

(iii) les fournitures effectuées pour le compte d'une autre personne dont l'organisme est le mandataire et, selon le cas :

(A) réputées par les paragraphes 177(1) ou (1.2) avoir été effectuées par l'organisme et non par l'autre personne,

(B) relativement auxquelles l'organisme a fait le choix prévu au paragraphe 177(1.1),

b.1) le total des montants représentant chacun un montant non visé à l'alinéa b) que l'organisme a perçu d'une personne au cours de la période donnée au titre de la taxe dans des circonstances où le montant n'était pas payable par la personne, indépendamment du fait que la personne ait payé le montant par erreur ou autrement,

c) le total des montants représentant chacun un montant relatif à des fournitures d'immeubles ou d'immobilisations effectuées par vente par l'organisme, ou à son profit, qui est à ajouter en application des paragraphes 231(3) ou 232(3) dans le calcul de la taxe nette pour la période donnée,

d) le montant à ajouter, en application du paragraphe 238.1(4), dans le calcul de la taxe nette pour la période donnée;

B le total des montants suivants :

a) les crédits de taxe sur les intrants de l'organisme pour la période donnée et les périodes antérieures relativement aux biens suivants, qu'il a demandés dans la déclaration produite en application de la présente section pour la période donnée :

(i) les immeubles qu'il a acquis par achat,

(ii) les biens meubles qu'il a acquis, importés ou transférés dans une province participante pour utilisation comme immobilisation,

(iii) les améliorations apportées à ses immeubles ou immobilisations,

(iv) les biens meubles corporels (sauf les biens visés aux sous-alinéas (ii) ou (iii)) qu'il a acquis, importés, ou transférés dans une province participante pour fourniture par vente et qui sont :

(A) soit fournis par une personne agissant à titre de mandataire de l'organisme dans les circonstances visées au paragraphe 177(1.1),

(B) soit réputés par le paragraphe 177(1.2) avoir été fournis par un encanteur agissant à titre de mandataire de l'organisme,

(v) les biens meubles corporels (sauf les biens visés aux sous-alinéas (ii) ou (iii)) qui sont réputés, par l'alinéa 180e), avoir été acquis par l'organisme et, par les paragraphes 177(1) ou (1.2), avoir été fournis par lui,

b) 60 % du total des montants relatifs à des fournitures déterminées qui peuvent être déduits en application du paragraphe 232(3) au titre de redressements, de remboursements ou de crédits effectués par l'organisme en vertu du paragraphe 232(2), ou qui peuvent être déduits en application des paragraphes 234(2) ou (3), dans le calcul de la taxe nette pour la période donnée et qui sont indiqués dans la déclaration produite en application de la présente section pour cette période,

b.1) [*abrogé*],

b.2) le total des montants qui, dans le calcul de la taxe nette pour la période donnée, peuvent être déduits en application du paragraphe 232(3) au titre de redressements, de remboursements ou de crédits effectués par l'organisme en vertu du paragraphe 232(1) relativement à des fournitures déterminées et qui sont indiqués dans la déclaration produite en application de la présente section pour cette période,

c) le total des montants relatifs à des fournitures d'immeubles ou d'immobilisations que l'organisme a effectuées par vente, que celui-ci peut déduire en application des paragraphes 231(1) ou 232(3) ou de l'article 234 dans le calcul de la taxe nette pour la période donnée et qui sont indiqués dans la déclaration produite en application de la présente section pour cette période;

d) le total des montants représentant chacun un crédit de taxe sur les intrants (sauf celui visé à l'alinéa a)) de l'organisme pour une période de déclaration antérieure relativement à laquelle le présent paragraphe ne s'est pas appliqué aux fins du calcul de la taxe nette de l'organisme, que celui-ci pouvait inclure dans le calcul de sa taxe nette pour la période antérieure et qui est demandé dans la déclaration produite aux termes de la présente section pour la période donnée.

Notes historiques: L'alinéa a) de l'élément A de la formule figurant au paragraphe 225.1(2) a été remplacé par L.C. 2000, c. 30, par. 53(2). Cette modification s'applique aux fins du calcul de la taxe nette pour les périodes de déclaration se terminant après le 4 juin 1999. Antérieurement, il se lisait comme suit :

a) 60 % du total des montants devenus percevables et des autres montants perçus par l'organisme au cours de la période donnée au titre de la taxe relative aux fournitures déterminées qu'il a effectuées,

Le sous-alinéa b)(iii) de l'élément A de la formule figurant au paragraphe 225.1(2) a été remplacé par L.C. 2000, c. 30, par. 53(3). Cette modification s'applique aux fins du calcul de la taxe nette pour les périodes de déclaration se terminant après le 26 novembre 1997. Antérieurement, il se lisait comme suit :

(iii) les fournitures effectuées à titre de mandataire et relativement auxquelles il a fait le choix prévu au paragraphe 177(1.1),

L'alinéa b.1) de l'élément A de la formule figurant au paragraphe 225.1(2) a été ajouté par L.C. 2000, c. 30, par. 53(4). Cet alinéa s'applique aux fins du calcul de la taxe nette pour les périodes de déclaration se terminant après le 4 juin 1999.

L'alinéa c) de l'élément A de la formule du paragraphe 225.1(2) a été remplacé par L.C. 2007, c. 18, par. 26(1) et cette modification s'applique au calcul de la taxe nette d'un organisme de bienfaisance pour les périodes de déclaration commençant après 1996. Antérieurement, il se lisait ainsi :

c) les montants relatifs à des fournitures d'immeubles ou d'immobilisations effectuées par vente au profit de l'organisme, qui sont à ajouter en application des paragraphes 231(3) ou 232(3) dans le calcul de la taxe nette pour la période donnée,

Les sous-alinéas (iv) et (v) de l'alinéa a) de l'élément B de la formule figurant au paragraphe 225.1(2) ont été ajoutés par L.C. 2000, c. 30, par. 53(5). Ces sous-alinéas s'appliquent, aux fins du calcul de la taxe nette pour les périodes de déclaration commençant après 1996, aux biens qui sont réputés par les paragraphes 177(1) ou (1.2), édictés par l'article 26 de la *Loi modifiant la Loi sur la taxe d'accise, la Loi sur les arrangements fiscaux entre le gouvernement fédéral et les provinces, la Loi de l'impôt sur le revenu, la Loi sur le compte de service et de réduction de la dette et des lois connexes*, chapitre 10 des *Lois du Canada* (1997), avoir été fournis par un mandataire ou auxquels s'applique le paragraphe 177(1.1).

Le sous-alinéa a)(ii) de l'élément B de la formule figurant au paragraphe 225.1(2) a été modifié par L.C. 1997, c. 10, par. 207(1) et cette modification est entrée en vigueur le 1er avril 1997. Auparavant, ce sous-alinéa se lisait comme suit :

(ii) les biens meubles qu'il a importés ou acquis pour utilisation comme immobilisation,

L'alinéa b) de l'élément B de la formule figurant au paragraphe 225.1(2) a été remplacé par L.C. 2000, c. 30, par. 53(6). Cette modification s'applique aux fins du calcul de la taxe nette pour les périodes de déclaration se terminant après le 4 juin 1999. Antérieurement, il se lisait comme suit :

b) 60 % du total des montants relatifs à des fournitures déterminées que l'organisme peut déduire en application des paragraphes 232(3) ou 234(2) ou (3) dans le calcul de la taxe nette pour la période donnée et qui sont indiqués dans la déclaration produite en application de la présente section pour cette période,

L'alinéa b) de l'élément B de la formule figurant au paragraphe 225.1(2) a été modifié par L.C. 1997, c. 10, par. 207(2) et cette modification est entrée en vigueur le 1er avril 1997. Auparavant, cet alinéa se lisait comme suit :

b) 60 % du total des montants relatifs à des fournitures déterminées que l'organisme peut déduire en application des paragraphes 232(3) ou 234(2) dans le calcul de la taxe nette pour la période donnée et qui sont indiqués dans la déclaration produite en application de la présente section pour cette période,

L'alinéa b.1) de l'élément B de la formule figurant au par. 225.1(2) a été abrogé par L.C. 2007, c. 18, par. 26(2) et cette modification s'applique au calcul de la taxe nette d'un organisme de bienfaisance pour les périodes de déclaration commençant après la dernière période de déclaration de l'organisme se terminant dans les quatre ans suivant sa période de déclaration qui comprend le 15 juillet 2002. Antérieurement, il se lisait ainsi :

b.1) le total des montants que l'organisme peut déduire en application du paragraphe 226.1(1) dans le calcul de la taxe nette pour la période donnée et qui sont indiqués dans la déclaration produite aux termes de la présente section pour cette période,

L'alinéa b.1) de l'élément B de la formule figurant au paragraphe 225.1(2) a été ajouté par L.C. 2000, c. 30, par. 53(7). Cet alinéa s'applique aux périodes de déclaration se terminant après mars 1998.

L'alinéa b.2) de l'élément B de la formule figurant au paragraphe 225.1(2) a été ajouté par L.C. 2000, c. 30, par. 53(8). Cet alinéa s'applique aux fins du calcul de la taxe nette pour les périodes de déclaration se terminant après le 4 juin 1999.

Le paragraphe 225.1(2) a été ajouté par L.C. 1997, c. 10, par. 45(1) et s'applique au calcul de la taxe nette d'un organisme de bienfaisance pour ses périodes de déclaration qui commencent après 1996.

Concordance québécoise: LTVQ, art. 433.2.

Info TPS/TVQ [par. 225.1(2)]: GI-066 — *La façon dont un organisme de bienfaisance doit calculer la taxe nette dans ses déclarations de TPS/TVH.*

(3) Restriction — élément A — Un montant n'est pas inclus dans le calcul du total visé à l'élément A de la formule figurant au paragraphe (2) pour une période de déclaration d'un organisme de bienfaisance dans la mesure où il a été inclus dans ce total pour une période de déclaration antérieure de l'organisme.

Notes historiques: Le paragraphe 225.1(3) a été ajouté par L.C. 1997, c. 10, par. 45(1) et s'applique au calcul de la taxe nette d'un organisme de bienfaisance pour ses périodes de déclaration qui commencent après 1996.

Concordance québécoise: LTVQ, art. 433.3.

(4) Restriction — élément B — Un montant n'est pas à inclure dans le total visé à l'élément B de la formule figurant au paragraphe (2) pour la période de déclaration donnée d'un organisme de bienfaisance dans la mesure où il a été demandé ou inclus à titre de crédit de taxe sur les intrants ou de déduction dans le calcul de la taxe nette pour une période de déclaration antérieure de l'organisme. Le présent paragraphe ne s'applique pas si les conditions suivantes sont réunies :

a) l'organisme n'avait pas le droit de déduire le montant dans le calcul de la taxe nette pour la période antérieure du seul fait qu'il ne remplissait pas les conditions du paragraphe 169(4) relativement au montant avant de produire la déclaration visant cette période;

b) si l'organisme demande le montant dans une déclaration pour la période donnée et que le ministre ne l'ait pas refusé à titre de crédit de taxe sur les intrants lors de l'établissement d'une cotisation visant la taxe nette de l'organisme pour la période antérieure :

(i) l'organisme déclare au ministre par écrit, au plus tard au moment de la production de la déclaration visant la période donnée, qu'il a commis une erreur en demandant le montant dans le calcul de sa taxe nette pour la période antérieure,

(ii) s'il ne déclare pas l'erreur au ministre au moins trois mois avant l'échéance du délai fixé au paragraphe 298(1) pour l'établissement d'une cotisation visant sa taxe nette pour la période antérieure, l'organisme paie le montant au receveur général, ainsi que les intérêts applicables, au plus tard au moment de la production de la déclaration visant la période donnée.

Notes historiques: Le sous-alinéa 225.1(4)b)(ii) a été modifié par L.C. 2006, c. 4, par. 138(1) par l'abrogation des mots « pénalités et ». Cette modification s'applique au calcul de la taxe nette pour toute période de déclaration d'un organisme de bienfaisance si sa période de déclaration antérieure, visée au paragraphe 225.1(4), prend fin le 1er avril 2007 ou par la suite.

Le paragraphe 225.1(4) a été ajouté par L.C. 1997, c. 10, par. 45(1) et s'applique au calcul de la taxe nette d'un organisme de bienfaisance pour ses périodes de déclaration qui commencent après 1996.

Concordance québécoise: LTVQ, art. 433.4, 1433.5.

(4.1) Autre restriction — Un montant n'est pas à inclure dans le total visé à l'élément B de la formule figurant au paragraphe (2) pour la période de déclaration d'un organisme de bienfaisance dans la mesure où, avant la fin de la période, il est devenu remboursable à l'organisme conformément à la présente loi ou à une autre loi fédérale ou il lui a été remis en application de la *Loi sur la gestion des finances publiques* ou du *Tarif des douanes*.

Modification proposée — 225.1(4.1)

(4.1) Autre restriction — Un montant n'est pas à inclure dans le total visé à l'élément B de la formule figurant au paragraphe (2) pour la période de déclaration d'un organisme de bienfaisance dans la mesure où, avant la fin de la période, il a été remboursé à l'organisme conformément à la présente loi ou à une autre loi fédérale ou il lui a été remis en application de la *Loi sur la gestion des finances publiques* ou du *Tarif des douanes*.

Application: Le paragraphe 225.1(4.1) sera remplacé par le par. 416(1) du *Projet de loi C-48* (Partie 6 — Dispositions de coordination) (première lecture le 21 novembre

LTA (TPS)

2012) et cette modification s'appliquera lorsqu'il s'agit de déterminer la taxe nette d'un organisme de bienfaisance pour les périodes de déclaration commençant après 1996.

Notes explicatives: Selon le paragraphe 225.1(4.1), tout montant qui donne droit par ailleurs à un crédit de taxe sur les intrants au cours d'une période donnée ne peut être déduit dans le calcul de la taxe nette d'un organisme de bienfaisance si, avant la fin de la période, il est devenu remboursable conformément à la Loi ou à une autre loi fédérale ou a été remis à l'organisme en application de la *Loi sur la gestion des finances publiques* ou du *Tarif des douanes*.

La modification apportée à ce paragraphe consiste à remplacer le passage « est devenu remboursable » par « a été remboursé ». Le libellé de ce paragraphe est ainsi rendu conforme à celui du paragraphe 225(3.1) de la Loi (qui a été modifié antérieurement) qui porte sur le calcul de la taxe nette de personnes autres que des organismes de bienfaisance. Cette modification a également pour effet de régler un problème de circularité par rapport à l'alinéa 263b) de la Loi, selon lequel un montant n'est pas remboursable s'il est recouvrable au moyen d'un crédit de taxe sur les intrants.

Notes historiques: Le paragraphe 225.1(4.1) a été ajouté par 1997, c. 10, par. 45(1) et s'applique au calcul de la taxe nette d'un organisme de bienfaisance pour ses périodes de déclaration qui commencent après 1996.

Concordance québécoise: LTVQ, art. 433.6.

(5) Application — Sauf disposition contraire prévue au présent article, les articles 231 à 236 ne s'appliquent pas au calcul de la taxe nette d'un organisme de bienfaisance déterminé en conformité avec le paragraphe (2).

Notes historiques: Le paragraphe 225.1(5) a été ajouté par L.C. 1997, c. 10, par. 45(1) et s'applique au calcul de la taxe nette d'un organisme de bienfaisance pour ses périodes de déclaration qui commencent après 1996.

Concordance québécoise: LTVQ, art. 433.7.

(6) Choix — Lorsqu'un organisme de bienfaisance qui effectue des fournitures à l'étranger, ou des fournitures détaxées, dans le cours normal d'une entreprise ou dont la totalité, ou presque, des fournitures sont des fournitures taxables choisit de ne pas déterminer sa taxe nette en conformité avec le paragraphe (2), ce paragraphe ne s'applique pas aux périodes de déclaration de l'organisme pendant lesquelles le choix est en vigueur.

Notes historiques: Le paragraphe 225.1(6) a été ajouté par L.C. 1997, c. 10, par. 45(1) et s'applique au calcul de la taxe nette d'un organisme de bienfaisance pour ses périodes de déclaration qui commencent après 1996.

Concordance québécoise: LTVQ, art. 433.8.

(7) Forme et contenu du choix — Le choix doit remplir les conditions suivantes :

a) il est produit en la forme et selon les modalités déterminées par le ministre et contient les renseignements requis par celui-ci;

b) il fait état de la date de son entrée en vigueur, à savoir le premier jour d'une période de déclaration de l'organisme;

c) il demeure en vigueur jusqu'à l'entrée en vigueur de sa révocation;

d) il est produit dans le délai suivant :

(i) si la première période de déclaration de l'organisme au cours de laquelle le choix est en vigueur correspond à un exercice de l'organisme, au plus tard le premier jour du deuxième trimestre d'exercice de cet exercice ou à la date ultérieure fixée par le ministre sur demande de l'organisme,

(ii) dans les autres cas, au plus tard le jour où l'organisme est tenu de produire une déclaration aux termes de la présente section pour sa première période de déclaration au cours de laquelle le choix est en vigueur ou à la date ultérieure fixée par le ministre à la demande de l'organisme.

Notes historiques: Le paragraphe 225.1(7) a été ajouté par L.C. 1997, c. 10, par. 45(1) et s'applique au calcul de la taxe nette d'un organisme de bienfaisance pour ses périodes de déclaration qui commencent après 1996.

Concordance québécoise: LTVQ, art. 433.9.

(8) Révocation — Le choix d'un organisme de bienfaisance peut être révoqué dès le premier jour d'une période de déclaration de l'organisme, à condition que ce jour tombe au moins un an après l'entrée en vigueur du choix et qu'un avis de révocation, contenant les renseignements requis par le ministre, soit produit en la forme et selon les modalités déterminées par celui-ci au plus tard le jour où la déclaration visant la dernière période de déclaration de l'organisme au cours de laquelle le choix est en vigueur est à produire aux termes de la présente section.

Notes historiques: Le paragraphe 225.1(8) a été ajouté par L.C. 1997, c. 10, par. 45(1) et s'applique au calcul de la taxe nette d'un organisme de bienfaisance pour ses périodes de déclaration qui commencent après 1996.

Concordance québécoise: LTVQ, art. 433.10.

(9) Restriction touchant les crédits de taxe sur les intrants — L'organisme de bienfaisance qui fait le choix ne peut demander le montant suivant, s'il n'est pas demandé dans une déclaration visant une période de déclaration se terminant avant le jour de l'entrée en vigueur du choix, dans une déclaration qui vise une période de déclaration se terminant après ce jour, sauf dans la mesure où il avait le droit d'inclure le montant dans le total déterminé selon l'élément B de la formule figurant au paragraphe (2) pour une période de déclaration se terminant avant ce jour :

a) son crédit de taxe sur les intrants pour une période de déclaration se terminant avant le jour donné;

b) un montant, pour une période de déclaration se terminant avant le jour donné, relatif à une fourniture déterminée, qu'il peut déduire en application des paragraphes 232(3) ou 234(2)dans le calcul de sa taxe nette.

Notes historiques: Le paragraphe 225.1(9) a été ajouté par L.C. 1997, c. 10, par. 45(1) et s'applique au calcul de la taxe nette d'un organisme de bienfaisance pour ses périodes de déclaration qui commencent après 1996.

Concordance québécoise: LTVQ, art. 433.11.

(10) Calcul simplifié du crédit de taxe sur les intrants — Le crédit de taxe sur les intrants que peut demander dans une déclaration pour une de ses périodes de déclaration l'organisme de bienfaisance qui est une personne visée par règlement pour l'application du paragraphe 259(12) au cours de cette période peut être déterminé selon la partie V.1 du *Règlement sur la comptabilité abrégée (TPS/TVH)* comme si l'organisme avait fait, en vertu de l'article 227, un choix valide qui demeure en vigueur tant qu'il est une personne ainsi visée.

Notes historiques: Le paragraphe 225.1(10) a été modifié par L.C. 2007, c. 18, al. 63(1)d) par le remplacement de « (TPS) » par « (TPS/ TVH) ». Cette modification est réputée être entrée en vigueur le 1er avril 1997.

Le paragraphe 225.1(10) a été ajouté par L.C. 1997, c. 10, par. 45(1) et s'applique au calcul de la taxe nette d'un organisme de bienfaisance pour ses périodes de déclaration qui commencent après 1996.

Concordance québécoise: LTVQ, art. 433.12.

(11) Exception — Le présent article ne s'applique pas à l'organisme de bienfaisance qui est désigné aux termes de l'article 178.7.

Notes historiques: Le paragraphe 225.1(11) a été ajouté par L.C. 2000, c. 30, par. 53(9). Cet ajout s'applique aux fins du calcul de la taxe nette d'un organisme de bienfaisance pour les périodes de déclaration commençant après le 24 février 1998.

Concordance québécoise: LTVQ, art. 433.15.

juin 2006, Notes explicatives: Le paragraphe 225.1(4) permet d'éviter le double comptage d'un montant qui réduirait le montant de taxe nette d'un organisme de bienfaisance pour une période de déclaration; en règle générale, un montant demandé dans une déclaration antérieure ne peut être demandé à nouveau.

Par contre, les alinéas 225.1(4)a) et b) permettent à un organisme de bienfaisance de redemander un crédit de taxe sur les intrants dans les cas où cet organisme n'avait pas le droit de déduire un montant pour une période antérieure ou a commis une erreur dans la demande qu'il a présentée antérieurement. En vertu du sous-alinéa 225.1(4)b)(ii), si l'erreur n'est pas déclarée au ministre du Revenu national au moins trois mois avant l'échéance du délai fixé au paragraphe 298(1) pour l'établissement d'une cotisation visant sa taxe nette pour la période antérieure, l'organisme de bienfaisance doit rembourser le crédit de taxe sur les intrants demandé antérieurement au receveur général, ainsi que les pénalités et intérêts applicables.

Le sous-alinéa 225.1(4)b)(ii) est modifié par suppression du renvoi aux « pénalités », Cette modification découle de l'instauration des nouvelles règles sur les intérêts, à l'article 280, qui s'appliquent aux fins de la partie IX de la loi.

Cette modification s'applique au calcul de la taxe nette pour une période de déclaration d'un organisme de bienfaisance si sa période de déclaration antérieure prend fin après mars 2007.

Définitions [art. 225.1]: « bien meuble », « entreprise », « fourniture », « fourniture détaxée », « fourniture taxable », « immeuble », « immobilisation », « importation », « inscrit », « organisme de bienfaisance », « période de déclaration », « province participante », « règlement », « taxe », « vente » — 123(1).

Renvois [art. 225.1]: 142(2) (fourniture à l'étranger); 169(1) (CTI); 222.1 (vente d'un compte client); X:Partie I:22 (exception).

Bulletins de l'information technique [art. 225.1]: B-075R, 23/04/96, *Modifications proposées à la TPS*.

Énoncés de politique [art. 225.1]: P-131R, 07/04/94, *Versement de taxe par un tiers*; P-182R, 28/08/03, *Du mandat*.

Série de mémorandums [art. 225.1]: Mémorandum 3.1, 08/99, *Assujettissement à la taxe*.

Formulaires [art. 225.1]: FP-687, *Choix ou révocation concernant la méthode rapide spéciale de comptabilité ou la méthode de calcul simplifié de la taxe nette*; FP-2287, *Méthode rapide spéciale de comptabilité — Méthode de calcul simplifié de la taxe nette*; FP-2488, *Choix ou révocation d'un choix de ne pas utiliser le calcul de la taxe nette des organismes de bienfaisance*; GST488, *Choix ou révocation d'un choix de ne pas utiliser le calcul de la taxe nette des organismes de bienfaisance*.

Lettres d'interprétation (Québec) [art. 225.1]: 98-0101042 — Décision portant sur l'application de la TPS — Interprétation relative à la TVQ — Méthode simplifiée de détermination de la taxe nette réservée aux organismes de bienfaisance; 04-0101784 — Interprétation relative à la TPS et à la TVQ — ordinateurs reconditionnés [par un organisme de bienfaisance]; 07-0101217 — Décision portant sur l'application de la TPS — interprétation relative à la TVQ — application de la méthode de calcul de la taxe nette pour les organismes de bienfaisance.

225.2 (1) **Institutions financières désignées particulières** — Pour l'application de la présente partie, une institution financière est une institution financière désignée particulière tout au long d'une période de déclaration comprise dans un exercice se terminant dans son année d'imposition si elle est, à la fois :

a) une institution financière désignée visée à l'un des sous-alinéas à (x) au cours de l'année d'imposition;

b) une institution financière visée par règlement tout au long de la période de déclaration.

Notes historiques: Le paragraphe 225.2(1) a été remplacé par L.C. 2012, c. 31, par. 79(1) et cette modification s'applique relativement aux périodes de déclaration d'une personne se terminant après juin 2010. Antérieurement, il se lisait ainsi :

225.2 (1) Pour l'application de la présente partie, une institution financière est une institution financière désignée particulière tout au long d'une période de déclaration comprise dans un exercice se terminant dans son année d'imposition donnée si elle est une institution financière désignée visée à l'un des sous-alinéas 149(1)a)(i) à (x) au cours de l'année donnée et de l'année d'imposition précédente et si, selon le cas :

a) elle est une personne morale qui, aux termes des règles énoncées à l'un des articles 402 à 405 du *Règlement de l'impôt sur le revenu*, a un revenu imposable gagné au cours de l'année donnée et de l'année d'imposition précédente dans une ou plusieurs provinces participantes ainsi qu'un revenu imposable gagné au cours de l'année donnée et de l'année précédente dans une ou plusieurs provinces non participantes, ou aurait de tels revenus si elle avait un revenu imposable pour l'année donnée et pour l'année précédente;

b) elle est un particulier, la succession d'un particulier décédé ou une fiducie qui, aux termes des règles énoncées à l'article 2603 de ce règlement, a un revenu gagné au cours de l'année donnée et de l'année d'imposition précédente dans une ou plusieurs provinces participantes ainsi qu'un revenu gagné au cours de l'année donnée et de l'année précédente dans une ou plusieurs provinces non participantes, ou aurait de tels revenus si elle avait un revenu pour l'année donnée et pour l'année précédente;

c) elle est une société de personnes déterminée au cours de l'année donnée et de l'année d'imposition précédente;

d) elle est une institution financière visée par règlement.

Le paragraphe 225.2(1) a été ajouté par L.C. 1997, c. 10, par. 208(1) et est entré en vigueur le 1er avril 1997.

Concordance québécoise: aucune.

(2) **Redressement de la taxe nette** — L'institution financière désignée particulière d'une catégorie réglementaire doit ajouter les montants positifs, et peut déduire les montants négatifs, dont chacun est déterminé, quant à une province participante, selon la formule suivante, dans le calcul de sa taxe nette pour une période de déclaration donnée comprise dans un exercice se terminant dans son année d'imposition :

$$[(A - B) \times C \times (D/E)] - F + G$$

où

A représente le total des montants suivants :

a) les taxes (sauf un montant de taxe visé par règlement) prévues au paragraphe 165(1) et aux articles 212, 218 et 218.01 qui sont devenues payables par l'institution financière au cours de la période donnée ou qui ont été payées par elle au cours de cette période sans être devenues payables,

b) les montants représentant chacun la taxe prévue au paragraphe 165(1) relativement à une fourniture (sauf celle à laquelle s'applique l'alinéa c)) effectuée par une personne autre qu'une personne visée par règlement ou faisant partie d'une catégorie réglementaire au profit de l'institution financière qui, en l'absence du choix prévu à l'article 150, serait devenue payable par celle-ci au cours de la période donnée,

c) les montants représentant chacun un montant, relatif à la fourniture effectuée au cours de la période donnée d'un bien ou d'un service auxquels l'institution financière et une autre personne ont choisi d'appliquer le présent alinéa, égal à la taxe calculée sur le coût pour cette dernière de la fourniture du bien ou du service au profit de l'institution financière, à l'exclusion de la rémunération versée aux salariés de l'autre personne, du coût de services financiers et de la taxe prévue par la présente partie;

B le total des montants suivants :

a) les crédits de taxe sur les intrants (sauf ceux relatifs à un montant de taxe qui est visé par règlement pour l'application de l'alinéa a) de l'élément A) de l'institution financière pour la période donnée ou pour ses périodes de déclaration antérieures, qu'elle a demandés dans la déclaration qu'elle a produite aux termes de la présente section pour la période donnée,

b) les montants dont chacun représenterait un crédit de taxe sur les intrants de l'institution financière pour la période donnée relatif à un bien ou un service si une taxe, égale au montant inclus pour cette période selon les alinéas b) ou c) de l'élément A relativement à la fourniture du bien ou du service, devenait payable au cours de la période donnée relativement à la fourniture;

C le pourcentage applicable à l'institution financière quant à la province participante pour l'année d'imposition, déterminé en conformité avec les règles fixées par règlement applicables aux institutions financières de cette catégorie;

D le taux de taxe applicable à la province participante;

E le taux fixé au paragraphe 165(1);

F le total des montants suivants :

a) les montants de taxe (sauf ceux visés par règlement) prévus au paragraphe 165(2) relativement aux fournitures effectuées au profit de l'institution financière dans la province participante, ou prévus à l'article 212.1 et calculés au taux de taxe applicable à cette province, qui, à la fois :

(i) sont devenus payables par l'institution financière au cours de celle des périodes de déclaration ci-après qui est applicable ou ont été payés par elle au cours de cette période sans être devenus payables :

(A) la période donnée,

(B) toute autre période de déclaration de l'institution financière qui précède la période donnée, pourvu que les faits ci-après s'avèrent :

(I) la période donnée prend fin dans les deux ans suivant la fin de l'exercice de l'institution financière qui comprend l'autre période de déclaration,

(II) l'institution financière a été une institution financière désignée particulière tout au long de l'autre période de déclaration,

(ii) n'ont pas été inclus dans le calcul des montants positifs ou négatifs que l'institution financière doit ajouter, ou peut déduire, en application du présent paragraphe dans le calcul de sa taxe nette pour une période de déclaration autre que la période donnée,

(iii) sont indiqués par l'institution financière dans une déclaration qu'elle produit aux termes de la présente section pour la période donnée,

b) les montants représentant chacun un montant, relatif à une fourniture effectuée au cours de la période donnée d'un bien ou d'un service auxquels l'institution financière et une autre personne ont choisi d'appliquer l'alinéa c) de l'élément A, égal à la taxe payable par cette dernière aux termes du paragraphe 165(2), des articles 212.1 ou 218.1 ou de la section IV.1 qui est incluse dans le coût pour l'autre personne de la fourniture du bien ou du service au profit de l'institution financière;

Modification proposée — 225.2(2)F

F le total des montants suivants :

a) le total des montants dont chacun représente un montant de taxe (sauf celui visé par règlement) prévu au paragraphe 165(2) relativement à une fourniture effectuée au profit de l'institution financière dans la province participante, ou prévu à l'article 212.1 et calculé au taux de taxe applicable à cette province, qui, à la fois :

(i) est devenu payable par l'institution financière au cours de celle des périodes de déclaration ci-après qui est applicable ou a été payé par elle au cours de cette période sans être devenu payable :

(A) la période donnée,

(B) toute autre période de déclaration de l'institution financière qui précède la période donnée, pourvu que les faits suivants s'avèrent :

(I) la période donnée prend fin dans les deux ans suivant la fin de l'exercice de l'institution financière qui comprend l'autre période de déclaration,

(II) l'institution financière a été une institution financière désignée particulière tout au long de l'autre période de déclaration,

(ii) n'a pas été déduit dans le calcul d'un montant qui, selon le présent paragraphe, doit être ajouté à la taxe nette pour une période de déclaration de l'institution financière autre que la période donnée, ou peut être déduit de cette taxe nette,

(iii) est indiqué par l'institution financière dans une déclaration qu'elle produit aux termes de la présente section pour la période donnée,

b) les montants représentant chacun un montant, relatif à une fourniture effectuée au cours de la période donnée d'un bien ou d'un service auxquels l'institution financière et une autre personne ont choisi d'appliquer l'alinéa c) de l'élément A, égal à la taxe payable par cette dernière aux termes du paragraphe 165(2), des articles 212.1 ou 218.1 ou de la section IV.1 qui est incluse dans le coût pour l'autre personne de la fourniture du bien ou du service au profit de l'institution financière;

Application: L'élément F de la formule figurant au paragraphe 225.2(2) sera remplacé par le par. 4(2) des *Modifications proposées aux dispositions législatives concernant la TPS/TVH* du 28 janvier 2011 et cette modification s'appliquera relativement aux périodes de déclaration d'une personne se terminant après juin 2010.

G le total des montants représentant chacun un montant, positif ou négatif, déterminé par règlement.

Notes historiques: L'alinéa a) de l'élément A de la formule figurant au paragraphe 225.2(2) a été remplacé par L.C. 2010, c. 12, par. 70(1) et cette modification s'applique aux années d'imposition d'un contribuable admissible se terminant après le 16 novembre 2005. Antérieurement, il se lisait ainsi :

a) les taxes (sauf un montant de taxe visé par règlement) prévues au paragraphe 165(1) et aux articles 212 et 218 qui sont devenues payables par l'institution financière au cours de la période donnée ou qui ont été payées par elle au cours de cette période sans qu'elles soient devenues payables,

L'alinéa b) de l'élément A de la formule figurant au paragraphe 225.2(2) a été remplacé par. L.C. 2009, c. 32, par. 20(1) et cette modification s'applique relativement aux périodes de déclaration d'une personne se terminant après juin 2010. Antérieurement, il se lisait ainsi :

b) les montants représentant chacun la taxe prévue au paragraphe 165(1) relativement à une fourniture (sauf celle à laquelle s'applique l'alinéa c)) effectuée par une personne autre qu'une institution financière désignée particulière au profit de l'institution financière qui, en l'absence du choix prévu à l'article 150, serait devenue payable par celle-ci au cours de la période donnée,

L'alinéa b) de l'élément A de la formule figurant au paragraphe 225.2(2) a été remplacé par L.C. 2000, c. 30, par. 54(1). Cette modification est réputée entrée en vigueur le 1er avril 1997. Antérieurement, il se lisait comme suit :

b) les montants représentant chacun la taxe (sauf un montant de taxe qui est visé par règlement pour l'application de l'alinéa a)) prévue au paragraphe 165(1) relativement à une fourniture (sauf celle à laquelle s'applique l'alinéa c)) effectuée par une personne autre qu'une institution financière désignée particulière au profit de l'institution financière, qui, en l'absence du choix prévu à l'article 150, serait devenue payable par celle-ci au cours de la période donnée,

L'alinéa a) de l'élément F de la formule du paragraphe 225.2(2) a été remplacé par L.C. 2012, c. 31, par. 79(2) et cette modification s'applique relativement aux périodes de déclaration d'une personne se terminant après juin 2010. Antérieurement, il se lisait ainsi :

a) la taxe (sauf un montant de taxe visé par règlement) prévue par le paragraphe 165(2) relativement aux fournitures effectuées au profit de l'institution financière dans la province participante ou prévue par l'article 212.1 relativement aux produits qu'elle a importés pour utilisation dans cette province, qui est devenue payable par elle au cours de la période donnée ou qui a été payée par elle au cours de cette période sans qu'elle soit devenue payable,

L'alinéa b) de l'élément B de la formule figurant au paragraphe 225.2(2) a été remplacé par L.C. 2000, c. 30, par. 54(2). Cette modification est réputée être entrée en vigueur le 1er avril 1997. Antérieurement, il se lisait comme suit :

b) les montants dont chacun représenterait un crédit de taxe sur les intrants (sauf celui relatif à un montant de taxe qui est visé par règlement pour l'application de l'alinéa a) de l'élément A) de l'institution financière pour la période donnée relatif à un bien ou un service si une taxe devenait payable au cours de la période donnée relativement à la fourniture du bien ou du service, égale au montant inclus pour cette période selon les alinéas b) ou c) de l'élément A relativement à la fourniture;

Ces modifications sont réputées entrées en vigueur le 20 octobre 2000.

L'élément E de la formule du paragraphe 225.2(2) a été remplacé par L.C. 2006, c. 4, par. 21(1) et cette modification s'applique au calcul de la taxe nette d'une institution financière désignée particulière pour ses périodes de déclaration se terminant après juin 2006. Antérieurement, il se lisait ainsi :

E 7 %;

Le paragraphe 225.2(2) a été ajouté par L.C. 1997, c. 10, par. 208(1) et est entré en vigueur le 1er avril 1997. Toutefois, pour ce qui est du calcul de la taxe nette d'une institution financière désignée particulière pour sa période de déclaration commençant avant cette date et se terminant à cette date ou postérieurement, le paragraphe 225.2(2) est remplacé par ce qui suit :

(2) L'institution financière désignée particulière d'une catégorie réglementaire doit ajouter les montants positifs, et peut déduire les montants négatifs, dont chacun est déterminé, quant à une province participante, selon la formule suivante, dans le calcul de sa taxe nette pour une période de déclaration donnée comprise dans un exercice se terminant dans son année d'imposition :

$$(A - B) \times \frac{H}{I} \times C \times \frac{D}{E} - F + G$$

A représente le total des taxes suivantes :

a) les taxes (sauf un montant de taxe visé par règlement) prévues au paragraphe 165(1) et aux articles 212 et 218 qui sont devenues payables par l'institution financière au cours de la période donnée ou qui ont été payées par elle au cours de cette période sans qu'elles soient devenues payables,

b) les montants représentant chacun la taxe prévue au paragraphe 165(1) relativement à une fourniture (sauf celle à laquelle s'applique l'alinéa c)) effectuée par une personne autre qu'une institution financière désignée particulière au profit de l'institution financière qui, en l'absence du choix prévu à l'article 150, serait devenue payable par celle-ci au cours de la période donnée,

c) les montants représentant chacun un montant, relatif à la fourniture effectuée au cours de la période donnée d'un bien ou d'un service auxquels l'institution financière et une autre personne ont choisi d'appliquer le présent alinéa, égal à la taxe calculée sur le coût pour cette dernière de la fourniture du bien ou du service au profit de l'institution financière, à l'exclusion de la rémunération versée aux salariés de l'autre personne, du coût de services financiers et de la taxe prévue par la présente partie;

B le total des montants suivants :

a) les crédits de taxe sur les intrants (sauf ceux relatifs à un montant de taxe qui est visé par règlement pour l'application de l'alinéa a) de l'élément A) de l'institution financière pour la période donnée ou pour ses périodes de déclaration antérieures, qu'elle a demandés dans la déclaration qu'elle a produite aux termes de la présente section pour la période donnée,

b) les montants dont chacun représenterait un crédit de taxe sur les intrants de l'institution financière pour la période donnée relatif à un bien ou un service si une taxe, égale au montant inclus pour cette période selon les alinéas b) ou c) de l'élément A relativement à la fourniture du bien ou du service, devenait payable relativement à la fourniture;

C le pourcentage applicable à l'institution financière quant à la province participante pour l'année d'imposition, déterminé en conformité avec les règles fixées par règlement applicables aux institutions financières de cette catégorie;

D le taux de taxe applicable à la province participante;

E 7 %;

F le total des montants suivants :

a) la taxe (sauf un montant de taxe visé par règlement) prévue par le paragraphe 165(2) relativement aux fournitures effectuées au profit de l'institution financière dans la province participante ou prévue par l'article 212.1 relativement aux produits qu'elle a importés pour utilisation dans cette province, qui est devenue payable par elle au cours de la période donnée ou qui a été payée par elle au cours de cette période sans qu'elle soit devenue payable,

b) les montants représentant chacun un montant, relatif à une fourniture effectuée au cours de la période donnée d'un bien ou d'un service auxquels l'institution financière et une autre personne ont choisi d'appliquer l'alinéa c) de l'élément A, égal à la taxe payable par cette dernière aux termes du paragraphe 165(2), des articles 212.1 ou 218.1 ou de la section IV.1 qui est incluse dans le coût pour l'autre personne de la fourniture du bien ou du service au profit de l'institution financière;

G le total des montants représentant chacun un montant, positif ou négatif, déterminé par règlement;

H le nombre de jours de la période donnée qui sont postérieurs à mars 1997;

I le nombre de jours de la période donnée.

L'alinéa b) de l'élément A et l'alinéa b) de l'élément B de la formule figurant dans l'application édictée par L.C. 1997, c. 10, par. 208(2) ont été modifiés par L.C. 2000, c. 30, art. 141.

15 octobre 2012, Notes explicatives: Selon le paragraphe 225.2(2), une institution financière est tenue d'apporter un redressement, déterminé selon une formule, à sa taxe nette au titre de la composante provinciale de la TVH pour chaque période de déclaration au cours de laquelle elle est une institution financière désignée particulière. De façon générale, l'alinéa a) de l'élément F de la formule correspond à la composante provinciale totale de la TVH qui est devenue payable par l'institution financière au cours de la période, ou qui a été payée par elle au cours de cette période sans être devenue payable, relativement aux fournitures effectuées à son profit et aux produits qu'elle a importés.

L'alinéa a) est modifié de façon à prolonger le délai dont l'institution financière dispose pour inclure, selon cet alinéa, les montants de la composante provinciale de la TVH qui sont devenus payables par elle ou qu'elle a payés sans qu'ils soient devenus payables. En effet, au lieu de devoir inclure un tel montant de la composante provinciale de la TVH seulement au cours de sa période de déclaration donnée dans laquelle il est devenu payable (ou a été payé sans être devenu payable), l'institution financière peut l'inclure au cours de la période de déclaration donnée ou de toute autre période de déclaration qui prend fin dans les deux ans suivant son exercice qui comprend la période donnée, pourvu que les conditions suivantes soient réunies :

- L'institution financière a été une institution financière désignée particulière tout au long de la période de déclaration donnée;
- Le montant n'a pas été inclus dans le calcul des montants positifs ou négatifs obtenus par la formule figurant au paragraphe 225.2(2) que l'institution financière est tenu d'ajouter, ou peut déduire, dans le calcul de sa taxe nette pour une période de déclaration autre que la période de déclaration donnée ou l'autre période de déclaration, selon le cas;
- Le montant est indiqué par l'institution financière dans la déclaration qu'elle produit aux termes de la section II de la Loi pour la période de déclaration donnée ou l'autre période de déclaration, selon le cas.

Les modifications apportées à l'alinéa a) de l'élément F de la formule figurant au paragraphe 225.2(2) s'appliquent relativement à une période de déclaration d'une personne se terminant après juin 2010.

Par ailleurs, la version anglaise de l'alinéa b) de l'élément F de la formule figurant au paragraphe 225.2(2) fait l'objet d'une modification qui consiste à corriger une erreur de rédaction mineure. Cette modification entre en vigueur à la date de sanction du projet de loi.

janvier 2007, Notes explicatives: L'article 225.2 porte sur le calcul de la taxe nette des institutions financières désignées particulières. Selon le paragraphe 225.2(2), une institution financière est tenue d'apporter un redressement à sa taxe nette pour chaque période de déclaration au cours de laquelle elle est une institution financière désignée particulière.

La modification apportée à l'alinéa a) de l'élément A de la formule figurant au paragraphe 225.2(2) fait suite à l'ajout de l'article 218.01 à la loi. Puisqu'il est possible qu'une institution financière désignée particulière soit un contribuable admissible, au sens du paragraphe 217.1(1) de la loi, cet alinéa est modifié de façon à comprendre la taxe prévue à l'article 218.01 qui est devenue payable par un contribuable admissible au cours d'une période de déclaration ou qu'il a payée au cours de cette période sans qu'elle soit devenue payable.

Cette modification s'applique aux années d'imposition des contribuables admissibles se terminant après le 16 novembre 2005.

Concordance québécoise: aucune.

(3) Exclusions — Pour le calcul du montant qu'une institution financière désignée particulière doit ajouter ou peut déduire en application du paragraphe (2) dans le calcul de sa taxe nette :

a) la taxe que l'institution financière est réputée avoir payée aux termes de l'un des paragraphes 171(1), 171.1(2), 206(2) et (3) et 208(2) et (3) est exclue des totaux déterminés selon les éléments A et F de la formule figurant au paragraphe (2);

b) les crédits de taxe sur les intrants se rapportant à la taxe visée à l'alinéa a) et les crédits de taxe sur les intrants que l'institution financière peut demander aux termes des paragraphes 193(1) ou (2) sont exclus du total déterminé selon l'élément B de cette formule.

c) aucun montant de taxe payé ou payable par l'institution financière relativement à des biens ou des services acquis, importés, ou transférés dans une province participante à une fin autre que leur consommation, utilisation ou fourniture dans le cadre de son initiative, au sens du paragraphe 141.01(1), n'est inclus dans le calcul.

Notes historiques: L'alinéa 225.2(3)c) a été ajouté par L.C. 2000, c. 30, par. 54(3) et est réputé entré en vigueur le 1er avril 1997.

Le paragraphe 225.2(3) a été ajouté par L.C. 1997, c. 10, par. 208(1) et est entré en vigueur le 1er avril 1997.

Concordance québécoise: aucune.

(4) Choix — La personne (sauf une personne visée par règlement ou faisant partie d'une catégorie réglementaire) et l'institution financière désignée particulière qui ont fait le choix prévu à l'article 150 peuvent faire un choix conjoint aux termes du présent paragraphe pour que l'alinéa c) de l'élément A de la formule figurant au paragraphe (2) s'applique à chaque fourniture à laquelle le paragraphe 150(1) s'applique et que la personne effectue au profit de l'institution financière à un moment où le choix prévu au présent paragraphe est en vigueur.

Notes historiques: Le paragraphe 225.2(4) a été remplacé par. L.C. 2009, c. 32, par. 20(2) et cette modification s'applique relativement aux périodes de déclaration d'une personne se terminant après juin 2010. Antérieurement, il se lisait ainsi :

> (4) La personne (sauf une institution financière désignée particulière) et l'institution financière désignée particulière qui ont fait le choix prévu à l'article 150 peuvent faire un choix conjoint aux termes du présent paragraphe pour que l'alinéa c) de l'élément A de la formule figurant au paragraphe (2) s'applique à chaque fourniture à laquelle le paragraphe 150(1) s'applique et que la personne effectue au profit de l'institution financière à un moment où le choix prévu au présent paragraphe est en vigueur.

Le paragraphe 225.2(4) a été ajouté par L.C. 1997, c. 10, par. 208(1) et est entré en vigueur le 1er avril 1997.

Concordance québécoise: aucune.

(5) Production — Le choix prévu au paragraphe (4) doit être effectué selon les modalités suivantes :

a) il doit être fait en la forme déterminée par le ministre et contenir les renseignements requis;

b) le document le concernant doit préciser la date de son entrée en vigueur;

c) l'institution financière doit présenter le document le concernant au ministre, selon les modalités qu'il détermine, au plus tard :

(i) à la date limite où doit être produite une déclaration aux termes de la section V pour la période de déclaration de l'institution financière au cours de laquelle le choix doit entrer en vigueur,

(ii) à toute date postérieure que fixe le ministre.

Notes historiques: L'alinéa 225.2(5)c) a été remplacé par L.C. 2007, c. 18, par. 27(1) et cette modification est réputée être entrée en vigueur le 3 octobre 2003. Antérieurement, il se lisait ainsi :

c) l'institution financière doit présenter le document le concernant au ministre, selon les modalités qu'il détermine, au plus tard à la date limite où doit être produite une déclaration aux termes de la section V pour la période de déclaration de l'institution financière au cours de laquelle le choix doit entrer en vigueur.

Le paragraphe 225.2(5) a été ajouté par L.C. 1997, c. 10, par. 208(1) et est entré en vigueur le 1er avril 1997.

Concordance québécoise: aucune.

(6) Application — Le choix prévu au paragraphe (4) s'applique à la période commençant à la date précisée dans le document le concernant et se terminant au premier en date des jours suivants :

a) le jour où le choix prévu à l'article 150, fait conjointement par la personne et l'institution financière, cesse d'être en vigueur;

b) le jour précisé par la personne et l'institution financière dans un avis de révocation, établi en la forme et contenant les renseignements déterminés le ministre et qu'elles produisent conjointement auprès du ministre selon les modalités qu'il détermine, qui suit d'au moins 365 jours la date précisée dans le document concernant le choix prévu au paragraphe (4);

c) le jour où la personne devient une personne visée par règlement ou faisant partie d'une catégorie réglementaire, pour l'application du paragraphe (4);

d) le jour où l'institution financière cesse d'être une institution financière désignée particulière.

Notes historiques: L'alinéa 225.2(6)c) a été remplacé par. L.C. 2009, c. 32, par. 20(4) et cette modification s'applique relativement aux périodes de déclaration d'une personne se terminant après juin 2010. Antérieurement, il se lisait ainsi :

c) le jour où la personne devient une institution financière désignée particulière;

Le paragraphe 225.2(6) a été ajouté par L.C. 1997, c. 10, par. 208(1) et est entré en vigueur le 1er avril 1997.

Concordance québécoise: aucune.

(7) Documents — Pour l'application du présent article, les paragraphes 169(4) et (5) et 223(2) s'appliquent au montant inclus à l'élément F de la formule figurant au paragraphe (2) comme s'il s'agissait d'un crédit de taxe sur les intrants.

Notes historiques: Le paragraphe 225.2(7) a été ajouté par L.C. 1997, c. 10, par. 208(1) et est entré en vigueur le 1er avril 1997.

Concordance québécoise: aucune.

(8) [*Abrogé*].

Notes historiques: Le paragraphe 225.2(8) a été abrogé par L.C. 2012, c. 31, par. 79(4) et cette abrogation est réputée être entrée en vigueur le 1er juillet 2010. Antérieurement, il se lisait ainsi :

(8) Sens de « société de personnes déterminée » — Pour l'application du présent article, une société de personnes est une société de personnes déterminée au cours de son année d'imposition si elle compte parmi ses associés au cours de cette année :

a) d'une part, un associé qui, au cours de son année d'imposition où prend fin l'année d'imposition de la société de personnes :

(i) est une personne morale et, aux termes des règles énoncées à l'un des articles 402 à 405 du *Règlement de l'impôt sur le revenu*, a un revenu imposable gagné au cours de l'année dans une ou plusieurs provinces participantes qui provient d'une entreprise, au sens du paragraphe 248(1) de la *Loi de l'impôt sur le revenu*, exploitée par l'entremise de la société de personnes, ou aurait un tel revenu s'il avait un revenu imposable pour l'année,

(ii) est un particulier, la succession d'un particulier décédé ou une fiducie et, aux termes des règles énoncées à l'article 2603 de ce règlement, a un revenu gagné au cours de l'année dans une ou plusieurs provinces participantes qui provient d'une entreprise, au sens du paragraphe 248(1) de cette loi, exploitée par l'entremise de la société de personnes, ou aurait un tel revenu s'il avait un revenu pour l'année,

(iii) est une autre société de personnes et, aux termes des règles énoncées à l'article 402 de ce règlement, aurait un revenu imposable gagné au cours de l'année dans une ou plusieurs provinces participantes qui provient d'une entreprise, au sens du paragraphe 248(1) de cette loi, exploitée par l'entremise de la société de personnes si l'autre société de personnes était une personne morale qui est un contribuable pour l'application de cette loi;

b) d'autre part, un associé (y compris celui visé à l'alinéa a)) qui, au cours de son année d'imposition où prend fin l'année d'imposition de la société de personnes :

(i) est une personne morale et, aux termes des règles énoncées à l'un des articles 402 à 405 de ce règlement, a un revenu imposable gagné au cours de l'année dans une ou plusieurs provinces non participantes qui provient d'une entreprise, au sens du paragraphe 248(1) de cette loi, exploitée par l'entremise de la société de personnes, ou aurait un tel revenu s'il avait un revenu imposable pour l'année,

(ii) est un particulier, la succession d'un particulier décédé ou une fiducie et, aux termes des règles énoncées à l'article 2603 de ce règlement, a un revenu gagné au cours de l'année dans une ou plusieurs provinces non participantes qui provient d'une entreprise, au sens du paragraphe 248(1) de cette loi, exploitée par l'entremise de la société de personnes, ou aurait un tel revenu s'il avait un revenu pour l'année,

(iii) est une autre société de personnes et, aux termes des règles énoncées à l'article 402 de ce règlement, aurait un revenu imposable gagné au cours de l'année dans une ou plusieurs provinces non participantes qui provient d'une entreprise, au sens du paragraphe 248(1) de cette loi, exploitée par l'entremise de la société de personnes si l'autre société de personnes était une personne morale qui était un contribuable pour l'application de cette loi.

Le paragraphe 225.2(8) a été ajouté par L.C. 1997, c. 10, par. 208(1) et est entré en vigueur le 1er avril 1997.

15 octobre 2012, Notes explicatives: Le paragraphe 225.2(8) définit le terme « société de personnes déterminée » pour l'application de l'article 225.2.

Ce paragraphe est abrogé du fait que le terme « société de personnes déterminée » n'est plus utilisé à l'article 225.2. Il est proposé que la définition d'un terme semblable, soit « société de personnes admissible », soit ajoutée au *Règlement sur la méthode d'attribution applicable aux institutions financières désignées particulières (TPS/TVH)*.

Cette modification est réputée être entrée en vigueur le 1er juillet 2010.

(9) Règlements — institutions financières désignées particulières — Le gouverneur en conseil peut, par règlement :

a) exiger de toute personne ou catégorie de personnes qu'elle transmette à une personne tout renseignement nécessaire au calcul, par une institution financière désignée particulière, de la valeur d'un élément d'une formule figurant aux paragraphes (2) ou 237(5) ou dans toute autre disposition de la présente partie ou d'un règlement pris en vertu de celle-ci, préciser les renseignements à transmettre, prévoir les mesures d'observation relativement à cette transmission de renseignements et prévoir la responsabilité solidaire ou les pénalités dans le cas où les renseignements ne sont pas transmis dans les délais et selon les modalités prévus;

b) permettre à une personne et à une institution financière désignée particulière de faire un choix relatif à la production de leurs déclarations, prévoir les circonstances dans lesquelles ce choix peut être révoqué, prévoir les mesures d'observation ou d'autres exigences relativement à cette production et prévoir la responsabilité solidaire ou les pénalités relativement à cette production;

c) exiger de toute institution financière désignée particulière qu'elle s'inscrive aux termes de la sous-section d pour l'application de la présente partie ou prévoir qu'elle est réputée être un inscrit pour l'application de celle-ci.

Notes historiques: Le paragraphe 225.2(9) a été ajouté par. L.C. 2009, c. 32, par. 20(5) et s'applique relativement aux périodes de déclaration d'une personne se terminant après juin 2010.

Concordance québécoise: aucune.

Modification proposée — Règles d'application de la taxe de vente harmonisée aux institutions financières, aux droits d'inhumation et aux méthodes de comptabilité agrégée

Document d'information, 30 juin 2010

Partie 1 : Règles d'application de la TVH aux institutions financières

Cette partie du document d'information énonce les précisions techniques et d'autres améliorations proposées aux modifications proposées des règles d'application de la TVH régissant les institutions financières qui ont trait au calcul de la composante provinciale de la TVH (la TVAP) qui ont été annoncées dans le communiqué du 19 mai.

L'avant-projet de règlement ci-joint contient les dispositions concernant la plupart des modifications proposées à l'égard des institutions financières qui étaient contenues dans le communiqué du 19 mai. Certaines des précisions techniques et autres améliorations proposées dans le présent document sont également incluses dans l'avant-projet de règlement. Les autres dispositions concernant les changements proposés à l'égard des institutions financières seront incluses, dans les plus brefs délais, dans le règlement qui sera soumis à l'approbation du gouverneur en conseil ou dans un projet de modification de la *Loi sur la taxe d'accise* (LTA).

À moins d'indication contraire, les modifications proposées s'appliqueraient aux périodes de déclaration d'une personne qui prennent fin après juin 2010.

Propositions relatives aux régimes de placement et aux fonds réservés

Petits régimes de placement à titre d'investisseurs déterminés

Il a été proposé dans le communiqué du 19 mai de considérer comme « investisseur déterminé » tout investisseur institutionnel, sauf les régimes de placement et les fonds réservés (c.-à-d., les sociétés autres que de placement, les sociétés de personnes et les fiducies familiales), dont la valeur des placements dans le régime ou le fonds (c.-à-d., dans l'émetteur) ne dépasse pas 10 millions de dollars à la date d'attribution (à savoir, la date à laquelle les régimes de placement et les fonds réservés sont habituellement tenus de déterminer leurs pourcentages d'attribution).

Contrairement aux autres investisseurs institutionnels, les investisseurs déterminés ne seraient pas tenus de consulter leurs placements pour fournir à l'émetteur des renseignements sur la province de résidence des investisseurs. Ils seraient plutôt uniquement tenus de communiquer l'adresse de leur entreprise principale (s'il s'agit d'une société ou d'une société de personnes), l'adresse de l'entreprise principale de leur commandité (dans le cas d'une société de personnes n'ayant pas d'adresse d'entreprise principale) ou l'adresse d'affaires de leur fiduciaire (s'il s'agit d'une fiducie).

Il a également été proposé dans le communiqué du 19 mai que les « petits régimes de placement » (comme les fiducies régies par des régimes de pension agréés ou les régimes de prestations aux employés) soient considérés comme des « investisseurs déterminés ». Un régime de placement, tel un régime de pension agréé ou un régime de prestations aux employés, est un « petit régime de placement » pour un exercice si sa taxe sur les produits et services (TPS) non recouvrable (élément (A-B) de la formule de la méthode d'attribution spéciale - MAS) pour son exercice précédent est inférieure à 10 000 $ et s'il n'a pas choisi d'être considéré comme une institution financière désignée particulière (IFDP) pour l'exercice.

Pour donner suite aux commentaires formulés au sujet du communiqué du 19 mai, il est proposé que tous les régimes de placement (sauf les fiducies de fonds commun de placement, les sociétés de placement à capital variable, les fiducies d'investissement à participation unitaire et les sociétés de placement hypothécaire) soient admissibles à titre d'investisseurs déterminés, qu'ils soient ou non des « petits régimes de placement », dans la mesure où les placements du régime dans l'émetteur ne dépassent pas 10 millions de dollars à la date d'attribution applicable à l'émetteur.

Il est proposé d'appliquer aux régimes de placement une restriction relative aux personnes liées lorsqu'il s'agit d'appliquer le critère de l'investisseur déterminé à des placements donnés du régime dans un émetteur, si le régime ou la personne liée au régime détient d'autres placements et que ceux-ci, combinés au placement donné du régime dans l'émetteur, dépasseraient le seuil des 10 millions de dollars. En pareil cas, le régime de placement serait tenu de communiquer à l'émetteur des renseignements sur la province de résidence de chacun de ses investisseurs ainsi que la valeur de leurs placements dans le régime.

Règles de transparence - Investisseurs institutionnels

Il a été proposé dans le communiqué du 19 mai d'obliger le fiduciaire ou le gestionnaire du fonds d'obtenir les renseignements sur la province de résidence des investisseurs pour « la totalité ou la presque totalité » (90 % ou plus) de la valeur des placements dans un régime de placement ou un fonds réservé (p. ex., dans le cas d'un fonds commun de placement, le gestionnaire du fonds ou le fiduciaire devrait obtenir la distribution provinciale d'au moins 90 % de la valeur des unités de chacune des séries). Si les renseignements sur la province de résidence sont obtenus pour au moins 90 % de la valeur des unités d'une série, la partie de la valeur des unités de la série pour lesquelles ces renseignements ne sont pas obtenus est réputée suivre la distribution du reste de la valeur des unités aux fins du calcul des pourcentages d'attribution quant à une province.

De plus, il a été proposé que, si le fiduciaire ou le gestionnaire du fonds n'obtient pas les renseignements sur la province de résidence des investisseurs à l'égard de 90 % ou plus de la valeur des unités d'une série, la valeur des unités pour lesquelles ces renseignements ne sont pas disponibles demeurerait non attribuée et devrait être déclarée comme telle. Aux fins du calcul de la TVAP à payer selon la formule de la MAS, ces unités seraient assujetties au taux provincial d'imposition le plus élevé parmi les provinces participantes au 1er janvier de l'exercice pour lequel le fonds produit une déclaration. À titre d'exemple, si la province de résidence ne peut être établie qu'à l'égard de 85 % de la valeur des unités d'une série, la fraction non attribuée (15 %) est assujettie au taux le plus élevé de la TVAP parmi toutes les provinces participantes.

Par suite des commentaires reçus au sujet du communiqué du 19 mai, on proposera une exception qui limitera la mesure dans laquelle un régime de placement ou un fonds réservé serait assujetti au taux le plus élevé de la TVAP. Si le fiduciaire ou le gestionnaire du fonds obtient des renseignements sur la province de résidence des investisseurs à l'égard de plus de 50 % de la valeur des placements dans une série donnée d'un fonds, seule la partie à l'égard de laquelle de tels renseignements doivent être obtenus pour atteindre le seuil de 90 % à l'égard de la série serait assujettie au taux le plus élevé de la TVAP et non l'intégralité de la partie non attribuée. Par exemple, si la province de résidence des investisseurs peut être établie pour 65 % de la valeur des unités d'une série, 25 % de cette valeur seraient donc assujettis au taux le plus élevé de la TVAP aux fins de la formule de la MAS. Le solde non attribué (10 %) serait réputé suivre la distribution de 65 % de la valeur des unités à l'égard desquelles des renseignements sur la province de résidence des investisseurs ont été obtenus.

Cependant, lorsque le fiduciaire ou le gestionnaire du fonds n'obtient pas de tels renseignements pour plus de 50 % de la valeur des placements dans le régime de placement ou le fonds réservé, la totalité de la valeur des placements pour lesquels ces renseignements ne sont pas disponibles serait considérée comme étant non attribuée et serait assujettie au taux le plus élevé de la TVAP. À titre d'exemple, si la province de résidence des investisseurs ne peut être établie que dans le cas de 40 % de la valeur des unités d'une série, 60 % de cette valeur seraient assujettis au taux le plus élevé.

Dans tous les cas, si un régime de placement ou un fonds réservé ne demande pas aux investisseurs ni aux agents de distribution (courtiers, vendeurs et agents de transfert détenant des renseignements sur les investisseurs) de fournir des renseignements sur la province de résidence des investisseurs à l'égard d'unités du régime de placement ou du fonds réservé détenues par des investisseurs et ne fournit pas par ailleurs les renseignements requis sur la province de résidence des détenteurs des unités, ces unités seraient assujetties au taux le plus élevé de la TVAP parmi toutes les provinces participantes.

Méthode « générale » et choix d'autres méthodes de calcul du pourcentage d'attribution

Le communiqué du 19 mai proposait une règle générale de détermination du pourcentage d'attribution quant à une province à l'égard d'un régime de placement ou d'un fonds réservé et permettait de choisir l'une de deux méthodes de rechange (à savoir la « méthode fondée sur l'exercice précédent » ou la « méthode de calcul en temps réel »).

Il est proposé que la première méthode de rechange - la méthode fondée sur l'exercice précédent - soit la règle générale puisqu'il s'agit de la méthode que la plupart des régimes de placement et des fonds réservés devraient utiliser. La méthode qui, selon le communiqué du 19 mai, constituait la règle générale pourrait être choisie comme méthode de rechange au même titre que la méthode de calcul en temps réel.

Production des choix

Les modifications proposées prévoient de nombreux choix nouveaux et présentent aux institutions financières diverses options qui faciliteront la conformité aux nouvelles règles applicables à la TVH. Il est proposé de laisser au ministre du Revenu national le soin de fixer les dates limites de production de ces choix.

Année civile à titre d'exercice des régimes de placement et des fonds réservés

Il a été proposé dans le communiqué du 19 mai que les régimes de placement et les fonds réservés qui sont des IFDP utilisent l'année civile comme exercice.

Le présent document précise que certains régimes de placement et fonds réservés qui sont déjà inscrits sous le régime de la TPS/TVH et dont l'exercice ne correspond pas à l'année civile devront produire deux déclarations distinctes (GST494) pour l'année de transition applicable aux régimes de placement et aux fonds réservés (soit l'exercice qui se termine le 31 décembre 2010).

Plus précisément, pour l'année de transition, le régime de placement ou le fonds réservé qui est déjà inscrit sous le régime de la TPS/TVH et dont l'exercice se termine après juin 2010 mais avant le 31 décembre 2010 serait tenu de produire une déclaration GST494 pour l'exercice comprenant le 1er juillet 2010 et une autre pour le reste de l'année de transition se terminant le 31 décembre 2010. Par exemple, un régime de placement ou un fonds réservé dont l'exercice commence le 1er octobre 2009 et se termine le 30 septembre 2010 produirait deux déclarations GST494, l'une pour cet exercice et une autre pour la période commençant le 1er octobre 2010 et se terminant le 31 décembre 2010. Son exercice pour les périodes de déclaration ultérieures serait l'année civile (soit du 1er janvier 2011 au 31 décembre 2011) et il devrait produire une déclaration GST494 six mois après la fin de cet exercice à l'égard de la TVAP à payer pour cet exercice.

Exigence de s'inscrire aux fins de la TPS/TVH

Le communiqué du 19 mai proposait qu'en général, les régimes de placement et les fonds réservés qui sont des IFDP soient tenus de s'inscrire aux fins de la TPS/TVH.

Il est maintenant proposé qu'un régime de placement ou un fonds réservé qui est une IFDP ne soit tenu de s'inscrire que s'il fait l'un des choix suivants exposés dans le communiqué du 19 mai : le choix d'entité déclarante, le choix de déclaration consolidée ou le choix de transfert de taxe. Aux fins de la déclaration, les régimes de placement et les fonds réservés qui sont des IFDP et qui ont conjointement fait le choix de déclaration consolidée pourraient se servir d'un seul numéro d'inscription de TPS/TVH.

Pénalités visant la communication de renseignements sur les investisseurs

Comme il est indiqué dans le communiqué du 19 mai, les régimes de placement et les fonds réservés seraient généralement tenus de calculer la TVAP à payer au moyen de pourcentages d'attribution déterminés à partir de la valeur des placements détenus par des investisseurs qui résident dans des provinces participantes à la date d'attribution. Dans certains cas, pour obtenir les renseignements nécessaires, le régime de placement ou le fonds réservé doit compter sur les renseignements détenus par des agents de distribution (notamment des courtiers) ou par des investisseurs institutionnels investissant dans le régime de placement ou le fonds réservé.

Il a été proposé dans le communiqué du 19 mai que les investisseurs institutionnels dans un régime de placement ou un fonds réservé soient tenus de communiquer sur demande au régime ou au fonds des renseignements concernant leur pourcentage d'attribution quant à chaque province participante pour chaque série du fonds dans lequel ils ont investi. Ces investisseurs devraient aussi communiquer la valeur totale de leurs placements dans chaque série. Il a également été proposé d'assujettir l'investisseur institutionnel à une pénalité s'il ne fournit pas les renseignements demandés. Une pénalité serait également appliquée, sous réserve d'un test de diligence raisonnable, aux agents de distribution qui omettent de fournir au gestionnaire ou au fiduciaire d'un régime de placement ou d'un fonds réservé les renseignements requis qu'il demande. Aucune précision quant au montant des pénalités n'a été fournie dans le communiqué du 19 mai.

Il est proposé d'imposer des pénalités pour omission de fournir des renseignements exacts sur un régime de placement ou un fonds réservé, au plus tard le 15 novembre ou, s'il est postérieur, le jour qui suit de 45 jours l'envoi de la demande par le régime ou le fonds. La pénalité serait égale à 0,01 % de la valeur totale des unités (établie à la date d'attribution) à l'égard desquelles la personne n'a pas fourni de renseignements au régime de placement ou au fonds réservé ou lui a fourni des renseignements de façon erronée, jusqu'à concurrence de 10 000 $.

Pourcentage d'attribution applicable aux nouveaux fonds ou aux nouvelles séries de fonds issus d'une fusion

Le communiqué du 19 mai proposait des règles de calcul du pourcentage d'attribution quant à une province (élément C de la formule de la MAS) en cas de fusion de fonds ou de séries d'unités d'un fonds donnant lieu à la création d'un nouveau fonds ou d'une nouvelle série d'unités. Le pourcentage d'attribution quant à une province qui s'applique au nouveau fonds ou à la nouvelle série pour l'exercice où la fusion est effectuée correspondrait à la somme des pourcentages dont chacun représente le produit de A x B, déterminé à l'égard de chacun des fonds ou des séries d'unités remplacés, où :

A représente le pourcentage d'attribution quant à la province utilisé immédiatement avant la fusion par le fonds ou la série d'unités remplacés;

B représente la proportion du fonds ou de la série remplacés sur la valeur totale des unités du nouveau fonds ou de la nouvelle série immédiatement après la fusion.

Si la fusion est effectuée après le 30 septembre d'un exercice donné, le pourcentage d'attribution applicable à la série ou au fonds issus de la fusion serait utilisé pour le premier exercice se terminant après la fusion de même que pour l'exercice subséquent.

Pour donner suite aux commentaires reçus au sujet du communiqué du 19 mai, le présent document d'information précise que le pourcentage déterminé ci-devant à l'égard d'un fonds ou d'une série issus d'une fusion commencerait à s'appliquer à la date de la fusion. La règle des 90 jours applicable à la méthode de majoration (décrite ci-après) ne s'applique pas aux fusions.

Pourcentage d'attribution applicable aux nouveaux fonds ou aux nouvelles séries de fonds non issus d'une fusion

Le communiqué du 19 mai proposait deux options pour calculer le pourcentage d'attribution applicable à un fonds ou à une série de fonds non issus d'une fusion de fonds existants.

L'une de ces options est le recours à une méthode de majoration. Selon cette méthode, le pourcentage d'attribution applicable à un nouveau fonds ou à une nouvelle série au cours de la période de 90 jours suivant le placement initial (en comptant la date du placement initial) serait égal à zéro. Toutefois, le pourcentage d'attribution calculé à la date d'attribution (soit le 90e jour suivant la date du placement initial) serait majoré de manière à rendre compte de la TVAP attribuable à la période initiale de 90 jours. Par conséquent, le facteur de majoration du pourcentage d'attribution applicable à une série au cours du premier exercice (en incluant le jour du placement) serait égal au nombre de jours de l'exercice suivant le placement initial des unités de la nouvelle série, divisé par le nombre de jours que compte l'exercice à partir du 90e jour suivant le placement initial.

Il est proposé que le compte de la méthode de majoration visant la période initiale de 90 jours soit étalé sur deux exercices plutôt qu'appliqué uniquement au premier exercice du fonds ou de la série. On éviterait ainsi les taux de TVAP déraisonnablement élevés qui pourraient découler de l'application de la méthode de majoration initiale dans l'éventualité où la date d'attribution applicable à une nouvelle série ou à un nouveau fonds se situe vers la fin de l'exercice. Par exemple, selon la méthode de majoration initiale, si la date d'attribution (90 jours après le placement initial d'unités) applicable à une nouvelle série d'un fonds est le 15 décembre, le taux de la TVAP pour l'exercice serait majoré d'un facteur de 6,6 (106 jours depuis le placement initial jusqu'à la fin de l'exercice (90 + 16), divisés par les 16 jours suivant la période de 90 jours, laquelle correspond aux jours au cours desquels la taxe est établie pour l'exercice).

Selon la nouvelle approche, en reprenant l'exemple qui précède, le facteur de majoration pour l'année de création de la nouvelle série et l'exercice subséquent serait de 1,2, c'est-à-dire, (i) 106 jours depuis le placement initial jusqu'à la fin de l'exercice plus les 365 jours du deuxième exercice, divisés par (ii) 16 jours suivant la période de 90 jours, qui correspond aux jours pendant lesquels la taxe est établie pour l'exercice, plus les 365 jours du deuxième exercice.

Le pourcentage d'attribution majoré s'appliquerait à la totalité de la TPS non recouvrable (y compris celle visant la période initiale de 90 jours) de l'année de création de la nouvelle série et à la TPS non recouvrable de l'exercice subséquent. En revanche, la TPS non recouvrable serait réduite d'un facteur qui inverserait le facteur de majoration indiqué ci dessus pour qu'il soit tenu compte de l'inclusion de la TPS non recouvrable subie lors de la période initiale de 90 jours. Dans l'exemple qui précède, le facteur serait calculé comme suit : (16+365)/(106+365).

L'exemple qui suit montre le calcul de la TVAP selon la méthode de majoration pour les premier et deuxième exercices d'un nouveau fonds d'une série (non issu d'une fusion).

Exemple

Un nouveau fonds à série unique est créé le 1er juillet 2011. Pour sa période initiale de 90 jours (du 1er juillet au 28 septembre 2011), le montant total de TPS non recouvrable s'établit à 2 500 $. Pour les 94 jours qui restent de l'exercice (du 29 septembre au 31 décembre 2011), le montant total de TPS non recouvrable s'établit à 4 000 $. Donc, pour le premier exercice du fonds, le montant total de TPS non recouvrable s'établit à 6 500 $. Le montant total de TPS non recouvrable du fonds pour son deuxième exercice (du 1er janvier au 31 décembre 2012, comptant 366 jours) correspond à 15 000 $. Le pourcentage d'attribution quant à l'Ontario calculé au 30 septembre 2011 s'établit à 50 %.

Dans un tel cas, le facteur de majoration serait : (90+94+366)/((94+366) = 1,196.

L'inverse de ce facteur de majoration serait : (94+366)/(90+94+366) = 0,836.

TVAP de l'Ontario à payer la première année :

((6 500 x 0,836) x (50 % x 1,196) x (8/5)) = 5 199,25 $.

TVAP de l'Ontario à payer la deuxième année :

((15 000 x 0,836) x (50 % x 1,196) x (8/5)) = 11 998,27 $.

La « méthode modifiée de calcul en temps réel » est la deuxième option que proposait le communiqué du 19 mai à l'égard des nouveaux fonds ou des nouvelles séries d'un fonds. Cette méthode s'appliquerait à compter du premier jour de création de la nouvelle série d'un fonds. La règle des 90 jours visant la méthode de majoration ne s'applique pas à la méthode modifiée de calcul en temps réel.

Exclusion des non-résidents du calcul du pourcentage d'attribution quant à une province

Le communiqué du 19 mai proposait d'exclure la valeur des unités détenues par des non-résidents du calcul du pourcentage d'attribution quant à une province applicable à un régime de placement ou à un fonds réservé. Cette exclusion s'applique lorsque les services rendus relativement aux non-résidents seraient généralement détaxés et qu'un régime de placement ou un fonds réservé qui est une IFDP aurait droit à des crédits de taxe sur les intrants (CTI) au titre de la taxe payée sur les intrants ayant servi à rendre ces services, de sorte qu'aucune taxe non recouvrable n'existe.

Compte tenu des commentaires reçus au sujet du communiqué du 19 mai, il semble que la plupart des régimes de placement et des fonds réservés ne demanderaient pas de CTI. Ils préféreraient réserver aux non-résidents le même traitement que celui accordé aux résidents et inclure les placements détenus par les non-résidents dans le calcul des pourcentages d'attribution quant à une province.

Il est donc proposé d'inclure les non-résidents dans le calcul des pourcentages d'attribution quant à une province applicable à un régime de placement ou un fonds réservé lorsqu'ils sont considérés comme des résidents aux fins de la TPS/TVH par le régime ou le fonds au titre des placements qu'ils y détiennent. Ainsi, le régime de placement ou le fonds réservé serait assujetti aux mêmes règles, qu'ils traitent avec des résidents ou avec des non-résidents. Il en résulte que, selon les modifications proposées, les restrictions frappant les CTI et les autres obligations prévues par la LTA, comme l'autocotisation de la TPS visant les fournitures taxables importées, qui n'auraient habituellement pas visé leurs transactions avec des non-résidents s'appliqueraient maintenant.

Il est également proposé que le régime de placement ou le fonds réservé puisse choisir de ne pas être assujetti à cette règle en présentant au ministre du Revenu national un choix qui aurait pour effet d'exclure les non-résidents du calcul de l'attribution quant à une province et de permettre au régime ou au fonds de demander des CTI. Le régime ou le fonds pourrait révoquer son choix après l'expiration d'une période de cinq ans, ou à une date antérieure approuvée par le ministre du Revenu national, auquel cas les restrictions visant les CTI et les autres obligations prévues par la LTA, indiquées ci-dessus, s'appliqueraient.

Propositions visant les institutions financières désignées particulières autres que les régimes de placement et les fonds réservés

Entrée en vigueur du nouveau calcul du pourcentage d'attribution quant à une province - élément C de la formule de la méthode d'attribution spéciale (MAS) pour les banques

Le communiqué du 19 mai proposait un certain nombre de modifications du calcul du pourcentage d'attribution quant à une province applicable aux banques, lesquelles devaient s'appliquer aux exercices débutant après juin 2010. Dans le cas de la plupart des banques nationales, ces règles commenceraient donc à s'appliquer à leur exercice de novembre 2010 à octobre 2011. Les règles courantes continueront de s'appliquer pendant l'année de transition (à savoir l'exercice comprenant la date de mise en œuvre de la TVH du 1er juillet 2010 en Colombie-Britannique et en Ontario).

Pour donner suite aux commentaires formulés au sujet du communiqué du 19 mai, il est proposé que les modifications apportées à l'élément C de la formule de la MAS du calcul de l'attribution quant à une province s'appliquent également à l'année de transition.

Exclusion des « services financiers détaxés »

Il a été proposé dans le communiqué du 19 mai de modifier l'élément correspondant aux traitements et salaires qui est utilisé pour déterminer le pourcentage d'attribution applicable aux banques, de manière à exclure les traitements et salaires de l'élément C de la formule de la MAS, dans la mesure où ils sont rattachés à des services financiers détaxés fournis à des non-résidents. Il est proposé d'élargir l'application de cette modification de sorte qu'elle exclut également les salaires et traitements liés à d'autres fournitures détaxées effectuées au profit de non-résidents (notamment l'exportation de services non financiers).

Récupération des crédits de taxe sur les intrants (CTI)

Le communiqué du 19 mai proposait que les règles sur la récupération des CTI visant les IFDP s'appliquent aux mêmes catégories de biens ou services déterminés (soit les véhicules routiers admissibles [et l'essence pour ces véhicules en Ontario seulement], les formes d'énergie déterminées, les services de télécommunication déterminés et les repas et divertissements déterminés) que celles qui sont assujetties aux règles générales sur la récupération des CTI visant d'autres institutions financières et les grandes entreprises. Puisque les IFDP ne sont habituellement pas autorisées à demander des CTI à l'égard de la TVAP étant donné qu'elles recouvrent plutôt la totalité de la TVAP payée ou payable grâce à la méthode d'attribution spéciale, il a été proposé d'obliger les IFDP à déterminer un montant de récupération des CTI pour chacune des catégories déterminées de biens ou services déterminés au moyen d'une formule spéciale.

Il est proposé d'appliquer aux IFDP les divers calculs par approximation, annoncés par l'Ontario et la Colombie-Britannique, que les institutions qui ne sont pas des IFDP peuvent utiliser pour établir les montants assujettis à la récupération des CTI. Ainsi, une IFDP pourrait utiliser les calculs par approximation dans le cas des services de télécommunication déterminés pour établir la partie de la contrepartie qui est attribuable à ces services lorsqu'ils sont fournis avec d'autres biens ou services.

De plus, les exclusions visant les biens et services déterminés (comme les biens ou les services acquis en vue d'être fournis et le carburant [en application des règles de la Colombie-Britannique sur la récupération des CTI]) prévues par les règles générales sur la récupération des CTI visant les institutions financières autres que des IFDP et d'autres entreprises s'appliqueraient également aux IFDP.

Partie 2 : Méthodes de comptabilité abrégée

Afin qu'il soit plus facile de se conformer aux règles, les petites entreprises, de même que les organismes de services publics admissibles, peuvent utiliser une méthode rapide de comptabilité ou une méthode rapide de comptabilité spéciale. Selon ces méthodes, le montant des ventes admissibles, TPS/TVH incluse, est multiplié par un pourcentage réduit. Les entreprises et les organismes versent le produit ainsi obtenu au gouvernement au lieu de comptabiliser et de demander des crédits de taxe sur les intrants au titre de la majeure partie de la taxe qu'ils paient. Les pourcentages utilisés sont établis dans le Règlement sur la comptabilité abrégée (TPS/TVH).

En raison de la marge de manœuvre accordée aux provinces pour l'établissement du taux de la composante provinciale de la TVH selon le nouveau régime de la taxe à valeur ajoutée harmonisée et de la mise en œuvre d'une TVH en Ontario et en Colombie-Britannique, à compter du 1er juillet 2010, il faudra établir de nouveaux pourcentages déterminés pour les méthodes de comptabilité abrégée. Les nouveaux pourcentages proposés figurent dans les tableaux de l'annexe A du présent document.

Des modifications réglementaires sont également proposées relativement aux fournitures admissibles effectuées par un inscrit par l'intermédiaire de son établissement stable lorsque la presque totalité des fournitures pour une période de déclaration de l'inscrit sont effectuées dans une province participante. En pareil cas, l'inscrit peut généralement considérer que la totalité des fournitures admissibles pour la période de déclaration effectuées par l'intermédiaire de l'établissement en cause ont été effectuées dans cette province et que le pourcentage déterminé établi au moyen de la méthode de comptabilité rapide ou de la méthode de comptabilité rapide spéciale applicable à cette province s'applique.

Les pourcentages proposés et les règles modifiées visant le principe de « la presque totalité » s'appliqueraient également aux fins du calcul de la taxe nette d'un inscrit pour les périodes de déclaration se terminant après juin 2010. Cependant, si la période de déclaration de l'inscrit comprend le 1er juillet 2010, les pourcentages déterminés et les règles qui se seraient appliqués avant les modifications proposées s'appliqueront à une fourniture si la contrepartie de celle-ci est payée ou devient due avant cette date.

Partie 3 : Droits d'inhumation

Conformément aux règles transitoires générales relatives à la TVH pour l'Ontario et la Colombie-Britannique, la composante provinciale de la TVH (TVAP) ne s'applique pas aux services funéraires et aux services d'inhumation s'ils sont fournis conformément à une entente conclue par écrit avant le 1er juillet 2010 et si, au moment de la conclusion de l'entente, il est raisonnable de croire que la totalité ou une partie des fonds au titre des services seraient versés avant le décès du particulier.

Il est proposé qu'aux fins des règles transitoires générales relatives à la TVH pour l'Ontario et la Colombie-Britannique, la TVAP ne s'appliquerait pas non plus aux droits d'inhumation (c.-à-d., un droit immobilier relatif à l'inhumation d'une dépouille mortelle dans un cimetière, un mausolée ou un endroit semblable servant à inhumer des dépouilles mortelles) fournis aux termes d'une entente conclue par écrit avant le 1er juillet 2010. Si le fournisseur de droits d'inhumation a perçu la TVH avant que ne soit faite l'annonce proposée, la personne qui acquiert les droits peut demander au fournisseur ou à l'Agence du revenu du Canada un remboursement de la TVAP.

Annexe A — Taux de versement selon les méthodes de comptabilité abrégée

Tableau 1

Taux de versement - Entreprises inscrites utilisant la méthode rapide de comptabilité

	Fournitures effectuées			
	dans une province non participante	**en Ontario, au Nouveau-Brunswick ou à Terre-Neuve-et-Labrador**	**en Nouvelle-Écosse**	**en Colombie-Britannique**
i) Acquièrent principalement des produits aux fins de revente				
(*Emplacement de l'établissement stable*)				
Province non participante	1,8 %	8,8 %	10,4 %	8,0 %
Ontario, Nouveau-Brunswick ou Terre-Neuve-et-Labrador	0,0 %* (crédit de 2,8 %*)	4,4 %	6,1 %	3,6 %
Nouvelle-Écosse	0,0 %* (crédit de 4,0 %*)	3,3 %	5,0 %	2,5 %
Colombie-Britannique	0,0 %* (crédit de 2,3 %*)	5,0 %	6,6 %	4,1 %
ii) Fournissent principalement des services				
(*Emplacement de l'établissement stable*)				
Province non participante	3,6 %	10,5 %	12,0 %	9,7 %
Ontario, Nouveau-Brunswick ou Terre-Neuve-et-Labrador	1,8 %	8,8 %	10,4 %	8,0 %
Nouvelle-Écosse	1,4 %	8,4 %	10,0 %	7,6 %
Colombie-Britannique	2,1 %	9,0 %	10,6 %	8,2 %

Notes:

* * Les entreprises qui utilisent le taux de versement de 0 % dans le cas des ventes admissibles ont droit à un crédit relativement à ces ventes puisqu'elles paient géné-

ralement la TVH au taux de 12 %, 13 % ou 15 % sur leurs intrants mais perçoivent la TPS de 5 % sur ces ventes.

Tableau 2

Taux de versement - Organismes de services publics utilisant la méthode rapide de comptabilité spéciale

	Fournitures effectuées			
	dans une province non participante	**en Ontario, au Nouveau-Brunswick ou à Terre-Neuve-et-Labrador**	**en Nouvelle-Écosse**	**en Colombie-Britannique**
i) Municipalité				
(*Emplacement de l'établissement stable*)				
Province non participante	4,7 %	11,5 %	13,0 %	10,7 %
Ontario	4,3 %	11,1 %	12,6 %	10,3 %
Nouveau-Brunswick	3,9 %	10,7 %	12,3 %	9,9 %
Nouvelle-Écosse	3,7 %	10,5 %	12,1 %	9,7 %
Colombie-Britannique	4,3 %	11,1 %	12,6 %	10,3 %
Terre-Neuve-et-Labrador	2,8 %	9,7 %	11,2 % x	11,2 % 8,9 %
ii) Université ou collège public (si les fournitures effectuées au moyen de distributrices constituent au moins 25 % de l'ensemble des fournitures)				
(*Emplacement de l'établissement stable*)				
Province non participante	4,1 %	10,9 %	12,4 %	10,1 %
Ontario	3,3 %	10,2 %	11,8 %	9,4 %
Nouveau-Brunswick ou Terre-Neuve-et-Labrador	0,8 %	7,8 %	9,4 %	7,0 %
Nouvelle-Écosse	2,7 %	9,6 %	11,2 %	8,8 %
Colombie-Britannique	3,4 %	10,2 %	11,8 %	9,4 %
iii) Université ou collège public (si les fournitures effectuées au moyen de distributrices constituent moins de 25 % de l'ensemble des fournitures)				
(*Emplacement de l'établissement stable*)				
Province non participante	4,4 %	11,1 %	12,7 %	10,3 %
Ontario	3,9 %	10,7 %	12,3 %	9,9 %
Nouveau-Brunswick ou Terre-Neuve-et-Labrador	2,4 %	9,3 %	10,9 %	8,5 %
Nouvelle-Écosse	3,6 %	10,4 %	12,0 %	9,6 %
Colombie-Britannique	3,9 %	10,7 %	12,3 %	9,9 %
iv) Administration scolaire				
(*Emplacement de l'établissement stable*)				
Province non participante	4,4 %	11,1 %	12,7 %	10,3 %
Ontario	4,2 %	11,0 %	12,6 %	10,2 %
Nouveau-Brunswick ou Terre-Neuve-et-Labrador	2,4 %	9,3 %	10,9 %	8,5 %
Nouvelle-Écosse	3,6 %	10,4 %	12,0 %	12,0 % 9,6 %
Colombie-Britannique	4,1 %	10,9 %	12,5 %	10,1 %
v) Administration hospitalière, fournisseur externe ou exploitant d'établissement				
(*Emplacement de l'établissement stable*)				
Province non participante	4,5 %	11,3 %	12,8 %	10,5 %
Ontario	4,2 %	11,0 %	12,5 %	10,2 %
Nouveau-Brunswick ou Terre-Neuve-et-Labrador	2,1 %	9,1 %	10,7 %	8,3 %
Nouvelle-Écosse			4,0 %	10,8 %
Colombie-Britannique	3,6 %	10,5 %	12,0 %	9,7 %
vi) Exploitant d'établissement désigné, organisme à but non lucratif admissible ou organisme de bienfaisance désigné				
(*Emplacement de l'établissement stable*)				
Province non participante	3,6 %	10,5 %	12,0 %	9,7 %
Ontario	3,0 %	9,9 %	11,4 %	9,1 %
Nouveau-Brunswick ou Terre-Neuve-et-Labrador	1,4 %	8,8 %	10,4 %	8,0 %
Nouvelle-Écosse	1,8 %	8,4 %	10,0 %	7,6 %
Colombie-Britannique	2,3 %	9,2 %	10,8 %	8,4 %

Tableau 3

Taux de versement - Inscrits qui offrent un remboursement au point de vente à l'égard de fournitures admissibles lorsqu'ils utilisent la méthode rapide de comptabilité ou la méthode rapide de comptabilité spéciale

	Fournitures effectuées dans une province participante offrant un remboursement au point de vente
(*Genre de fournisseur*)	
Entreprise qui acquiert principalement des produits aux fins de revente	1,8 %
Entreprise qui fournit principalement des services	3,6 %
Municipalité	4,7 %
Université ou collège public (si les fournitures effectuées au moyen de distributrices constituent au moins 25 % de l'ensemble des fournitures)	4,1 %
Université ou collège public (si les fournitures effectuées au moyen de distributrices constituent moins de 25 % de l'ensemble des fournitures)	4,4 %
Administration scolaire	4,4 %
Administration hospitalière, fournisseur externe ou exploitant d'établissement	4,5 %
Exploitant d'établissement désigné, organisme à but non lucratif admissible ou organisme de bienfaisance désigné	3,6 %

Modification proposée — Taxe de vente harmonisée (TVH) — Règles relatives aux institutions financières

Document d'information, 20 mai 2010

1. Données de base — Situation présente — Exonération des services financiers pour l'application de la TPS/TVH

a. Approche de base

À l'heure actuelle, les fournitures de services financiers sont en général exonérées de la taxe sur les produits et services (TPS)/taxe de vente harmonisée (TVH)[3]. De ce fait, les fournisseurs de services financiers (comme les institutions financières) ne perçoivent pas la TPS/TVH sur leurs fournitures exonérées de services financiers et n'ont pas droit à des crédits de taxe sur les intrants (CTI) au titre de la TPS/TVH payée à l'égard des produits et services acquis pour fins de consommation, d'utilisation ou de fourniture dans le cadre de la fourniture des services en question.

Tout comme les autres entreprises, les institutions financières paient la TPS/TVH à l'égard de leurs intrants, conformément aux règles sur le lieu de fourniture.[4] Selon ces règles, si la fourniture taxable d'un bien ou d'un service est effectuée au profit d'une institution financière dans une province participante[5], l'institution financière paie la TVH sur la fourniture. Si la fourniture est effectuée dans une province non participante, l'institution financière ne paie que la TPS de 5 %.

En l'absence d'autres dispositions, le fait que les institutions financières ne puissent en général demander des CTI afin de recouvrer la TPS/TVH versée au titre de leurs intrants incitera ces institutions à acquérir des produits et des services au moyen de fournitures effectuées à l'extérieur des provinces participantes, de sorte qu'elles n'aient à payer que la TPS.

Dans le but d'éviter que cela se produise, une méthode d'attribution spéciale (MAS) est prévue dans le cas des institutions financières menant leurs activités à la fois dans des provinces participantes et dans des provinces non participantes[6] (les « institutions financières désignées particulières », ou IFDP); cette méthode fait appel à une formule servant à calculer la composante provinciale de la TVH (la « taxe sur la valeur ajoutée provinciale », ou TVAP) applicable aux provinces participantes[7]. Les éléments de la formule utilisée dans le cadre de la MAS sont expliqués dans la suite du document.

b. MAS — Règles actuelles

Selon les règles actuelles, la MAS sert à calculer la taxe nette payable par une IFDP au titre de la TVAP. Une IFDP est une institution financière désignée[8] qui est généralement tenue d'attribuer des revenus à la fois à des provinces participantes et à des provinces non participantes aux termes du *Règlement de l'impôt sur le revenu* (RIR). (La section 2.a fournit de plus amples renseignements à ce sujet.) La formule de la MAS est exposée à l'article 225.2 de la LTA.

Le calcul de la TVAP payable par une IFDP selon la MAS relativement à une province participante consiste à attribuer à cette dernière, selon une formule, un montant au titre de la TPS[9] non recouvrable de l'IFDP (il s'agira généralement de l'excédent de la TPS versée par l'IFDP sur les CTI auxquels cette dernière a droit). Le montant de TPS non recouvrable qui est attribué à la province participante est majoré selon un ratio donné afin de rendre compte du taux de la TVAP en vigueur dans la province (par exemple, on utilisera actuellement un ratio de 8/5 dans chaque province participante), ce qui donnera la TVAP payable à la province. Si le montant de TVAP ainsi calculé à l'égard d'une province participante pour une période de déclaration donnée d'une IFDP est inférieur à la TVAP de la province qui est payée ou payable dans les faits par l'IFDP pour cette période (selon les règles générales sur le lieu de fourniture), l'IFDP aura droit à un remboursement. Par contre, si le montant de TVAP payable que l'on obtient au moyen de la formule de la MAS est supérieur au montant payé ou payable pour la période, l'IFDP devra payer un montant additionnel au titre de la TVAP.

La formule de la MAS sert à calculer la TVAP payable à chaque province participante pour une période de déclaration donnée d'une IFDP :

$$[(A - B) \times C \times D/E] - F + G$$

où :

(A - B) sert à déterminer la TPS non recouvrable pour la période. En termes généraux, A est égal à la TPS payée ou payable par l'IFDP pour la période dans l'ensemble du Canada et B, au total des CTI demandés par l'IFDP au cours de la période au titre de la TPS payée ou payable.

C est le pourcentage d'attribution quant à la province participante. Les règles servant à déterminer ce pourcentage dépendent de la catégorie à laquelle appartient l'IFDP (p. ex., banque, compagnie d'assurance, société de fiducie et de prêt). Ces règles sont expliquées plus en détail à la section 2.b.

D/E est le ratio du taux de la taxe provinciale au taux de la TPS; D est le taux de la taxe dans la province participante considérée et E, le taux de la TPS, soit 5 % (par exemple, dans le cas du Nouveau-Brunswick, ce ratio sera de 8/5).

F est, en termes généraux, la TVAP payée ou payable à la province par l'IFDP pour la période.

G sert à effectuer le redressement de la TVAP qui est requis dans certaines circonstances particulières[10].

De manière à se conformer aux exigences rattachées à la formule de la MAS, les IFDP doivent, selon les règles actuelles, faire un suivi distinct de la TPS et de la TVAP payables (ou payées sans être devenues payables) relativement à chaque province participante. Cela peut amener ces institutions à demander à leurs fournisseurs d'indiquer séparément le montant de la TPS et celui de la TVAP sur leurs factures.

Dans le cas de la TVAP, les IFDP ne peuvent se prévaloir de certaines règles permettant de recouvrer la taxe, par exemple en demandant des CTI ou des remboursements, étant donné que la formule de la MAS prend en compte ces montants.

2. Modifications proposées aux règles relatives aux IFDP

a. Définition des IFDP

Conformément aux règles actuelles, une personne est une IFDP tout au long d'un exercice si elle remplit deux critères :

- Institution financière désignée — La personne doit être une institution financière désignée qui est visée à l'un des sous-alinéas 149(1)a)(i) à (x) de la *Loi sur la taxe d'accise* (LTA) au cours de l'année d'imposition dans laquelle l'exercice prend fin et au cours de l'année d'imposition précédente[11].
- Attribution du revenu aux provinces — De façon générale, la personne doit avoir été un contribuable tenu d'attribuer son revenu imposable (ou, dans le cas d'un particulier, de la succession d'un particulier décédé ou d'une fiducie, son revenu) à la fois à au moins une province participante et à au moins une province non participante au cours de chacune des années d'imposition mentionnées au point précédent aux termes des règles d'attribution du revenu aux provinces, qui sont énoncées dans le RIR[12]. Ces règles exigent en général l'attribution du revenu imposable (ou du

[3] Les fournitures de services financiers sont exonérées, sauf si elles sont expressément détaxées en application de la partie IX de l'annexe VI de la Loi sur la taxe d'accise (LTA) En effet, aux termes de la partie IX, certaines fournitures de services financiers à des non-résidents sont détaxées.

[4] Le communiqué 2010-014 de Finances Canada et le Bulletin d'information technique B-103 de l'Agence du revenu du Canada (ARC) fournissent de plus amples renseignements sur les nouvelles règles proposées concernant le lieu de fourniture sous le régime de la TVH. Ces règles s'appliqueraient de façon générale aux fournitures taxables (autres que les fournitures détaxées) effectuées au Canada à compter du 1er mai 2010; dans certaines circonstances, elles pourraient aussi s'appliquer aux fournitures effectuées avant le 1er mai 2010. Pour en savoir plus au sujet des règles sur le lieu de fourniture existantes, on consultera le Bulletin B-078 de l'ARC.

[5] Sont des provinces participantes celles où la TVH est applicable. Il s'agit actuellement du Nouveau-Brunswick, de la Nouvelle-Écosse et de Terre-Neuve-et-Labrador. La Colombie-Britannique et l'Ontario s'ajouteront à cette liste le 1er juillet 2010.

[6] Le terme « province » désigne également les territoires canadiens.

[7] L'institution financière qui n'est pas tenue d'utiliser la MAS doit se conformer aux dispositions générales de la LTA, comme l'autocotisation et les remboursements de taxe lorsque des produits ou des services sont transférés dans une province participante ou hors d'une province participante. Pour leur part, les institutions financières devant se conformer à la MAS ne sont généralement pas assujetties aux règles relatives à l'autocotisation et aux remboursements. On trouvera de plus amples renseignements au sujet de ces règles dans les bulletins B-079 (Autocotisation de la TVH sur les fournitures transférées dans une province participante), B-080R (Remboursements de la TVH sur les fournitures effectuées à partir des provinces participantes) et B-081 (Application de la TVH aux importations) de l'ARC.

[8] Le terme « institution financière désignée » s'entend des personnes visées à l'alinéa 149(1)a) de la LTA; il s'agit d'institutions financières comme les banques, les courtiers en valeurs mobilières, les assureurs, les sociétés de fiducie et de prêt, les régimes de placement et les fonds réservés des assureurs. Il faut préciser que, bien qu'elles soient également des institutions financières désignées, les sociétés qui sont réputées être des institutions financières uniquement parce qu'elles ont fait le choix prévu à l'article 150 de la LTA ne sont pas considérées comme des IFDP.

[9] Sauf indication contraire, toute mention de la TPS dans le présent document s'entend aussi de la composante fédérale – au taux de 5 % – de la TVH là où cette dernière est en vigueur.

[10] Le Bulletin B-083R de l'ARC contient de plus amples renseignements sur l'élément G de la formule ainsi que sur d'autres règles visant les IFDP.

[11] Les termes « année d'imposition » et « exercice » sont définis dans la Loi de l'impôt sur le revenu (LIR). À moins qu'une personne ne fasse un choix afin que son exercice corresponde à l'année civile dans le cas où son année d'imposition ne correspond pas à l'année civile, l'année d'imposition (déterminée conformément à la LIR) et l'exercice de la personne seront les mêmes.

[12] Les dispositions pertinentes s'appliquent aussi aux personnes qui sont des contribuables pour l'application de la LIR et qui seraient tenues d'attribuer leur revenu imposable (ou leur revenu) si elles avaient un tel revenu.

revenu) aux provinces où la personne a un établissement stable. La personne peut également être une société de personnes déterminée[13] au sens du paragraphe 225.2(8) de la LTA au cours de chacune des années d'imposition pertinentes, ou encore une institution financière visée par règlement[14].

Conformément à ces règles, l'institution financière désignée qui doit attribuer un montant de revenu imposable (ou de revenu) à la fois à des provinces participantes et à des provinces non participantes pour son année d'imposition se terminant dans un de ses exercices et pour l'année d'imposition précédente est une IFDP pour l'exercice.

La décision prise par la Colombie-Britannique et l'Ontario d'adhérer au régime de la TVH à compter du 1er juillet 2010 entraînera une hausse notable du nombre d'institutions financières qui sont des IFDP. Par exemple, la banque comptant des succursales uniquement en Ontario et au Manitoba serait une IFDP simplement en raison de l'adhésion de l'Ontario au régime de la taxe harmonisée.

Ainsi qu'il en est question plus loin, des modifications doivent être apportées aux règles relatives aux IFDP pour s'assurer que ces règles donnent les résultats prévus dans le contexte de l'élargissement et de la modernisation du cadre de la TVH.

i. Critère de détermination des IFDP – Période ramenée à un an

Ainsi que nous venons de l'indiquer, le premier critère servant à déterminer si une personne est une IFDP tout au long de l'un de ses exercices porte sur une période de deux ans aux termes des règles actuelles.

Cette particularité a été source d'incertitude sur les plans de l'observation et de l'application, par exemple lorsqu'une société ou une fiducie qui est une institution financière désignée est constituée à la suite d'une fusion. L'institution financière désignée devient dès lors une nouvelle société ou fiducie, de sorte qu'aucune année d'imposition ne saurait précéder sa première année d'imposition, comme cela est requis à l'heure actuelle pour que le critère s'applique. Il s'ensuit que l'institution financière désignée n'est pas une IFDP au cours de sa première année d'imposition. Par conséquent, cette institution financière désignée sera assujettie aux règles générales (autocotisation de la TVAP, CTI ou remboursements au titre de la TVAP, etc.) la première année, après quoi elle pourra être visée par les règles relatives aux IFDP. De même, une société nouvellement constituée ou une nouvelle fiducie comptant des établissements stables à la fois dans des provinces participantes et dans des provinces non participantes ne sera pas une IFDP au cours de sa première année d'imposition mais pourra le devenir l'année suivante. Une telle situation peut désorganiser l'institution financière désignée, car celle-ci devra peut-être appliquer les règles générales au cours d'une année puis passer aux règles relatives aux IFDP les années suivantes.

Pour régler ces problèmes, il est proposé de modifier le critère relatif aux IFDP de telle manière qu'une personne soit réputée être une IFDP tout au long d'une période de déclaration donnée si elle satisfait au critère relatif aux institutions financières désignées et à celui relatif aux établissements stables (qui est commenté à la section 2.a.iii) au cours de l'exercice comprenant la période de déclaration. En règle générale, on n'utilisera plus le critère relatif à l'attribution du revenu aux provinces aux fins de déterminer si une personne est une IFDP.

Les modifications proposées s'appliqueraient aux périodes de déclaration d'une personne se terminant après juin 2010.

ii. Institutions financières présentes dans plus d'une province mais uniquement dans des provinces participantes

À l'heure actuelle, les institutions financières désignées qui exercent des activités uniquement dans des provinces participantes ne sont pas visées par les règles relatives aux IFDP. Cependant, les modifications du cadre de la TVH qui entreront en vigueur le 1er juillet 2010 permettront à une province participante d'appliquer un taux différent de celui en vigueur dans les autres provinces participantes. De tels écarts de taux inciteront les institutions financières désignées menant leurs activités uniquement dans des provinces participantes à acquérir leurs intrants dans celle de ces provinces où le taux de la TVAP est le plus bas, étant donné qu'elles ne sont pas assujetties aux règles relatives aux IFDP. Il est donc nécessaire que ces règles s'appliquent également aux institutions financières désignées qui mènent leurs activités dans plus d'une province mais uniquement dans des provinces participantes.

Plus précisément, il est proposé de modifier le Règlement sur les IFDP de manière qu'une institution financière désignée, sauf celles visées au sous-alinéa 149(1)a)(xi)[15] de la LTA, soit elle aussi réputée être une IFDP tout au long de sa période de déclaration si, au cours de l'exercice qui comprend cette période, elle a des établissements stables dans plusieurs provinces participantes.

Selon les règles en vigueur, une institution financière désignée est considérée comme étant une IFDP tout au long d'une période de déclaration comprise dans un exercice se terminant dans une de ses années d'imposition si elle est une « société de personnes déterminée » au cours de cette année d'imposition et de l'année d'imposition précédente. De façon générale, une société de personnes est une « société de personnes déterminée » au sens du paragraphe 225.2(8) de la LTA pour une année d'imposition si, au cours de cette année, elle compte parmi ses associés au moins une personne ayant tiré un revenu imposable (ou un revenu s'il s'agit d'un particulier, d'une succession ou d'une fiducie) de l'exploitation d'une entreprise dans une province participante par l'intermédiaire de la société de personnes et au moins une personne (la même ou une autre) ayant tiré un revenu imposable (ou un revenu) de l'exploitation d'une entreprise dans une province non participante par l'intermédiaire de la société de personnes. Il est proposé d'élargir la définition de « société de personnes déterminée » de manière qu'une société de personnes soit une société de personnes déterminée pour une année d'imposition si, au cours de cette année, elle compte parmi ses associés au moins une personne ayant un établissement stable où elle exploite une entreprise par l'intermédiaire de la société de personnes dans une province participante et au moins une personne (la même ou une autre) ayant un établissement stable où elle exploite une entreprise par l'intermédiaire de la société de personnes dans une autre province.

Les modifications proposées s'appliqueraient aux périodes de déclaration d'une institution financière se terminant après juin 2010.

> *Exemple 1 — Un assureur a des établissements stables uniquement au Nouveau-Brunswick, à Terre-Neuve-et-Labrador et en Nouvelle-Écosse. Dès lors, aux termes des modifications proposées au Règlement sur les IFDP, cet assureur serait une IFDP.*

iii. Critère relatif aux établissements stables

Ainsi que cela a été expliqué précédemment, pour qu'une institution financière désignée soit considérée comme une IFDP, elle doit satisfaire au critère d'attribution du revenu aux provinces et, partant, avoir un établissement stable dans au moins une des provinces participantes ainsi que dans au moins une des provinces non participantes. Le terme « établissement stable » tel que défini dans le Règlement sur les IFDP s'entend au sens du paragraphe 400(2) du RIR et désigne généralement un lieu fixe d'affaires de l'institution financière désignée, y compris un bureau, une succursale, ou encore l'endroit où est établi un employé ou un mandataire de l'institution financière désignée qui a l'autorité générale de passer des contrats pour cette dernière.

Il est proposé de modifier le critère relatif aux établissements stables de la manière décrite ci-après pour chaque catégorie d'IFDP, c'est-à-dire les banques, les compagnies d'assurance, les sociétés de fiducie et de prêt, les régimes de placement et les fonds réservés, ainsi que les autres sociétés, les particuliers et les fiducies.

Conformément au critère proposé, un particulier sera réputé résider dans la province correspondant à son adresse postale, tandis qu'une personne autre qu'un particulier sera réputée résider dans la province où se trouve son entreprise principale.

A. Banques

Selon les règles actuelles, une banque sera réputée être une IFDP uniquement si elle doit attribuer un montant de revenu imposable, en application des règles d'attribution du revenu aux provinces énoncées à l'article 404 du RIR, à la fois à des provinces participantes et à des provinces non participantes. L'article 404 du RIR exige que la banque attribue un montant de revenu imposable à une province uniquement si elle a un établissement stable (en général un lieu fixe d'affaires) dans cette province.

L'exigence relative au lieu fixe d'affaires que comporte le critère servant à déterminer si une banque est une IFDP a des conséquences fiscales inappropriées dans le cas des banques qui ont des clients dans l'ensemble du Canada mais qui ne sont pas des IFDP en application des règles actuelles parce qu'elles n'ont pas de lieu fixe d'affaires à la fois dans des provinces participantes et dans des provinces non participantes. Une telle situation peut survenir par exemple si une banque a un lieu fixe d'affaires dans une province seulement mais offre des services de prêts et de dépôts à des clients de toutes les provinces au moyen de portails de services bancaires accessibles par Internet ou par téléphone. Dans l'optique de l'application de la TPS/TVH, une telle situation devrait avoir comme conséquence que la banque soit assujettie aux règles relatives aux IFDP et soit tenue de calculer la TVAP pour chaque province participante où résident ses clients.

Selon les modifications proposées exposées ci-dessus, le critère relatif à l'attribution du revenu aux provinces ne servirait plus à déterminer si une banque est une IFDP. La banque serait plutôt considérée comme une IFDP tout au long d'une période de déclaration comprise dans son exercice si, au cours de cet exercice, elle a un établissement stable dans une province participante de même que dans une autre province. En outre, il est proposé que, pour l'application des règles relatives aux IFDP, outre les établissements stables qu'elle peut avoir aux termes du paragraphe 400(2) du RIR, une banque soit réputée avoir un établissement stable dans chaque province :

- où sont situés des terrains servant à garantir des prêts consentis par la banque;
- où réside le bénéficiaire d'un prêt (sauf un prêt garanti par un terrain) consenti par la banque, ou le titulaire d'un compte de dépôt ou d'un compte similaire de la banque.

---

[13]De façon générale, est une « société de personnes déterminée » la société de personnes qui est une institution financière désignée et qui compte, parmi ses associés, des personnes qui exploitent une entreprise par l'intermédiaire de la société de personnes à la fois dans des provinces participantes et dans des provinces non participantes.

[14]Certaines sociétés d'État fédérales sont visées par règlement à cette fin aux termes de la partie I du Règlement sur la méthode d'attribution applicable aux institutions financières désignées particulières (TPS/TVH) (Règlement sur les IFDP).

[15]Le sous-alinéa 149(1)a)(xi) vise les personnes morales réputées être des institutions financières par l'article 151 de la LTA. De telles personnes morales ne seraient pas des IFDP.

À cet égard, tous les prêts et dépôts de la banque correspondant à cette description seraient réputés, pour l'application des règles relatives aux IFDP, être des prêts et dépôts de l'établissement stable réputé, et non d'un autre établissement stable de la banque.

Exemple 2 — Une banque offrant des services bancaires à partir de son site Web a un lieu fixe d'affaires uniquement en Ontario, mais elle compte des détenteurs de dépôts qui résident en Ontario, au Québec et au Nouveau-Brunswick. Aux termes des modifications proposées au Règlement sur les IFDP, cette banque serait une IFDP.

Les modifications proposées s'appliqueraient aux périodes de déclaration d'une banque se terminant après juin 2010.

B. Compagnies d'assurance

Selon les règles actuelles, une compagnie d'assurance (c'est-à-dire, un assureur, au sens du paragraphe 123(1) de la LTA, constitué en société) sera réputée être une IFDP uniquement si elle est tenue d'attribuer un montant de revenu imposable, en application des règles d'attribution du revenu aux provinces énoncées à l'article 403 du RIR, à la fois à des provinces participantes et à des provinces non participantes. L'article 403 du RIR exige que la compagnie d'assurance attribue un montant de revenu imposable à une province uniquement si elle a un établissement stable dans cette province. Outre le fait qu'une compagnie d'assurance a un établissement stable dans une province où elle a un lieu fixe d'affaires, elle sera réputée avoir un établissement stable dans chaque province où elle est enregistrée ou détient un permis pour faire des affaires.

Selon les modifications proposées exposées ci-dessus, le critère relatif à l'attribution du revenu aux provinces ne servirait plus à déterminer si une compagnie d'assurance est une IFDP. La compagnie d'assurance serait plutôt considérée comme une IFDP tout au long d'une période de déclaration comprise dans son exercice si, au cours de cet exercice, elle a un établissement stable dans une province participante de même que dans une autre province.

Le critère actuel relatif à l'établissement stable donne de bons résultats pour la plupart des compagnies d'assurance. Toutefois, son application pourrait être déficiente dans le cas, par exemple, où une compagnie d'assurance est un réassureur, c'est-à-dire un assureur qui offre une protection à l'assureur d'origine pour réduire le risque que ce dernier subisse des pertes importantes au titre de risques déjà assurés. Contrairement à l'assureur d'origine, le réassureur peut offrir une protection à l'égard de biens ou de personnes se trouvant dans une province participante sans y avoir d'établissement stable et sans y être enregistrée ou y détenir un permis pour faire des affaires. Dans un tel cas, le réassureur ne serait pas réputé avoir un établissement stable dans cette province, ce qui signifie qu'il ne serait peut-être pas réputé non plus être une IFDP, ou encore que le pourcentage d'attribution quant à cette province serait égal à zéro.

Dans le but de garantir que les compagnies d'assurance, y compris les réassureurs, paient le montant approprié de TVAP quant à chaque province participante, il est proposé que, outre les établissements stables que peut posséder une compagnie d'assurance en application du paragraphe 400(2), la compagnie d'assurance soit aussi réputée avoir un établissement stable dans une province si elle y offre une protection contre un risque relativement à des biens ou à des personnes se trouvant dans cette province.

Exemple 3 — Un réassureur qui est une compagnie située en Ontario n'est pas autorisé, par permis ou autrement, à faire des affaires à Terre-Neuve-et-Labrador et n'y a pas de lieu fixe d'affaires. Cependant, il offre des services de réassureur à d'autres assureurs qui couvrent des risques à l'égard de biens situés dans cette province. Par suite des modifications proposées au Règlement sur les IFDP, le réassureur serait réputé avoir un établissement stable à Terre-Neuve-et-Labrador et être une IFDP.

Les modifications proposées s'appliqueraient aux périodes de déclaration d'une compagnie d'assurance se terminant après juin 2010.

C. Sociétés de fiducie et de prêt

Selon les règles actuelles, une société de fiducie et de prêt[16] sera réputée être une IFDP uniquement si elle est tenue d'attribuer un montant de revenu imposable, en application des règles d'attribution du revenu aux provinces énoncées à l'article 405 du RIR, à la fois à des provinces participantes et à des provinces non participantes. L'article 405 du RIR exige que la société de fiducie et de prêt attribue un montant de revenu imposable à une province uniquement si elle a un établissement stable (en général un lieu fixe d'affaires) dans cette province.

Selon les modifications proposées exposées ci-dessus, le critère relatif à l'attribution du revenu aux provinces ne servirait plus à déterminer si une société de fiducie et de prêt est une IFDP. La société serait plutôt considérée comme une IFDP tout au long d'une période de déclaration comprise dans son exercice si, au cours de cet exercice, elle a un établissement stable dans une province participante de même que dans une autre province. Il est proposé que, pour déterminer si une société de fiducie et de prêt est une IFDP, la société soit réputée avoir, outre les établissements stables qu'elle peut avoir aux termes du paragraphe 400(2) du RIR, un établissement stable dans chaque province :

- où sont situés des terrains servant à garantir des prêts consentis par la société de fiducie et de prêt;
- où réside le bénéficiaire d'un prêt (sauf un prêt garanti par un terrain) consenti par la société de fiducie et de prêt.

Toutes les recettes brutes provenant de prêts garantis par des terrains situés dans la province ou de prêts (sauf ceux garantis par des terrains) consentis à des personnes résidant dans la province seraient réputées être des recettes brutes de l'établissement stable réputée et non des autres établissements stables de la société de fiducie et de prêt.

Les modifications proposées s'appliqueraient aux périodes de déclaration d'une société de fiducie et de prêt se terminant après juin 2010.

D. Régimes de placement et fonds réservés

Les régimes de placement[17] et les fonds réservés d'assureurs[18] sont des institutions financières désignées en application des sous-alinéas 149(1)a)(vi) ou (ix) de la LTA. Ils sont organisés à la manière de fiducies ou de sociétés (ou sont réputés être des fiducies ou des sociétés), de sorte que ce sont les règles applicables aux fiducies et aux sociétés en général qui servent actuellement à déterminer si ces entités sont des IFDP.

Selon les règles actuelles, une société, autre qu'une banque, une compagnie d'assurance ou une société de fiducie et de prêt, sera réputée être une IFDP uniquement si elle est tenue d'attribuer un montant de revenu imposable, en application des règles d'attribution du revenu aux provinces énoncées à l'article 402 du RIR, à la fois à des provinces participantes et à des provinces non participantes. L'article 402 du RIR exige que la société attribue un montant de revenu imposable à une province uniquement si elle a un établissement stable dans cette province. De même, un particulier, une succession ou une fiducie sera réputé être une IFDP uniquement s'il est tenu d'attribuer un montant de revenu imposable, en application des règles d'attribution du revenu aux provinces énoncées à l'article 2603 du RIR, à la fois à des provinces participantes et à des provinces non participantes. L'article 2603 du RIR exige que le particulier, la succession ou la fiducie attribue un montant de revenu imposable à une province uniquement si elle a un établissement stable dans cette province. Relativement à ces sociétés, particuliers, successions et fiducies, le terme « établissement stable » tel que défini au paragraphe 400(2) (sociétés) ou au paragraphe 2600(2) (particuliers, successions et fiducies) du RIR s'entend généralement d'un lieu fixe d'affaires.

Il s'ensuit que de nombreux régimes de placement et fonds réservés ne seront pas réputés être des IFDP en application des règles actuelles, et ce, même s'ils comptent des investisseurs dans l'ensemble du Canada, étant donné qu'ils n'ont pas d'établissement stable (lieu fixe d'affaires) dans plus d'une province.

Selon les modifications proposées exposées ci-dessus, le critère relatif à l'attribution du revenu aux provinces ne servirait plus à déterminer si un régime de placement ou un fonds réservé est une IFDP. Le régime ou le fonds serait plutôt considéré comme une IFDP tout au long d'une période de déclaration comprise dans son exercice si, au cours de cet exercice, il a un établissement stable dans une province participante de même que dans une autre province.

Il est aussi proposé que, pour l'application des règles relatives aux IFDP, outre les établissements stables qu'il peut avoir aux termes du paragraphe 400(2) du RIR, le fonds réservé d'un assureur soit réputé avoir un établissement stable dans chaque province où ses contrats peuvent être vendus.

Il est également proposé que, pour l'application des règles relatives aux IFDP, outre les établissements stables qu'il peut avoir aux termes des paragraphes 400(2) ou 2600(2) du RIR, un régime de placement soit réputé avoir un établissement stable dans les provinces suivantes :

- s'il s'agit d'un régime de placement qui est une fiducie de fonds commun de placement (FFCP) (y compris les fonds négociés en bourse, ou FNB), une société de placement à capital variable (SPCV), une société de placement hypothécaire (SPH), une société de placement ou une fiducie d'investissement à participation unitaire, chaque province où il est autorisé à vendre ou à distribuer ses unités ou ses actions en vertu des lois régissant le commerce de valeurs mobilières;
- s'il s'agit d'un régime de placement qui est une entité de gestion de régime de pension (c'est-à-dire, une fiducie régie par un régime de pension agréé ou une personne morale qui administre un tel régime), chaque province où résident les participants au régime de pension agréé;
- s'il s'agit d'un régime de placement qui est une fiducie régie par un régime de participation différée aux bénéfices (RPDB), un régime de participation des employés

[16]Les règles s'appliquent indistinctement aux sociétés de fiducie, aux sociétés de prêt et aux sociétés de fiducie et de prêt. Sauf indication contraire, la mention d'une société de fiducie et de prêt vaut mention d'une société de fiducie ou d'une société de prêt.

[17]Le terme « régime de placement » est défini au paragraphe 149(5) de la LTA et désigne généralement des entités intermédiaires pour l'application de l'impôt sur le revenu. Cela comprend les fiducies de fonds commun de placement (FFCP) ainsi que les entités à impôt différé, comme les fiducies régies par des régimes enregistrés d'épargne-retraite (REER) ou des fonds enregistrés de revenu de retraite (FERR).

[18]Le fonds réservé d'un assureur est réputé être une fiducie, et l'assureur est réputé en être le fiduciaire aux termes de l'article 131 de la LTA. Pour l'essentiel, le traitement des fonds réservés est similaire à celui d'une FFCP; l'investisseur est le détenteur de contrat dans le cas du fonds réservé et le détenteur d'unités dans celui de la FFCP.

aux bénéfices (RPEB) ou une convention de retraite (CR), chaque province où résident les participants ou les bénéficiaires du RPDB, du RPEB ou de la CR;

- s'il s'agit d'un régime de placement qui est une fiducie régie par une fiducie d'employés (FE), un régime de prestations aux employés (RPE), une fiducie de santé et de bien-être (FSBE) ou un régime enregistré de prestations supplémentaires de chômage (REPSC), chaque province où résident les participants ou les bénéficiaires du régime.

Les modifications proposées s'appliqueraient aux périodes de déclaration d'un régime de placement ou d'un fonds réservé se terminant après juin 2010.

E. Autres sociétés, fiducies et particuliers

On ne propose aucune modification à la définition d'« établissement stable » pour ces personnes, en dehors des régimes de placement et des fonds réservés. Le critère servant actuellement à déterminer si de telles personnes sont des IFDP, qui est commenté à la section 2.a.iii.D ci-dessus, demeure donc le même, si ce n'est par l'effet des modifications proposées qui sont commentées aux sections 2.a.i et ii above.

iv. Régimes de placement et fonds réservés – Élimination du critère relatif à l'attribution du revenu

Conformément aux règles actuelles, un régime de placement ou un fonds réservé sera réputé être une IFDP uniquement s'il est un contribuable pour l'application de la *Loi de l'impôt sur le revenu* et s'il attribue un montant de revenu à la fois à des provinces participantes et à des provinces non participantes.

Il est proposé de modifier le critère servant à déterminer si un régime de placement ou un fonds réservé est une IFDP en éliminant ces deux exigences. Ces modifications proposées, conjuguées à celles qui sont commentées aux sections 2.a.i et ii ci-dessus, font en sorte qu'un régime de placement ou un fonds réservé soit une IFDP pour son année d'imposition en cours s'il a un établissement stable dans une province participante de même que dans une province non participante au cours de cette année.

Les modifications proposées s'appliqueraient aux périodes de déclaration d'un régime de placement ou d'un fonds réservé se terminant après juin 2010.

Exemple 4 — Une FFCP ayant un lieu fixe d'affaires en Colombie-Britannique est autorisée par les lois provinciales régissant le commerce des valeurs mobilières à distribuer des unités par l'intermédiaire de courtiers en fonds communs de placement indépendants en Alberta. Outre son établissement stable en Colombie-Britannique, cette FFCP serait réputée avoir un établissement stable en Alberta. Puisqu'elle a un établissement stable dans une province participante (à compter du 1er juillet 2010) et un autre dans une province non participante, la FFCP serait une IFDP pour son exercice se terminant après juin 2010.

v. Régimes de placement et fonds réservés – Petits régimes de placement

Pour aider certains régimes de placement à se conformer aux règles, il est proposé d'établir une règle relative aux régimes de petite taille, de manière qu'un « petit régime de placement » ne soit pas tenu d'appliquer l'approche prévue pour les IFDP lorsqu'un seuil précis n'est pas dépassé. Serait un « petit régime de placement » au cours d'un exercice le régime dont la TPS non recouvrable (l'élément (A - B) de la formule de la MAS) pour son exercice précédent est inférieur au montant seuil de 10 000 $.

Une exception à cette règle s'appliquerait dans le cas des nouveaux régimes de placement. Ainsi, pour le premier exercice d'un régime de placement, le seuil applicable serait déterminé selon des règles similaires à celles qui servent à établir si une personne devient une IFDP au cours de l'exercice. Plus précisément, si le régime est un déclarant mensuel, le seuil correspondrait au quotient de 10 000 $ par 12 pour le premier mois complet suivant l'établissement du régime puis pour chaque mois subséquent de son exercice; si le régime est un déclarant trimestriel ou un déclarant annuel versant des acomptes trimestriels, le seuil pour chaque trimestre serait le quotient de 10 000 $ par quatre pour le premier trimestre complet suivant l'établissement du régime puis pour chaque trimestre subséquent de son exercice.

Un petit régime de placement ne serait pas réputé être une IFDP et serait assujetti aux règles générales d'autocotisation et de remboursement au regard de la TVAP. Toutefois, si le régime satisfait aux autres exigences (critères relatifs aux institutions financières désignées et aux établissements stables) qui en feraient une IFDP au cours d'un de ses exercices, il pourrait être autorisé à faire un choix afin d'être une IFDP pour l'exercice pour l'application de la LTA. Un tel choix demeurerait en vigueur pour les exercices subséquents du régime de placement jusqu'à ce que le régime le révoque ou cesse de remplir les critères relatifs aux institutions financières désignées et aux établissements stables. Le régime de placement ne pourrait révoquer le choix avant que celui-ci n'ait été en vigueur pendant au moins trois exercices[19]. Le choix d'être considéré comme une IFDP, ainsi que la révocation de ce choix, devraient tous deux être faits sur le formulaire autorisé par le ministre, lequel devra contenir les renseignements déterminés par celui-ci et lui être présenté selon les modalités réglementaires avant le début du premier exercice au cours duquel le choix ou la révocation doit prendre effet.

La règle relative aux petits régimes de placement ne s'appliquerait pas aux FFCP (y compris les FNB), aux SPCV ni aux fonds réservés.

Les modifications proposées s'appliqueraient aux périodes de déclaration d'un régime de placement se terminant après juin 2010.

vi. Régimes de placement et fonds réservés – Fiducies régies par un régime enregistré d'épargne-retraite, un fonds enregistré de revenu de retraite ou un régime enregistré d'épargne-études

Malgré les règles proposées qui sont exposées dans le présent document, les régimes de placement de particuliers qui sont des fiducies régies par des régimes enregistrés d'épargne-retraite, des fonds enregistrés de revenu de retraite ou des régimes enregistrés d'épargne-études ne seraient pas réputés être des IFDP. Ces régimes de placement seraient plutôt assujettis aux règles générales proposées sur le lieu de fourniture[20].

b. Pourcentage d'attribution quant à une province — Élément C de la formule de la MAS

Ainsi que cela est indiqué à la section 1.b ci-dessus, les IFDP sont tenues de calculer, pour chacune de leurs périodes de déclaration, la TVAP payable à chaque province participante au moyen de la formule de la MAS. L'élément C de cette formule (pourcentage d'attribution quant à une province) correspond actuellement au pourcentage applicable quant à la province, conformément aux règles visant la catégorie d'IFDP en cause (p. ex., banques, compagnies d'assurance, sociétés de fiducie et de prêt) aux termes du Règlement sur les IFDP.

Aux fins de déterminer la TVAP payable par une IFDP, il est proposé de modifier les règles servant à déterminer les pourcentages d'attribution quant à une province pour chaque catégorie d'IFDP de manière à mieux prendre en compte la consommation, dans chaque province, des services financiers fournis par ces différentes catégories d'IFDP.

Pour l'application des règles proposées concernant les pourcentages d'attribution quant à une province, qui sont commentées ci-après, un particulier sera réputé résider dans la province correspondant à son adresse postale, et une personne autre qu'un particulier sera réputée résider dans la province où se trouve son entreprise principale.

i. Banques

Selon les règles actuelles, le pourcentage d'attribution applicable, pour une période de déclaration donnée, à une IFDP qui est une banque, quant à une province participante où elle a un établissement stable, correspond au tiers de la somme des pourcentages suivants :

a) le pourcentage qui représente le rapport entre, d'une part, le total des traitements et salaires versés par la banque pendant la période aux employés de ses établissements stables situés dans la province et, d'autre part, le total des traitements et salaires qu'elle a versés pendant la période aux employés de ses établissements stables au Canada;

b) deux fois le pourcentage qui représente le rapport entre, d'une part, le total des prêts et dépôts de ses établissements stables situés dans la province pour la période et, d'autre part, le total des prêts et dépôts de ses établissements stables au Canada pour la période.

Il est proposé de modifier l'élément traitements et salaires qui est utilisé pour déterminer le pourcentage d'attribution, de manière à préciser que les traitements et salaires, dans la mesure où ils sont rattachés à des services financiers détaxés, ne sont pas pris en compte dans le calcul du pourcentage d'attribution[21].

Également, pour ce qui est de l'élément traitements et salaires servant au calcul le pourcentage d'attribution dans le cas des banques, il est proposé d'ajouter une règle similaire à celle énoncée à l'article 402.1 du RIR; cette règle s'appliquerait dans certains cas où un particulier qui est l'employé d'une société accomplit des services au profit ou pour le compte d'une autre société.

Il est aussi proposé que l'élément prêts et dépôts utilisé pour le calcul du pourcentage d'attribution dans le cas des banques soit modifié de manière que le montant des prêts et dépôts ne soit plus attribué systématiquement à la province où ces prêts et dépôts sont comptabilisés, mais soit plutôt attribué :

- dans le cas de prêts garantis par des terrains, à la province où les terrains sont situés;
- dans le cas de prêts (sauf des prêts garantis par des terrains) et de dépôts, à la province où réside l'emprunteur ou le titulaire du compte;

[19] Il est proposé que le ministre du Revenu national dispose du pouvoir discrétionnaire de révoquer le choix avant la fin de la période de trois exercices, sur demande du régime de placement.

[20] On trouvera de plus amples renseignements sur les nouvelles règles proposées concernant le lieu de fourniture sous le régime de la TVH en consultant le communiqué 2010-014 de Finances Canada et le Bulletin B-103 de l'ARC.

[21] Une modification similaire serait proposée aux règles générales relatives aux sociétés et à celles relatives aux particuliers dans le Règlement sur les IFDP.

- dans le cas de prêts (sauf des prêts garantis par des terrains) et de dépôts détenus par un non-résident, si l'opération est effectuée au Canada, à la province où se trouve l'établissement stable auquel l'opération est imputée[22].

De plus, il est proposé de modifier la pondération de l'élément traitements et salaires ainsi que de l'élément prêts et dépôts afin de s'assurer que le pourcentage d'attribution quant à une province rende mieux compte de la consommation de services financiers exonérés de la banque dans la province. Plus précisément, il est proposé que le pourcentage d'attribution applicable à une banque quant à une province participante soit pondéré en prenant en compte un cinquième de l'élément traitements et salaires et quatre cinquièmes de l'élément prêts et dépôts.

Considérant l'ensemble de ces modifications proposées, le pourcentage d'attribution applicable à une banque pour une période de déclaration donnée quant à une province participante où elle a un établissement stable correspondrait au cinquième de la somme des pourcentages suivants :

a) le pourcentage qui représente le rapport entre, d'une part, le total des traitements et salaires versés par la banque pendant la période aux employés de ses établissements stables situés dans la province et, d'autre part, le total des traitements et salaires qu'elle a versés pendant la période aux employés de ses établissements stables au Canada;

b) quatre fois le pourcentage qui représente le rapport entre :

- d'une part, le total pour la période de déclaration :
  - des prêts garantis par des terrains situés dans la province,
  - des prêts (sauf ceux garantis par des terrains) et des dépôts dont les emprunteurs et les détenteurs résident dans la province,
  - des prêts (sauf ceux garantis par des terrains) et des dépôts dont les emprunteurs et les détenteurs sont des non-résidents et qui sont imputés à un établissement stable situé dans la province,
- d'autre part, le total des prêts et dépôts de ses établissements stables au Canada pour la période[23].

Les modifications proposées s'appliqueraient aux exercices d'une banque commençant après juin 2010.

ii. Compagnies d'assurance

Selon les règles actuelles, le pourcentage d'attribution applicable à une IFDP qui est une compagnie d'assurance, pour une période de déclaration donnée, quant à une province participante où elle a un établissement stable correspond au pourcentage qui représente le rapport entre :

a) d'une part, la somme de ses primes nettes pour la période relatives à l'assurance sur des biens situés dans la province et de ses primes nettes pour la période relatives à l'assurance, sauf celle sur des biens, découlant de contrats conclus avec des personnes résidant dans la province;

b) d'autre part, la somme de ses primes nettes pour la période relatives à l'assurance sur des biens situés au Canada et de ses primes nettes pour la période relatives à l'assurance, sauf celle sur des biens, découlant de contrats conclus avec des personnes résidant au Canada.

À l'heure actuelle, lorsqu'une compagnie d'assurance n'a pas d'établissement stable dans une province donnée, elle doit, aux termes d'une règle secondaire, attribuer la somme de ses primes nettes relatives à l'assurance de biens situés dans la province et de celles relatives à l'assurance de contrats conclus avec des personnes résidant dans la province à une autre province où elle a un établissement stable auquel il est raisonnable d'attribuer les primes nettes. Or, les modifications de la définition du terme « établissement stable » relativement aux compagnies d'assurance (se reporter à la section 2.a.iii.B) rendent cette règle secondaire inutile, étant donné que, aux fins de calculer le pourcentage d'attribution applicable à une compagnie d'assurance, quant à une province, selon la formule de la MAS, la compagnie d'assurance attribuerait toujours les primes nettes à la province dans laquelle les biens assurés sont situés ou les personnes assurées résident.

Il est également proposé d'exclure du calcul du pourcentage d'attribution applicable aux compagnies d'assurance certaines primes d'assurance rattachées à des services financiers détaxés (par exemple, dans le cas d'une police collective d'assurance vie, maladie et accident visant des non résidents). De même, dans le cas d'une police d'assurance couvrant des risques habituellement situés à l'extérieur du Canada, les primes connexes seraient exclues de la formule de la MAS.

Les modifications proposées s'appliqueraient aux exercices d'une compagnie d'assurance commençant après juin 2010.

iii. Sociétés de fiducie et de prêt

Selon les règles actuelles, le pourcentage d'attribution applicable à une IFDP qui est une société de fiducie et de prêt, pour une période de déclaration donnée, quant à une province participante où elle a un établissement stable correspond au pourcentage qui représente le rapport entre :

a) d'une part, les recettes brutes, pour la période, de ses établissements stables situés dans la province;

b) d'autre part, les recettes brutes totales, pour la période, de ses établissements stables au Canada.

Les recettes brutes totales des établissements stables d'une société de fiducie et de prêt dans une province participante sont égales au total de ses recettes brutes pour la période de déclaration donnée provenant des sources suivantes

- les prêts garantis par des terrains situés dans la province participante
- les prêts (sauf ceux garantis par des terrains) consentis à des personnes résidant dans la province;
- les prêts qui répondent aux conditions suivantes, à l'exception de ceux qui sont garantis par des terrains situés dans une province, ou dans un pays étranger, où l'institution financière a un établissement stable :
  - ils sont consentis à des personnes résidant dans une province, ou dans un pays étranger, où l'institution financière n'a pas d'établissement stable;
  - ils sont administrés par un établissement stable situé dans la province participante;
- les affaires menées à ses établissements stables situés dans la province participante, sauf celles qui donnent lieu à des recettes provenant de prêts.

Toujours selon les règles actuelles, lorsqu'une société de fiducie et de prêt n'a pas d'établissement stable dans une province donnée, le pourcentage d'attribution applicable à cette société quant à cette province, aux termes d'une règle secondaire, est égal à zéro, et tout montant de recettes brutes provenant de prêts garantis par des terrains situés dans la province, de prêts (sauf ceux garantis par des terrains) consentis à des personnes résidant dans la province et d'affaires menées dans la province sera attribué à une autre province où la société a un établissement stable. Or, les modifications de la définition du terme « établissement stable » relativement aux sociétés de fiducie et de prêt (se reporter à la section 2.a.iii.C ci-dessus) rendent cette règle secondaire inutile, étant donné que les recettes brutes provenant de prêts garantis par des terrains situés dans la province et de prêts (sauf ceux garantis par des terrains) consentis à des personnes résidant dans la province seraient désormais toujours attribuées à cette province.

Les modifications proposées s'appliqueraient aux exercices d'une société de fiducie et de prêt commençant après juin 2010.

iv. Régimes de placement et fonds réservés

Selon les règles actuelles, le pourcentage d'attribution applicable à une IFDP qui est un régime de placement ou un fond réservé, pour une période de déclaration donnée, quant à une province participante où elle a un établissement stable correspond généralement à la moitié de la somme des pourcentages suivants :

a) le pourcentage qui représente le rapport entre, d'une part, les recettes brutes de l'IFDP pour la période qu'il est raisonnable d'attribuer à ses établissements stables situés dans la province et, d'autre part, les recettes brutes totales pour la période qu'il est raisonnable d'attribuer à ses établissements stables au Canada;

b) le pourcentage qui représente le rapport entre, d'une part, le total des traitements et salaires qu'elle a versés pendant la période aux employés de ses établissements stables situés dans la province et, d'autre part, le total des traitements et salaires qu'elle a versés pendant la période aux employés de ses établissements stables au Canada.

En général, le pourcentage d'attribution ainsi calculé rendra davantage compte de la province où sont exécutés les services du régime ou du fonds plutôt que de celle où résident les consommateurs finals de ces services.

Il est proposé de modifier les règles de calcul du pourcentage d'attribution applicable aux régimes de placement et aux fonds réservés afin que ce calcul soit fondé sur la valeur des placements (et, le cas échéant, la valeur des droits) des investisseurs, participants ou bénéficiaires - les consommateurs finals des services de ces régimes et fonds - dans une province.

Ces règles seront commentées d'abord en regard de leur application aux FFCP. Précisons toutefois qu'elles s'appliquent de façon générale aux fonds réservés et aux autres régimes de placement, par exemple les SPCV, les entités de gestion de régimes de pension, les SPH ou les fiducies régies par des RPDB, des RPEB, des CR, des FE, des RPE, des FSBE ou des REPSC. Il est question à la section 2.b.iv.B ci-dessous des circonstances où des règles spéciales, différentes des règles générales commentées à la section 2.b.iv.A, s'appliquent aux fonds réservés et aux autres régimes de placement.

A. Pourcentage d'attribution

Ainsi que cela est indiqué ci-après, il est proposé de modifier les règles de calcul du pourcentage d'attribution applicable à une FFCP de façon à se fonder sur la valeur des

[22] Cette mesure fait en sorte que seuls les prêts et les dépôts rattachés à des services financiers détaxés fournis à des non-résidents soient exclus du calcul du pourcentage d'attribution quant à la province.

[23] Comme le prévoient les règles en vigueur, la valeur des prêts et dépôts serait déterminée à l'heure de clôture le dernier jour de chaque mois se terminant dans une période de déclaration, et le pourcentage des prêts et dépôts pour cette période correspondrait à la moyenne de ces calculs mensuels.

placements des détenteurs d'unités de la FFCP dans une province participante. Il faudrait dès lors que la FFCP connaisse l'endroit où se trouvent ses détenteurs d'unités et la valeur de leurs placements dans une province participante donnée[24].

1. Calcul du pourcentage d'attribution pour une série d'unités

Il est proposé que la FFCP comptant plus d'une série d'unités soit tenue de calculer son pourcentage d'attribution pour chaque série[25]. La formule de la MAS s'appliquerait alors à chaque série d'unités.

Lorsqu'un gestionnaire de fonds a créé un fonds provincial ou une série d'unités, de sorte qu'aucune des unités faisant partie de la série ou du fonds ne puisse être vendue à l'extérieur d'une province donnée, la formule de la MAS ne s'appliquerait pas au fonds ou à la série d'unités; ce seraient plutôt les règles générales d'autocotisation et de remboursement qui s'appliqueraient.

Les modifications proposées s'appliqueraient aux exercices d'une FFCP se terminant après juin 2010.

2. Méthode de calcul du pourcentage d'attribution

Il est proposé que le pourcentage d'attribution quant à une province participante qui est calculé pour chaque série d'unités d'une FFCP corresponde au rapport suivant :

J/K

où :

- J est la valeur des unités de la série dont les détenteurs se trouvent dans une province participante;
- K est la valeur des unités de la série dont les détenteurs sont au Canada[26].

Dans le cas où une FFCP n'a pas d'établissement stable (réel ou réputé) dans une province au cours de sa période de déclaration, son pourcentage d'attribution quant à la province serait nul.

Les modifications proposées s'appliqueraient aux exercices d'une FFCP se terminant après juin 2010.

3. Règles de transparence - Investisseurs institutionnels

Aux fins de calculer le pourcentage d'attribution quant à une province participante, une FFCP devrait obtenir des renseignements sur les particuliers détenteurs d'unités. Toutefois, les investisseurs dans une FFCP pourraient être des investisseurs institutionnels (par opposition aux investisseurs de détail, qui sont des particuliers)[27]. Étant donné que la valeur des unités détenues par un investisseur institutionnel profite aux particuliers qui sont ses détenteurs d'unités ou de contrats, ses associés, ses actionnaires ou ses bénéficiaires dans le cas de fonds réservés ou d'autres régimes de placement, la FFCP devrait déterminer l'emplacement et la valeur des investissements que détiennent ces particuliers par l'intermédiaire de l'investisseur institutionnel.

Sous réserve des règles relatives aux investisseurs déterminés qui sont commentées à la section 2.b.iv.A.7.A, un investisseur institutionnel serait tenu, relativement à ses investissements dans une FFCP, d'indiquer à cette dernière son pourcentage d'attribution quant à chaque province participante. L'investisseur institutionnel pourrait à son tour devoir identifier les personnes détenant des investissements par l'intermédiaire d'autres investisseurs institutionnels.

Supposons par exemple que FFCP 3 investit dans FFCP 2, qui investit elle même dans FFCP 1 : FFCP 3 devrait transmettre à FFCP 2 son pourcentage d'attribution relativement à son investissement dans cette dernière. Puisqu'elle a investi dans FFCP1, FFCP2 devrait à son tour transmettre son pourcentage d'attribution - qui rendrait compte en partie de l'information relative au pourcentage d'attribution applicable à FFCP 3 - relativement à son propre investissement dans FFCP 1. Dans le cas d'un investissement à plusieurs niveaux, une telle communication de renseignements serait requise à chaque niveau.

Le tableau suivant résume les exigences de communication de renseignements touchant les investisseurs institutionnels[28] :

Catégorie d'investisseur institutionnel	Renseignements à communiquer par l'investisseur institutionnel à la FFCP[29] dans les trois mois suivant la date d'attribution applicable à cette dernière (30 septembre - voir la section 2.b.iv.A.4 ci-dessous)
1. IFDP	
a. Régimes de placement qui sont des FFCP, des SPCV, des fiducies d'investissement à participation unitaire ou des fonds réservés	Pourcentage d'attribution calculé au 30 septembre (date d'attribution applicable à la FFCP)
b. Régimes de placement autres que des FFCP, des SPCV, des fiducies d'investissement à participation unitaire ou des fonds réservés	Pourcentage d'attribution le plus récent à avoir été calculé pour l'IFDP avant la date d'attribution applicable à la FFCP
c. Banques, sociétés de personnes, sociétés et fiducies qui ne sont ni des régimes de placement ni des « investisseurs déterminés » (investissement d'une valeur d'au moins 10 000 000 $ dans la FFCP)	Pourcentage d'attribution le plus récent à avoir été calculé pour l'IFDP avant la date d'attribution applicable à la FFCP
2. Autres investisseurs	
a. Banques, sociétés de personnes, sociétés et fiducies qui ne sont pas des « investisseurs déterminés » (investissement d'une valeur d'au moins 10 000 000 $ dans la FFCP)	Pourcentage d'attribution le plus récent à avoir été calculé aux fins de l'impôt sur le revenu avant la date d'attribution applicable à la FFCP
b. Investisseurs déterminés (qu'il s'agisse d'investisseurs qui ne sont pas des régimes de placement ou des fonds réservés et dont la valeur de l'investissement dans la FFCP est inférieure à 10 000 000 $, ou de petits régimes de placement qui n'ont pas fait le choix d'être considérés comme des IFDP)	Si l'entité est une fiducie, l'adresse d'affaires du fiduciaire Si l'entité est une société, l'adresse de son entreprise principale Si l'entité est une société de personnes, l'adresse de son entreprise principale ou, en l'absence d'une telle adresse, l'adresse de l'entreprise principale de son commandité

Ainsi que cela est indiqué à la section 2.c ci-dessous, tous les régimes de placement et fonds réservés qui sont des IFDP devraient utiliser l'année civile comme exercice. Cela faciliterait l'échange de renseignements entre régimes et fonds réservés qui sont des IFDP et qui ont investi les uns dans les autres; ces renseignements leurs seraient nécessaires afin de calculer leurs pourcentages d'attribution et de produire leurs déclarations de TPS/TVH en respectant la date d'échéance de production (soit dans les six mois suivant la fin de leur exercice).

Si le fiduciaire ou le gestionnaire du fonds n'est pas en mesure d'obtenir des renseignements sur les investisseurs pour la totalité ou la presque totalité (90 % ou plus) de la valeur des unités d'une série d'unités ou d'un fonds afin de pouvoir attribuer la valeur des unités au Canada à chaque province, la valeur des unités au Canada pour lesquelles les renseignements ne sont pas disponibles demeurerait non attribuée et devrait être déclarée comme telle. Aux fins du calcul de la TVAP payable selon la formule de la MAS, ces unités serait assujetties au taux provincial d'imposition le plus élevé parmi les provinces participantes au 1er janvier de l'exercice pour lequel le fonds produit une déclaration.

Les modifications proposées s'appliqueraient aux exercices d'une FFCP se terminant après juin 2010.

4. Date d'attribution - Date de calcul

---

[24]Des règles anti-évitement seraient établies pour éviter que le pourcentage d'attribution applicable à une FFCP quant à une province ne soit modifié en raison d'une opération ou d'une série d'opérations (y compris des opérations liées qui ont été complétées en prévision de la série) dont les parties ont entre elles des liens de dépendance et qui est exécutée en vue de modifier le pourcentage d'attribution applicable à la FFCP.

[25]Si la déclaration de la taxe se fait sur une base consolidée, ainsi que cela est décrit à la section 2.d.ii, le pourcentage d'attribution applicable à la FFCP (ou aux FFCP s'il y a consolidation) serait calculé au moyen d'une formule prévue par règlement.

[26]Ces détenteurs d'unités n'incluraient pas les non-résidents; les services financiers fournis par la FFCP à ces derniers seraient des services financiers détaxés.

[27]Sont notamment des investisseurs institutionnels les fonds réservés, les régimes de pension, d'autres fonds communs de placement, les sociétés et les sociétés de personnes.

[28]La FFCP recevant de tels renseignements d'un investisseur institutionnel devrait en assurer la confidentialité.

[29]Si la FFCP est un FNB, l'investisseur institutionnel ne serait pas tenu de fournir de renseignements sur le pourcentage d'attribution. Par contre, sur demande du FNB, l'investisseur institutionnel devrait indiquer son emplacement.

Il est proposé que les FFCP procèdent au calcul du pourcentage d'attribution quant à une province participante au moins une fois par exercice (la « date de calcul ») pour chacune de leurs séries[30]. On parlera de la « date d'attribution » d'une FFCP pour désigner la date de ce calcul. De manière qu'il y ait assez de temps pour procéder à l'échange de renseignements avant la fin de l'exercice, il est proposé que la date d'attribution soit le 30 septembre de chaque exercice[31].

Le fait que la date d'attribution soit fixée par règlement au 30 septembre n'empêcherait pas une FFCP d'utiliser une moyenne annuelle pour calculer le pourcentage d'attribution. La FFCP serait autorisée à calculer le pourcentage d'attribution sous forme de moyenne de pourcentages trimestriels, mensuels, hebdomadaires ou quotidiens sur une période de douze mois se terminant le 30 septembre[32].

Les modifications proposées s'appliqueraient aux exercices d'une FFCP se terminant après juin 2010.

5. Méthode de calcul du pourcentage d'attribution - Première année d'un nouveau fonds ou d'une nouvelle série d'unités

Dans le cas où une nouvelle FFCP ou une nouvelle série d'unités d'une FFCP est créée (à la suite d'une fusion ou autrement), il est proposé que, pour l'exercice de la FFCP (soit l'année civile) où le fonds ou la série d'unité sont créés, la date d'attribution, c'est à dire la date de calcul du pourcentage d'attribution (se reporter à la section 2.b.iv.A.2), applicable au fonds ou à la série d'unités corresponde au jour qui suit de 90 jours la distribution initiale de la série ou du fonds, selon le cas[33].

Il est proposé que, en cas de fusion de fonds ou de séries d'unités d'un fonds donnant lieu à la création d'un nouveau fonds ou d'une nouvelle série d'unités, le pourcentage d'attribution (élément C de la formule de la MAS) applicable au nouveau fonds ou à la nouvelle série quant à une province pour l'exercice où la fusion se produit corresponde au pourcentage obtenu en additionnant les pourcentages suivants, dont chacun correspond, à l'égard des fonds ou des séries d'unités remplacés qui ont fusionné pour créer le nouveau fonds ou la nouvelle série d'unités, au résultat de la multiplication de A par B, où :

A est le pourcentage d'attribution quant à la province, utilisé immédiatement avant la fusion par le fonds ou la série d'unités fusionné;

B est la proportion que représente le fonds ou la série fusionné par rapport à la valeur totale des unités du nouveau fonds ou de la nouvelle série immédiatement après la fusion.

Pour chaque nouveau fonds ou chaque nouvelle série d'unités d'une FFCP, on pourrait utiliser l'une des deux méthodes suivantes afin de calculer le pourcentage d'attribution pour l'exercice de la FFCP où le fonds ou la série d'unités a été créé :

- La FFCP qui fait un choix pour le premier exercice du fonds ou de la série utiliserait une méthode de calcul en temps réel modifiée semblable à celle prévue par les règles courantes (se reporter à la section 2.b.iv.6.c ci-dessous). Toutefois, l'exigence des règles courantes selon laquelle la totalité ou la presque totalité de la valeur des unités de la série ou du fonds doit être détenue par des investisseurs de détail ne s'appliquerait pas. En outre, contrairement à la méthode de calcul en temps réel courante, il ne serait pas fait abstraction des unités détenues par les investisseurs institutionnels dans le calcul du pourcentage d'attribution de la FFCP, et celle-ci devrait tenir compte de ces unités dans le calcul de ce pourcentage. Dans le cas d'un investisseur institutionnel, l'emplacement pertinent serait celui de l'institution, à moins que la FFCP ne choisisse d'identifier la totalité ou la presque totalité des investisseurs institutionnels. (La méthode de calcul en temps réel courante s'appliquerait aux unités détenues par les investisseurs de détail.)

  Le choix d'utiliser la méthode de calcul en temps réel modifiée devrait être fait sur le formulaire autorisé par le ministre du Revenu national, lequel devra contenir les renseignements déterminés par celui-ci et être consigné dans les registres de la FFCP.

- La FFCP qui ne choisit pas d'utiliser la méthode de calcul en temps réel modifiée pour le premier exercice du fonds ou de la série utiliserait une méthode de majoration. Selon cette méthode, le pourcentage d'attribution applicable à un nouveau fonds ou à une nouvelle série d'unités au cours de la période qui suit de 90 jours la distribution initiale (en comptant la date de la distribution initiale) serait égal à zéro. Par contre, le pourcentage d'attribution calculé à la date d'attribution (soit le jour qui suit de 90 jours la date de la distribution initiale) serait majoré de manière à rendre compte de la TVAP attribuable aux détenteurs d'unités des provinces participantes au cours de la période initiale de 90 jours. Cela signifie que le facteur de majoration du pourcentage d'attribution applicable à la FFCP à l'égard du nouveau fonds ou de la nouvelle série au cours de son premier exercice (en incluant le jour de la distribution) serait égal au nombre de jours de l'exercice suivant la distribution initiale des unités du nouveau fonds ou de la nouvelle série, divisé par le nombre de jours que compte l'exercice à partir du 90e jour suivant la distribution initiale.

  Si la date de distribution initiale de la FFCP et la date d'attribution initiale ne surviennent pas au cours du même exercice, le pourcentage d'attribution calculé à la date d'attribution s'appliquerait à l'exercice comprenant la date de distribution initiale ainsi qu'à l'exercice suivant. Dans un tel cas, le numérateur et le dénominateur du facteur de majoration incluraient le nombre de jours que compte l'exercice après la date d'attribution initiale. De ce fait, la date d'attribution du 30 septembre ne s'appliquerait pas à l'exercice de la FFCP où le fonds ou la série d'unités a été créé.

  Si l'on calcule le pourcentage d'attribution applicable à la nouvelle série ou au nouveau fonds pour le premier exercice selon la méthode de majoration, les règles de transparence (commentées à la section 2.b.iv.A.3 ci-dessus) ne s'appliqueraient pas. Il est également proposé que le seuil utilisé aux fins du critère relatif à « la totalité ou la presque totalité » soit ramené à 80 % (en d'autres termes, si l'on a pu déterminer l'endroit où se situent les particuliers détenant au moins 80 % de la valeur des unités, le pourcentage d'attribution relatif à cette proportion d'unités servirait à calculer le pourcentage d'attribution pour 100 % de la valeur des unités).

Les modifications proposées s'appliqueraient aux exercices d'une FFCP se terminant après juin 2010.

Exemple 5 - Une nouvelle série d'unités est créée le 1er janvier 2012. La FFCP choisit d'utiliser la méthode de majoration. Conformément à cette méthode, la date d'attribution applicable à la nouvelle série pour l'exercice 2012 est le 31 mars 2012. Le pourcentage d'attribution quant au Nouveau Brunswick, déterminé au 31 mars 2012, est de 5 %. Ce pourcentage d'attribution sera majoré au moyen du facteur obtenu en divisant le nombre de jours de la période allant du 1er janvier au 30 décembre 2012 par le nombre de jours à partir du 90e jour suivant la date de la distribution initiale (ici, le 31 mars 2012) jusqu'au 31 décembre 2012 (366/276), ce qui donne 6,63 % (5 % x 366/276). Ce pourcentage majoré, calculé au 31 mars 2012 (6,63 %), sera appliqué à la série aux fins de calculer les acomptes au titre de la TVAP payable selon la formule de la MAS.

6. Application du pourcentage d'attribution

Une FFCP pourrait choisir l'une de trois méthodes pour calculer le pourcentage d'attribution applicable à son exercice.

Afin de remplir les exigences de certains choix exposés ci-dessous, une FFCP doit disposer de renseignements lui indiquant où se trouvent les investisseurs qui détiennent la totalité ou la presque totalité des unités d'une série d'unités d'un fonds. Or, elle remplit cette exigence si elle obtient des renseignements quant à l'endroit où se trouvent les particuliers (investisseurs ultimes) qui détiennent au moins 90 % de la valeur des unités d'une série d'unités, en recourant aux règles de transparence.

Dans le cas des trois méthodes, si la FFCP est en mesure de déterminer l'endroit où se situent les particuliers (investisseurs ultimes) détenant au moins 90 % de la valeur totale des unités d'une série, la distribution provinciale de la valeur de ces unités serait réputée représenter la distribution provinciale de 100 % de la valeur des unités de la série.

6 - La distribution de la valeur des unités de la série A du fonds commun de placement ABC détenues par des investisseurs est la suivante : investisseurs de détail (particuliers) - 60 %; fonds réservés - 20 %; régimes de pension - 10 %; sociétés - 5 %; autres fonds communs de placement - 5 %. Avant la date du 31 décembre 2012, ABC dispose de renseignements concernant les investisseurs de détail et les particuliers bénéficiaires des fonds réservés et des régimes de pension. Il n'a pas déterminé qui sont les investisseurs ultimes dans le cas des sociétés et des autres fonds communs de placement. Étant donné qu'ABC satisfait au critère de la « totalité ou la presque totalité », il peut utiliser les renseignements sur les investisseurs de détail, les fonds réservés et les régimes de pension afin de calculer le pourcentage d'attribution quant à chaque province participante pour l'exercice 2013.

a. Règle générale (avec rapprochement)

Conformément à la règle générale proposée, une FFCP serait autorisée à utiliser le pourcentage d'attribution calculé selon les données de l'exercice précédent pour déterminer le montant estimatif des acomptes payables pour l'exercice en cours, un rapprochement étant effectué dans la déclaration finale de l'IFDP au moyen du pourcentage d'attribution calculé cette fois avec les chiffres de l'exercice en cours et en tenant compte de la TPS non recouvrable pour cet exercice. Le pourcentage d'attribution estimatif quant à une province participante, calculé à partir des données de l'exercice précédent, servirait à déterminer les acomptes des déclarants annuels pour l'exercice en cours (sauf si, selon les estimations de la FFCP, les acomptes payables pour l'exercice en cours sont inférieurs à ceux de l'exercice précédent). Par contre, la TVAP payable pour l'exercice en cours serait déterminée en fonction du pourcentage d'attribution quant à la province par-

[30] Cette règle s'appliquerait également aux SPCV et aux fonds réservés.

[31] La date d'attribution du 30 septembre ne s'appliquerait pas à l'année de transition (à savoir, l'exercice chevauchant la date de mise en œuvre du 1er juillet 2010) ni au premier exercice des nouveaux fonds.

[32] Des règles anti évitement seraient établies pour éviter toute planification fiscale inappropriée pivotant autour de la date d'attribution.

[33] Ces règles s'appliqueraient également aux fonds réservés et aux SPCV.

ticipante d'après les valeurs de l'exercice en cours[34]. La ou les déclarations finales de l'IFDP, fondées sur les données de l'exercice en cours, devraient être produites dans les six mois suivant la fin de l'exercice. Ce délai est suffisant pour qu'il soit possible d'obtenir des renseignements relatifs à l'exercice en cours.

Si la FFCP dispose de renseignements sur l'endroit où se situent les investisseurs détenant la totalité ou la presque totalité de la valeur des unités d'une série donnée (en conformité avec les règles de transparence), qu'il s'agisse de données trimestrielles, mensuelles, hebdomadaires ou quotidiennes, elle pourrait choisir, en application de la règle générale, d'utiliser des valeurs trimestrielles, mensuelles, hebdomadaires ou quotidiennes allant jusqu'au 30 septembre de l'exercice - dernière date de calcul - afin de calculer une moyenne et de déterminer son pourcentage d'attribution pour l'exercice. Lorsqu'une FFCP fait ce choix pour l'un de ses exercices, le choix demeurerait en vigueur pour l'ensemble de ses exercices subséquents jusqu'à ce que la FFCP le révoque ou choisisse d'utiliser la méthode fondée sur l'exercice précédent ou la méthode de calcul en temps réel. La FFCP ne pourrait révoquer le choix avant que celui-ci n'ait été en vigueur pendant au moins trois exercices[35]. Le choix devrait être fait sur le formulaire autorisé par le ministre, lequel devra contenir les renseignements déterminés par celui-ci. Il devrait être consigné dans les registres de la FFCP et n'aurait pas à être présenté au ministre.

Exemple 7 - Une FFCP qui est un déclarant annuel utilisant des moyennes trimestrielles calcule son pourcentage d'attribution en vue de déterminer ses acomptes pour l'année civile 2015; à cette fin, elle utilise la valeur moyenne des unités d'une série donnée au 31 décembre 2013, au 31 mars 2014, au 30 juin 2014 et au 30 septembre 2014. À partir de cette moyenne, la FFCP calcule son pourcentage d'attribution afin de déterminer les acomptes payables à une province participante donnée au titre de la TVAP.

Afin d'effectuer le rapprochement requis pour 2015, la FFCP calcule son pourcentage d'attribution à partir de la valeur moyenne des placements au 31 décembre 2014, au 31 mars 2015, au 30 juin 2015 et au 30 septembre 2015. Le rapprochement entre les acomptes versés et le montant final de la TVAP payable est effectué dans la déclaration de la FFCP à titre d'IFDP, dont la date d'échéance de production est le 30 juin 2016.

Les modifications proposées s'appliqueraient aux exercices d'une FFCP se terminant après juin 2010.

b. Méthode fondée sur l'exercice précédent (sans rapprochement)

Il est proposé d'autoriser une FFCP à faire un choix afin de calculer un pourcentage d'attribution applicable à une série d'unités donnée pour un exercice donné en se fondant sur la valeur des unités de la série détenues par des investisseurs dans une province participante au 30 septembre de l'exercice précédent. (date de calcul unique)[36].

Lorsqu'une FFCP (ayant utilisé au besoin les règles de transparence) dispose de renseignements sur l'endroit où se trouvent les particuliers qui détiennent la totalité ou la presque totalité de la valeur des unités d'une série donnée, elle pourrait choisir de faire un deuxième choix d'utiliser une moyenne fondée sur des dates de calcul trimestrielles, mensuelles, hebdomadaires ou quotidiennes dont la dernière serait la date d'attribution de l'exercice précédent, soit le 30 septembre. Le pourcentage d'attribution moyen pour la période de douze mois se terminant le 30 septembre de l'exercice précédent servirait à calculer la TVAP payable par la FFCP à l'égard de la série pour l'exercice en cours.

Le choix d'utiliser la méthode fondée sur l'exercice précédent et le choix d'utiliser la moyenne devraient tous deux être faits avant le début du premier exercice auquel le choix en cause s'applique. Dès lors que la FFCP a fait le choix d'appliquer la méthode fondée sur l'exercice précédent pour un exercice donné, elle doit continuer d'utiliser cette méthode pendant au moins trois exercices consécutifs avant qu'elle ne puisse le révoquer. Dans le même ordre d'idées, dès lors que la FFCP a choisi d'utiliser la moyenne pour un exercice, elle doit continuer de l'utiliser pendant au moins trois exercices consécutifs avant qu'elle ne puisse le révoquer[37], sauf si, avant ce moment, le choix fondé sur l'exercice précédent cesse d'être en vigueur. La révocation de l'un ou l'autre choix devrait être faite avant le début du premier exercice de la FFCP auquel elle se rapporte. Les deux choix ainsi que les révocations devraient être faits sur le formulaire autorisé par le ministre du Revenu national, lequel doit contenir les renseignements déterminés par celui-ci. Ni l'un ni l'autre des choix n'auraient à être présentés au ministre[38]; ils devraient toutefois être consignés dans les registres de la FFCP.

Si la FFCP utilise une date de calcul unique pour déterminer le pourcentage d'attribution relatif à une série donnée d'unités et que plus de 10 % de la valeur totale des unités de la série sont détenues par des investisseurs institutionnels, la série serait assujettie à des règles anti évitement particulières qui auraient pour effet de faire abstraction des opérations visant à modifier le pourcentage d'attribution quant à une province participante.

Contrairement à ce que prévoit la règle générale, la FFCP faisant le choix relatif à l'exercice précédent n'aurait pas à effectuer de rapprochement au titre de sa TVAP payable à la fin de l'exercice.

Exemple 8 - Une FFCP qui est un déclarant annuel doit calculer son pourcentage d'attribution pour l'exercice 2012 d'après la valeur des unités d'une série donnée détenues dans une province participante au 30 septembre 2011, à moins qu'elle ne choisisse d'utiliser un plus grand nombre de dates de calcul. La FFCP doit utiliser ce pourcentage d'attribution pour déterminer les acomptes payables du 1er janvier au 31 décembre de l'année civile 2012. Les montants imputés au cours de l'exercice 2012 continueront de constituer sa TVAP payable pour l'exercice lorsqu'elle produira sa déclaration finale à titre d'IFDP, dont la date d'échéance de production est le 30 juin 2013.

Exemple 9 - Une FFCP est une IFDP pour son exercice 2011, et sa date d'attribution est le 30 septembre 2010.

La série A de la FFCP compte 10 000 unités, la valeur de chaque unité étant de 10 $ au 30 septembre 2011, de sorte que la valeur totale de la série à cette date est de 100 000 $. Au 30 septembre 2011, ces unités sont détenues de la façon suivante :

- *1 000 sont détenues par un fonds réservé, dont le pourcentage d'attribution quant à l'Ontario - seule province participante à laquelle un pourcentage d'attribution est applicable - au 30 septembre 2011 est de 10 %.*
- *1 000 autres sont détenues par une entité de gestion de régime de pension dont le pourcentage d'attribution quant à l'Ontario - encore une fois la seule province participante à laquelle un pourcentage d'attribution est applicable - au 30 septembre 2011 est également de 10 %.*
- *Les 8 000 autres unités sont détenues par des investisseurs de détail dans des provinces non participantes.*

La FFCP doit calculer son pourcentage d'attribution quant à l'Ontario relativement à la série A au 30 septembre 2011 (date d'attribution) afin de déterminer la TVAP payable à l'Ontario pour la période de déclaration pertinente.

La FFCP prendra en compte les renseignements reçus de l'entité de gestion de régime de pension et du fonds réservé aux fins de calculer ce pourcentage d'attribution quant à l'Ontario à la date d'attribution (le 30 septembre 2011), conformément à la formule applicable aux IFDP. Ce calcul est le suivant :

L J/K

2 000 $/100 000 $

où :

- *J est la somme des éléments suivants :*

  La valeur des unités détenues par des investisseurs de l'Ontario dans le fonds réservé, d'après le pourcentage d'attribution applicable au fonds réservé quant à l'Ontario au 30 septembre 2011 (10 % x 1 000 unités x 10 $ l'unité = valeur nette de 1 000 $);

  La valeur des unités détenues par des investisseurs de l'Ontario dans l'entité de gestion de régime de pension, d'après le pourcentage d'attribution applicable à l'entité de gestion quant à l'Ontario au 30 septembre 2011 (10 % x 1 000 unités x 10 $ l'unité = valeur nette de 1 000 $)

  La valeur des unités détenues par des investisseurs de détail de l'Ontario au 30 septembre 2011 (0 % x 8 000 unités x 10 $ l'unité = valeur nette de 0 $).

- *Le pourcentage d'attribution (élément C de la formule applicable aux IFDP) quant à l'Ontario relativement à la série A est de 2 %. La FFCP utilisera ce pourcentage d'attribution afin de déterminer la TVAP payable à l'Ontario à l'égard de la série A.*

Les modifications proposées s'appliqueraient aux exercices d'une FFCP se terminant après juin 2010.

c. Méthode de calcul en temps réel

Cette méthode pourrait être utilisée lorsque la totalité ou la presque totalité de la valeur des unités d'une série donnée sont détenues par des investisseurs de détail (c'est-à-dire, des particuliers) et que la FFCP fait le choix d'utiliser la règle à l'égard de la série pour un exercice donné. Aucune règle de transparence ne s'appliquerait ici; on se fonderait sur la distribution provinciale des investisseurs de détail pour déterminer le pourcentage d'attribution à l'égard de 100 % de la valeur des unités.

Une FFCP pourrait faire un choix afin de calculer son pourcentage d'attribution quant à une province participante en fonction de l'endroit où se trouvent les détenteurs d'unités,

---

[34]La règle générale serait la règle par défaut, où aucun choix d'utiliser la méthode fondée sur l'exercice précédent ou la méthode de calcul en temps réel n'a été fait. Selon la règle par défaut, où aucun choix d'utiliser la moyenne n'a été fait, le pourcentage d'attribution serait calculé à une date donnée (soit le 30 septembre).

[35]Il est proposé que le ministre du Revenu national dispose du pouvoir discrétionnaire de révoquer le choix avant la fin de la période de trois exercices, sur demande de la FFCP.

[36]Étant donné que les FNB ne seraient pas assujettis aux règles de transparence relativement aux investisseurs institutionnels, ils ne pourraient utiliser une date de calcul unique mais devraient plutôt calculer le pourcentage d'attribution à partir des totaux fondés sur deux ou quatre dates de calcul.

[37]Il est proposé que le ministre du Revenu national dispose du pouvoir discrétionnaire de révoquer avant la fin de la période de trois exercices, sur demande de la FFCP, le choix fondée sur l'exercice précédent ou le choix d'utiliser la moyenne.

[38]Relativement à certains des choix mentionnés dans le présent document, une IFDP peut avoir à préciser dans sa déclaration si elle a fait les choix en question.

à partir de données quotidiennes ou de données établies au premier jour de chaque mois. Dans ce dernier cas, le pourcentage d'attribution déterminé le premier jour du mois s'appliquerait à tout le mois.

Exemple 10 - Tous les investisseurs détenant des unités de la série A du fonds commun de placement XYZ sont des investisseurs de détail (c'est-à-dire, des particuliers). On fait un suivi quotidien de l'endroit où se trouvent ces investisseurs, et les renseignements ainsi recueillis peuvent être utilisés pour calculer sur une base quotidienne le pourcentage d'attribution quant à chaque province participante. Le fonds commun de placement XYZ peut donc faire le choix d'utiliser la méthode d'attribution en temps réel.

La FFCP devrait faire ce choix avant le début de l'exercice auquel il s'applique. Le choix devrait être fait sur le formulaire autorisé par le ministre du Revenu national, lequel devra contenir les renseignements déterminés par celui-ci et être consigné dans les registres de la FFCP. Il serait valide uniquement si, le premier jour de l'exercice, la totalité ou la presque totalité de la valeur des unités de la série visée par le choix sont détenues par des investisseurs de détail. Si ce choix est fait et qu'il vient un jour, durant un exercice, où la proportion d'unités de la série qui sont détenues par des investisseurs de détail descend sous le seuil de 90 % que prévoit le critère de la « totalité ou la presque totalité », la FFCP devrait utiliser pour le reste de l'exercice un pourcentage d'attribution fondé sur la moyenne des pourcentages d'attribution quotidiens ou mensuels à partir du premier jour de l'exercice jusqu'à la veille du jour où le seuil de 90 % n'est plus atteint.

Les modifications proposées s'appliqueraient aux exercices d'une FFCP se terminant après juin 2010.

7. Renseignements requis

Il est proposé d'exiger certains renseignements précis afin de faciliter l'observation et l'échange de renseignements entre les investisseurs et les entités de placement ou gestionnaires de fonds ainsi qu'entre ces derniers et les intermédiaires, notamment les mandataires et courtiers prenant part à la vente et à la distribution d'unités de fonds.

a. Exigence de communication de renseignements

Sur demande, les investisseurs dans une FFCP (sauf les investisseurs de détail) seraient tenus de communiquer des renseignements concernant leur pourcentage d'attribution quant à chaque province participante pour chaque série dans laquelle ils ont investi. Ces investisseurs devraient aussi communiquer la valeur totale de leur investissement dans chaque série.

Les investisseurs dans la FFCP à qui des renseignements seraient demandés comprendraient par exemple d'autres régimes de placement, des sociétés, des sociétés de personnes ou des fiducies. La section 2.b.iv.B ci-dessous traite des différentes règles relatives aux pourcentages d'attribution pour d'autres régimes de placement, par exemple les régimes de pension.

Il est proposé que, contrairement aux autres investisseurs institutionnels, les « investisseurs déterminés » ne soient pas tenus de fournir à une FFCP leur pourcentage d'attribution quant à chaque province participante pour leur exercice précédent au titre de leurs investissements dans des fonds communs de placement. Dans le cas d'un fonds commun, un investisseur déterminé serait un investisseur institutionnel autre qu'un régime de placement ou un fonds réservé (par exemple une société, une société de personnes ou une fiducie familiale) dont la valeur de l'investissement dans le fonds commun à la date d'attribution ne dépasse pas 10 millions de dollars. Ce pourrait également être un petit régime de placement [39] si aucun choix n'est en vigueur pour l'exercice afin que le régime en question soit réputé être une IFDP. Un investisseur déterminé ne serait tenu de communiquer que l'adresse de son entreprise principale (s'il s'agit d'une société ou d'une société de personnes), l'adresse de l'entreprise principale de son commandité (dans le cas d'une société de personnes n'ayant pas d'adresse d'entreprise principale) ou l'adresse d'affaires de son fiduciaire (s'il s'agit d'une fiducie). La FFCP calculerait ensuite son pourcentage d'attribution en considérant que la valeur de l'investissement de l'investisseur déterminé dans le fonds commun de placement à la date d'attribution est entièrement attribuable à la province correspondant à l'adresse en question.

Une pénalité serait imposée dans l'éventualité où les renseignements requis ne sont pas communiqués.

Des règles spéciales sont proposées dans le but d'aider les FFCP à obtenir des agents de distribution (courtiers, vendeurs et autres intermédiaires) les renseignements requis sur les détenteurs d'unités dans le cas, par exemple, où des comptes sont enregistrés au nom d'un agent de distribution et où c'est cet agent qui a accès aux renseignements sur les détenteurs d'unités à l'intérieur du réseau de distribution.

Plus précisément, il est proposé que l'agent assurant la distribution des unités d'une FFCP soit tenu, sur demande de la FFCP, de transmettre à cette dernière des renseignements sur le nombre et la valeur des unités de chaque série de la FFCP détenues par ses clients dans chaque province - participante et non participante - à la date d'attribution (soit le 30 septembre de l'année d'imposition précédente).

L'agent de distribution serait tenu de communiquer les renseignements demandés par la FFCP à la date d'attribution (le 30 septembre) ou de façon plus fréquente, selon ce qui aurait été convenu entre le courtier et la FFCP. Ainsi, si la date d'attribution est le 30 septembre, l'agent de distribution aurait généralement à fournir cette information à la FFCP au plus tard le 31 décembre de la même année, de manière que cette dernière puisse déterminer le pourcentage d'attribution à utiliser à compter du 1er janvier de l'année suivante.

Les modifications proposées s'appliqueraient aux périodes de déclaration d'une personne se terminant après juin 2010.

b. Défaut de fournir des renseignements - Pénalités

Il est proposé qu'une pénalité soit imposée, sous réserve d'un test de diligence raisonnable, à tout courtier, mandataire ou autre intermédiaire qui vend ou distribue des unités d'une série et qui omet de fournir sur demande les renseignements décrits dans la partie précédente.

Les modifications proposées s'appliqueraient aux périodes de déclaration d'une personne se terminant après juin 2010.

Exemple 11 - Une FFCP située en Alberta distribue ses unités par l'intermédiaire d'un réseau de courtiers indépendants inscrits aux termes de lois provinciales sur les valeurs mobilières. La FFCP a choisi de n'utiliser que le 30 septembre comme date d'attribution. Elle a l'intention de calculer son pourcentage d'attribution pour chaque série pour l'année d'imposition qui s'étend du 1er janvier au 31 décembre 2012. La FFCP a demandé aux courtiers ayant distribué les unités de lui fournir des renseignements au sujet du nombre et de la valeur des unités détenues par série dans chaque province le 30 septembre 2011 pour renvoi à la FFCP avant le 30 novembre 2011. Si un courtier ne fournit pas les renseignements avant le 31 décembre 2011, une pénalité sera appliquée.

8. FFCP qui sont des FNB

Les règles proposées établies ci devant au titre des FFCP s'appliqueront aux FNB sous réserve de certains rajustements visant à tenir compte du fait que ces fonds sont négociés en bourse, plutôt que distribués par la FFCP.

Comme pour les FFCP, si un FNB choisit le 30 septembre comme date d'attribution aux fins de la détermination des pourcentages d'attribution applicables aux provinces participantes (c'est-à-dire, l'élément C de la formule de la MAS), il sera tenu d'estimer la valeur de ses unités détenues dans une province participante en proportion de la valeur de toutes ses unités détenues au Canada. Toutefois, comme ces fonds sont négociés en bourse, les renseignements fournis aux investisseurs sont limités. Par exemple, si une FFCP investit dans une autre FFCP qui est un FNB, ce dernier ne détiendrait pas de renseignements sur l'identité de la FFCP. Il n'est donc pas proposé que les FNB soient tenus d'appliquer une règle de transparence à l'égard de leurs investisseurs institutionnels.

Il est proposé que les FNB soient tenus d'utiliser au moins deux dates de leur exercice précédent, dont le 30 septembre, afin de déterminer leur pourcentage d'attribution quant à une province pour leur exercice en cours (c'est-à-dire, l'année civile). Le FNB appliquerait la moyenne des pourcentages d'attribution établis à ces dates afin de déterminer son pourcentage d'attribution pour l'exercice en cours. Dans le cas où deux dates sont utilisées, l'autre date devrait suivre ou précéder le 30 septembre d'au moins trois mois (p. ex., 30 avril, 30 juin ou 31 décembre). Dans le cas où plus de deux dates sont utilisées, celles ci devraient être équidistantes les unes des autres (par exemple, le FNB pourrait déterminer son pourcentage d'attribution de façon quotidienne, mensuelle ou trimestrielle).

Dans le cas où il ne peut être satisfait au critère de « la totalité ou la presque totalité » aux fins de la détermination de la valeur des placements détenus dans des provinces, un FNB serait autorisé à demander à l'ARC l'approbation préalable en vue du calcul du pourcentage d'attribution quant à une province participante.

Les modifications proposées s'appliqueraient aux exercices d'un FNB se terminant après juin 2010.

B. Pourcentage d'attribution - Fonds réservés et autres régimes de placement

D'autres fonds réservés et régimes de placement qui sont des IFDP détermineraient leurs pourcentages d'attribution quant aux provinces participantes (élément C) en appliquant les mêmes règles générales exposées ci-dessus, sous réserve des exceptions ci après. Il est proposé que ces règles s'appliquent aux périodes de déclaration d'un régime de placement ou d'un fonds réservé se terminant après juin 2010.

1. Entités de gestion de régimes de pension [40]

[39] Ainsi que cela est indiqué à la section 2.b.v, un régime de placement serait un « petit régime de placement » pour un exercice si sa TPS non recouvrable (élément (A - B) de la formule de la MAS) pour son exercice précédent est inférieur à 10 000 $ et s'il n'a pas fait le choix d'être considéré comme une IFDP pour l'exercice.

[40] Même si, de façon générale, il est proposé que des règles d'attribution du revenu aux provinces semblables aux règles proposées pour les FFCP soient appliquées aux entités de gestion de régimes de pension, la comptabilisation et la déclaration de la taxe par ces dernières pourraient ne pas être les mêmes que pour les FFCP, étant donné que les dépenses de gestion de fonds et les autres dépenses taxables ne sont pas imputées de la même manière que celles des FFCP et que certaines règles de TPS/TVH propres aux régimes de pension s'appliquent aux entités de gestion.

Le pourcentage d'attribution applicable à l'entité de gestion d'un régime de pension (c'est-à-dire, une fiducie régie par un régime de pension agréé ou une personne morale qui administre un tel régime) varie selon que le régime de pension agréé est un régime à cotisations déterminées ou un régime à prestations déterminées (voir ci après).

Il est proposé que, dans le cas d'un régime de pension à cotisations déterminées[41], le pourcentage d'attribution quant à une province participante, applicable à l'entité de gestion du régime pour son exercice, soit le pourcentage déterminé par la formule suivante :

J/K

où :

- J représente la valeur des actifs détenus par l'entité de gestion qu'il est raisonnable d'attribuer aux participants résidant dans la province participante;
- K représente la valeur des actifs détenus par l'entité de gestion qu'il est raisonnable d'attribuer aux participants résidant au Canada.

La date d'attribution applicable à l'entité de gestion d'un régime de pension à cotisations déterminées serait le 30 septembre de l'exercice précédent de l'entité de gestion.

Il est proposé que, dans le cas d'un régime de pension à prestations déterminées, le pourcentage d'attribution quant à une province participante, applicable à l'entité de gestion du régime pour son exercice, soit le pourcentage déterminé par la formule suivante :

J/K

où :

- J représente le total des passifs de l'entité de gestion (fondé sur des renseignements actuariels) qu'il est raisonnable d'attribuer aux participants résidant dans la province participante;
- K représente le total des passifs de l'entité de gestion (fondé sur des renseignements actuariels) qu'il est raisonnable d'attribuer aux participants résidant au Canada.

La date d'attribution applicable à l'entité de gestion d'un régime de pension à prestations déterminées serait le 30 septembre de l'exercice précédent de l'entité de gestion. Les données concernant la distribution aux provinces qui servent à déterminer le pourcentage d'attribution pourraient toutefois être celles de la plus récente année relativement à laquelle des calculs actuariels des passifs ont été effectués au titre du régime avant la date d'attribution.

Les modifications proposées s'appliqueraient aux exercices d'une entité de gestion se terminant après juin 2010.

2. Sociétés de placement hypothécaire

Les règles proposées aux fins du calcul du pourcentage d'attribution applicable à une SPH sont semblables à celles qui sont proposées pour les SPCV. Plus précisément, le pourcentage d'attribution correspondra au pourcentage qui représente le rapport entre, d'une part, la valeur totale des actions d'une SPH attribuables aux actionnaires dans une province et, d'autre part, la valeur totale des actions attribuables aux actionnaires au Canada.

Les SPH seraient autorisées à utiliser la règle générale et la méthode fondée sur l'exercice précédent, mais non la méthode de calcul en temps réel. Il est proposé que la date d'attribution dans leur cas soit le 30 septembre de l'exercice précédent.

Les modifications proposées s'appliqueraient aux exercices d'une SPH se terminant après juin 2010.

3. Régimes de participation différée aux bénéfices, régimes de participation des employés aux bénéfices et conventions de retraite

De façon générale, les prestations versées aux participants ou aux bénéficiaires d'une fiducie régie par un RPDB, un RPEB ou une CR sont fondées sur les actifs détenus dans ces régimes. Il est donc proposé que le pourcentage d'attribution applicable à ces fiducies corresponde au pourcentage qui représente le total des actifs qu'il est raisonnable d'attribuer aux participants ou aux bénéficiaires dans une province par rapport au total des actifs du régime qui sont directement ou indirectement attribuables aux participants ou aux bénéficiaires au Canada.

Les fiducies régies par un RPDB, un RPEB ou une CR seraient autorisées à utiliser la règle générale et la méthode fondée sur l'exercice précédent, mais non la méthode de calcul en temps réel. Elles ne seraient pas tenues d'adopter comme date d'attribution le 30 septembre de l'exercice précédent.

Les modifications proposées s'appliqueraient aux exercices d'une fiducie régie par un RPDB, un RPEB ou une CR se terminant après juin 2010.

4. Fiducies d'employés, régimes de prestations aux employés, fiducies de santé et de bien-être ou régimes enregistrés de prestations supplémentaires de chômage

Une fiducie qui est régie par une FE, un RPE, une FSBE ou un REPSC est souvent structurée de manière à verser des prestations aux bénéficiaires ou aux participants de régimes dans des provinces participantes et non participantes. Comme les actifs détenus dans le régime ne correspondent pas toujours aux prestations versées dans le cadre de ces régimes, un pourcentage d'attribution fondé sur les actifs ne représente pas nécessairement la consommation dans une province participante. En conséquence, le pourcentage d'attribution qu'il est proposé d'appliquer à une fiducie régie par une FE, un RPE, une FSBE ou un REPSC correspondrait au pourcentage qui représente le nombre total de bénéficiaires ou de participants du régime dans une province donnée par rapport au nombre total de bénéficiaires ou de participants au Canada.

Les fiducies régies par une FE, un RPE, une FSBE ou un REPSC seraient autorisées à utiliser la règle générale et la méthode fondée sur l'exercice précédent, mais non la méthode de calcul en temps réel. Elles ne seraient pas tenues d'adopter comme date d'attribution le 30 septembre de l'exercice précédent.

Les modifications proposées s'appliqueraient aux exercices d'une fiducie régie par une FE, un RPE, une FSBE ou un REPSC se terminant après juin 2010.

C. Méthode de calcul de l'attribution - Année de transition

De façon générale, aux termes des règles proposées relativement à la MAS, les FFCP seraient des inscrits sous le régime de la TPS/TVH dont l'exercice correspond à l'année civile et elles produiraient des déclarations d'IFDP chaque année. Comme les règles proposées entreraient en vigueur le 1er juillet 2010, la période de six mois commençant le 1er juillet 2010 et prenant fin le 31 décembre 2010 constituerait, de façon générale, la période de transition pour les FFCP.

Comme bon nombre de FFCP peuvent ne pas posséder de renseignements sur les particuliers détenteurs d'unités (obtenus au moyen des règles de transparence) par province pendant la période de transition, elles ne pourraient pas déterminer avec exactitude leur pourcentage d'attribution le 1er juillet 2010. Une méthode de calcul particulière est donc proposée afin de faciliter l'observation au cours de l'année de transition. Cette méthode de l'année de transition s'ajouterait aux méthodes offertes aux termes des règles courantes (notamment la méthode fondée sur l'année en cours, la méthode fondée sur l'année précédente et la méthode de calcul en temps réel commentée à la section 2.b.iv.A.6). La FFCP serait tenue de faire un choix afin d'utiliser la méthode de l'année de transition. Ce choix devrait être fait sur le formulaire autorisé par le ministre du Revenu national, lequel devra contenir les renseignements déterminés par celui-ci et être consigné dans les registres de la FFCP.

Selon la méthode de l'année de transition :

- Les investisseurs institutionnels ne seraient pas tenus d'appliquer une règle de transparence si la totalité ou la presque totalité de la valeur des unités d'une série d'unités (c'est-à-dire, 90 % ou plus) est détenue par des investisseurs de détail (à savoir, des particuliers). Dans ce cas, la répartition par province de la valeur des unités détenues par des particuliers pourrait être appliquée aux fins de la détermination du pourcentage d'attribution de 100 % de la valeur des unités de la série;
- Si plus de 10 % de la valeur des unités d'une série d'unités est détenue par des investisseurs institutionnels et que la FFCP est en mesure d'appliquer la règle de transparence à la totalité ou à la presque totalité de la valeur des unités de la série détenues par ces investisseurs, la répartition par province de la valeur des unités détenues par ces investisseurs pourra être appliquée aux fins de la détermination du pourcentage d'attribution de 100 % de la valeur des unités de la série détenues par ces investisseurs. Toutefois, si plus de 10 % de la valeur des unités d'une série du fonds est détenue par des investisseurs institutionnels et que la FFCP ne peut appliquer de règle de transparence à la totalité ou à la presque totalité de la valeur des unités détenues par ces investisseurs, le fonds devrait déterminer le pourcentage d'attribution de 100 % des unités de cette série détenues par les investisseurs institutionnels en fonction de l'endroit où chacun de ceux-ci se trouve. L'endroit où se trouve un investisseur institutionnel serait déterminé comme suit : dans le cas d'une société - l'adresse de son entreprise principale; dans le cas d'une fiducie - le lieu de résidence du fiduciaire; dans le cas d'une société de personnes - l'adresse de son entreprise principale, sinon l'adresse de l'entreprise principale du commandité. (Les règles courantes s'appliqueraient relativement aux unités détenues par les investisseurs de détail.)

Il est proposé que la méthode de l'année de transition s'applique à la période de transition du 1er juillet au 31 décembre 2010. La date d'attribution aux fins du calcul du pourcentage d'attribution pourrait se situer avant la date de publication, mais après le 1er juillet 2009 (p. ex., le 30 septembre 2009 ou le 31 décembre 2009) ou après la date de publication, mais avant le 1er juillet 2010 (p. ex., le 31 mai 2010).

v. Autres sociétés, particuliers et fiducies

Aux termes des règles actuelles, dans le cas d'une IFDP qui est une société, un particulier ou une fiducie et qui n'est pas une banque, un assureur ou une société de fiducie et de prêt, son pourcentage d'attribution, pour une période de déclaration, quant à une province participante où elle a un établissement stable, correspond, de façon générale, à la moitié du total des pourcentages suivants :

a) le pourcentage qui représente le rapport entre, d'une part, ses recettes brutes qu'il est raisonnable d'attribuer à ses établissements stables situés dans la province participante pour la période de déclaration et, d'autre part, ses recettes brutes totales qu'il est raisonnable d'attribuer à l'ensemble de ses établissements stables au Canada pour la période;

b) le pourcentage qui représente le rapport entre, d'une part, le total des traitements et salaires versés par l'IFDP pendant la période aux employés de ses établissements stables situés dans la province participante et, d'autre part, le total des traitements et salaires

[41] Ces règles d'attribution du revenu aux provinces s'appliqueraient aussi à l'entité de gestion d'un régime de pension qui n'est ni un régime à cotisations déterminées, ni un régime à prestations déterminées, mais dont la structure est semblable à celle d'un régime à cotisations déterminées.

versés pendant la période aux employés de l'ensemble de ses établissements stables au Canada.

Il est proposé d'ajouter, pour l'application de l'élément traitements et salaires du calcul du pourcentage d'attribution applicable aux sociétés seulement, une règle semblable à celle qui est prévue à l'article 402.1 du RIR. Cette règle s'appliquerait dans certains cas où un particulier à l'emploi d'une société fournit des services à une autre société. Le pourcentage d'attribution modifié ne s'appliquerait plus à une société ou à une fiducie qui est un régime de placement ou un fonds réservé, étant donné que cette société ou fiducie serait régie par les règles sur le pourcentage d'attribution commentées à la section 2.b.iv.

La modification proposée s'appliquerait aux exercices d'une personne se terminant après juin 2010. Toutefois, la modification proposée qui prévoit une règle semblable à celle énoncée à l'article 402.1 du RIR s'appliquerait aux exercices d'une personne commençant après juin 2010.

c. Moment de détermination de la TVAP selon la MAS pour les fonds réservés et les régimes de placement qui sont des IFDP

La TVAP payable par une IFDP quant à chaque province participante est déterminée pour la période de déclaration de l'IFDP. Afin de faciliter la mise en œuvre des règles proposées relatives aux IFDP au titre des régimes de placement et des fonds réservés qui entrent en vigueur le 1er juillet 2010, il est proposé de prévoir qu'aux fins de la détermination de la TVAP payable par un régime de placement ou un fonds réservé selon la formule de la MAS prévue au paragraphe 225.2(2), l'IFDP n'ait à inclure les montants de TPS ou de TVAP payable avant le 1er juillet 2010 ou les montants de CTI au titre de la TPS payable avant cette date que si le régime de placement ou le fonds réservé est une IFDP aux termes des règles actuelles.

De plus, afin de faciliter l'échange de renseignements qui serait nécessaire entre les régimes et les fonds réservés qui sont des IFDP et qui ont investi les uns dans les autres et afin d'aider les régimes de placement et les fonds réservés à remplir et produire leurs déclarations de TPS/TVH en même temps (c'est-à-dire, dans les six mois suivant la fin de l'année civile), il est proposé d'uniformiser les périodes de déclaration de tous les fonds réservés et régimes de placement qui sont des IFDP pour l'application du redressement de taxe nette prévu au paragraphe 225.2(2). Aux termes de ces règles proposées, l'exercice d'un régime de placement ou d'un fonds réservé serait réputé correspondre à l'année civile, pour l'application du paragraphe 225.2(2) (y compris la détermination du pourcentage d'attribution quant aux provinces) et des exigences de production prévues à l'article 238 de la LTA, si le régime ou le fonds est une IFDP à un moment de l'année civile.

Les modifications proposées s'appliqueraient aux périodes de déclaration d'un régime de placement ou d'un fonds réservé se terminant après juin 2010.

d. Règles d'observation applicables aux fonds réservés et aux régimes de placement qui sont des IFDP

Par suite des modifications proposées dont il est question ci dessus, un plus grand nombre de régimes de placement et de fonds réservés deviendraient des IFDP le 1er juillet 2010.

En général, les fonds réservés et les régimes de placement qui sont des IFDP seront tenus de s'inscrire sous le régime de la TPS/TVH et, en l'absence d'un choix de production d'une déclaration mensuelle ou trimestrielle, ils commenceront à produire des déclarations annuelles. Les règles actuelles permettent de faire un choix de façon que l'entité puisse produire une déclaration mensuelle ou trimestrielle.

Une IFDP qui produit des déclarations annuelles est tenue de verser des acomptes provisionnels trimestriels de TPS/TVH fondés sur sa taxe nette à payer de l'année précédente ou sur une estimation de la taxe nette de l'année en cours. Aux termes des règles actuelles, une IFDP est tenue de produire sa déclaration de TPS/TVH[42] dans les trois mois suivant la fin de son exercice et de déterminer ses redressements de taxe nette. Il est proposé que la date d'échéance de production des déclarations de TPS/TVH des IFDP qui produisent des déclarations annuelles soit reportée à six mois suivant la fin de l'exercice, conformément à la Loi sur l'emploi et la croissance économique (projet de loi C-9).

i. Choix d'entité déclarante

Il est proposé qu'un choix (appelé « choix d'entité déclarante ») soit prévu afin de permettre à un gestionnaire de fonds de produire la déclaration de TPS/TVH de l'IFDP au nom de la FFCP[43]. De façon générale, il incomberait au fiduciaire du fonds commun de placement de produire les déclarations et de payer la taxe ou de demander un remboursement. Avec ce choix, ces obligations sont transférées au gestionnaire de fonds[44].

Les modifications proposées s'appliqueraient aux périodes de déclaration d'une personne se terminant après juin 2010.

ii. Choix de déclaration consolidée

Il est proposé que, dans le cas où le choix d'entité déclarante a été fait, un deuxième choix (appelé « choix de déclaration consolidée ») puisse être fait afin de permettre à un gestionnaire de fonds de produire une déclaration de TPS/TVH consolidée pour toutes les FFCP.

La déclaration consolidée devrait porter sur toutes les FFCP avec lesquelles le gestionnaire de fonds a fait le choix d'entité déclarante. Par suite de ce choix, les déclarations de TPS/TVH de toutes les FFCP relativement auxquelles le gestionnaire de fonds a le pouvoir de produire des déclarations (en vertu du choix d'entité déclarante) seraient consolidées en une seule déclaration. Le gestionnaire de fonds serait tenu d'utiliser un seul numéro d'inscription de TPS/TVH pour toutes les FFCP visées par la déclaration consolidée[45]. Lorsqu'un seul numéro d'inscription de TPS/TVH est attribué à l'ensemble des FFCP qui font une déclaration consolidée, les FFCP n'ont pas à s'inscrire à titre individuel sous le régime de la TPS/TVH.

Aux fins de la déclaration consolidée, le gestionnaire de fonds serait tenu de déterminer la TVAP pour l'exercice relativement à chaque série d'unités de chacune des FFCP en utilisant la formule de la MAS. La TVAP payable et tous les éléments de la formule de la MAS (c'est-à-dire, le pourcentage d'attribution quant à chaque province participante et la TPS non recouvrable) déterminés pour chaque série d'unités relativement à tous les fonds visés par la consolidation seraient regroupés sur une seule déclaration d'IFDP

> *Exemple 12 - Le fonds ABC et le fonds XYZ sont des fonds communs de placement gérés par le même gestionnaire de fonds. Le fonds ABC et le fonds XYZ comportent chacun deux séries - A et B et X et Y respectivement. Les fiduciaires des fonds ABC et XYZ ont tous deux fait le choix d'entité déclarante et le choix de déclaration consolidée auprès du gestionnaire de fonds. En conséquence, le gestionnaire du fonds serait tenu de produire, au nom du fonds, une seule déclaration consolidée de TPS/TVH visant les deux fonds. Le gestionnaire de fonds serait tenu de déterminer la TVAP pour chacune des séries des fonds ABC et XYZ qui seraient regroupées sur la déclaration consolidée des deux fonds.*

Des dossiers détaillés des calculs (effectués selon la formule de la MAS) concernant chaque série d'unités des FFCP visées par la consolidation devraient être tenus à jour dans les registres du gestionnaire de fonds. Ces dossiers sont nécessaires afin d'appuyer le calcul de la taxe payable et du transfert de taxe (dont il est question ci après au point iii) autorisé à l'égard de chaque série des fonds.

Les modifications proposées s'appliqueraient aux périodes de déclaration d'une personne se terminant après juin 2010.

iii. Choix de transfert de taxe en vertu de la déclaration consolidée

Il est proposé que, dans le cas où le gestionnaire de fonds et le fiduciaire d'un fonds commun de placement ont fait le choix d'entité déclarante et le choix de déclaration consolidée, un troisième choix (appelé le « choix de transfert de taxe ») puisse être fait de manière à éviter au fonds les problèmes de trésorerie qui pourraient résulter de l'application des règles générales sur le lieu de fourniture. Aux termes de ces règles, le gestionnaire de fonds serait tenu de calculer et de percevoir la TVAP sur les frais de gestion. La TVAP payée par le fonds tout au long de l'année serait soustraite de la TVAP déterminée par ailleurs selon la formule de la MAS, ce qui donnerait lieu à un remboursement ou à un montant de taxe payable (appelé « redressement de taxe nette ») pour le fonds. Cela pourrait créer des problèmes de trésorerie étant donné que le fiduciaire pourrait devoir attendre plus d'un an pour obtenir un remboursement, ou avoir un important montant de taxe à payer à la fin de l'année.

De façon générale, le montant du transfert de taxe correspondrait aux montants positifs ou négatifs des redressements de taxe nette déterminés par l'application de la formule de la MAS à chacune des séries du fonds, étant donné que les frais de gestion sont imposés au fiduciaire[46]. Les montants de redressement de taxe nette déterminés pour chacune des séries d'unités du fonds seraient mis en commun dans le cadre du choix de transfert de taxe. Le transfert pourrait être effectué globalement dans le cadre du choix de déclaration consolidée.

Dans la pratique, ces transferts de taxe pourraient être effectués au moment où la taxe est imposée au fonds. Selon le choix de transfert de taxe, s'il y a un redressement de taxe nette positif (où un montant serait à verser par le fonds), le gestionnaire de fonds serait tenu de verser la TVAP payable par le fonds au moment de produire sa déclaration

[42] Toutes les IFDP, qu'elles soient inscrites ou non, sont tenues de produire une déclaration provisoire de TPS/TVH (s'il y a lieu) ainsi qu'une déclaration finale pour chacune de leurs périodes de déclaration.

[43] Bien que le choix d'entité déclarante, le choix de déclaration consolidée et le choix de transfert de taxe soient décrits par rapport aux FFCP, ils peuvent aussi être faits par d'autres régimes de placement et fonds réservés qui sont des IFDP.

[44] Il arrive souvent qu'une seule et même personne s'acquitte des obligations du gestionnaire de fonds et du fiduciaire.

[45] Le ministre du Revenu national aurait le pouvoir d'autoriser un gestionnaire de fonds à produire plus d'une déclaration consolidée s'il satisfait aux critères exigés pour la séparation des groupes de FFCP. Dans ce cas, le ministre peut exiger que chaque groupe consolidé utilise un numéro d'inscription de TPS/TVH distinct.

[46] Le redressement de taxe nette positif ou négatif s'appliquerait à tous les montants de TVAP payés par le fonds, y compris la TVAP payée au gestionnaire de fonds sur les frais de gestion ainsi que les frais de tierces parties imposés au fonds (comme les frais de vérification ou de garde).

de TPS/TVH. S'il y a un redressement de taxe nette négatif (où le fonds aurait droit à un remboursement), le gestionnaire de fonds serait tenu de rembourser ce montant de TVAP au fonds ou de le porter à son crédit. Autrement dit, le redressement de taxe nette serait effectué de façon continue, et la TVAP nette imposée sur les frais de gestion serait rajustée de manière à tenir compte du remboursement de taxe ou de la taxe payable par suite de l'application de la formule de la MAS.

Lorsqu'un transfert de taxe a été effectué, il pourrait être inclus dans la déclaration de TPS/TVH du gestionnaire de fonds à titre de rajustement des CTI ou de la TPS/TVH perçue, selon le cas. Il ne serait pas exigé que les périodes de déclaration du gestionnaire de fonds et de la FFCP coïncident (p. ex., le gestionnaire de fonds pourrait produire des déclarations mensuelles et la FFCP, des déclarations annuelles) pour que le choix de transfert de taxe soit applicable.

Exemple 13 - Le fonds XYZ est situé en Ontario. La valeur totale des unités de la série A du fonds est de 1 000 000 $. Le gestionnaire du fonds XYZ exige des frais de gestion annuels de 2 %, calculés quotidiennement en fonction de la valeur totale des unités. Selon les renseignements obtenus à la date d'attribution (le 30 septembre 2010), le fonds détermine que ses pourcentages d'attribution pour la série A pour l'exercice 2011 sont les suivants - 40 % pour l'Ontario; 60 % pour les provinces non participantes.

Le 1er janvier 2011, le gestionnaire de fonds (qui produit des déclarations mensuelles) impose au fonds une TVH de 7,12 $ (1 000 000 $ x 2 %/365 x 13 %), constituée de la TPS de 2,74 $ et de la TVAP de l'Ontario de 4,38 $. Il n'y a pas d'autres frais imposés au fonds cette journée là. Les services de gestion ont trait exclusivement aux activités exonérées du fonds, qui produit des déclarations annuelles aux fins de la TPS/TVH. En appliquant la formule de la MAS, la TVAP de l'Ontario à payer par le fonds au titre des frais de gestion du fonds imposés le 1er janvier 2011 serait déterminée comme suit :

[(2,74 $ - 0 $) x 40 % x 8 %/5 %] - 4,38 $= -2,63 $

Comme l'application de la formule de la MAS donne un montant négatif, le fonds aurait droit à un remboursement de 2,63 $. En vertu des règles habituelles, le fonds devrait attendre que la déclaration de l'IFDP soit traitée avant de recevoir le remboursement de 2,63 $.

Même si le fonds peut ne pas avoir de taxe à déclarer sur sa déclaration d'IFDP, il serait néanmoins tenu de produire sa déclaration d'IFDP et d'y indiquer tous les calculs effectués. Dans le cas où le fonds a fait le choix d'entité déclarante auprès du gestionnaire de fonds, il incomberait à ce dernier de produire la déclaration du fonds en son nom.

Dans le cas où un choix de transfert de taxe est fait, le gestionnaire de fonds serait autorisé à porter le remboursement de 2,63 $ au crédit du fonds. Le redressement de taxe nette (selon la formule de la MAS) du fonds serait donc nul. Le gestionnaire de fonds aurait le droit de déduire 2,63 $ de sa taxe nette au moment de produire sa déclaration de TPS/TVH pour la période de déclaration. Si le gestionnaire de fonds n'a pas d'autres montants à indiquer dans sa déclaration de TPS/TVH visant la période de déclaration de janvier 2011, il aurait à payer une taxe nette de 4,49 $ (7,12 $ de TPS/TVH perçue, moins une déduction de 2,63 $ de taxe nette).

Si le choix de transfert de taxe n'a pas été fait, le gestionnaire de fonds percevrait 7,12 $ auprès du fonds et il verserait ce montant au gouvernement dans sa déclaration de janvier 2011, attendue au plus tard le 28 février 2011. Le fonds serait autorisé à demander un remboursement de 2,63 $ (en déduction de la taxe nette) au moment de produire sa déclaration de TPS/TVH pour l'exercice 2011 au plus tard le 30 juin 2012.

Exemple 14 - Le fonds XYZ est situé en Alberta. La valeur totale des unités de la série A du fonds est de 5 000 000 $. Le gestionnaire du fonds XYZ impose des frais de gestion annuels de 1,75 %, calculés quotidiennement sur la valeur totale des unités. Selon les renseignements obtenus à la date d'attribution, le fonds détermine que ses pourcentages d'attribution applicables aux provinces pour la série A pour l'année 2011 sont les suivants - 50 % pour l'Ontario; 50 % pour les provinces non participantes.

Le 1er janvier 2011, le gestionnaire de fonds (qui produit des déclarations mensuelles) impose au fonds une TVH de 11,99 $ (5 000 000 $ x 1,75 %/365 x 5 %) au fonds sans TVAP puisque le fonds est en Alberta. Il n'y a pas d'autres frais imposés au fonds cette journée là. Les services de gestion ont trait exclusivement à des activités exonérées du fonds, qui produit des déclarations annuelles aux fins de la TPS/TVH. En appliquant la formule de la MAS, la TVAP de l'Ontario à payer par le fonds au titre des frais de gestion du fonds imposés le 1er janvier 2011 serait déterminée comme suit :

[(11,99 $ - 0 $) x 50 % x 8 %/5 %] - 0 $ = 9,59 $

Comme la formule de la MAS donne un montant positif, le fonds aurait une TVAP à payer de 9,59 $.

Dans le cas où un choix de transfert de taxe est fait, le gestionnaire de fonds serait autorisé à assumer la TVAP de 9,59 $ à payer par le fonds. Le redressement de taxe nette du fonds (selon la formule de la MAS) serait nul. Le gestionnaire de fonds serait tenu d'ajouter 9,59 $ à sa taxe nette au moment de produire sa déclaration de TPS/TVH pour la période de déclaration. Si le gestionnaire de fonds n'a pas d'autres montants à indiquer dans sa déclaration de TPS/TVH visant la période de déclaration de janvier 2011, il aurait à payer une taxe nette de 21,58 $ (11,99 $ de TPS/TVH perçue, plus l'ajout de taxe nette de 9,59 $). Le gestionnaire pourrait toutefois recouvrer la taxe additionnelle à payer de 9,59 $ auprès du fonds.

Si le choix de transfert de taxe n'a pas été fait, le gestionnaire de fonds percevrait une TPS de 11,99 $ auprès du fonds et il verserait ce montant au gouvernement dans sa déclaration de janvier 2011, attendue au plus tard le 28 février 2011. Le fonds aurait à payer une taxe de 9,59 $ (ajouté à la taxe nette) au moment de produire sa déclaration de TPS/TVH pour l'année 2011 au plus tard le 30 juin 2012.

En conséquence, le choix de transfert de taxe allège les besoins de trésorerie du fonds et il simplifie la comptabilité pour le gestionnaire de fonds et le fonds.

Des dossiers détaillés des redressements de taxe nette effectués par le gestionnaire de fonds pour chaque série et chaque fonds et des redressements de taxe effectués globalement (en vertu de la déclaration consolidée) doivent être tenus à jour dans les registres du fonds par le gestionnaire de fonds.

Les modifications proposées s'appliqueraient aux périodes de déclaration d'une personne se terminant après juin 2010.

iv. Choix de transfert de taxe - Autres cas

Il est proposé que le gestionnaire de fonds et le fiduciaire du fonds commun de placement, s'ils ont fait le choix d'entité déclarante mais non le choix de déclaration consolidée, puissent tout de même faire le choix de transfert de taxe afin que le gestionnaire de fonds puisse rembourser les montants au fonds ou les porter à son crédit ou puisse assumer la TVAP payable par le fonds.

Si le choix d'entité déclarante n'a pas été fait, le fiduciaire, au nom de la FFCP, sera tenu de s'inscrire sous le régime de la TPS/TVH, d'effectuer les calculs de taxe pertinents et de produire la déclaration de TPS/TVH d'IFDP. Bien que le gestionnaire de fonds et le fiduciaire du fonds commun de placement puissent faire le choix de transfert de taxe, le montant de la TVAP qui peut être crédité ou remboursé, ou assumé à titre de taxe payable, serait limité aux frais de gestion imposés par le gestionnaire de fonds à la FFCP.

Dans ce cas, l'exercice de la FFCP devrait correspondre à l'année civile et, si la FFCP produit des déclarations annuelles, elle serait tenue de verser des acomptes provisionnels trimestriels. La FFCP peut choisir de produire des déclarations mensuelles ou trimestrielles.

Les modifications proposées s'appliqueraient aux périodes de déclaration d'une personne se terminant après juin 2010.

v. Règles concernant les choix

Il est proposé que les règles suivantes s'appliquent à chacun des choix exposés à la section 2.d ci-dessus, ainsi qu'à leur révocation[47] :

- il s'agirait d'un choix conjoint effectué par le gestionnaire de fonds et le fiduciaire, et les deux parties seraient solidairement responsables des montants de taxe établis relativement au choix et des obligations afférentes;
- il devrait être fait avant le début de l'exercice de la FFCP;
- il devrait être fait sur le formulaire autorisé par le ministre du Revenu national, lequel devra contenir les renseignements déterminés par celui-ci;
- il devrait être présenté au ministre selon les modalités réglementaires.

Les modifications proposées s'appliqueraient aux périodes de déclaration d'une personne se terminant après juin 2010.

e. Fournitures effectuées entre IFDP étroitement liées

De façon générale, l'élément A de la formule de la MAS représente la totalité de la TPS payée ou payable par l'IFDP pour une période de déclaration, et l'élément B la totalité des CTI demandés pour la période de déclaration par l'IFDP à l'égard de la TPS payée ou payable.

Aux termes de l'article 150 de la LTA, deux sociétés qui sont membres d'un même groupe étroitement lié qui comprend une institution financière désignée peuvent faire un choix conjoint pour que certaines fournitures de biens et de services qui sont effectuées entre elles soient réputées être des fournitures exonérées de services financiers. L'IFDP qui est l'acquéreur d'une fourniture à l'égard de laquelle le choix prévu à l'article 150 a été fait est actuellement tenue d'inclure un montant à l'égard de la fourniture dans le calcul de la valeur de l'élément A de la formule de la MAS. Ce montant correspond soit à la TPS qui aurait été appliquée à la fourniture si le choix prévu à l'article 150 n'avait pas été fait, soit, si l'IFDP a fait un deuxième choix conjoint avec le fournisseur aux termes de l'article 225.2 de la LTA, à un montant égal à la taxe calculée sur le coût de ces fournitures pour le fournisseur (à l'exclusion de la rémunération des employés, du coût des services financiers et de la TPS ou de la TVH payable sur les intrants). De même, l'IFDP serait tenue d'apporter certains rajustements à l'élément B (CTI) de la formule de la MAS et, si le choix prévu à l'article 225.2 a été fait, à l'élément F (TVAP payée ou payable) de cette formule.

Cependant, aux termes des règles actuelles, l'IFDP n'est pas tenue d'apporter les rajustements susmentionnés si le fournisseur est lui même une IFDP.

---

47 Ces choix seraient aussi offerts aux FFCP et aux fonds réservés.

Il est proposé d'élargir la règle actuelle afin d'exiger que l'IFDP qui a fait le choix prévu à l'article 150 apporte des rajustements à l'égard de toutes les fournitures exonérées effectuées à son profit en vertu de ce choix, de façon à inclure le cas où le fournisseur est une autre IFDP. L'élargissement proposé de la règle s'appliquerait indépendamment du fait que le choix visé à l'article 225.2 soit effectué.

Par suite de cette modification proposée, dans le cas où deux IFDP ont fait le choix prévu à l'article 150 à l'égard d'une fourniture autrement taxable effectuée par l'une d'elles au profit de l'autre, l'IFDP acquéreur de la fourniture :

- serait tenue d'inclure dans l'élément A : si les deux IFDP ont fait le choix prévu à l'article 225.2, le coût des fournitures pour l'IFDP fournisseur (à l'exclusion de la rémunération des employés, du coût des services financiers et de la TPS ou de la TVH payable sur ses intrants); si les deux IFDP n'ont pas fait le choix prévu à l'article 225.2, la TPS qui aurait été payable par l'IFDP acquéreur si le choix prévu à l'article 150 n'avait pas été fait;
- serait autorisée à inclure dans l'élément B les CTI auxquels l'IFDP fournisseur aurait droit si le montant de TPS inclus dans l'élément A était effectivement payé par l'IFDP;
- serait autorisée, si les deux IFDP avaient fait le choix prévu à l'article 225.2, à inclure dans l'élément F un montant à l'égard de la TVAP non recouvrable qui est incluse dans le coût de la fourniture pour l'IFDP fournisseur.

Il est proposé que l'IFDP qui effectue la fourniture

- n'aurait pas à inclure dans les éléments A, B et F, si les deux IFDP ont fait le choix prévu à l'article 225.2, des montants liés à un montant que l'IFDP acquéreur serait tenue d'inclure à l'égard de la fourniture dans son calcul de la MAS;
- aurait à inclure dans l'élément B, si les deux IFDP n'ont pas fait le choix prévu à l'article 225.2, le CTI qu'elle aurait été autorisée à demander à l'égard de la fourniture si le choix prévu à l'article 150 n'avait pas été fait.

Les modifications proposées s'appliqueraient aux périodes de déclaration d'une IFDP se terminant après juin 2010.

f. Prolongation du délai accordé aux fins de la déduction de la TVAP payée - Élément F de la formule de la MAS

La TVAP payée ou payable par une IFDP lui est remboursable si la TVAP est incluse dans l'élément F de la formule de la MAS pour la période de déclaration dans laquelle la taxe devient payable ou est payée sans être devenue payable.

Il est proposé de porter à deux ans le délai accordé pour inclure la TVAP payée ou payable dans l'élément F de la formule de la MAS. Une IFDP aurait le droit, au moment de déterminer sa TVAP payable à l'égard d'une province participante pour une période de déclaration donnée de l'IFDP, d'inclure la TVAP payée ou payable dans une période de déclaration antérieure, pourvu (1) que la période donnée prenne fin dans les deux années suivant la fin de l'exercice de l'IFDP comprenant la période antérieure et (2) que l'IFDP ait été une IFDP tout au long de la période antérieure.

Exemple 15 - Un courtier en valeurs mobilières qui est une IFDP paie 800 $ de TVAP de l'Ontario le 15 septembre 2010. Le courtier produit des déclarations mensuelles, et ses périodes de déclaration prennent fin le dernier jour de chaque mois. Ses exercices prennent fin le 31 octobre. Le courtier aurait jusqu'à sa période de déclaration d'octobre 2012 pour demander le remboursement de la TVAP de 800 $.

Les modifications proposées s'appliqueraient aux périodes de déclaration d'une institution financière se terminant après juin 2010.

g. Base des acomptes provisionnels des nouvelles IFDP pour leur premier exercice

Le paragraphe 237(5) prévoit une méthode transitoire qui permet de déterminer les acomptes provisionnels à payer par une institution financière qui produit des déclarations annuelles pour l'exercice où elle devient une IFDP. [48]Selon cette méthode, le premier acompte provisionnel pour l'exercice est égal au moins élevé des montants suivants : le quart de la taxe nette estimative pour l'exercice et le quart de la taxe nette totale pour l'ensemble des périodes de déclaration ayant pris fin dans les douze mois précédents.

Pour chacun des autres trimestres de l'exercice, les acomptes provisionnels de l'institution financière correspondent au moins élevé des montants suivants : le quart de la taxe nette estimative pour l'exercice et le montant déterminé selon la formule prévue au sous alinéa 237(5)b)(ii). Ce dernier montant correspond au quart de la taxe nette totale pour l'ensemble des périodes de déclaration ayant pris fin dans les douze mois précédents, déterminé compte non tenu de la TVAP, majoré du total des pourcentages d'attribution applicables à l'institution financière quant aux provinces participantes pour le trimestre d'exercice précédent, selon les dispositions réglementaires prises pour l'application du sous alinéa 237(5)b)(ii).

Il est proposé que ces règles soient modifiées afin de prévoir que le paragraphe 237(5) ne s'applique pas aux FFCP, aux SPCV ou aux fonds réservés d'assureurs.

La modification proposée s'appliquerait aux exercices d'une personne se terminant après juin 2010.

h. Dispositions réglementaires concernant les fusions et les liquidations

Il est proposé que l'article 225.2 de la LTA (c'est-à-dire, les règles sur les IFDP) soit inclus dans le Règlement sur la continuation des personnes morales fusionnantes ou liquidées (TPS/TVH) de façon que les IFDP soient traitées de la même façon que d'autres personnes morales qui ne sont pas des IFDP.

La modification proposée s'appliquerait à partir du 1er juillet 2010.

3. Règles transitoires applicables aux IFDP en ce qui concerne l'harmonisation en Ontario et en Colombie Britannique

a. Règles transitoires générales

La Colombie Britannique et l'Ontario ont choisi d'adhérer au cadre de la TVH à compter du 1er juillet 2010. Par suite de ces décisions, la taxe de vente provinciale de la Colombie Britannique et celle de l'Ontario seront remplacées par la TVH, à un taux combiné TPS/TVH de 12 % en Colombie Britannique et de 13 % en Ontario.

Les administrations de la Colombie Britannique et de l'Ontario ont annoncé des règles transitoires générales concernant la mise en œuvre de la TVH dans leurs provinces respectives le 14 octobre 2009. Les détails complets entourant ces règles se trouvent dans l'avis d'information sur la TVH de l'Ontario paru le 14 octobre 2009 [49] et dans l'avis d'information sur la TVH du ministère des Finances de la Colombie Britannique, également paru le 14 octobre 2009[50]. Ces règles s'appliqueront à toutes les personnes, y compris les IFDP, et pourraient exiger que l'acquéreur d'une fourniture paie la TVAP sur certaines opérations qui chevauchent la date de mise en œuvre de la TVH en Colombie Britannique et en Ontario, soit le 1er juillet 2010. La TVAP s'appliquera, de façon générale, à la contrepartie qui devient due après avril 2010, ou qui est payée après ce mois sans être devenue due, sur les biens et services fournis après juin 2010. De plus, les règles transitoires générales proposées peuvent exiger que certaines personnes, y compris les IFDP, établissent par autocotisation la TVAP de la Colombie Britannique et de l'Ontario sur la contrepartie qui devient due après le 14 octobre 2009 et avant mai 2010, ou qui est payée au cours de cette période sans être devenue due, sur les biens et les services fournis après juin 2010.

b. Règles concernant les IFDP

Les règles proposées qui suivent portent sur les rajustements que les IFDP seraient tenues d'apporter à l'élément G de la formule de la MAS prévue au paragraphe 225.2(2) de la LTA en raison de la mise en œuvre de la TVH en Colombie Britannique et en Ontario le 1er juillet 2010, de sorte que les décisions de principe adoptées par la Colombie Britannique et l'Ontario à l'égard des règles transitoires s'appliquent aux IFDP. En outre, elles décrivent les règles concernant la base des acomptes provisionnels des IFDP qui s'appliqueraient à la plupart des IFDP pour leur exercice qui comprend le 1er juillet 2010.

i. Calcul au prorata de la période de déclaration transitoire

Selon la formule de la MAS, une IFDP déclare sa TVAP payable pour une période de déclaration complète, en faisant état de toutes les taxes payées, des CTI et des remboursements demandés et des rajustements apportés pendant la période de déclaration.

Il est proposé qu'une règle de calcul au prorata s'applique à la période de déclaration transitoire d'une IFDP. La période de déclaration transitoire d'une IFDP est celle qui commence avant le 1er juillet 2010 (date de mise en œuvre de la TVH en Colombie Britannique et en Ontario) et qui prend fin à cette date ou par la suite[51]. Plus précisément, aux fins du calcul de la TVAP payable par une IFDP relativement à la Colombie Britannique et à l'Ontario pour sa période de déclaration transitoire, la TVAP payable, déterminée selon la formule de la MAS pour cette période, serait calculée au prorata du nombre de jours de la période qui sont postérieurs à juin 2010. Ainsi, pour la Colombie Britannique et l'Ontario, l'IFDP apporterait un rajustement, après avoir d'abord déterminé sa TVAP payable relativement à la province pour l'entière période de déclaration transitoire, afin de réduire sa TVAP payable relativement la province du montant obtenu par la formule suivante :

---

[48]L'institution financière qui produit des déclarations mensuelles ou trimestrielles est tenue, aux termes des paragraphes 228(2.1) et (2.2) de la LTA, de verser des paiements provisoires pour chacune de ses périodes de déclaration qui prend fin dans l'exercice où elle devient une IFDP. Aucune modification n'est proposée à ces règles.

[49]Sont des provinces participantes celles où la TVH est applicable. Il s'agit actuellement du Nouveau Brunswick, de la Nouvelle Écosse et de Terre Neuve et Labrador. La Colombie Britannique et l'Ontario s'ajouteront à cette liste le 1er juillet 2010.

[50]Les fournitures de services financiers sont exonérées, sauf si elles sont expressément détaxées en application de la partie IX de l'annexe VI de la Loi sur la taxe d'accise (LTA) En effet, aux termes de la partie IX, certaines fournitures de services financiers à des non résidents sont détaxées.

[51]Comme il est indiqué à la section 2.c, pour l'application du paragraphe 225.2(2) de la LTA, y compris la règle proposée, les régimes de placement et les fonds réservés déclareraient la TVAP payable pour la période de déclaration qui commence avant juillet 2010 et prend fin après juin 2010 (p. ex., un exercice qui s'étend du 1er janvier au 31 décembre 2010) en ne tenant compte que de la TPS et de la TVAP payée après juin 2010 sans être devenue payable ou devenant payable après ce mois.

[(A - B) x C x D/E x H/I] + G

où :

A, B, C et E auraient les mêmes valeurs que celles calculées selon la formule de la MAS prévue au paragraphe 225.2(2) de la LTA;

D représenterait 7 % en Colombie Britannique et 8 % en Ontario;

H représenterait le nombre de jours de la période de déclaration qui sont antérieurs à juillet 2010;

I représenterait le nombre de jours de la période de déclaration;

G aurait la même valeur que celle prévue au paragraphe 225.2(2) de la LTA, sauf que les rajustements en cours relativement à la taxe prévue dans le Règlement sur les IFDP seraient calculés au prorata de la même façon.

Exemple 16 - Une IFDP produit des déclarations annuelles, et son exercice correspond à l'année civile. Dans sa période de déclaration transitoire qui s'étend du 1er janvier au 31 décembre 2010, elle paie un total de 100 000 $ en TPS (dont elle recouvre 10 000 $ à titre de CTI). Son pourcentage d'attribution quant à l'Ontario est de 40 % et elle n'a pas de rajustements à apporter à l'élément G pour cette période de déclaration. Le rajustement au prorata de l'IFDP au titre de la TVAP de l'Ontario pour sa période de déclaration transitoire serait le suivant :

[(100 000 $ - 10 000 $) x 181 jours/365 jours x 40 % x 8 %/5 %] + 0 $ = 28 563,87 $.

L'IFDP serait autorisée à déduire les 28 563,87 $ de sa taxe nette pour sa période de déclaration transitoire.

Ces règles transitoires proposées seraient conformes à celles qui ont été appliquées en 1997 dans le cadre de la mise en œuvre de la TVH au Nouveau Brunswick, en Nouvelle Écosse et à Terre Neuve et Labrador.

Les modifications proposées s'appliqueraient à l'égard de la période de déclaration d'une institution financière commençant avant le 1er juillet 2010 et se terminant à cette date ou par la suite.

ii. Interaction des règles transitoires générales et des règles concernant les IFDP

Les IFDP peuvent devoir payer ou établir par autocotisation la TVAP de la Colombie Britannique ou de l'Ontario aux termes des règles transitoires générales expliquées à la section 3.a ci-dessus.

A. TVAP payée ou établie par autocotisation pendant la période de déclaration transitoire

Une IFDP peut être tenue d'inclure la TPS payable relativement à la fourniture d'un bien ou d'un service dans la valeur de l'élément A de la formule de la MAS aux fins du calcul de sa TVAP payable relativement à la Colombie Britannique ou à l'Ontario dans le cas où la fourniture aurait aussi été assujettie à la TVAP de la Colombie Britannique ou de l'Ontario aux termes des règles transitoires générales. L'IFDP serait ainsi tenue de déterminer sa TVAP payable relativement à la Colombie Britannique et à l'Ontario selon la MAS à l'égard de la fourniture, alors qu'elle l'aurait déjà établie par autocotisation et que cette TVAP établie par autocotisation ne serait pas incluse dans la valeur de l'élément F de la formule de la MAS de manière à réduire la TVAP payable par l'IFDP selon la MAS.

Afin de veiller à ce qu'il n'y ait pas d'élément de « double taxation » aux termes de la LTA, les modifications proposées aux règles concernant les IFDP permettraient de faire en sorte que, aux fins du calcul de la TVAP payable par une IFDP selon la formule de la MAS pour la Colombie Britannique ou l'Ontario, cette formule prévoie une déduction au titre de la TVAP de la Colombie Britannique ou l'Ontario payable ou établie par autocotisation en vertu des règles transitoires générales à l'égard de la fourniture d'un bien ou d'un service, si la TPS relative à la même fourniture est payable au cours d'une période de déclaration de l'IFDP se terminant le 1er juillet 2010 ou par la suite. Cela aurait pour effet d'annuler l'imposition de la taxe à l'IFDP relativement à ces fournitures selon les règles transitoires générales, et permettrait de veiller à ce que l'IFDP paie la TVAP de la Colombie Britannique ou de l'Ontario relativement à ces fournitures selon les règles de la MAS plutôt que selon les règles transitoires générales.

Exemple 17 - Une banque est une IFDP. Elle produit des déclarations annuelles et sa période de déclaration prend fin le 31 octobre de chaque année. Le 1er avril 2010, la banque verse 10 000 $, plus 500 $ de TPS, pour acheter un ordinateur qui sera livré à son bureau de Toronto le 1er août 2010. En vertu des règles transitoires générales, la banque est tenue d'établir par autocotisation les 800 $ de la TVAP de l'Ontario, étant donné que l'ordinateur a été livré après le 1er juillet 2010 et que la contrepartie de la fourniture de l'ordinateur a été payée après le 14 octobre 2009 et avant mai 2010. La banque aurait le droit de déduire, au moment de déterminer sa TVAP de l'Ontario à payer selon la formule de la MAS, la TVAP de l'Ontario de 800 $ établie par autocotisation, puisque la TVAP de l'Ontario relative à la fourniture serait déterminée selon la formule de la MAS compte tenu de la TPS de 500 $ relative à la même fourniture.

Les modifications proposées s'appliqueraient aux périodes de déclaration d'une institution financière se terminant après juin 2010.

B. TVAP payée ou établie par autocotisation sur les opérations effectuées avant la période de déclaration transitoire

Les IFDP peuvent aussi avoir à payer ou à établir par autocotisation la TVAP de la Colombie Britannique ou de l'Ontario aux termes des règles transitoires générales relativement à la fourniture d'un bien ou d'un service lorsque la contrepartie de la fourniture est payable après le 14 octobre 2009, mais avant le début de la période de déclaration transitoire de l'IFDP (cette TVAP étant appelée « TVAP pour la période antérieure à la période transitoire » dans la présente section). Dans ce cas, l'IFDP ne déclarerait pas la TVAP de la Colombie Britannique et de l'Ontario relative à la fourniture selon la formule de la MAS. Elle déclarerait la TVAP pour la période antérieure à la période transitoire (établie par autocotisation) selon des règles générales comprenant des exigences de déclaration applicables aux institutions qui ne sont pas des IFDP.

Il est proposé de permettre de rajuster la TVAP pour la période antérieure à la période transitoire relativement à la fourniture de biens ou de services dans le cas où les biens ou les services sont utilisés exclusivement en Colombie Britannique ou en Ontario et où l'IFDP a aussi inclus la TPS payable relativement à la fourniture dans le calcul de sa TVAP payable au Nouveau Brunswick, à Terre Neuve et Labrador et en Nouvelle Écosse pour la période de déclaration dans laquelle la TPS est devenue payable. Ce rajustement réduirait la TVAP pour la période antérieure à la période transitoire d'un montant égal au total des montants dont chacun est déterminé pour le Nouveau Brunswick, Terre Neuve et Labrador ou la Nouvelle Écosse selon la formule suivante :

A x B x C/D

où :

A = la TPS non recouvrable relativement à la fourniture (c'est-à-dire, la TPS payable moins les CTI demandés au titre de cette TPS);

B = le pourcentage d'attribution applicable à l'IFDP quant à la province;

C = le taux de taxe applicable à la province;

D = le taux de la TPS.

Exemple 18 - Une société de fiducie est une IFDP. Elle produit des déclarations mensuelles et ses périodes de déclaration prennent fin le dernier jour de chaque mois. Elle compte des établissements stables au Nouveau Brunswick et à Terre Neuve et Labrador, et ses pourcentages d'attribution sont 4 % pour le Nouveau Brunswick et de 6 % pour Terre Neuve et Labrador. Le 1er avril 2010, elle verse 10 000 $ plus 500 $ de TPS pour acheter un ordinateur qui sera livré à son bureau de Kelowna le 1er août 2010 et qui y sera utilisé exclusivement. Selon les règles transitoires générales, la société de fiducie est tenue d'établir par autocotisation les 700 $ de la TVAP de la Colombie Britannique puisque l'ordinateur sera livré après le 1er juillet 2010 et que la contrepartie de la fourniture est payée après le 14 octobre 2009 et avant mai 2010. La société de fiducie n'a pas le droit de déduire, dans le calcul de sa TVAP de la Colombie Britannique à payer selon la formule de la MAS, la TVAP établie par autocotisation de 700 $ de la Colombie Britannique étant donné que la TPS de 500 $ relative à la même fourniture n'était pas payable au cours d'une période de déclaration se terminant après le 1er juillet 2010 (la TPS ayant été payée au cours de la période de déclaration de la société de fiducie se terminant le 30 avril 2010) et qu'il n'en serait pas tenu compte dans le calcul de la taxe à payer de la société de fiducie à titre d'IFDP établie selon la formule de la MAS pour une période de déclaration se terminant après le 1er juillet 2010.

Cependant, puisque les 500 $ ont été inclus dans la formule de la MAS aux fins du calcul de la TVAP pour le Nouveau Brunswick et Terre Neuve et Labrador au titre de la période de déclaration de la société de fiducie qui s'étend du 1er au 30 avril 2010, dans la mesure où la TVAP est déterminée selon la MAS à l'égard de ces trois provinces relativement à la fourniture, la société de fiducie pourrait déduire de sa taxe nette, pour la période de déclaration dans laquelle elle établit la taxe par autocotisation et la déclare, un montant égal à 80 $ [(500 $ x 4 % x 8/5 pour le Nouveau Brunswick) et (500 $ x 6 % x 8/5 pour Terre Neuve et Labrador). Ainsi, la société de fiducie ne sera pas tenue de payer la TVAP du Nouveau Brunswick et de Terre Neuve et Labrador alors qu'elle est redevable de la totalité de la TVAP de la Colombie Britannique pour la période antérieure à la période transitoire relativement à la même fourniture.

Il est proposé que la TVAP pour la période antérieure à la période transitoire, telle que rajustée ci devant, constitue un « montant de taxe visé par règlement » pour l'application du paragraphe 169(3) de la LTA. Comme les restrictions habituelles prévues au paragraphe 169(3) à l'égard des IFDP qui demandent des CTI au titre de la TVAP ne s'appliquent pas aux montants de taxe visés par règlement, une IFDP serait autorisée à demander un CTI au titre de la TVAP pour la période antérieure à la période transitoire, pourvu que les biens ou les services soient utilisés dans le cadre de ses activités commerciales et que les autres conditions d'obtention d'un CTI soient remplies (p. ex., le montant n'a pas été recouvré sous forme de remboursement ou de rajustement en vertu d'une autre disposition de la LTA). Les règles générales visant la récupération des CTI s'appliqueraient à la TVAP pour la période antérieure à la période transitoire, et les règles spéciale visant la récupération des CTI pour les IFDP, expliquées à la section 1.a.vi ci dessous, ne s'appliqueraient pas à la fourniture.

Les modifications proposées s'appliqueraient aux périodes de déclaration d'une institution financière commençant avant le 15 octobre 2009 et se terminant après juin 2010.

iii. Taxe payée pendant la période de déclaration transitoire mais attribuable à une période de déclaration ultérieure

Comme il est expliqué à la section 3.b.i ci-dessus, selon les règles transitoires proposées, la TVAP de la Colombie Britannique ou de l'Ontario à payer par une IFDP selon la formule de la MAS pour sa période de déclaration commençant avant le 1er juillet 2010 et se terminant à cette date ou par la suite serait calculée au prorata du nombre de jours de cette période de déclaration qui sont postérieurs à juin 2010.

Cette règle produirait un résultat inapproprié dans le cas où une IFDP paie la TPS au cours de sa période de déclaration transitoire relativement à la fourniture d'un bien ou d'un service, alors que le bien est fourni par bail, licence ou accord semblable ou que le service est rendu après la fin de cette période. Dans ce cas, il y aurait lieu de ne pas calculer au prorata la TVAP de la Colombie Britannique ou de l'Ontario déterminée selon les règles concernant les IFDP relativement à cette fourniture, dans la mesure où les biens sont rendus disponibles (p. ex., par bail) ou les services sont rendus après la période de transition.

Cette règle produirait un résultat inapproprié dans le cas où une IFDP paie la TPS au cours de sa période de déclaration transitoire relativement à la fourniture d'un bien ou d'un service, alors que le bien est fourni par bail, licence ou accord semblable ou que le service est rendu après la fin de cette période. Dans ce cas, il y aurait lieu de ne pas calculer au prorata la TVAP de la Colombie Britannique ou de l'Ontario déterminée selon les règles concernant les IFDP relativement à cette fourniture, dans la mesure où les biens sont rendus disponibles (p. ex., par bail) ou les services sont rendus après la période de transition.

(A - B) x C x D/E x F/G x H

où :

A = la TPS payable sur la fourniture;

B = les CTI demandés au titre de la fourniture;

C = le pourcentage d'attribution applicable à l'IFDP quant à la Colombie&Britannique ou à l'Ontario, selon le cas;

D = le taux de taxe applicable en Colombie Britannique ou en Ontario, selon le cas;

E = le taux de la TPS;

F = le nombre de jours de la période de déclaration transitoire qui sont antérieurs à juillet 2010;

G = le nombre de jours de la période de déclaration transitoire;

H = le pourcentage qui représente la mesure dans laquelle le bien est rendu disponible ou le service est rendu après la période de déclaration transitoire.

Par exemple, si la fourniture consiste à fournir un service pour une période de facturation se terminant après la période de déclaration transitoire, l'élément H de la formule correspondrait à la proportion (exprimée en pourcentage) qui représente le nombre de jours de la période de facturation qui sont postérieurs à la période de déclaration transitoire de l'IFDP par rapport au nombre total de jours de la période de facturation.

Par exemple, si la fourniture consiste à fournir un bien par bail, l'élément H de la formule correspondrait au résultat de la division du nombre de jours de la période de location qui sont postérieurs à la période de déclaration transitoire de l'IFDP par le nombre total de jours de la période de location.

Par exemple, si la fourniture consiste à fournir un bien par vente, la valeur de l'élément H de la formule serait de 100 %.

Les modifications proposées s'appliqueraient aux périodes de déclaration d'une institution financière se terminant après juin 2010.

iv. Paiements faits après la mise en œuvre visant des fournitures effectuées au cours de la période de déclaration transitoire ou de la période de déclaration antérieure

Aux termes des règles transitoires proposées, une IFDP serait tenue de déterminer sa TVAP de la Colombie Britannique ou de l'Ontario à payer selon la formule de la MAS en commençant par sa première période de déclaration qui comprend le 1er juillet 2010. Cette règle aurait toutefois un résultat inapproprié dans le cas où une IFDP paie la TPS pour sa période de déclaration provisoire (ou pour une période de déclaration ultérieure) relativement à la fourniture d'un bien livré ou d'un service rendu avant le début de la période de déclaration transitoire. Dans le cas où aucune TVAP de la Colombie Britannique ou de l'Ontario n'aurait été à payer par l'IFDP relativement à la fourniture selon les règles transitoires générales ou dans le cas où la taxe aurait été calculée au prorata selon la formule de la MAS, il y aurait lieu que l'IFDP ne soit pas tenue de déterminer le montant de sa TVAP de la Colombie Britannique ou de l'Ontario à payer relativement à la fourniture selon la formule de la MAS qui excède la TVAP qui aurait été payable par ailleurs selon les règles transitoires.

Par conséquent, lorsque la TPS est payable par une IFDP pour une période de déclaration se terminant après juin 2010 relativement à la fourniture d'un bien ou d'un service et que le bien est livré ou le service est rendu au cours d'une période de déclaration se terminant avant juillet 2010 et qu'aucune TVAP n'aurait été payable, il est proposé de permettre à l'IFDP de déduire dans le calcul de sa TVAP de la Colombie Britannique ou de l'Ontario à payer, pour la période de déclaration dans laquelle la TPS est payable, à titre de montant visé par règlement pour l'application de l'élément G de la formule de la SAM, le montant obtenu par la formule suivante :

(A - B) x C x D/E x F/G

où :

A = la TPS payable sur la fourniture;

B = les CTI demandés au titre de la fourniture;

C = le pourcentage d'attribution applicable à l'IFDP quant à la Colombie&Britannique ou à l'Ontario, selon le cas;

D = le taux de taxe applicable en Colombie Britannique ou en Ontario, selon le cas;

E = taux de la TPS;

F = le nombre de jours de la période de déclaration de l'IFDP dans laquelle la TPS est devenue payable qui sont postérieurs à juin 2010;

G = le nombre de jours de la période de déclaration de l'IFDP dans laquelle la TPS est devenue payable.

Les modifications proposées s'appliqueraient aux périodes de déclaration d'une institution financière se terminant après juin 2010.

v. Règle concernant l'accumulation des CTI

La formule de la MAS prévue au paragraphe 225.2(2) de la LTA précise de façon générale qu'une IFDP est tenue d'ajouter, dans le calcul de sa TVAP à payer dans une province participante pour une période de déclaration, le total de la TPS payée ou payable pour cette période (élément A de la formule de la MAS) et peut déduire dans ce calcul les CTI demandés pour la période au titre de la TPS (élément B de la formule de la MAS). Il peut y avoir un délai pouvant aller jusqu'à deux ans entre le moment où la TPS est incluse à l'élément A et celui où un CTI au titre de cette TPS est inclus à l'élément B.

L'écart de temps entre le paiement de la TPS et la demande d'un CTI au titre de cette TPS pourrait donner des résultats inopportuns dans le contexte de la mise en œuvre de la TVH en Colombie Britannique et en Ontario. Si la TPS est devenue payable par une IFDP au cours d'une période de déclaration se terminant avant le 1er juillet 2010, cette TPS ne serait pas incluse à l'élément A de la formule de la MAS, ni au titre de la TVAP de la Colombie Britannique ni de celle de l'Ontario. Cependant, si l'IFDP demandait ensuite un CTI au titre de cette TPS au cours d'une période de déclaration ultérieure se terminant après juin 2010, ce CTI serait inclus à l'élément B de la formule de la MAS aux fins du calcul de la TVAP de la Colombie Britannique et de l'Ontario. Ce résultat réduirait le montant de la TVAP payable et il constituerait un bénéfice fortuit inopportun pour l'IFDP.

Afin d'éviter ce résultat fiscal, des règles transitoires proposées exigeraient qu'un rajustement de taxe soit effectué aux fins du calcul de la TVAP de la Colombie Britannique ou de l'Ontario selon la formule de la MAS. Ces règles s'appliqueraient dans le cas où le montant d'un CTI, au titre de la TPS payée ou payable au cours d'une période de déclaration se terminant avant juillet 2010, est inclus à l'élément B de la formule de la MAS pour une période de déclaration donnée se terminant après juin 2010. Pour le calcul de la TVAP de la Colombie Britannique et de l'Ontario pour la période de déclaration donnée, l'IFDP serait tenue d'inclure un rajustement de taxe consistant à rajouter la TPS qui a donné lieu au CTI. Le rajustement que l'IFDP devrait effectuer pour la période de déclaration donnée correspondrait au montant de TPS payée, multiplié par le pourcentage d'attribution applicable à l'IFDP quant à la Colombie Britannique (ou à l'Ontario), multiplié par le ratio du taux de taxe applicable en Colombie Britannique (ou en Ontario) sur le taux de la TPS de 5 %. Cette règle serait semblable à la disposition qui a été prévue en 1997 dans le cadre de la mise en œuvre de la TVH au Nouveau Brunswick, en Nouvelle Écosse et à Terre Neuve et Labrador.

Exemple 19 - Un assureur est une IFDP. Il produit des déclarations trimestrielles et son exercice prend fin le 31 décembre. En conséquence, ses périodes de déclaration prennent fin le 31 mars, le 30 juin, le 30 septembre et le 31 décembre. Le 1er février 2010, il paie 1 000 $ plus 50 $ de TPS à l'achat de papier utilisé dans une proportion de 10 % dans le cadre de ses activités commerciales. L'assureur aurait pu demander le CTI de 5 $ dans sa déclaration pour la période de déclaration se terminant le 31 mars, mais il choisit plutôt de le demander dans sa déclaration pour la période se terminant le 31 décembre 2010. L'assureur inclut 5 $ à l'élément B de la formule de la MAS, mais non les 50 $ à l'élément A de la formule de la MAS. Il serait donc tenu d'inclure un rajustement de taxe afin de rajouter la TPS de 50 $ payée le 1er février 2010 dans la formule de la MAS aux fins du calcul de sa TVAP payable relativement à la Colombie Britannique et à l'Ontario pour sa période de déclaration qui s'étend du 1er octobre au 31 décembre 2010.

Les modifications proposées s'appliqueraient aux périodes de déclaration d'une institution financière se terminant après juin 2010.

vi.CTI récupérés

A. Règles générales

La Colombie Britannique et l'Ontario ont choisi de se prévaloir de la marge de manœuvre prévue par le cadre de la TVH pour mandater la récupération de CTI auxquels certaines entreprises ont droit au titre de la TVAP. La Colombie Britannique et l'Ontario ont décidé chacune de leur côté que, pendant les étapes initiales de la mise en œuvre de la TVH dans leurs provinces respectives, les grandes entreprises - soit, de façon générale, celles qui effectuent au Canada des fournitures taxables d'une valeur de plus de 10 millions de dollars par année, et certaines institutions financières - sont tenues de rembourser les CTI qui leur sont offerts au titre de la TVAP payée ou payable. Les règles concernant la récupération, qui seraient mises en œuvre aux termes de la LTA, s'appliqueraient dans la mesure où les CTI sont attribuables à l'acquisition, ou au transfert en Colombie Britannique ou en Ontario, de biens et de services déterminés devant être consommés ou utilisés dans la province. Cela inclurait les CTI offerts au titre de fournitures qui sont détaxées aux termes de la LTA. Les détails complets concernant les règles de ces provinces se trouvent dans les avis d'information sur la TVH de la Colombie Britannique 4 et de l'Ontario 5.

B. Règles sur les CTI récupérés pour les IFDP

Même si l'intention de principe de la Colombie Britannique et l'Ontario vise à ce que toutes les institutions financières (comme il est expliqué dans les deux avis susmentionnés) soient assujetties à ces règles, les règles sur les CTI récupérés ne fonctionneraient pas efficacement pour les institutions financières qui sont aussi des IFDP, étant donné qu'elles ne sont pas autorisées en général à demander des CTI au titre de la TVAP, mais qu'elles recouvrent plutôt la totalité de la TVAP payée ou payable au moyen de l'application de la formule de la MAS. En conséquence, il est proposé d'apporter des modifications techniques aux règles sur les IFDP afin que la MAS soit rajustée de manière à tenir compte de la décision de la Colombie Britannique et de l'Ontario d'imposer les règles sur les CTI récupérés aux grandes entreprises qui sont des IFDP.

À la différence d'autres institutions financières et des grandes entreprises, les IFDP ne seraient pas assujetties aux règles générales sur les CTI récupérés. Les CTI au titre de la TVAP de la Colombie Britannique et de l'Ontario payable sur les biens et services déterminés seraient plutôt récupérés au moyen de modifications de la formule de la MAS. Ces règles sur les CTI récupérés pour les IFDP ne s'appliqueraient à la période de déclaration d'une IFDP que si celle-ci est inscrite sous le régime de la TPS/TVH, qu'elle n'est pas un organisme de services publics (au sens du paragraphe 123(1) de la LTA) et qu'elle satisfait à l'une des conditions suivantes :

- elle a effectué pour plus de 10 millions de dollars de fournitures taxables au cours de son dernier exercice ayant pris fin avant la période de déclaration;
- elle est l'une des institutions financières suivantes (ou est liée à l'une d'elles) : une banque, une société titulaire d'un permis ou autrement autorisée par la législation fédérale ou provinciale à exploiter au Canada une entreprise d'offre au public de services de fiduciaire, une caisse de crédit, un assureur ou toute autre personne dont l'entreprise principale consiste à offrir de l'assurance dans le cadre de polices d'assurance, un fonds réservé d'assureur ou un régime de placement.

Les règles sur les CTI récupérés pour les IFDP s'appliqueraient aux mêmes catégories de biens et de services déterminés qui sont assujettis aux règles générales sur les CTI récupérés :

- véhicules routiers déterminés, y compris certains services et certaines pièces connexes, et le carburant (autre que le carburant diesel) utilisé dans ces véhicules;
- formes d'énergie déterminées;
- services de télécommunication déterminés;
- repas et divertissements déterminés.

Une exception aux règles sur les CTI récupérés pour les IFDP serait prévue au titre des biens et des services déterminés qui sont liés exclusivement à l'enquête, au règlement ou à la défense d'une demande d'indemnité d'assurance multirisques. Ces intrants d'assurance sont exclus de la formule de la MAS, si bien que l'application de la TVAP, et la demande de CTI, à l'égard de ces intrants sont déterminés en vertu des règles générales sur la TVH. Les IFDP seraient donc assujetties aux règles générales sur les CTI récupérés au titre de la TVAP de la Colombie Britannique ou de l'Ontario payée sur des biens et des services déterminés qui sont liés exclusivement à l'enquête, au règlement ou à la défense d'une demande d'indemnité d'assurance multirisques.

Une exception serait aussi prévue pour les fournitures de biens et de services déterminés dans le cas où la TVAP de la Colombie Britannique ou de l'Ontario relative à la fourniture est à payer ou à établir par autocotisation aux termes des règles transitoires générales (se reporter à la section 3.b.ii.B ci devant) et où la TPS au titre de la fourniture est payable avant la période de déclaration transitoire de l'IFDP. Dans ce cas, l'IFDP pourrait être autorisée à demander un CTI au titre de la TVAP de la Colombie Britannique ou de l'Ontario. Le cas échéant, elle serait ensuite assujettie aux règles générales sur les CTI récupérés au titre de cette TVAP.

Il est proposé d'exiger qu'une IFDP effectue un redressement de taxe nette liée à ses biens déterminés aux fins du calcul des CTI récupérés au titre de la TVAP de la Colombie Britannique et de l'Ontario. La modification l'obligerait à ajouter, dans le calcul de sa TVAP de la Colombie Britannique ou de l'Ontario pour sa période de déclaration, le total des montants dont chacun représente un montant relatif à une catégorie déterminée de biens ou de services déterminés obtenu par la formule suivante :

A x B x C x D/E x F x G

où :

A représente le total de la TPS payée ou payable partout au Canada par l'IFDP au cours de la période de déclaration relativement à des fournitures de biens et de services déterminés (sauf celles qui sont liées directement et exclusivement à l'enquête, au règlement ou à la défense de demandes d'indemnités d'assurance multirisques, comme il est indiqué ci devant) de cette catégorie;

B représente le taux de recouvrement de la taxe pour l'IFDP, soit :

- dans le cas où l'IFDP fait un choix (le « choix de recouvrement du total de la taxe ») pour la période de déclaration, le résultat (exprimé en pourcentage) de la division (1) du total des CTI de l'IFDP, au titre de la TPS payée ou payable partout au Canada par l'IFDP, pour la période de déclaration (élément B de la formule de la MAS) par (2) le total de la TPS payée ou payable partout au Canada par l'IFDP pour la période de déclaration (élément A de la formule de la MAS);
- dans les autres cas, le résultat (exprimé en pourcentage) de la division (1) du total des CTI de l'IFDP pour la période de déclaration, au titre de la TPS payée ou payable partout au Canada par l'IFDP relativement à la catégorie d'un bien ou d'un service déterminé par (2) le total de la TPS payée ou payable partout au Canada par l'IFDP pour la période de déclaration relativement à cette catégorie de biens ou de services déterminés.

Nota : Le choix de recouvrement du total de la taxe devrait être fait sur le formulaire autorisé par le ministre du Revenu national, lequel devra contenir les renseignements déterminés par celui-ci et lui être présenté selon les modalités réglementaires avant le début de la période de déclaration visée par le choix. Si une IFDP devait ne pas faire ce choix pour une période de déclaration donnée, elle n'aurait pas le droit de le faire pour toute période de déclaration postérieure à la période de déclaration donnée.

C représente le pourcentage d'attribution applicable à l'IFDP quant à la Colombie Britannique ou à l'Ontario, selon le cas, pour la période de déclaration;

D représente le taux de taxe applicable à la province participante (8 % en Ontario; 7 % en Colombie Britannique);

E représente le taux de la TPS (5 %);

F représente le facteur de réduction des CTI récupérés qui s'applique le premier jour où un CTI peut être demandé au titre de la TPS payable relativement à la fourniture. Le facteur de réduction serait :

- 100 % pour la période allant du 1er juillet 2010 au 30 juin 2015,
- 75 % pour la période allant du 1er juillet 2015 au 30 juin 2016,
- 50 % pour la période allant du 1er juillet 2016 au 30 juin 2017,
- 25 % pour la période allant du 1er juillet 2017 au 30 juin 2018,
- 0 % à partir du 1er juillet 2018;

G représente :

- 50 % lorsque la catégorie du bien ou du service déterminé est celle des repas et divertissements déterminés;
- 100 % dans les autres cas.

Dans sa déclaration finale de TPS/TVH (GST494) pour la période de déclaration, l'IFDP serait tenue d'ajouter le montant total déterminé ci dessus à sa taxe nette et de déclarer ce montant dans l'annexe des CTI récupérés à produire avec la déclaration pour la période.

Exemple 20 - Une banque est une IFDP et produit des déclarations annuelles. Pendant la période de déclaration qui s'étend du 1er novembre 2012 au 31 octobre 2013, la banque paie 200 000 $ plus 10 000 $ de TPS pour des services de télécommunication déterminés achetés partout au Canada. Le taux global de recouvrement des CTI de la banque est de 10 % et son pourcentage d'attribution quant à l'Ontario est de 50 %. La banque n'a pas fait le choix de recouvrement du total de la taxe pour sa période de déclaration qui s'étend du 1er novembre 2012 au 31 octobre 2013. Au moment de déterminer sa TVAP de l'Ontario à payer pour la période du 1er novembre 2012 au 31 octobre 2013, la banque serait tenue d'ajouter à sa taxe nette à l'égard des services de télécommunication un montant égal à :

10 000 $ x 10 % x 50 % x 8 % / 5 % x 100 % x 100 % = 800 $

Exemple 21 - Une société de fiducie est une IFDP et produit des déclarations mensuelles. Pendant sa période de déclaration qui s'étend du 1er au 30 juin 2016, elle paie 5 000 $ plus 650 $ de TVH (250 $ de TPS +400 $ de TVAP) au titre de repas déterminés au restaurant achetés au Nouveau Brunswick. La société de fiducie n'a pas fait le choix de recouvrement du total de la taxe pour sa période de déclaration qui s'étend du 1er juin 2016 au 30 juin 2016. Le taux de recouvrement des CTI de la société de fiducie à l'égard de la catégorie des repas et divertissements déterminés est de 25 % et son pourcentage d'attribution quant à la Colombie Britannique est de 20 %. Au moment de déterminer sa TVAP de la Colombie Britannique à payer pour sa période de déclaration qui s'étend du 1er au 30 juin 2016, la société serait tenue d'ajouter à sa taxe nette à l'égard des services de repas un montant égal à :

250 $ x 25 % x 20 % x 7 % / 5 % x 75 % x 50 % = 6,56 $

Selon les règles actuelles, la formule de la MAS prévoit des rajustements, aux fins du calcul de la TVAP du Nouveau Brunswick, de Terre Neuve et Labrador et de la Nouvelle Écosse, relativement aux CTI demandés au titre de certains frais de location de voitures de tourisme et de certains frais de repas et de divertissement. Ces rajustements montrent que 50 % des CTI demandés au titre de la TPS payée sur ces frais sont généralement récupérés en vertu des articles 235 et 236 de la LTA et se traduisent essentiellement, au moyen de la formule de la MAS, par une récupération semblable de 50 % de la TVAP. Ces rajustements continueraient de s'appliquer aux fins de la détermination de la TVAP de la Colombie Britannique et de l'Ontario, en plus des règles temporaires sur les CTI récupérés mentionnées ci devant.

Les modifications proposées s'appliqueraient aux périodes de déclaration d'une institution financière commençant avant juillet 2010 et se terminant après juin 2018.

vii. Base des acomptes provisionnels transitoire des IFDP

Les IFDP qui produisent des déclarations annuelles sont, de façon générale, tenues de verser pour leur exercice des acomptes provisionnels trimestriels d'un montant égal au moins élevé des montants suivants : a) la taxe nette de l'IFDP pour l'exercice et b) la taxe nette de l'IFDP pour les périodes de déclaration ayant pris fin dans les douze mois précédents.

Afin de veiller à ce que la base des acomptes provisionnels d'une IFDP pour son année de transition tienne compte de l'harmonisation de la Colombie Britannique et de l'Ontario, une règle transitoire est proposée pour les IFDP qui produisent des déclarations annuelles. Cette règle transitoire s'appliquerait aux fins de la détermination des acomptes provisionnels pour les trimestres d'exercice se terminant le 1er juillet 2010 de l'année de transition de l'IFDP ou par la suite (l'année de transition correspond à l'exercice de l'IFDP qui commence avant le 1er juillet 2010 et se termine après cette date). L'IFDP serait tenue de choisir l'une de quatre méthodes, qui seraient semblables aux quatre méthodes prévues au paragraphe 363(2) de la LTA pour la mise en œuvre, le 1er avril 1997, de la TVH au Nouveau Brunswick, en Nouvelle Écosse et à Terre Neuve et Labrador, sous réserve de légères modifications visant à tenir compte des différents taux de TVAP des cinq provinces participantes. Comme c'était le cas pour les méthodes prévues au paragraphe 363(2), les deux premières méthodes proposées seraient fondées sur la taxe nette de l'IFDP, tandis que les deux dernières seraient basées sur la TPS non recouvrable de l'IFDP pour l'année de transition.

La première méthode permettrait à l'IFDP de calculer ses acomptes provisionnels en fonction des résultats de l'année précédente, mais elle lui permettrait aussi, dans le cas où elle prévoit une diminution de la taxe nette dans l'année de transition ou une diminution de ses pourcentages d'attribution, de fonder ses acomptes sur une estimation de la taxe nette ou des pourcentages d'attribution pour l'année en cours, selon le cas. Pourvu que l'IFDP n'ait pas sous estimé la taxe nette ou les pourcentages d'attribution pour l'année de transition et pourvu que les montants payables aient été payés à temps et en entier, il n'y aurait aucun intérêt ni aucune pénalité à payer.

La deuxième méthode permettrait à l'IFDP de calculer ses acomptes provisionnels seulement en fonction des résultats de l'année précédente.

La troisième méthode permettrait à l'IFDP, de façon générale, de calculer la partie de chaque acompte provisionnel qui est attribuable à la TPS en fonction de ses résultats de l'année précédente et de calculer la partie qui est attribuable à la TVAP en fonction de la TVAP qui a été payée ou est devenue payable par l'IFDP, ou qui a été perçue ou est devenue percevable par elle, au cours du trimestre d'exercice auquel l'acompte provisionnel se rapporte. Si l'IFDP prévoit une diminution globale de la taxe nette dans l'année de transition, elle peut aussi baser ses acomptes provisionnels sur une estimation de sa taxe nette pour l'année de transition. Toutefois, si l'IFDP a sous estimé les acomptes provisionnels qu'elle doit verser pour l'année de transition, elle serait assujettie à des pénalités et à des intérêts.

La quatrième méthode serait à peu près semblable à la troisième. L'acompte provisionnel serait toutefois calculé en fonction des résultats de l'IFDP pour les périodes de déclaration se terminant dans les douze mois précédant l'année de transition. Comme c'est le cas pour la troisième méthode, la partie d'un acompte provisionnel qui est attribuable à la TVAP qui a été payée ou est devenue payable par l'IFDP, ou qui a été perçue ou est devenue percevable par elle, est fondée sur les montants qui ont réellement été payés et perçus par l'IFDP au cours du trimestre d'exercice auquel l'acompte provisionnel se rapporte. À la différence de la troisième méthode, la quatrième méthode ne permettrait pas à l'IFDP de fonder ses acomptes provisionnels sur une estimation de sa taxe nette pour l'année de transition.

Les règles transitoires proposées ne s'appliqueraient pas aux FFCP, aux SPCV ou aux fonds réservés d'assureurs.

Les modifications proposées s'appliqueraient aux périodes de déclaration se terminant après juin 2010.

4. Autres règles concernant les institutions financières

a. Fournitures importées - Fiducies non résidentes

Il est proposé dans la Loi sur l'emploi et la croissance économique (projet de loi C-9) que certaines institutions financières, appelées « contribuables admissibles », soient tenues d'établir par autocotisation la TPS sur certaines opérations transfrontières en vertu d'une série de règles spéciales. Ces contribuables, lorsqu'ils ne sont pas des IFDP et résident dans une province participante, seraient également tenus d'établir par autocotisation la TVAP sur ces opérations transfrontières, dans la mesure où l'opération est liée à la province.

De façon générale, une personne serait un contribuable admissible tout au long de son année déterminée (en général, son année d'imposition) si elle est une institution financière tout au long de cette année et que, au cours de cette même année : (1) elle réside au Canada; (2) elle a un établissement stable au Canada; (3) si elle est une fiducie non résidente, la majorité des personnes ayant un intérêt bénéficiaire dans ses biens résident au Canada; ou (4) elle est visée par règlement ou est membre d'une catégorie réglementaire.

Conformément à d'autres changements applicables aux régimes de placement à l'égard de la TVAP, il est proposé de prévoir qu'une fiducie non résidente est une personne visée par règlement pour l'application des règles sur les contribuables admissibles si une ou plusieurs personnes résidant au Canada détiennent ensemble un intérêt bénéficiaire d'au moins 10 % dans les biens de la fiducie et que la valeur des biens dans lesquels ces personnes détiennent un intérêt bénéficiaire est égale ou supérieure à 10 millions de dollars. Cette modification permettrait de façon générale de veiller à ce que la TPS/TVH soit établie par autocotisation sur les intrants qui sont consommés ou utilisés relativement aux droits canadiens sur les biens de la fiducie, comme ce serait le cas si la fiducie résidait au Canada.

La modification proposée s'appliquerait à l'année déterminée d'une personne qui commence après juin 2010.

b. Règles sur les IFDP concernant les fournitures et les remboursements réputés de régimes de pension

Les modifications législatives prévues dans la Loi sur l'emploi et la croissance économique (le projet de loi C-9) mettraient en œuvre des mesures visant à simplifier et à préciser les règles de la TPS/TVH concernant les régimes de pension agréés (RPA) d'employeurs. Suivant ces modifications, l'entité de gestion d'un régime de pension (c'est-à-dire, une fiducie régie par un RPA ou une personne morale qui administre un RPA) serait réputée dans certaines circonstances avoir reçu une fourniture taxable d'un employeur participant à un RPA et, à certaines fins, avoir payé la taxe (TPS et TVAP) à l'égard de cette fourniture réputée. L'entité de gestion, si certaines conditions sont réunies, aurait droit à un CTI ou à un remboursement aux termes de l'article 261.01 de la LTA, au titre de la taxe qu'elle serait réputée avoir payé à l'égard de la fourniture réputée. Les dispositions concernant les notes de redressement de taxe prévues aux articles 232.01 et 232.02 proposés de la LTA s'appliqueraient de façon à réduire cette taxe réputée, ainsi que les CTI ou les remboursements demandés à son égard, dans le cas où un employeur effectue à la fois une fourniture réelle et une fourniture réputée au profit d'une entité de gestion relativement au même bien ou service.

Par suite des changements proposés concernant l'application des règles sur les IFDP aux entités de gestion de régimes de pension qui feraient en sorte que ces règles s'appliquent à la plupart des entités de gestion, il est proposé de modifier la formule de la MAS afin de veiller à ce qu'elle s'harmonise comme il se doit avec les nouvelles règles proposées sur les pensions lorsque celles-ci s'appliquent à une entité de gestion qui est une IFDP.

Plus précisément, les modifications proposées à la formule de la MAS permettraient :

- de veiller à ce qu'il soit tenu compte, dans la formule de la MAS, de la TPS et de la TVAP réputée qu'une entité de gestion peut être réputée avoir payé en vertu des règles sur les régimes de pension prévues dans le projet de loi C-9;
- de modifier la formule de la MAS afin de prévoir une déduction au titre du montant de TPS et une addition au titre de la TVAP aux fins des notes de redressement de taxe prévues aux articles 232.01 ou 232.02 reçues par l'entité de gestion qui est une IFDP;
- de modifier la formule de la MAS de façon à tenir compte du recouvrement, par les entités de gestion qui sont des IFDP, des CTI et des remboursements par suite de l'émission de notes de redressement de taxe.

Ces modifications proposées à la formule de la MAS s'appliqueraient aux périodes de déclaration d'une entité de gestion qui est une IFDP commençant après le 22 septembre 2009.

juin 2006, Notes explicatives: L'article 225.2 porte sur le calcul de la taxe nette des institutions financières désignées particulières. Selon le paragraphe 225.2(2), la taxe nette d'une telle institution financière doit faire l'objet d'un redressement — dont le montant est déterminé selon une formule — au titre de la composante provinciale de la TVH pour chaque période de déclaration au cours de laquelle l'institution est une institution financière désignée particulière. Selon cette formule, l'institution financière doit déterminer sa TPS irrécouvrable pour la période de déclaration en cause, puis multiplier ce montant par le rapport entre la valeur de l'élément D (le taux de taxe applicable à la province participante) et la valeur de l'élément E (le taux de TPS de 7 %).

La modification apportée à l'élément E de la formule figurant au paragraphe 225.2(2) consiste à remplacer la mention de 7 % par le taux fixé au paragraphe 165(1). Cette modification fait suite au changement apporté au paragraphe 165(1), qui consiste à ramener de 7 % à 6 % le taux de la taxe imposée par ce paragraphe.

Définitions [art. 225.2]: « année d'imposition », « fourniture », « importation », « institution financière », « institution financière désignée particulière », « ministre », « montant », « période de déclaration », « personne », « produits », « province non participante », « province participante », « règlement », « taux de taxe » — 123(1); « nouveau régime de la taxe à valeur ajoutée harmonisée » — 277.1.

Renvois [art. 225.2]: 167.11(4) (banques étrangères); 169(3) (CTI); 218.1(2), 220.04 (institutions financières désignées particulières); 228(2.1), (2.4) (taxe nette — institutions financières désignées particulières); 237(5) (acomptes provisionnels du premier exercice); 238(2.1) (production de déclarations); 280(1.1), (4.01) (pénalités et intérêts sur la taxe nette); 323 (responsabilité des administrateurs); 363(2)d) (calcul de l'acompte provisionnel d'une institution financière désignée particulière).

Règlements [art. 225.2]: *Règlement sur la méthode d'attribution applicable aux institutions financières désignées particulières (TPS/TVH)*, art. 1.

Bulletins de l'information technique [art. 225.2]: B-083R, 23/05/97, *Services financiers sous le régime de la TVH.*

Série de mémorandums [art. 225.2]: Mémorandum 3.1, 08/99, *Assujettissement à la taxe*; Mémorandum 16.2, 01/09, *Pénalités et intérêts*; Mémorandum 17.6, 09/99, *Définition d'« institution financière désignée »*; Mémorandum 17.9, 08/99, *Agents et courtiers d'assurance*; Mémorandum 17.14, 07/11, *Choix visant les fournitures exonérées*; Mémorandum 19.4.2, 08/99, *Immeubles commerciaux — Fournitures réputées.*

Énoncés de politique [art. 225.2]: P-250, 03/10/03, *Production en retard de choix prévus au paragraphe 225.2(4).*

Formulaires [art. 225.2]: FP-4531, *Choix ou révocation d'un choix d'utiliser une méthode d'estimation et de rapprochement pour déclarer la récupération des crédits de taxes sur les intrants*; FPZ-111, *Annexe 1 — Feuille de renseignements annuels sur la TPS/TVH pour les institutions financières*; GST111, *Annexe 1 — Feuille de renseignements annuels sur la TPS/TVH pour les institutions financières*; GST494, *Déclaration finale de taxe sur les produits et services/taxe de vente harmonisée pour les institutions financières désignées particulières*; GST497, *Choix et avis de révocation d'un choix en vertu de la méthode d'attribution spéciale pour les institutions financières désignées particulières.*

Info TPS/TVQ [art. 225.2]: GI-035 — *Feuille de renseignements annuels pour les institutions financières.*

225.3 (1) Définitions — Au présent article, « fonds coté en bourse », « régime de placement non stratifié », « régime de placement stratifié » et « série cotée en bourse » s'entendent au sens des règlements.

15 octobre 2012, Notes explicatives: Le paragraphe 225.3(1) prévoit que les termes « fonds coté en bourse », « régime de placement non stratifié », « régime de placement stratifié » et « série cotée en bourse » s'entendent au sens du règlement. Selon les modifications proposées au *Règlement sur la méthode d'attribution applicable aux institutions financières désignées particulières (TPS/TVH)*, ces termes s'entendent au sens des termes correspondants qui sont définis dans ce projet de règlement.

Concordance québécoise: aucune.

(2) Demande au ministre — L'institution financière désignée particulière qui est un fonds coté en bourse peut demander au ministre l'autorisation d'employer des méthodes particulières, pour tout exercice se terminant dans son année d'imposition, afin de déterminer les pourcentages suivants :

a) si elle est un régime de placement stratifié, les pourcentages qui lui sont applicables, selon le paragraphe 225.2(2), quant à chacune de ses séries cotées en bourse et à chaque province participante pour l'année;

b) si elle est un régime de placement non stratifié, les pourcentages qui lui sont applicables, selon le paragraphe 225.2(2), quant à chaque province participante pour l'année.

15 octobre 2012, Notes explicatives: Le paragraphe 225.3(2) permet à une institution financière désignée particulière (au sens du paragraphe 225.2(1)) qui est un fonds coté en bourse de demander au ministre du Revenu national l'autorisation d'employer, pour faire le calcul prévu au paragraphe 225.2(2), des méthodes particulières pour déterminer les pourcentages ci-après pour un exercice se terminant dans son année d'imposition :

- si l'institution financière est un régime de placement stratifié (en termes généraux, un régime de placement dont les unités sont émises en plusieurs séries), les pourcentages qui lui sont applicables quant à chacune de ses séries cotées en bourse et à chaque province participante (au sens du paragraphe 123(1)) pour l'année d'imposition;
- si elle est un régime de placement non stratifié (en termes généraux, un régime de placement dont les unités ne sont pas émises en plusieurs séries), les pourcentages qui lui sont applicables quant à chaque province participante pour l'année d'imposition.

Concordance québécoise: aucune.

(3) Forme et modalités — La demande d'une institution financière désignée particulière doit, à la fois :

a) être établie en la forme déterminée par le ministre et contenir les renseignements qu'il détermine, notamment :

(i) si l'institution financière est un régime de placement stratifié, un exposé des méthodes particulières qui seront employées pour chacune de ses séries cotées en bourse,

(ii) si elle est un régime de placement non stratifié, un exposé des méthodes particulières qui seront employées pour elle;

b) être présentée au ministre, selon les modalités qu'il détermine, au plus tard :

(i) le cent quatre-vingtième jour précédant le début de l'exercice qu'elle vise,

(ii) à toute date postérieure fixée par le ministre.

15 octobre 2012, Notes explicatives: Le paragraphe 225.3(3) porte sur la forme et les modalités applicables à la demande qu'une institution financière désignée particulière fait aux termes du paragraphe 225.3(2).

Selon l'alinéa 225.3(3)a), la demande doit être établie en la forme déterminée par le ministre du Revenu national et contenir les renseignements qu'il détermine, notamment :

- si l'institution financière est un régime de placement stratifié, un exposé des méthodes particulières qui seront employées pour chacune de ses séries cotées en bourse;
- esi elle est un régime de placement non stratifié, un exposé des méthodes particulières qui seront employées pour elle.

L'alinéa 225.3(3)b) prévoit que l'institution financière doit présenter sa demande au ministre, selon les modalités qu'il détermine, au plus tard le cent quatre-vingtième jour précédant le début de l'exercice qu'elle vise. Toutefois, selon le sous-alinéa 225.3(3)b)(ii), le ministre peut permettre à l'institution financière de présenter sa demande après l'expiration de ce délai.

Concordance québécoise: aucune.

(4) Autorisation — Sur réception de la demande visée au paragraphe (2), le ministre :

a) examine la demande et autorise ou refuse l'emploi des méthodes particulières;

b) avise l'institution financière désignée particulière de sa décision par écrit au plus tard :

(i) au dernier en date des jours suivants :

(A) le cent quatre-vingtième jour suivant la réception de la demande,

(B) le cent quatre-vingtième jour précédant le début de l'exercice visé par la demande,

(ii) à toute date postérieure qu'il peut préciser, si elle figure dans une demande écrite que l'institution financière lui présente.

15 octobre 2012, Notes explicatives: Le paragraphe 225.3(4) porte sur le pouvoir et les obligations du ministre du Revenu national en ce qui a trait à la demande qu'une institution financière désignée particulière lui présente aux termes du paragraphe 225.3(2). Il prévoit que le ministre doit examiner la demande puis autoriser ou refuser l'emploi des méthodes particulières qui y sont exposées. En outre, il prévoit que le ministre doit aviser l'institution financière de sa décision par écrit au plus tard le cent quatre-vingtième jour suivant la réception de la demande ou, s'il est postérieur, le cent quatre-vingtième jour précédant le début de l'exercice visé par la demande. Ce délai peut être prolongé par le ministre sur demande écrite de l'institution financière précisant la date voulue.

Concordance québécoise: aucune.

(5) Effet de l'autorisation — Si le ministre autorise en application du paragraphe (4) l'emploi de méthodes particulières relativement à l'exercice de l'institution financière désignée particulière, les règles ci-après s'appliquent :

a) malgré la partie 2 du *Règlement sur la méthode d'attribution applicable aux institutions financières désignées particulières (TPS/TVH)* :

(i) les pourcentages applicables à l'institution financière quant à une province participante pour l'année d'imposition dans laquelle l'exercice prend fin qui, en l'absence du présent article, seraient déterminés selon cette partie sont déterminés selon ces méthodes,

(ii) les pourcentages applicables à l'institution financière quant à une de ses séries cotées en bourse et à une province participante pour l'année d'imposition dans laquelle l'exercice prend fin qui, en l'absence du présent article, seraient déterminés selon cette partie sont déterminés selon ces méthodes;

b) pour déterminer les pourcentages mentionnés à l'alinéa a), l'institution financière est tenue de suivre les méthodes particulières tout au long de l'exercice et selon ce qui est indiqué dans la demande.

15 octobre 2012, Notes explicatives: Le paragraphe 225.3(5) prévoit ce qu'il advient dans le cas où le ministre du Revenu national autorise, aux termes du paragraphe 225.3(4), l'emploi des méthodes particulières exposées dans la demande qu'une institution financière désignée particulière lui présente selon le paragraphe 225.3(2) pour un exercice.

L'alinéa 225.3(5)a) prévoit que, malgré la partie 2 du *Règlement sur la méthode d'attribution applicable aux institutions financières désignées particulières (TPS/TVH)*, les règles suivantes s'appliquent au calcul prévu au paragraphe 225.2(2) :

- les pourcentages applicables à l'institution financière quant à une province participante pour l'année d'imposition dans laquelle l'exercice prend fin qui, en l'absence de l'article 225.3, seraient déterminés selon la partie 2 de ce règlement sont plutôt déterminés selon les méthodes particulières;
- les pourcentages applicables à l'institution financière quant à l'une de ses séries cotées en bourse et à une province participante pour l'année d'imposition dans laquelle l'exercice prend fin qui, en l'absence de l'article 225.3, seraient déterminés selon la partie 2 de ce règlement sont plutôt déterminés selon les méthodes particulières.

L'alinéa 225.3(5)b) prévoit que les méthodes exposées dans la demande qui servent à déterminer les pourcentages mentionnés à l'alinéa 225.3(5)a) doivent être suivies par l'institution financière tout au long de l'exercice qu'elles visent.

Concordance québécoise: aucune.

(6) Révocation — L'autorisation accordée à une institution financière désignée particulière en vertu du paragraphe (4) relativement à son exercice cesse d'avoir effet le premier jour de l'exercice et est réputée, pour l'application de la présente partie, ne jamais avoir été accordée si, selon le cas :

a) le ministre la révoque et envoie un avis de révocation à l'institution financière au moins soixante jours avant le début de l'exercice;

b) l'institution financière présente au ministre, selon les modalités déterminées par lui, un avis de révocation, établi en la forme et contenant les renseignements déterminés par lui, au plus tard le premier jour de l'exercice.

15 octobre 2012, Notes explicatives: Le paragraphe 225.3(6) prévoit les circonstances dans lesquelles l'autorisation accordée par le ministre du Revenu national à une institution financière désignée particulière en vertu du paragraphe 225.3(4) pour un exercice de celle-ci cesse d'avoir effet et est réputée ne jamais avoir été accordée.

Selon les alinéas 225.3(6)a) et b), l'autorisation accordée selon le paragraphe 225.3(4) à une institution financière pour un exercice donné cesse d'avoir effet si l'un ou l'autre du ministre ou de l'institution financière souhaite la révoquer. Le ministre peut révoquer l'autorisation pour un exercice donné en envoyant un avis de révocation à l'institution financière au plus tard le soixantième jour précédant le premier jour de l'exercice. L'institution financière peut la révoquer en présentant au ministre un avis de révocation établi en la forme et contenant les renseignements déterminés par celui-ci, au plus tard le premier jour de l'exercice donné.

Concordance québécoise: aucune.

Notes historiques: L'article 225.3 a été ajouté par L.C. 2012, c. 31, par. 80(1) et s'applique relativement aux exercices d'une personne se terminant après juin 2010.

15 octobre 2012, Notes explicatives: De façon générale, le nouvel article 225.3i permet à une institution financière désignée particulière (au sens du paragraphe 225.2(1)) qui est un fonds coté en bourse (en termes généraux, un régime de placement dont les unités sont cotées ou négociées en bourse ou sur un autre marché public) de demander au ministre du Revenu national l'autorisation d'employer des méthodes particulières pour déterminer, pour l'application du paragraphe 225.2(2), les pourcentages qui lui sont applicables quant à des provinces participantes pour son année d'imposition. Ces pourcentages entrent dans le calcul, prévu au paragraphe 225.2(2), du rajustement qui doit être apporté à la taxe nette de l'institution financière, pour chaque période de déclaration de l'exercice de celle-ci se terminant dans l'année d'imposition, au titre de la composante provinciale de la TVH. L'article 225.3 est censé s'appliquer dans le cas où l'institution financière n'est pas en mesure de calculer les pourcentages qui lui sont applicables selon les exigences générales énoncées dans le Règlement sur la méthode d'attribution applicable aux institutions financières désignées particulières (TPS/TVH).

L'article 225.3 s'applique relativement aux exercices d'une personne se terminant après juin 2010.

Définitions [par. 225.3]: « province participante » — 123(1).

225.4 (1) Définitions — Les définitions qui suivent s'appliquent au présent article.

« activité au Canada » S'entend au sens de l'article 217.

15 octobre 2012, Notes explicatives: Ce terme s'entend au sens de l'article 217 et désigne toute activité qu'une personne exerce, pratique ou mène au Canada.

« intrant d'entreprise » S'entend au sens du paragraphe 141.02(1).

15 octobre 2012, Notes explicatives: Ce terme s'entend au sens du paragraphe 141.02(1). Il désigne, de façon générale, un bien ou un service acquis par une personne.

« intrant exclusif » Bien ou service qu'une personne acquiert ou importe en vue de le consommer ou de l'utiliser soit directement et exclusivement dans le but d'effectuer des fournitures taxables pour une contrepartie, soit directement et exclusivement dans un autre but.

15 octobre 2012, Notes explicatives: Un intrant exclusif d'une personne est un bien ou un service que la personne acquiert, importe ou transfère dans une province participante en vue de le consommer ou de l'utiliser soit directement et exclusivement dans le but d'effectuer des fournitures taxables pour une contrepartie, soit directement et exclusivement dans un autre but. Il est important de noter que, selon le paragraphe 123(1), le terme « exclusif » s'entend de 100 % dans le cas des institutions financières.

15 octobre 2012, Notes explicatives: Le paragraphe 225.4(1) définit certains termes pour l'application de l'article 225.4.

Concordance québécoise: aucune.

(2) Termes définis par règlement — Au présent article, « fonds coté en bourse », « investisseur déterminé », « participant », « particulier », « régime de placement », « régime de placement non stratifié », « régime de placement privé », « régime de placement stratifié », « série », « série cotée en bourse » et « unité » s'entendent au sens des règlements.

15 octobre 2012, Notes explicatives: Selon le paragraphe 225.4(2), les termes « fonds coté en bourse », « investisseur déterminé », « participant », « particulier », « régime de placement », « régime de placement non stratifié », « régime de placement privé », « régime de placement stratifié », « série », « série cotée en bourse » et « unité » s'entendent au sens du règlement. Selon les modifications proposées au Règlement sur la méthode d'attribution applicable aux institutions financières désignées particulières (TPS/TVH), ces termes s'entendent au sens des termes correspondants qui sont définis dans ce projet de règlement.

Concordance québécoise: aucune.

(3) Régimes de placement stratifiés — Si une institution financière désignée particulière est un régime de placement stratifié et que le choix prévu au paragraphe (6) relatif à l'une de ses séries n'est pas en vigueur tout au long d'un de ses exercices se terminant dans une année civile, les règles ci-après s'appliquent :

a) pour l'application du *Règlement sur la méthode d'attribution applicable aux institutions financières désignées particulières (TPS/TVH)* :

(i) s'il s'agit d'une série cotée en bourse, les unités de la série qui sont détenues à un moment donné de l'exercice par une personne dont l'institution financière sait, le 31 décembre de l'année civile, qu'elle ne réside pas au Canada au moment donné sont réputées être détenues à ce moment par un particulier donné qui réside au Canada mais non dans une province participante,

(ii) sinon, les unités de la série qui sont détenues à un moment donné de l'exercice par un particulier, ou par un investisseur déterminé de l'institution financière, dont celle-ci sait, le 31 décembre de l'année civile, qu'il ne réside pas au Canada au moment donné sont réputées être détenues à ce moment par un particulier donné qui réside au Canada mais non dans une province participante,

(iii) l'institution financière est réputée connaître, le 31 décembre de l'année civile, la province de résidence du particulier donné mentionné aux sous-alinéas (i) ou (ii);

b) pour le calcul d'un crédit de taxe sur les intrants de l'institution financière, toute fourniture qu'elle effectue au cours de l'exercice au titre d'unités de la série qui sont détenues par une personne qui ne réside pas au Canada est réputée avoir été effectuée au profit d'une personne résidant au Canada;

c) pour l'application des définitions de « contrepartie admissible » et « frais externes » à l'article 217, toute dépense engagée ou effectuée par l'institution financière au cours de l'exercice relativement à des unités de la série qui sont détenues par une personne qui ne réside pas au Canada est réputée être applicable à l'une des activités au Canada de l'institution financière;

d) aucun montant de taxe relatif à un intrant d'entreprise de l'institution financière qui devient payable par celle-ci au cours de l'exercice ou qui est payé par elle au cours de l'exercice sans être devenu payable n'est à inclure dans le calcul d'un crédit de taxe sur les intrants de l'institution financière si l'intrant, selon le cas :

(i) est acquis ou importé en vue d'être consommé, utilisé ou fourni dans le cadre d'une activité relative à la série,

(ii) ne fait pas partie des intrants exclusifs de l'institution financière.

15 octobre 2012, Notes explicatives: Le paragraphe 225.4(3) prévoit des règles relatives aux unités d'un régime de placement stratifié (en termes généraux, un régime de placement dont les unités sont émises en plusieurs séries) qui sont détenues par des personnes qui ne résident pas au Canada. Ce paragraphe s'applique dans le cas où le régime de placement stratifié est une institution financière désignée particulière tout au long de son exercice et il s'applique à chaque série du régime à l'égard de laquelle le choix prévu au paragraphe 225.4(6) n'est pas en vigueur tout au long de l'exercice.

Lorsque le paragraphe 225.4(3) s'applique relativement à une série d'un régime de placement pour un exercice de celui-ci se terminant dans une année civile, les règles suivantes s'appliquent :

- L'alinéa 225.4(3)a) prévoit que, pour l'application du *Règlement sur la méthode d'attribution applicable aux institutions financières désignées particulières (TPS/TVH)* :
  - s'il s'agit d'une série cotée en bourse (en termes généraux, une série dont les unités sont cotées ou négociées en bourse ou sur un autre marché public), les unités de la série — qui sont détenues à un moment donné de l'exercice par une personne dont le régime sait, le 31 décembre de l'année civile, qu'elle ne réside pas au Canada au moment donné — sont réputées être détenues à ce moment par un particulier qui réside au Canada mais non dans une province participante (et le régime de placement est réputé connaître, le 31 décembre de l'année civile, la province de résidence du particulier);
  - si la série n'est pas une série cotée en bourse, les unités de la série — qui sont détenues à un moment donné de l'exercice par un particulier, ou par un investisseur déterminé du régime de placement, dont celui-ci sait, le 31 décembre de l'année civile, qu'il ne réside pas au Canada au moment donné — sont réputées être détenues à ce moment par un particulier qui réside au Canada mais non dans une province participante (et le régime de placement est réputé connaître, le 31 décembre de l'année civile, la province de résidence du particulier).

  Par l'effet de l'alinéa 225.4(3)a), la plupart des unités de la série qui sont détenues par des investisseurs non-résidents entreraient dans le calcul des pourcentages provinciaux relatifs à la série, mais ne seraient pas assujetties à la composante provinciale de la TVH.
- L'alinéa 225.4(3)b) prévoit que, pour le calcul d'un crédit de taxe sur les intrants du régime de placement, toute fourniture qu'il effectue au cours de l'exercice au titre d'unités de la série qui sont détenues par des investisseurs non-résidents est réputée avoir été effectuée au profit d'une personne résidant au Canada. Ainsi, le régime de placement ne pourrait pas, par exemple, demander de crédit de taxe sur les intrants au titre de la fourniture d'un service financier effectuée au profit de ces investisseurs.
- L'alinéa 225.4(3)c) prévoit que, pour l'application des définitions de « contrepartie admissible » et « frais externes » à l'article 217, toute dépense engagée ou effectuée par le régime de placement au cours de l'exercice relativement à des unités de la série qui sont détenues par des investisseurs non-résidents est réputée être applicable à l'une des activités au Canada du régime (et est donc éventuellement assujettie à la taxe prévue à l'article 218.01, si le régime est un « contribuable admissible » selon le paragraphe 217.1(1) au moment où la dépense est engagée ou effectuée, selon le cas).
  - Toutefois, les unités de la série du régime de placement qui sont détenues par des investisseurs non-résidents seraient toujours considérées comme étant détenues par des personnes non-résidentes aux fins de déterminer si le régime de placement est un contribuable admissible.
- Selon l'alinéa 225.4(3)d), le régime de placement ne peut pas demander de crédit de taxe sur les intrants au titre d'un montant de taxe relatif à un intrant d'entreprise du régime qui est devenu payable ou qui a été payé sans être devenu payable si l'intrant, selon le cas :
  - est acquis ou importé en vue d'être consommé, utilisé ou fourni dans le cadre d'une activité relative à la série;
  - ne fait pas partie des intrants exclusifs du régime de placement.

Concordance québécoise: aucune.

(4) Régimes de placement non stratifiés — Si une institution financière désignée particulière est un régime de placement non stratifié et que le choix prévu au paragraphe (7) n'est pas en vigueur à son égard tout au long d'un de ses exercices se terminant dans une année civile, les règles ci-après s'appliquent :

a) pour l'application du *Règlement sur la méthode d'attribution applicable aux institutions financières désignées particulières (TPS/TVH)* :

(i) si l'institution financière est un fonds coté en bourse, celles de ses unités qui sont détenues à un moment donné de l'exercice par une personne dont elle sait, le 31 décembre de l'année civile, qu'elle ne réside pas au Canada au moment donné sont réputées être détenues à ce moment par un particulier donné qui réside au Canada mais non dans une province participante,

(ii) sinon, celles de ses unités qui sont détenues à un moment donné de l'exercice par un particulier, ou par un investisseur déterminé de l'institution financière, dont celle-ci sait, le 31 décembre de l'année civile, qu'il ne réside pas au Canada au moment donné sont réputées être détenues à ce moment par un particulier donné qui réside au Canada mais non dans une province participante,

(iii) l'institution financière est réputée connaître, le 31 décembre de l'année civile, la province de résidence du particulier donné mentionné aux sous-alinéas (i) ou (ii);

b) pour le calcul d'un crédit de taxe sur les intrants de l'institution financière, toute fourniture qu'elle effectue au cours de l'exercice au titre d'unités de l'institution financière qui sont détenues par une personne qui ne réside pas au Canada est réputée avoir été effectuée au profit d'une personne résidant au Canada;

c) pour l'application des définitions de « contrepartie admissible » et « frais externes » à l'article 217, toute dépense engagée ou effectuée par l'institution financière au cours de l'exercice relativement à des unités de celle-ci qui sont détenues par une personne qui ne réside pas au Canada est réputée être applicable à une activité au Canada de l'institution financière;

d) aucun montant de taxe relatif à un intrant d'entreprise de l'institution financière qui devient payable par celle-ci au cours de l'exercice ou qui est payé par elle au cours de l'exercice sans être devenu payable n'est à inclure dans le calcul d'un crédit de taxe sur les intrants de l'institution financière si l'intrant ne fait pas partie de ses intrants exclusifs.

15 octobre 2012, Notes explicatives: Le paragraphe 225.4(4) prévoit des règles relatives aux unités d'un régime de placement non stratifié (en termes généraux, un régime de placement dont les unités ne sont pas émises en plusieurs séries) qui sont détenues par des personnes qui ne résident pas au Canada. Ce paragraphe s'applique dans le cas où le régime de placement non stratifié est une institution financière désignée particulière tout au long de son exercice et où le choix prévu au paragraphe 225.4(7) n'est pas en vigueur relativement au régime tout au long de l'exercice.

Lorsque le paragraphe 225.4(4) s'applique relativement à un régime de placement pour un exercice de celui-ci se terminant dans une année civile, les règles suivantes s'appliquent :

- L'alinéa 225.4(4)a) prévoit que, pour l'application du *Règlement sur la méthode d'attribution applicable aux institutions financières désignées particulières (TPS/TVH)* :
  - si le régime de placement est un fonds coté en bourse (en termes généraux, un régime de placement dont les unités sont cotées ou négociées en bourse ou sur un autre marché public), les unités du régime — qui sont détenues à un moment donné de l'exercice par une personne dont le régime sait, le 31 décembre de l'année civile, qu'elle ne réside pas au Canada au moment donné — sont réputées être détenues à ce moment par un particulier qui réside au Canada mais non dans une province participante (et le régime de placement est réputé connaître, le 31 décembre de l'année civile, la province de résidence du particulier);
  - si le régime de placement n'est pas un fonds coté en bourse, les unités du régime — qui sont détenues à un moment donné de l'exercice par un particulier, ou par un investisseur déterminé du régime, dont celui-ci sait, le 31 décembre de l'année civile, qu'il ne réside pas au Canada au moment donné — sont réputées être détenues à ce moment par un particulier qui réside au Canada mais non dans une province participante (et le régime de placement est réputé connaître, le 31 décembre de l'année civile, la province de résidence du particulier).

  Par l'effet de l'alinéa 225.4(4)a), la plupart des unités du régime qui sont détenues par des investisseurs non-résidents entreraient dans le calcul des pourcentages provinciaux applicables au régime, mais ne seraient pas assujetties à la composante provinciale de la TVH.
- L'alinéa 225.4(4)b) prévoit que, pour le calcul d'un crédit de taxe sur les intrants du régime de placement, toute fourniture qu'il effectue au cours de l'exercice au titre de celles de ses unités qui sont détenues par des investisseurs non-résidents est réputée avoir été effectuée au profit d'une personne résidant au Canada. Ainsi, le régime de placement ne pourrait pas, par exemple, demander de crédit de taxe sur les intrants au titre de la fourniture d'un service financier effectuée au profit de ces investisseurs.
- L'alinéa 225.4(4)c) prévoit que, pour l'application des définitions de « contrepartie admissible » et « frais externes » à l'article 217, toute dépense engagée ou effectuée par le régime de placement au cours de l'exercice relativement à celles de ses unités qui sont détenues par des investisseurs non-résidents est réputée être applicable à l'une des activités au Canada du régime (et est donc éventuellement assujettie à la taxe prévue à l'article 218.01, si le régime est un « contribuable admissible » selon le paragraphe 217.1(1) au moment où la dépense est engagée ou effectuée, selon le cas).
  - Toutefois, les unités du régime de placement qui sont détenues par des investisseurs non-résidents seraient toujours considérées comme étant détenues par des personnes non-résidentes aux fins de déterminer si le régime de placement est un contribuable admissible.
- Selon l'alinéa 225.4(4)d), le régime de placement ne peut pas demander de crédit de taxe sur les intrants au titre d'un montant de taxe relatif à un intrant d'entreprise du régime qui est devenu payable ou qui a été payé sans être devenu payable si l'intrant ne fait pas partie de ses intrants exclusifs.

Concordance québécoise: aucune.

(5) Entités de gestion et régimes de placement privés — Si une institution financière désignée particulière est un régime de placement qui est une entité de gestion d'un régime de pension ou un régime de placement privé et que le choix prévu au paragraphe (7) n'est pas en vigueur à son égard au cours d'un de ses exercices se terminant dans une année civile, les règles ci-après s'appliquent :

a) pour l'application du *Règlement sur la méthode d'attribution applicable aux institutions financières désignées particulières (TPS/TVH)* :

(i) les participants de l'institution financière dont celle-ci sait, le 31 décembre de l'année civile, qu'ils ne résident pas au Canada à un moment donné de l'exercice sont réputés résider au Canada au moment donné mais non dans une province participante,

(ii) l'institution financière est réputée connaître, le 31 décembre de l'année civile, la province de résidence de chacun des participants mentionnés au sous-alinéa (i);

b) pour le calcul d'un crédit de taxe sur les intrants de l'institution financière, toute fourniture qu'elle effectue au cours de l'exercice relativement à des participants de celle-ci ne résidant pas au Canada est réputée avoir été effectuée au profit d'une personne résidant au Canada;

c) pour l'application des définitions de « contrepartie admissible » et « frais externes » à l'article 217, toute dépense engagée ou effectuée par l'institution financière au cours de l'exercice relativement à des participants de celle-ci qui ne résident pas au Canada est réputée être applicable à une activité au Canada de l'institution financière;

d) aucun montant de taxe relatif à un intrant d'entreprise de l'institution financière qui devient payable par celle-ci au cours de l'exercice ou qui est payé par elle au cours de l'exercice sans être devenu payable n'est à inclure dans le calcul d'un crédit de taxe sur les intrants de l'institution financière si l'intrant ne fait pas partie de ses intrants exclusifs.

15 octobre 2012, Notes explicatives: Le paragraphe 225.4(5) prévoit des règles relatives aux participants d'un régime de placement qui est une entité de gestion (au sens du paragraphe 123(1)) ou un régime de placement privé (en termes généraux, un régime de placement qui ne vend pas d'unités au public, comme une fiducie régie par un régime de participation différée aux bénéfices ou une convention de retraite) qui ne résident pas au Canada. Ce paragraphe s'applique dans le cas où un régime de placement est une entité de gestion ou un régime de placement privé ainsi qu'une institution financière désignée particulière tout au long de son exercice et où le choix prévu au paragraphe 225.4(7) n'est pas en vigueur relativement au régime tout au long de l'exercice.

Lorsque le paragraphe 225.4(5) s'applique relativement à un régime de placement pour un exercice de celui-ci se terminant dans une année civile, les règles suivantes s'appliquent :

- L'alinéa 225.4(5)a) prévoit que, pour l'application du *Règlement sur la méthode d'attribution applicable aux institutions financières désignées particulières (TPS/TVH)*, les participants du régime - qui sont des personnes dont le régime sait, le 31 décembre de l'année civile, qu'elles ne résident pas au Canada à un moment donné de l'exercice — sont réputés, à ce moment, résider au Canada mais non dans une province participante (et le régime de placement est réputé connaître, le 31 décembre de l'année civile, la province de résidence des personnes). Par l'effet de l'alinéa 225.4(5)a), les participants du régime qui ne résident pas au Canada seraient pris en compte dans le calcul des pourcentages provinciaux applicables au régime, mais n'entraîneraient pas l'application de la composante provinciale de la TVH.
- L'alinéa 225.4(5)b) prévoit que, pour le calcul d'un crédit de taxe sur les intrants du régime de placement, toute fourniture qu'il effectue au cours de l'exercice relativement à ses participants non-résidents est réputée avoir été effectuée au profit d'une personne résidant au Canada. Ainsi, le régime de placement ne pourrait pas, par exemple, demander de crédit de taxe sur les intrants au titre de la fourniture d'un service financier effectuée au profit de ces participants.
- L'alinéa 225.4(5)c) prévoit que, pour l'application des définitions de « contrepartie admissible » et « frais externes » à l'article 217, toute dépense engagée ou effectuée par le régime de placement au cours de l'exercice relativement aux participants non-résidents est réputée être applicable à l'une des activités au Canada du régime (et est donc éventuellement assujettie à la taxe prévue à l'article 218.0, si le régime est un « contribuable admissible » selon le paragraphe 217.1(1) au moment où la dépense est engagée ou effectuée, selon le cas).
  - Toutefois, les participants non-résidents du régime de placement seraient toujours considérés comme des personnes non-résidentes aux fins de déterminer si le régime de placement est un contribuable admissible.
- Selon l'alinéa 225.4(5)d), le régime de placement ne peut pas demander de crédit de taxe sur les intrants au titre d'un montant de taxe relatif à un intrant d'entreprise du régime qui est devenu payable ou qui a été payé sans être devenu payable si l'intrant ne fait pas partie de ses intrants exclusifs.

Concordance québécoise: aucune.

(6) Choix – régimes de placement stratifiés — Un régime de placement stratifié peut faire, relativement à l'une de ses séries, un choix afin que le paragraphe (3) ne s'applique pas à la série. Ce choix entre en vigueur le premier jour de l'un des exercices du régime.

15 octobre 2012, Notes explicatives: Selon le paragraphe 225.4(6), un régime de placement stratifié peut faire, relativement à l'une de ses séries, un choix afin que le paragraphe 225.4(3) de la Loi ne s'applique pas à la série pour les exercices du régime. Ce choix entre en vigueur le premier jour de l'un des exercices du régime.

Concordance québécoise: aucune.

(7) Choix — autres régimes de placement — La personne qui est un régime de placement non stratifié, une entité de gestion ou un régime de placement privé peut faire un choix afin que les paragraphes (4) ou (5), selon le cas, ne s'appliquent pas à elle. Ce choix entre en vigueur le premier jour de l'un des exercices de la personne.

15 octobre 2012, Notes explicatives: Selon le paragraphe 225.4(7), le régime de placement qui est un régime de placement non stratifié, une entité de gestion ou un régime de placement privé peut faire un choix afin que le paragraphe 225.4(4), dans le cas d'un régime de placement non stratifié, ou le paragraphe 225.4(5), dans le cas d'une entité de gestion ou d'un régime de placement privé, ne s'appliquent pas à lui pour ses exercices. Ce choix entre en vigueur le premier jour de l'un des exercices du régime.

Concordance québécoise: aucune.

(8) Forme — Le document concernant le choix d'une personne, prévu aux paragraphes (6) ou (7), doit, à la fois :

a) être établi en la forme déterminée par le ministre et contenir les renseignements qu'il détermine;

b) préciser l'exercice de la personne au cours duquel le choix doit entrer en vigueur;

c) être présenté au ministre, selon les modalités déterminées par lui, au plus tard le premier jour de cet exercice ou à toute date postérieure fixée par lui.

15 octobre 2012, Notes explicatives: Le paragraphe 225.4(8) porte sur la forme et les modalités du choix qu'un régime de placement peut faire selon les paragraphes 225.4(6) ou (7).

Selon l'alinéa 225.4(8)a), le choix doit être établi en la forme déterminée par le ministre du Revenu national et contenir les renseignements qu'il détermine. Selon l'alinéa 225.4(8)b), il doit préciser l'exercice du régime de placement au cours duquel le choix doit entrer en vigueur. De plus, pour que le choix fait selon les paragraphes 225.4(6) ou (7) soit valide, il doit être conforme à l'exigence énoncée au paragraphe 225.4(11) selon laquelle la date de son entrée en vigueur ne peut tombée moins de cinq ans après la date de prise d'effet de la révocation d'un autre choix fait selon le même paragraphe.

Selon l'alinéa 225.4(8)c), le choix doit être présenté au ministre, selon les modalités déterminées par lui, au plus tard le premier jour du premier exercice du régime de placement où il doit entrer en vigueur. Il est à noter que si le choix vise un exercice qui commence avant le 1er mars 2011, il doit être produit au plus tard à cette date. Le ministre peut toutefois autoriser le régime de placement à produire son choix à une date ultérieure.

Concordance québécoise: aucune.

(9) Cessation — Le choix d'une personne, prévu aux paragraphes (6) ou (7), cesse d'être en vigueur au premier en date des jours suivants :

a) le premier jour de l'exercice de la personne où elle cesse d'être une institution financière désignée particulière;

b) s'agissant du choix fait selon le paragraphe (6), le premier jour de l'exercice de la personne où elle cesse d'être un régime de placement stratifié;

c) s'agissant du choix fait selon le paragraphe (7), le premier jour de l'exercice de la personne où elle cesse d'être un régime de placement non stratifié, une entité de gestion ou un régime de placement privé, selon le cas;

d) le jour où la révocation du choix prend effet.

15 octobre 2012, Notes explicatives: Le paragraphe 225.4(9) prévoit les circonstances dans lesquelles le choix qu'un régime de placement fait selon les paragraphes 225.4(6) ou (7) cesse d'être en vigueur. Selon le paragraphe 225.4(9), un tel choix cesse d'être en vigueur au premier en date des jours suivants :

- le premier jour de l'exercice du régime où il cesse d'être une institution financière désignée particulière; s'agissant du choix fait selon le paragraphe 225.4(6), le premier jour de l'exercice du régime où il cesse d'être un régime de placement stratifié;
- s'agissant du choix fait selon le paragraphe 225.4(7), le premier jour de l'exercice du régime où il cesse d'être un régime de placement non stratifié, une entité de gestion ou un régime de placement privé, selon le cas;
- le jour où la révocation du choix, prévue au paragraphe 225.4(10), prend effet.

Concordance québécoise: aucune.

(10) Révocation — La personne qui fait le choix prévu aux paragraphes (6) ou (7) peut le révoquer, avec effet le premier jour de son exercice qui commence au moins cinq ans après l'entrée en vigueur du choix ou le premier jour de tout exercice antérieur fixé par le ministre sur demande de la personne. Pour ce faire, elle présente au ministre, en la forme et selon les modalités déterminées par lui, un avis de révocation contenant les renseignements déterminés par lui, au plus tard à la date de prise d'effet de la révocation.

15 octobre 2012, Notes explicatives: Selon le paragraphe 225.4(10), un régime de placement peut révoquer le choix qu'il a fait selon les paragraphes 225.4(6) ou (7). Une fois révoqué, le choix cesse d'être en vigueur dès la date de prise d'effet de la révocation, à savoir le premier jour de l'exercice du régime que celui-ci précise dans l'avis de révocation. Il est à noter que la révocation d'un choix ne peut prendre effet avant le premier jour d'un exercice du régime qui commence au moins cinq ans après l'entrée en vigueur du choix (c'est-à-dire, le premier jour de l'exercice qui a été précisé par le régime selon l'alinéa 225.4(8)b) dans le document concernant le choix). Le ministre du Revenu national peut toutefois permettre, sur demande du régime de placement, que la révocation prenne effet le premier jour de tout exercice antérieur du régime.

Le paragraphe 225.4(10) prévoit que le régime de placement qui souhaite révoquer un choix fait en vertu des paragraphes 225.4(6) ou (7) doit présenter au ministre, en la forme et selon les modalités déterminés par lui, un avis de révocation contenant les renseignements déterminés par lui, au plus tard à la date de prise d'effet de la révocation.

Concordance québécoise: aucune.

(11) Restriction — En cas de révocation du choix fait par une personne aux termes des paragraphes (6) ou (7), tout choix subséquent fait aux termes du paragraphe en cause n'est valide que si l'exercice de la personne précisé dans le document concernant le choix subséquent commence à une date qui suit d'au moins cinq ans la date de prise d'effet de la révocation ou à toute date antérieure fixée par le ministre sur demande de la personne.

15 octobre 2012, Notes explicatives: Le paragraphe 225.4(11) prévoit que, dans le cas où un choix fait selon le paragraphe 225.4(6) relativement à une série d'un régime de placement ou selon le paragraphe 225.4(7) relativement à un régime de placement a été révoqué aux termes du paragraphe 225.4(10), avec effet à une date donnée, tout choix subséquent fait selon le paragraphe 225.4(6) relativement à la même série ou selon le paragraphe 225.4(7) relativement au même régime ne peut prendre effet avant le jour qui suit de cinq ans la date donnée. Le ministre du Revenu national peut toutefois permettre, sur demande du régime de placement, que le choix subséquent prenne effet à une date antérieure.

Concordance québécoise: aucune.

Notes historiques: L'article 225.4 a été ajouté par L.C. 2012, c. 31, par. 80(1) et s'applique relativement aux exercices d'une personne se terminant après juin 2010. Toutefois, pour ce qui est d'un exercice commençant avant le 1er mars 2011, l'alinéa 225.4(8)c) est réputé avoir le libellé suivant :

> c) être présenté au ministre, selon les modalités déterminées par lui, au plus tard le 1er mars 2011 ou à toute date postérieure fixée par lui.

15 octobre 2012, Notes explicatives: Le nouvel article 225.4 prévoit une règle selon laquelle certaines personnes sont réputées résider au Canada. Cette règle s'appliquerait à toute institution financière désignée particulière (au sens du paragraphe 225.2(1)) qui est un régime de placement (ce qui comprend, pour l'application de l'article 225.4, à la fois les régimes de placement visés au paragraphe 149(5) et les fonds réservés d'assureurs, au sens du paragraphe 123(1) de la Loi), sauf si elle fait un choix afin que cette règle ne s'applique pas. Cette règle s'appliquerait, de façon générale, aux fins du calcul des pourcentages d'attribution provinciaux de l'institution financière pour l'application de l'article 225.2, de ses crédits de taxe sur les intrants et du montant de TPS qu'elle doit établir par autocotisation selon la section IV de la partie IX de la Loi relativement aux fournitures taxables importées. Selon cette règle, les unités de l'institution financière détenues par des non-résidents seraient considérées comme des unités détenues par des personnes résidant au Canada, et les participants non-résidents de l'institution financière seraient considérés comme des participants résidant au Canada.

L'article 225.4 s'applique relativement aux exercices d'une personne se terminant après juin 2010. Toutefois, une règle transitoire s'applique au nouvel alinéa 225.4(8)c). Pour en savoir davantage, se reporter aux notes concernant le paragraphe 225.4(8).

Définitions [par. 225.4]: « province participante » — 123(1).

226. (1) Définitions — Les définitions qui suivent s'appliquent au présent article.

« contenant consigné » En ce qui concerne une province, contenant à boisson d'une catégorie de contenants qui, à la fois :

a) sont habituellement acquis par des consommateurs;

b) au moment de leur acquisition par des consommateurs, sont habituellement remplis et scellés;

c) sont habituellement fournis dans la province, usagés et vides, par des consommateurs pour une contrepartie.

Concordance québécoise: LTVQ, art. 350.42.3« contenant consigné ».

« distributeur » Est distributeur d'un contenant consigné d'une catégorie donnée dans une province la personne qui fournit des boissons dans des contenants consignés remplis et scellés de cette catégorie dans la province et qui exige, à l'égard des contenants, un droit sur contenant consigné.

Concordance québécoise: LTVQ, art. 350.42.3« distributeur ».

« droit sur contenant consigné » Est un droit sur contenant consigné à un moment donné :

a) en ce qui concerne un contenant consigné d'une catégorie donnée contenant une boisson qui est fournie dans une province à ce moment, le total des montants dont chacun est exigé par le fournisseur :

(i) soit à titre de montant relatif au recyclage dans la province,

(ii) soit dans le but de recouvrer un montant équivalant à celui mentionné au sous-alinéa (i) qui a été exigé du fournisseur,

(iii) soit dans le but de recouvrer un montant équivalant à celui qu'un autre fournisseur a exigé du fournisseur dans le but mentionné au sous-alinéa (ii) ou au présent sous-alinéa;

b) en ce qui concerne un contenant consigné rempli et scellé et contenant une boisson qu'une personne détient, à ce moment, pour consommation, utilisation ou fourniture dans une province :

(i) si la personne détient la boisson à ce moment en vue de la fournir dans le contenant dans la province, le montant qu'elle peut vraisemblablement s'attendre à voir déterminer selon l'alinéa a) relativement au contenant au moment où la boisson est ainsi fournie,

(ii) dans les autres cas, le montant relatif au contenant qui serait vraisemblablement déterminé selon l'alinéa a) si la boisson était fournie au moment donné à la personne dans la province;

c) en ce qui concerne un contenant consigné d'une catégorie donnée relativement auquel un recycleur de contenants consignés de cette catégorie effectue à ce moment, dans une province, la fourniture d'un service lié au recyclage au profit d'un distributeur, ou d'un recycleur, de contenants consignés de cette catégorie :

(i) si une loi de la province en matière de recyclage précise le montant, ou le montant minimal, qui doit être perçu d'un acquéreur, ou payé par lui, dans certaines circonstances pour la fourniture d'une boisson dans un contenant consigné de cette catégorie, ce montant,

(ii) dans les autres cas, le montant relatif au contenant qui serait vraisemblablement déterminé selon l'alinéa a) si le contenant était rempli et scellé et contenait une boisson qui était fournie à ce moment dans la province.

Concordance québécoise: LTVQ, art. 350.42.3« droit sur contenant consigné ».

« montant obligatoire applicable » S'agissant du montant obligatoire applicable dans une province à l'égard d'un contenant consigné d'une catégorie donnée :

a) sauf en cas d'application de l'alinéa b), le remboursement obligatoire aux consommateurs accordé dans la province pour un contenant consigné de cette catégorie;

b) si une loi de la province en matière de recyclage précise à la fois le montant du remboursement obligatoire aux consommateurs qui est accordé pour un contenant consigné de cette catégorie et un autre montant (appelé « remboursement du recycleur « au présent alinéa) qui est le montant à payer, autrement qu'expressément pour la manutention du contenant, relativement à un contenant consigné usagé et vide de cette catégorie au moment de sa fourniture par une personne qui, au moment où elle l'a acquis usagé et vide, a payé un montant au titre du remboursement obligatoire aux consommateurs pour le contenant, mais ne précise pas le montant, ou le montant minimal, qu'un distributeur doit exiger relativement à la fourniture d'un contenant consigné rempli et scellé de cette catégorie, le remboursement du recycleur.

Concordance québécoise: LTVQ, art. 350.42.3« montant obligatoire applicable ».

« montant remboursé » S'agissant du montant remboursé à un moment donné dans une province :

a) à l'égard d'un contenant consigné d'une catégorie donnée qui est fourni usagé et vide à ce moment dans la province ou qui contient une boisson qui est fournie à ce moment dans la province :

(i) le plus élevé des montants suivants :

(A) si un montant obligatoire applicable est en vigueur dans la province à l'égard des contenants consignés de cette catégorie, ce montant,

(B) si le fournisseur est un récupérateur qui, dans le cours normal de son entreprise, vend la boisson dans des contenants consignés de cette catégorie dans la province et que le droit sur contenant consigné habituel qu'il exige au moment de la vente est au moins égal au montant qui représente, au moment donné, la contrepartie habituelle qu'il paie pour des fournitures, effectuées dans la province par des consommateurs, de contenants consignés usagés et vides de cette catégorie, ce montant,

(C) si le fournisseur est un récupérateur qui, dans le cours normal de son entreprise, ne vend pas la boisson dans des contenants consignés de cette catégorie dans la province, le montant qui représente, au moment donné, la contrepartie habituelle qu'il paie pour des fournitures, effectuées dans la province par des consommateurs, de contenants consignés usagés et vides de cette catégorie,

(D) si les faits ci-après se vérifient au moment donné, le plus élevé des montants habituels mentionnés à la subdivision (II), jusqu'à concurrence du droit sur contenant consigné habituel mentionné à la subdivision (I) :

(I) conformément à la pratique courante du secteur d'activités, les fournisseurs exigent tous le même montant à titre de droit sur contenant consigné habituel au moment de la vente de la boisson dans des contenants consignés de cette catégorie dans la province,

(II) il n'est pas exceptionnel que le montant habituel payé aux consommateurs par les récupérateurs en contrepartie des fournitures de contenants consignés usagés et vides de cette catégorie effectuées dans la province varie selon le récupérateur,

(ii) en cas d'inapplication des divisions (i)(A) à (D), la partie du montant qui représente, au moment donné, la contrepartie payée, dans le plus grand nombre de cas, par les récupérateurs pour des fournitures de contenants consignés usagés et vides de cette catégorie, effectuées dans la province par des consommateurs, n'excédant pas le montant qui représente, à ce moment, le droit sur contenant consigné exigé, dans le plus grand nombre de cas, par des fournisseurs au moment de la vente de la boisson dans des contenants consignés de cette catégorie dans la province;

b) à l'égard d'un contenant consigné d'une catégorie donnée relativement auquel est effectuée au moment donné dans la province la fourniture d'un service auquel le paragraphe (7) s'applique :

(i) si le fournisseur est un récupérateur, le montant qui représente, à ce moment, la contrepartie habituelle qu'il paie pour des fournitures de contenants consignés usagés et vides de cette catégorie effectuées dans la province par des consommateurs,

(ii) dans les autres cas, le montant qui représente, à ce moment, la contrepartie payée, dans le plus grand nombre de cas, par les récupérateurs pour des fournitures de contenants consignés usagés et vides de cette catégorie effectuées dans la province par des consommateurs.

Concordance québécoise: LTVQ, art. 350.42.3« remboursement ».

« récupérateur » En ce qui concerne un contenant consigné d'une catégorie donnée dans une province, personne qui, dans le cours normal de son entreprise, acquiert dans la province, pour une contrepartie, des contenants consignés usagés et vides de cette catégorie auprès de consommateurs.

Concordance québécoise: LTVQ, art. 350.42.3« récupérateur ».

« recyclage » En ce qui concerne une province :

a) le retour, le rachat, la réutilisation, la destruction ou l'élimination :

(i) soit de contenants consignés dans la province,

(ii) soit de contenants consignés dans la province et d'autres produits;

b) le contrôle ou la prévention des déchets ou la protection de l'environnement.

Concordance québécoise: LTVQ, art. 350.42.3« recyclage ».

« recycleur » Est recycleur de contenants consignés d'une catégorie donnée dans une province :

a) la personne qui, dans le cours normal de son entreprise, acquiert, pour une contrepartie, des contenants consignés usagés et vides de cette catégorie, ou la matière résultant de leur compactage, dans la province;

b) la personne qui, dans le cours normal de son entreprise, paie une contrepartie à la personne mentionnée à l'alinéa a) pour l'acquisition par celle-ci, pour une contrepartie, de contenants consignés usagés et vides de cette catégorie.

Concordance québécoise: LTVQ, art. 350.42.3« recycleur ».

« remboursement obligatoire aux consommateurs » S'agissant du remboursement obligatoire aux consommateurs accordé dans une province pour un contenant consigné d'une catégorie donnée, le montant, ou le montant minimal, qui, aux termes d'une loi de la province en matière de recyclage, doit être payé dans certaines circonstances pour un contenant consigné usagé et vide de cette catégorie à une personne d'une catégorie de personnes qui comprend les consommateurs.

Concordance québécoise: LTVQ, art. 350.42.3« remboursement obligatoire aux consommateurs ».

« vendeur au détail déterminé » En ce qui concerne un contenant consigné d'une catégorie donnée, inscrit qui, à la fois :

a) dans le cours normal de son entreprise, effectue au profit de consommateurs des fournitures (appelées « fournitures déterminées « à la présente définition) de boissons dans des contenants consignés de cette catégorie dans des circonstances où il n'ouvre habituellement pas les contenants;

b) n'est pas dans la situation où la totalité ou la presque totalité des fournitures de contenants consignés usagés et vides de cette catégorie, qu'il recueille dans des établissements où il effectue des fournitures déterminées, portent sur des contenants qu'il a acquis usagés et vides pour une contrepartie.

Concordance québécoise: LTVQ, art. 350.42.3« vendeur au détail déterminé ».

Notes historiques [226(1)]: Le paragraphe 226(1) a été modifié par L.C. 1993, c. 27, par. 89(1) et est réputé entré en vigueur le 17 décembre 1990. Il se lisait comme suit :

> 226. (1) La taxe nette pour une période de déclaration du non-inscrit qui effectue, dans des circonstances auxquelles le paragraphe 221(2) ne s'applique pas, la fourniture taxable d'un immeuble par vente au cours de cette période correspond au total des montants dont chacun représente soit un montant devenu percevable au cours de la période par le non-inscrit au titre de la taxe prévue à la section II relativement à cette fourniture, soit un montant qu'il a perçu au titre de cette taxe relativement à cette fourniture.

L'ancien paragraphe 226(1) a été intégré aux paragraphes 225(1) à (3) suite au remplacement du mot « inscrit » par « personne » à ces paragraphes.

Le paragraphe 226(1) a été édicté par L.C. 1990, c. 45, par. 12(1).

(2) Fourniture taxable de boisson dans un contenant consigné — Sous réserve du paragraphe (3) et pour l'application de la présente partie, si un fournisseur effectue dans une province la fourniture taxable, sauf une fourniture détaxée, d'une boisson dans un contenant consigné rempli et scellé d'une catégorie donnée dans des circonstances où il n'ouvre habituellement pas le contenant et exige de l'acquéreur un droit sur contenant consigné à l'égard du contenant, les règles suivantes s'appliquent :

a) la contrepartie de la fourniture est réputée être égale au montant obtenu par la formule suivante :

$$A - B$$

où :

A représente la contrepartie de la fourniture, déterminée par ailleurs pour l'application de la présente partie,

B le droit sur contenant consigné;

b) si le droit sur contenant consigné excède le montant remboursé à l'égard du contenant, le fournisseur est réputé avoir effectué dans la province au profit de l'acquéreur, au moment où la contrepartie de la fourniture devient due ou le deviendrait en l'absence de l'article 156, la fourniture taxable d'un service relatif au contenant pour une contrepartie, distincte de la contrepartie de la boisson, qui devient due à ce moment et qui correspond, sous réserve de cet article, à celui des montants suivants qui est applicable :

(i) sauf en cas d'application du sous-alinéa (ii), l'excédent du droit sur contenant consigné sur le montant remboursé à l'égard du contenant,

(ii) si une loi de la province est visée par règlement pour l'application du présent alinéa :

(A) si la province est une province participante et que la loi, ou les règlements pris sous son régime, précisent un montant relatif à un contenant consigné de cette catégorie qui doit être au moins égal à la somme (appelée « droit taxe incluse » à la présente division) du droit sur contenant consigné à exiger relativement à la fourniture de la boisson, ou à une fourniture antérieure de la boisson dans le contenant, et de toute taxe applicable prévue par la présente partie, le montant obtenu par la formule suivante :

$$A \times \left[\frac{100}{(100 + B)}\right]$$

où :

A représente l'excédent du droit taxe incluse sur le montant remboursé à l'égard du contenant,

B la somme du taux de taxe prévu au paragraphe 165(1) et du taux de taxe applicable à la province,

(B) dans les autres cas, le montant déterminé selon les modalités réglementaires;

c) l'acquéreur est réputé avoir acquis le service dans le même but que celui dans lequel il a acquis la boisson.

Notes historiques: Le préambule du paragraphe 226(2) a été remplacé par L.C. 2007, c. 18, par. 28(1) et cette modification s'applique aux fournitures de boisson dans un contenant consigné effectuées après 1995 et avant mai 2002, sauf si :

> a) le fournisseur a inclus, dans le calcul de sa taxe nette, un montant donné au titre de la taxe qui a été calculée sur le montant total, excluant toute gratification et toute taxe visée par règlement pour l'application de l'article 154, payé ou payable par l'acquéreur relativement à la boisson et au contenant et, avant le 8 février 2002, le ministre du Revenu national a reçu une demande visant le remboursement, prévu au paragraphe 261(1), de la partie du montant donné qui est attribuée au contenant;
>
> b) le fournisseur a inclus, dans le calcul de sa taxe nette indiquée dans une déclaration produite aux termes de la section V de la partie IX et reçue par le ministre du Revenu national avant le 8 février 2002, un montant au titre de la taxe relative à la fourniture de la boisson et du contenant qui a été calculée sur un montant inférieur au montant total, excluant toute gratification et toute taxe visée par règlement pour l'application de l'article 154, payé ou payable par l'acquéreur relativement à la boisson et au contenant.

Antérieurement, il se lisait ainsi :

> (2) Pour l'application du présent article, lorsqu'une personne fournit une boisson dans un contenant consigné, les règles suivantes s'appliquent :

Le paragraphe 226(2) a été modifié par L.C. 1993, c. 27, par. 89(1) et est réputé entré en vigueur le 17 décembre 1990. Il se lisait comme suit :

> Les paragraphes 228(1) et (2) s'appliquent, compte tenu des adaptations de circonstance, à la personne visée au paragraphe (1).

L'ancien paragraphe 226(2) a été intégré aux paragraphes 228(1) et (2) suite au remplacement du mot « inscrit » par « personne » à ces paragraphes.

Le paragraphe 226(2) a été édicté par L.C. 1990, c. 45, par. 12(1).

Concordance québécoise: LTVQ, art. 350.42.4.

(3) Exception — vendeur au détail déterminé — Le paragraphe (2) ne s'applique pas à la fourniture, par un inscrit, d'une boisson contenue dans un contenant consigné à l'égard duquel l'inscrit est un vendeur au détail déterminé, s'il choisit de ne pas déduire le droit sur contenant consigné à l'égard du contenant dans le calcul de la contrepartie de la fourniture pour l'application de la présente partie.

Notes historiques: Le paragraphe 226(3) a été ajouté par L.C. 1993, c. 27, par. 89(1) et est réputé entré en vigueur le 17 décembre 1990.

Concordance québécoise: LTVQ, art. 350.42.5.

(4) Fourniture d'un contenant d'occasion — Si une personne effectue dans une province la fourniture d'un contenant consigné usagé et vide ou de la matière résultant de son compactage, les règles suivantes s'appliquent :

a) la valeur de la contrepartie de la fourniture est réputée être nulle pour l'application des dispositions de la présente partie, à l'exception du présent article;

b) si la contrepartie excède le montant remboursé à l'égard du contenant, le fournisseur est réputé, pour l'application de la présente partie, avoir effectué dans la province au profit de l'acquéreur, au moment où la contrepartie de la fourniture devient due ou le deviendrait en l'absence de l'article 156, la fourniture taxable d'un service relatif au contenant pour une contrepartie, distincte de la contrepartie de la fourniture du contenant ou de la matière, égale à l'excédent.

Notes historiques: Le paragraphe 226(4) a été modifié par L.C. 1997, c. 10, par. 209(1) et cette modification est entrée en vigueur le 1er avril 1997. Il se lisait comme suit :

> (4) La taxe payée ou devenue payable par un inscrit relativement à la fourniture d'un contenant consigné n'est incluse dans le calcul du crédit de taxe sur les intrants de l'inscrit que si celui-ci acquiert le contenant en vue d'en faire une fourniture détaxée ou de le fournir à l'étranger.

Ce paragraphe a été ajouté par L.C. 1993, c. 27, par. 89(1) et réputé entré en vigueur le 17 décembre 1990.

Concordance québécoise: LTVQ, art. 350.42.6.

(5) Exception — Le paragraphe (4) ne s'applique pas :

a) dans le cadre de l'article 5 de la partie V.1 de l'annexe V ou de l'article 10 de la partie VI de cette annexe;

b) à la fourniture, effectuée dans une province, d'un contenant consigné usagé et vide d'une catégorie donnée ou de la matière résultant de son compactage, si les pratiques commerciales habituelles de l'acquéreur consistent à payer, pour des fournitures dans la province de contenants consignés usagés et vides de cette catégorie ou de la matière résultant de leur compactage, une contrepartie qui est déterminée soit en fonction de la valeur de la matière à partir de laquelle les contenants sont fabriqués, soit selon une autre méthode fondée ni sur le montant remboursé à l'égard des contenants ni sur le droit sur contenant consigné à l'égard de contenants consignés remplis et scellés de cette catégorie contenant des boissons qui sont fournies dans la province.

Notes historiques: Le paragraphe 226(5) a été ajouté par L.C. 1993, c. 27, par. 89(1) et est réputé entré en vigueur le 17 décembre 1990.

Concordance québécoise: LTVQ, art. 350.42.6.

(6) Fourniture d'un service de recyclage à un distributeur — Pour l'application des dispositions de la présente partie, à l'exception de l'article 5 de la partie V.1 de l'annexe V et de l'article 10 de la partie VI de cette annexe, dans le cas où les conditions suivantes sont réunies :

a) un recycleur de contenants consignés d'une catégorie donnée effectue dans une province la fourniture taxable d'un service relatif au recyclage de contenants consignés de cette catégorie au profit d'un distributeur de contenants consignés de cette catégorie qui n'est pas un recycleur qui fournit de tels services à d'autres distributeurs de contenants consignés de cette catégorie,

b) le recycleur ne fournit pas les contenants au distributeur,

c) la contrepartie de la fourniture est fondée en tout ou en partie soit sur le droit sur contenant consigné en vigueur dans cette province à l'égard de contenants consignés de cette catégorie, soit sur un montant qu'un consommateur pourrait vraisemblablement s'attendre à recevoir pour un contenant consigné usagé et vide de cette catégorie,

la valeur de la contrepartie de la fourniture est réputée être égale au montant obtenu par la formule suivante :

$$A - B$$

où

A représente la contrepartie de la fourniture, déterminée par ailleurs pour l'application de la présente partie;

B le total des montants représentant chacun le droit sur contenant consigné en vigueur dans cette province à l'égard d'un contenant consigné relativement auquel cette contrepartie est payée ou payable.

Notes historiques: Le paragraphe 226(6) a été modifié par L.C. 1997, c. 10, par. 209(2) et cette modification est entrée en vigueur le 1er avril 1997. Il se lisait comme suit :

> (6) L'inscrit à l'égard duquel le paragraphe (3) cesse, à un moment donné, de s'appliquer relativement à un contenant consigné lui appartenant à ce moment et qui ne pouvait pas, par l'effet du paragraphe (4), demander de crédit de taxe sur les intrants relativement à sa dernière acquisition du contenant est réputé, pour l'application de la présente partie, avoir reçu à ce moment une fourniture du contenant et avoir payé, à ce moment et relativement à la fourniture, une taxe égale à celle qui était payable relativement à la dernière acquisition du contenant.

Ce paragraphe a été ajouté par L.C. 1993, c. 27, par. 89(1) et réputé entré en vigueur le 17 décembre 1990.

Concordance québécoise: aucune.

(7) Fourniture entre recycleurs — Pour l'application de la présente partie, lorsqu'un recycleur de contenants consignés d'une catégorie donnée effectue dans une province la fourniture taxable d'un service relatif au recyclage de contenants consignés de cette catégorie au profit d'un autre recycleur de contenants consignés de cette catégorie sans lui fournir les contenants et que la contrepartie de la fourniture est fondée en tout ou en partie sur le montant remboursé dans cette province, ou sur le droit sur contenant consigné en vigueur dans cette province, à l'égard de contenants consignés de cette catégorie, la valeur de la contrepartie de la fourniture est réputée être égale au montant obtenu par la formule suivante :

$$A - B$$

où

A représente la contrepartie de la fourniture, déterminée par ailleurs pour l'application de la présente partie;

B le total des montants représentant chacun le montant remboursé dans cette province à l'égard d'un contenant consigné relativement auquel cette contrepartie est payée ou payable.

Notes historiques: Le préambule et l'alinéa a) du paragraphe 226(7) ont été modifiés par L.C. 1997, c. 10, par 209(3) et cette modification est entrée en vigueur le 1er avril 1997. Auparavant, ce préambule et cet alinéa se lisaient comme suit :

> (7) L'inscrit à l'égard duquel le paragraphe (3) commence, à un moment donné, à s'appliquer relativement à un contenant consigné lui appartenant à ce moment et qui pouvait demander un crédit de taxe sur les intrants relativement à sa dernière acquisition du contenant est réputé, pour l'application de la présente partie :
>
> a) d'une part, avoir fourni le contenant immédiatement avant le moment donné et avoir perçu, à ce moment et relativement à la fourniture, une taxe égale à celle qui était payable par lui relativement à cette dernière acquisition;

Le paragraphe 226(7) a été ajouté par L.C. 1993, c. 27, par. 89(1) et est réputé entré en vigueur le 17 décembre 1990.

Concordance québécoise: aucune.

(8) Règles spéciales — loi provinciale visée par règlement — Sous réserve du paragraphe (9), si un inscrit acquiert, dans une province où s'applique une loi visée par règlement pour l'application de l'alinéa (2)b), une boisson dans un contenant consigné en vue d'effectuer dans cette province la fourniture taxable de la boisson dans le contenant dans des circonstances où il exigera un droit sur contenant consigné à l'égard du contenant et sera tenu de percevoir la taxe relative à la fourniture, les règles suivantes s'appliquent :

a) si la fourniture d'un service relatif au contenant est réputée par cet alinéa avoir été effectuée au profit de l'inscrit, la taxe relative à la fourniture du service n'est pas incluse dans le calcul du crédit de taxe sur les intrants de l'inscrit;

b) si l'inscrit fournit la boisson dans la province dans des circonstances où il est réputé par le même alinéa avoir effectué la fourniture d'un service relatif au contenant, ni la contrepartie de la fourniture de ce service ni la taxe relative à cette fourniture ne sont incluses dans le calcul de sa taxe nette.

Notes historiques: Le paragraphe 226(8) a été ajouté par L.C. 1993, c. 27, par. 89(1) et est réputé entré en vigueur le 17 décembre 1990.

Concordance québécoise: aucune.

(9) Inapplication des règles spéciales — Si un inscrit est réputé par l'alinéa (2)b) avoir reçu ou effectué dans une province, à un moment donné, la fourniture d'un service relatif à un contenant consigné d'une catégorie donnée contenant une boisson donnée, l'alinéa (8)a) ou b), selon le cas, ne s'applique pas à la fourniture si, selon le cas :

a) les pratiques commerciales habituelles de l'inscrit à ce moment consistent à exiger, à l'occasion de la réalisation dans la province de fournitures de la boisson donnée contenue dans des contenants consignés de cette catégorie, un droit sur contenant consigné qui n'équivaut pas à celui qu'il paie à l'égard de contenants consignés de cette catégorie contenant cette boisson au moment où des fournitures de la boisson sont effectuées à son profit dans la province;

b) l'inscrit est un vendeur au détail déterminé à l'égard du contenant et choisit, selon le paragraphe (3), de ne pas déduire le droit sur contenant consigné qu'il a exigé dans le calcul de la contrepartie de la fourniture, par lui, de la boisson donnée dans le contenant consigné.

Notes historiques: Le paragraphe 226(9) a été ajouté par L.C. 1993, c. 27, par. 89(1) et est réputé entré en vigueur le 17 décembre 1990.

Concordance québécoise: aucune.

(10) Changement de pratiques — début d'application des règles spéciales — Lorsqu'un inscrit, dont les pratiques commerciales habituelles relatives aux fournitures d'une boisson donnée dans des contenants consignés d'une catégorie donnée ont changé par rapport aux pratiques mentionnées au paragraphe (9), effectue, à un moment donné, dans une province où s'applique une loi visée par règlement pour l'application de l'alinéa (2)b), la fourniture de la boisson donnée dans un contenant consigné de cette catégorie dans des circonstances où il est réputé par cet alinéa avoir effectué la fourniture d'un service relatif au contenant et que cette fourniture de boisson est sa première fourniture de la boisson donnée dans un contenant consigné de cette catégorie à l'égard de laquelle l'alinéa (8)b) s'applique depuis le changement de pratiques, l'inscrit est réputé, pour l'application de la présente partie :

a) d'une part, avoir effectué, au moment donné, la fourniture taxable d'un service relatif à chaque contenant consigné rempli et scellé de cette catégorie contenant la boisson donnée qui, à la fois :

(i) était détenue par lui immédiatement avant ce moment pour qu'il en effectue la fourniture taxable dans la province dans des circonstances où il serait réputé par l'alinéa (2)b) avoir effectué la fourniture d'un service relatif au contenant,

(ii) lui a été fournie la dernière fois dans la province dans des circonstances où il était réputé par cet alinéa avoir reçu la fourniture d'un service à l'égard duquel il avait droit à un crédit de taxe sur les intrants ou aurait eu droit à un tel crédit dans le cas où la taxe aurait été payable relativement à cette fourniture du service en l'absence des articles 156 ou 167;

b) d'autre part, avoir perçu, au moment donné, relativement à chaque fourniture d'un service relatif à un contenant consigné qui est réputée par l'alinéa a) avoir été effectuée par lui, une taxe égale à la taxe qui était payable par lui relativement à la fourniture, effectuée à son profit, du service mentionné au sous-alinéa a)(ii) relativement au contenant, ou qui aurait été ainsi payable par lui en l'absence des articles 156 ou 167.

Concordance québécoise: aucune.

(11) Changement de pratiques — fin d'application des règles spéciales — Lorsqu'un inscrit, ayant adopté comme pratiques commerciales habituelles relatives aux fournitures d'une boisson donnée dans des contenants consignés d'une catégorie donnée celles mentionnées au paragraphe (9), effectue, à un moment donné, dans une province où s'applique une loi visée par règlement pour l'application de l'alinéa (2)b), la fourniture de la boisson donnée dans un contenant consigné de cette catégorie dans des circonstances où il est réputé par cet alinéa avoir effectué la fourniture d'un service relatif au contenant et que cette fourniture de boisson est sa première fourniture de la boisson donnée dans un contenant consigné de cette catégorie à l'égard de laquelle l'alinéa (8)b) se serait appliqué n'eût été le changement de pratiques, l'inscrit est réputé, pour l'application de la présente partie :

a) d'une part, avoir reçu, au moment donné, pour utilisation exclusive dans le cadre de ses activités commerciales, la fourniture taxable d'un service relatif à chaque contenant consigné rempli et scellé de cette catégorie contenant la boisson donnée qui, à la fois :

(i) était détenue par lui immédiatement avant ce moment pour qu'il en effectue la fourniture taxable dans la province dans des circonstances où il serait réputé par l'alinéa (2)b) avoir effectué la fourniture d'un service relatif au contenant,

(ii) lui a été fournie la dernière fois dans la province dans des circonstances où il était réputé par cet alinéa avoir reçu la fourniture d'un service à l'égard duquel, par le seul effet de l'alinéa (8)a), il n'avait pas droit à un crédit de taxe sur les intrants ou n'aurait pas eu droit à un tel crédit dans le cas où la taxe aurait été payable relativement à cette fourniture du service en l'absence des articles 156 ou 167;

b) d'autre part, avoir payé, au moment donné, relativement à chaque fourniture d'un service relatif à un contenant consigné qui est réputée par l'alinéa a) avoir été reçue par lui, une taxe égale à la taxe qui était payable par lui relativement à la fourniture, effectuée à son profit, du service mentionné au sous-alinéa a)(ii) relativement au contenant, ou qui aurait été ainsi payable par lui en l'absence des articles 156 ou 167.

Concordance québécoise: aucune.

(12) Cessation de l'inscription — application des règles spéciales — La personne qui fournit, dans une province où s'applique une loi visée par règlement pour l'application de l'alinéa (2)b), une boisson dans des contenants consignés remplis et scellés d'une catégorie donnée et qui cesse d'être un inscrit à un moment donné est réputée, pour l'application de la présente partie :

a) d'une part, avoir reçu, immédiatement avant ce moment, la fourniture d'un service relatif à chaque contenant consigné rempli et scellé de cette catégorie contenant la boisson qu'elle détenait immédiatement avant ce moment et relativement à laquelle l'alinéa (8)b) se serait appliqué si elle avait fourni la boisson dans le contenant immédiatement avant ce moment dans des circonstances où elle aurait été réputée par l'alinéa (2)b) avoir effectué la fourniture d'un service relatif au contenant;

b) d'autre part, avoir payé, immédiatement avant ce moment, relativement à chaque fourniture d'un service relatif à un contenant consigné qu'elle est réputée par l'alinéa a) avoir reçue, une taxe égale à la taxe qui était payable par elle relativement à la fourniture du service effectuée à son profit qui était réputée par l'alinéa (2)b) avoir été effectuée à son profit au moment où elle a acquis la boisson, ou qui aurait été ainsi payable par elle en l'absence des articles 156 ou 167.

Concordance québécoise: aucune.

(13) Fournitures effectuées en vertu de l'article 167 — Pour l'application de la présente partie, lorsqu'un inscrit effectue la fourniture taxable d'une boisson dans un contenant consigné rempli et scellé aux termes d'une convention portant sur la fourniture de tout ou partie d'une entreprise dans des circonstances où le paragraphe 167(1.1) s'applique à la fourniture et qu'il est réputé par le paragraphe (2) avoir effectué la fourniture d'un service relatif au contenant, la fourniture du service est réputée avoir été effectuée aux termes de la convention et le service est réputé ne pas être un service visé au sous-alinéa 167(1.1)a)(i).

Concordance québécoise: aucune.

(14) Taxe réputée perçue en cas d'application des articles 156 ou 167 — Pour l'application de la présente partie, dans le cas où, à la fois :

a) un fournisseur effectue, dans une province au profit d'un inscrit, la fourniture d'une boisson dans un contenant consigné rempli et scellé et est réputé par l'alinéa (2)b) avoir effectué, à un moment donné au profit de l'inscrit, la fourniture d'un service relatif au contenant,

b) par l'effet des articles 156 ou 167, aucune taxe n'est payable relativement aux fournitures de la boisson et du service effectuées au profit de l'inscrit,

c) par le seul effet de l'alinéa (8)a), l'inscrit n'aurait pas eu droit à un crédit de taxe sur les intrants au titre de la taxe qui aurait été payable relativement à la fourniture du service en l'absence des articles 156 ou 167,

d) pour ce qui est du calcul de la taxe nette du fournisseur, l'alinéa (8)b) ne s'applique pas aux fournitures de la boisson et du service effectuées au profit de l'inscrit,

l'inscrit est réputé, d'une part, avoir effectué dans la province, à ce moment, la fourniture taxable donnée d'un service relatif au contenant pour une contrepartie égale au montant qui, s'il n'était pas tenu compte de l'article 156, correspondrait à la valeur de la contrepartie de la fourniture du service qui est réputée par l'alinéa (2)b) avoir été effectuée au profit de l'inscrit relativement au contenant et, d'autre part, avoir perçu relativement à la fourniture donnée, à ce moment, la taxe calculée sur cette contrepartie.

Concordance québécoise: aucune.

(15) Taxe réputée payée en cas d'application des articles 156 ou 167 — Pour l'application de la présente partie, dans le cas où, à la fois :

a) un fournisseur effectue, dans une province au profit d'un inscrit, la fourniture d'une boisson dans un contenant consigné rempli et scellé et est réputé par l'alinéa (2)b) avoir effectué, à un moment donné au profit de l'inscrit, la fourniture d'un service relatif au contenant,

b) par l'effet des articles 156 ou 167, aucune taxe n'est payable relativement aux fournitures de la boisson et du service effectuées au profit de l'inscrit,

c) l'alinéa (8)a) ne se serait pas appliqué à l'inscrit relativement à la taxe qui aurait été payable relativement à la fourniture du service en l'absence des articles 156 ou 167,

d) pour ce qui est du calcul de la taxe nette du fournisseur, l'alinéa (8)b) s'applique aux fournitures de la boisson et du service effectuées par le fournisseur au profit de l'inscrit,

l'inscrit est réputé, en premier lieu, avoir reçu dans la province, à ce moment, la fourniture taxable donnée d'un service relatif au contenant pour une contrepartie égale au montant qui, s'il n'était pas tenu compte de l'article 156, correspondrait à la valeur de la contrepartie de la fourniture du service qui est réputée par l'alinéa (2)b) avoir été effectuée à son profit relativement au contenant, en deuxième lieu, avoir payé relativement à la fourniture donnée, à ce moment, la taxe calculée sur cette contrepartie et, en dernier lieu, avoir acquis ce service dans le même but que celui dans lequel il a acquis la boisson.

Concordance québécoise: aucune.

(16) Juste valeur marchande d'une boisson dans un contenant rempli et scellé — Pour l'application de la présente partie, si la boisson contenue dans un contenant consigné rempli et scellé qui est assujetti à un droit sur contenant consigné est détenue par une personne, à un moment donné, pour consommation, utilisation ou fourniture dans une province dans le cadre de ses activités commerciales, la juste valeur marchande de la boisson à ce moment est réputée ne pas comprendre le montant qui représenterait le montant remboursé à l'égard du contenant si la boisson était fournie dans la province par la personne à ce moment dans le contenant rempli et scellé.

Concordance québécoise: LTVQ, art. 350.42.7.

(17) Teneur en taxe d'une boisson dans un contenant rempli et scellé — La teneur en taxe, à un moment donné, de la boisson contenue dans un contenant consigné rempli et scellé qu'une personne détient à ce moment est déterminée comme si la taxe payable relativement à la dernière fourniture d'un service relatif au contenant qui était réputée par les paragraphes (2) ou (15) avoir été effectuée au profit de la personne, et la taxe payable relativement à la dernière fourniture d'un service relatif au contenant qui était réputée par le paragraphe (14) avoir été effectuée par la personne, représentaient une taxe additionnelle payable par la personne relativement à sa dernière acquisition de la boisson.

Concordance québécoise: aucune.

(18) Addition à la taxe nette — L'inscrit à l'égard duquel les conditions ci-après sont réunies est tenu d'ajouter un montant dans le calcul de sa taxe nette pour la période de déclaration qui comprend le moment où il effectue la fourniture mentionnée à l'alinéa c) :

a) il effectue, dans une province, la fourniture d'une boisson contenue dans un contenant consigné d'une catégorie donnée à l'égard duquel il est un vendeur au détail déterminé;

b) l'alinéa (2)a) s'applique au calcul de la contrepartie de la fourniture pour l'application de la présente partie;

c) il effectue, danslaprovince pour unecontrepartie, la fourniture du contenant usagé et vide sans lavoir acquis usagé et vide pour une contrepartie.

Le montant à ajouter dans le calcul de la taxe nette s'obtient par la formule suivante :

$$A \times B$$

où :

A représente :

(i) si la province est une province participante, la somme du taux de taxe prévu au paragraphe 165(1) et du taux de taxe applicable à la province,

(ii) dans les autres cas, letaux detaxe prévu au paragraphe 165(1);

B le montant remboursé à l'égard d'un contenant consigné de cette catégorie dans la province.

Concordance québécoise: LTVQ, art. 350.42.8.

Notes historiques: L'article 226 a été remplacé par L.C. 2007, c. 18, par. 28(2) et cette modification est réputée être entrée en vigueur le 1er mai 2002 et s'applique aux fournitures dont la contrepartie, même partielle, devient due à cette date ou par la suite ou est payée, à cette date ou par la suite, sans être devenue due. Toutefois :

a) pour ce qui est de l'application des articles 176 et 226.1 aux fournitures de contenants consignés dont la contrepartie, même partielle, devient due avant le 16 juillet 2002 ou est payée avant cette date sans être devenue due, l'article 226 s'applique comme si L.C. 2007, c. 18, par. 28(2) n'était pas entré en vigueur;

b) les paragraphes 226(4), (6) et (7) ne s'appliquent pas aux fournitures dont la contrepartie, même partielle, (déterminée compte non tenu de ces paragraphes) est payée ou devient due avant le 16 juillet 2002.

Antérieurement, il se lisait ainsi :

226. (1) **Définition de « contenant consigné »** — Au présent article, « contenant consigné » s'entend d'un contenant à boisson (sauf le contenant habituel d'une boisson dont la fourniture est incluse à la partie III de l'annexe VI) d'une catégorie donnée qui, à la fois :

a) est habituellement acquis par des consommateurs;

b) au moment de son acquisition par des consommateurs, est habituellement rempli et scellé;

c) une fois vide, est habituellement fourni par des consommateurs pour une contrepartie.

(2) **Fourniture distincte de boisson et de contenant** — Pour l'application du présent article, si une personne fournit une boisson dans un contenant consigné dans des circonstances où elle n'ouvre habituellement pas le contenant, les règles suivantes s'appliquent :

a) la remise du contenant est réputée être une fourniture distincte de la livraison de la boisson et ne pas y être accessoire;

b) la présomption prévue à l'article 137 ne s'applique pas au contenant;

c) la contrepartie de la fourniture du contenant est réputée égale à la partie de la contrepartie totale de la boisson et du contenant, qui est imputable au contenant.

(3) **Taxe percevable sur les contenants consignés** — La taxe perçue ou devenue percevable par un inscrit relativement à la fourniture d'un contenant consigné n'est pas incluse dans le calcul de la taxe nette de l'inscrit.

(4) **Crédit de taxe sur les intrants pour contenants consignés** — La taxe payée ou devenue payable par un inscrit relativement à la fourniture d'un contenant consigné, ou à son transfert dans une province participante, n'est incluse dans le calcul du crédit de taxe sur les intrants de l'inscrit que si celui-ci acquiert le contenant, ou le transfère dans la province, selon le cas, en vue d'en faire une fourniture détaxée ou de le fournir à l'étranger.

(5) **Application** — Les paragraphes (3) et (4) ne s'appliquent pas à l'inscrit qui effectue ou reçoit la fourniture d'un contenant consigné d'une catégorie donnée s'il a pour pratique, au moment où la taxe relative à la fourniture devient payable :

a) soit de demander, en contrepartie des fournitures de contenants remplis et scellés de cette catégorie, un montant supérieur au montant qu'il paie à d'autres inscrits en contrepartie de pareilles fournitures;

b) soit de demander, en contrepartie des fournitures de contenants vides de cette catégorie effectuées au profit d'autres inscrits, un montant supérieur au montant qu'il paie ou paierait à ceux-ci en contrepartie de pareilles fournitures;

c) soit de payer, en contrepartie des fournitures de contenants vides de cette catégorie reçues de non-inscrits, un montant inférieur au total du montant qu'il demande en contrepartie de pareilles fournitures et de la taxe calculée sur ce montant;

d) soit d'importer des contenants remplis et scellés de cette catégorie;

e) soit d'engager des personnes pour remplir et de sceller, pour son compte, des contenants de cette catégorie;

f) soit de fabriquer, de produire ou de remplir et sceller des contenants consignés d'une catégorie quelconque.

(6) **Acquisition réputée** — L'inscrit à l'égard duquel le paragraphe (3) cesse, à un moment donné, de s'appliquer relativement à un contenant consigné lui appartenant à ce moment et qui ne pouvait pas, par l'effet du paragraphe (4), demander de crédit de taxe sur les intrants relativement à sa dernière acquisition du contenant, ou relativement au transfert du contenant dans une province participante après la dernière acquisition de celui-ci, est réputé, pour l'application de la présente partie, avoir reçu à ce moment une fourniture du contenant et avoir payé, à ce moment et relativement à la fourniture, une taxe égale à la teneur en taxe du contenant à ce moment.

(7) **Fourniture réputée** — L'inscrit à l'égard duquel le paragraphe (3) commence, à un moment donné, à s'appliquer relativement à un contenant consigné lui appartenant à ce moment et qui pouvait demander un crédit de taxe sur les intrants relativement à sa dernière acquisition du contenant, ou relativement au transfert du contenant dans une province participante après la dernière acquisition de celui-ci, est réputé, pour l'application de la présente partie :

a) d'une part, avoir fourni le contenant immédiatement avant le moment donné et avoir perçu, à ce moment et relativement à la fourniture, une taxe égale à la teneur en taxe du contenant à ce moment;

b) d'autre part, avoir reçu, à ce moment, une fourniture du contenant et avoir payé, à ce moment et relativement à la fourniture, une taxe égale à la taxe visée à l'alinéa a).

(8) **Fournitures aux termes des articles 156 ou 167** — Pour l'application de la présente partie, lorsqu'un fournisseur fournit, à un moment donné, un contenant consigné à un inscrit dans les circonstances visées aux articles 156 ou 167 et que, si ces articles ne s'appliquaient pas, le paragraphe (3) ne s'appliquerait pas au fournisseur relativement à la fourniture alors que le paragraphe (4) s'appliquerait à l'inscrit relativement au contenant, les règles suivantes s'appliquent :

a) le paragraphe (3) ne s'applique pas à l'inscrit relativement à la fourniture, et celui-ci est réputé avoir fourni le contenant au moment donné et avoir perçu, à ce moment et relativement à la fourniture, la taxe calculée sur la contrepartie qu'il demanderait s'il fournissait le contenant à une personne avec laquelle il n'a aucun lien de dépendance;

b) l'inscrit est réputé avoir reçu une fourniture du contenant immédiatement après le moment donné et avoir payé, immédiatement après ce moment et relativement à la fourniture, une taxe égale au montant calculé selon l'alinéa a).

(9) **Idem** — Pour l'application de la présente partie, lorsqu'un fournisseur fournit, à un moment donné, un contenant consigné à un inscrit dans les circonstances visées aux articles 156 ou 167 et que, si ces articles ne s'appliquaient pas, le paragraphe (3) s'appliquerait au fournisseur relativement à la fourniture alors que le paragraphe (4) ne s'appliquerait pas à l'inscrit relativement au contenant, l'inscrit est réputé avoir payé, à ce moment et relativement à la fourniture, la taxe calculée sur la contrepartie qu'il demanderait s'il fournissait le contenant à une personne avec laquelle il n'a aucun lien de dépendance.

Définitions [art. 226]: « consommateur », « contrepartie », « fourniture », « fourniture détaxée », « importation », « inscrit », « montant », « personne », « province non participante », « province participante », « taux de taxe »,« taxe », « teneur en taxe » — 123(1).

Renvois [art. 226]: 123(2) (Canada); 126 (lien de dépendance); 142 (lieu de la fourniture); 169 (CTI); 176(1) (CTI — contenant consigné); 195.2 (dernière acquisition ou importation); 225 (taxe nette); 225.1(2)Bb.1) (application aux organismes de bienfaisance); 226.1(1)a) et d) (déduction pour organisme de bienfaisance); 263.2 (remboursement — boissons dans des contenants consignés); X:Partie I:22 (TVH — biens transférés dans une province participante).

Règlements [art. 226]: *Règlement sur les contenants consignés (TPS/TVH)*, art. 1 .

Énoncés de politique [art. 226]: P-182R, 28/08/03, *Du mandat*.

Bulletins de l'information technique [art. 226]: B-002, 23/11/90, *Les bons et les contenants consignés*; B-038R, 03/08, *Contenants retournables autres que les contenants de boisson*; B-089, 23/04/02, *Contenants consignés*.

Mémorandums [art. 226]: TPS 400-3-6, 24/03/93, *Bien meuble corporel désigné ou d'occasion*, par. 41–46.

Série de mémorandums [art. 226]: Mémorandum 1.5, 09/94, *Définitions*.

226.01 [*Abrogé*].

Notes historiques: L'article 226.01 a été abrogé par L.C. 2007, c. 18, par. 29(2) et cette abrogation s'applique aux fournitures dont la contrepartie, même partielle, devient due après le 15 juillet 2002 ou est payée après cette date sans être devenue due. Antérieurement, il se lisait ainsi :

> 226.01 **Non-application de l'exemption** — L'article 5.1 de la partie V.1 de l'annexe V et l'article 6 de la partie VI de cette annexe ne s'appliquent pas à la fourniture d'un contenant consigné usagé et vide (« contenant consigné » s'entendant au sens de l'article 226) ni à la fourniture de la matière résultant de son compactage.

L'article 226.01 a été ajouté par L.C. 2007, c. 18, par. 29(1) et cette modification s'applique aux fournitures dont la contrepartie, même partielle, devient due après 1996 ou est payée après 1996 sans être devenue due.

226.1 [*Abrogé*].

Notes historiques: L'article 226.1 a été abrogé par L.C. 2007, c. 18, par. 30(3) et cette abrogation s'applique aux fournitures dont la contrepartie, même partielle, devient due après le 15 juillet 2002 ou est payée après cette date sans être devenue due. Antérieurement, il se lisait ainsi :

> 226.1 (1) **Déduction pour organisme de bienfaisance** — Un organisme de bienfaisance peut déduire un montant dans le calcul de sa taxe nette pour sa période de déclaration au cours de laquelle la fourniture donnée visée à l'alinéa a) est effectuée ou pour une période de déclaration postérieure si les conditions suivantes sont réunies :
>
> a) il est l'acquéreur d'une fourniture donnée (sauf une fourniture à laquelle l'article 156 ou 167 s'applique) effectuée au Canada par vente d'un contenant d'occasion vide qui est un contenant consigné au sens du paragraphe 226(1);
>
> b) il acquiert le contenant en vue de le fournir vide, ou de fournir les sous-produits d'un procédé de recyclage d'un tel contenant, dans le cadre de son entreprise;
>
> c) il n'a pas droit à un crédit de taxe sur les intrants relativement au contenant;
>
> d) s'il effectue une fourniture du contenant relativement à laquelle la taxe est percevable, ou le serait si ce n'était les articles 156 ou 167, le paragraphe 226(3) ne s'applique pas à cette fourniture;
>
> e) il verse au fournisseur, relativement à la fourniture donnée, la somme de la partie (appelée « consigne remboursable » au présent paragraphe) des taxes ou frais imposés relativement au contenant en vertu d'une loi provinciale concernant la réglementation, le contrôle ou la prévention des déchets, qui est remboursable au fournisseur en application de cette loi ou d'une convention conclue sous son régime et du montant applicable suivant :
>
> (i) si la taxe est payable relativement à la fourniture donnée, la taxe calculée sur la consigne remboursable,
>
> (ii) dans les autres cas, la taxe, calculée sur la consigne remboursable, qui serait payable par l'organisme relativement à la fourniture donnée si celle-ci était une fourniture taxable effectuée par un inscrit.
>
> Le montant déductible correspond au montant obtenu par la formule suivante :
>
> $$A \times B$$
>
> où :
>
> A représente :
>
> a) si la fourniture donnée est effectuée dans une province participante, la somme de 7 % et du taux de taxe applicable à cette province,
>
> b) dans les autres cas, 7 %;
>
> B la consigne remboursable.
>
> (2) **Restriction** — Un organisme de bienfaisance ne peut demander la déduction prévue au paragraphe (1) relativement à la fourniture d'un contenant consigné effectuée à son profit que si la déduction est demandée dans une déclaration qu'il produit aux termes de la présente section au plus tard à la date limite où la déclaration prévue à cette section doit être produite pour la dernière période de déclaration de l'organisme se terminant dans les quatre ans suivant la fin de la période de déclaration au cours de laquelle la fourniture donnée est effectuée.

Le préambule du paragraphe 226.1(1) a été remplacé par L.C. 2007, c. 18, par. 30(1) et cette modification s'applique aux fournitures de contenants effectuées au profit d'un organisme de bienfaisance après mars 1998. Antérieurement, il se lisait ainsi :

> 226.1 (1) Un organisme de bienfaisance peut déduire un montant dans le calcul de sa taxe nette pour sa période de déclaration au cours de laquelle la fourniture donnée visée à l'alinéa a) est effectuée si les conditions suivantes sont réunies :

Les paragraphes 226.1(1) et (2) ont été ajoutés par L.C. 2000, c. 30, par. 55(1) et s'appliquent aux fournitures de contenants effectuées au profit d'un organisme de bienfaisance après mars 1998.

227. (1) Comptabilité abrégée — L'inscrit (sauf l'organisme de bienfaisance qui n'est pas désigné aux termes de l'article 178.7) qui est visé par règlement ou membre d'une catégorie d'inscrits ainsi visée peut faire un choix pour que sa taxe nette pour les périodes de déclaration au cours desquelles le choix est en vigueur soit déterminée par une méthode réglementaire.

Notes historiques: Le paragraphe 227(1) a été remplacé par L.C. 2000, c. 30, par. 56(1). Cette modification s'applique aux périodes de déclaration commençant après le 24 février 1998. Antérieurement, il se lisait comme suit :

227. (1) L'inscrit, à l'exception d'un organisme de bienfaisance, qui est visé par règlement ou membre d'une catégorie d'inscrits ainsi visée peut faire un choix pour que sa taxe nette pour les périodes de déclaration au cours desquelles le choix est en vigueur soit déterminée par une méthode réglementaire.

Le paragraphe 227(1) a été modifié par L.C. 1997, c. 10, par. 46(1). Cette modification s'applique au calcul de la taxe nette pour les périodes de déclaration d'un organisme de bienfaisance qui commencent après 1996, et le choix que l'organisme fait en vertu du paragraphe 227(1) et qui, sans le présent paragraphe, aurait été en vigueur au début de sa première période de déclaration commençant après 1996 est réputé avoir cessé d'être en vigueur immédiatement avant cette période. Il se lisait comme suit :

227. (1) L'inscrit qui est visé par règlement ou membre d'une catégorie d'inscrits ainsi visée peut faire un choix pour que sa taxe nette pour les périodes de déclaration au cours desquelles le choix est en vigueur soit déterminée par une méthode réglementaire.

Ce paragraphe a été ajouté par L.C. 1990, c. 45, par. 12(1).

Concordance québécoise: LTVQ, art. 434, al. 1.

(2) Forme et contenu — Le choix doit :

a) être présenté au ministre en la forme, selon les modalités et avec les renseignements déterminés par celui-ci;

b) indiquer le jour de l'entrée en vigueur du choix, lequel jour correspond au premier jour d'une période de déclaration de l'inscrit;

c) être produit au plus tard :

(i) si la première période de déclaration de l'inscrit où le choix est en vigueur correspond à son exercice, le premier jour du deuxième trimestre d'exercice de cet exercice ou le jour ultérieur fixé par le ministre sur demande de l'inscrit,

(ii) dans les autres cas, le jour où l'inscrit est tenu de produire sa déclaration aux termes de la présente section pour sa première période de déclaration où le choix est en vigueur, ou le jour postérieur que le ministre peut fixer à la demande de l'inscrit.

Notes historiques: Le sous-alinéa 227(2)c)(ii) a été modifié par L.C. 1993, c. 27, par. 90(1) et est réputé entré en vigueur le 17 décembre 1990. Il se lisait auparavant comme suit :

(ii) dans les autres cas, le jour où l'inscrit est tenu de produire sa déclaration aux termes de la présente section pour sa première période de déclaration où le choix est en vigueur.

Le paragraphe 227(2) a été ajouté par L.C. 1990, c. 45, par. 12(1).

Concordance québécoise: LTVQ, art. 434, al. 2,.

(3) Cessation du choix — Le choix cesse d'être en vigueur le premier en date des jours suivants :

a) le premier jour de la période de déclaration de l'inscrit au cours de laquelle il cesse d'être visé par règlement ou membre d'une catégorie d'inscrits ainsi visée;

b) le jour où la révocation du choix entre en vigueur.

Notes historiques: L'alinéa 227(3)b) a été modifié par L.C. 1994, c. 9, par. 13(1) et est réputé entré en vigueur le 1er mars 1993. Il se lisait auparavant comme suit :

b) dans le cas où, au plus tard le jour où la déclaration pour une période de déclaration de l'inscrit doit être produite aux termes de la présente section, l'inscrit produit avec cette déclaration un avis de révocation du choix, en la forme et avec les renseignements déterminés par le ministre, le dernier jour de cette période.

Lorsque la déclaration d'un inscrit pour sa dernière période de déclaration de son premier exercice se terminant en 1991 est accompagnée d'un avis de révocation, produit en application de l'alinéa 227(3)b), du choix lui permettant de déterminer sa taxe nette en conformité avec la partie IV du *Règlement sur la comptabilité abrégée (TPS)* et que ce choix était en vigueur le 1er janvier 1991, la révocation est valide malgré le paragraphe 227(4) [L.C. 1993, c. 27, art. 208].

Le paragraphe 227(3) a été ajouté par L.C. 1990, c. 45, par. 12(1).

Concordance québécoise: LTVQ, art. 435, al. 1.

(4) Révocation — L'inscrit peut révoquer son choix.

Notes historiques: Le paragraphe 227(4) a été modifié par L.C. 1994, c. 9, par. 13(2) et est réputé entré en vigueur le 1er mars 1993. Il se lisait auparavant comme suit :

(4) L'avis de révocation du choix ne peut être produit avec une déclaration pour une période de déclaration se terminant moins d'une année après l'entrée en vigueur du choix.

Le paragraphe 227(4) a été ajouté par L.C. 1990, c. 45, par. 12(1).

Concordance québécoise: LTVQ, art. 435, 435.1.

(4.1) Entrée en vigueur et avis de révocation — La révocation du choix par l'inscrit :

a) entre en vigueur le premier jour d'une période de déclaration de l'inscrit qui tombe au moins un an après l'entrée en vigueur du choix;

b) n'est valide que si un avis de révocation contenant les renseignements requis est présenté au ministre, en la forme et selon les modalités qu'il détermine, au plus tard le jour où la déclaration prévue par la présente section est à produire pour la dernière période de déclaration de l'inscrit au cours de laquelle le choix est en vigueur.

Notes historiques: Le paragraphe 227(4.1) a été ajouté par L.C. 1994, c. 9, par. 13(2) et est réputé entré en vigueur le 1er mars 1993.

Concordance québécoise: LTVQ, art. 435, 435.2.

(4.2) Exception — Lorsque l'inscrit choisit de calculer sa taxe nette conformément aux règles énoncées dans une partie du *Règlement sur la comptabilité abrégée (TPS/ TVH)* visée par règlement, les règles suivantes s'appliquent :

a) l'alinéa (2)a) ne s'applique pas;

b) malgré le paragraphe (2), le choix doit être fait avant la production de la déclaration prévue par la présente section pour la période de déclaration de l'inscrit au cours de laquelle le choix entre en vigueur;

c) l'alinéa (4.1)b) ne s'applique pas à la révocation du choix.

Notes historiques: Le paragraphe 227(4.2) a été modifié par L.C. 2007, c. 18, al. 63(1)e) par le remplacement de « (TPS) » par « (TPS/ TVH) ». Cette modification est réputée être entrée en vigueur le 1er avril 1997.

Le paragraphe 227(4.2) a été ajouté par L.C. 1994, c. 9, par. 13(2) et est réputé entré en vigueur le 1er mars 1993.

Concordance québécoise: LTVQ, art. 435.3.

(5) Restriction quant au crédit de taxe sur les intrants — L'inscrit dont le choix cesse d'être en vigueur ne peut demander, au cours d'une période de déclaration qui commence après que le choix cesse d'être en vigueur, de crédit de taxe sur les intrants (sauf un tel crédit visé par règlement) pour sa période de déclaration où le choix était en vigueur.

Notes historiques: Le paragraphe 227(5) a été ajouté par L.C. 1990, c. 45, par. 12(1).

Concordance québécoise: LTVQ, art. 436.

(6) Restriction quant à la taxe nette — Sauf disposition contraire prévue dans le *Règlement sur la comptabilité abrégée (TPS/TVH)*, les articles 231 à 236 ne s'appliquent pas au calcul de la taxe nette d'un inscrit pour une période de déclaration au cours de laquelle le choix prévu au paragraphe (1) est en vigueur.

Notes historiques: Le paragraphe 227(6) a été modifié par L.C. 2007, c. 18, al. 63(1)f) par le remplacement de « (TPS) » par « (TPS/ TVH) ». Cette modification est réputée être entrée en vigueur le 1er avril 1997.

Le paragraphe 227(6) a été ajouté par L.C. 1997, c. 10, par. 45(1) et est réputé entré en vigueur le 17 décembre 1990.

Concordance québécoise: LTVQ, art. 436.1.

Définitions [art. 227]: « acquéreur », « année d'imposition », « exercice », « inscrit », « ministre », « organisme de bienfaisance », « période de déclaration », « règlement », « trimestre d'exercice » — 123(1).

Renvois [art. 227]: 169 (CTI); 222.1 (vente d'un compte client); 225 (taxe nette); 225.1 (comptabilité abrégée — organismes de bienfaisance); 259(1), (14) (remboursement aux organismes de services publics — calcul); 363.2 (choix de ne pas utiliser la comptabilité abrégée).

Règlements [art. 227]: *Règlement sur la comptabilité abrégée (TPS/TVH)*, art. 1.

Jurisprudence [art. 227]: *Musselman (A.) c. La Reine*, [1995] G.S.T.C. 60 (CCI); *Magog (City) c. Canada*, [1999] G.S.T.C. 118, [2000] G.S.T.C. 81 (CCI); [2001]

G.S.T.C. 98 (CAF); *1259066 Ontario Ltd. v. R.*, 2010 CarswellNat 1322 , 22010 CCI 89 (CCI [procédure informelle]).

Décrets de remise [art. 227]: *Décret de remise sur les appareils automatiques (utilisateurs de la comptabilité abrégée)* C.P.2003-1620.

Énoncés de politique [art. 227]: P-100R, 26/08/98, *Production tardive d'un choix visant la comptabilité simplifiée.*

Bulletins de l'information technique [art. 227]: B-070, 1/03/93, *Méthode simplifiée de demande de crédits de taxe sur les intrants et de remboursements*; B-075R, 23/04/96, *Modifications proposées à la TPS.*

Mémorandums [art. 227]: TPS 400-1-1, 25/02/91, *Crédit intégral de taxe sur les intrants*, par. 59–64; TPS 400-4, 18/01/91, *Organismes du secteur public*, par. 46–54; TPS 500-4-2, 15/01/1991, *Remboursements aux municipalités*, par. 40–43; TPS 500-4-3, 17/05/91, *Universités, administrations scolaires et collèges publics*, par. 32, 33; TPS 500-4-4, 31/03/93, *Administrations hospitalières*, par. 42–49; TPS 500-4-9, 31/05/91, *Organismes de bienfaisance*, par. 35, 36; TPS 600, 21/12/90, *Mesures spéciales*; TPS 600-1, 27/04/94, *Méthodes comptables simplifiées à l'intention des petites entreprises*; TPS 600-2, 28/03/91, *Méthode rapide spéciale de comptabilité à l'intention des organismes de bienfaisance, des organismes à but non lucratif admissibles, et des organismes déterminés de services publics*; TPS 600-4, 21/09/90, *Méthodes comptables simplifiées à l'intention des petites entreprises.*

Série de mémorandums [art. 227]: Mémorandum 3.1, 08/99, *Assujettissement à la taxe.*

Formulaires [art. 227]: FP-675, *Avis de révocation du choix de la méthode rapide de comptabilité*; FP-2074, *Choix de la méthode rapide de comptabilité à l'intention des petites entreprises*; FP-2488, *Choix ou révocation d'un choix de ne pas utiliser le calcul de la taxe nette des organismes de bienfaisance*; GST74, *Choix et révocation du choix de la méthode rapide de comptabilité à l'intention des entreprises*; GST287, *Choix ou révocation du choix par les organismes de services publics d'utiliser la méthode rapide spéciale de comptabilité*; RC4365, *Taxe sur les produits et services des Premières nations (TPSPN).*

228. (1) Calcul de la taxe nette — La personne tenue de produire une déclaration en application de la présente section doit y calculer sa taxe nette pour la période de déclaration qui y est visée, sauf si les paragraphes (2.1) ou (2.3) s'appliquent à la période de déclaration.

Notes historiques: Le paragraphe 228(1) a été modifié par L.C. 1997, c. 10, par. 210(1) et cette modification s'applique aux périodes de déclaration qui se terminent après mars 1997. Le paragraphe 228(1), ainsi modifié, se lisait comme suit :

> 228. (1) La personne tenue de produire une déclaration en application de la présente section doit y calculer sa taxe nette pour la période de déclaration qui y est visée.

Le paragraphe 228(1) a été modifié par L.C. 1993, c. 27, art. 203 (annexe I) afin de remplacer le mot « inscrit » par « personne », avec les adaptations nécessaires et est réputé entré en vigueur le 17 décembre 1990. Cette modification permet d'intégrer l'ancien paragraphe 226(2).

Le paragraphe 228(1) a été ajouté par L.C. 1990, c. 45, par. 12(1).

Concordance québécoise: LTVQ, art. 437, al. 1.

(2) Versement — La personne est tenue de verser au receveur général le montant positif de sa taxe nette pour une période de déclaration dans le délai suivant, sauf [vraisemblablement « sauf si » — n.d.l.r.] les paragraphes (2.1) ou (2.3) s'appliquent à la période de déclaration :

a) si elle est un particulier auquel le sous-alinéa 238(1)a)(ii) s'applique pour la période, au plus tard le 30 avril de l'année suivant la fin de la période;

b) dans les autres cas, au plus tard le jour où la déclaration visant la période est à produire.

Notes historiques: Le préambule du paragraphe 228(2) a été modifié par L.C. 1997, c. 10, par. 210(2) et cette modification s'applique aux périodes de déclaration qui se terminent après mars 1997. Auparavant, ce préambule se lisait comme suit :

> (2) La personne est tenue de verser au receveur général le montant positif de sa taxe nette pour une période de déclaration dans le délai suivant :

Auparavant, le paragraphe 228(2) a été modifié par L.C. 1996, c. 21, par. 65(1) et cette modification s'applique aux périodes de déclaration qui commencent après 1994. Auparavant, ce paragraphe se lisait comme suit :

> (2) La personne doit verser au receveur général, au plus tard le jour où la déclaration doit être produite, le montant positif de sa taxe nette pour la période de déclaration qui y est visée.

Le paragraphe 228(2) a été modifié par L.C. 1993, c. 27, art. 203 (annexe I) afin de remplacer le mot « inscrit » par « personne », avec les adaptations nécessaires et est réputé entré en vigueur le 17 décembre 1990. Cette modification permet d'intégrer l'ancien paragraphe 226(2).

Le paragraphe 228(2) a été ajouté par L.C. 1990, c. 45, par. 12(1).

Concordance québécoise: LTVQ, art. 437, al. 2.

(2.1) Institutions financières désignées particulières — déclaration provisoire et versement — La personne — institution financière désignée particulière — qui est tenue de produire une déclaration provisoire pour une période de déclaration en application du paragraphe 238(2.1) :

a) sous réserve du paragraphe (2.2), doit y calculer le montant (appelé « taxe nette provisoire » dans la présente partie) qui correspondrait à sa taxe nette pour la période si la description de l'élément C de la formule figurant au paragraphe 225.2(2) était remplacée par « le pourcentage applicable à l'institution financière quant à la province participante pour l'année d'imposition ou, s'il est inférieur, le pourcentage qui lui est applicable quant à cette province pour l'année d'imposition précédente, chacun étant déterminé en conformité avec les règles fixées par règlement qui s'appliquent aux institutions financières de cette catégorie »;

b) le cas échéant, doit verser au receveur général, au plus tard le jour où la déclaration provisoire est à produire, le montant positif de la taxe nette provisoire pour la période au titre de sa taxe nette pour cette période qu'elle est tenue de verser en application de l'alinéa (2.3)b).

Notes historiques: L'alinéa 228(2.1)a) a été remplacé par L.C. 2000, c. 30, par. 57(1). Cette modification s'applique aux périodes de déclaration se terminant après mars 1997. Antérieurement, il se lisait comme suit :

> a) sous réserve du paragraphe (2.2), doit y calculer le montant (appelé « taxe nette provisoire » dans la présente partie) qui correspondrait à sa taxe nette pour la période si la description de l'élément C de la formule figurant au paragraphe 225.2(2) était remplacée par « le pourcentage applicable à l'institution financière quant à la province participante pour l'année d'imposition ou, s'il est inférieur, le pourcentage qui lui est applicable pour l'année d'imposition précédente, chacun étant déterminé en conformité avec les règles fixées par règlement qui s'appliquent aux institutions financières de cette catégorie »;

Le paragraphe 228(2.1) a été ajouté par L.C. 1997, c. 10, par. 210(3) et s'applique aux périodes de déclaration qui se terminent après mars 1997.

Concordance québécoise: aucune.

(2.2) Institutions financières désignées particulières — premier exercice — Pour l'application de l'alinéa (2.1)a), lorsqu'une personne devient une institution financière désignée particulière au cours de sa période de déclaration se terminant dans son exercice qui commence après mars 1997, sa taxe nette provisoire pour chaque période de déclaration comprise dans l'exercice est le montant qui correspondrait à sa taxe nette pour la période si la description de l'élément C de la formule figurant au paragraphe 225.2(2) était remplacée par « le pourcentage applicable à l'institution financière quant à la province participante pour la période de déclaration précédente, déterminé en conformité avec les règles fixées par règlement qui s'appliquent aux institutions financières de cette catégorie ».

Notes historiques: Le paragraphe 228(2.2) a été ajouté par L.C. 1997, c. 10, par. 210(3) et s'applique aux périodes de déclaration qui se terminent après mars 1997.

Concordance québécoise: aucune.

(2.3) Institutions financières désignées particulières — déclaration finale — La personne — institution financière désignée particulière — tenue de produire une déclaration finale en application du paragraphe 238(2.1) pour une période de déclaration :

a) doit y calculer sa taxe nette pour la période;

b) le cas échéant, doit verser au receveur général, au plus tard le jour où la déclaration finale est à produire pour la période, le montant positif de sa taxe nette pour la période;

c) le cas échéant, doit indiquer dans la déclaration finale le montant positif payé au titre de sa taxe nette pour la période en application du paragraphe (2.1) ou le montant négatif qu'elle a demandé dans sa déclaration provisoire pour la période à titre de remboursement de taxe nette provisoire pour la période en application du paragraphe (2.4);

d) dans le cas où elle a demandé un remboursement de taxe nette provisoire pour la période en application du paragraphe (2.4), elle doit verser au receveur général, au plus tard le jour où la déclaration finale pour la période est à produire :

(i) l'excédent éventuel du montant de remboursement de taxe nette provisoire sur la somme qui représenterait le montant de remboursement de taxe nette pour la période, payable en application du paragraphe (3), si elle n'avait pas demandé le remboursement provisoire,

(ii) si sa taxe nette pour la période correspond à un montant positif, un montant correspondant au remboursement de taxe nette provisoire.

Notes historiques: Le paragraphe 228(2.3) a été ajouté par L.C. 1997, c. 10, par. 210(3) et s'applique aux périodes de déclaration qui se terminent après mars 1997.

Concordance québécoise: aucune.

(2.4) Remboursement provisoire aux institutions financières désignées particulières — La personne qui est une institution financière désignée particulière peut demander le montant négatif déterminé selon l'alinéa (2.1)a) pour sa période de déclaration, à titre de remboursement de taxe nette provisoire pour la période payable par le ministre, dans sa déclaration provisoire pour la période produite avant le jour où sa déclaration finale pour cette période est à produire.

Notes historiques: Le paragraphe 228(2.4) a été ajouté par L.C. 1997, c. 10, par. 210(3) et s'applique aux périodes de déclaration qui se terminent après mars 1997.

Concordance québécoise: aucune.

(3) Remboursement de taxe nette — Lorsque la taxe nette d'une personne pour sa période de déclaration correspond à un montant négatif :

a) si elle est une institution financière désignée particulière qui est tenue de produire une déclaration finale pour la période aux termes du paragraphe 238(2.1), la personne peut demander le résultat du calcul suivant dans sa déclaration finale pour la période à titre de remboursement de taxe nette pour la période payable par le ministre :

$$A - B$$

où :

A représente la valeur absolue de cette taxe nette,

B le montant qu'elle demande à titre de remboursement de taxe nette provisoire pour la période en application du paragraphe (2.4);

b) dans les autres cas, la personne peut demander, dans la déclaration pour la période, le montant de cette taxe nette à titre de remboursement de taxe nette pour la période payable par le ministre.

Notes historiques: Le paragraphe 228(3) a été modifié par L.C. 1997, c. 10, par. 210(3) et cette modification s'applique aux périodes de déclaration qui se terminent après mars 1997. Le paragraphe 228(3) se lisait comme suit :

(3) La personne dont la taxe nette pour une période de déclaration se solde par un montant négatif peut demander, dans la déclaration visant cette période, le remboursement de cette taxe par le ministre.

Le paragraphe 228(3) a été modifié par L.C. 1993, c. 27, art. 203 (annexe I) afin de remplacer le mot « inscrit » par « personne », avec les adaptations nécessaires et est réputé entré en vigueur le 17 décembre 1990.

Le paragraphe 228(2) a été ajouté par L.C. 1990, c. 45, par. 12(1).

Concordance québécoise: LTVQ, art. 437, al. 3.

(4) Autocotisation lors de l'acquisition d'un immeuble — Le redevable de la taxe prévue à la section II relativement à un immeuble qui lui a été fourni par une personne qui n'est pas tenue de percevoir la taxe et n'est pas réputée l'avoir perçue est tenu :

a) s'il est un inscrit et a acquis le bien pour l'utiliser ou le fournir principalement dans le cadre de ses activités commerciales, de payer la taxe au receveur général au plus tard le jour où il est tenu de produire sa déclaration pour la période de déclaration où la taxe est devenue payable et d'indiquer la taxe dans cette déclaration;

b) sinon, de payer la taxe au receveur général et de présenter au ministre, en la forme et selon les modalités déterminées par celui-ci, une déclaration la concernant et contenant les renseignements requis, au plus tard le dernier jour du mois suivant le mois civil où la taxe est devenue payable.

Notes historiques: Le paragraphe 228(4) a été modifié par L.C. 1997, c. 10, par. 47(1) et cette modification est réputée entrée en vigueur le 23 avril 1996. Toutefois, avant 1997, la mention de « et d'indiquer la taxe dans cette déclaration » à l'alinéa 228(4)a) vaut mention de « et de présenter au ministre, en la forme et selon les modalités déterminées par celui-ci, une déclaration la concernant et contenant les renseignements requis ». Ce paragraphe se lisait comme suit :

(4) Le redevable de la taxe prévue à la section II relativement à un immeuble qui lui a été fourni dans les circonstances visées au paragraphe 221(2) est tenu, sauf si l'immeuble est réputé lui avoir été fourni, de verser la taxe au receveur général et de présenter au ministre, en la forme et selon les modalités déterminées par celui-ci, une déclaration la concernant et contenant les renseignements requis :

a) si le redevable est un inscrit et a acquis le bien pour l'utiliser ou le fournir principalement dans le cadre de ses activités commerciales, au plus tard le jour où il est tenu de produire sa déclaration pour la période de déclaration où la taxe est devenue payable;

b) sinon, au plus tard le dernier jour du mois suivant celui où la taxe est devenue payable.

Le préambule du paragraphe 228(4) a été modifié par L.C. 1993, c. 27, par. 91(1) et est réputé entré en vigueur le 17 décembre 1990. Il se lisait comme suit :

(4) Le redevable de la taxe prévue à la section II relativement à un immeuble qui lui a été fourni par vente dans des circonstances auxquelles le paragraphe 221(2) s'applique doit la verser au receveur général et présenter au ministre, en la forme, selon les modalités et avec les renseignements déterminés par celui-ci, une déclaration la concernant :

Le paragraphe 228(4) a été édicté par L.C. 1990, c. 45, par. 12(1).

Concordance québécoise: LTVQ, art. 438.

(5) [*Abrogé*]

Notes historiques: Le paragraphe 228(5) a été abrogé par L.C. 1993, c. 27, par. 91(2), rétroactivement au 17 décembre 1990. Il se lisait ainsi :

(5) Le non-inscrit qui est tenu de percevoir la taxe prévue à la section II ou qui a perçu des sommes au titre de cette taxe au cours de sa période de déclaration doit verser le montant de sa taxe nette pour cette période au receveur général au plus tard le jour où il est tenu de produire sa déclaration pour cette période.

Il a été intégré au paragraphe 228(2), par le remplacement du mot « inscrit » par le mot « personne », par L.C. 1993, c. 27, art. 203 (annexe I).

Le paragraphe 228(5) a été édicté par L.C. 1990, c. 45, par. 12(1).

(6) Compensation de remboursement — Dans le cas où une personne produit, à un moment donné et conformément à la présente partie, une déclaration où elle indique un montant (appelé « versement » au présent paragraphe) qu'elle est tenue de verser en application des paragraphes (2) ou (2.3) ou de payer en application des paragraphes (2.1) ou (4) ou des sections IV ou IV.1 et qu'elle demande dans cette déclaration, ou dans une autre déclaration ou une demande produite conformément à la présente partie avec cette déclaration, un remboursement qui lui est payable à ce moment en application de la présente partie, compte non tenu de la section III, la personne est réputée avoir versé à ce moment au titre de son versement, et le ministre avoir payé à ce moment au titre du remboursement, ce versement ou, s'il est inférieur, le montant du remboursement.

Notes historiques: Le paragraphe 228(6) a été modifié par L.C. 1997, c. 10, par. 210(4) et cette modification s'applique aux périodes de déclaration qui se terminent après mars 1997. Il se lisait comme suit :

(6) Dans le cas où une personne produit, à un moment donné et conformément à la présente partie, une déclaration où elle indique un montant (appelé « versement » au présent paragraphe) qu'elle est tenue de verser en application du paragraphe (2) ou de payer en application du paragraphe (4) ou de la section IV et qu'elle demande dans cette déclaration, ou dans une autre déclaration ou une demande produite conformément à la présente partie avec cette déclaration, un remboursement qui lui est payable à ce moment en application de la présente partie, compte non tenu de la section III, la personne est réputée avoir versé à ce moment au titre de son versement, et le ministre avoir payé à ce moment au titre du remboursement, ce versement ou, s'il est inférieur, le montant du remboursement.

Le paragraphe 228(6) a été modifié par L.C. 1997, c. 10, par. 47(1) et cette modification est réputée entrée en vigueur le 23 avril 1996. Il se lisait comme suit :

(6) Dans le cas où, à un moment donné, une personne produit conformément à la présente partie une déclaration donnée pour une période de déclaration au cours de laquelle il est établi qu'elle est redevable, en application du paragraphe (2) ou (4), d'un montant de taxe — appelé « versement » au présent paragraphe — et accompagne cette déclaration d'une autre déclaration, produite conformément à la présente partie, dans laquelle elle demande un remboursement au paiement duquel elle a droit à ce moment en application soit de la présente partie, compte non tenu de la section VI, soit de la section VI, les règles suivantes s'appliquent :

a) pour l'application des paragraphes (2) et (4), la personne est réputée avoir versé à ce moment, au titre de son versement, le moins élevé de ce versement ou du remboursement;

b) si elle demande dans l'autre déclaration un remboursement auquel elle a droit en application de la présente partie, compte non tenu de la section VI, la personne est réputée, pour l'application du paragraphe 169(4), avoir produit la déclaration donnée avant l'autre déclaration, et, pour l'application de la présente partie, le ministre est réputé lui avoir versé à ce moment un remboursement égal au moins élevé des montants suivants :

(i) le versement,

(ii) le remboursement auquel elle a ainsi droit

c) si la personne demande dans l'autre déclaration un remboursement auquel elle a droit en application de la section VI, le ministre est réputé, pour l'application de cette section, lui avoir versé à ce moment un remboursement égal au moins élevé des montants suivants :

(i) le remboursement auquel elle a ainsi droit,

(ii) l'excédent éventuel de ce remboursement sur l'excédent du versement sur le remboursement auquel elle a droit en application de la présente partie, compte non tenu de la section VI.

Le paragraphe 228(6) a été ajouté par L.C. 1990, c. 45, par. 12(1).

Concordance québécoise: LTVQ, art. 441.

(7) Remboursement d'une autre personne — Une personne peut, dans les circonstances visées par règlement et sous réserve des conditions et des règles visées par règlement, réduire ou compenser la taxe qu'elle est tenue de verser en application des paragraphes (2) ou (2.3) ou de payer en application des paragraphes (2.1) ou (4) ou des sections IV ou IV.1 à un moment donné, du montant de tout remboursement auquel une autre personne peut avoir droit à ce moment en application de la présente partie.

Notes historiques: Le paragraphe 228(7) a été modifié par L.C. 1997, c. 10, par. 210(4) et cette modification s'applique aux périodes de déclaration qui se terminent après mars 1997. Il se lisait comme suit :

(7) Une personne peut, dans les circonstances visées par règlement et sous réserve des conditions et des règles visées par règlement, réduire ou compenser la taxe qu'elle est tenue de verser en application du paragraphe (2) ou de payer en application du paragraphe (4) ou de la section IV à un moment donné, du montant de tout remboursement auquel une autre personne peut avoir droit à ce moment en application de la présente partie.

Le paragraphe 228(7) a été modifié par L.C. 1997, c. 10, par. 47(1) et cette modification est réputée entrée en vigueur le 23 avril 1996. Il se lisait comme suit :

(7) Une personne peut, dans les circonstances visées par règlement et sous réserve des conditions et des règles visées par règlement, réduire ou compenser la taxe qu'elle est tenue de verser en application des paragraphes (2) et (4) à un moment donné, du montant de tout remboursement auquel une autre personne peut avoir droit à ce moment en application de la présente partie.

Le paragraphe 228(7) a été ajouté par L.C. 1990, c. 45, par. 12(1).

Concordance québécoise: LTVQ, art. 442.

Définitions [art. 228]: « activité commerciale », « bien », « fourniture », « immeuble », « inscrit », « institution financière désignée particulière », « ministre », « montant », « personne », « période de déclaration », « province participante », « règlement », « taxe », « vente » — 123(1).

Renvois [art. 228]: 169(4)b) (documents à l'appui d'une demande de CTI); 225 (taxe nette); 278 (versement de la taxe au Receveur général); 280 (pénalités et intérêts); 298(1) (période de cotisation); 323(1) (responsabilité des administrateurs); 326(1) (amende et emprisonnement).

Règlements [art. 228]: *Règlement sur la compensation de la taxe (TPS/TVH)*, art. 1; *Règlement sur la méthode d'attribution applicable aux institutions financières désignées particulières (TPS/TVH)*, art. 1.

Jurisprudence [art. 228]: *Roux c. R* (15 août 2012), 2012 CarswellNat 3021 (C.C.I.); *Anderson v. R.* (21 septembre 2012), 2012 CarswellNat 5341 (C.C.I.); *Constantin v. R.* (6 décembre 2012), 2012 CarswellNat 5475 (C.C.I.) ; *Franklin Estates Inc. c. La Reine*, [1994] G.S.T.C. 64 (CCI); *Musselman (A.) c. La Reine*, [1995] G.S.T.C. 60 (CCI); *Clear Customs Brokers Ltd. c. La Reine*, [1996] G.S.T.C. 46 (CCI); *Grewal (M.) c. La Reine*, [1996] G.S.T.C. 59 (CCI); *Bryant (T.) c. La Reine*, [1996] G.S.T.C. 66 (CCI); *Helsi Construction Management Inc. c. Canada*, [1997] G.S.T.C. 104 (CCI); [1999] G.S.T.C. 94 (CAF); *Hamilton Hunt Co. c. Canada*, [1999] G.S.T.C. 112 (CCI); *Bumac Properties Inc. c. 1221 Limeridge Inc.*, [2001] G.S.T.C. 4 (Ont SCJ); *ITA Travel Agency Ltd. c. R.*, [2001] G.S.T.C. 5 (CCI); *Perrette Inc., Re*, [2001] G.S.T.C. 99 (Que SC); *Trudel c. R.*, [2001] G.S.T.C. 23 (CCI); *Rive c. Newton*, [2001] G.S.T.C. 85 (Ont SCJ); *Cassels. c. R.*, [2001] G.S.T.C. 122 (CCI); *Shvartsman c. R.*, [2002] G.S.T.C. 30 (CCI); *Airport Auto Ltd. v. R.*, [2003] G.S.T.C. 151 (CCI); *Machula v. R.*, [2003] G.S.T.C. 142 (CCI); *Owraki v. R.*, [2004] G.S.T.C. 1 (CCI); *Patoine c. R.*, 2007 G.T.C. 884 (CCI); *Lau c. R.*, [2007] G.S.T.C. 171 (CCI [procédure générale]); *Québec (Sous-ministre du Revenu) c. Cun* (13 novembre 2008), 2008 CarswellQue 11822; *Insurance Corp. of British Columbia v. R.*, [2008] G.S.T.C. 28 (30 janvier 2008) (CCI); *Triple G. Corp. v. R.* (24 avril 2008), [2008] G.S.T.C. 102 (CCI [procédure générale]); *Kanavaros v. R.*, 2008 CarswellNat 2696 (22 mai 2008) (CCI [procédure informelle]); *St-Yves c. R.*, 2008 G.T.C. 822 (3 octobre 2008) (CCI [procédure informelle]); *Landry c. R.*, 2009 G.T.C. 997-82 (CCI [procédure informelle]); *Résidences Majeau Inc. c. R.* (28 mai 2009), 2009 G.T.C. 1062 (CCI [procédure générale]); *Buckingham v. R.*, 2010 CarswellNat 3577, 2010 CCI 247, [2010] G.S.T.C. 71 (CCI [procédure générale]); *Doncaster v. R.*, 2010 CarswellNat 1766, 2010 CCI 190, [2010] G.S.T.C. 59 (CCI [procédure informelle]); *Arsic v. R.*, 2010 CarswellNat 3610, 2010 CCI 423, [2010] G.S.T.C. 119 (CCI [procédure informelle]); *CIBC World Markets Inc. v. R.*, 2010 CarswellNat 5197, 2010 CCI 460, [2010] G.S.T.C. 134 (CCI [procédure générale]); *Vuruna c. R.* (28 octobre 2010), 2010 CarswellNat 4896, 2010 CCI 365 (CCI [procédure informelle]); *Elliott v. R.* (18 janvier 2011), 2011 CarswellNat 605, 2011 TCC 59, 2011 CCI 59 (CCI [procédure informelle]); *Wong v. R.* (25 janvier 2011), 2011 CarswellNat 710, 2011 CCI 30, [2011] 3 C.T.C. 2163 (CCI [procédure informelle]); *Khan v. R.*, 2011 CarswellNat 5028, 2011 CCI 481 (CCI [procédure informelle]); *Gougeon c. R.*, 2011 CarswellNat 4045, 2011 CCI 420 (CCI [procédure informelle]); *Latulippe c. R.*, 2011 Carswell Nat 4043, 2011 CCI 388 (CCI [procédure informelle]); *Balthazard c. R.* (28 novembre 2011), 2011 CarswellNat 4964, 2011 CAF 331, 2012 G.T.C. 1006 (CAF).

Énoncés de politique [art. 228]: P-012R, 04/01/99, *Responsabilité de verser une taxe nette sur le transfert des éléments d'actif d'une entreprise*; P-057, 23/02/93, *Application de la TPS à une renonciation exécutée avant le 6 novembre 1991*; P-112R, 08/03/00, *Établissement d'une cotisation à l'égard de la taxe à payer si l'acheteur n'est pas solvable*; P-128R2, 05/01/06, *Traitement fiscal de la fourniture d'une participation directe indivise dans l'actif d'une mine ou d'un puits de gaz ou de pétrole*; P-131R, 07/04/94, *Versement de taxe par un tiers*; P-163, 07/11/94, *Situation fiscale d'une amodiation d'un avoir dans le secteur des ressources naturelles*; P-194R2, 27/08/07, *Application de pénalités et d'intérêts lorsqu'une déclaration, une demande de remboursement ou une autre déclaration est reçue après la date d'échéance*.

Bulletins de l'information technique [art. 228]: B-072, 15/04/94, *Autre simplification de la TPS à l'intention des petites entreprises*; B-073, 19/06/94, *Vente de titres francs de minéraux*; B-075R, 23/04/96, *Modifications proposées à la TPS*; B-083R, 23/05/97, *Services financiers sous le régime de la TVH*; B-100, 11/07, *Comptabilité normalisée*.

Mémorandums [art. 228]: TPS 300-6, 14/09/90, *Moment d'assujettissement de la fourniture*, par. 14; TPS 300-7-7, 24/04/91, *Publicité en coopération*, par. 19; TPS 400-1-1, 25/02/91, *Crédit intégral de taxe sur les intrants*, par. 1, 2; TPS 400-1-2, 8/11/90, *Documents requis*, par. 81, 82; TPS 400-3-2, 19/02/92, *Avantages aux salariés et aux actionnaires*, par. 15, 17; TPS 500-2, 25/03/91, *Déclarations et paiements*, par. 16, 20, 25, 26, 27; TPS 500-2-4, 19/03/91, *Calcul de la taxe*, par. 2, 3, 16, annexes A–E; TPS 500-2-6, 23/01/91, *Autres déclarations de TPS*, par. 3, 4; TPS 500-3-1, 20/03/92, *Vérifications fiscales*, par. 4; TPS 500-4-2, 15/01/1991, *Remboursements aux municipalités*, par. 40–43; TPS 500-4-3, 17/05/91, *Universités, administrations scolaires et collèges publics*, par. 32, 33; TPS 500-4-4, 31/03/93, *Administrations hospitalières*, par. 40, 41; TPS 500-4-8, 31/05/91, *Organismes à but non lucratif*, par. 46, 47; TPS 500-4-9, 31/05/91, *Organismes de bienfaisance*, par. 35, 36.

Série de mémorandums [art. 228]: Mémorandum 3.1, 08/99, *Assujettissement à la taxe*; Mémorandum 7.5, 04/03, *Transmission électronique des déclarations et des versements*; Mémorandum 16.2, 01/09, *Pénalités et intérêts*; Mémorandum 19.1, 10/97, *Les immeubles et la TPS/TVH*; Mémorandum 19.5, 06/02, *Fonds de terre et immeubles connexes*.

Formulaires [art. 228]: FP-34.G, *Grille de calcul*; FP-303, *Demande de compensation de la TPS/TVH au moyen d'un remboursement de TPS/TVH* ; GST58, *Formule de versement de la taxe sur les produits et services*; GST60, *Taxe sur les produits et services/taxe de vente harmonisée — Déclaration visant l'acquisition d'immeubles*; GST62, *Déclaration de la taxe sur les produits et services/taxe de vente harmonisée (non personnalisée)*; GST208, *Avis de dépôt de la TPS*; GST303, *Demande visant à compenser les taxes au moyen de remboursements*; GST469, *Demande de dépôt direct*; GST494, *Déclaration finale de taxe sur les produits et services/taxe de vente harmonisée pour les institutions financières désignées particulières*; FP-505, *Formulaire de déclaration particulière*; FP-603.A, FP-603.B, *Demande de compensation de la taxe au moyen d'un remboursement*; RC4050, *Renseignements sur la TPS/TVH à l'intention des institutions financières désignées particulières*; T1124, *Formulaire de rapprochement de la TPS et de l'impôt sur le revenu*; VDZ-471.CD, *Calcul détaillé de la TVQ*.

Info TPS/TVQ [art. 228]: GI-024 — *Harmonisation des dispositions administratives visant la comptabilité normalisée*; GI-025 — *Achat, utilisation et vente de propriétés de vacances par des particuliers*; GI-101 — *Taxe de vente harmonisée-Renseignements à l'intention des constructeurs d'habitations non inscrits en Ontario, en Colombie-Britannique et en Nouvelle-Écosse*.

Lettres d'interprétation (Québec) [art. 228]: 97-0111795 — Remboursement pour habitation neuve; 99-0101362 — Décision portant sur l'application de la TPS — Interprétation relative à la TVQ — Transfert d'immeuble par le gouvernement; 99-0109134 — Interprétation relative à la TPS — Interprétation relative à la TVQ — Vente sous contrôle de justice — certificats d'actions; 99-0111064 — Convention entre [une ville] et un inscrit en TPS/TVQ; 06-0101904 — Interprétation relative à la TPS et à la TVQ — Perception et versement de la TPS et de la TVQ.

229. (1) Paiement du remboursement de taxe nette — Le ministre verse avec diligence le remboursement de taxe nette payable à la personne qui le demande dans sa déclaration produite en application de la présente section.

Notes historiques: Le paragraphe 229(1) a été modifié par L.C. 1993, c. 27, art. 203 (Annexe I) pour remplacer le mot « inscrit » par « personne » et est réputé entré en vigueur le 17 décembre 1990.

Le paragraphe 229(1) a été ajouté par L.C. 1990, c. 45, par. 12(1).

Concordance québécoise: LTVQ, art. 443.

(2) Restriction — Le remboursement de taxe nette pour la période de déclaration d'une personne ne lui est versé en vertu du paragraphe (1) à un moment donné que si toutes les déclarations dont le ministre a connaissance et que la personne avait à produire au plus tard à ce moment en application de la présente loi, de la *Loi sur le droit pour la sécurité des passagers du transport aérien*, de la *Loi de 2001 sur l'accise* et de la *Loi de l'impôt sur le revenu* ont été présentées au ministre.

Notes historiques: Le paragraphe 229(2) a été remplacé par L.C. 2006, c. 4, par. 139(1) et cette modification est entrée en vigueur le 1er avril 2007. Antérieurement, il se lisait ainsi :

> (2) Le remboursement de taxe nette pour la période de déclaration d'une personne ne lui est versé qu'une fois présentées au ministre :
>
> a) dans le cas d'un remboursement de taxe nette provisoire, toutes les déclarations qu'elle avait à produire en application de la présente section pour les périodes de déclaration antérieures;
>
> b) dans les autres cas, toutes les déclarations qu'elle avait à produire en application de la présente section pour la période et pour les périodes de déclaration antérieures.

Le paragraphe 229(2) a été modifié par L.C. 1997, c. 10, par. 211(1) et cette modification est entrée en vigueur le 1er avril 1997. Le paragraphe 229(2) se lisait comme suit :

> (2) Le remboursement de taxe nette pour la période de déclaration d'une personne ne lui est versé qu'une fois présentées au ministre toutes les déclarations qu'il avait à produire en application de la présente section pour cette période et pour les périodes de déclaration antérieures.

Auparavant, le paragraphe 229(2) a été modifié par L.C. 1993, c. 27, art. 203 (Annexe I) pour remplacer le mot « inscrit » par « personne » et est réputé entré en vigueur le 17 décembre 1990.

Le paragraphe 229(2) a été ajouté par L.C. 1990, c. 45, par. 12(1).

Concordance québécoise: LAF, art. 30.1, al. 1.

Ajout proposé — 229(2.1)

(2.1) Le ministre n'est pas tenu de verser, en vertu du paragraphe (1), un remboursement de taxe nette à une personne qui est un inscrit à moins qu'il ne soit convaincu que tous les renseignements — coordonnées et renseignements concernant l'identification et les activités d'entreprise de la personne — que celle-ci devait indiquer dans sa demande d'inscription présentée selon l'article 240 ont été livrés et sont exacts.

Concordance québécoise: aucune.

Application: Le paragraphe 229(2.1) sera ajouté par l'art. 9 de l'*Avis de motion de voies et moyens accompagnant le budget fédéral* du 21 mars 2013 et entrera en vigueur à la date de sanction de l'*Avis de motion de voies et moyens accompagnant le budget fédéral*.

Budget fédéral, Renseignements supplémentaires, 21 mars 2013: *Renseignements requis de la part des entreprises aux fins de la TPS/TVH*

Au moment de s'inscrire aux fins de la TPS/TVH, les entreprises doivent généralement communiquer à l'Agence du revenu du Canada (ARC) des renseignements d'identification de base, comme leur nom commercial et leur dénomination sociale, de même que des informations sur leurs propriétaires et leurs activités d'entreprise ainsi que les coordonnées de personnes-ressources.

L'ARC utilise ces renseignements pour gérer les comptes des entreprises et pour améliorer l'observation des règles fiscales, y compris la détection des cas de fraude. À l'heure actuelle, la Loi sur la taxe d'accise prévoit une pénalité de 100 $ en cas de défaut de produire les renseignements requis. Cette pénalité n'est toutefois pas suffisamment dissuasive.

Il est proposé dans le budget de 2013 de conférer au ministre du Revenu national le pouvoir de retenir le versement de remboursements de TPS/TVH demandés par une entreprise jusqu'à ce que tous les renseignements requis aient été communiqués. Cette mesure aidera l'ARC à authentifier les inscriptions aux fins de la TPS/TVH et à renforcer ses activités d'observation des règles fiscales en améliorant la qualité des données dont elle dispose pour évaluer le risque en matière d'observation des règles fiscales. L'ARC s'efforce sur une base régulière d'obtenir les renseignements manquants auprès des contribuables, et poursuivra ses démarches en ce sens. Le ministre du Revenu national exercera son pouvoir de retenir les remboursements de façon judicieuse et équitable.

Cette mesure s'appliquera à compter de la date de la sanction royale de la loi habilitante.

(3) Intérêt sur le remboursement — Des intérêts au taux réglementaire, calculés sur le remboursement de taxe nette versé à la personne pour sa période de déclaration, lui sont payés pour la période commençant le trentième jour suivant le dernier en date des jours ci-après et se terminant le jour du versement du remboursement : le jour où la déclaration contenant la demande de remboursement est présentée au ministre et le lendemain du dernier jour de la période de déclaration.

Notes historiques: Le paragraphe 229(3) a été remplacé par L.C. 2006, c. 4, par. 139(2) et cette modification s'applique aux remboursements de taxe nette pour toute période de déclaration d'une personne se terminant le 1er avril 2007 ou par la suite. Antérieurement, il se lisait ainsi :

> (3) Des intérêts au taux réglementaire, calculés sur le remboursement de taxe nette versé à la personne pour sa période de déclaration, lui sont payés pour la période commençant le vingt et unième jour suivant le dernier en date des jours suivants et se terminant le jour du versement du remboursement :
>
> a) le jour où la déclaration contenant la demande de remboursement est présentée au ministre;
>
> b) le jour où la condition visée au paragraphe (2) est remplie.

Le paragraphe 229(3) a été modifié par L.C. 1993, c. 27, art. 203 (Annexe I) pour remplacer le mot « inscrit » par le mot « personne » et est réputé entré en vigueur le 17 décembre 1990.

Le paragraphe 229(3) a été ajouté par L.C. 1990, c. 45, par. 12(1).

Concordance québécoise: LAF, art. 30, al. 1.

(4) [*Abrogé*].

Notes historiques: Le paragraphe 229(4) a été abrogé par L.C. 2006, c. 4, par. 139(3) et cette abrogation est entrée en vigueur le 1er avril 2007. Antérieurement, il se lisait ainsi :

> (4) **Intérêts minimaux** — Les intérêts de moins d'un dollar ne sont pas payés en application du paragraphe (3).

Le paragraphe 229(4) a été ajouté par L.C. 1990, c. 45, par. 12(1).

230. (1) Remboursement d'un paiement en trop — Lorsqu'une personne a payé des acomptes provisionnels ou une taxe nette provisoire pour sa période de déclaration, ou d'autres montants au titre de sa taxe nette pour la période, dont le total excède la taxe nette qu'elle a à verser pour la période et qu'elle demande un remboursement de l'excédent dans une déclaration (sauf une déclaration provisoire) qu'elle produit pour la période aux termes de la présente section, le ministre le lui rembourse avec diligence une fois cette déclaration produite.

Notes historiques: Le paragraphe 230(1) a été modifié par L.C. 1997, c. 10, par. 212(1) et est entré en vigueur le 1er avril 1997. Il se lisait comme suit :

> 230. (1) Lorsqu'une personne a payé des acomptes provisionnels pour sa période de déclaration, ou d'autres montants au titre de sa taxe nette pour la période, dont le total excède la taxe nette qu'elle a à verser pour la période et qu'elle demande un remboursement de l'excédent dans une déclaration qu'elle produit pour la période aux termes de la présente section, le ministre le lui rembourse avec diligence une fois cette déclaration produite.

Le paragraphe 230(1) a été modifié par L.C. 1997, c. 10, par. 48(1). Cette modification est réputée entrée en vigueur le 23 avril 1996 et s'applique aux montants payés par le ministre du Revenu national après le 22 avril 1996. Il se lisait comme suit :

> 230. (1) Dans le cas où le montant payé par une personne au titre de sa taxe nette pour une période de déclaration excède la taxe nette qu'elle a à verser pour la période, le ministre lui rembourse l'excédent avec diligence une fois produite la déclaration de la personne pour la période.

Ce paragraphe a été ajouté par L.C. 1990, c. 45, par. 12(1).

Concordance québécoise: LAF, art. 21.

(2) Restriction — Un montant payé au titre de la taxe nette d'une personne pour sa période de déclaration ne lui est remboursé en vertu du paragraphe (1) à un moment donné que si toutes les déclarations dont le ministre a connaissance et que la personne avait à produire au plus tard à ce moment en application de la présente loi, de la *Loi sur le droit pour la sécurité des passagers du transport aérien*, de la *Loi de 2001 sur l'accise* et de la *Loi de l'impôt sur le revenu* ont été présentées au ministre.

Notes historiques: Le préambule du paragraphe 230(2) a été modifié par L.C. 1997, c. 10, par. 48(2). Cette modification est réputée entrée en vigueur le 23 avril 1996 et s'applique aux montants payés par le ministre du Revenu national après le 22 avril 1996. Il se lisait comme suit :

(2) L'excédent n'est remboursé que si :

Le paragraphe 230(2) a été remplacé par L.C. 2006, c. 4, par. 140(1) et cette modification est entrée en vigueur le 1er avril 2007. Antérieurement, il se lisait ainsi :

(2) Un montant payé au titre de la taxe nette d'une personne pour sa période de déclaration n'est remboursé que si :

a) dans le cas d'un inscrit, toutes les déclarations qu'il doit produire aux termes de la présente section pour la période de déclaration et pour les périodes de déclaration antérieures ont été présentées au ministre;

b) dans les autres cas, toutes les déclarations que la personne doit produire aux termes de la présente section pour la période ont été présentées au ministre.

Le paragraphe 230(2) a été ajouté par L.C. 1990, c. 45, par. 12(1).

Concordance québécoise: LAF, art. 30.1, al. 1.

(3) Intérêts sur remboursement — Des intérêts au taux réglementaire, calculés sur le remboursement d'un montant payé au titre de la taxe nette d'une personne pour sa période de déclaration, lui sont payés pour la période commençant le trentième jour suivant le dernier en date des jours ci-après et se terminant le jour du versement du remboursement : le jour où la déclaration pour la période de déclaration est présentée au ministre et le lendemain du dernier jour de la période de déclaration.

Notes historiques: Le paragraphe 230(3) a été remplacé par L.C. 2006, c. 4, par. 140(2) et cette modification s'applique aux remboursements visant toute période de déclaration d'une personne se terminant le 1er avril 2007 ou par la suite. Antérieurement, il se lisait ainsi :

(3) Des intérêts au taux réglementaire, calculés sur le remboursement d'un montant payé au titre de la taxe nette d'une personne pour sa période de déclaration, lui sont payés pour la période commençant le vingt et unième jour suivant le dernier en date des jours suivants et se terminant le jour du versement du remboursement :

a) le jour où la déclaration pour la période de déclaration est présentée au ministre;

b) le jour où la condition visée au paragraphe (2) est remplie.

Le paragraphe 230(3) a été modifié par L.C. 1997, c. 10, par. 48(3). Cette modification est réputée entrée en vigueur le 23 avril 1996 et s'applique aux montants payés par le ministre du Revenu national après le 22 avril 1996. Il se lisait comme suit :

(3) Des intérêts au taux réglementaire, calculés sur l'excédent sont payés pour la période commençant le vingt et unième jour suivant le dernier en date des jours suivants et se terminant le jour du versement du remboursement :

a) le jour où la déclaration contenant la demande de remboursement est présentée au ministre;

b) le jour où la condition visée au paragraphe (2) est remplie.

Ce paragraphe a été ajouté par L.C. 1990, c. 45, par. 12(1).

Concordance québécoise: LAF, art. 30, al. 1.

(4) [*Abrogé*].

Notes historiques: Le paragraphe 230(4) a été abrogé par L.C. 2006, c. 4, par. 140(3) et cette abrogation est entrée en vigueur le 1er avril 2007. Antérieurement, il se lisait ainsi :

(4) **Intérêts minimaux** — Les intérêts de moins d'un dollar ne sont pas payés en application du paragraphe (3).

Le paragraphe 230(4) a été ajouté par L.C. 1990, c. 45, par. 12(1).

juin 2006, Notes explicatives: L'article 230 prévoit que, lorsqu'une personne paye un montant au titre de sa taxe nette pour une période de déclaration et que ce montant excède la taxe nette qu'elle a à verser pour la période, le ministre du Revenu national lui rembourse le trop-payé.

En vertu du paragraphe 230(2), un montant payé au titre de la taxe nette d'une personne pour sa période de déclaration n'est remboursé que si toutes les déclarations qu'elle doit produire aux termes de la section V pour la période de déclaration et pour les périodes de déclaration antérieures ont été présentées au ministre.

Le paragraphe 230(2) est modifié de manière qu'un remboursement de taxe nette ne soit versé à une personne à un moment donné que si toutes les déclarations dont le ministre du Revenu national a connaissance et que la personne avait à produire au plus tard à ce moment en application de la loi (en vertu des dispositions visant ou non la TPS/TVH), de la *Loi sur le droit pour la sécurité des passagers du transport aérien*, de la *Loi de 2001 sur l'accise* et de la *Loi de l'impôt sur le revenu*, sont produites.

Le paragraphe 230(3) prévoit que des intérêts versés sur un remboursement sont calculés pour la période commençant le 21e jour suivant le dernier en date du jour où la déclaration contenant la demande de remboursement est présentée au ministre du Revenu national et du jour où toutes les déclarations qu'elle avait à produire en application de la section V sont présentées, et se terminant le jour du versement du remboursement.

Le paragraphe 230(3) est modifié pour prévoir que les intérêts sont calculés pour la période commençant le 30e jour suivant le dernier en date du jour où la déclaration contenant la demande de remboursement est présentée au ministre du Revenu national et du lendemain de la période de déclaration, et se terminant le jour du versement du remboursement.

Le paragraphe 230(4) prévoit que les intérêts de moins d'un dollar ne sont pas payés à une personne. Cette disposition est abrogée par suite de l'instauration du nouvel article 297.1, qui régit les sommes minimes payables par une personne ou par le ministre du Revenu national.

Définitions [art. 230]: « inscrit », « ministre », « montant », « période de déclaration », « personne », « règlement », « taxe » — 123(1).

Renvois [art. 230]: 124 (intérêts composés); 230.1 (montant remboursé en trop ou intérêts payés en trop); 238(2.1) (déclaration provisoire); 296(3) (application ou paiement d'un crédit excédentaire).

Règlements [art. 230]: *Règlement sur les taux d'intérêt*, art. 2b).

Jurisprudence [art. 230]: *Mary Campeau Developments Ltd. c. R.*, [2002] G.S.T.C. 8 (CAF); *1259066 Ontario Ltd. v. R.*, 2010 CarswellNat 1322 , 22010 CCI 89 (CCI [procédure informelle]).

Bulletins de l'information technique [art. 230]: B-075R, 23/04/96, *Modifications proposées à la TPS.*

Formulaires [art. 230]: GST34, *Déclaration des inscrits — Taxe sur les produits et services*; GST62, *Déclaration de la taxe sur les produits et services/taxe de vente harmonisée (non personnalisée)*; GST469, *Demande de dépôt direct (non-personnalisée).*

Circulaires d'information [art. 230]: 12-1 — Retenues de remboursement relativement à l'observation pour la TPS/TVH.

Info TPS/TVQ [art. 230]: GI-024 — *Harmonisation des dispositions administratives visant la comptabilité normalisée.*

230.1 Montant remboursé en trop ou intérêts payés en trop — Lorsqu'est payé à une personne, ou déduit d'une somme dont elle est redevable, un montant au titre d'un remboursement ou d'intérêts prévus à la présente section auquel la personne n'a pas droit ou qui excède le montant auquel elle a droit, la personne est tenue de verser au receveur général un montant égal au montant remboursé, aux intérêts ou à l'excédent le jour du paiement ou de la déduction.

Notes historiques: L'article 230.1 a été ajouté par L.C. 1993, c. 27, par. 92(1) et est réputé entré en vigueur le 17 décembre 1990.

Concordance québécoise: LAF, art. 32.

Définitions: « montant », « personne » — 123(1).

Renvois: 264 (montant remboursé en trop ou intérêts payés en trop); 280(1) (pénalités et intérêts); 296(1)d) (cotisation); 298(1) (établissement d'une cotisation).

Jurisprudence: *Kyrkos Enterprises Ltd. c. La Reine*, [1995] G.S.T.C. 14 (CCI); *Clear Customs Brokers Ltd. c. La Reine*, [1996] G.S.T.C. 46 (CCI); *York Toros Hockey Association c. La Reine*, [1996] G.S.T.C. 102 (CCI); *1418499 Ontario Ltd. v. R.*, 2009 CarswellNat 1469 (20 mars 2009) (CCI [procédure informelle]).

Mémorandums: TPS 500-3-2, 16/03/94, *Pénalités et intérêts*, par. 5.

230.2 (1) Définitions — Les définitions qui suivent s'appliquent au présent article.

« biens déterminés » Marchandises visées à l'article 1 de la partie XIV de l'annexe III.

Concordance québécoise: aucune.

« institution agréée » S'entend au sens de l'article 2 de la partie XIV de l'annexe III.

Notes historiques: Le paragraphe 230.2(1) a été ajouté par L.C. 1993, c. 27, par. 92(1) et est réputé entré en vigueur le 17 décembre 1990.

Concordance québécoise: aucune.

(2) Déduction de la taxe nette — L'inscrit qui est une institution agréée au cours d'une période de déclaration donnée qui lui est applicable peut déduire les montants suivants dans le calcul de la taxe nette pour la période donnée ou pour une période de déclaration qui prend fin dans les quatre ans suivant cette période :

a) le total des montants devenus percevables par l'inscrit, ou perçus par lui sans être devenus percevables, en 1991 au cours de la période donnée au titre de la taxe prévue à la section II relativement à des biens déterminés;

b) 75 % du total des montants devenus percevables par l'inscrit, ou perçus par lui sans être devenus percevables, en 1992 au cours de la période donnée au titre de la taxe prévue à la section II relativement à des biens déterminés;

c) 50 % du total des montants devenus percevables par l'inscrit, ou perçus par lui sans être devenus percevables, en 1993 au cours de la période donnée au titre de la taxe prévue à la section II relativement à des biens déterminés;

d) 25 % du total des montants devenus percevables par l'inscrit, ou perçus par lui sans être devenus percevables, en 1994 ou en 1995 au cours de la période donnée au titre de la taxe prévue à la section II relativement à des biens déterminés.

Notes historiques: L'alinéa 230.2(2)d) a été modifié par L.C. 1997, c. 10, par. 49(1) et cette modification est réputée entrée en vigueur le 1er janvier 1995. Il se lisait comme suit :

> d) 25 % du total des montants devenus percevables par l'inscrit, ou perçus par lui sans être devenus percevables, en 1994 au cours de la période donnée au titre de la taxe prévue à la section II relativement à des biens déterminés.

Cet alinéa a été ajouté par L.C. 1993, c. 27, par. 92(1) et est réputé entré en vigueur le 17 décembre 1990.

Concordance québécoise: aucune.

Définitions [art. 230.2]: « inscrit », « montant », « période de déclaration », « produits », « taxe » — 123(1).

Renvois [art. 230.2]: 225 (taxe nette); 298(1)a) (période de cotisation).

Bulletins de l'information technique [art. 230.2]: B-075R, 23/04/96, *Modifications proposées à la TPS.*

Série de mémorandums [art. 230.2]: Mémorandum 1.5, 09/94, *Définitions.*

231. (1) Créance irrécouvrable — déduction de la taxe nette — Si un fournisseur a effectué une fourniture taxable, sauf une fourniture détaxée, pour une contrepartie au profit d'un acquéreur avec lequel il n'a aucun lien de dépendance, qu'il est établi que tout ou partie du total de la contrepartie et de la taxe payable relativement à la fourniture est devenu une créance irrécouvrable et que le fournisseur radie cette créance de ses livres comptables à un moment donné, le déclarant de la fourniture peut déduire, dans le calcul de sa taxe nette pour la période de déclaration qui comprend ce moment ou pour une période de déclaration postérieure, le montant obtenu par la formule suivante :

$$A \times \frac{B}{C}$$

où

A représente la taxe relative à la fourniture;

B le total de la contrepartie, de la taxe et de la taxe provinciale applicable, qui demeure impayé relativement à la fourniture et qui a été radié à ce moment à titre de créance irrécouvrable;

C le total de la contrepartie, de la taxe et de la taxe provinciale applicable relatives à la fourniture.

Notes historiques: Le paragraphe 231(1) a été remplacé par L.C. 2007, c. 18, par. 31(1) et cette modification s'applique aux fournitures effectuées après le 23 avril 1996. Antérieurement, il se lisait ainsi :

> 231. Créances irrécouvrables — (1) La personne qui effectue une fourniture taxable, sauf une fourniture détaxée, pour une contrepartie au profit d'un acquéreur avec lequel elle n'a aucun lien de dépendance peut, dans la mesure où il est établi que tout ou partie de la contrepartie et de la taxe payable relativement à la fourniture est devenu une créance irrécouvrable, déduire, dans le calcul de la taxe nette pour sa période de déclaration où elle radie la créance de ses livres comptables ou pour une période de déclaration postérieure, le résultat du calcul suivant, à condition qu'elle indique la taxe percevable relativement à la fourniture dans la déclaration qu'elle produit aux termes de la présente section pour la période de déclaration au cours de laquelle la taxe est devenue percevable et verse la totalité de la taxe nette qui est à verser selon cette déclaration :
>
> $$A \times \frac{B}{C}$$
>
> où
>
> A représente la taxe payable relativement à la fourniture;
>
> B le total de la contrepartie, de la taxe et d'un montant qu'il est raisonnable d'attribuer à une taxe imposée en vertu d'une loi provinciale qui constitue une taxe visée par règlement pour l'application de l'article 154 (appelée « taxe provinciale applicable » au présent article), qui demeure impayé relativement à la fourniture et qui a été radié à titre de créance irrécouvrable;
>
> C le total de la contrepartie, de la taxe et de la taxe provinciale applicable payables relativement à la fourniture.

Le paragraphe 231(1) a été modifié par L.C. 1997, c. 10, par. 50(1) et cette modification s'applique au calcul de la taxe nette pour les périodes de déclaration à l'égard desquelles une déclaration est produite après le 23 avril 1996. Il se lisait comme suit :

> 231. (1) La personne qui effectue une fourniture taxable, sauf une fourniture détaxée, dans le cadre d'une activité commerciale pour une contrepartie au profit d'une personne avec laquelle elle n'a aucun lien de dépendance, qui, conformément à la présente section, produit une déclaration concernant cette fourniture et qui verse la taxe prévue à la section II relativement à cette fourniture peut, dans la mesure où il est établi que tout ou partie de la contrepartie et de la taxe sont devenues une créance irrécouvrable, déduire, dans le calcul de la taxe nette pour sa période de déclaration où elle radie la créance de ses livres comptables ou pour une période de déclaration se terminant dans les quatre ans suivant la fin de cette période, un montant égal à la fraction de taxe de la créance radiée.

Ce paragraphe a été ajouté par L.C. 1990, c. 45, par. 12(1).

Concordance québécoise: LTVQ, art. 444.

(1.1) Conditions de déclaration et de versement — Le déclarant ne peut déduire un montant en application du paragraphe (1) relativement à une fourniture que si, à la fois :

a) la taxe percevable relativement à la fourniture est incluse dans le calcul de la taxe nette indiquée dans la déclaration qu'il produit aux termes de la présente section pour la période de déclaration au cours de laquelle la taxe est devenue percevable;

b) la totalité de la taxe nette à verser selon cette déclaration est versée.

Notes historiques: Le paragraphe 231(1.1) a été ajouté par L.C. 2007, c. 18, par. 31(1) et s'applique aux fournitures effectuées après le 23 avril 1996.

Concordance québécoise: LTVQ, art. 444.1.

(2) [*Abrogé*]

Notes historiques: Le paragraphe 231(2) a été abrogé par L.C. 2000, c. 30, par. 58(1). Cette abrogation s'applique aux comptes clients achetés à leur valeur nominale, sans possibilité de recours, dont la propriété est transférée à l'acheteur après 1999. Antérieurement, il se lisait comme suit :

> (2) Créances irrécouvrables — institutions financières — L'institution financière, membre d'un groupe étroitement lié ou d'un groupe visé par règlement, qui achète un compte client à sa valeur nominale, sans possibilité de recours, d'une autre personne qui est membre du groupe au moment de l'achat peut, dans la mesure où il est établi que tout ou partie du compte est devenu une créance irrécouvrable, déduire, dans le calcul de sa taxe nette pour sa période de déclaration où elle radie la créance de ses livres comptables ou pour une période de déclaration postérieure, un montant ne dépassant pas celui que l'autre personne aurait ainsi déduit en application du paragraphe (1) si elle n'avait pas vendu le compte et avait radié la créance de ses livres comptables.

Le paragraphe 231(2) a été modifié par L.C. 1997, c. 10, par. 50(1) et s'applique au calcul de la taxe nette pour les périodes de déclaration à l'égard desquelles une déclaration est produite après le 23 avril 1996. Toutefois, en ce qui a trait aux montants radiés à titre de créances irrécouvrables avant le 24 avril 1996, le paragraphe 231(2) ne s'applique pas. Il se lisait comme suit :

> (2) L'institution financière désignée, membre d'un groupe étroitement lié ou d'un groupe visé par règlement, qui achète un compte client à sa valeur nominale, sans possibilité de recours, d'une autre personne qui est membre du groupe au moment de l'achat peut, dans la mesure où il est établi que tout ou partie du compte est devenu une créance irrécouvrable, déduire, dans le calcul de sa taxe nette pour sa période de déclaration où elle radie la créance de ses livres comptables ou pour une période de déclaration se terminant dans les quatre ans suivant la fin de cette période, un montant ne dépassant pas celui que l'autre personne aurait ainsi déduit

en application du paragraphe (1) si elle n'avait pas vendu le compte et avait radié la créance.

Le paragraphe 231(2) a été ajouté par L.C. 1990, c. 45, par. 12(1).

(3) Recouvrement — En cas de recouvrement de tout ou partie d'une créance irrécouvrable pour laquelle une personne a déduit un montant en application du présent article, la personne est tenue d'ajouter, dans le calcul de sa taxe nette pour la période de déclaration qui comprend le moment du recouvrement, le montant obtenu par la formule suivante :

$$A \times \frac{B}{C}$$

où

A représente le montant recouvré à ce moment;

B la taxe relative à la fourniture à laquelle la créance se rapporte;

C le total de la contrepartie, de la taxe et de la taxe provinciale applicable relatives à la fourniture.

Notes historiques: Le préambule du paragraphe 231(3) a été remplacé par L.C. 2000, c. 30, par. 58(2). Il s'applique au recouvrement par une personne d'une créance irrécouvrable relativement à un compte client dont la propriété lui a été transférée après 1999. Antérieurement, il se lisait comme suit :

> (3) La personne qui recouvre tout ou partie d'une créance irrécouvrable pour laquelle elle a déduit un montant en application des paragraphes (1) ou (2) est tenue d'ajouter, dans le calcul de la taxe nette pour sa période de déclaration au cours de laquelle la somme est recouvrée, le résultat du calcul suivant :

Le paragraphe 231(3) a été remplacé par L.C. 2007, c. 18, par. 31(2) et s'applique aux créances irrécouvrables liées aux fournitures effectuées après le 23 avril 1996. Antérieurement, il se lisait ainsi :

> (3) La personne qui recouvre tout ou partie d'une créance irrécouvrable pour laquelle elle a déduit un montant en application du paragraphe (1) est tenue d'ajouter, dans le calcul de la taxe nette pour sa période de déclaration au cours de laquelle la somme est recouvrée, le montant obtenu par la formule suivante :
>
> $$A \times \frac{B}{C}$$
>
> où :
>
> A représente la somme recouvrée par la personne;
>
> B la taxe payable relativement à la fourniture à laquelle la créance se rapporte;
>
> C le total de la contrepartie, de la taxe et de la taxe provinciale applicable payables relativement à la fourniture.

Le paragraphe 231(3) a été modifié par L.C. 1997, c. 10, par. 50(1) et cette modification s'applique au calcul de la taxe nette pour les périodes de déclaration à l'égard desquelles une déclaration est produite après le 23 avril 1996. Il se lisait comme suit :

> (3) La personne qui recouvre tout ou partie d'une créance irrécouvrable pour laquelle elle a déduit un montant en application du paragraphe (1) ou (2) doit ajouter un montant égal à la fraction de taxe de la somme ainsi recouvrée dans le calcul de la taxe nette pour sa période de déclaration au cours de laquelle la somme est recouvrée.

Ce paragraphe a été ajouté par L.C. 1990, c. 45, par. 12(1).

Concordance québécoise: LTVQ, art. 446.

(4) Restriction — Une personne ne peut demander une déduction en application du présent article au titre d'une créance irrécouvrable liée à une fourniture que si la déduction est demandée dans une déclaration qu'elle produit aux termes de la présente section dans les quatre ans suivant la date limite pour la production de sa déclaration visant la période de déclaration au cours de laquelle le fournisseur a radié la créance de ses livres comptables.

Notes historiques: Le paragraphe 231(4) a été remplacé par L.C. 2007, c. 18, par. 31(2) et s'applique aux créances irrécouvrables liées aux fournitures effectuées après le 23 avril 1996. Toutefois, la mention « le fournisseur » au paragraphe 231(4) vaut mention de « la personne » pour ce qui est de l'application de ce paragraphe à la déduction demandée par une personne en application du paragraphe 231(2), dans sa version applicable à un compte client transféré à la personne avant 2000. Antérieurement, il se lisait ainsi :

> (4) Restriction — La personne qui demande la déduction prévue au paragraphe (1) relativement à un montant qu'elle a radié de ses livres comptables au cours de sa période de déclaration doit produire une déclaration aux termes de la présente section dans les quatre ans suivant la date limite où la déclaration visant la période de déclaration en question est à produire aux termes de cette section.

Malgré le paragraphe 231(4), si un fournisseur et l'inscrit qui est son mandataire ont fait conjointement le choix prévu au paragraphe 177(1.1) relativement à une fourniture effectuée avant le 20 décembre 2002 et que le fournisseur a radié de ses livres comptables avant le 21 décembre 2002 une créance irrécouvrable liée à la fourniture, l'inscrit peut demander, relativement à la créance radiée, la déduction prévue au paragraphe 231(1), dans la déclaration qu'il présente au ministre du Revenu national, aux termes de la section V de la partie IX, au plus tard le jour qui suit d'un an le 20 décembre 2002 ou, s'il est postérieur, le jour qui suit de quatre ans la date limite où il doit produire sa déclaration aux termes de cette section pour sa période de déclaration au cours de laquelle la créance a été radiée.

Le paragraphe 231(4) a été remplacé par L.C. 2000, c. 30, par. 58(3) et cette modification s'applique au montant d'un compte client qu'une personne a radié à titre de créance irrécouvrable si la propriété du compte lui a été transférée après 1999. Antérieurement, il se lisait comme suit :

> (4) La personne qui demande la déduction prévue aux paragraphes (1) ou (2) relativement à un montant qu'elle a radié de ses livres comptables au cours de sa période de déclaration doit produire une déclaration aux termes de la présente section dans les quatre ans suivant la date limite où la déclaration visant la période de déclaration en question est à produire aux termes de cette section.

Le paragraphe 231(4) a été ajouté par L.C. 1997, c. 10, par. 50(1) et s'applique au calcul de la taxe nette pour les périodes de déclaration à l'égard desquelles une déclaration est produite après le 23 avril 1996. Toutefois, en ce qui a trait aux montants radiés à titre de créances irrécouvrables avant juillet 1996, la mention de « deux ans » au paragraphe 231(4) vaut mention de « quatre ans ». [N.D.L.R. : par. 231(4) prévoyant la mention de « quatre ans », cette restriction est inapplicable]

Concordance québécoise: LTVQ, art. 446.1.

(5) Définitions — Les définitions qui suivent s'appliquent au présent article.

« déclarant » Est le déclarant d'une fourniture :

a) si le choix prévu au paragraphe 177(1.1) a été fait relativement à la fourniture, la personne qui est tenue, aux termes de ce paragraphe, d'inclure la taxe percevable relativement à la fourniture dans le calcul de sa taxe nette;

b) dans les autres cas, le fournisseur.

« taxe provinciale applicable » Tout montant qu'il est raisonnable d'imputer à une taxe, à un droit ou à des frais imposés en vertu d'une loi provinciale relativement à une fourniture et qui constitue une taxe, un droit ou des frais visés par règlement pour l'application de l'article 154.

Notes historiques: Le paragraphe 231(5) a été ajouté par L.C. 2007, c. 18, par. 31(2) et est réputé être entré en vigueur le 24 avril 1996.

Le paragraphe 231(4) a été remplacé par L.C. 2000, c. 30, par. 58(3) et cette modification s'applique au montant d'un compte client qu'une personne a radié à titre de créance irrécouvrable si la propriété du compte lui a été transférée après 1999. Antérieurement, il se lisait comme suit :

> (4) La personne qui demande la déduction prévue aux paragraphes (1) ou (2) relativement à un montant qu'elle a radié de ses livres comptables au cours de sa période de déclaration doit produire une déclaration aux termes de la présente section dans les quatre ans suivant la date limite où la déclaration visant la période de déclaration en question est à produire aux termes de cette section.

Le paragraphe 231(4) a été ajouté par L.C. 1997, c. 10, par. 50(1) et s'applique au calcul de la taxe nette pour les périodes de déclaration à l'égard desquelles une déclaration est produite après le 23 avril 1996. Toutefois, en ce qui a trait aux montants radiés à titre de créances irrécouvrables avant juillet 1996, la mention de « deux ans » au paragraphe 231(4) vaut mention de « quatre ans ». [N.D.L.R. : par. 231(4) prévoyant la mention de « quatre ans », cette restriction est inapplicable]

Concordance québécoise: aucune.

Définitions [art. 231]: « acquéreur », « activité commerciale », « contrepartie », « fourniture », « fourniture détaxée », « fourniture taxable », « fraction de taxe », « groupe étroitement lié », « institution financière », « institution financière désignée », « montant », « période de déclaration », « personne », « province », « règlement », « taxe » — 123(1).

Renvois [art. 231]: 126 (lien de dépendance); 153, 154 (contrepartie); 225.1(2), (6) (application aux organismes de bienfaisance); 227(6) (méthode de comptabilité abrégée); 271b) (fusion); 272a) (liquidation).

Règlements [art. 231]: *Règlement sur les jeux de hasard (TPS/TVH)*, art. 1.

Jurisprudence [art. 231]: *Construction MDGG Inc. c. SMRQ* (13 mars 2008), 200-80-002119-061, 2008 CarswellQue 2224; *Mountwest Steel Ltd. c. La Reine*, [1994] G.S.T.C. 71 (CCI); *Alex Excavating Inc. c. La Reine*, [1995] G.S.T.C. 57 (CCI); *Clear Customs Brokers Ltd. c. La Reine*, [1996] G.S.T.C. 46 (CCI); *De Hede Fashions International Ltd. c. La Reine*, [1996] G.S.T.C. 50 (CCI); *Patten Packaging Ltd. c. Ca-*

nada, [1997] G.S.T.C. 79 (CCI); *Burkman (H.R.) c. Canada*, [1997] G.S.T.C. 98 (CCI); *Equinox Realty Inc. c. Canada*, [1997] G.S.T.C. 101 (CCI); *Davies (B.D.) c. Canada*, [1998] G.S.T.C. 58 (CCI); *741521 Ontario Inc. c. R.*, [2000] G.S.T.C. 18 (CCI); *Jilly Creations inc. c. R.*, [2005] G.S.T.C. 19 (CCI); *Jilly Creations Inc. c. R.*, 2005 G.T.C. 774 (CCI); *3092-8949 Québec Inc. c. R.*, [2006] G.S.T.C. 173 (CCI); *Logiciels Uppercut Inc. c. R.*, 2008 CarswellNat 1837 (CCI [procédure informelle]); *Rockport Developments Inc. v. R.*, [2008] G.S.T.C. 205 (CCI [procédure générale]); *Ministic Air Ltd. v. R.*, [2008] G.S.T.C. 123 (13 mai 2008) (CCI [procédure générale]); *1259066 Ontario Ltd. v. R.*, 2010 CarswellNat 1322 , 22010 CCI 89 (CCI [procédure informelle]).

Énoncés de politique [art. 231]: P-029R, 04/01/99, *Déduction pour créance irrécouvrable lorsque des comptes clients sont rachetés ou repris*; P-058R, 26/10/98, *Recouvrement de créances*; P-066, 06/07/93, *Exclusion d'éléments, autres que la contrepartie et la taxe, afin d'établir le rajustement pour créances irrécouvrables*; P-082R, 15/06/93, *Compte débiteurs — avant perception de la TPS*; P-084R, 08/03/99, *Créance faisant l'objet d'une renonciation considérée comme une créance irrécouvrable*; P-123, 17/03/94, *Radiation de créances irrécouvrables par des escompteurs d'impôt*.

Bulletins de l'information technique [art. 231]: B-034, 27/01/92, *Rajustements à la taxe de vente fédérale après 1990*; B-075R, 23/04/96, *Modifications proposées à la TPS*.

Mémorandums [art. 231]: TPS 300-6, 14/09/90, *Moment d'assujettissement de la fourniture*, par. 14; TPS 500-2-4, 19/03/91, *Calcul de la taxe*, par. 8–11, Annexes C, E.

Série de mémorandums [art. 231]: Mémorandum 13.4, 07/02, *Remboursements pour les livres imprimés, les enregistrements sonores de livres imprimés et les versions imprimées des Écritures d'une religion*.

Formulaires [art. 231]: FP-500.G, *Grille de calcul — Taxe sur les produits et services — Taxe de vente du Québec*; GST34, *Déclaration des inscrits — Taxe sur les produits et services*; GST62, *Déclaration de la taxe sur les produits et services/taxe de vente harmonisée (non personnalisée)*.

231.1 Aucun redressement de la composante provinciale — Le montant de taxe prévu au paragraphe 165(2) relativement à une fourniture qui correspond au montant relatif à la fourniture qui peut être déduit par une personne en application du paragraphe 234(3) n'entre pas dans le calcul du montant qui peut être déduit ou est à ajouter, selon le cas, en application des articles 231 ou 232 dans le calcul de la taxe nette de la personne pour sa période de déclaration.

Notes historiques: L'article 231.1 a été ajouté par L.C. 2009, c. 32, par. 21(1) et est entré en vigueur le 1er juillet 2010.

Concordance québécoise: aucune.

232. (1) Remboursement ou redressement — taxe perçue en trop — La personne qui exige ou perçoit d'une autre personne un montant au titre de la taxe prévue à la section II qui excède celui qu'elle pouvait percevoir peut, dans les deux ans suivant le jour où le montant a été ainsi exigé ou perçu :

a) si l'excédent est exigé mais non perçu, redresser la taxe exigée;

b) si l'excédent est perçu, le rembourser à l'autre personne ou le porter à son crédit.

Notes historiques: Le préambule du paragraphe 232(1) a été modifié par L.C. 1997, c. 10, par. 51(1) et cette modification s'applique aux montants suivants :

a) les montants exigés ou perçus à titre de taxe en vertu de la section II de la partie IX après juin 1996;

b) les montants exigés ou perçus à titre de taxe en vertu de cette section avant juillet 1996, à l'exception des montants qui sont redressés, remboursés ou portés au crédit d'une personne avant juillet 1998 en conformité avec le paragraphe 232(1), en son état au 30 juin 1996.

Ce préambule se lisait comme suit :

La personne qui, au cours de sa période de déclaration, exige ou perçoit d'une autre personne un montant au titre de la taxe prévue à la section II qui dépasse celui qu'elle pouvait percevoir peut, au cours de cette période ou dans les quatre ans suivant la fin de celle-ci :

Le paragraphe 232(1) a été ajouté par L.C. 1990, c. 45, par. 12(1).

Concordance québécoise: LTVQ, art. 447.

(2) Remboursement ou redressement de la taxe de la section II — La personne qui exige ou perçoit d'une autre personne la taxe prévue à la section II, calculée sur tout ou partie de la contrepartie d'une fourniture, laquelle contrepartie est par la suite réduite en tout ou en partie au cours d'une de ses périodes de déclaration pour une raison quelconque peut, au cours de cette période ou dans les quatre ans suivant la fin de celle-ci :

a) si la taxe est exigée mais non perçue, la redresser en soustrayant la partie de la taxe qui a été calculée sur le montant de la réduction;

b) si la taxe est perçue, rembourser à l'autre personne la partie de la taxe qui a été calculée sur le montant de la réduction, ou la porter à son crédit.

Notes historiques: Le paragraphe 232(2) a été ajouté par L.C. 1990, c. 45, par. 12(1).

Concordance québécoise: LTVQ, art. 448.

(3) Notes de crédit ou de débit — Les règles suivantes s'appliquent dans le cas où une personne redresse un montant en faveur d'une autre personne en application des paragraphes (1) ou (2), le lui rembourse ou le porte à son crédit :

a) elle remet à l'autre personne, dans un délai raisonnable, une note de crédit, contenant les renseignements réglementaires, pour le montant remboursé ou le montant du redressement ou du crédit, à moins que cette dernière ne lui remette une note de débit, contenant les renseignements réglementaires, pour un tel montant;

b) le montant est déductible dans le calcul de la taxe nette de la personne pour sa période de déclaration au cours de laquelle elle remet la note de crédit ou reçoit la note de débit, dans la mesure où il a été inclus dans le calcul de sa taxe nette pour cette période ou pour une de ses périodes de déclaration antérieures;

c) le montant est ajouté dans le calcul de la taxe nette de l'autre personne pour sa période de déclaration au cours de laquelle elle remet la note de débit ou reçoit la note de crédit, dans la mesure où il a été inclus dans le calcul d'un crédit de taxe sur les intrants qu'elle a demandé dans une déclaration produite pour cette période ou pour une de ses périodes de déclaration antérieures.

d) si le montant a été inclus, en totalité ou en partie, dans le calcul d'un remboursement prévu à la section VI qui a été versé à l'autre personne, ou appliqué en réduction d'une somme dont elle est redevable, avant le jour donné où elle reçoit la note de crédit ou remet la note de débit et si le montant du remboursement ainsi versé ou appliqué excède celui auquel elle aurait eu droit si le montant remboursé ou le montant du redressement ou du crédit n'avait jamais été exigé ni perçu de sa part, elle est tenue de verser l'excédent au receveur général en application de l'article 264 comme s'il s'agissait d'un montant qui lui a été remboursé en trop :

(i) si l'autre personne est un inscrit, le jour où la déclaration de celle-ci pour la période de déclaration qui comprend le jour donné doit au plus tard être produite,

(ii) dans les autres cas, le dernier jour du mois civil suivant le mois civil qui comprend le jour donné.

Notes historiques: L'alinéa 232(3)d) a été ajouté par L.C. 2000, c. 30, par. 59(1) et s'applique au montant remboursé à une personne, redressé en sa faveur ou porté à son crédit, pour lequel elle reçoit une note de crédit, ou remet une note de débit, après le 10 décembre 1998.

Le paragraphe 232(3) a été modifié par L.C. 1993, c. 27, par. 93(1) et est réputé entré en vigueur le 17 décembre 1990. Il se lisait ainsi :

(3) Les règles suivantes s'appliquent à la personne qui redresse un montant en faveur d'une autre personne en application du paragraphe (1) ou (2), le lui rembourse ou le porte à son crédit :

a) elle doit remettre à l'autre personne une note de crédit, contenant les renseignements réglementaires, pour le montant du redressement, du remboursement ou du crédit;

b) le montant est déductible dans le calcul de sa taxe nette pour sa période de déclaration au cours de laquelle elle remet la note de crédit, dans la mesure où il a été inclus dans le calcul de sa taxe nette pour cette période ou pour une de ses périodes de déclaration antérieures;

c) le montant est ajouté dans le calcul de la taxe nette de l'autre personne pour sa période de déclaration au cours de laquelle la note de crédit lui est remise, dans la mesure où il a été déduit dans le calcul de sa taxe nette pour cette période ou pour une de ses périodes de déclaration antérieures.

Le paragraphe 232(3) a été édicté par L.C. 1990, c. 45, par. 12(1).

LTA (TPS)

Concordance québécoise: LTVQ, art. 449.

Info TPS/TVQ [par. 232(3)]: GI-075 — *Transition à la taxe de vente harmonisée de l'Ontario et de la Colombie Britannique — produits retournés et échangés.*

(4) Inapplication — Le présent article ne s'applique pas dans le cas où l'article 161 ou 176 s'applique.

Notes historiques: Le paragraphe 232(4) a été ajouté par L.C. 1990, c. 45, par. 12(1).

Concordance québécoise: LTVQ, art. 450.

Définitions [art. 232]: « contrepartie », « fourniture », « montant », « note de débit », « note de crédit », « période de déclaration », « personne », « règlement », « taxe » — 123(1).

Renvois [art. 232]: 153, 154 (contrepartie); 161 (paiements anticipés ou en retard); 169 (CTI); 178.6(5)e) (groupe d'acheteurs); 178.8(7) (entente d'importation); 181(5)c), 181.1 (bons et remises); 225 (taxe nette); 225.1(2) Bb.2), (6) (application aux organismes de bienfaisance); 227(6) (méthode de comptabilité abrégée); 232.1 (ristournes promotionnelles); 233(2)b) (ristourne); 236.4 (choix visant un immeuble d'habitation); 259(1)b) (« taxe exigée non admise au crédit »); 259(4.01) (remboursement aux municipalités désignées- restriction); 261.01(2) (remboursement pour fiducie de régime interentreprises); 263 (restriction au remboursement); 338(3) (plans à versements égaux — remboursement de l'excédent); 353(3) (TVH — remboursement de l'excédent).

Règlements [art. 232]: *Règlement sur les renseignements à inclure dans les notes de crédit et les notes de débit (TPS/TVQ)*, art. 1; *Règlement sur les jeux de hasard (TPS/TVH)*, art. 1.

Jurisprudence [art. 232]: *Scott v. R.* (25 juillet 2012), 2012 CarswellNat 2716 (C.C.I.); *Tele-Mobile Co. Partnership v. R.* (17 juillet 2012), 2012 CarswellNat 5031 (C.C.I.); *Construction MDGG inc. c. SMRQ* (13 mars 2008), 200-80-002119-061, 2008 CarswellQue 2224; *Stan's Paving Ltd. c. Canada*, [1997] G.S.T.C. 85 (CCI); *R. Mullen Construction Ltd. c. Canada*, [1997] G.S.T.C. 106 (CCI); *Bates Paralegal and Administrative Services c. Canada*, [1998] G.S.T.C. 52 (CCI); *William E. Coutts Co. Ltd. c. Canada*, [1999] G.S.T.C. 50 (CCI); *GKO Engineering c. R.*, [2000] G.S.T.C. 29 (CCI); *Bates c. R.*, [2001] G.S.T.C. 29 (CCI); *Club Tour Sat inc. c. R.*, [2001] G.S.T.C. 92 (CCI); *Paquin c. R.*, [2004] G.S.T.C. 116 (CCI); *Beaupré c. R.*, 2004 G.T.C. 225 (CCI); *Said Joaillier Ltée c. R.*, 2006 G.T.C. 137 (CCI); *Beaupré c. R.*, [2006] G.S.T.C. 53 (CAF); *Welch v. R.*, 2010 CarswellNat 4641, 2010 CCI 449, [2010] G.S.T.C. 127 (CCI [procédure générale]).

Énoncés de politique [art. 232]: P-030R, 04/06/98, *Notes de crédit et redressements de taxe nette* (Ébauche); P-036, 15/06/92, *Rachat d'un véhicule au termes du Programme d'arbitrage de l'Ontario*; P-084R, 08/03/99, *Créance faisant l'objet d'une renonciation considérée comme une créance irrécouvrable*; P-198, 11/01/96, *Taxes municipales impayées et rachat par l'ancien propriétaire* (Ébauche); Le paragraphe 232(1) autorise un fournisseur qui a perçu par erreur un montant de taxe auprès d'un client à rembourser ce montant ou à le porter au crédit du client. Si le montant calculé par erreur a été exigé, mais non perçu, le fournisseur peut redresser le montant de taxe exigé. Selon les règles actuelles, le remboursement, le crédit ou le redressement peut être effectué dans les quatre ans suivant la fin de la période de déclaration au cours de laquelle le fournisseur a exigé ou perçu le montant par erreur. Dans sa version modifiée, le paragraphe 232(1) a pour effet de ramener ce délai à deux ans.

Bulletins de l'information technique [art. 232]: B-038R, 03/08, *Contenants retournables autres que les contenants de boisson*; B-042, 18/01/91, *Remboursement, rajustement ou crédit de la TPS*; B-075R, 23/04/96, *Modifications proposées à la TPS*; B-083R, 23/05/97, *Services financiers sous le régime de la TVH*; B-091, 11/08, *Application de la TPS/TVH aux arrangements de services funéraires payés d'avance.*

Mémorandums [art. 232]: TPS 300-6-6, 10/01/92, *Fournitures continues*, par. 9–11; TPS 300-7-6, 13/02/91, *Remise des fabricants*, par. 11; TPS 300-7-7, 24/04/91, *Publicité en coopération*; TPS 400-3-6, 24/03/93, *Bien meuble corporel désigné ou d'occasion*; TPS 500-2-4, 19/03/91, *Calcul de la taxe*, Annexes C, E.

Série de mémorandums [art. 232]: Mémorandum 12.2, 04/08, *Remboursement, redressement ou crédit de la TPS/TVH en vertu de l'article 232 de la Loi sur la taxe d'accise*; Mémorandum 13.4, 07/02, *Remboursements pour les livres imprimés, les enregistrements sonores de livres imprimés et les versions imprimées des Écritures d'une religion*; Mémorandum 19.4.1, 08/99, *Immeubles commerciaux — Ventes et locations.*

Info TPS/TVQ [art. 232]: GI-013 — *Réduction du taux de la TPS/TVH*; GI-042 — *Application du taux réduit de la TPS/TVH (2008) aux rajustements de prix et de la TPS/TVH facturée en trop et aux produits retournés.*

Lettres d'interprétation (Québec) [art. 232]: 98-0108153 — Indemnité provisionnelle versée pour l'expropriation d'un site d'enfouissement; 99-0109134 — Interprétation relative à la TPS — Interprétation relative à la TVQ — Vente sous contrôle de justice — certificats d'actions; 99-0112492 — Interprétation TPS/TVQ; 00-0100727 — Décision portant sur l'application de la TPS — Interprétation relative à la TVQ — Résolution d'une vente immobilière et remboursement de taxes; 00-0102319 — Interprétation TPS/TVQ — Remboursement partiel versé en trop; 01-0112086 — Interprétation relative à la TPS et à la TVQ — Fourniture par vente d'un véhicule et « contre-lettre »; 01-0101418 — Interprétation relative à la TPS et à la TVQ — Réduction de la contrepartie d'une fourniture; 03-0109193 — Interprétation relative à la TPS et à la TVQ — résiliation de contrats [à l'égard d'une société de cimetière]; 05-0101997 — Interprétation relative à la TPS et à la TVQ — Remise accordée par un commerçant.

COMMENTAIRES: Un fournisseur qui exige un montant de taxes trop élevé à l'égard d'une fourniture donnée peut, dans un délai de deux ans suivant le jour où il a perçu cet excédent, rembourser à l'acquéreur de la taxe perçue ou le porter à son crédit. Le fournisseur n'est pas obligatoirement tenu de rembourser ou de porter au crédit de l'acquéreur la TPS qu'il a perçue en trop à ce dernier.

Dans le cas où le fournisseur choisit de ne pas rembourser ou de porter au crédit de l'acquéreur la TPS qu'il a perçue par erreur, notamment parce que celui-ci est incertain quant à l'application de la taxe à une fourniture et ne désire pas risquer d'être cotisé pour avoir fait défaut d'avoir perçu la taxe, l'acquéreur peut présenter une demande de remboursement à Revenu Québec en vertu de l'article 261. Nous vous référons à nos commentaires à l'égard de ce dernier article. Voir notamment à cet effet : Revenu Québec, Lettre d'interprétation, 99-0112492 — *Interprétation TPS/TVQ* (2 août 2000).

De façon générale, l'Agence du revenu du Canada a adopté comme politique que l'acquéreur doit présenter une demande de remboursement au fournisseur en vertu du paragraphe 232(1) avant d'être en mesure de déposer une demande de remboursement auprès de l'Agence du revenu du Canada en vertu de l'article 261. Toutefois, au niveau législatif, rien n'oblige de procéder de cette façon, tant au niveau du régime de la TVQ que celui de la TPS/TVH.

Dans l'affaire *West Windsor Urgent Care Centre Inc. c. R.*, 2005 CarswellNat 7073 (C.C.I.)(confirmée par la Cour d'appel fédérale, 2008 CarswellNat 554 (C.A.F.)), la Cour d'appel a examiné deux dispositions, soit les articles 232 et 261. L'article 232 permet à la personne qui a payé la taxe (les médecins en l'espèce) la possibilité de recevoir un remboursement des taxes perçues par erreur du fournisseur (le Centre), lequel a perçu la taxe. C'est donc le fournisseur qui effectue le remboursement. Toutefois, cet article est aussi la disposition qui prévoit un remboursement pour les fournisseurs. C'est ce que stipule le paragraphe 232(3), qui précise les règles s'appliquant aux remboursements accordés ou aux notes de crédit remises au fournisseur lorsque celui-ci a accordé un remboursement ou un crédit aux acquéreurs en vertu de cet article. Le paragraphe en question permet au fournisseur, le percepteur de la taxe, d'obtenir un crédit au montant de la somme qu'il a à la fois versée et remboursée lorsque la TPS a été perçue par erreur. Le crédit est porté à la « taxe nette » du fournisseur, qui est un montant à verser en vertu du paragraphe 229(2). L'intimée fait valoir que c'est cette disposition que les fournisseurs devraient invoquer pour obtenir des remboursements. L'intimée soutient que l'article 261 permet aux acquéreurs de fournitures, par opposition aux fournisseurs, d'obtenir un remboursement de la Couronne. Lorsque des fournisseurs n'ont pas obtenu les remboursements que permet l'article 232, les acquéreurs qui ont payé de la TPS en trop par erreur peuvent s'adresser directement au ministre pour présenter une demande de remboursement. À ce stade, la Cour d'appel fédérale note aussi que les fournisseurs pourraient être réticents à retourner aux acquéreurs les montants de TPS perçus par erreur. Cela accentuerait le problème du fisc retenant la TPS perçue par erreur dans les cas où il ne serait pas pratique, pour les acquéreurs, de demander des remboursements. Un fournisseur pourrait effectuer un remboursement à un client (acquéreur) sur la base d'une perception faite par erreur, puis s'apercevoir, comme c'est le cas maintenant, que l'Agence du revenu du Canada ne croit pas qu'il y a eu erreur. Pour qu'un remboursement soit accordé au fournisseur, l'article 232 ne s'applique que lorsqu'il y a eu erreur. Le fournisseur peut jouer de malchance s'il a remboursé la taxe par erreur. Si tel est le cas, les dispositions en matière de remboursement, prises dans leur ensemble, n'auront pas d'autre effet que celui de garnir les coffres du fisc au moyen de taxes qui n'étaient pas payables. Quoi qu'il en soit, la Cour d'appel fédérale est encouragée par l'intimée à limiter l'application de l'article 261 pour veiller à ce que l'on donne effet à l'« esprit » de la *Loi sur la taxe d'accise (TPS)* et pour empêcher toute possibilité de double remboursement. L'appelante estime qu'une interprétation stricte du libellé de l'article 261 permet au fournisseur d'obtenir un remboursement. La « taxe nette » est le versement de taxe effectué par le fournisseur. C'est toujours un « montant de taxe », mais il doit être « versé » (par opposition à « payé ») aux termes du paragraphe 228(2). Cela n'empêche toutefois pas l'article de s'appliquer lorsque la « personne » est le fournisseur puisque l'article ne se limite pas aux personnes qui « paient la taxe ». Très clairement, cet article peut s'appliquer à toute personne qui « paie un montant » « au titre de » « la taxe nette ». Bien que des distinctions peuvent être établies entre « payer la taxe » et « verser ou remettre la taxe » (les fournisseurs versent ou remettent la taxe plutôt qu'ils ne la payent), on ne peut établir pareille distinction lorsqu'il est question d'une personne qui « paye un montant ». Que le paiement soit un versement de taxe nette ne signifie pas qu'il ne s'agit pas du paiement d'un montant. L'article prévoit expressément les paiements au titre de la taxe nette, ce qui revient à dire que les versements de taxe nette sont des paiements d'un montant au titre de la taxe nette. Dans la présente affaire, la « taxe nette » était payable par l'appelante (c.-à-d. qu'un versement devait être fait) car un montant de TPS a été perçu. La TPS n'a pas été versée par erreur, mais a plutôt été perçue par erreur. Si un montant de taxe est perçu ou est percevable, il est versable. S'il est versable, il ne peut avoir été versé par erreur, ce qui revient à dire que l'une des exigences à remplir pour obtenir le remboursement ne peut être satisfaite et, en pareil cas, les fournisseurs ne sont pas en droit d'obtenir un remboursement en vertu de l'article 261. Selon ce raisonnement, l'intimée soutient que l'appelante n'a pas qualité pour demander un remboursement aux termes de l'article 261. Cet argument est convaincant. En conséquence, la Cour d'appel fédérale souligne que la présente Cour n'est pas un tribunal d'*equity*. En effet, lorsqu'elle est clairement libellée, la législation fiscale s'interprète de façon stricte. L'article 261 a exactement le sens que lui prête l'intimée. Des avertissements s'y trouvaient quant aux limitations de son utilisation par les fournisseurs. Par conséquent, la Cour d'appel fédérale rejette l'appel.

Le Ministère est d'avis que le paragraphe 232(1) ne vise que les cas où un inscrit a exigé ou perçu d'une autre personne un montant au titre de la taxe qui excède celui qui pouvait autrement être perçu par l'inscrit. Par exemple, un inscrit perçoit la taxe sur des fournitures lorsque celles-ci sont détaxées ou exonérées. En fait, cette disposition ne vise pas les cas où il y a remboursement ou redressement de la contrepartie d'une fourniture.

C'est donc le paragraphe 232(2) qui s'applique lorsque la contrepartie, en tout ou en partie, est réduite pour une raison quelconque. Lorsque la contrepartie comprend un montant au titre de la taxe, l'inscrit peut redresser ce montant en faveur de l'autre personne, le rembourser à celle-ci ou le porter à son crédit, selon la réduction de la contrepartie. Par conséquent, le paragraphe 232(2) s'applique lorsque le montant de la contrepartie d'une fourniture est redressé ou réduit pour une raison quelconque après la résiliation ou l'annulation d'un contrat. Voir notamment à cet effet : Agence du revenu du Canada, Lettre, 11685-6 — *l'interprétation donnée par votre ministère à l'article 232 de la Loi sur la taxe d'accise* (9 septembre 1997).

Également à titre illustratif du paragraphe 232(2), lorsque l'acheteur résilie son contrat signé avec une société afin d'en conclure un nouveau avec cette dernière, la société peut, dans le cas où la taxe a déjà été perçue, soit rembourser à l'acheteur la taxe calculée sur le montant de la réduction, soit la porter à son crédit. Il en est de même lorsque l'acheteur résilie tout simplement son contrat. Il est à noter que le redressement ou le remboursement doit être effectué au cours de la période où la contrepartie est réduite ou dans les 4 ans qui suivent la fin de celle-ci. Dans le cas où le fournisseur effectue un tel redressement ou remboursement de la taxe, il doit, conformément au paragraphe 232(3) remettre à l'acquéreur dans un délai raisonnable, une note de crédit contenant les renseignements prescrits. Voir notamment à cet effet : Revenu Québec, Lettre d'interprétation, 03-0109193 — *Interprétation relative à la TPS et à la TVQ — Résiliation de contrats* (2 août 2004). Voir également au même effet : Agence du revenu du Canada, Lettre de l'Administration centrale sur la TPS, 137792 — *GST/HST Interpretation — GST/HST adjustments, refunds and credits* (28 novembre 2011).

232.01 (1) Définitions — Pour l'application du présent article et de l'article 232.02 :

a) « ressource d'employeur » et « ressource déterminée » s'entendent au sens de l'article 172.1;

b) « période de demande » s'entend au sens du paragraphe 259(1);

c) « employeur admissible », « entité de gestion admissible », « entité de gestion non admissible », « montant admissible » et « montant de remboursement de pension » s'entendent au sens de l'article 261.01.

15 octobre 2012, Notes explicatives: Selon le paragraphe 232.01(1), certains termes utilisés aux articles 232.01 et 232.02 s'entendent au sens des articles 172.1, 259 et 261.01. L'alinéa 232.01(1)a) prévoit que, pour l'application des articles 232.01 et 232.02, les termes « employeur participant », « entité de gestion », « régime de pension », « ressource d'employeur » et « ressource déterminée » s'entendent au sens de l'article 172.1.

La modification apportée à l'alinéa 232.01(1)a) consiste à retirer « employeur participant », « entité de gestion » et « régime de pension » de cette liste. Ces termes sont désormais définis au paragraphe 123(1) pour l'application de l'ensemble de la partie IX de la Loi.

Cette modification est réputée être entrée en vigueur le 23 septembre 2009.

Concordance québécoise: LTVQ, art. 450.0.1.

(2) Montant de taxe global — Au présent article, « montant de taxe global » s'entend, relativement à une note de redressement de taxe délivrée en vertu du paragraphe (3), de la somme du montant de composante fédérale et du montant de composante provinciale indiqués dans la note.

Concordance québécoise: aucune.

(3) Note de redressement de taxe — paragraphe 172.1(5) — Une personne peut délivrer à une entité de gestion à une date donnée une note (appelée « note de redressement de taxe » au présent article) relative à une ressource déterminée ou à une partie de ressource déterminée et indiquant le montant déterminé conformément à l'alinéa (4)a) (appelé « montant de composante fédérale » au présent article) et le montant déterminé conformément à l'alinéa (4)b) (appelé « montant de composante provinciale » au présent article) si, à la fois :

a) la personne est réputée en vertu de l'alinéa 172.1(5)b) avoir perçu, au plus tard à cette date, la taxe relative à une fourniture taxable de la ressource ou de la partie de ressource qu'elle est réputée avoir effectuée en vertu de l'alinéa 172.1(5)a);

b) une fourniture de la ressource ou de la partie de ressource est réputée avoir été reçue par l'entité de gestion en vertu du sous-alinéa 172.1(5)d)(i) et la taxe relative à cette fourniture est réputée avoir été payée par l'entité en vertu du sous-alinéa 172.1(5)d)(ii);

c) un montant de taxe devient payable à la personne par l'entité de gestion, ou lui est payé par l'entité sans être devenu payable, (autrement que par l'effet de l'article 172.1) relativement à une fourniture taxable de la ressource ou de la partie de ressource au plus tard à cette date.

Concordance québécoise: LTVQ, art. 450.0.2.

(4) Montants de composante fédérale et provinciale — Pour ce qui est d'une note de redressement de taxe délivrée à une date donnée relativement à une ressource déterminée ou à une partie de ressource déterminée :

a) le montant de composante fédérale ne peut excéder le montant obtenu par la formule suivante :

$$A - B$$

où :

A représente le moins élevé des montants suivants :

(i) la valeur de l'élément A de la formule figurant à l'alinéa 172.1(5)c), déterminée relativement à la ressource ou à la partie de ressource,

(ii) le total des montants représentant chacun un montant de taxe, prévu au paragraphe 165(1), qui est devenu payable à la personne par l'entité de gestion, ou qui lui a été payé par l'entité sans être devenu payable, (autrement que par l'effet de l'article 172.1) relativement à une fourniture taxable de la ressource ou de la partie de ressource au plus tard à cette date;

B le total des montants représentant chacun le montant de composante fédérale indiqué dans une autre note de redressement de taxe délivrée au plus tard à cette date relativement à la ressource ou à la partie de ressource;

b) le montant de composante provinciale ne peut excéder le montant obtenu par la formule suivante :

$$C - D$$

où :

C représente le moins élevé des montants suivants :

(i) la valeur de l'élément B de la formule figurant à l'alinéa 172.1(5)c), déterminée relativement à la ressource ou à la partie de ressource,

(ii) le total des montants représentant chacun un montant de taxe, prévu au paragraphe 165(2), qui est devenu payable à la personne par l'entité de gestion, ou qui lui a été payé par l'entité sans être devenu payable, (autrement que par l'effet de l'article 172.1) relativement à une fourniture taxable de la ressource ou de la partie de ressource au plus tard à cette date;

D le total des montants représentant chacun le montant de composante provinciale indiqué dans une autre note de redressement de taxe délivrée au plus tard à cette date relativement à la ressource ou à la partie de ressource.

Concordance québécoise: LTVQ, art. 450.0.3.

(5) Effet de la note de redressement de taxe — Si une personne délivre une note de redressement de taxe à une entité de gestion relativement à tout ou partie d'une ressource déterminée, que la fourniture de tout ou partie de cette ressource est réputée avoir été reçue par l'entité en vertu du sous-alinéa 172.1(5)d)(i) et que la taxe (appelée « taxe réputée » au présent paragraphe) relative à cette fourniture est réputée avoir été payée à une date donnée par l'entité en vertu du sous-alinéa 172.1(5)d)(ii), les règles suivantes s'appliquent :

a) le montant de taxe global indiqué dans la note est déductible dans le calcul de la taxe nette de la personne pour sa période de déclaration qui comprend le jour où la note est délivrée;

b) l'entité est tenue d'ajouter, dans le calcul de sa taxe nette pour sa période de déclaration qui comprend le jour où la note est délivrée, le montant obtenu par la formule suivante :

$$A \times (B/C)$$

où :

A représente le total des crédits de taxe sur les intrants que l'entité peut demander au titre de la taxe réputée,

B :

(i) si l'entité était une institution financière désignée particulière à la date donnée, le montant de composante fédérale indiqué dans la note,

(ii) dans les autres cas, le montant de taxe global indiqué dans la note,

C le montant de taxe réputée;

c) si une partie quelconque du montant de taxe réputée est un montant admissible de l'entité pour une période de demande donnée à la fin de laquelle l'entité était une entité de gestion admissible, l'entité est tenue de payer au receveur général, au plus tard le dernier jour de sa période de demande qui suit celle qui comprend le jour où la note est délivrée, le montant obtenu par la formule suivante :

$$A \times B \times (C/D) \times [(E - F)/E]$$

où :

A représente cette partie du montant de taxe réputée,

B 33 %,

C

(i) si l'entité était une institution financière désignée particulière à la date donnée, le montant de composante fédérale indiqué dans la note,

(ii) dans les autres cas, le montant de taxe global indiqué dans la note,

D le montant de taxe réputée,

E le montant de remboursement de pension de l'entité pour la période de demande donnée,

F la valeur de l'élément B de la formule figurant au paragraphe 261.01(2), déterminée relativement à l'entité pour la période de demande donnée;

d) si une partie quelconque du montant de taxe réputée est un montant admissible de l'entité pour une période de demande où le choix prévu à l'un des paragraphes 261.01(5), (6) ou (9) a été fait conjointement par l'entité et par les employeurs participants au régime qui étaient des employeurs admissibles du régime pour l'année civile qui comprend le dernier jour de cette période, chacun de ces employeurs est tenu d'ajouter, dans le calcul de sa taxe nette pour sa période de déclaration qui comprend le jour où la note est délivrée, le montant obtenu par la formule suivante :

$$A \times B \times (C/D) \times (E/F)$$

où :

A représente cette partie du montant de taxe réputée,

B 33 %,

C

(i) si l'entité était une institution financière désignée particulière à la date donnée, le montant de composante fédérale indiqué dans la note,

(ii) dans les autres cas, le montant de taxe global indiqué dans la note,

D le montant de taxe réputée,

E le montant de la déduction déterminée relativement à l'employeur participant en vertu du paragraphe 261.01(5), de l'alinéa 261.01(6)b) ou du paragraphe 261.01(9), selon le cas, pour la période de demande,

F :

(i) si l'entité était une institution financière désignée particulière à la date donnée, la somme de son montant de remboursement de pension et de son montant de remboursement de pension provincial, pour la période de demande,

(ii) dans les autres cas, le montant de remboursement de pension de l'entité pour la période de demande.

Concordance québécoise: LTVQ, art. 450.0.4.

(6) Forme et modalités — La note de redressement de taxe doit être établie en la forme déterminée par le ministre, contenir les renseignements déterminés par lui et être délivrée d'une manière qu'il estime acceptable.

Concordance québécoise: aucune.

(7) Avis — Si, par suite de la délivrance d'une note de redressement de taxe à une entité de gestion d'un régime de pension, l'alinéa (5)d) s'applique à un employeur participant au régime, l'entité de gestion est tenue d'aviser l'employeur sans délai de la délivrance de la note, d'une manière que le ministre estime acceptable. Cet avis est établi en la forme et contient les renseignements déterminés par le ministre.

Concordance québécoise: aucune.

(8) Responsabilité solidaire — L'employeur participant à un régime de pension qui est tenu d'ajouter un montant à sa taxe nette en vertu de l'alinéa (5)d) du fait qu'une note de redressement de taxe a été délivrée à une entité de gestion du régime est solidairement responsable, avec cette entité, du paiement du montant au receveur général.

Concordance québécoise: aucune.

(9) Cotisation — Le ministre peut établir une cotisation concernant un montant dont une personne est redevable en vertu du paragraphe (8). Le cas échéant, les articles 296 à 311 s'appliquent avec les adaptations nécessaires.

Concordance québécoise: aucune.

(10) Responsabilité — employeur participant qui cesse d'exister — Dans le cas où un employeur participant à un régime de pension aurait été tenu, s'il n'avait pas cessé d'exister au plus tard le jour où une note de redressement de taxe est délivrée à une entité de gestion du régime, d'ajouter un montant à sa taxe nette en vertu de l'alinéa (5)d) en raison de la délivrance de cette note, l'entité de gestion est tenue de payer le montant au receveur général au plus tard à la fin de sa période de demande qui suit celle qui comprend ce jour.

Concordance québécoise: aucune.

(11) Obligation de tenir des registres — Malgré l'article 286, quiconque délivre une note de redressement de taxe est tenu de conserver, pendant une période de six ans à compter de la date de la délivrance de la note, des preuves, que le ministre estime acceptables, établissant son droit de délivrer la note pour le montant qui y est indiqué.

Concordance québécoise: aucune.

Notes historiques: L'alinéa 232.01(1)a) a été remplacé par L.C. 2012, c. 31, par. 81(1) et cette modification est réputée être entrée en vigueur le 23 septembre 2009. Antérieurement, il se lisait ainsi :

a) « employeur participant », « entité de gestion », « régime de pension », « ressource d'employeur » et « ressource déterminée » s'entendent au sens de l'article 172.1;

L'article 232.01 a été ajouté par L.C. 2010, c. 12, par. 71(1) et est réputé être entré en vigueur le 23 septembre 2009.

232.02 (1) Montant de taxe global — Au présent article, « montant de taxe global » s'entend, relativement à une note de redressement de taxe délivrée en vertu du paragraphe (2), de la somme du montant de composante fédérale et du montant de composante provinciale indiqués dans la note.

Concordance québécoise: aucune.

(2) Note de redressement de taxe — par. 172.1(6) — Une personne peut délivrer à une entité de gestion à une date donnée une note (appelée « note de redressement de taxe » au présent article) relative aux ressources d'employeur consommées ou utilisées en vue d'effectuer une fourniture de bien ou de service (appelée « fourniture réelle » au présent article) au profit de l'entité et indiquant le montant déterminé conformément à l'alinéa (3)a) (appelé « montant de composante fédérale » au présent article) et le montant déterminé conformément à l'alinéa (3)b) (appelé « montant de composante provinciale » au présent article) si, à la fois :

a) la personne est réputée en vertu de l'alinéa 172.1(6)b) avoir perçu, au plus tard à cette date, la taxe relative à une ou plusieurs fournitures taxables des ressources d'employeur qu'elle est réputée avoir effectuées en vertu de l'alinéa 172.1(6)a);

b) une fourniture de chacune de ces ressources est réputée avoir été reçue par l'entité en vertu du sous-alinéa 172.1(6)d)(i) et la taxe relative à chacune de ces fournitures est réputée avoir été payée par elle en vertu du sous-alinéa 172.1(6)d)(ii);

c) un montant de taxe devient payable à la personne par l'entité, ou lui est payé par l'entité sans être devenu payable, (autrement que par l'effet de l'article 172.1) relativement à la fourniture réelle au plus tard à cette date.

Concordance québécoise: LTVQ, art. 450.0.5.

(3) Montants de composante fédérale et provinciale — Pour ce qui est d'une note de redressement de taxe délivrée à une date donnée relativement aux ressources d'employeur consommées ou utilisées en vue d'effectuer une fourniture réelle :

a) le montant de composante fédérale ne peut excéder le montant obtenu par la formule suivante :

$$A - B$$

où :

A représente le moins élevé des montants suivants :

a) le total des montants représentant chacun la valeur de l'élément A de la formule figurant à l'alinéa 172.1(6)c), laquelle entre dans le calcul d'un montant de taxe relatif à l'une de ces ressources d'employeur qui est réputé, en vertu de l'alinéa 172.1(6)b), être devenu payable et avoir été perçu au plus tard à cette date,

b) le total des montants représentant chacun un montant de taxe, prévu au paragraphe 165(1), qui est devenu payable à la personne par l'entité de gestion, ou qui lui a été payé par l'entité sans être devenu payable, (autrement que par l'effet de l'article 172.1) relativement à la fourniture réelle au plus tard à cette date;

B le total des montants représentant chacun le montant de composante fédérale indiqué dans une autre note de redressement de taxe délivrée au plus tard à cette date relativement aux ressources d'employeur consommées ou utilisées en vue d'effectuer la fourniture réelle;

b) le montant de composante provinciale ne peut excéder le montant obtenu par la formule suivante :

$$C - D$$

où :

C représente le moins élevé des montants suivants :

a) le total des montants représentant chacun la valeur de l'élément B de la formule figurant à l'alinéa 172.1(6)c), laquelle entre dans le calcul d'un montant de taxe relatif à l'une de ces ressources d'employeur qui est réputé, en vertu de l'alinéa 172.1(6)b), être devenu payable et avoir été perçu au plus tard à cette date,

b) le total des montants représentant chacun un montant de taxe, prévu au paragraphe 165(2), qui est devenu payable à la personne par l'entité de gestion, ou qui lui a été payé par l'entité sans être devenu payable, (autrement que par l'effet de l'article 172.1) relativement à la fourniture réelle au plus tard à cette date;

D le total des montants représentant chacun le montant de composante provinciale indiqué dans une autre note de redressement de taxe délivrée au plus tard à cette date relativement aux ressources d'employeur consommées ou utilisées en vue d'effectuer la fourniture réelle.

Concordance québécoise: LTVQ, art. 450.0.6.

(4) Effet de la note de redressement de taxe — Si une personne délivre une note de redressement de taxe à une entité de gestion relativement aux ressources d'employeur consommées ou utilisées en vue d'effectuer une fourniture réelle, qu'une fourniture de chacune de ces ressources (chacune de ces fournitures étant appelée « fourniture donnée » au présent paragraphe) est réputée avoir été reçue par l'entité en vertu du sous-alinéa 172.1(6)d)(i) et que la taxe (appelée « taxe réputée » au présent paragraphe) relative à chacune de ces fournitures est réputée avoir été payée par l'entité en vertu du sous-alinéa 172.1(6)d)(ii), les règles suivantes s'appliquent :

a) le montant de taxe global indiqué dans la note est déductible dans le calcul de la taxe nette de la personne pour sa période de déclaration qui comprend le jour où la note est délivrée;

b) l'entité est tenue d'ajouter, dans le calcul de sa taxe nette pour sa période de déclaration qui comprend le jour où la note est délivrée, le montant obtenu par la formule suivante :

$$A \times (B/C)$$

où :

A représente le total des montants représentant chacun le total des crédits de taxe sur les intrants que l'entité peut demander au titre de la taxe réputée relative à une fourniture donnée,

B :

(i) si l'entité était une institution financière désignée particulière à la date qui correspond au premier jour où un montant de taxe réputée est réputé avoir été payé, le montant de composante fédérale indiqué dans la note,

(ii) dans les autres cas, le montant de taxe global indiqué dans la note,

C le total des montants représentant chacun un montant de taxe réputée relativement à une fourniture donnée;

c) pour chaque période de demande donnée à la fin de laquelle l'entité était une entité de gestion admissible et pour laquelle une partie quelconque du montant de taxe réputée relatif à une fourniture donnée est un montant admissible de l'entité, l'entité est tenue de payer au receveur général, au plus tard le dernier jour de sa période de demande qui suit celle qui comprend le jour où la note est délivrée, le montant obtenu par la formule suivante :

$$A \times B \times (C/D) \times [(E - F)/E]$$

où :

A représente le total des montants représentant chacun la partie d'un montant de taxe réputée relatif à une fourniture donnée qui est un montant admissible de l'entité pour la période de demande donnée,

B 33 %,

C :

(i) si l'entité était une institution financière désignée particulière à la date mentionnée à l'alinéa b), le montant de composante fédérale indiqué dans la note,

(ii) dans les autres cas, le montant de taxe global indiqué dans la note,

D le total des montants représentant chacun un montant de taxe réputée relatif à une fourniture donnée,

E le montant de remboursement de pension de l'entité pour la période de demande donnée,

F la valeur de l'élément B de la formule figurant au paragraphe 261.01(2), déterminée relativement à l'entité pour la période de demande donnée;

d) pour chaque période de demande de l'entité pour laquelle une partie quelconque du montant de taxe réputée relatif à une fourniture donnée est un montant admissible de l'entité et pour laquelle le choix prévu à l'un des paragraphes 261.01(5), (6) ou (9) a été fait conjointement par l'entité et par les employeurs participants au régime qui étaient des employeurs admissibles du régime pour l'année civile qui comprend le dernier jour de la période de demande, chacun de ces employeurs est tenu d'ajouter, dans le calcul de sa taxe nette pour sa période de déclaration qui comprend le jour où la note est délivrée, le montant obtenu par la formule suivante :

$$A \times B \times (C/D) \times (E/F)$$

où :

A représente le total des montants représentant chacun la partie d'un montant de taxe réputée relatif à une fourniture donnée qui est un montant admissible de l'entité pour la période de demande,

B 33 %,

C :

(i) si l'entité était une institution financière désignée particulière à la date mentionnée à l'alinéa b), le montant de composante fédérale indiqué dans la note,

(ii) dans les autres cas, le montant de taxe global indiqué dans la note,

D le total des montants représentant chacun un montant de taxe réputée relatif à une fourniture donnée,

E le montant de la déduction déterminée relativement à l'employeur participant en vertu du paragraphe 261.01(5), de l'alinéa 261.01(6)b) ou du paragraphe 261.01(9), selon le cas, pour la période de demande,

F :

(i) si l'entité était une institution financière désignée particulière à la date mentionnée à l'alinéa b), la somme de son montant de remboursement de pension et de son montant de remboursement de pension provincial, pour la période de demande,

(ii) dans les autres cas, le montant de remboursement de pension de l'entité pour la période de demande.

Concordance québécoise: LTVQ, art. 450.0.7.

(5) Forme et modalités — La note de redressement de taxe doit être établie en la forme déterminée par le ministre, contenir les renseignements déterminés par lui et être délivrée d'une manière qu'il estime acceptable.

Concordance québécoise: LTVQ, art. 450.0.8.

(6) Avis — Si, par suite de la délivrance d'une note de redressement de taxe à une entité de gestion d'un régime de pension, l'alinéa (4)d) s'applique à un employeur participant au régime, l'entité de gestion est tenue d'aviser l'employeur sans délai de la délivrance de la note, d'une manière que le ministre estime acceptable. Cet avis est établi en la forme et contient les renseignements déterminés par le ministre.

Concordance québécoise: LTVQ, art. 450.0.9.

(7) Responsabilité solidaire — L'employeur participant à un régime de pension qui est tenu d'ajouter un montant à sa taxe nette en vertu de l'alinéa (4)d) du fait qu'une note de redressement de taxe a été délivrée à une entité de gestion du régime est solidairement responsable, avec cette entité, du paiement du montant au receveur général.

Concordance québécoise: LTVQ, art. 450.0.10.

(8) Cotisation — Le ministre peut établir une cotisation concernant un montant dont une personne est redevable en vertu du paragraphe (7). Le cas échéant, les articles 296 à 311 s'appliquent avec les adaptations nécessaires.

Concordance québécoise: aucune.

(9) Responsabilité — employeur participant qui cesse d'exister — Dans le cas où un employeur participant à un régime de pension aurait été tenu, s'il n'avait pas cessé d'exister au plus tard le jour où une note de redressement de taxe est délivrée à une entité de gestion du régime, d'ajouter un montant à sa taxe nette en vertu de l'alinéa (4)d) en raison de la délivrance de cette note, l'entité de gestion est tenue de payer le montant au receveur général au plus tard à la fin de sa période de demande qui suit celle qui comprend ce jour.

Concordance québécoise: LTVQ, art. 450.0.11.

(10) Obligation de tenir des registres — Malgré l'article 286, quiconque délivre une note de redressement de taxe est tenu de conserver, pendant une période de six ans à compter de la date de la délivrance de la note, des preuves, que le ministre estime acceptables, établissant son droit de délivrer la note pour le montant qui y est indiqué.

Concordance québécoise: LTVQ, art. 450.0.12.

Notes historiques: L'article 232.02 a été ajouté par L.C. 2010, c. 12, par. 71(1) et est réputé être entré en vigueur le 23 septembre 2009.

Définitions [par. 232.02]: « ressource d'employeur » — 123(1).

232.1 Ristournes promotionnelles — Pour l'application de la présente partie, les présomptions suivantes s'appliquent lorsqu'un inscrit donné acquiert un bien meuble corporel exclusivement en vue de le fournir par vente à un prix en argent dans le cadre de ses activités commerciales et qu'un autre inscrit qui a effectué des fournitures taxables par vente du bien meuble corporel au profit de l'inscrit donné ou d'une autre personne verse à l'inscrit donné, ou porte à son crédit, un montant en échange de la promotion du bien meuble corporel par ce dernier ou accorde un tel montant à titre de rabais ou de crédit sur le prix d'un bien ou d'un service (appelé « bien ou service réduit » au présent article) qu'il lui fournit :

a) le montant est réputé ne pas être la contrepartie d'une fourniture effectuée par l'inscrit donné au profit de l'autre inscrit;

b) si le montant est accordé à titre de rabais ou de crédit sur le prix du bien ou service réduit :

(i) dans le cas où l'autre inscrit a déjà exigé ou perçu de l'inscrit donné la taxe prévue à la section II calculée sur tout ou partie de la contrepartie de la fourniture du bien ou service réduit, le montant du rabais ou du crédit est réputé être appliqué en réduction de la contrepartie de cette fourniture pour l'application du paragraphe 232(2),

(ii) dans les autres cas, la valeur de la contrepartie de la fourniture du bien ou service réduit est réputée égale à l'excédent éventuel de la valeur de la contrepartie déterminée par ailleurs pour l'application de la présente partie sur le montant du rabais ou du crédit;

c) si l'alinéa b) ne s'applique pas, le montant est réputé être une remise relative au bien meuble corporel pour l'application de l'article 181.1.

Notes historiques: L'article 232.1 a été ajouté par L.C. 2000, c. 30, par. 60(1) et s'applique aux montants versés à un inscrit, ou portés à son crédit, ou accordés à titre de rabais ou de crédit sur le prix d'un bien ou d'un service, après mars 1997 en échange de la promotion de biens.

Concordance québécoise: LTVQ, art. 450.1.

Règlements: *Règlement sur les jeux de hasard (TPS/TVH)*, art. 1.

Énoncés de politique: P-243, 02/06/04, *Article 232.1 — ristournes promotionnelles*.

Info TPS/TVQ: GI-042 — *Application du taux réduit de la TPS/TVH (2008) aux rajustements de prix et de la TPS/TVH facturée en trop et aux produits retournés*.

Lettres d'interprétation (Québec): 99-0101354 — Interprétation relative à la TPS et à la TVQ — Service de publicité aux fournisseurs de produits; 99-0103814 — Interprétation relative à la TPS et à la TVQ — Service de publicité aux fournisseurs de produits.

233. (1) Définition de « montant déterminé » — Au présent article, le résultat du calcul suivant est un montant déterminé par rapport à une ristourne versée par une personne au cours de son exercice :

$$A \times \frac{(B + D)}{(C + D)}$$

où :

A représente la ristourne;

B le total des contreparties devenues dues, ou payées sans qu'elles soient devenues dues, au cours de l'exercice précédent de la personne, à un moment où celle-ci est un inscrit, pour des fournitures taxables qu'elle a effectuées au Canada, sauf des fournitures par vente de ses immobilisations et des fournitures détaxées;

C le total des contreparties devenues dues, ou payées sans qu'elles soient devenues dues, au cours de l'exercice précédent de la personne pour des fournitures taxables qu'elle a effectuées au Canada, sauf des fournitures par vente de ses immobilisations;

D le total des taxes devenues payables, ou payées sans qu'elles soient devenues payables, au cours de l'exercice précédent de la personne pour des fournitures taxables qu'elle a effectuées, sauf des fournitures par vente de ses immobilisations.

Notes historiques: Le paragraphe 233(1) a été modifié par L.C. 1993, c. 27, par. 94(1) et s'applique aux ristournes versées après mars 1991. Il se lisait auparavant comme suit :

233. (1) Au présent article, le montant versé par une personne au cours de son exercice relativement à une ristourne est un montant déterminé et est calculé selon la formule suivante :

$$A \times \frac{B}{C}$$

où :

A représente la ristourne;

B la valeur globale des contreparties devenues dues, ou payées sans qu'elles soient devenues dues, au cours de l'exercice précédent de la personne, à un moment où celle-ci est un inscrit, pour des fournitures taxables qu'elle a effectuées, à l'exclusion de fournitures par vente de ses immobilisations et de fournitures détaxées;

C la valeur globale des contreparties devenues dues, ou payées sans qu'elles soient devenues dues, au cours de l'exercice précédent de la personne pour des fournitures taxables qu'elle a effectuées, à l'exclusion de fournitures par vente de ses immobilisations.

Le paragraphe 233(1) a été ajouté par L.C. 1990, c. 45, par. 12(1).

Concordance québécoise: LTVQ, art. 451.

(2) Ristournes — Pour l'application de la présente partie, la personne qui, au cours de son exercice, verse à une autre personne une ristourne relative, en tout ou en partie, à des fournitures (appelées « fournitures déterminées » au présent paragraphe) qui sont des fournitures taxables, sauf des fournitures détaxées, qu'elle a effectuées au profit de l'autre personne est réputée :

a) avoir, au moment du versement :

(i) réduit du montant obtenu par la formule suivante la contrepartie totale des fournitures (appelées « fournitures de la province participante » au présent sous-alinéa) qui sont des fournitures déterminées effectuées dans une province participante et auxquelles le paragraphe 165(2) s'applique :

$$(100\ \% / A) \times B$$

où :

A représente la somme de 100 %, du taux fixé au paragraphe 165(1) et du taux de taxe applicable à la province participante,

B :

(A) si un choix fait par la personne en vertu du présent paragraphe est en vigueur pour cet exercice, la partie de la ristourne qui est relative aux fournitures de la province participante,

(B) dans les autres cas, le montant obtenu par la formule suivante :

$$\frac{C}{D} \times E$$

où :

C représente la partie de la somme des valeurs des éléments B et D de la formule figurant au paragraphe (1), déterminées aux fins du calcul du montant déterminé par rapport à la ristourne, qui est attribuable à des fournitures effectuées dans la province participante,

D la somme visée à l'élément C,

E le montant déterminé par rapport à la ristourne,

(ii) réduit du montant obtenu par la formule suivante la contrepartie totale des fournitures (appelées « fournitures des provinces non participantes« au présent sous-alinéa) qui sont des fournitures déterminées auxquelles le paragraphe 165(2) ne s'applique pas :

$$(100\ \% / A) \times B$$

où :

A représente la somme de 100 % et du taux fixé au paragraphe 165(1),

B :

(A) si un choix fait par la personne en vertu du présent paragraphe est en vigueur pour cet exercice, la partie de la ristourne qui est relative aux fournitures des provinces non participantes,

(B) dans les autres cas, le montant obtenu par la formule suivante :

$$(C/D) \times E$$

où :

C représente la partie de la somme des valeurs des éléments B et D de la formule figurant au paragraphe (1), déterminées aux fins du calcul du montant déterminé par rapport à la ristourne, qui est attribuable à des fournitures effectuées dans des provinces non participantes,

D la somme visée à l'élément C,

E le montant déterminé par rapport à la ristourne;

a.1) [*abrogé*]

b) avoir effectué, à ce moment, le redressement, remboursement ou crédit indiqué à l'autre personne, ou en sa faveur, en application du paragraphe 232(2).

Notes historiques: Le préambule du paragraphe 233(2) a été remplacé par L.C. 2000, c. 30, par. 61(1). Cette modification est réputée entrée en vigueur le 17 décembre 1990. Antérieurement, il se lisait comme suit:

(2) Pour l'application de la présente partie, la personne qui, au cours de son exercice, verse à une autre personne une ristourne relative, en tout ou en partie, à des fournitures taxables, sauf des fournitures détaxées, que l'autre personne a effectuées à son profit est réputée :

Le passage du paragraphe 233(2) précédant l'alinéa b) a été remplacé par L.C. 2000, c. 30, par. 61(2). Cette modification s'applique aux ristournes déclarées après le 26 novembre 1997. Antérieurement, ce passage se lisait comme suit :

(2) Pour l'application de la présente partie, la personne qui, au cours de son exercice, verse à une autre personne une ristourne relative, en tout ou en partie, à des fournitures taxables, sauf des fournitures détaxées, qu'elle a effectuées au profit de l'autre personne est réputée :

a) avoir réduit, au moment du versement, la contrepartie totale de ces fournitures d'un montant égal au résultat du calcul suivant :

$$\frac{A}{B} \times C$$

où :

A représente 100,

B 107,

C :

(i) si un choix fait par elle à cet effet est en vigueur pour cet exercice, la partie de la ristourne qui est relative à des fournitures taxables, sauf des fournitures détaxées, effectuées au profit de l'autre personne,

(ii) dans les autres cas, le montant déterminé relativement à la ristourne;

a.1) si les fournitures comprennent des fournitures effectuées dans une province participante au profit de l'autre personne, avoir de plus réduit, au moment du versement, la contrepartie totale relative aux fournitures effectuées dans cette province d'un montant égal au résultat du calcul suivant :

$$A \times \frac{100\ \%}{B}$$

où :

A représente :

(i) si la personne a fait le choix prévu au sous-alinéa (i) de l'élément C de la formule figurant à l'alinéa a), la partie de la ristourne qui est relative à des fournitures taxables, sauf des fournitures détaxées, effectuées dans cette province au profit de l'autre personne et relativement auxquelles la taxe prévue au paragraphe 165(2) était payable,

(ii) dans les autres cas, le résultat du calcul suivant :

$$\frac{C}{D} \times E$$

où :

C représente la partie de la ristourne qu'il est raisonnable de considérer comme étant relative à des fournitures effectuées dans cette province au profit de l'autre personne et relativement à laquelle la taxe prévue au paragraphe 165(2) était payable,

D le montant total de la ristourne,

E le montant déterminé,

B la somme de 100 % et du taux de taxe applicable à cette province;

L'élément A de la formule du sous-alinéa 233(2)a)(i) a été remplacé par L.C. 2006, c. 4, par. 22(1) et cette modification s'applique aux ristournes versées après juin 2006. Antérieurement, il se lisait ainsi :

A représente la somme de 107 % et du taux de taxe applicable à la province participante,

Le sous-alinéa 233(2)a)(ii) a été remplacé par L.C. 2006, c. 4, par. 22(2) et cette modification s'applique aux ristournes versées après juin 2006. Antérieurement, il se lisait ainsi :

(ii) réduit du montant obtenu par la formule suivante la contrepartie totale des fournitures (appelées « fournitures des provinces non participantes » au présent sous-alinéa) qui sont des fournitures déterminées auxquelles le paragraphe 165(2) ne s'applique pas :

$$\left(\frac{100}{107}\right) \times A$$

où :

A représente :

(A) si un choix fait par la personne en vertu du présent paragraphe est en vigueur pour cet exercice, la partie de la ristourne qui est relative aux fournitures des provinces non participantes,

(B) dans les autres cas, le montant obtenu par la formule suivante :

$$\frac{B}{C} \times D$$

où :

B représente la partie de la somme des valeurs des éléments B et D de la formule figurant au paragraphe (1), déterminées aux fins du calcul du montant déterminé par rapport à la ristourne, qui est attribuable à des fournitures effectuées dans des provinces non participantes,

C la somme visée à l'élément B,

D le montant déterminé par rapport à la ristourne;

Le sous-alinéa 233(2)a)(ii) a été modifié par L.C. 1997, c. 10, par. 213(1) et cette modification est entrée en vigueur le 1er avril 1997. Le sous-alinéa 233(2)a)(ii) se lisait comme suit :

a) avoir réduit, au moment du versement, la contrepartie totale de ces fournitures d'un montant égal à la fraction de contrepartie :

(i) du montant déterminé relativement à la ristourne,

(ii) si un choix fait par elle à cet effet est en vigueur pour cet exercice, de la partie de la ristourne qui est relative à des fournitures taxables, sauf des fournitures détaxées, effectuées au profit de l'autre personne;

Ce sous-alinéa a été modifié par L.C. 1993, c. 27, par. 94(2) et réputé entré en vigueur le 17 décembre 1990. Toutefois, le choix prévu à ce sous-alinéa effectué par une personne avant le 27 avril 1992 n'est valable que s'il est présenté au ministre du Revenu national, en la forme et selon les modalités qu'il détermine, préalablement au versement par la personne d'une ristourne au cours de son exercice à compter duquel le choix est en vigueur.

Auparavant, le sous-alinéa 233(2)a)(ii) se lisait comme suit :

(ii) de la partie de la ristourne qui est relative à ces fournitures, si elle en fait le choix en la forme, selon les modalités et avec les renseignements déterminés par le ministre;

Le choix qu'une personne présente au ministre du Revenu national en vertu de cette version antérieure avant le 6 novembre 1991 est en vigueur et est valable relativement aux ristournes versées ou déclarées par la personne au cours d'une période commençant au plus tôt le jour de la présentation du choix et se terminant le premier jour de l'exercice de la personne à compter duquel une révocation du choix, effectuée selon le paragraphe 233(5), est en vigueur.

Le paragraphe 233(2) a été ajouté par L.C. 1990, c. 45, par. 12(1).

Concordance québécoise: LTVQ, art. 453.

(3) Exception — Le paragraphe (2) ne s'applique pas à la ristourne qu'une personne verse au cours de son exercice si un choix fait par elle à cet effet est en vigueur pour cet exercice. La ristourne est alors réputée ne pas réduire la contrepartie de fournitures.

Notes historiques: Le paragraphe 233(3) a été modifié par L.C. 1993, c. 27, par. 94(3) et est réputé entré en vigueur le 17 décembre 1990. Toutefois, le choix prévu à ce paragraphe effectué par une personne avant le 27 avril 1992 n'est valable que s'il est présenté au ministre du Revenu national, en la forme et selon les modalités qu'il détermine, préalablement au versement par la personne d'une ristourne au cours de son exercice à compter duquel le choix est en vigueur. Il se lisait auparavant comme suit :

(3) Une personne peut faire un choix, en la forme, selon les modalités et avec les renseignements déterminés par le ministre, pour que le paragraphe (2) ne s'applique pas dans le cas où elle verse une ristourne. En pareil cas, la ristourne est réputée ne pas réduire la contrepartie de fournitures.

Le choix qu'une personne présente au ministre du Revenu national en vertu de cette version antérieure avant le 6 novembre 1991 est en vigueur et est valable relativement aux ristournes versées ou déclarées par la personne au cours d'une période commençant au plus tôt le jour de la présentation du choix et se terminant le premier jour de l'exercice de la personne à compter duquel une révocation du choix, effectuée selon le paragraphe 233(5), est en vigueur.

Le paragraphe 233(3) a été édicté par L.C. 1990, c. 45, par. 12(1).

Concordance québécoise: LTVQ, art. 454.

(4) Moment du choix — Le choix prévu aux paragraphes (2) ou (3) se fait par son auteur préalablement au versement par celui-ci d'une ristourne au cours de son exercice à compter duquel le choix est en vigueur.

Notes historiques: Le paragraphe 233(4) a été remplacé par L.C. 2000, c. 30, par. 61(3). Cette modification est réputée entrée en vigueur le 26 novembre 1997. Antérieurement, il se lisait comme suit :

(4) Le choix prévu au sous-alinéa (i) de l'élément C de la formule figurant à l'alinéa (2)a) ou le choix prévu au paragraphe (3) se fait par son auteur préalablement au versement par celui-ci d'une ristourne au cours de son exercice à compter duquel le choix est en vigueur.

Le paragraphe 233(4) a été modifié par L.C. 1997, c. 10, par. 213(2) et cette modification est entrée en vigueur le 1er avril 1997. Il se lisait comme suit :

Le choix prévu au sous-alinéa (2)a)(ii) ou au paragraphe (3) se fait préalablement au versement par son auteur d'une ristourne au cours de son exercice à compter duquel le choix est en vigueur.

Ce paragraphe a été ajouté par L.C. 1993, c. 27, par. 94(4) et est réputé entré en vigueur le 6 novembre 1991.

Concordance québécoise: LTVQ, art. 454.1.

(5) Révocation du choix — Le choix prévu aux paragraphes (2) ou (3) peut être révoqué par son auteur au cours de son exercice. Le cas échéant, la révocation doit entrer en vigueur préalablement au versement par l'auteur d'une ristourne au cours de l'exercice en question.

Notes historiques: Le paragraphe 233(5) a été remplacé par L.C. 2000, c. 30, par. 61(3). Cette modification est réputée entrée en vigueur le 26 novembre 1997. Antérieurement, il se lisait comme suit :

(5) La révocation du choix prévu au sous-alinéa (i) de l'élément C de la formule figurant à l'alinéa (2)a) ou du choix prévu au paragraphe (3) se fait par son auteur préalablement au versement par celui-ci d'une ristourne au cours de son exercice à compter duquel la révocation est en vigueur.

Le paragraphe 233(5) a été modifié par L.C. 1997, c. 10, par. 213(2) et cette modification est entrée en vigueur le 1er avril 1997. Il se lisait comme suit :

(5) La révocation d'un choix prévu au sous-alinéa (2)a)(ii) ou au paragraphe (3) se fait par son auteur préalablement au versement par celui-ci d'une ristourne au cours de son exercice à compter duquel la révocation est en vigueur.

Ce paragraphe a été ajouté par L.C. 1993, c. 27, par. 94(4) et est réputé entré en vigueur le 6 novembre 1991. Toutefois, la révocation prévue à ce paragraphe, effectuée par une personne avant le 27 avril 1992, n'est valable que si elle est présentée au ministre du Revenu national, selon les modalités qu'il détermine, préalablement au versement par la personne d'une ristourne au cours de son exercice à compter duquel la révocation est en vigueur.

Concordance québécoise: LTVQ, art. 454.2.

(6) Date du versement d'une ristourne — Pour l'application du présent article, une ristourne est réputée versée le jour de sa déclaration.

Notes historiques: Le paragraphe 233(6) a été ajouté par L.C. 1993, c. 27, par. 94(4) et est réputé entré en vigueur le 6 novembre 1991.

Concordance québécoise: LTVQ, art. 454.3.

juin 2006, Notes explicatives: L'article 233 prévoit les règles selon lesquelles les inscrits qui versent des ristournes peuvent faire un choix afin que celles-ci soient réputées ne pas réduire la valeur de la contrepartie des fournitures effectuées au profit du bénéficiaire des ristournes ou soient réputées être un redressement de prix relativement à ces fournitures. Si la personne qui verse une ristourne choisit, pour l'application de la TPS/TVH, de considérer la ristourne comme un redressement de prix relativement aux fournitures effectuées au profit du bénéficiaire de la ristourne, le montant du redressement de prix est déterminé selon le paragraphe 233(2). Les formules figurant à l'alinéa 233(2)a) permettent de déterminer la partie de la ristourne qui représente un redressement de prix pour l'application de la taxe.

Selon ces formules, le facteur 100/115 s'applique dans le cas où la ristourne se rapporte à des fournitures effectuées dans des provinces participantes, lesquelles sont taxables au taux de TVH de 15 %. Si la ristourne se rapporte à des fournitures effectuées dans des provinces non participantes, le facteur 100/107 est utilisé puisque ces fournitures sont taxables au taux de TPS de 7 %.

Le paragraphe 233(2) est modifié de sorte que les formules utilisent le taux fixé au paragraphe 165(1) au titre de la TPS ou de la composante fédérale de la TVH. Cette modification fait suite au changement apporté au paragraphe 165(1), qui consiste à ramener de 7 % à 6 % le taux de la taxe imposée par ce paragraphe.

Définitions [art. 233]: « année d'imposition », « contrepartie », « exercice », « fourniture », « fourniture détaxée », « fourniture taxable », « fraction de contrepartie », « immobilisation », « inscrit », « ministre », « montant », « personne », « province participante », « règlement », « ristourne », « taux de taxe », « vente » — 123(1).

Renvois [art. 233]: 152 (moment où la contrepartie devient due); 153, 154 (contrepartie); 225.1(6) (comptabilité abrégée — organismes de bienfaisance); 227(6) (comptabilité abrégée); 232(2) (remboursement ou redressement de la taxe).

Jurisprudence [art. 233]: *River Road Co-op Ltd. c. La Reine*, [1994] G.S.T.C. 34 (CCI).

Bulletins de l'information technique [art. 233]: B-065, 13/07/92, *Le plan en six points en vue de simplifier la TPS*.

Mémorandums [art. 233]: TPS 500-2-4, 19/03/91, *Calcul de la taxe*, Annexes C et E.

Série de mémorandums [art. 233]: Mémorandum 1.5, 09/94, *Définitions*; Mémorandum 8.4, 08/12, *Documents requis pour demander des crédits de taxe sur les intrants*.

234. (1) Déduction pour remboursement — La personne qui, dans les circonstances visées aux paragraphes 252.41(2), 254(4), 254.1(4) ou 258.1(3) ou prévues par règlement pour l'application du paragraphe 256.21(3), verse à une autre personne, ou porte à son crédit, un montant au titre d'un remboursement et qui transmet la demande de remboursement de l'autre personne au ministre conformément aux paragraphes 252.41(2), 254(5), 254.1(5), 256.21(4) ou 258.1(4), selon le cas, peut déduire ce montant dans le calcul de sa taxe nette pour la période de déclaration au cours de laquelle le montant est versé à l'autre personne ou porté à son crédit.

Notes historiques: Le paragraphe 234(1) a été remplacé par L.C. 2009, c. 32, par. 22(1) et cette modification est en vigueur le 1er juillet 2010. Antérieurement, il se lisait ainsi :

> 234. (1) La personne qui, dans les circonstances visées aux paragraphes 252.41(2), 254(4), 254.1(4) ou 258.1(3), verse à une autre personne, ou porte à son crédit, un montant au titre d'un remboursement et qui transmet la demande de remboursement de l'autre personne au ministre conformément aux paragraphes 252.41(2), 254(5), 254.1(5) ou 258.1(4) peut déduire ce montant dans le calcul de sa taxe nette pour la période de déclaration au cours de laquelle le montant est versé à l'autre personne ou porté à son crédit.

Le paragraphe 234(1) a été remplacé par L.C. 2000, c. 30, par. 62(1). Cette modification s'applique à compter du 24 avril 1996. Toutefois, avant le 4 avril 1998, il n'est pas tenu compte des renvois aux paragraphes 258.1(3) et (4) figurant au paragraphe 234(1). Antérieurement, il se lisait comme suit :

> 234. (1) L'inscrit qui, dans les circonstances visées aux paragraphes 252.41(2), 254(4) ou 254.1(4), verse à une personne, ou porte à son crédit, un montant au titre d'un remboursement et qui transmet la demande de remboursement de la personne au ministre conformément aux paragraphes 252.41(2), 254(5) ou 254.1(5) peut déduire ce montant dans le calcul de sa taxe nette pour la période de déclaration au cours de laquelle le montant est versé à la personne ou porté à son crédit.

Le paragraphe 234(1) a été modifié par L.C. 1997, c. 10, par. 52(1) et cette modification s'applique après le 23 avril 1996. Il se lisait comme suit :

> 234. (1) Le constructeur qui verse, dans les circonstances visées aux paragraphes 254(4) ou 254.1(4), à un particulier, ou porte à son crédit, un montant au titre d'un remboursement visé à ces paragraphes et qui transmet la demande de remboursement du particulier au ministre conformément aux paragraphes 254(5) ou 254.1(5) peut déduire ce montant dans le calcul de sa taxe nette pour la période de déclaration au cours de laquelle le montant est versé au particulier ou porté à son crédit.

Ce paragraphe a été modifié par L.C. 1993, c. 27, par. 95(1) et réputé entré en vigueur le 17 décembre 1990. Il qui se lisait ainsi :

> 234. (1) Le constructeur qui verse un remboursement à un particulier, ou en sa faveur, ou le porte à son crédit, conformément au paragraphe 254(4), et transmet la demande du particulier au ministre, conformément au paragraphe 254(5), peut déduire le remboursement dans le calcul de sa taxe nette pour sa période de déclaration au cours de laquelle le remboursement est versé au particulier ou porté à son crédit.

Le paragraphe 234(1) correspond à l'ancien article 234, édicté par L.C. 1990, c. 45, par. 12(1).

Concordance québécoise: LTVQ, art. 455.

(2) Déduction pour remboursement — fournitures à des non-résidents — L'inscrit qui, dans les circonstances visées aux paragraphes 252(3), 252.1(8) ou 252.4(2) ou (4), verse à une personne, ou porte à son crédit, un montant au titre d'un remboursement visé à ces paragraphes peut déduire ce montant dans le calcul de sa taxe nette pour l'une des périodes suivantes :

a) la période de déclaration de l'inscrit qui comprend le dernier en date du dernier jour où est devenue payable une taxe à laquelle le remboursement se rapporte et du jour où le montant est versé à la personne ou porté à son crédit;

b) une période de déclaration subséquente de l'inscrit pour laquelle une déclaration est produite dans l'année suivant le dernier en date des jours visés à l'alinéa a).

Notes historiques: Le paragraphe 234(2) a été ajouté par L.C. 1993, c. 27, par. 95(1) et est réputé entré en vigueur le 17 décembre 1990. Toutefois, pour l'application du paragraphe 234(2) avant octobre 1992, le renvoi au paragraphe 252(3), qui y figure, vaut renvoi au paragraphe 252(6).

Concordance québécoise: LTVQ, art. 455.1.

(2.1) Production tardive de renseignements et rajustement pour défaut de produire — Dans le cas où un inscrit est tenu de produire des renseignements conformément aux paragraphes 252.1(10) ou 252.4(5) relativement à un montant demandé au titre de la déduction prévue au paragraphe (2) en raison d'un montant versé ou crédité au titre d'un remboursement, les règles suivantes s'appliquent :

a) l'inscrit, s'il produit les renseignements à une date (appelée « date de production » au présent paragraphe) qui est postérieure à la date limite où il est tenu de produire une déclaration aux termes de la section V pour la période de déclaration au cours de laquelle il a demandé la déduction prévue au paragraphe (2), mais antérieure au premier en date des jours ci-après (appelé « jour donné » au présent paragraphe), est tenu d'ajouter, dans le calcul de sa taxe nette pour sa période de déclaration qui comprend la date de production, un montant égal aux intérêts, au taux réglementaire, calculés sur le montant demandé au titre de la déduction prévue au paragraphe (2) pour la période commençant à la date limite où il était tenu de produire les renseignements et se terminant à la date de production :

(i) le jour qui suit de quatre ans la date limite où l'inscrit était tenu, en vertu de l'article 238, de produire une déclaration pour la période de déclaration au cours de laquelle il a demandé la déduction,

(ii) le jour fixé par le ministre dans une mise en demeure de produire les renseignements;

b) l'inscrit, s'il ne produit pas les renseignements avant le jour donné, est tenu d'ajouter, dans le calcul de sa taxe nette pour sa période de déclaration qui comprend ce jour, un montant égal au total du montant demandé au titre de la déduction prévue au paragraphe (2) et des intérêts sur ce montant, calculés au taux réglementaire pour la période commençant à la date limite où il était tenu de produire les renseignements et se terminant à la date limite où il est tenu, en vertu de l'article 238, de produire une déclaration pour sa période de déclaration qui comprend le jour donné.

Notes historiques: Le paragraphe 234(2.1) a été ajouté par L.C. 2007, c. 29, par. 45(1) et s'applique relativement aux montants demandés au titre de la déduction prévue au paragraphe 234(2) en raison d'un montant versé à une personne, ou porté à son crédit, après mars 2007 relativement à une fourniture à l'égard de laquelle la taxe prévue à la partie IX devient payable après ce mois.

Concordance québécoise: LTVQ, art. 455.2.

(3) Déduction pour fourniture dans une province participante — L'inscrit qui effectue une fourniture dans une province participante et qui verse à l'acquéreur, ou porte à son crédit, relativement à la fourniture un montant déterminé par règlement peut déduire ce montant dans le calcul de sa taxe nette pour sa période de déclaration au cours de laquelle le montant est versé à l'acquéreur ou porté à son crédit.

Notes historiques: Le paragraphe 234(3) a été ajouté par L.C. 1997, c. 10, par. 214(1) et est entré en vigueur le 1er avril 1997.

Concordance québécoise: aucune.

(4) Restriction — Le montant de la taxe prévue au paragraphe 165(2), aux articles 212.1 ou 218.1 ou à la section IV.1 qui est déterminé par règlement pour l'application du paragraphe (3) n'entre pas dans le calcul d'un crédit de taxe sur les intrants, d'un remboursement ou d'une remise prévu par la présente loi ou par toute autre loi fédérale.

Notes historiques: Le paragraphe 234(4) a été ajouté par L.C. 1997, c. 10, par. 214(1) et est entré en vigueur le 1er avril 1997.

Concordance québécoise: aucune.

(5) Déduction pour remboursement payable à un fonds réservé — L'assureur qui, dans les circonstances visées au paragraphe 261.31(5), verse à son fonds réservé, ou porte à son crédit, un montant au titre du remboursement prévu à ce paragraphe puis transmet la demande de remboursement du fonds au ministre en conformité avec le paragraphe 261.31(6) peut déduire le montant dans le calcul de sa taxe nette pour sa période de déclaration au cours de laquelle il a versé le montant au fonds ou l'a porté à son crédit.

Notes historiques: Le paragraphe 234(5) a été ajouté par L.C. 1997, c. 10, par. 214(1) et est entré en vigueur le 1er avril 1997.

Concordance québécoise: aucune.

Définitions [art. 234]: « acquéreur », « constructeur », « fourniture », « inscrit », « ministre », « montant », « période de déclaration », « personne », « province participante », « règlement », « taxe » — 123(1).

Renvois [art. 234]: 214.1, 220.09(3) (TVH — déduction); 223(1.2) (indication du total de la taxe — exception); 225 (taxe nette); 225.1(2) B b), (6) (application aux organismes de bienfaisance); 252.1(8) (remboursement par l'inscrit); 252.1(10) (production de renseignements — remboursement pour logement aux non-résidents); 252.4(5) (production de renseignements — remboursement promoteur étranger); 252.5 (obligation solidaire); 254(6), 254.1(6) (responsabilité du constructeur); 259.1(6) (Remboursement pour livres imprimés — aucun redressement de la composante provinciale de la taxe).

Règlements [art. 234]: *Règlement sur la déduction pour le remboursement provincial* (avant-projet), art. 1; *Règlement sur les jeux de hasard (TPS/TVH)*, art. 1.

Jurisprudence [art. 234]: *Superior Modular Homes Inc. c. Canada*, [1997] G.S.T.C. 107 (CCI); *Club Tour Sat inc. c. R.*, [2001] G.S.T.C. 92 (CCI); *Golf Canada's West Ltd. v. R.* (3 novembre 2011), 2011 CarswellNat 6023, 2012 CCI 11, 2012 G.T.C. 14 (CCI [procédure informelle]).

Énoncés de politique [art. 234]: P-042, 25/10/92, *Calculs du remboursement pour habitations neuves.*

Bulletins de l'information technique [art. 234]: B-075R, 23/04/96, *Modifications proposées à la TPS*; B-083R, 23/05/97, *Services financiers sous le régime de la TVH*; B-085, 23/03/98, *Remboursement au point de vente de la TVH pour les livres*; B-094, 10/06, *Modifications proposées au remboursement de la TVH au point de vente pour les livres imprimés.*

Mémorandums [art. 234]: TPS 500-2-4, 19/03/91, *Calcul de la taxe*, Annexe E.

Série de mémorandums [art. 234]: Mémorandum 13.4, 07/02, *Remboursements pour les livres imprimés, les enregistrements sonores de livres imprimés et les versions imprimées des Écritures d'une religion*; Mémorandum 19.3.1.1, 07/98, *Le remboursement fait partie de la valeur de la contrepartie* , par. 2; Mémorandum 19.3.1.2, 10/07, *Prix convenu déduction faite du remboursement — TPS de 5 %*; Mémorandum 19.3.8R, 12/07, *Les remboursements pour habitations neuves et la TVH*; Mémorandum 19.3.8.1, 01/08, *Les remboursements pour habitations neuves et la TVH de 13 %*; Mémorandum 27.2, 04/95, *Congrès*, par. 13, 16; Mémorandum 27.3R, 01/10, *Programme d'incitation pour congrès étrangers et voyages organisés — Remboursement de la taxe payée sur les voyages organisés admissibles et sur l'hébergement fourni dans le cadre d'un voyage organisé admissible.*

Formulaires [art. 234]: FP-2190.C, *Remboursement de taxes accordé par le constructeur pour une nouvelle habitation*; FP-2190.L, *Remboursement de taxes pour une habitation située sur un terrain loué ou pour une part dans une coopérative*; FP-2190.P, *Remboursement de taxes demandé par le propriétaire pour une habitation neuve ou modifiée de façon majeure.*

Info TPS/TVQ [art. 234]: GI-031 — *Programme d'incitation pour congrès étrangers et voyages organisés — Exploitants inscrits de centre de congrès et organisateurs inscrits : remboursement versé et crédité pour des congrès étrangers*; GI-041 — *La réduction du taux de la TPS/TVH (2008) et les méthodes de comptabilité abrégées pour les petites entreprises* ; GI-060 — *Taxe de vente harmonisée de l'Ontario-Remboursement au point de vente pour les journaux*; GI-061 — *Taxe de vente harmonisée de la Colombie-Britannique-Remboursement au point de vente pour les carburants*; GI-062 — *Taxe de vente harmonisée de l'Ontario et de la Colombie-Britannique-Remboursement au point de vente pour les produits d'hygiène féminine*; GI-063 — *Taxe de vente harmonisée de l'Ontario, de la Colombie-Britannique et de la Nouvelle-Écosse-Remboursement au point de vente pour les produits pour enfant*; GI-064 — *Taxe de vente harmonisée de l'Ontario-Remboursement au point de vente pour les aliments et les boissons préparés.*

235. (1) Taxe nette en cas de location de voiture de tourisme — Lorsque la taxe relative aux fournitures d'une voiture de tourisme, effectuées aux termes d'un bail, devient payable par un inscrit, ou est payée par lui sans être devenue payable, au cours de son année d'imposition, et que le total de la contrepartie des fournitures qui serait déductible dans le calcul du revenu de l'inscrit pour l'année pour l'application de la *Loi de l'impôt sur le revenu* s'il était un contribuable aux termes de cette loi et s'il n'était pas tenu compte de l'élément B des formules figurant aux alinéas 7307(1)b) et (3)b) du *Règlement de l'impôt sur le revenu*, excède le montant, relatif à cette contrepartie, qui est déductible dans le calcul du revenu de l'inscrit pour l'année pour l'application de cette loi, ou qui le serait si l'inscrit était un contribuable aux termes de cette loi, le montant obtenu par la formule ci-après est ajouté dans le calcul de la taxe nette de l'inscrit pour la période de déclaration indiquée :

$$A \times B \times C$$

où :

A représente le quotient de la division de cet excédent par cette contrepartie;

B :

a) si l'inscrit est une institution financière désignée particulière au cours de la période de déclaration indiquée, la taxe payée ou payable en vertu du paragraphe 165(1) ou des articles 212 ou 218 relativement à cette contrepartie, sauf la taxe qui, par l'effet de l'article 170, ne peut être incluse dans le calcul du crédit de taxe sur les intrants de l'inscrit,

b) dans les autres cas, la taxe payée ou payable relativement à cette contrepartie, sauf la taxe qui, par l'effet de l'article 170, ne peut être incluse dans le calcul du crédit de taxe sur les intrants de l'inscrit;

C la proportion de l'utilisation de la voiture dans le cadre des activités commerciales de l'inscrit par rapport à son utilisation totale.

Notes historiques: Le préambule du paragraphes 235(1) a été remplacé par L.C. 2007, c. 18, par. 32(1) et cette modification s'applique relativement aux périodes de déclaration se terminant après le 27 novembre 2006 ainsi que relativement aux périodes de déclaration se terminant à cette date ou antérieurement, sauf si, à la fois :

a) un montant a été ajouté conformément à l'article 235 dans le calcul de la taxe nette pour la période de déclaration;

b) le montant a été calculé comme si le coût en capital de la voiture de tourisme pour l'application de la *Loi de l'impôt sur le revenu* comprenait les taxes de vente fédérale et provinciale;

c) la déclaration visant la période de déclaration a été produite aux termes de la section V de la partie IX au plus tard à cette date.

Antérieurement, il se lisait ainsi :

235. (1) Lorsque la taxe relative aux fournitures d'une voiture de tourisme, effectuées aux termes d'un bail, devient payable par un inscrit, ou est payée par lui sans être devenue payable, au cours de son année d'imposition, et que le total de la contrepartie des fournitures qui serait déductible dans le calcul du revenu de l'inscrit pour l'année pour l'application de la *Loi de l'impôt sur le revenu* s'il était un contribuable aux termes de cette loi et s'il n'était pas tenu compte de l'article 67.3 de cette loi, excède le montant, relatif à cette contrepartie, qui est déductible dans le calcul du revenu de l'inscrit pour l'année aux fins de cette même loi, ou qui le serait si l'inscrit était un contribuable aux termes de cette loi, le montant obtenu par la formule suivante est ajouté dans le calcul de la taxe nette de l'inscrit pour la période de déclaration indiquée :

Le préambule du paragraphe 235(1) a été remplacé par L.C. 2000, c. 30, par. 63(1). Cette modification est réputée entrée en vigueur le 17 décembre 1990. Antérieurement, il se lisait comme suit :

235. (1) Lorsque la taxe relative aux fournitures d'une voiture de tourisme, effectuées aux termes d'un bail, devient payable par un inscrit, ou est payée par lui sans qu'elle soit devenue payable, au cours de son année d'imposition, et que le total de la contrepartie des fournitures qui serait déductible dans le calcul du revenu de l'inscrit pour l'année pour l'application de la *Loi de l'impôt sur le revenu* s'il était un contribuable aux termes de cette loi et s'il n'était pas tenu compte de l'article 67.3 de cette loi, excède le montant, relatif à cette contrepartie, qui est déductible dans le calcul du revenu de l'inscrit pour l'année aux fins de cette même loi, ou qui le serait si l'inscrit était un contribuable aux termes de cette loi, le résultat du calcul suivant est ajouté dans le calcul de la taxe nette de l'inscrit pour la période de déclaration en cause :

Le préambule du paragraphe 235(1) a été modifié par L.C. 1997, c. 10, par. 215(1) et cette modification est entrée en vigueur le 1er avril 1997. Il se lisait comme suit :

235. (1) Lorsque la taxe relative à la fourniture d'une voiture de tourisme par bail devient payable par un inscrit, ou est payée par lui sans qu'elle soit devenue payable, au cours de son année d'imposition, et que le total de la contrepartie de la fourniture qui serait déductible dans le calcul du revenu de l'inscrit pour l'année pour l'application de la *Loi de l'impôt sur le revenu*, abstraction faite de l'article 67.3 de cette loi, s'il était un contribuable aux termes de cette loi, excède le montant, relatif à cette contrepartie, qui est déductible dans le calcul du revenu de l'inscrit pour l'année aux fins de cette même loi, ou qui le serait si l'inscrit était un contribuable aux termes de cette loi, le résultat du calcul suivant est ajouté dans le calcul de la taxe nette de l'inscrit pour la période de déclaration en cause :

Le préambule du paragraphe 235(1) a été modifié par L.C. 1993, c. 27, par. 96(1) et réputé entré en vigueur le 17 décembre 1990. Il se lisait ainsi :

235. (1) Dans le cas où une voiture de tourisme est fournie par bail à un inscrit au cours de son année d'imposition et où le total de la contrepartie de la fourniture qui serait déductible dans le calcul du revenu de l'inscrit pour l'année pour l'application de la *Loi de l'impôt sur le revenu*, abstraction faite de l'article 67.3 de cette loi, s'il était un contribuable aux termes de cette loi, excède le montant, relatif à cette contrepartie, qui est déductible en application de l'article 67.3 de cette loi dans le calcul du revenu de l'inscrit pour l'année aux fins de cette même loi, ou qui le serait si l'inscrit était un contribuable aux termes de cette loi, le montant calculé selon la formule suivante est ajouté dans le calcul de la taxe nette de l'inscrit pour la période de déclaration indiquée :

$$A \times B \times C$$

où :

A représente cet excédent;

B le taux de la taxe imposée selon le paragraphe 165(1) à la fin de cette période;

C la proportion de l'utilisation de la voiture dans le cadre des activités commerciales de l'inscrit par rapport à son utilisation totale.

Le passage du paragraphe 235(1) précédant l'élément C de la formule figurant à ce paragraphe a été remplacé par L.C. 2000, c. 30, par. 63(2). Cette modification est réputée entrée en vigueur le 1er avril 1997. Antérieurement, ce passage se lisait comme suit :

235. (1) Lorsque la taxe relative à la fourniture d'une voiture de tourisme par bail devient payable par un inscrit, ou est payée par lui sans être devenue payable, au cours de son année d'imposition, et que le total de la contrepartie de la fourniture qui serait déductible dans le calcul du revenu de l'inscrit pour l'année pour l'application de la *Loi de l'impôt sur le revenu*, abstraction faite de l'article 67.3 de cette loi, s'il était un contribuable aux termes de cette loi, excède le montant, relatif à cette contrepartie, qui est déductible dans le calcul du revenu de l'inscrit pour l'année aux fins de cette même loi, ou qui le serait si l'inscrit était un contribuable aux termes de cette loi, le montant obtenu par la formule suivante est ajouté dans le calcul de la taxe nette de l'inscrit pour la période de déclaration indiquée :

$$A \times B \times C$$

où :

A représente le quotient de la division de cet excédent par cette contrepartie;

B la taxe payée ou payable relativement à cette contrepartie, sauf la taxe qui, par l'effet de l'article 170, ne peut être incluse dans le calcul du crédit de taxe sur les intrants de l'inscrit;

Le paragraphe 235(1) a été édicté par 1990, c. 45, par. 12(1).

Concordance québécoise: LTVQ, art. 456.

(2) Période de déclaration indiquée — Pour l'application du paragraphe (1), la période de déclaration indiquée d'un inscrit relativement à une voiture de tourisme qui lui est fournie par bail au cours de son année d'imposition correspond à la période suivante :

a) si l'inscrit cesse au cours ou à la fin de cette année d'être inscrit aux termes de la sous-section d, sa dernière période de déclaration de cette année;

b) si la période de déclaration de l'inscrit de cette année correspond à cette année, cette période de déclaration;

c) dans les autres cas, la période de déclaration de l'inscrit commençant immédiatement après cette année.

Notes historiques: Le paragraphe 235(2) a été ajouté par L.C. 1990, c. 45, par. 12(1).

Concordance québécoise: LTVQ, art. 457.

Définitions [art. 235]: « activité commerciale », « année d'imposition », « contrepartie », « fourniture », « inscrit », « montant », « période de déclaration », « taxe », « voiture de tourisme » — 123(1).

Renvois [art. 235]: 153, 154 (contrepartie); 165(1) (CTI); 201 (valeur d'une voiture de tourisme); 202 (CTI — voiture de tourisme); 225.1(6) (comptabilité abrégée — organismes de bienfaisance); 227(6) (comptabilité abrégée).

Règlements [art. 235]: *Règlement sur les jeux de hasard (TPS/TVH)*, art. 1.

Bulletins de l'information technique [art. 235]: B-083R, 23/05/97, *Services financiers sous le régime de la TVH*; B-104, 06/10, *Taxe de vente harmonisée — récupération temporaire des crédits de taxe sur les intrants en Ontario et en Colombie-Britanique.*

Mémorandums [art. 235]: TPS 400-3-2-1, 12/02/92, *Avantages relatifs à l'utilisation d'automobiles*, par. 43; TPS 400-3-4, 12/09/92, *Voitures de tourisme et aéronefs*; par. 12–16; TPS 500-2-4, 19/03/91, *Calcul de la taxe*, par. 14; TPS 500-7, 26/11/91, *Interaction entre la Loi sur la taxe d'accise et la Loi de l'impôt sur le revenu.*

Série de mémorandums [art. 235]: Mémorandum 8.2, 03/08, *Restrictions générales.*

Lettres d'interprétation (Québec) [art. 235]: 00-0104281 — Commissions versées par une compagnie américaine.

236. (1) Aliments, boissons et divertissements — Un montant est ajouté dans le calcul de la taxe nette d'une personne pour la période de déclaration indiquée si les conditions suivantes sont réunies :

a) un montant (appelé « somme mixte » au présent paragraphe) :

(i) soit devient dû par la personne, ou est un paiement effectué par elle sans qu'il soit devenu dû, relativement à la fourniture d'un bien ou d'un service effectuée à son profit,

(ii) soit est payé par la personne à titre de remboursement ou d'indemnité relativement auquel elle est réputée par les articles 174 ou 175 avoir reçu une fourniture de bien ou de service;

b) au moins une des situations suivantes se vérifie :

(i) le paragraphe 67.1(1) de la *Loi de l'impôt sur le revenu* s'applique à la totalité de la somme mixte ou à la partie de cette somme qui constitue, pour l'application de cette loi, un montant (sauf celui auquel le paragraphe 67.1(1.1) de cette loi s'applique) payé ou payable pour des aliments, des boissons ou des divertissements pris par des personnes, ou s'y appliquerait si la personne était un contribuable aux termes de cette loi, et cette somme ou cette partie de somme est réputée, par l'article 67.1 de cette même loi, correspondre à 50 % d'un montant donné,

(ii) le paragraphe 67.1(1.1) de cette loi s'applique à la totalité de la somme mixte ou à la partie de cette somme qui constitue, pour l'application de cette loi, un montant payé ou payable pour des aliments ou des boissons pris par un conducteur de grand routier, au sens de l'article 67.1 de cette loi, au cours d'une de ses périodes de déplacement admissibles, au sens de cet article, ou s'y appliquerait si la personne était un contribuable aux termes de cette loi, et cette somme ou cette partie de somme est réputée, par ce même article, correspondre à un pourcentage d'un montant déterminé donné;

c) la taxe incluse dans la somme mixte ou réputée par les articles 174 ou 175 avoir été payée par la personne est incluse dans le calcul d'un crédit de taxe sur les intrants relatif au bien ou au service que la personne demande dans une déclaration visant une période de déclaration de son exercice.

Le montant à ajouter dans le calcul de la taxe nette est déterminé selon la formule suivante :

$$[50\ \% \times \frac{A}{B} \times C] + [20\ \% \times \frac{D}{B} \times C]$$

où :

A représente :

(i) en cas d'application du sous-alinéa b)(i), le montant donné,

(ii) dans les autres cas, zéro,

B la somme mixte,

C le crédit de taxe sur les intrants,

D :

(i) en cas d'application du sous-alinéa b)(ii), le montant déterminé donné,

(ii) dans les autres cas, zéro.

Notes historiques: Le préambule du paragraphe 236(1) a été modifié par L.C. 1994, c. 29, par. 13(1) pour remplacer le pourcentage « 20 % » par « 50 % » et s'applique aux fournitures d'aliments ou de boissons consommés, ou de divertissements pris, après février 1994 et dans le cadre desquelles :

a) si une indemnité est versée relativement à la fourniture, l'indemnité est versée après le 21 février 1994;

b) sinon, la taxe prévue à la partie IX de la Loi devient payable après le 21 février 1994.

Le préambule de l'article 236 a été modifié par L.C. 1993, c. 27, par. 97(1) et est réputé entré en vigueur le 17 décembre 1990. Il se lisait auparavant comme suit :

236. (1) Dans le cas où l'article 67.1 de la *Loi de l'impôt sur le revenu* s'applique, ou s'appliquerait si l'inscrit était un contribuable aux termes de cette loi, à la fourniture d'aliments, de boissons ou de divertissements à un inscrit, ou à une indemnité relative à une telle fourniture payée par un inscrit, au cours de son exercice, un montant correspondant à 20 % du total des montants dont chacun représente un crédit de taxe sur les intrants que l'inscrit peut demander relativement à cette fourniture pendant cet exercice est ajouté dans le calcul de la taxe nette pour la période suivante :

L'alinéa 236(1)b) a été remplacé par L.C. 2007, c. 35, par. 4(1) et cette modification s'applique :

a) aux montants relatifs à une fourniture d'aliments, de boissons ou de divertissements si la taxe prévue par la partie IX de la même loi relativement à la fourniture devient payable après le 19 mars 2007 et avant 2008, ou est payée au cours de cette période sans être devenue payable, et qu'aucun remboursement ni indemnité n'est payé relativement à la fourniture;

b) aux montants payés après le 19 mars 2007 et avant 2008 à titre de remboursement ou d'indemnité relativement à une fourniture d'aliments, de boissons ou de divertissements.

Antérieurement, il se lisait ainsi :

b) le paragraphe 67.1(1) de la *Loi de l'impôt sur le revenu* s'applique à la totalité de la somme mixte ou à la partie de cette somme qui constitue, pour l'application de cette loi, un montant payé ou payable pour des aliments, des boissons ou des divertissements pris par des personnes, ou s'y appliquerait si la personne était un contribuable aux termes de cette loi, et cette somme ou cette partie de somme est réputée, par ce paragraphe, correspondre à 50 % d'un montant donné;

La formule figurant au paragraphe 236(1) a été remplacée par L.C. 2007, c. 35, par. 4(6) et cette modification s'applique :

a) aux montants relatifs à une fourniture d'aliments, de boissons ou de divertissements si la taxe prévue par la partie IX de la même loi relativement à la fourniture devient payable après 2010, ou est payée après 2010 sans être devenue payable, et qu'aucun remboursement ni indemnité n'est payé relativement à la fourniture;

b) aux montants payés après 2010 à titre de remboursement ou d'indemnité relativement à une fourniture d'aliments, de boissons ou de divertissements.

Antérieurement, elle se lisait ainsi :

$$[50\ \% \times \frac{A}{B} \times C] + [25\ \% \times \frac{D}{B} \times C]$$

La formule figurant au paragraphe 236(1) a été remplacée par L.C. 2007, c. 35, par. 4(5) et s'applique :

a) aux montants relatifs à une fourniture d'aliments, de boissons ou de divertissements si la taxe prévue par la partie IX de la même loi relativement à la fourniture devient payable en 2010, ou est payée en 2010 sans être devenue payable, et qu'aucun remboursement ni indemnité n'est payé relativement à la fourniture;

b) aux montants payés en 2010 à titre de remboursement ou d'indemnité relativement à une fourniture d'aliments, de boissons ou de divertissements.

Antérieurement, elle se lisait ainsi :

$$[50\ \% \times \frac{A}{B} \times C] + [30\ \% \times \frac{D}{B} \times C]$$

La formule figurant au paragraphe 236(1) a été remplacée par L.C. 2007, c. 35, par. 4(4) et cette modification s'applique :

a) aux montants relatifs à une fourniture d'aliments, de boissons ou de divertissements si la taxe prévue par la partie IX de la même loi relativement à la fourniture devient payable en 2009, ou est payée en 2009 sans être devenue payable, et qu'aucun remboursement ni indemnité n'est payé relativement à la fourniture;

b) aux montants payés en 2009 à titre de remboursement ou d'indemnité relativement à une fourniture d'aliments, de boissons ou de divertissements.

Antérieurement, elle se lisait ainsi :

$$[50\ \% \times \frac{A}{B} \times C] + [35\ \% \times \frac{D}{B} \times C]$$

La formule figurant au paragraphe 236(1) a été remplacée par L.C. 2007, c. 35, par. 4(3) et cette modification s'applique :

a) aux montants relatifs à une fourniture d'aliments, de boissons ou de divertissements si la taxe prévue par la partie IX de la même loi relativement à la fourniture devient payable en 2008, ou est payée en 2008 sans être devenue payable, et qu'aucun remboursement ni indemnité n'est payé relativement à la fourniture;

b) aux montants payés en 2008 à titre de remboursement ou d'indemnité relativement à une fourniture d'aliments, de boissons ou de divertissements.

Antérieurement, elle se lisait ainsi :

$$[50\ \% \times \frac{A}{B} \times C] + [40\ \% \times \frac{D}{B} \times C]$$

La formule figurant au paragraphe 236(1) a été remplacée par L.C. 2007, c. 35, par. 4(2) et cette modification s'applique :

a) aux montants relatifs à une fourniture d'aliments, de boissons ou de divertissements si la taxe prévue par la partie IX de la même loi relativement à la fourniture devient payable après le 19 mars 2007 et avant 2008, ou est payée au cours de cette période sans être devenue payable, et qu'aucun remboursement ni indemnité n'est payé relativement à la fourniture;

b) aux montants payés après le 19 mars 2007 et avant 2008 à titre de remboursement ou d'indemnité relativement à une fourniture d'aliments, de boissons ou de divertissements.

Antérieurement, elle se lisait ainsi :

$$50\ \% \times \frac{A}{B} \times C$$

où :

A représente le montant donné;

B la somme mixte;

C le crédit de taxe sur les intrants.

Le paragraphe 236(1) a été remplacé par L.C. 2000, c. 30, par. 64(1). Cette modification s'applique :

a) dans le cas d'un montant qui devient dû, ou qui est payé sans être devenu dû, relativement à une fourniture d'aliments, de boissons ou de divertissements et dans le cas d'un montant payé à titre de remboursement ou d'indemnité relativement à une telle fourniture :

(i) aux fins de déterminer la taxe nette pour les périodes de déclaration se terminant après le 8 octobre 1998,

(ii) aux fins de déterminer le remboursement, prévu au paragraphe 261(1), d'un montant qui, le 8 octobre 1998, ou antérieurement ou postérieurement à cette date, est payé au titre de la taxe nette ou pris en compte à ce titre, sauf si la demande de remboursement est reçue par le ministre du Revenu national avant cette date;

b) dans les autres cas, aux montants qui deviennent dus après le 8 octobre 1998 ou qui sont payés après cette date sans être devenus dus.

Antérieurement, il se lisait comme suit :

236. (1) **Aliments, boissons et divertissements** — Lorsqu'un inscrit est l'acquéreur d'une fourniture de divertissements, d'aliments ou de boissons, ou verse une indemnité relative à une telle fourniture, et que le paragraphe 67.1(1) de la *Loi de l'impôt sur le revenu* s'applique à la fourniture ou à l'indemnité, ou s'y appliquerait si l'inscrit était un contribuable aux termes de cette loi, un montant correspondant à 50 % du total des montants représentant chacun un crédit de taxe sur les intrants demandé, relativement à la fourniture ou à l'indemnité, dans une déclaration visant une période de déclaration de l'exercice de l'inscrit est ajouté dans le calcul de la taxe nette pour la période suivante :

a) dans le cas où l'inscrit cesse au cours ou à la fin de cet exercice d'être inscrit aux termes de la sous-section d, sa dernière période de déclaration de cet exercice;

b) dans le cas où la période de déclaration de l'inscrit de cet exercice correspond à cet exercice, cette période;

c) dans les autres cas, la période de déclaration de l'inscrit qui commence immédiatement après la fin de cet exercice.

L'article 236 est devenu le paragraphe 236(1) par L.C. 1994, c. 9, par. 14(1).

L'article 236 a été ajouté par L.C. 1990, c. 45, par. 12(1).

Concordance québécoise: LTVQ, art. 457.1, 457.1.4, 457.1.5, 457.1.6.

(1.1) Période de déclaration indiquée — Pour l'application du paragraphe (1), la période de déclaration indiquée de la personne tenue en vertu de ce paragraphe d'ajouter, dans le calcul de sa taxe nette, un montant déterminé en fonction d'un crédit de taxe sur les intrants qu'elle a demandé dans une déclaration visant une période de déclaration de son exercice correspond à la période suivante :

a) si la personne cesse au cours d'une période de déclaration se terminant dans cet exercice d'être inscrite aux termes de la sous-section d, cette période;

b) si cet exercice correspond à la période de déclaration de la personne, cette période;

c) dans les autres cas, la période de déclaration de la personne commençant immédiatement après cet exercice.

Notes historiques: Le paragraphe 236(1.1) a été ajouté par L.C. 2000, c. 30, par. 64(1). Cette ajout s'applique :

a) dans le cas d'un montant qui devient dû, ou qui est payé sans être devenu dû, relativement à une fourniture d'aliments, de boissons ou de divertissements et dans le cas d'un montant payé à titre de remboursement ou d'indemnité relativement à une telle fourniture :

(i) aux fins de déterminer la taxe nette pour les périodes de déclaration se terminant après le 8 octobre 1998,

(ii) aux fins de déterminer le remboursement, prévu au paragraphe 261(1), d'un montant qui, le 8 octobre 1998, ou antérieurement ou postérieurement à cette date, est payé au titre de la taxe nette ou pris en compte à ce titre, sauf si la demande de remboursement est reçue par le ministre du Revenu national avant cette date;

b) dans les autres cas, aux montants qui deviennent dus après le 8 octobre 1998 ou qui sont payés après cette date sans être devenus dus.

Toutefois, pour son application à la personne qui cesse, avant le 8 octobre 1998, d'être inscrite aux termes de la sous-section d de la section V de la partie IX, l'alinéa 236(1.1)a) est remplacé par ce qui suit :

a) si la personne cesse au cours ou à la fin de cet exercice d'être inscrite aux termes de la sous-section d, sa dernière période de déclaration de cet exercice;

Concordance québécoise: LTVQ, art. 457.1.1.

(1.2) Montants déraisonnables — Lorsque la taxe calculée sur un montant (appelé « contrepartie déraisonnable » au présent paragraphe) représentant la totalité ou une partie du montant total qui devient dû par une personne, ou qui est payé par une personne sans être devenu dû, relativement à la fourniture d'un bien ou d'un service effectuée au profit de la personne n'est pas à inclure, par l'effet du paragraphe 170(2), dans le calcul d'un crédit de taxe sur les intrants, ce total est réputé, pour l'application du paragraphe (1), correspondre à l'excédent éventuel de ce montant total sur la somme de la contrepartie déraisonnable et des pourboires, et frais, droits ou taxes imposés par la présente partie ou en application d'une loi provinciale, payés ou payables relativement à cette contrepartie.

Notes historiques: Le paragraphe 236(1.2) a été ajouté par L.C. 2000, c. 30, par. 64(1). Cet ajout s'applique :

a) dans le cas d'un montant qui devient dû, ou qui est payé sans être devenu dû, relativement à une fourniture d'aliments, de boissons ou de divertissements et dans le cas d'un montant payé à titre de remboursement ou d'indemnité relativement à une telle fourniture :

(i) aux fins de déterminer la taxe nette pour les périodes de déclaration se terminant après le 8 octobre 1998,

(ii) aux fins de déterminer le remboursement, prévu au paragraphe 261(1), d'un montant qui, le 8 octobre 1998, ou antérieurement ou postérieurement à cette date, est payé au titre de la taxe nette ou pris en compte à ce titre, sauf si la demande de remboursement est reçue par le ministre du Revenu national avant cette date;

b) dans les autres cas, aux montants qui deviennent dus après le 8 octobre 1998 ou qui sont payés après cette date sans être devenus dus.

Concordance québécoise: LTVQ, art. 457.1.2.

(2) Exception — Le paragraphe (1) ne s'applique pas aux organismes de bienfaisance ni aux institutions publiques.

Notes historiques: Le paragraphe 236(2) a été modifié par L.C. 1997, c. 10, par. 53(1) et cette modification s'applique aux fournitures d'aliments, de boissons ou de divertissements reçues, et aux indemnités versées, par un inscrit après 1996. Il se lisait comme suit :

(2) Le paragraphe (1) ne s'applique pas aux organismes de bienfaisance.

Le paragraphe 236(2) a été ajouté par L.C. 1994, c. 9, par. 14(1) et s'applique au calcul de la taxe nette des organismes de bienfaisance pour les périodes de déclaration se terminant après 1992.

Toutefois, lorsque l'exercice d'un tel organisme commence avant 1993 et prend fin après 1992, le paragraphe 236(1) s'applique au calcul de la taxe nette de l'organisme pour la période de déclaration suivante :

a) si l'exercice en question correspond à une période de déclaration de l'organisme, cette période;

b) sinon, la période de déclaration de l'organisme commençant après la fin de l'exercice en question.

À cette fin, est exclu du calcul du total prévu à ce paragraphe tout crédit de taxe sur les intrants dans la mesure où la taxe incluse dans le calcul de ce crédit est devenue payable par l'organisme après 1992 ou a été payée par l'organisme après 1992 sans qu'elle soit devenue payable.

Concordance québécoise: LTVQ, art. 457.1, al. 3.

Définitions [art. 236]: « acquéreur », « année d'imposition », « exercice », « fourniture », « inscrit », « institution publique », « montant », « organisme de bienfaisance », « période de déclaration » — 123(1).

Renvois [art. 236]: 225 (taxe nette); 225.1(6) (comptabilité abrégée — organismes de bienfaisance); 227(6) (comptabilité abrégée).

Règlements [art. 236]: *Règlement sur les jeux de hasard (TPS/TVH)*, art. 1.

Jurisprudence [art. 236]: *Saskatchewan Telecommunications c. Canada*, [1999] G.S.T.C. 69 (CCI); *Toitures Lancourt Inc. c. R.*, [2002] G.S.T.C. 3 (CCI); *T. Evans Electric Ltd. v. R.*, [2003] G.S.T.C. 115 (CCI).

Bulletins de l'information technique [art. 236]: B-083R, 23/05/97, *Services financiers sous le régime de la TVH*; B-104, 06/10, *Taxe de vente harmonisée — récupération temporaire des crédits de taxe sur les intrants en Ontario et en Colombie-Britanique*.

Énoncés de politique [art. 236]: P-075R, 22/07/93, *Indemnités et remboursements*.

Mémorandums [art. 236]: TPS 400, 18/05/90, *Crédits de taxe sur les intrants*, par. 9; TPS 400-1-2, 8/11/90, *Documents requis*, par. 49, 50, 51, 54, 60, 67 et 73; TPS 400-2, 28/03/91, *Restrictions — Généralités*, par. 12; TPS 400-3-3, 4/10/91, *Aliments, boissons et divertissements*, par. 6–15; TPS 400-3-7, 6/03/91, *Cotisations relatives à l'emploi*, par. 20–28; TPS 500-2-4, 19/03/91, *Calcul de la taxe*, par. 15; TPS 500-7, 26/11/91, *Interaction entre la Loi sur la taxe d'accise et la Loi de l'impôt sur le revenu*, par. 28, 29 et 30.

Série de mémorandums [art. 236]: Mémorandum 8.2, 03/08, *Restrictions générales*; Mémorandum 9.3, 06/12, *Indemnités*; Mémorandum 9.4, 06/12, *Remboursements*.

Lettres d'interprétation (Québec) [art. 236]: 98-0108138 — Interprétation relative à la TPS et à la TVQ — CTI/RTI à l'égard de certaines allocations de dépenses; 99-0101479 — Interprétation relative à la TPS et à la TVQ — Fourniture d'aliments, de boissons ou de divertissements; 00-0102665 — Interprétation relative à la TPS et à la TVQ — CTI/RTI à l'égard de frais de repas, de boissons et de divertissements refacturés; 00-0104281 — Commissions versées par une compagnie américaine; 00-0103374 — Interprétation relative à la TVQ — Indemnité pour dépenses engagées au Canada et à l'extérieur du Canada; 03-0110043 — Interprétation relative à la TPS — Application du paragraphe 236(1) de la *Loi sur la taxe d'accise*; 06-0102365 — Interprétation relative à la TPS et à la TVQ — RTI/CTI — repas acquis pour déjeuners-con-

LTA (TPS)

férences; 06-0104114 — Interprétation relative à la TPS et à la TVQ — organisation d'un congrès par un organisme sans but lucratif.

236.01 (1) Définitions — Les définitions qui suivent s'appliquent au présent article.

« bien ou service déterminé » Bien ou service visé par règlement ou faisant partie d'une catégorie réglementaire.

Concordance québécoise: Aucune.

« crédit de taxe sur les intrants provincial déterminé »

a) La partie d'un crédit de taxe sur les intrants d'une grande entreprise, relatif à un bien ou service déterminé, qui est attribuable à la taxe prévue au paragraphe 165(2), aux articles 212.1 ou 218.1 ou à la section IV.1 relativement à l'acquisition, à l'importation ou au transfert dans une province participante du bien ou service déterminé;

b) un montant visé par règlement se rapportant soit à un crédit de taxe sur les intrants d'une grande entreprise qui est attribuable à la taxe prévue au paragraphe 165(2), aux articles 212.1 ou 218.1 ou à la section IV.1, soit à un montant qui serait un tel crédit si les conditions prévues par règlement étaient remplies dans les circonstances prévues par règlement.

Concordance québécoise: Aucune.

« grande entreprise » Personne visée par règlement ou faisant partie d'une catégorie réglementaire.

Concordance québécoise: Aucune.

(2) Récupération des crédits de taxe sur les intrants provinciaux déterminés — Si un accord d'harmonisation de la taxe de vente conclu avec le gouvernement d'une province participante relativement au nouveau régime de la taxe à valeur ajoutée harmonisée permet la récupération de crédits de taxe sur les intrants, les grandes entreprises sont tenues d'ajouter, dans le calcul de leur taxe nette pour leur période de déclaration qui comprend un moment prévu par règlement, la totalité ou une partie, déterminée selon les modalités réglementaires, de leur crédit de taxe sur les intrants provincial déterminé.

Concordance québécoise: Aucune.

(3) Déduction de montants — Si un accord d'harmonisation de la taxe de vente conclu avec le gouvernement d'une province participante relativement au nouveau régime de la taxe à valeur ajoutée harmonisée permet la récupération de crédits de taxe sur les intrants, les grandes entreprises peuvent déduire, dans le calcul de leur taxe nette pour leur période de déclaration qui comprend un moment prévu par règlement, dans les circonstances prévues par règlement, un montant déterminé selon les modalités réglementaires.

Concordance québécoise: Aucune.

(4) Méthode simplifiée — Le gouverneur en conseil peut, par règlement :

a) prévoir les méthodes qu'une grande entreprise peut employer pour déterminer le montant qui est à ajouter à sa taxe nette en application du paragraphe (2), ou qui peut en être déduit en application du paragraphe (3), pour sa période de déclaration, y compris toute condition relative à l'emploi de ces méthodes;

b) établir les règles concernant la déclaration et la comptabilisation de ce montant;

c) prévoir des mesures d'observation, y compris des pénalités, ou d'autres mesures et exigences relativement à ce montant.

Concordance québécoise: Aucune.

Notes historiques: L'article 236.01 a été ajouté par L.C. 2009, c. 32, par. 23(1) et s'applique relativement aux périodes de déclaration d'une personne se terminant après juin 2010.

Définitions [par. 236.01]: « province participante » — 123(1).

Formulaires [art. 236.01]: FP-4531, *Choix ou révocation d'un choix d'utiliser une méthode d'estimation et de rapprochement pour déclarer la récupération des crédits de taxe sur les intrants.*

Info TPS/TVQ [art. 236.01]: GI-100 — *Taxe de vente harmonisée-Les constructeurs et l'exigence de récupération des crédits de taxe sur les intrants* .

236.1 Redressement en cas de non-exportation ou non-fourniture de biens — L'inscrit qui a reçu la fourniture détaxée d'un produit transporté en continu figurant à l'article 15.2 de la partie V de l'annexe VI qui n'est ni exporté par lui conformément à l'alinéa a) de cet article, ni fourni par lui conformément à l'alinéa b) de cet article, est tenu d'ajouter, dans le calcul de sa taxe nette pour la période de déclaration comprenant le premier jour où la taxe — calculée au taux fixé au paragraphe 165(1) — serait devenue payable, en l'absence de cet article, relativement à la fourniture, un montant égal aux intérêts calculés au taux réglementaire sur le montant total de taxe qui aurait été payable relativement à la fourniture si elle n'avait pas été une fourniture détaxée. Ces intérêts sont calculés pour la période commençant ce premier jour et se terminant à la date limite où la déclaration prévue à l'article 238 est à produire pour cette période de déclaration.

Notes historiques: L'article 236.1 a été remplacé par L.C. 2006, c. 4, par. 141(1) et cette modification s'applique relativement à toute fourniture de produit transporté en continu effectuée au profit d'un inscrit et relativement à laquelle la taxe serait devenue payable la première fois, en l'absence de l'article 15.2 de la partie V de l'annexe VI, un jour donné de la période de déclaration de l'inscrit pour laquelle la déclaration prévue à l'article 238 est à produire au plus tard à une date postérieure au 31 mars 2007. Toutefois, si le jour donné est antérieur au 1er avril 2007 et que la date limite de la production de la déclaration visant la période de déclaration qui comprend ce jour est postérieure au 31 mars 2007, l'article 236.1 est réputé avoir le libellé suivant :

> 236.1 L'inscrit qui a reçu la fourniture détaxée d'un produit transporté en continu figurant à l'article 15.2 de la partie V de l'annexe VI qui n'est ni exporté par lui conformément à l'alinéa a) de cet article, ni fourni par lui conformément à l'alinéa b) de cet article, est tenu d'ajouter, dans le calcul de sa taxe nette pour la période de déclaration comprenant le premier jour où la taxe serait devenue payable, en l'absence de cet article, relativement à la fourniture, un montant égal au total des montants suivants :
>
> a) les intérêts, au taux réglementaire fixé pour l'application de l'alinéa 280(1)b) plus 4 % par année composé quotidiennement, sur le montant total de taxe qui aurait été payable relativement à la fourniture si elle n'avait pas été une fourniture détaxée, calculés pour la période commençant ce premier jour et se terminant le 31 mars 2007;
>
> b) les intérêts, au taux réglementaire, sur le montant total de taxe qui aurait été payable relativement à la fourniture si elle n'avait pas été une fourniture détaxée, majoré des intérêts visés à l'alinéa a), calculés pour la période commençant le 1er avril 2007 et se terminant à la date limite où la déclaration prévue à l'article 238 est à produire pour cette période de déclaration.

Antérieurement, il se lisait ainsi :

> 236.1 L'inscrit qui a reçu la fourniture détaxée d'un produit transporté en continu figurant à l'article 15.2 de la partie V de l'annexe VI qui n'est ni exporté par lui conformément à l'alinéa a) de cet article, ni fourni par lui conformément à l'alinéa b) de cet article, est tenu d'ajouter, dans le calcul de sa taxe nette pour la période de déclaration comprenant le premier jour où la taxe serait devenue payable, n'eût été cet article, relativement à la fourniture, un montant égal aux intérêts calculés sur le total de la taxe qui aurait été payable relativement à la fourniture si elle n'avait pas été une fourniture détaxée. Ces intérêts sont calculés au taux réglementaire fixé pour l'application de l'alinéa 280(1)b), plus 4 % par année composé quotidiennement, pour la période commençant ce premier jour et se terminant à la date limite où la déclaration prévue à l'article 238 est à produire pour cette période de déclaration.

L'article 236.1 a été ajouté par L.C. 2000, c. 30, par. 65(1). Il s'applique aux fournitures effectuées après octobre 1998.

juin 2006, Notes explicatives: L'article 236.1 prévoit que l'inscrit qui a reçu la fourniture détaxée d'un produit transporté en continu (au sens du paragraphe 123(1)) qui n'est ni exporté par lui, ni fourni par lui pour être détaxé conformément à l'article 15.2 de la partie V de l'annexe VI est tenu d'ajouter un montant dans le calcul de sa taxe nette pour la période de déclaration comprenant le premier jour où la taxe serait devenue payable relativement à la fourniture. Cet ajout au montant de taxe nette traduit l'avantage, au plan de la trésorerie, dont l'inscrit a bénéficié du fait de la fourniture détaxée du produit.

En vertu de l'article 236.1, l'inscrit doit ajouter pour la période de déclaration comprenant le premier jour où la taxe serait devenue payable relativement à la fourniture, un montant égal à la somme des intérêts calculés au taux réglementaire fixé pour l'application de l'alinéa 280(1)b) et de 4 % par année composé quotidiennement, pour la période commençant ce premier jour et se terminant à la date limite où la déclaration est à produire pour cette période de déclaration.

La modification de l'article 236.1 découle de l'instauration de nouvelles règles fixant le taux d'intérêt réglementaire aux fins de la partie IX de la loi. Plus précisément, le montant à calculer en vertu de l'article 236.1 est modifié par suppression du montant supplémentaire de 4 % par année, de sorte que l'inscrit ne sera redevable que des intérêts calculés au taux réglementaire. Cette modification reflète le taux réglementaire plus élevé qui s'applique aux sommes qu'une personne a omis de payer ou de verser.

La modification s'applique relativement à une fourniture effectuée au profit d'un inscrit et relativement à laquelle la taxe serait devenue payable la première fois, en l'absence de l'article 15.2 de la partie V de l'annexe VI, un jour donné de la période de déclaration de l'inscrit pour laquelle une déclaration est à produire après mars 2007. Si le jour donné est antérieur à avril 2007 et que la date limite de la production de la déclaration visant la période de déclaration qui comprend ce jour est postérieure à mars 2007, le taux réglementaire en vigueur et le supplément de 4 % par année composé quotidiennement s'appliquent à la période antérieure à avril 2007 et le nouveau taux réglementaire s'applique à la période postérieure à mars 2007.

Concordance québécoise: LTVQ, art. 457.3.

Définitions: « accord d'harmonisation de la taxe de vente », « fourniture détaxée », « inscrit » « montant total de taxe » — 123(1); « nouveau régime de la taxe à valeur ajoutée harmonisée » — 277.1.

Renvois: 217 (sens de « fourniture taxable importée »); 225 (taxe nette); 281.1 (redressement non assujetti à la renonciation ou à l'annulation); VI:Partie V:15.1 (fournitures détaxées — exportations).

Règlements: *Règlement sur les jeux de hasard (TPS/TVH)*, art. 1.

236.2 (1) Redressement en cas d'utilisation non valide d'un certificat d'exportation — L'inscrit qui a reçu la fourniture d'un bien (sauf celle qui est incluse dans toute disposition de l'annexe VI autre que l'article 1.1 de la partie V de cette annexe) d'un fournisseur auquel il a présenté un certificat d'exportation (au sens de l'article 221.1) pour les besoins de la fourniture, mais dont l'autorisation d'utiliser le certificat n'était pas en vigueur au moment de la fourniture ou qui n'exporte pas le bien dans les circonstances visées aux alinéas 1b) à d) de cette partie, est tenu d'ajouter, dans le calcul de sa taxe nette pour sa période de déclaration qui comprend le premier jour où la taxe relative à la fourniture est devenue payable ou le serait devenue si celle-ci n'avait pas été une fourniture détaxée, un montant égal aux intérêts calculés au taux réglementaire sur le montant total de taxe relatif à la fourniture qui était payable ou l'aurait été si celle-ci n'avait pas été une fourniture détaxée. Ces intérêts sont calculés pour la période commençant ce premier jour et se terminant à la date limite où la déclaration prévue à l'article 238 est à produire pour cette période de déclaration.

Notes historiques: Le paragraphe 236.2(1) a été remplacé par L.C. 2006, c. 4, par. 142(1) et cette modification s'applique relativement à toute fourniture de bien effectuée au profit d'un inscrit et relativement à laquelle la taxe est devenue payable la première fois, ou le serait devenue si la fourniture n'avait pas été une fourniture détaxée, un jour donné de la période de déclaration de l'inscrit pour laquelle la déclaration prévue à l'article 238 est à produire au plus tard à une date postérieure au 31 mars 2007. Toutefois, si le jour donné est antérieur au 1er avril 2007 et que la date limite de la production de la déclaration visant la période de déclaration qui comprend ce jour est postérieure au 31 mars 2007, le paragraphe 236.2(1) est réputé avoir le libellé suivant :

> 236.2 (1) L'inscrit qui a reçu la fourniture d'un bien (sauf celle qui est incluse dans toute disposition de l'annexe VI autre que l'article 1.1 de la partie V de cette annexe) d'un fournisseur auquel il a présenté un certificat d'exportation (au sens de l'article 221.1) pour les besoins de la fourniture, mais dont l'autorisation d'utiliser le certificat n'était pas en vigueur au moment de la fourniture ou qui n'exporte pas le bien dans les circonstances visées aux alinéas 1b) à d) de cette partie, est tenu d'ajouter, dans le calcul de sa taxe nette pour sa période de déclaration qui fourniture est devenue payable ou le serait devenue si celle-ci n'avait pas été une fourniture détaxée, un montant égal au total des montants suivants :
>
> a) les intérêts, au taux réglementaire fixé pour l'application de l'alinéa 280(1)b) plus 4 % par année composé quotidiennement, sur le montant total de taxe qui était payable ou l'aurait été si la fourniture n'avait pas été une fourniture détaxée, calculés pour la période commençant ce premier jour et se terminant le 31 mars 2007;
>
> b) les intérêts, au taux réglementaire, sur le montant total de taxe qui était payable ou l'aurait été si la fourniture n'avait pas été une fourniture détaxée, majoré des intérêts visés à l'alinéa a), calculés pour la période commençant le 1er avril 2007 et se terminant à la date limite où la déclaration prévue à l'article 238 est à produire pour cette période de déclaration.

Antérieurement, il se lisait ainsi :

> 236.2 (1) L'inscrit qui a reçu la fourniture d'un bien (sauf celle qui est incluse dans toute disposition de l'annexe VI autre que l'article 1.1 de la partie V de cette annexe) d'un fournisseur auquel il a présenté un certificat d'exportation (au sens de l'article 221.1) pour les besoins de la fourniture, mais dont l'autorisation d'utiliser le certificat n'était pas en vigueur au moment de la fourniture ou qui n'exporte pas le bien dans les circonstances visées aux alinéas 1b) à d) de cette partie, est tenu d'ajouter, dans le calcul de sa taxe nette pour sa période de déclaration qui comprend le premier jour où la taxe relative à la fourniture est devenue payable ou le serait devenue si celle-ci n'avait pas été une fourniture détaxée, un montant égal aux intérêts, calculés au taux fixé par règlement pour l'application de l'alinéa 280(1)b), plus 4 % par année composé quotidiennement, sur le montant total de taxe relatif à la fourniture qui était payable ou l'aurait été si celle-ci n'avait pas été une fourniture détaxée. Ces intérêts sont calculés pour la période commençant le premier jour en question et se terminant à la date limite à laquelle une déclaration doit être produite en application de l'article 238 pour la période de déclaration en question.

Le paragraphe 236.2(1) a été ajouté par L.C. 2001, c. 15, par. 11(1) et est réputé entré en vigueur le 1er janvier 2001 et s'applique aux fournitures effectuées après 2000.

juin 2006, Notes explicatives: L'article 236.2 porte sur les situations où un inscrit utilise un certificat d'exportation (au sens de l'article 221.(1) pour recevoir la fourniture d'un bien en détaxation alors que les conditions de détaxation ne sont pas remplies. Dans ces cas, un montant est ajouté à la taxe nette de l'inscrit afin de faire état de l'avantage de trésorerie dont a profité initialement l'inscrit en achetant le bien en détaxation.

Le paragraphe 236.2(1) s'applique à la fourniture détaxée d'un bien reçu par un inscrit qui a fourni un certificat d'exportation au fournisseur au titre de la fourniture, lorsque l'autorisation d'utiliser le certificat n'était pas en vigueur au moment de la fourniture ou lorsque le bien n'a pas été exporté comme l'exigent les alinéas 1b) à d) de la partie V de l'annexe VI. Dans ce cas, le paragraphe 236.2(1) exige que l'inscrit ajoute un montant à sa taxe nette pour la période de déclaration comprenant le premier jour auquel la taxe aurait été exigible au titre de la fourniture. À l'heure actuelle, le montant additionnel est égal aux intérêts au taux réglementaire pour l'application de l'alinéa 280(1)b), en sus d'intérêts de 4 % par année composés quotidiennement, et calculés sur le montant total de taxe qui était ou aurait été exigible au titre de la fourniture. En outre, le montant est calculé pour la période commençant le premier jour auquel la taxe était ou aurait été exigible et prenant fin au plus tard le jour où la déclaration visant cette période doit être produite.

Le paragraphe 236.2(2) s'applique aux situations où l'autorisation qu'a un inscrit d'utiliser un certificat d'exportation est réputée avoir été révoquée aux termes du paragraphe 221.1(6). Dans ces cas, le paragraphe 236.2(2) exige que l'inscrit ajoute un montant à sa taxe nette pour la première période de déclaration suivant l'exercice dans lequel le pourcentage de ses achats au titre desquels l'inscrit a utilisé le certificat d'exportation dépasse le pourcentage de ses ventes à l'étranger. Présentement, le montant à ajouter correspond au produit du total de la TPS/TVH qui aurait été exigible sur les achats au Canada relativement auxquels le certificat a été utilisé dans l'année par les intérêts, pour un mois, fondés sur le taux annualisé prescrit aux termes de l'alinéa 280(1)b) en vigueur à la fin de la période de déclaration, en sus de 4 % par année.

Les modifications apportées aux deux paragraphes font suite à l'instauration de nouvelles règles qui précisent par règlement les taux d'intérêt aux fins de la partie IX de la loi. Les paragraphes 236.2(1) et (2) ont donc été modifiés par suppression du pourcentage additionnel de 4 % par année à ajouter à la taxe nette d'un inscrit, de sorte que quand les conditions de détaxation de fournitures aux termes d'un certificat d'exportation ne sont pas réunies, un inscrit soit tenu d'ajouter à sa taxe nette un montant correspondant seulement au taux d'intérêt réglementaire.

La modification apportée au paragraphe 236.2(1) s'applique à l'égard d'une fourniture effectuée au profit d'un inscrit quand la taxe est ou serait d'abord devenue exigible un jour donné après mars 2007. Si le jour donné est avant avril 2007, et si la déclaration visant la période incluant le jour donné doit être produite après mars 2007, le taux d'intérêt réglementaire existant, en sus de 4 % par année, s'appliquera à la période antérieure à avril 2007, et le nouveau taux réglementaire s'appliquera à la période ultérieure à mars 2007.

La modification apportée au paragraphe 236.2(2) s'applique au titre de la période d'exercice d'un inscrit qui prend fin après mars 2007. Si l'exercice inclut une période antérieure à avril 2007, le traitement actuel qui consiste à ajouter un montant égal au total de 4 % par année et au taux d'intérêt (exprimé en pourcentage par année) s'appliquera si la contrepartie de la fourniture a été versée ou est devenue exigible avant avril 2007. Si la contrepartie a été versée ou est devenue exigible après mars 2007, le nouveau taux d'intérêt réglementaire s'appliquera.

Concordance québécoise: LTVQ, art. 457.4.

(2) Redressement en cas de retrait réputé d'un certificat d'exportation — Lorsque l'autorisation d'un inscrit d'utiliser un certificat d'exportation, au sens de l'article 221.1, est retirée en vertu du paragraphe 221.1(6) à compter du lendemain du dernier jour d'un de ses exercices, l'inscrit est tenu d'ajouter, dans le calcul de sa taxe nette pour sa première période de déclaration suivant l'exercice en question, le montant obtenu par la formule suivante :

$$A \times B/12$$

où :

A représente la somme des produits suivants :

a) le produit de la multiplication du taux fixé au paragraphe 165(1) par le total des montants représentant chacun la contrepartie payée ou payable par l'inscrit pour la fourniture, effectuée dans une province non participante, de stocks qu'il a acquis au cours de l'exercice, qui est une fourniture détaxée du seul fait qu'elle est incluse à l'article 1.1 de la partie V de

LTA (TPS)

l'annexe VI, sauf une fourniture relativement à laquelle l'inscrit est tenu, en vertu du paragraphe (1), d'ajouter un montant dans le calcul de sa taxe nette pour une période de déclaration,

b) le total des montants représentant chacun le résultat de la multiplication de la contrepartie payée ou payable par l'inscrit pour la fourniture, effectuée dans une province participante, de stocks qu'il a acquis au cours de l'exercice — laquelle fourniture est une fourniture détaxée du seul fait qu'elle est incluse à l'article 1.1 de la partie V de l'annexe VI, mais non une fourniture relativement à laquelle l'inscrit est tenu, en vertu du paragraphe (1), d'ajouter un montant dans le calcul de sa taxe nette pour une période de déclaration — par la somme du taux fixé au paragraphe 165(1) et du taux de taxe applicable à la province

B le taux d'intérêt réglementaire qui est en vigueur le dernier jour de cette première période de déclaration suivant l'exercice.

Notes historiques: L'alinéa b) de l'élément A de la formule figurant au paragraphe 236.2(2) a été remplacé par L.C. 2009, c. 32, par. 24(1) et cette modification s'applique relativement aux fournitures effectuées après juin 2010. Antérieurement, il se lisait ainsi :

b) le produit de la multiplication du total des taux fixés aux paragraphes 165(1) et (2) par le total des montants représentant chacun la contrepartie payée ou payable par l'inscrit pour la fourniture, effectuée dans une province participante, de stocks qu'il a acquis au cours de l'exercice, qui est une fourniture détaxée du seul fait qu'elle est incluse à l'article 1.1 de la partie V de l'annexe VI, sauf une fourniture relativement à laquelle il est tenu, en vertu du paragraphe (1), d'ajouter un montant dans le calcul de sa taxe nette pour une période de déclaration;

L'élément B de la formule au paragraphe 236.2(2) a été remplacé par L.C. 2006, c. 4, par. 142(2) et cette modification s'applique relativement à toute période de déclaration d'un inscrit suivant un exercice de celui-ci se terminant le 1er avril 2007 ou par la suite. Toutefois, si l'exercice de l'inscrit comprend le 1er avril 2007, le paragraphe 236.2(2) est réputé avoir le libellé suivant :

(2) Lorsque l'autorisation d'un inscrit d'utiliser un certificat d'exportation, au sens de l'article 221.1, est réputée retirée en vertu du paragraphe 221.1(6) à compter du lendemain du dernier jour d'un de ses exercices, l'inscrit est tenu d'ajouter, dans le calcul de sa taxe nette pour sa première période de déclaration suivant l'exercice en question, le total des montants dont chacun s'obtient par la formule suivante :

$$A \times B/12$$

où :

A représente :

a) le produit de la multiplication du taux fixé au paragraphe 165(1) par un montant de contrepartie qui a été payé ou est devenu payable par l'inscrit avant le 1er avril 2007 pour la fourniture, effectuée dans une province non participante, de stocks qu'il a acquis au cours de l'exercice, qui est une fourniture détaxée du seul fait qu'elle est incluse à l'article 1.1 de la partie V de l'annexe VI, sauf une fourniture relativement à laquelle l'inscrit est tenu, en vertu du paragraphe (1), d'ajouter un montant dans le calcul de sa taxe nette pour une période de déclaration,

b) le produit de la multiplication du total des taux fixés aux paragraphes 165(1) et (2) par un montant de contrepartie qui a été payé ou est devenu payable par l'inscrit avant le 1er avril 2007 pour la fourniture, effectuée dans une province participante, de stocks qu'il a acquis au cours de l'exercice, qui est une fourniture détaxée du seul fait qu'elle est incluse à l'article 1.1 de la partie V de l'annexe VI, sauf une fourniture relativement à laquelle l'inscrit est tenu, en vertu du paragraphe (1), d'ajouter un montant dans le calcul de sa taxe nette pour une période de déclaration,

c) le produit de la multiplication du taux fixé au paragraphe 165(1) par un montant de contrepartie — non compris à l'alinéa a) — qui a été payé ou est devenu payable par l'inscrit le 1er avril 2007 ou par la suite pour la fourniture, effectuée dans une province non participante, de stocks qu'il a acquis au cours de l'exercice, qui est une fourniture détaxée du seul fait qu'elle est incluse à l'article 1.1 de la partie V de l'annexe VI, sauf une fourniture relativement à laquelle l'inscrit est tenu, en vertu du paragraphe (1), d'ajouter un montant dans le calcul de sa taxe nette pour une période de déclaration,

d) le produit de la multiplication du total des taux fixés aux paragraphes 165(1) et (2) par un montant de contrepartie — non compris à l'alinéa b) — qui a été payé ou est devenu payable par l'inscrit le 1er avril 2007 ou par la suite pour la fourniture, effectuée dans une province participante, de stocks qu'il a acquis au cours de l'exercice, qui est une fourniture détaxée du seul fait qu'elle est incluse à l'article 1.1 de la partie V de l'annexe VI, sauf une fourniture relativement à laquelle l'inscrit est tenu, en vertu du paragraphe (1), d'ajouter un montant dans le calcul de sa taxe nette pour une période de déclaration;

B :

a) en cas d'application des alinéas a) ou b) de l'élément A, la somme de 4 % et du taux d'intérêt réglementaire fixé pour l'application de l'alinéa 280(1)b) (exprimé en pourcentage annuel) qui est en vigueur le 31 mars 2007,

b) dans les autres cas, le taux d'intérêt réglementaire qui est en vigueur le dernier jour de cette première période de déclaration suivant l'exercice.

Antérieurement, il se lisait ainsi :

B la somme de 4 % et du taux d'intérêt fixé par règlement pour l'application de l'alinéa 280(1)b) (exprimé en pourcentage annuel) qui est en vigueur le dernier jour de cette première période de déclaration suivant l'exercice.

Le paragraphe 236.2(2) a été ajouté par L.C. 2001, c. 15, par. 11(1) et est réputé entré en vigueur le 1er janvier 2001 et s'applique aux fournitures effectuées après 2000.

Concordance québécoise: LTVQ, art. 457.5.

Définitions [art. 236.2]: « bien », « fourniture », « fourniture détaxée », « inscrit », « montant total de taxe », « période de déclaration », « province non participante », « province participante », « taux de taxe », « taxe » — 123(1).

Renvois [art. 236.2]: 225 (taxe nette).

Règlements [art. 236.2]: *Règlement sur les jeux de hasard (TPS/TVH)*, art. 1.

236.3 (1) Redressement en cas d'utilisation non valide d'un certificat de centre de distribution des exportations — L'inscrit qui a reçu la fourniture d'un bien (sauf celle qui est incluse à toute disposition de l'annexe VI autre que l'article 1.2 de la partie V de cette annexe) d'un fournisseur auquel il a présenté un certificat de centre de distribution des exportations (au sens de l'article 273.1) pour les besoins de la fourniture, mais dont l'autorisation d'utiliser le certificat n'était pas en vigueur au moment de la fourniture ou qui n'a pas acquis le bien pour utilisation ou fourniture à titre de stocks intérieurs ou de bien d'appoint (au sens où ces expressions s'entendent au paragraphe 273.1(1)) dans le cadre de ses activités commerciales, est tenu d'ajouter, dans le calcul de sa taxe nette pour sa période de déclaration qui comprend le premier jour où la taxe relative à la fourniture est devenue payable ou le serait devenue si celle-ci n'avait pas été une fourniture détaxée, un montant égal aux intérêts, calculés au taux réglementaire, sur le montant total de taxe relatif à la fourniture qui était payable ou l'aurait été si celle-ci n'avait pas été une fourniture détaxée. Ces intérêts sont calculés pour la période commençant ce premier jour et se terminant à la date limite où la déclaration prévue à l'article 238 est à produire pour cette période de déclaration.

Notes historiques: Le paragraphe 236.3(1) a été remplacé par L.C. 2006, c. 4, par. 143(1) et cette modification s'applique relativement à toute fourniture de bien effectuée au profit d'un inscrit et relativement à laquelle la taxe est devenue payable la première fois, ou le serait devenue si la fourniture n'avait pas été une fourniture détaxée, un jour donné de la période de déclaration de l'inscrit pour laquelle la déclaration prévue à l'article 238 est à produire au plus tard à une date postérieure au 31 mars 2007. Toutefois, si le jour donné est antérieur au 1er avril 2007 et que la date limite de la production de la déclaration visant la période de déclaration qui comprend ce jour est postérieure au 31 mars 2007, le paragraphe 236.3(1) est réputé avoir le libellé suivant :

236.3 (1) L'inscrit qui a reçu la fourniture d'un bien (sauf celle qui est incluse à toute disposition de l'annexe VI autre que l'article 1.2 de la partie V de cette annexe) d'un fournisseur auquel il a présenté un certificat de centre de distribution des exportations (au sens de l'article 273.1) pour les besoins de la fourniture, mais dont l'autorisation d'utiliser le certificat n'était pas en vigueur au moment de la fourniture ou qui n'a pas acquis le bien pour utilisation ou fourniture à titre de stocks intérieurs ou de bien d'appoint (au sens où ces expressions s'entendent au paragraphe 273.1(1)) dans le cadre de ses activités commerciales, est tenu d'ajouter, dans le calcul de sa taxe nette pour sa période de déclaration qui comprend le premier jour où la taxe relative à la fourniture est devenue payable ou le serait devenue si celle-ci n'avait pas été une fourniture détaxée, un montant égal au total des montants suivants :

a) les intérêts, au taux réglementaire fixé pour l'application de l'alinéa 280(1)b) plus 4 % par année composé quotidiennement, sur le montant total de taxe qui était payable relativement à la fourniture ou l'aurait été si elle n'avait pas été une fourniture détaxée, calculés pour la période commençant ce premier jour et se terminant le 31 mars 2007;

b) les intérêts, au taux réglementaire, sur le montant total de taxe qui était payable relativement à la fourniture ou l'aurait été si elle n'avait pas été une fourniture détaxée, majoré des intérêts visés à l'alinéa a), calculés pour la période commençant le 1er avril 2007 et se terminant à la date limite où la déclaration prévue à l'article 238 est à produire pour cette période de déclaration.

Antérieurement, il se lisait ainsi :

236.3 (1) L'inscrit qui a reçu la fourniture d'un bien (sauf celle qui est incluse à toute disposition de l'annexe VI autre que l'article 1.2 de la partie V de cette annexe) d'un fournisseur auquel il a présenté un certificat de centre de distribution des exportations (au sens de l'article 273.1) pour les besoins de la fourniture, mais dont l'autorisation d'utiliser le certificat n'était pas en vigueur au moment de la fourniture ou qui n'a pas acquis le bien pour utilisation ou fourniture à titre de stocks intérieurs ou de bien d'appoint (au sens où ces expressions s'entendent au paragraphe 273.1(1)) dans le cadre de ses activités commerciales, est tenu d'ajouter, dans le calcul de sa taxe nette pour sa période de déclaration qui comprend le premier jour où la taxe relative à la fourniture est devenue payable ou le serait devenue si celle-ci n'avait pas été une fourniture détaxée, un montant égal aux intérêts, calculés au taux fixé par règlement pour l'application de l'alinéa 280(1)b), plus 4 % par année composé quotidiennement, sur le montant total de taxe relatif à la fourniture qui était payable ou l'aurait été si celle-ci n'avait pas été une fourniture détaxée. Ces intérêts sont calculés pour la période commençant le premier jour en question et se terminant à la date limite à laquelle une déclaration doit être produite en application de l'article 238 pour la période de déclaration en question.

Le paragraphe 236.3(1) été ajouté par L.C. 2001, c. 15, par. 11(1) et est réputé entré en vigueur le 1er janvier 2001 et s'applique aux fournitures effectuées après 2000.

juin 2006, Notes explicatives: L'article 236.3 porte sur les situations où un inscrit utilise un certificat de centre de distribution des exportations (au sens de l'article 273.(1) pour recevoir la fourniture d'un bien en détaxation alors que les conditions de détaxation ne sont pas remplies. Dans ces cas, un montant est ajouté à la taxe nette de l'inscrit afin de faire état de l'avantage de trésorerie dont a profité initialement l'inscrit en achetant le bien en détaxation.

Le paragraphe 236.3(1) s'applique à la fourniture détaxée d'un bien reçu par un inscrit qui a fourni un certificat de centre de distribution des exportations au fournisseur au titre de la fourniture, lorsque l'autorisation d'utiliser le certificat n'était pas en vigueur au moment de la fourniture ou lorsque le bien n'a pas été acheté par l'inscrit pour utilisation ou fourniture à titre de stocks intérieurs ou de biens d'appoint dans le cadre de ses activités commerciales. Dans ce cas, le paragraphe 236.3(1) exige que l'inscrit ajoute un montant à sa taxe nette pour la période de déclaration incluant le premier jour auquel la taxe aurait été exigible au titre de la fourniture. À l'heure actuelle, le montant additionnel est égal aux intérêts au taux réglementaire pour l'application de l'alinéa 280(1)b), majorés d'intérêts de 4 % par année composés quotidiennement, et calculés sur le montant total de taxe qui était ou aurait été exigible au titre de la fourniture. En outre, le montant est calculé pour la période commençant le premier jour auquel la taxe était ou aurait été exigible et prenant fin au plus tard le jour où la déclaration visant cette période doit être produite.

Le paragraphe 236.3(2) s'applique aux situations où le pourcentage des revenus d'exportation d'un inscrit pour un exercice tombe sous la barre des 90 % ou lorsque le certificat de centre de distribution des exportations est révoqué aux termes du paragraphe 273.1(11) parce que l'inscrit n'a pas satisfait aux critères de valeur ajoutée pour l'année. Dans ce cas, le paragraphe 236.3(2) exige que l'inscrit ajoute un montant à sa taxe nette au titre de la première période de déclaration suivant l'exercice. À l'heure actuelle, le montant à ajouter correspond au produit du total de la taxe qui aurait été exigible sur les achats et les importations pour lesquels le certificat a été utilisé dans l'année par les intérêts, pour un mois, fondés sur le taux annualisé prescrit aux termes de l'alinéa 280(1)b) en vigueur à la fin de la période de déclaration, en sus de 4 % par année.

Les modifications apportées aux deux paragraphes font suite à l'instauration de nouvelles règles qui précisent les taux d'intérêt réglementaires aux fins de la partie IX de la loi. Les paragraphes 236.3(1) et (2) ont donc été modifiés par suppression du pourcentage additionnel de 4 % par année à ajouter à la taxe nette d'un inscrit, de sorte que quand les conditions de détaxation de fournitures aux termes d'un certificat de centre de distribution des exportations ne sont pas réunies, un inscrit soit tenu d'ajouter à sa taxe nette un montant correspondant seulement au taux d'intérêt réglementaire.

La modification apportée au paragraphe 236.3(1) s'applique à l'égard d'une fourniture effectuée au profit d'un inscrit quand la taxe est ou serait d'abord devenue exigible un jour donné après mars 2007. Si le jour donné est avant avril 2007, et si la déclaration visant la période incluant le jour donné doit être produite après mars 2007, le taux d'intérêt réglementaire existant, en sus de 4 % par année, s'appliquera à la période antérieure à avril 2007, et le nouveau taux réglementaire s'appliquera à la période ultérieure à mars 2007.

La modification apportée au paragraphe 236.3(2) s'applique au titre de la période d'exercice d'un inscrit qui prend fin après mars 2007. Si l'exercice inclut une période antérieure à avril 2007, le traitement actuel qui consiste à ajouter un montant égal au total de 4 % par année et au taux d'intérêt (exprimé en pourcentage par année) s'appliquera si la contrepartie de la fourniture a été versée ou est devenue exigible avant avril 2007. Si la contrepartie a été versée ou est devenue exigible ou si l'importation a eu lieu après mars 2007, le nouveau taux d'intérêt réglementaire s'appliquera.

Concordance québécoise: LTVQ, art. 457.6.

(2) Redressement en cas de non-respect des conditions relatives aux centres de distribution des exportations — Lorsque l'autorisation accordée à un inscrit en vertu du paragraphe 273.1(7) est en vigueur au cours d'un de ses exercices et que le pourcentage de recettes d'exportation (au sens du paragraphe 273.1(1)) de l'inscrit pour l'exercice est inférieur à 90 % ou que les circonstances prévues aux alinéas 273.1(11)a) ou b) se produisent relativement à l'exercice, l'inscrit est tenu d'ajouter, dans le calcul de sa taxe nette pour sa première période de déclaration suivant l'exercice en question, le montant obtenu par la formule suivante :

$$A \times B/12$$

où :

A représente la somme des produits suivants :

a) le produit de la multiplication du taux fixé au paragraphe 165(1) par le total des montants représentant chacun la contrepartie payée ou payable par l'inscrit pour la fourniture, effectuée dans une province non participante, d'un bien qu'il a acquis au cours de l'exercice, qui est une fourniture détaxée du seul fait qu'elle est incluse à l'article 1.2 de la partie V de l'annexe VI, sauf une fourniture relativement à laquelle l'inscrit est tenu, en vertu du paragraphe (1), d'ajouter un montant dans le calcul de sa taxe nette pour une période de déclaration,

b) le total des montants représentant chacun le résultat de la multiplication de la contrepartie payée ou payable par l'inscrit pour la fourniture, effectuée dans une province participante, d'un bien qu'il a acquis au cours de l'exercice — laquelle fourniture est une fourniture détaxée du seul fait qu'elle est incluse à l'article 1.2 de la partie V de l'annexe VI, mais non une fourniture relativement à laquelle l'inscrit est tenu, en vertu du paragraphe (1), d'ajouter un montant dans le calcul de sa taxe nette pour une période de déclaration — par la somme du taux fixé au paragraphe 165(1) et du taux de taxe applicable à la province,

c) le produit de la multiplication du taux fixé au paragraphe 165(1) par le total des montants représentant chacun la valeur qui est ou serait, si ce n'était le paragraphe 215(2), réputée par le paragraphe 215(1) être la valeur, pour l'application de la section III, d'un produit que l'inscrit a importé au cours de l'exercice et relativement auquel, par le seul effet de l'article 11 de l'annexe VII, la taxe prévue à cette section ne s'est pas appliquée;

B le taux d'intérêt réglementaire qui est en vigueur le dernier jour de cette première période de déclaration suivant l'exercice.

Notes historiques: L'alinéa b) de l'élément A de la formule au paragraphe 236.3(2) a été remplacé par. L.C. 2009, c. 32, par. 25(1) et cette modification s'applique relativement aux fournitures effectuées après juin 2010. Antérieurement, il se lisait ainsi :

b) le produit de la multiplication du total des taux fixés aux paragraphes 165(1) et (2) par le total des montants représentant chacun la contrepartie payée ou payable par l'inscrit pour la fourniture, effectuée dans une province participante, d'un bien qu'il a acquis au cours de l'exercice, qui est une fourniture détaxée du seul fait qu'elle est incluse à l'article 1.2 de la partie V de l'annexe VI, sauf une fourniture relativement à laquelle l'inscrit est tenu, en vertu du paragraphe (1), d'ajouter un montant dans le calcul de sa taxe nette pour une période de déclaration,

L'élément B de la formule au paragraphe 236.3(2) a été remplacé par L.C. 2006, c. 4, par. 143(2) et cette modification s'applique relativement à toute période de déclaration d'un inscrit suivant un exercice de celui-ci se terminant le 1er avril 2007 ou par la suite. Toutefois, si l'exercice de l'inscrit comprend le 1er avril 2007, le paragraphe 236.3(2) est réputé avoir le libellé suivant :

(2) Lorsque l'autorisation accordée à un inscrit en vertu du paragraphe 273.1(7) est en vigueur au cours d'un de ses exercices et que le pourcentage de recettes d'exportation (au sens du paragraphe 273.1(1)) de l'inscrit pour l'exercice est inférieur à 90 % ou que les circonstances prévues aux alinéas 273.1(11)a) ou b) se produisent relativement à l'exercice, l'inscrit est tenu d'ajouter, dans le calcul de sa taxe nette pour sa première période de déclaration suivant l'exercice en question, le total des montants dont chacun s'obtient par la formule suivante :

$$A \times B/12$$

où :

A représente :

a) le produit de la multiplication du taux fixé au paragraphe 165(1) par un montant de contrepartie qui a été payé ou est devenu payable par l'inscrit avant le 1er avril 2007 pour la fourniture, effectuée dans une province non participante, d'un bien qu'il a acquis au cours de l'exercice, qui est une fourniture détaxée du seul fait qu'elle est incluse à l'article 1.2 de la partie V de l'annexe VI, sauf une fourniture relativement à laquelle l'inscrit est tenu, en vertu du paragraphe (1), d'ajouter un montant dans le calcul de sa taxe nette pour une période de déclaration,

b) le produit de la multiplication du total des taux fixés aux paragraphes 165(1) et (2) par un montant de contrepartie qui a été payé ou est devenu payable par l'inscrit avant le 1er avril 2007 pour la fourniture, effectuée dans une province participante, d'un bien qu'il a acquis au cours de l'exercice, qui est une fourniture détaxée du seul fait qu'elle est incluse à l'article 1.2 de la partie V de l'annexe VI, sauf une fourniture relativement à laquelle l'inscrit est tenu, en vertu du paragraphe (1), d'ajouter un montant dans le calcul de sa taxe nette pour une période de déclaration,

c) le produit de la multiplication du taux fixé au paragraphe 165(1) par la valeur qui est ou serait, si ce n'était le paragraphe 215(2), réputée par le paragraphe 215(1) être la valeur, pour l'application de la section III, d'un produit que l'inscrit a importé au cours de l'exercice, mais avant le 1er avril 2007, et relativement auquel, par le seul effet de l'article 11 de l'annexe VII, la taxe prévue à cette section ne s'est pas appliquée,

d) le produit de la multiplication du taux fixé au paragraphe 165(1) par un montant de contrepartie — non compris à l'alinéa a) — qui a été payé ou est devenu payable par l'inscrit le 1er avril 2007 ou par la suite pour la fourniture, effectuée dans une province non participante, d'un bien qu'il a acquis au cours de l'exercice, qui est une fourniture détaxée du seul fait qu'elle est incluse à l'article 1.2 de la partie V de l'annexe VI, sauf une fourniture relativement à laquelle l'inscrit est tenu, en vertu du paragraphe (1), d'ajouter un montant dans le calcul de sa taxe nette pour une période de déclaration,

e) le produit de la multiplication du total des taux fixés aux paragraphes 165(1) et (2) par un montant de contrepartie — non compris à l'alinéa b) — qui a été payé ou est devenu payable par l'inscrit le 1er avril 2007 ou par la suite pour la fourniture, effectuée dans une province participante, d'un bien qu'il a acquis au cours de l'exercice, qui est une fourniture détaxée du seul fait qu'elle est incluse à l'article 1.2 de la partie V de l'annexe VI, sauf une fourniture relativement à laquelle l'inscrit est tenu, en vertu du paragraphe (1), d'ajouter un montant dans le calcul de sa taxe nette pour une période de déclaration,

f) le produit de la multiplication du taux fixé au paragraphe 165(1) par la valeur qui est ou serait, si ce n'était le paragraphe 215(2), réputée par le paragraphe 215(1) être la valeur, pour l'application de la section III, d'un produit que l'inscrit a importé le 1er avril 2007 ou par la suite au cours de l'exercice, et relativement auquel, par le seul effet de l'article 11 de l'annexe VII, la taxe prévue à cette section ne s'est pas appliquée;

B :

a) en cas d'application des alinéas a), b) ou c) de l'élément A, la somme de 4 % et du taux d'intérêt réglementaire fixé pour l'application de l'alinéa 280(1)b) (exprimé en pourcentage annuel) qui est en vigueur le 31 mars 2007,

b) dans les autres cas, le taux d'intérêt réglementaire qui est en vigueur le dernier jour de cette première période de déclaration suivant l'exercice.

Antérieurement, il se lisait ainsi :

B la somme de 4 % et du taux d'intérêt fixé par règlement pour l'application de l'alinéa 280(1)b) (exprimé en pourcentage annuel) qui est en vigueur le dernier jour de cette première période de déclaration suivant l'exercice.

Le paragraphe 236.3(2) été ajouté par L.C. 2001, c. 15, par. 11(1) et est réputé entré en vigueur le 1er janvier 2001 et s'applique aux fournitures effectuées après 2000.

Concordance québécoise: LTVQ, art. 457.7.

Définitions [art. 236.3]: « activité commerciale », « bien », « fourniture », « fourniture détaxée », « inscrit », « montant total de taxe », « période de déclaration », « province non participante », « province participante », « taux de taxe », « taxe » — 123(1).

Renvois [art. 236.3]: 178.8(8) (exception relative aux ententes d'importation); VI:Partie V:1.2 (fournitures détaxées — exportations).

Règlements [art. 236.3]: *Règlement sur les jeux de hasard (TPS/TVH)*, art. 1.

Bulletins de l'information technique [art. 236.3]: B-088, 04/07/02, *Programme de centres de distribution des exportations.*

236.4 (1) Choix visant un immeuble d'habitation — Une personne peut faire un choix à l'égard d'un immeuble d'habitation ou d'une adjonction à un immeuble d'habitation à logements multiples pour une période de déclaration donnée si les conditions suivantes sont réunies :

a) elle est le constructeur de l'immeuble ou de l'adjonction;

b) elle est réputée par les paragraphes 191(1), (3) ou (4) avoir effectué et reçu par vente, à un moment donné antérieur au 27 février 2008, une fourniture taxable de l'immeuble ou de l'adjonction et avoir payé à titre d'acquéreur, et perçu à titre de fournisseur, un montant de taxe donné relativement à cette fourniture;

c) elle n'a pas indiqué de montant au titre de la taxe relative à la fourniture dans sa déclaration produite aux termes de la présente section pour toute période de déclaration pour laquelle une déclaration est produite avant le 27 février 2008 ou doit être produite aux termes de cette section au plus tard à une date antérieure à cette date;

d) elle aurait droit au remboursement prévu au paragraphe 256.2(3) relativement à l'immeuble ou à l'adjonction, dont le montant est déterminé en fonction du montant donné de taxe, si, à la fois :

(i) l'article 256.2 s'appliquait compte non tenu de son paragraphe (7),

(ii) la valeur de l'élément B de la première formule figurant au paragraphe 256.2(3), déterminée relativement à une habitation admissible, au sens du paragraphe 256.2(1), qui fait partie de l'immeuble ou de l'adjonction, était inférieure à 450 000 $;

e) elle n'a pas fourni l'immeuble ou l'adjonction par vente à une autre personne avant le 27 février 2008;

f) la période de déclaration donnée prend fin au plus tard le 26 février 2010;

g) le choix contient les renseignements requis par le ministre et est produit en la forme déterminée par celui-ci au plus tard à la date où la personne est tenue par la présente section de produire une déclaration pour la période de déclaration donnée;

h) il s'agit du seul choix que la personne a fait en vertu du présent paragraphe à l'égard de l'immeuble ou de l'adjonction.

Concordance québécoise: LTVQ, art. 457.8.

(2) Redressement de la taxe nette — La personne qui fait le choix prévu au paragraphe (1) à l'égard d'un immeuble d'habitation ou d'une adjonction à un immeuble d'habitation à logements multiples pour sa période de déclaration doit ajouter, dans le calcul de sa taxe nette pour cette période, le montant positif obtenu par la formule ci-après ou déduire, dans ce calcul, le montant négatif obtenu par cette formule :

$$(A - B) - C$$

où :

A représente le montant de taxe donné mentionné à l'alinéa (1)b);

B le montant du remboursement, déterminé en fonction du montant de taxe donné, que la personne pourrait demander en vertu du paragraphe 256.2(3) relativement à l'immeuble ou à l'adjonction si l'article 0256.2 s'appliquait compte non tenu de son paragraphe (7);

C le montant obtenu par la formule suivante :

$$C_1 - C_2$$

où :

C1 représente le total des montants représentant chacun un crédit de taxe sur les intrants de la personne qui, à la fois :

(i) se rapporte à un bien ou un service qui est acquis, importé ou transféré dans une province participante avant le moment donné mentionné à l'alinéa (1)b) pour consommation ou utilisation dans le cadre de la fourniture mentionnée à cet alinéa,

(ii) est un montant à l'égard duquel la personne remplit les exigences énoncées au paragraphe 169(4) au moment où le choix prévu au paragraphe (1) est fait,

C2 le total des montants représentant chacun un montant compris dans le calcul de la valeur de l'élément C_1, mais seulement dans la mesure où il est raisonnable de le considérer comme un montant qui, selon le cas :

(i) a été demandé ou inclus à titre de crédit de taxe sur les intrants ou de déduction dans le calcul de la taxe nette pour la période de déclaration en cause ou pour une période de déclaration antérieure,

(ii) a été ou peut être remboursé ou remis à la personne en vertu de la présente loi ou d'une autre loi fédérale,

(iii) est inclus dans un montant de redressement, de remboursement ou de crédit pour lequel la personne a reçu une note de crédit visée au paragraphe 232(3) ou remis une note de débit qui y est visée.

Concordance québécoise: LTVQ, art. 457.9.

(3) Conséquences du choix — Pour l'application de la présente partie, la personne qui fait le choix prévu au paragraphe (1) à l'égard d'un immeuble d'habitation ou d'une adjonction à un immeuble d'habitation à logements multiples pour sa période de déclaration est réputée, à la fois :

a) avoir été réputée, par le paragraphe applicable ci-après, avoir effectué et reçu par vente, au moment donné mentionné à l'alinéa (1)b), une fourniture taxable de l'immeuble ou de l'adjonction et avoir payé à titre d'acquéreur, et perçu à titre de fournisseur, relativement à la fourniture une taxe égale au montant de taxe donné mentionné à cet alinéa :

(i) si le choix porte sur un immeuble d'habitation à logement unique ou un logement en copropriété, le paragraphe 191(1),

(ii) s'il porte sur un immeuble d'habitation à logements multiples, le paragraphe 191(3),

(iii) s'il porte sur une adjonction, le paragraphe 191(4);

b) avoir demandé, à titre de crédit de taxe sur les intrants dans le calcul de sa taxe nette pour la période de déclaration, chaque montant qui est inclus dans le calcul de la valeur de l'élément C_1 de la deuxième formule figurant au paragraphe (2), mais seulement dans la mesure où il n'est pas inclus dans le calcul de la valeur de l'élément C_2 de la même formule;

c) avoir demandé et reçu en vertu du paragraphe 256.2(3), relativement à l'immeuble ou à l'adjonction, un remboursement égal à la valeur de l'élément B de la première formule figurant au paragraphe (2);

d) ne pas être tenue d'inclure le montant de taxe donné qui est réputé avoir été perçu selon l'alinéa a) dans le calcul de sa taxe nette pour la période de déclaration qui comprend le moment donné, sauf dans la mesure où il s'agit d'inclure le montant donné dans le calcul de la valeur de l'élément A de la première formule figurant au paragraphe (2).

Concordance québécoise: LTVQ, art. 457.10.

(4) Crédit de taxe sur les intrants — Pour l'application du paragraphe 225(4), si une personne fait le choix prévu au paragraphe (1), le crédit de taxe sur les intrants relatif à l'immeuble ou à l'adjonction qu'elle est réputée avoir reçu en vertu de l'alinéa (3)a) est réputé être son crédit de taxe sur les intrants pour sa période de déclaration qui comprend le 26 février 2008 et ne pas l'être pour toute autre période.

Concordance québécoise: LTVQ, art. 457.11.

(5) Prescription en cas de choix — Si une personne fait le choix prévu au paragraphe (1) à l'égard d'un immeuble d'habitation ou d'une adjonction à un immeuble d'habitation à logements multiples, l'article 298 s'applique à toute cotisation, nouvelle cotisation ou cotisation supplémentaire établie à l'égard d'un montant qu'elle a ajouté à sa taxe nette, ou déduit de cette taxe, relativement à l'immeuble ou à l'adjonction. Cependant, le ministre dispose d'un délai de quatre ans à compter du jour où le choix doit lui être présenté au plus tard pour établir toute cotisation, nouvelle cotisation ou cotisation supplémentaire visant à tenir compte d'un montant qui est ou doit être ajouté ou soustrait dans le calcul du montant obtenu par la première formule figurant au paragraphe (2).

Concordance québécoise: LTVQ, art. 457.12.

(6) Biens réputés distincts — Pour l'application du présent article, si une personne est le constructeur d'une adjonction à un immeuble d'habitation et qu'elle peut faire le choix prévu au paragraphe (1) à l'égard de l'adjonction ou du reste de l'immeuble, l'adjonction et le reste de l'immeuble sont chacun réputés être des biens distincts.

Concordance québécoise: LTVQ, art. 457.13.

Notes historiques: L'article 236.4 a été ajouté par L.C. 2008, c. 28, par. 75(1) et s'applique aux périodes de déclaration se terminant après le 25 février 2008.

Malgré les autres dispositions de L.C. 2008, c. 28, les articles 191, 191.1 et 256.2 s'appliquent, dans le cadre de l'article 236.4 dans leur version modifiée par L.C. 2008, c. 28.

Définitions [par. 236.4]: « province participante » — 123(1).

Renvois [art. 236.4]: 457.8 (choix à l'égard d'un immeuble d'habitation); 457.9 (redressement de la taxe nette).

Info TPS/TVQ [art. 236.4]: GI-050 — *Les établissements de soins pour bénéficiaires internes Pour l'application du présent document d'information, un « établissement de soins pour bénéficiaires internes »*.

236.5 (1) Premier et second exercices distinctifs — Pour l'application du présent article, l'exercice d'un vendeur de réseau à l'égard duquel l'approbation accordée en application du paragraphe 178(5) est en vigueur constitue :

a) son premier exercice distinctif si, à la fois :

(i) il ne remplit pas pour l'exercice en cause la condition énoncée à l'alinéa 178(2)c),

(ii) il remplit la condition énoncée à cet alinéa pour chacun de ses exercices, antérieur à l'exercice en cause, à l'égard duquel l'approbation accordée en application du paragraphe 178(5) est en vigueur;

b) son second exercice distinctif si, à la fois :

(i) l'exercice en cause est postérieur à son premier exercice distinctif,

(ii) il ne remplit pas pour l'exercice en cause la condition énoncée à l'alinéa 178(2)c),

(iii) il remplit la condition énoncée à cet alinéa pour chacun de ses exercices (sauf le premier exercice distinctif), antérieur à l'exercice en cause, à l'égard duquel l'approbation accordée en application du paragraphe 178(5) est en vigueur.

Concordance québécoise: LTVQ, art. 457.0.1.

(2) Redressement par le vendeur de réseau en cas de non-respect des conditions — Sous réserve des paragraphes (3) et (4), dans le cas où un vendeur de réseau ne remplit pas une ou plusieurs des conditions énoncées aux alinéas 178(2)a) à c) pour son exercice à l'égard duquel l'approbation accordée en application du paragraphe 178(5) est en vigueur et où, au cours de cet exercice, une commission de réseau deviendrait payable par lui à son représentant commercial, compte non tenu du paragraphe 178(7), en contrepartie d'une fourniture taxable (sauf une fourniture détaxée) effectuée au Canada par le représentant commercial, le vendeur est tenu d'ajouter, dans le calcul de sa taxe nette pour sa première période de déclaration suivant l'exercice, un montant égal aux intérêts, calculés au taux réglementaire, sur le montant total de taxe relatif à la fourniture qui serait payable si la taxe était payable relativement à la fourniture. Ces intérêts sont calculés pour la période commençant le premier jour où la contrepartie de la fourniture est payée ou devient due et se terminant à la date limite où le vendeur est tenu de produire une déclaration pour la période de déclaration qui comprend ce premier jour.

Concordance québécoise: LTVQ, art. 457.0.2.

(3) Aucun redressement pour le premier exercice distinctif — Un vendeur de réseau n'a pas à ajouter de montant en application du paragraphe (2) dans le calcul de sa taxe nette pour sa première période de déclaration suivant son premier exercice distinctif dans le cas où, à la fois :

a) il remplit les conditions énoncées aux alinéas 178(2)a) et b) pour le premier exercice distinctif et pour chaque exercice, antérieur à cet exercice, à l'égard duquel l'approbation accordée en application du paragraphe 178(5) est en vigueur;

b) il remplirait la condition énoncée à l'alinéa 178(2)c) pour le premier exercice distinctif si le passage « la totalité ou la presque totalité » à cet alinéa était remplacé par « au moins 80 % ».

Concordance québécoise: LTVQ, art. 457.0.3.

(4) Aucun redressement pour le second exercice distinctif — Un vendeur de réseau n'a pas à ajouter de montant en application du paragraphe (2) dans le calcul de sa taxe nette pour sa première période de déclaration suivant son second exercice distinctif dans le cas où, à la fois :

a) il remplit les conditions énoncées aux alinéas 178(2)a) et b) pour le second exercice distinctif et pour chaque exercice, antérieur à cet exercice, à l'égard duquel l'approbation accordée en application du paragraphe 178(5) est en vigueur;

b) il remplirait la condition énoncée à l'alinéa 178(2)c) pour chacun des premier et second exercices distinctifs si le passage « la totalité ou la presque totalité » à cet alinéa était remplacé par « au moins 80 % »;

c) dans les 180 jours suivant le début du second exercice distinctif, le vendeur demande au ministre, par écrit, de retirer l'approbation.

Concordance québécoise: LTVQ, art. 457.0.4.

(5) Redressement par le vendeur de réseau en cas de défaut d'avis — Dans le cas où, après la date où l'approbation accordée en application du paragraphe 178(5) à l'égard d'un vendeur de réseau et de chacun de ses représentants commerciaux cesse d'être en vigueur du fait qu'elle a été retirée en vertu des paragraphes 178(11) ou (12), une commission de réseau deviendrait payable, compte non tenu du paragraphe 178(7), en contrepartie d'une fourniture taxable (sauf une fourniture détaxée) effectuée au Canada par un représentant commercial du vendeur qui, contrairement à ce que prévoit l'alinéa 178(13)b), n'a pas été avisé du retrait et où aucun montant n'est exigé ni perçu au titre de la taxe relative à la fourniture, le vendeur est tenu d'ajouter, dans le calcul de sa taxe nette pour sa période de déclaration qui comprend le premier jour où la contrepartie de la fourniture est payée ou devient due, un montant égal aux intérêts, calculés au taux réglementaire, sur le montant total de taxe relatif à la fourniture qui serait payable si la taxe était payable relativement à la fourniture. Ces intérêts sont calculés pour la période commençant ce premier jour et se terminant à la date limite où le vendeur est tenu de produire une déclaration pour la période de déclaration en cause.

Concordance québécoise: LTVQ, art. 457.0.5.

Notes historiques: L'article 236.5 a été ajouté par L.C. 2010, c. 12, par. 72(1) et s'applique relativement aux exercices d'une personne commençant après 2009. Toutefois, si la personne fait une demande conformément à l'alinéa 59(2)a) relativement à une période admissible, au sens de l'alinéa 59(2)c), pour l'application des paragraphes 236.5(1) à (4), la mention « exercice » à ces paragraphes vaut mention, en ce qui concerne l'exercice de la personne commençant en 2010, de « période admissible ».

Définitions [art. 236.5]: « commission de réseau », « montant total de taxe », « représentant commercial », vendeur de réseau » — 123(1).

237. (1) Acomptes provisionnels — L'inscrit dont la période de déclaration correspond à un exercice ou à une période déterminée selon le paragraphe 248(3) est tenu de verser au receveur général, au cours du mois qui suit chacun de ses trimestres d'exercice se terminant dans la période de déclaration, un acompte provisionnel égal au montant suivant :

a) sauf en cas d'application de l'alinéa b), le quart de sa base des acomptes provisionnels pour la période de déclaration;

b) le montant déterminé selon le paragraphe (5).

Notes historiques: Le paragraphe 237(1) a été modifié par L.C. 1997, c. 10, par. 216(1) et cette modification est entrée en vigueur le 1er avril 1997. Il se lisait comme suit :

> 237. (1) L'inscrit dont la période de déclaration correspond à un exercice ou à une période déterminée selon le paragraphe 248(3) est tenu de verser au receveur général, au cours du mois qui suit chacun de ses trimestres d'exercice qui prend fin au cours de la période de déclaration, un acompte provisionnel correspondant au quart de sa base des acomptes provisionnels pour cette période.

Ce paragraphe a été modifié par L.C. 1993, c. 27, par. 96(1) et s'appliquait aux périodes de déclaration commençant après le 26 avril 1992. Il se lisait comme suit :

> 237. (1) L'inscrit dont la période de déclaration correspond à un exercice ou à une période déterminée selon le paragraphe 248(3) doit, au plus tard le dernier jour de chacun de ses trimestres d'exercice se terminant après 1990 et au cours de la période de déclaration, verser au receveur général un acompte provisionnel correspondant au quart de sa base des acomptes provisionnels pour cette période.

Le paragraphe 237(1) a été ajouté par L.C. 1990, c. 45, par. 12(1).

Concordance québécoise: LTVQ, art. 458.0.1.

(2) Base des acomptes provisionnels — La base des acomptes provisionnels d'un inscrit pour une période de déclaration donnée de celui-ci correspond au moins élevé des sommes suivantes :

a) le montant suivant :

(i) dans le cas d'une période de déclaration déterminée selon le paragraphe 248(3), le résultat du calcul suivant :

$$A \times \frac{365}{B}$$

où :

A représente la taxe nette pour la période de déclaration,

B le nombre de jours de la période de déclaration,

(ii) dans les autres cas, la taxe nette pour la période de déclaration;

b) le résultat du calcul suivant :

$$C \times \frac{365}{D}$$

où :

C représente le total des montants représentant chacun la taxe nette pour une période de déclaration de l'inscrit qui prend fin dans les douze mois précédant la période de déclaration donnée,

D le nombre de jours de la période qui commence le premier jour de la première de ces périodes de déclaration précédentes et qui prend fin le dernier jour de la dernière de ces mêmes périodes.

Notes historiques: Le paragraphe 237(2) a été modifié par L.C. 1993, c. 27, par. 98(1). Il s'applique aux périodes de déclaration commençant après le 26 avril 1992. Il se lisait auparavant comme suit :

> (2) La base des acomptes provisionnels d'un inscrit pour une période de déclaration donnée de celui-ci correspond au moins élevé des montants suivants :
>
> a) la taxe nette pour la période donnée ou, s'il s'agit d'une période déterminée selon le paragraphe 248(3), le montant calculé selon la formule suivante :
>
> $$A \times \frac{12}{B}$$
>
> où :
>
> A représente la taxe nette pour la période donnée;
>
> B le nombre de mois de cette période;
>
> b) le montant calculé selon la formule suivante :
>
> $$A \times \frac{365}{B}$$
>
> où :
>
> A représente la taxe nette pour toutes ses périodes de déclaration se terminant dans les douze mois précédant la période donnée;
>
> B le nombre de jours de ces périodes antérieures.

Le paragraphe 237(2) a été ajouté par L.C. 1990, c. 45, par. 12(1).

Concordance québécoise: LTVQ, art. 458.0.2.

(3) Base des acomptes provisionnels minimale — Pour l'application du paragraphe (1), la base des acomptes provisionnels d'un inscrit qui est inférieure à 3 000 $ pour une période de déclaration est réputée nulle.

Notes historiques: Le paragraphe 237(3) a été remplacé par L.C. 2007, c. 35, par. 5(1) et cette modification s'applique aux périodes de déclaration commençant après 2007. Antérieurement, il se lisait ainsi :

> (3) Pour l'application du paragraphe (1), la base des acomptes provisionnels d'un inscrit qui est inférieure à 1 500 $ pour une période de déclaration est réputée nulle.

Le paragraphe 237(3) a été modifié par L.C. 1993, c. 27, par. 98(3) et s'applique aux périodes de déclarations commençant après le 26 avril 1992, comme suit :

(3) Pour l'application du paragraphe (1), la base des acomptes provisionnels d'un inscrit, déterminée selon les paragraphes (2) ou (5), qui est inférieure à 1 000 $ pour une période de déclaration est réputée nulle.

Il a également été modifié par L.C. 1993, c. 27, par. 98(2) rétroactivement au 17 décembre 1990. Il se lisait ainsi :

(3) Pour l'application du paragraphe (1), la base des acomptes provisionnels d'un inscrit qui est inférieure à 1 000 $ pour une période de déclaration est réputée nulle.

Le paragraphe 237(3) a été édicté par L.C. 1990, c. 45, par. 12(1).

Concordance québécoise: LTVQ, art. 458.0.3.

(4) [*Abrogé*]

Notes historiques: Le paragraphe 237(4) a été abrogé par L.C. 1993, c. 27, par. 98(4) pour les périodes de déclaration commençant après le 26 avril 1992. Il se lisait auparavant comme suit :

(4) Pour l'application du paragraphe (2), la taxe nette qui est négative est réputée nulle.

Le paragraphe 237(4) a été ajouté par L.C. 1990, c. 45, par. 12(1).

(5) Institutions financières désignées particulières — acomptes provisionnels du premier exercice — Pour l'application du paragraphe (1), lorsqu'une personne devient une institution financière désignée particulière au cours d'une de ses périodes de déclaration commençant après mars 1997, l'acompte provisionnel à payer dans le mois suivant la fin de chaque trimestre d'exercice de la période est égal au montant suivant :

a) si le trimestre d'exercice est le premier de la période de déclaration, le quart du montant déterminé selon le paragraphe (2);

b) dans les autres cas, le moins élevé des montants suivants :

(i) le quart du montant déterminé selon l'alinéa (2)a),

(ii) le résultat du calcul suivant :

$$A + B$$

où :

A représente le quart de la base des acomptes provisionnels de l'institution financière pour la période de déclaration, déterminée selon l'alinéa (2)b) comme si l'institution financière n'était pas une institution financière désignée particulière et comme si la taxe prévue au paragraphe 165(2), aux articles 212.1 ou 218.1 ou à la section IV.1 n'était pas imposée,

B le total des montants dont chacun est déterminé, quant à une province participante, selon la formule suivante :

$$C \times D$$

où :

C représente le montant déterminé selon l'élément A,

D le pourcentage applicable à l'institution financière, quant à la province participante, pour le trimestre d'exercice précédent, déterminé en conformité avec les règles fixées par règlement qui s'appliquent à l'institution financière.

Notes historiques: Le paragraphe 237(5) a été modifié par L.C. 1997, c. 10, par. 216(2) et cette modification est entrée en vigueur le 1er avril 1997. Conformément à L.C. 1993, c. 27, art. 209, la base des acomptes provisionnels d'une personne, déterminée selon le paragraphe 237(5), est communiquée au ministre du Revenu national, avant le 9 septembre 1993 [dans les 90 jours suivant la date de sanction de L.C. 1993, c. 27 (soit le 10 juin 1993)], par la présentation à celui-ci des renseignements requis, en la forme et selon les modalités qu'il détermine. Il se lisait comme suit :

(5) Par dérogation au paragraphe (2) et pour l'application du paragraphe (1), la base des acomptes provisionnels pour la période de déclaration, commençant avant 1992, d'un inscrit auquel le paragraphe (1) s'applique correspond au moins élevé des montants suivants :

a) le montant correspondant à 75 % du montant calculé à l'alinéa (2)a) pour cette période;

b) le montant calculé selon la formule suivante :

$$A \times B \times \frac{365}{C}$$

où :

A représente le pourcentage fixé par règlement;

B la contrepartie totale que l'inscrit a reçue, ou qui lui est due, pour les fournitures de biens (sauf les fournitures par vente de ses immobilisations) ou de services qu'il a effectuées au cours de son exercice précédant cette période;

C le nombre de jours de l'exercice de l'inscrit précédant cette période.

Le paragraphe 237(5) a été ajouté par L.C. 1990, c. 45, par. 12(1).

Concordance québécoise: aucune.

Définitions [art. 237]: « année d'imposition », « bien », « contrepartie », « exercice », « fourniture », « immobilisation », « inscrit », « institution financière désignée particulière », « mois », « montant », « période de déclaration », « province participante », « règlement », « service », « trimestre d'exercice », « vente » — 123(1).

Renvois [art. 237]: 225 (taxe nette); 280(2)–(4) (pénalités et intérêts sur acomptes provisionnels); 322.1(3) (effet); 363 (disposition transitoire); 363.2(2) (nouvelle période de déclaration en cas de choix de ne pas utiliser la comptabilité abrégée).

Règlements [art. 237]: *Règlement sur le pourcentage transitoire de la base des acomptes provisionnels (TPS)*, art.DORS91-22 1; *Règlement sur la méthode d'attribution applicable aux institutions financières désignées particulières (TPS/TVH)*, art. 1.

Jurisprudence [art. 237]: *Animalerie Dyno inc. c. Québec (Sous-ministre du Revenu)* (25 janvier 2008), 200-73-005359-040, 2008 CarswellQue 3625; *deFreitas c. Canada (Procureur Général du Canada)*, [2005] G.S.T.C. 121 (CF); *Vuruna c. R.* (28 octobre 2010), 2010 CarswellNat 4896, 2010 CCI 365 (CCI [procédure informelle]).

Bulletins de l'information technique [art. 237]: B-072, 15/04/94, *Autre simplification de la TPS à l'intention des petites entreprises*; B-083R, 23/05/97, *Services financiers sous le régime de la TVH*.

Mémorandums [art. 237]: TPS 500-2-1, 21/12/90, *Exercices autorisées et périodes de déclaration*, par. 20, 42-45, 47 et 49; TPS 500-2-2, 8/02/91, *Acomptes provisionnels*, par. 7, 8, 11, 12-15, 17 et 18; TPS 500-3-2, 16/03/94, *Pénalités et intérêts*, par. 13.

Formulaires [art. 237]: FPZ-58, *Formule relative à un acompte provisionnel — Taxe sur les produits et services/Taxe de vente harmonisée*; FPZ-558, *Formulaire relatif à des acomptes provisionnels*; FPZ-558.C, *Calcul des acomptes provisionnels*; GST58, *Formule de versement de la taxe sur les produits et services*; GST202, *Calcul de la période des acomptes provisionnels*.

Sous-section c — Déclarations

238. (1) Production par un inscrit — L'inscrit doit présenter une déclaration au ministre pour chacune de ses périodes de déclaration dans le délai suivant :

a) si la période de déclaration correspond à l'exercice, ou y correspondrait en l'absence du paragraphe 251(1) :

(i) lorsque l'inscrit est une institution financière désignée visée à l'un des sous-alinéas 149(1)a)(i) à (x), dans les six mois suivant la fin de l'exercice,

(ii) lorsque le sous-alinéa (i) ne s'applique pas, que l'exercice correspond à une année civile et que l'inscrit est un particulier qui exploitait une entreprise au cours de l'année pour l'application de la *Loi de l'impôt sur le revenu* et dont la date d'échéance de production pour l'année pour l'application de cette loi est le 15 juin de l'année suivante, au plus tard à cette date,

(iii) dans les autres cas, dans les trois mois suivant la fin de l'exercice;

b) sinon, dans un délai d'un mois suivant la fin de la période de déclaration.

Notes historiques: L'alinéa 238(1)a) a été remplacé par L.C. 2010, c. 12, par. 73(1) et cette modification s'applique relativement aux périodes de déclaration comprises dans un exercice qui commence après 2009. Antérieurement, il se lisait ainsi :

a) si la période de déclaration correspond à l'exercice, ou y correspondrait n'eût été le paragraphe 251(1) :

(i) sauf en cas d'application du sous-alinéa (ii), dans les trois mois suivant la fin de l'exercice,

(ii) lorsque l'exercice correspond à une année civile et que l'inscrit est un particulier qui exploitait une entreprise au cours de l'année pour l'application de la *Loi de l'impôt sur le revenu* et dont la date d'échéance de production pour l'année pour l'application de cette loi est le 15 juin de l'année suivante, au plus tard à cette date;

L'alinéa 238(1)a) a été modifié par L.C. 1996, c. 21, par. 66(1) et cette modification s'applique aux périodes de déclaration qui commencent après 1994. Auparavant, cet alinéa se lisait comme suit :

a) si la période de déclaration correspond à l'exercice, dans les trois mois suivant la fin de l'exercice;

Auparavant, le paragraphe 238(1) a été ajouté par L.C. 1990, c. 45, par. 12(1).

Concordance québécoise: LTVQ, art. 468.

(2) Production par un non-inscrit — Le non-inscrit est tenu de présenter une déclaration au ministre dans le mois suivant chacune de ses périodes de déclaration pour laquelle il doit verser la taxe nette.

Notes historiques: Le paragraphe 238(2) a été modifié par L.C. 1993, c. 27, par. 99(1) et est réputé entré en vigueur le 17 décembre 1990. Il se lisait comme suit :

(2) Le non-inscrit doit présenter une déclaration au ministre dans le mois suivant chacune de ses périodes de déclaration pour laquelle il doit verser la taxe prévue à la section II.

Le paragraphe 238(2) a été édicté par L.C. 1990, c. 45, par. 12(1).

Concordance québécoise: LTVQ, art. 470.

(2.1) Production par certaines institutions financières désignées particulières — Malgré l'alinéa (1)b) et le paragraphe (2), l'institution financière désignée particulière dont la période de déclaration est un mois d'exercice ou un trimestre d'exercice est tenue de présenter au ministre :

a) une déclaration provisoire visant la période, dans le mois suivant la fin de la période;

b) une déclaration finale pour la période, dans les six mois suivant la fin de l'exercice dans lequel la période prend fin.

Notes historiques: L'alinéa 238(2.1)b) a été remplacé par L.C. 2010, c. 12, par. 73(3) et cette modification s'applique relativement aux périodes de déclaration comprises dans un exercice qui commence après 2009. Antérieurement, il se lisait ainsi :

b) une déclaration finale pour la période, dans les trois mois suivant la fin de l'exercice dans lequel la période prend fin.

Le paragraphe 238(2.1) a été ajouté par L.C. 1997, c. 10, par. 217(1) et cette modification s'applique aux périodes de déclaration qui se terminent après mars 1997.

Concordance québécoise: aucune.

(3) Artistes non-résidents — Malgré le paragraphe (1), la personne non-résidente qui, au cours de sa période de déclaration, effectue la fourniture taxable au Canada d'un droit d'entrée à un lieu de divertissement, un colloque, une activité ou un événement doit :

a) présenter une déclaration au ministre pour cette période au plus tard le premier en date du jour où la déclaration pour cette période doit être produite en application du paragraphe (1) et du jour où la personne, ou un de ses salariés qui intervient dans l'activité commerciale dans le cadre de laquelle la fourniture est effectuée, quitte le Canada;

b) verser, au plus tard le premier en date des jours visés à l'alinéa a), les montants devenus percevables ainsi que les montants qu'elle a perçus au cours de la période au titre de la taxe prévue à la section II.

Notes historiques: Le préambule du paragraphe 238(3) a été modifié par L.C. 1994, c. 9, par. 15(1) et est réputé entré en vigueur le 17 décembre 1990. Le préambule du paragraphe 238(3) se lisait comme suit :

(3) Par dérogation au paragraphe (2), la personne non résidante qui, au cours de sa période de déclaration, effectue une fourniture taxable au Canada du droit d'entrée à un lieu de divertissement, un colloque, une activité ou un événement doit :

Le paragraphe 238(3) a été ajouté par L.C. 1990, c. 45, par. 12(1).

Concordance québécoise: LTVQ, art. 469.

(4) Forme et contenu — La déclaration doit être produite en la forme, selon les modalités et avec les renseignements déterminés par le ministre.

Notes historiques: Le paragraphe 238(4) a été ajouté par L.C. 1990, c. 45, par. 12(1).

Concordance québécoise: LTVQ, art. 471.

Définitions [art. 238]: « activité commerciale », « année d'imposition », « droit d'entrée », « exercice », « fourniture taxable », « inscrit », « institution financière désignée particulière », « lieu de divertissement », « ministre », « mois », « mois d'exercice », « montant », « non résidant », « période de déclaration », « personne », « salarié », « trimestre d'exercice » — 123(1); « jour férié » (calcul des délais) — 26, 28, 35(1).

Renvois [art. 238]: 219 (production de la déclaration et paiement de la taxe par un inscrit n'étant pas un contribuable admissible); 228(1) (calcul de la taxe nette); 228(2) (versement de la taxe nette); 228(2.1), (2.2) (institutions financières désignées particulières — déclarations provisoires); 228(2.3) (institutions financières désignées particulières — déclaration finale); 228(2.4) (remboursement provisoire aux institutions financières désignées particulières); 236.1 (redressement en cas de non-exportation ou de non-fourniture de biens); 238.1(3) (déclaration non requise); 240(2) (non-résident — inscription obligatoire); 245–251 (périodes de déclaration); 271 (fusion); 272 (liquidation); 278(1) (présentation de la déclaration au ministre); 278.1(3) (déclaration produite par voie électronique); 279 (validation des documents); 280 (pénalités et intérêts); 281 (prorogation des délais); 282, 283 (mise en demeure de produire une déclaration); 284 (défaut de produire); 326(1) (défaut de déclaration) *Loi d'interprétation*.

Jurisprudence [art. 238]: *Trudel c. R.*, [2001] G.S.T.C. 23 (CCI); *Bruner c. R.*, [2002] G.S.T.C. 285 (CCI); *Diézel c. R.*, [2003] G.S.T.C. 88 (CCI); *Paquet c. R.*, [2004] G.S.T.C. 157 (CAF); *Fournier c. R.*, [2004] G.S.T.C. 159 (CCI); *Boucher c. R.*, 2006 G.T.C. 321 (CCI); *Weinstein & Gavino Fabrique et Bar à pâtes compagnie ltée c. SMRQ* (19 décembre 2007), 500-17-015442-034, 2007 CarswellQue 12599; *Gypse & Joints MPG Rive-Nord c. R.*, 2008 G.T.C. 177 (CCI [procédure générale]); *Desrosiers c. R.*, 2008 G.T.C. 799 (CCI [procédure informelle]); *Québec (Sous-ministre du Revenu) c. Cun* (13 novembre 2008), 2008 CarswellQue 11822; *Résidences Majeau Inc. c. R.* (28 mai 2009), 2009 G.T.C. 1062 (CCI [procédure générale]); *Buckingham v. R.*, 2010 CarswellNat 3577, 2010 CCI 247, [2010] G.S.T.C. 71 (CCI [procédure générale]).

Énoncés de politique [art. 238]: P-030, 04/09/92, *Notes de crédit et redressements de taxe nette*; P-134R, 08/02/99, *Exigence pour les articles non résidants qui présentent un événement au Canada de produire une déclaration*.

Bulletins de l'information technique [art. 238]: B-072, 15/04/94, *Autre simplification de la TPS à l'intention des petites entreprises*; B-083R, 23/05/97, *Services financiers sous le régime de la TVH*; B-107, 10/11, *Régimes de placement (y compris les fonds réservés d'assureur) et la TVH* .

Mémorandums [art. 238]: TPS 300-6, 14/09/90, *Moment d'assujettissement de la fourniture*, par. 14; TPS 500-2, 25/03/91, *Déclarations et paiements*, par. 6, 7, 22–27 et annexes A, B, F; TPS 500-2-1, 21/12/90, *Exercices autorisés et périodes de déclaration*, par. 62; TPS 500-2-2, 8/02/91, *Acomptes provisionnels*, par. 3; TPS 500-2-4, 19/03/91, *Calcul de la taxe*, annexes A–E; TPS 500-2-6, 23/01/91, *Autres déclarations de TPS*, par. 3, 4.

Série de mémorandums [art. 238]: Mémorandum 7.5, 04/03, *Transmission électronique des déclarations et des versements*.

Formulaires [art. 238]: FP-303, *Demande de compensation de la TPS/TVH au moyen d'un remboursement de TPS/TVH* ; FP-400, *Redressement de la taxe sur les produits et services*; GST34, *Déclaration des inscrits — Taxe sur les produits et services*; GST62, *Déclaration de la taxe sur les produits et services/taxe de vente harmonisée (non personnalisée)*; GST268, *Avis de dépôt de la TPS*; GST494, *Déclaration finale de taxe sur les produits et services/taxe de vente harmonisée pour les institutions financières désignées particulières*; T1124, Formulaire de rapprochement de la TPS et de l'impôt sur le revenu.

Formulaires [art. 238]: RC4050, *Renseignements sur la TPS/TVH à l'intention des institutions financières désignées particulières.*

Info TPS/TVQ [art. 238]: GI-099 — *Les constructeurs et les exigences de production par voie électronique* ; GI-101 — *Taxe de vente harmonisée-Renseignements à l'intention des constructeurs d'habitations non inscrits en Ontario, en Colombie-Britannique et en Nouvelle-Écosse*; GI-106 — *Exigences de déclaration à l'intention des fournisseurs inscrits aux fins de la TPS/TVH visant l'allégement de taxe accordé au point de vente aux Premières nations de l'Ontario*; GI-118 — *Les constructeurs et IMPÔTNET TPS/TVH* .

238.1 (1) Définitions — Les définitions qui suivent s'appliquent au présent article.

« montant cumulatif » Le total des montants suivants pour une période de déclaration d'un inscrit :

a) le montant qui représenterait la taxe nette de l'inscrit pour la période si elle était déterminée compte non tenu du paragraphe (4) et si aucun crédit de taxe sur les intrants n'était demandé, ni aucun montant, déduit, dans le calcul de cette taxe;

b) le montant à ajouter en application du paragraphe (4) dans le calcul de la taxe nette pour la période.

Concordance québécoise: LTVQ, art. 473.2« montant cumulatif ».

« période désignée » Relativement à une personne, période de déclaration pour laquelle la désignation visée au paragraphe (2) est en vigueur, à l'exclusion d'une période de déclaration au cours de laquelle la personne cesse d'être un inscrit.

Concordance québécoise: LTVQ, art. 473.2« période désignée ».

Notes historiques: Le paragraphe 238.1(1) a été ajouté par L.C. 1994, c. 9, par. 16(1) et s'applique aux périodes de déclaration commençant après mars 1994.

(2) **Désignation** — À la demande d'un inscrit, le ministre peut désigner par écrit comme période admissible pour l'application du présent article la période de déclaration de l'inscrit, sauf un exercice, qui est précisée dans la demande et qui prend fin au cours de son exercice, si les conditions suivantes sont réunies :

a) le ministre est convaincu qu'il est raisonnable de s'attendre que le montant cumulatif pour la période ne dépasse pas 1 000 $;

b) la demande contient les renseignements déterminés par le ministre et lui est présentée avant le début de la période en la forme et selon les modalités qu'il détermine;

c) au moment où la demande est présentée au ministre, les faits suivants se vérifient :

(i) nulle désignation de période de déclaration de l'inscrit se terminant au cours de l'exercice n'a été supprimée,

(ii) les montants à verser par l'inscrit en application de la présente partie relativement à ses périodes de déclaration ou à des fournitures d'immeubles acquis par lui ainsi que les montants payables par lui en vertu de cette partie au titre des pénalités, intérêts, acomptes provisionnels de taxe ou montants de restitution relativement à ces périodes ont été versés ou payés,

(iii) les montants à verser ou à payer par l'inscrit avant ce moment en conformité avec la présente loi, sauf la présente partie, la *Loi sur l'accise*, la *Loi de 2001 sur l'accise*, l'article 82 et la partie VII de la *Loi sur l'assurance-emploi*, la *Loi sur les douanes*, la *Loi de l'impôt sur le revenu*, les articles 21 et 33 du *Régime de pensions du Canada* et le *Tarif des douanes* ont été versés ou payés,

(iv) les déclarations que l'inscrit est tenu, aux termes de la présente partie, de présenter au ministre avant ce moment l'ont été.

Notes historiques: Le sous-alinéa 238.1(2)c)(iii) a été remplacé par L.C. 2002, c. 22, art. 388 et cette modification est entrée en vigueur le 1er juillet 2003 [C.P. 2003-388]. Antérieurement, il se lisait ainsi :

(iii) les montants à verser ou à payer par l'inscrit avant ce moment en conformité avec la présente loi (sauf la présente partie), les articles 21 et 33 du *Régime de pensions du Canada*, la *Loi sur les douanes*, le *Tarif des douanes*, la *Loi sur l'accise*, la *Loi de l'impôt sur le revenu* et l'article 53 et la partie VII de la *Loi sur l'assurance-chômage* ont été versés ou payés,

Le paragraphe 238.1(2) a été ajouté par L.C. 1994, c. 9, par. 16(1) et s'applique aux périodes de déclaration commençant après mars 1994.

Concordance québécoise: LTVQ, art. 473.3.

(3) **Effet** — Sous réserve de l'article 282, l'inscrit n'a pas à produire de déclaration en application de l'article 238 pour une période désignée si le montant cumulatif pour la période ne dépasse pas 1 000 $.

Notes historiques: Le paragraphe 238.1(3) a été ajouté par L.C. 1994, c. 9, par. 16(1) et s'applique aux périodes de déclaration commençant après mars 1994.

Concordance québécoise: LTVQ, art. 473.4.

(4) **Calcul de la taxe nette** — S'il ne dépasse pas 1 000 $, le montant cumulatif pour une période désignée de l'inscrit :

a) est ajouté dans le calcul de sa taxe nette pour sa période de déclaration qui suit la période désignée;

b) n'est pas, malgré les autres dispositions de la présente partie, inclus dans le calcul de sa taxe nette pour la période désignée.

Notes historiques: Le paragraphe 238.1(4) a été ajouté par L.C. 1994, c. 9, par. 16(1) et s'applique aux périodes de déclaration commençant après mars 1994.

Concordance québécoise: LTVQ, art. 473.5.

(5) **Suppression** — Le ministre peut supprimer la désignation d'une période de déclaration si, selon le cas :

a) la condition énoncée à l'alinéa (2)a) n'est plus remplie relativement à la période;

b) les conditions énoncées à l'alinéa (2)c) ne seraient pas remplies si une demande de désignation était présentée au début de la période.

Notes historiques: Le paragraphe 238.1(5) a été ajouté par L.C. 1994, c. 9, par. 16(1) et s'applique aux périodes de déclaration commençant après mars 1994.

Concordance québécoise: LTVQ, art. 473.6.

(6) **Avis de suppression** — Le ministre avise par écrit l'inscrit de la suppression de la désignation de sa période de déclaration.

Notes historiques: Le paragraphe 238.1(6) a été ajouté par L.C. 1994, c. 9, par. 16(1) et s'applique aux périodes de déclaration commençant après mars 1994.

Concordance québécoise: LTVQ, art. 473.7.

(7) **Suppression d'office** — Les désignations visant les périodes de déclaration d'un inscrit qui prennent fin au cours d'un même exercice, mais qui sont postérieures à une période désignée donnée de l'inscrit qui prend fin au cours de cet exercice, sont supprimées si, selon le cas :

a) l'inscrit présente, en application des articles 238 ou 282, une déclaration pour la période donnée, ou est tenu de présenter une telle déclaration;

b) le ministre supprime la désignation de la période donnée.

Notes historiques: Le paragraphe 238.1(7) a été ajouté par L.C. 1994, c. 9, par. 16(1) et s'applique aux périodes de déclaration commençant après mars 1994.

Concordance québécoise: LTVQ, art. 473.8.

(8) **Délais de présentation** — Dans la présente partie, à l'exception du présent article, toute mention du jour où une personne est tenue de produire une déclaration vaut mention, si, par l'effet du paragraphe (3), la personne n'a pas à produire la déclaration, du jour où elle serait tenue de la produire en l'absence de ce paragraphe.

Notes historiques: Le paragraphe 238.1(8) a été ajouté par L.C. 1994, c. 9, par. 16(1) et s'applique aux périodes de déclaration commençant après mars 1994.

Concordance québécoise: LTVQ, art. 473.9.

Définitions [art. 238.1]: « exercice », « fourniture », « immeuble », « inscrit », « ministre », « montant », « période de déclaration », « personne », « règlement », « taxe » — 123(1); « jour férié » (calcul des délais) — 26, 28, 35(1).

Renvois [art. 238.1]: 169 (CTI); 225–236 (calcul de la taxe nette); 228(2) (versement de la taxe nette); 240(2) (non-résident — inscription obligatoire); 245–251 (périodes de déclaration); 279 (validation des documents); 281 (prorogation des délais); 282, 283 (mise en demeure de produire une déclaration); 284 (défaut de produire); 326(1) (défaut de déclaration) *Loi d'interprétation*.

Bulletins de l'information technique [art. 238.1]: B-072, 15/04/94, *Autre simplification de la TPS à l'intention des petites entreprises*.

Série de mémorandums [art. 238.1]: Mémorandum 1.5, 09/94, *Définitions*.

239. (1) Déclarations distinctes — L'inscrit qui exerce une activité commerciale dans des succursales ou divisions distinctes peut demander au ministre, en la forme, selon les modalités et avec les renseignements déterminés par celui-ci, l'autorisation de produire des déclarations distinctes aux termes de la présente section pour chaque succursale ou division précisée dans la demande.

Notes historiques: Le paragraphe 239(1) a été ajouté par L.C. 1990, c. 45, par. 12(1).

Concordance québécoise: LTVQ, art. 474.

Jurisprudence [art. 239(1)]: *Lee v. R.* (21 septembre 2012), 2012 CarswellNat 3612 (C.C.I.).

(2) **Autorisation** — Le ministre peut accorder l'autorisation par écrit sous réserve de conditions qu'il peut imposer en tout temps, s'il est convaincu de ce qui suit :

a) la succursale ou la division peut être reconnue distinctement par son emplacement ou la nature des activités qui y sont exercées;

b) des registres, livres de compte et systèmes comptables sont tenus séparément pour la succursale ou la division.

Notes historiques: Le paragraphe 239(2) a été ajouté par L.C. 1990, c. 45, par. 12(1).

Concordance québécoise: LTVQ, art. 475.

(3) Retrait d'autorisation — Le ministre peut retirer l'autorisation par écrit si, selon le cas :

a) l'inscrit ne respecte pas une condition de l'autorisation ou une disposition de la présente partie;

b) il est d'avis que l'autorisation n'est plus nécessaire, eu égard à la raison pour laquelle elle a été accordée ou à l'objet de la présente partie;

c) il n'est plus convaincu que les exigences des alinéas (2)a) et b) sont remplies;

d) l'inscrit lui demande, par écrit, de retirer l'autorisation.

Notes historiques: Le paragraphe 239(3) a été ajouté par L.C. 1990, c. 45, par. 12(1).

Concordance québécoise: LTVQ, art. 476.

(4) Avis de retrait — Le ministre informe l'inscrit du retrait d'autorisation dans un avis écrit précisant la date d'entrée en vigueur du retrait.

Notes historiques: Le paragraphe 239(4) a été ajouté par L.C. 1990, c. 45, par. 12(1).

Concordance québécoise: LTVQ, art. 477.

Définitions [art. 239]: « activité commerciale », « inscrit », « ministre », « registre », « règlement » — 123(1).

Renvois [art. 239]: 259(15), (16) (succursales et divisions de certains organismes); 261(5), (6) (remboursement d'un montant payé par erreur).

Jurisprudence [art. 239]: *R171 Enterprises Ltd. c. R.*, [2004] G.S.T.C. 78 (CCI).

Mémorandums [art. 239]: TPS 500-2, 25/03/91, *Déclarations et paiements*, par. 8; TPS 500-2-1, 21/12/90, *Exercices autorisés et périodes de déclaration*, par. 62; TPS 500-4-2, 15/01/91, *Remboursements aux municipalités*, par. 31; TPS 500-4-3, 17/05/91, *Universités, administrations scolaires et collèges publics*, par. 21–23; TPS 500-4-4, 31/03/93, *Administrations hospitalières*, par. 40, 41; TPS 500-4-9, 31/05/91, *Organismes de bienfaisance*, par. 1, 2, 4, 9, 13–21, 23, 24–28, 30–34, 38–42, 44; TPS 900, 25/03/91, *Remboursement de la taxe de vente fédérale à l'inventaire*, par. 14.

Série de mémorandums [art. 239]: Mémorandum 2.1, 06/95, *Inscription requise*; Mémorandum 2.3, 05/99, *Succursales et divisions*; Mémorandum 2.4, 05/99, *Succursales et divisions*, par. 1–6; Mémorandum 7.5, 04/03, *Transmission électronique des déclarations et des versements*.

Formulaires [art. 239]: FP-303, *Demande de compensation de la TPS/TVH au moyen d'un remboursement de TPS/TVH* ; FP-530, *Demande présentée par un organisme de services publics afin que ses succursales ou ses divisions présentent une demande distincte de remboursement*; FP-594, *Demande de production de déclarations distinctes pour des succursales ou des divisions*; FP-2010, *Demande de production de déclarations distinctes — Demande de remboursement distincte — Révocation de l'une ou l'autre des demandes*; GST10, *Demande de production de déclarations distinctes — Demande de remboursement distincte — Révocation de l'une ou l'autre des demandes*; GST62, *Déclaration de la taxe sur les produits et services/taxe de vente harmonisée (non personnalisée)*; GST188, *Demande présentée par un organisme de services publics afin que ses succursales ou divisions présentent une demande distincte de remboursement*.

Sous-section d — Inscription

240. (1) Inscription obligatoire — Toute personne, sauf les personnes suivantes, qui effectue une fourniture taxable au Canada dans le cadre d'une activité commerciale qu'elle y exerce est tenue d'être inscrite pour l'application de la présente partie :

a) les petits fournisseurs;

b) les personnes dont la seule activité commerciale consiste à effectuer, par vente, des fournitures d'immeubles en dehors du cadre d'une entreprise;

c) les personnes non-résidentes qui n'exploitent pas d'entreprise au Canada.

Notes historiques: Le paragraphe 240(1) a été modifié par L.C. 1993, c. 27, par. 100(1) et est réputé entré en vigueur le 17 décembre 1990. Il se lisait comme suit :

> 240. (1) Toute personne qui exerce une activité commerciale au Canada, sauf les personnes suivantes, doit présenter une demande d'inscription au ministre pour l'application de la présente partie avant le trentième jour suivant le jour où elle effectue, autrement qu'à titre de petit fournisseur, sa première fourniture taxable au Canada dans le cadre de cette activité :
>
> a) le petit fournisseur;
>
> b) la personne dont la seule activité commerciale consiste à effectuer, par vente, des fournitures taxables d'immeubles autrement que dans le cadre d'une entreprise;
>
> c) la personne non résidante qui n'exploite pas d'entreprise au Canada.
>
> Le paragraphe 240(1) a été édicté par L.C. 1990, c. 45, par. 12(1).

Concordance québécoise: LTVQ, art. 407.

(1.1) Entreprise de taxis — Malgré le paragraphe (1), le petit fournisseur qui exploite une entreprise de taxis est tenu d'être inscrit pour l'application de la présente partie relativement à cette entreprise.

Notes historiques: Le paragraphe 240(1.1) a été ajouté par L.C. 1993, c. 27, par. 100(1) et est réputé entré en vigueur le 17 décembre 1990.

Concordance québécoise: LTVQ, art. 407.1.

(1.2) Institutions financières désignées particulières visées par règlement — Toute institution financière désignée particulière qui est visée par règlement est tenue d'être inscrite pour l'application de la présente partie.

Notes historiques: Le paragraphe 240(1.2) a été ajouté par L.C. 2012, c. 31, par. 82(1) et est réputé être entré en vigueur le 1er juillet 2010.

15 octobre 2012, Notes explicatives: Selon le nouveau paragraphe 240(1.2), toute institution financière désignée particulière qui est visée par règlement est tenue d'être inscrite pour l'application de la partie IX de la Loi. Selon les dispositions réglementaires proposées, sont généralement visées par règlement les institutions financières désignées particulières qui sont des régimes de placement (au sens du paragraphe 149(5)) ou des fonds réservés d'assureurs (au sens du paragraphe 123(1)) et qui ont fait certains choix en matière de déclaration qui permettraient à leur gestionnaire de déclarer et de verser la taxe en leur nom.

Concordance québécoise: aucune.

(1.3) Inscription — groupe d'institutions financières désignées particulières — Les règles ci-après s'appliquent à tout groupe d'institutions financières désignées particulières qui est visé par règlement :

a) le groupe est tenu d'être inscrit pour l'application de la présente partie;

b) toute personne qui est visée par règlement relativement au groupe doit présenter au ministre une demande d'inscription du groupe avant la date fixée par règlement;

c) chaque membre du groupe est réputé être un inscrit pour l'application de la présente partie;

d) malgré les paragraphes (1) à (1.2), les membres du groupe ne sont pas tenus d'être inscrits séparément.

Notes historiques: Le paragraphe 240(1.3) a été ajouté par L.C. 2012, c. 31, par. 82(1) et est réputé être entré en vigueur le 1er juillet 2010.

15 octobre 2012, Notes explicatives: Le nouveau paragraphe 240(1.3) prévoit des règles relatives aux groupes d'institutions financières désignées particulières visés par règlement. Selon les dispositions réglementaires proposées, sont généralement visés par règlement les groupes de régimes de placement ou de fonds réservés d'assureurs qui ont chacun le même gestionnaire et qui ont fait, avec celui-ci, le choix de produire leurs déclarations de TPS/TVH de façon consolidée. Ces règles prévoient :

- que le groupe est tenu d'être inscrit pour l'application de la partie IX de la Loi;
- que toute personne qui est visée par règlement relativement au groupe (il s'agit, selon les dispositions réglementaires proposées, du gestionnaire des institutions financières membres du groupe) doit présenter au ministre du Revenu national une demande d'inscription du groupe avant la date fixée par règlement (selon les dispositions réglementaires proposées, il s'agit du jour qui suit de trente jours la date d'entrée en vigueur du choix relatif à la production de déclarations consolidées qui a créé le groupe);
- que chaque institution financière membre du groupe est réputée être un inscrit pour l'application de la partie IX de la Loi et que, malgré les paragraphes 240(1) à (1.2), elle n'est pas tenue d'être inscrite à titre individuel.

Concordance québécoise: aucune.

(1.4) Membre additionnel — Si une institution financière désignée particulière devient, à une date donnée, membre d'un groupe existant qui est tenu d'être inscrit pour l'application de la présente partie ou qui est inscrit aux termes de la présente sous-section, les règles ci-après s'appliquent :

a) si le groupe est tenu d'être inscrit, il doit être indiqué dans la demande d'inscription du groupe visée à l'alinéa (1.3)b) que l'institution financière est membre du groupe;

b) si le groupe est inscrit, l'institution financière ou la personne qui est visée par règlement relativement au groupe pour l'application de l'alinéa (1.3)b) doit demander au ministre, avant le trentième jour suivant la date donnée, d'ajouter l'institution financière à l'inscription du groupe;

c) l'institution financière est réputée être un inscrit pour l'application de la présente partie à compter de la date donnée;

d) malgré les paragraphes (1) à (1.2), l'institution financière n'est pas tenue d'être inscrite séparément à compter de la date donnée.

Notes historiques: Le paragraphe 240(1.4) a été ajouté par L.C. 2012, c. 31, par. 82(1) et est réputé être entré en vigueur le 1er juillet 2010.

15 octobre 2012, Notes explicatives: Le nouveau paragraphe 240(1.4) prévoit des règles qui permettent que soit ajoutée à une inscription de groupe effectuée selon le paragraphe 240(1.3) une institution financière désignée particulière qui est un régime de placement ou un fonds réservé d'assureur qui devient membre d'un groupe existant. Ces règles prévoient notamment :

- que, si le groupe est tenu d'être inscrit aux termes du paragraphe 240(1.3), il doit être indiqué dans la demande d'inscription du groupe visée à l'alinéa 240(1.3)b) que l'institution financière est membre du groupe;
- que, si le groupe est inscrit, l'institution financière ou la personne qui est visée par règlement relativement au groupe doit demander au ministre du Revenu national que l'institution financière soit ajoutée à l'inscription du groupe; cette demande doit être présentée avant le trentième jour suivant la date où l'institution financière est devenue membre du groupe;
- que l'institution financière est réputée être un inscrit pour l'application de la partie IX de la Loi à compter de la date où elle est devenue membre du groupe et que, malgré les paragraphes 240(1) à (1.2), elle n'est pas tenue d'être inscrite à titre individuel.

Concordance québécoise: aucune.

(2) Artistes non-résidents — Toute personne qui entre au Canada en vue d'effectuer des fournitures taxables de droits d'entrée à un lieu de divertissement, un colloque, une activité ou un événement est tenue d'être inscrite pour l'application de la présente partie et doit présenter une demande d'inscription au ministre avant d'effectuer les fournitures.

Notes historiques: Le paragraphe 240(2) a été modifié par L.C. 1993, c. 27, par. 100(1) et est réputé entré en vigueur le 17 décembre 1990. Il se lisait comme suit :

> La personne qui entre au Canada en vue d'effectuer des fournitures taxables de droits d'entrée à un lieu de divertissement, un colloque, une activité ou un événement doit au préalable présenter une demande d'inscription au ministre pour l'application de la présente partie.

Le paragraphe 240(2) a été édicté par L.C. 1990, c. 45, par. 12(1).

Concordance québécoise: LTVQ, art. 410.

(2.1) Présentation de la demande — La personne tenue d'être inscrite aux termes de l'un des paragraphes (1) à (1.2) doit présenter une demande d'inscription au ministre avant le trentième jour suivant celle des dates ci-après qui est applicable :

a) dans le cas d'une personne tenue d'être inscrite aux termes du paragraphe (1.1) relativement à une entreprise de taxis, la date où elle effectue une première fourniture taxable au Canada dans le cadre de cette entreprise;

a.1) dans le cas d'une institution financière désignée particulière tenue d'être inscrite aux termes du paragraphe (1.2), la date fixée par règlement;

b) dans les autres cas, la date où la personne effectue, autrement qu'à titre de petit fournisseur, une première fourniture taxable au Canada dans le cadre d'une activité commerciale qu'elle y exerce.

Notes historiques: Le passage précédant l'alinéa b) du paragraphe 240(2.1) a été remplacé par L.C. 2012, c. 31, par. 82(2) et cette modification est réputée être entrée en vigueur le 1er juillet 2010. Antérieurement, il se lisait ainsi :

> (2.1) La personne tenue d'être inscrite aux termes des paragraphes (1) ou (1.1) doit présenter une demande d'inscription au ministre avant le trentième jour suivant le jour ci-après :
>
> a) dans le cas d'une personne tenue d'être inscrite aux termes du paragraphe (1.1) relativement à une entreprise de taxis, le jour où elle effectue une première fourniture taxable au Canada dans le cadre de cette entreprise;

L'alinéa 240(2.1)b) a été remplacé par L.C. 2012, c. 31, par. 82(3) et cette modification est réputée être entrée en vigueur le 1er juillet 2010. Antérieurement, il se lisait ainsi :

> b) dans les autres cas, le jour où la personne effectue, autrement qu'à titre de petit fournisseur, une première fourniture taxable au Canada dans le cadre d'une activité commerciale qu'elle y exerce.

Le paragraphe 240(2.1) a été ajouté par L.C. 1993, c. 27, par. 100(1) et est réputé entré en vigueur le 17 décembre 1990.

15 octobre 2012, Notes explicatives: Selon le paragraphe 240(2.1), les personnes tenues d'être inscrites doivent présenter une demande d'inscription au ministre du Revenu national.

La modification apportée à ce paragraphe consiste à ajouter l'alinéa 240(2.1)a.1), selon lequel l'institution financière désignée particulière qui est tenue par le nouveau paragraphe 240(1.2) d'être inscrite pour l'application de la partie IX de la Loi doit présenter au ministre une demande d'inscription avant le trentième jour suivant la date fixée par règlement. Selon les dispositions réglementaires proposées, cette date d'échéance correspond à la date d'entrée en vigueur du choix qui permet au gestionnaire de l'institution financière de déclarer et de verser la taxe au nom de celle-ci. Par ailleurs, l'alinéa 240(2.1)b) est modifié par souci de cohérence avec d'autres dispositions de la Loi.

Concordance québécoise: LTVQ, art. 410.1.

(3) Inscription au choix — La personne qui n'est pas tenue d'être inscrite aux termes des paragraphes (1), (1.1), (1.2), (2) ou (4) et qui n'a pas à être incluse dans l'inscription d'un groupe en application des paragraphes (1.3) ou (1.4), ou à être ajoutée à cette inscription, peut présenter une demande d'inscription au ministre pour l'application de la présente partie si, selon le cas :

a) elle exerce une activité commerciale au Canada;

b) elle est une personne non-résidente qui, dans le cours normal d'une entreprise qu'elle exploite à l'étranger, selon le cas :

(i) fait régulièrement des démarches pour obtenir des commandes de biens meubles corporels à exporter ou à livrer au Canada,

(ii) a conclu une convention par laquelle elle s'engage à fournir :

(A) soit des services à exécuter au Canada,

(B) soit des biens meubles incorporels qui seront utilisés au Canada ou qui se rapportent, selon le cas :

(I) à des immeubles situés au Canada,

(II) à des biens meubles corporels habituellement situés au Canada,

(III) à des services à exécuter au Canada;

c) elle est une institution financière désignée résidant au Canada.

d) elle est une personne morale résidant au Canada qui est propriétaire d'actions du capital-actions, ou détentrice de créances, d'une autre personne morale qui lui est liée, ou qui acquiert, ou projette d'acquérir, la totalité, ou presque, des actions du capital-actions d'une autre personne morale, émises et en circulation et comportant plein droit de vote en toutes circonstances si la totalité, ou presque, des biens de l'autre personne morale sont, pour l'application de l'article 186, des biens que cette dernière a acquis ou importés la dernière fois pour consommation, utilisation ou fourniture exclusive dans le cadre de ses activités commerciales.

e) elle est l'acquéreur d'une fourniture admissible, au sens du paragraphe 167.11(1), ou d'une fourniture qui serait une fourniture admissible si elle était un inscrit, et elle fait, relativement à la fourniture admissible, le choix prévu au paragraphe 167.11(2) qu'elle présente au ministre avant le dernier en date des jours visés à l'alinéa 167.11(7)a);

f) elle est une personne morale qui serait un membre temporaire, au sens du paragraphe en l'absence de l'alinéa a) de la définition de ce terme.

Notes historiques: Le préambule du paragraphe 240(3) a été remplacé par L.C. 2012, c. 31, par. 82(4) et cette modification est réputée être entrée en vigueur le 1er juillet 2010. Antérieurement, il se lisait ainsi :

> (3) La personne qui n'est pas tenue d'être inscrite aux termes des paragraphes (1), (1.1), (2) ou (4) peut présenter une demande d'inscription au ministre pour l'application de la présente partie si, selon le cas :

L'alinéa 240(3)b) a été modifié par L.C. 1997, c. 10, par. 54(1) et cette modification s'applique à compter du 24 avril 1996. Auparavant, cet alinéa se lisait comme suit :

> b) elle est une non-résidente mais fait régulièrement, dans le cours normal d'une entreprise exploitée à l'étranger, des démarches pour obtenir des commandes de biens meubles corporels à livrer au Canada;

L'alinéa 240(3)d) a été modifié par L.C. 1997, c. 10, par. 218(1) et cette modification est entrée en vigueur le 1er avril 1997. Auparavant, cet alinéa se lisait comme suit :

> d) elle est une personne morale résidant au Canada qui est propriétaire d'actions du capital-actions, ou détentrice de créances, d'une autre personne morale qui lui est liée, ou qui acquiert, ou projette d'acquérir, la totalité, ou presque, des actions du capital-actions d'une autre personne morale, émises et en circulation et comportant plein droit de vote en toutes circonstances si la totalité, ou presque, des biens de l'autre personne morale sont, pour l'application de l'article 186, des biens que cette dernière a acquis ou importés pour consommation, utilisation ou fourniture exclusive dans le cadre de ses activités commerciales.

Auparavant, le paragraphe 240(3) a été modifié par L.C. 1993, c. 27, par. 100(1) et est réputé entré en vigueur le 17 décembre 1990, à l'exception de l'alinéa 240(3)d), ajouté par L.C. 1993, c. 27, par. 100(2), qui est entré en vigueur le 10 juin 1993. Il se lisait comme suit :

> (3) La personne — institution financière désignée résidant au Canada ou personne non résidante faisant régulièrement, dans le cours normal d'une entreprise exploitée à l'étranger, des démarches pour obtenir des commandes de biens meubles corporels à livrer au Canada — qui exerce une activité commerciale au Canada peut présenter une demande d'inscription au ministre pour l'application de la présente partie.

L'alinéa 240(3)e) a été ajouté par L.C. 2007, c. 18, par. 33(1) et est réputé être entré en vigueur le 28 juin 1999.

L'alinéa 240(3)f) a été ajouté par L.C. 2007, c. 18, par. 33(1) et est réputé être entré en vigueur le 17 novembre 2005.

Le paragraphe 240(3) a été édicté par L.C. 1990, c. 45, par. 12(1).

15 octobre 2012, Notes explicatives: Selon le paragraphe 240(3), les personnes qui exercent une activité commerciale au Canada et certaines autres personnes déterminées peuvent présenter une demande d'inscription aux fins de la TPS/TVH. Ce paragraphe ne s'applique qu'aux personnes qui ne sont tenues par ailleurs de s'inscrire aux termes des paragraphes 240(1), (1.1), (2) ou (4).

Le paragraphe 240(3) est modifié de façon à prévoir qu'il ne s'applique pas non plus aux personnes tenues de s'inscrire aux termes du nouveau paragraphe 240(1.2) ou qui doivent être incluses dans l'inscription d'un groupe selon les nouveaux paragraphes 240(1.3) ou (1.4) ou être ajoutées à cette inscription.

Concordance québécoise: LTVQ, art. 411.

Série de mémorandums [art. 240(3)]: Mémorandum 8.6, 11/11, *Crédits de taxe sur les intrants-sociétés de portefeuille et prises de contrôle.*

Info TPS/TVQ [art. 240(3)]: GI-122 — *Les incidences de la TPS/TVH à la suite de l'acquisition de panneaux solaires en vertu du Programme de tarifs de rachats garantis pour les micro-projets en Ontario.*

(3.1) Extension de l'inscription pour entreprise de taxis — Le petit fournisseur qui exploite une entreprise de taxis peut demander au ministre, en présentant les renseignements requis par celui-ci en la forme et selon les modalités qu'il détermine, de rendre son inscription valable pour l'ensemble des activités commerciales qu'il exerce au Canada. Sur approbation de la demande, le ministre en informe le petit fournisseur par avis écrit précisant la date à compter de laquelle l'inscription est ainsi valable.

Notes historiques: Le paragraphe 240(3.1) a été ajouté par L.C. 1993, c. 27, par. 100(1) et est réputé entré en vigueur le 17 décembre 1990.

Concordance québécoise: LTVQ, art. 411.1.

(4) Fournisseurs de biens visés par règlement — Pour l'application de la présente partie, est réputée exploiter une entreprise au Canada et est tenue d'être inscrite la personne, sauf un petit fournisseur, qui, résidant au Canada ou non, y offre de fournir, par l'intermédiaire d'un salarié ou d'un mandataire ou au moyen d'une publicité s'adressant au marché canadien, des biens visés par règlement pris en application de l'article 143.1 qui sont à envoyer à un acquéreur, par la poste ou par messager, à une adresse au Canada, ou fait, par semblable intermédiaire ou moyen, des démarches pour obtenir des commandes de tels biens.

Notes historiques: Le paragraphe 240(4) a été modifié par L.C. 1993, c. 27, par. 100(3) et est réputé entré en vigueur le 1er janvier 1993. Il se lisait auparavant comme suit :

> (4) Pour l'application du paragraphe (1), la personne non résidante qui, au Canada, fait des démarches pour obtenir des commandes pour la fourniture par elle de biens meubles corporels auxquels le paragraphe 143(2) s'appliquerait si la personne effectuant la fourniture était un inscrit, ou offre de tels biens, pour les fournir par l'intermédiaire d'un salarié ou d'un mandataire ou par un programme de publicité s'adressant au marché canadien est réputée exploiter une entreprise au Canada.

Le paragraphe 240(4) a été ajouté par L.C. 1990, c. 45, par. 12(1).

Concordance québécoise: LTVQ, art. 409:1°.

Info TPS/TVQ [art. 240(4)]: GI-012 — *Mandataires.*

(5) Forme et contenu — La demande d'inscription ou la demande d'ajout à l'inscription d'un groupe doit être présentée au ministre en la forme et selon les modalités qu'il détermine et contenir les renseignements déterminés par lui.

Notes historiques: Le paragraphe 240(5) a été remplacé par L.C. 2012, c. 31, par. 82(5) et cette modification est réputée être entrée en vigueur le 1er juillet 2010. Antérieurement, il se lisait ainsi :

> (5) La demande d'inscription doit être présentée au ministre en la forme, selon les modalités et avec les renseignements déterminés par celui-ci.

Le paragraphe 240(5) a été ajouté par L.C. 1990, c. 45, par. 12(1).

15 octobre 2012, Notes explicatives: Selon le paragraphe 240(5), la demande d'inscription doit être produite en la forme et selon les modalités déterminées par le ministre du Revenu national.

Ce paragraphe est modifié de façon à ce qu'il s'applique aussi à une demande visant l'ajout d'une personne à une inscription de groupe, comme le prévoit le nouvel alinéa 240(1.4)b).

Concordance québécoise: LTVQ, art. 412.

(6) Garantie — Quiconque ne réside pas au Canada, ou n'y résiderait pas sans le paragraphe 132(2), n'y a pas d'établissement stable, ou n'en aurait pas sans l'alinéa b) de la définition de « établissement stable » au paragraphe 123(1), et présente une demande d'inscription ou est tenu d'être un inscrit pour l'application de la présente partie doit donner, et par la suite maintenir, une garantie — sous une forme et d'un montant acceptables pour le ministre — indiquant qu'il paiera ou versera les montants dont il est redevable en vertu de la présente partie.

Notes historiques: Le paragraphe 240(6) a été modifié par L.C. 1997, c. 10, par. 54(2) et cette modification s'applique à compter du 24 avril 1996. Il se lisait comme suit :

> (6) Toute personne non résidante, n'ayant pas d'établissement stable au Canada, qui présente une demande d'inscription ou qui est tenue d'être un inscrit pour l'application de la présente partie doit donner, et par la suite maintenir, une garantie — sous une forme et d'un montant acceptables pour le ministre — indiquant qu'elle percevra et versera la taxe conformément à la présente section.

Ce paragraphe a été ajouté par L.C. 1990, c. 45, par. 12(1).

Concordance québécoise: aucune.

(7) Défaut de se conformer — Dans le cas où, à un moment donné, une personne ne se conforme pas ou cesse de se conformer au paragraphe (6), le ministre peut retenir comme garantie, sur un montant qui peut être payable à la personne en vertu de la présente partie, ou qui peut le devenir, un montant ne dépassant pas l'excédent du montant visé à l'alinéa a) sur le montant visé à l'alinéa b) :

a) le montant de garantie qui, au moment donné, serait acceptable pour le ministre si la personne le lui donnait en conformité avec le paragraphe (6);

b) le montant de garantie donné et maintenu par la personne en conformité avec le paragraphe (6).

Les présomptions suivantes s'appliquent au montant ainsi retenu :

c) le ministre est réputé l'avoir payé à la personne au moment donné;

d) la personne est réputée l'avoir donné à titre de garantie en conformité avec le paragraphe (6) immédiatement après le moment donné.

Notes historiques: Le paragraphe 240(7) a été ajouté par L.C. 1997, c. 10, par. 54(2) et s'applique à compter du 24 avril 1996.

Concordance québécoise: aucune.

15 octobre 2012, Notes explicatives: L'article 240 prévoit les exigences en matière d'inscription qui s'appliquent sous le régime de la TPS/TVH.

Les modifications apportées à cet article consistent à ajouter les paragraphes 240(1.2), (1.3) et (1.4) et à modifier les paragraphes 240(2.1), (3) et (5). De façon générale, ces modifications permettent aux groupes d'institutions financières désignées particulières (au sens du paragraphe 225.2(1)) visés par règlement d'effectuer une seule inscription de groupe et prévoient que les institutions financières désignées particulières visées par règlement doivent s'inscrire sous le régime de la TPS/TVH.

Ces modifications sont réputées être entrées en vigueur le 1er juillet 2010.

Guides (Québec): IN-263 — Les fabricants de boissons alcooliques et les taxes à la consommation.

Définitions [art. 240]: « acquéreur », « activité commerciale », « bien », « bien meuble », « droit d'entrée », « entreprise », « entreprise de taxis », « établissement stable », « exclusif », « fourniture », « fourniture taxable », « immeuble », « importation », « inscrit », « institution financière désignée », « lieu de divertissement », « messager », « ministre », « non résidant », « personne », « petit fournisseur », « règlement », « salarié », « service », « vente » — 123(1).

Renvois [art. 240]: 123(2) (Canada); 126 (lien de dépendance); 142 (lieu de la fourniture); 145 (associé d'une société de personnes); 148 (petit fournisseur); 171(1), (2) (nouvel inscrit); 171.1 (entreprise de taxis); 195.2 (dernière acquisition ou importation); 238(3) (artistes non résidant); 241 (inscription); 242 (annulation ou modification de l'inscription); 243(3), (4) (avis par inscrit — période de déclaration); 251(1) (période de déclaration du nouvel inscrit); 314 (garantie); 411 (inscription facultative).

Règlements [art. 240]: *Règlement sur la divulgation du numéro d'assurance sociale*, art. 1.

Jurisprudence [art. 240]: *946406 Ontario Ltd. c. La Reine*, [1993] G.S.T.C. 57 (CCI); *Plumb (T.) c. La Reine*, [1994] G.S.T.C. 83 (CCI); *San Clara Holdings Ltd. c. La Reine*, [1994] G.S.T.C 84 (CCI); *Navaho Inn c. La Reine*, [1995] G.S.T.C. 21 (CCI); *R. c. Boyer*, [1996] G.S.T.C. 14 (SaskProv Ct); *Two Carlton Financing Ltd c. Canada*, [1998] G.S.T.C. 59 (CCI); [2000] G.S.T.C. 2 (CAF); *Republic National Bank of New York c. Canada*, [1999] G.S.T.C. 32 (CCI); *Marée Haute Enr. c. R.*, [2000] G.S.T.C. 10 (CCI); *Rapid Transit Courier Ltd. c. R.*, [2000] G.S.T.C. 59 (CCI); *Louie c. R.*, [2002] G.S.T.C. 34 (CCI); *Dionne c. R.*, [2006] G.S.T.C. 164 (CCI); *Weinstein & Gavino Fabrique et Bar à pâtes compagnie ltée c. SMRQ* (19 décembre 2007), 500-17-015442-034, 2007 CarswellQue 12599; *Québec (Sous-ministre du Revenu) c. Cun* (13 novembre 2008), 2008 CarswellQue 11822; *Landry c. R.*, 2009 G.T.C. 997-82 (CCI [procédure informelle]); *Lucas v. R.* (17 novembre 2011), 2011 CarswellNat 5871, 2011 CCI 527, 2012 G.T.C. 3 (CCI [procédure informelle]).

Énoncés de politique [art. 240]: P-001, 12/05/92, *Dépôt de garantie requis des non-résidents avec peu d'activité au Canada*; P-015, 20/07/94, *Le traitement des simples-fiducies en vertu de la Loi sur la taxe d'accise*; P-032, 20/07/92, *Sociétés de portefeuille — Inscription et crédits de taxe sur les intrants*; P-035, 17/09/92, *Les services financiers détaxés et le seuil du petit fournisseur*; P-045, 09/11/92, *Les transactions papillon*; P-051R2, 29/04/05, *Exploitation d'une entreprise au Canada*; P-138R, 14/05/99, *L'effet d'un choix concernant une coentreprise sur la capacité d'un participant de s'inscrire et de demander des crédits de taxe sur les intrants*; P-139R, 30/04/99, *Assujettissement à la taxe et admissibilité aux crédits de taxe sur les intrants pour les participants à une coentreprise n'ayant pas présenté de choix*; P-140, 09/06/94, *Comment l'article 186 et l'alinéa 240(3)d de la Loi sur la taxe d'accise s'appliquent aux sociétés de portefeuille qui étaient inscrites avant le 10 juin 1993*; P-167R, 29/03/00, *Signification de la première partie de la définition du terme « entreprise »*; P-173, 01/03/95, *Sens de l'expression « établir une entreprise au Canada »* (Ébauche); P-182R, 28/08/03, *Du mandat*; P-185R, 25/06/99, *Importation de publications visées par règlement et agents d'abonnement*; P-201, 13/02/96, *Montant de la garantie exigée de non-résidents* (Ébauche).

Bulletins de l'information technique [art. 240]: B-32R, 08/06/93, *Régimes enregistrés de pension*; B-051, 22/03/91, *Lignes directrices concernant la garantie exigée des non-résidents*; B-068, 20/01/93, *Simples fiducies*; B-075R, 23/04/96, *Modifications proposées à la TPS*; B-090, 07/02, *La TPS/TVH et le commerce électronique*.

Mémorandums [art. 240]: TPS 300, 7/03/91, *Taxe sur les fournitures*, par. 8, 27; TPS 300-3-9, 17/08/92, *Services financiers*, par. 24, 25, 30; TPS 300-4, 02/11/93, *Fournitures exonérées*, par. 4; TPS 300-4, 02/11/93, *Fournitures exonérées*, par. 4; TPS 300-4-7, 02/12/93, *Services financiers*, par. 1-5; TPS 500-6-2, 19/03/93, *Gouvernements provinciaux*, par. 5, 8, 19; TPS 700-5-6, 9/12/91, *Crédits de taxe sur les intrants et sociétés de portefeuille, prises de contrôle, et personnes morales à paliers multiples*, par. 5, 6, 8.

Série de mémorandums [art. 240]: Mémorandum 2.1, 05/99, *Inscription requise*; Mémorandum 2.2, 05/99, *Petits fournisseurs*, par. 13-14; Mémorandum 2.3, 05/99, *Inscription au choix*; Mémorandum 2.4, 06/95, *Succursales et divisions*; Mémorandum 2.5, 05/99, *Inscription des non-résidents*; Mémorandum 2.6, 05/99, *Exigences de garantie des non-résidents*; Mémorandum 3.1, 08/99, *Assujettissement à la taxe*; Mémorandum 3.3, 04/00, *Lieu de fourniture*; Mémorandum 17.8, 04/99, *Caisses de crédit*; Mémorandum 17.9, 08/99, *Agents et courtiers d'assurance*; Mémorandum 17.10, 05/99, *Escompteurs d'impôt*; Mémorandum 19.4.1, 08/99, *Immeubles commerciaux — Ventes et locations*; Mémorandum 27.3R, 01/10, *Programme d'incitation pour congrès étrangers et voyages organisés — Remboursement de la taxe payée sur les voyages organisés admissibles et sur l'hébergement fourni dans le cadre d'un voyage organisé admissible*.

Formulaires [art. 240]: GST5, *Formulaire d'inscription aux fins de la taxe sur les produits et services*; GST11F, *Formulaire de caution à l'intention de toute personne non résidante n'ayant pas d'établissement stable au Canada*; GST226, *Formulaire d'inscription aux fins de la taxe canadienne sur les produits et services à l'intention des non-résidents*; GST367, *Avenant de la garantie à l'intention de toute personne non résidente n'ayant pas d'établissement commercial stable au Canada*; LM-1, *Formulaire d'inscription*; LM-1.PA, *Demande d'inscription du particulier en affaires*; RC4070, *Guide pour les petites entreprises canadiennes — Révisé (1er juillet 2006 — version électronique seulement)*; RC4103, *Renseignements sur la TPS/TVH pour les fournisseurs de publications*; RC4125, *Renseignements généraux sur la TPS/TVH pour les exploitants de taxis et de limousines*.

Lettres d'interprétation (Québec) [art. 240]: 98-010324 — Inscription en vertu de la *Loi sur la taxe d'accise* (L.R.C. 1985, c. E-15, ci-après « LTA ») et de la *Loi sur la taxe de vente du Québec* (L.R.Q., c. T-0.1, ci-après « LTVQ ») vs la *Loi sur la faillite et l'insolvabilité*; 98-0104954 — Décision portant sur l'application de la TPS — Interprétation relative à la TVQ; 99-0107617 — Interprétation relative à la TPS et à la TVQ — Droit pour un entrepreneur indépendant d'un démarcheur de demander des CTI/RTI; 01-0107621 — Interprétation relative à la TPS et à la TVQ — Déclarations au secteur public et aux taxes spécifiques; 02-0102158 — Décision portant sur l'application de la TPS — Interprétation relative à la TVQ — Contributions versées dans le cadre d'un projet relatif à la création d'emplois; 02-0104758 — Interprétation relative à la TPS et à la TVQ — Organisation d'un congrès international; 02-0105581 — Fournitures effectuées par un organisme à but non lucratif; 04-0106320 — Décision portant sur l'application de la TPS — Interprétation relative à la TVQ — Inscription d'une personne morale qui demande d'être régie par la partie III de la *Loi sur les compagnies* (L.R.Q., c. C-38).

Info TPS/TVQ [art. 240]: GI-025 — *Achat, utilisation et vente de propriétés de vacances par des particuliers*.

COMMENTAIRES: Aux fins du régime de la TPS/TVH, en vertu du paragraphe 240(1), la personne est considérée comme inscrite, peu importe si la personne procède à l'inscription. Cette interprétation est tributaire de la définition du terme « inscrit » qui figure au paragraphe 123(1).

Au moment où la personne dépose sa demande d'inscription, la date effective d'inscription sera celle où la personne effectue sa première fourniture taxable au Canada, autrement qu'à titre de petit fournisseur. Voir notamment à cet effet : Agence du revenu du Canada, Lettre de l'Administration centrale sur la TPS, 11601-3, 11930-7A — *GST/HST Application Ruling* (9 mars 2005). À ce titre, les autorités fiscales acceptent, en pratique, une inscription rétroactive dans la mesure où le requérant peut démontrer que des fournitures taxables ont été effectuées avant la date de présentation de sa demande d'inscription. Une nuance s'impose toutefois dans le cas d'une demande d'inscription volontaire où, selon la politique administrative actuelle, une inscription « automatique » rétroactive de 30 jours serait possible, sans avoir à fournir de preuve documentaire. Voir notamment à cet effet : question 48, Agence du revenu du Canada, *Questions et Commentaires TPS/TVH*, Conférence annuelle entre l'Association du Barreau Canadien et l'Agence du revenu du Canada (23 février 2012).

À titre d'inscrit, celui-ci est assujetti aux droits et obligations du régime de la TPS/TVH, notamment celui de percevoir la TPS à un taux de 5%, mais également celui de réclamer des crédits de taxe sur les intrants en vertu de l'article 169. Voir notamment à cet effet : Agence du revenu du Canada, Lettre de l'Administration centrale sur la TPS, 121400 — *Non-resident Registration* (23 février 2010).

Nous désirons souligner que pour les périodes subséquentes au 1er janvier 2013, l'Agence du Revenu du Canada a indiqué qu'elle émettrait prochainement un avis détaillant les circonstances, suite au projet d'harmonisation de la TVQ, en vertu desquelles l'inscription en TPS/TVH doit se faire à l'Agence du revenu du Canada ou à Revenu Québec. Voir notamment à cet effet : question 9, Agence du revenu du Canada, Questions et commentaires en TPS/TVH, Conférence annuelle entre l'Association du Barreau Canadien et l'Agence du revenu du Canada (le 23 février 2012).

Au moment de s'inscrire aux fins de la TPS/TVH, les entreprises doivent généralement communiquer à l'Agence du revenu du Canada ou à Revenu Québec des renseignements d'identification de base, tels que leur nom commercial, des informations sur l'identification des actionnaires et les activités de l'entreprise. De façon générale, les autorités fiscales utilisent ces renseignements pour gérer les comptes des entreprises et pour améliorer l'observation des règles fiscales, y compris la détection des cas de fraude. Le budget fédéral du 21 mars 2013 propose de conférer au ministre du Revenu national le pouvoir de retenir le versement de remboursements de TPS/TVH demandés par une entreprise jusqu'à ce que tous les renseignements requis aient été communiqués. Cette mesure aidera les autorités fiscales à authentifier les inscriptions aux fins de la TPS/TVH ainsi qu'à renforcer ses activités d'observation des règles fiscales en améliorant la qualité des données dont elles disposent pour évaluer le risque en matière d'observation des règles fiscales. Il est indiqué toutefois que le ministre du Revenu national exercera son pouvoir de retenir les remboursements de façon judicieuse et équitable. Ainsi, les autorités fiscales continueront de s'efforcer d'obtenir les renseignements manquants auprès des contribuables et poursuivront ses démarches en ce sens. Cette nouvelle mesure s'appliquera à compter de la date de la sanction royale de la loi habilitante. Il reste à voir maintenant si cette disposition sera également adoptée dans le régime de la TVQ en vertu de la *Loi sur la taxe de vente du Québec*.

241. (1) Inscription — Le ministre peut inscrire toute personne qui lui présente une demande d'inscription. Dès lors, il lui attribue un numéro d'inscription et l'avise par écrit de ce numéro ainsi que de la date de prise d'effet de l'inscription.

Notes historiques: Le paragraphe 241(1) a été remplacé et les paragraphes 241(1.1) et (1.2) ont été ajoutés par L.C. 2012, c. 31, par. 83(1) et ces modifications sont réputées être entrées en vigueur le 1er juillet 2010. Antérieurement, le paragraphe 241(1) se lisait ainsi :

> 241. (1) Le ministre peut inscrire toute personne qui lui présente une demande d'inscription. À cette fin, il lui attribue un numéro d'inscription et l'avise par écrit de ce numéro ainsi que de la date de prise d'effet de l'inscription.

L'article 241, édicté par L.C. 1990, c. 45, par. 12(1), est devenu le paragraphe 241(1) par L.C. 1993, c. 27, par. 101(1) et est réputé entré en vigueur le 17 décembre 1990.

15 octobre 2012, Notes explicatives: Selon le paragraphe 241(1), le ministre du Revenu national attribue à toute personne qui présente une demande d'inscription un numéro indiquant qu'elle est inscrite sous le régime de la TPS/TVH et l'avise par écrit de la date de prise d'effet de l'inscription.

Les modifications apportées à ce paragraphe ont pour seul but d'en adapter le libellé aux normes de rédaction législative courantes.

Concordance québécoise: LTVQ, art. 415.

(1.1) Inscription de groupe — Le ministre peut inscrire un groupe d'institutions financières désignées particulières qui est visé par règlement pour l'application du paragraphe 240(1.3) si une personne lui présente une demande en ce sens. Dès lors, les règles ci-après s'appliquent :

a) le ministre est tenu d'attribuer un numéro d'inscription au groupe et d'aviser par écrit la personne qui est visée par règlement relativement au groupe pour l'application de l'alinéa 240(1.3)b) ainsi que chaque institution financière mentionnée dans la demande de ce numéro et de la date de prise d'effet de l'inscription du groupe;

b) l'inscription de chaque membre du groupe qui est inscrit aux termes de la présente sous-section la veille de la date de prise d'effet est annulée à compter de la date de prise d'effet de l'inscription du groupe;

c) chaque membre du groupe est réputé, pour l'application de la présente partie, à l'exception de l'article 242, être inscrit aux termes de cette sous-section à compter de la date de prise d'effet de l'inscription du groupe et avoir un numéro d'inscription qui est le même que celui du groupe.

15 octobre 2012, Notes explicatives: Le nouveau paragraphe 241(1.1) permet au ministre du Revenu national d'inscrire un groupe d'institutions financières désignées particulières (au sens du paragraphe 225.2(1)) qui est visé par règlement pour l'application du nouveau paragraphe 240(1.3), sur demande d'une personne qui est visé par règlement relativement au groupe. Selon les dispositions réglementaires proposées, est un groupe visé par règlement le groupe de régimes de placement ou de fonds réservés d'assureurs qui ont chacun le même gestionnaire et qui ont fait, avec celui-ci, le choix de produire leurs déclarations de TPS/TVH de façon consolidée. Le gestionnaire serait la personne qui est visé par règlement relativement au groupe. Lorsque le ministre inscrit le groupe, les règles suivants s'appliquent :

- le ministre doit attribuer un numéro d'inscription au groupe et aviser par écrit la personne qui est visée par règlement relativement au groupe ainsi que chaque institution financière mentionnée dans la demande de ce numéro et de la date de prise d'effet de l'inscription du groupe; lorsqu'une institution financière membre du groupe est déjà inscrite à titre individuel aux fins de TPS/TVH, cette inscription est réputée être annulée à compter de la date de prise d'effet de l'inscription du groupe;
- chaque membre du groupe est réputé, pour l'application de la partie IX de la Loi, à l'exception de l'article 242, être inscrit sous le régime de la TPS/TVH à compter de la date de prise d'effet de l'inscription du groupe et avoir un numéro d'inscription qui est le même que celui du groupe.

Concordance québécoise: Aucune.

(1.2) Ajout d'un membre à l'inscription de groupe — Le ministre peut ajouter une institution financière désignée particulière à l'inscription d'un groupe si une demande en ce sens lui est présentée aux termes de l'alinéa 240(1.4)b). Dès lors, les règles ci-après s'appliquent :

a) le ministre est tenu d'aviser par écrit la personne qui est visée par règlement relativement au groupe pour l'application de l'alinéa 240(1.3)b) ainsi que l'institution financière de la date de prise d'effet de l'ajout à l'inscription;

b) si l'institution financière est inscrite aux termes de la présente sous-section la veille de la date de prise d'effet, son inscription est annulée à compter de cette date;

c) l'institution financière est réputée, pour l'application de la présente partie, à l'exception de l'article 242, être inscrite aux termes de la présente sous-section à compter de la date de prise d'effet et avoir un numéro d'inscription qui est le même que celui du groupe.

15 octobre 2012, Notes explicatives: Le nouveau paragraphe 241(1.2) permet au ministre du Revenu national d'ajouter une institution financière désignée particulière à l'inscription d'un groupe si une demande en ce sens lui est présentée aux termes du nouvel alinéa 240(1.4)b). Lorsque le ministre ajoute l'institution financière à l'inscription de groupe, les règles suivantes s'appliquent :

- le ministre doit aviser par écrit la personne qui est visée par règlement relativement au groupe ainsi que l'institution financière de la date de prise d'effet de l'ajout à l'inscription;
- si l'institution financière est déjà inscrite à titre individuel aux fins de la TPS/TVH, cette inscription est réputée être annulée à compter de la date de prise d'effet de l'ajout à l'inscription;
- l'institution financière est réputée, pour l'application de la partie IX de la Loi (à l'exception de l'article 242) être inscrite sous le régime de la TPS/TVH à compter de la date de prise d'effet de l'ajout et avoir un numéro d'inscription qui est le même que celui du groupe.

Concordance québécoise: Aucune.

(2) Entreprise de taxis — Lorsqu'un petit fournisseur exploite une entreprise de taxis le jour où son inscription aux termes du paragraphe (1) prend effet ou est modifiée en application du paragraphe 242(2.1) et que l'approbation obtenue en application du paragraphe 240(3.1) relativement à l'inscription ne prend pas effet ce jour-là, l'inscription n'est pas valable pour d'autres activités commerciales que le petit fournisseur exerce au Canada durant la période commençant ce jour-là et se terminant au premier en date du lendemain du jour où il cesse d'être un petit fournisseur et du jour, précisé dans l'avis envoyé aux termes du paragraphe 240(3.1) relativement à cette inscription ou modification d'inscription, selon le cas, à compter duquel l'inscription est valable pour l'ensemble des activités commerciales du petit fournisseur au Canada.

Notes historiques: Le paragraphe 241(2) a été ajouté par L.C. 1993, c. 27, par. 101(1) et est réputé entré en vigueur le 17 décembre 1990.

Concordance québécoise: LTVQ, art. 415.1.

15 octobre 2012, Notes explicatives: L'article 241 permet au ministre du Revenu national d'inscrire toute personne qui présente une demande d'inscription aux fins de la TPS/TVH. Les modifications apportées à cet article consistent à modifier le paragraphe 241(1) et à ajouter les paragraphes 241(1.1) et (1.2). Ces modifications permettent au ministre d'inscrire certains groupes d'institutions financières désignées particulières visés par règlement.

Ces modifications sont réputées être entrées en vigueur le 1er juillet 2010.

Définitions [art. 241]: « activité commerciale », « entreprise de taxis », « ministre », « personne », « petit fournisseur » — 123(1).

Renvois [art. 241]: 123(2) (Canada); 171.1 (entreprise de taxis); 179(2)c)(i) (certificat du consignataire d'un non-résident); 240 (inscription); 242 (annulation ou modification d'inscription); 243(3), (4) (avis de l'inscrit — période de déclaration).

Jurisprudence [art. 241]: *Two Carlton Financing Ltd. c. Canada*, [1998] G.S.T.C. 59 (CCI); [2000] G.S.T.C. 2 (CAF); *Centre de la Cité Pointe Claire c. R.*, 2001 G.T.C. 591 (CCI); *R171 Enterprises Ltd. c. R.*, [2004] G.S.T.C. 78 (CCI); *St-Isidore Écono Centre Inc. c. R.*, 22008 G.T.C. 689 (CCI [procédure informelle])(factures n'ayant pas de numéro de TPS); *Comparelli c. La Reine*, [2007] G.S.T.C. 55 (CCI [procédure générale]).

Énoncés de politique [art. 241]: P-051R2, 29/04/05, *Exploitation d'une entreprise au Canada*; P-185R, 25/06/99, *Importation de publications visées par règlement et agents d'abonnement.*

Série de mémorandums [art. 241]: Mémorandum 2.1, 05/99, *Inscription requise*, par. 25; Mémorandum 2.3, 05/99, *Inscription au choix*, par. 8.

Lettres d'interprétation (Québec) [art. 241]: 98-010324 — Inscription en vertu de la *Loi sur la taxe d'accise* (L.R.C. 1985, c. E-15, ci-après « LTA ») et de la *Loi sur la taxe de vente du Québec* (L.R.Q., c. T-0.1, ci-après « LTVQ ») vs la *Loi sur la faillite et l'insolvabilité*.

COMMENTAIRES: De l'avis de l'auteur, même si aucune obligation n'incombe à Revenu Québec ou à l'Agence du revenu du Canada quant à l'inscription d'une personne ayant déposée une demande en ce sens, une demande de révision judiciaire serait disponible, en vertu des règles de droit administratif, dans la mesure où les principes sur lesquels celles-ci se sont basées sont erronés.

242. (1) Annulation — Après préavis écrit suffisant donné à la personne inscrite aux termes de la présente sous-section, le ministre peut annuler son inscription s'il est convaincu qu'elle n'est pas nécessaire pour l'application de la présente partie.

Notes historiques: Le paragraphe 242(1) a été ajouté par L.C. 1990, c. 45, par. 12(1).

Concordance québécoise: LTVQ, art. 416.

(1.1) Annulation d'une inscription de groupe — Après préavis écrit suffisant donné à chaque membre d'un groupe qui est inscrit aux termes de la présente sous-section et à la personne qui est visée par règlement relativement au groupe pour l'application de l'alinéa 240(1.3)b), le ministre peut annuler l'inscription du groupe s'il est convaincu qu'elle n'est pas nécessaire pour l'application de la présente partie.

Notes historiques: Le paragraphe 242(1.1) a été ajouté par L.C. 2012, c. 31, par. 84(1) et est réputé être entré en vigueur le 1er juillet 2010.

15 octobre 2012, Notes explicatives: Selon le nouveau paragraphe 242(1.1), le ministre du Revenu national peut annuler l'inscription d'un groupe effectuée selon le paragraphe 241(1.1) s'il est convaincu qu'elle n'est pas nécessaire pour l'application de la partie IX de la Loi. Le ministre ne peut annuler l'inscription du groupe qu'après avoir donné par écrit un préavis suffisant à chaque membre du groupe ainsi qu'à la personne qui est visée par règlement relativement au groupe pour l'application de l'alinéa 240(1.3)b). Selon les dispositions réglementaires proposées, la personne qui est visée par règlement relativement au groupe serait le gestionnaire des régimes de placement et des fonds réservés d'assureurs du groupe.

Concordance québécoise: aucune.

(1.2) Annulation d'une inscription de groupe — Le ministre est tenu d'annuler l'inscription du groupe dans les circonstances prévues par règlement.

Notes historiques: Le paragraphe 242(1.2) a été ajouté par L.C. 2012, c. 31, par. 84(1) et est réputé être entré en vigueur le 1er juillet 2010.

15 octobre 2012, Notes explicatives: Le nouveau paragraphe 242(1.2) prévoit que le ministre du Revenu national doit annuler l'inscription d'un groupe effectuée selon le paragraphe 241(1.1) dans les circonstances prévues par règlement. Selon les dispositions réglementaires proposées, la révocation du choix de produire des déclarations consolidées — par suite duquel le groupe d'institutions financières désignées particulières qui est visé par règlement pour l'application du paragraphe 240(1.3) a été créé — constituerait une telle circonstance.

Concordance québécoise: aucune.

(1.3) Retrait d'une inscription de groupe — Après préavis écrit suffisant donné à une personne donnée qui est membre d'un groupe inscrit aux termes de la présente sous-section et à la personne qui est visée par règlement relativement au groupe pour l'application de l'alinéa 240(1.3)b), le ministre peut retirer la personne donnée de l'inscription du groupe s'il est convaincu qu'elle n'a pas à être incluse dans cette inscription pour l'application de la présente partie.

Notes historiques: Le paragraphe 242(1.3) a été ajouté par L.C. 2012, c. 31, par. 84(1) et est réputé être entré en vigueur le 1er juillet 2010.

15 octobre 2012, Notes explicatives: Selon le nouveau paragraphe 242(1.3), le ministre du Revenu national peut retirer une personne d'une inscription de groupe sous le régime de la TPS/TVH s'il est convaincu qu'elle n'a pas à être incluse dans cette inscription. Le ministre doit toutefois avoir donné par écrit un préavis suffisant à la personne touchée ainsi qu'à la personne qui est visée par règlement relativement au groupe pour l'application de l'alinéa 240(1.3)b).

Concordance québécoise: aucune.

(1.4) Retrait d'une inscription de groupe — Le ministre est tenu de retirer une personne de l'inscription d'un groupe dans les circonstances prévues par règlement.

Notes historiques: Le paragraphe 242(1.4) a été ajouté par L.C. 2012, c. 31, par. 84(1) et est réputé être entré en vigueur le 1er juillet 2010.

15 octobre 2012, Notes explicatives: Selon le nouveau paragraphe 242(1.4), le ministre du Revenu national est tenu de retirer une personne d'une inscription de groupe dans les circonstances prévues par règlement. Selon les dispositions réglementaires proposées, le retrait de la personne du choix de produire des déclarations consolidées — par suite duquel le groupe a été créé — constituerait une telle circonstance.

Concordance québécoise: aucune.

(2) Demande d'annulation — Le petit fournisseur qui n'exploite pas d'entreprise de taxis a droit à l'annulation de son inscription, qui prend effet le lendemain du dernier jour de son exercice, s'il remplit les conditions suivantes :

a) il a présenté au ministre une demande à cette fin en la forme, selon les modalités et avec les renseignements déterminés par celui-ci;

b) ce jour-là, il était inscrit depuis au moins un an.

Notes historiques: En vertu de L.C. 1997, c. 10, art. 256, lorsque le ministre du Revenu national reçoit d'un organisme de services publics, en application du paragraphe 242(2), une demande en vue de l'annulation de son inscription à un moment de la période de deux ans commençant le 23 avril 1996, laquelle inscription n'est pas entrée en vigueur au cours de cette période et n'a pas fait l'objet d'une demande en vertu du paragraphe 240(3) de la part de l'organisme, l'alinéa 242(2)b) ne s'applique pas à la demande. Si l'inscription est annulée à ce moment, les règles suivantes s'appliquent :

a) l'organisme n'est pas réputé, par l'effet du paragraphe 171(3), avoir effectué ou reçu, à ce moment ou immédiatement avant ce moment, des fournitures de biens lui appartenant qu'il détenait immédiatement avant ce moment, avoir perçu la taxe ni avoir cessé d'utiliser ces biens dans le cadre de ses activités commerciales immédiatement avant ce moment;

b) l'alinéa 171(4)b) ne s'applique pas aux fins du calcul de la taxe nette de l'organisme pour sa dernière période de déclaration qui commence avant ce moment;

c) pour déterminer les crédits de taxe sur les intrants de l'organisme pour sa première période de déclaration qui se termine après qu'il devient un inscrit de nouveau :

(i) le paragraphe 171(1) de cette loi ne s'applique pas aux biens visés à l'alinéa a),

(ii) l'alinéa 171(2)a) de cette loi ne s'applique pas à la taxe incluse dans le calcul d'un crédit de taxe sur les intrants de l'organisme pour sa période de déclaration qui s'est terminée avant cette première période de déclaration.

Le paragraphe 242(2) a été modifié par L.C. 1993, c. 27, par. 102(1) et est réputé entré en vigueur le 17 décembre 1990. Il se lisait comme suit :

(2) Le petit fournisseur qui remplit les conditions suivantes a droit à l'annulation de son inscription, applicable le lendemain du dernier jour de son exercice :

Le paragraphe 242(2) a été édicté par L.C. 1990, c. 45, par. 12(1).

Concordance québécoise: LTVQ, art. 417 al. 1:1°.

(2.1) Demande de modification — S'il en fait la demande au ministre en lui présentant les renseignements requis en la forme et selon les modalités déterminées par lui, le petit fournisseur qui exploite une entreprise de taxis peut faire modifier son inscription, à compter du premier jour de son exercice commençant au moins un an après la prise d'effet de sa dernière inscription relative à l'ensemble de ses activités commerciales au Canada, de façon qu'elle ne soit valable que pour cette entreprise.

Notes historiques: Le paragraphe 242(2.1) a été ajouté par L.C. 1993, c. 27, par. 102(2) et est réputé entré en vigueur le 17 décembre 1990.

Concordance québécoise: LTVQ, art. 417.1.

(2.2) Demande d'annulation — Lorsque, alors que l'approbation accordée en vertu du paragraphe 178.2(3) relativement à un démarcheur est en vigueur, un entrepreneur indépendant, au sens de l'article 178.1, de ce démarcheur serait un petit fournisseur si l'approbation avait toujours été en vigueur avant sa prise d'effet et que l'entrepreneur en fait la demande au ministre en lui présentant les renseignements requis en la forme et selon les modalitées déterminés par lui, le ministre annule l'inscription de l'entrepreneur.

Notes historiques: Le paragraphe 242(2.2) a été ajouté par L.C. 1993, c. 27, par. 102(2) et est réputé entré en vigueur le 17 décembre 1990. En outre, pour déterminer si une personne est un petit fournisseur aux fins du paragraphe 242(2.2), les articles 178.1 à 178.5 sont réputés entrés en vigueur le 17 décembre 1990, compte non tenu des exceptions prévues par L.C. 1993, c. 27, al. 43(2)a) à f) [N.D.L.R. : voir les notes historiques des articles 178.1 à 178.5].

Concordance québécoise: LTVQ, art. 417.2.

(2.3) Demande d'annulation — Dans le cas où, à un moment où l'approbation accordée en application du paragraphe 178(5) à l'égard d'un vendeur de réseau, au sens du paragraphe 178(1), et de chacun de ses représentants commerciaux, au sens de ce paragraphe, est en vigueur, un représentant commercial du vendeur serait un petit fournisseur si l'approbation avait toujours été en vigueur avant ce moment et où le représentant commercial en fait la demande au mi-

LTA (TPS)

nistre en lui présentant les renseignements qu'il détermine en la forme et selon les modalités qu'il détermine, le ministre annule l'inscription du représentant commercial.

Notes historiques: Le paragraphe 242(2.3) a été ajouté par L.C. 2010, c. 12, par. 74(1) et est réputé être entré en vigueur le 1er janvier 2010.

Concordance québécoise: LTVQ, art. 417.2.1.

(3) **Avis d'annulation ou de modification** — Le ministre informe la personne de l'annulation ou de la modification de l'inscription dans un avis écrit précisant la date de la prise d'effet de l'annulation ou de la modification.

Notes historiques: Le paragraphe 242(3) a été remplacé par L.C. 2012, c. 31, par. 84(2) et cette modification est réputée être entrée en vigueur le 1er juillet 2010. Antérieurement, il se lisait ainsi :

> (3) Le ministre informe la personne de l'annulation ou de la modification de l'inscription dans un avis écrit précisant la date de la prise d'effet de l'annulation ou de la modification.

Le paragraphe 242(3) a été modifié par L.C. 1993, c. 27, par. 102(2) et est réputé entré en vigueur le 17 décembre 1990. Il se lisait comme suit :

> (3) Le ministre informe l'inscrit de l'annulation de l'inscription dans un avis écrit précisant la date d'entrée en vigueur de l'annulation.

Le paragraphe 242(3) a été édicté par L.C. 1990, c. 45, par. 12(1).

15 octobre 2012, Notes explicatives: Selon le paragraphe 242(3), si le ministre annule l'inscription d'une personne, il doit l'en informer dans un avis écrit qui précise la date de prise d'effet de l'annulation.

Les modifications apportées à ce paragraphe ont pour seul but d'en adapter le libellé aux normes de rédaction législative courantes.

Concordance québécoise: LTVQ, art. 418.

(4) **Inscription de groupe — avis d'annulation** — Si le ministre annule l'inscription d'un groupe :

a) il en informe chaque membre du groupe et la personne qui est visée par règlement relativement au groupe pour l'application de l'alinéa 240(1.3)b) dans un avis écrit précisant la date de prise d'effet de l'annulation;

b) chaque membre du groupe est réputé, pour l'application de la présente partie, ne plus être inscrit aux termes de la présente sous-section à compter de la date de prise d'effet de l'annulation.

Notes historiques: Le paragraphe 242(4) a été ajouté par L.C. 2012, c. 31, par. 84(2) et est réputé être entré en vigueur le 1er juillet 2010.

15 octobre 2012, Notes explicatives: Selon le nouveau paragraphe 242(4), si le ministre annule l'inscription d'un groupe, il doit en informer chaque membre du groupe ainsi que la personne qui est visée par règlement relativement au groupe pour l'application de l'alinéa 240(1.3)b) dans un avis écrit qui précise la date de prise d'effet de l'annulation. Ce paragraphe prévoit aussi que les membres du groupe sont chacun réputés ne plus être inscrits sous le régime de la TPS/TVH à compter de la date de prise d'effet de l'annulation.

Concordance québécoise: aucune.

(5) **Inscription de groupe — avis de retrait** — Si le ministre retire une personne donnée de l'inscription d'un groupe :

a) il en informe la personne donnée et la personne qui est visée par règlement relativement au groupe pour l'application de l'alinéa 240(1.3)b) dans un avis écrit précisant la date de prise d'effet du retrait;

b) la personne donnée est réputée, pour l'application de la présente partie, ne plus être inscrite aux termes de la présente sous-section à compter de la date de prise d'effet du retrait.

Notes historiques: Le paragraphe 242(5) a été ajouté par L.C. 2012, c. 31, par. 84(2) et est réputé être entré en vigueur le 1er juillet 2010.

15 octobre 2012, Notes explicatives: Selon le nouveau paragraphe 242(5), si le ministre retire une personne de l'inscription d'un groupe, il doit en informer la personne ainsi que la personne qui est visée par règlement relativement au groupe pour l'application de l'alinéa 240(1.3)b) dans un avis écrit qui précise la date de prise d'effet du retrait. Ce paragraphe prévoit aussi que la personne est réputée ne plus être inscrite sous le régime de la TPS/TVH à compter de la date de prise d'effet du retrait.

Concordance québécoise: aucune.

15 octobre 2012, Notes explicatives: L'article 242 porte sur l'annulation par le ministre du Revenu national de l'inscription d'une personne aux fins de la TPS/TVH.

Les modifications apportées à cet article consistent à ajouter les paragraphes 242(1.1), (1.2), (1.3), (1.4), (4) et (5) et à modifier le paragraphe 242(3). Ces modifications permettent au ministre d'annuler l'inscription de certains groupes de personnes visés par règlement.

Ces modifications sont réputées être entrées en vigueur le 1er juillet 2010.

Définitions [art. 242]: « activité commerciale », « année d'imposition », « entreprise », « entreprise de taxis », « exercice », « inscrit », « ministre », « personne », « petit fournisseur », « règlement », « représentant commercial », « vendeur de réseau » — 123(1).

Renvois [art. 242]: 123(2) (Canada); 171(3), (4) (effet de l'annulation de l'inscription); 171.1(3) (entreprise de taxis — cessation d'inscription aux fins d'autres activités); 178.5(11) (entrepreneur indépendant — cessation d'inscription); 240, 241 (inscription); 251(2) (période de déclaration de la personne qui cesse d'être un inscrit).

Jurisprudence [art. 242]: *B.J. Northern Enterprises Ltd. c. La Reine*, [1995] G.S.T.C. 12 (CCI); *Marée Haute Enr. c. R.*, [2000] G.S.T.C. 10 (CCI); *Centre de la Cité Pointe Claire c. R.*, 2001 G.T.C. 591 (CCI); *Dion c. R.*, [2002] G.S.T.C. 96 (GST); *Dionne c. R.*, [2006] G.S.T.C. 164 (CCI); *Desrosiers c. R.*, 2008 G.T.C. 799 (CCI [procédure informelle]); *Chayer v. R.* (2 décembre 2012), 2011 CarswellNat 5803, 2011 CCI 553 (CCI [procédure informelle]).

Énoncés de politique [art. 242]: P-015, 20/07/94, *Le traitement des simples-fiducies en vertu de la Loi sur la taxe d'accise.*

Bulletins de l'information technique [art. 242]: B-068, 20/01/93, *Simples fiducies.*

Mémorandums [art. 242]: TPS 400-3-1, 1/04/92, *Début et cessation de l'inscription*, par. 9, 24, 25.

Série de mémorandums [art. 242]: Mémorandum 2.1, 05/99, *Inscription requise*; Mémorandum 2.3, 05/99, *Inscription au choix*; Mémorandum 2.7, 05/05, *Annulation de l'inscription*, par. 13-17.

Formulaires [art. 242]: FP-11, *Demande d'annulation ou de modification de l'inscription*; FP-611, *Demande d'annulation ou de modification de l'inscription*; GST11, *Demande d'annulation d'inscription.*

Lettres d'interprétation (Québec) [art. 242]: 99-0100984 — Décision portant sur l'application de la TPS — Interprétation relative à la TVQ — Fourniture unique et fournitures multiples.

COMMENTAIRES: Le paragraphe (1) offre la discrétion, et ne dicte pas une obligation, au ministre d'annuler une inscription.

Dans l'affaire *Desrosiers c. R.*, 2008 CarswellNat 3465 (C.C.I.), la question en litige consistait à déterminer si le ministre était justifié de refuser tous les crédits de taxe sur les intrants pour le motif que l'appelant avait produit un avis de cessation d'exploitation de son entreprise et que son numéro de TPS avait donc été révoqué. Comme l'édicte le paragraphe 242(1), le ministre peut annuler un numéro d'inscription d'une personne s'il est convaincu que cette inscription n'est pas nécessaire pour l'application de la partie IX. En vertu du paragraphe 243(3), le ministre doit informer la personne de l'annulation de l'inscription dans un avis écrit précisant la date de la prise d'effet de l'annulation. Or, le ministre n'a produit aucune preuve indiquant qu'il s'est conformé aux dispositions de l'article 242. Par conséquent, la Cour ne peut conclure que l'annulation de l'inscription, si telle annulation a eu lieu, s'est déroulée conformément aux dispositions de la loi. Un avis à l'effet qu'il cesse son entreprise n'est pas suffisant, dans les circonstances, pour faire la preuve de la révocation de l'inscription: il manque l'avis écrit requis par le paragraphe 242(3).

Nous vous référons également à nos commentaires en vertu du paragraphe 272.1(6) qui prévoit qu'une société de personnes est réputée exister aux fins du régime de la TPS/TVH tant que son inscription n'est pas annulée.

Le paragraphe (2) toutefois oblige le ministre à procéder à l'annulation de l'inscription d'un inscrit si ce dernier devient un petit fournisseur et si l'inscription était en vigueur depuis au moins un an. Cette disposition offre donc une certaine garantie voulant qu'un inscrit puisse se retirer du système de la TPS/TVH dans la mesure où il devient un petit fournisseur et les autres conditions sont remplies.

À titre illustratif, dans l'affaire *Dionne c. R.*, 2005 CarswellNat 1178 (C.C.I.), la Cour canadienne de l'impôt a indiqué que la personne qui redevient un petit fournisseur a droit à l'annulation de son inscription. Cette personne doit tout de même en faire la demande en la forme selon les modalités et avec les renseignements déterminés par le ministre. En l'espèce, cette demande n'a pas été faite. La Cour conclut donc que l'appelant n'a pas prouvé qu'il était un petit fournisseur au cours des années en litige au sens de l'article 148. Ainsi, cette décision illustre l'importance de présenter une demande pour annuler son inscription. En effet, celle-ci ne se fait ni de façon automatique ni de façon arbitraire, et ce, malgré l'absence de discrétion du ministre au paragraphe 242(2).

Finalement, Revenu Québec a indiqué qu'un organisme peut demander l'annulation de son inscription lorsqu'il se qualifie à titre de petit fournisseur. À ce titre, l'annulation de l'inscription fait en sorte que l'Organisme n'a plus droit à un crédit de taxe sur les intrants, *c.-à-d.* à un remboursement de 100 % de la TPS payée sur les biens et services acquis pour réaliser des fournitures taxables. Dans l'hypothèse où l'organisme aurait déjà demandé des crédits de taxe sur les intrants lors de l'acquisition de certains biens servant à réaliser des fournitures taxables, il pourrait avoir à remettre un montant de taxe suite à l'application des règles relatives au changement d'usage en vertu du paragraphe 171(3). Des règles particulières sont aussi prévues au paragraphe 171(4) lorsque l'organisme louait des biens ou payait des services pour effectuer des fournitures taxables. Voir notamment à cet effet : Revenu Québec, Lettre d'interprétation, 99-0100984 — *Décision portant sur l'application de la TPS - Interprétation relative à la TVQ - Fourni-*

ture unique et fournitures multiples (12 mars 1999). Voir également au même effet : question 32, Agence du revenu du Canada, *Questions et Commentaires en TPS/TVH*, Conférence annuelle entre l'Association du Barreau Canadien et l'Agence du revenu du Canada (26 février 2009).

Sous-section e — Exercices et périodes de déclaration

Exercices

243. (1) Trimestre d'exercice — Pour l'application de la présente partie, les trimestres d'exercice sont déterminés selon les règles suivantes :

a) tout exercice compte un maximum de quatre trimestres d'exercice;

b) les premier et dernier trimestres d'exercice commencent et se terminent respectivement les premier et dernier jours de l'exercice;

c) chaque trimestre d'exercice compte un maximum de 119 jours;

d) chaque trimestre d'exercice, sauf le premier et le dernier, compte un minimum de 84 jours.

Notes historiques: Le paragraphe 243(1) a été modifié par L.C. 1993, c. 27, par. 103(1) et est réputé entré en vigueur le 17 décembre 1990. Toutefois, un inscrit est réputé se conformer à l'article 243 en ce qui concerne son exercice commençant avant décembre 1991, si, selon le cas :

a) les trimestres d'exercice et les mois d'exercice de l'exercice ont été déterminés en conformité avec la version antérieure de l'article 243 et, selon le cas :

(i) l'exercice correspond à l'année civile,

(ii) l'inscrit a avisé le ministre du Revenu national par écrit, avant décembre 1991, des premier et dernier jours de chacun des mois d'exercice et des trimestres d'exercice de son exercice;

b) les trimestres d'exercice et les mois d'exercice de l'exercice ont été déterminés en conformité avec l'article 243 et l'inscrit a avisé le ministre par écrit, avant décembre 1991, des premier et dernier jours de chacun des mois d'exercice et des trimestres d'exercice de son exercice.

Le paragraphe 243(1) se lisait antérieurement comme suit :

(1) Le trimestre d'exercice d'une personne correspond au trimestre civil lorsque son exercice correspond à l'année civile.

Le paragraphe 243(1) a été édicté par L.C. 1990, c. 45, par. 12(1).

Concordance québécoise: LTVQ, art. 458.1, 458.1.1, 458.2.

(2) Mois d'exercice — Pour l'application de la présente partie, les mois d'exercice sont déterminés selon les règles suivantes :

a) le premier mois d'exercice de chaque trimestre d'exercice commence le premier jour du trimestre et le dernier mois d'exercice de chaque trimestre d'exercice se termine le dernier jour du trimestre;

b) chaque mois d'exercice compte un maximum de 35 jours; toutefois, le ministre peut permettre que l'un des mois d'exercice d'un trimestre d'exercice compte plus de 35 jours si une demande écrite, contenant les renseignements requis, lui en est faite en la forme et selon les modalités qu'il détermine;

c) chaque mois d'exercice compte un minimum de 28 jours, sauf s'il s'agit du premier ou du dernier mois d'exercice d'un trimestre d'exercice ou si le ministre en décide autrement à la suite d'une demande écrite contenant les renseignements requis et qui lui est présentée en la forme et selon les modalités qu'il détermine.

Notes historiques: Le paragraphe 243(2) a été modifié par L.C. 1993, c. 27, par. 103(1) et cette modification s'applique selon les mêmes modalités que celles prévues pour l'application du paragraphe 243(1). Il se lisait antérieurement comme suit :

(2) Le mois d'exercice d'une personne correspond au mois civil lorsque son trimestre d'exercice correspond au trimestre civil.

Le paragraphe 243(2) a été édicté par L.C. 1990, c. 45, par. 12(1).

Concordance québécoise: LTVQ, art. 458.1, 458.1.2.

(3) Avis d'un inscrit — La personne qui est un inscrit à un moment donné de son exercice avise le ministre des premier et dernier jours de chaque trimestre d'exercice et mois d'exercice de l'exercice, en présentant les renseignements requis par le ministre en la forme et selon les modalités qu'il détermine, au plus tard l'un des jours suivants :

a) si la personne devient un inscrit au cours de l'exercice, le dernier en date des jours suivants :

(i) le jour où la demande est présentée, en vertu de l'article 240, ou si elle devait être présentée aux termes du paragraphe 240(2.1) un jour antérieur, ce jour,

(ii) le jour de la prise d'effet de l'inscription;

b) dans les autres cas, le premier jour de l'exercice.

Notes historiques: Le paragraphe 243(3) a été modifié par L.C. 1993, c. 27, par. 103(1) et cette modification s'applique selon les mêmes modalités que celles prévues pour l'application du paragraphe 243(1). Il se lisait antérieurement comme suit :

(3) Le trimestre d'exercice d'une personne dont l'exercice ne correspond pas à l'année civile est déterminé selon les règles suivantes :

a) l'exercice compte un maximum de quatre trimestres d'exercice;

b) les premier et dernier trimestres d'exercice commencent et se terminent respectivement les premier et dernier jours de l'exercice;

c) chaque trimestre d'exercice compte un maximum de 114 jours;

d) chaque trimestre d'exercice, sauf le premier et le dernier, compte un minimum de 84 jours.

Le paragraphe 243(3) a été édicté par L.C. 1990, c. 45, par. 12(1).

Concordance québécoise: LTVQ, art. 458.2.

(4) Détermination par le ministre — Pour l'application de la présente partie, le ministre peut déterminer les trimestres d'exercice ou les mois d'exercice de l'exercice de la personne qui ne les détermine pas en conformité avec les paragraphes (1) ou (2) ou qui ne remplit pas les exigences du paragraphe (3). Il avise alors par écrit la personne de sa décision.

Notes historiques: Le paragraphe 243(4) a été modifié par L.C. 1993, c. 27, par. 103(1) et cette modification s'applique selon les mêmes modalités que celles prévues pour l'application du paragraphe 243(1). Il se lisait antérieurement comme suit :

(4) Le mois d'exercice d'une personne dont le trimestre d'exercice ne correspond pas au trimestre civil est déterminé selon les règles suivantes :

a) les premier et dernier mois d'exercice de chaque trimestre d'exercice commencent et se terminent respectivement les premier et dernier jours du trimestre d'exercice;

b) chaque mois d'exercice compte un maximum de 35 jours;

c) chaque mois d'exercice d'un trimestre d'exercice, sauf le premier et le dernier, compte un minimum de 28 jours.

Le paragraphe 243(4) a été édicté par L.C. 1990, c. 45, par. 12(1).

Concordance québécoise: LTVQ, art. 458.2.1.

Définitions [art. 243]: « année d'imposition », « exercice », « inscrit », « ministre », « mois d'exercice », « personne », « trimestre civil », « trimestre d'exercice » — 123(1).

Énoncés de politique [art. 243]: P-008, 03/07/92, *Modification de la durée de mois d'exercice au cours d'un trimestre*.

Mémorandums [art. 243]: TPS 500-2-1, 21/12/90, *Exercices autorisés et périodes de déclaration*, par. 50, 53.

Formulaires [art. 243]: FP-671, *Avis de déclaration aux mois et aux trimestres d'exercice et demande d'autorisation en vue de prolonger ou de raccourcir des mois d'exercice*; FP-71, *Avis de déclaration aux trimestres ou aux mois d'exercice et demande d'autorisation en vue de prolonger ou de raccourcir des mois d'exercice*; GST71, *Notification des périodes comptables*.

244. (1) Choix d'exercice — La personne dont l'année d'imposition ne correspond pas à l'année civile peut faire un choix pour que ses exercices y correspondent et commencent le premier jour de l'année civile.

Notes historiques: Le paragraphe 244(1) a été ajouté par L.C. 1990, c. 45, par. 12(1).

Concordance québécoise: LTVQ, art. 458.4.

(2) Choix d'exercice par un particulier ou une fiducie — La personne — particulier ou fiducie — dont l'année d'imposition ne correspond pas à une période qui constitue, pour l'application de la *Loi de l'impôt sur le revenu*, l'exercice financier d'une entreprise qu'elle exploite, ou qu'une société de personnes dont elle est un associé exploite, peut faire un choix pour que son exercice corresponde à cet exercice financier et commence le premier jour d'un de ces exercices financiers.

Notes historiques: Le paragraphe 244(2) a été modifié par L.C. 1993, c. 27, par. 104(1) et est réputé entré en vigueur le 17 décembre 1990. Il se lisait comme suit :

(2) La personne — particulier ou fiducie — dont l'exercice financier pour l'application de la *Loi de l'impôt sur le revenu*, pour une entreprise qu'elle exploite, ne correspond pas à son année d'imposition peut faire un choix pour que son exercice corresponde à cet exercice financier et commence le premier jour d'un de ces exercices financiers.

Le paragraphe 244(2) a été édicté par L.C. 1990, c. 45, par. 12(1).

Concordance québécoise: LTVQ, art. 458.4.

(3) **Révocation** — Une personne peut révoquer son choix, applicable à compter du premier jour de son année d'imposition qui commence plus d'un an après l'entrée en vigueur du choix.

Notes historiques: Le paragraphe 244(3) a été ajouté par L.C. 1990, c. 45, par. 12(1).

Concordance québécoise: LTVQ, art. 458.5.

(4) **Forme et contenu** — Le choix et la révocation doivent :

a) être faits en la forme et avec les renseignements déterminés par le ministre;

b) préciser la date de leur entrée en vigueur;

c) être présentés au ministre au plus tard le jour de leur entrée en vigueur.

Notes historiques: L'alinéa 244(4)c) a été modifié par L.C. 1993, c. 27, par. 104(2) et est réputé entré en vigueur le 1er janvier 1992. Toutefois, pour ce qui est des choix ou des révocations effectués par un inscrit en vertu de l'article 244 qui entrent en vigueur après 1991 et avant octobre 1992, l'inscrit est réputé s'être conformé à l'alinéa 244(4)c) s'il se conformait à la version antérieure de l'alinéa 244(4)c). L'alinéa 244(4)c) se lisait auparavant comme suit :

c) être présentés au ministre avant le jour qui est un mois après leur entrée en vigueur.

Le paragraphe 244(4) a été ajouté par L.C. 1990, c. 45, par. 12(1).

Concordance québécoise: LTVQ art. 458.4, 458.5.

Définitions [art. 244]: « année d'imposition », « entreprise », « exercice », « ministre », « mois », « personne », « règlement » LIR, par. 248(1); « exercice financier » — 123(1).

Énoncés de politique [art. 244]: P-068, 25/05/93, *Définition des périodes créées suite à l'exercice d'un choix ou à la révocation d'un choix visant à modifier un exercice.*

Mémorandums [art. 244]: TPS 500-2-1, 21/12/90, *Exercices autorisés et périodes de déclaration*, par. 14, 15, 16, 50, 54, 55, 56, 58, 61, 62; TPS 500-7, 26/11/91, *Interaction entre la Loi sur la taxe d'accise et la Loi de l'impôt sur le revenu*, par. 56, 57, 58.

Formulaires [art. 244]: FP-70, *Exercice — Choix/Révocation d'un choix d'exercice aux fins de la TPS*; FP-670, *Choix ou révocation du choix d'un exercice en ce qui a trait à la TPS/TVH et à la TVQ*; GST70, *Exercice — Choix/Révocation d'un choix d'exercice aux fins de la TPS.*

244.1 (1) Exercice — institution financière désignée particulière — Si une personne est une institution financière visée aux sous-alinéas 149(1)a)(vi) ou (ix) qui est une institution financière désignée particulière tout au long d'une période de déclaration donnée de son exercice donné commençant dans une année civile donnée et qu'elle n'était pas une institution financière désignée particulière tout au long de la période de déclaration précédant la période donnée, les règles ci-après s'appliquent :

a) l'exercice donné prend fin le dernier jour de l'année civile donnée;

b) à compter du début du premier jour de l'année civile suivant l'année civile donnée, les exercices de la personne sont des années civiles et tout choix fait par celle-ci selon l'article 244 cesse d'être en vigueur.

15 octobre 2012, Notes explicatives: Selon le paragraphe 244.1(1), si, tout au long d'une période de déclaration donnée d'un exercice donné d'une personne commençant dans une année civile donnée, la personne est, à la fois :

- une institution financière désignée particulière,
- un régime de placement ou un fonds réservé d'assureur,

les règles suivantes s'appliquent :

les règles suivantes s'appliquent :

- Tout choix fait par la personne aux termes de l'article 244 cesse d'être en vigueur (cet article permet à certaines personnes de choisir un exercice aux fins de la TPS/TVH qui diffère de leur année d'imposition aux fins de la Loi de l'impôt sur le revenu).
- Si la personne a été une institution financière désignée particulière tout au long de la période de déclaration précédant la période de déclaration donnée, ses exercices correspondent à l'année civile.
- Si elle n'a pas été une telle institution financière tout au long de la période de déclaration précédant la période de déclaration donnée :
  - l'exercice donné prend fin le dernier jour de l'année civile donnée, et
  - à compter du premier jour de l'année civile suivant l'année civile donnée, les exercices de la personne correspondent à l'année civile.
- Une règle transitoire s'applique dans le cas où l'exercice donné commence avant 2011, peu importe que la personne ait été ou non une institution financière désignée particulière tout au long de la période de déclaration précédant la période de déclaration donnée. Cette règle prévoit que l'exercice donné prend fin le 31 décembre 2010 et que, à compter du 1er janvier 2011, les exercices de la personne correspondent à l'année civile.

Concordance québécoise: aucune.

(2) **Exercice — institution financière désignée particulière** — Malgré le paragraphe (1), si une personne est une institution financière visée aux sous-alinéas 149(1)a)(vi) ou (ix) qui est une institution financière désignée particulière tout au long d'une période de déclaration comprise dans son exercice donné, les règles ci-après s'appliquent dans les circonstances prévues par règlement en vue de déterminer l'exercice de la personne :

a) l'exercice donné prend fin la veille de la date fixée par règlement mentionnée à l'alinéa b);

b) l'exercice subséquent de la personne commence à la date fixée par règlement.

15 octobre 2012, Notes explicatives: Le paragraphe 244.1(2) prévoit une règle additionnelle qui s'applique, malgré le paragraphe 244.1(1), lorsqu'il s'agit de déterminer l'exercice de certaines personnes. Le paragraphe 244.1(2) s'applique à une personne dans le cas où les conditions suivantes sont réunies :

- la personne est, tout au long d'une période de déclaration comprise dans son exercice donné, une institution financière désignée particulière ainsi qu'un régime de placement ou un fonds réservé d'assureur;
- il existe des circonstances prévues par règlement (par exemple, certains types d'opérations de fusion touchant des régimes de placement ou des fonds réservés).

Lorsque le paragraphe 244.1(2) s'applique à une personne :

- l'exercice donné prend fin la veille de la date fixée par règlement (qui pourrait être la date de l'opération de fusion);
- l'exercice subséquent de la personne commence à la date fixée par règlement.

Concordance québécoise: aucune.

(3) **Personne qui cesse d'être une institution financière désignée particulière** — Si une personne est une institution financière visée aux sous-alinéas 149(1)a)(vi) ou (ix) qui est une institution financière désignée particulière tout au long d'une période de déclaration comprise dans un exercice donné et qu'elle n'est pas une institution financière désignée particulière tout au long d'une période de déclaration comprise dans son exercice subséquent, celui-ci prend fin à la date où il prendrait fin en l'absence du présent article.

15 octobre 2012, Notes explicatives: Le paragraphe 244.1(3) prévoit une règle qui s'applique dans le cas où certaines personnes cessent d'être des institutions financières désignées particulières.

Ce paragraphe s'applique si une personne répond aux conditions suivantes :

- elle est, tout au long d'une période de déclaration comprise dans son exercice donné, une institution financière désignée particulière ainsi qu'un régime de placement ou un fonds réservé d'assureur;
- elle n'est pas une institution financière désignée particulière tout au long d'une période de déclaration comprise dans son exercice subséquent.

Le paragraphe 244.1(3) prévoit que l'exercice subséquent prend fin à la date où il prendrait fin en l'absence de l'article 244.1.

Concordance québécoise: aucune.

Notes historiques: L'article 244.1 a été ajouté par L.C. 2012, c. 31, par. 85(1) et s'applique relativement aux exercices d'une personne se terminant après 2010. Toutefois, pour son application relativement à un exercice commençant avant 2011, le paragraphe 244.1(1) s'applique compte non tenu du passage « et qu'elle n'était pas une institution financière désignée particulière tout au long de la période de déclaration précédant la période donnée ».

15 octobre 2012, Notes explicatives: De façon générale, le nouvel article 244.1 prévoit que, malgré les autres dispositions de la partie IX de la Loi, l'exercice (au sens du paragraphe 123(1)) d'une institution financière désignée particulière (au sens du paragraphe 225.2(1)) qui est soit un régime de placement (au sens du paragraphe 149(5)), soit un fonds réservé d'assureur (au sens du paragraphe 123(1)) correspond à l'année civile.

Cet article s'applique relativement aux exercices d'une personne se terminant après 2010. Toutefois, une règle transitoire s'applique au nouveau paragraphe 244.1(1) relativement à un exercice qui commence avant 2011. Pour en savoir davantage, se reporter aux notes concernant ce paragraphe.

Périodes de déclaration

245. (1) Période de déclaration du non-inscrit — Sous réserve de l'article 251, la période de déclaration d'une personne qui n'est pas un inscrit correspond au mois civil.

Notes historiques: Le paragraphe 245(1) a été modifié par L.C. 1997, c. 10, par. 55(1) et cette modification s'applique aux exercices qui commencent après le 23 avril 1996. Il se lisait comme suit :

> 245. (1) Sous réserve des articles 246, 247 et 251 :
>
> a) la période de déclaration d'une personne qui n'est ni un inscrit ni une institution financière désignée correspond au mois civil;
>
> b) la période de déclaration d'une institution financière désignée qui n'est pas un inscrit correspond à son exercice.

Ce paragraphe a été édicté par L.C. 1990, c. 45, par. 12(1).

Concordance québécoise: LTVQ, art. 459.

(2) Période de déclaration de l'inscrit — Sous réserve du paragraphe 248(3) et des articles 251, 265 à 267 et 322.1, la période de déclaration de l'inscrit à un moment de son exercice correspond :

a) à son exercice qui comprend ce moment si, selon le cas :

(i) l'inscrit a fait le choix, en vigueur à ce moment, prévu à l'article 248,

(ii) les conditions suivantes sont réunies :

(A) aucun choix de l'inscrit fait en vertu des articles 246 ou 247 n'est en vigueur à ce moment,

(B) un choix, prévu à l'article 248, serait en vigueur à ce moment si l'inscrit l'avait fait au début de son exercice qui comprend ce moment,

(C) la dernière période de déclaration de l'inscrit se terminant avant ce moment correspond à son exercice, sauf si sa période de déclaration qui comprend ce moment est réputée par le paragraphe 251(1) ou l'un des articles 265 à 267 être une période de déclaration distincte;

(iii) l'inscrit est un organisme de bienfaisance pour lequel aucun des choix prévus aux articles 246 ou 247 n'est en vigueur à ce moment,

(iv) l'inscrit est une institution financière désignée visée à l'un des sous-alinéas 149(1)a)(i) à (x) pour lequel aucun des choix prévus aux articles 246 et 247 n'est en vigueur à ce moment;

b) à son mois d'exercice qui comprend ce moment, si, selon le cas :

(i) le montant déterminant applicable à l'inscrit — sauf une institution financière désignée visée à l'un des sous-alinéas 149(1)a)(i) à (x) et un organisme de bienfaisance — pour son exercice ou trimestre d'exercice qui comprend ce moment dépasse 6 000 000 $,

(ii) la dernière période de déclaration de l'inscrit se terminant avant ce moment correspond à son mois d'exercice, et aucun des choix prévus à l'article 247 ou 248 n'est en vigueur à ce moment,

(iii) l'inscrit a fait le choix prévu à l'article 246 qui est en vigueur à ce moment;

c) à son trimestre d'exercice qui comprend ce moment, dans les autres cas.

d) [*abrogé*]

Notes historiques: Le préambule du paragraphe 245(2) a été remplacé par L.C. 2000, c. 14 art. 35 et cette modification est entrée en vigueur le 29 juin 2000. Antérieurement, il se lisait ainsi :

> (2) Sous réserve du paragraphe 248(3) et des articles 251 et 265 à 267, la période de déclaration de l'inscrit à un moment de son exercice correspond :

Le préambule du paragraphe 245(2) a été modifié par L.C. 1997, c. 10, par. 55(2) et cette modification s'applique à compter de 1993. Il se lisait comme suit :

> (2) Sous réserve du paragraphe 248(3) et de l'article 251, la période de déclaration de l'inscrit à un moment de son exercice correspond :

La division 245(2)a)(ii)(C) a été modifié par L.C. 1997, c. 10, par. 55(3) et cette modification s'applique à compter de 1993. Elle se lisait auparavant comme suit :

> (C) la dernière période de déclaration de l'inscrit se terminant avant ce moment correspond à son exercice, sauf si sa période de déclaration qui comprend ce moment est réputée par le paragraphe 251(1) être une période de déclaration distincte;

Les sous-alinéas 245(2)a)(iii) et (iv) ont été ajoutés par L.C. 1997, c. 10, par 55(4) et s'appliquent aux exercices qui commencent après 1996.

L'alinéa 245(2)a) a été modifié par L.C. 1994, c. 9, par. 17(1) et s'applique aux périodes de déclaration commençant après mars 1994. Il se lisait auparavant comme suit :

> a) à son exercice qui comprend ce moment, s'il a fait le choix, en vigueur à ce moment, prévu à l'article 248;

Le sous-alinéa 245(2)b)(i) a été modifié par L.C. 1997, c. 10, par. 54(5) et cette modification s'applique aux exercices qui commencent après 1996. Il se lisait comme suit :

> (i) le montant déterminant applicable à l'inscrit — autre qu'une institution financière désignée visée à l'un des sous-alinéas 149(1)a) (i) à (x) — pour son exercice ou son trimestre d'exercice qui comprend ce moment dépasse 6 000 000 $,

Ce sous-alinéa a été modifié par L.C. 1993, c. 27, par. 105(1) et s'applique aux exercices d'un inscrit qui commencent après septembre 1992.

Le sous-alinéa 245(2)b)(i) se lisait auparavant comme suit :

> (i) le montant déterminant applicable à l'inscrit — autre qu'une institution financière désignée — pour son exercice ou son trimestre d'exercice qui comprend ce moment dépasse 6 000 000 $,

L'ancien alinéa 245(2)d) a été renuméroté 245(2)c) par L.C. 1997, c. 10, par 54(7) et cette modification s'applique aux exercices qui commencent après 1996. L'ancien alinéa 245(2)c) a été abrogé par L.C. 1997, c. 10, par. 54(7) et cette modification s'applique aux exercices qui commencent après 1996. Il se lisait comme suit :

> c) à son exercice qui comprend ce moment, si l'inscrit est une institution financière désignée visée à l'un des sous-alinéas 149(1)a(i) à (x) et n'a pas fait le choix prévu aux articles 246 ou 247;

L'alinéa 245(2)c) a été modifié par L.C. 1993, c. 27, par. 105(2) et s'applique aux exercices d'un inscrit qui commencent après septembre 1992. Il se lisait auparavant comme suit :

> c) à son exercice qui comprend ce moment, si l'inscrit est une institution financière désignée et n'a pas fait le choix prévu à l'article 246 ou 247;

Le paragraphe 245(2) a été ajouté par L.C. 1990, c. 45, par. 12(1).

Concordance québécoise: LTVQ, art. 459.0.1.

Définitions [art. 245]: « exercice », « inscrit », « institution financière désignée », « mois », « mois d'exercice », « organisme de bienfaisance », « période de déclaration », « personne », « trimestre d'exercice » — 123(1).

Renvois [art. 245]: 237 (acomptes provisionnels); 246 (choix de mois d'exercice); 247 (choix de trimestre d'exercice); 248 (choix d'exercice); 249 (montant déterminant pour l'exercice); 251 (période de déclaration — nouvel inscrit ou cessation d'inscription); 265(1)g) (faillite); 266(2)e) (séquestre).

Jurisprudence [art. 245]: *Taylor (S.) c. Canada*, [1997] G.S.T.C. 33 (CCI); *Trudel c. R.*, [2001] G.S.T.C. 23 (CCI); *Cassels. c. R.*, [2001] G.S.T.C. 122 (CCI); *Vachon c. R.*, 2008 G.T.C. 838 (CCI [procédure informelle]); *Khan v. R.*, 2011 CarswellNat 5028, 2011 CCI 481 (CCI [procédure informelle]).

Énoncés de politique [art. 245]: P-033, 17/09/92, *Période de déclaration d'un inscrit qui présente un choix en application du paragraphe 150(1)*; P-138R, 14/05/99, *L'effet d'un choix concernant une co-entreprise sur la capacité d'un participant de s'inscrire et de demander des crédits de taxe sur les intrants*; P-139R, 30/04/99, *Assujetissement à la taxe et admissibilité aux crédits de taxe sur les intrants pour les participants à une coentreprise n'ayant pas présenté de choix.*

Bulletins de l'information technique [art. 245]: B-072, 15/04/94, *Autre simplification de la TPS à l'intention des petites entreprises*; B-075R, 23/04/96, *Modifications proposées à la TPS.*

Mémorandums [art. 245]: TPS 300-9, 2/01/91, *Services et biens incorporels importés*, par. 14-16; TPS 500-2, 25/03/91, *Déclarations et paiements*, par. 10; TPS 500-2-1, 21/12/90, *Exercices autorisés et périodes de déclaration*, par. 3, 4, 17, 24, 26; TPS 500-2-2, 8/02/91, *Acomptes provisionnels*, par. 3; Mémorandum 17.14, 07/11, *Choix visant les fournitures exonérées.*

Formulaires [art. 245]: FP-11, *Période de déclaration — Choix visant la période de déclaration*; FP-20, *Période de déclaration — Choix visant la période de déclaration*; GST20, *Période de déclaration — Choix visant la période de déclaration.*

246. (1) Choix de mois d'exercice — Toute personne peut faire un choix pour que ses périodes de déclaration correspondent à ses mois d'exercice. Le choix entre en vigueur le jour où la personne devient un inscrit ou, si elle est un inscrit, le premier jour de son exercice.

Notes historiques: Le paragraphe 246(1) a été ajouté par L.C. 1990, c. 45, par. 12(1).

Concordance québécoise: LTVQ, art. 459.2, 459.3.

(2) Idem — La personne dont le choix prévu à l'article 248 cesse d'être en vigueur dès le début de son trimestre d'exercice visé à l'alinéa 248(2)b) peut faire un choix, applicable à compter du premier jour de ce trimestre, pour que ses périodes de déclaration correspondent à ses mois d'exercice.

Notes historiques: Le paragraphe 246(2) a été ajouté par L.C. 1990, c. 45, par. 12(1).

Concordance québécoise: LTVQ, art. 459.2.1.

(3) Durée du choix — Les choix visés au présent article demeurent en vigueur jusqu'au premier en date de ce qui suit :

a) le début du jour de l'entrée en vigueur du choix fait en application des articles 247 ou 248;

b) la date de prise d'effet de la révocation du choix par la personne selon le paragraphe (4).

Notes historiques: Le paragraphe 246(3) a été remplacé par L.C. 2012, c. 31, par. 86(1) et cette modification s'applique aux exercices se terminant après juin 2010. Antérieurement, il se lisait ainsi :

(3) Les choix visés au présent article demeurent en vigueur jusqu'au début du jour de l'entrée en vigueur du choix fait en application de l'article 247 ou 248.

Le paragraphe 246(3) a été ajouté par L.C. 1990, c. 45, par. 12(1).

15 octobre 2012, Notes explicatives: Selon le paragraphe 246(3), le choix d'une personne de produire des déclarations mensuelles demeure en vigueur tant qu'il n'est pas remplacé par le choix de la personne, prévu aux articles 247 ou 248, de produire des déclarations trimestrielles ou annuelles.

Ce paragraphe est modifié de façon à prévoir que le choix de produire des déclarations mensuelles demeure en vigueur jusqu'au premier en date des jours suivants :

- le jour où le choix de la personne de produire des déclarations trimestrielles ou annuelles entre en vigueur;
- le jour où la révocation du choix par la personne selon le paragraphe 246(4) prend effet.

Concordance québécoise: LTVQ, art. 459.3.

(4) Révocation du choix — L'institution financière désignée qui a fait l'un des choix visés au présent article peut le révoquer, avec effet le premier jour de son exercice. Pour ce faire, elle présente au ministre, en la forme et selon les modalités déterminées par lui, un avis de révocation contenant les renseignements déterminés par lui, au plus tard à la date de prise d'effet de la révocation ou à toute date postérieure fixée par lui.

Notes historiques: Le paragraphe 246(4) a été ajouté par L.C. 2012, c. 31, par. 86(1) et s'applique aux exercices se terminant après juin 2010.

15 octobre 2012, Notes explicatives: Le nouveau paragraphe 246(4) permet à l'institution financière désignée, au sens du paragraphe 123(1), qui a fait le choix prévu au paragraphe 246(1) de le révoquer, avec effet le premier jour d'un de ses exercices. Pour ce faire, elle doit présenter au ministre du Revenu national, en la forme et selon les modalités déterminées par lui, un avis de révocation contenant les renseignements déterminés par lui, au plus tard à la date de prise d'effet de la révocation ou à toute date postérieure fixée par lui.

15 octobre 2012, Notes explicatives: L'article 246 prévoit les règles qui permettent aux personnes qui produisent des déclarations trimestrielles ou annuelles de choisir de produire des déclarations mensuelles.

Les modifications apportées à cet article consistent à ajouter le paragraphe 246(4) et à modifier le paragraphe 246(3), afin que les personnes qui ont fait le choix prévu à cet article puissent le révoquer.

Ces modifications s'appliquent aux exercices d'une personne se terminant après juin 2010.

Définitions [art. 246]: « exercice », « inscrit », « mois d'exercice », « période de déclaration », « personne », « trimestre d'exercice » — 123(1).

Renvois [art. 246]: 245 (période de déclaration); 247 (choix de trimestre d'exercice); 248 (choix d'exercice); 250 (forme et production du choix); 363.1 (choix visant un exercice abrégé).

Énoncés de politique [art. 246]: P-033, 17/09/92, *Période de déclaration d'un inscrit qui présente un choix en application du paragraphe 150(1)*; P-138R, 14/05/99, *L'effet d'un choix concernant une co-entreprise sur la capacité d'un participant de s'inscrire et de demander des crédits de taxe sur les intrants.*

Mémorandums [art. 246]: TPS 500-2, 25/03/91, *Déclarations et paiements*, par. 10; TPS 500-2-1, 21/12/90, *Exercices autorisés et périodes de déclaration*, par. 29.

Série de mémorandums [art. 246]: Mémorandum 17.14, 07/11, *Choix visant les fournitures exonérées.*

Formulaires [art. 246]: FP-11, *Période de déclaration — Choix visant la période de déclaration*; FP-20, *Période de déclaration — Choix visant la période de déclaration*; GST20, *Période de déclaration — Choix visant la période de déclaration*; GST20-1, *Période de déclaration — Avis de révocation du choix visant la période de déclarationpar une institution financière désignée.*

247. (1) Choix de trimestre d'exercice — La personne qui est un organisme de bienfaisance le premier jour de son exercice ou dont le montant déterminant pour un exercice ne dépasse pas 6 000 000 $ peut faire un choix pour que ses périodes de déclaration correspondent à ses trimestres d'exercice. Le choix entre en vigueur le jour de cet exercice où la personne devient un inscrit ou, si elle est un inscrit le premier jour de cet exercice, ce jour-là.

Notes historiques: Le paragraphe 247(1) a été modifié par L.C. 1997, c. 10, par. 56(1) et cette modification est réputée entrée en vigueur le 23 avril 1996. Toutefois, pour déterminer la période de déclaration d'une personne pour les exercices commençant avant 1997, il n'est pas tenu compte du passage « qui est un organisme de bienfaisance le premier jour de son exercice ou » au paragraphe 247(1). Il se lisait comme suit :

247. (1) La personne dont le montant déterminant pour un exercice ne dépasse pas 6 000 000 $ peut faire un choix, applicable à compter du premier jour de l'exercice, pour que ses périodes de déclaration correspondent à ses trimestres d'exercice.

Ce paragraphe a été ajouté par L.C. 1990, c. 45, par. 12(1).

Concordance québécoise: LTVQ, art. 459.4.

(2) Durée du choix — Le choix de la personne demeure en vigueur jusqu'au premier en date des jours suivants :

a) le début du jour de l'entrée en vigueur du choix qu'elle fait en application de l'article 246 ou 248;

b) si elle n'est pas un organisme de bienfaisance, le début de son premier trimestre d'exercice au cours duquel le montant déterminant qui lui est applicable dépasse 6 000 000 $;

c) si elle n'est pas un organisme de bienfaisance, le début de son premier exercice au cours duquel le montant déterminant qui lui est applicable dépasse 6 000 000 $.

d) la date de prise d'effet de la révocation du choix par la personne selon le paragraphe (3).

Notes historiques: Les alinéas 247(2)b) et c) ont été modifiés par L.C. 1997, c. 10, par. 56(2) et cette modification s'applique aux exercices qui commencent après 1996. Auparavant, ces alinéas se lisaient comme suit :

b) le début de son premier trimestre d'exercice au cours duquel le montant déterminant qui lui est applicable dépasse 6 000 000 $;

c) le début de son premier exercice au cours duquel le montant déterminant qui lui est applicable dépasse 6 000 000 $.

L'alinéa d) du paragraphe 247(2) a été ajouté par L.C. 2012, c. 31, par. 87(1) et s'applique aux exercices se terminant après juin 2010.

Le paragraphe 247(2) a été ajouté par L.C. 1990, c. 45, par. 12(1).

15 octobre 2012, Notes explicatives: Selon le paragraphe 247(2), le choix d'une personne de produire des déclarations trimestrielles demeure en vigueur tant qu'il n'est pas remplacé par le choix de la personne, prévu aux articles 246 ou 248, de produire des déclarations mensuelles ou annuelles ou tant que le montant déterminant de la personne (au sens de l'article 249) n'excède pas le montant applicable.

Ce paragraphe est modifié de façon à prévoir que le choix de produire des déclarations trimestrielles demeure en vigueur jusqu'au premier en date des jours suivants :

- le jour où le choix de la personne de produire des déclarations mensuelles ou annuelles entre en vigueur;
- si la personne n'est pas un organisme de bienfaisance, le début de son premier trimestre d'exercice au cours duquel le montant déterminant qui lui est applicable excède 6 000 000 $;
- si la personne est un organisme de bienfaisance, le début de son premier exercice au cours duquel le montant déterminant qui lui est applicable excède 6 000 000 $;

- le jour où la révocation du choix par la personne selon le paragraphe 247(3) prend effet.

Concordance québécoise: LTVQ, art. 459.5.

(3) Révocation du choix — L'institution financière désignée qui a fait le choix visé au présent article peut le révoquer, avec effet le premier jour de son exercice. Pour ce faire, elle présente au ministre, en la forme et selon les modalités déterminées par lui, un avis de révocation contenant les renseignements déterminés par lui, au plus tard à la date de prise d'effet de la révocation ou à toute date postérieure fixée par lui.

Notes historiques: Le paragraphe 247(3) a été ajouté par L.C. 2012, c. 31, par. 87(2) et s'applique aux exercices se terminant après juin 2010.

15 octobre 2012, Notes explicatives: Le nouveau paragraphe 247(3) permet à l'institution financière désignée, au sens du paragraphe 123(1), qui a fait le choix prévu au paragraphe 247(1) de le révoquer, avec effet le premier jour d'un de ses exercices. Pour ce faire, elle doit présenter au ministre du Revenu national, en la forme et selon les modalités déterminées par lui, un avis de révocation contenant les renseignements déterminés par lui, au plus tard à la date de prise d'effet de la révocation ou à toute date postérieure fixée par lui.

Concordance québécoise: aucune.

15 octobre 2012, Notes explicatives: L'article 247 prévoit les règles qui permettent aux personnes dont le revenu pour un exercice provenant de fournitures taxables n'excède pas 6 000 000 $ de choisir de produire des déclarations trimestrielles.

Les modifications apportées à cet article consistent à ajouter le paragraphe 247(3) et à modifier le paragraphe 247(2), afin que les personnes qui ont fait le choix prévu à cet article puissent le révoquer.

Ces modifications s'appliquent aux exercices d'une personne se terminant après juin 2010.

Définitions [art. 247]: « année d'imposition », « exercice », « inscrit », « organisme de bienfaisance », « période de déclaration », « personne », « trimestre d'exercice » — 123(1).

Renvois [art. 247]: 245 (période de déclaration); 246 (choix de mois d'exercice); 248 (choix d'exercice); 249 (montant déterminant pour l'exercice); 250 (forme et production du choix); 322.1(3) (effet); 363.1 (choix visant un exercice abrégé).

Énoncés de politique [art. 247]: P-033, 17/09/92, *Période de déclaration d'un inscrit qui présente un choix en application du paragraphe 150(1)*; P-138R, 14/05/99, *L'effet d'un choix concernant une co-entreprise sur la capacité d'un participant de s'inscrire et de demander des crédits de taxe sur les intrants*; P-139R, 30/04/99, *Assujettissement à la taxe et admissibilité aux crédits de taxe sur les intrants pour les participants à une coentreprise n'ayant pas présenté de choix.*

Bulletins de l'information technique [art. 247]: B-075R, 23/04/96, *Modifications proposées à la TPS.*

Mémorandums [art. 247]: TPS 500-2, 25/03/91, *Déclarations et paiements*, par. 10; TPS 500-2-1, 21/12/90, *Exercices autorisés et périodes de déclaration*, par. 3.

Série de mémorandums [art. 247]: Mémorandum 17.14, 07/11, *Choix visant les fournitures exonérées.*

Formulaires [art. 247]: FP-11, *Période de déclaration — Choix visant la période de déclaration*; FP-20, *Période de déclaration — Choix visant la période de déclaration*; GST20, *Période de déclaration — Choix visant la période de déclaration*; GST20-1, *Période de déclaration — Avis de révocation du choix visant la période de déclarationpar une institution financière désignée.*

248. (1) Choix d'exercice — L'inscrit qui est un organisme de bienfaisance le premier jour de son exercice ou dont le montant déterminant pour un exercice ne dépasse pas 1 500 000 $ peut faire un choix pour que ses périodes de déclaration correspondent à ses exercices. Le choix entre en vigueur le premier jour de cet exercice.

Notes historiques: Le paragraphe 248(1) a été remplacé par L.C. 2007, c. 35, par. 6(1) et cette modification s'applique aux exercices commençant après 2007. Antérieurement, il se lisait ainsi :

> 248. (1) L'inscrit qui est un organisme de bienfaisance le premier jour de son exercice ou dont le montant déterminant pour un exercice ne dépasse pas 500 000 $ peut faire un choix pour que ses périodes de déclaration correspondent à ses exercices. Le choix entre en vigueur le premier jour de cet exercice.

Le paragraphe 248(1) a été modifié par L.C. 1997, c. 10, par 57(1) et cette modification s'applique aux exercices qui commencent après mars 1994. Toutefois, pour ce qui est des exercices qui commencent avant 1997, il n'est pas tenu compte du passage « qui est un organisme de bienfaisance le premier jour de son exercice ou » au paragraphe 248(1) ainsi modifié. Il se lisait comme suit :

> 248. (1) La personne dont le montant déterminant pour un exercice ne dépasse pas 500 000 $ peut faire un choix pour que ses périodes de déclaration correspondent à ses exercices. Le choix entre en vigueur le premier jour de l'exercice de la personne.

Ce paragraphe a été modifié par L.C. 1994, c. 9, par. 18(1) et s'applique aux périodes de déclaration commençant après mars 1994. Il se lisait comme suit :

> 248. (1) La personne dont le montant déterminant pour un exercice ne dépasse pas 500 000 $ peut faire un choix pour que ses périodes de déclaration correspondent à ses exercices. Le choix entre en vigueur le jour où la personne devient un inscrit ou, si elle est un inscrit, le premier jour de son exercice.

Le paragraphe 248(1) a été ajouté par L.C. 1990, c. 45, par. 12(1).

Concordance québécoise: LTVQ, art. 460.

(2) Durée du choix — Le choix de la personne demeure en vigueur jusqu'au premier en date des jours suivants :

a) le début du jour de l'entrée en vigueur du choix qu'elle fait en application de l'article 246 ou 247;

b) si elle n'est pas un organisme de bienfaisance et si le montant déterminant qui lui est applicable pour les deuxième ou troisième trimestres d'exercice de son exercice dépasse 1 500 000 $, le début de son premier trimestre d'exercice au cours duquel le montant déterminant dépasse cette somme;

c) si elle n'est pas un organisme de bienfaisance et si le montant déterminant qui lui est applicable pour son exercice dépasse 1 500 000 $, le début de cet exercice.

Notes historiques: Les alinéas 248(2)b) et c) ont été remplacés par L.C. 2007, c. 35, par. 6(2) et cette modification s'applique aux exercices commençant après 2007. Antérieurement, ils se lisaient ainsi :

> b) si elle n'est pas un organisme de bienfaisance et si le montant déterminant qui lui est applicable pour les deuxième ou troisième trimestres d'exercice de son exercice dépasse 500 000 $, le début de son premier trimestre d'exercice au cours duquel le montant déterminant dépasse cette somme;
>
> c) si elle n'est pas un organisme de bienfaisance et si le montant déterminant qui lui est applicable pour son exercice dépasse 500 000 $ le début de cet exercice.

Les alinéas 248(2)b) et c) ont été modifiés par L.C. 1997, c. 10, par. 57(2) et cette modification est réputée entrée en vigueur 1er janvier 1997. Ces alinéas se lisaient auparavant comme suit :

> b) si le montant déterminant applicable à la personne pour les deuxième et troisième trimestres d'exercice de son exercice dépasse 500 000 $, le début de son premier trimestre d'exercice au cours duquel le montant déterminant dépasse cette somme;
>
> c) si le montant déterminant applicable à la personne pour son exercice dépasse 500 000 $, le début de cet exercice.

Le paragraphe 248(2) a été ajouté par L.C. 1990, c. 45, par. 12(1).

2 octobre 2007, Notes explicatives: Selon le paragraphe 248(2), le choix de se doter de périodes de déclaration qui correspondent à l'exercice demeure généralement en vigueur jusqu'au premier en date des jours suivants : le jour où le choix de se doter de périodes de déclaration mensuelles ou trimestrielles entre en vigueur, le premier jour du deuxième ou troisième trimestre d'exercice où le montant d'eterminant de l'inscrit pour le trimestre (au sens du paragraphe 249(2) de la loi) excède 500 000 $ et le premier jour de l'exercice où le montant déterminant de l'inscrit pour cet exercice (au sens du paragraphe 249(1)) excède 500 000 $.

La modification apportée au paragraphe 248(2) consiste à faire passer de 500 000 $ à 1 500 000 $ le seuil du montant déterminant qui est pris en compte dans le calcul de la durée du choix de se doter de périodes de déclaration qui correspondent à l'exercice.

Cette modification s'applique aux exercices commençant après 2007.

Concordance québécoise: LTVQ, art. 461.

(3) Nouvelle période de déclaration — Pour l'application de la présente partie, lorsque les périodes de déclaration d'une personne cessent de correspondre à des exercices à compter du début d'un mois d'exercice compris dans un exercice de la personne et que le mois en question n'est pas le premier de l'exercice, la période commençant le premier jour de l'exercice et se terminant immédiatement avant le début du mois en question est réputée être une période de déclaration de la personne.

Notes historiques: Le paragraphe 248(3) a été remplacé par L.C. 2000, c. 30, par. 66(1) et cette modification est réputée entrée en vigueur le 1er avril 1997. Antérieurement, il se lisait comme suit :

> (3) Pour l'application de la présente partie, la période de déclaration de la personne dont le choix cesse d'être applicable dès le début d'un de ses trimestres d'exercice visés à l'alinéa (2)b) est réputée être la période commençant le premier jour de son exercice qui comprend ce trimestre et se terminant immédiatement avant le début de ce même trimestre.

Le paragraphe 248(3) a été ajouté par L.C. 1990, c. 45, par. 12(1).

Concordance québécoise: LTVQ, art. 461.1.

Définitions [art. 248]: « année d'imposition », « contrepartie », « exercice », « fourniture », « fourniture taxable », « immeuble », « immobilisation », « inscrit », « montant », « organisme de bienfaisance », « période de déclaration », « personne », « service financier », « trimestre d'exercice », « vente » — 123(1); « contrepartie admissible » — 217.1(1).

Renvois [art. 248]: 127 (personnes morales associées); 129.1 (fourniture par une division de petit fournisseur); 152 (moment où la contrepartie devient due); 153, 154 (contrepartie); 177(2) (fourniture pour le compte d'un artiste — exclusion de l'article 249); 225(4.1) (montant déterminant — délai); 237 (acomptes provisionnels); 245 (période de déclaration); 246 (choix de mois d'exercice); 247 (choix de trimestre d'exercice); 249 (montant déterminant pour l'exercice); 250 (forme et production du choix); 271b) (fusion); 272a) (liquidation); 322.1(3) (effet); 363.2(2) (nouvelle période de déclaration en cas de choix de ne pas utiliser la comptabilité abrégée).

Bulletins de l'information technique [art. 248]: B-065, 13/07/92, *Le plan en six points en vue de simplifier la TPS*; B-072, 15/04/94, *Autre simplification de la TPS à l'intention des petites entreprises*; B-075R, 23/04/96, *Modifications proposées à la TPS.*

Énoncés de politique [art. 248]: P-138R, 14/05/99, *L'effet d'un choix concernant une co-entreprise sur la capacité d'un participant de s'inscrire et de demander des crédits de taxe sur les intrants*; P-139R, 30/04/99, *Assujettissement à la taxe et admissibilité aux crédits de taxe sur les intrants pour les participants à une coentreprise n'ayant pas présenté de choix.*

Formulaires [art. 248]: FP-11, *Période de déclaration — Choix visant la période de déclaration*; FP-20, *Période de déclaration — Choix visant la période de déclaration*; GST20, *Période de déclaration — Choix visant la période de déclaration.*

Mémorandums [art. 248]: TPS 500-2, 25/03/91, *Déclarations et paiements*, par. 10; TPS 500-2-1, 21/12/90, *Exercices autorisés et périodes de déclaration*, par. 3, 33, 45; TPS 500-2-2, 8/02/91, *Acomptes provisionnels*, par. 3.

249. (1) Montant déterminant pour l'exercice — Pour l'application des articles 245, 247 et 248, le montant déterminant applicable à une personne pour son exercice est égal au total des montants suivants :

a) le résultat du calcul suivant :

$$A \times \frac{365}{B}$$

où :

A représente le total des contreparties, sauf la contrepartie visée à l'article 167.1 qui est imputable à l'achalandage d'une entreprise, des fournitures taxables (sauf des fournitures de services financiers, des fournitures par vente d'immeubles qui sont des immobilisations de la personne et des fournitures incluses à la partie V de l'annexe VI) effectuées au Canada par la personne, qui lui sont devenues dues au cours de son exercice précédent, ou lui ont été payées au cours de cet exercice sans qu'elles soient devenues dues,

B le nombre de jours de l'exercice précédent;

b) le total des montants représentant chacun un montant applicable à un associé de la personne — s'ils étaient associés à la fin du dernier exercice donné de l'associé à se terminer soit au même moment que l'exercice visé à l'élément A, soit au cours de ce même exercice — calculé selon la formule suivante :

$$C \times \frac{365}{D}$$

où :

C représente le total des contreparties, sauf la contrepartie visée à l'article 167.1 qui est imputable à l'achalandage d'une entreprise, des fournitures taxables (sauf des fournitures de services financiers, des fournitures par vente d'immeubles qui sont des immobilisations de l'associé et des fournitures incluses à la partie V de l'annexe VI) effectuées au Canada par l'associé, qui lui sont devenues dues au cours de son exercice donné, ou lui ont été payées au cours de cet exercice sans qu'elles soient devenues dues,

D le nombre de jours de l'exercice donné de l'associé.

Notes historiques: En vertu de L.C. 1996, c. 21, art. 71, malgré le paragraphe 249(1) et pour l'application des articles 245, 247 et 248, le montant déterminant applicable à une personne à laquelle L.C. 1996, c. 21, art. 68 [N.D.L.R. : voir les notes historiques sous par. 123(1) *exercice*] ou L.C. 1996, c. 21, art. 70 [N.D.L.R. : voir les notes historiques sous al. 149(1)] s'appliquent, pour son exercice commençant le 1er janvier 1997, en cas d'application de l'article 68, ou le 1er janvier 1996, en cas d'application de l'article 70, correspond au plus élevé des montants suivants :

a) le montant qui, selon le même paragraphe 249(1), correspondrait à ce montant déterminant si le nombre de jours visé aux éléments B et D de la formule figurant à ce paragraphe était de 365;

b) le montant déterminant de la personne, déterminé selon le même paragraphe 249(1), pour son exercice précédant l'exercice en question.

Le paragraphe 249(1) a été modifié par L.C. 1993, c. 27, par. 106(1) et cette modification s'applique au calcul du montant déterminant pour tout exercice ou trimestre d'exercice qui commence après septembre 1992. Le paragraphe 249(1) se lisait auparavant comme suit :

249. (1) Pour l'application des articles 245, 247 et 248, le montant déterminant applicable à une personne pour son exercice est égal au total des montants suivants :

a) le montant calculé selon la formule suivante :

$$A \times \frac{365}{B}$$

où :

A représente le total des contreparties des fournitures taxables (sauf des fournitures de services financiers et des fournitures par vente d'immeubles qui sont des immobilisations), effectuées par la personne, qui lui sont devenues dues, ou lui ont été payées sans qu'elles soient devenues dues, au cours de son exercice précédent;

B le nombre de jours de l'exercice précédent;

b) le total des montants dont chacun représente un montant applicable à un associé de la personne — s'ils étaient associés à la fin du dernier exercice de l'associé à se terminer soit au même moment que l'exercice visé à l'élément A, soit au cours de ce même exercice — calculé selon la formule suivante :

$$C \times \frac{365}{D}$$

où :

C représente le total des contreparties des fournitures taxables (sauf des fournitures de services financiers et des fournitures par vente d'immeubles qui sont des immobilisations), effectuées par l'associé, qui lui sont devenues dues, ou lui ont été payées sans qu'elles soient devenues dues, au cours de son exercice;

D le nombre de jours de l'exercice.

Le paragraphe 249(1) a été ajouté par L.C. 1990, c. 45, par. 12(1).

Concordance québécoise: LTVQ, art. 462.

(2) Montant déterminant pour le trimestre d'exercice — Pour l'application des articles 245, 247 et 248, le montant déterminant applicable à une personne pour un trimestre d'exercice donné à un moment de son exercice est égal au total des montants suivants :

a) le total des contreparties (sauf celle visée à l'article 167.1 qui est imputable à l'achalandage d'une entreprise) des fournitures taxables (sauf des fournitures de services financiers, des fournitures par vente d'immeubles qui sont des immobilisations de la personne et des fournitures incluses à la partie V de l'annexe VI) effectuées au Canada par la personne, qui lui sont devenues dues au cours de ses trimestres d'exercice précédents qui ont pris fin pendant cet exercice, ou lui ont été payées au cours de ces trimestres sans être devenues dues;

b) le total des montants représentant chacun un montant applicable à un associé de la personne — s'ils étaient associés au début du trimestre d'exercice donné — égal au total des contreparties (sauf celle visée à l'article 167.1 qui est imputable à l'achalandage d'une entreprise) des fournitures taxables (sauf des fournitures de services financiers, des fournitures par vente d'immeubles qui sont des immobilisations de l'associé et des fournitures incluses à la partie V de l'annexe VI) effectuées au Canada par l'associé, qui lui sont devenues dues au cours de ses trimestres d'exercice qui ont pris fin pendant cet exercice de la personne mais avant le début du trimestre d'exercice donné, ou lui ont été payées au cours de ces trimestres sans être devenues dues.

Notes historiques: Les alinéas 249(2)a) et b) ont été remplacés par L.C. 2000, c. 30, par. 67(1). Cette modification s'applique au calcul du montant déterminant pour tout trimestre d'exercice commençant après le 10 décembre 1998. Antérieurement, ils se lisaient comme suit :

a) le total des contreparties des fournitures taxables (sauf des fournitures de services financiers, des fournitures par vente d'immeubles qui sont des immobilisations de la personne et des fournitures incluses à la partie V de l'annexe VI) effectuées au Canada par la personne, qui lui sont devenues dues au cours de ses trimestres d'exercice précédents qui ont pris fin pendant cet exercice, ou lui ont été payées au cours de ces trimestres sans qu'elles soient devenues dues;

b) le total des montants représentant chacun un montant applicable à un associé de la personne — s'ils étaient associés au début du trimestre d'exercice donné — égal au total des contreparties des fournitures taxables (sauf des fournitures de services financiers, des fournitures par vente d'immeubles qui sont des immobilisations de l'associé et des fournitures incluses à la partie V de l'annexe VI) effectuées au Canada par l'associé, qui lui sont devenues dues au cours de ses trimestres d'exercice qui ont pris fin pendant l'exercice de la personne mais avant le début du trimestre d'exercice donné, ou lui ont été payées au cours de ces trimestres sans qu'elles soient devenues dues.

Le paragraphe 249(2) a été modifié par L.C. 1993, c. 27, par. 106(1) et cette modification s'applique au calcul du montant déterminant pour tout exercice ou trimestre d'exercice qui commence après septembre 1992. Le paragraphe 249(2) se lisait auparavant comme suit :

(2) Pour l'application des articles 245, 247 et 248, le montant déterminant applicable à une personne pour son trimestre d'exercice à un moment de son exercice est égal au total des montants suivants :

a) le total des contreparties des fournitures taxables (sauf des fournitures de services financiers et des fournitures par vente d'immeubles qui sont des immobilisations), effectuées par la personne, qui lui sont devenues dues, ou lui ont été payées sans qu'elles soient devenues dues, au cours de ses trimestres d'exercice précédents se terminant au cours de cet exercice;

b) le total des montants dont chacun représente un montant applicable à l'associé de la personne — s'ils étaient associés au début du trimestre d'exercice — égal au total des contreparties des fournitures taxables (sauf des fournitures de services financiers et des fournitures par vente d'immeubles qui sont des immobilisations) devenues dues à l'associé, ou payées sans qu'elles lui soient devenues dues, au cours de ses trimestres d'exercice précédents se terminant pendant l'exercice de la personne mais avant le début du trimestre d'exercice en question.

Le paragraphe 249(2) a été ajouté par L.C. 1990, c. 45, par. 12(1).

Concordance québécoise: LTVQ, art. 462.1.

Jurisprudence [art. 249]: *CIBC World Markets Inc. v. R.*, 2010 CarswellNat 5197, 2010 CCI 460, [2010] G.S.T.C. 134 (CCI [procédure générale]).

Mémorandums [art. 249]: TPS 500-2-1, 21/12/90, *Application et exécution déclarations et paiements exercices autorisés et périodes de déclaration*, par. 10; TPS 500-2-2, 8/02/91, *Acomptes provisionnels*, par. 21.

Énoncés de politique [art. 249]: P-138R, 14/05/99, *L'effet d'un choix concernant une co-entreprise sur la capacité d'un participant de s'inscrire et de demander des crédits de taxe sur les intrants*; P-139R, 30/04/99, *Assujettissement à la taxe et admissibilité aux crédits de taxe sur les intrants pour les participants à une coentreprise n'ayant pas présenté de choix.*

Lettres d'interprétation (Québec) [art. 249]: 98-0107643 — Détermination du « montant déterminant ».

250. Forme et production du choix — Le choix fait par une personne en application de l'article 246, 247 ou 248 doit être présenté au ministre, en la forme, avec les renseignements et selon les modalités déterminés par celui-ci, préciser le premier exercice auquel il s'applique et être produit :

a) si le choix doit entrer en vigueur le jour où la personne devient un inscrit, au moment où la personne fait sa demande d'inscription ou, si la date de prise d'effet de l'inscription est postérieure à ce moment, à un moment donné entre ce moment et cette date;

b) si le choix est fait en application de l'article 248 et la période de déclaration de la personne se terminant immédiatement avant le jour de l'entrée en vigueur du choix correspond à son trimestre d'exercice, dans les trois mois suivant ce jour;

c) dans les autres cas, dans les deux mois suivant le jour de l'entrée en vigueur du choix.

Notes historiques: L'article 250 a été ajouté par L.C. 1990, c. 45, par. 12(1).

Concordance québécoise: LTVQ, art. 462.3.

Définitions [art. 250]: « année d'imposition », « exercice », « inscrit », « ministre », « mois », « période de déclaration », « personne », « règlement », « trimestre d'exercice » — 123(1).

Renvois [art. 250]: 243 (trimestre d'exercice); 363.1 (choix visant un exercice abrégé).

Mémorandums [art. 250]: TPS 500-2-1, 21/12/90, *Exercices autorisés et périodes de déclaration*, par. 5, 18, 19, annexe A.

Formulaires [art. 250]: FP-11, *Période de déclaration — Choix visant la période de déclaration*; FP-20, *Période de déclaration — Choix visant la période de déclaration*; FP-620, *Choix visant à modifier les périodes de déclaration TPS/TVH et TVQ*; GST20, *Période de déclaration — Choix visant la période de déclaration.*

251. (1) Période de déclaration du nouvel inscrit — Pour l'application de la présente partie, les périodes suivantes sont réputées être des périodes de déclaration distinctes de la personne qui devient un inscrit un jour donné :

a) la période commençant le premier jour du mois civil qui comprend le jour donné et se terminant la veille du jour donné;

b) la période commençant le jour donné et se terminant le dernier jour de la période de déclaration de la personne, déterminée par ailleurs en application du paragraphe 245(2), qui comprend le jour donné.

Notes historiques: Le paragraphe 251(1) a été ajouté par L.C. 1990, c. 45, par. 12(1).

Concordance québécoise: LTVQ, art. 466.

(2) Période de déclaration de la personne qui cesse d'être un inscrit — Pour l'application de la présente partie, les périodes suivantes sont réputées être des périodes de déclaration distinctes de la personne qui cesse d'être un inscrit un jour donné :

a) la période commençant le premier jour de la période de déclaration de la personne, déterminée par ailleurs en application du paragraphe 245(2), qui comprend le jour donné et se terminant la veille du jour donné;

b) la période commençant le jour donné et se terminant le dernier jour du mois civil qui comprend le jour donné.

Notes historiques: Le paragraphe 251(2) a été ajouté par L.C. 1990, c. 45, par. 12(1).

Concordance québécoise: LTVQ, art. 467.

Définitions [art. 251]: « inscrit », « période de déclaration », « personne » — 123(1).

Renvois [art. 251]: 126(2) (personnes liées); 171(1) (CTI d'un nouvel inscrit); 240–242 (inscription).

Jurisprudence [art. 251]: *Thompson c. R.*, [2003] G.S.T.C. 53 (CCI).

Formulaires [art. 251]: FP-11, *Période de déclaration — Choix visant la période de déclaration*; FP-20, *Période de déclaration — Choix visant la période de déclaration*; GST20, *Période de déclaration — Choix visant la période de déclaration.*

SECTION VI — REMBOURSEMENTS

: Nous vous invitons à consulter notre tableau récapitulatif illustrant les remboursements disponibles en vertu de la présente section. D'emblée, l'auteur désire souligner l'absence de définition du terme « remboursement » au paragraphe 123(1). De façon générale, l'étendue du spectre de ce terme est très large puisqu'il peut s'appliquer non seulement à l'égard d'un montant de TPS payé par une personne qui effectue des fournitures exonérées, mais également à l'égard d'une personne qui a erronément payé de la TPS. À la lumière de l'ensemble des dispositions qui se retrouvent à la présente section, l'auteur suggère la définition suivante du terme « remboursement » : « remise, restitution ou versement à une personne, en exécution d'une obligation légale ou conventionnelle, d'une somme d'argent qu'elle avait versée ou non, dans le délai et la forme prescrits par la présente partie ».

En pratique, l'Agence du revenu du Canada émet des numéros RT, soit les mêmes que pour les numéros de compte TPS d'une personne. L'obtention d'un RT ne rend pas la personne un « inscrit » au sens de la *Loi sur la taxe d'accise (TPS)*. En effet, cette demande de remboursement ouvre un compte de « non-déclarant ». Aucun formulaire ne sera acheminé au non-déclarant pour les périodes suivantes. Le numéro de compte pour une demande de remboursement ne peut jamais être le RT0001 qui est réservé à ceux qui collectent et remettent la TPS. La première demande de remboursement commence par le prochain compte RT disponible ou s'il s'agit du premier compte, le 0002. Étant donné qu'il s'agit du même numéro que les numéros de TPS, il serait théoriquement possible de vérifier sur le site internet de vérification des numéros TPS si la personne est inscrite. Toutefois, en pratique, il est presque impossible de déterminer quel sous-compte s'applique aux remboursements ou autres comptes de TPS ouverts pour d'autres divisions (pensons, à titre d'exemple, à la grande entreprise qui peut facilement avoir une centaine de sous comptes de TPS). Le seul moment où la recherche pourrait s'avérer fructueuse est le cas où la personne n'est pas un inscrit. Au Québec, la TPS est administrée par Revenu Québec et le processus diffère de celui qui prévaut à l'Agence du revenu du Canada. À cet égard, nous vous invitons à consulter nos commentaires qui figurent sou le « chapitre VII — Remboursement et Compensation » de la *Loi sur la taxe de vente du Québec*.

252. (1) Remboursement aux non-résidents — produits exportés — Dans le cas où une personne non-résidente est l'acquéreur d'une fourniture de biens meubles corporels qu'elle acquiert pour utilisation principale à l'étranger — sans en être le consommateur — et qu'elle exporte dans les 60 jours suivant le jour où ils lui sont livrés, le ministre lui rembourse, sous réserve de l'article 252.2, un montant égal à la taxe qu'elle a payée relativement à la fourniture, sauf si la fourniture porte sur les biens suivants :

a) des produits soumis à l'accise;

b) [*abrogé*]

c) l'essence, le combustible diesel ou autre carburant, sauf le carburant qui :

(i) d'une part, est transporté dans un véhicule conçu pour le transport en vrac d'essence, de combustible diesel ou d'autre carburant,

(ii) d'autre part, est destiné à être utilisé autrement que dans ce véhicule.

Notes historiques: Le préambule du paragraphe 252(1) a été remplacé par L.C. 2007, c. 29, par. 46(1) et cette modification s'applique aux fournitures de biens à l'égard desquelles la taxe prévue à la partie IX devient payable après mars 2007. Antérieurement, il se lisait ainsi :

252. (1) Dans le cas où une personne non-résidente est l'acquéreur d'une fourniture de biens meubles corporels qu'elle acquiert pour utilisation principale à l'étranger et qu'elle exporte dans les 60 jours suivant le jour où ils lui sont livrés, le ministre rembourse à la personne, sous réserve de l'article 252.2, un montant égal à la taxe qu'elle a payée relativement à la fourniture, sauf si la fourniture porte sur les biens suivants :

L'ancien alinéa 252(1)a) a été abrogé par L.C. 1997, c. 10, par. 58(1) et les alinéas 252(1)b), c) et d) sont devenus respectivement les alinéas 252(1)a), b) et c). Cette modification s'applique aux biens acquis après le 23 avril 1996. L'ancien alinéa 252(1)a) se lisait comme suit :

a) des biens meubles corporels désignés d'occasion que la personne a achetés pour une contrepartie qui dépasse le montant réglementaire qui leur est applicable;

L'alinéa 252(1)b) a été abrogé par L.C. 2002, c. 22, art. 389 et cette abrogation est entrée en vigueur le 1er juillet 2003 [C.P. 2003-388]. Antérieurement, il se lisait ainsi :

b) le vin;

Auparavant, le paragraphe 252(1) a été modifié par L.C. 1993, c. 27, par. 107(1) et est réputé entré en vigueur le 17 décembre 1990. Il se lisait ainsi :

252. (1) Dans le cas ou une personne non résidante paie la taxe prévue à la section II relativement à la fourniture de biens meubles corporels acquis pour être utilisés principalement à l'étranger et exporte les biens dans les 60 jours suivant celui où ils lui sont fournis, le ministre verse à la personne un remboursement égal à la taxe ainsi payée, sauf si la fourniture porte sur les biens suivants :

a) des biens meubles corporels désignés d'occasion qui sont acquis par achat pour une contrepartie qui dépasse le montant réglementaire qui leur est applicable;

b) des produits soumis à l'accise;

c) le vin;

d) l'essence, le combustible diesel ou autre carburant, sauf le carburant qui :

(i) d'une part, est transporté dans un véhicule conçu pour le transport d'essence, de combustible diesel ou autre carburant en vrac,

(ii) d'autre part, est destiné à être utilisé autrement que dans le véhicule dans lequel ou par lequel il est transporté.

Le paragraphe 252(1) a été édicté par L.C. 1990, c. 45, par. 12(1).

Concordance québécoise: LTVQ, art. 351.

(2) Remboursement pour œuvres artistiques d'exportation — Sous réserve du paragraphe (3) et de l'article 252.2, le ministre rembourse une personne non-résidente qui n'est pas un inscrit si les conditions suivantes sont réunies :

a) la personne acquiert un bien ou un service, sauf un service d'entreposage ou d'expédition, pour consommation ou utilisation exclusive dans le cadre de la fabrication ou de la production d'une œuvre littéraire, musicale, artistique ou cinématographique originale ou de quelque autre œuvre originale protégée par le droit d'auteur et, le cas échéant, de reproductions d'une telle œuvre;

b) la personne n'est pas un consommateur du bien ou du service;

c) la personne fabrique ou produit l'œuvre, ainsi que ses reproductions, en vue de les exporter.

Le montant remboursable est égal à la taxe payée par la personne relativement à l'acquisition du bien ou du service.

Notes historiques: Le paragraphe 252(2) a été modifié par L.C. 1993, c. 27, par. 107(1) et cette modification est réputé entré en vigueur le 17 décembre 1990. Toutefois, pour son application avant octobre 1992, la mention du paragraphe 252(3) vaut mention du paragraphe 252(6). Le paragraphe 252(2) a été intégré à l'article 252.1 et se lisait ainsi :

(2) Sous réserve des paragraphes (3) et (5), le ministre verse au particulier non résidant qui a reçu la fourniture taxable d'un logement provisoire au Canada un remboursement égal au montant suivant :

a) si le particulier a payé la taxe relativement au logement, le total de cette taxe;

b) si le particulier n'est pas tenu de payer la taxe relativement au logement et si la demande de remboursement est accompagnée de renseignements établissant la taxe payée relativement au logement par une autre personne qui a acquis celui-ci et l'a fourni au particulier, le total de cette taxe;

c) dans les autres cas, le montant visé par règlement.

Le paragraphe 252(2) a été édicté par L.C. 1990, c. 45, par. 12(1).

Concordance québécoise: LTVQ, art. 353.1.

(3) Cession du droit au remboursement — Lorsque l'acquéreur d'une fourniture cède au fournisseur, en présentant les renseignements requis par le ministre en la forme déterminée par celui-ci, le droit au remboursement qu'il pourrait obtenir en vertu du paragraphe (2) relativement à la fourniture en payant la taxe afférente et en remplissant les conditions énoncées à l'article 252.2, les règles suivantes s'appliquent si le fournisseur verse cette taxe à l'acquéreur, ou la porte à son crédit :

a) un montant égal à cette taxe est déductible par le fournisseur en application du paragraphe 234(2) relativement à la fourniture;

b) l'acquéreur n'a pas droit à un remboursement ou à une remise de taxe relativement à la fourniture.

Notes historiques: Le paragraphe 252(3) a été modifié par L.C. 1993, c. 27, par. 107(2) et cette modification est réputé entré en vigueur le 1er octobre 1992. Il remplace les paragraphes 252(3) à 252(6). Ce paragraphe se lisait ainsi :

(3) Sous réserve du paragraphe (6) et de l'article 252.2, le ministre rembourse une personne non-résidente qui n'est pas un inscrit si les conditions suivantes sont réunies :

a) la personne acquiert un service de traitement relatif à un bien meuble corporel ou acquiert un bien ou un service, sauf un service d'entreposage ou d'expédition, pour consommation ou utilisation exclusive dans le cadre de la fabrication ou de la production de biens meubles corporels;

b) la personne n'est pas un consommateur du bien ou du service;

c) la personne fabrique ou produit le bien meuble corporel exclusivement pour l'exporter ou pour le fournir à une autre personne qui n'est pas un inscrit et qui l'acquiert pour l'exporter;

d) la personne a payé un montant au titre de la taxe relative à l'acquisition du bien ou du service, indépendamment du fait qu'une taxe était payable ou non par elle relativement à cette acquisition.

Le montant remboursable est égal au montant visé à l'alinéa d).

Le paragraphe 252(3) a été modifié auparavant pour la période du 17 décembre 1990 au 30 septembre 1992 par L.C. 1993, c. 27, par. 107(1). L'ancien paragraphe 252(3) a été intégré à l'article 252.2 et se lisait comme suit :

(3) Les remboursements ne sont versés que si les conditions suivantes sont réunies :

a) la personne présente, dans un délai d'un an suivant la fourniture, une demande de remboursement au ministre;

b) la demande fait état d'un remboursement d'au moins 20 $;

c) si la personne est un particulier, elle ne présente pas plus d'une demande par trimestre civil, sauf s'il s'agit d'une demande visée par règlement;

d) si la personne n'est pas un particulier, elle ne présente pas plus d'une demande par mois civil;

e) la personne ne réside pas au Canada au moment de la demande;

f) la demande est accompagnée de documents établissant que la taxe a été payée relativement à la fourniture;

g) s'il s'agit d'une fourniture de produits, la demande est accompagnée de documents établissant que, dans les 60 jours suivant la fourniture, les produits accompagnaient la personne à son départ du Canada ou ont été exportés.

Le paragraphe 252(3) a été édicté par L.C. 1990, c. 45, par. 107(2).

Concordance québécoise: LTVQ, art. 353.2.

(4) [*Abrogé*]

Notes historiques: Le paragraphe 252(4) a été abrogé rétroactivement au 1er octobre 1992 par L.C. 1993, c. 27, par. 107(2). Il se lisait comme suit :

(4) Sous réserve du paragraphe (6) et de l'article 252.2, le ministre rembourse une personne non-résidente qui n'est pas un inscrit si les conditions suivantes sont réunies :

a) elle acquiert un bien meuble corporel ou un service de traitement relatif à un tel bien;

b) elle fournit le bien meuble corporel à un inscrit qui n'est pas réputé par l'article 180 avoir payé la taxe relative à une fourniture du bien;

c) elle a payé un montant au titre de la taxe relative à l'acquisition du bien ou du service, indépendamment du fait qu'une taxe était payable ou non par elle relativement à cette acquisition;

d) l'article 179 s'applique à la fourniture du bien ou du service effectuée au profit de la personne.

Le montant remboursable est égal au montant visé à l'alinéa c).

Le paragraphe 252(4) a été modifié auparavant pour la période du 17 décembre 1990 au 30 septembre 1992 par L.C. 1993, c. 27, par. 107(1) et intégré à l'article 252.1. Il se lisait ainsi :

(4) Pour l'application des alinéas (2)a) et b), dans le cas où une personne a payé la taxe relativement à la fourniture d'un logement provisoire avec d'autres biens ou services, la taxe payée relativement à la fourniture du logement est réputée égale au montant suivant :

a) si le montant de la taxe payée relativement à cette fourniture peut être établi conformément aux modalités réglementaires, le montant ainsi établi;

b) sinon, le montant calculé conformément aux dispositions réglementaires.

L'ancien paragraphe 252(4) a été édicté par L.C. 1990, c. 45, par. 107(2).

(5) [*Abrogé*]

Notes historiques: Le paragraphe 252(5) a été abrogé rétroactivement au 1er octobre 1992 par L.C. 1993, c. 27, par. 107(2), de la façon suivante :

(5) Pour l'application des paragraphes (3) et (4), les services suivants constituent des services de traitement relatifs à un bien meuble corporel :

a) l'exécution d'une opération de fabrication, de production ou de traitement relativement au bien;

b) l'assemblage, le mélange, la réduction, la dilution, la mise en bouteille, l'emballage et le réemballage du bien et l'application d'enduits ou d'apprêts sur le bien;

c) l'examen, la mise à l'essai, l'évaluation, la réparation et l'entretien du bien;

d) l'enregistrement et le stockage d'instructions ou de données sur le bien d'une manière et sous une forme qui en permettent la lecture ou le traitement au moyen de matériel informatique.

Le paragraphe 252(5) a été modifié auparavant pour la période du 17 décembre 1990 au 30 septembre 1992 par L.C. 1993, c. 27, par. 107(1) et intégré à l'article 252.1. Il se lisait ainsi :

(5) Lorsque, à la fois :

a) une personne reçoit la fourniture taxable d'un logement provisoire et fournit celui-ci à un particulier non résidant,

b) le particulier cède à la personne, en la forme et avec les renseignements déterminés par le ministre, le droit au remboursement auquel il aurait droit en application du paragraphe (2) relativement à la fourniture si la condition énoncée au paragraphe (3) était remplie,

c) la personne présente la demande de remboursement, accompagnée de la cession, dans un délai d'un an suivant la fourniture,

d) dans le cas où le particulier était tenu de payer la taxe relativement au logement, la demande est accompagnée de renseignements établissant que la taxe a été payée,

e) le ministre verse à la personne, en conformité avec la cession, le remboursement auquel le particulier a droit relativement à la fourniture,

f) le particulier n'a pas droit à un remboursement ou à une remise de taxe relativement à la fourniture.

L'ancien paragraphe 252(5) a été édicté par L.C. 1990, c. 45, par. 12(1).

(6) [*Abrogé*]

Notes historiques: Le paragraphe 252(6) a été abrogé rétroactivement au 1er octobre 1992 par L.C. 1993, c. 27, par. 107(2). Le paragraphe 252(6) a été modifié auparavant pour la période du 17 décembre 1990 au 30 septembre 1992 par L.C. 1993, c. 27, par. 107(1), de la façon suivante :

(6) Lorsque l'acquéreur d'une fourniture cède au fournisseur, en présentant les renseignements requis par le ministre en la forme déterminée par celui-ci, le droit au remboursement qu'il pourrait obtenir en vertu de l'un des paragraphes (2) à (4) relativement à la fourniture en payant la taxe afférente et en remplissant les conditions énoncées à l'article 252.2, les règles suivantes s'appliquent si le fournisseur verse cette taxe à l'acquéreur, ou la porte à son crédit :

a) un montant égal à cette taxe est déductible par le fournisseur en vertu du paragraphe 234(2) relativement à la fourniture;

b) l'acquéreur n'a pas droit à un montant remboursable ou à une remise de taxe relativement à la fourniture.

Définitions [art. 252]: « acquéreur », « bien », « bien meuble », « bien meuble corporel d'occasion », « bien meuble corporel désigné d'occasion », « consommateur », « exclusif », « exportation », « fourniture », « fourniture taxable », « ministre », « montant », « non résidant », « personne », « produit soumis à l'accise », « produits », « règlement », « service », « service commercial », « taxe », « trimestre civil », « personne » — 123(1).

Renvois [art. 252]: 123(2) (Canada); 142–144 (fourniture au Canada, à l'étranger); 179 (livraison au consignataire d'un non-résident); 215.1(1) (remboursement pour biens retournés); 234(2) (déduction pour remboursement); 240(7) (garantie — défaut de se conformer); 252.2 (conditions au remboursement); 252.5 (obligation solidaire); 262 (forme et production de la demande); 263 (restriction); 263.01 (TVH — institution financière désignée particulière); 264 (montant remboursé en trop ou intérêts payés en trop); 297 (détermination du remboursement par le ministre); VI:Partie V (exportations détaxées).

Règlements [art. 252]: *Règlement sur les biens meubles corporels désignés (TPS/TVH)*, art. 1.

Décrets de remise [art. 252]: *Décret de remise visant les forces étrangères présentes au Canada (partie IX de la LTA)* C.P.1992-2399.

Jurisprudence [art. 252]: *Impact Shipping Inc. c. La Reine*, [1995] G.S.T.C. 28 (CCI); *Kemp (B.E.) c. La Reine*, [1996] G.S.T.C. 32 (CCI); *Diem (G.) c. Canada*, [1999] G.S.T.C. 54 (CCI); *800537 Ontario Inc. v. R.*, [2005] G.S.T.C. 165 (CAF); *Golf Canada's West Ltd. v. R.* (3 novembre 2011), 2011 CarswellNat 6023, 2012 CCI 11, 2012 G.T.C. 14 (CCI [procédure informelle]).

Énoncés de politique [art. 252]: P-028, 04/09/92, *Les frais de repas non justifiés par un reçu et les remboursements de TPS aux salariés*; P-081R, 25/05/99, *Statut fiscal du vin désalcoolisé*; P-195R, 10/08/99, *Remboursement pour œuvres artistiques destinées à l'exportation*; P-212, 12/09/97, *Droit des membres des forces étrangères (LFEPC) présentes au Canada de demandes un remboursement en application du paragraphe 252(1) de la LTA (Ébauche)*.

Bulletins de l'information technique [art. 252]: B-062, 08/11/91, *Documents d'exportation*; B-075R, 23/04/96, *Modifications proposées à la TPS*; B-080R, 10/12/97, *Remboursements de la TVH sur les fournitures effectuées à partir des provinces participantes*.

Mémorandums [art. 252]: TPS 300-3-5, 12/10/92, *Exportations*, par. 68; TPS 300-8, 6/01/91, *Produits importés*, par. 28–31.

Série de mémorandums [art. 252]: Mémorandum 3.1, 08/99, *Assujettissement à la taxe*; Mémorandum 3.4, 04/00, *Résidence*.

Formulaires [art. 252]: FP-189, *Demande générale de remboursement*; FP-288, *Supplément à la demande générale de remboursement*; FP-498, *Demande de remboursement de la TPS/TVH par un représentant étranger, une mission diplomatique, un poste consulaire, une organisation internationale ou une unité de forces étrangères présentes au Canada*; GST176, *Demande de remboursement de la taxe aux visiteurs*; GST177, *Demande de remboursement de la TPS payée par les organisateurs de voyages ou de congrès à l'égard de logements provisoires fournis à des particuliers en visite au Canada*; GST189, *Demande générale de remboursement de la TPS/TVH*; GST288, *Demande générale de remboursement de la taxe sur les produits et services (TPS)/Taxe de vente harmonisée (TVH)*; RC4033, *Demande générale de remboursement de la TPS/TVH — Y compris les formulaires GST189, GST288, et GST507*; RC4117, *Remboursement de la taxe pour voyages d'affaires au Canada*.

Lettres d'interprétation (Québec) [art. 252]: 98-0112114 — Droit pour un résident de demander le remboursement des taxes payées relativement à l'acquisition au Québec d'un véhicule routier au nom d'un non-résident.

COMMENTAIRES: L'article 252 vise à accorder un allègement de la taxe aux non-résidents qui exportent un bien meuble corporel sur lequel la TPS a été perçue. Le délai de 60 jours du paragraphe 252(1) vise à limiter l'utilisation et la jouissance prolongées d'un bien au Canada qui sera visé par l'exemption de taxe.

Le statut de non-résident de l'acquéreur doit être analysé lors de la journée de l'achat pour déterminer l'admissibilité à un remboursement. Voir notamment à cet effet : Agence du revenu du Canada, Lettre de l'Administration centrale sur la TPS, 95 GTI 402 — *Several Items Bought in Canada by a Canadian Resident before his Departure to Europe* (5 juillet 1996).

L'emploi de l'expression « utilisation principale » réfère à une utilisation de plus de 50 %. Voir notamment à cet effet : Agence du revenu du Canada, Lettre de l'Administration centrale sur la TPS, 11685-1, 11640-1, 11645-1 — *Request for Information from xxxxxxx* (28 juillet 2000).

Il est également crucial de conserver la documentation appropriée afin de démontrer que le bien meuble corporel a été exporté dans les 60 jours suivants le jour où il a été livré. D'ailleurs, tel que le souligne l'Agence du revenu du Canada, cette documentation doit être jointe à la demande de remboursement. Voir notamment à cet effet: Agence du revenu du Canada, Lettre de l'Administration centrale sur la TPS, 11640-4B — *GST/HST Interpretation* (5 avril 2000). Nous vous référons également à nos commentaires sous l'article 142 pour une discussion détaillée du terme « livré ».

En vertu de l'article 252.2, le délai pour présenter une demande de remboursement est d'un an. Nous vous invitons à consulter nos commentaires en vertu de l'article 261 pour une discussion sur la présence d'un délai de rigueur et, le cas échéant, sur la possibilité de bénéficier d'un recours alternatif lorsque le délai prescrit est expiré.

Dans l'affaire *Scapillato c. R*, 2003 CarswellNat 6569 (C.C.I.), l'Agence du revenu du Canada avait rejeté la demande de l'appelant visant le remboursement de la TPS payée sur l'achat d'une maison motorisée, pour le motif que la demande a été produite tardivement. La principale question était de déterminer si la demande de remboursement a été produite dans l'année suivant l'exportation du bien auquel le remboursement se rapporte, comme l'exige l'article 252. 2. Dans un premier temps, la Cour canadienne de l'impôt se réfère à l'arrêt *Carling Export Brewing and Malting Co.*, [1930] R.C.S. 361 où la Cour suprême du Canada a examiné la signification du mot « exportation ». De façon générale, selon la Cour suprême du Canada, exporter sous-entend sans aucun doute l'idée d'un prélèvement de marchandises sur la masse des biens appartenant à notre pays avec l'intention de les fondre à la masse des biens appartenant à un pays étranger. Ce terme sous-entend aussi l'idée de transporter les biens exportés au-delà des frontières de notre pays avec la réelle intention de ce faire. Par la suite, la Cour canadienne de l'impôt indique que le délai d'un an de l'article 252.2 vise à faire en sorte que les demandes de remboursement soient déposées assez rapidement. En vertu de ces dispositions, on tient pour acquis que la livraison, l'exportation et la demande de remboursement auront lieu dans cet ordre. Ainsi, de l'avis de la Cour canadienne de l'impôt, interpréter l'article 252.2 comme étant applicable à une exportation autre qu'une exportation qui est conforme à la règle de 60 jours irait à l'encontre du but visé par la prescription prévue à l'article 252.2 et ce, en insérant dans cet ordre chronologique, un événement relatif à l'exportation qui n'est pas pertinent.

Revenu Québec a accepté qu'un non-résident puisse confier à un résident le mandat d'acquérir et d'exporter pour son compte un véhicule routier donné ainsi que le mandat d'effectuer les formalités relatives à la demande de remboursement de la taxe auquel lui donne droit cette acquisition. Toutefois, le chèque de remboursement devra être libellé au nom du non-résident et lui être expédié, et ce, en application de l'article 67 de la *Loi sur la gestion des finances publiques*, L.R.C., (1985) ch. F-11. Néanmoins, ce chèque pourrait être expédié au mandataire, soit au résident du Québec, si le Ministère recevait une autorisation écrite du mandant précisant que le mandataire est autorisé à recevoir ce chèque de remboursement. Voir notamment à cet effet : Revenu Québec, Lettre d'interprétation, 98-0112114 -- *Droit pour un résident de demander le remboursement des taxes payées relativement à l'acquisition au Québec d'un véhicule routier au nom d'un non-résident* (18 décembre 1998).

Nous soulignons qu'en vertu du paragraphe 13(2) du *Règlement sur la cession des dettes de la Couronne*, CRC, c.675, le remboursement en vertu du paragraphe 252(1) peut être cédé à un tiers.

Le remboursement n'est pas toujours nécessaire. En effet, des biens envoyés directement à un non-résident ne devraient pas être assujetti à la TPS en vertu, notamment, de l'alinéa 142(2)(b) et de l'article 12, partie V, annexe VI de la *Loi sur la taxe d'accise (TPS)*. De surcroît, l'article 1, partie V, section VI de la *Loi sur la taxe d'accise (TPS)* s'applique dans la mesure où les biens sont exportés à l'extérieur du Canada, même s'ils sont fournis au Canada. Bien entendu, si la fourniture est détaxée, il n'y a aucun montant de TPS à recouvrir par le biais d'un remboursement, tel que l'enseigne l'article 263.

Finalement, dans la mesure où le non-résident ne rencontre pas les conditions énoncées au présent article, ce dernier pourrait penser à s'enregistrer pour récupérer ses crédits de taxe sur les intrants. Nous vous référons à nos commentaires en vertu du paragraphe 240(3).

252.1 (1) Définitions — Les définitions qui suivent s'appliquent au présent article et aux articles 252.2 et 252.4.

« emplacement de camping » Emplacement dans un parc à roulottes récréatif ou terrain de camping (sauf un emplacement compris dans la définition de « logement provisoire » au paragraphe 123(1) ou compris dans la partie d'un voyage organisé qui n'est pas la partie taxable du voyage, au sens du paragraphe 163(3)) qui est fourni par bail, licence ou accord semblable en vue de son occupation à titre résidentiel ou d'hébergement, si la période durant laquelle il est permis au particulier d'occuper l'emplacement de façon continue est de moins d'un mois. Y sont assimilés les services d'alimentation en eau et en électricité et d'élimination des déchets, ou le droit d'utiliser ces services, si l'accès à ceux-ci se fait au moyen d'un raccordement ou d'une sortie situé sur l'emplacement et s'ils sont fournis avec celui-ci.

Concordance québécoise: aucune.

« voyage organisé » S'entend au sens du paragraphe 163(3). N'est pas un voyage organisé celui dans le cadre duquel sont fournis un centre de congrès ou des fournitures liées à un congrès.

Concordance québécoise: aucune.

Notes historiques: Le paragraphe 252.1(1) a été remplacé par L.C. 2000, c. 30, par. 68(1). Cette modification est réputée entrée en vigueur le 24 février 1998. Antérieurement, il se lisait comme suit :

> 252.1 (1) Au présent article et à l'article 252.2, « voyage organisé » s'entend au sens du paragraphe 163(3). N'est pas un voyage organisé celui dans le cadre duquel sont fournis un centre de congrès ou des fournitures liées à un congrès.

Auparavant, le paragraphe 252.1(1) a été modifié par L.C. 1997, c. 10, par. 59(1) et cette modification est réputée entrée en vigueur le 17 décembre 1990. Il se lisait comme suit :

> 252.1 (1) Les définitions qui suivent s'appliquent au présent article et à l'article 252.2.
>
> « logement provisoire » Sont assimilés à un logement provisoire les gîtes de tout genre (sauf le gîte à bord d'un train, d'une remorque, d'un bateau ou d'une construction muni d'un moyen de propulsion ou pouvant facilement en être muni) fournis dans le cadre d'un voyage organisé qui comprend également les repas, ou les aliments pour les préparer, et les services d'un guide. N'est pas un logement provisoire celui qui est compris dans la partie d'un voyage organisé qui n'en est pas la partie taxable, au sens du paragraphe 163(3).
>
> « voyage organisé » S'entend au sens du paragraphe 163(3). N'est pas un voyage organisé celui dans le cadre duquel sont fournis un centre de congrès ou des fournitures liées à un congrès.

Le paragraphe 252.1(1) a été ajouté par L.C. 1993, c. 27, par. 107(1) et est réputé entré en vigueur le 17 décembre 1990. Toutefois, pour la fourniture d'un voyage organisé n'offrant pas de logement provisoire, aux termes de la convention portant sur la fourniture, après le 5 novembre 1991, la définition de « logement provisoire » se lisait comme suit :

> « logement provisoire » N'est pas un logement provisoire celui qui est compris dans la partie d'un voyage organisé qui n'en est pas la partie taxable, au sens du paragraphe 163(3).

(2) Remboursement pour voyage organisé — Sous réserve du paragraphe (8) et de l'article 252.2, le ministre rembourse une personne non-résidente si les conditions suivantes sont réunies :

a) la personne est l'acquéreur de la fourniture, effectuée par un inscrit, d'un voyage organisé qui comprend un logement provisoire ou un emplacement de camping;

b) le voyage est acquis par la personne à une fin autre que sa fourniture dans le cours normal de toute entreprise de la personne qui consiste à effectuer de telles fournitures;

c) le logement ou l'emplacement est mis à la disposition d'un particulier non-résident.

Le montant remboursable est égal à la taxe payée par la personne relativement au logement ou à l'emplacement.

Notes historiques: Le passage suivant l'alinéa 252.1(2)a) a été remplacé par le par. 47(1) de L.C. 2007, c. 29 et cette modification s'applique relativement aux fournitures de logements provisoires, d'emplacements de camping ou de voyages organisés comprenant un logement provisoire ou un emplacement de camping, dans le cadre desquelles le logement ou l'emplacement est mis à la disposition d'un particulier pour la première fois après mars 2007, sauf si :

> a) le logement ou l'emplacement n'est pas compris dans un voyage organisé, est mis à la disposition d'un particulier pour la première fois avant avril 2009 et est fourni aux termes d'une convention écrite conclue avant le 25 septembre 2006;
>
> b) le logement ou l'emplacement est compris dans un voyage organisé, la première nuit passée au Canada et pour laquelle le logement ou l'emplacement, compris dans le voyage, est mis à la disposition d'un particulier est antérieure à avril 2009 et la fourniture du voyage organisé est effectuée aux termes d'une convention écrite conclue avant le 25 septembre 2006.

Antérieurement, ce passage lisait ainsi :

> b) le logement, l'emplacement ou le voyage est acquis par la personne à une fin autre que sa fourniture dans le cours normal de toute entreprise de la personne qui consiste à effectuer de telles fournitures;
>
> c) le logement ou l'emplacement est mis à la disposition d'un particulier non-résident.

Le montant remboursable est égal à la taxe payée par la personne relativement au logement ou à l'emplacement.

Le passage suivant l'alinéa 252.1(2)a) a été remplacé par L.C. 2007, 18, par. 34(1) et cette modification s'applique au calcul des remboursements à l'article 252.1 relativement à ce qui suit :

a) le logement provisoire, ou l'emplacement de camping, qui n'est pas compris dans un voyage organisé, si le logement ou l'emplacement est mis à la disposition d'un particulier pour la première fois après juin 1998 aux termes de la convention portant sur la fourniture;

b) le logement provisoire, ou l'emplacement de camping, compris dans un voyage organisé, si la première nuit passée au Canada et pour laquelle le logement ou l'emplacement est mis à la disposition d'un particulier non-résident est postérieure à juin 1998.

Cette modification est réputée être entrée en vigueur le 21 juin 2007 en vertu de L.C. 2007, c. 29, al. 53a).

L'alinéa 252.1(2)a) a été remplacé par L.C. 2000, c. 30, par. 68(2). Cette modification s'applique aux fins du calcul des remboursements prévus à l'article 252.1 relativement à ce qui suit :

a) le logement provisoire, ou l'emplacement de camping, qui n'est pas compris dans un voyage organisé, si le logement ou l'emplacement est mis à la disposition d'un particulier pour la première fois après juin 1998 aux termes de la convention portant sur la fourniture;

b) le logement provisoire, ou l'emplacement de camping, compris dans un voyage organisé, si la première nuit passée au Canada et pour laquelle le logement ou l'emplacement est mis à la disposition d'un particulier non-résident est postérieure à juin 1998.

Antérieurement, l'alinéa 252.1(2)a) se lisait comme suit :

a) la personne est l'acquéreur de la fourniture, effectuée par un inscrit, d'un logement provisoire ou d'un voyage organisé qui comprend un tel logement;

Le paragraphe 252.1(2) a été remplacé par le par. 34(1) de L.C. 2007, c. 18 et cette modification s'applique au calcul des remboursements prévus à l'article 252.1 relativement à ce qui suit :

a) le logement provisoire, ou l'emplacement de camping, qui n'est pas compris dans un voyage organisé, si le logement ou l'emplacement est mis à la disposition d'un particulier pour la première fois après juin 1998 aux termes de la convention portant sur la fourniture;

b) le logement provisoire, ou l'emplacement de camping, compris dans un voyage organisé, si la première nuit passée au Canada et pour laquelle le logement ou l'emplacement est mis à la disposition d'un particulier non-résident est postérieure à juin 1998.

Le paragraphe 252.1(2) a été modifié par L.C. 1997, c. 10, par. 59(2) et cette modification s'applique aux remboursements prévus à l'article 252.1 relativement auxquels une demande est reçue par le ministre du Revenu national après le 23 avril 1996. Il se lisait comme suit :

(2) Sous réserve du paragraphe (8) et de l'article 252.2, le ministre rembourse une personne non-résidente si les conditions suivantes sont réunies :

a) la personne est l'acquéreur de la fourniture, effectuée par un inscrit, d'un logement provisoire ou d'un voyage organisé qui comprend un tel logement;

b) le logement ou le voyage est acquis par la personne à une fin autre que son utilisation dans le cadre de son entreprise et sa fourniture dans le cours normal de son entreprise qui consiste à effectuer de telles fournitures;

c) le logement est mis à la disposition d'un consommateur non-résident.

Le montant remboursable est égal à la taxe payée par la personne relativement au logement.

Le paragraphe 252.1(2) a été ajouté par L.C. 1993, c. 27, par. 107(1) et est réputé entré en vigueur le 17 décembre 1990. Il correspondait aux anciens paragraphes 252(2), (4) et (5) (en partie).

Concordance québécoise: aucune.

(3) Remboursement pour logement aux fournisseurs non-résidents — Sous réserve du paragraphe (8) et de l'article 252.2, le ministre rembourse une personne non-résidente si les conditions suivantes sont réunies :

a) la personne — qui n'est pas inscrite aux termes de la sous-section d de la section V — est l'acquéreur de la fourniture d'un logement provisoire, d'un emplacement de camping ou d'un voyage organisé qui comprend un tel logement ou emplacement;

b) s'il s'agit de la fourniture d'un voyage organisé, le voyage est acquis par la personne en vue de sa fourniture dans le cours normal d'une entreprise de la personne qui consiste à effectuer des fournitures de voyages organisés;

b.1) s'il s'agit de la fourniture d'un logement provisoire ou d'un emplacement de camping, le logement ou l'emplacement est acquis par la personne dans le cours normal d'une de ses entreprises dans le but d'effectuer la fourniture (appelée « fourniture subséquente » au présent paragraphe) d'un voyage organisé qui comprend le logement ou l'emplacement;

c) la fourniture du voyage organisé ou la fourniture subséquente est effectuée au profit d'une autre personne non-résidente, et sa contrepartie est versée à l'étranger, là où le fournisseur, ou son mandataire, mène ses affaires;

d) le logement ou l'emplacement est mis à la disposition d'un particulier non-résident.

Le montant remboursable est égal à la taxe payée par la personne relativement au logement ou à l'emplacement.

Notes historiques: Le passage suivant l'alinéa 252.1(3)a) a été remplacé par le par. 47(2) de L.C. 2007, c. 29 et cette modification s'applique relativement aux fournitures de logements provisoires, d'emplacements de camping ou de voyages organisés comprenant un logement provisoire ou un emplacement de camping, dans le cadre desquelles le logement ou l'emplacement est mis à la disposition d'un particulier pour la première fois après mars 2007, sauf si :

a) le logement ou l'emplacement n'est pas compris dans un voyage organisé, est mis à la disposition d'un particulier pour la première fois avant avril 2009 et est fourni aux termes d'une convention écrite conclue avant le 25 septembre 2006;

b) le logement ou l'emplacement est compris dans un voyage organisé, la première nuit passée au Canada et pour laquelle le logement ou l'emplacement, compris dans le voyage, est mis à la disposition d'un particulier est antérieure à avril 2009 et la fourniture du voyage organisé est effectuée aux termes d'une convention écrite conclue avant le 25 septembre 2006.

Antérieurement, ce passage lisait ainsi :

b) le logement, l'emplacement ou le voyage est acquis par la personne pour fourniture dans le cours normal de son entreprise qui consiste à effectuer de telles fournitures;

c) le logement, l'emplacement ou le voyage est fourni à une autre personne non-résidente, et la contrepartie de cette fourniture est versée à l'étranger, là où le fournisseur, ou son mandataire, mène ses affaires;

d) le logement ou l'emplacement est mis à la disposition d'un particulier non-résident.

Le montant remboursable est égal à la taxe payée par la personne relativement au logement ou à l'emplacement.

Le passage suivant l'alinéa 252.1(3)a) a été remplacé par le par. 34(2) de L.C. 2007, c. 18 et cette modification s'applique au calcul des remboursements prévus à l'article 252.1 relativement à ce qui suit :

a) le logement provisoire, ou l'emplacement de camping, qui n'est pas compris dans un voyage organisé, si le logement ou l'emplacement est mis à la disposition d'un particulier pour la première fois après juin 1998 aux termes de la convention portant sur la fourniture;

b) le logement provisoire, ou l'emplacement de camping, compris dans un voyage organisé, si la première nuit passée au Canada et pour laquelle le logement ou l'emplacement est mis à la disposition d'un particulier non-résident est postérieure à juin 1998.

Cette modification est réputée être entrée en vigueur le 21 juin 2007 en vertu de L.C. 2007, c. 29, al. 53b).

Antérieurement, ce passage se lisait ainsi :

b) le logement ou le voyage est acquis par la personne pour fourniture dans le cours normal de son entreprise qui consiste à effectuer de telles fournitures;

c) le logement ou le voyage est fourni à une autre personne non-résidente, et la contrepartie de cette fourniture est versée à l'étranger, là où le fournisseur, ou son mandataire, mène ses affaires;

d) le logement est mis à la disposition d'un particulier non-résident.

Le montant remboursable est égal à la taxe payée par la personne relativement au logement.

L'alinéa 252.1(3)a) a été remplacé par L.C. 2000, c. 30, par. 68(3) et cette modification s'applique selon les mêmes modalités que celles énoncées sous le paragraphe 252.1(2).

Antérieurement, l'alinéa 252.1(3)a) se lisait comme suit :

a) la personne — qui n'est pas inscrite aux termes de la sous-section d de la section V — est l'acquéreur de la fourniture d'un logement provisoire ou d'un voyage organisé qui comprend un tel logement;

L'alinéa 252.1(3)d) a été modifié par L.C. 1997, c. 10, par. 59(3) et cette modification s'applique aux remboursements prévus à l'article 252.1 relativement auxquels une demande est reçue par le ministre du Revenu national après le 23 avril 1996. Cet alinéa se lisait auparavant comme suit :

d) le logement est mis à la disposition d'un consommateur non-résident.

Le paragraphe 252.1(3) a été ajouté par L.C. 1993, c. 27, par. 107(1) et est réputé entré en vigueur le 17 décembre 1990.

Concordance québécoise: aucune.

(4) [*Abrogé*]

Notes historiques: Le paragraphe 252.1(4) a été abrogé par L.C. 2007, c. 29, par. 47(3) et cette abrogation s'applique relativement aux fournitures de logements provisoires, d'emplacements de camping ou de voyages organisés comprenant un logement provisoire ou un emplacement de camping, dans le cadre desquelles le logement ou l'emplacement est mis à la disposition d'un particulier pour la première fois après mars 2007, sauf si :

a) le logement ou l'emplacement n'est pas compris dans un voyage organisé, est mis à la disposition d'un particulier pour la première fois avant avril 2009 et est fourni aux termes d'une convention écrite conclue avant le 25 septembre 2006;

b) le logement ou l'emplacement est compris dans un voyage organisé, la première nuit passée au Canada et pour laquelle le logement ou l'emplacement, compris dans le voyage, est mis à la disposition d'un particulier est antérieure à avril 2009 et la fourniture du voyage organisé est effectuée aux termes d'une convention écrite conclue avant le 25 septembre 2006.

Antérieurement, le paragraphe 252.1(4) se lisait ainsi :

(4) Pour l'application du paragraphe (2), dans le cas où une personne fait un choix, dans une demande présentée en vue d'obtenir des remboursements aux termes de ce paragraphe relativement à au moins une fourniture de logements provisoires ou d'emplacements de camping pour laquelle elle a payé la taxe mais qui ne sont ni compris dans un voyage organisé, ni acquis par elle pour utilisation dans le cadre de son entreprise, pour que tout ou partie des montants remboursables soit calculé selon la formule énoncée ci-après, la taxe payée relativement à chacune de ces fournitures est réputée égale au montant obtenu par la formule suivante :

$$A \times B$$

où :

A représente le nombre de nuits pour lesquelles le logement ou l'emplacement, selon le cas, est mis à la disposition d'un particulier aux termes de la convention portant sur la fourniture;

B :

a) dans le cas d'un logement provisoire, 5 $,

b) dans le cas d'un emplacement de camping, 1 $.

Le préambule du paragraphe 252.1(4) a été modifié par L.C. 1997, c. 10, par. 59(4) et cette modification s'applique aux remboursements prévus à l'article 252.1 relativement auxquels une demande est reçue par le ministre du Revenu national après le 23 avril 1996. Auparavant, ce préambule se lisait comme suit :

(4) Pour l'application du paragraphe (2), lorsqu'une personne fait un choix, dans une demande présentée en vue d'obtenir des remboursements aux termes de ce paragraphe relativement à au moins une fourniture de logements provisoires non compris dans un voyage organisé et pour laquelle elle a payé la taxe, pour que tout ou partie des montants remboursables soient calculés selon la formule énoncée ci-après, la taxe payée relativement à chacune de ces fournitures est réputée égale au résultat du calcul suivant :

L'élément A de la formule figurant au paragraphe 252.1(4) a été modifié par L.C. 1997, c. 10, par. 59(5) et cette modification s'applique aux remboursements prévus à l'article 252.1 relativement auxquels une demande est reçue par le ministre du Revenu national après le 23 avril 1996. Auparavant, cet élément se lisait comme suit :

A représente le nombre de nuits pour lesquelles le logement est mis à la disposition d'un consommateur aux termes de la convention portant sur la fourniture.

Le paragraphe 252.1(4) a été remplacé par L.C. 2000, c. 30, par. 68(4) et cette modification s'applique selon les mêmes modalités que celles énoncées sous le paragraphe 252.1(2).

Antérieurement, le paragraphe 252.1(4) se lisait comme suit :

(4) Pour l'application du paragraphe (2), dans le cas où une personne fait un choix, dans une demande présentée en vue d'obtenir des remboursements aux termes de ce paragraphe relativement à au moins une fourniture de logements provisoires pour laquelle elle a payé la taxe mais qui ne sont ni compris dans un voyage organisé, ni acquis par elle pour utilisation dans le cadre de son entreprise, pour que tout ou partie des montants remboursables soit calculé selon la formule énoncée ci-après, la taxe payée relativement à chacune de ces fournitures est réputée égale au résultat du calcul suivant :

$$A \times 5\ \$$$

où :

A représente le nombre de nuits pour lesquelles le logement est mis à la disposition d'un particulier aux termes de la convention portant sur la fourniture.

Le paragraphe 252.1(4) a été ajouté par L.C. 1993, c. 27, par. 107(1) et est réputé entré en vigueur le 17 décembre 1990. Toutefois, pour ce qui est des remboursements demandés avant le 6 novembre 1991, le paragraphe 252.1(4) doit se lire comme suit :

(4) Pour l'application des paragraphes (2), (3) et (8), lorsqu'une personne a payé la taxe relative à la fourniture d'un logement provisoire avec d'autres biens ou services, la taxe payée relativement au logement est réputée égale au montant suivant :

a) si le montant de la taxe payée relativement à la fourniture du logement peut être établi conformément aux modalités réglementaires, le montant ainsi établi;

b) sinon, le montant calculé conformément aux dispositions réglementaires.

(5) Taxe applicable au voyage organisé — Lorsqu'une personne présente une demande en vue d'obtenir un remboursement aux termes des paragraphes (2) ou (3) relativement à au moins une fourniture de voyages organisés qui comprend des logements provisoires ou des emplacements de camping et pour laquelle elle a payé la taxe, la taxe payée relativement aux logements ou aux emplacements est réputée, pour l'application de ces paragraphes et pour chacun des voyages, égale au montant obtenu par la formule suivante :

a) lorsque le paragraphe (2) s'applique et que la personne choisit dans cette demande que tout ou partie des montants remboursables soient calculés selon la formule suivante :

$$(A \times 5\ \$) + (B \times 1\ \$)$$

où :

A représente le nombre de nuits pour lesquelles le logement provisoire compris dans le voyage est mis à la disposition d'un particulier au Canada aux termes de la convention portant sur la fourniture;

B le nombre de nuits pour lesquelles l'emplacement de camping compris dans le voyage est mis à la disposition d'un particulier au Canada aux termes de la convention portant sur la fourniture;

b) dans les autres cas :

$$C/D \times E/2$$

où :

C représente le nombre de nuits pour lesquelles le logement provisoire, ou l'emplacement de camping, compris dans le voyage est mis à la disposition d'un particulier au Canada aux termes de la convention portant sur la fourniture,

D le nombre de nuits passées au Canada par le particulier non-résident à la disposition duquel le logement provisoire ou l'emplacement de camping est mis, au cours de la période commençant au premier en date des jours suivants :

(i) le premier jour où un gîte compris dans le voyage est mis à sa disposition,

(ii) le premier jour où un emplacement de camping compris dans le voyage est mis à sa disposition,

(iii) le premier jour où un service de transport de nuit compris dans le voyage lui est rendu,

et se terminant au dernier en date des jours suivants :

(iv) le dernier jour où un tel gîte est mis à sa disposition,

(v) le dernier jour où un tel emplacement est mis à sa disposition,

(vi) le dernier jour où un tel service de transport lui est rendu,

E la taxe payée par la personne relativement à la fourniture du voyage organisé.

Notes historiques: Le préambule du paragraphe 252.1(5) a été remplacé par L.C. 2000, c. 30, par. 68(5) et cette modification s'applique selon les mêmes modalités que celles énoncées sous le paragraphe 252.1(2).

Antérieurement, le préambule du paragraphe 252.1(5) se lisait comme suit :

(5) Lorsqu'une personne présente une demande en vue d'obtenir un remboursement aux termes des paragraphes (2) ou (3) relativement à au moins une fourniture de voyages organisés qui comprend des logements provisoires et pour la-

quelle elle a payé la taxe, la taxe payée relativement aux logements est réputée, pour l'application de ces paragraphes et pour chacun des voyages, égale au résultat du calcul suivant :

La formule figurant à l'alinéa 252.1(5)a) a été remplacée par L.C. 2000, c. 30, par. 68(6) et cette modification s'applique selon les mêmes modalités que celles énoncées sous le paragraphe 252.1(2).

Antérieurement, elle se lisait comme suit :

$$A \times 5\ \$$$

Les éléments A et B de la formule de l'alinéa 252.1(5)a) ont été remplacés par L.C. 2007, c. 29, par. 47(4) et cette modification s'applique relativement aux fournitures de logements provisoires, d'emplacements de camping ou de voyages organisés comprenant un logement provisoire ou un emplacement de camping, dans le cadre desquelles le logement ou l'emplacement est mis à la disposition d'un particulier pour la première fois après mars 2007, sauf si :

a) le logement ou l'emplacement n'est pas compris dans un voyage organisé, est mis à la disposition d'un particulier pour la première fois avant avril 2009 et est fourni aux termes d'une convention écrite conclue avant le 25 septembre 2006;

b) le logement ou l'emplacement est compris dans un voyage organisé, la première nuit passée au Canada et pour laquelle le logement ou l'emplacement, compris dans le voyage, est mis à la disposition d'un particulier est antérieure à avril 2009 et la fourniture du voyage organisé est effectuée aux termes d'une convention écrite conclue avant le 25 septembre 2006.

Antérieurement, ces éléments se lisaient ainsi :

A représente le nombre de nuits pour lesquelles le logement provisoire compris dans le voyage a été mis à la disposition d'un particulier aux termes de la convention portant sur la fourniture;

B le nombre de nuits pour lesquelles l'emplacement de camping compris dans le voyage est mis à la disposition d'un particulier aux termes de la convention portant sur la fourniture;

L'élément A de la formule figurant à l'alinéa 252.1(5)a) a été modifié par L.C. 1997, c. 10, par. 59(6) et cette modification s'applique aux remboursements prévus à l'article 252.1 relativement auxquels une demande est reçue par le ministre du Revenu national après le 23 avril 1996. Auparavant, cet élément se lisait comme suit :

A représente le nombre de nuits pour lesquelles le logement provisoire compris dans le voyage a été mis à la disposition d'un consommateur aux termes de la convention portant sur la fourniture;

L'élément B de l'alinéa 252.1(5)a) a été ajouté par L.C. 2000, c. 30, par. 68(7) et s'applique selon les mêmes modalités que celles énoncées sous le paragraphe 252.1(2).

L'alinéa 252.1(5)b) a été remplacé par L.C. 2000, c. 30, par. 68(8) et cette modification s'applique selon les mêmes modalités que celles énoncées sous le paragraphe 252.1(2). Antérieurement, l'alinéa 252.1(5)b) se lisait comme suit :

b) dans les autres cas :

$$\frac{B}{C} \times \frac{D}{2}$$

où :

B représente le nombre de nuits pour lesquelles le logement provisoire compris dans le voyage a été mis à la disposition d'un particulier aux termes de la convention portant sur la fourniture;

C le nombre de nuits passées au Canada par le particulier non-résident à la disposition duquel le logement est mis, au cours de la période allant du premier jour où un gîte compris dans le voyage est mis à sa disposition ou, s'il est antérieur, du premier jour où un service de transport de nuit compris dans le voyage lui est rendu jusqu'au dernier jour où un tel gîte est mis à sa disposition ou, s'il est postérieur, au dernier jour où un tel service de transport lui est rendu,

D la taxe payée par la personne relativement à la fourniture du voyage organisé.

L'élément B de la formule figurant à l'alinéa 252.1(5)b) a été modifié par L.C. 1997, c. 10, par. 59(7) et cette modification s'applique aux remboursements prévus à l'article 252.1 relativement auxquels une demande est reçue par le ministre du Revenu national après le 23 avril 1996. Auparavant, cet élément se lisait comme suit :

B représente le nombre de nuits pour lesquelles le logement provisoire compris dans le voyage a été mis à la disposition d'un consommateur aux termes de la convention portant sur la fourniture,

L'élément C de la formule de l'alinéa 252.1(5)b) a été remplacé par L.C. 2007, c. 29, par. 47(5) et cette modification s'applique relativement aux fournitures de logements provisoires, d'emplacements de camping ou de voyages organisés comprenant un logement provisoire ou un emplacement de camping, dans le cadre desquelles le logement ou l'emplacement est mis à la disposition d'un particulier pour la première fois après mars 2007, sauf si :

a) le logement ou l'emplacement n'est pas compris dans un voyage organisé, est mis à la disposition d'un particulier pour la première fois avant avril 2009 et est fourni aux termes d'une convention écrite conclue avant le 25 septembre 2006;

b) le logement ou l'emplacement est compris dans un voyage organisé, la première nuit passée au Canada et pour laquelle le logement ou l'emplacement, compris dans le voyage, est mis à la disposition d'un particulier est antérieure à avril 2009 et la fourniture du voyage organisé est effectuée aux termes d'une convention écrite conclue avant le 25 septembre 2006.

Antérieurement, cet élément se lisait ainsi :

C représente le nombre de nuits pour lesquelles le logement provisoire, ou l'emplacement de camping, compris dans le voyage a été mis à la disposition d'un particulier aux termes de la convention portant sur la fourniture,

L'élément C de la formule figurant à l'alinéa 252.1(5)b) a été modifié par L.C. 1997, c. 10, par. 59(8) et cette modification s'applique aux remboursements prévus à l'article 252.1 relativement auxquels une demande est reçue par le ministre du Revenu national après le 23 avril 1996. Auparavant, cet élément se lisait comme suit :

C le nombre de nuits passées au Canada par le consommateur du voyage au cours de la période allant du premier en date du premier jour où un gîte compris dans le voyage est mis à sa disposition et du premier jour où un service de transport de nuit compris dans le voyage lui est rendu jusqu'au dernier en date du dernier jour où un tel gîte est mis à sa disposition et du dernier jour où un tel service de transport lui est rendu,

Le paragraphe 252.1(5) a été ajouté par L.C. 1993, c. 27, par. 107(1) et s'applique aux remboursements demandés à compter du 6 novembre 1991.

Concordance québécoise: aucune.

(6) [*Abrogé*]

Notes historiques: Le paragraphe 252.1(6) a été abrogé par L.C. 2007, c. 29, par. 47(6) et cette abrogation s'applique relativement aux fournitures de logements provisoires, d'emplacements de camping ou de voyages organisés comprenant un logement provisoire ou un emplacement de camping, dans le cadre desquelles le logement ou l'emplacement est mis à la disposition d'un particulier pour la première fois après mars 2007, sauf si :

a) le logement ou l'emplacement n'est pas compris dans un voyage organisé, est mis à la disposition d'un particulier pour la première fois avant avril 2009 et est fourni aux termes d'une convention écrite conclue avant le 25 septembre 2006;

b) le logement ou l'emplacement est compris dans un voyage organisé, la première nuit passée au Canada et pour laquelle le logement ou l'emplacement, compris dans le voyage, est mis à la disposition d'un particulier est antérieure à avril 2009 et la fourniture du voyage organisé est effectuée aux termes d'une convention écrite conclue avant le 25 septembre 2006.

Antérieurement, le paragraphe 252.1(6) se lisait ainsi :

(6) Pour déterminer, selon le paragraphe (4), le montant remboursable à un consommateur de logements provisoires ou d'emplacements de camping, l'inscrit qui fournit au consommateur plus d'un logement provisoire ou plus d'un emplacement de camping, qui est mis à la disposition de celui-ci pour une même nuit, est réputé lui avoir fourni un seul logement ou un seul emplacement.

Le paragraphe 252.1(6) a été remplacé par L.C. 2000, c. 30, par. 68(9). Cette modification s'applique selon les mêmes modalités que celles énoncées sous le paragraphe 252.1(2).

Antérieurement, le paragraphe 252.1(6) se lisait comme suit :

(6) Pour déterminer, selon le paragraphe (4), le montant remboursable à un consommateur de logements provisoires, l'inscrit qui fournit au consommateur plus d'un logement provisoire qui est mis à la disposition de celui-ci pour une même nuit est réputé ne lui en avoir fourni qu'un.

Le paragraphe 252.1(6) a été modifié par L.C. 1997, c. 10, par. 59(9) et cette modification s'applique aux remboursements prévus à l'article 252.1 relativement auxquels une demande est reçue par le ministre du Revenu national après le 23 avril 1996. Ce paragraphe se lisait comme suit :

(6) Aux fins du calcul, selon le paragraphe (4), du montant auquel une personne a droit, même si un inscrit fournit à la personne plus d'un logement provisoire qui est mis à la disposition de celle-ci pour une même nuit, l'inscrit est réputé ne lui en avoir fourni qu'un.

Le paragraphe 252.1(6) a été ajouté par L.C. 1993, c. 27, par. 107(1) et s'applique aux remboursements demandés à compter du 6 novembre 1991.

(7) Plusieurs logements provisoires pour la même nuit — Pour déterminer, selon l'alinéa (5)a), le montant remboursable à un consommateur de voyages organisés comprenant un logement provisoire ou un emplacement de camping, même si un inscrit fournit au consommateur plus d'un voyage organisé comprenant un logement provisoire ou un emplacement de camping qui est mis à la disposition de celui-ci pour une même nuit, les logements ou emplacements mis à la disposition du consommateur sont réputés compris dans un seul voyage.

Notes historiques: Le paragraphe 252.1(7) a été remplacé par L.C. 2000, c. 30, par. 68(9). Cette modification s'applique selon les mêmes modalités que celles énoncées sous le paragraphe 252.1(2).

Antérieurement, le paragraphe 252.1(7) se lisait comme suit :

(7) Pour déterminer, selon l'alinéa (5)a), le montant remboursable à un consommateur de voyages organisés comprenant un logement provisoire, même si un inscrit fournit au consommateur plusd'un voyage organisé comprenant un logement provisoire qui est mis à la disposition de celui-ci pour une même nuit, les logementsmis à la disposition du consommateur sont réputés compris dans un seul voyage.

Le paragraphe 252.1(7) a été modifié par L.C. 1997, c. 10, par. 59(9) et cette modification s'applique aux remboursements prévus à l'article 252.1 relativement auxquels une demande est reçue par le ministre du Revenu national après le 23 avril 1996. Ce paragraphe se lisait comme suit :

(7) Aux fins du calcul, selon l'alinéa (5)a), du montant auquel une personne a droit, même si un inscrit fournit à une personne plus d'un voyage organisé comprenant chacun un logement provisoire qui est mis à la disposition de celle-ci pour une même nuit, les logements mis à la disposition de la personne pour cette nuit sont réputés compris dans un seul voyage.

Ce paragraphe a été ajouté par L.C. 1993, c. 27, par. 107(1) et s'applique aux remboursements demandés à compter du 6 novembre 1991.

Concordance québécoise: aucune.

(8) Remboursement par l'inscrit — Un inscrit peut demander la déduction prévue au paragraphe 234(2) au titre d'un montant versé à un acquéreur non-résident, ou porté à son crédit, si les conditions suivantes sont réunies :

a) l'inscrit fournit un voyage organisé qui comprend un logement provisoire ou un emplacement de camping à l'acquéreur, lequel est un particulier ou acquiert le voyage pour l'utiliser dans le cadre d'une de ses entreprises ou le fournir dans le cours normal de son entreprise qui consiste à effectuer des fournitures de voyages organisés;

b) l'inscrit verse à l'acquéreur, ou porte à son crédit, un montant au titre d'un remboursement, prévu aux paragraphes (2) ou (3), qui pourrait être versé à l'acquéreur relativement au logement ou à l'emplacement s'il payait la taxe afférente et remplissait les conditions énoncées à l'article 252.2;

c) le montant versé à l'acquéreur, ou porté à son crédit, est égal au montant qui serait calculé selon l'alinéa (5)b) relativement à la fourniture;

d) dans le cas d'un remboursement prévu au paragraphe (2) :

(i) soit la contrepartie de la fourniture est versée à l'étranger, là où l'inscrit, ou son mandataire, mène ses affaires,

(ii) soit, si la fourniture du voyage organisé comprend le logement ou l'emplacement ainsi que des biens ou des services autres que les repas, les biens ou les services livrés ou rendus par la personne qui offre le logement ou l'emplacement et relativement au logement ou à l'emplacement, un acompte d'au moins 20 % de la contrepartie du voyage organisé est versé :

(A) par l'acquéreur à l'inscrit au moins quatorze jours avant le premier jour où un logement provisoire, ou un emplacement de camping, compris dans le voyage est mis à la disposition d'un particulier aux termes de la convention portant sur la fourniture du voyage,

(B) au moyen d'une carte de crédit ou de paiement émise par une institution non-résidente — banque, association coopérative de crédit, compagnie de fiducie ou institution semblable — ou au moyen d'un chèque, d'une traite ou autre lettre de change tiré sur un compte à l'étranger auprès d'une telle institution.

Pour sa part, l'acquéreur n'a pas droit à un montant remboursable ou à une remise de taxe relativement au logement ou à l'emplacement.

Notes historiques: Le préambule du paragraphe 252.1(8) et l'alinéa a) ont été remplacés par L.C. 2007, c. 29, par. 47(7) et ces modifications s'appliquent relativement aux fournitures de logements provisoires, d'emplacements de camping ou de voyages organisés comprenant un logement provisoire ou un emplacement de camping, dans le cadre desquelles le logement ou l'emplacement est mis à la disposition d'un particulier pour la première fois après mars 2007, sauf si :

a) le logement ou l'emplacement n'est pas compris dans un voyage organisé, est mis à la disposition d'un particulier pour la première fois avant avril 2009 et est fourni aux termes d'une convention écrite conclue avant le 25 septembre 2006;

b) le logement ou l'emplacement est compris dans un voyage organisé, la première nuit passée au Canada et pour laquelle le logement ou l'emplacement, compris dans le voyage, est mis à la disposition d'un particulier est antérieure à avril 2009 et la fourniture du voyage organisé est effectuée aux termes d'une convention écrite conclue avant le 25 septembre 2006.

Antérieurement, ils se lisaient ainsi :

(8) Un inscrit peut demander la déduction prévue au paragraphe 234(2) au titre d'un montant versé à un acquéreur non-résident, ou porté à son crédit, si les conditions suivantes sont réunies :

a) l'inscrit fournit un logement provisoire, un emplacement de camping ou un voyage organisé qui comprend un tel logement ou emplacement à l'acquéreur, lequel est un particulier ou acquiert le logement, l'emplacement ou le voyage pour l'utiliser dans le cadre d'une de ses entreprises ou le fournir dans le cours normal de son entreprise qui consiste à effectuer de telles fournitures;

L'alinéa 252.1(8)a) a été remplacé par L.C. 2000, c. 30, par. 68(10). Cette modification s'applique selon les mêmes modalités que celles énoncées sous le paragraphe 252.1(2).

Antérieurement, l'alinéa 252.1(8)a) se lisait comme suit :

a) l'inscrit fournit un logement provisoire ou un voyage organisé qui comprend un tel logement à l'acquéreur, lequel est un particulier ou acquiert le logement ou le voyage pour l'utiliser dans le cadre d'une de ses entreprises ou le fournir dans le cours normal de son entreprise qui consiste à effectuer de telles fournitures;

L'alinéa 252.1(8)a) a été modifié par L.C. 1997, c. 10, par. 59(10) et cette modification s'applique aux remboursements prévus à l'article 252.1 relativement auxquels une demande est reçue par le ministre du Revenu national après le 23 avril 1996. Cet alinéa se lisait comme suit :

a) l'inscrit fournit un logement provisoire ou un voyage organisé qui comprend un tel logement à l'acquéreur, lequel est le consommateur du logement ou acquiert le logement ou le voyage pour le fournir dans le cours normal de son entreprise qui consiste à effectuer de telles fournitures;

Les alinéas b) et c) du paragraphe 252.1(8) ont été remplacés par le par. 34(3) de L.C. 2007, c. 18 et cette modification s'applique s'appliquent au calcul des remboursements prévus à l'article 252.1 de la même loi relativement à ce qui suit :

a) le logement provisoire, ou l'emplacement de camping, qui n'est pas compris dans un voyage organisé, si le logement ou l'emplacement est mis à la disposition d'un particulier pour la première fois après juin 1998 aux termes de la convention portant sur la fourniture;

b) le logement provisoire, ou l'emplacement de camping, compris dans un voyage organisé, si la première nuit passée au Canada et pour laquelle le logement ou l'emplacement est mis à la disposition d'un particulier non-résident est postérieure à juin 1998.

Cette modification est réputée être entrée en vigueur le 21 juin 2007 en vertu de L.C. 2007, c. 29, al. 53c).

Antérieurement, ils se lisaient comme suit :

b) l'inscrit verse à l'acquéreur, ou porte à son crédit, un montant au titre d'un remboursement, prévu aux paragraphes (2) ou (3), qui pourrait être versé à l'acquéreur relativement au logement s'il payait la taxe afférente et remplissait les conditions énoncées à l'article 252.2;

c) le montant versé à la personne, ou porté à son crédit, est égal au montant suivant :

(i) dans le cas d'une fourniture de voyage organisé, le montant qui serait calculé selon l'alinéa (5)b) relativement à la fourniture,

(ii) dans le cas d'une fourniture de logement provisoire, ou d'emplacement de camping, non compris dans un voyage organisé, la taxe payée par l'acquéreur relativement à la fourniture;

Le sous-alinéa 252.1(8)c)(ii) a été remplacé par L.C. 2000, c. 30, par. 68(11). Cette modification s'applique selon les mêmes modalités que celles énoncées sous le paragraphe 252.1(2). Antérieurement, le sous-alinéa 252.1(8)c)(ii) se lisait comme suit :

(ii) dans le cas d'une fourniture de logement provisoire non compris dans un voyage organisé, la taxe payée par l'acquéreur relativement à la fourniture;

L'alinéa 252.1(8)c) a été remplacé par le par. 47(8) de L.C. 2007, c. 29 et cette modification s'applique relativement aux fournitures de logements provisoires, d'emplacements de camping ou de voyages organisés comprenant un logement provisoire ou un emplacement de camping, dans le cadre desquelles le logement ou l'emplacement est mis à la disposition d'un particulier pour la première fois après mars 2007, sauf si :

a) le logement ou l'emplacement n'est pas compris dans un voyage organisé, est mis à la disposition d'un particulier pour la première fois avant avril 2009 et est fourni aux termes d'une convention écrite conclue avant le 25 septembre 2006;

b) le logement ou l'emplacement est compris dans un voyage organisé, la première nuit passée au Canada et pour laquelle le logement ou l'emplacement, compris dans le voyage, est mis à la disposition d'un particulier est antérieure à avril 2009 et la fourniture du voyage organisé est effectuée aux termes d'une convention écrite conclue avant le 25 septembre 2006.

Antérieurement, cet alinéa se lisait comme suit :

c) le montant versé à la personne, ou porté à son crédit, est égal au montant suivant :

(i) dans le cas d'une fourniture de voyage organisé, le montant qui serait calculé selon l'alinéa (5)b) relativement à la fourniture,

(ii) dans le cas d'une fourniture de logement provisoire, ou d'emplacement de camping, non compris dans un voyage organisé, la taxe payée par l'acquéreur relativement à la fourniture;

La division 252.1(8)d)(ii)(A) a été remplacée par L.C. 2000, c. 30, par. 68(12). Cette modification s'applique selon les mêmes modalités que celles énoncées sous le paragraphe 252.1(2).

Antérieurement, la division 252.1(8)d)(ii)(A) se lisait comme suit :

(A) par l'acquéreur à l'inscrit au moins quatorze jours avant le premier jour où un logement provisoire compris dans le voyage est mis à la disposition d'un particulier aux termes de la convention portant sur la fourniture du voyage,

La division 252.1(8)d)(ii)(A) a été modifiée par L.C. 1997, c. 10, par. 59(11) et cette modification s'applique aux remboursements prévus à l'article 252.1 relativement auxquels une demande est reçue par le ministre du Revenu national après le 23 avril 1996. Auparavant, cette division se lisait comme suit :

(A) par l'acquéreur à l'inscrit au moins quatorze jours avant le premier jour où un logement provisoire compris dans le voyage est mis à la disposition d'un consommateur aux termes de la convention portant sur la fourniture du voyage,

Le préambule du sous-alinéa 252.1(8)d)(ii) a été remplacé par le par. 47(9) de L.C. 2007, c. 29 et cette modification s'applique relativement aux fournitures de logements provisoires, d'emplacements de camping ou de voyages organisés comprenant un logement provisoire ou un emplacement de camping, dans le cadre desquelles le logement ou l'emplacement est mis à la disposition d'un particulier pour la première fois après mars 2007, sauf si :

a) le logement ou l'emplacement n'est pas compris dans un voyage organisé, est mis à la disposition d'un particulier pour la première fois avant avril 2009 et est fourni aux termes d'une convention écrite conclue avant le 25 septembre 2006;

b) le logement ou l'emplacement est compris dans un voyage organisé, la première nuit passée au Canada et pour laquelle le logement ou l'emplacement, compris dans le voyage, est mis à la disposition d'un particulier est antérieure à avril 2009 et la fourniture du voyage organisé est effectuée aux termes d'une convention écrite conclue avant le 25 septembre 2006.

Antérieurement, cet alinéa se lisait comme suit :

(ii) soit, si le logement ou l'emplacement est fourni dans le cadre d'un voyage organisé qui comprend des biens ou des services autres que les repas, les biens ou les services livrés ou rendus par la personne qui le fournit et relativement au logement ou à l'emplacement, un acompte d'au moins 20 % de la contrepartie du voyage organisé est versé :

L'alinéa 252.1(8)d) a été remplacé par le par. 34(3) de L.C. 2007, c. 18 et cette modification s'applique au calcul des remboursements prévus à l'article 252.1 relativement à ce qui suit :

a) le logement provisoire, ou l'emplacement de camping, qui n'est pas compris dans un voyage organisé, si le logement ou l'emplacement est mis à la disposition d'un particulier pour la première fois après juin 1998 aux termes de la convention portant sur la fourniture;

b) le logement provisoire, ou l'emplacement de camping, compris dans un voyage organisé, si la première nuit passée au Canada et pour laquelle le logement ou l'emplacement est mis à la disposition d'un particulier non-résident est postérieure à juin 1998.

Cette modification est réputée être entrée en vigueur le 21 juin 2007 en vertu de L.C. 2007, c. 29, al. 53d).

Antérieurement, cet alinéa se lisait comme suit :

d) dans le cas d'un remboursement prévu au paragraphe (2) :

(i) soit la contrepartie de la fourniture est versée à l'étranger, là où l'inscrit, ou son mandataire, mène ses affaires,

(ii) soit, si le logement est fourni dans le cadre d'un voyage organisé qui comprend des biens ou des services autres que les repas, les biens ou les services livrés ou rendus par la personne qui le fournit et relativement au logement, un acompte d'au moins 20 % de la contrepartie du voyage organisé est versé :

(A) par l'acquéreur à l'inscrit au moins quatorze jours avant le premier jour où un logement provisoire, ou un emplacement de camping, compris dans le voyage est mis à la disposition d'un particulier aux termes de la convention portant sur la fourniture du voyage,

(B) au moyen d'une carte de crédit ou de paiement émise par une institution non-résidente — banque, association coopérative de crédit, compagnie de fiducie ou institution semblable — ou au moyen d'un chèque, d'une traite ou autre lettre de change tiré sur un compte à l'étranger auprès d'une telle institution.

Pour sa part, l'acquéreur n'a pas droit à un montant remboursable ou à une remise de taxe relativement au logement.

Le paragraphe 252.1(8) a été ajouté par L.C. 1993, c. 27, par. 107(1) et est réputé entré en vigueur le 17 décembre 1990. Toutefois, pour ce qui est des montants versés à une personne, ou portés à son crédit, avant le 6 novembre 1991 au titre d'un remboursement, les alinéas 252.1(8)c) et d) doivent se lire comme suit :

c) le montant ainsi versé à la personne, ou ainsi porté à son crédit, est égal à la taxe qu'elle a payée relativement au logement;

d) dans le cas d'un remboursement prévu au paragraphe (2), la contrepartie de la fourniture est versée à l'étranger, là où le fournisseur, ou son mandataire, mène ses affaires;

Concordance québécoise: aucune.

(9) Acompte payé par carte de crédit — Pour l'application du paragraphe (8), l'acompte relatif à une fourniture qui est porté au crédit d'un compte du fournisseur par l'émetteur d'une carte de crédit ou de paiement de l'acquéreur est réputé ne pas être payé tant que le compte n'est pas crédité.

Notes historiques: Le paragraphe 252.1(9) a été ajouté par L.C. 1993, c. 27, par. 107(1) et s'applique aux remboursements demandés à compter du 6 novembre 1991.

Concordance québécoise: aucune.

(10) Production de renseignements — L'inscrit qui, conformément au paragraphe (8), verse à une personne, ou porte à son crédit, un montant au titre d'un remboursement, puis demande, dans le calcul de sa taxe nette pour une période de déclaration, la déduction prévue au paragraphe 234(2) relativement à ce montant, est tenu de présenter au ministre les renseignements que celui-ci requiert concernant ce montant. Ces renseignements sont présentés en la forme et selon les modalités déterminées par le ministre, au plus tard à la date limite où l'inscrit est tenu de produire une déclaration aux termes de la section V pour la période de déclaration au cours de laquelle le montant est déduit.

Notes historiques: Le paragraphe 252.1(10) a été ajouté par L.C. 2007, c. 29, par. 47(10) et s'applique relativement aux fournitures de voyages organisés à l'égard desquelles :

a) d'une part, la taxe prévue à la partie IX devient payable après mars 2007;

b) d'autre part, le fournisseur a demandé un montant au titre de la déduction prévue au paragraphe 234(2) en raison d'un montant qu'il a versé à une personne non-résidente, ou porté à son crédit, après mars 2007.

Concordance québécoise: aucune.

Définitions [art. 252.1]: « acquéreur », « banque », « bien », « centre de congrès », « consommateur », « contrepartie », « coopérative », « entreprise », « fourniture », « fournitures liées à un congrès », « inscrit », « logement provisoire », « ministre », « montant », « non résidant », « personne », « service », « taxe » — 123(1).

Renvois [art. 252.1]: 123(2) (Canada); 142–144 (fourniture au Canada et à l'étranger); 234(2) (déduction pour remboursement); 234(2.1) (production tardive de renseignements et rajustement pour défaut de produire); 240 (inscription); 252.2 (conditions au remboursement); 252.5 (obligation solidaire); 262 (forme et production de la demande); 263 (restriction); 263.01 (TVH — institution financière désignée particulière); 264 (montant remboursé en trop ou intérêts payés en trop); 297 (détermination du remboursement par le ministre).

Règlements [art. 252.1]: *Règlement sur les remboursements aux non résidants*, art. 1.

Jurisprudence [art. 252.1]: *Great Bear Lake Lodge Ltd. c. Canada*, [1997] G.S.T.C. 35 (CCI); *Club Tour Sat inc. c. R.*, [2001] G.S.T.C. 92 (CCI).

Énoncés de politique [art. 252.1]: P-089, 23/07/93, *Remboursement pour logement provisoire*; P-182R, 28/08/03, *Du mandat.*

Bulletins de l'information technique [art. 252.1]: B-075R, 23/04/96, *Modifications proposées à la TPS*; B-080, 28/02/97, *Remboursements de la TVH sur les fournitures effectuées à partir des provinces participantes.*

Série de mémorandums [art. 252.1]: Mémorandum 27.3, 06/03, *Remboursement pour logement aux fournisseurs non résidents et non inscrits*; Mémorandum 27.3R, 01/10, *Programme d'incitation pour congrès étrangers et voyages organisés — Remboursement de la taxe payée sur les voyages organisés admissibles et sur l'hébergement fourni dans le cadre d'un voyage organisé admissible.*

Formulaires [art. 252.1]: FP-189, *Demande générale de remboursement*; FP-288, *Supplément à la demande générale de remboursement*; GST115, *Demande de remboursement de la TPS/TVH pour les voyages organisés*; GST176, *Demande de remboursement de la taxe aux visiteurs*; GST177, *Demande de remboursement pour les organisateurs de voyages — Taxe sur les produits et services/taxe de vente harmonisée (TPS/TVH), taxe de vente du Québec (TVQ), et taxe de vente provinciale du Manitoba*

(PST); GST189, *Demande générale de remboursement de la TPS/TVH*; GST288, *Demande générale de remboursement de la taxe sur les produits et services (TPS)/Taxe de vente harmonisée (TVH)*; GST510, *Demande de remboursement pour les voyages d'affaires de la taxe sur les produits et services/taxe de vente harmonisée (TPS/TVH), de la taxe de vente du Manitoba (PST) et de la taxe de vente du Québec (TVQ)*; RC4031, *Remboursement de la taxe aux visiteurs au Canada*; RC4160, *Remboursement pour les voyages organisés, les congrèsétrangers et les achats desexposants non-résidents — Y compris les formulaires GST115 et GST386*.

Info TPS/TVQ [art. 252.1]: GI-026 — *Programme de remboursement aux visiteurs Quand le remboursement continue-t-il d'être accordé aux non-résidents qui achètent de l'hébergement?*; GI-032 — *Programme d'incitation pour congrès étrangers et voyages organisés — Non-résidents qui achètent des voyages organisés: remboursement de la taxe payée sur les voyages organisés admissibles*; GI-033 — *Programme d'incitation pour congrès étrangers et voyages organisés — Organisateurs non résidents de voyages: remboursement de la taxe payée sur l'hébergement vendu dans un voyage organisé admissible*; GI-044 — *Programme d'incitation pour congrès étrangers et voyages organisés — Voyages organisés : ce qu'est un voyage organisé admissible*; GI-046 — *Programme d'incitation pour congrès étrangers et voyages organisés-Voyages à forfait de chasse et de pêche* .

Lettres d'interprétation (Québec) [art. 252.1]: 99-0102139 — Interprétation relative à la TPS — Interprétation relative à la TVQ — Organisateurs de voyages (Forfaits hôteliers).

COMMENTAIRES: De façon générale, cet article prévoit un remboursement en faveur d'un non-résident lorsque les conditions suivantes sont remplies : (i) une personne non-résidente est l'acquéreur de la fourniture, effectuée par un inscrit, d'un logement provisoire, d'un emplacement de camping ou d'un voyage organisé incluant un logement provisoire ou un emplacement de camping, et (ii) le logement ou l'emplacement est mis à la disposition d'un particulier non-résident.

Selon le paragraphe (8), dans le cas où le non-résident a droit à un remboursement de TPS et où l'inscrit qui lui fait la fourniture d'un logement provisoire lui verse, ou porte à son crédit, un montant au titre du remboursement prévu au paragraphe (2), le paragraphe 234(2) permet à l'inscrit de demander une déduction à l'égard du montant versé ou porté au crédit du non-résident.

La décision *Walker c. R.*, 2009 CarswellNat 6535 (C.C.I.) est une illustration d'un cas où l'appelante n'a pas satisfait les exigences de l'article 252.1. En effet, l'appelante n'a jamais facturé la TPS à ses clients, et, par conséquent, ces derniers n'ont jamais eu droit à un remboursement de TPS. L'appelante n'a donc pas droit à un remboursement de TPS en application du paragraphe 234(2). De plus, malgré le fait que l'Agence du revenu du Canada ait pu fournir de l'information erronée à l'appelante, celle-ci ne peut pas être empêchée d'établir une cotisation conformément à la *Loi sur la taxe d'accise (TPS)*. L'appel est donc rejeté.

De l'avis de l'auteur, il s'agit d'un cas où l'appelante a été mal renseignée par l'Agence du revenu du Canada quant à sa question de savoir si elle devait percevoir de la TPS. Il semble que l'Agence du revenu du Canada lui ait indiqué qu'elle n'avait pas à percevoir de TPS puisque ses clients étaient non-résidents. Bien qu'il s'agisse d'un cas malheureux, il ne faut pas oublier que les autorités fiscales, incluant Revenu Québec, ont des processus administratifs bien précis pour obtenir une opinion de celles-ci quant à une question fiscale, notamment par le biais de demande d'interprétation technique ou de demande de décision anticipée. Il n'est pas du rôle de l'agent au service à la clientèle des autorités fiscales d'émettre un avis juridique quant à l'application (ou non) d'un article à une situation donnée. Dans un cas où un agent émet une telle opinion, la personne qui la reçoit se doit d'être alerte et de ne pas considérer cette réponse comme étant une réponse finale.

Récemment, la Cour canadienne de l'impôt, dans l'affaire *Golf Canada's West Ltd c. R.*, 2011 CarswellNat 6023 (C.C.I.), a accueilli l'appel dans le contexte de remboursements aux non-résidents en TPS pour certains voyages organisés. Un voyage organisé, tel qu'il est défini au paragraphe 163(3), doit offrir un ensemble de services ou de biens et de services. De plus, pour donner droit aux déductions prévues, le voyage organisé doit fournir un logement provisoire ou un emplacement de camping à l'acquéreur non-résident en vertu du paragraphe 252.1(8). Cela étant, comme le souligne la Cour canadienne de l'impôt, un voyage organisé ne peut pas être uniquement composé d'un bien; pour se qualifier à titre de voyage organisé admissible, le voyage organisé doit également inclure un service. Selon la thèse du ministre, la composante « accueil » des forfaits de vacances ne constitue pas un service; il s'agit plutôt d'une commodité, qui est une partie peu importante du forfait. Dans une communication avec l'appelante, le ministre mentionnait que l'accueil à l'aéroport n'était pas considéré comme un service parce que ce service ne pouvait pas être vendu séparément et qu'il n'était pas raisonnable d'attribuer à l'accueil une partie du coût du voyage organisé. Cela étant, le ministre a conclu que les forfaits de vacances ne pouvaient pas être considérés comme des voyages organisés suivant le paragraphe 252.1(8). La Cour canadienne ne souscrit pas à la thèse du ministre. En effet, aucune disposition législative n'étaye la distinction établie par le ministre entre une commodité et un service. Le terme « commodité » n'est pas défini dans la *Loi sur la taxe d'accise (TPS)*. Le terme « service » est défini comme suit au paragraphe 123(1): « Tout ce qui n'est ni un bien, ni de l'argent, ni fourni à un employeur par une personne qui est un salarié de l'employeur, ou a accepté de l'être, relativement à sa charge ou à son emploi ». L'accueil est visé par la définition du mot « service ». De plus, la *Loi sur la taxe d'accise (TPS)* n'exige pas que les services aient une valeur minimale et qu'ils puissent être fournis d'une façon indépendante. La Cour canadienne de l'impôt souligne qu'en l'espèce, l'accueil à l'aéroport durait habituellement environ une heure à une heure et demie et que l'appelante versait à un fournisseur indépendant un montant de 75 à 100 $ pour que celui-ci fournisse les services d'accueil. La définition du mot « service » est extrêmement large. Si une chose n'est pas un bien, de l'argent ou un service fourni par un salarié, de l'avis de la Cour canadienne de l'impôt, elle sera alors réputée être un service.

252.2 Restriction — Le remboursement prévu à l'article 252 ou aux paragraphes 252.1(2) ou (3) n'est effectué au profit d'une personne que si les conditions suivantes sont réunies :

a) la personne en fait la demande dans l'année suivant :

(i) dans le cas d'un remboursement visé au paragraphe 252(1), le jour où la personne exporte le bien auquel le remboursement se rapporte,

(ii) dans le cas d'un remboursement visé au paragraphe 252(2), le jour où la taxe à laquelle le remboursement se rapporte devient payable,

(iii) dans les autres cas, le dernier jour où une taxe à laquelle le remboursement se rapporte devient payable;

b), c) [*abrogés*];

d) la personne est une non-résidente au moment où elle fait la demande;

d.1) dans le cas du remboursement prévu au paragraphe 252(1), il est justifié par un reçu d'un montant qui comprend la contrepartie, totalisant au moins 50 $, relative à des fournitures taxables (sauf des fournitures détaxées) pour lesquelles la personne a droit par ailleurs à ce remboursement;

e) le total des montants représentant chacun la contrepartie d'une fourniture taxable (sauf une fourniture détaxée) qui fait l'objet de la demande est d'au moins 200 $;

f) [*abrogé*];

g) le total des montants réclamés dans la demande qui se rapportent à des logements provisoires, ou à des emplacements de camping, compris dans des voyages organisés et qui sont calculés selon la formule figurant à l'alinéa 252.1(5)a) ne dépasse pas :

(i) dans le cas où la personne est un consommateur de voyages organisés, 75 $;

(ii) dans les autres cas, 75 $ pour chaque particulier à la disposition duquel un de ces logements ou emplacements est mis.

Notes historiques: Les alinéas 252.2b) et c) ont été abrogés par L.C. 2000, c. 30, par. 69(1). Cette abrogation s'applique aux fins du calcul du remboursement prévu aux articles 252 ou 252.1 si le ministre du Revenu national reçoit la demande le concernant, ou l'aurait reçue, n'eût été le paragraphe 334(1), après le 24 février 1998. Antérieurement, ils se lisaient comme suit :

b) sauf si la demande est visée par règlement, la personne, qui est un particulier, n'a pas fait d'autres demandes en vertu du présent article au cours du trimestre civil où elle fait la demande en question;

c) la personne, sauf un particulier, n'a pas fait d'autres demandes en vertu du présent article au cours du mois où elle fait la demande en question;

L'alinéa 252.2d.1) a été ajouté par L.C. 1997, c. 10, par. 60(1) et s'applique aux remboursements relativement auxquels une demande est reçue par le ministre du Revenu national après juin 1996.

L'alinéa 252.2e) a été modifié par L.C. 1997, c. 10, par. 60(1) et cette modification s'applique aux remboursements relativement auxquels une demande est reçue par le ministre du Revenu national après juin 1996. Cet alinéa, modifié par L.C. 1993, c. 27, par. 107(1), se lisait auparavant comme suit :

e) le total des montants réclamés dans la demande s'élève à au moins 7 $;

L'alinéa 252.2f) a été abrogé par L.C. 2007, c. 29, par. 48(1) et cette abrogation s'applique au calcul de tout remboursement prévu aux articles 252 ou 252.1, sauf si le remboursement a trait à un logement provisoire, ou un emplacement de camping, non compris dans un voyage organisé et est calculé selon la formule figurant au paragraphe 252.1(4). Antérieurement, il se lisait ainsi :

f) le total des montants réclamés dans la demande qui se rapportent au logement provisoire, ou à l'emplacement de camping, non compris dans un voyage organisé et qui sont calculés selon la formule figurant au paragraphe 252.1(4) ne dépasse pas 75 $;

L'alinéa 252.2f) a été remplacé par L.C. 2000, c. 30, par. 69(2). Cette modification s'applique aux fins du calcul du remboursement prévu aux articles 252 ou 252.1 si le ministre du Revenu national reçoit la demande le concernant, ou l'aurait reçue, n'eût été le paragraphe 334(1), après juin 1998. Antérieurement, l'alinéa 252.2f) se lisait comme suit :

f) le total des montants réclamés dans la demande qui se rapportent au logement provisoire non compris dans un voyage organisé et qui sont calculés selon la formule figurant au paragraphe 252.1(4) ne dépasse pas 75 $;

Le sous-alinéa 252.2g)(ii) a été remplacé par L.C. 2007, c. 18, par. 35(1) et cette modification s'applique au calcul du remboursement prévu aux articles 252 ou 252.1 si le ministre du Revenu national reçoit la demande le concernant, ou l'aurait reçue, n'eût été le paragraphe 334(1), après juin 1998. Antérieurement, il se lisait ainsi :

(ii) dans les autres cas, 75 $ pour chaque particulier à la disposition duquel un de ces logements est mis.

Le préambule de l'alinéa 252.2g) a été remplacé par L.C. 2000, c. 30, par. 69(3). Cette modification s'applique aux fins du calcul du remboursement prévu aux articles 252 ou 252.1 si le ministre du Revenu national reçoit la demande le concernant, ou l'aurait reçue, n'eût été le paragraphe 334(1), après juin 1998. Antérieurement, le préambule de l'alinéa 252.2g) se lisait comme suit :

g) le total des montants réclamés dans la demande qui se rapportent à des logements provisoires compris dans des voyages organisés et qui sont calculés selon la formule figurant à l'alinéa 252.1(5)a) ne dépasse pas :

L'alinéa 252.2g) a été modifié par L.C. 1997, c. 10, par. 60(1) et cette modification s'applique aux remboursements prévus à l'article 252.1 relativement auxquels une demande est reçue par le ministre du Revenu national après le 23 avril 1996. Cet alinéa, modifié par L.C. 1993, c. 27, par. 107(1), se lisait auparavant comme suit :

g) le total des montants réclamés dans la demande qui se rapportent à des voyages organisés et qui sont calculés selon la formule figurant à l'alinéa 252.1(5)a) ne dépasse pas 75 $.

L'article 252.2 a été ajouté par L.C. 1993, c. 27, par. 107(1) et est réputé entré en vigueur le 17 décembre 1990. Toutefois, les alinéas 252.2 f) et g) s'appliquent aux remboursements demandés à compter du 6 novembre 1991. De plus, la mention du paragraphe 252(2) qui se trouve à l'article 252.2 vaut mention, pour l'application de l'article 252.2 avant octobre 1992, aux paragraphes 252(2) à (4).

L'article 252.2 correspond à l'ancien paragraphe 252(3).

Concordance québécoise: LTVQ, art. 357.

Définitions: « bien », « exportation », « logement provisoire », « non résidant », « personne », « règlement », « taxe » — 123(1).

Renvois: 252 (remboursement aux non-résidents — produits exportés); 252.1 (définitions); 261.4 (remboursement — restriction); 262 (forme et production de la demande); 263 (restriction); 297 (détermination du remboursement par le ministre).

Énoncés de politique: P-195R, 10/08/99, *Remboursement pour œuvres artistiques destinées à l'exportation.*

Bulletins de l'information technique: B-075R, 23/04/96, *Modifications proposées à la TPS.*

Mémorandums: TPS 500-4-1-2, 20/12/93, *Organisateurs de voyages.*

Série de mémorandums: Mémorandum 27.3, 06/03, *Remboursement pour logement aux fournisseurs non résidents et non inscrits*; Mémorandum 27.3R, 01/10, *Programme d'incitation pour congrès étrangers et voyages organisés — Remboursement de la taxe payée sur les voyages organisés admissibles et sur l'hébergement fourni dans le cadre d'un voyage organisé admissible.*

Formulaires: FP-189, *Demande générale de remboursement*; FP-288, *Supplément à la demande générale de remboursement*; GST176, *Demande de remboursement de la taxe aux visiteurs*; GST177, *Demande de remboursement pour les organisateurs de voyages — Taxe sur les produits et services/taxe de vente harmonisée (TPS/TVH), taxe de vente du Québec (TVQ), et taxe de vente provinciale du Manitoba (PST)*; GST189, *Demande générale de remboursement de la TPS/TVH*; GST288, *Demande générale de remboursement de la taxe sur les produits et services*; RC4031, *Remboursement de la taxe aux visiteurs au Canada*; RC4160, *Remboursement pour lesvoyages organisés, les congrèsétrangers et les achats desexposants non-résidents — Y compris les formulaires GST115 et GST386.*

Info TPS/TVQ: GI-026 — *Programme de remboursement aux visiteurs Quand le remboursement continue-t-il d'être accordé aux non-résidents qui achètent de l'hébergement?*; GI-032 — *Programme d'incitation pour congrès étrangers et voyages organisés — Non-résidents qui achètent des voyages organisés: remboursement de la taxe payée sur les voyages organisés admissibles*; GI-033 — *Programme d'incitation pour congrès étrangers et voyages organisés — Organisateurs non résidents de voyages: remboursement de la taxe payée sur l'hébergement vendu dans un voyage organisé admissible.*

COMMENTAIRES: Cet article impose des conditions et restrictions à l'égard des remboursements prévus pour les non-résidents aux articles 252 et 252.1.

L'Agence du revenu du Canada a indiqué que le formulaire GST-115 devrait être produit par un non-résident. Voir notamment à cet effet: Agence du revenu du Canada, Décision anticipée, nº 146164 — *FCTIP — Tour Package Eligibility* (26 octobre 2012).

Le délai de présentation de la demande de remboursement est d'un an. À titre illustratif, dans l'affaire *Scapillato c. R.*, 2003 CarswellNat 6569 (C.C.I.), la Cour canadienne a rejeté l'appel et conclut que la demande n'avait pas été déposée dans l'année suivante la date d'exportation (soit le 20 avril 1999).

Nous vous invitons à consulter nos commentaires en vertu de l'article 261 pour une discussion sur la présence d'un délai de rigueur et, le cas échéant, sur la possibilité de bénéficier d'un recours alternatif lorsque le délai prescrit est expiré.

252.3 Remboursement aux exposants non-résidents — Lorsqu'une personne non-résidente et non inscrite aux termes de la sous-section d de la section V est l'acquéreur de la fourniture par bail, licence ou accord semblable d'un immeuble qu'elle acquiert pour utilisation exclusive comme lieu pour la promotion, lors d'un congrès, de son entreprise ou de biens ou de services qu'elle fournit, le ministre rembourse à la personne, sur présentation par celle-ci d'une demande au cours de l'année suivant le jour du congrès, les montants suivants :

a) un montant égal à la taxe payée par la personne relativement à cette fourniture;

b) un montant égal à la taxe payée par la personne relativement à des fournitures liées au congrès, effectuées à son profit.

Notes historiques: L'article 252.3 a été ajouté par L.C. 1993, c. 27, par. 107(1) et est entré en vigueur le 17 décembre 1990 (c.-à-d. rétroactivement à l'introduction de la TPS).

Concordance québécoise: LTVQ, art. 357.1.

Définitions: « acquéreur », « bien », « congrès », « entreprise », « exclusif », « fourniture », « fournitures liées à un congrès », « immeuble », « ministre », « montant », « non résidant », « personne », « service », « taxe » — 123(1).

Renvois: 262 (forme et production de la demande); 263 (restriction); 263.01 (TVH — institution financière désignée particulière); 264 (montant remboursé en trop ou intérêts payés en trop); 297 (détermination du remboursement par le ministre).

Bulletins de l'information technique: B-071, 19/03/93, *Remboursement de la taxe sur les produits et services relatif à un congrès*; B-080, 28/02/97, *Remboursements de la TVH sur les fournitures effectuées à partir des provinces participantes.*

Mémorandums: TPS 500-4-1-3, 11/04/94, *Congrès*, par. 1–17, 20–22.

Série de mémorandums: Mémorandum 27.2, 04/95, *Congrès*; Mémorandum 27.3R, 01/10, *Programme d'incitation pour congrès étrangers et voyages organisés — Remboursement de la taxe payée sur les voyages organisés admissibles et sur l'hébergement fourni dans le cadre d'un voyage organisé admissible.*

Formulaires: GST106 *Annexe 2 — Renseignements sur les demandes payées ou créditées pour les congrès étrangers et les voyages organisés*; GST386 *Demande de remboursement pour les organisateurs de congrès — Taxe sur les produits et services/Taxe de vente harmonisée (TPS/TVH), Taxe de vente du Québec (TVQ), et taxe de vente provinciale du Manitoba (PST)*; RC4036 *Renseignements sur la TPS/TVH pour l'industrie du tourisme et des congrès.*

Info TPS/TVQ: GI-028 — *Programme d'incitation pour congrès étrangers et voyages organisés — Exposants non résidents : application de la TPS/TVH aux achats, et remboursement.*

COMMENTAIRES: Le terme « congrès » est défini au paragraphe 123(1) et désigne, de façon générale, une réunion ou assemblée officielle qui n'est pas ouverte au grand public.

Il faut souligner que dans la mesure où un promoteur collecte erronément un montant de TPS/TVH à un exposant non-résident non-inscrit et ne rembourse par la TPS/TVH à l'exposant en vertu de l'article 232, l'exposant non-résident devrait présenter une demande de remboursement pour la taxe payée par erreur en vertu de l'article 261.

252.4 (1) Remboursement au promoteur d'un congrès étranger — Sous réserve du paragraphe (2), le ministre rembourse le promoteur d'un congrès étranger, sur présentation par celui-ci d'une demande au cours de l'année suivant le jour du congrès, dans le cas où le promoteur paie la taxe payable relativement aux fournitures, importations ou transferts suivants :

a) la fourniture de biens ou de services relatifs au congrès, effectuée par un inscrit qui est l'organisateur du congrès;

b) la fourniture, effectuée par un inscrit autre que l'organisateur du congrès, du centre de congrès, ou de biens ou de services acquis pour consommation, utilisation ou fourniture par le promoteur à titre de fournitures liées au congrès;

c) l'importation de biens, ou leur transfert dans une province participante, par le promoteur, ou la fourniture taxable importée, au sens de l'article 217, de biens ou de services qu'il acquiert, pour consommation, utilisation ou fourniture par lui à titre de fournitures liées au congrès.

Le montant remboursable est égal au montant suivant :

d) dans le cas d'une fourniture effectuée par l'organisateur, la somme des montants suivants :

(i) la taxe payée par le promoteur, calculée sur la partie de la contrepartie de la fourniture qu'il est raisonnable d'imputer au centre de congrès ou à des fournitures liées au congrès, à l'exclusion des aliments et boissons, et des biens et services fournis aux termes d'un contrat visant un service de traiteur,

(ii) le montant représentant 50 % de la taxe payée par le promoteur, calculée sur la partie de la contrepartie de la fourniture qu'il est raisonnable d'imputer aux fournitures liées au congrès qui consistent en des aliments ou boissons, ou en des biens et services fournis aux termes d'un contrat visant un service de traiteur;

e) dans les autres cas, le montant applicable suivant :

(i) si les biens ou les services sont des aliments ou boissons ou sont fournis aux termes d'un contrat visant un service de traiteur, le montant représentant 50 % de la taxe payée par le promoteur relativement à la fourniture ou à l'importation des biens ou des services ou au transfert des biens dans une province participante,

(ii) dans les cas autres que ceux visés au sous-alinéa (i), la taxe payée par le promoteur relativement à la fourniture ou à l'importation des biens ou des services ou au transfert des biens dans une province participante.

Notes historiques: Le préambule du paragraphe 252.4(1) a été modifié par L.C. 1997, c. 10, par. 219(1) et cette modification est entrée en vigueur le 1er avril 1997. Auparavant, ce préambule se lisait comme suit :

> 252.1 (1) Sous réserve du paragraphe (2), le ministre rembourse le promoteur d'un congrès étranger, sur présentation par celui-ci d'une demande au cours de l'année suivant le jour du congrès, dans le cas où le promoteur paie la taxe relative aux fournitures ou aux importations suivantes :

L'alinéa a) du paragraphe 252.4(1) a été remplacé par L.C. 2007, c. 29, par. 49(1) et cette modification s'applique relativement à la fourniture, à l'importation ou au transfert dans une province participante de biens ou de services dans le cadre d'un congrès commençant après mars 2007. Toutefois, elle ne s'applique pas relativement aux fournitures de biens ou de services effectuées dans le cadre d'un congrès commençant avant avril 2009, aux termes d'une convention écrite conclue avant le 25 septembre 2006. Antérieurement, cet alinéa se lisait ainsi :

> a) la fourniture de biens ou de services liés au congrès, effectuée par un inscrit qui est l'organisateur du congrès;

L'alinéa 252.4(1)c) a été remplacé par L.C. 2000, c. 30, par. 70(1). Cette modification est réputée entrée en vigueur le 1er avril 1997. Antérieurement, il se lisait comme suit :

> c) l'importation de biens, ou leur transfert dans une province participante, par le promoteur, ou la fourniture taxable importée, au sens de l'article 217, de services qu'il acquiert, pour consommation, utilisation ou fourniture par lui à titre de fournitures liées au congrès.

L'alinéa 252.4(1)c) a été modifié par L.C. 1997, c. 10, par. 219(2) et cette modification est entrée en vigueur le 1er avril 1997. Auparavant, cet alinéa se lisait comme suit :

> c) l'importation par le promoteur de biens ou services en vue de leur consommation, utilisation ou fourniture par lui à titre de fournitures liées au congrès.

Les alinéas 252.4(1)d) et e) ont été remplacés par L.C. 2000. c. 30, par. 70(2). Cette modification s'applique aux biens ou services acquis, importés, ou transférés dans une province participante pour consommation, utilisation ou fourniture à l'occasion d'un congrès pour lequel l'ensemble des fournitures de droits d'entrée sont effectuées après le 24 février 1998. Antérieurement, ils se lisaient comme suit :

> d) dans le cas d'une fourniture effectuée par l'organisateur, la taxe payée par le promoteur, calculée sur la partie de la contrepartie de la fourniture imputable au centre de congrès ou à des fournitures liées au congrès;
>
> e) dans les autres cas, la taxe payée par le promoteur relativement à la fourniture ou à l'importation des biens ou des services ou au transfert des biens dans une province participante.

L'alinéa 252.4(1)e) a été modifié par L.C. 1997, c. 10, par. 219(3) et cette modification est entrée en vigueur le 1er avril 1997. Auparavant, cet alinéa se lisait comme suit :

> e) dans les autres cas, la taxe payée par le promoteur relativement à la fourniture ou à l'importation.

Le paragraphe 252.4(1) a été ajouté par L.C. 1993, c. 27, par. 107(1) et est réputé entré en vigueur le 17 décembre 1990.

Concordance québécoise: LTVQ, art. 357.2.

(2) Remboursement par l'organisateur — L'inscrit — organisateur d'un congrès étranger — qui verse au promoteur du congrès, ou porte à son crédit, un montant au titre du remboursement prévu au paragraphe (1) peut demander la déduction prévue au paragraphe 234(2) au titre de ce montant que le promoteur pourrait obtenir relativement à une fourniture qu'il acquiert de l'inscrit en payant la taxe afférente et en demandant le remboursement en conformité avec le paragraphe (1). Pour sa part, le promoteur n'a pas droit à un remboursement ou à une remise de la taxe à laquelle le montant se rapporte.

Notes historiques: Le paragraphe 252.4(2) a été ajouté par L.C. 1993, c. 27, par. 107(1) et est réputé entré en vigueur le 17 décembre 1990.

Concordance québécoise: LTVQ, art. 357.3.

(3) Remboursement à l'organisateur — Le ministre rembourse l'organisateur d'un congrès étranger qui n'est pas inscrit aux termes de la sous-section d de la section V et qui paie la taxe relative à la fourniture du centre de congrès ou relative à la fourniture, à l'importation, ou au transfert dans une province participante de fournitures liées au congrès. Le montant est remboursé sur présentation d'une demande de l'organisateur au cours de l'année suivant la fin du congrès et correspond à la somme des montants suivants :

a) la taxe payée par l'organisateur calculée sur la partie de la contrepartie de la fourniture, ou sur la partie de la valeur des biens, qu'il est raisonnable d'imputer au centre de congrès ou aux fournitures liées au congrès, à l'exception des aliments et boissons, et des biens et services fournis aux termes d'un contrat visant un service de traiteur;

b) le montant représentant 50 % de la taxe payée par l'organisateur, calculée sur la partie de la contrepartie de la fourniture, ou sur la partie de la valeur des biens, qu'il est raisonnable d'imputer aux fournitures liées au congrès qui consistent en des aliments ou boissons, ou en des biens ou services fournis aux termes d'un contrat visant un service de traiteur.

Notes historiques: Les alinéas 252.4(3)a) et b) ont été remplacés par L.C. 2007, c. 29, par. 49(2) et ces modifications s'appliquent relativement à la fourniture, à l'importation ou au transfert dans une province participante de biens ou de services dans le cadre d'un congrès commençant après mars 2007. Toutefois, elle ne s'appliquera pas relativement aux fournitures de biens ou de services effectuées dans le cadre d'un congrès commençant avant avril 2009, aux termes d'une convention écrite conclue avant le 25 septembre 2006. Antérieurement, ils se lisaient ainsi :

> a) la taxe payée par l'organisateur relativement à la partie de la contrepartie de la fourniture qu'il est raisonnable d'imputer au centre de congrès ou aux fournitures liées au congrès, à l'exception des aliments et boissons, et des biens et services fournis aux termes d'un contrat visant un service de traiteur;
>
> b) le montant représentant 50 % de la taxe payée par l'organisateur, calculée sur la partie de la contrepartie de la fourniture qu'il est raisonnable d'imputer aux fournitures liées au congrès qui consistent en des aliments ou boissons, ou en des biens ou services fournis aux termes d'un contrat visant un service de traiteur.

Le paragraphe 252.4(3) a été remplacé par L.C. 2000, c. 30, par. 70(3). Cette modification s'applique aux biens ou services acquis, importés, ou transférés dans une province participante pour consommation, utilisation ou fourniture à l'occasion d'un congrès pour lequel l'ensemble des fournitures de droits d'entrée sont effectuées après le 24 février 1998. Antérieurement, il se lisait comme suit :

> (3) Le ministre rembourse l'organisateur d'un congrès étranger qui n'est pas inscrit aux termes de la sous-section d de la section V et qui paie la taxe relative à la fourniture du centre de congrès ou relative à la fourniture, à l'importation ou au transfert dans une province participante de fournitures liées au congrès. Le montant est remboursé sur présentation d'une demande de l'organisateur au cours de l'année suivant la fin du congrès et correspond à la taxe payée par l'organisateur relativement à la fourniture, à l'importation ou au transfert.

Le paragraphe 252.4(3) a été modifié par L.C. 1997, c. 10, par. 219(4) et cette modification est entrée en vigueur le 1er avril 1997. Il se lisait comme suit :

> Le ministre rembourse l'organisateur d'un congrès étranger qui n'est pas inscrit aux termes de la sous-section d de la section V et qui paie la taxe relative à la fourniture du centre de congrès ou de fournitures liées au congrès ou relative à l'importation de telles fournitures. Le montant est remboursé sur présentation d'une demande de l'organisateur au cours de l'année suivant la fin du congrès et correspond à la taxe payée par l'organisateur relativement à la fourniture ou à l'importation.

Auparavant, ce paragraphe a été ajouté par L.C. 1993, c. 27, par. 107(1) et est réputé entré en vigueur le 17 décembre 1990.

Concordance québécoise: LTVQ, art. 357.4.

(4) Remboursement par le fournisseur — L'exploitant d'un centre de congrès ou le fournisseur d'un logement provisoire ou d'un emplacement de camping peut demander la déduction prévue au paragraphe 234(2) au titre du montant visé à l'alinéa b) et versé à une personne — organisateur d'un congrès étranger qui n'est pas inscrit aux termes de la sous-section d de la section V ou promoteur d'un tel congrès —, ou porté à son crédit, si les conditions suivantes sont réunies :

a) la personne est l'acquéreur d'une des fournitures suivantes :

(i) la fourniture taxable du centre de congrès, ou des fournitures liées au congrès, effectuées par l'exploitant du centre qui n'est pas l'organisateur du congrès,

(ii) la fourniture taxable, effectuée par un inscrit autre que l'organisateur du congrès, du logement provisoire ou de l'emplacement de camping que la personne acquiert exclusivement pour fourniture dans le cadre du congrès;

b) l'exploitant du centre de congrès ou le fournisseur du logement ou de l'emplacement verse à la personne, ou porte à son crédit, un montant au titre du remboursement que la personne pourrait obtenir en vertu des paragraphes (1) ou (3) relativement à la fourniture du centre, du logement ou de l'emplacement en payant la taxe afférente et en demandant le remboursement en conformité avec ces paragraphes.

Pour sa part, la personne n'a pas droit à un remboursement ou à une remise de la taxe à laquelle le montant se rapporte.

Notes historiques: Le sous-alinéa 252.4(4)a)(ii) a été remplacé par L.C. 2000, c. 30, par. 70(4). Cette modification s'applique aux fournitures d'un emplacement de camping que l'acquéreur acquiert pour fourniture à l'occasion d'un congrès qui commence après juin 1998 et pour lequel l'ensemble des fournitures de droits d'entrée sont effectuées après le 24 février 1998. Antérieurement, il se lisait comme suit :

(ii) la fourniture taxable, effectuée par un inscrit autre que l'organisateur du congrès, du logement provisoire que la personne acquiert exclusivement pour fourniture dans le cadre du congrès;

Le paragraphe 252.4(4) a été remplacé par L.C. 2007, c. 18, par. 36(1) et cette modification s'applique aux fournitures, visées au paragraphe 252.4(4), d'un bien ou d'un service que l'acquéreur acquiert en vue de le fournir à l'occasion d'un congrès qui commence après juin 1998 et pour lequel l'ensemble des fournitures de droits d'entrée sont effectuées après le 24 février 1998. Antérieurement, il se lisait ainsi :

(4) L'exploitant d'un centre de congrès ou le fournisseur d'un logement provisoire peut demander la déduction prévue au paragraphe 234(2) au titre du montant visé à l'alinéa b) et versé à une personne — organisateur d'un congrès étranger qui n'est pas inscrit aux termes de la sous-section de la section V ou promoteur d'un tel congrès —, ou porté à son crédit, si les conditions suivantes sont réunies :

a) la personne est l'acquéreur d'une des fournitures suivantes :

(i) la fourniture taxable du centre de congrès, ou des fournitures liées au congrès, effectuées par l'exploitant du centre qui n'est pas l'organisateur du congrès,

(ii) la fourniture taxable, effectuée par un inscrit autre que l'organisateur du congrès, du logement provisoire ou de l'emplacement de camping que la personne acquiert exclusivement pour fourniture dans le cadre du congrès;

b) l'exploitant du centre de congrès ou le fournisseur du logement verse à la personne, ou porte à son crédit, un montant au titre du remboursement que la personne pourrait obtenir en vertu des paragraphes (1) ou (3) relativement à la fourniture du centre ou du logement en payant la taxe afférente et en demandant le remboursement en conformité avec ces paragraphes.

Pour sa part, la personne n'a pas droit à un remboursement ou à une remise de la taxe à laquelle le montant se rapporte.

Le paragraphe 252.4(4) a été ajouté par L.C. 1993, c. 27, par. 107(1) et est réputé entré en vigueur le 17 décembre 1990.

Concordance québécoise: LTVQ, art. 357.5.

(5) Production de renseignements — L'inscrit qui, conformément aux paragraphes (2) ou (4), verse à une personne, ou porte à son crédit, un montant au titre d'un remboursement, puis demande, dans le calcul de sa taxe nette pour une période de déclaration, la déduction prévue au paragraphe 234(2) relativement à ce montant, est tenu de présenter au ministre les renseignements que celui-ci requiert concernant ce montant. Ces renseignements sont présentés en la forme et selon les modalités déterminées par le ministre, au plus tard à la date limite où l'inscrit est tenu de produire une déclaration aux termes de la section V pour la période de déclaration au cours de laquelle le montant est déduit.

Notes historiques: Le paragraphe 252.4(5) a été ajouté par L.C. 2007, c. 29, par. 49(3) et s'applique relativement aux fournitures liées à un congrès étranger à l'égard desquelles :

a) d'une part, la taxe prévue à la partie IX deviendra payable après mars 2007;

b) d'autre part, le fournisseur a demandé un montant au titre de la déduction prévue au paragraphe 234(2) en raison d'un montant qu'il a versé à une personne, ou porté à son crédit, après mars 2007.

Concordance québécoise: LTVQ, art. 357.5.0.1.

Définitions [art. 252.4]: « acquéreur », « bien », « centre de congrès », « congrès », « congrès étranger », « contrepartie », « exclusif », « fourniture », « fourniture taxable », « fournitures liées à un congrès », « importation », « inscrit », « logement provisoire », « ministre », « montant », « organisateur », « personne », « promoteur », « province participante », « service », « taxe » — 123(1).

Renvois [art. 252.4]: 189.2 (congrès étranger — fournitures réputées effectuées en dehors du cadre des activités commerciales); 234(2) (déduction pour remboursement); 234(2.1) (production tardive de renseignements et rajustement pour défaut de produire); 252.1 (définitions); 252.5 (obligation solidaire); 262 (forme et production de la demande); 263 (restriction); 263.01(1) (restriction au remboursement); 264 (montant remboursé en trop ou intérêts payés en trop); 297 (détermination du remboursement par le ministre).

Énoncés de politique [art. 252.4]: P-224, 04/01/99, *Sens de services de traiteur.*

Bulletins de l'information technique [art. 252.4]: B-071, 19/03/93, *Remboursement de la taxe sur les produits et services relatif à un congrès*; B-083R, 23/05/97, *Services financiers sous le régime de la TVH*; B-080, 28/02/97, *Remboursements de la TVH sur les fournitures effectuées à partir des provinces participantes.*

Mémorandums [art. 252.4]: TPS 500-4-1-3, 11/04/94, *Congrès*, par. 1–5, 18, 19; Mémorandum 27.2, 04/95, *Congrès.*

Série de mémorandums [art. 252.4]: Mémorandum 27.2R, 08/09, *Congrès*; Mémorandum 27.3R, 01/10, *Programme d'incitation pour congrès étrangers et voyages organisés — Remboursement de la taxe payée sur les voyages organisés admissibles et sur l'hébergement fourni dans le cadre d'un voyage organisé admissible.*

Formulaires [art. 252.4]: GST106 *Annexe 2 — Renseignements sur les demandes payées ou créditées pour les congrès étrangers et les voyages organisés*; GST386 *Demande de remboursement pour les organisateurs de congrès — Taxe sur les produits et services/Taxe de vente harmonisée (TPS/TVH), Taxe de vente du Québec (TVQ), et taxe de vente provinciale du Manitoba (PST)*; RC4036 *Renseignements sur la TPS/TVH pour l'industrie du tourisme et des congrès.*

Info TPS/TVQ [art. 252.4]: GI-029 — *Programme d'incitation pour congrès étrangers et voyages organisés Promoteurs de congrès étrangers : ce qu'est un congrès étranger et remboursement de la taxe payée sur les achats afférents*; GI-030 — *Programme d'incitation pour congrès étrangers et voyages organisés — Organisateurs non inscrits de congrès étrangers : remboursement de la taxe payée sur les achats*; GI-031 — *Programme d'incitation pour congrès étrangers et voyages organisés — Exploitants inscrits de centre de congrès et organisateurs inscrits : remboursement versé et crédité pour des congrès étrangers.*

Lettres d'interprétation (Québec) [art. 252.4]: 01-0101616 — Interprétation relative à la TPS et à la TVQ — Organisation d'un congrès international; 02-0104758 — Interprétation relative à la TPS et à la TVQ — Organisation d'un congrès international.

COMMENTAIRES: L'expression « congrès étranger » est définie au paragraphe 123(1). De façon générale et sous réserve d'autres conditions, un congrès étranger est celui où il est raisonnable de s'attendre qu'au moins 75 % des droits d'entrée soient fournis à des personnes non-résidentes.

Dans le cadre d'une position administrative, Revenu Québec s'est prononcé sur l'application de ce remboursement et a conclu à la présence d'un congrès étranger puisque le promoteur, en l'occurrence l'organisme, est un non-résident dont le siège social est situé à l'étranger ou, à défaut de siège social, qui est contrôlé et géré par une personne non-résidente ou par des personnes dont la majorité sont des non-résidents et que les droits d'entrée à ce congrès seront fournis à des personnes non-résidentes dans une proportion d'au moins 75 %. De plus, Revenu Québec a souligné qu'en vertu de l'article 189.2, le promoteur d'un congrès étranger qui fournit des droits d'entrée au congrès est réputé effectuer ces fournitures autrement que dans le cadre de son activité commerciale et par conséquent, ceci implique que le promoteur n'a pas à s'inscrire aux fins de la TPS et qu'il n'est pas dans l'obligation de facturer la TPS sur les droits d'entrée exigés des participants (canadiens ou non-résidents). Toutefois, Revenu Québec souligne que le paragraphe 252.4 (1) prévoit qu'un promoteur d'un congrès étranger peut demander un remboursement de la TPS qu'il a payée relativement à un centre de congrès ou à des fournitures liées à un congrès qui sont acquises au Canada ou importées pour être utilisées au congrès. À cet effet, le promoteur doit produire la demande de remboursement au cours de l'année suivant le jour de la fin du congrès. Voir notamment à cet effet : Revenu Québec, Lettre d'interprétation, 02-0104758 — *Interprétation relative à la TPS et à la TVQ — Organisation d'un congrès international* (25 juillet 2002).

En vertu du paragraphe (1), le promoteur doit produire la demande de remboursement au cours de l'année suivant le jour de la fin du congrès. Toutefois, il est à remarquer qu'en vertu du paragraphe (2), lorsque lesdites fournitures sont effectuées par un organisateur inscrit, ce dernier peut porter au crédit du promoteur un montant égal au remboursement auquel le promoteur a par ailleurs droit en vertu du paragraphe (1). Dans ce cas, l'organisateur peut alors déduire de sa taxe nette un montant égal au montant porté au crédit du promoteur. Voir notamment à cet effet : Revenu Québec, Lettre d'interprétation, 01-0101616 — *Interprétation relative à la TPS et à la TVQ — Organisation d'un congrès international* (13 mars 2001).

252.41 (1) Remboursement aux non-résidents pour services d'installation — Dans le cas où un fournisseur non-résident qui n'est pas inscrit aux termes de la sous-section d de la section V effectue la fourniture d'un bien meuble corporel, y compris son installation, en faveur d'une personne qui est ainsi inscrite et que le fournisseur ou une autre personne non-résidente qui n'est pas ainsi inscrite est l'acquéreur de la fourniture taxable au Canada d'un service qui consiste à installer le bien dans un immeuble situé au Canada de sorte que l'inscrit puisse l'utiliser, les règles suivantes s'appliquent :

a) le ministre rembourse à l'acquéreur du service, sur présentation par celui-ci d'une demande au cours de l'année suivant la fin de la prestation du service, un montant égal à la taxe qu'il a payée relativement à la fourniture du service;

b) l'inscrit est réputé, pour l'application de la présente partie, avoir reçu du fournisseur du bien meuble corporel une fourniture taxable du service qui est distincte de la fourniture du bien, et non accessoire à celle-ci, pour une contrepartie égale à la partie de la contrepartie totale payée ou payable par l'inscrit pour le bien et son installation qu'il est raisonnable d'attribuer à l'installation.

Notes historiques: Le paragraphe 252.41(1) a été ajouté par L.C. 1997, c. 10, par. 61(1) et s'applique aux fournitures de services effectuées après le 23 avril 1996.

Concordance québécoise: LTVQ, art. 357.5.1.

(2) Demande présentée au fournisseur — La personne non-résidente qui a droit à un remboursement peut demander au fournisseur de lui verser le montant du remboursement ou de le porter à son crédit. Si celui-ci accepte, il est tenu de transmettre la demande au ministre avec la déclaration qu'il produit en application de la section V pour la période de déclaration au cours de laquelle le montant est remboursé à la personne ou porté à son crédit. Les intérêts prévus au paragraphe 297(4) ne sont pas payables relativement au remboursement.

Notes historiques: Le paragraphe 252.41(2) a été ajouté par L.C. 1997, c. 10, par. 61(1) et s'applique aux fournitures de services effectuées après le 23 avril 1996.

Concordance québécoise: LTVQ, art. 357.5.2.

(3) Obligation solidaire — Le fournisseur qui effectue un remboursement au profit d'une personne alors qu'il sait ou devrait savoir que la personne n'y a pas droit ou que le montant payé à celle-ci, ou porté à son crédit, excède celui auquel elle a droit, est solidairement tenu, avec la personne, de payer au receveur général en vertu de l'article 264 le montant versé à la personne, ou porté à son crédit, ou l'excédent, selon le cas.

Notes historiques: Le paragraphe 252.41(3) a été ajouté par L.C. 1997, c. 10, par. 61(1) et s'applique aux fournitures de services effectuées après le 23 avril 1996.

Concordance québécoise: LTVQ, art. 357.5.3.

Définitions [art. 252.41]: « bien meuble », « fourniture », « fourniture taxable », « immeuble », « ministre », « non résidant », « personne », « service », « taxe » — 123(1).

Renvois [art. 252.41]: 234(1) (déduction pour remboursement); 263.01(1) (restriction au remboursement).

Jurisprudence [art. 252.41]: *DSL Ltd. c. R.*, [2005] G.S.T.C. 126 (CCI).

Bulletins de l'information technique [art. 252.41]: B-075R, 28/02/96, *Modifications proposées à la TPS*; B-083R, 23/05/97, *Services financiers sous le régime de la TVH*.

Formulaires [art. 252.41]: FP-189, *Demande générale de remboursement*; GST189, *Demande générale de remboursement de la TPS/TVH*; RC4033, *Demande générale de remboursement de la TPS/TVH — Y compris les formulaires GST189, GST288, et GST507*.

COMMENTAIRES: Dans le but d'être conséquent avec les règles de fournitures détaxées pour l'exportation des services, cet article s'applique à l'égard de services d'installation dans le cadre de la fourniture d'un bien meuble corporel. En bref, cela permet à un non-résident non inscrit qui vend un bien meuble corporel à un inscrit, et dont les services d'installations sont effectués par une autre personne non-résidente et non-inscrite ou le fournisseur, de réclamer un remboursement sur les services fournis. Il s'agit donc du même effet que si le non-résident avait été inscrit et avait réclamé ses crédits de taxe sur les intrants. En pratique, puisque le remboursement peut être crédité par le fournisseur, l'effet de ce remboursement s'apparente à une fourniture détaxée.

Le paragraphe (3) prévoit une obligation solidaire dans un contexte où le fournisseur effectue un remboursement à une personne qui savait ou devrait savoir qu'elle n'y avait pas droit. Voir notamment à cet effet : Agence du revenu du Canada, Lettre de l'Administration centrale sur la TPS, 11601-3, 11685-4 — *Timing Issue — Interest & Penalties — Rebate Overpayments — Assessments against Suppliers* (3 juin 2005). En pratique, l'Agence du revenu du Canada ou Revenu Québec cotisera fort probablement le résident plutôt que d'émettre un avis de cotisation à l'encontre d'une personne non-résidente.

252.5 Obligation solidaire — Lorsque, en vertu des articles 252, 252.1 ou 252.4, un inscrit verse à un moment donné à une personne, ou porte à son crédit, un montant au titre du remboursement et que, selon le cas :

a) la personne ne remplit pas la condition (appelée « condition d'admissibilité » au présent article) selon laquelle elle pourrait obtenir le remboursement en payant la taxe à laquelle le montant se rapporte et en remplissant les conditions énoncées à l'article 252.2 ou, dans le cas du remboursement prévu auparagraphe 252.4(1), en demandant le remboursement dans le délai imparti,

b) le montant versé à la personne, ou porté à son crédit, excède le montant remboursable qu'elle pourrait ainsi obtenir,

les règles suivantes s'appliquent :

c) dans le cas où, au moment donné, l'inscrit sait ou devrait savoir que la personne ne remplit pas la condition d'admissibilité ou que le montant versé à la personne, ou porté à son crédit, excède le montant remboursable auquel elle a droit, l'inscrit et la personne sont solidairement tenus de payer au receveur général en application de l'article 264 le montant ou l'excédent, selon le cas, comme s'ils leur avaient été versés au moment donné, à titre de remboursement en vertu de la présente section;

d) dans les autres cas, la personne est tenue de payer au receveur général en application de l'article 264 le montant ou l'excédent, selon le cas, comme s'ils avaient été versés, au moment donné, à titre de remboursement en vertu de la présente section.

Notes historiques: L'article 252.5 a été ajouté par L.C. 1993, c. 27, par. 107(1) et est réputé entré en vigueur le 17 décembre 1990.

Concordance québécoise: LTVQ, art. 357.6.

Définitions: « inscrit », « montant », « personne », « taxe » — 123(1).

Série de mémorandums: Mémorandum 27.2, 04/95, *Congrès*; Mémorandum 3.1, 08/99, *Assujettissement à la taxe*; Mémorandum 27.3R, 01/10, *Programme d'incitation pour congrès étrangers et voyages organisés — Remboursement de la taxe payée sur les voyages organisés admissibles et sur l'hébergement fourni dans le cadre d'un voyage organisé admissible*.

COMMENTAIRES: Cet article s'applique à la situation où le remboursement n'aurait pas dû être disponible à l'acquéreur, ou alors qu'un trop grand montant de remboursement a été crédité par le fournisseur. Il faut souligner que la responsabilité solidaire sera déclenchée notamment par l'alinéa c) qui fait référence au fait que « l'inscrit sait ou devrait savoir » que la personne n'est pas admissible au remboursement. Cet élément déclencheur se retrouve également dans d'autres dispositions, notamment sous l'article 252.41 et le paragraphe 254(6).

En pratique, comme l'acquéreur est non-résident, Revenu Québec et l'Agence du revenu du Canada vont simplement cotiser le fournisseur.

Selon l'article 252.5, s'il est déterminé que la personne non-résidente n'avait pas droit à un remboursement ou que le montant payé ou crédité était supérieur à celui auquel la personne non-résidente avait droit, le fournisseur et la personne non-résidente ont conjointement la responsabilité de payer à l'Agence du revenu du Canada tout montant dû, sous réserve de certaines conditions. Il faut prendre note qu'un organisateur de voyages inscrit peut aussi payer ou créditer un montant au titre du remboursement si les conditions prévues pour le remboursement sont satisfaites, ce qui réduit en fait le montant de taxe que l'acquéreur doit verser. Voir notamment à cet effet : Agence du revenu du Canada, Lettre de l'Administration centrale sur la TPS, I-11725-6B — *Interprétation de la TPS/TVH — Organisateurs de voyages vers le Canada* (30 juin 2003).

253. (1) Salariés et associés — Sous réserve des paragraphes (2) et (3), le ministre rembourse un particulier — associé d'une société de personnes, laquelle est un inscrit, ou salarié d'un inscrit autre qu'une institution financière désignée — pour chaque année civile relativement à un bien ou à un service, si les conditions suivantes sont réunies :

a) un instrument de musique, un véhicule à moteur, un aéronef ou un autre bien ou service est considéré comme ayant été acquis, importé ou transféré dans une province participante par le particulier, ou serait ainsi considéré si ce n'était le paragraphe 272.1(1);

a.1) dans le cas d'un particulier qui est un associé d'une société de personnes, l'instrument, le véhicule, l'aéronef ou l'autre bien ou service acquis, importé ou transféré dans une province participante n'a pas été acquis ou importé par le particulier pour le compte de la société de personnes;

b) le particulier a payé la taxe (appelée « taxe payée par le particulier » au présent paragraphe) relative à l'acquisition ou à l'importation du bien ou du service ou relative au transfert du bien dans une province participante, selon le cas;

c) dans le cas de l'acquisition ou de l'importation d'un instrument de musique, ou de son transfert dans une province participante, le particulier n'a pas droit au crédit de taxe sur les intrants afférent.

Le montant remboursable correspond au résultat du calcul suivant :

$$A \times (B - C)$$

où :

A représente :

a) dans le cas où la taxe payée par le particulier ne comprend que la taxe imposée par le paragraphe 165(1) ou les articles 212 ou 218, le montant obtenu par la formule suivante :

$$D/E$$

où :

D représente le taux fixé au paragraphe 165(1),

E la somme de 100 % et du pourcentage déterminé selon l'élément D,

b) dans le cas où la taxe payée par le particulier ne comprend aucune des taxes visées à l'alinéa a), le montant obtenu par la formule suivante :

$$F/G$$

où :

F représente le pourcentage déterminé selon les modalités réglementaires,

G la somme de 100 % et du pourcentage déterminé selon l'élément F,

c) dans les autres cas, le montant obtenu par la formule suivante :

$$H/I$$

où :

H représente la somme du taux fixé au paragraphe 165(1) et du pourcentage déterminé selon les modalités réglementaires,

I la somme de 100 % et du pourcentage déterminé selon l'élément H;

B l'un des montants suivants, déduit en application de la *Loi de l'impôt sur le revenu* dans le calcul du revenu du particulier pour l'année tiré d'une charge ou d'un emploi ou provenant de la société et pour lequel le particulier n'a pas reçu d'allocation d'une personne, exception faite d'une allocation que celle-ci ne considère pas, selon l'attestation qu'elle a faite en la forme déterminée par le ministre et contenant les renseignements requis, comme étant, au moment de son versement, soit une allocation raisonnable pour l'application des sous-alinéas 6(1)b)(v), (vi), (vii) ou (vii.1) de cette loi, soit, si cette personne est une société dont le particulier est un associé, une allocation qui serait une allocation raisonnable pour l'application des sous-alinéas 6(1)b)(v), (vi), (vii) ou (vii.1) de cette loi si le particulier était un salarié de cette société à ce moment :

a) la déduction pour amortissement applicable à l'instrument de musique, au véhicule ou à l'aéronef;

b) le montant relatif à l'acquisition ou à l'importation de l'autre bien importé par le particulier, n'excédant pas le total de la valeur de ce bien, déterminée selon l'article 215, et de la taxe calculée sur cette valeur;

c) le montant relatif à la fourniture par bail, licence ou accord semblable de l'instrument de musique, du véhicule ou de l'aéronef, à la fourniture du service ou à la fourniture au Canada de l'autre bien, selon le cas;

C le total des montants que le particulier a reçus ou a le droit de recevoir de son employeur ou de la société de personnes, selon le cas, à titre de remboursement du montant déduit visé à l'élément B.

Notes historiques: L'alinéa 253(1)a) a été modifié par L.C. 1997, c. 10, par. 220(1) et cette modification est entrée en vigueur le 1er avril 1997. Auparavant, cet alinéa a été modifié par L.C. 1997, c. 10, par. 62(1) et cette modification est réputée entrée en vigueur le 17 décembre 1990. Toutefois, il ne s'applique pas au calcul du remboursement, prévu à l'article 253, relativement auquel le ministre du Revenu national a reçu une demande avant le 23 avril 1996 (sauf une demande réputée produite par l'effet de l'alinéa 296(5)a) par suite d'une cotisation établie après cette date). Il se lisait comme suit :

a) un instrument de musique, un véhicule à moteur, un aéronef ou un autre bien ou service est considéré comme ayant été acquis ou importé par le particulier, ou serait ainsi considéré si ce n'était le paragraphe 272.1(1);

Auparavant, l'alinéa 253(1)a) modifié par L.C. 1993, c. 27, par. 108(1), se lisait comme suit :

a) le particulier acquiert ou importe :

(i) soit un instrument de musique, un véhicule à moteur ou un aéronef,

(ii) soit un autre bien ou un service;

L'alinéa 253(1)a.1) a été modifié par L.C. 1997, c. 10, par. 220(2) et cette modification est entrée en vigueur le 1er avril 1997. Auparavant, cet alinéa a été ajouté par L.C. 1997, c. 10, par. 62(1) et est réputé entré en vigueur le 17 décembre 1990. Toutefois, il ne s'applique pas au calcul du remboursement, prévu à l'article 253, relativement auquel le ministre du Revenu national a reçu une demande avant le 23 avril 1996 (sauf une demande réputée produite par l'effet de l'alinéa 296(5)a) par suite d'une cotisation établie après cette date). Il se lisait comme suit :

a.1) dans le cas d'un particulier qui est un associé d'une société de personnes, l'acquisition ou l'importation n'est pas effectuée pour le compte de celle-ci;

L'alinéa 253(1)b) a été modifié par L.C. 1997, c. 10, par 220(2) et cette modification est entrée en vigueur le 1er avril 1997.

Auparavant, cet alinéa a été modifié par L.C. 1997, c. 10, par. 62(1) et cette modification est réputée entrée en vigueur le 17 décembre 1990. Toutefois, elle ne s'applique pas au calcul du remboursement, prévu à l'article 253, relativement auquel le ministre du Revenu national a reçu une demande avant le 23 avril 1996 (sauf une demande réputée produite par l'effet de l'alinéa 296(5)a) par suite d'une cotisation établie après cette date). Auparavant, il se lisait comme suit :

b) le particulier a payé la taxe relative à l'acquisition ou à l'importation;

L'alinéa 253(1)b), modifié par L.C. 1993, c. 27, par. 108(1), se lisait comme suit :

b) la taxe est payable par le particulier relativement à l'acquisition ou à l'importation;

L'alinéa 253(1)c) a été modifié par L.C. 1997, c. 10, par 220(2) et cette modification est entrée en vigueur le 1er avril 1997. Auparavant, cet alinéa, modifié par L.C. 1993, c. 27, par. 108(1), se lisait comme suit :

c) dans le cas de l'acquisition ou de l'importation d'un instrument de musique, le particulier n'a pas droit au crédit de taxe sur les intrants afférent;

La formule figurant au paragraphe 253(1) a été modifiée par L.C. 1997, c. 10, par. 62(2) et cette modification est réputée entrée en vigueur le 17 décembre 1990. Toutefois, elle ne s'applique pas au calcul du remboursement, prévu à l'article 253, relativement auquel le ministre du Revenu national a reçu une demande avant le 23 avril 1996 (sauf une demande réputée produite par l'effet de l'alinéa 296(5)a) par suite d'une cotisation établie après cette date). Auparavant, la formule figurant au paragraphe 253(1), modifiée par L.C. 1993, c. 27, par. 108(1), se lisait comme suit :

$$A \times B$$

L'élément A de la formule du paragraphe 253(1) a été remplacé par L.C. 2006, c. 4, par. 23(1) et cette modification s'applique s'applique aux montants remboursables pour les années civiles postérieures à 2005. Toutefois, en ce qui concerne l'année civile 2006, l'élément A de la formule figurant au paragraphe 253(1) est réputé avoir le libellé suivant :

A représente :

a) dans le cas où la taxe payée par le particulier ne comprend que la taxe imposée par le paragraphe 165(1) ou les articles 212 ou 218, 6,5/106,5,

b) dans le cas où la taxe payée par le particulier ne comprend aucune de ces taxes, 8/108,

c) dans les autres cas, 14,5/114,5;

Antérieurement, il se lisait ainsi :

A représente :

a) dans le cas où la taxe payée par le particulier ne comprend que la taxe imposée par le paragraphe 165(1) ou les articles 212 ou 218, 7/107,

b) dans le cas où la taxe payée par le particulier ne comprend aucune de ces taxes, 8/108,

c) dans les autres cas, 15/115;

L'élément A de la formule figurant au paragraphe 253(1) a été modifié par L.C. 1997, c. 10, par. 220(3) et cette modification est entrée en vigueur le 1er avril 1997. Auparavant, cet élément, modifié par L.C. 1993, c. 27, par. 108(1), se lisait comme suit :

A représente la fraction de taxe le dernier jour de l'année;

L'élément C a été ajouté par L.C. 1997, c. 10, par 62(3) et est réputé entré en vigueur le 17 décembre 1990. Toutefois, il ne s'applique pas au calcul du remboursement, prévu à l'article 253, relativement auquel le ministre du Revenu national a reçu une demande avant le 23 avril 1996 (sauf une demande réputée produite par l'effet de l'alinéa 296(5)a) par suite d'une cotisation établie après cette date).

Auparavant, le paragraphe 253(1) a été modifié par L.C. 1993, c. 27, par. 108(1) et est réputé entré en vigueur le 17 décembre 1990. Toutefois, pour l'application de ce paragraphe aux remboursements se rapportant à l'année civile 1991, le passage de l'élément B de la formule figurant à ce paragraphe qui précède l'alinéa a) devait se lire comme suit :

B l'un des montants suivants, déduit en application de la *Loi de l'impôt sur le revenu* dans le calcul du revenu du particulier pour l'année tiré d'une charge ou d'un emploi ou provenant de la société et pour lequel le particulier n'a pas reçu d'allocation d'une personne, exception faite d'une allocation qui n'est pas une allocation raisonnable pour l'application des sous-alinéas 6(1)b)(v), (vi), (vii) ou (vii.1) de cette loi ou, si cette personne est une société dont le particulier est un associé, d'une allocation qui ne serait pas une allocation raisonnable pour l'application des sous-alinéas 6(1)b)(v), (vi), (vii) ou (vii.1) de cette loi si le particulier avait été un salarié de cette société à ce moment :

Il se lisait comme suit :

Dans le cas où une taxe est payable relativement à l'acquisition ou à l'importation d'une automobile, d'une aéronef ou d'un instrument de musique ou relativement à la fourniture d'un autre bien ou service, par un particulier — associé d'une société de personnes qui est un inscrit ou salarié d'un inscrit (sauf une institution financière désignée) — et où le particulier n'a pas droit au crédit de taxe sur les intrants relatif à la taxe, le ministre verse au particulier pour chaque année civile un remboursement calculé selon la formule suivante :

$$A \times (B - C)$$

où :

A représente la fraction de taxe applicable le dernier jour de l'année;

B le total des montants dont chacun représente soit la déduction pour amortissement applicable à l'automobile, à l'aéronef ou à l'instrument de musique, soit tout ou partie de la contrepartie de la fourniture de l'autre bien ou service, qui est déduite en application de la *Loi de l'impôt sur le revenu* dans le calcul du revenu du particulier pour l'année tiré d'un emploi ou de la société;

C le total des montants dont chacun représente un montant inclus dans le total calculé à l'élément B et pour lequel le particulier a reçu une indemnité ou un remboursement d'une autre personne.

L'élément F de la troisième formule figurant au paragraphe 253(1) a été remplacé par. L.C. 2009, c. 32, par. 26(1) et cette modification s'applique aux remboursements relatifs à 2010 et aux années suivantes. Antérieurement, il se lisait ainsi :

F représente le taux de taxe applicable à une province participante,

L'élément H de la quatrième formule au paragraphe 253(1) a été remplacé par. L.C. 2009, c. 32, par. 26(2) et cette modification s'applique aux remboursements relatifs à 2010 et aux années suivantes. Antérieurement, il se lisait ainsi :

H représente la somme du taux fixé au paragraphe 165(1) et du taux de taxe applicable à une province participante,

Le paragraphe 253(1) a été édicté par L.C. 1990 c. 45, par. 12(1).

Concordance québécoise: LTVQ, art. 358.

(2) Restriction du remboursement à un associé — Le montant remboursable relativement à un bien ou à un service qui est payable pour une année civile au particulier qui est un associé d'une société de personnes ne peut dépasser le montant qui correspondrait au crédit de taxe sur les intrants de la société relativement au bien ou au service pour la dernière période de déclaration de son dernier exercice se terminant au cours de l'année civile, si, à la fois :

a) dans le cas d'un instrument de musique qui est une immobilisation de l'associé, la société avait, au cours de cette période de déclaration :

(i) d'une part, acquis l'instrument de musique par bail pour utilisation exclusive dans le cadre de ses activités et pour utilisation dans le cadre de ses activités commerciales dans la même proportion que la consommation ou l'utilisation de l'instrument par l'associé au cours de l'année civile dans le cadre des activités de la société se faisait dans le cadre des activités commerciales de celle-ci,

(ii) d'autre part, payé la taxe relative à l'instrument de musique, égale au montant obtenu par la formule suivante :

$$A \times B$$

où :

A représente :

(A) dans le cas où la taxe payée par l'associé ne comprend que la taxe imposée par le paragraphe 165(1) ou les articles 212 ou 218, le montant obtenu par la formule suivante :

$$C/D$$

où :

C représente le taux fixé au paragraphe 165(1),

D la somme de 100 % et du pourcentage déterminé selon l'élément C,

(B) dans le cas où la taxe payée par l'associé ne comprend aucune de ces taxes, le montant obtenu par la formule suivante :

$$E/F$$

où :

E représente le pourcentage déterminé selon les modalités réglementaires,

F la somme de 100 % et du pourcentage déterminé selon l'élément E,

(C) dans les autres cas, le montant obtenu par la formule suivante :

$$G/H$$

où :

G représente la somme du taux fixé au paragraphe 165(1) et du pourcentage déterminé selon les modalités réglementaires,

H la somme de 100 % et du pourcentage déterminé selon l'élément G,

B la déduction pour amortissement déductible pour l'instrument aux termes de la *Loi de l'impôt sur le revenu* dans le calcul du revenu de l'associé provenant de la société pour l'année civile;

b) dans le cas d'un véhicule à moteur ou d'un aéronef, qui est une immobilisation de l'associé :

(i) d'une part, la société avait acquis le véhicule ou l'aéronef au cours de cette période de déclaration dans des circonstances où le paragraphe 202(4) s'applique et l'avait utilisé au cours du dernier exercice en question dans le cadre de ses activités commerciales dans la même proportion que l'utilisation du véhicule ou de l'aéronef par l'associé au cours de l'année civile dans le cadre des activités de la société se faisait dans le cadre des activités commerciales de celle-ci,

(ii) d'autre part, la déduction pour amortissement déductible pour le véhicule ou l'aéronef aux termes de la *Loi de l'impôt sur le revenu* dans le calcul du revenu de l'associé provenant de la société pour l'année civile constituait la déduction pour amortissement ainsi déductible dans le calcul du revenu de la société pour le dernier exercice en question;

c) dans les autres cas, la société avait :

(i) d'une part, acquis le bien ou le service pour utilisation exclusive dans le cadre de ses activités et pour utilisation dans le cadre de ses activités commerciales dans la même proportion que la consommation ou l'utilisation du bien ou du service par l'associé au cours de l'année civile dans le cadre des activités de la société se faisait dans le cadre des activités commerciales de celle-ci,

(ii) d'autre part, payé au cours de la dernière période de déclaration en question la taxe relative à cette acquisition, égale au montant obtenu par la formule suivante :

$$A \times B$$

où :

A représente :

(A) dans le cas où la taxe payée par l'associé ne comprend que la taxe imposée par le paragraphe 165(1) ou les articles 212 ou 218, le montant obtenu par la formule suivante :

$$C/D$$

où :

C représente le taux fixé au paragraphe 165(1),

D la somme de 100 % et du pourcentage déterminé selon l'élément C,

(B) dans le cas où la taxe payée par l'associé ne comprend aucune de ces taxes, le montant obtenu par la formule suivante :

$$E/F$$

où :

E représente le pourcentage déterminé selon les modalités réglementaires,

F la somme de 100 % et du pourcentage déterminé selon l'élément E,

(C) dans les autres cas, le montant obtenu par la formule suivante :

$$G/H$$

G représente la somme du taux fixé au paragraphe 165(1) et du pourcentage déterminé selon les modalités réglementaires,

H la somme de 100 % et du pourcentage déterminé selon l'élément G,

B

(A) dans le cas d'un bien importé par l'associé, le montant (n'excédant pas le total de la valeur du bien, déterminée selon l'article 215, et de la taxe calculée sur cette valeur) relatif à l'acquisition et à l'importation du bien par l'associé qui était déductible aux termes de la *Loi de l'impôt sur le revenu* dans le calcul du revenu de l'associé provenant de la société pour l'année civile,

(B) dans les autres cas, le montant relatif à l'acquisition du bien ou du service par l'associé qui était ainsi déductible dans le calcul de ce revenu.

Notes historiques: L'élément E de la troisième formule au sous-alinéa 253(2)a)(ii) a été remplacé par. L.C. 2009, c. 32, par. 26(3) et cette modification s'applique aux remboursements relatifs à 2010 et aux années suivantes. Antérieurement, il se lisait ainsi :

E représente le taux de taxe applicable à une province participante,

L'élément G de la quatrième formule au sous-alinéa 253(2)a)(ii) a été remplacé par. L.C. 2009, c. 32, par. 26(4) et cette modification s'applique aux remboursements relatifs à 2010 et aux années suivantes. Antérieurement, il se lisait ainsi :

G représente la somme du taux fixé au paragraphe 165(1) et du taux de taxe applicable à une province participante,

Le sous-alinéa 253(2)a)(ii) a été remplacé par L.C. 2006, c. 4, par. 23(2) et cette modification est réputé être entré en vigueur le 1er avril 1997. Toutefois, lorsqu'il s'agit de calculer le montant remboursable pour l'année civile 2006, les mentions « le taux fixé au paragraphe 165(1) » et « du taux fixé au paragraphe 165(1) » valent respectivement mention de « 6,5 % » et « de 6,5 % ». Antérieurement, il se lisait ainsi :

(ii) d'autre part, payé la taxe relative à l'instrument de musique, égale à la fraction de taxe de la déduction pour amortissement déductible pour l'instrument aux termes de la *Loi de l'impôt sur le revenu* dans le calcul du revenu de l'associé provenant de la société pour l'année civile;

L'élément E de la troisième formule au sous-alinéa 253(2)c)(ii) a été remplacé par. L.C. 2009, c. 32, par. 26(5) et cette modification s'applique aux remboursements relatifs à 2010 et aux années suivantes. Antérieurement, il se lisait ainsi :

E représente le taux de taxe applicable à une province participante,

L'élément G de la quatrième formule au sous-alinéa 253(2)c)(ii) a été remplacé par. L.C. 2009, c. 32, par. 26(6) et cette modification s'applique aux remboursements relatifs à 2010 et aux années suivantes. Antérieurement, il se lisait ainsi :

G représente la somme du taux fixé au paragraphe 165(1) et du taux de taxe applicable à une province participante,

Le sous-alinéa 253(2)c)(ii) a été remplacé par L.C. 2006, c. 4, par. 23(3) et cette modification est réputée être entré en vigueur le 1er avril 1997. Toutefois, lorsqu'il s'agit de calculer le montant remboursable pour l'année civile 2006, les mentions « le taux fixé au paragraphe 165(1) » et « du taux fixé au paragraphe 165(1) » valent respectivement mention de « 6,5 % » et « de 6,5 % ». Antérieurement, il se lisait ainsi :

(ii) d'autre part, payé au cours de la dernière période de déclaration en question la taxe relative à cette acquisition, égale à la fraction de taxe du montant suivant :

(A) dans le cas d'un bien importé par l'associé, le montant (n'excédant pas le total de la valeur du bien, déterminée selon l'article 215, et de la taxe calculée sur cette valeur) relatif à l'acquisition et à l'importation du bien par l'associé qui était déductible aux termes de la *Loi de l'impôt sur le revenu* dans le calcul du revenu de l'associé provenant de la société pour l'année civile,

(B) dans les autres cas, le montant relatif à l'acquisition du bien ou du service par l'associé qui était ainsi déductible dans le calcul de ce revenu.

Le paragraphe 253(2) a été modifié par L.C. 1993, c. 27, par. 108(1) et est réputé entré en vigueur le 17 décembre 1990. Il se lisait auparavant comme suit :

(2) Le remboursement payable pour une année civile au particulier qui est un associé d'une société de personnes ne peut dépasser le montant qui correspondrait au crédit de taxe sur les intrants de la société pour son dernier exercice se terminant au cours de l'année civile si, à la fois :

a) chaque automobile, aéronef ou instrument de musique de l'associé était un bien de la société;

b) la déduction pour amortissement déductible pour un tel bien aux termes de la *Loi de l'impôt sur le revenu* dans le calcul du revenu de l'associé provenant de la société pour l'année civile constituait la déduction pour amortissement ainsi déductible dans le calcul du revenu de la société pour cet exercice;

c) la contrepartie de la fourniture de chaque bien ou service, autre qu'une automobile, un aéronef ou un instrument de musique, qui est déductible aux termes de la *Loi de l'impôt sur le revenu* dans le calcul du revenu de l'associé provenant de la société pour cette année constituait la contrepartie payable par la société pour la fourniture à celle-ci d'un tel bien ou service;

d) le montant de taxe payable par la société au cours de cet exercice relativement à cette fourniture était calculé selon la formule suivante :

$$A \times (B - C)$$

où :

A représente la fraction de taxe applicable le dernier jour de l'année civile;

B la contrepartie visée à l'alinéa c);

C le total des montants reçus au cours de cette année par l'associé à titre d'indemnité ou de remboursement d'une autre personne relativement à cette fourniture.

Le paragraphe 253(2) a été édicté par L.C. 1990, c. 45, par. 12(1).

Concordance québécoise: LTVQ, art. 359.

(3) Demande de remboursement — Le remboursement pour une année civile est accordé si le particulier, dans les quatre ans suivant la fin de l'année ou au plus tard à toute date postérieure que fixe le ministre, présente une demande au ministre, en la forme déterminée par celui-ci et contenant les renseignements requis, avec la déclaration de revenu qu'il produit en application de la partie I de la *Loi de l'impôt sur le revenu.*

Notes historiques: L'alinéa 253(3) a été remplacé par L.C. 2000, c. 30, par. 71(2). Cette modification est réputée entrée en vigueur le 20 octobre 2000. Antérieurement, il se lisait comme suit:

(3) Le remboursement pour une année civile est accordé si le particulier, dans les quatre ans suivant la fin de l'année, présente une demande au ministre, en la forme déterminée par celui-ci et contenant les renseignements requis, avec la déclaration de revenu qu'il produit en application de la partie I de la *Loi de l'impôt sur le revenu.*

Le paragraphe 253(3) a été modifié par L.C. 1993, c. 27, par. 108(2) et est réputé entré en vigueur le 17 décembre 1990. Il s'applique à toutes les demandes de remboursement présentées en vertu de l'article 253 au plus tôt le 17 décembre 1990. Toutefois, pour l'application du paragraphe 253(3) aux demandes de remboursement présentées en vertu de l'article 253 pour l'année d'imposition 1991, il n'est pas tenu compte du passage « avec la déclaration de revenu qu'il produit en application de la partie I de la *Loi de l'impôt sur le revenu* » au paragraphe 253(3). Il se lisait auparavant comme suit :

(3) Le remboursement n'est versé que si le particulier en fait la demande dans les quatre ans suivant la fin de l'année visée par le remboursement.

Le paragraphe 253(3), a été ajouté par L.C. 1990, c. 45, par. 12(1).

Concordance québécoise: LTVQ, art. 360.

(4) Demande annuelle — Un particulier ne peut faire plus d'une demande de remboursement par année civile.

Notes historiques: Le paragraphe 253(4) a été ajouté par L.C. 1993, c. 27, par. 108(2) et est réputé entré en vigueur le 17 décembre 1990. Il s'applique à toutes les demandes de remboursements présentées en vertu de l'article 253 au plus tôt le 17 décembre 1990.

Concordance québécoise: LTVQ, art. 360.1.

(5) Dispositions applicables de la *Loi de l'impôt sur le revenu* — Lorsqu'un particulier présente une demande de remboursement en vertu du présent article :

a) les paragraphes 160.1(1), 164(3), (3.1) et (4) de la *Loi de l'impôt sur le revenu* s'appliquent, avec les adaptations nécessaires, aux fins du calcul des intérêts sur le montant remboursable ou d'un montant remboursé en trop comme si ces montants étaient, selon le cas, un remboursement d'impôt payé en vertu de la partie I de cette loi ou un paiement en trop d'un tel remboursement; toutefois, le paragraphe 280(1) ne s'applique pas aux fins du calcul relativement au remboursement;

b) les articles 165 à 167 et la section J de la partie I de la *Loi de l'impôt sur le revenu* s'appliquent, avec les adaptations nécessaires, aux oppositions et aux appels portant sur une cotisation établie relativement au remboursement comme s'il s'agissait d'une cotisation d'impôt payable en vertu de la partie I de cette loi; toutefois, les articles 301 à 311 ne s'appliquent pas relativement à la cotisation.

Notes historiques: Le paragraphe 253(5) a été ajouté par L.C. 1993, c. 27, par. 108(2) et est réputé entré en vigueur le 17 décembre 1990. Il s'applique à toutes les demandes de remboursements présentées en vertu de l'article 253 au plus tôt le 17 décembre 1990.

Concordance québécoise: aucune.

(6) Nouvelle cotisation — Malgré le paragraphe 298(2), le ministre, s'il a établi une cotisation à l'égard du montant remboursable à une personne en vertu du paragraphe (1), peut établir à tout moment, sur demande de la personne, une nouvelle cotisation ou une cotisation supplémentaire à l'égard du montant.

Notes historiques: Le paragraphe 253(6) a été ajouté par L.C. 2000, c. 30, par. 71(3) et est réputé entré en vigueur le 20 octobre 2000.

Concordance québécoise: aucune.

(7) Intérêts — Si le ministre paie ou impute un montant relatif à un remboursement par suite d'une nouvelle cotisation ou d'une cotisation supplémentaire établie en application du paragraphe (6), le paragraphe 164(3.2) de la *Loi de l'impôt sur le revenu* s'applique, avec les adaptations nécessaires, aux fins du calcul des intérêts sur le montant comme s'il s'agissait d'un paiement en trop déterminé par suite d'une cotisation établie en application du paragraphe 152(4.2) de cette loi.

Notes historiques: Le paragraphe 253(7) a été ajouté par L.C. 2000, c. 30, par. 71(3) et est réputé entré en vigueur le 20 octobre 2000.

Concordance québécoise: aucune.

juin 2006, Notes explicatives: L'article 253 permet de verser aux salariés et aux associés des remboursements au titre de la taxe qu'ils ont payée sur certains biens et services acquis ou importés pour leur propre compte et relativement auxquels ils peuvent déduire un montant aux fins de l'impôt sur le revenu.

La formule figurant au paragraphe 253(1), qui permet de déterminer le montant du remboursement au titre de la taxe payée sur des biens ou des services acquis ou importés par un salarié ou un associé, utilise les facteurs 7/107, 8/108 ou 15/115 selon que la taxe payée par le salarié ou l'associé a été calculée au taux de 7 %, de 8 % ou de 15 % respectivement.

Le paragraphe 253(1) est modifié de sorte que la formule utilise, selon le cas, le taux fixé au paragraphe 165(1) au titre de la TPS ou de la composante fédérale de la TVH ou le taux applicable à une province participante. Cette modification fait suite au changement apporté au paragraphe 165(1), qui consiste à ramener de 7 % à 6 % le taux de la taxe imposée par ce paragraphe.

Le remboursement payable en vertu du paragraphe 253(1) au particulier qui est l'associé d'une société de personnes ne peut dépasser le montant qui constituerait un crédit de taxe sur les intrants de la société de personnes si les dépenses avaient été engagées, et les taxes payées, par celle-ci. Pour le calcul du montant du crédit qui aurait pu être demandé, il est précisé, aux sous-alinéas 253(2)a)(ii) et c)(ii), que la taxe payée par la société de personnes correspond à la fraction de taxe multipliée par la dépense qui est déductible du revenu du particulier aux fins de l'impôt sur le revenu.

Les modifications apportées aux sous-alinéas 253(2)a)(ii) et c)(ii) consistent à supprimer la mention « fraction de taxe » puisque la définition de ce terme au paragraphe 123(1) est abrogée. En remplacement, une formule, ajoutée à ces sous-alinéas, permet de calculer la taxe payée en fonction, selon les circonstances, du taux fixé au paragraphe 165(1) au titre de la TPS ou de la composante fédérale de la TVH ou du taux applicable à une province participante. Cette modification fait suite au changement apporté au paragraphe 165(1), qui consiste à ramener de 7 % à 6 % le taux de la taxe imposée par ce paragraphe.

Les modifications apportées au paragraphe 253(1) selon le paragraphe 23(1) du projet de loi s'appliquent au calcul des montants remboursables pour les années civiles postérieures à 2005. Toutefois, en ce qui concerne l'année civile 2006, les facteurs figurant à l'élément A de la formule, qui entrent dans le calcul de ces montants, sont remplacés par 6,5/106,5 pour la TPS, 8/108 pour la composante provinciale de la TVH et 14,5/114,5 pour la TVH.

Les modifications apportées aux sous-alinéas 253(2)a)(ii) et c)(ii) selon les paragraphes 23(2) et (3) du projet de loi sont réputées être entrées en vigueur le 1er avril 1997. Toutefois, lorsqu'il s'agit de calculer le montant remboursable en vertu du paragraphe 253(2) pour l'année civile 2006, la mention « taux fixé au paragraphe 165(1) » vaut mention de 6,5 %.

Selon l'article 254, le particulier qui acquiert d'un constructeur un immeuble d'habitation à logement unique ou un logement en copropriété neuf ou ayant fait l'objet de rénovations majeures, pour qu'il lui serve de lieu de résidence habituelle, ou serve ainsi à un particulier qui lui est lié ou à son ex-époux ou ancien conjoint de fait, peut demander le remboursement partiel de la taxe qu'il a payée.

Définitions [art. 253]: « activité commerciale », « année d'imposition », « bien », « contrepartie », « cotisation », « exclusif », « exercice »f), « fourniture », « fraction de taxe », « immobilisation », « importation », « inscrit », « institution financière désignée », « ministre », « montant », « province participante », « règlement », « salarié », « service », « taxe » — 123(1).

Renvois [art. 253]: 123(2) (Canada); 125 (résultats négatifs); 127 (personnes associées); 142–144 (fourniture au Canada et à l'étranger); 199(5) (utilisation d'un instrument de musique); 202(4) (utilisation non exclusive d'une voiture de tourisme ou d'un aéronef); 262 (forme et production de la demande); 253, 263, 263.01 (restriction); 297 (détermination du remboursement par le ministre); 8(1)j), 8(1)p) (déduction — automobile, aéronef et instrument de musique).

Jurisprudence [art. 253]: *Arsenault (P.) c. Canada*, [1997] G.S.T.C. 82 (CCI); *Chénard c. Canada*, [1998] G.S.T.C. 102 (CCI); *Poliacik (L.) c. Canada*, [1998] G.S.T.C. 123 (CCI); *Pazaratz (W.) c. Canada*, [1999] G.S.T.C. 4 (CCI); *Ekmekjian c. R.*, [2000] G.S.T.C. 43 (CCI); *Veinot v. R.*, 2010 CarswellNat 1628, [2010] 3 C.T.C. 2376, [2010] G.S.T.C. 31 (CCI [procédure générale]); *Cirone v. R.*, 2010 CarswellNat 2047, [2010] 4 C.T.C. 2213, [2010] G.S.T.C. 35 (CCI [procédure informelle]); *Golf Canada's West Ltd. v. R.* (29 novembre 2011), 2011 CarswellNat 5797, 2011 CCI 543 (CCI [procédure informelle]).

Énoncés de politique [art. 253]: P-028, 04/09/92, *Les frais de repas non justifiés par un reçu et les remboursements de TPS aux salariés*; P-075R, 22/07/93, *Indemnités et remboursements*; P-113R, 17/02/94, *Demande de remboursement de TPS à l'égard de dépenses pour une automobile lorsqu'un particulier a reçu une allocation raisonnable*.

Bulletins de l'information technique [art. 253]: B-075R, 23/04/96, *Modifications proposées à la TPS*.

Mémorandums [art. 253]: TPS 400-3-7, 6/03/91, *Cotisations relatives à l'emploi*, par. 14; TPS 500, 5/05/92, *Application et exécution*, par. 11, 28; TPS 500-3-2, 16/03/94, *Pénalités et intérêts*, par. 19; TPS 500-4-6, 20/03/92, *Dépenses de salariés et d'associés*; TPS 500-7, 26/11/91, *Interaction entre la Loi sur la taxe d'accise et la Loi de l'impôt sur le revenu*, par. 40, 41, 43, 44, 45.

Série de mémorandums [art. 253]: Mémorandum 9.3, 06/12, *Indemnités*; Mémorandum 17.9, 08/99, *Agents et courtiers d'assurance*.

Formulaires [art. 253]: FP-189, *Demande générale de remboursement*; GST370, *Demande de remboursement de la TPS/TVH à l'intention des salariés et des associés*.

Lettres d'interprétation (Québec) [art. 253]: 98-0102792 — Cotisations professionnelles de salariés et associés; 98-0102826 — Interprétation relative à la TPS — Remboursement de la TPS à un salarié; 98-0104061 — Cotisations professionnelles de salariés et associés; 98-0107650 — Interprétation relative à la TPS et à la TVQ — Indemnité versée pour un véhicule à moteur; 99-0112443 — Interprétation relative à la TPS et à la TVQ — Remboursements aux salariés.

COMMENTAIRES: Cet article ne s'applique qu'aux particuliers associés et non aux associés corporatifs. À ce titre, les associés corporatifs ne bénéficient pas de ce remboursement. Nous vous invitons à consulter nos commentaires en vertu du paragraphe 272.1(2).

Tel que le souligne le juge Archambault dans la récente décision *I-D Foods Corp. c. R.*, 2013 CarswellNat 67 (C.C.I.), le mécanisme prévu à l'article 253 empêche un employeur et un employé de réclamer chacun des crédits de taxe sur les intrants et des remboursements pour les mêmes dépenses. De façon générale, cet article permet un remboursement de la TPS aux employés et aux associés pour des dépenses encourues dans le cadre de leur emploi ou à titre d'associé d'une société de personnes, lorsque ces dépenses sont déductibles pour ceux-ci en vertu de la *Loi de l'impôt sur le revenu*. Le remboursement remplace le crédit de taxe sur les intrants que l'employeur ou la société de personnes aurait été en mesure de réclamer si ceux-ci avaient encouru les dépenses directement. Il est à noter que les dépenses en capital sont limitées par cet article. Les autres dépenses, tel que le mobilier, ne donnent pas droit à un remboursement en vertu de cet article. Il serait donc préférable, pour les dépenses qui ne sont pas visées par l'article 253, qu'elles soient encourues directement par l'employeur ou la société de personnes, afin d'être en mesure de réclamer la TPS/TVH payée.

Nous vous invitons à consulter nos commentaires sous les articles 174 et 175 qui permettent à un employeur ou à une société de personnes de réclamer un crédit de taxe sur les intrants pour la TPS payée à l'égard d'une allocation ou d'un remboursement payé à l'employé ou l'associé.

Aux fins de l'application de l'article 253, Revenu Québec confirme qu'un professionnel peut demander sur le formulaire prescrit et selon les modalités prévues au paragraphe 253(3) le remboursement de la TPS à l'égard des dépenses relatives à l'utilisation de son véhicule à l'intérieur du lieu d'affaires de la société de personnes et dont il n'a pas reçu d'allocation pour autant qu'elles soient déductibles dans le calcul de son revenu. Il faudra toutefois exclure la totalité des dépenses qui sont liées aux déplacements à l'extérieur du lieu d'affaires de la société de personnes dont une allocation raisonnable a été versée pour l'application des sous alinéas 6 (1) (b) (v), (vi), (vii) ou (vii.1) de la *Loi de l'impôt sur le revenu* comme si le professionnel était un salarié de la société. Revenu Québec souligne également que le test de raisonnabilité d'une allocation doit être déterminé au moment du versement par la société de personnes et peut être établi associé par associé selon divers critères raisonnables. Voir notamment à cet effe : Revenu Québec, Lettre d'interprétation, 97-0105094 — *Remboursement de la TPS/TVQ à l'intention des associés* (26 juin 1997).

Dans le contexte du paragraphe (3), l'Agence du revenu du Canada souligne que ce paragraphe a été amendé en 2000 afin de permettre au ministre d'accepter une demande de remboursement en dehors du délai prescrit (soit 4 ans) et ce, afin d'être conséquent avec la possibilité pour celui-ci d'accepter des déclarations produites en retard en impôt sur le revenu dans des situations de circonstances exceptionnelles. À ce titre, l'Agence du revenu du Canada a souligné qu'elle accepterait des demandes de remboursement qui ne sont pas accompagnées par la déclaration d'impôt personnel. Voir notamment à cet effet : Agence du revenu du Canada, Lettre de l'Administration centrale sur la TPS, 134404 — *Employee Rebate* (24 juin 2011) et Agence du revenu du Canada, Lettre de l'Administration centrale sur la TPS, 129921, *Employee Rebate* (19 novembre 2010). Cette position de l'Agence du revenu du Canada est conséquente avec les paragraphes 220(3) et 220(3.2) de la *Loi de l'impôt sur le revenu*.

Le paragraphe (5) prévoit l'application des règles relatives à l'administration en vertu de la *Loi de l'impôt sur le revenu*. L'affaire *Lester c. R.*, 2011 CarswellNat 4943 (C.C.I.) est un bel exemple où la demande de remboursement en vertu de l'article 253 a été contestée par le biais d'un appel en matière d'impôt sur le revenu. De l'avis de l'auteur, cette position est effectivement préférable en raison de l'impact direct du résultat de la déductibilité des dépenses en impôt sur le revenu sur la possibilité (ou non) de réclamer un remboursement afférent en matière de TPS.

Toutefois, il semble que la procédure prévue au paragraphe (5) ne soit pas toujours entièrement comprise. À ce titre, l'affaire *Austin c. R.*, 2010 CarswellNat 305 (C.C.I.) est un cas où le mécanisme prévu à ce paragraphe ne semble pas avoir été compris, avec égard, par la Cour canadienne de l'impôt. En effet, dans le cadre d'un appel en matière d'impôt sur le revenu, la juge Woods semble avoir refusé la demande de prolongation d'appel à la Cour canadienne de l'impôt sur la base qu'aucun avis d'opposition n'avait été présenté spécifiquement en TPS en vertu de l'article 301. Ainsi, l'appelant ne pouvait faire appel de la décision de l'Agence du revenu du Canada à la Cour canadienne de l'impôt en matière de TPS. Pourtant, il existe plusieurs décisions jurisprudentielles où la Cour canadienne de l'impôt a rendu une décision à l'égard de l'article 253 et ce, dans un contexte d'appel en impôt sur le revenu. À titre illustratif, voir notamment l'affaire *Veinot c. R.*, 2010 CarswellNat 1628 (C.C.I.) où il a été décidé que le remboursement était permis dans la mesure où la déduction pour véhicules à moteur était permise aux fins de l'impôt sur le revenu. De l'avis de l'auteur, l'appelant pourrait tenter d'obtenir un décret de remise pour rectifier la situation.

254. (1) Définitions — Les définitions qui suivent s'appliquent au présent article.

« immeuble d'habitation à logement unique » Est assimilé à un immeuble d'habitation à logement unique :

a) l'immeuble d'habitation à logements multiples de deux habitations;

b) tout autre immeuble d'habitation à logements multiples, s'il est visé à l'alinéa c) de la définition de « immeuble d'habitation » au paragraphe 123(1) et contient une ou plusieurs habitations qui sont destinées à être fournies comme chambres dans un hôtel, un motel, une auberge, une pension ou un gîte semblable et qui ne seraient pas considérées comme faisant partie de l'immeuble d'habitation si celui-ci n'était pas visé à cet alinéa.

Notes historiques: La définition de « immeuble d'habitation à logement unique » au paragraphe 254(1) a été remplacée par L.C. 2001, c. 15, par. 12(1). Cette modification est réputée entrée en vigueur le 1er juin 1997 et s'applique lorsqu'il s'agira de calculer le remboursement d'une personne en vertu de l'article 254 relativement à un immeuble d'habitation dont la propriété lui est transférée après mai 1997.

Dans le cas où, à la fois :

a) une personne aurait droit à un remboursement en vertu de l'article 254 relativement à un immeuble d'habitation à logement unique visé à l'alinéa b) de la définition de cette expression à cet article, si la période prévue pour la présentation de la demande de remboursement ou le nombre de demandes visant un même remboursement n'étaient pas limités,

b) la date limite à laquelle la personne serait tenue, en l'absence du présent alinéa, de présenter une demande de remboursement est antérieure au 31 mars 2003,

malgré le paragraphe 254(3), la personne a jusqu'au 31 mars 2003 pour présenter une demande de remboursement au ministre du Revenu national. Cette demande peut, malgré le paragraphe 262(2), être la deuxième demande visant le même remboursement si, avant mars 2001, le premier remboursement demandé a fait l'objet d'une cotisation.

Antérieurement, la définition de « immeuble d'habitation à logement unique » au paragraphe 254(1) se lisait ainsi :

« immeuble d'habitation à logement unique » Y est assimilé l'immeuble d'habitation à logements multiples qui contient au plus deux habitations.

Concordance québécoise: LTVQ, art. 360.5.

« proche » L'ex-époux ou ancien conjoint de fait d'un particulier ou un autre particulier lié à ce particulier.

Notes historiques: La définition « proche » au paragraphe 254(1) de la *Loi sur la taxe d'accise* a été modifiée par L.C. 2000, c.12, al. 3e), ann.1 par le remplacement de « ex-conjoint » par « ex-époux ou ancien conjoint de fait ». Cette modification est entrée en vigueur le 1er janvier 2001.

Le paragraphe 254(1) a été ajouté par L.C. 1990, c. 45, par. 12(1).

Concordance québécoise: aucune.

(2) Remboursement — habitation neuve — Le ministre verse un remboursement à un particulier dans le cas où, à la fois :

a) le constructeur d'un immeuble d'habitation à logement unique ou d'un logement en copropriété en effectue, par vente, la fourniture taxable au profit du particulier;

b) au moment où le particulier devient responsable ou assume une responsabilité aux termes du contrat de vente de l'immeuble ou du logement conclu entre le constructeur et le particulier, celui-ci acquiert l'immeuble ou le logement pour qu'il lui serve de lieu de résidence habituelle ou serve ainsi à son proche;

c) le total des montants — appelé « contrepartie totale » au présent paragraphe — dont chacun représente la contrepartie payable pour la fourniture de l'immeuble ou du logement et pour toute autre fourniture taxable, effectuée au profit du particulier, d'un droit sur l'immeuble ou le logement est inférieur à 450 000 $;

d) le particulier a payé la totalité de la taxe prévue à la section II relativement à la fourniture et à toute autre fourniture, effectuée à son profit, d'un droit sur l'immeuble ou le logement (le total de cette taxe prévue au paragraphe 165(1) étant appelé « total de la taxe payée par le particulier » au présent paragraphe);

e) la propriété de l'immeuble ou du logement est transférée au particulier une fois la construction ou les rénovations majeures de ceux-ci achevées en grande partie;

LTA (TPS)

f) entre le moment où les travaux sont achevés en grande partie et celui où la possession de l'immeuble ou du logement est transférée au particulier en vertu du contrat de vente :

(i) l'immeuble n'a pas été occupé à titre résidentiel ou d'hébergement,

(ii) le logement n'a pas été occupé à titre résidentiel ou d'hébergement, sauf s'il a été occupé à titre résidentiel par le particulier, ou son proche, qui était alors l'acheteur du logement aux termes d'un contrat de vente;

g) selon le cas :

(i) le premier particulier à occuper l'immeuble ou le logement à titre résidentiel, à un moment après que les travaux sont achevés en grande partie, est :

(A) dans le cas de l'immeuble, le particulier ou son proche,

(B) dans le cas du logement, le particulier, ou son proche, qui, à ce moment, en était l'acheteur aux termes d'un contrat de vente,

(ii) le particulier effectue par vente une fourniture exonérée de l'immeuble ou du logement, et la propriété de l'un ou l'autre est transférée à l'acquéreur de cette fourniture avant que l'immeuble ou le logement n'ait été occupé à titre résidentiel ou d'hébergement.

Le remboursement est égal au montant suivant :

h) si la contrepartie totale est de 350 000 $ ou moins, un montant égal à 6 300 $ ou, s'il est inférieur, le montant représentant 36 % du total de la taxe payée par le particulier;

i) si la contrepartie totale est supérieure à 350 000 $ mais inférieure à 450 000 $, le montant calculé selon la formule suivante :

$$A \times \frac{(450\ 000\ \$ - B)}{100\ 000\ \$}$$

où

A représente 6 300 $ ou, s'il est moins élevé, 36 % du total de la taxe payée par le particulier;

B la contrepartie totale.

Notes historiques: L'alinéa 254(2)d) a été modifié par L.C. 1997, c. 10, par 221(2) et cette modification est entrée en vigueur le 1er avril 1997. Auparavant, cet alinéa se lisait comme suit :

> d) le particulier a payé la totalité de la taxe prévue à la section II relativement à la fourniture et à toute autre fourniture, effectuée à son profit, d'un droit sur l'immeuble ou le logement;

Les sous-alinéas 254(2)f)(i) et (ii) ont été modifiés par L.C. 1993, c. 27, par. 109(1) et sont réputés entrés en vigueur le 17 décembre 1990. Ils se lisaient auparavant comme suit :

> (i) l'immeuble n'a été occupé à titre résidentiel ou de pension par aucun particulier aux termes d'un accord à cette fin,
>
> (ii) le logement n'a été occupé à titre résidentiel ou de pension par aucun particulier aux termes d'un accord à cette fin, sauf s'il a été occupé à titre résidentiel par le particulier, ou son proche, qui était alors l'acheteur du logement aux termes d'un contrat de vente;

Le passage du sous-alinéa 254(2)g)(i) précédant la division (A) a été modifié par L.C. 1993, c. 27, par. 109(2) et est réputé entré en vigueur le 17 décembre 1990. Il se lisait auparavant comme suit :

> (i) le premier particulier à occuper l'immeuble ou le logement à titre résidentiel aux termes d'un accord à cette fin, à un moment après que les travaux sont achevés en grande partie, est :

Le sous-alinéa 254(2)g)(ii) a été modifié par L.C. 1993, c. 27, par. 109(3) et est réputé entré en vigueur le 17 décembre 1990. Il se lisait auparavant comme suit :

> (ii) le particulier effectue par vente une fourniture exonérée de l'immeuble ou du logement, et la propriété de l'un ou l'autre est transférée à l'acquéreur de cette fourniture avant que l'immeuble ou le logement n'ait été occupé à titre résidentiel ou de pension par un particulier aux termes d'un accord à cette fin.

Le sous-alinéa 254(2)g)(ii) a été modifié par L.C. 1993, c. 27, art. 204 (Annexe II) rétroactivement au 17 décembre 1990 pour remplacer les mots « à titre résidentiel ou de pension » par les mots « à titre résidentiel ou d'hébergement », avec les adaptations nécessaires.

L'alinéa 254(2)h) a été remplacé par L.C. 2007, c. 35, par. 188(1) et cette modification s'applique à tout remboursement relatif à la fourniture par vente d'un immeuble d'habitation dont la propriété est transférée après décembre 2007 au particulier visé à l'article 254, sauf si la taxe payable en vertu du paragraphe 165(1) relativement à la fourniture de l'immeuble a été calculée au taux de 6 % ou de 7 %. Antérieurement, il se lisait ainsi :

> h) si la contrepartie totale est de 350 000 $ ou moins, un montant égal à 7 560 $ ou, s'il est inférieur, le montant représentant 36 % du total de la taxe payée par le particulier;

L'alinéa 254(2)h) a été remplacé par L.C. 2006, c. 4, par. 24(1) et cette modification s'applique à tout remboursement relatif à la fourniture par vente d'un immeuble d'habitation dont la propriété est transférée après juin 2006 au particulier visé à l'article 254, sauf si la taxe payable en vertu du paragraphe 165(1) relativement à la fourniture de l'immeuble s'est appliquée au taux de 7 %. Antérieurement, il se lisait ainsi :

> h) si la contrepartie totale est de 350 000 $ ou moins, un montant égal à 8 750 $ ou, s'il est inférieur, le montant représentant 36 % du total de la taxe payée par le particulier;

L'alinéa 254(2)h) a été modifié par L.C. 1997, c. 10, par 221(2) et cette modification est entrée en vigueur le 1er avril 1997. Auparavant, cet alinéa se lisait comme suit :

> h) si la contrepartie totale est de 350 000 $ ou moins, un montant égal au moins élevé de 8 750 $ et de 36 % du total de la taxe visée à l'alinéa d);

L'élément A de la formule figurant à l'alinéa 254(2)i) a été remplacé par L.C. 2007, c. 35, par. 188(2) et cette modification s'applique à tout remboursement relatif à la fourniture par vente d'un immeuble d'habitation dont la propriété est transférée après décembre 2007 au particulier visé à l'article 254, sauf si la taxe payable en vertu du paragraphe 165(1) relativement à la fourniture de l'immeuble a été calculée au taux de 6 % ou de 7 %. Antérieurement, il se lisait ainsi :

> A représente 7 560 $ ou, s'il est moins élevé, 36 % du total de la taxe payée par le particulier;

L'élément A de la formule de l'alinéa 254(2)i) a été remplacé par L.C. 2006, c. 4, par. 24(2) et cette modification s'applique à s'appliquera à tout remboursement relatif à la fourniture par vente d'un immeuble d'habitation dont la propriété est transférée après juin 2006 au particulier visé à l'article 254 sauf si la taxe payable en vertu du paragraphe 165(1) relativement à la fourniture de l'immeuble a été calculée au taux de 7 %. Antérieurement, il se lisait ainsi :

> A représente le moins élevé de 8 750 $ et de 36 % du total de la taxe payée par le particulier;

Le paragraphe 254(2) a été ajouté par L.C. 1990, c. 45, par. 12(1)

Concordance québécoise: LTVQ, art. 362.2, 362.3.

Formulaires [art. 254(2)]: RC4052, *Renseignements sur la TPS/TVH pour l'industrie de la construction résidentielle*.

Info TPS/TVQ [art. 254(2)]: GI-078 — *Taxe de vente harmonisée — acheteurs d'habitations neuves en Colombie-Britannique*; GI-081 — *Taxe de vente harmonisée — renseignements sur les maisons construites par le propriétaire, les maisons mobiles et les maisons flottantes en Colombie-Britannique*; GI-082 — *Taxe de vente harmonisée — renseignements sur les maisons construites par le propriétaire, les maisons mobiles et les maisons flottantes en Ontario*; GI-085 — *Taxe de vente harmonisée-Prix convenu déduction faite des remboursements de la TPS/TVH pour habitations neuves en Ontario*; GI-086 — *Taxe de vente harmonisée-Prix convenu déduction faite des remboursements de la TPS/TVH pour habitations neuves en Colombie-Britannique*; GI-088 — *Taxe de vente harmonisée-Prix convenu déduction faite des remboursements de la TPS/TVH pour habitations neuves et du remboursement transitoire de la TVD pour habitations neuves en Ontario*; GI-089 — *Taxe de vente harmonisée-Prix convenu déduction faite des remboursements de la TPS/TVH pour habitations neuves et du remboursement transitoire de la TVD pour habitations neuves en Colombie-Britannique.*

(2.01) Propriétaire-occupant d'une habitation — Pour l'application du paragraphe (2.1), un particulier est propriétaire-occupant d'une habitation à un moment donné si l'habitation est sa résidence habituelle à ce moment et si, selon le cas :

a) à ce moment, elle lui appartient ou appartient à un autre particulier qui est son époux ou conjoint de fait à ce moment;

b) elle est située dans un immeuble d'habitation d'une coopérative d'habitation et le particulier, ou un autre particulier qui est son époux ou conjoint de fait à ce moment, détient à ce moment une part du capital social de la coopérative pour utiliser l'habitation. (2.02) Pour l'application du paragraphe

Notes historiques: Le paragraphe 254(2.01) a été ajouté par L.C. 2007, c. 18, par. 37(1) et s'applique au calcul du remboursement d'un particulier relatif à un immeuble d'habitation si, selon le cas :

> a) la convention d'achat-vente de l'immeuble est conclue par le particulier après 2001;
>
> b) l'immeuble sert de résidence habituelle au particulier ou à l'un de ses proches, au sens du paragraphe 254(1) de la même loi, pour la première fois :
>
> (i) après 2002, dans le cas d'un logement en copropriété,
>
> (ii) après juin 2002, dans les autres cas;

c) aux termes de la convention d'achatvente de l'immeuble qui a été conclue par le particulier, la propriété et la possession de l'immeuble sont transférées au particulier :

(i) après 2002, dans le cas d'un logement en copropriété,

(ii) après juin 2002, dans les autres cas.

Concordance québécoise: aucune.

(2.02) Date de transfert — Pour l'application du paragraphe (2.1), la date de transfert relative à un immeuble d'habitation qui est fourni au particulier donné visé à ce paragraphe correspond à la date où la propriété de l'immeuble est transférée au particulier donné ou, si elle est antérieure, à la date où la possession de l'immeuble lui est transférée aux termes de la convention portant sur la fourniture.

Notes historiques: Le paragraphe 254(2.02) a été ajouté par L.C. 2007, c. 18, par. 37(1) et s'applique au calcul du remboursement d'un particulier relatif à un immeuble d'habitation si, selon le cas :

a) la convention d'achat-vente de l'immeuble est conclue par le particulier après 2001;

b) l'immeuble sert de résidence habituelle au particulier ou à l'un de ses proches, au sens du paragraphe 254(1) de la même loi, pour la première fois :

(i) après 2002, dans le cas d'un logement en copropriété,

(ii) après juin 2002, dans les autres cas;

c) aux termes de la convention d'achat-vente de l'immeuble qui a été conclue par le particulier, la propriété et la possession de l'immeuble sont transférées au particulier :

(i) après 2002, dans le cas d'un logement en copropriété,

(ii) après juin 2002, dans les autres cas.

Concordance québécoise: aucune.

(2.1) Remboursement en Nouvelle-Écosse — Sous réserve du paragraphe (3), le ministre rembourse un particulier donné si les conditions suivantes sont réunies :

a) le particulier donné a droit au remboursement prévu au paragraphe (2), ou a le droit de se faire payer le montant de ce remboursement, ou de le faire porter à son crédit, en application du paragraphe (4), relativement à un immeuble d'habitation à logement unique ou à un logement en copropriété devant servir, en Nouvelle-Écosse, de résidence habituelle au particulier donné ou à l'un de ses proches, ou aurait pareil droit si la contrepartie totale, au sens de l'alinéa (2)c), relative à l'immeuble ou au logement était inférieure à 450 000 $;

b) il s'avère, selon le cas :

(i) que ni le particulier donné, ni un autre particulier qui est son époux ou conjoint de fait à la date de transfert, n'était le propriétaire-occupant d'une habitation dans un autre immeuble d'habitation au Canada au cours de la période (appelée « période pertinente » au présent alinéa) qui commence le premier jour du premier mois civil complet de la période de cinq ans se terminant à la date de transfert et qui prend fin à cette date,

(ii) que, le dernier jour où l'un des particuliers mentionnés au sous-alinéa (i) était le propriétaire-occupant d'une habitation dans un immeuble d'habitation au Canada au cours de la période pertinente, cette habitation a été détruite autrement que par un acte de volonté de leur part;

c) si, au moment mentionné à l'alinéa (2)b), le particulier donné acquiert l'immeuble ou le logement pour qu'il serve de résidence habituelle à l'un de ses proches et non à lui-même ni à son époux ou conjoint de fait, les circonstances visées aux sous-alinéas b)(i) ou (ii) seraient réunies s'il était question, à ces sous-alinéas, non pas du particulier donné, mais du proche.

Le montant remboursable s'ajoute à celui qui est payable au particulier donné selon le paragraphe (2) et correspond à 1 500 $ ou, s'il est inférieur, au montant obtenu par la formule suivante :

$$A \times B$$

où :

A représente 18,75 %;

B le total de la taxe payable aux termes du paragraphe 165(2) relativement à la fourniture de l'immeuble ou du logement au profit du particulier donné et à toute autre fourniture, effectuée au profit de celui-ci, d'un droit sur l'immeuble ou le logement.

Notes historiques: Le paragraphe 254(2.1) a été remplacé par L.C. 2007, c. 18, par. 37(1) et cette modification s'applique au calcul du remboursement d'un particulier relatif à un immeuble d'habitation si, selon le cas :

a) la convention d'achat-vente de l'immeuble est conclue par le particulier après 2001;

b) l'immeuble sert de résidence habituelle au particulier ou à l'un de ses proches, au sens du paragraphe 254(1) de la même loi, pour la première fois :

(i) après 2002, dans le cas d'un logement en copropriété,

(ii) après juin 2002, dans les autres cas;

c) aux termes de la convention d'achatvente de l'immeuble qui a été conclue par le particulier, la propriété et la possession de l'immeuble sont transférées au particulier :

(i) après 2002, dans le cas d'un logement en copropriété,

(ii) après juin 2002, dans les autres cas.

Antérieurement, il se lisait ainsi :

(2.1) Sous réserve du paragraphe (3), le ministre rembourse un montant au particulier qui a droit au remboursement prévu au paragraphe (2), ou qui a le droit de se faire payer le montant de ce remboursement, ou de le faire porter à son crédit, en application du paragraphe (4), relativement à un immeuble d'habitation à logement unique ou un logement en copropriété devant servir, en Nouvelle-Écosse, de résidence habituelle au particulier ou à l'un de ses proches, ou qui aurait pareil droit si la contrepartie totale, au sens de l'alinéa (2)c), relative à l'immeuble ou au logement était inférieure à 450 000 $. Le montant remboursable s'ajoute à celui qui est payable au particulier selon le paragraphe (2) et correspond à 2 250 $ ou, s'il est inférieur, au résultat du calcul suivant :

$$A \times B$$

où :

A représente 18,75 %;

B le total de la taxe payable aux termes du paragraphe 165(2) relativement à la fourniture de l'immeuble ou du logement au profit du particulier et à toute autre fourniture, effectuée au profit de celui-ci, d'un droit sur l'immeuble ou le logement.

Le paragraphe 254(2.1) a été ajouté par L.C. 1997, c. 10, par. 221(3) et est entré en vigueur le 1er avril 1997.

Concordance québécoise: aucune.

(3) Demande de remboursement — Le montant d'un remboursement prévu au présent article n'est versé que si le particulier en fait la demande dans les deux ans suivant le jour où la propriété de l'immeuble ou du logement lui est transférée.

Notes historiques: Le paragraphe 254(3) a été modifié par L.C. 1997, c. 10, par 221(4) et cette modification est entrée en vigueur le 1er avril 1997. Il se lisait comme suit :

(3) Le remboursement n'est versé que si le particulier en fait la demande dans les deux ans suivant le jour où la propriété de l'immeuble ou du logement lui est transférée.

Auparavant, le paragraphe 254(3) a été modifié par L.C. 1997, c. 10, par. 63(1) et cette modification s'applique aux remboursements visant les immeubles d'habitation dont la propriété est transférée après juin 1996 à la personne qui demande le remboursement. Il se lisait comme suit :

(3) Le remboursement n'est versé que si le particulier en fait la demande dans les quatre ans suivant le jour où la propriété de l'immeuble ou du logement lui est transférée.

Ce paragraphe a été ajouté par L.C. 1990, c. 45, par. 12(1).

Concordance québécoise: LTVQ, art. 362.4.

(4) Demande présentée au constructeur — Le constructeur d'un immeuble d'habitation à logement unique ou d'un logement en copropriété peut verser un remboursement à un particulier, ou en sa faveur, ou le porter à son crédit, dans le cas où, à la fois :

a) le constructeur a effectué la fourniture taxable de l'immeuble ou du logement par vente au particulier auquel il en a transféré la propriété aux termes de la convention portant sur la fourniture;

b) la taxe prévue à la section II a été payée, ou est payable, par le particulier relativement à la fourniture;

c) le particulier présente au constructeur, en la forme et selon les modalités déterminées par le ministre, dans les deux ans suivant le jour du transfert au particulier de la propriété de l'immeuble ou

LTA (TPS)

du logement, une demande contenant les renseignements requis par le ministre et concernant le remboursement auquel il aurait droit selon les paragraphes (2) ou (2.1) s'il en faisait la demande dans le délai imparti;

d) le constructeur convient de verser au particulier, ou en sa faveur, le remboursement qui est payable à celui-ci relativement à l'immeuble, ou de le porter à son crédit;

e) la taxe payable relativement à la fourniture n'a pas été payée au moment de la présentation de la demande au constructeur et, si le particulier avait payé cette taxe et en avait demandé le remboursement, celui-ci aurait été payable au particulier selon les paragraphes (2) ou (2.1), selon le cas.

Notes historiques: L'alinéa 254(4)c) a été modifié par L.C. 1997, c. 10, par. 221(5) et cette modification est entrée en vigueur le 1er avril 1997. Cet alinéa se lisait auparavant comme suit :

c) le particulier présente au constructeur, en la forme et selon les modalités déterminées par le ministre, dans les deux ans suivant le transfert au particulier de la propriété de l'immeuble ou du logement, une demande contenant les renseignements requis par le ministre et concernant le remboursement auquel il aurait droit selon le paragraphe (2) s'il en faisait la demande dans le délai imparti;

Auparavant, l'alinéa 254(4)c) a été modifié par L.C. 1997, c. 10, par. 62(2) et cette modification s'applique aux remboursements visant les immeubles d'habitation dont la propriété est transférée après juin 1996 à la personne qui demande le remboursement.

Cet alinéa se lisait auparavant comme suit :

c) le particulier présente au constructeur, en la forme, selon les modalités et avec les renseignements déterminés par le ministre, dans les quatre ans suivant le transfert au particulier de la propriété de l'immeuble ou du logement, une demande de remboursement auquel il aurait droit selon le paragraphe (2) s'il en faisait la demande dans le délai prévu à cette fin;

L'alinéa 254(4)e) a été modifié par L.C. 1997, c. 10, par. 221(6) et cette modification est entrée en vigueur le 1er avril 1997. Auparavant, cet alinéa se lisait comme suit :

e) la taxe payable relativement à la fourniture n'a pas été payée au moment de la présentation de la demande au constructeur et, si le particulier avait payé cette taxe et en avait demandé le remboursement, celui-ci aurait été payable au particulier selon le paragraphe (2).

Le paragraphe 254(4) a été ajouté par L.C. 1990, c. 45, par. 12(1).

Concordance québécoise: LTVQ, art. 366.

Info TPS/TVQ [art. 254(4)]: GI-078 — *Taxe de vente harmonisée — acheteurs d'habitations neuves en Colombie-Britannique*; GI-085 — *Taxe de vente harmonisée-Prix convenu déduction faite des remboursements de la TPS/TVH pour habitations neuves en Ontario*; GI-086 — *Taxe de vente harmonisée-Prix convenu déduction faite des remboursements de la TPS/TVH pour habitations neuves en Colombie-Britannique*; GI-088 — *Taxe de vente harmonisée-Prix convenu déduction faite des remboursements de la TPS/TVH pour habitations neuves et du remboursement transitoire de la TVD pour habitations neuves en Ontario*; GI-089 — *Taxe de vente harmonisée-Prix convenu déduction faite des remboursements de la TPS/TVH pour habitations neuves et du remboursement transitoire de la TVD pour habitations neuves en Colombie-Britannique*.

(5) Transmission de la demande par le constructeur — Malgré les paragraphes (2) à (3), dans le cas où la demande d'un particulier en vue d'un remboursement visé au présent article est présentée au constructeur en application du paragraphe (4) :

a) le constructeur doit transmettre la demande au ministre avec la déclaration qu'il produit en application de la section V pour la période de déclaration au cours de laquelle il verse le remboursement au particulier ou le porte à son crédit;

b) les intérêts prévus au paragraphe 297(4) ne sont pas payables relativement au remboursement.

Notes historiques: Le préambule du paragraphe 254(5) a été modifié par L.C. 1997, c. 10, par. 221(7) et cette modification est entrée en vigueur le 1er avril 1997. Auparavant, ce préambule se lisait comme suit :

(5) Par dérogation aux paragraphes (2) et (3), dans le cas où la demande d'un particulier en vue d'un remboursement visé au présent article est présentée au constructeur en application du paragraphe (4) :

Le paragraphe 254(5) a été ajouté par L.C. 1990, c. 45, par. 12(1).

Concordance québécoise: LTVQ, art. 367.

(6) Obligation solidaire — Le constructeur qui, en application du paragraphe (4), verse un remboursement à un particulier, ou en sa faveur, ou le porte à son crédit, alors qu'il sait ou devrait savoir que le particulier n'a pas droit au remboursement ou que le montant payé au particulier, ou porté à son crédit, excède le remboursement auquel celui-ci a droit, est solidairement tenu, avec le particulier, au paiement du remboursement ou de l'excédent au receveur général en vertu de l'article 264.

Notes historiques: Le paragraphe 254(6) a été ajouté par L.C. 1990, c. 45, par. 12(1).

Concordance québécoise: LTVQ, art. 370.

juin 2006, Notes explicatives: Selon l'article 254, le particulier qui acquiert d'un constructeur un immeuble d'habitation à logement unique ou un logement en copropriété neuf ou ayant fait l'objet de rénovations majeures, pour qu'il lui serve de lieu de résidence habituelle, ou serve ainsi à un particulier qui lui est lié ou à son ex-époux ou ancien conjoint de fait, peut demander le remboursement partiel de la taxe qu'il a payée.

Les alinéas 254(2)h) et i) font mention de 8 750 $. Cette somme correspond au montant remboursable maximal et représente en gros 36 % du total de la taxe payée en vertu du paragraphe 165(1) — dont le taux est actuellement fixé à 7 % — sur une habitation de 350 000 $. Par suite de la modification apportée au paragraphe 165(1), qui consiste à ramener de 7 % à 6 % le taux auquel la taxe est calculée, les alinéas 254(2) h) et i) sont modifiés afin de réduire le montant remboursable maximal à 7 560 $, ce qui représente 36 % de la taxe payée au taux de 6 % sur une habitation de 350 000 $.

Les modifications apportées aux sous-alinéas 254(2) h) et i) s'appliquent aux remboursements relatifs à des immeubles d'habitation dont la propriété est transférée après juin 2006, sauf si la taxe payable en vertu du paragraphe 165(1) relativement à la fourniture de l'immeuble s'est appliquée au taux de 7 %.

Définitions [art. 254]: « acquéreur », « constructeur », « contrepartie », « ex-conjoint », « fourniture », « fourniture exonérée », « fourniture taxable », « habitation », « immeuble d'habitation à logement unique », « immeuble d'habitation à logements multiples », « logement en copropriété », « ministre », « montant », « période de déclaration », « règlement », « rénovations majeures », « taxe », « vente » — 123(1).

Renvois [art. 254]: 121 (remboursement pour habitations neuves — taxe fédérale de vente); 190.1 (construction d'une maison mobile ou flottante); 191(1), (2) (fourniture à soi-même); 234(1) (déduction pour remboursement); 254.1 (remboursement pour habitations neuves — location du fonds); 256 (remboursement — habitation construite par soi-même); 256.2 (9) (exclusions au remboursement); 256.7, 256.74 (remboursement transitoire — réduction de taux pour 2008); 262 (forme et production de la demande); 263 (restriction); 264 (montant remboursé en trop ou intérêts payés en trop); 296(2.1), (3.2) (application d'un montant de remboursement non demandé); 297 (détermination du remboursement par le ministre); 670.39 (montant du remboursement — taxe de vente d'un immeuble); 670.68 (montant du remboursement — fourniture d'un immeuble d'habitation).

Jurisprudence [art. 254]: *Construction MDGG inc. c. SMRQ* (13 mars 2008), 200-80-002119-061, 2008 CarswellQue 2224; *Wells c. Coopers & Lybrand Ltd.*, [1992] G.S.T.C. 20 (Alta. Prov. Ct., Civil Div.); *MacDonald c. MacDonald*, [1993] G.S.T.C. 38 (PEI TD); *Fridel Ltd. c. La Reine*, [1994] G.S.T.C. 25 (CCI); *Ptaaznik c. La Reine*, [1994] G.S.T.C. 56 (CCI); *Davey (J.) c. La Reine*, [1995] G.S.T.C. 2 (CCI); *Dempsey c. Howlett*, [1995] G.S.T.C. 64 (CCI); *Trengrove Developments Inc. c. La Reine*, [1996] G.S.T.C. 35 (CCI); [1998] G.S.T.C. 49 (CAF); permission d'appeler refusée [1999] G.S.T.C. 3 (CSC); *Lorencz (A.) c. La Reine*, [1996] G.S.T.C. 99 (CCI); *Tasko (J.) c. La Reine*, [1997] G.S.T.C. 5 (CCI); *Turton (A.R.) c. Canada*, [1998] G.S.T.C. 105 (CCI); *R. Mullen Construction Ltd. c. Canada*, [1998] G.S.T.C. 61 (CCI); *Raj (P.) c. Canada*, [1998] G.S.T.C. 61 (CCI); *Bernard Homes Ltd. c. Canada*, [1998] G.S.T.C. 82 (CCI); *Mariani c. Ontario Property Assessment Corp.*, [2001] G.S.T.C. 34 (Ont ARB); *Polygon Southampton Development c. R.*, [2002] G.S.T.C. 17 (CCI); *Davidson c. R.*, [2002] G.S.T.C. 25 (CCI); *Snider c. R.*, [2002] G.S.T.C. 44 (CCI); *Helsi Construction Management Inc. c. La Reine*, [2002] G.S.T.C. 113 (CFC); *Reid's Heritage Homes Ltd. v. R.*, [2003] G.S.T.C. 6 (CCI); *Qureshi c. R.*, [2006] G.S.T.C. 121 (CCI).

Énoncés de politique [art. 254]: P-042, 25/10/92, *Calculs du remboursement pour habitations neuves*; P-052, 03/03/93, *Les montants admissibles au remboursement de la TPS pour habitations neuves prévu à l'article 254 lorsqu'il s'agit de maisons achetées d'un constructeur*; P-064, 25/05/93, *Traitement du temps partagé (des multipropriétés)*; P-104, 23/02/11, *La TPS/TVH et la fourniture d'un fonds pour les unités récréatives telles que les maisons préfabriquées mobiles, les roulottes de parc et les remorques de tourisme*; P-111R, 25/05/93, *Définition d'une vente à l'égard d'un immeuble*; P-153, 02/09/94, *Construction d'un ajout majeur à un immeuble d'habitation à logement unique*; P-154, 06/09/94, *Conséquences à l'égard de la TPS du déplacement d'immeuble qui faisait auparavant partie d'un immeuble d'habitation*; P-164, 15/02/94, *Contrat de location avec option d'achat*; P-228, 30/03/99, *Résidence habituelle*.

Bulletins de l'information technique [art. 254]: B-083R, 23/05/97, *Services financiers sous le régime de la TVH*; B-092A, 01/05, *Rénovations majeures et remboursement de la TPS/TVH pour habitations neuves*; B-096, 06/07, *Réduction du taux de la TPS/TVH et les immeubles*.

Mémorandums [art. 254]: TPS 300-4-1, 08/03/91, *Immeubles*; TPS 500-4-5-1, 12/10/93, *Remboursements de la TPS pour habitations neuves transférés aux constructeurs*; TPS 500-4-5-2, 12/10/93, *Remboursements de la TVF pour habitations neuves cédés aux constructeurs*; TPS 900-1, 27/08/92, *Habitations neuves*, par. 21–31.

Série de mémorandums [art. 254]: Mémorandum 1.5, 09/94, *Définitions*; Mémorandum 3.1, 08/99, *Assujettissement à la taxe*; Mémorandum 19.2, 02/98, *Immeubles* *résidentiels*; Mémorandum 19.2.4, 06/98, *Immeubles résidentiels — Sujets particuliers*; Mémorandum 19.3, 07/98, *Remboursements pour immeubles*; Mémorandum 19.3.1, 07/98, *Remboursement pour habitation construite par un constructeur (fonds acheté)*; Mémorandum 19.3.1.1, 07/98, *Le remboursement fait partie de la valeur de la contrepartie*; Mémorandum 19.3.2, 07/98, *Remboursement pour habitation construite par un constructeur (fonds loué)*; Mémorandum 19.3.4, 07/98, *Remboursement pour habitation construite par le propriétaire*; Mémorandum 19.3.7, 07/98, *Remboursements pour immeubles — Sujets particuliers*; Mémorandum 19.3.8R, 12/07, *Les remboursements pour habitations neuves et la TVH*.

Formulaires [art. 254]: FP-190, *Demande de remboursement de la taxe sur les produits et services pour habitations neuves*; FP-2190.A, *Remboursement de taxes demandé par le propriétaire pour une nouvelle habitation et un terrain achetés d'un même constructeur — taux de TPS à 5 % et de TVQ à 7.5 %*; FP-2190.C, *Remboursement de taxes accordé par le constructeur pour une nouvelle habitation — taux de TPS à 5 % et de TVQ à 7.5 %*; FP-2190.P, *Remboursement de taxes demandé par le propriétaire pour une habitation neuve ou modifiée de façon majeure*; GST190, *Demande de remboursement de la TPS/TVH pour les maisons achetées d'un constructeur*; GST439, *Avenant de la garantie à l'intention de toute personne non résidente n'ayant pas d'établissement commercial stable au Canada*; GST515, *Autorisation de versements compensatoires de la TPS pour habitations neuves et remboursements généraux non soumis à une justification*; RC4028, *Remboursement de la TPS/TVH pour habitations neuves — Y compris les formulaires GST190, GST191, GST191-WS et GST515*; RC4052, *Renseignements sur la TPS/TVH à l'intention de l'industrie de la construction*.

Info TPS/TVQ [art. 254]: GI-007 — *Exploitation d'un gîte touristique dans votre maison*.

COMMENTAIRES: Cet article prévoit le remboursement partiel de la TPS payée par un particulier lors de l'acquisition d'un immeuble d'habitation à logement unique ou d'un logement en copropriété. L'article 256, pour sa part, fait référence, de façon générale, à la situation où telle habitation est construite par le particulier lui-même ou par un intermédiaire.

La Cour canadienne de l'impôt a conclu qu'un condominium utilisé pour louer à court terme ne se qualifiait pas à titre d'immeuble habitation en vertu de la définition au paragraphe 123(1) in fine et donc ne se qualifiait pas pour le remboursement sous 254. Voir notamment à cet effet: *Wotherspoon c. R.*, 2011 CarswellNat 2594 (C.C.I.) (en appel à la Cour d'appel fédérale).

Le terme « constructeur » est défini au paragraphe 123(1) et comme le souligne la Cour canadienne de l'impôt dans l'affaire *494743 BC Ltd. c. La Reine*, 2007 CCI 27 (C.C.I.), cette définition est différente du sens ordinaire attribué à ce mot. Pour être considéré en tant que constructeur au sens de ce paragraphe, il faut avoir un droit sur l'immeuble sur lequel l'immeuble d'habitation est situé ou un droit sur l'immeuble d'habitation doit avoir été acquis. En l'espèce, l'appelante, à titre d'entrepreneur général, ne se qualifiait pas à ce titre.

L'alinéa 254(2)(a) requiert que le constructeur effectue une fourniture taxable par le biais d'une vente au particulier. À cet égard, Revenu Québec s'est penché sur la question à savoir si une « vente » des droits d'usufruits constituait une fourniture taxable. Et si oui, l'acquéreur avait-il un droit au remboursement prévu au paragraphe 254(2). De l'avis de Revenu Québec, tenant compte que le droit de l'usufruitier s'apparente davantage à celui d'un preneur à bail, du fait, entre autres, que la fourniture d'un droit d'usufruit ne donne pas lieu à un transfert de propriété du bien en droit civil, nous sommes d'avis qu'il faut référer aux règles relatives à la fourniture d'un immeuble par bail, licence ou accord semblable aux fins de l'application de la *Loi sur la taxe d'accise (TPS)*. Compte tenu de l'application desdites règles, l'alinéa 6 a) de la partie I de l'annexe V de la *Loi sur la taxe d'accise (TPS)* prévoyant l'exonération de la fourniture d'un immeuble d'habitation ou d'une habitation dans un tel immeuble, par bail, licence ou accord semblable, en vue de son occupation à titre résidentiel ou d'hébergement par un particulier donné pour une période d'au moins un mois, s'applique si toutes les conditions sont respectées. En conséquence, aucune TPS n'est payable par l'acquéreur d'un tel droit. Étant donné la réponse négative à cette question, la sous-question relative à l'application du paragraphe 254(2) ne se pose plus. Voir à cet effet notamment : Revenu Québec, Lettre d'interprétation 95-0108324 — *Demande d'interprétation concernant la vente d'un droit d'usufruit* (3 novembre 1995).

L'Agence du revenu du Canada s'est également prononcée sur l'étendue du terme « vente » dans un contexte de sous-location et a conclu que le remboursement en vertu de l'article 254 n'était pas disponible dans le contexte de la fourniture d'un immeuble d'habitation par le biais de la sous-location. En effet, le terme « vente » est défini au paragraphe 123(1) en y assimilant le transfert de la propriété d'un bien et le transfert de la possession d'un bien en vertu d'une convention prévoyant le transfert de la propriété du bien. En l'espèce, de l'avis de l'Agence du revenu du Canada, la sous-location ne peut constituer une « vente » aux fins de la *common law*. Voir notamment à cet effet : Agence du revenu du Canada, Lettre de l'Administration centrale sur la TPS, 117968 — *Transfer of share and associated real property rights and GST/HST new housing rebate availability* (12 novembre 2010).

Dans l'affaire *Virani c. R.*, [2010] G.S.T.C. 53 (C.C.I.), la Cour canadienne a accepté la position de l'appelant et a conclut qu'il avait acheté le logement pour qu'il lui serve de résidence habituelle, conformément à l'alinéa 254(2)(b). Ainsi, même si la période d'habitation était courte, soit 25 jours, la Cour canadienne de l'impôt (paragraphe 20) a analysé le moment où le test doit être fait, *c.-à-d.* lorsque le particulier devient responsable ou assume une responsabilité aux termes du contrat de vente tel que reflété par l'alinéa 254(2)(b). De l'avis de la Cour canadienne de l'impôt, à ce moment, tous les gestes de l'appelant étaient concordants de sorte qu'il allait occuper la résidence.

En vertu du paragraphe (3), la demande de remboursement doit être faite dans les deux ans suivant la journée où la propriété de l'immeuble ou du logement lui est transférée. Dans l'affaire *494743 BC Ltd. c. La Reine*, 2007 CCI 27 (C.C.I.) (paragraphe 46), le juge Little indique que l'appelant n'a pas droit au remboursement en vertu de l'article 254 après l'expiration prévue par la loi. Nous vous invitons à consulter nos commentaires en vertu de l'article 261 pour une discussion sur la présence d'un délai de rigueur et, le cas échéant, sur la possibilité de bénéficier d'un recours alternatif lorsque le délai prescrit est expiré.

Plutôt que de présenter une demande de remboursement pour habitation neuve, l'acheteur peut convenir avec le constructeur que ce dernier lui verse ou porte à son crédit le montant du remboursement. Dans ce cas, l'acheteur doit remplir les formulaires appropriés, les signer et les remettre au constructeur qui les remettra lui-même aux autorités fiscales. En effet, les paragraphes (4) et (5) permettent à un constructeur de créditer le remboursement directement à l'acheteur. En pratique, ce remboursement est presque toujours crédité par le constructeur sur le montant de TPS à payer lors de l'achat de la résidence. Lorsque le constructeur paie ou crédite le remboursement, la taxe nette du constructeur est réduite. Nous vous invitons à consulter nos commentaires en vertu du paragraphe 234(1).

En vertu du paragraphe (5), le constructeur doit présenter les demandes avec sa déclaration de TPS/TVQ pour la période de déclaration au cours de laquelle il paie ou crédite les remboursements. Le constructeur peut ensuite déduire le montant du remboursement à titre d'un rajustement au moment de calculer la taxe nette pour cette période de déclaration. À défaut de produire les demandes de remboursement par le constructeur dans le délai requis, ce dernier pourrait, à titre alternatif et sous réserve de certaines conditions, soumettre des demandes de décrets de remises (circonstances exceptionnelles) afin de récupérer le montant équivalent au remboursement pour habitations neuves qui a été versé ou porté au crédit de l'acheteur. Voir notamment à cet effet : *Slovack c. R.*, 2007 GTC 702 (C.C.I.).

Si l'acheteur n'était pas admissible, le constructeur serait responsable de repayer le remboursement dans les circonstances visées au paragraphe (6). Il arrive fréquemment que les constructeurs indiquent que le prix de vente est un montant inclusif de la TPS. Dans ce cas, il est primordial pour le constructeur de s'assurer que l'intention de l'acheteur, qui est à l'effet de lui céder le montant de son remboursement, est adéquatement reflétée dans la convention de vente. En effet, en l'absence de dispositions contractuelles à cet égard, mais dans une situation où le prix est inclusif de la TPS, le remboursement sera disponible à l'acheteur et ne sera pas payé au constructeur.

Il est donc crucial que le constructeur documente correctement sa transaction et rédige adéquatement son contrat de vente. Dans l'affaire *MacDonald c. MacDonald*, [1993] G.S.T.C. 38 (P.E.I. T.D.), le constructeur avait simplement indiqué que le prix incluait la TPS. Le constructeur a présenté la demande pour obtenir le remboursement et l'a effectivement reçu. Toutefois, l'Agence du revenu Canada lui a subséquemment retiré pour le transféré aux acheteurs. Le constructeur a poursuivi les acheteurs, mais le tribunal a indiqué que les dispositions législatives offrent le remboursement à l'acheteur, et qu'à ce titre, le constructeur n'avait aucun droit même si le prix de la maison vendue était inclusif de TPS.

Il est important de souligner toutefois qu'un constructeur n'aura droit à la partie du remboursement prévu par cet article seulement dans un cas où les acquéreurs ont validement cédé ce droit. Voir notamment à cet effet : *Turton c. La Reine*, 1997 CarswellNat 3559 (C.C.I.); *494743 BC Ltd. c. La Reine*, 2007 CCI 27 (C.C.I.) (paragraphe 40) et *Polygon Southampton Development Ltd. c. R.*, [2003] G.S.T.C. 84 (C.A.F.) (paragraphe 42).

254.1 (1) Définitions — Les définitions qui suivent s'appliquent au présent article.

« bail de longue durée » Bail, licence ou accord semblable portant sur un fonds et prévoyant la possession continue du fonds pour une période d'au moins vingt ans ou une option d'achat du fonds.

Notes historiques: La définition de « bail de longue durée » au paragraphe 254.1(1) a été remplacée par L.C. 2000, c. 30, par. 72(1). Cette modification est réputée entrée en vigueur le 20 octobre 2000. Antérieurement, elle se lisait comme suit :

> « bail de longue durée » Bail portant sur un fonds et prévoyant la possession continue du fonds pour une période d'au moins vingt ans ou une option d'achat du fonds.

La définition de « bail de longue durée » au paragraphe 254.1(1) a été modifiée par L.C. 1997, c. 10, par. 64(1) et cette modification est réputée entrée en vigueur le 15 septembre 1992. Toutefois, cette définition ne s'applique pas au calcul d'un montant demandé (sauf un crédit ou une déduction réputé demandé par l'effet de l'alinéa 296(5)a) par suite d'une cotisation établie après le 23 avril 1996) dans une déclaration présentée aux termes de la section V de la partie IX, ou dans une demande présentée aux termes de la section VI de cette partie, et reçue par le ministre du Revenu national avant le 23 avril 1996. Cette modification est réputée entrée en vigueur le 17 décembre 1990.

Elle se lisait comme suit :

> « bail de longue durée » Bail portant sur un fonds, d'une durée minimale de vingt ans ou prévoyant une option d'achat du fonds.

Auparavant, la définition de « bail de longue durée » au paragraphe 254.1(1) a été ajoutée par L.C. 1993, c. 27, par. 110(1) et est réputée entrée en vigueur le 17 décembre 1990. Par ailleurs, pour l'application de l'article 254.1, l'alinéa 191(1)b), modifié par L.C. 1993, c. 27, par. 56(2), est réputé entré en vigueur le 17 décembre 1990.

Concordance québécoise: LTVQ, art. 360.6.

« immeuble d'habitation à logement unique » Est assimilé à un immeuble d'habitation à logement unique :

a) l'immeuble d'habitation à logements multiples de deux habitations;

b) tout autre immeuble d'habitation à logements multiples, s'il est visé à l'alinéa c) de la définition de « immeuble d'habitation » au paragraphe 123(1) et contient une ou plusieurs habitations qui sont destinées à être fournies comme chambres dans un hôtel, un motel, une auberge, une pension ou un gîte semblable et qui ne seraient pas considérées comme faisant partie de l'immeuble d'habitation si celui-ci n'était pas visé à cet alinéa.

Notes historiques: La définition de « immeuble d'habitation à logement unique » au paragraphe 254(1) a été remplacée par L.C. 2001, c. 15, par. 13(1). Cette modification est réputée entrée en vigueur le 1er juin 1997 et s'applique lorsqu'il s'agira de calculer le remboursement d'une personne en vertu de l'article 254.1 relativement à un immeuble d'habitation dont la propriété lui est transférée après mai 1997.

Dans le cas où, à la fois :

a) une personne aurait droit à un remboursement en vertu de l'article 254.1 relativement à un immeuble d'habitation à logement unique visé à l'alinéa b) de la définition de cette expression à cet article, si la période prévue pour la présentation de la demande de remboursement ou le nombre de demandes visant un même remboursement n'étaient pas limités,

b) la date limite à laquelle la personne serait tenue, en l'absence du présent alinéa, de présenter une demande de remboursement est antérieure au 31 mars 2003,

malgré le paragraphe 254.1(3), la personne a jusqu'au 31 mars 2003 pour présenter une demande de remboursement au ministre du Revenu national. Cette demande peut, malgré le paragraphe 262(2), être la deuxième demande visant le même remboursement si, avant mars 2001, le premier remboursement demandé a fait l'objet d'une cotisation.

Antérieurement, la définition de « immeuble d'habitation à logement unique » au paragraphe 254.1(1) se lisait ainsi :

« immeuble d'habitation à logement unique » Est assimilé à un immeuble d'habitation à logement unique l'immeuble d'habitation à logements multiples de deuxhabitations.

La définition de « immeuble d'habitation à logement unique » au paragraphe 254.1(1) a été ajoutée par L.C. 1993, c. 27, par. 110(1) et est réputée entrée en vigueur le 17 décembre 1990. Par ailleurs, pour l'application de l'article 254.1, l'alinéa 191(1)b), modifié par L.C. 1993, c. 27, par. 56(2), est réputé entré en vigueur le 17 décembre 1990.

Concordance québécoise: LTVQ, art. 360.5.

« proche » L'ex-époux ou ancien conjoint de fait d'un particulier ou un autre particulier lié à ce particulier.

Notes historiques: La définition « proche » au paragraphe 254.1(1) de la *Loi sur la taxe d'accise* a été modifiée par L.C. 2000, c. 12, al. 3f), ann. 1 par le remplacement de « ex-conjoint » par « ex-époux ou ancien conjoint de fait ». Cette modification est entrée en vigueur le 1er janvier 2001.

La définition de « proche » au paragraphe 254.1(1) a été ajoutée par L.C. 1993, c. 27, par. 110(1) et est réputée entrée en vigueur le 17 décembre 1990. Par ailleurs, pour l'application de l'article 254.1, l'alinéa 191(1)b), modifié par L.C. 1993, c. 27, par. 56(2), est réputé entré en vigueur le 17 décembre 1990.

Concordance québécoise: aucune.

(2) Remboursement — habitation neuve — Sous réserve du paragraphe (3), le ministre rembourse un particulier dans le cas où, à la fois :

a) le constructeur d'un immeuble d'habitation — immeuble d'habitation à logement unique ou logement en copropriété —, aux termes d'un contrat qu'il a conclu avec le particulier, effectue au profit de celui-ci :

(i) une ou plusieurs fournitures exonérées, effectuées aux termes d'un bail de longue durée, du fonds attribuable à l'immeuble, ou la fourniture de ce fonds par cession d'un tel bail,

(ii) la fourniture exonérée, effectuée par vente, de tout ou partie du bâtiment dans lequel est située l'habitation faisant partie de l'immeuble;

b) au moment où il devient responsable ou assume une responsabilité aux termes du contrat, le particulier acquiert l'immeuble comme lieu de résidence habituelle pour lui ou l'un de ses proches;

c) la juste valeur marchande de l'immeuble est inférieure à 472 500 $ au moment du transfert au particulier de la possession de l'immeuble aux termes du contrat;

d) le constructeur est réputé par les paragraphes 191(1) ou (3) avoir fourni l'immeuble du fait qu'il en a transféré la possession au particulier aux termes du contrat;

e) la possession de l'immeuble est transférée au particulier une fois la construction ou les rénovations majeures de l'immeuble achevées en grande partie;

f) entre le moment où les travaux sont achevés en grande partie et celui où la possession de l'immeuble est transférée au particulier aux termes du contrat, l'immeuble n'a pas été occupé à titre résidentiel ou d'hébergement;

g) selon le cas :

(i) le premier particulier à occuper l'immeuble à titre résidentiel, après que les travaux sont achevés en grande partie, est le particulier ou l'un de ses proches,

(ii) le particulier effectue par vente ou cession la fourniture exonérée de son droit sur l'immeuble, et la possession de l'immeuble est transférée à l'acquéreur avant que l'immeuble ne soit occupé à titre résidentiel ou d'hébergement.

Le montant remboursable est égal au montant suivant :

h) si la juste valeur marchande visée à l'alinéa c) est de 367 500 $ ou moins, le montant correspondant à 1,71 % du total (appelé « contrepartie totale » au présent paragraphe) des montants représentant chacun la contrepartie payable par le particulier au constructeur pour la fourniture par vente au particulier du bâtiment ou de la partie de bâtiment visé à l'alinéa a), ou de toute autre construction qui fait partie de l'immeuble, à l'exception de la contrepartie qu'il est raisonnable de considérer comme un loyer pour les fournitures du fonds attribuable à l'immeuble ou comme la contrepartie de la fourniture d'une option d'achat de ce fonds;

i) si la juste valeur marchande visée à l'alinéa c) est supérieure à 367 500 $, mais inférieure à 472 500 $, le résultat du calcul suivant :

$$A \times [(472\,500\,\$ - B)/105\,000\,\$]$$

où :

A représente 6 300 $ ou, s'il est moins élevé, le montant correspondant à 1,71 % de la contrepartie totale,

B la juste valeur marchande visée à l'alinéa c).

Notes historiques: Le préambule de l'alinéa 254.1(2)a) a auparavant été modifié par L.C. 1997, c. 10, par. 64(2) et cette modification s'applique aux remboursements relativement auxquels une demande est présentée au ministre du Revenu national après le 22 avril 1996. Auparavant, ce préambule se lisait comme suit :

a) le constructeur d'un immeuble d'habitation à logement unique, aux termes d'un contrat qu'il a conclu avec le particulier, effectue au profit de celui-ci la fourniture exonérée des biens suivants :

L'alinéa 254.1(2)c) a été remplacé par L.C. 2007, c. 35, par. 189(1) et cette modification s'applique relativement à la fourniture, effectuée au profit du particulier visé à l'article 254.1, de tout ou partie du bâtiment dans lequel est située une habitation faisant partie d'un immeuble d'habitation si la possession de l'habitation est transférée à ce particulier après décembre 2007, sauf si le constructeur est réputé en vertu de l'article 191 avoir payé la taxe prévue au paragraphe 165(1) au taux de 6 % ou de 7 % relativement à la fourniture visée à l'alinéa 254.1(2)d). Antérieurement, il se lisait ainsi :

c) la juste valeur marchande de l'immeuble est inférieure à 477 000 $ au moment du transfert au particulier de la possession de l'immeuble aux termes du contrat;

L'alinéa 254.1(2)a) a été modifié par L.C. 1997, c. 10, par. 222(1) et cette modification est entrée en vigueur le 1er avril 1997.

Auparavant, l'alinéa 254.1(2)a) se lisait comme suit :

a) le constructeur d'un immeuble d'habitation — immeuble d'habitation à logement unique ou logement en copropriété —, aux termes d'un contrat qu'il a conclu avec le particulier, effectue au profit de celui-ci la fourniture exonérée des biens suivants :

(i) le fonds attribuable à l'immeuble, fourni par bail de longue durée ou par cession de pareil bail,

(ii) tout ou partie du bâtiment dans lequel est située l'habitation faisant partie de l'immeuble, fourni par vente;

L'alinéa 254.1(2)c) a été remplacé par L.C. 2006, c. 4, par. 25(1) et cette modification s'applique à la fourniture, effectuée au profit du particulier visé à l'article 254.1, de tout ou partie du bâtiment dans lequel est située une habitation faisant partie d'un immeuble d'habitation si la possession de l'habitation est transférée à ce particulier après juin 2006, sauf si le constructeur est réputé en vertu de l'article 191 avoir payé la taxe prévue au paragraphe 165(1) au taux de 7 % relativement à la fourniture visée à l'alinéa 254.1(2)d). Antérieurement, il se lisait ainsi :

c) la juste valeur marchande de l'immeuble est inférieure à 481 500 $ au moment du transfert au particulier de la possession de l'immeuble aux termes du contrat;

L'alinéa 254.1(2)d) a été remplacé par L.C. 2000, c. 30, par. 72(2). Cette modification est réputée entrée en vigueur le 26 novembre 1997. Antérieurement, il se lisait comme suit :

d) le constructeur est réputé par le paragraphe 191(1) avoir fourni l'immeuble du fait qu'il en a ainsi transféré la possession au particulier;

L'alinéa 254.1(2)h) a été remplacé par L.C. 2006, c. 4, par. 25(2) et cette modification s'applique selon les mêmes modalités que la modification apportée à l'alinéa 254.1(2)c). Antérieurement, il se lisait ainsi :

h) si la juste valeur marchande visée à l'alinéa c) est de 374 500 $ ou moins, 8 750 $ ou, s'il est inférieur, le montant correspondant à 2,34 % du total (appelé « contrepartie totale » au présent paragraphe) des montants représentant chacun la contrepartie payable par le particulier au constructeur pour la fourniture par vente au particulier du bâtiment ou de la partie de bâtiment visé à l'alinéa a), ou de toute autre construction qui fait partie de l'immeuble, à l'exception de la contrepartie qui peut être considérée comme un loyer pour les fournitures du fonds attribuable à l'immeuble ou comme la contrepartie de la fourniture d'une option d'achat de ce fonds;

L'alinéa 254.1(2)h) a été modifié par L.C. 1997, c. 10, par. 222(2) et cette modification est entrée en vigueur le 1er avril 1997. Auparavant cet alinéa se lisait comme suit :

h) si la juste valeur marchande visée à l'alinéa c) est de 374 500 $ ou moins, le moins élevé de 8 750 $ et de 2,34 % du total (appelé « contrepartie totale » au présent paragraphe) des montants représentant chacun la contrepartie payable par le particulier au constructeur pour la fourniture par vente au particulier du bâtiment ou de la partie de bâtiment visé à l'alinéa a), ou de toute autre construction qui fait partie de l'immeuble, à l'exception de la contrepartie qui peut être considérée comme un loyer pour la fourniture du fonds attribuable à l'immeuble ou comme la contrepartie de la fourniture d'une option d'achat de ce fonds;

Les alinéas 254.1(2)h) et i) ont été remplacés par L.C. 2007, c. 35, par. 189(2) et cette modification s'applique relativement à la fourniture, effectuée au profit du particulier visé à l'article 254.1, de tout ou partie du bâtiment dans lequel est située une habitation faisant partie d'un immeuble d'habitation si la possession de l'habitation est transférée à ce particulier après décembre 2007, sauf si le constructeur est réputé en vertu de l'article 191 avoir payé la taxe prévue au paragraphe 165(1) au taux de 6 % ou de 7 % relativement à la fourniture visée à l'alinéa 254.1(2)d). Antérieurement, ils se lisaient ainsi :

h) si la juste valeur marchande visée à l'alinéa c) est de 371 000 $ ou moins, 7 560 $ ou, s'il est inférieur, le montant correspondant à 2,04 % du total (appelé « contrepartie totale » au présent paragraphe) des montants représentant chacun la contrepartie payable par le particulier au constructeur pour la fourniture par vente au particulier du bâtiment ou de la partie de bâtiment visé à l'alinéa a), ou de toute autre construction qui fait partie de l'immeuble, à l'exception de la contrepartie qu'il est raisonnable de considérer comme un loyer pour les fournitures du fonds attribuable à l'immeuble ou comme la contrepartie de la fourniture d'une option d'achat de ce fonds;

i) si la juste valeur marchande visée à l'alinéa c) est supérieure à 371 000 $, mais inférieure à 477 000 $, le résultat du calcul suivant :

$$A \times [(477\ 000\ \$ - B)/106\ 000\ \$]$$

où :

A représente 7 560 $ ou, s'il est moins élevé, le montant correspondant à 2,04 % de la contrepartie totale,

B la juste valeur marchande visée à l'alinéa c).

L'alinéa 254.1(2)i) a été remplacé par L.C. 2006, c. 4, par. 25(2) et cette modification s'applique selon les mêmes modalités que la modification apportée à l'alinéa 254.1(2)c). Antérieurement, il se lisait ainsi :

i) sinon, le résultat du calcul suivant :

$$A \times \frac{(481\ 500\ \$ - B)}{107\ 000\ \$}$$

où :

A représente le moins élevé de 8 750 $ et de 2,34 % de la contrepartie totale,

B la juste valeur marchande visée à l'alinéa c).

Le paragraphe 254.1(2) a été ajouté par L.C. 1993, c. 27, par. 110(1) et est réputé entré en vigueur le 17 décembre 1990. Par ailleurs, pour l'application de l'article 254.1, l'alinéa 191(1)b) modifié par L.C. 1993, c. 27, par. 56(2), est réputé entré en vigueur le 17 décembre 1990.

Concordance québécoise: LTVQ, art. 370.0.1, 370.0.2.

(2.01) Propriétaire-occupant d'une habitation — Pour l'application du paragraphe (2.1), un particulier est propriétaire-occupant d'une habitation à un moment donné si l'habitation est sa résidence habituelle à ce moment et si, selon le cas :

a) à ce moment, elle lui appartient ou appartient à un autre particulier qui est son époux ou conjoint de fait à ce moment;

b) elle est située dans un immeuble d'habitation d'une coopérative d'habitation et le particulier, ou un autre particulier qui est son époux ou conjoint de fait à ce moment, détient à ce moment une part du capital social de la coopérative pour utiliser l'habitation.

Notes historiques: Le paragraphe 254.1(2.01) a été ajouté par L.C. 2007, c. 18, par. 38(1) et s'applique au calcul du remboursement d'un particulier relatif à tout ou partie d'un bâtiment dans lequel est située une habitation faisant partie d'un immeuble d'habitation si, selon le cas :

a) la convention aux termes de laquelle le bâtiment ou la partie de bâtiment est fourni par vente au particulier est conclue par celui-ci après 2001;

b) l'immeuble sert de résidence habituelle au particulier ou à l'un de ses proches, au sens du paragraphe 254.1(1), pour la première fois :

(i) après 2002, dans le cas d'un logement en copropriété,

(ii) après juin 2002, dans les autres cas;

c) aux termes de la convention portant sur la fourniture par vente, au profit du particulier, du bâtiment ou de la partie de bâtiment, la possession de l'immeuble est transférée au particulier :

(i) après 2002, dans le cas d'un logement en copropriété,

(ii) après juin 2002, dans les autres cas.

Concordance québécoise: aucune.

(2.02) Date de transfert — Pour l'application du paragraphe (2.1), la date de transfert relative à un immeuble d'habitation fourni au particulier donné visé à ce paragraphe correspond à la date où la possession de l'immeuble lui est transférée.

Notes historiques: Le paragraphe 254.1(2.02) a été ajouté par L.C. 2007, c. 18, par. 38(1) et s'applique au calcul du remboursement d'un particulier relatif à tout ou partie d'un bâtiment dans lequel est située une habitation faisant partie d'un immeuble d'habitation si, selon le cas :

a) la convention aux termes de laquelle le bâtiment ou la partie de bâtiment est fourni par vente au particulier est conclue par celui-ci après 2001;

b) l'immeuble sert de résidence habituelle au particulier ou à l'un de ses proches, au sens du paragraphe 254.1(1), pour la première fois :

(i) après 2002, dans le cas d'un logement en copropriété,

(ii) après juin 2002, dans les autres cas;

c) aux termes de la convention portant sur la fourniture par vente, au profit du particulier, du bâtiment ou de la partie de bâtiment, la possession de l'immeuble est transférée au particulier :

(i) après 2002, dans le cas d'un logement en copropriété,

(ii) après juin 2002, dans les autres cas.

Concordance québécoise: aucune.

(2.1) Remboursement en Nouvelle-Écosse — Sous réserve du paragraphe (3), le ministre rembourse un particulier donné si les conditions suivantes sont réunies :

a) le particulier a droit au remboursement prévu au paragraphe (2), ou a le droit de se faire payer ce montant, ou de le faire porter à son crédit, en application du paragraphe (4), relativement à un immeuble d'habitation situé en Nouvelle-Écosse, ou aurait pareil droit si la juste valeur marchande de l'immeuble, au moment du transfert de sa possession au particulier aux termes de la convention portant sur la fourniture de l'immeuble à son profit, était inférieure à 472 500 $;

b) il s'avère, selon le cas :

(i) que ni le particulier donné, ni un autre particulier qui est son époux ou conjoint de fait à la date de transfert, n'était le propriétaire-occupant d'une habitation dans un autre immeuble d'habitation au Canada au cours de la période (appelée « période pertinente » au présent alinéa) qui commence le premier jour du premier mois civil complet de la période de cinq ans se terminant à la date du transfert et qui prend fin à cette date,

LTA (TPS)

(ii) que, le dernier jour où l'un des particuliers mentionnés au sous-alinéa (i) était le propriétaire-occupant d'une habitation dans un immeuble d'habitation au Canada au cours de la période pertinente, cette habitation a été détruite autrement que par un acte de volonté de leur part;

c) si, au moment mentionné à l'alinéa (2)b), le particulier donné acquiert l'immeuble pour qu'il serve de résidence habituelle à l'un de ses proches et non à lui-même ni à son époux ou conjoint de fait, les circonstances visées aux sous-alinéas b)(i) ou (ii) seraient réunies s'il était question, à ces sous-alinéas, non pas du particulier donné, mais du proche.

Le montant remboursable s'ajoute à celui qui est payable au particulier donné selon le paragraphe (2) et correspond à 1 500 $ ou, s'il est inférieur, au montant représentant 1,39 % de la contrepartie totale, au sens de l'alinéa (2)h), relative à l'immeuble.

Notes historiques: L'alinéa 254.1(2.1)a) a été remplacé par L.C. 2007, c. 35, par. 189(3) et cette modification s'applique relativement à la fourniture, effectuée au profit du particulier visé à l'article 254.1, de tout ou partie du bâtiment dans lequel est située une habitation faisant partie d'un immeuble d'habitation si la possession de l'habitation est transférée à ce particulier après décembre 2007, sauf si le constructeur est réputé en vertu de l'article 191 avoir payé la taxe prévue au paragraphe 165(1) au taux de 6 % ou de 7 % relativement à la fourniture visée à l'alinéa 254.1(2)d). Antérieurement, il se lisait ainsi :

a) le particulier donné a droit au remboursement prévu au paragraphe (2), ou a le droit de se faire payer le montant de ce remboursement, ou de le faire porter à son crédit, en application du paragraphe (4), relativement à un immeuble d'habitation situé en Nouvelle-Écosse, ou aurait pareil droit si la juste valeur marchande de l'immeuble, au moment du transfert de sa possession au particulier donné aux termes de la convention portant sur la fourniture de l'immeuble à son profit, était inférieure à 477 000 $;

L'alinéa 254.1(2.1)a) a été remplacé par L.C. 2007, c. 18, par. 38(2) et cette modification s'applique à la fourniture, effectuée au profit du particulier visé à l'article 254.1, de tout ou partie d'un bâtiment dans lequel est située une habitation faisant partie d'un immeuble d'habitation si la possession de l'habitation est transférée à ce particulier après juin 2006, sauf si le constructeur est réputé en vertu de l'article 191 avoir payé la taxe prévue au paragraphe 165(1) au taux de 7 % relativement à la fourniture visée à l'alinéa 254.1(2)d). Antérieurement, il se lisait ainsi :

a) le particulier a droit au remboursement prévu au paragraphe (2), ou a le droit de se faire payer ce montant, ou de le faire porter à son crédit, en application du paragraphe (4), relativement à un immeuble d'habitation situé en Nouvelle-Écosse, ou aurait pareil droit si la juste valeur marchande de l'immeuble, au moment du transfert de sa possession au particulier aux termes de la convention portant sur la fourniture de l'immeuble à son profit, était inférieure à 481 500 $;

L'alinéa 254.1(2.1)a) a été remplacé par L.C. 2006, c. 4, par. 25(3) et cette modification s'applique selon les mêmes modalités que la modification apportée à l'alinéa 254.1(2)c). Antérieurement, il se lisait ainsi :

a) le particulier a droit au remboursement prévu au paragraphe (2), ou a le droit de se faire payer ce montant, ou de le faire porter à son crédit, en application du paragraphe (4), relativement à un immeuble d'habitation situé en Nouvelle-Écosse, ou aurait pareil droit si la juste valeur marchande de l'immeuble, au moment du transfert de sa possession au particulier aux termes de la convention portant sur la fourniture de l'immeuble à son profit, était inférieure à 481 500 $;

Le paragraphe 254.1(2.1) a été remplacé par L.C. 2007, c. 18, par. 38(1) et cette modification s'applique au calcul du remboursement d'un particulier relatif à tout ou partie d'un bâtiment dans lequel est située une habitation faisant partie d'un immeuble d'habitation si, selon le cas :

a) la convention aux termes de laquelle le bâtiment ou la partie de bâtiment est fourni par vente au particulier est conclue par celui-ci après 2001;

b) l'immeuble sert de résidence habituelle au particulier ou à l'un de ses proches, au sens du paragraphe 254.1(1), pour la première fois :

(i) après 2002, dans le cas d'un logement en copropriété,

(ii) après juin 2002, dans les autres cas;

c) aux termes de la convention portant sur la fourniture par vente, au profit du particulier, du bâtiment ou de la partie de bâtiment, la possession de l'immeuble est transférée au particulier :

(i) après 2002, dans le cas d'un logement en copropriété,

(ii) après juin 2002, dans les autres cas.

Antérieurement, il se lisait ainsi :

(2.1) Sous réserve du paragraphe (3), le ministre rembourse un particulier dans le cas où, à la fois :

a) le particulier a droit au remboursement prévu au paragraphe (2), ou a le droit de se faire payer ce montant, ou de le faire porter à son crédit, en application du paragraphe (4), relativement à un immeuble d'habitation situé en Nouvelle-Écosse, ou aurait pareil droit si la juste valeur marchande de l'immeuble, au moment du transfert de sa possession au particulier aux termes de la convention portant sur la fourniture de l'immeuble à son profit, était inférieure à 481 500 $;

b) la possession de l'immeuble est transférée au particulier aux termes de la convention après mars 1997 et la convention n'a pas été conclue par écrit avant le 24 octobre 1996.

Le montant remboursable s'ajoute à celui qui est payable au particulier selon le paragraphe (2) et correspond à 2 250 $ ou, s'il est inférieur, au montant représentant 1,39 % de la contrepartie totale, au sens de l'alinéa (2)h), relative à l'immeuble.

Le paragraphe 254.1(2.1) a été remplacé par L.C. 2000, c. 30, par. 72(3). Cette modification est réputée entrée en vigueur le 1er avril 1997. Antérieurement, il se lisait comme suit :

(2.1) Sous réserve du paragraphe (3), le ministre rembourse un montant au particulier qui a droit au remboursement prévu au paragraphe (2), ou qui a le droit de se faire payer le montant de ce remboursement, ou de le faire porter à son crédit, en application du paragraphe (4), relativement à un immeuble d'habitation situé en Nouvelle-Écosse, ou qui aurait pareil droit si la juste valeur marchande de l'immeuble, au moment du transfert de sa possession au particulier aux termes de la convention portant sur la fourniture de l'immeuble à son profit, était inférieure à 481 500 $. Le montant remboursable s'ajoute à celui qui est payable au particulier selon le paragraphe (2) et correspond à 2 250 $ ou, s'il est inférieur, au montant représentant 1,39 % de la contrepartie totale, au sens de l'alinéa (2)h), relative à l'immeuble.

Le paragraphe 254.1(2.1) a été modifié par L.C. 1997, c. 10, par. 222(1) et cette modification est entrée en vigueur le 1er avril 1997. Il se lisait comme suit :

Le remboursement n'est pas accordé si le constructeur de l'immeuble est dispensé, par l'effet d'une loi fédérale autre que la présente loi ou d'une règle de droit, du paiement ou du versement de la taxe qu'il est réputé avoir payée et perçue en application du paragraphe 191(1) relativement à une fourniture de l'immeuble qu'il est réputé avoir effectuée en vertu de ce paragraphe.

Auparavant, le paragraphe 254.1(2.1) a été ajouté par L.C. 1997, c. 10, par. 64(3) et est réputé entré en vigueur le 17 décembre 1990. Toutefois, il ne s'applique pas aux remboursements relativement auxquels le ministre du Revenu national a reçu une demande avant le 23 avril 1996 (sauf une demande réputée produite par l'effet de l'alinéa 296(5)a) par suite d'une cotisation établie après cette date).

Concordance québécoise: aucune.

(2.2) Exception — Les remboursements prévus au présent article ne sont pas accordés si le constructeur de l'immeuble est dispensé, par l'effet d'une loi fédérale autre que la présente loi ou d'une règle de droit, du paiement ou du versement de la taxe qu'il est réputé avoir payée et perçue en application du paragraphe 191(1) relativement à une fourniture de l'immeuble qu'il est réputé avoir effectuée en vertu de ce paragraphe.

Notes historiques: Le paragraphe 254.1(2.2) a été ajouté par L.C. 1997, c. 10, par. 222(3) et est entré en vigueur le 1er avril 1997.

Concordance québécoise: aucune.

(3) Demande de remboursement — Le montant des remboursements prévus au présent article n'est versé que si le particulier en fait la demande dans les deux ans suivant le jour où la possession de l'immeuble lui est transférée.

Notes historiques: Le paragraphe 254.1(3) a été modifié par L.C. 1997, c. 10, par. 222(3) et est entré en vigueur le 1er avril 1997. Il se lisait ainsi :

Le remboursement n'est versé que si le particulier en fait la demande dans les deux ans suivant le jour où la possession de l'immeuble lui est transférée.

Le paragraphe 254.1(3) a été modifié par L.C. 1997, c. 10, par. 64(3) et cette modification s'applique aux remboursements visant les immeubles d'habitation dont la possession est transférée après juin 1996 à la personne qui demande le remboursement. Il se lisait comme suit :

Le remboursement n'est accordé que si le particulier en fait la demande dans les quatre ans suivant le jour où la possession de l'immeuble lui est transférée.

Auparavant, ce paragraphe a été ajouté par L.C. 1993, c. 27, par. 110(1) et est réputé entré en vigueur le 17 décembre 1990.

Par ailleurs, pour l'application de l'alinéa 191(1)b) modifié par L.C. 1993, c. 27, par. 56(2), l'article 254.1 est réputé entré en vigueur le 17 décembre 1990.

Concordance québécoise: LTVQ, art. 370.0.3.

(4) Demande présentée au constructeur — Le constructeur d'un immeuble d'habitation qui est un immeuble d'habitation à logement unique ou un logement en copropriété peut rembourser ou créditer un particulier si, à la fois :

a) le constructeur fournit l'immeuble au particulier aux termes d'un contrat visé à l'alinéa (2)a) et lui en transfère la possession aux termes de ce contrat;

b) le particulier présente au constructeur, en la forme et selon les modalités déterminées par le ministre, dans les deux ans suivant le jour du transfert au particulier de la possession de l'immeuble, une demande contenant les renseignements requis par le ministre et concernant le remboursement auquel il aurait droit selon les paragraphes (2) ou (2.1) s'il en faisait la demande dans le délai imparti;

c) le constructeur convient de rembourser au particulier, ou de porter à son crédit, le montant qui est payable à celui-ci relativement à l'immeuble.

Notes historiques: Le préambule du paragraphe 254.1(4) a été remplacé par L.C. 2000, c. 30, par. 72(4). Cette modification est réputée entrée en vigueur le 17 décembre 1990. Antérieurement, il se lisait comme suit :

(4) Le constructeur d'un immeuble d'habitation à logement unique peut rembourser ou créditer un particulier dans le cas où, à la fois :

L'alinéa 254.1(4)b) a été modifié par L.C. 1997, c. 10, par. 222(4) et cette modification est entrée en vigueur le 1er avril 1997. Il se lisait comme suit :

b) le particulier présente au constructeur, en la forme et selon les modalités déterminées par le ministre, dans les deux ans suivant le jour du transfert au particulier de la possession de l'immeuble, une demande contenant les renseignements requis par le ministre et concernant le remboursement auquel il aurait droit selon le paragraphe (2) s'il en faisait la demande dans le délai imparti;

Auparavant, il a été modifié par L.C. 1997, c. 10, par. 64(5) et cette modification s'applique aux remboursements visant les immeubles d'habitation dont la possession est transférée après juin 1996 à la personne qui demande le remboursement. Cet alinéa se lisait comme suit :

b) le particulier présente au constructeur, en la forme et selon les modalités déterminés par le ministre, dans les quatre ans suivant le transfert au particulier de la possession de l'immeuble, une demande contenant les renseignements requis par le ministre et concernant le remboursement auquel il aurait droit selon le paragraphe (2) s'il en faisait la demande dans le délai imparti;

Auparavant, le paragraphe 254.1(4) a été ajouté par L.C. 1993, c. 27, par. 110(1) et est réputé entré en vigueur le 17 décembre 1990.

Par ailleurs, pour l'application de l'article 254.1, l'alinéa 191(1)b) modifié par L.C. 1993, c. 27, par. 56(2), est réputé entré en vigueur le 17 décembre 1990.

Concordance québécoise: LTVQ, art. 370.1.

(5) Transmission de la demande par le constructeur — Malgré les paragraphes (2) et (3), dans le cas où la demande d'un particulier en vue d'un remboursement visé au présent article est présentée au constructeur en application du paragraphe (4) :

a) le constructeur transmet la demande au ministre avec la déclaration qu'il produit en application de la section V pour la période de déclaration au cours de laquelle il rembourse ou crédite le particulier;

b) les intérêts prévus au paragraphe 297(4) ne sont pas payables relativement au remboursement.

Notes historiques: Le paragraphe 254.1(5) a été ajouté par L.C. 1993, c. 27, par. 110(1) et est réputé entré en vigueur le 17 décembre 1990. Par ailleurs, pour l'application de l'article 254.1, l'alinéa 191(1)b) modifié par L.C. 1993, c. 27, par. 56(2), est réputé entré en vigueur le 17 décembre 1990.

Concordance québécoise: LTVQ, art. 370.2.

(6) Obligation solidaire — Le constructeur qui, en application du paragraphe (4), rembourse ou crédite un particulier alors qu'il sait ou devrait savoir que le particulier n'a pas droit au montant remboursé ou crédité ou que ce montant excède celui auquel celui-ci a droit est solidairement tenu, avec le particulier, au paiement du montant ou de l'excédent au receveur général en vertu de l'article 264.

Notes historiques: Le paragraphe 254.1(6) a été ajouté par L.C. 1993, c. 27, par. 110(1) et est réputé entré en vigueur le 17 décembre 1990. Par ailleurs, pour l'application de l'article 254.1, l'alinéa 191(1)b) modifié par L.C. 1993, c. 27, par. 56(2), est réputé entré en vigueur le 17 décembre 1990.

Concordance québécoise: LTVQ, art. 370.4.

juin 2006, Notes explicatives: L'article 254.1 permet d'accorder un remboursement au particulier qui achète un bâtiment faisant partie d'un immeuble d'habitation à logement unique ou d'un logement en copropriété situé sur un fonds loué. Le paragraphe 254.1(2) prévoit le remboursement partiel d'un montant équivalant à la taxe prévue au paragraphe 165(1) qui est enchâssée dans le prix du bâtiment. Le paragraphe 254.1(2.1) prévoit le remboursement partiel de la composante provinciale de la TVH qui est enchâssée dans le prix du bâtiment si l'immeuble ou le logement est situé en Nouvelle-Écosse et est acquis par un acheteur admissible qui a également droit au remboursement prévu au paragraphe 254.1(2).

Les alinéas 254.1(2)c), h) et i) font mention des mêmes sommes qu'à l'article 254, qui prévoit un remboursement pour l'achat, auprès d'un constructeur, d'un immeuble d'habitation et du fonds qui en fait partie. L'alinéa 254.1(2.1)a) fait aussi mention de la valeur à laquelle l'acheteur cesse d'avoir droit au remboursement prévu au paragraphe (2) relativement à l'immeuble.

Par suite de la modification apportée au paragraphe 165(1), qui consiste à ramener de 7 % à 6 % le taux auquel la taxe est calculée, les alinéas 254.1(2)h) et i) sont modifiés de façon à réduire le montant remboursable maximal pour le faire passer de 8 750 $ à 7 560 $, ce qui correspond au montant remboursable maximal accordé selon le paragraphe 254(2), dans sa version modifiée. Les alinéas 254.1(2)c), h) et i), de même que l'alinéa 254.1(2.1)a), sont également modifiés de façon à réduire les sommes de 374 500 $, 481 500 $ et 107 000 $ qui figurent à ces alinéas pour les faire passer respectivement à 371 000 $, 477 000 $ et 106 000 $. Ces sommes correspondent à des montants similaires — avec une composante de taxe enchâssée — qui ont été rajustés pour tenir compte de la modification apportée au paragraphe 165(1). Enfin, la mention « 2,34 % » aux alinéas 254.1(2)h) et i) est modifiée. Ce pourcentage correspond au montant remboursable selon le paragraphe 254(2), si ce montant devait être exprimé en fonction d'un remboursement applicable au prix d'un immeuble d'habitation, TPS de 7 % incluse. La modification apportée à ces alinéas consiste à remplacer « 2,34 % » par « 2,04 % » en raison de la réduction du taux auquel la taxe est calculée selon le paragraphe 165(1), dans sa version modifiée.

Ces modifications s'appliquent relativement à l'immeuble d'habitation dans lequel est située une habitation dont la possession est transférée après juin 2006, sauf si la taxe prévue au paragraphe 165(1) relativement à la fourniture dont l'immeuble est réputé avoir fait l'objet selon l'alinéa 254.1(2)d) s'est appliquée au taux de 7 %.

Définitions [art. 254.1]: « acquéreur », « constructeur », « contrepartie », « ex-conjoint », « fourniture », « fourniture exonérée », « habitation », « immeuble », « immeuble d'habitation », « immeuble d'habitation à logements multiples », « immeuble d'habitation à logement unique », « juste valeur marchande », « ministre », « montant », « règlement », « rénovations majeures », « vente » — 123(1).

Renvois [art. 254.1]: 126(2), (3) (personnes liées); 190.1 (construction d'une maison mobile ou flottante); 191(1), (2) (fourniture à soi-même); 234(1) (déduction pour remboursement); 254 (remboursement — habitation neuve); 256 (remboursement — habitation construite par soi-même); 256.2 (4)(remboursement pour vente de bâtiment et location de fonds); 256.71, 256.75 (remboursement transitoire en cas de l'application de l'article 254.1 — réduction de taux pour 2008); 256.72, 256.76 (remboursement transitoire à l'acheteur — réduction de taux pour 2008); 262 (forme et production de la demande); 263 (restriction); 264 (montant remboursé en trop ou intérêts payés en trop); 296(2.1), (3.2) (application d'un montant de remboursement non demandé); 297 (détermination du remboursement par le ministre); V:Partie 1:5.1 (fourniture exonérée de bâtiment); 670.43, 670.53,670.72, 670.82 (montant du remboursement à l'égard d'un immeuble d'habitation).

Jurisprudence [art. 254.1]: *Bettle (D.) c. La Reine*, [1996] G.S.T.C. 70 (CCI); *Reid's Heritage Homes Ltd. v. R.*, [2003] G.S.T.C. 6 (CCI).

Énoncés de politique [art. 254.1]: P-104, 23/02/11, *La TPS/TVH et la fourniture d'un fonds pour les unités récréatives telles que les maisons préfabriquées mobiles, les roulottes de parc et les remorques de tourisme*; P-165R, 03/98, *Juste valeur marchande aux fins de la partie IX de la Loi sur la taxe d'accise* ; P-228, 30/03/99, *Résidence habituelle*.

Bulletins de l'information technique [art. 254.1]: B-075R, 23/04/96, *Modifications proposées à la TPS*; B-083R, 23/05/97, *Services financiers sous le régime de la TVH*; B-092A, 01/05, *Rénovations majeures et remboursement de la TPS/TVH pour habitations neuves*; B-096, 06/07, *Réduction du taux de la TPS/TVH et les immeubles*.

Série de mémorandums [art. 254.1]: Mémorandum 1.5, 09/94, *Définitions*; Mémorandum 19.2, 02/98, *Immeubles résidentiels*; Mémorandum 19.3, 07/98, *Remboursements pour immeubles*; Mémorandum 19.3.1, 07/98, *Remboursement pour habitation construite par un constructeur (fonds acheté)*; Mémorandum 19.3.2, 07/98, *Remboursement pour habitation construite par un constructeur (fonds loué)*; Mémorandum 19.3.4, 07/98, *Remboursement pour habitation construite par le propriétaire*; Mémorandum 19.3.7, 07/98, *Remboursements pour immeubles — Sujets particuliers*; Mémorandum 19.3.8R, 12/07, *Les remboursements pour habitations neuves et la TVH*.

Formulaires [art. 254.1]: FP-2190.A, *Remboursement de taxes demandé par le propriétaire pour une nouvelle habitation et un terrain achetés d'un même constructeur — taux de TPS à 5 % et de TVQ à 7.5 %*; FP-2190.C, *Remboursement de taxes accordé par le constructeur pour une nouvelle habitation — taux de TPS à 5 % et de TVQ à 7.5 %*; GST190, *Demande de remboursement de la TPS/TVH pour les maisons achetées d'un constructeur*; GST439, *Demande de dépôt direct du remboursement de la TPS/TVH pour habitations neuves*; GST494, *Autorisation de versements compensatoires de la TPS pour habitations neuves et remboursements généraux non soumis à une justification*; GST515, *Déclaration finale de taxe sur les produits et services/taxe de vente har-*

monisée pour les institutions fincières désignées particulières; RC4028, *Remboursement de la TPS/TVH pour habitations neuves — Y compris les formulaires GST190, GST191, GST191-WS et GST515.*

Info TPS/TVQ [art. 254.1]: GI-007 — *Exploitation d'un gîte touristique dans votre maison.*

COMMENTAIRES: Cette disposition prévoit un remboursement pour habitations neuves visant les personnes qui achètent un bâtiment destiné à être leur lieu de résidence principale, ce bâtiment étant situé sur un terrain loué aux termes d'un bail de longue durée, *c.-à-d.* d'au moins vingt ans. Cette disposition se distingue de l'article 254 qui sert davantage à calculer le remboursement lorsque la personne paie un montant, à la fois pour l'achat du bâtiment et pour l'achat du terrain sur lequel le bâtiment se trouve.

Cette distinction entre les remboursements prévus aux articles 254 et 254.1 a été analysée par la Cour canadienne de l'impôt dans l'affaire *Reid's Heritage Homes Ltd. c. R.*, 2002 CarswellNat 5150 (C.C.I.). La Cour canadienne de l'impôt, sous la plume du juge Campbell, a analysé une situation où l'appelante prétendait, en se basant sur les positions administratives de l'Agence du revenu du Canada, que l'article 254.1 devait s'appliquer exactement comme l'article 254. Or, la Cour canadienne de l'impôt mentionne que si c'était effectivement l'intention du législateur, on n'aurait pas besoin de deux articles. Le législateur a formulé expressément deux dispositions différentes pour deux circonstances différentes. Le remboursement calculé sous le régime de l'article 254.1 est applicable quand seul le logement est acheté, mais que le terrain est loué. Un remboursement calculé en vertu de l'article 254 présuppose l'achat d'un terrain sous-jacent ainsi que de l'immeuble d'habitation. En appliquant l'article 254, la contrepartie inclut généralement une somme pour le terrain, le bâtiment, l'aménagement et le raccordement aux services publics et les frais de mise en marché engagés par le constructeur, qui sont normalement attribués à l'acheteur. L'avocate de l'appelante a déduit que d'un point de vue raisonnable, l'acheteur d'une nouvelle résidence située sur un terrain loué, sous le régime de l'article 254.1, devrait être admissible au même remboursement qu'un acheteur en propriété absolue sous le régime de l'article 254 et que le mémorandum confirmait son interprétation. Les mémorandums sont des documents d'interprétation rédigés par le Ministère qui a la charge de les administrer et de les faire respecter. Or, la Cour canadienne de l'impôt a souligné qu'elle n'est pas liée par la pratique du ministère même s'il n'est pas rare de l'examiner pour voir si elle peut être utile pour résoudre un doute.

L'alinéa (2)(a) semble requérir la présence d'un seul contrat pour les fournitures. À cet égard, l'Agence du revenu du Canada a conclu que les réclamants ne sont pas admissibles à un remboursement sous 254.1 puisque le contrat de vente de l'habitation et le bail pour la location du fonds ont été rédigés dans des conventions séparées. Voir notamment à cet égard : Agence du revenu du Canada, Lettre de l'Administration centrale sur la TPS, 108293 — *GST/HST new housing rebate availability for the purchase of a modular home* (12 novembre 2010).

Dans l'affaire *Bettle (D.) c. Canada*, 1996 CarswellNat 1835 (C.C.I.), la Cour canadienne de l'impôt devait se pencher sur la question de savoir si le bail en litige était pour une durée qui excédait 20 années. La Cour a souligné l'absence de preuve devant elle et le fait qu'elle ne pouvait modifier les termes clairs du bail. De plus, elle souligne que l'article 254.1 est clair quant à l'exigence d'un bail pour une durée d'au moins 20 ans. Le langage utilisé dans le bail était le suivant: « d'avoir et de tenir ....pour ....le terme d'un mois ... » (traduction libre). Ainsi, il s'agit d'un bail à durée indéterminée, mais qui pouvait être mis fin par le locataire sur un préavis d'un mois. La Cour fait référence ensuite au « bon sens » en indiquant qu'il est peu probable qu'un bail de vingt ans se termine par un préavis d'un mois. Voir également une interprétation similaire par l'Agence du revenu du Canada dans la position administrative suivante : Agence du revenu du Canada, Lettre de l'Administration centrale sur la TPS, 108293 — *GST/HST new housing rebate availability for the purchase of a modular home* (12 novembre 2010)

255. (1) Définition de « proche » — Au présent article, le proche d'un particulier s'entend de son ex-époux ou ancien conjoint de fait ou d'un particulier lié à ce particulier.

Notes historiques: Le paragraphe 255(1) a été modifié par L.C. 2000, c.12, al. 3g), ann. 1 par le remplacement de « ex-conjoint » par « ex-époux ou ancien conjoint de fait ». Cette modification est entrée en vigueur le 1er janvier 2001.

Le paragraphe 255(1) a été ajouté par L.C. 1990, c. 45, par. 12(1).

Concordance québécoise: aucune.

(2) Remboursement — habitation en coopérative — Le ministre verse un remboursement à un particulier dans le cas où, à la fois :

a) une coopérative d'habitation a payé la taxe relativement à une fourniture taxable, effectuée à son profit, d'un immeuble d'habitation;

b) la coopérative fournit une part de son capital social au particulier et lui en transfère la propriété;

c) au moment où le particulier devient responsable ou assume une responsabilité aux termes du contrat de vente de la part conclu entre la coopérative et le particulier, celui-ci acquiert la part pour qu'une habitation de l'immeuble lui serve de résidence habituelle ou serve ainsi à son proche;

d) le total des montants (appelé « contrepartie totale » au présent paragraphe) représentant chacun la contrepartie payable pour la fourniture au profit du particulier de la part, d'une participation dans la coopérative ou d'un droit sur l'immeuble ou le logement, est inférieur à 472 500 $;

e) entre le moment où la construction ou les rénovations majeures de l'immeuble sont achevées en grande partie et celui où la possession du logement est transférée au particulier du fait qu'il est propriétaire de la part, le logement n'a pas été occupé à titre résidentiel ou d'hébergement;

f) selon le cas :

(i) le premier particulier à occuper le logement à titre résidentiel, après le transfert de la possession du logement au particulier, est le particulier ou son proche,

(ii) le particulier effectue par vente une fourniture de la part, et la propriété de celle-ci est transférée à l'acquéreur de cette fourniture avant que le logement ne soit occupé à titre résidentiel ou d'hébergement.

Le remboursement est égal au montant suivant :

g) si la contrepartie totale est de 367 500 $ ou moins, le montant correspondant à 1,71 % de la contrepartie totale;

h) si la contrepartie totale est supérieure à 367 500 $ mais inférieure à 472 500 $, le montant calculé selon la formule suivante :

$$A \times [(472\,500\ \$ - B)/105\,000\ \$]$$

où :

A représente 6 300 $, ou s'il est moins élevé, le montant correspondant à 1,71 % de la contrepartie totale;

B la contrepartie totale.

Notes historiques: Les alinéas 255(2)b) à e) ont été modifiés par L.C. 1993, c. 27, par. 111(1) et (2) et sont réputés entrés en vigueur le 17 décembre 1990. Ils se lisaient auparavant comme suit :

> b) la coopérative fournit une action de son capital-actions au particulier et lui en transfère la propriété;
>
> c) au moment où le particulier devient responsable ou assume une responsabilité aux termes du contrat de vente de l'action conclu entre la coopérative et le particulier, celui-ci acquiert l'action pour qu'une habitation de l'immeuble lui serve de résidence principale ou serve ainsi à son proche;
>
> d) le total des montants — appelé « contrepartie totale » au présent paragraphe — dont chacun représente la contrepartie payable pour la fourniture au profit du particulier de l'action, d'une participation dans la coopérative ou d'un droit sur l'immeuble ou le logement est inférieur à 481 500 $;
>
> e) entre le moment où la construction ou les rénovations majeures de l'immeuble sont achevées en grande partie et celui où la possession du logement est transférée au particulier du fait qu'il est propriétaire de l'action, le logement n'a été occupé à titre résidentiel ou de pension par aucun particulier aux termes d'un accord à cette fin;

L'alinéa 255(2)d) a été remplacé par L.C. 2007, c. 35, par. 190(1) et cette modification s'applique au calcul d'un remboursement relatif à la fourniture, effectuée par une coopérative d'habitation au profit d'un particulier, d'une part de son capital social, si le particulier acquiert la part pour qu'une habitation d'un immeuble d'habitation lui serve de lieu de résidence habituelle, ou serve ainsi l'un de ses proches (au sens du paragraphe 255(1)), et si la demande de remboursement est présentée après décembre 2007, sauf si la taxe prévue au paragraphe 165(1) a été payée par la coopérative au taux de 6 % ou de 7 % relativement à la fourniture de l'immeuble effectuée à son profit. Antérieurement, il se lisait ainsi :

> d) le total des montants, appelé « contrepartie totale » au présent paragraphe, représentant chacun la contrepartie payable pour la fourniture au profit du particulier de la part, d'une participation dans la coopérative ou d'un droit sur l'immeuble ou le logement, est inférieur à 477 000 $;

L'alinéa 255(2)d) a été remplacé par L.C. 2006, c. 4, par. 26(1) et cette modification s'applique au calcul d'un remboursement relatif à la fourniture, effectuée par une coopérative d'habitation au profit d'un particulier, d'une part de son capital social, si le particulier acquiert la part pour qu'une habitation d'un immeuble d'habitation lui serve de lieu de résidence habituelle, ou serve ainsi à l'un de ses proches (au sens du paragraphe 255(1)), et si la demande de remboursement est présentée après juin 2006, sauf si la taxe prévue au paragraphe 165(1) a été payée par la coopérative au taux de 7 % relativement à la fourniture de l'immeuble effectuée à son profit. Antérieurement, il se lisait ainsi :

> d) le total des montants, appelé « contrepartie totale » au présent paragraphe, représentant chacun la contrepartie payable pour la fourniture au profit du particu-

lier de la part, d'une participation dans la coopérative ou d'un droit sur l'immeuble ou le logement est inférieur à 481 500 $;

Les sous-alinéas 255(2)f)(i) et (ii) ont été modifiés par L.C. 1993, c. 27, par. 111(3) et sont réputés entrés en vigueur le 17 décembre 1990. Ils se lisaient auparavant comme suit :

(i) le premier particulier à occuper le logement à titre résidentiel aux termes d'un accord à cette fin, à un moment après le transfert de la possession du logement au particulier, est le particulier ou son proche,

(ii) le particulier effectue par vente une fourniture de l'action, et la propriété de celle-ci est transférée à l'acquéreur de cette fourniture avant que le logement n'ait été occupé à titre résidentiel ou de pension par un particulier aux termes d'un accord à cette fin.

Les alinéas 255(2)g) et h) ont été remplacés par L.C. 2007, c. 35, par. 190(2) et cette modification s'applique au calcul d'un remboursement relatif à la fourniture, effectuée par une coopérative d'habitation au profit d'un particulier, d'une part de son capital social, si le particulier acquiert la part pour qu'une habitation d'un immeuble d'habitation lui serve de lieu de résidence habituelle, ou serve ainsi l'un de ses proches (au sens du paragraphe 255(1)), et si la demande de remboursement est présentée après décembre 2007, sauf si la taxe prévue au paragraphe 165(1) a été payée par la coopérative au taux de 6 % ou de 7 % relativement à la fourniture de l'immeuble effectuée à son profit. Antérieurement, ils se lisaient ainsi :

g) si la contrepartie totale est de 371 000 $ ou moins, un montant égal à 7 560 $ ou, s'il est moins élevé, au montant correspondant à 2,04 % de la contrepartie totale;

h) si la contrepartie totale est supérieure à 371 000 $ mais inférieure à 477 000 $, le montant calculé selon la formule suivante :

$$A \times [(477\ 000\ \$ - B)/106\ 000\ \$]$$

où :

A représente 7 560 $ ou, s'il est moins élevé, le montant correspondant à 2,04 % de la contrepartie totale;

B la contrepartie totale.

L'alinéa 255(2)g) a été remplacé par L.C. 2006, c. 4, par. 26(2) et cette modification s'applique selon les mêmes modalités que la modification apportée à l'alinéa 255(2)d). Antérieurement, il se lisait ainsi :

g) si la contrepartie totale est de 374 500 $ ou moins, un montant égal au moins élevé de 8 750 $ et de 2,34 % de la contrepartie totale;

L'alinéa 255(2)h) a été remplacé par L.C. 2006, c. 4, par. 25(2) et cette modification s'applique selon les mêmes modalités que la modification apportée à l'alinéa 255(2)d). Antérieurement, il se lisait ainsi :

h) si la contrepartie totale est supérieure à 374 500 $ mais inférieure à 481 500 $, le montant calculé selon la formule suivante :

$$A \times \frac{(481\ 500\ \$ - B)}{107\ 000\ \$}$$

où :

A représente le moins élevé de 8 750 $ et de 2,34 % de la contrepartie totale;

B la contrepartie totale.

Le paragraphe 255(2) a été ajouté par L.C. 1990, c. 45, par. 12(1).

Concordance québécoise: LTVQ, art. 370.5, 370.6.

(2.01) Propriétaire-occupant d'une habitation — Pour l'application du paragraphe (2.1), un particulier est propriétaire-occupant d'une habitation à un moment donné si l'habitation est sa résidence habituelle à ce moment et si, selon le cas :

a) à ce moment, elle lui appartient ou appartient à un autre particulier qui est son époux ou conjoint de fait à ce moment;

b) elle est située dans un immeuble d'habitation d'une coopérative d'habitation et le particulier, ou un autre particulier qui est son époux ou conjoint de fait à ce moment, détient à ce moment une part du capital social de la coopérative pour utiliser l'habitation.

Notes historiques: Le paragraphe 255(2.01) a été ajouté par L.C. 2007, c. 18, par. 39(1) et s'applique au calcul du remboursement d'un particulier relatif à une part du capital social d'une coopérative d'habitation si, selon le cas :

a) la convention d'achat-vente de la part est conclue par le particulier après 2001;

b) l'habitation relativement à laquelle le particulier acquiert la part au moment mentionné à l'alinéa 255(2)c) sert de résidence habituelle au particulier ou à l'un de ses proches, au sens du paragraphe 255(1), pour la première fois après juin 2002;

c) la propriété de la part est transférée au particulier après juin 2002.

Concordance québécoise: aucune.

(2.02) Date de transfert — Pour l'application du paragraphe (2.1), la date de transfert relative à une part du capital social d'une coopérative d'habitation qui est fournie au particulier donné visé à ce paragraphe correspond à la date où la propriété de la part lui est transférée.

Notes historiques: Le paragraphe 255(2.02) a été ajouté par L.C. 2007, c. 18, par. 39(1) et s'applique au calcul du remboursement d'un particulier relatif à une part du capital social d'une coopérative d'habitation si, selon le cas :

a) la convention d'achat-vente de la part est conclue par le particulier après 2001;

b) l'habitation relativement à laquelle le particulier acquiert la part au moment mentionné à l'alinéa 255(2)c) sert de résidence habituelle au particulier ou à l'un de ses proches, au sens du paragraphe 255(1), pour la première fois après juin 2002;

c) la propriété de la part est transférée au particulier après juin 2002.

Concordance québécoise: aucune.

(2.1) Remboursement en Nouvelle-Écosse — Sous réserve du paragraphe (3), le ministre rembourse un particulier donné si les conditions suivantes sont réunies :

a) le particulier donné a acquis une part du capital social d'une coopérative d'habitation pour qu'une habitation d'un immeuble d'habitation de la coopérative situé en Nouvelle-Écosse lui serve de résidence habituelle ou serve ainsi à l'un de ses proches;

b) la coopérative a payé la taxe prévue au paragraphe 165(2) relativement à la fourniture taxable de l'immeuble effectuée à son profit;

c) le particulier a droit au remboursement prévu au paragraphe (2) relativement à la part, ou y aurait droit si le total (appelé « contrepartie totale » au présent paragraphe) des montants représentant chacun la contrepartie payable pour la fourniture au profit du particulier de la part, d'une participation dans la coopérative ou d'un droit sur l'immeuble ou le logement, était inférieur à 472 500 $;

d) il s'avère, selon le cas :

(i) que ni le particulier donné ni un autre particulier qui est son époux ou conjoint de fait à la date de transfert n'était le propriétaire-occupant d'une habitation dans un autre immeuble d'habitation au Canada au cours de la période (appelée « période pertinente » au présent alinéa) qui commence le premier jour du premier mois civil complet de la période de cinq ans se terminant à la date de transfert et qui prend fin à cette date,

(ii) que, le dernier jour où l'un des particuliers mentionnés au sous-alinéa (i) était le propriétaire-occupant d'une habitation dans un immeuble d'habitation au Canada au cours de la période pertinente, cette habitation a été détruite autrement que par un acte de volonté de leur part;

e) si, au moment mentionné à l'alinéa (2)c), le particulier donné acquiert la part pour qu'une habitation de l'immeuble serve de résidence habituelle à l'un de ses proches et non à lui-même ni à son époux ou conjoint de fait, les circonstances visées aux sous-alinéas d)(i) ou (ii) seraient réunies s'il était question, à ces sous-alinéas, non pas du particulier donné, mais du proche.

Le montant remboursable s'ajoute à celui qui est payable au particulier donné selon le paragraphe (2) et correspond à 1 500 $ ou, s'il est inférieur, au montant représentant 1,39 % de la contrepartie totale.

Notes historiques: L'alinéa 255(2.1)c) a été remplacé par L.C. 2007, c. 35, par. 190(3) et cette modification s'applique au calcul d'un remboursement relatif à la fourniture, effectuée par une coopérative d'habitation au profit d'un particulier, d'une part de son capital social, si le particulier acquiert la part pour qu'une habitation d'un immeuble d'habitation lui serve de lieu de résidence habituelle, ou serve ainsi l'un de ses proches (au sens du paragraphe 255(1)), et si la demande de remboursement est présentée après décembre 2007, sauf si la taxe prévue au paragraphe 165(1) a été payée par la coopérative au taux de 6 % ou de 7 % relativement à la fourniture de l'immeuble effectuée à son profit. Antérieurement, il se lisait ainsi :

c) le particulier donné a droit au remboursement prévu au paragraphe (2) relativement à la part, ou y aurait droit si le total (appelé « contrepartie totale » au présent paragraphe) des montants, représentant chacun la contrepartie payable pour la fourniture au profit du particulier donné de la part, d'une participation dans la coopérative ou d'un droit sur l'immeuble ou le logement, était inférieur à 477 000 $;

LTA (TPS)

L'alinéa 255(2.1)c) a été remplacé par L.C. 2007, c. 18, par. 39(2) et cette modification s'applique au calcul d'un remboursement relatif à la fourniture, effectuée par une coopérative d'habitation au profit d'un particulier, d'une part de son capital social, si le particulier acquiert la part pour qu'une habitation d'un immeuble d'habitation lui serve de lieu de résidence habituelle, ou serve ainsi à l'un de ses proches (au sens du paragraphe 255(1), et si la demande de remboursement est présentée après juin 2006, sauf si la taxe prévue au paragraphe 165(1)) a été payée par la coopérative au taux de 7 % relativement à la fourniture de l'immeuble effectuée à son profit. Antérieurement, il se lisait ainsi :

> c) le particulier donné a droit au remboursement prévu au paragraphe (2) relativement à la part, ou y aurait droit si le total (appelé « contrepartie totale » au présent paragraphe) des montants, représentant chacun la contrepartie payable pour la fourniture au profit du particulier donné de la part, d'une participation dans la coopérative ou d'un droit sur l'immeuble ou le logement, était inférieur à 481 500 $;

L'alinéa 255(2.1)c) a été remplacé par L.C. 2006, c. 4, par. 26(3) et cette modification s'applique selon les mêmes modalités que la modification apportée à l'alinéa 255(2)d). Antérieurement, il se lisait ainsi :

> c) le particulier a droit au remboursement prévu au paragraphe (2) relativement à la part, ou y aurait droit si le total (appelé « contrepartie totale » au présent paragraphe) des montants représentant chacun la contrepartie payable pour la fourniture au profit du particulier de la part, d'une participation dans la coopérative ou d'un droit sur l'immeuble ou le logement, était inférieure à 481 500 $.

Le paragraphe 255(2.1) a été remplacé par L.C. 2007, c. 18, par. 39(1) et cette modification s'applique au calcul du remboursement d'un particulier relatif à une part du capital social d'une coopérative d'habitation si, selon le cas :

> a) la convention d'achat-vente de la part est conclue par le particulier après 2001;
>
> b) l'habitation relativement à laquelle le particulier acquiert la part au moment mentionné à l'alinéa 255(2)c) sert de résidence habituelle au particulier ou à l'un de ses proches, au sens du paragraphe 255(1), pour la première fois après juin 2002;
>
> c) la propriété de la part est transférée au particulier après juin 2002.

Antérieurement, il se lisait ainsi :

> (2.1) Sous réserve du paragraphe (3), le ministre rembourse un particulier dans le cas où, à la fois :
>
> a) le particulier a acquis une part du capital social d'une coopérative d'habitation pour qu'une habitation d'un immeuble d'habitation de la coopérative situé en Nouvelle-Écosse lui serve de résidence habituelle ou serve ainsi à son proche;
>
> b) la coopérative a payé la taxe prévue au paragraphe 165(2) relativement à la fourniture taxable de l'immeuble effectuée à son profit;
>
> c) le particulier a droit au remboursement prévu au paragraphe (2) relativement à la part, ou y aurait droit si le total (appelé « contrepartie totale » au présent paragraphe) des montants représentant chacun la contrepartie payable pour la fourniture au profit du particulier de la part, d'une participation dans la coopérative ou d'un droit sur l'immeuble ou le logement, était inférieur à 481 500 $.
>
> Le montant remboursable s'ajoute à celui qui est payable au particulier selon le paragraphe (2) et correspond à 2 250 $ ou, s'il est inférieur, au montant représentant 1,39 % de la contrepartie totale.

Le paragraphe 255(2.1) a été remplacé par L.C. 2000, c. 30, par. 73(1). Cette modification est réputée entrée en vigueur le 1er avril 1997. Antérieurement, il se lisait comme suit :

> (2.1) Sous réserve du paragraphe (3), le ministre rembourse un montant au particulier qui a acquis une part du capital social d'une coopérative d'habitation pour qu'une habitation d'un immeuble d'habitation de la coopérative situé en Nouvelle-Écosse lui serve de résidence habituelle ou serve ainsi à son proche et qui a droit au remboursement prévu au paragraphe (2) relativement à la part, ou y aurait droit si le total (appelé « contrepartie totale » au présent paragraphe) des montants représentant chacun la contrepartie payable pour la fourniture au profit du particulier de la part, d'une participation dans la coopérative ou d'un droit sur l'immeuble ou le logement, était inférieure à 481 500 $. Le montant du remboursement s'ajoute à celui qui est payable au particulier selon le paragraphe (2) et correspond à 2 250 $ ou, s'il est inférieur, au montant représentant 1,39 % de la contrepartie totale.

Le paragraphe 255(2.1) a été ajouté par L.C. 1997, c. 10, par. 223(1) et est entré en vigueur le 1er avril 1997.

Concordance québécoise: aucune.

(3) Demande de remboursement — Le montant du remboursement prévu au présent article n'est versé que si le particulier en fait la demande dans les deux ans suivant le jour où la propriété de la part du capital social de la coopérative d'habitation lui est transférée.

Notes historiques: Le paragraphe 255(3) a été modifié par L.C. 1997, c. 10, par. 222(1) et cette modification est entrée en vigueur le 1er avril 1997. Il se lisait comme suit :

> (3) Le remboursement n'est versé que si le particulier en fait la demande dans les deux ans suivant le jour où la propriété de la part du capital social de la coopérative d'habitation lui est transférée.

Le paragraphe 255(3) a été modifié par L.C. 1997, c. 10, par. 65(1) et cette modification s'applique aux remboursements visant une part du capital social d'une coopérative d'habitation, part dont la propriété est transférée après juin 1996 à la personne qui demande le remboursement. Il se lisait comme suit :

> (3) Le remboursement n'est accordé que si le particulier en fait la demande dans les quatre ans suivant le jour où la propriété de la part du capital social de la coopérative d'habitation lui est transférée.

Auparavant, ce paragraphe a été modifié par L.C. 1993, c. 27, par. 111(4) et est réputé entré en vigueur le 17 décembre 1990. Il se lisait comme suit :

> (3) Le remboursement n'est versé que si le particulier en fait la demande dans les quatre ans suivant le jour où la propriété de l'action du capital-actions de la coopérative d'habitation lui est transférée.

Le paragraphe 255(3) a été ajouté par L.C. 1990, c. 45, par. 12(1).

Concordance québécoise: LTVQ, art. 370.7.

juin 2006, Notes explicatives: L'article 255 permet d'accorder à un particulier un remboursement au titre de l'achat d'une part dans une coopérative d'habitation qu'il a acquise pour qu'une habitation neuve de la coopérative lui serve de lieu de résidence habituelle ou serve ainsi à un particulier qui lui est lié ou à son ex-époux ou ancien conjoint de fait. Le paragraphe 255(2) prévoit le remboursement partiel d'un montant équivalant à la taxe prévue au paragraphe 165(1) qui est enchâssée dans le prix de la part. Le paragraphe 255(2.1) prévoit le remboursement partiel de la composante provinciale de la TVH qui est enchâssée dans le prix de la part si l'habitation est située en Nouvelle-Écosse et que la part est acquise par un acheteur admissible qui a également droit au remboursement prévu au paragraphe 255(2).

Les alinéas 255(2)d), g) et h) font mention des mêmes sommes qu'à l'article 254, qui prévoit un remboursement pour l'achat, auprès d'un constructeur, d'un immeuble d'habitation et du fonds qui en fait partie. L'alinéa 255(2.1)c) fait aussi mention de la valeur à laquelle l'acheteur cesse d'avoir droit au remboursement prévu au paragraphe (2).

Par suite de la modification apportée au paragraphe 165(1), qui consiste à ramener de 7 % à 6 % le taux auquel la taxe est calculée, les alinéas 255(2)g) et h) sont modifiés de façon à réduire le montant remboursable maximal pour le faire passer de 8 750 $ à 7 560 $, ce qui correspond au montant remboursable maximal accordé selon le paragraphe 254(2), dans sa version modifiée. Les alinéas 255(2)d), g) et h), de même que l'alinéa 255(2.1)c), sont également modifiés de façon à réduire les sommes de 374 500 $, 481 500 $ et 107 000 $ qui figurent à ces alinéas pour les faire passer respectivement à 371 000 $, 477 000 $ et 106 000 $. Ces sommes correspondent à des montants similaires — avec une composante de taxe enchâssée — qui ont été rajustés pour tenir compte de la modification apportée au paragraphe 165(1). Enfin, la mention « 2,34 % » aux alinéas 255(2)g) et h) est modifiée. Ce pourcentage correspond au montant remboursable selon le paragraphe 254(2), si ce montant devait être exprimé en fonction d'un remboursement applicable au prix d'un immeuble d'habitation, TPS de 7 % incluse. La modification apportée à ces alinéas consiste à remplacer « 2,34 % » par « 2,04 % » en raison de la réduction du taux auquel la taxe est calculée selon le paragraphe 165(1), dans sa version modifiée.

Ces modifications s'appliquent relativement aux demandes de remboursement présentées après juin 2006, sauf si la coopérative d'habitation a payé la taxe prévue au paragraphe 165(1) au taux de 7 % relativement à la fourniture, effectuée à son profit, de l'immeuble d'habitation dans lequel l'habitation est située.

Définitions [art. 255]: « acquéreur », « coopérative », « coopérative d'habitation », « contrepartie », « ex-conjoint », « fourniture », « fourniture taxable », « habitation », « immeuble d'habitation », « ministre », « montant », « rénovations majeures », « taxe », « vente » — 123(1).

Renvois [art. 255]: 126 (personnes liées); 256.2 (5) (remboursement pour coopérative d'habitation); 256.2 (5) (remboursement transitoire — réduction de taux pour 2008); 262 (forme et production de la demande); 263 (restriction); 264 (montant remboursé en trop ou intérêts payés en trop); 296(2.1), (3.2) (application d'un montant de remboursement non demandé); 297 (détermination du remboursement par le ministre).

Décrets de remise [art. 255]: *Décret de remise visant Richard Eaglestone* 2012-827 C.P. 2012-827 .

Énoncés de politique [art. 255]: P-111R, 25/05/93, *Définition d'une vente à l'égard d'un immeuble*; P-130, 05/08/92, *Lieu de résidence*; P-228, 30/03/99, *Résidence habituelle*.

Mémorandums [art. 255]: TPS 300-4-1, 08/03/91 TPS-500-4-5, 15/04/94, *Remboursements pour habitations et autres immeubles*, par. 1–8, 28–31, 40–52, 56; TPS 500-4-5, 15/04/94, *Remboursements pour habitations et autres immeubles*.

Série de mémorandums [art. 255]: Mémorandum 1.5, 09/94, *Définitions*; Mémorandum 19.2.4, 06/98, *Immeubles résidentiels — Sujets particuliers*; Mémorandum 19.3, 07/98, *Remboursements pour immeubles*; Mémorandum 19.3.3, 07/98, *Remboursement* *pour habitation en coopérative*; Mémorandum 19.3.8R, 12/07, *Les remboursements pour habitations neuves et la TVH*; Mémorandum 19.3.8.1, 01/08, *Les remboursements pour habitations neuves et la TVH de 13 %.*

Formulaires [art. 255]: FP-190 *Demande de remboursement de la taxe sur les produits et services pour habitations neuves*; GST190, *Demande de remboursement de la TPS/TVH pour les maisons achetées d'un constructeur*; GST439, *Demande de dépôt direct du remboursement de la TPS/TVH pour habitations neuves*; GST515, *Déclaration finale de taxe sur les produits et services/taxe de vente harmonisée pour les institutions fincières désignées particulières.*

COMMENTAIRES: Une coopérative d'habitation est définie au paragraphe 123(1).

La part du capital social de la coopérative d'habitation est un service financier au sens de cette définition qui figure au paragraphe 123(1). Par conséquent, le transfert d'une part du capital social de la coopération d'habitation qui est visé par l'alinéa (2)(b) est une fourniture exonérée.

Ce remboursement est similaire à celui qui prévaut sous l'article 254, mais reflète le fait que la coopérative a dû payer la TPS sur les achats de ses unités sans avoir été en mesure de réclamer de crédit de taxe sur les intrants afférents.

En vertu du paragraphe (3), le délai pour réclamer le remboursement est de deux ans suivant la date de transfert de la propriété. Nous vous invitons à consulter nos commentaires en vertu de l'article 261 pour une discussion sur la présence d'un délai de rigueur et, le cas échéant, sur la possibilité de bénéficier d'un recours alternatif lorsque le délai prescrit est expiré.

256. (1) Définitions — Les définitions qui suivent s'appliquent au présent article.

« immeuble d'habitation à logement unique » Est assimilé à un immeuble d'habitation à logement unique :

a) l'immeuble d'habitation à logements multiples de deux habitations;

b) tout autre immeuble d'habitation à logements multiples, s'il est visé à l'alinéa c) de la définition de « immeuble d'habitation » au paragraphe 123(1) et contient une ou plusieurs habitations qui sont destinées à être fournies comme chambres dans un hôtel, un motel, une auberge, une pension ou un gîte semblable et qui ne seraient pas considérées comme faisant partie de l'immeuble d'habitation si celui-ci n'était pas visé à cet alinéa.

Notes historiques: La définition de « immeuble d'habitation à logement unique » au paragraphe 256(1) a été remplacée par L.C. 2001, c. 15, par. 14(1). Cette modification est réputée entrée en vigueur le 1er juin 1997 et s'applique lorsqu'il s'agira de calculer le remboursement d'une personne en vertu de l'article 256 relativement à un immeuble d'habitation qu'elle a construit ou fait construire ou auquel elle a fait ou fait faire des rénovations majeures, si la construction ou les rénovations majeures ne sont achevées en grande partie qu'après mai 1997.

Dans le cas où, à la fois :

a) une personne aurait droit à un remboursement en vertu de l'article 256 relativement à un immeuble d'habitation à logement unique visé à l'alinéa b) de la définition de cette expression à cet article, si la période prévue pour la présentation de la demande de remboursement ou le nombre de demandes visant un même remboursement n'étaient pas limités,

b) la date limite à laquelle la personne serait tenue, en l'absence du présent alinéa, de présenter une demande de remboursement est antérieure au 31 mars 2003,

malgré le paragraphe 256(3), la personne a jusqu'au 31 mars 2003 pour présenter une demande de remboursement au ministre du Revenu national. Cette demande peut, malgré le paragraphe 262(2), être la deuxième demande visant le même remboursement si, avant mars 2001, le premier remboursement demandé a fait l'objet d'une cotisation.

Antérieurement, la définition de « immeuble d'habitation à logement unique » au paragraphe 256(1) se lisait ainsi :

« immeuble d'habitation à logement unique » Est assimilé à l'immeuble d'habitation à logement unique l'immeuble d'habitation à logements multiples de deux habitations.

Concordance québécoise: LTVQ, art. 360.5.

« proche » L'ex-époux ou ancien conjoint de fait d'un particulier ou un autre particulier lié à ce particulier.

Notes historiques: La définition de « proche » au paragraphe 256(1) a été modifiée par L.C. 2000, c.12, al. 3h), ann. 1 par le remplacement de « ex-conjoint » par « ex-époux ou ancien conjoint de fait ». Cette modification est entrée en vigueur le 1er janvier 2001.

Le paragraphe 256(1) a été modifié par L.C. 1993, c. 27, par. 112(1) et est réputé entré en vigueur le 17 décembre 1990. Le paragraphe 256(1), édicté par L.C. 1990, c. 45, par. 12(1), se lisait auparavant comme suit :

256. (1) Au présent article, le proche d'un particulier s'entend de son ex-conjoint ou d'un particulier lié à ce particulier.

Concordance québécoise: aucune.

(2) Remboursement — habitation construite par soi-même — Le ministre verse un remboursement à un particulier dans le cas où, à la fois :

a) le particulier, lui-même ou par un intermédiaire, construit un immeuble d'habitation — immeuble d'habitation à logement unique ou logement en copropriété — ou y fait des rénovations majeures, pour qu'il lui serve de résidence habituelle ou serve ainsi à son proche;

b) la juste valeur marchande de l'immeuble, au moment où les travaux sont achevés en grande partie, est inférieure à 450 000 $;

c) le particulier a payé la taxe prévue à la section II relativement à la fourniture par vente, effectuée à son profit, du fonds qui fait partie de l'immeuble ou d'un droit sur ce fonds, ou relativement à la fourniture effectuée à son profit, ou à l'importation par lui, d'améliorations à ce fonds ou, dans le cas d'une maison mobile ou d'une maison flottante, de l'immeuble (le total de cette taxe prévue au paragraphe 165(1) et aux articles 212 et 218 étant appelé « total de la taxe payée par le particulier » au présent paragraphe);

d) selon le cas :

(i) le premier particulier à occuper l'immeuble après le début des travaux est le particulier ou son proche,

(ii) le particulier effectue par vente une fourniture exonérée de l'immeuble, et la propriété de celui-ci est transférée à l'acquéreur avant que l'immeuble ne soit occupé à titre résidentiel ou d'hébergement.

Le montant remboursable est égal au montant obtenu par la formule suivante :

$$A \times (450\,000\ \$ - B)/100\,000\ \$$$

où :

A représente 36 % du total de la taxe payée par le particulier avant l'envoi de la demande de remboursement au ministre ou, s'il est moins élevé, celui des montants ci-après qui est applicable :

(i) si la totalité ou la presque totalité de la taxe a été payée au taux de 5 %, 6 300 $,

(ii) si la totalité ou la presque totalité de la taxe a été payée au taux de 6 %, 7 560 $,

(iii) dans les autres cas, 8 750 $ ou, s'il est moins élevé, le montant obtenu par la formule suivante :

$$(C \times 2\,520\ \$) + (D \times 1\,260\ \$) + 6\,300\ \$$$

où :

C représente le pourcentage qui représente la mesure dans laquelle la taxe a été payée au taux de 7 %,

D le pourcentage qui représente la mesure dans laquelle la taxe a été payée au taux de 6 %,

B 350 000 $ ou, si elle est plus élevée, la juste valeur marchande de l'immeuble visée à l'alinéa b).

Notes historiques: L'alinéa 256(2)a) a été modifié par L.C. 1997, c. 10, par. 66(1) et cette modification s'applique aux remboursements visant un immeuble d'habitation relativement auxquels une demande est présentée au ministre du Revenu national après le 22 avril 1996, sauf si, selon le cas :

a) l'immeuble a été occupé à titre résidentiel ou d'hébergement après le début de sa construction ou des rénovations majeures dont il fait l'objet et avant le 23 avril 1996;

b) la construction ou les rénovations majeures de l'immeuble étaient achevées en grande partie avant le 23 avril 1996;

c) le demandeur a transféré la propriété de l'immeuble avant le 23 avril 1996 à l'acquéreur d'une fourniture par vente de celui-ci.

Il se lisait comme suit :

a) le particulier, lui-même ou par un intermédiaire, construit un immeuble d'habitation à logement unique, ou y fait des rénovations majeures, pour qu'il lui serve de résidence habituelle ou serve ainsi à son proche;

Auparavant, l'alinéa 256(2)a) a été modifié par L.C. 1993, c. 27, par. 112(2) et est réputé entré en vigueur le 17 décembre 1990.

L'alinéa 256(2)a) se lisait auparavant comme suit :

a) le particulier, lui-même ou par un intermédiaire, construit un immeuble d'habitation à logement unique, ou y fait des rénovations majeures, pour qu'il lui serve de résidence principale ou serve ainsi à son proche;

L'alinéa 256(2)c) a été modifié par L.C. 1997, c. 10, par. 224(1) et cette modification est entrée en vigueur le 1er avril 1997. Auparavant, cet alinéa se lisait comme suit :

c) le particulier a payé la taxe prévue à la section II relativement à la fourniture par vente, effectuée à son profit, du fonds qui fait partie de l'immeuble ou d'un droit sur ce fonds, ou relativement à la fourniture effectuée à son profit, d'amélioration à ce fonds;

Le passage du paragraphe 256(2) suivant l'alinéa d) a été remplacé par L.C. 2006, c. 4, par. 27(1) et cette modification s'applique au remboursement visant un immeuble d'habitation relativement auquel une demande est présentée au ministre du Revenu national après juin 2006. Antérieurement, il se lisait ainsi :

Le montant remboursable est égal au montant suivant :

e) si la juste valeur marchande visée à l'alinéa b) est d'au plus 350 000 $, 8 750 $ ou, s'il est inférieur, le montant représentant 36 % du total de la taxe payée par le particulier avant l'envoi de la demande de remboursement au ministre;

f) sinon, le résultat du calcul suivant :

$$A \times \frac{(450\ 000\ \$ - B)}{100\ 000\ \$}$$

où :

A représente 8 750 $ ou, s'il est inférieur, le montant représentant 36 % du total de la taxe payée par le particulier avant l'envoi de la demande de remboursement au ministre,

B la juste valeur marchande de l'immeuble visée à l'alinéa b).

L'alinéa 256(2)e) a été modifié par L.C. 1997, c. 10, par. 224(2) et cette modification est entrée en vigueur le 1er avril 1997. Auparavant, cet alinéa, modifié par L.C. 1993, c. 27, par. 112(3), se lisait comme suit :

e) si la juste valeur marchande visée à l'alinéa b) est d'au plus 350 000 $, le moins élevé de 8 750 $ et de 36 % du total de la taxe visée à l'alinéa c) payée avant l'envoi de la demande de remboursement au ministre;

L'élément A de la formule figurant à l'alinéa 256(2)f) a été modifié par L.C. 1997, c. 10, par. 224(3) et cette modification est entrée en vigueur le 1er avril 1997.

Auparavant, cet élément, modifié par L.C. 1993, c. 27, par. 112(3), se lisait comme suit :

A représente le moins élevé de 8 750 $ et de 36 % du total de la taxe visée à l'alinéa c) payée avant l'envoi de la demande de remboursement au ministre,

Les alinéas 256(2)d) à f) ont été modifiés et les alinéas 256(2)g) et h) ont été abrogés par L.C. 1993, c. 27, par. 112(3) qui est réputé entré en vigueur le 17 décembre 1990. Malgré le paragraphe 262(2) et sous réserve de l'article 263, la personne qui demande un remboursement pour un montant calculé en conformité avec la version antérieure des alinéas 256(2)f) ou h) peut demander un second remboursement pour un montant calculé en conformité avec les alinéas 256(2)e) ou f). Les alinéas 256(2)d) à h) se lisaient auparavant comme suit :

d) selon le cas :

(i) le premier particulier à occuper l'immeuble aux termes d'un accord à cette fin, à un moment après le début des travaux, est le particulier ou son proche,

(ii) le particulier effectue par vente une fourniture exonérée de l'immeuble, et la propriété de celui-ci est transférée à l'acquéreur de cette fourniture avant que l'immeuble n'ait été occupé à titre résidentiel ou de pension par un particulier aux termes d'un accord à cette fin.

Le remboursement est égal au montant suivant :

e) si la juste valeur marchande visée à l'alinéa b) est de 350 000 $ ou moins et la fourniture, effectuée au profit du particulier, du fonds qui fait partie de l'immeuble est une fourniture taxable par vente, le moins élevé de 8 750 $ et de 36 % du total de la taxe visée à l'alinéa c) payée avant l'envoi de la demande de remboursement au ministre;

f) si la juste valeur marchande visée à l'alinéa b) est de 350 000 $ ou moins et la fourniture, effectuée au profit du particulier, de fonds qui fait partie de l'immeuble n'est pas une fourniture taxable par vente, le moins élevé de 1 720 $ et de 10 % de la taxe visée à l'alinéa c) payée avant l'envoi de la demande de remboursement au ministre;

g) si la juste valeur marchande visée à l'alinéa b) est supérieure à 350 000 $ mais inférieure à 450 000 $ et la fourniture, effectuée au profit du particulier, du fonds qui fait partie de l'immeuble est une fourniture taxable par vente, le montant calculé selon la formule suivante :

$$A \times \frac{(450\ 000\ \$ - B)}{100\ 000\ \$}$$

où :

A représente le moins élevé de 8 750 $ et de 36 % du total de la taxe visée à l'alinéa c) payée avant l'envoi de la demande de remboursement au ministre;

B la juste valeur marchande de l'immeuble visée à l'alinéa b);

h) si la juste valeur marchande visée à l'alinéa b) est supérieure à 350 000 $ mais inférieure à 45 000 $ et la fourniture, effectuée au profit du particulier, du fonds qui fait partie de l'immeuble n'est pas une fourniture taxable par vente, le montant calculé selon la formule suivante :

$$A \times \frac{(450\ 000\ \$ - B)}{100\ 000\ \$}$$

où :

A représente le moins élevé de 1 720 $ et de 10 % du total de la taxe visée à l'alinéa c) payée avant l'envoi de la demande de remboursement au ministre;

B la juste valeur marchande de l'immeuble visée à l'alinéa b).

Les sous-alinéas (i) et (ii) de l'élément A de la formule au paragraphe 256(2) ont été remplacés et le sous-alinéa (iii) a été ajouté par L.C. 2007, c. 35, par. 191(1) et ces modifications s'appliquent au remboursement visant un immeuble d'habitation relativement auquel une demande est présentée au ministre du Revenu national après décembre 2007. Antérieurement, ils se lisaient ainsi :

(i) si la totalité ou la presque totalité de la taxe a été payée au taux de 6 %, 7 560 $,

(ii) dans les autres cas, 8 750 $ ou, s'il est moins élevé, le montant obtenu par la formule suivante :

$$(C \times 1\ 260\ \$) + 7\ 560\ \$$$

où :

C représente le pourcentage qui représente la mesure dans laquelle la taxe a été payée au taux de 7 %,

Le paragraphe 256(2) a été ajouté par L.C. 1990, c. 45, par. 12(1).

Concordance québécoise: LTVQ, art. 370.9, 370.10, 370.10.1.

(2.01) Occupation d'une habitation lors de sa construction ou rénovation — La taxe qui se rapporte aux améliorations qu'un particulier acquiert relativement à un immeuble d'habitation qu'il construit ou auquel il fait des rénovations majeures et qui devient payable par lui plus de deux ans après le jour où l'immeuble est occupé pour la première fois de la manière prévue au sous-alinéa (2)d)(i) n'entre pas dans le calcul du total de la taxe visée à l'alinéa (2)c) qu'il a payée.

Notes historiques: Le paragraphe 256(2.01) a été ajouté par L.C. 1997, c. 10, par. 66(2) et s'applique aux remboursements visant un immeuble d'habitation relativement auxquels une demande est présentée au ministre du Revenu national après le 22 avril 1996, sauf si, selon le cas :

a) l'immeuble a été occupé à titre résidentiel ou d'hébergement après le début de sa construction ou des rénovations majeures dont il fait l'objet et avant le 23 avril 1996;

b) la construction ou les rénovations majeures de l'immeuble étaient achevées en grande partie avant le 23 avril 1996;

c) le demandeur a transféré la propriété de l'immeuble avant le 23 avril 1996 à l'acquéreur d'une fourniture par vente de celui-ci.

Concordance québécoise: LTVQ, art. 370.9.1.

(2.02) Propriétaire-occupant d'une habitation — Pour l'application du paragraphe (2.1), un particulier est propriétaire-occupant d'une habitation à un moment donné si l'habitation est sa résidence habituelle à ce moment et si, selon le cas :

a) à ce moment, elle lui appartient ou appartient à un autre particulier qui est son époux ou conjoint de fait à ce moment;

b) elle est située dans un immeuble d'habitation d'une coopérative d'habitation et le particulier, ou un autre particulier qui est son époux ou conjoint de fait à ce moment, détient à ce moment une part du capital social de la coopérative pour utiliser l'habitation.

Notes historiques: Le paragraphe 256(2.02) a été ajouté par L.C. 2007, c. 18, par. 40(1) et s'applique au calcul du remboursement d'un particulier relatif à un immeuble d'habitation qu'il a construit ou fait construire si, selon le cas :

a) le permis de construction afférent est délivré après 2001;

b) l'immeuble sert de résidence habituelle au particulier ou à l'un de ses proches, au sens du paragraphe 256(1), pour la première fois après juin 2002.

Concordance québécoise: aucune.

(2.03) Date d'achèvement — Pour l'application du paragraphe (2.1), la date d'achèvement d'un immeuble d'habitation que le particulier donné visé à ce paragraphe a construit ou fait construire correspond à la date où la construction est achevée en grande partie.

Notes historiques: Le paragraphe 256(2.03) a été ajouté par L.C. 2007, c. 18, par. 40(1) et s'applique au calcul du remboursement d'un particulier relatif à un immeuble d'habitation qu'il a construit ou fait construire si, selon le cas :

a) le permis de construction afférent est délivré après 2001;

b) l'immeuble sert de résidence habituelle au particulier ou à l'un de ses proches, au sens du paragraphe 256(1), pour la première fois après juin 2002.

Concordance québécoise: aucune.

(2.1) Remboursement en Nouvelle-Écosse — Sous réserve du paragraphe (3), le ministre rembourse un particulier donné si les conditions suivantes sont réunies :

a) le particulier donné a droit au remboursement prévu au paragraphe (2) relativement à un immeuble d'habitation qu'il a construit ou fait construire et qui doit lui servir de résidence habituelle en Nouvelle-Écosse ou servir ainsi à l'un de ses proches, ou aurait droit à ce remboursement si la juste valeur marchande de l'immeuble, au moment où les travaux de construction de celui-ci sont achevés en grande partie, était inférieure à 450 000 $;

b) le particulier donné a payé la totalité de la taxe payable par lui relativement à la fourniture par vente, effectuée à son profit, du fonds qui fait partie de l'immeuble ou d'un droit sur ce fonds ou relativement à la fourniture effectuée à son profit, ou à l'importation ou au transfert par lui en Nouvelle-Écosse, d'améliorations à ce fonds ou, dans le cas d'une maison mobile ou d'une maison flottante, de l'immeuble (le total de cette taxe prévue au paragraphe 165(2) et aux articles 212.1, 218.1 et 220.05 à 220.07 étant appelé « total de la taxe relative à la province payée par le particulier donné » au présent paragraphe);

c) il s'avère, selon le cas :

(i) que ni le particulier donné ni un autre particulier qui est son époux ou conjoint de fait à la date d'achèvement n'était le propriétaire-occupant d'une habitation dans un autre immeuble d'habitation au Canada au cours de la période (appelée « période pertinente » au présent alinéa) qui commence le premier jour du premier mois civil complet de la période de cinq ans se terminant à la date d'achèvement et qui prend fin à cette date,

(ii) que, le dernier jour où l'un des particuliers mentionnés au sous-alinéa (i) était le propriétaire-occupant d'une habitation dans un immeuble d'habitation au Canada au cours de la période pertinente, cette habitation a été détruite autrement que par un acte de volonté de leur part;

d) si le particulier donné a construit ou fait construire l'immeuble pour qu'il serve de résidence habituelle à l'un de ses proches et non à lui-même ni à son époux ou conjoint de fait, les circonstances visées aux sous-alinéas c)(i) ou (ii) seraient réunies s'il était question, à ces sous-alinéas, non pas du particulier donné, mais du proche.

Le montant remboursable s'ajoute à celui qui est payable au particulier donné selon le paragraphe (2) et correspond soit au montant déterminé selon les modalités réglementaires, soit, à défaut, à 1 500 $ ou, s'il est inférieur, au montant représentant 18,75 % du total de la taxe relative à la province payée par le particulier donné.

Notes historiques: Le passage du paragraphe 256(2.1) suivant l'alinéa d) a été remplacé par. L.C. 2009, c. 32, par. 27(1) et cette modification est entrée en vigueur le 1er juillet 2010. Antérieurement, il se lisait ainsi :

Le montant remboursable s'ajoute à celui qui est payable au particulier donné selon le paragraphe (2) et correspond à 1 500 $ ou, s'il est inférieur, au montant représentant 18,75 % du total de la taxe relative à la province payée par le particulier donné.

Le paragraphe 256(2.1) a été remplacé par L.C. 2007, c. 18, par. 40(1) et cette modification s'applique au calcul du remboursement d'un particulier relatif à un immeuble d'habitation qu'il a construit ou fait construire si, selon le cas :

a) le permis de construction afférent est délivré après 2001;

b) l'immeuble sert de résidence habituelle au particulier ou à l'un de ses proches, au sens du paragraphe 256(1), pour la première fois après juin 2002.

Antérieurement, il se lisait ainsi :

(2.1) Sous réserve du paragraphe (3), le ministre rembourse un montant au particulier qui a droit au remboursement prévu au paragraphe (2) relativement à un immeuble d'habitation qu'il a construit ou a fait construire et qui doit lui servir de résidence habituelle en Nouvelle-Écosse ou servir ainsi à l'un de ses proches, ou qui aurait droit à ce remboursement si les conditions suivantes étaient réunies :

a) la juste valeur marchande de l'immeuble, au moment où les travaux de construction de celui-ci sont achevés en grande partie, est inférieure à 450 000 $;

b) le particulier a payé la totalité de la taxe relative à la fourniture par vente, effectuée à son profit, du fonds qui fait partie de l'immeuble ou d'un droit sur ce fonds ou relative à la fourniture effectuée à son profit, ou à l'importation ou au transfert par lui en Nouvelle-Écosse, d'améliorations à ce fonds ou, dans le cas d'une maison mobile ou d'une maison flottante, de l'immeuble (le total de cette taxe prévue au paragraphe 165(2) et aux articles 212.1, 218.1, 220.05, 220.06 et 220.07 étant appelé « total de la taxe relative à la province payée par le particulier » au présent paragraphe).

Le montant remboursable s'ajoute à celui qui est payable au particulier selon le paragraphe (2) et correspond à 2 250 $ ou, s'il est inférieur, au montant représentant 18,75 % du total de la taxe relative à la province payée par le particulier.

Le paragraphe 256(2.1) a été modifié par L.C. 1997, c. 10, par. 224(4) et cette modification est entrée en vigueur le 1er avril 1997. Il se lisait comme suit :

2.1 Pour l'application du présent article, un particulier est réputé avoir construit une maison mobile et en avoir achevé la construction en grande partie immédiatement avant le premier en date de l'occupation ou du transfert visés à l'alinéa c) si les conditions suivantes sont réunies :

a) il reçoit la fourniture par vente de la maison, laquelle n'a jamais été utilisée ni occupée à titre résidentiel ou d'hébergement, mais il ne demande pas de remboursement concernant la maison aux termes des articles 254 ou 254.1;

b) il acquiert la maison pour qu'elle lui serve de lieu de résidence habituelle ou serve ainsi à l'un de ses proches;

c) soit que le premier particulier à occuper la maison est visé à l'alinéa b), soit que le particulier transfère la propriété de la maison aux termes d'une convention portant sur la vente de la maison dans le cadre d'une fourniture exonérée.

Ce paragraphe a été ajouté par L.C. 1993, par. 112(4) et est réputé entré en vigueur le 17 décembre 1990.

Concordance québécoise: LTVQ, art. 370.11.

(2.2) Maisons mobiles et maisons flottantes — Pour l'application du présent article, un particulier est réputé avoir construit une maison mobile ou une maison flottante et en avoir achevé la construction en grande partie immédiatement avant l'occupation visée à l'alinéa c) ou, s'il est antérieur, le transfert visé à cet alinéa si les conditions suivantes sont réunies :

a) il achète ou importe la maison, ou la transfère en Nouvelle-Écosse, laquelle n'a jamais été utilisée ni occupée à titre résidentiel ou d'hébergement, mais il ne demande pas de remboursement concernant la maison aux termes des articles 254 ou 254.1;

b) il acquiert ou importe la maison, ou la transfère en Nouvelle-Écosse, pour qu'elle lui serve de résidence habituelle ou serve ainsi à l'un de ses proches;

c) soit que le premier particulier à occuper la maison est visé à l'alinéa b), soit que le particulier transfère la propriété de la maison aux termes d'une convention portant sur la vente de la maison dans le cadre d'une fourniture exonérée.

Si la maison est importée par le particulier, son occupation ou utilisation à l'étranger est réputée ne pas être une occupation ou une utilisation.

Notes historiques: Le paragraphe 256(2.2) a été ajouté par L.C. 1997, c. 10, par. 224(4) et est entré en vigueur le 1er avril 1997.

Concordance québécoise: LTVQ, art. 370.11.

(3) Demande de remboursement — Les remboursements prévus au présent article ne sont versés que si le particulier en fait la demande au plus tard :

a) à la date qui suit de deux ans le premier en date des jours suivants :

(i) le jour qui suit de deux ans le jour où l'immeuble est occupé pour la première fois de la manière prévue au sous-alinéa (2)d)(i),

(ii) le jour où la propriété est transférée conformément au sous-alinéa (2)d)(ii),

(iii) le jour où la construction ou les rénovations majeures de l'immeuble sont achevées en grande partie;

b) à toute date postérieure à celle prévue à l'alinéa a), fixée par le ministre.

Notes historiques: Le préambule du paragraphe 256(3) a été modifié par L.C. 1997, c. 10, par. 224(5) et cette modification est entrée en vigueur le 1er avril 1997. Auparavant, ce préambule, modifié par L.C. 1993, c. 27, par. 113(1), se lisait comme suit :

(3) Le remboursement n'est versé que si le particulier en fait la demande dans les deux ans suivant le premier en date des jours suivants :

L'alinéa 256(3)a) a été modifié par L.C. 1997, c. 10, par. 66(3) et cette modification s'applique aux remboursements visant un immeuble d'habitation relativement auxquels une demande est présentée au ministre du Revenu national après le 22 avril 1996, sauf si, selon le cas :

a) l'immeuble a été occupé à titre résidentiel ou d'hébergement après le début de sa construction ou des rénovations majeures dont il fait l'objet et avant le 23 avril 1996;

b) la construction ou les rénovations majeures de l'immeuble étaient achevées en grande partie avant le 23 avril 1996;

c) le demandeur a transféré la propriété de l'immeuble avant le 23 avril 1996 à l'acquéreur d'une fourniture par vente de celui-ci.

L'alinéa 256(3)a) se lisait auparavant comme suit :

a) le jour où l'immeuble est occupé pour la première fois, ou le jour du transfert de la propriété, selon l'alinéa (2)d);

L'alinéa 256(3)a.1) a été ajouté par L.C. 1997, c. 10, par. 66(3) et s'applique aux remboursements visant un immeuble d'habitation relativement auxquels une demande est présentée au ministre du Revenu national après le 22 avril 1996, sauf si, selon le cas :

a) l'immeuble a été occupé à titre résidentiel ou d'hébergement après le début de sa construction ou des rénovations majeures dont il fait l'objet et avant le 23 avril 1996;

b) la construction ou les rénovations majeures de l'immeuble étaient achevées en grande partie avant le 23 avril 1996;

c) le demandeur a transféré la propriété de l'immeuble avant le 23 avril 1996 à l'acquéreur d'une fourniture par vente de celui-ci.

Le paragraphe 256(3) a été remplacé par L.C. 2007, c. 18, par. 40(2) et cette modification est réputée être entrée en vigueur le 20 décembre 2002. Antérieurement, il se lisait ainsi :

(3) Les remboursements prévus au présent article ne sont versés que si le particulier en fait la demande dans les deux ans suivant le premier en date des jours suivants :

a) le jour qui tombe deux ans après le jour où l'immeuble est occupé pour la première fois de la manière prévue au sous-alinéa (2)d)(i);

a.1) le jour du transfert de la propriété visé au sous-alinéa (2)d)(ii);

b) le jour où la construction ou les rénovations majeures de l'immeuble sont achevées en grande partie.

Le paragraphe 256(3) a été ajouté par L.C. 1990, c. 45, par. 12(1).

Concordance québécoise: LTVQ, art. 370.12.

juin 2006, Notes explicatives: L'article 256 prévoit le remboursement partiel de la TPS payée par le particulier qui, lui-même ou par un intermédiaire, construit son lieu de résidence habituelle ou y fait des rénovations majeures.

Les alinéas 256(2)e) et f) font mention de « 8 750 $ ». Cette somme correspond au montant remboursable maximal accordé, selon le paragraphe 254(2), pour l'achat d'une habitation neuve auprès d'un constructeur. Par suite de la modification apportée au paragraphe 165(1), qui consiste à ramener de 7 % à 6 % le taux auquel la taxe est calculée, ces alinéas sont modifiés et remplacés par une formule. Cette formule tient compte du fait que le « total de la taxe payée par le particulier », au sens de l'alinéa 256(2)c), avant l'envoi de la demande de remboursement au ministre du Revenu national pourrait représenter la taxe payée avant et après la modification du paragraphe 165(1). À cette fin, une seconde formule permet de calculer le montant remboursable maximal applicable.

En premier lieu, il est à noter que la nouvelle formule s'applique même dans le cas où la juste valeur marchande de l'immeuble n'excède pas 350 000 $. Toutefois, dans ce cas, la partie de la formule qui tient compte de l'élimination graduelle du remboursement correspondrait à 1, soit le plus élevé de la juste valeur marchande et de la somme de 350 000 $ qui entre dans le calcul de la valeur de l'élément B de la formule (450 000 $ moins 350 000 $, divisé par 100 000 $). En deuxième lieu, dans le cas où la totalité ou la presque totalité de la taxe payée par le particulier avant l'envoi de la demande de remboursement au ministre a été payée au taux de 6 %, le montant remboursable maximal est ramené à 7 560 $, ce qui correspond au montant remboursable maximal prévu au paragraphe 254(2). Dans les autres cas, le montant remboursable maximal variera de 7 560 $ à 8 570 $ selon la proportion de cette taxe qui a été payée au taux de 7 %. Par exemple, si le total de la taxe payée avant l'envoi de la demande de remboursement au ministre correspond à 22 000 $, dont 8 800 $ représentent la taxe payée selon le paragraphe 165(1) au taux de 7 %, le montant remboursable maximal d'après la formule correspondrait à 8 064 $ (le résultat de 8 800 $ divisé par 22 000 $ — soit 40 % exprimé en pourcentage — multiplié par 1 260 $ puis ajouté à 7 560 $).

Le paragraphe 256.2(10) exige qu'une personne qui avait droit au remboursement pour immeubles d'habitation locatifs neufs restitue le montant du remboursement majoré des intérêts calculés sur le montant pour la période, du jour où le remboursement a été payé ou déduit d'un montant à payer par la personne jusqu'au jour où la personne rembourse le montant. La restitution survient si la personne vend l'habitation, dans l'année suivant la première occupation de l'habitation, à un acheteur qui ne l'acquiert pas pour qu'elle lui serve de lieu de résidence habituelle, ou serve ainsi à l'un de ses proches. Le taux d'intérêt imposé à la personne dans ce cas est le taux réglementaire, qui correspond aux intérêts à payer par le ministre du Revenu national au titre d'un montant (p. ex., une demande de remboursement en souffrance) dû à la personne.

La modification apportée au paragraphe 256.2(10) fait suite à l'instauration de nouvelles règles qui prescrivent les taux d'intérêt pour l'application de la partie IX de la loi. En particulier, le taux d'intérêt imposé aux termes du paragraphe devient le taux réglementaire moins 2 %, afin de faire en sorte que l'intérêt imposé sur le montant restitué corresponde à l'intérêt au nouveau taux réglementaire à payer par le ministre au titre d'un montant dû à une personne.

Cette modification s'applique au regard des montants remboursés par une personne au receveur général après mars 2007. Si la période au titre de laquelle l'intérêt doit être calculé commence à une date antérieure à avril 2007 et prend fin après mars 2007, le taux d'intérêt en cours s'appliquera au montant au titre de la période antérieure à avril 2007, et le taux réglementaire moins 2 % s'appliquera au montant au titre de la période ultérieure à mars 2007.

Définitions [art. 256]: « acquéreur », « améliorations », « ex-conjoint », « fourniture », « fourniture exonérée », « habitation », « immeuble », « immeuble d'habitation à logement unique », « immeuble d'habitation à logements multiples », « juste valeur marchande », « maison flottante », « maison mobile », « ministre », « montant », « rénovations majeures », « taxe », « vente » — 123(1).

Renvois [art. 256]: 126 (lien de dépendance); 256.2 (9) (exclusions au remboursement); 262(1), (2) (forme et production de la demande); 262(3) (groupe de particuliers); 263 (restriction au remboursement); 263.1 (faillite — restriction au remboursement); 264 (montant remboursé en trop); 296(2.1), (3.2) (application d'un montant de remboursement non demandé); 297 (cotisation).

Jurisprudence [art. 256]: *Blades v. R.* (28 juin 2012), 2012 CarswellNat 3131 (C.C.I.); *Mahn (J.) c. La Reine*, [1993] G.S.T.C. 50 (CCI); *Ptasznick (V.F.) c. La Reine*, [1994] G.S.T.C. 56 (CCI); *Rendle (B.) c. La Reine*, [1994] G.S.T.C. 88 (CCI); *Davey (J.S.) c. La Reine*, [1995] G.S.T.C. 2 (CCI); *Philips (L.E.) c. La Reine*, [1995] G.S.T.C. 39 (CCI); *Laprarie (M.) c. Canada*, [1995] G.S.T.C. 74 (CCI); *Strumecki (J.) c. Canada*, [1996] G.S.T.C. 23 (CCI); *Sundquist (G.L.) c. Canada*, [1996] G.S.T.C. 52 (CCI); *Palmer (D.) c. Canada*, [1996] G.S.T.C. 56 (CCI); *Bettle (D.) c. Canada*, [1996] G.S.T.C. 70 (CCI); *Wong (E.) c. Canada*, [1996] G.S.T.C. 73 (CCI); *Warnock (C.W.) c. Canada*, [1996] G.S.T.C. 86 (CCI); *Tasko (J.) c. Canada*, [1997] G.S.T.C. 5 (CCI); *Balicki (A.L.) c. Canada*, [1997] G.S.T.C. 57 (CCI); *Keilau (D.) c. Canada*, [1997] G.S.T.C. 70 (CCI); *Hull (W.) c. Canada*, [1997] G.S.T.C. 76 (CCI); *Toussaint (S.) c. Canada*, [1998] G.S.T.C. 3 (CCI); *Carpenter (W.R.) c. Canada*, [1998] G.S.T.C. 5 (CCI); *Kurjewicz (J.M.) c. Canada*, [1998] G.S.T.C. 8 (CCI); *Kemp (B.E.) c. Canada*, [1998] G.S.T.C. 32 (CCI); *Thompson (J.Y.) c. Canada*, [1998] G.S.T.C. 43 (CCI); *Hole (D.S.) c. Canada*, [1998] G.S.T.C. 44 (CCI); *Domjancic (J.) c. Canada*, [1998] G.S.T.C. 52 (CCI); *Raj (P.) c. Canada*, [1998] G.S.T.C. 61 (CCI); *Percy (H.) c. Canada*, [1998] G.S.T.C. 70 (CCI); *Burrows (J.A.) c. Canada*, [1998] G.S.T.C. 78 (CCI); *Neliba (P.) c. Canada*, [1998] G.S.T.C. 81 (CCI); *Waldron (S.) c. Canada*, [1999] G.S.T.C. 31 (CCI); *Brown (G.) c. Canada*, [1999] G.S.T.C. 73 (CCI); *Meechan (J.) c. Canada*, [1999] G.S.T.C. 117 (CCI); *Lim (J.H.) c. Canada*, [2000] G.S.T.C. 1 (CCI); *Whitehouse c. R.*, [2000] G.S.T.C. 41 (CCI); *Sullivan c. R.*, [2000] G.S.T.C. 56 (CCI); *Dionne c. R.*, [2000] G.S.T.C. 64 (CCI); *Erickson c. R.*, [2001] G.S.T.C. 19 (CCI); *Didkowski c. R.*, [2001] G.S.T.C. 22 (CCI); *Zidar c. R.*, [2001] G.S.T.C. 33 (CCI); *Cheng c. Ontarion Property Assessment Corp.*, [2001] G.S.T.C. 35 (Ont ARB); *Bélanger c. R.*, [2002] G.S.T.C. 4 (CCI); *Tessier c. R.*, [2001] G.S.T.C. 142 (CCI); *Snider c. R.*, [2002] G.S.T.C. 44 (CCI); *Boucher c. R.*, [2002] G.S.T.C. 84 (CCI); *Drapeau c. R.*, [2002] G.S.T.C. 91 (GST); *Reid's Heritage Homes Ltd. v. R.*, [2003] G.S.T.C. 6 (CCI); *Thompson c. R.*, [2003] G.S.T.C. 53 (CCI); *Vallée c. R.*, [2004] G.S.T.C. 60 (CCI); *Hamel c. R.*, [2004] G.S.T.C. 53 (CCI); *Bissonnet c. R.*, [2004] G.S.T.C. 55 (CCI); *King c. R.*, 2006 CCI 374 (CCI); *Shotlander c. R.*, [2006] G.S.T.C. 170 (CCI); *Bellefleur c. R.*, [2007] G.S.T.C. 30 (CCI); *Gagné c. R.*, [2007] G.S.T.C. 16; *Harrison v. R*, 2008 CarswellNat 1743 (CCI [procédure informelle]); *Camiré c. R*, [2008] G.S.T.C. 38 (CCI [procédure informelle]); *Schoeb c. R*, [2007] G.S.T.C. 179 (CCI [procédure informelle]); *Somers v. R.*, [2008] G.S.T.C. 111 (CCI [procédure informelle]); *Chry-Ca v. R*, 2008 CarswellNat 2509 (CCI [procédure informelle]); *Lemieux c. R.*, 2009 G.T.C. 997-151 (CCI [procédure informelle]); *Rhodenizer c. R.*, CarswellNat 471, 2010 CCI 128, 2010 G.T.C. 234 (Fr.) (CCI [procédure informelle]); *Goyer c. R.* (2 novembre 2010), 2010 CarswellNat 4063, 2010 CCI 511, 2011 G.T.C. 901 (Fr.) (CCI [procédure informelle]); *Mercure c. R.* (29 mai 2012), 2012 CarswellNat 1644, 2012 CCI 148 (CCI [procédure informelle]).

Énoncés de politique [art. 256]: P-073, 30/06/93, *Remboursements et choix révoqués en raison de la majoration du taux de remboursement*; P-085R, 30/06/93, *Montants donnant droit au remboursement de TPS pour habitations neuves visé à l'article 256*; P-104, 23/02/11, *La TPS/TVH et la fourniture d'un fonds pour les unités récréa-*

tives telles que les maisons préfabriquées mobiles, les roulottes de parc et les remorques de tourisme; P-111R, 25/05/93, *Définition d'une vente à l'égard d'un immeuble*; P-153, 02/09/94, *Construction d'un ajout majeur à un immeuble d'habitation à logement unique*; P-154, 06/09/94, *Conséquences à l'égard de la TPS du déplacement d'immeuble qui faisait auparavant partie d'un immeuble d'habitation*; P-165R, 03/98, *Juste valeur marchande aux fins de la partie IX de la Loi sur la taxe d'accise*; P-228, 30/03/99, *Résidence habituelle*.

Bulletins de l'information technique [art. 256]: B-075R, 23/04/96, *Modifications proposées à la TPS*; B-092A, 01/05, *Rénovations majeures et remboursement de la TPS/TVH pour habitations neuves*.

Mémorandums [art. 256]: TPS 300-4-1, 08/03/91, *Immeubles*.

Série de mémorandums [art. 256]: Mémorandum 1.5, 09/94, *Définitions*; Mémorandum 19.2, 02/98, *Immeubles résidentiels*; Mémorandum 19.2.4, 06/98, *Immeubles résidentiels — Sujets particuliers*; Mémorandum 19.3, 07/98, *Remboursements pour immeubles*; Mémorandum 19.3.1, 07/98, *Remboursement pour habitation construite par un constructeur (fonds acheté)*; Mémorandum 19.3.2, 07/98, *Remboursement pour habitation construite par un constructeur (fonds loué)*; Mémorandum 19.3.4, 07/98, *Remboursement pour habitation construite par le propriétaire*; Mémorandum 19.3.7, 07/98, *Remboursements pour immeubles — Sujets particuliers*; Mémorandum 19.3.8R, 12/07, *Les remboursements pour habitations neuves et la TVH*.

Formulaires [art. 256]: FP-190, *Demande de remboursement de la taxe sur les produits et services pour habitations neuves*; GST189, *Demande générale de remboursement de la TPS/TVH)*; GST190, *Demande de remboursement de la TPS/TVH pour les maisons achetées d'un constructeur*; GST515, *Demande de dépôt direct du remboursement de la TPS/TVH pour habitations neuves*; RC4028, *Remboursement de la TPS/TVH pour habitations neuves — Y compris les formulaires GST190, GST191, GST191-WS et GST515*.

Info TPS/TVQ [art. 256]: GI-007 — *Exploitation d'un gîte touristique dans votre maison*.

Lettres d'interprétation (Québec) [art. 256]: 97-0111795 — Remboursement pour habitation neuve; 98-0103659 — Remboursement de la TPS et de la TVQ pour habitations neuves; 99-0108003 — Interprétation en TPS et en TVQ — Rénovations majeures; 01-0108413 — Syndicat de copropriété.

COMMENTAIRES: Ce remboursement, qui s'applique aux habitations construites par soi-même, est le parallèle du remboursement que l'on retrouve au paragraphe 254(2) pour l'achat d'habitation.

Le paragraphe (2) permet, à certaines conditions, que soit remboursée la taxe payée lors de la construction ou de la rénovation majeure d'un immeuble d'habitation. Dans l'affaire *Rhodenizer c. R.*, [2010] G.S.T.C. 89 (C.C.I.), Revenu Québec avait refusé le remboursement de l'appelante puisque les travaux effectués ne constituaient pas des rénovations majeures. En effet, l'appelante avait, notamment, remplacé les fondations, rénové entièrement le sous-sol et effectué certains changements au premier étage. Le juge Favreau de la Cour canadienne de l'impôt a donné raison à Revenu Québec et a conclu qu'il n'y avait pas eu de rénovations majeures de la part de l'appelant puisque la totalité ou presque du bâtiment n'avait pas été enlevée ou remplacée. En effet, règle générale selon le juge, l'expression « la totalité ou presque » est interprétée comme signifiant 90 % ou plus. De l'avis de la Cour canadienne de l'impôt, les travaux à la fondation, aux murs extérieurs et à l'escalier du sous-sol ne sont pas des travaux admissibles. Il en est de même pour les travaux relatifs au patio et à l'abri d'automobile parce qu'ils ne sont pas considérés comme une partie habitable. De plus, le juge Favreau souligne que le coût des travaux de rénovation n'est pas un critère dont on doit tenir compte lors de la détermination si les travaux correspondaient à des rénovations majeures. Voir également au même effet : *Blades c. R.*, [2012] G.S.T.C. 56 (C.C.I.).

De l'avis de l'auteur, cette décision est juste. Ainsi, les travaux réalisés par l'appelante étaient certainement des rénovations majeures au sens ordinaire donné à cette expression. Toutefois, il faut interpréter ce terme en fonction des termes utilisés par le législateur qui a été défini de façon très restrictive puisqu'il y a exclu des travaux qui, en théorie, devraient être considérés comme majeurs, en vertu de la définition de « rénovations majeures » en vertu du paragraphe 123(1).

Nous vous référons également à une autre décision du juge Favreau dans l'affaire *Nadeau c. R.*, [2011] G.S.T.C. 81 (C.C.I.) et dans laquelle il soutient la position de Revenu Québec et rejette l'appel sur les motifs similaires à ceux évoqués dans l'affaire *Rhodenizer c. R.*, [2010] G.S.T.C. 89 (C.C.I.). L'auteur désire souligner la référence soutenue, par le juge Favreau, au bulletin d'information B-092A de l'Agence du revenu du Canada pour interpréter sa décision (voir les paragraphes 10 à 15 de la décision). Avec égard pour la Cour canadienne de l'impôt, nous partageons les commentaires de David M. Sherman selon lesquels les positions administratives de l'Agence du revenu du Canada ne doivent pas être analysées comme s'il s'agissait du droit en vigueur. En effet, la décision ne peut être rendue qu'à l'égard des dispositions législatives en vigueur. De surcroît, la législation applicable nous est, à notre avis, claire et était suffisante pour que le juge Favreau rende sa décision.

Il faut souligner également que le remboursement en vertu du paragraphe (2) exige qu'il serve de résidence habituelle au particulier ou serve à son proche, tel que défini au paragraphe (1). Dans l'affaire *Goulet c. R.*, [2010] G.S.T.C. 24 (C.C.I.), Revenu Québec a refusé le remboursement sur la base que le couple n'avait pas l'intention d'occuper la maison à titre de « résidence habituelle ». Le juge Favreau a donné raison à Revenu Québec. En effet, le couple n'a pu démontrer aucune preuve documentaire à l'effet de leur prétention (par exemple, des factures d'électricité, de téléphone, d'internet ou des reçus pour les frais de déménagements). Voir également à cet effet : *Goyer c. R.*, 2010 CarswellNat 4063 (C.C.I.).

De l'avis de l'auteur, il est donc crucial de maintenir la preuve documentaire.

À la lecture des alinéas (2)a) et d), le premier particulier à occuper l'immeuble d'habitation après le début des travaux doit être le particulier qui l'a construit ou rénové ou son proche et celui-ci doit occuper l'immeuble à titre de résidence habituelle. Autrement dit, le particulier ou son proche ne peut occuper l'immeuble d'habitation à d'autres fins entre le début des travaux et le moment où il occupera l'immeuble à titre de résidence habituelle. En l'espèce, puisque le particulier a occupé l'immeuble d'habitation à titre de résidence secondaire après le début des travaux, Revenu Québec a conclu qu'il n'a pas droit au remboursement pour habitations neuves à l'égard de cet immeuble. Voir à cet effet : Revenu Québec, Lettre d'interprétation, 96-0112100 — *Remboursement pour habitations neuves* (9 décembre 1996).

L'une des conditions prévues à l'alinéa (2)c) est à l'effet que la taxe doit avoir été payée par un particulier, c'est-à-dire une personne physique.

Revenu Québec a analysé une situation où les documents qui avaient été transmis démontraient que les paiements remis à l'entrepreneur pour les travaux et les taxes applicables avaient été effectués par le syndicat des copropriétaires. Or, en vertu du *Code civil du Québec*, un syndicat de copropriétaires est une personne morale. De plus, en l'espèce, Revenu Québec est d'avis que le syndicat de copropriétaires n'a pas payé la TPS/TVQ à titre de mandataire de ceux-ci. Par conséquent, le syndicat n'a pas droit au remboursement pour habitation neuve prévu par le paragraphe 256(2). De plus, comme les copropriétaires n'ont pas payé eux-mêmes la TPS/TVQ, ils ne peuvent avoir droit à ce remboursement. Voir à cet effet : Revenu Québec, Lettre d'interprétation 01-0108413 — *Syndicat de copropriété* (17 janvier 2002).

Le paragraphe (3) prévoit un délai de deux ans. Dans l'affaire *Mercure c. R.*, [2012] G.S.T.C. 45 (C.C.I.) (en appel à la Cour d'appel fédérale), la question en litige était de déterminer si la demande de remboursement en vertu du paragraphe 256(2) a été produite dans les délais prescrits. L'appelant avait admis la date du point de départ de la prescription et demandait à la Cour de mettre de côté les dispositions de la *Loi sur la taxe d'accise (TPS)*, ce à quoi la Cour canadienne de l'impôt n'a pas fait suite et a rejeté l'appel, car déposé après l'expiration du délai. De l'avis de l'auteur, l'appelant, qui se représente lui-même, a très peu de chances de succès en Cour d'appel fédérale. En *obiter dictum*, au paragraphe 8, le juge Tardif indique que « le but des objectifs de ces dispositions législatives sont multiples. On peut notamment mentionner l'encouragement à l'accès à la propriété, la création d'emploi, le soutien aux jeunes familles, etc. ». Nous partageons l'étonnement de David M. Sherman sur les objectifs mentionnés par le juge Tardif qui ne sont pas ceux qui ont mené à l'entrée en vigueur de ce remboursement. En effet, la raison principale était de préserver le niveau de la taxe fédérale (pré-1991) sur les ventes au niveau du coût des maisons nouvelles. Nous notons également qu'une prolongation du délai était prévue au paragraphe (3)(b), mais celle-ci n'a peut-être pas été accordée par l'Agence du revenu du Canada (les faits au jugement ne mentionnent rien à cet effet).

Dans l'affaire *Brickman c. R.*, 2011 CCI 42, où l'appelant se représentait seul et bien qu'il ne contestait pas les délais du sous-alinéa 256(3)(a)(iii), il interjetait appel à l'encontre de la décision du ministre dans l'espoir que la Cour canadienne de l'impôt ait le pouvoir d'examiner les raisons qui sous-tendent son défaut de soumettre la demande dans le délai prescrit et d'ordonner que le remboursement soit payé. La Cour canadienne de l'impôt a indiqué qu'elle ne détient pas le pouvoir d'examiner l'exercice du pouvoir discrétionnaire du ministre en vertu de l'alinéa 256(3)(b). Après avoir appris qu'il était peu probable que la Cour lui accorde la réparation qu'il demandait, l'appelant a affirmé qu'il demanderait au ministre d'examiner à nouveau la décision relative à la demande d'équité. Dans ce contexte, et puisque les conclusions de faits peuvent aider le ministre dans son ré-examen, la Cour a fait état de ses conclusions de faits, même si elle a rejeté l'appel. Entre autres, la Cour canadienne de l'impôt indique que l'appelant est un témoin crédible, qu'il a obtenu de l'information erronée fournie par des représentants de l'Agence du revenu du Canada et qu'il avait eu des problèmes médicaux. De l'avis de l'auteur, bien que les raisons énoncées par le juge Sheridan sont celles qui doivent permettre le prolongement de délai, il semble que l'information erronée de l'Agence du revenu du Canada ne devrait pas être pris en compte.

256.1 (1) Remboursement au propriétaire d'un fonds loué pour usage résidentiel — Sous réserve du paragraphe (2), le ministre rembourse un montant lorsque la fourniture exonérée d'un fonds visé aux articles 6.1 ou 6.11 de la partie I de l'annexe V est effectuée au profit d'un preneur qui l'acquiert en vue d'effectuer la fourniture d'un bien ou d'un service le comprenant ou la fourniture d'un bail, d'une licence ou d'un accord semblable visant un bien le comprenant, et que cette fourniture :

a) d'une part, est une fourniture exonérée de bien ou de service, sauf celle qui est exonérée par le seul effet de l'alinéa 6b) de la partie I de l'annexe V, qui, selon le cas :

(i) comprend le transfert de la possession ou de l'utilisation d'un immeuble d'habitation, ou d'une habitation qui fait partie d'un tel immeuble, à une autre personne aux termes d'un bail, d'une licence ou d'un accord semblable conclu en vue de l'occupation de l'immeuble ou de l'habitation à titre résidentiel ou d'hébergement,

(ii) est visée à l'article 7 de la partie I de l'annexe V, mais n'est pas une fourniture exonérée visée à l'alinéa 7a) de cette partie effectuée au profit d'une personne visée au sous-alinéa 7a)(ii) de cette partie;

b) d'autre part, a pour conséquence que le preneur est réputé par l'un des paragraphes 190(3) à (5) ou par l'article 191 avoir effectué la fourniture d'un bien qui comprend le fonds à un moment donné.

Le montant est remboursé à tout bailleur — propriétaire ou autre preneur du fonds — et est égal au montant obtenu par la formule suivante :

$$A - B$$

où :

A représente la somme de la taxe qui, avant le moment donné, est devenue payable par le bailleur, ou serait devenue payable n'eût été l'article 167, relativement à sa dernière acquisition du fonds, et de la taxe payable par lui relativement aux améliorations apportées au fonds, qu'il a acquises, importées ou transférées dans une province participante après cette dernière acquisition et qui ont servi, avant le moment donné, à améliorer le bien qui comprend le fonds;

B le total des autres montants remboursables et des crédits de taxe sur les intrants, auxquels le bailleur a droit relativement à un montant inclus dans la somme visée à l'élément A.

Notes historiques: Le passage précédant la formule du paragraphe 256.1(1) a été remplacé par L.C. 2008, c. 28, par. 76(1) et cette modification s'applique relativement aux fournitures suivantes :

a) la fourniture d'un fonds effectuée au profit d'un preneur qui est réputé, par l'un des paragraphes 190(3) à (5) ou par l'article 191, avoir effectué, après le 26 février 2008, une autre fourniture de bien qui comprend le fonds;

b) la fourniture d'un fonds effectuée par une personne au profit d'un preneur, dans le cas où, à la fois :

(i) le preneur est réputé, par l'un des paragraphes 190(3) à (5) ou par l'article 191, avoir effectué, avant le 27 février 2008, une autre fourniture de bien qui comprend le fonds,

(ii) la fourniture serait incluse à l'article 6.11 de la partie I de l'annexe V si cet article s'appliquait dans sa version modifiée par L.C. 2008, c. 28,

(iii) la personne n'a pas exigé, perçu ni versé de montant, avant le 27 février 2008, au titre de la taxe prévue par la partie IX relativement à la fourniture ou à toute autre fourniture du fonds qu'elle a effectuée et qui serait incluse aux articles 6.1 ou 6.11 de la partie I de l'annexe V si ces articles s'appliquaient dans leur version édictée par L.C. 2008, c. 28.

En cas d'application du paragraphe b) ci-haut :

a) tout bailleur — propriétaire ou autre preneur du fonds — peut, malgré le paragraphe 256.1(2), présenter une demande de remboursement en vertu du paragraphe 256.1(1) au plus tard le 26 février 2010;

b) il peut s'agir, malgré le paragraphe 262(2), de la deuxième demande du bailleur si une autre demande visant le même objet a été présentée par lui avant le 27 février 2008 et a fait l'objet d'une cotisation avant que le bailleur présente la deuxième demande;

c) pour l'application de la partie IX relativement à la demande visée à l'alinéa a), les articles 6.1 et 6.11 de la partie I de l'annexe V s'appliquent dans leur version édictée L.C. 2008, c. 28;

d) le remboursement prévu au paragraphe 256.1(1), dans sa version modifiée par L.C. 2008, c. 28, par. 76(1), n'est pas payable à une personne qui n'est pas bailleur du fonds au moment où la demande de remboursement est présentée.

Antérieurement, ce passage se lisait ainsi :

256.1 (1) Lorsque la fourniture exonérée d'un fonds visé à l'article 6.1 de la partie I de l'annexe V est effectuée au profit d'un preneur qui l'acquiert en vue d'effectuer la fourniture d'un bien le comprenant, ou d'un bail, d'une licence ou d'un accord semblable visant un bien le comprenant, et que cette fourniture est une fourniture exonérée visée à l'alinéa 6a) ou à l'article 7 de la partie I de l'annexe V, à l'exception d'une fourniture exonérée visée à l'alinéa 7a) de cette partie et effectuée au profit d'une personne visée au sous-alinéa 7a)(ii) de cette partie, et a pour conséquence que le preneur est réputé par l'un des paragraphes 190(3) à (5) ou par l'article 191 avoir effectué une fourniture du bien à un moment donné, le ministre rembourse, sous réserve du paragraphe (2), à tout bailleur — propriétaire ou autre preneur du fonds —, un montant égal au montant obtenu par la formule suivante :

Le préambule du paragraphe 256.1(1) a été remplacé par L.C. 2000, c. 30, par. 74(1). Cette modification est réputée entrée en vigueur le 17 décembre 1990. Antérieurement, il se lisait comme suit :

256.1 (1) Lorsque la fourniture exonérée d'un fonds visé à l'article 6.1 de la partie I de l'annexe V est effectuée au profit d'un preneur qui l'acquiert en vue d'effectuer la fourniture d'un bien le comprenant — fourniture exonérée visée aux alinéas 6a) ou 7a) ou b) de la partie I de l'annexe V, à l'exception d'une fourniture exonérée visée à l'alinéa 7a) de cette partie et effectuée au profit d'une personne visée au sous-alinéa 7a)(ii) de cette partie, et par suite de laquelle le preneur sera réputé par l'un des paragraphes 190(3) à (5) ou par l'article 191 avoir effectué une fourniture du bien à un moment donné —, le ministre rembourse, sous réserve du paragraphe (2), à tout bailleur — propriétaire ou autre preneur du fonds —, un montant égal au résultat du calcul suivant :

Les éléments A et B de la formule figurant au paragraphe 256.1(1) ont été remplacés par L.C. 2000, c. 30, par. 74(2). Cette modification est réputée entrée en vigueur le 10 décembre 1998 et s'applique aux fins du calcul d'un remboursement qui fait l'objet d'une demande reçue par le ministre du Revenu national après le 9 décembre 1998. Antérieurement, ils se lisaient comme suit :

A représente le total de la taxe qui est payable par le bailleur, ou qui le serait si ce n'était l'article 167, relativement à sa dernière acquisition du fonds, et de la taxe payable par lui relativement aux améliorations apportées au fonds, qu'il a acquises, importées ou transférées dans une province participante après cette dernière acquisition du fonds;

B le total des autres montants remboursables et des crédits de taxe sur les intrants, auxquels le bailleur a droit relativement à une taxe incluse dans le total visé à l'élément A.

L'élément A de la formule figurant au paragraphe 256.1(1) a été modifié par L.C. 1997, c. 10, par. 222(1) et cette modification est entrée en vigueur le 1er avril 1997. Auparavant, cet élément se lisait comme suit :

A représente le total de la taxe qui est payable par le bailleur, ou qui le serait sans l'article 167, relativement à sa dernière acquisition du fonds, et de la taxe payable par lui relativement aux améliorations apportées au fonds, qu'il a acquises ou importées après cette dernière acquisition du fonds;

Le paragraphe 256.1(1) a été ajouté par L.C. 1993, c. 27, par. 113(1) et est réputé entré en vigueur le 17 décembre 1990.

Concordance québécoise: LTVQ, art. 378.1, 378.2.

(2) Demande de remboursement — Le propriétaire ou le preneur d'un fonds fourni à une personne qui sera réputée par l'un des paragraphes 190(3) à (5) ou par l'article 191 avoir effectué, un jour donné, la fourniture d'un bien qui comprend le fonds n'est remboursé que s'il en fait la demande au plus tard deux ans après le jour donné.

Notes historiques: Le paragraphe 256.1(2) a été modifié par L.C. 1997, c. 10, par 67(1) et cette modification s'applique aux remboursements visant les fonds qui sont réputés avoir été fournis après juin 1996 aux termes de l'un des paragraphes 190(3) à (5) ou de l'article 191. Ce paragraphe a été ajouté par L.C. 1993, c. 27, par. 113(1) et est réputé entré en vigueur le 17 décembre 1990. Il se lisait comme suit :

(2) Le propriétaire ou le preneur d'un fonds fourni à une personne qui sera réputée par l'un des paragraphes 190(3) à (5) ou par l'article 191 avoir effectué, un jour donné, la fourniture d'un bien qui comprend le fonds n'est remboursé que s'il en fait la demande dans les quatre ans suivant ce jour.

Concordance québécoise: LTVQ, art. 378.3.

Définitions [art. 256.1]: « améliorations », « bien », « fourniture », « fourniture exonérée », « importation », « ministre », « montant », « personne », « province participante », « taxe » — 123(1).

Renvois [art. 256.1]: 169 (CTI); 195.2 (dernière acquisition ou importation); 256.2 (9) (exclusions au remboursement); 262(1), (2) (forme et production de la demande); 263 (restriction au remboursement); 263.1 (faillite — restriction au remboursement); 264 (montant remboursé en trop); 297 (cotisation).

Jurisprudence [art. 256.1]: *Mahn c. La Reine*, [1993] G.S.T.C. 50 (CCI); *Ryan Customs Homes Ltd. c. La Reine*, [1994] G.S.T.C. 4 (CCI); *Ptasznik c. La Reine*, [1994] G.S.T.C. 56 (CCI); *Rendle (B.R.) c. La Reine*, [1994] G.S.T.C. 88 (CCI); *Davey (J.) c. La Reine*, [1995] G.S.T.C. 2 (CCI); *Phillips (L.E.) c. La Reine*, [1995] G.S.T.C. 39 (CCI); *Laprairie (M.) c. La Reine*, [1995] G.S.T.C. 74 (CCI); *Strumecki (J.) c. La Reine*, [1996] G.S.T.C. 23 (CCI); *Sundquist (G.L.) c. La Reine*, [1996] G.S.T.C. 26 (CCI); *Kemp (B.E.) c. La Reine*, [1996] G.S.T.C. 32 (CCI); *Domjancic (J.) c. La Reine*, [1996] G.S.T.C. 52 (CCI); *Palmer (D.) c. La Reine*, [1996] G.S.T.C. 56 (CCI); *Bettle (D.) c. La Reine*, [1996] G.S.T.C. 70 (CCI); *Wong (E.) c. La Reine*, [1996] G.S.T.C. 73 (CCI); *Warnock (C.W.) c. La Reine*, [1996] G.S.T.C. 86 (CCI); *Tasko (J.) c. La Reine*, [1997] G.S.T.C. 5 (CCI).

Énoncés de politique [art. 256.1]: P-165R, 03/98, *Juste valeur marchande aux fins de la partie IX de la Loi sur la taxe d'accise.*

Bulletins de l'information technique [art. 256.1]: B-075R, 23/04/96, *Modifications proposées à la TPS.*

Mémorandums [art. 256.1]: TPS 500-4-5, 15/04/94, *Remboursements pour habitations et autres immeubles*, par. 5, 57–61.

Série de mémorandums [art. 256.1]: Mémorandum 19.3, 07/98, *Remboursements pour immeubles*; Mémorandum 19.3.5, 08/98, *Remboursement au propriétaire d'un fonds loué pour usage résidentiel*.

Formulaires [art. 256.1]: FP-189, *Demande générale de remboursement*; FP-288, *Supplément à la demande générale de remboursement*; GST189, *Demande générale de remboursement de la TPS/TVH*; RC4033, *Demande générale de remboursement de la TPS/TVH — Y compris les formulaires GST189, GST288, et GST507*.

COMMENTAIRES: Cet article, tout comme le paragraphe 193(1) et l'article 257, a été prévu afin d'éliminer la double imposition sur un fonds de terre.

À titre illustratif aux fins de l'application de cet article, l'Agence du revenu du Canada a conclu, à l'égard d'une situation particulière, que le remboursement prévu en vertu de l'article 256.1 ne pouvait s'appliquer, car aucune disposition reliée à la fourniture exonérée à la Section V ne s'appliquait. De plus, l'Agence du revenu du Canada précise que les dispositions de cet article sont très spécifiques et qu'un bail ne peut inclure une cession de bail, puisqu'il s'agit de deux concepts légaux complètement distincts. De surcroît, à tout événement, interpréter comme incluant la cession aurait un impact sur les autres dispositions qui réfèrent spécifiquement aux cessions. Voir notamment à cet effet : Agence du revenu du Canada, Lettre de l'Administration centrale sur la TPS, 11685-1, 11695-7-2, 11950-2/1005 — *Re : GST Interpretation Supply of Land by Way of Lease* (17 juin 1994).

256.2 (1) Définitions — Les définitions qui suivent s'appliquent au présent article.

« fraction admissible de teneur en taxe » En ce qui concerne le bien d'une personne à un moment donné, le montant qui représenterait la teneur en taxe du bien à ce moment si ce montant était déterminé compte non tenu du sous-alinéa (v) de l'élément A de la formule figurant à la définition de « teneur en taxe », au paragraphe 123(1), et si aucun montant de taxe, prévue à l'un des paragraphes 165(2), 212.1(2) et 218.1(1) ou à la section IV.1, n'était inclus dans le calcul de cette teneur en taxe.

Concordance québécoise: aucune.

« habitation admissible » S'agissant de l'habitation admissible d'une personne à un moment donné :

a) l'habitation dont la personne est propriétaire, copropriétaire, locataire ou sous-locataire au moment donné ou immédiatement avant ce moment ou dont elle a la possession, au moment donné ou immédiatement avant ce moment, en tant qu'acheteur dans le cadre d'un contrat de vente, ou l'habitation qui est située dans un immeuble d'habitation dont elle est locataire ou sous-locataire au moment donné ou immédiatement avant ce moment, dans le cas où, à la fois :

(i) au moment donné, l'habitation est une résidence autonome,

(ii) la personne détient l'habitation :

(A) soit en vue d'en effectuer des fournitures exonérées incluses aux articles 5.1, 6.1, 6.11 ou 7 de la partie I de l'annexe V,

(A.1) soit en vue d'effectuer des fournitures exonérées de biens ou de services qui comprennent le transfert de la possession ou de l'utilisation de l'habitation à une personne aux termes d'un bail à conclure en vue de l'occupation de l'habitation à titre résidentiel,

(B) soit à titre de lieu de résidence habituelle pour elle-même, si l'immeuble dans lequel l'habitation est située comprend une ou plusieurs autres habitations qui seraient des habitations admissibles de la personne compte non tenu de la présente division,

(iii) la première utilisation de l'habitation est ou sera, ou la personne peut raisonnablement s'attendre au moment donné à ce que cette première utilisation soit, selon le cas :

(A) de servir de lieu de résidence habituelle à la personne ou à l'un de ses proches, ou à un bailleur de l'immeuble ou à l'un de ses proches, pendant une période d'au moins un an, ou pendant une période plus courte au terme de laquelle l'habitation sera utilisée tel qu'il est prévu à la division (B),

(B) de servir de lieu de résidence à des particuliers qui peuvent chacun occuper l'habitation de façon continue, en vertu d'un ou de plusieurs baux, pendant une période d'au moins un an tout au long de laquelle l'habitation leur sert de lieu de résidence habituelle, ou pendant une période plus courte se terminant au moment où l'habitation, selon le cas :

(I) est vendue à un acquéreur qui l'acquiert pour qu'elle lui serve de lieu de résidence habituelle ou serve ainsi à l'un de ses proches,

(II) sert de lieu de résidence habituelle à la personne ou à l'un de ses proches, ou à un bailleur de l'immeuble ou à l'un de ses proches,

(iv) sauf en cas d'application de la subdivision (iii)(B)(II), si, au moment donné, l'intention de la personne à l'égard de l'habitation, après qu'elle a été utilisée tel qu'il est prévu au sous-alinéa (iii), est de l'occuper pour son propre usage ou de la fournir par bail pour qu'elle soit utilisée à titre résidentiel ou d'hébergement par un particulier qui est l'un de ses proches, de ses actionnaires, de ses associés ou de ses membres ou avec lequel elle a un lien de dépendance, la personne peut raisonnablement s'attendre à ce que l'habitation soit son lieu de résidence habituelle ou celui de ce particulier;

b) l'habitation de la personne, visée par règlement.

Notes historiques: La division a)(ii)(A) de la définition « habitation admissible » du paragraphe 256.2(1) a été remplacée et la division (A.1) a été ajoutée par L.C. 2008, c. 28, par. 77(1) et ces modifications s'appliquent relativement aux fournitures suivantes :

a) la fourniture taxable par vente :

(i) d'un immeuble d'habitation ou d'une adjonction à un immeuble d'habitation à logements multiples qui est réputée avoir été effectuée en vertu de l'article 191, si la taxe relative à la fourniture est réputée par cet article avoir été payée après le 26 février 2008,

(ii) d'un immeuble d'habitation ou d'un droit sur un tel immeuble effectuée au profit d'une personne par une autre personne, si la taxe prévue par la partie IX relativement à la fourniture devient payable pour la première fois après le 26 février 2008;

b) la fourniture taxable par vente :

(i) d'un immeuble d'habitation ou d'une adjonction à un immeuble d'habitation à logements multiples qui est réputée avoir été effectuée en vertu de l'article 191 si, à la fois :

(A) la taxe relative à la fourniture est réputée par cet article avoir été payée par une personne à une date donnée antérieure au 27 février 2008,

(B) la personne a indiqué la taxe dans sa déclaration produite aux termes de la section V de la partie IX pour sa période de déclaration qui comprend la date donnée,

(C) la personne a versé la totalité de la taxe nette qui était à verser d'après cette déclaration,

(ii) d'un immeuble d'habitation ou d'un droit sur un tel immeuble effectuée au profit d'une personne qui n'est pas le constructeur de l'immeuble par une autre personne, si la taxe prévue par la partie IX relativement à la fourniture devient payable pour la première fois avant le 27 février 2008 et que la personne l'a acquittée en totalité.

En cas d'application de l'alinéa b) ci-haut :

a) la personne visée à cet alinéa peut, malgré l'alinéa 256.2(7)a), présenter une demande de remboursement concernant la taxe en vertu du paragraphe 256.2(3) au plus tard le 26 février 2010;

b) il peut s'agir, malgré le paragraphe 262(2), de la deuxième demande de remboursement de la personne si une autre demande visant le même objet a été présentée par elle avant le 27 février 2008 et a fait l'objet d'une cotisation avant que la personne présente la deuxième demande.

Antérieurement, la division a)(ii)(A)se lisait ainsi :

(A) soit en vue d'en effectuer des fournitures exonérées incluses aux articles 5.1, 6, 6.1 ou 7 de la partie I de l'annexe V,

Le paragraphe 256.2(1) a été ajouté par L.C. 2001, c. 15, par. 16(1) et est réputé entré en vigueur le 28 février 2000.

Concordance québécoise: LTVQ, art. 378.4« habitation admissible ».

« pourcentage de superficie totale » En ce qui concerne une habitation qui fait partie d'un immeuble d'habitation ou d'une adjonction à un immeuble d'habitation à logements multiples, la proportion, exprimée en pourcentage, que représente, en mètres carrés, la superfi-

LTA (TPS)

cie totale de l'habitation par rapport à la superficie totale de l'ensemble des habitations de l'immeuble ou de l'adjonction, selon le cas.

Concordance québécoise: LTVQ, art. 378.4« pourcentage de superficie totale ».

« première utilisation » La première utilisation d'une habitation une fois achevées en grande partie sa construction ou les dernières rénovations majeures dont elle a fait l'objet ou, si l'habitation est située dans un immeuble d'habitation à logements multiples, une fois achevées en grande partie la construction ou les dernières rénovations majeures de l'immeuble, ou de l'adjonction à celui-ci, où elle est située.

Concordance québécoise: LTVQ, art. 378.4« première utilisation ».

« proche » S'entend au sens du paragraphe 256(1).

Concordance québécoise: aucune.

« résidence autonome »

a) Habitation qui est une suite ou une chambre dans un hôtel, un motel, une auberge, une pension ou une résidence d'étudiants, d'aînés, de personnes handicapées ou d'autres particuliers;

b) habitation avec cuisine, salle de bains et espace habitable privés.

Concordance québécoise: LTVQ, art. 378.4« résidence autonome ».

(2) Mention de « bail » — La mention d'un « bail » au présent article vaut mention d'un bail, d'une licence ou d'un accord semblable.

Notes historiques: Le paragraphe 256.2(2) a été ajouté par L.C. 2001, c. 15, par. 16(1) et est réputé entré en vigueur le 28 février 2000.

Concordance québécoise: LTVQ, art. 378.5.

(3) Remboursement pour fonds et bâtiment loués à des fins résidentielles — Sous réserve des paragraphes (7) et (8), le ministre rembourse une personne (sauf une coopérative d'habitation) dans le cas où, à la fois :

a) la personne, selon le cas :

(i) est l'acquéreur de la fourniture taxable par vente (appelée « achat auprès du fournisseur » au présent paragraphe), effectuée par une autre personne, d'un immeuble d'habitation ou d'un droit dans un tel immeuble, mais n'est pas le constructeur de l'immeuble,

(ii) est le constructeur d'un immeuble d'habitation ou d'une adjonction à un immeuble d'habitation à logements multiples qui transfère la possession ou l'utilisation d'une habitation de l'immeuble ou de l'adjonction à une autre personne aux termes d'un bail conclu en vue de l'occupation de l'habitation à titre résidentiel et, par suite de ce transfert, elle est réputée par l'article 191 avoir effectué et reçu, par vente, la fourniture taxable (appelée « achat présumé » au présent paragraphe) de l'immeuble ou de l'adjonction;

b) à un moment donné, la taxe devient payable pour la première fois relativement à l'achat auprès du fournisseur ou la taxe relative à l'achat présumé est réputée avoir été payée par la personne;

c) au moment donné, l'immeuble ou l'adjonction, selon le cas, est une habitation admissible de la personne ou comprend une ou plusieurs telles habitations;

d) la personne ne peut inclure, dans le calcul de son crédit de taxe sur les intrants, la taxe relative à l'achat auprès du fournisseur ou la taxe relative à l'achat présumé.

Le montant remboursable est égal au total des montants représentant chacun le montant, relatif à une habitation qui fait partie de l'immeuble ou de l'adjonction, selon le cas, et qui est une habitation admissible de la personne au moment donné, obtenu par la formule suivante :

$$A \times \frac{(450\ 000\ \$ - B)}{100\ 000\ \$}$$

où :

A représente 6 300 $ ou, s'il est moins élevé, le montant obtenu par la formule suivante :

$$A1 \times A2$$

où :

A1 représente 36 % du total de la taxe prévue au paragraphe 165(1) qui est payable relativement à l'achat auprès du fournisseur ou qui est réputée avoir été payée relativement à l'achat présumé,

A2 :

(i) si l'habitation est un immeuble d'habitation à logement unique ou un logement en copropriété, 1,

(ii) dans les autres cas, le pourcentage de superficie totale de l'habitation;

B 350 000 $ ou, s'il est plus élevé, le montant suivant :

(i) si l'habitation est un immeuble d'habitation à logement unique ou un logement en copropriété, sa juste valeur marchande au moment donné,

(ii) dans les autres cas, le montant obtenu par la formule suivante :

$$B1 \times B2$$

où :

B1 représente le pourcentage de superficie totale de l'habitation,

B2 la juste valeur marchande, au moment donné, de l'immeuble ou de l'adjonction, selon le cas.

Notes historiques: Le préambule de l'élément A de la formule au paragraphe 256.2(3) a été remplacé par L.C. 2007, c. 35, par. 192(1) et cette modification s'applique :

a) à la fourniture taxable, effectuée au profit d'un acquéreur par une autre personne, d'un immeuble d'habitation, ou d'un droit sur un tel immeuble, dont la propriété et la possession aux termes de la convention portant sur la fourniture sont transférées après décembre 2007, sauf si cette convention est constatée par écrit et a été conclue avant le 31 octobre 2007;

b) à l'achat présumé, au sens du sous-alinéa 256.2(3)a)(ii), effectué par un constructeur, si la taxe relative à l'achat présumé d'un immeuble d'habitation, ou d'une adjonction à un tel immeuble, est réputée avoir été payée après décembre 2007.

Antérieurement, il se lisait ainsi :

A représente 7 560 $ ou, s'il est moins élevé, le montant obtenu par la formule suivante :

Le préambule de la formule A du paragraphe 256.2(3) a été remplacé par L.C. 2006, c. 4, par. 28(1) et cette modification s'applique :

a) à la fourniture taxable, effectuée au profit d'un acquéreur par une autre personne, d'un immeuble d'habitation, ou d'un droit sur un tel immeuble, dont la propriété et la possession aux termes de la convention portant sur la fourniture sont transférées après juin 2006, sauf si cette convention est constatée par écrit et a été conclue avant le 3 mai 2006;

b) à l'achat présumé, au sens du sous-alinéa 256.2(3)a)(ii), effectué par un constructeur, si la taxe relative à l'achat présumé d'un immeuble d'habitation, ou d'une adjonction à un tel immeuble, est réputée avoir été payée après juin 2006.

Antérieurement, il se lisait ainsi :

A représente 8 750 $ ou, s'il est moins élevé, le montant obtenu par la formule suivante :

Le sous-alinéa 256.2(3)a)(ii) a été remplacé par L.C. 2008, c. 28, par. 77(2) et cette modification s'applique relativement aux fournitures suivantes :

a) la fourniture taxable par vente :

(i) d'un immeuble d'habitation ou d'une adjonction à un immeuble d'habitation à logements multiples qui est réputée avoir été effectuée en vertu de l'article 191, si la taxe relative à la fourniture est réputée par cet article avoir été payée après le 26 février 2008,

(ii) d'un immeuble d'habitation ou d'un droit sur un tel immeuble effectuée au profit d'une personne par une autre personne, si la taxe prévue par la partie IX relativement à la fourniture devient payable pour la première fois après le 26 février 2008;

b) la fourniture taxable par vente :

(i) d'un immeuble d'habitation ou d'une adjonction à un immeuble d'habitation à logements multiples qui est réputée avoir été effectuée en vertu de l'article 191 si, à la fois :

(A) la taxe relative à la fourniture est réputée par cet article avoir été payée par une personne à une date donnée antérieure au 27 février 2008,

(B) la personne a indiqué la taxe dans sa déclaration produite aux termes de la section V de la partie IX pour sa période de déclaration qui comprend la date donnée,

(C) la personne a versé la totalité de la taxe nette qui était à verser d'après cette déclaration,

(ii) d'un immeuble d'habitation ou d'un droit sur un tel immeuble effectuée au profit d'une personne qui n'est pas le constructeur de l'immeuble par une autre personne, si la taxe prévue par la partie IX relativement à la fourniture devient payable pour la première fois avant le 27 février 2008 et que la personne l'a acquittée en totalité.

En cas d'application de l'alinéa b) ci-haut :

a) la personne visée à cet alinéa peut, malgré l'alinéa 256.2(7)a), présenter une demande de remboursement concernant la taxe en vertu du paragraphe 256.2(3) au plus tard le 26 février 2010;

b) il peut s'agir, malgré le paragraphe 262(2), de la deuxième demande de remboursement de la personne si une autre demande visant le même objet a été présentée par elle avant le 27 février 2008 et a fait l'objet d'une cotisation avant que la personne présente la deuxième demande.

Antérieurement, le sous-alinéa 256.2(3)a)(ii) se lisait ainsi :

(ii) est le constructeur d'un immeuble d'habitation, ou d'une adjonction à un immeuble d'habitation à logements multiples, qui effectue une fourniture exonérée par bail incluse aux articles 6 ou 6.1 de la partie I de l'annexe V par suite de laquelle elle est réputée, par l'article 191, avoir effectué et reçu, par vente, la fourniture taxable (appelée « achat présumé » au présent paragraphe) de l'immeuble ou de l'adjonction;

Le paragraphe 256.2(3) a été ajouté par L.C. 2001, c. 15, par. 16(1) et est réputé entré en vigueur le 28 février 2000. Toutefois, le paragraphe 256.2(3) s'applique aux fournitures suivantes :

(i) la fourniture taxable par vente d'un immeuble d'habitation, ou d'un droit dans un tel immeuble, effectuée au profit d'une personne qui n'est pas un constructeur de l'immeuble, ou d'un immeuble d'habitation ou d'une adjonction à un tel immeuble effectuée au profit d'une personne qui, autrement que par l'effet du paragraphe 190(1), est un constructeur de l'immeuble ou de l'adjonction, selon le cas, mais seulement si la construction ou les dernières rénovations majeures de l'immeuble ou de l'adjonction, selon le cas, ont commencé après le 27 février 2000;

(ii) la fourniture taxable par vente d'un immeuble d'habitation ou d'une adjonction à un tel immeuble qui est réputée être effectuée au profit d'une personne ayant converti un immeuble en l'immeuble d'habitation ou en l'adjonction à un tel immeuble et qui, par conséquent, est réputée par le paragraphe 190(1) être un constructeur de l'immeuble d'habitation ou de l'adjonction, mais seulement si la construction ou les travaux de transformation nécessaires à la conversion ont commencé après le 27 février 2000.

Concordance québécoise: LTVQ, art. 378.6, 378.7.

(4) Remboursement pour vente de bâtiment et location de fonds — Sous réserve des paragraphes (7) et (8), le ministre rembourse une personne (sauf une coopérative d'habitation) dans le cas où, à la fois :

a) la personne est le constructeur d'un immeuble d'habitation ou d'une adjonction à un immeuble d'habitation à logements multiples et effectue les fournitures suivantes :

(i) la fourniture exonérée par vente, incluse à l'article 5.1 de la partie I de l'annexe V, d'un bâtiment ou d'une partie de bâtiment,

(ii) la fourniture exonérée, incluse à l'article 7 de cette partie, d'un fonds par bail ou la fourniture exonérée, incluse à cet article, par cession, d'un bail relatif à un fonds;

b) le bail prévoit la possession ou l'utilisation continues du fonds pendant une période d'au moins vingt ans ou une option d'achat du fonds;

c) par suite des fournitures, la personne est réputée, par l'article 191, avoir effectué et reçu, par vente, la fourniture taxable de l'immeuble ou de l'adjonction et avoir payé, à un moment donné, la taxe relative à cette fourniture;

d) dans le cas d'un immeuble d'habitation à logements multiples ou d'une adjonction à un tel immeuble, l'immeuble ou l'adjonction, selon le cas, comprend, au moment donné, une ou plusieurs habitations admissibles de la personne;

e) la personne n'a pas le droit d'inclure, dans le calcul de son crédit de taxe sur les intrants, la taxe qu'elle est réputée avoir payée;

f) dans le cas de la fourniture exonérée par vente d'un immeuble d'habitation à logement unique ou d'un logement en copropriété, l'acquéreur de la fourniture a droit au remboursement prévu au paragraphe 254.1(2) relativement à l'immeuble ou au logement.

Le montant remboursable est égal au total des montants représentant chacun le montant, relatif à une habitation qui fait partie de l'immeuble ou de l'adjonction, selon le cas, et qui, dans le cas d'un immeuble d'habitation à logements multiples ou d'une adjonction à un tel immeuble, est une habitation admissible de la personne au moment donné, obtenu par la formule suivante :

$$\left[A \times \frac{(450\,000\,\$ - B)}{100\,000\,\$}\right] - C$$

où :

A représente 6 300 $ ou, s'il est moins élevé, le montant obtenu par la formule suivante :

$$A1 \times A2$$

où :

A1 représente 36 % de la taxe prévue au paragraphe 165(1) qui est réputée avoir été payée par la personne au moment donné,

A2 :

(i) si l'habitation est un immeuble d'habitation à logement unique ou un logement en copropriété, 1,

(ii) dans les autres cas, le pourcentage de superficie totale de l'habitation;

B 350 000 $ ou, s'il est plus élevé, le montant suivant :

(i) si l'habitation est un immeuble d'habitation à logement unique ou un logement en copropriété, sa juste valeur marchande au moment donné,

(ii) dans les autres cas, le montant obtenu par la formule suivante :

$$B1 \times B2$$

où :

B1 représente le pourcentage de superficie totale de l'habitation,

B2 la juste valeur marchande, au moment donné, de l'immeuble ou de l'adjonction, selon le cas;

C le montant du remboursement, prévu au paragraphe 254.1(2), que l'acquéreur de la fourniture exonérée par vente peut demander relativement à l'immeuble ou au logement.

Notes historiques: Le préambule de l'élément A de la formule au paragraphe 256.2(4) a été remplacé par L.C. 2007, c. 35, par. 192(2) et cette modification s'applique à la fourniture d'un bâtiment ou d'une partie de bâtiment faisant partie d'un immeuble d'habitation et à la fourniture d'un fonds, prévues aux sous-alinéas 256.2(4)a)(i) et (ii), par suite desquelles une personne est réputée en vertu de l'article 191 avoir effectué et reçu une fourniture taxable par vente de l'immeuble, ou d'une adjonction à celui-ci, après décembre 2007, sauf si la fourniture est réputée avoir été effectuée du fait que le constructeur a transféré la possession d'une habitation de l'immeuble ou de l'adjonction à une personne aux termes d'une convention portant sur la fourniture par vente du bâtiment ou de la partie de bâtiment faisant partie de l'immeuble ou de l'adjonction et, selon le cas :

a) cette convention a été conclue avant le 31 octobre 2007;

b) une autre convention a été conclue entre le constructeur et une autre personne avant le 3 mai 2006, n'a pas pris fin avant juillet 2006 et portait sur la fourniture par vente du bâtiment ou de la partie de bâtiment faisant partie :

(i) de l'immeuble, dans le cas d'une fourniture réputée d'immeuble,

(ii) de l'adjonction, dans le cas d'une fourniture réputée d'adjonction;

c) une autre convention a été conclue entre le constructeur et une autre personne avant le 31 octobre 2007, n'a pas pris fin avant janvier 2008 et portait sur la fourniture par vente du bâtiment ou de la partie de bâtiment faisant partie :

(i) de l'immeuble, dans le cas d'une fourniture réputée d'immeuble,

(ii) de l'adjonction, dans le cas d'une fourniture réputée d'adjonction.

Antérieurement, le préambule de l'élément A se lisait ainsi :

A représente 7 560 $ ou, s'il est moins élevé, le montant obtenu par la formule suivante :

Le préambule de la formule A du paragraphe 256.2(4) a été remplacé par L.C. 2006, c. 4, par. 28(2) et cette modification s'applique à la fourniture d'un bâtiment ou d'une partie de bâtiment faisant partie d'un immeuble d'habitation et à la fourniture d'un fonds, prévues aux sous-alinéas 256.2(4)a)(i) et (ii), par suite desquelles une personne est réputée en vertu de l'article 191 avoir effectué et reçu une fourniture taxable par vente de l'immeuble, ou d'une adjonction à celui-ci, après juin 2006, sauf si la fourniture est réputée avoir été effectuée du fait que le constructeur a transféré la possession d'une habitation de l'immeuble ou de l'adjonction à une personne aux termes d'une convention portant sur la fourniture par vente du bâtiment ou de la partie de bâtiment faisant partie de l'immeuble ou de l'adjonction et sauf si, selon le cas :

a) la convention a été conclue avant le 3 mai 2006;

b) une autre convention entre le constructeur et une autre personne a été conclue avant le 3 mai 2006, n'a pas pris fin avant juin 2006 et portait sur la fourniture par vente du bâtiment ou de la partie de bâtiment faisant partie :

(i) de l'immeuble, dans le cas d'une fourniture réputée d'immeuble,

(ii) de l'adjonction, dans le cas d'une fourniture réputée d'adjonction.

Antérieurement, il se lisait ainsi :

A représente 8 750 $ ou, s'il est moins élevé, le montant obtenu par la formule suivante :

Le paragraphe 256.2(4) a été ajouté par L.C. 2001, c. 15, par. 16(1) et est réputé entré en vigueur le 28 février 2000. Toutefois, le paragraphe 256.2(4) s'applique aux fournitures suivantes :

(i) la fourniture taxable par vente d'un immeuble d'habitation, ou d'un droit dans un tel immeuble, effectuée au profit d'une personne qui n'est pas un constructeur de l'immeuble, ou d'un immeuble d'habitation ou d'une adjonction à un tel immeuble effectuée au profit d'une personne qui, autrement que par l'effet du paragraphe 190(1), est un constructeur de l'immeuble ou de l'adjonction, selon le cas, mais seulement si la construction ou les dernières rénovations majeures de l'immeuble ou de l'adjonction, selon le cas, ont commencé après le 27 février 2000;

(ii) la fourniture taxable par vente d'un immeuble d'habitation ou d'une adjonction à un tel immeuble qui est réputée être effectuée au profit d'une personne ayant converti un immeuble en l'immeuble d'habitation ou en l'adjonction à un tel immeuble et qui, par conséquent, est réputée par le paragraphe 190(1) être un constructeur de l'immeuble d'habitation ou de l'adjonction, mais seulement si la construction ou les travaux de transformation nécessaires à la conversion ont commencé après le 27 février 2000.

Concordance québécoise: LTVQ, art. 378.8, 378.9.

(5) Remboursement pour coopérative d'habitation — Sous réserve des paragraphes (7) et (8), le ministre rembourse une coopérative d'habitation dans le cas où, à la fois :

a) la coopérative, selon le cas :

(i) est l'acquéreur de la fourniture taxable par vente (appelée « achat auprès du fournisseur » au présent paragraphe), effectuée par une autre personne, d'un immeuble d'habitation ou d'un droit dans un tel immeuble, mais n'est pas le constructeur de l'immeuble,

(ii) est le constructeur d'un immeuble d'habitation, ou d'une adjonction à un immeuble d'habitation à logements multiples, qui effectue une fourniture exonérée par bail incluse à l'article 6 de la partie I de l'annexe V par suite de laquelle elle est réputée, par l'article 191, avoir effectué et reçu, par vente, la fourniture taxable (appelée « achat présumé » au présent paragraphe) de l'immeuble ou de l'adjonction et avoir payé la taxe relative à cette fourniture;

b) la coopérative ne peut inclure, dans le calcul de son crédit de taxe sur les intrants, la taxe relative à l'achat auprès du fournisseur ou la taxe relative à l'achat présumé;

c) à un moment où une habitation faisant partie de l'immeuble est une habitation admissible de la coopérative, celle-ci en permet l'occupation pour la première fois, après l'achèvement de sa construction ou des dernières rénovations majeures dont elle a fait l'objet, en application d'une convention concernant une fourniture de l'habitation qui est une fourniture exonérée incluse à l'article 6 de la partie I de l'annexe V.

Le montant remboursable relativement à l'habitation est égal au montant obtenu par la formule suivante :

$$\left[A \times \frac{(450\ 000\ \$ - B)}{100\ 000\ \$}\right] - C$$

où :

A représente 6 300 $ ou, s'il est moins élevé, le montant obtenu par la formule suivante :

$$A1 \times A2$$

où :

A1 représente 36 % du total de la taxe prévue au paragraphe 165(1) qui est payable relativement à l'achat auprès du fournisseur ou qui est réputée avoir été payée relativement à l'achat présumé,

A2 :

(i) si l'habitation est un immeuble d'habitation à logement unique, 1,

(ii) dans les autres cas, le pourcentage de superficie totale de l'habitation;

B 350 000 $ ou, s'il est plus élevé, le montant suivant :

(i) si l'habitation est un immeuble d'habitation à logement unique ou un logement en copropriété, sa juste valeur marchande au moment où la taxe devient payable pour la première fois relativement à l'achat auprès du fournisseur ou au moment où la taxe relative à l'achat présumé est réputée avoir été payée par la coopérative,

(ii) dans les autres cas, le montant obtenu par la formule suivante :

$$B1 \times B2$$

où :

B1 représente le pourcentage de superficie totale de l'habitation,

B2 la juste valeur marchande de l'immeuble au moment applicable visé au sous-alinéa (i);

C le montant du remboursement, prévu au paragraphe 255(2), que l'acquéreur de la fourniture exonérée de l'habitation pouvait demander relativement à celle-ci.

Notes historiques: Le préambule de l'élément A de la formule au paragraphe 256.2(5) a été remplacé par L.C. 2007, c. 35, par. 192(3) et cette modification s'applique :

a) à la fourniture taxable par vente, effectuée au profit d'un acquéreur par une autre personne, d'un immeuble d'habitation, ou d'un droit sur un tel immeuble, dont la propriété et la possession aux termes de la convention portant sur la fourniture sont transférées après décembre 2007, sauf si cette convention est constatée par écrit et a été conclue avant le 31 octobre 2007;

b) à l'achat présumé, au sens du sous-alinéa 256.2(5)a)(ii), effectué par un constructeur, si la taxe relative à l'achat présumé d'un immeuble d'habitation, ou d'une adjonction à un tel immeuble, est réputée avoir été payée après décembre 2007.

Antérieurement, il se lisait ainsi :

A représente 7 560 $ ou, s'il est moins élevé, le montant obtenu par la formule suivante :

Le préambule de la formule A du paragraphe 256.2(5) a été remplacé par L.C. 2006, c. 4, par. 28(3) et cette modification s'applique :

a) à la fourniture taxable par vente, effectuée au profit d'un acquéreur par une autre personne, d'un immeuble d'habitation, ou d'un droit sur un tel immeuble, dont la propriété et la possession aux termes de la convention portant sur la fourniture sont transférées après juin 2006, sauf si cette convention est constatée par écrit et a été conclue avant le 3 mai 2006;

b) à l'achat présumé, au sens du sousalinéa 256.2(5)a)(ii) de la même loi, effectué par un constructeur, si la taxe relative à l'achat présumé d'un immeuble d'habitation, ou d'une adjonction à un tel immeuble, est réputée avoir été payée après juin 2006.

Antérieurement, il se lisait ainsi :

A représente 8 750 $ ou, s'il est moins élevé, le montant obtenu par la formule suivante :

Le paragraphe 256.2(5) a été ajouté par L.C. 2001, c. 15, par. 16(1) et est réputé entré en vigueur le 28 février 2000. Toutefois, le paragraphe 256.2(5) s'applique aux fournitures suivantes :

(i) la fourniture taxable par vente d'un immeuble d'habitation, ou d'un droit dans un tel immeuble, effectuée au profit d'une personne qui n'est pas un constructeur de l'immeuble, ou d'un immeuble d'habitation ou d'une adjonction à un tel immeuble effectuée au profit d'une personne qui, autrement que par l'effet du paragraphe 190(1), est un constructeur de l'immeuble ou de l'adjonction, selon le cas, mais seulement si la construction ou les dernières rénovations majeures de l'immeuble ou de l'adjonction, selon le cas, ont commencé après le 27 février 2000;

(ii) la fourniture taxable par vente d'un immeuble d'habitation ou d'une adjonction à un tel immeuble qui est réputée être effectuée au profit d'une personne ayant converti un immeuble en l'immeuble d'habitation ou en l'adjonction à un tel immeuble et qui, par conséquent, est réputée par le paragraphe 190(1) être un constructeur de l'immeuble d'habitation ou de l'adjonction, mais seulement si la construction ou les travaux de transformation nécessaires à la conversion ont commencé après le 27 février 2000.

Concordance québécoise: LTVQ, art. 378.10, 378.11.

(6) Remboursement pour fonds loué à des fins résidentielles — Sous réserve des paragraphes (7) et (8), le ministre rembourse une personne dans le cas où, à la fois :

a) la personne effectue la fourniture exonérée d'un fonds à l'égard de laquelle les conditions suivantes sont réunies :

(i) il s'agit d'une fourniture, incluse à l'alinéa 7a) de la partie I de l'annexe V, effectuée au profit d'une personne visée au sous-alinéa (i) de cet alinéa ou d'une fourniture, incluse à l'alinéa 7b) de cette partie, d'un emplacement dans un parc à roulottes résidentiel,

(ii) par suite de la fourniture, la personne est réputée, par l'un des paragraphes 190(3) à (5), 200(2), 206(4) et 207(1), avoir effectué et reçu, par vente, la fourniture taxable du fonds et avoir payé, à un moment donné, la taxe relative à cette fourniture;

b) s'il s'agit de la fourniture exonérée d'un fonds visée à l'alinéa 7a) de la partie I de l'annexe V, l'habitation qui est ou doit être fixée au fonds l'est ou le sera pour que des particuliers puissent s'en servir comme lieu de résidence habituelle;

c) la personne ne peut inclure, dans le calcul de son crédit de taxe sur les intrants, la taxe qu'elle est réputée avoir payée.

Le montant remboursable est égal au montant obtenu par la formule suivante :

$$\frac{A \times (112\,500\,\$ - B)}{25\,000\,\$}$$

où :

A représente :

(i) dans le cas d'une fourniture taxable relativement à laquelle la personne est réputée avoir payé la taxe calculée sur la juste valeur marchande du fonds, 36 % de la taxe prévue au paragraphe 165(1) qui est réputée avoir été payée relativement à cette fourniture,

(ii) dans le cas d'une fourniture taxable relativement à laquelle la personne est réputée avoir payé une taxe égale à la teneur en taxe du fonds, 36 % de la fraction admissible de la teneur en taxe du fonds au moment donné;

B 87 500 $ ou, s'il est plus élevé, le montant suivant :

(i) s'il s'agit de la fourniture d'un fonds, incluse à l'alinéa 7a) de la partie I de l'annexe V, la juste valeur marchande du fonds au moment donné,

(ii) s'il s'agit de la fourniture d'un emplacement dans un parc à roulottes résidentiel, ou dans une adjonction à un tel parc, le quotient de la juste valeur marchande, au moment donné, du parc ou de l'adjonction, selon le cas, par le nombre total d'emplacements dans le parc ou l'adjonction, selon le cas, à ce moment.

Notes historiques: Le paragraphe 256.2(6) a été ajouté par L.C. 2001, c. 15, par. 16(1) et est réputé entré en vigueur le 28 février 2000. Toutefois, le paragraphe 256.2(6) ne s'applique pas aux fournitures exonérées effectuées avant le 28 février 2000.

Concordance québécoise: LTVQ, art. 378.12, 378.13.

(6.1) Redressement pour remboursement transitoire — Pour le calcul du montant d'un remboursement donné concernant un immeuble d'habitation, un droit sur un tel immeuble ou une adjonction à un immeuble d'habitation à logements multiples qui est payable à une personne en vertu de l'un des paragraphes (3) à (5), le total de la taxe prévue au paragraphe 165(1) qui entre dans le calcul fait selon les formules figurant aux paragraphes (3) à (5) est diminué du total des montants de remboursement payables à la personne en vertu de l'un des articles 256.3 à 256.77 relativement à l'immeuble, au droit ou à l'adjonction si la personne :

a) d'une part, n'avait pas droit au remboursement donné prévu par le présent article en son état immédiatement après sa dernière modification par une loi fédérale sanctionnée avant le 26 février 2008;

b) d'autre part, a droit au remboursement donné prévu par le présent article en son état immédiatement après la sanction de la *Loi d'exécution du budget de 2008*.

Notes historiques: Le paragraphe 256.2(6.1) a été ajouté par L.C. 2008, c. 28, par. 77(3) et est réputé être entré en vigueur le 1er juillet 2006.

Concordance québécoise: LTVQ, art. 378.15.1.

(7) Demande de remboursement et paiement de taxe — Un remboursement n'est accordé en vertu du présent article que si, à la fois :

a) la personne en fait la demande dans les deux ans suivant la fin du mois ci-après :

(i) dans le cas du remboursement prévu au paragraphe (5), le mois où elle effectue la fourniture exonérée visée au sous-alinéa (5)a)(ii),

(ii) dans le cas du remboursement prévu au paragraphe (6), le mois au cours duquel la taxe visée à ce paragraphe est réputée avoir été payée par elle,

(iii) en ce qui concerne les autres remboursements pour habitation, le mois où la taxe devient payable par elle pour la première fois, ou est réputée avoir été payée par elle pour la première fois, relativement à l'habitation ou à un droit y afférent, ou relativement à l'immeuble d'habitation ou à l'adjonction dans lequel elle est située, ou à un droit dans cet immeuble ou cette adjonction;

b) dans le cas où le remboursement fait suite à une fourniture taxable que la personne a reçue d'une autre personne, la personne a payé la totalité de la taxe payable relativement à cette fourniture;

c) dans le cas où le remboursement fait suite à une fourniture taxable relativement à laquelle la personne est réputée avoir perçu la taxe au cours d'une de ses périodes de déclaration, la personne a indiqué la taxe dans sa déclaration produite aux termes de la section V pour la période de déclaration et a versé la totalité de la taxe nette qui était à verser d'après cette déclaration.

Notes historiques: Le paragraphe 256.2(7) a été ajouté par L.C. 2001, c. 15, par. 16(1) et est réputé entré en vigueur le 28 février 2000.

La personne qui, afin de remplir la condition énoncée à l'alinéa 256.2(7)a), relativement à un remboursement, serait tenue de présenter une demande de remboursement avant le jour qui suit de deux ans la date de sanction de L.C. 2001, c. 15 peut, malgré cet alinéa, présenter la demande au plus tard ce jour-là.

Concordance québécoise: LTVQ, art. 378.16.

(8) Règles spéciales — Les règles suivantes s'appliquent dans le cadre du présent article :

a) dans le cas où, à un moment donné, la presque totalité des habitations d'un immeuble d'habitation à logements multiples comptant au moins dix habitations sont des habitations relativement auxquelles la condition énoncée au sous-alinéa a)(iii) de la définition de « habitation admissible » est remplie, la totalité des habitations de l'immeuble sont réputées être des habitations à l'égard desquelles cette condition est remplie à ce moment;

b) sauf dans le cas des habitations visées à l'alinéa a) de la définition de « résidence autonome » :

(i) les deux habitations situées dans un immeuble d'habitation à logements multiples qui ne compte que ces deux habitations sont réputées former une seule habitation, et l'immeuble est réputé être un immeuble d'habitation à logement unique et ne pas être un immeuble d'habitation à logements multiples,

(ii) si une habitation donnée située dans un bâtiment comporte un accès interne direct — nécessitant ou non l'utilisation d'une clé ou d'un instrument semblable — à une autre aire du bâtiment qui constitue la totalité ou une partie de l'espace habitable d'une autre habitation, l'habitation donnée est réputée faire partie de l'autre habitation et ne pas être une habitation distincte.

Notes historiques: Le paragraphe 256.2(8) a été ajouté par L.C. 2001, c. 15, par. 16(1) et est réputé entré en vigueur le 28 février 2000.

Concordance québécoise: LTVQ, art. 378.17.

(9) Restrictions — Les remboursements prévus au présent article ne sont pas accordés à une personne dans le cas où la totalité ou une partie de la taxe incluse dans le calcul des remboursements serait incluse par ailleurs dans le calcul d'un remboursement qui lui est accordé en vertu de l'un des articles 254, 256, 256.1 et 259. De plus, est exclue du calcul du remboursement d'une personne prévu au présent article toute taxe que la personne, par l'effet d'une loi fédérale (sauf la présente loi) ou de toute autre règle de droit :

a) soit n'a pas à payer ou à verser;

b) soit peut recouvrer au moyen d'un remboursement ou d'une remise.

Notes historiques: Le paragraphe 256.2(9) a été ajouté par L.C. 2001, c. 15, par. 16(1) et est réputé entré en vigueur le 28 février 2000.

Concordance québécoise: LTVQ, art. 378.18.

(10) Restitution — La personne qui avait droit au remboursement prévu au paragraphe (3) relativement à une habitation admissible (sauf une habitation située dans un immeuble d'habitation à logements multiples), mais qui, dans l'année suivant la première occupation de l'habitation à titre résidentiel, une fois achevées en grande partie sa construction ou les dernières rénovations majeures dont elle a fait l'objet, effectue la fourniture par vente de l'habitation (sauf une fourniture réputée, par les articles 183 ou 184, avoir été effectuée) à un acheteur qui ne l'acquiert pas pour qu'elle lui serve de lieu de résidence habituelle, ou serve ainsi à l'un de ses proches, est tenue de payer au receveur général un montant égal au montant du remboursement, majoré des intérêts calculés sur ce montant, au taux réglementaire moins 2 % par année, pour la période commençant le jour où le montant du remboursement lui a été versé ou a été déduit d'une somme dont elle est redevable, et se terminant le jour où elle paie le montant au receveur général.

Notes historiques: Le paragraphe 256.2(10) a été modifié par L.C. 2006, c. 4, par. 144(1) par le remplacement de « , au taux fixé par règlement pour l'application de l'alinéa 280(1)b), » par « , au taux réglementaire moins 2 % par année, ». Cette modification s'applique relativement à tout remboursement auquel une personne a droit si elle en paie le montant au receveur général le 1er avril 2007 ou par la suite. Toutefois, si le remboursement a été versé à la personne avant cette date, le paragraphe 256.2(10) est réputé avoir le libellé suivant :

> (10) La personne qui avait droit au remboursement prévu au paragraphe (3) relativement à une habitation admissible (sauf une habitation située dans un immeuble d'habitation à logements multiples), mais qui, dans l'année suivant la première occupation de l'habitation à titre résidentiel, une fois achevées en grande partie sa construction ou les dernières rénovations majeures dont elle a fait l'objet, effectue la fourniture par vente de l'habitation (sauf une fourniture réputée, par les articles 183 ou 184, avoir été effectuée) à un acheteur qui ne l'acquiert pas pour qu'elle lui serve de lieu de résidence habituelle, ou serve ainsi à l'un de ses proches, est tenue de payer au receveur général un montant égal au montant du remboursement, majoré du total des montants suivants :
>
> a) les intérêts, au taux réglementaire fixé pour l'application de l'alinéa 280(1)b), calculés sur ce montant pour la période commençant le jour où le montant du remboursement a été versé à la personne ou a été déduit d'une somme dont elle est redevable et se terminant le 31 mars 2007;
>
> b) les intérêts, au taux réglementaire moins 2 % par année, calculés sur ce montant majoré des intérêts visés à l'alinéa a) pour la période commençant le 1er avril 2007 et se terminant le jour où la personne paie le montant du remboursement au receveur général.

Le paragraphe 256.2(10) a été ajouté par L.C. 2001, c. 15, par. 16(1) et est réputé entré en vigueur le 28 février 2000.

Concordance québécoise: LTVQ, art. 378.19.

juin 2006, Notes explicatives: L'article 256.2 prévoit le remboursement de 36 % de la taxe imposée en vertu du paragraphe 165(1) relativement aux immeubles d'habitation locatifs (y compris les immeubles d'habitation à logements multiples) neufs ou ayant fait l'objet de rénovations majeures. Conformément au remboursement prévu au paragraphe 254(2) — qui prévoit le remboursement partiel de la taxe payée par le particulier qui achètent du constructeur un immeuble d'habitation à logement unique ou un logement en copropriété — le montant remboursable maximal pouvant être accordé en vertu des paragraphes 256.2(3) à (5) relativement à une « habitation admissible », au sens du paragraphe 256.2(1), est de 8 750 $.

Par suite de la modification apportée au paragraphe 165(1), qui consiste à ramener de 7 % à 6 % le taux auquel la taxe est calculée, les paragraphes 256.2(3) à (5) sont modifiés en vue de réduire le montant remboursable maximal utilisé dans les formules figurant à ces paragraphes pour le faire passer de 8 750 $ à 7 560 $. Ce maximum correspond au montant remboursable maximal prévu au paragraphe 254(2), dans sa version modifiée.

Ces modifications s'appliquent, dans le cas des acheteurs-bailleurs, aux immeubles d'habitation dont la propriété et la possession aux termes de la convention portant sur la fourniture sont transférées après juin 2006, sauf si la convention a été conclue avant le 3 mai 2006. Dans le cas des constructeurs-bailleurs, ces modifications s'appliquent, de façon générale, aux immeubles d'habitation relativement auxquels la taxe est réputée avoir été payée en vertu de l'article 191 après juin 2006. Toutefois, dans le cas de la vente exonérée de tout ou partie d'un bâtiment faisant partie d'un immeuble d'habitation, effectuée au profit d'une personne qui loue le fonds sur lequel le bâtiment est situé, la modification apportée au paragraphe 165(1) pourrait ne pas s'appliquer même si la taxe est réputée avoir été payée en vertu de l'article 191 après juin 2006 (voir les alinéas 3(2)d), f) et g) du projet de loi). Dans ce cas, la modification touchant le paragraphe 256.2(3) ne s'appliquera pas non plus.

Définitions [art. 256.2]: « bien », « habitation », « immeuble », « ministre », « personne », « rénovations majeures », « taxe » — 123(1).

Renvois [art. 256.2]: 236.4 (choix visant un immeuble d'habitation); 261.01(3) (exceptions au remboursement pour fiducie de régime interentreprises); 378.7 (montant du remboursement pour fourniture d'un immeuble d'habitation loué à des fins résidentielles); 378.9 (droit au remboursement pour fourniture d'un immeuble d'habitation loué à des fins résidentielles); 378.11 (montant du remboursement pour coopérative d'habitation); 378.13 (montant du remboursement pour fonds de terre); 378.14 (remboursement JVM d'une habitation); 378.15 (remboursement JVM d'un fonds de terre); 670.33 (montant du remboursement — taxe de vente d'un immeuble); 670.45, 670.57, 670.74, 670.86 (montant du remboursement au constructeur d'un immeuble); 670.62 (montant du remboursement — fourniture d'un immeuble d'habitation).

Jurisprudence [art. 256.2]: *Boissonneault Groupe Immobilier Inc. c. R.* (16 octobrew 2013), 2012 CarswellNat 3949 (C.C.I.); *Construction Bergeroy Inc. c. R.*, 2007 G.T.C. 866 (CCI); *Melinte v. R.*, [2008] G.S.T.C. 95 (16 avril 2008) (CCI [procédure informelle]); *Coutu c. R.*, 2009 G.T.C. 908 (25 novembre 2008) (CCI [procédure informelle]); *Rego c. R.* (23 janvier 2009), 2009 G.T.C. 997-20 (CCI [procédure informelle]); *Rob Walde Holdings Ltd. v. R.* (6 février 2009), 2009 CarswellNat 913 (CCI [procédure informelle]); *Résidences Majeau Inc. c. R.* (28 mai 2009), 2009 G.T.C. 1062 (CCI [procédure générale]).

Énoncés de politique [art. 256.2]: P-130, 05/08/92, *Lieu de résidence*; P-228, 30/03/99, *Résidence habituelle*.

Bulletin de l'information technique [art. 256.2]: B-087, 05/02/02, *Remboursement de la TPS-TVH pour immeubles d'habitation locatifs neufs*; B-096, 07/07, *Réduction du taux de la TPS/TVH et les immeubles*.

Formulaires [art. 256.2]: FP-524, *Remboursement de TPS pour un immeuble d'habitation locatif neuf*; FP-525, *Annexe au remboursement de TPS pour un immeuble d'habitation locatif neuf à logements multiples*; GST524, *Demande de remboursement de la TPS/TVH pour immeubles d'habitation locatifs neufs*; GST525, *Supplément à la demande de remboursement pour immeubles d'habitation locatifs neufs — logements multiples*; RC4231, *Remboursement de la TPS/TVH pour immeubles d'habitation locatifs neufs — Y compris les formulaires GST524 et GST525*.

Info TPS/TVQ [art. 256.2]: GI-003 — *Ventes par des particuliers — terrains vacants*; GI-050 — *Les établissements de soins pour bénéficiaires internes Pour l'application du présent document d'information, un « établissement de soins pour bénéficiaires internes »*; GI-101 — *Taxe de vente harmonisée-Renseignements à l'intention des constructeurs d'habitations non inscrits en Ontario, en Colombie-Britannique et en Nouvelle-Écosse*; GI-129 — *Taxe de vente harmonisée : améliorations proposées aux remboursements pour immeubles d'habitation locatifs neufs de la Colombie-Britannique*.

Lettres d'interprétation (Québec) [art. 256.2]: 00-0105239 — Interprétation relative à la TPS et la TVQ — Remboursement pour immeubles d'habitation locatifs neufs.

COMMENTAIRES: Cet article permet d'accorder un remboursement équivalent aux articles 254 à 256, mais pour des fins locatives.

De l'avis de l'Agence du revenu du Canda, la question de savoir si une habitation admissible est une « résidence habituelle » est une question de fait qui doit être déterminée au cas par cas. Les critères indicatifs d'une résidence habituelle sont: (i) l'adresse postale; (ii) l'impôt sur le revenu (par ex. formulaires ou déclarations); (iii) le droit de vote; (iv) les taxes municipales ou scolaires; et (v) la liste des inscriptions téléphoniques. Le texte de la loi ne permet pas à un particulier de posséder plus d'une résidence habituelle. Si le particulier possède plus d'une résidence, il faut alors déterminer laquelle est la résidence la plus importante du particulier à partir des éléments factuels. Voir notamment à cet effet : Agence du revenu du Canada, Énoncé de politique P-228 (30 mars 1999).

Dans l'affaire *Chry-Ca c. R.*, 2008 CarswellNat 2509 (C.C.I.), l'appelante a présenté les demandes de remboursement de taxes en tant que constructeur d'immeubles et d'habitations à logements multiples. L'appelante avait été assujettie au paiement des taxes en vertu des dispositions relatives au régime d'autocotisation et les taxes sont devenues payables dès que la première habitation de chaque immeuble a été louée. Dans le cas présent, la totalité des habitations de chaque immeuble a été louée à Service LTS Inc. Suite à la signature des baux avec l'appelante, Service LTS Inc. a pris possession des habitations et les a meublées de façon à pouvoir les louer toutes équipées à des sinistrés. De l'avis de la Cour canadienne de l'impôt, la première utilisation des habitations n'a donc pas été de servir de résidence à des particuliers qui peuvent chacun occuper l'habitation de façon continue, en vertu d'un ou plusieurs baux, pendant une période d'au moins un an tout au long de laquelle l'habitation leur sert de lieu de résidence habituelle, tel que requis par le sous-alinéa 256.2(1)a)(iii). De plus, les faits mis en preuve ne permettent pas de croire que la première utilisation des habitations concernées était de servir de résidence habituelle à Service LTS Inc., un proche avec lequel l'appelante avait un lien de dépendance. Même si l'argumentation ci-dessus était suffisante en soi pour rejeter l'appel, la Cour canadienne de l'impôt a néanmoins analysé l'argument de l'appelante qui soutient que Service LTS Inc. n'est pas le premier utilisateur des habitations. Pour réussir cet argument, la Cour canadienne de l'impôt souligne qu'il faudrait que l'appelante démontre que les habitations de chaque immeuble locatif ont servi en presque totalité (c.-à-d. 90 % et plus) de lieu de résidence habituelle de particuliers qui occupaient chaque habitation de façon continue, en vertu d'un ou plusieurs baux, pendant une période d'un an. Or, la majorité des habitations des immeubles ont servi, à leur première utilisation, aux sinistrés qui les ont habitées temporairement pendant une période variant d'un à six mois, en attendant que leur résidence habituelle soit rétablie dans leur état normal. Cela était conforme à l'objet même des ententes de location conclues par Service LTS Inc. Les éléments pris en compte par l'Agence du revenu du Canada dans la détermination de la résidence habituelle, tels qu'élaborés dans l'énoncé de politique P-228, semblent, selon le juge, être raisonnables quoique non exhaustifs. De l'avis de la Cour canadienne de l'impôt, d'autres indices peuvent être invoqués comme la mise en vente ou l'annulation du bail de la résidence habituelle actuelle, les changements d'adresse, les arrangements pour le déménagement et l'intention du particulier de retourner ou non dans sa résidence habituelle actuelle. Selon l'auteur, le résultat de cette décision est conforme au texte de la division 256.2(1)(a)(iii)(B) de la définition de l'expression « habitation admissible ». En effet, le texte de l'alinéa (iii) réfère à une notion d' « attente raisonnable » à l'effet que la première utilisation de l'habitation sera de l'occuper de façon continue pendant une période d'au moins un an. L'appelant en l'espèce s'est conformé à cette exigence. Il est à noter que l'argument pourrait être soulevé à l'effet que les sous-divisions 256.2(1)(a)(iii)(B)(I) et (II) font référence spécifiquement à la situation où la période d'occupation est plus courte et donc, qu'à ce titre, cela impliquerait que le délai d'un an à l'égard du bail est impératif, sous réserve de ces deux sous-divisions. Or, nous pensons que cette interprétation législative ne devrait pas prévaloir, notamment en raison du texte de l'alinéa (iii) qui réfère à la notion d'« attente raisonnable ».

L'expression « première utilisation » qui figure au paragraphe (1) s'applique, de façon générale, à l'égard de la première utilisation, une fois achevées en grande partie la construction ou les dernières rénovations majeures. À cet égard, Revenu Québec, a indiqué que la définition de l'expression « rénovations majeures » est à l'effet que pour faire l'objet de rénovations majeures la totalité, ou presque, d'un bâtiment exception faite de certains éléments, doit être enlevée et/ou remplacée. Ainsi, selon Revenu Québec, la date du début des rénovations majeures apportées à un bâtiment est la date du commencement physiquement les travaux d'enlèvement (démolition) et/ou de remplacement (construction). Par exemple, il peut s'agir de la démolition d'un mur, de l'enlèvement de tuile, etc. Toutefois, l'enlèvement des meubles ou la mise en place des échafaudages ne peut constituer la date de début des rénovations majeures puisqu'il n'y a pas eu de travaux de démolition ou de construction effectués au bâtiment. Voir notamment à cet effet : Revenu Québec, Lettre d'interprétation, 00-0105239 — *Interprétation relative à la TPS et la TVQ — Remboursement pour immeubles d'habitation locatifs neufs* (27 février 2001).

Dans une décision récente, la Cour canadienne de l'impôt, dans l'affaire *Boissonneault Groupe Immobilier Inc. c. R.*, 2012 CarswellNat 3949 (C.C.I.) a accueilli l'appel et a conclut que la prépondérance de la preuve est à l'effet que l'intention initiale de l'appelante, laquelle était raisonnable et fondée sur plusieurs prémisses rationnelles, raisonnables, voire même probables, était que la totalité des unités de logements soit occupée pour des périodes minimales d'un an. Par conséquent, la définition de l'expression « habitation admissible » qui figure à la division 256.2(1)(a)(iii)(B) était rencontrée. À titre indicatif, il convient de souligner que l'une des exigences reflétées à cette division est l'existence de baux pendant une période d'au moins un an. Au départ, de l'avis de la Cour canadienne de l'impôt, il apparaît assez évident que le montage financier pris en compte par l'appelante quant à son nouvel immeuble de 78 unités d'habitation ciblait des baux d'une durée de douze mois. Il s'agissait là d'un objectif réaliste et tout à fait raisonnable d'autant plus que la société appelante exploitait déjà un complexe dans le même secteur qui visait en outre la même clientèle. La planification quant à l'occupation des lieux par des tiers a été modifiée pour des motifs étrangers à la volonté de l'appelante qui a dû réviser ses objectifs étant donné un retard causé par un problème de qualité du sol. Pour atténuer l'impact du retard, l'appelante a offert, notamment par l'intermédiaire de ses publicités, des baux de onze mois avec l'objectif de ramener sa clientèle l'année d'ensuite au 1er juillet. À la lecture des dispositions législatives pertinentes, la Cour canadienne de l'impôt est d'avis qu'il est évident que le législateur a voulu viser les appartements loués sur une longue période en excluant toutes les locations à la journée, à la semaine et même au mois. Au moment de rédiger les dispositions légales, le législateur avait-il alors à l'esprit la situation des étudiants qui fréquentent un collège à une distance telle qu'il est tout à fait impossible de faire le travail de façon quotidienne, étant de ce fait obligés de se loger à proximité du lieu où ils reçoivent leur enseignement. Ces mêmes étudiants dont la situation financière est souvent difficile sinon précaire ne sont donc pas en mesure d'assumer des dépenses non essentielles; dans un tel contexte, il est normal et tout à fait légitime qu'ils visent à obtenir un bail dont la durée correspond à leur calendrier scolaire. Le tribunal ne peut répondre à cette question, mais la Cour canadienne de l'impôt est d'avis et satisfait de la preuve à savoir que les faits permettent de conclure que l'appelante rencontrait et respectait les conditions pour se prévaloir du remboursement. En effet, il n'y a aucun doute qu'il s'agissait d'unités de logements pour longue durée au sens de l'esprit de la loi. Le bail de onze mois constituait plutôt une formule très intéressante pour les étudiants du niveau CEGEP dont la durée des cours est généralement d'août à juin. Toutefois, selon la Cour canadienne de l'impôt, tous les autres éléments sont raisonnables et probables puisqu'en plus d'être crédibles, ils sont validés pour un modèle ou un projet tout à fait similaire dont la pertinence ne fait aucun doute. En effet, la vocation, l'emplacement et la clientèle visée étaient des indices très probants.

L'alinéa (2)(b) fait référence à l'évaluation de la juste valeur marchande lorsque les travaux sont « achevés en grande partie ». La version anglaise utilise l'expression « substantially completed ». De façon générale, et bien qu'il s'agit d'un critère imprécis et critiqué par les tribunaux, ceux-ci ont énoncé les principes généraux suivants pour déterminer l'étendue de cette expression : (i) les factures sont un facteur indicatif, mais non absolu, (ii) le sens commun doit être utilisé, *c.-à-d.* ce qu'une personne raisonnable considère comme des travaux achevés en grande partie, (iii) l'immeuble doit pouvoir être utilisé aux fins pour lesquelles il a été construit, et (iv) l'acheteur doit pouvoir raisonnablement habiter l'immeuble (dans le cas d'un immeuble résidentiel). Voir notamment à cet effet : *Schoeb c. La Reine*, 2009 G.T.C. 931 (C.C.I.); *Somers c. La Reine*, 2008 GTC 544 (C.C.I.); *Kimm Holdings Ltd. c. La Reine*, 2006 G.T.C. 239 (C.C.I.); *Bonik Inc., Serbcan Inc. and the Nikolic Children Trust c. La Reine*, 2006 G.T.C. 404 (C.C.I.); *Gallinger c. La Reine*, 2004 G.T.C. 464 (C.C.I.); *Drapeau c. La Reine*, 2004 G.T.C. 58 (C.C.I.); *Bissonnet c. La Reine*, 2004 G.T.C. 261 (C.C.I.); *Tessier c. La Reine*, 2003 G.T.C. 759 (C.C.I.); *DeBoer c. La Reine*, 2002 G.T.C. 28 (C.C.I.). Un arrêt clé dans ce contexte est l'affaire *Vallières c. La Reine*, [2001] G.T.C. 545 (C.C.I.). En effet, bien que cette décision ait été rendue dans le contexte de la procédure informelle, les tribunaux se sont basés sur celle-ci dans plusieurs décisions subséquentes. Dans cette affaire, le juge Hamlyn souligne que le test du 90 % utilisé par l'Agence du revenu du Canada pour déterminer le moment du « substantial completion/achevé en grande partie » pourrait en fait être plus bas, mais fort probablement pas en deçà de 70 %. Dans l'affaire *Somers c. La Reine*, 2008 G.T.C. 544 (C.C.I.), la Cour canadienne de l'impôt a accepté la position des parties à l'effet de fixer le moment de « substantial completion/achevés en grande partie » à 85 % des travaux. En ce qui concerne les positions administratives de l'Agence du revenu du Canada et de Revenu Québec, il semble indiquer que l'expression « achevés en grande partie » réfère à une proportion de 90 % et plus. Voir notamment à cet effet : Agence du revenu du Canada, Bulletin d'interprétation B-092 — *Rénovations majeures et remboursement de la TPS/TVH pour habitations neuves* (31 janvier 2007), et Revenu Québec, Lettre d'interprétation, 97-0107355 — *Rénovations majeures effectuées par une société — Immeuble d'habitation à logements multiples* (3 octobre 1997). L'auteur désire souligner un problème d'interprétation au niveau de la *Loi sur la taxe de vente du Québec* en raison de l'absence de l'expression « achevés en grande partie » dans la version française où l'expression « presque achevés » est plutôt utilisée, mais où la version anglaise utilise la même expression, à savoir « substantially completed ». Nous vous invitons à consulter nos commentaires sous cette loi pour une discussion quant à différence possible d'interprétation de ces expressions.

Dans l'affaire *Liao c. R.*, [2010] G.S.T.C. 169 (C.C.I.), la Cour canadienne de l'impôt a accepté la position de l'appelant voulant que sa demande de remboursement soit effectivement envoyée dans le délai prescrit en vertu du paragraphe 256.2 (7). La juge Woods a noté que l'appelante était crédible et a accepté son témoignage. De l'avis de l'auteur, il est regrettable que cette affaire n'ait pu être réglée par l'Agence du revenu du Canada, puisque, tel que le souligne la Cour canadienne de l'impôt, le témoignage de l'appelante était crédible.

Nous vous invitons à consulter nos commentaires en vertu de l'article 261 pour une discussion sur la présence d'un délai de rigueur et, le cas échéant, sur la possibilité de bénéficier d'un recours alternatif lorsque le délai prescrit est expiré.

Finalement, la Cour canadienne de l'impôt s'est prononcée sur le paragraphe 256.2(10) dans l'affaire *Construction Bergeroy Inc. c. R.*, 2007 CarswellNat 775 (C.C.I.). Il s'agit d'une situation où Revenu Québec avait payé le remboursement sous l'article 256.2 à l'appelant, mais avait par la suite cotisé ce dernier pour récupérer le montant ainsi versé, sur la base du paragraphe 256.2(10). De l'avis de la Cour canadienne de l'impôt, l'appelante est visée par le paragraphe 256.2 (10) puisqu'elle n'a pas détenu la propriété pour une période d'un an. L'appelante tente de limiter l'étendue du paragraphe 256.2 (10) en prétendant que ce dernier ne s'appliquerait que lorsqu'il y a une habitation admissible vendue à un acheteur qui serait un particulier. En interprétant ainsi le paragraphe 256.2 (10), la Cour canadienne de l'impôt souligne que l'appelante ajoute au texte de loi des mots qui n'y apparaissent pas. En effet, le paragraphe 256.2 (10) exige comme condition qu'il y ait vente d'une habitation admissible dans l'année de sa première occupation. La seule exception prévue au paragraphe 10 de l'article 256.2 est la vente à un particulier qui acquiert l'habitation admissible afin qu'elle lui serve de résidence habituelle à lui ou à l'un de ses proches. En l'espèce, la Cour canadienne de l'impôt est d'avis que les dispositions du paragraphe 256.2 (10) sont claires et non équivoques et par conséquent, elles n'ont pas à être interprétées à la lumière de l'objet général et de l'esprit des dispositions prévues à l'article 256.2.

256.21 (1) Remboursement pour habitation — provinces participantes — Si un accord d'harmonisation de la taxe de vente conclu avec le gouvernement d'une province participante prévoit des remboursements au titre d'immeubles résidentiels dans le cadre du nouveau régime de la taxe à valeur ajoutée harmonisée applicable à cette province, le ministre verse, dans les circonstances prévues par règlement, un remboursement au titre d'un bien visé par règlement à une personne visée par règlement ou faisant partie d'une catégorie réglementaire. Le montant du remboursement est égal au montant déterminé selon les modalités réglementaires.

Concordance québécoise: aucune.

(2) Demande de remboursement — Le remboursement n'est versé à une personne que si elle en fait la demande dans le délai prévu par règlement.

Concordance québécoise: aucune.

(3) Remboursement versé ou crédité — Dans le cas d'un remboursement prévu au paragraphe (1), sauf celui qui est visé par règlement pour l'application du paragraphe (6), toute personne visée par règlement ou faisant partie d'une catégorie réglementaire peut, dans les circonstances prévues par règlement, verser le montant du remboursement à un particulier faisant partie d'une catégorie réglementaire, ou le porter à son crédit, si celui-ci lui présente, selon les modalités réglementaires, une demande établie sur le formulaire autorisé par le ministre et contenant les renseignements déterminés par celui-ci.

Concordance québécoise: aucune.

(4) Transmission de la demande — Si une demande visant un remboursement est présentée à une personne selon le paragraphe (3) :

a) la personne la transmet au ministre selon les modalités réglementaires au plus tard à la date limite où elle doit produire sa déclaration aux termes de la section V pour la période de déclaration au cours de laquelle le remboursement est versé ou crédité;

b) les intérêts visés au paragraphe 297(4) ne sont pas payables relativement au remboursement.

Concordance québécoise: aucune.

(5) Responsabilité solidaire — paragraphe (3) — Si une personne donnée verse le montant d'un remboursement à une autre personne, ou le porte à son crédit, en vertu du paragraphe (3) et qu'elle sait ou devrait savoir que l'autre personne n'a pas droit au remboursement ou que le montant versé ou crédité excède le remboursement auquel celle-ci a droit, la personne donnée et l'autre personne sont solidairement responsables du paiement du montant du remboursement ou de l'excédent au receveur général en vertu de l'article 264.

Concordance québécoise: aucune.

(6) Cession — Dans le cas d'un remboursement qui est payable en vertu du paragraphe (1) relativement au passage d'une province au nouveau régime de la taxe à valeur ajoutée harmonisée et qui est visé par règlement pour l'application du présent paragraphe, la personne qui est visée par règlement pour l'application du paragraphe (1) peut, malgré l'article 67 de la *Loi sur la gestion des finances publiques* ou toute autre disposition d'une loi fédérale ou provinciale, céder le remboursement dans les circonstances prévues par règlement à une personne visée par règlement ou faisant partie d'une catégorie réglementaire.

Concordance québécoise: aucune.

(7) Forme et modalités de la cession — La cession d'un remboursement relativement à une province participante est faite sur le formulaire autorisé par le ministre, contenant les renseignements qu'il détermine, lequel est présenté au ministre selon les modalités réglementaires au plus tard le jour qui suit de quatre ans la date d'harmonisation applicable à la province.

Concordance québécoise: aucune.

(8) Effet de la cession — La cession ne lie pas Sa Majesté du chef du Canada. Par ailleurs :

a) le ministre n'est pas tenu de verser le montant cédé au cessionnaire;

b) la cession ne donne naissance à aucune obligation de Sa Majesté du chef du Canada envers le cessionnaire;

c) les droits du cessionnaire sont assujettis à tous les droits de compensation, en equity ou prévus par une loi, en faveur de Sa Majesté du chef du Canada.

Concordance québécoise: aucune.

(9) Responsabilité solidaire — paragraphe (6) — Si le montant d'un remboursement est cédé à une personne donnée par une autre personne en application du paragraphe (6) et que la personne donnée sait ou devrait savoir que l'autre personne n'a pas droit au remboursement ou que le montant cédé excède le remboursement auquel celle-ci a droit, la personne donnée et l'autre personne sont solidairement responsables du paiement du montant du remboursement ou de l'excédent au receveur général en vertu de l'article 264.

Concordance québécoise: aucune.

(10) Cotisation — Le ministre peut, à tout moment, établir à l'égard d'un cessionnaire une cotisation concernant un montant payable par l'effet du paragraphe (9). Dès lors, les articles 296 à 311 s'appliquent avec les adaptations nécessaires.

Concordance québécoise: aucune.

Notes historiques: L'article 256.21 a été ajouté par. L.C. 2009, c. 32, par. 28(1) et est entré en vigueur le 1er juillet 2010.

Définitions [par. 256.21]: « accord d'harmonisation de la taxe de vente », « date d'harmonisation », « province participante » — 123(1); « nouveau régime de la taxe à valeur ajoutée harmonisée » — 277.1.

Info TPS/TVQ [art. 256.21]: GI-077 — *Taxe de vente harmonisée — acheteurs d'habitations neuves en Ontario*; GI-078 — *Taxe de vente harmonisée — acheteurs d'habitations neuves en Colombie-Britannique*; GI-079 — *Taxe de vente harmonisée — remboursement pour habitations neuves de l'Ontario*; GI-080 — *Taxe de vente harmonisée — remboursement pour habitations neuves de la Colombie-Britannique*; GI-088 — *Taxe de vente harmonisée-Prix convenu déduction faite des remboursements de la TPS/TVH pour habitations neuves et du remboursement transitoire de la TVD pour habitations neuves en Ontario*; GI-089 — *Taxe de vente harmonisée-Prix convenu déduction faite des remboursements de la TPS/TVH pour habitations neuves et du remboursement transitoire de la TVD pour habitations neuves en Colombie-Britannique*; GI-096 — *Taxe de vente harmonisée-Remboursements transitoires provinciaux pour habitations neuves en Ontario et en Colombie-Britannique*; GI-105 — *Comment déterminer le pourcentage d'achèvement aux fins des remboursements transitoires provinciaux pour habitations neuves et du redressement fiscal transitoire en Ontario et en Colombie-Britannique*; GI-118 — *Les constructeurs et IMPÔTNET TPS/TVH* ; GI-120 — *Cession d'un contrat de vente d'une habitation neuve ou d'un logement en copropriété neuf* ; GI-128 — *Taxe de vente harmonisée : améliorations proposées aux remboursements pour habitations neuves de la Colombie-Britannique* ; GI-129 — *Taxe de vente harmonisée : améliorations proposées aux remboursements pour immeubles d'habitation locatifs neufs de la Colombie-Britannique*; GI-130 — *Prix convenu déduction faite du remboursement de la TPS/TVH pour habitations neuves en Colombie-Britannique*.

256.3 (1) Remboursement transitoire — Sous réserve du paragraphe (7), le ministre rembourse une personne, sauf une coopérative d'habitation, dans le cas où, à la fois :

a) selon un contrat de vente constaté par écrit et conclu avant le 3 mai 2006, la personne est l'acquéreur de la fourniture taxable par vente, effectuée par une autre personne, d'un immeuble d'habitation dont la propriété et la possession aux termes du contrat lui sont transférées après juin 2006;

b) la personne a payé la totalité de la taxe prévue au paragraphe 165(1) relativement à la fourniture au taux de 7 %;

c) la personne n'a pas droit à un crédit de taxe sur les intrants ni à un remboursement (sauf celui prévu au présent paragraphe) au titre de cette taxe.

Le montant remboursable est égal au montant représentant 1 % de la valeur de la contrepartie de la fourniture.

Concordance québécoise: LTVQ, art. 670.1, 670.2 .

(2) **Remboursement transitoire** — Sous réserve du paragraphe (7), le ministre rembourse une personne, sauf une coopérative d'habitation, dans le cas où, à la fois :

a) selon un contrat de vente constaté par écrit et conclu avant le 3 mai 2006, la personne est l'acquéreur de la fourniture taxable par vente, effectuée par une autre personne, d'un immeuble d'habitation dont la propriété et la possession aux termes du contrat lui sont transférées après juin 2006;

b) la personne a payé la totalité de la taxe prévue au paragraphe 165(1) relativement à la fourniture au taux de 7 %;

c)) la personne a droit au remboursement prévu au paragraphe 256.2(3) relativement à une habitation située dans l'immeuble.

Le montant remboursable est égal au montant obtenu par la formule suivante :

$$A \times [0{,}01 - ((B/A)/7)]$$

où :

A représente la contrepartie payable pour la fourniture de l'immeuble effectuée au profit de la personne;

B le montant du remboursement prévu au paragraphe 256.2(3) que la personne peut demander relativement à l'immeuble.

Concordance québécoise: LTVQ, art. 670.3, 670.4 .

(3) **Remboursement transitoire** — Sous réserve du paragraphe (7), le ministre rembourse une personne, sauf une coopérative d'habitation, dans le cas où, à la fois :

a) selon un contrat de vente constaté par écrit et conclu avant le 3 mai 2006, la personne est l'acquéreur de la fourniture taxable par vente, effectuée par une autre personne, d'un immeuble d'habitation dont la propriété et la possession aux termes du contrat lui sont transférées après juin 2006;

b) la personne a payé la totalité de la taxe prévue au paragraphe 165(1) relativement à la fourniture au taux de 7 %;

c) la personne a droit, au titre de cette taxe, à l'un des remboursements prévus à l'article 259, mais non à un crédit de taxe sur les intrants ni à un autre remboursement (sauf celui prévu au présent paragraphe).

Le montant remboursable est égal au montant obtenu par la formule suivante :

$$A \times [0{,}01 - ((B/A)/7)]$$

où :

A représente la contrepartie payable pour la fourniture de l'immeuble effectuée au profit de la personne;

B :

(i) si l'immeuble est situé dans une province participante, le montant du remboursement prévu à l'article 259 que la personne aurait pu demander si la taxe prévue au paragraphe 165(2) n'avait pas été payable ni payée relativement à l'immeuble,

(ii) sinon, le montant du remboursement prévu à l'article 259 que la personne peut demander relativement à l'immeuble.

Concordance québécoise: LTVQ, art. 670.5.

(4) **Remboursement transitoire** — Sous réserve du paragraphe (7), le ministre rembourse une coopérative d'habitation dans le cas où, à la fois :

a) selon un contrat de vente constaté par écrit et conclu avant le 3 mai 2006, la coopérative est l'acquéreur de la fourniture taxable par vente, effectuée par une autre personne, d'un immeuble d'habitation dont la propriété et la possession aux termes du contrat lui sont transférées après juin 2006;

b) la coopérative a payé la totalité de la taxe prévue au paragraphe 165(1) relativement à la fourniture au taux de 7 %;

c) la coopérative n'a pas droit à un crédit de taxe sur les intrants ni à un remboursement (sauf celui prévu au présent paragraphe ou l'un de ceux prévus aux articles 256.2 et 259) au titre de cette taxe.

Le montant remboursable est égal au montant obtenu par la formule suivante :

$$A \times [0{,}01 - ((B/A)/7)]$$

où :

A représente la contrepartie payable pour la fourniture;

B :

(i) si la coopérative a droit à l'un des remboursements prévus à l'article 259 relativement à l'immeuble :

(A) dans le cas où l'immeuble est situé dans une province participante, le montant du remboursement prévu à l'article 259 que la coopérative aurait pu demander si la taxe prévue au paragraphe 165(2) n'avait pas été payable ni payée relativement à l'immeuble,

(B) dans les autres cas, le montant du remboursement prévu à l'article 259 que la coopérative peut demander relativement à l'immeuble,

(ii) 36 % de la taxe que la coopérative a payée en vertu du paragraphe 165(1) relativement à la fourniture si elle n'a pas droit à l'un des remboursements prévus à l'article 259 relativement à l'immeuble et si, selon le cas :

(A) elle peut demander, ou peut raisonnablement s'attendre à pouvoir demander, l'un des remboursements prévus à l'article 256.2 relativement à une habitation située dans l'immeuble,

(B) il s'avère qu'une part de son capital social est ou sera vendue à un particulier pour qu'une habitation de l'immeuble lui serve de lieu de résidence habituelle, ou serve ainsi à l'un de ses proches au sens du paragraphe 255(1), et que ce particulier a ou aura droit à l'un des remboursements prévus à l'article 255 relativement à la part, ou il est raisonnable de s'attendre à ce qu'il en soit ainsi,

(iii) dans les autres cas, zéro.

Concordance québécoise: LTVQ, art. 670.7, 670.8.

(5) **Remboursement transitoire** — Sous réserve du paragraphe (7), le ministre rembourse un particulier dans le cas où, à la fois :

a) selon un contrat de vente constaté par écrit et conclu avant le 3 mai 2006, le particulier est l'acquéreur de la fourniture taxable par vente, effectuée par une autre personne, d'un immeuble d'habitation dont la propriété et la possession aux termes du contrat lui sont transférées après juin 2006;

b) le particulier a payé la totalité de la taxe prévue au paragraphe 165(1) relativement à la fourniture au taux de 7 %;

c) le particulier a droit au remboursement prévu au paragraphe 254(2) relativement à l'immeuble.

Le montant remboursable est égal au montant obtenu par la formule suivante :

$$A \times [0{,}01 - ((B/A)/7)]$$

où :

A représente le total des montants représentant chacun la contrepartie payable pour la fourniture de l'immeuble effectuée au profit du particulier ou pour toute autre fourniture taxable, effectuée à son profit, d'un droit sur l'immeuble à l'égard de laquelle il a payé la taxe prévue au paragraphe 165(1) au taux de 7 %;

B le montant du remboursement prévu au paragraphe 254(2) que le particulier peut demander relativement à l'immeuble.

Concordance québécoise: LTVQ, art. 670.9, 670.10 .

(6) **Groupe de particuliers** — Lorsque la fourniture d'un immeuble d'habitation est effectuée au profit de plusieurs particuliers, la mention d'un particulier au paragraphe (5) vaut mention de l'ensemble de ces particuliers en tant que groupe. Toutefois, seul le particulier qui a demandé le remboursement prévu à l'article 254 peut demander le remboursement prévu au paragraphe (5).

Concordance québécoise: LTVQ, art. 670.11.

(7) Demande de remboursement — Un remboursement prévu au présent article relativement à un immeuble d'habitation n'est accordé à une personne que si elle en fait la demande dans les deux ans suivant le jour où la propriété de l'immeuble lui est transférée.

Concordance québécoise: LTVQ, art. 670.12.

Notes historiques: L'article 256.3 a été ajouté par L.C. 2006, c. 4, par. 29(1) et est entré en vigueur le 1er juillet 2006.

juin 2006, Notes explicatives: En règle générale, la modification apportée au paragraphe 165(1), qui consiste à ramener de 7 % à 6 % le taux auquel la taxe est calculée, s'applique relativement à la fourniture par vente d'un immeuble dont la propriété et la possession aux termes du contrat de vente sont transférées après juin 2006. Toutefois, les règles d'application de cette modification (voir le paragraphe 3(2) du projet de loi) prévoient certains cas où la taxe prévue au paragraphe 165(1) pourrait continuer de s'appliquer au taux de 7 % même si la propriété ou la possession d'une habitation, ou les deux, sont transférées après juin 2006. Cela se produira le plus souvent dans le cas où la transaction portant sur une habitation située dans un immeuble d'habitation est effectuée aux termes d'une convention conclue avant le 3 mai 2006.

La raison de cette exception à la règle d'application générale réside dans le fait que, dans certaines circonstances, le constructeur et l'acheteur ont conclu un contrat visant l'achat d'un immeuble d'habitation neuf avant de connaître la date à laquelle le taux prévu au paragraphe 165(1) passerait de 7 % à 6 %. Le contrat pourrait donc refléter un taux de taxe de 7 %. Dans certains cas, le prix, taxes incluses, convenu entre les parties pourrait avoir été établi en fonction d'un taux de taxe de 7 % et éventuellement d'un remboursement de TPS pour habitation neuve crédité par le constructeur, même si la date de transfert de propriété est postérieure au 30 juin 2006. En outre, il peut aussi arriver que, même si la fourniture est exonérée de TPS/TVH, il existe un rapport étroit entre la taxe payable par le constructeur et la contrepartie payée par l'acheteur. Par exemple, la vente d'une maison neuve construite sur un fonds loué pourrait être exonérée de TPS/TVH et le constructeur pourrait être tenu de payer la taxe sur la juste valeur marchande de l'immeuble d'habitation. Toutefois, l'acheteur pourrait avoir droit au remboursement de TPS pour habitation neuve prévu au paragraphe 254.1(2), et le prix convenu pourrait avoir été établi en fonction du fait que le montant remboursable a été crédité par le constructeur. Dans ces cas, la taxe prévue au paragraphe 165(1) continuera de s'appliquer au taux de 7 %, mais l'acheteur et, selon les circonstances, le constructeur pourront demander un remboursement transitoire au titre de la différence entre la taxe calculée au taux de 7 % et celle calculée au taux de 6 % (y compris les éventuels redressements au titre du remboursement de TPS pour habitation neuve ou d'autres remboursements prévus par les dispositions en vigueur).

Les nouveaux paragraphes 256.3 à 256.6 prévoient des remboursements transitoires qui ont généralement pour effet de placer les parties à ces opérations dans la même position que si la règle d'application générale de la modification apportée au paragraphe 165(1) avait été connue au moment de la conclusion de la convention. En outre, les articles 256.5 et 256.6 prévoient le cas où une partie de bâtiment, faisant partie d'un immeuble d'habitation, est vendue à une personne qui loue le fonds sur lequel le bâtiment est situé. Dans ce cas, le constructeur pourrait être tenu, en vertu de l'article 191, de payer la taxe avant le 1er juillet 2006, au taux de 7 %, relativement à la totalité de l'immeuble d'habitation même si la propriété et la possession de la partie de bâtiment ne sont pas transférées à l'acheteur avant le 1er juillet 2006.

Il est à noter que, même si les remboursements transitoires prévus aux nouveaux articles 256.2 à 256.6 font mention d'autres programmes de remboursements, les remboursements transitoires sont également offerts dans le cas où les acheteurs n'ont pas droit au remboursement de TPS/TVH pour habitation neuve ni au remboursement de TPS pour immeuble d'habitation locatif neuf.

Des remboursements transitoires peuvent être accordés en vertu du nouvel article 256.3 dans le cas où, conformément à un contrat de vente constaté par écrit et conclu avant le 3 mai 2006, une personne acquiert d'une autre personne un immeuble d'habitation neuf ou ayant fait l'objet de rénovations majeures dont la propriété et la possession aux termes du contrat lui sont transférées après juin 2006. Étant donné que l'immeuble doit être acquis d'une autre personne, ce nouvel article ne s'applique pas dans le cas où les règles sur les fournitures à soi-même, énoncées à l'article 191, s'appliquent.

Le remboursement transitoire prévu au nouvel article 256.3 correspond à 1 % de la contrepartie versée, moins tout rajustement visant à tenir compte du fait que d'autres avantages, comme le remboursement de TPS/TVH pour habitation neuve, sont demeurés les mêmes. À titre d'exemple, prenons le cas de l'acheteur d'un immeuble d'habitation neuf de 200 000 $ (avant taxes) qui doit lui servir de lieu de résidence habituelle. La TPS prévue au paragraphe 165(1) sera calculée au taux de 7 % même si la propriété et la possession de l'immeuble aux termes de contrat de vente, conclu avant le 2 mai 2006, sont transférées après le 30 juin 2006. Toutefois, l'acheteur continuera d'avoir droit au remboursement de TPS pour habitation neuve, lequel correspond à 36 % de la taxe calculée au taux de 7 %. Ainsi, un montant correspondant à 36 % de la réduction de 1 % de la taxe prévue au paragraphe 165(1) est déjà remboursé par le jeu du remboursement prévu au paragraphe 254(2).

Le nouveau paragraphe 256.3(1) porte sur le remboursement transitoire accordé aux acheteurs, sauf les coopératives d'habitation, qui n'ont pas par ailleurs le droit de recouvrer tout ou partie de la taxe payée en vertu du paragraphe 165(1). Dans ce cas, il n'est pas nécessaire de prévoir un redressement au titre des autres remboursements offerts par ailleurs, et le remboursement transitoire correspond à 1 % de la contrepartie payée. Le nouveau paragraphe 256.3(2) porte sur le remboursement transitoire accordé aux acheteurs, sauf les coopératives d'habitation, qui ont droit au remboursement de TPS pour immeuble d'habitation locatif neuf. Le nouveau paragraphe 256.3(3) porte sur le remboursement transitoire accordé aux acheteurs, sauf les coopératives d'habitation, qui ont droit au remboursement accordé aux organismes de services publics. Le nouveau paragraphe 256.3(4) porte sur le remboursement transitoire accordé aux acheteurs qui sont des coopératives d'habitation. Y sont prévus les cas où la coopérative n'a pas droit à d'autres remboursements ainsi que les cas où la coopérative, ou l'acheteur d'une part de celle-ci, a droit, ou peut raisonnablement s'attendre à avoir droit, à un autre remboursement. Enfin, le nouveau paragraphe 256.3(5) porte sur le remboursement transitoire accordé aux particuliers qui ont droit au remboursement de TPS pour habitation neuve prévu au paragraphe 254(2). Dans ce cas précis, le paragraphe 256.3(6) prévoit une règle semblable à celle énoncée au paragraphe 262(3), qui prévoit des règles sur l'application des dispositions concernant le remboursement pour habitation neuve, selon les articles 254 à 256, dans le cas où plus d'un particulier est redevable de la contrepartie et de la taxe relativement au même immeuble d'habitation.

Aucune disposition de la loi ne prévoit la possibilité de céder les remboursements transitoires prévus aux articles 256.3 à 256.5. Par ailleurs, l'article 67 de la *Loi sur la gestion des finances publiques* prévoit, sous réserve des autres dispositions de cette loi et de toute autre loi fédérale, que les créances de Sa Majesté sont incessibles et qu'aucune opération censée constituer une cession de créances sur Sa Majesté n'a pour effet de conférer à quiconque un droit ou un recours à leur égard. Il est à noter que, bien que cette loi ne prévoie pas la possibilité de céder les remboursements pour habitations neuves prévus aux articles 254 et 254.1, ces articles comportent des mécanismes qui permettent au constructeur de verser le montant d'un remboursement pour habitation neuve à l'acheteur, ou de le porter à son crédit. Dans la mesure où un montant a été versé à l'acheteur, ou porté à son crédit, au titre d'un montant de remboursement auquel il avait droit aux termes des articles 254 et 254.1, et pourvu que la demande de remboursement de l'acheteur soit transmise au ministre par le constructeur conformément à ces articles, l'article 234 permet au constructeur de déduire ce montant dans le calcul de sa taxe nette. Or, l'article 256.3 (de même que les articles 256.4 et 256.5) ne comporte pas de mécanisme semblable. Par conséquent, il ne serait pas possible pour le constructeur de verser le montant d'un remboursement transitoire à l'acheteur, ou de le porter à son crédit, puis de déduire ce montant dans le calcul de sa taxe nette.

Ainsi, les demandes visant les remboursements transitoires prévus au nouvel article 256.3 doivent, dans tous les cas, être présentées par l'acheteur directement au ministre. Si une habitation donne droit au remboursement de TPS/TVH pour habitation neuve en plus du remboursement transitoire, les deux demandes doivent être présentées par la même personne. À cet égard, rappelons que le fait que la demande de remboursement de TPS/TVH pour habitation neuve est présentée au ministre par l'intermédiaire du constructeur ne change rien au fait que le remboursement est demandé par l'acheteur. Celui-ci est donc tenu de présenter la demande de remboursement transitoire directement au ministre, laquelle doit parvenir à ce dernier dans les deux ans suivant le jour où la propriété de l'immeuble est transférée à l'acheteur.

De façon générale, les remboursements transitoires prévus aux nouveaux articles 256.4 à 256.6 sont accordés dans le cas où une personne est l'acquéreur, aux termes d'une convention conclue avant le 3 mai 2006, de la fourniture exonérée par bail d'un fonds faisant partie d'un immeuble d'habitation neuf (ou de la fourniture exonérée d'un tel bail par cession) et de la fourniture exonérée par vente de tout ou partie du bâtiment qui partie de l'immeuble.

Le nouvel article 256.4 prévoit un remboursement transitoire dans le cas où le bâtiment ou la partie de bâtiment fait partie d'un immeuble d'habitation à logement unique, au sens du paragraphe 123(1), ou d'un logement en copropriété. Ce remboursement est accordé à l'acheteur et, selon la contrepartie rajustée payable par l'acheteur pour le bâtiment ou la partie de bâtiment et la juste valeur marchande de l'immeuble sur laquelle le constructeur a été tenu de verser la TPS en vertu de l'article 191, au constructeur. Par exemple, si la juste valeur marchande de l'immeuble au moment où le constructeur est tenu de payer la TPS en vertu de l'article 191 est de 300 000 $ et que la contrepartie du bâtiment faisant partie de l'immeuble est de 275 000 $ — somme qui comprendrait un montant au titre de la TPS payable par le constructeur sur la partie de la juste valeur marchande qui se rapporte au bâtiment et qu'il ne peut recouvrer par ailleurs — l'acheteur et le constructeur pourraient tous deux demander un remboursement transitoire. Les formules figurant au nouvel article 256.4, qui sont semblables à celles figurant au nouvel article 256.3, comportent un rajustement approprié qui tient compte d'autres avantages, comme les remboursements prévus aux paragraphes 254.1(2) et 256.2(4), qui demeurent inchangés.

Les nouveaux articles 256.5 et 256.6 prévoient un remboursement transitoire dans le cas où le bâtiment ou la partie de bâtiment fait partie d'un immeuble d'habitation qui n'est pas un immeuble d'habitation à logement unique, au sens du paragraphe 123(1), ni un logement en copropriété. Dans ce cas, il pourrait y avoir plusieurs acheteurs, et le constructeur est tenu de payer la taxe prévue au paragraphe 165(1) relativement à l'immeuble d'habitation (en raison de l'application des règles sur les fournitures à soi-même énoncées à l'article 191) à un moment qui pourrait ne pas être celui où la possession d'une habitation faisant partie de l'immeuble d'habitation neuf est transférée à un acheteur. L'acheteur pourrait ainsi avoir droit au remboursement transitoire prévu à l'article 256.5 même si le constructeur était tenu de payer la taxe relativement à l'immeuble avant le 1er juillet 2006, à condition que la possession de l'habitation faisant partie de l'immeuble ou de l'adjonction est transférée à l'acheteur après le 30 juin 2006 aux termes de la convention portant à la fois sur la fourniture par vente de tout ou partie du bâtiment faisant partie de l'immeuble et sur la location du fonds faisant partie de l'immeuble.

En outre, selon les règles d'application énoncées à l'article 3 du projet de loi — qui a pour effet de ramener de 7 % à 6 % le taux auquel la taxe est calculée —, le constructeur pourrait être tenu de payer la taxe prévue au paragraphe 165(1) au taux de 7 % même si les règles sur les fournitures à soi-même énoncées à l'article 191 s'appliquent après le 30 juin 2006. Cela pourrait se produire si une convention quelconque portant à la fois sur la fourniture exonérée par bail du fonds faisant partie de l'immeuble d'habitation neuf (ou la fourniture exonérée d'un tel bail par cession) et sur la fourniture exonérée par vente de tout ou partie du bâtiment faisant partie de l'immeuble est conclue avant le 3 mai 2006 et n'est pas résiliée avant le 1er juillet 2006. Dans ce cas, les acheteurs pourraient avoir droit au remboursement transitoire prévu à l'article 256.5 et le constructeur, à celui prévu à l'article 256.6.

Comme c'est le cas des autres remboursements transitoires, le remboursement transitoire prévu aux articles 256.5 et 256.6 comprend un rajustement qui tient compte d'autres avantages, comme les remboursements prévus aux paragraphes 254.1(2) et 256.2(4), qui demeurent inchangés.

La demande visant les remboursements prévus aux articles 256.4 et 256.5 relativement à la fourniture exonérée par vente de tout ou partie du bâtiment faisant partie de l'immeuble doit être présentée par l'acheteur directement au ministre dans les deux ans suivant le jour où la possession de l'habitation faisant partie de l'immeuble est transférée à l'acheteur.

En ce qui concerne les constructeurs, la demande visant les remboursements prévus aux articles 256.4 et 256.6 relativement à un immeuble d'habitation ou à une adjonction à un tel immeuble doit être présentée par le constructeur dans les deux ans suivant la fin du mois au cours duquel la taxe prévue à l'article 191 au titre de l'immeuble ou de l'adjonction est réputée avoir été payée par lui.

Définitions [par. 256.3]: « province participante » — 123(1).

Bulletin de l'information technique [art. 256.3]: B-096, 07/07, *Réduction du taux de la TPS/TVH et les immeubles*.

Formulaires [art. 256.3]: FP-2192, *Demande de rajustement de taxes concernant les immeubles d'habitation*; GST192, *Demande de remboursement transitoire de la TPS/TVH pour les constructeurs d'habitations neuves sur un terrain loué*; GST193, *Demande de remboursement transitoire de la TPS/TVH pour les acheteurs d'habitations neuves*.

Info TPS/TVQ [art. 256.3]: GI-015 — *Réduction du taux de la TPS/TVH et les acheteurs d'habitations neuves*; GI-043 — *La réduction du taux de la TPS/TVH (2008) et les achats d'habitations neuves*.

256.4 (1) Remboursement transitoire en cas d'application de l'article 254.1 — Sous réserve du paragraphe (4), le ministre accorde un remboursement dans le cas où, à la fois :

a) aux termes d'une convention, constatée par écrit, conclue avant le 3 mai 2006 entre une personne et le constructeur d'un immeuble d'habitation — immeuble d'habitation à logement unique ou logement en copropriété —, la personne est l'acquéreur des fournitures suivantes :

(i) la fourniture exonérée par bail du fonds qui fait partie de l'immeuble ou la fourniture exonérée d'un tel bail par cession,

(ii) la fourniture exonérée par vente de tout ou partie du bâtiment dans lequel est située l'habitation faisant partie de l'immeuble;

b) la possession de l'immeuble est transférée à la personne aux termes de la convention après juin 2006;

c) le constructeur est réputé en vertu du paragraphe 191(1) avoir effectué et reçu une fourniture de l'immeuble du fait qu'il en a transféré la possession à la personne aux termes de la convention, et avoir payé la taxe prévue au paragraphe 165(1) relativement à la fourniture au taux de 7 %;

d) la personne a droit au remboursement prévu au paragraphe 254.1(2) relativement à l'immeuble.

Le montant remboursable est égal à celui des montants ci-après qui est applicable :

e) le montant obtenu par la formule ci-après est remboursé à la personne :

$$A \times [0,01 - ((B/A)/7)]$$

où :

A représente le montant obtenu par la formule suivante :

$$C \times (100/D)$$

où :

C représente le total des montants représentant chacun la contrepartie payable au constructeur par la personne pour la fourniture par vente, effectuée au profit de la personne, du bâtiment ou de la partie de bâtiment visé au sous-alinéa a)(ii) ou de toute autre construction qui fait partie de l'immeuble, à l'exception de toute contrepartie qu'il est raisonnable de considérer soit comme un loyer pour les fournitures du fonds attribuable à l'immeuble, soit comme une contrepartie pour la fourniture d'une option d'achat de ce fonds,

D :

(i) si l'immeuble est situé dans une province participante, 115,

(ii) sinon, 107,

B le montant du remboursement prévu au paragraphe 254.1(2) que la personne peut demander relativement à l'immeuble;

f) si le constructeur n'a pas droit à un crédit de taxe sur les intrants ni à un remboursement (sauf celui prévu au présent paragraphe ou au paragraphe 256.2(4)) au titre de la taxe mentionnée à l'alinéa c), le montant obtenu par la formule ci-après lui est remboursé :

$$(E - F) \times [0,01 - ((G/(E - F))/7)]$$

où :

E représente la juste valeur marchande de l'immeuble au moment où le constructeur est réputé avoir effectué la fourniture visée à l'alinéa c),

F le montant déterminé selon l'élément A de la formule figurant à l'alinéa e),

G le montant du remboursement que le constructeur peut demander en vertu du paragraphe 256.2(4).

Concordance québécoise: LTVQ, art. 670.13, 670.14.

(2) Remboursement transitoire en cas de non-application de l'article 254.1 — Sous réserve du paragraphe (4), le ministre accorde un remboursement dans le cas où, à la fois :

a) aux termes d'une convention, constatée par écrit, conclue avant le 3 mai 2006 entre une personne et le constructeur d'un immeuble d'habitation — immeuble d'habitation à logement unique ou logement en copropriété —, la personne est l'acquéreur des fournitures suivantes :

(i) la fourniture exonérée par bail du fonds qui fait partie de l'immeuble ou la fourniture exonérée d'un tel bail par cession,

(ii) la fourniture exonérée par vente de tout ou partie du bâtiment dans lequel est située l'habitation faisant partie de l'immeuble;

b) la possession de l'immeuble est transférée à la personne aux termes de la convention après juin 2006;

c) le constructeur est réputé en vertu du paragraphe 191(1) avoir effectué et reçu une fourniture de l'immeuble du fait qu'il en a transféré la possession à la personne aux termes de la convention, et avoir payé la taxe prévue au paragraphe 165(1) relativement à la fourniture au taux de 7 %;

d) la personne n'a pas droit au remboursement prévu au paragraphe 254.1(2) relativement à l'immeuble.

Le montant remboursable est égal à celui des montants ci-après qui est applicable :

e) le montant obtenu par la formule ci-après est remboursé à la personne :

$$A/B$$

où :

A représente le total des montants représentant chacun la contrepartie payable au constructeur par la personne pour la fourniture par vente, effectuée au profit de la personne, du bâtiment ou de la partie de bâtiment visé au sous-alinéa a)(ii) ou de toute autre construction qui fait partie de l'immeuble, à l'exception de toute contrepartie qu'il est raisonnable de considérer soit comme un loyer pour les fournitures du fonds attribuable à l'immeuble, soit comme une contrepartie pour la fourniture d'une option d'achat de ce fonds,

B :

(i) si l'immeuble est situé dans une province participante, 115,

(ii) sinon, 107;

f) si le constructeur n'a pas droit à un crédit de taxe sur les intrants ni à un remboursement (sauf celui prévu au présent paragraphe) au titre de la taxe mentionnée à l'alinéa c), le montant obtenu par la formule ci-après lui est remboursé :

$$0{,}01 \times [C - (D \times (100/E))]$$

où :

C représente la juste valeur marchande de l'immeuble au moment où le constructeur est réputé avoir effectué la fourniture visée à l'alinéa c),

D le total des montants représentant chacun la contrepartie payable au constructeur par la personne pour la fourniture par vente, effectuée au profit de la personne, du bâtiment ou de la partie de bâtiment visé au sous-alinéa a)(ii) ou de toute autre construction qui fait partie de l'immeuble, à l'exception de toute contrepartie qu'il est raisonnable de considérer soit comme un loyer pour les fournitures du fonds attribuable à l'immeuble, soit comme une contrepartie pour la fourniture d'une option d'achat de ce fonds,

E :

(i) si l'immeuble est situé dans une province participante, 115,

(ii) sinon, 107.

Concordance québécoise: LTVQ, art. 670.15, 670.16, 670.17, 670.19.

(3) Groupe de particuliers — Lorsque les fournitures visées aux paragraphes (1) ou (2) sont effectuées au profit de plusieurs particuliers, la mention d'une personne à ce paragraphe vaut mention de l'ensemble de ces particuliers en tant que groupe. Toutefois, dans le cas du remboursement prévu à l'alinéa (1)e), seul le particulier qui a demandé le remboursement prévu à l'article 254.1 peut demander le remboursement prévu au paragraphe (1).

Concordance québécoise: LTVQ, art. 670.21.

(4) Demande de remboursement — Un remboursement prévu au présent article relativement à un immeuble d'habitation n'est accordé à une personne que si elle en fait la demande dans les deux ans suivant le jour applicable ci-après :

a) si le remboursement est accordé à une personne autre que le constructeur de l'immeuble, le jour où la possession de l'immeuble est transférée à la personne;

b) si le remboursement est accordé au constructeur de l'immeuble, le jour qui correspond à la fin du mois au cours duquel la taxe visée aux alinéas (1)c) ou (2)c) est réputée avoir été payée par le constructeur.

Concordance québécoise: LTVQ, art. 670.22.

Notes historiques: L'article 256.4 a été ajouté par L.C. 2006, c. 4, par. 29(1) et est entré en vigueur le 1er juillet 2006.

Définitions [par. 256.4]: « province participante » — 123(1).

Bulletin de l'information technique [art. 256.4]: B-096, 07/07, *Réduction du taux de la TPS/TVH et les immeubles*.

Formulaires [art. 256.4]: FP-2192, *Demande de rajustement de taxes concernant les immeubles d'habitation*; GST192, *Demande de remboursement transitoire de la TPS/TVH pour les constructeurs d'habitations neuves sur un terrain loué*; GST193, *Demande de remboursement transitoire de la TPS/TVH pour les acheteurs d'habitations neuves*.

Info TPS/TVQ [art. 256.4]: GI-015 — *Réduction du taux de la TPS/TVH et les acheteurs d'habitations neuves*; GI-043 — *La réduction du taux de la TPS/TVH (2008) et les achats d'habitations neuves*.

256.5 (1) Remboursement transitoire à l'acheteur — Sous réserve du paragraphe (3), le ministre rembourse une personne donnée dans le cas où, à la fois :

a) aux termes d'une convention, constatée par écrit, conclue entre cette personne et le constructeur d'un immeuble d'habitation (sauf un immeuble d'habitation à logement unique ou un logement en copropriété), ou d'une adjonction à un tel immeuble, la personne est l'acquéreur des fournitures suivantes :

(i) la fourniture exonérée par bail du fonds faisant partie de l'immeuble ou la fourniture exonérée d'un tel bail par cession,

(ii) la fourniture exonérée par vente de tout ou partie du bâtiment dans lequel est située une habitation faisant partie de l'immeuble ou de l'adjonction;

b) la possession d'une habitation faisant partie de l'immeuble ou de l'adjonction est transférée à la personne donnée aux termes de la convention après juin 2006;

c) le constructeur est réputé en vertu des paragraphes 191(3) ou (4) avoir effectué et reçu une fourniture de l'immeuble ou de l'adjonction du fait qu'il a, selon le cas :

(i) transféré la possession de l'habitation à la personne donnée aux termes de la convention,

(ii) transféré la possession d'une habitation faisant partie de l'immeuble ou de l'adjonction à une autre personne aux termes d'une convention visée à l'alinéa a) conclue entre cette personne et le constructeur;

d) le constructeur est réputé avoir payé la taxe prévue au paragraphe 165(1) relativement à la fourniture au taux de 7 %;

e) si le constructeur est réputé avoir payé cette taxe après juin 2006, il s'avère, selon le cas :

(i) que le constructeur et la personne donnée ont conclu la convention avant le 3 mai 2006,

(ii) que le constructeur et une personne autre que la personne donnée ont conclu, avant le 3 mai 2006, une convention visée à l'alinéa a) relativement à une habitation située dans l'immeuble ou dans l'adjonction que le constructeur est réputé avoir fourni (conformément à l'alinéa c)), et il n'a pas été mis fin à cette convention avant juillet 2006.

Le montant remboursable est égal à celui des montants ci-après qui est applicable :

f) si la personne donnée a droit au remboursement prévu au paragraphe 254.1(2) relativement à l'immeuble, le montant obtenu par la formule suivante :

$$A \times [0{,}01 - ((B/A)/7)]$$

où :

A représente le montant obtenu par la formule suivante :

$$C \times (100/D)$$

où :

C représente le total des montants représentant chacun la contrepartie payable au constructeur par la personne donnée pour la fourniture par vente, effectuée au profit de cette personne, du bâtiment ou de la partie de bâtiment visé au sous-alinéa a)(ii) ou de toute autre construction qui fait partie de l'immeuble ou de l'adjonction, à l'exception de toute contrepartie qu'il est raisonnable de considérer soit comme un loyer pour les fournitures du fonds attribuable à l'immeuble, soit comme une contrepartie pour la fourniture d'une option d'achat de ce fonds,

D :

(i) si l'immeuble est situé dans une province participante, 115,

(ii) sinon, 107,

B le montant du remboursement prévu à l'article 254.1 que la personne donnée peut demander relativement à l'immeuble;

g) si la personne donnée n'a pas droit au remboursement prévu au paragraphe 254.1(2) relativement à l'immeuble, le montant obtenu par la formule suivante :

E/F

où :

E représente le total des montants représentant chacun la contrepartie payable au constructeur par la personne donnée pour la fourniture par vente, effectuée au profit de cette personne, du bâtiment ou de la partie de bâtiment visé au sous-alinéa a)(ii) ou de toute autre construction qui fait partie de l'immeuble ou de l'adjonction, à l'exception de toute contrepartie qu'il est raisonnable de considérer soit comme un loyer pour les fournitures du fonds attribuable à l'immeuble, soit comme une contrepartie pour la fourniture d'une option d'achat de ce fonds,

F :

(i) si l'immeuble est situé dans une province participante, 115,

(ii) sinon, 107.

Concordance québécoise: LTVQ, art. 670.23, 670.24 .

(2) Groupe de particuliers — Lorsque les fournitures visées au paragraphe (1) sont effectuées au profit de plusieurs particuliers, la mention d'une personne donnée à ce paragraphe vaut mention de l'ensemble de ces particuliers en tant que groupe. Toutefois, dans le cas du remboursement prévu à l'alinéa (1)f), seul le particulier qui a demandé le remboursement prévu à l'article 254.1 peut demander le remboursement prévu à cet alinéa.

Concordance québécoise: LTVQ, art. 670.25.

(3) Demande de remboursement — Un remboursement prévu au présent article relativement à un immeuble d'habitation n'est accordé à une personne que si elle en fait la demande dans les deux ans suivant le jour où la possession de l'habitation mentionnée à l'alinéa (1)b) lui est transférée.

Concordance québécoise: LTVQ, art. 670.26.

Notes historiques: L'article 256.5 a été ajouté par L.C. 2006, c. 4, par. 29(1) et est entré en vigueur le 1er juillet 2006.

Définitions [par. 256.5]: « province participante » — 123(1).

Bulletin de l'information technique [art. 256.5]: B-096, 07/07, *Réduction du taux de la TPS/TVH et les immeubles*.

Formulaires [art. 256.5]: FP-2192, *Demande de rajustement de taxes concernant les immeubles d'habitation*; GST192, *Demande de remboursement transitoire de la TPS/TVH pour les constructeurs d'habitations neuves sur un terrain loué*; GST193, *Demande de remboursement transitoire de la TPS/TVH pour les acheteurs d'habitations neuves*.

Info TPS/TVQ [art. 256.5]: GI-015 — *Réduction du taux de la TPS/TVH et les acheteurs d'habitations neuves*; GI-043 — *La réduction du taux de la TPS/TVH (2008) et les achats d'habitations neuves*.

256.6 (1) Remboursement transitoire au constructeur — Sous réserve du paragraphe (2), le ministre rembourse le constructeur d'un immeuble d'habitation (sauf un immeuble d'habitation à logement unique ou un logement en copropriété), ou d'une adjonction à un tel immeuble, dans le cas où, à la fois :

a) aux termes d'une convention, constatée par écrit, conclue entre une personne donnée et le constructeur, cette personne est l'acquéreur des fournitures suivantes :

(i) la fourniture exonérée par bail du fonds faisant partie de l'immeuble ou la fourniture d'un tel bail par cession,

(ii) la fourniture exonérée par vente de tout ou partie du bâtiment dans lequel est située une habitation faisant partie de l'immeuble ou de l'adjonction;

b) le constructeur est réputé en vertu des paragraphes 191(3) ou (4) avoir effectué et reçu une fourniture de l'immeuble ou de l'adjonction après juin 2006 du fait qu'il a, selon le cas :

(i) transféré la possession de l'habitation à la personne donnée aux termes de la convention,

(ii) transféré la possession d'une habitation faisant partie de l'immeuble ou de l'adjonction à une autre personne aux termes d'une convention visée à l'alinéa a) conclue entre cette personne et le constructeur;

c) selon le cas :

(i) le constructeur et la personne donnée ont conclu la convention avant le 3 mai 2006,

(ii) le constructeur et une personne autre que la personne donnée ont conclu, avant le 3 mai 2006, une convention visée à l'alinéa a) relativement à une habitation située dans l'immeuble ou l'adjonction que le constructeur est réputé avoir fourni (conformément à l'alinéa b)), et il n'a pas été mis fin à cette convention avant juillet 2006;

d) le constructeur est réputé avoir payé la taxe prévue au paragraphe 165(1) relativement à la fourniture visée à l'alinéa b) au taux de 7 %;

e) le constructeur n'a pas droit à un crédit de taxe sur les intrants ni à un remboursement (sauf celui prévu au présent paragraphe ou au paragraphe 256.2(4)) au titre de cette taxe.

Le montant remboursable est égal au montant obtenu par la formule suivante :

$$A \times [0,01 - ((B/A)/7)]$$

où :

A représente le montant obtenu par la formule suivante :

$$C - [D \times (100/E)]$$

où :

C représente la juste valeur marchande de l'immeuble ou, si le constructeur est réputé avoir effectué la fourniture d'une adjonction, de l'adjonction, au moment où le constructeur est réputé avoir effectué la fourniture visée à l'alinéa b),

D :

(i) si le constructeur est réputé avoir effectué la fourniture d'un immeuble d'habitation, le total des montants représentant chacun la contrepartie payable au constructeur par une personne pour la fourniture par vente, effectuée au profit de la personne, soit de tout ou partie du bâtiment qui fait partie de l'immeuble, soit de toute autre construction qui en fait partie,

(ii) si le constructeur est réputé avoir effectué la fourniture d'une adjonction, le total des montants représentant chacun la contrepartie payable au constructeur par une personne pour la fourniture par vente, effectuée au profit de la personne, soit de tout ou partie du bâtiment qui fait partie de l'adjonction, soit de toute autre construction qui en fait partie,

E :

(i) si l'immeuble est situé dans une province participante, 115,

(ii) sinon, 107;

B le remboursement prévu au paragraphe 256.2(4) que le constructeur peut demander relativement à l'immeuble ou, s'il est réputé avoir effectué la fourniture d'une adjonction, relativement à l'adjonction.

Notes historiques: L'élément C de la formule au paragraphe 256.6(1) a été remplacé par L.C. 2007, c. 35, par. 193(1) et cette modification est réputée être entrée en vigueur le 1er juillet 2006. Antérieurement, il se lisait ainsi :

C représente la juste valeur marchande de l'immeuble au moment où le constructeur est réputé avoir effectué la fourniture visée à l'alinéa b),

Concordance québécoise: LTVQ, art. 670.27, 670.28.

(2) Demande de remboursement — Le remboursement prévu au présent article relativement à un immeuble d'habitation ou à une adjonction à un tel immeuble n'est accordé à un constructeur que s'il en fait la demande dans les deux ans suivant la fin du mois au cours duquel la taxe mentionnée au paragraphe (1) est réputée avoir été payée par le constructeur.

Concordance québécoise: LTVQ, art. 670.29.

Notes historiques: L'article 256.6 a été ajouté par L.C. 2006, c. 4, par. 29(1) et est entré en vigueur le 1er juillet 2006.

Définitions [par. 256.6]: « province participante » — 123(1).

Bulletin de l'information technique [art. 256.6]: B-096, 07/07, *Réduction du taux de la TPS/TVH et les immeubles*.

Formulaires [art. 256.6]: FP-2192, *Demande de rajustement de taxes concernant les immeubles d'habitation*; GST192, *Demande de remboursement transitoire de la TPS/TVH pour les constructeurs d'habitations neuves sur un terrain loué*; GST193, *Demande de remboursement transitoire de la TPS/TVH pour les acheteurs d'habitations neuves*.

Info TPS/TVQ [art. 256.6]: GI-015 — *Réduction du taux de la TPS/TVH et les acheteurs d'habitations neuves*; GI-043 — *La réduction du taux de la TPS/TVH (2008) et les achats d'habitations neuves*.

256.7 Remboursement transitoire — réduction de taux pour 2008 — **(1)** Sous réserve du paragraphe (7), le ministre rembourse une personne, sauf une coopérative d'habitation, dans le cas où, à la fois :

a) selon un contrat de vente constaté par écrit et conclu avant le 3 mai 2006, la personne est l'acquéreur de la fourniture taxable par vente, effectuée par une autre personne, d'un immeuble d'habitation dont la propriété et la possession aux termes du contrat lui sont transférées après décembre 2007;

b) la personne a payé la totalité de la taxe prévue au paragraphe 165(1) relativement à la fourniture au taux de 7 %;

c) la personne n'a pas droit à un crédit de taxe sur les intrants ni à un remboursement (sauf celui prévu au présent paragraphe ou au paragraphe 256.3(1)) au titre de cette taxe.

Le montant remboursable s'ajoute à celui prévu au paragraphe 256.3(1) et est égal au montant représentant 1 % de la valeur de la contrepartie de la fourniture.

Concordance québécoise: LTVQ, art. 670.30, 670.31.

(2) Remboursement transitoire — réduction de taux pour 2008 — Sous réserve du paragraphe (7), le ministre rembourse une personne, sauf une coopérative d'habitation, dans le cas où, à la fois :

a) selon un contrat de vente constaté par écrit et conclu avant le 3 mai 2006, la personne est l'acquéreur de la fourniture taxable par vente, effectuée par une autre personne, d'un immeuble d'habitation dont la propriété et la possession aux termes du contrat lui sont transférées après décembre 2007;

b) la personne a payé la totalité de la taxe prévue au paragraphe 165(1) relativement à la fourniture au taux de 7 %;

c) la personne a droit au remboursement prévu au paragraphe 256.2(3) relativement à une habitation située dans l'immeuble.

Le montant remboursable est égal au montant obtenu par la formule suivante :

$$A \times [0{,}01 - ((B/A)/7)]$$

où :

A représente la contrepartie payable pour la fourniture de l'immeuble effectuée au profit de la personne;

B le montant du remboursement prévu au paragraphe 256.2(3) que la personne peut demander relativement à l'immeuble.

Concordance québécoise: LTVQ, art. 670.32, 670.33.

(3) Remboursement transitoire — réduction de taux pour 2008 — Sous réserve du paragraphe (7), le ministre rembourse une personne, sauf une coopérative d'habitation, dans le cas où, à la fois :

a) selon un contrat de vente constaté par écrit et conclu avant le 3 mai 2006, la personne est l'acquéreur de la fourniture taxable par vente, effectuée par une autre personne, d'un immeuble d'habitation dont la propriété et la possession aux termes du contrat lui sont transférées après décembre 2007;

b) la personne a payé la totalité de la taxe prévue au paragraphe 165(1) relativement à la fourniture au taux de 7 %;

c) la personne a droit, au titre de cette taxe, à l'un des remboursements prévus à l'article 259, mais non à un crédit de taxe sur les intrants ni à un autre remboursement (sauf celui prévu au présent paragraphe ou au paragraphe 256.3(3)).

Le montant remboursable s'ajoute à celui prévu au paragraphe 256.3(3) et est égal au montant obtenu par la formule suivante :

$$A \times [0{,}01 - ((B/A)/7)]$$

où :

A représente la contrepartie payable pour la fourniture de l'immeuble effectuée au profit de la personne;

B :

(i) si l'immeuble est situé dans une province participante, le montant du remboursement prévu à l'article 259 que la personne aurait pu demander si la taxe prévue au paragraphe 165(2) n'avait pas été payable ni payée relativement à l'immeuble,

(ii) sinon, le montant du remboursement prévu à l'article 259 que la personne peut demander relativement à l'immeuble.

Concordance québécoise: LTVQ, art. 670.34, 670.35.

(4) Remboursement transitoire — réduction de taux pour 2008 — Sous réserve du paragraphe (7), le ministre rembourse une coopérative d'habitation dans le cas où, à la fois :

a) selon un contrat de vente constaté par écrit et conclu avant le 3 mai 2006, la coopérative est l'acquéreur de la fourniture taxable par vente, effectuée par une autre personne, d'un immeuble d'habitation dont la propriété et la possession aux termes du contrat lui sont transférées après décembre 2007;

b) la coopérative a payé la totalité de la taxe prévue au paragraphe 165(1) relativement à la fourniture au taux de 7 %;

c) la coopérative n'a pas droit à un crédit de taxe sur les intrants ni à un remboursement (sauf ceux prévus au présent paragraphe, à l'article 256.2, au paragraphe 256.3(4) et à l'article 259) au titre de cette taxe.

Le montant remboursable s'ajoute à celui prévu au paragraphe 256.3(4) et est égal au montant obtenu par la formule suivante :

$$A \times [0{,}01 - ((B/A)/7)]$$

où :

A représente la contrepartie payable pour la fourniture;

B :

(i) si la coopérative a droit à l'un des remboursements prévus à l'article 259 relativement à l'immeuble :

(A) dans le cas où l'immeuble est situé dans une province participante, le montant du remboursement prévu à l'article 259 que la coopérative aurait pu demander si la taxe prévue au paragraphe 165(2) n'avait pas été payable ni payée relativement à l'immeuble,

(B) dans les autres cas, le montant du remboursement prévu à l'article 259 que la coopérative peut demander relativement à l'immeuble,

(ii) 36 % de la taxe que la coopérative a payée en vertu du paragraphe 165(1) relativement à la fourniture si elle n'a pas droit à l'un des remboursements prévus à l'article 259 relativement à l'immeuble et si, selon le cas :

(A) elle peut demander, ou peut raisonnablement s'attendre à pouvoir demander, l'un des remboursements prévus à l'article 256.2 relativement à une habitation située dans l'immeuble,

(B) il s'avère qu'une part de son capital social est ou sera vendue à un particulier pour qu'une habitation de l'immeuble lui serve de lieu de résidence habituelle, ou serve ainsi à l'un de ses proches au sens du paragraphe 255(1), et que ce particulier a ou aura droit à l'un des remboursements prévus à l'article 255 relativement à la part, ou il est raisonnable de s'attendre à ce qu'il en soit ainsi,

(iii) dans les autres cas, zéro.

Concordance québécoise: LTVQ, art. 670.36, 670.37.

(5) Remboursement transitoire — réduction de taux pour 2008 — Sous réserve du paragraphe (7), le ministre rembourse un particulier dans le cas où, à la fois :

a) selon un contrat de vente constaté par écrit et conclu avant le 3 mai 2006, le particulier est l'acquéreur de la fourniture taxable par vente, effectuée par une autre personne, d'un immeuble d'habitation dont la propriété et la possession aux termes du contrat lui sont transférées après décembre 2007;

b) le particulier a payé la totalité de la taxe prévue au paragraphe 165(1) relativement à la fourniture au taux de 7 %;

c) le particulier a droit au remboursement prévu au paragraphe 254(2) relativement à l'immeuble.

Le montant remboursable s'ajoute à celui prévu au paragraphe 256.3(5) et est égal au montant obtenu par la formule suivante :

$$A \times [0{,}01 - ((B/A)/7)]$$

où :

A représente le total des montants représentant chacun la contrepartie payable pour la fourniture de l'immeuble effectuée au profit du particulier ou pour toute autre fourniture taxable, effectuée à son profit, d'un droit sur l'immeuble à l'égard de laquelle il a payé la taxe prévue au paragraphe 165(1) au taux de 7 %;

B le montant du remboursement prévu au paragraphe 254(2) que le particulier peut demander relativement à l'immeuble.

Concordance québécoise: LTVQ, art. 670.38, 670.39.

(6) Groupe de particuliers — Lorsque la fourniture d'un immeuble d'habitation est effectuée au profit de plusieurs particuliers, la mention d'un particulier au paragraphe (5) vaut mention de l'ensemble de ces particuliers en tant que groupe. Toutefois, seul le particulier qui a demandé le remboursement prévu à l'article 254 peut demander le remboursement prévu au paragraphe (5).

Concordance québécoise: LTVQ, art. 670.40.

(7) Demande de remboursement — Un remboursement prévu au présent article relativement à un immeuble d'habitation n'est accordé à une personne que si elle en fait la demande dans les deux ans suivant le jour où la propriété de l'immeuble lui est transférée.

Concordance québécoise: LTVQ, art. 670.41.

Notes historiques: L'article 256.7 a été ajouté par L.C. 2007, c. 35, par. 194(1) et est entré en vigueur ou est réputé être entré en vigueur le 1er janvier 2008.

Définitions [par. 256.7]: « province participante » 123(1).

Renvois [art. 256.7]: 670.30, 670.32, 670.34, 670.38 (remboursement transitoire — taxe de vente d'un immeuble); 670.31, 670.35, 670.39 (montant du remboursement — taxe de vente d'un immeuble); 670.36 (remboursement pour une coopérative d'habitation); 670.37 (montant du remboursement pour une coopérative d'habitation).

Bulletin de l'information technique [art. 256.7]: B-096, 07/07, *Réduction du taux de la TPS/TVH et les immeubles*.

Formulaires [art. 256.7]: FP-2192, *Demande de rajustement de taxes concernant les immeubles d'habitation*; GST192, *Demande de remboursement transitoire de la TPS/TVH pour les constructeurs d'habitations neuves sur un terrain loué*; GST193, *Demande de remboursement transitoire de la TPS/TVH pour les acheteurs d'habitations neuves*.

Info TPS/TVQ [art. 256.7]: GI-015 — *Réduction du taux de la TPS/TVH et les acheteurs d'habitations neuves*; GI-043 — *La réduction du taux de la TPS/TVH (2008) et les achats d'habitations neuves*.

256.71 Remboursement transitoire en cas d'application de l'article 254.1 — réduction de taux pour 2008 — (1) Sous réserve du paragraphe (4), le ministre accorde un remboursement dans le cas où, à la fois :

a) aux termes d'une convention, constatée par écrit, conclue avant le 3 mai 2006 entre une personne et le constructeur d'un immeuble d'habitation — immeuble d'habitation à logement unique ou logement en copropriété -, la personne est l'acquéreur des fournitures suivantes :

(i) la fourniture exonérée par bail du fonds qui fait partie de l'immeuble ou la fourniture exonérée d'un tel bail par cession,

(ii) la fourniture exonérée par vente de tout ou partie du bâtiment dans lequel est située l'habitation faisant partie de l'immeuble;

b) la possession de l'immeuble est transférée à la personne aux termes de la convention après décembre 2007;

c) le constructeur est réputé en vertu du paragraphe 191(1) avoir effectué et reçu une fourniture de l'immeuble du fait qu'il en a transféré la possession à la personne aux termes de la convention, et avoir payé la taxe prévue au paragraphe 165(1) relativement à la fourniture au taux de 7 %;

d) la personne a droit au remboursement prévu au paragraphe 254.1(2) relativement à l'immeuble.

Le montant remboursable s'ajoute à celui prévu au paragraphe 256.4(1) et est égal à celui des montants ci-après qui est applicable :

e) le montant obtenu par la formule ci-après est remboursé à la personne :

$$A \times [0{,}01 - ((B/A)/7)]$$

où :

A A représente le montant obtenu par la formule suivante :

$$C \times (100/D)$$

où :

C représente le total des montants représentant chacun la contrepartie payable au constructeur par la personne pour la fourniture par vente, effectuée au profit de la personne, du bâtiment ou de la partie de bâtiment visé au sous-alinéa a)(ii) ou de toute autre construction qui fait partie de l'immeuble, à l'exception de toute contrepartie qu'il est raisonnable de considérer soit comme un loyer pour les fournitures du fonds attribuable à l'immeuble, soit comme une contrepartie pour la fourniture d'une option d'achat de ce fonds,

D :

(i) si l'immeuble est situé dans une province participante, 115,

(ii) sinon, 107,

B le montant du remboursement prévu au paragraphe 254.1(2) que la personne peut demander relativement à l'immeuble;

f) si le constructeur n'a pas droit à un crédit de taxe sur les intrants ni à un remboursement (sauf celui prévu au présent paragraphe ou aux paragraphes 256.2(4) ou 256.4(1)) au titre de la taxe mentionnée à l'alinéa c), le montant obtenu par la formule ci-après lui est remboursé :

$$(E - F) \times [0{,}01 - ((G/(E - F))/7)]$$

où :

E représente la juste valeur marchande de l'immeuble au moment où le constructeur est réputé avoir effectué la fourniture visée à l'alinéa c),

F le montant déterminé selon l'élément A de la formule figurant à l'alinéa e),

G le montant du remboursement que le constructeur peut demander en vertu du paragraphe 256.2(4).

Concordance québécoise: LTVQ, art. 670.42, 670.43, 670.44, 670.45 .

(2) Remboursement transitoire en cas de non-application de l'article 254.1 — réduction de taux pour 2008 — Sous réserve du paragraphe (4), le ministre accorde un remboursement dans le cas où, à la fois :

a) aux termes d'une convention, constatée par écrit, conclue avant le 3 mai 2006 entre une personne et le constructeur d'un immeuble d'habitation — immeuble d'habitation à logement

LTA (TPS)

unique ou logement en copropriété — , la personne est l'acquéreur des fournitures suivantes :

(i) la fourniture exonérée par bail du fonds qui fait partie de l'immeuble ou la fourniture exonérée d'un tel bail par cession,

(ii) la fourniture exonérée par vente de tout ou partie du bâtiment dans lequel est située l'habitation faisant partie de l'immeuble;

b) la possession de l'immeuble est transférée à la personne aux termes de la convention après décembre 2007;

c) le constructeur est réputé en vertu du paragraphe 191(1) avoir effectué et reçu une fourniture de l'immeuble du fait qu'il en a transféré la possession à la personne aux termes de la convention, et avoir payé la taxe prévue au paragraphe 165(1) relativement à la fourniture au taux de 7 %;

d) la personne n'a pas droit au remboursement prévu au paragraphe 254.1(2) relativement à l'immeuble.

Le montant remboursable s'ajoute à celui prévu au paragraphe 256.4(2) et est égal à celui des montants ci-après qui est applicable :

e) le montant obtenu par la formule ci-après est remboursé à la personne :

$$A/B$$

où :

A représente le total des montants représentant chacun la contrepartie payable au constructeur par la personne pour la fourniture par vente, effectuée au profit de la personne, du bâtiment ou de la partie de bâtiment visé au sous-alinéa a)(ii) ou de toute autre construction qui fait partie de l'immeuble, à l'exception de toute contrepartie qu'il est raisonnable de considérer soit comme un loyer pour les fournitures du fonds attribuable à l'immeuble, soit comme une contrepartie pour la fourniture d'une option d'achat de ce fonds,

B :

(i) si l'immeuble est situé dans une province participante, 115,

(ii) sinon, 107;

f) si le constructeur n'a pas droit à un crédit de taxe sur les intrants ni à un remboursement (sauf celui prévu au présent paragraphe ou au paragraphe 256.4(2)) au titre de la taxe mentionnée à l'alinéa c), le montant obtenu par la formule ci-après lui est remboursé :

$$0,01 \times [C - (D \times (100/E))]$$

où :

C représente la juste valeur marchande de l'immeuble au moment où le constructeur est réputé avoir effectué la fourniture visée à l'alinéa c),

D le total des montants représentant chacun la contrepartie payable au constructeur par la personne pour la fourniture par vente, effectuée au profit de la personne, du bâtiment ou de la partie de bâtiment visé au sous-alinéa a)(ii) ou de toute autre construction qui fait partie de l'immeuble, à l'exception de toute contrepartie qu'il est raisonnable de considérer soit comme un loyer pour les fournitures du fonds attribuable à l'immeuble, soit comme une contrepartie pour la fourniture d'une option d'achat de ce fonds,

E :

(i) si l'immeuble est situé dans une province participante, 115,

(ii) sinon, 107.

Concordance québécoise: LTVQ, art. 670.46, 670.47, 670.48, 670.49 .

(3) Groupe de particuliers — Lorsque les fournitures visées aux paragraphes (1) ou (2) sont effectuées au profit de plusieurs particuliers, la mention d'une personne à ce paragraphe vaut mention de l'ensemble de ces particuliers en tant que groupe. Toutefois, dans le cas du remboursement prévu à l'alinéa (1)e), seul le particulier qui a demandé le remboursement prévu à l'article 254.1 peut demander le remboursement prévu au paragraphe (1).

Concordance québécoise: LTVQ, art. 670.50.

(4) Demande de remboursement — Un remboursement prévu au présent article relativement à un immeuble d'habitation n'est accordé à une personne que si elle en fait la demande dans les deux ans suivant le jour applicable ci-après :

a) si le remboursement est accordé à une personne autre que le constructeur de l'immeuble, le jour où la possession de l'immeuble est transférée à la personne;

b) si le remboursement est accordé au constructeur de l'immeuble, le jour qui correspond à la fin du mois au cours duquel la taxe visée aux alinéas (1)c) ou (2)c) est réputée avoir été payée par le constructeur.

Concordance québécoise: LTVQ, art. 670.51.

Notes historiques: L'article 256.71 a été ajouté par L.C. 2007, c. 35, par. 194(1) et est entré en vigueur ou est réputé être entré en vigueur le 1er janvier 2008.

Définitions [par. 256.71]: « province participante » — 123(1).

Renvois [art. 256.71]: 670.42, 670.46 (remboursement à l'égard d'un immeuble d'habitation); 670.43, 670.47 (montant du remboursement à l'égard d'un immeuble d'habitation); 670.44, 670.48 (remboursement transitoire au constructeur d'un immeuble); 670.45, 670.49 (montant du remboursement au constructeur d'un immeuble).

256.72 Remboursement transitoire à l'acheteur — réduction de taux pour 2008 — **(1)** Sous réserve du paragraphe (3), le ministre rembourse une personne donnée dans le cas où, à la fois :

a) aux termes d'une convention, constatée par écrit, conclue entre cette personne et le constructeur d'un immeuble d'habitation (sauf un immeuble d'habitation à logement unique ou un logement en copropriété), ou d'une adjonction à un tel immeuble, la personne est l'acquéreur des fournitures suivantes :

(i) la fourniture exonérée par bail du fonds qui fait partie de l'immeuble ou la fourniture exonérée d'un tel bail par cession,

(ii) la fourniture exonérée par vente de tout ou partie du bâtiment dans lequel est située une habitation faisant partie de l'immeuble ou de l'adjonction;

b) la possession d'une habitation faisant partie de l'immeuble ou de l'adjonction est transférée à la personne donnée aux termes de la convention après décembre 2007;

c) le constructeur est réputé en vertu des paragraphes 191(3) ou (4) avoir effectué et reçu une fourniture de l'immeuble ou de l'adjonction du fait qu'il a, selon le cas :

(i) transféré la possession de l'habitation à la personne donnée aux termes de la convention,

(ii) transféré la possession d'une habitation faisant partie de l'immeuble ou de l'adjonction à une autre personne aux termes d'une convention visée à l'alinéa a) conclue entre cette personne et le constructeur;

d) le constructeur est réputé avoir payé la taxe prévue au paragraphe 165(1) relativement à la fourniture au taux de 7 %;

e) si le constructeur est réputé avoir payé cette taxe après décembre 2007, il s'avère, selon le cas :

(i) que le constructeur et la personne donnée ont conclu la convention avant le 3 mai 2006,

(ii) que le constructeur et une personne autre que la personne donnée ont conclu, avant le 3 mai 2006, une convention visée à l'alinéa a) relativement à une habitation située dans l'immeuble ou dans l'adjonction que le constructeur est réputé avoir fourni (conformément à l'alinéa c)), et il n'a pas été mis fin à cette convention avant juillet 2006.

Le montant remboursable s'ajoute au montant remboursable prévu au paragraphe 256.5(1) et est égal à celui des montants ci-après qui est applicable :

f) si la personne donnée a droit au remboursement prévu au paragraphe 254.1(2) relativement à l'immeuble, le montant obtenu par la formule suivante :

A x [0,01 – ((B/A)/7)]

où :

A représente le montant obtenu par la formule suivante :

C x (100/D)

où :

C représente le total des montants représentant chacun la contrepartie payable au constructeur par la personne donnée pour la fourniture par vente, effectuée au profit de cette personne, du bâtiment ou de la partie de bâtiment visé au sous-alinéa a)(ii) ou de toute autre construction qui fait partie de l'immeuble ou de l'adjonction, à l'exception de toute contrepartie qu'il est raisonnable de considérer soit comme un loyer pour les fournitures du fonds attribuable à l'immeuble, soit comme une contrepartie pour la fourniture d'une option d'achat de ce fonds,

D :

(i) si l'immeuble est situé dans une province participante, 115,

(ii) sinon, 107,

B le montant du remboursement prévu à l'article 254.1 que la personne donnée peut demander relativement à l'immeuble;

g) si la personne donnée n'a pas droit au remboursement prévu au paragraphe 254.1(2) relativement à l'immeuble, le montant obtenu par la formule suivante :

E/F

où :

E représente le total des montants représentant chacun la contrepartie payable au constructeur par la personne donnée pour la fourniture par vente, effectuée au profit de cette personne, du bâtiment ou de la partie de bâtiment visé au sous-alinéa a)(ii) ou de toute autre construction qui fait partie de l'immeuble ou de l'adjonction, à l'exception de toute contrepartie qu'il est raisonnable de considérer soit comme un loyer pour les fournitures du fonds attribuable à l'immeuble, soit comme une contrepartie pour la fourniture d'une option d'achat de ce fonds,

F :

(i) si l'immeuble est situé dans une province participante, 115,

(ii) sinon, 107.

Concordance québécoise: LTVQ, art. 670.52, 670.53.

(2) Groupe de particuliers — Lorsque les fournitures visées au paragraphe (1) sont effectuées au profit de plusieurs particuliers, la mention d'une personne donnée à ce paragraphe vaut mention de l'ensemble de ces particuliers en tant que groupe. Toutefois, dans le cas du remboursement prévu à l'alinéa (1)f), seul le particulier qui a demandé le remboursement prévu à l'article 254.1 peut demander le remboursement prévu à cet alinéa.

Concordance québécoise: LTVQ, art. 670.54.

(3) Demande de remboursement — Un remboursement prévu au présent article relativement à un immeuble d'habitation n'est accordé à une personne que si elle en fait la demande dans les deux ans suivant le jour où la possession de l'habitation mentionnée à l'alinéa (1)b) lui est transférée.

Concordance québécoise: LTVQ, art. 670.55.

Notes historiques: L'article 256.72 a été ajouté par L.C. 2007, c. 35, par. 194(1) et est entré en vigueur ou est réputé être entré en vigueur le 1er janvier 2008.

Définitions [par. 256.72]: « province participante » — 123(1).

Renvois [art. 256.72]: 670.52 (remboursement à l'égard d'un immeuble d'habitation); 670.53 (montant du remboursement à l'égard d'un immeuble d'habitation).

256.73 Remboursement transitoire au constructeur — réduction de taux pour 2008 — (1) Sous réserve du paragraphe (2), le ministre rembourse le constructeur d'un immeuble d'habitation (sauf un immeuble d'habitation à logement unique ou un logement en copropriété), ou d'une adjonction à un tel immeuble, dans le cas où, à la fois :

a) aux termes d'une convention, constatée par écrit, conclue entre une personne donnée et le constructeur, cette personne est l'acquéreur des fournitures suivantes :

(i) la fourniture exonérée par bail du fonds qui fait partie de l'immeuble ou la fourniture d'un tel bail par cession,

(ii) la fourniture exonérée par vente de tout ou partie du bâtiment dans lequel est située une habitation faisant partie de l'immeuble ou de l'adjonction;

b) le constructeur est réputé en vertu des paragraphes 191(3) ou (4) avoir effectué et reçu une fourniture de l'immeuble ou de l'adjonction après décembre 2007 du fait qu'il a, selon le cas :

(i) transféré la possession de l'habitation à la personne donnée aux termes de la convention,

(ii) transféré la possession d'une habitation faisant partie de l'immeuble ou de l'adjonction à une autre personne aux termes d'une convention visée à l'alinéa a) conclue entre cette personne et le constructeur;

c) selon le cas :

(i) le constructeur et la personne donnée ont conclu la convention avant le 3 mai 2006,

(ii) le constructeur et une personne autre que la personne donnée ont conclu, avant le 3 mai 2006, une convention visée à l'alinéa a) relativement à une habitation située dans l'immeuble ou l'adjonction que le constructeur est réputé avoir fourni (conformément à l'alinéa b)), et il n'a pas été mis fin à cette convention avant juillet 2006;

d) le constructeur est réputé avoir payé la taxe prévue au paragraphe 165(1) relativement à la fourniture visée à l'alinéa b) au taux de 7 %;

e) le constructeur n'a pas droit à un crédit de taxe sur les intrants ni à un remboursement (sauf celui prévu au présent paragraphe ou aux paragraphes 256.2(4) ou 256.6(1)) au titre de cette taxe.

Le montant remboursable s'ajoute à celui prévu au paragraphe 256.6(1) et est égal au montant obtenu par la formule suivante :

A x [0,01 – ((B/A)/7)]

où :

A représente le montant obtenu par la formule suivante :

C – [D x (100/E)]

où :

C représente la juste valeur marchande de l'immeuble ou, si le constructeur est réputé avoir effectué la fourniture d'une adjonction, de l'adjonction, au moment où le constructeur est réputé avoir effectué la fourniture visée à l'alinéa b),

D :

(i) si le constructeur est réputé avoir effectué la fourniture d'un immeuble d'habitation, le total des montants représentant chacun la contrepartie payable au constructeur par une personne pour la fourniture par vente, effectuée au profit de la personne, soit de tout ou partie du bâtiment qui fait partie de l'immeuble, soit de toute autre construction qui en fait partie,

(ii) si le constructeur est réputé avoir effectué la fourniture d'une adjonction, le total des montants représentant chacun la contrepartie payable au constructeur par une personne pour la fourniture par vente, effectuée au profit de la personne, soit de tout ou partie du bâtiment qui fait partie de l'adjonction, soit de toute autre construction qui en fait partie,

E :

(i) si l'immeuble est situé dans une province participante, 115,

(ii) sinon, 107;

B le remboursement prévu au paragraphe 256.2(4) que le constructeur peut demander relativement à l'immeuble ou, s'il est réputé avoir effectué la fourniture d'une adjonction, relativement à l'adjonction.

Concordance québécoise: LTVQ, art. 670.56, 670.57.

(2) Demande de remboursement — Le remboursement prévu au présent article relativement à un immeuble d'habitation ou à une adjonction à un tel immeuble n'est accordé à un constructeur que s'il en fait la demande dans les deux ans suivant la fin du mois au cours duquel la taxe mentionnée au paragraphe (1) est réputée avoir été payée par le constructeur.

Concordance québécoise: LTVQ, art. 670.58.

Notes historiques: L'article 256.73 a été ajouté par L.C. 2007, c. 35, par. 194(1) et est entré en vigueur ou est réputé être entré en vigueur le 1er janvier 2008.

Définitions [par. 256.73]: « province participante » — 123(1).

Renvois [art. 256.73]: 670.56 (remboursement transitoire au constructeur d'un immeuble); 670.57 (montant du remboursement au constructeur d'un immeuble).

Formulaires [art. 256.73]: RC4052, *Renseignements sur la TPS/TVH pour l'industrie de la construction résidentielle.*

256.74 Remboursement transitoire — réduction de taux pour 2008 — **(1)** Sous réserve du paragraphe (7), le ministre rembourse une personne, sauf une coopérative d'habitation, dans le cas où, à la fois :

a) selon un contrat de vente constaté par écrit et conclu après le 2 mai 2006 mais avant le 31 octobre 2007, la personne est l'acquéreur de la fourniture taxable par vente, effectuée par une autre personne, d'un immeuble d'habitation dont la propriété et la possession aux termes du contrat lui sont transférées après décembre 2007;

b) la personne a payé la totalité de la taxe prévue au paragraphe 165(1) relativement à la fourniture au taux de 6 %;

c) la personne n'a pas droit à un crédit de taxe sur les intrants ni à un remboursement (sauf celui prévu au présent paragraphe) au titre de cette taxe.

Le montant remboursable est égal au montant représentant 1 % de la valeur de la contrepartie de la fourniture.

Concordance québécoise: LTVQ, art. 670.59, 670.60.

(2) Remboursement transitoire — réduction de taux pour 2008 — Sous réserve du paragraphe (7), le ministre rembourse une personne, sauf une coopérative d'habitation, dans le cas où, à la fois :

a) selon un contrat de vente constaté par écrit et conclu après le 2 mai 2006 mais avant le 31 octobre 2007, la personne est l'acquéreur de la fourniture taxable par vente, effectuée par une autre personne, d'un immeuble d'habitation dont la propriété et la possession aux termes du contrat lui sont transférées après décembre 2007;

b) la personne a payé la totalité de la taxe prévue au paragraphe 165(1) relativement à la fourniture au taux de 6 %;

c) la personne a droit au remboursement prévu au paragraphe 256.2(3) relativement à une habitation située dans l'immeuble.

Le montant remboursable est égal au montant obtenu par la formule suivante :

$$A \times [0{,}01 - ((B/A)/6)]$$

où :

A représente la contrepartie payable pour la fourniture de l'immeuble effectuée au profit de la personne;

B le montant du remboursement prévu au paragraphe 256.2(3) que la personne peut demander relativement à l'immeuble.

Concordance québécoise: LTVQ, art. 670.61, 670.62.

(3) Remboursement transitoire — réduction de taux pour 2008 — Sous réserve du paragraphe (7), le ministre rembourse une personne, sauf une coopérative d'habitation, dans le cas où, à la fois :

a) selon un contrat de vente constaté par écrit et conclu après le 2 mai 2006 mais avant le 31 octobre 2007, la personne est l'acquéreur de la fourniture taxable par vente, effectuée par une autre personne, d'un immeuble d'habitation dont la propriété et la possession aux termes du contrat lui sont transférées après décembre 2007;

b) la personne a payé la totalité de la taxe prévue au paragraphe 165(1) relativement à la fourniture au taux de 6 %;

c) la personne a droit, au titre de cette taxe, à l'un des remboursements prévus à l'article 259, mais non à un crédit de taxe sur les intrants ni à un autre remboursement (sauf celui prévu au présent paragraphe).

Le montant remboursable est égal au montant obtenu par la formule suivante :

$$A \times [0{,}01 - ((B/A)/6)]$$

où :

A représente la contrepartie payable pour la fourniture de l'immeuble effectuée au profit de la personne;

B :

(i) si l'immeuble est situé dans une province participante, le montant du remboursement prévu à l'article 259 que la personne aurait pu demander si la taxe prévue au paragraphe 165(2) n'avait pas été payable ni payée relativement à l'immeuble,

(ii) sinon, le montant du remboursement prévu à l'article 259 que la personne peut demander relativement à l'immeuble.

Concordance québécoise: LTVQ, art. 670.63, 670.64.

(4) Remboursement transitoire — réduction de taux pour 2008 — Sous réserve du paragraphe (7), le ministre rembourse une coopérative d'habitation dans le cas où, à la fois :

a) selon un contrat de vente constaté par écrit et conclu après le 2 mai 2006 mais avant le 31 octobre 2007, la coopérative est l'acquéreur de la fourniture taxable par vente, effectuée par une autre personne, d'un immeuble d'habitation dont la propriété et la possession aux termes du contrat lui sont transférées après décembre 2007;

b) la coopérative a payé la totalité de la taxe prévue au paragraphe 165(1) relativement à la fourniture au taux de 6 %;

c) la coopérative n'a pas droit à un crédit de taxe sur les intrants ni à un remboursement (sauf celui prévu au présent paragraphe ou l'un de ceux prévus aux articles 256.2 et 259) au titre de cette taxe.

Le montant remboursable est égal au montant obtenu par la formule suivante :

$$A \times [0{,}01 - ((B/A)/6)]$$

où :

A représente la contrepartie payable pour la fourniture;

B :

(i) si la coopérative a droit à l'un des remboursements prévus à l'article 259 relativement à l'immeuble :

(A) dans le cas où l'immeuble est situé dans une province participante, le montant du remboursement prévu à l'article 259 que la coopérative aurait pu demander si la taxe prévue au paragraphe 165(2) n'avait pas été payable ni payée relativement à l'immeuble,

(B) dans les autres cas, le montant du remboursement prévu à l'article 259 que la coopérative peut demander relativement à l'immeuble,

(ii) 36 % de la taxe que la coopérative a payée en vertu du paragraphe 165(1) relativement à la fourniture si elle n'a pas droit à l'un des remboursements prévus à l'article 259 relativement à l'immeuble et si, selon le cas :

(A) elle peut demander, ou peut raisonnablement s'attendre à pouvoir demander, l'un des remboursements prévus à l'article 256.2 relativement à une habitation située dans l'immeuble,

(B) il s'avère qu'une part de son capital social est ou sera vendue à un particulier pour qu'une habitation de l'immeuble lui serve de lieu de résidence habituelle, ou serve ainsi à l'un de ses proches au sens du paragraphe 255(1), et que ce particulier a ou aura droit à l'un des remboursements prévus à l'article 255 relativement à la part, ou il est raisonnable de s'attendre à ce qu'il en soit ainsi,

(iii) dans les autres cas, zéro.

Concordance québécoise: LTVQ, art. 670.65, 670.66.

(5) Remboursement transitoire — réduction de taux pour 2008 — Sous réserve du paragraphe (7), le ministre rembourse un particulier dans le cas où, à la fois :

a) selon un contrat de vente constaté par écrit et conclu après le 2 mai 2006 mais avant le 31 octobre 2007, le particulier est l'acquéreur de la fourniture taxable par vente, effectuée par une autre personne, d'un immeuble d'habitation dont la propriété et la possession aux termes du contrat lui sont transférées après décembre 2007;

b) le particulier a payé la totalité de la taxe prévue au paragraphe 165(1) relativement à la fourniture au taux de 6 %;

c) le particulier a droit au remboursement prévu au paragraphe 254(2) relativement à l'immeuble.

Le montant remboursable est égal au montant obtenu par la formule suivante :

$$A \times [0{,}01 - ((B/A)/6)]$$

où :

A représente le total des montants représentant chacun la contrepartie payable pour la fourniture de l'immeuble effectuée au profit du particulier ou pour toute autre fourniture taxable, effectuée à son profit, d'un droit sur l'immeuble à l'égard de laquelle il a payé la taxe prévue au paragraphe 165(1) au taux de 6 %;

B le montant du remboursement prévu au paragraphe 254(2) que le particulier peut demander relativement à l'immeuble.

Concordance québécoise: LTVQ, art. 670.67, 670.68.

(6) Groupe de particuliers — Lorsque la fourniture d'un immeuble d'habitation est effectuée au profit de plusieurs particuliers, la mention d'un particulier au paragraphe (5) vaut mention de l'ensemble de ces particuliers en tant que groupe. Toutefois, seul le particulier qui a demandé le remboursement prévu à l'article 254 peut demander le remboursement prévu au paragraphe (5).

Concordance québécoise: LTVQ, art. 670.69.

(7) Demande de remboursement — Un remboursement prévu au présent article relativement à un immeuble d'habitation n'est accordé à une personne que si elle en fait la demande dans les deux ans suivant le jour où la propriété de l'immeuble lui est transférée.

Concordance québécoise: LTVQ, art. 670.70.

Notes historiques: L'article 256.74 a été ajouté par L.C. 2007, c. 35, par. 194(1) et est entré en vigueur ou est réputé être entré en vigueur le 1er janvier 2008.

Définitions [par. 256.74]: « province participante » — 123(1).

Renvois [art. 256.74]: 670.59, 670.61, 670.63, 670.67 (remboursement à l'égard de la fourniture d'un immeuble d'habitation); 670.62, 670.64, 670.68 (montant du remboursement — fourniture d'un immeuble d'habitation); 670.65 (remboursement pour une coopérative d'habitation); 670.66 (montant du remboursement pour une coopérative d'habitation).

Jurisprudence [art. 256.74]: *Henderson v. R.* (7 janvier 2011), 2011 CarswellNat 373, 2011 CCI 8 (CCI [procédure informelle]); *Lavigne c. R.*, 2011 CarswellNat 3234, 2011 CCI 402 (CCI [procédure informelle]).

256.75 Remboursement transitoire en cas d'application de l'article 254.1 — réduction de taux pour 2008 — (1) Sous réserve du paragraphe (4), le ministre accorde un remboursement dans le cas où, à la fois :

a) aux termes d'une convention, constatée par écrit, conclue après le 2 mai 2006 mais avant le 31 octobre 2007 entre une personne et le constructeur d'un immeuble d'habitation — immeuble d'habitation à logement unique ou logement en copropriété -, la personne est l'acquéreur des fournitures suivantes :

(i) la fourniture exonérée par bail du fonds qui fait partie de l'immeuble ou la fourniture exonérée d'un tel bail par cession,

(ii) la fourniture exonérée par vente de tout ou partie du bâtiment dans lequel est située l'habitation faisant partie de l'immeuble;

b) la possession de l'immeuble est transférée à la personne aux termes de la convention après décembre 2007;

c) le constructeur est réputé en vertu du paragraphe 191(1) avoir effectué et reçu une fourniture de l'immeuble du fait qu'il en a transféré la possession à la personne aux termes de la convention, et avoir payé la taxe prévue au paragraphe 165(1) relativement à la fourniture au taux de 6 %;

d) la personne a droit au remboursement prévu au paragraphe 254.1(2) relativement à l'immeuble.

Le montant remboursable est égal à celui des montants ci-après qui est applicable :

e) le montant obtenu par la formule ci-après est remboursé à la personne :

$$A \times [0{,}01 - ((B/A)/6)]$$

où :

A représente le montant obtenu par la formule suivante :

$$C \times (100/D)$$

où

C représente le total des montants représentant chacun la contrepartie payable au constructeur par la personne pour la fourniture par vente, effectuée au profit de la personne, du bâtiment ou de la partie de bâtiment visé au sous-alinéa a)(ii) ou de toute autre construction qui fait partie de l'immeuble, à l'exception de toute contrepartie qu'il est raisonnable de considérer soit comme un loyer pour les fournitures du fonds attribuable à l'immeuble, soit comme une contrepartie pour la fourniture d'une option d'achat de ce fonds,

D :

(i) si l'immeuble est situé dans une province participante, 114,

(ii) sinon, 106,

B le montant du remboursement prévu au paragraphe 254.1(2) que la personne peut demander relativement à l'immeuble;

f) si le constructeur n'a pas droit à un crédit de taxe sur les intrants ni à un remboursement (sauf celui prévu au présent paragraphe ou au paragraphe 256.2(4)) au titre de la taxe mentionnée à l'alinéa c), le montant obtenu par la formule ci-après lui est remboursé :

$$(E - F) \times [0{,}01 - ((G/(E - F))/6)]$$

où :

E représente la juste valeur marchande de l'immeuble au moment où le constructeur est réputé avoir effectué la fourniture visée à l'alinéa c),

F le montant déterminé selon l'élément A de la formule figurant à l'alinéa e),

LTA (TPS)

G le montant du remboursement que le constructeur peut demander en vertu du paragraphe 256.2(4).

Concordance québécoise: LTVQ, art. 670.71, 670.72, 670.73, 670.74.

(2) Remboursement transitoire en cas de non-application de l'article 254.1 — réduction de taux pour 2008 — Sous réserve du paragraphe (4), le ministre accorde un remboursement dans le cas où, à la fois :

a) aux termes d'une convention, constatée par écrit, conclue après le 2 mai 2006 mais avant le 31 octobre 2007 entre une personne et le constructeur d'un immeuble d'habitation — immeuble d'habitation à logement unique ou logement en copropriété —, la personne est l'acquéreur des fournitures suivantes :

(i) la fourniture exonérée par bail du fonds qui fait partie de l'immeuble ou la fourniture exonérée d'un tel bail par cession,

(ii) la fourniture exonérée par vente de tout ou partie du bâtiment dans lequel est située l'habitation faisant partie de l'immeuble;

b) la possession de l'immeuble est transférée à la personne aux termes de la convention après décembre 2007;

c) le constructeur est réputé en vertu du paragraphe 191(1) avoir effectué et reçu une fourniture de l'immeuble du fait qu'il en a transféré la possession à la personne aux termes de la convention, et avoir payé la taxe prévue au paragraphe 165(1) relativement à la fourniture au taux de 6 %;

d) la personne n'a pas droit au remboursement prévu au paragraphe 254.1(2) relativement à l'immeuble.

Le montant remboursable est égal à celui des montants ci-après qui est applicable :

e) le montant obtenu par la formule ci-après est remboursé à la personne :

$$A/B$$

où :

A représente le total des montants représentant chacun la contrepartie payable au constructeur par la personne pour la fourniture par vente, effectuée au profit de la personne, du bâtiment ou de la partie de bâtiment visé au sous-alinéa a)(ii) ou de toute autre construction qui fait partie de l'immeuble, à l'exception de toute contrepartie qu'il est raisonnable de considérer soit comme un loyer pour les fournitures du fonds attribuable à l'immeuble, soit comme une contrepartie pour la fourniture d'une option d'achat de ce fonds,

B :

(i) si l'immeuble est situé dans une province participante, 114,

(ii) sinon, 106;

f) si le constructeur n'a pas droit à un crédit de taxe sur les intrants ni à un remboursement (sauf celui prévu au présent paragraphe) au titre de la taxe mentionnée à l'alinéa c), le montant obtenu par la formule ci-après lui est remboursé :

$$0,01 \times [C - (D \times (100/E))]$$

où :

C représente la juste valeur marchande de l'immeuble au moment où le constructeur est réputé avoir effectué la fourniture visée à l'alinéa c),

D le total des montants représentant chacun la contrepartie payable au constructeur par la personne pour la fourniture par vente, effectuée au profit de la personne, du bâtiment ou de la partie de bâtiment visé au sous-alinéa a)(ii) ou de toute autre construction qui fait partie de l'immeuble, à l'exception de toute contrepartie qu'il est raisonnable de considérer soit comme un loyer pour les fournitures du fonds attribuable à l'immeuble, soit comme une contrepartie pour la fourniture d'une option d'achat de ce fonds,

E :

(i) si l'immeuble est situé dans une province participante, 114,

(ii) sinon, 106;

Concordance québécoise: LTVQ, art. 670.75, 670.76, 670.77, 670.78.

(3) Groupe de particuliers — Lorsque les fournitures visées aux paragraphes (1) ou (2) sont effectuées au profit de plusieurs particuliers, la mention d'une personne à ce paragraphe vaut mention de l'ensemble de ces particuliers en tant que groupe. Toutefois, dans le cas du remboursement prévu à l'alinéa (1)e), seul le particulier qui a demandé le remboursement prévu à l'article 254.1 peut demander le remboursement prévu au paragraphe (1).

Concordance québécoise: LTVQ, art. 670.79.

(4) Demande de remboursement — Un remboursement prévu au présent article relativement à un immeuble d'habitation n'est accordé à une personne que si elle en fait la demande dans les deux ans suivant le jour applicable ci-après :

a) si le remboursement est accordé à une personne autre que le constructeur de l'immeuble, le jour où la possession de l'immeuble est transférée à la personne;

b) si le remboursement est accordé au constructeur de l'immeuble, le jour qui correspond à la fin du mois au cours duquel la taxe visée aux alinéas (1)c) ou (2)c) est réputée avoir été payée par le constructeur.

Concordance québécoise: LTVQ, art. 670.80.

Notes historiques: L'article 256.75 a été ajouté par L.C. 2007, c. 35, par. 194(1) et est entré en vigueur ou est réputé être entré en vigueur le 1er janvier 2008.

Définitions [par. 256.75]: « province participante » — 123(1).

Renvois [art. 256.75]: 670.71, 670.75 (remboursement à l'égard d'un immeuble d'habitation); 670.72, 670.76 (montant du remboursement à l'égard d'un immeuble d'habitation); 670.73, 670.77 (remboursement transitoire au constructeur d'un immeuble); 670.74, 670.78 (montant du remboursement au constructeur d'un immeuble).

256.76 Remboursement transitoire à l'acheteur — réduction de taux pour 2008 — (1) Sous réserve du paragraphe (3), le ministre rembourse une personne donnée dans le cas où, à la fois :

a) aux termes d'une convention, constatée par écrit, conclue entre cette personne et le constructeur d'un immeuble d'habitation (sauf un immeuble d'habitation à logement unique ou un logement en copropriété), ou d'une adjonction à un tel immeuble, la personne est l'acquéreur des fournitures suivantes :

(i) la fourniture exonérée par bail du fonds qui fait partie de l'immeuble ou la fourniture exonérée d'un tel bail par cession,

(ii) la fourniture exonérée par vente de tout ou partie du bâtiment dans lequel est située une habitation faisant partie de l'immeuble ou de l'adjonction;

b) la possession d'une habitation faisant partie de l'immeuble ou de l'adjonction est transférée à la personne donnée aux termes de la convention après décembre 2007;

c) le constructeur est réputé en vertu des paragraphes 191(3) ou (4) avoir effectué et reçu une fourniture de l'immeuble ou de l'adjonction du fait qu'il a, selon le cas :

(i) transféré la possession de l'habitation à la personne donnée aux termes de la convention,

(ii) transféré la possession d'une habitation faisant partie de l'immeuble ou de l'adjonction à une autre personne aux termes d'une convention visée à l'alinéa a) conclue entre cette personne et le constructeur;

d) le constructeur est réputé avoir payé la taxe prévue au paragraphe 165(1) relativement à la fourniture au taux de 6 %;

e) si le constructeur est réputé avoir payé cette taxe après décembre 2007, il s'avère, selon le cas :

(i) que le constructeur et la personne donnée ont conclu la convention après le 2 mai 2006 mais avant le 31 octobre 2007,

(ii) que le constructeur et une personne autre que la personne donnée ont conclu, après le 2 mai 2006 mais avant le 31 octobre 2007, une convention visée à l'alinéa a) relativement à une habitation située dans l'immeuble ou dans l'adjonction que le constructeur est réputé avoir fourni (conformément à l'alinéa c)), et il n'a pas été mis fin à cette convention avant janvier 2008.

Le montant remboursable est égal à celui des montants ci-après qui est applicable :

f) si la personne donnée a droit au remboursement prévu au paragraphe 254.1(2) relativement à l'immeuble, le montant obtenu par la formule ci-après :

$$A \times [0{,}01 - ((B/A)/6)]$$

où :

A représente le montant obtenu par la formule suivante :

$$C \times (100/D)$$

où :

C représente le total des montants représentant chacun la contrepartie payable au constructeur par la personne donnée pour la fourniture par vente, effectuée au profit de cette personne, du bâtiment ou de la partie de bâtiment visé au sous-alinéa a)(ii) ou de toute autre construction qui fait partie de l'immeuble ou de l'adjonction, à l'exception de toute contrepartie qu'il est raisonnable de considérer soit comme un loyer pour les fournitures du fonds attribuable à l'immeuble, soit comme une contrepartie pour la fourniture d'une option d'achat de ce fonds,

D :

(i) si l'immeuble est situé dans une province participante, 114,

(ii) sinon, 106,

B le montant du remboursement prévu à l'article 254.1 que la personne donnée peut demander relativement à l'immeuble;

g) si la personne donnée n'a pas droit au remboursement prévu au paragraphe 254.1(2) relativement à l'immeuble, le montant obtenu par la formule suivante :

$$E/F$$

où :

E représente le total des montants représentant chacun la contrepartie payable au constructeur par la personne donnée pour la fourniture par vente, effectuée au profit de cette personne, du bâtiment ou de la partie de bâtiment visé au sous-alinéa a)(ii) ou de toute autre construction qui fait partie de l'immeuble ou de l'adjonction, à l'exception de toute contrepartie qu'il est raisonnable de considérer soit comme un loyer pour les fournitures du fonds attribuable à l'immeuble, soit comme une contrepartie pour la fourniture d'une option d'achat de ce fonds,

F :

(i) si l'immeuble est situé dans une province participante, 114,

(ii) sinon, 106.

Concordance québécoise: LTVQ, art. 670.81, 670.82.

(2) Groupe de particuliers — Lorsque les fournitures visées au paragraphe (1) sont effectuées au profit de plusieurs particuliers, la mention d'une personne donnée à ce paragraphe vaut mention de l'ensemble de ces particuliers en tant que groupe. Toutefois, dans le cas du remboursement prévu à l'alinéa (1)f), seul le particulier qui a demandé le remboursement prévu à l'article 254.1 peut demander le remboursement prévu à cet alinéa.

Concordance québécoise: LTVQ, art. 670.83.

(3) Demande de remboursement — Un remboursement prévu au présent article relativement à un immeuble d'habitation n'est accordé à une personne que si elle en fait la demande dans les deux ans suivant le jour où la possession de l'habitation mentionnée à l'alinéa (1)b) lui est transférée.

Concordance québécoise: LTVQ, art. 670.84.

Notes historiques: L'article 256.76 a été ajouté par L.C. 2007, c. 35, par. 194(1) et est entré en vigueur ou est réputé être entré en vigueur le 1er janvier 2008.

Définitions [par. 256.76]: « province participante » — 123(1).

Renvois [art. 256.76]: 670.81 (remboursement à l'égard d'un immeuble d'habitation); 670.82 (montant du remboursement à l'égard d'un immeuble d'habitation).

256.77 Remboursement transitoire au constructeur — réduction de taux pour 2008 — (1) Sous réserve du paragraphe (2), le ministre rembourse le constructeur d'un immeuble d'habitation (sauf un immeuble d'habitation à logement unique ou un logement en copropriété), ou d'une adjonction à un tel immeuble, dans le cas où, à la fois :

a) aux termes d'une convention, constatée par écrit, conclue entre une personne donnée et le constructeur, cette personne est l'acquéreur des fournitures suivantes :

(i) la fourniture exonérée par bail du fonds qui fait partie de l'immeuble ou la fourniture d'un tel bail par cession,

(ii) la fourniture exonérée par vente de tout ou partie du bâtiment dans lequel est située une habitation faisant partie de l'immeuble ou de l'adjonction;

b) le constructeur est réputé en vertu des paragraphes 191(3) ou (4) avoir effectué et reçu une fourniture de l'immeuble ou de l'adjonction après décembre 2007 du fait qu'il a, selon le cas :

(i) transféré la possession de l'habitation à la personne donnée aux termes de la convention,

(ii) transféré la possession d'une habitation faisant partie de l'immeuble ou de l'adjonction à une autre personne aux termes d'une convention visée à l'alinéa a) conclue entre cette personne et le constructeur;

c) selon le cas :

(i) le constructeur et la personne donnée ont conclu la convention après le 2 mai 2006 mais avant le 31 octobre 2007,

(ii) le constructeur et une personne autre que la personne donnée ont conclu, après le 2 mai 2006 mais avant le 31 octobre 2007, une convention visée à l'alinéa a) relativement à une habitation située dans l'immeuble ou l'adjonction que le constructeur est réputé avoir fourni (conformément à l'alinéa b)), et il n'a pas été mis fin à cette convention avant janvier 2008;

d) le constructeur est réputé avoir payé la taxe prévue au paragraphe 165(1) relativement à la fourniture visée à l'alinéa b) au taux de 6 %;

e) le constructeur n'a pas droit à un crédit de taxe sur les intrants ni à un remboursement (sauf celui prévu au présent paragraphe ou au paragraphe 256.2(4)) au titre de cette taxe.

Le montant remboursable est égal au montant obtenu par la formule suivante :

$$A \times [0{,}01 - ((B/A)/6)]$$

où :

A représente le montant obtenu par la formule suivante :

$$C - [D \times (100/E)]$$

où :

C représente la juste valeur marchande de l'immeuble ou, si le constructeur est réputé avoir effectué la fourniture d'une adjonction, de l'adjonction, au moment où le constructeur est réputé avoir effectué la fourniture visée à l'alinéa b),

D :

(i) si le constructeur est réputé avoir effectué la fourniture d'un immeuble d'habitation, le total des montants représentant chacun la contrepartie payable au constructeur par une personne pour la fourniture par vente, effectuée au profit de la personne, soit de tout ou partie du bâtiment qui fait partie de l'immeuble, soit de toute autre construction qui en fait partie,

(ii) si le constructeur est réputé avoir effectué la fourniture d'une adjonction, le total des montants représentant chacun la contrepartie payable au constructeur par une personne pour la fourniture par vente, effectuée au profit de la personne, soit de tout ou partie du bâtiment qui fait partie de l'adjonction, soit de toute autre construction qui en fait partie,

E :

(i) si l'immeuble est situé dans une province participante, 114,

(ii) sinon, 106;

B le remboursement prévu au paragraphe 256.2(4) que le constructeur peut demander relativement à l'immeuble ou, s'il est réputé avoir effectué la fourniture d'une adjonction, relativement à l'adjonction.

Concordance québécoise: LTVQ, art. 670.85, 670.86.

(2) Demande de remboursement — Le remboursement prévu au présent article relativement à un immeuble d'habitation ou à une adjonction à un tel immeuble n'est accordé à un constructeur que s'il en fait la demande dans les deux ans suivant la fin du mois au cours duquel la taxe mentionnée au paragraphe (1) est réputée avoir été payée par le constructeur.

Concordance québécoise: LTVQ, art. 670.87.

Notes historiques: L'article 256.77 a été ajouté par L.C. 2007, c. 35, par. 194(1) et est entré en vigueur ou est réputé être entré en vigueur le 1er janvier 2008.

Définitions [par. 256.77]: « province participante » — 123(1).

Renvois [art. 256.77]: 670.85 (remboursement transitoire au constructeur d'un immeuble); 670.82 (montant du remboursement au constructeur d'un immeuble).

Bulletin de l'information technique [art. 256.77]: B-096, 07/07, *Réduction du taux de la TPS/TVH et les immeubles.*

Formulaires [art. 256.77]: FP-2192, *Demande de rajustement de taxes concernant les immeubles d'habitation*; GST192, *Demande de remboursement transitoire de la TPS/TVH pour les constructeurs d'habitations neuves sur un terrain loué*; GST193, *Demande de remboursement transitoire de la TPS/TVH pour les acheteurs d'habitations neuves.*

Info TPS/TVQ [art. 256.77]: GI-015 — *Réduction du taux de la TPS/TVH et les acheteurs d'habitations neuves*; GI-043 — *La réduction du taux de la TPS/TVH (2008) et les achats d'habitations neuves.*

257. (1) Vente d'immeuble par un non-inscrit — Sous réserve des paragraphes (1.1) et (2), le ministre rembourse au non-inscrit qui effectue la fourniture taxable d'un immeuble par vente un montant égal au moins élevé des montants suivants :

a) la teneur en taxe de l'immeuble au moment de la fourniture;

b) la taxe qui est payable relativement à la fourniture, ou qui le serait en l'absence des articles 167 ou 167.11.

Notes historiques: Le préambule du paragraphe 257(1) a été remplacé par L.C. 2006, c. 4, par. 30(1) et cette modification s'applique aux fournitures relativement auxquelles la taxe devient payable après juin 2006 ou le serait devenue en l'absence de l'article 167. Antérieurement, il se lisait ainsi :

> 257. (1) Sous réserve du paragraphe (2), le ministre rembourse au non-inscrit qui effectue la fourniture taxable d'un immeuble par vente un montant égal au moins élevé des montants suivants :

L'alinéa 257(1)b)a été remplacé par L.C. 2007, c. 18, par. 41(1) et cette modification est réputée être entrée en vigueur le 28 juin 1999. Antérieurement, il se lisait ainsi :

> b) la taxe qui est payable relativement à la fourniture, ou qui le serait si ce n'était l'article 167.

Le paragraphe 257(1) a été modifié par L.C. 1997, c. 10, par. 226(1) et cette modification est entrée en vigueur le 1er avril 1997. Il se lisait comme suit :

> Sous réserve du paragraphe (2), le ministre rembourse au non-inscrit qui effectue la fourniture taxable d'un immeuble par vente un montant égal au résultat du calcul suivant :
>
> $$A \times B$$
>
> où :
>
> A représente le moins élevé des montants suivants :
>
> a) le total (appelé « total de la taxe applicable à l'immeuble » au présent paragraphe) de la taxe payable par le non-inscrit relativement à sa dernière acquisition de l'immeuble et de la taxe payable par lui relativement aux améliorations apportées à l'immeuble qu'il a acquises ou importées après cette dernière acquisition de l'immeuble,
>
> b) la taxe qui est payable relativement à la fourniture, ou qui le serait sans l'article 167.
>
> B 100 % ou, si le non-inscrit pouvait demander un remboursement en vertu de l'article 259 relativement à une taxe incluse dans le total de la taxe applicable à l'immeuble, la différence entre 100 % et le pourcentage réglementaire visé à cet article qui s'appliquait au calcul du montant remboursable.

Auparavant, ce paragraphe a été modifié par L.C. 1993, c. 27, par. 114(1) et est réputé entré en vigueur le 1er octobre 1992. Il se lisait comme suit :

> Le ministre verse un remboursement au non-inscrit qui effectue la fourniture taxable d'un immeuble par vente, égale au montant calculé selon la formule suivante :
>
> $$A - B$$
>
> où :
>
> A représente le moins élevé des montants suivants :
>
> a) le total de la taxe payable par la personne relativement à la dernière fourniture de l'immeuble à son profit et de la taxe payable par elle relativement aux améliorations qu'elle a apportées à l'immeuble depuis qu'il lui a été fourni pour la dernière fois;
>
> b) la taxe calculée sur la contrepartie de la fourniture de l'immeuble par la personne;
>
> B le total des montants dont chacun représente un montant payé à la personne, ou auquel elle a droit, au titre d'un remboursement de la taxe payable par elle relativement à la dernière fourniture de l'immeuble à son profit ou aux améliorations qu'elle a apportées à l'immeuble depuis qu'il lui a été fourni pour la dernière fois.

Le paragraphe 257(1) a été ajouté par L.C. 1990, c. 45, par. 12(1).

Concordance québécoise: LTVQ, art. 379.

Formulaires [art. 257(1)]: RC4052, *Renseignements sur la TPS/TVH pour l'industrie de la construction résidentielle.*

(1.1) Restriction — Si la fourniture taxable d'un immeuble par vente est effectuée par un organisme du secteur public au profit d'une personne avec laquelle il a un lien de dépendance, le remboursement prévu au paragraphe (1) ne peut excéder le moins élevé des montants suivants :

a) la teneur en taxe de l'immeuble au moment de la fourniture;

b) le montant obtenu par la formule suivante :

$$(A/B) \times C$$

où :

A représente la teneur en taxe de l'immeuble au moment de la fourniture,

B le montant qui correspondrait à la teneur en taxe de l'immeuble à ce moment s'il était calculé compte non tenu de l'élément B de la formule figurant à l'alinéa a) de la définition de « teneur en taxe » au paragraphe 123(1) ni de l'élément K de la formule figurant à l'alinéa b) de cette définition,

C la taxe qui est payable relativement à la fourniture ou qui le serait en l'absence de l'article 167.

Notes historiques: Le paragraphe 257(1.1) a été ajouté par L.C. 2006, c. 4, par. 30(2) et s'applique aux fournitures relativement auxquelles la taxe devient payable après juin 2006 ou le serait devenue en l'absence de l'article 167.

Concordance québécoise: LTVQ, art. 379.1.

(2) Demande de remboursement — Le remboursement n'est versé que si la personne en fait la demande dans les deux ans suivant le jour où la contrepartie de la fourniture est devenue due ou a été payée sans qu'elle soit devenue due.

Notes historiques: Le paragraphe 257(2) a été modifié par L.C. 1997, c. 10, par. 68(1) et cette modification s'applique aux remboursements visant les fournitures d'immeubles dont la contrepartie devient due après juin 1996 ou est payée après ce mois sans qu'elle soit devenue due. Ce paragraphe, ajouté par L.C. 1990, c. 45, par. 12(1), se lisait auparavant comme suit :

> Le remboursement n'est versé que si la personne en fait la demande dans les quatre ans suivant le jour où la contrepartie de la fourniture est devenue due ou a été payée sans qu'elle soit devenue due.

Concordance québécoise: LTVQ, art. 380.

(3) Rachat d'un immeuble — Dans le cas où un créancier exerce, en vertu d'une loi fédérale ou provinciale ou d'une convention visant un titre de créance, son droit de faire fournir un immeuble en règlement de tout ou partie d'une dette ou d'une obligation d'une personne (appelée « débiteur » au présent paragraphe) et que la loi ou la convention confère au débiteur le droit de racheter l'immeuble, les règles suivantes s'appliquent :

a) le débiteur n'a droit au remboursement relativement à l'immeuble que si le délai de rachat de l'immeuble a expiré sans qu'il le rachète;

b) si le débiteur a droit au remboursement, la contrepartie de la fourniture est réputée, pour l'application du paragraphe (2), être devenue due le jour de l'expiration du délai de rachat de l'immeuble.

Notes historiques: Le paragraphe 257(3) a été ajouté par L.C. 1997, c. 10, par. 68(1) et est réputé entré en vigueur le 24 avril 1996.

Concordance québécoise: LTVQ, art. 380.1.

juin 2006, Notes explicatives: L'article 257 permet au non-inscrit qui effectue la fourniture taxable d'un immeuble par vente de demander un remboursement au titre de la taxe antérieurement irrécouvrable se rapportant à l'immeuble et aux améliorations dont il a fait l'objet.

Le paragraphe 257(1) porte sur le remboursement que le non-inscrit qui effectue la vente taxable d'un immeuble peut demander au titre de la taxe antérieurement irrécouvrable payée sur l'immeuble. Le montant remboursable correspond à la teneur en taxe de l'immeuble au moment de la vente ou, s'il est moins élevé, au montant de taxe qui est payable relativement à la vente, ou qui le serait en l'absence de l'article 167.

La modification apportée au paragraphe 257(1) consiste à prévoir que le remboursement en cause est accordé sous réserve du nouveau paragraphe 257(1.1), qui s'applique dans le cas où la vente d'un immeuble relativement auquel le remboursement est demandé est effectuée par un organisme du secteur public à une autre personne avec laquelle l'organisme a un lien de dépendance.

Le paragraphe 257(1), dans sa version modifiée, s'applique aux fournitures relativement auxquelles la taxe devient payable après le 30 juin 2006 ou deviendrait payable après cette date en l'absence de l'article 167.

Définitions [art. 257]: « améliorations », « contrepartie », « fourniture », « fourniture taxable », « immeuble », « inscrit », « ministre », « montant », « personne », « province », « taxe », « vente » — 123(1).

Renvois [art. 257]: 183(1)c), d) (saisie et reprise de possession); « teneur en taxe », « titre de créance »; 152 (contrepartie due); 184(1) c), d) (fourniture à l'assureur sur règlement de sinistre); 193(1) (vente d'un immeuble); 195.2 (dernière acquisition ou importation); 256.1 (remboursement au propriétaire d'un fonds loué pour usage résidentiel); 262(1), (2) (forme et production de la demande); 263 (restriction au remboursement); 263.01 (TVH — institution financière désignée particulière); 263.1 (faillite — restriction au remboursement); 264 (montant remboursé en trop); 297 (cotisation); 297(4) (intérêts sur remboursement).

Jurisprudence [art. 257]: *Visser (P.) c. La Reine*, [1994] G.S.T.C. 75 (CCI).

Énoncés de politique [art. 257]: P-165R, 16/10/97, *Juste valeur marchande des logements sans but lucratif*; P-198, 11/01/96, *Taxes municipales impayées et rachat par l'ancien propriétaire* (Ébauche).

Bulletins de l'information technique [art. 257]: B-075R, 23/04/96, *Modifications proposées à la TPS*; B-096, 07/07, *Réduction du taux de la TPS/TVH et les immeubles.*

Mémorandums [art. 257]: TPS 500-4-5, 15/04/94, *Remboursements pour habitations et autres immeubles*, par. 6, 62–66.

Série de mémorandums [art. 257]: Mémorandum 14-4, 12/10, *Vente d'une entreprise ou d'une partie d'entreprise*; Mémorandum 19.1, 10/97, *Les immeubles et la TPS/TVH*; Mémorandum 19.2.3, 06/98, *Immeubles résidentiels — Fournitures réputées*; Mémorandum 19.2.4, 06/98, *Immeubles résidentiels — Sujets particuliers*; Mémorandum 19.3.6, 08/98, *Remboursement relatif à la vente d'un immeuble par un non-inscrit*; Mémorandum 19.5, 06/02, *Fonds de terre et immeubles connexes*.

Formulaires [art. 257]: FP-189, *Demande générale de remboursement*; GST189, *Demande générale de remboursement de la TPS/TVH*; GST288, *Supplément pour: Demande générale de remboursement de la TPS*; RC4033, *Demande générale de remboursement de la TPS/TVH — Y compris les formulaires GST189, GST288, et GST507*.

Lettres d'interprétation (Québec) [art. 257]: 99-0103111 — Interprétation relative à la TPS — Interprétation relative à la TVQ — Fusion d'organismes de services publics.

Info TPS/TVQ [art. 257]: GI-050 — *Les établissements de soins pour bénéficiaires internes Pour l'application du présent document d'information, un « établissement de soins pour bénéficiaires internes »* ; GI-101 — *Taxe de vente harmonisée-Renseignements à l'intention des constructeurs d'habitations non inscrits en Ontario, en Colombie-Britannique et en Nouvelle-Écosse.*

COMMENTAIRES: L'objectif visé par le paragraphe (1) consiste à respecter la politique fiscale voulant qu'un immeuble ne doit être assujetti qu'une seule fois à la TPS/TVH. Ainsi, dans la mesure où le vendeur avait déjà payé de la TPS qui n'était pas possible de récupérer, en raison du fait qu'il est non inscrit, et que la vente est taxable, un remboursement de la taxe sera possible par celui-ci et l'acheteur, s'il est inscrit, pourra récupérer ses crédits de taxe sur les intrants. Ce paragraphe permet ainsi d'éviter une double imposition. Si le vendeur est un inscrit, des crédits de taxe sur les intrants sont disponibles. Nous vous invitons à consulter nos commentaires en vertu de l'article 169.

La notion d'inscrit est définit au paragraphe 123(1). Il est important de souligner que cet article est large et inclut « une personne inscrite ou est tenue de l'être ». Donc, ce n'est pas parce que le vendeur n'est pas inscrit aux registres qu'il n'est pas considéré comme un inscrit aux fins de la *Loi sur la taxe d'accise (TPS)*.

Au Québec, il est intéressant de souligner que la notion d'immeuble est définie à l'alinéa 123(1)(a) et y inclut les immeubles et les baux y afférents.

Finalement, la vente, tel que défini au paragraphe 123(1), fait référence au transfert de propriété. Donc, cela pourrait inclure, notamment, un don.

Revenu Québec a indiqué que si, au moment où l'article 191 s'applique, la dernière acquisition de l'immeuble par le non-inscrit, dont il est fait mention au paragraphe 257(1), ne fait pas référence à la fourniture réputée de l'immeuble en vertu de l'article 191, mais fait plutôt référence à la dernière acquisition réelle de l'immeuble par le non-inscrit. Voir notamment à cet effet : Revenu Québec, Lettre d'interprétation, 96-0107894 — *Application de l'article 257 de la Loi sur la taxe d'accise* (« la Loi fédérale ») (23 août 1996).

Le paragraphe (1.1) est une règle spécifique anti-évitement pour les organismes du secteur public. Une règle similaire existe en vertu du paragraphe 193(2.1).

En vertu du paragraphe (2), le délai de production de la demande de remboursement est de deux ans. Nous vous invitons à consulter nos commentaires en vertu de l'article 261 pour une discussion sur la présence d'un délai de rigueur et, le cas échéant, sur la possibilité de bénéficier d'un recours alternatif lorsque le délai prescrit est expiré.

257.1 (1) Vente de biens meubles par une municipalité non inscrite — Sous réserve du paragraphe (2), le ministre rembourse au non-inscrit qui est une municipalité, ou qui est désigné comme municipalité pour l'application de l'article 259, et qui effectue par vente la fourniture taxable d'un bien meuble qui est son immobilisation (sauf le bien d'une personne désignée comme municipalité pour l'application de l'article 259 qui n'est pas un bien municipal désigné de la personne) un montant égal au moins élevé des montants suivants :

a) la teneur en taxe du bien au moment de la fourniture;

b) la taxe qui est payable relativement à la fourniture, ou qui le serait en l'absence de l'article 167.

Concordance québécoise: aucune.

(2) Demande de remboursement — Le remboursement n'est versé que si la personne en fait la demande dans les deux ans suivant le jour où la contrepartie de la fourniture est devenue due ou a été payée sans être devenue due.

Concordance québécoise: aucune.

(3) Rachat d'un bien meuble — Dans le cas où un créancier exerce, en vertu d'une loi fédérale ou provinciale ou d'une convention visant un titre de créance, son droit de faire fournir un bien meuble en règlement de tout ou partie d'une dette ou d'une obligation d'une personne (appelée « débiteur » au présent paragraphe) et que la loi ou la convention confère au débiteur le droit de racheter le bien, les règles suivantes s'appliquent :

a) le débiteur n'a droit au remboursement relativement au bien que si le délai de rachat du bien a expiré sans qu'il le rachète;

b) si le débiteur a droit au remboursement, la contrepartie de la fourniture est réputée, pour l'application du paragraphe (2), être devenue due le jour de l'expiration du délai de rachat du bien.

Concordance québécoise: aucune.

Notes historiques: L'article 257.1 a été ajouté par L.C. 2004, c. 22, par. 38(1) et s'applique aux fournitures dont la contrepartie, même partielle, devient due après le 9 mars 2004 ou est payée après cette date sans être devenue due. Toutefois, il ne s'applique pas aux fournitures effectuées conformément à une convention écrite conclue avant le 10 mars 2004.

COMMENTAIRES: Cet article a été adopté dans la foulée de certains amendements liés au changement des taux pour le remboursement des municipalités (et municipalités désignées) passant d'un taux de remboursement de 57.14 % à 100 %. Puisque les municipalités sont maintenant admissibles à un remboursement complet de la TPS payée quant à leurs activités, leurs activités sont, en terme effectif, mais non légalement, considérées comme des fournitures détaxées. Par conséquent, Finances Canada a conclu qu'un bien vendu par la municipalité devrait être taxé lorsque vendu.

Puisque les biens d'une municipalité sont assujettis à la TPS à la vente, une double imposition peut survenir si la municipalité a payé la TPS qu'elle n'a pas été en mesure de récupérer (en partie). Cet article s'applique surtout à la partie provinciale de la TVH (puisque plusieurs provinces participantes ne prévoient pas un remboursement complet).

En vertu du paragraphe (2), le délai de production de la demande de remboursement est de deux ans. Nous vous invitons à consulter nos commentaires en vertu de l'article 261 pour une discussion sur la présence d'un délai de rigueur et, le cas échéant, sur la possibilité de bénéficier d'un recours alternatif lorsque le délai prescrit est expiré.

258. (1) Définition de « régime d'aide juridique » — Au présent article, « régime d'aide juridique » s'entend d'un régime d'aide juridique administré sous l'autorité d'un gouvernement provincial.

Notes historiques: La définition de « régime d'aide juridique » au paragraphe 258(1) a été ajoutée par L.C. 1990, c. 45, par. 12(1).

Concordance québécoise: aucune.

(2) Aide juridique — Dans le cas où l'administrateur d'un régime d'aide juridique dans une province paie la taxe relativement à la fourniture taxable de services juridiques dans le cadre d'un tel régime, les règles suivantes s'appliquent :

a) le ministre verse à l'administrateur un remboursement égal au montant de taxe payable par celui-ci relativement à cette fourniture;

b) l'administrateur n'a droit à aucun autre remboursement au titre de la taxe pour cette fourniture.

Notes historiques: Le paragraphe 258(2) a été ajouté par L.C. 1990, c. 45, par. 12(1).

Concordance québécoise: LTVQ, art. 381.

(3) Demande de remboursement — Le remboursement n'est versé que si l'administrateur en fait la demande dans les quatre ans suivant la fin de sa période de déclaration au cours de laquelle la taxe devient payable.

Notes historiques: Le paragraphe 258(3) a été ajouté par L.C. 1990, c. 45, par. 12(1).

Concordance québécoise: LTVQ, art. 382.

Définitions [art. 258]: « fourniture taxable », « gouvernement », « ministre », « période de déclaration », « personne », « province », « service », « taxe » — 123(1).

Renvois [art. 258]: 262(1), (2) (forme et production de la demande); 263 (restriction au remboursement); 264 (montant remboursé en trop); 296(2.1), (3.2) (application d'un montant de remboursement non demandé); 297 (cotisation); 297(4) (intérêts sur remboursement); V:Partie V (services d'aide juridique exonérés).

Série de mémorandums [art. 258]: Mémorandum 1.5, 09/94, *Définitions*; Mémorandum 5.3, 05/95, *Services d'aide juridique*, par. 3, 6, ; Mémorandum 13.2, 12/94, *Remboursements: Aide juridique*, par. 1–14.

Formulaires [art. 258]: FP-189, *Demande générale de remboursement*; FP-288, *Supplément à la demande générale de remboursement*; GST189, *Demande générale de remboursement de la TPS/TVH*; GST288, *Demande générale de remboursement de la taxe sur les produits et services (supplément)*.

COMMENTAIRES: Cet article permet le remboursement de la TPS payée à l'égard de services juridiques liés au régime d'aide juridique.

Cet article est limitatif en soi et fait référence uniquement à la TPS payée par un administrateur d'un régime d'aide juridique.

En vertu du paragraphe (3), le délai de production de la demande de remboursement est de quatre ans. Nous vous invitons à consulter nos commentaires en vertu de l'article 261 pour une discussion sur la présence d'un délai de rigueur et, le cas échéant, sur la possibilité de bénéficier d'un recours alternatif lorsque le délai prescrit est expiré.

258.1 (1) Définition de « véhicule à moteur admissible » — Au présent article, « véhicule à moteur admissible » s'entend d'un véhicule à moteur qui est muni d'un appareil conçu exclusivement pour faciliter le chargement d'un fauteuil roulant dans le véhicule sans qu'il soit nécessaire de le plier ou d'un appareil de conduite auxiliaire servant à faciliter la conduite du véhicule par les personnes handicapées.

Notes historiques: Le paragraphe 258.1(1) a été remplacé par L.C. 2007, c. 18, par. 42(1) et cette modification est réputée être entrée en vigueur le 4 avril 1998. Malgré les paragraphes 258.1(2) et (6), une personne dispose d'un délai de quatre ans à compter du 27 novembre 2006 pour présenter au ministre du Revenu national, en vertu de ces paragraphes, une demande de remboursement visant la taxe qui est devenue payable avant cette date relativement à la fourniture, à l'importation ou au transfert dans une province participante d'un véhicule à moteur admissible autre que celui qui, après qu'il a été muni d'un appareil visé au paragraphe 258.1(1) et avant son acquisition par la personne, n'a pas été utilisé à titre d'immobilisation ni détenu autrement que pour être fourni dans le cours normal d'une entreprise.

Malgré le paragraphe 262(2), la demande peut être la deuxième demande d'une personne visant le remboursement si, avant le 27 novembre 2006, elle en a présenté une dont le montant a fait l'objet d'une cotisation. Antérieurement, le paragraphe 258.1(1) se lisait ainsi :

> 258.1 (1) Au présent article, « véhicule à moteur admissible » s'entend d'un véhicule à moteur qui remplit les conditions suivantes :
>
> a) il est muni d'un appareil conçu exclusivement pour faciliter le chargement d'un fauteuil roulant dans le véhicule sans qu'il soit nécessaire de le plier ou d'un appareil de conduite auxiliaire servant à faciliter la conduite du véhicule par les personnes handicapées;
>
> b) depuis qu'il est muni d'un de ces appareils, il n'a jamais été utilisé à titre d'immobilisation, ni détenu autrement que pour fourniture dans le cours normal d'une entreprise.

Le paragraphe 258.1(1) a été ajouté par L.C. 2000, c. 30, par. 75(1) et est réputé entré en vigueur le 4 avril 1998.

Concordance québécoise: LTVQ, art. 382.1.

(2) Achat au Canada d'un véhicule à moteur admissible — Le ministre rembourse l'acquéreur d'un véhicule à moteur admissible si les conditions suivantes sont réunies :

a) un inscrit effectue la fourniture taxable par vente du véhicule;

b) l'acquéreur a payé la taxe payable relativement à la fourniture;

c) le fournisseur indique par écrit à l'acquéreur une partie (appelée « montant déterminé du prix d'achat » au présent paragraphe) de la contrepartie de la fourniture qu'il est raisonnable d'imputer à des dispositifs spéciaux qui ont été incorporés au véhicule, ou à des adaptations qui y ont été apportées, à l'une des fins suivantes :

(i) son utilisation par des personnes en fauteuil roulant ou le transport de telles personnes,

(ii) l'installation d'un appareil de conduite auxiliaire qui facilite la conduite du véhicule par les personnes handicapées.

Le montant du remboursement est égal à la partie du total de la taxe payable relativement à la fourniture qui est égale à la taxe calculée sur le montant déterminé du prix d'achat. Il est versé sur demande présentée par l'acquéreur dans les quatre ans suivant le premier jour où la taxe relative à la fourniture devient payable.

Notes historiques: Le paragraphe 258.1(2) a été ajouté par L.C. 2000, c. 30, par. 75(1) et est réputé entré en vigueur le 4 avril 1998. De plus, le paragraphe 258.1(2) s'applique aux fournitures dont la contrepartie, même partielle, devient due après le 3 avril 1998 ou est payée après cette date sans être devenue due.

Concordance québécoise: LTVQ, art. 382.2.

(3) Demande présentée au fournisseur — L'inscrit peut verser le montant du remboursement à l'acquéreur, ou le porter à son crédit, si les conditions suivantes sont réunies :

a) l'inscrit a effectué la fourniture taxable par vente d'un véhicule à moteur admissible;

b) la taxe a été payée ou est devenue payable relativement à la fourniture;

c) l'acquéreur présente à l'inscrit, dans les quatre ans suivant le premier jour où la taxe relative à la fourniture devient payable, une demande visant le remboursement auquel il aurait droit aux termes du paragraphe (2) relativement au véhicule s'il avait payé la taxe payable relativement à la fourniture et demandé le remboursement conformément à ce paragraphe.

Notes historiques: Le paragraphe 258.1(3) a été ajouté par L.C. 2000, c. 30, par. 75(1) et est réputé entré en vigueur le 4 avril 1998. De plus, le paragraphe 258.1(3) s'applique aux fournitures dont la contrepartie, même partielle, devient due après le 3 avril 1998 ou est payée après cette date sans être devenue due.

Concordance québécoise: LTVQ, art. 382.3.

(4) Transmission de la demande — Si la demande de remboursement de l'acquéreur est présentée à l'inscrit dans les circonstances visées au paragraphe (3), les règles suivantes s'appliquent :

a) l'inscrit la transmet au ministre avec la déclaration qu'il produit en application de la section V pour la période de déclaration au cours de laquelle il verse à l'acquéreur, ou porte à son crédit, un montant au titre du remboursement;

b) les intérêts prévus au paragraphe 297(4) ne sont pas payables relativement au remboursement;

c) l'acquéreur n'a pas droit à un crédit de taxe sur les intrants au titre de la taxe à laquelle se rapporte le montant que l'inscrit lui a remboursé ou a porté à son crédit.

Notes historiques: Le paragraphe 258.1(4) a été ajouté par L.C. 2000, c. 30, par. 75(1) et est réputé entré en vigueur le 4 avril 1998. De plus, le paragraphe 258.1(4) s'applique aux fournitures dont la contrepartie, même partielle, devient due après le 3 avril 1998 ou est payée après cette date sans être devenue due.

Concordance québécoise: LTVQ, art. 382.4.

(5) Obligation solidaire — L'inscrit qui, en application du paragraphe (3), verse à l'acquéreur, ou porte à son crédit, un montant au titre d'un remboursement alors qu'il sait ou devrait savoir que l'acquéreur n'y a pas droit ou que le montant excède celui auquel celui-ci a droit est solidairement tenu, avec l'acquéreur, au paiement du montant ou de l'excédent, selon le cas, au receveur général en vertu de l'article 264.

Notes historiques: Le paragraphe 258.1(5) a été ajouté par L.C. 2000, c. 30, par. 75(1) et est réputé entré en vigueur le 4 avril 1998. De plus, le paragraphe 258.1(5) s'applique aux fournitures dont la contrepartie, même partielle, devient due après le 3 avril 1998 ou est payée après cette date sans être devenue due.

Concordance québécoise: LTVQ, art. 382.5.

(6) Achat d'un véhicule à moteur admissible à l'étranger ou à l'extérieur d'une province participante — Le ministre rembourse l'acquéreur d'un véhicule à moteur admissible si les conditions suivantes sont réunies :

a) le véhicule est fourni par vente à l'étranger ou à l'extérieur d'une province participante;

b) le fournisseur indique par écrit à l'acquéreur une partie (appelée « montant déterminé du prix d'achat » au présent paragraphe) de la contrepartie de la fourniture qu'il est raisonnable d'imputer à des dispositifs spéciaux qui ont été incorporés au véhicule, ou à des adaptations qui y ont été apportées, à l'une des fins suivantes :

(i) son utilisation par des personnes en fauteuil roulant ou le transport de telles personnes,

(ii) l'installation d'un appareil de conduite auxiliaire qui facilite la conduite du véhicule par les personnes handicapées;

c) l'acquéreur importe le véhicule ou le transfère dans la province participante;

d) [*abrogé*];

e) l'acquéreur a payé la taxe payable relativement à l'importation ou au transfert, selon le cas.

Le montant du remboursement est versé sur demande présentée par l'acquéreur dans les quatre ans suivant le jour où il importe le véhicule ou le transfère dans la province participante, selon le cas. Il est égal au montant applicable suivant :

f) si le véhicule est importé, la partie du total de la taxe payable en application de la section III relativement au véhicule qui est calculée sur la somme des montants suivants :

(i) la partie du montant déterminé du prix d'achat qui est incluse dans le calcul de la valeur du véhicule selon l'article 215,

(ii) le total des droits et taxes payables aux termes du *Tarif des douanes*, de la *Loi sur les mesures spéciales d'importation* ou de toute autre loi en matière douanière relativement à l'importation du véhicule et calculés sur la partie du montant déterminé du prix d'achat qui est incluse dans le calcul de la valeur du véhicule selon cet article;

g) si le véhicule est transféré dans la province participante, la partie du total de la taxe payable en application de la section IV.1 relativement au véhicule qui est calculée sur la partie du montant déterminé du prix d'achat qui est incluse dans le calcul de la valeur du véhicule à laquelle le taux de taxe applicable à la province participante s'applique.

Notes historiques: L'alinéa 258.1(6)d) a été abrogé par L.C. 2007, c. 18, par. 42(2) et cette abrogation est réputée être entrée en vigueur le 4 avril 1998. Malgré les paragraphes 258.1(2) et (6), une personne dispose d'un délai de quatre ans à compter du 27 novembre 2006 pour présenter au ministre du Revenu national, en vertu de ces paragraphes, une demande de remboursement visant la taxe qui est devenue payable avant cette date relativement à la fourniture, à l'importation ou au transfert dans une province participante d'un véhicule à moteur admissible autre que dans le cas du paragraphe 258.1(6), celui qui n'a pas été utilisé par quiconque après son acquisition par l'acquéreur et avant son importation ou son transfert dans la province participante, sauf dans la mesure qu'il est raisonnable de considérer comme nécessaire à sa livraison au fournisseur d'un service à exécuter sur le véhicule, à son importation ou à son transfert dans la province participante, selon le cas.

Malgré le paragraphe 262(2), la demande peut être la deuxième demande d'une personne visant le remboursement si, avant le 27 novembre 2006, elle en a présenté une dont le montant a fait l'objet d'une cotisation. Antérieurement, l'alinéa 258.1(6)d) se lisait ainsi :

d) le véhicule n'est pas utilisé par quiconque après son acquisition par l'acquéreur et avant son importation ou son transfert dans la province participante, selon le cas, sauf dans la mesure qu'il est raisonnable de considérer comme nécessaire à sa livraison au fournisseur d'un service à exécuter sur le véhicule, à son importation ou à son transfert dans la province participante, selon le cas;

Le paragraphe 258.1(6) a été ajouté par L.C. 2000, c. 30, par. 75(1) et est réputé entré en vigueur le 4 avril 1998. De plus, le paragraphe 258.1(6) s'applique à l'importation d'un véhicule à moteur, ou à son transfert dans une province participante, effectué après cette date.

Concordance québécoise: LTVQ, art. 382.6.

(7) Location d'un véhicule à moteur admissible — Dans le cas où, après le 3 avril 1998, un inscrit conclut par écrit avec un acquéreur une convention donnée portant sur la fourniture taxable par bail d'un véhicule à moteur qui est alors un véhicule à moteur admissible, les règles suivantes s'appliquent :

a) n'est pas incluse, dans le calcul de la taxe payable relativement à une fourniture par bail du véhicule effectuée au profit de l'acquéreur aux termes de la convention donnée ou d'une convention de modification ou de renouvellement du bail, la partie de la contrepartie de cette fourniture que le fournisseur indique par écrit à l'acquéreur et qu'il est raisonnable d'imputer à des dispositifs spéciaux qui ont été incorporés au véhicule, ou à des adaptations qui y ont été apportées, à l'une des fins suivantes :

(i) son utilisation par des personnes en fauteuil roulant ou le transport de telles personnes,

(ii) l'installation d'un appareil de conduite auxiliaire qui facilite la conduite du véhicule par les personnes handicapées;

b) si l'acquéreur lève une option d'achat du véhicule prévue par la convention donnée ou par une convention de modification ou de renouvellement du bail, le véhicule est réputé, pour l'application des paragraphes (2) et (6), être un véhicule à moteur admissible au moment de la levée de l'option.

Notes historiques: Le paragraphe 258.1(7) a été ajouté par L.C. 2000, c. 30, par. 75(1) et est réputé entré en vigueur le 4 avril 1998.

Concordance québécoise: LTVQ, art. 382.7.

Définitions [par. 258.1]: « province participante », « taux de taxe » — 123(1).

Renvois [art. 258.1]: 234 (déduction pour remboursement).

Jurisprudence [art. 258.1]: *Société de transport de Laval (Ville) v. R.*, 2008 G.T.C. 374 (CCI [procédure générale]).

Bulletins de l'information technique [art. 258.1]: B-086, 17/09/99, *Remboursement relatif aux véhicules spécialement équipés pour les personnes handicapées.*

Formulaires [art. 258.1]: FP-2518, *Remboursement partiel de la taxe payée sur un véhicule adapté au transport d'une personne handicapée*; GST518, *Demande de remboursement de la TPS/TVH pour véhicules spécialement équipés*; GST189, *Demande générale de remboursement de la TPS/TVH.*

COMMENTAIRES: Cet article est le pendant de l'article 18.1, partie II, Section VI de la *Loi sur la taxe d'accise (TPS).*

En vertu du paragraphe 297(1), le remboursement est émis via un avis de cotisation et est payable par l'Agence du revenu du Canada ou Revenu Québec. En pratique, toutefois, la plupart des remboursements seront crédités par le vendeur inscrit, réduisant ainsi le montant à payer lors de l'achat du véhicule à moteur admissible. Il s'agit d'un mécanisme similaire au remboursement pour habitation neuve en vertu du paragraphe 254(4).

En vertu du paragraphe (3), le délai de production de la demande de remboursement est de quatre ans. Nous vous invitons à consulter nos commentaires en vertu de l'article 261 pour une discussion sur la présence d'un délai de rigueur et, le cas échéant, sur la possibilité de bénéficier d'un recours alternatif lorsque le délai prescrit est expiré.

258.2 Remboursement pour service de modification — Le ministre rembourse une personne si les conditions suivantes sont réunies :

a) la personne acquiert un service (appelé « service de modification » au présent article), exécuté sur son véhicule à moteur à l'étranger ou à l'extérieur d'une province participante, qui consiste à équiper ou à adapter le véhicule de façon spéciale en vue de son utilisation par des personnes en fauteuil roulant, ou du transport de telles personnes, ou à l'équiper de façon spéciale d'un appareil de conduite auxiliaire servant à faciliter sa conduite par les personnes handicapées;

b) elle importe le véhicule ou le transfère dans la province participante, selon le cas, après l'exécution du service de modification;

c) la personne a payé la totalité de la taxe payable relativement à l'importation ou au transfert, selon le cas.

Le montant du remboursement est versé sur demande présentée par la personne dans les quatre ans suivant le jour où elle importe le véhicule ou le transfère dans la province participante, selon le cas. Il est égal au montant applicable suivant :

d) si le véhicule est importé, la partie du total de la taxe payable en application de la section III relativement au véhicule qui est calculée sur le total des montants suivants :

(i) la partie de la valeur du véhicule selon l'article 215 qui est imputable au service de modification et à tout bien, à l'exclusion du véhicule, dont la fourniture est effectuée conjointement avec la fourniture du service et à cause de cette fourniture,

(ii) le total des droits et taxes payables aux termes du *Tarif des douanes*, de la *Loi sur les mesures spéciales d'importation* ou de toute autre loi en matière douanière relativement à l'importation du véhicule et calculés sur la partie visée au sous-alinéa (i);

e) si le véhicule est transféré dans la province participante, la partie du total de la taxe payable en application de la section IV.1 relativement au véhicule qui est calculée sur la partie de la valeur du véhicule qui, d'une part, est imputable au service de modification et à tout bien, à l'exclusion du véhicule, dont la fourniture est effectuée conjointement avec la fourniture du service et à cause de cette fourniture et, d'autre part, est incluse dans le calcul de la valeur du véhicule à laquelle le taux de taxe applicable à la province participante s'applique.

Notes historiques: L'alinéa 258.2b) a été remplacé par L.C. 2007, c. 18, par. 43(1) et cette modification est réputée être entrée en vigueur le 4 avril 1998. Malgré l'article 258.2, une personne dispose d'un délai de quatre ans à compter du 27 novembre 2006 pour présenter au ministre du Revenu national, en vertu de cet article, une demande de remboursement visant un véhicule qui a fait l'objet d'un service de modification et qui a été importé ou transféré dans une province participante avant cette date, à l'exception d'un véhicule qui, après l'exécution du service de modification et avant son importation ou son transfert dans une province participante, n'a pas été utilisé par quiconque, sauf dans la mesure qu'il est raisonnable de considérer comme nécessaire, selon le cas, à son importation, à son transfert dans la province participante ou à sa livraison à un fournisseur en vue de l'exécution d'un service sur le véhicule.

Malgré le paragraphe 262(2), la demande peut être la deuxième demande d'une personne visant le remboursement si, avant le 27 novembre 2006, elle en a présenté une dont le montant a fait l'objet d'une cotisation. Antérieurement, l'alinéa 258.2b) se lisait ainsi :

b) elle importe le véhicule ou le transfère dans la province participante, selon le cas, après l'exécution du service de modification et sans qu'il n'ait été utilisé par quiconque depuis cette exécution, sauf dans la mesure qu'il est raisonnable de considérer comme nécessaire à sa livraison au fournisseur d'un service à exécuter sur le véhicule, à son importation ou à son transfert dans la province participante, selon le cas;

L'article 258.2 a été ajouté par L.C. 2000, c. 30, par. 75(1), et est réputé entré en vigueur le 4 avril 1998. De plus, il s'applique à l'importation d'un véhicule à moteur, ou à son transfert dans une province participante, effectué après cette date.

Concordance québécoise: aucune.

Définitions [par. 258.2]: « province participante », « taux de taxe » — 123(1).

Bulletins de l'information technique [art. 258.2]: B-086, 17/09/99, *Remboursement relatif aux véhicules spécialement équipés pour les personnes handicapées.*

Formulaires [art. 258.2]: FP-2518, *Remboursement partiel de la taxe payée sur un véhicule adapté au transport d'une personne handicapée.*

COMMENTAIRES: Cet article permet un remboursement similaire à celui qui est prévu sous l'article 258.1 dans un cas où un véhicule est importé après avoir été modifié à l'extérieur du Canada. En effet, si les services avaient été rendus au Canada, ils auraient été détaxés en vertu des articles 18, 18.1 ou 34 de la partie II de l'annexe VI de la *Loi sur la taxe d'accise (TPS).* Cet article permet un remboursement de la TPS puisque le montant total de celle-ci sera payable sur la valeur du véhicule lors de l'importation du véhicule au Canada en vertu de l'article 212.

Le délai de production de la demande de remboursement est de quatre ans. Nous vous invitons à consulter nos commentaires en vertu de l'article 261 pour une discussion sur la présence d'un délai de rigueur et, le cas échéant, sur la possibilité de bénéficier d'un recours alternatif lorsque le délai prescrit est expiré.

259. (1) Définitions — Les définitions qui suivent s'appliquent au présent article.

« activités déterminées » Les activités visées à l'une des divisions (4.1)b)(iii)(B) à (D), à l'exception de l'activité qui consiste à exploiter un hôpital public.

Notes historiques: La définition de « activités déterminées » au paragraphe 259(1) a été ajoutée par L.C. 2005, c. 30, par. 22(3) et s'applique au calcul du montant remboursable à une personne en vertu de l'article 259 pour les périodes de demande se terminant le 1er janvier 2005 ou par la suite. Toutefois, en ce qui concerne les montants ci-après, le montant remboursable à une personne pour sa période de demande qui comprend cette date est calculé comme si ces paragraphes n'étaient pas entrés en vigueur :

a) tout montant de taxe devenu payable par la personne avant cette date;

b) tout montant réputé avoir été payé ou perçu par la personne avant cette date;

c) tout montant à ajouter dans le calcul de la taxe nette de la personne du fait, selon le cas :

(i) qu'une de ses succursales ou divisions est devenue une division de petit fournisseur avant cette date,

(ii) qu'elle a cessé d'être un inscrit avant cette date.

Concordance québécoise: LTVQ, art. 383« activités déterminées ».

« exploitant d'établissement » Organisme de bienfaisance, institution publique ou organisme à but non lucratif admissible, sauf une administration hospitalière, qui exploite un établissement admissible.

Notes historiques: La définition de « exploitant d'établissement » au paragraphe 259(1) a été ajoutée par L.C. 2005, c. 30, par. 22(3) et s'applique selon les modalités sous le par. 259(1)« activités déterminées ».

Concordance québécoise: LTVQ, art. 383« exploitant d'établissement ».

« fournisseur externe » Organisme de bienfaisance, institution publique ou organisme à but non lucratif admissible, sauf une administration hospitalière et un exploitant d'établissement, qui effectue des fournitures connexes, des fournitures en établissement ou des fournitures de biens ou services médicaux à domicile.

Notes historiques: La définition de « fournisseur externe » au paragraphe 259(1) a été ajoutée par L.C. 2005, c. 30, par. 22(3) et s'applique selon les modalités sous le par. 259(1)« activités déterminées ».

Concordance québécoise: LTVQ, art. 383« fournisseur externe ».

« fourniture connexe »

a) La fourniture exonérée d'un service qui consiste à organiser ou à coordonner la réalisation de fournitures en établissement ou de fournitures de biens ou services médicaux à domicile, à l'égard de laquelle une somme, sauf une somme symbolique, est payée ou payable au fournisseur à titre de subvention médicale;

b) la partie d'une fourniture exonérée (sauf une fourniture en établissement, une fourniture de biens ou services médicaux à domicile et une fourniture visée par règlement) de biens ou de services (sauf un service financier) qui représente la mesure dans laquelle les biens ou services sont ou seront vraisemblablement consommés ou utilisés en vue d'effectuer une fourniture en établissement et à l'égard de laquelle une somme, sauf une somme symbolique, est payée ou payable au fournisseur à titre de subvention médicale.

Notes historiques: La définition de « fourniture connexe » au paragraphe 259(1) a été ajoutée par L.C. 2005, c. 30, par. 22(3) et s'applique selon les modalités sous le par. 259(1)« activités déterminées ».

Concordance québécoise: LTVQ, art. 383« fourniture auxiliaire ».

« fourniture de biens ou services médicaux à domicile » Fourniture exonérée (sauf une fourniture en établissement et une fourniture visée par règlement) de biens ou de services à l'égard de laquelle les conditions suivantes sont réunies :

a) la fourniture est effectuée, à la fois :

(i) dans le cadre d'un processus de soins d'un particulier qui est médicalement nécessaire pour le maintien de la santé, la prévention des maladies, le diagnostic ou le traitement des blessures, maladies ou invalidités ou la prestation de soins palliatifs,

(ii) après qu'un médecin agissant dans l'exercice de la médecine, ou une personne visée par règlement agissant dans les circonstances visées par règlement, a établi ou confirmé qu'il y a lieu que le processus soit accompli au lieu de résidence ou d'hébergement (sauf un hôpital public ou un établissement admissible) du particulier;

b) les biens sont mis à la disposition du particulier, ou les services lui sont rendus, à son lieu de résidence ou d'hébergement (sauf un hôpital public ou un établissement admissible), avec l'autorisation de la personne qui est chargée de coordonner le processus et dans des circonstances où il est raisonnable de s'attendre à ce que cette personne s'acquitte de sa charge soit en consultation avec un médecin agissant dans l'exercice de la médecine ou d'une personne visée par règlement agissant dans les circonstances visées par règlement, soit en suivant de façon continue les instructions concernant le processus données par un tel médecin ou une telle personne;

c) la totalité ou la presque totalité de la fourniture consiste en biens ou services autres que des repas, le logement, des services ménagers propres à la tenue de l'intérieur domestique, de l'aide dans l'accomplissement des activités courantes et des activités récréatives et sociales, et d'autres services connexes pour satisfaire aux besoins psychosociaux du particulier;

d) une somme, autre qu'une somme symbolique, est payée ou payable au fournisseur à titre de subvention médicale relativement à la fourniture.

Notes historiques: La définition de « fourniture de biens ou services médicaux à domicile » au paragraphe 259(1) a été ajoutée par L.C. 2005, c. 30, par. 22(3) et s'applique selon les modalités sous le par. 259(1)« activités déterminées ».

Concordance québécoise: LTVQ, art. 383« fourniture d'un bien ou d'un service médical à domicile ».

« fourniture déterminée »

a) Fourniture taxable, effectuée au profit d'une personne après le 31 décembre 2004, portant sur un bien qui, à cette date, appartenait à la personne ou à une autre personne qui lui est liée au moment où la fourniture est effectuée;

b) fourniture taxable qu'une personne est réputée en vertu du paragraphe 211(4) avoir effectuée après le 30 décembre 2004 et qui porte sur un bien qui, à cette date, appartenait à la personne ou à une autre personne qui le lui a fourni la dernière fois par vente et qui lui était liée à la date où la fourniture par vente a été effectuée.

Notes historiques: La définition de « fourniture déterminée » au paragraphe 259(1) a été ajoutée par L.C. 2005, c. 30, par. 22(3) et s'applique selon les modalités sous le par. 259(1)« activités déterminées ».

Concordance québécoise: LTVQ, art. 383« fourniture déterminée ».

« fourniture en établissement » Fourniture exonérée (sauf une fourniture visée par règlement) d'un bien ou d'un service à l'égard de laquelle les conditions suivantes sont réunies :

a) le bien est mis à la disposition d'un particulier, ou le service lui est rendu, dans un hôpital public ou un établissement admissible, dans le cadre d'un processus de soins du particulier qui est médicalement nécessaire pour le maintien de la santé, la prévention des maladies, le diagnostic ou le traitement des blessures, maladies ou invalidités ou la prestation de soins palliatifs et à l'égard duquel les conditions suivantes sont réunies :

(i) il est accompli en totalité ou en partie à l'hôpital public ou à l'établissement admissible,

(ii) il est raisonnable de s'attendre à ce qu'il soit accompli sous la direction ou la surveillance active, ou avec la participation active, d'une des personnes suivantes :

(A) un médecin agissant dans l'exercice de la médecine,

(B) une sage-femme agissant dans l'exercice de la profession de sage-femme,

(C) un infirmier praticien ou une infirmière praticienne agissant dans l'exercice de la profession d'infirmier praticien ou d'infirmière praticienne, si les services d'un médecin ne sont pas facilement accessibles dans la région géographique où le processus est accompli,

(D) une personne visée par règlement agissant dans les circonstances visées par règlement,

(iii) s'agissant de soins de longue durée qui obligent le particulier à passer la nuit à l'hôpital public ou à l'établissement admissible, il exige, ou il est raisonnable de s'attendre à ce qu'il exige, à la fois :

(A) qu'un infirmier ou une infirmière autorisé soit présent à l'hôpital public ou à l'établissement admissible pendant toute la durée du séjour du particulier,

(B) qu'un médecin ou, si les services d'un médecin ne sont pas facilement accessibles dans la région géographique où le processus est accompli, un infirmier praticien ou une infirmière praticienne soit présent, ou de garde, à l'hôpital public ou à l'établissement admissible pendant toute la durée du séjour du particulier,

(C) que, tout au long du processus, le particulier fasse l'objet d'attention médicale et bénéficie de divers services de soins thérapeutiques et notamment de soins d'infirmiers ou d'infirmières autorisés,

(D) qu'il ne s'agisse pas d'un cas où le particulier ne bénéficie pas des services de soins thérapeutiques visés à la division (C) pendant la totalité ou la presque totalité de chaque jour ou partie de jour qu'il passe à l'hôpital public ou à l'établissement admissible;

b) si le fournisseur n'exploite pas l'hôpital public ou l'établissement admissible, une somme, sauf une somme symbolique, est payée ou payable au fournisseur à titre de subvention médicale relativement à la fourniture.

Notes historiques: La définition de « fourniture en établissement » au paragraphe 259(1) a été ajoutée par L.C. 2005, c. 30, par. 22(3) et s'applique selon les modalités sous le par. 259(1)« activités déterminées ».

Concordance québécoise: LTVQ, art. 383« fourniture en établissement ».

« médecin » Personne autorisée par les lois d'une province à exercer la profession de médecin.

Notes historiques: La définition de « médecin » au paragraphe 259(1) a été ajoutée par L.C. 2005, c. 30, par. 22(3) et s'applique selon les modalités sous le par. 259(1)« activités déterminées ».

Concordance québécoise: LTVQ, art. 383« médecin ».

« municipalité » Est assimilée à une municipalité la personne que le ministre désigne comme municipalité pour l'application du présent article, aux seules fins des activités, précisées dans la désignation,

LTA (TPS)

qui comportent la réalisation de fournitures de services municipaux par la personne, sauf des fournitures taxables.

Notes historiques: La définition de « municipalité » au paragraphe 259(1) a été modifiée par L.C. 1993, c. 27, par. 115(1) et cette modification est réputée entrée en vigueur le 17 décembre 1990. Cette définition, édictée par L.C. 1990, c. 27, par. 12(1), se lisait comme suit :

> « municipalité » Y est assimilé l'organisme que le ministre désigne comme municipalité pour l'application du présent article, aux seules fins des fournitures de services municipaux, sauf les fournitures taxables, que l'organisme effectue et qui sont précisées dans la désignation.

Concordance québécoise: LTVQ, art. 383« municipalité ».

« organisme à but non lucratif » Y est assimilé l'organisme d'un gouvernement, visé par règlement.

Notes historiques: La définition de « organisme à but non lucratif » au paragraphe 259(1) a été ajoutée par L.C. 1993, c. 27, par. 115(2) et est réputée entrée en vigueur le 17 décembre 1990.

Concordance québécoise: LTVQ, art. 383« organisme sans but lucratif ».

« organisme de bienfaisance » Est assimilé à un organisme de bienfaisance l'organisme à but non lucratif qui exploite, à des fins non lucratives, un établissement de santé, au sens de l'alinéa c) de la définition de cette expression à l'article 1 de la partie II de l'annexe V.

Notes historiques: La définition de « organisme de bienfaisance » au paragraphe 259(1) a été modifiée par L.C. 1993, c. 27, par. 115(1) et cette modification est réputée entrée en vigueur le 17 décembre 1990. Cette définition, édictée par L.C. 1990, c. 45, par. 12(1), se lisait comme suit :

> « organisme de bienfaisance » Y est assimilé l'organisme à but non lucratif qui exploite tout ou partie d'une installation en vue d'offrir des soins intermédiaires en maison de repos ou des soins en établissement, au sens donné à ces expressions par la *Loi canadienne sur la santé*.

Concordance québécoise: LTVQ, art. 383« organisme de bienfaisance ».

« organisme déterminé de services publics »

a) Administration hospitalière;

b) administration scolaire constituée et administrée autrement qu'à des fins lucratives;

c) université constituée et administrée autrement qu'à des fins lucratives;

d) collège public constitué et administré autrement qu'à des fins lucratives;

e) municipalité;

f) exploitant d'établissement;

g) fournisseur externe.

Notes historiques: Les alinéas f) et g) de la définition de « organisme déterminé de services publics » au paragraphe 259(1) ont été ajoutés par L.C. 2005, c. 30, par. 22(1) et s'appliquent selon les modalités sous le par. 259(1)« activités déterminées ».

L'alinéa d) de la définition de « organisme déterminé de services publics » au paragraphe 259(1) a été modifié par L.C. 1997, c. 10, par. 69(4) et cette modification s'applique au calcul du remboursement prévu à l'article 259, modifié par les paragraphes L.C. 1997, c. 10, par. 69(1), (2) et (5) à (7), pour ce qui est de la taxe exigée non admise au crédit pour les périodes de demande qui commencent après le 23 avril 1996. Auparavant, cet alinéa se lisait comme suit :

> d) collège public;

La définition « organisme déterminé de services publics » au paragraphe 259(1) a été ajoutée par L.C. 1990, c. 45, par. 12(1).

Concordance québécoise: LTVQ, art. 383« organisme déterminé de services publics ».

« période de demande » S'agissant de la période de demande d'une personne à un moment donné :

a) si la personne est un inscrit à ce moment, sa période de déclaration qui comprend ce moment;

b) sinon, la période qui comprend ce moment et qui représente :

(i) soit les premier et deuxième trimestres d'exercice d'un exercice de la personne,

(ii) soit les troisième et quatrième trimestres d'exercice d'un exercice de la personne.

Notes historiques: L'alinéa b) de la définition de « période de demande » au paragraphe 259(1) a été modifié par L.C. 1997, c. 10, par. 69(1) et cette modification s'applique lorsqu'il s'agit de déterminer les périodes de demande d'une personne pour ses exercices qui commencent après 1996. Auparavant, cet alinéa se lisait comme suit :

> b) sinon, son trimestre d'exercice qui comprend ce moment.

La définition de « période de demande » au paragraphe 259(1) a été ajoutée par L.C. 1990, c. 45, par. 12(1).

Concordance québécoise: LTVQ, art. 383« période de demande ».

« pourcentage de financement public » Pourcentage déterminé selon les modalités réglementaires, applicable à une personne pour son exercice.

Notes historiques: La définition de « pourcentage de financement public » au paragraphe 259(1) a été ajoutée par L.C. 1990, c. 45, par. 12(1).

Concordance québécoise: LTVQ, art. 383« pourcentage de financement public ».

« pourcentage établi » Le pourcentage applicable suivant :

a) dans le cas d'un organisme de bienfaisance ou d'un organisme à but non lucratif admissible, qui n'est pas un organisme déterminé de services publics, 50 %;

b) dans le cas d'une administration hospitalière, d'un exploitant d'établissement ou d'un fournisseur externe, 83 %;

c) dans le cas d'une administration scolaire, 68 %;

d) dans le cas d'une université ou d'un collège public, 67 %;

e) dans le cas d'une municipalité, 100 %.

Notes historiques: L'alinéa b) de la définition de « pourcentage établi » au paragraphe 259(1) a été remplacé par L.C. 2005, c. 30, par. 22(2) et cette modification s'applique selon les modalités sous le par.259(1)« activités déterminées ». Antérieurement, il se lisait ainsi :

> b) dans le cas d'une administration hospitalière, 83 %;

La définition de « pourcentage établi » au paragraphe 259(1) a été ajoutée par L.C. 2004, c. 22, par. 39(1) et s'applique au calcul du montant remboursable à une personne en vertu de l'article 259 pour les périodes de demande se terminant le 1er février 2004 ou par la suite. Toutefois, en ce qui concerne les montants ci-après, le montant remboursable à une personne pour sa période de demande qui comprend cette date est calculé comme si cette définition n'était pas entrée en vigueur :

> a) un montant de taxe devenu payable par la personne avant cette date;
>
> b) un montant réputé avoir été payé ou perçu par la personne avant cette date;
>
> c) un montant à ajouter dans le calcul de la taxe nette de la personne du fait, selon le cas :
>
> (i) qu'une de ses succursales ou divisions est devenue une division de petit fournisseur avant cette date,
>
> (ii) qu'elle a cessé d'être un inscrit avant cette date.

Concordance québécoise: aucune.

« pourcentage provincial établi » Le pourcentage applicable suivant :

a) dans le cas d'un organisme de bienfaisance ou d'un organisme à but non lucratif admissible (sauf un organisme déterminé de services publics) qui réside dans une province participante, 50 %;

b) dans le cas d'une administration hospitalière qui réside en Nouvelle-Écosse, 83 %;

c) dans le cas d'une administration scolaire qui réside en Nouvelle-Écosse, 68 %;

d) dans le cas d'une université ou d'un collège public qui réside en Nouvelle-Écosse, 67 %;

e) dans le cas d'une municipalité qui réside en Nouvelle-Écosse ou au Nouveau-Brunswick, 57,14 %;

f) malgré les alinéas a) à e), si un accord d'harmonisation de la taxe de vente conclu avec le gouvernement d'une province participante prévoit des remboursements relatifs à des organismes de services publics dans le cadre du nouveau régime de la taxe à valeur ajoutée harmonisée applicable à cette province et que cette province est visée par règlement pour l'application du présent alinéa, dans le cas d'une personne faisant partie d'une catégorie réglementaire qui réside dans la province, le pourcentage réglementaire applicable à cette catégorie relativement à la province;

g) dans les autres cas, 0 %.

Notes historiques: L'alinéa f) de la définition de « pourcentage provincial établi » au paragraphe 259(1) a été remplacé et l'alinéa g) a été ajouté par. L.C. 2009, c. 32, par. 29(1) et ces modifications s'appliquent lorsqu'il s'agit de déterminer le montant remboursable à une personne en vertu de l'article 259 pour des périodes de demande se terminant le 1er juillet 2010 ou par la suite. Toutefois, en ce qui concerne les montants ci-après, le montant remboursable à une personne pour sa période de demande qui comprend cette date sera déterminé comme si ces paragraphes n'étaient pas entrés en vigueur :

a) un montant de taxe devenu payable par la personne avant cette date;

b) un montant qui est réputé avoir été payé ou perçu par la personne avant cette date;

c) un montant à ajouter dans le calcul de la taxe nette de la personne du fait, selon le cas :

(i) qu'une de ses succursales ou divisions est devenue une division de petit fournisseur avant cette date,

(ii) qu'elle a cessé d'être un inscrit avant cette date.

Antérieurement, l'alinéa f) se lisait ainsi :

f) dans les autres cas, 0 %.

La définition de « pourcentage povincial établi » au paragraphe 259(1) a été ajoutée par L.C. 2004, c. 22, par. 39(1) et s'applique au calcul du montant remboursable à une personne en vertu de l'article 259 pour les périodes de demande se terminant le 1er février 2004 ou par la suite. Toutefois, en ce qui concerne les montants ci-après, le montant remboursable à une personne pour sa période de demande qui comprend cette date est calculé comme si cette définition n'était pas entrée en vigueur :

a) un montant de taxe devenu payable par la personne avant cette date;

b) un montant réputé avoir été payé ou perçu par la personne avant cette date;

c) un montant à ajouter dans le calcul de la taxe nette de la personne du fait, selon le cas :

(i) qu'une de ses succursales ou divisions est devenue une division de petit fournisseur avant cette date,

(ii) qu'elle a cessé d'être un inscrit avant cette date.

Concordance québécoise: aucune.

Info TPS/TVQ [art. 259(1)« pourcentage provincial établi »]: GI-066 — *La façon dont un organisme de bienfaisance doit calculer la taxe nette dans ses déclarations de TPS/TVH*; GI-121 — *Déterminer si un organisme de services publics réside dans une province aux fins du remboursement pour les organismes de services publics* ; GI-124 — *Désignation de municipalité accordée aux organismes qui fournissent des logements à loyer proportionné au revenu des locataires.*

« sage-femme » Personne autorisée par les lois d'une province à exercer la profession de sage-femme.

Notes historiques: La définition de « sage-femme » au paragraphe 259(1) a été ajoutée par L.C. 2005, c. 30, par. 22(3) et s'applique selon les modalités sous le par. 259(1)« activités déterminées ».

Concordance québécoise: LTVQ, art. 383« sage-femme ».

« subvention admissible » Est une subvention admissible de l'exploitant d'un établissement pendant tout ou partie de l'exercice de l'exploitant, la somme d'argent vérifiable (y compris un prêt à remboursement conditionnel, mais à l'exclusion de tout autre prêt et des remboursements, ristournes, remises ou crédits au titre des frais, droits ou taxes imposés par une loi) qui lui est payée ou payable par l'une des personnes ci-après, au titre de la prestation de services de santé au public, soit dans le but de l'aider financièrement à exploiter l'établissement au cours de l'exercice ou de la partie d'exercice, soit en contrepartie d'une fourniture exonérée qui consiste à faire en sorte que l'établissement soit disponible pour que des fournitures en établissement puissent y être effectuées au cours de l'exercice ou de la partie d'exercice, soit en contrepartie de fournitures en établissement de biens qui sont mis à la disposition d'une personne, ou de services qui lui sont rendus, au cours de l'exercice ou de la partie d'exercice :

a) un gouvernement;

b) un organisme de bienfaisance, une institution publique ou un organisme à but non lucratif admissible, à la fois :

(i) qui a notamment pour mission d'organiser ou de coordonner la prestation de services de santé au public,

(ii) à l'égard duquel il est raisonnable de s'attendre à ce qu'un gouvernement soit la principale source de financement des activités de l'organisme ou de l'institution relatives à la prestation de services de santé au public au cours de son exercice pendant lequel la fourniture est effectuée.

Notes historiques: La définition de « subvention admissible » au paragraphe 259(1) a été ajoutée par L.C. 2005, c. 30, par. 22(3) et s'applique selon les modalités sous le par. 259(1)« activités déterminées ».

Concordance québécoise: LTVQ, art. 383« financement admissible ».

« subvention médicale » Est une subvention médicale d'un fournisseur relativement à une fourniture, la somme d'argent (y compris un prêt à remboursement conditionnel, mais à l'exclusion de tout autre prêt et des remboursements, ristournes, remises ou crédits au titre des frais, droits ou taxes imposés par une loi) qui lui est payée ou payable par l'une des personnes ci-après, au titre de services de santé, soit dans le but de l'aider financièrement à effectuer la fourniture, soit en contrepartie de la fourniture :

a) un gouvernement;

b) un organisme de bienfaisance, une institution publique ou un organisme à but non lucratif admissible, à la fois :

(i) qui a notamment pour mission d'organiser ou de coordonner la prestation de services de santé au public,

(ii) à l'égard duquel il est raisonnable de s'attendre à ce qu'un gouvernement soit la principale source de financement des activités de l'organisme ou de l'institution relatives à la prestation de services de santé au public au cours de son exercice pendant lequel la fourniture est effectuée.

Notes historiques: La définition de « subvention médicale » au paragraphe 259(1) a été ajoutée par L.C. 2005, c. 30, par. 22(3) et s'applique selon les modalités sous le par. 259(1)« activités déterminées ».

Concordance québécoise: LTVQ, art. 383« financement médical ».

« taxe exigée non admise au crédit » L'excédent éventuel du montant visé à l'alinéa a) sur le montant visé à l'alinéa b) relativement à un bien ou à un service pour la période de demande d'une personne :

a) le total (appelé « total de la taxe applicable au bien ou au service » au présent article) des montants représentant chacun l'un des montants suivants :

(i) la taxe relative à la fourniture ou à l'importation du bien ou du service, ou à son transfert dans une province participante, qui est devenue payable par la personne au cours de la période ou qui a été payée par elle au cours de la période sans être devenue payable, sauf la taxe réputée avoir été payée par la personne ou pour laquelle celle-ci ne peut, par le seul effet de l'article 226, demander de crédit de taxe sur les intrants,

(ii) la taxe réputée par les paragraphes 129(6), 129.1(4), 171(3) ou 183(4) ou l'article 191 avoir été perçue au cours de la période par la personne relativement au bien ou au service,

(ii.1) dans le cas où la personne n'est pas un organisme de bienfaisance auquel le paragraphe 225.1(2) s'applique, la taxe qu'elle est réputée par les paragraphes 183(5) ou (6) avoir perçue au cours de la période relativement au bien ou au service,

(iii) la taxe, calculée sur une indemnité relative au bien ou au service, qui est réputée par l'article 174 avoir été payée par la personne au cours de la période,

(iv) la taxe réputée par l'article 175 ou 180 avoir été payée par la personne au cours de la période relativement au bien ou au service,

(v) un montant relatif au bien ou au service qui est à ajouter, en application du paragraphe 129(7) ou de l'alinéa 171(4)b), dans le calcul de la taxe nette de la personne pour la période;

b) le total des montants dont chacun est inclus dans le total visé à l'alinéa a) et qui, selon le cas :

(i) entre dans le calcul du crédit de taxe sur les intrants de la personne relativement au bien ou au service pour la période,

(ii) est un montant à l'égard duquel il est raisonnable de considérer que la personne a obtenu, ou a droit d'obtenir, un remboursement ou une remise en vertu d'un autre article de la présente loi ou d'une autre loi fédérale.

(iii) est inclus dans un montant remboursé à la personne, redressé en sa faveur ou porté à son crédit, pour lequel elle reçoit une note de crédit visée au paragraphe 232(3), ou remet une note de débit visée à ce paragraphe.

Notes historiques: Le sous-alinéa a)(i) de la définition de « taxe exigée non admise au crédit » au par. 259(1) a été remplacé par L.C. 2007, c. 18, par. 44(1) et cette modification est réputée entrée en vigueur le 1er mai 2002. Antérieurement, il se lisait ainsi :

(i) la taxe relative à la fourniture ou à l'importation du bien ou du service, ou à son transfert dans une province participante, qui est devenue payable par la personne au cours de la période ou qui a été payée par elle au cours de la période sans qu'elle soit devenue payable, sauf la taxe réputée avoir été payée par la personne ou pour laquelle celle-ci ne peut, par le seul effet du paragraphe 226(4), demander de crédit de taxe sur les intrants,

Les sous-alinéas a)(i) et (ii) de la définition de « taxe exigée non admise au crédit » au paragraphe 259(1) ont été modifiés par L.C. 1997, c. 10, par. 227(1) et cette modification s'applique à la taxe qui devient payable après mars 1997 ou qui est réputée avoir été perçue après ce mois. Auparavant, le sous-alinéa a)(ii) de la définition de « taxe exigée non admise au crédit » au paragraphe 259(1) a été modifié par L.C. 1997, c. 10, par. 69(2) et cette modification s'applique à la taxe qu'un inscrit est réputé avoir perçue au cours de ses périodes de déclaration qui commencent après 1996. Il se lisait ainsi :

(ii) la taxe réputée par les paragraphes 129(6), 129.1(4), 171(3) ou 183(4), l'article 191 ou les paragraphes 200(2) ou 211(2) ou (4) avoir été perçue au cours de la période par la personne relativement au bien ou au service,

Auparavant, les sous-alinéa a)(i) et (ii) se lisaient comme suit :

(i) la taxe relative à la fourniture ou à l'importation du bien ou du service qui est devenue payable par la personne au cours de la période ou qui a été payée par elle au cours de la période sans qu'elle soit devenue payable, sauf la taxe réputée avoir été payée par la personne ou pour laquelle celle-ci ne peut, par le seul effet du paragraphe 226(4), demander de crédit de taxe sur les intrants,

(ii) la taxe réputée par l'article 191 ou les paragraphes 129(6), 129.1(4), 171(3), 183(4), (5) ou (6), 200(2) ou 211(2) ou (4) avoir été perçue au cours de la période par la personne relativement au bien ou au service,

Le sous-alinéa a)(ii) de la définition de « taxe exigée non admise au crédit » au par. 259(1) a été remplacé par L.C. 2006, c. 4, par. 31(1) et cette modification s'applique à la taxe réputée avoir été perçue après le 1er mai 2006. Antérieurement, il se lisait ainsi :

(ii) la taxe réputée par les paragraphes 129(6), 129.1(4), 171(3) ou 183(4), l'article 191 ou le paragraphe 211(4) avoir été perçue au cours de la période par la personne relativement au bien ou au service,

Le sous-alinéa a)(ii.1) de la définition de « taxe exigée non admise au crédit » au paragraphe 259(1) a été ajouté par L.C. 1997, c. 10, par. 69(2) et s'applique à la taxe qu'un inscrit est réputé avoir perçue au cours de ses périodes de déclaration qui commencent après 1996.

Le sous-alinéa b)(iii) de la définition de « taxe exigée non admise au crédit », au paragraphe 259(1) a été ajouté par L.C. 2000, c. 30, par. 76(1). Il est réputé entré en vigueur le 10 décembre 1998 et s'applique au montant remboursé à une personne, redressé en sa faveur ou porté à son crédit, pour lequel elle reçoit une note de crédit, ou remet une note de débit, après cette date.

L'alinéa b) de la définition de « taxe exigée non admise au crédit » au paragraphe 259(1) a été modifié par L.C. 1997, c. 10, par. 69(3) et cette modification s'applique au calcul du remboursement prévu à l'article 259, modifié par les paragraphes L.C. 1997, c. 10, par. 69(1), (2) et (5) à (7) pour ce qui est de la taxe exigée non admise au crédit pour les périodes de demande qui commencent après 1996. Auparavant, l'alinéa b) se lisait comme suit :

b) le total des montants inclus dans le total visé à l'alinéa a) qui entrent dans le calcul du crédit de taxe sur les intrants de la personne relativement au bien ou au service pour la période.

La définition de « taxe exigée non admise au crédit » au paragraphe 259(1) a été ajoutée par L.C. 1993, c. 27, par. 115(2) et est réputée entrée en vigueur le 17 décembre 1990. Elle correspond à l'ancien paragraphe 259(2).

Concordance québécoise: LTVQ, art. 383« taxe exigée non admissible au remboursement de la taxe sur les intrants ».

(2) Organisme à but non lucratif admissible — Pour l'application du présent article, une personne est un organisme à but non lucratif admissible à un moment donné de son exercice si, à ce moment, elle est un organisme à but non lucratif et son pourcentage de financement public pour l'exercice est d'au moins 40 %.

Notes historiques: Le paragraphe 259(2) a été modifié par L.C. 1993, c. 27, par. 115(3) et est réputé entré en vigueur le 17 décembre 1990. Il se lisait comme suit :

(2) Pour l'application du présent article, la taxe payable par une personne relativement à un bien ou à un service comprend :

a) la taxe qui est réputée, en application du paragraphe 171(3) ou 200(2), perçue par la personne relativement au bien ou au service;

b) le montant relatif au bien ou au service à ajouter en application de l'alinéa 171(4)b) dans le calcul de la taxe nette de la personne pour une période de déclaration.

En est exclu le montant que la personne a demandé, ou auquel elle a droit, à titre de crédit de taxe sur les intrants relativement au bien ou au service.

Le paragraphe 259(2) correspond à l'ancien paragraphe 259(3). L'ancien paragraphe 259(2) est maintenant la définition de « taxe exigée non admise au crédit » au paragraphe 259(1).

Le paragraphe 259(2) a été édicté par L.C. 1990, c. 45, par. 12(1).

Concordance québécoise: LTVQ, art. 385.

(2.1) Établissement admissible — Pour l'application du présent article, un établissement ou une partie d'établissement, sauf un hôpital public, est un établissement admissible pour l'exercice de son exploitant, ou pour une partie de cet exercice, dans le cas où, à la fois :

a) des fournitures de services qui sont habituellement rendus au public au cours de l'exercice ou de la partie d'exercice dans l'établissement ou dans la partie d'établissement seraient des fournitures en établissement si les mentions d'hôpital public et d'établissement admissible, à la définition de « fourniture en établissement » au paragraphe (1), valaient mention de l'établissement ou de la partie d'établissement;

b) une somme, sauf une somme symbolique, est payée ou payable à l'exploitant à titre de subvention admissible relativement à l'établissement ou à la partie d'établissement pour l'exercice ou la partie d'exercice;

c) un agrément, un permis ou une autre autorisation qui est reconnu ou prévu par une loi fédérale ou provinciale relativement aux établissements servant à la prestation de services de santé s'applique à l'établissement ou à la partie d'établissement au cours de l'exercice ou de la partie d'exercice.

Notes historiques: Le paragraphe 259(2.1) a été ajouté par L.C. 2005, c. 30, par. 22(4) et s'applique a selon les modalités sous le par. 259(1)« activités déterminées ».

Concordance québécoise: LTVQ, art. 385.1.

(3) Remboursement aux personnes autres que des municipalités désignées — Sous réserve des paragraphes (4.1) à (4.21) et (5), le ministre rembourse la personne (sauf une personne désignée comme municipalité pour l'application du présent article, un inscrit visé par règlement pris en application du paragraphe 188(5) et une institution financière désignée) qui, le dernier jour de sa période de demande ou de son exercice qui comprend cette période, est un organisme déterminé de services publics, un organisme de bienfaisance ou un organisme à but non lucratif admissible. Le montant remboursable est égal au total des montants suivants :

a) le montant qui correspond au pourcentage établi de la taxe exigée non admise au crédit relativement à un bien ou à un service, sauf un bien ou un service visés par règlement, pour la période de demande;

b) dans le cas d'une personne faisant partie d'une catégorie réglementaire qui réside dans une province participante, le montant déterminé selon les modalités réglementaires pour l'application du nouveau régime de la taxe à valeur ajoutée harmonisée ou, dans les autres cas, le montant qui correspond au pourcentage provincial établi de la taxe exigée non admise au crédit relativement à un bien ou à un service, sauf un bien ou un service visés par règlement, pour la période de demande.

Notes historiques: L'alinéa 259(3)b) a été remplacé par. L.C. 2009, c. 32, par. 29(2) et cette modification s'applique lorsqu'il s'agit de déterminer le montant remboursable à une personne en vertu de l'article 259 pour des périodes de demande se terminant le 1er juillet 2010 ou par la suite. Toutefois, en ce qui concerne les montants ci-après, le montant remboursable à une personne pour sa période de demande qui comprend cette date sera déterminé comme si ces paragraphes n'étaient pas entrés en vigueur :

a) un montant de taxe devenu payable par la personne avant cette date;

b) un montant qui est réputé avoir été payé ou perçu par la personne avant cette date;

c) un montant à ajouter dans le calcul de la taxe nette de la personne du fait, selon le cas :

(i) qu'une de ses succursales ou divisions est devenue une division de petit fournisseur avant cette date,

(ii) qu'elle a cessé d'être un inscrit avant cette date.

Antérieurement, il se lisait ainsi :

b) le montant qui correspond au pourcentage provincial établi de la taxe exigée non admise au crédit relativement à un bien ou à un service, sauf un bien ou un service visés par règlement, pour la période de demande.

Le paragraphe 259(3) a été remplacé par L.C. 2004, c. 22, par. 39(2) et cette modification s'applique au calcul du montant remboursable à une personne en vertu de l'article 259 pour les périodes de demande se terminant le 1er février 2004 ou par la suite. Toutefois, en ce qui concerne les montants ci-après, le montant remboursable à une personne pour sa période de demande qui comprend cette date est calculé comme si ce paragraphe n'était pas entré en vigueur :

a) un montant de taxe devenu payable par la personne avant cette date;

b) un montant réputé avoir été payé ou perçu par la personne avant cette date;

c) un montant à ajouter dans le calcul de la taxe nette de la personne du fait, selon le cas :

(i) qu'une de ses succursales ou divisions est devenue une division de petit fournisseur avant cette date,

(ii) qu'elle a cessé d'être un inscrit avant cette date.

Antérieurement, il se lisait ainsi :

(3) Sous réserve des paragraphes (4.1), (4.2) et (5), le ministre rembourse la personne (sauf une personne désignée comme municipalité pour l'application du présent article, un inscrit visé par règlement pris en application du paragraphe 188(5) ou une institution financière désignée) qui, le dernier jour de sa période de demande ou de son exercice qui comprend cette période, est un organisme déterminé de services publics, un organisme de bienfaisance ou un organisme à but non lucratif admissible. Le montant remboursable est égal au pourcentage réglementaire de la taxe exigée non admise au crédit relativement à un bien ou à un service, sauf un bien ou un service visés par règlement, pour la période de demande.

Le paragraphe 259(3) a été modifié par L.C. 1997, c. 10, par. 227(2) et cette modification est entrée en vigueur le 1er avril 1997.

Ce paragraphe se lisait auparavant comme suit :

(3) Sous réserve des paragraphes (4.1) et (5), le ministre rembourse la personne (sauf une personne désignée comme municipalité pour l'application du présent article, un inscrit visé par règlement pris en vertu du paragraphe 188(5) ou une institution financière désignée) qui, le dernier jour de sa période de demande ou de son exercice qui comprend cette période, est un organisme déterminé de services publics, un organisme de bienfaisance ou un organisme à but non lucratif admissible. Le montant remboursable est égal au pourcentage réglementaire de la taxe exigée non admise au crédit relativement à un bien ou à un service, sauf un bien ou un service visés par règlement, pour la période de demande.

Auparavant, le paragraphe 259(3) a été modifié par L.C. 1997, c. 10, par. 69(5) et cette modification s'applique :

a) dans le cas d'une personne que le ministre du Revenu national a désignée comme municipalité pour l'application de l'article 259, aux périodes de demande qui se terminent après 1990;

b) dans les autres cas, aux remboursements visés par une demande reçue par le ministre du Revenu national après le 23 avril 1996 ou réputée produite par l'effet de l'alinéa 296(5)a) par suite d'une cotisation établie après cette date.

Auparavant, le paragraphe 259(3) a été modifié par L.C. 1993, c. 27, par. 115(3) et est réputé entré en vigueur le 17 décembre 1990. Il se lisait comme suit :

(3) Sous réserve du paragraphe (5), le ministre rembourse la personne (sauf une personne désignée comme municipalité pour l'application du présent article, un inscrit visé par règlement pris en vertu du paragraphe 188(5) et une institution financière désignée) qui, le dernier jour de sa période de demande ou de son exercice qui comprend cette période, est un organisme déterminé de services publics, un organisme de bienfaisance ou un organisme à but non lucratif admissible. Le montant remboursable est égal au pourcentage réglementaire de la taxe exigée non admise au crédit relativement à un bien ou à un service, sauf un bien ou un service visés par règlement, pour la période de demande.

Le paragraphe 259(3) correspond à l'ancien paragraphe 259(4). L'ancien paragraphe 259(3) est devenu le paragraphe 259(2). Le paragraphe 259(3), édicté par L.C. 1990, c. 45, par. 12(1), se lisait comme suit :

(3) Pour l'application du présent article, une personne est un organisme à but non lucratif admissible à un moment donné de son exercice si, à ce moment, elle est un organisme à but non lucratif et son pourcentage de financement public pour l'exercice est d'au moins 40 %.

Concordance québécoise: LTVQ, art. 386 al. 1.

Info TPS/TVQ [art. 259(3)« pourcentage provincial établi »]: GI-121 — *Déterminer si un organisme de services publics réside dans une province aux fins du remboursement pour les organismes de services publics* .

(4) Remboursement aux municipalités désignées — Sous réserve des paragraphes (4.01) à (5), le ministre rembourse relativement à un bien ou à un service, sauf un bien ou un service visés par règlement, la personne qui, le dernier jour de sa période de demande ou de son exercice qui comprend cette période, est désignée comme municipalité pour l'application du présent article relativement aux activités précisées dans la désignation. Le montant remboursable est égal au total des montants suivants :

a) le total des montants représentant chacun le montant obtenu par la formule suivante :

$$A \times B \times C$$

où :

A représente le pourcentage établi,

B un montant inclus dans le total de la taxe applicable au bien ou au service pour la période de demande et représentant l'un des montants suivants :

(i) la taxe relative à une fourniture effectuée au profit de la personne à un moment donné, ou au transfert du bien dans une province participante ou à son importation, effectués par la personne à ce moment,

(ii) un montant réputé avoir été payé ou perçu à un moment donné par la personne,

(iii) un montant à ajouter en application du paragraphe 129(7) dans le calcul de la taxe nette de la personne du fait qu'une de ses succursales ou divisions est devenue une division de petit fournisseur à un moment donné,

(iv) un montant à ajouter en application de l'alinéa 171(4)b) dans le calcul de la taxe nette de la personne du fait qu'elle a cessé d'être un inscrit à un moment donné,

C le pourcentage qui représente la mesure dans laquelle la personne avait l'intention, au moment donné, de consommer, d'utiliser ou de fournir le bien ou le service dans le cadre des activités précisées;

b) dans le cas d'une personne faisant partie d'une catégorie réglementaire qui réside dans une province participante, le montant déterminé selon les modalités réglementaires pour l'application du nouveau régime de la taxe à valeur ajoutée harmonisée ou, dans les autres cas, le total des montants représentant chacun le montant obtenu par la formule suivante :

$$D \times E \times F$$

où :

D représente le pourcentage provincial établi,

E un montant inclus dans le total de la taxe applicable au bien ou au service pour la période de demande et représentant l'un des montants suivants :

(i) la taxe relative à une fourniture effectuée au profit de la personne à un moment donné, ou au transfert du bien dans une province participante ou à son importation, effectués par la personne à ce moment,

(ii) un montant réputé avoir été payé ou perçu à un moment donné par la personne,

(iii) un montant à ajouter en application du paragraphe 129(7) dans le calcul de la taxe nette de la personne du fait qu'une de ses succursales ou divisions est devenue une division de petit fournisseur à un moment donné,

(iv) un montant à ajouter en application de l'alinéa 171(4)b) dans le calcul de la taxe nette de la personne du fait qu'elle a cessé d'être un inscrit à un moment donné,

F le pourcentage qui représente la mesure dans laquelle la personne avait l'intention, au moment donné, de consommer,

LTA (TPS)

d'utiliser ou de fournir le bien ou le service dans le cadre des activités précisées.

Notes historiques: Le préambule de l'alinéa 259(4)b) a été remplacé par. L.C. 2009, c. 32, par. 29(3) et cette modification s'applique lorsqu'il s'agit de déterminer le montant remboursable à une personne en vertu de l'article 259 pour des périodes de demande se terminant le 1er juillet 2010 ou par la suite. Toutefois, en ce qui concerne les montants ci-après, le montant remboursable à une personne pour sa période de demande qui comprend cette date sera déterminé comme si ces paragraphes n'étaient pas entrés en vigueur :

a) un montant de taxe devenu payable par la personne avant cette date;

b) un montant qui est réputé avoir été payé ou perçu par la personne avant cette date;

c) un montant à ajouter dans le calcul de la taxe nette de la personne du fait, selon le cas :

(i) qu'une de ses succursales ou divisions est devenue une division de petit fournisseur avant cette date,

(ii) qu'elle a cessé d'être un inscrit avant cette date.

Antérieurement, il se lisait ainsi :

b) le total des montants représentant chacun le montant obtenu par la formule suivante :

Le paragraphe 259(4) a été remplacé par L.C. 2004, c. 22, par. 39(2) et cette modification s'applique au calcul du montant remboursable à une personne en vertu de l'article 259 pour les périodes de demande se terminant le 1er février 2004 ou par la suite. Toutefois, en ce qui concerne les montants ci-après, le montant remboursable à une personne pour sa période de demande qui comprend cette date est calculé comme si ce paragraphe n'était pas entré en vigueur :

a) un montant de taxe devenu payable par la personne avant cette date;

b) un montant réputé avoir été payé ou perçu par la personne avant cette date;

c) un montant à ajouter dans le calcul de la taxe nette de la personne du fait, selon le cas :

(i) qu'une de ses succursales ou divisions est devenue une division de petit fournisseur avant cette date,

(ii) qu'elle a cessé d'être un inscrit avant cette date.

Antérieurement, il se lisait ainsi :

(4) Sous réserve des paragraphes (4.1), (4.2), (4.3) et (5), le ministre rembourse relativement à un bien ou à un service, sauf un bien ou un service visés par règlement, la personne qui, le dernier jour de sa période de demande ou de son exercice qui comprend cette période, est désignée comme municipalité pour l'application du présent article relativement aux activités précisées dans la désignation. Le montant remboursable est égal au total des montants représentant chacun le résultat du calcul suivant :

$$A \times B \times C$$

où :

A représente le pourcentage réglementaire;

B un montant inclus dans le total de la taxe applicable au bien ou au service pour la période de demande et représentant l'un des montants suivants :

a) la taxe relative à une fourniture effectuée au profit de la personne à un moment donné, ou à l'importation du bien par elle à ce moment ou à son transfert dans une province participante par elle à ce moment,

b) un montant réputé avoir été payé ou perçu à un moment donné par la personne,

c) un montant à ajouter en application du paragraphe 129(7) dans le calcul de la taxe nette de la personne du fait qu'une de ses succursales ou divisions est devenue une division de petit fournisseur à un moment donné,

d) un montant à ajouter en application de l'alinéa 171(4) b) dans le calcul de la taxe nette de la personne du fait qu'elle a cessé d'être un inscrit à un moment donné;

C le pourcentage qui représente la mesure dans laquelle la personne avait l'intention, au moment donné, de consommer, d'utiliser ou de fournir le bien ou le service dans le cadre des activités précisées.

Le paragraphe 259(4) a été modifié par L.C. 1997, c. 10, par. 227(3) et cette modification est entrée en vigueur le 1er avril 1997. Auparavant, le paragraphe 259(4) se lisait comme suit :

(4) Sous réserve des paragraphes (4.1) et (5), le ministre rembourse relativement à un bien ou à un service, sauf un bien ou un service visés par règlement, la personne qui, le dernier jour de sa période de demande ou de son exercice qui comprend cette période, est désignée comme municipalité pour l'application du présent article relativement aux activités précisées dans la désignation. Le montant remboursable est égal au résultat du calcul suivant :

$$A \times B$$

où :

A représente le pourcentage réglementaire du total de la taxe applicable au bien ou au service pour la période de demande;

B représente :

a) si le bien a été acquis par bail, licence ou accord semblable par la personne pour une contrepartie qui comprend plusieurs paiements périodiques qui sont imputables à des parties successives (chacune étant appelée « période de location » au présent paragraphe) de la période pour laquelle la possession ou l'utilisation du bien est prévue par l'accord et qu'un montant calculé sur un tel paiement périodique est inclus dans le total de la taxe applicable au bien pour la période de demande, le pourcentage dans lequel la personne avait l'intention, au début de la période de location à laquelle le paiement périodique est imputable, d'utiliser le bien dans le cadre des activités précisées;

b) si le service est fourni à la personne pour une contrepartie qui comprend plusieurs paiements périodiques qui sont imputables à des services rendus aux termes de l'accord portant sur la fourniture, et qu'à un moment au cours de la période de demande, la taxe calculée sur un tel paiement devient payable, ou est payée sans être devenue payable, par la personne et est incluse dans le total de la taxe applicable aux services pour la période de demande, le pourcentage dans lequel la personne a, avant ce moment, consommé, utilisé ou fourni ces services dans le cadre des activités précisées ou, à ce moment, avait l'intention de le faire;

c) dans les autres cas, le pourcentage dans lequel la personne avait l'intention, au moment où elle a acquis ou importé le bien ou le service, de consommer, d'utiliser ou de fournir le bien ou le service dans le cadre des activités précisées.

Auparavant, le préambule du paragraphe 259(4) a été modifié par L.C. 1997, c. 10, par. 69(6) et cette modification s'applique :

a) dans le cas d'une personne que le ministre du Revenu national a désignée comme municipalité pour l'application de l'article 259, aux périodes de demande qui se terminent après 1990;

b) dans les autres cas, aux remboursements visés par une demande reçue par le ministre du Revenu national après le 23 avril 1996 ou réputée produite par l'effet de l'alinéa 296(5)a) par suite d'une cotisation établie après cette date.

Ce préambule, modifié par L.C. 1993, c. 27, par. 115(3), se lisait comme suit :

(4) Sous réserve du paragraphe (5), le ministre rembourse relativement à un bien ou à un service, sauf un bien ou un service visés par règlement, la personne qui, le dernier jour de sa période de demande ou de son exercice qui comprend cette période, est désignée comme municipalité pour l'application du présent article, relativement aux activités précisées dans la désignation. Le montant remboursable est égal au résultat du calcul suivant :

Auparavant, le paragraphe 259(4) a été modifié par L.C. 1993, c. 27, par. 115(3) et est réputé entré en vigueur le 17 décembre 1990. Il se lisait comme suit :

(4) Le ministre verse un remboursement à la personne (sauf une institution financière) qui, le dernier jour de sa période de demande ou de son exercice, est un organisme déterminé de services publics, un organisme de bienfaisance ou un organisme à but non lucratif admissible si, au cours de la période, la taxe payable par elle relativement à un bien ou à un service non visés par règlement devient payable. Le remboursement est égal au pourcentage réglementaire de la taxe payable.

Le paragraphe 259(4) a été édicté par L.C. 1990, c. 45, par. 12(1).

Concordance québécoise: LTVQ, art. 386.2.

Info TPS/TVQ [art. 259(4)]: GI-124 — *Désignation de municipalité accordée aux organismes qui fournissent des logements à loyer proportionné au revenu des locataires.*

(4.01) Restriction — Un montant n'est pas inclus dans le calcul de la valeur des éléments B ou E des formules figurant au paragraphe (4) pour la période de demande d'une personne dans la mesure où, selon le cas :

a) le montant est inclus dans le calcul d'un crédit de taxe sur les intrants de la personne;

b) il est raisonnable de considérer que la personne a obtenu, ou a le droit d'obtenir, un remboursement ou une remise du montant en vertu d'un autre article de la présente loi ou en application d'une autre loi fédérale;

c) le montant est inclus dans un montant remboursé à la personne, redressé en sa faveur ou porté à son crédit, pour lequel elle a reçu une note de crédit visée au paragraphe 232(3) ou remis une note de débit visée à ce paragraphe.

Notes historiques: Le préambule du paragraphe 259(4.01) a été remplacé par L.C. 2004, c. 22, par. 39(3) et cette modification s'applique au calcul du montant remboursable à une personne en vertu de l'article 259 pour les périodes de demande se terminant le

1er février 2004 ou par la suite. Toutefois, en ce qui concerne les montants ci-après, le montant remboursable à une personne pour sa période de demande qui comprend cette date est calculé comme si ce préambule n'était pas entré en vigueur :

a) un montant de taxe devenu payable par la personne avant cette date;

b) un montant réputé avoir été payé ou perçu par la personne avant cette date;

c) un montant à ajouter dans le calcul de la taxe nette de la personne du fait, selon le cas :

(i) qu'une de ses succursales ou divisions est devenue une division de petit fournisseur avant cette date,

(ii) qu'elle a cessé d'être un inscrit avant cette date.

Auparavant, il se lisait comme suit :

(4.01) Un montant n'est pas inclus dans le calcul de la valeur de l'élément B de la formule figurant au paragraphe (4) pour la période de demande d'une personne dans la mesure où, selon le cas :

Le paragraphe 259(4.01) a été ajouté par L.C. 2000, c. 30, par. 76(2). Il est réputé entré en vigueur le 26 novembre 1997 et s'applique aux fins du calcul d'un remboursement prévu à l'article 259 et ayant fait l'objet d'une demande que le ministre du Revenu national reçoit ou aurait reçue, n'eût été le paragraphe 334(1), après le 25 novembre 1997. Toutefois, l'alinéa 259(4.01)c) ne s'applique qu'aux montants remboursés à une personne, redressés en sa faveur ou portés à son crédit, pour lesquels elle a reçu une note de crédit, ou remis une note de débit, après le 10 décembre 1998.

Concordance québécoise: LTVQ, art. 386.3.

(4.1) Répartition du remboursement — Sous réserve des paragraphes (4.2) et (4.21), le montant remboursable, en application des paragraphes (3) ou (4), à un organisme déterminé de services publics qui est un organisme de bienfaisance, une institution publique ou un organisme à but non lucratif admissible, au titre d'un bien ou d'un service pour une période de demande, est égal, dans le cas d'une personne faisant partie d'une catégorie réglementaire qui réside dans une province participante, au montant déterminé selon les modalités réglementaires pour l'application du nouveau régime de la taxe à valeur ajoutée harmonisée et, dans les autres cas, au total des montants suivants :

a) 50 % de la taxe exigée non admise au crédit relative au bien ou au service pour la période de demande;

b) le total des montants représentant chacun le montant qui serait déterminé selon les alinéas (4)a) ou b) relativement au bien ou au service pour la période de demande si le paragraphe (4) s'appliquait à l'organisme et si, à la fois :

(i) la mention « pourcentage établi » au paragraphe (4) valait mention du pourcentage établi applicable à un organisme déterminé de services publics visé à celui des alinéas a) à g) de la définition de cette expression au paragraphe (1) qui s'applique à l'organisme, moins 50 % ,

(ii) la mention « pourcentage provincial établi » au paragraphe (4) valait mention soit du pourcentage provincial établi applicable à un organisme déterminé de services publics visé à celui des alinéas a) à e) de la définition de cette expression au paragraphe (1) qui s'applique à l'organisme, moins 50 % , soit de 0 % , selon celui de ces pourcentages qui est le plus élevé,

(iii) dans le cas d'un organisme qui n'est pas désigné comme municipalité pour l'application du présent article, la mention « activités précisées » à l'élément C de la formule figurant au paragraphe (4) valait mention :

(A) dans le cas d'un organisme qui a le statut de municipalité selon l'alinéa b) de la définition de « municipalité » au paragraphe 123(1), des activités qu'il exerce dans le cadre de l'exécution de ses responsabilités à titre d'administration locale,

(B) dans le cas d'un organisme agissant en sa qualité d'administration hospitalière, des activités qu'il exerce dans le cadre soit de l'exploitation d'un hôpital public, soit de l'exploitation d'un établissement admissible en vue de la réalisation de fournitures en établissement, soit de la réalisation de fournitures en établissement, de fournitures connexes ou de fournitures de biens ou services médicaux à domicile,

(C) dans le cas d'un organisme agissant en sa qualité d'exploitant d'établissement, des activités qu'il exerce dans le cadre soit de l'exploitation d'un établissement admissible en vue de la réalisation de fournitures en établissement, soit de la réalisation de fournitures en établissement, de fournitures connexes ou de fournitures de biens ou services médicaux à domicile,

(D) dans le cas d'un organisme agissant en sa qualité de fournisseur externe, des activités qu'il exerce dans le cadre de la réalisation de fournitures connexes, de fournitures en établissement ou de fournitures de biens ou services médicaux à domicile,

(E) dans les autres cas, des activités que l'organisme exerce dans le cadre de l'exploitation d'une école primaire ou secondaire, d'un collège d'enseignement postsecondaire, d'un institut technique d'enseignement postsecondaire ou d'une institution reconnue qui décerne des diplômes, d'une école affiliée à une telle institution ou de l'institut de recherche d'une telle institution,

(iv) dans le cas d'un organisme qui n'est pas désigné comme municipalité pour l'application du présent article, la mention « activités précisées » à l'élément F de la formule figurant au paragraphe (4) valait mention :

(A) dans le cas d'un organisme qui a le statut de municipalité selon l'alinéa b) de la définition de « municipalité » au paragraphe 123(1), des activités qu'il exerce dans le cadre de l'exécution de ses responsabilités à titre d'administration locale,

(B) dans les autres cas, des activités que l'organisme exerce dans le cadre de l'exploitation d'un hôpital public, d'une école primaire ou secondaire, d'un collège d'enseignement postsecondaire, d'un institut technique d'enseignement postsecondaire ou d'une institution reconnue qui décerne des diplômes, d'une école affiliée à une telle institution ou de l'institut de recherche d'une telle institution.

Notes historiques: Le préambule du paragraphe 259(4.1) a été remplacé par. L.C. 2009, c. 32, par. 29(4) et cette modification s'applique lorsqu'il s'agit de déterminer le montant remboursable à une personne en vertu de l'article 259 pour des périodes de demande se terminant le 1er juillet 2010 ou par la suite. Toutefois, en ce qui concerne les montants ci-après, le montant remboursable à une personne pour sa période de demande qui comprend cette date sera déterminé comme si ces paragraphes n'étaient pas entrés en vigueur :

a) un montant de taxe devenu payable par la personne avant cette date;

b) un montant qui est réputé avoir été payé ou perçu par la personne avant cette date;

c) un montant à ajouter dans le calcul de la taxe nette de la personne du fait, selon le cas :

(i) qu'une de ses succursales ou divisions est devenue une division de petit fournisseur avant cette date,

(ii) qu'elle a cessé d'être un inscrit avant cette date.

Antérieurement, il se lisait ainsi :

(4.1) Sous réserve des paragraphes (4.2) et (4.21), le montant remboursable, en application des paragraphes (3) ou (4), à un organisme déterminé de services publics qui est un organisme de bienfaisance, une institution publique ou un organisme à but non lucratif admissible, au titre d'un bien ou d'un service pour une période de demande, est égal au total des montants suivants :

Le préambule de l'alinéa 259(4.1)b) a été remplacé par L.C. 2000, c. 30, par. 76(3). Cette modification est réputée entrée en vigueur le 1er avril 1997. Antérieurement, il se lisait comme suit :

b) le montant qui correspondrait au résultat du calcul prévu au paragraphe (4) si ce paragraphe s'appliquait à l'organisme et si, à la fois :

Les sous-alinéas 259(4.1)b)(i) à (iii) ont été remplacés et le sous-alinéa (iv) a été ajouté par L.C. 2005, c. 30, par. 22(5) ces modifications s'appliquent selon les modalités sous le par. 259(1)« activités déterminées ».

Antérieurement, les sous-alinéas 259(4.1)b)(i) à (iii) se lisaient ainsi :

(i) la mention « le pourcentage établi » au paragraphe (4) valait mention du pourcentage établi applicable à un organisme déterminé de services publics visé à celui des alinéas a) à e) de la définition de cette expression au paragraphe (1) qui s'applique à l'organisme, moins 50 %,

(ii) la mention « le pourcentage provincial établi » au paragraphe (4) valait mention soit du pourcentage provincial établi applicable à un organisme déterminé de services publics visé à celui des alinéas a) à e) de la définition de cette expression au paragraphe (1) qui s'applique à l'organisme, moins 50 %, soit de 0 %, selon celui de ces pourcentages qui est le plus élevé,

(iii) dans le cas d'un organisme qui n'est pas désigné comme municipalité pour l'application du présent article, la mention « activités précisées » aux éléments C et F des formules figurant au paragraphe (4) valait mention :

(A) dans le cas d'un organisme qui a le statut de municipalité selon l'alinéa b) de la définition de « municipalité » au paragraphe , des activités qu'il exerce dans le cadre de l'exécution de ses responsabilités à titre d'administration locale,

(B) dans les autres cas, des activités que l'organisme exerce dans le cadre de l'exploitation d'un hôpital public, d'une école primaire ou secondaire, d'un collège d'enseignement postsecondaire, d'un institut technique d'enseignement postsecondaire ou d'une institution reconnue qui décerne des diplômes, d'une école affiliée à une telle institution ou de l'institut de recherche d'une telle institution.

Le paragraphe 259(4.1) a été remplacé par L.C. 2004, c. 22, par. 39(4) et cette modification s'applique au calcul du montant remboursable à une personne en vertu de l'article 259 pour les périodes de demande se terminant le 1er février 2004 ou par la suite. Toutefois, en ce qui concerne les montants ci-après, le montant remboursable à une personne pour sa période de demande qui comprend cette date est calculé comme si ce paragraphe n'était pas entré en vigueur :

a) un montant de taxe devenu payable par la personne avant cette date;

b) un montant réputé avoir été payé ou perçu par la personne avant cette date;

c) un montant à ajouter dans le calcul de la taxe nette de la personne du fait, selon le cas :

(i) qu'une de ses succursales ou divisions est devenue une division de petit fournisseur avant cette date,

(ii) qu'elle a cessé d'être un inscrit avant cette date.

Auparavant, il se lisait comme suit :

(4.1) Sous réserve du paragraphe (4.2), le montant remboursable, en application des paragraphes (3) ou (4), à un organisme déterminé de services publics qui est un organisme de bienfaisance, une institution publique ou un organisme à but non lucratif admissible, au titre d'un bien ou d'un service pour une période de demande, est égal au total des montants suivants :

a) 50 % de la taxe exigée non admise au crédit relative au bien ou au service pour la période de demande;

b) le total des montants représentant chacun le montant qui correspondrait au résultat du calcul prévu au paragraphe (4) relativement au bien ou au service pour la période de demande si ce paragraphe s'appliquait à l'organisme et si, à la fois :

(i) la mention de « le pourcentage réglementaire » à ce paragraphe était remplacée par « le pourcentage réglementaire applicable à un organisme déterminé de services publics visé à celui des alinéas a) à e) de la définition de cette expression au paragraphe (1) qui s'applique à la personne, moins 50 % »,

(ii) dans le cas d'un organisme qui n'est pas désigné comme municipalité pour l'application du présent article, l'expression « activités précisées » à l'élément C de la formule figurant à ce paragraphe était remplacée :

(A) dans le cas d'une personne qui a le statut de municipalité selon l'alinéa b) de la définition de « municipalité » au paragraphe 123(1), par « activités que la personne exerce dans le cadre de l'exécution de ses responsabilités à titre d'administration locale »,

(B) dans les autres cas, par « activités que la personne exerce dans le cadre de l'exploitation d'un hôpital public, d'une école primaire ou secondaire, d'un collège d'enseignement postsecondaire, d'un institut technique d'enseignement postsecondaire ou d'une institution reconnue qui décerne des diplômes, d'une école affiliée à une telle institution ou de l'institut de recherche d'une telle institution ».

Le préambule du paragraphe 259(4.1) a été modifié par L.C. 1997, c. 10, par. 227(4) et cette modification est entrée en vigueur le 1er avril 1997. Ce préambule se lisait auparavant comme suit :

(4.1) Le montant remboursable, en application des paragraphes (3) ou (4), à un organisme déterminé de services publics qui est un organisme de bienfaisance, une institution publique ou un organisme à but non lucratif admissible, au titre d'un bien ou d'un service pour une période de demande, est égal au total des montants suivants :

L'alinéa 259(4.1)b) a été modifié par L.C. 1997, c. 10, par. 227(5) et cette modification est entrée en vigueur le 1er avril 1997. Auparavant, cet alinéa se lisait comme suit :

b) le résultat du calcul suivant :

$$A \times (B - 50\ \%) \times C$$

où

A représente la taxe exigée non admise au crédit,

B le pourcentage réglementaire applicable à un organisme déterminé de services publics visé à celui des alinéas a) à e) de la définition de « organisme déterminé de services publics », au paragraphe (1), qui s'applique à l'organisme,

C le pourcentage qui serait déterminé à l'élément B de la formule figurant au paragraphe (4) si ce paragraphe s'appliquait à l'organisme et si, dans le cas d'un organisme qui n'est pas désigné comme municipalité pour l'application du présent article, l'expression « activités précisées » aux alinéas a) à c) de cet élément était remplacée :

(i) dans le cas d'une personne qui a le statut de municipalité selon l'alinéa b) de la définition de « municipalité » au paragraphe 123(1), par « activités que la personne exerce dans le cadre de l'exécution de ses responsabilités à titre d'administration locale »,

(ii) dans les autres cas, par « activités que la personne exerce dans le cadre de l'exploitation d'un hôpital public, d'une école primaire ou secondaire, d'un collège d'enseignement postsecondaire, d'un institut technique d'enseignement postsecondaire ou d'une institution reconnue qui décerne des diplômes, d'une école affiliée à une telle institution ou de l'institut de recherche d'une telle institution ».

Le paragraphe 259(4.1) a été ajouté par L.C. 1997, c. 10, par. 64(1) et s'applique :

a) dans le cas d'une personne que le ministre du Revenu national a désignée comme municipalité pour l'application de l'article 259, aux périodes de demande qui se terminent après 1990;

b) dans les autres cas, aux remboursements visés par une demande reçue par le ministre du Revenu national après le 23 avril 1996 ou réputée produite par l'effet de l'alinéa 296(5)a) par suite d'une cotisation établie après cette date.

Concordance québécoise: LTVQ, art. 386.2.

Info TPS/TVQ [par. 259(4.1)]: GI-067 — *Lignes directrices générales en matière de TPS/TVH pour les organismes de bienfaisance*; GI-068 — *Lignes directrices générales en matière de TPS/TVH pour les institutions publiques.*

(4.2) Exclusions — Lorsqu'il s'agit de calculer le montant remboursable à une personne, pour le calcul du montant prévu aux alinéas (3)a) ou (4)a), ou à l'alinéa (4.1)a) si le pourcentage provincial établi pour le calcul est de 0 % et que la personne est un organisme déterminé de services publics visé soit à l'un des alinéas a) à e) de la définition de « organisme déterminé de services publics » au paragraphe (1), soit aux alinéas f) ou g) de cette définition si la personne réside à Terre-Neuve-et-Labrador, la taxe prévue au paragraphe 165(2), aux articles 212.1 ou 218.1 ou à la section IV.1 qui est payable par la personne, ou réputée avoir été payée ou perçue par elle, n'est pas incluse :

a) dans le montant visé à l'un des sous-alinéas a)(i) à (iv) de la définition de « taxe exigée non admise au crédit » au paragraphe (1);

b) dans le montant visé au sous-alinéa a)(v) de cette définition qui est à ajouter, en application du paragraphe 129(7), dans le calcul de la taxe nette de la personne;

c) dans le calcul du montant visé au sous-alinéa a)(v) de cette définition qui représente un crédit de taxe sur les intrants à ajouter, en application de l'alinéa 171(4)b), dans le calcul de la taxe nette de la personne.

Notes historiques: Le préambule du paragraphe 259(4.2) a été remplacé par L.C. 2007, c. 18, par. 44(2) et cette modification s'applique au calcul du montant remboursable à une personne en vertu de l'article 259 pour les périodes de demande se terminant le 1er janvier 2005 ou par la suite. Toutefois, en ce qui concerne les montants ci-après, le montant remboursable à une personne pour sa période de demande qui comprend cette date sera calculé comme si ce paragraphe n'était pas entré en vigueur :

a) tout montant de taxe devenu payable par la personne avant cette date;

b) tout montant réputé avoir été payé ou perçu par la personne avant cette date;

c) tout montant à ajouter dans le calcul de la taxe nette de la personne du fait, selon le cas :

(i) qu'une de ses succursales ou divisions est devenue une division de petit fournisseur avant cette date,

(ii) qu'elle a cessé d'être un inscrit avant cette date.

Antérieurement, il se lisait ainsi :

(4.2) Lorsqu'il s'agit de calculer le montant remboursable à une personne, pour le calcul du montant prévu aux alinéas (3)a) ou (4)a), ou à l'alinéa (4.1)a) si le taux provincial établi pour le calcul est de 0 % et que la personne est un organisme déterminé de services publics visé soit à l'un des alinéas a) à e) de la définition de « organisme déterminé de services publics » au paragraphe (1), soit aux alinéas f) ou g) de cette définition si la personne réside à Terre-Neuve-et-Labrador, la taxe prévue au paragraphe 165(2), aux articles 212.1 ou 218.1 ou à la section IV.1 qui est payable par la personne, ou réputée avoir été payée ou perçue par elle, n'est pas incluse :

Le préambule du sous-paragraphe 259(4.2) a été remplacé par L.C. 2005, c. 43, par. 22(6) et cette modification s'applique selon les modalités sous le par. 259(1)« activités déterminées ».

Antérieurement, le préambule du sous-paragraphe 259(4.2) se lisait ainsi :

(4.2) Pour le calcul du montant prévu aux alinéas (3)a) ou (4)a), en vue du calcul du montant remboursable à une personne, la taxe prévue au paragraphe 165(2), aux articles 212.1 ou 218.1 ou à la section IV.1 qui est payable par la personne, ou réputée avoir été payée ou perçue par elle, n'est pas incluse :

Le paragraphe 259(4.2) a été remplacé par L.C. 2004, c. 22, par. 39(4) et cette modification s'applique au calcul du montant remboursable à une personne en vertu de l'article 259 pour les périodes de demande se terminant le 1er février 2004 ou par la suite. Toutefois, en ce qui concerne les montants ci-après, le montant remboursable à une personne pour sa période de demande qui comprend cette date est calculé comme si ce paragraphe n'était pas entré en vigueur :

a) un montant de taxe devenu payable par la personne avant cette date;

b) un montant réputé avoir été payé ou perçu par la personne avant cette date;

c) un montant à ajouter dans le calcul de la taxe nette de la personne du fait, selon le cas :

(i) qu'une de ses succursales ou divisions est devenue une division de petit fournisseur avant cette date,

(ii) qu'elle a cessé d'être un inscrit avant cette date.

Auparavant, il se lisait comme suit :

(4.2) Pour le calcul du remboursement payable aux termes du présent article à une personne, la taxe prévue au paragraphe 165(2), aux articles 212.1 et 218.1 ou à la section IV.1 qui est payable par la personne, ou réputée avoir été payée ou perçue par elle, n'est pas incluse :

a) dans le montant visé à l'un des sous-alinéas a)(i) à (iv) de la définition de « taxe exigée non admise au crédit » au paragraphe (1);

b) dans le montant visé au sous-alinéa (v) de cette définition qui est à ajouter, en application du paragraphe 129(7), dans le calcul de la taxe nette de la personne;

c) dans le calcul du montant visé au sous-alinéa (v) de cette définition qui représente un crédit de taxe sur les intrants à ajouter, en application de l'alinéa 171(4)b), dans le calcul de la taxe nette de la personne.

Le paragraphe 259(4.2) a été remplacé par L.C. 2000, c. 30, par. 76(4). Cette modification est réputée entrée en vigueur le 1er avril 1997. Antérieurement, il se lisait comme suit :

(4.2) Pour le calcul du remboursement payable aux termes du présent article à une personne (sauf celle à laquelle s'applique le paragraphe (4.3)), la taxe prévue au paragraphe 165(2), aux articles 212.1 ou 218.1 ou à la section IV.1 qui est payable par la personne, ou réputée avoir été payée ou perçue par elle, n'est pas incluse :

a) dans le montant visé à l'un des sous-alinéas a)(i) à (iv) de la définition de « taxe exigée non admise au crédit » au paragraphe (1);

b) dans le montant visé au sous-alinéa (v) de cette définition qui est à ajouter, en application du paragraphe 129(7), dans le calcul de la taxe nette de la personne;

c) dans le calcul du montant visé au sous-alinéa (v) de cette définition qui représente un crédit de taxe sur les intrants à ajouter, en application de l'alinéa 171(4)b), dans le calcul de la taxe nette de la personne;

Le présent paragraphe ne s'applique pas aux personnes suivantes :

d) les organismes de bienfaisance et les organismes à but non lucratif admissibles résidant dans une province participante;

e) les organismes déterminés de services publics résidant en Nouvelle-Écosse;

f) les municipalités du Nouveau-Brunswick.

Le paragraphe 259(4.2) a été ajouté par L.C. 1997, c. 10, par. 227(6) et est entré en vigueur le 1er avril 1997.

Concordance québécoise: aucune.

(4.21) Exclusions — Pour le calcul du montant prévu aux alinéas (3)b) ou (4)b), en vue du calcul du montant remboursable à une personne, la taxe prévue au paragraphe 165(1) ou aux articles 212 ou 218 qui est payable par la personne, ou réputée avoir été payée ou perçue par elle, n'est pas incluse :

a) dans le montant visé à l'un des sous-alinéas a)(i) à (iv) de la définition de « taxe exigée non admise au crédit » au paragraphe (1);

b) dans le montant visé au sous-alinéa a)(v) de cette définition qui est à ajouter, en application du paragraphe 129(7), dans le calcul de la taxe nette de la personne;

c) dans le calcul du montant visé au sous-alinéa a)(v) de cette définition qui représente un crédit de taxe sur les intrants à ajouter, en application de l'alinéa 171(4)b), dans le calcul de la taxe nette de la personne.

Notes historiques: Le paragraphe 259(4.21) a été remplacé par L.C. 2004, c. 22, par. 39(4) et cette modification s'applique au calcul du montant remboursable à une personne en vertu de l'article 259 pour les périodes de demande se terminant le 1er février 2004 ou par la suite. Toutefois, en ce qui concerne les montants ci-après, le montant remboursable à une personne pour sa période de demande qui comprend cette date est calculé comme si ce paragraphe n'était pas entré en vigueur :

a) un montant de taxe devenu payable par la personne avant cette date;

b) un montant réputé avoir été payé ou perçu par la personne avant cette date;

c) un montant à ajouter dans le calcul de la taxe nette de la personne du fait, selon le cas :

(i) qu'une de ses succursales ou divisions est devenue une division de petit fournisseur avant cette date,

(ii) qu'elle a cessé d'être un inscrit avant cette date.

Auparavant, il se lisait comme suit :

(4.21) Le paragraphe (4.2) ne s'applique pas aux personnes suivantes :

a) les organismes de bienfaisance qui ne sont pas des organismes déterminés de services publics et qui résident dans une province participante;

b) les organismes à but non lucratif admissibles qui ne sont pas des organismes déterminés de services publics et qui résident dans une province participante;

c) les organismes déterminés de services publics résidant en Nouvelle-Écosse;

d) les municipalités résidant au Nouveau-Brunswick.

Le paragraphe 259(4.21) a été ajouté par L.C. 2000, c. 30, par. 76(5). Cette modification est réputée entrée en vigueur le 1er avril 1997. Toutefois, il n'est pas tenu compte du passage « qui ne sont pas des organismes déterminés de services publics et » aux alinéas 259(4.21)a) et b) aux fins du calcul de la partie d'un remboursement payable à une personne en vertu de l'article 259 qui, à la fois :

a) se rapporte à la taxe prévue au paragraphe 165(2), aux articles 212.1 or 218.1 ou à la section IV.1 de la même loi;

b) a fait l'objet d'une demande que le ministre du Revenu national a reçue, compte non tenu de l'application du paragraphe 334(1) avant le 26 novembre 1997;

c) a été calculée selon le pourcentage fixé par règlement pour l'application du paragraphe 259(4) relativement à un organisme déterminé de services publics visé à celui des alinéas a) à e) de la définition de cette expression, au paragraphe 259(1), qui s'applique à la personne.

Concordance québécoise: aucune.

(4.3) Remboursement à certains organismes déterminés de services publics de Terre-Neuve — Malgré le paragraphe (4.1), le remboursement prévu au présent article relativement à un bien ou un service pour une période de demande est payable à la personne qui répond aux conditions suivantes :

a) elle est un organisme déterminé de services publics résidant à Terre-Neuve;

b) elle est un organisme de bienfaisance, une institution publique ou un organisme à but non lucratif admissible;

c) elle exerce des activités (appelées « autres activités » au présent paragraphe) qui :

(i) dans le cas d'une personne désignée comme municipalité pour l'application du présent article, ne sont pas des activités précisées dans le cadre du paragraphe (4),

(ii) dans les autres cas, sont exercées hors du cadre :

(A) de l'exécution de ses responsabilités à titre d'administration locale,

(B) de l'exploitation d'un hôpital public, d'une école primaire ou secondaire, d'un collège d'enseignement postsecondaire, d'un institut technique d'enseignement postsecondaire ou d'une institution reconnue qui décerne des diplômes, d'une école affiliée à une telle institution ou de l'institut de recherche d'une telle institution,

(C) de la réalisation de fournitures en établissement, de fournitures connexes ou de fournitures de biens ou de services médicaux à domicile, ou de l'exploitation d'un établissement admissible en vue de la réalisation de fournitures en établissement.

Le montant du remboursement correspond au total des montants suivants :

d) le montant de remboursement déterminé par ailleurs selon le paragraphe (4.1);

e) le total des montants représentant chacun le montant qui serait déterminé selon les alinéas (4)a) ou b) relativement au bien ou au service pour la période de demande si, à la fois :

(i) le pourcentage établi visé au paragraphe (4) était de 0 %,

(ii) le pourcentage provincial établi visé à ce paragraphe était de 50 %,

(iii) la mention « activités précisées » à l'élément F de la deuxième formule figurant à ce paragraphe valait mention des autres activités de la personne.

Notes historiques: Le sous-alinéa 259(4.3)c)(ii) a été remplacé par L.C. 2005, c. 30, par. 22(7) et cette modification s'applique selon les modalités sous le par. 259(1)« activités déterminées ». Antérieurement, le sous-alinéa 259(4.3)c)(ii) se lisait ainsi :

(ii) dans les autres cas, sont exercées hors du cadre de l'exécution de ses responsabilités à titre d'administration locale ou de l'exploitation d'un hôpital public, d'une école primaire ou secondaire, d'un collège d'enseignement postsecondaire, d'un institut technique d'enseignement postsecondaire ou d'une institution reconnue qui décerne des diplômes, d'une école affiliée à une telle institution ou de l'institut de recherche d'une telle institution.

L'alinéa 259(4.3)e) a été remplacé par L.C. 2004, c. 22, par. 39(5) et cette modification s'applique au calcul du montant remboursable à une personne en vertu de l'article 259 pour les périodes de demande se terminant le 1er février 2004 ou par la suite. Toutefois, en ce qui concerne les montants ci-après, le montant remboursable à une personne pour sa période de demande qui comprend cette date est calculé comme si cet alinéa n'était pas entré en vigueur :

a) un montant de taxe devenu payable par la personne avant cette date;

b) un montant réputé avoir été payé ou perçu par la personne avant cette date;

c) un montant à ajouter dans le calcul de la taxe nette de la personne du fait, selon le cas :

(i) qu'une de ses succursales ou divisions est devenue une division de petit fournisseur avant cette date,

(ii) qu'elle a cessé d'être un inscrit avant cette date.

Antérieurement, il se lisait ainsi :

e) le total des montants représentant chacun le montant qui correspondrait au résultat du calcul prévu au paragraphe (4) relativement au bien ou au service pour la période de demande si, à la fois :

(i) le pourcentage réglementaire visé à ce paragraphe était de 50 %,

(ii) la mention de « activités précisées » à l'élément C de la formule figurant à ce paragraphe valait mention des autres activités de la personne,

(iii) le paragraphe (4.2) ne s'appliquait pas à la personne, et les taxes prévues au paragraphe 165(1) et aux articles 212 et 218 n'étaient incluses :

(A) ni dans le montant visé à l'un des sous-alinéas a)(i) à (iv) de la définition de « taxe exigée non admise au crédit » au paragraphe (1),

(B) ni dans le montant visé au sous-alinéa (v) de cette définition qui est à ajouter, en application du paragraphe 129(7), dans le calcul de la taxe nette de la personne,

(C) ni dans le calcul du montant visé au sous-alinéa (v) de cette définition qui représente un crédit de taxe sur les intrants à ajouter, en application de l'alinéa 171(4)b), dans le calcul de la taxe nette de la personne.

Le paragraphe 259(4.3) a été remplacé par L.C. 2000, c. 30, par. 76(6). Cette modification est réputée entrée en vigueur le 1er avril 1997. Antérieurement, il se lisait comme suit :

(4.3) Le montant du remboursement prévu au présent article qui est payable à un organisme à but non lucratif admissible résidant à Terre-Neuve que le ministre a désigné comme municipalité pour l'application du présent article correspond au total des montants suivants :

a) le montant de remboursement qui serait déterminé si le paragraphe (4.2) s'appliquait à l'organisme;

b) le montant qui correspondrait au résultat du calcul prévu au paragraphe (4) si le pourcentage réglementaire visé à ce paragraphe était de 50 %, si la mention de « activités précisées » à l'élément C de la formule figurant à ce paragraphe valait mention de « activités de la personne qui ne sont pas des activités précisées » et si les taxes prévues au paragraphe 165(1) et aux articles 212 et 218 n'étaient pas incluses :

(i) dans le montant visé à l'un quelconque des sous-alinéas a)(i) à (iv) de la définition de « taxe exigée non admise au crédit » au paragraphe (1),

(ii) dans le montant visé au sous-alinéa (v) de cette définition qui est à ajouter, en application du paragraphe 129(7), dans le calcul de la taxe nette de l'organisme,

(iii) dans le calcul du montant visé au sous-alinéa (v) de cette définition qui représente un crédit de taxe sur les intrants à ajouter, en application de l'alinéa 171(4)b), dans le calcul de la taxe nette de l'organisme.

Le paragraphe 259(4.3) a été ajouté par L.C. 1997, c. 10, par. 227(7) et est entré en vigueur le 1er avril 1997.

Concordance québécoise: aucune.

(5) Demande de remboursement — Un remboursement prévu au présent article relativement à une période de demande de l'exercice d'une personne est accordé si la personne en fait la demande après le premier jour de cet exercice où elle est un organisme déterminé de services publics, un organisme de bienfaisance ou un organisme à but non lucratif admissible et dans les quatre ans suivant le jour ci-après :

a) si la personne est un inscrit, le jour où elle est tenue de produire une déclaration aux termes de la section V pour la période de demande;

b) sinon, le dernier jour de la période de demande.

Notes historiques: Le préambule du paragraphe 259(5) a été remplacé par L.C. 2000, c. 30, par. 76(7). Cette modification est réputée entrée en vigueur le 17 décembre 1990. Antérieurement, il se lisait comme suit :

(5) Le remboursement est accordé pour la taxe exigée non admise au crédit d'une période de demande d'un exercice si la personne en fait la demande après le premier jour de l'exercice où elle est un organisme déterminé de services publics, un organisme de bienfaisance ou un organisme à but non lucratif admissible et dans les quatre ans suivant le jour ci-après :

Le paragraphe 259(5) a été modifié par L.C. 1993, c. 27, par. 115(3) et est réputé entré en vigueur le 17 décembre 1990. Il se lisait comme suit :

(5) Le remboursement n'est versé que si la personne en fait la demande après le premier jour de l'exercice où elle est un organisme déterminé de services publics, un organisme de bienfaisance ou un organisme à but non lucratif admissible et dans les quatre ans suivant le jour suivant :

a) si la personne est un inscrit, le jour où elle est tenue de produire une déclaration aux termes de la section V pour la période de demande;

b) sinon, le dernier jour de la période de demande.

Le paragraphe 259(5) a été édicté par L.C. 1990, c. 45, par. 12(1).

Concordance québécoise: LTVQ, art. 387.

(5.1) Exception — Les règles suivantes s'appliquent lorsque la taxe relative à une fourniture de bien ou de service est devenue payable par une personne au cours d'une période de demande donnée, que le fournisseur n'a pas exigé la taxe relative à la fourniture avant la fin de la dernière période de demande de la personne se terminant dans les quatre ans après la fin de la période donnée, que le fournisseur informe la personne par écrit que le ministre a établi une cotisation à l'égard de cette taxe et que la personne paie cette taxe après la fin de cette dernière période de demande et avant que cette taxe ne soit incluse dans le calcul d'un remboursement qu'elle demande en vertu du présent article :

a) pour l'application du présent article, cette taxe est réputée être devenue payable par la personne au cours de sa période de demande où elle l'a payée et ne pas être devenue payable au cours de la période donnée;

b) la fraction du montant remboursable à la personne aux termes du présent article relativement au bien ou au service pour sa période de demande au cours de laquelle elle paie cette taxe qui dépasse le montant qui lui serait remboursé compte non tenu du présent paragraphe, à la fois :

(i) peut, malgré le paragraphe (6), faire l'objet d'une demande distincte de sa demande visant d'autres remboursements prévus au présent article pour cette période,

(ii) ne peut être payée à la personne que si elle fait l'objet d'une demande présentée par celle-ci après le début de son exercice qui comprend cette période et après le premier jour de cet exercice où cette personne est un organisme déterminé de services publics, un organisme de bienfaisance ou un organisme à but non lucratif admissible et :

(A) si la personne est un inscrit, au plus tard à la date limite où elle est tenue de produire la déclaration prévue à la section V pour cette période,

(B) sinon, dans le mois suivant la fin de cette période;

c) le paragraphe (5) s'applique à la fraction restante de ce montant comme si elle se rapportait à un bien ou service distinct.

Notes historiques: Le paragraphe 259(5.1) a été ajouté par L.C. 2000, c. 30, par. 76(8) et est réputé entré en vigueur le 17 décembre 1990.

Concordance québécoise: LTVQ, art. 387.1.

(6) Une demande par période — Sauf en cas d'application des paragraphes (10) ou (11), une personne ne peut faire plus d'une demande de remboursement par période de demande.

Notes historiques: Le paragraphe 259(6) a été modifié par L.C. 1993, c. 27, par. 115(3) et cette modification est réputé entré en vigueur le 17 décembre 1990. Le paragraphe 259(6), édicté par L.C. 1990, c. 45, par. 12(1), se lisait comme suit :

> (6) Une personne ne peut faire plus d'une demande de remboursement par période de demande aux termes du présent article.

Concordance québécoise: LTVQ, art. 388.

(7) Organisme déterminé de services publics — L'organisme déterminé de services publics qui acquiert ou importe un bien ou un service pour consommation, utilisation ou fourniture principalement dans le cadre des activités exercées par un autre organisme déterminé de services publics est réputé, aux fins du calcul du montant remboursable au titre de la taxe exigée non admise au crédit relativement au bien ou au service pour une de ses périodes de demande, exercer ces activités.

Notes historiques: Le paragraphe 259(7) a été modifié par L.C. 1993, c. 27, par. 115(3) et est réputé entré en vigueur le 17 décembre 1990. Le paragraphe 259(7) correspond à l'ancien paragraphe 259(12). L'ancien paragraphe 259(7) a été intégré au paragraphe 259(12). Le paragraphe 259(7), édicté par L.C. 1990, c. 45, par. 12(1), se lisait comme suit :

> (7) L'inscrit, sauf l'organisme déterminé de services publics, qui est un organisme de bienfaisance ou un organisme à but non lucratif admissible peut faire un choix pour que son remboursement au titre de la taxe payable relativement à un bien ou un service, non visés par règlement, pour sa période de déclaration où le choix est en vigueur soit déterminé selon les modalités réglementaires.

Concordance québécoise: LTVQ, art. 394.

(8) Organisme déterminé de services publics — Le montant remboursable à une personne au titre de la taxe exigée non admise au crédit pour une période de demande relativement à un bien ou à un service qu'elle acquiert ou importe pour consommation, utilisation ou fourniture principalement dans le cadre des activités qu'elle exerce en sa qualité d'organisme déterminé de services publics visé à l'un des alinéas a) à g) de la définition de « organisme déterminé de services publics » au paragraphe 1) est calculé comme si elle n'était visée à aucun autre de ces alinéas.

Notes historiques: Le paragraphe 259(8) a été remplacé par L.C. 2005, c. 30, par. 22(9) et cette modification s'applique selon les modalités sous le par. 259(1)« activités déterminées ».

Antérieurement, paragraphe 259(8) se lisait ainsi :

> (8) Le montant remboursable à une personne au titre de la taxe exigée non admise au crédit pour une période de demande relativement à un bien ou à un service qu'elle acquiert ou importe pour consommation, utilisation ou fourniture principalement dans le cadre des activités qu'elle exerce en sa qualité d'organisme déterminé de services publics est calculé comme si elle n'était pas un tel organisme.

Le paragraphe 259(8) a été modifié par L.C. 1993, c. 27, par. 115(3) et est réputé entré en vigueur le 17 décembre 1990. Il se lisait comme suit :

> (8) Les règles suivantes s'appliquent si une personne fait le choix prévu au présent article :
>
> a) aucun montant n'est inclus dans le calcul du crédit de taxe sur les intrants de la personne au titre de la taxe payable par elle, pour une période de déclaration où le choix est en vigueur, relativement aux biens meubles ou aux services, non visés par règlement, qui lui sont fournis ou qu'elle importe;
>
> b) les paragraphes 199(3) et 200(2) ne s'appliquent pas à ces biens.

Le paragraphe 259(8) correspond à l'ancien paragraphe 259(13). L'ancien paragraphe 259(8) a été intégré au paragraphe 259(12).

Le paragraphe 259(8) a été édicté par L.C. 1990, c. 45, par. 12(1).

Concordance québécoise: LTVQ, art. 395.

(9) [*Abrogé*]

Notes historiques: Le paragraphe 259(9) a été abrogé par L.C. 2004, c. 22, par. 39(6) et cette abrogation est réputée être entrée en vigueur le 1er février 2004. Il se lisait antérieurement comme suit :

> (9) Pourcentage réglementaire — Malgré le paragraphe 31(4) de la *Loi d'interprétation*, une disposition réglementaire prise en application de la présente partie en vue de fixer un pourcentage pour l'application du présent article ne peut être modifiée ni abrogée ni remplacée de façon à changer le pourcentage applicable à une personne.

Le paragraphe 259(9) a été modifié par L.C. 1993, c. 27, par. 115(3) et est réputé entré en vigueur le 17 décembre 1990. Il se lisait comme suit :

> (9) Le choix d'une personne doit être présenté au ministre en la forme, selon les modalités et avec les renseignements qu'il détermine, et accompagne la déclaration que la personne produit aux termes de la section V pour sa période de déclaration où le choix doit entrer en vigueur. Le choix entre en vigueur le premier jour de cette période.

Le paragraphe 259(9) correspond à l'ancien paragraphe 259(14). L'ancien paragraphe 259(9) est devenu le paragraphe 259(13).

Le paragraphe 259(9) a été édicté par L.C. 1990, c. 45, par. 12(1).

(10) Demandes de succursales et divisions — La personne qui a droit au remboursement, qui exerce des activités dans des succursales ou divisions distinctes et qui est autorisée par le paragraphe 239(2) à produire des déclarations distinctes aux termes de la section V relativement à une succursale ou division est tenue de produire des demandes distinctes aux termes du présent article relativement à la succursale ou division et ne peut présenter plus d'une demande de remboursement relativement à la succursale ou division par période de demande.

Notes historiques: Le paragraphe 259(10) a été modifié par L.C. 1993, c. 27, par. 115(3) et est réputé entré en vigueur le 17 décembre 1990. Il se lisait comme suit :

> (10) La révocation du choix d'une personne est présentée au ministre en la forme, selon les modalités et avec les renseignements qu'il détermine, au plus tard le premier en date des jours suivants :
>
> a) le jour où la personne présente au ministre une demande de remboursement au titre de la taxe payable par elle au cours de la période de demande où la révocation doit entrer en vigueur;
>
> b) le jour où la personne présente au ministre une déclaration aux termes de la section V pour sa période de déclaration où la révocation doit entrer en vigueur.

Le paragraphe 259(10) correspond à l'ancien paragraphe 259(15). L'ancien paragraphe 259(10) est devenu le paragraphe 259(14).

Le paragraphe 259(10) a été édicté par L.C. 1990, c. 45, par. 12(1).

Concordance québécoise: LTVQ, art. 396.

(11) Demande selon l'article 239 — Les règles suivantes s'appliquent à la personne qui n'a pas présenté de demande en vertu de l'article 239, qui a droit au remboursement et qui exerce des activités dans des succursales ou divisions distinctes :

a) pour l'application de l'article 239 à la personne, les mentions de « activité commerciale », « déclarations distinctes aux termes de la présente section » et « l'inscrit » à cet article valent respectivement mention de « activité », « demandes distinctes aux termes de l'article 259 » et « la personne »;

b) si, par l'effet du présent paragraphe, une succursale ou division de la personne est autorisée par l'article 239 à produire des demandes de remboursement distinctes aux termes du présent article, la personne ne peut présenter plus d'une demande relativement à la succursale ou division par période de demande;

c) la personne qui, par l'effet du présent paragraphe, est autorisée par l'article 239 à produire des demandes de remboursement distinctes aux termes du présent article relativement à une succursale ou division et qui est tenue de produire des déclarations aux termes de la section V doit produire des déclarations distinctes aux termes de cette section relativement à la succursale ou division.

Notes historiques: Le paragraphe 259(11) a été modifié par L.C. 1993, c. 27, par. 115(3) et est réputé entré en vigueur le 17 décembre 1990. Il se lisait comme suit :

(11) La personne qui cesse d'être un inscrit après avoir fait le choix est réputée avoir révoqué le choix conformément au présent article immédiatement avant de cesser d'être un inscrit.

Le paragraphe 259(11) correspond à l'ancien paragraphe 259(16). L'ancien paragraphe 259(11) est devenu le paragraphe 259(15).

Le paragraphe 259(11) a été édicté par L.C. 1990, c. 45, par. 12(1).

Concordance québécoise: LTVQ, art. 397.

(12) Calcul prévu par règlement — Une personne visée par règlement peut déterminer le montant qui lui est remboursable en vertu du présent article en conformité avec les dispositions réglementaires.

Notes historiques: Le paragraphe 259(12) a été modifié par L.C. 1997, c. 10, par 69(8) et cette modification s'applique au calcul du remboursement prévu à l'article 259, modifié par les paragraphes (1), (2) et (5) à (7), pour ce qui est de la taxe exigée non admise au crédit pour les périodes de demande qui commencent après :

a) 1996, dans le cas du paragraphe (3);

b) le 23 avril 1996, dans les autres cas.

Il se lisait comme suit :

(12) Une personne visée par règlement peut faire un choix pour que les montants qui lui sont remboursables en vertu du présent article au titre de la taxe exigée non admise au crédit relativement à des biens ou à des services pour les périodes de demande au cours desquelles le choix est en vigueur soient déterminés selon les dispositions réglementaires.

Auparavant, ce paragraphe a été modifié par L.C. 1993, c. 27, par. 115(3) et est réputé entré en vigueur le 17 décembre 1990. Il se lisait comme suit :

(12) L'organisme déterminé de services publics qui doit payer une taxe relativement à un bien ou à un service qu'il a acquis ou importé principalement pour consommation, utilisation ou fourniture dans le cadre des activités exercées par un autre semblable organisme est réputé exercer ces activités aux fins du calcul de son remboursement au titre de cette taxe.

Le paragraphe 259(12) correspond à l'ancien paragraphe 259(7). L'ancien paragraphe 259(12) est devenu le paragraphe 259(7).

Le paragraphe 259(12) a été édicté par L.C. 1990, c. 45, par. 12(1).

Concordance québécoise: LTVQ, art. 389.

(13) Communication de renseignements concernant le remboursement municipal — Si le montant remboursable à une municipalité aux termes des paragraphes (3) ou (4) — qui a été approuvé pour paiement par le ministre — fait l'objet d'une augmentation par suite de l'application à la municipalité du pourcentage établi au lieu de 57,14 % pour une période, le ministre peut, malgré l'article 295, fournir, pour publication par le gouvernement du Canada, des renseignements concernant le montant de l'augmentation ainsi que tous renseignements permettant d'identifier la municipalité. Une fois rendus publics, ces renseignements ne constituent pas des renseignements confidentiels pour l'application de l'article 295.

Notes historiques: Le paragraphe 259(13) a été réédicté par L.C. 2004, c. 22, par. 39(7) et est réputé être entré en vigueur le 14 mai 2004.

Le paragraphe 259(13) a été abrogé par L.C. 1997, c. 10, par. 69(8) et cette abrogation s'applique au calcul du remboursement prévu à l'article 259, modifié par les paragraphes (1), (2) et (5) à (7), pour ce qui est de la taxe exigée non admise au crédit pour les périodes de demande qui commencent après :

a) 1996, dans le cas du paragraphe (3);

b) le 23 avril 1996, dans les autres cas.

Il se lisait comme suit :

(13) Le choix n'est valide que s'il est fait au plus tard le jour où la personne présente au ministre une demande concernant les montants qui lui sont remboursables en vertu du présent article au titre de la taxe exigée non admise au crédit pour la période de demande qui comprend le jour où le choix doit entrer en vigueur, lequel jour doit être le premier d'une période de demande de la personne.

Le paragraphe 259(13) a auparavant été modifié par L.C. 1993, c. 27, par. 115(3) et était réputé entré en vigueur le 17 décembre 1990. Il se lisait comme suit :

(13) Le remboursement d'une personne au titre de sa taxe payable relativement à un bien ou à un service qu'elle a acquis ou importé principalement pour consommation, utilisation ou fourniture dans le cadre des activités qu'elle exerce en qualité d'organisme déterminé de services publics est calculé comme si elle n'était pas un tel organisme.

Le paragraphe 259(13) correspond à l'ancien paragraphe 259(9). L'ancien paragraphe 259(13) est devenu le paragraphe 259(8).

Le paragraphe 259(13) a été édicté par L.C. 1990, c. 45, par. 12(1).

Concordance québécoise: aucune.

(14) Application — Pour l'application du présent article, la personne qui engage la totalité ou la presque totalité de la taxe qui entre dans le calcul du montant de la taxe exigée non admise au crédit relativement à un bien ou un service pour sa période de demande en sa qualité d'administration hospitalière, d'exploitant d'établissement ou de fournisseur externe est réputée avoir engagé la totalité de la taxe qui entre dans le calcul de ce montant dans le cadre de l'exécution de ses responsabilités à titre d'administration hospitalière, d'exploitant d'établissement ou de fournisseur externe, selon le cas.

Notes historiques: Le paragraphe 259(14) a été réédicté par L.C. 2005, c. 30, par. 22(10) et s'applique selon les modalités sous le par. 259(1)« activités déterminées ».

Le paragraphe 259(14) a été abrogé par L.C. 1997, c. 10, par. 69(8) et cette abrogation s'applique au calcul du remboursement prévu à l'article 259, modifié par les paragraphes (1), (2) et (5) à (7), pour ce qui est de la taxe exigée non admise au crédit pour les périodes de demande qui commencent après :

a) 1996, dans le cas du paragraphe (3);

b) le 23 avril 1996, dans les autres cas.

Il se lisait comme suit :

(14) La personne peut révoquer son choix, auquel cas la révocation prend effet le premier jour d'une période de demande de cette personne.

Le paragraphe 259(14) a auparavant été modifié par L.C. 1993, c. 27, par. 115(3) et était réputé entré en vigueur le 17 décembre 1990. Il se lisait comme suit :

(14) Par dérogation au paragraphe 31(4) de la *Loi d'interprétation*, une disposition réglementaire prise en application de la présente partie en vue de fixer un pourcentage pour l'application du paragraphe (4) ne peut être modifiée, abrogée ou remplacée.

Le paragraphe 259(14) correspond à l'ancien paragraphe 259(10). L'ancien paragraphe 259(14) est devenu le paragraphe 259(9).

Le paragraphe 259(14) a été édicté par L.C. 1990, c. 45, par. 12(1).

Concordance québécoise: LTVQ, art. 397.1.

(15) Fournitures déterminées — Malgré les paragraphes (3), (4) et (4.1), pour calculer, selon le paragraphe (4.1), le montant remboursable en application des paragraphes (3) ou (4) à une personne - administration hospitalière, exploitant d'établissement ou fournisseur externe -pour sa période de demande, dans le cas où la personne est tenue de calculer selon l'alinéa (4.1)b), relativement à la fourniture déterminée d'un de ses biens effectuée à un moment quelconque, un montant donné qui serait calculé selon la formule figurant à l'alinéa (4)a) pour la période de demande si le paragraphe (4) s'appliquait à elle, et où la valeur de l'élément C de cette formule représente la mesure dans laquelle elle avait l'intention, à ce moment, de consommer, d'utiliser ou de fournir le bien dans le cadre d'activités déterminées, le montant donné est calculé selon la formule suivante :

$$A \times B$$

où :

A représente le montant qui, en l'absence du présent paragraphe, représenterait le montant donné;

B le montant obtenu par la formule suivante :

$$(B_1 – B_2) /B1$$

où :

B_1 représente la juste valeur marchande du bien au moment de la fourniture,

B_2 la juste valeur marchande du bien le 1er janvier 2005.

Notes historiques: Le paragraphe 259(15) a été réédicté par L.C. 2005, c. 30, par. 22(10) et s'applique selon les modalités sous le par. 259(1)« activités déterminées ».

Le paragraphe 259(15) a été abrogé par L.C. 1997, c. 10, par. 69(8) et cette abrogation s'applique au calcul du remboursement prévu à l'article 259, modifié par les paragraphes (1), (2) et (5) à (7), pour ce qui est de la taxe exigée non admise au crédit pour les périodes de demande qui commencent après :

a) 1996, dans le cas du paragraphe (3);

b) le 23 avril 1996, dans les autres cas.

Il se lisait comme suit :

(15) Le choix cesse d'être en vigueur au moment où la personne cesse d'être visée par règlement pour l'application du paragraphe (12) ou, s'il est antérieur, au moment où la révocation entre en vigueur.

Le paragraphe 259(15) a été modifié par L.C. 1993, c. 27, par. 115(3) et était réputé entré en vigueur le 17 décembre 1990. Il se lisait comme suit :

(15) Dans les cas où une personne, ayant droit à un remboursement en application du paragraphe (4), exerce une ou plusieurs activités dans des succursales ou divisions distinctes et est autorisée par le paragraphe 239(2) à produire des déclarations distinctes aux termes de la section V relativement à une succursale ou division, les règles suivantes s'appliquent :

a) la personne doit produire des demandes distinctes aux termes du présent article relativement à la succursale ou division;

b) la succursale ou division ne peut présenter plus d'une demande de remboursement aux termes du présent article par période de demande de la personne.

Le paragraphe 259(15) correspond à l'ancien paragraphe 259(11). L'ancien paragraphe 259(15) est devenu le paragraphe 259(10).

Le paragraphe 259(15) a été édicté par L.C. 1990, c. 45, par. 12(1).

Concordance québécoise: LTVQ, art. 397.2.

(16) *[Abrogé]*

Notes historiques: Le paragraphe 259(16) a été abrogé par L.C. 1993, c. 27, par. 115(3) rétroactivement au 17 décembre 1990 et est devenu le paragraphe 259(11). Il se lisait comme suit :

(16) Dans le cas où une personne, n'ayant pas présenté de demande aux termes de l'article 239, a droit à un remboursement en application du paragraphe (4) et exerce une ou plusieurs activités dans des succursales ou divisions distinctes, les règles suivantes s'appliquent :

a) l'article 239 s'applique à la personne comme si l'expression « activités commerciales » à cet article était remplacée par l'expression « activités », comme si le passage, à cet article, « déclarations distinctes aux termes de la présente section » était remplacé par le passage « demandes distinctes aux termes de l'article 259 » et comme si le mot « inscrit », à cet article, était remplacé par le mot « personne », compte tenu des adaptations grammaticales nécessaires;

b) si, par l'effet du présent paragraphe, une succursale ou division de la personne est autorisée par l'article 239 à produire des demandes de remboursement distinctes aux termes du présent article, elle ne peut présenter plus d'une telle demande par période de demande de la personne;

c) si, par l'effet du présent paragraphe, la personne est autorisée par l'article 239 à produire des demandes de remboursement distinctes aux termes du présent article relativement à une succursale ou division et si elle est tenue de produire des déclarations aux termes de la section V, elle doit produire des déclarations distinctes aux termes de cette section relativement à la succursale ou division.

Le paragraphe 259(16) a été édicté par L.C. 1990, c. 45, par. 12(1).

Définitions [art. 259]: « accord d'harmonisation de la taxe de vente », « administration hospitalière », « administration scolaire », « année d'imposition », « bien », « collège public », « contrepartie », « exercice », « fourniture », « fourniture taxable », « importation », « inscrit », « institution financière », « institution financière désignée », « ministre », « montant », « municipalité », « organisme à but non lucratif », « organisme de bienfaisance », « période de déclaration », « personne », « province participante », « règlement », « service », « taxe », « trimestre civil », « trimestre d'exercice », « université » — 123(1); « nouveau régime de la taxe à valeur ajoutée harmonisée » — 277.1.

Renvois [art. 259]: 123(1) (bien municipal désigné); 141.2(2) (vente de biens meubles d'une municipalité désignée); 149(1)b) (institution financière); 166 (petit fournisseur); 169 (CTI); 171(1) (nouvel inscrit); 180 (réception d'un bien d'un non-résident); 188(5) taxe nette d'un inscrit visé par règlement); 196.1 (utilisation à titre d'immobilisation); 198.1 (teneur en taxe du bien d'une municipalité); 199(3) (principale utilisation d'immobilisations); 200.1 (crédit pour la vente de biens meubles d'une municipalité); 201 (Valeur d'une voiture de tourisme); 203(1) (vente d'une voiture de tourisme); 203(3) (vente d'une voiture de tourisme ou d'un aéronef); 203(4) (vente d'une voiture de tourisme par une municipalité); 206 (immobilisation — immeuble); 225 (taxe nette); 225.1 (comptabilité abrégée — organismes de bienfaisance); 227 (choix pour comptabilité abrégée); 238 (production d'une déclaration); 256.2 (9) (exclusions au remboursement); 256.7, 256.74 (remboursement transitoire — réduction de taux pour 2008); 257(1) (vente d'immeubles par un non-inscrit); 259.1 (livres imprimés); 261.01 (2) (remboursement pour fiducie de régime interentreprises); 262(1), (2) (forme et production de la demande); 263 (restriction au remboursement); 263.01 (TVH — institution financière désignée particulière); 264 (montant remboursé en trop); 296(2.1), (3.2) (application d'un montant de remboursement non demandé); 297 (cotisation); 297(4) (intérêts sur remboursement); V:Partie V.1:5.1 (vente d'un bien meuble); V:Partie VI:2 (exceptions); V:Partie VI:6 (service dans le cadre d'une entreprise consistant à le fournir ou bien meuble corporel); V:Partie VI:25 (biens municipaux désignés).

Règlements [art. 259]: *Règlement sur les remboursements aux organismes de services publics (TPS/TVH)*, art. 1; *Règlement sur la comptabilité abrégée (TPS/TVH)*, art. 19–21.

Jurisprudence [art. 259]: *Calgary (City) v. R.* (26 avril 2012), 2012 CarswellNat 1146 (C.S.C.); *Niagara Peninsula Rehabilitation Centre c. Sa Masjesté la Reine*, [1996] G.S.T.C. 77 (CCI); *Greater Europe Mission (Canada) c. Sa Majesté la Reine*, [1996] G.S.T.C. 79 (CCI); *York Toros Hockey Association c. Sa Majesté la Reine*, [1996] G.S.T.C. 102 (CCI); *867876 Ontario Ltd. O/A Academy of Learning Niagara c. Sa Masjesté la Reine*, 96-290 (GST I); *Murch (A.J.) c. Sa Masjesté la Reine*, 96-1807 (GST I); *Academy of Learning Niagara c. Canada*, [1997] G.S.T.C. 18 (CCI); *Murch (A.J.) c. Canada*, [1997] G.S.T.C. 31 (CCI); *Farmer Construction Ltd. c. Surrey (District)*, [1997] G.S.T.C. 46; *Brantford (City) c. Canada*, [1998] G.S.T.C. 125 (CCI); *Peach Hill Management Ltd. c. Canada*, [1999] G.S.T.C. 11 (CCI); *Algonquin College of Applied Arts c. Canada*, [1999] G.S.T.C. 71 (CCI); *Hidden Valley Golf Resort Assn. c. Canada*, [1998] G.S.T.C. 95 (CCI); [2000] G.S.T.C. 42 (CAF); *Corélo Inc. c. R.*, [2001] G.S.T.C. 105 (CCI); *Des Chênes (Commission scolaire) c. R.*, [2001] G.S.T.C. 120 (CAF); *Commission scolaire du Fer c. R.*, [2004] G.S.T.C. 143 (CCI); *Centres jeunesse des Laurentides c. R.*, [2004] G.S.T.C. 149 (CCI); *Centres jeunesse des Laurentides c. R.*, [2007] G.S.T.C. 11 (CAF); *Société de Transport de Laval v. R.*, 2008 CarswellNat 511 (CCI [procédure générale]); *Société de transport de Laval (Ville) v. R.*, 2008 G.T.C. 374 (CCI [procédure générale]); *Toronto District School Board v. R.* (2 janvier 2009), 2009 CarswellQue 1678 (CCI [procédure générale]); *Lethbridge (County) v. R.* (20 janvier 2009), 2009 CarswellNat 1677 (CCI [procédure générale]); *Gatineau (Ville) v. R.* (4 mars 2009), 2009 CarswellNat 1778 (CCI [procédure générale]); *Fraser International College Ltd. v. R.*, CarswellNat 1321, 2010 CCI 63, [2010] G.S.T.C. 21 (CCI [procédure générale]); *Gatineau (Ville) v. R.*, 2010 CarswellNat 1800, 2010 CAF 82, [2010] G.S.T.C. 48 (CAF); *Calgary (City) v. R.*, 2010 CarswellNat 3090, 2010 CAF 127, [2010] G.S.T.C. 78 (CAF); *Brandon (City) v. R.*, 2010 CarswellNat 4841, 2010 CAF 244, [2010] G.S.T.C. 141 (CAF); *Calgary Board of Education v. R.* (8 janvier 2012), 2012 CarswellNat 1285, 2012 CCI 7, 2012 G.T.C. 11 (CCI [procédure générale]); *Calgary (City) v. R.* (26 avril 2012), 2012 CarswellNat 1146, 2012 SCC 20, 2012 G.T.C. 1030 (CSC).

Énoncés de politique [art. 259]: P-046, 02/11/92, *Le traitement des règlements de sinistre sous le régime de la TPS*; P-075R, 22/07/93, *Indemnités et remboursements*; P-093, 19/11/93, *Droit de demander un remboursement en application du paragraphe 183(7)*; P-097R2, 19/12/00, *Allocation de dépenses aux conseillers municipaux et aux membres d'une commission scolaire*; P-186R, 10/03/99, *Financement des collèges publics*; P-204, 19/01/96, *Date d'entrée en vigueur des désignations comme municipalité et des octrois du statut de municipalité par le ministre*; P-215, 16/09/98, *Déterminer si une entité est un organisme à but non lucratif aux fins de la Loi sur la taxe d'accise (LTA)*; P-245, 16/18/05, *Établissement des « activités exercées par un organisme dans le cadre de l'exploitation d'un hôpital public »*.

Bulletins de l'information technique [art. 259]: B-039R3, 08/06, *Politique administrative de la TPS/TVH application de la TPS/TVH aux indiens*; B-070, 1/03/93, *Méthode simplifiée de demande de crédits de taxe sur les intrants et de remboursements*; B-075R, 23/04/96, *Modifications proposées à la TPS*; B-086, 17/09/99, *Remboursement relatif aux véhicules spécialement équipés pour les personnes handicapées* .

Mémorandums [art. 259]: TPS 300-3-3, 22/06/92, *Produits alimentaires de base* (Rév. 24/03/97); TPS 300-4-6, 31/05/91, *Organismes du secteur public*; TPS 300-4-8, 16/12/93, *Traversiers, routes et ponts à péage*, par. 4; TPS 400-4, 18/01/91, *Organismes du secteur public*, par. 5, 43–54; TPS 500-4-2, 15/01/91, *Remboursements aux municipalités*, par. 1, 3–5, 9–13, 16, 18, 20–24, 26–39, 43–48, 50; TPS 500-4-3, 17/05/91, *Universités, administrations scolaires et collèges publics*, par. 1, 4–7, 11–17, 19, 21–24, 26–31, 35–40, 42; TPS 500-4-4, 31/03/93, *Administrations hospitalières*, par. 1, 3, 7–39; TPS 500-4-8, 31/05/91, *Organismes à but non lucratif*, par. 1, 3–19, 21, 24–28, 30–44 49–53, 55; TPS 500-4-9, 31/05/91, *Organismes de bienfaisance*, par. 1, 2, 4, 9, 13–21, 23, 24–28, 30–34, 38–42, 44; TPS 500-6-10, 1/05/92, *Jeux d'argent, paris et jeux de hasard*, par. 34; TPS 600-2, 28/05/91, *Méthode rapide spéciale de comptabilité à l'intention des organismes de bienfaisance, des organismes à but non lucratif admissibles, et des organismes déterminés de services publics*, par. 23–29 et annexe A.

Série de mémorandums [art. 259]: Mémorandum 1.5, 09/94, *Définitions*; Mémorandum 9.3, 06/12, *Indemnités*; Mémorandum 9.4, 06/12, *Remboursements*; Mémorandum 13.2, 12/94, *Remboursements: Aide juridique*, par. 6, 15–22; Mémorandum 19.3.5, 08/98, *Remboursement au propriétaire d'un fonds loué pour usage résidentiel*.

Formulaires [art. 259]: FP-66, *Demande de remboursement de la TPS/TVH à l'intention des organismes de services publics*; FP-66.A, *Annexe provinciale — remboursement de TPS/TVH à l'intention des organismes de services publics*; FP-66.G, *Guide de la demande de remboursement de la TPS-TVH à l'intention des organismes de services publics*; FPZ-66, *Demande de remboursement de la TPS/TVH à l'intention des organismes de services publics*; FP-189, *Demande générale de remboursement*; FP-191, *Demande de remboursement de la taxe sur les produits et services à l'intention des organismes de services publics non inscrits*; FP-284.G, *Guide de la demande de remboursement pour les organismes de services publics non inscrits*; FP-288, *Supplément à la demande générale de remboursement*; FP-322, *Attestation de financement public*; FP-523, *Organisme sans but lucratif — financement public*; FP-530, *Demande pré-*

sentée par un organisme de services publics afin que ses succursales ou ses divisions présentent une demande distincte de remboursement; FP-2010, *Demande de production de déclarations distinctes — Demande de remboursement distincte — Révocation de l'une ou l'autre des demandes*; FPZ-523, *Organisme sans but lucratif — Financement public*; GST10, *Demande de production de déclarations distinctes — Demande de remboursement distincte — Révocation de l'une ou l'autre des demandes*; GST66, *Demande de remboursement de la TPS/TVH pour organismes de services publics et de TPS pour gouvernements autonomes*; GST188, *Demande présentée par un organisme de services publics afin que ses succursales ou divisions présentent une demande distincte de remboursement*; GST191, *Demande de remboursement de la TPS/TVH pour les maisons neuves construites par le propriétaire*; GST284, *Demande de remboursement de la TPS à l'intention des organismes de services publics non inscrits*; GST288, *Supplément pour: Demande générale de remboursement de la TPS*; GST322, *Attestation de financement public*; GST469, *Demande de dépôt direct (non-personnalisée)*; GST490, *Demande de remboursement de la taxe sur les produits et services/taxe de vente harmonisée à l'intention des gouvernements fédéral et provinciaux*; GST523-1, *Organisme sans but lucratif — Financement public*; RC4034, *Remboursement de la TPS/TVH pour les organismes de services publics — Y compris le formulaire GST66*; RC4049, *Renseignements sur la TPS/TVH pour les municipalités*; RC4081, *Renseignements sur la TPS/TVH pour les organismes à but non lucratif*; RC4082, *Renseignements sur la TPS/TVH pour les organismes de bienfaisance*.

Info TPS/TVQ [art. 259]: GI-008 — *Administrations portuaires*; GI-011 — *Transporteurs d'eau*; GI-101 — *Taxe de vente harmonisée-Renseignements à l'intention des constructeurs d'habitations non inscrits en Ontario, en Colombie-Britannique et en Nouvelle-Écosse*.

Lettres d'interprétation (Québec) [art. 259]: 93-0113493 — Interprétation relative à la TPS et à la TVQ — Méthode rapide spéciale réservée aux organismes de services publics; 98-0110209 — Interprétation relative à la TPS et à la TVQ — Remboursement des frais de déplacement, d'hébergement et de repas aux accompagnateurs des personnes handicapées; 98-0111561 — Interprétation relative à la TPS et à la TVQ — Infrastructures municipales; 99-0100190 — Travaux d'infrastructures municipales — CTI/RTI, notion de mandataire; 99-0104481 — Décision portant sur l'application de la TPS — Interprétation relative à la TVQ — Infrastructures municipales; 99-0106510 — [Organisme à but non lucratif]; 99-0109423 — Décision portant sur l'application de la TPS — Interprétation relative à la TVQ — Locations d'immeubles, CTI/RTI; 99-0109779 — Interprétation relative à la TPS et à la TVQ — Qualification à titre d'organisme à but non lucratif; 99-0109787 — Interprétation relative à la TPS et à la TVQ; 99-0111346 — Interprétation relative à la TPS et à la TVQ — Qualification à titre d'organisme à but non lucratif; 99-0112492 — Interprétation TPS/TVQ; 99-0113169 — Interprétation relative à la TPS et à la TVQ — [Fourniture d'infrastructures par un organisme de bienfaisance]; 00-0100610 — Interprétation relative à la TPS et à la TVQ — Qualification à titre d'organisme à but non lucratif et à titre d'organisme à but non lucratif admissible; 00-0102319 — Interprétation TPS/TVQ — Remboursement partiel versé en trop; 00-0102335 — Interprétation relative à la TPS et à la TVQ — Admissibilité d'une institution publique à une demande de remboursement partiel; 00-0102566 — Interprétation portant sur l'application de la TPS Interprétation relative à la TVQ — Remboursement partiel de la TPS et de la TVQ à un établissement de santé suite à un paiement en vue de l'extinction d'une hypothèque légale; 00-0105031 — Interprétation relative à la TPS et à la TVQ — Remboursement de dépenses par une municipalité à des bénévoles ou des salariés; 00-0108506 — Interprétation relative à la TPS et à la TVQ — Conséquences fiscales de la désignation à titre de municipalité d'une régie intermunicipale; 00-0109470 — Interprétation relative à la TPS et à la TVQ — Montant versé à des prestataires de services de garde et le calcul du pourcentage de financement public; 01-0104040 — Interprétation relative à la TPS et à la TVQ — Fournitures effectuées par des organismes à but non lucratif; 02-0103453 — Interprétation relative à la TPS et à la TVQ — Fournitures effectuées par un organisme à but non lucratif; 02-0109419 — Interprétation relative à la TPS et à la TVQ — Montant de financement public pour un exercice; 03-0107627 — Interprétation relative à la TPS et à la TVQ — fourniture de biens par un mandataire [d'une institution d'enseignement]; 03-0110936 — Interprétation relative à la TPS et à la TVQ — taux de remboursement partiel des taxes — construction d'un immeuble par une municipalité; 06-0101847 — Interprétation relative à la TPS à et la TVQ Gestion du complexe sportif d'une municipalité par un OSBL.

Guides (Québec): IN-228 — La TVQ et la TPS/TVH pour les organismes de bienfaisance.

COMMENTAIRES: De façon générale, ce remboursement ne sera plus disponible pour les organismes déterminés de services publics résidentes de la Colombie-Britannique à l'égard de remboursement pour récupérer la portion provinciale de la TVH à l'égard d'une période de demande se terminant après le 31 mars 2013. Toutefois, la province de l'Île-du-Prince-Édouard pourra bénéficier de ce remboursement pour récupérer la portion provinciale de la TVH à compter du 1er avril 2013.

L'objet du remboursement prévu à cet article a été discuté brièvement par la Cour suprême du Canada dans l'arrêt *Calgary(Ville) c. Canada*, 2012 CarswellNat 1145 (C.S.C.) (paragraphe 17). De l'avis de la Cour suprême du Canada, il ressort de la *Loi sur la taxe d'accise (TPS)* que le législateur a voulu qu'un organisme de services publics se voie rembourser, selon un pourcentage établi, la TPS payée dans le cadre de la réalisation d'une fourniture exonérée. La Cour souligne toutefois que ces organismes, telle une municipalité, ont le droit de réclamer des crédits de taxe sur les intrants lorsque leurs achats servent à produire des fournitures taxables. En l'espèce, la Cour suprême du Canada n'a pas fait droit aux crédits de taxes sur les intrants demandés par la ville de Calgary pour la TPS payée à l'occasion de l'acquisition et de la construction d'installations de transport. Nous vous invitons à consulter l'article 169 pour une discussion détaillée de cet arrêt.

Le paragraphe 259(2) prévoit qu'une personne est un organisme à but non lucratif admissible à un moment donné de son exercice si, à ce moment, elle est un organisme à but non lucratif et que son pourcentage de financement public pour l'exercice est d'au moins 40 %.

Pour se qualifier à titre d'organisme sans but lucratif, Revenu Québec a indiqué que les trois critères suivants devaient être rencontrés en vertu de la définition qui figure au paragraphe 123(1) : (i) être constitué exclusivement à des fins non lucratives, (ii) être administré exclusivement à des fins non lucratives, et (iii) aucune partie de son revenu ne doit être payable à ses membres ou autrement disponible pour leur profit personnel. En l'espèce, l'association ne se qualifiait pas en fonction des critères énoncés ci-dessus et par conséquent, elle n'était pas admissible au remboursement partiel de la TPS. Voir à cet effet : Revenu Québec, Lettre d'interprétation, 12-014302-001 — *Qualification d'organisme à but non lucratif* (31 octobre 2012).

De l'avis de Revenu Québec, le pourcentage établi à au moins 40 % est de rigueur pour être admissible à la qualification d'« organisme sans but lucratif admissible ». Voir notamment à cet effet : Revenu Québec, Lettre d'interprétation, 99-0106510 (28 juillet 1998) et Lettre d'interprétation, 99-0109787 — *Interprétation relative à la TPS et à la TVQ* (20 juin 2000).

La question se pose donc quant à l'étendue de ce que constitue le financement public.

Revenu Québec s'est penché sur cette question dans la position administrative suivante : Lettre d'interprétation 02-0109419 -*Interprétation relative à la TPS et à la TVQ — Montant de financement public pour un exercice* (29 octobre 2002). De l'avis de Revenu Québec, en vertu de l'article 3 du *Règlement sur les remboursements aux organismes de services publics (TPS/TVH)*, un organisme de services publics doit prendre en compte, dans l'établissement de son pourcentage de financement public pour un exercice donné, les montants qui figurent dans ses états financiers annuels pour l'exercice à titre de montants de financement public reçus ou à recevoir au cours de l'exercice, tout dépendant de la méthode comptable utilisée pour déterminer son revenu ou son financement pour l'exercice. Ainsi, si l'organisme utilise un système de comptabilité de caisse, il doit prendre en compte les montants de financement public qu'il a réellement reçus au cours d'un exercice donné. Par contre, si l'organisme utilise plutôt un système de comptabilité d'exercice, il doit prendre en compte les montants de financement public qu'il a reçu au cours d'un exercice donné ainsi que ceux qu'il devait recevoir au cours du même exercice. En l'espèce, de l'avis de Revenu Québec, puisque l'aide financière est versée à l'organisme au moyen de versements mensuels effectués sur une période de 15 ans à l'institution financière pour et à l'acquit de l'organisme, ce sont ces versements mensuels qui doivent être pris en compte pour l'établissement du pourcentage de financement public de l'organisme et non pas la totalité du montant de l'aide financière que le subventionnaire s'est engagé à verser à l'organisme. En effet, selon Revenu Québec, seuls les montants de financement public effectivement reçus ou à recevoir par l'Organisme au cours de l'exercice peuvent être pris en considération dans le calcul du pourcentage applicable à l'Organisme.

Dans le cadre d'une autre position administrative, Revenu Québec a indiqué que la définition de l'expression « pourcentage de financement public » réfère au *Règlement sur les remboursements aux organismes de services publics* et que dans le cadre du calcul de ce pourcentage, on doit notamment considérer le « montant de financement public » reçu par l'organisme. Cette dernière expression se définit à l'article 2 dudit règlement comme suit :

> « Le montant de financement public d'une personne s'entend : a) de toute somme d'argent, y compris un prêt à remboursement conditionnel, mais à l'exclusion de tout autre type de prêt et des remboursements, ristournes, remises ou crédits de frais, droits ou taxes imposés en application d'une loi, qui est facilement vérifiable et qui est payée ou payable à la personne par un subventionnaire : (i) soit en vue de l'aider financièrement à atteindre ses objectifs et non en contrepartie de fournitures,(ii) soit en contrepartie des biens ou des services qu'elle met à la disposition d'autres personnes (exception faite du subventionnaire, des particuliers qui en sont les cadres, salariés actionnaires ou membres et des personnes liées au subventionnaire ou à ces particuliers), au moyen de fournitures exonérées; b) de toute somme d'argent payée ou payable à la personne soit par un organisme intermédiaire qui a reçu le montant d'un subventionnaire, soit par un autre organisme qui a reçu le montant d'un organisme intermédiaire, lorsque, à la fois : (i) dans le cas d'un montant qui, après 1990, devient payable ou est payé à la personne, l'organisme intermédiaire ou l'autre organisme remet à la personne, au moment du paiement, une attestation en la forme déterminée par le ministre portant que le montant constitue un montant de financement public,(ii) le montant serait un montant de financement public de la personne par l'effet de l'alinéa a) si le subventionnaire le lui versait directement dans le même but que celui dans lequel l'organisme intermédiaire ou l'autre organisme, selon le cas, le lui a versé et si cet organisme était compris dans la notion de « subventionnaire » au sous-alinéa a)(ii). »

Dans la situation soumise à Revenu Québec, il a été décidé que la subvention respectait la définition reproduite ci-dessus, de sorte qu'elle représente un montant de financement public. Voir à cet effet : Revenu Québec, Lettre d'interprétation, 00-0109470 — Interprétation relative à la TPS et à la TVQ — *Montant versé à des prestataires de services de garde et le calcul du pourcentage de financement public* (4 décembre 2000).

Récemment, dans l'affaire *Conservative Fund Canada c. Canada (Chief Electoral Officer)*, [2010] G.S.T.C.200 (Cour d'appel de l'Ontario) (permission d'en appeler à la Cour suprême du Canada refusée, 2011 CarswellOnt 2977), la Cour d'appel de l'Ontario a discuté de l'interaction du remboursement de 50 % pour un organisme à but non lucratif admissible, donc qui a un financement d'au moins 40 %, et la législation applicable aux financements des élections fédérales. En bref, la Cour d'appel de l'Ontario a refusé de considérer le remboursement à titre de réduction des dépenses, puisque cela voudrait dire que les partis politiques importants, qui reçoivent ce remboursement, auraient un avantage injuste à l'égard du montant qu'ils peuvent dépenser. De plus, il y a fait mention que les principes comptables généralement reconnus ne requièrent pas l'indication du remboursement à titre de dépenses pour les fins comptables du traitement des dépenses.

L'Agence du revenu du Canada souligne qu'en vertu du paragraphe (3), et pour être en conformité avec les dispositions de la *Loi sur la taxe d'accise (TPS)*, le montant de la taxe exigée non admissible au crédit doit se calculer pour la période de demande. Ainsi, demander un remboursement pour la taxe qui serait payé dans une période de demande subséquente n'est pas permis en vertu du paragraphe (3) et des définitions afférentes, sous réserve des circonstances particulières énoncées à l'article 296. Dans ce cas, la municipalité avait identifié des problèmes de délais à l'égard du traitement de ses factures relatives aux demandes de crédits de taxe sur les intrants et de remboursement. La municipalité a invoqué que contrairement aux réclamations de crédits de taxe sur les intrants, il n'y a aucune disposition exigeant la conservation de documents relatifs aux demandes de remboursements. Ainsi, la municipalité désirait estimer son montant de remboursement. En refusant la position de la municipalité, l'Agence du revenu du Canada a indiqué qu'il n'y avait aucune indication que la municipalité change son système de comptabilité. Il s'agissait donc davantage d'un problème administratif interne.

Le paragraphe (5) permet de réclamer un remboursement dans un délai de 4 ans. De plus, accordé la position de la municipalité viendrait à créer un précédent aux bénéficiaires des autres remboursements. Le problème de délai, selon l'Agence du revenu du Canada, n'est pas extraordinaire, mais est seulement le résultat des opérations commerciales de la municipalité. Il y a toujours la solution de demander un ajustement, lorsque nécessaire, d'une demande de remboursement déjà produite. Voir à cet effet : Agence du revenu du Canada, Lettre de l'Administration centrale sur la TPS et décision anticipée, nº 146651 — *[Municipal PSB Rebate Claims]* (8 novembre 2012).

Nous vous invitons à consulter nos commentaires en vertu de l'article 261 pour une discussion sur la présence d'un délai de rigueur et, le cas échéant, sur la possibilité de bénéficier d'un recours alternatif lorsque le délai prescrit est expiré.

Le paragraphe (4) s'applique aux municipalités désignées. Cette désignation ne s'applique qu'aux fins de l'article 259.

Dans l'affaire *Wellesley Central Residences Inc. c. MNR*, [2011] G.S.T.C. 101 (C.F.), la Cour fédérale, dans un processus de révision judiciaire, a confirmé la décision de l'Agence du revenu du Canada à l'effet de ne pas désigner l'association à titre de municipalité aux fins du remboursement. En effet, en vertu de la politique administrative de l'Agence du revenu du Canada, une telle désignation n'est pas accordée si, notamment, des services de soins personnels et du soutien pour les activités quotidiennes, en plus du service d'habitation, sont fournis aux personnes visées, qui étaient, en l'espèce, atteintes du VIH/SIDA.

L'auteur est d'avis que le montant admissible au remboursement de TPS aux fins de l'expression « taxe exigée non admise au crédit » inclut autant la TPS payée que la TPS payable aux fins d'un remboursement par la Ville (notamment). Voir notamment *Fanshawe College of Applied Arts and Technology c. La Reine*, 2007 G.T.C. 645 (C.C.I.) où la Cour a indiqué que la TPS qui est payée ou payable est admissible au remboursement de la TPS en vertu de 259. Ainsi, une ville peut réclamer un remboursement de TPS à l'égard d'un montant de TPS payée, mais non encore payable.

Au même sujet, nous vous invitons à consulter la lecture de la position suivante de Revenu Québec : Lettre d'interprétation, 06-0101847 — Interprétation relative à la TPS et à la TVQ — *Gestion du complexe sportif d'une municipalité par un OSBL*(26 juillet 2006), où Revenu Québec fait référence au bulletin B-046 de l'Agence du revenu du Canada qui prévoit notamment que, pour être admissible à titre de municipalité en vertu de la définition de ce terme au paragraphe 123(1), une personne morale, telle que l'organisme sans but lucratif, doit avoir été créé par une province ou une municipalité et doit appartenir à une municipalité ou être contrôlée par celle-ci. En l'espèce, Revenu Québec a conclu que l'organisme sans but lucratif ne pouvait être désigné comme municipalité en vertu du paragraphe 259(1) puisque les fournitures qu'elle effectue ne sont pas des fournitures de services municipaux exonérés.

À titre indicatif, vous trouverez ci-dessous un tableau comparatif établissant les taux de remboursement en vigueur en date des présentes en matière de TPS et de TVQ en vertu respectivement de la *Loi sur la taxe d'accise (TPS)* et la *Loi sur la taxe de vente du Québec* :

ENTITÉS ADMISSIBLES	Taux du remboursement applicable en TPS	Taux du remboursement applicable en TVQ
Organisme de bienfaisance, organisme à but non lucratif admissible (pourcentage de financement public d'au moins 40 %) qui n'est pas un organisme déterminé de services publics	50 %	50 %
Administration hospitalière, exploitant d'établissement ou fournisseur externe	83 %	51,5 %
Administration scolaire	68 %	47 %
Université ou collège public	67 %	47 %
Municipalité	100 %	Aucun

Il est à noter qu'en raison de la différence des taux, il peut être avantageux pour un organisme sans but lucratif de se qualifier à titre d'administration hospitalière ou scolaire pour bénéficier du taux de remboursement plus élevé.

Le paragraphe (12) permet de calculer le remboursement sur une base simplifiée en vertu du *Règlement sur les remboursements aux organismes de services publics*. Cette procédure est similaire à la comptabilité abrégée que l'on retrouve à l'article 227. Nous vous invitons à consulter nos commentaires en vertu de cet article.

Finalement, nous rappelons, à titre indicatif, que l'article 263 empêche un remboursement si des crédits de taxe sur les intrants ont été réclamés.

259.1 (1) Définition — Les définitions qui suivent s'appliquent au présent article.

« bien déterminé » S'entend des biens suivants :

a) livre imprimé ou mise à jour d'un tel livre;

b) enregistrement sonore qui consiste, en totalité ou en presque totalité, en une lecture orale d'un livre imprimé;

c) version imprimée, reliée ou non, des Écritures d'une religion.

Notes historiques: La définition de « bien déterminé » au paragraphe 259.1(1) a été ajoutée par L.C. 2012, c. 19, par. 22(1) et s'applique aux acquisitions et importations de biens relativement auxquelles la taxe devient payable après le 29 mars 2012.

Concordance québécoise: aucune.

« livre imprimé » Ne sont pas des livres imprimés les articles suivants ou les ouvrages constitués principalement des articles suivants :

a) journaux;

b) magazines et périodiques acquis autrement que par abonnement;

c) magazines et périodiques dont plus de 5 % de l'espace imprimé est consacré à la publicité;

d) brochures et prospectus;

e) catalogues de produits, listes de prix et matériel publicitaire;

f) livrets de garantie et d'entretien et guides d'utilisation;

g) livres servant principalement à écrire;

h) livres à colorier et livres servant principalement à dessiner ou à recevoir des articles tels des coupures, images, pièces de monnaie, timbres ou autocollants;

i) livres à découper ou comportant des pièces à détacher;

j) programmes d'événements ou de spectacles;

k) agendas, calendriers, programmes de cours et horaires;

l) répertoires, assemblages de graphiques et assemblages de plans de rues ou de cartes routières, à l'exclusion des articles suivants :

(i) guides,

(ii) atlas constitués en tout ou en partie de cartes autres que des plans de rues ou des cartes routières;

m) tarifs;

n) assemblages de bleus, de patrons ou de pochoirs;

o) biens visés par règlement;

p) assemblages ou recueils d'articles visés à l'un des alinéas a) à o) et d'articles semblables.

Notes historiques: La définition de « livre imprimé » au paragraphe 259.1(1) a été ajoutée par L.C. 1997, c. 10, par. 69.1(1) et s'applique aux acquisitions et importations de biens relativement auxquelles la taxe devient payable après le 23 octobre 1996.

Concordance québécoise: aucune.

Info TPS/TVQ [art. 259.1(1)« livre imprimé »]: GI-066 — *La façon dont un organisme de bienfaisance doit calculer la taxe nette dans ses déclarations de TPS/TVH.*

« organisme à but non lucratif admissible » S'entend au sens du paragraphe 259(2).

Notes historiques: La définition de « organisme à but non lucratif » au paragraphe 259.1(1) a été ajoutée par L.C. 1997, c. 10, par. 69.1(1) et s'applique aux acquisitions et importations de biens relativement auxquelles la taxe devient payable après le 23 octobre 1996.

Concordance québécoise: aucune.

« période de demande » S'entend au sens du paragraphe 259(1).

Notes historiques: La définition de « période de demande » au paragraphe 259.1(1) a été ajoutée par L.C. 1997, c. 10, par. 69.1(1) et s'applique aux acquisitions et importations de biens relativement auxquelles la taxe devient payable après le 23 octobre 1996.

Concordance québécoise: aucune.

« personne déterminée »

a) Municipalité;

b) administration scolaire;

c) université;

d) institution qui administre un collège d'enseignement postsecondaire ou un institut technique d'enseignement postsecondaire qui, à la fois :

(i) reçoit d'un gouvernement ou d'une municipalité des fonds destinés à l'aider à offrir des services d'enseignement au public de façon continue,

(ii) a pour principal objet d'offrir des programmes de formation professionnelle, technique ou générale;

e) organisme de bienfaisance, institution publique ou organisme à but non lucratif admissible qui administre une bibliothèque publique de prêt;

f) organisme de bienfaisance ou organisme à but non lucratif admissible, visé par règlement, dont la principale mission est l'alphabétisation.

Notes historiques: La définition de « personne déterminée » au paragraphe 259.1(1) a été ajoutée par L.C. 1997, c. 10, par. 69.1(1) et s'applique aux acquisitions et importations de biens relativement auxquelles la taxe devient payable après le 23 octobre 1996. Toutefois, avant 1997, il n'est pas tenu compte du passage « , institution publique » à l'alinéa e).

Concordance québécoise: aucune.

avril 2012, Notes explicatives: Le paragraphe 259.1(1) définit certains termes pour l'application de l'article 259.1 de la Loi.

Ce paragraphe est modifié par l'ajout de la définition de « bien déterminé ». Ce terme désigne les articles qui figuraient auparavant au paragraphe 259.1(2) et qui peuvent donner droit à un remboursement en vertu du paragraphe 259.1(2). Les articles de cette liste ont été remplacés, dans la version modifiée du paragraphe 259.1(2), par le terme « bien déterminé ».

(2) Remboursement pour livres imprimés, etc. — Sous réserve du paragraphe (3), le ministre rembourse à la personne qui est une personne déterminée le dernier jour de sa période de demande ou de son exercice qui comprend cette période un montant égal au montant de la taxe prévue au paragraphe 165(1) ou à l'article 212 qui est devenue payable par elle au cours de la période de demande relativement à l'acquisition ou à l'importation d'un bien déterminé si :

a) dans le cas d'une personne déterminée visée à l'alinéa f) de la définition de ce terme au paragraphe (1), elle acquiert ou importe le bien déterminé autrement qu'en vue de le fournir par vente pour une contrepartie;

b) dans les autres cas, la personne acquiert ou importe le bien déterminé autrement qu'en vue de le fournir par vente.

Notes historiques: Le paragraphe 259.1(2) a été remplacé par L.C. 2012, c. 19, par. 22(2) et cette modification s'applique aux acquisitions et importations de biens relativement auxquelles la taxe devient payable après le 29 mars 2012. Antérieurement, il se lisait ainsi :

(2) Sous réserve du paragraphe (3), le ministre rembourse à la personne qui est une personne déterminée le dernier jour de sa période de demande ou de son exercice qui comprend cette période et qui acquiert ou importe l'un des biens suivants à une fin autre que celle de sa fourniture par vente :

a) un livre imprimé ou sa mise à jour;

b) un enregistrement sonore qui consiste, en totalité, ou en presque totalité, en une lecture orale d'un livre imprimé;

c) une version imprimée, reliée ou non, des Écritures d'une religion.

Le montant remboursable est égal au montant de la taxe prévue au paragraphe 165(1) ou à l'article 212 qui est devenue payable par la personne au cours de la période de demande relativement à l'acquisition ou à l'importation.

Le paragraphe 259.1(2) a été ajouté par L.C. 1997, c. 10, par. 69.1(1) et s'applique aux acquisitions et importations de biens relativement auxquelles la taxe devient payable après le 23 octobre 1996.

avril 2012, Notes explicatives: Le paragraphe 259.1(2) autorise le ministre à rembourser à des personnes déterminées une somme égale à la TPS ou à la composante fédérale de la TVH payable relativement à leurs acquisitions ou importations de « biens déterminés », au sens du paragraphe 259.1(1), sauf si elles ont acquis ou importé les biens en vue de les fournir par vente. Le terme « vente » est défini au paragraphe 123(1) de la Loi et s'entend notamment du transfert de la propriété d'un bien, ce qui comprend le fait de l'offrir gratuitement.

La modification apportée au paragraphe 259.1(2) consiste à élargir la portée du remboursement aux biens déterminés acquis ou importés en vue d'être offerts gratuitement par un organisme d'alphabétisation qui est un organisme de bienfaisance ou un organisme à but non lucratif admissible dont la principale mission est l'alphabétisation et qui est visé par règlement pour l'application de l'alinéa f) de la définition de « personne déterminée » au paragraphe 259.1(1).

Concordance québécoise: aucune.

(3) Demande de remboursement — Le remboursement n'est versé que si la personne déterminée en fait la demande dans les quatre ans suivant la fin de sa période de demande au cours de laquelle la taxe est devenue payable.

Notes historiques: Le paragraphe 259.1(3) a été ajouté par L.C. 1997, c. 10, par. 69.1(1) et s'applique aux acquisitions et importations de biens relativement auxquelles la taxe devient payable après le 23 octobre 1996.

Concordance québécoise: aucune.

(4) Une demande par période — Sauf en cas d'application du paragraphe (5), une personne ne peut faire plus d'une demande de remboursement par période de demande.

Notes historiques: Le paragraphe 259.1(4) a été ajouté par L.C. 1997, c. 10, par. 69.1(1) et s'applique aux acquisitions et importations de biens relativement auxquelles la taxe devient payable après le 23 octobre 1996.

Concordance québécoise: aucune.

(5) Demandes de succursales et divisions — La personne qui a droit au remboursement, qui exerce des activités dans des succursales ou divisions distinctes et qui est tenue par le paragraphe 259(10) de produire des demandes de remboursement distinctes aux termes de l'article 259 relativement à une succursale ou division doit produire des demandes distinctes aux termes du présent article relativement à la succursale ou division et ne peut présenter plus d'une demande de remboursement relativement à la succursale ou division par période de demande.

Notes historiques: Le paragraphe 259.1(5) a été ajouté par L.C. 1997, c. 10, par. 69.1(1) et s'applique aux acquisitions et importations de biens relativement auxquelles la taxe devient payable après le 23 octobre 1996.

Concordance québécoise: aucune.

(6) [Abrogé].

Notes historiques: Le paragraphe 259.1(6) a été abrogé par L.C. 2009, c. 32, par. 30(1) et cette abrogation est entrée en vigueur le 1er juillet 2010. Antérieurement, il se lisait ainsi :

(6) Aucun redressement de la composante provinciale de la taxe — Aucune partie de la taxe prévue au paragraphe 165(2) relativement à la fourniture d'un bien visé au paragraphe 259.1(2) n'est incluse dans le montant qui peut être déduit ou qui est à ajouter, selon le cas, en vertu des articles 231 ou 232 dans le calcul de la taxe nette de la personne pour sa période de déclaration.

Le paragraphe 259.1(6) a été ajouté par L.C. 1997, c. 10, par. 228(1) et est entré en vigueur le 1er avril 1997.

avril 2012, Notes explicatives: L'article 259.1 prévoit le remboursement totale de la TPS ou de la composante fédérale de la TVH qui devient payable par des personnes déterminées (comme les universités, les administrations scolaires et les organismes d'alphabétisation visés par règlement) lorsqu'elles acquièrent ou importent certains articles — livres imprimés, enregistrements sonores qui consistent en une lecture orale de livres imprimés et versions imprimées des Écritures d'une religion — autrement qu'en vue de les fournir par vente.

Les modifications apportées à cet article consistent à permettre aux organismes de bienfaisance et aux organismes à but non lucratif admissibles dont la principale mission est l'alphabétisation et qui sont visés par règlement de demander le remboursement au titre de ces articles si ceux-ci sont acquis ou importés en vue d'être offerts gratuitement.

Ces modifications s'appliquent aux acquisitions et importations de biens relativement auxquelles la taxe devient payable après le 29 mars 2012.

Définitions [art. 259.1]: « administration scolaire », « année d'imposition », « bien », « fourniture », « gouvernement », « importation », « institution publique », « ministre », « montant », « municipalité », « organisme de bienfaisance », « période de demande », « personne », « règlement », « taxe », « université », « vente » — 123(1).

Renvois [art. 259.1]: 262 (forme et production de la demande); 263 (restriction au remboursement); 263.01 (TVH — institution financière désignée particulière); 264 (montant remboursé en trop); 296(2.1), (3.2) (application d'un montant de remboursement non demandé); 297 (cotisation); 297(4) (intérêts sur remboursement).

Règlements [art. 259.1]: *Règlement sur le remboursement fédéral pour livres* (avant-projet), art. 1.

Énoncés de politique [art. 259.1]: P-215, 16/09/98, *Déterminer si une entité est un « organisme à but non lucratif » aux fins de la Loi sur la taxe d'accise (LTA)*; P-227, 21/01/99, *Signification des termes « livret de garantie et d'entretien » et « guide d'utilisation » en application de l'alinéa 259.1(1)f) de la Loi sur la taxe d'accise (LTA)*; P-234, 08/11/99, *Signification de « brochures et prospectus » pour l'application de l'alinéa d) de la définition de « livre imprimé » donnée au paragraphe 259.1(1) de la Loi sur la taxe d'accise*.

Bulletins de l'information technique [art. 259.1]: B-081, 28/02/97, *Application de la TVH aux importations*; B-085, 23/03/98, *Remboursement au point de vente de la TVH pour les livres*.

Série de mémorandums [art. 259.1]: Mémorandum 13.4, 07/02, *Remboursements pour les livres imprimés, les enregistrements sonores de livres imprimés et les versions imprimées des Écritures d'une religion*.

Formulaires [art. 259.1]: FP-66, *Demande de remboursement de la TPS/TVH à l'intention des organismes de services publics*; FP-66.G, *Guide de la demande de remboursement de la TPS-TVH à l'intention des organismes de services publics*; FPZ-66, *Demande de remboursement de la TPS/TVH à l'intention des organismes de services publics*; GST66, *Demande de remboursement de la TPS/TVH pour organismes de services publics et de TPS pour gouvernements autonomes*; RC4034, *Remboursement de la TPS/TVH pour les organismes de services publics — Y compris le formulaire GST66*.

Guides (Québec) [art. 259.1]: IN-228 — La TVQ et la TPS/TVH pour les organismes de bienfaisance.

COMMENTAIRES: Les livres ne doivent pas être destinés à la revente et doivent être utilisés pour la consommation propre des personnes déterminées.

Il est à noter qu'aucun remboursement n'est requis pour la partie provinciale de la TVH en raison de remboursements disponibles pour les « points de vente » pour livres imprimés.

L'auteur désire souligner que ce remboursement ne s'applique pas au régime de la TVQ en vertu de la *Loi sur la taxe de vente du Québec* puisque la vente de livres imprimés y est détaxée. Nous vous invitons à consulter nos commentaires en vertu de l'article 198.1 de la *Loi sur la taxe de vente du Québec*.

259.2 (1) Définitions — Les définitions qui suivent s'appliquent au présent article.

« entité de la Légion » La Direction nationale ou toute direction provinciale ou filiale de la Légion royale canadienne.

juin 2011, Notes explicatives: Ce terme désigne les personnes qui sont admissibles au remboursement prévu à l'article 259.2, c'est-à-dire la Direction nationale ou toute direction provinciale ou filiale de la Légion royale canadienne.

Concordance québécoise: LTVQ, art. 397.3« entité de la Légion ».

« période de demande » S'entend au sens du paragraphe 259(1).

juin 2011, Notes explicatives: Ce terme, qui désigne la période pour laquelle le remboursement prévu à l'article 259.2 peut être demandé, s'entend au sens du paragraphe 259(1). Ainsi, si la personne qui demande le remboursement est un inscrit sous le régime de la TPS/TVH, la période de demande correspond à sa période de déclaration. Dans le cas contraire, ses périodes de demande correspondent aux deux premiers trimestres d'exercice et aux deux derniers trimestres d'exercice de son exercice.

Concordance québécoise: LTVQ, art. 397.3« période de demande ».

(2) Remboursement pour coquelicots et couronnes — Sous réserve du paragraphe (3), le ministre rembourse à une entité de la Légion qui acquiert, importe ou transfère dans une province participante un bien qui est un coquelicot ou une couronne un montant égal au montant de taxe qui devient payable par elle au cours d'une de ses périodes de demande, ou qui est payé par elle au cours de cette période sans être devenu payable, relativement à l'acquisition, à l'importation ou au transfert.

juin 2011, Notes explicatives: Le nouveau paragraphe 259.2(2) autorise le ministre du Revenu national à verser un montant de remboursement à une entité de la Légion, au sens du paragraphe 259.2(1). Ce montant correspond à la TPS/TVH payable, ou payée sans être devenue payable, relativement à l'acquisition, à l'importation ou au transfert dans une province participante de coquelicots et de couronnes par l'entité de la Légion.

Concordance québécoise: LTVQ, art. 397.4.

(3) Demande de remboursement — Le remboursement n'est versé que si l'entité de la Légion en fait la demande dans les quatre ans suivant la fin de la période de demande dans laquelle le montant de taxe est devenu payable ou a été payé sans être devenu payable.

juin 2011, Notes explicatives: Selon le nouveau paragraphe 259.2(3), une entité de la Légion, au sens du paragraphe 259.2(1), dispose d'un délai de quatre ans après l'expiration de sa période de demande, au sens du même paragraphe, au cours de laquelle la TPS/TVH est devenue payable, ou a été payée sans être devenue payable, pour demander le remboursement de cette taxe.

Une disposition transitoire prévoit que le délai fixé au paragraphe 259.2(3) pour la production d'une demande de remboursement est prolongé jusqu'au jour qui suit de quatre ans la date de sanction du texte législatif édictant l'article 259.2, dans le cas où le délai relatif à ce remboursement aurait par ailleurs expiré plus tôt.

Concordance québécoise: LTVQ, art. 397.5.

(4) Une demande par période — Une entité de la Légion ne peut faire plus d'une demande de remboursement par période de demande.

juin 2011, Notes explicatives: Selon le nouveau paragraphe 259.2(4), une entité de la Légion, au sens du paragraphe 259.2(1), ne peut faire qu'une seule demande de remboursement en vertu de l'article 259.2 par période de demande, au sens du même paragraphe.

Concordance québécoise: LTVQ, art. 397.9.

Notes historiques: L'article 259.2 a été ajouté par L.C. 2011, c. 15, art. 12 et s'applique relativement à la taxe qui devient payable après 2009 ou qui est payée après cette année sans être devenue payable.

Dans le cas où, en l'absence du présent paragraphe, une demande visant le remboursement prévu au paragraphe 259.2(2) serait à produire par une entité de la Légion avant le jour qui suit de quatre ans la date de sanction de la présente loi afin que le remboursement puisse être effectué, la mention « la fin de la période de demande dans laquelle le montant de taxe est devenu payable ou a été payé sans être devenu payable » au paragraphe 259.2(3) vaut mention de « la date de sanction de la loi édictant le présent article ».

juin 2011, Notes explicatives: Le nouvel article 259.2 prévoit le remboursement de la totalité de la taxe sur les produits et services et de la taxe de vente harmonisée (TPS/TVH) payable lors de l'acquisition, de l'importation ou du transfert dans une province participante de coquelicots et de couronnes par une entité de la Légion, au sens du nouveau paragraphe 259.2(1).

Cet article s'applique relativement à la taxe qui devient payable après 2009 ou qui est payée après cette année sans être devenue payable.

Définitions [par. 259.2]: « province participante » — 123(1).

260. (1) Exportation par les organismes de bienfaisance et les institutions publiques — Sous réserve du paragraphe (2), le ministre rembourse une personne — organisme de bienfaisance ou institution publique — qui est l'acquéreur de la fourniture d'un bien ou d'un service qu'elle a exporté du montant de la taxe qu'elle a payée relativement à la fourniture.

Notes historiques: Le paragraphe 260(1) a été modifié par L.C. 1997, c. 10, par. 70(1) et cette modification s'applique aux fournitures à l'égard desquelles la taxe devient payable après le 23 avril 1996 ou est payée après cette date sans qu'elle soit devenue due. Toutefois, en ce qui a trait aux fournitures effectuées avant 1997, il n'est pas tenu compte du passage « ou institution publique » au paragraphe 260(1). Antérieurement, il se lisait comme suit :

> 260. (1) Le ministre verse un remboursement à un organisme de bienfaisance, égal au montant de la taxe payée par l'organisme relativement à la fourniture d'un bien ou d'un service qu'il a reçu si l'organisme :
>
> a) d'une part, n'a pas demandé le crédit de taxe sur les intrants relatif au bien ou au service, et n'y a pas droit;
>
> b) d'autre part, a exporté le bien ou le service pour qu'il serve dans des œuvres de bienfaisance à l'étranger.

Ce paragraphe a été ajouté par L.C. 1990, c. 45, par. 12(1).

Concordance québécoise: LTVQ, art. 398.

(2) Demande de remboursement — Le remboursement n'est versé que si la personne en fait la demande dans les quatre ans suivant la fin de l'exercice au cours duquel la taxe relative à la fourniture est devenue payable.

Notes historiques: Le paragraphe 260(2) a été modifié par L.C. 1997, c. 10, par. 70(1) et cette modification s'applique aux fournitures à l'égard desquelles la taxe devient payable après le 23 avril 1996 ou est payée après cette date sans qu'elle soit devenue due. Auparavant, il se lisait comme suit :

(2) Le remboursement n'est versé que si l'organisme de bienfaisance en fait la demande dans les quatre ans suivant la fin de l'exercice au cours duquel la taxe relative à la fourniture est devenue payable.

Ce paragraphe a été ajouté par L.C. 1990, c. 45, par. 12(1).

Concordance québécoise: LTVQ, art. 399.

Définitions [art. 260]: « année d'imposition », « bien », « exportation », « exercice », « fourniture », « institution publique », « ministre », « montant », « organisme de bienfaisance », « service », « taxe » — 123(1).

Renvois [art. 260]: 169 (CTI); 180 (réception d'un bien d'un non-résident); 262(1), (2) (forme et production de la demande); 263, 263.01 (restriction au remboursement); 296(2.1), (3.2) (application d'un montant de remboursement non demandé); 264 (montant remboursé en trop); 297 (cotisation); 297(4) (intérêts sur remboursement).

Jurisprudence [art. 260]: *Greater Europe Mission (Canada) c. La Reine*, [1996] G.S.T.C. 79 (CCI); [1999] G.S.T.C. 98 (CAF); permission d'appeler refusée [2000] G.S.T.C. 62 (CSC).

Énoncés de politique [art. 260]: P-132, 28/02/94, *Remboursement intégral en ce qui concerne les exportations des organismes de bienfaisance*; P-227, 21/01/99, *Signification des termes « livret de garantie et d'entretien » et « guide d'utilisation » en application de l'alinéa 259.1(1)f) de la Loi sur la taxe d'accise (LTA)*.

Bulletins de l'information technique [art. 260]: B-075R, 23/04/96, *Modifications proposées à la TPS*.

Mémorandums [art. 260]: TPS 500-4-9, 31/05/91, *Organismes de bienfaisance*, par. 6.

Formulaires [art. 260]: FP-66, *Demande de remboursement de la TPS/TVH à l'intention des organismes de services publics*; FP-66.G, *Guide de la demande de remboursement de la TPS-TVH à l'intention des organismes de services publics*; FPZ-66, *Demande de remboursement de la TPS/TVH à l'intention des organismes de services publics*; FP-189, *Demande générale de remboursement*; FP-191, *Demande de remboursement de la taxe sur les produits et services à l'intention des organismes de services publics non inscrits*; FP-284.G, *Guide de la demande de remboursement pour les organismes de services publics non inscrits*; FP-288, *Supplément à la demande générale de remboursement*; GST66, *Demande de remboursement de la TPS/TVH pour organismes de services publics et de TPS pour gouvernements autonomes*; GST191, *Demande de remboursement de la TPS/TVH pour les maisons neuves construites par le propriétaire*; GST284, *Demande de remboursement de la taxe sur les produits et services à l'intention des organismes de services publics non inscrits*; GST288, *Supplément pour: Demande générale de remboursement de la TPS*; RC4034, *Remboursement de la TPS/TVH pour les organismes de services publics — Y compris le formulaire GST66*.

Guides (Québec): IN-228 — La TVQ et la TPS/TVH pour les organismes de bienfaisance.

COMMENTAIRES: Cet article permet un remboursement total pour les organismes de bienfaisance et les institutions publiques sur les biens ou les services qui sont exportés. Cet article vient ainsi remplacer le taux de remboursement de 50 % prévu par le paragraphe 259(3).

Tel que le précise Revenu Québec, ce remboursement n'est valide que dans la mesure où l'organisme de bienfaisance n'a pas demandé de crédits de taxes sur les intrants relatifs au bien ou au service et n'y a pas droit. Voir notamment à cet effet: Revenu Québec, Lettre d'interprétation, 96-0108975 — *Demande d'interprétation* (8 janvier 1997).

De plus, Revenu Québec précise que cet article ne s'appliquera pas à la TPS payée sur des achats qui ne sont pas exportés, bien que ces derniers puissent être utilisés dans le cadre des activités qui appuient l'œuvre de bienfaisance à l'extérieur du Canada. Voir notamment à cet effet: Revenu Québec, Lettre d'interprétation, 96-0108975 — *Demande d'interprétation* (8 janvier 1997).

Cette disposition est dans la même lignée que la détaxation de l'exportation d'un bien ou d'un service reflétée à la partie V de l'annexe VI de la *Loi sur la taxe d'accise (TPS)*.

Le délai pour produire la demande est de 4 ans. Nous vous invitons à consulter nos commentaires en vertu de l'article 261 pour une discussion sur la présence d'un délai de rigueur et, le cas échéant, sur la possibilité de bénéficier d'un recours alternatif lorsque le délai prescrit est expiré.

261. (1) Remboursement d'un montant payé par erreur — Dans le cas où une personne paie un montant au titre de la taxe, de la taxe nette, des pénalités, des intérêts ou d'une autre obligation selon la présente partie alors qu'elle n'avait pas à le payer ou à le verser, ou paie un tel montant qui est pris en compte à ce titre, le ministre lui rembourse le montant, indépendamment du fait qu'il ait été payé par erreur ou autrement.

Notes historiques: Le paragraphe 261(1) a été ajouté par L.C. 1990, c. 45, par. 12(1).

Concordance québécoise: LTVQ, art. 400.

(2) Restriction — Le montant n'est pas remboursé dans la mesure où :

a) le montant est pris en compte à titre de taxe ou de taxe nette pour la période de déclaration d'une personne et le ministre a établi une cotisation à l'égard de la personne pour cette période selon l'article 296;

b) le montant payé était une taxe, une taxe nette, une pénalité, des intérêts ou un autre montant visé par une cotisation établie selon l'article 296;

c) un remboursement du montant est accordé en application des paragraphes 215.1(1) ou (2) ou 216(6) ou des articles 69, 73, 74 ou 76 de la *Loi sur les douanes* par l'effet des paragraphes 215.1(3) ou 216(7).

Notes historiques: L'alinéa 261(2)c) a été modifié par L.C. 1993, c. 27, par. 116(1) et s'applique aux montants payés au titre de la taxe prévu à la section III sur des produits dédouanés (au sens du paragraphe 2(1) de la *Loi sur les douanes*) après le 10 juin 1993. Il se lisait auparavant comme suit :

c) la demande de remboursement fait suite à la non-acceptation d'une détermination de la valeur de produits faite pour l'application de la section III.

Le paragraphe 261(2) a été ajouté par L.C. 1990, c. 45, par. 12(1).

Concordance québécoise: LTVQ, art. 400.

(3) Demande de remboursement — Le remboursement n'est versé que si la personne en fait la demande dans les deux ans suivant le paiement ou le versement du montant.

Notes historiques: Le paragraphe 261(3) a été modifié par L.C. 1997, c. 10, par. 71(1) et cette modification s'applique aux montants suivants :

a) ceux qui, après juin 1996, sont payés ou comptabilisés au titre de la taxe ou d'un autre montant à payer ou à verser en application de la partie IX;

b) ceux qui, avant juillet 1996, sont payés ou comptabilisés au titre de la taxe ou d'un autre montant à payer ou à verser en application de cette partie, à l'exception des montants dont le remboursement est demandé aux termes de l'article 261 avant juillet 1998.

Auparavant il se lisait comme suit :

(3) Le remboursement n'est versé que si la personne en fait la demande dans les quatre ans suivant le paiement ou le versement du montant.

Le paragraphe 261(3) a été ajouté par L.C. 1990, c. 45, par. 12(1).

Concordance québécoise: LTVQ, art. 401.

(4) Une demande par mois — Sous réserve des paragraphes (5) ou (6), une personne ne peut présenter plus d'une demande de remboursement par mois.

Notes historiques: Le paragraphe 261(4) a été modifié par L.C. 1993, c. 27, par. 116(2) et est réputé entré en vigueur le 17 décembre 1990. Auparavant, il se lisait comme suit :

(4) Une personne ne peut présenter plus d'une demande de remboursement par mois en application du présent article.

Le paragraphe 261(4) a été ajouté par L.C. 1990, c. 45, par. 12(1).

Concordance québécoise: LTVQ, art. 402.

(5) Demandes par succursales ou divisions — La personne qui a droit au remboursement, qui exerce des activités dans des succursales ou divisions distinctes et qui est autorisée par le paragraphe 239(2) à produire des déclarations distinctes aux termes de la section V relativement à une succursale ou division peut produire des demandes distinctes aux termes du présent article relativement à la succursale ou division mais ne peut présenter plus d'une demande de remboursement par mois relativement à la succursale ou division.

Notes historiques: Le paragraphe 261(5) a été ajouté par L.C. 1993, c. 27, par. 116(2) et est réputé entré en vigueur le 17 décembre 1990.

Concordance québécoise: LTVQ, art. 402.0.1.

(6) Demande selon l'article 239 — Les règles suivantes s'appliquent à la personne qui n'a pas présenté de demande en vertu de l'article 239, qui a droit au remboursement et qui exerce des activités dans des succursales ou divisions distinctes :

a) pour l'application de l'article 239 à la personne, les mentions de « activité commerciale », « déclarations distinctes aux termes de la présente section » et « l'inscrit » à cet article valent respectivement mention de « activité », « demandes distinctes aux termes de l'article 261 » et « la personne »;

b) la personne qui, par l'effet du présent paragraphe, est autorisée par l'article 239 à produire des demandes de remboursement distinctes aux termes du présent article relativement à une succursale ou division ne peut présenter plus d'une demande par mois.

Notes historiques: Le paragraphe 261(6) a été ajouté par L.C. 1993, c. 27, par. 116(2) et est réputé entré en vigueur le 17 décembre 1990.

Concordance québécoise: LTVQ, art. 402.0.2.

Définitions [art. 261]: « cotisation », « ministre », « mois », « montant », « période de déclaration », « personne », « produits », « taxe » — 123(1).

Renvois [art. 261]: 178.3(1)c), 178.4(1)c) (remboursement non applicable pour l'entrepreneur); 183(10.1)e)(ii) (rachat d'un bien — taxe réputée payée par erreur); 215.1 (remboursement pour biens retournés); 216(4) (appel concernant le classement); 225(3)b) (CTI non applicable); 249(7) (garantie — défaut de se conformer); 262(1), (2) (forme et production de la demande); 263 (restriction au remboursement) 263.01 (TVH — institution financière désignée particulière); 263.1 (faillite — restriction au remboursement); 264 (montant remboursé en trop); 296(2.1), (3.2) (application d'un montant de remboursement non demandé); 297(1)–(3) (cotisation et versement); 336(5) (fourniture à soi-même d'un logement en copropriété par une société en commandite); 340.1, 355 (redressements).

Décrets de remise [art. 261]: *Décret de remise visant le projets conjoints des gouvernements du Canada et des États-Unis* C.P.1990-2848; *Décret de remise de 1990 relatif aux bases américaines établis à Terre-Neuve* C.P.1990-2850; *Décret de remise visant les forces étrangères présentes au Canada (ptie IX de la LTA)* C.P. 1992-2399; *Décret de remise visant les droits fonciers issus de traites (Saskatchewan)* C.P.1994-585; *Décret de remise visant les Indiens et la bande War Lake First Nation de l'établissement indien d'Ilford* C.P. 1994-801; *Décret de remise concernant l'usine de traitement des eaux usées du Conseil de bande mohawk d'Akwesasne* C.P. 1995-860; *Décret de remise visant Hampton Place et Taylor Way* C.P. 2001-895; *Décret de remise visant certaines fournitures de véhicule routier* C.P. 2001-896.

Jurisprudence [art. 261]: *Twentieth Century Fox Home Entertainment Canada Ltd. v. Canada (Attorney General)* (28 juin 2012), 2012 CarswellNat 2907 (C.F.); *Scott v. R.* (25 juillet 2012), 2012 CarswellNat 2716 (C.C.I.); *Tele-Mobile Co. Partnership v. R.* (17 juillet 2012), 2012 CarswellNat 5031 (C.C.I.); *Construction MDGG inc. c. SMRQ* (13 mars 2008), 200-80-002119-061, 2008 CarswellQue 2224; *Metropolitain Toronto Hockey League c. La Reine,*, [1994] G.S.T.C. 55 (CCI); [1995] G.S.T.C. 31 (CAF); *2955-4201 Québec inc. c. Canada*, [1997] G.S.T.C. 99 (CCI); [1997] G.S.T.C. 100 (CAF); *R. MullenConstruction Ltd. c. Canada*, [1997] G.S.T.C. 106 (CCI); *Olson Realty Corp. c. Canada*, [1998] G.S.T.C. 27 (CCI); *Bates Paralegal and Administrative Services c. Canada*, [1998] G.S.T.C. 52 (CCI); *Taylor (J.) c. Canada*, [1998] G.S.T.C. 80 (CCI); *Sterling BusinessAcadamy Inc. c. Canada*, [1998] G.S.T.C. 130 (CCI); *GKO Engineering c. R.*, [2000] G.S.T.C. 29 (CCI); *Battista c. R.*, [2000] G.S.T.C. 44 (CCI); *May c. R.*, [2000] G.S.T.C. 75 (CCI); *Alfred c. R.*, [2000] G.S.T.C. 76 (CCI); *Earnshaw c. R.*, [2000] G.S.T.C. 77 (CCI); *Dobie c. R.*, [2000] G.S.T.C. 78 (CCI); *Panar c. R.*, [2000] G.S.T.C. 84 (CCI); *Dobie c. R.*, [2000] G.S.T.C. 78 (CCI); *Lessard c. R.*, [2000] G.S.T.C. 98 (CCI); *Bates c. R.*, [2001] G.S.T.C. 29 (CCI); *Tremblay c. R.*, [2001] G.S.T.C. 30 (CCI); *Amusements Jolin Inc. c. La Reine*, [2002] G.S.T.C. 111 (GST); *800537 Ontario Inc. v. R.*, [2005] G.S.T.C. 165 (CAF); *Banque Canadienne Impériale de Commerce c. R.*, [2005] G.S.T.C. 181 (CCI); *McDonell c. R.*, [2005] G.S.T.C. 134 (CCI); *Simard c. R.*, 2006 G.T.C. 73 (CCI); *Axa Canada Inc. c. M.N.R.*, [2006] G.S.T.C. 1 (CF); *Banque Canadienne Impériale de Commerce c. R.*, [2006] G.S.T.C. 105 (CCI); *Construction Daniel Provencher Inc. c. R.*, 2007 G.T.C. 863 (CCI); *West Windsor Urgent Care Centre Inc. v. R.*, [2008] G.S.T.C. 6 (CAF); *North Vancouver School District No. 44 v. R.*, [2008] G.S.T.C. 171 (CCI [procédure générale]); *United Parcel Service Canada Ltd. v. R.*, [2008] G.S.T.C. 34 (CAF); *Telus Communications (Edmonton) Inc. v. R.* (13 février 2008), [2008] G.S.T.C. 39 (CCI [procédure générale]); *Canadian Medical Protective Assn. v. R.* (10 avril 2008), [2008] G.S.T.C. 88 (CCI [procédure générale]); 2009 CarswellNat 907 (Cour suprême du Canada); *Toronto District School Board v. R.* (2 janvier 2009), 2009 CarswellQue 1678 (CCI [procédure générale]); *Merchant Law Group v. R.*, 2010 CarswellNat 3934, 2010 CAF 206, [2010] G.S.T.C. 116 (CAF); *Welch v. R.*, 2010 CarswellNat 4641, 2010 CCI 449, [2010] G.S.T.C. 127 (CCI [procédure générale]); *CIBC World Markets Inc. v. R.*, 2010 CarswellNat 5197, 2010 CCI 460, [2010] G.S.T.C. 134 (CCI [procédure générale]); *Société en Commandite Sigma-Lamaque c. R.* (10 septembre 2010), 2010 CarswellNat 3211, 2010 CCI 415, 2010 G.T.C. 96 (Fr.) (CCI [procédure générale]); *A OK Payday Loans Inc. v. R.*, 2010 CarswellNat 4165, 2010 CCI 469, [2010] G.S.T.C. 135 (CCI [procédure informelle]).

Énoncés de politique [art. 261]: P-036, 15/06/92, *Rachat d'un véhicule au termes du programme d'arbitrage de l'Ontario*; P-037, 01/10/92, *Remboursement de la TPS payée par erreur sur des services de transport intérieur*; P-198, 11/01/96, *Taxes municipales impayées et rachat par l'ancien propriétaire* (Ébauche); P-212, 12/09/97, *Droit des membres des forces étrangères (LFEPC) présentes au Canada de demandes un remboursement en application du paragraphe 252(1) de la LTA.*

Bulletins de l'information technique [art. 261]: B-048, 27/02/91, *Comment remplir la demande de remboursement de la TPS à l'intention des bandes indiennes*; B-050, 12/03/91, *Dégrèvement de TPS accordé aux organisations et aux agents diplomatiques*; B-075R, 23/04/96, *Modifications proposées à la TPS*; B-083R, 23/05/97, *Services financiers sous le régime de la TVH*.

Mémorandums [art. 261]: TPS 300-8, 6/01/91, *Produits importés*, par. 28–31; TPS 300-3-8, 23/04/93, *Organismes internationaux et représentants*, par. 1–6.

Série de mémorandums [art. 261]: Mémorandum 3-8, 23/04/93, *Organismes internationaux et représentants*, par. 3, 5; Mémorandum 8.1, 05/05, *Règles générales d'admissibilité*; Mémorandum 28.3, 12/98, *Services de transport de passagers*, par. 38-39.

Formulaires [art. 261]: FP-189, *Demande générale de remboursement*; FP-498, *Demande de remboursement de la TPS/TVH par un représentant étranger, une mission diplomatique, un poste consulaire, une organisation internationale ou une unité de forces étrangères présentes au Canada*; GST189, *Demande générale de remboursement de la TPS/TVH*; GST288, *Supplément pour: Demande générale de remboursement de la TPS*; GST439, *Autorisation de versements compensatoires de la TPS pour habitations neuves et remboursements généraux non soumis à une justification*; GST498, *Demande de remboursement de la taxe sur les produits et services (TPS)/Taxe de vente harmonisée (TVH) pour les représentants étrangers et les membres des missions diplomatiques, des postes consulaires, des organisations internationales et des unités de forces étrangères présentes au Canada.*

Lettres d'interprétation (Québec) [art. 261]: 99-0109134 — Interprétation relative à la TPS — Interprétation relative à la TVQ — Vente sous contrôle de justice — certificats d'actions; 99-0111064 — Convention entre [une ville] et un inscrit en TPS/TVQ; 00-0100727 — Décision portant sur l'application la TPS — Interprétation relative à la TVQ — Résolution d'une vente immobilière et remboursement de taxes.

COMMENTAIRES

Paragraphe (1)

Le paragraphe (1) est la disposition générale tributaire, notamment, de la demande d'un remboursement de la taxe payée par erreur par une personne. Tel que le reflète ce paragraphe, la demande de remboursement s'étend également aux pénalités, aux intérêts et aux autres obligations de la partie IX de la *Loi sur la taxe d'accise (TPS)*.

La possibilité d'obtenir, pour l'acquéreur, le remboursement de la taxe payée par erreur est indépendant du fait que le fournisseur remette (ou non) la TPS/TVH ainsi payée aux autorités fiscales appropriées. En effet, le fournisseur qui fait défaut de remettre la TPS/TVH ainsi perçue sera assujetti à l'application d'autres articles, notamment les articles 317 et 323. Ce principe général ne s'applique toutefois pas en cas de fraude ou de collusion, tel que le souligne la Cour canadienne de l'impôt dans l'affaire *Airport Auto Ltd. c. R.*, [2003] G.S.T.C. 151 (C.C.I.). Voir également à cet effet: *Société en Commandite Sigma-Lamaque c. R.*, 2010 CarswellNat 4438, 2010 CCI 415.

Évidemment, encore faut-il que l'acquéreur démontre qu'il a effectivement payé la taxe pour laquelle il demande un remboursement. Voir à cet effet notamment : *Société en Commandite Sigma-Lamaque c. R.*, 2010 CarswellNat 4438, 2010 CCI 415.

À titre alternatif au remboursement prévu par cet article, une personne peut demander au fournisseur de rembourser, rajuster ou créditer le montant de la taxe en vertu du paragraphe 232(1). Le délai pour présenter une demande est également de 2 ans. Il n'y a toutefois aucune obligation légale de procéder par cet article avant de présenter une demande sous l'article 261. Nous vous invitons à consulter nos commentaires à l'égard de l'article 232.

Le paragraphe (1) permet également dans certains cas à un fournisseur qui a versé un montant par erreur au titre de la TPS/TVH de demander un remboursement. Toutefois, ce remboursement ne s'applique pas à un fournisseur qui a perçu ou facturé la TPS/TVH par erreur. Voir notamment à ce titre : *West Windsor Urgent Care Centre Inc. v. R.*, 2005 CarswellNat 7073, 2008 CarswellNat 28 (C.A.F.0 et Agence du revenu du Canada, *Nouvelles sur l'accise et la TPS/TVH no. 84* (printemps 2012). Dans ce dernier cas, le fournisseur est tenu d'inclure ce montant de taxe dans le calcul de sa taxe nette dans une déclaration de TPS/TVH pour la période de déclaration dans laquelle la taxe a été facturée ou perçue en vertu du paragraphe 225(1). Puisque le paragraphe 225(1) requiert l'inclusion de ce montant dans le calcul de la taxe nette, on ne peut raisonnablement prétendre que le fournisseur l'a versé par erreur. À titre alternatif, le fournisseur pourra, sur la base de l'article 232, rembourser, rajuster ou créditer le montant de taxe qui a été facturé ou perçu en trop auprès d'un acquéreur, dans un délai de deux ans suivant le jour où la taxe a été facturée ou perçue.

Toutefois, il appert qu'un fournisseur peut demander un remboursement pour un montant versé par erreur dans certaines situations, dont l'une des suivantes :

(i) (i) Si le fournisseur n'a pas perçu la TPS/TVH d'un acquéreur relativement à une fourniture exonérée ou détaxée, mais a versé par erreur sur ses fonds un montant à titre de TPS/TVH pour cette fourniture. À titre d'exemple, on peut penser au cas où un contrat indique que le prix d'achat « inclut la TPS/TVH, si applicable » et qu'il y a eu une erreur lors du calcul de la taxe nette puisqu'un actif a été considéré comme taxable alors qu'il était détaxée ou exonéré; et

(ii) (ii) si le fournisseur a perçu un montant de TPS/TVH d'un acquéreur, mais a versé par erreur un montant de TPS/TVH plus élevé que celui qui a été perçu.

Nous soulignons que la Cour suprême du Canada, dans l'arrêt *United Parcel Service Canada Ltd. c. R.*, 2009 CarswellNat 907, 2009 SCC 20 (Cour suprême du Canada) (ci-après l'affaire « *UPS* »), a accordé un remboursement en vertu de l'article 261 au fournisseur. La décision est fondée sur plusieurs faits importants, notamment le fait que la Couronne avait convenu dans l'exposé des faits que des paiements en trop de la taxe avaient été effectués et qu'UPS n'avait pas été remboursée par ses clients pour les paiements versés en trop. Voir notamment : Agence du revenu du Canada, Avis sur la TPS/TVH no. 245, *Décision de la Cour suprême du Canada — United Parcel Service*

LTA (TPS)

du Canada ltée c. Sa Majesté La Reine [2009] (septembre 2009). Toutefois, cette cause précède l'année 2007 et les périodes concernées n'avaient pas été cotisées. Ainsi, la question relative à l'alinéa 261(2)(a), qui est discuté ci-dessous, n'a pas été considérée.

La période post-*UPS* n'a pas été prospère en termes d'application des règles relatives à cet arrêt. En effet, en date des présentes, nous n'avons identifié une dizaine de décisions qui l'ont citées, dont notamment : *4145356 Canada Ltd. v. R.*, 2011 CarswellNat 1238 (en appel à la Cour d'appel fédérale), 2011 TCC 220 (C.C.I.), *CIBC World Markets Inc. v. R.*, 2010 CarswellNat 3188 (C.C.I.) (2011 CarswellNat 3848 (C.A.F))(2012 CarswellNat 3326 (C.A.F.)), *A OK Payday Loans Inc. v. R.*, 2010 CarswellNat 3206 (C.C.I.); 501638 N.B. Ltd. v. R., 2010 CarswellNat 913 (C.C.I.) et une seule décision l'a suivie : *GF Partnership v. R.*, 2010 CarswellNat 4885 (C.C.I.). Il est donc raisonnable de constater que les tribunaux appliquent l'arrêt de la Cour suprême du Canada avec parcimonie en l'appliquant uniquement lorsque des faits similaires à ceux dans cet arrêt s'y retrouvent.

Paragraphe (2)

L'alinéa a) indique que le remboursement n'est pas offert dans la mesure où le montant a été déclaré à titre de taxe ou de taxe nette pour une période de déclaration du fournisseur et que le ministre a établi une cotisation auprès du fournisseur pour cette période de déclaration en vertu de l'article 296. Voir notamment à cet effet : *GKO Engineering (A Partnership) v. R.*, 2000 CarswellNat 4364, [2000] G.S.T.C. 29 (C.C.I.).

À compter d'avril 2007, l'Agence du revenu du Canada avait, dans la plupart des cas, délivré un avis de cotisation une fois que la déclaration de TPS/TVH avait été produite. Lorsqu'un tel avis de cotisation avait été émis, le fournisseur n'avait pas le droit de produire une demande de remboursement en vertu de l'article 261. Dans ce cas, les choix possibles étaient les suivants :

i) La production d'un avis d'opposition par le fournisseur. En pratique, le délai de 90 jours n'était que rarement suffisant pour déceler un montant de taxe payée par erreur;

ii) la production d'une demande de prolongation de délai dans la mesure où le délai de 90 jours pour produire un avis d'opposition était expiré. La demande doit être présentée dans un délai d'un an suivant la date d'expiration pour la production d'un avis d'opposition; et

iii) le fournisseur pouvait demander l'établissement d'une nouvelle cotisation. Une telle demande doit être présentée dans un délai de quatre ans suivant le dernier en date du jour où la déclaration devait être produite et du jour où la déclaration a été produite.

Au printemps 2012, l'Agence du revenu du Canada, dans le cadre des *Nouvelles sur l'accise et la TPS/TVH* (n° 84) a indiqué que depuis avril 2011, une déclaration de TPS/TVH pour une période de déclaration dans laquelle la taxe nette due est égale au paiement effectué avec la déclaration ne fera en général plus l'objet d'une cotisation automatique lors de la production initiale. Par conséquent, un avis de cotisation ne serait pas délivré pour cette période. Ainsi, si la déclaration de TPS/TVH ne fait pas l'objet d'une cotisation, le fournisseur qui a versé la taxe par erreur dans cette déclaration peut demander un remboursement pour la taxe versée par erreur, dans la mesure où la demande de remboursement est présentée dans un délai de deux ans suivant le jour où le montant a été versé. Il semble donc qu'à l'avenir, il y aura deux catégories de déclarations de TPS/TVH.

Nous désirons souligner que la Cour suprême du Canada dans l'arrêt *UPS* a donné une interprétation large à l'alinéa c), en indiquant que l'objet de cet alinéa était d'éviter le paiement double de remboursement.

Finalement, nous désirons souligner que Revenu Québec a indiqué qu'un remboursement de la taxe payée par erreur peut être appliqué contre la taxe nette déclarée en vertu du paragraphe 296(2.1) pour une période de déclaration donnée lorsque le délai de deux ans pour demander ce remboursement est expiré. Voir à cet effet : Revenu Québec, *Tribune d'échange sur des questions techniques avec Revenu Québec*, Symposium des taxes à la consommation, Association de planification fiscale et financière (2009). Voir également la décision de la Cour canadienne de l'impôt dans l'affaire *501638 NB Ltd c. R.*, 2010 CarswellNat 913 (C.C.I.) où la Cour canadienne de l'impôt, en se basant sur l'affaire *UPS* et le paragraphe 296(2.1) a permis le remboursement en concluant qu'il n'était pas fatal que l'appelante réclame des crédits de taxe sur les intrants, plutôt qu'en vertu de la demande prévue à l'article 261.

Paragraphe (3)

Le paragraphe (3) indique que la demande de remboursement doit être présentée dans les deux ans suivant le paiement ou le versement du montant. La question s'est posée à de nombreuses reprises quant à savoir si ce délai était de rigueur et si les dispositions de la *Loi sur la taxe d'accise (TPS)* devaient être interprétées comme un code en soi, excluant de ce fait les recours alternatifs.

Au Québec, sans égards aux dispositions fiscales, il existe plusieurs recours en droit civil qui pourraient être appliqués pour recourir à un remboursement de taxe payée en trop. L'action de faire valoir le droit au remboursement, alors que l'obligation de paiement n'existait pas, est le recours en répétition de l'indu prévu notamment en vertu des articles 1491, 1492 et 1554 du *Code civil du Québec*. Le délai de prescription est de 3 ans en vertu de l'article 2925 du *Code civil du Québec*.

Malgré cela, la jurisprudence nous enseigne que les tribunaux ne devraient pas autoriser de recours alternatifs ayant pour objectif de recouvrer les montants de TPS payés par erreur ou autrement, et ce, principalement pour les trois raisons suivantes :

(1) la *Loi sur la taxe d'accise (TPS)* prévoit un code exhaustif au niveau des mécanismes de remboursement de taxe payée par erreur ou autrement et, par conséquent, les recours de nature civile devraient être écartés;

(2) l'article 312 de la *Loi sur la taxe d'accise (TPS)* interdit le droit de recouvrer de l'argent versé à Sa Majesté, mis à part les recours prévus spécifiquement dans la *Loi sur la taxe d'accise (TPS)*; et

3) les principes d'interprétation établissent, de façon prépondérante, que les dispositions spécifiques de la *Loi sur la taxe d'accise (TPS)* doivent être interprétées sans avoir recours à des textes législatifs externes.

Voir notamment à cet effet : *Will-Sher Construction Ltd. v. Minister of National Revenue*, 2003 CarswellNat 4257, [2003] G.S.T.C. 156 (Cour fédérale); *Mary Campeau Developments Ltd. v. R.*, 2002 CarswellNat 5963, 2002 FCA 21 (Cour d'appel fédérale); *McDonell c. La Reine*, [2005] G.S.T.C. 134 (C.C.I.); *Slovack c. La Reine*, [2007] G.S.T.C. 159 (C.C.I.); *Sorbara v. Canada (Attorney General)*, [2008] G.S.T.C. 210, confirmé par la Cour d'appel de l'Ontario, 2009 CarswellOnt 3546.

De surcroît, nous désirons souligner l'article 224.1 qui s'appliquer à toute action ou procédure qui, le 13 juillet 2010, n'avait pas été tranchée de façon définitive par les tribunaux compétents et qui prévoit que seule Sa Majesté du chef du Canada peut intenter une action contre une personne pour avoir perçu un montant au titre de la taxe en vertu de la partie IX.

Dans des circonstances exceptionnelles, les tribunaux ont conclu à quelques reprises à la possibilité d'un recours alternatif. Ces cas sont très spécifiques et concernent, entre autres, les situations suivantes :

i) Un remboursement en vertu du *Petroleum and Gas Revenue Tax Act* a été accordé sur la base d'un recours d'enrichissement injustifié puisque la législation en cause ne constituait pas un code exhaustif de demandes de remboursement. Voir à cet effet : *Forest Oil Corp. c. R.*, 4 G.T.C. 6269 (C.F.), 1998 CarswellNat 3526 (C.A.F.);

ii) le tribunal a conclu que des taxes de vente provinciales qui avaient été erronément payées pouvaient être remboursées au contribuable dans un contexte où les dispositions provinciales prévoyaient simplement que le ministre « pouvait » octroyer un remboursement. Voir à cet effet : *Labatt Brewing Co. Ltd. c. British Columbia*, 98 G.T.C. 6050 (B.C.C.A.);

iii) dans un cas où l'Agence du revenu du Canada n'a pas remis le formulaire de demande de remboursement de taxe de vente fédérale au contribuable en temps opportun, le tribunal a conclu que la demande de remboursement avait été produite dans les délais requis puisque l'Agence du revenu du Canada avait un devoir de remettre le formulaire de demande de remboursement au contribuable. Voir à cet effet : *Magnus c. M.N.R.*, 98 G.T.C. 5018 (C.I.T.T.); et

iv) la Cour suprême du Canada a indiqué qu'on ne pouvait prétendre que la *Loi de l'impôt sur le revenu* était un code exhaustif qui ne pouvait être assujetti aux lois d'application générale dans un contexte de droits de recouvrement d'impôt sur le revenu par l'Agence du revenu du Canada puisque la *Loi de l'impôt sur le revenu* était silencieuse à cet égard. Voir à cet effet : *Markevich c. R.*, [2003] 2 C.T.C. 83 (C.S.C.).

L'ensemble des cas précités réfère toutefois en grande majorité à des lois provinciales dans un contexte très précis.

À tout événement, il serait possible de présenter une demande de décret de remise pour la TPS qui a été payée par erreur ou autrement. Le décret de remise est une mesure extraordinaire d'exonération totale ou partielle de taxes fédérales dans les cas où pareille exonération n'est pas possible en application des lois fiscales en vigueur. Sa source législative est l'article 23(2) de la *Loi sur la gestion des finances publiques*. La décision de recommander l'exonération relève des pouvoirs discrétionnaires du ministre du Revenu national et selon l'Agence du revenu du Canada, elle est de façon générale fondée sur les facteurs suivant : (i) situation financière extrêmement difficile, action ou information erronée de la part de représentants de l'Agence du revenu du Canada, (ii) revers financier avec circonstances atténuantes (c.-à-d. circonstances échappant à la volonté de l'intéressé), (iii) effets inattendus de la législation. Une situation financière extrêmement difficile s'entend de celle d'un contribuable selon laquelle les ressources actuelles et anticipées de l'individu ne seront pas adéquates pour régulariser la situation du contribuable. Récemment, la Cour fédérale a révisé la demande d'un décret de remise dans l'affaire *Twentieth Century Fox Home Entertainment Canada Ltd. c. Canada* [2012] G.S.T.C. 59 (C.F.) (confirmé par la Cour d'appel fédérale, 2013 CarswellNat 182 (C.A.F.). En effet, en raison d'une erreur informatique, l'appelant avait remis un montant en trop de 12,5 millions de dollars. L'appelant, une grande entreprise, a été en mesure de réclamer un montant de 11,5 millions de dollars par le biais de la demande de remboursement sous l'article 261. Toutefois, il a été dans l'impossibilité de récupérer le montant restant, à savoir 1 million de dollars, puisqu'il était en dehors du délai prescrit de deux au paragraphe 261(3). En révision judiciaire à la Cour fédérale, celle-ci a accepté la décision du commissaire et n'a pas fait droit au décret de remise. De l'avis de la Cour fédérale, une erreur informatique n'était pas en dehors du contrôle de l'appelant. De l'avis de l'auteur, cette décision est juste, puisqu'une grande entreprise comme l'appelante aurait du être en mesure de détecter cette erreur par un simple examen routinier de ses vérificateurs.

Le ministre du Revenu national a accordé des décrets de remise dans le cas suivants :

(i) un montant de TPS a été remis aux propriétaires de maisons dans la province d'Alberta qui avaient payé de la TPS sur les frais annuels de maintenance alors que ces frais étaient exonérés de TPS (*Certain Hidden Valley Golf Resort Association Members Remission Order*, P.C. 2004-1288 (1er novembre 2004). Ce décret de remise fait suite à la décision de la Cour d'appel fédérale dans *Hidden Valley Golf Resort Assn. c. Canada*, [2000] G.S.T.C. 42 (C.A.F.));

(ii) un montant de TPS a été remis à l'égard de la taxe payée par erreur pour les commissions des terminaux de vidéos-loteries, lesquelles ne sont pas sujettes à la TPS (*Gateway Hotels Ltd. Remission Order*, P.C. 2002-736 (2 mai 2002));

(iii) un montant de TPS a été remis à la Maison Accueil-Sagesse représentant un montant de TPS payé par erreur à l'égard des services de traiteurs fournis à une institution de soins de santé et qui résulte d'actions inappropriées de la part de l'Agence du revenu du Canada (*Maison Accueil-Sagesse Remission Order*, P.C. 2007-565 (19 avril 2007)); et

(iv) un montant de TPS a été accordé pour avoir fait défaut de présenter une demande de remboursement de la taxe payée par erreur dans les temps requis en raison de circonstances en dehors du contrôle du contribuable (*Parmjit Cheema Remission Order*, P.C. 2002-1714 (3 octobre 2002); *David Derksen and Nita Derksen Remission Order*, P.C. 2002-1716 (3 octobre 2002); *Karen Fraser and Ian Schofield Remission Order*, P.C. 2002-1718 (3 octobre 2002); *Alfredo Maida and Maria Maida Remission Order*, P.C. 2002-1717 (3 octobre 2002); et *Merril McEvoy-Halston Remission Order*, P.C. 2003-96 (30 janvier 2003). Bien que peu d'informations figurent sur les décrets de remise, il ressort des cas précités que le ministre du Revenu national a déjà accordé des remboursements de TPS lorsque ceux-ci avaient été perçus sur des fournitures exonérées.

Au Québec, l'affaire *Construction M.D.G.G. Inc. c. Québec (Sous-ministre du Revenu)*, [2011] G.S.T.C. 97 (Cour supérieure) est d'intérêt dans le contexte du paragraphe (3). Dans cette affaire, M.D.G.G. avait construit 4 unités de condominiums et les avait loués. M.D.G.G. ne s'était pas autocotisé en vertu de l'article 191. Deux années plus tard, M.D.G.G. vend les unités et perçoit les taxes applicables des acheteurs, en les créditant par le biais du remboursement prévu par l'article 254. M.D.G.G. remet les taxes par la suite à Revenu Québec. Trois années plus tard, Revenu Québec a cotisé M.D.G.G. puisqu'il n'avait pas remis les taxes en vertu de l'article 191. Ainsi, la Cour du Québec n'a pas accordé l'appel de M.D.G.G., puisque 191 en vertu des règles d'auto-cotisation s'appliquaient clairement. De surcroît, M.D.G.G. n'avait pas droit au remboursement prévu en vertu de l'article 261, car ce n'est pas la personne qui a payé les taxes. En effet, puisque les acheteurs ont payé les taxes, la demande de remboursement doit être présentée par ces derniers, mais le délai est expiré. De l'avis de la Cour supérieure, le fait que le gouvernement collecte deux fois le même montant n'est pas une raison pour faire nécessairement droit à l'appel. M.D.G.G. n'a pas porté en appel la décision de Cour du Québec et a plutôt décidé de poursuivre le notaire, les acheteurs et Revenu Québec. Il faudra donc voir si le remboursement prévu sous l'article 254 pourra être annulé. De l'avis de l'auteur, il est possible que la responsabilité du notaire soit engagée puisque l'application (ou non) des taxes est de son ressort. On attend la décision de la Cour supérieure avec impatience.

261.01 (1) Définitions — Les définitions qui suivent s'appliquent au présent article.

« cotisation » Cotisation qu'une personne verse à un régime de pension et qu'elle peut déduire en application de l'alinéa 20(1)q) de la *Loi de l'impôt sur le revenu* dans le calcul de son revenu.

Concordance québécoise: aucune.

« employeur admissible » Est un employeur admissible d'un régime de pension pour une année civile l'employeur participant au régime qui est un inscrit et qui :

a) si des cotisations ont été versées au régime au cours de l'année civile précédente, a versé des cotisations au régime au cours de cette année;

b) dans les autres cas, était l'employeur d'un ou de plusieurs participants actifs du régime au cours de l'année civile précédente.

Concordance québécoise: aucune.

« employeur participant » (*définition abrogée*).

« entité de gestion » (*définition abrogée*).

« entité de gestion admissible » Entité de gestion d'un régime de pension qui n'est pas un régime à l'égard duquel l'un des faits suivants se vérifie :

a) des institutions financières désignées y ont versé au moins 10 % des cotisations totales au cours de la dernière année civile antérieure où des cotisations y ont été versées;

b) il est raisonnable de s'attendre à ce que des institutions financières désignées y versent au moins 10 % des cotisations totales au cours de l'année civile subséquente où des cotisations devront y être versées.

Concordance québécoise: aucune.

« entité de gestion non admissible » Entité de gestion qui n'est pas une entité de gestion admissible.

Concordance québécoise: aucune.

« montant admissible » Est un montant admissible d'une entité de gestion pour sa période de demande le montant de taxe, sauf un montant recouvrable relativement à la période de demande, qui, selon le cas :

a) est devenu payable par l'entité au cours de la période de demande, ou a été payé par elle au cours de cette période sans être devenu payable, relativement à la fourniture, à l'importation ou au transfert dans une province participante d'un bien ou d'un service qu'elle a acquis, importé ou ainsi transféré, selon le cas, en vue de sa consommation, de son utilisation ou de sa fourniture relativement à un régime de pension, à l'exclusion d'un montant de taxe qui, selon le cas :

(i) est réputé avoir été payé par l'entité en vertu des dispositions de la présente partie, sauf l'article 191,

(ii) est devenu payable par l'entité à un moment où elle avait droit à un remboursement prévu à l'article 259, ou a été payé par elle à ce moment sans être devenu payable,

(iii) était payable par l'entité en vertu du paragraphe 165(1), ou est réputé en vertu de l'article 191 avoir été payé par elle, relativement à la fourniture taxable, effectuée à son profit, d'un immeuble d'habitation, d'une adjonction à un tel immeuble ou d'un fonds si l'entité avait droit, relativement à cette fourniture, à un remboursement prévu à l'article 256.2 ou y aurait droit une fois payée la taxe payable relativement à la fourniture;

(iv) l'entité étant une institution financière désignée particulière tout au long de la période de demande, était payable en vertu du paragraphe 165(2), des articles 212.1 ou 218.1 ou de la section IV.1;

b) est réputé avoir été payé par l'entité en vertu de l'article 172.1 au cours de la période de demande.

Concordance québécoise: aucune.

« montant de remboursement de pension » Le montant de remboursement de pension d'une entité de gestion pour une période de demande correspond au montant obtenu par la formule suivante :

$$A \times B$$

où :

A représente 33 %;

B le total des montants représentant chacun un montant admissible de l'entité pour la période de demande.

Concordance québécoise: aucune.

« montant de remboursement de pension provincial » Le montant de remboursement de pension provincial d'une entité de gestion pour une période de demande comprise dans un exercice se terminant dans une année d'imposition de celle-ci correspond à celui des montants ci-après qui est applicable :

a) si l'entité est une institution financière désignée particulière tout au long de la période de demande, le total des montants dont chacun s'obtient, pour une province participante, par la formule suivante :

$$A \times B \times C/D$$

où :

A représente le montant de remboursement de pension de l'entité pour la période de demande,

B le pourcentage applicable à l'entité quant à la province participante pour l'année d'imposition pour l'application de l'élément C de la formule figurant au paragraphe 225.2(2),

C le taux de taxe applicable à la province participante,

D le taux fixé au paragraphe 165(1);

b) dans les autres cas, zéro.

« montant recouvrable » S'entend, relativement à une période de demande d'une personne, d'un montant de taxe qui, selon le cas :

a) est inclus dans le calcul d'un crédit de taxe sur les intrants de la personne pour la période de demande;

b) est un montant à l'égard duquel il est raisonnable de considérer que la personne a obtenu ou peut obtenir un remboursement ou une remise en vertu d'un autre article de la présente loi ou en vertu d'une autre loi fédérale;

c) est un montant qu'il est raisonnable de considérer comme ayant été inclus dans un montant remboursé à la personne, redressé en sa faveur ou porté à son crédit, pour lequel elle reçoit une note de crédit visée au paragraphe 232(3), ou remet une note de débit visée à ce paragraphe.

Concordance québécoise: aucune.

« participant actif » S'entend au sens du paragraphe 8500(1) du *Règlement de l'impôt sur le revenu*.

Concordance québécoise: aucune.

« période de demande » S'entend au sens du paragraphe 259(1).

Concordance québécoise: LTVQ, art. 402.13« période de demande ».

« régime de pension » (*définition abrogée*).

« régime interentreprises » (*définition abrogée*).

« taux de recouvrement de taxe » Le taux de recouvrement de taxe d'une personne pour un exercice correspond au moins élevé des pourcentages suivants :

a) 100 %;

b) la fraction (exprimée en pourcentage) obtenue par la formule suivante :

$$(A + B)/C$$

où :

A représente le total des montants représentant chacun :

(i) si la personne est une institution financière désignée particulière au cours de l'exercice, un crédit de taxe sur les intrants de la personne, au titre d'un montant de taxe prévu au paragraphe 165(1) ou à l'un des articles 212, 218 et 218.01, pour une période de déclaration comprise dans l'exercice,

(ii) dans les autres cas, un crédit de taxe sur les intrants de la personne pour une période de déclaration comprise dans l'exercice;

B le total des montants représentant chacun :

(i) si la personne est une institution financière désignée particulière au cours de l'exercice, le montant d'un remboursement auquel elle a droit en vertu de l'article 259, relativement à un montant de taxe prévu au paragraphe 165(1) ou à l'un des articles 212, 218 et 218.01, pour une période de demande comprise dans l'exercice,

(ii) dans les autres cas, le montant d'un remboursement auquel la personne a droit en vertu de l'article 259 pour une période de demande comprise dans l'exercice;

C le total des montants représentant chacun :

(i) si la personne est une institution financière désignée particulière au cours de l'exercice, un montant de taxe prévu au paragraphe 165(1) ou à l'un des articles 212, 218 et 218.01 qui est devenu payable par elle au cours de l'exercice ou qui a été payé par elle au cours de l'exercice sans être devenu payable,

(ii) dans les autres cas, un montant de taxe qui est devenu payable par la personne au cours de l'exercice ou qui a été payé par elle au cours de l'exercice sans être devenu payable.

Concordance québécoise: aucune.

Notes historiques: La définition de « cotisation » au paragraphe 261.01(1) a été ajoutée par L.C. 2010, c. 12, par. 75(2) et s'applique relativement aux périodes de demande d'une entité de gestion commençant après le 22 septembre 2009.

La définition de « employeur admissible » au paragraphe 261.01(1) a été ajoutée par L.C. 2010, c. 12, par. 75(2) et s'applique relativement aux périodes de demande d'une entité de gestion commençant après le 22 septembre 2009.

La définition de « employeur participant » au paragraphe 261.01(1) a été abrogée par L.C. 2012, c. 31, par. 88(1) et cette abrogation est réputée être entrée en vigueur le 23 septembre 2009. Antérieurement, elle se lisait ainsi :

« employeur participant » S'entend au sens du paragraphe 172.1(1).

La définition de « employeur participant » au paragraphe 261.01(1) a été ajoutée par L.C. 2010, c. 12, par. 75(2) et s'applique relativement aux périodes de demande d'une entité de gestion commençant après le 22 septembre 2009.

La définition de « entité de gestion » au paragraphe 261.01(1) a été abrogée par L.C. 2012, c. 31, par. 88(1) et cette abrogation est réputée être entrée en vigueur le 23 septembre 2009. Antérieurement, elle se lisait ainsi :

« entité de gestion » S'entend au sens du paragraphe 172.1(1).

La définition de « entité de gestion » au paragraphe 261.01(1) a été ajoutée par L.C. 2010, c. 12, par. 75(2) et s'applique relativement aux périodes de demande d'une entité de gestion commençant après le 22 septembre 2009.

La définition de « entité de gestion admissible » au paragraphe 261.01(1) a été ajoutée par L.C. 2010, c. 12, par. 75(2) et s'applique relativement aux périodes de demande d'une entité de gestion commençant après le 22 septembre 2009.

La définition de « entité de gestion non admissible » au paragraphe 261.01(1) a été ajoutée par L.C. 2010, c. 12, par. 75(2) et s'applique relativement aux périodes de demande d'une entité de gestion commençant après le 22 septembre 2009.

La définition de « montant admissible » au paragraphe 261.01(1) a été ajoutée par L.C. 2010, c. 12, par. 75(2) et s'applique relativement aux périodes de demande d'une entité de gestion commençant après le 22 septembre 2009.

La définition de « montant de remboursement de pension » au paragraphe 261.01(1) a été ajoutée par L.C. 2010, c. 12, par. 75(2) et s'applique relativement aux périodes de demande d'une entité de gestion commençant après le 22 septembre 2009.

La définition de « montant de remboursement de pension provincial » au paragraphe 261.01(1) a étéajoutée par L.C. 2010, c. 12, par. 75(2) et s'applique relativement aux périodes de demande d'une entité de gestion commençant après le 22 septembre 2009. Toutefois, pour le calcul du montant de remboursement de pension provincial d'une entité de gestion pour une période de demande de celle-ci commençant avant le 1er juillet 2010 et se terminant à cette date ou par la suite, la formule figurant à l'alinéa a) de la définition de « montant de remboursement de pension provincial » au paragraphe 261.01(1), et les éléments de cette formule, sont réputés avoir le libellé suivant :

$$A \times B \times C/D \times (E - F)/E$$

où :

A représente le montant de remboursement de pension de l'entité pour la période de demande,

B le pourcentage applicable à l'entité quant à la province participante pour l'année d'imposition pour l'application de l'élément C de la formule figurant au paragraphe 225.2(2),

C le taux de taxe applicable à la province participante,

D le taux fixé au paragraphe 165(1),

E le nombre de jours de la période de demande,

F

(i) si la province participante est l'Ontario ou la Colombie-Britannique, le nombre de jours de la période de demande qui sont antérieurs au 1er juillet 2010,

(ii) dans les autres cas, zéro;

La définition de « montant recouvrable » au paragraphe 261.01(1) a été ajoutée par L.C. 2010, c. 12, par. 75(2) et s'applique relativement aux périodes de demande d'une entité de gestion commençant après le 22 septembre 2009.

La définition de « participant actif » au paragraphe 261.01(1) a été ajoutée par L.C. 2010, c. 12, par. 75(2) et s'applique relativement aux périodes de demande d'une entité de gestion commençant après le 22 septembre 2009.

La définition de « régime de pension » au paragraphe 261.01(1) a été abrogée par L.C. 2012, c. 31, par. 88(1) et cette abrogation est réputée être entrée en vigueur le 23 septembre 2009. Antérieurement, elle se lisait ainsi :

« régime de pension » S'entend au sens du paragraphe 172.1(1).

La définition de « régime de pension » au paragraphe 261.01(1) a été ajoutée par L.C. 2010, c. 12, par. 75(2) et s'applique relativement aux périodes de demande d'une entité de gestion commençant après le 22 septembre 2009.

La définition de « régime interentreprises » au paragraphe 261.01(1) a été abrogée par L.C. 2010, c. 12, par. 75(1) et cette abrogation s'applique relativement aux périodes de demande d'une entité de gestion commençant après le 22 septembre 2009. Antérieurement, elle se lisait ainsi :

> Régime de pension qui, à un moment d'une année civile donnée, est un régime de pension agréé, au sens du paragraphe 248(1) de la *Loi de l'impôt sur le revenu*, qui est un régime interentreprises, au sens du paragraphe 8500(1) du *Règlement de l'impôt sur le revenu*, au cours de cette année, à l'exclusion du régime à l'égard duquel l'un des faits suivants se vérifie :
>
> a) si des cotisations ont été versées au régime au cours de l'année civile précédente par des employeurs participants, au moins 10 % des cotisations totales ainsi versées au cours de cette année l'ont été par de tels employeurs qui étaient des institutions financières désignées;
>
> b) dans les autres cas, il est raisonnable de s'attendre à ce qu'au moins 10 % des cotisations totales versées au régime au cours de l'année civile donnée par des employeurs participants soient versées par de tels employeurs qui sont des institutions financières désignées.

La définition de « taux de recouvrement de taxe » au paragraphe 261.01(1) a été ajoutée par L.C. 2010, c. 12, par. 75(2) et s'applique relativement aux périodes de demande d'une entité de gestion commençant après le 22 septembre 2009.

Le paragraphe 261.01(1) a été ajouté par L.C. 2000, c. 30, par. 77(1) et est réputé entré en vigueur le 20 octobre 2000. La personne qui a droit au remboursement prévu à l'article 261.01 relativement à un montant qui, avant le 20 octobre 2000, est devenu payable par elle au cours de sa période de demande, ou a été payé par elle au cours de cette période sans être devenu payable, ou qui aurait droit à ce remboursement en l'absence du paragraphe 261.01(4) dispose, malgré ce paragraphe, d'un délai de deux ans suivant cette date ou, s'il est postérieur, le jour visé à l'alinéa 261.01(4)a) ou b), selon le cas, pour produire une demande de remboursement.

(2) Remboursement aux entités de gestion admissibles — Si une entité de gestion est une entité de gestion admissible le dernier jour de sa période de demande, le ministre lui rembourse pour la période un montant égal au montant obtenu par la formule suivante :

$$A - B$$

où :

A représente le montant de remboursement de pension de l'entité pour la période;

B le total des montants représentant chacun :

a) soit le montant obtenu par la formule suivante :

$$C \times D$$

où :

C représente la valeur de l'élément A de la formule figurant au paragraphe (5) pour un employeur admissible en raison du choix fait selon ce paragraphe pour la période,

D le pourcentage déterminé à l'égard de l'employeur admissible dans le choix;

b) soit le montant déterminé selon l'alinéa (6)a) relativement à un employeur admissible en raison du choix fait selon le paragraphe (6) pour la période.

Notes historiques: Le paragraphe 261.01(2) a été remplacé par L.C. 2010, c. 12, par. 75(3) et cette modification s'applique relativement aux périodes de demande d'une entité de gestion commençant après le 22 septembre 2009. Antérieurement, il se lisait ainsi :

> (2) Si une fiducie régie par un régime interentreprises acquiert, importe, ou transfère dans une province participante un bien ou un service pour consommation, utilisation ou fourniture dans le cadre du régime, le ministre rembourse à la fiducie, pour chacune des périodes de demande de celle-ci, un montant égal au montant obtenu par la formule suivante :
>
> $$A \times (B - C)$$
>
> où :
>
> A représente 33 %;
>
> B le total des montants représentant chacun la taxe qui, au cours de la période en question et après 1998, est devenue payable par la fiducie, ou a été payée par elle sans être devenue payable, relativement à la fourniture, à l'importation ou au transfert du bien ou du service;
>
> C le total des montants représentant chacun un montant qui est inclus dans le total visé à l'élément B pour la période et, selon le cas :
>
> a) qui est inclus dans le calcul du crédit de taxe sur les intrants de la fiducie relativement au bien ou au service pour la période,
>
> b) relativement auquel il est raisonnable de considérer que la fiducie a obtenu ou peut obtenir un remboursement ou une remise en vertu d'un autre article de la présente loi ou en vertu d'une autre loi fédérale,
>
> c) qui est inclus dans un montant remboursé à la fiducie, redressé en sa faveur ou porté à son crédit et relativement auquel elle a reçu une note de crédit visée au paragraphe 232(3) ou remis une note de débit visée à ce paragraphe.

Le paragraphe 261.01(2) a été ajouté par L.C. 2000, c. 30, par. 77(1) et est réputé entré en vigueur le 20 octobre 2000. La personne qui a droit au remboursement prévu à l'article 261.01 relativement à un montant qui, avant le 20 octobre 2000, est devenu payable par elle au cours de sa période de demande, ou a été payé par elle au cours de cette période sans être devenu payable, ou qui aurait droit à ce remboursement en l'absence du paragraphe 261.01(4) dispose, malgré ce paragraphe, d'un délai de deux ans suivant cette date ou, s'il est postérieur, le jour visé à l'alinéa 261.01(4)a) ou b), selon le cas, pour produire une demande de remboursement.

Concordance québécoise: LTVQ, art. 402.14.

(3) Demande de remboursement — Le remboursement n'est accordé pour la période de demande d'une entité de gestion que si elle en fait la demande dans les deux ans suivant celui des jours ci-après qui est applicable :

a) si l'entité est un inscrit, la date limite où elle doit produire une déclaration aux termes de la section V pour la période de demande;

b) sinon, le dernier jour de la période de demande.

Notes historiques: Le paragraphe 261.01(3) a été remplacé par L.C. 2010, c. 12, par. 75(3) et cette modification s'applique relativement aux périodes de demande d'une entité de gestion commençant après le 22 septembre 2009. Antérieurement, il se lisait ainsi :

> (3) Exceptions — Les montants suivants ne sont pas inclus dans le calcul du total visé à l'élément B de la formule figurant au paragraphe (2) :
>
> a) le montant de taxe qu'une fiducie est réputée avoir payé en vertu des dispositions de la présente partie, sauf l'article 191;
>
> b) le montant de taxe qui est devenu payable, ou a été payé sans être devenu payable, par une fiducie à un moment où elle avait droit à un remboursement prévu à l'article 259.
>
> c) le montant de la taxe, prévue au paragraphe 165(1), qui était payable ou réputé par l'article 191 avoir été payé par une fiducie relativement à la fourniture taxable, effectuée au profit de cette fiducie, d'un immeuble d'habitation, d'une adjonction à un tel immeuble ou d'un fonds, si la fiducie avait droit, relativement à cette fourniture, à l'un des remboursements prévus à l'article 256.2 ou y aurait droit une fois payée la taxe payable relativement à la fourniture.

L'alinéa 261.01(3)c) a été ajouté par L.C. 2001, c. 15, par. 17(1) et est réputé entré en vigueur le 28 février 2000.

Le paragraphe 261.01(3) a été ajouté par L.C. 2000, c. 30, par. 77(1) et est réputé entré en vigueur le 20 octobre 2000. La personne qui a droit au remboursement prévu à l'article 261.01 relativement à un montant qui, avant le 20 octobre 2000, est devenu payable par elle au cours de sa période de demande, ou a été payé par elle au cours de cette période sans être devenu payable, ou qui aurait droit à ce remboursement en l'absence du paragraphe 261.01(4) dispose, malgré ce paragraphe, d'un délai de deux ans suivant cette date ou, s'il est postérieur, le jour visé à l'alinéa 261.01(4)a) ou b), selon le cas, pour produire une demande de remboursement.

Concordance québécoise: LTVQ, art. 402.16.

(4) Une demande par période — Une entité de gestion ne peut faire plus d'une demande de remboursement par période de demande.

Notes historiques: Le paragraphe 261.01(4) a été remplacé par L.C. 2010, c. 12, par. 75(3) et cette modification s'applique relativement aux périodes de demande d'une entité de gestion commençant après le 22 septembre 2009. Antérieurement, il se lisait ainsi :

> (4) Demande de remboursement — Le remboursement pour une période de demande relativement à la fourniture, à l'importation, ou au transfert dans une province participante d'un bien ou d'un service n'est accordé à une fiducie en vertu du paragraphe (2) que si elle en fait la demande dans les deux ans suivant le jour ci-après :
>
> a) si la fiducie est un inscrit, le jour où elle doit, au plus tard, produire la déclaration prévue à la section V pour la période de demande;
>
> b) sinon, le dernier jour de la période de demande.

Le paragraphe 261.01(4) a été ajouté par L.C. 2000, c. 30, par. 77(1) et est réputé entré en vigueur le 20 octobre 2000. La personne qui a droit au remboursement prévu à l'article 261.01 relativement à un montant qui, avant le 20 octobre 2000, est devenu payable par elle au cours de sa période de demande, ou a été payé par elle au cours de cette période sans être devenu payable, ou qui aurait droit à ce remboursement en l'absence du paragraphe 261.01(4) dispose, malgré ce paragraphe, d'un délai de deux ans suivant cette date ou, s'il est postérieur, le jour visé à l'alinéa 261.01(4)a) ou b), selon le cas, pour produire une demande de remboursement.

Concordance québécoise: LTVQ, art. 402.17.

(5) Choix de partager le remboursement — exercice exclusif d'activités commerciales — Si une entité de gestion d'un régime de pension est une entité de gestion admissible le dernier jour de sa période de demande et fait un choix pour cette période conjointement avec les personnes qui sont, pour l'année civile qui comprend le dernier jour de la période, des employeurs admissibles du régime exerçant chacun exclusivement des activités commerciales tout au long de la période, chacun de ces employeurs admissibles peut déduire, dans le calcul de sa taxe nette pour la période de déclaration qui comprend le jour où le document concernant le choix est présenté au ministre, le montant obtenu par la formule suivante :

$$(A + B) \times C$$

où :

A représente le montant de remboursement de pension de l'entité pour la période de demande;

B le montant de remboursement de pension provincial de l'entité pour cette période;

C le pourcentage déterminé à l'égard de l'employeur admissible dans le choix.

Notes historiques: Le paragraphe 261.01(5) a été remplacé par L.C. 2010, c. 12, par. 75(3) et cette modification s'applique relativement aux périodes de demande d'une entité de gestion commençant après le 22 septembre 2009. Antérieurement, il se lisait ainsi :

> (5) Une demande par période — Une fiducie ne peut faire plus d'une demande de remboursement par période de demande.

Le paragraphe 261.01(5) a été ajouté par L.C. 2000, c. 30, par. 77(1) et est réputé entré en vigueur le 20 octobre 2000. La personne qui a droit au remboursement prévu à l'article 261.01 relativement à un montant qui, avant le 20 octobre 2000, est devenu payable par elle au cours de sa période de demande, ou a été payé par elle au cours de cette période sans être devenu payable, ou qui aurait droit à ce remboursement en l'absence du paragraphe 261.01(4) dispose, malgré ce paragraphe, d'un délai de deux ans suivant cette date ou, s'il est postérieur, le jour visé à l'alinéa 261.01(4)a) ou b), selon le cas, pour produire une demande de remboursement.

Concordance québécoise: LTVQ, art. 402.18.

(6) Choix de partager le remboursement — exercice non exclusif d'activités commerciales — Si une entité de gestion d'un régime de pension est une entité de gestion admissible le dernier jour de sa période de demande et fait un choix pour cette période conjointement avec les personnes qui sont, pour l'année civile qui comprend le dernier jour de la période, des employeurs admissibles du régime dont l'un ou plusieurs n'exercent pas exclusivement des activités commerciales tout au long de la période, les règles suivantes s'appliquent :

a) le montant obtenu par la formule ci-après (appelé « part » au présent paragraphe) est déterminé pour l'application du présent article à l'égard de chacun de ces employeurs admissibles :

$$A \times B \times C$$

où :

A représente le montant de remboursement de pension de l'entité pour la période de demande,

B le pourcentage déterminé à l'égard de l'employeur admissible dans le choix,

C :

(i) si des cotisations ont été versées au régime au cours de l'année civile précédant celle qui comprend le dernier jour de la période de demande (appelée « année civile précédente » au présent alinéa), le montant obtenu par la formule suivante :

$$D/E$$

où :

D représente le total des montants représentant chacun une cotisation versée au régime par l'employeur admissible au cours de l'année civile précédente,

E le total des montants représentant chacun une cotisation versée au régime au cours de l'année civile précédente,

(ii) si le sous-alinéa (i) ne s'applique pas et qu'un ou plusieurs employeurs admissibles du régime étaient l'employeur d'un ou de plusieurs participants actifs du régime au cours de l'année civile précédente, le montant obtenu par la formule suivante :

$$F/G$$

où :

F représente le nombre total de salariés de l'employeur admissible au cours de l'année civile précédente qui étaient des participants actifs du régime au cours de cette année,

G la somme du nombre total de salariés de chacun de ces employeurs admissibles au cours de l'année civile précédente qui étaient des participants actifs du régime au cours de cette année,

(iii) dans les autres cas, zéro;

b) chacun de ces employeurs admissibles peut déduire, dans le calcul de sa taxe nette pour la période de déclaration qui comprend le jour où le document concernant le choix est présenté au ministre, le montant obtenu par la formule suivante :

$$(A + B) \times C$$

où :

A représente la part revenant à l'employeur admissible, déterminée selon l'alinéa a),

B le montant obtenu par la formule suivante :

$$D \times E \times F$$

où :

D représente le montant de remboursement de pension provincial de l'entité pour la période de demande,

E le pourcentage déterminé à l'égard de l'employeur admissible dans le choix,

F la valeur de l'élément C de la formule figurant à l'alinéa a),

C le taux de recouvrement de taxe applicable à l'employeur admissible pour son exercice terminé au plus tard le dernier jour de la période de demande.

Notes historiques: Le paragraphe 261.01(6) a été ajouté par L.C. 2010, c. 12, par. 75(3) et s'applique relativement aux périodes de demande d'une entité de gestion commençant après le 22 septembre 2009.

Concordance québécoise: LTVQ, art. 402.19.

(7) Exercice exclusif d'activités commerciales — Pour l'application des paragraphes (5) et (6), l'employeur admissible d'un régime de pension exerce exclusivement des activités commerciales tout au long de la période de demande d'une entité de gestion du régime de pension si :

a) s'agissant d'un employeur admissible qui est une institution financière au cours de la période de demande, la totalité de ses activités pour la période sont des activités commerciales;

b) dans les autres cas, la totalité ou la presque totalité des activités de l'employeur admissible pour la période de demande sont des activités commerciales.

Notes historiques: Le paragraphe 261.01(7) a été ajouté par L.C. 2010, c. 12, par. 75(3) et s'applique relativement aux périodes de demande d'une entité de gestion commençant après le 22 septembre 2009.

Concordance québécoise: LTVQ, art. 402.20.

(8) Forme et modalités du choix — Le choix que font, selon les paragraphes (5) ou (6), une entité de gestion d'un régime de pension et les employeurs admissibles du régime doit être effectué selon les modalités suivantes :

a) il doit être fait en la forme et contenir les renseignements déterminés par le ministre;

b) l'entité doit présenter le document le concernant au ministre, selon les modalités déterminées par celui-ci, en même temps que sa demande visant le remboursement prévu au paragraphe (2) pour la période de demande;

c) s'agissant du choix prévu au paragraphe (5), le document le concernant doit préciser le pourcentage déterminé à l'égard de chaque employeur admissible, dont le total pour l'ensemble des employeurs admissibles ne peut dépasser 100 %;

d) s'agissant du choix prévu au paragraphe (6), le document le concernant doit préciser pour chaque employeur admissible le pourcentage déterminé à son égard, lequel pourcentage ne peut dépasser 100 %.

Notes historiques: Le paragraphe 261.01(8) a été ajouté par L.C. 2010, c. 12, par. 75(3) et s'applique relativement aux périodes de demande d'une entité de gestion commençant après le 22 septembre 2009.

Concordance québécoise: LTVQ, art. 402.21.

(9) Entités de gestion non admissibles — Si une entité de gestion d'un régime de pension est une entité de gestion non admissible le dernier jour de sa période de demande et fait un choix pour cette période conjointement avec les personnes qui sont des employeurs admissibles du régime pour l'année civile qui comprend le dernier jour de la période, chacun de ces employeurs peut déduire, dans le calcul de sa taxe nette pour la période de déclaration qui comprend le jour où le document concernant le choix est présenté au ministre, le montant obtenu par la formule suivante :

$$(A + B) \times C \times D$$

où :

A représente le montant de remboursement de pension de l'entité pour la période de demande;

B le montant de remboursement de pension provincial de l'entité pour cette période;

C :

a) si des cotisations ont été versées au régime au cours de l'année civile (appelée « année civile précédente » au présent paragraphe) précédant celle qui comprend le dernier jour de la période de demande, le montant obtenu par la formule suivante :

$$E/F$$

où :

E représente le total des montants représentant chacun une cotisation versée au régime par l'employeur admissible au cours de l'année civile précédente,

F le total des montants représentant chacun une cotisation versée au régime au cours de l'année civile précédente,

b) si l'alinéa a) ne s'applique pas et qu'un ou plusieurs employeurs admissibles du régime étaient l'employeur d'un ou de plusieurs participants actifs du régime au cours de l'année civile précédente, le montant obtenu par la formule suivante :

$$G/H$$

où :

G représente le nombre total de salariés de l'employeur admissible au cours de l'année civile précédente qui étaient des participants actifs du régime au cours de cette année,

H la somme du nombre total de salariés de chacun de ces employeurs admissibles au cours de l'année civile précédente qui étaient des participants actifs du régime au cours de cette année,

c) dans les autres cas, zéro;

D le taux de recouvrement de taxe applicable à l'employeur admissible pour son exercice terminé au plus tard le dernier jour de la période de demande.

Notes historiques: Le paragraphe 261.01(9) a été ajouté par L.C. 2010, c. 12, par. 75(3) et s'applique relativement aux périodes de demande d'une entité de gestion commençant après le 22 septembre 2009.

Concordance québécoise: aucune.

(10) Forme et modalités du choix — Le choix prévu au paragraphe (9) pour la période de demande d'une entité de gestion doit être fait selon les modalités suivantes :

a) il doit être établi en la forme et contenir les renseignements déterminés par le ministre;

b) l'entité doit présenter le document le concernant au ministre, selon les modalités déterminées par celui-ci, dans les deux ans suivant celui des jours ci-après qui est applicable :

(i) si l'entité est un inscrit, la date limite où elle est tenue de produire une déclaration aux termes de la section V pour la période de demande,

(ii) dans les autres cas, le dernier jour de la période de demande.

Notes historiques: Le paragraphe 261.01(10) a été ajouté par L.C. 2010, c. 12, par. 75(3) et s'applique relativement aux périodes de demande d'une entité de gestion commençant après le 22 septembre 2009.

Concordance québécoise: aucune.

(11) Un choix par période — Le choix prévu au paragraphe (9) ne peut être produit plus d'une fois par période de demande.

Notes historiques: Le paragraphe 261.01(11) a été ajouté par L.C. 2010, c. 12, par. 75(3) et s'applique relativement aux périodes de demande d'une entité de gestion commençant après le 22 septembre 2009.

Concordance québécoise: aucune.

(12) Responsabilité solidaire — Si un employeur admissible d'un régime de pension déduit un montant en application du paragraphe (5), de l'alinéa (6)b) ou du paragraphe (9) dans le calcul de sa taxe nette pour une période de déclaration et que l'un ou l'autre de l'employeur admissible ou de l'entité de gestion du régime sait ou devrait savoir que l'employeur n'a pas droit au montant ou que le montant excède celui auquel il a droit, l'employeur et l'entité sont solidairement responsables du paiement du montant ou de l'excédent au receveur général.

Notes historiques: Le paragraphe 261.01(12) a été ajouté par L.C. 2010, c. 12, par. 75(3) et s'applique relativement aux périodes de demande d'une entité de gestion commençant après le 22 septembre 2009.

Concordance québécoise: LTVQ, art. 402.22.

Définitions [par. 261.01]: « province participante », « taux de taxe » — 123(1).

Énoncés de politique [art. 261.01]: P-032R, 08/06/93, *Régimes enregistrés de pension*.

Formulaires [art. 261.01]: FP-521, *Demande de remboursement de TPS/TVH pour une fiducie régie par un régime de pension interentreprise*; GST521, *Demande de remboursement de la TPS/TVH pour fiducie de régime interentreprises*.

261.1 (1) Remboursement pour produits retirés d'une province participante — Si un bien meuble corporel (sauf un bien visé aux alinéas 252(1)a) ou c)), une maison mobile ou une maison flottante qui a été fourni par vente dans une province participante à une personne résidant au Canada est transféré par celle-ci dans une autre province dans les trente jours suivant celui de sa livraison à la personne et que les conditions prévues par règlement sont réunies, le ministre rembourse à la personne, sous réserve de l'article 261.4, un montant égal au montant déterminé selon les modalités réglementaires.

Notes historiques: Le paragraphe 261.1(1) a été remplacé par. L.C. 2009, c. 32, par. 31(1) et cette modification est entrée en vigueur le 1er juillet 2010. Antérieurement, il se lisait ainsi :

261.1 (1) Sous réserve de l'article 261.4, le ministre rembourse une personne résidant au Canada, si les conditions suivantes sont réunies :

a) la fourniture par vente d'un bien meuble corporel (sauf un bien visé à l'un des alinéas 252(1)a) à c)), d'une maison mobile ou d'une maison flottante est effectuée dans une province participante au profit de la personne qui, sauf si le bien fourni est un véhicule à moteur déterminé, n'est pas un consommateur résidant dans une province participante;

b) le bien est acquis exclusivement pour consommation, utilisation ou fourniture à l'extérieur des provinces participantes;

c) la personne transfère le bien de la province participante à une province non participante dans les 30 jours suivant celui de sa livraison;

d) la personne paie les taxes visées par règlement pour l'application de l'article 154 qui sont payables par elle relativement au bien aux termes des lois de la province.

Le paragraphe 261.1(1) a été ajouté par L.C. 1997, c. 10, par. 229(1) et est entré en vigueur le 1er avril 1997.

Concordance québécoise: aucune.

(2) Produits entreposés — Pour l'application du paragraphe (1), la période d'entreposage d'un bien qui a été livré à une personne dans une province participante n'est pas prise en compte lorsqu'il s'agit de déterminer si la personne a retiré le bien de la province dans les 30 jours suivant celui de sa livraison.

Notes historiques: Le paragraphe 261.1(2) a été ajouté par L.C. 1997, c. 10, par. 229(1) et est entré en vigueur le 1er avril 1997.

Concordance québécoise: aucune.

Définitions [art. 261.1]: « bien », « bien meuble », « consommateur », « exclusif », « fourniture », « importation », « maison flottante », « maison mobile », « ministre », « personne », « province », « province non participante », « province participante », « règlement », « véhicule à moteur désigné », « vente » — 123(1).

Renvois [art. 261.1]: 132 (résidence au Canada); 132.1 (résidence dans une province); 261.5 (restriction — institutions financières désignées); 263 (restriction au remboursement); 263.01 (TVH — institution financière désignée particulière); 263.1 (faillite — restriction au remboursement); 264 (montant remboursé en trop); 296(2.1), (3.2) (application d'un montant de remboursement non demandé); 297 (cotisation et versement); X:Partie I:21 (TVH — biens transférés dans une province participante).

Énoncés de politique [art. 261.1]: P-080, 28/02/97, *Remboursements de la TVH sur les fournitures effectuées à partir des provinces participantes.*

Bulletins de l'information technique [art. 261.1]: B-080R, 10/12/97, *Remboursements de la TVH sur les fournitures effectuées à partir des provinces participantes.*

Formulaires [art. 261.1]: GST495, *Demande de remboursement de la composante provinciale de la taxe de vente harmonisée (TVH).*

Info TPS/TVQ [art. 261.1]: GI-119 — *Taxe de vente harmonisée-Nouvelle règle sur le lieu de fourniture pour les ventes de véhicules à moteur déterminés.*

COMMENTAIRES: Cette règle est conforme avec le principe que la TVH ne s'applique qu'à l'égard des biens qui sont consommés ou utilisés dans une province participante. Ainsi, dans la mesure où il y a exportation, le remboursement de la partie provinciale de la TVH sera disponible, tel que le prévoit le paragraphe 165(2).

Les conditions d'application sont édictées aux articles 16 et 17 du *Règlement n° 2 sur le nouveau régime de la taxe à valeur ajoutée harmonisée*, DORS/2010-151, qui a été sanctionné le 17 juin 2010.

Le délai de trente jours qui figure au paragraphe (1) est discutable. En effet, de l'avis de l'auteur, il aurait été préférable de faire référence à un délai raisonnable, tout comme cela est reflété à l'alinéa 1(b) de la partie V de l'annexe VI de la *Loi sur la taxe d'accise (TPS)* dans un contexte d'exportation à l'extérieur du Canada. Comme interprétées par l'Agence du revenu du Canada, les pratiques commerciales régulières du fournisseur et de l'acquéreur seront prises en compte pour évaluer la raisonnabilité d'un délai. Nous vous invitons à consulter nos commentaires sous l'article 1 de la partie V de l'annexe VI.

En vertu du sous-alinéa 261.4 (1)(a)(i) (tel que modifié par les *Modifications proposées aux dispositions législatives concernant la TPS/TVH* du 28 janvier 2011), la demande doit être présentée dans l'année qui suit le jour où le bien est retiré de la province.

Nous n'avons répertorié aucune interprétation technique ou décision anticipée émise par l'Agence du revenu du Canada ou de Revenu Québec concernant l'application du remboursement prévu à cet article.

261.2 Remboursement pour produits importés dans une province — Si une personne résidant dans une province participante donnée paie la taxe prévue au paragraphe 212.1(2) relativement à un bien visé à l'alinéa 212.1(2)b) qu'elle importe à un endroit situé dans une autre province pour qu'il soit consommé ou utilisé exclusivement dans une province quelconque (sauf la province donnée) et que les conditions prévues par règlement sont réunies, le ministre lui rembourse, sous réserve de l'article 261.4, un montant égal au montant déterminé selon les modalités réglementaires.

Notes historiques: L'article 261.2 a été remplacé par L.C. 2012, c. 19, par. 23(1) et cette modification s'applique aux biens importés après mai 2012. Antérieurement, il se lisait ainsi :

> 261.2 **Remboursement pour produits importés dans une province non participante** — Si une personne résidant dans une province participante donnée paie la taxe prévue au paragraphe 212.1(2) relativement à un bien qu'elle importe à un endroit situé dans une autre province pour qu'il soit consommé ou utilisé exclusivement dans une province quelconque (sauf la province donnée) et que les conditions prévues par règlement sont réunies, le ministre lui rembourse, sous réserve de l'article 261.4, un montant égal au montant déterminé selon les modalités réglementaires.

L'article 261.2 a été remplacé par L.C. 2009, c. 32, par. 32(1) et cette modification est entrée en vigueur le 1er juillet 2010. Antérieurement, il se lisait ainsi :

> 261.2 Sous réserve de l'article 261.4, le ministre rembourse une personne résidant dans une province participante si les conditions suivantes sont réunies :
>
> a) la personne paie la taxe prévue au paragraphe 212.1(2) relativement à un bien qu'elle importe à un endroit situé dans une province non participante;
>
> b) le bien n'est pas importé pour consommation ou utilisation dans une province participante;
>
> c) la personne paie les taxes visées par règlement pour l'application de l'article 154 qui sont payables par elle relativement au bien aux termes des lois des provinces non participantes.
>
> Le montant remboursable est égal à la taxe payée par la personne aux termes du paragraphe 212.1(2).

L'article 261.2 a été ajouté par L.C. 1997, c. 10, par. 229(1) et est entré en vigueur le 1er avril 1997.

avril 2012, Notes explicatives: L'article 261.2 prévoit un remboursement au titre de la composante provinciale de la TVH payée, en vertu du paragraphe 212.1(2) de la Loi, relativement à un bien qu'une personne résidant dans une province participante donnée importe à un endroit situé dans une autre province pour qu'il soit consommé ou utilisé dans une province autre que la province donnée. Cet article est modifié, en raison de la modification apportée au paragraphe 212.1(2), afin que le remboursement relatif aux biens visés au nouvel alinéa 212.1(2)b) continue de s'appliquer.

Cette modification s'applique aux biens importés après mai 2012.

Concordance québécoise: aucune.

Définitions: « bien », « importation », « ministre », « personne », « province non participante », « province participante », « taxe » — 123(1).

Renvois: 132.1 (résidence dans une province); 261.5 (restriction — institutions financières désignées); 263 (restriction au remboursement); 263.01 (TVH — institution financière désignée particulière); 264 (montant remboursé en trop); 296(2.1), (3.2) (application d'un montant de remboursement non demandé); 297 (cotisation et versement).

Formulaires: GST189, *Demande générale de remboursement de la TPS/TVH*; GST288, *Supplément: Demande générale de remboursement de la taxe sur les produits et services*; GST498, *Demande de remboursement de la taxe sur les produits et services (TPS)/Taxe de vente harmonisée (TVH) pour les représentants étrangers et les membres des missions diplomatiques, des postes consulaires, des organisations internationales et des unités de forces étrangères présentes au Canada*; GST495, *Demande de remboursement de la composante provinciale de la taxe de vente harmonisée (TVH)*; RC4033, *Demande générale de remboursement de la TPS/TVH — Y compris les formulaires GST189, GST288, et GST507.*

COMMENTAIRES: Cet article s'assure que la TVH est validement perçue par un résident d'une province participante qui retourne au Canada via une province non-participante (par exemple, un résident de l'Ontario paie les droits imposés en vertu de la *Loi sur les douanes* à Montréal avant de retourner en Ontario).

En vertu du sous-alinéa 261.4(1)(a)(ii) (tel que modifié par les *Modifications proposées aux dispositions législatives concernant la TPS/TVH* du 28 janvier 2011), la demande doit être présentée dans l'année suivant le jour où cette taxe est devenue payable.

Nous n'avons répertorié aucune interprétation technique ou décision anticipée émise par l'Agence du revenu du Canada ou de Revenu Québec concernant l'application du remboursement prévu à cet article.

261.3 (1) Remboursement pour un bien meuble incorporel ou service fourni dans une province participante — Si une personne résidant au Canada est l'acquéreur de la fourniture, effectuée dans une province participante, d'un bien meuble incorporel ou d'un service qu'elle acquiert pour consommation, utilisation ou fourniture en tout ou en partie à l'extérieur de cette province et que les conditions prévues par règlement sont réunies, le ministre lui rembourse, sous réserve de l'article 261.4, un montant égal au montant déterminé selon les modalités réglementaires.

Notes historiques: Le paragraphe 261.3(1) a été remplacé par. L.C. 2009, c. 32, par. 33(1) et cette modification est entrée en vigueur le 1er juillet 2010. Antérieurement, il se lisait ainsi :

> 261.3 (1) Lorsqu'une personne résidant au Canada est l'acquéreur de la fourniture d'un bien meuble incorporel ou d'un service qu'elle acquiert pour consommation, utilisation ou fourniture principalement à l'extérieur des provinces participantes et que la taxe prévue au paragraphe 165(2) est payable relativement à la fourniture, le ministre lui rembourse, sous réserve de l'article 261.4, un montant égal au résultat du calcul suivant :
>
> $$A \times B$$
>
> où :
>
> A représente le montant de cette taxe;
>
> B le pourcentage qui représente la mesure dans laquelle la personne acquiert le bien ou le service pour consommation, utilisation ou fourniture à l'extérieur des provinces participantes.

Le paragraphe 261.3(1) a été ajouté par L.C. 1997, c. 10, par. 229(1) et est entré en vigueur le 1er avril 1997.

Concordance québécoise: LTVQ, art. 353.0.3, al. 1.

(2) [*Abrogé*].

Notes historiques: Le paragraphe 261.3(2) a été abrogé par L.C. 2012, c. 31, par. 89(1) et cette abrogation est réputée être entrée en vigueur le 1er juillet 2010. Antérieurement, il se lisait ainsi :

> (2) Exception — Le remboursement prévu au paragraphe (1) n'est pas payable à une institution financière désignée visée aux sous-alinéas 149(1)a)(vi) ou (ix) relativement à la fourniture d'un service déterminé, au sens du paragraphe 261.31(1).

Le paragraphe 261.1(2) a été ajouté par L.C. 1997, c. 10, par. 229(1) et est entré en vigueur le 1er avril 1997.

15 octobre 2012, Notes explicatives: L'article 261.3 prévoit le remboursement de la composante provinciale de la TVH payée relativement à la fourniture de biens meubles incorporels ou de services, dans la mesure où ces biens ou services ont été acquis par l'acquéreur de la fourniture en vue d'être consommés, utilisés ou fournis à l'extérieur des provinces participantes. Le montant du remboursement est prévu au paragraphe 261.3(1) tandis que le paragraphe 261.3(2) prévoit que le remboursement n'est pas payable aux institutions financières désignées (au sens du paragraphe 123(1)) qui sont des régimes de placement (au sens du paragraphe 149(5)) ou des fonds réservés d'assureurs (au sens du paragraphe 123(1)) relativement à certaines fournitures.

La modification apportée à l'article 261.3 consiste à abroger le paragraphe 261.3(2) puisque la restriction qui y est prévue figure désormais au nouveau paragraphe 261.4(2). Cette modification est réputée être entrée en vigueur le 1er juillet 2010.

Définitions [art. 261.3]: « acquéreur », « bien meuble », « fourniture », « ministre », « personne », « province participante », « service », « taxe » — 123(1).

Renvois [art. 261.3]: 132 (résidence au Canada; 261.31 (remboursement pour services de gestion fournis à un fonds de placement); 261.5 (restriction — institutions financières désignées); 262 (forme et production de la demande); 263 (restriction au remboursement); 263.01 (TVH — institution financière désignée particulière); 264 (montant remboursé en trop); 296(2.1), (3.2) (application d'un montant de remboursement non demandé); 297 (cotisation et versement).

Énoncés de politique [art. 261.3]: P-080, 28/02/97, *Remboursements de la TVH sur les fournitures effectuées à partir des provinces participantes*.

Bulletins de l'information technique [art. 261.3]: B-080R, 10/12/97, *Remboursements de la TVH sur les fournitures effectuées à partir des provinces participantes*.

Formulaires [art. 261.3]: GST189, *Demande générale de remboursement de la TPS/TVH*; GST288, *Supplément: Demande générale de remboursement de la taxe sur les produits et services*; RC4033, *Demande générale de remboursement de la TPS/TVH — Y compris les formulaires GST189, GST288, et GST507*.

COMMENTAIRES: En raison des règles sur le lieu de fourniture, il est possible que la TVH qui s'applique sur des services et des biens meubles incorporels qui ont été vendus dans une province participante ne devrait pas, sur la base du respect de la politique fiscale, être payée par l'acquéreur puisque ce service ou ce bien meuble incorporel est utilisé ou consommé à l'extérieur des provinces participantes, ou dans une autre province participante où le taux de la partie provinciale de la TVH est plus bas. Dans ce contexte, cet article prévoit un remboursement pour pallier cette absence d'équité fiscale.

Le remboursement ne s'appliquera pas si des crédits de taxe sur les intrants ont été réclamés, tel que le prévoit le paragraphe 263(b).

En vertu du sous-alinéa 261.4(1)(a)(ii) (tel que modifié par les *Modifications proposées aux dispositions législatives concernant la TPS/TVH* du 28 janvier 2011), la demande doit être présentée dans l'année suivant le jour où cette taxe est devenue payable.

Nous n'avons répertorié aucune interprétation technique ou décision anticipée émise par l'Agence du revenu du Canada ou de Revenu Québec concernant l'application du remboursement prévu à cet article.

261.31 (1) [*Abrogé*].

Notes historiques: Le paragraphe 261.31(1) a été abrogé par L.C. 2012, c. 31, par. 90(1) et cette abrogation s'applique relativement aux remboursements relatifs à un montant de taxe qui est devenu payable après juin 2010 ou qui a été payé après ce mois sans être devenu payable. Antérieurement, il se lisait ainsi :

> 261.31 (1) Pour l'application du présent article, est un service déterminé un service de gestion ou d'administration ou tout autre service offert à l'acquéreur de la fourniture d'un service de gestion ou d'administration par le fournisseur.

Le paragraphe 261.31(1) a été ajouté par L.C. 1997, c. 10, par. 229(1) et est entré en vigueur le 1er avril 1997.

15 octobre 2012, Notes explicatives: Le paragraphe 261.31(1) précise en quoi consiste un service déterminé pour l'application de l'article 261.31. Il s'agit d'un service de gestion ou d'administration ou de tout autre service offert à un régime ou à un fonds par la personne qui lui fournit également des services de gestion ou d'administration.

Ce paragraphe est abrogé puisque le terme « service déterminé » n'est plus utilisé à l'article 261.31.

(2) Remboursement pour services de gestion fournis à un fonds de placement — Si la taxe prévue au paragraphe 165(2), aux articles 212.1 ou 218.1 ou à la section IV.1 est payable par une institution financière désignée visée aux sous-alinéas 149(1)a)(vi) ou (ix), sauf une institution financière désignée particulière, ou par une personne visée par règlement et que les conditions prévues par règlement sont réunies, le ministre rembourse à l'institution financière ou à la personne, sous réserve de l'article 261.4, un montant égal au montant déterminé selon les modalités réglementaires.

Notes historiques: Le paragraphe 261.31(2) a été remplacé par L.C. 2012, c. 31, par. 90(2) et cette modification s'applique relativement aux remboursements relatifs à un montant de taxe qui est devenu payable après juin 2010 ou qui a été payé après ce mois sans être devenu payable. Antérieurement, il se lisait ainsi :

> (2) Si une institution financière désignée visée aux sous-alinéas 149(1)a)(vi) ou (ix), sauf une institution financière désignée particulière, est l'acquéreur de la fourniture d'un service déterminé, que la taxe prévue aux paragraphes 165(2), 218.1(1) ou 220.08(1) est payable relativement à la fourniture et que les conditions prévues par règlement sont réunies, le ministre lui rembourse, sous réserve de l'article 261.4, un montant égal au montant déterminé selon les modalités réglementaires.

Le paragraphe 261.31(2) a été remplacé par. L.C. 2009, c. 32, par. 34(1) et cette modification est entrée en vigueur le 1er juillet 2010. Antérieurement, il se lisait ainsi :

> (2) Lorsqu'une institution financière désignée visée aux sous-alinéas 149(1)a)(vi) ou (ix), sauf une institution financière désignée particulière, est l'acquéreur de la fourniture d'un service déterminé et que la taxe prévue aux paragraphes 165(2), 218.1(1) ou 220.08(1) est payable relativement à la fourniture, le ministre lui rembourse, sous réserve de l'article 261.4, le montant suivant :
>
> a) dans le cas où la taxe est payable en vertu du paragraphe 165(2), un montant égal au résultat du calcul suivant :
>
> $$A \times B$$
>
> où :
>
> A représente le montant de cette taxe,
>
> B le pourcentage qui représente la mesure dans laquelle il est raisonnable de considérer que l'institution financière détient ou investit des fonds pour le compte de personnes résidant à l'extérieur des provinces participantes;
>
> b) dans le cas où la taxe est payable en vertu des paragraphes 218.1(1) ou 220.08(1), un montant égal au résultat du calcul suivant :
>
> $$A - (B \times C)$$
>
> où :
>
> A représente le montant de cette taxe,
>
> B la taxe qui serait payable aux termes de ce paragraphe si le service était acquis par l'institution financière pour consommation, utilisation ou fourniture exclusivement dans les provinces participantes,
>
> C le pourcentage qui représente la mesure dans laquelle il est raisonnable de considérer que l'institution financière détient ou investit des fonds pour le compte de personnes résidant dans les provinces participantes.

Le paragraphe 261.31(2) a été ajouté par L.C. 1997, c. 10, par. 229(1) et est entré en vigueur le 1er avril 1997.

15 octobre 2012, Notes explicatives: Le paragraphe 261.31(2) permet de rembourser aux régimes de placement et aux fonds réservés qui ne sont pas des institutions financières désignées particulières la composante provinciale de la TVH qui est payable en vertu des paragraphes 165(2) ou 218.1(1) ou de l'article 220.08 sur les fournitures de services déterminés. Ce remboursement est payable si les conditions prévues par règlement sont réunies (pour le moment, aucune condition n'est ainsi prévue) et que le remboursement n'est pas refusé par l'effet des restrictions énoncées à l'article 261.4. Le montant du remboursement est déterminé selon les modalités réglementaires.

Le paragraphe 261.31(2) est modifié à trois égards. Premièrement, il est modifié de façon que le remboursement puisse également être demandé par des personnes visées par règlement. Selon les dispositions réglementaires proposées, sont généralement visés à cette fin les régimes de placement ou les fonds réservés qui sont des institutions financières désignées particulières et qui offrent une ou plusieurs séries provinciales créées exclusivement pour des investisseurs résidant dans une province donnée. Deuxièmement, ce paragraphe est modifié de façon à prévoir que le remboursement peut aussi être demandé à l'égard de la composante provinciale de la TVH qui est payable en vertu des articles 212.1 et 218.1 et de la section IV.1 de la Loi. Enfin, il est modifié afin que le remboursement puisse être demandé au titre de la composante provinciale de la TVH qui est payable sur les fournitures en général et non pas seulement sur les fournitures de services déterminés.

Concordance québécoise: aucune.

(3) Choix par les fonds réservés et les assureurs — Si un assureur et son fonds réservé en font le choix, dans un document établi en la forme et contenant les renseignements déterminés par le ministre, l'assureur peut verser au fonds, ou porter à son crédit, le montant des remboursements payables à ce dernier en vertu du paragraphe (2) relativement aux fournitures effectuées par l'assureur au profit du fonds.

Notes historiques: Le paragraphe 261.31(3) a été remplacé par L.C. 2012, c. 31, par. 90(2) et cette modification s'applique relativement aux remboursements relatifs à un montant de taxe qui est devenu payable après juin 2010 ou qui a été payé après ce mois sans être devenu payable. Antérieurement, il se lisait ainsi :

> (3) Si un assureur et son fonds réservé font un choix en ce sens, établi en la forme et contenant les renseignements déterminés par le ministre, l'assurer peut verser au fonds, ou porter à son crédit, le montant des remboursements payables à ce dernier en vertu du paragraphe (2) relativement aux fournitures de services déterminés effectuées par l'assureur au profit du fonds.

Le paragraphe 261.31(3) a été ajouté par L.C. 1997, c. 10, par. 229(1) et est entré en vigueur le 1er avril 1997.

15 octobre 2012, Notes explicatives: Selon le paragraphe 261.31(3), le fonds réservé d'un assureur et l'assureur peuvent présenter au ministre du Revenu national un choix qui permet à l'assureur de verser au fonds, ou de porter à son crédit, les remboursements payables à celui-ci en vertu du paragraphe 261.31(2) relativement aux fournitures de services déterminés que l'assureur effectue au profit du fonds.

Le paragraphe 261.31(3) fait l'objet de modifications corrélatives pour tenir compte du fait que le remboursement prévu au paragraphe 261.31(2) s'applique désormais aux fournitures de biens ou de services en général et non pas seulement aux fournitures de services déterminés.

Concordance québécoise: aucune.

(4) Production — Le document concernant le choix doit être présenté au ministre, selon les modalités qu'il détermine, au plus tard le jour où l'assureur produit sa déclaration en application de la section V pour sa période de déclaration au cours de laquelle l'assureur verse au fonds réservé, ou à son profit, ou porte à son crédit, le remboursement prévu au paragraphe (2).

Notes historiques: Le paragraphe 261.31(4) a été ajouté par L.C. 1997, c. 10, par. 229(1) et est entré en vigueur le 1er avril 1997.

Concordance québécoise: aucune.

(5) Conditions de versement du remboursement — L'assureur peut verser le montant du remboursement prévu au paragraphe (2) à son fonds réservé, ou à son profit, ou le porter à son crédit, relativement à une fourniture taxable qu'il a effectuée au profit du fonds — lequel remboursement serait payable au fonds si celui-ci se conformait à l'article 261.4 quant à la fourniture — si les conditions ci-après sont réunies :

a) l'assureur et le fonds ont produit le document concernant le choix prévu au paragraphe (3), qui est en vigueur au moment où la taxe relative à la fourniture devient payable;

b) le fonds, dans l'année suivant le jour où la taxe devient payable relativement à la fourniture, présente à l'assureur une demande de remboursement, établie en la forme et contenant les renseignements déterminés par le ministre.

Notes historiques: Le paragraphe 261.31(5) a été remplacé par L.C. 2012, c. 31, par. 90(3) et cette modification s'applique relativement aux remboursements relatifs à un montant de taxe qui est devenu payable après juin 2010 ou qui a été payé après ce mois sans être devenu payable. Antérieurement, il se lisait ainsi :

> (5) L'assureur peut verser le montant du remboursement prévu au paragraphe (2) à son fonds réservé, ou à son profit, ou le porter à son crédit, si les conditions suivantes sont réunies :
>
> a) l'assureur effectue la fourniture taxable d'un service déterminé au profit du fonds;
>
> b) le remboursement serait payable relativement à la fourniture si le fonds se conformait à l'article 261.4 quant à la fourniture;
>
> c) l'assureur et le fonds ont produit le document concernant le choix prévu au paragraphe (3), qui est en vigueur au moment où la taxe relative à la fourniture devient payable;
>
> d) le fonds, dans l'année suivant le jour où la taxe devient payable relativement à la fourniture, présente à l'assureur une demande de remboursement, établie en la forme et contenant les renseignements déterminés par le ministre.

Le paragraphe 261.31(5) a été ajouté par L.C. 1997, c. 10, par. 229(1) et est entré en vigueur le 1er avril 1997.

15 octobre 2012, Notes explicatives: Le paragraphe 261.31(5) permet à l'assureur qui a fait le choix prévu au paragraphe 261.31(3) avec l'un de ses fonds réservés de verser à celui-ci, ou de porter à son crédit, le remboursement que le fonds aurait pu demander par ailleurs en vertu du paragraphe 261.31(2) au titre d'une fourniture taxable de services déterminés que l'assureur a effectuée à son profit.

Le paragraphe 261.31(5) fait l'objet de modifications corrélatives pour tenir compte du fait que le remboursement prévu au paragraphe 261.31(2) s'applique désormais aux fournitures de biens ou de services en général et non pas seulement aux fournitures de services déterminés.

Concordance québécoise: aucune.

(6) Transmission de la demande — Dans le cas où la demande de remboursement du fonds réservé d'un assureur est présentée à ce dernier dans les circonstances visées au paragraphe (5) :

a) l'assureur la transmet au ministre avec la déclaration qu'il produit en application de la section V pour sa période de déclaration au cours de laquelle il verse le remboursement au fonds, ou le porte à son crédit;

b) les intérêts prévus au paragraphe 297(4) ne sont pas payables relativement au remboursement.

Notes historiques: Le paragraphe 261.31(6) a été ajouté par L.C. 1997, c. 10, par. 229(1) et est entré en vigueur le 1er avril 1997.

Concordance québécoise: aucune.

(7) Responsabilité solidaire — L'assureur qui, dans le calcul de sa taxe nette pour une période de déclaration, déduit en application du paragraphe 234(5) un montant qu'il a payé à son fonds réservé, ou porté à son crédit, au titre du remboursement prévu au paragraphe (2) et qui sait ou devrait savoir que le fonds n'a pas droit au remboursement ou que le montant payé au fonds, ou porté à son crédit, excède le remboursement auquel celui-ci a droit est solidairement tenu, avec le fonds, au paiement du remboursement ou de l'excédent au receveur général en vertu de l'article 264.

Notes historiques: Le paragraphe 261.31(7) a été ajouté par L.C. 1997, c. 10, par. 229(1) et est entré en vigueur le 1er avril 1997.

Concordance québécoise: aucune.

15 octobre 2012, Notes explicatives: L'article 261.31 permet aux régimes de placement (au sens du paragraphe 149(5)) et aux fonds réservés d'assureurs (au sens du paragraphe 123(1)) de demander le remboursement de la composante provinciale de la TVH payable sur certaines fournitures. Ce remboursement n'est offert qu'aux régimes de placement et fonds réservés qui ne sont pas des institutions financières désignées particulières (au sens du paragraphe 225.2(1) de la Loi) et son montant est limité à la taxe payable relativement aux fournitures de « services déterminés », terme qui s'entend généralement, selon le paragraphe 261.31(1), de services de gestion ou d'administration.

Les modifications apportées à l'article 261.31 consistent à abroger le paragraphe 261.31(1) et à modifier les paragraphes 261.31(2), (3) et (5). Ainsi, le remboursement pourra être demandé au titre de la composante provinciale de la TVH payable sur les fournitures de biens ou de services en général plutôt que seulement sur les fournitures de services déterminés. En outre, les modifications permettent aux personnes visées par règlement de demander le remboursement dans certaines circonstances. Selon les dispositions réglementaires proposées, sont généralement visés à cette fin certains régimes de placement ou fonds réservés qui sont des institutions financières désignées particulières et qui offrent des séries provinciales créées exclusivement pour des investisseurs résidant dans une province donnée.

Les modifications apportées à l'article 261.31 s'appliquent relativement aux remboursements relatifs à un montant de taxe qui est devenu payable après juin 2010 ou qui a été payé après ce mois sans être devenu payable.

Définitions [art. 261.31]: « acquéreur », « assureur », « exclusif », « fonds réservé », « fourniture », « fourniture taxable », « institution financière désignée », « institution financière désignée particulière », « ministre », « montant », « période de déclaration », « personne », « province participante », « règlement », « service », « taxe » — 123(1).

Renvois [art. 261.31]: 125 (taxe nette); 225(1) (taxe nette); 234(5) (déduction pour remboursement payable à un fonds réservé); 261.3(2) (restriction au remboursement — service déterminé); 261.4 (restriction au remboursement); 261.5 (restriction — institutions financières désignées); 262 (forme et production de la demande); 263 (restriction au remboursement); 263.01 (TVH — institution financière désignée particulière); 264 (montant remboursé en trop); 296(2.1), (3.2) (application d'un montant de remboursement non demandé); 297 (cotisation et versement).

Bulletins de l'information technique [art. 261.31]: B-080R, 10/12/97, *Remboursements de la TVH sur les fournitures effectuées à partir des provinces participantes*; B-083R, 23/05/97, *Services financiers sous le régime de la TVH*.

Formulaires [art. 261.31]: GST189, *Demande générale de remboursement de la TPS/TVH*; GST288, *Supplément: Demande générale de remboursement de la taxe sur les produits et services*; RC4033, *Demande générale de remboursement de la TPS/TVH — Y compris les formulaires GST189, GST288, et GST507*.

COMMENTAIRES: En vertu du sous-alinéa 261.4(1)a)(ii) (tel que modifié par les *Modifications proposées aux dispositions législatives concernant la TPS/TVH* du 28 janvier 2011), la demande doit être présentée dans l'année suivant le jour où cette taxe est devenue payable.

261.4 Restriction — (1) Les remboursements prévus aux articles 261.1 à 261.31 ne sont effectués que si les conditions suivantes sont réunies :

a) la personne en fait la demande dans le délai suivant :

(i) dans le cas du remboursement prévu à l'article 261.1 relativement à un bien fourni dans une province participante, dans l'année suivant le jour où elle retire le bien de la province,

(ii) dans le cas du remboursement prévu à l'un des articles 261.2 à 261.31 relativement à la taxe payable par la personne, dans l'année suivant le jour où cette taxe est devenue payable;

b) sauf si la demande est visée par règlement, la personne, qui est un particulier, n'a pas fait d'autres demandes aux termes du présent article au cours du trimestre civil où elle fait la demande en question;

c) la personne, sauf un particulier, n'a pas fait d'autres demandes aux termes du présent article au cours du mois où elle fait la demande en question;

d) les circonstances prévues par règlement, le cas échéant, existent.

e) [abrogé].

Notes historiques: L'alinéa 261.4d) a été remplacé et l'alinéa 261.4e) a été supprimé par L.C. 2009, c. 32, par. 35(1) et ces modifications sont entrées en vigueur le 1er juillet 2010. Antérieurement, ils se lisaient ainsi :

> d) dans le cas du remboursement prévu aux articles 261.1 ou 261.3, il est justifié par un reçu d'un montant qui comprend la contrepartie, totalisant au moins 50 $, relative à des fournitures taxables (sauf des fournitures détaxées) pour lesquelles la personne a droit par ailleurs à ce remboursement;
>
> e) le total des montants représentant chacun la contrepartie d'une fourniture taxable (sauf une fourniture détaxée) qui fait l'objet de la demande est d'au moins 200 $.

L'article 261.4 a été ajouté par L.C. 1997, c. 10, par. 229(1) et est entré en vigueur le 1er avril 1997.

Concordance québécoise: LTVQ, art. 353.0.2.

(2) Exception — Aucun des remboursements prévus aux articles 261.1 à 261.3 au titre de la taxe payée ou payable par une institution financière désignée visée aux sous-alinéas 149(1)a)(vi) ou (ix) ne doit être effectué.

Notes historiques: Le paragraphe 261.4(2) a été ajouté et l'article 261.4 est devenu le paragraphe 261.4(1) par L.C. 2012, c. 31, par. 91(1) et ces modifications s'appliquent relativement aux remboursements relatifs à un montant de taxe qui est devenu payable après juin 2010 ou qui a été payé après ce mois sans être devenu payable.

Concordance québécoise: LTVQ, art. 353.0.4.

15 octobre 2012, Notes explicatives: L'article 261.4 prévoit certaines restrictions générales applicables aux remboursements prévus aux articles 261.1, 261.2, 261.3 et 261.31. L'article 261.4 devient le paragraphe 261.4(1) et le paragraphe (2) y est ajouté. Le paragraphe 261.4(2) ajoute une exception à celles déjà prévues au paragraphe 261.4(1). Il prévoit qu'aucun des remboursements prévus aux articles 261.1 à 261.3 au titre de la taxe payée ou payable par un régime de placement (au sens du paragraphe 149(5)) ou par un fonds réservé d'assureur (au sens du paragraphe 123(1)) ne doit être effectué.

Les modifications apportées à l'article 261.4 s'appliquent relativement aux remboursements relatifs à un montant de taxe qui est devenu payable après juin 2010 ou qui a été payé après ce mois sans être devenu payable.

Définitions [art. 261.4]: « bien », « fourniture », « mois », « personne », « province participante », « règlement », « taxe », « trimestre civil » — 123(1).

Renvois [art. 261.4]: 252.2 (remboursements aux non-résidents — restriction).

Bulletins de l'information technique [art. 261.4]: B-080, 28/02/97, *Remboursements de la TVH sur les fournitures effectuées à partir des provinces participantes*; B-083R, 23/02/97, *Services financiers sous le régime de la TVH*.

COMMENTAIRES: Cet article établit les délais en vertu desquels les demandes des remboursements prévus aux articles 261.1 à 261.31 doivent être présentées.

Nous n'avons répertorié aucune interprétation technique ou décision anticipée émise par l'Agence du revenu du Canada ou de Revenu Québec concernant l'application de cet article.

261.5 [*Abrogé*]

Notes historiques: L'article 261.5 a été abrogé par L.C. 2000, c. 30, par. 78(1). Cette abrogation est réputée entrée en vigueur le 1er avril 1997. Antérieurement, il se lisait comme suit :

> 261.5 Restriction — institutions financières désignées — Malgré les articles 261.1 à 261.31, le remboursement prévu à l'un de ces articles n'est payé à une institution financière désignée particulière que s'il se rapporte à un montant de taxe qui est visé par règlement pour l'application de l'alinéa a) de l'élément F de la formule figurant au paragraphe 225.2(2).

L'article 261.5 a été ajouté par L.C. 1997, c. 10, par. 229(1) et est entré en vigueur le 1er avril 1997.

262. (1) Forme et production de la demande — Une demande de remboursement selon la présente section, exception faite de l'article 253, est présentée au ministre en la forme et selon les modalités qu'il détermine et contient les renseignements requis.

Notes historiques: Le paragraphe 262(1) a été modifié par L.C. 1993, c. 27, par. 117(1) et est réputé entré en vigueur le 17 décembre 1990. Auparavant, il se lisait comme suit :

> 262. (1) Une demande de remboursement selon la présente section doit être présentée au ministre, en la forme, selon les modalités et avec les renseignements qu'il détermine.

Le paragraphe 262(1) a été édicté par L.C. 1990, c. 45, par. 12(1).

Concordance québécoise: LTVQ, art. 403, al. 1.

(2) Demande unique — L'objet d'un remboursement ne peut être visé par plus d'une demande selon la présente section.

Notes historiques: Le paragraphe 262(2) a été ajouté par L.C. 1990, c. 45, par. 12(1)

Concordance québécoise: LTVQ, art. 403, al. 2.

(3) Groupe de particuliers — Lorsque la fourniture d'un immeuble d'habitation ou d'une part du capital social d'une coopérative d'habitation est effectuée au profit de plusieurs particuliers ou que plusieurs particuliers construisent ou font construire un immeuble d'habitation, ou y font ou font faire des rénovations majeures, la mention d'un particulier aux articles 254 à 256 vaut mention de l'ensemble de ces particuliers en tant que groupe. Toutefois, seulement l'un d'entre eux peut demander le remboursement en application des articles 254, 254.1, 255 ou 256 relativement à l'immeuble ou à la part.

Notes historiques: Le paragraphe 262(3) a été remplacé par L.C. 2001, c. 15, par. 18(1) et cette modification est réputée entrée en vigueur le 1er juin 1997. Antérieurement, il se lisait ainsi :

> (3) Lorsque la fourniture d'un immeuble d'habitation à logement unique, d'un immeuble d'habitation à logements multiples de deux habitations, d'un logement en copropriété ou d'une part du capital social d'une coopérative d'habitation est effectuée au profitde plusieurs particuliers ou que plusieurs particuliers construisent ou font construire un immeuble d'habitation à logement unique ou un immeuble d'habitation à logements multiples de deux habitations, ou y font ou font faire des rénovations majeures, la mention d'un particulier aux articles 254 à 256 vaut mention de l'ensemble de ces particuliers en tant que groupe. Toutefois, seu-

lement l'un d'entre eux peut demander le remboursement en application des articles 254, 263, 255 ou 256 relativement à l'immeuble, au logement ou à la part.

Le paragraphe 262(3) a été modifié par L.C. 1993, c. 27, par. 117(2) et est réputé entré en vigueur le 17 décembre 1990. Auparavant, il se lisait comme suit :

> (3) Lorsque la fourniture d'un immeuble d'habitation à logement unique, d'un logement en copropriété ou d'une action d'une coopérative d'habitation est effectuée au profit de plusieurs particuliers ou que plusieurs particuliers, eux-mêmes ou par un intermédiaire, construisent un immeuble d'habitation à logement unique ou y font des rénovations majeures, la mention d'un particulier aux articles 254 à 256 vaut mention de l'ensemble de ces particuliers en tant que groupe. Toutefois, seulement l'un d'entre eux peut demander le remboursement en application de l'article 254, 255 ou 256 relativement à l'immeuble, au logement ou à l'action.

Le paragraphe 262(3) a été édicté par L.C. 1990, c. 45, par. 12(1).

Concordance québécoise: LTVQ, art. 362.

Définitions [art. 262]: « coopérative d'habitation », « fourniture », « immeuble », « immeuble d'habitation à logements multiples », « immeuble d'habitation à logement unique », « logement en copropriété », « ministre », « règlement », « rénovations majeures » — 123(1).

Renvois [art. 262]: 296(2.1), (3.2) (application d'un montant de remboursement non demandé); 297 (cotisation et versement); 346(4) (crédit transitoire pour la petite entreprise).

Jurisprudence [art. 262]: *Davidson c. R.*, [2002] G.S.T.C. 25 (CCI); *Toronto District School Board v. R.* (2 janvier 2009), 2009 CarswellQue 1678 (CCI [procédure générale]); *Goyer c. R.* (2 novembre 2010), 2010 CarswellNat 4063, 2010 CCI 511, 2011 G.T.C. 901 (Fr.) (CCI [procédure informelle]).

Énoncés de politique [art. 262]: P-028, 04/09/92, *Les frais de repas non justifiés par un reçu et les remboursements de TPS aux salariés*.

Bulletins de l'information technique [art. 262]: B-048R, 25/11/93, *Comment remplir la demande de remboursement de la TPS à l'intention des bandes indiennes*; B-048, 27/02/91, *Comment remplir la demande de remboursement de la TPS à l'intention des bandes indiennes*; B-050, 12/03/91, *Dégrèvement de TPS accordé aux organisations et aux agents diplomatiques*; B-064, 25/03/92, *Demande de remboursement de la TPS payée sur le logement provisoire admissible*.

Mémorandums [art. 262]: TPS 500-4-1-3, *Congrès*, par. 10, 13, 16, 19, Ann. B; TPS 500-4-5, 15/04/94, *Remboursements pour habitations et autres immeubles*, par. 4, 47–54, 60–61, 65–66; TPS 500-4-6, 20/03/92, *Dépenses de salariés et d'associés*, par. 30–40.

Série de mémorandums [art. 262]: Mémorandum 4.1.2, 20/12/93, *Organisateurs de voyages*, par. 9–11; Mémorandum 7.5, 04/03, *Transmission électronique des déclarations et des versements*; Mémorandum 13.2, 12/94, *Remboursements: Aide juridique*; Mémorandum 19.3, 07/98, *Remboursements pour immeubles*; Mémorandum 27.3R, 01/10, *Programme d'incitation pour congrès étrangers et voyages organisés — Remboursement de la taxe payée sur les voyages organisés admissibles et sur l'hébergement fourni dans le cadre d'un voyage organisé admissible*.

Formulaires [art. 262]: FP-66.G, *Guide de la demande de remboursement de la TPS-TVH à l'intention des organismes de services publics*; FP-284.G, *Guide de la demande de remboursement pour les organismes de services publics non inscrits*; FP-189, *Demande générale de remboursement*; FP-190, *Demande de remboursement de la taxe sur les produits et services pour habitations neuves*; FP-191, *Demande de remboursement de la taxe sur les produits et services à l'intention des organismes de services publics non inscrits*; FP-288, *Supplément à la demande générale de remboursement*; FP-322, *Attestation de financement public*; FP-530, *Demande présentée par un organisme de services publics afin que ses succursales ou ses divisions présentent une demande distincte de remboursement*; FPZ-66, *Demande de remboursement de la TPS/TVH à l'intention des organismes de services publics*; GST66, *Demande de remboursement de la TPS/TVH pour organismes de services publics et de TPS pour gouvernements autonomes*; GST176, *Demande de remboursement de la taxe aux visiteurs*; GST177 *Demande de remboursement pour les organisateurs de voyages — Taxe sur les produits et services/Taxe de vente harmonisée (TPS/TVH), Taxe de vente du Québec (TVQ), et taxe de vente provinciale du Manitoba (PST)*; GST188, *Demande présentée par un organisme de services publics afin que ses succursales ou divisions présentent une demande distincte de remboursement*; GST189, *Demande générale de remboursement de la TPS/TVH*; GST190, *Demande de remboursement de la TPS/TVH pour les maisons achetées d'un constructeur*; GST191, *Demande de remboursement de la TPS/TVH pour les maisons neuves construites par le propriétaire*; GST284, *Demande de remboursement de la TPS à l'intention des organismes de services publics non inscrits*; GST288, *Supplément: Demande générale de remboursement de la taxe sur les produits et services*; GST322, *Attestation de financement public*; GST386, *Demande de remboursement pour congrès étrangers*; GST439, *Autorisation de versements compensatoires de la TPS pour habitations neuves et remboursements généraux non soumis à une justification*; GST469, *Demande de dépôt direct (non-personnalisée)*; GST495, *Demande de remboursement de la partie provinciale de la taxe de vente harmonisée (TVH)*; GST498, *Demande de remboursement de la TPS/TVH pour les représentants étrangers et les membres des missions diplomatiques, des postes consulaires, des organisations*; GST515, *Demande de dépôt direct du remboursement de la TPS/TVH pour habitations neuves*; RC4031, *Remboursement de la taxe aux visiteurs au Canada*; RC4160, *Remboursement pour lesvoyages organisés, les congrèsétrangers et les achats desexposants non-résidents — Y compris les formulaires GST115 et GST386*.

Info TPS/TVQ [art. 262]: GI-026 — *Programme de remboursement aux visiteurs Quand le remboursement continue-t-il d'être accordé aux non-résidents qui achètent de l'hébergement?*; GI-028 — *Programme d'incitation pour congrès étrangers et voyages organisés — Exposants non résidents : application de la TPS/TVH aux achats, et remboursement*; GI-029 — *Programme d'incitation pour congrès étrangers et voyages organisés — Promoteurs de congrès étrangers : ce qu'est un congrès étranger et remboursement de la taxe payée sur les achats afférents*; GI-030 — *Programme d'incitation pour congrès étrangers et voyages organisés — Organisateurs non inscrits de congrès étrangers : remboursement de la taxe payée sur les achats*; GI-031 — *Programme d'incitation pour congrès étrangers et voyages organisés — Exploitants inscrits de centre de congrès et organisateurs inscrits : remboursement versé et crédité pour des congrès étrangers*; GI-032 — *Programme d'incitation pour congrès étrangers et voyages organisés — Non-résidents qui achètent des voyages organisés: remboursement de la taxe payée sur les voyages organisés admissibles*; GI-033 — *Programme d'incitation pour congrès étrangers et voyages organisés — Organisateurs non résidents de voyages: remboursement de la taxe payée sur l'hébergement vendu dans un voyage organisé admissible*.

Lettres d'interprétation (Québec) [art. 262]: 97-0111795 — Remboursement pour habitation neuve.

COMMENTAIRES: Le paragraphe (1) exclut les remboursements liés aux salariés et associés puisque ceux-ci sont administrés par le biais du système de l'impôt sur le revenu et leurs productions doivent être accompagnées de la déclaration d'impôt sur le revenu. Nous vous invitons à consulter nos commentaires sous l'article 253 pour une analyse détaillée.

Dans l'affaire *Chandna c. R*, 2009 CarswellNat 6508 (C.C.I.), l'appelante avait présenté une demande de remboursement de taxe payée pour une habitation neuve. Suite au refus de sa demande, un avis de cotisation a été émis en date du 17 août 2007. De l'avis de la Cour canadienne de l'impôt, le formulaire de demande de remboursement présentée par l'appelante était incomplet. En effet, la section D du formulaire n'avait pas été remplie complètement et la signature du constructeur n'y apparaissait pas. Le formulaire ne contenait donc pas les renseignements requis en vertu du paragraphe 262(1). Dans la version anglaise de cette disposition, le verbe « shall » est employé pour indiquer que la demande de remboursement doit être présentée selon la forme déterminée et doit contenir les renseignements requis. La Cour a souligné son accord avec l'ancien juge en chef Bowman quant à son raisonnement dans *Helsi Construction Management inc.*, [2001] G.S.T.C. 39 (C.C.I.) (confirmé par la Cour d'appel fédérale, 2002 CarswellNat 2574 (C.A.F.) à l'effet que les dispositions de la TPS sont habituellement très techniques et, lorsque le verbe « shall » est utilisé dans la version anglaise d'une disposition, comme dans le paragraphe 262(1), il faut considérer que celle-ci énonce une obligation et non une indication. La Cour a rejeté l'appel, non seulement sur cette base, mais sur d'autres aspects.

En l'espèce, il serait recommandé d'utiliser le verbe « doit » dans la version française afin d'harmoniser les versions anglaise et française.

Le paragraphe (2) a fait l'objet de plusieurs décisions jurisprudentielles contradictoires. À ce jour, il ne semble pas s'être dégagé un courant jurisprudentiel majoritaire. La problématique interprétative se situe à l'égard de l'étendue du terme « objet », dans la version française, ou « matter » dans la version anglaise. En effet, qu'est-ce que « l'objet d'un remboursement »? Cette question est d'une importance cruciale puisque ce paragraphe limite ledit objet d'un remboursement à une seule demande en vertu de la section VI de la *Loi sur la taxe d'accise (TPS)*.

Il y a certaines situations relativement simples, dont une a été illustrée dans la décision *Horvath c. R*, 2009 CarswellNat 5389 (C.C.I.), où un individu achète une nouvelle maison et réclame un remboursement en vertu de l'article 256. Après avoir reçu le remboursement et l'avoir utilisé pour payer l'aménagement paysager pour la maison, l'appelant demande un autre remboursement en vertu du même article à l'égard de l'aménagement paysager. Dans cette situation, la Cour canadienne de l'impôt a indiqué qu'un seul remboursement pouvait être obtenu par demande de remboursement.

Toutefois, certaines situations seront plus problématiques. Par exemple, pensons à la situation où une administration scolaire reçoit un remboursement en vertu de l'article 259 et produit par la suite une demande pour taxe payée par erreur pour la différence (*c.-à-d.* 32 %) entre le taux de son remboursement (*c.-à-d.* 68 %) et la taxe payée (*c.-à-d.* 100 %) lorsqu'elle découvre qu'elle n'aurait pas dû payer la TPS sur une fourniture. Cela peut être le cas, notamment, lorsqu'un mandataire du gouvernement charge de la TPS.

Cette situation a provoqué une division au sein de la Cour canadienne de l'impôt. En effet, dans l'affaire *Toronto District School Board c. R.*, [2009] G.S.T.C. 6 (C.C.I), [2009] G.S.TC. 160 (C.A.F) (la Cour d'appel fédérale n'a pas traité de l'article 259) (l'affaire « *Toronto District* »), une demande de remboursement pour la taxe payée par erreur, pour la partie non couverte du remboursement sous 259, a été acceptée par le juge Miller puisqu'il s'agissait d'un « objet différent ». Toutefois, la décision fut différente dans l'affaire *Ottawa Hospital c. R.* CarswellNat 6149 [2010] G.S.T.C. 15 (C.C.I) (l'affaire « *Hospital* ») où la Cour a conclu qu'il s'agissait du même objet.

Dans l'affaire *Hospital*, l'appelante a demandé un remboursement de 17 %, en vertu du paragraphe 261(1), au motif que les montants avaient été payés par erreur. La balance, soit le 83 %, avait été réclamée en vertu de l'article 259. Le juge Campbell a rejeté l'appel puisqu'il s'agissait de deux demandes de remboursement pour le même objet en vertu du paragraphe 262(2). Contrairement aux observations faites par le juge Miller dans l'affaire *Toronto District*, au paragraphe 51, où il observait qu'il n'aurait pas suivi la décision *Fanshawe College of Applied Arts & Technology c. R.*, 2006 CarswellNat 4124 (C.C.I.) (l'affaire « *Fanshawe* »), la juge Campbell a retenu le raisonnement de la juge Woods dans cette décision. La juge Campbell réfère au paragraphe 58 de la décision *Fanshawe* où la juge Woods s'exprimait en ces termes: « Le mot « objet » à l'article 262, à mon sens, se rattache à une opération — en l'espèce l'achat d'un livre. Si, par exemple, le collège a droit à un remboursement de 10 $ relativement à l'achat d'un livre, mais que, par erreur, il demande seulement 8 $, l'article 262 l'empêche d'inclure le 2 $ restant dans une autre demande de remboursement. Pour corriger sa demande concernant la TPS relative au livre, le collège doit s'opposer à la cotisation qui établissait le remboursement, dans le délai prévu pour le dépôt des oppositions. » De l'avis du juge Campbell, le texte même du paragraphe 262(2) la convainc de suivre la décision Fanshawe, parce qu'elle respecte la lettre du texte, encore que, comme le notait la juge Woods, elle produise des résultats qui vont sans doute à l'encontre de la manière dont le ministère des Finances lui-même, dans ses notes techniques, envisageait le jeu du remboursement. La Cour canadienne de l'impôt indique que le paragraphe 262(2) doit être interprété dans son contexte global, et doit être considéré comme une disposition résiduelle à l'intérieur de la section VI de la *Loi sur la taxe d'accise (TPS)*. Le paragraphe 262(2) doit être considéré comme une interdiction résiduelle de déposer des demandes multiples de remboursement portant sur la même opération. Finalement, la juge Campbell cite la Cour suprême, notamment dans l'arrêt *Ministre du Revenu National c. Caisse Populaire du bon Conseil*, 2009 CarswellNat 1568 (C.S.C.), et indique que lorsqu'il s'agit de dissiper une ambiguïté dans une loi fédérale, il faut prendre en compte à la fois la version française et la version anglaise de la loi en question. Si l'une des versions de la loi est ambiguë, comme c'est le cas ici pour la version anglaise du paragraphe 262(2), et que l'autre version est claire et sans équivoque, comme cela semble être le cas pour la version française, alors il convient d'adopter la version claire et non équivoque qui est commune aux deux versions.

L'affaire *Horvarth c. R.*, 2009 CarswellNat 5389 (C.C.I.) suit le raisonnement établi dans l'affaire *Hospital* et conclut que l'appelant ne peut réclamer deux remboursements pour le même objet en vertu du paragraphe 262(2). À ce titre, il ne pouvait donc pas réclamer un remboursement au-delà de ce qu'il avait réclamé lors de l'achat de sa maison.

L'auteur David M. Sherman est d'avis que la position dans l'affaire *Toronto District* devrait prévaloir puisque, principalement et expliqué de façon très sommaire, un remboursement sous les articles 259 et 261 sont deux objets différents et que le paragraphe 262(2) ne devrait pas prévenir de deux demandes pourvu que le total des demandes n'excède pas 100 % du montant du remboursement. Il indique également que l'affaire *Fanshawe* doit être distinguée puisque dans cette affaire, les deux remboursements ont été produits sous l'article 259.

Avec égards pour la position de M. Sherman, l'auteur est d'avis que la décision de l'affaire *Hospital* est celle qui respecte le texte législatif. À ce titre, le terme « objet » est défini comme étant « ce sur quoi porte un droit, une obligation, un contrat, une demande en justice, un jugement » par le Dictionnaire de droit québécois et canadien, Hubert Reid (1994). De plus, on peut trouver refuge au *Code civil du Québec* à l'article 1412 qui définit l'objet d'un contrat comme étant l'opération juridique envisagée par les parties au moment de sa conclusion. Le terme « objet » ou « opération » doit donc prévaloir. De plus, le paragraphe 262(2) fait référence spécifiquement à la section VI, ce qui inclut non seulement la demande de remboursement sous 256, mais également la demande de remboursement pour taxe payée par erreur. Ainsi, tel que le souligne le juge Campbell, cette conclusion peut sembler injuste, mais elle demeure néanmoins la conclusion qu'appelle le texte. De l'avis de l'auteur, une modification législative devrait être apportée pour accepter le résultat de la décision dans l'affaire *Toronto District*.

De façon générale, le paragraphe (3) prévoit que la mention d'un particulier vaut pour un groupe constitué de plusieurs particuliers à l'égard d'une demande de remboursement liée à la fourniture d'un immeuble d'habitation prévue aux articles 254 à 256.

Selon la Cour canadienne de l'impôt dans l'affaire *Goyer c. R.*, 2010 CarswellNat 4063 (C.C.I.), ce paragraphe est clair est il n'existe pas d'ambiguïté dans le texte législatif.

Bien entendu, la mention d'un particulier vaut l'ensemble de ces particuliers aux fins de l'article 256, pourvu que chacun de ceux-ci satisfasse aux conditions énumérées au paragraphe 256(2) pour être admissible au remboursement pour habitation neuve. Voir notamment à cet effet : Revenu Québec, Lettre d'interprétation, 98-0103659 — *Remboursement de la TPS et de la TVQ pour habitations neuves* (5 juin 1998).

Finalement, l'Agence du revenu du Canada a confirmé que dans le cadre d'une situation où plusieurs personnes sont propriétaires, chaque demandeur admissible doit présenter un formulaire de demande remboursement de la TPS/TVH pour immeubles d'habitations locatifs neufs. Ainsi, chaque demandeur doit soumettre le formulaire GST524 et, le cas échéant, le formulaire GST525. Il semble que les commentaires reliés à la question de savoir si un équivalent législatif au paragraphe 262(3) sera introduit pour les immeubles d'habitation locatifs neufs ont été transmis au ministère des Finances. Voir notamment à cet effet : Agence du revenu du Canada, Lettre de l'Administration centrale sur la TPS, 11870-4-2C, 11950-1, *Remboursement de la TPS/TVH pour immeuble d'habitation locatif neuf*, questions 1 à 4 (14 février 2002).

263. Restriction — Le remboursement d'un montant en application des paragraphes 215.1(1) ou (2), du paragraphe 216(6) ou de l'un des articles 252 à 261.31 ou le remboursement ou l'abattement d'un montant qui, par l'effet des paragraphes 215.1(3) ou 216(7), peut être accordé en vertu des articles 69, 73, 74 ou 76 de la *Loi sur les douanes* n'est pas effectué au profit d'une personne dans la mesure où il est raisonnable de considérer qu'une des situations suivantes existe :

a) le montant lui a déjà été remboursé ou versé en application de la présente loi ou d'une autre loi fédérale;

b) elle a demandé, ou a le droit de demander, un crédit de taxe sur les intrants relativement au montant;

c) elle a obtenu, ou a le droit d'obtenir, un remboursement ou une remise du montant en application d'un autre article de la présente loi ou d'une autre loi fédérale.

d) elle a reçu une note de crédit visée au paragraphe 232(3) ou a remis une note de débit visée à ce paragraphe relativement à un montant de redressement, de remboursement ou de crédit qui comprend le montant.

Notes historiques: Le préambule de l'article 263 a été remplacé par L.C. 2000, c. 30, par. 79(1). Cette modification est réputée entrée en vigueur le 20 octobre 2000. Antérieurement, il se lisait comme suit :

> 263. Le remboursement d'un montant en application des paragraphes 215.1(1) ou (2), du paragraphe 216(6) ou de l'un des articles 252 à 261.31 ou d'un montant qui, par l'effet des paragraphes 215.1(3) ou 216(7), est payable en vertu des articles 69, 73, 74 ou 76 de la *Loi sur les douanes* n'est pas effectué au profit d'une personne dans la mesure où il est raisonnable de considérer qu'une des situations suivantes existe :

Le préambule de l'article 263 a été modifié par L.C. 1997, c. 10, par. 230(1) et cette modification est entrée en vigueur le 1er avril 1997. Il se lisait comme suit :

> 263. Le remboursement d'un montant en application des paragraphes 215.1(1) ou (2), du paragraphe 216(6) ou de l'un des articles 252 à 261 ou d'un montant qui, par l'effet des paragraphes 215.1(3) ou 216(7), est payable en vertu des articles 69, 73, 74 ou 76 de la *Loi sur les douanes* n'est pas effectué au profit d'une personne dans la mesure où il est raisonnable de considérer qu'une des situations suivantes existe :

Auparavant, ce préambule avait été modifié par L.C. 1993, c. 27, par. 118(1) et s'appliquait aux remboursements de montants versés à titre de taxe aux termes de la section III sur des produits dédouanés, au sens du paragraphe 2(1) de la *Loi sur les douanes*, après le 10 juin 1993. Auparavant, il se lisait comme suit :

> 263. Le remboursement d'un montant en application d'un des articles 252 à 261 n'est pas versé à une personne dans la mesure où il est raisonnable de considérer qu'une des situations suivantes existe :

L'alinéa 263d) a été ajouté par L.C. 2000, c. 30, par. 79(2) et est réputé entré en vigueur le 10 décembre 1998.

L'article 263 a été ajouté par L.C. 1990, c. 45, par. 12(1).

Concordance québécoise: LTVQ, art. 404.

Définitions [art. 263]: « montant », « personne » — 123(1).

Renvois [art. 263]: 169 (CTI); 215.1(3) (remboursement pour biens retournés); 216(6) (importation — remboursement de montant payé en trop); 264(2) (conséquence de la réduction du remboursement); 296(2.1), (3.2) (application d'un montant de remboursement non demandé); 346(4) (crédit transitoire pour la petite entreprise).

Énoncés de politique [art. 263]: P-028, 04/09/92, *Les frais de repas non justifiés par un reçu et les remboursements de TPS aux salariés*.

Bulletins de l'information technique [art. 263]: B-080, 28/02/97, *Remboursements de la TVH sur les fournitures effectuées à partir des provinces participantes*; B-050, 12/03/91, *Dégrèvement de TPS accordé aux organisations et aux agents diplomatiques*; B-048, 27/02/91, *Comment remplir la demande de remboursement de la TPS à l'intention des bandes indiennes*.

Série de mémorandums [art. 263]: Mémorandum 13.2, 12/94, *Remboursements: Aide juridique*, par. 24.

Formulaires [art. 263]: GST189, *Demande générale de remboursement de la TPS/TVH*.

COMMENTAIRES: Selon l'auteur, la rédaction de cet article est malheureuse en raison de l'utilisation du mot « raisonnable » qui figure au texte introductif *in fine*. En effet, cela peut vouloir dire que c'est un agent de l'Agence du revenu du Canada ou de Revenu Québec qui considère, de façon raisonnable, si une des situations aux sous-alinéas (a) à (d) existe dans un cas particulier. En raison de l'importance de la décision, on devrait exiger un niveau de confort plus élevé que celle de la raisonnabilité, qui se veut davantage un critère subjectif.

Le paragraphe (c) peut viser, notamment, les décrets de remise accordés par une loi spéciale.

L'expression « a le droit d'obtenir » a été analysée par les tribunaux dans sa version anglaise. Voir notamment *Reilly c. R.*, [1984] C.T.C. 21 (C.F.). Nous n'avons pas répertorié de jurisprudence analysant la version française de cette expression dans ce contexte.

263.01 (1) Restriction — Le remboursement d'un montant en application d'une disposition de la présente loi, sauf les articles 252.4 et 252.41, ou le remboursement ou l'abattement d'un montant qui, par l'effet des paragraphes 215.1(3) ou 216(7), peut être accordé en vertu des articles 69, 73, 74 ou 76 de la *Loi sur les douanes*, n'est pas effectué au profit d'une personne dans la mesure où il est raisonnable de considérer que le montant se rapporte à la taxe prévue au paragraphe 165(2) ou à l'article 212.1 qui est devenue payable par la personne à un moment où elle était une institution financière désignée particulière, ou qui a été payée par elle à ce moment sans être devenue payable, relativement à un bien ou un service qu'elle a acquis ou importé pour consommation, utilisation ou fourniture dans le cadre de son entreprise, projet à risques ou affaire de caractère commercial.

Notes historiques: Le paragraphe 263.01(1) a été ajouté par L.C. 2000, c. 30, par. 80(1). Il est réputé entré en vigueur le 1er avril 1997.

Concordance québécoise: aucune.

(2) Exception — assureur — Le paragraphe (1) ne s'applique pas au montant de taxe qui est devenu payable par un assureur, ou qui a été payé par lui sans être devenu payable, relativement à un bien ou à un service acquis ou importé exclusivement et directement pour consommation, utilisation ou fourniture dans le cadre du règlement ou de la défense d'un sinistre prévu par une police d'assurance autre qu'une police d'assurance-accidents, d'assurance-maladie ou d'assurance-vie, ou de l'enquête entourant un tel sinistre.

Notes historiques: Le paragraphe 263.01(2) a été ajouté par L.C. 2000, c. 30, par. 80(1). Il est réputé entré en vigueur le 1er avril 1997.

Concordance québécoise: aucune.

(3) Exception — cautions — Le paragraphe (1) ne s'applique pas au montant de taxe qui est devenu payable par une caution, au sens du paragraphe 184.1(2), ou qui a été payé par elle sans être devenu payable, relativement à un bien ou à un service acquis ou importé aux fins suivantes :

a) sa consommation, son utilisation ou sa fourniture exclusive et directe dans le cadre de la construction d'un immeuble au Canada par la caution ou par une autre personne qu'elle engage à cette fin, laquelle construction est entreprise en exécution, même partielle, des obligations de la caution en vertu d'un cautionnement de bonne exécution;

b) une fin autre que son utilisation à titre d'immobilisation de la caution ou autre que l'amélioration de ses immobilisations.

Notes historiques: Le paragraphe 263.01(3) a été ajouté par L.C. 2000, c. 30, par. 80(2). Il s'applique aux biens et services acquis ou importés, par une personne agissant à titre de caution, pour consommation, utilisation ou fourniture dans le cadre de l'exercice d'une activité de construction par elle ou par une autre personne qu'elle engage à cette fin, si l'alinéa 184.1(2)a) s'applique à la personne relativement à cette activité.

Concordance québécoise: aucune.

(4) Exception — personne visée par règlement — Malgré le paragraphe (1), le remboursement prévu à l'article 261.31 relativement à un montant de taxe visé par règlement peut être fait à toute personne qui est visée par règlement pour l'application du paragraphe 261.31(2).

Notes historiques: Le paragraphe 263.01(4) a été ajouté par L.C. 2012, c. 31, par. 92(1) et est réputé être entré en vigueur le 1er juillet 2010.

15 octobre 2012, Notes explicatives: Selon le paragraphe 263.01(1), une personne ne peut demander les remboursements prévus par la Loi ni certains redressements ou abattements administrés en vertu de la *Loi sur les douanes* dans la mesure où ils ont trait à la composante provinciale de la TVH qui a été payée ou était payable à un moment où elle était une institution financière désignée particulière (au sens du paragraphe 225.2(1)). Cette restriction est assujettie aux exceptions prévues aux paragraphes 263.01(2) et (3).

La modification apportée à l'article 263.01 consiste en l'ajout du paragraphe 263.01(4). Ce paragraphe prévoit une exception additionnelle à la restriction énoncée au paragraphe 263.01(1). Il prévoit que le remboursement établi à l'article 261.31 relativement à un montant de taxe visé par règlement peut être fait à toute personne qui est visée par règlement pour l'application du paragraphe 261.31(2). Selon les dispositions réglementaires proposées, sont des personnes visées à cette fin les régimes de placement (au sens du paragraphe 149(5)) et les fonds réservés d'assureurs (au sens du paragraphe 123(1)) qui sont des institutions financières désignées particulières qui offrent une ou plusieurs séries provinciales créées exclusivement pour des investisseurs résidant dans une province donnée. En outre, un montant de taxe visé par règlement pourrait être un montant de taxe qui devient payable ou qui est payé sans être devenu payable par une telle personne relativement à la fourniture d'un bien ou d'un service qui est acquis en tout ou en partie en vue d'être consommé, utilisé ou fourni dans le cadre d'activités liées à une série provinciale de la personne.

Le nouveau paragraphe 263.01(4) est réputé être entré en vigueur le 1er juillet 2010.

Concordance québécoise: aucune.

Énoncés de politique [art. 263.01]: P-162, 15/12/94, *Recouvrement par voie de compensation par suite d'une faillite*.

Renvois [art. 263.01]: 178.8(6) (entente d'importation).

COMMENTAIRES: La raison de cet article réside dans le fait que la formule prévue au paragraphe 225.2 (2) prévoit déjà un remboursement pour la partie provinciale de la TVH en faveur d'une institution financière désignée particulière.

263.02 Restriction — Le montant d'un remboursement prévu par la présente partie n'est versé à une personne à un moment donné que si toutes les déclarations dont le ministre a connaissance et que la personne avait à produire au plus tard à ce moment en application de la présente loi, de la *Loi sur le droit pour la sécurité des passagers du transport aérien*, de la *Loi de 2001 sur l'accise* et de la *Loi de l'impôt sur le revenu* ont été présentées au ministre.

Notes historiques: L'article 263.02 a été ajouté par L.C. 2006, c. 4, par. 145(1) et est entré en vigueur le 1er avril 2007.

Concordance québécoise: aucune.

Bulletins de l'information technique [art. 263.02]: B-100, 11/07, *Comptabilité normalisée*.

COMMENTAIRES: Cet article exige la production des rapports dans les délais avant de recevoir tout remboursement.

263.1 Restriction — faillite — En cas de nomination, en application de la *Loi sur la faillite et l'insolvabilité*, d'un syndic pour voir à l'administration de l'actif d'un failli, un remboursement prévu par la présente partie auquel le failli a droit avant la nomination n'est effectué à son profit après la nomination que si toutes les déclarations à produire en application de la présente partie pour l'ensemble des périodes de déclaration du failli qui prennent fin avant la nomination, ou relativement à des acquisitions d'immeubles effectuées au cours de ces périodes, ont été produites et que si les montants à verser par le failli en application de la présente partie ainsi que les montants payables par lui en vertu de cette partie au titre des pénalités, intérêts, acomptes provisionnels ou restitutions relativement à ces périodes ont été versés ou payés.

Notes historiques: L'article 263.1 a été ajouté par L.C. 1993, c. 27, par. 119(1) et est réputé entré en vigueur le 1er octobre 1992.

Concordance québécoise: LAF, art. 30.3.

Définitions: « immeuble », « montant », « période de déclaration » — 123(1).

Renvois: 225(6) (montant exclu du calcul du crédit); 228(2) (versement de la taxe nette); 237 (acomptes provisionnels); 238 (déclaration); 265 (faillite).

Énoncés de politique: P-028, 04/09/92, *Les frais de repas non justifiés par un reçu et les remboursements de TPS aux salariés*; P-162, 15/12/94, *Recouvrement par voie de compensation par suite d'une faillite*.

COMMENTAIRES: Il s'agit de règles similaires à celles que l'on retrouve en vertu des paragraphes 229(2) et 225(6).

Toutes les déclarations pour les périodes qui ont pris fin avant la faillite d'une personne doivent avoir été produites et tous les montants pour ces périodes doivent avoir été payés ou versés. Voir notamment à cet effet : Revenu Québec, Lettre d'interprétation no. 96-0103117[A] — *CTI-RTI et remboursements dans un contexte de faillite* (29 mars 1996).

263.2 Remboursement — boissons dans des contenants consignés — Pour l'application des articles 252, 260 et 261.1, lorsqu'une personne est l'acquéreur d'une fourniture de boisson dans un contenant consigné rempli et scellé ou d'une fourniture de contenant consigné usagé et vide ou de matière résultant de son compactage et que le fournisseur est réputé par les alinéas 226(2)b) ou (4)b) avoir effectué, au profit de cette personne, la fourniture taxable d'un service relatif au contenant, la taxe payée relativement à la fourniture du service est réputée avoir été payée relativement à la fourniture de la boisson, du contenant vide ou de la matière, selon le cas.

Notes historiques: L'article 263.2 a été ajouté par L.C. 2007, c. 18, par. 45(1) et est réputé entré en vigueur le 1er mai 2002.

Concordance québécoise: aucune.

COMMENTAIRES: Nous n'avons répertorié aucune interprétation technique ou décision anticipée des autorités fiscales ou de jurisprudence à l'égard de l'application de cet article.

264. (1) Montant remboursé en trop ou intérêts payés en trop — Lorsqu'est payé à une personne, ou déduit d'une somme dont elle est redevable, un montant au titre d'un remboursement prévu à l'article 215.1, au paragraphe 216(6) ou à la présente section, sauf l'article 253, ou des intérêts prévus à l'article 297 auquel la personne n'a pas droit ou qui excède le montant auquel elle a droit, la personne est tenue de verser au receveur général un montant égal au montant remboursé, aux intérêts ou à l'excédent le jour de ce paiement ou de cette déduction.

Notes historiques: Le paragraphe 264(1) a été modifié par L.C. 1993, c. 27, par. 120(2) et cette modification s'applique aux montants payés à une personne, ou déduits d'une somme dont elle est redevable, après 1992. Toutefois, il n'est pas tenu compte du renvoi au paragraphe 216(6) avant le 10 juin 1993. Il se lisait comme suit :

> 264. (1) Lorsqu'est payé à une personne, ou déduit d'une somme dont elle est redevable, un montant au titre d'un remboursement prévu à l'article 215.1 ou à la présente section, sauf l'article 253, ou des intérêts prévus à l'article 297, auquel la personne n'a pas droit ou qui excède le montant auquel elle a droit, la personne est tenue de verser au receveur général un montant égal au montant remboursé, aux intérêts ou à l'excédent au plus tard :
>
> a) s'il s'agit d'un inscrit dont la période de déclaration au cours de laquelle le montant est payé ou déduit correspond à son mois d'exercice ou à son trimestre d'exercice, un mois après la fin de cette période;
>
> b) dans les autres cas, le dernier jour du mois suivant celui au cours duquel le montant est payé ou déduit.

Le paragraphe 264(1) a été modifié par L.C. 1993, c. 27, par. 120(1) et cette modification est réputée entrée en vigueur le 17 décembre 1990. Il se lisait auparavant comme suit :

> 264. (1) La personne qui reçoit un remboursement en application de la présente section sans y avoir droit, ou d'un montant excédant celui auquel elle a droit, doit verser le remboursement ou l'excédent au receveur général au plus tard :
>
> a) s'il s'agit d'un inscrit dont la période de déclaration correspond à son mois d'exercice ou trimestre d'exercice, un mois après la fin de la période de déclaration au cours de laquelle elle a reçu le remboursement;
>
> b) dans les autres cas, le dernier jour du mois suivant celui au cours duquel le montant est payé ou déduit.

Le paragraphe 264(1) a été édicté par L.C. 1990, c. 45, par. 12(1).

Concordance québécoise: aucune.

(2) Conséquence de la réduction du remboursement — Pour l'application du paragraphe (1), dans la mesure où une personne a reçu un remboursement supérieur à celui auquel elle avait droit et où l'excédent a réduit, par l'effet de l'article 263, tout autre remboursement auquel elle aurait droit, n'eût été l'excédent, la personne est réputée avoir versé l'excédent au receveur général.

Notes historiques: Le paragraphe 264(2) a été ajouté par L.C. 1990, c. 45, par. 12(1).

Concordance québécoise: aucune.

Définitions [art. 264]: « inscrit », « mois », « mois d'exercice », « montant », « période de déclaration », « personne », « trimestre d'exercice » — 123(1).

Renvois [art. 264]: 178.8(7) (entente d'importation); 230.1 (montant remboursé en trop ou intérêts payés en trop); 232(3)d) (notes de crédit ou de débit); 252.5d) (obligation solidaire); 254(5), 254.1(6) (obligation solidaire du constructeur et du particulier); 254(5), 258.1(5) (obligation solidaire); 258.1(5) (obligation solidaire — demande de remboursement); 280(5)–(7) (pénalités et intérêts); 297(2.1) (établissement d'une cotisation); 322 (personnes quittant le Canada ou en défaut); 346(4) (crédit transitoire pour la petite entreprise).

Jurisprudence [art. 264]: *Trengrove Developments Inc. c. La Reine*, [1996] G.S.T.C. 35 (CCI); *Murch (A.J.) c. La Reine*, 96-1807 (GSTI).

Mémorandums [art. 264]: TPS 500-2-2, 8/02/91, *Acomptes provisionnels*, par. 21; TPS 500-4-6, 20/03/92, *Dépenses de salariés et d'associés*, par. 42, 43.

COMMENTAIRES: Il est intéressant de noter le commentaire du juge Hershfield de la Cour canadienne de l'impôt dans l'affaire *West Windsor Urgent Care Centre Inc. c. R.*, 2005 CarswellNat 7073 (C.C.I) (confirmé en Cour d'appel fédérale, 2008 CarswellNat 28, C.A.F.), où il mentionne, à la note de bas de page 20 de son jugement, que bien que les montants remboursés en trop par la Couronne soient retenus en vertu de l'article 264, il ne trouve aucune disposition semblable pouvant corriger la situation dans le cas de fournisseurs ayant effectué des remboursements en trop. À cet égard, il souligne que ni l'article 224 ni l'article 231 ne semblent d'application suffisamment générale pour garantir au fournisseur un redressement prévu par la loi dans le cas d'un acquéreur qui reçoit un remboursement en trop du fournisseur. Nous vous invitons à consulter nos commentaires sous l'article 261 pour une discussion détaillée de cette problématique.

Une cotisation en vertu de cet article peut être établit en vertu du paragraphe 297(2.1).

SECTION VII — DIVERS

Sous-section a — Syndics, séquestres et représentants personnels

265. (1) Faillite — Les règles suivantes s'appliquent aux fins de la présente partie en cas de faillite d'une personne :

a) le syndic de faillite est réputé fournir au failli des services de syndic de faillite, et tout montant auquel il a droit à ce titre est réputé être une contrepartie payable pour cette fourniture; par ailleurs, le syndic de faillite est réputé agir à titre de mandataire du failli et tout bien ou service qu'il fournit ou reçoit, et tout acte qu'il accomplit, dans le cadre de la gestion des actifs du failli ou de l'exploitation de l'entreprise de celui-ci sont réputés fournis, reçus et accomplis à ce titre;

b) les actifs du failli sont réputés ne constituer ni une fiducie ni une succession;

c) les biens et l'argent du failli, immédiatement avant le jour de la faillite, sont réputés ni être passés au syndic ni lui être dévolus au moment de la prise de l'ordonnance de faillite ou du dépôt de la cession, mais demeurer la propriété du failli;

d) le syndic, et non le failli, est tenu au paiement ou au versement des montants, sauf ceux qui se rapportent uniquement à des activités non visées par la faillite que le failli commence à exercer au plus tôt le jour de celle-ci, devenus payables ou à verser par le failli en vertu de la présente partie pendant la période allant du lendemain du jour où le syndic est devenu le syndic du failli jusqu'au jour de la libération du syndic en vertu de la *Loi sur la faillite et l'insolvabilité*; toutefois :

(i) la responsabilité du syndic à l'égard de paiement ou du versement de montants devenus payables ou à verser par le failli après le jour de la faillite soit pour des périodes ayant pris fin au plus tard ce jour-là, soit relativement à des fournitures d'immeubles effectuées au profit du failli au plus tard ce jour-là, se limite aux biens et à l'argent du failli en la possession du syndic et disponibles pour éteindre l'obligation,

(ii) le syndic n'est pas responsable du paiement ou du versement d'un montant pour lequel un séquestre (au sens du paragraphe 266(1)) est responsable en vertu de l'article 266,

(iii) le paiement ou le versement d'un montant par le failli au titre de l'obligation éteint d'autant l'obligation du syndic;

e) si le failli est inscrit aux termes de la sous-section d de la section Vle jour de la faillite, l'inscription continue d'être valable pour ses activités visées par la faillite comme si le syndic était l'inscrit relativement à ces activités, mais cesse de l'être pour ce qui est des activités non visées par la faillite que le failli commence à exercer au plus tôt le jour de celle-ci;

f) les activités non visées par la faillite que le failli commence à exercer au plus tôt le jour de la faillite sont réputées être distinctes des activités du failli qui sont visées par la faillite comme si les activités non visées étaient celles d'une autre personne; le failli peut, à l'égard des activités non visées, demander et obtenir l'inscription aux termes de la sous-section d de la section V, établir des exercices et faire des choix relativement à des périodes de déclaration comme si ces activités étaient les seules qu'il exerçait;

g) la faillite n'a aucune incidence sur le début et la fin des périodes de déclaration du failli; toutefois :

(i) la période de déclaration qui comprend le jour de la faillite prend fin ce jour-là, et une nouvelle période de déclaration concernant les activités visées par la faillite commence le lendemain,

(ii) la période de déclaration, concernant les activités visées par la faillite, qui comprend le jour de la libération du syndic en vertu de la *Loi sur la faillite et l'insolvabilité* prend fin ce jour-là;

h) sous réserve de l'alinéa j), le syndic est tenu de présenter au ministre, en la forme déterminée par celui-ci, les déclarations — que le failli est tenu de produire aux termes de la présente partie — contenant les renseignements requis concernant les activités du failli, ou les fournitures d'immeubles, visées par la faillite, exercées ou effectuées au profit du failli au cours des périodes de déclaration du failli qui ont pris fin pendant la période commençant le lendemain de la faillite et se terminant le jour de la libération du syndic en vertu de la *Loi sur la faillite et l'insolvabilité*, comme si ces activités étaient les seules que le failli exerçait;

i) sous réserve de l'alinéa j), si le failli ne produit pas, au plus tard le jour de la faillite, la déclaration qu'il est tenu de produire en vertu de la présente partie soit pour sa période de déclaration se terminant au plus tard ce jour-là et au cours de son exercice qui comprend ce jour, ou immédiatement avant cet exercice, soit relativement à une fourniture d'immeuble effectuée à son profit au cours de cette période, le syndic est tenu de présenter au ministre, en la forme déterminée par celui-ci, une déclaration pour cette période ou relativement à cette fourniture contenant les renseignements requis, sauf si le ministre renonce par écrit à exiger cette déclaration du syndic;

j) lorsqu'un séquestre (au sens du paragraphe 266(1)) est investi de pouvoirs relativement à une entreprise, à un bien, aux affaires ou à des éléments d'actif du failli, le syndic n'est pas tenu :

(i) d'inclure dans une déclaration les renseignements que le séquestre est tenu d'y inclure en vertu de l'article 266,

(ii) de produire une déclaration concernant une fourniture d'immeuble effectuée au profit du failli et à l'égard de laquelle le séquestre est tenu de produire une déclaration en vertu de l'article 266;

k) les biens et l'argent que le syndic détient pour le failli le jour où une ordonnance de libération absolue de ce dernier est rendue en vertu de la *Loi sur la faillite et l'insolvabilité* sont réputés ne pas être passés au failli au moment où l'ordonnance est rendue, mais avoir été dévolus au failli et détenus par lui sans interruption depuis le jour où ils ont été acquis par lui ou le syndic.

Notes historiques: L'alinéa 265(1)a) a été modifié par L.C. 1997, c. 10, par. 72(1) et cette modification est réputée entrée en vigueur le 17 décembre 1990. Auparavant, cet alinéa se lisait comme suit :

a) le syndic de faillite est réputé agir à titre de mandataire du failli, et tout bien ou service qu'il fournit ou reçoit, et tout acte qu'il accomplit, dans le cadre de la gestion des actifs du failli ou de l'exploitation de l'entreprise de celui-ci sont réputés fournis, reçus et accomplis à ce titre;

L'alinéa 265(1)c) a été remplacé par L.C. 2004, c. 25, art. 199 et cette modification est entrée en vigueur le 15 décembre 2004. Antérieurement, il se lisait ainsi :

c) les biens et l'argent du failli, immédiatement avant le jour de la faillite, sont réputés ni être passés au syndic, ni lui être dévolus au moment de la prise de l'ordonnance de séquestre ou du dépôt de la cession, mais demeurer la propriété du failli;

L'alinéa 265(1)c) a été modifié par L.C. 1993, c. 27, par. 121(2) et est réputé entré en vigueur le 17 décembre 1990. Il doit se lire comme suit pour les personnes qui sont devenues faillies avant 1993 ainsi qu'à leur syndic :

c) les biens du failli, immédiatement avant la faillite, sont réputés ni être passés au syndic, ni lui être dévolus au moment de la prise de l'ordonnance de séquestre ou du dépôt de la cession, mais demeurer la propriété du failli;

Les alinéas 265(1)c) à i) et les alinéas 265(1)j) et k) ont été modifiés par L.C. 1993, c. 27, par. 121(6) et s'appliquent aux personnes qui deviennent faillies après 1992 ainsi qu'à leur syndic.

Les alinéas 265(1)c) à i) se lisaient auparavant comme suit :

c) les biens du failli, immédiatement avant la faillite, sont réputés ni être passés au syndic, ni lui être dévolus au moment de la prise de l'ordonnance de séquestre ou du dépôt de la cession, mais demeurer la propriété du failli;

d) le failli et le syndic sont solidairement tenus au paiement de la taxe devenue payable par le failli relativement à une opération, ainsi que du versement de la taxe perçue par lui, avant la faillite; toutefois :

(i) le syndic n'est responsable que pour les biens en sa possession disponibles pour éteindre l'obligation,

(ii) le paiement d'un montant par le failli ou le syndic au titre de l'obligation éteint d'autant l'obligation;

e) la période de déclaration du failli, qui a commencé avant la faillite, et qui, en l'absence du présent paragraphe, se serait terminée après ce moment est réputée s'être terminée la veille de la faillite;

f) la période de déclaration du failli est réputée avoir commencé le jour de la faillite;

g) le syndic est tenu de produire :

(i) les déclarations qui visent soit les périodes de déclaration du failli se terminant avant la faillite, soit les faits qui se sont produits avant ce moment, que le failli est tenu de produire aux termes de la présente partie ou de ses règlements d'application et qu'il n'a pas produites avant la faillite,

(ii) les déclarations qui visent soit les périodes de déclaration du failli concernant ses actifs qui se terminent au cours de la faillite, soit les faits qui se sont produits au cours de la faillite, que le failli est tenu de produire aux termes de la présente partie;

h) lorsqu'une ordonnance de libération absolue est rendue à l'égard du failli en application de la *Loi sur la faillite et l'insolvabilité* :

(i) la période de déclaration du failli qui a commencé au cours de la faillite et qui, en l'absence du présent alinéa, se serait terminée après ce moment est réputée s'être terminée la veille du jour où l'ordonnance est rendue,

(ii) une période de déclaration du failli est réputée commencer au début du jour où l'ordonnance est rendue;

i) les biens que le syndic détient pour le failli immédiatement avant que l'ordonnance soit rendue sont réputés ne pas être passés au failli au moment où l'ordonnance est rendue, mais avoir été dévolus au syndic et détenus par lui sans interruption depuis le jour où ils ont été acquis par le failli ou le syndic.

Le préambule de l'alinéa 265(1)d) doit se lire comme suit pour les montants devenus payables ou à verser par un failli après septembre 1992 :

d) le failli et le syndic sont solidairement tenus au paiement ou au versement des montants, sauf ceux qui se rapportent uniquement à des activités non visées par la faillite que le failli commence à exercer après celle-ci, devenus payables ou à verser par le failli en vertu de la présente partie avant ou pendant la période allant du jour de la faillite jusqu'à la libération du syndic en vertu de la *Loi sur la faillite et l'insolvabilité*; toutefois :

Le sous-alinéa 265(1)d)(i) a été modifié par L.C. 1993, c. 27, par. 121(3) et est réputé entré en vigueur le 17 décembre 1990. Il doit se lire comme suit pour les personnes qui sont devenues faillies avant 1993 ainsi qu'à leur syndic :

(i) le syndic n'est responsable que jusqu'à concurrence des biens et de l'argent en sa possession disponibles pour éteindre l'obligation,

L'alinéa 265(1)h) a été modifié par L.C. 1992, c. 27, al. 90(1)p), applicable à compter du 30 novembre 1992 (TR/92-194), pour corriger la référence à la *Loi sur la faillite* par la *Loi sur la faillite et l'insolvabilité*.

L'alinéa 265(1)i) a été modifié par L.C. 1993, c. 27, par. 121(5) et est réputé entré en vigueur le 17 décembre 1990. Il doit se lire comme suit pour les personnes qui sont devenues faillies avant 1993 ainsi qu'à leur syndic :

i) les biens et l'argent que le syndic détient pour le failli immédiatement avant que l'ordonnance soit rendue sont réputés ne pas être passés au failli au moment où l'ordonnance est rendue, mais avoir été dévolus au failli et détenus par lui sans interruption depuis le jour où ils ont été acquis par lui ou le syndic.

Le paragraphe 265(1) a été ajouté par L.C. 1990, c. 45, par. 12(1).

Concordance québécoise: LTVQ, art. 302 à 309.

(2) Définition de « actifs du failli » et « failli » — Au présent article, « actifs du failli » et « failli » s'entendent au sens de la *Loi sur la faillite et l'insolvabilité*.

Notes historiques: Le paragraphe 265(2) a été modifié par L.C. 1992, c. 27, al. 90(1)p), applicable à compter du 30 novembre 1992 (TR/92-194), pour corriger la référence à la *Loi sur la faillite* par la *Loi sur la faillite et l'insolvabilité*.

Le paragraphe 265(2) a été ajouté par L.C. 1990, c. 45, par. 12(1).

Concordance québécoise: LTVQ, art. 302, al. 2.

Définitions [art. 265]: « année d'imposition », « argent », « bien », « entreprise », « exercice », « fourniture », « immeuble », « ministre », « montant », « période de déclaration », « personne », « service », « taxe » — 123(1).

Renvois [art. 265]: 225(6) (montant exclu du calcul du crédit); 263.1 (remboursement); 296(1)e) (cotisation — syndic de faillite); 298(1)g) (période de cotisation); 341.1(2) (Service de représentant, fiduciaire, séquestre ou liquidateur avant 1991); 357(2) (TVH — service de représentant, fiduciaire, séquestre ou liquidateur).

Jurisprudence [art. 265]: *Montreal Trust Co. c. Powell Lane Investment Ltd.*, [1994] G.S.T.C. 66, [1995] G.S.T.C. 24 (BCSC) (BCSC Master); *Fegol c. La Reine*, [1995] G.S.T.C. 27 (CF); *Quebec (Deputy Minister of Revenue) c. Omni Cell Québec Inc.*, [1995] G.S.T.C. 30 (CF); *Quebec (Deputy Minister of Revenue) c. Marccel Grand Cirque Inc.*, [1995] G.S.T.C. 66, [1995] G.S.T.C. 76 (CF); *Irving A. Burton Ltd. c. Canada*, [1997] G.S.T.C. 53 (CCI); *475830 Alberta Ltd c. Canada*, [1998] G.S.T.C. 103 (CCI); *Cargill Ltd. c. Compton Agro Inc.*, [1999] G.S.T.C. 25 (Man QB); [2000] G.S.T.C. 4 (Man CA); [2000] G.S.T.C. 23 (Man CA); *Perfection Dairy Group Ltd. v. R.* (10 juin 2008), [2008] G.S.T.C. 124 (CCI [procédure informelle]); *Landry c. R.*, 2009 G.T.C. 997-82 (CCI [procédure informelle]).

Énoncés de politique [art. 265]: P-145, 16/05/94, *Possibilité pour des syndics de faillite et des séquestres d'effectuer le choix prévu au paragraphe 167(1)*; P-162, 15/12/94, *Recouvrement par voie de compensation par suite d'une faillite* (Ébauche); P-182R, 28/08/03, *Du mandat*.

Bulletins de l'information technique [art. 263.02]: B-075R, 23/04/96, *Modifications proposées à la TPS*.

Série de mémorandums [art. 265]: Mémorandum 1.5, 09/94, *Définitions*; Mémorandum 2.1, 05/99, *Inscription requise*; Mémorandum 2.6, 06/95, *Exigences des garanties des non-résidents*.

Formulaires [art. 265]: GST257, *Loi sur la faillite et l'insolvabilité — Preuve de réclamation de biens*; GST258, *Loi sur la faillite et l'insolvabilité — Preuve de réclamation*; FPR-257, *Preuve de réclamation de biens — Loi sur la faillite*; FPR-258, *Preuve de réclamation — Loi sur la faillite*.

Lettres d'interprétation (Québec) [art. 265]: 97-0114013 — Syndic de faillite — inscription et statut de mandataire; 98-010324 — Inscription en vertu de la *Loi sur la taxe d'accise* (L.R.C. 1985, c. E-15, ci-après « LTA ») et de la *Loi sur la taxe de vente du Québec* (L.R.Q., c. T-0.1, ci-après « LTVQ ») vs la *Loi sur la faillite et l'insolvabilité*; 99-0100802 — Cotisation de la taxe payable et proposition concordataire.

266. (1) Définitions — Les définitions qui suivent s'appliquent au présent article.

« actif pertinent »

a) Si le pouvoir d'un séquestre porte sur l'ensemble des biens, des entreprises, des affaires et des éléments d'actif d'une personne, cet ensemble;

b) si ce pouvoir ne porte que sur une partie des biens, des entreprises, des affaires et des éléments d'actif d'une personne, cette partie.

Concordance québécoise: LTVQ, art. 310, al. 2 « actif pertinent ».

« entreprise » Est assimilée à une entreprise une partie de l'entreprise.

Concordance québécoise: LTVQ, art. 310, al. 2 « entreprise ».

« séquestre » Personne qui, selon le cas :

a) par application d'une obligation ou autre titre de créance, de l'ordonnance d'un tribunal ou d'une loi fédérale ou provinciale, a le pouvoir de gérer ou d'exploiter les entreprises ou les biens d'un tiers;

b) est nommée par un fiduciaire aux termes d'un acte de fiducie relativement à un titre de créance, pour exercer le pouvoir du fiduciaire de gérer ou d'exploiter les entreprises ou les biens du débiteur du titre;

c) est nommée par une banque à titre de mandataire de la banque lors de l'exercice du pouvoir de celle-ci visé au paragraphe 426(3) de la *Loi sur les banques* relativement aux biens d'une autre personne;

d) est nommée à titre de liquidateur pour liquider les biens ou les affaires d'une personne morale;

e) est nommée à titre de curateur ou de tuteur ayant le pouvoir de gérer les affaires et les biens d'un incapable.

Est assimilée au séquestre la personne nommée pour exercer le pouvoir d'un créancier, aux termes d'une obligation ou autre titre de créance, de gérer ou d'exploiter les entreprises ou les biens d'un tiers, à l'exclusion du créancier.

Concordance québécoise: LTVQ, art. 310, al. 2 « séquestre ».

Notes historiques: Le passage de l'alinéa 266(1)c) qui précède le sous-alinéa (ii) a été modifié par L.C. 1993, c. 27, par. 122(1) et est réputé entré en vigueur le 17 décembre 1990. Il se lit comme suit :

> c) la personne et le séquestre sont solidairement tenus au paiement ou au versement des montants, sauf ceux qui se rapportent uniquement à des activités non visées par la nomination, devenus payables ou à verser par la personne en vertu de la présente partie avant la nomination ou au cours de la période où le séquestre agit à ce titre pour la personne; toutefois :
>
> (i) le séquestre n'est responsable que jusqu'à concurrence des biens et de l'argent qui sont en sa possession ou qu'il contrôle,

Toutefois, en ce qui concerne les montants devenus payable ou à verser avant octobre 1992, ce passage doit être remplacé comme suit :

> c) le séquestre et la personne sont solidairement tenus au paiement de la taxe payable par la personne avant la nomination ou au cours de la période où le séquestre agit à ce titre pour la personne, ainsi qu'au versement de la taxe perçue par elle avant la nomination ou au cours de cette période; toutefois :

Le paragraphe 266(1) a été modifié par L.C. 1993, c. 27, par. 122(2) et s'applique aux séquestres qui sont investis de pouvoirs ou nommés après 1992 ainsi qu'aux personnes dont les entreprises, les biens, les affaires ou les éléments d'actif sont visés par les pouvoirs ou la nomination d'un séquestre.

Le paragraphe 266(1) se lisait auparavant comme suit :

> 266. (1) Dans le cas de la nomination d'un séquestre pour gérer, administrer ou liquider l'entreprise ou les biens d'une personne, ou pour administrer ses affaires, les règles suivantes s'appliquent aux fins de la présente partie :
>
> a) le séquestre est réputé agir à titre de mandataire de la personne, et tout bien ou service qu'il fournit ou reçoit, et tout acte qu'il accomplit, dans le cadre de la gestion, de l'administration ou de la liquidation de l'entreprise ou des biens de la personne, ou de l'administration de ses affaires, sont réputés fournis, reçus et accomplis à ce titre;
>
> b) le séquestre est réputé ne pas être le fiduciaire des actifs de la personne;
>
> c) le séquestre et la personne sont solidairement tenus au paiement de la taxe payable par la personne avant la nomination ou au cours de la période où le séquestre agit à ce titre pour la personne, ainsi que du versement de la taxe perçue par elle avant la nomination ou au cours de cette période; toutefois :
>
> (i) le séquestre n'est responsable que pour les biens qui sont en sa possession ou qu'il contrôle et gère,
>
> (ii) le paiement d'un montant par le séquestre ou la personne au titre de l'obligation éteint d'autant l'obligation;
>
> d) la période de déclaration de la personne qui a commencé avant la nomination et qui, en l'absence du présent alinéa, se serait terminée après ce moment est réputée s'être terminée la veille de la nomination;
>
> e) la période de déclaration de la personne est réputée avoir commencée le jour de la nomination;
>
> f) le séquestre est tenu de produire :
>
> (i) les déclarations se rapportant à l'entreprise ou aux biens et visant soit les périodes de déclaration de la personne se terminant avant la nomination, soit les faits qui se sont produits avant ce moment, que la personne est tenue de produire aux termes de la présente partie ou de ses règlements d'application et qu'elle n'a pas produites avant la nomination,
>
> (ii) les déclarations se rapportant à l'entreprise ou aux biens et visant soit les périodes de déclaration de la personne se terminant au cours de la période où le séquestre agit à ce titre, soit les faits qui se sont produits au cours de cette période;
>
> g) si la personne était un inscrit immédiatement avant la nomination, l'inscription continue; il ne peut y être mis fin, au cours de la période pendant laquelle le séquestre agit à ce titre, sans l'approbation du ministre;
>
> (i) la période de déclaration de la personne qui a commencé au cours de la période où le séquestre agissait à ce titre et qui, en l'absence du présent alinéa, se serait terminée après cette période est réputée s'être terminée la veille du jour où la nomination prend fin,
>
> (ii) si la personne est vivante après le jour où la nomination prend fin, sa période de déclaration est réputée commencer au début de ce jour-là.

Le paragraphe 266(1) a été ajouté par L.C. 1990, c. 45, par. 12(1).

(2) Séquestres — Dans le cas où un séquestre est investi, à une date donnée, du pouvoir de gérer, d'exploiter ou de liquider l'entreprise ou les biens d'une personne, ou de gérer ses affaires et ses éléments d'actif, les règles suivantes s'appliquent aux fins de la présente partie :

a) le séquestre est réputé agir à titre de mandataire de la personne, et tout bien ou service qu'il fournit ou reçoit, et tout acte qu'il accomplit, relativement à l'actif pertinent, sont réputés fournis, reçus et accomplis à ce titre;

b) le séquestre est réputé n'être le fiduciaire d'aucun des éléments d'actifs de la personne;

c) lorsqu'il ne représente qu'une partie des entreprises, des biens, des affaires ou des éléments d'actif de la personne, l'actif pertinent est réputé être distinct du reste des entreprises, des biens, des affaires ou des éléments d'actif de la personne, durant la période où le séquestre agit à ce titre pour la personne, comme si l'actif pertinent représentait les entreprises, les biens, les affaires et les éléments d'actif d'une autre personne;

d) la personne et le séquestre sont solidairement tenus au paiement ou au versement des montants devenus payables ou à verser par la personne en vertu de la présente partie avant ou pendant la période où le séquestre agit à ce titre pour la personne, dans la mesure où il est raisonnable de considérer que les montants se rapportent à l'actif pertinent ou aux entreprises, aux biens, aux affaires ou aux éléments d'actif de la personne qui auraient constitué l'actif pertinent si le séquestre avait agi à ce titre pour la personne au moment où les montants sont devenus payables ou à verser; toutefois :

(i) le séquestre n'est tenu de payer ou de verser les montants devenus payables ou à verser avant cette période que jusqu'à concurrence des biens et de l'argent de la personne qui sont en sa possession ou qu'il contrôle et gère après avoir, à la fois :

(A) réglé les réclamations de créanciers qui, à la date donnée, peuvent être réglées par priorité sur les réclamations de Sa Majesté relativement aux montants,

(B) versé les sommes qu'il est tenu de payer au syndic de faillite de la personne,

(ii) la personne n'est pas tenue de verser la taxe perçue ou percevable par le séquestre,

(iii) le paiement ou le versement d'un montant par le séquestre ou la personne au titre de l'obligation éteint d'autant l'obligation;

e) le fait que le séquestre soit investi du pouvoir relativement à la personne n'a aucune incidence sur le début ou la fin des périodes de déclaration de la personne; toutefois :

(i) la période de déclaration de la personne, en ce qui concerne l'actif pertinent, au cours de laquelle le séquestre commence à agir à ce titre pour la personne prend fin à la date donnée, et une nouvelle période de déclaration, en ce qui concerne l'actif pertinent, commence le lendemain,

(ii) la période de déclaration de la personne, en ce qui concerne l'actif pertinent, au cours de laquelle le séquestre cesse d'agir à ce titre pour la personne prend fin le jour où le séquestre cesse d'agir ainsi;

f) le séquestre est tenu de présenter au ministre, en la forme déterminée par celui-ci, les déclarations contenant les renseignements requis — que la personne est tenue de produire aux termes de la présente partie — concernant l'actif pertinent pour les périodes de déclaration de la personne se terminant au cours de la période où le séquestre agit à ce titre, ou relatif aux fournitures d'immeubles qu'il est raisonnable de considérer comme se rapportant à l'actif pertinent, effectuées au profit de la personne au cours de ces périodes, comme si l'actif pertinent représentait les seuls biens, entreprises, affaires ou éléments d'actif de la personne;

g) si la personne ne produit pas, au plus tard à la date donnée, toute déclaration qu'elle est tenue de produire en vertu de la présente partie pour ses périodes de déclaration se terminant au plus tard à cette date et au cours de son exercice qui comprend cette date, ou immédiatement avant cet exercice, le séquestre est tenu de présenter au ministre, en la forme déterminée par celui-ci, une déclaration pour cette période contenant les renseignements requis et concernant les entreprises, les biens, les affaires ou les éléments d'actif de la personne qui auraient constitué l'actif pertinent si le séquestre avait agi à ce titre au cours de cette période, sauf si le ministre renonce par écrit à exiger cette déclaration du séquestre;

h) si la personne ne produit pas, au plus tard à la date donnée, toute déclaration qu'elle est tenue de produire en vertu de la présente partie relativement à une fourniture d'immeuble effectuée à son profit au cours de sa période de déclaration se terminant au plus tard à cette date et au cours de son exercice qui comprend cette date, ou immédiatement avant cet exercice, et qu'il est raisonnable de considérer comme se rapportant aux entreprises, aux biens, aux affaires ou aux éléments d'actif de la personne qui auraient constitué l'actif pertinent si le séquestre avait agi à ce titre au cours de cette période, le séquestre est tenu de présenter au ministre, en la forme déterminée par celui-ci, une déclaration concernant la fourniture et contenant les renseignements requis, sauf si le ministre renonce par écrit à exiger la déclaration du séquestre.

Notes historiques: Le paragraphe 266(2) a été modifié par L.C. 1993, c. 27, par. 122(2) et s'applique aux séquestres qui sont investis de pouvoirs ou nommés après 1992 ainsi qu'aux personnes dont les entreprises, les biens, les affaires ou éléments d'actif sont visés par les pouvoirs ou la nomination d'un séquestre. Il se lisait auparavant comme suit :

Au présent article, est un séquestre :

a) le séquestre ou le séquestre-gérant nommé aux termes d'une obligation ou autre convention concernant un titre de créance ou aux termes de l'ordonnance d'un tribunal pour gérer ou administrer les affaires ou les biens d'une personne;

b) le liquidateur nommé pour liquider les biens ou les affaires d'une personne morale;

c) le curateur ou le tuteur nommé pour gérer les affaires et les biens d'un particulier qui en est incapable.

Le paragraphe 266(2) a été ajouté par L.C. 1990, c. 45, par. 12(1).

Concordance québécoise: LTVQ, art. 310–317.2.

Définitions [art. 266]: « année d'imposition », « argent », « banque », « bien », « entreprise », « exercice », « fourniture », « immeuble », « inscrit », « ministre », « montant », « période de déclaration », « personne », « province », « taxe », « titre de créance » — 123(1).

Renvois [art. 266]: 183(11) (saisie et reprise de possession); 265(1)d)(ii) et 265(1)j) (non-responsabilité du syndic); 270 (certificat de distribution des biens ou de l'argent); 296(1)e) (cotisation — syndic de faillite); 298(1)f) (période de cotisation); 341.1(2) (service exécuté avant 1991); 357(2) (TVH — service de représentant, fiduciaire, séquestre ou liquidateur).

Jurisprudence [art. 266]: *Orle Developments Inc. c. La Reine*, [1996] G.S.T.C. 72 (CCI); *Aubrett Holdings Ltd. c. Canada*, [1998] G.S.T.C. 17 (CCI); *Cargill Ltd. c. Compton Agro Inc.*, [1999] G.S.T.C. 25 (Man QB); [2000] G.S.T.C. 4 (Man CA); [2000] G.S.T.C. 23 (Man CA).

Énoncés de politique [art. 266]: P-145, 16/05/94, *Possibilité pour des syndics de faillite et des séquestres d'effectuer le choix prévu au paragraphe 167(1)*; P-162, 15/12/94, *Distinction entre bail, licence et accord semblable* (Ébauche); P-182R, 28/08/03, *Du mandat.*

Série de mémorandums [art. 266]: Mémorandum 1.5, 09/94, *Définitions*; Mémorandum 3.1, 08/99, *Assujettissement à la taxe.*

Formulaires [art. 266]: GST337, *Demande présentée par un séquestre, un administrateur séquestre, un fiduciaire ou un mandataire en vue de produire des déclarations distinctes*; FP-633, *Demande présentée par un séquestre, un fiduciaire ou un mandataire en vue de produire des déclarations distinctes.*

Lettres d'interprétation (Québec) [art. 266]: 98-0100129 [B] — Vente en justice et vente sous contrôle de justice; 99-0100802 — Cotisation de la taxe payable et proposition concordataire; 99-0108037 — Interprétation relative à la TPS et à la TVQ — Opérations impliquant un séquestre nommé en vertu de la partie XI de la *Loi sur la faillite et l'insolvabilité.*

Info TPS/TVQ [art. 266]: GI-012 — *Mandataires.*

267. Succession — Sous réserve des articles 267.1, 269 et 270, en cas de décès d'un particulier, les dispositions de la présente partie, sauf l'article 279, s'appliquent comme si la succession du particulier était le particulier et comme si celui-ci n'était pas décédé. Toutefois :

a) la période de déclaration du particulier pendant laquelle il est décédé se termine le jour de son décès;

b) la période de déclaration de la succession commence le lendemain du décès et se termine le jour où la période de déclaration du particulier aurait pris fin s'il n'était pas décédé.

Notes historiques: Le préambule de l'article 267 a été remplacé par L.C. 2000, c. 30, art. 81. Cette modification est réputée entrée en vigueur le 20 octobre 2000. Antérieurement, il se lisait comme suit :

> 267. Sous réserve des articles 267.1, 269 et 270, en cas de décès d'un particulier, la présente partie s'applique comme si la succession du particulier était le particulier et comme si celui-ci n'était pas décédé. Toutefois :

L'article 267 a été modifié par L.C. 1997, c. 10, par. 73(1) et cette modification est réputée entrée en vigueur le 17 décembre 1990. Toutefois, les alinéas 267a) et b) ne s'appliquent pas aux périodes de déclaration d'un particulier ou de sa succession s'il est décédé avant le 24 avril 1996. Il se lisait auparavant comme suit :

> 267. En cas de décès d'un particulier, les présomptions suivantes s'appliquent aux fins de la présente partie :
>
> a) la transmission des biens du particulier à son exécuteur et leur dévolution à celui-ci sont réputées être une fourniture effectuée à titre gratuit;
>
> b) l'exécuteur est réputé, pour l'application des dispositions de la présente partie concernant les biens du particulier qui lui sont dévolus, avoir payé la taxe que le particulier a payée au titre de ces biens et avoir demandé le crédit de taxe sur les intrants que le particulier a demandé à ce titre;
>
> c) l'exécuteur est réputé utiliser ces biens immédiatement après le décès de la même façon et à la même fin que le particulier immédiatement avant son décès;
>
> d) si le particulier exerçait une activité commerciale immédiatement avant son décès, l'exécuteur est réputé exercer la même activité immédiatement après;
>
> e) si le particulier était un inscrit immédiatement avant son décès, l'exécuteur est réputé l'être également immédiatement après.

L'article 267 correspond à l'ancien paragraphe 267(1).

Ce paragraphe 267(1) a été ajouté par L.C. 1990, c. 45, par. 12(1).

Le paragraphe 267(2) a été abrogé par L.C. 1997, c. 10, par. 73(1) et cette abrogation est réputée entrée en vigueur le 17 décembre 1990. Il se lisait comme suit :

> (2) Au présent article, « exécuteur » s'entend de l'exécuteur testamentaire d'un particulier, de l'administrateur de sa succession ou de toute autre personne qui est chargée, selon la législation applicable, de la perception, de l'administration et de l'aliénation des biens du particulier, du paiement des dettes de celui-ci, à concurrence du produit provenant de l'aliénation de ces biens, et de la répartition des biens de la succession du particulier entre les bénéficiaires.

Le paragraphe 267(2) a été ajouté par L.C. 1990, c. 45, par. 12(1).

Concordance québécoise: LTVQ, art. 324.7.

Définitions [art. 267]: « activité commerciale », « bien », « fourniture », « inscrit », « période de déclaration », « personne », « taxe » — 123(1).

Renvois [art. 267]: 167(2) (fourniture des biens d'entreprise d'une personne décédée); 269 (distribution des biens d'une fiducie); 270 (certificat de distribution des biens et de l'argent); 341.1(2) (service exécuté avant 1991); 357(2) (TVH — service de représentant, fiduciaire, séquestre ou liquidateur); V:Partie I:9(2) (fourniture exonérée d'immeuble par une fiducie personnelle).

Jurisprudence [art. 267]: *Arsenault c. R.*, [2000] G.S.T.C. 88 (CCI); *Drapeau c. R.*, [2002] G.S.T.C. 91 (GST).

Énoncés de politique [art. 267]: P-135, 02/05/94, *Application de l'article 9, partie I de l'annexe V aux successions.*

Bulletin de l'information technique [art. 267]: B-075R, 23/04/96, *Modifications proposées à la TPS.*

Série de mémorandums [art. 267]: Mémorandum 1.5, 09/94, *Définitions*; Mémorandum 2.1, 05/99, *Inscription requise*; Mémorandum 9.4, 06/12, *Remboursements.*

267.1 (1) Définition — Les définitions qui suivent s'appliquent au présent article et aux articles 268 à 270.

« fiduciaire » Est assimilé à un fiduciaire le représentant personnel d'une personne décédée. N'est pas un fiduciaire le séquestre au sens du paragraphe 266(1).

Concordance québécoise: LTVQ, art. 324.8« fiduciaire ».

« fiducie » Sont comprises parmi les fiducies les successions.

Concordance québécoise: LTVQ, art. 324.8« fiducie ».

Notes historiques: La définition de « fiduciaire » au paragraphe 267.1(1) a été ajoutée par L.C. 1997, c. 10, par. 73(1) est réputée entrée en vigueur le 17 décembre 1990.

La définition de « fiducie » au paragraphe 267.1(1) a été ajoutée par L.C. 1997, c. 10, par. 73(1) est réputée entrée en vigueur le 17 décembre 1990.

(2) Responsabilité du fiduciaire — Sous réserve du paragraphe (3), le fiduciaire d'une fiducie est tenu d'exécuter les obligations imposées à la fiducie en vertu de la présente partie, indépendamment du fait qu'elles aient été imposées pendant la période au cours de laquelle il agit à titre de fiduciaire de la fiducie ou antérieurement. L'exécution d'une obligation de la fiducie par l'un de ses fiduciaires libère les autres fiduciaires de cette obligation.

Notes historiques: Le paragraphe 267.1(2) a été ajouté par L.C. 1997, c. 10, par. 73(1) et est réputé entré en vigueur le 17 décembre 1990.

Concordance québécoise: LTVQ, art. 324.9.

(3) Responsabilité solidaire — Le fiduciaire d'une fiducie est solidairement tenu avec la fiducie et, le cas échéant, avec chacun des autres fiduciaires au paiement ou au versement des montants qui deviennent à payer ou à verser par la fiducie en vertu de la présente partie pendant la période au cours de laquelle il agit à ce titre ou avant cette période. Toutefois :

a) le fiduciaire n'est tenu au paiement ou au versement de montants devenus à payer ou à verser avant la période que jusqu'à concurrence des biens et de l'argent de la fiducie qu'il contrôle;

b) le paiement ou le versement par la fiducie ou le fiduciaire d'un montant au titre de l'obligation éteint d'autant la responsabilité solidaire.

Notes historiques: Le paragraphe 267.1(3) a été ajouté par L.C. 1997, c. 10, par. 73(1) et est réputé entré en vigueur le 17 décembre 1990.

Concordance québécoise: LTVQ, art. 324.10.

(4) Dispense — Le ministre peut, par écrit, dispenser le représentant personnel d'une personne décédée de la production d'une déclaration pour une période de déclaration de la personne qui se termine au plus tard le jour de son décès.

Notes historiques: Le paragraphe 267.1(4) a été ajouté par L.C. 1997, c. 10, par. 73(1) et est réputé entré en vigueur le 17 décembre 1990.

Concordance québécoise: LTVQ, art. 324.11.

(5) Activités du fiduciaire — Les présomptions suivantes s'appliquent dans le cadre de la présente partie lorsqu'une personne agit à titre de fiduciaire d'une fiducie :

a) tout acte qu'elle accomplit à ce titre est réputé accompli par la fiducie et non par elle;

b) malgré l'alinéa a), si elle n'est pas un cadre de la fiducie, elle est réputée fournir à celle-ci un service de fiduciaire et tout montant auquel elle a droit à ce titre et qui est inclus, pour l'application de la *Loi de l'impôt sur le revenu*, dans le calcul de son revenu ou, si elle est un particulier, dans le calcul de son revenu tiré d'une entreprise est réputé être un montant au titre de la contrepartie de cette fourniture.

Notes historiques: Le paragraphe 267.1(5) a été ajouté par L.C. 1997, c. 10, par. 73(1) et est réputé entré en vigueur le 17 décembre 1990.

Concordance québécoise: LTVQ, art. 324.12.

Définitions [art. 267.1]: « argent », « bien », « cadre », « entreprise », « ministre », « montant », « période de déclaration », « personne », « représentant personnel » — 123(1).

Renvois [art. 267.1]: 267 (application de la partie IX — succession); 296(1)e) (cotisation — syndic de faillite); 298(1)f) (période de cotisation).

Jurisprudence [art. 267.1]: *Maritime Life Assurance Co. c. Canada*, [2000] G.S.T.C. 89 (CAF); *General Motors of Canada Ltd. v. R.* (22 février 2008), [2008] G.S.T.C. 41 (CCI [procédure générale]).

Bulletins de l'information technique [art. 267.1]: B-075R, 23/04/96, *Modifications proposées à la TPS*; B-101, 04/08, *Fiducies.*

Série de mémorandums [art. 267.1]: Mémorandum 3.1, 08/99, *Assujettissement à la taxe*; Mémorandum 9.4, 06/12, *Remboursements.*

Lettres d'interprétation (Québec) [art. 267.1]: 06-0103082 — Interprétation relative à la TPS et à la TVQ — jetons de présence et rémunération annuelle versés aux administrateurs d'un fiduciaire corporatif.

268. Fiducie non testamentaire — Pour l'application de la présente partie, dans le cas où une personne dispose des biens visés par une fiducie non testamentaire :

a) la personne est réputée avoir effectué, et la fiducie avoir reçu, une fourniture par vente des biens;

b) la fourniture est réputée avoir été effectuée pour une contrepartie égale au produit de disposition des biens, déterminé en vertu de la *Loi de l'impôt sur le revenu*.

Notes historiques: L'article 268 a été modifié par L.C. 1997, c. 10, par. 73(1) et est réputé entré en vigueur le 17 décembre 1990. Il se lisait comme suit :

> 268. Pour l'application de la présente partie, dans le cas où une personne dispose des biens visés par une fiducie non testamentaire, au sens donné à cette expression dans la *Loi de l'impôt sur le revenu* :
>
> a) la personne est réputée avoir effectué, et la fiducie avoir reçu, une fourniture par vente des biens;
>
> b) la fourniture est réputée avoir été effectuée pour une contrepartie égale au produit de disposition des biens, déterminé en vertu de la *Loi de l'impôt sur le revenu*.

L'article 268 a été ajouté par L.C. 1990, c. 45, par. 12(1).

Concordance québécoise: LTVQ, art. 325.

Définitions: « bien », « contrepartie », « fourniture », « montant », « personne », « vente » — 123(1); « fiducie » — 267.1(1); « fiducie non testamentaire » — 248(1).

Renvois: 269 (distribution par une fiducie); IX:Partie IX:1 (TVH — fourniture réputée); 69 (disposition entre personnes liées); 73(1) (transfert à fiducie exclusive en faveur du conjoint); 74.5(1)c) (transfert à JVM au profit du conjoint); 108(1)f) (fiducie non testamentaire).

Énoncés de politique: P-015, 20/07/94, *Le traitement des simples-fiducies en vertu de la Loi sur la taxe d'accise*.

Bulletins de l'information technique: B-068, 20/01/93, *Simples fiducies*; B-101, 04/08, *Fiducies*; B-103, 02/10, *Taxe de vente harmonisée — Règles sur le lieu de fourniture pour déterminer si une fourniture est effectuée dans une province*.

Mémorandums: TPS 500-7, 26/11/91, *Interaction entre la Loi sur la taxe d'accise et la Loi de l'impôt sur le revenu*, par. 51.

Série de mémorandums: Mémorandum 3.1, 08/99, *Assujettissement à la taxe*.

269. Distribution par une fiducie — Pour l'application de la présente partie, la distribution des biens d'une fiducie par le fiduciaire à une ou plusieurs personnes est réputée être une fourniture effectuée par la fiducie là où les biens sont livrés aux personnes, ou mis à leur disposition, pour une contrepartie égale au produit de disposition des biens, déterminé selon la *Loi de l'impôt sur le revenu*.

Notes historiques: L'article 269 a été modifié par L.C. 1997, c. 10, par. 231(1) et cette modification est entrée en vigueur le 1er avril 1997. Il se lisait comme suit :

> 269. Pour l'application de la présente partie, la distribution des biens d'une fiducie par le fiduciaire à une ou plusieurs personnes est réputée être une fourniture effectuée par la fiducie pour une contrepartie égale au produit de disposition des biens, déterminé en vertu de la *Loi de l'impôt sur le revenu*.

Auparavant, l'article 269 a été modifié par L.C. 1997, c. 10, par. 73(1) et cette modification est réputée entrée en vigueur le 17 décembre 1990. Toutefois, pour l'application de l'article 269 aux distributions effectuées avant le 24 avril 1996, la mention de « à une ou plusieurs personnes » à cet article vaut mention de « à des bénéficiaires de la fiducie ». Il se lisait comme suit :

> 269. Pour l'application de la présente partie et sous réserve des articles 265 à 267, la distribution, par le fiduciaire d'une fiducie, des biens de celle-ci à ses bénéficiaires est réputée être une fourniture effectuée par la fiducie pour une contrepartie égale au produit de disposition des biens déterminé en vertu de la *Loi de l'impôt sur le revenu*.

L'article 269 a été ajouté par L.C. 1990, c. 45, par. 12(1).

Concordance québécoise: LTVQ, art. 326.

Définitions: « bien », « contrepartie », « fourniture » — 123(1).

Renvois: 167(2) (fourniture des biens d'entreprise d'une personne décédée); 267 (application de la partie IX — succession); 267.1 (responsabilité du fiduciaire); 268 (fiducie non testamentaire); 341.1(2) (service exécuté avant 1991); 357(2) (TVH — service de représentant, fiduciaire, séquestre ou liquidateur); 107(2)–(2.1) (distribution de capital par une fiducie).

Énoncés de politique: P-015, 20/07/94, *Le traitement des simples-fiducies en vertu de la Loi sur la taxe d'accise*.

Bulletins de l'information technique: B-068, 20/01/93, *Simples fiducies*; B-075R, 23/04/96, *Modifications proposées à la TPS*; B-091, 11/08, *Application de la TPS/TVH aux arrangements de services funéraires payés d'avance*; B-101, 04/08, *Fiducies*.

Mémorandums: TPS 500-7, 26/11/91, *Interaction entre la Loi sur la taxe d'accise et la Loi de l'impôt sur le revenu*, par. 52.

Série de mémorandums: Mémorandum 3.1, 08/99, *Assujettissement à la taxe*.

270. (1) Définitions — Les définitions qui suivent s'appliquent au présent article.

« représentant »

a) Personne, autre qu'un syndic de faillite ou un séquestre, chargée de gérer, de liquider ou de contrôler les biens, les affaires, les activités commerciales ou la succession d'un inscrit, ou de s'en occuper de toute autre façon;

b) fiduciaire d'une fiducie qui est un inscrit.

Notes historiques: L'alinéa b) de la définition de « représentant » au paragraphe 270(1) a été modifié par L.C. 1997, c. 10, par. 74(1). Cette modification est réputée entrée en vigueur le 24 avril 1996 et les mentions d'exécuteur à l'article 270, en son état avant cette date, valent mention de représentant personnel. Auparavant, cet alinéa se lisait comme suit :

> b) exécuteur, au sens du paragraphe 267(2), d'un particulier qui est un inscrit.

La définition de « représentant » au paragraphe 270(1) a été ajoutée par L.C. 1990, c. 45, par. 12(1).

Concordance québécoise: aucune.

« séquestre » S'entend au sens du paragraphe 266(1).

Notes historiques: La définition de « séquestre » au paragraphe 270(1) a été ajoutée par L.C. 1990, c. 45, par. 12(1).

Le paragraphe 270(1) a été modifié et remplacé par L.C. 1993, c. 27, par. 123(1) et s'applique aux distributions effectuées après 1992. Il se lisait auparavant comme suit :

> 270. (1) Le représentant chargé de gérer, de liquider ou de contrôler les biens, les affaires, l'activité commerciale ou la succession d'une personne, ou de s'en occuper autrement, doit obtenir du ministre, avant de distribuer des biens qu'il contrôle à ce titre, un certificat confirmant que les montants suivants ont été payés ou qu'une garantie pour leur paiement ou versement a été acceptée par le ministre conformément à la présente partie :
>
> a) tous les montants qui sont à payer ou à verser par la personne aux termes de la présente partie;
>
> b) tous les montants qui sont à payer ou à verser par le représentant à ce titre aux termes de la présente partie, ou dont il est raisonnable de s'attendre à ce qu'ils le deviennent.

Concordance québécoise: aucune.

(2) Certificat au séquestre — Le séquestre est tenu d'obtenir du ministre, avant de distribuer des biens ou de l'argent qu'il contrôle à ce titre, un certificat confirmant que les montants qui sont payables ou à verser par lui à ce titre aux termes de la présente partie, ou dont il est raisonnable de s'attendre à ce qu'ils le deviennent, pour la période de déclaration comprenant le moment de la distribution, ou pour une période de déclaration antérieure, ont été payés ou qu'une garantie pour leur paiement ou versement a été acceptée par le ministre conformément à la présente partie.

Notes historiques: Le paragraphe 270(2) a été modifié par L.C. 1993, c. 27, par. 123(1) et s'applique aux distributions effectuées après 1992. Il se lisait auparavant comme suit :

> (2) Le représentant qui distribue des biens sans obtenir le certificat est personnellement tenu au paiement ou au versement des montants en cause, à concurrence de la valeur des biens ainsi distribués.

Le paragraphe 270(2) a été ajouté par L.C. 1990, c. 45, par. 12(1).

Concordance québécoise: LAF, art. 14, al. 1–4.

(3) Certificat au représentant — Le représentant d'un inscrit est tenu d'obtenir du ministre, avant de distribuer des biens ou de l'argent qu'il contrôle à ce titre, un certificat confirmant que les montants suivants ont été payés ou qu'une garantie pour leur paiement ou versement a été acceptée par le ministre conformément à la présente partie :

a) les montants qui sont payables ou à verser par l'inscrit aux termes de la présente partie pour la période de déclaration qui comprend le moment de la distribution ou pour une période de déclaration antérieure;

b) les montants qui sont payables ou à verser par le représentant à ce titre aux termes de la présente partie, ou dont il est raisonnable de s'attendre à ce qu'ils le deviennent, pour la période de déclaration qui comprend le moment de la distribution ou pour une période de déclaration antérieure.

Notes historiques: Le paragraphe 270(3) a été modifié par L.C. 1993, c. 27, par. 123(1) et s'applique aux distribution effectuées après 1992. Il se lisait auparavant comme suit :

(3) Au présent article, « représentant » s'entend d'un exécuteur, au sens du paragraphe 267(2), d'un séquestre, au sens du paragraphe 266(2), d'un cessionnaire ou de toute personne semblable autre qu'un syndic de faillite.

Le paragraphe 270(3) a été ajouté par L.C. 1990, c. 45, par. 12(1).

Concordance québécoise: LAF, art. 14, al. 1–4.

(4) Responsabilité — Le séquestre ou le représentant qui distribue des biens ou de l'argent sans obtenir le certificat requis est personnellement tenu au paiement ou au versement des montants en cause, jusqu'à concurrence de la valeur des biens ou de l'argent ainsi distribués.

Notes historiques: Le paragraphe 270(4) a été ajouté par L.C. 1993, c. 27, par. 123(1) et s'applique aux distribution effectuées après 1992.

Concordance québécoise: LAF, art. 14, al. 5 à 8.

Définitions [art. 270]: « activité commerciale », « argent », « bien », « entreprise », « inscrit », « ministre », « montant », « période de déclaration », « personne » — 123(1); « fiduciaire », « fiducie » — 267.1(1).

Renvois [art. 270]: 266 (séquestre); 267 (application de la partie IX — succession); 296(1)e) (cotisation); 298(1)f) (période de cotisation).

Jurisprudence [art. 270]: *SMRQ c. 3089-8662 Québec Inc.*, [1998] G.S.T.C. 55 (CF); *Banque nationale du Canada c. R.*, [2001] G.S.T.C. 103 (CCI).

Série de mémorandums [art. 270]: Mémorandum 1.5, 09/94, *Définitions*.

Circulaires d'information [art. 270]: 98-1R3 — Politiques de recouvrement (ébauche).

Formulaires [art. 270]: GST352, *Demande de certificat d'attestation du paiement de la taxe*; FP-352, *Demande de certificat d'attestation du paiement de la taxe*.

Sous-section b — Fusions et liquidations

Notes historiques: L'intertitre de la sous-section b a été modifié par L.C. 1997, c. 10, par. 75(1) et cette modification est réputée entrée en vigueur le 24 avril 1996. Auparavant, il se lisait « Fusions, liquidations et coentreprises ».

271. Fusion — Les présomptions suivantes s'appliquent aux fins de la présente partie lorsque des personnes morales fusionnent pour former une personne morale autrement que par suite soit de l'acquisition des biens d'une personne morale par une autre après achat de ces biens par celle-ci, soit de la distribution des biens à l'autre personne morale à la liquidation de la première :

a) sauf disposition contraire de la présente partie, la personne morale issue de la fusion est réputée distincte de chacune des personnes morales fusionnantes;

b) pour l'application des articles 231 et 249 et des dispositions de la présente partie concernant les biens ou les services acquis, importés ou transférés dans une province participante par une personne morale fusionnante ainsi que des dispositions réglementaires, la personne morale issue de la fusion est réputée être la même personne que chaque personne morale fusionnante et en être la continuation;

c) pour l'application de la présente partie, le transfert d'un bien par une personne morale fusionnante à la personne morale issue de la fusion est réputé ne pas être une fourniture.

Notes historiques: L'alinéa 271b) a été modifié par L.C. 1997, c. 10, art. 255 pour remplacer les mots « acquis ou importés » par les mots « acquis, importés ou transférés dans une province participante ». Cette modification est entrée en vigueur le 1er avril 1997.

L'article 271 a été ajouté par L.C. 1990, c. 45, par. 12(1).

Concordance québécoise: LTVQ, art. 76.

Définitions [par. 271]: « province participante » — 123(1).

Renvois: 141.02(4) (CTI pour les institutions financières).

Règlements: *Règlement sur la continuation des personnes morales fusionnantes ou liquidées (TPS/TVH)*.

Énoncés de politique: P-045, 09/11/92, *Les transactions papillon*.

Bulletins de l'information technique: B-097, 08/11, *Déterminer si une institution financière est une institution admissible pour l'application de l'article 141.02*.

Série de mémorandums: Mémorandum 2.7, 05/05, *Annulation de l'inscription*, par. 13-17; Mémorandum 19.4.1, 08/99, *Immeubles commerciaux — Ventes et locations*.

Lettres d'interprétation (Québec): 99-0103111 — Interprétation relative à la TPS — Interprétation relative à la TVQ — Fusion d'organismes de services publics.

COMMENTAIRES: Cet article énonce certaines présomptions applicables dans un contexte de fusion entre personnes morales.

Il est intéressant de souligner que cet article s'applique uniquement aux personnes morales et non aux autres entités, telles qu'une société de personnes. Dans ce dernier cas, l'auteur souligne toutefois l'existence du paragraphe 272.1(7) qui prévoit des règles spécifiques quant au remplacement (notamment par le biais d'une fusion) d'une société de personnes.

L'esprit même de la *Loi sur la taxe d'accise* (TPS) est d'assujettir ses règles d'application à une « personne ». Ce terme, aux fins de la partie IX, est très large d'application, tel qu'il appert de sa définition qui figure au paragraphe 123(1). Or, l'article 271 est un des seuls articles où l'application est restreinte uniquement à une personne morale.

L'expression « personne morale » n'est pas définie dans la *Loi sur la taxe d'accise* (TPS). Toutefois, en vertu du paragraphe 35(1) de la *Loi sur l'interprétation*, L.R.C. (1985), ch. I-21, une personne morale est une entité dotée de la personnalité morale, à l'exclusion d'une société de personnes à laquelle le droit provincial reconnaît cette personnalité. Dans ce contexte, on doit recourir au droit privé pour définir l'étendue de ce que constitue une personne morale. Voir notamment à cet effet : *Sussex Square Apartments Ltd. c. R*, [1999] 2 C.T.C. 2143 (C.C.I), [2000] 4 C.T.C. 203 (C.A.F.). À titre illustratif, Revenu Québec s'est prononcé sur le fait qu'un organisme de service public est une personne morale aux fins de l'article 271. Voir à cet effet : Revenu Québec, Lettre d'interprétation 99-0103111 — *Interprétation relative à la TPS, Interprétation relative à la TVQ, Fusion d'organismes de services publics* (4 novembre 1999).

Également, il est à noter que l'on ne spécifie pas la résidence de la personne morale. Ainsi, en l'absence d'une disposition législative à cet effet, il est raisonnable de conclure que des personnes morales non résidentes du Canada peuvent être assujetties aux présomptions énoncées à cet article.

De surcroît, pour que cet article trouve application, la fusion ne doit pas être le résultat d'une vente d'actifs. À cet effet, nous vous recommandons nos commentaires sous l'article 167 et 167.1. De plus, la fusion ne doit pas être le résultat d'une distribution de biens à une personne morale à la suite de la liquidation d'une autre personne morale, auquel cas c'est l'article 272 qui s'appliquera.

Lorsque l'ensemble des conditions décrites au texte introductif de cet article est rencontré, le paragraphe (a) prévoit que de façon générale, la personne morale issue de la fusion est une personne distincte. À titre illustratif, Revenu Québec, en appliquant cette présomption, a donc conclu que la nouvelle entité issue de la fusion devra elle-même effectuer son choix en vertu de l'article 211 et devra elle-même procéder à son inscription en vertu de l'article 240. Voir à cet effet : Revenu Québec, Lettre d'interprétation 99-0103111 — *Interprétation relative à la TPS, Interprétation relative à la TVQ, Fusion d'organismes de services publics* (4 novembre 1999).

Toutefois, la présomption énoncée au paragraphe a) est souvent renversée par le paragraphe (b) qui prévoit que pour l'application des articles 231, 249 et des dispositions du *Règlement sur la continuation des personnes morales fusionnantes ou liquidées (TPS/TVH)*, la personne morale issue de la fusion est réputée être la même personne que chaque personne morale fusionnante et en être la continuation. Cette présomption trouve son pendant dans la *Loi de l'impôt sur le revenu* au paragraphe 87(2). À titre illustratif, voir notamment : Agence du revenu du Canada, Lettre de l'Administration centrale sur la TPS, 11690-2, 11590-3 — *GST/HST Interpretation — SLFI status in year after amalgamation* (15 août 2003).

Il est à noter que les articles 275 à 335 visés par le *Règlement sur la continuation des personnes morales fusionnantes ou liquidées (TPS/TVH)*. À ce titre, il est donc possible que la nouvelle société issue de la fusion reçoive un avis de cotisation à l'égard de montants dus et impayés en TPS par une des sociétés fusionnantes. Ainsi, en pratique, il est important d'obtenir l'ensemble des représentations et garanties nécessaires en matière de responsabilités fiscales par les sociétés fusionnantes en vertu de la *Loi sur la taxe d'accise (TPS)* dans les documents de clôture afin d'éviter de mauvaises surprises.

Bien que la présomption de continuation soit limitée aux articles visés, il semble que les tribunaux élargissent son champ d'application à des articles qui ne sont pas visés par ce paragraphe. Voir notamment : *Envision Credit Union c. R* [2011] 2 C.T.C. 2229 (C.C.I), [2012] 3 C.T.C. 66 (C.A.F) (demande de permission d'en appeler à la Cour suprême du Canada approuvée, 2012 CarswellNat 1978). Il est de même pour l'Agence du revenu du Canada qui permet à la nouvelle société issue de la fusion de bénéficier de cette présomption en lui permettant de réclamer les crédits de taxe sur les intrants en vertu de l'article 169 d'une des sociétés fusionnantes qui avait droit de les réclamer, mais ne l'avait pas fait. En effet, l'article 169 n'est pas un article visé par le *Règlement sur la continuation des personnes morales fusionnantes ou liquidées (TPS/TVH)*. Voir notamment à cet effet : question 17, Agence du revenu du Canada, *Questions et commentaires TPS/TVH* — Conférence annuelle entre l'Agence du revenu du Canada et l'Association du Barreau Canadien (3 mars 2005).

Dans le cadre d'une réorganisation corporative impliquant un inscrit qui a des activités commerciales, et qui par la suite transfère ses actifs dans une nouvelle société, NouCo, qui est par la suite immédiatement fusionné avec une autre société « FusCo », qui utilisera les actifs exclusivement dans des activités commerciales, la question s'est posée à savoir si FusCo pourra réclamer les crédits de taxe pour les intrants payés par NouCo. L'Agence du revenu du Canada a indiqué que puisque NouCo n'avait aucune activité commerciale, elle n'était pas admissible aux crédits de taxe sur les intrants et donc, FusCo n'y aura pas non plus droit. Toutefois, dans la mesure où les conditions sont rencontrées, Fusco pourrait réclamer les crédits de taxe sur les intrants en vertu des paragraphes 199(3) et 206(2). Voir à cet effet : Question 15, Agence du revenu du Canada, *Questions et commentaires en TPS/TVH*, Conférence annuelle entre l'Agence du revenu du Canada et l'Association du Barreau Canadien (24 février 2011).

Il est à noter que l'obligation d'inscription en vertu de l'article 240 n'est pas visée par le *Règlement sur la continuation des personnes morales fusionnantes ou liquidées (TPS/TVH)*. Ainsi, la nouvelle société issue de la fusion devrait procéder elle-même à son inscription aux registres de la TSP/TVH. En pratique, en ce qui concerne l'inscription des numéros de TPS/TVH émis aux sociétés fusionnantes, il est à noter qu'une demande peut être formulée auprès de l'Agence du revenu du Canada ou de Revenu Québec pour que la nouvelle société issue de la fusion maintienne les numéros d'une des deux sociétés fusionnantes. En effet, souvent une de deux sociétés fusionnantes sera dominante et même sa dénomination sociale sera conservée. En pratique, cela permet d'alléger le fardeau administratif pour la nouvelle société, notamment à l'égard de l'inscription du numéro de TPS/TVH sur les factures. À titre illustratif, l'Agence du revenu du Canada a accepté que la nouvelle société issue de la fusion conserve le numéro d'inscription d'une des sociétés fusionnées dans un contexte où : (i) la dénomination sociale est maintenue, (ii) la société a plusieurs clients et employés qui devraient être informés du changement du numéro d'inscription, (iii) la société a plusieurs formulaires et factures sur lesquels figurent le numéro d'inscription d'une des sociétés fusionnées, et (iv) la société devrait encourir des frais importants pour satisfaire le changement de numéro d'inscription, voir à cet effet : Agence du revenu du Canada, Lettres de l'Administration centrale sur la TPS, 95 GAPR 309 — *Entitlement for Amalgamted Company to Retain GST Registration Number* (12 avril 1995). Voir également la position de Revenu Québec qui confirme la possibilité pour une nouvelle société issue d'une fusion, ordinaire ou simplifiée, de conserver le numéro d'identification d'une des sociétés fusionnées : Revenu Québec, *Table ronde provinciale*, Congrès annuel de l'Association de planification fiscale et financière, 2008, question 19 (à noter que la position de Revenu Québec à l'égard de la fusion ordinaire a été confirmée subséquemment à cette table ronde par téléphone).

Le paragraphe (c) prévoit qu'aucune TPS ou TVH ne sera appliquée à la suite de la fusion puisque celle-ci sera réputée ne pas être une fourniture.

Les présomptions énoncées à cet article sont irréfragables.

272. Liquidation — Les présomptions suivantes s'appliquent aux fins de la présente partie lorsqu'est liquidée une personne morale dont au moins 90 % des actions émises de chaque catégorie du capital-actions étaient la propriété d'une autre personne morale immédiatement avant la liquidation :

a) pour l'application des articles 231 et 249 et des dispositions de la présente partie concernant les biens ou les services acquis, importés ou transférés dans une province participante par l'autre personne morale par suite de la liquidation ainsi que des dispositions réglementaires, l'autre personne morale est réputée être la même personne que celle qui est liquidée et en être la continuation;

b) pour l'application de la présente partie, le transfert d'un bien à l'autre personne morale par suite de la liquidation est réputé ne pas être une fourniture.

Notes historiques: L'alinéa 272a) a été modifié par L.C. 1997, c. 10, art. 255 pour remplacer les mots « acquis ou importés » par les mots « acquis, importés ou transférés dans une province participante ». Cette modification est entrée en vigueur le 1er avril 1997.

L'article 272 a été ajouté par L.C. 1990, c. 45, par. 12(1).

Concordance québécoise: LTVQ, art. 77.

Définitions: « bien », « fourniture », « importation », « personne », « province participante », « règlement », « service » — 123(1).

Renvois: 141.02(5) (CTI pour les institutions financières); 205(7) (choix d'un inscrit concernant des fournitures exonérées).

Règlements: *Règlement sur la continuation des personnes morales fusionnantes ou liquidées (TPS/TVH)*, art. 1.

Énoncés de politique: P-045, 09/11/92, *Les transactions papillon*.

Bulletins de l'information technique: B-097, 08/11, *Déterminer si une institution financière est une institution admissible pour l'application de l'article 141.02*.

Série de mémorandums: Mémorandum 2.7, 05/05, *Annulation de l'inscription*, par. 13-17; Mémorandum 19.4.1, 08/99, *Immeubles commerciaux — Ventes et locations*.

Lettres d'interprétation (Québec): 99-0103111 — Interprétation relative à la TPS — Interprétation relative à la TVQ — Fusion d'organismes de services publics.

COMMENTAIRES: Cet article énonce certaines présomptions applicables dans un contexte de liquidation d'une filiale pour la société mère.

Les présomptions énoncées s'appliquent uniquement aux personnes morales. Nous vous recommandons nos commentaires qui figurent à l'article 271 à cet effet.

Le critère établissant la détention de 90 % des actions émises de chaque catégorie du capital-actions limite grandement la possibilité d'utiliser cet article dans le cadre d'une liquidation. En effet, en pratique, à l'exception d'une situation où la société mère est détentrice d'une filiale, il est rare qu'une société soit détentrice de 90 % de l'ensemble des actions émises qui sont non seulement de catégorie ordinaires, mais également de catégorie privilégiées émises, puisque ces dernières sont fréquemment émises pour répondre à des objectifs très précis au bénéfice de plusieurs actionnaires, tels que des actions de financement.

Une fois les conditions reflétées au texte introductif de cet article remplies, le paragraphe (a) prévoit que aux fins de l'application des articles 231, 249 et du *Règlement sur la continuation des personnes morales fusionnantes ou liquidées (TPS/TVH)*, la personne morale qui a reçu le transfert des biens dans le contexte de la liquidation est réputée être la même personne que celle qui a été liquidée.

Quant au paragraphe (b), ce dernier prévoit que le transfert des biens dans le contexte de la liquidation n'entraînera pas de TPS/TVH puisque ce transfert sera réputé ne pas constituer une fourniture.

En pratique, avant d'effecteur un transfert des biens, il est important d'obtenir un certificat sous l'article 270 qui est émis par l'Agence du revenu du Canada ou de Revenu Québec en faveur du représentant autorisé à l'effet que les obligations fiscales en matière de TPS/TVH ont été respectées. Il s'agit d'un processus similaire qui prévaut à l'article 159 de la *Loi de l'impôt sur le revenu*. L'émission de ce certificat de décharge permettra d'assurer un certain niveau de tranquillité pour les administrateurs dont la responsabilité quant aux obligations de TPS/TVH de la société subsiste pour un délai de deux ans suivant leurs démissions en vertu de l'article 323.

En date du mois de février 2013, nous n'avons répertorié aucune jurisprudence interprétant cet article.

Contrairement à la pratique administrative des autorités fiscales quant au maintien des numéros de TPS/TVH d'une des sociétés fusionnantes pour la nouvelle société issue de la fusion, l'Agence du revenu du Canada ou Revenu Québec ne permettent pas à la personne morale dans laquelle une autre personne morale a été liquidée de conserver les numéros de TPS/TVH émis à cette dernière. À tout événement, de façon générale, la société mère est déjà inscrite elle-même aux registres de TPS/TVH.

Sous-section b.1 — Sociétés de personnes et coentreprises

Notes historiques: L'intertitre de la sous-section b.1 a été ajouté par L.C. 1997, c. 10, par. 76(1) et est réputé entré en vigueur le 24 avril 1996.

272.1 (1) Sociétés de personnes — Pour l'application de la présente partie, tout acte accompli par une personne à titre d'associé d'une société de personnes est réputé avoir été accompli par celle-ci dans le cadre de ses activités et non par la personne.

Notes historiques: Le paragraphe 272.1(1) a été ajouté par L.C. 1997, c. 10, par. 76(1) et est réputé entré en vigueur le 24 avril 1996.

Concordance québécoise: LTVQ, art. 345.1.

(2) Acquisitions par un associé — Malgré le paragraphe (1), dans le cas où l'associé d'une société de personnes acquiert, importe ou transfère dans une province participante un bien ou un service pour consommation, utilisation ou fourniture dans le cadre d'activités de la société, mais non pour le compte de celle-ci, les règles suivantes s'appliquent :

a) sauf disposition contraire énoncée au paragraphe 175(1), la société est réputée :

(i) ne pas avoir acquis ou importé le bien ou le service,

(ii) si le bien a été transféré par l'associé dans une province participante, ne pas l'avoir ainsi transféré dans cette province;

b) si l'associé n'est pas un particulier, aux fins de calculer son crédit de taxe sur les intrants ou son remboursement relativement au bien ou au service et, dans le cas d'un bien qui est acquis ou importé pour être utilisé comme immobilisation de l'associé, d'appliquer la sous-section d de la section II au bien :

(i) la présomption énoncée au paragraphe (1) ne s'applique pas à l'associé,

(ii) l'associé est réputé exercer ces activités de la société;

c) si l'associé n'est pas un particulier et que la société lui rembourse un montant et a droit à un crédit de taxe sur les intrants relativement au bien ou au service dans les circonstances visées au paragraphe 175(1), le crédit de taxe sur les intrants relatif au bien ou au service que l'associé pourrait demander, sans le présent alinéa, dans la déclaration qu'il présente au ministre après le moment du remboursement est réduit du montant du crédit de taxe sur les intrants que la société peut demander.

Notes historiques: L'alinéa 272.1(2)a) a été modifié par L.C. 1997, c. 10, par. 232(1) et cette modification est entrée en vigueur le 1er avril 1997. Auparavant, cet alinéa se lisait comme suit :

a) la société est réputée ne pas avoir acquis ou importé le bien ou le service, sauf disposition contraire énoncée au paragraphe 175(1);

Le passage du paragraphe 272.1(2) précédant l'alinéa b) a été remplacé par. L.C. 2009, c. 32, par. 36(1) et cette modification est entrée en vigueur le 1er juillet 2010. Antérieurement, il se lisait ainsi :

(2) Malgré le paragraphe (1), dans le cas où l'associé d'une société de personnes acquiert ou importe un bien ou un service pour consommation, utilisation ou fourniture dans le cadre d'activités de la société, mais non pour le compte de celle-ci, les règles suivantes s'appliquent :

a) sauf disposition contraire énoncée au paragraphe 175(1), la société est réputée :

(i) ne pas avoir acquis ou importé le bien ou le service,

(ii) si le bien a été transféré par l'associé d'une province non participante dans une province participante, ne pas l'avoir ainsi transféré dans cette dernière;

Le paragraphe 272.1(2) a été ajouté par L.C. 1997, c. 10, par. 76(1) et est réputé entré en vigueur le 24 avril 1996. Toutefois, le paragraphe 272.1(2) s'applique également au calcul du crédit de taxe sur les intrants pour une période de déclaration commençant avant le 24 avril 1996 qui est demandé dans une déclaration reçue par le ministre du Revenu national après le 22 avril 1996 ou qui est réputé demandé par l'effet de l'alinéa 296(5)a) par suite d'une cotisation établie après cette dernière date.

Concordance québécoise: LTVQ, art. 345.2.

(3) Fourniture au profit d'une société de personnes — Dans le cas où une personne qui est un associé d'une société de personnes, ou convient de le devenir, fournit un bien ou un service à celle-ci en dehors du cadre des activités de la société, les présomptions suivantes s'appliquent :

a) si la société acquiert le bien ou le service pour le consommer, l'utiliser ou le fournir exclusivement dans le cadre de ses activités commerciales, le montant qu'elle convient de payer à la personne, ou de porter à son crédit, relativement au bien ou au service est réputé être la contrepartie de la fourniture qui devient due au moment où le montant est payé à la personne ou porté à son crédit;

b) dans les autres cas, la fourniture est réputée avoir été effectuée pour une contrepartie, qui devient due au moment de la fourniture, égale à la juste valeur marchande, à ce moment, du bien ou du service acquis par la société, déterminée comme si la personne n'était pas un associé de celle-ci et n'avait avec elle aucun lien de dépendance.

Notes historiques: Le paragraphe 272.1(3) a été ajouté par L.C. 1997, c. 10, par. 76(1) et est réputé entré en vigueur le 24 avril 1996. Toutefois, lorsque la fourniture ou l'aliénation visée au paragraphe 272.1(3) est effectuée par un inscrit au profit d'une autre personne avant le 24 avril 1996 et que le montant demandé ou perçu au titre de la taxe prévue par la partie IX relativement à la fourniture ou à l'aliénation excède le montant de taxe qui était payable en vertu de cette partie relativement à la fourniture ou à l'aliénation :

(i) si le ministre du Revenu national reçoit, après le 22 avril 1996, une demande visant le remboursement, prévu au paragraphe 261(1), de cet excédent (sauf une demande réputée produite par l'effet de l'alinéa 296(5)a) par suite d'une cotisation établie après cette date), ce paragraphe 272.1(3) s'applique à la fourniture ou à l'aliénation aux fins du calcul du montant du remboursement,

(ii) dans les autres cas (sauf si le ministre du Revenu national a reçu, avant le 23 avril 1996, une demande visant le remboursement, prévu au paragraphe 261(1), de cet excédent), le montant demandé ou perçu au titre de la taxe prévue par la partie IX relativement à la fourniture ou à l'aliénation est réputé être le montant de taxe qui était payable en vertu de cette partie relativement à la fourniture ou à l'aliénation.

Concordance québécoise: LTVQ, art. 345.3.

(4) Présomption de fourniture au profit de l'associé — Dans le cas où une société de personnes aliène un de ses biens en faveur d'une personne du fait que celle-ci a cessé d'être son associé ou en faveur d'une personne qui, au moment où l'aliénation est arrêtée, est son associé, ou convient de le devenir, les règles suivantes s'appliquent :

a) la société est réputée avoir effectué au profit de la personne, et celle-ci, avoir reçu de la société, une fourniture du bien pour une contrepartie, devenue due au moment de l'aliénation, égale à la juste valeur marchande du bien (y compris la juste valeur marchande du droit de la personne sur le bien) immédiatement avant l'aliénation;

b) le paragraphe 172(2) ne s'applique pas à la fourniture.

Notes historiques: Le paragraphe 272.1(4) a été ajouté par L.C. 1997, c. 10, par. 76(1) et est réputé entré en vigueur le 24 avril 1996. Toutefois, lorsque la fourniture ou l'aliénation visée au paragraphe 272.1(4) est effectuée par un inscrit au profit d'une autre personne avant le 24 avril 1996 et que le montant demandé ou perçu au titre de la taxe prévue par la partie IX relativement à la fourniture ou à l'aliénation excède le montant de taxe qui était payable en vertu de cette partie relativement à la fourniture ou à l'aliénation :

(i) si le ministre du Revenu national reçoit, après le 22 avril 1996, une demande visant le remboursement, prévu au paragraphe 261(1), de cet excédent (sauf une demande réputée produite par l'effet de l'alinéa 296(5)a) par suite d'une cotisation établie après cette date), ce paragraphe 272.1(4) s'applique à la fourniture ou à l'aliénation aux fins du calcul du montant du remboursement,

(ii) dans les autres cas (sauf si le ministre du Revenu national a reçu, avant le 23 avril 1996, une demande visant le remboursement, prévu au paragraphe 261(1), de cet excédent), le montant demandé ou perçu au titre de la taxe prévue par la partie IX relativement à la fourniture ou à l'aliénation est réputé être le montant de taxe qui était payable en vertu de cette partie relativement à la fourniture ou à l'aliénation.

Concordance québécoise: LTVQ, art. 345.4.

(5) Responsabilité solidaire — Une société de personnes et chacun de ses associés ou anciens associés (chacun étant appelé « associé » au présent paragraphe), à l'exception d'un associé qui en est un commanditaire et non un commandité, sont solidairement responsables de ce qui suit :

a) le paiement ou le versement des montants devenus à payer ou à verser par la société en vertu de la présente partie avant ou pendant la période au cours de laquelle l'associé en est un associé ou, si l'associé était un associé de la société au moment de la dissolution de celle-ci, après cette dissolution; toutefois :

(i) l'associé n'est tenu au paiement ou au versement des montants devenus à payer ou à verser avant la période que jusqu'à concurrence des biens et de l'argent qui sont considérés comme étant ceux de la société selon les lois pertinentes d'application générale concernant les sociétés de personnes qui sont en vigueur dans une province,

(ii) le paiement ou le versement par la société ou par un de ses associés d'un montant au titre de l'obligation réduit d'autant l'obligation;

b) les autres obligations de la société aux termes de la présente partie survenues avant ou pendant la période visée à l'alinéa a) ou, si l'associé est un associé de la société au moment de la dissolution de celle-ci, les obligations qui découlent de cette dissolution.

Notes historiques: Le paragraphe 272.1(5) a été ajouté par L.C. 1997, c. 10, par. 76(1) et s'applique aux montants devenus à payer ou à verser après le 23 avril 1996 ainsi qu'aux autres montants et obligations non réglés après cette date.

Concordance québécoise: LTVQ, art. 345.5.

(6) Continuation — La société de personnes qui, sans le présent paragraphe, serait considérée comme ayant cessé d'exister est réputée, pour l'application de la présente partie, ne pas cesser d'exister tant que son inscription n'est pas annulée.

Notes historiques: Le paragraphe 272.1(6) a été ajouté par L.C. 1997, c. 10, par. 76(1) et est réputé entré en vigueur le 24 avril 1996.

Concordance québécoise: LTVQ, art. 345.6.

(7) Société de personnes remplaçante — Une société de personnes (appelée « société remplaçante » au présent paragraphe) est réputée être la même personne que la société de personnes qu'elle remplace (appelée « société remplacée » au présent paragraphe) et en être la continuation, sauf si elle est inscrite ou présente une de-

LTA (TPS)

mande d'inscription en vertu de l'article 240, dans le cas où les conditions suivantes sont réunies :

a) la société remplacée serait considérée, sans le présent article, comme ayant cessé d'exister à un moment donné;

b) la majorité des associés de la société remplacée qui, ensemble, détenaient, au moment donné ou immédiatement avant ce moment, plus de 50 % de la participation dans cette société deviennent les associés de la société remplaçante et en constituent plus de la moitié des associés;

c) les associés de la société remplacée qui deviennent les associés de la société remplaçante transfèrent à celle-ci la totalité, ou presque, des biens qu'ils ont reçus en règlement de leur participation au capital de la société remplacée.

Notes historiques: Le paragraphe 272.1(7) a été ajouté par L.C. 1997, c. 10, par. 76(1) et est réputé entré en vigueur le 24 avril 1996.

Concordance québécoise: LTVQ, art. 345.7.

Définitions [art. 272.1]: « activité commerciale », « bien », « contrepartie », « fourniture », « immobilisation », « importation », « juste valeur marchande », « montant », « montant de crédit de taxe », « province », « province participante », « service » — 123(1).

Renvois [art. 272.1]: 126(1) (lien de dépendance); 175(2) (remboursement aux salariés, associés ou bénévoles — exception); 253 (remboursement aux salariés et associés); 296(1)e) (cotisation — syndic de faillite); 298(1)g) (période de cotisation).

Jurisprudence [art. 272.1]: *B.J. Northern Enterprises Ltd. c. Canada*, [1995] G.S.T.C. 12 (CCI); *Loewen (M.) c. Canada*, [1998] G.S.T.C. 6 (CCI); *Poliacik (L.) c. Canada*, [1998] G.S.T.C. 123 (CCI); *Decaire (L.) c. Canada*, [1999] G.S.T.C. 93 (CCI); *GKO Engineering c. R.*, [2000] G.S.T.C. 29 (CCI); *Beaupré c. R.*, 2004 G.T.C. 225 (CCI); *Bains c. R.*, [2005] G.S.T.C. 178 (CAF); *Beaupré c. R.*, [2006] G.S.T.C. 53 (CAF); *Desjardins c. R.*, 2007 G.T.C. 911 (CCI); *Denhaan v. R.*, 2008 CarswellNat 1356 (CCI [procédure informelle]); *Scott-Trask v. R.*, [2008] G.S.T.C. 208 (CCI [procédure informelle]).

Énoncés de politique [art. 272.1]: P-075R, 22/07/93, *Indemnités et remboursements*; P-171R, 24/02/99, *Faire la distinction entre une coentreprise et une société de personnes aux fins du choix concernant les coentreprises prévu à l'article 273* ; P-216, 08/08/98, *Inscription d'un associé*; P-244, 09/08/04, *Sociétés de personnes — Application du paragraphe 272.1(1) de la Loi sur la taxe d'accise.*

Bulletins de l'information technique [art. 272.1]: B-075R, 23/04/96, *Annulation de l'inscription.*

Série de mémorandums [art. 272.1]: Mémorandum 2.1, 06/95, *Inscription requise*, par. 27, 28; Mémorandum 2.3, 05/99, *Inscription au choix*, par. 1; Mémorandum 2.7, 05/05, *Annulation de l'inscription*, par. 13-17; Mémorandum 3.1, 08/99, *Assujettissement à la taxe.*

Lettres d'interprétation (Québec) [art. 272.1]: 97-0111795 — Remboursement pour habitation neuve.

COMMENTAIRES: Le paragraphe 123(1) définit le mot « personne » comme incluant une société de personnes. Ainsi, contrairement au principe qui prévaut en impôt sur le revenu en vertu de la *Loi de l'impôt sur le revenu*, une société de personnes, dans la mesure où elle est inscrite en TPS/TVH, est soumise aux obligations imposées en vertu de la *Loi sur la taxe d'accise (TPS)*.

Cet article prévoit des règles détaillées entourant les activités, les responsabilités, la formation, la fusion et la dissolution d'une société de personnes.

En premier lieu, il est important de définir ce que constitue une société de personnes. Cette analyse sera différente selon que ce véhicule corporatif est créé dans une province régie par les règles de *common law* ou de droit civil au Québec. Pour une discussion sur l'article 4 du *Partnership Act*, R.S.B.C. 1996, CH. 348, nous vous recommandons la décision *Bains c. R*, [2005] G.S.T.C. 83 (C.C.I.), [2005] G.S.T.C. 178 (C.A.F.).

Au Québec, l'article 2186 du *Code civil du Québec* définit la société de personnes comme étant un contrat de société en vertu duquel les parties conviennent, dans un esprit de collaboration, d'exercer une activité, incluant celle d'exploiter une entreprise, d'y contribuer par la mise en commun de biens, de connaissances ou d'activités et de partager entre elles les bénéfices pécuniaires qui en résultent. De plus, l'article 2188 du *Code civil du Québec* précise que la société de personnes peut être en nom collectif, en commandite ou en participation.

Nous vous recommandons nos commentaires en vertu de l'article 273 pour une discussion quant à la différence entre une société de personnes et une coentreprise.

Il est à noter que la notion de résidence canadienne n'est pas présente à cet article. Ainsi, il peut parfois être difficile de qualifier une entité étrangère en tant que société de personnes. Toutefois, en pratique, il y a peu de questionnement lors de la demande d'inscription en TPS/TVH auprès de l'Agence du revenu du Canada ou de Revenu Québec puisque l'entité s'enregistre en tant que société de personnes dès le moment de l'inscription.

Le paragraphe (1) établit une présomption selon laquelle tout acte accompli par une personne, à titre d'associé, est réputé avoir été accompli par la société de personnes. Ainsi, c'est la société de personnes qui effectue les fournitures taxables et qui doit percevoir et remettre la TPS/TVH. C'est aussi celle-ci qui est considérée avoir fait les achats et qui peut ainsi réclamer les crédits de taxe sur les intrants afférents.

La question de savoir si un commandité accomplit un acte à titre d'associé pour le compte de la société de personnes doit être déterminée en conformité avec le droit des affaires applicable à la province et des faits de chaque situation. En ce qui concerne la province de l'Ontario, l'Agence du revenu du Canada a indiqué que les facteurs suivants doivent notamment être pris en compte : les clauses du contrat de société de personnes, la nature de l'acte accompli par l'associé et la conduite générale de l'associé. De l'avis de l'Agence du revenu du Canada, lorsqu'un commandité d'une société en commandite reçoit un frais fixe (par exemple, un pourcentage de la valeur nette des actifs de la société de personnes) pour des services qu'il rend à la société de personnes, dans ce cas, de façon générale, le montant sera considéré être de la rémunération pour services rendus par le commandité par lui-même, et non à titre d'associé, et ce, même si le contrat de la société de personnes prévoit spécifiquement ce mode de rémunération. À cet effet : voir la question supplémentaire 1, Agence du revenu du Canada, *Questions et commentaires en TPS/TVH*, Conférence annuelle entre l'Agence du revenu du Canada et l'Association du Barreau Canadien (24 février 2011).

Le paragraphe (3) prévoit les fournitures effectuées par un associé réel ou éventuel à une société de personnes en dehors du cadre des activités de celle-ci. Il est intéressant de noter l'absence de l'expression « activité commerciale », qui nous porte à conclure que ce terme a une étendue plus large que l'expression « activité commerciale » et pourrait donc, à ce titre, inclure des fournitures exonérées. Ainsi, le terme « activité » semble donner une interprétation plus large que celle définie au paragraphe 123(1). Dans ce contexte, si la société de personnes ne peut réclamer de crédit de taxe sur les intrants, la valeur de la fourniture sera établie à la juste valeur marchande. Le cas échéant, la valeur sera celle du montant payé ou crédité, même si celle-ci est inférieure à la juste valeur marchande. À titre illustratif, voir la question supplémentaire 1, Agence du revenu du Canada, *Questions et commentaires en TPS/TVH*, Conférence annuelle entre l'Agence du revenu du Canada et l'Association du Barreau Canadien (24 février 2011).

Le paragraphe (4) s'applique lorsqu'une société de personnes dispose d'un de ses biens à un ancien ou futur associé. Dans ce contexte, le bien sera réputé avoir disposé du bien pour un montant équivalent à la JVM. Ainsi, la société de personnes devra remettre la TPS perçue sur cette valeur, peu importe si l'associé a effectivement payé ledit montant de TPS. Lorsque ce paragraphe s'applique, le paragraphe 172(2) ne s'applique pas afin d'éviter une double imposition. Il est intéressant de noter que cette règle ne s'applique qu'aux biens et non aux services.

Le paragraphe (5) et l'alinéa 296(1)(e) sont clairs à l'effet que les associés peuvent être cotisés aux fins de la responsabilité en matière de TPS/TVH de la société de personnes. À cet égard, la Cour canadienne de l'impôt, dans l'affaire *Denhaan c. R.*, 2008 CarswellNat 514 (C.C.I.) (paragraphe 8) souligne qu'un associé est responsable du montant de TPS, pénalité et intérêt payable par une société de personnes même si l'inscription en TPS/TVH ne se fait qu'au nom de la société de personnes. Voir aussi notamment : *Janelle c. R.*, 2002 CarswellNat 947 (C.C.I.); *Beaupré c. R.*, 2005 CarswellNat 1171 (C.A.F.); *Jaholkowski c. Canada (Attorney General)*, 2007 CarswellNat 2886 (C.F.) (paragraphe 19).

L'Agence du revenu du Canada s'est prononcée sur le fait que les administrateurs d'un associé corporatif pourraient être tenus responsables, en vertu de l'article 323 pour les dettes en TPS de la société de personnes : Agence du revenu du Canada, *Questions et Commentaires en TPS/TVH*, Conférence annuelle entre l'Agence du revenu du Canada et l'Association du Barreau Canadien (27 février 1998). En effet, la question se pose à l'effet de savoir si l'Agence du revenu du Canada ou Revenu Québec pourrait émettre un avis de cotisation à l'encontre d'un administrateur d'une société qui agit elle-même à titre d'associé d'une société de personnes et ce, à l'égard du remboursement de la taxe nette qui a erronément été réclamée par celle-ci. De l'avis de l'auteur, un tel avis de cotisation ne serait pas possible, contrairement à ce que soumet l'Agence du revenu du Canada et ce, principalement pour les sept raisons suivantes :

(1) un montant payable par une société de personnes en vertu du paragraphe (5) ne devrait pas inclure un remboursement d'une taxe nette qui est prévue à l'article 230.1. En effet, le paragraphe (5) ne réfère pas spécifiquement à l'article 230.1 alors que le paragraphe 323(1), qui se situe en dehors de la section V de la *Loi sur la taxe d'accise* dans laquelle est inclus l'article 230.1, y réfère spécifiquement. Il en est de même pour l'alinéa 296(1)(d) qui réfère à l'article 230.1 et ce, contrairement au paragraphe 296(1)(e) qui réfère spécifiquement au paragraphe (5) dans le contexte de l'émission d'une cotisation, une nouvelle cotisation ou une cotisation supplémentaire. Par conséquent, il ressort clairement que le législateur réfère spécifiquement à l'article 230.1 lorsqu'il désire que ce dernier article s'applique dans une situation donnée. Ainsi, l'absence de référence à cet article au paragraphe (5) à l'alinéa 296(1)(d) implique que le législateur ne voulait pas qu'il s'applique à l'égard de ces situations;

(2) l'alinéa a) du paragraphe (5) fait référence au « paiement » ou au « versement » de montants devenus à payer ou à verser. Or, l'article 301, qui établit le pouvoir d'émettre une cotisation, fait une distinction entre un montant qui est payable et doit être remis et le montant de la taxe nette. Ainsi, il est raisonnable de conclure que l'emploi de termes différents par le législateur est tributaire de sens différents;

(3) seule la créance, par opposition à la taxe nette, de la société de personnes peut être source de cotisation pour les associés en vertu du paragraphe (5) et de l'alinéa 296(1)(e). Cet argument se base sur les notes techniques de l'article 272.1 et de la décision de la Cour fédérale dans *Jaholkowski c. Canada (Attorney General)*, 2007 CarswellNat 2886 (C.F.) et de la Cour d'appel fédérale dans *Beaupré c. R.*, 2005 CarswellNat 1171 (C.A.F.);

(4) le concept de la taxe nette, dont le calcul est prévu à l'article 225, ne permet pas d'inclure la taxe nette d'une société de personnes dans le calcul de la taxe nette d'un associé corporatif;

(5) l'émission d'un avis de cotisation pour un remboursement de la taxe nette réclamé par une société de personnes affaiblit le concept qui soutient qu'une société de personnes est une personne aux fins de la *Loi sur la taxe d'accise* (TPS);

(6) l'article 24.0.1 de la *Loi sur l'administration fiscale* ne s'applique pas à une société de personnes, tel que la déterminé la Cour du Québec dans l'affaire *Meunier c. Québec*, [2003] R.D.F.Q. 282 (C.Q.). Il est raisonnable que le résultat de cette décision doive s'appliquer *mutatis mutandis* à son pendant fédéral qui figure à l'article 323 de la *Loi sur la taxe d'accise (TPS)*; et

(7) il n'y a aucune disposition législative dans la *Loi sur la taxe d'accise* (TPS) qui permet d'émettre un avis de cotisation à l'encontre d'un administrateur d'un associé corporatif à l'égard d'un remboursement de la taxe nette réclamée par une société de personnes. En effet, l'article 323, notamment, ne fait référence qu'à une cotisation envers un administrateur à l'égard d'une dette fiscale de la personne morale.

Le paragraphe (6) prévoit qu'une société de personnes est réputée existée aux fins de la TPS tant que son inscription n'est pas annulée. L'Agence du revenu du Canada a indiqué que ce paragraphe, en plus du paragraphe 141.1(3), permet à une société de personnes de réclamer les crédits de taxe sur les intrants qu'elle a droit d'être réclamé dans une déclaration produite par la société de personnes après la dissolution ou fusion de celle-ci. Ainsi, même si une société de personnes est liquidée, l'inscription TPS/TVH devrait rester valide et ne pas être annulée jusqu'à ce que l'ensemble des crédits de taxe sur les intrants ait été dûment réclamé. Voir à cet effet : question 23, Agence du revenu du Canada, *Questions et commentaires en TPS/TVH*, Conférence annuelle entre l'Agence du revenu du Canada et l'Association du Barreau Canadien (23 février 2012).

De l'avis de l'auteur, une société de personnes, contrairement à une personne morale, prend fin en vertu de clauses contractuelles et son existence ne devrait pas être maintenue en raison du seul fait d'une simple procédure administrative qui se veut l'inscription en TPS. Plusieurs arguments supportent notre position, notamment : (i) cette présomption ignore les règles de droit privé; (ii) cette présomption crée un impact sur la responsabilité des administrateurs au paragraphe (5) en augmentant l'incertitude des associés, et (iii) l'article 242, qui indique que le ministre peut annuler l'inscription d'une personne, pousserait les sociétés de personnes à attendre que le ministre leur envoi un avis à l'effet qu'il est convaincu que l'inscription n'est pas nécessaire pour la présente partie, venant ainsi indirectement statuer sur l'admissibilité (ou non) à réclamer des crédits de taxe sur les intrants (dans le délai normal de réclamation — 4 ans) , (iv) si la déclaration est annulée aux registraires corporatifs provinciaux publics (tels que le Registraire des entreprises du Québec), cela revient à dire que les informations qui y figurent sont opposables aux tiers, sauf les autorités fiscales qui, ne sont pas considérées à titre de tiers à cet effet (nous recommandons d'écouter à cet effet les plaidoiries de Me Dominic Belley à la Cour suprême du Canada dans l'arrêt *Agence du revenu du Québec c. Services Environnementaux AES Inc. et autres*, 2011 CarswellQue 10409, disponible sur le site internet de cette cour). À la lumière de ces arguments, l'auteur est d'avis que le choix de la date de fin d'existence d'une société de personnes ne devrait appartenir qu'à elle-même. De surcroît, sa protection quant à la réclamation de ses crédits de taxe sur les intrants sera maintenue dans la mesure où elle obtient les conseils appropriés.

273. (1) Choix concernant les coentreprises — L'inscrit (appelé « entrepreneur » au présent article) qui participe à une coentreprise, sauf une société de personnes, en conformité avec une convention constatée par écrit, conclue avec une autre personne (appelée « coentrepreneur » au présent article) et portant sur l'exploitation de gisements minéraux, ou l'exploration afférente, ou sur une activité visée par règlement, peut faire, avec le coentrepreneur, un choix conjoint pour que les règles suivantes s'appliquent :

a) pour l'application de la présente partie, les biens et services fournis, acquis, importés ou transférés dans une province participante, pendant que le choix est en vigueur, par l'entrepreneur au nom du coentrepreneur aux termes de la convention dans le cadre des activités visées par celle-ci sont réputés l'être par l'entrepreneur et non par le coentrepreneur;

b) l'article 177 ne s'applique pas à une fourniture visée à l'alinéa a);

c) pour l'application de la présente partie, les fournitures de biens ou de services effectuées par l'entrepreneur au profit du coentrepreneur aux termes de la convention, pendant que le choix est en vigueur, sont réputées ne pas être des fournitures dans la mesure où les biens ou services seraient, sans le présent article, acquis par le coentrepreneur pour consommation, utilisation ou fourniture dans le cadre des activités commerciales visées par la convention.

Notes historiques: L'alinéa 273(1)a) a été modifié par L.C. 1997, c. 10, par. 233(1) et cette modification est entrée en vigueur le 1er avril 1997. Auparavant, cet alinéa se lisait comme suit :

> a) pour l'application de la présente partie, les biens et services fournis, acquis ou importés, pendant que le choix est en vigueur, par l'entrepreneur au nom du coentrepreneur aux termes de la convention dans le cadre des activités visées par celle-ci sont réputés l'être par l'entrepreneur et non par le coentrepreneur;

Auparavant, le paragraphe 273(1) a été modifié par L.C. 1993, c. 27, par. 124(1) et est réputé entré en vigueur le 17 décembre 1990. Toutefois, l'alinéa 273(1)c) doit se lire comme suit en ce qui concerne les fournitures effectuées avant le 15 septembre 1992 au profit d'un coentrepreneur qui y est visé :

> c) pour l'application de la présente partie, toutes les fournitures de biens ou de services effectuées par l'entrepreneur au profit du coentrepreneur aux termes de la convention et dans le cadre des activités visées par la convention sont réputées ne pas être des fournitures.

Il se lisait auparavant comme suit :

> 273. (1) L'inscrit qui participe à une coentreprise, sauf une société de personnes, conformément à une convention écrite conclue avec une autre personne portant sur l'exploitation de gisements minéraux, ou l'exploration y afférente, ou une activité visée par règlement peut faire un choix conjoint avec l'autre personne, en la forme et avec les renseignements déterminés par le ministre, avec sa déclaration produite selon la présente partie pour la première en date de sa première période de déclaration où une taxe est payable relativement aux fournitures qu'il effectue dans le cadre des activités visées par la convention ou de sa première période de déclaration où une taxe serait payable, abstraction faite du présent article, relativement à une fourniture visée à l'article 178 qu'il a effectuée au profit de l'autre personne, pour que les règles suivantes s'appliquent :
>
> a) pour l'application de la présente partie, tous les biens et services fournis, acquis ou importés par l'inscrit au nom de l'autre personne aux termes de la convention dans le cadre des activités visées par celle-ci sont réputés l'être par l'inscrit et non par l'autre personne;
>
> b) l'article 177 ne s'applique pas à une fourniture visée à l'alinéa a);
>
> c) pour l'application de la présente partie, toutes les fournitures de services effectuées par l'inscrit au profit de l'autre personne aux termes de la convention dans le cadre des activités visées par celle-ci sont réputées ne pas être des fournitures;
>
> d) l'inscrit et l'autre personne sont solidairement tenus à toutes les obligations prévues par la présente partie qui découlent d'activités qui, abstraction faite du présent article, seraient exercées par l'inscrit au nom de l'autre personne.

Le paragraphe 273(1) a été édicté par L.C. 1990, c. 45, par. 12(1).

Concordance québécoise: LTVQ, art. 346.

(1.1) Exception — L'alinéa (1)a) ne s'applique pas à l'acquisition, à l'importation ou au transfert dans une province participante d'un bien ou d'un service par un entrepreneur pour le compte d'un coentrepreneur dans le cas où le bien ou le service est ainsi acquis, importé ou transféré dans la province pour consommation, utilisation ou fourniture dans le cadre d'activités non commerciales et où l'entrepreneur, selon le cas :

a) est un gouvernement, autre qu'un mandataire désigné;

b) ne serait pas tenu, par l'effet d'une loi fédérale autre que la présente, de payer la taxe relative à l'acquisition, à l'importation ou au transfert s'il avait acquis, importé ou transféré le bien ou le service à cette fin autrement que pour le compte du coentrepreneur.

Notes historiques: Le paragraphe 273(1.1) a été modifié par L.C. 1997, c. 10, par. 233(2) et cette modification est entrée en vigueur le 1er avril 1997. Il se lisait comme suit :

> (1.1) L'alinéa (1)a) ne s'applique pas à l'acquisition ou à l'importation d'un bien ou d'un service par un entrepreneur pour le compte d'un coentrepreneur dans le cas où le bien ou le service est ainsi acquis ou importé pour consommation, utilisation ou fourniture dans le cadre d'activités non commerciales et où l'entrepreneur, selon le cas :
>
> a) est un gouvernement, autre qu'un mandataire désigné;
>
> b) ne serait pas tenu, par l'effet d'une loi fédérale autre que la présente, de payer la taxe relative à l'acquisition ou à l'importation s'il avait acquis ou importé le bien ou le service à cette fin autrement que pour le compte du coentrepreneur.

Ce paragraphe a été ajouté par L.C. 1993, c. 27, par. 124(1) et est réputé entré en vigueur le 17 décembre 1990. Toutefois, il ne doit pas être tenu compte de ce paragraphe pour ce qui est des acquisitions et importations de biens ou de services effectuées avant le 12 décembre 1992.

Concordance québécoise: LTVQ, art. 346.1.

(2) **Cessionnaire de droits dans une coentreprise** — Pour l'application du présent article, la personne qui, ayant acquis un droit dans une coentreprise d'une autre personne qui a fait, relativement à celle-ci, le choix prévu au présent article, commence à participer à la coentreprise à un moment où le choix est en vigueur est réputée avoir fait, au moment de l'acquisition du droit et en conformité avec le paragraphe (4), le choix conjointement avec l'entrepreneur de la coentreprise.

Notes historiques: Le paragraphe 273(2) a été modifié par L.C. 1993, c. 27, par. 124(1) et est réputé entré en vigueur le 17 décembre 1990. Il se lisait comme suit :

> (2) Pour l'application du présent article, la personne qui acquiert un droit afférent à une coentreprise d'une autre personne ayant fait un choix relativement à la coentreprise est réputée avoir fait un choix relativement à ce droit.

Le paragraphe 273(2) a été édicté par L.C. 1990, c. 45, par. 12(1).

Concordance québécoise: LTVQ, art. 348.

(3) **Révocation** — L'entrepreneur et le coentrepreneur qui font le choix peuvent le révoquer conjointement.

Notes historiques: Le paragraphe 273(3) a été modifié par L.C. 1993, c. 27, par. 124(1) et est réputé entré en vigueur le 17 décembre 1990. L'ancien paragraphe 273(3), édicté par 1990, c. 45, par. 12(1), a été intégré au paragraphe 273(6). Il se lisait comme suit :

> (3) L'inscrit qui participe à une coentreprise (sauf une société de personnes) aux termes d'une convention écrite conclue avant 1991 avec un investisseur et qui produit une déclaration pour sa première période de déclaration commençant après 1990 portant que tous les biens et services qu'il a fournis, acquis ou importés pour le compte de l'investisseur sont fournis, acquis ou importés par lui et non par l'investisseur, est réputé avoir présenté au ministre un choix fait conjointement avec l'investisseur en application du paragraphe (1) en la forme et avec les renseignements déterminés par le ministre.

Concordance québécoise: LTVQ, art. 346.2.

(4) **Forme du choix ou de la révocation** — Le choix ou la révocation ne sont valides que s'ils sont faits en la forme déterminée par le ministre, contiennent les renseignements déterminés par lui et précisent la date de leur entrée en vigueur.

Notes historiques: Le paragraphe 273(4) a été modifié par L.C. 1993, c. 27, par. 124(1) et est réputé entré en vigueur le 17 décembre 1990. Il se lisait comme suit :

> (4) Le paragraphe (3) ne s'applique à l'inscrit et à l'investisseur qui sont parties à une convention visant une coentreprise que si les conditions suivantes sont réunies :
>
> a) l'inscrit informe l'investisseur, par avis écrit envoyé au plus tard le 31 décembre 1990, de son intention de produire une déclaration pour sa première période de déclaration commençant après 1990 contenant les renseignements prévus au paragraphe (3) en ce qui concerne tous les biens et services qu'il a fournis, acquis ou importés pour le compte de l'investisseur;
>
> b) l'investisseur n'a pas informé l'inscrit, par avis écrit envoyé au plus tard le premier en date du 1er février 1991 et du trentième jour suivant la réception de l'avis de l'inscrit, que tous les biens et services que l'inscrit a fournis, acquis ou importés pour son compte aux termes de la convention n'ont pas à être considérés comme fournis, acquis ou importés par l'inscrit.

L'ancien paragraphe 273(4), édicté par L.C. 1990, c. 45, par. 12(1), a été intégré au paragraphe 273(7).

Concordance québécoise: LTVQ, art. 346.3.

(5) **Obligation solidaire** — L'inscrit qui fait, ou prétend faire, le choix prévu au paragraphe (1) conjointement avec une autre personne relativement à la convention conclue entre eux est solidairement tenu, avec l'autre personne, aux obligations prévues par la présente partie qui découlent des activités visées par la convention que l'inscrit exerce au nom de l'autre personne, ou qu'il exercerait en son nom sans le présent article.

Notes historiques: Le paragraphe 273(5) a été ajouté par L.C. 1993, c. 27, par. 124(1) et est réputé entré en vigueur le 17 décembre 1990. Il correspond à l'ancien alinéa 273(1)d).

Concordance québécoise: LTVQ, art. 346.4.

(6) **Coentreprise commençant avant 1991** — L'entrepreneur qui participe à une coentreprise, sauf une société de personnes, aux termes d'une convention, visée au paragraphe (1), conclue avant 1991 avec un coentrepreneur et qui produit une déclaration pour sa première période de déclaration commençant après 1990 portant que les biens et services qu'il a fournis, acquis ou importés pour le compte du coentrepreneur dans le cadre des activités visées par la convention sont fournis, acquis ou importés par lui et non par le coentrepreneur, est réputé avoir fait, conjointement avec le coentrepreneur et en conformité avec le paragraphe (4), le choix prévu au présent article.

Notes historiques: Le paragraphe 273(6) a été ajouté par L.C. 1993, c. 27, par. 124(1) et est réputé entré en vigueur le 17 décembre 1990. Il correspond à l'ancien paragraphe 273(3).

Concordance québécoise: LTVQ, art. 347, al. 1.

(7) **Champ d'application du paragraphe (6)** — Le paragraphe (6) s'applique à l'entrepreneur et au coentrepreneur qui sont parties à une convention si les conditions suivantes sont réunies :

a) l'entrepreneur informe le coentrepreneur, par avis écrit envoyé au plus tard le 31 décembre 1990, de son intention de produire une déclaration pour sa première période de déclaration commençant après 1990 contenant les renseignements prévus au paragraphe (6);

b) le coentrepreneur n'a pas informé l'entrepreneur, par avis écrit envoyé au plus tard le premier en date du 1er février 1991 et du trentième jour suivant la réception de l'avis de l'entrepreneur, que tous les biens et services que l'entrepreneur se propose d'indiquer dans la déclaration n'ont pas à être considérés comme fournis, acquis ou importés par l'entrepreneur.

Notes historiques: Le paragraphe 273(7) a été ajouté par L.C. 1993, c. 27, par. 124(1) et est réputé entré en vigueur le 17 décembre 1990. Il correspond à l'ancien paragraphe 273(4).

Concordance québécoise: LTVQ, art. 347, al. 2.

Définitions [art. 273]: « acquéreur », « activité commerciale », « bien », « fourniture », « gouvernement », « importation », « inscrit », « mandataire désigné », « minéral », « ministre », « période de déclaration », « personne », « province participante », « règlement », « service », « taxe » — 123(1).

Renvois [art. 273]: 150(2) (choix visant les fournitures exonérées non applicable); 162 (redevances sur ressources naturelles); 296(1e) (cotisation — syndic de faillite).

Règlements [art. 273]: *Règlement sur les coentreprises (TPS/TVH)*, art. 1.

Jurisprudence [art. 273]: *Timber Lodge Limited c. La Reine*, [1994] G.S.T.C. 73 (CCI); *Westcan Malting Ltd. c. Canada*, [1998] G.S.T.C. 34 (CCI); *Lau c. R.*, [2007] G.S.T.C. 171 (CCI [procédure générale]).

Énoncés de politique [art. 273]: P-015, 20/07/94, *Le traitement des simples-fiducies en vertu de la Loi sur la taxe d'accise*; P-103R, 21/03/96, *Transfert d'un droit indivis dans une coentreprise*; P-106, 07/11/93, *Définition administrative d'un « participant » à une coentreprise*; P-128R2, 05/01/06, *Traitement fiscal de la fourniture d'une participation directe indivise dans l'actif d'une mine ou d'un puits de gaz ou de pétrole*; P-138R, 14/05/99, *L'effet d'un choix concernant une co-entreprise sur la capacité d'un participant de s'inscrire et de demander des crédits de taxe sur les intrants*; P-139R, 30/04/99, *Assujettissement à la taxe et admissibilité aux crédits de taxe sur les intrants pour les participants à une coentreprise n'ayant pas présenté de choix*; P-171R, 24/02/99, *Faire la distinction entre une coentreprise et une société de personnes aux fins du choix concernant les coentreprises prévue à l'article 273*; P-172R, 11/03/98, *Fourniture d'espace, au profit de participants à une coentreprise, dans un immeuble appartenant en copropriété à ces participants qui possèdent des droits indivis*; P-187, 16/10/97, *Forme déterminée de choix concernant les coentreprises.*

Bulletins de l'information technique [art. 273]: B-065, 13/07/92, *Le plan en six points en vue simplifier*; B-068, 20/01/93, *Simples fiducies*; B-039R3, 08/06, *Politique administrative de la TPS/TVH application de la TPS/TVH aux indiens*; B-104, 06/10, *Taxe de vente harmonisée — récupération temporaire des crédits de taxe sur les intrants en Ontario et en Colombie-Britanique.*

Série de mémorandums [art. 273]: Mémorandum 2.1, 06/95, *Inscription requise*, par. 27, 28; Mémorandum 3.1, 08/99, *Assujettissement à la taxe*; Mémorandum 17.14, 07/11, *Choix visant les fournitures exonérées.*

Formulaires [art. 273]: GST21, *Choix d'une coentreprise — Choix visant la déclaration de la TPS par une coentreprise*; GST355, *Formule abrégée de choix d'une coentreprise — Choix visant la déclaration de la TPS par le mandataire d'une coentreprise* [N.D.L.R. le bulletin de l'information technique B-065 indique que l'obligation de présenter ce formulaire est éliminée. Toutefois, les inscrits sont tenus de remplir le formulaire]; FP-621, *Formulaire de choix concernant une coentreprise — Choix relatif à la production de la déclaration par l'inscrit de la coentreprise*; FP-621.S *Formulaire abrégé supplémentaire de choix concernant une coentreprise.*

Lettres d'interprétation (Québec) [art. 273]: 99-0102600 — Interprétation relative à la TPS et à la TVQ — Choix concernant une coentreprise; 03-0106272 — Interprétation relative à la TPS et à la TVQ — Coentreprise impliquant un Indien.

COMMENTAIRES: La définition du terme « personne » au paragraphe 123(1) n'inclut pas une coentreprise. Par conséquent, cet article est nécessaire pour permettre un choix ayant pour effet qu'un seul co-entrepreneur aura la responsabilité de la perception et de la remise de la TPS/TVH, permettant ainsi la coentreprise d'avoir les mêmes obligations qu'une personne en vertu de la partie IX.

Une coentreprise est orpheline de définition en vertu de la *Loi sur la taxe d'accise (TPS)*. Elle est toutefois différente d'une société de personnes qui, en général, consiste en l'exploitation d'une entreprise en commun avec l'intention de partager les profits. L'Agence du revenu du Canada a émis des critères spécifiques permettant d'identifier une coentreprise et de la différencier, notamment, d'une société de personnes. Voir notamment à cet effet : Agence du revenu du Canada, Lettre de l'Administration centrale sur la TPS, 85850 — *Supply of Guest Suites* (22 juillet 2008), *Énoncé de politique P-1713 — Faire la distinction entre une coentreprise et une société de personnes aux fins du choix concernant les coentreprises prévu à l'article 273* (21 février 1995, révisé le 24 février 1999). Voir également l'analyse détaillée du juge Teskey dans l'affaire *Westcan Malting Ltd. c. R.*, 1998 CarswellNat 3828 (C.C.I.) (paragraphes 52 et 53) qui décrit en détail les critères permettant de déterminer l'existence d'une coentreprise. Dans cette affaire, la Cour canadienne de l'impôt a conclu à l'absence de coentreprise puisqu'il n'existait pas de droit de participation aux profits ou une attente de profit pour les parties. En bref, il n'y avait pas d'intérêt financier en jeu et aucun risque n'était assumé à l'égard du succès ou de l'échec global du projet.

Le paragraphe (1) permet, sous réserve de certaines conditions, de considérer la coentreprise comme une personne et de permettre à un entrepreneur, qui est dûment inscrit, d'être responsable de la perception et remise de la TPS/TVH et de la réclamation de crédits de taxe sur les intrants au nom et pour le compte de la coentreprise.

La question s'est posée à savoir si une fiducie nue (*bare trust*) ou une société de prête-nom (*nominee corporation*) peut se qualifier à titre d'entrepreneur aux fins de l'article 273. Tel que le reflète le texte introductif du paragraphe (1), l'entrepreneur doit « participer » à la coentreprise, pour être qualifié à ce titre. Dans ce contexte, de l'avis de l'Agence du revenu du Canada, une personne qui n'investit pas dans une coentreprise peut être un entrepreneur pour la coentreprise dans la mesure où elle est désignée comme telle en vertu d'une convention écrite et qu'elle a des fonctions de gestion et possède le contrôle opérationnel de la coentreprise. Ainsi, dans ce contexte, la fiducie nue et la société de prête-nom ne pouvaient se qualifier à titre d'entrepreneur aux fins de l'article 273 puisqu'elle n'avait aucune fonction de gestion et ne possédait pas le contrôle opérationnel de la coentreprise. Voir à cet effet : Agence du revenu du Canada, Décision anticipée, no.148931, *Section 273(1) Joint Venture Election — Whether bare trusts and nominee corporations can be operators of joint ventures for purposes of Section 273(1)* (26 novembre 2012). Voir également l'analyse détaillée du juge McArthur dans l'affaire *Lau c. R.*, 2007 CarswellNat 5301 (C.C.I.) aux paragraphes 21 à 23 sur la notion de fiducie nue et l'obligation de participation aux fins d'être un entrepreneur.

Finalement, ce choix est permis dans la mesure où la coentreprise exerce des activités qui sont visées par cet article ou par le *Règlement sur les coentreprises* (TPS/TVH). Après plusieurs revendications de la communauté fiscale, ce règlement a été amendé le 3 mars 2011 afin d'y rajouter 14 activités admissibles qui figurent aux paragraphes 3(1)(c)-(p). En particulier, l'ajout de l'alinéa 3(1)(k) qui vise l'entretien d'une route a certainement été mis en place avec la conclusion récente de plusieurs partenariats publics-privés à l'égard de la construction et l'entretien d'autoroutes. En pratique, il appert que ces activités étaient admises par l'Agence du revenu du Canada, sur une base administrative, au début des années 1991, mais qu'elles ont cessé d'être admises en l'absence de législation à cet effet. À cet effet : voir notamment l'argumentation de l'appelante au paragraphe 29 de la décision *Westcan Malting Ltd. c. R.*, 1998 CarswellNat 3828 (C.C.I.).

De l'avis de l'Agence du revenu du Canada, les termes « exploitation » et « exploration » qui figurent au texte introductif du paragraphe (1) s'inscrivent dans le contexte des industries pétrolière et gazière et s'appliqueront à la lumière de l'emploi de ces termes qui se retrouvent à l'article 162. À cet effet, l'Agence du revenu du Canada indique qu'elle fournira des explications, notamment, quant au sens de ces termes dans un nouveau mémorandum à cet effet. De plus, elle mentionne n'avoir reçu aucun commentaire de l'industrie pétrolière et gazière quant à l'impact de la décision *Dunbar c. R.*, 2005 D.T.C. 1807 (C.C.I.) sur l'effet du choix en vertu de l'article 273 et est ouverte à recevoir des commentaires en ce sens. Voir à cet effet : Agence du revenu du Canada, *Questions et commentaires en TPS/TVH*, Conférence annuelle entre l'Agence du revenu du Canada et l'Association du Barreau Canadien (26 février 2009), Question 25. En date du 1er mars 2013, une version préliminaire du mémorandum sur la TPS/TVH 3.7, *Ressources naturelles* a été émis par l'Agence du revenu du Canada en date du mois de février 2012 (voir Avis no. 269 sur la TPS/TVH). Pour le moment, le paragraphe 7 dudit mémorandum préliminaire définit les termes « exploration » et « exploitation » comme suit : « La Loi ne définit pas les termes « explorer » et « exploiter » relativement aux ressources naturelles. Le sens commun du terme « explorer » est de chercher et de découvrir, ou de mener des recherches systématiques. Le sens commun du terme « exploiter » est de faire valoir quelque chose ou d'en tirer parti. L'exploration et l'exploitation incluent habituellement des activités jusqu'à un « point central » et à ce dernier, pourvu que le point central pour le traitement du gaz soit situé sur le terrain ou y soit adjacent. Le « point central », dans l'industrie pétrolière, s'entend de la première batterie de réservoirs après le traitement du pétrole pour le pétrole brut et, dans l'industrie gazière, l'installation ou le gaz naturel est recueilli, nettoyé et traité pour devenir un produit vendable à livrer vers les marchés ».

À titre illustratif, les travaux de géomatique ne font pas partie des activités admissibles selon Revenu Québec. Voir à ce titre : Revenu Québec, Lettre d'interprétation, 99-0102600 — *Interprétation relative à la TPS et à la TVQ / Choix concernant une coentreprise* (30 septembre 1999). Par ailleurs, Revenu Québec a précisé que les activités relatives à des études de faisabilité portant sur la construction d'un immeuble sont admissibles au choix de la coentreprise. Voir à cet effet : Revenu Québec, *Tribune d'échange sur des questions techniques avec Revenu Québec*, 2009, Symposium des taxes à la consommation, Association de planification fiscale et financière et Revenu Québec, *Les sujets techniques de l'heure,* Symposium des taxes à la consommation, Association de planification fiscale et financière (2010).

La question a été soulevée à l'égard de savoir si le choix en vertu de l'article 273 peut s'appliquer à toutes les activités de la coentreprise, même si elles ne sont pas admissibles, pourvu qu'au moins une activité de la coentreprise soit admissible pour le choix. L'Agence du revenu du Canada a indiqué que lorsqu'une coentreprise comprend deux (ou plusieurs) activités qui peuvent être séparées et distinguées entre elles et qu'aucune d'entre elles n'est incidente ou nécessaire à l'autre activité, alors les activités admissibles et non admissibles peuvent être séparées. Dans la situation à l'étude, il a été conclu que le choix pour la coentreprise était valide à l'égard de la production de gaz naturel, mais non à la distribution de gaz aux consommateurs. Voir à cet effet : Agence du revenu du Canada, *Questions et commentaires en TPS/TVH*, Conférence annuelle entre l'Agence du revenu du Canada et l'Association du Barreau Canadien (26 février 2009), Question 26.

Le paragraphe (1.1.) est une règle spécifique d'anti-évitement qui a pour effet d'éviter qu'un entrepreneur, qui est exempt du paiement de la TPS/TVH de par son statut, élargisse cette exemption aux activités de la coentreprise. Le paragraphe (2) prévoit qu'une personne qui acquiert un droit dans la coentreprise d'un coentrepreneur est réputé avoir fait le choix conjointement avec l'entrepreneur.

Le paragraphe (3) permet la révocation de la coentreprise, mais celle-ci doit être conjointe avec l'entrepreneur et le coentrepreneur. Le formulaire GST21 — *Choix d'une coentreprise — Choix visant la déclaration de la TPS par une coentreprise* ou au Québec, le formulaire FP-621 — *Formulaire de choix concernant une coentreprise — Choix relatif à la production de la déclaration par l'inscrit de la coentreprise*, doit être rempli, mais n'a pas à être produit aux autorités fiscales. Il suffit que ce document soit conservé par les parties aux fins d'une éventuelle vérification.

Il faut souligner que l'exercice du choix en vertu de l'article 273 peut être exercé rétroactivement à une date où l'on peut prouver l'existence de la coentreprise. Voir notamment à cet effet : Revenu Québec, Lettre d'interprétation, 03-0106272 — *Coentreprise impliquant un Indien* (24 novembre 2003). Par exemple, le choix pourrait être exercé rétroactivement à la date de convention signée par les parties.

Dans l'affaire *Lau c. R.*, 2007 CarswellNat 5301 (C.C.I.), la Cour canadienne de l'impôt a conclu à l'invalidité d'un choix de coentreprise puisque les exigences prévues au paragraphe (4) n'étaient pas rencontrées, notamment quant à la mention d'une date d'entrée en vigueur du choix. Il est donc primordial de respecter les exigences de forme puisqu'elles sont tributaires de la validité du choix exercé sous l'article 273.

À l'égard des présomptions créées par cet article, les autorités fiscales ont confirmé les interprétations suivantes : (i) l'entrepreneur désigné doit percevoir et remettre les taxes à l'égard de chaque fourniture taxable qu'il effectue pour le compte de ses coentrepreneurs au client de la coentreprise — à ce titre, aucune taxe n'est payable à l'égard de la quote-part du revenu découlant de la réalisation d'une telle fourniture qui est versée par l'entrepreneur désigné à un coentrepreneur; (ii) lorsqu'un entrepreneur désigné effectue une fourniture de biens ou de services à un coentrepreneur, aucune taxe n'est payable à l'égard de la contrepartie d'une telle fourniture dans la mesure où les biens ou les services sont acquis par le coentrepreneur dans le cadre des activités de la coentreprise; et (iii) finalement, un coentrepreneur (autre que l'entrepreneur désigné) qui effectue une fourniture taxable à ses coentrepreneurs doit percevoir les taxes à l'égard de cette fourniture qu'il réalise dans le cadre de la coentreprise — en effet, les présomptions visées à l'article 273 visent uniquement les acquisitions, les fournitures et les apports effectués par l'entrepreneur désigné et à ce titre, l'exercice du choix ne libère pas un coentrepreneur (autre que l'entrepreneur désigné) de son obligation de percevoir les taxes à l'égard des fournitures taxables. Voir à cet effet notamment : Revenu Québec, *Tribune d'échange sur des questions techniques avec Revenu Québec*, 2009, Symposium des taxes à la consommation, Association de planification fiscale et financière et Revenu Québec, Les sujets techniques de l'heure, Symposium des taxes à la consommation, Association de planification fiscale et financière (2010). Voir également la position de l'Agence du revenu du Canada : Agence du revenu du Canada, *CRA/TEI Liaison Meeting*, question 10 (8 décembre 2009).

Dans la mesure où le choix en vertu de cet article n'est pas fait, chaque co-entrepreneur doit alors percevoir et remettre la TPS/TVH et réclamer sa portion de CTI sur son pourcentage de détention dans la propriété. En effet, puisqu'une coentreprise n'est pas une personne aux fins de la partie IX, elle ne peut pas s'inscrire et ne peut percevoir ou remettre la TPS/TVH.

Il faut souligner que même si le choix sous l'article 273 n'est pas disponible ou n'est pas valide, les co-entrepreneurs devraient analyser la possibilité de faire le choix du paragraphe 177(1.1) et qui pourrait permettre, sous réserve de certaines conditions, qu'un inscrit perçoive et remettre la TPS/TVH au nom des coentrepreneurs.

Sous-section b.2 — Centres de distribution des exportations

Notes historiques: L'intitulé de la sous-section b.2 a été ajouté par L.C. 2001, c. 15, par. 19(1) et est réputé entré en vigueur le 1er janvier 2001.

273.1 (1) Définitions — Les définitions qui suivent s'appliquent au présent article.

« bien d'appoint » Bien meuble corporel (sauf celui qui sert à constater le paiement d'un port) ou logiciel qui est en la possession d'une personne et que celle-ci incorpore, fixe, combine ou réunit à un autre bien (sauf un bien lui appartenant et qu'elle détient à une fin autre que celle d'en faire la vente) ou dont elle se sert pour emballer un tel autre bien.

Concordance québécoise: LTVQ, art. 350.23.1« bien d'appoint ».

« emballage » Vise notamment le déballage, le remballage, l'empaquetage et le rempaquetage.

Concordance québécoise: LTVQ, art. 350.23.1« emballage ».

« entrepôt de stockage » S'entend au sens du paragraphe 2(1) de la *Loi sur les douanes*.

Concordance québécoise: aucune.

« étiquetage » Y est assimilé le marquage.

Concordance québécoise: LTVQ, art. 350.23.1« étiquetage ».

« modification sensible » S'agissant de la modification sensible d'un bien par une personne pour son exercice, l'une des activités suivantes :

a) le fait de fabriquer ou de produire un bien (sauf une immobilisation de la personne) au cours de l'exercice dans le cadre d'une entreprise exploitée par la personne, ou le fait d'engager une autre personne pour le faire;

b) le traitement entrepris par la personne ou pour celle-ci au cours de l'exercice en vue d'amener des biens lui appartenant à l'état où les biens ou le produit de ce traitement sont des stocks finis de la personne, si, à la fois :

(i) le pourcentage de valeur ajoutée, pour elle, attribuable à des services autres que des services de base relativement à ses stocks finis pour l'exercice excède 10 %,

(ii) le pourcentage de valeur ajoutée totale, pour elle, relativement à ses stocks finis pour l'exercice excède 20 %.

Concordance québécoise: LTVQ, art. 350.23.1« modification sensible ».

« pourcentage de recettes d'exportation » La proportion, exprimée en pourcentage, que représentent les recettes d'exportation d'une personne pour une année par rapport à ses recettes totales déterminées pour l'année.

Concordance québécoise: LTVQ, art. 350.23.1« pourcentage de recettes d'exportation ».

« produit de client » En ce qui concerne une personne donnée, bien meuble corporel d'une autre personne que la personne donnée importe, ou dont elle prend matériellement possession au Canada, en vue de fournir un service ou un bien d'appoint relativement au bien meuble corporel.

Concordance québécoise: LTVQ, art. 350.23.1« produit de client ».

« recettes d'exportation » S'agissant des recettes d'exportation d'une personne donnée pour un exercice, le total des montants représentant chacun la contrepartie, incluse dans le calcul des recettes totales déterminées de la personne pour l'exercice, des fournitures suivantes :

a) la fourniture par vente d'un article faisant partie des stocks intérieurs de la personne, effectuée à l'étranger ou incluse à la partie V de l'annexe VI (sauf les articles 2.1, 3, 11, 14 et 15.1 de cette partie);

b) la fourniture par vente d'un bien d'appoint acquis par la personne en vue du traitement au Canada d'un bien donné, à condition que ce dernier bien ou les produits résultant de son traitement, selon le cas, soient exportés une fois le traitement achevé sans être consommés, utilisés, transformés ou davantage traités, fabriqués ou produits au Canada par une autre personne, sauf dans la mesure qu'il est raisonnable de considérer comme nécessaire ou accessoire à leur transport;

c) la fourniture d'un service de traitement, d'entreposage ou de distribution de biens meubles corporels d'une autre personne, à condition que les biens ou les produits résultant de leur traitement, selon le cas, soient exportés, une fois que la personne donnée en a achevé le traitement au Canada, sans être consommés, utilisés, transformés ou davantage traités, fabriqués ou produits au Canada par une personne autre que la personne donnée, sauf dans la mesure qu'il est raisonnable de considérer comme nécessaire ou accessoire à leur transport.

Concordance québécoise: LTVQ, art. 350.23.1« recettes d'expédition ».

« recettes totales déterminées » S'agissant des recettes totales déterminées d'une personne pour un exercice, le total des montants représentant chacun la contrepartie, incluse dans le calcul du revenu provenant d'une entreprise de la personne pour l'exercice, d'une fourniture qu'elle effectue (ou effectuerait si ce n'était une disposition de la présente partie portant que la fourniture est réputée effectuée par une autre personne), à l'exception des fournitures suivantes :

a) la fourniture d'un service relatif à un bien qu'elle n'importe pas, ou dont elle ne prend pas matériellement possession au Canada, en vue d'offrir le service;

b) la fourniture par vente d'un bien qu'elle acquiert en vue de le vendre pour une contrepartie (ou de vendre d'autres biens auxquels il a été ajouté ou combiné), mais qui n'est ni acquis au Canada, ni importé par elle;

c) la fourniture par vente d'un bien d'appoint qu'elle acquiert en vue du traitement de biens meubles corporels qu'elle n'importe pas ou dont elle ne prend pas matériellement possession au Canada;

d) la fourniture par vente d'une de ses immobilisations.

Concordance québécoise: LTVQ, art. 350.23.1« recettes totales déterminées ».

« service de base » L'un des services suivants exécutés relativement à des produits, dans la mesure où, si les produits étaient détenus dans un entrepôt de stockage au moment de l'exécution du service, il serait possible, étant donné l'étape du traitement des produits à ce moment, d'exécuter le service dans l'entrepôt de stockage et il serait permis de le faire conformément au *Règlement sur les entrepôts de stockage des douanes* :

a) le désassemblage ou le réassemblage, si les produits ont été assemblés ou désassemblés à des fins d'emballage, de manutention ou de transport;

b) l'étalage;

c) l'examen;

d) l'étiquetage;

e) l'emballage;

f) l'enlèvement d'une petite quantité d'une matière, d'une partie, d'une pièce ou d'un objet distinct qui représente les produits, dans le seul but d'obtenir des commandes de produits ou de services;

g) l'entreposage;

h) la mise à l'essai;

i) l'une des activités suivantes, dans la mesure où elle ne modifie pas sensiblement les propriétés des produits :

(i) le nettoyage,

(ii) toute activité nécessaire pour assurer le respect de toute loi fédérale ou provinciale qui s'y applique,

(iii) la dilution,

(iv) les services habituels d'entretien,

(v) la préservation,

(vi) la séparation des produits défectueux de ceux de première qualité,

(vii) le tri ou le classement,

(viii) le rognage, l'appareillage, le découpage ou le coupage.

Concordance québécoise: LTVQ, art. 350.23.1« service de base ».

« stocks finis » Biens d'une personne (sauf des immobilisations) qui sont dans l'état où la personne a l'intention de les vendre, ou de les utiliser à titre de biens d'appoint, dans le cadre d'une entreprise qu'elle exploite.

Concordance québécoise: LTVQ, art. 350.23.1« stocks finis ».

« stocks intérieurs » S'agissant des stocks intérieurs d'une personne, biens meubles corporels qu'elle acquiert au Canada, ou acquiert à l'étranger puis importe, en vue de les vendre séparément pour une contrepartie dans le cours normal d'une entreprise qu'elle exploite.

Concordance québécoise: LTVQ, art. 350.23.1« stocks intérieurs ».

« traitement » Notamment l'ajustement, la modification, l'assemblage et tout service de base.

Concordance québécoise: LTVQ, art. 350.23.1« traitement ».

« valeur de base » S'agissant de la valeur de base du bien qu'une personne donnée importe ou dont elle prend matériellement possession au Canada d'une autre personne :

a) en cas d'importation du bien, la valeur qui est ou serait, si ce n'était le paragraphe 215(2), réputée par le paragraphe 215(1) être la valeur du bien pour l'application de la section III;

b) dans les autres cas, la juste valeur marchande du bien au moment où la personne donnée en prend matériellement possession au Canada.

Concordance québécoise: LTVQ, art. 350.23.1« valeur de base ».

Notes historiques: Le paragraphe 273.1(1) a été ajouté par L.C. 2001, c. 15, par. 19(1) et est réputé entré en vigueur le 1er janvier 2001.

(2) Valeur ajoutée attribuable à des services autres que des services de base relativement à des stocks finis — Le pourcentage de valeur ajoutée, pour une personne, attribuable à des services autres que des services de base relativement aux stocks finis de la personne pour son exercice correspond au montant, exprimé en pourcentage, obtenu par la formule suivante :

$$\frac{A}{B}$$

où :

A représente le total des montants représentant chacun un montant :

a) d'une part, qui fait partie du coût total, pour la personne, de biens faisant partie de ses stocks finis qu'elle a fournis, ou utilisés à titre de biens d'appoint, au cours de l'exercice,

b) d'autre part, qu'il est raisonnable d'attribuer :

(i) soit au traitement, salaire ou autre rémunération payé ou payable à des salariés, à l'exclusion des montants qu'il est raisonnable d'attribuer à l'exécution de services de base,

(ii) soit à la contrepartie payée ou payable par la personne en vue d'engager d'autres personnes pour effectuer des activités de traitement, à l'exclusion de toute partie de cette contrepartie qui est raisonnablement attribuée par les autres personnes à des biens meubles corporels fournis à l'occasion de ces activités ou qu'il est raisonnable d'attribuer à l'exécution de services de base;

B le coût total des biens pour la personne.

Notes historiques: Le paragraphe 273.1(2) a été ajouté par L.C. 2001, c. 15, par. 19(1) et est réputé entré en vigueur le 1er janvier 2001.

Concordance québécoise: LTVQ, art. 350.23.2.

(3) Valeur ajoutée totale relativement à des stocks finis — Le pourcentage de valeur ajoutée totale relativement à des stocks finis d'une personne pour son exercice correspond au montant, exprimé en pourcentage, qui serait déterminé pour l'exercice selon la formule figurant au paragraphe (2) si des montants qu'il est raisonnable d'attribuer à l'exécution de services de base n'étaient pas exclus de la valeur de l'élément A de cette formule.

Notes historiques: Le paragraphe 273.1(3) a été ajouté par L.C. 2001, c. 15, par. 19(1) et est réputé entré en vigueur le 1er janvier 2001.

Concordance québécoise: LTVQ, art. 350.23.3.

(4) Valeur ajoutée attribuable à des services autres que des services de base relativement à des produits de clients — Le pourcentage de valeur ajoutée, pour une personne, attribuable à des services autres que des services de base relativement à des produits de clients pour son exercice correspond au montant, exprimé en pourcentage, obtenu par la formule suivante :

$$\frac{A}{(A + B)}$$

où :

A représente le total des contreparties, incluses dans le calcul du revenu provenant d'une entreprise de la personne pour l'exercice, de fournitures de services ou de biens d'appoint relatives à des produits de clients, à l'exclusion de la partie de ces contreparties qu'il est raisonnable d'attribuer à l'exécution de services de base ou à la livraison de biens d'appoint utilisés dans le cadre de l'exécution de tels services;

B le total des valeurs de base des produits de clients.

Notes historiques: Le paragraphe 273.1(4) a été ajouté par L.C. 2001, c. 15, par. 19(1) et est réputé entré en vigueur le 1er janvier 2001.

Concordance québécoise: LTVQ, art. 350.23.4.

(5) Valeur ajoutée totale relative à des produits de clients — Le pourcentage de valeur ajoutée totale, pour une personne, relativement à des produits de clients pour un exercice de la personne correspond au pourcentage qui serait déterminé pour l'exercice selon la formule figurant au paragraphe (4) si des montants qu'il est raisonnable d'attribuer à l'exécution de services de base ou à la livraison de biens d'appoint utilisés dans l'exécution de tels services n'étaient pas exclus de la valeur de l'élément A de cette formule.

Notes historiques: Le paragraphe 273.1(5) a été ajouté par L.C. 2001, c. 15, par. 19(1) et est réputé entré en vigueur le 1er janvier 2001.

Concordance québécoise: LTVQ, art. 350.23.5.

(6) Opérations entre personnes ayant un lien de dépendance — Lorsqu'il s'agit de déterminer le pourcentage de recettes d'exportation d'une personne donnée ou l'un des montants prévus aux paragraphes (2) à (5) relativement à des stocks finis d'une personne donnée ou à des produits de clients qui la concernent, dans le cas où une fourniture est effectuée à titre gratuit ou pour une contrepartie inférieure à la juste valeur marchande entre la personne donnée et une autre personne avec laquelle elle a un lien de dépendance et où tout ou partie de la contrepartie de la fourniture serait incluse dans le calcul du revenu tiré d'une entreprise de la personne donnée pour une année, la fourniture est réputée avoir été effectuée pour une contrepartie égale à la juste valeur marchande, et cette contrepartie est réputée être incluse dans le calcul du revenu en question.

Notes historiques: Le paragraphe 273.1(6) a été ajouté par L.C. 2001, c. 15, par. 19(1) et est réputé entré en vigueur le 1er janvier 2001.

Concordance québécoise: LTVQ, art. 350.23.6.

(7) Certificat de centre de distribution des exportations — Le ministre peut, à la demande d'une personne inscrite aux termes de la sous-section d de la section V et exerçant exclusivement des activités commerciales, accorder l'autorisation d'utiliser, à compter d'un jour donné d'un exercice et sous réserve des conditions qu'il

LTA (TPS)

peut fixer au besoin, un certificat (appelé « certificat de centre de distribution des exportations » au présent article) pour l'application de l'article 1.2 de la partie V de l'annexe VI et de l'article 11 de l'annexe VII, s'il est raisonnable de s'attendre à ce que les éventualités suivantes se réalisent :

a) la personne n'effectue pas la modification sensible de biens au cours de l'exercice;

b) le pourcentage de valeur ajoutée, pour la personne, attribuable à des services autres que des services de base relativement à des produits de clients pour l'exercice n'excède pas 10 %, ou le pourcentage de valeur ajoutée totale, pour elle, relativement à des produits de clients pour l'exercice n'excède pas 20 %;

c) le pourcentage de recettes d'exportation de la personne pour l'exercice est égal ou supérieur à 90 %.

Notes historiques: Le paragraphe 273.1(7) a été ajouté par L.C. 2001, c. 15, par. 19(1) et est réputé entré en vigueur le 1er janvier 2001.

Concordance québécoise: LTVQ, art. 350.23.7.

(8) Demande — La demande d'autorisation d'utiliser un certificat de centre de distribution des exportations doit contenir les renseignements requis par le ministre et lui être présentée en la forme et selon les modalités qu'il détermine.

Notes historiques: Le paragraphe 273.1(8) a été ajouté par L.C. 2001, c. 15, par. 19(1) et est réputé entré en vigueur le 1er janvier 2001.

Concordance québécoise: LTVQ, art. 350.23.8.

(9) Avis d'autorisation — Le ministre informe la personne de l'autorisation d'utiliser un certificat de centre de distribution des exportations dans un avis écrit qui précise les dates de prise d'effet et d'expiration de l'autorisation ainsi que le numéro d'identification attribué à la personne ou à l'autorisation et que la personne devra communiquer à l'occasion de la présentation du certificat pour l'application de l'article 1.2 de la partie V de l'annexe VI ou de la déclaration en détail ou provisoire de biens importés conformément à l'article 11 de l'annexe VII.

Notes historiques: Le paragraphe 273.1(9) a été ajouté par L.C. 2001, c. 15, par. 19(1) et est réputé entré en vigueur le 1er janvier 2001.

Concordance québécoise: LTVQ, art. 350.23.9.

(10) Retrait d'autorisation — Le ministre peut, sur préavis écrit suffisant à la personne à qui l'autorisation a été accordée, retirer l'autorisation à compter d'un jour d'un exercice donné de la personne si, selon le cas :

a) la personne ne se conforme pas à une condition de l'autorisation ou à une disposition de la présente partie;

b) il est raisonnable de s'attendre à ce que, selon le cas :

(i) l'une ou l'autre des conditions énoncées aux alinéas (7)a) et b), ou les deux, ne soient pas respectées, à supposer que l'exercice qui y est mentionné soit l'exercice donné,

(ii) le pourcentage de recettes d'exportation de la personne pour l'exercice donné soit inférieur à 80 %;

c) la personne a demandé par écrit que l'autorisation soit retirée à compter du jour en question.

Notes historiques: Le paragraphe 273.1(10) a été ajouté par L.C. 2001, c. 15, par. 19(1) et est réputé entré en vigueur le 1er janvier 2001.

Concordance québécoise: LTVQ, art. 350.23.10.

(11) Présomption de retrait — Sous réserve du paragraphe (10), l'autorisation accordée à une personne est réputée avoir été retirée à compter du lendemain du dernier jour d'un exercice de la personne si, selon le cas :

a) la personne a effectué la modification sensible de biens au cours de l'exercice;

b) le pourcentage de valeur ajoutée, pour la personne, attribuable à des services autres que des services de base relativement à des produits de clients pour l'exercice excède 10 %, et le pourcentage de valeur ajoutée totale, pour elle, relativement à des produits de clients pour l'exercice excède 20 %;

c) le pourcentage de recettes d'exportation de la personne pour l'exercice est inférieur à 80 %.

Notes historiques: Le paragraphe 273.1(11) a été ajouté par L.C. 2001, c. 15, par. 19(1) et est réputé entré en vigueur le 1er janvier 2001.

Concordance québécoise: LTVQ, art. 350.23.11.

(12) Cessation — L'autorisation accordée à une personne cesse d'avoir effet immédiatement avant le premier en date des jours suivants :

a) le jour de la prise d'effet de son retrait;

b) le jour qui suit de trois ans la prise d'effet de l'autorisation.

Notes historiques: Le paragraphe 273.1(12) a été ajouté par L.C. 2001, c. 15, par. 19(1) et est réputé entré en vigueur le 1er janvier 2001.

Concordance québécoise: LTVQ, art. 350.23.12.

(13) Demande faisant suite au retrait — Dans le cas où l'autorisation accordée à une personne en vertu du paragraphe (7) est retirée à compter d'un jour donné, le ministre ne peut lui en accorder une autre en vertu du même paragraphe, qui prend effet avant :

a) le jour qui suit de deux ans le jour donné, si l'autorisation a été retirée dans les circonstances visées à l'alinéa (10)a);

b) le premier jour du deuxième exercice de la personne commençant après le jour donné, dans les autres cas.

Notes historiques: Le paragraphe 273.1(13) a été ajouté par L.C. 2001, c. 15, par. 19(1) et est réputé entré en vigueur le 1er janvier 2001.

Concordance québécoise: LTVQ, art. 350.23.13.

Renvois [art. 273.1]: 178.8(8) (exception relative aux ententes d'importation); 236.3 (redressement — centre de distribution des exportations); VII:11 (article faisant partie des stocks intérieurs, bien d'appoint ou produit de client).

Bulletins de l'information technique [art. 273.1]: B-088, 04/07/02, *Programme de centres de distribution des exportations*.

Formulaires [art. 273.1]: GST528, *Autorisation d'utiliser un certificat de centre de distribution des exportations*.

Sous-section b.3 — Déclaration de renseignements des institutions financières

Notes historiques: La sous-section b.3 a été ajoutée par L.C. 2010, c. 12, par. 76(1) et s'applique relativement aux exercices d'une personne commençant après 2007.

273.2 (1) Définitions — Les définitions qui suivent s'appliquent au présent article et à l'article 284.1.

« montant de taxe » Est un montant de taxe pour l'exercice d'une personne tout montant qui, selon le cas :

a) est une taxe payée ou payable par la personne au cours de l'exercice, sauf s'il s'agit d'une taxe payée ou payable en vertu de la section II, ou une taxe qui est réputée, en vertu d'une disposition quelconque de la présente partie, avoir été payée ou être devenue payable par elle au cours de l'exercice;

b) est devenu à percevoir ou a été perçu par la personne, ou est réputé en vertu d'une disposition quelconque de la présente partie être devenu à percevoir ou avoir été perçu par elle, au titre de la taxe prévue à la section II au cours d'une période de déclaration de la personne comprise dans l'exercice;

c) est un crédit de taxe sur les intrants pour une période de déclaration de la personne comprise dans l'exercice;

d) doit être ajouté ou peut être déduit dans le calcul de la taxe nette pour une période de déclaration de la personne comprise dans l'exercice;

e) doit entrer, en vertu de la présente partie, dans le calcul de tout montant visé aux alinéas b) ou d), sauf s'il s'agit :

(i) d'un montant qui représente la contrepartie d'une fourniture,

(ii) d'un montant qui représente la valeur d'un bien ou d'un service,

(iii) d'un pourcentage.

« montant réel » Tout montant qui est à indiquer dans la déclaration de renseignements qu'une personne est tenue de produire selon le paragraphe (3) pour son exercice et qui est :

a) soit un montant de taxe pour l'exercice en cause ou pour un exercice antérieur de la personne;

b) soit un montant obtenu uniquement à partir de montants de taxe pour l'exercice en cause ou pour un exercice antérieur de la personne, sauf si tous ces montants de taxe doivent être indiqués dans la déclaration.

Concordance québécoise: aucune.

(2) Institution déclarante — Pour l'application du présent article et de l'article 284.1, une personne, sauf une personne visée par règlement ou membre d'une catégorie réglementaire, est une institution déclarante tout au long de son exercice si, à la fois :

a) elle est une institution financière au cours de l'exercice;

b) elle est un inscrit au cours de l'exercice;

c) le total des montants représentant chacun un montant inclus dans le calcul, pour l'application de la *Loi de l'impôt sur le revenu*, de son revenu ou, si elle est un particulier, de son revenu tiré d'une entreprise, pour sa dernière année d'imposition se terminant dans l'exercice, excède le montant obtenu par la formule suivante :

$$1\,000\,000\ \$ \times A/365$$

où :

A représente le nombre de jours de l'année d'imposition.

Concordance québécoise: aucune.

(3) Déclaration de renseignements d'une institution déclarante — Toute institution déclarante est tenue de présenter au ministre pour son exercice, au plus tard le jour qui suit de six mois la fin de l'exercice, une déclaration de renseignements établie en la forme et contenant les renseignements déterminés par le ministre.

Concordance québécoise: aucune.

(4) Estimation — L'institution déclarante tenue d'indiquer, dans une déclaration de renseignements produite selon le paragraphe (3), un montant (sauf un montant réel) qui n'est pas raisonnablement vérifiable à la date limite pour la production de la déclaration doit faire une estimation raisonnable du montant et en indiquer le montant dans la déclaration.

Concordance québécoise: aucune.

(5) Dispense — Le ministre peut dispenser toute institution déclarante ou toute catégorie d'institution déclarante de l'obligation, prévue au paragraphe (3), de présenter tout renseignement déterminé par lui ou peut autoriser toute institution déclarante ou catégorie d'institution déclarante à présenter une estimation raisonnable d'un montant réel qui doit être indiqué dans une déclaration de renseignements établie conformément à ce paragraphe.

Concordance québécoise: aucune.

Notes historiques: L'article 273.2 a été ajouté par L.C. 2010, c. 12, par. 76(1) et s'applique relativement aux exercices d'une personne commençant après 2007.

Sous-section c — Évitement

274. (1) Définitions — Les définitions qui suivent s'appliquent au présent article.

« attribut fiscal » S'agissant des attributs fiscaux d'une personne, taxe, taxe nette, crédit de taxe sur les intrants, remboursement ou autre montant payable par cette personne, ou montant qui lui est remboursable, en application de la présente partie, ainsi que tout autre montant à prendre en compte dans le calcul de la taxe, de la taxe nette, du crédit de taxe sur les intrants, du remboursement ou de l'autre montant payable par cette personne ou du montant qui lui est remboursable.

Concordance québécoise: LTVQ, art. 478« attributs fiscaux ».

« avantage fiscal » Réduction, évitement ou report de taxe ou d'un autre montant payable en application de la présente partie ou augmentation d'un remboursement visé par la présente partie.

Concordance québécoise: LTVQ, art. 478« avantage fiscal ».

« opération » Y sont assimilés les conventions, les mécanismes et les événements.

Concordance québécoise: LTVQ, art. 478« opération ».

Notes historiques: Le paragraphe 274(1) a été ajouté par L.C. 1990, c. 45, par. 12(1).

(2) Disposition générale anti-évitement — En cas d'opération d'évitement, les attributs fiscaux d'une personne doivent être déterminés de façon raisonnable dans les circonstances de sorte à supprimer un avantage fiscal qui, en l'absence du présent article, découlerait, directement ou indirectement, de cette opération ou d'une série d'opérations dont celle-ci fait partie.

Notes historiques: Le paragraphe 274(2) a été ajouté par L.C. 1990, c. 45, par. 12(1).

Concordance québécoise: LTVQ, art. 479.

(3) Opération d'évitement — L'opération d'évitement s'entend :

a) soit de l'opération dont, en l'absence du présent article, découlerait, directement ou indirectement, un avantage fiscal, sauf s'il est raisonnable de considérer que l'opération est principalement effectuée pour des objets véritables — l'obtention d'un avantage fiscal n'étant pas considérée comme un objet véritable;

b) soit de l'opération qui fait partie d'une série d'opérations dont, en l'absence du présent article, découlerait, directement ou indirectement, un avantage fiscal, sauf s'il est raisonnable de considérer que l'opération est principalement effectuée pour des objets véritables — l'obtention d'un avantage fiscal n'étant pas considérée comme un objet véritable.

Notes historiques: Le paragraphe 274(3) a été ajouté par L.C. 1990, c. 45, par. 12(1).

Concordance québécoise: LTVQ, art. 480.

(4) Champ d'application précisé — Il est entendu que l'opération dont il est raisonnable de considérer qu'elle n'entraîne pas, directement ou indirectement, d'abus dans l'application des dispositions de la présente partie lue dans son ensemble — abstraction faite du présent article — n'est pas visée par le paragraphe (2).

Notes historiques: Le paragraphe 274(4) a été ajouté par L.C. 1990, c. 45, par. 12(1).

Concordance québécoise: LTVQ, art. 481.

(5) Attributs fiscaux à déterminer — Sans préjudice de la portée générale du paragraphe (2), en vue de déterminer les attributs fiscaux d'une personne de façon raisonnable dans les circonstances de sorte à supprimer l'avantage fiscal qui, en l'absence du présent article, découlerait, directement ou indirectement, d'une opération d'évitement :

a) tout crédit de taxe sur les intrants et toute déduction dans le calcul de la taxe ou de la taxe nette payable peut être en totalité ou en partie admise ou refusée;

b) tout ou partie de ce crédit ou de cette déduction peut être attribuée à une personne;

c) la nature d'un paiement ou d'un autre montant peut être qualifiée autrement;

d) les effets fiscaux qui découleraient par ailleurs de l'application des autres dispositions de la présente partie peuvent ne pas être pris en compte.

Notes historiques: Le paragraphe 274(5) a été ajouté par L.C. 1990, c. 45, par. 12(1).

Concordance québécoise: LTVQ, art. 482.

(6) Demande en vue de déterminer les attributs fiscaux — Dans les 180 jours suivant l'envoi d'un avis de cotisation, de nouvelle cotisation ou de cotisation supplémentaire qui tient compte du paragraphe (2) en ce qui concerne une opération, toute personne (à l'exclusion du destinataire d'un tel avis) a le droit de demander par écrit au ministre d'établir à son égard une cotisation, une nouvelle cotisation ou une cotisation supplémentaire en application du paragraphe (2) en ce qui concerne l'opération.

Notes historiques: Le paragraphe 274(6) a été remplacé par L.C. 2010, c. 25, art. 136 et cette modification est réputée être entrée en vigueur le 15 décembre 2010. Antérieurement, il se lisait ainsi :

> (6) Dans les 180 jours suivant la mise à la poste d'un avis de cotisation, de nouvelle cotisation ou cotisation supplémentaire qui tient compte du paragraphe (2) en ce qui concerne une opération, toute personne (à l'exclusion du destinataire d'un tel avis) a le droit de demander par écrit au ministre d'établir à son égard une cotisation, une nouvelle cotisation ou une cotisation supplémentaire en application du paragraphe (2) en ce qui concerne l'opération.

Le paragraphe 274(6) a été ajouté par L.C. 1990, c. 45, par. 12(1).

28 septembre 2010, Notes explicatives: Lorsque la règle générale anti-évitement énoncée au paragraphe 274(2) s'applique relativement à une opération et qu'une personne a reçu un avis de cotisation, de nouvelle cotisation ou de cotisation supplémentaire concernant l'opération, toute autre personne a le droit de demander, selon le paragraphe 274(6), qu'une cotisation, une nouvelle cotisation ou une cotisation supplémentaire soit établie à son égard relativement à la même opération. Cette demande doit être présentée dans les 180 jours suivant la mise à la poste du premier avis.

La modification apportée au paragraphe 274(6) consiste à remplacer « mise à la poste » par « envoi », en raison des nouvelles dispositions de la Loi qui permettent au ministre du Revenu national d'envoyer des avis électroniques à des personnes dans certaines circonstances. Pour en savoir davantage sur le pouvoir du ministre d'envoyer de tels avis en vertu de la partie IX, se reporter aux notes concernant le nouveau paragraphe 335(10.1).

Cette modification entre en vigueur à la date de sanction du projet de loi.

10 septembre 2010, Notes explicatives: Lorsque la règle générale anti-évitement énoncée au paragraphe 274(2) s'applique relativement à une opération et qu'une personne a reçu un avis de cotisation, de nouvelle cotisation ou de cotisation supplémentaire concernant l'opération, toute autre personne a le droit de demander, selon le paragraphe 274(6), qu'une cotisation, une nouvelle cotisation ou une cotisation supplémentaire soit établie à son égard relativement à la même opération. Cette demande doit être présentée dans les 180 jours suivant la mise à la poste du premier avis.

La modification apportée au paragraphe 274(6) consiste à remplacer « mise à la poste » par « envoi », en raison des nouvelles dispositions de la Loi qui permettent au ministre du Revenu national d'envoyer des avis électroniques à des personnes dans certaines circonstances. Pour en savoir davantage sur le pouvoir du ministre d'envoyer de tels avis en vertu de la partie IX, se reporter aux notes concernant le nouveau paragraphe 335(10.1).

Cette modification entre en vigueur à la date de sanction du projet de loi.

Concordance québécoise: LTVQ, art. 483, al. 1.

(7) Exception — Nonobstant les autres dispositions de la présente partie, les attributs fiscaux d'une personne, par suite de l'application du présent article, ne peuvent être déterminés que par avis de cotisation, de nouvelle cotisation ou de cotisation supplémentaire, en tenant compte du présent article.

Notes historiques: Le paragraphe 274(7) a été ajouté par L.C. 1990, c. 45, par. 12(1).

Concordance québécoise: LTVQ, art. 484.

(8) Obligation du ministre — Sur réception d'une demande présentée par une personne conformément au paragraphe (6), le ministre doit, dès que possible, après avoir examiné la demande et par dérogation aux paragraphes 298(1) et (2), établir une cotisation, une nouvelle cotisation ou une cotisation supplémentaire, en se fondant sur la demande. Toutefois, une cotisation, une nouvelle cotisation ou une cotisation supplémentaire ne peut être établie en application du présent paragraphe que s'il est raisonnable de considérer qu'elle concerne l'opération visée au paragraphe (6).

Notes historiques: Le paragraphe 274(8) a été ajouté par L.C. 1990, c. 45, par. 12(1).

Concordance québécoise: LTVQ, art. 485.

Définitions [art. 274]: « cotisation », « ministre », « montant », « personne », « taxe » — 123(1).

Renvois [art. 274]: 121.1 (application de la règle anti-évitement à la partie VIII); 169 (CTI); 225 (taxe nette); 271 (fusion); 272 (liquidation); 301(1.4) (restrictions touchant les opppositions).

Jurisprudence [art. 274]: *Hatam (F.) c. La Reine*, [1995] G.S.T.C. 1 (CCI); *Michelin Tires (Canada) Ltd. c. MNR*, [1995] G.S.T.C. 17 (TCCE); [2000] G.S.T.C. 17 (CF); *9000-6560 Québec Inc. c. R.*, [2000] G.S.T.C. 63 (CCI).

Bulletins de l'information technique [art. 274]: B-045, 05/02/91, *Les transactions papillon.*

Mémorandums [art. 274]: TPS 500, 5/05/92, *Application et exécution*, par. 34; TPS 500-6-9, 7/06/91, *Règle générale anti-évitement*, par. 2, 3, 4, 5–10, 12–15, 17–22; TPS 500-7, 26/11/91, *Interaction entre la Loi sur la taxe d'accise et la Loi de l'impôt sur le revenu*, par. 53, 54.

Série de mémorandums [art. 274]: Mémorandum 1.5, 09/94, *Définitions.*

COMMENTAIRES: L'évitement fiscal est à différencier de l'évasion fiscale qui est une infraction criminelle visée notamment par l'article 327.

Cette règle générale anti-évitement (la « RGAÉ ») est semblable, quoique non identique, à celle qui prévaut en vertu de l'article 245 de la *Loi de l'impôt sur le revenu.* Récemment, l'Agence du revenu du Canada a indiqué que l'expression « séries de transactions », qui a été analysée par la Cour suprême du Canada dans l'arrêt *Copthorne Holdings Ltd c. R.*, [2011] SCC 63 (C.S.C.), se retrouvait autant en vertu de la *Loi sur la taxe d'accise (TPS)* que la *Loi de l'impôt sur le revenu*. Toutefois, l'Agence du revenu du Canada souligne que cette expression est définie en vertu du paragraphe 245(10) de la *Loi de l'impôt sur le revenu*, alors qu'aucune définition n'existe en vertu de la *Loi sur la taxe d'accise* (TPS). L'Agence du revenu du Canada conclut en mentionnant qu'il s'agit de leur intention d'administrer et d'interpréter la RGAÉ de façon similaire en TPS/TVH et en impôt sur le revenu, avec toutefois une possibilité d'avoir des interprétations différentes en fonction de la rédaction différente des dispositions concernées. Voir à cet effet, question 39, Agence du revenu du Canada, *Questions et commentaires en TPS/TVH*, Conférence annuelle entre l'Agence du revenu du Canada et l'Association du Barreau Canadien (23 février 2012).

Au niveau de la jurisprudence en matière de TPS/TVH, trois jurisprudences traitent de l'article 274.

Dans l'affaire *Ventes d'auto Giordano Inc. c. R*, [2001] G.S.T.C. 37 (C.C.I.) (appel en C.A.F. retiré), la Cour canadienne de l'impôt a conclu que l'article 274 n'était pas pertinent au litige puisque Revenu Québec aurait pu percevoir la TPS notamment par le biais de l'article 165.

Dans l'affaire *Michelin Tires Canada Ltd c. M.N.R.* [1995] G.S.T.C. 17, [2000] G.S.T.C.17 (C.F.), la Cour fédérale est en accord avec la décision du tribunal de première instance voulant que le paragraphe (7) de l'article 274 n'empêche pas les autorités fiscales d'invoquer la RGAÉ au stade de l'instance simplement parce que la détermination ou la décision ne mentionnait pas que la RGAÉ constituait le fondement de la décision qui avait rejeté la demande.

Dans l'affaire *9000-6560 Québec Inc. c. R*, [2001] G.S.T.C. 16 (C.C.I.), la Cour canadienne de l'impôt a conclu que l'article 274 n'était d'aucune utilité puisque notamment, les ventes avaient été effectuées principalement pour des objets véritables et qu'il n'y avait aucun avantage fiscal. Il n'y avait donc aucun abus de la *Loi sur la taxe d'accise (TPS)*.

Finalement, bien qu'elle concerne l'impôt sur le revenu, nous désirons souligner la décision très colorée du juge Miller dans l'affaire *S.T.B. Holdings Ltd. c. R.*, 2001 CarswellNat 4832 (C.C.I.), confirmée par la Cour d'appel fédérale, [2003] 1 C.T.C. 36 (C.A.F.), permission d'en appeler à la Cour suprême du Canada refusée, 2003 CarswellNat 754 (C.S.C.), puisque des dispositions semblables se retrouvent à l'article 274 de la *Loi sur la taxe d'accise (TPS)*. Le juge Miller, qui analyse en détail l'interprétation du paragraphe 245(7) de la *Loi de l'impôt sur le revenu* (la « LIR »), souligne d'emblée que la RGAÉ est un outil à la disposition du ministre servant à cotiser et ne peut être un outil de planification pour le contribuable. À ce titre, ainsi, une personne ne pourrait établir son autocotisation en se basant sur le fait que le paragraphe 245(7) de la LIR va s'appliquer à sa situation. Par la suite, et pour reprendre les termes du juge Miller (paragraphe 34) : « Comme la nuit et le jour se suivent, le paragraphe (7) s'insère entre le paragraphe (6) et le paragraphe (8). On pourrait dire avec exagération, et je ne me gêne pas pour le faire, que le paragraphe (7) est pris en sandwich entre les paragraphes (6) et (8) ». À la suite d'une analyse étoffée, le juge Miller conclut qu'il n'y a rien dans le paragraphe (7) qui oblige le ministre à mentionner explicitement l'article 245 de la LIR dans un avis de cotisation ou de nouvelle cotisation ou qui lui interdise d'établir la cotisation par un moyen subsidiaire.

L'auteur souligne qu'il n'y a aucun comité de la RGAÉ aux fins de la TPS/TVH, contrairement au domaine de l'impôt sur le revenu. Les questions de TPS/TVH sont analysées par le comité de la RGAÉ qui prévaut en impôt sur le revenu. En pratique, cette situation peut s'expliquer en raison du nombre peu élevé de cas qui sont référés au comité de la RGAÉ en matière de TPS/TVH et des coûts élevés pour l'Agence du revenu du Canada et Revenu Québec de maintenir un comité séparé aux fins de la TPS/TVH.

274.1 Anti-évitement — modification d'une convention — Dans le cas où les conditions suivantes sont réunies :

a) une convention portant sur la fourniture taxable d'un bien ou d'un service est conclue entre un fournisseur et un acquéreur à un moment antérieur au 1er juillet 2006,

b) à un moment postérieur, le fournisseur et l'acquéreur, directement ou indirectement :

(i) ou bien modifient la convention portant sur la fourniture,

(ii) ou bien résilient la convention et concluent une ou plusieurs nouvelles conventions entre eux ou avec d'autres personnes et, dans le cadre d'une ou de plusieurs de ces conventions, le fournisseur fournit, et l'acquéreur reçoit, une ou plusieurs fournitures qui comprennent la totalité ou la presque totalité du bien ou du service visé à l'alinéa a),

c) le fournisseur, l'acquéreur et éventuellement les autres personnes ont entre eux un lien de dépendance au moment où la convention est conclue ou au moment postérieur,

d) la taxe prévue au paragraphe 165(1) ou à l'article 218 relativement à la fourniture visée à l'alinéa a) aurait été calculée au taux de 7 % sur tout ou partie de la valeur de contrepartie de la fourniture attribuable au bien ou au service si la convention n'avait pas été modifiée ou résiliée,

e) la taxe prévue au paragraphe 165(1) ou à l'article 218 relativement à la fourniture effectuée aux termes de la convention modifiée ou d'une ou de plusieurs des nouvelles conventions serait calculée, en l'absence du présent article, au taux de 6 % sur toute partie de la valeur de la contrepartie de la fourniture — attribuable à une partie quelconque du bien ou du service — sur laquelle la taxe (relative à la fourniture visée à l'alinéa a)) a été calculée initialement au taux de 7 %,

f) en ce qui concerne le fournisseur et l'acquéreur, il n'est pas raisonnable de considérer que la modification de la convention ou la conclusion des nouvelles conventions a été principalement effectuée pour des objets véritables — le fait de tirer profit d'une quelconque façon de la modification de taux n'étant pas considéré comme un objet véritable,

la règle suivante s'applique :

g) la taxe prévue au paragraphe 165(1) ou à l'article 218 relativement à la fourniture effectuée aux termes de la convention modifiée ou d'une ou de plusieurs des nouvelles conventions est calculée au taux de 7 % sur toute partie de la valeur de la contrepartie, visée à l'alinéa e), attribuable à une partie quelconque du bien ou du service.

Notes historiques: L'article 274.1 a été ajouté par L.C. 2006, c. 4, par. 32(1) et s'applique aux conventions modifiées, résiliées ou conclues après le 1er mai 2006.

juin 2006, Notes explicatives: Les articles 274.1 et 274.2 prévoient des règles qui ont pour objet d'empêcher quiconque de profiter indûment d'une modification du taux de la taxe.

Le nouvel article 274.1 prévoit une règle anti-évitement qui s'applique dans le cas où un fournisseur et un acquéreur ayant entre eux un lien de dépendance concluent, avant le 1er juillet 2006, une convention portant sur la fourniture taxable d'un bien ou d'un service, puis modifient la convention, ou la résilient et en concluent une nouvelle, dans le but de profiter de la réduction de taux. Cette disposition s'applique dans le cas où il n'est pas raisonnable de considérer, à l'égard de ni l'un ni l'autre du fournisseur et de l'acquéreur, que la modification de la convention, ou sa résiliation et la conclusion d'une nouvelle convention, ont été effectuées pour des objets véritables qui n'ont rien à voir avec le fait que le taux de la TPS est passé de 7 % à 6 %. Cette disposition s'applique de façon que la TPS soit imposée au taux de 7 % sur toute partie de la valeur de la contrepartie d'une fourniture, attribuable à une partie quelconque du bien ou du service, sur laquelle la taxe serait calculée au taux de 6 % en l'absence de l'article 274.1. Cet article s'applique peu importe le nombre de nouvelles conventions qui sont conclues entre le fournisseur et l'acquéreur ou d'autres personnes, tant que le fournisseur fournit, et que l'acquéreur reçoit, la totalité ou la presque totalité du même bien ou service.

L'article 274.1 s'applique aux conventions modifiées, résiliées ou conclues après le 1er mai 2006.

Concordance québécoise: aucune.

COMMENTAIRES: Cet article est une règle anti-évitement spécifique qui est entrée en vigueur en raison de la réduction du taux de la TPS de 7 % à 6 % qui était prévue le 1er juillet 2006. Cette règle a pour objet d'éviter de modifier ou de résilier une convention conclue avant le 1er juillet 2006 lorsque la modification ou la résiliation a été principalement faite pour tirer profit de la modification du taux.

Il est à noter que la modification ultérieure de la convention ou la conclusion d'une nouvelle convention à la suite de la résiliation de celle-ci présuppose qu'il existe un lien de dépendance entre les parties lors de la modification ou de la conclusion d'une nouvelle conclusion ou à un moment postérieur à celui-ci. Nous vous recommandons nos commentaires sous l'article 126 à l'égard de la notion de « lien de dépendance ». Il faut souligner qu'il ne semble donc pas y avoir de limite dans le temps quant à la notion de lien de dépendance entre deux parties à la suite de la signature de la convention originale. Ainsi, le lien de dépendance peut survenir même après la conclusion de la convention originale.

De l'avis de l'auteur, cette disposition aurait pu être visée par la règle générale anti-évitement qui figure à l'article 274. D'ailleurs, aucune disposition similaire n'a été introduire dans la *Loi sur la taxe de vente du Québec*, et ce, malgré les augmentations du taux de la TVQ.

274.11 Modification d'une convention — réduction de taux pour 2008 — Dans le cas où les conditions suivantes sont réunies :

a) une convention portant sur la fourniture taxable d'un bien ou d'un service est conclue entre un fournisseur et un acquéreur à un moment antérieur au 1er janvier 2008,

b) à un moment postérieur, le fournisseur et l'acquéreur, directement ou indirectement :

(i) ou bien modifient la convention portant sur la fourniture,

(ii) ou bien résilient la convention et concluent une ou plusieurs nouvelles conventions entre eux ou avec d'autres personnes et, dans le cadre d'une ou de plusieurs de ces conventions, le fournisseur fournit, et l'acquéreur reçoit, une ou plusieurs fournitures qui comprennent la totalité ou la presque totalité du bien ou du service visé à l'alinéa a),

c) le fournisseur, l'acquéreur et éventuellement les autres personnes ont entre eux un lien de dépendance au moment où la convention est conclue ou au moment postérieur,

d) la taxe prévue au paragraphe 165(1) ou à l'article 218 relativement à la fourniture visée à l'alinéa a) aurait été calculée au taux de 6 % ou de 7 %, selon le cas, sur tout ou partie de la valeur de la contrepartie de la fourniture attribuable au bien ou au service si la convention n'avait pas été modifiée ou résiliée,

e) la taxe prévue au paragraphe 165(1) ou à l'article 218 relativement à la fourniture effectuée aux termes de la convention modifiée ou d'une ou de plusieurs des nouvelles conventions serait calculée, en l'absence du présent article, au taux de 5 % sur toute partie de la valeur de la contrepartie de la fourniture — attribuable à une partie quelconque du bien ou du service — sur laquelle la taxe (relative à la fourniture visée à l'alinéa a)) a été calculée initialement au taux de 6 % ou de 7 %, selon le cas,

f) en ce qui concerne le fournisseur et l'acquéreur, il n'est pas raisonnable de considérer que la modification de la convention ou la conclusion des nouvelles conventions a été principalement effectuée pour des objets véritables — le fait de tirer profit d'une quelconque façon de la modification de taux n'étant pas considéré comme un objet véritable,

la règle suivante s'applique :

g) la taxe prévue au paragraphe 165(1) ou à l'article 218 relativement à la fourniture effectuée aux termes de la convention modifiée ou d'une ou de plusieurs des nouvelles conventions est calculée au taux auquel elle aurait été calculée selon l'alinéa d) sur toute partie de la valeur de la contrepartie, visée à l'alinéa e), attribuable à une partie quelconque du bien ou du service.

Notes historiques: L'article 274.11 a été ajouté par L.C. 2007, c. 35, par. 195(1) et s'applique aux conventions modifiées, résiliées ou conclues après le 29 octobre 2007.

Concordance québécoise: aucune.

COMMENTAIRES: Cet article est une règle anti-évitement spécifique qui est entrée en vigueur en raison de la réduction du taux de la TPS de 6 % à 5 % qui était prévue le 1er janvier 2008. Cette règle a pour objet d'éviter de modifier une convention conclue avant le 1er janvier 2008 lorsque la modification ou l'annulation a été principalement pour tirer profit de la modification du taux.

Nos commentaires sous l'article 274.1 s'appliquent *mutatis mutandis*.

274.2 (1) Définitions — Les définitions qui suivent s'appliquent au présent article.

« avantage fiscal » Réduction, évitement ou report de taxe ou d'un autre montant payable en application de la présente partie ou augmentation d'un remboursement ou d'un autre montant visé par la présente partie.

Concordance québécoise: aucune.

« modification de taux » Toute modification touchant le taux d'une taxe imposée sous le régime de la présente partie.

Concordance québécoise: aucune.

« opération » S'entend au sens du paragraphe 274(1).

Concordance québécoise: aucune.

« personne » Ne vise pas les consommateurs.

Concordance québécoise: aucune.

(2) **Modification de taux — opérations** — Dans le cas où les conditions suivantes sont réunies :

a) une opération, ou une série d'opérations, portant sur un bien est effectuée entre plusieurs personnes ayant entre elles un lien de dépendance au moment où l'une ou plusieurs de ces opérations sont effectuées,

b) en l'absence du présent article, l'opération, l'une des opérations de la série ou la série proprement dite se traduirait, directement ou indirectement, par un avantage fiscal pour une ou plusieurs des personnes en cause,

c) il n'est pas raisonnable de considérer que l'opération ou la série d'opérations a été effectuée principalement pour des objets véritables — le fait pour une ou plusieurs des personnes en cause d'obtenir un avantage fiscal par suite d'une modification de taux n'étant pas considéré comme un objet véritable,

tout montant de taxe, de taxe nette, de crédit de taxe sur les intrants ou de remboursement ou tout autre montant qui est payable par l'une ou plusieurs des personnes en cause, ou qui leur est remboursable, en vertu de la présente partie, ou tout autre montant qui entre dans le calcul d'un tel montant, est déterminé de façon raisonnable dans les circonstances de sorte à supprimer l'avantage fiscal en cause.

Notes historiques: Le paragraphe 274.2(4) a été remplacé par L.C. 2010, c. 25, art. 137 et cette modification est réputée être entrée en vigueur le 15 décembre 2010. Antérieurement, il se lisait ainsi :

> (4) Dans les 180 jours suivant la mise à la poste d'un avis de cotisation, de nouvelle cotisation ou de cotisation supplémentaire qui tient compte du paragraphe (2) en ce qui concerne une opération, toute personne (à l'exclusion du destinataire d'un tel avis) peut demander par écrit au ministre d'établir à son égard une cotisation, une nouvelle cotisation ou une cotisation supplémentaire en application du paragraphe (2) en ce qui concerne l'opération.

Concordance québécoise: aucune.

(3) **Suppression de l'avantage fiscal découlant d'opérations** — Malgré les autres dispositions de la présente partie, un avantage fiscal ne peut être supprimé en vertu du paragraphe (2) qu'au moyen de l'établissement d'une cotisation, d'une nouvelle cotisation ou d'une cotisation supplémentaire.

Concordance québécoise: aucune.

(4) **Demande de rajustement** — Dans les 180 jours suivant l'envoi d'un avis de cotisation, de nouvelle cotisation ou de cotisation supplémentaire qui tient compte du paragraphe (2) en ce qui concerne une opération, toute personne (à l'exclusion du destinataire d'un tel avis) peut demander par écrit au ministre d'établir à son égard une cotisation, une nouvelle cotisation ou une cotisation supplémentaire en application du paragraphe (2) en ce qui concerne l'opération.

28 septembre 2010, Notes explicatives: Lorsque la règle générale anti-évitement énoncée au paragraphe 274.2(2) s'applique relativement à une opération et qu'une personne a reçu un avis de cotisation, de nouvelle cotisation ou de cotisation supplémentaire concernant l'opération, toute autre personne a le droit de demander, selon le paragraphe 274.2(4), qu'une cotisation, une nouvelle cotisation ou une cotisation supplémentaire soit établie à son égard relativement à la même opération. Cette demande doit être présentée dans les 180 jours suivant la mise à la poste du premier avis.

La modification apportée au paragraphe 274.2(4) consiste à remplacer « mise à la poste » par « envoi », en raison des nouvelles dispositions de la Loi qui permettent au ministre du Revenu national d'envoyer des avis électroniques à des personnes dans certaines circonstances. Pour en savoir davantage sur le pouvoir du ministre d'envoyer de tels avis en vertu de la partie IX, se reporter aux notes concernant le nouveau paragraphe 335(10.1).

Cette modification entre en vigueur à la date de sanction du projet de loi.

10 septembre 2010, Notes explicatives: Lorsque la règle générale anti-évitement énoncée au paragraphe 274.2(2) s'applique relativement à une opération et qu'une personne a reçu un avis de cotisation, de nouvelle cotisation ou de cotisation supplémentaire concernant l'opération, toute autre personne a le droit de demander, selon le paragraphe 274.2(4), qu'une cotisation, une nouvelle cotisation ou une cotisation supplémentaire soit établie à son égard relativement à la même opération. Cette demande doit être présentée dans les 180 jours suivant la mise à la poste du premier avis.

La modification apportée au paragraphe 274.2(4) consiste à remplacer « mise à la poste » par « envoi », en raison des nouvelles dispositions de la Loi qui permettent au ministre du Revenu national d'envoyer des avis électroniques à des personnes dans certaines circonstances. Pour en savoir davantage sur le pouvoir du ministre d'envoyer de tels avis en vertu de la partie IX, se reporter aux notes concernant le nouveau paragraphe 335(10.1).

Cette modification entre en vigueur à la date de sanction du projet de loi.

Concordance québécoise: aucune.

(5) **Obligations du ministre** — Sur réception d'une demande présentée par une personne conformément au paragraphe (4), le ministre établit, dès que possible, après avoir examiné la demande et malgré les paragraphes 298(1) et (2), une cotisation, une nouvelle cotisation ou une cotisation supplémentaire, en se fondant sur la demande. Toutefois, une cotisation, une nouvelle cotisation ou une cotisation supplémentaire ne peut être établie en application du présent paragraphe que s'il est raisonnable de considérer qu'elle concerne l'opération visée au paragraphe (4).

Notes historiques: L'article 274.2 a été ajouté par L.C. 2006, c. 4, par. 32(1) et s'applique aux opérations effectuées après le 1er mai 2006.

juin 2006, Notes explicatives: Le nouvel article 274.2 prévoit une règle anti-évitement qui vise à faire obstacle aux opérations, entre personnes ayant entre elles un lien de dépendance, qui pourraient être effectuées non pas principalement pour des objets véritables, mais dans le but de tirer profit d'une modification du taux de la TPS ou de la composante fédérale de la TVH.

Le nouvel article 274.2 s'applique aux opérations effectuées après le 1er mai 2006.

Le nouveau paragraphe 274.2(1) définit les termes « avantage fiscal », « modification de taux », « opération » et « personne » pour l'application de l'article 274.2.

Est un « avantage fiscal » la réduction, l'évitement ou le report de la taxe sur les produits et services, de la taxe de vente harmonisée ou d'un autre montant payable en vertu de la partie IX de la loi. Ce terme désigne également toute augmentation d'un remboursement de taxe ou d'un autre montant visé par cette partie.

Le terme « modification de taux » s'entend de toute modification — augmentation ou diminution — du taux de la taxe sur les produits et services ou de la composante fédérale de la taxe de vente harmonisée.

Le terme « opération » s'entend d'une opération au sens du paragraphe 274(1), notamment les conventions, les mécanismes et les événements.

Le terme « personne » s'entend au sens de « personne » (défini au paragraphe 123(1) pour l'application de l'ensemble de la partie IX), sauf que les consommateurs (au sens de ce même paragraphe) en sont exclus. Par conséquent, le terme « personne » au sens de l'article 274.2 ne comprend pas le particulier qui, dans le cadre d'une opération portant sur un bien, acquiert le bien pour son utilisation ou sa consommation personnelles et non pour utilisation dans le cadre d'une entreprise.

Le nouveau paragraphe 274.2(2) prévoit une règle anti-évitement ayant pour effet de supprimer tout avantage fiscal qui découle d'une opération ou d'une série d'opérations qui a été effectuée non pas principalement pour objets véritables, mais dans le but de tirer un avantage fiscal d'une modification des taux de taxe.

Cette règle anti-évitement s'applique à l'opération ou à la série d'opérations qui remplit les conditions énoncées aux alinéas 274.2(2)a), b) et c). Selon l'alinéa a), l'opération ou la série d'opérations doit porter sur un bien et être effectuée par plusieurs personnes, ayant entre elles un lien de dépendance au moment des opérations, qui acquièrent le bien autrement qu'à titre de consommateurs. L'alinéa b) prévoit la condition selon laquelle l'opération, toute opération de la série d'opérations ou la série proprement dite se traduirait directement ou indirectement, en l'absence des dispositions anti-évitement énoncées à l'article 274.2, par un avantage fiscal (au sens du paragraphe 274.2(1)) pour une ou plusieurs des personnes (au sens du même paragraphe) qui sont parties à l'opération ou la série d'opérations. Selon l'alinéa c), il doit être raisonnable de considérer que l'opération ou la série d'opérations n'a pas été effectuée principalement pour des objets véritables, mais dans le but de permettre à une ou plusieurs des personnes en cause de tirer un avantage fiscal d'une modification des taux de taxe.

Lorsque l'opération ou la série d'opérations remplit les conditions énoncées aux alinéas a), b) et c), le paragraphe 274.2(2) prévoit que les conséquences fiscales de l'opération ou de la série sont déterminées de sorte à supprimer l'avantage fiscal pour les personnes en cause. Pour ce faire, le paragraphe prévoit que le montant de taxe, de taxe nette, de crédit de taxe sur les intrants ou de remboursement ou tout autre montant qui est payable par une ou plusieurs de ces personnes, ou qui leur est remboursable, ou tout autre montant qui entre dans le calcul d'un tel montant est déterminé par le ministre du Revenu national de façon à supprimer l'avantage fiscal en cause.

Selon le nouveau paragraphe 274.2(3), le ministre ne peut supprimer un avantage fiscal en vertu du paragraphe 274.2(2) qu'au moyen de l'établissement d'une cotisation, d'une nouvelle cotisation ou d'une cotisation supplémentaire. Il est ainsi impossible de recourir aux dispositions du paragraphe 274.2(2) pour modifier l'impôt payable, ou tout autre montant, sans demander le rajustement selon les modalités prévues au paragraphe 274.2(4).

Selon le nouveau paragraphe 274.2(4), lorsqu'une cotisation est établie à l'égard d'une personne en vertu de l'article 274.2, les sommes à payer par d'autres personnes, en ce qui a trait à cette cotisation, peuvent faire l'objet de rajustements. Lorsque la règle anti-évitement énoncée au paragraphe 274.2(2) s'applique relativement à une opération et qu'une personne a reçu un avis de cotisation, de nouvelle cotisation ou de cotisation supplémentaire, selon le cas, à l'égard de l'opération, toute autre personne peut demander qu'une cotisation, nouvelle cotisation ou cotisation supplémentaire, appliquant le paragraphe 274.2(2), soit établie à son égard relativement à la même opération. Cette demande doit être présentée dans les 180 jours suivant la mise à la poste du premier avis de cotisation, de nouvelle cotisation ou de cotisation supplémentaire. Cette disposition a pour objet de permettre des rajustements de façon à alléger les cotisations des personnes autres que la personne ayant initialement fait l'objet de la cotisation, relativement à la même opération.

Selon le nouveau paragraphe 274.2(5), toute demande de cotisation, de nouvelle cotisation ou de cotisation supplémentaire, présentée par une personne en vertu du paragraphe (4), doit être examinée par le ministre avec diligence. La cotisation, la nouvelle cotisation ou la cotisation supplémentaire ainsi établie ne s'applique qu'à ce qu'il est raisonnable de considérer comme étant pertinent à l'opération qui a fait l'objet de la demande prévue au paragraphe (4). Le ministre, lors de son examen de cette demande, n'est pas tenu de respecter les délais de quatre ans prévus aux paragraphes 298(1) et (2).

Définitions [par. 274.2]: « taux de taxe » — 123(1).

COMMENTAIRES: Cette disposition prévoit une règle générale anti-évitement qui vise à faire obstacle aux opérations, entre personnes ayant un lien de dépendance, qui pourraient être effectuées non pas principalement pour des objets véritables, mais dans le but de tirer profit d'une modification du taux de la TPS ou de la composante fédérale de la TVH.

SECTION VIII — APPLICATION ET EXÉCUTION

Sous-section a — Application

275. (1) Fonctions du ministre — Le ministre assure l'application et l'exécution de la présente partie. Le commissaire peut exercer tous les pouvoirs et remplir toutes les fonctions dévolues au ministre en vertu de la présente partie.

Notes historiques: Le paragraphe 275(1) a été remplacé par L.C. 1999, c. 17, art. 153. Cette modification est entrée en vigueur le 1er novembre 1999. Auparavant, il se lisait comme suit :

> (1) Le ministre assure l'application et l'exécution de la présente partie, et a la direction et la surveillance de toutes les personnes employées ou engagées à cette fin. Le sous-ministre peut exercer tous les pouvoirs et remplir toutes les fonctions dévolues au ministre en vertu de la présente partie.

Le paragraphe 275(1) a été ajouté par L.C. 1990, c. 45, par. 12(1).

Concordance québécoise: LTVQ, art. 684; LAF, art. 2, al. 2, 3, 4.

(2) Fonctionnaires et préposés — Sont nommés ou employés de la manière autorisée par la loi les fonctionnaires, mandataires et préposés nécessaires à l'application et à l'exécution de la présente partie.

Notes historiques: Le paragraphe 275(2) a été ajouté par L.C. 1990, c. 45, par. 12(1).

Concordance québécoise: LAF, art. 5, al. 1, [Sera abrogé par P.L. no 107].

(3) Fonctionnaire désigné — Le ministre peut autoriser un fonctionnaire ou un mandataire désigné ou une catégorie de fonctionnaires ou de mandataires à exercer ses pouvoirs et à remplir ses fonctions prévus par la présente partie.

Notes historiques: Le paragraphe 275(3) a été ajouté par L.C. 1990, c. 45, par. 12(1).

Concordance québécoise: LAF, art. 6, al. 1, [Sera abrogé par P.L. no 107].

(4) Déclaration sous serment — Tout fonctionnaire ou préposé, employé relativement à l'application ou à l'exécution de la présente partie, peut, si le ministre l'a désigné à cette fin, faire prêter les serments et recevoir les déclarations sous serment, solennelles ou autres, exigés pour l'application ou l'exécution de la présente partie ou de ses règlements d'application, ou qui y sont accessoires. À cet effet, il dispose des pouvoirs d'un commissaire aux serments.

Notes historiques: Le paragraphe 275(4) a été modifié par L.C. 1994, c. 9, par. 19(1) et est réputé entré en vigueur le 17 décembre 1990. Auparavant, il se lisait comme suit :

> Tout fonctionnaire ou préposé, employé relativement à l'application ou à l'exécution de la présente partie, peut, si le ministre l'a désigné à cette fin, faire prêter les serments et recevoir les déclarations sous serment, solennelles ou autres, exigées par l'application ou l'exécution de la présente partie ou de ses règlements d'application, ou qui y sont accessoires. À cet effet, il dispose des pouvoirs d'un commissaire aux serments.

Le paragraphe 275(4) a été édicté par L.C. 1990, c. 45, par. 12(1).

Concordance québécoise: LAF, art. 11.

Définitions [art. 275]: « cadre », « commissaire », « ministre », « personne », « salarié » — 123(1).

Renvois [art. 275]: 295(5), (5.1), (6) (pouvoirs d'un fonctionnaire — renseignements confidentiels).

Jurisprudence [art. 275]: *R. c. Zeplan Inc.*, [1995] G.S.T.C. 32 (Nfld Prov Ct); *McIntyre (W.) c. La Reine*, [1996] G.S.T.C. 65 (CF); *Ricken Leroux inc. c. Québec (Ministre du Revenu)*, 1997 CarswellQue 1627, 1998 CarswellQue 373 (CSC) (C.A. Qué); *Valières-Thériault c. Québec (Sous-ministre du Revenu)*, [1998] G.S.T.C. 2 (C.S. Qué); *Villa Ridge Construction Ltd. c. R.*, [2000] G.S.T.C. 85 (CCI); *Moriyama c. R.*, [2005] G.S.T.C. 114 (CAF).

Mémorandums [art. 275]: TPS 500-3-1, 20/03/92, *Vérifications fiscales*, par. 18.

Série de mémorandums [art. 275]: Mémorandum 1.4, 12/06, *Décisions concernant la taxe sur les produits et services.*

COMMENTAIRES: Cet article prévoit que le ministre du Revenu national assure l'application et l'exécution de la partie IX de la *Loi sur la taxe d'accise* (TPS). En pratique, ces fonctions sont remplies par des fonctionnaires et des mandataires qui ont été désignés spécifiquement à cette fin par le ministre. Voir notamment à cet effet : *Moriyama c. R.*, 2004 CarswellNat 3230 (C.C.I.), [2005] FCA 207.

Il est à noter que lorsqu'une action est prise par un fonctionnaire qui n'a pas d'autorité à prendre la décision, cela peut entraîner la nullité de la décision. Voir notamment : *Canron c. Deputy MNR*, 1985 CarswellNat 175. Il est donc primordial de vérifier si le fonctionnaire avec lequel une personne désire conclure une entente a l'autorité requise à cet effet. La liste identifiant les fonctionnaires en faveur de qui une délégation a été validement effectuée par le ministre du Revenu national peut être consultée en accédant au site internet suivant : http://www.cra-arc.gc.ca/tx/tchncl/dlgtnfpwrs/mnstr/menu-fra.html.

Toutefois, il faut noter que dans la mesure où aucune délégation formelle n'a été faite, il est néanmoins possible, dans certaines situations, que des fonctionnaires agissent au nom et pour le compte du ministre lorsque leur implication est nécessaire. Voir notamment : *B.M. Enterprises c. MNR*, [1992] 2 C.T.C. 115 (C.F.).

Par ailleurs, aucune sous-délégation ne peut être faite lorsque la délégation a été formellement octroyée. Voir notamment : *Murphy c. R*, [2010] 3 C.T.C. 1 (C.F.), 2010 FC 448.

Le 1er avril 2011, le ministère du Revenu du Québec s'est transformé et a été remplacé par l'Agence du revenu du Québec. En vertu de l'article 1 de la *Loi sur l'Agence du revenu du Québec* (L.R.Q., c. A-7.003), il est indiqué que l'Agence du revenu du Québec peut être désignée par l'expression « Revenu Québec ». En pratique, l'acronyme « ARQ » ne devrait pas être utilisé puisqu'il est déjà utilisé par d'autres associations, notamment l'Association des restaurateurs du Québec.

Au Québec, sous réserve de certaines exceptions, la TPS et la TVH sont administrées par Revenu Québec. Cette délégation a été reconnue valide dans l'affaire *Ricken Leroux Inc. c. Québec*, [1998] G.S.T.C. 11 (C.A.Q.) (permission d'en appeler à la Cour suprême du Canada refusée). Cette délégation au niveau de l'administration de la TPS par Revenu Québec a également été confirmée par l'article 24 de l'*Entente intégrée globale de coordination fiscale entre le gouvernement du Canada et le gouvernement du Québec* qui a été signée le 28 mars 2012 et qui est entrée en vigueur le 1er janvier 2013. Le 31 mai 2012, le ministère des Finances du Québec a émis le bulletin d'information 2012-4 et a fait ainsi état des changements apportés à la TVQ en vertu de l'*Entente intégrée globale de coordination fiscale qui a été signée.*Récemment, le projet de loi n° 5 — *Loi modifiant la Loi sur la taxe de vente du Québec et d'autres dispositions législatives* a été sanctionné par l'Assemblée nationale le 7 décembre 2012. Il est toutefois important de souligner que la TVQ restera une taxe provinciale séparée de la TPS/TVH. La province du Québec ne sera donc pas considérée comme une « province participante » aux fins de la *Loi sur la taxe d'accise* (TPS). Cette distinction est particulièrement importante lorsque les règles relatives notamment aux fournitures détaxées seront appliquées.

En ce qui concerne les provinces de l'Ontario, de la Nouvelle-Écosse, du Nouveau-Brunswick, de Terre-Neuve-et-Labrador, l'Agence du revenu du Canada administre la TVH pour ces provinces et distribue la partie provinciale de celle-ci aux provinces concernées. Il en sera de même pour la province de l'Île-du-Prince-Édouard à compter du 1er avril 2013. En ce qui concerne la Colombie-Britannique et l'abolition de sa TVH suite au référendum, l'Agence du revenu du Canada cessera d'administrer la TVH pour cette province à compter du 1er avril 2013.

Comme mentionné, Revenu Québec administre la TPS pour le compte et au nom de l'Agence du revenu du Canada. À ce titre, Revenu Québec peut être considéré, en quelque sorte, comme un prolongement du gouvernement fédéral à cette fin précise. Dans ce contexte, il est à noter que toute révision judiciaire ou déclaration à l'égard d'un acte d'une entité du gouvernement fédéral (incluant Revenu Québec) aux fins de la TPS est de juridiction des cours fédérales, et non de la Cour du Québec ou de la Cour supérieure du Québec. Voir à cet effet : *Paul c. Resto bar Place Centre-ville inc.* [2010] G.S.T.C. 122 (C.Q.).

Récemment, la Cour canadienne de l'impôt a rendu une décision intéressante dans l'affaire *Houda International Inc. c. La Reine*, 2010 CCI 622 (C.C.I.). Dans cette affaire, le juge Boyle a du déterminer si la Cour canadienne de l'impôt était liée par la décision de la Cour du Québec en raison de la règle de la préclusion fondée sur la chose jugée et de la règle d'abus de procédure. La Cour canadienne de l'impôt, sous la plume du juge Boyle, a conclu qu'elle n'allait pas réexaminer la décision de celle-ci Cour du Québec. Au soutien de sa conclusion, le juge Boyle a souligné qu'il ne rouvrirait pas cette question au niveau fédéral, car cela donnerait lieu à une utilisation inefficace des ressources publiques et privées, qu'une telle analyse pourrait aboutir à des décisions contradictoires qui ne pourraient pas être raisonnablement expliquées aux contribuables au Québec et ailleurs au Canada, et que cela porterait inutilement atteinte aux principes d'irrévocabilité, d'uniformité, de prévisibilité et d'équité dont dépend la bonne administration de la justice (paragraphe 21). La Cour canadienne de l'impôt a également fait référence au principe de courtoisie judiciaire selon lequel il faut faire preuve de déférence envers la décision motivée par un tribunal d'une juridiction équivalente en l'absence de circonstances exceptionnelles.

De l'avis de l'auteur, cette décision est certainement bienvenue puisqu'elle pourra certainement aider à éviter la tenue de litiges séparés en matière de TPS et de TVQ qui peuvent être non seulement coûteux, mais également contradictoires. En effet, comme le souligne l'affaire *Passucci c. Québec (Sous-ministre du Revenu)*, [2011] G.S.T.C. 35 (C.A.Q.) (permission d'en appeler à la Cour suprême du Canada refusée), les jugements inconsistants en matière de TPS et de TVQ sont terriblement frustrants. Dans cette affaire, M. Passucci avait gagné en Cour du Québec quant à l'interprétation de la TVQ. Toutefois, Revenu Québec a procédé en Cour canadienne de l'impôt en matière de TPS après avoir perdu sa cause en Cour du Québec. M. Passucci a donc voulu poursuivre Revenu Québec qui a, évidemment, décidé de suivre la décision de la Cour canadienne de l'impôt qui lui était favorable, contrairement à celle de la Cour du Québec. Il est possible de prétendre que la conduite de Revenu Québec dans ce dossier aurait pu être différente si le principe énoncé dans l'affaire *Houda* avait été suivi et respecté. Toutefois, l'auteur note que nonobstant l'affaire *Houda*, Revenu Québec aurait pu néanmoins atteindre le résultat de cette décision écrite par le juge Boyle, notamment en raison du principe de litispendance qui figure au *Code civil du Québec*.

Il ressort de la pratique généralement que les parties acceptent de procéder en Cour canadienne de l'impôt, et de suspendre le processus au niveau de la Cour du Québec en l'attente du jugement de la Cour canadienne de l'impôt. Cette préférence marquée pour une audition en Cour canadienne de l'impôt est tributaire, principalement, du niveau d'expertise des juges de cette cour.

276. (1) Enquête — Le ministre peut, pour l'application et l'exécution de la présente partie, autoriser une personne, qu'il s'agisse ou non d'un fonctionnaire de l'Agence, à faire toute enquête que celui-ci estime nécessaire sur quoi que ce soit qui se rapporte à l'application et à l'exécution de la présente partie.

Notes historiques: Le paragraphe 276(1) a été modifié par le remplacement des mots « du ministère » par les mots « de l'Agence » par L.C. 1999, c. 17, art. 156g). Cette modification est entrée en vigueur le 1er novembre 1999.

Le paragraphe 276(1) a été ajouté par L.C. 1990, c. 45, par. 12(1).

Concordance québécoise: LAF, art. 41, al. 1.

(2) Nomination d'un président d'enquête — Le ministre qui autorise l'enquête doit immédiatement demander à la Cour canadienne de l'impôt une ordonnance où est nommé le président d'enquête.

Notes historiques: Le paragraphe 276(2) a été ajouté par L.C. 1990, c. 45, par. 12(1).

Concordance québécoise: aucune.

(3) Pouvoirs du président d'enquête — Aux fins de l'enquête, le président d'enquête a tous les pouvoirs conférés à un commissaire par les articles 4 et 5 de la *Loi sur les enquêtes* et ceux qui sont susceptibles de l'être par l'article 11 de cette loi.

Notes historiques: Le paragraphe 276(3) a été ajouté par L.C. 1990, c. 45, par. 12(1).

Concordance québécoise: LAF, art. 44, al. 1.

(4) Exercice des pouvoirs du président d'enquête — Le président d'enquête exerce les pouvoirs conférés à un commissaire par l'article 4 de la *Loi sur les enquêtes* à l'égard des personnes que la personne autorisée à faire enquête considère comme appropriées pour la conduite de celle-ci; toutefois, le président d'enquête ne peut exercer le pouvoir de punir une personne que si, à la requête de celui-ci, un juge d'une cour supérieure ou d'une cour de comté atteste que ce pouvoir peut être exercé dans l'affaire exposée dans la requête et que si le requérant donne à la personne à l'égard de laquelle il est proposé d'exercer ce pouvoir avis de l'audition de la requête 24 heures avant ou dans le délai plus court que le juge estime raisonnable.

Notes historiques: Le paragraphe 276(4) a été ajouté par L.C. 1990, c. 45, par. 12(1).

Concordance québécoise: LAF, art. 44.

(5) Droits des témoins — Le témoin à l'enquête a le droit d'être représenté par avocat et, sur demande faite au ministre, de recevoir transcription de sa déposition.

Notes historiques: Le paragraphe 276(5) a été ajouté par L.C. 1990, c. 45, par. 12(1).

Concordance québécoise: LAF, art. 45.

(6) Droits des personnes visées par une enquête — Toute personne dont les affaires donnent lieu à l'enquête a le droit d'être présente et d'être représentée par avocat tout au long de l'enquête. Sur demande du ministre ou d'un témoin, le président d'enquête peut en décider autrement pour tout ou partie de l'enquête, pour le motif que la présence de cette personne ou de son avocat nuirait à la bonne conduite de l'enquête.

Notes historiques: Le paragraphe 276(6) a été ajouté par L.C. 1990, c. 45, par. 12(1).

Concordance québécoise: aucune.

Définitions [art. 276]: « cadre », « commissaire », « ministre », « personne » — 123(1); « fonctionnaire » — 293(1).

Renvois [art. 276]: 291 (copies de documents).

Mémorandums [art. 276]: TPS 500-3-1, 20/03/92, *Vérifications fiscales*, par. 22.

COMMENTAIRES: Cet article permet à l'Agence du revenu du Canada et à Revenu Québec d'entreprendre un processus formel d'enquête dans les affaires d'une personne.

En pratique et à la connaissance de l'auteur, cet article n'a pas été utilisé en vertu de la LTA et a très peu été utilisé aux fins de l'impôt sur le revenu.

Une observation intéressante réside dans le fait qu'il serait possible pour l'Agence du revenu du Canada ou Revenu Québec de faire une enquête sur une personne pour aider celles-ci à préparer leur procès judiciaire à l'égard d'un appel à un avis de cotisation en vertu de la partie IX de la *Loi sur la taxe d'accise* (TPS). Cette observation n'est, toutefois, que théorique à ce stade.

La Cour suprême du Canada s'est déjà prononcée sur les droits relatifs à l'enquête (en matière d'impôt sur le revenu) et sur le fait qu'ils n'allaient pas à l'encontre des droits protégés par la *Charte des droits et libertés*. Voir notamment : *Del Zotto c. Canada*, [1999] 1 C.T.C. 113 (C.S.C). Il est raisonnable de croire qu'une telle conclusion s'appliquerait *mutatis mutandis* en vertu de la *Loi sur la taxe d'accise* (TPS).

Cet article est similaire à l'article 231.4 de la *Loi de l'impôt sur le revenu* (Canada).

277. (1) Règlements — Le gouverneur en conseil peut, par règlement :

a) prendre toute mesure d'ordre réglementaire prévue par la présente partie;

b) obliger une catégorie de personnes à produire les déclarations nécessaires à l'application de la présente partie;

c) obliger une personne à communiquer des renseignements, notamment ses nom, adresse et numéro d'inscription, à une catégorie de personnes tenue de produire une déclaration les renfermant;

d) obliger une personne à aviser le ministre de son numéro d'assurance sociale;

e) obliger la personne tenue par règlement pris en application de l'alinéa b) de produire une déclaration, à en remettre une copie, ou la copie d'un extrait visé par règlement, à la personne que la déclaration ou l'extrait concerne;

f) prévoir la retenue, par voie de déduction ou de compensation, du montant dont une personne est redevable en application de la présente partie sur des montants qui peuvent lui être payables par Sa Majesté du chef du Canada au titre des traitements ou salaires, ou peuvent le devenir;

g) prendre toute mesure d'application de la présente partie.

Notes historiques: Le paragraphe 277(1) a été ajouté par L.C. 1990, c. 45, par. 12(1).

Concordance québécoise: LTVQ, art. 677, al. 1.

(2) Prise d'effet — Les règlements d'application de la présente partie ont effet à compter de leur publication dans la *Gazette du Canada* ou après s'ils le prévoient. Un règlement peut toutefois avoir un effet rétroactif, s'il comporte une disposition en ce sens, dans les cas suivants :

a) il a pour seul résultat d'alléger une charge;

b) il corrige une disposition ambiguë ou erronée, non conforme à un objet de la présente partie et de ses règlements d'application;

c) il met en œuvre une disposition nouvelle ou modifiée de la présente partie applicable avant qu'il soit publié dans la *Gazette du Canada*;

d) il met en œuvre une mesure — budgétaire ou non — annoncée publiquement, auquel cas, si l'alinéa a), b) ou c) ne s'appliquent pas par ailleurs, il ne peut avoir d'effet avant la date où la mesure est ainsi annoncée.

Notes historiques: Le préambule du paragraphe 277(2) a été modifié par L.C. 1993, c. 27, par. 125(1) et est réputé entré en vigueur le 17 décembre 1990. Il se lisait auparavant comme suit :

(2) Tout règlement d'application de la présente partie peut, s'il comporte une disposition en ce sens, avoir un effet rétroactif et s'appliquer à une période antérieure à sa prise, mais non antérieure à la date d'entrée en vigueur de la présente loi, dans les cas suivants :

Le paragraphe 277(2) a été édicté par L.C. 1990, c. 45, par. 12(1).

Concordance québécoise: LTVQ, art. 677, al. 2.

Définitions [art. 277]: « montant », « personne », « règlement » — 123(1).
Renvois [art. 277]: 277.1 (régime harmonisé).

Jurisprudence [art. 277]: *Safeloop.com Inc. c. R.*, [2004] G.S.T.C. 27 (CCI).

Mémorandums [art. 277]: TPS 600-1, 27/04/94, *Méthodes comptables simplifiées à l'intention des petites entreprises*.

Info TPS/TVQ [art. 227]: GI-017 — *Réduction du taux de la TPS/TVH-Méthodes de comptabilité abrégée pour les petites entreprises*; GI-041 — *La réduction du taux de la TPS/TVH (2008) et les méthodes de comptabilité abrégées pour les petites entreprises* .

COMMENTAIRES: Les règlements sont reproduits dans la présente loi après la législation en matière de TPS.

677 al. 1 LTVQ : Les règlements sont reproduits dans la présente loi après la législation en matière de TVQ.

277.1 (1) Définition de « nouveau régime de la taxe à valeur ajoutée harmonisée » — Au présent article, « nouveau régime de la taxe à valeur ajoutée harmonisée » s'entend du régime établi dans le cadre de la présente partie et des annexes V à X pour le paiement, la perception et le versement des taxes prévues au paragraphe 165(2) et aux articles 212.1, 218.1 et 220.05 à 220.08 et des montants payés au titre de ces taxes, ainsi que des dispositions de la présente partie concernant ces taxes ou les crédits de taxe sur les intrants ou les remboursements relativement à ces taxes ou montants payés ou réputés payés.

Notes historiques: Le paragraphe 277.1(1) a été ajouté par L.C. 1997, c. 10, art. 234 et est entré en vigueur le 20 mars 1997.

Concordance québécoise: aucune.

(2) Règlements concernant le nouveau régime de la taxe à valeur ajoutée harmonisée — transition — En ce qui concerne le passage d'une province au nouveau régime de la taxe à valeur ajoutée harmonisée, le gouverneur en conseil peut, par règlement :

a) établir les règles prévoyant le moment à partir duquel ce régime s'applique, ainsi que ses modalités d'application, et les règles relatives à d'autres aspects concernant l'application de ce régime à l'égard de la province, y compris :

(i) les règles concernant le calcul des acomptes provisionnels prévus à l'article 237,

(ii) les circonstances dans lesquelles un choix prévu par la présente partie peut être fait ou révoqué à un moment antérieur à celui où il serait permis par ailleurs de le faire en vertu de celle-ci,

(iii) les règles selon lesquelles l'état d'une chose est réputé, dans des circonstances déterminées et à des fins déterminées, être différent de ce qu'il serait par ailleurs, notamment le moment où la taxe ou la contrepartie est devenue due ou a été payée ou perçue, le moment où un bien a été livré ou mis à la disposition de quiconque, le moment où un service a été exécuté et le moment où la taxe doit être déclarée et comptabilisée;

b) prévoir les renseignements qu'une personne déterminée est tenue d'inclure dans une convention écrite ou un autre document portant sur une fourniture déterminée d'immeuble et prévoir les conséquences fiscales relatives à une telle fourniture, ainsi que les pénalités, pour avoir manqué à cette obligation ou avoir indiqué des renseignements erronés;

c) prévoir qu'une personne déterminée est réputée, dans des circonstances déterminées, avoir perçu, ou avoir payé, un montant déterminé de taxe à des fins déterminées, par suite de la réalisation d'une fourniture par vente relative à un immeuble d'habitation;

d) prévoir les règles aux termes desquelles une personne faisant partie d'une catégorie déterminée qui est l'acquéreur d'une fourniture déterminée relative à un immeuble est tenue de déclarer et de comptabiliser la taxe payable en vertu du paragraphe 165(2) relativement à cette fourniture;

e) prévoir des mesures d'observation, y compris des règles anti-évitement;

f) prendre toute mesure en vue de la transition à ce régime, et de sa mise en œuvre, à l'égard de la province.

Notes historiques: Le paragraphe 277.1(2) a été ajouté par L.C. 1997, c. 10, art. 234 et est entré en vigueur le 20 mars 1997.

Concordance québécoise: aucune.

(3) Règlements concernant le nouveau régime de la taxe à valeur ajoutée harmonisée — marge de manœuvre provinciale en matière de politique fiscale — Le gouverneur en conseil peut, par règlement :

a) établir les règles prévoyant le moment à partir duquel s'opère un changement du taux de taxe applicable à une province participante, ainsi que les modalités d'application d'un tel changement, et les règles concernant le changement d'un autre paramètre touchant l'application du nouveau régime de la taxe à valeur ajoutée harmonisée à l'égard d'une province participante (un tel changement du taux de taxe ou d'un autre paramètre étant appelé au présent paragraphe « marge de manœuvre provinciale en matière de politique fiscale »), y compris :

(i) les règles concernant le calcul des acomptes provisionnels prévus à l'article 237,

(ii) les circonstances dans lesquelles un choix prévu par la présente partie peut être fait ou révoqué à un moment antérieur à celui où il serait permis par ailleurs de le faire en vertu de celle-ci,

(iii) les règles selon lesquelles l'état d'une chose est réputé, dans des circonstances déterminées et à des fins déterminées, être différent de ce qu'il serait par ailleurs, notamment le moment où la taxe ou la contrepartie est devenue due ou a été payée ou perçue, le moment où un bien a été livré ou mis à la disposition de quiconque, le moment où un service a été exécuté et le moment où la taxe doit être déclarée et comptabilisée;

b) dans le cas où un montant est à déterminer selon les modalités réglementaires relativement au nouveau régime de la taxe à valeur ajoutée harmonisée, préciser les circonstances ou les conditions dans lesquelles ces modalités s'appliquent;

c) prévoir les remboursements, redressements ou crédits relatifs à la marge de manœuvre provinciale en matière de politique fiscale;

d) préciser les circonstances qui doivent exister, ainsi que les conditions à remplir, pour le versement de remboursements dans le cadre de la marge de manœuvre provinciale en matière de politique fiscale;

e) prévoir les montants et taux devant entrer dans le calcul du montant de tout remboursement, redressement ou crédit relatif au nouveau régime de la taxe à valeur ajoutée harmonisée ou sur lequel celui-ci a une incidence, exclure les montants qui entreraient par ailleurs dans le calcul d'un tel remboursement, redressement ou crédit et préciser les circonstances dans lesquelles un tel remboursement, redressement ou crédit n'est pas versé ou effectué;

f) modifier la définition de « teneur en taxe » au paragraphe 123(1) afin de tenir compte de la marge de manœuvre provinciale en matière de politique fiscale ou de l'adhésion d'une province au nouveau régime de la taxe à valeur ajoutée harmonisée;

g) prévoir des mesures d'observation, y compris des règles anti-évitement, relativement à la marge de manœuvre provinciale en matière de politique fiscale.

Notes historiques: Le paragraphe 277.1(3) a été ajouté par L.C. 1997, c. 10, art. 234 et est entré en vigueur le 20 mars 1997.

Concordance québécoise: aucune.

(4) Règlements concernant le nouveau régime de la taxe à valeur ajoutée harmonisée — général — Afin de faciliter la mise en œuvre, l'application, l'administration et l'exécution du nouveau régime de la taxe à valeur ajoutée harmonisée ou le passage d'une province à ce régime, le gouverneur en conseil peut, par règlement :

a) adapter les dispositions de la présente partie, des annexes V à X ou des règlements pris en application de la présente partie au nouveau régime de la taxe à valeur ajoutée harmonisée ou les modifier en vue de les adapter à ce régime;

b) définir, pour l'application de la présente partie, des annexes V à X ou des règlements pris en application de la présente partie, ou d'une de leurs dispositions, en son état applicable au nouveau régime de la taxe à valeur ajoutée harmonisée, des mots ou expressions utilisés dans cette partie, ces annexes ou ces règlements, y compris ceux définis dans une de leurs dispositions;

c) exclure une des dispositions de la présente partie, des annexes V à X ou des règlements pris en application de la présente partie, ou une partie d'une telle disposition, de l'application du nouveau régime de la taxe à valeur ajoutée harmonisée.

Concordance québécoise: aucune.

(5) Primauté — S'il est précisé, dans un règlement pris en vertu de la présente partie relativement au nouveau régime de la taxe à valeur ajoutée harmonisée, que ses dispositions s'appliquent malgré les dispositions de la présente partie, les dispositions du règlement l'emportent sur les dispositions incompatibles de la présente partie.

Concordance québécoise: aucune.

Notes historiques: L'article 277.1 a été remplacé par. L.C. 2009, c. 32, par. 37(1) et cette modification est réputée être entrée en vigueur le 26 mars 2009. Antérieurement, il se lisait ainsi :

> 277.1 (1) Définition de « régime harmonisé » — Au présent article, « régime harmonisé » s'entend du régime établi dans le cadre de la présente partie pour le paiement, la perception et le versement des taxes prévues au paragraphe 165(2) et aux articles 212.1, 218.1, 220.05, 220.06, 220.07 et 220.08 et permettant d'accorder des crédits de taxe sur les intrants et des remboursements relativement à ces taxes payées ou réputées payées.
>
> (2) Règlements provisoires — Afin de faciliter l'application et l'exécution du régime harmonisé ou la transition à ce régime, le gouverneur en conseil peut, par règlement pris avant mai 1999 :
>
> a) adapter les dispositions de la présente partie ou des règlements pris en application de l'article 277 au régime harmonisé ou les modifier en vue de les adapter à ce régime;
>
> b) définir, pour l'application de la présente partie ou des règlements pris en application de l'article 277, ou d'une de leurs dispositions, en son état applicable au régime harmonisé, des mots ou expressions utilisés dans cette partie, y compris ceux définis dans une de ses dispositions;
>
> c) exclure une des dispositions de la présente partie ou des règlements pris en application de l'article 277, ou une partie d'une telle disposition, de l'application du régime harmonisé;
>
> d) prendre toute mesure d'ordre réglementaire prévue par la présente partie pour la seule application du régime harmonisé ou pour l'application des dispositions de cette partie autres que celles concernant ce régime.
>
> (3) Cessation d'effet — Les règlements d'application du présent article, sauf ceux pris en application de l'alinéa (2)d), cessent d'avoir effet le 1er mai 2000 et sont réputés être abrogés à cette date.

Définitions [art. 277.1]: « province participante », « règlement », « taux de taxe », « taxe » — 123(1).

Renvois [art. 277.1]: 169(1) (CTI); 277 (règlements).

COMMENTAIRES: Cet article prévoit des règles transitoires et la possibilité de sanctionner des règlements pour les provinces qui désirent adopter un régime de TVH.

À titre illustratif, les provinces qui ont déjà adopté, à un certain moment de leur histoire, une TVH sont les provinces de l'Ontario, la Colombie-Britannique (dont la TVH est annulée à compter du 1er avril 2013), la Nouvelle-Écosse, le Nouveau-Brunswick, Terre-Neuve-et-Labrador. Il est à noter que l'Île-du-Prince-Édouard a adopté une TVH qui entrera en vigueur à compter du 1er avril 2013.

Sous-section b — Déclarations, pénalités et intérêts

278. (1) Présentation au ministre — Quiconque est tenu par la présente partie de produire une déclaration doit la présenter au ministre selon les modalités déterminées par celui-ci.

Notes historiques: Le paragraphe 278(1) a été ajouté par L.C. 1994, c. 9, par. 20(1) et s'applique aux déclarations à produire après août 1994 et aux montants à payer ou à verser après août 1994. L'ancien article 278 se lisait auparavant comme suit :

> 278. Quiconque est tenu par la présente partie de produire une déclaration ou de verser un montant doit, selon les modalités déterminées par le ministre, présenter la déclaration à celui-ci ou verser le montant au receveur général.

L'article 278 a été ajouté par L.C. 1990, c. 45, par. 12(1).

Concordance québécoise: LAF, art. 24.

(2) Paiement et versement — Quiconque est tenu par la présente partie de payer ou de verser un montant doit le payer ou le verser au receveur général, sauf lorsqu'une autre personne est tenue de percevoir le montant en application de l'article 221.

Notes historiques: Le paragraphe 278(2) a été ajouté par L.C. 1994, c. 9, par. 20(1) et s'applique aux déclarations à produire après août 1994 et aux montants à payer ou à verser après août 1994. L'ancien article 278 se lisait auparavant comme suit :

> 278. Quiconque est tenu par la présente partie de produire une déclaration ou de verser un montant doit, selon les modalités déterminées par le ministre, présenter la déclaration à celui-ci ou verser le montant au receveur général.

L'article 278 a été ajouté par L.C. 1990, c. 45, par. 12(1).

Concordance québécoise: LAF, art. 24.

(3) Montant de 50 000 $ ou plus — Quiconque est tenu par la présente partie de payer ou de verser un montant au receveur général doit, dans le cas où le montant est de 50 000 $ ou plus, le payer ou le verser au compte du receveur général à l'une des institutions suivantes :

a) une banque autre qu'une banque étrangère autorisée qui fait l'objet des restrictions et exigences visées au paragraphe 524(2) de la *Loi sur les banques*;

b) une caisse de crédit;

c) une société autorisée par la législation fédérale ou provinciale à exploiter une entreprise d'offre au public de services de fiduciaire;

d) une société qui est autorisée par la législation fédérale ou provinciale à accepter du public des dépôts et qui exploite une entreprise soit de prêts d'argent garantis sur des immeubles, soit de placements dans des créances hypothécaires sur des immeubles.

Notes historiques: L'alinéa 278(3)a) a été remplacé par L.C. 1999, c. 28 et cette modification est réputée entrée en vigueur à compter du 28 juin 1999. Antérieurement, cet alinéa se lisait comme suit :

> a) une banque;

L'alinéa 278(3)d) a été remplacé par L.C. 2001, c. 17, art. 237 et cette modification est entrée en vigueur le 14 juin 2001. Antérieurement, il se lisait ainsi :

> d) une société qui est autorisée par la législation fédérale ou provinciale à accepter du public des dépôts et qui exploite une entreprise soit de prêts d'argent garantis sur des immeubles, soit de placements par hypothèques sur des immeubles.

Le paragraphe 278(3) a été ajouté par L.C. 1994, c. 9, par. 20(1) et s'applique aux déclarations à produire après août 1994 et aux montants à payer ou à verser après août 1994. L'ancien article 278 se lisait auparavant comme suit :

> 278. Quiconque est tenu par la présente partie de produire une déclaration ou de verser un montant doit, selon les modalités déterminées par le ministre, présenter la déclaration à celui-ci ou verser le montant au receveur général.

L'article 278 a été ajouté par L.C. 1990, c. 45, par. 12(1).

Concordance québécoise: LAF, art. 24.

Définitions [art. 278]: « banque » — 123(1).

Jurisprudence [art. 278]: *Carlson & Assoxiates Advertising Ltd. c. Canada*, [1998] G.S.T.C. 32 (CCI); [1998] G.S.T.C. 25 (CAF); *St-Isidore Écono Centre Inc. c. R.*, 2008 G.T.C. 689 (CCI [procédure informelle])(factures n'ayant pas de numéro de TPS); *Telus Communications (Edmonton) Inc. v. R.* (13 février 2008), [2008] G.S.T.C. 39 (CCI [procédure générale]).

Série de mémorandums [art. 278]: Mémorandum 7.5, 04/03, *Transmission électronique des déclarations et des versements.*

COMMENTAIRES: Cet article édicte des règles de procédure et de forme quant au paiement et au versement de la TPS/TVH.

Le paragraphe (2) prévoit le paiement ou le versement de la TPS au receveur général, à l'exception de l'article 221 qui fait référence au paiement de la TPS par un acquéreur en faveur d'un fournisseur qui est mandataire de Sa Majesté. Nous vous recommandons nos commentaires sous l'article 334.

Le paragraphe (3) prévoit que le paiement d'un montant de 50 000 $ ou plus payable au receveur général doit être fait à une institution financière désignée. La liste des institutions bancaires désignées peut être consultée en accédant au site internet suivant : http://www.cra-arc.gc.ca/mkpymnt-fra.html.

L'Agence du revenu du Canada a indiqué qu'il n'y a aucun fondement législatif obligeant un inscrit qui a produit une déclaration électroniquement à faire le paiement également de façon électronique. Voir notamment : question 17 — *Questions et commentaires en TPS/TVH pour l'Agence du revenu du Canada* — Rencontre annuelle entre l'Agence du revenu du Canada et l'Association du Barreau canadien (24 février 2011).

Les inscrits qui ne satisfont pas les critères du paragraphe (3) peuvent néanmoins choisir, sur une base volontaire, de faire un paiement électronique.

De plus, si un non-résident n'a pas de compte bancaire au Canada, l'Agence du revenu du Canada a souligné qu'elle accepterait un virement bancaire comme méthode de paiement. Cette situation peut survenir dans un contexte où un non-résident doit fournir une certaine garantie aux autorités fiscales aux fins de son inscription aux fichiers de la TPS/TVH. Nous vous recommandons nos commentaires sous le paragraphe 240(6). Voir également : question 17 — *Questions et commentaires en TPS/TVH pour l'Agence du revenu du Canada* — Rencontre annuelle entre l'Agence du revenu du Canada et l'Association du Barreau canadien (24 février 2011).

278.1 (1) Transmission électronique — Pour l'application du présent article, la transmission de documents par voie électronique se fait selon les modalités que le ministre établit par écrit.

Notes historiques: Le paragraphe 278.1(1) a été ajouté par L.C. 1997, c. 10, par. 77(1) et s'applique à compter d'octobre 1994.

Concordance québécoise: aucune.

(2) Production de déclaration par voie électronique — La personne tenue de présenter au ministre une déclaration en vertu de la présente partie et qui répond aux critères que le ministre établit par écrit pour l'application du présent article peut produire la déclaration par voie électronique.

Notes historiques: Le paragraphe 278.1(2) a été remplacé par L.C. 2001, c. 15, par. 20(1). Cette modification est réputée être entrée en vigueur le 4 octobre 2000. Antérieurement, il se lisait ainsi :

> (2) La personne tenue de présenter des déclarations auministre en vertu de la présente partie et qui répond aux critères que le ministre établit par écrit peut lui demander l'autorisation de produire les déclarations par voie électronique. La demande est présentée en la forme et selon les modalités déterminées par le ministre et contient les renseignements requis.

Le paragraphe 278.1(2) a été ajouté par L.C. 1997, c. 10, par. 77(1) et s'applique à compter d'octobre 1994.

Concordance québécoise: aucune.

(2.1) Transmission électronique obligatoire — La personne qui est une personne visée par règlement ou faisant partie d'une catégorie réglementaire pour sa période de déclaration est tenue de transmettre sa déclaration pour la période par voie électronique selon les modalités précisées par le ministre à son égard.

Notes historiques: Le paragraphe 278.1(2.1) a été remplacé par L.C. 2009, c. 32, par. 38(1) et cette modification s'applique relativement aux déclarations visant une période de déclaration se terminant après juin 2010.

Concordance québécoise: aucune.

(3) Présomption — Pour l'application de la présente partie, la déclaration qu'une personne produit par voie électronique est réputée présentée au ministre, en la forme qu'il détermine, le jour où il en accuse réception.

Notes historiques: Le paragraphe 278.1(5) a été renuméroté par L.C. 2001, c. 15, par. 20(2) et devient le paragraphe 278.1(3). Cette modification est réputée être entrée en vigueur le 4 octobre 2000. Antérieurement, il se lisait ainsi :

> (5) Pour l'application de la présente partie, la déclarationqu'une personne produit par voie électronique est réputée présentée au ministre, en la forme qu'il détermine, le jouroù il en accuse réception.

Le paragraphe 278.1(5) [renuméroté 278.1(3) par L.C. 2001, c. 15, par. 20(2) — n.d.l.r.] a été ajouté par L.C. 1997, c. 10, par. 77(1) et s'applique à compter d'octobre 1994.

L'ancien paragraphe 278.1(3) a été abrogé par L.C. 2001, c. 15, par. 20(1). Cette abrogation est réputée être entrée en vigueur le 4 octobre 2000. Antérieurement, il se lisait ainsi :

> (3) Avis d'autorisation — Le ministre peut, par écrit, autoriser la personne àproduire des déclarations par voie électronique, sous réserve des conditions qu'il peut imposer à tout moment, s'il est convaincuqu'elle répond aux critères mentionnés au paragraphe (2).

Le paragraphe 278.1(3) a été ajouté par L.C. 1997, c. 10, par. 77(1) et s'applique à compter d'octobre 1994.

Concordance québécoise: aucune.

(4) [*Abrogé*]

Notes historiques: Le paragraphe 278.1(4) a été abrogé par L.C. 2001, c. 15, par. 20(1). Cette abrogation est réputée être entrée en vigueur le 4 octobre 2000. Antérieurement, il se lisait ainsi :

> (4) Retrait de l'autorisation — Le ministre peut retirer l'autorisation accordée à une personne si, selon le cas :
>
> a) la personne en fait la demande au ministre par écrit;
>
> b) la personne ne se conforme pas à une condition de l'autorisationou à une disposition de la présente partie;
>
> c) le ministre n'est plus convaincu que la personne répond aux critères mentionnés au paragraphe (2);
>
> d) le ministre considère que l'autorisation n'est plus requise.
>
> Le ministre avise par écrit la personne du retrait et de la datede son entrée en vigueur.

Le paragraphe 278.1(4) a été ajouté par L.C. 1997, c. 10, par. 77(1) et s'applique à compter d'octobre 1994.

(5) [*Abrogé*]

Notes historiques: [Voir les Notes sous le par. 278.1(3) — n.d.l.r.]

Définitions [art. 278.1]: « entreprise », « immeuble », « ministre », « montant », « personne », « règlement » — 123(1).

Renvois [art. 278.1]: 214 (taxe sur l'importation de produits); 219 (déclaration); 228(2), (4) (déclaration et versement de la taxe); 237 (acomptes provisionnels); 238, 239 (production des déclarations); 264(1) (montant remboursement en trop ou intérêts payés en trop); 278.1 (transmission électronique); 279 (validation des documents); 335(12.1) (preuve de production — transmission électronique).

Énoncés de politique [art. 278.1]: P-194R2, 27/08/07, *Application de pénalités et d'intérêts lorsqu'une déclaration, une demande de remboursement ou une autre déclaration est reçue après la date d'échéance.*

Bulletins de l'information technique [art. 278.1]: B-075R, 23/04/96, *Modifications proposées à la TPS.*

Série de mémorandums [art. 278.1]: Mémorandum 7.5, 04/03, *Transmission électronique des déclarations et des versements.*

Formulaires [art. 278.1]: GST446, *Demande de déclaration et de versement électroniques à l'intention des inscrits aux fins de la TPS/TVH*; GST465, *Demande de déclaration et de versement électroniques à l'intention des succursales qui produisent des déclarations aux fins de la TPS/TVH.*

Info TPS/TVQ [art. 278.1]: GI-099 — *Les constructeurs et les exigences de production par voie électronique* ; GI-118 — *Les constructeurs et IMPÔTNET TPS/TVH* .

COMMENTAIRES: La transmission de documents par voie électronique, sous réserve de certaines conditions, est permise par cet article.

Les déclarations TPS/TVH doivent être transmises obligatoirement par voie électronique lorsque, notamment, une personne a des fournitures taxables annuelles de plus de 1,5 million de dollars, et ce, pour les périodes de déclarations se terminant le 1er juillet 2010 ou après.

Au Québec, Revenu Québec offre plusieurs services de transmission électronique qui sont principalement accessibles par le biais de son site internet (www.revenuquebec.ca) , notamment : (i) le service en ligne intitulé « Déclaration de la TPS/TVH et TVQ », (ii) le service électronique « Paiement en ligne » offert par les institutions participantes, (iii) le logiciel autorisé par Revenu Québec, et (iv) le service express « Déclaration de la TPS/TVH et de la TVQ ».

L'article 280.11 et le *Règlement sur la transmission électronique de déclarations et la communication de renseignements* (TPS/TVH) prévoient une pénalité pour le défaut d'avoir produit une déclaration par voie électronique d'un montant équivalent à 100 $ pour le premier défaut et à un montant de 250 $ pour les récidives.

Malgré l'obligation de production par voie électronique, il appert que l'Agence du revenu du Canada accepte toujours la production d'une déclaration sous format « papier » (dans des cas, par exemple, où la demande d'inscription a été déposée, mais l'Agence du revenu du Canada n'a toujours pas procédé à l'inscription). Selon David M. Sherman, le délai de prescription de quatre ans sous l'alinéa 298(1)(a) devrait débuter ainsi lors de la production de la déclaration sous format « papier » puisque la déclaration a été produite dans un format prescrit. Bien que nous sommes en accord avec M. Sherman quant à l'analyse législative et le résultat de celle-ci, nous suggérons qu'il serait pertinent d'envisager un amendement à l'article 298 afin de prévoir que le délai de prescription ne débute pas si une déclaration n'a pas été produite par voie électronique. Cette modification législative aurait ainsi pour effet de renforcer l'application et le respect des dispositions obligatoires à cet effet.

Finalement, l'Agence du revenu du Canada s'est prononcée en faveur d'une production de déclaration par voie électronique sur une base volontaire. Les avantages de procéder par paiement électronique sont nombreux, notamment quant à la rapidité de recevoir son remboursement, la diminution du risque d'erreur et l'accélération du processus dans son ensemble.

279. Validation des documents — La déclaration, sauf celle produite par voie électronique en application de l'article 278.1, le certificat ou tout autre document fait en application de la présente partie ou de ses règlements d'application par une personne autre qu'un particulier doit être signé en son nom par un particulier qui y est dûment autorisé par la personne ou son organe directeur. Les personnes suivantes sont réputées être ainsi autorisées :

a) le président, le vice-président, le secrétaire et le trésorier, ou un autre cadre occupant un poste similaire, d'une personne morale, ou d'une association ou d'un organisme dont les cadres sont dûment élus ou nommés;

b) le représentant personnel de la succession d'un particulier décédé.

Notes historiques: L'article 279 a été remplacé par L.C. 2000, c. 30, art. 82. Cette modification est réputée entrée en vigueur le 20 octobre 2000. Antérieurement, il se lisait comme suit :

> 279. La déclaration, sauf celle produite par voie électronique en application de l'article 278.1, le certificat ou tout autre document fait en application de la présente partie ou de ses règlements d'application par une personne autre qu'un particulier doit être signé en son nom par un particulier qui y est régulièrement autorisé par la personne ou son organe directeur. Le président, le vice-président, le secrétaire et le trésorier, ou l'équivalent, d'une personne morale, ou d'une association ou d'un organisme dont les cadres sont régulièrement élus ou nommés, sont réputés être ainsi autorisés.

L'article 279 a été modifié par L.C. 1997, c. 10, par. 77(1) et cette modification est entrée en vigueur le 1er avril 1997. Il se lisait comme suit :

> 279. La déclaration, le certificat ou tout autre document fait en application de la présente partie ou de ses règlements d'application par une personne autre qu'un particulier doit être signé en son nom par un particulier qui y est régulièrement autorisé par la personne ou son organe directeur. Le président, le vice-président, le secrétaire et le trésorier, ou l'équivalent, d'une personne morale, ou d'une association ou d'un organisme dont les cadres sont régulièrement élus ou nommés, est réputé être ainsi autorisé.

L'article 279 a été ajouté par L.C. 1990, c. 45, par. 12(1).

Concordance québécoise: LAF, art. 58.

Définitions [art. 279]: « cadre », « document », « personne », « règlement » — 123(1).

Renvois [art. 279]: 267 (application de la partie IX — succession); 323 (responsabilité des administrateurs).

Bulletins de l'information technique [art. 279]: B-075R, 23/04/96, *Modifications proposées à la TPS.*

Mémorandums [art. 279]: TPS 500-2, 25/03/91, *Déclarations et paiements*, par. 24.

Série de mémorandums [art. 279]: Mémorandum 7.5, 04/03, *Transmission électronique des déclarations et des versements.*

Formulaires [art. 279]: GST33, *Avis visant la taxe sur les produits et services.*

COMMENTAIRES: Cet article répute certaines personnes à agir au nom et pour le compte d'une personne, autre qu'un particulier, et semble ainsi éviter la nécessité d'envoyer des procurations sous forme prescrite à Revenu Québec et à l'Agence du revenu du Canada.

Cela n'a pas pour effet d'empêcher un autre représentant, tels un avocat ou un comptable, de signer des documents au nom et pour le compte d'une personne (autre qu'un particulier). Dans ce contexte, des procurations devront être produites aux autorités fiscales pour permettre à ce représentant d'agir au nom et pour le compte de cette personne.

Il faut souligner que les administrateurs d'une personne morale sont personnellement redevables des obligations de celle-ci en matière de TPS/TVH en vertu de l'article 323, peu importe qu'ils aient signé ou non les déclarations en TPS/TVH. De plus, un cadre, directeur ou mandataire peut être reconnu coupable d'une infraction commise par la société en vertu de l'article 330.

La question que l'on peut soulever est de savoir si Revenu Québec ne devrait pas accepter d'office, comme signataire, l'ensemble des administrateurs qui figurent sur le registraire des entreprises du Québec. Nous pensons toutefois que ce prolongement aux administrateurs ne serait pas souhaitable, puisque la gestion quotidienne des opérations financières doit préférablement se faire avec les personnes travaillant sur une base régulière aux activités de l'entreprise et qu'à tout événement, c'est le conseil d'administration qui, souvent, détient le pouvoir quant à la nomination ou congédiement des cadres supérieurs, impliquant ainsi l'existence d'un mandat.

280. (1) Intérêts — Sous réserve du présent article et de l'article 281, la personne qui ne verse pas ou ne paie pas un montant au receveur général dans le délai prévu par la présente partie est tenue de payer des intérêts sur ce montant, calculés au taux réglementaire pour la période commençant le lendemain de l'expiration du délai et se terminant le jour du versement ou du paiement.

Notes historiques: Le préambule du paragraphe 280(1) a été remplacé par L.C. 2000, c. 30, par. 83(1). Cette modification est réputée entrée en vigueur le 20 octobre 2000. Antérieurement, il se lisait comme suit :

> 280. (1) Sous réserve du présent article et de l'article 281, la personne qui ne verse pas ou ne paie pas un montant au receveur général dans le délai prévu par la présente partie est passible de la pénalité et des intérêts suivants, calculés sur ce montant pour la période commençant le lendemain de l'expiration du délai et se terminant le jour du versement ou du paiement :

Le préambule du paragraphe 280(1) a été modifié par L.C. 1994, c. 9, par. 21(1) et est réputé entré en vigueur le 17 décembre 1990. Le préambule du paragraphe 280(1) se lisait comme suit :

> 280. (1) Sous réserve du présent article et de l'article 281, la personne qui ne verse pas un montant au receveur général au moment prévu par la présente partie est passible de la pénalité et des intérêts suivants, calculés sur ce montant pour la période commençant le lendemain du jour où le montant devait être versé et se terminant le jour du versement :

Le paragraphe 280(1) a été remplacé par L.C. 2006, c. 4, par. 146(1) et cette modification est entrée en vigueur le 1er avril 2007. Antérieurement, il se lisait ainsi :

> 280. (1) Sous réserve du présent article et de l'article 281, la personne qui ne verse pas ou ne paie pas un montant au receveur général dans le délai prévu par la présente partie est tenue de payer la pénalité et les intérêts suivants, calculés sur ce montant pour la période commençant le lendemain de l'expiration du délai et se terminant le jour du versement ou du paiement :
>
> a) une pénalité de 6 % par année;
>
> b) des intérêts au taux réglementaire.

Le paragraphe 280(1) a été ajouté par L.C. 1990, c. 45, par. 12(1).

Concordance québécoise: LAF, art. 28, al. 1, art. 59.2, al. 1.

(1.1) Intérêts — taxe nette des institutions financières désignées particulières — Malgré le paragraphe (1), l'institution financière désignée particulière qui n'a pas payé la totalité d'un montant payable en application du paragraphe 228(2.1) au titre de sa taxe nette pour une période de déclaration, dans le délai imparti, est tenue de payer, sur le montant impayé, des intérêts calculés au taux réglementaire pour la période commençant le lendemain de l'expiration de ce délai et se terminant au premier en date des jours suivants :

a) le jour où le total du montant et des intérêts est payé;

b) le jour où l'institution financière est tenue au plus tard par le paragraphe 238(2.1) de produire une déclaration finale pour la période de déclaration.

Notes historiques: Le préambule du paragraphe 280(1.1) a été remplacé par L.C. 2000, c. 30, par. 83(2). Cette modification est réputée entrée en vigueur le 20 octobre 2000. Antérieurement, il se lisait comme suit

> (1.1) Malgré le paragraphe (1), l'institution financière désignée particulière qui n'a pas payé la totalité d'un montant payable en application de l'alinéa 228(2.1)a) au titre de sa taxe nette pour une période de déclaration, dans le délai imparti, est passible de la pénalité et des intérêts suivants, calculés sur le montant impayé pour la période commençant à l'expiration de ce délai et se terminant à la date où le total du montant, de la pénalité et des intérêts est payé ou, si elle est antérieure, à la date limite où l'institution financière est tenue par le paragraphe 238(2.1) de produire une déclaration finale pour la période :

Le paragraphe 280(1.1) a été remplacé par L.C. 2006, c. 4, par. 146(2) et cette modification s'applique relativement aux périodes de déclaration d'une institution financière désignée particulière se terminant le 1er avril 2007 ou par la suite. Pour ce qui est du calcul des pénalités et intérêts applicables aux montants que l'institution financière est tenue de payer en vertu du paragraphe 228(2.1) de la même loi avant cette date, mais qu'elle ne paie pas dans ce délai, le paragraphe 280(1.1) est réputé avoir le libellé suivant :

> (1.1) Malgré le paragraphe (1), l'institution financière désignée particulière qui n'a pas payé la totalité d'un montant payable en application du paragraphe

228(2.1) au titre de sa taxe nette pour une période de déclaration, dans le délai imparti, est tenue de payer les montants suivants :

a) une pénalité de 6 % par année et des intérêts calculés au taux réglementaire sur le montant impayé, pour la période commençant le lendemain de l'expiration de ce délai et se terminant le 31 mars 2007;

b) des intérêts calculés au taux réglementaire sur le total du montant qui demeure impayé le 31 mars 2007, majoré des intérêts et de la pénalité visés à l'alinéa a), pour la période commençant le 1er avril 2007 et se terminant au premier en date des jours suivants :

(i) le jour où le total du montant, de la pénalité et des intérêts est payé,

(ii) le jour où l'institution financière est tenue au plus tard par le paragraphe 238(2.1) de produire une déclaration finale pour la période de déclaration.

Antérieurement, il se lisait ainsi :

(1.1) Malgré le paragraphe (1), l'institution financière désignée particulière qui n'a pas payé la totalité d'un montant payable en application de l'alinéa 228(2.1)a) au titre de sa taxe nette pour une période de déclaration, dans le délai imparti, est tenue de payer la pénalité et les intérêts suivants, calculés sur le montant impayé pour la période commençant à l'expiration de ce délai et se terminant à la date où le total du montant, de la pénalité et des intérêts est payé ou, si elle est antérieure, à la date limite où l'institution financière est tenue par le paragraphe 238(2.1) de produire une déclaration finale pour la période :

a) une pénalité de 6 % par année;

b) des intérêts au taux réglementaire.

Le paragraphe 280(1.1) a été ajouté par L.C. 1997, c. 10, par. 235(1) et est entré en vigueur le 1er avril 1997.

Concordance québécoise: aucune.

(2) Intérêts sur acomptes provisionnels — Malgré le paragraphe (1), la personne qui n'a pas payé la totalité d'un acompte provisionnel payable en application du paragraphe 237(1) dans le délai qui y est précisé est tenue de payer, sur l'acompte impayé, des intérêts calculés au taux réglementaire pour la période commençant le lendemain de l'expiration de ce délai et se terminant au premier en date des jours suivants :

a) le jour où le total de l'acompte et des intérêts est payé;

b) le jour où la taxe au titre de laquelle l'acompte est payable est à verser au plus tard.

Notes historiques: Le préambule du paragraphe 280(2) a été remplacé par L.C. 2000, c. 30, par. 83(3). Cette modification est réputée entrée en vigueur le 20 octobre 2000. Antérieurement, il se lisait comme suit :

(2) Par dérogation au paragraphe (1), la personne qui n'a pas payé la totalité d'un acompte provisionnel payable en application du paragraphe 237(1) dans le délai qui y est précisé est passible de la pénalité et des intérêts suivants, calculés sur l'acompte non payé pour la période commençant à l'expiration de ce délai et se terminant au premier en date du jour où le total de l'acompte, de la pénalité et des intérêts est payé et du jour où la taxe au titre de laquelle l'acompte est payable doit être versée :

Le paragraphe 280(2) a été remplacé par L.C. 2006, c. 4, par. 146(3) et cette modification s'applique relativement aux acomptes provisionnels payables par une personne le 1er avril 2007 ou par la suite. Pour ce qui est du calcul des pénalités et intérêts applicables à un acompte provisionnel que la personne est tenue de payer en vertu du paragraphe 237(1) avant cette date, mais qu'elle ne paie pas dans ce délai, le paragraphe 280(2) est réputé avoir le libellé suivant :

(2) Malgré le paragraphe (1), la personne qui n'a pas payé la totalité d'un acompte provisionnel payable en application du paragraphe 237(1) dans le délai qui y est précisé est tenue de payer les montants suivants :

a) une pénalité de 6 % par année et des intérêts calculés au taux réglementaire sur l'acompte impayé, pour la période commençant le lendemain de l'expiration de ce délai et se terminant le 31 mars 2007;

b) des intérêts calculés au taux réglementaire sur l'acompte qui demeure impayé le 31 mars 2007, majoré des intérêts et de la pénalité visés à l'alinéa a), pour la période commençant le 1er avril 2007 et se terminant au premier en date des jours suivants :

(i) le jour où le total de l'acompte, de la pénalité et des intérêts est payé,

(ii) le jour où la taxe au titre de laquelle l'acompte est payable est à verser au plus tard.

Antérieurement, il se lisait ainsi :

(2) Par dérogation au paragraphe (1), la personne qui n'a pas payé la totalité d'un acompte provisionnel payable en application du paragraphe 237(1) dans le délai qui y est précisé est tenue de payer la pénalité et les intérêts suivants, calculés sur l'acompte non payé pour la période commençant à l'expiration de ce délai et se terminant le jour où le total de l'acompte, de la pénalité et des intérêts est payé ou, s'il est antérieur, le jour où la taxe au titre de laquelle l'acompte est payable doit être versée :

a) une pénalité de 6 % par année;

b) des intérêts au taux réglementaire.

Le paragraphe 280(2) a été ajouté par L.C. 1990, c. 45, par. 12(1).

Concordance québécoise: LTVQ, art. 458.0.4.

(3) Montant maximal — Malgré le paragraphe (2), le total des intérêts payables par une personne pour la période commençant le premier jour d'une période de déclaration pour laquelle un acompte provisionnel de taxe est payable et se terminant le jour où la taxe au titre de laquelle l'acompte est payable doit être versée ne peut dépasser l'excédent éventuel du montant visé à l'alinéa a) sur le montant visé à l'alinéa b) :

a) les intérêts qui seraient payables par la personne aux termes du paragraphe (2) pour la période si aucun montant n'était payé par elle au titre des acomptes provisionnels payables au cours de la période;

b) le total des montants dont chacun représente les intérêts au taux réglementaire applicable aux intérêts à payer au receveur général, calculés sur un acompte provisionnel de taxe payé pour la période commençant le jour de ce paiement et se terminant le jour où la taxe au titre de laquelle l'acompte est payable doit être versée.

Notes historiques: Le paragraphe 280(3) a été remplacé par L.C. 2006, c. 4, par. 146(4) et cette modification s'applique relativement aux périodes de déclaration d'une personne commençant le 1er avril 2007 ou par la suite. Toutefois, si la personne est tenue de verser un acompte provisionnel en vertu du paragraphe 237(1) avant le 1er avril 2007, mais ne le verse pas dans le délai fixé à l'article 237, et est tenue de verser la taxe au titre de laquelle l'acompte était payable au plus tard à cette date ou à une date postérieure, pour le calcul des pénalités et intérêts applicables à l'acompte, le paragraphe 280(3) est réputé avoir le libellé suivant :

(3) Malgré le paragraphe (2), le total des intérêts payables par une personne pour la période commençant le premier jour d'une période de déclaration pour laquelle un acompte provisionnel de taxe est payable et se terminant le jour où la taxe au titre de laquelle l'acompte est payable doit être versée ne peut dépasser l'excédent éventuel du montant visé à l'alinéa a) sur le montant visé à l'alinéa b) :

a) le total des pénalités et des intérêts qui seraient payables par la personne aux termes du paragraphe (2) pour la période si aucun montant n'était payé par elle au titre des acomptes provisionnels payables au cours de la période;

b) le total des montants dont chacun représente :

(i) les intérêts au taux réglementaire, plus 6 % par année, calculés sur un acompte provisionnel de taxe payé avant le 1er avril 2007, pour la période commençant le jour de ce paiement et se terminant le 31 mars 2007,

(ii) les intérêts au taux réglementaire applicable aux intérêts à payer au receveur général, calculés sur cet acompte pour la période commençant le 1er avril 2007 et se terminant à la date limite où la taxe au titre de laquelle cet acompte est payable doit être versée,

(iii) les intérêts au taux réglementaire applicable aux intérêts à payer au receveur général, calculés sur un acompte provisionnel de taxe payé après le 31 mars 2007 pour la période commençant le jour de ce paiement et se terminant à la date limite où la taxe au titre de laquelle l'acompte est payable doit être versée.

Antérieurement, il se lisait ainsi :

(3) Par dérogation au paragraphe (2), le total des pénalités et des intérêts payables par une personne pour la période commençant le premier jour d'une période de déclaration pour laquelle un acompte provisionnel de taxe est payable et se terminant le jour où la taxe au titre de laquelle l'acompte est payable doit être versée ne peut dépasser l'excédent éventuel du total visé à l'alinéa a) sur le total visé à l'alinéa b) :

a) le total des pénalités et des intérêts qui seraient payables par la personne aux termes du paragraphe (2) pour la période si aucun montant n'était payé par elle au titre des acomptes provisionnels payables au cours de la période;

b) le total des montants dont chacun représente les intérêts au taux fixé par règlement, plus 6 % par année, calculés sur un acompte provisionnel de taxe payé au cours de la période commençant le jour de ce paiement et se terminant le jour où la taxe au titre de laquelle l'acompte est payable doit être versée.

Le paragraphe 280(3) a été ajouté par L.C. 1990, c. 45, par. 12(1).

Concordance québécoise: LTVQ, art. 458.0.5.

(4) Intérêts impayés sur acomptes provisionnels — Pour l'application de la présente partie, les intérêts qu'une personne est tenue de payer, aux termes du paragraphe (2), sur un acompte provi-

LTA (TPS)

sionnel payable en application du paragraphe 237(1) dans le délai imparti, et qui sont impayés à la date d'échéance de la taxe au titre de laquelle l'acompte était payable sont réputés représenter un montant que la personne était tenue de verser au plus tard à cette date, mais qui n'a pas été ainsi versé.

Notes historiques: Le paragraphe 280(4) a été remplacé par L.C. 2006, c. 4, par. 146(5) et cette modification s'applique relativement à tout acompte provisionnel qu'une personne, pour la première fois, omet de verser le 1er avril 2007 ou par la suite.

Le paragraphe 280(4) a été modifié par L.C. 1993, c. 27, par. 126(1) et est réputé entré en vigueur le 17 décembre 1990. Le paragraphe 280(4), édicté par L.C. 1990, c. 45, par. 12(1), se lisait comme suit :

> (4) La pénalité ou les intérêts payables aux termes du paragraphe (2) qui ne sont pas payés au plus tard le jour où la taxe au titre de laquelle un acompte provisionnel est payable doit être versée, sont réputés être un montant de taxe nette non versé ce jour-là.

Concordance québécoise: aucune.

(4.01) Intérêts impayés sur la taxe nette d'institutions financières désignées particulières — Pour l'application de la présente partie, les intérêts qu'une institution financière désignée particulière est tenue de payer, aux termes du paragraphe (1.1), sur un montant payable en application du paragraphe 228(2.1) dans le délai imparti, et qui sont impayés à la date limite où l'institution financière est tenue par le paragraphe 238(2.1) de produire une déclaration finale pour sa période de déclaration sont réputés représenter un montant que l'institution financière était tenue de verser au plus tard à cette date, mais qui n'a pas été ainsi versé.

Notes historiques: Le paragraphe 280(4.01) a été remplacé par L.C. 2006, c. 4, par. 146(6) et cette modification s'applique relativement à tout montant à payer en vertu du paragraphe 228(2.1) et qu'une institution financière désignée particulière, pour la première fois, omet de verser le 1er avril 2007 ou par la suite. Antérieurement, il se lisait ainsi :

> (4.01) Pour l'application de la présente partie, la pénalité ou les intérêts qu'une institution financière désignée particulière est tenue de payer, aux termes du paragraphe (1.1), sur un montant payable en application de l'alinéa 228(2.1)a) dans le délai imparti, et qui sont impayés à la date limite où l'institution financière est tenue par le paragraphe 238(2.1) de produire une déclaration finale pour sa période de déclaration sont réputés représenter un montant que l'institution financière était tenue de verser au plus tard à cette date, mais qui n'a pas été ainsi versé.

Le paragraphe 280(4.01) a été ajouté par L.C. 1997, c. 10, par. 235(2) et est entré en vigueur le 1er avril 1997.

Concordance québécoise: aucune.

(4.1) Paiement des intérêts — Les intérêts qui sont composés un jour donné sur un montant qu'une personne n'a pas payé ou versé au moment où elle en était tenue en vertu de la présente partie sont réputés, pour l'application du présent article, être payables par la personne au receveur général à la fin du jour donné. Si la personne ne paie pas ces intérêts au plus tard à la fin du jour suivant, ils sont ajoutés au montant dû à la fin du jour donné.

Notes historiques: Le paragraphe 280(4.1) a été remplacé par L.C. 2006, c. 4, par. 146(7) et cette modification est entrée en vigueur le 1er avril 2007. Antérieurement, il se lisait ainsi :

> (4.1) Paiement des pénalités et intérêts — La pénalité, calculée à un taux annuel, ou les intérêts qui sont composés un jour donné sur un montant qu'une personne n'a pas payé ou versé au moment où elle en était tenue en vertu de la présente partie sont réputés, pour l'application du présent article, être payables par la personne au receveur général à la fin du jour donné. Si la personne ne paie pas cette pénalité ou ces intérêts au plus tard à la fin du jour suivant, la pénalité ou les intérêts, selon le cas, sont ajoutés au montant dû à la fin du jour donné.

Le paragraphe 280(4.1) a été ajouté par L.C. 1993, c. 27, par. 126(1) et est réputé entré en vigueur le 17 décembre 1990.

Concordance québécoise: LAF, art. 28.1.

(5) [*Abrogé*].

Notes historiques: Le paragraphe 280(5) a été abrogé par L.C. 2006, c. 4, par. 146(8) et cette abrogation s'applique relativement aux montants qu'une personne omet de payer ou de verser le 1er avril 2007 ou par la suite. Antérieurement, il se lisait ainsi :

> (5) Aucune pénalité en cas de garantie — Dans le cas où, un jour donné, le ministre détient une garantie aux termes de l'article 314 pour le paiement ou le versement d'une taxe ou autre montant en application de la présente partie et où la taxe nette, la taxe, l'acompte provisionnel ou un montant visé à l'article 264 payable par une personne aux termes de la présente partie n'est pas payé ou versé au plus tard le jour où il doit l'être selon la présente partie, la pénalité prévue au présent article ne s'applique le jour donné que dans la mesure où le total de la taxe, des acomptes provisionnels, des pénalités, des intérêts et des autres montants non versés ou payés ce jour-là dépasse la valeur de la garantie au moment où le ministre l'a acceptée.

Le paragraphe 280(5) a été ajouté par L.C. 1990, c. 45, par. 12(1).

(6) [*Abrogé*].

Notes historiques: Le paragraphe 280(6) a été abrogé par L.C. 2006, c. 4, par. 146(9) et cette abrogation s'applique relativement aux périodes de déclaration d'une personne se terminant le 1er avril 2007 ou par la suite. Antérieurement, il se lisait ainsi :

> (6) Minimum — Le ministre peut radier et annuler le total des pénalités et des intérêts payables par une personne selon le présent article pour sa période de déclaration si la personne paie ou verse le total de la taxe nette, de la taxe, des acomptes provisionnels et des montants visés à l'article 264 payables par elle aux termes de la présente partie pour cette période et si, immédiatement avant ce paiement ou versement, le total des pénalités et intérêts est inférieur à 25 $.

Le paragraphe 280(6) a été ajouté par L.C. 1990, c. 45, par. 12(1).

(7) Renonciation — Si le ministre met une personne en demeure de payer ou de verser dans un délai précis la totalité de la taxe, de la taxe nette, des acomptes provisionnels, des montants visés à l'article 264, des pénalités et des intérêts dont elle est redevable en vertu de la présente partie à la date de la mise en demeure, et que la personne s'exécute, il peut renoncer aux intérêts pour la période commençant le lendemain de la date de la mise en demeure et se terminant le jour du paiement.

Notes historiques: Le paragraphe 280(7) a été remplacé par L.C. 2006, c. 4, par. 146(10) et cette modification s'applique relativement aux mises en demeure signifiées par le ministre du Revenu national le 1er avril 2007 ou par la suite. Antérieurement, il se lisait ainsi :

> (7) Si le ministre met une personne en demeure de payer ou de verser dans un délai précis la totalité de la taxe, de la taxe nette, des acomptes provisionnels, des montants visés à l'article 264, des pénalités et des intérêts dont elle est redevable à la date de la mise en demeure, et que la personne s'exécute, il peut renoncer aux pénalités et intérêts pour la période commençant le lendemain de la demande et se terminant le jour du paiement.

Le paragraphe 280(7) a été ajouté par L.C. 1990, c. 45, par. 12(1).

Concordance québécoise: aucune.

juin 2006, Notes explicatives: L'article 280 impose une pénalité et des intérêts à une personne qui n'a pas payé ou versé la TPS/TVH ou les acomptes provisionnels de TPS/TVH, et il établit aussi des règles générales concernant le traitement des pénalités et des intérêts dans certaines circonstances.

À l'heure actuelle, le taux d'intérêt réglementaire en application du *Règlement sur le taux d'intérêt (Loi sur la taxe d'accise)* au titre de la taxe ou des acomptes provisionnels de taxe non versés ou payés est déterminé par renvoi au taux appliqué aux bons du Trésor de 90 jours, rajusté chaque trimestre, et arrondi au dixième de un % près. En outre, l'article 280 impose une pénalité de 6 % par année, composée quotidiennement, sur le montant impayé ou non versé.

Le taux d'intérêt réglementaire sera modifié. Si une personne omet de verser ou de payer un montant comme exigé, le nouveau taux réglementaire sera déterminé par renvoi au taux appliqué aux bons du Trésor de 90 jours, rajusté chaque trimestre, et arrondi au dixième de un % près, majoré de 4 %. Cette modification harmonisera le taux réglementaire prévu dans la partie IX de la *Loi sur la taxe d'accise* avec le taux réglementaire prévu dans les dispositions de la loi qui ne portent pas sur la TPS/TVH, la *Loi de l'impôt sur le revenu*, la *Loi de 2001 sur l'accise* et la *Loi sur le droit pour la sécurité des passagers du transport aérien*.

L'article 280 est donc modifié par suppression des renvois à la pénalité de 6 % en raison de l'inclusion des 4 % additionnels dans le nouveau taux réglementaire et de l'instauration d'une pénalité pour défaut de produire prévue aux termes du nouvel article 280.1, qui s'appliquera si une personne omet de produire une déclaration comme l'exige cette partie.

Le paragraphe 280(1) établit la règle générale concernant l'imposition de la pénalité et des intérêts. La modification supprimant le renvoi à la pénalité de 6 % entre en vigueur le 1er avril 2007.

Le paragraphe 280(1.1) s'applique au non-paiement d'un montant de taxe nette provisoire par une institution financière désignée particulière (définie au paragraphe 225(1)). La modification apportée au paragraphe s'applique au titre d'une période de déclaration qui prend fin après mars 2007. Si une institution financière désignée particulière est tenue de payer un montant avant le 1er avril 2007, mais omet de le payer avant cette journée, le taux d'intérêt réglementaire en vigueur et la pénalité de 6 % s'appliqueront à la période antérieure à avril 2007, et le nouveau taux réglementaire s'appliquera à la période ultérieure à mars 2007.

Le paragraphe 280(2) porte sur le défaut par une personne de payer la totalité d'un acompte provisionnel exigible en application du paragraphe 237(1) dans la période prévue à ce paragraphe. La modification s'applique à l'égard des acomptes provisionnels payables par la personne après mars 2007. Si une personne est tenue de payer un montant avant le 1er avril 2007, mais omet de le faire avant cette date, les règles en vigueur sur les taux d'intérêt et la pénalité de 6 % s'appliqueront à la période antérieure à avril 2007, et le nouveau taux réglementaire s'appliquera à la période ultérieure à mars 2007.

Le mécanisme de compensation décrit au paragraphe 280(3), qui limite le total des intérêts et des pénalités payables au titre des acomptes provisionnels aux termes du paragraphe 280(2), est modifié par suppression du renvoi au pourcentage de 6 % par année. Cette modification s'applique au titre des périodes de déclaration d'une personne commençant après mars 2007. Si un acompte provisionnel qui doit être payé avant avril 2007 n'est pas payé avant la date précisée à l'article 237, et si la taxe au titre de laquelle l'acompte provisionnel est payable doit être versée après mars 2007, le taux d'intérêt en vigueur et un pourcentage additionnel de 6 % par année s'appliqueront à la période antérieure à avril 2007 et le nouveau taux s'appliquera à la période ultérieure à mars 2007. En outre, le nouveau taux réglementaire s'appliquera aux acomptes provisionnels versés après mars 2007.

Les paragraphes 280(4), (4.01) et (4.1), qui précisent que l'intérêt et la pénalité de 6 % qui demeurent impayés à une date donnée doivent être ajoutés au montant sur lequel la pénalité et l'intérêt sont calculés dès le jour suivant, sont modifiés par suppression du renvoi à la pénalité. Les modifications apportées aux paragraphes 280(4) et 280(4.01) s'appliquent à l'égard des acomptes provisionnels qu'une personne omet de payer pour la première fois et des montants qu'une institution financière désignée particulière omet de payer pour la première fois comme l'exige l'alinéa 228(2.1)a), après mars 2007. La modification apportée au paragraphe (4.1) entre en vigueur le 1er avril 2007.

Le paragraphe 280(5) précise que lorsque le ministre du Revenu national détient une garantie aux termes de l'article 314, la pénalité de 6 % imposée aux termes de l'article 280 ne s'applique à une date donnée qu'au total de tous les montants impayés ou non versés au plus tard à la date à laquelle le total dépasse la valeur de la garantie. En raison de la suppression de la pénalité de 6 %, le paragraphe est abrogé. Cette modification s'applique à l'égard des montants qu'une personne omet de verser ou de payer après mars 2007.

Le paragraphe 280(6) prévoit actuellement que si une personne verse ou paie tous les montants exigibles en application de cette partie au titre d'une de ses périodes de déclaration, et que si le total de tous les intérêts et pénalités pour la période précédant immédiatement cette période est inférieur à 25 $, le ministre peut radier et annuler le total des pénalités et des intérêts. En raison de la suppression de la pénalité de 6 % et de l'instauration de la nouvelle pénalité pour défaut de produire, le paragraphe 280(6) est abrogé. Cette modification s'applique à l'égard des périodes de déclaration d'une personne qui prennent fin après mars 2007.

Le paragraphe 280(7) précise que si une personne est mise en demeure de payer et que la personne paie ou verse tous les montants dus avant la date précisée dans la mise en demeure, le ministre peut renoncer à la pénalité et aux intérêts courus pour la période, de la date de la mise en demeure jusqu'à la date du paiement. La modification supprime le renvoi à la pénalité courue pendant la période, et elle s'applique au titre d'une mise en demeure signifiée par le ministre après mars 2007.

Définitions [art. 280]: « institution financière désignée particulière », « ministre », « montant », « période de déclaration », « personne », « règlement », « taxe » — 123(1).

Renvois [art. 280]: 124 (intérêts composés); 236.1 (redressement — non-exportation ou non-fourniture); 236.2 (redressement — certificat d'exportation); 236.3 (redressement en cas d'utilisation non valide d'un certificat de centre de distribution des exportations); 237(1) (acomptes provisionnels); 281 (prorogation des délais de production); 281.1 (renonciation ou annulation); 298(1)e) (période de cotisation); 322.1(3) (effet).

Règlements [art. 280]: *Règlement sur les taux d'intérêt*, art. 2b).

Jurisprudence [art. 280]: *Construction Biagio Maiorino Inc. v. R.* (28 novembre 2012), 2012 CarswellNat 4719 (C.C.I.); *Pillar Oilfield Projects Ltd. c. La Reine*, [1993] G.S.T.C. 49 (CCI); *403570 BC Ltd. c. La Reine*, [1994] G.S.T.C. 48 CCI; *Ryan Custom Homes Ltd. c. La Reine*, [1994] G.S.T.C. 49 (CCI); *Plumb (T.) c. La Reine*, [1994] G.S.T.C. 83 (CCI); *Alex Excavating Inc. c. La Reine*, [1995] G.S.T.C. 57 (CCI); *Sommus Entreprises Ltd. c. La Reine*, [1995] G.S.T.C. 4 (CCI); *Stafford, Stafford and Jakeman c. La Reine*, [1995] G.S.T.C. 7 (CCI); *Kyrkos Enterprises Ltd. c. La Reine*, [1995] G.S.T.C. 14 (CCI); *962473 Ontario Limited and 620247 Ontario Limited c. La Reine*, [1995] G.S.T.C. 22 (CCI); *Acme Video Inc. c. La Reine*, [1995] G.S.T.C. 49 (CCI); *White Rock Management Corp. c. La Reine*, [1995] G.S.T.C. 50 (CCI); *Lawson (W.) c. La Reine*, [1995] G.S.T.C. 59 (CCI); *Metro Exteriors Ltd. c. La Reine*, [1995] G.S.T.C. 62 (CCI); *Locators of Missing Heirs Inc. c. La Reine*, [1995] G.S.T.C. 63 (CCI); *Marall Homes Ltd. c. La Reine*, [1995] G.S.T.C. 70 (CCI); *Kornacker (A.) c. La Reine*, [1996] G.S.T.C. 21 (CCI); *Ross (M.) c. La Reine*, [1996] G.S.T.C. 33 (CCI); *Stobbe Construction Ltd. c. La Reine*, [1996] G.S.T.C. 41 (CCI); *Clear Customs Brokers Ltd. c. La Reine*, [1996] G.S.T.C. 46 (CCI); *De Hede Fashions International Ltd. c. La Reine*, [1996] G.S.T.C. 50 (CCI); *Pabla Partnership c. La Reine*, [1996] G.S.T.C. 81 (CCI); *York Toros Hockey Association c. La Reine*, [1996] G.S.T.C. 102 (CCI); *Canada c. 770373 Ontario Ltd.*, [1997] G.S.T.C. 1 (CAF); *Canada c. 770373 Ontario Ltd.*, [1997] G.S.T.C. 1 (CAF); *Murch (A.J.) c. Canada*, [1997] G.S.T.C. 31 (CCI); *914115 Ontario Inc. c. Canada*, [1997] G.S.T.C. 43 (CCI); *Tatarnic (S.) c. Canada*, [1997] G.S.T.C. 54 (CCI); *Roberts (K.) c. Canada*, [1997] G.S.T.C. 58 (CCI); *Rubino (R.) c. Canada*, [1997] G.S.T.C. 61 (CCI); *Toyota Tsusho America, Inc. c. Canada*, [1997] G.S.T.C. 83 (CCI); *Burkman (H.R.) c. Canada*, [1997] G.S.T.C. 98 (CCI); *SDC Sterling Development Corp. c. Canada*, [1997] G.S.T.C. 103 (CCI); *Helsi Construction Management Inc. c. Canada*, [1997] G.S.T.C. 104 (CCI); *Hayworth Equipment Sales (1983) Ltd. c. Canada*, [1998] G.S.T.C. 14 (CCI); *Flynn, Rivard c. Canada*, [1998] G.S.T.C. 21 (CCI); *Olson Realty Corp. c. Canada*, [1998] G.S.T.C. 27 (CCI); *Lorne Pinel Construction Co. c. Canada*, [1998] G.S.T.C. 28 (CCI); *715637 Ontario Ltd c. Canada*, [1998] G.S.T.C. 32 (CCI); *1017465 Ontario Ltd c. Canada*, [1998] G.S.T.C. 33 (CCI); *920866 Ontario Ltd c. Canada*, [1998] G.S.T.C. 56 (CCI); *Pinelli (N. & L.) c. Canada*, [1998] G.S.T.C. 75 (CCI); *Consolidated Canadian Contractors Inc. c. Canada*, [1998] G.S.T.C. 91 (CCI); *Canada c. Stan's Paving Ltd. c. Canada*, [1998] G.S.T.C. 105 (CCI); *Pembina Finance (Alta) Ltd. c. Canada*, [1998] G.S.T.C. 119 (CCI); *Sunwolf Holdings Lts. c. Rivers & Ocean Unlimited Expeditions Inc.*, [1998] G.S.T.C. 127 (CCI); *Flynn, Rivard c. Canada*, [1999] G.S.T.C. 17 (CCI); *Midland Hutterian Brethren c. Canada*, [1999] G.S.T.C. 18 (CCI); *Sood (P.) c. Canada*, [1999] G.S.T.C. 45 (CCI); *Saskatchewan Telecommunications c. Canada*, [1999] G.S.T.C. 69 (CCI); *D & P Holdings Ltd. c. Canada*, [1999] G.S.T.C. 76 (CCI); *2626-8045 Québec Inc. c. Canada*, [1999] G.S.T.C. 5 (CCI); *Helsi Construction Management Inc. c. Canada*, [1997] G.S.T.C. 104 (CCI); [1999] G.S.T.C. 94 (CAF); *Marée Haute Enr. c. R.*, [2000] G.S.T.C. 10 (CCI); *897366 Ontario Ltd. c. R.*, [2000] G.S.T.C. 13 (CCI); *O'Connor Group Realty Inc. c. R.*, [2000] G.S.T.C. 55 (CCI); *Rapid Transit Courier Ltd. c. R.*, [2000] G.S.T.C. 59 (CCI); *Ladas c. R.*, [2000] G.S.T.C. 72 (CCI); *Germain Pelletier Ltée c. R.*, [2001] G.S.T.C. 90 (CCI); *Shvartsman c. R.*, [2002] G.S.T.C. 30 (CCI); *Louie c. R.*, [2002] G.S.T.C. 34 (CCI); *Isaac c. R.*, [2002] G.S.T.C. 36 (CFC); *Ladas c. R.*, [2002] G.S.T.C. 69 (CFC); *Coleman c. R.*, [2002] G.S.T.C. 105 (CCI); *Hare c. R.*, [2002] G.S.T.C. 114 (CCI); *BJ Services Co. Canada c. R.*, [2002] G.S.T.C. 124 (CCI); *11675 Société en commandite c. R.*, [2003] G.S.T.C. 7 (CCI); *Payette c. R.*, [2003] G.S.T.C. 52 (CCI); *Société de Commerce Acadex Inc. c. R.*, [2003] G.S.T.C. 135 (CCI); *Joseph Ribkoff Inc. c. R.*, [2003] G.S.T.C. 162 (CCI); *Owraki v. R.*, [2004] G.S.T.C. 1 (CCI); *ATS Automotive Ltd. v. R.*, 2004 T.C.C. 216 (CCI); *Fournier c. R.*, [2004] G.S.T.C. 159 (CCI); *9036-9695 Québec Inc. c. R.*, [2004] G.S.T.C. 66 (CCI); *Voitures Orly Inc. Orly Automobiles Inc. c. R.*, [2004] G.S.T.C. 57 (CCI); *Constructions L.J.P. Inc. c. R.*, [2005] G.S.T.C. 137 (CCI); *Fournier c. R.*, [2005] CAF 131 (CAF); *Déziel c. R.*, [2005] G.S.T.C. 19 (CCI); *Bergeron c. R.*, [2005] G.S.T.C. 71 (CCI); *Voitures Orly Inc. / Orly Automobiles Inc. c. R.*, [2005] G.S.T.C. 200 (CAF); *27 Cardigan Inc. c. R.*, [2005] G.S.T.C. 54 (CAF); *deFreitas c. Canada (Procureur Général du Canada)*, [2005] G.S.T.C. 121 (CF); *Horsnall c. R.*, 2005 CCI 581 (CCI); *Bondfield Construction Co. (1983) Ltd. c. R.*, 2005 CCI 78 (CCI); *Great Canadian Trophy Hunts Inc. c. R.*, [2005] G.S.T.C. 162 (CCI); *Seni c. R.*, [2005] G.S.T.C. 15 (CCI); *Montréal Timbres & Monnaies Champagne Inc. c. R.*, [2005] G.S.T.C. 119 (CCI); *Sandhu c. R.*, 2006 TCC 50 (CCI); *Fournier c. R.*, [2006] G.S.T.C. 52, 2006 (CAF); *1277302 Ontario Ltd. v. R.*, [2006] G.S.T.C. 21 (CCI); *Passucci c. R.*, [2006] G.S.T.C. 83 (CCI); *Hsu c. R.*, [2006] G.S.T.C. 70 (CCI); *9070-2945 Qubec Inc. c. R.*, [2006] G.S.T.C. 46 (CCI); *Reakes Enterprises Ltd. c. R.*, [2006] G.S.T.C. 119 (CCI); *Horsnall c. R.*, [2006] G.S.T.C. 147 (CAF); *9022-8891 Québec Inc. c. R.*, [2006] G.S.T.C. 174 (CCI); *Patoine c. R.*, 2007 G.T.C. 884 (CCI); *Folz Vending Co. c. R.*, 2007 G.T.C. 880 (CCI); *Baker c. R.*, [2007] G.S.T.C. 22; *9030-2340 Inc. c. R.*, [2007] G.S.T.C. 186 (CCI [procédure générale]); *St-Isidore Écono Centre Inc. c. R.*, 2008 CarswellNat 2198 (CCI [procédure informelle])(factures n'ayant pas de numéro de TPS); 2008 G.T.C. 689 (CCI [procédure informelle]); *Logiciels Uppercut Inc. c. R.*, 2008 carswellNat 1837 (CCI [procédure informelle]); *Mackenzie v. R.*, [2008] G.S.T.C. 30 (CCI [procédure informelle]); *Bashir v. R.*, [2008] G.S.T.C. 134 (23 avril 2008) (CCI [procédure informelle]); *J. Hudon Enterprises Ltd. v. R.*, [2008] G.S.T.C. 165 (CCI [procédure générale]); *Desrosiers c. R.*, 2008 G.T.C. 799 (CCI [procédure informelle]); *Perfection Dairy Group Ltd. v. R.* (10 juin 2008), [2008] G.S.T.C. 124 (CCI [procédure informelle]); *Artistic Ideas Inc. v. Minister of National Revenue*, 2008 CarswellNat 5702 (7 août 2008) (CCI [procédure générale]); *Brown v. R.*, [2008] G.S.T.C. 220 (20 août 2008) (CCI [procédure informelle]); *Amiante Spec Inc c. R.*, 2008 carswellNat 737 (CCI [procédure générale]); *Stanley J. Tessmer Law Corp. v. R.* (16 février 2009), 2008 CarswellNat 1665; *Landry c. R.*, 2009 G.T.C. 997-82 (CCI [procédure informelle]); 2009 G.T.C. 2090 (8 mai 2009) (CAF); *Aapex Driving Academy Ltd. v. R.* (8 janvier 2009), 2009 CarswellNat 584 (CCI [procédure informelle]); *1418499 Ontario Ltd. v. R.*, 2009 CarswellNat 1469 (20 mars 2009) (CCI [procédure informelle]); *Résidences Majeau Inc. c. R.* (28 mai 2009), 2009 G.T.C. 1062 (CCI [procédure générale]); *9056-2059 Québec Inc. c. R.*, 2010 CarswellNat 1973, 2010 CCI 358 (CCI [procédure générale]); *Lacroix c. R.*, 2010 CarswellNat 693, 2010 CCI 160, 2010 G.T.C. 287 (Fr.) (CCI [procédure générale]); *Toronto Dominion Bank v. R.*, 2010 CarswellNat 1921, 2010 CAF 73, [2010] G.S.T.C. 41 (CAF); *Roberge Transport Inc. v. R.*, 2010 CarswellNat 2453, 2010 CCI 155, [2010] G.S.T.C. 43 (CCI [procédure générale]); *9056-2059 Québec Inc. c. R.*, 2010 CarswellNat 1973, 2010 CCI 358 (CCI [procédure générale]); *Lee v. R.*, 2010 CarswellNat 3586, 2010 CCI 400, [2010] G.S.T.C. 114 (CCI [procédure informelle]); *Merchant Law Group v. R.*, 2010 CarswellNat 3934, 2010 CAF 206, [2010] G.S.T.C. 116 (CAF); *IPAX Canada Ltd. v. R.*, 2010 CarswellNat 5121, [2010] G.S.T.C. 132 (CCI [procédure générale]); *CIBC World Markets Inc. v. R.*, 2010 CarswellNat 5197, 2010 CCI 460, [2010] G.S.T.C. 134 (CCI [procédure générale]); *Heinig v. R.*, 2010 CarswellNat 3911, 2010 CCI 351, [2010] G.S.T.C. 107 (CCI [procédure générale]); *Vuruna c. R.* (28 octobre 2010), 2010 CarswellNat 4896, 2010 CCI 365 (CCI [procédure informelle]); *Bijouterie Almar Inc. v. R.* (2 décembre 2010), 2010 CarswellNat 4563, 2010 CCI 618 (CCI [procédure générale]); *Wong v. R.* (25 janvier 2011), 2011 CarswellNat 710, 2011 CCI 30, [2011] 3 C.T.C. 2163 (CCI [procédure informelle]).

Énoncés de politique [art. 280]: P-194R2, 27/08/07, *Application de pénalités et d'intérêts lorsqu'une déclaration, une demande de remboursement ou une autre déclaration est reçue après la date d'échéance*; P-237, 28/07/08, *L'acceptation d'un moyen de défense fondé sur la diligence raisonnable contre une pénalité imposée en application du paragraphe 280(1) ou de l'article 280.1 de la Loi sur la taxe d'accise, respectivement pour défaut de verser ou de payer un montant dans le délai prévu ou pour défaut de produire une déclaration dans le délai prévu.*

Bulletins de l'information technique [art. 280]: B-065, 13/06/92, *Le plan en six points en vue de simplifier la TPS*; B-074, 28/11/94, *Lignes directrices visant la réduction des pénalités et des intérêts dans les cas d'« opérations sans effet fiscal »*; B-083R, 23/05/97, *Services financiers sous le régime de la TVH*; B-100, 11/07, *Comptabilité normalisée.*

Mémorandums [art. 280]: TPS 500-2, 25/03/91, *Déclarations et paiements*, par. 24; TPS 500-2-1, 21/12/90, *Exercices autorisés et périodes de déclaration*, par. 44; TPS 500-2-2, 8/02/91, *Acomptes provisionnels*, par. 21; TPS 500-3, 4/10/91, *Cotisations et pénalités*, par. 20, 21; TPS 500-3-2, 16/03/94, *Pénalités et intérêts*, par. 7–16, 21, 23; TPS 500-3-2-1, 14/03/94, *Administration ou renonciation — pénalités et intérêts*; TPS 500-3-4, 28/06/91, *Indication volontaire*, par. 16–19.

Série de mémorandums [art. 280]: Mémorandum 16.3, 01/09, *Annulation ou renonciation — Pénalités et/ou intérêts*; Mémorandum 16.3.1, 09/00, *Réduction des pénalités et des intérêts dans les cas d'opérations sans effet fiscal*; Mémorandum 16.3.1R, 04/10, *Réduction des pénalités et des intérêts dans les cas d'opérations sans effet fiscal* .

Info TPS/TVQ [art. 280]: GI-024 — *Harmonisation des dispositions administratives visant la comptabilité normalisée.*

COMMENTAIRES: Pour la période qui débute à compter du mois d'avril 2007, le taux d'intérêt applicable est celui qui prévaut sous la *Loi de l'impôt sur le revenu.*

L'intérêt payé n'est pas déductible en vertu de l'alinéa 18(1)(t) de la *Loi de l'impôt sur le revenu*, dans la mesure où celui-ci s'accroît à l'égard d'une année d'imposition qui commence au 1er avril 2007 ou après. Voir notamment : Agence du revenu du Canada, interprétation technique nº 2011-0400561I7 — *GST deductible under Income Tax Act* (19 avril 2011).

Finalement, il est à noter que les intérêts peuvent être annulés en vertu de l'article 281.1. Nous vous recommandons les commentaires sous cet article.

280.1 Non-production d'une déclaration

280.1 Non-production d'une déclaration — Quiconque omet de produire une déclaration pour une période de déclaration selon les modalités et dans le délai prévus par la présente partie est passible d'une pénalité égale à la somme des montants suivants :

a) le montant correspondant à 1 % du total des montants représentant chacun un montant qui est à verser ou à payer pour la période de déclaration, mais qui ne l'a pas été au plus tard à la date limite où la déclaration devait être produite;

b) le produit du quart du montant déterminé selon l'alinéa a) par le nombre de mois entiers, jusqu'à concurrence de douze, compris dans la période commençant à la date limite où la déclaration devait être produite et se terminant le jour où elle est effectivement produite.

Notes historiques: L'article 280.1 a été ajouté par L.C. 2006, c. 4, par. 147(1) et s'applique relativement :

a) à toute déclaration à produire en vertu de la partie IX de le 1er avril 2007 ou par la suite;

b) à toute déclaration à produire en vertu de la partie IX de la avant cette date, mais qui n'est pas produite au plus tard le 31 mars 2007; dans ce cas, la date limite de production de la déclaration est réputée être le 31 mars 2007 pour ce qui est du calcul de la pénalité prévue à cet article.

juin 2006, Notes explicatives: Le nouvel article 280.1 instaure une pénalité pour une personne qui omet de produire une déclaration selon les modalités et dans le délai prévus dans la partie IX. Le montant de la pénalité payable par la personne est fondé sur le total de tous les montants à verser ou à payer pour une période de déclaration qui n'ont pas été versés ou payés au plus tard à la date à laquelle la déclaration devait être produite, et le nombre de mois pendant lesquels elle est demeurée en souffrance.

En particulier, le montant de la pénalité qui devient exigible sera d'abord calculé en prenant 1 % du total de tous les montants, qui devaient chacun être versés ou payés pour la période et qui ne l'ont pas été au plus tard à la date à laquelle la déclaration devait être produite. À ce montant s'ajoutera un montant additionnel correspondant au produit du quart du total de tous les montants déterminés ci-devant par le nombre de mois entiers, jusqu'à concurrence de 12, pendant lesquels la déclaration demeure en souffrance.

Une personne est tenue de payer une pénalité pour défaut de produire une déclaration si elle omet d'observer un délai de production d'une déclaration aux termes de la présente partie. Le ministre du Revenu national n'est pas tenu de commencer par signifier une mise en demeure de produire à la personne. Des modifications corrélatives sont apportées à l'article 281.1 afin de permettre au ministre de renoncer à la pénalité ou de l'annuler si des circonstances exceptionnelles le justifient.

Le nouvel article 280.1 est modelé sur la pénalité pour défaut de produire prévue dans la *Loi de l'impôt sur le revenu*, même si les taux appliqués aux termes de la pénalité au titre de la TPS/TVH sont moins élevés.

Le nouvel article 280.1 s'applique aux déclarations qui doivent être produites après mars 2007. Si une personne est tenue de produire une déclaration avant le 1er avril 2007, et si elle omet de le faire avant cette date, aux fins du calcul de la pénalité aux termes de l'article, la déclaration sera réputée devoir être produite au plus tard le 31 mars 2007.

Concordance québécoise: aucune.

Énoncés de politique [art. 280.1]: P-194R2, 27/08/07, *Application de pénalités et d'intérêts lorsqu'une déclaration, une demande de remboursement ou une autre déclaration est reçue après la date d'échéance.*

Bulletins de l'information technique [art. 280.1]: B-100, 11/07, *Comptabilité normalisée.*

Série de mémorandums [art. 280.1]: Mémorandum 16.3, 01/09, *Annulation ou renonciation — Pénalités et/ou intérêts.*

COMMENTAIRES: Cet article prévoit une pénalité pour une personne qui omet de produire une déclaration pour une période de déclaration.

La pénalité équivaut à 1 % du montant dû, en plus de 0,25 % pour chaque mois de retard, jusqu'à concurrence de 12 mois. Ainsi, après une période de douze mois, la pénalité maximale de 4 % du montant dû est atteinte.

Il est important de souligner que cette pénalité s'applique dans le contexte d'une période de déclaration. Ainsi, l'omission de production de formulaires distincts qui ne réfèrent pas une période de déclaration, tel que le formulaire GST60 — *Déclaration de TPS/TVH visant l'acquisition d'immeubles* n'est pas visé par la pénalité du présent article.

Comme il s'agit d'une pénalité de nature administrative, la pénalité ne s'appliquera pas si la personne a fait preuve de diligence raisonnable.

L'alinéa 281.1 (2)(b) offre la possibilité de renoncer ou d'annuler cette pénalité. Nous vous recommandons nos commentaires sous cet article.

La pénalité n'est pas déductible aux fins de l'impôt sur le revenu en vertu de l'article 67.6 de la *Loi de l'impôt sur le revenu.*

La pénalité est similaire à celle qui prévaut au paragraphe 162(1) de la *Loi de l'impôt sur le revenu.*

280.11 Défaut de produire par voie électronique

280.11 Défaut de produire par voie électronique — Quiconque ne produit pas de déclaration aux termes de la section V pour une période de déclaration comme l'exige le paragraphe 278.1(2.1) est passible, en plus de toute autre pénalité prévue par la présente partie, d'une pénalité égale au montant déterminé selon les modalités réglementaires.

Notes historiques: L'article 280.11 a été ajouté par. L.C. 2009, c. 32, art. 39 et est réputé être entré en vigueur le 15 décembre 2009.

Concordance québécoise: aucune.

COMMENTAIRES: Le *Règlement sur la transmission électronique de déclarations et la communication de renseignements* (TPS/TVH) prévoit une pénalité pour le défaut de produire une déclaration par voie électronique d'un montant équivalent à 100 $ pour le premier défaut et à 250 $ pour les récidives.

La pénalité imposée en vertu de cet article n'est pas déductible aux fins de l'impôt sur le revenu.

280.2 Annulation des intérêts et pénalités

280.2 Annulation des intérêts et pénalités — Si, à un moment donné, une personne paie ou verse la totalité de la taxe, de la taxe nette, des acomptes provisionnels et des montants visés à l'article 264 dont elle est redevable en vertu de la présente partie pour sa période de déclaration et que, immédiatement avant ce moment, le total, pour cette période, des intérêts à payer par la personne en vertu de l'article 280 et des pénalités à payer en vertu de l'article 280.1 n'excède pas 25 $, le ministre peut annuler le total des intérêts et des pénalités.

Notes historiques: L'article 280.2 a été ajouté par L.C. 2006, c. 4, par. 147(1) et s'applique relativement aux périodes de déclaration d'une personne se terminant le 1er avril 2007 ou par la suite.

juin 2006, Notes explicatives: L'actuel paragraphe 280(6) devient le nouvel article 280.2 et il est modifié. À l'heure actuelle, le paragraphe 280(6) précise que si une personne verse ou paie tous les montants pour une période de déclaration aux termes de la partie IX, et si le total de tous les pénalités et intérêts imposés en application de l'article 280 est inférieur à 25 $, le ministre peut radier les pénalités et intérêts.

Le nouvel article 280.2 remplace le renvoi aux pénalités imposées aux termes de l'article 280 par un renvoi à la pénalité pour défaut de produire instaurée en application de l'article 280.1, et il s'appliquera aux périodes de déclaration d'une personne qui prennent fin après mars 2007.

Concordance québécoise: aucune.

Bulletins de l'information technique: B-100, 11/07, *Comptabilité normalisée.*

COMMENTAIRES: Cet article permet à l'Agence du revenu du Canada et à Revenu Québec d'annuler le montant de pénalités et des intérêts qui n'excèdent pas 25 $ lorsque l'ensemble des montants dus pour la période de déclaration concernée a été payé.

En pratique, il semble que cet article soit appliqué pour justifier l'annulation des pénalités et des intérêts dans la situation spécifique qui est envisagée par cet article, et ce, même si l'article 281.1 serait disponible pour annuler les montants.

De façon générale, les objectifs visés par cet article consistent à favoriser l'efficacité, en plus de limiter les coûts reliés au recouvrement par l'Agence du revenu du Canada et Revenu Québec, dans la mesure où ce montant resterait impayé.

280.3 Effets refusés — Pour l'application de la présente partie et de l'article 155.1 de la *Loi sur la gestion des finances publiques*, les frais qui deviennent payables par une personne à un moment donné en vertu de cette loi relativement à un effet offert en paiement ou en règlement d'un montant à payer ou à verser en vertu de la présente partie sont réputés être un montant qui devient payable par la personne à ce moment en vertu de la présente partie. En outre, la partie II du ***Règlement sur les intérêts et les frais administratifs*** ne s'applique pas aux frais, et toute créance relative à ces frais, visée au paragraphe 155.1(3) de la *Loi sur la gestion des finances publiques*, est réputée avoir été éteinte au moment où le total du montant et des intérêts applicables en vertu de la présente partie est versé.

Notes historiques: L'article 280.3 a été ajouté par L.C. 2006, c. 4, par. 147(1) et s'applique relativement aux effets refusés le 1er avril 2007 ou par la suite.

juin 2006, Notes explicatives: Le nouvel article 280.3 incorpore le barème des frais actuellement imposés aux termes de la *Loi sur la gestion des finances publiques* quand un effet financier (p. ex., un chèque) est refusé.

Aux termes de l'article, des frais qui deviennent exigibles en application de la loi à l'égard d'un effet (p. ex., un chèque) servant à payer ou à régler un montant à payer ou à verser en vertu de la partie IX de la *Loi sur la taxe d'accise* sont aussi réputés être des montants exigibles aux termes de la partie IX. En outre, les dispositions de cette loi qui portent sur les intérêts et le recouvrement ne s'appliqueront pas aux frais, et la dette établie en vertu de cette loi sera réputée avoir été éteinte au moment où le total du montant et des intérêts applicables en vertu de la partie IX est payé. Comme les frais relatifs aux effets refusés sont réputés être un montant payable en vertu de la partie IX, ils deviennent assujettis aux dispositions sur les intérêts et le recouvrement prévues dans la présente partie.

Concordance québécoise: aucune.

Bulletins de l'information technique: B-100, 11/07, *Comptabilité normalisée*.

COMMENTAIRES: Cet article a pour effet de rajouter les frais administratifs reliés aux chèques sans fonds à titre de dette en TPS/TVH redevable par une personne.

Ce faisant, l'ensemble des dispositions de la partie IX de la *Loi sur la taxe d'accise* (TPS) s'applique à l'égard de cette augmentation de la dette en TPS/TVH, notamment les mesures de recouvrement prévues aux articles 321 à 325.

281. (1) Prorogation des délais de production — Le ministre peut en tout temps proroger, par écrit, le délai de production d'une déclaration ou de communication de renseignements selon la présente partie.

Notes historiques: Le paragraphe 281(1) a été ajouté par L.C. 1990, c. 45, par. 12(1).

Concordance québécoise: LAF, art. 36.

(2) Effet de la prorogation — Les règles suivantes s'appliquent lorsque le ministre proroge le délai :

a) la déclaration doit être produite ou les renseignements communiqués dans le délai prorogé;

b) la taxe ou la taxe nette payable à indiquer dans la déclaration doit être payée ou versée dans le délai prorogé;

c) les intérêts payables aux termes de l'article 280 sur toute taxe ou taxe nette payable à indiquer dans la déclaration sont calculés comme si la taxe ou la taxe nette devait être payée au plus tard à l'expiration du délai prorogé;

d) la pénalité payable aux termes de l'article 280.1 au titre de la déclaration est calculée comme si la déclaration devait être produite au plus tard à l'expiration du délai prorogé.

Notes historiques: Le préambule du paragraphe 281(2) a été remplacé par L.C. 2010, c. 12, art. 77 et cette modification est réputée entrée en vigueur le 12 juillet 2010. Antérieurement, il se lisait ainsi :

> (2) Les règles suivantes s'appliquent lorsque le ministre prolonge le délai :

Les alinéas c) et d) du paragraphe 281(2) ont été remplacés par L.C. 2006, c. 4, par. 148(1) et cette modification s'applique relativement à tout délai prorogé qui expire le 1er avril 2007 ou par la suite. Antérieurement, ils se lisaient ainsi :

> c) les intérêts sont payables aux termes de l'article 280 comme si le délai n'avait pas été prorogé;
>
> d) la pénalité payable aux termes de l'article 280 sur la taxe ou la taxe nette payable à indiquer dans la déclaration n'est payable qu'à compter de l'expiration du délai prorogé.

Le paragraphe 281(2) a été ajouté par L.C. 1990, c. 45, par. 12(1).

Concordance québécoise: aucune.

juin 2006, Notes explicatives: Le paragraphe 281(2) précise l'application de la taxe aux intérêts et à la pénalité de 6 % imposée aux termes de l'article 280 quand le ministre du Revenu national proroge la période pendant laquelle une personne doit produire une déclaration. En application de l'alinéa 281(2)c), l'intérêt sur le montant payable par la personne continue de courir, malgré la prorogation. La pénalité de 6 % est toutefois suspendue pendant la période de prorogation.

La modification de l'alinéa 281(2)c) suspend l'accumulation des intérêts pendant une période de prorogation en précisant que les intérêts sur la taxe ou la taxe nette payable sont calculés comme si la taxe ou la taxe nette devait être payée au plus tard à la date à laquelle la période de prorogation prend fin. La modification apportée à l'alinéa 281(2)d) remplace les renvois à la pénalité de 6 % par des renvois à la pénalité pour défaut de produire prévue au nouvel article 280.1, si bien que la pénalité sera calculée comme si la déclaration devait être produite au plus tard à la date à laquelle la période de prorogation prend fin. Ces modifications font que les intérêts et la pénalité pour production tardive ne s'appliqueront qu'au titre des périodes qui commencent après la fin de la période de prorogation.

Définitions [art. 281]: « ministre », « personne », « taxe » — 123(1).

Renvois [art. 281]: 238 (production d'une déclaration); 280 (pénalités et intérêts); 322.1(3) (effet).

Jurisprudence [art. 281]: *Stafford, Stafford & Jakeman c. La Reine*, [1995] G.S.T.C. 7 (CCI).

Mémorandums [art. 281]: TPS 500-3-2, 16/03/94, *Pénalités et intérêts*, par. 20, 21; TPS 500-3-4, 28/06/91, *Indication volontaire*, par. 18.

COMMENTAIRES: Étant donné l'importance de la prorogation de délai, l'écrit est exigé.

De plus, cette prolongation peut être octroyée « en tout temps » par le ministre du Revenu national. Bien que nous n'ayons répertorié aucun cas en ce sens, il serait intéressant de constater l'utilisation de cette discrétion par le ministre dans le cadre d'un forum judiciaire où il est fait état, notamment, de la non-production d'une déclaration.

En raison de la rédaction de cet article, l'auteur pense qu'il est raisonnable de penser que cette mesure peut être appliquée rétroactivement.

281.1 (1) Renonciation ou annulation — intérêts — Le ministre peut, au plus tard le jour qui suit de dix années civiles la fin d'une période de déclaration d'une personne ou sur demande de la personne présentée au plus tard ce jour-là, annuler les intérêts payables par la personne en application de l'article 280 sur tout montant qu'elle est tenue de verser ou de payer en vertu de la présente partie relativement à la période de déclaration, ou y renoncer. renoncer.

Notes historiques: Le paragraphe 281.1(1), dans sa version modifiée par L.C. 2006, c. 4, par. 149(1), est remplacé par L.C. 2007, c. 18, par. 46(1) et cette modification est entrée en vigueur ou est réputée être entrée en vigueur le 1er avril 2007. Antérieurement, il se lisait comme suit :

> 281.1 (1) Le ministre peut, au plus tard le jour qui suit de dix années civiles la fin d'une période de déclaration d'une personne, annuler les intérêts payables par celle-ci en application de l'article 280 sur tout montant qu'elle est tenue de verser ou de payer en vertu de la présente partie relativement à la période de déclaration, ou y renoncer.

Le paragraphe 281.1(1) a été ajouté par L.C. 1993, c. 27, par. 127(1) et est réputé entré en vigueur le 17 décembre 1990.

Concordance québécoise: LAF, art. 94.

(2) Renonciation ou annulation — pénalité pour production tardive — Le ministre peut, au plus tard le jour qui suit de dix années civiles la fin d'une période de déclaration d'une personne ou sur demande de la personne présentée au plus tard ce jour-là, annuler tout ou partie des pénalités ci-après, ou y renoncer :

a) toute pénalité devenue payable par la personne en application de l'article 280 avant le 1er avril 2007 relativement à la période de déclaration;

b) toute pénalité payable par la personne en application des articles 280.1, 280.11 ou 284.01 relativement à une déclaration pour la période de déclaration.

Notes historiques: Le préambule du paragraphe 281.1(2), dans sa version modifiée par L.C. 2006, c. 4, par. 149(1), est remplacé par L.C. 2007, c. 18, par. 46(2) et cette modification est entrée en vigueur ou est réputée être entrée en vigueur le 1er avril 2007. Antérieurement, il se lisait comme suit :

> (2) Le ministre peut, au plus tard le jour qui suit de dix années civiles la fin d'une période de déclaration d'une personne, annuler tout ou partie des pénalités ci-après, ou y renoncer :
>
> a) toute pénalité devenue payable par la personne en application de l'article 280 avant le 1er avril 2007 relativement à la période de déclaration;
>
> b) toute pénalité payable par la personne en application de l'article 280.1 relativement à une déclaration pour la période de déclaration.

L'alinéa 281.1(2)b) a été remplacé par. L.C. 2009, c. 32, art. 40 et cette modification est réputée être entrée en vigueur le 15 décembre 2009. Antérieurement, il se lisait ainsi :

> b) toute pénalité payable par la personne en application de l'article 280.1 relativement à une déclaration pour la période de déclaration.

Le paragraphe 281.1(2) a été ajouté par L.C. 1993, c. 27, par. 127(1) et est réputé entré en vigueur le 17 décembre 1990.

Concordance québécoise: LAF, art. 94.

Notes historiques: L'article 281.1 a été remplacé par L.C. 2006, c. 4, par. 149(1) et cette modification est entrée en vigueur 1er avril 2007. Antérieurement, il se lisait ainsi :

> 281.1 (1) Le ministre peut annuler les intérêts payables par une personne en application de l'article 280, ou y renoncer.
>
> (2) Le ministre peut annuler la pénalité payable par une personne en application de l'article 280, ou y renoncer.

juin 2006, Notes explicatives: L'article 281.1 précise que le ministre du Revenu national peut annuler les intérêts ou les pénalités payables par une personne en application de l'article 280 ou y renoncer si la personne n'a pu se conformer aux exigences prévues à la partie IX de la *Loi sur la taxe d'accise* en raison de circonstances exceptionnelles hors de son contrôle.

La modification apportée à l'article 281.1 instaure une limitation de la période pendant laquelle le ministre peut annuler des intérêts ou des pénalités payables par une personne, ou y renoncer. Le ministre est autorisé, au plus tard dix jours civils après la fin de la période de déclaration d'une personne, à annuler les intérêts ou les pénalités imposés à l'égard de cette période de déclaration, ou à y renoncer. Le paragraphe 281.1(2) est en outre modifié et autorise le ministre à annuler la pénalité pour défaut de produire instaurée aux termes du nouvel article 280.1, en sus de la pénalité de 6 % imposée en application de l'article 280, ou à y renoncer.

Définitions [art. 281.1]: « ministre », « montant », « personne », « règlement » — 123(1).

Renvois [art. 281.1]: 281 (prorogation des délais de production); 322.1(3) (effet).

Jurisprudence [art. 281.1]: *Holan Leasing c. La Reine*, [1995] G.S.T.C. 8 (CCI); *Acme Video Inc. c. La Reine*, [1995] G.S.T.C. 49 (CCI); *Lawson (W.) c. La Reine*, [1995] G.S.T.C. 59 (CCI); *Stobbe Construction Ltd. c. La Reine*, [1996] G.S.T.C. 41 (CCI); *Clear Customs Brokers Ltd c. La Reine*, [1996] G.S.T.C. 46 (CCI); *Murch (A.J.) c. Canada*, [1997] G.S.T.C. 31 (CCI); *Breault (A.A.) c. Canada*, [1997] G.S.T.C. 25 (CCI); *Drover A. c. Canada*, [1997] G.S.T.C. 26 (CCI); [1998] G.S.T.C. 45 (CAF); *Tatarnic (S.) c. Canada*, [1997] G.S.T.C. 54 (CCI); *Roberts (K.) c. Canada*, [1997] G.S.T.C. 58 (CCI); *Rubino (R.) c. Canada*, [1997] G.S.T.C. 61 (CCI); *SDC Sterling Development Corp. c. Canada*, [1997] G.S.T.C. 103 (CCI); *920866 Ontario Ltd. c. Canada*, [1998] G.S.T.C. 56 (CCI); *Consolidated Canadian Contractors Inc. c. Canada*, [1998] G.S.T.C. 91 (CAF); *Sterling Business Academy Inc. c. Canada*, [1998] G.S.T.C. 103 (CCI); *Sood (P.) c. Canada*, [1999] G.S.T.C. 45 (CCI); *Revivo (E.) c. MNR*, [2000] G.S.T.C. 3 (CF); *Mantas c. MNR*, [2000] G.S.T.C. 21 (CF); *Germain Pelletier Ltée c. R.*, [2001] G.S.T.C. 90 (CCI); *Isaac c. R.*, [2002] G.S.T.C. 36 (CFC); *Majewski v. Canada Customs & Revenue Agency*, [2004] G.S.T.C. 75 (CF); *Vitellaro v. Canada (Customs & Revenue Agency)*, [2004] G.S.T.C. 52 (CF); *Majewski c. ARC*, [2004] G.S.T.C. 75 (CF); *Vitellaro c. Canada (ARC)*, [2005] G.S.T.C. 97 (CAF); *Brown v. Canada (ARC)*, [2005] G.S.T.C. 201 (CF); *deFreitas c. Canada (Procureur Général du Canada)*, [2005] G.S.T.C. 121 (CF); *Karia c. M.R.N.*, [2006] 1 F.C.R. 172 (CF); *Liddar c. M.N.R.*, 2006 CF 1303 (CF); [2007] G.S.T.C. 143 (CAF); *North Vancouver Airlines Ltd. v. M.N.R.*, [2006] G.S.T.C. 56 (CF); *Palonek c. M.N.R.*, [2006] G.S.T.C. 49 (CF); *Évasion Hors Piste Inc. c. R.*, 2006 G.T.C. 489 (CCI); *Promotions D.N.D. Inc. c. R.*, 2006 G.T.C. 166 (CCI); *Brown c. Canada (CRA)*, [2007] G.S.T.C. 12 (CAF); *Boonstra c. R. (Procureur Général du Canada)*, [2007] 1 C.T.C. 231 (CF); *Boparai v. Canada*, 2008 CarswellNat 1732 (CF); *Zykla v. Canada (attorney General)*, [2007] G.S.T.C. 160 (CF); *Crocione v. Minister of National Revenue*, 2008 CarswellNat 2713 (23 juin 2008) (CF); *Holmes v. Canada (Attorney General)*, 2010 CarswellNat 3361, 2010 CF 809, [2010] G.S.T.C. 117 (CF).

Circulaires d'information [art. 281.1]: 98-1R3 — Politiques de recouvrement (ébauche); 00-1R2 — Programme des divulgations volontaires (PDV); 07-1 — Dispositions des allègements pour les contribuables.

Énoncés de politique [art. 281.1]: P-147, 16/09/93, *Dispositions administrative visant l'équité — Pénalités et intérêts — Annulation ou renonciation*; P-148, 20/06/94, *Lignes directrices administratives concernant la réduction des pénalités et intérêts dans les cas d'« opérations fictives »*; P-237, 28/07/08, *L'acceptation d'un moyen de défense fondé sur la diligence raisonnable contre une pénalité imposée en application du paragraphe 280(1) ou de l'article 280.1 de la Loi sur la taxe d'accise, respectivement pour défaut de verser ou de payer un montant dans le délai prévu ou pour défaut de produire une déclaration dans le délai prévu.*

Bulletins de l'information technique [art. 281.1]: B-074, 28/11/94, *Lignes directrices visant la réduction des pénalités et des intérêts dans les cas d'« opérations sans effet fiscal »*; B-100, 11/07, *Comptabilité normalisée*.

Mémorandums [art. 281.1]: TPS 500-3-2, 16/03/94, *Pénalités et intérêts*, par. 23; TPS 500-3-2-1, 14/03/94, *Administration ou renonciation — pénalités et intérêts*; TPS 500-3-4, 28/06/91, *Application et exécution cotisations et pénalités indication volontaire*.

Série de mémorandums [art. 281.1]: Mémorandum 16.3, 01/09, *Annulation ou renonciation — Pénalités et/ou intérêts*; Mémorandum 16.3.1, 09/00, *Réduction des pénalités et des intérêts dans les cas d'opérations sans effet fiscal*.

Formulaires: FP-4288, *Le numéro d'entreprise et vos comptes de l'Agence du revenu du Canada*.

Info TPS/TVQ [art. 281.1]: GI-024 — *Harmonisation des dispositions administratives visant la comptabilité normalisée*.

COMMENTAIRES: Cet article permet aux autorités fiscales d'annuler les intérêts qui sont payables en vertu de l'article 280. Cette annulation doit toutefois avoir lieu au plus tard le jour qui suit de dix années civiles la fin de la période de déclaration d'une personne.

À cet effet, il est important de souligner le jugement de la Cour d'appel fédérale dans l'affaire *Bozzer*, 2011 FCA 186 (C.A.F) où cette Cour infirmait le jugement de première instance et concluait que le ministre pouvait annuler des intérêts et des pénalités autrement applicables pour les 10 années d'imposition précédant la demande du contribuable, même si l'année d'origine de la dette fiscale était antérieure. Il a été conclu que la période de « dix années civiles » visait les 10 années précédant la demande d'allégement du contribuable et non les 10 années suivant celle de l'origine de sa dette fiscale. À ce titre, la Cour d'appel fédérale venait renverser une pratique utilisée de manière courante depuis de nombreuses années par l'Agence du revenu du Canada et Revenu Québec.

L'Agence du revenu du Canada a indiqué qu'elle suivrait les résultats de l'affaire *Bozzer* aux fins de la TPS/TVH dans un communiqué de presse daté du 21 novembre 2011.

Quant à Revenu Québec, il a indiqué qu'il va s'harmoniser avec l'interprétation de l'Agence du revenu du Canada quant à l'application du délai de 10 ans pour les demandes présentées à partir du 2 juin 2011. Revenu Québec précise que cela ne vise toutefois pas la renonciation ou l'annulation des pénalités et des frais sous l'article 281.1. Voir notamment : Revenu Québec, question 10, *Les sujets techniques de l'heure*, Symposium des taxes à la consommation, Association de planification fiscale et financière (2012).

De façon générale, les conditions énoncées par l'Agence du revenu du Canada et permettant de bénéficier de cette mesure d'équité sont restreintes en terme d'application. Voir notamment à cet effet : Agence du revenu du Canada, mémorandum 16.3 — *Annulation ou renonciation — Pénalités et/ou intérêts* (janvier 2009).

L'Agence du revenu du Canada a indiqué que les critères d'application énoncés au mémorandum 16.3 n'indiquaient pas, tout comme ceux énoncés au Circulaire d'Information 07-01 en matière d'impôt sur le revenu, que ceux-ci n'étaient pas exhaustifs et qu'ils ne devaient pas restreindre l'esprit ou l'intention de la législation. L'Agence du revenu du Canada a indiqué qu'il s'agissait d'une omission et que le paragraphe 6 du mémorandum sera modifié en conséquence. Voir notamment : question 5 — *Questions et commentaires en TPS/TVH pour l'Agence du revenu du Canada* — Rencontre annuelle entre l'Agence du revenu du Canada et l'Association du Barreau canadien (4 mars 2010). En date du 1er mars 2013, le mémorandum ne semble pas avoir été modifié.

De l'avis de Revenu Québec, il est important pour un mandataire, ou son représentant, qui produit la demande d'équité de bien la documenter afin d'illustrer et de souligner son caractère exceptionnel. De l'avis de Revenu Québec, ces circonstances exceptionnelles peuvent notamment se traduire par les suivantes : (1) l'incapacité de payer (à ce titre, les documents suivants devraient être présentés : détail des revenus, liste des avoirs, engagements financiers, états financiers, etc.) (2) une action attribuable à Revenu Québec (à ce titre, les pièces démontrant l'erreur de Revenu Québec devraient être annexées à la demande), et (3) une situation exceptionnelle, notamment un incendie, une maladie grave, un accident grave ou autre qui l'a empêché de respecter ses obligations fiscales (à ce titre, les documents suivants devraient être présentés : certificat médical, certificat de décès, rapport de l'assureur, rapport du service d'incendie, etc.). Dans la première situation mentionnée précédemment, les demandes seront traitées par la Direction générale du centre de perception fiscale et des biens non réclamés. Il est à noter que les demandes présentées pour les motifs indiqués aux situations 2 et 3 mentionnées dans le présent paragraphe sont traitées par la Direction régionale des services à la clientèle — entreprises (Nord et Ouest du Québec). Cela a comme avantage principal d'en assurer un traitement équitable et uniforme. Il est à noter qu'une demande de révision peut être présentée par le mandataire insatisfait et adressée au directeur principal des services à la clientèle-entreprises. Voir notamment : Mario Allard, Directeur régional, Direction générale des entreprises, Services à la clientèle des entreprises — Nord et Ouest du Québec — Revenu Québec, Équité — l'application du pouvoir discrétionnaire, une affaire exceptionnelle — Symposium des taxes à la consommation — APFF (31 mai 2010).

282. Mise en demeure de produire une déclaration — Toute personne doit, sur mise en demeure du ministre, produire, dans le délai raisonnable fixé par la mise en demeure, une déclaration aux termes de la présente partie visant la période ou l'opération précisée dans la mise en demeure.

Notes historiques: L'article 282 a été remplacé par L.C. 2012, c. 19, art. 24 et cette modification est entrée en vigueur le 29 juin 2012. Antérieurement, il se lisait ainsi :

> 282. Toute personne doit, sur mise en demeure du ministre signifiée à personne ou envoyée par courrier recommandé ou certifié, produire, dans le délai raisonnable fixé par la mise en demeure, une déclaration selon la présente partie visant la période ou l'opération précisée dans la mise en demeure.

L'article 282 a été ajouté par L.C. 1990, c. 45, par. 12(1).

avril 2012, Notes explicatives: Selon l'article 282, toute personne doit, sur mise en demeure du ministre signifiée à personne ou envoyée par courrier recommandé ou certifié, produire une déclaration pour une période ou une opération quelconque.

Cet article est modifié de façon que la mise en demeure n'ait pas à être signifiée à personne ou envoyée par courrier recommandé ou certifié. Le ministre pourra ainsi l'envoyer par voie électronique ou par courrier ordinaire.

Cette modification entre en vigueur à la date de sanction du projet de loi.

Concordance québécoise: LAF, art. 39.

Définitions: « ministre », « personne » — 123(1).

Renvois: 283 (défaut de donner suite à une mise en demeure); 322.1(3) (effet).

Jurisprudence: voir la jurisprudence sous l'art. 326.

Mémorandums: TPS 500-3-2, 16/03/94, *Pénalités et intérêts*, par. 25.

Énoncés de politique: P-134R, 08/02/99, *L'exigence pour les articles non résidants qui présentent un événement au Canada de produire une déclaration.*

COMMENTAIRES: Cet article permet à l'Agence du revenu du Canada et à Revenu Québec de présenter une demande formelle de production d'une déclaration.

Toutefois, l'article 238 oblige déjà un inscrit à produire ses déclarations sans avoir reçu une mise en demeure à cet effet, reflet même de notre système d'autocotisation.

En bref, la seule responsabilité additionnelle que pose cet article pour une personne est la pénalité prévue à l'article 283. En pratique, une demande sous cet article est souvent faite avant de déposer une dénonciation en vertu de l'article 326.

283. Défaut de donner suite à une mise en demeure — Quiconque ne se conforme pas à une mise en demeure de produire une déclaration en application de l'article 282 est passible d'une pénalité de 250 $.

Notes historiques: L'article 283 a été remplacé par L.C. 2006, c. 4, par. 150(1) et cette modification s'applique relativement à toute mise en demeure signifiée ou envoyée par le ministre du Revenu national en vertu de l'article 282 de la même loi le 1er avril 2007 ou par la suite. Antérieurement, il se lisait ainsi :

> 283. Toute personne qui ne se conforme pas à une mise en demeure de produire une déclaration en application de l'article 282 est passible d'une pénalité égale au plus élevé des montants suivants :
>
> a) 250 $;
>
> b) 5 % de la taxe à payer ou de la taxe nette à verser pour la période ou l'opération précisée dans la mise en demeure qui était non payée ou versée le jour d'échéance de production.

L'article 283 a été ajouté par L.C. 1990, c. 45, par. 12(1).

juin 2006, Notes explicatives: L'article 283 impose une pénalité quand une personne ne se conforme pas à une mise en demeure du ministre du Revenu national de produire une déclaration en application de l'article 282. À l'heure actuelle, la pénalité imposée correspond au plus élevé des montants suivants, à savoir 250 $ et 5 % de la taxe en souffrance à payer ou de la taxe nette à verser par la personne au titre de la période ou de l'opération précisée dans la mise en demeure.

La modification apportée à l'article 283 supprime de la pénalité le calcul de 5 % de la taxe en souffrance. La pénalité pour défaut de donner suite à une mise en demeure est donc de 250 $. La modification fait suite à l'instauration de la pénalité prévue en application du nouvel article 280.1 pour un défaut de produire une déclaration.

Concordance québécoise: LAF, art. 39.1.

Définitions: « personne », « taxe » — 123(1).

Renvois: 225 (taxe nette); 322.1(3) (effet); 326(1) (défaut de respect de la loi); 326(3) (amende ou emprisonnement); 327(3) (pénalité sur déclaration de culpabilité).

Jurisprudence: *Irving A. Burton Ltd. c. Canada*, [1997] G.S.T.C. 53 (CCI); voir la jurisprudence sous l'art. 326; *Hare c. R.*, [2002] G.S.T.C. 114 (CCI).

Mémorandums: TPS 500-3, 4/10/91, *Cotisations et pénalités*, par. 21; TPS 500-3-2, 16/03/94, *Pénalités et intérêts*, par. 25, 30.

Info TPS/TVQ: GI-024 — *Harmonisation des dispositions administratives visant la comptabilité normalisée.*

COMMENTAIRES: Cet article prévoit l'imposition d'une pénalité administrative au montant de 250 $ si une personne fait défaut de se conformer à la mise en demeure en vertu de l'article 282.

À noter que cette pénalité ne peut être renoncée ou annulée en vertu de l'article 281.1.

De plus, cette pénalité peut s'appliquer en plus de celle prévue au paragraphe 326(1) dans la mesure où un avis de cotisation pour cette pénalité a été envoyé avant la dénonciation ou la plainte prévue à l'article 326. Nous vous recommandons nos commentaires en vertu de l'article 326.

Cette pénalité n'est pas déductible aux fins de l'impôt sur le revenu en vertu de l'article 67.6 de la *Loi de l'impôt sur le revenu.*

284. Défaut de présenter des renseignements — Toute personne qui ne donne pas des renseignements ou des documents selon les modalités de temps ou autres prévues par la présente partie ou un règlement d'application est passible, sauf renonciation du ministre, d'une pénalité de 100 $ pour chaque défaut à moins que, s'il s'agit de renseignements concernant une autre personne, la personne se soit raisonnablement appliquée à les obtenir.

Notes historiques: L'article 284 a été ajouté par L.C. 1990, c. 45, par. 12(1).

Concordance québécoise: LAF, art. 59.0.2.

Définitions: « document », « ministre », « personne » — 123(1).

Renvois: 322.1(3) (effet); 326(1) (défaut de respect de la loi); 326(3) (avis de cotisation); 327(1) (infractions); 327(3) (pénalité sur déclaration de culpabilité).

Énoncés de politique: P-134R, 08/02/99, *L'exigence pour les articles non résidants qui présentent un événement au Canada de produire une déclaration.*

Mémorandums: TPS 400-1-1, 25/02/91, *Crédit intégral de taxe sur les intrants*, par. 85; TPS 400-1-2, 8/11/90, *Documents requis*, par. 84; TPS 500-3-2, 16/03/94, *Pénalités et intérêts*, par. 26, 30.

Série de mémorandums: Mémorandum 8.4, 08/12, *Documents requis pour demander des crédits de taxe sur les intrants*; Mémorandum 15.1, 05/05, *Exigences générales relatives aux livres et registres.*

Info TPS/TVQ: GI-024 — *Harmonisation des dispositions administratives visant la comptabilité normalisée.*

Lettres d'interprétation (Québec): 04-0103632 — Renonciation à un droit de poursuite en contrepartie d'une somme d'argent — application de la taxe sur les produits et services (la « TPS«) et de la taxe de vente du Québec (la « TVQ »).

COMMENTAIRES: De façon générale, cette pénalité s'applique à chaque défaut, par une personne, de donner des renseignements ou documents aux termes de la partie IX de la *Loi sur la taxe d'accise (TPS).*

La pénalité est de 100 $ par défaut et est non déductible aux fins de l'impôt sur le revenu en vertu de l'article 67.6 de la *Loi de l'impôt sur le revenu.*

Il est possible que cette pénalité puisse être renoncée par le ministre.

284.01 Défaut de transmettre des renseignements — Toute personne qui omet de déclarer un montant visé par règlement, ou de transmettre des renseignements visés par règlement, dans le délai et selon les modalités prévus dans une déclaration visée par règlement ou qui indique un tel montant ou de tels renseignements de façon erronée dans une telle déclaration est passible, en plus de toute autre pénalité prévue par la présente partie, d'une pénalité égale à un montant déterminé selon les modalités réglementaires pour chaque défaut ou indication erronée.

Notes historiques: L'article 284.01 a été ajouté par. L.C. 2009, c. 32, art. 41 et est réputé être entré en vigueur le 15 décembre 2009.

Concordance québécoise: aucune.

COMMENTAIRES: Cet article impose une pénalité à l'encontre d'une personne qui omet de déclarer un montant ou de transmettre des renseignements visés par règlement. À ce titre, le règlement applicable est le *Règlement sur la transmission électronique de déclarations et la communication de renseignements (TPS/TVH).*

Finalement, cet article, étant de nature administrative, permet à la personne cotisée de présenter une défense de diligence raisonnable.

284.1 (1) Défaut de présenter des montants réels — Toute institution déclarante qui omet d'indiquer, selon les modalités de temps ou autres, un montant réel (sauf celui à l'égard duquel elle est autorisée à faire une estimation raisonnable conformément au paragraphe 273.2(5)) dans une déclaration de renseignements qu'elle est tenue de produire selon le paragraphe 273.2(3), ou qui indique un tel montant de façon erronée dans la déclaration, et qui ne prend pas les mesures nécessaires pour parvenir à indiquer le montant réel est passible pour chaque défaut ou indication erronée, en sus des autres pénalités prévues par la présente partie, d'une pénalité égale à 1 000$ ou, s'il est moins élevé, au montant représentant 1 % de la valeur absolue de la différence entre le montant réel et celui des montants ci-après qui est applicable :

a) si l'institution déclarante a omis d'indiquer le montant réel selon les modalités de temps ou autres, zéro;

b) si elle l'a indiqué de façon erronée, le montant qu'elle a indiqué dans la déclaration de renseignements.

Concordance québécoise: aucune.

LTA (TPS)

(2) Défaut de présenter des estimations raisonnables — Toute institution déclarante qui omet de présenter, selon les modalités de temps ou autres, une estimation raisonnable d'un montant autre qu'un montant réel, ou d'un montant réel à l'égard duquel elle est autorisée à faire une estimation raisonnable conformément au paragraphe 273.2(5), dont le montant est à indiquer dans une déclaration de renseignements qu'elle est tenue de produire selon le paragraphe 273.2(3) pour un exercice, et qui ne prend pas les mesures nécessaires pour parvenir à indiquer le montant d'une telle estimation est passible pour chaque défaut, en sus des autres pénalités prévues par la présente partie, d'une pénalité égale à 1 000 $ ou, s'il est moins élevé, au montant représentant 1 % du total des montants suivants :

a) le total des montants représentant chacun un montant qui est devenu percevable par l'institution déclarante, ou qui a été perçu par elle, au titre de la taxe prévue par la section II pour une période de déclaration comprise dans l'exercice;

b) le total des montants représentant chacun un montant que l'institution déclarante a déduit à titre de crédit de taxe sur les intrants dans une déclaration qu'elle a produite aux termes de la section V pour une période de déclaration comprise dans l'exercice.

Concordance québécoise: aucune.

(3) Annulation ou renonciation — pénalité — Le ministre peut annuler tout ou partie d'une pénalité payable aux termes du présent article ou y renoncer.

Concordance québécoise: aucune.

Notes historiques: L'article 284.1 a été ajouté par L.C. 2010, c. 12, par. 78(1). Les paragraphes 284.1(1) et (2) s'appliquent relativement aux montants à indiquer dans une déclaration de renseignements à produire aux termes de la même loi au plus tard à une date postérieure au 29 juin 2010. Toutefois, ces paragraphes ne s'appliquent que si le montant n'est pas indiqué dans une déclaration de renseignements produite au plus tard le jour qui suit de six mois le 12 juillet 2010.

Définitions [par. 284.1]: « montant réel » — 123(1).

COMMENTAIRES: Il s'agit d'une pénalité qui a une portée très large et qui vise les institutions déclarantes tenues d'indiquer un montant réel dans le formulaire GST 111-*Déclaration annuelle de renseignements de la TPS/TVH pour les institutions financières* à produire en vertu du paragraphe 273.2 (3). Cette pénalité d'un montant maximal de 1000 $ s'applique à l'égard de chaque montant à indiquer dans ce formulaire qui a plus d'une centaine de cases. La pénalité peut donc être rapidement onéreuse pour l'institution financière concernée.

Le paragraphe (3) permet au ministre d'exercer sa discrétion pour renoncer ou annuler la pénalité. À cet égard, l'Agence du revenu du Canada et Revenu Québec appliqueront les mêmes critères que ceux utilisés sous l'article 281.1 dans le cadre du dossier équité.

285. Faux énoncés ou omissions — Toute personne qui, sciemment ou dans des circonstances équivalant à faute lourde, fait un faux énoncé ou une omission dans une déclaration, une demande, un formulaire, un certificat, un état, une facture ou une réponse — appelés « déclaration » au présent article — établi pour une période de déclaration ou une opération, ou y participe, y consent ou y acquiesce, est passible d'une pénalité de 250 $ ou, s'il est plus élevé, d'un montant égal à 25 % de la somme des montants suivants :

a) si le faux énoncé ou l'omission a trait au calcul de la taxe nette de la personne pour une période de déclaration, le montant obtenu par la formule suivante :

$$A - B$$

où :

A représente la taxe nette de la personne pour la période,

B le montant qui correspondrait à la taxe nette de la personne pour la période si elle était déterminée d'après les renseignements indiqués dans la déclaration;

b) si le faux énoncé ou l'omission a trait au calcul de la taxe payable par la personne, l'excédent éventuel de cette taxe sur le montant qui correspondrait à cette taxe si elle était déterminée d'après les renseignements indiqués dans la déclaration;

c) si le faux énoncé ou l'omission a trait au calcul d'un remboursement prévu par la présente partie, l'excédent éventuel du remboursement qui serait payable à la personne s'il était déterminé d'après les renseignements indiqués dans la déclaration sur le remboursement payable à la personne.

Notes historiques: L'article 285 a été remplacé par L.C. 2000, c. 30, art. 84. Cette modification est réputée entrée en vigueur le 20 octobre 2000. Antérieurement, il se lisait comme suit :

> 285. Toute personne qui, sciemment ou dans des circonstances équivalant à faute lourde dans l'exercice d'une obligation prévue à la présente partie, fait un faux énoncé ou une omission dans une déclaration, une demande, un formulaire, un certificat, un état, une facture ou une réponse — appelés « déclaration » au présent article — établi pour une période de déclaration ou une opération, ou y participe, y consent ou y acquiesce, est passible d'une pénalité égale au plus élevé de 250 $ et de 25 % de l'excédent suivant :
>
> a) s'il s'agit de la taxe nette d'une personne pour une période, l'excédent de cette taxe nette sur le montant de cette taxe si celle-ci était déterminée d'après les renseignements indiqués dans la déclaration;
>
> b) s'il s'agit de la taxe payable par une personne pour une période ou une opération, l'excédent de cette taxe sur le montant de cette taxe si celle-ci était déterminée d'après les renseignements indiqués dans la déclaration;
>
> c) s'il s'agit d'une demande de remboursement, l'excédent du remboursement qui serait payable à la personne si le remboursement était déterminé d'après les renseignements indiqués dans la déclaration sur le remboursement payable à la personne.

L'article 285 a été ajouté par L.C. 1990, c. 45, par. 12(1).

Concordance québécoise: LAF, art. 59.3.

Définitions: « facture », « montant », « période de déclaration », « personne », « taxe » — 123(1).

Renvois: 225(1) (taxe nette); 326, 327 (infraction); 327(3) (pénalité sur déclaration de culpabilité).

Jurisprudence: *Pro-Poseurs Inc. c. R.* (29 juin 2012), 2012 CarswellNat 2201 (C.A.F.); *Lee v. R.* (21 septembre 2012), 2012 CarswellNat 3612 (C.C.I.); *Construction Biagio Maiorino Inc. v. R.* (28 novembre 2012), 2012 CarswellNat 4719 (C.C.I.); *Verge (R.) c. La Reine*, [1995] G.S.T.C. 56 (CCI); *Alex Excavating Inc. c. La Reine*, [1995] G.S.T.C. 57; *Swimm (K.T.) c. Sa Majesté La Reine*, [1996] G.S.T.C. 40 (CCI); *P.L. Construction Ltd. c. Canada*, [1997] G.S.T.C. 80 (CCI); [1998] G.S.T.C. 67 (CAF); *897366 Ontario Ltd. c. R.*, [2000] G.S.T.C. 13 (CCI); *FBF Ltd. c. R.*, [2000] G.S.T.C. 57 (CCI); *Joseph Ribkoff Inc. c. R.*, [2003] G.S.T.C. 162 (CCI); *Gélinas v. R.*, [2004] G.S.T.C. 58 (CCI); *ATS Automotive Ltd. v. R.*, 2004 T.C.C. 216 (CCI); *Fournier c. R.*, [2004] G.S.T.C. 159 (CCI); *Voitures Orly Inc. Orly Automobiles Inc. c. R.*, [2004] G.S.T.C. 57 (CCI); *Marchildon c. R.*, [2004] G.S.T.C. 10 (CCI); *Fournier c. R.*, [2005] CAF 131 (CAF); *Voitures Orly Inc. / Orly Automobiles Inc. c. R.*, [2005] G.S.T.C. 200 (CAF); *800537 Ontario Inc. v. R.*, [2005] G.S.T.C. 165 (CAF); *Zachariya v. R.*, 2005 CCI 815 (CCI); *Montréal Timbres & Monnaies Champagne Inc. c. R.*, [2005] G.S.T.C. 119 (CCI); *Seni c. R.*, [2005] G.S.T.C. 15 (CCI); *Fournier c. R.*, [2006] G.S.T.C. 52, 2006 (CAF); *Bonik Inc. c. R.*, [2006] G.S.T.C. 77 (CCI); *Kimm Holdings Ltd. c. R.*, [2006] G.S.T.C. 34 (CCI); *Passucci c. R.*, [2006] G.S.T.C. 83 (CCI); *Vasarhelyi v. R.*, [2006] G.S.T.C. 107 (CCI); *Hsu c. R.*, [2006] G.S.T.C. 70 (CCI); *Boucher c. R.*, 2006 G.T.C. 321 (CCI); *9022-8891 Québec Inc. c. R.*, [2006] G.S.T.C. 174 (CCI); *Said Joaillier Ltée c. R.*, 2006 G.T.C. 137 (CCI); *R. v. Vasarhelyi*, [2007] G.S.T.C. 1 (CAF); *Patoine c. R.*, 2007 G.T.C. 884 (CCI); *Baker c. R.*, [2007] G.S.T.C. 22; *Brasserie Futuriste de Laval Inc. c. R.*, 2007 G.T.C. 609 (CCI); *Folz Vending Co. c. R.*, 2007 G.T.C. 880 (CCI); 2008 CarswellQue 1307 (CAF); *St-Isidore Écono Centre Inc. c. R.*, 2008 CarswellNat 2198 (CCI [procédure informelle])(factures n'ayant pas de numéro de TPS); 2008 G.T.C. 689 (CCI [procédure informelle]); *Logiciels Uppercut Inc. c. R.*, 2008 carswellNat 1837 (CCI [procédure informelle]); *Amiante Spec Inc c. R.*, 2008 carswellNat 737 (CCI [procédure générale]); *Développement Priscilla Inc. c. R.*, 2007 G.S.T.C. 181 (CCI [procédure informelle]); *Sand, Surf & Sea Ltd. v. R.*, [2008] G.S.T.C. 71 (11 mars 2008) (CCI [procédure informelle]); *2870258 Canada Inc. [Manco] c. R.*, [2007] G.S.T.C. 104 (CCI [procédure informelle])(numéro de TPS invalide); *Bashir v. R.*, [2008] G.S.T.C. 134 (23 avril 2008) (CCI [procédure informelle]); *507582 B.C. Ltd. v. R.*, [2008] G.S.T.C. 110 (20 mai 2008) (CCI [procédure générale]); *Rayner's Auto Sales v. R.*, [2008] G.S.T.C. 157 (CCI [procédure informelle]); *Gypse & Joints MPG Rive-Nord c. R.*, 2008 G.T.C. 177 (CCI [procédure générale]); *Milojevic v. R.*, [2008] G.S.T.C. 189 (6 octobre 2008) (CCI [procédure informelle]); *Nguyen v. R.* (18 décembre 2008), [2008] G.S.T.C. 218 (CCI [procédure générale]); *Stanley J. Tessmer Law Corp. v. R.* (16 février 2009), 2008 CarswellNat 1665; *Camions DM Inc. c. R.*, 2009 G.T.C. 997-133 (6 mars 2009) (CCI [procédure générale]); *Amiante Spec Inc. c. R.*, 2009 G.T.C. 2090 (8 mai 2009) (CAF); *Dundurn Street Lofts Inc. v. R.*, 2009 CarswellNat 1666 (1er octobre 2008) (CCI [procédure générale]); *9116-0762 Québec Inc. c. R.*, 2010 CarswellNat 546, 2010 CCI 116, 2010 G.T.C. 222 (Fr.) (CCI [procédure générale]); *Cosmopolitan Industries Ltd. v. R.*, 2010 CarswellNat 2830, 2010 CCI 96, [2010] G.S.T.C. 29 (CCI [procédure informelle]); *Lee v. R.*, 2010 CarswellNat 3586, 2010 CCI 400, [2010] G.S.T.C. 114 (CCI [procédure informelle]); *Bijouterie Almar Inc. v. R.* (2 décembre 2010), 2010 CarswellNat 4563, 2010 CCI 618 (CCI [procédure générale]); *Misiak v. R.* (6 janvier 2011), 2011 CarswellNat 367, 2011 CCI 1 (CCI [procédure informelle]); *Calandra v. R.* (7 janvier 2011), 2011 CarswellNat 361, 2011 CCI 7 (CCI [procédure informelle]); *Presseault v. R.* (7 février 2011), 2011 CarswellNat 778, 2011 CCI 69, [2011] 3 C.T.C. 2126 (CCI [procédure informelle]); *Pro-Poseurs Inc. c. Séguin* (1er mars 2011), 2011 CarswellNat

394, 2011 CCI 113, 2011 G.T.C. 950 (Fr.) (CCI [procédure générale]); *Khan v. R.*, 2011 CarswellNat 5028, 2011 CCI 481 (CCI [procédure informelle]); *Fourney v. R.* (14 novembre 2011), 2011 CarswellNat 6074, 2011 CCI 520 (CCI [procédure générale]); *McEwen v. R.* (30 janvier 2011), 2012 CarswellNat 1190, 2012 CCI 31 (CCI [procédure générale]).

Mémorandums: TPS 500-3-2, 16/03/94, *Pénalités et intérêts*, par. 27; TPS 500-3-4, 28/06/91, *Indication volontaire*, par. 1–20.

Série de mémorandums: Mémorandum 15.1, 05/05, *Exigences générales relatives aux livres et registres*.

Circulaires d'information: 00-1R2 — Programme des divulgations volontaires (PDV).

COMMENTAIRES: Plus communément appelé la « pénalité pour faute lourde », cet article prévoit la pénalité pour une personne qui, sciemment ou dans des circonstances équivalentes à faute lourde, fait un faux énoncé ou une omission dans une déclaration, formulaire et autres types de documents.

Il est à noter que cette pénalité ne s'applique pas à l'égard d'une personne qui fait défaut de produire une déclaration de taxe nette puisqu'aucun faux énoncé ou omission n'est fait par la personne. Voir notamment : *Lee*, [2010] G.S.T.C. 114 (C.C.I.) (en appel à la Cour d'appel fédérale); *Calandra*, [2011] G.S.T.C.2 (C.C.I.).

De plus, dans l'affaire *Hsu*, [2006] G.S.T.C. 70 (C.C.I.), la Cour canadienne de l'impôt a conclu que le défaut de tenir des livres comptables et des dossiers exacts ne constituait pas en soi une faute lourde.

Dans l'affaire *Boucher* c. *R.*, 2006 CarwellNat 1003 (C.C.I.), la pénalité sous l'article 285 a été imposée. Au soutien de sa conclusion, la Cour canadienne de l'impôt souligne qu'elle n'a pas pu passer sous silence la vérification antérieure de cette femme d'affaires d'expérience. De plus, les registres comptables tenus par celle-ci étaient propices à se soustraire aux obligations fiscales. Finalement, les montants d'argent liquide en sa possession en tout temps, de même que le méli-mélo des comptes en banque, étaient propices à ne pas laisser de trace de ses opérations commerciales.

Nous désirons souligner l'affaire *Murugesu c. La Reine*, 2013 TCC 21 (C.C.I.). Bien que cette décision ait été rendue dans un contexte d'impôt sur le revenu, le juge D'Arcy a indiqué que la pénalité pour faute lourde qui figure au paragraphe 163(2) de la *Loi de l'impôt sur le revenu* (qui est similaire à la pénalité pour faute lourde aux fins de la TPS/TVH) ne peut être imposée seulement sur la base de l'importance du montant non déclaré (paragraphe 48). En pratique, il arrive fréquemment que les vérificateurs de Revenu Québec imposent la pénalité pour faute lourde seulement sur cette base. Il sera donc intéressant de voir si les vérificateurs de Revenu Québec modifient leur approche à cet égard à la suite de ce jugement.

Finalement, il faut noter le paragraphe 285.1(16) qui énonce que le fardeau de preuve lors de l'imposition d'une pénalité sous 285 incombe au ministre. Voir notamment : *Bens c. R.*, 2011 CarswellNat 1428 (C.C.I.).

En pratique, il est désolant de constater une application fréquente et répétée de cette pénalité par les vérificateurs de l'Agence du revenu du Canada et de Revenu Québec. Il est primordial d'appliquer cette pénalité dans le contexte législatif par laquelle elle a été créée, à savoir dans des situations de négligence grossière, voire d'aveuglement volontaire. Il est tragique de constater que cette pénalité est souvent appliquée par les autorités fiscales simplement sur la base de l'importance d'un montant non déclaré, critère qui n'est pas pertinent pour déterminer de l'application ou non de cette pénalité. En effet, il est primordial que l'analyse se fasse sur une base subjective, et non objective, et ce, afin de respecter l'intention du législateur.

285.1 (1) Définitions — Les définitions qui suivent s'appliquent au présent article.

« activité d'évaluation » Tout acte accompli par une personne dans le cadre de la détermination de la valeur d'un bien ou d'un service.

Concordance québécoise: aucune.

« activité de planification » S'entend notamment des activités suivantes :

a) le fait d'organiser ou de créer un arrangement, une entité, un mécanisme, un plan ou un régime ou d'aider à son organisation ou à sa création;

b) le fait de participer, directement ou indirectement, à la vente d'un droit dans un arrangement, un bien, une entité, un mécanisme, un plan ou un régime ou à la promotion d'un arrangement, d'un bien, d'une entité, d'un mécanisme, d'un plan ou d'un régime.

Concordance québécoise: aucune.

« activité exclue » Quant à un faux énoncé, activité qui consiste :

a) soit à promouvoir ou à vendre (à titre de principal ou de mandataire ou de façon directe ou indirecte) un arrangement, un bien, une entité, un mécanisme, un plan ou un régime (appelés « arrangement » à la présente définition), s'il est raisonnable de considérer que l'un des principaux objets de la participation d'une personne à l'arrangement est l'obtention d'un avantage fiscal;

b) soit à accepter (à titre de principal ou de mandataire ou de façon directe ou indirecte) une contrepartie au titre de la promotion ou de la vente d'un arrangement.

Concordance québécoise: aucune.

« avantage fiscal » Réduction, évitement ou report d'une taxe, d'une taxe nette ou d'un autre montant payable en vertu de la présente partie ou augmentation d'un remboursement accordé en vertu de cette partie.

Concordance québécoise: aucune.

« bien » S'entend au sens du paragraphe 248(1) de la *Loi de l'impôt sur le revenu*.

Concordance québécoise: aucune.

« conduite coupable » Conduite — action ou défaut d'agir — qui, selon le cas :

a) équivaut à une conduite intentionnelle;

b) montre une indifférence quant à l'observation de la présente partie;

c) montre une insouciance délibérée, déréglée ou téméraire à l'égard de la loi.

Concordance québécoise: LAF, art. 59.5.1 « conduite coupable ».

« droits à paiement » Quant à une personne à un moment donné, relativement à une activité de planification ou à une activité d'évaluation qu'elle exerce, l'ensemble des montants que la personne, ou une autre personne avec laquelle elle a un lien de dépendance, a le droit de recevoir ou d'obtenir relativement à l'activité avant ou après ce moment et conditionnellement ou non.

Concordance québécoise: aucune.

« entité » S'entend notamment d'une association, d'une coentreprise, d'une fiducie, d'un fonds, d'une organisation, d'une personne morale, d'une société de personnes ou d'un syndicat.

Concordance québécoise: aucune.

« faux énoncé » S'entend notamment d'un énoncé qui est trompeur en raison d'une omission.

Concordance québécoise: LAF, art. 59.5.1 « faux énoncé ».

« participer » S'entend notamment du fait :

a) de faire agir un subalterne ou de lui faire omettre une information;

b) d'avoir connaissance de la participation d'un subalterne à une action ou à une omission d'information et de ne pas faire des efforts raisonnables pour prévenir pareille participation.

Concordance québécoise: LAF, art. 59.5.2.

« rétribution brute » Quant à une personne donnée à un moment quelconque relativement à un faux énoncé qui pourrait être utilisé par une autre personne ou pour son compte, l'ensemble des montants que la personne donnée, ou toute personne avec laquelle elle a un lien de dépendance, a le droit de recevoir ou d'obtenir relativement à l'énoncé avant ou après ce moment et conditionnellement ou non.

Concordance québécoise: LAF, art. 59.5.1 « rétribution brute ».

« subalterne » Quant à une personne donnée, s'entend notamment d'une autre personne dont les activités sont dirigées, surveillées ou contrôlées par la personne donnée, indépendamment du fait que l'autre personne soit le salarié de la personne donnée ou d'un tiers. Toutefois, l'autre personne n'est pas le subalterne de la personne donnée du seul fait que celle-ci soit l'associé d'une société de personnes.

Concordance québécoise: LAF, art. 59.5.1 « subalterne ».

Notes historiques: Le paragraphe 285.1(1) a été ajouté par L.C. 2000, c. 19, par. 70(1) et s'applique aux énoncés faits après le 29 juin 2000.

(2) Pénalité pour information trompeuse dans les arrangements de planification fiscale — La personne qui fait ou présente, ou qui fait faire ou présenter par une autre personne, un

LTA (TPS)

énoncé dont elle sait ou aurait vraisemblablement su, n'eût été de circonstances équivalant à une conduite coupable, qu'il constitue un faux énoncé qu'un tiers (appelé « autre personne » aux paragraphes (6) et (15)) pourrait utiliser à une fin quelconque de la présente partie, ou qui participe à un tel énoncé, est passible d'une pénalité relativement au faux énoncé.

Notes historiques: Le paragraphe 285.1(2) a été ajouté par L.C. 2000, c. 19, par. 70(1) et s'applique aux énoncés faits après le 29 juin 2000.

Concordance québécoise: aucune.

(3) Montant de la pénalité — La pénalité dont une personne est passible selon le paragraphe (2) relativement à un faux énoncé correspond au montant suivant :

a) si l'énoncé est fait dans le cadre d'une activité de planification ou d'une activité d'évaluation, 1 000 $ ou, s'il est plus élevé, le total des droits à paiement de la personne, au moment de l'envoi à celle-ci d'un avis de cotisation concernant la pénalité, relativement à l'activité de planification et à l'activité d'évaluation;

b) dans les autres cas, 1 000 $.

Notes historiques: Le paragraphe 285.1(3) a été ajouté par L.C. 2000, c. 19, par. 70(1) et s'applique aux énoncés faits après le 29 juin 2000.

Concordance québécoise: aucune.

(4) Pénalité pour participation à une information trompeuse — La personne qui fait un énoncé à une autre personne ou qui participe, consent ou acquiesce à un énoncé fait par une autre personne, ou pour son compte, (ces autres personnes étant appelées « autre personne » au présent paragraphe, aux paragraphes (5) et (6), à l'alinéa (12)c) et au paragraphe (15)) dont elle sait ou aurait vraisemblablement su, n'eût été de circonstances équivalant à une conduite coupable, qu'il constitue un faux énoncé qui pourrait être utilisé par l'autre personne, ou pour son compte, à une fin quelconque de la présente partie est passible d'une pénalité relativement au faux énoncé.

Notes historiques: Le paragraphe 285.1(4) a été ajouté par L.C. 2000, c. 19, par. 70(1) et s'applique aux énoncés faits après le 29 juin 2000.

Concordance québécoise: LAF, art. 59.5.3.

(5) Montant de la pénalité — La pénalité dont une personne est passible selon le paragraphe (4) relativement à un faux énoncé correspond au plus élevé des montants suivants :

a) 1 000 $;

b) le moins élevé des montants suivants :

(i) la somme de 100 000 $ et de la rétribution brute de la personne, au moment où l'avis de cotisation concernant la pénalité lui est envoyé, relativement au faux énoncé qui pourrait être utilisé par l'autre personne ou pour son compte,

(ii) 50 % du total des montants représentant chacun :

(A) si le faux énoncé a trait au calcul de la taxe nette de l'autre personne pour une période de déclaration, le montant obtenu par la formule suivante :

$$A-B$$

où :

A représente la taxe nette de l'autre personne pour la période,

B le montant qui correspondrait à la taxe nette de l'autre personne pour la période si l'énoncé n'était pas un faux énoncé,

(B) si le faux énoncé a trait au calcul d'un montant de taxe payable par l'autre personne, l'excédent éventuel du montant visé à la division (A) sur le montant visé à la division (B) :

(I) cette taxe payable,

(II) le montant qui représenterait la taxe payable par l'autre personne si l'énoncé n'était pas un faux énoncé,

(C) si le faux énoncé a trait au calcul d'un remboursement prévu par la présente partie, l'excédent éventuel du montant visé à la division (A) sur le montant visé à la division (B) :

(I) le montant qui représenterait le remboursement payable à l'autre personne si l'énoncé n'était pas un faux énoncé,

(II) le montant du remboursement payable à l'autre personne.

Notes historiques: Le paragraphe 285.1(5) a été ajouté par L.C. 2000, c. 19, par. 70(1) et s'applique aux énoncés faits après le 29 juin 2000.

Concordance québécoise: LAF, art. 59.5.3.

(6) Crédit accordé à l'information — Pour l'application des paragraphes (2) et (4), la personne (appelée « conseiller » au paragraphe (7)) qui agit pour le compte de l'autre personne n'est pas considérée comme ayant agi dans des circonstances équivalant à une conduite coupable en ce qui a trait au faux énoncé visé aux paragraphes (2) ou (4) du seul fait qu'elle s'est fondée, de bonne foi, sur l'information qui lui a été présentée par l'autre personne, ou pour le compte de celle-ci, ou que, de ce fait, elle a omis de vérifier ou de corriger l'information ou d'enquêter à son sujet.

Notes historiques: Le paragraphe 285.1(6) a été ajouté par L.C. 2000, c. 19, par. 70(1) et s'applique aux énoncés faits après le 29 juin 2000.

Concordance québécoise: LAF, art. 59.5.4.

(7) Application du paragraphe (6) — Le paragraphe (6) ne s'applique pas à l'énoncé qu'un conseiller fait, ou auquel il participe, consent ou acquiesce, dans le cadre d'une activité exclue.

Notes historiques: Le paragraphe 285.1(7) a été ajouté par L.C. 2000, c. 19, par. 70(1) et s'applique aux énoncés faits après le 29 juin 2000.

Concordance québécoise: aucune.

(8) Faux énoncés relatifs à un arrangement — Les règles suivantes s'appliquent dans le cadre du présent article, sauf les paragraphes (4) et (5) :

a) lorsqu'une personne fait ou présente, ou fait faire ou présenter par une autre personne, plusieurs faux énoncés, ou y participe, ceux-ci sont réputés être un seul faux énoncé s'ils ont été faits ou présentés dans le cadre des activités suivantes :

(i) une ou plusieurs activités de planification qui se rapportent à une entité donnée ou à un arrangement, bien, mécanisme, plan ou régime donné,

(ii) une activité d'évaluation qui se rapporte à un bien ou service donné;

b) il est entendu qu'une entité donnée ou un arrangement, bien, mécanisme, plan ou régime donné comprend une entité, un arrangement, un bien, un mécanisme, un plan ou un régime relativement auquel l'un des principaux objets de la participation d'une personne à l'entité, à l'arrangement, au mécanisme, au plan ou au régime, ou de l'acquisition du bien par une personne, est l'obtention d'un avantage fiscal.

Notes historiques: Le paragraphe 285.1(8) a été ajouté par L.C. 2000, c. 19, par. 70(1) et s'applique aux énoncés faits après le 29 juin 2000.

Concordance québécoise: aucune.

(9) Services de bureau — Pour l'application du présent article, une personne n'est pas considérée comme ayant fait ou présenté un faux énoncé, ou comme y ayant participé, consenti ou acquiescé, du seul fait qu'elle a rendu des services de bureau (sauf la tenue de la comptabilité) ou des services de secrétariat relativement à l'énoncé.

Notes historiques: Le paragraphe 285.1(9) a été ajouté par L.C. 2000, c. 19, par. 70(1) et s'applique aux énoncés faits après le 29 juin 2000.

Concordance québécoise: LAF, art. 59.5.5.

(10) Évaluations — Malgré le paragraphe (6), l'énoncé quant à la valeur d'un bien ou d'un service (appelée « valeur attribuée » au présent paragraphe) fait par la personne qui a opiné sur la valeur attribuée ou par une personne dans le cours de l'exercice d'une activité exclue est réputé être un énoncé dont elle aurait vraisemblablement su, n'eût été de circonstances équivalant à une conduite coupable, qu'il constitue un faux énoncé si la valeur attribuée est :

a) soit inférieure au produit de la multiplication du pourcentage fixé par règlement pour le bien ou le service par la juste valeur marchande du bien ou du service;

b) soit supérieure au produit de la multiplication du pourcentage fixé par règlement pour le bien ou le service par la juste valeur marchande du bien ou du service.

Notes historiques: Le paragraphe 285.1(10) a été ajouté par L.C. 2000, c. 19, par. 70(1) et s'applique aux énoncés faits après le 29 juin 2000.

Concordance québécoise: aucune.

(11) Exception — Le paragraphe (10) ne s'applique pas à une personne relativement à un énoncé quant à la valeur d'un bien ou d'un service si la personne établit que la valeur attribuée était raisonnable dans les circonstances et que l'énoncé a été fait de bonne foi et, le cas échéant, n'était pas fondé sur une ou plusieurs hypothèses dont la personne savait ou aurait vraisemblablement su, n'eût été de circonstances équivalant à une conduite coupable, qu'elles étaient déraisonnables ou trompeuses dans les circonstances.

Notes historiques: Le paragraphe 285.1(11) a été ajouté par L.C. 2000, c. 19, par. 70(1) et s'applique aux énoncés faits après le 29 juin 2000.

Concordance québécoise: aucune.

(12) Règles spéciales — Les règles suivantes s'appliquent dans le cadre du présent article :

a) lorsqu'est établie à l'égard d'une personne une cotisation concernant une pénalité prévue au paragraphe (2) dont le montant est fondé sur les droits à paiement de la personne à un moment donné relativement à une activité de planification ou une activité d'évaluation et qu'une autre cotisation concernant la pénalité est établie à un moment ultérieur, les présomptions suivantes s'appliquent :

(i) si les droits à paiement de la personne relativement à l'activité sont plus élevés au moment ultérieur, la cotisation concernant la pénalité établie à ce moment est réputée être une cotisation concernant une pénalité distincte,

(ii) dans les autres cas, l'avis de cotisation concernant la pénalité qui a été envoyé avant le moment ultérieur est réputé ne pas avoir été envoyé;

b) est exclu des droits à paiement d'une personne à un moment donné relativement à une activité de planification, ou une activité d'évaluation, dans le cadre de laquelle elle fait ou présente, ou fait faire ou présenter par une autre personne, un faux énoncé, ou y participe, le total des montants représentant chacun le montant d'une pénalité (sauf celle dont la cotisation est nulle par l'effet du paragraphe (13)) déterminée selon l'alinéa (3)a) relativement au faux énoncé et concernant laquelle un avis de cotisation a été envoyé à la personne avant ce moment;

c) lorsqu'est établie à l'égard d'une personne une cotisation concernant une pénalité prévue au paragraphe (4), est exclu de la rétribution brute de la personne, à un moment donné, relativement au faux énoncé qui pourrait être utilisé par l'autre personne ou pour son compte, le total des montants représentant chacun le montant d'une pénalité (sauf celle dont la cotisation est nulle par l'effet du paragraphe (13)) déterminée selon le paragraphe (5), dans la mesure où cet énoncé a été utilisé par cette autre personne ou pour son compte, et concernant laquelle un avis de cotisation a été envoyé à la personne avant ce moment.

Notes historiques: Le paragraphe 285.1(12) a été ajouté par L.C. 2000, c. 19, par. 70(1) et s'applique aux énoncés faits après le 29 juin 2000.

Concordance québécoise: LAF, art. 59.5.6.

(13) Cotisation nulle — Pour l'application de la présente partie, la cotisation concernant une pénalité prévue aux paragraphes (2) ou (4) est réputée nulle si elle a été annulée.

Notes historiques: Le paragraphe 285.1(13) a été ajouté par L.C. 2000, c. 19, par. 70(1) et s'applique aux énoncés faits après le 29 juin 2000.

Concordance québécoise: LAF, art. 59.5.7.

(14) Pénalité maximale — La personne qui est passible, à un moment donné, d'une pénalité selon les paragraphes (2) et (4) relativement au même faux énoncé est passible d'une pénalité n'excédant pas le plus élevé des montants suivants :

a) le total des pénalités dont elle est passible à ce moment selon le paragraphe (2) relativement à l'énoncé;

b) le total des pénalités dont elle est passible à ce moment selon le paragraphe (4) relativement à l'énoncé.

Notes historiques: Le paragraphe 285.1(14) a été ajouté par L.C. 2000, c. 19, par. 70(1) et s'applique aux énoncés faits après le 29 juin 2000.

Concordance québécoise: aucune.

(15) Salariés — Les règles suivantes s'appliquent à l'égard d'un salarié (sauf un employé déterminé, au sens du paragraphe 248(1) de la *Loi de l'impôt sur le revenu*, ou un salarié exerçant une activité exclue) de l'autre personne visée aux paragraphes (2) et (4) :

a) les paragraphes (2) à (5) ne s'appliquent pas à lui dans la mesure où le faux énoncé pourrait être utilisé par l'autre personne, ou pour son compte, pour l'application de la présente partie;

b) sa conduite est réputée être celle de l'autre personne pour l'application de l'article 285 à celle-ci.

Notes historiques: Le paragraphe 285.1(15) a été ajouté par L.C. 2000, c. 19, par. 70(1) et s'applique aux énoncés faits après le 29 juin 2000.

Concordance québécoise: LAF, art. 59.5.8.

(16) Charge de la preuve relativement aux pénalités — Dans tout appel interjeté en vertu de la présente partie au sujet d'une pénalité imposée par le ministre en vertu du présent article ou de l'article 285, le ministre a la charge d'établir les faits qui justifient l'imposition de la pénalité.

Notes historiques: Le paragraphe 285.1(16) a été ajouté par L.C. 2000, c. 19, par. 70(1) et s'applique aux énoncés faits après le 29 juin 2000.

Concordance québécoise: aucune.

Renvois [art. 285.1]: 327(3) (pénalité sur déclaration de culpabilité).

Jurisprudence: *Dundurn Street Lofts Inc. v. R.*, 2009 CarswellNat 1666 (1er octobre 2008) (CCI [procédure générale]).

Circulaires d'information [art. 281.1]: 01-1 — Pénalités administratives imposées à des tiers.

COMMENTAIRES: Il s'agit de la pénalité imposée aux professionnels qui trouve son pendant en impôt sur le revenu à l'article 163.2 de la *Loi de l'impôt sur le revenu*.

Le paragraphe (16) énonce que le fardeau de preuve lors de l'imposition d'une pénalité sous 285.1 incombe au ministre. Voir notamment : *Bens c. R.*, 2011 CarswellNat 1428 (C.C.I.).

La pénalité sous l'article 285.1 n'est pas déductible aux fins de l'impôt sur le revenu.

Sous-section c — Généralités

286. (1) Obligation de tenir des registres — Toute personne qui exploite une entreprise au Canada ou y exerce une activité commerciale, toute personne qui est tenue, en application de la présente partie, de produire une déclaration ainsi que toute personne qui présente une demande de remboursement doit tenir des registres en anglais ou en français au Canada ou à tout autre endroit, selon les modalités que le ministre précise par écrit, en la forme et avec les renseignements permettant d'établir ses obligations et responsabilités aux termes de la présente partie ou de déterminer le remboursement auquel elle a droit.

Notes historiques: Le paragraphe 286(1) a été ajouté par L.C. 1990, c. 45, par. 12(1).

Concordance québécoise: LAF, art. 34, al. 1, 2.

Série de mémorandums [art. 286(1)]: Mémorandum 27.3R, 01/10, *Programme d'incitation pour congrès étrangers et voyages organisés — Remboursement de la taxe payée sur les voyages organisés admissibles et sur l'hébergement fourni dans le cadre d'un voyage organisé admissible.*

(2) Registres insuffisants — Le ministre peut exiger que la personne qui ne tient pas les registres nécessaires à l'application de la présente partie tiennent ceux qu'il précise. Dès lors, la personne est tenue d'obtempérer.

Notes historiques: Le paragraphe 286(2) a été ajouté par L.C. 1990, c. 45, par. 12(1).

Concordance québécoise: LAF, art. 35.

(3) **Période de conservation** — La personne obligée de tenir des registres doit les conserver pendant la période de six ans suivant la fin de l'année qu'ils visent ou pendant toute autre période fixée par règlement.

Notes historiques: Le paragraphe 286(3) a été ajouté par L.C. 1990, c. 45, par. 12(1).

Concordance québécoise: LAF, art. 35.1 al. 1.

(3.1) **Registres électroniques** — Quiconque tient des registres, comme l'en oblige le présent article, par voie électronique doit les conserver sous une forme électronique intelligible pendant la durée de conservation visée au paragraphe (3).

Notes historiques: Le paragraphe 286(3.1) a été ajouté par L.C. 1998, c. 19, art. 282 et est réputé entré en vigueur le 18 juin 1998.

Concordance québécoise: LAF, art. 35.1, al. 2.

(3.2) **Dispense** — Le ministre peut, selon des modalités qu'il estime acceptables, dispenser une personne ou une catégorie de personnes de l'exigence visée au paragraphe (3.1).

Notes historiques: Le paragraphe 286(3.2) a été ajouté par L.C. 1998, c. 19, art. 282 et est réputé entré en vigueur le 18 juin 1998.

Concordance québécoise: LAF, art. 35.1, al. 3.

(4) **Opposition ou appel** — La personne obligée de tenir des registres qui signifie un avis d'opposition ou est partie à un appel ou à un renvoi aux termes de la présente partie doit conserver les registres concernant l'objet de ceux-ci ou de tout appel en découlant jusqu'à ce qu'il en soit décidé.

Notes historiques: Le paragraphe 286(4) a été ajouté par L.C. 1990, c. 45, par. 12(1).

Concordance québécoise: LAF, art. 35.4.

(5) **Demande du ministre** — Le ministre peut exiger, par demande signifiée à la personne obligée de tenir des registres ou par lettre envoyée par courrier recommandé ou certifié, la conservation des registres pour la période précisée dans la demande ou la lettre, lorsqu'il est d'avis que cela est nécessaire pour l'application de la présente partie.

Notes historiques: Le paragraphe 286(5) a été ajouté par L.C. 1990, c. 45, par. 12(1).

Concordance québécoise: LAF, art. 35.5.

(6) **Autorisation de se départir des documents** — Le ministre peut autoriser par écrit une personne à se départir des registres qu'elle doit conserver avant la fin de la période déterminée pour leur conservation.

Notes historiques: Le paragraphe 286(6) a été ajouté par L.C. 1990, c. 45, par. 12(1).

Concordance québécoise: LAF, art. 35.6.

Définitions [art. 286]: « activité commerciale », « entreprise », « ministre », « montant », « personne », « registre », « règlement » — 123(1).

Renvois [art. 286]: 123(2) (Canada); 238 (obligation de produire une déclaration); 326(1) (défaut de respect de la loi).

Jurisprudence [art. 286]: *Automobiles Dieudonné Rousseau Inc. c. La Reine*, [1996] G.S.T.C. 82 (CCI); *Trudeau (S.) c. La Reine*, 95-2509 ((GST)I); *Colas c. La Reine*, 96-1663 ((GST)I); *Trudeau (S.) c. Canada*, [1997] G.S.T.C. 36 (CCI); *Helsi Construction Management Inc. c. Canada*, [1997] G.S.T.C. 104 (CCI); *Ruest (C.) c. Canada*, [1998] G.S.T.C. 112 (CCI); *Gestion 69691 Inc. c. Canada*, [1998] G.S.T.C. 113 (CCI); *Gestion 69692 Inc. c. Canada*, [1998] G.S.T.C. 114 (CCI); *Club immobilier international Inc. c. Canada*, [1998] G.S.T.C. 115 (CCI); *Atlantic Mini & Modular Homes (Truro) Ltd. c. Canada*, [1999] G.S.T.C. 68 (CCI); *Aspire Management Realty Ltd. c. Canada*, [1999] G.S.T.C. 74 (CCI); *D & P Holdings Ltd. c. Canada*, [1999] G.S.T.C. 76 (CCI); *Ouaknine v. R.*, [2001] G.S.T.C. 130 (CAF); *Panda Marketing (1997) Ltd. v. R.*, [2002] G.S.T.C. 26 (CCI); *Paquet c. R.*, [2002] G.S.T.C. 31 (CCI); *Ouaknine v. R.*, [2003] G.S.T.C. 65 (CAF); *9004-5733 Québec Inc. c. R.*, [2003] G.S.T.C. 94 (CCI); *Payette c. R.*, [2003] G.S.T.C. 52 (CCI); *Bordeleau c. R.*, [2003] G.S.T.C. 73 (CCI); *Diézel c. R.*, [2003] G.S.T.C. 88 (CCI); *2868-2656 Québec Inc. c. R.*, [2003] G.S.T.C. 98 (CCI); *2868-2656 Québec Inc. c. R.*, [2004] G.S.T.C. 156 (CFA); *Jilly Creations inc. c. R.*, [2005] G.S.T.C. 19 (CCI); *Jilly Creations Inc. c. R.*, 2005 G.T.C. 774 (CCI); *9022-8891 Québec Inc. c. R.*, [2006] G.S.T.C. 174 (CCI); *Said Joaillier Ltée c. R.*, 2006 G.T.C. 137 (CCI); *Baker c. R.*, [2007] G.S.T.C. 22; *Développement Priscilla Inc. c. R.*, 2007 G.S.T.C. 181 (CCI [procédure informelle]); *Style Auto G.J. c. R.*, [2007] G.S.T.C. 162 (CCI [procédure générale]); *Telus Communications (Edmonton) Inc. v. R.* (13 février 2008), [2008] G.S.T.C. 39 (CCI [procédure générale]); *Qian v. R.* (21 octobre 2010), 2010 CarswellNat 4768, 2010 CCI 537, [2011] 2 C.T.C. 2164 (CCI [procédure informelle]).

Énoncés de politique [art. 286]: P-055R, 11/06/99, *Tenue de registres à l'extérieur du Canada par des non-résidents*.

Mémorandums [art. 286]: TPS 300-7-7, 24/04/91, *Publicité en coopération*; TPS 400-1-2, 8/11/90, *Documents requis*, par. 28; TPS 500-3, 4/10/91, *Cotisations et pénalités*; TPS 500-3-1, 20/03/92, par. 13, 14, 32–36; TPS 500-3-2, 16/03/94, *Pénalités et intérêts*, par. 3; TPS 500-4-2, 15/01/91, *Remboursements aux municipalités*; TPS 500-4-3, 17/05/91, *Universités, administrations scolaires et collèges publics*; TPS 500-4-4, 31/03/93, *Administrations hospitalières*, par. 53; TPS 500-4-9, 31/05/91, *Organismes de bienfaisance*; TPS 500-6-2, 19/03/93, *Gouvernements provinciaux*, par. 12–16.

Série de mémorandums [art. 286]: Mémorandum 8.4, 08/12, *Documents requis pour demander des crédits de taxe sur les intrants*; Mémorandum 9.3, 06/12, *Indemnités*; Mémorandum 13.2, 12/94, *Remboursements: Aide juridique*, par. 26; Mémorandum 15.1, 05/05, *Exigences générales relatives aux livres et registres*; Mémorandum 15.2, 05/05, *Registres informatisés*; Mémorandum 16.2, 01/09, *Pénalités et intérêts*.

Lettres d'interprétation (Québec) [art. 286]: 03-010035 — [Suffisance des renseignements].

COMMENTAIRES: Cet article établit les règles et paramètres entourant l'obligation de tenir des livres et registres. L'assujettissement à cette obligation est très large puisque cela comprend non seulement une personne qui exploite une entreprise ou une activité commerciale au Canada, tel que ces termes sont définis par le paragraphe 123(1), mais également toute personne qui est tenue de produire une déclaration ou une demande de remboursement.

Les livres et registres doivent être détenus au Canada ou à l'extérieur du Canada, sujet à une autorisation écrite du ministre.

Il est à noter que le paragraphe 286(2) ne s'applique qu'au premier défaut de la personne de ne pas maintenir ses livres et registres.

En raison d'importants critères reliés à la forme dans le contexte de la réclamation de crédits de taxe sur les intrants en vertu du paragraphe 169(4), du règlement afférent et de la position des autorités fiscales dans ce contexte, il est primordial de maintenir et tenir à jour ses livres et registres. En effet, l'ensemble des conditions de forme prescrites permettant de réclamer les crédits de taxe sur les intrants peut se retrouver dans plusieurs documents, d'où l'importance de conserver l'ensemble des documents pertinents pour l'entreprise. Nous vous recommandons nos commentaires sous le paragraphe 169(4).

Le 9 octobre 2012, le comité de liaison de l'Association de planification fiscale et financière entre Revenu Québec et le Ministère des Finances et de l'Économie a publié un rapport soulignant le manque de coordination interne entre les vérificateurs de Revenu Québec aux fins de la TPS, TVQ, RAS et de l'impôt (question 7 dudit rapport). En bref, il a été souligné que les entreprises doivent souvent fournir la même information (*c.-à-d.* le grand-livre sous format électronique) et répondre à plusieurs questions similaires. En réponse à cette situation, la Direction générale des entreprises de Revenu Québec suggère aux entreprises qui ont fourni des fichiers dans le cadre d'une vérification précédente pour une loi donnée d'en aviser le vérificateur afin d'éviter des dédoublements. D'ailleurs, il est souligné que Revenu Québec procède actuellement à l'analyse des processus des vérifications assistées par ordinateur (VAO) afin d'améliorer la coordination des demandes de documents dans le cadre de vérifications pour les différentes lois.

Finalement, à titre de réflexion, il pourrait être pertinent d'obliger une personne non résidente qui exploite une entreprise au Canada ou qui y exerce une activité commerciale de tenir ses livres et registres au Canada aux fins de l'application et de l'exécution de la partie IX de la *Loi sur la taxe d'accise (TPS)*. En effet, cela aurait pour objectif de faciliter la procédure prévue sous l'article 292. Cette nouvelle obligation serait, de notre avis, raisonnable puisque la plupart des non-résidents qui désirent exploiter une entreprise au Canada ont souvent déjà obtenu des conseils fiscaux, légaux ou comptables locaux avant d'y commencer leurs opérations. Dans ce contexte, leurs livres et registres pourraient être conservés par leurs conseillers canadiens.

287. Définitions — Les définitions qui suivent s'appliquent aux articles 288 à 292.

« juge » Juge d'une cour supérieure compétente de la province où l'affaire prend naissance ou juge de la Cour fédérale.

Concordance québécoise: aucune.

« maison d'habitation » Tout ou partie de quelque bâtiment ou construction tenu ou occupé comme résidence permanente ou temporaire, y compris :

a) un bâtiment qui se trouve dans la même enceinte qu'une maison d'habitation et qui y est relié par une baie de porte ou par un passage couvert et clos;

b) une unité conçue pour être mobile et pour être utilisée comme résidence permanente ou temporaire et qui est ainsi utilisée.

Concordance québécoise: aucune.

« personne autorisée » Personne autorisée par le ministre pour l'application des articles 288 à 292.

Concordance québécoise: aucune.

Notes historiques: L'article 287 a été ajouté par L.C. 1990, c. 45, par. 12(1).

Définitions [art. 287]: « habitation », « ministre », « personne » — 123(1).

Jurisprudence [art. 287]: *Ricken Leroux Inc. c. SMRQ*, [1998] G.S.T.C. 11 (C.A. Qué); permission d'appeler refusée [1998] G.S.T.C. 25 (CSC).

Série de mémorandums [art. 287]: Mémorandum 1.5, 09/94, *Définitions*; Mémorandum 15.1, 05/05, *Exigences générales relatives aux livres et registres*.

288. (1) Enquêtes — Une personne autorisée peut, en tout temps raisonnable, pour l'application ou l'exécution de la présente partie, inspecter, vérifier ou examiner les documents, les biens ou les procédés d'une personne, dont l'examen peut aider à déterminer les obligations de celle-ci ou d'une autre personne selon la présente partie ou son droit à un remboursement. À ces fins, la personne autorisée peut :

a) sous réserve du paragraphe (2), pénétrer dans un lieu où est exploitée une entreprise, est exercée une activité commerciale, est gardé un bien, est faite une chose en rapport avec une entreprise ou une activité commerciale ou sont tenus, ou devraient l'être, des documents;

b) requérir les propriétaire ou gérant du bien, de l'entreprise ou de l'activité commerciale ainsi que toute autre personne présente sur le lieu de lui donner toute l'aide raisonnable et de répondre à toutes les questions pertinentes à l'application ou à l'exécution de la présente partie et, à cette fin, requérir le propriétaire ou le gérant de l'accompagner sur le lieu.

Notes historiques: Le paragraphe 288(1) a été ajouté par L.C. 1990, c. 45, par. 12(1).

Concordance québécoise: LAF, art. 38, al. 1, 2.

(2) Autorisation préalable — Lorsque le lieu mentionné à l'alinéa (1)a) est une maison d'habitation, une personne autorisée ne peut y pénétrer sans la permission de l'occupant, à moins d'y être autorisée par un mandat décerné en application du paragraphe (3).

Notes historiques: Le paragraphe 288(2) a été ajouté par L.C. 1990, c. 45, par. 12(1).

Concordance québécoise: aucune.

(3) Mandat d'entrée — Sur requête *ex parte* du ministre, le juge saisi peut décerner un mandat qui autorise une personne autorisée à pénétrer dans une maison d'habitation aux conditions précisées dans le mandat, s'il est convaincu, sur dénonciation sous serment, de ce qui suit :

a) il existe des motifs raisonnables de croire que la maison d'habitation est un lieu mentionné à l'alinéa (1)a);

b) il est nécessaire d'y pénétrer pour l'application ou l'exécution de la présente partie;

c) un refus d'y pénétrer a été opposé, ou il est raisonnable de croire qu'un tel refus sera opposé.

Dans la mesure où un refus de pénétrer dans la maison d'habitation a été opposé ou pourrait l'être et où des documents ou biens sont gardés dans la maison d'habitation ou pourraient l'être, le juge qui n'est pas convaincu qu'il est nécessaire de pénétrer dans la maison d'habitation pour l'application ou l'exécution de la présente partie peut ordonner à l'occupant de la maison d'habitation de permettre à une personne autorisée d'avoir raisonnablement accès à tous documents ou biens qui sont gardés dans la maison d'habitation ou devraient y être gardés et rendre toute autre ordonnance indiquée en l'espèce pour l'application de la présente partie.

Notes historiques: Le paragraphe 288(3) a été modifié par L.C. 1994, c. 21, art. 127 et cette modification s'applique à compter du 15 juin 1994. Il se lisait auparavant comme suit :

> (3) Sur requête *ex parte* du ministre, le juge saisi décerne un mandat qui autorise une personne autorisée à pénétrer dans une maison d'habitation aux conditions que peut préciser le mandat, s'il est convaincu, sur dénonciation sous serment, de ce qui suit :
>
> a) il existe des motifs raisonnables de croire qu'une maison d'habitation est un lieu mentionné à l'alinéa (1)a);
>
> b) il est nécessaire d'y pénétrer pour l'application ou l'exécution de la présente partie;
>
> c) un refus d'y pénétrer a été opposé ou il existe des motifs raisonnables de croire qu'un tel refus sera opposé.
>
> Dans la mesure où un refus de pénétrer dans la maison d'habitation a été opposé ou pourrait l'être et où les documents ou biens sont gardés dans la maison d'habitation ou pourraient l'être, le juge qui n'est pas convaincu qu'il est nécessaire de pénétrer dans la maison d'habitation pour l'application ou l'exécution de la présente partie doit ordonner à l'occupant de la maison d'habitation de permettre à une personne autorisée d'avoir raisonnablement accès à tous documents ou biens qui sont gardés dans la maison d'habitation ou devraient y être gardés et rend toute autre ordonnance indiquée en l'espèce pour l'application de la présente partie.

Le paragraphe 288(3) a été ajouté par L.C. 1990, c. 45, par. 12(1).

Concordance québécoise: aucune.

Définitions [art. 288]: « activité commerciale », « bien », « document », « entreprise », « ministre », « personne » — 123(1); « juge », « maison d'habitation », « personne autorisée », « province » — 287; « fonctionnaire » — 293(1).

Renvois [art. 288]: 291 (copies); 289.1 (ordonnance de fournir l'accès, l'aide, les renseignements ou les documents); 293(4) (secret professionnel); 326(1) (défaut de respect de la loi).

Jurisprudence [art. 288]: *Last v. R.* (9 octobre 2012), 2012 CarswellNat 5517 (C.C.I.); *Huyen (K.M.) c. Canada*, [1997] G.S.T.C. 42 (CCI); *Ricken Leroux Inc. c. SMRQ*, [1998] G.S.T.C. 11 (C.A. Qué); permission d'appeler refusée [1998] G.S.T.C. 25 (CSC); *Lady Elle Inc. c. Canada*, [1999] G.S.T.C. 14 (CCI); *R. c. Saplys (No. 1)* and *(No. 3)*, [1999] G.S.T.C. 21 and 23 (Ont Gen Div); [2001] G.S.T.C. 25 (Ont SC); *Aspire Management Realty Ltd. c. Canada*, [1999] G.S.T.C. 74 (CCI); *Melis c. R.*, [2000] G.S.T.C. 38 (CCI); *Shvartsman c. R.*, [2002] G.S.T.C. 30 (CCI); *Bordeleau c. R.*, [2003] G.S.T.C. 73 (CCI); *2868-2656 Québec Inc. c. R.*, [2003] G.S.T.C. 98 (CCI); *Molenaar c. R.*, [2003] G.S.T.C. 136 (CCI); *2868-2656 Québec Inc. c. R.*, [2004] G.S.T.C. 156 (CFA); *Molenaar c. R.*, [2004] G.S.T.C. 142 (CFA); *9036-9695 Québec Inc. c. R.*, [2004] G.S.T.C. 66 (CCI); *Ste-Marie c. R.*, [2004] G.S.T.C. 63 (CCI); *Molenaar c. R.*, 325 N.R. 64 (CFA); *2760-3125 Québec Inc. c. R.*, [2005] G.S.T.C. 89 (CCI); *2760-3125 Québec Inc. c. R.*, 2005 G.T.C. 795 (CCI); *Molenaar c. R.*, [2005] 2 C.T.C. 176 (CFA); *Béliveau c. R.*, [2005] G.S.T.C. 14 (CCI); *Beaulieu c. R.*, 2005 G.T.C. 999-163 (CCI); *Montréal Timbres & Monnaies Champagne Inc. c. R.*, [2005] G.S.T.C. 119 (CCI); *1863-4725 Québec Inc. c. R.*, 2005 G.T.C. 737 (CCI); *Béliveau c. R.*, [2006] G.S.T.C. 118 (CCI); *1277302 Ontario Ltd. v. R.*, [2006] G.S.T.C. 21 (CCI); *Passucci c. R.*, [2006] G.S.T.C. 83 (CCI); *Vasarhelyi v. R.*, [2006] G.S.T.C. 107 (CCI); *Nettoyage Docknet Inc. c. R.*, [2006] G.S.T.C. 177 (CCI); *Lavie c. R.*, G.T.C. 682 (CCI); *Hsu c. R.*, [2006] G.S.T.C. 70 (CCI); *Boucher c. R.*, 2006 G.T.C. 321 (CCI); *Beaulieu c. R.*, 2006 G.T.C. 1298 (CAF); *9022-8891 Québec Inc. c. R.*, [2006] G.S.T.C. 174 (CCI); *Said Joaillier Ltée c. R.*, 2006 G.T.C. 137 (CCI); *R. v. Vasarhelyi*, [2007] G.S.T.C. 1 (CAF); *Baker c. R.*, [2007] G.S.T.C. 22; *Brasserie Futuriste de Laval Inc. c. R.*, 2007 G.T.C. 609 (CCI); *Vert-Dure Plus (1991) Inc. c. R.*, [2007] G.S.T.C. 166 (CCI [procédure informelle]); *Minister of National Revenue v. Amex Bank of Canada*, 2008 CarswellNat 3335 (27 août 2008) (CF).

Mémorandums [art. 288]: TPS 500-3, 4/10/91, *Cotisations et pénalités*, par. 6, 9, 10; TPS 500-3-1, 20/03/92, *Vérifications fiscales*, par. 5, 7, 17, 19, 22, 37–41; TPS 500-3-2, 16/03/94, *Pénalités et intérêts*, par. 5.

Série de mémorandums [art. 288]: Mémorandum 15.1, 05/05, *Exigences générales relatives aux livres et registres*; Mémorandum 15.2, 05/05, *Registres informatisés*.

COMMENTAIRES: Dans l'affaire *R. c. Law*, 2002 CarswellNB 45 (C.S.C.), la Cour suprême du Canada a indiqué que le paragraphe 288(1) constituait la source d'un pouvoir légal distinct permettant la fouille de documents dont l'examen peut aider à déterminer l'assujettissement de la taxe. En l'espèce, le policier n'avait pas l'autorisation du ministre pour procéder à la vérification de l'entreprise des appelants. La Cour suprême du Canada a donc conclu que la conduite du policier constituait une fouille abusive au sens de l'article 8 de la *Charte des droits et libertés*.

Cet article accorde de très larges pouvoirs à la personne autorisée par le ministre, cette personne étant souvent le vérificateur. En pratique, la vérification est initiée après avoir produit une déclaration de TPS et avoir reçu un avis de cotisation. Toutefois, il est à noter que ces pouvoirs cessent lorsque la vérification se transforme en une enquête dont l'objet principal est d'établir la responsabilité criminelle pour évasion fiscale. Voir notamment : *Jarvis c. R.*, [2003] 1 C.T.C. 135 (CSC), *Ling c. R*, 2002 SCC 74 (CSC). Dans un tel contexte, la personne est protégée par les dispositions de la *Charte des droits et libertés*.

Il faut souligner que les restrictions contenues à l'article 288 limitant les pouvoirs d'un vérificateur dans un contexte de personnes non désignées nommément ne s'appliquent pas en vertu du présent article.

Le vérificateur peut utiliser plusieurs méthodes de vérification, dépendamment du contexte. Parmi celles-ci se trouvent notamment la méthode d'échantillonnage, l'avoir net et l'analyse des dépôts bancaires.

Cet article est le pendant de l'article 231.1 de la *Loi de l'impôt sur le revenu*.

289. (1) Présentation de documents ou de renseignements — Malgré les autres dispositions de la présente partie, le ministre peut, sous réserve du paragraphe (2) et, pour l'application ou l'exécution d'un accord international désigné ou de la présente partie, notamment la perception d'un montant à payer ou à verser par une personne en vertu de la présente partie, par avis signifié à personne ou envoyé par courrier recommandé ou certifié, exiger d'une personne, dans le délai raisonnable que précise l'avis :

a) qu'elle lui livre tout renseignement ou tout renseignement supplémentaire, y compris une déclaration selon la présente partie;

b) qu'elle lui livre des documents.

Notes historiques: Le préambule du paragraphe 289(1) a été remplacé par L.C. 2007, c. 18, par. 47(1). Cette modification est entrée en vigueur le 22 juin 2007. Antérieurement, il se lisait comme suit :

289. (1) Malgré les autres dispositions de la présente partie, le ministre peut, sous réserve du paragraphe (2) et, pour l'application ou l'exécution de la présente partie, notamment pour la perception d'un montant à payer ou à verser par une personne en vertu de la présente partie, par avis signifié à personne ou envoyé par courrier recommandé ou certifié, exiger d'une personne, dans le délai raisonnable que précise l'avis :

Le préambule du paragraphe 289(1) a été remplacé par L.C. 2000, c. 30, art. 85. Cette modification est réputée entrée en vigueur le 20 octobre 2000. Antérieurement, il se lisait comme suit :

289. (1) Nonobstant les autres dispositions de la présente partie, le ministre peut, sous réserve du paragraphe (2) et, pour l'application ou l'exécution de la présente partie, par avis signifié à personne ou envoyé par courrier recommandé ou certifié, exiger d'une personne, dans le délai raisonnable que précise l'avis :

Le paragraphe 289(1) a été ajouté par L.C. 1990, c. 45, par. 12(1).

Concordance québécoise: LAF, art. 39.

(2) Personnes non désignées nommément — Le ministre ne peut exiger de quiconque — appelé « tiers » au présent article — la livraison de renseignements ou de documents prévue au paragraphe (1) concernant une ou plusieurs personnes non désignées nommément, sans y être au préalable autorisé par un juge en vertu du paragraphe (3).

Notes historiques: Le paragraphe 289(2) a été ajouté par L.C. 1990, c. 45, par. 12(1).

Concordance québécoise: aucune.

(3) Autorisation judiciaire — Sur requête *ex parte* du ministre, un juge peut, aux conditions qu'il estime indiquées, autoriser le ministre à exiger d'un tiers la livraison de renseignements ou de documents prévue au paragraphe (1) concernant une personne non désignée nommément ou plus d'une personne non désignée nommément — appelée « groupe » au présent article —, s'il est convaincu, sur dénonciation sous serment, de ce qui suit :

Modification proposée — 289(3) préambule

(3) Autorisation judiciaire — Sur requête du ministre, un juge de la Cour fédérale peut, aux conditions qu'il estime indiquées, autoriser le ministre à exiger d'un tiers la livraison de renseignements ou de documents prévue au paragraphe (1) concernant une personne non désignée nommément ou plus d'une personne non désignée nommément — appelée « groupe » au présent article —, s'il est convaincu, sur dénonciation sous serment, de ce qui suit :

Application: Le préambule du paragraphe 289(3) sera remplacé par le par. 2(1) de l'*Avis de motion de voies et moyens accompagnant le budget fédéral* du 21 mars 2013 et cette modification s'appliquera aux requêtes du ministre du Revenu national faites après la date de sanction de tout texte législatif donnant effet à ces paragraphes.

a) cette personne ou ce groupe est identifiable;

b) la livraison est exigée pour vérifier si cette personne ou les personnes de ce groupe ont respecté quelque devoir ou obligation prévu par la présente partie.

Notes historiques: Le paragraphe 289(3) a été ajouté par L.C. 1990, c. 45, par. 12(1).

Concordance québécoise: aucune.

(4) Signification ou envoi de l'autorisation — L'autorisation accordée en application du paragraphe (3) doit être jointe à l'avis visé au paragraphe (1).

Notes historiques: Le paragraphe 289(4) a été ajouté par L.C. 1990, c. 45, par. 12(1).

Concordance québécoise: aucune.

(5) Révision de l'autorisation — Le tiers à qui un avis est signifié ou envoyé conformément au paragraphe (1) peut, dans les 15 jours suivant la date de signification ou d'envoi, demander au juge qui a accordé l'autorisation prévue au paragraphe (3), ou, en cas d'incapacité de ce juge, à un autre juge du même tribunal de réviser l'autorisation.

Notes historiques: Le paragraphe 289(5) a été ajouté par L.C. 1990, c. 45, par. 12(1).

Concordance québécoise: aucune.

(6) Pouvoir de révision — À l'audition de la requête prévue au paragraphe (5), le juge peut annuler l'autorisation accordée antérieurement s'il n'est pas convaincu de l'existence des conditions prévues aux alinéas (3)a) et b). Il peut la confirmer ou la modifier s'il est convaincu de leur existence.

Abrogation proposée — 289(4)-(6)

Application: Les paragraphes 289(4) à (6) seront abrogés par le par. 2(2) de l'*Avis de motion de voies et moyens accompagnant le budget fédéral* du 21 mars 2013 et cette abrogation s'appliquera aux requêtes du ministre du Revenu national faites après la date de sanction de tout texte législatif donnant effet à ces paragraphes.

Notes historiques: Le paragraphe 289(6) a été ajouté par L.C. 1990, c. 45, par. 12(1).

Concordance québécoise: aucune.

Définitions [art. 289]: « document », « ministre », « personne » — 123(1); « juge » — 287; « fonctionnaire » — 293(1).

Renvois [art. 289]: 289.1 (ordonnance de fournir l'accès, l'aide, les renseignements ou les documents); 291 (copies); 293(2), (4) (secret professionnel); 326(1) (défaut de respect de la loi).

Jurisprudence [art. 289]: *R. c. Rosen*, [1997] G.S.T.C. 4 (Man CA); *Raymond Rioux Distribution c. MNR*, [1998] G.S.T.C. 72; *Bining c. R.*, [2003] 4 C.T.C. 165 (CFC); *Nesathrai v. Minister of National Revenue*, 2008 CarswellNat 904 (C.F.); *Vert-Dure Plus (1991) Inc. c. R.*, [2007] G.S.T.C. 166 (CCI [procédure informelle]); *Minister of National Revenue v. Amex Bank of Canada*, 2008 CarswellNat 3335 (27 août 2008) (CF); *Minister of National Revenue v. Stanchfield*, 2009 CarswellNat 1079 (CF); *Roberge Transport Inc. v. R.*, 2010 CarswellNat 2453, 2010 CCI 155, [2010] G.S.T.C. 43 (CCI [procédure générale]).

Mémorandums [art. 289]: TPS 500-3-1, 20/03/92, par. 11, *Vérifications fiscales*.

Série de mémorandums [art. 289]: Mémorandum 15.1, 05/05, *Exigences générales relatives aux livres et registres*.

COMMENTAIRES: Cet article permet au vérificateur de présenter une demande formelle d'information à une personne. Cette demande peut se faire sous plusieurs formes, notamment par le biais d'un questionnaire.

Cet article a une portée extraterritoriale. À titre illustratif, nous vous soulignons la décision dans l'affaire *Ebay Canada Ltd. c. Minister of National Revenue* [2008] D.T.C. 6317 (C.A.F.), en vertu de laquelle Ebay Canada a été dans l'obligation de fournir des informations à l'égard de clients résidents au Canada, et ce, même si cette information se situait sur des serveurs à l'extérieur du pays.

Également, il faut noter que le processus de faillite n'empêche pas une personne de se conformer à divulguer l'information demandée sous l'article 289. Voir à cet effet : *Stanfield c. MNR*, [2008] CarswellNat 1467 (C.F.).

Toutefois, les informations et documents protégés par le secret professionnel n'ont pas à être divulgués en vertu de l'article 289. Voir notamment : *Nesathurai* c. *MNR*, [2008] G.S.T.C.45 (C.F.). Dans ce contexte, il faut souligner que le privilège au secret professionnel appartient aux relations entre les clients et les avocats, et n'est pas disponible en faveur des comptables.

L'affaire *Redeemer Foundation c. MNR*, 2008 CarswellNat 2550 (C.S.C) a permis à la Cour suprême du Canada de conclure que l'Agence du revenu du Canada n'avait pas besoin d'autorisation judiciaire si la demande était formulée en vertu de l'article 231.1 de la *Loi de l'impôt sur le revenu* (l'équivalent de l'article 288). Il est donc possible pour l'Agence du revenu du Canada et Revenu Québec de contourner le résultat de la décision en appliquant l'article 288 et en procédant à une vérification de la personne concernée.

Dans l'affaire *Minister of National Revenue c. Amex Bank of Canada*, 2008 CarswellNat 3335 (C.F.), la Cour fédérale a appliqué l'arrêt *Redeemer* de la Cour suprême du Canada et a indiqué que le pouvoir étendu du ministre d'inspecter, de vérifier et d'examiner les dossiers de contribuables l'habilite, sans qu'il doive obtenir une autorisation judiciaire en application de l'article 231.2 de la *Loi de l'impôt sur le revenu*, à recueillir des renseignements sur les donateurs non identifiés d'un organisme de bienfaisance enregistré.

En vertu du paragraphe 289(3), une demande pour information à l'égard de personnes non désignées peut être obtenue, mais elle doit être approuvée par un juge.

Dans le cadre du budget fédéral du 21 mars 2013, il a été proposé d'éliminer la nature ex parte du processus concernant l'obtention d'une ordonnance du tribunal qui figure au paragraphe 289(3). Désormais, l'Agence du revenu du Canada ou Revenu Québec devra informer la tierce partie lorsqu'elle décide de demander l'émission d'une ordonnance par un juge de la Cour fédérale. Dès lors, la tierce partie devra présenter les arguments qu'elle veut faire valoir lors de l'audience portant sur la demande de l'ordonnance. Ainsi, l'élimination de la nature ex parte du processus éliminera la nécessité de procéder à une révision subséquente, évitant ainsi de retarder sensiblement l'obtention des renseignements. Cette mesure s'appliquera à compter de la date de la sanction royale de la loi habilitante.

Le refus par une personne de se conformer à cet article entraîne, notamment, une infraction en vertu du paragraphe 326(1).

Cet article est similaire à l'article 231.1 de la *Loi de l'impôt sur le revenu*.

289.1 (1) Ordonnance — Sur demande sommaire du ministre, un juge peut, malgré le paragraphe 326(2), ordonner à une personne de fournir l'accès, l'aide, les renseignements ou les documents que le ministre cherche à obtenir en vertu des articles 288 ou 289 s'il est convaincu de ce qui suit :

a) la personne n'a pas fourni l'accès, l'aide, les renseignements ou les documents bien qu'elle en soit tenue par les articles 288 ou 289;

b) s'agissant de renseignements ou de documents, le privilège des communications entre client et avocat, au sens du paragraphe 293(1), ne peut être invoqué à leur égard.

Concordance québécoise: LAF, art. 39.2, al. 1.

(2) Avis — La demande n'est entendue qu'une fois écoulés cinq jours francs après signification d'un avis de la demande à la personne à l'égard de laquelle l'ordonnance est demandée.

Concordance québécoise: LAF, art. 39.2, al. 2.

(3) Conditions — Le juge peut imposer, à l'égard de l'ordonnance, les conditions qu'il estime indiquées.

Concordance québécoise: LAF, art. 39.2, al. 1.

(4) Outrage — Quiconque refuse ou fait défaut de se conformer à l'ordonnance peut être reconnu coupable d'outrage au tribunal; il est alors sujet aux procédures et sanctions du tribunal l'ayant ainsi reconnu coupable.

Concordance québécoise: aucune.

(5) Appel — L'ordonnance visée au paragraphe (1) est susceptible d'appel devant le tribunal ayant compétence pour entendre les appels des décisions du tribunal ayant rendu l'ordonnance. Toutefois, l'appel n'a pas pour effet de suspendre l'exécution de l'ordonnance, sauf ordonnance contraire d'un juge du tribunal saisi de l'appel.

Concordance québécoise: LAF, art. 39.2, al. 4.

Notes historiques: L'article 289.1 a été ajouté par L.C. 2001, c. 17, art. 258 et est entré en vigueur le 14 juin 2001.

Série de mémorandums [art. 289.1]: Mémorandum 15.1, 05/05, *Exigences générales relatives aux livres et registres*.

Jurisprudence [art. 289.1]: *Minister of National Revenue v. Stanchfield*, 2009 CarswellNat 1079 (CF).

COMMENTAIRES: Cet article permet d'obtenir une ordonnance de la Cour canadienne de l'impôt dans le contexte d'une vérification où la personne ne collabore pas malgré les demandes faites par le vérificateur en vertu des articles 288 et 289.

Le paragraphe (4) prévoit que le défaut de respecter l'ordonnance équivaut à un outrage au tribunal. De façon générale, un outrage au tribunal peut entraîner la sanction d'une peine d'emprisonnement pour la personne qui y est visée.

Il s'agit d'une procédure similaire à celle qui figure sous l'article 231.7 de la *Loi de l'impôt sur le revenu*.

290. (1) Requête pour mandat de perquisition — Sur requête *ex parte* du ministre, un juge peut décerner un mandat écrit qui autorise toute personne qui y est nommée à pénétrer dans tout bâtiment, contenant ou endroit et y perquisitionner pour y chercher des documents ou choses qui peuvent constituer des éléments de preuve de la perpétration d'une infraction à la présente partie, à saisir ces documents ou choses et, dès que matériellement possible, soit à les apporter au juge ou, en cas d'incapacité de celui-ci, à un autre juge du même tribunal, soit à lui en faire rapport, pour que le juge en dispose conformément au présent article.

Notes historiques: Le paragraphe 290(1) a été ajouté par L.C. 1990, c. 45, par. 12(1).

Concordance québécoise: LAF, art. 40, al. 1.

(2) Preuve sous serment — La requête doit être appuyée par une dénonciation sous serment qui expose les faits au soutien de la requête.

Notes historiques: Le paragraphe 290(2) a été ajouté par L.C. 1990, c. 45, par. 12(1).

Concordance québécoise: LAF, art. 40, al. 1.

(3) Mandat décerné — Le juge saisi de la requête peut décerner le mandat s'il est convaincu qu'il existe des motifs raisonnables de croire ce qui suit :

a) une infraction prévue par la présente partie a été commise;

b) des documents ou choses qui peuvent constituer des éléments de preuve de la perpétration de l'infraction seront vraisemblablement trouvés;

c) le bâtiment, contenant ou endroit précisé dans la requête contient vraisemblablement de tels documents ou choses.

Notes historiques: Le paragraphe 290(3) a été modifié par L.C. 1994, c. 21, art. 128 et s'applique à compter du 15 juin 1994. Il se lisait auparavant comme suit :

> (3) Le juge saisi de la requête décerne le mandat s'il est convaincu qu'il existe des motifs raisonnables de croire ce qui suit :
>
> a) une infraction prévue par la présente partie a été commise;
>
> b) il est vraisemblable de trouver des documents ou choses qui peuvent constituer des éléments de preuve de la perpétration de l'infraction;
>
> c) le bâtiment, contenant ou endroit précisé dans la requête contient vraisemblablement de tels documents ou choses.

Le paragraphe 290(3) a été ajouté par L.C. 1990, c. 45, par. 12(1).

: [Voir les Notes explicatives sous le paragraphe 288(3) — n.d.l.r.]

Concordance québécoise: LAF, art. 40, al. 3.

(4) Contenu du mandat — Le mandat doit indiquer l'infraction pour laquelle il est décerné, dans quel bâtiment, contenant ou endroit perquisitionner ainsi que la personne accusée d'avoir commis l'infraction. Il doit donner suffisamment de précisions sur les documents ou choses à chercher et à saisir.

Notes historiques: Le paragraphe 290(4) a été ajouté par L.C. 1990, c. 45, par. 12(1).

Concordance québécoise: LAF, art. 40, al. 1, 40.1.

(5) Saisie de documents — Quiconque exécute le mandat peut saisir, outre les documents ou choses mentionnés au paragraphe (1), tous autres documents ou choses qu'il croit, pour des motifs raisonnables, constituer des éléments de preuve de la perpétration d'une infraction à la présente partie. Il doit, dès que matériellement possible, soit apporter ces documents ou choses au juge qui a décerné le mandat ou, en cas d'incapacité de celui-ci, à un autre juge du même tribunal, soit lui en faire rapport, pour que le juge en dispose conformément au présent article.

Notes historiques: Le paragraphe 290(5) a été ajouté par L.C. 1990, c. 45, par. 12(1).

Concordance québécoise: LAF, art. 40.1, al. 1, 2.

(6) Rétention des choses saisies — Sous réserve du paragraphe (7), lorsque des documents ou choses saisis en vertu du paragraphe (1) ou (5) sont apportés à un juge ou qu'il en est fait rapport à un juge, ce juge ordonne que le ministre les retienne sauf si celui-ci y renonce. Le ministre qui retient des documents ou choses doit en prendre raisonnablement soin pour s'assurer de leur conservation jusqu'à la fin de toute enquête sur l'infraction en rapport avec laquelle les documents ou choses ont été saisis ou jusqu'à ce que leur production soit exigée aux fins d'une procédure criminelle.

Notes historiques: Le paragraphe 290(6) a été ajouté par L.C. 1990, c. 45, par. 12(1).

Concordance québécoise: LAF, art. 40.1, al. 3.

(7) Restitution des choses saisies — Le juge à qui des documents ou choses saisis en vertu du paragraphe (1) ou (5) sont apportés ou à qui il en est fait rapport peut, d'office ou sur requête sommaire d'une personne ayant un droit dans ces documents ou choses avec avis au sous-procureur général du Canada trois jours francs avant qu'il y soit procédé, ordonner que ces documents ou choses soient restitués à la personne à qui ils ont été saisis ou à la personne qui y a légalement droit par ailleurs, s'il est convaincu que ces documents ou choses :

a) soit ne seront pas nécessaires à une enquête ou à une procédure criminelle;

b) soit n'ont pas été saisis conformément au mandat ou au présent article.

LTA (TPS)

Notes historiques: Le paragraphe 290(7) a été ajouté par L.C. 1990, c. 45, par. 12(1).

Concordance québécoise: LAF, art. 40.1, al. 4.

(8) Accès aux documents et reproduction — La personne à qui des documents ou choses sont saisis en application du présent article a le droit, en tout temps raisonnable et aux conditions raisonnables que peut imposer le ministre, d'examiner ces documents ou choses et d'obtenir reproduction des documents aux frais du ministre en une seule copie.

Notes historiques: Le paragraphe 290(8) a été ajouté par L.C. 1990, c. 45, par. 12(1).

Concordance québécoise: LAF, art. 40.2.

Définitions [art. 290]: « document », « ministre », « personne » — 123(1); « juge » — 287; « fonctionnaire » — 293(1).

Renvois [art. 290]: 291 (copies); 293(3) (secret professionnel).

Jurisprudence [art. 290]: *Baron c. La Reine*, [1993] 1 C.T.C. 111 (CSC); *R. c. 2821109 Canada Inc.*, [1995] G.S.T.C. 67 (NBCA); *R. c. Saplys (No. 1)* and *(No. 3)*, [1999] G.S.T.C. 21 and 23 (Ont Gen Div); [2001] G.S.T.C. 25 (Ont SC); *R. c. Melnychuk*, [1999] G.S.T.C. 29 (Sask Prov Ct); *R. c. Clarkson*, [1999] G.S.T.C. 38 (BCSC).

Mémorandums [art. 290]: TPS 500-3-1, 20/03/92, *Vérifications fiscales*, par. 22.

COMMENTAIRES: Cet article permet d'obtenir une requête pour un mandat de perquisition dans le but d'obtenir la preuve que de l'évasion en TPS/TVH a été commise. Le juge accorde cette requête dans la mesure où, notamment, il est convaincu qu'il existe des motifs raisonnables de croire qu'une infraction a été commise.

Il est à noter que l'Agence du revenu du Canada obtient fréquemment un mandat de perquisition en vertu de l'article 487 du *Code criminel* plutôt qu'en vertu de l'article 290, l'avantage principal étant qu'un juge de paix peut lancer un tel mandat, par opposition à un juge d'une cour de justice en vertu de la *Loi sur la taxe d'accise (TPS)*.

La Cour suprême du Canada, dans l'affaire *R c. Jarvis*, [2003] 1 C.T.C. 135, a établit les critères permettant de définir les paramètres d'une vérification et ceux d'une enquête. En effet, lorsque l'objectif prédominant de la demande consiste en une enquête criminelle, les pouvoirs du vérificateur en vertu des articles 288 et 289 ne peuvent alors être utilisés.

291. (1) Copies — Lorsque, en vertu de l'un des articles 276 et 288 à 290, des documents font l'objet d'une opération de saisie, d'inspection, de vérification ou d'examen ou sont livrés, la personne qui effectue cette opération ou auprès de qui est faite cette livraison ou tout fonctionnaire de l'Agence peut en faire ou en faire faire des copies et, s'il s'agit de documents électroniques, les imprimer ou les faire imprimer. Les documents présentés comme documents que le ministre ou une personne autorisée atteste être des copies des documents, ou des imprimés de documents électroniques, faits conformément au présent article font preuve de la nature et du contenu des documents originaux et ont la même force probante qu'auraient ceux-ci si leur authenticité était prouvée de la façon usuelle.

Notes historiques: Le paragraphe 291(1) a été remplacé par L.C. 2000, c. 30, par. 86(1). Cette modification s'applique aux copies et imprimés effectués après le 18 juin 1998. Toutefois, en ce qui concerne les copies et imprimés effectués avant novembre 1999, le passage « de l'Agence » au paragraphe 291(1) est remplacé par « du ministère ». Antérieurement, il se lisait comme suit :

> 291. (1) Lorsque, en vertu de l'un des articles 276 et 288 à 290, des documents font l'objet d'une opération de saisie, d'inspection ou d'examen ou sont livrés, la personne qui effectue cette opération ou auprès de qui est faite cette livraison ou tout fonctionnaire de l'Agence peut en faire ou en faire faire des copies et, s'il s'agit de documents électroniques, les imprimer ou les faire imprimer. Les documents présentés comme documents que le ministre ou une personne autorisée atteste être des copies des documents, ou des imprimés de documents électroniques, faits conformément au présent article font preuve de la nature et du contenu des documents originaux et ont la même force probante qu'auraient ceux-ci si leur authenticité était prouvée de la façon usuelle.

Le paragraphe 291(1) a été modifié par le remplacement des mots « du ministère » par les mots « de l'Agence » par L.C. 1999, c. 17, art. 156h). Cette modification est entrée en vigueur le 1er novembre 1999.

Le paragraphe 291(1) a été remplacé par L.C. 1998, c. 19, par. 283(1). Cette modification s'applique aux copies et imprimés faits après le 18 juin 1998. Antérieurement il se lisait comme suit :

> 291. (1) Lorsque des documents sont saisis, inspectés, examinés ou livrés en vertu des articles 276 et 288 à 290, la personne qui opère cette saisie ou fait cette inspection ou cet examen ou à qui est faite cette livraison ou tout fonctionnaire du ministère peut en faire ou en faire faire des copies. Les documents présentés comme documents que le ministre ou une personne autorisée atteste être des copies faites en application du présent article font preuve de la nature et du contenu des documents originaux et ont la même force probante qu'auraient ceux-ci si leur authenticité était prouvée de la façon usuelle.

Le paragraphe 291(1) a été ajouté par L.C. 1990, c. 45, par. 12(1).

Concordance québécoise: LAF, art. 42.

(2) Observation — Nul ne peut, physiquement ou autrement, entraver, rudoyer ou contrecarrer, ou tenter d'entraver, de rudoyer ou de contrecarrer, un fonctionnaire (cette expression s'entendant, au présent paragraphe, au sens de l'article 295) qui fait une chose qu'il est autorisé à faire en vertu de la présente partie, ni empêcher ou tenter d'empêcher un fonctionnaire de faire une telle chose. Quiconque est tenu par le paragraphe (1) ou les articles 288 à 290 et 292 de faire quelque chose doit le faire, sauf impossibilité.

Notes historiques: Le paragraphe 291(2) a été remplacé par L.C. 2001, c. 17, art. 259 et cette modification est entrée en vigueur le 14 juin 2001. Antérieurement, il se lisait ainsi :

> (2) Nul ne doit entraver, rudoyer ou contrecarrer une personne qui fait une chose qu'elle est autorisée à faire en vertu du paragraphe (1) etde l'un des articles 276 et 288 à 290, ni empêcher ou tenter d'empêcher une personne de faire une telle chose.

Le paragraphe 291(2) a été ajouté par L.C. 1990, c. 45, par. 12(1).

Concordance québécoise: LAF, art. 43.

Définitions [art. 291]: « document », « ministre », « personne » — 123(1); « personne autorisée » — 287; « fonctionnaire » — 293(1).

Jurisprudence [art. 291]: *Ricken Leroux Inc. c. SMRQ*, [1998] G.S.T.C. 11 (C.A. Qué); permission d'appeler refusée [1998] G.S.T.C. 25 (CSC); *R. c. Clarkson*, [1999] G.S.T.C. 38 (BCSC); *Weinstein & Gavino Fabrique et Bar à pâtes compagnie ltée c. SMRQ* (19 décembre 2007), 500-17-015442-034, 2007 CarswellQue 12599.

Mémorandums [art. 291]: TPS 500-3-1, 20 /03/92, *Vérifications fiscales*, par. 15.

Série de mémorandums [art. 291]: Mémorandum 15.1, 05/05, *Exigences générales relatives aux livres et registres.*

COMMENTAIRES: Le paragraphe (1) permet à un officier qui saisit des documents ou à un vérificateur qui obtient certains documents (en vertu de ses pouvoirs sous les articles 288 et 289) de faire des copies ou de les imprimer, s'il s'agit de documents électroniques. Ce paragraphe permet également d'accorder une valeur probante quant à la nature et au contenu des copies dans un forum judiciaire.

Le paragraphe (2) interdit, notamment, à quiconque de rudoyer un fonctionnaire ou d'entraver le déroulement des actes d'un fonctionnaire. Ce paragraphe est difficilement conciliable avec le paragraphe (1) non seulement quant à sa portée plus large qui vise l'ensemble de la partie IX de la *Loi sur la taxe d'accise (TPS)*, mais également quant au contenu. De plus, nous sommes d'avis que cet article ne devrait pas être inclus dans la *Loi sur la taxe d'accise (TPS)* puisque ces situations sont régies expressément par le *Code criminel.*

292. (1) Sens de « renseignement ou document étranger » — Pour l'application du présent article, un renseignement ou document étranger s'entend d'un renseignement accessible, ou d'un document situé, en dehors du Canada, qui peut être pris en compte pour l'application ou l'exécution de la présente partie, notamment pour la perception d'un montant à payer ou à verser par une personne en vertu de la présente partie.

Notes historiques: Le paragraphe 292(1) a été remplacé par L.C. 2000, c. 30, art. 87. Cette modification est réputée entrée en vigueur le 20 octobre 2000. Antérieurement, il se lisait comme suit :

> 292. (1) Pour l'application du présent article, un renseignement ou document étranger s'entend d'un renseignement accessible, ou d'un document situé, en dehors du Canada, qui peut être pris en compte pour l'application ou l'exécution de la présente partie.

Le paragraphe 292(1) a été ajouté par L.C. 1990, c. 45, par. 12(1).

Concordance québécoise: aucune.

(2) Obligation de présenter des renseignements et documents étrangers — Nonobstant les autres dispositions de la présente partie, le ministre peut, par avis signifié à personne ou envoyé par courrier recommandé ou certifié, mettre en demeure une personne résidant au Canada ou une personne n'y résidant pas mais y exploitant une entreprise de livrer des renseignements ou documents étrangers.

Notes historiques: Le paragraphe 292(2) a été ajouté par L.C. 1990, c. 45, par. 12(1).

Concordance québécoise: aucune.

(3) Contenu de l'avis — L'avis doit :

a) indiquer le délai raisonnable, d'au moins 90 jours, dans lequelles renseignements ou documents étrangers doivent être livrés;

b) décrire les renseignements ou documents étrangers recherchés;

c) préciser les conséquences prévues au paragraphe (8) du non-respect de la mise en demeure.

Notes historiques: Le paragraphe 292(3) a été ajouté par L.C. 1990, c. 45, par. 12(1).

Concordance québécoise: aucune.

(4) Révision par un juge — La personne à qui l'avis est signifié ou envoyé peut contester, par requête à un juge, la mise en demeure dans les 90 jours suivant la date de signification ou d'envoi.

Notes historiques: Le paragraphe 292(4) a été ajouté par L.C. 1990, c. 45, par. 12(1).

Concordance québécoise: aucune.

(5) Pouvoir de révision — À l'audition de la requête, le juge peut confirmer la mise en demeure, la modifier de la façon qu'il estime indiquée dans les circonstances ou la déclarer sans effet s'il est convaincu qu'elle est déraisonnable.

Notes historiques: Le paragraphe 292(5) a été ajouté par L.C. 1990, c. 45, par. 12(1).

Concordance québécoise: aucune.

(6) Précision — Pour l'application du paragraphe (5), la mise en demeure de livrer des renseignements ou documents étrangers qui sont accessibles ou situés chez une personne non résidante qui n'est pas contrôlée par la personne à qui l'avis est signifié ou envoyé, ou qui sont sous la garde de cette personne non résidante, n'est pas de ce seul fait déraisonnable si les deux personnes sont liées.

Notes historiques: Le paragraphe 292(6) a été ajouté par L.C. 1990, c. 45, par. 12(1).

Concordance québécoise: aucune.

(7) Suspension du délai — Le délai qui court entre le jour où une requête est présentée en application du paragraphe (4) et le jour où il est décidé de la requête ne compte pas dans le calcul :

a) du délai indiqué dans l'avis correspondant à la mise en demeure qui a donné lieu à la requête;

b) du délai dans lequel une cotisation peut être établie en application de l'article 296 ou 297.

Notes historiques: Le paragraphe 292(7) a été ajouté par L.C. 1990, c. 45, par. 12(1).

Concordance québécoise: aucune.

(8) Conséquence du défaut — Tout tribunal saisi d'une affaire civile portant sur l'application ou l'exécution de la présente partie doit, sur requête du ministre, refuser le dépôt en preuve par une personne de tout renseignement ou document étranger visé par une mise en demeure qui n'est pas déclarée sans effet dans le cas où la personne ne livre pas la totalité, ou presque, des renseignements et documents étrangers visés par la mise en demeure.

Notes historiques: Le paragraphe 292(8) a été ajouté par L.C. 1990, c. 45, par. 12(1).

Concordance québécoise: aucune.

Définitions [art. 292]: « cotisation », « document », « entreprise », « exclusif », « ministre », « non résidant », « personne » — 123(1); « juge » — 287.

Renvois [art. 292]: 123(2) (Canada); 126 (lien de dépendance); 132 (résidence); 284 (défaut de présenter des renseignements); 326(1) (défaut de respect de la loi).

Mémorandums [art. 292]: TPS 500-3-1, 20/03/92, *Vérifications fiscales*, par. 31.

Série de mémorandums [art. 292]: Mémorandum 1.5, 09/94, *Définitions*; Mémorandum 15.1, 05/05, *Exigences générales relatives aux livres et registres*.

COMMENTAIRES: Cet article prévoit la possibilité pour l'Agence du revenu du Canada et Revenu Québec de mettre en demeure une personne résidant au Canada ou n'y résidant pas, mais y exploitant une entreprise de livrer des renseignements ou documents étrangers.

Il s'agit d'un mécanisme instaurant des balises précises afin d'éviter qu'une personne conserve ses livres à l'extérieur, ne les fournisse pas à l'Agence du revenu du Canada ou à Revenu Québec et puisse les utiliser ultérieurement comme moyen de preuve pour contrer un avis de cotisation.

Chaque défaut de se conformer à une demande de renseignements peut engendrer une pénalité de 100 $ en vertu de l'article 284.

Nous vous recommandons notre réflexion qui figure à l'article 286 quant à l'obligation pour une personne non résidente d'exploiter une entreprise ou d'y exercer une activité commerciale au Canada de maintenir ses livres et registres au Canada aux fins de la TPS/TVH.

Cet article est similaire à l'article 231.6 de la *Loi de l'impôt sur le revenu*.

293. (1) Définitions — Les définitions qui suivent s'appliquent au présent article.

« avocat » Dans la province de Québec, avocat ou notaire; dans toute autre province, *barrister* ou *sollicitor*.

Concordance québécoise: aucune.

« fonctionnaire » Personne qui exerce les pouvoirs conférés par les articles 276 et 288 à 291.

Concordance québécoise: aucune.

« gardien » Personne à qui est confiée la garde d'un colis en application du paragraphe (3).

Concordance québécoise: aucune.

« juge » Juge d'une cour supérieure compétente de la province où l'affaire prend naissance ou juge de la Cour fédérale.

Concordance québécoise: aucune.

« privilège des communications entre client et avocat » Droit qu'une personne peut posséder, devant une cour supérieure de la province où l'affaire prend naissance, de refuser de divulguer une communication entre elle et son avocat en confidence professionnelle. Toutefois, pour l'application du présent article, le relevé comptable d'un avocat, y compris une facture ou une pièce justificative ou tout chèque, ne doit pas être considéré comme une communication de cette nature.

Notes historiques: Le paragraphe 293(1) a été ajouté par L.C. 1990, c. 45, par. 12(1).

Concordance québécoise: LAF, art. 47.

(2) Secret professionnel invoqué en défense — L'avocat poursuivi pour n'avoir pas obtempéré à une exigence de livraison d'un renseignement ou d'un document prévue par l'article 289 doit être acquitté s'il convainc le tribunal de ce qui suit :

a) il croyait, pour des motifs raisonnables, qu'un de ses clients bénéficiait du privilège des communications entre client et avocat relativement au renseignement ou au document;

b) il a indiqué au ministre ou à une personne régulièrement autorisée à agir pour celui-ci son refus d'obtempérer et a invoqué devant l'un ou l'autre le privilège des communications entre client et avocat dont bénéficiait un de ses clients nommément désigné relativement au renseignement ou au document.

Notes historiques: Le paragraphe 293(2) a été ajouté par L.C. 1990, c. 45, par. 12(1).

Concordance québécoise: LAF, art. 46.

(3) Secret professionnel invoqué lors de la saisie — Le fonctionnaire qui, en application de l'article 290, s'apprête à saisir un document en la possession d'un avocat qui invoque le privilège des communications entre client et avocat au nom d'un de ses clients nommément désigné relativement au document, doit, sans inspecter ou examiner le document ni en faire de copies :

a) le saisir, ainsi que tout document pour lequel l'avocat invoque, en même temps, le même privilège au nom du même client, et en faire un colis qu'il doit bien sceller et bien marquer;

b) confier le colis à la garde soit du shérif du district ou du comté où la saisie a été opérée, soit de la personne que le fonctionnaire et l'avocat conviennent par écrit de désigner comme gardien.

Notes historiques: Le paragraphe 293(3) a été ajouté par L.C. 1990, c. 45, par. 12(1).

Concordance québécoise: LAF, art. 48.

(4) Secret professionnel invoqué lors de la conservation — Lorsqu'un fonctionnaire s'apprête à inspecter ou à examiner, en application de l'article 288, un document en la possession d'un avocat ou que le ministre exige d'un avocat, en application de l'article 289, qu'il lui livre des documents, et que l'avocat invoque le privilège des communications entre client et avocat au nom d'un de ses clients nommément désigné relativement au document, nul fonctionnaire ne doit inspecter ni examiner ce document et l'avocat doit :

a) faire un colis du document ainsi que de tout document pour lequel il invoque, en même temps, le même privilège au nom du même client, bien sceller ce colis et bien le marquer, ou, si le fonctionnaire et l'avocat en conviennent, faire en sorte que les pages du document soient paraphées et numérotées ou autrement bien marquées;

b) retenir le document et s'assurer de sa conservation jusqu'à ce que, conformément au présent article, le document soit produit devant un juge et une ordonnance rendue concernant le document.

Notes historiques: Le préambule du paragraphe 293(4) a été remplacé par L.C. 2000, c. 30, art. 88. Cette modification est réputée entrée en vigueur le 20 octobre 2000. Antérieurement, il se lisait comme suit :

(4) Le fonctionnaire qui, en application de l'article 288 ou 289, s'apprête à inspecter ou à examiner un document en la possession d'un avocat qui invoque le privilège des communications entre client et avocat au nom d'un de ses clients nommément désigné relativement au document, ne doit ni inspecter ni examiner ce document et l'avocat doit :

Le paragraphe 293(4) a été ajouté par L.C. 1990, c. 45, par. 12(1).

Concordance québécoise: LAF, art. 48.

(5) Requête présentée par l'avocat ou son client — En cas de saisie et mise sous garde d'un document en vertu du paragraphe (3) ou de rétention d'un document en vertu du paragraphe (4), le client ou l'avocat au nom de celui-ci peut :

a) dans les 14 jours suivant la date où le document a ainsi été mis sous garde ou a ainsi commencé à être retenu, après avis au sous-procureur général du Canada au moins trois jours francs avant qu'il soit procédé à cette requête, demander à un juge de rendre une ordonnance qui :

(i) d'une part, fixe la date — tombant au plus 21 jours après la date de l'ordonnance — et le lieu où il sera statué sur la question de savoir si le client bénéficie du privilège des communications entre client et avocat en ce qui concerne le document,

(ii) d'autre part, enjoint de produire le document devant le juge à la date et au lieu fixés;

b) signifier une copie de l'ordonnance au sous-procureur général du Canada et, le cas échéant, au gardien dans les 6 jours suivant la date où elle a été rendue et, dans ce même délai, payer au gardien le montant estimé des frais de transport aller-retour du document entre le lieu où il est gardé ou retenu et le lieu de l'audition et des frais de protection du document;

c) après signification et paiement, demander, à la date et au lieu fixés, une ordonnance où il soit statué sur la question.

Notes historiques: Le paragraphe 293(5) a été ajouté par L.C. 1990, c. 45, par. 12(1).

Concordance québécoise: LAF, art. 50, 51.

(6) Ordonnance sur requête de l'avocat ou de son client — Une requête présentée en vertu de l'alinéa (5)c) doit être entendue à huis clos. Le juge qui en est saisi :

a) peut, s'il l'estime nécessaire pour statuer sur la question, examiner le document et, dans ce cas, s'assure ensuite qu'un colis du document soit refait et rescellé;

b) statue sur la question de façon sommaire :

(i) s'il est d'avis que le client bénéficie du privilège des communications entre client et avocat relativement au document, il ordonne la restitution du document à l'avocat ou libère l'avocat de son obligation de le retenir,

(ii) s'il est de l'avis contraire, il ordonne :

(A) au gardien de remettre le document au fonctionnaire ou à une autre personne désignée par le commissaire, en cas de saisie et mise sous garde du document en vertu du paragraphe (3),

(B) à l'avocat de permettre au fonctionnaire ou à l'autre personne désignée par le commissaire d'inspecter ou examiner le document, en cas de rétention de celui-ci en vertu du paragraphe (4).

Le juge motive brièvement sa décision en indiquant de quel document il s'agit sans en révéler les détails.

Notes historiques: Le paragraphe 293(6) a été modifié par le remplacement des mots « sous-ministre » par le mot « commissaire » par L.C. 1999, c. 17, art. 155e). Cette modification est entrée en vigueur le 1er novembre 1999.

Le paragraphe 293(6) a été ajouté par L.C. 1990, c. 45, par. 12(1).

Concordance québécoise: LAF, art. 52, al. 1, 2.

(7) Ordonnance sur requête du procureur général du Canada — En cas de saisie et mise sous garde d'un document en vertu du paragraphe (3) ou de rétention d'un document en vertu du paragraphe (4), et s'il est convaincu, sur requête du procureur général du Canada, que ni le client ni l'avocat n'a présenté de requête en vertu de l'alinéa (5)a) ou que, en ayant présenté une, ni l'un ni l'autre n'a présenté de requête en vertu de l'alinéa (5)c), le juge saisi ordonne :

a) au gardien de remettre le document au fonctionnaire ou à une autre personne désignée par le commissaire, en cas de saisie et mise sous garde du document en vertu du paragraphe (3);

b) à l'avocat de permettre au fonctionnaire ou à une autre personne désignée par le commissaire d'inspecter ou examiner le document, en cas de rétention de celui-ci en vertu du paragraphe (4).

Notes historiques: Le paragraphe 293(7) a été modifié par le remplacement des mots « sous-ministre » par le mot « commissaire » par L.C. 1999, c. 17, art. 155e). Cette modification est entrée en vigueur le 1er novembre 1999.

Le paragraphe 293(7) a été ajouté par L.C. 1990, c. 45, par. 12(1).

Concordance québécoise: LAF, art. 52, al. 3.

(8) Remise par le gardien — Le gardien doit :

a) soit remettre le document à l'avocat :

(i) en conformité avec un consentement souscrit par le fonctionnaire, ou par le sous-procureur général du Canada ou au nom de celui-ci, ou par le commissaire ou au nom de ce dernier,

(ii) en conformité avec une ordonnance d'un juge sous le régime du présent article;

b) soit remettre le document au fonctionnaire ou à une autre personne désignée par le commissaire :

(i) en conformité avec un consentement souscrit par l'avocat ou le client,

(ii) en conformité avec une ordonnance d'un juge sous le régime du présent article.

Notes historiques: Le paragraphe 293(8) a été modifié par le remplacement des mots « sous-ministre » par le mot « commissaire » par L.C. 1999, c. 17, art. 155e). Cette modification est entrée en vigueur le 1er novembre 1999.

Le paragraphe 293(8) a été ajouté par L.C. 1990, c. 45, par. 12(1).

Concordance québécoise: aucune.

(9) Affaire continuée par un autre juge — Lorsque, pour quelque motif, le juge saisi d'une requête visée à l'alinéa (5)a) ne peut instruire ou continuer d'instruire la requête visée à l'alinéa (5)c), un autre juge peut être saisi de cette dernière.

Notes historiques: Le paragraphe 293(9) a été ajouté par L.C. 1990, c. 45, par. 12(1).

Concordance québécoise: aucune.

(10) Frais — Il ne peut être adjugé de frais sur la décision rendue au sujet d'une requête prévue au présent article.

Notes historiques: Le paragraphe 293(10) a été ajouté par L.C. 1990, c. 45, par. 12(1).

Concordance québécoise: aucune.

(11) Mesures non prévues — Dans le cas où aucune mesure n'est prévue au présent article sur une question à résoudre en rapport avec une chose accomplie ou en voie d'accomplissement selon le présent article — à l'exception des paragraphes (2), (3) et (4) —, un juge peut décider des mesures qu'il estime les plus aptes à atteindre le but du présent article, à savoir, accorder le privilège des communications entre client et avocat à des fins pertinentes.

Notes historiques: Le paragraphe 293(11) a été ajouté par L.C. 1990, c. 45, par. 12(1).

Concordance québécoise: aucune.

(12) Interdiction — Le gardien ne doit remettre aucun document à qui que ce soit, sauf en conformité avec une ordonnance d'un juge ou un consentement donné, en application du présent article, ou sauf à l'un de ses fonctionnaires ou préposés, pour protéger le document.

Notes historiques: Le paragraphe 293(12) a été ajouté par L.C. 1990, c. 45, par. 12(1).

Concordance québécoise: aucune.

(13) Idem — Aucun fonctionnaire ne peut inspecter, examiner ou saisir un document en la possession d'un avocat sans donner à celui-ci une occasion raisonnable d'invoquer le privilège des communications entre client et avocat.

Notes historiques: Le paragraphe 293(13) a été ajouté par L.C. 1990, c. 45, par. 12(1).

Concordance québécoise: LAF, art. 48.

(14) Autorisation de faire des copies — Un juge peut, en tout temps sur requête *ex parte* de l'avocat, autoriser celui-ci à examiner le document qui est entre les mains d'un gardien selon le présent article, ou à en faire une copie en sa présence ou celle du gardien. L'ordonnance doit contenir les dispositions nécessaires pour que le colis du document soit refait et rescellé sans modification ni dommage.

Notes historiques: Le paragraphe 293(14) a été ajouté par L.C. 1990, c. 45, par. 12(1).

Concordance québécoise: LAF, art. 49, al. 2.

(15) Renonciation au privilège — L'avocat qui, pour l'application du paragraphe (2), (3) ou (4), invoque, au nom d'un de ses clients nommément désigné, le privilège des communications entre client et avocat relativement à un renseignement ou un document, doit en même temps indiquer la dernière adresse connue de ce client au ministre ou à une personne régulièrement autorisée à agir au nom de celui-ci, afin que le ministre puisse chercher à informer le client du privilège qui est invoqué en son nom et lui donner l'occasion, si la chose est matériellement possible dans le délai mentionné au présent article, de renoncer à invoquer le privilège avant que la question soit soumise à la décision d'un juge ou d'un autre tribunal.

Notes historiques: Le paragraphe 293(15) a été ajouté par L.C. 1990, c. 45, par. 12(1).

Concordance québécoise: LAF, art. 49, al. 1.

(16) Observation du présent article — Nul ne doit entraver, rudoyer ou contrecarrer une personne qui fait une chose qu'elle est autorisée à faire en vertu du présent article, ni empêcher ou tenter d'empêcher une personne de faire une telle chose. Nonobstant toute autre loi ou règle de droit, quiconque tenu par le présent article de faire quelque chose doit le faire, sauf impossibilité.

Notes historiques: Le paragraphe 293(16) a été ajouté par L.C. 1990, c. 45, par. 12(1).

Concordance québécoise: LAF, art. 43.

Définitions [art. 293]: « commissaire », « document », « facture », « ministre », « personne » — 123(1).

Renvois [art. 293]: 289.1 (ordonnance de fournir l'accès, l'aide, les renseignements ou les documents).

Jurisprudence [art. 293]: *R. c. Piersanti & Co.*, [2001] G.S.T.C. 3 (Ont CA); *Minister of National Revenue v. Amex Bank of Canada*, 2008 CarswellNat 3335 (27 août 2008) (CF).

Série de mémorandums [art. 293]: Mémorandum 1.5, 09/94, *Définitions*.

Lettres d'interprétation (Québec) [art. 293]: 95-010918 — Invocation du secret professionnel lors d'une vérification.

COMMENTAIRES: Les procédures énoncées à cet article sont celles que doivent suivre un avocat pour réclamer son privilège au secret professionnel dans le cadre de la relation avec son client lors de demandes de l'Agence du revenu du Canada ou de Revenu Québec. Cela présuppose que le client a consulté un avocat et avait l'intention que ses communications demeurent confidentielles. Ce privilège, *c.-à-d.* le secret professionnel, appartient au client et non à l'avocat.

À titre illustratif, le juge Bowie a indiqué que le mémo interne adressé à l'Agence du revenu du Canada par le Ministère de la Justice du Canada était protégé par le secret professionnel. Voir notamment à cet effet : *Global Cash Access (Canada) inc. c. R.*, [2010] G.S.T.C. 145 (C.C.I.), [2012] G.S.T.C. 42.

Par ailleurs, les circonstances qui sont circonscrites par cet article sont peu nombreuses. Par exemple, aucun article n'est prévu quant à la situation où les documents sont détenus par le client (et non l'avocat). Ainsi, dans ces situations, les solutions se trouvent dans la jurisprudence non fiscale.

Il est à noter que si des documents ont été divulgués par mégarde, ceux-ci peuvent néanmoins être protégés en prenant les procédures appropriées.

De plus, il n'y a aucun secret professionnel applicable dans le cadre d'une relation entre un comptable et son client. Voir notamment : *Tower*, [2003] 4 C.T.C. 263 (C.A.F.). Ainsi, dans ce contexte, l'article 293 ne s'applique pas et la saisie, lorsque permise, peut être effectuée. Toutefois, les documents peuvent néanmoins être protégés si le comptable et le client indiquent que ces documents font partie d'une communication avec un avocat.

Finalement, de l'avis de l'auteur, le paragraphe 293(2) semble non pertinent, en raison de l'existence même du secret professionnel applicable à la relation entre son client et l'avocat.

294. Renseignements concernant certaines personnes non résidantes — Toute personne morale qui, au cours d'une année d'imposition, réside au Canada ou y exploite une entreprise ou y exerce une activité commerciale doit, au titre de chaque personne non résidante avec laquelle elle a un lien de dépendance au cours de l'année, présenter au ministre, dans les six mois suivant la fin de l'année, les renseignements déterminés par celui-ci, sur ses opérations avec cette personne.

Notes historiques: L'article 294 a été ajouté par L.C. 1990, c. 45, par. 12(1).

Concordance québécoise: aucune.

Définitions [art. 294]: « activité commerciale », « année d'imposition », « entreprise », « ministre », « mois », « non résidant », « personne », « règlement » — 123(1).

Renvois [art. 294]: 123(2) (Canada); 126 (lien de dépendance); 132 (résidence).

COMMENTAIRES: En date du 15 février 2013, aucun renseignement déterminé n'a été publié.

295. (1) Définitions — Les définitions qui suivent s'appliquent au présent article.

« coordonnées » En ce qui concerne le détenteur d'un numéro d'entreprise, ses nom, adresse, numéro de téléphone, numéro de télécopieur et langue de communication préférée, ou tous renseignements semblables le concernant déterminés par le ministre, y compris les renseignements de cet ordre concernant l'une ou plusieurs des entités suivantes :

a) ses fiduciaires, si le détenteur est une fiducie;

b) ses associés, s'il est une société de personnes;

c) ses cadres, s'il est une personne morale;

d) ses cadres ou membres, dans les autres cas.

Notes historiques: La définition de « coordonnées » au paragraphe 295(1) a été ajoutée par L.C. 2009, c. 2, par. 121(2) et est réputée être entrée en vigueur le 12 mars 2009.

2 février 2009, Notes explicatives: Le terme « coordonnées » s'entend, en ce qui concerne le détenteur d'un numéro d'entreprise, d'un sous-ensemble de renseignements qu'un fonctionnaire peut, aux termes de l'alinéa 295(5)j) dans sa version modifiée, partager à l'égard du détenteur du numéro d'entreprise. Ce terme s'entend du nom, de l'adresse, du numéro de téléphone, du numéro de télécopieur et de la langue de communication préférée du détenteur de numéro d'entreprise et de tous renseignements semblables le concernant obtenus par le ministre. Afin de tenir compte des cas où le détenteur du numéro d'entreprise n'est pas une personne physique, les coordonnées comprennent aussi les renseignements de ce type relatifs à un ou plusieurs fiduciaires, associés, cadres ou membres du détenteur, selon le cas.

Concordance québécoise: aucune.

« cour d'appel » S'entend au sens de la définition de cette expression à l'article 2 du *Code criminel*.

Notes historiques: La définition de « cour d'appel » au paragraphe 295(1) a été modifiée par L.C. 1993, c. 27, par. 128(1) et s'applique à compter du 10 juin 1993. Cette définition se lisait auparavant comme suit :

> « cour d'appel » S'entend au sens des alinéas a) à j) de la définition de cette expression à l'article 2 du *Code criminel*.

La définition de « cour d'appel » au paragraphe 295(1) a été ajoutée par L.C. 1990, c. 45, par. 12(1).

Concordance québécoise: aucune.

« entité gouvernementale »

a) Ministère ou agence du gouvernement du Canada ou d'une province;

b) municipalité;

c) gouvernement autochtone;

LTA (TPS)

d) personne morale dont l'ensemble des actions du capital-actions, à l'exception des actions conférant l'admissibilité aux postes d'administrateurs, appartiennent à une ou plusieurs des personnes suivantes :

(i) Sa Majesté du chef du Canada,

(ii) Sa Majesté du chef d'une province,

(iii) une municipalité,

(iv) une personne morale visée au présent alinéa;

e) conseil ou commission, établi par Sa Majesté du chef du Canada ou d'une province ou par une municipalité, qui exerce une fonction gouvernementale ou municipale, selon le cas, d'ordre administratif ou réglementaire.

Notes historiques: La définition de « entité gouvernementale » au paragraphe 295(1) a été ajoutée par L.C. 2009, c. 2, par. 121(2) et est réputée être entrée en vigueur le 12 mars 2009.

2 février 2009, Notes explicatives: Le terme « entité gouvernementale » désigne plusieurs types d'entités fédérales, provinciales, municipales et autochtones. Sont compris parmi les « entités gouvernementales » les ministères et organismes du gouvernement du Canada ou d'une province, les municipalités et les gouvernements autochtones. La définition comprend aussi les personnes morales dont l'ensemble des actions du capital-actions appartiennent à une ou plusieurs des personnes suivantes : Sa Majesté du chef du Canada, Sa Majesté du chef d'une province, une municipalité, ou une autre personne morale semblable. Elle comprend aussi les conseils ou commissions, établis par Sa Majesté du chef du Canada ou d'une province, qui exercent une fonction gouvernementale d'ordre administratif ou réglementaire. Enfin, elle comprend les conseils ou commissions mis sur pied par une ou plusieurs municipalités, qui exercent une fonction d'ordre administratif ou réglementaire d'une municipalité.

Cette définition s'applique dans le cadre de la définition de « représentant ».

Concordance québécoise: aucune.

« fonctionnaire » Personne qui est ou a été employée par Sa Majesté du chef du Canada ou d'une province, qui occupe ou a occupé une fonction de responsabilité à son service ou qui est ou a été engagée par elle ou en son nom.

Notes historiques: La définition de « fonctionnaire » au paragraphe 295(1) a été modifiée par L.C. 1993, c. 27, par. 128(1) et s'applique à compter du 10 juin 1993. Cette définition se lisait auparavant comme suit :

> « fonctionnaire » Personne employée à une fonction de responsabilité ou occupant un tel poste au service de Sa Majesté du chef du Canada ou d'une province ou personne précédemment ainsi employée ou ayant précédemment occupé un tel poste.

La définition de « fonctionnaire » au paragraphe 295(1) a été ajoutée par L.C. 1990, c. 45, par. 12(1).

Concordance québécoise: aucune.

« gouvernement autochtone » S'entend au sens du paragraphe 2(1) de la *Loi sur les arrangements fiscaux entre le gouvernement fédéral et les provinces*.

Notes historiques: La définition de « gouvernement autochtone » au paragraphe 295(1) a été ajoutée par L.C. 2009, c. 2, par. 121(2) et est réputée être entrée en vigueur le 12 mars 2009.

2 février 2009, Notes explicatives: Le terme « gouvernement autochtone » s'entend au sens du paragraphe 2(1) de la *Loi sur les arrangements fiscaux entre le gouvernement fédéral et les provinces*. Aux termes de cette loi, un gouvernement autochtone est un gouvernement indien, inuit ou métis ou un « conseil de la bande » au sens du paragraphe 2(1) de la *Loi sur les Indiens*. Selon cette disposition de la *Loi sur les Indien*, un conseil de bande est :

- dans le cas d'une bande à laquelle s'applique l'article 74 de la *Loi sur les Indiens*, le conseil constitué conformément à cet article;
- dans le cas d'une bande à laquelle cet article ne s'applique pas, le conseil choisi selon la coutume de la bande ou, en l'absence d'un conseil, le chef de la bande choisi selon cette coutume.

Concordance québécoise: aucune.

« municipalité » N'est pas visée l'administration locale à laquelle le ministre confère le statut de municipalité aux termes de l'alinéa b) de la définition de « municipalité » au paragraphe 123(1).

Notes historiques: La définition de « municipalité » au paragraphe 295(1) a été ajoutée par L.C. 2009, c. 2, par. 121(2) et est réputée être entrée en vigueur le 12 mars 2009.

2 février 2009, Notes explicatives: La nouvelle définition de « municipalité » limite, pour l'application de l'article 295, ce qu'on entend par « municipalité » selon le paragraphe 123(1), l'administration locale à laquelle le ministre confère le statut de municipalité étant en effet exclue de la notion de municipalité pour l'application de l'article 295.

Concordance québécoise: aucune.

« numéro d'entreprise » Le numéro, sauf le numéro d'assurance sociale, utilisé par le ministre pour identifier :

a) un inscrit pour l'application de la présente partie;

b) une personne, sauf un particulier, qui demande un remboursement en vertu de la présente partie.

Notes historiques: La définition de « numéro d'entreprise » au paragraphe 295(1) a été ajoutée par L.C. 1996, c. 21, par. 67(1) et est entrée en vigueur le 20 juin 1996.

Concordance québécoise: aucune.

« personne autorisée » Personne engagée ou employée, ou précédemment engagée ou employée, par Sa Majesté du chef du Canada, ou en son nom, pour aider à l'application des dispositions de la présente loi.

Notes historiques: La définition de « personne autorisée » au paragraphe 295(1) a été modifiée par L.C. 1993, c. 27, par. 128(1) et s'applique à compter du 10 juin 1993, aucune date d'entrée en vigueur n'étant précisée. Elle se lisait auparavant comme suit :

> « personne autorisée » Personne engagée ou employée, ou précédemment engagée ou employée, par Sa Majesté du chef du Canada ou d'une province, ou en son nom, pour aider à l'application de la présente partie.

La définition de « personne autorisée » au paragraphe 295(1) a été ajoutée par L.C. 1990, c. 45, par. 12(1).

Concordance québécoise: aucune.

« renseignement confidentiel » Renseignement de toute nature et sous toute forme concernant une ou plusieurs personnes et qui, selon le cas :

a) est obtenu par le ministre ou en son nom pour l'application de la présente partie;

b) est tiré d'un renseignement visé à l'alinéa a).

N'est pas un renseignement confidentiel le renseignement qui ne révèle pas, même indirectement, l'identité de la personne en cause. Par ailleurs, pour l'application des paragraphes (3), (6) et (7) au représentant d'une entité gouvernementale qui n'est pas un fonctionnaire, le terme ne vise que les renseignements mentionnés à l'alinéa (5)j).

Notes historiques: Le passage de la définition de « renseignement confidentiel » suivant l'alinéa b) au paragraphe 295(1) a été remplacé par L.C. 2009, c. 2, par. 121(1) et cette modification est réputée être entrée en vigueur le 12 mars 2009. Antérieurement, il se lisait ainsi :

> N'est pas un renseignement confidentiel le renseignement qui ne révèle pas, même indirectement, l'identité de la personne en cause.

La définition de « renseignement confidentiel » au paragraphe 295(1) a été ajoutée par L.C. 1993, c. 27, par. 128(2) et s'applique à compter du 10 juin 1993.

2 février 2009, Notes explicatives: Le terme « renseignement confidentiel » désigne les renseignements de toute nature et sous toute forme concernant une ou plusieurs personnes qui, selon le cas, sont obtenus par le ministre du Revenu national, ou en son nom, pour l'application de la partie IX de la Loi ou sont préparés à partir de ces renseignements.

Cette définition est modifiée de manière à préciser que pour l'application des paragraphes 295(3), (6) et (7) au représentant d'une entité gouvernementale, les renseignements confidentiels ne comprennent que les renseignements visés à l'alinéa 295(5)j) de la Loi (c-à-d, les renseignements relatifs au numéro d'entreprise communiqués au représentant d'une entité gouvernementale par un fonctionnaire).

Concordance québécoise: aucune.

« renseignements d'entreprise » En ce qui concerne le détenteur d'un numéro d'entreprise qui est une personne morale, sa dénomination sociale (y compris le numéro attribué par l'autorité constitutive), la date et le lieu de sa constitution ainsi que tout renseignement concernant sa dissolution, réorganisation, fusion, liquidation ou reconstitution.

Notes historiques: La définition de « renseignements d'entreprise » au paragraphe 295(1) a été ajoutée par L.C. 2009, c. 2, par. 121(2) et est réputée être entrée en vigueur le 12 mars 2009.

2 février 2009, Notes explicatives: Le terme « renseignements d'entreprise » s'entend, en ce qui concerne le détenteur d'un numéro d'entreprise, d'un deuxième sous-ensemble de renseignements qu'un fonctionnaire peut communiquer au représentant d'une entité gouvernementale relativement à une personne morale en application de l'alinéa 295(5)j). Ce terme désigne la dénomination sociale d'une personne morale (y compris le numéro attribué par l'autorité constitutive), la date et le lieu de sa constitution ainsi que tout renseignement concernant sa dissolution, réorganisation, fusion, liquidation ou reconstitution.

Concordance québécoise: aucune.

« renseignements relatifs à l'inscription » En ce qui concerne le détenteur d'un numéro d'entreprise :

a) tout renseignement concernant sa forme juridique;

b) le type d'activités qu'il exerce ou se propose d'exercer;

c) la date de chacun des événements suivants :

(i) l'attribution de son numéro d'entreprise,

(ii) le début de ses activités,

(iii) la cessation ou la reprise de ses activités,

(iv) le remplacement de son numéro d'entreprise;

d) la raison de la cessation, de la reprise ou du remplacement visés aux sous-alinéas c)(iii) ou (iv).

Notes historiques: La définition de « renseignements relatifs à l'inscription » au paragraphe 295(1) a été ajoutée par L.C. 2009, c. 2, par. 121(2) et est réputée être entrée en vigueur le 12 mars 2009.

2 février 2009, Notes explicatives: Le terme « renseignements relatifs à l'inscription », s'entend, en ce qui concerne le détenteur d'un numéro d'entreprise, d'un troisième sous-ensemble de renseignements qu'un fonctionnaire peut communiquer au représentant d'une entité gouvernementale en application de l'alinéa 295(5)j). Ce terme désigne tout renseignement concernant la forme juridique du détenteur de numéro d'entreprise (à savoir si le numéro est détenu par une personne physique, une société de personnes, une entité constituée en société, etc.), le type d'activités qu'il exerce ou se propose d'exercer, la date de l'attribution du numéro d'entreprise, la date du début, de la cessation ou de la reprise de ses activités et la date du remplacement de son numéro d'entreprise (y compris la raison de la cessation, de la reprise ou du remplacement).

Concordance québécoise: aucune.

« représentant » Est représentant d'une entité gouvernementale toute personne qui est employée par l'entité, qui occupe une fonction de responsabilité à son service ou qui est engagée par elle ou en son nom, y compris, pour l'application des paragraphes (2), (3), (6) et (7), toute personne qui a déjà été ainsi employée, a déjà occupé une telle fonction ou a déjà été ainsi engagée. « représentant »

Notes historiques: La définition de « représentant » au paragraphe 295(1) a été ajoutée par L.C. 2009, c. 2, par. 121(2) et est réputée être entrée en vigueur le 12 mars 2009.

2 février 2009, Notes explicatives: Est « représentant » d'une entité gouvernementale toute personne qui est employée par l'entité, qui occupe une fonction de responsabilité à son service ou qui est engagée par elle ou en son nom. Un fonctionnaire peut désormais communiquer des renseignements au représentant d'une entité gouvernementale aux termes de l'alinéa 295(5)j).

Toute personne qui a été employée par l'entité, qui a occupé une fonction de responsabilité à son service ou qui a été engagée par elle ou en son nom est aussi considérée comme la représentante d'une entité gouvernementale, mais seulement pour l'application des paragraphes 295(2), (3), (6) et (7) de la Loi. De cette façon, si une telle personne a obtenu des renseignements confidentiels et contrevient au paragraphe 295(2), l'infraction visée au paragraphe 328(1) de la Loi s'applique aussi à elle.

Ces modifications entrent en vigueur à la date de sanction du projet de loi.

Concordance québécoise: aucune.

2 février 2009, Notes explicatives: Le paragraphe 295(1) définit certains termes pour l'application de l'article 295. Les changements apportés à ce paragraphe consistent à modifier la définition de « renseignement confidentiel » et à ajouter les définitions de « coordonnées », « entité gouvernementale », « gouvernement autochtone », « municipalité », « renseignements d'entreprise », « renseignements relatifs à l'inscription » et « représentant ».

(2) Communication de renseignements — Sauf autorisation prévue au présent article, il est interdit à un fonctionnaire ou autre représentant d'une entité gouvernementale :

a) de fournir sciemment à quiconque un renseignement confidentiel ou d'en permettre sciemment la fourniture;

b) de permettre sciemment à quiconque d'avoir accès à un renseignement confidentiel;

c) d'utiliser sciemment un renseignement confidentiel en dehors du cadre de l'application ou de l'exécution de la présente partie.

Notes historiques: Le préambule du paragraphe 295(2) a été remplacé par L.C. 2009, c. 2, par. 121(3) et cette modification est réputée être entrée en vigueur le 12 mars 2009. Antérieurement, il se lisait ainsi :

> (2) Sauf autorisation prévue au présent article, il est interdit à un fonctionnaire :

Le paragraphe 295(2) a été modifié par L.C. 1993, c. 27, par. 128(3) et s'applique à compter du 10 juin 1993. Il se lisait auparavant comme suit :

> (2) Sauf autorisation prévue au présent article, nul fonctionnaire ou personne autorisée ne doit sciemment :
>
> a) communiquer ni permettre que soit communiqué à quiconque un renseignement obtenu par le ministre ou en son nom pour l'application de la présente partie;
>
> b) permettre à quiconque d'examiner quelque livre, registre, écrit, déclaration ou autre document obtenu par le ministre ou en son nom pour l'application de cette partie, ou d'y avoir accès;
>
> c) utiliser, hors du cadre de ses fonctions liées à l'application ou à l'exécution de la présente partie, un renseignement obtenu par le ministre ou en son nom pour l'application de cette partie.

Le paragraphe 295(2) a été ajouté par L.C. 1990, c. 45, par. 12(1).

2 février 2009, Notes explicatives: Le paragraphe 295(2) interdit à un fonctionnaire de communiquer ou d'utiliser des renseignements confidentiels, sauf s'il y est expressément autorisé par l'article 295. Le passage introductif du paragraphe 295(2) est modifié de façon à faire mention du représentant d'une entité gouvernementale, en raison de l'ajout de la définition de « représentant » au paragraphe 295(1). Ainsi, il est également interdit aux représentants d'une entité gouvernementale de communiquer ou d'utiliser des renseignements confidentiels sans autorisation. La modification permet aussi de veiller à ce que l'infraction prévue au paragraphe 328(1) de la Loi pour avoir enfreint le paragraphe 295(2) s'applique aussi au représentant d'une entité gouvernementale.

Cette modification entre en vigueur à la date de sanction du projet de loi.

Concordance québécoise: LAF, art. 69, 69.0.0.10.

(3) Communication de renseignements dans le cadre d'une procédure judiciaire — Malgré toute autre loi fédérale et toute règle de droit, nul fonctionnaire ou autre représentant d'une entité gouvernementale ne peut être requis, dans le cadre d'une procédure judiciaire, de témoigner, ou de produire quoi que ce soit, relativement à un renseignement confidentiel.

Notes historiques: Le paragraphe 295(3) a été remplacé par L.C. 2009, c. 2, par. 121(4) et cette modification est réputée être entrée en vigueur le 12 mars 2009. Antérieurement, il se lisait ainsi :

> (3) Malgré toute autre loi fédérale et toute règle de droit, nul fonctionnaire ne peut être requis, dans le cadre d'une procédure judiciaire, de témoigner, ou de produire quoi que ce soit, relativement à un renseignement confidentiel.

Le paragraphe 295(3) a été modifié par L.C. 1993, c. 27, par. 128(3) et s'applique à compter du 10 juin 1993. Il se lisait auparavant comme suit :

> (3) Nonobstant toute autre loi et toute règle de droit, nul fonctionnaire ou personne autorisée ne peut être tenu, dans le cadre d'une procédure judiciaire :
>
> a) de témoigner relativement à un renseignement obtenu par le ministre ou en son nom pour l'application de la présente partie;
>
> b) de produire quelque livre, registre, écrit, déclaration ou autre document obtenu par le ministre ou en son nom pour l'application de la présente partie.

Le paragraphe 295(3) a été ajouté par L.C. 1990, c. 45, par. 12(1).

2 février 2009, Notes explicatives: Il est précisé au paragraphe 295(3) que, malgré toute autre Loi ou règle de droit, nul fonctionnaire ne peut être requis, dans le cadre d'une procédure judiciaire, de témoigner, ou de produire quoi que ce soit, relativement à un renseignement confidentiel. Le paragraphe 295(3) est modifié de manière que son application soit élargie au représentant d'une entité gouvernementale pour ce qui est des renseignements confidentiels qu'il obtient légalement.

Cette modification entre en vigueur à la date de sanction du projet de loi.

Concordance québécoise: LAF, art. 69.9.

(4) Communication de renseignements en cours de procédures — Les paragraphes (2) et (3) ne s'appliquent :

a) ni aux poursuites criminelles, sur déclaration de culpabilité par procédure sommaire ou sur acte d'accusation, engagées par le dépôt d'une dénonciation ou d'un acte d'accusation, en vertu d'une loi fédérale;

b) ni aux procédures judiciaires ayant trait à l'application ou à l'exécution de la présente loi, du *Régime de pensions du Canada*, de la *Loi sur l'assurance-emploi*, de la *Loi sur l'assurance-chômage* ou de toute loi fédérale ou provinciale qui prévoit l'imposition ou la perception d'un impôt, d'une taxe ou d'un droit.

LTA (TPS)

Notes historiques: L'alinéa 295(4)b) a été remplacé par L.C. 1998, c. 19, par. 284(1), réputé entré en vigueur le 30 juin 1996. Antérieurement il se lisait comme suit :

b) ni aux procédures judiciaires ayant trait à l'application ou à l'exécution de la présente loi, du *Régime de pensions du Canada*, de la *Loi sur l'assurance-emploi* ou de toute loi fédérale ou provinciale qui prévoit l'imposition ou la perception d'un impôt, d'une taxe ou d'un droit.

Le paragraphe 295(4) a été modifié par L.C. 1996, c. 23, art. 187 pour remplacer les mots « *Loi sur l'assurance-chômage* » pour les mots « *Loi sur l'assurance-emploi* ». Cette modification est entrée en vigueur le 30 décembre 1996. Auparavant, ce paragraphe a été modifié par L.C. 1993, c. 27, par. 128(3) et s'applique à compter du 10 juin 1993. Il se lisait auparavant comme suit :

(4) Les paragraphes (2) et (3) ne s'appliquent ni aux poursuites criminelles, sur acte d'accusation ou sur déclaration de culpabilité par procédure sommaire, engagées par le dépôt d'une dénonciation, en vertu d'une loi fédérale, ni aux poursuites ayant trait à l'application ou à l'exécution de la présente loi, de la *Loi sur les douanes*, du *Tarif des douanes*, de la *Loi sur l'accise*, de la *Loi de l'impôt sur le revenu*, de la *Loi sur le droit à l'exportation de produits de bois d'œuvre* ou de la *Loi sur les mesures spéciales d'importation*.

Le paragraphe 295(3) a été ajouté par L.C. 1990, c. 45, par. 12(1).

Concordance québécoise: LAF, art. 69.9.

(4.1) Personnes en danger — Le ministre peut fournir aux personnes compétentes tout renseignement confidentiel concernant un danger imminent de mort ou de blessures qui menace un particulier.

Notes historiques: Le paragraphe 295(4.1) a été ajouté par L.C. 1993, c. 27, par. 128(3) et s'applique à compter du 10 juin 1993.

Concordance québécoise: LAF, art. 69.0.0.11.

(5) Divulgation d'un renseignement confidentiel — Un fonctionnaire peut :

a) fournir à une personne un renseignement confidentiel qu'il est raisonnable de considérer comme nécessaire à l'application ou à l'exécution de la présente loi, mais uniquement à cette fin;

b) fournir à une personne un renseignement confidentiel qu'il est raisonnable de considérer comme nécessaire à la détermination de tout montant dont la personne est redevable ou du remboursement ou du crédit de taxe sur les intrants auquel elle a droit, ou pourrait avoir droit, en vertu de la présente loi;

c) fournir, ou permettre que soit fourni, un renseignement confidentiel soit à toute personne autorisée par le ministre ou faisant partie d'une catégorie de personnes ainsi autorisée, sous réserve de conditions précisées par le ministre, soit à toute personne qui y a par ailleurs légalement droit par l'effet d'une loi fédérale, ou lui en permettre l'examen ou l'accès, mais uniquement aux fins auxquelles elle y a droit;

d) fournir un renseignement confidentiel :

(i) à un fonctionnaire du ministère des Finances, mais uniquement pour les besoins :

(A) de la formulation ou de l'évaluation de la politique fiscale,

(B) d'un accord d'application, au sens du paragraphe 2(1) de la *Loi sur les arrangements fiscaux entre le gouvernement fédéral et les provinces*, conclu avec un gouvernement autochtone,

(C) d'un accord d'application, au sens du paragraphe 2(1) de la *Loi sur la taxe sur les produits et services des premières nations*,

(ii) à un fonctionnaire, mais uniquement en vue de la mise à exécution de la politique fiscale ou en vue de l'application ou de l'exécution du *Régime de pensions du Canada*, de la *Loi sur l'assurance-emploi*, de la *Loi sur l'assurance-chômage* ou d'une loi fédérale qui prévoit l'imposition ou la perception d'un impôt, d'une taxe ou d'un droit ou qui prévoit que les mentions du prix de biens ou de services, ou de la contrepartie relative à ceux-ci, comprennent la taxe prévue par la présente loi,

(iii) à un fonctionnaire, mais uniquement en vue de l'application ou de l'exécution d'une loi provinciale qui prévoit l'imposition ou la perception d'un impôt, d'une taxe ou d'un droit, qui prévoit que les mentions du prix ou de la contrepartie de biens ou de services comprennent la taxe prévue par la présente loi ou qui permet de rembourser à des personnes des sommes payées ou payables par elles au titre d'une taxe prévue par la présente loi,

(iv) à un fonctionnaire provincial, mais uniquement en vue de la formulation ou de l'évaluation de la politique fiscale,

(iv.1) à une personne autorisée par le conseil d'une bande dont le nom figure à l'annexe de la *Loi d'exécution du budget de 2000*, mais uniquement en vue de la formulation, de l'évaluation et de la mise à exécution de la politique fiscale relative à une taxe que le conseil de la bande peut imposer par un règlement administratif pris en vertu du paragraphe 24(1) de cette loi,

(iv.2) à une personne autorisée par le corps dirigeant d'une première nation dont le nom figure à l'annexe de la *Loi sur la taxe sur les produits et services des premières nations*, mais uniquement en vue de la formulation, de l'évaluation ou de la mise à exécution de la politique fiscale relative à une taxe visée par cette loi,

(v) à un fonctionnaire d'un ministère ou organisme fédéral ou provincial, quant aux nom, adresse, numéro de téléphone et profession d'une personne et à la taille et au genre de son entreprise, mais uniquement en vue de permettre à ce ministère ou à cet organisme de recueillir des données statistiques pour la recherche et l'analyse,

(vi) à un fonctionnaire, mais uniquement en vue de procéder, par voie de compensation, à la retenue, sur toute somme due par Sa Majesté du chef du Canada, de tout montant égal à une créance :

(A) soit de Sa Majesté du chef du Canada,

(B) soit de Sa Majesté du chef d'une province s'il s'agit de taxes ou d'impôts provinciaux visés par une entente entre le Canada et la province en vertu de laquelle le Canada est autorisé à percevoir les impôts ou taxes payables à la province,

(vii) à un fonctionnaire, mais uniquement pour l'application de l'article 7.1 de la *Loi sur les arrangements fiscaux entre le gouvernement fédéral et les provinces et sur les contributions fédérales en matière d'enseignement postsecondaire et de santé*;

e) fournir un renseignement confidentiel, mais uniquement pour l'application des articles 23 à 25 de la *Loi sur la gestion des finances publiques*;

f) utiliser un renseignement confidentiel en vue de compiler des renseignements sous une forme qui ne révèle pas, même indirectement, l'identité de la personne en cause;

g) utiliser ou fournir un renseignement confidentiel, mais uniquement à une fin liée à la surveillance ou à l'évaluation d'une personne autorisée, ou à des mesures disciplinaires prises à son endroit, par Sa Majesté du chef du Canada relativement à une période au cours de laquelle la personne autorisée était soit employée par Sa Majesté du chef du Canada, soit engagée par elle ou en son nom, pour aider à l'application ou à l'exécution de la présente loi, dans la mesure où le renseignement a rapport à cette fin;

h) donner accès à des documents renfermant des renseignements confidentiels au bibliothécaire et archiviste du Canada ou à une personne agissant en son nom ou sur son ordre, mais uniquement pour l'application de l'article 12 de la *Loi sur la Bibliothèque et les Archives du Canada*, et transférer de tels documents sous la garde et la responsabilité de ces personnes, mais uniquement pour l'application de l'article 13 de cette loi;

i) utiliser un renseignement confidentiel concernant une personne en vue de lui fournir un renseignement;

j) sous réserve du paragraphe (5.01), fournir au représentant d'une entité gouvernementale le numéro d'entreprise d'un détenteur de numéro d'entreprise, le nom de celui-ci (y compris tout nom commercial ou autre nom qu'il utilise) ainsi que les coordonnées, renseignements d'entreprise et renseignements relatifs à l'inscription le concernant, pourvu que les renseignements soient fournis uniquement en vue de l'application ou de l'exécution :

(i) d'une loi fédérale ou provinciale,

(ii) d'un règlement d'une municipalité ou d'un texte législatif d'un gouvernement autochtone;

k) fournir à une personne un renseignement confidentiel, mais uniquement en vue de l'application ou de l'exécution d'une loi provinciale qui prévoit l'indemnisation des accidents du travail;

l) fournir un renseignement confidentiel à un policier, au sens du paragraphe 462.48(17) du *Code criminel*, mais uniquement en vue de déterminer si une infraction visée à cette loi a été commise ou en vue du dépôt d'une dénonciation ou d'un acte d'accusation, si, à la fois :

(i) il est raisonnable de considérer que le renseignement est nécessaire pour confirmer les circonstances dans lesquelles une infraction au *Code criminel* peut avoir été commise, ou l'identité de la ou des personnes pouvant avoir commis une infraction, à l'égard d'un fonctionnaire ou de toute personne qui lui est liée,

(ii) le fonctionnaire est ou était chargé de l'application ou de l'exécution de la présente partie,

(iii) il est raisonnable de considérer que l'infraction est liée à cette application ou exécution;

m) fournir un renseignement confidentiel à toute personne, mais uniquement en vue de permettre au statisticien en chef, au sens de l'article 2 de la *Loi sur la statistique*, de fournir à un organisme de la statistique d'une province des données portant sur les activités d'entreprise exercées dans la province, à condition que le renseignement soit utilisé par l'organisme uniquement aux fins de recherche et d'analyse et que l'organisme soit autorisé en vertu des lois de la province à recueillir, pour son propre compte, le même renseignement ou un renseignement semblable relativement à ces activités;

n) fournir un renseignement confidentiel, ou en permettre l'examen ou l'accès, mais uniquement pour l'application d'une disposition figurant dans un accord international désigné.

Notes historiques: Le sous-alinéa 295(5)d)(i) a été remplacé par L.C. 2009, c. 2, par. 121(5) et cette modification est réputée être entrée en vigueur le 12 mars 2009. Antérieurement, il se lisait ainsi :

(i) à un fonctionnaire du ministère des Finances, mais uniquement en vue de la formulation ou de l'évaluation de la politique fiscale ou pour les besoins d'un accord d'application, au sens du paragraphe 2(1) de la *Loi sur les arrangements fiscaux entre le gouvernement fédéral et les provinces*, conclu avec un gouvernement autochtone, au sens de ce paragraphe, ou pour les besoins d'un accord d'application, au sens du paragraphe 2(1) de la *Loi sur la taxe sur les produits et services des premières nations*,

Le sous-alinéa 295(5)d)(i) a été remplacé par L.C. 2003, c. 15, par. 68(1) et cette modification est réputée entrée en vigueur le 19 juin 2003. Antérieurement, il se lisait ainsi :

(i) à un fonctionnaire du ministère des Finances, mais uniquement en vue de la formulation ou de l'évaluation de la politique fiscale,

Le sous-alinéa 295(5)d)(i) a été modifié par L.C. 1996, c. 23, art. 187 pour remplacer les mots « *Loi sur l'assurance-emploi* » pour les mots « *Loi sur l'assurance-emploi* ». Cette modification est entrée en vigueur le 30 décembre 1996.

Le sous-alinéa 295(5)d)(ii) a été remplacé par L.C. 1998, c. 19, par. 284(2), réputé entré en vigueur le 30 juin 1996. Antérieurement il se lisait comme suit :

(ii) à un fonctionnaire, mais uniquement en vue de la mise à exécution de la politique fiscale ou en vue de l'application ou de l'exécution du *Régime de pensions du Canada*, de la *Loi sur l'assurance-emploi* ou d'une loi fédérale qui prévoit l'imposition ou la perception d'un impôt, d'une taxe ou d'un droit ou qui prévoit que les mentions du prix de biens ou de services, ou de la contrepartie relative à ceux-ci, comprennent la taxe prévue par la présente loi,

Les sous-alinéas 295(5)d)(ii) et (iii) ont été modifiés par L.C. 1997, c. 10, par. 236(1). Auparavant, ils se lisaient comme suit :

(ii) à un fonctionnaire, mais uniquement en vue de la mise à exécution de la politique fiscale ou en vue de l'application ou de l'exécution du *Régime de pensions du Canada*, de la *Loi sur l'assurance-emploi* ou d'une loi fédérale qui prévoit l'imposition ou la perception d'un impôt, d'une taxe ou d'un droit,

(iii) à un fonctionnaire, mais uniquement en vue de l'application ou de l'exécution d'une loi provinciale qui prévoit l'imposition ou la perception d'un impôt, d'une taxe ou d'un droit,

Le sous-alinéa 295(5)d)(iv.1) a ajouté par L.C. 2000, c. 14, art. 33. Cette modification est entrée en vigueur le 29 juin 2000.

Le sous-alinéa 295(5)d)(iv.2) a été ajouté par L.C. 2003, c. 2, par. 68(2) et est réputé entré en vigueur le 19 juin 2003.

Le sous-alinéa 295(5)d)(v) a été remplacé par L.C. 2007, c. 18, par. 48(1) et cette modification est entrée en vigueur le 22 juin 2007. Antérieurement, il se lisait comme suit :

(v) à un fonctionnaire d'un ministère ou organisme fédéral ou provincial, quant aux nom, adresse et profession d'une personne et à la taille et au genre de son entreprise, mais uniquement en vue de permettre à ce ministère ou à cet organisme de recueillir des données statistiques pour la recherche et l'analyse,

L'alinéa 295(5)h) a été remplacé par L.C. 2004, c. 11 art. 28 et cette modification est entrée en vigueur le 21 mai 2004 [C.P. 2004-731, 21 mai 2004 (TR/2004-58)]. Antérieurement, il se lisait ainsi :

h) donner accès à des documents renfermant des renseignements confidentiels à l'archiviste national du Canada ou à une personne agissant en son nom ou sur son ordre, mais uniquement pour l'application de l'article 5 de la *Loi sur les Archives nationales du Canada*, et transférer de tels documents sous la garde et le contrôle de ces personnes, mais uniquement pour l'application de l'article 6 de cette loi;

L'alinéa 295(5)j) a été remplacé par L.C. 2009, c. 2, par. 121(6) et cette modification est réputée être entrée en vigueur le 12 mars 2009. Antérieurement, il se lisait ainsi :

j) fournir, à un fonctionnaire d'un ministère ou organisme fédéral ou provincial, le numéro d'entreprise, le nom, l'adresse et les numéros de téléphone et de télécopieur d'un détenteur d'un numéro d'entreprise, mais uniquement en vue de l'application ou de l'exécution d'une loi fédérale ou provinciale, à condition que le détenteur du numéro d'entreprise soit tenu par cette loi de fournir l'information, sauf le numéro d'entreprise, au ministère ou à l'organisme;

L'alinéa 295(5)j) a été ajouté par L.C. 1996, c. 21, par. 67(2) et est entré en vigueur le 20 juin 1996.

L'alinéa 295(5)k) a été ajouté par L.C. 1999, c. 26, art. 38 et est entré en vigueur le 17 juin 1999.

L'alinéa 295(5)l) a été ajouté par L.C. 2001, c. 17, art. 260 et est entré en vigueur le 14 juin 2001.

L'alinéa 295(5)m) a été ajouté par L.C. 2007, c. 18, par. 48(2) et s'applique après le 22 juin 2007 aux renseignements concernant les exercices se terminant après 2003. Pour l'application du paragraphe 17(2) de la *Loi sur la statistique*, les renseignements qui sont recueillis avant cette date sont réputés l'avoir été au moment où ils sont fournis à un organisme de la statistique d'une province conformément à l'alinéa 295(5)m).

L'alinéa 295(5)n) a été ajouté par L.C. 2007, c. 18, par. 48(2) et est entré en vigueur le 22 juin 2007.

Le paragraphe 295(5) a été modifié par L.C. 1993, c. 27, par. 128(3) et s'applique à compter du 10 juin 1993. Il se lisait comme suit :

(5) Un fonctionnaire ou une personne autorisée peut :

a) dans l'exercice de ses fonctions relatives à l'application ou à l'exécution de la présente partie :

(i) communiquer ou permettre que soit communiqué à un fonctionnaire ou à une personne autorisée un renseignement obtenu par le ministre ou en son nom pour l'application de la présente partie,

(ii) permettre à un fonctionnaire ou à une personne autorisée d'examiner quelque livre, registre, écrit, déclaration ou autre document obtenu par le ministre ou en son nom pour l'application de la présente partie, ou d'y avoir accès;

b) selon les conditions prévues par règlement, communiquer ou permettre que soit communiqué un renseignement obtenu en vertu de la présente partie, ou permettre l'examen de tout énoncé écrit obtenu selon la présente partie, ou en permettre l'accès, au gouvernement d'une province, d'un État étranger ou d'une subdivision politique d'un tel État au nom duquel des renseignements ou des énoncés écrits obtenus pour l'application d'une loi de la province, de l'État ou de la subdivision politique imposant une taxe de vente ou une taxe semblable à celle imposée par la présente partie sont communiqués ou livrés au ministre selon une formule d'échange réciproque;

c) communiquer ou permettre que soit communiqué, soit à toute personne faisant partie d'une catégorie de personnes visée par règlement, sous réserve de conditions précisées par le ministre, soit à toute personne qui y a par ailleurs légalement droit, un renseignement obtenu en vertu de la présente partie ou permettre l'examen par semblable personne de quelque livre, registre, écrit, déclaration ou autre document obtenu par le ministre ou en son nom pour l'application de la présente partie, ou lui en permettre l'accès;

d) communiquer ou permettre que soit communiqué à une personne un renseignement obtenu en vertu de la présente partie, qu'il est raisonnable de considérer comme nécessaire à la détermination de tout montant dont la personne est redevable ou du remboursement ou du crédit de taxe sur les intrants auquel elle a droit en vertu de la présente partie;

LTA (TPS)

e) communiquer ou permettre que soit communiqué un renseignement obtenu en vertu de la présente partie :

(i) à un fonctionnaire du ministère des Finances, uniquement en vue d'évaluer et de formuler la politique fiscale,

(ii) à un fonctionnaire du ministère, uniquement en vue d'appliquer ou d'exécuter la présente loi, la *Loi sur les douanes*, le *Tarif des douanes*, la *Loi sur l'accise*, la *Loi de l'impôt sur le revenu*, la *Loi sur le droit à l'exportation de produits de bois d'œuvre* ou la *Loi sur les mesures spéciales d'importation*;

f) communiquer ou permettre que soit communiqué un renseignement obtenu en vertu de la présente partie, à savoir les nom, adresse, profession ou genre d'affaires d'une personne, à un fonctionnaire d'un ministère ou d'un organisme du gouvernement fédéral ou d'un gouvernement provincial, uniquement en vue de permettre à ce ministère ou à cet organisme de recueillir des données statistiques servant à la recherche et à l'analyse.

Le paragraphe 295(5) a été ajouté par L.C. 1990, c. 45, par. 12(1).

2 février 2009, Notes explicatives: Le paragraphe 295(5) prévoit les circonstances dans lesquelles il est permis de communiquer des renseignements confidentiels ainsi que les fins auxquelles il est permis de les communiquer. L'alinéa 295(5)j) permet à un fonctionnaire (au sens du paragraphe 295(1)) de fournir, à un autre fonctionnaire d'un ministère ou organisme fédéral ou provincial, le numéro d'entreprise, le nom, l'adresse et les numéros de téléphone et de télécopieur d'un détenteur de numéro d'entreprise, mais uniquement en vue de l'application ou de l'exécution d'une loi fédérale ou provinciale. Ces renseignements ne peuvent être communiqués que si le détenteur du numéro d'entreprise est tenu par cette loi de fournir l'information (sauf le numéro d'entreprise proprement dit) au ministère ou à l'organisme.

L'alinéa 295(5)j) est modifié de manière à élargir à la fois les renseignements qu'un fonctionnaire peut communiquer et les catégories de fonctionnaires qui peuvent avoir accès à ces renseignements. En effet, les fonctionnaires peuvent désormais communiquer aux représentants d'une entité gouvernementale (au sens du paragraphe 295(1)) les renseignements suivants :

- le numéro d'entreprise et le nom du détenteur de numéro d'entreprise (y compris tout nom commercial ou autre nom qu'il utilise);
- les coordonnées, renseignements d'entreprise et renseignements relatifs à l'inscription — tous définis au paragraphe 295(1) — concernant le détenteur de numéro d'entreprise.

En règle générale, les renseignements de ce type sont accessibles aux membres du public, qui peuvent les obtenir en consultant notamment les registres provinciaux des entreprises.

La modification apportée au sous-alinéa 295(5)d)(i) consiste à ajouter un renvoi à la nouvelle définition de « gouvernement autochtone » au paragraphe 295(1).

Ces modifications entrent en vigueur à la date de sanction du projet de loi.

Concordance québécoise: LAF, art. 69.0.0.6-69.0.0.9, 69.0.0.16, 69.0.1, 69.1.

(5.01) Restriction — partage des renseignements — Un renseignement ne peut être fourni au représentant d'une entité gouvernementale en conformité avec l'alinéa (5)j) relativement à un programme, à une activité ou à un service offert ou entrepris par l'entité que si celle-ci utilise le numéro d'entreprise comme identificateur du programme, de l'activité ou du service.

Notes historiques: Le paragraphe 295(5.01) a été ajouté par L.C. 2009, c. 2, par. 121(7) et est réputé être entré en vigueur le 12 mars 2009.

2 février 2009, Notes explicatives: Selon le nouveau paragraphe 295(5.01), un renseignement ne peut être fourni au représentant d'une entité gouvernementale (au sens du paragraphe 295(1)) en conformité avec l'alinéa 295(5)j) relativement à un programme, à une activité ou à un service offert ou entrepris par l'entité que si celle-ci utilise le numéro d'entreprise comme identificateur du programme, de l'activité ou du service.

Le nouveau paragraphe 295(5.02) permet au ministre de mettre à la disposition du public, relativement à un programme, à une activité ou à un service qu'il offre ou entreprend, le numéro d'entreprise d'un détenteur de numéro d'entreprise ainsi que le nom du détenteur (y compris tout nom commercial ou autre nom qu'il utilise).

Le nouveau paragraphe 295(5.03) autorise le représentant d'une entité gouvernementale à mettre à la disposition du public, relativement à un programme, à une activité ou à un service offert ou entrepris par l'entité, le numéro d'entreprise d'un détenteur de numéro d'entreprise ainsi que le nom du détenteur (y compris tout nom commercial ou autre nom qu'il utilise) si ces renseignements ont été fournis à un représentant de l'entité en conformité avec l'alinéa 295(5)j) et si l'entité utilise le numéro d'entreprise comme identificateur du programme, de l'activité ou du service.

Ces modifications entrent en vigueur à la date de sanction du projet de loi.

Concordance québécoise: aucune.

(5.02) Communication au public — Le ministre peut mettre à la disposition du public, relativement à un programme, à une activité ou à un service qu'il offre ou entreprend, le numéro d'entreprise et le nom d'un détenteur de numéro d'entreprise (y compris tout nom commercial ou autre nom qu'il utilise).

Notes historiques: Le paragraphe 295(5.02) a été ajouté par L.C. 2009, c. 2, par. 121(7) et est réputé être entré en vigueur le 12 mars 2009.

Concordance québécoise: aucune.

(5.03) Communication au public par le représentant d'une entité gouvernementale — Le représentant d'une entité gouvernementale peut mettre à la disposition du public, relativement à un programme, à une activité ou à un service offert ou entrepris par l'entité, le numéro d'entreprise et le nom d'un détenteur de numéro d'entreprise (y compris tout nom commercial ou autre nom qu'il utilise) si, à la fois :

a) ces renseignements ont été fournis à un représentant de l'entité en conformité avec l'alinéa (5)j);

b) l'entité utilise le numéro d'entreprise comme identificateur du programme, de l'activité ou du service.

Notes historiques: Le paragraphe 295(5.03) a été ajouté par L.C. 2009, c. 2, par. 121(7) et est réputé être entré en vigueur le 12 mars 2009.

Concordance québécoise: aucune.

(5.1) Mesures visant à prévenir l'utilisation ou la divulgation non autorisées d'un renseignement — La personne qui préside une procédure judiciaire concernant la surveillance ou l'évaluation d'une personne autorisée ou des mesures disciplinaires prises à son endroit peut ordonner la mise en œuvre des mesures nécessaires pour éviter qu'un renseignement confidentiel soit utilisé ou fourni à une fin étrangère à la procédure, y compris :

a) la tenue d'une audience à huis clos;

b) la non-publication du renseignement;

c) la non-divulgation de l'identité de la personne en cause;

d) la mise sous scellés du procès-verbal des délibérations.

Notes historiques: Le paragraphe 295(5.1) a été ajouté par L.C. 1993, c. 27, par. 128(3) et s'applique à compter du 10 juin 1993.

Concordance québécoise: LAF, art. 69.11.

(6) Divulgation d'un renseignement confidentiel — Un fonctionnaire ou autre représentant d'une entité gouvernementale peut fournir un renseignement confidentiel :

a) à la personne en cause;

b) à toute autre personne, avec le consentement de la personne en cause.

Notes historiques: Le préambule du paragraphe 295(6) a été remplacé par L.C. 2009, c. 2, par. 121(8) et cette modification est réputée être entrée en vigueur le 12 mars 2009. Antérieurement, il se lisait ainsi :

(6) Un fonctionnaire peut fournir un renseignement confidentiel :

Le paragraphe 295(6) a été modifié par L.C. 1993, c. 27, par. 128(3) et s'applique à compter du 10 juin 1993. Il se lisait auparavant comme suit :

(6) Par dérogation aux autres dispositions du présent article, le ministre peut autoriser la remise d'une copie de quelque livre, registre, écrit, déclaration ou autre document obtenu par lui ou en son nom pour l'application de la présente partie, à la personne de qui ceux-ci ont été obtenus, à son représentant légal ou à son mandataire ou encore à tel représentant légal autorisé par écrit à cet égard.

Le paragraphe 295(6) a été ajouté par L.C. 1990, c. 45, par. 12(1).

2 février 2009, Notes explicatives: Il est prévu au paragraphe 295(6) qu'un fonctionnaire peut fournir des renseignements confidentiels concernant une personne à la personne ou à des tiers, si la personne y consent. Le paragraphe 295(6) est modifié de manière que son application soit élargie aux représentants d'une entité gouvernementale, pour ce qui est des renseignements confidentiels qu'ils obtiennent légalement.

Cette modification entre en vigueur à la date de sanction du projet de loi.

Concordance québécoise: LAF, art. 69.0.0.2, 69.0.0.10.

(6.1) Confirmation de l'inscription et du numéro d'entreprise — Le fonctionnaire à qui sont fournis à la fois des renseignements précisés par le ministre qui permettent d'identifier une personne en particulier et un numéro peut confirmer ou nier que les énoncés ci-après sont tous les deux exacts :

a) la personne est inscrite aux termes de la sous-section d) de la section V;

b) le numéro en question est le numéro d'entreprise de la personne.

Notes historiques: Le paragraphe 295(6.1) a été ajouté par L.C. 2005, c. 30, art. 23 et est entré en vigueur le 29 juin 2005.

Concordance québécoise: aucune.

(7) Appel d'une ordonnance ou d'une directive — Le ministre ou la personne contre laquelle une ordonnance est rendue, ou à l'égard de laquelle une directive est donnée, dans le cadre ou à l'occasion d'une procédure judiciaire enjoignant à un fonctionnaire ou autre représentant d'une entité gouvernementale de témoigner, ou de produire quoi que ce soit, relativement à un renseignement confidentiel peut sans délai, par avis signifié aux parties intéressées, interjeter appel de l'ordonnance ou de la directive devant :

a) la cour d'appel de la province dans laquelle l'ordonnance est rendue ou la directive donnée, s'il s'agit d'une ordonnance ou d'une directive émanant d'une cour ou d'un autre tribunal établi en application des lois de la province, que ce tribunal exerce ou non une compétence conférée par les lois fédérales;

b) la Cour d'appel fédérale, s'il s'agit d'une ordonnance ou d'une directive émanant d'une cour ou d'un autre tribunal établi en application des lois fédérales.

Notes historiques: Le préambule du paragraphe 295(7) a été remplacé par L.C. 2009, c. 2, par. 121(8) et cette modification est réputée être entrée en vigueur le 12 mars 2009. Antérieurement, il se lisait ainsi :

> (7) Appel d'une ordonnance ou d'une directive — Le ministre ou la personne contre laquelle une ordonnance est rendue, ou à l'égard de laquelle une directive est donnée, dans le cadre ou à l'occasion d'une procédure judiciaire enjoignant à un fonctionnaire de témoigner, ou de produire quoi que ce soit, relativement à un renseignement confidentiel peut sans délai, par avis signifié aux parties intéressées, interjeter appel de l'ordonnance ou de la directive devant :

Le paragraphe 295(7) a été modifié par L.C. 1993, c. 27, par. 128(4) et s'applique à compter du 10 juin 1993. Il se lisait auparavant comme suit :

> (7) Le ministre ou la personne contre laquelle une ordonnance est rendue ou une directive donnée dans le cadre ou à l'occasion d'une procédure judiciaire dans laquelle un fonctionnaire ou une personne autorisée est tenu de témoigner relativement à un renseignement ou de produire quelque livre, registre, écrit, déclaration ou autre document, obtenu par le ministre ou en son nom pour l'application de la présente partie, peut sans délai, par avis signifié à toutes les parties intéressées, interjeter appel de l'ordonnance ou de la directive devant :

Le paragraphe 295(7) a été ajouté par L.C. 1990, c. 45, par. 12(1).

2 février 2009, Notes explicatives: Il est prévu au paragraphe 295(7) qu'un fonctionnaire ou une personne autorisée peut en appeler d'une ordonnance rendue, ou d'une directive donnée, dans le cadre ou à l'occasion d'une procédure judiciaire les enjoignant à communiquer des renseignements confidentiels. Ce paragraphe est modifié de manière que son application soit élargie aux représentants d'une entité gouvernementale, pour ce qui est des renseignements confidentiels qu'ils obtiennent légalement.

Cette modification entre en vigueur à la date de sanction du projet de loi.

Concordance québécoise: LAF, art. 69.0.3.

(8) Décision d'appel — La cour saisie d'un appel peut accueillir l'appel et annuler l'ordonnance ou la directive en cause ou rejeter l'appel. Les règles de pratique et de procédure régissant les appels à la cour s'appliquent, compte tenu des modifications nécessaires, aux appels interjetés en application du paragraphe (7).

Notes historiques: Le paragraphe 295(8) a été ajouté par L.C. 1990, c. 45, par. 12(1).

Concordance québécoise: aucune.

(9) Sursis — L'application de l'ordonnance ou de la directive objet d'un appel interjeté en application du paragraphe (7) est différée jusqu'au prononcé du jugement.

Notes historiques: Le paragraphe 295(9) a été ajouté par L.C. 1990, c. 45, par. 12(1).

Concordance québécoise: aucune.

2 février 2009, Notes explicatives: L'article 295 interdit aux fonctionnaires et à d'autres personnes de communiquer ou d'utiliser des renseignements confidentiels obtenus dans le cadre de l'application de la partie IX de la Loi, sauf s'ils y sont expressément autorisés par l'une des exceptions prévues à cet article.

Les paragraphes 295(1) à (3) et (5) à (7) sont modifiés, et les nouveaux paragraphes 295(5.01) à (5.03) sont ajoutés, afin de favoriser l'utilisation accrue du numéro d'entreprise, attribué par l'Agence du revenu du Canada, par les autres ordres d'administration (les « partenaires ») en vue de réduire la paperasserie et le double emploi pour les entreprises comme pour le gouvernement. Plus précisément, ces modifications visent :

- à élargir l'éventail des renseignements relatifs au numéro d'entreprise qui peuvent être communiqués aux partenaires;
- à élargir également les types d'entités gouvernementales qui sont admissibles à titre de partenaires;
- à autoriser la publication du numéro d'entreprise par les partenaires relativement aux programmes et aux services qu'ils fournissent.

Définitions [art. 295]: « argent », « bien », « contrepartie », « document », « entreprise », « gouvernement », « ministre », « montant », « personne », « province », « registre », « règlement », « salarié », « service », « taxe » — 123(1).

Renvois [art. 295]: 123(1) (définition de « municipalité »); 241(1) (attribution du numéro d'inscription); 259(13) (Communication de renseignements concernant le remboursement municipal); 328 (pénalité ou emprisonnement).

Règlements [art. 295]: *Règlement sur la communication de renseignements*, art. 1.

Jurisprudence [art. 295]: *Ricken Leroux Inc. c. SMRQ*, [1998] G.S.T.C. 11 (C.A. Qué); permission d'appeler refusée [1998] G.S.T.C. 25 (CSC); *Morin (Re)*, [1998] G.S.T.C. 131 (Sask QB); *R. c. Doherty*, 2000 CarswellQue 2590 (C.Q. Qué); *Scott Slipp Nissan Ltd. v. Canada (Attorney General)*, [2004] G.S.T.C. 1159 (CF); *Scott Slipp Nissan Ltd. v. Canada (Procureur Général du Canada)*, [2005] G.S.T.C. 52 (CF); *Hsu c. R.*, [2006] G.S.T.C. 70 (CCI); *Desrosiers c. R.*, 2008 G.T.C. 799 (CCI [procédure informelle]).

Série de mémorandums [art. 295]: Mémorandum 1.5, 09/94, *Définitions*.

Circulaires d'information [art. 295]: 98-1R3 — Politiques de recouvrement (ébauche).

Formulaires [art. 295]: RC2, *Le numéro d'entreprise et vos comptes de l'Agence du revenu du Canada*.

COMMENTAIRES: Cet article prévoit qu'il est interdit pour un fonctionnaire de communiquer ou d'utiliser des renseignements confidentiels obtenus lors de l'exercice de ses fonctions au sein de l'Agence du revenu du Canada ou de Revenu Québec en vertu de la partie IX de la *Loi sur la taxe d'accise* (TPS), sauf dans les circonstances spécifiques qui y sont prévues.

En ce qui à trait à l'utilisation du terme « sciemment » au paragraphe 295(2) dans le contexte de la divulgation d'un renseignement confidentiel par un fonctionnaire, nous vous recommandons nos commentaires à l'article 328.

Le paragraphe (4) prévoit certaines limites à l'interdiction de la communication de renseignements confidentiels, notamment dans un contexte où des procédures judiciaires sont en cours à l'égard de l'application ou de l'exécution de la *Loi sur la taxe d'accise (TPS)*. Voir notamment à cet effet : *9005-6342 Québec Inc.*, [2011] G.S.T.C. 92 (C.A.F).

Le paragraphe (6) permet à une personne de désigner une autre personne pouvant agir en son nom et pour son compte auprès de l'Agence du revenu du Canada et du Revenu Québec. La procuration permet ainsi à la personne désignée de recevoir, à ce titre, de l'information confidentielle de cette personne. En pratique, le formalisme qui est exigé de la part des autorités fiscales pour assurer la validité d'une procuration, surtout par Revenu Québec, dicte que la procuration doit se refléter par le biais de formulaires prescrits. Nous avons été informés par Revenu Québec que d'ici la fin de l'année 2013, un processus d'inscription électronique serait mis en place pour transmettre les procurations, c'est-à-dire le formulaire MR-69 — Autorisation relative à la communication de renseignements, procuration ou révocation. Cette initiative est bienvenue et il reste à voir si celle-ci aura effectivement un impact sur l'efficacité du traitement des demandes par Revenu Québec.

Il est à noter qu'aucun mécanisme n'est prévu pour permettre au représentant d'une personne d'annuler la procuration que son client lui a accordée. Ainsi, en pratique, cela implique qu'il est possible que le représentant continue à recevoir des avis ou des documents de son client (ou ex-client) et qu'il a, dans certains cas, l'obligation légale de répondre à ces avis. Il serait donc pertinent, de l'avis de l'auteur, de modifier les formulaires prescrits en ce sens, *c.-à-d.* en permettant également au représentant d'informer rapidement l'Agence du revenu du Canada et Revenu Québec de son désir de cesser de représenter son client.

Le paragraphe (6.1) permet la confirmation par un fonctionnaire du numéro d'entreprise et de l'enregistrement en TPS d'une personne désignée sans autorisation. À ce titre, il est à noter que ces informations sont disponibles au public par le biais des sites internet de l'Agence du revenu du Canada et de Revenu Québec aux adresses respectives suivantes : http://www.cra-arc.gc.ca/esrvc-srvce/tx/bsnss/gsthstrgstry/menu-fra.html, et http://www.revenuquebec.ca/fr/sepf/services/sgp_validation_tvq/default.aspx. Dans le cadre des transactions corporatives ou immobilières dans lesquelles l'inscription à la TPS d'une des parties est un élément essentiel (notamment aux fins de l'article 167 ou du paragraphe 228(4)), il est important d'effectuer cette vérification en date du jour de la séance de clôture et d'imprimer la confirmation ainsi reflétée sur les sites internet de l'Agence du revenu du Canada et de Revenu Québec pour l'inclure dans les cartables de clôture des parties.

De l'avis de l'auteur, il serait intéressant d'augmenter le type d'information pouvant se refléter sur les sites internet de l'Agence du revenu du Canada et de Revenu Québec. En effet, non seulement la question d'inscription valide (ou non) à une date précise devrait être fournie, mais également le fait de savoir si la personne concernée a déjà été accusée d'une infraction à la *Loi sur la taxe d'accise (TPS)* quant au défaut de remettre un montant de TPS/TVH ou un montant de TVQ. À tout événement, cette information semble déjà figurée sur le site internet, mais à un endroit différent (nous vous recommandons nos commentaires sous les articles 326 et 327). Nous pensons toutefois, pour des fins d'efficacité, que cette information devrait apparaître de façon concurrente à une demande de confirmation d'un numéro de TPS/TVH/TVQ. Compte tenu de l'absence de considération du critère de bonne foi par la jurisprudence et des autorités fiscales pour un entrepreneur qui se voit refuser ses crédits de taxes sur les intrants en raison d'une fraude de leur fournisseur, l'objectif principal de cette modification aurait pour effet de donner un certain degré de confort audit entrepreneur et sur le fait qu'il serait en droit de réclamer ses crédits de taxes sur les intrants. Nous vous recommandons nos commentaires sous le paragraphe 169(4). Voir notamment : Comité de liaison de l'Association de planification fiscale et financière entre Revenu Québec et le Ministère des Finances et de l'Économie, 9 octobre 2012, question 2.

Cet article est similaire à l'article 241 de la *Loi de l'impôt sur le revenu*.

Sous-section d — Cotisations, oppositions et appels

Cotisations

296. (1) Cotisation — Le ministre peut établir une cotisation, une nouvelle cotisation ou une cotisation supplémentaire pour déterminer :

a) la taxe nette d'une personne, prévue à la section V, pour une période de déclaration;

b) la taxe payable par une personne en application des sections II, IV ou IV.1;

c) les pénalités et intérêts payables par une personne en application de la présente partie;

d) un montant payable par une personne en application des alinéas 228(2.1)b) ou (2.3)d) ou de l'article 230.1;

e) un montant qu'une personne est tenue de payer ou de verser en vertu du paragraphe 177(1.1) ou des sous-sections a) ou b.1) de la section VII.

Notes historiques: L'alinéa 296(1)b) a été modifié par L.C. 1997, c. 10, par. 237(1) et cette modification est entrée en vigueur le 1er avril 1997. Auparavant, cet alinéa se lisait comme suit :

> b) la taxe payable par une personne en application de la section II ou IV;

L'alinéa 296(1)d) a été modifié par L.C. 1997, c. 10, par. 237(2) et cette modification est entrée en vigueur le 1er avril 1997. Auparavant, cet alinéa se lisait comme suit :

> d) un montant payable par une personne en application de l'article 230.1;

L'alinéa 296(1)d) a été modifié et l'alinéa 296(1)e) a été ajouté par L.C. 1993, c. 27, par. 129(1). L'ancien alinéa d) est devenu l'alinéa e). Cette modification est réputée entrée en vigueur le 17 décembre 1990. Toutefois, le paragraphe 296(1) ne s'applique pas à une cotisation visant un montant dont un syndic de faillite ou un séquestre nommé ou investi de pouvoirs avant 1993 devient redevable en vertu des article 265 ou 266 et non en vertu de l'article 270. L'alinéa 296(1)d) se lisait auparavant comme suit :

> d) un montant dont une personne devient redevable en vertu du paragraphe 270(2);

L'alinéa 296(1)e) a été modifié par L.C. 1997, c. 10, par. 78(1) et cette modification est entrée en vigueur le 20 mars 1997. Toutefois, avant le 1er avril 1997, il n'est pas tenu compte du passage « du paragraphe 177(1.1) ou » à l'alinéa 296(1)e). Auparavant, cet alinéa se lisait comme suit :

> e) un montant dont une personne devient redevable en vertu de la sous-section e) de la section VII.

Le paragraphe 296(1) a été ajouté par L.C. 1990, c. 45, par. 12(1).

Concordance québécoise: LAF, art. 25, al. 1.

(2) Application d'un crédit non demandé — Le ministre, s'il constate les faits ci-après relativement à un montant (appelé « crédit déductible » au présent paragraphe) lors de l'établissement d'une cotisation concernant la taxe nette d'une personne pour une période de déclaration donnée de celle-ci, prend en compte le crédit déductible dans l'établissement de la taxe nette pour cette période comme si la personne avait demandé le crédit déductible dans une déclaration produite pour cette période :

a) le crédit déductible aurait été accordé à titre de crédit de taxe sur les intrants pour la période donnée ou à titre de déduction dans le calcul de la taxe nette pour cette période s'il avait été demandé dans une déclaration produite aux termes de la section V pour cette période à la date limite où la déclaration pour cette période était à produire et si les exigences en matière de documentation, énoncées aux paragraphes 169(4) ou 234(1), qui s'appliquent au crédit avaient été remplies;

b) le crédit déductible n'a pas été demandé par la personne dans une déclaration produite avant le jour où l'avis de cotisation lui est envoyé ou, s'il l'a été, a été refusé par le ministre;

c) le crédit déductible serait accordé à titre de crédit de taxe sur les intrants ou de déduction dans le calcul de la taxe nette de la personne pour une de ses périodes de déclaration s'il était demandé dans une déclaration produite aux termes de la section V le jour où l'avis de cotisation est envoyé à la personne, ou serait refusé s'il était demandé dans cette déclaration du seul fait que le délai dans lequel il peut être demandé a expiré avant ce jour.

Notes historiques: Le préambule du paragraphe 296(2) a été remplacé par L.C. 2006, c. 4, par. 151(1) et cette modification est entrée en vigueur le 1er avril 2007. Antérieurement, il se lisait ainsi :

> (2) Le ministre, s'il constate les faits suivants relativement à un montant (appelé « crédit déductible » au présent paragraphe) lors de l'établissement d'une cotisation concernant la taxe nette d'une personne pour une période de déclaration donnée de celle-ci, prend en compte, sauf demande contraire de la personne, le crédit déductible dans l'établissement de la taxe nette pour cette période comme si la personne avait demandé le crédit déductible dans une déclaration produite pour cette période :

Le paragraphe 296(2) a été modifié par L.C. 1997, c. 10, par. 78(2) et cette modification est réputée entrée en vigueur le 1er juillet 1996. Il se lisait comme suit :

> (2) L'un des montants suivants peut entrer dans l'établissement de la cotisation visant la taxe nette d'une personne pour une période de déclaration comme si la personne l'avait demandé ou déduit dans une déclaration produite pour la période :
>
> a) un montant au titre du crédit de taxe sur les intrants que la personne n'a pas demandé pour la période dans une déclaration produite selon la section V pour une période de déclaration se terminant avant l'envoi de l'avis de cotisation à la personne;
>
> b) un montant que la personne aurait pu déduire en application de la section V dans le calcul de la taxe nette pour la période dans une déclaration produite selon cette section pour la période.

Le paragraphe 296(2) a été ajouté par L.C. 1990, c. 45, par. 12(1).

Concordance québécoise: LAF, art. 30.5, al. 1.

(2.1) Application d'un montant de remboursement non demandé — Le ministre, s'il constate les faits ciaprès relativement à un montant (appelé « montant de remboursement déductible » au présent paragraphe) lors de l'établissement d'une cotisation concernant la taxe nette d'une personne pour une période de déclaration de celle-ci ou concernant un montant (appelé « montant impayé » au présent paragraphe) qui est devenu payable par une personne en vertu de la présente partie, applique tout ou partie du montant de remboursement déductible en réduction de la taxe nette ou du montant impayé comme si la personne avait payé ou versé, à la date visée aux sous-alinéas a)(i) ou (ii), le montant ainsi appliqué au titre de la taxe nette ou du montant impayé :

a) le montant de remboursement déductible aurait été payable à la personne à titre de remboursement s'il avait fait l'objet d'une demande produite aux termes de la présente partie à la date suivante et si, dans le cas où le remboursement vise un montant qui fait l'objet d'une cotisation, la personne avait payé ou versé ce montant :

(i) si la cotisation concerne la taxe nette pour la période de déclaration, la date limite de production de la déclaration aux termes de la section V pour la période,

(ii) si la cotisation concerne un montant impayé, la date à laquelle ce montant est devenu payable par la personne;

b) le montant de remboursement déductible n'a pas fait l'objet d'une demande produite par la personne avant le jour où l'avis de cotisation lui est envoyé;

c) le montant de remboursement déductible serait payable à la personne s'il faisait l'objet d'une demande produite aux termes de la présente partie le jour où l'avis de cotisation lui est envoyé, ou serait refusé s'il faisait l'objet d'une telle demande du seul fait que le délai dans lequel il peut être demandé a expiré avant ce jour.

Notes historiques: Le préambule du paragraphe 296(2.1) a été remplacé par L.C. 2006, c. 4, par. 151(3) et cette modification est entrée en vigueur le 1er avril 2007. Antérieurement, il se lisait ainsi :

(2.1) Le ministre, s'il constate les faits suivants relativement à un montant (appelé « montant de remboursement déductible » au présent paragraphe) lors de l'établissement d'une cotisation concernant la taxe nette d'une personne pour une période de déclaration de celle-ci ou concernant un montant (appelé « montant impayé » au présent paragraphe) qui est devenu payable par une personne en vertu de la présente partie, applique, sauf demande contraire de la personne, tout ou partie du montant de remboursement déductible en réduction de la taxe nette ou du montant impayé comme si la personne avait payé ou versé, à la date visée aux sous-alinéas a)(i) ou (ii), le montant ainsi appliqué au titre de la taxe nette ou du montant impayé :

Le paragraphe 296(2.1) a été ajouté par L.C. 1997, c. 10, par. 78(2) et est réputé entré en vigueur le 1er juillet 1996.

Concordance québécoise: LAF, art. 30.5, al. 1.

(3) Application ou paiement d'un crédit — S'il constate, lors de l'établissement d'une cotisation concernant la taxe nette d'une personne pour une période de déclaration de celle-ci, qu'un montant de taxe nette a été payé en trop pour la période, le ministre, sauf si la cotisation est établie dans les circonstances visées aux alinéas 298(4)a) ou b) après l'expiration du délai imparti à l'alinéa 298(1)a) :

a) applique tout ou partie du paiement en trop en réduction d'un montant (appelé « montant impayé » au présent alinéa) que la personne a omis de payer ou de verser en application de la présente partie, au plus tard le jour donné où elle était tenue de produire une déclaration aux termes de la présente partie pour la période, et qui demeure impayé ou non versé le jour où l'avis de cotisation lui est envoyé, comme si elle avait payé ou versé, le jour donné, le montant ainsi appliqué au titre du montant impayé;

b) applique le montant visé au sous-alinéa (i) en réduction du montant visé au sous-alinéa (ii) :

(i) la totalité ou toute partie du paiement en trop qui n'a pas été appliquée en vertu de l'alinéa a), ainsi que les intérêts sur la totalité ou cette partie du paiement calculés au taux réglementaire pour la période commençant le trentième jour suivant le dernier en date des jours ci-après et se terminant le jour où la personne a omis de payer ou de verser le montant visé au sous-alinéa (ii) :

(A) le jour donné,

(B) le jour où la déclaration pour la période a été produite,

(C) dans le cas d'un paiement en trop qui est attribuable à un paiement ou un versement effectué un jour postérieur aux jours visés aux divisions (A) et (B), ce jour postérieur,

(ii) un montant (appelé « montant impayé » au présent alinéa) que la personne a omis de payer ou de verser en application de la présente partie un jour postérieur au jour donné et qui demeure impayé ou non versé le jour où l'avis de cotisation lui est envoyé,

comme si la personne avait payé, le jour postérieur visé au sous-alinéa (ii), le montant et les intérêts ainsi appliqués au titre du montant impayé;

c) rembourse à la personne la partie du paiement en trop qui n'a pas été appliquée conformément aux alinéas a) et b), ainsi que les intérêts afférents calculés au taux réglementaire pour la période commençant le trentième jour suivant le dernier en date des jours ci-après et se terminant le jour où le remboursement est effectué :

(i) le jour donné,

(ii) le jour où la déclaration pour la période a été produite,

(iii) dans le cas d'un paiement en trop qui est attribuable à un paiement ou un versement effectué un jour postérieur aux jours visés aux sous-alinéas (i) et (ii), ce jour postérieur.

Notes historiques: Le préambule du paragraphe 296(3) a été remplacé par L.C. 2006, c. 4, par. 151(5) et cette modification est entrée en vigueur le 1er avril 2007. Antérieurement, il se lisait ainsi :

(3) S'il constate, lors de l'établissement d'une cotisation concernant la taxe nette d'une personne pour une période de déclaration de celle-ci, qu'un montant de taxe nette a été payé en trop pour la période, le ministre, sauf demande contraire de la personne et sauf si la cotisation est établie dans les circonstances visées aux alinéas 298(4)a) ou b) après l'expiration du délai imparti à l'alinéa 298(1)a) :

Le préambule du sous-alinéa 296(3)b)(i) a été remplacé par L.C. 2006, c. 4, par. 151(6) et cette modification s'applique aux périodes de déclaration d'une personne se terminant le 1er avril 2007 ou par la suite. Antérieurement, il se lisait ainsi :

(i) tout ou partie du paiement en trop qui n'a pas été appliqué en vertu de l'alinéa a), ainsi que les intérêts y afférents calculés au taux réglementaire pour la période commençant le vingt et unième jour suivant le dernier en date des jours suivants et se terminant le jour où la personne a omis de payer ou de verser le montant visé au sous-alinéa (ii) :

Le préambule de l'alinéa 296(3)c) a été remplacé par L.C. 2006, c. 4, par. 151(7) et cette modification s'applique aux périodes de déclaration d'une personne se terminant le 1er avril 2007 ou par la suite. Antérieurement, il se lisait ainsi :

c) rembourse à la personne la fraction du paiement en trop qui n'a pas été appliquée conformément aux alinéas a) et b), ainsi que les intérêts y afférents calculés au taux réglementaire pour la période commençant le vingt et unième jour suivant le dernier en date des jours suivants et se terminant le jour où le remboursement est effectué :

Le paragraphe 296(3) a été modifié par L.C. 1997, c. 10, par. 78(2) et cette modification est réputée entrée en vigueur le 1er juillet 1996. Il se lisait comme suit :

(3) Si le ministre établit, en déterminant la taxe nette d'une personne pour une période de déclaration, qu'un montant a été payé en trop pour la période, il peut, sauf si la cotisation pour la période a été établie en application du paragraphe 298(4) après l'expiration du délai imparti à l'alinéa 298(1)a) :

a) appliquer, en réduction de la taxe nette à verser par la personne pour une autre période de déclaration pour laquelle une déclaration a été produite avant l'envoi de l'avis de cotisation à la personne, un montant ne dépassant pas le paiement en trop et les intérêts afférents au montant calculés, au taux réglementaire, pour la période commençant 21 jours après le dernier en date des jours suivants et se terminant le jour où la taxe nette doit être versée aux termes de la présente partie :

(i) le jour où la déclaration pour la période doit être produite aux termes de la présente partie,

(ii) le jour où cette déclaration est produite;

b) rembourser à la personne la fraction du paiement en trop qui n'a pas été appliquée conformément à l'alinéa a) ainsi que les intérêts y afférents calculés, au taux réglementaire, pour la période commençant 21 jours après le dernier en date des jours suivants et se terminant le jour où le remboursement est effectué :

(i) le jour où la déclaration pour la période doit être produite aux termes de la présente partie,

(ii) le jour où cette déclaration est produite.

Le paragraphe 296(3) a été ajouté par L.C. 1990, c. 45, par. 12(1).

Concordance québécoise: LAF, art. 30.6, al. 1, 2, 4 et 5.

(3.1) Application ou paiement d'un remboursement — Si, lors de l'établissement d'une cotisation concernant la taxe nette d'une personne pour une période de déclaration de celle-ci ou concernant un montant (appelé « montant impayé » au présent paragraphe) qui est devenu payable par une personne en vertu de la présente partie, tout ou partie d'un montant de remboursement déductible visé au paragraphe (2.1) n'est pas appliqué aux termes de ce paragraphe en réduction de cette taxe nette ou du montant impayé, le ministre, sauf si la cotisation est établie dans les circonstances visées aux alinéas 298(4)a) ou b) après l'expiration du délai imparti à l'alinéa 298(1)a) :

a) applique le montant visé au sous-alinéa (i) en réduction du montant visé au sous-alinéa (ii) :

(i) tout ou partie du montant de remboursement déductible qui n'a pas été appliqué aux termes du paragraphe (2.1),

(ii) un autre montant (appelé « montant impayé » au présent alinéa) que la personne a omis de payer ou de verser en application de la présente partie, au plus tard à la date suivante

LTA (TPS)

(appelée « jour donné » au présent paragraphe), et qui demeure impayé ou non versé le jour où l'avis de cotisation lui est envoyé,

(A) si la cotisation concerne la taxe nette pour la période, la date limite de production de la déclaration aux termes de la section V pour la période,

(B) si la cotisation concerne un montant impayé, la date où ce montant est devenu payable par la personne,

comme si elle avait payé ou versé, le jour donné, le montant ainsi appliqué au titre du montant impayé;

b) applique le montant visé au sous-alinéa (i) en réduction du montant visé au sous-alinéa (ii) :

(i) la totalité ou toute partie du montant de remboursement déductible qui n'a pas été appliquée en vertu de l'alinéa a) ou du paragraphe (2.1), ainsi que les intérêts sur la totalité ou cette partie du paiement calculés au taux réglementaire pour la période commençant le trentième jour suivant le dernier en date des jours ci-après et se terminant le jour où la personne a omis de payer ou de verser le montant visé au sous-alinéa (ii) :

(A) le jour donné,

(B) si la cotisation concerne la taxe nette pour la période, le jour où la déclaration pour la période a été produite,

(ii) un montant (appelé « montant impayé » au présent alinéa) que la personne a omis de payer ou de verser en application de la présente partie un jour postérieur au jour donné et qui demeure impayé ou non versé le jour où l'avis de cotisation lui est envoyé,

comme si la personne avait payé, le jour postérieur visé au sous-alinéa (ii), le montant et les intérêts ainsi appliqués au titre du montant impayé;

c) rembourse à la personne la partie du montant de remboursement déductible qui n'a pas été appliquée conformément aux alinéas a) ou b) ou au paragraphe (2.1), ainsi que les intérêts afférents calculés au taux réglementaire pour la période commençant le trentième jour suivant le dernier en date des jours ci-après et se terminant le jour où le remboursement est effectué :

(i) le jour donné,

(ii) si la cotisation concerne la taxe nette pour la période, le jour où la déclaration pour la période a été produite.

Notes historiques: Le préambule du sous-alinéa 296(3.1)b)(i) a été remplacé par L.C. 2006, c. 4, par. 151(9) et cette modification s'applique aux périodes de déclaration d'une personne se terminant le 1er avril 2007 ou par la suite. Antérieurement, il se lisait ainsi :

(i) tout ou partie du montant de remboursement déductible qui n'a pas été appliqué en vertu du paragraphe (2.1) ou de l'alinéa a), ainsi que les intérêts y afférents calculés au taux réglementaire pour la période commençant le vingt et unième jour suivant le dernier en date des jours suivants et se terminant le jour où la personne a omis de payer ou de verser le montant visé au sous-alinéa (ii) :

Le préambule de l'alinéa 296(3.1)c) a été remplacé par L.C. 2006, c. 4, par. 151(10) et cette modification s'applique aux périodes de déclaration d'une personne se terminant le 1er avril 2007 ou par la suite. Antérieurement, il se lisait ainsi :

c) rembourse à la personne la fraction du montant de remboursement déductible qui n'a pas été appliquée conformément au paragraphe (2.1) ou aux alinéas a) ou b), ainsi que les intérêts y afférents calculés au taux réglementaire pour la période commençant le vingt et unième jour suivant le dernier en date des jours suivants et se terminant le jour où le remboursement est effectué :

Le préambule du paragraphe 296(3.1) a été remplacé par L.C. 2006, c. 4, par. 151(8) et cette modification est entrée en vigueur le 1er avril 2007. Antérieurement, il se lisait ainsi :

(3.1) Lorsque, lors de l'établissement d'une cotisation concernant la taxe nette d'une personne pour une période de déclaration de celle-ci ou concernant un montant (appelé « montant impayé » au présent paragraphe) qui est devenu payable par une personne en vertu de la présente partie, tout ou partie d'un montant de remboursement déductible visé au paragraphe (2.1) n'est pas appliqué aux termes de ce paragraphe en réduction de cette taxe nette ou du montant impayé, le ministre, sauf demande contraire de la personne et sauf si la cotisation est établie dans les circonstances visées aux alinéas 298(4)a) ou b) après l'expiration du délai imparti à l'alinéa 298(1)a) :

Le paragraphe 296(3.1) a été ajouté par L.C. 1997, c. 10, par. 78(2) et est réputé entré en vigueur le 1er juillet 1996.

Concordance québécoise: LAF, art. 30.6, al. 1, 2, 4 et 5.

(4) Restriction — paiement en trop — Un paiement en trop de taxe nette pour la période de déclaration d'une personne et les intérêts y afférents, prévus aux alinéas (3)b) et c) :

a) d'une part, ne sont appliqués aux termes de l'alinéa (3)b) en réduction d'un montant (appelé « montant impayé » au présent alinéa) qui est à payer ou à verser par la personne que dans le cas où le crédit de taxe sur les intrants ou la déduction auquel le paiement en trop est attribuable aurait été accordé à ce titre dans le calcul de la taxe nette pour une autre période de déclaration de la personne si celle-ci avait demandé le crédit ou la déduction dans une déclaration produite aux termes de la section V le jour où elle a omis de payer ou de verser le montant impayé et si elle n'était pas une personne déterminée pour l'application du paragraphe 225(4);

b) d'autre part, ne sont remboursés en application de l'alinéa (3)c) que dans le cas où le crédit de taxe sur les intrants ou la déduction aurait été accordé à ce titre dans le calcul de la taxe nette pour une autre période de déclaration de la personne si celle-ci avait demandé le crédit ou la déduction dans une déclaration produite aux termes de la section V le jour où l'avis de cotisation lui est envoyé.

Notes historiques: L'alinéa 296(4)b) a été remplacé par L.C. 2006, c. 4, par. 151(11) et cette modification est entrée en vigueur le 1er avril 2007. Antérieurement, il se lisait ainsi :

b) d'autre part, ne sont remboursés en application de l'alinéa (3)c) que dans le cas où, à la fois :

(i) le crédit de taxe sur les intrants ou la déduction aurait été accordé à ce titre dans le calcul de la taxe nette pour une autre période de déclaration de la personne si celle-ci avait demandé le crédit ou la déduction dans une déclaration produite aux termes de la section V le jour où l'avis de cotisation lui est envoyé,

(ii) la personne a produit, aux termes de la section V, toutes les déclarations qu'elle était tenue de présenter au ministre avant le jour où l'avis de cotisation lui est envoyé.

Le paragraphe 296(4) a été modifié par L.C. 1997, c. 10, par. 78(2) et cette modification est réputée entrée en vigueur le 1er juillet 1996. Il se lisait comme suit :

(4) Si le ministre établit, en déterminant la taxe nette d'une personne ou la taxe payable par une personne, que la taxe prévue aux sections II ou IV est payable par la personne et qu'un montant en remboursement de tout ou partie de cette taxe lui aurait été payable en application de la présente partie si elle avait payé cette taxe et demandé le remboursement en conformité avec cette partie, il peut, selon le cas :

a) déduire ce montant de la cotisation établie relativement à cette taxe comme si la personne avait demandé le remboursement le jour ci-après :

(i) le jour où la personne est tenue, le cas échéant, de produire une déclaration concernant cette taxe,

(ii) dans les autres cas, le jour où cette taxe est devenue payable;

b) sauf si la cotisation est établie en application du paragraphe 298(4) après l'expiration du délai imparti au paragraphe 298(1), rembourser le montant à la personne ou le déduire de la taxe à payer ou de la taxe nette à verser par celle-ci pour une période de déclaration pour laquelle une déclaration a été produite avant l'établissement de la cotisation.

Auparavant, le paragraphe 296(4) a été modifié par L.C. 1993, c. 27, par. 129(2) et réputé entré en vigueur le 1er octobre 1992. Il se lisait auparavant comme suit :

(4) Si le ministre établit, en déterminant la taxe ou la taxe nette d'une personne, d'une part, que la personne a demandé, au titre de la taxe payée ou payable par elle, un crédit de taxe sur les intrants auquel elle n'avait pas droit ou dépassant celui auquel elle avait droit ou que la taxe prévue à la section II ou IV est payable par la personne et, d'autre part, qu'un remboursement de ces taxes aurait été payable à la personne en application de la section VI si elle avait payé la taxe et demandé le remboursement dans le délai imparti à cette section, il peut, selon le cas :

a) appliquer le remboursement en réduction de la cotisation établie relativement à ce crédit ou cette taxe comme si la personne avait demandé le remboursement :

(i) le jour de la production d'une déclaration concernant cette taxe ou taxe nette, si elle a produit cette déclaration ou en était tenue,

(ii) le jour du paiement de la taxe, dans les autres cas;

b) sauf si la cotisation est établie en application du paragraphe 298(4) après l'expiration du délai imparti au paragraphe 298(1), verser le remboursement à la personne ou l'appliquer en réduction de la taxe à payer ou de la taxe nette à verser par celle-ci pour une période de déclaration pour laquelle une déclaration a été produite avant l'envoi d'un avis de cotisation à la personne.

Le paragraphe 296(4) a été ajouté par L.C. 1990, c. 45, par. 12(1).

Concordance québécoise: LAF, art. 30.6, al. 3.

(4.1) Restriction — montants de remboursement déductibles — Le montant de remboursement déductible visé au paragraphe (2.1), ou toute partie de celui-ci, qui n'a pas été appliqué aux termes de ce paragraphe et les intérêts y afférents, prévus aux alinéas (3.1)b) et c) :

a) d'une part, ne sont appliqués aux termes de l'alinéa (3.1)b) en réduction d'un montant (appelé « montant impayé » au présent alinéa) qui est à payer ou à verser par une personne que dans le cas où le montant de remboursement déductible aurait été payable à la personne à titre de remboursement s'il avait fait l'objet d'une demande produite par la personne aux termes de la présente partie le jour où elle a omis de payer ou de verser le montant impayé et, dans le cas d'un remboursement prévu à l'article 261, si le paragraphe 261(3) lui avait permis de demander le remboursement dans les quatre ans suivant le jour où elle a payé ou versé le montant relativement auquel le remboursement serait ainsi payable;

b) d'autre part, ne sont remboursés en application de l'alinéa (3.1)c) que dans le cas où le montant de remboursement déductible aurait été payable à la personne à titre de remboursement s'il avait fait l'objet d'une demande produite par la personne aux termes de la présente partie le jour où l'avis de cotisation lui est envoyé et si, dans le cas où le remboursement vise un montant qui fait l'objet d'une cotisation, la personne avait payé ou versé ce montant.

Notes historiques: L'alinéa 296(4.1)b) a été remplacé par L.C. 2006, c. 4, par. 151(12) et cette modification est entrée en vigueur le 1er avril 2007. Antérieurement, il se lisait ainsi :

b) d'autre part, ne sont remboursés en application de l'alinéa (3.1)c) que dans le cas où, à la fois :

(i) le montant de remboursement déductible aurait été payable à la personne à titre de remboursement s'il avait fait l'objet d'une demande produite par la personne aux termes de la présente partie le jour où l'avis de cotisation lui est envoyé et si, dans le cas où le remboursement vise un montant qui fait l'objet d'une cotisation, la personne avait payé ou versé ce montant,

(ii) la personne a produit, aux termes de la section V, toutes les déclarations qu'elle était tenue de présenter au ministre avant le jour où l'avis de cotisation lui est envoyé.

Le paragraphe 296(4.1) a été modifié par L.C. 1997, c. 10, par. 78(2) et cette modification est réputée entrée en vigueur le 1er juillet 1996. Il se lisait comme suit :

(4.1) Si le ministre établit, en déterminant la taxe nette d'une personne ou la taxe payable par une personne, que celle-ci a inclus, dans le calcul de son crédit de taxe sur les intrants, un montant qui excède celui qu'elle pouvait ainsi inclure et qu'un montant aurait été payable en remboursement de tout ou partie de cet excédent à la personne en application de la présente partie si elle avait demandé le remboursement en conformité avec cette partie, il peut, selon le cas :

a) déduire ce montant de la cotisation établie relativement à l'excédent comme si la personne avait demandé ce montant le jour où elle était tenue de produire la déclaration concernant cet excédent;

b) verser ce montant à la personne ou le déduire de la taxe payable ou de la taxe nette à verser par celle-ci pour une période de déclaration pour laquelle une déclaration a été produite avant l'établissement de la cotisation, sauf si :

(i) le montant est remboursable en application du paragraphe 216(6) relativement à des produits importés et la cotisation n'est pas établie dans les deux ans suivant le dédouanement des produits,

(ii) la cotisation est établie en application du paragraphe 298(4) après l'expiration du délai imparti au paragraphe 298(1).

Le paragraphe 296(4.1) a été ajouté par L.C. 1993, c. 27, par. 129(2) et réputé entré en vigueur le 1er octobre 1992.

Concordance québécoise: LAF, art. 30.6, al. 3.

(5) Présomption de déduction ou d'application — Lorsque le ministre, lors de l'établissement d'une cotisation concernant la taxe nette d'une personne ou la taxe ou un autre montant payable par une personne, prend un montant en compte en application du paragraphe (2) ou applique ou rembourse un montant en application des paragraphes (2.1), (3) ou (3.1), les présomptions suivantes s'appliquent :

a) la personne est réputée avoir demandé le montant dans une déclaration ou une demande produite aux termes de la présente partie;

b) dans la mesure où un montant est appliqué en réduction d'une taxe ou d'un autre montant à payer ou à verser par la personne en application de la présente partie, le ministre est réputé avoir remboursé ou payé le montant à la personne et celle-ci, avoir payé ou versé la taxe ou l'autre montant en réduction duquel il a été appliqué.

Notes historiques: Le paragraphe 296(5) a été modifié par L.C. 1997, c. 10, par. 78(2) et cette modification est réputée entrée en vigueur le 1er juillet 1996. Il se lisait comme suit :

(5) Dans le cas où le ministre, en déterminant la taxe nette d'une personne ou la taxe payable par une personne, tient compte d'un montant au titre d'un crédit de taxe sur les intrants ou d'une déduction en application du paragraphe (2) ou applique ou verse un paiement en trop en application de l'un des paragraphes (3) à (4.1), les présomptions suivantes s'appliquent :

a) la personne est réputée avoir demandé le crédit ou la déduction dans une déclaration produite selon la présente partie ou avoir produit une demande de remboursement;

b) dans la mesure où un paiement en trop ou un remboursement est appliqué en réduction de la taxe ou de la taxe nette à payer par la personne en application de la présente partie, le ministre est réputé avoir remboursé le paiement en trop ou versé le remboursement à la personne et celle-ci, avoir payé la taxe ou la taxe nette à laquelle il a été appliqué.

Le paragraphe 296(5) a été modifié par L.C. 1993, c. 27, par. 129(3) et est réputé entré en vigueur le 1er octobre 1992. Il se lisait auparavant comme suit :

(5) Dans le cas où, le ministre, en déterminant la taxe ou la taxe nette d'une personne, tient compte d'un montant au titre d'un crédit de taxe sur les intrants ou d'une déduction en application du paragraphe (2) ou applique ou verse un paiement en trop ou un remboursement en application du paragraphe (3) ou (4), les présomptions suivantes s'appliquent :

Le paragraphe 296(5) a été ajouté par L.C. 1990, c. 45, par. 12(1).

Concordance québécoise: aucune.

(6) Remboursement sur nouvelle cotisation — Dans le cas où une personne a payé un montant au titre de la taxe, de la taxe nette, d'une pénalité, d'intérêts ou d'un autre montant déterminé selon le présent article, lequel montant excède celui qu'elle a à payer ou à verser par suite de l'établissement d'une nouvelle cotisation, le ministre doit lui rembourser l'excédent ainsi que les intérêts y afférents calculés, au taux réglementaire, pour la période commençant le jour où elle a payé le montant et se terminant le jour où le remboursement est versé.

Notes historiques: Le paragraphe 296(6) a été ajouté par L.C. 1990, c. 45, par. 12(1).

Concordance québécoise: aucune.

(6.1) Intérêts sur les montants annulés — Malgré le paragraphe (6), si une personne a payé un montant — intérêts ou pénalité — que le ministre a annulé en vertu de l'article 281.1, le ministre rembourse le montant à la personne, ainsi que les intérêts afférents calculés au taux réglementaire pour la période commençant le trentième jour suivant le jour où il a reçu, d'une manière qu'il juge acceptable, une demande en vue de l'application de cet article et se terminant le jour où le remboursement est versé.

Notes historiques: Le paragraphe 296(6.1) a été ajouté par L.C. 2006, c. 4, par. 151(13) et est entré en vigueur le 1er avril 2007.

Concordance québécoise: aucune.

(7) Restriction — Un montant prévu au présent article n'est remboursé à une personne à un moment donné que si toutes les déclarations dont le ministre a connaissance et que la personne avait à produire au plus tard à ce moment en application de la présente loi, de la *Loi sur le droit pour la sécurité des passagers du transport aérien*, de la *Loi de 2001 sur l'accise* et de la *Loi de l'impôt sur le revenu* ont été présentées au ministre.

Notes historiques: Le paragraphe 296(7) a été remplacé par L.C. 2006, c. 4, par. 151(13) et cette modification est entrée en vigueur le 1er avril 2007. Antérieurement, il se lisait ainsi :

(7) Les intérêts de moins d'un dollar ne sont ni payés ni appliqués selon le présent article.

Le paragraphe 296(7) a été ajouté par L.C. 1990, c. 45, par. 12(1).

Concordance québécoise: aucune.

(8) Paiement en trop de taxe nette — Au présent article, le paiement en trop de taxe nette d'une personne pour sa période de déclaration correspond à l'excédent éventuel du montant visé à l'alinéa a) sur le montant visé à l'alinéa b) :

a) le total des montants que la personne a versés au titre de la taxe nette pour la période et, si cette taxe est négative, du remboursement de taxe nette pour la période;

b) le total de la taxe nette pour la période, si cette taxe est positive, et des montants versés à la personne à titre de remboursement de taxe nette pour la période.

Notes historiques: Le paragraphe 296(8) a été ajouté par L.C. 1990, c. 45, par. 12(1).

Concordance québécoise: aucune.

juin 2006, Notes explicatives: L'article 296 expose les règles relatives à la cotisation et à la nouvelle cotisation visant des taxes ou d'autres montants dus en application de la partie IX de la loi.

Le paragraphe 296(2) autorise le ministre du Revenu national à tenir compte d'un crédit déductible (à savoir, un crédit de taxe sur les intrants ou une déduction qui n'a pas déjà été demandée par la personne) quand le ministre établit la cotisation de taxe nette d'une personne pour une période de déclaration donnée, sauf si la personne présente une demande en sens contraire. Le paragraphe 296(2.1) permet aussi au ministre de tenir compte d'un remboursement applicable (à savoir, un remboursement non demandé), sauf avis contraire.

Les modifications apportées aux paragraphes 296(2) et (2.1) empêchent une personne de demander que le ministre ne tienne pas compte d'un crédit ou d'un remboursement applicable de la personne quand il détermine la taxe nette de la personne au titre d'une période de déclaration. Ces modifications sont conformes à d'autres modifications apportées à l'article 296, qui permettent au ministre de déduire automatiquement les montants dus à une personne des montants que cette personne doit payer aux termes de la partie IX de la loi avant de lui verser un remboursement.

Le paragraphe 296(3) autorise le ministre du Revenu national à déduire le paiement en trop de taxe nette d'une personne, pour une période de déclaration donnée, des montants impayés de la personne établis avant ou après la période donnée, sauf si la personne présente une demande en sens contraire. Quand seulement une partie d'un paiement en trop est déduite d'un montant à payer qui a été établi au plus tard dans la période donnée, l'intérêt sur le reste du paiement en trop commencera à courir 21 jours après le dernier en date du jour d'exigibilité de la déclaration visant la période donnée et du jour où la déclaration est produite.

La modification apportée au paragraphe 296(3) empêche la personne de demander que le ministre ne déduise pas le paiement en trop de taxe nette d'autres montants à payer par la personne, afin de permettre au ministre de déduire automatiquement des montants avant de verser un remboursement à la personne. Cette modification entre en vigueur le 1er avril 2007.

En outre, les alinéas 296(3)b) et c) sont modifiés en précisant que l'intérêt sur le reste du paiement en trop de taxe nette commence à courir 30 jours après le dernier en date du jour d'exigibilité de la déclaration visant la période donnée et du jour où la déclaration est produite. Ces modifications sont instaurées de manière à harmoniser le calcul de l'intérêt au titre des montants dus à une personne avec d'autres dispositions modifiées de la partie IX de la loi, de même qu'avec les dispositions de la loi autres que celles visant la TPS/TVH, la *Loi de l'impôt sur le revenu*, la *Loi de 2001 sur l'accise* et la *Loi sur le droit pour la sécurité des passagers du transport aérien*.

Le paragraphe 296(3.1) autorise le ministre du Revenu national à déduire un remboursement déductible (au sens du paragraphe 296(2.1)) des montants impayés d'une personne établis avant ou après la période donnée ou le jour où le montant en souffrance est devenu payable par la personne, sauf si la personne présente une demande en sens contraire. Quand seulement une partie du remboursement déductible est déduite d'un montant à payer qui a été établi au plus tard dans la période ou la journée donnée, l'intérêt sur le reste du montant commence à courir 21 jours après le dernier en date du jour d'exigibilité de la déclaration pour la période ou la journée donnée où le montant en souffrance est devenu payable et, si la cotisation est établie à l'égard de la taxe nette pour la période donnée, le jour où la déclaration pour cette période est produite.

La modification apportée au paragraphe 296(3.1) empêche une personne de demander que le ministre ne déduise pas un paiement en trop de taxe nette d'autres montants à payer par la personne, afin de permettre au ministre de déduire automatiquement des montants avant de verser un remboursement à la personne. Cette modification entre en vigueur le 1er avril 2007.

En outre, les alinéas 296(3.1)b) et c) sont modifiés par remplacement du renvoi à 21 jours avant que les intérêts commencent à courir par un renvoi à 30 jours. Ces modifications sont instaurées de manière à harmoniser le calcul de l'intérêt au titre des montants dus à une personne avec d'autres dispositions modifiées de la partie IX de la loi, de même qu'avec les dispositions de la loi autres que celles visant la TPS/TVH, la *Loi de l'impôt sur le revenu*, la *Loi de 2001 sur l'accise* et la *Loi sur le droit pour la sécurité des passagers du transport aérien*.

Le paragraphe 296(4) énonce les conditions à remplir pour qu'un paiement en trop de taxe nette soit déduit du montant en souffrance d'une personne ou remboursé à la personne en application du paragraphe 296(3); le paragraphe 296(4.1) expose des restrictions semblables pour qu'un remboursement déductible puisse être déduit d'un montant en souffrance ou remboursé en application du paragraphe 296(3.1).

À l'heure actuelle, l'alinéa 296(4)b) précise qu'un paiement en trop de taxe nette pour une période de déclaration donnée ne doit pas être remboursé tant que la personne n'a pas produit, aux termes de la section V, toutes les déclarations qu'elle était tenue de présenter. L'alinéa 296(4.1)b) renferme une exigence semblable au titre des remboursements déductibles en application du paragraphe 296(3.1).

Les alinéas 296(4)b) et (4.1)b) sont modifiés par suppression de l'exigence selon laquelle la personne doit produire toutes les déclarations qu'elle est tenue de présenter aux termes de la section V avant qu'un remboursement soit versé à la personne. Ces modifications font suite à l'instauration du nouveau paragraphe 296(7).

Le nouveau paragraphe 296(6.1) précise que si une personne paie un montant au titre des intérêts ou d'une pénalité et si le ministre du Revenu national annule les intérêts ou la pénalité aux termes de l'article 281.1, le ministre doit rembourser le montant à la personne. Des intérêts au taux réglementaire commenceront à courir sur le montant pour la période commençant 30 jours après la date à laquelle le ministre a reçu d'une manière qu'il juge acceptable une demande en vue de l'application de l'article 281.1 et prenant fin à la date à laquelle le remboursement est payé.

Cette disposition harmonise la date à laquelle les intérêts sur les montants dus à une personne commencent à courir avec d'autres dispositions modifiées de la partie IX de la loi, de même qu'avec les dispositions de la loi autres que celles visant la TPS/TVH, la *Loi de l'impôt sur le revenu*, la *Loi de 2001 sur l'accise* et la *Loi sur le droit pour la sécurité des passagers du transport aérien*.

Le paragraphe 296(7) précise actuellement que les intérêts inférieurs à 1 $ ne sont pas versés à une personne. Par suite de l'instauration du nouvel article 297.1, qui explique le traitement des petits montants dus par une personne ou par le ministre, le paragraphe 296(7) est remplacé.

Le nouveau paragraphe 296(7) précise qu'aucun montant en application de l'article 296 ne doit être remboursé à une personne tant que la personne n'a pas produit toutes les déclarations dont le ministre a connaissance qui doivent être produites avant cette date aux termes de la loi (dispositions visant la TPS/TVH et dispositions autres que celles visant la TPS/TVH), de la *Loi sur le droit pour la sécurité des passagers du transport aérien*, de la *Loi de 2001 sur l'accise* et de la *Loi de l'impôt sur le revenu*.

Le fait de retenir le remboursement du montant à une personne tant qu'elle n'a pas produit toutes les déclarations dont le ministre a connaissance permet au ministre de déterminer si la personne a oui ou non un montant à payer aux termes de l'une des lois susmentionnées. Si la personne a un montant à payer, le ministre peut ensuite déduire le remboursement de ce montant à payer, conformément aux dispositions de la loi qui portent sur la cotisation et le recouvrement, avant que le reste du montant soit remboursé à la personne. Pour faire cette détermination toutefois, le ministre doit avoir toutes les déclarations que la personne est tenue de produire.

Cette modification est conforme aux modifications apportées à d'autres dispositions restreignant le paiement de remboursements de taxe nette et de paiements en trop de montants au titre de la taxe, et à des modifications semblables apportées aux autres lois susmentionnées.

Définitions [art. 296]: « cotisation », « importation », « ministre », « montant », « personne », « produits », « période de cotisation », « période de déclaration », « règlement », « taxe » — 123(1).

Renvois [art. 296]: 124 (intérêts composés); 169 (CTI); 225 (taxe nette); 228 (calcul de la taxe nette); 261(2) (remboursement d'un montant payé par erreur); 292(7)b) (calcul du délai — documents et renseignements étrangers); 297 (détermination du remboursement par le ministre); 298 (période de cotisation); 300 (avis de cotisation); 301 (opposition à la cotisation); 335(11) (date d'établissement de la cotisation).

Règlements [art. 296]: *Règlement sur le taux d'intérêt*, art. 1.

Jurisprudence [art. 296]: *Comeau (R.) c. La Reine*, G.S.T.C. 3 (CCI); *Carlson & Associates Advertising Ltd. c. Canada*, [1997] G.S.T.C. 32 (CCI); [1998] G.S.T.C. 25 (CAF); *Huyen (K.M.) c. Canada*, [1997] G.S.T.C. 42 (CCI); *Poulin (M.) c. Canada*, [1997] G.S.T.C. 97 (CCI); *Belfast Lime Services Ltd. c. Canada*, [1997] G.S.T.C. 108 (CCI); *Mary Campeau Developments Ltd. c. Canada*, [1999] G.S.T.C. 28 (CCI); *GKO Engineering c. R.*, [2000] G.S.T.C. 29 (CCI); *Peach Hill Management Ltd. c. Canada*, [1999] G.S.T.C. 11 (CCI); [2000] G.S.T.C. 45 (CAF); *Trudel c. R.*, [2001] G.S.T.C. 23 (CCI); *Germain Pelletier Ltée c. R.*, [2001] G.S.T.C. 90 (CCI); *Bruner c. R.*, [2002] G.S.T.C. 285 (CCI); *Airport Auto Ltd. v. R.*, [2003] G.S.T.C. 151 (CCI); *Bruner v. R.*, [2003] G.S.T.C. 28 (CFA); *Clive Tregaskiss Investment Inc. v. R.*, [2003] G.S.T.C. 106 (CCI); *Club de hockey Les Seigneurs de Kamouraska Inc. c. R.*, [2003] G.S.T.C. 166 (TCC); *Paquet c. R.*, [2004] G.S.T.C. 157 (CFA); *Beaupré c. R.*, 2004 G.T.C. 225 (CCI); *Thibeault c. R.*, [2006] G.S.T.C. 165 (CCI); *Simard c. R.*, 2006 G.T.C. 73 (CCI); *Beaupré c. R.*, [2006] G.S.T.C. 53 (CAF); *Dionne c. R.*, [2006] G.S.T.C. 164 (CCI); *Desjardins c. R.*, 2007 G.T.C. 911 (CCI); *Boonstra c. R. (Procureur Général du Canada)*, [2007] 1 C.T.C. 231 (CF); *Telus Communications (Edmonton) Inc. v. R.* (13 février 2008), [2008] G.S.T.C. 39 (CCI [procédure générale]); *St-Isidore Écono Centre*

Inc. c. R., 2008 CarswellNat 2198 (CCI [procédure informelle])(factures n'ayant pas de numéro de TPS); *Byrnes v. R.*, [2008] G.S.T.C. 55 (CCI [procédure générale]); *Triple G. Corp. v. R.* (24 avril 2008), [2008] G.S.T.C. 102 (CCI [procédure générale]); *Gypse & Joints MPG Rive-Nord c. R.*, 2008 G.T.C. 177 (CCI [procédure générale]); *Scott-Trask v. R.*, [2008] G.S.T.C. 208 (CCI [procédure informelle]); *Artistic Ideas Inc. v. Minister of National Revenue*, 2008 CarswellNat 5702 (7 août 2008) (CCI [procédure générale]); *Lori Jewellery Inc. v. R.*, [2008] G.S.T.C. 193 (3 octobre 2008) (CCI [procédure informelle]); *United Parcel Service Canada Ltd. v. R.*, 2009 CarswellNat 907 (Cour suprême du Canada); *Résidences Majeau Inc. c. R.* (28 mai 2009), 2009 G.T.C. 1062 (CCI [procédure générale]); *Stanley J. Tessmer Law Corp. v. R.* (16 février 2009), 2008 CarswellNat 1665 (CCI [procédure générale]); *1418499 Ontario Ltd. v. R.*, 2009 CarswellNat 1469 (20 mars 2009) (CCI [procédure informelle]); *Lacroix c. R.*, 2010 CarswellNat 693, 2010 CCI 160, 2010 G.T.C. 287 (Fr.) (CCI [procédure générale]); *Toronto Dominion Bank v. R.*, 2010 CarswellNat 1921, 2010 CAF 73, [2010] G.S.T.C. 41 (CAF); *Welch v. R.*, 2010 CarswellNat 4641, 2010 CCI 449, [2010] G.S.T.C. 127 (CCI [procédure générale]); *A OK Payday Loans Inc. v. R.*, 2010 CarswellNat 4165, 2010 CCI 469, [2010] G.S.T.C. 135 (CCI [procédure informelle]); *Brouillette c. R.* (2 décembre 2010), 2010 CarswellNat 4564, 2010 CCI 616, 2011 G.T.C. 910 (Fr.) (CCI [procédure générale]); *506913 N.B. Ltd. v. R.* (15 novembre 2011), 2011 CarswellNat 6045, 2012 CAF 327, 2012 G.T.C. 1005 (CAF).

Décrets de remise [art. 296]: *Décret de remise sur les appareils automatiques (utilisateurs de la comptabilité abrégée)* C.P.2003-1620.

Énoncés de politique [art. 296]: P-112R, 08/03/00, *Établissement d'une cotisation à l'égard de la taxe à payer si l'acheteur n'est pas solvable*; P-118, 01/03/94, *Établissement d'une cotisation sur la base de la taxe comprise ou de la taxe non comprise*; P-138R, 14/05/99, *L'effet d'un choix concernant une co-entreprise sur la capacité d'un participant de s'inscrire et de demander des crédits de taxe sur les intrants*; P-194R2, 27/08/07, *Application de pénalités et d'intérêts lorsqu'une déclaration, une demande de remboursement ou une autre déclaration est reçue après la date d'échéance*.

Bulletins de l'information technique [art. 296]: B-075R, 23/04/96, *Modifications proposées à la TPS*.

Mémorandums [art. 296]: TPS 500-3, 04/10/91, *Cotisations et pénalités*; TPS 500-3-1, 20/03/92, *Vérifications fiscales*; TPS 500-3-2, 16/03/94, *Pénalités et intérêts*, par. 22; TPS 500-3-2-1, 14/03/94, *Administration ou renonciation — pénalités et intérêts*, par. 13.

Série de mémorandums [art. 296]: Mémorandum 1.5, 09/94, *Définitions*; Mémorandum 8.1, 05/05, *Règles générales d'admissibilité*; Mémorandum 16.3, 01/09, *Annulation ou renonciation — Pénalités et/ou intérêts*.

Circulaires d'information [art. 296]: 12-1 — Retenues de remboursement relativement à l'observation pour la TPS/TVH.

Lettres d'interprétation (Québec) [art. 296]: 99-0100802 — Cotisation de la taxe payable et proposition concordataire.

Info TPS/TVQ [art. 296]: GI-024 — *Harmonisation des dispositions administratives visant la comptabilité normalisée*; GI-060 — *Taxe de vente harmonisée de l'Ontario-Remboursement au point de vente pour les journaux*; GI-061 — *Taxe de vente harmonisée de la Colombie-Britannique-Remboursement au point de vente pour les carburants*; GI-062 — *Taxe de vente harmonisée de l'Ontario et de la Colombie-Britannique-Remboursement au point de vente pour les produits d'hygiène féminine*; GI-064 — *Taxe de vente harmonisée de l'Ontario-Remboursement au point de vente pour les aliments et les boissons préparés*.

COMMENTAIRES: Le paragraphe 296(1) est l'article de base permettant de cotiser un montant en TPS/TVH. La cotisation est établie en vertu de l'article 300.

De façon générale, une fois l'avis de cotisation émis, celui-ci bénéficie d'une présomption de validité. Par conséquent, le fardeau de preuve pour renverser l'avis de cotisation appartient à la personne cotisée. De façon générale, ladite personne devra démontrer, sur une balance de probabilités, que l'avis de cotisation est erroné parce que la situation factuelle sur laquelle s'est basée l'Agence du revenu du Canada ou Revenu Québec est incorrecte ou parce que l'application du droit est incorrecte. Voir notamment à cet effet : *Johnston (R.W.S) c. M.N.R.*, [1948] C.T.C. 195 (C.S.C.).

En pratique, nous constatons de plus en plus que la présomption même de validité est attaquée, notamment en raison des méthodes de vérification utilisées par l'Agence du revenu du Canada ou Revenu Québec. Ainsi, l'argument principal est que l'avis de cotisation n'est pas valide puisque tellement arbitraire quant à son analyse qu'il ne peut être présumé valide. Ainsi, il est raisonnable de prétendre que pour bénéficier de la présomption de validité d'un avis de cotisation en TPS, la personne est en mesure d'exiger une analyse sérieuse ainsi que des méthodes appropriées dans le cadre de la vérification de son dossier par les fonctionnaires de l'Agence du revenu du Canada ou de Revenu Québec. À titre illustratif, dans l'affaire *Corsi c. R.*, (2008) CarsellNat2870 (C.C.I.), le juge Boyle semble ouvrir la porte à un tel argument en indiquant qu'il se peut que Mme Corsi dispose d'un recours devant un autre tribunal pour contester la cotisation en alléguant qu'elle n'a jamais été valide, mais laisse cette question aux soins des conseillers de la contribuable. Dans cette affaire, Mme Corsi avait affirmé n'avoir pas reçu l'avis de cotisation et il appert que l'avis de cotisation avait était retourné à l'Agence du revenu du Canada, car celui-ci avait été envoyé à la mauvaise adresse.

L'Agence du revenu du Canada a confirmé que dans une situation où un inscrit a fait défaut de s'autocotiser et qu'à la suite d'une vérification il se fait cotiser pour les montants de TPS/TVH payables, le paragraphe (2) permettrait d'appliquer les crédits de taxe sur les intrants dans la période de déclaration pertinente à l'égard de la TPS/TVH payable dans la mesure où l'inscrit avait droit de réclamer les crédits de taxes sur les intrants. De plus, l'Agence du revenu du Canada indique que dans la mesure où le crédit de taxe sur les intrants s'applique entièrement à la TPS/TVH payable, il n'y aurait pas d'intérêt cotisé dans ce contexte. Voir notamment : question 19 — *Questions et commentaires en TPS/TVH pour l'Agence du revenu du Canada* — Rencontre annuelle entre l'Agence du revenu du Canada et l'Association du Barreau canadien (24 février 2011).

La personne qui désire contester l'avis de cotisation devra produire un avis d'opposition en conformité avec l'article 301. Il s'agit de la seule méthode valide.

Le délai normal de la période de re-cotisation est de quatre ans.

Lorsque l'avis de cotisation est émis, il est à noter que ce montant est payable immédiatement, nonobstant la production d'un avis d'opposition. En pratique, de l'avis de l'auteur, il semble que traditionnellement, par le passé, un devoir de réserve de la part des fonctionnaires existait selon lequel les mesures de perception n'étaient pas entamées si les motifs au soutien de l'avis d'opposition avaient des chances raisonnables de succès. De nos jours, en pratique, nous avons rarement vu l'application de ce devoir de réserve. Au contraire, nous constatons un effort accru, surtout de la part de Revenu Québec, à percevoir rapidement les sommes prétendument dues en vertu de la *Loi sur la taxe d'accise (TPS)*. Nous vous recommandons nos commentaires sous l'article 315.

Revenu Québec a indiqué qu'un montant de remboursement de taxe payée par erreur peut être appliqué contre la taxe nette déclarée pour une période de déclaration donnée lorsque le délai de deux ans pour demande ce remboursement est expiré. Voir : Revenu Québec, *Tribune d'échange sur des questions techniques avec Revenu Québec*, Symposium des taxes à la consommation, Association de planification fiscale et financière (2009).

Le paragraphe (7) réfère au concept de compensation et oblige une personne désireuse de recevoir son remboursement en vertu de la partie IX de la *Loi sur la taxe d'accise (TPS)* à être à jour dans la production de déclarations en vertu d'autres lois fiscales spécifiques.

297. (1) Détermination du remboursement — Sur réception de la demande de remboursement d'une personne selon l'article 215.1 ou la section VI, le ministre examine, avec diligence, la demande et établit une cotisation visant le montant du remboursement.

Notes historiques: Le paragraphe 297(1) a été modifié par L.C. 1993, c. 27, par. 130(1) et est réputé entré en vigueur le 17 décembre 1990. Il se lisait comme suit :

> 297. (1) Sur réception de la demande de remboursement d'une personne selon la section VI, le ministre examine, avec diligence, la demande et établit une cotisation visant le remboursement.

Le paragraphe 297(1) a été ajouté par L.C. 1990, c. 45, par. 12(1).

Concordance québécoise: LAF, art. 25, al. 1.

(2) Nouvelle cotisation — Le ministre peut établir une nouvelle cotisation ou une cotisation supplémentaire au titre d'un remboursement sans tenir compte des cotisations établies antérieurement à ce titre.

Notes historiques: Le paragraphe 297(2) a été ajouté par L.C. 1990, c. 45, par. 12(1).

Concordance québécoise: LAF, art. 25, al. 1.

(2.1) Détermination d'un montant remboursé en trop — Le ministre peut établir une cotisation, une nouvelle cotisation ou une cotisation supplémentaire pour déterminer un montant payable par une personne en application de l'article 264 même si une cotisation a déjà été établie à l'égard du montant.

Notes historiques: Le paragraphe 297(2.1) a été ajouté par L.C. 1993, c. 27, par. 130(2) et est réputé entré en vigueur le 17 décembre 1990.

Concordance québécoise: aucune.

(3) Paiement du remboursement — Le ministre rembourse un montant à une personne s'il détermine, lors de l'établissement d'une cotisation en application du présent article, que le montant est payable à cette personne.

Notes historiques: Le paragraphe 297(3) a été modifié par L.C. 1993, c. 27, par. 130(3) et est réputé entré en vigueur le 17 décembre 1990. Il se lisait comme suit :

> (3) Le ministre paie un remboursement prévu à la section VI à la personne qui en fait la demande conformément à cette section s'il détermine, lors de l'établissement d'une cotisation en application du présent article, qu'un tel remboursement est payable à cette personne.

Le paragraphe 297(3) a été ajouté par L.C. 1990, c. 45, par. 12(1).

Concordance québécoise: aucune.

(4) Intérêts sur remboursement — Le ministre paie au bénéficiaire d'un remboursement prévu à l'article 215.1 ou à la section VI, exception faite de l'article 253, des intérêts, au taux réglementaire, calculés pour la période commençant le trentième jour suivant la

LTA (TPS)

production de la demande de remboursement et se terminant le jour où le remboursement est effectué.

Notes historiques: Le paragraphe 297(4) a été remplacé par L.C. 2006, c. 4, par. 152(1) et cette modification s'applique :

a) aux remboursements qui sont prévus aux articles 259, 259.1 et 261.01 et dont la période de demande prend fin le 1er avril 2007 ou par la suite;

b) à tout autre remboursement qui fait l'objet d'une demande présentée au ministre du Revenu national le 1er avril 2007 ou par la suite.

Antérieurement, il se lisait ainsi :

(4) Le ministre paie au bénéficiaire d'un remboursement prévu à l'article 215.1 ou à la section VI, exception faite de l'article 253, des intérêts, au taux réglementaire, calculés pour la période commençant, dans le cas d'un remboursement prévu aux articles 257, 258 ou 259, vingt–et–un jours suivant la production de la demande de remboursement ou, dans les autres cas, soixante jours suivant la production de cette demande, et se terminant le jour où le remboursement est effectué.

Le paragraphe 297(4) a été modifié par L.C. 1993, c. 27, par. 130(4) et est réputé entré en vigueur le 17 décembre 1990. Il se lisait auparavant comme suit :

(4) Le ministre paie au bénéficiaire d'un remboursement prévu à la section VI des intérêts, au taux réglementaire, calculés pour la période commençant, dans le cas d'un remboursement prévu à l'article 257, 258 ou 259, vingt et un jours suivant la production de la demande de remboursement ou, dans les autres cas, 60 jours suivant la production de cette demande et se terminant le jour où le remboursement est effectué.

Le paragraphe 297(4) a été ajouté par L.C. 1990, c. 45, par. 12(1).

Concordance québécoise: LAF, art. 30.

(5) [*Abrogé*].

Notes historiques: Le paragraphe 297(5) a été abrogé par L.C. 2006, c. 4, par. 152(2) et cette abrogation s'applique relativement aux intérêts payables par le ministre du Revenu national en vertu du paragraphe 297(4) le 1er avril 2007 ou par la suite. Antérieurement, il se lisait ainsi :

(5) Intérêts minimaux — Les intérêts de moins d'un dollar ne sont pas payés selon le paragraphe (4).

Le paragraphe 297(5) a été ajouté par L.C. 1990, c. 45, par. 12(1).

juin 2006, Notes explicatives: L'article 297 expose les règles relatives à l'établissement de la cotisation ou de la nouvelle cotisation au titre d'une demande de remboursement présentée en application de l'article 215.1 ou de la section VI de la partie IX de la loi.

Le paragraphe 297(4) précise que quand le ministre du Revenu national paie un remboursement en application de l'article 215.1 ou de la section VI, sauf un remboursement à un salarié ou à un associé prévu à l'article 253, le ministre doit aussi payer des intérêts au taux réglementaire. Les intérêts sur le remboursement sont calculés pour la période commençant 21 jours après la date à laquelle une demande de remboursement aux termes de l'article 257, 258 ou 259 est présentée au ministre et, dans tous les autres cas, 60 jours après la date à laquelle une demande de remboursement est présentée au ministre, et prenant fin le jour où le remboursement est payé.

La modification apportée au paragraphe 297(4) précise que les intérêts sur un remboursement commencent à être calculés 30 jours après la date à laquelle la demande de remboursement est présentée au ministre et cessent de l'être le jour où le remboursement est payé. Les remboursements aux salariés et aux associés prévus à l'article 253 demeurent exclus des règles sur les intérêts prévues à la partie IX.

Cette modification s'applique à une période de demande de remboursement, en application de l'article 259, 259.1 ou 261.01, qui prend fin après mars 2007 et, dans le cas des autres remboursements, à une demande présentée après mars 2007.

Le paragraphe 297(5) précise que les intérêts de moins de 1 $ selon le paragraphe 297(4) ne sont pas payés. Cette disposition est abrogée en raison de l'instauration du nouvel article 297.1, qui explique le traitement des petits montants à payer par une personne ou par le ministre du Revenu national.

Définitions [art. 297]: « cotisation », « ministre », « montant », « personne », « règlement » — 123(1).

Renvois [art. 297]: 124 (intérêts composés); 254(5)b) (demande de remboursement par le constructeur d'une habitation neuve); 258.1(4) (transmission de la demande de remboursement); 292(7)b) (calcul du délai — documents et renseignements étrangers); 298(2) (période de cotisation — demande de remboursement); 335(11) (date d'établissement de la cotisation).

Règlements [art. 297]: *Règlement sur les taux d'intérêt*, art. 1.

Jurisprudence [art. 297]: *Cambridge Leasing Ltd. v. Minister of National Revenue*, [2003] 2 C.T.C. 257 (CFA); *Canadian Medical Protective Assn. v. R.* (10 avril 2008), [2008] G.S.T.C. 88 (CCI [procédure générale]); *A OK Payday Loans Inc. v. R.*, 2010 CarswellNat 4165, 2010 CCI 469, [2010] G.S.T.C. 135 (CCI [procédure informelle]).

Bulletins de l'information technique [art. 297]: B-083R, 23/05/97, *Services financiers sous le régime de la TVH.*

Mémorandums [art. 297]: TPS 500-3, 4/10/91, *Cotisations et pénalités*, par. 7; TPS 500-3-1, 20/03/92, *Vérifications fiscales*, par. 21; TPS 500-3-2, 16/03/94, *Pénalités et intérêts*, par. 18–19.

Série de mémorandums [art. 297]: Mémorandum 31, 01/07, *Oppositions et appels*; Mémorandum 16.2, 01/09, *Pénalités et intérêts.*

Info TPS/TVQ [art. 297]: GI-024 — *Harmonisation des dispositions administratives visant la comptabilité normalisée.*

COMMENTAIRES: Cet article prévoit l'émission d'un avis de cotisation à la suite d'une demande de remboursement. L'avantage principal d'émettre le remboursement par le biais d'un avis de cotisation, par opposition à un avis de détermination, réside dans le fait que le processus d'appel pour la personne cotisée est ainsi possible (articles 301 et 306).

Le montant du remboursement ne sera payé que si la personne a dûment produit l'ensemble de ses déclarations en vertu de la présente partie IX de la *Loi sur la taxe d'accise (TPS)* (article 263.02).

297.1 (1) Montants minimes dus à Sa Majesté — Les montants dont une personne est redevable à Sa Majesté du chef du Canada en vertu de la présente partie sont réputés nuls si le total de ces montants, déterminé par le ministre à un moment donné, est égal ou inférieur à 2 $.

Concordance québécoise: aucune.

(2) Montants minimes dus par le ministre — Si, à un moment donné, le total des montants à payer par le ministre à une personne en vertu de la présente partie est égal ou inférieur à 2 $, le ministre peut les déduire de tout montant dont la personne est alors redevable à Sa Majesté du chef du Canada. Toutefois, si la personne n'est alors redevable d'aucun montant à Sa Majesté du chef du Canada, les montants à payer par le ministre sont réputés nuls.

Concordance québécoise: aucune.

Notes historiques: L'article 297.1 a été ajouté par L.C. 2006, c. 4, par. 153(1) et est entré en vigueur le 1er avril 2007.

Bulletins de l'information technique [art. 297.1]: B-100, 23/04/96, *Comptabilité normalisée.*

COMMENTAIRES: Pour des raisons de coûts et d'efficacité, cet article prévoit qu'un montant égal ou inférieur à 2 $ qui est dû à l'Agence du revenu du Canada, à Revenu Québec ou à une personne est réputé nul.

Toutefois, dans la mesure où la personne a une dette fiscale, l'Agence du revenu du Canada ou Revenu Québec appliquera ce montant à l'encontre de sa dette fiscale existante.

Il est certes justifiable de se questionner sur la pertinence de cet article. Dans la période précédent le mois d'avril 2007, il n'y avait aucun d'article d'application générale qui concernait des montants dus d'une petite valeur. En effet, si les raisons justifiant l'introduction de cet article sont principalement une question de coûts des employés de l'Agence du revenu du Canada et de Revenu Québec, on peut se demander quel est le vrai coût minimal qui devrait être indiqué si les montants dus ne sont pas payés et le département de perception est impliqué au dossier. À titre illustratif, l'article 280.2 prévoit l'annulation d'un montant de 25 $ lorsque celui-ci représente des intérêts et pénalités.

298. (1) Période de cotisation — Sous réserve des paragraphes (3) à (6.1), une cotisation ne peut être établie à l'égard d'une personne en application de l'article 296 après l'expiration des délais suivants :

a) s'agissant d'une cotisation visant l'un des montants suivants, quatre ans après le dernier en date du jour où la personne était tenue par l'article 238 de produire une déclaration pour la période et du jour de la production de la déclaration :

(i) la taxe nette de la personne pour sa période de déclaration,

(ii) un montant payable en vertu de l'article 230.1 relativement à un montant payé à la personne, ou déduit d'une somme dont elle est redevable, au titre du montant d'un remboursement prévu à la section V pour sa période de déclaration,

(iii) un montant payable en vertu de l'article 230.1 relativement à un montant payé à la personne, ou déduit d'une somme dont elle est redevable, au titre des intérêts prévus à la section V applicables à un montant payé ou déduit au titre du montant d'un remboursement pour sa période de déclaration;

a.1) s'agissant d'une cotisation visant un montant payable par une personne en application des alinéas 228(2.1)b) ou (2.3)d) dans un certain délai, quatre ans après l'expiration de ce délai;

b) s'agissant d'une cotisation visant la taxe payable par la personne en application de la section II relativement à un immeuble que le fournisseur lui a fourni par vente dans des circonstances où le paragraphe 221(2) s'applique, quatre ans après le jour où elle était tenue par l'article 228 de produire la déclaration dans laquelle cette taxe devait être indiquée ou, s'il est postérieur, le jour de la production de la déclaration;

c) s'agissant d'une cotisation visant la taxe payable par la personne en application de la section II, sauf la taxe visée à l'alinéa b), quatre ans après le jour où la taxe est devenue payable;

d) s'agissant d'une cotisation visant la taxe payable par la personne en application de la section IV :

(i) si la taxe est payable en vertu de l'article 218.01 ou du paragraphe 218.1(1.2), sept ans après le jour où elle était tenue de produire la déclaration dans laquelle cette taxe devait être indiquée ou, s'il est postérieur, le jour de la production de la déclaration,

(ii) dans les autres cas, quatre ans après le jour où elle était tenue de produire la déclaration dans laquelle cette taxe devait être indiquée ou, s'il est postérieur, le jour de la production de la déclaration;

d.1) s'agissant d'une cotisation visant la taxe payable par la personne en application de la section IV.1, quatre ans après la date suivante :

(i) dans le cas où la personne est tenue d'indiquer la taxe dans une déclaration, la date limite où elle était tenue de produire la déclaration ou, si elle est postérieure, la date de la production de la déclaration;

(ii) dans les autres cas, la date où la personne est tenue de payer la taxe au receveur général;

e) s'agissant d'une pénalité payable par la personne, sauf la pénalité prévue à l'article 280.1, 285 ou 285.1, quatre ans après que la personne en est devenue redevable;

f) s'agissant d'une cotisation visant un montant dont une personne devient redevable en vertu du paragraphe 177(1.1), des articles 266 ou 267.1, du paragraphe 270(4) ou de la sous-section b.1 de la section VII, quatre ans après que la personne devient ainsi redevable;

g) s'agissant d'une cotisation visant un montant dont un syndic de faillite devient redevable en vertu de la sous-section a de la section VII, le premier en date des jours suivants :

(i) le quatre-vingt-dixième jour suivant le jour où est présentée au ministre la déclaration en vertu de la présente partie sur laquelle la cotisation est fondée ou est porté à son attention un autre document ayant servi à établir la cotisation,

(ii) le jour de l'expiration du délai déterminé selon celui des alinéas a) à e) qui s'applique en l'espèce.

Notes historiques: Le préambule du paragraphe 298(1) a été remplacé par L.C. 2000, c. 30, par. 89(1). Cette modification s'applique aux cotisations relativement auxquelles un appel est réglé après le 20 octobre 2000, quelle que soit la date à laquelle il a été interjeté. Antérieurement, le préambule du paragraphe 298(1) se lisait comme suit :

298. (1) Sous réserve des paragraphes (3) à (6), une cotisation ne peut être établie à l'égard d'une personne en application de l'article 296 après l'expiration des délais suivants :

L'article 114 de L.C. 2000, c. 12 (projet de loi concernant les conjoints de même sexe qui a remplacé le terme « conjoint » par l'expression « époux ou conjoint de fait ») prévoit ce qui suit :

114. Malgré les paragraphes 298(1) et (2) de la *Loi sur la taxe d'accise*, le ministre du Revenu national peut établir à tout moment une cotisation ou une nouvelle cotisation concernant un montant prévu à la partie IX de cette loi sur le calcul duquel le choix prévu à l'article 144 de la présente loi influerait.

L'article 144 de cette même loi prévoit ce qui suit :

144. Dans le cas où un contribuable et la personne qui aurait été son conjoint de fait au cours de l'année d'imposition 1998, 1999 ou 2000 si les articles 130 à 142 s'étaient appliqués à cette année en font conjointement le choix pour cette année par avis adressé au ministre du Revenu national, selon les modalités prescrites, au plus tard à la date d'échéance de production qui leur est applicable pour l'année de la sanction de la présente loi, les articles 130 à 142 s'appliquent à eux pour l'année d'imposition en question et pour les années d'imposition suivantes.

L'alinéa 298(1)a) a été modifié par L.C. 1993, c. 27, par. 131(1) et est réputé entré en vigueur le 17 décembre 1990. Il se lisait auparavant comme suit :

a) s'agissant d'une cotisation visant la taxe nette de la personne pour sa période de déclaration, quatre ans après le dernier en date du jour où elle était tenue par l'article 238 de produire une déclaration pour la période et du jour de la production de la déclaration;

L'alinéa 298(1)a.1) a été ajouté par L.C. 1997, c. 10, par. 238(1) et est entré en vigueur le 1er avril 1997.

L'alinéa 298(1)b) a été modifié par L.C. 1997, c. 10, par. 79(1) et cette modification est entrée en vigueur le 20 mars 1997. Auparavant, cet alinéa se lisait comme suit :

b) s'agissant d'une cotisation visant la taxe payable par la personne en application de la section II relativement à un immeuble que le fournisseur lui a fourni par vente dans des circonstances auxquelles le paragraphe 221(2) s'applique, quatre ans après le dernier en date du jour où elle était tenue par l'article 228 de produire une déclaration concernant la fourniture et du jour de la production de la déclaration;

L'alinéa 298(1)d) a été remplacé par L.C. 2010, c. 12, par. 79(1) et cette modification s'applique relativement à la taxe qui devient payable après le 16 novembre 2005. Antérieurement, il se lisait ainsi :

d) s'agissant d'une cotisation visant la taxe payable par la personne en application de la section IV, quatre ans après le jour où elle était tenue de produire la déclaration dans laquelle cette taxe devait être indiquée ou, s'il est postérieur, le jour de la production de la déclaration;

L'alinéa 298(1)d) a été modifié par L.C. 1997, c. 10, par. 79(1) et cette modification est entrée en vigueur le 20 mars 1997. Auparavant, cet alinéa se lisait comme suit :

d) s'agissant d'une cotisation visant la taxe payable par la personne en application de la section IV, quatre ans après le dernier en date du jour où elle était tenue par l'article 219 de produire une déclaration concernant la taxe et du jour de la production de la déclaration;

L'alinéa 298(1)d.1) a été ajouté par L.C. 1997, c. 10, par. 238(1) et est entré en vigueur le 1er avril 1997.

L'alinéa 298(1)e) a été remplacé par L.C. 2006, c. 4, par. 154(1) par le remplacement de « 280 » par « 280.1 » et cette modification s'applique relativement à toute pénalité qui devient payable le 1er avril 2007 ou par la suite. Antérieurement, il se lisait ainsi :

e) s'agissant d'une pénalité payable par la personne, sauf la pénalité prévue à l'article 280, 285 ou 285.1, quatre ans après que la personne en est devenue redevable;

L'alinéa 298(1)e) a été modifié par L.C. 2000, c. 19, art. 71, par l'ajout de la référence à l'article 285.1. Cette modification est réputée entrée en vigueur le 29 juin 2000.

L'alinéa 298(1)f) a été modifié par L.C. 1997, c. 10, par. 79(1) et cette modification est entrée en vigueur le 20 mars 1997. Toutefois, avant le 1er avril 1997, il n'est pas tenu compte du passage « du paragraphe 177(1.1) » à cet alinéa. Auparavant, cet alinéa se lisait comme suit :

f) s'agissant d'une cotisation visant un montant dont une personne devient redevable en vertu de l'article 266 ou du paragraphe 270(4), quatre ans après que la personne devient ainsi redevable;

Auparavant, l'alinéa 298(1)f) a été modifié et l'alinéa 298(1)g) a été ajouté par L.C. 1993, c. 27, par. 131(2). Ils étaient réputés entrés en vigueur le 17 décembre 1990. Toutefois, pour l'application du paragraphe 298(1) à une cotisation visant un montant dont une personne est redevable en vertu de l'article 270 par suite d'une distribution qu'elle effectue avant 1993, le renvoi au paragraphe 270(4) qui apparaît à l'alinéa 298(1)f) est remplacé par un renvoi au paragraphe 270(2). De plus, pour l'application du paragraphe 298(1) à une cotisation visant un montant dont un syndic de faillite nommé avant 1993 est redevable, il n'est pas tenu compte de l'alinéa 298(1)g).

L'alinéa 298(1)f) se lisait auparavant comme suit :

f) s'agissant d'une cotisation visant un montant dont une personne devient redevable en vertu du paragraphe 270(2), quatre ans après que la personne devient ainsi redevable.

Le paragraphe 298(1) a été ajouté par L.C. 1990, c. 45, par. 12(1).

Concordance québécoise: LAF, art. 25, al. 2.

(2) Période de cotisation — demande de remboursement — Sous réserve des paragraphes (3) à (6.1), une cotisation concernant le montant d'un remboursement peut être établie en vertu du paragraphe 297(1) à tout moment; cependant, une nouvelle cotisation ou une cotisation supplémentaire établie en vertu de l'article

LTA (TPS)

297 ou une cotisation établie en vertu du paragraphe 297(2.1) concernant un montant payé ou déduit au titre d'un remboursement ou un montant payé ou déduit au titre des intérêts applicables à un tel montant ne peut être établie après l'expiration d'un délai de quatre ans suivant la production de la demande de remboursement conformément à la présente partie.

Notes historiques: Le paragraphe 298(2) a été remplacé par L.C. 2000, c. 30, par. 89(2). Cette modification s'applique aux cotisations relativement auxquelles un appel est réglé après le 20 octobre 2000, quelle que soit la date à laquelle il a été interjeté. Antérieurement, il se lisait comme suit :

> (2) Sous réserve des paragraphes (3) à (6), une cotisation concernant le montant d'un remboursement peut être établie en vertu du paragraphe 297(1) à tout moment; cependant, une nouvelle cotisation ou une cotisation supplémentaire établie en vertu de l'article 297 ou une cotisation établie en vertu du paragraphe 297(2.1) concernant un montant payé ou déduit au titre d'un remboursement ou un montant payé ou déduit au titre des intérêts applicables à un tel montant ne peut être établie après l'expiration d'un délai de quatre ans suivant la production de la demande de remboursement conformément à la présente partie.

Le paragraphe 298(2) a été modifié par L.C. 1993, c. 27, par. 131(3) et est réputé entré en vigueur le 17 décembre 1990. Il se lisait comme suit :

> (2) Sous réserve des paragraphes (3) à (6) et pour l'application de l'article 297, une cotisation concernant un remboursement peut être établie à tout moment; cependant, une nouvelle cotisation ou une cotisation supplémentaire ne peut être établie après l'expiration d'un délai de quatre ans après la production de la demande de remboursement conformément à la présente partie.

Le paragraphe 298(2) a été ajouté par L.C. 1990, c. 45, par. 12(1).

Concordance québécoise: aucune.

(3) Exception — Les paragraphes (1) et (2) ne s'appliquent pas aux nouvelles cotisations établies :

a) en vue d'exécuter la décision rendue par suite d'une opposition ou d'un appel;

b) avec le consentement écrit de la personne visée, en vue de régler un appel.

Notes historiques: Le paragraphe 298(3) a été remplacé par L.C. 2000, c. 30, par. 89(3). Cette modification est réputée entrée en vigueur le 20 octobre 2000. Antérieurement, il se lisait comme suit :

> (3) Les paragraphes (1) et (2) ne s'appliquent pas aux nouvelles cotisations établies en vue d'exécuter la décision rendue par suite d'une opposition ou d'un appel.

Le paragraphe 298(3) a été ajouté par L.C. 1990, c. 45, par. 12(1).

Concordance québécoise: aucune.

(4) Exception en cas de négligence, fraude ou renonciation — Une cotisation peut être établie à tout moment si la personne visée a :

a) fait une présentation erronée des faits, par négligence, inattention ou omission volontaire;

b) commis quelque fraude en faisant ou en produisant une déclaration selon la présente partie ou une demande de remboursement selon la section VI ou en donnant, ou en ne donnant pas, quelque renseignement selon la présente partie;

c) produit une renonciation en application du paragraphe (7) qui est en vigueur au moment de l'établissement de la cotisation.

Notes historiques: L'alinéa 298(4)c) a été modifié par L.C. 1994, c. 9, par. 22(1) rétroactivement au 17 décembre 1990, pour corriger la référence au paragraphe (6) par le paragraphe (7).

Le paragraphe 298(4) a été ajouté par L.C. 1990, c. 45, par. 12(1).

: La modification apportée à l'alinéa 298(4)c) corrige une erreur de renvoi. En effet, cet alinéa fait mention d'une renonciation en vertu du paragraphe 298(6), alors que la disposition concernant la renonciation est énoncée au paragraphe 298(7).

Cette modification rétroagit au 1er janvier 1991.

Concordance québécoise: LAF, art. 25.1.

(5) Exception en cas d'erreur sur la période de déclaration — Si le ministre constate, lors de l'établissement d'une cotisation, qu'une personne a payé, au titre de la taxe à payer ou de la taxe nette à verser pour une période de déclaration, un montant qui était à payer ou à verser pour une autre période de déclaration, il peut établir une cotisation pour l'autre période.

Notes historiques: Le paragraphe 298(5) a été ajouté par L.C. 1990, c. 45, par. 12(1).

Concordance québécoise: LAF, art. 25.1.1.

(6) Note — Dans le cas où une nouvelle cotisation, une opposition à une cotisation ou une décision d'appel concernant une cotisation réduit la taxe payable par une personne et, de façon incidente, réduit soit le crédit de taxe sur les intrants ou le remboursement demandé par la personne pour une période de déclaration dans une demande de remboursement, le ministre peut établir une cotisation ou une nouvelle cotisation pour cette période ou cette demande, mais seulement pour tenir compte de l'incidence de la réduction de taxe sur le crédit ou le remboursement.

Notes historiques: Le paragraphe 298(6) a été ajouté par L.C. 1990, c. 45, par. 12(1).

Concordance québécoise: aucune.

(6.1) Nouvel argument à l'appui d'une cotisation — Le ministre peut avancer un nouvel argument à l'appui d'une cotisation établie à l'égard d'une personne après l'expiration des délais prévus aux paragraphes (1) ou (2) pour l'établissement de la cotisation, sauf si, sur appel interjeté en vertu de la présente partie :

a) d'une part, il existe des éléments de preuve que la personne n'est plus en mesure de produire sans l'autorisation du tribunal;

b) d'autre part, il ne convient pas que le tribunal ordonne la production des éléments de preuve dans les circonstances.

Notes historiques: Le paragraphe 298(6.1) a été ajouté par L.C. 2000, c. 30, par. 89(4) et s'applique aux cotisations relativement auxquelles un appel est réglé après le 20 octobre 2000, quelle que soit la date à laquelle il a été interjeté.

Concordance québécoise: aucune.

(7) Renonciation — Toute personne peut, dans le délai prévu par ailleurs au paragraphe (1) ou (2) pour l'établissement d'une cotisation à son égard, renoncer à l'application de ces paragraphes en présentant au ministre une renonciation en la forme déterminée par celui-ci qui précise l'objet de la renonciation.

Notes historiques: Le paragraphe 298(7) a été ajouté par L.C. 1990, c. 45, par. 12(1).

Concordance québécoise: LAF, art. 25.1b).

(8) Révocation de la renonciation — La renonciation est révocable à six mois d'avis au ministre en la forme déterminée par celui-ci.

Notes historiques: Le paragraphe 298(8) a été ajouté par L.C. 1990, c. 45, par. 12(1).

Concordance québécoise: LAF, art. 25.3.

juin 2006, Notes explicatives: Le paragraphe 298(1) établit les délais à observer au titre de la cotisation ou de la nouvelle cotisation de montants prévus en application de la partie IX de la loi. L'alinéa 298(1)e) établit que si une personne doit payer une pénalité, sauf une pénalité prévue en application de l'article 280, 285 ou 285.1, une cotisation ne peut être établie à l'égard de la personne au titre de la pénalité plus de quatre ans après la date à laquelle elle en est devenue redevable.

La modification apportée à l'alinéa 298(1)e) remplace le renvoi à la pénalité imposée aux termes de l'article 280 par un renvoi à la pénalité instaurée en application du nouvel article 280.1 pour défaut de produire une déclaration. Cette modification fait suite à l'instauration de nouvelles règles sur les intérêts aux termes de l'article 280 et à la pénalité pour défaut de produire.

Définitions [art. 298]: « cotisation », « fourniture », « immeuble », « ministre », « mois », « montant », « période de déclaration », « personne », « règlement », « taxe », « vente » — 123(1).

Renvois [art. 298]: 167.11(6) (banques étrangères); 178.8(9) (exception aux ententes d'importation); 236.4 (choix visant un immeuble d'habitation); 238 (déclaration); 253(6) (nouvelle cotisation); 274(8) (évitement — cotisation); 310(2)a) (CCI — exclusion du délai d'examen); 311(7)a) (appel — exclusion du délai d'examen).

Jurisprudence [art. 298]: *Willow Pond Services Ltd. c. Canada*, [1998] G.S.T.C. 71 (CCI); *Mary Campeau Developments Ltd. c. Canada*, [1999] G.S.T.C. 28 (CCI); *Trudel c. R.*, [2001] G.S.T.C. 23 (CCI); *Edible What Candy Corp. v. R.*, [2002] G.S.T.C. 33 (CCI); *Bruner c. R.*, [2002] G.S.T.C. 285 (CCI); *Diézel c. R.*, [2003] G.S.T.C. 88 (CCI); *Paquet c. R.*, [2003] G.S.T.C. 167 (CCI); *Clive Tregaskiss Investment Inc. v. R.*, [2003] G.S.T.C. 106 (CCI); *Paquet c. R.*, [2004] G.S.T.C. 157 (CFA); *Fournier c. R.*, [2004] G.S.T.C. 159 (CCI); *Déziel c. R.*, [2004] G.S.T.C. 161 (CFA); *Roboby c. R.*, [2004] G.S.T.C. 166 (CCI); *Seni v. R.*, [2005] G.S.T.C. 15 (CCI); *Déziel c. R.*, [2005] G.S.T.C. 19 (CCI); *Beaulieu c. R.*, 2005 G.T.C. 999-163 (CCI); *Bondfield Construction Co. (1983) Ltd. c. R.*, 2005 CCI 78 (CCI); *9050-8367 Québec Inc. c. R.*, [2006] G.S.T.C. 163 (CCI); *Fournier c. R.*, [2006] G.S.T.C. 52, 2006 (CAF); *Brampton Vee World Motors Ltd. c. R.*, [2006] G.S.T.C. 110 (CCI); *Beaulieu c. R.*, 2006 G.T.C. 1298 (CAF); *Coburn Realty Ltd. v. R.*, [2006] G.S.T.C. 54 (CCI); *S.E.R. Contracting Ltd. v. R.*, [2006]

G.S.T.C. 2 (CCI); *Boucher c. R.*, 2006 G.T.C. 321 (CCI); *9022-8891 Québec Inc. c. R.*, [2006] G.S.T.C. 174 (CCI); *Patoine c. R.*, 2007 G.T.C. 884 (CCI); *Construction Daniel Provencher Inc. c. R.*, 2007 G.T.C. 863 (CCI); *1072174 Ontario Ltd. v. R.* (18 avril 2008), [2008] G.S.T.C. 97 (CCI [procédure générale]); *Desrosiers c. R.*, 2008 G.T.C. 799 (CCI [procédure informelle]); *Insurance Corp. of British Columbia v. R.*, [2008] G.S.T.C. 28 (30 janvier 2008) (CCI); *Lee v. R.*, 2010 CarswellNat 3586, 2010 CCI 400, [2010] G.S.T.C. 114 (CCI [procédure informelle]); *IPAX Canada Ltd. v. R.*, 2010 CarswellNat 5121, [2010] G.S.T.C. 132 (CCI [procédure générale]); *Misiak v. R.* (6 janvier 2011), 2011 CarswellNat 367, 2011 CCI 1 (CCI [procédure informelle]); *Baribeau c. R.*, 2011 CarswellNat 4945, 2011 CCI 544 (CCI [procédure informelle]).

Décrets de remise [art. 298]: *Décret de remise sur les appareils automatiques (utilisateurs de la comptabilité abrégée)* C.P.2003-1620.

Bulletins de l'information technique [art. 298]: B-075R, 23/04/96, *Modifications proposées à la TPS*; B-105, 02/11, *Modifications apportées à la définition de service financier*.

Mémorandums [art. 298]: TPS 400-3-9, 27/03/92, *Immobilisations (biens meubles)*, par. 23–28; TPS 500-3, 4/10/91, *Cotisations et pénalités*, par. 16, 17; TPS 500-3-1, 20/03/92, *Vérifications fiscales*, par. 23–28; TPS 500-3-2-1, 14/03/94, *Administration ou renonciation — pénalités et intérêts*, par. 14; TPS 500-6-9, 7/06/91, *Règle générale anti-évitement*.

Série de mémorandums [art. 298]: Mémorandum 16.2, 01/09, *Pénalités et intérêts*; Mémorandum 31, 01/07, *Oppositions et appels*.

Formulaires [art. 298]: FP-145, *Renonciation relative à la période de cotisation*; FP-146, *Avis de révocation d'une renonciation à la période de cotisation*; GST145, *Renonciation relative à la période de cotisation*; GST146, *Avis de révocation d'une renonciation*.

COMMENTAIRES: Cet article fixe les délais à respecter quant à l'émission d'un avis de nouvelle cotisation. De façon générale, le délai de re-cotisation est de quatre ans.

L'alinéa a) du paragraphe (1) prévoit un délai de quatre pour re-cotiser la taxe nette, délai qui débute à compter de la production de la déclaration. Ainsi, le délai de prescription ne court pas tant qu'une personne n'a pas produit sa déclaration. Voir notamment : *Déziel*, [2004] G.S.T.C. 161 (C.A.F), *Fournier c. R*, [2004] G.S.T.C. 159 (C.C.I.), [2005] G.S.T.C. 91 (C.A.F.). Dans l'affaire *Paquet c. La Reine*, 2004 CarswellNat 4246 (C.A.F.) (demande d'autorisation d'appeler à la Cour suprême du Canada refusée), l'appelant avait invoqué que la prescription devait courir à compter du moment où il était tenu de produire sa déclaration, sans égard au fait qu'il ne l'avait toujours pas produite. La Cour d'appel fédérale a rejeté l'appel et a indiqué qu'il faudrait ignorer les mots clairs et non équivoques de cette disposition pour en arriver à cette interprétation. En effet, le paragraphe 298(1) s'inscrit dans un système d'autocotisation selon lequel il incombe à celui qui se procure des fournitures pour soi-même d'en faire la déclaration. À ce titre, on ne peut invoquer sa propre turpitude.

Les paragraphes (3) à (6) prévoient certaines exceptions au délai général de prescription de quatre ans. Il est à noter que la règle générale de 4 ans n'est également pas applicable en toutes circonstances. Voir notamment : le paragraphe 323(5) et l'alinéa 298(1)(g).

L'alinéa a) du paragraphe (4) prévoit qu'une cotisation peut être établie en tout temps si la personne visée a fait une présentation erronée des faits, par négligence, inattention ou omission volontaire. La rédaction excessivement large de cet alinéa est, en pratique, périlleuse pour les inscrits et laisse une porte immense aux vérificateurs de l'Agence du revenu du Canada et de Revenu Québec à faire fi du délai de prescription de quatre ans dans la majorité des cas. De l'avis de l'auteur, plusieurs arguments peuvent être soulevés pour contester la position des autorités fiscales à émettre un avis de cotisation en dehors de la période normale de prescription en vertu de l'alinéa (4)(a), notamment : (i) le fait que l'erreur a été commise de bonne foi par la personne, (ii) une simple erreur involontaire n'équivaut pas à de l'incurie (ou de l'inattention), (iii) les erreurs commises par la personne auraient été également commises par n'importe quelle personne dans les mêmes circonstances, (iv) la personne a agit comme une personne normalement avertie et diligente, notamment en engageant des professionnels.

De plus, il faut souligner que l'objectif poursuivi par une disposition, tel le présent article, permettant à l'Agence du revenu du Canada et Revenu Québec d'émettre un avis de cotisation en dehors du délai normal de cotisation devrait s'interpréter restrictivement. Voir notamment à cet effet : *Ouellet c. Le sous-ministre du revenu du Québec*, [1994] 1 C.T.C. 2645 (C.Q.).

De l'avis de l'auteur, le terme « sciemment » devrait être ajouté à la phrase introductive du paragraphe (4) pour se lire comme suit : « une cotisation peut être établie à tout moment si la personne visée a sciemment » (soulignements ajoutés). Cet ajout législatif viendrait définir et circonscrire l'étendue que doit avoir l'expression « présentation erronée des faits » et serait également davantage en conformité avec les pénalités reliées aux infractions de la partie IX de la *Loi sur la taxe d'accise (TPS)*. De plus, cette modification aurait pour effet de favoriser une certaine retenue, ou à tout le moins une retenue certaine, aux positions actuelles adoptées par les vérificateurs et les agents d'opposition de Revenu Québec. De surcroît, en l'absence de cette modification législative, la période de re-cotisation de quatre ans semble complètement aléatoire et inutile pour la personne visée par la partie IX de la *Loi sur la taxe d'accise (TPS)* puisque dans la quasi-totalité des dossiers assujettis à un avis de nouvelle cotisation, il existe une présentation erronée des faits, qui peut se traduire notamment par le simple fait d'avoir rempli la mauvaise case ou la mauvaise section sur un formulaire, déclaration ou autre document.

299. (1) Ministre non lié — Le ministre n'est pas lié par quelque déclaration, demande ou renseignement livré par une personne ou en son nom; il peut établir une cotisation indépendamment du fait que quelque déclaration, demande ou renseignement ait été livré ou non.

Notes historiques: Le paragraphe 299(1) a été ajouté par L.C. 1990, c. 45, par. 12(1).

Concordance québécoise: LAF, art. 95.1.

(2) Obligation inchangée — L'inexactitude, l'insuffisance ou l'absence d'une cotisation ne change rien aux taxes, pénalités, intérêts ou autres montants dont une personne est redevable aux termes de la présente partie.

Notes historiques: Le paragraphe 299(2) a été ajouté par L.C. 1990, c. 45, par. 12(1).

Concordance québécoise: aucune.

(3) Cotisation valide et exécutoire — Sous réserve d'une nouvelle cotisation et d'une annulation prononcée par suite d'une opposition ou d'un appel fait selon la présente partie, une cotisation est réputée valide et exécutoire.

Notes historiques: Le paragraphe 299(3) a été ajouté par L.C. 1990, c. 45, par. 12(1).

Concordance québécoise: aucune.

(3.1) Cotisation exécutoire visant une entité — Dans le cas où une cotisation est établie à l'égard d'une personne (appelée « entité » au présent paragraphe) qui n'est ni un particulier ni une personne morale, les règles suivantes s'appliquent :

a) la cotisation n'est pas invalide du seul fait qu'une ou plusieurs autres personnes (chacune étant appelée « représentant » au présent paragraphe) qui sont responsables des obligations de l'entité n'ont pas reçu d'avis de cotisation;

b) la cotisation lie chaque représentant de l'entité, sous réserve d'une nouvelle cotisation établie à l'égard de celle-ci et de son droit de faire opposition à la cotisation, ou d'interjeter appel, en vertu de la présente partie;

c) une cotisation établie à l'égard d'un représentant et portant sur la même question que la cotisation établie à l'égard de l'entité lie le représentant, sous réserve seulement d'une nouvelle cotisation établie à son égard et de son droit de faire opposition à la cotisation, ou d'interjeter appel, en vertu de la présente partie, pour le motif qu'il n'est pas une personne tenue de payer ou de verser un montant visé par la cotisation établie à l'égard de l'entité, qu'une nouvelle cotisation portant sur cette question a été établie à l'égard de l'entité ou que la cotisation initiale établie à l'égard de l'entité a été annulée.

Notes historiques: Le paragraphe 299(3.1) a été ajouté par L.C. 1997, c. 10, art. 80 et est entré en vigueur le 20 mars 1997.

Concordance québécoise: aucune.

(4) Présomption de validité — Sous réserve d'une nouvelle cotisation et d'une annulation prononcée lors d'une opposition ou d'un appel fait selon la présente partie, une cotisation est réputée valide et exécutoire malgré les erreurs, vices de forme ou omissions dans la cotisation ou dans une procédure y afférent en vertu de la présente partie.

Notes historiques: Le paragraphe 299(4) a été ajouté par L.C. 1990, c. 45, par. 12(1).

Concordance québécoise: aucune.

(5) Irrégularités — L'appel d'une cotisation ne peut être accueilli pour cause seulement d'irrégularité, de vice de forme, d'omission ou d'erreur de la part d'une personne dans le respect d'une disposition directrice de la présente partie.

Notes historiques: Le paragraphe 299(5) a été ajouté par L.C. 1990, c. 45, par. 12(1).

Concordance québécoise: LAF, art. 93.29, al. 2.

Définitions [art. 299]: « cotisation », « ministre », « montant », « personne », « représentant », « taxe » — 123(1).

Jurisprudence [art. 299]: *Buccal Services Ltd. c. La Reine*, [1994] G.S.T.C. 70 (CCI); *Ming Financial Corp. c. La Reine*, [1994] G.S.T.C. 82 (CCI); *620247 Ontario Ltd. c. La Reine*, [1995] G.S.T.C. 22 (CCI); *Vacation Villas of Collingwood c. La Reine*, [1996] G.S.T.C. 12 (CCI); [1996] G.S.T.C. 13 (CAF); *Swimm (K.T.) c. La Reine*, [1996] G.S.T.C. 40 (CCI); *De Hede Fashions International Ltd. c. La Reine*, [1996] G.S.T.C. 50 (CCI); *Valières-Thériault c. Québec (Sous-ministre du Revenu)*, [1998] G.S.T.C. 2 (C.S. Qué); *Wa-Bowden Real Estate Reports Inc. c. Canada*, [1997] G.S.T.C. 49 (CCI); [1998] G.S.T.C. 46 (CFA); *Huyen (K.M.) c. Canada*, [1997] G.S.T.C. 50 (CCI); *Tatarnic (S.) c. Canada*, [1997] G.S.T.C. 54 (CCI); *2944-9436 Québec Inc. c. Canada*,

LTA (TPS)

[1997] G.S.T.C. 75 (CCI); *Low Cost Furniture Ltd. c. Canada*, [1997] G.S.T.C. 77 (CCI); *SDC Sterling Development Corp. c. Canada*, [1997] G.S.T.C. 103 (CCI); *Schafer (A.) c. Canada*, [1998] G.S.T.C. 7 (CCI); *715637 Ontario Ltd. c. Canada*, [1998] G.S.T.C. 32 (CCI); *1017465 Ontario Ltd. c. Canada*, [1998] G.S.T.C. 33 (CCI); *Willow Pond Services Ltd. c. Canada*, [1998] G.S.T.C. 71 (CCI); *Stan's Paving Ltd. c. Canada*, [1998] G.S.T.C. 105 (CCI); *Entrepreneur Peintre J.L. Inc. c. Canada*, [1999] G.S.T.C. 60 (CCI); *Haeberlin Enterprises Inc. c. Canada*, [1999] G.S.T.C. 70 (CCI); *Aspire Management Realty Ltd. c. Canada*, [1999] G.S.T.C. 74 (CCI); *Côté c. R.*, [2000] G.S.T.C. 34 (CCI); *Transport Touchette Inc. c. Canada*, [1999] G.S.T.C. 90 (CCI); *Frisco Mills Inc. c. R.*, [2000] G.S.T.C. 68 (CCI); *Vanderpol. c. R.*, [2002] G.S.T.C. 9 (CCI); *Armstrong c. R.*, [2002] G.S.T.C. 78 (CCI); *Bordeleau c. R.*, [2003] G.S.T.C. 73 (CCI); *Lau c. R.*, [2003] G.S.T.C. 1 (CCI); *Ouaknine v. R.*, [2003] G.S.T.C. 65 (CFA); *Boivin v. R.*, [2003] G.S.T.C. 30 (CCI); *Molenaar c. R.*, [2003] G.S.T.C. 136 (CCI); *Maillé c. R.*, [2003] G.S.T.C. 103 (CCI); *Molenaar c. R.*, [2004] G.S.T.C. 142 (CFA); *Molenaar c. R.*, [2005] 2 C.T.C. 176 (CFA); *Béliveau c. R.*, [2005] G.S.T.C. 14 (CCI); *Moriyama c. R.*, [2005] G.S.T.C. 114 (CAF); *Garcha c. R.*, [2005] 5 C.T.C. 2147 (CCI); *Beaulieu c. R.*, 2005 G.T.C. 999-163 (CCI); *Béliveau c. R.*, [2006] G.S.T.C. 118 (CCI); *Beaulieu c. R.*, 2006 G.T.C. 1298 (CAF); *S.M.R.Q. c. Deziel* , [2006] G.S.T.C. 152 (CF); *1277302 Ontario Ltd. v. R.*, [2006] G.S.T.C. 21 (CCI); *Lavie c. R.*, G.T.C. 682 (CCI); *Hsu c. R.*, [2006] G.S.T.C. 70 (CCI); *Desjardins c. R.*, 2007 G.T.C. 911 (CCI); *Patoine c. R.*, 2007 G.T.C. 884 (CCI); *Baker c. R.*, [2007] G.S.T.C. 22; *Logiciels Uppercut Inc. c. R.*, 2008 CarswellNat 1837 (CCI [procédure informelle]); *Stanley J. Tessmer Law Corp. v. R.* (16 février 2009), 2008 CarswellNat 1665 (CCI [procédure générale]); *Résidences Majeau Inc. c. R.* (28 mai 2009), 2009 G.T.C. 1062 (CCI [procédure générale]); *Calandra v. R.* (7 janvier 2011), 2011 CarswellNat 361, 2011 CCI 7 (CCI [procédure informelle]); *Nachar v. R.* (21 janvier 2011), 2011 CarswellNat 731, 2011 CCI 36 (CCI [procédure générale]); *Khan v. R.*, 2011 CarswellNat 5028, 2011 CCI 481 (CCI [procédure informelle]).

Bulletins de l'information technique [art. 299]: B-075R, 23/04/96, *Modifications proposées à la TPS*.

Mémorandums [art. 299]: TPS 500-3-1, 20/03/92, *Vérifications fiscales*, par. 42.

COMMENTAIRES: Cet article indique que le ministre n'est pas lié par les informations produites par une personne. Cet article sert de base pour justifier l'émission d'une cotisation arbitraire, notamment par l'émission d'un avis de cotisation par avoir net. De façon générale, une cotisation arbitraire sera émise lorsqu'une personne n'aura pas tenu de registres appropriés pour permettre d'établir ses obligations et responsabilités en vertu de la LTA, notamment l'article 286. Voir notamment les décisions suivantes: *Huyen*, [1997] G.S.T.C. 42 (C.C.I.), *Hsu c. R.*, [2006] G.S.T.C. 70 (C.C.I.), *Restaurant Le Relais De St-Jean* [2010] G.S.T.C. 14 (C.C.I.).

En ce qui concerne la présomption de validité et au degré de fardeau de preuve, nous vous recommandons nos commentaires sous l'article 296.

Cet article est similaire au paragraphe 152(7) de la *Loi de l'impôt sur le revenu*.

300. (1) Avis de cotisation — Une fois une cotisation établie à l'égard d'une personne, le ministre lui envoie un avis de cotisation.

Notes historiques: Le paragraphe 300(1) a été ajouté par L.C. 1990, c. 45, par. 12(1).

Concordance québécoise: LAF, art. 95.

(2) Application de l'avis — L'avis de cotisation peut comprendre des cotisations portant sur plusieurs périodes de déclaration, opérations, remboursements ou montants à payer ou à verser en application de la présente partie.

Notes historiques: Le paragraphe 300(2) a été modifié par L.C. 1997, c. 10, art. 81 et est entré en vigueur le 20 mars 1997. Il se lisait comme suit :

> (2) L'avis de cotisation peut comprendre des cotisations portant sur plusieurs périodes de déclarations ou opérations.

Ce paragraphe a été ajouté par L.C. 1990, c. 45, par. 12(1).

Concordance québécoise: LAF, art. 95.

Définitions [art. 300]: « cotisation », « ministre », « montant », « période de déclaration », « personne » — 123(1).

Renvois [art. 300]: 296, 297 (cotisation); 334(1) (date de réception).

Jurisprudence [art. 300]: *Perron c. R.* (28 septembre 2012), 2012 CarswellNat 3683 (C.C.I.); *Massarotto (J.) c. Canada*, [1999] G.S.T.C. 61 (CCI); *Thibeault c. R.*, [2006] G.S.T.C. 165 (CCI); *Résidences Majeau Inc. c. R.* (28 mai 2009), 2009 G.T.C. 1062 (CCI [procédure générale]).

Bulletins de l'information technique [art. 300]: B-075R, 23/04/96, *Modifications proposées à la TPS*.

Mémorandums [art. 300]: TPS 500-3, 4/10/91, *Cotisations et pénalités*, par. 16, 17; TPS 500-3-1, 20/03/92, *Vérifications fiscales*, par. 37–41; Mémorandum 31, 01/07, *Oppositions et appels*.

Série de mémorandums [art. 300]: Mémorandum 31, 01/07, *Oppositions et appels*.

Formulaires [art. 300]: GST313, *Détermination*.

COMMENTAIRES: Tel que le prévoit cet article, la cotisation se reflète par le biais d'un avis de cotisation et peut refléter plusieurs périodes de déclaration, opérations, remboursements ou autre montants à payer ou à verser en vertu de la partie IX. En pratique, il est fréquent pour le vérificateur de l'Agence du revenu du Canada ou de Revenu Québec d'émettre un projet d'avis de cotisation à la personne visée lui octroyant un délai de 21 jours pour lui soumettre des renseignements additionnels. Récemment, il semble que ce délai soit diminué à 10 jours, délai qui est accordé à la discrétion du vérificateur. Il est crucial pour la personne qui reçoit un projet d'avis de cotisation de bénéficier d'un délai raisonnable pour y répondre, mais surtout pour lui donner le temps de consulter des professionnels qui lui permettront de l'assister avec ses démarches. En ce sens, nous sommes d'avis qu'un délai de 10 jours est trop court. De surcroît, nous sommes d'avis qu'il serait approprié de codifier cette pratique administrative dans la législation.

Il est à noter toutefois que le fait qu'aucun avis de cotisation ne soit émis n'affecte en rien la responsabilité fiscale de la personne (article 299) ou la possibilité pour l'Agence du revenu du Canada ou Revenu Québec de débuter ou d'initier des procédures de perception (paragraphe 313(2)).

Bien que l'avis de nouvelle cotisation n'ait pas été envoyé par courrier recommandé ou certifié, la Cour fédérale a conclu, sur la base de l'arrêt *Schafer c. R.*, [1998] G.S.T.C. 60 (C.C.I.), [2000] S.S.T.C.82 (C.A.F.), que l'avis de nouvelle cotisation avait été dument envoyé dans l'affaire *Vu Re*, 2005 CarswellNat 5424 (C.F.), [2004] G.S.T.C. 174. En effet, la Cour souligne que l'article 300 ne précise pas que l'avis de nouvelle cotisation doit être envoyé par courrier recommandé. En l'espèce, le ministre avait réussi à faire la preuve par affidavit qui décrivait en détail la procédure suivie pour envoyer par la poste l'avis en question. Dans cette affaire, l'appelante n'a pas réussi à exiger de l'Agence du revenu du Canada de se conformer aux exigences du paragraphe 335(1) quant à l'envoi de son avis de cotisation.

Depuis le mois d'avril 2007, en raison d'un nouveau système informatique, l'Agence du revenu du Canada émet ses communications en TPS/TVH par le biais d'un nouveau système. Ce changement a permis à l'Agence du revenu du Canada d'être en mesure de reproduire et de réémettre des anciennes communications (notamment des avis de cotisation), à la demande de l'inscrit. À ce titre, l'inscrit peut d'ailleurs demander plusieurs informations par le biais de son système « Mon dossier d'entreprise ». Voir notamment : question 6 — *Questions et commentaires en TPS/TVH pour l'Agence du revenu du Canada* — Rencontre annuelle entre l'Agence du revenu du Canada et l'Association du Barreau canadien (4 mars 2010).

Opposition et appels

301. (1) Personne déterminée — Pour l'application du présent article, la personne à l'égard de laquelle est établie une cotisation au titre de la taxe nette pour sa période de déclaration, d'un montant (autre que la taxe nette) qui est devenu à payer ou à verser par elle au cours d'une telle période ou du remboursement d'un montant qu'elle a payé ou versé au cours d'une telle période est une personne déterminée relativement à la cotisation ou à un avis d'opposition à celle-ci si, selon le cas :

a) elle est une institution financière désignée visée à l'un des sous-alinéas 149(1)a)(i) à (x) au cours de la période en question;

b) elle n'était pas un organisme de bienfaisance au cours de la période en question et le montant déterminant qui lui est applicable, déterminé en conformité avec le paragraphe 249(1), dépasse 6 000 000 $ pour son exercice qui comprend cette période ainsi que pour son exercice précédent.

Notes historiques: Le paragraphe 301(1) a été modifié par L.C. 1997, c. 10, par. 82(1) et s'applique aux cotisations pour lesquelles un avis est délivré après avril 1996, à l'exception de celles pour lesquelles un avis est délivré après ce mois en application du paragraphe 301(3) par suite d'un avis d'opposition visant une cotisation établie avant mai 1996. Toutefois, pour l'application de ce paragraphe 301(1) aux avis de cotisation délivrés avant 1997, la mention de « organisme de bienfaisance » à l'alinéa 301(1)b) vaut mention de « organisme de bienfaisance (sauf une administration scolaire, une collège public, une université, une administration hospitalière ou une administration locale à laquelle le statut de municipalité a été conféré en application de l'alinéa b) de la définition de « municipalité » au paragraphe 123(1)) ». L'ancien paragraphe 301(1), ajouté par L.C. 1990, c. 45, par. 12(1), a été intégré au paragraphe 301(1.1).

Concordance québécoise: LAF, art. 93.1.2.

(1.1) Opposition à la cotisation — La personne qui fait opposition à la cotisation établie à son égard peut, dans les 90 jours suivant le jour où l'avis de cotisation lui est envoyé, présenter au ministre un avis d'opposition, en la forme et selon les modalités déterminées par celui-ci, exposant les motifs de son opposition et tous les faits pertinents.

Notes historiques: Le paragraphe 301(1.1) correspond à l'ancien paragraphe 301(1). Il a été modifié par L.C. 1997, c. 10, par. 82(1) et cette modification s'applique aux cotisations pour lesquelles un avis est délivré après avril 1996, à l'exception de celles pour lesquelles un avis est délivré après ce mois en application du paragraphe 301(3) par suite d'un avis d'opposition visant une cotisation établie avant mai 1996. Toutefois, pour l'application du paragraphe 301(1.1) aux avis de cotisation délivrés avant 1997, la mention de « organisme de bienfaisance » à l'alinéa 301(1)b) vaut mention de « organisme de bienfaisance (sauf une administration scolaire, une collège public, une université, une administration hospitalière ou une administration locale à laquelle le statut de municipalité a été conféré en application de l'alinéa b) de la définition de « municipalité » au paragraphe 123(1)) ». L'ancien paragraphe 301(1) a été ajouté par L.C. 1990, c. 45, par. 12(1).

Concordance québécoise: LAF, art. 93.1.2.

(1.2) Question à trancher — L'avis d'opposition que produit une personne qui est une personne déterminée relativement à une cotisation doit contenir les éléments suivants pour chaque question à trancher :

a) une description suffisante;

b) le redressement demandé, sous la forme du montant qui représente le changement apporté à un montant à prendre en compte aux fins de la cotisation;

c) les motifs et les faits sur lesquels se fonde la personne.

Notes historiques: Le paragraphe 301(1.2) a été ajouté par L.C. 1997, c. 10, par. 82(2) et s'applique aux cotisations pour lesquelles un avis est délivré après avril 1996, à l'exception de celles pour lesquelles un avis est délivré après ce mois en application du paragraphe 301(3) par suite d'un avis d'opposition visant une cotisation établie avant mai 1996. Toutefois, pour l'application de ce paragraphe 301(1.2) aux avis de cotisation délivrés avant 1997, la mention de « organisme de bienfaisance » à l'alinéa 301(1)b) vaut mention de « organisme de bienfaisance (sauf une administration scolaire, une collège public, une université, une administration hospitalière ou une administration locale à laquelle le statut de municipalité a été conféré en application de l'alinéa b) de la définition de « municipalité » au paragraphe 123(1)) ».

Concordance québécoise: LAF, art. 93.1.2.

(1.21) Attribution du crédit de taxe sur les intrants — Si une institution financière à laquelle le paragraphe (1.2) ne s'applique pas fait opposition à une cotisation laquelle opposition se rapporte de quelque façon à l'application de l'article 141.02, l'avis d'opposition doit contenir les éléments ci-après pour chaque question à trancher relativement à cet article :

a) une description suffisante de la question;

b) le redressement demandé, sous la forme du montant qui représente le changement apporté à un montant à prendre en compte pour les besoins de la cotisation;

c) les motifs et les faits sur lesquels l'institution financière se fonde.

Notes historiques: Le paragraphe 301(1.21) a été ajouté par L.C. 2010, c. 12, par. 80(1) et est réputé entré en vigueur le 12 juillet 2010.

avril 2010, Notes explicatives: Le nouveau paragraphe 301(1.21) s'applique aux institutions financières (sauf celles auxquelles le paragraphe 301(1.2) s'applique) qui font opposition à une cotisation portant d'une façon quelconque sur l'application de l'article 141.02. Il prévoit que l'avis d'opposition de l'institution financière doit contenir un énoncé de chaque question à trancher relativement à l'article 141.02, les motifs et faits sur lesquels l'institution se fonde et une estimation du changement à apporter à tout montant visé par la cotisation (comme une hausse des crédits de taxe sur les intrants permis) dans l'éventualité où il est fait droit à l'opposition.

septembre 2009, Notes explicatives: L'article 301 porte sur les oppositions et appels visant des cotisations établies en vertu de la partie IX de la Loi. Cet article est modifié de façon à prévoir de nouvelles règles qui s'appliquent aux oppositions et appels d'institutions financières (sauf celles qui sont assujetties au paragraphe 301(1.2)) qui font opposition à une cotisation portant d'une façon quelconque sur l'application de l'article 141.02 de la Loi. Les modifications apportées à l'article 301 entrent en vigueur à la date de sanction du projet de loi.

Le nouveau paragraphe 301(1.21) s'applique aux institutions financières (sauf celles auxquelles le paragraphe 301(1.2) s'applique) qui font opposition à une cotisation portant d'une façon quelconque sur l'application de l'article 141.02. Il prévoit que l'avis d'opposition de l'institution financière doit contenir un énoncé de chaque question à trancher relativement à l'article 141.02, les motifs et faits sur lesquels l'institution se fonde et une estimation du changement à apporter à tout montant visé par la cotisation (comme une hausse des crédits de taxe sur les intrants permis) dans l'éventualité où il est fait droit à l'opposition.

janvier 2007, Notes explicatives: Le nouveau paragraphe 301(1.21) s'applique aux institutions financières (sauf celles auxquelles le paragraphe 301(1.2) s'applique) qui font opposition à une cotisation portant de quelque façon sur l'application du nouvel article 141.02. Il prévoit que l'avis d'opposition de l'institution financière doit contenir une description de la question à trancher, les motifs et faits sur lesquels l'institution se fonde et une estimation du changement à apporter à tout montant visé par la cotisation (comme une hausse des crédits de taxe sur les intrants permis) dans l'éventualité où il est fait droit à l'opposition.

Concordance québécoise: aucune.

(1.3) Observation tardive — Malgré les paragraphes (1.2) ou (1.21), dans le cas où un avis d'opposition produit par une personne à laquelle l'un de ces paragraphes s'applique ne contient pas les renseignements requis selon les alinéas (1.2)b) ou c) ou (1.21)b) ou c), selon le cas, relativement à une question à trancher qui est exposée dans l'avis, le ministre peut demander par écrit à la personne de livrer ces renseignements. La personne est réputée s'être conformée à ces alinéas relativement à la question à trancher si, dans les 60 jours suivant la date de la demande par le ministre, elle communique par écrit les renseignements requis au ministre.

Notes historiques: Le paragraphe 301(1.3) a été remplacé par L.C. 2010, c. 12, par. 80(2) et cette modification est réputée entrée en vigueur le 12 juillet 2010. Antérieurement, il se lisait ainsi :

> (1.3) Malgré le paragraphe (1.2), dans le cas où un avis d'opposition produit par une personne à laquelle ce paragraphe s'applique ne contient pas les renseignements requis selon les alinéas (1.2)b) ou c) relativement à une question à trancher qui est décrite dans l'avis, le ministre peut demander par écrit à la personne de fournir ces renseignements. La personne est réputée s'être conformée à ces alinéas relativement à la question à trancher si, dans les 60 jours suivant la date de la demande par le ministre, elle communique par écrit les renseignements requis au ministre.

Le paragraphe 301(1.3) a été ajouté par L.C. 1997, c. 10, par. 82(2) et s'applique aux cotisations pour lesquelles un avis est délivré après avril 1996, à l'exception de celles pour lesquelles un avis est délivré après ce mois en application du paragraphe 301(3) par suite d'un avis d'opposition visant une cotisation établie avant mai 1996. Toutefois, pour l'application de ce paragraphe 301(1.3) aux avis de cotisation délivrés avant 1997, la mention de « organisme de bienfaisance » à l'alinéa 301(1)b), édicté par le paragraphe (1), vaut mention de « organisme de bienfaisance (sauf une administration scolaire, une collège public, une université, une administration hospitalière ou une administration locale à laquelle le statut de municipalité a été conféré en application de l'alinéa b) de la définition de « municipalité » au paragraphe 123(1)).

avril 2010, Notes explicatives: Le paragraphe 301(1.3) permet au ministre du Revenu national de demander à une personne de fournir les renseignements exigés par les alinéas 301(1.2)b) ou c) relativement à une question à trancher si ceux-ci ne figurent pas dans l'avis d'opposition. Ce paragraphe est modifié de façon que le ministre puisse aussi demander à une institution financière de fournir les renseignements exigés par les nouveaux alinéas 301(1.21)b) ou c) relativement à une question à trancher si ceux-ci ne figurent pas dans l'avis d'opposition.

septembre 2009, Notes explicatives: Le paragraphe 301(1.3) permet au ministre du Revenu national de demander à une personne de fournir les renseignements exigés par les alinéas 301(1.2)b) ou c) relativement à une question à trancher si ceux-ci ne figurent pas dans l'avis d'opposition. Ce paragraphe est modifié de façon que le ministre puisse aussi demander à une institution financière de fournir les renseignements exigés par les nouveaux alinéas 301(1.21)b) ou c) relativement à une question à trancher si ceux-ci ne figurent pas dans l'avis d'opposition.

Concordance québécoise: LAF, art. 93.1.2.

(1.4) Restrictions touchant les oppositions — Malgré le paragraphe (1.1), lorsqu'une personne à laquelle le paragraphe (1.2) ou (1.21) s'applique a produit un avis d'opposition à une cotisation (appelée « cotisation antérieure » au présent paragraphe) et que le ministre établit, en application du paragraphe (3), une cotisation donnée par suite de l'avis, sauf si la cotisation antérieure a été établie en application du paragraphe 274(8) ou en conformité avec l'ordonnance d'un tribunal qui annule, modifie ou rétablit une cotisation ou renvoie une cotisation au ministre pour nouvel examen et nouvelle cotisation, la personne peut faire opposition à la cotisation donnée relativement à une question à trancher :

a) seulement si, relativement à cette question, elle s'est conformée au paragraphe (1.2) ou (1.21) dans l'avis;

b) seulement à l'égard du redressement, tel qu'il est exposé dans l'avis, qu'elle demande relativement à cette question.

Notes historiques: Le passage précédant l'alinéa b) du paragraphe 301(1.4) a été remplacé par L.C. 2010, c. 12, par. 80(3) et cette modification est réputée entrée en vigueur le 12 juillet 2010. Antérieurement, il se lisait ainsi :

> (1.4) Malgré le paragraphe (1.1), lorsqu'une personne a produit un avis d'opposition à une cotisation (appelée « cotisation antérieure » au présent paragraphe) relativement à laquelle elle est une personne déterminée et que le ministre établit, en application du paragraphe (3), une cotisation donnée par suite de l'avis, sauf si la cotisation antérieure a été établie en application du paragraphe 274(8) ou en conformité avec l'ordonnance d'un tribunal qui annule, modifie ou rétablit une cotisation ou renvoie une cotisation au ministre pour nouvel examen et nouvelle cotisa-

LTA (TPS)

tion, la personne peut faire opposition à la cotisation donnée relativement à une question à trancher :

a) seulement si, relativement à cette question, elle s'est conformée au paragraphe (1.2) dans l'avis;

Le paragraphe 301(1.4) a été ajouté par L.C. 1997, c. 10, par. 82(2) et s'applique aux cotisations pour lesquelles un avis est délivré après avril 1996, à l'exception de celles pour lesquelles un avis est délivré après ce mois en application du paragraphe 301(3) par suite d'un avis d'opposition visant une cotisation établie avant mai 1996. Toutefois, pour l'application de ce paragraphe 301(1.4) aux avis de cotisation délivrés avant 1997, la mention de « organisme de bienfaisance » à l'alinéa 301(1)b) vaut mention de « organisme de bienfaisance (sauf une administration scolaire, une collège public, une université, une administration hospitalière ou une administration locale à laquelle le statut de municipalité a été conféré en application de l'alinéa b) de la définition de « municipalité » au paragraphe 123(1)).

avril 2010, Notes explicatives: Selon le paragraphe 301(1.4), il est interdit à l'appelant de soulever de nouvelles questions ou de réviser le redressement demandé relativement à une question soulevée dans une opposition à une cotisation établie en vertu du paragraphe 301(3) à l'égard de laquelle il est une personne à laquelle le paragraphe 301(1.2) s'applique. Le paragraphe 301(1.4) est modifié de façon que cette interdiction s'applique aussi dans le cas où l'appelant est une personne à laquelle le nouveau paragraphe 301(1.21) s'applique. Cette interdiction, qui touche les personnes auxquelles les paragraphes 301(1.2) ou (1.21) s'appliquent, ne s'applique pas dans certaines circonstances, notamment dans le cas où la cotisation est établie par suite d'un avis d'opposition à une autre cotisation établie selon le paragraphe 274(8) de la Loi.

septembre 2009, Notes explicatives: Selon le paragraphe 301(1.4), il est interdit à l'appelant de soulever de nouvelles questions ou de réviser le redressement demandé relativement à une question soulevée dans une opposition à une cotisation établie en vertu du paragraphe 301(3) à l'égard de laquelle il est une personne à laquelle le paragraphe 301(1.2) s'applique. Le paragraphe 301(1.4) est modifié de façon que cette interdiction s'applique aussi dans le cas où l'appelant est une personne à laquelle le nouveau paragraphe 301(1.21) s'applique. Cette interdiction, qui touche les personnes auxquelles les paragraphes 301(1.2) ou (1.21) s'appliquent, ne s'applique pas dans certaines circonstances, notamment dans le cas où la cotisation est établie par suite d'un avis d'opposition à une autre cotisation établie selon le paragraphe 274(8) de la Loi.

Concordance québécoise: aucune.

(1.5) **Application du paragraphe (1.4)** — Lorsqu'une personne a produit un avis d'opposition à une cotisation (appelée « cotisation antérieure » au présent paragraphe) et que le ministre établit, en application du paragraphe (3), une cotisation donnée par suite de l'avis, le paragraphe (1.4) n'a pas pour effet de limiter le droit de la personne de s'opposer à la cotisation donnée relativement à une question sur laquelle porte cette cotisation mais non la cotisation antérieure.

Notes historiques: Le paragraphe 301(1.5) a été ajouté par L.C. 1997, c. 10, par. 82(2) et s'applique aux cotisations pour lesquelles un avis est délivré après avril 1996, à l'exception de celles pour lesquelles un avis est délivré après ce mois en application du paragraphe 301(3) par suite d'un avis d'opposition visant une cotisation établie avant mai 1996. Toutefois, pour l'application de ce paragraphe 301(1.5) aux avis de cotisation délivrés avant 1997, la mention de « organisme de bienfaisance » à l'alinéa 301(1)b) vaut mention de « organisme de bienfaisance (sauf une administration scolaire, une collège public, une université, une administration hospitalière ou une administration locale à laquelle le statut de municipalité a été conféré en application de l'alinéa b) de la définition de « municipalité » au paragraphe 123(1)) ».

Concordance québécoise: aucune.

(1.6) **Restriction** — Malgré le paragraphe (1.1), aucune opposition ne peut être faite par une personne relativement à une question pour laquelle elle a renoncé par écrit à son droit d'opposition.

Notes historiques: Le paragraphe 301(1.6) a été ajouté par L.C. 1997, c. 10, par. 82(2) et s'applique après le 23 avril 1996 aux renonciations signées à tout moment.

Concordance québécoise: LAF, art. 93.1.7.

(2) **Acceptation de l'opposition** — Le ministre peut accepter l'avis d'opposition qui n'a pas été produit selon les modalités qu'il détermine.

Notes historiques: Le paragraphe 301(2) a été ajouté par L.C. 1990, c. 45, par. 12(1).

Concordance québécoise: aucune.

(3) **Examen de l'opposition** — Sur réception d'un avis d'opposition, le ministre doit, avec diligence, examiner la cotisation de nouveau et l'annuler ou la confirmer ou établir une nouvelle cotisation.

Notes historiques: Le paragraphe 301(3) a été ajouté par L.C. 1990, c. 45, par. 12(1).

Concordance québécoise: LAF, art. 93.1.6.

(4) **Renonciation au nouvel examen** — Le ministre peut confirmer une cotisation sans l'examiner de nouveau sur demande de la personne qui lui fait part, dans son avis d'opposition, de son intention d'en appeler directement à la Cour canadienne de l'impôt.

Notes historiques: Le paragraphe 301(4) a été ajouté par L.C. 1990, c. 45, par. 12(1).

Concordance québécoise: aucune.

(5) **Avis de décision** — Après avoir examiné de nouveau ou confirmé une cotisation, le ministre fait part de sa décision par avis envoyé par courrier recommandé ou certifié à la personne qui a fait opposition à la cotisation.

Notes historiques: Le paragraphe 301(5) a été ajouté par L.C. 1990, c. 45, par. 12(1).

Concordance québécoise: aucune.

avril 2010, Notes explicatives: L'article 301 porte sur les oppositions et appels visant des cotisations établies en vertu de la partie IX de la Loi. Cet article est modifié de façon à prévoir de nouvelles règles qui s'appliquent aux oppositions et appels d'institutions financières (sauf celles qui sont assujetties au paragraphe 301(1.2)) qui font opposition à une cotisation portant d'une façon quelconque sur l'application de l'article 141.02 de la Loi. Les modifications apportées à l'article 301 entrent en vigueur à la date de sanction du projet de loi.

janvier 2007, Notes explicatives: L'article 301 porte sur les oppositions et appels visant des cotisations établies en vertu de la partie IX. Cet article est modifié de façon à prévoir de nouvelles règles qui s'appliquent aux oppositions et appels d'institutions financières (sauf celles qui sont assujetties au paragraphe 301(1.2)) qui font opposition à une cotisation portant sur quelque façon sur l'application du nouvel article 141.02 de la loi. Les modifications apportées à cet article entrent en vigueur à la date de sanction du projet de loi [aucun projet de loi n'a été déposé à la date de la publication de cet ouvrage — n.d.l.r.].

Définitions [art. 301]: « cotisation », « exercice », « institution financière désignée », « ministre », « montant », « organisme de bienfaisance », « personne », « règlement » — 123(1).

Renvois [art. 301]: 225(1) (taxe nette); 303, 304 (prorogation du délai); 306 (appel); 306.1 (restriction touchant les appels à la Cour canadienne de l'impôt); 310(2)b) (CCI — exclusion du délai d'examen); 311(7)b) (appel — exclusion du délai d'examen); 334(1) (envoi par la poste — date de réception).

Jurisprudence [art. 301]: *Valières-Thériault c. Québec (Sous-ministre du Revenu)*, [1998] G.S.T.C. 2 (C.S. Qué); *Henry (R.) c. Canada*, [1998] G.S.T.C. 83 (CCI); *Peach Hill Management Ltd. c. Canada*, [1999] G.S.T.C. 11 (CCI); [2000] G.S.T.C. 45 (CAF); *Szczerba c. R.*, [2000] G.S.T.C. 79 (CCI); *McCarthey c. R.*, [2001] G.S.T.C. 46 (CCI); *Groulx c. R.*, [2001] G.S.T.C. 47 (CCI); *Germain Pelletier Ltée c. R.*, [2001] G.S.T.C. 90 (CCI); *Ferrara c. R.*, [2002] G.S.T.C. 18 (CCI); *Kovacevic c. R.*, [2002] G.S.T.C. 89 (CCI); *Bruner c. R.*, [2002] G.S.T.C. 285 (CCI); *Cambridge Leasing Ltd. v. Minister of National Revenue*, [2003] 2 C.T.C. 257 (CFA); *Florida Ceilings Inc. v. R.*, [2004] G.S.T.C. 136 (CAF); *Desrosiers c. R.*, [2004] G.S.T.C. 79 (CCI); *Air liquide Canada Inc c. R.*, [2004] 2 C.T.C. 153 (CCI); *Scott Slipp Nissan Ltd. v. Canada (Attorney General)*, [2004] G.S.T.C. 1159 (CF); *Motter c. Québec (Sous-ministre du Revenu)* (28 septembre 2005), 500-80-001068-031, 2005 CarswellQue 8953; *Grunwald c. R.*, [2005] G.S.T.C. 192 (CAF); *Telus Communications (Edmonton) Inc. c. R.*, [2005] G.S.T.C. 96 (CAF); *9122-5789 Québec Inc. c. R.*, 2008 CarswellNat 1709 (CCI); *Vert-Dure Plus (1991) Inc. c. R.*, [2007] G.S.T.C. 166 (CCI [procédure informelle]); *Randall v. R.* (14 novembre 2008), [2008] G.S.T.C. 206 (CCI [procédure générale]); *Desrosiers c. R.*, 2008 G.T.C. 799 (CCI [procédure informelle]); *Pereira v. R.*, [2008] G.S.T.C. 187 (15 septembre 2008) (CAF); *Roberge Transport Inc. v. R.*, 2010 CarswellNat 2453, 2010 CCI 155, [2010] G.S.T.C. 43 (CCI [procédure générale]); *Vuruna c. R.* (28 octobre 2010), 2010 CarswellNat 4896, 2010 CCI 365 (CCI [procédure informelle]); *Li v. R.* (7 septembre 2011), 2011 CarswellNat 4221, 2011 CCI 416 (CCI [procédure informelle]).

Guides (Québec): IN-308 — Faire opposition - C'est votre recours, contribuez à sa qualité!

Bulletins de l'information technique [art. 301]: B-075R, 23/04/96, *Modifications proposées à la TPS*.

Mémorandums [art. 301]: TPS 300-8, 06/02/91, *Taxe sur les fournitures produits importés*; TPS 500, 5/05/92, *Application et exécution*, par. 27; TPS 500-3-1, 20/03/92, *Vérifications fiscales*, par. 41.

Série de mémorandums [art. 301]: Mémorandum 31, 01/07, *Oppositions et appels*.

Circulaires d'information [art. 301]: 98-1R3 — Politiques de recouvrement (ébauche).

Formulaires [art. 301]: FP-159, *Avis d'opposition*; GST159, *Avis d'opposition (TPS/TVH)*.

COMMENTAIRES: Cet article établit les critères entourant la production d'une demande d'opposition à l'Agence du revenu du Canada et à Revenu Québec pour contester un avis de cotisation émis en vertu de la *Loi sur la taxe d'accise (TPS)*. Il s'agit du premier processus de révision obligatoire à la suite de l'émission d'un avis de cotisation. En effet, l'avis d'opposition est obligatoire même si une personne désire en appeler directement à la Cour canadienne de l'impôt (paragraphe 301(4)).

Pour être valide, la personne peut s'opposer sans autorisation dans un délai de 90 jours par l'envoi au ministre d'un avis d'opposition contenant tous les renseignements prévus à cet article. Il est à noter qu'un formulaire prescrit est prévu pour présenter un avis d'opposition à l'Agence du revenu du Canada, c.-à-d. le formulaire GST159 — *Avis d'opposition*. Au Québec, Revenu Québec a prévu le formulaire FP-159 — *Avis d'opposition* (TPS/TVH) pour la TPS et le formulaire MR-93.1.1 — *Avis d'opposition* pour la TVQ. Il est d'ailleurs particulier, au Québec, que Revenu Québec n'ait pas prévu un formulaire conjoint pour la TPS et la TVQ en tenant compte qu'elle administre l'ensemble de ces taxes. Il est à noter toutefois que le dépôt des formulaires ne semblent pas obligatoires par les autorités fiscales et qu'une simple lettre peut être acceptable à titre d'opposition à l'Agence du revenu du Canada et Revenu Québec (voir notamment le paragraphe 301(2)).

Il est à noter que l'article 303 LTA permet, sous certaines conditions, une prorogation du délai de 90 jours par le ministre. Nous vous recommandons nos commentaires sous cet article.

Une fois produit, l'avis d'opposition sera par la suite analysé par un agent des appels, indépendant du vérificateur qui a établi la cotisation. Il sera possible également de faire des représentations supplémentaires, par écrit ou lors d'une rencontre, à l'agent des appels qui a été assigné. Dans ce contexte, il est important, pour la personne qui désire produire un avis d'opposition, d'obtenir le rapport du vérificateur et l'ensemble des documents et communications pertinents à son dossier. En pratique, il est possible que le vérificateur puisse transmettre ces documents directement à la personne cotisée. Le cas échéant, une demande peut être logée en ce sens en vertu des législations relatives à l'accès à l'information.

Les critères pour les oppositions des personnes déterminées (grandes entreprises et des institutions financières) diffèrent des critères pour les oppositions des autres personnes. L'information requise par un avis d'opposition pour une personne déterminée demande davantage de précisions, tel que reflété dans les paragraphes (1.2) et (1.21). Ces critères sont semblables à ceux requis en vertu du paragraphe 165(1.1.) de la *Loi de l'impôt sur le revenu*.

L'avis de cotisation est présumé reçu le jour de sa mise à la poste par l'Agence du revenu du Canada ou Revenu Québec et le délai de 90 jours débute le lendemain du jour de l'émission. Dans les situations où la personne prétend n'avoir jamais reçu l'avis de cotisation, les autorités fiscales doivent prouver que l'avis de cotisation a été émis et envoyé. Voir notamment : *Aztec Industries inc. c. R.*, [1995] 1 C.T.C. 327. Dans les situations où l'avis a été envoyé, mais n'a jamais été reçu, la présomption de l'article 334 est irréfragable et le délai débute donc dès l'émission de l'avis de cotisation malgré qu'il ne soit jamais reçu par la personne.

Sur le site internet de l'Agence du revenu du Canada, il est possible d'enregistrer un avis de différend officiel par le biais de « Mon dossier d'entreprise ». La question a donc été posée à l'Agence du revenu du Canada à savoir si un tel avis pouvait avoir lieu d'avis d'opposition. L'Agence du revenu du Canada a indiqué que les avis d'opposition en TPS/TVH ne pouvaient être produits par voie électronique. La raison étant que l'avis doit être produit « selon la forme et les modalités déterminées par le ministre » (paragraphe 1.1). Toutefois, le paragraphe (2) permet au Ministère d'accepter un avis d'opposition qui n'a pas été produit selon les modalités déterminées. Ainsi, l'Agence du revenu du Canada souligne être en discussions quant à la possibilité de produire les avis d'opposition par voie électronique. Voir notamment : Question 32 — *Questions et commentaires en TPS/TVH pour l'Agence du revenu du Canada* — Rencontre annuelle entre l'Agence du revenu du Canada et l'Association du Barreau canadien (24 février 2011).

Bien entendu, le paragraphe (1.6) prévoit qu'il est impossible pour une personne de s'opposer à un avis de cotisation si une renonciation par écrit à son droit de s'opposer à un avis de cotisation a été préalablement signée. Cette situation pourrait survenir, notamment, dans le contexte d'une entente de règlement avec l'Agence du revenu du Canada ou Revenu Québec.

Contrairement à l'article 225.1 de la *Loi de l'impôt sur le revenu* en matière d'impôt sur le revenu, la production d'un avis d'opposition déposé en vertu de la *Loi sur la taxe d'accise (TPS)* n'empêche pas les mesures de recouvrement qui peuvent être entreprises par l'Agence du revenu du Canada ou Revenu Québec. La raison principale étant que les sommes dues en matière de TPS ou de TVQ sont réputées être détenues à titre de mandataire de Sa Majesté, d'où l'urgence du recouvrement de ces sommes. En pratique, bien que l'Agence du revenu du Canada peut parfois ne pas entreprendre des mesures de recouvrement, notamment en raison des arguments soulevés dans les avis d'oppositions, Revenu Québec ne semble accorder aucun répit dans ce contexte et le département de recouvrement est impliqué dès que la date de paiement pour le montant de TPS ou de TVQ reflété sur l'avis de cotisation est expirée.

Finalement, il est à noter que l'avis d'opposition n'est pas le seul moyen par lequel une personne peut s'adresser à l'Agence du revenu du Canada ou à Revenu Québec pour régler un différend. En effet, les alternatives suivantes sont également possibles : (i) les demandes relatives à l'allégement ou la renonciation à des intérêts ou des pénalités doivent être faites par le biais d'un processus différent — nous vous recommandons nos commentaires sous l'article 281.1, et (ii) les plaintes quant à l'attitude d'un vérificateur peuvent être produites à l'ombudsman ou à l'Agence du revenu du Canada par le biais des plaintes liées au service en remplissant le formulaire RC193 — *Plainte liée au service*. Ce dernier processus est possible en raison notamment de l'existence de la *Charte des droits du contribuable* — aux fins de consultations, nous vous recommandons la publication RC4418 — *Charte des droits du contribuable — Feuillet*. Au Québec, une plainte peut également être formulée au protecteur du citoyen ou à la Direction du traitement des plaintes de Revenu Québec par le biais d'une simple lettre.

L'article 301 LTA est similaire à l'article 165 de la *Loi de l'impôt sur le revenu*.

302. Appel à la Cour canadienne de l'impôt — La personne, ayant présenté un avis d'opposition à une cotisation, à qui le ministre a envoyé un avis de nouvelle cotisation ou de cotisation supplémentaire concernant l'objet de l'avis d'opposition peut, dans les 90 jours suivant cet envoi :

a) interjeter appel devant la Cour canadienne de l'impôt;

b) si un appel a déjà été interjeté, modifier cet appel en y joignant un appel concernant la nouvelle cotisation ou la cotisation supplémentaire, en la forme et selon les modalités fixées par cette cour.

Notes historiques: Le paragraphe 302 a été ajouté par L.C. 1990, c. 45, par. 12(1).

Concordance québécoise: LAF, art. 93.1.10, 93.1.13.

Définitions: « cotisation », « ministre », « personne » — 123(1).

Renvois: 216(5) (taxe sur l'importation de produits — classement de produits); 301 (opposition à la cotisation).

Jurisprudence: *Valières-Thériault c. Québec (Sous-ministre du Revenu)*, [1998] G.S.T.C. 2 (C.S. Qué); *Germain Pelletier Ltée c. R.*, [2001] G.S.T.C. 90 (CCI); *Bruner c. R.*, [2002] G.S.T.C. 285 (CCI); *Scott Slipp Nissan Ltd. v. Canada (Attorney General)*, [2004] G.S.T.C. 1159 (CF); *Motter c. Québec (Sous-ministre du Revenu)* (28 septembre 2005), 500-80-001068-031, 2005 CarswellQue 8953; *Merchant Law Group v. R.*, [2008] G.S.T.C. 20 (28 janvier 2008) (CCI [procédure générale]); *Li v. R.* (7 septembre 2011), 2011 CarswellNat 4221, 2011 CCI 416 (CCI [procédure informelle]).

COMMENTAIRES: Cet article s'applique uniquement dans les cas d'une nouvelle cotisation ou de cotisation supplémentaire. Dans ce contexte, cela indique que l'avis de cotisation est toujours en suspens au département des oppositions, mais qu'un avis de nouvelle cotisation ou une cotisation supplémentaire a été émis. En pratique, de façon générale, c'est l'article 306 qui trouve application pour en appeler à la Cour canadienne de l'impôt dans la situation où l'Agence du revenu du Canada ou Revenu Québec a confirmé un avis de cotisation à la suite du processus de l'objection.

Il faut souligner que l'article 298 LTA limite la possibilité d'une cotisation supplémentaire à quatre ans suivant la première cotisation. À titre illustratif, la décision *Caribbean Queen Restaurants inc. c. R.*, 2009 CCI 566 (C.C.I.) est un exemple de l'application de la règle des quatre ans dans laquelle l'Agence du revenu du Canada ou Revenu Québec est limité en vertu de l'article 298 pour émettre une nouvelle cotisation ou recotiser une personne sur la base d'une autre cotisation. Nous vous recommandons nos commentaires sous l'article 298.

L'article 302 LTA est similaire au paragraphe 165(7) de la *Loi de l'impôt sur le revenu*.

303. (1) Prorogation du délai par le ministre — Le ministre peut proroger le délai pour produire un avis d'opposition dans le cas où la personne qui n'a pas fait opposition à une cotisation en application de l'article 301, ou de requête en application du paragraphe 274(6), dans le délai par ailleurs imparti lui présente une demande à cet effet.

Notes historiques: Le paragraphe 303 a été ajouté par L.C. 1990, c. 45, par. 12(1).

Concordance québécoise: LAF, art. 93.1.3.

(2) Contenu de la demande — La demande doit indiquer les raisons pour lesquelles l'avis d'opposition ou la requête n'a pas été produit dans le délai par ailleurs imparti.

Notes historiques: Le paragraphe 303(2) a été ajouté par L.C. 1990, c. 45, par. 12(1).

Concordance québécoise: LAF, art. 93.1.3.

(3) Modalités — La demande, accompagnée d'un exemplaire de l'avis d'opposition ou de la requête, est livrée ou postée au chef des appels d'un bureau de district ou d'un centre fiscal de l'Agence.

Notes historiques: Le paragraphe 303(3) a été remplacé par L.C. 2000, c. 30, art. 90. Cette modification est réputée entrée en vigueur le 20 octobre 2000. Antérieurement, il se lisait comme suit :.

> (3) La demande, accompagnée de deux exemplaires de l'avis d'opposition ou de la requête, est envoyée en double exemplaire par courrier recommandé adressé au commissaire.

Le paragraphe 303(3) a été modifié par le remplacement du mot « sous-ministre » par le mot « commissaire » par L.C. 1999, c. 17, art. 155f). Cette modification est entrée en vigueur le 1er novembre 1999.

Le paragraphe 303(3) a été ajouté par L.C. 1990, c. 45, par. 12(1).

Concordance québécoise: aucune.

(4) Demande non conforme — Le ministre peut recevoir la demande qui n'a pas été livrée ou postée à la personne ou à l'endroit indiqué au paragraphe (3).

Notes historiques: Le paragraphe 303(4) a été remplacé par L.C. 2007, c. 18, art. 49 et cette modification est entrée en vigueur le 22 juin 2007. Antérieurement, il se lisait ainsi :

(4) Le ministre peut faire droit à la demande qui n'a pas été livrée ou postée à la personne ou à l'endroit indiqué au paragraphe (3).

Le paragraphe 303(4) a été remplacé par L.C. 2000, c. 30, art. 90. Cette modification est réputée entrée en vigueur le 20 octobre 2000. Antérieurement, il se lisait comme suit :

(4) Le ministre peut faire droit à la demande qui n'a pas été envoyée en double exemplaire ou par courrier recommandé adressé au commissaire.

Le paragraphe 303(4) a été modifié par le remplacement du mot « sous-ministre » par le mot « commissaire » par L.C. 1999, c. 17, art. 155f). Cette modification est entrée en vigueur le 1er novembre 1999.

Le paragraphe 303(4) a été ajouté par L.C. 1990, c. 45, par. 12(1).

27 novembre 2006, Notes explicatives: Le paragraphe 303(4) permet au ministre du Revenu national d'accepter une demande de prorogation du délai de présentation d'un avis d'opposition selon le paragraphe 303(1), bien qu'elle n'ait pas été livrée ou postée conformément aux modalités prévues au paragraphe 303(3). La modification apportée au paragraphe 303(4) de la version française de la loi consiste à remplacer le terme « faire droit à » par « recevoir » afin d'assurer la concordance entre les deux versions officielles de la loi.

Cette modification entre en vigueur à la date de sanction du projet de loi.

Concordance québécoise: aucune.

(5) Obligations du ministre — Sur réception de la demande, le ministre l'examine avec diligence et y fait droit ou la rejette. Dès lors, il avise la personne de sa décision par courrier certifié ou recommandé.

Notes historiques: Le paragraphe 303(5) a été ajouté par L.C. 1990, c. 45, par. 12(1).

Concordance québécoise: LAF, art. 93.1.4.

(6) Date de production de l'avis d'opposition — S'il est fait droit à la demande, l'avis d'opposition ou la requête est réputé produit le jour de l'envoi de la décision du ministre à la personne.

Notes historiques: Le paragraphe 303(6) a été ajouté par L.C. 1990, c. 45, par. 12(1).

Concordance québécoise: LAF, art. 93.1.4.

(7) Conditions d'acceptation de la demande — Il n'est fait droit à la demande que si les conditions suivantes sont réunies :

a) la demande est présentée dans l'année suivant l'expiration du délai par ailleurs imparti pour faire opposition ou présenter la requête en application du paragraphe 274(6);

b) la personne démontre ce qui suit :

(i) dans le délai d'opposition par ailleurs imparti, elle n'a pu ni agir ni mandater quelqu'un pour agir en son nom, ou avait l'intention de faire opposition à la cotisation ou de présenter la requête,

(ii) compte tenu des raisons indiquées dans la demande et des circonstances de l'espèce, il est juste et équitable de faire droit à la demande,

(iii) la demande a été présentée dès que les circonstances le permettaient.

Notes historiques: Le paragraphe 303(7) a été ajouté par L.C. 1990, c. 45, par. 12(1).

Concordance québécoise: LAF, art. 93.1.3, 93.1.4.

Définitions [art. 303]: « commissaire », « cotisation », « ministre », « personne » — 123(1).

Renvois [art. 303]: 304 (prorogation du délai par la Cour canadienne de l'impôt); 334 (envoi par la poste — date de réception).

Jurisprudence [art. 303]: *Diome v. R.* (15 février 2012), 2012 CarswellNat 2600 (C.C.I.); *Rick Pearson Auto Transport Inc. c. La Reine*, [1996] G.S.T.C. 44 (CCI); *Valières-Thériault c. Québec (Sous-ministre du Revenu)*, [1998] G.S.T.C. 2 (C.S. Qué); *McCarthey c. R.*, [2001] G.S.T.C. 46 (CCI); *Groulx c. R.*, [2001] G.S.T.C. 47 (CCI); *Ferrara c. R.*, [2002] G.S.T.C. 18 (CCI); *Kovacevic c. R.*, [2002] G.S.T.C. 89 (CCI); *9848-3173 Québec Inc. c. R.*, [2003] G.S.T.C. 155 (CCI); *Motter c. Québec (Sous-ministre du Revenu)* (28 septembre 2005), 500-80-001068-031, 2005 CarswellQue 8953; *9122-5789 Québec Inc. c. R.*, 2008 CarswellNat 1709 (CCI); *Pereira v. R.*, [2008] G.S.T.C. 8 (CCI); *Pereira v. R.*, [2008] G.S.T.C. 187 (15 septembre 2008) (CAF).

Série de mémorandums [art. 303]: Mémorandum 31, 01/07, *Oppositions et appels*.

COMMENTAIRES: Cet article établit les critères permettant à une personne de proroger le délai de 90 jours suivant l'émission d'un avis de cotisation émis en vertu de l'article 296 pour déposer un avis d'opposition à l'égard de l'avis de cotisation.

Le délai pour déposer une telle demande est de un an et 90 jours suivant la date d'émission de l'avis de cotisation (alinéa 303(7)(a)). Ce délai est de rigueur et toute demande déposée à la suite de ce délai sera rejetée par l'Agence du revenu du Canada ou Revenu Québec.

Pour qu'une demande soit acceptée, la personne doit démontrer les éléments figurant à l'alinéa 303(7)(b). Contrairement à l'article 305 qui oblige la personne à démontrer le bien-fondé ou le mérite de son opposition pour interjeter appel à la Cour canadienne de l'impôt, il faut souligner que le bien-fondé des arguments reliés à l'avis de cotisation n'est pas un critère qui est analysé dans le cadre de la décision du ministre en vertu de cet article.

L'Agence du revenu du Canada et Revenu Québec ont notamment accepté les raisons suivantes pour accepter la prolongation de délais : (i) démonstration de l'intention de s'opposer en engageant un professionnel pour produire l'avis d'opposition; (ii) maladie ou décès dans la famille; (iii) événement de force majeure ou désastre naturel; (iv) discussions continues avec les autorités fiscales; (v) délais importants quant à la réception de documents étrangers; et (vi) mauvais calcul du délai (si déposer rapidement suivant le délai). L'Agence du revenu du Canada et Revenu Québec semblent également avoir accepté le prolongement de délai dans un cas où le professionnel mandaté a, en raison d'une surcharge de travail, oublié d'envoyer l'avis d'opposition dans les délais prescrits.

Le ministre à l'entière discrétion quant à sa décision et pourrait décider de ne pas accorder la prorogation de délai même si toutes les conditions figurant au paragraphe 303(7) sont rencontrées.

Si la demande de prorogation est acceptée, l'avis d'opposition ou la requête est alors réputé produit le jour de l'envoi de la décision du ministre à la personne (paragraphe 303(6)).

Si la demande de prorogation est refusée, il sera nécessaire de faire une demande à la Cour canadienne de l'impôt en vertu de l'article 304 pour en appeler de la décision.

L'article 303 est similaire à l'article 166.1 de la *Loi de l'impôt sur le revenu*.

304. (1) Prorogation du délai par la Cour canadienne de l'impôt — La personne qui a présenté une demande en application de l'article 303 peut demander à la Cour canadienne de l'impôt d'y faire droit après :

a) le rejet de la demande par le ministre;

b) l'expiration d'un délai de 90 jours suivant la signification de la demande, si le ministre n'a pas avisé la personne de sa décision.

Toutefois, une telle demande ne peut être présentée après l'expiration d'un délai de 30 jours suivant l'envoi de la décision à la personne selon le paragraphe 303(5).

Notes historiques: Le paragraphe 304(1) a été ajouté par L.C. 1990, c. 45, par. 12(1).

Concordance québécoise: LAF, art. 93.1.5.

(2) Modalités — La demande se fait par dépôt auprès du greffe de la Cour canadienne de l'impôt, conformément à la *Loi sur la Cour canadienne de l'impôt*, de trois exemplaires des documents produits aux termes du paragraphe 303(3).

Notes historiques: Le paragraphe 304(2) a été remplacé par L.C. 2000, c. 30, art. 91. Cette modification est réputée entrée en vigueur le 20 octobre 2000. Antérieurement, il se lisait comme suit :

(2) La demande se fait par dépôt auprès du greffe de la Cour canadienne de l'impôt, ou par envoi à celui-ci par courrier recommandé, de trois exemplaires des documents produits aux termes du paragraphe 303(3).

Le paragraphe 304(2) a été ajouté par L.C. 1990, c. 45, par. 12(1).

Concordance québécoise: aucune.

(3) Copie au commissaire — Sur réception de la demande, la Cour canadienne de l'impôt en envoie copie au bureau du commissaire.

Notes historiques: Le paragraphe 304(3) a été modifié par le remplacement du mot « sous-ministre » par le mot « commissaire » par L.C. 1999, c. 17, art. 155g). Cette modification est entrée en vigueur le 1er novembre 1999.

Le paragraphe 304(3) a été ajouté par. L.C. 1990, c. 45, par. 12(1).

Concordance québécoise: aucune.

(4) Pouvoirs de la Cour canadienne de l'impôt — La Cour canadienne de l'impôt peut rejeter la demande ou y faire droit. Dans ce dernier cas, elle peut imposer les conditions qu'elle estime justes ou ordonner que l'avis d'opposition soit réputé valide à compter de la date de l'ordonnance.

Notes historiques: Le paragraphe 304(4) a été ajouté par L.C. 1990, c. 45, par. 12(1).

Concordance québécoise: aucune.

(5) Acceptation de la demande — Il n'est fait droit à la demande que si les conditions suivantes sont réunies :

a) la demande a été présentée en application du paragraphe 303(1) dans l'année suivant l'expiration du délai par ailleurs imparti pour faire opposition ou présenter la requête en application du paragraphe 274(6);

b) la personne démontre ce qui suit :

(i) dans le délai d'opposition par ailleurs imparti, elle n'a pu ni agir ni mandater quelqu'un pour agir en son nom, ou avait véritablement l'intention de faire opposition à la cotisation ou de présenter la requête,

(ii) compte tenu des raisons indiquées dans la demande et des circonstances de l'espèce, il est juste et équitable de faire droit à la demande,

(iii) la demande a été présentée dès que les circonstances le permettaient,

(iv) l'opposition est raisonnablement fondée.

Notes historiques: Le paragraphe 304(5) a été ajouté par L.C. 1990, c. 45, par. 12(1).

Concordance québécoise: LAF, art. 93.1.5.

Définitions [art. 304]: « commissaire », « cotisation », « document », « ministre », « personne » — 123(1).

Renvois [art. 304]: 334 (envoi par la poste — date de réception).

Jurisprudence [art. 304]: *Diome v. R.* (15 février 2012), 2012 CarswellNat 2600 (C.C.I.); *Motter c. Québec (Sous-ministre du Revenu)* (28 septembre 2005), 500-80-001068-031, 2005 CarswellQue 8953; *Forages Géototal Drilling Inc. c. La Reine*, [1996] G.S.T.C. 27 (CCI); *Rick Pearson Auto Transport Inc. c. La Reine*, [1996] G.S.T.C. 44 (CCI); *Valières-Thériault c. Québec (Sous-ministre du Revenu)*, [1998] G.S.T.C. 2 (C.S. Qué); *Massarotto (J.) c. Canada*, [1999] G.S.T.C. 61 (CCI); *Szczerba c. R.*, [2000] G.S.T.C. 79 (CCI); *Schafer (A.) c. Canada*, [1998] G.S.T.C. 60 (CCI); [2000] G.S.T.C. 82 (CAF); *Groulx c. R.*, [2001] G.S.T.C. 47 (CCI); *9848-3173 Québec Inc. c. R.*, [2003] G.S.T.C. 155 (CCI); *Grunwald c. R.*, [2005] G.S.T.C. 192 (CAF); *4028490 Canada Inc. c. R.*, [2005] G.S.T.C. 48 (CCI); *Simard c. R.*, [2007] G.S.T.C. 21 (CAF); *9122-5789 Québec Inc. c. R.*, 2008 CarswellNat 1709 (CCI); *Pereira v. R.*, [2008] G.S.T.C. 8 (CCI); *Simard c. R.*, 2009 G.T.C. 997-139 (6 mars 2009) (CCI); *Lieberman c. R.* (24 mars 2011), 2011 CarswellNat 760, 2011 TCC 183, 2011 CCI 183 (CCI); *Grand River Enterprises Six Nations Ltd. v. R.* (19 décembre 2011), 2011 CarswellNat 6154, 2011 CCI 554 (CCI [procédure générale]).

Série de mémorandums [art. 304]: Mémorandum 31, 01/07, *Oppositions et appels*.

COMMENTAIRES: L'article 304 permet à une personne de se pourvoir en appel à la Cour canadienne de l'impôt (i) dans un délai de 30 jours suivant l'envoi de la décision du ministre de refuser la prorogation de délai ou (ii) suite à l'expiration d'un délai de 90 jours suivant la livraison de la demande de prolongation envoyée en vertu de l'article 303 et envers laquelle le ministre n'a toujours pas fourni de réponse. En pratique, il est rare que le ministre ne délivre pas sa décision dans les 90 jours suivant la demande déposée en vertu de l'article 303.

Aucune disposition ne prévoit la situation pour un allègement en cas de dépassement du délai de 30 jours prévu pour le dépôt de la demande de prolongation du délai par la Cour canadienne de l'impôt.

Pour que la demande formulée en vertu de l'article 304 soit acceptée, il est nécessaire de respecter l'ensemble des conditions réunies au paragraphe 304(5). Ainsi, contrairement à l'article 303, la personne doit démontrer que l'opposition est raisonnablement fondée. De plus, la Cour canadienne de l'impôt rejettera automatiquement les demandes quand elles sont déposées après le délai de 1 an et 90 jours suivant l'émission de l'avis de cotisation puisqu'elle n'a pas l'autorité législative d'agir autrement. Voir notamment : *Carlson c. R.* [2002], 2 C.T.C. 212 (CAF).

L'article 304 est similaire aux articles 166.1 et 166.2 de la *Loi de l'impôt sur le revenu*.

305. (1) Prorogation du délai d'appel — La personne qui n'a pas interjeté appel en application de l'article 306 dans le délai imparti peut présenter à la Cour canadienne de l'impôt une demande de prorogation du délai pour interjeter appel. Cette cour peut faire droit à la demande et imposer les conditions qu'elle estime justes.

Notes historiques: Le paragraphe 305(1) a été ajouté par L.C. 1990, c. 45, par. 12(1).

Concordance québécoise: LAF, art. 93.1.13.

(2) Contenu de la demande — La demande doit indiquer les raisons pour lesquelles l'appel n'a pas été interjeté dans le délai par ailleurs imparti.

Notes historiques: Le paragraphe 305(2) a été ajouté par L.C. 1990, c. 45, par. 12(1).

Concordance québécoise: LAF, art. 93.1.13.

(3) Modalités — La demande, accompagnée de trois exemplaires de l'avis d'appel, est déposée en trois exemplaires auprès du greffe de la Cour canadienne de l'impôt conformément à la *Loi sur la Cour canadienne de l'impôt*.

Notes historiques: Le paragraphe 305(3) a été remplacé par L.C. 2000, c. 30, art. 92. Cette modification est réputée entrée en vigueur le 20 octobre 2000. Antérieurement, il se lisait comme suit :

> (3) La demande, accompagnée de trois exemplaires de l'avis d'appel, est déposée en trois exemplaires auprès du greffe de la Cour canadienne de l'impôt, ou lui est envoyée en trois exemplaires par courrier recommandé.

Le paragraphe 305(3) a été ajouté par L.C. 1990, c. 45, par. 12(1).

Concordance québécoise: LAF, art. 93.1.19.

(4) Copie au sous-procureur général du Canada — Sur réception de la demande, la Cour canadienne de l'impôt en envoie copie au bureau du sous-procureur général du Canada.

Notes historiques: Le paragraphe 305(4) a été ajouté par L.C. 1990, c. 45, par. 12(1).

Concordance québécoise: LAF, art. 93.1.19.

(5) Acceptation de la demande — Il n'est fait droit à la demande que si les conditions suivantes sont réunies :

a) la demande a été présentée dans l'année suivant l'expiration du délai d'appel par ailleurs imparti;

b) la personne démontre ce qui suit :

(i) dans le délai d'appel par ailleurs imparti, elle n'a pu ni agir ni mandater quelqu'un pour agir en son nom, ou avait véritablement l'intention d'interjeter appel,

(ii) compte tenu des raisons indiquées dans la demande et des circonstances de l'espèce, il est juste et équitable de faire droit à la demande,

(iii) la demande a été présentée dès que les circonstances le permettaient,

(iv) l'appel est raisonnablement fondé.

Notes historiques: Le paragraphe 305(5) a été ajouté par L.C. 1990, c. 45, par. 12(1).

Concordance québécoise: LAF, art. 93.1.13.

Définitions [art. 305]: « cotisation », « personne » — 123(1).

Jurisprudence [art. 305]: *Motter c. Québec (Sous-ministre du Revenu)* (28 septembre 2005), 500-80-001068-031, 2005 CarswellQue 8953; *Multi-Point Enterprises Ltd. c. La Reine*, [1995] G.S.T.C. 72 (CCI); *Valières-Thériault c. Québec (Sous-ministre du Revenu)*, [1998] G.S.T.C. 2 (C.S. Qué); *Henry (R.) c. Canada*, [1998] G.S.T.C. 83 (CCI); *Szczerba c. R.*, [2000] G.S.T.C. 79 (CCI); *Banque nationale du Canada c. R.*, [2001] G.S.T.C. 103 (CCI); *Ferrara c. R.*, [2002] G.S.T.C. 18 (CCI); *Kovacevic c. R.*, [2002] G.S.T.C. 89 (CCI); *Industries Bonneville Ltée c. La Reine*, [2002] G.S.T.C. 99 (GST); *Air liquide Canada Inc c. R.*, [2004] 2 C.T.C. 153 (CCI); *Ruel c. R.*, [2004] G.S.T.C. 11 (CCI); *2749087 Canada Inc. c. R.*, [2004] G.S.T.C. 93 (CCI); *2749807 Canada Inc. c. R.*, 2004 G.T.C. 355 (CCI); *Université de Montréal c. R.*, [2006] G.S.T.C. 33 (CCI); *Houda International Inc. v. R.* (10 janvier 2011), 2011 CarswellNat 31, 2010 CCI 622, 2011 G.T.C. 929 (Fr.) (CCI).

Série de mémorandums [art. 305]: Mémorandum 31, 01/07, *Oppositions et appels*.

COMMENTAIRES: Cet article permet de demander une prorogation du délai pour interjeter appel à la Cour canadienne de l'impôt d'une décision rendue par l'Agence du revenu du Canada ou Revenu Québec à la suite de la production d'un avis d'opposition. Ainsi, cet article diffère de l'article 304 qui concerne davantage une demande de prorogation de délai pour produire un avis d'opposition.

La demande doit obligatoirement démontrée tous les éléments reflétés à l'alinéa 305(b) sous peine d'être refusé sommairement, dont notamment la démonstration que l'appel est raisonnable fondé et que la demande a été présentée dès que les circonstances le permettaient. À tout événement, l'alinéa 305(a) prévoit que la demande doit obligatoirement être déposée dans un délai maximum d'un an et 90 jours suivants la date de la décision en opposition. La Cour canadienne de l'impôt rejette automatiquement les demandes quand elles sont déposées après ce délai. Voir notamment : *Savard c. R.*, 2002 CarswellNat 1459, 2002 D.T.C. 1912 (C.C.I.), *Lamothe c. R.*, 2002 CarswellNat 3193 (C.C.I), *Ameir c. R.*, [2012] G.S.T.C. 58 (C.C.I.).

Dans une cause récente, l'affaire *Lieberman c. R.*, [2011] G.S.T.C. (C.C.I.), la Cour a refusé la demande de prolongation de délai, car celle-ci n'a pas été présentée dès que les circonstances le permettaient. Dans cette affaire, M. Lieberman avait présenté une preuve contradictoire et n'avait pas fait ressortir son intention qu'il avait de s'opposer à l'avis de cotisation. Ainsi, peu importe de la validité des arguments qu'ils avaient pour s'opposer, il a été impossible de contester l'avis de cotisation.

Dans l'affaire *Houda International Inc. c. La Reine*, 2010 CCI 622 (C.C.I.), la Cour canadienne de l'impôt a indiqué que l'on doit rechercher, aux termes de la LTA, (i) si la requérante n'a pu agir ou a eu véritablement l'intention d'interjeter appel, (ii) s'il est juste et équitable de faire droit à la demande, et (iii) si la demande a été présentée dès que les circonstances le permettaient et déterminer si ces exigences fédérales sont similaires à celles du Québec. La Cour canadienne de l'impôt réfère à l'article 110.1 du *Code de procédure civile du Québec* lequel impose lui aussi le critère de l'impossibilité en fait d'agir aux demandes de prorogation de délai dans les affaires civiles. Cette Cour réfère ensuite aux décisions *Océanica inc. c. Québec (Sous-ministre du Revenu)* 2010 QCCQ 871, 2010 QCCA 1901 (permission d'en appeler à la Cour suprême du Canada refusée) et *Simon c. Québec (Sous-ministre du Revenu)* 2010 QCCQ 2980 qui décrivent les conditions relatives à l'impossibilité en fait d'agir dans les affaires fiscales. Selon le juge Boyle, il ressort clairement de la jurisprudence québécoise que le critère de l' « impossibilité en fait » ne peut jouer dans les cas où la demande de dépôt tardif de l'avis d'appel est présentée par suite du manquement d'un avocat ou d'un comptable, sauf si le tribunal conclut que le contribuable avait demandé à son conseiller d'agir et que ce manquement n'est pas attribuable au contribuable lui-même. En l'espèce, tel que le souligne la Cour canadienne de l'impôt, la Cour du Québec avait fait droit à la demande de prorogation du délai d'appel et avait conclu que la contribuable avait clairement demandé à son avocat d'interjeter appel dans le délai prescrit.

Il est important de souligner que la Cour canadienne de l'impôt a l'entière discrétion d'accorder (ou non) la demande de prorogation du délai d'appel. Cette conclusion vient du fait de l'emploi du mot « peut » plutôt que « doit » au paragraphe 305(1) *in fine*.

L'article 305 est similaire à l'article 167 de la *Loi de l'impôt sur le revenu*.

306. Appel — La personne qui a produit un avis d'opposition à une cotisation aux termes de la présente sous-section peut interjeter appel à la Cour canadienne de l'impôt pour faire annuler la cotisation ou en faire établir une nouvelle lorsque, selon le cas :

a) la cotisation est confirmée par le ministre ou une nouvelle cotisation est établie;

b) un délai de 180 jours suivant la production de l'avis est expiré sans que le ministre n'ait notifié la personne du fait qu'il a annulé ou confirmé la cotisation ou procédé à une nouvelle cotisation.

Toutefois, nul appel ne peut être interjeté après l'expiration d'un délai de 90 jours suivant l'envoi à la personne, aux termes de l'article 301, d'un avis portant que le ministre a confirmé la cotisation ou procédé à une nouvelle cotisation.

Notes historiques: L'article 306 a été ajouté par L.C. 1990, c. 45, par. 12(1).

Concordance québécoise: LAF, art. 93.1.10, 93.1.13.

Définitions: « cotisation », « ministre », « personne » — 123(1).

Renvois: 305 (prorogation du délai d'appel); 310(2)c) (CCI — exclusion du délai d'examen); 311(7)c) (questions communes — exclusion du délai d'examen).

Jurisprudence: *Motter c. Québec (Sous-ministre du Revenu)* (28 septembre 2005), 500-80-001068-031, 2005 CarswellQue 8953; *Vacation Villas of Collingwood c. La Reine*, [1996] G.S.T.C. 12 (CCI); [1996] G.S.T.C. 13 (CAF); *Valières-Thériault c. Québec (Sous-ministre du Revenu)*, [1998] G.S.T.C. 2 (C.S. Qué); *Henry (R.) c. Canada*, [1998] G.S.T.C. 83 (CCI); *475830 Alberta Ltd. c. Canada*, [1998] G.S.T.C. 103 (CCI); *Re Bateman*, [1999] G.S.T.C. 26 (NSSC); *Pacific Rim Resort Properties Inc. c. Canada*, [1999] G.S.T.C. 34 (CCI); *Sood (P.) c. Canada*, [1999] G.S.T.C. 45 (CCI); *Peach Hill Management Ltd. c. Canada*, [1999] G.S.T.C. 11 (CCI); [2000] G.S.T.C. 45 (CAF); *Ferrara c. R.*, [2002] G.S.T.C. 18 (CCI); *Kovacevic c. R.*, [2002] G.S.T.C. 89 (CCI); *Bruner c. R.*, [2002] G.S.T.C. 285 (CCI); *Bruner v. R.*, [2003] G.S.T.C. 28 (CFA); *Desrosiers c. R.*, [2004] G.S.T.C. 79 (CCI); *Scott Slipp Nissan Ltd. v. Canada (Attorney General)*, [2004] G.S.T.C. 1159 (CF); *2749807 Canada Inc. c. R.*, [2004] G.S.T.C. 93 (CCI); *Florida Ceilings Inc. v. R.*, [2004] G.S.T.C. 136 (CAF); *Déziel c. R.*, [2005] G.S.T.C. 19 (CCI); *Garcha c. R.*, [2005] 5 C.T.C. 2147 (CCI); *Kumar c. R.*, [2006] G.S.T.C. 94 (CAF); *Qureshi c. R.*, [2006] G.S.T.C. 121 (CCI); *Brampton Vee World Motors Ltd. c. R.*, [2006] G.S.T.C. 110 (CCI); *Garcha c. R.*, [2006] 5 C.T.C. 2449 (CCI); *Banque Nationale du Canada c. R.*, [2006] G.S.T.C. 80 (CCI); *Banque Canadienne Impériale de Commerce c. R.*, [2006] G.S.T.C. 105 (CCI); *R. Marcoux & Fils Inc. c. R.*, [2007] G.S.T.C. 8 (CCI); *Frigstad v. R.*, [2008] G.S.T.C. 29 (CCI [procédure informelle]); *Merchant Law Group v. R.*, [2008] G.S.T.C. 20 (28 janvier 2008) (CCI [procédure générale]); *Vert-Dure Plus (1991) Inc. c. R.*, [2007] G.S.T.C. 166 (CCI [procédure informelle]); *Desrosiers c. R.*, 2008 G.T.C. 799 (CCI [procédure informelle]); *Landry c. R.*, 2009 G.T.C. 997-158 (17 mars 2009) (CCI [procédure informelle]); *Vuruna c. R.* (28 octobre 2010), 2010 CarswellNat 4896, 2010 CCI 365 (CCI [procédure informelle]); *Li v. R.* (7 septembre 2011), 2011 CarswellNat 4221, 2011 CCI 416 (CCI [procédure informelle]).

Série de mémorandums: Mémorandum 31, 01/07, *Oppositions et appels*.

COMMENTAIRES: L'article 306 permet à une personne qui a produit un avis d'opposition en vertu de l'article 301 (ou en vertu des articles 303 ou 304) d'interjeter appel à la Cour canadienne de l'impôt.

Le délai pour déposer son appel est de 90 jours suivant l'avis de décision émis par le ministre portant que celui-ci a confirmé la cotisation ou a émis une nouvelle cotisation. Il est néanmoins possible de demander une prorogation du délai de 90 jours en déposant une demande à la Cour canadienne de l'impôt à cet effet selon les modalités prescrites par l'article 305.

Toutefois, le délai d'appel de 90 jours suivant l'échéance de l'absence de notification du ministre dans les 180 jours suivant l'envoi d'un avis d'opposition au ministre n'est pas applicable. Ainsi, la demande de se pourvoir directement à la Cour canadienne de l'impôt dans cette situation n'est pas limitée dans le temps. En pratique, la possibilité d'en appeler à la Cour canadienne de l'impôt suivant l'absence de notification du ministre dans un délai de 180 jours est rarement utilisée, à moins d'être confortable avec le fait que les avis de cotisation seront maintenus.

Il faut souligner qu'il est dorénavant possible de déposer électroniquement sa demande d'appel à la Cour canadienne de l'impôt par le biais de leur site internet.

En vertu de ses pouvoirs limités notamment par l'article 309, la Cour canadienne de l'impôt peut uniquement confirmer, rejeter ou varier les montants d'un avis de cotisation ou renvoyer l'avis au ministre pour qu'il émette une nouvelle cotisation. La Cour canadienne de l'impôt ne peut augmenter le montant de la dette fiscale. Voir notamment à cet effet : *R. c. Marcoux & Fils inc.*, [2007] G.S.T.C. 8 (CCI) et *Vert-Dure Plus (1991) Inc. c. R.*, 2007 CarswellNat 2948 (C.C.I.). La Cour a toutefois la juridiction de conclure à l'égard de questions concernant la *Charte des droits et libertés. (Campbell c. R.*, [2006] 1 C.T.C. 187 (F.C.A.)).

La plupart des appels à la Cour canadienne de l'impôt en vertu de la *Loi sur la taxe d'accise (TPS)* se font par le biais de la procédure informelle étant donné l'absence de plafond sur le montant maximal sujet à l'appel. Toutefois, la personne doit en faire le choix lors du dépôt de la demande. Si le choix n'a pas été exercé, la demande sera traitée selon la procédure générale. La procédure informelle est gratuite, plus rapide et permet à n'importe quel mandataire de représenter le personne. L'Agence du revenu du Canada peut cependant décider de transférer une demande de la procédure informelle à la procédure générale.

Au Québec, il est à noter que les avis d'opposition en vertu de la *Loi sur la taxe de vente du Québec* ne peuvent être portés en appel devant la Cour canadienne de l'impôt. Ils sont obligatoirement portés en appel devant la Cour du Québec.

Finalement, il est à noter que les délais pour en appeler d'une décision de la Cour canadienne de l'impôt à la Cour fédérale sont de 30 jours en vertu du paragraphe 27(2) de la *Loi sur la cour fédérale*.

306.1 (1) Restriction touchant les appels à la Cour canadienne de l'impôt — Malgré les articles 302 et 306, la personne à laquelle le paragraphe 301(1.2) ou (1.21) s'applique qui produit un avis d'opposition à une cotisation ne peut interjeter appel devant la Cour canadienne de l'impôt pour faire annuler la cotisation, ou en faire établir une nouvelle, qu'à l'égard des questions suivantes :

a) une question relativement à laquelle elle s'est conformée au paragraphe 301(1.2) ou (1.21) dans l'avis, mais seulement à l'égard du redressement, tel qu'il est exposé dans l'avis, qu'elle demande relativement à cette question;

b) une question visée au paragraphe 301(1.5), dans le cas où elle n'était pas tenue de produire un avis d'opposition à la cotisation qui a donné lieu à la question.

Notes historiques: Le passage précédant l'alinéa b) du paragraphe 306.1(1) a été remplacé par L.C. 2010, c. 12, art. 81 et cette modification est réputée entrée en vigueur le 12 juillet 2010. Antérieurement, il se lisait ainsi :

> 306.1 (1) Malgré les articles 302 et 306, la personne qui produit un avis d'opposition à une cotisation relativement à laquelle elle est une personne déterminée, au sens du paragraphe 301(1), ne peut interjeter appel devant la Cour canadienne de l'impôt pour faire annuler la cotisation, ou en faire établir une nouvelle, qu'à l'égard des questions suivantes :
>
> a) une question relativement à laquelle elle s'est conformée au paragraphe 301(1.2) dans l'avis, mais seulement à l'égard du redressement, tel qu'il est exposé dans l'avis, qu'elle demande relativement à cette question;

Le paragraphe 306.1(1) a été ajouté par L.C. 1997, c. 10, par. 83(1) et s'applique aux appels, interjetés après le 20 mars 1997, concernant des cotisations pour lesquelles un avis est délivré après avril 1996, à l'exception des cotisations pour lesquelles un avis est délivré après ce mois en application du paragraphe 301(3) par suite d'un avis d'opposition visant une cotisation établie avant mai 1996.

avril 2010, Notes explicatives: Le paragraphe 306.1(1) prévoit certaines restrictions par l'effet desquelles il n'est pas permis de faire appel d'une cotisation devant la Cour canadienne de l'impôt. Selon ce paragraphe, les personnes déterminées, au sens du paragraphe 301(1) de la Loi, ne peuvent en appeler d'une cotisation devant cette cour si la question à trancher n'a pas été précisée dans l'avis d'opposition à la cotisation selon les modalités prévues au paragraphe 301(1.2). Il leur est également interdit de réviser le redressement demandé relativement à une question.

Le paragraphe 306.1(1) est modifié de façon que ces interdictions s'appliquent également aux institutions financières visées au nouveau paragraphe 301(1.21) si la question à trancher n'a pas été précisée dans l'avis d'opposition à la cotisation selon les modalités prévues à ce paragraphe. Il leur est également interdit de réviser le redressement demandé relativement à une question.

Ces modifications entrent en vigueur à la date de sanction du projet de loi.

septembre 2009, Notes explicatives: Le paragraphe 306.1(1) prévoit certaines restrictions par l'effet desquelles il n'est pas permis de faire appel d'une cotisation devant la Cour canadienne de l'impôt. Selon ce paragraphe, les personnes déterminées, au sens du paragraphe 301(1) de la Loi, ne peuvent en appeler d'une cotisation devant cette cour si la question à trancher n'a pas été précisée dans l'avis d'opposition à la cotisation selon les modalités prévues au paragraphe 301(1.2). Il leur est également interdit de réviser le redressement demandé relativement à une question.

Le paragraphe 306.1(1) est modifié de façon que ces interdictions s'appliquent également aux institutions financières visées au nouveau paragraphe 301(1.21) si la question à trancher n'a pas été précisée dans l'avis d'opposition à la cotisation selon les modalités prévues à ce paragraphe.

Ces modifications entrent en vigueur à la date de sanction du projet de loi.

Concordance québécoise: LAF, art. 93.1.10 al. 2.

(2) Restriction — Malgré les articles 302 et 306, aucun appel ne peut être interjeté par une personne devant la Cour canadienne de l'impôt pour faire annuler ou modifier une cotisation visant une question pour laquelle elle a renoncé par écrit à son droit d'opposition ou d'appel.

Notes historiques: Le paragraphe 306.1(2) a été ajouté par L.C. 1997, c. 10, par. 83(1) et s'applique après le 20 mars 1997 aux renonciations signées à tout moment.

Concordance québécoise: LAF, art. 93.1.11.

Définitions [art. 306.1]: « cotisation », « personne » — 123(1).

Renvois [art. 306.1]: 301(1.6) (renonciation au droit d'opposition).

Jurisprudence [art. 306.1]: *Valières-Thériault c. Québec (Sous-ministre du Revenu)*, [1998] G.S.T.C. 2 (C.S. Qué); *Motter c. Québec (Sous-ministre du Revenu)* (28 septembre 2005), 500-80-001068-031, 2005 CarswellQue 8953; *Telus Communications (Edmonton) Inc. c. R.*, [2005] G.S.T.C. 96 (CAF); *Roberge Transport Inc. v. R.*, 2010 CarswellNat 2453, 2010 CCI 155, [2010] G.S.T.C. 43 (CCI [procédure générale]).

Bulletins de l'information technique [art. 306.1]: B-075R, 23/04/96, *Modifications proposées à la TPS*.

Série de mémorandums [art. 306.1]: Mémorandum 31, 01/07, *Oppositions et appels*.

COMMENTAIRES: Le paragraphe (1) prévoit certaines restrictions pour les personnes déterminées (c'est-à-dire les grandes entreprises et institutions financières) dans leur demande d'appel à la Cour canadienne de l'impôt. Ainsi, aucun appel ne pourra être interjeté à l'égard d'une question qui n'a pas été préalablement soulevée dans l'avis d'opposition. Voir notamment : *British Columbia Transit c. R.*, 2006 CCI 437. Il en est de même si les exigences reflétées aux paragraphes 301(1.2) et (1.21) LTA n'ont pas été rencontrées. Voir notamment : *Telus Communications (Edmonton) inc. c. R.*, 2005 CAF 159 (C.A.F.).

Finalement, le paragraphe (2) prévoit qu'aucun appel ne peut être interjeté dans la mesure où il y a eu renonciation à son droit d'opposition ou d'appel. La rédaction de ce paragraphe est ambigüe par l'utilisation du mot « ou » dans l'expression « droit d'opposition ou d'appel ». En pratique, toutefois, il est fréquent que l'Agence du revenu du Canada et Revenu Québec fassent signer à la personne concernée une renonciation autant au droit d'opposition que d'appel. À cet effet, nous vous recommandons l'affaire *Brar c. R.*, 2003 CCI 460 où le juge a rejeté une demande d'appel logé à la Cour canadienne de l'impôt étant donné que la personne avait signé une renonciation.

Étant donné la confirmation par la Cour suprême du Canada de la validité d'une renonciation signée par une personne, il est raisonnable de penser que le paragraphe (2) a été introduit davantage à titre informatif. Voir notamment : *Smerchanski c. MNR*, [1976] C.T.C. 488 (C.S.C.).

307. Modalités de l'appel — Un appel à la Cour canadienne de l'impôt est interjeté selon les modalités indiquées dans la *Loi sur la Cour canadienne de l'impôt* ou ses règlements d'application, sauf s'il s'agit d'un appel visé à l'article 18.3001 de cette loi.

Notes historiques: L'article 307 a été ajouté par L.C. 1990, c. 45, par. 12(1).

Concordance québécoise: LAF, art. 93.1.17–93.1.20.

Définitions [art. 307]: « règlement » — 123(1).

Jurisprudence [art. 307]: *Valières-Thériault c. Québec (Sous-ministre du Revenu)*, [1998] G.S.T.C. 2 (C.S. Qué); *Motter c. Québec (Sous-ministre du Revenu)* (28 septembre 2005), 500-80-001068-031, 2005 CarswellQue 8953.

COMMENTAIRES: L'article 18.3001 de la *Loi sur la Cour canadienne de l'impôt* permet à une personne de se prévaloir de la procédure informelle.

En l'absence de choix, la procédure générale s'appliquera à l'appel logé devant la Cour canadienne de l'impôt.

L'article 307 LTA n'a aucune correspondance dans la LIR.

308. (1) Avis au commissaire — Dans le cas où un appel est interjeté devant la Cour canadienne de l'impôt aux termes de l'article 18.3001 de la *Loi sur la Cour canadienne de l'impôt*, la Cour adresse immédiatement copie de l'avis d'appel au bureau du commissaire.

Notes historiques: Le paragraphe 308(1) a été modifié par le remplacement du mot « sous-ministre » par le mot « commissaire » par L.C. 1999, c. 17, art. 155h). Cette modification est entrée en vigueur le 1er novembre 1999.

Le paragraphe 308(1) a été ajouté par L.C. 1990, c. 45, par. 12(1).

Concordance québécoise: LAF, art. 93.1.17 à 93.1.20.

(2) [*Abrogé*].

Notes historiques: Le paragraphe 308(2) a été abrogé par L.C. 2007, c. 18, art. 50 et cette abrogation est entrée en vigueur le 22 juin 2007. Antérieurement, il se lisait ainsi :

> (2) Avis à la Cour canadienne de l'impôt — Immédiatement après avoir reçu un avis d'appel, le commissaire adresse à la Cour canadienne de l'impôt et à l'appelant des copies des déclarations, demandes, avis de cotisation, avis d'opposition et notifications qui ont rapport à l'appel. Dès lors, les copies font partie du dossier devant la Cour dans un appel interjeté aux termes de l'article 18.3001 de la *Loi sur la Cour canadienne de l'impôt* et font preuve de l'existence des documents et énoncés dont ils font état.

Le paragraphe 308(2) a été modifié par le remplacement du mot « sous-ministre » par le mot « commissaire » par L.C. 1999, c. 17, art. 155. Cette modification est entrée en vigueur le 1er novembre 1999.

Le paragraphe 308(2) a été ajouté par L.C. 1990, c. 45, par. 12(1).

27 novembre 2006, Notes explicatives: Selon le paragraphe 308(2), le commissaire est tenu d'adresser à la Cour canadienne de l'impôt des copies des déclarations, demandes, avis de cotisation, avis d'opposition et notifications qui ont rapport à un appel devant la Cour ou à l'appelant. Une fois transmises, les copies font partie du dossier et font preuve de l'existence des documents et énoncés dont elles font état. Le paragraphe 308(2) est analogue au paragraphe 176(1) de la *Loi de l'impôt sur le revenu*.

La modification consiste à abroger le paragraphe 308(2) puisque la Cour d'appel fédérale a statué que le paragraphe 176(1) de la *Loi de l'impôt sur le revenu* était inconstitutionnel.

Cette modification entre en vigueur à la date de sanction du projet de loi [aucun projet de loi n'a été déposé à la date de la publication de cet ouvrage — n.d.l.r.].

Définitions [art. 308]: « commissaire », « cotisation », « document » — 123(1).

Jurisprudence [art. 308]: *Swimm (K.T.) c. La Reine*, [1996] G.S.T.C. 40 (CCI); *Valières-Thériault c. Québec (Sous-ministre du Revenu)*, [1998] G.S.T.C. 2 (C.S. Qué); *Aliments Koyo inc. v. R.*, [2004] T.C.C. 286 (CCI); *Motter c. Québec (Sous-ministre du Revenu)* (28 septembre 2005), 500-80-001068-031, 2005 CarswellQue 8953.

COMMENTAIRES: L'article 18.3001 de la *Loi sur la Cour canadienne de l'impôt* permet à une personne de demander que la procédure informelle s'applique à son appel à la Cour canadienne de l'impôt. Certains avantages sont reliés à la procédure informelle, notamment la rapidité de délivrance du jugement, et les règles de preuve plus souple. De plus, il est possible pour la personne de ne pas être représenté par un avocat (quoique cela est rarement un avantage!).

L'article 18.3001 de la *Loi sur la Cour canadienne de l'impôt* s'applique à l'égard de i) la *Loi de 2001 sur l'accise* si une personne en fait la demande dans son avis d'appel et si le montant en litige n'excède pas 25 000 $, (ii) la partie V.1 de la *Loi sur les douanes*, et (iii) la partie IX de la *Loi sur la taxe d'accise* si une personne en fait la demande dans son avis d'appel (aucune limite de montant cotisé).

À titre comparatif, en matière d'impôt sur le revenu, la procédure informelle est uniquement disponible pour les causes portées en appel d'une cotisation visé par la *Loi de l'impôt sur le revenu* d'une valeur inférieure à 12 000 $ tel que déterminé à l'article 18 de la *Loi sur la Cour canadienne de l'impôt*.

L'article 308 LTA n'a aucune correspondance dans la *Loi de l'impôt sur le revenu*.

309. (1) Règlement d'appel — La Cour canadienne de l'impôt peut statuer sur un appel concernant une cotisation en le rejetant ou en l'accueillant. Dans ce dernier cas, elle peut annuler la cotisation ou la renvoyer au ministre pour nouvel examen et nouvelle cotisation.

Notes historiques: Le paragraphe 309(1) a été ajouté par L.C. 1990, c. 45, par. 12(1).

Concordance québécoise: LAF, art. 93.1.21.

(2) [*Abrogé*]

Notes historiques: Le paragraphe 309(2) a été abrogé par L.C. 1993, c. 27, art. 132 rétroactivement au 10 juin 1993. Il se lisait auparavant comme suit :

> (2) Dès qu'une décision est rendue sur un appel visé à l'article 18.3001 de la *Loi sur la Cour canadienne de l'impôt*, la Cour canadienne de l'impôt doit adresser sous pli recommandé une copie de la décision et, le cas échéant, de l'énoncé des motifs au ministre et à l'appelant.

Définitions [art. 309]: « cotisation », « ministre » — 123(1).

Renvois [art. 309]: 334 (envoi par la poste — date de réception).

Jurisprudence [art. 309]: *Comeau (R.) c. La Reine*, [1996] G.S.T.C. 3 (CCI); *United Power Ltd. c. La Reine*, [1996] G.S.T.C. 8 (CCI); *Valières-Thériault c. Québec (Sous-ministre du Revenu)*, [1998] G.S.T.C. 2 (C.S. Qué); *Jorstead (D.E.) c. Canada*, [1998] G.S.T.C. 86 (CCI); *Cigana (F.) c. Canada*, [1998] G.S.T.C. 120 (CCI); *Sood (P.) c. Canada*, [1999] G.S.T.C. 45 (CCI); *Cigana (F.) c. Canada*, [1998] G.S.T.C. 120 (CCI); [1999] G.S.T.C. 106 (CAF); *Bruner c. R.*, [2002] G.S.T.C. 285 (CCI); *Club de hockey Les Seigneurs de Kamouraska Inc. c. R.*, [2003] G.S.T.C. 166 (TCC); *Scott Slipp Nissan Ltd. v. Canada (Attorney General)*, [2004] G.S.T.C. 1159 (CF); *Motter c. Québec (Sous-ministre du Revenu)* (28 septembre 2005), 500-80-001068-031, 2005 CarswellQue 8953; *Dundurn Street Lofts Inc. v. R.*, 2009 CarswellNat 1666 (1er octobre 2008) (CCI [procédure générale]); *Brouillette c. R.* (2 décembre 2010), 2010 CarswellNat 4564, 2010 CCI 616, 2011 G.T.C. 910 (Fr.) (CCI [procédure générale]).

COMMENTAIRES: L'article 309 établit les pouvoirs de la Cour canadienne de l'impôt en vertu d'un appel suite à une cotisation en vertu de la *Loi sur la taxe d'accise (TPS)*. Ainsi, la Cour canadienne de l'impôt peut soit : (i) rejeter un appel, (ii) accueillir un appel et annuler une cotisation, ou (iii) accueillir un appel et renvoyer la cotisation au ministre pour un nouvel examen.

Il faut noter que de façon générale, il n'est pas interdit pour la Cour canadienne de l'impôt d'accorder davantage de ce qui est demandé dans l'avis d'appel (sous réserve, notamment, du paragraphe 306.1(1)). En pratique, cela peut arriver dans un contexte de procédure informelle, où la personne est rarement représentée par un avocat.

L'article 12 de la *Loi sur la cour canadienne de l'impôt* décrit également l'étendue de la juridiction que détient la Cour canadienne de l'impôt.

À l'exception de l'analyse de questions relatives à la *Charte des droits et libertés*, la Cour canadienne de l'impôt ne peut rendre de décision sans qu'une loi ne lui en accorde le pouvoir spécifiquement. À titre illustratif, la Cour canadienne de l'impôt s'est prononcée dans l'affaire *Dundurn Street Lofts inc. c. R.*, 2009 CCI 122 (C.C.I.) où elle a confirmé les limites de sa compétence à ce qui est reflété à l'article 309 et a déclaré ne pas avoir la compétence de pouvoir rendre une ordonnance en droit criminel.

310. (1) Renvoi à la Cour canadienne de l'impôt — La Cour canadienne de l'impôt doit statuer sur toute question portant sur une cotisation, réelle ou projetée, découlant de l'application de la présente partie, que le ministre et une autre personne conviennent, par écrit, de lui soumettre.

Notes historiques: Le paragraphe 310(1) a été ajouté par L.C. 1990, c. 45, par. 12(1).

Concordance québécoise: aucune.

(2) Exclusion du délai d'examen — La période comprise entre la date à laquelle une question est soumise à la Cour canadienne de l'impôt et la date à laquelle il est définitivement statué sur la question est exclue du calcul des délais suivants en vue, selon le cas, d'établir une cotisation à l'égard de la personne qui a accepté de soumettre la question, de signifier un avis d'opposition à cette cotisation ou d'en appeler de celle-ci :

a) la période de quatre ans visée à l'article 298;

b) le délai de signification d'un avis d'opposition à une cotisation selon l'article 301;

c) le délai d'appel selon l'article 306.

Notes historiques: Le paragraphe 310(2) a été ajouté par L.C. 1990, c. 45, par. 12(1).

Concordance québécoise: aucune.

Définitions [art. 310]: « cotisation », « ministre », « personne » — 123(1).

Jurisprudence [art. 310]: *Valières-Thériault c. Québec (Sous-ministre du Revenu)*, [1998] G.S.T.C. 2 (C.S. Qué); *Jorstead (D.E.) c. Canada*, [1998] G.S.T.C. 86 (CCI); *Motter c. Québec (Sous-ministre du Revenu)* (28 septembre 2005), 500-80-001068-031, 2005 CarswellQue 8953.

Série de mémorandums [art. 310]: Mémorandum 31, 01/07, *Oppositions et appels*.

COMMENTAIRES: Cet article permet à l'Agence du revenu du Canada et à la personne visée de convenir à soumettre une question portant sur une cotisation, réelle ou projetée, directement à la Cour canadienne de l'impôt.

Il est à noter que l'aval de l'Agence du revenu du Canada ou de Revenu Québec est essentiel et par conséquent, deux parties privées seules ne peuvent en faire la demande.

À titre illustratif, l'article 310 a été appliqué récemment pour déterminer une question mixte de droit et de fait. Voir notamment : *Taylor c. R.*, 2010 TCC 246 (C.C.I.), appel rejeté en Cour d'appel fédérale, 2012 CAF 148.

L'article 310 LTA est similaire à l'article 173 de la *Loi de l'impôt sur le revenu*.

311. (1) Renvoi à la Cour canadienne de l'impôt de questions communes — Si le ministre est d'avis qu'une même opération, un même événement ou une même série d'opérations ou d'événements soulève une question qui se rapporte à des cotisations, réelles ou projetées, relatives à plusieurs personnes, il peut demander à la Cour canadienne de l'impôt de statuer sur la question.

Notes historiques: Le paragraphe 311(1) a été ajouté par L.C. 1990, c. 45, par. 12(1).

Concordance québécoise: aucune.

(2) Idem — La demande doit comporter les renseignements suivants :

a) la question sur laquelle le ministre demande une décision;

b) le nom des personnes qu'il souhaite voir liées par la décision;

c) les faits et motifs sur lesquels il s'appuie et sur lesquels il fonde ou a l'intention de fonder la cotisation de chaque personne nommée dans la demande.

Le ministre signifie un exemplaire de la demande à chacune des personnes qui y sont nommées et à toute autre personne qui, de l'avis de la Cour canadienne de l'impôt, sont susceptibles d'être visées par la décision.

Notes historiques: Le paragraphe 311(2) a été ajouté par L.C. 1990, c. 45, par. 12(1).

Concordance québécoise: aucune.

(3) Décision de la Cour canadienne de l'impôt — Dans le cas où la Cour canadienne de l'impôt est convaincue que la décision rendue sur la question exposée dans une demande a un effet sur les cotisations, réelles ou projetées, concernant plusieurs personnes à qui une copie de la demande a été signifiée et qui sont nommées dans une ordonnance de la Cour rendue en application du présent paragraphe, elle peut :

a) si aucune des personnes ainsi nommées n'en a appelé d'une de ces cotisations, entreprendre de statuer sur la question selon les modalités qu'elle juge indiquées;

b) si une ou plusieurs des personnes ainsi nommées ont interjeté appel, rendre une ordonnance groupant dans cet ou ces appels les parties appelantes comme elle le juge à propos et entreprendre de statuer sur la question.

Notes historiques: Le paragraphe 311(3) a été ajouté par L.C. 1990, c. 45, par. 12(1).

Concordance québécoise: aucune.

(4) Décision définitive — Sous réserve du paragraphe (5), la décision rendue par la Cour canadienne de l'impôt sur une question soumise dans une demande dont elle a été saisie en vertu du présent article est définitive et sans appel aux fins de l'établissement de toute cotisation à l'égard des personnes qui y sont nommées.

Notes historiques: Le paragraphe 311(4) a été ajouté par L.C. 1990, c. 45, par. 12(1).

Concordance québécoise: aucune.

(5) Appel — Dans le cas où la Cour canadienne de l'impôt statue sur une question soumise dans une demande dont elle a été saisie en vertu du présent article, le ministre ou l'une des personnes à qui une copie de la demande a été signifiée et qui est nommée dans une ordonnance de la Cour peut interjeter appel de la décision conformément aux dispositions applicables de la présente partie, de la *Loi sur la Cour canadienne de l'impôt* ou de la *Loi sur les Cours fédérales*.

Notes historiques: Le paragraphe 311(5) a été modifié par L.C. 2002, c. 8, al. 182(1)q) par le remplacement des mots « *Loi sur la Cour fédérale* » par les mots « *Loi sur les Cours fédérales* ». Cette modification est entrée en vigueur le 2 juillet 2003.

Le paragraphe 311(5) a été ajouté par L.C. 1990, c. 45, par. 12(1).

Concordance québécoise: aucune.

(6) Parties à un appel — Les parties liées par une décision rendue en application du paragraphe (4) sont parties à un appel de cette décision.

Notes historiques: Le paragraphe 311(6) a été ajouté par L.C. 1990, c. 45, par. 12(1).

Concordance québécoise: aucune.

(7) Exclusion du délai d'examen — La période comprise entre la date de signification d'une demande à une personne en application du paragraphe (2) et, s'agissant d'une personne nommée dans une ordonnance rendue par la Cour canadienne de l'impôt en application du paragraphe (3), la date où la décision devient définitive et sans appel ou, s'agissant d'une autre personne, la date où il lui est signifié un avis portant qu'elle n'a pas été nommée dans une telle ordonnance, est exclue du calcul des délais suivants en vue, selon le cas, d'établir une cotisation à l'égard de la personne, de signifier un avis d'opposition à cette cotisation ou d'en appeler de celle-ci :

a) la période de quatre ans visée à l'article 298;

b) le délai de signification d'un avis d'opposition à une cotisation selon l'article 301;

c) le délai d'appel selon l'article 306.

Notes historiques: Le paragraphe 311(7) a été ajouté par L.C. 1990, c. 45, par. 12(1).

Concordance québécoise: aucune.

Définitions [art. 311]: « cotisation », « ministre », « personne » — 123(1).

Jurisprudence [art. 311]: *Valières-Thériault c. Québec (Sous-ministre du Revenu)*, [1998] G.S.T.C. 2 (C.S. Qué); *A.M.E. Aeroworks Services Ltd. c. Canada*, [1999] G.S.T.C. 19 (CCI); *Motter c. Québec (Sous-ministre du Revenu)* (28 septembre 2005), 500-80-001068-031, 2005 CarswellQue 8953; *Lévis (Ville) c. R.*, [2006] G.S.T.C. 151 (CCI).

Série de mémorandums [art. 311]: Mémorandum 31, 01/07, *Oppositions et appels*.

COMMENTAIRES: Cet article permet à l'Agence du revenu du Canada et à Revenu Québec de faire un renvoi à la Cour canadienne de l'impôt lorsque la question posée concerne plusieurs personnes.

Tout comme c'est le cas sous l'article 310, il est à noter que l'aval de l'Agence du revenu du Canada ou de Revenu Québec est essentiel et par conséquent, deux parties privées seules ne peuvent en faire la demande.

En date du 20 février, nous n'avons répertorié aucune décision publiée où le processus prévu à l'article 311 a été utilisé. Toutefois, il est intéressant de souligner la décision de la Cour canadienne de l'impôt dans l'affaire *Lévis (Ville) c. R.*, 2006 CCI 241 (C.C.I.) où la Cour expose comment l'article 311 aurait pu être utilisé aux fins d'en arriver à une décision dans le dossier.

L'article 311 LTA est similaire à l'article 174 de la *Loi de l'impôt sur le revenu*.

312. Droits de recouvrement créés par une loi — Sauf disposition contraire expresse dans la présente partie, dans la *Loi sur les douanes* ou dans la *Loi sur la gestion des finances publiques*, nul n'a le droit de recouvrer de l'argent versé à Sa Majesté au titre de la taxe, de la taxe nette, d'une pénalité, des intérêts ou d'un autre montant prévu par la présente partie ou qu'elle a pris en compte à ce titre.

Notes historiques: L'article 312 a été ajouté par L.C. 1990, c. 45, par. 12(1).

Concordance québécoise: aucune.

Définitions [art. 312]: « argent », « montant », « personne », « taxe » — 123(1).

Renvois [art. 312]: 225 (taxe nette).

Jurisprudence [art. 312]: *Valières-Thériault c. Québec (Sous-ministre du Revenu)*, [1998] G.S.T.C. 2 (C.S. Qué); *Motter c. Québec (Sous-ministre du Revenu)* (28 septembre 2005), 500-80-001068-031, 2005 CarswellQue 8953; *Merchant Law Group v. R.*, 2010 CarswellNat 3934, 2010 CAF 206, [2010] G.S.T.C. 116 (CAF).

Mémorandums [art. 312]: TPS 300-8, 6/01/91, *Produits importés*, par. 21.

COMMENTAIRES: Cet article, sous réserve de dispositions contraires notamment dans la *Loi sur la taxe d'accise (TPS)*, interdit à une personne de recouvrer de l'argent qu'elle a versé à Sa Majesté ou qu'elle a pris en compte à ce titre.

À l'égard de la *Loi sur la taxe d'accise (TPS)*, on peut penser à la situation où une personne a payé un montant de TPS/TVH par erreur, mais qui n'était pas payable. À cet égard, l'article 261 prévoit un mécanisme particulier et complet pour régler cette situation. Toutefois, si le mécanisme prévu à l'article 261 n'est pas suivi, cet article vise à empêcher toute action subséquente, tel qu'une action pour enrichissement injustifié. Nous vous recommandons nos commentaires sous l'article 261.

L'expression suivante qui figure *in fine*: « qu'elle a pris en compte à ce titre » indique qu'une action en justice par un acquéreur envers le fournisseur qui a erronément collecté de la TPS/TVH sur le montant de fourniture pour recouvrer ce montant de TPS payé erronément serait également interdite. De plus, puisqu'un fournisseur inscrit est réputé agir à titre de mandataire de Sa Majesté, cela implique que l'acquéreur a versé la taxe à Sa Majesté, par le biais du fournisseur inscrit. Donc, à tout événement, l'article 312 devrait s'appliquer dans une telle situation.

Par contre, cet article ne semble pas couvrir la situation où un fournisseur ne verse pas la taxe perçue à l'Agence du revenu du Canada ou à Revenu Québec. Toutefois, puisqu'un inscrit agit à titre de mandataire de Sa Majesté, il est raisonnable de croire que l'article 312 devrait également s'appliquer dans un tel contexte.

Sous-section e — Perception

313. (1) Définitions — Les définitions qui suivent s'appliquent au présent article.

« action » Toute action en recouvrement d'une dette fiscale d'une personne, y compris les procédures judiciaires et toute mesure prise par le ministre en vertu d'une disposition de la présente section.

Concordance québécoise: aucune.

« dette fiscale » Tout montant à payer ou à verser par une personne sous le régime de la présente partie.

Concordance québécoise: aucune.

« représentant légal » Syndic de faillite, cessionnaire, liquidateur, curateur, séquestre de tout genre, fiduciaire, héritier, administrateur du bien d'autrui, liquidateur de succession, exécuteur testamentaire, conseil ou autre personne semblable, qui administre, liquide ou contrôle, en qualité de représentant ou de fiduciaire, les biens, les affaires, les activités commerciales ou les actifs qui appartiennent ou appartenaient à une personne ou à sa succession, ou qui sont ou étaient détenus pour leur compte, ou qui, en cette qualité, s'en occupe de toute autre façon.

Concordance québécoise: aucune.

Notes historiques: Le paragraphe 313(1) a été remplacé par L.C. 2004, c. 22, par. 49 et cette modification est réputée être entrée en vigueur le 14 mai 2004. Antérieurement, il se lisait ainsi :

> 313. (1) Créances de Sa Majesté — Les taxes, taxes nettes, intérêts, pénalités, coûts et autres montants payables en vertu de la présente partie sont des créances de Sa Majesté du chef du Canada et sont recouvrables à ce titre devant la Cour fédérale ou devant tout autre tribunal compétent ou de toute autre manière prévue par la présente partie.

Le paragraphe 313(1) a été ajouté par L.C. 1990, c. 45, par. 12(1).

(1.1) Créances de Sa Majesté — La dette fiscale est une créance de Sa Majesté du chef du Canada et est recouvrable à ce titre devant la Cour fédérale ou devant tout autre tribunal compétent ou de toute autre manière prévue par la présente partie.

Notes historiques: Le paragraphe 313(1.1) a été ajouté par L.C. 2004, c. 22, par. 49 et est réputé être entré en vigueur le 14 mai 2004.

Concordance québécoise: LAF, art. 12 al.1.

(2) Procédures judiciaires — Une procédure judiciaire en vue du recouvrement de la dette fiscale d'une personne à l'égard d'un montant qui peut faire l'objet d'une cotisation aux termes de la présente partie ne peut être intentée par le ministre que si, au moment où la procédure est intentée, la personne a fait l'objet d'une cotisation pour ce montant ou peut en faire l'objet.

Notes historiques: Le paragraphe 313(2) a été remplacé par L.C. 2004, c. 22, par. 49 et cette modification est réputée être entrée en vigueur le 14 mai 2004. Antérieurement, il se lisait ainsi :

> (2) Une action en recouvrement de taxes, taxes nettes, pénalités, intérêts et autres montants à payer ou à verser par une personne en vertu de la présente partie ne peut être intentée :
>
> a) dans le cas de montants pouvant faire l'objet d'une cotisation aux termes de la présente partie, que si, au moment où l'action est intentée, la personne a fait l'objet d'une cotisation pour ces montants ou peut en faire l'objet;
>
> b) dans les autres cas, plus de quatre ans après que la personne devient redevable des montants.

Le paragraphe 313(2) a été ajouté par L.C. 1990, c. 45, par. 12(1).

Concordance québécoise: LAF, art. 12.0.2.

(2.1) Prescription — Une action en recouvrement d'une dette fiscale ne peut être entreprise par le ministre après l'expiration du délai de prescription pour le recouvrement de la dette.

Notes historiques: Le paragraphe 313(2.1) a été ajouté par L.C. 2004, c. 22, par. 49 et est réputé être entré en vigueur le 14 mai 2004.

Concordance québécoise: LAF, art. 27.3 al. 1.

(2.2) Délai de prescription — Le délai de prescription pour le recouvrement d'une dette fiscale d'une personne :

a) commence à courir :

(i) si un avis de cotisation, ou un avis visé au paragraphe 322(1), concernant la dette est envoyé ou signifié à la personne après le 3 mars 2004, le dernier en date des jours où l'un de ces avis est envoyé ou signifié,

(ii) si aucun des avis visés au sous-alinéa 20(i) n'a été envoyé ou signifié et que le premier jour où le ministre peut entreprendre une action en recouvrement de la dette est postérieur au 3 mars 2004, ce même jour,

(iii) si les sous-alinéas (i) et (ii) ne s'appliquent pas et que la dette était exigible le 4 mars 2004, ou l'aurait été en l'absence d'un délai de prescription qui s'est appliqué par ailleurs au recouvrement de la dette, le 4 mars 2004;

b) prend fin, sous réserve du paragraphe (2.6), dix ans après le jour de son début.

Notes historiques: Les sous-alinéas 313(2.2)a)(i) et (ii) ont été remplacés par L.C. 2010, c. 25, art. 138 et cette modification est réputée être entrée en vigueur le 15 décembre 2010. Antérieurement, ils se lisaient ainsi :

(i) si un avis de cotisation, ou un avis visé au paragraphe 322(1), concernant la dette est posté ou signifié à la personne après le 3 mars 2004, le dernier en date des jours où l'un de ces avis est posté ou signifié,

(ii) si aucun des avis visés au sous-alinéa (i) n'a été posté ou signifié et que le premier jour où le ministre peut entreprendre une action en recouvrement de la dette est postérieur au 3 mars 2004, ce même jour,

Le paragraphe 313(2.2) a été ajouté par L.C. 2004, c. 22, par. 49 et est réputé être entré en vigueur le 14 mai 2004.

28 septembre 2010, Notes explicatives: Selon le paragraphe 313(2.2), le délai de prescription pour le recouvrement d'une dette fiscale en vertu de la partie IX prend fin dix ans après le premier jour où le ministre du Revenu national peut entreprendre une action en recouvrement de la dette ou, si un avis de cotisation ou un avis de paiement visé au paragraphe 322(1) est posté ou signifié à une personne, le dernier jour où l'un de ces avis est posté ou signifié.

La modification apportée aux sous-alinéas 313(2.2)a)(i) et (ii) consiste à remplacer « posté » par « envoyé », en raison des nouvelles dispositions de la Loi qui permettent au ministre d'envoyer des avis électroniques à des personnes dans certaines circonstances. Pour en savoir davantage sur le pouvoir du ministre d'envoyer de tels avis, se reporter aux notes concernant le nouveau paragraphe 335(10.1).

Cette modification entre en vigueur à la date de sanction du projet de loi.

10 septembre 2010, Notes explicatives: Selon le paragraphe 313(2.2), le délai de prescription pour le recouvrement d'une dette fiscale en vertu de la partie IX prend fin dix ans après le premier jour où le ministre du Revenu national peut entreprendre une action en recouvrement de la dette ou, si un avis de cotisation ou un avis de paiement visé au paragraphe 322(1) est posté ou signifié à une personne, le dernier jour où l'un de ces avis est posté ou signifié.

La modification apportée aux sous-alinéas 313(2.2)a)(i) et (ii) consiste à remplacer « posté » par « envoyé », en raison des nouvelles dispositions de la Loi qui permettent au ministre d'envoyer des avis électroniques à des personnes dans certaines circonstances. Pour en savoir davantage sur le pouvoir du ministre d'envoyer de tels avis, se reporter aux notes concernant le nouveau paragraphe 335(10.1).

Cette modification entre en vigueur à la date de sanction du projet de loi.

Concordance québécoise: aucune.

(2.3) Reprise du délai de prescription — Le délai de prescription pour le recouvrement d'une dette fiscale d'une personne recommence à courir — et prend fin, sous réserve du paragraphe (2.6), dix ans plus tard — le jour, antérieur à celui où il prendrait fin par ailleurs, où, selon le cas :

a) la personne reconnaît la dette conformément au paragraphe (2.4);

b) un versement relatif à la dette est réputé avoir été effectué en vertu du paragraphe 228(6);

c) une réduction ou une compensation relative à la dette est effectuée en vertu du paragraphe 228(7);

d) le ministre entreprend une action en recouvrement de la dette;

e) le ministre établit, en vertu de l'alinéa 296(1)e) ou des paragraphes 317(9), 323(4), 324(2) ou 325(2), une cotisation à l'égard d'une autre personne concernant la dette.

Notes historiques: Le paragraphe 313(2.3) a été ajouté par L.C. 2004, c. 22, par. 49 et est réputé être entré en vigueur le 14 mai 2004.

Concordance québécoise: aucune.

(2.4) Reconnaissance de dette fiscale — Se reconnaît débitrice d'une dette fiscale la personne qui, selon le cas :

a) promet, par écrit, de régler la dette;

b) reconnaît la dette par écrit, que cette reconnaissance soit ou non rédigée en des termes qui permettent de déduire une promesse de règlement et renferme ou non un refus de payer;

c) fait un paiement au titre de la dette, y compris un prétendu paiement fait au moyen d'un titre négociable qui fait l'objet d'un refus de paiement.

Notes historiques: Le paragraphe 313(2.4) a été ajouté par L.C. 2004, c. 22, par. 49 et est réputé être entré en vigueur le 14 mai 2004.

Concordance québécoise: aucune.

(2.5) Mandataire ou représentant légal — Pour l'application du présent article, la reconnaissance faite par le mandataire ou le représentant légal d'une personne a la même valeur que si elle était faite par la personne.

Notes historiques: Le paragraphe 313(2.5) a été ajouté par L.C. 2004, c. 22, par. 49 et est réputé être entré en vigueur le 14 mai 2004.

Concordance québécoise: aucune.

(2.6) Prorogation du délai de prescription — Le nombre de jours où au moins un des faits suivants se vérifie prolonge d'autant la durée du délai de prescription :

a) le ministre a reporté, en vertu du paragraphe 315(3), les mesures de recouvrement concernant la dette fiscale;

b) le ministre a accepté et détient une garantie pour le paiement de la dette fiscale;

c) la personne, qui résidait au Canada à la date applicable visée à l'alinéa (2.2)a) relativement à la dette fiscale, est un non-résident;

d) l'une des actions que le ministre peut exercer par ailleurs relativement à la dette fiscale est limitée ou interdite en vertu d'une disposition quelconque de la *Loi sur la faillite et l'insolvabilité*, de la *Loi sur les arrangements avec les créanciers des compagnies* ou de la *Loi sur la médiation en matière d'endettement agricole*.

Notes historiques: Le paragraphe 313(2.6) a été ajouté par L.C. 2004, c. 22, par. 49 et est réputé être entré en vigueur le 14 mai 2004.

Concordance québécoise: aucune.

(2.7) Réclamation contre Sa Majesté — Malgré toute autre règle de droit fédérale ou provinciale, aucune réclamation ne peut être déposée contre Sa Majesté du chef du Canada du fait que le ministre a recouvré une dette fiscale après que tout délai de prescription qui s'est appliqué au recouvrement de la dette a expiré et avant le 4 mars 2004.

Notes historiques: Le paragraphe 313(2.7) a été ajouté par L.C. 2004, c. 22, par. 49 et est réputé être entré en vigueur le 14 mai 2004.

Concordance québécoise: aucune.

(2.8) Ordonnances après le 3 mars 2004 et avant la prise d'effet — Malgré toute ordonnance ou tout jugement rendu après le 3 mars 2004 dans lequel une dette fiscale est déclarée ne pas être à payer ou à verser, ou selon lequel le ministre est tenu de rembourser à une personne le montant d'une dette fiscale recouvrée, du fait qu'un délai de prescription qui s'appliquait au recouvrement de la dette a pris fin avant la sanction de toute mesure donnant effet au présent article, la dette est réputée être devenue à payer ou à verser le 4 mars 2004.

Notes historiques: Le paragraphe 313(2.8) a été ajouté par L.C. 2004, c. 22, par. 49 et est réputé être entré en vigueur le 14 mai 2004.

Concordance québécoise: aucune.

(3) Intérêts à la suite de jugements — Dans le cas où un jugement est obtenu pour des taxes, taxes nettes, pénalités, intérêts et autres montants à payer ou à verser en vertu de la présente partie, y compris un certificat enregistré aux termes de l'article 316, les dispositions de la présente partie en application desquelles des intérêts sont payables pour défaut de paiement ou de versement du montant s'appliquent, compte tenu des adaptations de circonstance, au défaut de paiement du jugement, et les intérêts sont recouvrables de la même manière que la créance constatée par jugement.

Notes historiques: Le paragraphe 313(3) a été remplacé par L.C. 2006, c. 4, par. 155(1) et cette modification s'applique relativement aux jugements obtenus pour des montants qui sont devenus à payer ou à verser au receveur général le 1er avril 2007 ou par la suite. Antérieurement, il se lisait ainsi :

(3) Dans le cas où un jugement est obtenu pour des taxes, taxes nettes, pénalités, intérêts et autres montants à payer ou à verser en vertu de la présente partie, y

compris un certificat enregistré aux termes de l'article 316, les dispositions de la présente partie en application desquelles une pénalité et des intérêts sont payables pour défaut de paiement ou de versement du montant s'appliquent, compte tenu des adaptations de circonstance, au défaut de paiement du jugement, et la pénalité et les intérêts sont recouvrables de la même manière que la créance constatée par jugement.

Le paragraphe 313(3) a été ajouté par L.C. 1990, c. 45, par. 12(1).

juin 2006, Notes explicatives: Le paragraphe 313(3) précise que si un jugement est obtenu au titre d'un montant payable en application de la partie IX de la loi, des intérêts et la pénalité de 6 % imposés pour défaut de payer ou de verser un montant s'appliquent aussi au défaut de payer la créance constatée par jugement. En outre, les intérêts et la pénalité sont assujettis aux même mécanismes de recouvrement que la créance constatée par jugement.

La modification apportée au paragraphe 313(3) supprime le renvoi dans ce paragraphe à une « pénalité ». La modification fait suite à l'instauration de nouvelles règles sur les intérêts aux termes de l'article 280 qui s'appliquent en vertu de la partie IX de la loi.

juin 2006, Notes explicatives: Le paragraphe 313(3) précise que si un jugement est obtenu au titre d'un montant payable en application de la partie IX, des intérêts et la pénalité de 6 % imposés pour défaut de payer ou de verser un montant s'appliquent aussi au défaut de payer la créance constatée par jugement. En outre, les intérêts et la pénalité sont assujettis aux même mécanismes de recouvrement que la créance constatée par jugement.

La modification apportée au paragraphe 313(3) supprime le renvoi dans ce paragraphe à une « pénalité ». La modification fait suite à l'instauration de nouvelles règles sur les intérêts aux termes de l'article 280 qui s'appliquent en vertu de la partie IX de la loi.

La modification s'applique à l'égard des jugements au titre des montants devenus à payer ou à verser au receveur général après mars 2007.

Concordance québécoise: aucune.

(4) Frais de justice — Dans le cas où un montant est payable par une personne à Sa Majesté du chef du Canada en exécution d'une ordonnance, d'un jugement ou d'une décision d'un tribunal concernant l'attribution des frais de justice relatifs à une question à laquelle la présente partie s'applique, les paragraphes 314(1) et (3) et les articles 316 à 322 s'appliquent au montant comme s'il s'agissait d'une dette de la personne envers Sa Majesté au titre d'une taxe payable par elle en vertu de la présente partie.

Notes historiques: Le paragraphe 313(4) a été ajouté par L.C. 2000, c. 30, par. 93(1) et s'applique aux montants payables après le 20 octobre 2000, quelle que soit la date où ils sont devenus payables.

Concordance québécoise: aucune.

Définitions [art. 313]: « cotisation », « montant », « personne », « taxe » — 123(1).

Renvois [art. 313]: 225 (taxe nette); 280 (pénalités et intérêts).

Règlements [art. 313]: *Règlement sur le taux d'intérêt*, art. 1.

Jurisprudence [art. 313]: *Tatarnic (S.) c. Canada*, [1997] G.S.T.C. 54 (CCI); *Brant (R.G.) c. Canada*, [1998] G.S.T.C. 38 (CF); *Bâtiment Fafard International Inc. c. R.*, [2000] G.S.T.C. 11 (CCI); *R. c. Manson*, [2000] G.S.T.C. 71 (CF); *Airport Auto Ltd. v. R.*, [2003] G.S.T.C. 151 (CCI); *Haggart c. R.*, [2005] G.S.T.C. 98; *Vu, Re*, [2005] G.S.T.C. 113 (CF).

Énoncés de politique [art. 313]: P-112R, 08/03/00, *Établissement d'une cotisation à l'égard de la taxe à payer si l'acheteur n'est pas solvable.*

Mémorandums [art. 313]: TPS 500-3, 4/10/91, *Cotisations et pénalités*, par. 1, 5, 28, 30, 36, 37, 38; TPS 500-3-2, 16/03/94, *Pénalités et intérêts*, par. 4; TPS 500-3-3, 5/12/91, *Perception et exécution*, par. 1, 5, 7, 12, 13; TPS 500-3-4, 28/06/91, *Indication volontaire*, par. 1, 5–19.

Circulaires d'information [art. 313]: 98-1R3 — Politiques de recouvrement (ébauche).

COMMENTAIRES: De façon générale, cet article prévoit que les dettes fiscales d'une personne en vertu de la partie IX de la *Loi sur la taxe d'accise (TPS)* sont recouvrables par l'Agence du revenu du Canada et Revenu Québec à la Cour fédérale à l'intérieur d'un délai de 10 ans.

En pratique, cet article est rarement utilisé puisqu'il existe des méthodes plus efficaces pour l'Agence du revenu du Canada et Revenu Québec de recouvrer sa créance fiscale par le biais, notamment, des articles 316 à 323.

Le paragraphe (2) indique qu'une procédure judiciaire peut être entamée en vue de recouvrer la dette fiscale d'une personne à l'égard d'un « montant qui peut faire l'objet d'une cotisation ». Toutefois, il est raisonnable de penser que ce paragraphe doit se lire conjointement avec le paragraphe 315(1) en vertu duquel l'émission d'un avis de cotisation est obligatoire avant d'entamer des procédures de recouvrement. On peut donc conclure que ce sont seulement les procédures judiciaires qui peuvent commencer pour un montant qui peut faire l'objet d'une cotisation. Ainsi, l'avis de cotisation devra avoir été émis au moment où la procédure judiciaire est intentée.

L'article 313 a subi d'importantes modifications en 2004 à la suite de la décision de la Cour suprême du Canada dans l'affaire *Markevich c. Canada*, [2001] 3 C.T.C. 39 qui a provoqué l'ajout de la prescription de 10 ans pour tout recouvrement d'une dette fiscale. Les ajouts législatifs à la suite de cette décision se retrouvent aux paragraphes (2.1) à (2.8). De façon générale, la période de prescription de 10 ans débute lorsqu'un avis de cotisation (ou de nouvelle cotisation) est émis, ou le 4 mars 2004 si cette date est la plus éloignée. Ainsi, la première date où le recouvrement sera prescrit est le 4 mars 2014.

Il faut noter toutefois que la prescription de 10 ans est tributaire de plusieurs circonstances qui permettront de prolonger le délai ou de simplement le redémarrer à zéro.

Il faut souligner que certains traités fiscaux prévoient des dispositions spécifiques quant à l'assistance en matière de perception d'une dette fiscale d'une personne résidante du Canada qui a déplacé plusieurs de ses biens dans une autre juridiction. Ainsi, à ce titre, l'Agence du revenu du Canada et Revenu Québec sont en mesure de percevoir des dettes fiscales en TPS/TVH d'un résident Canadien aux États-Unis, en Allemagne, en Norvège et en Nouvelle-Zélande.

Finalement, il est à noter que la prescription de l'article 313 prévaut à l'égard de toutes les prescriptions provinciales.

L'article 313 est similaire à l'article 222 de la *Loi de l'impôt sur le revenu.*

314. (1) Garantie — Le ministre peut, s'il l'estime souhaitable dans un cas particulier, accepter une garantie, d'un montant et sous une forme acceptables pour lui, du paiement d'un montant qui est à verser ou à payer, ou peut le devenir, en application de la présente partie.

Notes historiques: Le paragraphe 314(1) a été ajouté par L.C. 1990, c. 45, par. 12(1).

Concordance québécoise: LAF, art. 10, al. 1.

(2) Garantie pour opposition ou appel — Dans le cas où une personne fait opposition à une cotisation ou en interjette appel, le ministre doit accepter une garantie, d'un montant et sous une forme acceptables, pour lui, qui lui est donnée par cette personne ou en son nom pour le paiement d'un montant en litige.

Notes historiques: Le paragraphe 314(2) a été ajouté par L.C. 1990, c. 45, par. 12(1).

Concordance québécoise: LAF, art. 10, al. 2.

(3) Remise de la garantie — Sur demande écrite de la personne pour laquelle une garantie a été donnée, le ministre doit remettre tout ou partie de la garantie dans la mesure où la valeur de celle-ci dépasse, au moment où il reçoit la demande, la taxe, la taxe nette, la pénalité, les intérêts ou un autre montant pour le paiement objet de la garantie.

Notes historiques: Le paragraphe 314(3) a été ajouté par L.C. 1990, c. 45, par. 12(1).

Concordance québécoise: aucune.

Définitions [art. 314]: « cotisation », « ministre », « montant », « personne », « taxe » — 123(1).

Renvois [art. 314]: 240(6) (garantie — inscription d'un non-résident); 280(5) (aucune pénalité en cas de garantie); 313(4) (frais de justice).

Mémorandums [art. 314]: TPS 500-2-2, 08/02/91, *Application et exécution — déclarations et paiements — acomptes provisionnels*; TPS 500-3-3, 05/12/91, *Perception et exécution*, par. 10, 11.

Série de mémorandums [art. 314]: Mémorandum 31, 01/07, *Oppositions et appels.*

Circulaires d'information [art. 314]: 98-1R3 — Politiques de recouvrement (ébauche).

COMMENTAIRES: L'article 314 n'impose pas à la personne qui est en opposition ou qui a interjeté appel à déposer une garantie. Cependant, le ministre est dans l'obligation d'accepter une garantie quand la personne a envoyé un avis d'opposition ou a interjeté appel. En l'absence d'opposition ou d'appel, le ministre a la discrétion d'accepter une garantie offerte par une personne.

L'article 35(1) de la *Loi d'interprétation* indique qu'une garantie équivaut à une « garantie acceptable ». En pratique, une garantie acceptable peut notamment être une lettre de garantie bancaire, des hypothèques, ou des bons du gouvernement du Canada. Il semble toutefois que les billets promissoires et des garanties qui se situent à l'extérieur du Canada ne sont pas acceptables.

Malgré l'acceptation d'une garantie par l'Agence du revenu du Canada ou Revenu Québec, les intérêts sur la dette fiscale constatée dans l'avis de cotisation continuent à courir, tel que déterminé par le paragraphe 280(5).

Nous vous recommandons nos commentaires sous le paragraphe 240(6) pour les garanties que doit fournir une personne non résidente qui désire s'inscrire aux fichiers de la TPS/TVH.

315. (1) Cotisation avant recouvrement — Le ministre ne peut, outre exiger des intérêts, prendre des mesures de recouvrement aux termes des articles 316 à 321 relativement à un montant susceptible de cotisation selon la présente partie que si le montant a fait l'objet d'une cotisation.

Notes historiques: Le paragraphe 315(1) a été remplacé par L.C. 2006, c. 4, par. 156(1) et cette modification est entrée en vigueur le 1er avril 2007. Antérieurement, il se lisait ainsi :

> 315. (1) Le ministre ne peut, outre exiger des intérêts ou une pénalité de 6 % par année, prendre de mesures de recouvrement aux termes des articles 316 à 321 relativement à un montant susceptible de cotisation selon la présente partie que si le montant a fait l'objet d'une cotisation.

Le paragraphe 315(1) a été ajouté par L.C. 1990, c. 45, par. 12(1).

juin 2006, Notes explicatives: Le paragraphe 315(1) empêche le ministre du Revenu national d'adopter des mesures de recouvrement aux termes des articles 316 à 321 au titre des montants à payer ou à verser par une personne en application de la partie IX de la loi, sauf les intérêts ou la pénalité calculée à 6 % par année, tant que la cotisation n'a pas été établie. Des mesures de recouvrement peuvent donc être adoptées sans cotisation au titre des intérêts et de la pénalité actuellement imposés en application de l'article 280.

La modification apportée au paragraphe 315(1) supprime le renvoi à la pénalité de 6 %. Cette modification fait suite à l'instauration des nouvelles règles sur les intérêts prévues à l'article 280 et elle entre en vigueur le 1er avril 2007.

Concordance québécoise: aucune.

(2) Paiement du solde — La partie impayée d'une cotisation visée par un avis de cotisation est payable immédiatement au receveur général.

Notes historiques: Le paragraphe 315(2) a été ajouté par L.C. 1990, c. 45, par. 12(1).

28 septembre 2010, Notes explicatives: Selon l'article 315, le ministre du Revenu national ne peut, outre exiger des intérêts, prendre des mesures de recouvrement aux termes des articles 316 à 321 relativement à un montant susceptible de cotisation selon la partie IX que si le montant a fait l'objet d'une cotisation. Le paragraphe 315(2) prévoit que la partie impayée d'une cotisation visée par un avis de cotisation est payable immédiatement au receveur général.

La version anglaise du paragraphe 315(2) est modifiée de façon à remplacer « *mails* » (posté) par « *sends* » (envoyé), en raison des nouvelles dispositions de la Loi qui permettent au ministre d'envoyer des avis électroniques à des personnes dans certaines circonstances. Pour en savoir davantage sur le pouvoir du ministre d'envoyer de tels avis, se reporter aux notes concernant le nouveau paragraphe 335(10.1).

Cette modification entre en vigueur à la date de sanction du projet de loi.

10 septembre 2010, Notes explicatives: Selon l'article 315, le ministre du Revenu national ne peut, outre exiger des intérêts, prendre des mesures de recouvrement aux termes des articles 316 à 321 relativement à un montant susceptible de cotisation selon la partie IX que si le montant a fait l'objet d'une cotisation. Le paragraphe 315(2) prévoit que la partie impayée d'une cotisation visée par un avis de cotisation est payable immédiatement au receveur général.

La version anglaise du paragraphe 315(2) est modifiée de façon à remplacer le terme « *mails* » (posté) par « *sends* » (envoyé), en raison des nouvelles dispositions de la Loi qui permettent au ministre d'envoyer des avis électroniques à des personnes dans certaines circonstances. Pour en savoir davantage sur le pouvoir du ministre d'envoyer de tels avis, se reporter aux notes concernant le nouveau paragraphe 335(10.1).

Cette modification entre en vigueur à la date de sanction du projet de loi.

Concordance québécoise: aucune.

(3) Report des mesures de recouvrement — Sous réserve des modalités qu'il fixe, le ministre peut reporter les mesures de recouvrement concernant tout ou partie du montant d'une cotisation qui fait l'objet d'un litige.

Notes historiques: Le paragraphe 315(3) a été ajouté par L.C. 1990, c. 45, par. 12(1).
Concordance québécoise: aucune.

Définitions [art. 315]: « cotisation », « ministre », « montant », « personne » — 123(1).

Jurisprudence [art. 315]: *Brant (R.G.) c. Canada*, [1998] G.S.T.C. 38 (CF); *Vu, Re*, [2005] G.S.T.C. 113 (CF).

Énoncés de politique [art. 315]: P-112R, 08/03/00, *Établissement d'une cotisation à l'égard de la taxe à payer si l'acheteur n'est pas solvable.*

Mémorandums [art. 315]: TPS 500-3, 4/10/91, *Cotisations et pénalités*, par. 31; TPS 500-3-3, 5/12/91, *Perception et exécution*, par. 9.

Série de mémorandums [art. 315]: Mémorandum 16.2, 01/09, *Pénalités et intérêts*; Mémorandum 31, 01/07, *Oppositions et appels.*

Circulaires d'information [art. 315]: 98-1R3 — Politiques de recouvrement (ébauche).

Lettres d'interprétation (Québec) [art. 315]: 96-011199 — Action en inopposabilité, intentée par Revenu Québec, du contrat de vente entre le contribuable et sa fille; 99-0100802 — Cotisation de la taxe payable et proposition concordataire.

COMMENTAIRES: L'article 315 confirme que les mesures de recouvrement ne peuvent être entreprises sans l'émission d'un avis de cotisation. De plus, l'émission d'un avis de cotisation rend la dette exigible immédiatement, nonobstant les procédures d'opposition ou d'appel qui ont été entreprises par la personne. Voir notamment à cet effet : Revenu Québec, Lettre d'interprétation, 96-011199 — *Action en inopposabilité, intentée par Revenu Québec, du contrat de vente entre le contribuable et sa fille* (18 novembre 1996), Lettre d'interprétation, 99-0100802 — *Cotisation de la taxe payable et proposition concordataire* (décembre 1999).

Contrairement aux articles 225.1 et 225.2 de la *Loi de l'impôt sur le revenu* qui permettent une protection statutaire suite à l'envoi d'un avis de cotisation contre les mesures de recouvrement prévues si la personne s'oppose à la cotisation ou en interjette dans le délai imparti, la *Loi sur la taxe d'accise (TPS)* ne prévoit pas une telle mesure de protection statutaire. Le raisonnement derrière l'exigibilité immédiate de la remise des montants retenus à la suite de l'envoi d'un avis de cotisation, nonobstant les mesures d'opposition ou d'appel entreprises, est basé sur le principe que la TPS/TVH est perçue par la personne en tant que mandataire de Sa Majesté-chef du Canada (article 222) et à ce titre, il s'agit de montants qui sont immédiatement exigibles.

Malgré l'absence de dispositions limitant le droit d'exercer des mesures de recouvrement, le paragraphe (3) offre une base législative pour les agents du département de perception de l'Agence du revenu du Canada et de Revenu Québec qui permet de retarder les mesures de perception dans plusieurs situations, notamment dans une situation où les raisons de l'opposition semble bien fondées.

En pratique, l'auteur souligne une absence marquée de collaboration avec les agents au département de perception de Revenu Québec pour suspendre des mesures de recouvrement et ce, peu importe les raisons évoquées (historique fiscal irréprochable, bien-fondé de l'opposition, etc.). De façon générale, l'absence de collaboration vient du fait que la négociation se fait avec les agents du département de perception qui n'ont aucune autorité pour prendre en considération, par exemple, le bien-fondé de l'opposition. En effet, leur seul mandat constitue à recouvrer une créance fiscale pour le compte de Revenu Québec.

Il est intéressant de souligner que l'article 14 de l'Entente intégrée globale de coordination fiscale entre le gouvernement du Canada et le gouvernement du Québec prévoit notamment que Revenu Québec doit administrer la TVQ d'une manière à ce que des résultats identiques à ceux en TPS/TVH soient produits. Il sera intéressant de voir dans quelle mesure l'administration des mesures de perception sera similaire entre Revenu Québec et l'Agence du revenu du Canada.

L'agressivité dont fait preuve l'Agence du revenu du Canada quant à la perception de dette fiscale à la suite de l'envoi d'un avis de cotisation a d'ailleurs été soulignée par la Cour canadienne de l'impôt dans certaines circonstances (*Burkes c. CRA*, [2010] G.S.T.C. 104, appel rejeté à la Cour supérieure de l'Ontario, [2011] 2 C.T.C. 40). Dans cette affaire, l'Agence du revenu du Canada maintenait qu'elle n'avait pas à donner de raisons pour refuser les termes d'une entente de paiement, puisqu'elle agissait à titre de créancière et non à titre d'administrateur fiscal.

Finalement, nous désirons souligner l'affaire *Humby c. Canada*, [2010] G.S.T.C. 57 (C.F.) où la Cour fédérale a indiqué que le recours était hors de sa juridiction, mais devait être intenté au niveau provincial. Dans cette affaire, les actions du département de perception de l'Agence du revenu du Canada avaient causé la fermeture de la société et la perte de 12 emplois.

De l'avis de l'auteur, de plus en plus de causes seront portées devant les tribunaux et en vertu desquelles un inscrit poursuit les autorités fiscales pour abus de procédure, notamment au niveau du recouvrement.

316. (1) Certificat — Tout ou partie des taxes, taxes nettes, pénalités, intérêts ou autres montants à payer ou à verser par une personne — appelée « débiteur » au présent article — aux termes de la présente partie qui ne l'ont pas été selon les modalités de temps ou autres prévues par cette partie peuvent, par certificat du ministre, être déclarés payables par le débiteur.

Notes historiques: Le paragraphe 316(1) a été remplacé par L.C. 2000, c. 30, par. 94(1). Cette modification est réputée entrée en vigueur le 20 octobre 2000. Antérieurement, il se lisait comme suit :

> 316. (1) Tout ou partie des taxes, taxes nettes, pénalités, intérêts ou autres montants à payer ou à verser par une personne — appelée « débiteur » au présent article — aux termes de la présente partie qui ne l'ont pas été selon les modalités de temps ou autres prévues par cette partie peuvent, par attestation du ministre, être déclarés payables par le débiteur.

Le paragraphe 316(1) a été ajouté par L.C. 1990, c. 45, par. 12(1).

Concordance québécoise: LAF, art. 13, al. 1.

(2) Enregistrement à la cour — Sur production à la Cour fédérale, le certificat fait à l'égard d'un débiteur y est enregistré. Il a alors le même effet que s'il s'agissait d'un jugement rendu par cette cour contre le débiteur pour une dette du montant attesté dans le certificat, augmenté des intérêts et pénalités courus comme le prévoit la présente partie jusqu'au jour du paiement, et toutes les procédures peuvent être engagées à la faveur du certificat comme s'il s'agissait d'un tel jugement. Aux fins de ces procédures, le certificat est réputé être un jugement exécutoire de la Cour contre le débiteur pour une créance de Sa Majesté.

Notes historiques: Le paragraphe 316(2) a été ajouté par L.C. 1990, c. 45, par. 12(1).

Concordance québécoise: LAF, art. 13, al. 3, 4.

(3) Frais et dépens — Les frais et dépens raisonnables engagés ou payés pour l'enregistrement à la Cour fédérale d'un certificat ou de l'exécution des procédures de perception du montant qui y est attesté sont recouvrables de la même manière que s'ils avaient été inclus dans ce montant au moment de l'enregistrement du certificat.

Notes historiques: Le paragraphe 316(3) a été ajouté par L.C. 1990, c. 45, par. 12(1).

Concordance québécoise: LAF, art. 13, al. 3.

(4) Charge sur un bien — Un document délivré par la Cour fédérale et faisant preuve du contenu d'un certificat enregistré à l'égard d'un débiteur en application du paragraphe (2), un bref de cette cour délivré au titre du certificat ou toute notification du document ou du bref (ce document ou bref ou cette notification étant appelé « extrait » au présent article) peut être produit, enregistré ou autrement inscrit en vue de grever d'une sûreté, d'une priorité ou d'une autre charge un bien du débiteur situé dans une province, ou un droit sur un tel bien, de la même manière que peut l'être, au titre ou en application de la loi provinciale, un document faisant preuve :

a) soit du contenu d'un jugement rendu par la cour supérieure de la province contre une personne pour une dette de celle-ci;

b) soit d'un montant payable ou à remettre par une personne dans la province au titre d'une créance de Sa Majesté du chef de la province.

Notes historiques: Le paragraphe 316(4) a été remplacé par L.C. 2000, c. 30, par. 94(2). Cette modification est réputée entrée en vigueur le 20 octobre 2000. Antérieurement, il se lisait comme suit :

(4) Un document — appelé « extrait » au présent article — délivré par la Cour fédérale et faisant preuve du contenu d'un certificat enregistré à l'égard d'un débiteur peut être produit, enregistré ou autrement inscrit en vue de grever d'une sûreté, d'un privilège ou d'une autre charge un bien-fonds du débiteur situé dans une province, ou un droit sur un tel bien-fonds, de la même manière que peut l'être, en application de la loi provinciale, un document faisant preuve du contenu d'un jugement rendu par la cour supérieure de la province contre une personne pour une dette de celle-ci.

Le paragraphe 316(4) a été ajouté par L.C. 1990, c. 45, par. 12(1).

Concordance québécoise: aucune.

(5) Charge sur un bien — Une fois l'extrait produit, enregistré ou autrement inscrit en application du paragraphe (4), une sûreté, une priorité ou une autre charge grève un bien du débiteur situé dans la province, ou un droit sur un tel bien, de la même manière et dans la même mesure que si l'extrait était un document faisant preuve du contenu d'un jugement visé à l'alinéa (4)a) ou d'un montant visé à l'alinéa (4)b). Cette sûreté, priorité ou autre charge prend rang après toute autre sûreté, priorité ou charge à l'égard de laquelle les mesures requises pour la rendre opposable aux autres créanciers ont été prises avant la production, l'enregistrement ou autre inscription de l'extrait.

Notes historiques: Le paragraphe 316(5) a été remplacé par L.C. 2000, c. 30, par. 94(2). Cette modification est réputée entrée en vigueur le 20 octobre 2000. Antérieurement, il se lisait comme suit :

(5) Une fois l'extrait produit, enregistré ou autrement inscrit, une sûreté, un privilège ou une autre charge grève le bien-fonds d'un débiteur situé dans la province, ou un droit sur un tel bien-fonds, de la même manière et dans la même mesure que si l'extrait était un document faisant preuve du contenu d'un jugement de la cour supérieure de la province.

Le paragraphe 316(5) a été ajouté par L.C. 1990, c. 45, par. 12(1).

Concordance québécoise: aucune.

(6) Procédures engagées à la faveur d'un extrait — L'extrait produit, enregistré ou autrement inscrit dans une province en application du paragraphe (4) peut, de la même manière et dans la même mesure que s'il s'agissait d'un document faisant preuve du contenu d'un jugement visé à l'alinéa (4)a) ou d'un montant visé à l'alinéa (4)b), faire l'objet dans la province de procédures visant notamment :

a) à exiger le paiement du montant attesté par l'extrait, des intérêts et pénalités y afférents et des frais et dépens payés ou engagés en vue de la production, de l'enregistrement ou autre inscription de l'extrait ou en vue de l'exécution des procédures de perception du montant;

b) à renouveler ou autrement prolonger l'effet de la production, de l'enregistrement ou autre inscription de l'extrait;

c) à annuler ou à retirer l'extrait dans son ensemble ou uniquement en ce qui concerne un ou plusieurs biens ou droits sur lesquels l'extrait a une incidence;

d) à différer l'effet de la production, de l'enregistrement ou autre inscription de l'extrait en faveur d'un droit, d'une sûreté, d'une priorité ou d'une autre charge qui a été ou qui sera produit, enregistré ou autrement inscrit à l'égard d'un bien ou d'un droit sur lequel l'extrait a une incidence.

Toutefois, dans le cas où la loi provinciale exige — soit dans le cadre de ces procédures, soit préalablement à leur exécution — l'obtention d'une ordonnance, d'une décision ou d'un consentement de la cour supérieure de la province ou d'un juge ou officier de celle-ci, la Cour fédérale ou un juge ou officier de celle-ci peut rendre une telle ordonnance ou décision ou donner un tel consentement. Cette ordonnance, cette décision ou ce consentement a alors le même effet dans le cadre des procédures que s'il était rendu ou donné par la cour supérieure de la province ou par un juge ou officier de celle-ci.

Notes historiques: Le paragraphe 316(6) a été remplacé par L.C. 2000, c. 30, par. 94(2). Cette modification est réputée entrée en vigueur le 20 octobre 2000. Antérieurement, il se lisait comme suit :

(6) L'extrait d'un certificat enregistré à l'égard d'un débiteur et produit, enregistré ou autrement inscrit comme le permet le paragraphe (4) peut, de la même manière et sous réserve des mêmes restrictions que s'il s'agissait d'un document faisant preuve du contenu d'un jugement de la cour supérieure d'une province, faire l'objet de procédures visant notamment :

a) à exiger le paiement du montant attesté dans le certificat, des intérêts y afférents et des frais et dépens payés ou engagés en vue de la production, de l'enregistrement ou autre inscription de l'extrait ou en vue de l'exécution des procédures de perception du montant;

b) à renouveler ou autrement prolonger l'effet de la production, de l'enregistrement ou autre inscription de l'extrait;

c) à annuler ou à retirer l'extrait dans son ensemble ou les parties de l'extrait visant une ou plusieurs parcelles du bien-fonds ou un ouplusieurs droits immobiliers, sur lesquels l'extrait a une incidence;

d) à différer l'effet de la production, de l'enregistrement ou autre inscription de l'extrait en faveur d'un droit, d'une sûreté ou d'un privilège qui a été ou qui sera produit, enregistré ou autrement inscrit à l'égard d'un bien-fonds, ou d'un droit immobilier, sur lequel l'extrait a une incidence.

Toutefois, dans le cas ou la loi provinciale exige — soit dans le cadre de ces procédures, soit préalablement à leur exécution — l'obtention d'une ordonnance, d'une décision ou d'un consentement de la cour supérieure de la province ou d'un juge ou officier de celle-ci, la Cour fédérale ou un juge ou officier de celle-ci peut rendre une telle ordonnance ou décision ou donner un tel consentement. Cette ordonnance, cette décision ou ce consentement a alors le même effet aux fins des procédures que s'il était rendu ou donné par la cour supérieure de la province ou par un juge ou officier de celle-ci.

Le paragraphe 316(6) a été ajouté par L.C. 1990, c. 45, par. 12(1).

Concordance québécoise: aucune.

(7) Présentation des documents — L'extrait qui est présenté pour production, enregistrement ou autre inscription en application du paragraphe (4), ou un document concernant l'extrait qui est présenté pour production, enregistrement ou autre inscription dans le cadre des procédures visées au paragraphe (6), à un agent d'un régime d'enregistrement foncier ou des droits sur des biens meubles ou autres droits d'une province est accepté pour production, enregistrement ou autre inscription de la même manière et dans la même mesure que s'il s'agissait d'un document faisant preuve du contenu d'un jugement visé à l'alinéa (4)a) ou d'un montant visé à l'alinéa (4)b) dans le cadre de procédures semblables. Aux fins de la production, de l'enregistrement ou autre inscription de cet extrait ou de ce document, l'accès à une personne, à un endroit ou à une chose situé dans une province est donné de la même manière et dans la même mesure que si l'extrait ou le document était un document semblable ainsi délivré ou établi. Lorsque l'extrait ou le document est délivré par la Cour fédérale ou porte la signature ou fait l'objet d'un certificat d'un juge ou officier de cette cour, tout affidavit, toute déclaration ou tout autre élément de preuve qui doit, selon la loi provinciale, être livré avec l'extrait ou le document ou l'accompagner dans le cadre des procédures est réputé avoir été ainsi livré ou accompagner ainsi l'extrait ou le document.

Notes historiques: Le paragraphe 316(7) a été remplacé par L.C. 2000, c. 30, par. 94(2). Cette modification est réputée entrée en vigueur le 20 octobre 2000. Antérieurement, il se lisait comme suit :

(7) L'extrait d'un certificat enregistré qui est présenté pour production, enregistrement ou autre inscription, comme le permet le paragraphe (4), ou un document concernant l'extrait qui est présenté pour production, enregistrement ou autre inscription aux fins des procédures visées au paragraphe (6), à un officier de la cour supérieure d'une province ou à un agent du régime d'enregistrement foncier d'une province, est accepté pour production, enregistrement ou autre inscription comme s'il s'agissait d'un document semblable délivré par la cour supérieure de la province ou établi à l'égard d'un document faisant preuve du contenu d'un jugement de cette cour aux fins de procédures semblables. Toutefois, lorsque l'extrait ou le document est délivré par la Cour fédérale ou porte la signature ou fait l'objet d'un certificat d'un juge ou officier de cette cour, tout affidavit, toute déclaration ou toute autre preuve qui doit, selon la loi provinciale, être livré avec l'extrait ou le document ou l'accompagner dans le cadre des procédures est réputé être ainsi livré ou accompagner ainsi l'extrait ou le document.

Le paragraphe 316(7) a été ajouté par L.C. 1990, c. 45, par. 12(1).

Concordance québécoise: aucune.

(8) Interdiction de vendre — Malgré les lois fédérales et provinciales, ni le shérif ni une autre personne ne peut, sans le consentement écrit du ministre, vendre un bien ou autrement l'aliéner ou publier un avis concernant la vente ou l'aliénation d'un bien ou autrement l'annoncer, par suite de l'émission d'un bref ou de la création d'une sûreté, d'une priorité ou d'une autre charge dans le cadre de procédures de perception d'un montant attesté dans un certificat fait en application du paragraphe (1), des intérêts et pénalités y afférents et des frais et dépens. Toutefois, si ce consentement est obtenu ultérieurement, tout bien sur lequel un tel bref ou une telle sûreté, priorité ou charge aurait une incidence si ce consentement avait été obtenu au moment de l'émission du bref ou de la création de la sûreté, priorité ou charge, selon le cas, est saisi ou autrement grevé comme si le consentement avait été obtenu à ce moment.

Notes historiques: Le paragraphe 316(8) a été remplacé par L.C. 2000, c. 30, par. 94(2). Cette modification est réputée entrée en vigueur le 20 octobre 2000. Antérieurement, il se lisait comme suit :

(8) Nonobstant les lois fédérales et provinciales, ni le shérif ni une autre personne ne peut, sans le consentement écrit du ministre, vendre un bien ou autrement l'aliéner ou publier un avis concernant la vente ou l'aliénation d'un bien ou autrement l'annoncer, par suite de l'émission d'un bref ou de la création d'une sûreté ou d'un privilège dans le cadre de procédures de perception d'un montant attesté dans un certificat, des intérêts et pénalités y afférents et des frais et dépens. Cependant, tout bien sur lequel un tel bref, une telle sûreté ou un tel privilège aurait une incidence si ce consentement avait été obtenu au moment de l'émission du bref ou de la création de la sûreté ou du privilège est saisi ou autrement grevé comme si le consentement avait été obtenu à ce moment.

Le par. 316(8) a été ajouté par L.C. 1990, c. 45, par. 12(1).

Concordance québécoise: aucune.

(9) Établissement des avis — Dans le cas où des renseignements qu'un shérif ou une autre personne doit indiquer dans un procès-verbal, un avis ou un document à établir à une fin quelconque ne peuvent, en raison du paragraphe (8), être ainsi indiqués, le shérif ou l'autre personne doit établir le procès-verbal, l'avis ou le document en omettant les renseignements en question. Une fois le consentement du ministre obtenu, un autre procès-verbal, avis ou document indiquant tous les renseignements doit être établi à la même fin. S'il se conforme au présent paragraphe, le shérif ou l'autre personne est réputé se conformer à la loi, au règlement ou à la règle qui exige que les renseignements soient indiqués dans le procès-verbal, l'avis ou le document.

Notes historiques: Le paragraphe 316(9) a été remplacé par L.C. 2000, c. 30, par. 94(2). Cette modification est réputée entrée en vigueur le 20 octobre 2000. Antérieurement, il se lisait comme suit :

(9) Dans le cas où des renseignements qu'un shérif ou une autre personne doit indiquer dans un procès-verbal, un avis ou un document à établir à une fin quelconque ne peuvent, en raison du paragraphe (8), être ainsi indiqués, le shérif ou l'autre personne doit établir le procès-verbal, l'avis ou le document en omettant les renseignements en question. Une fois le consentement du ministre obtenu, un autre procès-verbal, avis ou document indiquant tous les renseignements doit être établi à la même fin. S'il se conforme au présent paragraphe, le shérif ou l'autre personne est réputé se conformer à la loi, au règlement ou à la règle qui exige que les renseignements soient indiqués dans le procès-verbal, l'avis ou le document.

Le paragraphe 316(9) a été ajouté par L.C. 1990, c. 45, par. 12(1).

Concordance québécoise: aucune.

(10) Demande d'ordonnance — S'il ne peut se conformer à une loi ou à une règle de pratique en raison des paragraphes (8) ou (9), le shérif ou l'autre personne est lié par toute ordonnance rendue, sur requête *ex parte* du ministre, par un juge de la Cour fédérale en vue de mettre à effet une procédure ou une sûreté, une priorité ou une autre charge.

Notes historiques: Le paragraphe 316(10) a été remplacé par L.C. 2000, c. 30, par. 94(2). Cette modification est réputée entrée en vigueur le 20 octobre 2000. Antérieurement, il se lisait comme suit :

(10) S'il ne peut se conformer à une loi ou à une règle de pratique en raison du paragraphe (8) ou (9), le shérif ou l'autre personne est lié par toute ordonnance rendue, sur requête *exparte* du ministre, par un juge de la Cour fédérale en vue de mettre à effet une procédure, une sûreté ou un privilège.

Le paragraphe 316(10) a été ajouté par L.C. 1990, c. 45, par. 12(1).

Concordance québécoise: aucune.

(10.1) Présomption de garantie — La sûreté, la priorité ou l'autre charge créée selon le paragraphe (5) par la production, l'enregistrement ou autre inscription d'un extrait en application du paragraphe (4) qui est enregistrée en conformité avec le paragraphe 87(1) de la *Loi sur la faillite et l'insolvabilité* est réputée, à la fois :

a) être une réclamation garantie et, sous réserve du paragraphe 87(2) de cette loi, prendre rang comme réclamation garantie aux termes de cette loi;

b) être une réclamation visée à l'alinéa 86(2)a) de cette loi.

Notes historiques: Le paragraphe 316(10.1) a été ajouté par L.C. 2000, c. 30, par. 94(2) et est réputé entré en vigueur le 20 octobre 2000.

Concordance québécoise: aucune.

(11) Contenu des certificats et extraits — Nonobstant les lois fédérales et provinciales, dans le certificat fait à l'égard du débiteur en application du paragraphe (1), dans l'extrait faisant preuve du contenu d'un tel certificat ou encore dans le bref ou document délivré en vue de la perception d'un montant attesté dans un tel certificat, il suffit, à toutes fins utiles :

a) d'une part, d'indiquer, comme montant payable par le débiteur, le total des montants payables par celui-ci et non les montants distincts qui forment ce total;

b) d'autre part, d'indiquer de façon générale le taux d'intérêt ou de pénalité applicable aux montants distincts qui forment le montant payable comme étant :

(i) dans le cas d'intérêts, des intérêts calculés au taux réglementaire en application de la présente partie sur les montants payables au receveur général, sans détailler les taux d'intérêt applicables à chaque montant distinct ou pour une période donnée,

(ii) dans le cas d'une pénalité, la pénalité prévue à l'article 280.1 sur les montants payables au receveur général.

Notes historiques: Les sous-alinéas 316(11)b)(i) et (ii) ont été remplacés par L.C. 2006, c. 4, par. 157(1) et cette modification s'applique relativement à tout certificat fait en vertu du paragraphe 316(1) visant des montants qui sont devenus à payer ou à verser au receveur général le 1er avril 2007 ou par la suite. Antérieurement, ils se lisaient ainsi :

(i) dans le cas d'intérêts, des intérêts calculés au taux réglementaire en application de la présente partie sur les montants payables au receveur général, sans détailler les taux d'intérêt ou de pénalité applicables à chaque montant distinct ou pour une période donnée,

(ii) dans le cas d'une pénalité, une pénalité de 6 % par année sur les montants payables aux receveur général.

L'alinéa 316(11)b) a été remplacé par L.C. 2000, c. 30, par. 94(3). Cette modification est réputée entrée en vigueur le 20 octobre 2000. Antérieurement, il se lisait comme suit :

> b) d'autre part, d'indiquer de façon générale le taux d'intérêt réglementaire en application de la présente partie sur les montants payables au receveur général comme étant le taux applicable aux montants distincts qui forment le montant payable, sans détailler les taux applicables à chaque montant distinct ou pour une période donnée.

Le paragraphe 316(11) a été ajouté par L.C. 1990, c. 45, par. 12(1).

juin 2006, Notes explicatives: Le paragraphe 316(11) précise que quand le ministre du Revenu national délivre un certificat au titre de la perception de montants attestés par le ministre comme étant payables par une personne, le montant total payable peut être établi sans préciser les montants distincts qui forment le montant payable. L'alinéa 316(11)b) précise en outre qu'il suffit de renvoyer aux intérêts au taux réglementaire et à la pénalité au taux de 6 % par année sur les montants payables au receveur général.

La modification apportée au sous-alinéa 316(11)b)(i) supprime le renvoi dans ce sous-alinéa à la « pénalité », tandis que la modification apportée au sous-alinéa 316(11)b)(ii) remplace le renvoi à la pénalité de 6 % par un renvoi à la pénalité instaurée aux termes du nouvel article 280.1 pour défaut de produire une déclaration. Ces modifications font suite à l'instauration des nouvelles règles sur les intérêts prévues à l'article 280 et à la pénalité pour défaut de produire.

Le paragraphe 316(11) précise que quand le ministre du Revenu national délivre un certificat au titre de la perception de montants attestés par le ministre comme étant payables par une personne, le montant total payable peut être établi sans préciser les montants distincts qui forment le montant payable. L'alinéa 316(11)b) précise en outre qu'il suffit de renvoyer aux intérêts au taux réglementaire et à la pénalité au taux de 6 % par année sur les montants payables au receveur général.

La modification apportée au sous-alinéa 316(11)b)(i) supprime le renvoi dans ce sous-alinéa à la « pénalité », tandis que la modification apportée au sous-alinéa 316(11)b)(ii) remplace le renvoi à la pénalité de 6 % par un renvoi à la pénalité instaurée aux termes du nouvel article 280.1 pour défaut de produire une déclaration. Ces modifications font suite à l'instauration des nouvelles règles sur les intérêts prévues à l'article 280 et à la pénalité pour défaut de produire.

Les modifications s'appliquent à l'égard des certificats délivrés au titre des montants devenus à payer ou à verser au receveur général après mars 2007.

Concordance québécoise: aucune.

Définitions [art. 316]: « bien », « document », « ministre », « montant », « personne », « règlement », « taxe » — 123(1).

Renvois [art. 316]: 225 (taxe nette); 313(3) (pénalités et intérêts à la suite d'un jugement); 313(4) (frais de justice); 315(1) (cotisation nécessaire); 322.1(2) (recouvrement compromis); 323(2)a) (responsabilité des administrateurs).

Jurisprudence [art. 316]: *Lagacé v. R.* (25 mai 2012), 2012 CarswellNat 1802 (C.C.I.); *Cappadoro c. R* (25 juillet 2012), 2012 CarswellNat 2710 (C.C.I.); *Québec (Sous-ministre du Revenu) c. Plamondon* (14 avril 2003), 200-09-003772-016, 2003 CarswellQue 678; *Montreal Trust Co. c. Powell Lane Investment Ltd.*, [1994] G.S.T.C. 66 (BCSC Master), [1995] G.S.T.C. 24 (BCSC); *Fegol c. La Reine*, [1995] G.S.T.C. 27 (CF); *Quebec (Deputy Minister of Revenue) c. Omni Cell Québec Inc.* (1995), [1995] G.S.T.C. 30 (CF); *Quebec (Deputy Minister of Revenue) c. Marccel Grand Cirque Inc.*, [1995] G.S.T.C. 66, [1995] G.S.T.C. 76 (CF); *Fegol c. Canada*, [1998] G.S.T.C. 29 (CF); *Belliard c. Québec (MNR)*, [1998] G.S.T.C. 30 (CFA); *Québec (MNR) c. 3089-8662 Québec Inc.*, [1998] G.S.T.C. 55 (CCI); *R. c. Nibron Restaurants Ltd.*, [1999] G.S.T.C. 99 (CF); *MNR c. Pollock*, [2000] G.S.T.C. 15 (CF); *Bonch c. R.*, [2002] G.S.T.C. 11 (CCI); *Lau c. R.*, [2003] G.S.T.C. 1 (CCI); *Picott, Re*, [2005] 2 C.T.C. 101 (CFA); *S.M.R.Q. c. Deziel*, [2006] G.S.T.C. 152 (CF); *St-Yves c. R.*, 2008 G.T.C. 822 (3 octobre 2008) (CCI [procédure informelle]); *Nachar v. R.* (21 janvier 2011), 2011 CarswellNat 731, 2011 CCI 36 (CCI [procédure générale]); *Lagacé v. R.* (5 avril 2012), 2012 CarswellNat 1802, 2012 CCI 117 (CCI [procédure informelle]).

Mémorandums [art. 316]: TPS 500-3, 4/10/91, *Cotisations et pénalités*; TPS 500-3-3, 5/12/91, *Perception et exécution*, par. 22, 23.

Circulaires d'information [art. 316]: 98-1R3 — Politiques de recouvrement (ébauche).

COMMENTAIRES: L'article 316 permet l'enregistrement d'un certificat en Cour fédérale confirmant la dette fiscale d'une personne suivant l'émission d'un avis de cotisation. Aux fins de la *Loi sur la taxe d'accise (TPS)*, ce certificat fait office d'un jugement et permet tous les recours possibles relatifs à l'exécution des jugements, notamment les mesures de saisie. Voir notamment : *Québec c. 3089-8662 Québec Inc.* [1998] G.S.TC.55 (C.F.).

L'Agence du revenu du Canada et Revenu Québec privilégient l'article 317 à l'article 316 à titre de mesure de recouvrement d'une dette fiscale étant donné la plus grande simplicité de la disposition. En effet, l'article 317 permet la saisie, entre autres, des comptes bancaires et du revenu d'emploi du débiteur fiscal.

La constitutionnalité de l'article 316 a été confirmée à maintes reprises par les tribunaux *(Quebec (Deputy Minister of Revenue) c. Marcel Grand Cirque inc.*, [1995] G.S.T.C. 76 (C.F.)).

Selon le juge Denault dans *M.R.N. c. Marcel Grand Cirque*, [1995] G.S.T.C. 66 (C.F.), le certificat permet uniquement à l'Agence du revenu du Canada d'obtenir une garantie supplémentaire sur les biens de la personne débitrice d'une dette fiscale. La vente en justice du bien faisant l'objet d'un certificat est quant à elle soumise à un consentement écrit de la part du ministre.

Les exemptions à la saisie prévue dans le *Code de procédure civile du Québec* limitent toutefois la portée du certificat de l'article 316. Voir notamment : *Belliard c. Quebec (Dep. Min. of Revenue)*, [1998] G.S.T.C. 30 (C.A.F.).

L'article 316 est similaire à l'article 223 de la *Loi de l'impôt sur le revenu*.

317. (1) Saisie-arrêt — Dans le cas où le ministre sait ou soupçonne qu'une personne donnée est ou sera tenue, dans les douze mois, de faire un paiement à une autre personne — appelée « débiteur fiscal » au présent paragraphe et aux paragraphes (2), (3), (6) et (11) — qui elle-même est redevable d'un montant en vertu de la présente partie, il peut, par avis écrit, exiger de la personne donnée que tout ou partie des sommes par ailleurs payables au débiteur fiscal soient versées, immédiatement si les sommes sont alors payables, sinon, dès qu'elles le deviennent, au receveur général au titre du montant dont le débiteur fiscal est redevable selon la présente partie.

Notes historiques: Le paragraphe 317(1) a été remplacé par L.C. 2000, c. 30, par. 95(1). Cette modification est réputée entrée en vigueur le 20 octobre 2000. Antérieurement, il se lisait comme suit :

> 317. (1) Dans le cas où le ministre sait ou soupçonne qu'une personne est ou sera, dans les 90 jours, tenue de faire un paiement à une autre personne — appelée « débiteur fiscal » aux paragraphes (2), (3) et (6) — qui elle-même est redevable d'un montant en vertu de la présente partie, il peut, par lettre recommandée ou certifiée ou signifiée à personne, exiger de cette personne que tout ou partie des sommes par ailleurs payables au débiteur fiscal soient versées, immédiatement si les sommes sont alors payables, sinon, dès qu'elles le deviennent, au receveur général au titre du montant dont le débiteur fiscal est redevable selon la présente partie.

Le paragraphe 317(1) a été ajouté par L.C. 1990, c. 45, par. 12(1).

Concordance québécoise: LAF, art. 15, al. 1.

(2) Idem — Sans restreindre la portée générale du paragraphe(1), lorsque le ministre sait ou soupçonne que, dans les 90 jours, selon le cas :

a) une banque, une caisse de crédit, une compagnie de fiducie ou une personne semblable — appelée « institution » au présent article — prêtera ou avancera une somme au débiteur fiscal qui a une dette envers l'institution et qui a donné à celle-ci une garantie pour cette dette, ou effectuera un paiement au nom d'un tel débiteur ou au titre d'un effet de commerce émis par un tel débiteur;

b) une personne autre qu'une institution prêtera ou avancera une somme à un débiteur fiscal, ou effectuera un paiement au nom d'un débiteur fiscal, que le ministre sait ou soupçonne :

(i) être le salarié de cette personne, ou prestataire de biens ou de services à cette personne, ou qu'il l'a été ou le sera dans les 90 jours,

(ii) lorsque cette personne est une personne morale, avoir un lien de dépendance avec cette personne,

il peut, par avis écrit, obliger cette institution ou cette personne à verser au receveur général au titre de l'obligation du débiteur fiscal en vertu de la présente partie tout ou partie de la somme qui serait autrement ainsi prêtée, avancée ou payée. La somme ainsi versée est réputée avoir été prêtée, avancée ou payée au débiteur fiscal.

Notes historiques: L'alinéa 317(2)a) a été remplacé par L.C. 2000, c. 30, par. 95(2). Cette modification est réputée entrée en vigueur le 20 octobre 2000. Antérieurement, il se lisait comme suit :

> a) une banque, une caisse de crédit, une compagnie de fiducie ou une personne semblable — appelée « institution » au présent article — prêtera ou avancera une somme au débiteur fiscal qui a une dette envers l'institution ou qui a donné à celle-ci une garantie pour cette dette, ou effectuera un paiement au nom d'un tel débiteur ou au titre d'un effet de commerce émis par un tel débiteur;

Le sous-alinéa 317(2)b)(i) a été remplacé par L.C. 2000, c. 30, par. 95(3). Cette modification est réputée entrée en vigueur le 20 octobre 2000. Antérieurement, il se lisait comme suit :

> (i) être le salarié de cette personne, ou prestataire de biens ou de services à cette personne, ou qu'elle l'a été ou le sera dans les 90 jours,

Le passage suivant le sous-alinéa 317(2)b)(ii) a été remplacé par L.C. 2000, c. 30, par. 95(4). Cette modification est réputée entrée en vigueur le 20 octobre 2000. Antérieurement, il se lisait comme suit :.

> il peut, par lettre recommandée ou certifiée ou signifiée à personne, obliger cette institution ou cette personne à verser au receveur général au titre de l'obligation du débiteur fiscal en vertu de la présente partie tout ou partie de la somme qui serait autrement ainsi prêtée, avancée ou payée. La somme ainsi versée est réputée avoir été prêtée, avancée ou payée au débiteur fiscal.

Le paragraphe 317(2) a été ajouté par L.C. 1990, c. 45, par. 12(1).

Concordance québécoise: LAF, art. 15.1.

(3) Saisie-arrêt — Malgré les autres dispositions de la présente partie, tout texte législatif fédéral à l'exception de la *Loi sur la faillite et l'insolvabilité*, tout texte législatif provincial et toute règle de droit, si le ministre sait ou soupçonne qu'une personne est ou deviendra, dans les douze mois, débitrice d'une somme à un débiteur fiscal, ou à un créancier garanti qui, grâce à un droit en garantie en sa faveur, a le droit de recevoir la somme autrement payable au débiteur fiscal, il peut, par avis écrit, obliger la personne à verser au receveur général tout ou partie de cette somme, immédiatement si la somme est alors payable, sinon dès qu'elle le devient, au titre du montant dont le débiteur fiscal est redevable selon la présente partie. Sur réception par la personne de l'avis, la somme qui y est indiquée comme devant être versée devient, malgré tout autre droit en garantie au titre de cette somme, la propriété de Sa Majesté du chef du Canada, jusqu'à concurrence du montant dont le débiteur fiscal est ainsi redevable selon la cotisation du ministre, et doit être versée au receveur général par priorité sur tout autre droit en garantie au titre de cette somme.

Notes historiques: Le paragraphe 317(3) a été remplacé par L.C. 2000, c. 30, par. 95(5). Cette modification est réputée entrée en vigueur le 20 octobre 2000. Antérieurement, il se lisait comme suit :

> (3) Malgré les autres dispositions de la présente partie, tout texte législatif fédéral à l'exception de la *Loi sur la faillite et l'insolvabilité*, tout texte législatif provincial et toute règle de droit, si le ministre sait ou soupçonne qu'une personne est ou deviendra, dans les quatre-vingt-dix jours, débitrice d'une somme à un débiteur fiscal, ou à un créancier garanti qui, grâce à une garantie en sa faveur, a le droit de recevoir la somme autrement payable au débiteur fiscal, il peut, par lettre recommandée ou signifiée à personne, obliger la personne à verser au receveur général tout ou partie de cette somme, immédiatement si la somme est alors payable, sinon dès qu'elle le devient, au titre du montant dont le débiteur fiscal est redevable selon la présente partie. Sur réception de la lettre par la personne, la somme qui y est indiquée comme devant être versée devient, malgré toute autre garantie au titre de cette somme, la propriété de Sa Majesté du chef du Canada, jusqu'à concurrence du montant dont le débiteur fiscal est ainsi redevable selon la cotisation du ministre, et doit être versée au receveur général par priorité sur toute autre garantie au titre de cette somme.

Le paragraphe 317(3) a été modifié par L.C. 1993, c. 27, art. 133 et s'applique à compter du 10 juin 1992. Il se lisait auparavant comme suit :

> (3) Nonobstant les autres dispositions de la présente partie, tout texte législatif fédéral à l'exception de la *Loi sur la faillite et l'insolvabilité*, tout texte législatif provincial et toute règle de droit, si le ministre sait ou soupçonne qu'une personne est ou deviendra, dans les 90 jours, débitrice d'une somme à un débiteur fiscal, ou à un créancier garanti qui, grâce à une garantie en sa faveur, a le droit de recevoir la somme autrement payable au débiteur fiscal, il peut, par lettre recommandée ou certifiée ou signifiée à personne, obliger la personne à verser au receveur général tout ou partie de cette somme, immédiatement si la somme est alors payable, sinon dès qu'elle le devient, au titre du montant dont le débiteur fiscal est redevable selon la section V de la présente partie. Sur réception de la lettre par la personne, la somme qui y est indiquée comme devant être versée devient la propriété de Sa Majesté du chef du Canada et doit être versée au receveur général par priorité sur toute autre garantie au titre de cette somme.

Le paragraphe 317(3) a été modifié par L.C. 1992, c. 27, al. 90(1)p), applicable à compter du 30 novembre 1992 (TR/92-194), pour corriger la référence à la *Loi sur la faillite* par la *Loi sur la faillite et l'insolvabilité*.

Le paragraphe 317(3) a été ajouté par L.C. 1990, c. 45, par. 12(1).

Concordance québécoise: LAF, art. 15, al. 2, 15.2, al. 1.

(4) [*Abrogé*]

Notes historiques: Le paragraphe 317(4) a été abrogé par L.C. 2000, c. 30, par. 95(5). Cette abrogation est réputée entrée en vigueur le 20 octobre 2000. Antérieurement, il se lisait comme suit :

> (4) Définitions — Les définitions qui suivent s'appliquent au paragraphe (3).
>
> « créancier garanti » Personne qui a une garantie sur le bien d'une autre personne — ou qui est mandataire de cette personne quant à cette garantie —, y compris un fiduciaire désigné dans un acte de fiducie portant sur la garantie, un séquestre ou séquestre-gérant nommé par un créancier garanti ou par un tribunal à la demande d'un créancier garanti, un administrateur-séquestre ou une autre personne dont les fonctions sont semblables à celles de l'une de ces personnes.
>
> « garantie » Droit sur un bien qui garantit l'exécution d'une obligation, notamment un paiement. Sont en particulier des garanties les droits nés ou découlant de débentures, hypothèques, *mortgages*, privilèges, nantissements, sûretés, fiducies réputées ou réelles, cessions et charges, quelle qu'en soit la nature, de quelque façon ou à quelque date qu'elles soient créées, réputées exister ou prévues par ailleurs.

Le paragraphe 317(4) a été ajouté par L.C. 1990, c. 45, par. 12(1).

(5) Récépissé du ministre — Le récépissé du ministre relatif à des sommes versées, comme l'exige le présent article, constitue une quittance valable et suffisante de l'obligation initiale jusqu'à concurrence du paiement.

Notes historiques: Le paragraphe 317(5) a été ajouté par L.C. 1990, c. 45, par. 12(1).

Concordance québécoise: LAF, art. 15.4.

(6) Étendue de l'obligation — L'obligation, imposée par le ministre aux termes du présent article, d'une personne de verser au receveur général, au titre d'un montant dont un débiteur fiscal est redevable selon la présente partie, des sommes payables par ailleurs par cette personne au débiteur fiscal à titre d'intérêts, de loyer, de rémunération, de dividende, de rente ou autre paiement périodique s'applique à tous les paiements analogues à être effectués par la personne au débiteur fiscal tant que le montant dont celui-ci est redevable n'est pas acquitté. De plus, l'obligation exige que des paiements soient faits au receveur général sur chacun de ces versements, selon le montant que le ministre fixe dans un avis écrit.

Notes historiques: Le paragraphe 317(6) a été remplacé par L.C. 2000, c. 30, par. 95(6). Cette modification est réputée entrée en vigueur le 20 octobre 2000. Antérieurement, il se lisait comme suit :

> (6) L'obligation, imposée par le ministre aux termes du présent article, d'une personne de verser au receveur général, au titre d'un montant dont un débiteur fiscal est redevable selon la présente partie, des sommes payables par ailleurs par cette personne au débiteur fiscal à titre d'intérêts, de loyer, de rémunération, de dividende, de rente ou autre paiement périodique s'étend à tous les paiements analogues à être effectués parla personne au débiteur fiscal tant que le montant dont celui-ci est redevable n'est pas acquitté. De plus, l'obligation exige que des paiements soient faits au receveur général sur chacun de ces versements, selon le montant que le ministre fixe dans une lettre recommandée ou certifiée ou signifiée à personne.

Le paragraphe 317(6) a été ajouté par L.C. 1990, c. 45, par. 12(1).

Concordance québécoise: LAF, art. 15.5.

(7) Défaut de se conformer — Toute personne qui ne se conforme pas à une exigence du paragraphe (1), (3) ou (6) est redevable à Sa Majesté du chef du Canada d'un montant égal à celui qu'elle était tenue de verser au receveur général en application d'un de ces paragraphes.

Notes historiques: Le 317(7) a été ajouté par L.C. 1990, c. 45, par. 12(1).

Concordance québécoise: LAF, art. 15.5.

(8) Idem — Toute institution ou personne qui ne se conforme pas à une exigence du paragraphe (2) est redevable à Sa Majesté du chef du Canada, à l'égard des sommes à prêter, à avancer ou à payer, d'un montant égal au moins élevé des montants suivants :

a) le total des sommes ainsi prêtées, avancées ou payées;

b) le montant qu'elle était tenue de verser au receveur général en application de ce paragraphe.

Notes historiques: Le paragraphe 317(8) a été ajouté par L.C. 1990, c. 45, par. 12(1).

Concordance québécoise: LAF, art. 15.5.

(9) Cotisation — Le ministre peut établir une cotisation pour un montant qu'une personne doit payer au receveur général en vertu du présent article. Dès l'envoi de l'avis de cotisation, les articles 296 à 311 s'appliquent, compte tenu des adaptations de circonstance.

Notes historiques: Le paragraphe 317(9) a été ajouté par L.C. 1990, c. 45, par. 12(1).

Concordance québécoise: aucune.

(10) Délai — La cotisation ne peut être établie plus de quatre ans suivant la réception par la personne de l'avis exigeant le paiement du montant.

Notes historiques: Le paragraphe 317(10) a été remplacé par L.C. 2000, c. 30, par. 95(7). Cette modification est réputée entrée en vigueur le 20 octobre 2000. Antérieurement, il se lisait comme suit :

(10) La cotisation ne peut être établie plus de quatre ans suivant la signification par le ministre de la lettre exigeant le paiement du montant par la personne.

Le paragraphe 317(10) a été ajouté par L.C. 1990, c. 45, par. 12(1).

Concordance québécoise: aucune.

(11) Effet du paiement — La personne qui, conformément à un avis que le ministre a délivré aux termes du présent article ou à une cotisation établie en application du paragraphe (9), paie au receveur général un montant qui aurait par ailleurs été payable à un débiteur fiscal, ou pour son compte, est réputée, à toutes fins utiles, payer le montant au débiteur fiscal ou pour son compte.

Notes historiques: Le paragraphe 317(11) a été remplacé par L.C. 2000, c. 30, par. 95(7). Cette modification est réputée entrée en vigueur le 20 octobre 2000. Antérieurement, il se lisait comme suit :

(11) La personne qui, conformément à la lettre que le ministre lui a signifiée aux termes du présent article ou à une cotisation établie en application du paragraphe (9), paie au receveur général un montant qui aurait par ailleurs été payable au débiteur fiscal, ou pour son compte, est réputée, à toutes fins utiles, payer le montant au débiteur fiscal ou pour son compte.

Le paragraphe 317(11) a été ajouté par L.C. 1990, c. 45, par. 12(1).

Concordance québécoise: aucune.

(12) Application à Sa Majesté du chef d'une province — Les dispositions de la présente partie prévoyant qu'une personne doit payer au receveur général, en exécution d'une obligation en ce sens imposée par le ministre, un montant qui serait par ailleurs prêté, avancé ou payé soit à une personne redevable d'un paiement aux termes de la présente partie, soit à son créancier garanti, s'appliquent à Sa Majesté du chef d'une province.

Notes historiques: Le paragraphe 317(12) a été ajouté par L.C. 2000, c. 30, par. 95(7). Ce paragraphe est réputé entré en vigueur le 20 octobre 2000.

Concordance québécoise: aucune.

Définitions [art. 317]: « argent », « banque », « bien », « caisse de crédit », « cotisation », « ministre », « montant », « personne », « province », « service » — 123(1).

Renvois [art. 317]: 126 (lien de dépendance); 156(1) (définitions — « créancier garanti » et « garantie »); 313(4) (frais de justice); 315(1) (cotisation nécessaire); 322.1(2) (recouvrement compromis).

Jurisprudence [art. 317]: *Canadian Asbestos Services Ltd c. Bank of Montréal*, [1992] G.S.T.C. 15 (Ont. Gen. Div.), [1993] G.S.T.C. 23 (Ont. Gen. Div.), [1995] G.S.T.C. 36 (Ont. Gen. Div.); *Encor Energy Corp. c. Ernst & Young Inc.*, [1993] G.S.T.C. 25 (Sask QB); [1995] G.S.T.C. 54 (Sask CA); *Coopers & Lybrand c. Bank of Montreal*, [1993] G.S.T.C. 36 (Nfld TD); *Canada Trustco Mortgage Corp. c. Port O'Call Hotel Inc.*, [1994] G.S.T.C. 5, [1996] G.S.T.C. 17 (CSC) (Alta. CA); *Canoe Cove Manufacturing Ltd. (Re)*, [1994] G.S.T.C. 36 (BCSC); *Montreal Trust Co. c. Powell Lane Investments Ltd.*, [1994] G.S.T.C. 66 (BCSC, Master), [1995] G.S.T.C. 24 (BCSC); *Re San Diego Catering Ltd.*, [1995] G.S.T.C. 25 (BCSC); [1996] G.S.T.C. 49 (BCCA), [1996] G.S.T.C. 78 (BCCA); *Williston Wildcatters Oil Corp. (Re)*, [1996] G.S.T.C. 42 (Sask QB re faillite); *Central Guaranty Trust Co. c. Québec (Sous-ministre du Revenu)* (1993), [1996] G.S.T.C. 47 (Que SC); *Québec (Sous-ministre du Revenu) c. Québec*, [1996] G.S.T.C. 51 (Greffier de la Cour supérieure); *Labrie c. Bille* (14 avril 1997), Joliette 705-05-001717-969(1997) (C.S. Qué); *Hollinger c. Rivard*, [1997] G.S.T.C. 39 (CCI); *Wa-Bowden Real Estate Reports Inc. c. Canada*, [1997] G.S.T.C. 49 (CFA); *Kowalski (J.F.) c. Canada*, [1998] G.S.T.C. 23 (CCI); *Brant (R.G.) c. Canada*, [1998] G.S.T.C. 38 (CF); *Québec c. Location d'Autos Niveau Plus Inc.*, [1998] G.S.T.C. 73 (CF); *Brant (R.G.) c. Canada*, [1998] G.S.T.C. 101 (CF); *Québec c. Champagne*, [1998] G.S.T.C. 108 (CS Québec); *Royal Bank of Canada c. Canada*, [1999] G.S.T.C. 2 (CFA); *Québec (Sous-ministre du Revenu) c. Cie Montréal Trust du Canada*, 1999 CarswellQue 27 (C.A. Qué); *United Used Auto & Truck Parts Ltd., Re*, [2001] G.S.T.C. 27 (BCSC); *9099–3262 Québec inc. c. Ministre du Revenu national* , [2001] G.S.T.C. 133 (CF); *Absolute Bailiffs Inc c. R.*, [2002] G.S.T.C. 116 (CCI); *Québec (Sous-ministre du Revenu) c. Lizotte*, [2004] G.S.T.C. 99 (CF); *Québec (Sous-ministre du Revenu) c. Lizotte*, [2004] G.S.T.C. 100 (CF); *Absolute Bailiffs Inc. v. R.*, [2003] G.S.T.C. 160 (CFA); *9049-4907 Québec Inc. c. Metromec Equipment Inc.*, [2005] G.S.T.C. 18 (CF); *Picott, Re*, [2005] 2 C.T.C. 101 (CFA); *S.M.R.Q. c. Deziel* , [2006] G.S.T.C. 152 (CF); *607730 B.C. Ltd. v. R.*, [2007] G.S.T.C. 183 (CCI [procédure informelle]); *Québec (Sous-ministre du Revenu) c. Service de garantie Québec inc. (Syndic de)* (3 mars 2009), 500-09-017872-078, 2009 CarswellQue 2517; *Banque Toronto Dominion c. R.*, 2010 CarswellNat 1920, 2010 CAF 174 (CAF); *Westwood Floors Ltd. v. R.* (8 décembre 2010), 2010 CarswellNat 5360, 2010 CCI 632 (CCI [procédure informelle]).

Mémorandums [art. 317]: TPS 500-3-3, 5/12/91, *Perception et exécution*, par. 17, 18, 19.

Série de mémorandums [art. 317]: Mémorandum 1.5, 09/94, *Définitions*.

Circulaires d'information [art. 317]: 98-1R3 — Politiques de recouvrement (ébauche).

Formulaires [art. 317]: FPR-196, *Ordre de payer en vertu du paragraphe 317(3) de la Loi sur la taxe d'accise*.

COMMENTAIRES: L'article 317 permet d'exiger une saisie-arrêt auprès d'un tiers l'obligeant ainsi à remettre à l'Agence du revenu du Canada et à Revenu Québec toute somme payable sur une durée de douze mois à un débiteur fiscal. L'avantage de cette méthode pour l'Agence du revenu du Canada et Revenu Québec est qu'aucune procédure judiciaire n'est impliquée dans ce processus.

Pour l'application de 317, il est obligatoire d'émettre un avis de cotisation contre le débiteur fiscal.

La saisie-arrêt déposée en vertu de l'article 317 permet à l'Agence du revenu du Canada ou à Revenu Québec de saisir tout montant payable à un débiteur fiscal d'une des sources suivantes : une banque, un employeur, une compagnie d'assurance, des droits provenant d'un jugement (voir notamment : *Quebec (Dep. Min.) c. Location D'autos Niveau Plus inc.*, [1998] G.S.T.C. 73) et une marge de crédit accordée par des institutions financières (paragraphe 317(2)).

La Cour suprême du Canada a confirmé que la vente de comptes clients à un tiers pouvait empêcher l'application du paragraphe 317(3) étant donné que le tiers acquéreur des comptes clients devenait le réel propriétaire des créances. (*Canada Trustco Mortgage Corp. c. Port O'Call Hotel Inc.*, [1996] G.S.T.C. 17. (S.C.C.) et *First Vancouver Finance c. M.N.R.*, [2002] G.S.T.C. 23 (C.S.C.)).

La super priorité créée par le paragraphe 317(3) permet de recevoir en priorité sur toute autre dette le paiement destiné au débiteur d'une dette fiscale à l'exception des dettes en vertu de la *Loi sur la faillite et l'insolvabilité* (*Brant c. R.*, [1998] G.S.T.C. 101) et des montants convenus lors de l'arrangement en vertu de la *Loi sur les arrangements avec les créanciers des compagnies*. Il est à noter que contrairement à la *Loi sur la faillite et l'insolvabilité*, la *Loi sur les arrangements avec les créanciers des compagnies* n'est pas spécifiquement mentionnée au le libellé du paragraphe (3). Toutefois, suivant le courant jurisprudentiel majoritaire et à la suite des modifications de la *Loi sur les arrangements avec les créanciers des compagnies en 2001*, les ordonnances émises en vertu de cette loi prévalent sur les saisies-arrêts déposées en vertu de l'article 317 contre un tiers. Voir notamment: *M.N.R. c. Points North Freight Forwarding Inc.*, [2001] G.S.T.C. 87.

Le paragraphe (3) a fait l'objet de la décision *Banque Toronto-Dominion c. R.*, [2010] G.S.T.C.99 (C.A.F.) (confirmée par la Cour suprême du Canada, 2012 CarswellNat 9 (C.S.C.)). Dans cette affaire, Revenu Québec avait envoyé un avis à la banque le 11 décembre 2007 alors que celle-ci détenait certains fonds du débiteur fiscal. Le 24 décembre 2007, le débiteur fiscal a fait une proposition en faillite, mettant ainsi en suspens les recours de ses créanciers. Par la suite, Revenu Québec a cotisé la banque pour ne pas avoir collaboré dans la période du 11 décembre au 24 décembre 2007. La Cour d'appel fédérale a confirmé la décision de la Cour canadienne de l'impôt en rejetant l'appel de la banque, et en confirmant que la saisie-arrêt était valide pour transférer les fonds du débiteur fiscal détenus par la banque en faveur de la couronne. Puisque cet avis est survenu avant la proposition de la faillite, les fonds appartenaient alors déjà à la Couronne et la banque est donc responsable du paiement. Cette décision a été confirmée par la Cour suprême du Canada.

L'Agence du revenu du Canada a indiqué que les agents du département de perception ne peuvent utiliser cet article pour faire une expédition de pêche, notamment dans un contexte où des saisies-arrêts seraient envoyées aux cinq plus larges institutions bancaires dans un but de découvrir l'institution financière qui fait affaire avec un débiteur fiscal. Voir notamment : question 17 — *Questions pour l'Agence du revenu du Canada* — Rencontre annuelle entre l'Agence du revenu du Canada et l'Association du Barreau Canadien (26 février 2009).

Le paragraphe (7) énonce que le défaut pour le tiers saisi de ne pas se conformer à une saisie-arrêt émise en vertu de l'article 317 consiste en l'émission contre ce tiers saisi d'un avis de cotisation d'un montant équivalent au montant non versé au Receveur général.

318. Recouvrement par voie de déduction ou de compensation — Le ministre peut exiger la retenue par voie de déduction ou de compensation du montant qu'il précise sur toute somme qui est payable par Sa Majesté du chef du Canada, ou qui peut le devenir, à la personne contre qui elle détient une créance en vertu de la présente partie.

Notes historiques: L'article 318 a été ajouté par L.C. 1990, c. 45, par. 12(1).

Concordance québécoise: LAF, art. 31, al. 1.

Définitions [art. 318]: « ministre », « montant », « personne » — 123(1).

Renvois [art. 318]: 313(4) (frais de justice); 315(1) (cotisation nécessaire); 322.1(2) (recouvrement compromis).

Formulaires [art. 318]: FPR-195 *Compensation prévue par la loi*.

Énoncés de politique [art. 318]: P-112R, 08/03/00, *Établissement d'une cotisation à l'égard de la taxe à payer si l'acheteur n'est pas solvable*; P-162, 15/12/94, *Recouvrement par voie de compensation par suite d'une faillite*.

Mémorandums [art. 318]: TPS 500-2, 31/05/90, *Déclarations et paiements*, par. 30; TPS 500-3-3, 5/12/91, *Perception et exécution*, par. 14, 15.

Circulaires d'information [art. 318]: 98-1R3 — Politiques de recouvrement (ébauche).

Lettres d'interprétation (Québec) [art. 318]: 99-0100802 — Cotisation de la taxe payable et proposition concordataire; 01-0107910 — Interprétation relative à la TVQ — Article 318 de la LTVQ et dédommagement accordé à des inscrits — Demande de précision.

COMMENTAIRES: L'article 318 permet à l'Agence du revenu du Canada et à Revenu Québec de compenser les montants dus par une personne à l'égard de sa dette fiscale. En pratique, cet article est fréquemment utilisé par les autorités fiscales et permet de faire respecter notre système volontaire d'auto-cotisation.

Pour permettre à l'Agence du revenu du Canada et à Revenu Québec de bénéficier de ce mode de compensation, il est obligatoire d'avoir préalablement émis un avis de cotisation à l'encontre de la personne visée. Voir à ce sujet nos commentaires sous l'article 315.

L'expression « ou qui peut le devenir » semble donner de larges pouvoirs de compensation à l'Agence du revenu du Canada et à Revenu Québec puisque cela semble s'étendre non seulement aux sommes payables, mais également aux sommes qui peuvent devenir payables.

L'article 322.1 LTA est similaire à l'article 224.1 de la *Loi de l'impôt sur le revenu.*

319. Acquisition de biens du débiteur — Pour recouvrer des créances de Sa Majesté du chef du Canada contre une personne en vertu de la présente partie, le ministre peut acheter ou autrement acquérir — et aliéner de la manière qu'il estime raisonnable — les droits sur les biens de la personne auxquels il a droit par suite de procédures judiciaires ou conformément à l'ordonnance d'un tribunal, ou qui sont offerts en vente ou peuvent être rachetés.

Notes historiques: L'article 319 a été ajouté par L.C. 1990, c. 45, par. 12(1).

Concordance québécoise: LAF, art. 17.1.

Définitions [art. 319]: « bien », « ministre », « personne », « vente » — 123(1).

Renvois [art. 319]: 313(4) (frais de justice); 315(1) (cotisation nécessaire); 322.1(2) (recouvrement compromis).

Mémorandums [art. 319]: TPS 500-3-3, 5/12/91, *Perception et exécution*, par. 24, 25.

COMMENTAIRES: Cet article est rarement utilisé. Il permet à l'Agence du revenu du Canada et à Revenu Québec de faire l'acquisition d'un bien d'une personne afin de recouvrer sa créance fiscale. Normalement, la saisie de biens d'un débiteur fiscal est effectuée en vertu des articles 316 et 321.

Pour permettre son application, il est obligatoire d'avoir préalablement émis un avis de cotisation à l'encontre de la personne visée. Voir à ce sujet nos commentaires sous l'article 315.

Cet article est très large d'application puisque contrairement à l'article 321 qui ne vise que les biens mobiliers, cet article vise l'ensemble des biens. Nous vous renvoyons au paragraphe 123(1) pour la définition du mot « bien » qui inclut, de façon générale, tous les biens meubles et immeubles, corporels et incorporels.

L'article 322 n'a aucune correspondance dans la *Loi de l'impôt sur le revenu.*

320. (1) Sommes saisies d'un débiteur fiscal — Dans le cas où le ministre sait ou soupçonne qu'une personne donnée détient des sommes qui ont été saisies par un officier de police, aux fins de l'application du droit criminel canadien, d'une autre personne — appelée « débiteur fiscal » au présent article — tenue de faire un paiement en vertu de la présente partie et qui doivent être restituées au débiteur fiscal, le ministre peut, par écrit, obliger la personne donnée à verser tout ou partie des sommes autrement restituables au débiteur fiscal au receveur général au titre du montant dont le débiteur est redevable en vertu de la présente partie.

Notes historiques: Le paragraphe 320(1) a été remplacé par L.C. 2000, c. 30, art. 96. Cette modification est réputée entrée en vigueur le 20 octobre 2000. Antérieurement, il se lisait comme suit :

> 320. (1) Dans le cas où le ministre sait ou soupçonne qu'une personne détient des sommes qui ont été saisies par un officier de police, aux fins de l'application du droit criminel canadien, d'une autre personne — appelée « débiteur fiscal » au présent article — tenue de faire un paiement en vertu de la présente partie et qui doivent être restituées au débiteur fiscal, le ministre peut, par lettre recommandée ou certifiée ou signifiée à personne, obliger cette personne à verser tout ou partie des sommes autrement restituables au débiteur fiscal au receveur général au titre du montant dont le débiteur est redevable en vertu de la présente partie.

Le paragraphe 320(1) a été ajouté par L.C. 1990, c. 45, par. 12(1).

Concordance québécoise: LAF, art. 15.3.

(2) Récépissé du ministre — Le récépissé du ministre relatif aux sommes versées en application du paragraphe (1), constitue une quittance valable et suffisante de l'obligation de restituer les sommes jusqu'à concurrence du versement.

Notes historiques: Le paragraphe 320(2) a été ajouté par L.C. 1990, c. 45, par. 12(1).

Concordance québécoise: LAF, art. 15.4.

Définitions [art. 320]: « argent », « ministre », « montant », « personne » — 123(1).

Renvois [art. 320]: 313(4) (frais de justice); 315(1) (cotisation nécessaire); 322.1(2) (recouvrement compromis).

Mémorandums [art. 320]: TPS 500-3-3, 5/12/91, *Perception et exécution*, par. 26.

COMMENTAIRES: L'article 320 permet à l'Agence du revenu du Canada et à Revenu Québec de réclamer des sommes saisies d'une personne par un policier dans le cadre de l'application du droit criminel et qui appartiennent à un débiteur fiscal. Cette procédure permet à l'Agence du revenu du Canada et à Revenu Québec de récupérer les sommes ainsi saisies avant qu'elles ne soient remises au débiteur fiscal.

Pour permettre son application, il est obligatoire d'avoir préalablement émis un avis de cotisation à l'encontre de la personne visée. Voir à ce sujet nos commentaires sous l'article 315.

L'article 322 n'a aucune correspondance dans la *Loi de l'impôt sur le revenu.*

321. (1) Saisie des biens mobiliers — Le ministre peut donner à la personne qui n'a pas payé un montant exigible en vertu de la présente partie un préavis de 30 jours, par lettre certifiée ou recommandée à la dernière adresse connue de cette personne, de son intention d'ordonner la saisie et vente de ses biens mobiliers; le ministre peut délivrer un certificat de défaut et ordonner la saisie de ses biens mobiliers si, au terme des 30 jours, la personne est encore en défaut de paiement.

Notes historiques: Le paragraphe 321(1) a été ajouté par L.C. 1990, c. 45, par. 12(1).

Concordance québécoise: LAF, art. 16, al. 1.

(2) Vente de biens saisis — Les biens saisis sont gardés pendant 10 jours aux frais et risques du propriétaire et sont vendus à l'enchère publique si le propriétaire ne paie pas le montant dû ainsi que les dépenses dans les 10 jours.

Notes historiques: Le paragraphe 321(2) a été ajouté par L.C. 1990, c. 45, par. 12(1).

Concordance québécoise: LAF, art. 16, al. 2.

(3) Avis de la vente — Sauf s'il s'agit de produits périssables, avis de cette vente doit être publié à une date raisonnablement antérieure à la vente des produits au moins une fois dans un ou plusieurs journaux distribués dans la région; l'avis énonce la date et le lieu de la vente, ainsi qu'une description générale des biens à vendre.

Notes historiques: Le paragraphe 321(3) a été ajouté par L.C. 1990, c. 45, par. 12(1).

Concordance québécoise: aucune.

(4) Résultats de la vente — Le surplus de la vente, déduction faite de la somme due et des dépenses, est payé ou rendu au propriétaire des biens.

Notes historiques: Le paragraphe 321(4) a été ajouté par L.C. 1990, c. 45, par. 12(1).

Concordance québécoise: LAF, art. 16, al. 3.

(5) Restriction — Le présent article ne s'applique pas aux biens mobiliers d'une personne en défaut qui seraient insaisissables malgré la délivrance d'un bref d'exécution par une cour supérieure de la province dans laquelle la saisie est opérée.

Notes historiques: Le paragraphe 321(5) a été ajouté par L.C. 1990, c. 45, par. 12(1).

Concordance québécoise: LAF, art. 16, al. 4.

Définitions [art. 321]: « bien », « ministre », « montant », « personne », « produits », « vente » — 123(1).

Renvois [art. 321]: 313(4) (frais de justice); 315(1) (cotisation nécessaire); 322(2) (saisie et vente des biens — personne quittant le Canada ou en défaut); 322.1(2) (recouvrement compromis); 334 (envoi par la poste — date de réception).

Jurisprudence [art. 321]: *Lagacé v. R.* (25 mai 2012), 2012 CarswellNat 1802 (C.C.I.); *Quebec (Deputy Minister of Revenue) c. Couverture C.G.L. Inc.*, [1995] G.S.T.C. 16 (CF); *Quebec (Deputy Minister of Revenue) c. Marcel Grand Cirque Inc.*, [1995] G.S.T.C. 66, [1995] G.S.T.C. 76 (CF); [1995] G.S.T.C. 76 (CF); *Belliard c. Quebec (Dep. M.R.)*, [1998] G.S.T.C. 30 (CAF); *Fegol c. Canada*, [1998] G.S.T.C. 29 (CF); [1999] G.S.T.C. 52 (CAF); *Lagacé v. R.* (5 avril 2012), 2012 CarswellNat 1802, 2012 CCI 117 (CCI [procédure informelle]).

Mémorandums [art. 321]: TPS 500-3, 4/10/91, *Cotisations et pénalités*, par. 20, 21; TPS 500-3-3, 5/12/91, *Perception et exécution*, par. 27.

Circulaires d'information [art. 321]: 98-1R3 — Politiques de recouvrement (ébauche).

COMMENTAIRES: Cet article permet à l'Agence du revenu du Canada et à Revenu Québec de saisir et de vendre les biens mobiliers d'une personne, sous réserve de certaines conditions, en paiement d'un montant exigible en vertu de la partie IX. L'expression « bien meuble » aux fins du paragraphe 123(1) désigne l'ensemble des biens, sauf les biens immeubles.

Pour permettre son application, il est obligatoire d'avoir préalablement émis un avis de cotisation à l'encontre de la personne visée. Voir à ce sujet nos commentaires sous l'article 315.

En pratique, l'Agence du revenu du Canada et Revenu Québec utilisent rarement la procédure reflétée à cet article, préférant davantage la procédure en vertu de l'article 316.

L'article 322.1 est similaire à l'article 225 de la *Loi de l'impôt sur le revenu*.

322. (1) Personnes quittant le Canada — Dans le cas où le ministre soupçonne qu'une personne a quitté ou s'apprête à quitter le Canada, il peut, avant le jour par ailleurs fixé pour le paiement, par avis signifié à personne ou par lettre recommandée envoyée à la dernière adresse connue de la personne, exiger le paiement de tout montant dont celle-ci est redevable en vertu de la présente partie ou serait ainsi redevable si le moment du paiement était arrivé. Ce montant doit être payé immédiatement malgré les autres dispositions de la présente partie.

Notes historiques: Le paragraphe 322(1) a été remplacé par L.C. 2000, c. 30, art. 97. Cette modification est réputée entrée en vigueur le 20 octobre 2000. Antérieurement, il se lisait comme suit :

> 322. (1) Dans le cas où le ministre soupçonne qu'une personne a quitté ou s'apprête à quitter le Canada, il peut, avant le jour par ailleurs fixé pour le paiement, par avis signifié à personne ou par lettre recommandée ou certifiée envoyée à la dernière adresse connue de la personne, exiger le paiement des taxes nettes, taxes, pénalités, intérêts et montants visés à l'article 264 dont celle-ci est redevable ou serait redevable si le moment du paiement était arrivé. Ces sommes doivent être payées immédiatement nonobstant les autres dispositions de la présente partie.

Le paragraphe 322(1) a été ajouté par L.C. 1990, c. 45, par. 12(1).

Concordance québécoise: LAF, art. 17, al. 1.

(2) Saisie et vente de biens — Le ministre peut ordonner la saisie de biens mobiliers de la personne qui n'a pas payé un montant comme l'exige le paragraphe (1); les paragraphes 321(2) à (5) s'appliquent alors, avec les adaptations nécessaires.

Notes historiques: Le paragraphe 322(2) a été remplacé par L.C. 2000, c. 30, art. 97. Cette modification est réputée entrée en vigueur le 20 octobre 2000. Antérieurement, il se lisait comme suit :

> (2) Le ministre peut ordonner la saisie des biens mobiliers de la personne qui n'a pas payé la taxe nette, la taxe, les pénalités, les intérêts ou les montants visés à l'article 264 comme l'exige le présent article; dès lors, les paragraphes 321(2)à (5) s'appliquent, compte tenu des adaptations de circonstance.

Le paragraphe 322(2) a été ajouté par L.C. 1990, c. 45, par. 12(1).

Concordance québécoise: LAF, art. 17, al. 2.

Définitions [art. 322]: « bien », « ministre », « montant », « personne », « produits », « taxe » — 123(1).

Renvois [art. 322]: 123(2) (Canada); 225 (taxe nette); 313(2.2) (avis de cotisation); 313(4) (frais de justice); 334 (envoi par la poste — date de réception).

Mémorandums [art. 322]: TPS 500-3-3, 05/12/95, *Perception et exécution*.

COMMENTAIRES: L'article 322 permet de réclamer immédiatement le paiement d'un montant exigible ou qui serait exigible si le moment du paiement était arrivé dans un contexte où l'Agence du revenu du Canada ou Revenu Québec soupçonne qu'une personne a quitté ou s'apprêt à quitter le Canada.

En date du 18 février 2013, nous n'avons répertorié aucune décision jurisprudentielle.

L'article 322 n'a aucune correspondance dans la *Loi de l'impôt sur le revenu*.

322.1 (1) Définitions — Les définitions qui suivent s'appliquent au présent article.

« date d'audience » En ce qui concerne l'autorisation prévue au paragraphe (2), le jour où un juge entend la requête la concernant.

Concordance québécoise: aucune.

« date de cotisation » En ce qui concerne l'autorisation prévue au paragraphe (2), la veille de la date d'audience.

Concordance québécoise: aucune.

« juge » Juge d'une cour supérieure d'une province ou juge de la Cour fédérale.

Concordance québécoise: aucune.

« période visée » En ce qui concerne l'autorisation prévue au paragraphe (2) pour une période de déclaration donnée d'une personne :

a) si la date d'audience précède la fin de la période de déclaration donnée, la période commençant le premier jour de cette période et se terminant à la date de cotisation;

b) sinon, la période de déclaration donnée.

Concordance québécoise: aucune.

Notes historiques: Le paragraphe 322.1(1) a été ajouté par L.C. 2000, c. 14, art. 36 et est entré en vigueur le 29 juin 2000.

(2) Recouvrement compromis — Sur requête *ex parte* du ministre concernant une période de déclaration d'une personne, le juge saisi, s'il est convaincu qu'il existe des motifs raisonnables de croire que la taxe nette pour la période, déterminée compte non tenu du présent article, est un montant positif et que l'octroi d'un délai pour la payer compromettrait son recouvrement en tout ou en partie, autorise le ministre à faire ce qui suit sans délai, aux conditions qu'il estime raisonnables dans les circonstances :

a) établir une cotisation à l'égard de la taxe nette, déterminée conformément au paragraphe (3), pour la période visée;

b) prendre toute mesure visée aux articles 316 à 321 à l'égard du montant en question.

Notes historiques: Le paragraphe 322.1(2) a été ajouté par L.C. 2000, c. 14, art. 36 et est entré en vigueur le 29 juin 2000.

Concordance québécoise: aucune.

(3) Effet — Pour l'application de la présente partie, si l'autorisation prévue au paragraphe (2) est accordée relativement à une requête visant une période de déclaration donnée d'une personne, les règles suivantes s'appliquent :

a) dans le cas où la date d'audience précède la fin de la période donnée :

(i) chacune des périodes suivantes est réputée être une période de déclaration distincte de la personne :

(A) la période visée,

(B) la période commençant à la date d'audience et se terminant :

(I) si la période donnée est un exercice, le dernier jour du trimestre d'exercice de la personne qui comprend la date d'audience,

(II) dans les autres cas, le dernier jour de la période donnée,

(ii) si la période donnée est un exercice :

(A) la personne est réputée avoir fait le choix prévu à l'article 247 pour que ses périodes de déclaration correspondent à des trimestres d'exercice, lequel choix entre en vigueur au début de son premier trimestre d'exercice commençant après la date d'audience,

(B) l'article 237 s'applique à la période visée comme si elle était une période de déclaration déterminée selon le paragraphe 248(3);

b) la date limite pour la production de la déclaration de la personne aux termes de la section V pour la période visée est réputée être la date d'audience;

c) la taxe nette pour la période visée est réputée égale au montant qui représenterait la taxe nette pour la période si, à la date de cotisation, la personne demandait, dans une déclaration produite aux termes de la section V pour la période, tous les montants qu'elle pourrait alors demander à titre de crédit de taxe sur les intrants pour la période ou à titre de déduction de la taxe nette pour la période;

d) la taxe nette pour la période visée est réputée être devenue due au receveur général à la date d'audience;

e) si, dans le calcul de la taxe nette pour la période visée, le ministre tient compte d'un montant que la personne pourrait demander à titre de crédit de taxe sur les intrants ou de déduction de la taxe nette, la personne est réputée avoir demandé le montant dans une déclaration produite aux termes de la section V pour la période visée;

f) les articles 280, 280.1 et 284 s'appliquent comme si la date limite pour le versement de la taxe nette pour la période visée et pour la production de la déclaration pour cette période était le dernier jour de la période fixée aux termes du paragraphe (9).

Notes historiques: L'alinéa 322.1(3)f) a été remplacé par L.C. 2006, c. 4, par. 158(1) et cette modification est entrée en vigueur le 1er avril 2007. Antérieurement, il se lisait ainsi :

> f) les articles 280 et 284 s'appliquent comme si la date limite pour le versement de la taxe nette pour la période visée et pour la production de la déclaration pour cette période était le dernier jour de la période fixée aux termes du paragraphe (9).

Le paragraphe 322.1(3) a été ajouté par L.C. 2000, c. 14, art. 36 et est entré en vigueur le 29 juin 2000.

juin 2006, Notes explicatives: L'article 322.1 explique la procédure par laquelle le ministre du Revenu national peut obtenir l'autorisation judiciaire, sur requête ex parte, d'établir la cotisation et d'adopter des mesures de recouvrement d'un montant à verser par une personne. L'autorisation sera accordée s'il existe des motifs raisonnables de croire que la taxe nette pour la période est due et que l'octroi d'un délai pour la payer compromettrait son recouvrement en tout ou en partie.

Le paragraphe 322.1(3) prévoit des règles de présomption à l'égard des périodes de déclaration, du moment auquel les déclarations doivent être produites, du montant de la taxe nette qui est due, du moment auquel la taxe nette est due et du traitement des montants qui auraient été recouvrables par une personne. En outre, l'alinéa 322.1(3)f) suspend l'application des dispositions sur les intérêts et les pénalités prévues aux articles 280 et 284 comme si la taxe nette n'était pas tenue d'être versée, et si la déclaration n'était pas tenue d'être produite, tant que le délai de révision judiciaire de l'application n'est pas arrivé à échéance.

La modification apportée à l'alinéa 322.1(3)f) ajoute un renvoi à la pénalité prévue en application du nouvel article 280.1 pour un défaut de produire une déclaration. L'application de l'article 280.1 est aussi suspendue jusqu'à l'arrivée à échéance du délai de révision judiciaire de l'autorisation. Cette modification fait suite à l'instauration de la pénalité pour défaut de produire prévue aux termes du nouvel article 280.1

Cette modification entre en vigueur le 1er avril 2007.

Concordance québécoise: aucune.

(4) Affidavits — Les déclarations contenues dans un affidavit produit dans le cadre de la requête prévue au présent article peuvent être fondées sur une opinion pour autant que celle-ci soit motivée dans l'affidavit.

Notes historiques: Le paragraphe 322.1(4) a été ajouté par L.C. 2000, c. 14, art. 36 et est entré en vigueur le 29 juin 2000.

Concordance québécoise: aucune.

(5) Signification de l'autorisation et de l'avis de cotisation — Le ministre signifie à la personne intéressée l'autorisation prévue au paragraphe (2) dans les soixante-douze heures suivant le moment où elle est accordée, sauf si le juge ordonne qu'elle soit signifiée dans un autre délai qui y est précisé. L'avis de cotisation pour la période visée est signifié à la personne en même temps que l'autorisation.

Notes historiques: Le paragraphe 322.1(5) a été ajouté par L.C. 2000, c. 14, art. 36 et est entré en vigueur le 29 juin 2000.

Concordance québécoise: aucune.

(6) Mode de signification — Pour l'application du paragraphe (5), l'autorisation est signifiée à la personne soit par voie de signification à personne, soit par tout autre mode ordonné par le juge.

Notes historiques: Le paragraphe 322.1(6) a été ajouté par L.C. 2000, c. 14, art. 36 et est entré en vigueur le 29 juin 2000.

Concordance québécoise: aucune.

(7) Demande d'instructions du juge — Si la signification ne peut être raisonnablement effectuée conformément au présent article, le ministre peut, dès que matériellement possible, demander d'autres instructions au juge.

Notes historiques: Le paragraphe 322.1(7) a été ajouté par L.C. 2000, c. 14, art. 36 et est entré en vigueur le 29 juin 2000.

Concordance québécoise: aucune.

(8) Révision de l'autorisation — Dans le cas où le juge saisi accorde l'autorisation prévue au paragraphe (2) à l'égard d'une personne, celle-ci peut, après avoir donné un préavis de six jours francs au sous-procureur général du Canada, présenter à un juge de la cour une requête en révision de l'autorisation.

Notes historiques: Le paragraphe 322.1(8) a été ajouté par L.C. 2000, c. 14, art. 36 et est entré en vigueur le 29 juin 2000.

Concordance québécoise: aucune.

(9) Délai de présentation de la requête — La requête doit être présentée dans les trente jours suivant la date où l'autorisation a été signifiée à la personne. Toutefois, elle peut être présentée après l'expiration de ce délai si le juge est convaincu qu'elle a été présentée dès que matériellement possible.

Notes historiques: Le paragraphe 322.1(9) a été ajouté par L.C. 2000, c. 14, art. 36 et est entré en vigueur le 29 juin 2000.

Concordance québécoise: aucune.

(10) Huis clos — La requête peut, à la demande de son auteur, être entendue à huis clos si celui-ci démontre, à la satisfaction du juge, que les circonstances le justifient.

Notes historiques: Le paragraphe 322.1(10) a été ajouté par L.C. 2000, c. 14, art. 36 et est entré en vigueur le 29 juin 2000.

Concordance québécoise: aucune.

(11) Ordonnance — Le juge saisi de la requête statue sur la question de façon sommaire et peut confirmer, modifier ou annuler l'autorisation et rendre toute autre ordonnance qu'il estime indiquée.

Notes historiques: Le paragraphe 322.1(11) a été ajouté par L.C. 2000, c. 14, art. 36 et est entré en vigueur le 29 juin 2000.

Concordance québécoise: aucune.

(12) Effet — Si l'autorisation est annulée en vertu du paragraphe (11), le paragraphe (3) ne s'applique pas à l'autorisation et toute cotisation établie conformément à celle-ci est réputée nulle.

Notes historiques: Le paragraphe 322.1(12) a été ajouté par L.C. 2000, c. 14, art. 36 et est entré en vigueur le 29 juin 2000.

Concordance québécoise: aucune.

(13) Mesures non prévues — Si aucune mesure n'est prévue au présent article sur une question à résoudre en rapport avec une chose accomplie ou en voie d'accomplissement en application de cet article, un juge peut décider des mesures qu'il estime les plus aptes à atteindre le but visé.

Notes historiques: Le paragraphe 322.1(13) a été ajouté par L.C. 2000, c. 14, art. 36 et est entré en vigueur le 29 juin 2000.

Concordance québécoise: aucune.

(14) Ordonnance sans appel — L'ordonnance visée au paragraphe (11) est sans appel.

Notes historiques: Le paragraphe 322.1(14) a été ajouté par L.C. 2000, c. 14, art. 36 et est entré en vigueur le 29 juin 2000.

Concordance québécoise: aucune.

Renvois [art. 322.1]: 245(2) (Période de déclaration de l'inscrit); 123(2) (Canada); 225 (taxe nette); 313(4) (frais de justice); 334 (envoi par la poste — date de réception).

COMMENTAIRES: L'article 322.1 permet à l'Agence du revenu du Canada ou à Revenu Québec de demander sur requête *ex parte* l'émission d'un avis de cotisation et d'entreprendre sans délai les mesures de recouvrement disponible en vertu de la *Loi sur la taxe d'accise (TPS)* dans des situations où la dette fiscale pourrait être fortement compromise. L'article 322.1 s'applique uniquement sur la taxe nette à remettre d'une personne.

En vertu de l'article 309, la Cour canadienne de l'impôt n'a pas la compétence pour émettre une telle ordonnance. En effet, seules les cours supérieures provinciales peuvent rendre une telle ordonnance.

L'article 322.1 LTA est similaire à l'article 225.2 de la *Loi de l'impôt sur le revenu.*

323. (1) Responsabilité des administrateurs — Les administrateurs d'une personne morale au moment où elle était tenue de verser, comme l'exigent les paragraphes 228(2) ou (2.3), un montant de taxe nette ou, comme l'exige l'article 230.1, un montant au titre d'un remboursement de taxe nette qui lui a été payé ou qui a été déduit d'une somme dont elle est redevable, sont, en cas de défaut par la personne morale, solidairement tenus, avec cette dernière, de payer le montant ainsi que les intérêts et pénalités afférents.

Notes historiques: Le paragraphe 323(1) a été modifié par L.C. 2005, c. 30, par. 24 et cette modification est entrée en vigueur le 29 juin 2005. Il se lisait auparavant comme suit :

323. (1) Les administrateurs de la personne morale au moment où elle était tenue de verser une taxe nette comme l'exigent les paragraphes 228(2) ou (2.3), sont, en cas de défaut par la personne morale, solidairement tenus, avec cette dernière, de payer cette taxe ainsi que les intérêts et pénalités y afférents.

Le paragraphe 323(1) a été modifié par L.C. 1997, c. 10, par. 239(1) et cette modification est entrée en vigueur le 1er avril 1997. Il se lisait auparavant comme suit :

323. (1) Les administrateurs de la personne morale au moment où elle était tenue de verser une taxe nette comme l'exige le paragraphe 228(2), sont, en cas de défaut par la personne morale, solidairement tenus, avec cette dernière, de payer cette taxe ainsi que les intérêts et pénalités y afférents.

Ce paragraphe a été ajouté par L.C. 1990, c. 45, par. 12(1).

Concordance québécoise: LAF, art. 24.0.1.

Jurisprudence [art. 323(1)]: *Anderson v. R.* (21 septembre 2012), 2012 CarswellNat 5341 (C.C.I.); *Constantin v. R.* (6 décembre 2012), 2012 CarswellNat 5475 (C.C.I.) .

(2) Restrictions — L'administrateur n'encourt de responsabilité selon le paragraphe (1) que si :

a) un certificat précisant la somme pour laquelle la personne morale est responsable a été enregistré à la Cour fédérale en application de l'article 316 et il y a eu défaut d'exécution totale ou partielle à l'égard de cette somme;

b) la personne morale a entrepris des procédures de liquidation ou de dissolution, ou elle a fait l'objet d'une dissolution, et une réclamation de la somme pour laquelle elle est responsable a été établie dans les six mois suivant le premier en date du début des procédures et de la dissolution;

c) la personne morale a fait une cession, ou une ordonnance de faillite a été rendue contre elle en application de la *Loi sur la faillite et l'insolvabilité*, et une réclamation de la somme pour laquelle elle est responsable a été établie dans les six mois suivant la cession ou l'ordonnance.

Notes historiques: L'alinéa 323(2)c) a été remplacé par L.C. 2004, c. 25, art. 200 et cette modification est entrée en vigueur le 15 décembre 2004. Antérieurement, il se lisait ainsi :

c) la personne morale a fait une cession, ou une ordonnance de séquestre a été rendue contre elle en application de la *Loi sur la faillite et l'insolvabilité*, et une réclamation de la somme pour laquelle elle est responsable a été établie dans les six mois suivant la cession ou l'ordonnance.

L'alinéa 323(2)c) a été modifié par L.C. 1992, c. 27, al. 90(1)p), applicable à compter du 30 novembre 1992 (TR/92-194), pour corriger la référence à la *Loi sur la faillite* par la *Loi sur la faillite et l'insolvabilité*.

Le paragraphe 323(2) a été ajouté par L.C. 1990, c. 45, par. 12(1).

Concordance québécoise: LAF, art. 24.0.1.

(3) Diligence — L'administrateur n'encourt pas de responsabilité s'il a agi avec autant de soin, de diligence et de compétence pour prévenir le manquement visé au paragraphe (1) que ne l'aurait fait une personne raisonnablement prudente dans les mêmes circonstances.

Notes historiques: Le paragraphe 323(3) a été ajouté par L.C. 1990, c. 45, par. 12(1).

Concordance québécoise: LAF, art. 24.0.2, al. 1.

Jurisprudence [art. 323(3)]: *Roux c. R* (15 août 2012), 2012 CarswellNat 3021 (C.C.I.); *Deakin v. R.* (26 juillet 2012), 2012 CarswellNat 2764 (C.C.I.); *Anderson v. R.* (21 septembre 2012), 2012 CarswellNat 5341 (C.C.I.); *Constantin v. R.* (6 décembre 2012), 2012 CarswellNat 5475 (C.C.I.) .

(4) Cotisation — Le ministre peut établir une cotisation pour un montant payable par une personne aux termes du présent article. Les articles 296 à 311 s'appliquent, compte tenu des adaptations de circonstance, dès que le ministre envoie l'avis de cotisation applicable.

Notes historiques: Le paragraphe 323(4) a été ajouté par L.C. 1990, c. 45, par. 12(1).

Concordance québécoise: aucune.

(5) Prescription — L'établissement d'une telle cotisation pour un montant payable par un administrateur se prescrit par deux ans après qu'il a cessé pour la dernière fois d'être administrateur.

Notes historiques: Le paragraphe 323(5) a été ajouté par L.C. 1990, c. 45, par. 12(1).

Concordance québécoise: LAF, art. 24.0.2, al. 2.

(6) Montant recouvrable — Dans le cas du défaut d'exécution visé à l'alinéa (2)a), la somme à recouvrer d'un administrateur est celle qui demeure impayée après l'exécution.

Notes historiques: Le paragraphe 323(6) a été ajouté par L.C. 1990, c. 45, par. 12(1).

Concordance québécoise: aucune.

Jurisprudence [art. 323(6)]: *Roux c. R* (15 août 2012), 2012 CarswellNat 3021 (C.C.I.).

(7) Privilège — L'administrateur qui verse une somme, au titre de la responsabilité d'une personne morale, qui est établie lors de procédures de liquidation, de dissolution ou de faillite a droit au privilège auquel Sa Majesté du chef du Canada aurait eu droit si cette somme n'avait pas été versée. En cas d'enregistrement d'un certificat relatif à cette somme, le ministre est autorisé à céder le certificat à l'administrateur jusqu'à concurrence de son versement.

Notes historiques: Le paragraphe 323(7) a été ajouté par L.C. 1990, c. 45, par. 12(1).

Concordance québécoise: aucune.

(8) Répétition — L'administrateur qui a satisfait à la réclamation peut répéter les parts des administrateurs tenus responsables de la réclamation.

Notes historiques: Le paragraphe 323(8) a été ajouté par L.C. 1990, c. 45, par. 12(1).

Concordance québécoise: aucune.

Définitions [art. 323]: « cotisation », « ministre », « mois », « montant », « personne » — 123(1).

Renvois [art. 323]: 267.1 (responsabilité du fiduciaire); 297 (détermination du remboursement par le ministre); 334 (envoi par la poste — date de réception).

Jurisprudence: .

Présence de diligence raisonnable: *McMartin (L.) c. La Reine*, [1996] G.S.T.C. 1 (CCI); *Parfeniuk (G.) c. La Reine*, [1996] G.S.T.C. 22 (CCI); *McLeod (R.D.) c. La Reine*, [1996] G.S.T.C. 28 (CCI); *Gregory (C.D.) c. La Reine*, [1996] G.S.T.C. 48 (CCI); *Bryant (T.) c. La Reine*, [1996] G.S.T.C. 66 (CCI); *Blackwood (J.) c. Canada*, [1998] G.S.T.C. 16 (CCI); *Khan (F.) c. Canada*, [1999] G.S.T.C. 7 (CCI); *Hevenor (A.R.) c. Canada*, [1999] G.S.T.C. 8 (CCI); *Boyd (L.R.) c. Canada*, [1999] G.S.T.C. 9 (CCI); *Ferguson (G.) c. Canada*, [1999] G.S.T.C. 40 (CCI); *Bains (A.S.) c. Canada*, [1999] G.S.T.C. 75 (CCI); *Jeffrey (W.) c. Canada*, [1999] G.S.T.C. 81 (CCI); *Jeffrey (R.) c. Canada*, [1999] G.S.T.C. 82 (CCI); *Whitehouse (H.) c. Canada*, [1999] G.S.T.C. 104 (CCI); *Bohn c. R.*, [2000] G.S.T.C. 28 (CCI); *Maheux c. R.*, [2000] G.S.T.C. 35 (CCI); *Worrell (B.) c. Canada*, [1998] G.S.T.C. 62 (CCI); [2000] G.S.T.C. 91 (CAF); *Charette c. R.*, [2001] G.S.T.C. 11 (CCI); *Stein c. R.*, [2001] G.S.T.C. 14 (CA); *Mercier c. R.*, [2001] G.S.T.C. 17 (CCI); *Kenny c. R.*, [2001] G.S.T.C. 20 (CCI); *Cassels. c. R.*, [2001] G.S.T.C. 122 (CCI); *Fleury c. R.*, [2001] G.S.T.C. 16 (CCI); *Plamondon c. R.*, [2002] G.S.T.C. 85 (CCI); *Thibault c. R.*, [2002] G.S.T.C. 29 (CCI); *Mariani c. R.*, [2002] G.S.T.C. 67 (CCI); *Vanderpol. c. R.*, [2002] G.S.T.C. 9 (CCI); *Woo. c. R.*, [2002] G.S.T.C. 10 (CCI); *Fremlin c. R.*, [2002] G.S.T.C. 65 (CCI); *Pericelli c. R.*, [2002] G.S.T.C. 71 (CCI); *DiLorenzo c. La Reine*, [2002] G.S.T.C. 128 (CFC); *Lau c. R.*, [2003] G.S.T.C. 1 (CCI); *Potvin c. R.*, [2003] G.S.T.C. 62 (CCI); *Potvin c. R.*, [2003] G.S.T.C. 62 (CCI); *Armstrong c. R.*, [2003] G.S.T.C. 64 (CFA); *Lambert v. R.*, [2003] G.S.T.C. 140 (CCI); *Plamondon c. R.*, [2003] G.S.T.C. 170 (CCI); *Machula v. R.*, [2003] G.S.T.C. 142 (CCI); *Boivin v. R.*, [2003] G.S.T.C. 30 (CCI); *Maillé c. R.*, [2003] G.S.T.C. 103 (CCI); *Quon c. R.*, [2003] G.S.T.C. 54 (CFA); *MacIsaac c. R.*, [2004] G.S.T.C. 130 (CCI); *Facchini c. R.*, [2004] G.S.T.C. 154 (CCI); *Parisien c. R.*, 2004 G.T.C. 229 (CCI); *Polsinelli v. R.*, 2004 T.C.C. 186 (CCI); *Miklosi Estate c. R.*, [2004] G.S.T.C. 67 (CCI); *Dufour c. R.*, [2005] G.S.T.C. 5 (CCI); *Gruia c. R.*, [2005] G.S.T.C. 125 (CCI); *Moriyama c. R.*, [2005] G.S.T.C. 114 (CAF); *Roy c. R.*, 2006 G.T.C. 379 (CCI); [2007] G.S.T.C. 156, [2008] G.S.T.C. 35 (CAF); *Ouahidi c. R.*, 2007 G.T.C. 870 (CCI); *Savard c. R.*, 2008 CarswellNat 1836 (CCI [procédure générale]); *Rancourt c. R.*, 2008 CarswellNat 1661 (CCI [procédure générale]); *Lau c. R.*, [2007] G.S.T.C. 171 (CCI [procédure générale]); *Trajkovich v. R.*, [2008] G.S.T.C. 144 (11 juillet 2008) (CCI [procédure générale]); *Richard c. R.*, 2009 CarswellNat 2293 (12 mars 2009) (CCI [procédure générale]); *Baker v. R.*, 2010 CarswellNat 2434, 2010 CCI 268, [2010] G.S.T.C. 74 (CCI [procédure générale]); *Arsic v. R.*, 2010 CarswellNat 3610, 2010 CCI 423, [2010] G.S.T.C. 119 (CCI [procédure informelle]); *Nachar v. R.* (21 janvier 2011), 2011 CarswellNat 731, 2011 CCI 36 (CCI [procédure générale]); *Balthazard c. R.* (28 novembre 2011), 2011 CarswellNat 4964, 2011 CAF 331, 2012 G.T.C. 1006 (CAF).

Absence de diligence raisonnable: *Lagacé v. R.* (25 mai 2012), 2012 CarswellNat 1802 (C.C.I.); *Cappadoro c. R* (25 juillet 2012), 2012 CarswellNat 2710 (C.C.I.); *Boudreau c. R.* (28 septembre 2012), 2012 CarswellNat 3660 (C.C.I.); *Tsintzaras (T.) c. La Reine*, [1995] G.S.T.C. 65 (CCI); *Ishak (A.) c. La Reine*, [1996] G.S.T.C. 57 (CCI); *MacGillivray c. La Reine*, 96-2047 GST I; *Davis (T.) c. Sa Majesté*, 96-926 GST I; *Sexmith (W.R.) c. Canada*, [1997] G.S.T.C. 22 (CCI); *Drover (A.) c. Canada*, [1997] G.S.T.C. 26 (CCI); [1998] G.S.T.C. 45 (CFA); *Ewachniuk c. Sa Majesté*, 96-1954 GST I; *Taylor (S.) c. Canada*, [1997] G.S.T.C. 33 (CCI); *Hingwing (C.D.) c. Canada*, [1997] G.S.T.C. 45 (CCI); *Anastasopoulos (S.) c. Canada*, [1997] G.S.T.C. 92 (CCI); *Van Dyke*

(J.) c. Canada, [1998] G.S.T.C. 15 (CCI); *Petkau (E.) c. Canada*, [1998] G.S.T.C. 51 (CCI); *Brown (R.J.) c. Canada*, [1998] G.S.T.C. 68 (CCI); *MacDonald (J.G.) c. Canada*, [1998] G.S.T.C. 96 (CCI); *Goodman (S.) c. Canada*, [1999] G.S.T.C. 46 (CCI); *Jeffs (R.N.) c. Canada*, [1999] G.S.T.C. 48 (CCI); *Stein (S.) c. Canada*, [1999] G.S.T.C. 64 (CCI); [2001] G.S.T.C. 14 (CAF); *Ruggles (F.) c. Canada*, [1999] G.S.T.C. 83 (CCI); *Penney (T.L.) c. Canada*, [1999] G.S.T.C. 102 (CCI); *Mastromonaco (L.) c. Canada*, [1999] G.S.T.C. 103 (CCI); *MacDonald (J.) c. Canada*, [1999] G.S.T.C. 111 (CCI); *Smith c. R.*, [2000] G.S.T.C. 12 (CCI); *Redmond c. R.*, [2000] G.S.T.C. 24 (CCI); *Simon c. R.*, [2000] G.S.T.C. 47 (CCI); *Kingsbury c. R.*, [2000] G.S.T.C. 49 (CCI); *Power c. R.*, [2000] G.S.T.C. 51 (CCI); *Papa c. R.*, [2000] G.S.T.C. 74 (CCI); *Isaac c. R.*, [2000] G.S.T.C. 87 (CCI); *Cassels. c. R.*, [2001] G.S.T.C. 122 (CCI); *Jobin. c. R.*, [2001] G.S.T.C. 77 (CCI); *Ashton c. R.*, [2001] G.S.T.C. 18 (CCI); *Armstrong c. R.*, [2002] G.S.T.C. 78 (CCI); *Axford c. R.*, [2002] G.S.T.C. 121 (CCI); *Fleury c. La Reine*, [2002] G.S.T.C. 16 (CFC); *Martin c. R.*, [2003] G.S.T.C. 109 (CCI); *Tran c. R.*, [2004] G.S.T.C. 44 (CAF); *Dufour c. R.*, 2005 G.T.C. 725 (CCI); *Corkum c. R.*, [2005] G.S.T.C. 182 (CCI); *Kern c. R.*, [2005] 3 C.T.C. 2244 (CCI); *McGowen c. R.*, 2005 CCI 353 (CCI); *Joncas c. R.*, [2006] G.S.T.C. 166 (CCI); *Labbé c. R.*, [2006] G.S.T.C. 167 (CCI); *Thibeault c. R.*, [2006] G.S.T.C. 165 (CCI); *Côté c. R.*, 2007 G.T.C. 861; *Therrien c. R.*, 2007 G.T.C. 838 (CCI); *Price v. R.*, 2008 CarswellNat 1753 (CCI [procédure informelle]); *Dumont c. R.*, [2007] G.S.T.C. 184 (CCI [procédure informelle]); *Brace v. R.*, 2008] G.S.T.C. 58 (25 février 2008) (CCI [procédure générale]); *Kanavaros v. R.*, 2008 CarswellNat 2696 (22 mai 2008) (CCI [procédure informelle]); *Rexe v. R.*, [2008] G.S.T.C. 129 (18 juin 2008) (CCI [procédure générale]); *St-Yves c. R.*, 2008 G.T.C. 822 (3 octobre 2008) (CCI [procédure informelle]); *Sandhu c. R.*, 2009 G.T.C. 997-163 (26 mars 2009) (CCI [procédure générale]); *Borduas c. R.* , 2010 CarswellNat 907, 2010 CAF 102, 2010 G.T.C. 1703 (Fr.) (CAF); *Doncaster v. R.*, 2010 CarswellNat 1766, 2010 CCI 190, [2010] G.S.T.C. 59 (CCI [procédure informelle]); *Vrsic v. R.*, 2010 CarswellNat 1253, 2010 CCI 127, [2010] G.S.T.C. 34 (CCI [procédure informelle]); *Buckingham v. R.*, 2010 CarswellNat 3577, 2010 CCI 247, [2010] G.S.T.C. 71 (CCI [procédure générale]); *Lequier v. R.*, 2010 CarswellNat 5043, 2010 CCI 474, [2010] G.S.T.C. 140 (CCI [procédure informelle]); *Jarrold v. R.* (20 octobre 2010), 2010 CarswellNat 4842, 2010 CAF 278 (CAF); *Elliott v. R.* (18 janvier 2011), 2011 CarswellNat 605, 2011 TCC 59, 2011 CCI 59 (CCI [procédure informelle]); *Lieberman c. R.* (24 mars 2011), 2011 CarswellNat 760, 2011 TCC 183, 2011 CCI 183 (CCI); *Gougeon c. R.*, 2011 CarswellNat 4045, 2011 CCI 420 (CCI [procédure informelle]); *Babakaiff v. R.* (18 janvier 2012), 2012 CarswellNat 422, 2012 CCI 22, 2012 G.T.C. 12 (Eng.) (CCI [procédure générale]); *Lagacé v. R.* (5 avril 2012), 2012 CarswellNat 1802, 2012 CCI 117 (CCI [procédure informelle]).

Autres questions: *Anderson v. R.* (21 septembre 2012), 2012 CarswellNat 5341 (C.C.I.); *Labrecque c. R.* (16 octobre 2012), 2012 CarswellNat 3968 (C.C.I.); *R. c. Gougeon* (16 novembre 2012), 2012 CarswellNat 4505 (C.A.F.); *Schafer (A.) c. Canada*, [1998] G.S.T.C. 7 (CCI); *Nanji (A.A.) c. Canada*, [1998] G.S.T.C. 47 (CCI); *Valières-Thériault c. Québec (Sous-ministre du Revenu)*, [1998] G.S.T.C. 2 (C.S. Qué); *Nanji (A.A.) c. Canada*, [1998] G.S.T.C. 47 (CCI); *Cargill Ltd. c. Compton Agro Inc.*, [1999] G.S.T.C. 25 (Man QB); [2000] G.S.T.C. 4 (Man CA); [2000] G.S.T.C. 23 (Man CA); *Papa c. R.*, [2000] G.S.T.C. 74 (CCI); *Gaucher c. R.*, (Appel *impôt sur le revenu*, 16 nov. 2000, A-275-00); *BlueStar Battery Systems International Corp., Re*, [2001] G.S.T.C. 2 (Ont SC); *Groulx c. R.*, [2001] G.S.T.C. 47 (CCI); *Bonch c. R.*, [2002] G.S.T.C. 11 (CCI); *Kovacevic c. R.*, [2002] G.S.T.C. 89 (CCI); *Isaac c. R.*, [2002] G.S.T.C. 36 (CFC); *Peterson c. R.*, [2005] G.S.T.C. 184 (CCI); *Franck c. R.*, [2005] G.S.T.C. 123 (CCI); *4028490 Canada Inc. c. R.*, [2005] G.S.T.C. 48 (CCI); *Kern c. R.*, [2006] G.S.T.C. 89 (CAF); *Scavuzzo v. R.*, 2006 D.T.C. 2741 (CCI); *Chartrand (Succession de) c. R.*, 2007 CCI 327 (CCI); *Beauchemin c. R.*, [2007] G.S.T.C. 23 (CCI); *Simard c. R.*, [2007] G.S.T.C. 21 (CAF); *Pereira v. R.*, [2008] G.S.T.C. 8 (CCI); *Aujla v. R.*, [2007] G.S.T.C. 187 (CCI [procédure générale]); 2008 CarswellNat 5443 (CAF); *Pereira v. R.*, [2007] G.S.T.C. 175 (CCI [procédure générale]); [2008] G.S.T.C. 187 (15 septembre 2008) (CAF); *Miotto v. R.*, [2008] G.S.T.C. 70 (6 mars 2008) (CCI [procédure générale]); *Arevian v. R.*, [2008] G.S.T.C. 149 (7 octobre 2008) (CCI [procédure informelle]); *Barrett v. R.*, 2010 CarswellNat 3320, 2010 CCI 298, [2010] G.S.T.C. 84 (CCI [procédure générale]); *Manoli v. R.*, 2010 CarswellNat 2042, 2010 CCI 136, [2010] G.S.T.C. 38 (CCI [procédure générale]); *Bono v. R.*, 2010 CarswellNat 4002, 2010 CCI 466, [2010] G.S.T.C. 136 (CCI [procédure informelle]); *Ustel v. R.*, 2010 CarswellNat 3917, 2010 CCI 444, [2010] G.S.T.C. 126 (CCI [procédure informelle]); *Latulippe c. R.*, 2011 Carswell Nat 4043, 2011 CCI 388 (CCI [procédure informelle]); *Heaney v. R.*, 2011 CarswellNat 5020, 2011 CCI 429 (CCI [procédure générale]); *Milani c. R.*, 2011 CarswellNat 4096, 2011 CCI 488 (CCI [procédure informelle]); *Power v. R.*, 2011 CarswellNat 4054, 2001 CCI 369 (CCI [procédure informelle]); *McKay v. R.*, 2011 CarswellNat 5569, 2011 CCI 526 (CCI [procédure informelle]); *Doncaster v. R.* (3 février 2012), 2012 CarswellNat 1191, 2012 CAF 38, 2012 G.T.C. 1017 (Eng.) (CAF); *Barrett v. R.* (30 janvier 2012), 2012 CarswellNat 2408, 2012 CAF 33 , 2012 G.T.C. 1016 (Eng.) (CAF); *Elliott v. R.* (28 mai 2012), 2012 CarswellNat 2418, 2012 CAF 154 (CAF).

Mémorandums [art. 323]: TPS 500-3-3, 5/12/91, *Perception et exécution*, par. 30.

Énoncés de politique [art. 323]: P-012R, 04/01/99, *Responsabilité de verser une taxe nette sur le transfert des éléments d'actif d'une entreprise.*

Circulaires d'information [art. 323]: 89-2R2 — Responsabilité des administrateurs — Article 227.1 de la Loi de l'impôt sur le revenu, Article 323 de la Loi sur la taxe d'accise, Article 81 de la Loi sur le droit pour la sécurité des passagers du transport aérien et Paragraphe 295(1) de la Loi de 2001 sur l'accise; 98-1R3 — Politiques de recouvrement (ébauche).

COMMENTAIRES: Pour qu'un avis de cotisation soit validement émis à un administrateur d'une société, il est nécessaire que l'un des éléments déclencheurs figurant au paragraphe 323(2) ait été rencontré.

L'article 323 s'applique uniquement à des administrateurs d'une entreprise incorporée, contrairement à l'article 324 qui s'applique à des membres ou dirigeants d'entreprise non incorporée.

Les administrateurs d'une personne morale peuvent également être tenus responsables d'une dette fiscale lors de la distribution de bien en vertu de l'article 270 si un certificat de décharge n'a pas été obtenu au préalable.

La *Loi sur la taxe d'accise (TPS)* n'incorpore aucune définition du terme « administrateur ». Il est donc nécessaire de se référer à la loi constitutive de la société pour déterminer le début et la fin du mandat de l'administrateur. L'Agence du revenu du Canada et Revenu Québec se basent sur les registres provinciaux et fédéraux pour déterminer le rôle d'une personne à titre d'administrateur. Les lois de la province ou les lois fédérales peuvent établir une présomption de validité des registres publics, présomption qui peut être contredite par tout moyen permis par les lois provinciales ou fédérales. Au Québec, une telle présomption consiste dans le fait que les informations inscrites sur le registre des entreprises du Québec sont conformes à la situation actuelle de la société, à charge de preuve inverse de l'administrateur ou de la société. Voir notamment : *Miklosi Estate c. R.*, [2004] G.S.T.C. 67 (C.C.I.).

Toutefois, dans l'affaire *Bisaillon c. R.*, [2010] G.S.T.C. 75 (C.C.I.), l'appelante a réussi à démontrer que malgré le fait que son nom figurait sur le Registraire des entreprises du Québec à titre d'administratrice, elle n'avait jamais donné son accord en ce sens et c'est le comptable qui l'avait inscrite. De plus, elle n'a jamais agit en tant qu'administratrice. Par conséquent, le juge Bédard a accordé l'appel de Mme Bisaillon.

Il est également possible d'être désigné en tant qu'administrateur *de facto*, ce qui peut être déterminé en fonction notamment du degré d'implication dans la gestion quotidienne de la société. Voir notamment: *Wheeliker c. R.*, [1999] 2 C.T.C. 395 (C.A.F.) (permission d'en appeler à la Cour suprême du Canada refusée, 2000 CarswellNat 680).

Le paragraphe (2) a été analysé par la Cour d'appel fédérale dans l'affaire *Barrett c. La Reine*, [2012] G.S.T.C. 13 (C.A.F). Cette Cour a souligné l'objectif de l'alinéa 323(2)(a) qui consiste à protéger les administrateurs contre toute responsabilité personnelle pour les montants de taxe payables par une personne morale lorsque celle-ci est en mesure de payer elle-même ces montants. Dans cette affaire, la Cour d'appel fédérale a conclu que la Cour canadienne de l'impôt avait commis une erreur en interprétant cette disposition de manière à imposer au ministre l'obligation de faire des efforts raisonnables lorsqu'il donne des instructions au shérif et de vérifier l'existence d'un bien en particulier. Ainsi, la Cour canadienne de l'impôt ne devait pas annuler la cotisation au motif que les fonctionnaires du ministre n'avaient pas cherché un compte de banque particulier de la personne morale. Selon la Cour d'appel fédérale, l'obligation du ministre d'agir sans arrière-pensée ou sans motif inacceptable protège suffisamment l'objet de l'alinéa 323(2)(a). De l'avis de l'auteur, les conclusions de la Cour d'appel fédérale sont correctes, considérant la rédaction de cet alinéa. En effet, cet alinéa fait uniquement référence au défaut d'exécution et à ce titre, cela ne requiert pas au shérif d'entreprendre une action positive aux fins de trouver un bien de la personne morale en paiement d'une dette en matière de TPS/TVH.

Une jurisprudence abondante traite de l'analyse du critère de diligence raisonnable qui figure au paragraphe 323(3) et qui n'a pas été constante ces dernières années sur la question de savoir si la norme objective de soin, de diligence et d'habileté énoncée par la Cour suprême du Canada dans l'affaire *Magasin à rayons Peoples*, 2004 SCC 68 (C.S.C.) pouvait s'appliquer au paragraphe 323(3). Cette question semble toutefois avoir été réglée par la décision de la Cour d'appel fédérale dans l'affaire *Buckingham c. La Reine*, [2011] CAF 142. Cette décision confirme la décision de la Cour canadienne de l'impôt et conclut que la norme « objective subjective » énoncée dans l'affaire *Soper* doit être remplacée par la norme objective établie par la Cour suprême du Canada dans l'affaire *Magasin à rayon Peoples*. De l'avis de la Cour d'appel fédérale, l'apparition de normes plus strictes force les sociétés à améliorer la qualité des décisions des conseils d'administration au moyen de l'établissement de bonnes règles de régie d'entreprise. Cette Cour mentionne également qu'une norme objective ne signifie toutefois pas qu'il ne doit pas être tenu compte des circonstances propres à chaque administrateur. Ces circonstances doivent être prises en compte, mais elles doivent être considérées au regard de la norme objective d'une « personne raisonnablement prudente ». Finalement, la Cour d'appel fédérale a confirmé que les gestes commis par l'administrateur après avoir fait défaut de remettre notamment la TPS ne sont pas pertinents, puisque c'est le défaut de les verser qui entraîne la responsabilité de l'administrateur.

À la suite de l'affaire *Buckingham*, la Cour canadienne de l'impôt a appliqué les critères de la norme objective dans le contexte du paragraphe 323(3), notamment dans les décisions suivantes : *Gougeon c. La Reine*, [2011] TCC 420 (C.C.I.), *Latulippe c. La Reine*, [2011] TCC 388 (C.C.I), et *Lagacé c. La Reine*, [2012] TCC 117 (C.C.I.), *Cappadoroa c. R.* 2012 TCC 267 (C.C.I.), *Heaney, A. et al c. The Queen* 2011 CCI 429 (C.C.I.), *Anderson, L. c. The Queen* 2012 TCC 333 (C.C.I.), *Babakaiff, H.D. c. The Queen* 2012 TCC 22 (C.C.I.), *Priftis c. R.*, 2012 CarswellNat 4802 (C.C.I.). Cette décision a également été suivie par la Cour d'appel fédérale dans l'affaire *Balthazard c. Canada*, 2011 CAF 331 (C.A.F.).

Or, il faut toutefois souligner la présence de l'affaire *Liddle c. La Reine*, 2011 CAF 159 (C.A.F.)(paragraphe 5) qui semble faire cavalier seul dans le courant jurisprudentiel majoritaire. Dans cette affaire, la Cour d'appel fédérale a indiqué que le critère de diligence raisonnable devait être apprécié en fonction des critères énoncés par l'arrêt *Soper c. La Reine*, [1997] D.T.C. 5407 (C.S.C.). Cette décision ne semble donc pas suivre l'affaire *Buckingham*. Avec respect pour la Cour d'appel fédérale, l'auteur est d'avis que cette décision est erronée, d'autant plus que cette même Cour d'appel fédérale, lors de sa décision dans l'affaire *Buckingham*, a fait référence à la décision de la Cour canadienne de l'impôt dans l'affaire *Liddle*. En date du 1er mars 2013, aucune décision subséquente ne fait référence à l'affaire *Liddle* dans le contexte de l'application du paragraphe 323(3).

Le délai de prescription de deux ans débute à la fin du mandat de l'administrateur. La détermination de la date de fin de mandat est une question de fait.

La question a été posée à l'Agence du revenu du Canada dans un contexte où un administrateur unique démissionne, mais produit un avis d'opposition à l'encontre d'un avis de cotisation en TPS émis à l'encontre de la compagnie (afin de réduire ou d'éliminer ultimement sa responsabilité potentielle). Dans cette situation, la question posée consiste à savoir si l'Agence du revenu du Canada va considérer cet individu comme étant un administrateur *de facto*, permettant ainsi de ne pas faire commencer la période de prescription de deux ans. L'Agence du revenu du Canada a indiqué que cela revenait à une question de l'analyse des faits et de droit corporatif pour déterminer si un individu était un administrateur « *de jure* » ou *de facto* dans la situation décrite précédemment. Selon l'Agence du revenu du Canada toutefois, un individu qui continue à négocier des problèmes corporatifs ou qui donne des instructions au nom et pour le compte de la société, cet individu serait un administrateur de facto. Voir notamment : Question 36 — *Questions et commentaires en TPS/TVH pour l'Agence du revenu du Canada* — Rencontre annuelle entre l'Agence du revenu du Canada et l'Association du Barreau canadien (23 février 2012).

On constate donc un resserrement des moyens de défense pour un administrateur qui se fait cotisé par cet article. À la lumière de la jurisprudence, il est raisonnable de conclure que les principaux arguments pouvant être soulevés par les administrateurs à l'encontre d'une cotisation sous cet article sont les suivants : i) nier avoir reçu l'avis de cotisation, (ii) le non-respect des exigences du paragraphe 323(2), (iii) démontrer avoir agit avec soin, diligence et compétence (selon toute vraisemblance, en vertu du critère objectif), (iv) n'était pas un administrateur nommé ou *de facto*, (v) a cessé d'être un administrateur plus de deux ans avant l'émission de l'avis de cotisation, (vi) conteste l'avis de cotisation sous-jacent de la société (quoique cette question n'est pas réglée avec certitude par la jurisprudence).

En pratique, le paragraphe 323(7) est très rarement utilisé par les autorités fiscales.

L'article 323 est identique à l'article 227.1 de la *Loi de l'impôt sur le revenu.*

324. (1) Observation par les entités non constituées en personne morale — L'entité — ni particulier, ni personne morale, ni société de personnes, ni fiducie, ni succession — qui est tenue de payer ou de verser un montant, ou de remplir une autre exigence, en vertu de la présente partie ou d'un règlement d'application est solidairement tenue, avec les personnes suivantes, au paiement ou au versement de ce montant ou à l'exécution de cette exigence :

a) chaque membre de l'entité qui en est le président, le trésorier, le secrétaire ou un cadre analogue;

b) si l'entité ne comporte pas de tels cadres, chaque membre d'un comité chargé d'administrer ses affaires;

c) si l'entité ne comporte pas de tels cadres ni de tel comité, chaque membre de l'entité.

Le fait pour un cadre de l'entité, un membre d'un tel comité ou un membre de l'entité de payer ou de verser le montant ou de remplir l'exigence vaut observation.

Notes historiques: Le paragraphe 324(1) a été ajouté par L.C. 1990, c. 45, par. 12(1).

Concordance québécoise: aucune.

(2) Cotisation — Le ministre peut établir une cotisation pour tout montant dont une personne est redevable en vertu du présent article. Les articles 296 à 311 s'appliquent, compte tenu des adaptations de circonstance, dès l'envoi par le ministre d'un avis de cotisation.

Notes historiques: Le paragraphe 324(2) a été ajouté par L.C. 1990, c. 45, par. 12(1).

Concordance québécoise: aucune.

(3) Restriction — La cotisation établie à l'égard d'une personne ne peut :

a) inclure de montant dont l'entité devient redevable avant que la personne ne contracte l'obligation solidaire;

b) inclure de montant dont l'entité devient redevable après que la personne n'a plus d'obligation solidaire;

c) être établie plus de deux ans après que la personne n'a plus d'obligation solidaire, sauf si cette personne a commis une faute lourde dans l'exercice d'une obligation imposée à l'entité en vertu de la présente partie ou a fait un faux énoncé ou une omission dans une déclaration, une demande, un formulaire, un certificat, un état, une facture ou une réponse de l'entité, ou y participe, consent ou acquiesce.

Notes historiques: Le paragraphe 324(3) a été ajouté par L.C. 1990, c. 45, par. 12(1).

Concordance québécoise: aucune.

Définitions [art. 324]: « cadre », « cotisation », « facture », « ministre », « montant », « personne » — 123(1).

Renvois [art. 324]: 272.1 (responsabilité des associés).

Énoncés de politique [art. 324]: P-012R, 09/04/92, *Responsabilité de verser une taxe nette sur le transfert des éléments d'actif d'une entreprise.*

Mémorandums [art. 324]: TPS 500-3-3, 5/12/91, *Perception et exécution*, par. 32.

COMMENTAIRES: L'article 324 s'applique à l'entité qui n'est pas une personne morale, une société de personnes, une fiducie, une succession ou un particulier. À l'instar de l'article 323, l'article 324 permet de cotiser les membres ou dirigeants d'un entreprise non incorporée sur la base de montant que l'entité non incorporée est tenue de payer ou de verser, ou de remplir une autre exigence en vertu de la Partie IX de la *Loi sur la taxe d'accise (TPS)* ou d'un règlement afférent.

La détermination de la présence de l'intention de créer (ou non) une « personne », tel que ce terme est défini par le paragraphe 123(1), lors de l'association de plusieurs personnes est une question de fait qui doit être analysée en fonction de chaque cas. Nous vous renvoyons à nos commentaires sous la définition du terme « personne » qui figure au paragraphe 123(1).

La société de personnes est exclue de cet article puisqu'en raison de l'alinéa 296(1)(e), les associés peuvent être cotisés directement à l'égard de la responsabilité fiscale (TPS/TVH) de la société de personnes. Nous vous recommandons nos commentaires sous l'article 272.1.

Contrairement à l'article 323, l'article 324 ne prévoit aucune défense de diligence raisonnable pour limiter la responsabilité du membre ou du dirigeant. Ainsi, dans la mesure où les conditions de cet article sont remplies, une responsabilité absolue s'en suit.

À l'instar de l'article 323, l'article 324 prévoit qu'en présence d'une faute lourde de la part d'un membre ou d'un dirigeant de l'entité non incorporée, le délai de prescription de 2 ans pour l'émission d'un avis de cotisation n'est plus applicable.

L'article 324 n'a aucune correspondance dans la *Loi de l'impôt sur le revenu.*

325. (1) Transfert entre personnes ayant un lien de dépendance — La personne qui transfère un bien, directement ou indirectement, par le biais d'une fiducie ou par tout autre moyen, à son époux ou conjoint de fait, ou à un particulier qui l'est devenu depuis, à un particulier de moins de 18 ans ou à une personne avec laquelle elle a un lien de dépendance, est solidairement tenue, avec le cessionnaire, de payer en application de la présente partie le moins élevé des montants suivants :

a) le résultat du calcul suivant :

$$A - B$$

où :

A représente l'excédent éventuel de la juste valeur marchande du bien au moment du transfert sur la juste valeur marchande, à ce moment, de la contrepartie payée par le cessionnaire pour le transfert du bien,

B l'excédent éventuel du montant de la cotisation établie à l'égard du cessionnaire en application du paragraphe 160(2) de la *Loi de l'impôt sur le revenu* relativement au bien sur la somme payée par le cédant relativement à ce montant;

b) le total des montants représentant chacun :

(i) le montant dont le cédant est redevable en vertu de la présente partie pour sa période de déclaration qui comprend le moment du transfert ou pour ses périodes de déclaration antérieures,

(ii) les intérêts ou les pénalités dont le cédant est redevable à ce moment.

Toutefois, le présent paragraphe ne limite en rien la responsabilité du cédant découlant d'une autre disposition de la présente partie.

Notes historiques: Le préambule du paragraphe 325(1) de la *Loi sur la taxe d'accise* a été remplacé par L.C. 2000, c. 12, al. 1a), ann. 1 par le remplacement de « conjoint » par « époux ou conjoint de fait ». Cette modification est entrée en vigueur le 1er janvier 2001.

Le paragraphe 325(1) a été modifié par L.C. 1993, c. 27, par. 134(1) et est réputé entré en vigueur le 17 décembre 1990. Le paragraphe 325(1), édicté par L.C. 1990, c. 45, par. 12(1), se lisait comme suit :

> 325. (1) La personne qui transfère un bien, directement ou indirectement, par le biais d'une fiducie ou par tout autre moyen, à son conjoint, ou à la personne qui l'est devenue depuis, à une personne de moins de 18 ans ou à une personne avec laquelle elle a un lien de dépendance, est solidairement tenue, avec le cessionnaire, de payer en application de la présente partie le moins élevé des montants suivants :
>
> a) l'excédent éventuel du montant visé au sous-alinéa (i) sur le montant visé au sous-alinéa (ii) :
>
> (i) l'excédent de la juste valeur marchande du bien au moment du transfert sur la juste valeur marchande de la contrepartie du bien,
>
> (ii) le montant de la cotisation établie à l'égard du cessionnaire en application du paragraphe 160(2) de la *Loi de l'impôt sur le revenu* relativement au bien;
>
> b) le total des montants dont chacun représente :
>
> (i) le montant dont le cédant est redevable en vertu de la présente partie pour sa période de déclaration qui comprend le moment du transfert et pour ses périodes de déclaration antérieures,
>
> (ii) les intérêts et pénalités dont le cédant est redevable à ce moment.
>
> Toutefois, le présent paragraphe ne limite en rien la responsabilité du cédant découlant d'une autre disposition de la présente partie.

Concordance québécoise: LAF, art. 14.4.

(1.1) Juste valeur marchande d'un droit indivis — Pour l'application du présent article, la juste valeur marchande, à un moment donné, d'un droit indivis sur un bien, exprimé sous forme d'un droit proportionnel sur ce bien, est réputée être égale, sous réserve du paragraphe (4), à la proportion correspondante de la juste valeur marchande du bien à ce moment.

Notes historiques: Le paragraphe 325(1.1) a été ajouté par L.C. 2000, c. 30, par. 98(1). Il s'applique aux transferts de biens effectués après le 4 juin 1999.

Concordance québécoise: aucune.

(2) Cotisation — Le ministre peut établir une cotisation à l'égard d'un cessionnaire pour un montant payable en application du présent article. Dès lors, les articles 296 à 311 s'appliquent, compte tenu des adaptations de circonstance.

Notes historiques: Le paragraphe 325(2) a été ajouté par L.C. 1990, c. 45, par. 12(1).

Concordance québécoise: LAF, art. 14.5.

(3) Règles applicables — Dans le cas où le cédant et le concessionnaire sont solidairement responsables de tout ou partie d'une obligation du cédant en vertu de la présente partie, les règles suivantes s'appliquent :

a) un paiement fait par le cessionnaire au titre de son obligation éteint d'autant l'obligation solidaire;

b) un paiement fait par le cédant au titre de son obligation n'éteint l'obligation du cessionnaire que dans la mesure où il sert à ramener l'obligation du cédant à un montant inférieur à celui dont le paragraphe (1) a rendu le cessionnaire solidairement responsable.

Notes historiques: Le paragraphe 325(3) a été ajouté par L.C. 1990, c. 45, par. 12(1).

Concordance québécoise: LAF, art. 14.6.

(4) Transferts à l'époux ou au conjoint de fait — Malgré le paragraphe (1), dans le cas où un particulier transfère un bien à son époux ou conjoint de fait — dont il vit séparé au moment du transfert pour cause d'échec du mariage ou de l'union de fait au sens du paragraphe 248(1) de la *Loi de l'impôt sur le revenu* — en vertu d'un décret, d'une ordonnance ou d'un jugement rendu par un tribunal compétent ou en vertu d'un accord écrit de séparation, la juste valeur marchande du bien au moment du transfert est réputée nulle pour l'application de l'alinéa (1)a). Toutefois, le présent paragraphe ne limite en rien l'obligation du cédant découlant d'une autre disposition de la présente partie.

Notes historiques: Le paragraphe 325(4) a été remplacé par L.C. 2000, c. 12, art. 112. Cette modification est entrée en vigueur le 1er janvier 2001. Antérieurement, le paragraphe 325(4) se lisait comme suit :

> (4) Malgré le paragraphe (1), dans le cas où un particulier transfère un bien à son conjoint — dont il vit séparé au moment du transfert pour cause d'échec du mariage — en vertu d'un décret, d'une ordonnance ou d'un jugement rendu par un tribunal compétent ou en vertu d'un accord écrit de séparation, la juste valeur marchande du bien au moment du transfert est réputée nulle pour l'application de l'alinéa (1)a). Toutefois, le présent paragraphe ne limite en rien l'obligation du cédant découlant d'une autre disposition de la présente partie.

Le paragraphe 325(4) a été modifié par L.C. 1993, c. 27, par. 134(2) et est réputé entré en vigueur le 17 décembre 1990. Le paragraphe 325(4), édicté par L.C. 1990, c. 45, par. 12(1), se lisait comme suit :

> (4) Par dérogation au paragraphe (1), dans le cas où une personne transfère un bien à son conjoint — dont elle vit séparée au moment du transfert pour cause d'échec du mariage — conformément à un décret, une ordonnance ou un jugement d'un tribunal compétent ou à un accord écrit de séparation, la juste valeur marchande du bien est réputée nulle au moment du transfert pour l'application de l'alinéa (1)a). Toutefois, le présent paragraphe ne limite en rien l'obligation du cédant découlant d'une autre disposition de la présente partie.

Concordance québécoise: LAF, art. 14.7.

(5) Définition de « bien » — Au présent article, l'argent est assimilé à un bien.

Notes historiques: Le paragraphe 325(5) a été ajouté par L.C. 1993, c. 27, par. 134(2) et est réputé entré en vigueur le 17 décembre 1990.

Concordance québécoise: aucune.

Définitions [art. 325]: « argent », « bien », « contrepartie », « cotisation », « juste valeur marchande », « ministre », « montant », « période de déclaration », « personne » — 123(1).

Renvois [art. 325]: 125 (résultats négatifs); 126 (lien de dépendance).

Jurisprudence [art. 325]: *Cappadoro c. R* (25 juillet 2012), 2012 CarswellNat 2710 (C.C.I.); *Madere c. R.* (27 août 2012), 2012 CarswellNat 3234 (C.C.I.); *R. c. Marcotte* (27 septembre 2012), 2012 CarswellNat 3682 (C.C.I.); *ZT22 Holdings Inc. c. R* (21 janvier 2013), 2013 CarswellNat 87 (C.C.I.); *Trinka Holdings c. La Reine*, [1996] G.S.T.C. 10 (CCI); *Taylor (S.) c. Canada* (1997), [1997] G.S.T.C. 38 (CCI); *Hooda (A.) c. Canada*, [1997] G.S.T.C. 55 (CCI); *Schafer (A.) c. Canada*, [1998] G.S.T.C. 7 (CCI); *Brown (B.) c. Canada*, [1998] G.S.T.C. 18 (CCI); *Moss (R.) c. Canada*, [1999] G.S.T.C. 113 (CCI); *Zavos c. R.*, [2000] G.S.T.C. 97 (CCI); *Gaucher c. R.* (Appel — *impôt sur le revenu*, 16 nov. 2000, A-275-00); *Lai c. R.*, [2001] G.S.T.C. 24 (CCI); *Erdmann c. R.*, [2001] G.S.T.C. 28 (CCI); *Warren c. R.*, [2002] G.S.T.C. 296 (CCI); *Isaac c. R.*, [2006] G.S.T.C. 6 (CCI); *Chartrand (Succession de) c. R.*, 2007 CCI 327 (CCI); *Vachon c. R.*, 2008 G.T.C. 838 (25 juillet 2008) (CCI [procédure informelle]); *Darte v. R.*, [2008] G.S.T.C. 23 (29 janvier 2008) (CCI [procédure informelle]); *Clause v. R.*, 2010 CarswellNat 3916, 2010 CCI 410, [2010] G.S.T.C. 124 (CCI [procédure informelle]); *Gagnon c. R.* (24 septembre 2010), 2010 CarswellNat 3467, 2010 CCI 482, 2010 D.T.C. 1333 (Fr.) (CCI [procédure générale]); *Banks v. R.* (23 septembre 2011), 2011 CarswellNat 5100, 2011 CCI 415, 2011 D.T.C. 1318 (CCI [procédure générale]); *Chamard c. R.* (9 janvier 2012), 2012 CarswellNat 103, 2012 CCI 2, 2012 G.T.C. 13 (Fr.) (CCI [procédure générale]).

Énoncés de politique [art. 325]: P-012R, 09/04/92, *Responsabilité de verser une taxe nette sur le transfert des éléments d'actif d'une entreprise*.

Mémorandums [art. 325]: TPS 500-3-3, 5/12/91, *Perception et exécution*, par. 33.

Série de mémorandums [art. 325]: Mémorandum 1.5, 09/94, *Définitions*.

Circulaires d'information [art. 325]: 98-1R3 — Politiques de recouvrement (ébauche).

COMMENTAIRES: L'article 325 vise principalement les cas où une personne (le débiteur fiscal) transfère à une personne liée un bien pour ainsi faire échec au recouvrement d'une cotisation éventuelle pour non remise de TPS/TVH. Cet article s'applique à toute personne redevable d'un montant de TPS/TVH, incluant notamment les administrateurs cotisés en vertu de l'article 323. Il s'agit d'un processus de recouvrement important pour l'Agence du revenu du Canada et Revenu Québec et qui est commun en pratique.

L'article 325 permet à l'Agence du revenu du Canada et à Revenu Québec de suivre un bien entre deux personnes ayant un lien de dépendance si durant la période de cotisation le cédant devient débiteur d'une dette fiscale en vertu de la *Loi sur la taxe d'accise (TPS)*. Le cessionnaire est solidairement responsable de la dette fiscale pour la juste valeur marchande du transfert et le cédant (soit le débiteur fiscal) demeure responsable de l'entièreté de la dette fiscale.

La défense de diligence raisonnable n'est pas permise pour limiter la responsabilité du cédant et du cessionnaire. Il s'agit donc d'une responsabilité absolue.

Toutefois, la Cour d'appel fédérale, dans l'affaire *Gaucher c. R.*, [2001] 1 C.T.C. 125 (C.A.F.) (paragraphes 6 et 7) a mis fin a un long débat jurisprudentiel et a conclut qu'un tiers, dans le contexte de l'article 160 de la *Loi de l'impôt sur le revenu* et de l'article 325, peut contester l'avis de cotisation sous-jacent qui est tributaire de sa responsabilité fiscale. Voir également dans un contexte de TPS : *Cappadoro c. R.*, [2012] G.S.T.C. 73 (C.C.I.) et *Doncaster c. R.*, [2012] G.S.T.C. 19 (C.A.F.).

La séquence des événements est cruciale lors d'une cotisation en vertu de 325. En effet, malgré que la transaction entre personnes liées survienne en début de période de cotisation, si la dette fiscale devient payable à la fin de la période, le transfert peut faire l'objet d'une cotisation en vertu de l'article 325. La séquence des événements est également importante lorsqu'une personne est assujettie aux lois gouvernant la faillite.

Il faut souligner que le paragraphe (5) élargit la définition du terme « bien » en incluant spécifiquement l'argent, alors que cet élément est exclu de la définition qui figure sous le paragraphe 123(1).

L'article 325 est similaire à l'article 160 de la *Loi de l'impôt sur le revenu*. Il est à noter qu'en raison du sous-alinéa 325(1)(a)(B), la *Loi de l'impôt sur le revenu* aura préséance si des avis de cotisation sont émis en vertu de ces deux lois.

Sous-section f — Infractions

326. (1) Infractions — Toute personne qui ne produit pas ou ne remplit pas une déclaration selon les modalités de temps ou autres prévues à la présente partie ou qui ne remplit pas une obligation prévue aux paragraphes 286(2) ou 291(2) ou encore qui contrevient à une ordonnance rendue en application du paragraphe (2) commet une infraction et encourt, sur déclaration de culpabilité par procédure sommaire et outre toute pénalité prévue par ailleurs :

a) soit une amende minimale de 1 000 $ et maximale de 25 000 $;

b) soit une telle amende et un emprisonnement maximal de 12 mois.

Notes historiques: Le préambule du paragraphe 326(1) a été remplacé par L.C. 2001, c. 17, art. 261 et cette modification est entrée en vigueur le 14 juin 2001. Antérieurement, il se lisait ainsi :

> 326. (1) Toute personne qui ne produit pas ou ne remplit pas une déclaration selon les modalités de temps ou autres prévues à la présente partie ou à un règlement d'application ou qui ne remplit pas une obligation prévue au paragraphe 286(2) ou aux articles 288, 289 ou 292 ou encore qui contrevient à une ordonnance rendue en application du paragraphe (2) commet une infraction et encourt, sur déclaration de culpabilité par procédure sommaire et outre toute pénalité prévue par ailleurs :

Le paragraphe 326(1) a été ajouté par L.C. 1990, c. 45, par. 12(1).

Concordance québécoise: LAF, art. 60, al. 1.

(2) Ordonnance d'exécution — Le tribunal qui déclare une personne coupable d'infraction peut rendre toute ordonnance qu'il estime indiquée pour qu'il soit remédié au défaut visé par l'infraction.

Notes historiques: Le paragraphe 326(2) a été ajouté par L.C. 1990, c. 45, par. 12(1).

Concordance québécoise: LAF, art. 61.1.

(3) Réserve — La personne déclarée coupable d'infraction n'est passible de la pénalité prévue à l'un des articles 280.1, 280.11 et 283 à 284.1 ou dans un règlement pris en vertu de la présente partie pour la même infraction que si un avis de cotisation pour cette pénalité a été envoyé avant que la dénonciation ou la plainte qui a donné lieu à la déclaration de culpabilité ait été déposée ou faite.

Notes historiques: Le paragraphe 326(3) a été remplacé par L.C. 2010, c. 12, art. 82 et cette modification est réputée entrée en vigueur le 12 juillet 2010. Antérieurement, il se lisait ainsi :

> (3) La personne déclarée coupable d'infraction n'est passible de la pénalité prévue à l'un des articles 280.1, 280.11 et 283 à 284.01 ou dans un règlement pris en vertu de la présente partie pour la même infraction que si un avis de cotisation pour cette pénalité a été envoyé avant que la dénonciation ou la plainte qui a donné lieu à la déclaration de culpabilité ait été déposée ou faite.

Le paragraphe 326(3) a été remplacé par L.C. 2009, c. 32, art. 42 et cette modification est réputée être entrée en vigueur le 15 décembre 2009. Antérieurement, il se lisait ainsi :

> (3) La personne déclarée coupable d'infraction n'est passible de la pénalité prévue à l'article 280.1, 283 ou 284 pour la même infraction que si un avis de cotisation pour cette pénalité a été envoyé avant que la dénonciation ou la plainte qui a donné lieu à la déclaration de culpabilité ait été déposée ou faite.

Le paragraphe 326(3) a été remplacé par L.C. 2006, c. 4, par. 159(1) et cette modification est entrée en vigueur le 1er avril 2007. Antérieurement, il se lisait ainsi :

> (3) La personne déclarée coupable d'infraction n'est passible de la pénalité prévue à l'article 283 ou 284 pour la même infraction que si un avis de cotisation pour cette pénalité a été envoyé avant que la dénonciation ou la plainte qui a donné lieu à la déclaration de culpabilité ait été déposée ou faite.

Le paragraphe 326(3) a été ajouté par L.C. 1990, c. 45, par. 12(1).

avril 2010, Notes explicatives: Selon le paragraphe 326(1), commet une infraction toute personne qui ne produit pas ou ne remplit pas une déclaration dans les délais et selon les modalités prévus par la partie IX de la Loi ou qui ne remplit pas une obligation prévue par certaines dispositions concernant la tenue de registres, les enquêtes, les demandes de renseignements provenant du ministre du Revenu national ou d'un fonctionnaire. Le paragraphe 326(3) prévoit que la personne déclarée coupable d'infraction n'est passible de la pénalité prévue aux articles 280.1, 283, 284 ou 284.01 pour la même infraction que si un avis de cotisation pour la pénalité a été établie avant que la dénonciation ou la plainte qui a donné lieu à la déclaration de culpabilité ait été déposée ou faite.

La modification apportée au paragraphe 326(3) consiste à ajouter un renvoi au nouvel article 284.1, qui prévoit une pénalité pour avoir omis de déclarer certains montants ou omis de faire des estimations raisonnables d'autres montants dans une déclaration de renseignements à produire en vertu du nouveau paragraphe 273.2(3). Par conséquent, si un avis de cotisation relatif à l'article 284.1 est établi avant qu'une dénonciation ou une plainte soit déposée, une personne peut être déclarée coupable d'infraction aux termes du paragraphe 326(1) et être passible des pénalités prévues à l'article 284.1 pour avoir omis de déclarer des montants ou de faire des estimations raisonnables. Cette modification fait suite à la mise en place de la pénalité pour défaut de déclaration prévue au nouvel article 284.1.

Les modifications apportées au paragraphe 326(3) entrent en vigueur à la date de sanction du projet de loi.

juin 2006, Notes explicatives: Le paragraphe 326(3) précise que si une personne est déclarée coupable d'une infraction aux termes du paragraphe 326(1), elle n'est pas passible de la pénalité prévue aux termes de l'article 283 ou 284 pour la même infraction prévue à la partie IX de la loi ayant donné lieu à la déclaration de culpabilité. Cette règle générale ne s'applique toutefois pas si un avis de cotisation pour cette pénalité a été envoyé avant que la dénonciation ou la plainte qui a donné lieu à la déclaration de culpabilité ait été déposée ou faite.

La modification apportée au paragraphe 326(3) ajoute un renvoi à la pénalité prévue en application du nouvel article 280.1 pour défaut de produire une déclaration. Si un avis de cotisation est envoyé aux termes de l'article 280.1 avant qu'une dénonciation ou qu'une plainte n'ait été déposée ou faite, une personne peut donc être trouvée coupable d'une infraction aux termes du paragraphe 326(1) et être aussi passible de la pénalité pour défaut de produire une déclaration. Cette modification fait suite à l'instauration de la pénalité pour défaut de produire aux termes du nouvel article 280.1.

Cette modification entre en vigueur le 1er avril 2007.

Concordance québécoise: aucune.

Définitions [art. 326]: « cotisation », « mois », « personne », « règlement » — 123(1).

Renvois [art. 326]: 219, 238 (production de la déclaration); 284 (défaut de présenter des renseignements); 289.1 (ordonnance de fournir l'accès, l'aide, les renseignements ou les documents); 332(4) (prescription des poursuite).

Jurisprudence [art. 326]: *R. c. Kawaja*, [1994] G.S.T.C. 69 (Nfld Prov Ct); *R. c. Brisson*, [1994] G.S.T.C. 76 (Ont Prov Div); *R. c. Rasmussen*, [1995] G.S.T.C. 18 (Sask Prov Ct); [1996] G.S.T.C. 4 (Sask QB); *R. c. Zeplan Inc.*, [1995] G.S.T.C. 32 (Nfld Prov Ct); *R. c. Boyer*, [1996] G.S.T.C. 14 (Sask Prov Ct); *R. c. Rosen*, [1997] G.S.T.C. 4 (Man CA); *R. c. Ducharme*, [1999] G.S.T.C. 85 (Sask QB); *Fournier c. R.*, [2004] G.S.T.C. 159 (CCI); *Hajek v. R.*, 2010 CarswellNat 2305, 2010 CCI 154, [2010] G.S.T.C. 46 (CCI [procédure générale]).

Mémorandums [art. 326]: TPS 500-3-1, 20/03/92, *Vérifications fiscales*, par. 36; TPS 500-3-2, 16/03/94, *Pénalités et intérêts*, par. 28–30.

Série de mémorandums [art. 326]: Mémorandum 15.1, 05/05, *Exigences générales relatives aux livres et registres*; Mémorandum 16.2, 01/09, *Pénalités et intérêts*.

Circulaires d'information [art. 326]: 98-1R3 — Politiques de recouvrement (ébauche); 00-1R2 — Programme des divulgations volontaires (PDV).

COMMENTAIRES: Cette pénalité, qui se veut cumulative avec d'autres pénalités possibles en vertu de la *Loi sur la taxe d'accise (TPS)*, consiste en une amende minimale de 1 000 $ et maximale de 25 000 $ en plus, dans certains cas, d'un emprisonnement maximal de 12 mois. Bien qu'une personne, autre qu'un individu, ne puisse être assujetti à une peine d'emprisonnement, il est à noter que l'article 330 prévoit que le cadre, le directeur ou le mandataire d'une personne, autre qu'un particulier, lorsqu'il fait partie de l'infraction est coupable de la même infraction.

Cette infraction est d'ordre criminel. Par conséquent, tel que l'indique l'article 34 de la *Loi d'interprétation*, les dispositions du *Code Criminel* trouvent application. D'ailleurs, la Cour suprême du Canada a reconnu que les infractions de la législation fiscale relèvent du droit criminel.

Il est à noter que le paragraphe 332(4) prévoit un délai de prescription quant au dépôt d'une dénonciation ou plainte en vertu du présent article et qui équivaut à une période maximale de huit ans après le jour où l'objet de la dénonciation ou de la plainte a pris naissance.

En pratique, il appert que cet article trouvera application que dans la mesure où une personne a fait défaut de produire un formulaire à la suite d'une demande formelle de production qui a été envoyée en vertu des articles 282 ou 289.

Dans la mesure où une personne a procédé à une divulgation volontaire et remplit les conditions rattachées à celle-ci, l'article 326 ne s'appliquera pas.

Cette pénalité peut avoir des conséquences graves pour une personne. À titre d'exemple, au Québec, le défaut de produire ses rapports de taxe peut entraîner l'annulation de son numéro de TVQ. De plus, l'article 68.1 de la *Loi sur l'administration fiscale* permet par la suite à la Cour supérieure du Québec d'émettre une injonction pour fermer l'entreprise de la personne concernée en raison d'avoir fait affaire sous un numéro non valide. Nous vous renvoyons à la décision *Québec c. 9112-6243 Québec Inc.*, 2003 CarswellQue 6569 (C.S.).

Il faut souligner que les pénalités prévues à l'un des articles 280.1, 280.11 et 283 à 284.1 pour le même défaut de produire ne s'appliquera en vertu du paragraphe 326(1) que dans la mesure où un avis de cotisation pour cette pénalité a été envoyé avant la dénonciation ou la plainte. Cette infraction se veut d'abord un recours administratif, par l'envoi d'un avis de cotisation à la personne concernée, cotisation qui pourra faire l'objet d'appels subséquents, tel que prévu dans la *Loi sur la taxe d'accise (TPS)*.

Dans l'affaire *Lyonnais c. Canada (Procureur général)*, 2006 CarswellQue 292 (C.S.), la Cour supérieure du Québec a accordé une révision de la peine imposée par la Cour du Québec en vertu du paragraphe 326(2). En effet, la Cour Supérieure a indiqué que l'on n'était pas en présence du pire des contrevenants dans le pire des scénarios. Le pire des contrevenants a, règle générale, plusieurs antécédents. Le pire des scénarios, en matière de délits à caractère fiscal, comporte habituellement des pertes très importantes et souvent irrécupérables pour l'État. La Cour supérieure a donc substitué la peine de 25 000 $ d'amende, avec un délai de 90 jours pour paiement, pour un montant de 1 000 $, assortie d'un délai pour payer de 6 mois.

Finalement, il est intéressant de souligner que l'Agence du revenu du Canada publie fréquemment des communiqués de presse après avoir appliqué avec succès cette infraction, l'intention étant de décourager les personnes à ne pas se conformer à la *Loi sur la taxe d'accise (TPS)*. L'Agence du revenu du Canada tient à rendre publiques les condamnations pour fraude fiscale, cette mesure visant à maintenir la confiance et l'intégrité du système d'autocotisation et à accroître l'observation de la loi grâce à l'effet dissuasif de la publicité. À titre illustratif et informatif, ceux-ci sont disponibles sur le site internet de l'Agence du revenu du Canada à l'adresse suivante : www.cra.gc.ca sous la rubrique « salle de presse », puis « condamnations », qui sont regroupées par province et territoire. Une approche similaire a été adoptée par Revenu Québec sous la rubrique « centre d'information » accessible via son site internet : www.revenuquebec.ca.

Il est à noter que la pénalité imposée en vertu du paragraphe 326(1) LTA n'est pas déductible en vertu de la *Loi de l'impôt sur le revenu* (Canada).

327. (1) Infractions — Toute personne qui :

a) a fait des déclarations fausses ou trompeuses, ou a participé, consenti ou acquiescé à leur énonciation dans une déclaration, une demande, un certificat, un état, un document ou une réponse produits ou faits en vertu de la présente partie ou d'un règlement d'application,

b) a, pour éluder le paiement ou le versement de la taxe ou taxe nette payable en vertu de la présente partie ou pour obtenir un remboursement sans y avoir droit aux termes de la présente partie :

(i) détruit, modifié, mutilé, caché ou autrement aliéné les documents d'une personne,

(ii) fait des inscriptions fausses ou trompeuses, ou a consenti ou acquiescé à leur accomplissement, ou a omis, ou a consenti ou acquiescé à l'omission d'inscrire un détail important dans les documents d'une personne,

c) a, volontairement, de quelque manière, éludé ou tenté d'éluder l'observation de la présente partie ou le paiement ou versement de la taxe ou taxe nette qu'elle impose,

d) a, volontairement, de quelque manière, obtenu ou tenté d'obtenir un remboursement sans y avoir droit aux termes de la présente partie,

e) a conspiré avec une personne pour commettre une infraction visée aux alinéas a) à c),

commet une infraction et encourt, sur déclaration de culpabilité par procédure sommaire et outre toute pénalité prévue par ailleurs :

f) soit une amende minimale de 50 % et maximale de 200 % de la taxe ou taxe nette qu'elle a tenté d'éluder ou du remboursement qu'elle a cherché à obtenir ou, si le montant n'est pas vérifiable, une amende minimale de 1 000 $ et maximale de 25 000 $;

g) soit une telle amende et un emprisonnement maximal de deux ans.

Notes historiques: Le préambule de l'alinéa 327(1)b) a été remplacé par L.C. 2000, c. 30, art. 99. Cette modification est réputée entrée en vigueur le 20 octobre 2000. Antérieurement, il se lisait comme suit :

> b) a, pour éluder le paiement ou le versement de la taxe ou taxe nette imposée par la présente partie ou pour obtenir un remboursement sans y avoir droit aux termes de la présente partie :

Le paragraphe 327(1) a été ajouté par L.C. 1990, c. 45, par. 12(1).

Concordance québécoise: LAF, art. 62.

(2) Poursuite par voie de mise en accusation — Toute personne accusée d'une infraction peut, au choix du procureur général du Canada, être poursuivie par voie de mise en accusation et, si elle est déclarée coupable, encourt, outre toute pénalité prévue par ailleurs :

a) soit une amende minimale de 100 % et maximale de 200 % de la taxe ou taxe nette qu'elle a tenté d'éluder ou du remboursement qu'elle a cherché à obtenir ou, si le montant n'est pas vérifiable, une amende minimale de 2 000 $ et maximale de 25 000 $;

b) soit une telle amende et un emprisonnement maximal de cinq ans.

Notes historiques: Le paragraphe 327(2) a été ajouté par L.C. 1990, c. 45, par. 12(1).

Concordance québécoise: aucune.

(3) Pénalité sur déclaration de culpabilité — La personne déclarée coupable d'une infraction visée au présent article n'est passible de la pénalité prévue à l'un des articles 280.1, 280.11 et 283 à 285.1 ou dans un règlement pris en vertu de la présente partie pour la même évasion ou la même tentative d'évasion que si un avis de cotisation pour cette pénalité a été envoyé avant que la dénonciation ou la plainte qui a donné lieu à la déclaration de culpabilité ait été déposée ou faite.

Notes historiques: Le paragraphe 327(3) a été remplacé par. L.C. 2009, c. 32, art. 43 et cette modification est réputée être entrée en vigueur le 15 décembre 2009. Antérieurement, il se lisait ainsi :

> (3) La personne déclarée coupable d'une infraction visée au présent article n'est passible de la pénalité prévue à l'un des articles 280.1 et 283 à 285.1 pour la même évasion ou la même tentative d'évasion que si un avis de cotisation pour cette pénalité a été envoyé avant que la dénonciation ou la plainte qui a donné lieu à la déclaration de culpabilité ait été déposée ou faite.

Le paragraphe 327(3) a été remplacé par L.C. 2006, c. 4, par. 160(1) et cette modification est entrée en vigueur le 1er avril 2007. Antérieurement, il se lisait ainsi :

> (3) La personne déclarée coupable d'une infraction visée au présent article n'est passible de la pénalité prévue à l'un des articles 283 à 285.1 pour la même évasion ou la même tentative d'évasion que si un avis de cotisation pour cette pénalité a été envoyé avant que la dénonciation ou la plainte qui a donné lieu à la déclaration de culpabilité ait été déposée ou faite.

Le paragraphe 327(3) a été remplacé par L.C. 2000, c. 19, art. 72 et cette modification est réputée être entrée en vigueur le 29 juin 2000. Antérieurement, il se lisait ainsi :

> (3) La personne déclarée coupable d'infraction n'est passible de la pénalité prévue à l'article 284 pour la même évasion ou la même tentative d'évasion que si un avis de cotisation pour cette pénalité a été envoyé avant que la dénonciation ou la plainte qui a donné lieu à la déclaration de culpabilité ait été déposée ou faite.

Le paragraphe 327(3) a été ajouté par L.C. 1990, c. 45, par. 12(1).

juin 2006, Notes explicatives: Le paragraphe 327(3) précise que si une personne est déclarée coupable d'une infraction aux termes du paragraphe 327(1), elle n'est pas passible d'une pénalité aux termes des articles 283 à 285.1 pour la même infraction prévue à la partie IX de la loi ayant donné lieu à la déclaration de culpabilité. Cette règle générale ne s'applique toutefois pas si un avis de cotisation pour cette pénalité a été envoyé avant que la dénonciation ou la plainte qui a donné lieu à la déclaration de culpabilité ait été déposée ou faite.

La modification apportée au paragraphe 327(3) ajoute un renvoi à la pénalité prévue en application du nouvel article 280.1 pour défaut de produire une déclaration. Si un avis de cotisation est envoyé aux termes de l'article 280.1 avant qu'une dénonciation ou qu'une plainte n'ait été déposée ou faite, une personne peut donc être trouvée coupable d'une infraction aux termes du paragraphe 327(1) et être aussi passible de la pénalité pour défaut de produire une déclaration. Cette modification fait suite à l'instauration de la pénalité pour défaut de produire aux termes du nouvel article 280.1.

Cette modification entre en vigueur le 1er avril 2007.

Concordance québécoise: LAF, art. 64.

(4) Suspension d'appel — Le ministre peut demander la suspension d'un appel interjeté en vertu de la présente partie devant la Cour canadienne de l'impôt lorsque les faits qui y sont débattus sont pour la plupart les mêmes que ceux qui font l'objet de poursuites entamées en vertu du présent article. Dès lors, l'appel est suspendu en attendant le résultat des poursuites.

Notes historiques: Le paragraphe 327(4) a été ajouté par L.C. 1990, c. 45, par. 12(1).

Concordance québécoise: LAF, art. 65.

Définitions [art. 327]: « document », « ministre », « montant », « personne », « taxe » — 123(1).

Renvois [art. 327]: 225 (taxe nette); 331 (impossibilité de diminuer les peines); 332(4) (prescription des poursuite).

Jurisprudence [art. 327]: *Lee v. R.* (21 septembre 2012), 2012 CarswellNat 3612 (C.C.I.); *Suen (C.) c. R.*, [1996] G.S.T.C.53 (Sask QB); *R. c. Rosen*, [1997] G.S.T.C. 4 (Man CA); *R. c. Teodori*, [1997] G.S.T.C. 48 (CS); *R. c. Manus Research Canada Inc.*, [1997] G.S.T.C. 62; *R. c. Bortolussi*, [1997] G.S.T.C. 91; *R. c. Chelico's Restaurants Ltd.*, [1997] G.S.T.C. 95; *Belfast Lime Services Ltd. c. Canada*, [1997] G.S.T.C. 108 (CCI); *R. c. White*, [1998] G.S.T.C. 106; *R. c. Law*, [1998] G.S.T.C. 111; *R. c. Saplys (No. 1)* and *(No. 3)*, [1999] G.S.T.C. 21 and 23 (Ont Gen Div); [2001] G.S.T.C. 25 (Ont SC); *R. c. Melnychuk*, [1999] G.S.T.C. 29 (Sask Prov Ct); *R. c. Clarkson*, [1999] G.S.T.C. 38 (BCSC); *R. c. Anderson*, [1999] G.S.T.C. 84 (Sask Prov Ct); *R. c. Bannon*, [1999] G.S.T.C. 110 (Ont CJ); [2000] G.S.T.C. 66 (Ont SCJ); *R. c. Pheasant*, [2001] G.S.T.C. 8 (Ont CJ); *R. c. Pheasant*, [2001] G.S.T.C. 9 (Ont CJ); *Lai c. R.*, [2001] G.S.T.C. 24 (CCI); *Québec (Sous-ministre du Revenu) c. De Montigny*, 2002 CarswellQue 1030 (C.Q.); *Brown v. Canada (ARC)*, [2005] G.S.T.C. 201 (CF); *Garcha c. R.*, [2006] 5 C.T.C. 2449 (CCI); *Brown c. Canada (CRA)*, [2007] G.S.T.C. 12 (CAF); *Gypse & Joints MPG Rive-Nord c. R.*, 2008 G.T.C. 177 (CCI [procédure générale]); *Dundurn Street Lofts Inc. v. R.*, 2009 CarswellNat 1666 (1er octobre 2008) (CCI [procédure générale]); *Québec (Sous-ministre du Revenu) c. Cun* (13 novembre 2008), 2008 CarswellQue 11822; *Québec (Sous-ministre du Revenu) c. Buffolino* (25 février 2009), 500-73-002772-073, 2009 CarswellQue 3837; *Lee v. R.*, 2010 CarswellNat 3586, 2010 CCI 400, [2010] G.S.T.C. 114 (CCI [procédure informelle]); *Guibord v. R.* (27 janvier 2011), 2011 CarswellNat 849, 2011 CCI 53 (CCI [procédure générale]); *Dundurn Street Lofts Inc. v. R.* (18 octobre 2011), 2011 CarswellNat 5172, 2011 CAF 288 (CAF).

Mémorandums [art. 327]: TPS 500-3-2, 16/03/94, *Pénalités et intérêts*, par. 28, 31–34; TPS 500-3-4, 28/06/91, *Indication volontaire*.

Série de mémorandums [art. 327]: Mémorandum 16.2, 01/09, *Pénalités et intérêts*.

Circulaires d'information [art. 327]: 00-1R2 — Programme des divulgations volontaires (PDV).

COMMENTAIRES: Cette infraction est d'ordre criminel. Par conséquent, tel que l'indique l'article 34 de la Loi d'interprétation, les dispositions du *Code Criminel*, notamment l'article 787(2), trouvent application et la personne bénéficie aussi de la protection des droits en vertu de la *Charte des droits et libertés*. Voir notamment : *R. c. Diamond*, 2004 CarswellAlta 1189 (Cour provinciale de l'Alberta).

Cet article prévoit cinq types d'infractions.

La première infraction prévue semble large puisqu'on y fait part notamment, de déclarations fausses, sans requérir un élément d'intention. Ainsi, cela implique qu'une déclaration fausse faite par mégarde puisse être visée par cet article, ce qui, à notre avis, va plus loin que ce qui est visé. Ainsi, de l'avis de l'auteur et pour être consistent avec le degré de gravité des infractions qui figurent aux alinéas b) à e), le terme « sciemment » devrait être ajouté à l'alinéa a) de la façon suivante (soulignements ajoutés) : « a, sciemment, faire des déclarations fausses ou trompeuses ».

Les quatre autres types d'infraction réfèrent au fait d'avoir éludé ou d'avoir tenté d'éluder ses obligations en matière de TPS/TVH.

En ce qui concerne l'infraction au paragraphe c), cette infraction parle du fait qu'une personne a volontairement éludé l'observation de la présente partie. Dans un contexte d'infractions d'ordre criminel, il faut y rechercher une intention malicieuse (*The Queen c. Landes*, [1988] 1 C.T.C. 124).

Il faut souligner que les pénalités prévues à l'un des articles 280.1, 280.11 et 283 à 285.1 pour le même défaut de produire ne s'appliquera en vertu du paragraphe 326(1) que dans la mesure où un avis de cotisation pour cette pénalité a été envoyé avant la dénonciation ou la plainte. Cette infraction se veut d'abord un recours administratif, par l'envoi d'un avis de cotisation à la personne concernée, cotisation qui pourra faire l'objet d'appels subséquents, tel que prévu dans la *Loi sur la taxe d'accise (TPS)*.

Dans l'affaire *Québec (Sous-ministre du revenu) c. Cun*, 2010 CarswellQue 2905 (C.Q.), la Cour du Québec a rendu une décision sur la détermination de la peine, en vertu notamment de l'alinéa 327(1)(f). Le juge Renaud indique que la similitude des infractions d'évasion fiscale et de fraude permette d'appliquer des motifs en matière de peines reliées à l'évasion fiscale qui sont similaires à ceux relatifs aux peines imposées en matière de fraude. Le juge indique que dans le cas de fraudes importantes (incluant l'évasion fiscale) une peine d'emprisonnement peut être imposée même en l'absence d'antécédent judiciaire si des facteurs aggravants sont présents, tels que : la préméditation et la planification, l'abus de confiance, l'absence de remboursement et de collaboration à l'enquête, l'appât du gain et l'appropriation de deniers publics. Ainsi, on constate que les objectifs de dissuasion et de dénonciation doivent prévaloir et que c'est au moyen d'une peine d'emprisonnement que ce but est atteint. Toutefois, puisque dans la majorité des situations, les tribunaux imposeront une peine d'emprisonnement dans la collectivité, on peut se demander si cela remplit adéquatement les objectifs de dissuasion et de dénonciation. Voir également : *R. c. J.I.L.M. Enterprises & Investments Ltd.* (No. 2), 2003 CarswellOnt 5480 (Cour supérieure de l'Ontario), [2005] G.S.T.C. 1440.

Le paragraphe 327(4) prévoit une suspension des recours en vertu de la Cour canadienne de l'impôt lorsque des poursuites criminelles sont entamées. Il s'agit du principe général de litispendance, un principe de droit privé.

Finalement, il est intéressant de souligner que l'Agence du revenu du Canada publie fréquemment des communiqués de presse après avoir appliqué avec succès cette infraction, l'intention étant de décourager les personnes à ne pas se conformer à la *Loi sur la taxe d'accise (TPS)*. L'Agence du revenu du Canada tient à rendre publiques les condamnations pour fraude fiscale, cette mesure visant à maintenir la confiance et l'intégrité du système d'autocotisation et à accroître l'observation de la loi grâce à l'effet dissuasif de la publicité. À titre illustratif et informatif, ceux-ci sont disponibles sur le site internet de l'Agence du revenu du Canada à l'adresse suivante : www.cra.gc.ca sous la rubrique « salle de presse », puis « condamnations », qui sont regroupées par province et territoire. Une approche similaire a été adoptée par Revenu Québec sous la rubrique « centre d'information » accessible par son site internet : www.revenuquebec.ca.

Il est à noter que cet article est similaire à l'article 239 de la *Loi de l'impôt sur le revenu* (Canada) et à ce titre, il est raisonnable de conclure que la jurisprudence sous cet article devrait également être applicable dans un contexte de TPS/TVH. Évidemment, cette pénalité ne sera pas imposée si une divulgation volontaire valide a été entreprise.

328. (1) Communication non autorisée de renseignements — Commet une infraction et encourt, sur déclaration de culpabilité par procédure sommaire, une amende maximale de 5 000 $ et un emprisonnement maximal de 12 mois, ou l'une de ces peines, quiconque, selon le cas :

a) contrevient au paragraphe 295(2);

b) contrevient sciemment à une ordonnance rendue en application du paragraphe 295(5.1).

Notes historiques: Le paragraphe 328(1) a été ajouté par L.C. 1990, c. 45, par. 12(1).

Concordance québécoise: LAF, art. 71.3.1.

(2) Idem — Commet une infraction et encourt, sur déclaration de culpabilité par procédure sommaire, une amende maximale de 5 000 $ et un emprisonnement maximal de 12 mois, ou l'une de ces peines :

a) toute personne à qui un renseignement confidentiel a été fourni à une fin précise en conformité avec les alinéas 295(5)b), c), g), k), l), m) ou n);

27 novembre 2006, Notes explicatives: Selon l'alinéa 328(2)a), commet une infraction la personne à qui un renseignement confidentiel a été fourni à une fin précise prévue à certains alinéas du paragraphe 295(5) et qui utilise ce renseignement, ou le fournit à un tiers, à une autre fin. La personne trouvée coupable de cette infraction est passible, sur déclaration de culpabilité par procédure sommaire, d'une amende maximale de 5 000 $ et d'un emprisonnement maximal d'un an, ou de l'une de ces peines.

L'alinéa 328(2)a) est modifié de façon à faire renvoi au nouvel alinéa 295(5)m), qui permet de communiquer des renseignements confidentiels concernant les activités d'entreprise exercées dans une province à un organisme de la statistique de la province. Il est aussi modifié afin de faire renvoi au nouvel alinéa 295(5)n), qui permet de communiquer des renseignements confidentiels pour l'application d'une disposition figurant dans un « accord international désigné » (terme nouvellement défini au paragraphe 123(1) de la loi).

Ces modifications entrent en vigueur à la date de sanction du projet de loi [C-40 (L.C. 2007, ch. 18) sanctionné le 22 juin 2007 — n.d.l.r.].

b) tout fonctionnaire à qui un renseignement confidentiel a été fourni à une fin précise en conformité avec les alinéas 295(5)a), d), e) ou h),

et qui, sciemment, utilise ce renseignement, le fournit ou en permet la fourniture ou l'accès à une autre fin.

Notes historiques: L'alinéa 328(2)a) a été remplacé par L.C. 2007, c. 18, art. 51 et cette modification est entrée en vigueur le 22 juin 2007. Antérieurement, il se lisait ainsi :

> a) toute personne à qui un renseignement confidentiel a été fourni à une fin précise en conformité avec les alinéas 295(5)b), c), g), k) ou l);

L'alinéa 328(2)a) a été remplacé par L.C. 2001, c. 17, art. 262 et cette modification est entrée en vigueur le 14 juin 2001. Antérieurement, il se lisait ainsi :

> a) toute personne à qui un renseignement confidentiel est fourni à une fin précise en conformité avec les alinéas 295(5)*b*), *c*), *g*) ou *k*)

L'alinéa 328(2)a) a été remplacé par L.C. 1999, c. 26, art. 39 et cette modification est réputée entrée en vigueur le 17 juin 1999. Auparavant, cet alinéa se lisait comme suit :

> a) toute personne à qui un renseignement confidentiel est fourni à une fin précise en conformité avec les alinéas 295(5)b), c) ou g),

Le paragraphe 328(2) a été ajouté par L.C. 1990, c. 45, par. 12(1).

Concordance québécoise: LAF, art. 71.3.2.

(3) Définitions — Pour l'application des paragraphes (1) et (2), les expressions « fonctionnaire » et « renseignement confidentiel » s'entendent au sens du paragraphe 295(1).

Notes historiques: L'ancien article 328 a été remplacé par les paragraphes 328(1), (2) et (3), par L.C. 1993, c. 27, art. 135. Ces paragraphes s'appliquent à compter du 10 juin 1993. L'article 328 se lisait auparavant comme suit :

328. Commet une infraction et encourt, sur déclaration de culpabilité par procédure sommaire, une amende maximale de 5 000 $ et un emprisonnement maximal de 12 mois, ou l'une de ces peines, toute personne :

a) qui contrevient au paragraphe 295(2);

b) à qui un renseignement est donné en application du paragraphe 295(4) et qui, sciemment, utilise ce renseignement, le communique ou permet qu'il soit communiqué à une autre fin que celle pour laquelle il est donné.

Le paragraphe 328(3) a été ajouté par L.C. 1990, c. 45, par. 12(1).

Concordance québécoise: aucune.

Définitions [art. 328]: « mois », « personne » — 123(1).

Série de mémorandums [art. 328]: Mémorandum 1.5, 09/94, *Définitions*.

COMMENTAIRES: Cet article impose des infractions reliées à l'obligation de confidentialité qui est imposée à L'Agence du revenu du Canada et à ses employés.

Il est intéressant de souligner que le paragraphe (2) requiert une intention volontaire en employant le terme « sciemment » aux fins de l'utilisation des renseignements confidentiels. De l'avis de l'auteur, cette obligation devrait exister nonobstant l'intention, en raison de la nature privilégiée et confidentielle des renseignements qui sont divulgués à l'Agence du revenu du Canada.

À tout événement, il appert de la décision dans l'affaire *Collins c. R.*, 2011 CarswellOnt 4984 (Cour d'appel de l'Ontario) (permission d'en appeler à la Cour suprême du Canada refusée en date du 5 mai 2011), que l'Agence du revenu du Canada a une politique de ne pas utiliser cet article pour des employés qui commettent une infraction à cet article.

329. (1) Défaut de payer, percevoir ou verser la taxe — Toute personne qui, volontairement, ne paie pas, ne perçoit pas ou ne verse pas la taxe ou la taxe nette en application de la présente partie ou selon les modalités de temps ou autres qu'elle prévoit commet une infraction et encourt, sur déclaration de culpabilité par procédure sommaire et outre toute pénalité ou tous intérêts prévus par ailleurs :

a) soit une amende maximale égale au total de 1 000 $ et d'un montant correspondant à 20 % de la taxe ou taxe nette qui aurait dû être payée, perçue ou versée;

b) soit une telle amende et un emprisonnement maximal de six mois.

Notes historiques: Le paragraphe 329(1) a été ajouté par L.C. 1990, c. 45, par. 12(1).

Concordance québécoise: LAF, art. 59.2, al. 1.

(2) Infraction générale — Quiconque ne se conforme pas à une disposition de la présente partie pour laquelle aucune autre pénalité n'est prévue à la présente sous-section commet une infraction et encourt, sur déclaration de culpabilité par procédure sommaire, une amende maximale de 1 000 $.

Notes historiques: Le paragraphe 329(2) a été ajouté par L.C. 1990, c. 45, par. 12(1).

Concordance québécoise: LAF, art. 59.4.

Définitions [art. 329]: « mois », « montant », « personne », « taxe » — 123(1).

Renvois [art. 329]: 225 (taxe nette).

Jurisprudence [art. 329]: *R. c. Melnychuk*, [1999] G.S.T.C. 29 (Sask Prov Ct); *R. c. Anderson*, [1999] G.S.T.C. 84 (Sask Prov Ct).

Mémorandums [art. 329]: TPS 500-3-2, 16/03/94, *Pénalités et intérêts*, par. 28, 35–36.

Série de mémorandums [art. 329]: Mémorandum 15.1, 05/05, *Exigences générales relatives aux livres et registres*; Mémorandum 16.2, 01/09, *Pénalités et intérêts*.

COMMENTAIRES: Le paragraphe 329(1) prévoit une infraction pour une personne qui ne paie pas, ne reçoit pas ou ne verse pas la taxe ou la taxe nette. Dans ce cadre, la présence d'une intention volontaire est requise.

Le paragraphe 329(2) a pour objectif d'englober une infraction d'ordre « générale » lorsqu'on ne se conforme pas à la présente partie et qu'aucune infraction n'est prévue à la sous-section f) de la partie VIII de la *Loi sur la taxe d'accise (TPS)*. À ce titre, aucune intention volontaire n'est requise.

Cet article semble rarement utilisé, contrairement à 326 (défaut de produire des déclarations) et 327 (produire des déclarations trompeuses).

330. Cadres de personnes morales — Le cadre, directeur ou mandataire d'une personne autre qu'un particulier qui est coupable d'une infraction prévue à la présente partie qui a ordonné ou autorisé l'infraction, ou y a consenti, acquiescé ou participé, est partie à l'infraction, en est coupable, et encourt, sur déclaration de culpabilité, la peine prévue pour l'infraction, indépendamment du fait que la personne ait ou non été poursuivie ou déclarée coupable.

Notes historiques: L'article 330 a été ajouté par L.C. 1990, c. 45, par. 12(1).

Concordance québécoise: LAF, art. 68.

Définitions [art. 330]: « cadre », « personne » — 123(1).

Jurisprudence [art. 330]: *R. c. Rasmussen*, [1995] G.S.T.C. 18 (Sask Prov Ct); [1996] G.S.T.C. 4 (Sask QB); *Suen (C.) c. R.*, [1995] G.S.T.C. 53 (Sask QB); [1997] G.S.T.C. 40 (Sask QB); *R. c. Manus Research Canada Inc.*, [1997] G.S.T.C. 62 (Alta Prov Ct); *R. c. Ducharme*, [1999] G.S.T.C. 85 (Sask QB); *Dundurn Street Lofts Inc. v. R.*, 2009 CarswellNat 1666 (1er octobre 2008) (CCI [procédure générale]).

Énoncés de politique [art. 330]: P-182R, 28/08/03, *Du mandat*.

Info TPS/TVQ [art. 330]: GI-012 — *Mandataires*.

COMMENTAIRES: Cet article est un prolongement de reconnaissance de culpabilité d'une société (notamment) envers le cadre, directeur ou mandataire qui a ordonné, autorisé l'infraction ou y a consenti ou acquiescé ou participé.

La notion de « mandataire » nous semble très large et cela pourrait, de façon théorique, inclure un professionnel. Nous pensons que ce terme devrait être interprété restrictivement à la lumière des termes « cadre » et « directeur » qui impliquent une connaissance quasi quotidienne des affaires de la société. De plus, le comportement des professionnels peut être visé par d'autres articles de la *Loi sur la taxe d'accise (TPS)*, notamment l'article 285.1.

En pratique, l'Agence du revenu du Canada et Revenu Québec veulent s'assurer de percevoir leurs créances fiscales malgré la faillite ou l'insolvabilité de la société. De plus, seul un particulier peut être assujetti à une peine d'emprisonnement.

La même règle s'applique en vertu de l'article 242 de la *Loi de l'impôt sur le revenu* (Canada).

331. Pouvoir de diminuer les peines — Nonobstant le *Code criminel* ou toute autre règle de droit, le tribunal ne peut, dans une poursuite ou une procédure prévue par la présente partie, imposer moins que l'amende ou l'emprisonnement minimal que fixe la présente partie ou suspendre une sentence.

Notes historiques: L'article 331 a été ajouté par L.C. 1990, c. 45, par. 12(1).

Concordance québécoise: LAF, art. 66.

Jurisprudence [art. 331]: *R. c. Brisson*, [1994] G.S.T.C. 76 (Ont Prov Div); *R. c. Rasmussen*, [1995] G.S.T.C. 18 (Sask Prov Ct); [1996] G.S.T.C. 4 (Sask QB); *R. c. Ducharme*, [1999] G.S.T.C. 85 (Sask QB); *Dundurn Street Lofts Inc. v. R.*, 2009 CarswellNat 1666 (1er octobre 2008) (CCI [procédure générale]).

COMMENTAIRES: Cet article impose une limite à la discrétion des cours de justice quant à la possibilité de réduire une amende ou une période d'emprisonnement prévues dans les dispositions de la *Loi sur la taxe d'accise (TPS)*.

Bien entendu, cet article a quand même des limites, notamment quant aux termes d'une entente de paiement pour une amende.

332. (1) Dénonciation ou plainte — Une dénonciation ou plainte prévue à la présente partie peut être déposée ou faite par tout fonctionnaire de l'Agence, par un membre de la Gendarmerie royale du Canada ou par toute personne qui y est autorisée par le ministre. La dénonciation ou plainte déposée ou faite en vertu de la présente partie est réputée l'avoir été par une personne qui y est autorisée par le ministre et seul le ministre ou une personne agissant en son nom ou au nom de Sa Majesté du chef du Canada peut la mettre en doute pour cause d'autorisation insuffisante du dénonciateur ou du plaignant.

Notes historiques: Le paragraphe 332(1) a été modifié par le remplacement des mots « du ministère » par les mots « de l'Agence » par L.C. 1999, c. 17, art. 156i). Cette modification est entrée en vigueur le 1er novembre 1999.

Le paragraphe 332(1) a été ajouté par L.C. 1990, c. 45, par. 12(1).

Concordance québécoise: LAF, art. 72.

(2) Deux infractions ou plus — La dénonciation ou plainte à l'égard d'une infraction aux dispositions de la présente partie peut viser une ou plusieurs infractions. Aucune dénonciation, plainte, mandat, déclaration de culpabilité ou autre procédure dans une poursuite intentée en vertu de la présente partie n'est susceptible d'opposition ou n'est insuffisante du fait que deux infractions ou plus sont visées.

Notes historiques: Le paragraphe 332(2) a été ajouté par L.C. 1990, c. 45, par. 12(1).

Concordance québécoise: aucune.

(3) District judiciaire — La dénonciation ou plainte à l'égard d'une infraction aux dispositions de la présente partie peut être entendue, jugée ou décidée par tout tribunal compétent du district judiciaire où l'accusé réside, exerce une activité commerciale, est trouvé, appréhendé ou détenu, bien que l'objet de la dénonciation ou de la plainte n'y ait pas pris naissance.

Notes historiques: Le paragraphe 332(3) a été ajouté par L.C. 1990, c. 45, par. 12(1).

Concordance québécoise: aucune.

(4) Prescription des poursuites — La dénonciation ou plainte peut être déposée ou faite en application des dispositions du *Code criminel* concernant les déclarations de culpabilité par procédure sommaire, à l'égard d'une infraction à la présente partie, au plus tard huit ans après le jour où l'objet de la dénonciation ou de la plainte a pris naissance.

Notes historiques: Le paragraphe 332(4) a été ajouté par L.C. 1990, c. 45, par. 12(1).

Concordance québécoise: LAF, art. 78.

Définitions [art. 332]: « activité commerciale », « document », « ministre », « personne », « registre », « taxe » — 123(1).

Renvois [art. 332]: 225 (taxe nette).

Jurisprudence [art. 332]: *R. c. Boyer*, [1996] G.S.T.C. 14 (Sask Prov Ct).

COMMENTAIRES: Il est à noter que le délai de prescription de 8 ans reflété au paragraphe (4) s'applique à la dénonciation ou plainte faite à l'égard des déclarations de culpabilité par procédure sommaire et non par voie de mise en accusation.

Sous-section g — Procédure et preuve

333. (1) Signification — L'avis ou autre document que le ministre a l'autorisation ou l'obligation de signifier, de délivrer ou d'envoyer :

a) à une société de personnes peut être adressé à la dénomination de la société;

b) à un syndicat peut être adressé à la dénomination du syndicat;

c) à une société, un club, une association ou un autre organisme peut être adressé à la dénomination de l'organisme;

d) à une personne qui exploite une entreprise sous une dénomination ou raison autre que son nom peut être adressé à cette dénomination ou raison.

Notes historiques: Le paragraphe 333(1) a été ajouté par L.C. 1990, c. 45, par. 12(1).

Concordance québécoise: LAF, art. 80.

(2) Signification à personne — L'avis ou autre document que le ministre a l'autorisation ou l'obligation de signifier, de délivrer ou d'envoyer à une personne qui exploite une entreprise est réputé valablement signifié, délivré ou envoyé :

a) dans le cas où la personne est une société de personnes, s'il est signifié à l'un des associés ou laissé à une personne adulte employée à l'établissement de la société

b) s'il est laissé à une personne adulte employée à l'établissement de la personne.

Notes historiques: Le paragraphe 333(2) a été ajouté par L.C. 1990, c. 45, par. 12(1).

Concordance québécoise: LAF, art. 80.

Définitions [art. 333]: « document », « entreprise », « ministre », « personne » — 123(1).

Jurisprudence [art. 333]: *Wa-Bowden Estate Reports Inc. c. Canada*, [1997] G.S.T.C. 49 (CCI); [1998] G.S.T.C. 46 (CFA); *Massarotto (J.) c. Canada*, [1999] G.S.T.C. 61 (CCI).

COMMENTAIRES: Le paragraphe (1) prévoit certaines formalités quant à l'identité du destinataire qui sont relatives non seulement la signification, mais également la délivrance et l'envoi d'un avis ou d'un document.

Le paragraphe (2) prévoit une règle de présomption irréfragable dans un contexte d'une remise en main propre.

Selon nous, en pratique, ce paragraphe peut être difficile d'application en certaines circonstances. En effet, la difficulté principale réside dans la référence au fait qu'une personne soit employée. Avec une augmentation accrue des travailleurs autonomes, il peut être difficile de trouver une personne qui est effectivement employée de la personne concernée. De plus, l'alinéa b) réfère à « une personne adulte employée à l'établissement de la personne ». De l'avis de l'auteur, la rédaction de cet article est ambigüe et l'on devrait se référer non pas à l'établissement dans lequel se trouve l'établissement de la personne (qui peut englober plusieurs entreprises), mais aux locaux mêmes où la personne exerce son entreprise.

334. (1) Date de réception — Pour l'application de la présente partie, tout envoi en première classe ou l'équivalent est réputé reçu par le destinataire à la date de sa mise à la poste.

Notes historiques: Le paragraphe 334(1) a été ajouté par L.C. 1990, c. 45, par. 12(1). En vertu de L.C. 1997, c. 10, art. 259, le paragraphe 334(1) de la *Loi sur la taxe d'accise* ne s'applique pas dans le cadre des paragraphes 1(15) à (17) et (19) à (21), 23(5), 24(2), 33(12), 59(13), 60(4), 62(4), 64(6) et (8), 69(11), 76(2), 86(2), 88(3), 89(2), 116(5) et (6) et 145(2) L.C. 1997, c. 10.

Concordance québécoise: LAF, art. 87.

(2) Paiement ou versement réputé — Le paiement ou versement qu'une personne est tenue de faire en application de la présente partie n'est réputé effectué que le jour de sa réception par le receveur général.

Notes historiques: Le paragraphe 334(2) a été ajouté par L.C. 1990, c. 45, par. 12(1).

Concordance québécoise: aucune.

Définitions [art. 334]: « personne » — 123(1).

Jurisprudence [art. 334]: *Coopers & Lybrand c. Bank of Montreal*, [1993] G.S.T.C. 36 (Nfld TD); *Laklani Gift Store c. MNR*, [1993] G.S.T.C. 47 (TCCE); *Tropicana Pet Shop c. MNR*, [1994] G.S.T.C. 7 (TCCE); *Moto Optica Ltd. c. MNR*, [1994] G.S.T.C. 11 (TCCE); *M-M Electric c. MNR*, [1994] G.S.T.C. 35 (TCCE); *Hergert Electric Ltd. c. MNR*, [1994] G.S.T.C. 38 (TCCE); *The Satellite Station c. MNR*, [1994] G.S.T.C. 52 (TCCE); *Ryerson Polytechnical Institute c. MNR*, [1994] G.S.T.C. 78 (TCCE); *Encor Energy Corp. c. Ernst & Young Inc.*, [1993] G.S.T.C. 25 (Sask. QB); [1995] G.S.T.C. 54 (Sask. CA); *Williston Wildcatters Oil Corp. (Re)*, [1996] G.S.T.C. 42 (Sask QB re faillite); *Canada Trustco Mortgage Corp. c. Port O'Call Hotel Inc.*, [1992] G.S.T.C. 14 (Alta. QB); [1994] G.S.T.C. 5 (Alta. CA); [1996] G.S.T.C. 17 (CSC); *Wa-Bowden Estate Reports Inc. c. Canada*, [1997] G.S.T.C. 49 (CCI); [1998] G.S.T.C. 46 (CFA); *Massarotto (J.) c. Canada*, [1999] G.S.T.C. 61 (CCI); *Schafer (A.) c. Canada*, [1998] G.S.T.C. 60 (CCI); [2000] G.S.T.C. 82 (CAF); *Airport Auto Ltd. v. R.*, [2003] G.S.T.C. 151 (CCI); *Vu, Re*, [2005] G.S.T.C. 113 (CF); *9050-8367 Québec Inc. c. R.*, [2006] G.S.T.C. 163 (CCI).

Énoncés de politique [art. 334]: P-194R2, 27/08/07, *Application de pénalités et d'intérêts lorsqu'une déclaration, une demande de remboursement ou une autre déclaration est reçue après la date d'échéance.*

Mémorandums [art. 334]: TPS 300-6-2, 26/03/91, *Paiements comptants*, par. 7; TPS 500-2, 25/03/91, *Déclarations et paiements*, par. 27.

COMMENTAIRES: Cet article spécifie la date de réception pour un envoi en première classe ou l'équivalent de même que la date de paiement ou de versement qu'une personne doit faire en application de la partie IX de la *Loi sur la taxe d'accise (TPS)*.

Nous désirons commenter une situation soulevée par David M. Sherman dans laquelle il mentionne que le paragraphe 334(2) pourrait avoir une application beaucoup plus large que voulue. En effet, M. Sherman indique que ce paragraphe pourrait englober la situation où un acquéreur paie la TPS à son fournisseur, qui remet le montant à l'Agence du revenu du Canada, et que l'acquéreur serait considéré ne pas avoir payé la TPS tant que le montant n'aurait pas été reçu par le receveur général. De l'avis de l'auteur, le paragraphe 334(2) doit être lu conjointement avec le paragraphe 278(2). En effet, le paragraphe 278(2) s'applique à la partie IX de la *Loi sur la taxe d'accise (TPS)* et indique que « quiconque est tenu par la présente partie de payer ou de verser un montant doit le payer ou le verser au receveur général sauf lorsqu'une autre personne est tenue de percevoir le montant en application de l'article 221 ». Dans ce contexte, l'auteur est d'avis que l'exception qui figure explicitement au paragraphe 278(2) doit également se lire dans le paragraphe 334(2).

Finalement, il est à noter que de plus en plus, surtout au niveau de Revenu Québec, l'envoi de courriels sécurisés est utilisé. Puisque le paragraphe (1) semble très large d'application en faisant référence à tout envoi en vertu de la partie IX de la *Loi sur la taxe d'accise (TPS)*, il serait donc pertinent, de l'avis de l'auteur, de prévoir un paragraphe spécifique qui viendrait préciser le moment de réception d'un courriel qui, selon toute vraisemblance, devrait correspondre à sa date de réception ou à sa date de confirmation de réception. En effet, le paragraphe 278.1(1) se limite à l'article 278.1 quant à la transmission électronique et la règle de présomption établie au paragraphe 278.1(4) se limite à la déclaration.

Cet article est essentiellement similaire au paragraphe 248(7) de la *Loi de l'impôt sur le revenu.*

335. (1) Preuve de signification par la poste — Lorsque la présente partie ou un règlement d'application prévoit l'envoi par la poste d'une demande de renseignements, d'un avis ou d'une mise en demeure, l'affidavit d'un fonctionnaire de l'Agence, souscrit en présence d'un commissaire ou autre personne autorisée à le recevoir, constitue la preuve de l'envoi ainsi que de la demande, de l'avis ou de la mise en demeure, s'il indique que le fonctionnaire est au courant des faits de l'espèce, que la demande, l'avis ou la mise en demeure a été envoyé par courrier recommandé ou certifié à une date indiquée à l'intéressé dont l'adresse est précisée et que le fonctionnaire identifie comme pièces jointes à l'affidavit, le certificat de recommandation remis par le bureau de poste ou une copie conforme de la partie pertinente du certificat et une copie conforme de la demande, de l'avis ou de la mise en demeure.

Notes historiques: Le paragraphe 335(1) a été modifié par le remplacement des mots « du ministère » par les mots « de l'Agence » par L.C. 1999, c. 17, art. 156j). Cette modification est entrée en vigueur le 1er novembre 1999.

Le paragraphe 335(1) a été ajouté par L.C. 1990, c. 45, par. 12(1).

Concordance québécoise: LAF, art. 79.

(2) Preuve de la signification à personne — Lorsque la présente partie ou un règlement d'application prévoit la signification à personne d'une demande de renseignements, d'un avis ou d'une mise en demeure, l'affidavit d'un fonctionnaire de l'Agence, souscrit en présence d'un commissaire ou autre personne autorisée à le recevoir, constitue la preuve de la signification à personne, ainsi que de la demande, de l'avis ou de la mise en demeure, s'il indique que le fonctionnaire est au courant des faits de l'espèce, que la demande, l'avis ou la mise en demeure a été signifié à l'intéressé à une date indiquée et que le fonctionnaire identifie comme pièce jointe à l'affidavit, une copie conforme de la demande, de l'avis ou de la mise en demeure.

Notes historiques: Le paragraphe 335(2) a été modifié par le remplacement des mots « du ministère » par les mots « de l'Agence » par L.C. 1999, c. 17, art. 156j). Cette modification est entrée en vigueur le 1er novembre 1999.

Le paragraphe 335(2) a été ajouté par L.C. 1990, c. 45, par. 12(1).

Concordance québécoise: LAF, art. 80.

(3) Preuve de non-observation — Lorsque la présente partie ou un règlement d'application oblige une personne à faire une déclaration, une demande, un état, une réponse ou un certificat, l'affidavit d'un fonctionnaire de l'Agence — souscrit en présence d'un commissaire ou d'une autre personne autorisée à le recevoir — indiquant qu'il a la charge des registres pertinents et que, après avoir fait un examen attentif et y avoir pratiqué des recherches, il lui a été impossible de constater, dans un cas particulier, que la déclaration, la demande, l'état, la réponse ou le certificat a été fait par cette personne, constitue la preuve qu'en tel cas cette personne n'a pas fait de déclaration, de demande, d'état, de réponse ou de certificat.

Notes historiques: Le paragraphe 335(3) a été modifié par le remplacement des mots « du ministère » par les mots « de l'Agence » par L.C. 1999, c. 17, art. 156j). Cette modification est entrée en vigueur le 1er novembre 1999.

Le paragraphe 335(3) a été ajouté par L.C. 1990, c. 45, par. 12(1).

Concordance québécoise: LAF, art. 81.

(4) Preuve du moment de l'observation — Lorsque la présente partie ou un règlement d'application oblige une personne à faire une déclaration, une demande, un état, une réponse ou un certificat, l'affidavit d'un fonctionnaire de l'Agence — souscrit en présence d'un commissaire ou d'une autre personne autorisée à le recevoir — indiquant qu'il a la charge des registres pertinents et que, après examen attentif, il a constaté que la déclaration, la demande, l'état, la réponse ou le certificat a été produit ou fait un jour particulier, constitue la preuve que ces documents ont été produits ou faits ce jour-là et non antérieurement.

Notes historiques: Le paragraphe 335(4) a été modifié par le remplacement des mots « du ministère » par les mots « de l'Agence » par L.C. 1999, c. 17, art. 156j). Cette modification est entrée en vigueur le 1er novembre 1999.

Le paragraphe 335(4) a été ajouté par L.C. 1990, c. 45, par. 12(1).

Concordance québécoise: LAF, art. 81.

(5) Preuve de documents — L'affidavit d'un fonctionnaire de l'Agence — souscrit en présence d'un commissaire ou d'une autre personne autorisée à le recevoir — indiquant qu'il a la charge des registres pertinents et qu'un document qui y est annexé est un document, la copie conforme d'un document ou l'imprimé d'un document électronique, fait par ou pour le ministre ou une autre personne exerçant les pouvoirs de celui-ci, ou par ou pour une personne, fait preuve de la nature et du contenu du document.

Notes historiques: Le paragraphe 335(5) a été modifié par le remplacement des mots « du ministère » par les mots « de l'Agence » par L.C. 1999, c. 17, art. 156j). Cette modification est entrée en vigueur le 1er novembre 1999.

Le paragraphe 335(5) a été remplacé par L.C. 1998, c. 19, art. 285 est réputé entré en vigueur le 18 juin 1998. Antérieurement il se lisait comme suit :

> (5) L'affidavit d'un fonctionnaire du ministère — souscrit en présence d'un commissaire ou d'une autre personne autorisée à le recevoir — indiquant qu'il a la charge des registres pertinents et qu'un document qui y est annexé est un document ou la copie conforme d'un document fait par ou pour le ministre ou une quelque autre personne exerçant les pouvoirs de celui-ci, ou par ou pour une personne, constitue preuve de la nature et du contenu du document.

Le paragraphe 335(5) a été ajouté par L.C. 1990, c. 45, par. 12(1).

Concordance québécoise: LAF, art. 82.

(5.1) Preuve de documents — L'affidavit d'un fonctionnaire de l'Agence des services frontaliers du Canada — souscrit en présence d'un commissaire ou d'une autre personne autorisée à le recevoir — indiquant qu'il a la charge des registres pertinents et qu'un document qui y est annexé est un document, la copie conforme d'un document ou l'imprimé d'un document électronique, fait par ou pour le ministre de la Sécurité publique et de la Protection civile ou une autre personne exerçant les pouvoirs de celui-ci, ou par ou pour une personne, fait preuve de la nature et du contenu du document.

Notes historiques: Le paragraphe 335(5.1) a été modifié par L.C. 2005, c. 38, par. 145 par le remplacement de « solliciteur général du Canada » par les mots « ministre de la Sécurité publique et de la Protection civile ». Cette modification est entrée en vigueur le 12 décembre 2005 [C.P. 2005-2041 du 21 novembre 2005 (TR/2005-119)].

Le paragraphe 335(5.1) a été ajouté par L.C. 2005, c. 38, art. 107 et est entré en vigueur le 12 décembre 2005 [C.P. 2005-2041 du 21 novembre 2005 (TR/2005-119)].

Concordance québécoise: LAF, art. 82.

(6) Preuve de l'absence d'appel — L'affidavit d'un fonctionnaire de l'Agence ou de l'Agence des services frontaliers du Canada — souscrit en présence d'un commissaire ou d'une autre personne autorisée à le recevoir — indiquant qu'il a la charge des registres pertinents et qu'il a connaissance de la pratique de l'Agence ou de l'Agence des services frontaliers du Canada, selon le cas, et qu'un examen des registres montre qu'un avis de cotisation a été posté ou autrement envoyé à une personne un jour donné, en application de la présente partie, et que, après avoir fait un examen attentif des registres et y avoir pratiqué des recherches, il lui a été impossible de constater qu'un avis d'opposition ou d'appel concernant la cotisation a été reçu dans le délai imparti à cette fin, constitue la preuve des énonciations qui y sont renfermées.

Notes historiques: Le paragraphe 335(6) a été remplacé par L.C. 2005, c. 38, art. 107 et cette modification est entrée en vigueur le 12 décembre 2005 [C.P. 2005-2041 du 21 novembre 2005 (TR/2005-119)]. Antérieurement, il se lisait ainsi :

> (6) L'affidavit d'un fonctionnaire de l'Agence — souscrit en présence d'un commissaire ou d'une autre personne autorisée à le recevoir — indiquant qu'il a la charge des registres pertinents et qu'il a connaissance de la pratique de l'Agence et qu'un examen des registres démontre qu'un avis de cotisation a été posté ou autrement envoyé à une personne un jour particulier, en application de la présente partie, et que, après avoir fait un examen attentif des registres et y avoir pratiqué des recherches, il lui a été impossible de constater qu'un avis d'opposition ou d'appel concernant la cotisation a été reçu dans le délai imparti à cette fin, constitue la preuve des énonciations qui y sont renfermées.

Le paragraphe 335(6) a été modifié par le remplacement des mots « du ministère » par les mots « de l'Agence » » par L.C. 1999, c. 17, art. 156j). Cette modification est entrée en vigueur le 1er novembre 1999.

Le paragraphe 335(6) a été ajouté par L.C. 1990, c. 45, par. 12(1).

Concordance québécoise: LAF, art. 83.

(7) Présomption — Lorsqu'une preuve est donnée en vertu du présent article par un affidavit d'où il ressort que la personne le souscrivant est un fonctionnaire de l'Agence ou de l'Agence des services frontaliers du Canada, selon le cas, il n'est pas nécessaire d'attester sa signature ou de prouver qu'il est un tel fonctionnaire, ni d'attester la signature ou la qualité de la personne en présence de laquelle l'affidavit a été souscrit.

Notes historiques: Le paragraphe 335(7) a été remplacé par L.C. 2005, c. 38, art. 107 et cette modification est entrée en vigueur le 12 décembre 2005 [C.P. 2005-2041 du 21 novembre 2005 (TR/2005-119)]. Antérieurement, il se lisait ainsi :

> (7) Lorsqu'une preuve est donnée en vertu du présent article par un affidavit d'où il ressort que la personne le souscrivant est un fonctionnaire de l'Agence, il n'est

pas nécessaire d'attester sa signature ou de prouver qu'il est un tel fonctionnaire, ni d'attester la signature ou la qualité de la personne en présence de laquelle l'affidavit a été souscrit.

Le paragraphe 335(7) a été modifié par le remplacement des mots « du ministère » par les mots « de l'Agence » par L.C. 1999, c. 17, art. 156j). Cette modification est entrée en vigueur le 1er novembre 1999.

Le paragraphe 335(7) a été ajouté par L.C. 1990, c. 45, par. 12(1).

Concordance québécoise: LAF, art. 84.

(8) Preuve de documents — Tout document paraissant avoir été établi en vertu de la présente partie, ou dans le cadre de son application ou exécution, au nom ou sous l'autorité du ministre, du sous-ministre du Revenu national, du commissaire des douanes et du revenu, du commissaire ou d'un fonctionnaire autorisé à exercer les pouvoirs ou les fonctions du ministre en vertu de la présente partie est réputé être un document signé, fait et délivré par le ministre, le sous-ministre, le commissaire des douanes et du revenu, le commissaire ou le fonctionnaire, sauf s'il a été mis en doute par le ministre ou par une autre personne agissant pour lui ou pour Sa Majesté du chef du Canada.

Notes historiques: Le paragraphe 335(8) a été remplacé par L.C. 2005, c. 38, art. 107 et cette modification est entrée en vigueur le 12 décembre 2005 [C.P. 2005-2041 du 21 novembre 2005 (TR/2005-119)]. Antérieurement, il se lisait ainsi :

> (8) Tout document donné comme ayant été établi en vertu de la présente partie, ou dans le cadre de son application ou exécution, au-dessus du nom écrit du ministre, du sous-ministre du Revenu national, du commissaire ou d'un fonctionnaire autorisé à exercer les pouvoirs ou les fonctions du ministre en vertu de la présente partie est réputé être un document signé, fait et délivré par le ministre, le sous-ministre, le commissaire ou le fonctionnaire, sauf s'il a été mis en doute par le ministre ou par une autre personne pour son compte ou celui de Sa Majesté du chef du Canada.

Le paragraphe 335(8) a été remplacé par L.C. 1999, c. 17, art. 154. Cette modification est entrée en vigueur le 1er novembre 1999. Auparavant, il se lisait comme suit :

> (8) Tout document donné comme ayant été établi en vertu de la présente partie, ou dans le cadre de son application ou exécution, au-dessus du nom écrit du ministre, du sous-ministre ou d'un fonctionnaire autorisé à exercer les pouvoirs ou les fonctions du ministre en vertu de la présente partie est réputé être un document signé, fait et délivré par le ministre, le sous-ministre ou le fonctionnaire, sauf s'il a été mis en doute par le ministre ou par une autre personne pour son compte ou celui de Sa Majesté du chef du Canada.

Le paragraphe 335(8) a été ajouté par L.C. 1990, c. 45, par. 12(1).

Concordance québécoise: LAF, art. 86.

(8.1) Preuve de documents — Tout document paraissant avoir été établi en vertu de la présente partie, ou dans le cadre de son application ou exécution, au nom ou sous l'autorité du ministre de la Sécurité publique et de la Protection civile, du président de l'Agence des services frontaliers du Canada ou d'un fonctionnaire autorisé à exercer les pouvoirs ou les fonctions de ce ministre en vertu de la présente partie est réputé être un document signé, fait et délivré par ce ministre, le président ou le fonctionnaire, sauf s'il a été mis en doute par ce ministre ou par une autre personne agissant pour lui ou pour Sa Majesté du chef du Canada.

Notes historiques: Le paragraphe 335(8.1) a été modifié par L.C. 2005, c. 38, par. 145 par le remplacement de « solliciteur général du Canada » par les mots « ministre de la Sécurité publique et de la Protection civile ». Cette modification est entrée en vigueur le 12 décembre 2005 [C.P. 2005-2041 du 21 novembre 2005 (TR/2005-119)].

Le paragraphe 335(8.1) a été ajouté par L.C. 2005, c. 38, art. 107 et est entré en vigueur le 12 décembre 2005 [C.P. 2005-2041 du 21 novembre 2005 (TR/2005-119)].

Concordance québécoise: LAF, art. 86.

(9) [*Abrogé*]

Notes historiques: Le paragraphe 335(9) a été abrogé par L.C. 1994, c. 13, art. 9 à compter du 12 mai 1994. Il se lisait auparavant comme suit :

> (9) Les expressions « Revenu Canada, Douanes et Accise » et « Revenue Canada, Customs and Excise » apparaissant dans les documents délivrés ou établis en vertu de la présente partie, ou dans le cadre de son application ou exécution, au-dessus du nom écrit du ministre, du sous-ministre ou d'un fonctionnaire autorisé à exercer les pouvoirs ou les fonctions du ministre en vertu de la présente partie sont réputées être, respectivement, des mentions de « ministère du Revenu national » et de « Department of National Revenue ».

Le paragraphe 335(9) a été ajouté par L.C. 1990, c. 45, par. 12(1).

(10) Date d'envoi ou de mise à la poste — La date d'envoi ou de mise à la poste d'un avis ou d'une mise en demeure que le ministre a l'obligation ou l'autorisation d'envoyer par voie électronique ou de poster à une personne est réputée être la date de l'avis ou de la mise en demeure.

Notes historiques: Le paragraphe 335(10) a été remplacé par L.C. 2010, c. 25, art. 140 et cette modification est réputée être entrée en vigueur le 15 décembre 2010. Antérieurement, il se lisait ainsi :

> (10) La date de mise à la poste d'un avis ou d'une mise en demeure que le ministre a l'obligation ou l'autorisation d'envoyer ou de poster à une personne est réputée être la date qui apparaît sur l'avis ou la mise en demeure.

Le paragraphe 335(10) a été ajouté par L.C. 1990, c. 45, par. 12(1).

28 septembre 2010, Notes explicatives: Selon le paragraphe 335(10), la date de mise à la poste d'un avis ou d'une mise en demeure que le ministre du Revenu national a l'obligation ou l'autorisation, en vertu de la partie IX, d'envoyer ou de poster à une personne est réputée être la date qui apparaît sur l'avis ou la mise en demeure.

Ce paragraphe est modifié afin d'ajouter que la date d'envoi d'un avis ou d'une mise en demeure par voie électronique est réputée être la date de l'avis ou de la mise en demeure. Cette modification fait suite aux nouvelles dispositions de la Loi qui permettent au ministre d'envoyer des avis électroniques à des personnes dans certaines circonstances. Le libellé modifié du paragraphe sert aussi à préciser que le champ sémantique du verbe « envoyer » comprend la mise à la poste.

10 septembre 2010, Notes explicatives: Selon le paragraphe 335(10), la date de mise à la poste d'un avis ou d'une mise en demeure que le ministre du Revenu national a l'obligation ou l'autorisation, en vertu de la partie IX, d'envoyer ou de poster à une personne est réputée être la date qui apparaît sur l'avis ou la mise en demeure.

Ce paragraphe est modifié afin d'ajouter que la date d'envoi d'un avis ou d'une mise en demeure par voie électronique est réputée être la date de l'avis ou de la mise en demeure. Cette modification fait suite aux nouvelles dispositions de la Loi qui permettent au ministre d'envoyer des avis électroniques à des personnes dans certaines circonstances. Le libellé modifié du paragraphe sert aussi à préciser que le champ sémantique du verbe « envoyer » comprend la mise à la poste.

Concordance québécoise: LAF, art. 87.

(10.1) Date d'envoi d'un avis électronique — Pour l'application de la présente partie, tout avis ou autre communication concernant une personne qui est rendu disponible sous une forme électronique pouvant être lue ou perçue par une personne ou par un système informatique ou un dispositif semblable est réputé être envoyé à la personne, et être reçu par elle, à la date où un message électronique est envoyé — à l'adresse électronique la plus récente que la personne a fournie au ministre pour l'application du présent paragraphe — pour l'informer qu'un avis ou une autre communication nécessitant son attention immédiate se trouve dans son compte électronique sécurisé. Un avis ou une autre communication est considéré comme étant rendu disponible s'il est affiché par le ministre sur le compte électronique sécurisé de la personne et si celle-ci a donné son autorisation pour que des avis ou d'autres communications soient rendus disponibles de cette manière et n'a pas retiré cette autorisation avant cette date selon les modalités fixées par le ministre.

Notes historiques: Le paragraphe 335(10.1) a été ajouté par L.C. 2010, c. 25, art. 140 et est réputé être entré en vigueur le 15 décembre 2010.

28 septembre 2010, Notes explicatives: Le nouveau paragraphe 335(10.1) permet d'envoyer par voie électronique des avis, mentionnés dans diverses dispositions de la partie IX, qui peuvent être actuellement envoyés par le ministre du Revenu national par la poste régulière.

Pour des raisons de sécurité, les avis de cotisation ne doivent pas en soi être envoyés par voie électronique à une personne. Aussi, le nouveau paragraphe 335(10.1) prévoit-il qu'un avis ou une autre communication est réputé, pour l'application de la partie IX, être envoyé par le ministre et reçu par une personne à la date à laquelle un message électronique, informant la personne qu'un avis ou une autre communication est disponible dans son compte électronique sécurisé, est envoyé à l'adresse électronique la plus récente de cette personne. Un avis ou une autre communication est considéré comme étant rendu disponible s'il est affiché par le ministre sur le compte électronique sécurisé de la personne et si celle-ci a donné son autorisation pour que des avis ou d'autres communications soient rendus disponibles par ce moyen et n'a pas retiré cette autorisation selon les modalités fixées par le ministre.

10 septembre 2010, Notes explicatives: Le nouveau paragraphe 335(10.1) permet d'envoyer par voie électronique des avis, mentionnés dans diverses dispositions de la partie IX, qui peuvent être actuellement envoyés par le ministre du Revenu national par la poste régulière.

Pour des raisons de sécurité, les avis de cotisation ne doivent pas en soi être envoyés par voie électronique à une personne. Aussi, le nouveau paragraphe 335(10.1) prévoit-il qu'un avis ou une autre communication est réputé, pour l'application de la partie IX, être envoyé par le ministre et reçu par une personne à la date à laquelle un message électronique, informant la personne qu'un avis ou une autre communication est disponible dans son compte électronique sécurisé, est envoyé à l'adresse électronique la plus récente de cette personne. Un avis ou une autre communication est considéré comme étant rendu disponible s'il est affiché par le ministre sur le compte électronique sécurisé de la personne et si celle-ci a donné son autorisation pour que des avis ou d'autres communications soient rendus disponibles par ce moyen et n'a pas retiré cette autorisation selon les modalités fixées par le ministre.

Concordance québécoise: LAF, art. 37.1.2 [P.L. 96 (2010)].

(11) Date d'établissement de la cotisation — Lorsqu'un avis de cotisation a été envoyé par le ministre de la manière prévue à la présente partie, la cotisation est réputée établie à la date d'envoi de l'avis.

Notes historiques: Le paragraphe 335(11) a été remplacé par L.C. 2010, c. 25, art. 140 et cette modification est réputée être entrée en vigueur le 15 décembre 2010. Antérieurement, il se lisait ainsi :

> (11) Lorsqu'un avis de cotisation a été envoyé par le ministre de la manière prévue à la présente partie, la cotisation est réputée établie à la date de mise à la poste de l'avis.

Le paragraphe 335(11) a été ajouté par L.C. 1990, c. 45, par. 12(1).

28 septembre 2010, Notes explicatives: Selon le paragraphe 335(11), si un avis de cotisation est envoyé par le ministre du Revenu national, la cotisation est réputée avoir été établie à la date de mise à la poste de l'avis.

La modification apportée au paragraphe 335(11) consiste à remplacer « mise à la poste » par « envoi », en raison des nouvelles dispositions de la Loi qui permettent au ministre d'envoyer des avis électroniques à des personnes dans certaines circonstances.

Concordance québécoise: LAF, art. 88.

(12) Preuve de déclaration — Dans toute poursuite concernant une infraction à la présente partie, la production d'une déclaration, d'une demande, d'un certificat, d'un état ou d'une réponse prévu par la présente partie ou un règlement d'application, donné comme ayant été produit, livré, fait ou signé par l'accusé ou pour son compte constitue la preuve que la déclaration, la demande, le certificat, l'état ou la réponse a été produit, livré, fait ou signé par l'accusé ou pour son compte.

Notes historiques: Le paragraphe 335(12) a été ajouté par L.C. 1990, c. 45, par. 12(1).

Concordance québécoise: LAF, art. 90.

(12.1) Preuve de production — Pour l'application de la présente partie, un document présenté par le ministre comme étant un imprimé des renseignements concernant une personne qu'il a reçus en application de l'article 278.1 est admissible en preuve et fait foi, sauf preuve contraire, de la déclaration produite par la personne en vertu de cet article.

Notes historiques: Le paragraphe 335(12.1) a été ajouté par L.C. 1997, c. 10, par. 84(1) et s'applique à compter d'octobre 1994.

Concordance québécoise: aucune.

(13) Idem — Dans toute procédure en vertu de la présente partie, la production d'une déclaration, d'une demande, d'un certificat, d'un état ou d'une réponse prévu par la présente partie ou un règlement d'application, donné comme ayant été produit, livré, fait ou signé par une personne ou pour son compte constitue la preuve que la déclaration, la demande, le certificat, l'état ou la réponse a été produit, livré, fait ou signé par la personne ou pour son compte.

Notes historiques: Le paragraphe 335(13) a été ajouté par L.C. 1990, c. 45, par. 12(1).

Concordance québécoise: LAF, art. 91.

(14) Idem — Dans toute poursuite concernant une infraction à la présente partie, l'affidavit d'un fonctionnaire de l'Agence — souscrit en présence d'un commissaire ou d'une autre personne autorisée à le recevoir — indiquant qu'il a la charge des registres pertinents et qu'un examen des registres révèle que le receveur général n'a pas reçu le montant au titre de la taxe, de la taxe nette, d'une pénalité ou des intérêts dont la présente partie exige le versement constitue la preuve des énonciations qui y sont renfermées.

Notes historiques: Le paragraphe 335(14) a été modifié par le remplacement des mots « du ministère » par les mots « de l'Agence » par L.C. 1999, c. 17, art. 156j). Cette modification est entrée en vigueur le 1er novembre 1999.

Le paragraphe 335(14) a été ajouté par L.C. 1990, c. 45, par. 12(1).

Concordance québécoise: LAF, art. 92.

28 septembre 2010, Notes explicatives: L'article 335 prévoit certaines règles de preuve et de procédure en vue de l'application de la partie IX. Cet article est modifié de façon à permettre au ministre du Revenu national d'envoyer des avis électroniques à des personnes dans certaines circonstances. D'autres dispositions de la partie IX sont modifiées en conséquence de façon à remplacer le verbe « poster » par « envoyer ». Cela s'applique notamment aux demandes de rajustement qui font suite à un avis de cotisation envoyé par le ministre. Il est à noter, toutefois, qu'aucune des dispositions de la Loi qui prévoient expressément qu'un avis doit être signifié à personne ou envoyé par courrier recommandé ou certifié n'est modifiée de façon à permettre l'envoi d'avis par voie électronique.

Les modifications apportées à l'article 335 entrent en vigueur à la date de sanction du projet de loi.

10 septembre 2010, Notes explicatives: L'article 335 prévoit certaines règles de preuve et de procédure en vue de l'application de la partie IX. Cet article est modifié de façon à permettre au ministre du Revenu national d'envoyer des avis électroniques à des personnes dans certaines circonstances. D'autres dispositions de la partie IX sont modifiées en conséquence de façon à remplacer le verbe « poster » par « envoyer ». Cela s'applique notamment aux demandes de rajustement qui font suite à un avis de cotisation envoyé par le ministre. Il est à noter, toutefois, qu'aucune des dispositions de la Loi qui prévoient expressément qu'un avis doit être signifié à personne ou envoyé par courrier recommandé ou certifié n'est modifiée de façon à permettre l'envoi d'avis par voie électronique.

Les modifications apportées à l'article 335 entrent en vigueur à la date de sanction du projet de loi.

Définitions [art. 335]: « commissaire », « cotisation », « document », « ministre », « montant », « personne », « registre », « taxe » — 123(1).

Jurisprudence [art. 335]: *R. c. Zeplan Inc.*, [1995] G.S.T.C. 32 (Nfld Prov Ct); *R. c. Boyer*, [1996] G.S.T.C. 14 (Sask Prov Ct); *Massarotto (J.) c. Canada*, [1999] G.S.T.C. 61 (CCI); *R. c. Ducharme*, [1999] G.S.T.C. 85 (Sask QB); *Schafer (A.) c. Canada*, [1998] G.S.T.C. 60 (CCI); [2000] G.S.T.C. 82 (CAF); *Desrosiers c. R.*, [2004] G.S.T.C. 79 (CCI); *Grunwald c. R.*, [2005] G.S.T.C. 192 (CAF); *Moriyama c. R.*, [2005] G.S.T.C. 114 (CAF); *Vu, Re*, [2005] G.S.T.C. 113 (CF); *Simard c. R.*, 2009 G.T.C. 997-139 (6 mars 2009) (CCI); *Barrett v. R.*, 2010 CarswellNat 3320, 2010 CCI 298, [2010] G.S.T.C. 84 (CCI [procédure générale]).

Bulletins de l'information technique [art. 335]: B-075R, 23/04/96, *Modifications proposées à la TPS*.

Série de mémorandums [art. 335]: Mémorandum 7.5, 04/03, *Transmission électronique des déclarations et des versements*.

COMMENTAIRES: Cet article a pour but principal de simplifier la preuve à être présentée par l'Agence du revenu du Canada ou Revenu Québec devant un forum judiciaire.

Dans l'affaire *Vu Re*, 2005 CarswellNat 5424 (C.F.), [2006] G.S.T.C. 35 (C.A.F.), la Cour d'appel fédérale a conclu que le ministre n'était pas tenu de se conformer aux exigences du paragraphe 335(1) quant à l'envoi d'un avis de cotisation.

Dans l'affaire *R. c. Daley*, 2007 CarswellNB 678 (Cour provinciale du Nouveau-Brunswick), l'affiant n'était pas désigné comme un officier de Revenu Québec et par conséquent, les documents ont été déclarés inadmissibles.

L'auteur désire attirer une attention particulière sur un problème d'interprétation de la version anglaise et française qui se trouve au paragraphe (10). En effet, la version anglaise utilise le mot « presumed », alors que la version française fait référence au mot « réputée ». La Cour canadienne de l'impôt, dans l'affaire *Hughes*, [1987] 2 C.T.C. 2360 a indiqué que la présomption selon laquelle la date de mise à la poste est la date qui apparaît sur l'avis pouvait être renversée puisque le mot « presumed » plutôt que « deemed » avait été utilisé. À la lecture du jugement et des mémoires de faits et de droit, il semble que la distinction entre la version française et anglaise n'ait pas été soulevée par les parties devant la Cour canadienne de l'impôt. De plus, les notes sténographiques de l'audience ne sont pas disponibles. De l'avis de l'auteur, la version française devrait l'emporter puisque cette interprétation concorde davantage avec l'esprit de la sous-section g) de la section VIII de la *Loi sur la taxe d'accise (TPS)* et des dispositions qui s'y retrouvent quant à la présence de présomptions absolues.

Finalement, il semble que les avis de cotisation en matière de TPS pourront être envoyés électroniquement, sous réserve de certaines conditions énoncées au paragraphe (10.1), notamment pour l'Agence du revenu du Canada et Revenu Québec d'obtenir l'autorisation de la personne concernée.

Cet article est similaire à l'article 224 de la *Loi de l'impôt sur le revenu*.

SECTION IX — DISPOSITIONS TRANSITOIRES

Immeubles

336. (1) Transfert d'un immeuble avant 1991 — Aucune taxe n'est payable relativement à la fourniture taxable par vente d'un immeuble dont la propriété ou la possession est transférée aux termes de la convention visant la fourniture avant 1991.

Notes historiques: Le paragraphe 336(1) a été ajouté par L.C. 1990, c. 45, par. 12(1).

Concordance québécoise: LTVQ, art. 619.

(2) Transfert d'un immeuble d'habitation à logement unique après 1990 — Les règles suivantes s'appliquent à la fourniture taxable par vente d'un immeuble d'habitation à logement unique au Canada, effectuée au profit d'un particulier aux termes d'une convention écrite conclue avant le 14 octobre 1989 entre le fournisseur et le particulier, si aux termes de la convention la propriété et la possession de l'immeuble ne sont pas transférées au particulier avant 1991 et la possession lui en est transférée après 1990 :

a) aucune taxe n'est payable par le particulier relativement à la fourniture;

b) le paragraphe 191(1) ne s'applique pas à l'immeuble tant que sa possession n'est pas transférée au particulier;

c) si le particulier est le constructeur de l'immeuble :

(i) dans le cas où il n'en est le constructeur que par l'effet de l'alinéa d) de la définition de « constructeur » au paragraphe 123(1) :

(A) il est réputé ne pas en être le constructeur,

(B) aux fins de déterminer si une autre personne qui, après le moment du transfert de la possession, fournit l'immeuble ou un droit afférent est le constructeur de l'immeuble, l'immeuble est réputé avoir été occupé à ce moment à titre résidentiel,

(ii) dans les autres cas, aux fins de calculer le crédit de taxe sur les intrants du particulier, celui-ci est réputé avoir payé, au moment du transfert de la possession, une taxe égale à 4 % de la contrepartie de la fourniture;

d) le fournisseur est réputé avoir perçu, au moment du transfert de la possession, une taxe égale aux pourcentages suivants de la contrepartie de la fourniture :

(i) si l'immeuble n'est pas achevé à plus de 20 % au 1er janvier 1991, 4 %,

(ii) si l'immeuble est achevé à plus de 20 % mais non à plus de 60 % au 1er janvier 1991, 2,5 %,

(iii) si l'immeuble est achevé à plus de 60 % mais non à plus de 90 % au 1er janvier 1991, 1 %,

(iv) si l'immeuble est achevé à plus de 90 % au 1er janvier 1991, 0 %;

e) pour l'application de l'article 121, l'immeuble est réputé ne pas être un immeuble d'habitation à logement unique désigné.

Notes historiques: L'alinéa 336(2)c) a été modifié par L.C. 1993, c. 27, par. 136(1) et est réputé entré en vigueur le 17 décembre 1990. Il se lisait auparavant comme suit :

> c) si le particulier n'est le constructeur de l'immeuble que par l'effet de l'alinéa d) de la définition de « constructeur » au paragraphe 123(1), il est réputé ne pas en être le constructeur;

Le paragraphe 336(2) a été ajouté par L.C. 1990, c. 45, par. 12(1)

Concordance québécoise: LTVQ, art. 620.

(3) Transfert d'un logement en copropriété après 1990 — Les règles suivantes s'appliquent à la fourniture taxable par vente d'un logement en copropriété au Canada, effectuée aux termes d'une convention écrite conclue avant le 14 octobre 1989 entre le fournisseur et l'acquéreur, si aux termes de la convention la propriété du logement n'est pas transférée à l'acquéreur avant 1991 et la possession lui en est transférée après 1990 :

a) aucune taxe n'est payable par l'acquéreur relativement à la fourniture;

b) le paragraphe 191(1) ne s'applique pas au logement tant que sa possession n'est pas transférée à l'acquéreur;

c) si l'acquéreur est le constructeur du logement :

(i) dans le cas où il n'en est le constructeur que par l'effet de l'alinéa d) de la définition de « constructeur » au paragraphe 123(1) :

(A) il est réputé ne pas en être le constructeur,

(B) aux fins de déterminer si une autre personne qui, après le moment du transfert de la possession, fournit le logement ou un droit afférent est le constructeur du logement, l'immeuble d'habitation en copropriété dans lequel le logement est situé est réputé avoir été enregistré à ce moment à titre d'immeuble en copropriété, et le logement est réputé avoir été occupé à ce moment à titre résidentiel,

(ii) dans les autres cas, aux fins de calculer le crédit de taxe sur les intrants de l'acquéreur, celui-ci est réputé avoir payé, au moment du transfert de la possession, une taxe égale à 4 % de la contrepartie de la fourniture;

d) le fournisseur est réputé avoir perçu, au moment du transfert de la possession, une taxe égale à 4 % de la contrepartie de la fourniture.

Notes historiques: L'alinéa 336(3)c) a été modifié par L.C. 1993, c. 27, par. 136(2) et est réputé entré en vigueur le 17 décembre 1990. Il se lisait auparavant comme suit :

> c) si l'acquéreur n'est le constructeur du logement que par l'effet de l'alinéa d) de la définition de « constructeur » au paragraphe 123(1), il est réputé ne pas en être le constructeur;

Le paragraphe 336(3) a été ajouté par L.C. 1990, c. 45, par. 12(1)

Concordance québécoise: LTVQ, art. 621.

(4) Transfert d'un immeuble d'habitation en copropriété après 1990 — Les règles suivantes s'appliquent à la fourniture taxable par vente d'un immeuble d'habitation en copropriété au Canada, effectuée aux termes d'une convention écrite conclue avant le 14 octobre 1989 entre le fournisseur et l'acquéreur, si, aux termes de la convention, ni la propriété ni la possession de l'immeuble ne sont transférées à l'acquéreur avant 1991 et si, après 1990, la propriété lui en est transférée aux termes de la convention ou l'immeuble est enregistré à titre d'immeuble en copropriété :

a) aucune taxe n'est payable par l'acquéreur relativement à la fourniture;

b) le paragraphe 191(1) ne s'applique pas à un logement en copropriété situé dans l'immeuble tant que la propriété de l'immeuble n'est pas transférée à l'acquéreur;

c) si l'acquéreur est le constructeur de l'immeuble :

(i) dans le cas où il n'en est le constructeur que par l'effet de l'alinéa d) de la définition de « constructeur » au paragraphe 123(1) :

(A) il est réputé ne pas être le constructeur de l'immeuble ni d'aucun logement en copropriété situé dans l'immeuble,

(B) aux fins de déterminer si une autre personne qui, après le moment du transfert de la possession, fournit l'immeuble, un logement en copropriété situé dans l'immeuble ou un droit sur l'immeuble ou le logement, est le constructeur de l'immeuble ou d'un logement situé dans l'immeuble, l'immeuble est réputé avoir été enregistré à ce moment à titre d'immeuble en copropriété, et chacun des logements est réputé avoir été occupé à ce moment à titre résidentiel,

(ii) dans les autres cas, aux fins de calculer le crédit de taxe sur les intrants de l'acquéreur, celui-ci est réputé avoir payé, au moment du transfert de la possession, une taxe égale à 4 % de la contrepartie de la fourniture;

d) le fournisseur est réputé avoir perçu une taxe égale à 4 % de la contrepartie de la fourniture, le premier en date des jours suivants :

(i) le jour où la propriété de l'immeuble est transférée à l'acquéreur,

(ii) le soixantième jour suivant la date d'enregistrement de l'immeuble à titre d'immeuble en copropriété.

Notes historiques: Le préambule du paragraphe 336(4) a été modifié par L.C. 1993, c. 27, par. 136(3) et est réputé entré en vigueur le 17 décembre 1990. Il se lisait auparavant comme suit :

(4) Les règles suivantes s'appliquent à la fourniture par vente d'un immeuble d'habitation en copropriété au Canada, effectuée aux termes d'une convention écrite conclue avant le 14 octobre 1989 entre le fournisseur et l'acquéreur, si la propriété de l'immeuble n'est pas transférée à l'acquéreur avant 1991 et si, après 1990, la possession lui en est transférée aux termes de la convention ou l'immeuble est enregistré à titre d'immeuble en copropriété :

Les alinéas 336(4)b) et c) ont été modifiés par L.C. 1993, c. 27, par. 136(4) et sont réputés entrés en vigueur le 17 décembre 1990. Ils se lisaient auparavant comme suit :

b) le paragraphe 191(1) ne s'applique pas à un logement situé dans l'immeuble tant que la propriété de l'immeuble n'est pas transférée à l'acquéreur;

c) si l'acquéreur n'est le constructeur de l'immeuble que par l'effet de l'alinéa d) de la définition de « constructeur » au paragraphe 123(1), il est réputé ne pas être le constructeur de l'immeuble ou de logements en copropriété dans cet immeuble;

Le paragraphe 336(4) a été ajouté par L.C. 1990, c. 45, par. 12(1).

Concordance québécoise: LTVQ, art. 622.

(5) Fourniture à soi-même d'un logement en copropriété par une société en commandite — Dans le cas où les conditions suivantes sont réunies :

a) une notice d'offre, concernant une offre de vente de participations dans une société en commandite, est transmise aux souscripteurs éventuels avant le 14 octobre 1989;

b) au moment de la transmission de la notice, il est proposé que les activités de la société consistent exclusivement à acquérir un fonds, ou un droit de bénéficiaire y afférent, à y construire un immeuble d'habitation en copropriété, à être propriétaire de logements en copropriété situés dans l'immeuble et à fournir ceux-ci par bail, licence ou accord semblable pour occupation à titre résidentiel;

c) la notice ne prévoit pas d'augmentation des prix de souscription des participations dans la société par suite d'un changement de l'application des taxes, et ces prix ne sont pas augmentés après le 13 octobre 1989 et avant l'expiration de l'offre de vente des participations;

d) une participation donnée dans la société est transférée à un souscripteur avant 1991 en conformité avec la notice;

e) la société, de concert ou non avec une autre personne, devient propriétaire d'un fonds, ou d'un droit de bénéficiaire y afférent, avant 1991 et charge une personne d'y construire un immeuble d'habitation en copropriété, en conformité avec des conventions écrites conclues avant le 14 octobre 1989 ou des conventions écrites conclues après le 13 octobre 1989 qui sont conformes, quant à leurs éléments essentiels, aux modalités que ces conventions doivent comporter d'après la notice;

f) la participation donnée se rapporte à un logement en copropriété particulier appartenant à la société, situé dans l'immeuble d'habitation en copropriété;

g) la possession du logement en copropriété particulier est transférée à une personne après 1990 aux termes d'un bail, d'une licence ou d'un accord semblable pour occupation à titre résidentiel,

la taxe qui est payable et percevable par la société, et celle qui est réputée avoir été payée et perçue par elle en vertu de l'alinéa 191(1)e), relativement à la fourniture du logement en copropriété particulier qui est réputée avoir été effectuée par l'alinéa 191(1)d) correspondent à 4 % de 80 % du prix de souscription de la participation donnée.

Notes historiques: Le paragraphe 336(5) a été ajouté par L.C. 1997, c. 10, par. 84.1(1) et est réputé entré en vigueur le 17 décembre 1990. Toutefois, il ne s'applique pas à une société en commandite quant aux logements en copropriété dont elle est propriétaire qui sont situés dans un immeuble d'habitation en copropriété si, à la fois :

a) elle est réputée par le paragraphe 191(1) avoir fourni un ou plusieurs de ces logements avant décembre 1996,

b) la taxe relative à ces fournitures que la société est réputée avoir perçue aux termes de la partie IX, en son état immédiatement avant le 20 mars 1997, et qu'elle était tenue de verser aux termes de la *Loi sur la taxe d'accise* avant le 1er décembre 1996 a été versée avant cette date.

Cependant, cette modification s'applique si la société demande un remboursement de cette taxe en vertu de l'article 261 avant 1998.

Le paragraphe 261(3) (L.C. 1997, c. 10, par. 84.1(2)) ne s'applique pas au remboursement visé si la demande le concernant est présentée au ministre du Revenu national avant 1998. S'il a établi une cotisation à l'égard de la taxe immédiatement avant le 20 mars 1997, relativement à des fournitures de logements en copropriété auxquels s'applique le paragraphe 336(5) qui sont réputées effectuées par le paragraphe 191(1), le ministre du Revenu national peut, avant 1998 et malgré l'article 298, établir une nouvelle cotisation à l'égard de la taxe à verser par la société relativement à ces fournitures en conformité avec la partie IX, en son état après le 20 mars 1997. Dans le cas où les conditions suivantes sont réunies :

a) une société en commandite a demandé un remboursement en vertu de l'article 121 relativement à un immeuble d'habitation en copropriété et le paragraphe 336(5) s'applique aux logements en copropriété situés dans l'immeuble et dont la société est propriétaire,

b) le ministre du Revenu national établit une cotisation à l'égard, selon le cas :

(i) de la taxe à verser par la société en conformité avec la partie IX, en son état après le 20 mars 1997, relativement aux fournitures de ces logements qui sont réputées effectuées par le paragraphe 191(1),

(ii) du montant du remboursement visé à L.C. 1997, c. 10, par. 89.1(2) qui est payable à la société en vertu de l'article 261 relativement à ces logements,

malgré l'article 81.11 et le fait que le ministre peut déjà avoir déterminé un montant en application de l'article 72 dans le cadre d'une demande visant le remboursement prévu à l'article 121, le ministre peut, au plus tard au dernier en date des jours suivants, déterminer, en application de l'article 72, le montant du remboursement qui est payable à la société en vertu de l'article 121 ou, si un montant excédant celui auquel elle a droit lui a été payé au titre de ce remboursement, établir une cotisation selon laquelle l'excédent est un montant payable par la société en vertu du paragraphe 81.39(1) :

c) le 31 décembre 1997;

d) si le ministre établit une cotisation à l'égard du montant du remboursement visé à L.C. 1997, c. 10, par. 84.1(2) qui est payable de l'établissement de cette cotisation.

Concordance québécoise: LTVQ, art. 622.2.

(6) Définitions — Les définitions qui suivent s'appliquent au paragraphe (5).

« notice d'offre » Quant à une offre de vente de participations dans une société en commandite aux souscripteurs éventuels, un ou plusieurs documents écrits qui présentent les renseignements suivants :

a) les faits concernant la société et ses activités courantes ou projetées qui influent ou sont susceptibles d'influer de façon appréciable sur la valeur des participations;

b) le prix des participations offertes;

c) la date du transfert de la propriété des participations aux souscripteurs.

Concordance québécoise: LTVQ, art. 622.1« notice d'offre ».

« prix de souscription » La contrepartie payable pour une participation dans une société en commandite d'après la notice d'offre.

Concordance québécoise: LTVQ, art. 622.1« prix de souscription ».

Notes historiques: Le paragraphe 336(6) a été ajouté par L.C. 1997, c. 10, par. 84.1(1) et est réputé entré en vigueur le 17 décembre 1990. Toutefois, il ne s'applique pas à une société en commandite quant aux logements en copropriété dont elle est propriétaire qui sont situés dans un immeuble d'habitation en copropriété si, à la fois :

a) elle est réputée par le paragraphe 191(1) avoir fourni un ou plusieurs de ces logements avant décembre 1996,

b) la taxe relative à ces fournitures que la société est réputée avoir perçue aux termes de la partie IX, en son état immédiatement avant le 20 mars 1997, et qu'elle était tenue de verser aux termes de la *Loi sur la taxe d'accise* avant le 1er décembre 1996 a été versée avant cette date.

Cependant, cette modification s'applique si la société demande un remboursement de cette taxe en vertu de l'article 261 avant 1998.

Le paragraphe 261(3) (L.C. 1997, c. 10, par. 84.1(2)) ne s'applique pas au remboursement visé si la demande le concernant est présentée au ministre du Revenu national avant 1998. S'il a établi une cotisation à l'égard de la taxe immédiatement avant le 20 mars 1997, relativement à des fournitures de logements en copropriété auxquels s'applique le paragraphe 336(5) qui sont réputées effectuées par le paragraphe 191(1), le ministre du Revenu national peut, avant 1998 et malgré l'article 298, établir une nouvelle cotisation à l'égard de la taxe à verser par la société relativement à ces fournitures en conformité avec la partie IX, en son état après le 20 mars 1997. Dans le cas où les conditions suivantes sont réunies :

a) une société en commandite a demandé un remboursement en vertu de l'article 121 relativement à un immeuble d'habitation en copropriété et le paragraphe 336(5) s'applique aux logements en copropriété situés dans l'immeuble et dont la société est propriétaire,

b) le ministre du Revenu national établit une cotisation à l'égard, selon le cas :

(i) de la taxe à verser par la société en conformité avec la partie IX, en son état après le 20 mars 1997, relativement aux fournitures de ces logements qui sont réputées effectuées par le paragraphe 191(1),

(ii) du montant du remboursement visé à L.C. 1997, c. 10, par. 89.1(2) qui est payable à la société en vertu de l'article 261 relativement à ces logements,

malgré l'article 81.11 et le fait que le ministre peut déjà avoir déterminé un montant en application de l'article 72 dans le cadre d'une demande visant le remboursement prévu à l'article 121, le ministre peut, au plus tard au dernier en date des jours suivants, déterminer, en application de l'article 72, le montant du remboursement qui est payable à la société en vertu de l'article 121 ou, si un montant excédant celui auquel elle a droit lui a été payé au titre de ce remboursement, établir une cotisation selon laquelle l'excédent est un montant payable par la société en vertu du paragraphe 81.39(1) :

c) le 31 décembre 1997;

d) si le ministre établit une cotisation à l'égard du montant du remboursement visé à L.C. 1997, c. 10, par. 84.1(2) qui est payable de l'établissement de cette cotisation.

Définitions [art. 336]: « immeuble d'habitation à logement unique désigné » — 121(1); « acquéreur », « constructeur », « contrepartie », « fourniture taxable », « immeuble », « immeuble d'habitation à logement unique », « immeuble d'habitation en copropriété », « logement en copropriété », « personne », « taxe », « vente » — 123(1).

Renvois [art. 336]: 123(2) (Canada); 169 (CTI); 350 (TVH); 351(7) (TVH).

Jurisprudence [art. 336]: *984321 Ontario Ltd. c. La Reine*, [1993] G.S.T.C. 44 (CCI); *White Rock Management Corp. c. La Reine*, [1995] G.S.T.C. 50 (CCI); *OCCO Development Ltd. c. McCauley*, [1995] G.S.T.C. 69 (NBQB); [1996] G.S.T.C. 16 (NBCA); *Atriums at Willowells Partnership c. La Reine*, [1996] G.S.T.C. 7 (CCI); *414089 Alberta Ltd. c. La Reine*, [1996] G.S.T.C. 45 (CCI); *Pabla Partnership c. La Reine*, [1996] G.S.T.C. 81 (CCI); *277287 Alberta Ltd. c. Canada*, [1997] G.S.T.C. 44 (CCI); *Lepage c. R.*, [2000] G.S.T.C. 94 (CCI); *Sir Wynne Highlands Inc. c. Canada*, [2000] G.S.T.C. 6 (CCI); *Helsi Construction Management Inc. c. La Reine*, [2002] G.S.T.C. 113 (CFC).

Énoncés de politique [art. 336]: P-083, 17/09/98, *Conventions d'achat visant une habitation neuve en Alberta*; P-111R, 25/05/93, *Définition d'une vente à l'égard d'un immeuble*; P-130, 05/08/92, *Lieu de résidence*; P-164, 15/02/94, *Contrat de location avec option d'achat*; P-174, 31/03/94, *Baux emphytéotiques* (Ébauche); P-178, 29/03/95, *Possession adversative d'un immeuble (droits de squatteur)*.

Mémorandums [art. 336]: TPS 500-6-6, 16/11/90, *Transactions chevauchantes*, par. 46–50; TPS 900-1, 27/08/92, *Habitations neuves*, par. 8.

Série de mémorandums [art. 336]: Mémorandum 19.1.1, 11/97, *Règles spéciales s'appliquant aux immeubles dans le régime de la TVH*.

Biens et services

Notes historiques: L'intertitre précédant l'article 337 a été modifié par L.C. 1994, c. 9, par. 23(1) et est réputé entré en vigueur le 17 décembre 1990. L'intertitre précédant l'article 337, édicté par L.C. 1990, c. 45, par. 12(1), se lisait « Biens meubles et services »

337. (1) Transfert de biens meubles avant 1991 — Aucune taxe n'est payable relativement à la contrepartie de la fourniture taxable par vente de biens meubles corporels qui est payée ou devient due avant mai 1991, dans la mesure où, selon le cas :

a) les biens sont livrés à l'acquéreur avant 1991;

b) la propriété des biens est transférée à l'acquéreur avant 1991.

Notes historiques: Le paragraphe 337(1) a été ajouté par L.C. 1990, c. 45, par. 12(1).

Concordance québécoise: LTVQ, art. 624.

(1.1) Vente conditionnelle et vente à tempérament — Aucune taxe n'est payable relativement à la fourniture par vente d'un bien meuble corporel (sauf si la vente résulte de la levée, après 1990, d'une option d'achat prévue dans un bail, une licence ou un accord semblable) dans la mesure où le bien a été livré, ou sa propriété transférée, à l'acquéreur avant 1991 aux termes d'une convention écrite conclue avant 1991 et visant la fourniture.

Notes historiques: Le paragraphe 337(1.1) a été ajouté par L.C. 1993, c. 27, par. 137(1) et est réputé entré en vigueur le 17 décembre 1990.

Concordance québécoise: LTVQ, art. 624.

(2) Fournitures continues — Dans la mesure où la contrepartie d'une fourniture d'électricité, de gaz naturel, de vapeur ou d'autres biens ou services qui, s'agissant de biens, sont livrés ou rendus disponibles ou, s'agissant de services, sont exécutés ou rendus disponibles, de façon continue au moyen d'un fil, d'un pipeline ou d'une autre canalisation, est payée ou devient due avant mai 1991, aucune taxe n'est payable relativement aux biens ou services livrés, exécutés ou rendus disponibles à l'acquéreur avant 1991.

Notes historiques: Le paragraphe 337(2) a été ajouté par L.C. 1990, c. 45, par. 12(1).

Concordance québécoise: LTVQ, art. 646 (en partie), 647.

(3) Idem — Dans la mesure où la contrepartie d'une fourniture taxable au Canada d'électricité, de gaz naturel, de vapeur ou d'autres biens ou services qui, s'agissant de biens, sont livrés ou rendus disponibles ou, s'agissant de services, sont exécutés ou rendus disponibles, de façon continue au moyen d'un fil, d'un pipeline ou d'une autre canalisation, devient due après avril 1991, ou est payée après avril 1991 sans qu'elle soit devenue due, et à un moment où le fournisseur est un inscrit, la taxe est payable relativement à la contrepartie sans égard au moment où les biens ou services sont livrés, exécutés ou rendus disponibles.

Notes historiques: Le paragraphe 337(3) a été ajouté par L.C. 1990, c. 45, par. 12(1).

Concordance québécoise: LTVQ, art. 646 (en partie) et 648.

(4) Paiement d'abonnement avant 1991 — Aucune taxe n'est payable relativement à la contrepartie de la fourniture taxable d'un abonnement à un journal, magazine ou autre périodique qui est payée avant 1991.

Notes historiques: Le paragraphe 337(4) a été ajouté par L.C. 1990, c. 45, par. 12(1).

Concordance québécoise: LTVQ, art. 632.

(5) Fournitures après 1990 — Sauf en cas d'application du paragraphe (4), dans le cas où la fourniture taxable par vente d'un bien meuble corporel est effectuée, la contrepartie (sauf un versement exigible aux termes d'un contrat auquel le paragraphe 118(3) ou (4) s'applique) qui devient due, ou qui est payée sans qu'elle soit devenue due, après août 1990 et avant 1991, relativement à un bien qui n'a pas été livré à l'acquéreur et dont la propriété ne lui a pas été transférée, avant 1991, est réputée devenir due le 1er janvier 1991 et ne pas avoir été payée avant 1991.

Notes historiques: Le paragraphe 337(5) a été ajouté par L.C. 1990, c. 45, par. 12(1).

Concordance québécoise: aucune.

(6) Idem — Sous réserve des paragraphes (2), (4), 341(1), 342(1) et 343(1), la taxe est payable relativement à la contrepartie de la fourniture taxable d'un bien meuble corporel par vente ou d'un service, effectuée au Canada au profit d'une personne autre qu'un consommateur par un fournisseur dans le cours normal d'une entreprise, dans la mesure où la contrepartie (à l'exception d'un versement payable aux termes d'un contrat auquel le paragraphe 118(3) ou (4) s'applique) devient due, ou est payée sans qu'elle soit devenue due, après août 1989 et avant septembre 1990, relativement à un bien qui n'a pas été livré à la personne et dont la propriété ne lui a pas été transférée, avant 1991, ou à un service qui ne lui a pas été rendu avant 1991. La personne doit présenter au ministre, au plus tard le 1er avril 1991, une déclaration contenant les renseignements requis par lui en la forme et selon les modalités qu'il détermine, et verser la taxe au receveur général.

Notes historiques: Le paragraphe 337(6) a été modifié par L.C. 1993, c. 27, par. 137(2) et est réputé entré en vigueur le 17 décembre 1990. Le paragraphe 337(6), édicté par L.C. 1990, c. 45, par. 12(1), se lisait comme suit :

(6) Sous réserve des paragraphes (2) et (4), la taxe est payable relativement à la contrepartie de la fourniture taxable d'un bien meuble corporel par vente ou d'un service, effectuée au Canada au profit d'une personne autre qu'un consommateur par un fournisseur dans le cours normal d'une entreprise, dans la mesure où la contrepartie (à l'exception d'un versement payable aux termes d'un contrat auquel le paragraphe 118(3) ou (4) s'applique) devient due, ou est payée sans qu'elle soit devenue due, après août 1989 et avant septembre 1990, relativement à un bien qui n'a pas été livré à la personne ou dont la propriété n'a pas été transférée, avant 1991, ou à un service qui n'a pas été rendu avant 1991. La personne doit présenter une déclaration au ministre, au plus tard le 1er avril 1991, en la forme, selon les modalités et avec les renseignements déterminés par lui, et verser la taxe au receveur général.

Concordance québécoise: LTVQ, art. 640.

(7) Fournitures à des consommateurs payées d'avance — Lorsqu'une personne effectue, au profit d'un consommateur, la fourniture taxable par vente d'un bien qui est soit un bien déterminé dont la contrepartie dépasse 5 000 $, soit un véhicule à moteur, que la propriété et la possession du bien sont transférées au consommateur aux termes de la convention portant sur la fourniture après 1990 et que tout ou partie de la contrepartie de la fourniture est payée ou devient due avant le 1er septembre 1990, les présomptions suivantes s'appliquent :

a) le remboursement, prévu à l'article 120, auquel la personne a droit, ou son crédit de taxe sur les intrants, relativement au bien est réputé correspondre au produit obtenu par la multiplication du remboursement ou du crédit déterminé par ailleurs par le rapport entre le total des montants devenus dus, ou payés sans qu'ils soient devenus dus, après août 1990 à titre de contrepartie de la fourniture et la contrepartie totale de cette fourniture;

b) la personne est réputée, si elle est un fabricant titulaire de licence ou un marchand en gros titulaire de licence en vertu de la partie VI qui serait tenu de payer la taxe prévue à cette partie relativement au bien si celui-ci était livré au consommateur avant 1991 :

(i) effectuer et recevoir, le 1er janvier 1991, une fourniture taxable du bien pour une contrepartie égale à la contrepartie de la fourniture du bien au consommateur,

(ii) payer à titre d'acquéreur et percevoir à titre de fournisseur, le 1er janvier 1991, la taxe relative à cette fourniture taxable.

Notes historiques: Le paragraphe 337(7) a été ajouté par L.C. 1990, c. 45, par. 12(1).

Concordance québécoise: aucune.

(8) Définition de « bien déterminé » — Pour l'application du paragraphe (7), « bien déterminé » s'entend d'un bien relativement auquel une personne serait tenue de payer la taxe prévue à l'alinéa 50(1)a) si elle était un fabricant titulaire de licence en vertu de la partie VI et si elle vendait et livrait le bien à un consommateur au Canada en 1990.

Notes historiques: Le paragraphe 337(8) a été ajouté par L.C. 1990, c. 45, par. 12(1).

Concordance québécoise: aucune.

(9) [*Abrogé*]

Notes historiques: Le paragraphe 337(9) a été abrogé par L.C. 1997, c. 10, par. 240(1) et cette abrogation est entrée en vigueur le 1er avril 1997. Il se lisait comme suit :

(9) Sauf en cas d'application de l'article 176, lorsqu'une personne effectue une fourniture taxable, sauf une fourniture détaxée, par vente d'un bien meuble corporel qui est livré à un acquéreur, ou dont la propriété est transférée à celui-ci, avant 1991, et que l'acquéreur retourne le bien à la personne après 1990 et reçoit à un moment donné un remboursement ou un crédit pour tout ou partie de la contrepartie de la fourniture, les règles suivantes s'appliquent :

a) si la personne est un inscrit à ce moment, un montant égal à la fraction de taxe du remboursement ou du crédit peut être déduit dans le calcul de sa taxe nette pour sa période de déclaration qui comprend ce moment;

b) si l'acquéreur est un inscrit à ce moment, le montant calculé à l'alinéa a) est ajouté dans le calcul de sa taxe nette pour sa période de déclaration qui comprend ce moment, dans la mesure où ce montant aurait été déductible dans le calcul de cette taxe si, au cours de cette période, l'acquéreur avait acquis le bien et avait payé ce montant à titre de taxe relativement au bien.

Ce paragraphe a été ajouté par L.C. 1990, c. 45, par. 12(1).

(10) Fourniture terminée — Lorsque tout ou partie de la contrepartie de la fourniture taxable par vente d'un bien meuble corporel devient due, ou est payée sans qu'elle soit devenue due, après avril 1991 et que la propriété ou la possession du bien est transférée avant 1991 à l'acquéreur aux termes de la convention portant sur la fourniture, la propriété et la possession du bien, en cas d'application de l'alinéa 168(3)a),ou la propriété du bien, en cas d'application de l'alinéa 168(3)b), sont réputées, pour l'application de l'article 168, avoir été transférées à l'acquéreur en avril 1991.

Notes historiques: Le paragraphe 337(10) a été ajouté par L.C. 1990, c. 45, par. 12(1).

Concordance québécoise: aucune.

(11) Champ d'application — Le présent article ne s'applique pas aux fournitures auxquelles l'article 338 s'applique.

Notes historiques: Le paragraphe 337(11) a été ajouté par L.C. 1990, c. 45, par. 12(1).

Concordance québécoise: LTVQ, art. 655, al. 1.

Définitions [art. 337]: « acquéreur », « bien », « bien meuble », « consommateur », « constructeur », « contrepartie », « entreprise », « fourniture », « fourniture détaxée », « fourniture taxable », « fraction de taxe », « inscrit », « ministre », « montant », « période de déclaration », « personne », « service », « taxe », « vente » — 123(1).

Renvois [art. 337]: 118(7) (fourniture continue); 123(2) (Canada); 152 (contrepartie due); 340(2) (loyer et redevances); 340.1 (redressements); 341(3) (services postérieurs à 1990); 352 (TVH).

Jurisprudence [art. 337]: *Kramer Ltd. c. La Reine*, [1994] G.S.T.C. 47 (CCI); *Hatam (F.) c. La Reine*, [1995] G.S.T.C. 1 (CCI).

Énoncés de politique [art. 337]: P-083, 17/09/98, *Conventions d'achat visant une habitation neuve en Alberta*.

Mémorandums [art. 337]: TPS 300-8, 6/01/91, *Produits importés*, par. 66; TPS 500-2-6, 23/01/91, *Autres déclarations de TPS*, par. 22, 24, 25 et annexe C; TPS 500-6-6, 16/11/90, *Transactions chevauchantes*.

Série de mémorandums [art. 337]: Mémorandum 1.5, 09/94, *Définitions*.

Formulaires [art. 337]: GST63, *Taxe sur les produits et services — Déclaration visant les frais payés d'avance*.

338. (1) Plans à versements égaux — Dans le cas où la contrepartie de la fourniture d'un bien ou d'un service (sauf un abonnement à un journal, un magazine ou autre périodique) livré, exécuté ou rendu disponible au cours d'une période commençant avant 1991 et se terminant après 1990 est payée par l'acquéreur aux termes d'un plan à versements égaux, qui prévoit un rapprochement des paiements à la fin de la période, ou après, et avant 1992, au moment où le fournisseur établit une facture suite à ce rapprochement, le fournisseur doit déterminer le montant positif ou négatif, calculé selon la formule suivante :

$$A - B$$

où :

A représente la taxe qui serait payable par l'acquéreur pour la partie du bien ou du service fourni au cours de la période qui est livrée, exécutée ou rendue disponible après 1990, si la contrepartie de cette partie est devenue due et est payée après 1990;

B le total de la taxe payable par l'acquéreur relativement à la fourniture du bien ou du service livré, exécuté ou rendu disponible au cours de la période.

Notes historiques: Le paragraphe 338(1) a été ajouté par L.C. 1990, c. 45, par. 12(1).

Concordance québécoise: LTVQ, art. 651.

(2) Perception de la taxe — Le fournisseur qui est un inscrit doit percevoir de l'acquéreur tout montant positif calculé en application du paragraphe (1) au titre de la taxe, et est réputé l'avoir ainsi perçu le jour de l'établissement de la facture suite au rapprochement des paiements.

Notes historiques: Le paragraphe 338(2) a été ajouté par L.C. 1990, c. 45, par. 12(1).

Concordance québécoise: LTVQ, art. 652.

(3) Remboursement de l'excédent — Le fournisseur qui est un inscrit doit rembourser à l'acquéreur tout montant négatif calculé en application du paragraphe (1), ou le porter à son crédit, et délivrer une note de crédit en conformité avec l'article 232.

Notes historiques: Le paragraphe 338(3) a été ajouté par L.C. 1990, c. 45, par. 12(1).

Concordance québécoise: LTVQ, art. 653.

(4) Fournitures continues — Dans le cas où la fourniture d'un bien ou d'un service au cours d'une période pour laquelle le fournisseur établit la facture y afférente est effectuée de façon continue au moyen d'un fil, d'un pipeline ou d'une autre canalisation et où le moment auquel tout ou partie du bien ou du service est livré ou rendu ne peut être raisonnablement déterminé en raison de la méthode d'enregistrement de la livraison du bien ou de la prestation du service, des parties égales de la totalité du bien livré ou du service rendu au cours de la période sont réputées, pour l'application du présent article, livrées ou rendues chaque jour de la période.

Notes historiques: Le paragraphe 338(4) a été ajouté par L.C. 1990, c. 45, par. 12(1).

Concordance québécoise: LTVQ, art. 654.

Définitions [art. 338]: « acquéreur », « bien », « contrepartie », « facture », « fourniture », « inscrit », « montant », « note de crédit », « service », « taxe » — 123(1).

Renvois [art. 338]: 232 (remboursement ou redressement de la taxe de la section II); 337(11) (non-application de l'article 337); 341(6) (non-application de l'article 341); 353 (TVH).

Mémorandums [art. 338]: TPS 500-6-6, 16/11/90, Transactions chevauchantes, par. 4, 5, 6, 41, 42.

339. Paiements échelonnés — Les règles suivantes s'appliquent dans le cas où une fourniture taxable est effectuée aux termes d'un contrat portant sur la construction, la rénovation, la transformation ou la réparation d'un immeuble ou d'un bateau ou autre bâtiment de mer :

a) la contrepartie de la fourniture qui devient due ou qui est payée sans qu'elle soit devenue due après août 1989 et avant 1991 à titre de paiement échelonné aux termes du contrat est réputée, pour l'application de la présente partie, devenir due le 1er janvier 1991 et ne pas être payée avant 1991;

b) aucune taxe n'est payable relativement à la partie de la contrepartie de la fourniture qu'il est raisonnable d'imputer à un bien livré et à un service exécuté dans le cadre du contrat avant 1991;

c) lorsque l'alinéa 168(3)c) s'applique à la fourniture, que la taxe est payable relativement à la fourniture et que la construction, la rénovation, la transformation ou la réparation est achevée en grande partie avant décembre 1990, les travaux sont réputés, pour l'application de la présente partie, être achevés en grande partie le 1er décembre 1990 et non avant ce jour.

Notes historiques: L'article 339 a été ajouté par L.C. 1990, c. 45, par. 12(1).

Concordance québécoise: LTVQ, art. 623.

Définitions [art. 339]: « bien », « contrepartie », « fourniture taxable », « immeuble », « service », « taxe » — 123(1).

Jurisprudence [art. 339]: *Rubino (R.) c. Canada*, [1997] G.S.T.C. 61 (CCI).

Énoncés de politique [art. 339]: P-083, 17/09/98, *Conventions d'achat visant une habitation neuve en Alberta*.

Mémorandums [art. 339]: TPS 500-6-6, 16/11/90, *Transactions chevauchantes*, par. 59, 60, 61.

340. (1) Paiement anticipé de loyer et de redevances — Sous réserve du paragraphe (3), la contrepartie de la fourniture taxable d'un bien, effectuée au Canada par bail, licence ou accord semblable, qui devient due après août 1990 et avant 1991, ou qui est payée après août 1990 et avant 1991 sans qu'elle soit devenue due, est réputée, dans la mesure où elle constitue un loyer, des redevances ou un paiement analogue imputable à une période postérieure à 1990, devenir due le 1er janvier 1991 et ne pas être payée avant 1991. Si le fournisseur est un inscrit, la taxe est payable sur la contrepartie ainsi réputée devenir due.

Notes historiques: Le paragraphe 340(1) a été ajouté par L.C. 1990, c. 45, par. 12(1).

Concordance québécoise: LTVQ, art. 627.

(2) Idem — Sous réserve du paragraphe (3), la taxe est payable relativement à la contrepartie de la fourniture taxable d'un bien par bail, licence ou accord semblable effectuée au Canada, dans le cours normal d'une entreprise, au profit d'une personne autre qu'un consommateur, dans la mesure où la contrepartie qui devient due après août 1989 et avant septembre 1990 ou qui est payée après août 1989 et avant septembre 1990 sans qu'elle soit devenue due, constitue un loyer, des redevances ou un paiement analogue imputable à une période postérieure à 1990. La personne doit, au plus tard le 1er avril 1991, présenter au ministre une déclaration en la forme, selon les modalités et avec les renseignements déterminés par le ministre et verser la taxe relative à la contrepartie au receveur général.

Notes historiques: Le paragraphe 340(2) a été ajouté par L.C. 1990, c. 45, par. 12(1).

Concordance québécoise: LTVQ, art. 628.

(3) Loyer payé avant 1994 selon certains baux — Aucune taxe n'est payable relativement à la contrepartie payée avant 1994 aux termes d'une convention écrite conclue avant 1991 pour la fourniture par bail d'un bien qui est soit du matériel réservé à l'usage d'un médecin ou d'un praticien, au sens que l'article 1 de la partie II de l'annexe V donne à ces expressions, pour la fourniture de services dans le cadre de l'exercice de leur profession, soit une automobile, et dont la possession est transférée à l'acquéreur de la fourniture avant 1991, dans la mesure où cette contrepartie constitue un loyer ou autre paiement prévu par la convention et imputable à une période antérieure à 1994 ou dans la mesure où cette contrepartie est imputable à l'acquisition du bien.

Notes historiques: Le paragraphe 340(3) a été ajouté par L.C. 1990, c. 45, par. 12(1).

Concordance québécoise: aucune.

(4) Périodes antérieures à 1991 — Aucune taxe n'est payable relativement à la contrepartie de la fourniture taxable d'un bien par bail, licence ou accord semblable, qui devient due avant mai 1991, ou qui est payée avant mai 1991 sans qu'elle soit devenue due, dans la mesure où la contrepartie constitue un loyer, des redevances ou un paiement analogue imputable à une période antérieure à 1991.

Notes historiques: Le paragraphe 340(4) a été ajouté par L.C. 1990, c. 45, par. 12(1).

Concordance québécoise: LTVQ, art. 629.

(5) Champ d'application — Les paragraphes (1), (2) et (4) ne s'appliquent pas à la contrepartie payée pour l'utilisation, ou le droit d'utilisation, d'un bien meuble incorporel si elle n'est pas fonction de la proportion de cette utilisation ou de la production tirée du bien, ni des bénéfices provenant de cette utilisation ou de cette production.

Notes historiques: Le paragraphe 340(5) a été ajouté par L.C. 1990, c. 45, par. 12(1).

Concordance québécoise: LTVQ, art. 630.

(6) Convention avant le 8 août 1989 — Aucune taxe n'est payable relativement à la contrepartie payable pour les fournitures suivantes effectuées aux termes d'une convention écrite conclue avant le 8 août 1989 :

a) la fourniture par bail d'un bien meuble corporel qui est une immobilisation du fournisseur;

b) la fourniture par sous-bail d'un bien meuble corporel qui est une immobilisation de la personne qui a fourni le bien par bail au sous-bailleur.

Notes historiques: Le paragraphe 340(6) a été modifié par L.C. 1994, c. 9, par. 24(1) et est réputé entré en vigueur le 17 décembre 1990. Il se lisait comme suit :

> (6) Dans le cas où la fourniture par bail d'un bien meuble corporel qui est une immobilisation du fournisseur est effectuée au profit d'une personne aux termes d'une convention écrite conclue avant le 8 août 1989, aucune taxe n'est payable relativement à la contrepartie payable pour une fourniture du bien aux termes de la convention.

Le paragraphe 340(6) a été ajouté par L.C. 1990, c. 45, par. 12(1).

Concordance québécoise: LTVQ, art. 631, al. 1.

(7) Modification de la convention — En cas de renouvellement après le 7 août 1989 d'une convention écrite ou de modification après cette date de la durée d'une convention écrite ou des biens qu'elle vise, la convention est réputée, pour l'application du paragraphe (6), avoir été conclue après cette date.

Notes historiques: Le paragraphe 340(7) a été ajouté par L.C. 1990, c. 45, par. 12(1).

Concordance québécoise: LTVQ, art. 631, al. 2.

Définitions [art. 340]: « acquéreur », « bien », « consommateur », « contrepartie », « entreprise », « fourniture taxable », « immobilisation », « ministre », « taxe » — 123(1).

Renvois [art. 340]: 123(2) (Canada); 278 (production de la déclaration); 279 (validation des documents); 326(1) (défaut de respect de la loi); 329(1) (défaut de payer, percevoir ou verser la taxe); 337(6) (vente d'un bien meuble corporel); 354 (TVH).

Jurisprudence [art. 340]: *Bekins Leasing Canada Inc. c. La Reine*, [1994] G.S.T.C. 80 (CCI); *Sako Auto Leasing c. Canada (No. 1)*, [1997] G.S.T.C. 50 (CCI).

Énoncés de politique [art. 340]: P-020, 15/10/92, *Les conventions de location bénéficiant de droits acquis*; P-043, 01/12/92, *Contrepartie en vertu d'un contrat de location de véhicule*; P-101, 27/09/93, *Vente d'une automobile bénéficiant de droits acquis à une compagnie liée avant la vente au locataire*; P-174, 31/03/94, *Baux emphytéotiques* (Ébauche).

Bulletins de l'information technique [art. 340]: B-052, 12/04/91, *Traitement des produits et services des compagnies d'assurance-vie et d'assurance-maladie sous le régime de la TPS*; B-066, 19/08/92, *Baux bénéficiant de droits acquis*.

Mémorandums [art. 340]: TPS 300-4-2, 17/11/93, *Services de santé*, par. 29; TPS 400-3-2-1, 12/02/92, *Avantages relatifs à l'utilisation d'automobiles*, par. 46, 47; TPS 400-3-4, 12/09/92, *Voitures de tourisme et aéronefs*, par. 17, 18; TPS 500-2-6, 23/01/91, *Autres déclarations de TPS*, par. 23, 24, 25, annexe C; TPS 500-6-6, 16/11/90, *Transactions chevauchantes*, par. 16–20.

Formulaires [art. 340]: GST63, *Taxe sur les produits et services — Déclaration visant les frais payés d'avance*.

340.1 (1) Redressements — Lorsqu'une personne verse, en application des paragraphes 337(6) ou 340(2), la taxe calculée sur la contrepartie, même partielle, d'une fourniture taxable et que cette contrepartie est réduite par la suite, la partie de la taxe calculée sur la contrepartie réduite est réputée, aux fins du calcul du montant remboursable visé à l'article 261, être un montant que la personne n'avait pas à payer ou à verser dans la mesure où elle n'a pas demandé, ou ne pourrait demander en l'absence du présent article, un crédit de taxe sur les intrants ou un remboursement au titre de cette partie de taxe.

Notes historiques: Le paragraphe 340.1(1) a été ajouté par L.C. 1993, c. 27, par. 138(1) et est réputé entré en vigueur le 17 décembre 1990.

Concordance québécoise: aucune.

(2) Exception — Le paragraphe (1) ne s'applique pas dans le cas où les article 161 ou 176 s'appliquent.

Notes historiques: Le paragraphe 340.1(2) a été ajouté par L.C. 1993, c. 27, par. 138(1) et est réputé entré en vigueur le 17 décembre 1990.

Concordance québécoise: aucune.

Définitions [art. 340.1]: « contrepartie », « fourniture taxable », « montant », « personne », « taxe » — 123(1).

Renvois [art. 340.1]: 169 (CTI); 355 (TVH).

341. (1) Services antérieurs à 1991 — Aucune taxe n'est payable relativement à la contrepartie qui est payée ou devient due avant mai 1991 pour la fourniture d'un service, à l'exclusion d'un service de transport de marchandises ou d'un service de transport d'un particulier, si la totalité, ou presque, du service est exécutée avant 1991.

Notes historiques: Le paragraphe 341(1) a été ajouté par L.C. 1990, c. 45, par. 12(1).

Concordance québécoise: LTVQ, art. 637.

(2) Idem — Aucune taxe n'est payable relativement à la contrepartie, qui est payée ou devient due avant mai 1991, de la fourniture d'un service (à l'exclusion d'un service de transport de marchandises ou d'un service de transport d'un particulier) qui n'est pas exécuté en totalité, ou presque, avant 1991, dans la mesure où la contrepartie est liée à la partie du service qui est exécutée avant 1991.

Notes historiques: Le paragraphe 341(2) a été ajouté par L.C. 1990, c. 45, par. 12(1).

Concordance québécoise: LTVQ, art. 638.

(3) Paiement avant 1991 — Sous réserve du paragraphe 337(2), la contrepartie de la fourniture taxable d'un service, à l'exclusion d'un service de transport de marchandises ou d'un service de transport d'un particulier, qui est payée après août 1990 et avant 1991 sans être devenue due, ou qui devient due au cours de cette période, est réputée être devenue due le 1er janvier 1991 et ne pas avoir été payée avant 1991.

Notes historiques: Le paragraphe 341(3) a été modifié par L.C. 1993, c. 27, par. 139(1) et est réputé entré en vigueur le 17 décembre 1990. Il se lisait comme suit :

(3) Sous réserve du paragraphe 337(2), la contrepartie de la fourniture taxable d'un service (à l'exclusion d'un service de transport de marchandises ou d'un service de transport d'un particulier) qui est payée ou qui devient due après août 1990 et avant 1991 est réputée devenir due le 1er janvier 1991 et ne pas être payée avant 1991.

Le paragraphe 341(3) a été ajouté par L.C. 1990, c. 45, par. 12(1).

Concordance québécoise: LTVQ, art. 639.

(4) Droits d'adhésion et d'entrée — Pour l'application de la présente section, la fourniture d'un droit d'adhésion à un club, une organisation ou une association ou d'un droit d'entrée à un lieu de divertissement, un colloque, une activité ou un événement est réputée être une fourniture de services. De plus, la fourniture du droit d'acquérir un tel droit d'adhésion est réputée être une fourniture de biens.

Notes historiques: Le paragraphe 341(4) a été ajouté par L.C. 1990, c. 45, par. 12(1).

Concordance québécoise: LTVQ, art. 641.

(5) Fourniture combinée — Pour l'application du paragraphe 168(8), lorsque sont fournis à la fois un service, un bien meuble ou un immeuble — chacun étant appelé « élément » au présent paragraphe — ou l'un et l'autre de ceux-ci, que la contrepartie de chaque élément n'est pas identifiée séparément et qu'aucune taxe ne serait payable relativement à l'élément qui constitue un bien dont la propriété ou la possession est transférée à l'acquéreur avant 1991 si cet élément était fourni séparément, ce dernier élément est réputé avoir été fourni séparément de tous les autres.

Notes historiques: Le paragraphe 341(5) a été ajouté par L.C. 1990, c. 45, par. 12(1).

Concordance québécoise: aucune.

(6) Champ d'application — Le présent article ne s'applique pas aux fournitures auxquelles l'article 338 s'applique.

Notes historiques: Le paragraphe 341(6) a été ajouté par L.C. 1990, c. 45, par. 12(1).

Concordance québécoise: LTVQ, art. 643.

Définitions [art. 341]: « acquéreur », « bien », « bien meuble », « contrepartie », « droit d'adhésion », « droit d'entrée », « exclusif » (« la totalité, ou presque, »), « fourniture », « fourniture taxable », « immeuble », « lieu de divertissement », « service », « taxe » — 123(1).

Renvois [art. 341]: 341.1 (services juridiques, service de représentant, fiduciaire, séquestre ou liquidateur), 345 (abonnements à vie); 356 (TVH).

Jurisprudence [art. 341]: *Ligate c. Abick*, [1992] G.S.T.C. 4 (Ont. CJ); *Prince Edward Island c. Lewis*, [1993] G.S.T.C. 42 (PEI TD); [1995] G.S.T.C. 45 (PEI CA); *DHM Energy Consultants Ltd. c. La Reine*, [1995] G.S.T.C. 3 (CCI); [1996] G.S.T.C. 30 (Ont. CA); *Rubino (R.) c. Canada*, [1997] G.S.T.C. 61 (CCI).

Mémorandums [art. 341]: TPS 500-6-6, 16/11/90, *Transactions chevauchantes*, par. 22–26.

341.1 (1) Services juridiques exécutés avant 1991 — Aucune taxe n'est payable relativement à la contrepartie de la fourniture d'un service juridique dans la mesure où cette contrepartie se rapporte à une partie du service qui a été exécutée avant 1991 et ne devient pas due, aux termes de la convention concernant la fourniture, avant l'une des dates suivantes :

a) la date où un tribunal en permet ou en ordonne le paiement;

b) la date de cessation du service rendu par le fournisseur.

Notes historiques: Le paragraphe 341.1(1) a été ajouté par L.C. 1993, c. 27, par. 140(1) et est réputé entré en vigueur le 17 décembre 1990.

Concordance québécoise: LTVQ, art. 643.1.

(2) Service de représentant, fiduciaire, séquestre ou liquidateur — Aucune taxe n'est payable relativement à la contrepartie de la fourniture d'un service de représentant personnel dans le cadre de l'administration d'une succession ou d'un service de fiduciaire, de séquestre ou de liquidateur, dans la mesure où la contrepartie se rapporte à une partie du service qui a été exécutée avant 1991 et ne devient pas due avant la date suivante :

a) dans le cas d'un service de représentant personnel, la date où les bénéficiaires de la succession approuvent le paiement de la taxe ou celle fixée par la fiducie applicable aux représentants;

b) dans le cas d'un service de fiduciaire, la date déterminée selon les modalités de la fiducie ou selon une convention écrite concernant la fourniture;

c) dans tous les cas, la date où un tribunal permet ou ordonne le paiement de la taxe.

Notes historiques: Le paragraphe 341.1(2) a été ajouté par L.C. 1993, c. 27, par. 140(1) et est réputé entré en vigueur le 17 décembre 1990.

Concordance québécoise: LTVQ, art. 643.2.

(3) **Présomption** — Pour l'application des paragraphes (1) et (2), un service est réputé exécuté avant 1991 s'il est exécuté en presque totalité avant cette année.

Notes historiques: Le paragraphe 341.1(3) a été ajouté par L.C. 1993, c. 27, par. 140(1) et est réputé entré en vigueur le 17 décembre 1990.

Concordance québécoise: LTVQ, art. 643.3.

Définitions [art. 341.1]: « contrepartie », « fourniture », « service », « taxe » — 123(1).

Renvois [art. 341.1]: 341(1), (2), (3) (services antérieurs à 1991); 357 (TVH).

Jurisprudence [art. 341.1]: *Prince Edward Island c. Lewis*, [1993] G.S.T.C. 42 (PEI TD); [1995] G.S.T.C. 45 (PEI CA); *Bifolchi c. Sherar*, [1998] G.S.T.C. 42 (Ont CA).

Énoncés de politique [art. 341.1]: P-041, 01/03/92, *Services juridiques et services dispensés par un liquidateur, représentant successoral, séquestre ou syndic.*

342. (1) **Transport de particuliers** — Aucune taxe n'est payable relativement à la fourniture d'un service de transport d'un particulier, sauf un service auquel le paragraphe (3) s'applique, commençant avant 1991.

Notes historiques: Le paragraphe 342(1) a été modifié par L.C. 1993, c. 27, par. 141(1) et est réputé entré en vigueur le 17 décembre 1990. Il se lisait comme suit :

> 342. (1) Aucune taxe n'est payable relativement à la fourniture d'un service de transport d'un particulier, commençant avant 1991 et se terminant avant février 1991, dont la contrepartie est payée ou devient due avant mai 1991.

Le paragraphe 342(1) a été ajouté par L.C. 1990, c. 45, par. 12(1).

Concordance québécoise: aucune.

(2) **Idem** — La contrepartie de la fourniture d'un service de transport d'un particulier, sauf un service auquel le paragraphe (3) s'applique, payée après août 1990 et avant 1991 sans être devenue due, ou devenue due au cours de cette période, est réputée être devenue due le 1er janvier 1991 et ne pas avoir été payée avant 1991.

Notes historiques: Le paragraphe 342(2) a été modifié par L.C. 1993, c. 27, par. 141(1) et est réputé entré en vigueur le 17 décembre 1990. Le paragraphe 342(2), édicté par L.C. 1990, c. 45, par. 12(1), se lisait comme suit :

> (2) Sous réserve du paragraphe (3), dans le cas où la contrepartie de la fourniture d'un service de transport d'un particulier, commençant avant 1991 et se terminant après janvier 1991, devient due après août 1990 et avant mai 1991 ou est payée après août 1990 et avant mai 1991 sans qu'elle soit devenue due, les règles suivantes s'appliquent :
>
> a) aucune taxe n'est payable sur la moitié de la contrepartie;
>
> b) la moitié de la contrepartie est réputée devenir due le 1er janvier 1991 et ne pas avoir été payée avant 1991.

Concordance québécoise: aucune.

(2.1) **Laissez-passer de transport avant février 1991** — Aucune taxe n'est payable relativement à la fourniture à un particulier d'un laissez-passer qui lui donne droit à des services de transport au cours d'une période commençant avant 1991 et se terminant avant février 1991 sans paiement de contrepartie chaque fois qu'une fourniture de ces services est effectuée à son profit.

Notes historiques: Le paragraphe 342(2.1) a été ajouté par L.C. 1993, c. 27, par. 141(1) et est réputé entré en vigueur le 17 décembre 1990.

Concordance québécoise: aucune.

(3) **Laissez-passer de transport** — Dans le cas de la fourniture à un particulier d'un laissez-passer qui lui donne droit à des services de transport pour une période commençant avant 1991 et se terminant après janvier 1991 sans paiement de contrepartie chaque fois qu'une fourniture de tels services est effectuée à son profit et où la contrepartie du laissez-passer devient due après août 1990 et avant mai 1991 ou est payée après août 1990 et avant mai 1991 sans qu'elle soit devenue due, la partie de la contrepartie calculée selon la formule suivante est réputée devenir due le 1er janvier 1991 et ne pas avoir été payée avant 1991 :

$$A \times \frac{B}{C}$$

où :

A représente la contrepartie du laissez-passer;

B le nombre de jours de la période qui sont postérieurs à 1990;

C le nombre de jours de la période.

Notes historiques: Le paragraphe 342(3) a été ajouté par L.C. 1990, c. 45, par. 12(1).

Concordance québécoise: aucune.

Définitions [art. 342]: « acquéreur », « contrepartie », « fourniture », « fourniture taxable », « service », « taxe » — 123(1).

Renvois [art. 342]: 358 (TVH).

Mémorandums [art. 342]: TPS 500-6-6, 16/11/90, *Transactions chevauchantes*, par. 43, 44, 51–56.

343. (1) **Services de transport de marchandises** — Aucune taxe n'est payable relativement à la contrepartie, payée ou devenue due avant mai 1991, de la fourniture, effectuée par un ou plusieurs transporteurs, de services de transport de marchandises dans le cadre d'un service continu de transport de marchandises — bien meuble corporel — dont l'expéditeur a transféré la propriété, avant 1991, au premier transporteur chargé du service continu.

Notes historiques: Le paragraphe 343(1) a été ajouté par L.C. 1990, c. 45, par. 12(1).

Concordance québécoise: aucune.

(2) **Services de transport de marchandises postérieurs à 1990** — La contrepartie de la fourniture au Canada de services de transport de marchandises est réputée devenir due le 1er janvier 1991 et ne pas avoir été payée avant 1991 si les conditions suivantes sont réunies :

a) la fourniture est effectuée par un ou plusieurs transporteurs dans le cadre d'un service continu de transport de marchandises — bien meuble corporel;

b) l'expéditeur du bien n'en transfère pas la possession avant 1991 au premier transporteur chargé du service continu;

c) la contrepartie de la fourniture est payée ou devient due après août 1990 et avant 1991.

Notes historiques: Le paragraphe 343(2) a été ajouté par L.C. 1990, c. 45, par. 12(1).

Concordance québécoise: aucune.

(3) **Terminologie** — Pour l'application du présent article, « expéditeur », « service continu de transport de marchandises », « service de transport de marchandises » et « transporteur » s'entendent au sens de la partie VII de l'annexe VI.

Notes historiques: Le paragraphe 343(3) a été ajouté par L.C. 1990, c. 45, par. 12(1).

Concordance québécoise: aucune.

Définitions [art. 343]: « bien meuble », « contrepartie », « fourniture », « taxe » — 123(1); « expéditeur » — VI:Partie VII, par. 1(1); « service continu de transport de marchandises » — VI:Partie VII, par. 1(1); « service de transport de marchandises » — VI:Partie VII, par. 1(1); « transporteur » — VI:Partie VII, par. 1(1).

Renvois [art. 343]: 152 (contrepartie due); 359 (TVH).

Mémorandums [art. 343]: TPS 500-6-6, 16/11/90, *Transactions chevauchantes*, par. 57, 58.

Série de mémorandums [art. 343]: Mémorandum 1.5, 09/94, *Définitions*.

344. (1) **Définition de « services funéraires »** — Au présent article, « services funéraires » comprend la livraison d'un cercueil, d'une pierre tombale ou d'un autre bien lié aux funérailles, à l'enterrement ou à la crémation d'un particulier prévu par des arrangements de services funéraires.

Notes historiques: Le paragraphe 344(1) a été ajouté par L.C. 1990, c. 45, par. 12(1).

Concordance québécoise: LTVQ, 656.

Info TPS/TVQ [art. 344(1)]: GI-074 — *Transition à la taxe de vente harmonisée de l'Ontario et de la Colombie Britannique — arrangements de services funéraires payés d'avance, accords de prévoyance pour services de cimetière et droits d'inhumation.*

(2) **Arrangements funéraires pris avant septembre 1990** — Lorsque les modalités des arrangements pour des services funéraires

pris par écrit relativement à un particulier avant septembre 1990 prévoient que les fonds nécessaires au règlement des services sont détenus par un fiduciaire chargé d'acquérir les services, aucune taxe n'est payable par le fiduciaire relativement à la fourniture au fiduciaire des services funéraires prévus par les arrangements si, au moment de la prise des arrangements, il est raisonnable de s'attendre à ce que tout ou partie des fonds en question soient avancés au fiduciaire avant le décès du particulier.

Notes historiques: Le paragraphe 344(2) a été modifié par L.C. 1993, c. 27, par. 142(1) et est réputé entré en vigueur le 17 décembre 1990. Il se lisait comme suit :

> (2) Lorsque des arrangements payés d'avance pour des services funéraires sont pris par écrit relativement à un particulier avant septembre 1990 et que les fonds relatifs aux arrangements sont détenus par un fiduciaire chargé d'acquérir ces services funéraires, aucune taxe n'est payable par le fiduciaire relativement à la fourniture après 1990 au fiduciaire des services funéraires prévus par les arrangements.

Le paragraphe 344(2) a été ajouté par L.C. 1990, c. 45, par. 12(1).

Concordance québécoise: LTVQ, 656.

(3) Idem — Lorsque des arrangements pour des services funéraires sont pris par écrit relativement à un particulier avant septembre 1990 et que, au moment de la prise des arrangements, il est raisonnable de s'attendre à ce que tout ou partie de la contrepartie de la fourniture des services soit payée avant le décès du particulier, aucune taxe n'est payable relativement à une fourniture de services funéraires effectuée aux termes des arrangements.

Notes historiques: Le paragraphe 344(3) a été modifié par L.C. 1993, c. 27, par. 142(1) et est réputé entré en vigueur le 17 décembre 1990. Le paragraphe 344(3), édicté par L.C. 1990, c. 45, par. 12(1), se lisait comme suit :

> (3) Dans le cas où des arrangements payés d'avance pour des services funéraires sont pris par écrit relativement à un particulier avant septembre 1990, aucune taxe n'est payable relativement à la contrepartie payable par le particulier ou pour son compte aux termes des arrangements.

Concordance québécoise: aucune.

Définitions [art. 344]: « bien », « contrepartie », « fourniture », « taxe » — 123(1).

Renvois [art. 344]: 360 (TVH).

Bulletins de l'information technique [art. 344]: B-091, 11/08, *Application de la TPS/TVH aux arrangements de services funéraires payés d'avance*.

Mémorandums [art. 344]: TPS 500-6-6, 16/11/90, *Transactions chevauchantes*, par. 27.

345. Abonnements à vie — Par dérogation aux paragraphes 341(1) à (3), dans le cas où la fourniture d'un droit d'adhésion à vie est effectuée au profit d'un particulier, ou d'une personne autre qu'un particulier au profit d'un particulier qu'elle désigne, la contrepartie de la fourniture est réputée devenir due le 1er janvier 1991 et ne pas avoir été payée avant 1991, dans la mesure où le total des montants payés après août 1990 et avant 1991 au titre de la contrepartie de la fourniture excède 25 % de la contrepartie totale de la fourniture.

Notes historiques: L'article 345 a été ajouté par L.C. 1990, c. 45, par. 12(1).

Concordance québécoise: LTVQ, art. 642.

Définitions [art. 345]: « acquéreur », « contrepartie », « droit d'adhésion », « fourniture », « montant », « personne » — 123(1).

Renvois [art. 345]: 341(1)–(3); 356(6) (TVH).

Mémorandums [art. 345]: TPS 500-6-6, 16/11/90, *Transactions chevauchantes*, par. 29.

346. (1) Crédit transitoire pour la petite entreprise — Lorsqu'une personne, sauf une institution financière désignée, est tenue d'être inscrite aux termes du paragraphe 240(1) au cours de son premier trimestre d'exercice commençant en 1991 et que la contrepartie totale qui devient due, ou qui est payée sans qu'elle soit devenue due, au cours de ce trimestre pour des fournitures taxables que la personne a effectuées dans le cadre d'une entreprise ne dépasse pas 500 000 $, les règles suivantes s'appliquent :

a) si la période de déclaration de la personne correspond à un trimestre d'exercice ou à un mois d'exercice, la personne peut déduire le montant déterminé qui lui est applicable dans le calcul de sa taxe nette pour sa dernière période de déclaration se terminant au cours de son premier trimestre d'exercice commençant en 1991, ou pour toute période de déclaration ultérieure se terminant en 1991, à l'égard desquelles une déclaration en vertu de la section V est produite avant 1993;

b) dans les autres cas, le ministre verse un remboursement à la personne égal au montant déterminé applicable à celle-ci.

Pour l'application du présent paragraphe, dans le cas où le total des montants dont chacun représente la contrepartie, devenue due ou payée sans qu'elle soit devenue due, d'une fourniture taxable qu'une personne effectue dans le cadre d'une entreprise au cours d'un trimestre commençant en 1990 tout au long duquel elle a exploité une entreprise, ne dépasse pas 500 000 $, le total des contreparties, devenues dues ou payées sans qu'elles soient devenues dues, des fournitures taxables que la personne effectue dans le cadre de l'entreprise au cours de son premier trimestre d'exercice commençant en 1991 est réputé ne pas dépasser 500 000 $.

Notes historiques: Le passage du paragraphe 346(1) précédant l'alinéa b) a été modifié par L.C. 1993, c. 27, par. 143(1) et est réputé entré en vigueur le 17 décembre 1990. Il se lisait auparavant comme suit :

> (1) Dans le cas où la contrepartie totale qui devient due, ou qui est payée sans qu'elle soit devenue due, au cours du premier trimestre d'exercice commençant en 1991 d'une personne, sauf une institution financière désignée, qui est tenue de faire une demande d'inscription aux termes de la sous-section d de la section V au cours de ce trimestre, pour des fournitures taxables qu'elle a effectuées dans le cadre d'une entreprise, ne dépasse pas 500 000 $, les règles suivantes s'appliquent :
>
> a) si la période de déclaration de la personne correspond à un trimestre d'exercice ou à un mois d'exercice, la personne peut déduire le montant déterminé qui lui est applicable dans le calcul de sa taxe nette pour ce trimestre ou pour le dernier mois d'exercice de ce trimestre;

Le paragraphe 346(1) a été ajouté par L.C. 1990, c. 45, par. 12(1).

Concordance québécoise: aucune.

(2) Montant déterminé — Pour l'application du paragraphe (1), le montant déterminé applicable à une personne correspond au moins élevé des montants suivants :

a) le total de 300 $ et du moins élevé des montants suivants :

(i) 700 $,

(ii) 2 % de l'excédent, sur 15 000 $, de la contrepartie totale devenue due, ou payée sans qu'elle soit devenue due, pour des fournitures taxables effectuées par la personne au cours de l'un de ses trimestres d'exercice commençant après 1989 et avant avril 1991;

b) l'excédent de 1 000 $ sur le total des montants dont chacun représente un montant qui, par l'effet du présent article, est déduit par une personne associée à la personne à la fin du premier trimestre d'exercice de celle-ci commençant après 1990, ou lui est remboursé.

Notes historiques: Le paragraphe 346(2) a été ajouté par L.C. 1990, c. 45, par. 12(1).

Concordance québécoise: aucune.

(3) Demande de remboursement — Le remboursement n'est versé en application de l'alinéa (1)b) que si la personne en fait la demande au plus tard le jour où elle est tenue par la section V de produire une déclaration pour son premier exercice commençant après 1990.

Notes historiques: Le paragraphe 346(3) a été ajouté par L.C. 1990, c. 45, par. 12(1).

Concordance québécoise: aucune.

(4) Dispositions applicables — Les articles 262 à 264 s'appliquent aux remboursements versés ou à verser en application du présent article comme s'ils étaient versés ou à verser en application de la section VI.

Notes historiques: Le paragraphe 346(4) a été ajouté par L.C. 1990, c. 45, par. 12(1).

Concordance québécoise: aucune.

Définitions [art. 346]: « contrepartie », « entreprise », « fourniture taxable », « institution financière désignée », « ministre », « mois d'exercice », « montant », « période de déclaration », « personne », « trimestre d'exercice » — 123(1).

Renvois [art. 346]: 127 (personnes morales associées); 240(1) (inscription); 347 (crédit transitoire pour entreprises de taxis); 347 (crédit transitoire pour entreprises de taxis).

Jurisprudence [art. 346]: *946406 Ontario Limited c. La Reine*, [1993] G.S.T.C. 57 (CCI); *Navaho Inn c. La Reine*, [1995] G.S.T.C. 21 (CCI); *Kornacker (A.) c. La Reine*, [1996] G.S.T.C. 21 (CCI); *Burkman (H.R.) c. Canada*, [1997] G.S.T.C. 98 (CCI).

Énoncés de politique [art. 346]: P-002, 09/06/92, *Crédit transitoire*.

Mémorandums [art. 346]: TPS 200-9, 17/08/92, *Crédit transitoire*, par. 1–19; TPS 500-2-4, 19/03/91, *Calcul de la taxe*, annexe E.

Formulaires [art. 346]: FP-189, *Demande générale de remboursement*; GST189, *Demande générale de remboursement de la TPS/TVH*.

347. (1) Crédit transitoire pour entreprises de taxis — Le petit fournisseur qui exploite une entreprise de taxis et qui est inscrit en vertu de la sous-section d de la section V avant avril 1991 peut déduire, dans le calcul de la taxe nette — qui serait positive sans l'application du présent paragraphe — pour l'une des périodes de déclaration suivantes, le montant déterminé qui lui est applicable pour cette période, si une déclaration en vertu de la section V est produite pour cette période avant 1993 :

a) si la période de déclaration du fournisseur correspond à un trimestre d'exercice ou à un mois d'exercice, chacune de ses périodes de déclaration qui prend fin en 1991 au plus tôt le dernier jour de son premier trimestre d'exercice commençant au cours de cette année;

b) dans les autres cas, la première période de déclaration du fournisseur commençant après 1990.

Notes historiques: Le paragraphe 347(1) a été ajouté par L.C. 1993, c. 27, par. 144(1) et est réputé entré en vigueur le 17 décembre 1990.

Concordance québécoise: aucune.

(2) Montant déterminé — Pour l'application du paragraphe (1), le montant déterminé applicable à un fournisseur pour sa période de déclaration correspond au moins élevé des montants suivants :

a) le montant positif qui correspondrait à la taxe nette pour la période si ce montant était calculé sans l'application de ce paragraphe;

b) le résultat du calcul suivant :

$$A - B$$

où :

A représente 300 $,

B le total des montants déduits, en application de ce paragraphe, dans le calcul de la taxe nette pour les périodes de déclaration antérieures du fournisseur.

Notes historiques: Le paragraphe 347(2) a été ajouté par L.C. 1993, c. 27, par. 144(1) et est réputé entré en vigueur le 17 décembre 1990.

Concordance québécoise: aucune.

Définitions [art. 347]: « entreprise de taxis », « mois d'exercice », « montant », « période de déclaration », « petit fournisseur » — 123(1).

Renvois [art. 347]: 148(1) (petit fournisseur).

SECTION X — DISPOSITIONS TRANSITOIRES APPLICABLES AUX PROVINCES PARTICIPANTES

Sous-section a — Définitions

Notes historiques: Les intertitres « Dispositions transitoires applicables aux provinces participantes » et « Définitions » ont été ajoutés par L.C. 1997, c. 10, par. 241(1) et sont réputés entrés en vigueur le 20 mars 1997.

348. Définitions — Les définitions qui suivent s'appliquent à la présente section.

« date de mise en œuvre » S'entend du 1er avril 1997 dans le cas de la Nouvelle-Écosse, du Nouveau-Brunswick, Terre-Neuve, de la zone extracôtière de la Nouvelle-Écosse et de la zone extracôtière de Terre-Neuve.

Notes historiques: La définition de « date de mise en œuvre » à l'article 348 a été ajoutée par L.C. 1997, c. 10, par. 241(1) et est réputée entrée en vigueur le 20 mars 1997.

Concordance québécoise: aucune.

« date de mise en œuvre anticipée »

a) Le 1er février 1997 dans le cas de la Nouvelle-Écosse, du Nouveau-Brunswick et de Terre-Neuve;

b) le 10 février 1997 dans le cas de la zone extracôtière de la Nouvelle-Écosse et de la zone extracôtière de Terre-Neuve.

Notes historiques: La définition de « date de mise en oeuvre anticipée » à l'article 348 a été ajoutée par L.C. 1997, c. 10, par. 241(1) et est réputée entrée en vigueur le 20 mars 1997.

Concordance québécoise: aucune.

« date de publication »

a) Le 23 octobre 1996 dans le cas de la Nouvelle-Écosse, du Nouveau-Brunswick et de Terre-Neuve;

b) le 10 février 1997 dans le cas de la zone extracôtière de la Nouvelle-Écosse et de la zone extracôtière de Terre-Neuve.

Notes historiques: La définition de « date de publication » à l'article 348 a été ajoutée par L.C. 1997, c. 10, par. 241(1) et est réputée entrée en vigueur le 20 mars 1997.

Concordance québécoise: aucune.

Définitions: « province participante », « zone extracôtière de la Nouvelle-Écosse », « zone extracôtière de Terre-Neuve » — 123(1).

Renvois: 183 (7b) (vente d'un bien meuble) 183 (8)b) (location d'un bien meuble); 184 (e)a)ii) (utilisation d'un bien meuble transféré après 1993) 184 (7)b) (location d'un bien meuble).

Jurisprudence: *Groupe Axor Ingénierie — Construction Inc. c. R.*, [2003] G.S.T.C. 137 (CFA).

Info TPS/TVQ: GI-057 — *Taxe de vente harmonisée de l'Ontario et de la Colombie-Britannique-Droits d'adhésion* ; GI-058 — *Taxe de vente harmonisée de l'Ontario et de la Colombie-Britannique-Droits d'entrée* ; GI-059 — *Taxe de vente harmonisée de l'Ontario et de la Colombie-Britannique-Biens meubles incorporels* ; GI-108 — *Application de la hausse du taux de la TVH en Nouvelle-Écosse (2010)-Biens meubles* ; GI-109 — *Application de la hausse du taux de la TVH en Nouvelle-Écosse (2010)-Services* ; GI-110 — *Application de la hausse du taux de la TVH en Nouvelle-Écosse (2010)-Droits d'entrée et droits d'adhésion*; GI-111 — *Application de la hausse du taux de la TVH en Nouvelle-Écosse (2010)-Services de transport et laissez-passer.*

« taxe de vente au détail » Taxe de vente au détail générale d'un pourcentage déterminé, imposée en vertu d'une loi provinciale sur tous les produits (sauf ceux expressément énumérés dans cette loi).

Notes historiques: La définition de « taxe de vente au détail » au paragraphe 348(1) a été ajoutée par L.C. 2000, c. 30, par. 100(1). Elle est réputée entrée en vigueur le 20 mars 1997.

Concordance québécoise: aucune.

Sous-section b — Application

Notes historiques: L'intertitre « Application » a été ajouté par L.C. 1997, c. 10, par. 241(1) et est réputé entré en vigueur le 20 mars 1997.

349. (1) Immeubles — Sous réserve de la sous-section c, lorsqu'une province est une province participante, le paragraphe 165(2) et les dispositions de la présente partie (sauf la section IX) qui portent sur la taxe prévue à ce paragraphe s'appliquent aux fournitures suivantes :

a) les fournitures par vente, effectuées dans la province, d'immeubles dont la propriété et la possession sont transférées à la date de mise en œuvre applicable à la province ou postérieurement;

b) les fournitures d'immeubles par bail, licence ou accord semblable, effectuées dans une province participante, dans le cas où la contrepartie de la fourniture devient due ou est payée, ou est réputée être devenue due ou avoir été payée, à la date de mise en œuvre applicable à cette province ou postérieurement et n'est pas réputée être devenue due ou avoir été payée avant cette date;

c) les fournitures d'immeubles par bail, licence ou accord semblable, effectuées dans une province participante, dans le cas où une partie de la contrepartie de la fourniture devient due ou est payée, ou est réputée être devenue due ou avoir été payée, à la date de mise en œuvre applicable à cette province ou postérieurement.

Toutefois, cette taxe n'est pas payable aux termes de ce paragraphe (autrement que par l'effet de la sous-section c) relativement à toute partie de la contrepartie d'une fourniture visée à l'alinéa c) qui devient due ou est payée avant cette date et qui n'est pas réputée être devenue due ou avoir été payée à cette date ou postérieurement.

Notes historiques: Le paragraphe 349(1) a été ajouté par L.C. 1997, c. 10, par. 241(1) et est réputé entré en vigueur le 20 mars 1997.

Concordance québécoise: aucune.

(2) Biens meubles et services — Sous réserve de la sous-section c, lorsqu'une province est une province participante, le paragraphe 165(2), l'article 218.1, le paragraphe 220.08(1) et les dispositions de la présente partie (sauf la section IX) qui portent sur la taxe prévue à cet article ou à l'un ou l'autre de ces paragraphes s'appliquent aux fournitures suivantes :

a) selon le cas :

(i) la fourniture d'un bien meuble ou d'un service effectuée dans cette province participante,

(ii) la fourniture d'un bien meuble corporel effectuée à l'étranger au profit d'une personne à laquelle le bien est livré dans une province participante ou y est mis à sa disposition, ou à laquelle la possession matérielle du bien y est transférée,

(iii) la fourniture d'un bien meuble incorporel ou d'un service effectuée à l'extérieur des provinces participantes lorsque le bien ou le service est acquis pour consommation, utilisation ou fourniture dans cette province participante, dans le cas où la contrepartie de la fourniture devient due ou est payée, ou est réputée être devenue due ou avoir été payée, à la date de mise en œuvre applicable à cette province ou postérieurement et n'est pas réputée être devenue due ou avoir été payée avant cette date;

b) selon le cas :

(i) la fourniture d'un bien meuble ou d'un service effectuée dans cette province participante,

(ii) la fourniture d'un bien meuble corporel effectuée à l'étranger au profit d'une personne à laquelle le bien est livré dans une province participante ou y est mis à sa disposition, ou à laquelle la possession matérielle du bien y est transférée,

(iii) la fourniture d'un bien meuble incorporel ou d'un service effectuée à l'extérieur des provinces participantes lorsque le bien ou le service est acquis pour consommation, utilisation ou fourniture dans cette province participante, dans le cas où une partie de la contrepartie de la fourniture devient due ou est payée, ou est réputée être devenue due ou avoir été payée, à la date de mise en œuvre applicable à cette province ou postérieurement.

Toutefois, cette taxe n'est pas payable aux termes de ces dispositions (autrement que par l'effet de la sous-section c) relativement à toute partie de la contrepartie d'une fourniture visée à l'alinéa b) qui devient due ou est payée avant cette date et qui n'est pas réputée être devenue due ou avoir été payée à cette date ou postérieurement.

Notes historiques: Le paragraphe 349(2) a été ajouté par L.C. 1997, c. 10, par. 241(1) et est réputé entré en vigueur le 20 mars 1997.

Concordance québécoise: aucune.

(3) Produits importés — Sous réserve de la sous-section c, lorsqu'une province est une province participante, les articles 212.1 et 220.07 et les dispositions de la présente partie (sauf la section IX) qui portent sur la taxe prévue à ces articles s'appliquent aux biens meubles corporels, aux maisons mobiles non fixées à un fonds et aux maisons flottantes qu'une personne importe à la date de mise en œuvre applicable à celle-ci ou postérieurement ainsi qu'aux biens de ce type qui sont importés par une personne avant cette date et qui ont fait l'objet d'une déclaration en détail ou provisoire en vertu des paragraphes 32(1), (2) ou (5) de la *Loi sur les douanes* à cette date ou postérieurement.

Notes historiques: Le paragraphe 349(3) a été ajouté par L.C. 1997, c. 10, par. 241(1) et est réputé entré en vigueur le 20 mars 1997.

Concordance québécoise: aucune.

(4) Biens meubles corporels transférés dans une province participante — Sous réserve de la sous-section c), lorsqu'une province est une province participante, les paragraphes 220.05(1) et 220.06(1) et les dispositions de la présente partie (sauf la section IX) qui portent sur la taxe prévue par ces paragraphes s'appliquent aux biens meubles corporels, aux maisons mobiles non fixées à un fonds et aux maisons flottantes qui sont transférés dans cette province à la date de mise en œuvre applicable à celle-ci ou postérieurement ainsi qu'aux biens de ce type qui y sont transférés avant cette date par un transporteur, à condition que les biens soient livrés à un consignataire dans la province à cette date ou postérieurement.

Notes historiques: Le paragraphe 349(4) a été ajouté par L.C. 1997, c. 10, par. 241(1) et est réputé entré en vigueur le 20 mars 1997.

Concordance québécoise: aucune.

Définitions [art. 349]: « bien », « bien meuble », « contrepartie », « fourniture », « immeuble », « maison flottante », « maison mobile », « province », « province non participante », « province participante », « service », « taxe », « vente » — 123(1); « date de mise en œuvre » — 348.

Renvois [art. 349]: 144.1 (fourniture dans une province); 350 (transfert d'un immeuble avant la mise en œuvre); 351 (transfert d'un immeuble d'habitation à logement unique après la mise en œuvre); 352 (transfert d'un bien meuble avant la mise en œuvre).

Bulletins de l'information technique [art. 349]: B-077, 28/02/97, *Dispositions transitoires sous le régime de la TVH*.

Série de mémorandums [art. 349]: Mémorandum 19.1.1, 11/97, *Règles spéciales s'appliquant aux immeubles dans le régime de la TVH*.

Info TPS/TVQ: GI-059 — *Taxe de vente harmonisée de l'Ontario et de la Colombie-Britannique-Biens meubles incorporels* .

Sous-section c — Transition

Notes historiques: L'intertitre « Transition » a été ajouté par L.C. 1997, c. 10, par. 241(1) et est réputé entré en vigueur le 20 mars 1997.

350. Transfert d'un immeuble avant la mise en œuvre — La taxe prévue au paragraphe 165(2) n'est pas payable relativement à la fourniture taxable par vente, effectuée dans une province participante, d'un immeuble dont la propriété ou la possession est transférée à l'acquéreur aux termes de la convention portant sur la fourniture avant la date de mise en œuvre applicable à cette province.

Notes historiques: L'article 350 a été ajouté par L.C. 1997, c. 10, par. 241(1) et est réputé entré en vigueur le 20 mars 1997.

Concordance québécoise: aucune.

Définitions [art. 350]: « fourniture taxable », « immeuble », « province participante », « vente » — 123(1).

Renvois [art. 350]: 144.1 (fourniture dans une province); 336(1) (TPS — transfert avant 1991); 351 (transfert d'un immeuble d'habitation à logement unique après la mise en œuvre).

Bulletins de l'information technique [art. 350]: B-077, 28/02/97, *Dispositions transitoires sous le régime de la TVH*.

Série de mémorandums [art. 350]: Mémorandum 19.1.1, 11/97, *Règles spéciales s'appliquant aux immeubles dans régime de la TVH*.

351. (1) Transfert d'un immeuble d'habitation à logement unique après la mise en œuvre — Dans le cas où les conditions suivantes sont réunies :

a) la fourniture par vente d'un immeuble d'habitation à logement unique, ou d'un bâtiment ou d'une partie de bâtiment dans lequel est située une habitation faisant partie d'un tel immeuble, est effectuée dans une province participante au profit d'un particulier aux termes d'une convention écrite qu'il a conclue avec le fournisseur à la date de publication applicable à cette province ou antérieurement,

b) dans le cas de la vente de l'immeuble, sa propriété n'est pas transférée au particulier aux termes de la convention avant la date de mise en œuvre applicable à cette province et, dans tous les cas, sa possession lui est transférée aux termes de la convention à cette date ou postérieurement,

les règles suivantes s'appliquent :

c) la taxe prévue au paragraphe 165(2) n'est pas payable relativement à la fourniture effectuée aux termes de cette convention ni relativement à une fourniture de l'immeuble qui est réputée effectuée en vertu du paragraphe 191(1) antérieurement au transfert de la possession de l'immeuble au particulier aux termes de la convention ou par suite de ce transfert;

d) aucun montant au titre de la taxe payable en vertu du paragraphe 165(2), de l'article 212.1 ou des paragraphes 218.1(1), 220.05(1), 220.06(1), 220.07(1) ou 220.08(1) n'est inclus dans le calcul du crédit de taxe sur les intrants du fournisseur relativement aux biens ou services suivants :

(i) l'immeuble, le fonds qui y est compris ou les améliorations apportées à l'immeuble ou au fonds,

(ii) tout autre bien ou service, dans la mesure où le fournisseur l'a acquis, importé ou transféré dans une province participante pour consommation ou utilisation dans le cadre de la fourniture de l'immeuble.

Notes historiques: Les alinéas 351(1)a) et b) ont été remplacés par L.C. 2000, c. 30, par. 101(1). Cette modification est réputée entrée en vigueur le 20 mars 1997. Antérieurement, ils se lisaient comme suit :

a) la fourniture taxable par vente d'un immeuble d'habitation à logement unique est effectuée dans une province participante au profit d'un particulier aux termes d'une convention écrite qu'il a conclue avec le fournisseur à la date de publication applicable à cette province ou antérieurement,

b) la propriété de l'immeuble n'est pas transférée au particulier aux termes de la convention avant la date de mise en œuvre applicable à cette province, mais sa possession lui est ainsi transférée à cette date ou postérieurement,

L'alinéa 351(1)c) a été remplacé par L.C. 2000, c. 30, par. 101(2). Cette modification est réputée entrée en vigueur le 20 mars 1997. Antérieurement, il se lisait comme suit :

c) la taxe prévue au paragraphe 165(2) n'est pas payable relativement à la fourniture effectuée aux termes de cette convention ni relativement à une fourniture de l'immeuble qui est réputée effectuée en vertu du paragraphe 191(1) avant le transfert de la possession de l'immeuble au particulier aux termes de la convention;

Le paragraphe 351(1) a été ajouté par L.C. 1997, c. 10, par. 241(1) et est réputé entré en vigueur le 20 mars 1997.

Concordance québécoise: aucune.

(2) Fourniture d'un immeuble d'habitation à logement unique — Lorsqu'un immeuble d'habitation ou un bâtiment, ou une partie de bâtiment, faisant partie d'un tel immeuble est fourni, en conformité avec l'alinéa (1)a), à un acquéreur qui n'est le constructeur de l'immeuble que par l'effet de l'alinéa d) de la définition de « constructeur » au paragraphe 123(1), les règles suivantes s'appliquent :

a) la taxe prévue au paragraphe 165(2) n'est pas payable relativement à une fourniture de l'immeuble effectuée par ce constructeur ou son successeur en titre, sauf s'il s'agit de l'une des fournitures suivantes :

(i) une fourniture taxable par bail, licence ou accord semblable,

(ii) une fourniture taxable par vente effectuée après que l'un ou l'autre du constructeur ou du successeur a utilisé l'immeuble comme immobilisation dans le cadre de son entreprise, y a fait des rénovations majeures ou l'a fourni par vente puis acquis de nouveau;

b) aucun montant au titre de la taxe payable aux termes du paragraphe 165(2), de l'article 212.1 ou des paragraphes 218.1(1), 220.05(1), 220.06(1), 220.07(1) ou 220.08(1) n'est inclus dans le calcul du crédit de taxe sur les intrants du constructeur ou du successeur relativement à un bien ou un service dans la mesure où il a été acquis, importé ou transféré dans une province participante par le constructeur ou le successeur pour consommation ou utilisation dans le cadre d'une fourniture de l'immeuble relativement à laquelle la taxe prévue au paragraphe 165(2) n'est pas payable par l'effet de l'alinéa a).

Notes historiques: Le préambule du paragraphe 351(2) a été remplacé par L.C. 2000, c. 30, par. 101(3). Cette modification est réputée entrée en vigueur le 20 mars 1997. Antérieurement, il se lisait comme suit

(2) Lorsqu'un immeuble d'habitation est fourni, en conformité avec l'alinéa (1)a), à un acquéreur qui n'en est le constructeur que par l'effet de l'alinéa d) de la définition de « constructeur » au paragraphe 123(1), les règles suivantes s'appliquent :

Le paragraphe 351(2) a été ajouté par L.C. 1997, c. 10, par. 241(1) et est réputé entré en vigueur le 20 mars 1997.

Concordance québécoise: aucune.

(3) Transfert d'un logement en copropriété après la mise en œuvre — Dans le cas où les conditions suivantes sont réunies :

a) la fourniture taxable par vente d'un logement en copropriété est effectuée dans une province participante au profit d'une personne aux termes d'une convention écrite qu'elle a conclue avec le fournisseur à la date de publication applicable à cette province ou antérieurement,

b) la propriété du logement n'est pas transférée à la personne aux termes de la convention avant la date de mise en œuvre applicable à cette province, mais sa possession lui est ainsi transférée à cette date ou postérieurement,

les règles suivantes s'appliquent :

c) la taxe prévue au paragraphe 165(2) n'est pas payable relativement à la fourniture effectuée aux termes de cette convention ni relativement à une fourniture du logement qui est réputée effectuée en vertu du paragraphe 191(1) avant le transfert de la possession du logement à la personne aux termes de la convention;

d) aucun montant au titre de la taxe payable en vertu du paragraphe 165(2), de l'article 212.1 ou des paragraphes 218.1(1), 220.05(1), 220.06(1), 220.07(1) ou 220.08(1) n'est inclus dans le calcul du crédit de taxe sur les intrants du fournisseur relativement aux biens ou services suivants :

(i) le logement, le fonds qui y est compris ou les améliorations apportées au logement ou au fonds,

(ii) tout autre bien ou service, dans la mesure où le fournisseur l'a acquis, importé ou transféré dans une province participante pour consommation ou utilisation dans le cadre de la fourniture du logement.

Notes historiques: Le paragraphe 351(3) a été ajouté par L.C. 1997, c. 10, par. 241(1) et est réputé entré en vigueur le 20 mars 1997.

Concordance québécoise: aucune.

(4) Fourniture d'un logement en copropriété — Lorsqu'un logement en copropriété est fourni, en conformité avec l'alinéa (3)a), à un acquéreur qui n'en est le constructeur que par l'effet de l'alinéa d) de la définition de « constructeur » au paragraphe 123(1), les règles suivantes s'appliquent :

a) la taxe prévue au paragraphe 165(2) n'est pas payable relativement à une fourniture du logement effectuée par ce constructeur ou son successeur en titre, sauf s'il s'agit de l'une des fournitures suivantes :

(i) une fourniture taxable par bail, licence ou accord semblable,

(ii) une fourniture taxable par vente effectuée après que l'un ou l'autre du constructeur ou du successeur a utilisé le logement comme immobilisation dans le cadre de son entreprise, y a fait des rénovations majeures ou l'a fourni par vente puis acquis de nouveau;

b) aucun montant au titre de la taxe payable aux termes du paragraphe 165(2), de l'article 212.1 ou des paragraphes 218.1(1), 220.05(1), 220.06(1), 220.07(1) ou 220.08(1) n'est à inclure dans le calcul du crédit de taxe sur les intrants du constructeur ou du successeur relativement à un bien ou un service dans la mesure où il a été acquis, importé ou transféré dans une province participante par le constructeur ou le successeur pour consommation ou utilisation dans le cadre d'une fourniture du logement relativement à laquelle la taxe prévue au paragraphe 165(2) n'est pas payable par l'effet de l'alinéa a).

Notes historiques: Le paragraphe 351(4) a été ajouté par L.C. 1997, c. 10, par. 241(1) et est réputé entré en vigueur le 20 mars 1997.

Concordance québécoise: aucune.

(5) Transfert d'un immeuble d'habitation en copropriété après la mise en œuvre — Dans le cas où les conditions suivantes sont réunies :

a) la fourniture taxable par vente d'un immeuble d'habitation en copropriété est effectuée dans une province participante au profit d'une personne aux termes d'une convention écrite qu'elle a conclue avec le fournisseur à la date de publication applicable à cette province ou antérieurement,

b) la propriété et la possession de l'immeuble ne sont pas transférées à la personne aux termes de la convention avant la date de mise en œuvre,

c) à la date de mise en œuvre ou postérieurement, la propriété de l'immeuble est transférée à la personne aux termes de la convention ou l'immeuble est enregistré à titre d'immeuble d'habitation en copropriété,

les règles suivantes s'appliquent :

d) la taxe prévue au paragraphe 165(2) n'est pas payable relativement à la fourniture effectuée aux termes de cette convention ni relativement à la fourniture d'un logement en copropriété situé dans l'immeuble qui est réputée effectuée en vertu du paragraphe 191(1) avant le transfert de la propriété de l'immeuble à la personne aux termes de la convention;

e) aucun montant au titre de la taxe payable en vertu du paragraphe 165(2), de l'article 212.1 ou des paragraphes 218.1(1), 220.05(1), 220.06(1), 220.07(1) ou 220.08(1) n'est inclus dans le calcul du crédit de taxe sur les intrants du fournisseur relativement aux biens ou services suivants :

(i) l'immeuble, le fonds qui y est compris ou les améliorations apportées à l'immeuble ou au fonds,

(ii) tout autre bien ou service, dans la mesure où le fournisseur l'a acquis, importé ou transféré dans une province participante pour consommation ou utilisation dans le cadre de la fourniture de l'immeuble.

Notes historiques: Le paragraphe 351(5) a été ajouté par L.C. 1997, c. 10, par. 241(1) et est réputé entré en vigueur le 20 mars 1997.

Concordance québécoise: aucune.

(6) Fourniture d'un immeuble d'habitation en copropriété — Lorsqu'un immeuble d'habitation en copropriété est fourni, en conformité avec l'alinéa (5)a), à un acquéreur qui n'en est le constructeur que par l'effet de l'alinéa d) de la définition de « constructeur » au paragraphe 123(1), les règles suivantes s'appliquent :

a) la taxe prévue au paragraphe 165(2) n'est pas payable relativement à une fourniture de l'immeuble ou d'un logement en copropriété qui y est situé effectuée par ce constructeur ou son successeur en titre, sauf s'il s'agit de l'une des fournitures suivantes :

(i) une fourniture taxable par bail, licence ou accord semblable,

(ii) la fourniture taxable par vente de l'immeuble d'habitation en copropriété effectuée après que l'un ou l'autre du constructeur ou du successeur a utilisé l'immeuble comme immobilisation dans le cadre de son entreprise, y a fait des rénovations majeures ou l'a fourni par vente puis acquis de nouveau,

(iii) la fourniture taxable par vente d'un logement en copropriété situé dans l'immeuble effectuée après que l'un ou l'autre du constructeur ou du successeur a utilisé le logement comme immobilisation dans le cadre de son entreprise ou l'a fourni par vente puis acquis de nouveau;

b) aucun montant au titre de la taxe payable aux termes du paragraphe 165(2), de l'article 212.1 ou des paragraphes 218.1(1), 220.05(1), 220.06(1), 220.07(1) ou 220.08(1) n'est inclus dans le calcul du crédit de taxe sur les intrants du constructeur ou du successeur relativement à un bien ou un service dans la mesure où il a été acquis, importé ou transféré dans une province participante par le constructeur ou le successeur pour consommation ou utilisation dans le cadre d'une fourniture de l'immeuble ou du logement en copropriété qui y est situé relativement à laquelle la taxe prévue au paragraphe 165(2) n'est pas payable par l'effet de l'alinéa a).

Notes historiques: Le paragraphe 351(6) a été ajouté par L.C. 1997, c. 10, par. 241(1) et est réputé entré en vigueur le 20 mars 1997.

Concordance québécoise: aucune.

(7) Transfert d'un logement en copropriété par une société en commandite — Dans le cas où les conditions suivantes sont réunies :

a) une notice d'offre au sens du paragraphe 336(6), concernant une offre de vente de participations dans une société en commandite, est transmise aux souscripteurs éventuels à la date de publication applicable à une province participante ou antérieurement,

b) au moment de la transmission de la notice, il est proposé que les activités de la société consistent exclusivement à acquérir un fonds situé dans cette province, ou un droit de bénéficiaire y afférent, à y construire un immeuble d'habitation en copropriété, à être propriétaire de logements en copropriété situés dans l'immeuble et à fournir ceux-ci par bail, licence ou accord semblable pour occupation à titre résidentiel,

c) la notice ne prévoit pas d'augmentation des prix de souscription, au sens du paragraphe 336(6), des participations dans la société par suite d'un changement de l'application des taxes, et ces prix ne sont pas augmentés après cette date et avant l'expiration de l'offre de vente des participations,

d) une participation donnée dans la société est transférée à un souscripteur en conformité avec la notice,

e) la société, de concert ou non avec une autre personne, devient propriétaire d'un fonds situé dans cette province, ou d'un droit de bénéficiaire y afférent, avant la date de mise en œuvre applicable à cette province et charge une personne d'y construire un immeuble d'habitation en copropriété, en conformité avec des conventions écrites conclues à la date de publication applicable à cette province ou antérieurement ou des conventions écrites conclues après cette date qui sont conformes, quant à leurs éléments essentiels, aux modalités que ces conventions doivent comporter d'après la notice,

f) la participation donnée se rapporte à un logement en copropriété particulier appartenant à la société, situé dans l'immeuble d'habitation en copropriété,

g) la possession du logement en copropriété particulier est transférée à une personne à la date de mise en œuvre applicable à cette province ou postérieurement aux termes d'un bail, d'une licence ou d'un accord semblable pour occupation à titre résidentiel,

les règles suivantes s'appliquent :

h) la taxe prévue au paragraphe 165(2) n'est pas payable par la société relativement à une fourniture effectuée aux termes d'une convention visée à l'alinéa e);

i) aucun montant au titre de la taxe payable aux termes du paragraphe 165(2), de l'article 212.1 ou des paragraphes 218.1(1), 220.05(1), 220.06(1), 220.07(1) ou 220.08(1) n'est inclus dans le calcul du crédit de taxe sur les intrants du fournisseur relativement à un bien ou un service dans la mesure où il a été acquis, importé ou transféré dans une province participante par le fournisseur pour consommation ou utilisation dans le cadre de la fourniture;

j) la taxe prévue au paragraphe 165(2) n'est pas payable par la société relativement à la fourniture d'un logement situé dans l'immeuble qui est réputée effectuée en vertu du paragraphe 191(1);

k) aucun montant au titre de la taxe payable par la société aux termes du paragraphe 165(2), de l'article 212.1 ou des paragraphes 218.1(1), 220.05(1), 220.06(1), 220.07(1) ou 220.08(1) n'est inclus dans le calcul du crédit de taxe sur les intrants de la société relativement aux biens ou services suivants :

(i) des améliorations apportées au fonds ou à l'immeuble,

(ii) tout autre bien ou service, dans la mesure où la société l'a acquis, importé ou transféré dans une province participante pour consommation ou utilisation dans le cadre de la fourniture de l'immeuble ou d'un logement qui y est situé.

Notes historiques: Le paragraphe 351(7) a été ajouté par L.C. 1997, c. 10, par. 241(1) et est réputé entré en vigueur le 20 mars 1997.

Concordance québécoise: aucune.

(8) Paiements échelonnés — Lorsqu'une fourniture taxable est effectuée dans une province participante au profit d'un particulier aux termes d'une convention écrite qu'il a conclue avec le fournisseur à la date de publication applicable à cette province ou antérieurement en vue de la construction ou de la rénovation majeure d'un immeuble d'habitation à logement unique, d'un logement en copropriété ou d'un immeuble d'habitation à logements multiples qui contient au plus deux habitations devant servir de résidence habituelle au particulier, à son ex-époux ou ancien conjoint de fait ou à un autre particulier lié au particulier, les règles suivantes s'appliquent :

a) la taxe prévue au paragraphe 165(2) n'est pas payable relativement à la fourniture;

b) aucun montant au titre de la taxe payable aux termes du paragraphe 165(2), de l'article 212.1 ou des paragraphes 218.1(1), 220.05(1), 220.06(1), 220.07(1) ou 220.08(1) n'est inclus dans le calcul du crédit de taxe sur les intrants du fournisseur relativement à un bien ou un service dans la mesure où il a été acquis, importé ou transféré dans une province participante par le fournisseur pour consommation ou utilisation dans le cadre de la fourniture.

Notes historiques: Le préambule du paragraphe 351(8) a été modifié par L.C. 2000, c. 12, al. 4a), ann. 1 par le remplacement de « ancien conjoint » par « ex-époux ou ancien conjoint de fait ». Cette modification est entrée en vigueur le 1er janvier 2001.

Le paragraphe 351(8) a été ajouté par L.C. 1997, c. 10, par. 241(1) et est réputé entré en vigueur le 20 mars 1997.

Concordance québécoise: aucune.

Définitions [art. 351]: « acquéreur », « améliorations », « bien », « constructeur », « entreprise », « exclusif », « ex-conjoint », « fourniture », « fourniture taxable », « habitation », « immeuble d'habitation à logement unique », « immeuble d'habitation à logements multiples », « immeuble d'habitation en copropriété », « immobilisation », « importation », « inscrit », « logement en copropriété », « ministre », « personne », « province participante », « rénovations majeures », « service », « taxe », « vente » — 123(1); « date de mise en œuvre », « date de publication » — 348.

Renvois [art. 351]: 142–144 (fourniture au Canada); 144.1 (fourniture dans une province); 169 (CTI).

Bulletins de l'information technique [art. 351]: B-077, 28/02/97, *Dispositions transitoires sous le régime de la TVH*; B-083R, 23/05/97, *Services financiers sous le régime de la TVH*.

Énoncés de politique [art. 351]: P-130, 05/08/92, *Lieu de résidence*.

Série de mémorandums [art. 351]: Mémorandum 19.1.1, 11/97, *Règles spéciales s'appliquant aux immeubles dans le régime de la TVH*.

Biens et services

Notes historiques: L'intertitre « Biens et services » a été ajouté par L.C. 1997, c. 10, par. 241(1) et est réputé entré en vigueur le 20 mars 1997.

352. (1) Transfert d'un bien meuble avant la mise en œuvre — La taxe prévue au paragraphe 165(2) n'est pas payable relativement à la contrepartie de la fourniture taxable d'un bien meuble corporel, effectuée par vente dans une province participante, au profit d'une personne aux termes d'une convention écrite conclue avant la date de mise en œuvre applicable à cette province, dans la mesure où la livraison du bien à la personne, ou le transfert de sa propriété à celle-ci, est effectuée avant cette date.

Notes historiques: Le paragraphe 352(1) a été remplacé par L.C. 2000, c. 30, par. 102(1). Cette modification est réputée entrée en vigueur le 20 mars 1997. Antérieurement, il se lisait comme suit :

> 352. (1) La taxe prévue au paragraphe 165(2) n'est pas payable relativement à la contrepartie de la fourniture taxable d'un bien meuble corporel, effectuée par vente dans une province participante, au profit d'une personne aux termes d'une convention écrite conclue à la date de publication applicable à cette province ou antérieurement, dans la mesure où la livraison du bien à la personne, ou le transfert de sa propriété à celle-ci, est effectué avant la date de mise en œuvre applicable à cette province.

Le paragraphe 352(1) a été ajouté par L.C. 1997, c. 10, par. 241(1) et est réputé entré en vigueur le 20 mars 1997.

Concordance québécoise: aucune.

(1.1) Exercice d'une option d'achat — Lorsque l'acquéreur de la fourniture par bail, licence ou accord semblable d'un bien meuble corporel exerce une option d'achat du bien qui est prévue par l'accord, que la fourniture par vente du bien est effectuée dans une province participante et que la taxe de vente au détail relative à la vente est devenue payable avant la date de mise en œuvre applicable à la province, ou serait devenue payable si le bien ou l'acquéreur, selon le cas, n'était pas exonéré de cette taxe, la taxe prévue au paragraphe 165(2) n'est pas payable relativement à la vente.

Notes historiques: Le paragraphe 352(1.1) a été ajouté par L.C. 2000, c. 30, par. 102(2). Ce paragraphe est réputé entré en vigueur le 20 mars 1997.

Concordance québécoise: aucune.

(2) Fourniture taxable importée visée par une convention antérieure à la mise en œuvre — Lorsque la fourniture taxable importée, au sens de l'article 217, d'un bien meuble corporel est effectuée, aux termes d'une convention écrite conclue avant la date de mise en œuvre applicable à une province participante, au profit d'une personne qui réside dans la province ou qui est un inscrit auquel le bien est livré dans la province ou y est mis à sa disposition, ou auquel la possession matérielle du bien y est transférée, et que la possession matérielle du bien est transférée à la personne avant cette date, la taxe prévue au paragraphe 218.1(1) n'est pas payable relativement à la contrepartie de la fourniture du bien aux termes de la convention.

Notes historiques: Le paragraphe 352(2) a été remplacé par L.C. 2000, c. 30, par. 102(3). Cette modification est réputée entrée en vigueur le 20 mars 1997. Antérieurement, il se lisait comme suit :

> (2) Lorsque la fourniture taxable importée, au sens de l'article 217, d'un bien meuble corporel est effectuée, aux termes d'une convention écrite conclue à la date de publication applicable à une province participante ou antérieurement, au profit d'une personne qui réside dans la province ou qui est un inscrit auquel le bien est livré dans la province ou y est mis à sa disposition, ou auquel la possession matérielle du bien y est transférée, et que la possession matérielle du bien est transférée à la personne avant la date de mise en œuvre applicable à cette province, la taxe prévue au paragraphe 218.1(1) n'est pas payable relativement à la contrepartie de la fourniture du bien aux termes de la convention.

Le paragraphe 352(2) a été ajouté par L.C. 1997, c. 10, par. 241(1) et est réputé entré en vigueur le 20 mars 1997.

Concordance québécoise: aucune.

(3) Fourniture non visée par une convention écrite — Lorsque la fourniture taxable d'un bien meuble corporel (sauf une fourniture à laquelle le paragraphe (1) s'applique) est effectuée par vente dans une province participante au profit d'une personne, la taxe prévue au paragraphe 165(2) n'est pas payable relativement à la contrepartie de la fourniture qui est payée ou devient due avant le jour qui suit de quatre mois la date de mise en œuvre applicable à cette province, dans la mesure où la livraison du bien à la personne, ou le transfert de sa propriété à celle-ci, est effectué avant cette date.

Notes historiques: Le paragraphe 352(3) a été ajouté par L.C. 1997, c. 10, par. 241(1) et est réputé entré en vigueur le 20 mars 1997.

Concordance québécoise: aucune.

(4) Fourniture taxable importée — Lorsque la fourniture taxable importée, au sens de l'article 217, d'un bien meuble corporel (sauf une fourniture à laquelle s'applique le paragraphe (2)) est effectuée au profit d'une personne qui réside dans une province participante ou qui est un inscrit auquel le bien est livré dans une province participante ou y est mis à sa disposition, ou auquel la possession matérielle du bien y est transférée, et que la possession matérielle du bien est transférée à la personne avant la date de mise en œuvre applicable à cette province, la taxe prévue au paragraphe 218.1(1) n'est pas payable relativement à la contrepartie de la fourniture du bien qui est payé ou devient due avant le jour qui suit cette date de quatre mois.

Notes historiques: Le paragraphe 352(4) a été ajouté par L.C. 1997, c. 10, par. 241(1) et est réputé entré en vigueur le 20 mars 1997.

Concordance québécoise: aucune.

(5) Fournitures continues — Dans la mesure où la contrepartie de la fourniture, effectuée dans une province participante, d'électricité, de gaz naturel, de vapeur ou de tout bien ou service qui est livré ou rendu à l'acquéreur, ou mis à sa disposition, de façon continue au moyen d'un fil, d'un pipeline ou d'une autre canalisation est payée ou devient due avant le jour qui suit de quatre mois la date de mise en œuvre applicable à la province, la taxe prévue au paragraphe 165(2) n'est pas payable relativement au bien ou au service livré ou rendu à l'acquéreur, ou mis à sa disposition, avant cette date.

Notes historiques: Le paragraphe 352(5) a été ajouté par L.C. 1997, c. 10, par. 241(1) et est réputé entré en vigueur le 20 mars 1997.

Concordance québécoise: aucune.

(6) Fournitures continues — Le paragraphe 165(2) s'applique à la fourniture taxable, effectuée dans une province participante, d'électricité, de gaz naturel, de vapeur ou de tout bien ou service qui est livré ou rendu à l'acquéreur, ou mis à sa disposition, de façon continue au moyen d'un fil, d'une pipeline ou d'une autre canalisation dans la mesure où la contrepartie de la fourniture devient due quatre mois après la date de mise en œuvre applicable à la province ou postérieurement, ou est payée à ce moment ou postérieurement sans qu'elle soit devenue due, et pendant que le fournisseur est un inscrit. Ce paragraphe s'applique ainsi peu importe la date à laquelle le bien ou le service est livré ou rendu à l'acquéreur, ou mis à sa disposition.

Notes historiques: Le paragraphe 352(6) a été ajouté par L.C. 1997, c. 10, par. 241(1) et est réputé entré en vigueur le 20 mars 1997.

Concordance québécoise: aucune.

Info TPS/TVQ [art. 352(6)]: GI-076 — *Transition à la taxe de vente harmonisée de l'Ontario et de la Colombie-Britannique — fournitures continues et plans à versements égaux.*

(7) Paiement d'abonnement avant la mise en œuvre — La taxe prévue au paragraphe 165(2) ou à l'article 212.1 n'est pas payable relativement à la contrepartie de la fourniture taxable, effectuée dans une province participante, d'un abonnement à un journal, un magazine ou autre périodique qui est payé avant la date de mise en œuvre applicable à la province.

Notes historiques: Le paragraphe 352(7) a été ajouté par L.C. 1997, c. 10, par. 241(1) et est réputé entré en vigueur le 20 mars 1997.

Concordance québécoise: aucune.

(8) Paiement anticipé de bien meuble corporel postérieur à la mise en œuvre anticipée — Lorsque la fourniture taxable d'un bien meuble corporel est effectuée par vente soit à l'étranger au profit d'une personne à laquelle le bien est livré dans une province participante ou y est mis à sa disposition, ou à laquelle la possession matérielle du bien y est transférée, soit dans une province participante, la contrepartie (sauf celle visée au paragraphe (7)) qui devient due au cours de la période commençant à la date de mise en œuvre anticipée applicable à la province et se terminant la veille de la date de mise en œuvre applicable à la même province, ou qui est payée au cours de cette période sans être devenue due, relativement à un bien qui n'est pas livré à l'acquéreur et dont la propriété ne lui est pas transférée avant cette date de mise en œuvre est réputée, pour l'application du paragraphe 165(2) ou de l'article 218.1, selon le cas, à la fourniture, être devenue due à cette date de mise en œuvre et ne pas avoir été payée antérieurement.

Notes historiques: Le paragraphe 352(8) a été remplacé par L.C. 2000, c. 30, par. 102(4). Cette modification est réputée entrée en vigueur le 20 mars 1997. Antérieurement, il se lisait comme suit :

(8) Sauf en cas d'application du paragraphe (7), lorsque la fourniture taxable d'un bien meuble corporel est effectuée par vente soit à l'étranger au profit d'une personne à laquelle le bien est livré dans une province participante ou y est mis à sa disposition, ou à laquelle la possession matérielle du bien y est transférée, soit dans une province participante, la contrepartie qui devient due au cours de la période commençant à la date de mise en œuvre anticipée applicable à la province et se terminant la veille de la date de mise en œuvre applicable à la même province, ou qui est payée au cours de cette période sans qu'elle soit devenue due, relativement à un bien qui n'est pas livré à l'acquéreur et dont la propriété ne lui est pas transférée avant cette date de mise en œuvre est réputée, pour l'application du paragraphe 165(2) ou de l'article 218.1 à la fourniture, être devenue due à cette date de mise en œuvre et ne pas avoir été payée antérieurement.

Le paragraphe 352(8) a été ajouté par L.C. 1997, c. 10, par. 241(1) et est réputé entré en vigueur le 20 mars 1997.

Concordance québécoise: aucune.

(9) Paiement anticipé de bien meuble corporel antérieur à la mise en œuvre anticipée — Sous réserve des paragraphes (5) et (7), lorsque la fourniture taxable d'un bien meuble corporel est effectuée par vente soit dans une province participante par un inscrit au profit d'une personne qui n'est pas un consommateur, soit à l'étranger au profit d'une personne qui n'est pas un consommateur et à laquelle le bien est livré dans une province participante ou y est mis à sa disposition, ou à laquelle la possession matérielle du bien y est transférée, que la propriété et la possession du bien ne sont pas transférées à la personne avant la date de mise en œuvre applicable à cette province et que la contrepartie de la fourniture devient due après la date de publication applicable à cette province et avant la date de mise en œuvre anticipée applicable à la même province, ou est payée au cours de cette période sans qu'elle soit devenue due, les règles suivantes s'appliquent :

a) la taxe prévue aux paragraphes 165(2) ou 218.1(1), selon le cas, est payable, malgré le paragraphe 218.1(2), relativement à cette contrepartie dans le cas où elle aurait été payable, n'eût été ce paragraphe, si la contrepartie était devenue due et avait été payée à la date de mise en œuvre applicable à la province, sauf si, dans le cas de la taxe prévue au paragraphe 165(2), le bien est acquis par la personne pour consommation, utilisation ou fourniture exclusive dans le cadre de ses activités commerciales et sauf si la personne n'est ni un inscrit qui est une institution financière désignée particulière, ni un inscrit dont la taxe nette est déterminée selon l'article 225.1 ou selon les parties IV ou V du *Règlement sur la comptabilité abrégée (TPS/TVH)*;

b) si elle est un inscrit dont la déclaration, prévue à l'article 238 pour la période de déclaration qui comprend la date de mise en œuvre applicable à la province, est à produire à une date donnée antérieure au jour qui suit de quatre mois cette date de mise en œuvre, la personne doit payer la taxe au receveur général au plus tard à la date donnée et indiquer cette taxe dans cette déclaration;

c) en cas d'inapplication de l'alinéa b), l'article 219 ne s'applique pas à cette taxe et la personne doit, avant le jour qui suit de quatre mois cette date de mise en œuvre, payer la taxe au receveur général et présenter au ministre, en la forme et selon les modalités qu'il détermine, une déclaration la concernant contenant les renseignements requis.

Notes historiques: L'alinéa 352(9)a) a été modifié par L.C. 2007, c. 18, al. 63(3)a) par le remplacement de « (TPS) » par « (TPS/TVH) ». Cette modification est réputée être entrée en vigueur le 1er avril 1997.

Le paragraphe 352(9) a été ajouté par L.C. 1997, c. 10, par. 241(1) et est réputé entré en vigueur le 20 mars 1997.

Concordance québécoise: aucune.

(10) Paiement anticipé de services antérieur à la mise en œuvre anticipée — Sous réserve des paragraphes (5) et 356(1),

358(1) et 359(1), lorsque la fourniture taxable d'un service est effectuée soit dans une province participante par un inscrit au profit d'une personne autre qu'un consommateur, soit à l'extérieur des provinces participantes au profit d'une personne résidant dans une province participante et qui n'est pas un consommateur, et que la contrepartie d'une partie du service qui n'a pas été exécutée avant la date de mise en œuvre applicable à cette province est devenue due après la date de publication applicable à cette province et avant la date de mise en œuvre anticipée applicable à la même province, ou a été payée au cours de cette période sans qu'elle soit devenue due, les règles suivantes s'appliquent :

a) la taxe prévue aux paragraphes 165(2), 218.1(1) ou 220.08(1), selon le cas, est payable, malgré le paragraphe 218.1(2) et l'article 220.04, relativement à cette contrepartie dans le cas où elle aurait été payable, n'eût été le paragraphe 218.1(2) et l'article 220.04, si la contrepartie était devenue due et avait été payée à la date de mise en œuvre applicable à la province et, dans le cas de la taxe prévue au paragraphe 220.08(1), si l'article 1 de la partie II de l'annexe X ne s'appliquait pas, sauf si, dans le cas de la taxe prévue aux paragraphes 165(2) ou 220.08(1) :

(i) d'une part, la personne n'est ni un inscrit qui est une institution financière désignée particulière, ni un inscrit dont la taxe nette est déterminée selon l'article 225.1 ou selon les parties IV ou V du *Règlement sur la comptabilité abrégée (TPS/TVH)*,

(ii) d'autre part, le service est acquis par la personne pour consommation, utilisation ou fourniture exclusive dans le cadre de ses activités commerciales;

b) si elle est un inscrit dont la déclaration, prévue à l'article 238 pour la période de déclaration qui comprend la date de mise en œuvre applicable à la province, est à produire à une date donnée antérieure au jour qui suit de quatre mois cette date de mise en œuvre, la personne doit payer la taxe au receveur général au plus tard à la date donnée et indiquer cette taxe dans cette déclaration;

c) en cas d'inapplication de l'alinéa b), l'article 219 et le paragraphe 220.09(1) ne s'appliquent pas à cette taxe et la personne doit, avant le jour qui suit de quatre mois la date de mise en œuvre, payer la taxe au receveur général et présenter au ministre, en la forme et selon les modalités qu'il détermine, une déclaration la concernant contenant les renseignements requis.

Notes historiques: Le sous-alinéa 352(10)a)(i) a été modifié par L.C. 2007, c. 18, al. 63(3)b) par le remplacement de « (TPS) » par « (TPS/TVH) ». Cette modification est réputée être entrée en vigueur le 1er avril 1997.

Le paragraphe 352(10) a été ajouté par L.C. 1997, c. 10, par. 241(1) et est réputé entré en vigueur le 20 mars 1997.

Concordance québécoise: aucune.

(11) Retour d'un bien meuble corporel après la mise en œuvre — Lorsqu'une personne, ayant acheté un bien meuble corporel dans une province participante d'un fournisseur avant la date de mise en œuvre applicable à la province, retourne le bien au fournisseur au cours de la période commençant à cette date et se terminant avant le jour qui suit de quatre mois cette date en échange d'un autre bien meuble corporel que celui-ci lui fournit dans la province, les règles suivantes s'appliquent :

a) la taxe prévue au paragraphe 165(2) relativement à la fourniture de l'autre bien n'est payable que sur l'excédent éventuel de la contrepartie de cette fourniture sur celle du bien retourné;

b) la taxe prévue au paragraphe 165(2) n'est pas payable relativement à la fourniture de l'autre bien si sa contrepartie est égale ou inférieure à celle du bien retourné.

Notes historiques: Le paragraphe 352(11) a été ajouté par L.C. 1997, c. 10, par. 241(1) et est réputé entré en vigueur le 20 mars 1997.

Concordance québécoise: aucune.

(12) Fourniture terminée — Lorsque tout ou partie de la contrepartie de la fourniture taxable d'un bien meuble corporel, effectuée par vente dans une province participante, devient due quatre mois après la date de mise en œuvre applicable à la province ou postérieurement, ou est payée à ce moment ou postérieurement sans qu'elle soit devenue due, et que la propriété ou la possession du bien est transférée à l'acquéreur avant cette date aux termes de la convention portant sur la fourniture, les présomptions suivantes s'appliquent aux fins de déterminer le moment auquel la taxe prévue au paragraphe 165(2) devient payable relativement à la fourniture :

a) en cas d'application de l'alinéa 168(3)a), la propriété et la possession du bien sont réputées avoir été transférées à l'acquéreur quatre mois après la date de mise en œuvre;

b) en cas d'application de l'alinéa 168(3)b), la propriété du bien est réputée avoir été transférée à l'acquéreur quatre mois après la date de mise en œuvre.

Notes historiques: Le paragraphe 352(12) a été ajouté par L.C. 1997, c. 10, par. 241(1) et est réputé entré en vigueur le 20 mars 1997.

Concordance québécoise: aucune.

(13) Application — Le présent article ne s'applique pas aux fournitures effectuées dans une province participante auxquelles s'applique l'article 353.

Notes historiques: Le paragraphe 352(13) a été ajouté par L.C. 1997, c. 10, par. 241(1) et est réputé entré en vigueur le 20 mars 1997.

Concordance québécoise: aucune.

Définitions [art. 352]: « acquéreur », « activité commerciale », « bien », « bien meuble », « consommateur », « contrepartie », « exclusif », « fourniture », « fourniture taxable », « inscrit », « institution financière désignée particulière », « montant », « personne », « province participante », « règlement », « service », « taxe », « vente » — 123(1); « date de mise en œuvre », « date de mise en œuvre anticipée », « date de publication » — 348.

Renvois [art. 352]: 123(2) (Canada); 132.1 (résidence dans une province); 144.1 (fourniture dans une province); 278 (production de la déclaration); 279 (validation des documents); 326(1) (défaut de respect de la loi); 329(1) (défaut de payer, percevoir ou verser la taxe); 337 (TPS — transfert de biens meubles avant 1991); 352(10) (paiement anticipé de services antérieur à la mise en œuvre anticipée); 353 (plans à versements égaux); 354(2) (paiement anticipé de loyer et de redevances antérieur à la mise en œuvre anticipée); 355 (redressements), 356(3) (paiement anticipé de services postérieur à la mise en œuvre anticipée).

Bulletins de l'information technique [art. 352]: B-077, 28/02/97, *Dispositions transitoires sous le régime de la TVH*; B-083R, 23/05/97, *Services financiers sous le régime de la TVH*.

Info TPS/TVQ [art. 352]: GI-070 — *Transition à la taxe de vente harmonisée de l'Ontario et de la Colombie-Britannique — produits*.

353. (1) Plans à versements égaux — Lorsque la fourniture d'un bien ou d'un service (sauf un abonnement à un journal, un magazine ou autre périodique) est effectuée dans une province participante et que la contrepartie de la fourniture du bien ou du service livré ou rendu à l'acquéreur, ou mis à sa disposition, au cours d'une période commençant avant la date de mise en œuvre applicable à la province et se terminant à cette date ou postérieurement est payée par l'acquéreur aux termes d'un plan à versements égaux qui prévoit un rapprochement des paiements à la fin de la période ou postérieurement et avant le jour qui suit d'un an cette date de mise en œuvre, le fournisseur est tenu de déterminer le résultat positif ou négatif du calcul suivant au moment où il établit une facture suite à ce rapprochement :

$$A - B$$

où

A représente la taxe qui serait payable par l'acquéreur aux termes du paragraphe 165(2) pour la partie du bien ou du service fourni au cours de la période qui lui a été livrée ou rendue, ou a été mise à sa disposition, à cette date de mise en œuvre ou postérieurement, si la contrepartie de cette partie devenait due ou était payée à cette date ou postérieurement;

B le total de la taxe payable par l'acquéreur aux termes du paragraphe 165(2) relativement à la fourniture du bien ou du service qui lui a été livré ou rendu, ou a été mis à sa disposition, au cours de la période.

Notes historiques: Le paragraphe 353(1) a été ajouté par L.C. 1997, c. 10, par. 241(1) et est réputé entré en vigueur le 20 mars 1997.

Concordance québécoise: aucune.

(2) Perception de la taxe — Le fournisseur qui est un inscrit est tenu de percevoir de l'acquéreur tout montant positif calculé en application du paragraphe (1) au titre de la taxe prévue au paragraphe 165(2), et est réputé l'avoir ainsi perçu le jour de l'établissement de la facture suite au rapprochement des paiements.

Notes historiques: Le paragraphe 353(2) a été ajouté par L.C. 1997, c. 10, par. 241(1) et est réputé entré en vigueur le 20 mars 1997.

Concordance québécoise: aucune.

(3) Remboursement de l'excédent — Le fournisseur qui est un inscrit est tenu de rembourser à l'acquéreur tout montant négatif calculé en application du paragraphe (1), ou le porter à son crédit, et délivrer une note de crédit en conformité avec l'article 232.

Notes historiques: Le paragraphe 353(3) a été ajouté par L.C. 1997, c. 10, par. 241(1) et est réputé entré en vigueur le 20 mars 1997.

Concordance québécoise: aucune.

(4) Fournitures continues — Lorsque la fourniture d'un bien ou d'un service au cours d'une période pour laquelle le fournisseur établit la facture y afférente est effectuée dans une province participante de façon continue au moyen d'un fil, d'un pipeline ou d'une autre canalisation et que le moment auquel tout ou partie du bien ou du service est livré ou rendu ne peut être raisonnablement déterminé en raison de la méthode d'enregistrement de la livraison du bien ou de la prestation du service, des parties égales de la totalité du bien livré ou du service rendu au cours de la période sont réputées, pour l'application du présent article, livrées ou rendues, selon le cas, chaque jour de la période.

Notes historiques: Le paragraphe 353(4) a été ajouté par L.C. 1997, c. 10, par. 241(1) et est réputé entré en vigueur le 20 mars 1997.

Concordance québécoise: aucune.

Définitions [art. 353]: « acquéreur », « bien », « contrepartie », « facture », « fourniture », « inscrit », « montant », « note de crédit », « province participante », « service », « taxe » — 123(1).

Renvois [art. 353]: 338; 352(13) (non-application de l'article 352).

Bulletins de l'information technique [art. 353]: B-077, 28/02/97, *Dispositions transitoires sous le régime de la TVH.*

Info TPS/TVQ [art. 353]: GI-076 — *Transition à la taxe de vente harmonisée de l'Ontario et de la Colombie-Britannique — fournitures continues et plans à versements égaux.*

354. (1) Paiement anticipé de loyer et de redevances postérieur à la mise en œuvre anticipée — Sous réserve du paragraphe (4) et pour l'application des paragraphes 165(2), 218.1(1) ou 220.08(1) à la fourniture taxable d'un bien effectuée par bail, licence ou accord semblable soit dans une province participante par un inscrit au profit d'une personne, soit à l'extérieur des provinces participantes au profit d'une personne à laquelle le bien est livré dans une province participante ou y est mis à sa disposition, ou à laquelle la possession matérielle du bien y est transférée, la contrepartie de la fourniture — loyer, redevances ou paiement analogue imputable à une période comprenant la date de mise en œuvre applicable à la province ou postérieure à cette date — est réputée être devenue due à cette date d'application et ne pas avoir été payée antérieurement si elle est devenue due au cours de la période commençant à la date de mise en œuvre anticipée applicable à la province et se terminant la veille de la date de mise en œuvre applicable à la même province ou a été payée au cours de cette période sans qu'elle soit devenue due.

Notes historiques: Le paragraphe 354(1) a été ajouté par L.C. 1997, c. 10, par. 241(1) et est réputé entré en vigueur le 20 mars 1997.

Concordance québécoise: aucune.

(2) Paiement anticipé de loyer et de redevances antérieur à la mise en œuvre anticipée — Sous réserve du paragraphe (4), lorsque la fourniture taxable d'un bien effectuée par bail, licence ou accord semblable soit dans une province participante par un inscrit au profit d'une personne autre qu'un consommateur, soit à l'extérieur des provinces participantes au profit d'une personne qui n'est pas un consommateur et à laquelle le bien est livré dans une province participante ou y est mis à sa disposition, ou à laquelle la possession matérielle du bien y est transférée, et que la contrepartie de la fourniture — loyer, redevances ou paiement analogue imputable à une période comprenant la date de mise en œuvre applicable à la province ou postérieure à cette date — est devenue due après la date de publication applicable à cette province et avant la date de mise en œuvre anticipée applicable à la même province, ou a été payée au cours de cette période sans qu'elle soit devenue due, les règles suivantes s'appliquent :

a) la taxe prévue aux paragraphes 165(2), 218.1(1) ou 220.08(1), selon le cas, est payable, malgré le paragraphe 218.1(2) et l'article 220.04, relativement à cette contrepartie dans le cas où elle aurait été payable, n'eût été le paragraphe 218.1(2) et l'article 220.04, si la contrepartie était devenue due et avait été payée à la date de mise en œuvre applicable à la province et, dans le cas de la taxe prévue au paragraphe 220.08(1), si l'article 1 de la partie II de l'annexe X ne s'appliquait pas, sauf si, dans le cas de la taxe prévue aux paragraphes 165(2) ou 220.08(1) :

(i) d'une part, la personne n'est ni un inscrit qui est une institution financière désignée particulière, ni un inscrit dont la taxe nette est déterminée selon l'article 225.1 ou selon les parties IV ou V du *Règlement sur la comptabilité abrégée (TPS/TVH)*,

(ii) d'autre part, le bien est acquis par la personne pour consommation, utilisation ou fourniture exclusive dans le cadre de ses activités commerciales;

b) si elle est un inscrit dont la déclaration, prévue à l'article 238 pour la période de déclaration qui comprend la date de mise en œuvre applicable à la province, est à produire à une date donnée antérieure au jour qui suit de quatre mois la date de mise en œuvre, la personne doit payer la taxe au receveur général au plus tard à la date donnée et indiquer cette taxe dans cette déclaration;

c) en cas d'inapplication de l'alinéa b), l'article 219 et le paragraphe 220.09(1) ne s'appliquent pas à cette taxe et la personne doit, avant le jour qui suit de quatre mois cette date de mise en œuvre, payer la taxe au receveur général et présenter au ministre, en la forme et selon les modalités qu'il détermine, une déclaration la concernant contenant les renseignements requis.

Notes historiques: Le sous-alinéa 354(2)c)(i) a été modifié par L.C. 2007, c. 18, al. 63(3)c) par le remplacement de « (TPS) » par « (TPS/TVH) ». Cette modification est réputée être entrée en vigueur le 1er avril 1997.

Le paragraphe 354(2) a été ajouté par L.C. 1997, c. 10, par. 241(1) et est réputé entré en vigueur le 20 mars 1997.

Concordance québécoise: aucune.

(3) Périodes antérieures à la mise en œuvre — Lorsque la fourniture taxable d'un bien par bail, licence ou accord semblable est effectuée soit dans une province participante au profit d'une personne, soit à l'extérieur des provinces participantes au profit d'une personne à laquelle le bien est livré dans une province participante ou y est mis à sa disposition, ou à laquelle la possession matérielle du bien y est transférée, aucune taxe n'est payable aux termes des paragraphes 165(2), 218.1(1) ou 220.08(1) relativement à la contrepartie de la fourniture qui devient due dans les quatre mois suivant la date de mise en œuvre applicable à la province, ou est payée avant ce moment sans qu'elle soit devenue due, dans la mesure où la contrepartie constitue un loyer, des redevances ou un paiement semblable imputable à une période antérieure à cette date de mise en œuvre.

Notes historiques: Le paragraphe 354(3) a été ajouté par L.C. 1997, c. 10, par. 241(1) et est réputé entré en vigueur le 20 mars 1997.

Concordance québécoise: aucune.

(4) Période comprenant la mise en œuvre — La taxe prévue aux paragraphes 165(2), 218.1(1) ou 220.08(1) n'est pas payable relativement à la contrepartie de la fourniture taxable d'un bien effectuée par bail, licence ou accord semblable soit dans une province participante au profit d'une personne, soit à l'extérieur des provinces participantes au profit d'une personne à laquelle le bien est livré dans une province participante ou y est mis à sa disposition, ou à laquelle la possession matérielle du bien y est transférée, si la contrepartie représente un loyer, une redevance ou un paiement semblable imputable à une période commençant avant la date de mise en œuvre applicable à la province participante et se terminant avant le jour qui suit d'un mois la veille de cette date.

Notes historiques: Le paragraphe 354(4) a été ajouté par L.C. 1997, c. 10, par. 241(1) et est réputé entré en vigueur le 20 mars 1997.

Concordance québécoise: aucune.

(4.1) Exception — Le paragraphe (4) ne s'applique pas à la contrepartie de la fourniture d'un bien qui est un loyer, une redevance ou un paiement semblable attribuable à une période si le fournisseur fournit des services relativement au bien pour la même période et si la contrepartie de la fourniture du bien et la contrepartie de la fourniture des services font l'objet d'une même facture.

Notes historiques: Le paragraphe 354(4.1) a été ajouté par L.C. 2000, c. 30, par. 103(1). Ce paragraphe est réputé entré en vigueur le 20 mars 1997.

Concordance québécoise: aucune.

(5) Application — Les paragraphes (1) à (4) ne s'appliquent pas à la contrepartie payée pour l'utilisation, ou le droit d'utilisation, d'un bien meuble incorporel si elle n'est pas fonction de la proportion de cette utilisation ou de la production tirée du bien, ni des bénéfices provenant de cette utilisation ou de cette production.

Notes historiques: Le paragraphe 354(5) a été ajouté par L.C. 1997, c. 10, par. 241(1) et est réputé entré en vigueur le 20 mars 1997.

Concordance québécoise: aucune.

Définitions [art. 354]: « acquéreur », « activité commerciale », « bien meuble », « contrepartie », « fourniture taxable », « institution financière désignée particulière », « ministre », « mois », « montant », « personne », « province non participante », « province participante », « règlement », « taxe » — 123(1); « date de mise en œuvre », « date de mise en œuvre anticipée », « date de publication » — 348.

Renvois [art. 354]: 132.1 (résidence dans une province); 144.1 (fourniture dans une province); 278 (production de la déclaration); 279 (validation des documents); 326(1) (défaut de respect de la loi); 329(1) (défaut de payer, percevoir ou verser la taxe); 337(6) (vente d'un bien meuble corporel); 340 (TPS — paiement anticipé de loyer et de redevances); 352(9) (paiement anticipé de bien meuble corporel antérieur à la mise en œuvre anticipée); 352(10) (paiement anticipé de services antérieur à la mise en œuvre anticipée); 355 (redressements).

Bulletins de l'information technique [art. 354]: B-077, 28/02/97, *Dispositions transitoires sous le régime de la TVH*; B-083R, 23/05/97, *Services financiers sous le régime de la TVH*.

Série de mémorandums [art. 354]: Mémorandum 19.1.1, 11/97, *Règles spéciales s'appliquant aux immeubles dans le régime de la TVH*.

354.1 Location de véhicules à moteur déterminés — Dans le cas où les conditions suivantes sont réunies :

a) la fourniture d'un véhicule à moteur déterminé est effectuée par bail, licence ou accord semblable pour une période de location, au sens du paragraphe 136.1(1), aux termes d'une convention conclue avant la date de mise en œuvre applicable à une province participante,

b) le fournisseur accepte, en contrepartie totale ou partielle de la fourniture, un bien meuble corporel d'occasion, ou un droit sur un tel bien, (appelé « bien repris » au présent article),

c) la taxe de vente au détail de la province aurait été payable par l'acquéreur pour la période de location en question si le bien repris n'avait pas été accepté et si cette taxe n'avait pas été abrogée, ou son application suspendue, parallèlement à l'application des paragraphes 165(2) ou 218.1(1), selon le cas, à la fourniture,

d) la valeur de la contrepartie de la fourniture, déterminée par ailleurs selon la présente partie, dépasse le montant (appelé « valeur rajustée » au présent article) qui représente la valeur, compte non tenu du montant de toute taxe prévue par la présente partie relativement à la fourniture, sur laquelle la taxe de vente au détail pour la période de location aurait été calculée, n'eût été l'abrogation de cette taxe ou la suspension de son application,

pour l'application des paragraphes 165(2) ou 218.1(1), selon le cas, la valeur de la contrepartie de la fourniture est réputée égale à la valeur rajustée.

Notes historiques: L'article 354.1 a été ajouté par L.C. 2000, c. 30, par. 104(1). Il est réputé entré en vigueur le 20 mars 1997.

La personne qui, par l'effet de l'article 354.1 de la même loi, a droit au remboursement, prévu à l'article 261 d'un montant qu'elle a payé ou versé le 20 octobre 2000 ou antérieurement, ou qui aurait droit à ce remboursement en l'absence du paragraphe 261(3) dispose, malgré ce paragraphe, d'un délai de deux ans suivant cette date pour produire une demande de remboursement en vertu de ce paragraphe.

Si une personne donnée a exigé ou perçu d'une autre personne, le 20 octobre 2000 ou antérieurement, un montant au titre de la taxe prévue au paragraphe 165(2) et si, par l'effet de l'article 354.1, ce montant excède la taxe prévue à ce paragraphe que la personne donnée pouvait percevoir de l'autre personne, l'article 232 s'applique à l'excédent comme si la personne donnée disposait, aux termes de cet article, d'un délai de deux ans suivant cette date pour redresser le montant de taxe exigé ou pour rembourser l'excédent à l'autre personne ou le porter à son crédit.

Concordance québécoise: aucune.

Définitions [par. 354.1]: « province participante » — 123(1).

355. (1) Redressements — Lorsqu'une personne paie, en application des paragraphes 352(9) ou (10) ou 354(2), la taxe calculée sur la contrepartie, même partielle, d'une fourniture taxable et que cette contrepartie est réduite par la suite, la partie de la taxe payable aux termes des paragraphes 165(2), 218.1(1) ou 220.08(1) qui a été calculée sur le montant dont la contrepartie est réduite est réputée, aux fins du calcul du montant remboursable visé à l'article 261, être un montant que la personne n'avait pas à payer ou à verser dans la mesure où elle n'a pas demandé, ou ne pourrait demander en l'absence du présent article, un crédit de taxe sur les intrants ou un remboursement au titre de cette partie de taxe.

Notes historiques: Le paragraphe 355(1) a été ajouté par L.C. 1997, c. 10, par. 241(1) et est réputé entré en vigueur le 20 mars 1997.

Concordance québécoise: aucune.

(2) Application — Le paragraphe (1) ne s'applique pas dans le cas où l'article 161 s'applique.

Notes historiques: Le paragraphe 355(2) a été ajouté par L.C. 1997, c. 10, par. 241(1) et est réputé entré en vigueur le 20 mars 1997.

Concordance québécoise: aucune.

Définitions [art. 355]: « contrepartie », « fourniture taxable », « montant », « personne », « taxe » — 123(1).

Renvois [art. 355]: 169(1) (CTI); 340.1 (TPS — redressements).

Bulletins de l'information technique [art. 355]: B-077, 28/02/97, *Dispositions transitoires sous le régime de la TVH*.

356. (1) Services exécutés en presque totalité avant la mise en œuvre — Lorsque la fourniture (sauf une fourniture à laquelle s'applique le paragraphe (6)) d'un service (sauf un service de transport de marchandises ou un service de transport d'un particulier) est effectuée soit à l'extérieur des provinces participantes au profit d'une personne résidant dans une province participante, soit dans une province participante, la taxe prévue aux paragraphes 165(2), 218.1(1) ou 220.08(1) n'est pas payable relativement à la contrepartie de la fourniture qui est payée ou devient due dans les quatre mois suivant la date de mise en œuvre applicable à la province si la totalité, ou presque, du service a été exécuté avant cette date.

Notes historiques: Le paragraphe 356(1) a été ajouté par L.C. 1997, c. 10, par. 241(1) et est réputé entré en vigueur le 20 mars 1997.

Concordance québécoise: aucune.

(2) Services exécutés en partie avant la mise en œuvre — Lorsque la fourniture (sauf une fourniture à laquelle s'applique le paragraphe (6)) d'un service (sauf un service de transport de marchandises ou un service de transport d'un particulier) est effectuée soit à l'extérieur des provinces participantes au profit d'une personne résidant dans une province participante, soit dans une province participante, mais que le service n'est pas exécuté en totalité, ou presque, avant la date de mise en œuvre applicable à la province, la taxe prévue aux paragraphes 165(2), 218.1(1) ou 220.08(1) n'est pas payable relativement à la contrepartie de la fourniture qui est

LTA (TPS)

payée ou devient due dans les quatre mois suivant cette date dans la mesure où la contrepartie est liée à la partie du service qui a été exécutée avant cette date.

Notes historiques: Le paragraphe 356(2) a été ajouté par L.C. 1997, c. 10, par. 241(1) et est réputé entré en vigueur le 20 mars 1997.

Concordance québécoise: aucune.

(3) Paiement anticipé de services postérieur à la mise en œuvre anticipée — Sous réserve des paragraphes 351(8) et 352(5), lorsque la fourniture taxable (sauf une fourniture à laquelle s'applique le paragraphe (6)) d'un service (sauf un service de transport de marchandises ou un service de transport d'un particulier) est effectuée soit à l'extérieur des provinces participantes au profit d'une personne résidant dans une province participante, soit dans une province participante, la contrepartie de la fourniture, si elle devient due au cours de la période commençant à la date de mise en œuvre anticipée applicable à la province et se terminant la veille de la date de mise en œuvre applicable à cette province, ou si elle est payée au cours de cette période sans qu'elle soit devenue due, pour toute partie du service qui n'a pas été exécutée avant cette date de mise en œuvre, est réputée, pour l'application des paragraphes 165(2), 218.1(1) ou 220.08(1) à la fourniture, être devenue due à cette date de mise en œuvre et ne pas avoir été payée antérieurement.

Notes historiques: Le paragraphe 356(3) a été ajouté par L.C. 1997, c. 10, par. 241(1) et est réputé entré en vigueur le 20 mars 1997.

Concordance québécoise: aucune.

(4) Droit d'adhésion et droit d'entrée — Pour l'application de la présente section, la fourniture d'un droit d'adhésion à un club, une organisation ou une association ou d'un droit d'entrée à un lieu de divertissement, un colloque, une activité ou un événement dans une province participante est réputée être une fourniture de services. Toutefois, la fourniture du droit d'acquérir un tel droit d'adhésion est réputée être une fourniture de biens.

Notes historiques: Le paragraphe 356(4) a été ajouté par L.C. 1997, c. 10, par. 241(1) et est réputé entré en vigueur le 20 mars 1997.

Concordance québécoise: aucune.

(5) Droits d'entrée vendus avant la publication — Lorsque la fourniture taxable d'un droit d'entrée à un dîner, bal, concert, spectacle ou activité semblable dans une province participante est effectuée au profit d'une personne à la date de publication applicable à la province ou antérieurement, les règles suivantes s'appliquent :

a) la taxe prévue au paragraphe 165(2) n'est pas payable relativement à toute fourniture de droit d'entrée à l'activité;

b) aucun montant au titre de la taxe payable aux termes du paragraphe 165(2), de l'article 212.1 ou des paragraphes 218.1(1), 220.05(1), 220.06(1), 220.07(1) ou 220.08(1) n'est inclus dans le calcul du crédit de taxe sur les intrants du fournisseur relativement à un bien ou un service dans la mesure où il a été acquis, importé ou transféré dans une province participante par le fournisseur pour consommation ou utilisation dans le cadre de la fourniture de ces droits ou de la tenue de l'activité.

Notes historiques: Le paragraphe 356(5) a été ajouté par L.C. 1997, c. 10, par. 241(1) et est réputé entré en vigueur le 20 mars 1997.

Concordance québécoise: aucune.

(6) Abonnements à vie — Lorsque la fourniture d'un droit d'adhésion à vie au profit d'un particulier est effectuée soit à l'extérieur des provinces participantes au profit d'une personne résidant dans une province participante, soit dans une province participante, et que le total des montants payés après la date de publication applicable à la province et avant la date de mise en œuvre applicable à cette province à titre de contrepartie de la fourniture excède 25 % de la contrepartie totale de la fourniture, l'excédent est réputé, pour l'application des paragraphes 165(2), 218.1(1) ou 220.08(1) à la fourniture, être devenu dû à cette date de mise en œuvre et ne pas avoir été payé antérieurement.

Notes historiques: Le paragraphe 356(6) a été ajouté par L.C. 1997, c. 10, par. 241(1) et est réputé entré en vigueur le 20 mars 1997.

Concordance québécoise: aucune.

(7) Fourniture combinée — Aux fins de déterminer le moment auquel la taxe prévue au paragraphe 165(2) devient payable relativement à une fourniture effectuée dans une province participante, lorsque sont fournis dans une province participante à la fois un service, un bien meuble ou un immeuble (chacun étant appelé « élément » au présent paragraphe) ou plusieurs de ceux-ci, que la contrepartie de chaque élément n'est pas identifiée séparément et que la taxe prévue au paragraphe 165(2) ne serait pas payable relativement à l'élément qui constitue un bien dont la propriété ou la possession est transférée à l'acquéreur avant la date de mise en œuvre applicable à la province si cet élément était fourni séparément, ce dernier élément est réputé avoir été fourni séparément de tous les autres.

Notes historiques: Le paragraphe 356(7) a été ajouté par L.C. 1997, c. 10, par. 241(1) et est réputé entré en vigueur le 20 mars 1997.

Concordance québécoise: aucune.

(8) Application — Le présent article ne s'applique pas aux fournitures auxquelles s'applique l'article 353.

Notes historiques: Le paragraphe 356(8) a été ajouté par L.C. 1997, c. 10, par. 241(1) et est réputé entré en vigueur le 20 mars 1997.

Concordance québécoise: aucune.

Définitions [art. 356]: « bien meuble », « contrepartie », « droit d'adhésion », « droit d'entrée », « fourniture », « fourniture taxable », « immeuble », « lieu de divertissement », « montant », « personne », « province participante », « service », « taxe » — 123(1); « date de mise en œuvre », « date de mise en œuvre anticipée », « date de publication » — 348.

Renvois [art. 356]: 132.1 (résidence dans une province); 144.1 (fourniture dans une province); 341 (TPS — services antérieurs à 1991); 345 (TPS — abonnements à vie).

Bulletins de l'information technique [art. 356]: B-083R, 23/05/97, *Services financiers sous le régime de la TVH*; B-077, 28/02/97, *Dispositions transitoires sous le régime de la TVH*.

Info TPS/TVQ [art. 356]: GI-057 — *Taxe de vente harmonisée de l'Ontario et de la Colombie-Britannique-Droits d'adhésion* ; GI-058 — *Taxe de vente harmonisée de l'Ontario et de la Colombie-Britannique-Droits d'entrée* .

357. (1) Services juridiques exécutés avant la mise en œuvre — Lorsque la fourniture d'un service juridique est effectuée soit à l'extérieur des provinces participantes au profit d'une personne résidant dans une province participante, soit dans une province participante et que la contrepartie de la fourniture ne devient pas due, aux termes de la convention portant sur la fourniture, avant la date où un tribunal en permet ou en ordonne le paiement ou avant la date de cessation du service rendu par le fournisseur, la taxe prévue aux paragraphes 165(2), 218.1(1) ou 220.08(1) n'est pas payable relativement à cette contrepartie dans la mesure où elle est liée à une partie du service qui a été exécutée avant la date de mise en œuvre applicable à la province.

Notes historiques: Le paragraphe 357(1) a été ajouté par L.C. 1997, c. 10, par. 241(1) et est réputé entré en vigueur le 20 mars 1997.

Concordance québécoise: aucune.

(2) Service de représentant, fiduciaire, séquestre ou liquidateur — Lorsque la fourniture d'un service de représentant personnel dans le cadre de l'administration d'une succession ou d'un service de fiduciaire, de séquestre ou de liquidateur est effectuée soit à l'extérieur des provinces participantes au profit d'une personne résidant dans une province participante, soit dans une province participante, la taxe prévue aux paragraphes 165(2), 218.1(1) ou 220.08(1) n'est pas payable relativement à la contrepartie de la fourniture, dans la mesure où cette contrepartie est liée à une partie du service qui a été exécutée avant la date de mise en œuvre applicable à la province et si cette contrepartie ne devient pas due avant la date suivante :

a) dans le cas d'un service de représentant personnel, la date où les bénéficiaires de la succession approuvent son paiement ou celle fixée selon les modalités de la fiducie liant le représentant;

b) dans le cas d'un service de fiduciaire, la date déterminée selon les modalités de la fiducie ou selon une convention écrite portant sur la fourniture;

c) dans tous les cas, la date où un tribunal permet ou ordonne son paiement.

Notes historiques: Le paragraphe 357(2) a été ajouté par L.C. 1997, c. 10, par. 241(1) et est réputé entré en vigueur le 20 mars 1997.

Concordance québécoise: aucune.

(3) Services exécutés avant la mise œuvre — Pour l'application des paragraphes (1) et (2), un service fourni soit dans une province participante, soit à l'extérieur des provinces participantes au profit d'une personne résidant dans une province participante est réputé exécuté avant la date de mise en œuvre applicable à la province s'il est exécuté en presque totalité avant cette date.

Notes historiques: Le paragraphe 357(3) a été ajouté par L.C. 1997, c. 10, par. 241(1) et est réputé entré en vigueur le 20 mars 1997.

Concordance québécoise: aucune.

Définitions [art. 357]: « contrepartie », « fourniture », « personne », « province participante », « représentant personnel », « service », « taxe » — 123(1).

Renvois [art. 357]: 132.1 (résidence dans une province); 144.1 (fourniture dans une province); 341.1 (TPS — services juridiques, service de représentant, fiduciaire, séquestre ou liquidateur avant 1991); 356(1)–(3) (services — dispositions transitoires).

Énoncés de politique [art. 357]: P-041, 01/03/92, *Services juridiques et services dispensés par un liquidateur, représentant successsoral, séquestre ou syndic.*

Bulletins de l'information technique [art. 357]: B-077, 28/02/97, *Dispositions transitoires sous le régime de la TVH.*

358. (1) Transport de particuliers — Lorsqu'une personne fournit, dans une province participante, un service de transport d'un particulier, sauf un service auquel s'applique le paragraphe (4), commençant avant la date de mise en œuvre applicable à la province, la taxe prévue au paragraphe 165(2) n'est pas payable relativement à la contrepartie — payée ou devenue due avant le jour qui suit de quatre mois cette date — de cette fourniture ou de la fourniture d'un service offert par la personne et consistant à transporter les bagages du particulier dans le cadre du transport de celui-ci.

Notes historiques: Le paragraphe 358(1) a été ajouté par L.C. 1997, c. 10, par. 241(1) et est réputé entré en vigueur le 20 mars 1997.

Concordance québécoise: aucune.

(2) Transport de particuliers — La contrepartie de la fourniture, effectuée dans une province participante, d'un service de transport d'un particulier, sauf un service auquel s'applique le paragraphe (4), qui devient due au cours de la période commençant à la date de mise en œuvre anticipée applicable à la province et se terminant la veille de la date de mise en œuvre applicable à cette province, ou qui est payée au cours de cette période sans qu'elle soit devenue due, pour toute partie du service qui n'a pas été exécutée avant la datede mise en œuvre applicable à cette province, est réputée, pour l'application du paragraphe 165(2) à la fourniture, être devenue due à cette date de mise en œuvre et ne pas avoir été payée antérieurement.

Notes historiques: Le paragraphe 358(2) a été ajouté par L.C. 1997, c. 10, par. 241(1) et est réputé entré en vigueur le 20 mars 1997.

Concordance québécoise: aucune.

(3) Laissez-passer de transport dans les 30 jours de la mise en œuvre — La taxe prévue au paragraphe 165(2) n'est pas payable relativement à la fourniture, effectuée dans une province participante au profit d'un particulier, d'un laissez-passer qui lui donne droit à des services de transport, au cours de la période commençant avant la date de mise en œuvre applicable à la province et se terminant avant le jour qui suit d'un mois cette date sans paiement de contrepartie chaque fois qu'une fourniture de ces services est effectuée à son profit.

Notes historiques: Le paragraphe 358(3) a été ajouté par L.C. 1997, c. 10, par. 241(1) et est réputé entré en vigueur le 20 mars 1997.

Concordance québécoise: aucune.

(4) Laissez-passer de transport — Dans le cas où est effectuée dans une province participante au profit d'un particulier la fourniture d'un laissez-passer qui lui donne droit à des services de transport au cours d'une période commençant avant la date de mise en œuvre applicable à la province et se terminant au plus tôt un mois après cette date sans paiement de contrepartie chaque fois qu'une fourniture de tels services est effectuée à son profit et que la contrepartie du laissez-passer devient due au cours de la période commençant à la date de mise en œuvre anticipée applicable à la province et se terminant avant le jour qui suit de quatre mois la date de mise en œuvre applicable à cette province, ou est payée au cours de cette période sans qu'elle soit devenue due, la partie de la contrepartie qui correspond au résultat du calcul suivant est réputée, pour l'application du paragraphe 165(2) à la fourniture, être devenue due à cette date de mise en œuvre et ne pas avoir été payée antérieurement :

$$A \times \frac{B}{C}$$

où :

A représente la contrepartie du laissez-passer;

B le nombre de jours de la période, à compter de cette date de mise en œuvre;

C le nombre de jours de la période.

Notes historiques: Le paragraphe 358(4) a été ajouté par L.C. 1997, c. 10, par. 241(1) et est réputé entré en vigueur le 20 mars 1997.

Concordance québécoise: aucune.

Définitions [art. 358]: « acquéreur », « fourniture », « personne », « province participante », « service », « taxe » — 123(1).

Renvois [art. 358]: 144.1 (fourniture dans une province); 342 (TPS — transport de particuliers); 348« date de mise en œuvre », « date de mise en œuvre anticipée ».

Bulletins de l'information technique [art. 358]: B-077, 28/02/97, *Dispositions transitoires sous le régime de la TVH.*

359. (1) Services de transport de marchandises — Dans le cas d'une fourniture, effectuée par un ou plusieurs transporteurs dans une province participante, de services de transport de marchandises dans le cadre d'un service continu de transport de marchandises — biens meubles corporels — dont l'expéditeur a transféré la possession, avant la date de mise en œuvre applicable à la province, au premier transporteur chargé du service continu, la taxe prévue au paragraphe 165(2) n'est pas payable relativement à la contrepartie de la fourniture qui est payée ou devient due avant le jour qui suit de quatre mois cette date.

Notes historiques: Le paragraphe 359(1) a été ajouté par L.C. 1997, c. 10, par. 241(1) et est réputé entré en vigueur le 20 mars 1997.

Concordance québécoise: aucune.

(2) Services de transport de marchandises après la mise en œuvre — La contrepartie de la fourniture dans une province participante de services de transport de marchandises est réputée, pour l'application du paragraphe 165(2) à la fourniture, être devenue due à la date de mise en œuvre applicable à la province et ne pas avoir été payée antérieurement si les conditions suivantes sont réunies :

a) la fourniture est effectuée par un ou plusieurs transporteurs dans le cadre d'un service continu de transport de marchandises — biens meubles corporels;

b) l'expéditeur du bien n'en transfère pas la possession avant cette date de mise en œuvre au premier transporteur chargé du service continu;

c) la contrepartie de la fourniture est payée ou devient due au cours de la période commençant à la date de mise en œuvre anticipée applicable à la province et se terminant la veille de cette date de mise en œuvre.

Notes historiques: Le paragraphe 359(2) a été ajouté par L.C. 1997, c. 10, par. 241(1) et est réputé entré en vigueur le 20 mars 1997.

Concordance québécoise: aucune.

(3) Terminologie — Pour l'application du présent article, « expéditeur », « service continu de transport de marchandises » et « service de transport de marchandises » s'entendent au sens de la partie VII de l'annexe VI.

Notes historiques: Le paragraphe 359(3) a été ajouté par L.C. 1997, c. 10, par. 241(1) et est réputé entré en vigueur le 20 mars 1997.

Concordance québécoise: aucune.

Définitions [art. 359]: « acquéreur », « bien meuble », « contrepartie », « fourniture », « personne », « province participante », « service », « taxe », « transporteur » — 123(1); « date de mise en œuvre », « date de mise en œuvre anticipée » — 348; « expéditeur », « service de transport de marchandises », « service continu de transport de marchandises » — VI:Partie VII:1.

Renvois [art. 359]: 144.1 (fourniture dans une province); 343 (TPS — services de transport de marchandises).

Bulletins de l'information technique [art. 359]: B-077, 28/02/97, *Dispositions transitoires sous le régime de la TVH*.

360. (1) Définition de « services funéraires » — Au présent article, « services funéraires » comprend la livraison d'un cercueil, d'une pierre tombale ou d'un autre bien lié aux funérailles, à l'enterrement ou à la crémation d'un particulier prévu par des arrangements de services funéraires.

Notes historiques: Le paragraphe 360(1) a été ajouté par L.C. 1997, c. 10, par. 241(1) et est réputé entré en vigueur le 20 mars 1997.

Concordance québécoise: aucune.

(2) Arrangements funéraires pris avant la mise en œuvre — Lorsque les modalités des arrangements pour la fourniture de services funéraires, pris par écrit relativement à un particulier avant la date de mise en œuvre applicable à une province participante, prévoient que les fonds nécessaires au règlement des services sont détenus par un fiduciaire chargé d'acquérir les services, aucune taxe n'est payable par le fiduciaire aux termes du paragraphe 165(2) relativement à la fourniture dans cette province des services funéraires prévus par les arrangements ni aux termes de l'article 212.1 ou des paragraphes 218.1(1), 220.05(1), 220.06(1), 220.07(1) ou 220.08(1) relativement aux services funéraires fournis dans le cadre des arrangements pour consommation ou utilisation dans cette province si, au moment de la prise des arrangements, il est raisonnable de s'attendre à ce qu'une partie ou la totalité des fonds en question soient avancés au fiduciaire avant le décès du particulier.

Notes historiques: Le paragraphe 360(2) a été ajouté par L.C. 1997, c. 10, par. 241(1) et est réputé entré en vigueur le 20 mars 1997.

Concordance québécoise: aucune.

(3) Arrangements funéraires pris avant la mise en œuvre — Lorsque des arrangements pour la fourniture de services funéraires sont pris par écrit relativement à un particulier avant la date de mise en œuvre applicable à une province participante et que, au moment de la prise des arrangements, il est raisonnable de s'attendre à ce que tout ou partie de la contrepartie de la fourniture des services soit payée avant le décès du particulier, aucune taxe n'est payable aux termes du paragraphe 165(2) relativement à la fourniture dans cette province des services funéraires prévus par les arrangements ni aux termes de l'article 212.1 ou des paragraphes 218.1(1), 220.05(1), 220.06(1), 220.07(1) ou 220.08(1) relativement aux services funéraires fournis dans le cadre des arrangements pour consommation ou utilisation dans la province.

Notes historiques: Le paragraphe 360(3) a été ajouté par L.C. 1997, c. 10, par. 241(1) et est réputé entré en vigueur le 20 mars 1997.

Concordance québécoise: aucune.

Définitions [art. 360]: « bien », « province participante », « taxe » — 123(1); « date de mise en œuvre » — 348.

Renvois [art. 360]: 344 (TPS — arrangements funéraires pris avant septembre 1990).

Bulletins de l'information technique [art. 360]: B-077, 28/02/97, *Dispositions transitoires sous le régime de la TVH*; B-091, 11/08, *Application de la TPS/TVH aux arrangements de services funéraires payés d'avance*; B-093R, 11/08, *Application de la TPS/TVH aux droits d'inhumation et aux accords de prévoyance pour biens ou services de cimetière*.

Info TPS/TVQ [art. 360]: GI-074 — *Transition à la taxe de vente harmonisée de l'Ontario et de la Colombie Britannique — arrangements de services funéraires payés d'avance, accords de prévoyance pour services de cimetière et droits d'inhumation.*

361. (1) Produits exclusifs détenus à la date de mise en œuvre — Dans le cas où, avant la date de mise en œuvre applicable à une province participante et pendant que l'approbation du ministre visant l'application de l'article 178.3 à un démarcheur est en vigueur, le démarcheur a effectué la fourniture taxable par vente (sauf une fourniture détaxée) de son produit exclusif au profit de son entrepreneur indépendant qui n'est pas un distributeur relativement auquel l'approbation accordée aux termes du paragraphe 178.2(4) est en vigueur, et que l'entrepreneur détient ce produit, au début de cette date, en vue de le vendre dans une province participante, pour l'application des paragraphes 165(2) ou 220.05(1), le démarcheur est réputé avoir effectué, et l'entrepreneur avoir reçu, à cette date une fourniture par vente du produit exclusif en conformité avec les règles énoncées au paragraphe 178.3(1).

Notes historiques: Le paragraphe 361(1) a été ajouté par L.C. 1997, c. 10, par. 241(1) et est réputé entré en vigueur le 20 mars 1997.

Concordance québécoise: aucune.

(2) Produits exclusifs détenus à la date de mise en œuvre — Dans le cas où, avant la date de mise en œuvre applicable à une province participante et pendant que l'approbation du ministre visant l'application de l'article 178.4 au distributeur d'un démarcheur est en vigueur, le distributeur a effectué la fourniture taxable par vente (sauf une fourniture détaxée) d'un produit exclusif du démarcheur au profit d'un entrepreneur indépendant d'un démarcheur qui n'est pas un distributeur relativement auquel l'approbation accordée aux termes du paragraphe 178.2(4) est en vigueur, et que l'entrepreneur détient ce produit, au début de cette date, en vue de le vendre dans une province participante, pour l'application des paragraphes 165(2) ou 220.05(1), le distributeur est réputé avoir effectué, et l'entrepreneur avoir reçu, à cette date une fourniture par vente du produit exclusif en conformité avec les règles énoncées au paragraphe 178.4(1).

Notes historiques: Le paragraphe 361(2) a été ajouté par L.C. 1997, c. 10, par. 241(1) et est réputé entré en vigueur le 20 mars 1997.

Concordance québécoise: aucune.

(3) Terminologie — Au présent article, « démarcheur », « distributeur », « entrepreneur indépendant » et « produit exclusif » s'entendent au sens de l'article 178.1.

Notes historiques: Le paragraphe 361(3) a été ajouté par L.C. 1997, c. 10, par. 241(1) et est réputé entré en vigueur le 20 mars 1997.

Concordance québécoise: aucune.

Définitions [art. 361]: « acquéreur », « fourniture », « fourniture détaxée », « fourniture taxable », « ministre », « province participante » — 123(1); « démarcheur », « distributeur », « entrepreneur indépendant », « produit exclusif » — 178.1.

Bulletins de l'information technique [art. 361]: B-077, 28/02/97, *Dispositions transitoires sous le régime de la TVH*.

Info TPS/TVQ [art. 361]: GI-069 — *Transition à la taxe de vente harmonisée de l'Ontario et de la Colombie-Britannique — les démarcheurs et les entrepreneurs indépendants.*

Sous-section d — Cas particuliers

Notes historiques: L'intertitre « Cas particuliers » a été ajouté par L.C. 1997, c. 10, par. 241(1) et est réputé entré en vigueur le 20 mars 1997.

362. (1) Définitions — Au présent article, « groupe consultatif », « maître d'œuvre » et « ouvrage de franchissement » s'entendent au sens de l'article 1 de la *Loi sur l'ouvrage de franchissement du détroit de Northumberland*, L.N.B. 1993, ch. N-8.1.

Notes historiques: Le paragraphe 362(1) a été ajouté par L.C. 1997, c. 10, par. 241(1) et est réputé entré en vigueur le 20 mars 1997.

Concordance québécoise: aucune.

(2) Construction de l'ouvrage de franchissement du détroit de Northumberland — La taxe prévue au paragraphe 165(2) n'est pas payable relativement à la fourniture de biens ou de services que l'acquéreur acquiert pour consommation ou utilisation exclusives dans le cadre de la construction de l'ouvrage de franchissement.

Notes historiques: Le paragraphe 362(2) a été ajouté par L.C. 1997, c. 10, par. 241(1) et est réputé entré en vigueur le 20 mars 1997.

Concordance québécoise: aucune.

(3) **Certificat d'exemption** — Le paragraphe (2) ne s'applique aux fournitures effectuées au profit d'un acquéreur autre que le maître d'œuvre que si l'acquéreur présente au fournisseur un certificat d'exemption valide concernant les fournitures, délivré par le groupe consultatif.

Notes historiques: Le paragraphe 362(3) a été ajouté par L.C. 1997, c. 10, par. 241(1) et est réputé entré en vigueur le 20 mars 1997.

Concordance québécoise: aucune.

Définitions [art. 362]: « acquéreur », « bien », « exclusif », « fourniture », « service », « taxe » — 123(1).

Renvois [art. 362]: VI:Partie VIII:2 (fourniture détaxée — bien ou service fourni pour utilisation dans la construction d'un pont ou d'un tunnel traversant la frontière canado-américaine).

Jurisprudence [art. 362]: *Centre de la Cité Pointe Claire c. R.*, 2001 G.T.C. 591 (CCI).

363. (1) Base des acomptes provisionnels suite à la mise en œuvre — Malgré le paragraphe 237(2), lorsque l'inscrit (sauf une institution financière désignée particulière) auquel s'applique le paragraphe 237(1) réside dans une province participante et que sa période de déclaration commence dans l'année civile au cours de laquelle la province devient une province participante, sa base des acomptes provisionnels pour la période correspond, aux fins du calcul, selon le paragraphe 237(1), des acomptes provisionnels qui deviennent payables après son premier trimestre d'exercice commençant à la date de mise en œuvre applicable à la province ou postérieurement, au moins élevé des montants suivants :

a) le montant déterminé selon l'alinéa 237(2)a);

b) 200 % du montant déterminé selon l'alinéa 237(2)b).

Notes historiques: Le paragraphe 363(1) a été ajouté par L.C. 1997, c. 10, par. 241(1) et est réputé entré en vigueur le 20 mars 1997.

Concordance québécoise: aucune.

(2) Institutions financières désignées particulières — acomptes provisionnels dans l'année de transition — Malgré le paragraphe 237(1), lorsque la période de déclaration donnée d'une institution financière désignée particulière prend fin dans un exercice se terminant dans son année d'imposition et que l'exercice commence avant le 1er avril 1997 et se termine après mars 1997, l'acompte provisionnel à payer aux termes de ce paragraphe dans le mois suivant la fin de chaque trimestre d'exercice se terminant dans la période donnée mais après mars 1997 correspond au montant déterminé selon celui des alinéas suivants aux termes duquel l'institution financière a choisi, en la forme déterminée par le ministre, de déterminer les acomptes provisionnels pour ces trimestres :

a) le moins élevé des montants suivants :

(i) le quart du montant déterminé selon l'alinéa 237(2)a),

(ii) le résultat du calcul suivant :

$$A + \frac{B}{4}$$

où :

A représente le total des montants dont chacun est déterminé, quant à une province participante, selon la formule suivante :

$$\frac{C \times D \times (E/F) \times (G/365)}{H}$$

où :

C représente la base des acomptes provisionnels de l'institution financière pour la période donnée, déterminée selon l'alinéa 237(2)b) comme si elle n'était pas une institution financière désignée particulière et que la taxe prévue au paragraphe 165(2), aux articles 212.1 ou 218.1 ou à la section IV.1 n'était pas imposée,

D le pourcentage applicable à l'institution financière quant à la province participante pour l'année d'imposition ou, s'il est inférieur, le pourcentage qui lui est applicable quant à la province pour l'année d'imposition précédente, chaque pourcentage étant déterminé en conformité avec les règles fixées par règlement applicables à cette institution financière,

E le taux de taxe applicable à la province participante,

F 7 %,

G le nombre de jours de la période donnée qui sont postérieurs à mars 1997,

H le nombre de trimestres d'exercice de la période donnée qui se terminent après mars 1997,

B la base des acomptes provisionnels de l'institution financière pour la période donnée, déterminée selon l'alinéa 237(2)b) comme si elle n'était pas une institution financière désignée particulière et que la taxe prévue au paragraphe 165(2), aux articles 212.1 ou 218.1 ou à la section IV.1 n'était pas imposée;

b) le résultat du calcul suivant :

$$A + \frac{B}{4}$$

où :

A représente le total des montants dont chacun est déterminé, quant à une province participante, selon la formule suivante :

$$\frac{C \times D \times (E/F) \times (G/365)}{H}$$

C représente la base des acomptes provisionnels de l'institution financière pour la période donnée, déterminée selon l'alinéa 237(2)b) comme si elle n'était pas une institution financière désignée particulière et que la taxe prévue au paragraphe 165(2), aux articles 212.1 ou 218.1 ou à la section IV.1 n'était pas imposée,

D le pourcentage applicable à l'institution financière quant à la province participante pour l'année d'imposition précédente, déterminé en conformité avec les règles fixées par règlement applicables à cette institution financière,

E le taux de taxe applicable à la province participante,

F 7 %,

G le nombre de jours de la période donnée qui sont postérieurs à mars 1997,

H le nombre de trimestres d'exercice qui se terminent après mars 1997 et dans la période donnée,

B la base des acomptes provisionnels de l'institution financière pour la période donnée, déterminée selon l'alinéa 237(2)b) comme si elle n'était pas une institution financière désignée particulière et que la taxe prévue au paragraphe 165(2), aux articles 212.1 ou 218.1 ou à la section IV.1 n'était pas imposée;

c) le moins élevé des montants suivants :

(i) le quart du montant déterminé selon l'alinéa 237(2)a),

(ii) le résultat du calcul suivant :

$$(A + B) + \frac{C}{4}$$

où

A représente le total des montants dont chacun est déterminé, quant à une province participante, selon la formule suivante :

$$\frac{[(D - E) \times F \times (G/H) \times (I/365)] - K}{J}$$

où

D représente le total des montants suivants :

(A) les taxes (sauf un montant de taxe qui est visé par règlement pour l'application de l'alinéa a) de l'élément A de la formule figurant au paragraphe 225.2(2)) prévues au paragraphe 165(1) et aux articles 212 et 218 qui sont devenues payables par l'institution financière au cours de la période donnée ou qui ont été payées par elle au cours de cette période sans qu'elles soient devenues payables,

(B) les montants représentant chacun la taxe prévue au paragraphe 165(1) relativement à une fourniture (sauf celle à laquelle s'applique la division (C)) effectuée par une personne autre qu'une institution financière désignée particulière au profit de l'institution financière qui, en l'absence du choix prévu à l'article 150, serait devenue payable par celle-ci au cours de la période donnée,

(C) les montants représentant chacun un montant, relatif à la fourniture effectuée au cours de la période donnée d'un bien ou d'un service auxquels l'institution financière et une autre personne ont choisi d'appliquer l'alinéa c) de l'élément A de la formule figurant au paragraphe 225.2(2), égal à la taxe calculée sur le coût pour cette dernière de la fourniture du bien ou du service au profit de l'institution financière, à l'exclusion de la rémunération versée aux salariés de l'autre personne, du coût de services financiers et de la taxe prévue par la présente partie,

E le total des montants suivants :

(A) les crédits de taxe sur les intrants (sauf ceux relatifs à un montant de taxe qui est visé par règlement pour l'application de l'alinéa a) de l'élément A de la formule figurant au paragraphe 225.2(2)) de l'institution financière pour la période donnée ou pour ses périodes de déclaration antérieures, qu'elle a demandés dans la déclaration qu'elle a produite aux termes de la section V pour la période donnée,

(B) les montants dont chacun représenterait un crédit de taxe sur les intrants de l'institution financière pour la période donnée relatif à un bien ou un service si une taxe, égale au montant inclus pour cette période selon les divisions (B) ou (C) de l'élément D relativement à la fourniture du bien ou du service, devenait payable au cours de cette période relativement à la fourniture,

F le pourcentage applicable à l'institution financière quant à la province participante pour l'année d'imposition ou, s'il est inférieur, le pourcentage qui lui est applicable quant à la province pour l'année d'imposition précédente, chaque pourcentage étant déterminé en conformité avec les règles fixées par règlement applicables à cette institution financière,

G le taux de taxe applicable à la province participante,

H 7 %,

I le nombre de jours de la période donnée qui sont postérieurs à mars 1997,

J le nombre de trimestres d'exercice qui se terminent après mars 1997 et dans la période donnée,

K le total des montants suivants :

(A) la taxe (sauf un montant de taxe qui est visé par règlement pour l'application de l'alinéa a) de l'élément F de la formule figurant au paragraphe 225.2(2)) prévue par le paragraphe 165(2) relativement aux fournitures effectuées au profit de l'institution financière dans la province participante ou prévue par l'article 212.1 relativement aux produits qu'elle a importés pour utilisation dans cette province, qui est devenue payable par elle au cours du trimestre d'exercice ou qui a été payée par elle au cours de ce trimestre sans qu'elle soit devenue payable,

(B) les montants représentant chacun un montant, relatif à une fourniture effectuée au cours du trimestre d'exercice d'un bien ou d'un service auxquels l'institution financière et une autre personne ont choisi d'appliquer l'alinéa c) de l'élément A de la formule figurant au paragraphe 225.2(2), égal à la taxe payable par cette dernière aux termes du paragraphe 165(2), des articles 212.1 ou 218.1 ou de la section IV.1 qui est incluse dans le coût pour l'autre personne de la fourniture du bien ou du service au profit de l'institution financière,

B le total des montants devenus percevables et des autres montants perçus par l'institution financière au cours du trimestre d'exercice au titre de la taxe prévue au paragraphe 165(2),

C la base des acomptes provisionnels de l'institution financière pour la période donnée, déterminée selon l'alinéa 237(2)b) comme si elle n'était pas une institution financière désignée particulière et que la taxe prévue au paragraphe 165(2), aux articles 212.1 ou 218.1 ou à la section IV.1 n'était pas imposée;

d) le résultat du calcul suivant :

$$(A + B) + \frac{C}{4}$$

où :

A représente le total des montants dont chacun est déterminé, quant à une province participante, selon la formule suivante :

$$\frac{[(D - E) \times F \times (G/H) \times (I/365)] - K}{J}$$

où

D représente le total des montants représentant chacun :

(i) la taxe (sauf un montant de taxe qui est visé par règlement pour l'application de l'alinéa a) de l'élément A de la formule figurant au paragraphe 225.2(2)) prévue au paragraphe 165(1) ou aux articles 212 ou 218 qui est devenue payable par l'institution financière au cours d'une de ses périodes de déclaration (appelée « période antérieure donnée » au présent alinéa) se terminant dans les douze mois précédant la période donnée ou qui ont été payées par elle au cours de la période antérieure donnée sans qu'elles soient devenues payables,

(ii) les montants représentant chacun la taxe prévue au paragraphe 165(1) relativement à une fourniture (sauf celle à laquelle le sous-alinéa (iii) s'applique) effectuée par une personne autre qu'une institution financière désignée particulière au profit de l'institution financière qui, en l'absence du choix prévu à l'article 150, serait devenue payable par l'institution financière au cours de la période antérieure donnée,

(iii) les montants représentant chacun un montant, relatif à la fourniture effectuée au cours de la période antérieure donnée d'un bien ou d'un service auxquels l'institution financière et une autre personne ont choisi d'appliquer l'alinéa c) de l'élément A de la formule figurant au paragraphe 225.2(2), égal à la taxe calculée sur le coût pour cette dernière de la fourniture du bien ou du service au profit de l'institution financière, à l'exclusion de la rémunération versée aux salariés de l'autre personne, du coût de services financiers et de la taxe prévue par la présente partie,

E le total des montants suivants :

(i) les crédits de taxe sur les intrants (sauf ceux relatifs à un montant de taxe qui est visé par règlement pour l'application de l'alinéa a) de l'élément A de la formule figurant au paragraphe 225.2(2)) de l'institution financière pour la période antérieure donnée ou pour ses périodes de déclaration antérieures, qu'elle a demandés dans la déclaration qu'elle a produite aux termes de la section V pour la période antérieure donnée,

(ii) les montants dont chacun représenterait un crédit de taxe sur les intrants de l'institution financière pour la période antérieure donnée relatif à un bien ou un service si une taxe, égale au montant inclus pour cette période selon les sous-alinéas (ii) ou (iii) de l'élément D relativement à la fourniture du bien ou du service, devenait payable au cours de cette période relativement à la fourniture;

F le pourcentage applicable à l'institution financière quant à la province participante pour l'année d'imposition précédente, déterminé en conformité avec les règles fixées par règlement applicables à cette institution financière,

G le taux de taxe applicable à la province participante,

H 7 %,

I le nombre de jours de la période donnée qui sont postérieurs à mars 1997,

J le nombre de trimestres d'exercice qui se terminent après mars 1997 et dans la période donnée,

K le total des montants suivants :

(i) la taxe (sauf un montant de taxe qui est visé par règlement pour l'application de l'alinéa a) de l'élément F de la formule figurant au paragraphe 225.2(2)) prévue par le paragraphe 165(2) relativement aux fournitures effectuées au profit de l'institution financière dans la province participante ou prévue par l'article 212.1 relativement aux produits qu'elle a importés pour utilisation dans cette province, qui est devenue payable par elle au cours du trimestre d'exercice ou qui a été payée par elle au cours de ce trimestre sans qu'elle soit devenue payable,

(ii) les montants représentant chacun un montant, relatif à une fourniture effectuée au cours du trimestre d'exercice d'un bien ou d'un service auxquels l'institution financière et une autre personne ont choisi d'appliquer l'alinéa c) de l'élément A de la formule figurant au paragraphe 225.2(2), égal à la taxe payable par cette dernière aux termes du paragraphe 165(2), des articles 212.1 ou 218.1 ou de la section IV.1 qui est incluse dans le coût pour l'autre personne de la fourniture du bien ou du service au profit de l'institution financière,

B le total des montants devenus percevables et des autres montants perçus par l'institution financière au cours du trimestre d'exercice au titre de la taxe prévue au paragraphe 165(2),

C la base des acomptes provisionnels de l'institution financière pour la période donnée, déterminée selon l'alinéa 237(2)b) comme si elle n'était pas une institution financière désignée particulière et que la taxe prévue au paragraphe 165(2), aux articles 212.1 ou 218.1 ou à la section IV.1 n'était pas imposée.

Notes historiques: La division (B) de l'élément D de la formule figurant au sous-alinéa 363(2)c)(ii) a été remplacée par L.C. 2000, c. 30, par. 105(1) et cette modification est réputée entrée en vigueur le 20 mars 1997. Antérieurement, elle se lisait comme suit :

(B) les montants représentant chacun la taxe (sauf un montant de taxe qui est visé par règlement pour l'application de l'alinéa a) de l'élément A de la formule figurant au paragraphe 225.2(2)) prévue au paragraphe 165(1) relativement à une fourniture (sauf celle à laquelle s'applique la division (C)) effectuée par une personne autre qu'une institution financière désignée particulière au profit de l'institution financière, qui, en l'absence du choix prévu à l'article 150, serait devenue payable par celle-ci au cours de la période donnée,

La division (B) de l'élément E de la formule figurant au sous-alinéa 363(2)c)(ii) a été remplacée par L.C. 2000, c. 30, par. 105(2) et cette modification est réputée entrée en vigueur le 20 mars 1997. Antérieurement, elle se lisait comme suit :

(B) les montants dont chacun représenterait un crédit de taxe sur les intrants (sauf celui relatif à un montant de taxe qui est visé par règlement pour l'application de l'alinéa a) de l'élément A de la formule figurant au paragraphe 225.2(2)) de l'institution financière pour la période donnée relatif à un bien ou un service si une taxe devenait payable au cours de cette période relativement à la fourniture du bien ou du service, égale au montant inclus pour cette période selon les divisions (B) ou (C) de l'élément D relativement à la fourniture,

Le sous-alinéa (ii) de l'élément D de la formule figurant à l'alinéa 363(2)d) a été remplacé par L.C. 2000, c. 30, par. 105(3) et cette modification est réputée entrée en vigueur le 20 mars 1997. Antérieurement, il se lisait comme suit :

(ii) les montants représentant chacun la taxe (sauf un montant de taxe qui est visé par règlement pour l'application de l'alinéa a) de l'élément A de la formule figurant au paragraphe 225.2(2)) prévue au paragraphe 165(1) relativement à une fourniture (sauf celle à laquelle le sous-alinéa (iii)s'applique) effectuée par une personne (sauf une institution financière désignée particulière) au profit de l'institution financière, qui, en l'absence du choix prévu à l'article 150, serait devenue payable par l'institution financière au cours de la période antérieure donnée,

Le sous-alinéa (i) de l'élément E de la formule figurant à l'alinéa 363(2)d) a été remplacé par L.C. 2000, c. 30, par. 105(4) et cette modification est réputée entrée en vigueur le 20 mars 1997. Antérieurement, il se lisait comme suit :

(i) les crédits de taxe sur les intrants (sauf ceux relatifs à un montant de taxe qui est visé par règlement pour l'application de l'alinéa a) de l'élément A de la formule figurant au paragraphe 225.2(2)) de l'institution financière pour la période antérieure donnée ou pour ses périodes de déclaration antérieures, qu'elle a demandés dans la déclaration qu'elle a produite aux termes de la section V pour la période antérieure,

Le sous-alinéa (ii) de l'élément E de la formule figurant à l'alinéa 363(2)d) a été remplacé par L.C. 2000, c. 30, par. 105(5) et cette modification est réputée entrée en vigueur le 20 mars 1997. Antérieurement, il se lisait comme suit :

(ii) les montants dont chacun représenterait un crédit de taxe sur les intrants (sauf celui relatif à un montant de taxe qui est visé par règlement pour l'application de l'alinéa a) de l'élément A de la formule figurant au paragraphe 225.2(2)) de l'institution financière pour la période antérieure donnée relatif à un bien ou un service si une taxe devenait payable au cours de cette période relativement à la fourniture du bien ou du service, égale au montant inclus pour cette période selon les sous-alinéas (ii) ou (iii) de l'élément D relativement à la fourniture;

Le paragraphe 363(2) a été ajouté par L.C. 1997, c. 10, par. 241(1) et est réputé entré en vigueur le 20 mars 1997.

Concordance québécoise: aucune.

(3) Documents — Pour l'application du présent article, les paragraphes 169(4) et (5) et 223(2) s'appliquent au montant inclus à l'élément K de la formule figurant aux alinéas (2)c) et d) comme s'il s'agissait d'un crédit de taxe sur les intrants.

Notes historiques: Le paragraphe 363(3) a été ajouté par L.C. 1997, c. 10, par. 241(1) et est réputé entré en vigueur le 20 mars 1997.

Concordance québécoise: aucune.

(4) Exclusion — Aucun montant de taxe payé ou payable par une institution financière désignée particulière relativement à des biens ou des services acquis, importés, ou transférés dans une province participante à une fin autre que leur consommation, utilisation ou fourniture dans le cadre de son initiative, au sens du paragraphe 141.01(1), n'est inclus dans le calcul de l'acompte provisionnel dont elle est redevable aux termes du paragraphe (2).

Notes historiques: Le paragraphe 363(4) a été ajouté par L.C. 2000, c. 30, par. 105(6) et est réputé entré en vigueur le 20 mars 1997.

Concordance québécoise: aucune.

Définitions [art. 363]: « année d'imposition », « exercice », « inscrit », « institution financière désignée particulière », « montant », « période de déclaration », « produits », « province participante », « règlement », « taux de taxe », « taxe », « trimestre d'exercice » — 123(1).

Renvois [art. 363]: 132.1 (résidence dans une province); 237(5) (base des acomptes provisionnels); 348 « date de mise en œuvre ».

Règlements [art. 363]: *Règlement sur la méthode d'attribution applicable aux institutions financières désignées particulières (TPS/TVH)*, art. 1.

Bulletins de l'information technique [art. 363]: B-083R, 23/05/97, *Services financiers sous le régime de la TVH*.

363.1 Choix visant un exercice abrégé — La personne qui, immédiatement avant la date de mise en œuvre applicable à une province participante, réside dans cette province et est inscrite aux termes de la sous-section d de la section V peut, sous réserve de l'article 250 :

a) si sa période de déclaration précédant cette date est un trimestre d'exercice, faire le choix, prévu à l'article 246, pour que ses périodes de déclaration correspondent à ses mois d'exercice, ce choix devant entrer en vigueur, malgré le paragraphe 246(1), le premier jour d'un de ses trimestres d'exercice commençant avant le jour qui suit d'un an cette date;

b) si sa période de déclaration précédant cette date est un exercice :

(i) soit faire le choix, prévu à l'article 246, pour que ses périodes de déclaration correspondent à ses mois d'exercice, ce choix devant entrer en vigueur, malgré le paragraphe 246(1), le premier jour d'un de ses mois d'exercice commençant avant le jour qui suit d'un an cette date,

(ii) soit faire le choix, prévu à l'article 247, pour que ses périodes de déclaration correspondent à ses trimestres d'exercice, ce choix devant entrer en vigueur, malgré le paragraphe 247(1), le premier jour d'un de ses trimestres d'exercice commençant avant le jour qui suit d'un an cette date.

Notes historiques: L'article 363.1 a été ajouté par L.C. 2000, c. 30, par. 106(1) et est réputé entré en vigueur le 1er avril 1997.

Concordance québécoise: aucune.

Définitions [par. 363.1]: « province participante » — 123(1).

363.2 (1) Choix de ne pas utiliser la comptabilité abrégée — L'inscrit qui a fait le choix prévu au paragraphe 227(1), lequel choix est en vigueur à la date de mise en œuvre applicable à une province participante, et qui réside dans cette province immédiatement avant cette date ou qui y a fait des fournitures au cours de l'année s'étant terminée immédiatement avant cette date peut, malgré l'alinéa 227(4.1)a), mais sous réserve de l'alinéa 227(4.1)b), révoquer le choix aux termes du paragraphe 227(4). La révocation entre en vigueur :

a) si la période de déclaration de l'inscrit qui comprend cette date de mise en œuvre correspond à son exercice, le premier jour d'un de ses mois d'exercice commençant avant le jour qui suit d'un an cette date;

b) dans les autres cas, le premier jour d'une de ses périodes de déclaration commençant avant le jour qui suit d'un an cette date de mise en œuvre.

Concordance québécoise: aucune.

(2) Nouvelle période de déclaration en cas de choix — Lorsqu'un inscrit dont la période de déclaration correspond à un exercice révoque un choix aux termes du paragraphe 227(4) en conformité avec le paragraphe (1), lequel choix cesse de s'appliquer le premier jour d'un mois d'exercice d'un de ses exercices qui n'est pas le premier mois de cet exercice, les présomptions suivantes s'appliquent :

a) pour l'application de la présente partie, la période commençant le premier jour de cet exercice et se terminant immédiatement avant le premier jour du mois en question et la période commençant le premier jour de ce mois et se terminant le dernier jour de cet exercice sont chacune réputées être des périodes de déclaration distinctes de l'inscrit;

b) pour l'application des paragraphes 237(1) et (2), chacune de ces périodes de déclaration distinctes est réputée être une période de déclaration déterminée selon le paragraphe 248(3).

Concordance québécoise: aucune.

Notes historiques: L'article 363.2 a été ajouté par L.C. 2000, c. 30, par. 106(1) et est réputé entré en vigueur le 1er avril 1997.

Définitions [par. 363.2]: « province participante » — 123(1).

SECTION XI — [ABROGÉE]

364. [*Abrogé sans jamais être entré en vigueur*].

365. [*Abrogé sans jamais être entré en vigueur*].

366. [*Abrogé sans jamais être entré en vigueur*].

367. [*Abrogé sans jamais être entré en vigueur*].

368. [*Abrogé sans jamais être entré en vigueur*].

ANNEXE V — FOURNITURES EXONÉRÉES

paragraphe 123(1)

Partie I — Immeubles

Définitions: « province participante », « vente » — 123(1).

Énoncés de politique [Ann. V:Partie I]: P-104R, 14/05/93, *Définition de « maison mobile », d'« habitation » et d'« immeuble d'habitation » dans le contexte de maisons préfabriquées mobiles, de roulottes de parc, de remorques de tourisme et de maisons motorisées.*

1. [*Abrogé*]

Notes historiques: L'article 1 de la Partie I de l'annexe V a été abrogé par L.C. 1997, c. 10, par. 85(1) et cette abrogation est réputée entrée en vigueur le 24 avril 1996. Cet article, ajouté par L.C. 1990, c. 45, art. 18, se lisait comme suit :

> 1. À la présente partie, sont des améliorations les biens ou services fournis à une personne, ou les produits importés par celle-ci, en vue d'améliorer son immeuble, dans la mesure où la contrepartie payée ou payable par elle, ou la valeur des produits, est incluse dans le calcul du coût ou, si l'immeuble est une immobilisation, du prix de base rajusté pour elle de l'immeuble pour l'application de la *Loi de l'impôt sur le revenu*, ou serait ainsi incluse si elle était un contribuable aux termes de cette loi.

2. [Vente d'un immeuble d'habitation ou d'une adjonction à un immeuble d'habitation à logements multiples par une personne qui n'en est pas le constructeur] — La fourniture par vente d'un immeuble d'habitation, ou d'un droit dans un tel immeuble, (appelée « fourniture donnée » au présent paragraphe) effectuée par une personne donnée autre que le constructeur de l'immeuble ou, si l'immeuble est un immeuble d'habitation à logements multiples, d'une adjonction à celui-ci, sauf si, selon le cas :

a) la personne donnée a demandé un crédit de taxe sur les intrants relativement à sa dernière acquisition de l'immeuble ou relativement à des améliorations apportées à celui-ci, qu'elle a acquises, importées, ou transférées dans une province participante après sa dernière acquisition de l'immeuble;

b) l'acquéreur est inscrit aux termes de la sous-section d de la section V de la partie IX de la loi et les conditions suivantes sont réunies :

(i) l'acquéreur a effectué une fourniture taxable par vente de l'immeuble ou du droit (appelée « fourniture antérieure » au présent alinéa) au profit d'une personne (appelée « acquéreur antérieur » au présent alinéa) qui est soit la personne donnée, soit, si celle-ci est une fiducie personnelle autre qu'une fiducie testamentaire, l'auteur de la fiducie, soit, dans le cas d'une fiducie testamentaire découlant du décès d'un particulier, le particulier décédé,

(ii) la fourniture antérieure était la dernière fourniture par vente de l'immeuble ou du droit effectuée au profit de l'acquéreur antérieur,

(iii) la fourniture donnée n'est pas effectuée plus d'un an après le jour qui correspond soit au jour où l'acquéreur antérieur a acquis le droit, soit au premier en date du jour où il a acquis la propriété de l'immeuble aux termes de la convention portant sur la fourniture antérieure ou du jour où il en a pris possession aux termes de cette convention,

(iv) l'immeuble n'a pas été occupé à titre résidentiel ou d'hébergement une fois achevées en grande partie sa construction ou les dernières rénovations majeures dont il a fait l'objet,

(v) la fourniture donnée est effectuée conformément au droit ou à l'obligation de l'acquéreur d'acheter l'immeuble ou le droit, qui est prévu dans la convention portant sur la fourniture antérieure,

(vi) l'acquéreur fait, en vertu du présent article, un choix conjoint avec la personne donnée dans un document contenant les renseignements requis par le ministre et présenté en la forme déterminée par celui-ci avec la déclaration dans laquelle il est tenu de déclarer la taxe relative à la fourniture donnée.

Notes historiques: L'article 2 de la Partie I de l'annexe V a été remplacé par L.C. 2001, c. 15, par. 21(1) et cette modification s'applique aux fournitures effectuées après le 4 octobre 2000. Antérieurement, il se lisait ainsi :

2. La fourniture par vente d'un immeuble d'habitation, ou d'un droit afférent, effectuée par une personne autre que le constructeur de l'immeuble ou, si l'immeuble est un immeuble d'habitation à logements multiples, d'une adjonction à celui-ci, sauf si la personne a demandé un crédit de taxe sur les intrants relativement à sa dernière acquisition de l'immeuble ou relativement à des améliorations apportées à celui-ci, qu'elle a acquises, importées et transférées dans une province participante après sa dernière acquisition de l'immeuble.

L'article 2 de la Partie I de l'annexe V a été modifié par L.C. 1997, c. 10, par. 243(1) et cette modification est entrée en vigueur le 1er avril 1997. Il se lisait comme suit :

2. La fourniture par vente d'un immeuble d'habitation, ou d'un droit afférent, effectuée par une personne autre que le constructeur de l'immeuble ou, si l'immeuble est un immeuble d'habitation à logements multiples, d'une adjonction à celui-ci, sauf si la personne demande un crédit de taxe sur les intrants relativement à sa dernière acquisition de l'immeuble ou relativement à son acquisition ou importation, après sa dernière acquisition de l'immeuble, d'améliorations apportées à celui-ci.

L'article 2 de la Partie I de l'annexe V a été modifié par L.C. 1993, c. 27, par. 147(1) et est réputé entré en vigueur le 17 décembre 1990. Il se lisait comme suit :

2. La fourniture par vente d'un immeuble d'habitation, ou d'un droit y afférent, effectuée par une personne qui n'en est pas le constructeur ou, si l'immeuble est un immeuble d'habitation à logements multiples, d'une adjonction à l'immeuble, sauf si :

a) la personne demande un crédit de taxe sur les intrants relativement à l'acquisition de l'immeuble ou à des améliorations qui y sont apportées;

b) entre le moment où le crédit est demandé et celui où la propriété de l'immeuble ou du droit est transférée à l'acquéreur, la personne n'est pas réputée avoir effectué une autre fourniture par vente de l'immeuble en application du paragraphe 206(4) ou 207(1) de la loi ou, par l'effet de l'article 210 de la loi, en application du paragraphe 200(2) de la loi.

L'article 2 a été ajouté par L.C. 1990, c. 45, art. 18.

Concordance québécoise: LTVQ, art. 94.

Définitions: « acquéreur », « améliorations », « constructeur », « fiducie personnelle », « fourniture », « habitation », « immeuble », « immeuble d'habitation », « immeuble d'habitation à logements multiples », « ministre », « personne », « province participante », « vente » — 123(1).

Renvois: 194 (déclaration erronée); 221(2) (fourniture d'un immeuble); 232 (remboursement ou redressement de la taxe de la section II); 257 (vente d'immeuble par un non inscrit); V:Partie I:9(2) (fourniture exonérée d'immeuble par une fiducie personnelle).

Jurisprudence: *Leowski (A.D.) c. La Reine*, [1996] G.S.T.C. 55 (CCI); *Koppert (N.J.) c. Canada*, [1998] G.S.T.C. 128 (CCI); *Atlantic Mini & Modular Homes (Truro) Ltd. c. Canada*, [1999] G.S.T.C. 68 (CCI); *Lessard c. R.*, [2000] G.S.T.C. 98 (CCI); *Lind (J.) c. R.*, [2001] G.S.T.C. 136 (CCI); *Brose c. R.*, [2006] G.S.T.C. 47 (CCI); *Slade v. R.* (13 mars 2008), 2008 CarswellNat 1738 (CCI [procédure informelle]).

Énoncés de politique: P-064, 25/05/93, *Traitement du temps partagé (des multipropriétés)*; P-111R, 25/05/93, *Définition d'une vente à l'égard d'un immeuble*; P-121, 24/11/92, *Vente d'un terrain faisant partie d'un immeuble d'habitation*; P-130, 05/08/92, *Lieu de résidence*.

Mémorandums: TPS 300-4-1, 8/03/91, *Immeubles*.

Série de mémorandums: Mémorandum 19.2.1, 03/98, *Immeubles résidentiels — Ventes*; Mémorandum 19.2.4, 06/98, *Immeubles résidentiels — Sujets particuliers*.

Info TPS/TVQ: GI-025 — *Achat, utilisation et vente de propriétés de vacances par des particuliers*.

Lettres d'interprétation (Québec): 98-0100614 — Interprétation relative à la TPS et à la TVQ/Vente d'un centre d'hébergement et de soins de longue durée (« CHSLD »); 00-0110916 — Interprétation relative à la TPS et à la TVQ — Vente sous contrôle de justice; 02-0109674 — Immeuble, changement d'usage.

3. [Vente d'un immeuble d'habitation ou d'une adjonction à un immeuble d'habitation par le constructeur] — La fourniture par vente d'un immeuble d'habitation, ou d'un droit afférent, effectuée par un particulier qui en est le constructeur ou, s'il s'agit d'un immeuble d'habitation à logements multiples, d'une adjonction à celui-ci, si :

a) d'une part, à un moment donné après que la construction ou les rénovations majeures de l'immeuble d'habitation ou de l'adjonction sont achevées en grande partie, l'immeuble d'habitation est utilisé principalement à titre résidentiel par le particulier, son ex-époux ou ancien conjoint de fait ou un particulier lié au particulier;

b) d'autre part, l'immeuble d'habitation n'est pas utilisé principalement à une autre fin entre le moment où les travaux sont achevés en grande partie et le moment donné.

Le présent article ne s'applique pas si le particulier a demandé un crédit de taxe sur les intrants relativement à sa dernière acquisition de l'immeuble compris dans l'immeuble d'habitation ou relativement à des améliorations apportées à l'immeuble, qu'il a acquises, importées ou transférées dans une province participante après sa dernière acquisition de l'immeuble.

Notes historiques: L'alinéa 3a) de la partie I de l'annexe V a été modifié par L.C. 2000, c. 12, al. 3i), ann. 1 par le remplacement de « ex-conjoint » par « ex-époux ou ancien conjoint de fait ». Cette modification entrera en vigueur le 1er janvier 2001.

Le passage de l'article 3 de la partie I de l'annexe V de la même loi suivant l'alinéa b) a été modifié par L.C. 1997, c. 10, par. 244(1) et cette modification est entrée en vigueur le 1er avril 1997. Auparavant, ce passage se lisait comme suit :

Le présent article ne s'applique pas si le particulier demande un crédit de taxe sur les intrants relativement à sa dernière acquisition de l'immeuble compris dans l'immeuble d'habitation ou relativement à son acquisition ou importation, après sa dernière acquisition de l'immeuble, d'améliorations apportées à celui-ci.

L'article 3 de la Partie I de l'annexe V a été modifié par L.C. 1993, c. 27, par. 147(1) et est réputé entré en vigueur le 17 décembre 1990. Il se lisait comme suit :

3. La fourniture par vente d'un immeuble d'habitation, ou d'un droit y afférent, effectuée par le constructeur de l'immeuble ou, si l'immeuble est un immeuble d'habitation à logements multiples, par le constructeur d'une adjonction à celui-ci, si :

a) le constructeur est un particulier;

b) à un moment donné après que la construction ou les rénovations majeures de l'immeuble ou de l'adjonction sont achevées en grande partie, l'immeuble est utilisé principalement à titre résidentiel par le particulier, son ex-conjoint ou un particulier lié à ce particulier;

c) l'immeuble n'est pas utilisé principalement à une autre fin entre le moment où les travaux sont achevés en grande partie et le moment donné.

Le présent article ne s'applique pas si le particulier demande un crédit de taxe sur les intrants relativement à l'acquisition de l'immeuble ou à des améliorations qui y sont apportées et si, entre le moment où il demande le crédit et celui où il transfère la propriété de l'immeuble ou du droit à l'acquéreur, il n'est pas réputé par le paragraphe 207(1) de la loi avoir effectué une autre fourniture de l'immeuble par vente.

Cet article a été ajouté par L.C. 1990, c. 45, art. 18.

Concordance québécoise: LTVQ, art. 95.

Définitions: « améliorations », « constructeur », « fourniture », « habitation », « immeuble », « immeuble d'habitation », « immeuble d'habitation à logements multiples », « province participante », « vente » — 123(1).

Renvois: 136(3) (fourniture combinée d'immeubles); 194 (déclaration erronée); V:Partie I:14 (application de l'article 191 et des articles 4 et 5 de l'annexe V, partie I).

Décrets de remise: *Décret de remise visant Hampton Place et Taylor Way* C.P. 2001-895.

Jurisprudence: *Nagra (H.) c. Canada*, [1997] G.S.T.C. 78 (CCI); *R. Mullen Construction Ltd. c. Canada*, [1997] G.S.T.C. 106 (CCI); *Taylor (J.) c. Canada*, [1998] G.S.T.C. 80 (CCI); *Sir Wynne Highlands Inc. c. Canada*, [2000] G.S.T.C. 6 (CCI); *May c. R.*, [2000] G.S.T.C. 75 (CCI); *Alfred c. R.*, [2000] G.S.T.C. 76 (CCI); *Earnshaw c. R.*, [2000] G.S.T.C. 77 (CCI); *Dobie c. R.*, [2000] G.S.T.C. 78 (CCI); *Panar c. R.*, [2000] G.S.T.C. 84 (CCI); *Lind (J.) c. R.*, [2001] G.S.T.C. 136 (CCI).

Énoncés de politique: P-064, 25/05/93, *Traitement du temps partagé (des multipropriétés)*; P-111R, 25/05/93, *Définition d'une vente à l'égard d'un immeuble* ; P-130, 05/08/92, *Lieu de résidence.*

Mémorandums: TPS 300-4-1, 8/03/91, *Immeubles.*

Série de mémorandums: Mémorandum 19.2.1, 03/98, *Immeubles résidentiels — Ventes.*

Info TPS/TVQ: GI-025 — *Achat, utilisation et vente de propriétés de vacances par des particuliers.*

4. [Vente d'un immeuble d'habitation à logement unique ou d'un logement en copropriété] — La fourniture par vente d'un immeuble d'habitation à logement unique ou d'un logement en copropriété, ou d'un droit dans un tel immeuble ou logement, effectuée par son constructeur si :

a) dans le cas d'un logement situé dans un immeuble d'habitation (appelé « propriété » au présent article) — immeuble d'habitation à logements multiples que le constructeur a converti en immeuble d'habitation en copropriété — , le constructeur reçoit une fourniture exonérée par vente de la propriété ou est réputé par le paragraphe 191(3) de la loi avoir reçu une fourniture taxable par vente de la propriété, et cette fourniture constitue la dernière fourniture par vente de la propriété effectuée au profit du constructeur;

b) dans tous les cas, le constructeur reçoit par vente une fourniture exonérée de l'immeuble ou du logement ou est réputé par les paragraphes 191(1) ou (2) de la loi avoir reçu par vente une fourniture taxable de l'immeuble ou du logement, et cette fourniture constitue la dernière fourniture par vente de l'immeuble ou du logement effectuée au profit du constructeur.

Le présent article ne s'applique pas dans les cas suivants :

c) après la dernière acquisition de l'immeuble, du logement ou de la propriété par le constructeur, celui-ci y fait ou fait faire des rénovations majeures;

d) le constructeur a demandé un crédit de taxe sur les intrants relativement à sa dernière acquisition de l'immeuble, du logement ou de la propriété ou relativement à des améliorations apportées à ceux-ci, qu'il a acquises, importées ou transférées dans une province participante après cette dernière acquisition de l'immeuble, du logement ou de la propriété.

Notes historiques: L'alinéa 4d) de la Partie I de l'annexe V a été modifié par L.C. 1997, c. 10, par. 245(1) et cette modification est entrée en vigueur le 1er avril 1997. Auparavant, cet alinéa se lisait comme suit :

> d) le constructeur demande un crédit de taxe sur les intrants relativement à sa dernière acquisition de l'immeuble, du logement ou de la propriété ou relativement à son acquisition ou importation, après cette dernière acquisition de l'immeuble, du logement ou de la propriété, d'améliorations qui y sont apportées.

Auparavant, l'article 4 de la Partie I de l'annexe V a été modifié par L.C. 1993, c. 27, par. 147(1) et est réputé entré en vigueur le 17 décembre 1990. Il se lisait comme suit :

> 4. La fourniture par vente d'un immeuble d'habitation à logement unique ou d'un logement en copropriété, ou d'un droit dans un tel immeuble ou logement, effectuée par le constructeur si, avant le transfert à l'acquéreur de la propriété de l'immeuble, du logement ou du droit, le constructeur était réputé par le paragraphe 191(1) ou (2) de la loi avoir effectué une autre fourniture de l'immeuble à un moment donné, sauf si, après ce moment :
>
> a) le constructeur demande un crédit de taxe sur les intrants relativement à l'acquisition de l'immeuble ou du logement ou aux améliorations qui y sont apportées;
>
> b) entre le moment où le constructeur demande le crédit et celui où la propriété de l'immeuble ou du droit est transférée à l'acquéreur, le constructeur n'est pas réputé par le paragraphe 206(4) ou 207(1) de la loi ou, par l'effet de l'article 210 de la loi, par le paragraphe 200(2) de la loi avoir effectué une autre fourniture par vente de l'immeuble ou du logement.

Cet article a été ajouté par L.C. 1990, c. 45, art. 18.

Concordance québécoise: LTVQ, art. 96.

Définitions: « améliorations », « constructeur », « fourniture », « fourniture exonérée », « habitation », « immeuble », « immeuble d'habitation », « immeuble d'habitation à logement unique », « immeuble d'habitation à logements multiples », « immeuble d'habitation en copropriété », « logement en copropriété », « province participante », « vente » — 123(1).

Renvois: Voir sous l'Ann. V, Part. I, art. V:Partie I:3.

Jurisprudence: *Construction MDGG inc. c. SMRQ* (13 mars 2008), 200-80-002119-061, 2008 CarswellQue 2224; *Bonik Inc. c. R.*, [2006] G.S.T.C. 77 (CCI); *Construction Daniel Provencher Inc. c. R.*, 2007 G.T.C. 863 (CCI).

Série de mémorandums: Mémorandum 19.2.1, 03/98, *Immeubles résidentiels — Ventes.*

Lettres d'interprétation (Québec): 98-0101877 — Demande de confirmation.

5. [Vente d'un immeuble d'habitation à logements multiples] — La fourniture par vente d'un immeuble d'habitation à logements multiples ou d'un droit afférent effectuée par le constructeur de l'immeuble ou d'une adjonction à celui-ci, si :

a) dans le cas du constructeur de l'immeuble, il reçoit par vente une fourniture exonérée de l'immeuble ou est réputé par le paragraphe 191(3) de la loi avoir reçu par vente une fourniture taxable de l'immeuble, et cette fourniture constitue la dernière fourniture par vente de l'immeuble effectuée à son profit;

b) dans le cas du constructeur d'une adjonction, il reçoit par vente une fourniture exonérée de l'adjonction ou est réputé par le paragraphe 191(4) de la loi avoir reçu par vente une fourniture taxable de l'adjonction, et cette fourniture constitue la dernière fourniture par vente de l'adjonction effectuée à son profit.

Le présent article ne s'applique pas dans les cas suivants :

c) après la dernière fourniture de l'immeuble effectuée au profit du constructeur, celui-ci y fait ou fait faire des rénovations majeures;

d) le constructeur a demandé un crédit de taxe sur les intrants (sauf un tel crédit relatif à la construction d'une adjonction à l'immeuble) relativement à sa dernière acquisition de l'immeuble ou de l'adjonction ou relativement à des améliorations apportées à l'immeuble, qu'il a acquises, importées ou transférées dans une province participante après cette dernière acquisition de l'immeuble.

Notes historiques: L'alinéa 5d) de la partie I de l'annexe V a été modifié par L.C. 1997, c. 10, par. 246(1) et cette modification est entrée en vigueur le 1er avril 1997. Auparavant, cet alinéa se lisait comme suit :

> d) le constructeur demande un crédit de taxe sur les intrants (sauf un tel crédit relatif à la construction d'une adjonction à l'immeuble) relativement à sa dernière acquisition de l'immeuble ou de l'adjonction ou relativement à son acquisition ou importation, après cette dernière acquisition de l'immeuble ou de l'adjonction, d'améliorations qui y sont apportées.

Auparavant, l'article 5 de la Partie I de l'annexe V a été modifié par L.C. 1993, c. 27, par. 147(1) et est réputé entré en vigueur le 17 décembre 1990. Il se lisait comme suit :

> 5. La fourniture par vente d'un immeuble d'habitation à logements multiples ou d'un droit dans un tel immeuble :
>
> a) effectuée par une personne qui est le constructeur si, avant le transfert de la propriété de l'immeuble ou du droit à l'acquéreur, le constructeur est réputé par le paragraphe 191(3) de la loi avoir effectué une autre fourniture de l'immeuble;
>
> b) effectuée par une personne qui n'est pas le constructeur de l'immeuble mais le constructeur d'une adjonction à l'immeuble.
>
> Le présent article ne s'applique pas si :
>
> c) la personne demande un crédit de taxe sur les intrants relativement à l'acquisition de l'immeuble ou des améliorations qui y sont apportées, mais non relativement à la construction ou aux rénovations majeures de l'immeuble ou de l'adjonction;
>
> d) entre le moment où la personne demande le crédit et celui où la propriété de l'immeuble ou du droit est transférée à l'acquéreur, la personne n'est pas réputée par le paragraphe 206(4) ou 207(1) de la loi ou, par l'effet de l'article 210 de la loi, par le paragraphe 200(2) de la loi avoir effectué une autre fourniture par vente de l'immeuble.
>
> N'est pas exonérée la partie de la fourniture qu'il est raisonnable de considérer comme la fourniture d'une adjonction à l'immeuble, ou d'un droit dans une adjonction, dont :
>
> e) la personne est le constructeur;
>
> f) la personne n'est pas réputée par le paragraphe 191(4) de la loi avoir effectué une autre fourniture.

Cet article a été ajouté par L.C. 1990, c. 45, art. 18.

Concordance québécoise: LTVQ, art. 97.

Définitions: « améliorations », « constructeur », « fourniture », « fourniture exonérée », « habitation », « immeuble », « immeuble d'habitation », « immeuble d'habitation à logements multiples », « province participante », « vente » — 123(1).

Renvois: Voir sous l'Ann. V, Part. I, art. V:Partie I:3.

Jurisprudence: *Construction MDGG inc. c. SMRQ* (13 mars 2008), 200-80-002119-061, 2008 CarswellQue 2224.

Énoncés de politique: P-111R, 25/05/93, *Définition d'une vente à l'égard d'un immeuble*.

Série de mémorandums: Mémorandum 19.2.1, 03/98, *Immeubles résidentiels — Ventes*; Mémorandum 19.2.4, 06/98, *Immeubles résidentiels — Sujets particuliers*.

5.1 [Vente d'un bâtiment contenant une habitation] — La fourniture par vente de tout ou partie d'un bâtiment qui contient au moins une habitation, ou d'un droit afférent, dans le cas où, à la fois :

a) juste avant et juste après le premier en date du transfert à l'acquéreur de la propriété du bâtiment, de la partie de bâtiment ou du droit et du transfert à l'acquéreur de leur possession aux termes de la convention portant sur la fourniture, le bâtiment ou la partie de bâtiment fait partie d'un immeuble d'habitation;

b) juste après le premier en date du transfert à l'acquéreur de la propriété du bâtiment, de la partie de bâtiment ou du droit et du transfert à l'acquéreur de leur possession aux termes de la convention portant sur la fourniture, l'acquéreur est le destinataire, visé au sous-alinéa 7a)(i), d'une fourniture exonérée visée à l'alinéa 7a) du fonds compris dans l'immeuble.

Notes historiques: L'article 5.1 de la Partie I de l'annexe V a été ajouté par L.C. 1993, c. 27, par. 147(1) et s'applique aux fournitures d'immeubles dans le cadre desquelles la propriété ou la possession de l'immeuble est transférée à l'acquéreur à compter du 28 mars 1991 ou celles qui sont effectuées aux termes d'une convention écrite conclue à compter de cette date.

Concordance québécoise: LTVQ, art. 97.1.

Définitions: « acquéreur », « fourniture », « fourniture exonérée », « habitation », « immeuble », « immeuble d'habitation », « vente » — 123(1).

Renvois: 194 (déclaration erronée); 254.1 (remboursement pour habitation neuve — location du fonds et vente du bâtiment); 256.2(1) (« fraction admissible de teneur en taxe »); V:Partie I:5.2 (vente d'un fonds faisant partie d'un immeuble d'habitation).

Énoncés de politique: P-111R, 25/05/93, *Définition d'une vente à l'égard d'un immeuble*; P-154, 06/09/94, *Conséquences à l'égard de la TPS du déplacement d'un immeuble que faisait auparavant partie d'un immeuble d'habitation*.

Série de mémorandums: Mémorandum 19.2.1, 03/98, *Immeubles résidentiels — Ventes*.

5.2 [Vente d'un fonds faisant partie d'un immeuble d'habitation] — La fourniture par vente d'un fonds qui fait partie d'un immeuble d'habitation, ou d'un droit sur un tel fonds, dans le cas où, à la fois :

a) juste avant le premier en date du transfert à l'acquéreur de la propriété du fonds ou du droit et du transfert à l'acquéreur de leur possession aux termes de la convention portant sur la fourniture, le fonds est visé par un bail, une licence ou un accord semblable en application duquel une fourniture exonérée visée à l'alinéa 7a) a été effectuée;

b) la fourniture constituerait une fourniture exonérée visée à l'un des articles 2 à 5 si l'immeuble faisait l'objet d'une fourniture par vente juste avant le premier en date de ces transferts.

Notes historiques: L'article 5.2 de la Partie I de l'annexe V a été ajouté par L.C. 1993, c. 27, par. 147(1) et est réputé entré en vigueur le 17 décembre 1990.

Concordance québécoise: LTVQ, art. 97.2.

Définitions: « acquéreur », « fourniture », « fourniture exonérée », « habitation », « immeuble », « immeuble d'habitation », « vente » — 123(1).

Renvois: 194 (déclaration erronée); V:Partie I:5.1 (vente d'un bâtiment contenant une habitation); V:Partie I:14 (application de l'article 191 et des articles 4 et 5 de l'annexe V, partie I).

Jurisprudence: *Navaho Inn c. La Reine*, [1995] G.S.T.C. 21 (CCI); *Trudel c. R.*, [2001] G.S.T.C. 23 (CCI); *Corélo Inc. c. R.*, [2001] G.S.T.C. 105 (CCI); *Simard c. R.*, 2006 G.T.C. 73 (CCI); *Yakabuski v. R.*, 2008 CarswellNat 1026, [2008] G.S.T.C. 10 (CCI [procédure informelle]); *North Shore Health Region v. R.*, [2008] G.S.T.C. 1 (CAF).

Énoncés de politique: P-111R, 25/05/93, *Définition d'une vente à l'égard d'un immeuble*; P-121, 24/11/92, *Vente d'un terrain faisant partie d'une immeuble d'habitation*.

Série de mémorandums: Mémorandum 19.2.1, 03/98, *Immeubles résidentiels — Ventes*; Mémorandum 19.5, 06/02, *Fonds de terre et immeubles connexes*.

Lettres d'interprétation (Québec): 98-0110043 — Décision portant sur l'application de la TPS — Interprétation relative à la TVQ — Vente de parcelles de terre.

5.3 [Fourniture d'un parc à roulottes résidentiel] — La fourniture par une personne d'un parc à roulottes résidentiel ou d'un droit afférent, si, à la fois :

a) la personne a reçu une fourniture exonérée, visée au présent article, du parc ou est réputée par les paragraphes 190(4), 200(2), 206(4) ou 207(1) de la loi avoir reçu une fourniture taxable du fonds compris dans le parc du fait qu'elle a utilisé le fonds aux fins du parc, et cette fourniture constitue la dernière fourniture par vente du parc effectuée à son profit;

b) dans le cas où la personne a augmenté la superficie du fonds compris dans le parc, elle a reçu une fourniture exonérée, visée au présent article, de l'aire ajoutée ou est réputée par les paragraphes 190(5), 200(2), 206(4) ou 207(1) de la loi avoir effectué une fourniture taxable de l'aire du fait qu'elle l'a utilisée aux fins du parc, et cette fourniture constitue la dernière fourniture par vente de l'aire effectuée à son profit.

Le présent article ne s'applique pas si la personne a demandé un crédit de taxe sur les intrants relativement à la dernière acquisition par elle du parc ou d'une aire ajoutée à celui-ci ou relativement à des améliorations apportées au parc, qu'elle a acquises, importées ou transférées dans une province participante après cette dernière acquisition du parc, sauf s'il s'agit d'un crédit de taxe sur les intrants relatif à des améliorations apportées à une aire ajoutée qu'elle a acquises, importées ou transférées dans une province participante avant sa dernière acquisition de l'aire en question.

Notes historiques: Le passage de l'article 5.3 de la partie I de l'annexe V suivant l'alinéa b) a été modifié par L.C. 1997, c. 10, par. 247(1) et cette modification est entrée en vigueur le 1er avril 1997. Auparavant, ce passage se lisait comme suit :

> Le présent article ne s'applique pas si la personne demande un crédit de taxe sur les intrants relativement à la dernière acquisition par elle du parc ou d'une aire ajoutée à celui-ci ou relativement à son acquisition ou importation, après cette dernière acquisition du parc, d'améliorations apportées au parc, sauf s'il s'agit d'un crédit de taxe sur les intrants relatif à des améliorations apportées à une aire ajoutée qu'elle a acquise ou importée avant sa dernière acquisition de l'aire en question.

L'article 5.3 de la Partie I de l'annexe V a été ajouté par L.C. 1993, c. 27, par. 147(1) et est réputé entré en vigueur le 17 décembre 1990.

Concordance québécoise: LTVQ, art. 97.3.

Définitions: « améliorations », « fourniture », « fourniture exonérée », « parc à roulottes résidentiel », « personne », « province participante », « vente » — 123(1).

Renvois: 136(4) (fourniture combinée d'immeubles); 190(4), (5) (première utilisation d'un parc à roulottes résidentiel ou de son adjonction); 194 (déclaration erronée); V:Partie I:7 (location d'un fonds au profit du propriétaire ou du locataire d'une habitation fixée); V:Partie I:14 (application de l'article 191 et des articles 4 et 5 de l'annexe V, partie I).

Série de mémorandums: Mémorandum 19.2.1, 03/98, *Immeubles résidentiels — Ventes*; Mémorandum 19.5, 06/02, *Fonds de terre et immeubles connexes*.

6. [Location d'un immeuble d'habitation ou d'une habitation dans un tel immeuble] — La fourniture :

a) d'un immeuble d'habitation ou d'une habitation dans un tel immeuble, par bail, licence ou accord semblable, en vue de son occupation continue à titre résidentiel ou d'hébergement par le même particulier dans le cadre de l'accord pour une durée d'au moins un mois;

b) d'une habitation, par bail, licence ou accord semblable, en vue de son occupation à titre résidentiel ou d'hébergement si la contrepartie de la fourniture ne dépasse pas 20 $ par jour d'occupation.

Notes historiques: L'alinéa 6a) de la partie I de l'annexe V a été modifié par L.C. 1997, c. 10, par. 248(1) et cette modification est entrée en vigueur le 1er avril 1997.

Cet alinéa se lisait comme suit :

a) d'un immeuble d'habitation ou d'une habitation dans un tel immeuble, par bail, licence ou accord semblable, en vue de son occupation continue à titre résidentiel ou d'hébergement par le même particulier pour une durée d'au moins un mois;

Auparavant, l'alinéa 6a) de la partie I de l'annexe V a été modifié par L.C. 1997, c. 10, par. 86(1) et cette modification s'applique aux fournitures effectuées en application d'une convention conclue après le 14 septembre 1992. Toutefois, il ne s'applique pas au calcul d'un montant demandé (sauf un montant réputé demandé par l'effet de l'alinéa 296(5)a) par suite d'une cotisation établie après le 23 avril 1996) :

a) soit dans une demande présentée aux termes de la section VI de la partie IX de la même loi, et reçue par le ministre du Revenu national avant le 23 avril 1996;

b) soit comme déduction, au titre d'un redressement, d'un remboursement ou d'un crédit prévu au paragraphe 232(1), dans une déclaration présentée aux termes de la section V de cette partie, et reçue par le ministre avant le 23 avril 1996.

L'alinéa 6a) de la partie I de l'annexe V se lisait comme suit :

a) d'un immeuble d'habitation ou d'une habitation dans un tel immeuble, par bail, licence ou accord semblable, en vue de son occupation à titre résidentiel ou d'hébergement par un particulier donné pour une période d'au moins un mois;

Auparavant, l'article 6 de la Partie I de l'annexe V a été modifié par L.C. 1993, c. 27, par. 147(1) et est réputé entré en vigueur le 17 décembre 1990. Il se lisait comme suit :

6. La fourniture

a) d'un immeuble d'habitation ou d'une habitation dans un tel immeuble, par bail, licence ou accord semblable, en vue de son occupation à titre résidentiel ou de pension par un particulier donné pour une période d'au moins un mois;

b) d'une habitation, par bail, licence, ou accord semblable, en vue de son occupation à titre résidentiel ou de pension par un particulier donné, si la contrepartie de la fourniture ne dépasse pas 20 $ par jour d'occupation ou 140 $ par semaine d'occupation.

Cet article a été ajouté par L.C. 1990, c. 45, art. 18.

Concordance québécoise: LTVQ, art. 98.

Définitions: « contrepartie », « fourniture », « habitation », « immeuble », « immeuble d'habitation », « mois », « vente » — 123(1).

Renvois: 136.1(1) (bail ou licence visant un bien); 191(10) (transfert de possession attribué au constructeur); 256.1(1) (remboursement au propriétaire d'un fonds loué pour un usage résidentiel); 256.2(1) (« fraction admissible de teneur en taxe »); V:Partie I:6.1 (location d'un immeuble); V:Partie I:6.2 (fourniture de repas dans un immeuble); V:Partie IV:2 (services consistant à assurer la garde et la surveillance des résidents d'un établissement); V:Partie VI:13 (services de pension et d'hébergement ou de loisirs au profit de particuliers défavorisés ou handicapés physiquement ou mentalement); V:PartieVI:14 (aliments, boissons ou logement provisoire dans le cadre d'une activité autre que la levée de fonds); V:Partie VI:25 (exonération concernant la fourniture d'immeubles par certains organismes de services publics); *Règlement sur les remboursements aux organismes de services publics*, 4.

Jurisprudence: *Navaho Inn c. La Reine*, [1995] G.S.T.C. 21 (CCI); *Trudel c. R.*, [2001] G.S.T.C. 23 (CCI); *Corélo Inc. c. R.*, [2001] G.S.T.C. 105 (CCI); *Simard c. R.*, 2006 G.T.C. 73 (CCI).

Énoncés de politique: P-064, 25/05/93, *Traitement du temps partagé (des multipropriétés)*; P-130, 05/08/92, *Lieu de résidence*.

Mémorandums: TPS 300-4-1, 8/03/91, *Immeubles*.

Série de mémorandums: Mémorandum 19.2.1, 03/98, *Immeubles résidentiels — Ventes*; Mémorandum 19.2.2, 02/03, *Immeubles résidentiels — Locations*; Mémorandum 19.2.4, 06/98, *Immeubles résidentiels — Sujets particuliers*.

Info TPS/TVQ: GI-007 — *Exploitation d'un gîte touristique dans votre maison*.

Lettres d'interprétation (Québec): 98-010493 — Interprétation relative à la TPS — Interprétation relative à la TVQ — Fournitures de chambres dans un ensemble immobilier exploité en partie comme un motel; 98-0104210 — Interprétation relative à la TPS — Remboursement partiel — Immeuble d'habitation détenu par une municipalité; 98-0106306 — Application des taxes dans le cas de location de chambres au mois; 99-0103129 — Demande d'interprétation relative à la TPS et à la TVQ — Fourniture exonérée — Location d'une habitation à prix modique; 99-0109423 — Décision portant sur l'application de la TPS — Interprétation relative à la TVQ — Locations d'immeubles, CTI/RTI; 99-0112609 — Interprétation relative à la TPS et à la TVQ — Fourniture d'immeubles d'habitation par bail; 00-0101717 — Interprétation relative à la TPS et à la TVQ — Fourniture par une université de chambres dans une résidence d'étudiants à des personnes autres que des étudiants; 02-0107777 — Interprétation relative à la TPS et à la TVQ — Règles générales, résidences pour personnes âgées.

6.1 [Location d'un immeuble] — La fourniture par bail, licence ou accord semblable d'un bien — fonds ou bâtiment, ou partie de bâtiment, qui consiste uniquement en habitations — effectuée au profit d'un acquéreur (appelé « preneur » au présent article) pour une période de location, au sens du paragraphe 136.1(1) de la loi, durant laquelle le preneur ou un sous-preneur effectue une ou plusieurs fournitures du bien, de parties du bien ou de baux, licences ou accords semblables visant le bien ou des parties du bien, ou détient le bien en vue d'effectuer pareilles fournitures, et la totalité ou la presque totalité de ces fournitures sont :

a) soit exonérées aux termes des articles 6 ou 7;

b) soit effectuées au profit d'autres preneurs ou sous-preneurs visés au présent article ou il est raisonnable de s'attendre à ce qu'elles soient ainsi effectuées.

Notes historiques: Le préambule de l'article 6.1 de la partie I de l'annexe V a été modifié par L.C. 1997, c. 10, par. 249(1) et cette modification est entrée en vigueur le 1er avril 1997. Le préambule de l'article 6.1 se lisait comme suit :

6.1 La fourniture d'un bien — fonds, immeuble d'habitation ou bâtiment, ou partie de bâtiment, qui fait partie d'un immeuble d'habitation ou qui consiste uniquement en habitations — effectuée par bail, licence ou accord semblable pour une période de location, au sens du paragraphe 136(2.1) de la loi, durant laquelle le locataire ou le sous-locataire effectue une ou plusieurs fournitures du bien ou de parties du bien, ou détient le bien en vue d'effectuer pareilles fournitures, et la totalité, ou presque, de ces fournitures sont :

Auparavant, le préambule de l'article 6.1 de la partie I de l'annexe V a été modifié par L.C. 1997, c. 10, par. 87(1) et cette modification est réputée entrée en vigueur le 1er janvier 1993. Le préambule de l'article 6.1 se lisait comme suit :

6.1 La fourniture d'un bien — fonds, immeuble d'habitation ou bâtiment, ou partie de bâtiment, qui fait partie d'un immeuble d'habitation — effectuée par bail, licence ou accord semblable pour une période de location (au sens du paragraphe 136(2.1) de la loi) durant laquelle le locataire ou le sous-locataire effectue une ou plusieurs fournitures du bien ou de parties du bien, ou détient le bien en vue d'effectuer pareilles fournitures, et la totalité, ou presque, de ces fournitures sont :

L'article 6.1 de la partie I de l'annexe V a été remplacé par L.C. 2008, c. 28, par. 78(1) et cette modification s'applique aux fournitures dont la contrepartie, même partielle, devient due après le 26 février 2008 et n'a pas été payée au plus tard à cette date ou est payée après cette date sans être devenue due. Antérieurement, il se lisait ainsi :

6.1 La fourniture d'un bien — fonds, immeuble d'habitation ou bâtiment, ou partie de bâtiment, qui fait partie d'un immeuble d'habitation ou qui consiste uniquement en habitations — effectuée par bail, licence ou accord semblable pour une période de location, au sens du paragraphe 136.1(1) de la loi, durant laquelle le locataire ou un sous-locataire effectue une ou plusieurs fournitures du bien, de parties du bien ou de baux, licences ou accords semblables visant le bien ou des parties du bien, ou détient le bien en vue d'effectuer pareilles fournitures, et la totalité ou la presque totalité de ces fournitures sont :

a) soit exonérées aux termes des articles 6 ou 7;

b) soit effectuées au profit d'autres locataires ou sous-locataires visés au présent article ou il est raisonnable de s'attendre à ce qu'elles soient ainsi effectuées.

L'article 6.1 de la partie I de l'annexe V a été remplacé par L.C. 2000, c. 30, par. 109(1). Cette modification est réputée entrée en vigueur le 17 décembre 1990. Antérieurement, il se lisait comme suit :

6.1 La fourniture du bien — fonds, immeuble d'habitation ou bâtiment, ou partie de bâtiment, qui fait partie d'un immeuble d'habitation — effectuée par bail, licence ou accord semblable pour une période de location, au sens du paragraphe 136.1(1) de la loi, durant laquelle le locataire ou le sous-locataire effectue une ou plusieurs fournitures du bien ou de parties du bien, ou détient le bien en vue d'effectuer pareilles fournitures, et la totalité, ou presque, de ces fournitures sont :

a) soit exonérées aux termes des articles 6 ou 7;

b) soit effectuées au profit d'autres locataires ou sous-locataires visés au présent article ou il est raisonnable de s'attendre à ce qu'elles soient ainsi effectuées.

L'article 6.1 de la partie I de l'annexe V a été remplacé par L.C. 2000, c. 30, par. 109(2). Cette modification est réputée entrée en vigueur le 1er janvier 1993. Toutefois, pour l'application de cet article après 1992 et avant le 1er avril 1997, la mention du paragraphe 136.1(1) vaut mention du paragraphe 136(2.1). Antérieurement, il se lisait comme suit :

6.1 La fourniture d'un immeuble — fonds, bâtiment, ou partie de bâtiment qui consiste uniquement en habitations — effectuée au profit d'une personne par bail, licence ou accord semblable pour une période au cours de laquelle est exonérée aux termes des articles 6 ou 7 ou du présent article la fourniture, effectuée par la personne ou par une autre personne :

a) de l'immeuble, ou d'un bail, licence ou accord semblable le visant;

b) de la totalité ou de la presque totalité :

(i) soit des habitations du bâtiment, ou des baux, licences ou accords semblables visant de telles habitations,

(ii) soit des parties du fonds, ou des baux, licences ou accords semblables visant de telles parties.

Auparavant, l'article 6.1 de la Partie I de l'annexe V a été modifié par L.C. 1993, c. 27, par. 148(1) et est réputé entré en vigueur le 1er janvier 1993. Il se lisait comme suit :

6.1 La fourniture d'un immeuble — soit un terrain, soit un bâtiment ou une partie de bâtiment composé uniquement d'habitations — par bail, licence ou accord semblable, effectuée au profit d'une personne pour une période au cours de laquelle la fourniture par la personne, ou par une autre personne, de l'immeuble ou de la totalité, ou presque, des parcelles du terrain ou des habitations est exonérée aux termes de l'article 6 ou 7 ou du présent article.

L'article 6.1 de la Partie I de l'annexe V a été ajouté par L.C. 1990, c. 45, art. 18.

avril 2008, Notes explicatives: L'article 6.11 de la partie I de l'annexe V a pour effet d'exonérer certaines fournitures d'immeubles effectuées au profit d'une personne qui détient l'immeuble en vue de le fournir de nouveau dans des circonstances où cette nouvelle fourniture est exonérée en vertu des articles 6, 6.1 ou 7 de cette partie.

Les modifications apportées à l'article 6.1 consistent à supprimer la mention d'un immeuble d'habitation ainsi que le passage « qui fait partie d'un immeuble d'habitation ou ». Ces modifications font suite à l'ajout de l'article 6.11 de la partie I de l'annexe V. Pour en savoir davantage, se reporter aux notes concernant cet article.

Les modifications touchant l'article 6.1 s'appliquent aux fournitures dont la contrepartie, même partielle, devient due après le 26 février 2008 et n'a pas été payée au plus tard à cette date ou est payée après cette date sans être devenue due.

Concordance québécoise: LTVQ, art. 99.

Définitions: « bien », « fourniture », « habitation », « immeuble », « immeuble d'habitation », « vente » — 123(1).

Renvois: 136.1(1) (bail ou licence visant un bien); 190(3) (location d'un fonds pour usage résidentiel); 191(10) (transfert de possession attribué au constructeur); 256.1(1) (remboursement au propriétaire d'un fonds loué pour un usage résidentiel); 256.2(1) (« fraction admissible de teneur en taxe »); *Règlement sur les remboursements aux organismes de services publics*, 4.

Jurisprudence: *398722 Alberta Ltd. c. Canada*, [1998] G.S.T.C. 117 (CCI); [2000] G.S.T.C. 32 (CAF).

Bulletins de l'information technique: B-075R, 23/04/96, *Modifications proposées à la TPS*.

Série de mémorandums: Mémorandum 19.2.2, 02/03, *Immeubles résidentiels — Locations*.

Lettres d'interprétation (Québec): 98-0104335 — Décision portant sur l'application de la TPS — Interprétation relative à la TVQ — Fourniture par bail en vue d'une occupation à titre d'hébergement; 99-0112609 — Interprétation relative à la TPS et à la TVQ — Fourniture d'immeubles d'habitation par bail.

6.11 [Bail sur un immeuble] — La fourniture par bail, licence ou accord semblable d'un bien — immeuble d'habitation ou fonds, bâtiment ou partie de bâtiment qui fait partie d'un immeuble d'habitation ou dont il est raisonnable de s'attendre à ce qu'il en fasse partie — effectuée au profit d'un acquéreur (appelé « preneur » au présent article) pour une période de location, au sens du paragraphe 136.1(1) de la loi, durant laquelle la totalité ou la presque totalité du bien, selon le cas :

a) est fourni par le preneur ou un sous-preneur dans le cadre d'une ou de plusieurs fournitures, ou est détenu dans le but d'être fourni par lui dans ce cadre, en vue de l'occupation du bien, ou de parties du bien, à titre résidentiel ou d'hébergement, et la totalité ou la presque totalité des fournitures du bien ou des parties du bien sont des fournitures exonérées incluses à l'article 6;

b) est utilisé par le preneur ou un sous-preneur dans le cadre de fournitures exonérées ou est détenu en vue d'être utilisé par lui dans ce cadre et, à l'occasion d'une ou de plusieurs fournitures exonérées, la possession ou l'utilisation de la totalité ou de la presque totalité des habitations situées dans le bien est transférée aux termes d'un bail, d'une licence ou d'un accord semblable en vue de l'occupation des habitations à titre résidentiel.

Notes historiques: L'article 6.11 de la partie I de l'annexe V a été ajouté par L.C. 2008, c. 28, par. 79(1) et s'applique à la fourniture d'un bien effectuée par un fournisseur à l'égard de laquelle, selon le cas :

a) la contrepartie, même partielle, devient due après le 26 février 2008 et n'a pas été payée au plus tard à cette date ou est payée après cette date sans être devenue due;

b) la totalité de la contrepartie est devenue due ou a été payée avant le 27 février 2008, dans le cas où le fournisseur n'a pas exigé, perçu ni versé de montant, avant cette date, au titre de la taxe prévue par la partie IX relativement à la fourniture ou à toute autre fourniture du bien qu'il a effectuée et qui serait incluse aux articles 6.1 ou 6.11 de la partie I de l'annexe V si ces articles s'appliquaient dans leur version édictée par L.C. 2008, c. 28.

Dans le cas où, par suite de l'édiction de L.C. 2008, c. 28, art. 79 :

a) une personne cesse d'utiliser son fonds dans le cadre de ses activités commerciales ou réduit la mesure dans laquelle elle l'utilise dans ce cadre,

b) elle est réputée par les paragraphes 206(4) ou (5) ou 207(1) ou (2) avoir effectué une fourniture de tout ou partie du fonds,

c) à un moment donné antérieur au 27 février 2008, elle aurait eu droit, en vertu du paragraphe 256.1(1), à un montant de remboursement au titre du fonds si ce paragraphe, dans sa version modifiée par L.C. 2008, c. 28, et les articles 6.1 et 6.11 de la partie I de l'annexe V de la *Loi sur la taxe d'accise*, dans leur version édictée par L.C. 2008, c. 28, s'étaient appliqués à ce moment,

d) pour le calcul de la teneur en taxe, au sens du paragraphe 123(1), du fonds au moment donné ou par la suite, le montant de remboursement aurait été inclus dans le calcul de la valeur de l'élément B de la formule figurant à l'alinéa a) de la définition de « teneur en taxe » à ce paragraphe si la personne avait eu droit au remboursement au moment donné,

pour le calcul de la teneur en taxe du fonds de la personne au moment donné ou par la suite, le montant de remboursement est inclus dans le calcul de la valeur de l'élément B de la formule figurant à l'alinéa a) de cette définition.

Dans le cas où, par suite de l'édiction de L.C. 2008, c. 28, art. 79 :

a) une personne cesse d'utiliser son immeuble d'habitation dans le cadre de ses activités commerciales ou réduit la mesure dans laquelle elle l'utilise dans ce cadre,

b) elle est réputée par les paragraphes 206(4) ou (5) ou 207(1) ou (2) avoir effectué une fourniture de tout ou partie de l'immeuble,

c) à un moment donné antérieur au 27 février 2008, elle aurait eu droit, en vertu du paragraphe 256.2(3), à un montant de remboursement au titre de l'immeuble si l'article 256.2, dans sa version modifiée L.C. 2008, c. 28, et les articles 6.1 et 6.11 de la partie I de l'annexe V de la *Loi sur la taxe d'accise*, dans leur version édictée par L.C. 2008, c. 28, s'étaient appliqués à ce moment,

d) pour le calcul de la teneur en taxe, au sens du paragraphe 123(1), de l'immeuble au moment donné ou par la suite, le montant de remboursement aurait été inclus dans le calcul de la valeur de l'élément B de la formule figurant à l'alinéa a) de la définition de « teneur en taxe » à ce paragraphe si la personne avait eu droit au remboursement au moment donné,

pour le calcul de la teneur en taxe de l'immeuble de la personne au moment donné ou par la suite, le montant de remboursement est inclus dans le calcul de la valeur de l'élément B de la formule figurant à l'alinéa a) de cette définition.

avril 2008, Notes explicatives: Le nouvel article 6.1 de la partie I de l'annexe V a pour effet d'exonérer dans certains cas la fourniture, effectuée par bail, licence ou accord semblable, d'un immeuble d'habitation ou d'un fonds, d'un bâtiment ou d'une partie de bâtiment qui fait partie d'un immeuble d'habitation ou dont il est raisonnable de s'attendre à ce qu'il en fasse partie. Cet article est ajouté à la loi parallèlement à des modifications correspondantes touchant l'article 6.1 de la partie I de l'annexe V, les articles 256.1 et 256.2 et les paragraphes 191(1), (3), (4) et (10).

Le nouvel alinéa 6.11a) a pour effet d'exonérer la fourniture par bail, licence ou accord semblable d'un bien (constitué de tout ou partie d'un immeuble d'habitation) lorsque le bien est fourni, ou détenu en vue d'être fourni, par le preneur ou un sous-preneur en vue de l'occupation du bien (ou de parties du bien) à titre résidentiel ou d'hébergement et que la totalité ou la presque totalité des fournitures du bien (ou des parties du bien) sont des fournitures exonérées incluses à l'article 6 de la partie I de l'annexe V. Cette exonération se trouvait auparavant à l'article 6.1.

Le nouvel alinéa 6.11b) fait en sorte que l'exonération s'applique également aux cas où l'acquéreur (appelé « preneur ») n'effectue pas de fournitures d'habitations qui sont exonérées selon l'article 6, mais utilise la totalité ou la presque totalité des biens qu'il a acquis par bail, licence ou accord semblable en vue d'effectuer d'autres fournitures exonérées. Cette exonération s'applique dans le cas où, à l'occasion d'une ou de plusieurs de ces fournitures exonérées, l'acquéreur transfère la possession ou l'utilisation de la totalité ou de la presque totalité des habitations situées dans le bien aux termes d'un bail, d'une licence ou d'un accord semblable en vue de leur occupation à titre résidentiel.

Prenons l'exemple du constructeur qui construit un immeuble d'habitation à logements multiples destiné à servir d'établissement de soins de longue durée et qui effectue une fourniture exonérée par bail de l'ensemble de l'établissement au profit d'un exploitant après le 26 février 2008. L'exploitant de l'établissement de soins de longue durée utilise la totalité ou la presque totalité de l'établissement en vue d'effectuer des fournitures exonérées de soins de santé. À l'occasion d'une ou de plusieurs de ces autres fournitures exonérées, l'exploitant transfère la possession ou l'utilisation de la totalité ou de la presque totalité des habitations situées dans l'établissement aux termes d'un bail, d'une licence ou d'un accord semblable conclu en vue de leur occupation à titre résidentiel. Dans cet exemple, le bail conclu entre le constructeur et l'exploitant relativement à l'établissement est une fourniture exonérée en vertu de l'article 6.11 pour chaque période de location pendant laquelle l'exploitant continue d'utiliser la totalité ou la presque totalité de l'établissement en vue d'effectuer des fournitures.

Le nouvel article 6.11 s'applique aux fournitures de biens dont la contrepartie, même partielle, devient due après le 26 février 2008 et n'a pas été payée au plus tard à cette date ou est payée après cette date sans être devenue due.

Cet article s'applique également aux fournitures de biens dont la contrepartie, même partielle, est devenue due ou a été payée avant le 27 février 2008 si le fournisseur a traité l'ensemble de ces fournitures du bien comme s'il s'agissait de fournitures exonérées incluses aux articles 6.1 ou 6.11 (dans leur version modifiée par la loi modificative) du fait qu'il n'a pas exigé, perçu ni versé de montant, avant le 27 février 2008, au titre de la taxe prévue par la partie IX de la loi relativement à ces fournitures.

Par suite de l'ajout de l'article 6.11, la teneur en taxe du fonds fait l'objet d'un redressement dans les circonstances où la fourniture du fonds par l'inscrit était taxable avant le 27 février 2008, mais devient une fourniture exonérée incluse à l'article 6.11 après le 26 février 2008 en raison de l'édiction de cet article. Dans ce cas, l'inscrit cesse d'utiliser le fonds dans le cadre de ses activités commerciales, ou réduit l'utilisation qu'il en fait dans ce cadre, de telle sorte qu'il devient assujetti aux règles sur le changement d'utilisation. Dans le cas où l'inscrit aurait eu droit au remboursement prévu au paragraphe 256.1(1) à un moment donné antérieur au 27 février 2008 si le nouvel article 6.11 ainsi que les modifications apportées au paragraphe 256.1(1) et à l'article 6.1 s'étaient appliqués à ce moment, la teneur en taxe du fonds est redressée à ce moment ou par la suite pour tenir compte du montant du remboursement auquel l'inscrit aurait eu droit en vertu du paragraphe 256.1(1). Cette règle fait en sorte que, si le bail principal de l'inscrit devient exonéré de façon prospective, l'inscrit puisse profiter du remboursement prévu au paragraphe 256.1(1) dans le cas où il aurait eu droit à ce remboursement si les modifications touchant l'article 256.1 et les articles 6.1 et 6.11 de la partie I de l'annexe V avaient été en vigueur avant le 27 février 2008.

La teneur en taxe d'un immeuble d'habitation fait l'objet d'un redressement, semblable à celui dont il est question ci-dessus, dans le cas où la fourniture de l'immeuble par un inscrit est taxable avant le 27 février 2008, mais devient exonérée en vertu de l'article 6.11 après le 26 février 2008 en raison de l'édiction de cet article. Dans ce cas, l'inscrit cesse d'utiliser l'immeuble dans le cadre de ses activités commerciales, ou réduit l'utilisation qu'il en fait dans ce cadre, de telle sorte qu'il devient assujetti aux règles sur le changement d'utilisation. Dans le cas où l'inscrit aurait eu droit au remboursement prévu au paragraphe 256.2(3) à un moment donné antérieur au 27 février 2008 si le nouvel article 6.11 ainsi que les modifications apportées au paragraphe 256.2(3) et à l'article 6.1 s'étaient appliqués à ce moment, la teneur en taxe de l'immeuble est redressée à ce moment ou par la suite pour tenir compte du montant du remboursement auquel l'inscrit aurait eu droit en vertu du paragraphe 256.2(3). Cette règle fait en sorte que, si le bail principal de l'inscrit devient exonéré de façon prospective, l'inscrit puisse profiter du remboursement prévu au paragraphe 256.2(3) dans le cas où il aurait eu droit à ce remboursement si les modifications touchant l'article 256.2 et les articles 6.1 et 6.11 de la partie I de l'annexe V avaient été en vigueur avant le 27 février 2008.

Concordance québécoise: LTVQ, art. 99.0.1.

6.2 [Fourniture de repas dans un immeuble] — La fourniture de repas effectuée par la personne qui fournit un immeuble d'habitation ou une habitation en conformité avec l'alinéa 6a), si les repas sont fournis dans l'immeuble, dans l'habitation ou dans l'immeuble d'habitation où est située l'habitation, à son occupant, dans le cadre d'un régime prévoyant la fourniture d'au moins dix repas par semaine pour une contrepartie unique déterminée préalablement à la fourniture d'un repas aux termes de la convention.

Notes historiques: L'article 6.2 de la Partie I de l'annexe V a été ajouté par L.C. 1993, c. 27, par. 149(1) et est réputé entré en vigueur le 17 décembre 1990.

Concordance québécoise: LTVQ, 99.1.

Définitions: « contrepartie », « fourniture », « habitation », « immeuble », « immeuble d'habitation », « personne », « vente » — 123(1).

Renvois: 123(1)« acquéreur » (circonstances dans lesquelles une personne est un acquéreur).

Série de mémorandums: Mémorandum 19.2.2, 02/03, *Immeubles résidentiels — Locations*.

Lettres d'interprétation (Québec): 02-0107777 — Interprétation relative à la TPS et à la TVQ — Règles générales, résidences pour personnes âgées.

7. [Location d'un fonds au profit du propriétaire ou du locataire d'une habitation fixée] — La fourniture :

a) d'un fonds, sauf un emplacement dans un parc à roulottes résidentiel, effectuée, aux termes d'un bail, d'une licence ou d'un accord semblable prévoyant la possession ou l'utilisation continues du fonds pour une durée d'au moins un mois, selon le cas :

(i) au profit du propriétaire, du locataire, de l'occupant ou du possesseur d'une habitation fixée, ou à fixer, sur le fonds en vue de son utilisation à titre résidentiel,

(ii) au profit d'une personne qui acquiert la possession du fonds en vue d'y construire un immeuble d'habitation dans le cadre d'une activité commerciale;

b) d'un emplacement dans un parc à roulottes résidentiel effectuée, aux termes d'un bail, d'une licence ou d'un accord semblable prévoyant la possession ou l'utilisation continues de l'emplacement pour une durée d'au moins un mois, au profit du propriétaire, du locataire, de l'occupant ou du possesseur, selon le cas :

(i) d'une maison mobile installée ou à installer sur l'emplacement,

(ii) de quelque véhicule ou remorque — notamment une remorque de tourisme ou une maison motorisée — installé ou à installer sur l'emplacement;

c) d'un bail, d'une licence ou d'un accord semblable visé aux alinéas a) ou b), par cession.

Le présent article ne s'applique pas au fonds sur lequel l'habitation, la maison mobile, le véhicule ou la remorque est fixé ou installé, ou doit l'être, ni au fonds contigu à ce fonds, qui n'est pas raisonnablement nécessaire à l'utilisation de l'habitation, de la maison, du véhicule ou de la remorque à titre résidentiel.

Notes historiques: Le préambule de l'alinéa 7a) de la partie I de l'annexe V a été modifié par L.C. 1997, c. 10, par. 250(1) et cette modification est entrée en vigueur le 1er avril 1997. Le préambule de l'alinéa 7a se lisait alors comme suit :

> a) d'un fonds, sauf un emplacement dans un parc à roulottes résidentiel, par bail, licence ou accord semblable prévoyant la possession ou l'utilisation continues du fonds pour une durée d'au moins un mois, effectuée, selon le cas :

Auparavant, ce passage a été modifié par L.C. 1997, c. 10, par. 88(1) et cette modification s'applique aux fournitures effectuées en application d'une convention conclue après le 14 septembre 1992. Toutefois, elle ne s'applique pas au calcul d'un montant demandé (sauf un montant réputé demandé par l'effet de l'alinéa 296(5)a) par suite d'une cotisation établie après le 23 avril 1996) :

> a) soit dans une demande présentée aux termes de la section VI de la partie IX, et reçue par le ministre du Revenu national avant le 23 avril 1996;
>
> b) soit comme déduction, au titre d'un redressement, d'un remboursement ou d'un crédit prévu au paragraphe 232(1), dans une déclaration présentée aux termes de la section V de cette partie, et reçue par le ministre avant le 23 avril 1996.

Ce passage se lisait auparavant comme suit :

> a) d'un fonds, sauf un emplacement dans un parc à roulottes résidentiel, par bail, licence ou accord semblable d'une durée d'au moins un mois, effectuée, selon le cas :

Le préambule de l'alinéa 7b) de la partie I de l'annexe V précédant le sous-alinéa (i) a été modifié par L.C. 1997, c. 10, par. 250(1) et cette modification est entrée en vigueur le 1er avril 1997.

Le préambule de l'alinéa 7b) se lisait alors comme suit :

> b) d'un emplacement dans un parc à roulottes résidentiel, par bail, licence ou accord semblable prévoyant la possession ou l'utilisation continues de l'emplacement pour une durée d'au moins un mois, effectuée au profit du propriétaire, du locataire, de l'occupant ou du possesseur, selon le cas :

Auparavant, ce passage a été modifié par L.C. 1997, c. 10, par. 88(2) et cette modification s'applique aux fournitures effectuées en application d'une convention conclue après le 14 septembre 1992. Toutefois, elle ne s'applique pas au calcul d'un montant demandé (sauf un montant réputé demandé par l'effet de l'alinéa 296(5)a) par suite d'une cotisation établie après le 23 avril 1996) :

> a) soit dans une demande présentée aux termes de la section VI de la partie IX, et reçue par le ministre du Revenu national avant le 23 avril 1996;
>
> b) soit comme déduction, au titre d'un redressement, d'un remboursement ou d'un crédit prévu au paragraphe 232(1), dans une déclaration présentée aux termes de la section V de cette partie, et reçue par le ministre avant le 23 avril 1996.

Ce passage se lisait auparavant comme suit :

> b) d'un emplacement dans un parc à roulottes résidentiel, par bail, licence ou accord semblable d'une durée d'au moins un mois, effectuée au profit du propriétaire, du locataire, de l'occupant ou du possesseur, selon le cas :

Auparavant, l'article 7 de la Partie I de l'annexe V a été modifié par L.C. 1993, c. 27, par. 150(1) et est réputé entré en vigueur le 17 décembre 1990. Toutefois, le sous-alinéa 7b)(ii) de la partie I de l'annexe V ne s'applique pas aux fournitures d'emplacements dans un parc à roulottes résidentiel effectuées par bail, licence ou accord semblable pour une période antérieure au 5 novembre 1991. Si la fourniture de l'emplacement couvre une période qui comprend le 5 novembre 1991, la partie de la fourniture effectuée pour la période qui précède cette date est réputée une fourniture distincte de celle qui l'est pour la période commençant à cette date. Il se lisait comme suit :

> 7. La fourniture d'un fonds, par bail, licence ou accord semblable, effectuée au profit du propriétaire ou du locataire d'une maison mobile ou autre habitation fixée, ou à fixer, sur le fonds, si la durée de l'accord est d'au moins un mois, à l'exclusion du fonds contigu au fonds sur lequel l'habitation est fixée, ou doit l'être, qui n'est pas raisonnablement nécessaire à l'utilisation de l'habitation à titre résidentiel.

L'article 7 de la Partie I de l'annexe V a été édicté par L.C. 1990, c. 45, art. 18.

Concordance québécoise: LTVQ, art. 100.

Définitions: « activité commerciale », « fourniture », « habitation », « immeuble », « immeuble d'habitation », « maison mobile », « mois », « parc à roulottes résidentiel », « personne », « vente » — 123(1).

Renvois: 123(1)« acquéreur » (circonstances dans lesquelles une personne est un acquéreur); 190(3) (location d'un fonds pour usage résidentiel); 190(4), (5) (première utilisation d'un parc à roulottes résidentiel ou de son adjonction); 254.1 (remboursement pour habitations neuves — location du fonds); 256.1(1) (remboursement au propriétaire d'un fonds loué pour un usage résidentiel); 256.2(1) (« fraction admissible de teneur en taxe »); 256.2(6) (remboursement pour fonds loué à des fins résidentielles); V:Partie I:5.1 (vente d'un bâtiment contenant une habitation); V:Partie I:5.3 (fourniture exonérée); V:Partie I:6.1 (location d'un immeuble); *Règlement sur les remboursements aux organismes de services publics*, 4.

Décrets de remise: *Décret de remise visant Hampton Place et Taylor Way* C.P. 2001-895.

Jurisprudence: *Taylor (J.) c. Canada*, [1998] G.S.T.C. 80 (CCI); *398722 Alberta Ltd. c. Canada*, [1998] G.S.T.C. 117 (CCI); [2000] G.S.T.C. 32 (CAF); *Hidden Valley Golf Resort Assn. c. Canada*, [1998] G.S.T.C. 95 (CCI); [2000] G.S.T.C. 42 (CAF).

Énoncés de politique: P-070R, 20/01/99, *Statut aux fins de la TPS/TVH des dispositifs de soutènement et des éléments connexes pour les maisons mobiles, les remorques de tourisme, les maisons motorisées et les véhicules ou les remorques semblables lorsqu'ils sont fournis autrement que par vente*; P-104R, 14/01/94, *Définition de « maison mobile« , d'« habitation » et d'« immeuble d'habitation » dans le contexte de maisons préfabriquées mobiles, de roulottes de parc, de remorques de tourisme et de maisons motorisées*; P-130, 05/08/92, *Lieu de résidence*.

Mémorandums: TPS 300-4-1, 8/03/91, *Immeubles*.

Série de mémorandums: Mémorandum 19.2.2, 02/03, *Immeubles résidentiels — Locations*.

8. [Aire de stationnement] — La fourniture par vente d'une aire de stationnement située dans les limites d'un plan ou d'une description de lot de copropriété, ou d'un plan ou d'une description analogue, enregistré en conformité avec les lois d'une province si, à la fois :

a) le fournisseur, au moment ou dans le cadre de cette fourniture, effectue, au profit de l'acquéreur, la fourniture par vente d'un logement en copropriété décrit dans ce plan ou cette description et cette fourniture est visée à l'un des articles 2 à 4;

b) l'espace a été fourni par vente au fournisseur, et celui-ci n'a pas demandé de crédit de taxe sur les intrants relativement à des améliorations qui y sont apportées.

Notes historiques: Le passage précédant l'alinéa b) de l'article 8 de la partie I de l'annexe V a été remplacé par L.C. 2000, c. 30, par. 110(1) et cette modification s'applique aux fournitures effectuées après le 10 décembre 1998. Antérieurement, il se lisait comme suit :

> 8. La fourniture par vente d'une aire de stationnement située dans un immeuble d'habitation en copropriété si, à la fois :
>
> a) le fournisseur, au moment ou dans le cadre de cette fourniture, effectue, au profit de l'acquéreur, la fourniture par vente d'un logement en copropriété situé dans l'immeuble, visée à l'un des articles 2 à 4;

L'alinéa 8b) de la partie I de l'annexe V a été modifié par L.C. 1997, c. 10, par. 251(1) et cette modification est entrée en vigueur le 1er avril 1997. Auparavant, cet alinéa se lisait comme suit :

> b) l'aire a été fournie par vente au fournisseur, et celui-ci n'a pas demandé de crédit de taxe sur les intrants relativement à l'acquisition ou à l'importation d'améliorations qui y sont apportées.

L'article 8 de la Partie I de l'annexe V a été modifié par L.C. 1994, c. 9, al. 35a) afin de remplacer l'expression « espace de stationnement » par l'expression « aire de stationnement » avec les adaptations nécessaires.

L'article 8 de la Partie I de l'annexe V a été modifié par L.C. 1993, c. 27, par. 150(1) et est réputé entré en vigueur le 17 décembre 1990. Cet article, édicté par L.C. 1990, c. 45, art. 18, se lisait comme suit :

> 8. La fourniture d'un espace de stationnement qui est accessoire à l'utilisation d'un fonds, d'un immeuble d'habitation ou d'une habitation dans un tel immeuble dont la fourniture est visée à l'un des articles 2 à 7.

Concordance québécoise: LTVQ, art. 101.

Définitions: « acquéreur », « améliorations », « fourniture », « logement en copropriété », « vente » — 123(1).

Renvois: 123(1)« acquéreur » (circonstances dans lesquelles une personne est un acquéreur); 138 (fourniture accessoire); 194 (déclaration erronée); V:Partie I:8.1 (espace de stationnement); *Règlement sur les remboursements aux organismes de services publics*, 4.

Énoncés de politique: P-111R, 25/05/93, *Définition d'une vente à l'égard d'un immeuble*.

Série de mémorandums: Mémorandum 19.2.1, 03/98, *Immeubles résidentiels — Ventes*; Mémorandum 19.3.1, 07/98, *Remboursement pour habitation construite par un constructeur (fonds acheté)*.

8.1 [Location d'une aire de stationnement] — La fourniture d'une aire de stationnement effectuée, aux termes d'un bail, d'une licence ou d'un accord semblable dans le cadre duquel une telle aire est mise à la disposition d'une personne tout au long d'une période d'au moins un mois, effectuée :

a) soit au profit du locataire, de l'occupant ou du possesseur (appelés « occupant » au présent alinéa) d'un immeuble d'habitation à logement unique, d'une habitation dans un immeuble d'habitation à logements multiples ou d'un emplacement dans un parc à roulottes résidentiel, si, selon le cas :

(i) l'aire fait partie de l'immeuble d'habitation ou du parc à roulottes résidentiel,

(ii) le fournisseur de l'aire est le propriétaire ou l'occupant de l'immeuble d'habitation à logement unique, de l'habitation ou de l'emplacement, et l'utilisation de l'aire est accessoire à l'utilisation de l'immeuble, de l'habitation ou de l'emplacement à titre résidentiel;

b) soit au profit du propriétaire, du locataire, de l'occupant ou du possesseur d'un logement en copropriété décrit dans un plan ou une description de lot de copropriété, ou dans un plan ou une description analogue, enregistré en conformité avec les lois d'une province, si l'aire est située dans les limites de ce plan ou de cette description;

c) soit par un fournisseur au profit du propriétaire, du locataire, de l'occupant ou du possesseur d'une maison flottante qui est amarrée à un poste d'amarrage ou à un quai aux termes d'une convention conclue avec le fournisseur portant sur une fourniture exonérée visée à l'article 13.2, si l'utilisation de l'aire est accessoire à l'utilisation de la maison à titre résidentiel.

Notes historiques: Le préambule de l'article 8.1 de la partie I de l'annexe V a été modifié par L.C. 1997, c. 10, par. 252(1) et cette modification est entrée en vigueur le 1er avril 1997.

Le préambule se lisait alors comme suit :

> 8.1 La fourniture d'une aire de stationnement, par bail, licence ou accord semblable dans le cadre duquel une telle aire est rendue disponible tout au long d'une période d'au moins un mois, effectuée :

Auparavant, ce préambule a été modifié par L.C. 1997, c. 10, par. 89(1) et cette modification s'applique aux fournitures effectuées en application d'une convention conclue après le 14 septembre 1992. Toutefois, elle ne s'applique pas au calcul d'un montant demandé (sauf un montant réputé demandé par l'effet de l'alinéa 296(5)a) par suite d'une cotisation établie après le 23 avril 1996) :

> a) soit dans une demande présentée aux termes de la section VI de la partie IX, et reçue par le ministre du Revenu national avant le 23 avril 1996;
>
> b) soit comme déduction, au titre d'un redressement, d'un remboursement ou d'un crédit prévu au paragraphe 232(1), dans une déclaration présentée aux termes de la section V de cette partie, et reçue par le ministre avant le 23 avril 1996.

Le préambule de l'article 8.1 de la Partie I de l'annexe V se lisait auparavant comme suit :

> 8.1 La fourniture par bail, licence ou accord semblable d'une aire de stationnement pour une période d'au moins un mois effectuée :

L'alinéa 8.1b) de la partie I de l'annexe V a été remplacé par L.C. 2000, c. 30, par. 111(1) et cette modification s'applique aux fournitures effectuées après le 10 décembre 1998. Antérieurement, il se lisait comme suit :

> b) soit au profit du propriétaire, du locataire, de l'occupant ou du possesseur d'un logement en copropriété situé dans un immeuble d'habitation en copropriété, si l'aire fait partie de l'immeuble;

Auparavant, l'article 8.1 de la Partie I de l'annexe V a été modifié par L.C. 1994, c. 9, al. 35b) afin de remplacer l'expression « espace de stationnement » par l'expression « aire de stationnement » avec les adaptations nécessaires.

L'article 8.1 de la Partie I de l'annexe V a été ajouté par L.C. 1993, c. 27, par. 150(1).

Concordance québécoise: LTVQ, art. 101.1.

Définitions: « fourniture », « fourniture exonérée », « habitation », « immeuble », « immeuble d'habitation », « immeuble d'habitation à logement unique », « immeuble d'habitation à logements multiples », « logement en copropriété », « maison flottante », « mois », « parc à roulottes résidentiel », « personne », « vente » — 123(1).

Renvois: 123(1)« acquéreur » (circonstances dans lesquelles une personne est un acquéreur); V:Partie I:8.1 (espace de stationnement).

Énoncés de politique: P-130, 05/08/92, *Lieu de résidence*.

Série de mémorandums: Mémorandum 19.2.2, 02/03, *Immeubles résidentiels — Locations*.

9. (1) [Vente d'un immeuble par un particulier ou une fiducie] — Au présent article, l'auteur d'une fiducie testamentaire est le particulier dont le décès a donné lieu à la fiducie.

Notes historiques: Le paragraphe 9(1) de la partie I de l'annexe V a été modifié par L.C. 1997, c. 10, par. 90(1) et est réputé entré en vigueur le 17 décembre 1990. Toutefois :

a) en ce qui a trait aux fournitures pour lesquelles le fournisseur a demandé ou perçu, avant le 24 avril 1996, un montant au titre de la taxe prévue à la partie IX :

(i) ce paragraphe ne s'applique pas,

(ii) l'article 267 ne s'applique pas dans le cadre de l'article 9 de la partie I de l'annexe V;

Ce paragraphe, anciennement l'article 9, se lisait comme suit :

9. La fourniture par vente d'un immeuble effectuée soit par un particulier, soit par une fiducie dont l'ensemble des bénéficiaires, sauf les bénéficiaires subsidiaires, sont des particuliers et, le cas échéant, dont l'ensemble des bénéficiaires subsidiaires sont des particuliers ou des organismes de bienfaisance, à l'exclusion des fournitures suivantes :

a) la fourniture d'un immeuble qui est, immédiatement avant le transfert de sa propriété ou de sa possession à l'acquéreur aux termes de la convention concernant la fourniture, une immobilisation utilisée principalement dans une entreprise du particulier ou de la fiducie;

b) la fourniture d'un immeuble effectuée :

(i) dans le cadre d'une entreprise du particulier ou de la fiducie,

(ii) si le particulier ou la fiducie a présenté au ministre, en la forme et selon les modalités déterminées par celui-ci, un choix contenant les renseignements requis par lui, dans le cadre d'un projet à risques ou d'une affaire de caractère commercial du particulier ou de la fiducie;

c) la fourniture qui est réputée effectuée en vertu de l'article 206 ou 207 de la loi;

d) la fourniture d'un immeuble d'habitation.

Le préambule de l'article 9 de la Partie I de l'annexe V a été modifié par L.C. 1993, c. 27, par. 151(1) et est réputé entré en vigueur le 17 décembre 1990. Il se lisait auparavant comme suit :

9. La fourniture par vente d'un immeuble effectuée par un particulier ou une fiducie dont l'ensemble des bénéficiaires sont des particuliers, à l'exclusion des fournitures suivantes :

Le sous-alinéa 9b)(ii) de la Partie I de l'annexe V a été modifié par L.C. 1993, c. 27, par. 151(2) et est réputé entré en vigueur le 17 décembre 1990. Il se lisait auparavant comme suit :

(ii) si le particulier a présenté au ministre un choix établi en la forme, selon les modalités et avec les renseignements déterminés par celui-ci, dans le cadre d'un projet à risques ou d'une affaire de caractère commercial du particulier ou de la fiducie qui n'est pas une entreprise;

L'article 9 de la Partie I de l'annexe V a été ajouté par L.C. 1990, c. 45, art. 18.

Concordance québécoise: LTVQ, art. 101.1.1.

(2) [Idem] — La fourniture par vente d'un immeuble, effectuée par un particulier ou une fiducie personnelle, à l'exclusion des fournitures suivantes :

a) la fourniture d'un immeuble qui est, immédiatement avant le transfert de sa propriété ou de sa possession à l'acquéreur aux termes de la convention concernant la fourniture, une immobilisation utilisée principalement :

(i) soit dans une entreprise que le particulier ou la fiducie exploite dans une attente raisonnable de profit,

(ii) soit, si le particulier ou la fiducie est un inscrit :

(A) pour effectuer des fournitures taxables de l'immeuble par bail, licence ou accord semblable,

(B) à l'une et l'autre des fins visées au sous-alinéa (i) et à la division (A);

b) la fourniture d'un immeuble effectuée :

(i) dans le cadre d'une entreprise du particulier ou de la fiducie,

(ii) si le particulier ou la fiducie a présenté au ministre, en la forme et selon les modalités déterminées par celui-ci, un choix contenant les renseignements requis par lui, dans le cadre d'un projet à risques ou d'une affaire de caractère commercial du particulier ou de la fiducie;

c) la fourniture d'une partie de parcelle de fonds de terre, laquelle parcelle a été subdivisée ou séparée en parties par le particulier, la fiducie ou l'auteur de la fiducie, sauf si, selon le cas :

(i) la parcelle a été subdivisée ou séparée en deux parties et n'est pas issue d'une subdivision effectuée par le particulier, la fiducie ou l'auteur ou n'a pas été séparée d'une autre parcelle de fonds de terre par l'un d'eux,

(ii) l'acquéreur de la fourniture est un particulier lié au particulier ou à l'auteur, ou est son ex-époux ou ancien conjoint de fait, et acquiert la partie pour son usage personnel;

toutefois, pour l'application du présent alinéa, la partie d'une parcelle de fonds de terre que le particulier, la fiducie ou l'auteur fournit à une personne qui a le droit de l'acquérir par expropriation et le restant de la parcelle sont réputés ne pas être issus d'une subdivision effectuée par le particulier, la fiducie ou l'auteur ou avoir été séparés l'un de l'autre par l'un d'eux;

d) la fourniture qui est réputée effectuée en vertu des articles 206 ou 207 de la loi;

e) la fourniture d'un immeuble d'habitation ou d'un droit dans un tel immeuble;

f) la fourniture donnée effectuée au profit d'un acquéreur qui est inscrit aux termes de la sous-section d de la section V de la partie IX de la loi et qui a fait, en vertu du présent alinéa, un choix conjoint avec le particulier ou la fiducie dans un document contenant les renseignements requis par le ministre et présenté en la forme déterminée par celui-ci avec la déclaration dans laquelle il est tenu de déclarer la taxe relative à la fourniture, si les conditions suivantes sont réunies :

(i) l'acquéreur a effectué une fourniture taxable par vente de l'immeuble (appelée « fourniture antérieure » au présent alinéa) au profit d'une personne (appelée « acquéreur antérieur » au présent alinéa) qui est le particulier, la fiducie ou l'auteur de celle-ci, et cette fourniture est la dernière fourniture par vente de l'immeuble effectuée au profit de l'acquéreur antérieur,

(ii) le jour où, aux termes de la convention portant sur la fourniture antérieure, l'acquéreur antérieur a acquis la propriété de l'immeuble ou, s'il est antérieur, le jour où il a pris possession de l'immeuble précède d'au plus un an le jour où la fourniture donnée est effectuée,

(iii) la fourniture donnée est effectuée conformément au droit ou à l'obligation de l'acquéreur d'acheter l'immeuble, qui est prévu dans la convention portant sur la fourniture antérieure.

Notes historiques: L'alinéa 9(2)a) de la partie I de l'annexe V a été remplacé par L.C. 2001, c. 15, par. 22(1). Cette modification s'applique aux fournitures par vente effectuées après le 4 octobre 2000. Antérieurement, il se lisait ainsi :

a) la fourniture d'un immeuble qui est, immédiatement avant le transfert de sa propriété ou de sa possession à l'acquéreur aux termes de la convention concernant la fourniture, une immobilisation utilisée principalement dans une entreprise que le particulier ou la fiducie exploite dans une attente raisonnable de profit;

Le sous-alinéa 9(2)c)(ii) de la partie I de l'annexe V de la *Loi sur la taxe d'accise* a été modifié par L.C. 2000, c. 12, al. 4b), ann. 1 par le remplacement de « ancien conjoint » par « ex-époux ou ancien conjoint de fait ». Cette modification est entrée en vigueur le 1er janvier 2001.

L'alinéa 9(2)e) de la partie I de l'annexe V a été remplacé et l'alinéa 9(2)f) ajouté par L.C. 2001, c. 15, par. 22(2). Cette modification s'applique aux fournitures par vente effectuées après le 4 octobre 2000. Antérieurement, l'alinéa 9(2)e) se lisait ainsi :

e) la fourniture d'un immeuble d'habitation.

Le paragraphe 9(2) de la partie I de l'annexe V a été modifié par L.C. 1997, c. 10, par. 90(1) et est réputé entré en vigueur le 17 décembre 1990. Toutefois :

a) en ce qui a trait aux fournitures pour lesquelles le fournisseur a demandé ou perçu, avant le 24 avril 1996, un montant au titre de la taxe prévue à la partie IX :

(i) ce paragraphe ne s'applique pas,

(ii) l'article 267 ne s'applique pas dans le cadre de l'article 9 de la partie I de l'annexe V;

b) l'alinéa 9(2)c) de la partie I de l'annexe V ne s'applique pas aux fournitures d'immeubles effectuées avant le 24 avril 1996.

Concordance québécoise: LTVQ, art. 102.

Définitions: « acquéreur », « entreprise », « fiducie personnelle », « fourniture », « habitation », « immeuble », « immeuble d'habitation », « immobilisation », « ministre », « personne », « vente » — 123(1).

Renvois: 183(1)d) (saisie et reprise de possession); 184(1)d) (fourniture à l'assureur sur règlement de sinistre); 194 (déclaration erronée); V:Partie I:2 (fournitures exonérées d'immeubles d'habitation); V:Partie I:10-12 (exonérations pour certaines ventes de terres agricoles).

Jurisprudence: *Sainsbury c. Nanaimo Realtyy Co. Ltd.*, G.S.T.C. 30 (BCSC); *Visser (P.) c. La Reine*, G.S.T.C. 75 (CCI); *Leowski (A.D.) c. La Reine*, G.S.T.C. 55 (CCI); *Arsenault c. R.*, [2000] G.S.T.C. 88 (CCI); *Lepage c. R.*, [2000] G.S.T.C. 94 (CCI); *Rive c. Newton*, [2001] G.S.T.C. 85 (Ont SCJ); *Ko c. R.*, [2003] G.S.T.C. 3 (CCI); *McDonell c. R.*, [2005] G.S.T.C. 134 (CCI); *Ansorger v. R.*, 2009 CarswellNat 977 (6 février 2009) (CCI [procédure informelle]).

Énoncés de politique: P-059, 03/03/93, *Entreprise par opposition à projets à risques ou affaire de caractère commercial relativement à la vente d'un immeuble*; P-064, 25/05/93, *Traitement du temps partagé (des multipropriétés)*; P-073, 30/06/93, *Remboursement et choix révoqués en raison de la majoration du taux de remboursement*; P-111R, 25/05/93, *Définition d'une vente à l'égard d'un immeuble* ; P-121, 24/11/92, *Vente d'un terrain faisant partie d'une immeuble d'habitation*; P-135, 02/05/94, *Application de l'article 9, partie I de l'annexe V aux sucessions*; P-154, 06/09/94, *Conséquences à l'égard de la TPS du déplacement d'un immeuble que faisait auparavant partie d'un immeuble d'habitation*; P-167R, 29/03/00, *Signification de la première partie de la définition du terme « entreprise »*; P-205R, 01/09/98, *Signification de la deuxième partie de la définition du terme « entreprise » et application ou non de la définition aux activités, qu'il y ait ou non attente de profit.*

Bulletins de l'information technique: B-075R, 23/04/96, *Modifications proposées à la TPS.*

Mémorandums: TPS 300-4-1, 8/03/91, *Immeubles.*

Série de mémorandums: Mémorandum 19.2.1, 03/98, *Immeubles résidentiels — Ventes*; Mémorandum 19.2.4, 06/98, *Immeubles résidentiels — Sujets particuliers*; Mémorandum 19.4.1, 08/99, *Immeubles commerciaux — Ventes et locations*; Mémorandum 19.5, 06/02, *Fonds de terre et immeubles connexes.*

Formulaires: FP-2022, *Choix de faire considérer comme taxable la vente d'un immeuble*; GST22, *Choix visant à faire considérer la fourniture d'un immeuble par vente effectuée par un particulier ou une fiducie comme fourniture taxable.*

Info TPS/TVQ: GI-003 — *Ventes par des particuliers — terrains vacants.*

Lettres d'interprétation (Québec): 98-0101901 — Décision portant sur l'application de la TPS — Interprétation relative à la TVQ — Transferts de quotes-parts indivises d'immeubles; 99-0108474 — Interprétation relative à la TPS et à la TVQ — Vente d'un immeuble; 01-0106292 — Fourniture par vente d'un immeuble; 02-0109674 — Immeuble, changement d'usage.

10. [Vente d'une terre agricole par un particulier] — La fourniture par vente d'une terre agricole effectuée par un particulier au profit d'un autre particulier qui lui est lié ou qui est son ex-époux ou ancien conjoint de fait, si :

a) le particulier a utilisé la terre dans le cadre d'une activité commerciale qui est une entreprise agricole;

b) immédiatement avant le transfert de la propriété du bien, le particulier n'utilisait pas la terre dans le cadre d'une activité commerciale autre qu'une entreprise agricole;

c) l'autre particulier acquiert la terre pour son utilisation personnelle ou celle d'un particulier qui lui est lié.

Notes historiques: Le préambule de l'article 10 de la partie I de l'annexe V a été remplacé par L.C. 2000, c. 12, al. 3j), ann. 1 par le remplacement de « ex-conjoint » par « ex-époux ou ancien conjoint de fait ». Cette modification entrera en vigueur le 1er janvier 2001.

L'article 10 de la Partie I de l'annexe V a été ajouté par L.C. 1990, c. 45, art. 18.

Concordance québécoise: LTVQ, art. 103.

Définitions: « activité commerciale », « bien », « entreprise », « fourniture », « vente » — 123(1).

Jurisprudence: *Grewal (M.) c. La Reine*, [1996] G.S.T.C. 59 (CCI).

Énoncés de politique: P-109, 30/06/93, *Cession d'une terre agricole par un agriculteur ayant la propriété exclusive à une ou à plusieurs personnes liées et à lui-même à titre de copropriétaires*; P-111R, 25/05/93, *Définition d'une vente à l'égard d'un immeuble* ; P-183, 07/06/95, *Acquisition d'une terre agricole en copropriété.*

Mémorandums: TPS 300-4-1, 8/03/91, *Immeubles.*

Série de mémorandums: Mémorandum 19.5, 06/02, *Fonds de terre et immeubles connexes.*

Info TPS/TVQ: GI-002 — *Ventes par des particuliers — terres agricoles.*

Lettres d'interprétation (Québec): 00-0106344 — Interprétation relative à la TPS et à la TVQ — Entreprise agricole et sylviculture.

11. [Fourniture d'une terre agricole par un particulier] — La fourniture par un particulier d'une terre agricole, qui est réputée effectuée selon le paragraphe 190(2) ou 207(1) de la loi, si :

a) le particulier a utilisé la terre dans le cadre d'une activité commerciale qui est une entreprise agricole;

b) immédiatement avant que la fourniture soit réputée effectuée, le particulier n'utilisait pas la terre dans le cadre d'une activité commerciale autre qu'une entreprise agricole;

c) immédiatement après que la fourniture est réputée effectuée, la terre est pour l'utilisation personnelle du particulier ou celle d'un particulier qui lui est lié.

Notes historiques: L'article 11 de la Partie I de l'annexe V a été ajouté par L.C. 1990, c. 45, art. 18.

Concordance québécoise: LTVQ, art. 104.

Définitions: « activité commerciale », « entreprise », « fourniture », « vente » — 123(1).

Références: Voir sous l'Ann. V, Part. I, art. V:Partie I:10.

Série de mémorandums: Mémorandum 19.5, 06/02, *Fonds de terre et immeubles connexes.*

Info TPS/TVQ: GI-002 — *Ventes par des particuliers — terres agricoles.*

12. [Vente d'une terre agricole par une personne morale, une société de personnes ou une fiducie] — La fourniture par vente d'une terre agricole, effectuée au profit d'un particulier, de son ex-époux ou ancien conjoint de fait ou d'un particulier lié à ce particulier par une personne — personne morale, société de personnes ou fiducie — , si :

a) immédiatement avant le transfert de la propriété du bien :

(i) la totalité, ou presque, des biens de la personne sont utilisés dans le cadre d'une activité commerciale qui est une entreprise agricole,

(ii) le particulier est actionnaire de la personne morale ou est lié à celle-ci, est associé de la société ou est bénéficiaire de la fiducie,

(iii) le particulier, son époux ou conjoint de fait ou son enfant, au sens du paragraphe 70(10) de la *Loi de l'impôt sur le revenu*, participe activement à l'exploitation de l'entreprise de la personne;

b) immédiatement après le transfert de la propriété du bien, la terre agricole est pour l'utilisation personnelle du particulier au profit duquel la fourniture a été effectuée ou d'un particulier qui lui est lié.

Notes historiques: Le préambule de l'article 12 partie I de l'annexe V précédant l'alinéa a) a été remplacé par L.C. 2000, c. 12, al. 3k), ann. 1 par le remplacement de « ex-conjoint » par « ex-époux ou ancien conjoint de fait ». Cette modification est entrée en vigueur le 1er janvier 2001.

Le sous-alinéa 12a)(iii) de la partie I de l'annexe V de la *Loi sur la taxe d'accise* a été remplacé par L.C. 2000, c. 12, al. 1b), ann. 1 par le remplacement de « conjoint » par « époux ou conjoint de fait ». Cette modification est entrée en vigueur 1er janvier 2001.

Le sous-alinéa 12a)(iii) a été remplacé par L.C. 1999, c. 31, art. 234 et cette modification sera réputée entrée en vigueur le 17 juin 1999. Antérieurement, ce sous-alinéa se lisait comme suit :

(iii) le particulier, son conjoint ou son enfant, au sens de l'alinéa 70(10)a) de la Loi de l'impôt sur le revenu, participe activement à l'exploitation de l'entreprise de la personne;

L'article 12 de la Partie I de l'annexe V a été ajouté par L.C. 1990, c. 45, art. 18.

Concordance québécoise: LTVQ, art. 105.

Définitions: « activité commerciale », « bien », « entreprise », « exclusif » (« totalité ou presque, »), « fourniture », « personne », « vente » — 123(1).

Références: Voir sous l'Ann. V, Part. I, art. V:Partie I:10.

Énoncés de politique: P-111R, 25/05/93, *Définition d'une vente à l'égard d'un immeuble* .

Série de mémorandums: Mémorandum 19.5, 06/02, *Fonds de terre et immeubles connexes.*

13. [Fourniture effectuée par une personne morale ou un syndicat] — La fourniture d'un bien ou d'un service, effectuée par une personne morale ou un syndicat établi à l'occasion de l'enregistrement, en conformité avec les lois d'une province, d'un plan ou d'une description de lot de copropriété, ou d'un plan ou d'une description analogue, au profit du propriétaire ou du locataire d'un logement en copropriété décrit dans ce plan ou cette description, si le bien ou le service est lié à l'occupation ou à l'utilisation du logement.

Notes historiques: L'article 13 de la partie I de l'annexe V a été remplacé par L.C. 2000, c. 30, par. 112(1) et cette modification s'applique aux fournitures dont la contrepartie, même partielle, devient due après le 10 décembre 1998 ou est payée après cette date sans être devenue due. Antérieurement, il se lisait comme suit :

> 13. La fourniture, effectuée par une société de gestion d'un immeuble d'habitation en copropriété au profit du propriétaire ou du locataire d'un logement en copropriété dans cet immeuble, d'un bien ou d'un service lié à l'occupation ou à l'utilisation du logement.

L'article 13 de la Partie I de l'annexe V a été ajouté par L.C. 1990, c. 45, art. 18.

Concordance québécoise: LTVQ, art. 106.

Définitions: « bien », « fourniture », « logement en copropriété », « personne », « service », « vente » — 123(1).

Renvois: V:Partie I:13.1 (bien ou service fourni par une coopérative d'habitation).

Jurisprudence: *L'Association Récréative Les Jardins du Château Inc. c. La Reine*, G.S.T.C. 32 (CCI); *Carroll Pontiac Buick Ltd. v. R.* (25 juillet 2008), [2008] G.S.T.C. 155 (CCI [procédure informelle]).

Énoncés de politique: P-064, 25/05/93, *Traitement du temps partagé (des multipropriétés).*

Mémorandums: TPS 300-4-1, 8/03/91, *Immeubles.*

Série de mémorandums: Mémorandum 19.2.2, 02/03, *Immeubles résidentiels — Locations*; Mémorandum 19.2.4, 06/98, *Immeubles résidentiels — Sujets particuliers.*

Lettres d'interprétation (Québec): 98-010777 — Interprétation relative à la TPS — Interprétation relative à la TVQ — Frais de copropriété; 01-0106060 — Frais d'entretien facturés à des propriétaires.

13.1 [Fourniture effectuée par une coopérative d'habitation] — La fourniture d'un bien ou d'un service effectuée par une coopérative d'habitation au profit d'une personne qui, en sa qualité de coopérateur ou de locataire ou sous-locataire d'un tel coopérateur, peut occuper ou utiliser une habitation dans un immeuble d'habitation géré par la coopérative, ou lui appartenant, si la fourniture est liée à l'occupation ou à l'utilisation d'une habitation de l'immeuble.

Notes historiques: L'article 13.1 de la Partie I de l'annexe V a été ajouté par L.C. 1993, c. 27, par. 152(1) et est réputé entré en vigueur le 17 décembre 1990.

Concordance québécoise: LTVQ, art. 106.1.

Définitions: « bien », « coopérative », « coopérative d'habitation », « fourniture », « habitation », « immeuble », « immeuble d'habitation », « personne », « service », « vente » — 123(1).

Renvois: 123(1)« acquéreur » (circonstances dans lesquelles une personne est un acquéreur).

Série de mémorandums: Mémorandum 19.2.2, 02/03, *Immeubles résidentiels — Locations*; Mémorandum 19.2.4, 06/98, *Immeubles résidentiels — Sujets particuliers.*

13.2 [Amarrage d'une maison flottante] — La fourniture, effectuée au profit du propriétaire, du locataire, de l'occupant ou du possesseur d'une maison flottante, du droit d'utiliser un poste d'amarrage ou un quai pour une période d'au moins un mois relativement à l'utilisation de la maison à titre résidentiel.

Notes historiques: L'article 13.2 de la Partie I de l'annexe V a été ajouté par L.C. 1993, c. 27, par. 152(1) et est réputé entré en vigueur le 17 décembre 1990.

Concordance québécoise: LTVQ, art. 106.2.

Définitions: « fourniture », « maison flottante », « mois », « vente » — 123(1).

Renvois: 123(1)« acquéreur » (circonstances dans lesquelles une personne est un acquéreur).

Énoncés de politique: P-130, 05/08/92, *Lieu de résidence.*

Série de mémorandums: Mémorandum 19.2.2, 02/03, *Immeubles résidentiels — Locations.*

13.3 [Droit d'utilisation d'une machine à laver ou d'une sécheuse] — La fourniture, effectuée au profit d'un consommateur, du droit d'utiliser une machine à laver ou une sécheuse qui est située dans une des parties communes d'un immeuble d'habitation.

Notes historiques: L'article 13.3 de la Partie I de l'annexe V a été ajouté par L.C. 1997, c. 10, par. 91(1) et s'applique aux fournitures effectuées après le 23 avril 1996.

Concordance québécoise: LTVQ, art. 106.3.

Définitions: « consommateur », « fourniture », « habitation », « immeuble », « immeuble d'habitation », « vente » — 123(1).

Renvois: 160 (appareils automatiques); V:Partie I:13.4 (service de buanderie).

Jurisprudence: *914115 Ontario Inc. c. Canada*, [1997] G.S.T.C. 43 (CCI).

Bulletins de l'information technique: B-075R, 23/04/96, *Modifications proposées à la TPS.*

Série de mémorandums: Mémorandum 19.2.2, 02/03, *Immeubles résidentiels — Locations.*

13.4 [Service de buanderie] — La fourniture, par bail, licence ou accord semblable, de la partie des parties communes d'un immeuble d'habitation qui est réservée à la buanderie, effectuée au profit d'une personne qui acquiert ainsi le bien pour l'utiliser dans le cadre de la réalisation de fournitures visées à l'article 13.3.

Notes historiques: L'article 13.4 de la Partie I de l'annexe V a été ajouté par L.C. 1997, c. 10, par. 91(1) et s'applique aux fournitures de biens effectuées par bail, licence ou accord semblable pour une période postérieure au 23 avril 1996 et dont la contrepartie devient due après cette date ou est payée après cette date sans qu'elle soit devenue due. Toutefois, pour le calcul du crédit de taxe sur les intrants, pour la période de déclaration du fournisseur qui comprend le 15 décembre 1996 ou pour une de ses périodes de déclaration antérieures, relativement à un bien ou un service qu'il a acquis ou importé avant le 16 décembre 1996 pour consommation ou utilisation dans le cadre de la fourniture, la fourniture est réputée être une fourniture taxable. Par ailleurs, si la fourniture du bien porte sur une période commençant avant le 24 avril 1996 et se terminant après cette date, le bien est réputé faire l'objet de deux fournitures distinctes, l'une visant la partie de la période qui est antérieure au 24 avril 1996 et l'autre, le reste de la période, et la fourniture du bien visant le reste de la période est réputée effectuée le 24 avril 1996.

Concordance québécoise: LTVQ, art. 106.4.

Définitions: « bien », « fourniture », « habitation », « immeuble », « immeuble d'habitation », « personne », « service », « vente » — 123(1).

Série de mémorandums: Mémorandum 19.2.2, 02/03, *Immeubles résidentiels — Locations.*

14. [Application] — Les paragraphes 190(4) et (5) et l'article 191 de la loi sont réputés, pour l'application des articles 4, 5, 5.2 et 5.3, avoir été en vigueur en tout temps.

Notes historiques: L'article 14 de la Partie I de l'annexe V a été modifié par L.C. 1993, c. 27, par. 152(1) et est réputé entré en vigueur le 17 décembre 1990. Cet article, édicté par L.C. 1990, c. 45, art. 18, se lisait comme suit :

> 14. Pour l'application des articles 4 et 5, l'article 191 de la loi est réputé avoir été en vigueur en tout temps avant 1991.

Concordance québécoise: LTVQ, art. 107.

Jurisprudence: *Sir Wynne Highlands Inc. c. Canada*, [2000] G.S.T.C. 6 (CCI).

Série de mémorandums: Mémorandum 19.2.1, 03/98, *Immeubles résidentiels — Ventes.*

Partie II — Services de santé

1. [Définitions] — Les définitions qui suivent s'appliquent à la présente partie.

« assuré » S'entend au sens de la *Loi canadienne sur la santé.*

Notes historiques: La définition de « assuré » à l'article 1 de la Partie II de l'annexe V a été ajoutée par L.C. 1990, c. 45, art. 18.

Concordance québécoise: aucune.

« établissement de santé »

a) Tout ou partie d'un établissement où sont donnés des soins hospitaliers, notamment aux personnes souffrant de maladie aiguë ou chronique, ainsi qu'en matière de réadaptation;

b) hôpital ou établissement pour personnes ayant des problèmes de santé mentale;

c) tout ou partie d'un établissement où sont offerts aux résidents dont l'aptitude physique ou mentale sur le plan de l'autonomie ou de l'autocontrôle est limitée :

(i) des soins infirmiers et personnels sous la direction ou la surveillance d'un personnel de soins infirmiers et médicaux compétent ou d'autres soins personnels et de surveillance (sauf les services ménagers propres à la tenue de l'intérieur domestique) selon les besoins des résidents,

(ii) de l'aide pour permettre aux résidents d'accomplir des activités courantes et des activités récréatives et sociales, et d'autres services connexes pour satisfaire à leurs besoins psycho-sociaux,

(iii) les repas et le logement.

Notes historiques: L'alinéa b) de la définition de « établissement de santé », à l'article 1 de la partie II de l'annexe V a été modifié par L.C. 1997, c. 10, par. 92(1) et cette modification est réputée entrée en vigueur le 20 mars 1997. Auparavant, cet alinéa se lisait comme suit :

b) hôpital ou établissement destiné aux personnes souffrant de troubles mentaux;

Le sous-alinéa c)(i) de la définition de « établissement de santé » à l'article 1 de la partie II de l'annexe V a été remplacé par L.C. 2007, c. 18, par. 52(2) et cette modification est réputée être entrée en vigueur le 17 décembre 1990. Antérieurement, il se lisait ainsi :

(i) des soins infirmiers ou personnels sous la direction ou la surveillance d'un personnel de soins infirmiers et médicaux compétent et d'autres soins personnels et de surveillance (sauf les services ménagers propres à la tenue de l'intérieur domestique) selon les besoins des résidents,

Le sous-alinéa c)(iii) de la définition de « établissement de santé » à l'article 1 de la partie II de l'annexe V a été ajouté par L.C. 2007, c. 18, par. 52(3) et est réputé être entré en vigueur le 17 décembre 1990.

L'alinéa c) de la définition de « établissement de santé » à l'article 1 de la Partie II de l'annexe V a été modifié par L.C. 1993, c. 27, par. 153(1) et est réputé entré en vigueur le 17 décembre 1990. Il se lisait auparavant comme suit :

c) tout ou partie d'un établissement où sont donnés des soins intermédiaires en maison de repos ou des soins en établissement, au sens de la *Loi canadienne sur la santé*, ou des soins comparables pour les enfants.

La définition de « établissement de santé » à l'article 1 de la Partie II de l'annexe V a été ajoutée par L.C. 1990, c. 45, art. 18.

27 novembre 2006, Notes explicatives: Les modifications apportées au sous-alinéa c)(i) de la version française de la définition de « établissement de santé » consistent à corriger certaines incohérences mineures par rapport à la version anglaise. La version française de cette définition est par ailleurs modifiée en vue de ré-édicter le sous-alinéa c)(iii), qui porte sur les repas et le logement. Ce sous-alinéa a en effet été supprimé par inadvertance lors de l'impression au Parlement du projet de loi dans lequel il a été modifié la dernière fois.

Ces modifications sont réputées être entrées en vigueur le 17 décembre 1990.

Concordance québécoise: LTVQ, art. 108« établissement de santé ».

Renvois: 149(4.1) (institution financière — exception); 259(1)« organisme de bienfaisance » (organisme de bienfaisance à but non lucratif qui exploite un établissement de santé).

Jurisprudence: *Riverfront Medical Evaluations Ltd. c. La Reine*, [2002] G.S.T.C. 110 (CFC); *Buccal Services Ltd. c. La Reine*, [1994] G.S.T.C. 70 (CCI).

Mémorandums: TPS 300-4-2, 17/11/93, *Services de santé*.

Info TPS/TVQ: GI-045 — *Les établissements de soins pour bénéficiaires internes et les modifications proposées dans le budget de 2008*.

Lettres d'interprétation (Québec): 98-0100275 — Décision portant sur l'application de la TPS — Interprétation relative à la TVQ — Fourniture de biens et services effectuée entre établissements du réseau de la santé; 98-0110654 — Décision portant sur l'application de la TPS — Interprétation relative à la TVQ — Hébergement pour un service de santé; 99-0106064 — Interprétation relative à la TPS et à la TVQ — Fournitures effectuées par un CHSLD; 99-0106825 — Interprétation relative à la TPS — Interprétation relative à la TVQ — Taxation de test diagnostique offert par une clinique privée; 00-0102509 — Interprétation relative à la TPS et à la TVQ — Services rendus par une ressource intermédiaire; 02-0107777 — Interprétation relative à la TPS et à la TVQ — Règles générales, résidences pour personnes âgées; 04-0103608 — Interprétation relative à la TPS et à la TVQ — Exploitation d'un centre de désintoxication.

Ajout proposé — Ann. V, partie II, 1« fourniture admissible de services de santé »

« fourniture admissible de services de santé » Fourniture d'un bien ou d'un service qui est effectuée dans le but :

a) de maintenir la santé;

b) de prévenir la maladie;

c) de traiter ou de soulager une blessure, une maladie, un trouble ou une invalidité, ou d'y remédier;

d) d'aider un particulier (autrement que financièrement) à composer avec une blessure, une maladie, un trouble ou une invalidité;

e) d'offrir des soins palliatifs.

Application: La définition de « fourniture admissible de services de santé » à l'article 1 de la partie II de l'annexe V sera ajoutée par le par. 3(2) de l'*Avis de motion de voies et moyens accompagnant le budget fédéral* du 21 mars 2013 et sera réputée être entrée en vigueur le 22 mars 2013.

Budget fédéral, Renseignements supplémentaires, 21 mars 2013: [Voir sous Ann. V, partie II, 1« service ménager à domicile » — n.d.l.r.]

« fourniture de services esthétiques » Fourniture d'un bien ou d'un service qui est effectuée à des fins esthétiques et non à des fins médicales ou restauratrices.

Notes historiques: La définition de « fourniture de services esthétiques » à l'article 1 de la partie II de l'annexe V a été ajoutée par L.C. 2010, c. 12, par. 83 (1) et s'applique relativement aux fournitures suivantes :

a) les fournitures effectuées après le 4 mars 2010;

b) les fournitures effectuées avant le 5 mars 2010 si :

(i) la totalité de la contrepartie de la fourniture devient due après le 4 mars 2010 ou est payée après cette date sans être devenue due,

(ii) la contrepartie, même partielle, de la fourniture est devenue due ou a été payée avant le 5 mars 2010, sauf si le fournisseur n'a pas exigé, perçu ni versé de montant avant cette date au titre de la taxe prévue par la partie IX relativement à la fourniture.

avril 2010, Notes explicatives: La modification consiste à ajouter la définition de « fourniture de services esthétiques » à l'article 1 de la partie II de l'annexe V. Cette définition s'applique au nouvel article 1.1 de cette partie, lequel a pour effet d'exclure les fournitures de services esthétiques et les fournitures afférentes qui ne sont pas effectuées à des fins médicales ou restauratrices des fournitures exonérées incluses dans cette partie (à l'exception de l'article 9). Cette définition s'applique aussi au nouvel alinéa p) de l'article 2 de la partie VI de l'annexe V, lequel a pour effet d'exclure certaines fournitures de services esthétiques et fournitures afférentes qui ne sont pas effectuées à des fins médicales ou restauratrices de l'exonération générale applicable aux fournitures de biens meubles et de services effectuées par les institutions publiques. En outre, elle s'applique au nouvel article 1.2 de la partie II de l'annexe VI, lequel a pour effet d'exclure les fournitures de services esthétiques et les fournitures afférentes qui ne sont pas effectuées à des fins médicales ou restauratrices de la liste des fournitures détaxées d'appareils et services médicaux et fonctionnels.

Le terme « fourniture de services esthétiques » s'entend d'une fourniture de bien ou de service qui est effectuée à des fins esthétiques et non à des fins médicales ou restauratrices. En sont des exemples les interventions chirurgicales et non chirurgicales visant généralement à améliorer l'apparence, comme la liposuccion, les greffes de cheveux, les injections de toxine botulinique et le blanchiment des dents, qui ne sont pas effectuées dans le but de traiter un état pathologique ou à des fins restauratrices.

Cette définition s'applique aux fournitures effectuées après le 4 mars 2010. Elle s'applique aussi aux fournitures effectuées avant le 5 mars 2010 si le fournisseur a exigé, perçu ou versé un montant de TPS/TVH relatif à la fourniture ou si la totalité de la contrepartie de la fourniture devient due après le 4 mars 2010 ou est payée après cette date sans être devenue due.

Concordance québécoise: LTVQ, art. 108« fourniture de services esthétiques ».

« médecin » Personne autorisée par la législation provinciale à exercer la profession de médecin ou de dentiste.

Notes historiques: La définition de « médecin » à l'article 1 de la Partie II de l'annexe V a été ajoutée par L.C. 1990, c. 45, art. 18.

Concordance québécoise: LTVQ, art. 108« médecin ».

Jurisprudence: *C.A.D. Ringrose Therapy Institute Ltd. c. La Reine*, [1993] G.S.T.C. 54 (CCI); [1995] G.S.T.C. 10 (CAF); [1996] G.S.T.C. 2 (CSC).

Énoncés de politique: P-207, 13/12/96, *Statut aux fins de la TPS de la fourniture d'un service de chirurgie oculaire au laser* (Ébauche); P-238, 07/11/00, *Application de la TPS/TVH aux paiements effectués entre les parties au sein d'un organisme d'exercice de la médecine*; P-248R, 21/09/06, *Application de la TPS/TVH à la fourniture d'évaluation médicale indépendante (« EMI ») et à d'autres évaluations indépendantes.*

Lettres d'interprétation (Québec): 03-0105845 — Service de l'interprétation relative aux mesures administratives et aux taxes spécifiques; 03-010842 — Interprétation relative à la TPS et à la TVQ — Service de psychologie; 04-0100323 — Services rendus par une psychologue.

« praticien » Quant à la fourniture de services d'optométrie, de chiropraxie, de physiothérapie, de chiropodie, de podiatrie, d'ostéopathie, d'audiologie, d'orthophonie, d'ergothérapie, de psychologie, de sage-femme ou de diététique, personne qui répond aux conditions suivantes :

a) elle exerce l'optométrie, la chiropraxie, la physiothérapie, la chiropodie, la podiatrie, l'ostéopathie, l'audiologie, l'orthophonie, l'ergothérapie, la psychologie, la profession de sage-femme ou la diététique, selon le cas;

b) si elle est tenue d'être titulaire d'un permis ou d'être autrement autorisée à exercer sa profession dans la province où elle fournit ses services, elle est ainsi titulaire ou autorisée;

c) sinon, elle a les qualités équivalentes à celles requises pour obtenir un permis ou être autrement autorisée à exercer sa profession dans une autre province;

d) [*abrogé*]

Notes historiques: Le passage de la définition de « praticien » précédant l'alinéa b), à l'article 1 de la partie II de l'annexe V, a été remplacé par L.C. 2007, c. 29, par. 50(1) et cette modification s'applique aux fournitures effectuées après le 28 décembre 2006. Antérieurement, ce passage lisait ainsi :

« praticien » Quant à la fourniture de services d'optométrie, de chiropraxie, de physiothérapie, de chiropodie, de podiatrie, d'ostéopathie, d'audiologie, d'orthophonie, d'ergothérapie, de psychologie ou de diététique, personne qui répond aux conditions suivantes :

a) elle exerce l'optométrie, la chiropraxie, la physiothérapie, la chiropodie, la podiatrie, l'ostéopathie, l'audiologie, l'orthophonie, l'ergothérapie, la psychologie ou la diététique, selon le cas;

Le passage de la définition de « praticien » précédant l'alinéa b), à l'article 1 de la partie II de l'annexe V, a été remplacé par L.C. 2007, c. 18, par. 52(1) et cette modification s'appliquera aux fournitures effectuées après 2000. Antérieurement, ce passage lisait ainsi :

« praticien » Quant à la fourniture de services d'optométrie, de chiropraxie, de physiothérapie, de chiropodie, de podiatrie, d'ostéopathie, d'audiologie, d'orthophonie, d'ergothérapie, de psychologie ou de diététique, personne qui répond aux conditions suivantes :

a) elle exerce l'optométrie, la chiropraxie, la physiothérapie, la chiropodie, la podiatrie, l'ostéopathie, l'audiologie, l'orthophonie, l'ergothérapie, la psychologie ou la diététique, selon le cas;

Cette modification est réputée être entrée en vigueur le 21 juin 2007 en vertu de L.C. 2007, c. 29, al. 53d).

Le passage de la définition de « praticien » précédant l'alinéa b), à l'article 1 de la partie II de l'annexe V, a été remplacé par L.C. 2001, c. 15, par. 23(1), et cette modification ne s'applique qu'aux fournitures effectuées en 2001. Antérieurement, il se lisait ainsi :

« praticien » Quant à la fourniture de services d'optométrie, de chiropraxie, de physiothérapie, de chiropodie, de podiatrie, d'ostéopathie, d'audiologie, d'ergothérapie, de psychologie ou de diététique, personne qui répond aux conditions suivantes :

a) elle exerce l'optométrie, la chiropraxie, la physiothérapie, la chiropodie, la podiatrie, l'ostéopathie, l'audiologie, l'ergothérapie, la psychologie ou la diététique, selon le cas;

Le passage précédant l'alinéa b) de la définition de « praticien », à l'article 1 de la partie II de l'annexe V, a été remplacé par L.C. 2000, c. 30, par. 113(1). Cette modification est réputée entrée en vigueur le 1er janvier 1997. Toutefois en ce qui concerne les fournitures effectuées après le 31 décembre 1996 et avant 2001, ce passage est remplacé par ce qui suit:

« praticien » Quant à la fourniture de services d'optométrie, de chiropraxie, de physiothérapie, de chiropodie, de podiatrie, d'ostéopathie, d'audiologie, d'orthophonie, d'ergothérapie, de psychologie ou de diététique, personne qui répond aux conditions suivantes :

a) elle exerce l'optométrie, la chiropraxie, la physiothérapie, la chiropodie, la podiatrie, l'ostéopathie, l'audiologie, l'orthophonie, l'ergothérapie, la psychologie ou la diététique, selon le cas;

Antérieurement, il se lisait comme suit :

« praticien » Quant à la fourniture de services d'optométrie, de chiropraxie, de physiothérapie, de chiropodie, de podiatrie, d'audiologie, d'ergothérapie, de psychologie ou de diététique, personne qui répond aux conditions suivantes :

a) elle exerce l'optométrie, la chiropraxie, la physiothérapie, la chiropodie, la podiatrie, l'ostéopathie, l'audiologie, l'orthophonie, l'ergothérapie, la psychologie ou la diététique, selon le cas;

L'alinéa d) de la définition de « praticien », à l'article 1 de la partie II de l'annexe V a été abrogé par L.C. 2000, c. 30, par. 113(2). Cette abrogation est réputée entrée en vigueur le 1er mai 1999 et s'appliquera aux fournitures effectuées après avril 1999. Antérieurement, il se lisait comme suit :

d) si elle fournit des services de psychologie, elle est inscrite au « Répertoire canadien des psychologues offrant des services de santé ».

La définition de « praticien » à l'article 1 de la Partie II de l'annexe V a été modifiée par L.C. 1997, c. 10, par. 92(2) et cette modification est réputée entrée en vigueur le 1er janvier 1997. Toutefois, en ce qui a trait aux fournitures effectuées en 1997, le passage de la définition de « praticien » à l'article 1 de la partie II de l'annexe V précédant l'alinéa b) est remplacé par ce qui suit :

« praticien » Quant à la fourniture de services d'optométrie, de chiropraxie, de physiothérapie, de chiropodie, de podiatrie, d'ostéopathie, d'audiologie, d'orthophonie, d'ergothérapie, de psychologie ou de diététique, personne qui répond aux conditions suivantes :

a) elle exerce l'optométrie, la chiropraxie, la physiothérapie, la chiropodie, la podiatrie, l'ostéopathie, l'audiologie, l'orthophonie, l'ergothérapie, la psychologie ou la diététique, selon le cas;

Elle se lisait auparavant comme suit :

« praticien » Personne qui exerce l'optométrie, la chiropratique, la physiothérapie, la chiropodie, la podiatrie, l'ostéopathie, l'audiologie, l'orthophonie, l'ergothérapie ou la psychologie et qui :

a) est titulaire d'un permis ou est autrement autorisée à exercer sa profession dans la province où elle fournit ses services;

b) si elle n'est pas tenue d'être ainsi titulaire ou autorisée, a les qualités équivalentes à celles requises pour obtenir un permis ou être autrement autorisée à exercer sa profession dans une autre province;

c) si elle exerce la psychologie, est inscrite au Répertoire canadien des psychologues offrant des services de santé.

Cette définition a été ajoutée par L.C. 1990, c. 45, art. 18.

juin 2007, Notes explicatives: La définition de « praticien », à l'article 1 de la partie II de l'annexe V, dresse la liste des professionnels de la santé qui n'ont pas à exiger la taxe relativement aux fournitures de services de santé énumérés aux articles 7 et 7.1 de cette partie.

La modification apportée à cette définition consiste à ajouter à cette liste les personnes qui exercent la profession de sage-femme.

Cette modification s'applique aux fournitures effectuées après le 28 décembre 2006.

27 novembre 2006, Notes explicatives: L'article 1 de la partie II de l'annexe V définit certains termes pour l'application de cette partie, qui porte sur les services de santé exonérés.

La définition de « praticien », à l'article 1 de la partie II de l'annexe V, dresse la liste des professionnels de la santé qui n'ont pas à exiger la taxe sur les services de santé énumérés aux articles 7 et 7.1 de cette partie.

Cette définition est modifiée en vue d'ajouter à cette liste les personnes qui pratiquent la profession d'orthophoniste. Une modification figurant dans la *Loi de 2001 modifiant les taxes de vente et d'accise* avait pour effet d'ajouter les orthophonistes à la liste des professionnels visés à la définition de « praticien » jusqu'à la fin de 2001, afin de permettre l'achèvement du processus de réglementation qui était alors en cours. Par la suite, une modification semblable a été proposée pour 2002, année au cours de laquelle ce processus a été achevé. La version anglaise de la définition de « praticien » fait l'objet d'une modification additionnelle qui consiste à remplacer le terme « *speech therapy* » par « *speech-language pathology* », terme que les interlocuteurs de langue anglaise utilisent désormais pour désigner la profession d'orthophoniste. La terminologie utilisée dans la version française demeure inchangée.

Cette modification s'applique aux fournitures effectuées après 2000.

Concordance québécoise: LTVQ, art. 108« praticien ».

Jurisprudence: *C.A.D. Ringrose Therapy Institute Ltd. c. La Reine*, [1993] G.S.T.C. 54 (CCI); [1995] G.S.T.C. 10 (CAF); [1996] G.S.T.C. 2 (CSC).

Énoncés de politique: P-238, 07/11/00, *Application de la TPS/TVH aux paiements effectués entre les parties au sein d'un organisme d'exercice de la médecine*; P-248R, 21/09/06, *Application de la TPS/TVH à la fourniture d'évaluation médicale indépendante (« EMI ») et à d'autres évaluations indépendantes.*

Bulletins de l'information technique: B-075R, 23/04/96, *Modifications proposées à la TPS.*

Ajout proposé — Ann. V, partie II, 1« service de soins à domicile »

« service de soins à domicile » Service ménager ou de soins personnels, notamment l'aide au bain, l'aide pour manger ou s'habiller, l'aide à la prise de médicaments, le ménage, la lessive, la préparation des repas et la garde des enfants, rendu à un particulier qui, en raison de son âge, d'une infirmité ou d'une invalidité, a besoin d'aide.

Application: La définition de « service de soins à domicile » à l'article 1 de la partie II de l'annexe V sera ajoutée par le par. 3(2) de l'*Avis de motion de voies et moyens accompagnant le budget fédéral* du 21 mars 2013 et sera réputée être entrée en vigueur le 22 mars 2013.

Budget fédéral, Renseignements supplémentaires, 21 mars 2013: [Voir sous Ann. V, partie II, 1« service ménager à domicile » — n.d.l.r.]

« service ménager à domicile » Service ménager ou personnel, notamment le ménage, la lessive, la préparation des repas et la garde des enfants, rendu à un particulier qui, en raison de son âge, d'une infirmité ou d'une invalidité, a besoin d'aide.

Abrogation proposée — Ann. V, partie II, 1« service ménager à domicile »

Application: La définition de « service ménager à domicile » à l'article 1 de la partie II de l'annexe V sera abrogée par le par. 3(1) de l'*Avis de motion de voies et moyens accompagnant le budget fédéral* du 21 mars 2013 et cette abrogation sera réputée être entrée en vigueur le 22 mars 2013.

Budget fédéral, Renseignements supplémentaires, 21 mars 2013: *TPS/TVH et services de soins de santé*

L'un des objectifs stratégiques clés qui sous-tendent le régime de la taxe sur les produits et services/taxe de vente harmonisée (TPS/TVH) est de faire en sorte que les services de soins de santé de base ainsi que certains services d'aide liés à la santé, comme les services ménagers à domicile faisant l'objet d'une aide gouvernementale, soient exonérés de TPS/TVH. Cela signifie que les fournisseurs de services exonérés n'exigent pas la TPS/TVH, mais également qu'ils ne peuvent demander de crédits de taxe sur les intrants au titre de la TPS/TVH payée à l'égard des intrants rattachés à ces fournitures.

Il est proposé dans le budget de 2013 d'améliorer l'application de la TPS/TVH aux services d'aide aux soins à domicile liés à la santé afin de rendre compte de l'évolution du secteur des soins de santé et de clarifier l'application de la TPS/TVH à l'égard de rapports, d'examens et d'autres services fournis à des fins autres que la santé.

TPS/TVH à l'égard des services de soins à domicile

Les services de soins à domicile bénéficiant d'une aide gouvernementale constituent un complément important aux services publics de soins de santé. En concordance avec l'exonération de TPS/TVH applicable aux soins de santé de base, une exonération de TPS/TVH est accordée à l'égard des services ménagers à domicile faisant l'objet d'une subvention ou de financement public, y compris le ménage, la lessive, la préparation de repas et la garde d'enfants, fournis à un particulier qui, en raison de son âge, d'une infirmité ou d'une invalidité, a besoin d'une telle aide à son domicile.

Outre les services ménagers à domicile, les gouvernements provinciaux et territoriaux subventionnent ou financent des services de soins personnels, ce qui inclut l'aide au bain, l'aide pour manger ou pour s'habiller, et l'aide à la prise de médicaments, rendus à des particuliers qui ont besoin d'une telle aide à leur domicile. Ces services ne sont pas visés à l'heure actuelle par l'exonération applicable aux services ménagers à domicile.

Il est proposé dans le budget de 2013 d'étendre l'exonération de TPS/TVH à l'égard des services ménagers à domicile à des services de soins personnels faisant l'objet d'une subvention ou d'un financement public, ce qui inclut l'aide au bain, l'aide pour manger ou pour s'habiller, et l'aide à la prise de médicaments, rendus à des particuliers qui, en raison de leur âge, d'une infirmité ou d'une invalidité, ont besoin d'une telle aide à leur domicile. Cela se traduira par une exonération des services de soins à domicile qui concorde davantage avec les pratiques des provinces et des territoires à l'égard des services d'aide liés à la santé qui sont fournis à des personnes à leur domicile.

Cette mesure s'appliquera aux fournitures effectuées après le 21 mars 2013.

Notes historiques: La définition de « service ménager à domicile » à l'article 1 de la Partie II de l'annexe V a été ajoutée par L.C. 1993, c. 27, par. 153(2) et est réputée entrée en vigueur le 1er avril 1991. Elle remplace la définition de « service ménager à domicile » qui figurait à l'article 1 de la Partie VI de l'annexe V.

Concordance québécoise: LTVQ, art. 108« service ménager à domicile ».

Énoncés de politique: P-207, 13/12/96, *Statut aux fins de la TPS de la fourniture d'un service de chirurgie oculaire au laser.*

Lettres d'interprétation (Québec): 99-0111817 — Interprétation relative à la TPS et à la TVQ; 99-0113086 — Interprétation relative à la TPS et à la TVQ — Services rendus par des préposés(es) aux bénéficiaires et des infirmiers(ères).

« services de santé en établissement » Les services et produits suivants offerts dans un établissement de santé :

a) les services de laboratoire, de radiologie et autres services de diagnostic;

b) lorsqu'elles sont accompagnées de la fourniture d'un service ou d'un bien figurant à l'un des alinéas a) et c) à g), les drogues, substances biologiques ou préparations connexes administrées dans l'établissement et les prothèses médicales ou chirurgicales installées dans l'établissement;

c) l'usage des salles d'opération, des salles d'accouchement et des installations d'anesthésie, ainsi que l'équipement et le matériel nécessaires;

d) l'équipement et le matériel médicaux et chirurgicaux :

(i) utilisés par l'administrateur de l'établissement en vue d'offrir un service figurant aux alinéas a) à c) et e) à g),

(ii) fournis à un patient ou à un résident de l'établissement autrement que par vente;

e) l'usage des installations de radiothérapie, de physiothérapie ou d'ergothérapie;

f) l'hébergement;

g) les repas (sauf ceux servis dans un restaurant, une cafétéria ou un autre établissement semblable où l'on sert des repas);

h) les services rendus par des personnes rémunérées à cette fin par l'administrateur de l'établissement.

Notes historiques: Le passage précédant l'alinéa c) de la définition de « services de santé en établissement » à l'article 1 de la Partie II de l'annexe V a été modifié par L.C. 1994, c. 9, par. 25(1) et est réputé entré en vigueur le 17 décembre 1990. Ce passage de la définition de « service de santé en établissement » se lisait comme suit :

> « services de santé en établissement » Les services suivants offerts dans un établissement de santé :
>
> a) les services de laboratoire, de radiologie et autres services de diagnostic;
>
> b) les drogues, substances biologiques ou préparations connexes administrées dans l'établissement et accompagnées de la fourniture d'un service figurant à l'un des alinéas a) et c) à g);

La définition de « services de santé en établissement » à l'article 1 de la Partie II de l'annexe V a été ajoutée par L.C. 1990, c. 45, art. 18.

Concordance québécoise: LTVQ, art. 108« service de santé en établissement ».

Renvois: VI:Partie II:25 (prothèses détaxées), 34 (service reliés à des appareils médicaux).

Jurisprudence: *Buccal Services Ltd. c. La Reine*, [1994] G.S.T.C. 70 (CCI); *Riverfront Medical Evaluations Ltd. v. R.*, [2001] G.S.T.C. 80 (CCI); *North Shore Health Region v. R.*, [2008] G.S.T.C. 1 (CAF).

Énoncés de politique: P-248R, 21/09/06, *Application de la TPS/TVH à la fourniture d'évaluation médicale indépendante (« EMI ») et à d'autres évaluations indépendantes.*

Mémorandums: TPS 300-4-2, 17/11/93, *Services de santé.*

Série de mémorandums: Mémorandum 4.1, 06/00, *Médicaments et substances biologiques.*

juin 2007, Notes explicatives: L'article 55 porte sur des dispositions de la partie IX qui sont modifiées à la fois par la *Loi de 2006 modifiant la taxe de vente* et par la *Loi d'exécution du budget de 2007*, lesquelles ont été déposées au cours de la 1re session de la 39e législature. Les dispositions figurant à cet article permettent d'atteindre le résultat escompté en ce qui concerne les dispositions de la *Loi sur la taxe d'accise* qui sont modifiées par ces deux lois, peu importe laquelle de celles-ci entre en vigueur la première.

Définitions: « bien », « fourniture », « personne », « province », « service », « vente » — 123(1).

Lettres d'interprétation (Québec): 00-0110783 — Interprétation relative à la TPS et à la TVQ — Services ménagers à domicile.

1.1 [Application] — Pour l'application de la présente partie, à l'exception de l'article 9, les fournitures de services esthétiques et les fournitures afférentes qui ne sont pas effectuées à des fins médicales ou restauratrices sont réputées ne pas être incluses dans la présente partie.

Notes historiques: L'article 1.1 de la partie II de l'annexe V a été ajouté par L.C. 2010, c. 12, par. 84(1) et s'applique selon les mêmes modalités d'application que celles de l'ajout proposé sous la définition de « fourniture de services esthétiques » sous l'art. 1 de la partie II de l'annexe V.

avril 2010, Notes explicatives: Le nouvel article 1.1 de la partie II de l'annexe V précise que les fournitures de services esthétiques et les fournitures afférentes qui ne sont pas effectuées à des fins médicales ou restauratrices ne sont pas considérées comme des soins de santé de base et sont exclues des dispositions d'exonération (sauf l'article 9) de cette partie.

Par exemple, les injections de toxine botulinique administrées par un infirmier ou une infirmière autorisé afin d'atténuer les rides seraient exclues de l'exonération des services infirmiers prévue à l'article 6.

Les fournitures de services et de biens liés effectuées à des fins médicales ou restauratrices qui ont également une fin esthétique, comme les chirurgies visant à corriger une malformation découlant d'une anomalie congénitale, d'une blessure causée par un accident ou un traumatisme ou d'une maladie défigurante, ne sont pas exclues des dispositions d'exonération de la partie II par l'effet du nouvel article 1.1. De plus, les interventions esthétiques seront exonérées en vertu de l'article 9 de cette partie dans la mesure où elles sont payées ou remboursées par un régime provincial d'assurance-maladie.

Le nouvel article 1.1 de la partie II de l'annexe V s'applique aux fournitures effectuées après le 4 mars 2010. Il s'applique aussi aux fournitures effectuées avant le 5 mars 2010 si le fournisseur a exigé, perçu ou versé un montant de TPS/TVH relatif à la fourniture ou si la totalité de la contrepartie de la fourniture devient due après le 4 mars 2010 ou est payée après cette date sans être devenue due.

Concordance québécoise: LTVQ, art. 108.1.

Ajout proposé — Ann. V, partie II, 1.2

1.2 Pour l'application de la présente partie, à l'exception des articles 9 et 11 à 14, les fournitures qui ne sont pas des fournitures admissibles de services de santé sont réputées ne pas être incluses dans la présente partie.

Application: L'article 1.2 de la partie II de l'annexe V sera ajoutée par le par. 4(1) de l'*Avis de motion de voies et moyens accompagnant le budget fédéral* du 21 mars 2013 et s'appliquera aux fournitures effectuées après la date du budget.

Budget fédéral, Renseignements supplémentaires, 21 mars 2013: *TPS/TVH à l'égard des rapports et des services non liés à la santé*

Pour l'application de la TPS/TVH, les services fournis exclusivement à des fins non liées à la santé, peu importe qu'ils soient fournis par un professionnel de la santé, ne sont pas réputés être des services de soins de santé de base et ne sont pas censés faire l'objet de l'exonération visant ces derniers. Par exemple, les dispositions législatives régissant la TPS/TVH précisent que la taxe s'applique à toutes les fournitures qui constituent des interventions de nature purement esthétique.

Afin de donner suite aux décisions de tribunaux qui ont eu pour effet d'élargir la portée de l'intention stratégique de limiter l'exonération aux services de soins de santé de base, il est proposé dans le budget de 2013 de préciser que la TPS/TVH s'applique aux rapports, aux examens et aux autres services qui ne sont pas fournis à des fins de protection, de maintien ou de rétablissement de la santé d'une personne ou dans le cadre de soins palliatifs. À titre d'exemple, seront des fournitures taxables les rapports, les examens et les autres services visant exclusivement à déterminer la responsabilité dans le cadre de procédures judiciaires ou aux termes d'une police d'assurances. Les fournitures de biens et de services à l'égard d'un rapport, d'un examen ou d'autres services de cet ordre seront également taxables. Par exemple, les frais pour des radiographies ou des tests en laboratoire ayant trait à un examen taxable seront taxables eux aussi.

Les rapports, les examens et les autres services continueront d'être exonérés s'ils servent à des fins de protection, de maintien ou de rétablissement de la santé d'une personne ou dans le cadre de soins palliatifs. De même, les rapports, les examens et les autres services dont le coût est payé par un régime d'assurance-maladie provincial ou territorial demeureront exonérés.

Cette mesure s'appliquera aux fournitures effectuées après le 21 mars 2013.

2. [Services de santé en établissement] — La fourniture de services de santé en établissement, rendus à un patient ou à un résident d'un établissement de santé, effectuée par l'administrateur de l'établissement.

Notes historiques: L'article 2 de la partie II de l'annexe V a été remplacé par L.C. 2010, c. 12, par. 85(1) et cette modification s'applique selon les mêmes modalités d'application que celles de l'ajout proposé sous la définition de « fourniture de services esthétiques » sous l'art. 1 de la partie II de l'annexe V. Antérieurement, il se lisait ainsi :

> 2. La fourniture de services de santé en établissement, rendus à un patient ou à un résident d'un établissement de santé, effectuée par l'administrateur de l'établissement, à l'exclusion de la fourniture de services liés à la prestation de services chirurgicaux ou dentaires exécutés à des fins esthétiques plutôt que médicales ou restauratrices.

L'article 2 de la partie II de l'annexe V a été remplacé par L.C. 2000, c. 30, par. 114(1). Cette modification s'applique aux fournitures effectuées après le 10 décembre 1998. Antérieurement, il se lisait comme suit :

> 2. La fourniture de services de santé en établissement effectuée par l'administrateur d'un établissement de santé au profit d'un patient ou d'un résident, à l'exclusion des services liés à la prestation de services chirurgicaux ou dentaires exécutés à des fins esthétiques plutôt que médicales ou restauratrices.

L'article 2 de la Partie II de l'annexe V a été ajouté par L.C. 1990, c. 45, art. 18.

avril 2010, Notes explicatives: L'article 2 de la partie II de l'annexe V a pour effet d'exonérer les fournitures de services de santé en établissement, au sens de l'article 1 de cette partie, rendus à un patient ou à un résident d'un établissement de santé, sauf dans le cas où le service a trait à la prestation d'un service chirurgical ou dentaire qui est exécuté à des fins esthétiques et non à des fins médicales ou restauratrices.

Cet article est modifié de façon à supprimer la mention des services liés à la prestation d'un service chirurgical ou dentaire qui est exécuté à des fins esthétiques et non à des fins médicales ou restauratrices. Cette modification fait suite à l'ajout de l'article 1.1 à la partie II, qui a pour effet d'exclure des services de santé exonérés selon cette partie (sauf l'article 9) les fournitures de services esthétiques et les fournitures afférentes qui ne sont pas effectuées à des fins médicales ou restauratrices.

Cette modification s'applique aux fournitures effectuées après le 4 mars 2010. Elle s'applique aussi aux fournitures effectuées avant le 5 mars 2010 si le fournisseur a exigé, perçu ou versé un montant de TPS/TVH relatif à la fourniture ou si la totalité de la contrepartie de la fourniture devient due après le 4 mars 2010 ou est payée après cette date sans être devenue due.

Concordance québécoise: LTVQ, art. 109, 141.

Définitions: « fourniture » — 123(1).

Renvois: VI:Partie II:34 (exceptions pour les prestations de services chirurgicaux à des fins esthétiques et non à des fins médicales ou restauratrices).

Jurisprudence: *Buccal Services Ltd. c. La Reine*, [1994] G.S.T.C. 70 (CCI); *Riverfront Medical Evaluations Ltd. v. R.*, [2001] G.S.T.C. 80 (CCI); *North Shore Health Region v. R.*, [2008] G.S.T.C. 1 (CAF).

Énoncés de politique: P-207, 13/12/96, *Statut aux fins de la TPS de la fourniture d'un service de chirurgie oculaire au laser* (Ébauche).

Mémorandums: TPS 300-4-2, 17/11/93, *Services de santé*.

Série de mémorandums: Mémorandum 4.1, 06/00, *Médicaments et substances biologiques*.

Lettres d'interprétation (Québec): 99-0106064 — Interprétation relative à la TPS et à la TVQ — Fournitures effectuées par un CHSLD; 99-0106825 — Interprétation relative à la TPS Interprétation relative à la TVQ — Taxation de test diagnostique offert par une clinique privée; 00-0102509 — Interprétation relative à la TPS et à la TVQ — Services rendus par une ressource intermédiaire; 00-0110197 — Interprétation relative à la TPS et à la TVQ — Fourniture de services de santé en établissement effectuée par l'administrateur d'un établissement de santé; 02-0107777 — Interprétation relative à la TPS et à la TVQ — Règles générales, résidences pour personnes âgées; 04-0103608 — Interprétation relative à la TPS et à la TVQ -- exploitation d'un centre de désintoxication [par des résidents à l'étranger].

3. [Location d'équipement ou de matériel médical] — La fourniture par l'administrateur d'un établissement de santé qui consiste à louer de l'équipement ou du matériel médical à un consommateur sur ordonnance écrite d'un médecin.

Notes historiques: L'article 3 de la Partie II de l'annexe V a été ajouté par L.C. 1990, c. 45, art. 18.

Concordance québécoise: LTVQ, art. 110.

Définitions: « fourniture » — 123(1).

Renvois: 123(1)« acquéreur » (circonstances dans lesquelles une personne est un acquéreur); VI:Partie II (appareils médicaux).

Mémorandums: TPS 300-4-2, 17/11/93, *Services de santé*.

4. [Services ambulanciers] — La fourniture de services d'ambulance par une personne dont l'entreprise consiste à fournir de tels services, à l'exception des services d'ambulance aérienne inclus à l'article 15 de la partie VII de l'annexe VI.

Notes historiques: L'article 4 de la Partie II de l'annexe V a été modifié par L.C. 1997, c. 10, par 93(1) et cette modification est réputée entrée en vigueur le 17 décembre 1990. Cet article, ajouté par L.C. 1990, c. 45, art. 18, se lisait auparavant comme suit :

> 4. La fourniture de services ambulanciers par une personne dont l'entreprise consiste à fournir de tels services.

Concordance québécoise: LTVQ, art. 111.

Définitions: « entreprise », « fourniture », « personne » — 123(1).

Bulletins de l'information technique: B-075R, 23/04/96, *Modifications proposées à la TPS*.

Mémorandums: TPS 300-4-2, 17/11/93, *Services de santé*.

Série de mémorandums: Mémorandum 28.3, 12/98, *Services de transport de passagers*, par. 20-22.

Lettres d'interprétation (Québec): 96-0111714 — Modification d'une décision antérieure portant sur l'application de la TPS — Interprétation relative à la TVQ — Service de gestion; 98-0106280 — Décision portant sur l'application de la TPS — Interprétation relative à la TVQ — Service de répartition des appels d'urgence relatifs à un service de transport par ambulance — Notion de mandataire; 99-0111833 — Interprétation relative à la TVQ — Service de répartition des appels d'urgence relatifs à un service de transport par ambulance.

5. [Services de santé rendus par un médecin] — La fourniture de services de consultation, de diagnostic ou de traitement ou d'autres services de santé, rendus par un médecin à un particulier.

Notes historiques: L'article 5 de la partie II de l'annexe V a été remplacé par L.C. 2010, c. 12, par. 86(1) et cette modification s'applique selon les mêmes modalités d'application que celles de l'ajout proposé sous la définition de « fourniture de services esthétiques » sous l'art. 1 de la partie II de l'annexe V. Antérieurement, il se lisait ainsi :

> 5. La fourniture de services de consultation, de diagnostic ou de traitement ou d'autres services de santé, à l'exclusion de services chirurgicaux ou dentaires exécutés à des fins esthétiques plutôt que médicales ou restauratrices, rendus par un médecin à un particulier.

L'article 5 de la partie II de l'annexe V a été remplacé par L.C. 2008, c. 28, par. 80(1) et cette modification s'applique aux fournitures effectuées après le 26 février 2008. Antérieurement, il se lisait ainsi :

> 5. La fourniture par un médecin de services de consultation, de diagnostic ou de traitement ou d'autres services de santé rendus à un particulier, à l'exclusion de services chirurgicaux ou dentaires exécutés à des fins esthétiques plutôt que médicales ou restauratrices.

L'article 5 de la Partie II de l'annexe V a été ajouté par L.C. 1990, c. 45, art. 18.

avril 2010, Notes explicatives: L'article 5 de la partie II de l'annexe V a pour effet d'exonérer les fournitures de services de consultation, de diagnostic ou de traitement ou d'autres services de santé rendus à des particuliers par des médecins ou dentistes, sauf s'il s'agit de services chirurgicaux ou dentaires exécutés à des fins esthétiques et non à des fins médicales ou restauratrices.

Cet article est modifié de façon à supprimer la mention des services chirurgicaux ou dentaires exécutés à des fins esthétiques et non à des fins médicales ou restauratrices. Cette modification fait suite à l'ajout de l'article 1.1 à la partie II, qui a pour effet d'exclure des services de santé exonérés selon cette partie (sauf l'article 9) les fournitures de services esthétiques et les fournitures afférentes qui ne sont pas effectuées à des fins médicales ou restauratrices.

Cette modification s'applique aux fournitures effectuées après le 4 mars 2010. Elle s'applique aussi aux fournitures effectuées avant le 5 mars 2010 si le fournisseur a exigé, perçu ou versé un montant de TPS/TVH relatif à la fourniture ou si la totalité de la contrepartie de la fourniture devient due après le 4 mars 2010 ou est payée après cette date sans être devenue due.

avril 2008, Notes explicatives: L'article 5 de la partie II de l'annexe V a pour effet d'exonérer les fournitures de services médicaux ou dentaires effectuées par des médecins ou dentistes autorisés. Les services exécutés à des fins esthétiques et non à des fins médicales ou restauratrices ne sont toutefois pas visés.

L'article 6 de la partie II de l'annexe V prévoit une exonération pour les services de soins rendus par un infirmier ou une infirmière autorisé, un infirmier ou une infirmière auxiliaire autorisé, un infirmier ou une infirmière titulaire de permis ou autorisé exerçant à titre privé ou un infirmier ou une infirmière psychiatrique autorisé. Ces services sont exonérés s'ils ont rendus à un particulier dans un établissement de santé ou à domicile. Sont également exonérés les services de soins privés rendus à un particulier ainsi que les services de soins fournis aux organismes du secteur public.

L'article 5 est modifié de façon à exonérer la fourniture de ces services s'ils sont rendus par un médecin ou un dentiste autorisé, peu importe qu'ils soient fournis par l'intermédiaire d'une personne morale ou directement par le médecin ou le dentiste.

L'article 6 est modifié de façon à exonérer de la TPS/TVH tous les services de soins rendus à un particulier, dans le cadre d'une relation infirmier-patient, par un infirmier ou une infirmière autorisé, un infirmier ou une infirmière auxiliaire autorisé, un infirmier ou une infirmière titulaire de permis ou autorisé exerçant à titre privé ou un infirmier ou une infirmière psychiatrique autorisé, peu importe l'endroit où ils sont rendus.

Les modifications apportées aux articles 5 et 6 s'appliquent aux fournitures effectuées après le 26 février 2008.

Concordance québécoise: LTVQ, art. 112.

Définitions: « fourniture » — 123(1).

Renvois: VI:Partie II:34 (exceptions pour les prestations de services chirurgicaux à des fins esthétiques et non à des fins médicales ou restauratrices).

Jurisprudence: *C.A.D. Ringrose Therapy Institute Ltd. c. La Reine*, [1993] G.S.T.C. 54 (CCI); [1995] G.S.T.C. 10 (CAF); [1996] G.S.T.C. 2 (CSC); *Battista c. R.*, [2000] G.S.T.C. 44 (CCI); *Riverfront Medical Evaluations Ltd. v. R.*, [2001] G.S.T.C. 80 (CCI); *Pointe de l'Île (Commisson scolaire) v. Minister of National Revenue*, [2003] G.S.T.C. 19 (FCC); *Dr. James Singer Inc. v. R.*, [2006] G.S.T.C. 43 (CCI); *Ontario Ltd. c. R.*, [2007] G.S.T.C. 19 (CAF).

Énoncés de politique: P-207, 13/12/96, *Statut aux fins de la TPS de la fourniture d'un service de chirurgie oculaire au laser* (Ébauche); P-238, 07/11/00, *Application de la TPS/TVH aux paiements effectués entre les parties au sein d'un organisme d'exercice de la médecine*; P-248R, 21/09/06, *Application de la TPS/TVH à la fourniture d'évaluation médicale indépendante (« EMI ») et à d'autres évaluations indépendantes.*

Mémorandums: TPS 300-4-2, 17/11/93, *Services de santé.*

Lettres d'interprétation (Québec): 98-0105134 — Décision portant sur l'application de la TPS Interprétation relative à la TVQ Statut fiscal de certains gestes médicaux; 98-0110803 — Interprétation relative à la TPS — Interprétation relative à la TVQ — Chirurgies au laser; 98-0108898 — Rapport d'expertise médicale; 98-0110803 — Interprétation relative à la TPS — Interprétation relative à la TVQ — Chirurgies au laser; 03-0110050 — Interprétation relative à la TPS et à la TVQ — Services de soins de santé; 03-0105845 — Service de l'interprétation relative aux mesures administratives et aux taxes spécifiques; 04-0104929 — Demande d'interprétation relative à la TPS et à la TVQ — traitement fiscal des dents artificielles; 07-000460 — Interprétation relative à la TPS et à la TVQ — services de santé facturés par une société.

6. [Services de soins rendus par un infirmier] — La fourniture de services de soins rendus à un particulier par un infirmier ou une infirmière autorisé, un infirmier ou une infirmière auxiliaire autorisé, un infirmier ou une infirmière titulaire de permis ou autorisé exerçant à titre privé ou un infirmier ou une infirmière psychiatrique autorisé, si les services sont rendus dans le cadre de la relation infirmier-patient.

Notes historiques: L'article 6 de la partie II de l'annexe V a été remplacé par L.C. 2008, c. 28, par. 80(1) et cette modification s'applique aux fournitures effectuées après le 26 février 2008. Antérieurement, il se lisait ainsi :

> 6. La fourniture de services de soins rendus par un infirmier ou une infirmière autorisé, un infirmier ou une infirmière auxiliaire autorisé, un infirmier ou une infirmière titulaire de permis ou autorisé exerçant à titre privé ou un infirmier ou une infirmière psychiatrique autorisé, dispensés à un particulier dans un établissement de santé ou à domicile ou constituant des soins privés ou une fourniture effectuée au profit d'un organisme du secteur public.

L'article 6 de la Partie II de l'annexe V a été modifié par L.C. 1997, c. 10, par. 93.1(1) et cette modification est réputée entrée en vigueur le 1er janvier 1994. Toutefois, en ce qui concerne les fournitures effectuées avant 1997, il n'est pas tenu compte du passage « ou un infirmier ou une infirmière psychiatrique autorisé » à l'article 6 de la partie II de l'annexe V. Il se lisait comme suit :

> 6. La fourniture de services de soins rendus par un infirmier ou une infirmière autorisé, un infirmier ou une infirmière auxiliaire autorisé, ou un infirmier ou une infirmière titulaire de permis exerçant à titre privé, dispensés à un particulier dans un établissement de santé ou à domicile ou constituant des soins privés ou une fourniture effectuée au profit d'un organisme du secteur public.

Cet article a été ajouté par L.C. 1990, c. 45, art. 18.

avril 2008, Notes explicatives: [Voir les Notes sous l'article 5 de la partie II de l'ann. V — n.d.l.r.]

Concordance québécoise: LTVQ, art. 113.

Définitions: « fourniture », « organisme du secteur publique » — 123(1).

Renvois: V:Partie II:13 (service ménager à domicile).

Énoncés de politique: P-130, 05/08/92, *Lieu de résidence.*

Mémorandums: TPS 300-4-2, 17/11/93, *Services de santé.*

Lettres d'interprétation (Québec): 98-0103998 — Décision portant sur l'application de la TPS/Interprétation relative à la TVQ — Soins personnels à domicile; 98-0111579 — Décision portant sur l'application de la TPS — Interprétation relative à la TVQ — Services infirmiers; 99-0113086 — Interprétation relative à la TPS et à la TVQ — Services rendus par des préposés(es) aux bénéficiaires et des infirmiers(ères); 02-0107777 — Interprétation relative à la TPS et à la TVQ — Règles générales, résidences pour personnes âgées; 03-0105845 — Service de l'interprétation relative aux mesures administratives et aux taxes spécifiques; 08-002019 — Interprétation relative à la TPS et à la TVQ — soins de pieds rendus par une infirmière.

7. [Services de santé rendus par un médecin] — La fourniture d'un des services ci-après rendu par un praticien du service à un particulier :

a) services d'optométrie;

b) services de chiropratique;

c) services de physiothérapie;

d) services de chiropodie;

e) services de podiatrie;

f) services d'ostéopathie;

g) services d'audiologie;

h) services d'orthophonie;

i) services d'ergothérapie;

j) services de psychologie;

LTA (TPS)

k) services de sage-femme.

Notes historiques: Le préambule de l'article 7 de la partie II de l'annexe V a été remplacé par L.C. 2008, c. 28, par. 81(1) et cette modification s'applique aux fournitures effectuées après le 26 février 2008. Antérieurement, il se lisait ainsi :

7. La fourniture effectuée par un praticien d'un des services suivants rendus à un particulier :

L'alinéa f) de l'article 7 de la partie II de l'annexe V a été ajouté par L.C. 2000, c. 30, par. 115(1) et s'applique aux fournitures effectuées après 1997.

L'alinéa f) de l'article 7 de la Partie II de l'annexe V a été abrogé par L.C. 1997, c. 10, par. 94(1) et cette modification s'applique aux fournitures effectuées après 1997. Cet alinéa se lisait comme suit :

f) services d'ostéopathie;

L'alinéa h) de l'article 7 de la partie II de l'annexe V a été remplacé par L.C. 2007, c. 18, par. 53(1) et cette modification s'applique aux fournitures effectuées après 2000. Antérieurement, il se lisait ainsi :

h) services d'orthophonie;

L'alinéa h) de l'article 7 de la partie II de l'annexe V a été réédicté par le L.C. 2001, c. 15, par. 24(1) et ne s'applique qu'aux fournitures effectuées en 2001.

L'alinéa h) de l'article 7 de la partie II de l'annexe V a été ajouté par L.C. 2000, c. 30, par. 115(2) et s'applique aux fournitures effectuées après 1997.

L'alinéa h) de l'article 7 de la partie II de l'annexe V a été abrogé par L.C. 2000, c. 30, par. 115(3) et cette abrogation s'applique aux fournitures effectuées après le 31 décembre 2000. Antérieurement, il se lisait comme suit :

h) services d'orthophonie;

L'alinéa h) de l'article 7 de la Partie II de l'annexe V a été abrogé par L.C. 1997, c. 10, par. 94(1) et cette modification s'applique aux fournitures effectuées après 1997. Cet alinéa se lisait comme suit :

h) services d'orthophonie;

L'alinéa k) de l'article 7 de la partie II de l'annexe V a été ajouté par L.C. 2007, c. 29, par. 51(1) et s'applique aux fournitures effectuées après le 28 décembre 2006.

L'article 7 de la Partie II de l'annexe V a été ajouté par L.C. 1990, c. 45, art. 18.

avril 2008, Notes explicatives: L'article 7 de la partie II de l'annexe V dresse la liste des services de praticiens dont la fourniture est exonérée de la TPS/TVH dans toutes les provinces, même si elle est effectuée dans une province où les services ne sont pas couverts par le régime provincial d'assurance-maladie. Pour être exonérés, les services doivent figurer sur la liste et être fournis par un praticien des services.

Les modifications apportées à cet article consistent à exonérer la fourniture de ces services s'ils sont rendus à un particulier par un praticien des services et à supprimer l'exigence voulant que les services soient fournis par le praticien. Ainsi, les services seront exonérés s'ils sont rendus par un praticien, peu importe qu'ils soient fournis par l'intermédiaire d'une personne morale ou directement par le praticien.

Cette modification s'applique aux fournitures effectuées après le 26 février 2008.

juin 2007, Notes explicatives: L'article 7 de la partie II de l'annexe V porte sur les services de professionnels de la santé dont la fourniture est exonérée de la TPS/TVH dans toutes les provinces, même si elle est effectuée dans une province où ces services ne sont pas couverts par le régime d'assurance-maladie.

La modification apportée à cet article consiste à ajouter les services de sage-femme à la liste des services exonérés de professionnels de la santé. La profession de sage-femme remplit les critères d'exonération de TPS/TVH puisqu'elle est réglementée comme profession de la santé dans au moins cinq provinces.

Cette modification s'applique aux fournitures effectuées après le 28 décembre 2006.

27 novembre 2006, Notes explicatives: L'article 7 de la partie II de l'annexe V porte sur les services de professionnels de la santé qui sont exonérés de la TPS/TVH dans toutes les provinces, même s'ils sont fournis dans une province où ils ne sont pas couverts par le régime d'assurance-maladie.

La modification a pour effet de confirmer l'exonération des services d'orthophonie prévue à l'article 7 de la partie II de l'annexe V. Des modifications figurant dans la *Loi de 2001 modifiant les taxes de vente et d'accise* consistaient à ajouter les services d'orthophonistes à la liste des services exonérés en vertu de l'alinéa 7h), jusqu'à la fin de 2001, de sorte que le processus de réglementation qui avait été entamé puisse être mené à terme. Une modification ultérieure a permis de prolonger l'application de l'exonération pour 2002, année au cours de laquelle le processus a été complété. L'exonération est maintenant ajoutée à la liste. La modification apportée à la version anglaise de l'alinéa 7h) a pour objet de remplacer le terme « *speech therapy* » par « *speech-language pathology* », terme que les interlocuteurs de langue anglaise utilisent désormais pour désigner la profession d'orthophoniste. Ce changement de terminologie ne change rien à la portée de la disposition. Aucun changement de terminologie n'est nécessaire à la version française de la disposition.

Cette modification s'applique aux fournitures effectuées après 2000.

Concordance québécoise: LTVQ, art. 114.

Définitions: « fourniture » — 123(1).

Renvois: V:Partie II:7.1 (service de diététique); V:Partie II:12 (service de psychanalyse).

Jurisprudence: *C.A.D. Ringrose Therapy Institute Ltd. c. La Reine*, [1993] G.S.T.C. 54 (CCI); [1995] G.S.T.C. 10 (CAF); [1996] G.S.T.C. 2 (CSC); *Ontario Ltd. c. R.*, [2007] G.S.T.C. 19 (CAF).

Énoncés de politique: P-238, 07/11/00, *Application de la TPS/TVH aux paiements effectués entre les parties au sein d'un organisme d'exercice de la médecine*; P-248R, 21/09/06, *Application de la TPS/TVH à la fourniture d'évaluation médicale indépendante (« EMI ») et à d'autres évaluations indépendantes.*

Mémorandums: TPS 300-4-2, 17/11/93, *Services de santé.*

Lettres d'interprétation (Québec): 98-0103998 — Décision portant sur l'application de la TPS/Interprétation relative à la TVQ — Soins personnels à domicile; 02-0102836 — Interprétation relative à la TPS et à laTVQ — Fourniture de rapports d'examen ou d'évaluation par une psychologue dans le cadre du programme d'évaluation des conducteurs aux prises avec un problème de toxicomanie; 02-0104832 — Services d'un chiropraticien facturés par une société; 02-0105599 — Services de psychologues facturés par une société; 03-010842 — Interprétation relative à la TPS et à laTVQ — Service de psychologie; 04-0100323 — Service rendus par une psychologue; 04-0106726 — Interprétation relative à la TPS et à la TVQ — services rendus par un psychologue; 07-000460 — Interprétation relative à la TPS et à la TVQ — services de santé facturés par une société.

7.1 [Service de diététique] — La fourniture d'un service de diététique rendu par un praticien de la diététique, si le service est rendu à un particulier ou la fourniture, effectuée au profit d'un organisme du secteur public ou de l'exploitant d'un établissement de santé.

Notes historiques: L'article 7.1 de la partie II de l'annexe V a été remplacé par L.C. 2008, c. 28, par. 82(1) et cette modification s'applique aux fournitures effectuées après le 26 février 2008. Antérieurement, il se lisait ainsi :

7.1 La fourniture d'un service de diététique effectuée par un praticien de la diététique, si le service est rendu à un particulier ou la fourniture, effectuée au profit d'un organisme du secteur public ou de l'exploitant d'un établissement de santé.

L'article 7.1 de la Partie II de l'annexe V a été ajouté par L.C. 1997, c. 10, par. 95(1) et s'applique aux fournitures effectuées après 1996.

avril 2008, Notes explicatives: L'article 7.1 de la partie II de l'annexe V a pour effet d'exonérer les fournitures de services de diététique effectuées par un diététiste, si les services sont rendus à un particulier ou si les fournitures sont effectuées au profit d'un organisme du service public ou de l'exploitant d'un établissement de santé.

Cet article est modifié de façon à remplacer l'exigence selon laquelle les services de diététique doivent être fournis par un diététiste par une exigence voulant que ces services soient rendus par un diététiste. Ainsi, les services seront exonérés s'ils sont rendus par un diététiste, peu importe qu'ils soient fournis par l'intermédiaire d'une personne morale ou directement par le diététiste.

L'article 7.2 de la partie II de l'annexe V a pour effet d'exonérer la fourniture d'un service qui consiste à conseiller des particuliers en matière de prévention ou de traitement de troubles physiques ou mentaux ou à aider les personnes souffrantes, ou leurs soignants, à composer avec de tels troubles, lorsque le service est rendu dans le cadre de l'exercice de la profession de travailleur social et que la fourniture est effectuée par un travailleur social.

Cet article est modifié de façon à remplacer l'exigence selon laquelle le service de conseil doit être fourni par un travailleur social par une exigence voulant qu'il soit rendu par un tel travailleur. Ainsi, le service sera exonéré s'il est rendu par le travailleur social, peu importe qu'il soit fourni par l'intermédiaire d'une personne morale ou directement par le travailleur.

Les modifications apportées aux articles 7.1 et 7.2 s'appliquent aux fournitures effectuées après le 26 février 2008.

Concordance québécoise: LTVQ, art. 114.1.

Définitions: « fourniture », « organisme du secteur publique », « service » — 123(1).

Énoncés de politique: P-238, 07/11/00, *Application de la TPS/TVH aux paiements effectués entre les parties au sein d'un organisme d'exercice de la médecine*.

Bulletins de l'information technique: B-075R, 23/04/96, *Modifications proposées à la TPS.*

7.2 [Services rendus dans le cadre de l'exercice de la profession de travailleur social] — La fourniture d'un service rendu dans le cadre de l'exercice de la profession de travailleur social dans le cas où, à la fois :

a) le service est rendu à un particulier dans le cadre d'une relation professionnel-client entre le particulier donné qui rend le service et le particulier afin de prévenir ou d'évaluer un trouble ou une déficience physique, émotif, comportemental ou mental du particulier ou d'un autre particulier auquel celui-ci est lié ou dont il prend soin ou assure la surveillance autrement qu'à titre professionnel, d'aider le particulier à composer avec un tel trouble ou une telle déficience ou d'y remédier;

b) l'un des faits suivants se vérifie :

(i) si le particulier donné est tenu d'être titulaire d'un permis ou d'être autrement autorisé à exercer la profession de travailleur social dans la province où le service est fourni, il est ainsi titulaire ou autorisé,

(ii) sinon, le particulier donné a les qualités équivalentes à celles requises pour obtenir un permis ou être ainsi autorisé à exercer cette profession dans une province où le permis ou autre autorisation d'exercice est exigé.

Notes historiques: L'article 7.2 de la partie II de l'annexe V a été remplacé par L.C. 2008, c. 28, par. 82(1) et cette modification s'applique aux fournitures effectuées après le 26 février 2008. Antérieurement, il se lisait ainsi :

7.2 La fourniture d'un service rendu dans le cadre de l'exercice de la profession de travailleur social dans le cas où, à la fois :

a) le service est rendu à un particulier dans le cadre d'une relation professionnel-client entre le fournisseur et le particulier et est offert afin de prévenir ou d'évaluer un trouble ou une déficience physique, émotif, comportemental ou mental du particulier ou d'une autre personne à laquelle celui-ci est lié ou dont il prend soin ou assure la surveillance autrement qu'à titre professionnel, d'aider le particulier à composer avec un tel trouble ou une telle déficience ou d'y remédier;

b) l'un des faits suivants se vérifie :

(i) si le fournisseur est tenu d'être titulaire d'un permis ou d'être autrement autorisé à exercer la profession de travailleur social dans la province où le service est fourni, il est ainsi titulaire ou autorisé,

(ii) sinon, le fournisseur a les qualités équivalentes à celles requises pour obtenir un permis ou être autrement autorisé à exercer cette profession dans une province où le permis ou autre autorisation d'exercice est exigé.

L'article 7.2 de la Partie II de l'annexe V a été ajouté par L.C. 2007, c. 18, par. 54(1) et s'applique aux fournitures effectuées après le 3 octobre 2003.

La personne qui a droit au remboursement prévu à l'article 261, ou qui y aurait droit en l'absence du paragraphe 261(3), relativement à un montant qui a été payé avant le 22 juin 2007 (appelée « date de sanction » au présent paragraphe et au paragraphe (4)) au titre de la taxe relative à une fourniture figurant à l'article 7.2 de la partie II de l'annexe V, mais ne figurant à aucun autre article d'une partie quelconque de cette annexe, peut produire une demande de remboursement, malgré le paragraphe 261(3) avant le jour qui suit d'un an la date de sanction ou, s'il est postérieur, le jour qui suit de deux ans la date où le montant a été payé.

La personne qui peut, ou pourrait en l'absence du délai de deux ans mentionné au paragraphe 232(1), redresser, rembourser ou créditer, en application de l'article 232, un montant qui a été exigé ou perçu avant la date de sanction au titre de la taxe relative à une fourniture figurant à l'article 7.2 de la partie II de l'annexe V, mais ne figurant à aucun autre article d'une partie quelconque de cette annexe, peut, malgré le délai de deux ans mentionné au paragraphe 232(1), redresser le montant en vertu de l'alinéa 232(1)a) ou rembourser ou créditer le montant en vertu de l'alinéa 232(1)b), avant le jour qui suit d'un an la date de sanction ou, s'il est postérieur, le jour qui suit de deux ans la date où le montant a été exigé ou perçu.

avril 2008, Notes explicatives: [Voir les Notes sous l'article 7.1 de la partie II de l'ann. V — n.d.l.r.]

27 novembre 2006, Notes explicatives : La modification consiste à ajouter l'article 7.2 à la partie II de l'annexe V. Est ainsi ajoutée à la liste des fournitures exonérées de services de santé la fourniture du service qui consiste à conseiller des particuliers en matière de prévention ou de traitement de troubles physiques ou mentaux ou à aider les personnes souffrantes, ou leurs soignants, à composer avec de tels troubles, dans le cas où le service est rendu dans le cadre de l'exercice de la profession de travailleur social.

L'exonération de ce service selon l'article 7.2 est accordée indépendamment de la personne à qui le service est fourni (c'est-à-dire, l'acquéreur de la fourniture au sens du paragraphe 123(1) de la loi). Par exemple, un travailleur social peut conseiller une personne relativement à une dépendance à l'alcool, mais les frais pour ce service peuvent être à la charge d'un organisme d'aide. Dans ce cas, la fourniture est exonérée même si elle est effectuée au profit de l'organisme et non de la personne, puisque le service est rendu à cette dernière. En outre, pour que le service soit exonéré, il doit être rendu dans le cadre d'une relation professionnel-client entre le travailleur social et le bénéficiaire. Ainsi, dans le cas où un organisme engage un travailleur social pour donner une conférence sur l'alcoolisme lors d'un séminaire, les services du travailleur social ne seraient pas fournis dans le contexte d'une relation professionnel-client entre le travailleur et chacune des personnes présentes au séminaire. Par conséquent, les sommes facturées à l'organisme par le travailleur social ne seraient pas exonérées.

L'exonération s'applique non seulement aux services rendus à la personne atteinte d'un trouble physique ou mental, mais aussi à toute autre personne qui lui est liée ou qui prend soin d'elle. Toutefois, l'exonération ne s'applique pas aux services qu'un travailleur social rend à un autre professionnel, comme un autre travailleur social, relativement à un client de ce dernier, sauf si les services sont rendus au client dans le cadre d'une relation professionnel-client avec le fournisseur de service. Par exemple, la fourniture par un travailleur social du service qui consiste à donner à un autre travailleur social des conseils sur la prestation de soins aux clients en général ne serait pas exonérée.

Une dernière condition de l'exonération prévoit que le travailleur social doit être titulaire d'un permis ou être autrement autorisé à exercer sa profession dans la province où les services sont fournis. Si cette province n'exige pas un tel permis ou une telle autorisation, le travailleur social doit posséder des qualités équivalentes à celles requises pour obtenir le permis ou l'autorisation d'exercer sa profession dans une province où le permis ou l'autorisation est exigé.

Cette modification s'applique aux fournitures effectuées après le 3 octobre 2003. Dans le cas où le délai pour la production d'une demande de remboursement en vertu du paragraphe 261(1) de la loi expirerait par ailleurs à une date antérieure, une règle transitoire accorde à une personne un délai d'un an suivant la date de sanction du nouvel article 7.2 pour demander, en vertu de ce paragraphe, le remboursement d'une somme qu'elle a payée avant cette date au titre de la taxe relative à une fourniture qui est exonérée par l'effet de cet article. Une autre règle transitoire prévoit que, dans le cas où le délai dont un fournisseur dispose pour redresser, créditer ou rembourser une somme en vertu du paragraphe 232(1) de la loi expirerait par ailleurs à une date antérieure, le fournisseur a jusqu'au jour qui suit d'un an la date de sanction du nouvel article 7.2 pour redresser, créditer ou rembourser une somme au titre de la taxe qui a été exigée ou perçue avant cette date relativement à une fourniture qui est exonérée par l'effet de cet article. Ces règles ne s'appliquent pas aux sommes exigées, perçues ou payées au titre de la taxe relative à une fourniture qui était déjà exonérée par l'effet d'une autre disposition.

Concordance québécoise: LTVQ, art. 114.2.

Définitions: « acquéreur », « fourniture », « personne », « province », « service » — 123(1).

7.3 La fourniture d'un service, sauf celui visé à l'article 4 de la partie I de l'annexe VI, rendu dans le cadre de l'exercice de la profession de pharmacien par un particulier donné qui est autorisé par les lois d'une province à exercer cette profession, si le service est rendu dans le cadre de la relation pharmacien-patient entre le particulier donné et un autre particulier et a pour but la promotion de la santé de l'autre particulier ou la prévention ou le traitement d'une maladie, d'un trouble ou d'une dysfonction de celui-ci.

Notes historiques: L'article 7.3 de la partie II de l'annexe V a été ajouté par L.C. 2012, c. 19, par. 29(1) et s'applique aux fournitures effectuées après le 29 mars 2012.

avril 2012, Notes explicatives: Le nouvel article 7.3 de la partie II de l'annexe V de la Loi ajoute les services de pharmacien à la liste des services de santé exonérés. Pour qu'ils soient exonérés, ces services doivent être rendus par une personne autorisée par les lois d'une province à exercer la profession de pharmacien, dans le cadre de la relation pharmacien-patient entre cette personne et un autre particulier, et avoir pour but la promotion de la santé de l'autre particulier ou la prévention ou le traitement d'une maladie, d'un trouble ou d'une dysfonction de celui-ci. Seraient notamment exonérés les services de pharmacien qui remplissent ces conditions et qui consistent à administrer des médicaments ou des vaccins, à modifier le dosage et à prescrire des médicaments. Ne sont pas exonérés les services visés à l'article 4 de la partie I de l'annexe VI de la Loi, lequel prévoit la détaxation du service de pharmacien qui consiste à délivrer des médicaments détaxés. Le service de pharmacien qui consiste à délivrer des médicaments sur ordonnance continuera ainsi d'être détaxé.

Cette modification s'applique aux fournitures effectuées après le 29 mars 2012.

Concordance québécoise: aucune.

8. [Service d'hygiéniste dentaire] — La fourniture d'un service d'hygiéniste dentaire.

Notes historiques: L'article 8 de la Partie II de l'annexe V a été ajouté par L.C. 1990, c. 45, art. 18.

Concordance québécoise: LTVQ, art. 115.

Définitions: « fourniture », « service » — 123(1).

Mémorandums: TPS 300-4-2, 17/11/93, *Services de santé*.

9. [Bien ou service dont la contrepartie est payable ou remboursée par un gouvernement provincial] — La fourniture, sauf la fourniture détaxée, d'un bien ou d'un service mais seulement dans la mesure où la contrepartie de la fourniture est payable ou remboursée par le gouvernement d'une province aux termes d'un régime de services de santé offert aux assurés de la province et institué par une loi de la province.

Notes historiques: L'article 9 de la Partie II de l'annexe V a été modifié par L.C. 1994, c. 9, par. 26(1) et est réputé entré en vigueur le 17 décembre 1990. Toutefois, il ne s'applique pas au calcul, effectué selon une méthode réglementaire aux termes du paragraphe 227(1), de la taxe nette d'une personne pour une période de déclaration se terminant avant juin 1993. Il se lisait comme suit :

9. La fourniture d'un bien ou d'un service mais, seulement dans la mesure où la contrepartie de la fourniture est payable ou remboursée par un gouvernement provincial aux termes d'un régime de services de santé aux assurés institué par une loi provinciale.

L'article 9 a été ajouté par L.C. 1990, c. 45, art. 18.

Concordance québécoise: LTVQ, art. 116.

Définitions: « bien », « fourniture », « fourniture détaxée », « gouvernement », « province », « service » — 123(1).

Jurisprudence: *C.A.D. Ringrose Therapy Institute Ltd. c. La Reine*, [1993] G.S.T.C. 54 (CCI); [1995] G.S.T.C. 10 (CAF); [1996] G.S.T.C. 2 (CSC).

Énoncés de politique: P-238, 07/11/00, *Application de la TPS/TVH aux paiements effectués entre les parties au sein d'un organisme d'exercice de la médecine*.

Mémorandums: TPS 300-4-2, 17/11/93, *Services de santé*.

Lettres d'interprétation (Québec): 07-000460 — Interprétation relative à la TPS et à la TVQ — services de santé facturés par une société.

10. [Service de santé visé par règlement] — La fourniture d'un service de traitement ou de diagnostic ou d'un autre service de santé, visé par règlement, rendu à un particulier, si la fourniture est effectuée sur l'ordre :

a) d'un médecin ou d'un praticien;

b) d'un infirmier ou d'une infirmière autorisé qui est habilité par les lois d'une province à ordonner un tel service, à condition que l'ordre soit donné dans le cadre de la relation infirmier-patient.

c) d'une personne qui est autorisée par les lois d'une province à exercer la profession de pharmacien et à ordonner un tel service, à condition que l'ordre soit donné dans le cadre de la relation pharmacien-patient.

Notes historiques: L'alinéa c) de l'article 10 de la partie II de l'annexe V a été ajouté par L.C. 2012, c. 19, par. 30(1) et s'applique aux fournitures effectuées après le 29 mars 2012.

L'article 10 de la partie II de l'annexe V a été remplacé par L.C. 2008, c. 28, par. 83(1) et cette modification s'applique aux fournitures effectuées après le 26 février 2008. Antérieurement, il se lisait ainsi :

10. La fourniture d'un service de traitement, de diagnostic ou autre service de santé, visé par règlement, effectuée sur l'ordre d'un médecin ou d'un praticien.

L'article 10 de la Partie II de l'annexe V a été ajouté par L.C. 1990, c. 45, art. 18.

avril 2012, Notes explicatives: L'article 10 de la partie II de l'annexe V de la Loi a pour effet d'exonérer les fournitures de services de santé visés par règlement qui sont rendus à un particulier sur l'ordre d'un médecin ou d'un praticien, au sens de l'article 1 de cette partie, ou sur l'ordre d'un infirmier ou d'une infirmière autorisé qui est habilité par les lois d'une province à ordonner les services, pourvu que l'ordre soit donné dans le cadre de la relation infirmier-patient. Sont compris parmi les services de santé visés par règlement les services de laboratoire ou de radiologie et les autres services de diagnostic généralement offerts dans un établissement de santé (comme les prises de sang et les radiographies) de même que l'administration de drogues, de substances biologiques ou de préparations connexes dans le cadre de la prestation de ces services.

Le nouvel alinéa 10c) a pour effet d'élargir le champ d'application de l'exonération visant ces services de santé aux fournitures de services de cette nature qui sont rendus sur l'ordre d'une personne qui est autorisée par les lois d'une province à exercer la profession de pharmacien et à ordonner le service, à condition que l'ordre soit donné dans le cadre de la relation pharmacien-patient.

Cette modification s'applique aux fournitures effectuées après le 29 mars 2012.

avril 2008, Notes explicatives: L'article 10 de la partie II de l'annexe V a pour effet d'exonérer les services de santé visés par règlement qui sont rendus sur l'ordre d'un médecin ou d'un praticien, au sens de l'article 1 de cette partie. Sont notamment visés les services de laboratoire et de radiologie et les autres services de diagnostic généralement offerts dans un établissement de santé, ainsi que l'administration de drogues, de substances biologiques ou de préparations connexes dans le cadre de la prestation de ces services.

L'article 10 est modifié de façon à étendre l'exonération visant ces services de santé aux services rendus sur l'ordre d'un infirmier ou d'une infirmière autorisé qui est habilité par les lois d'une province à ordonner ces services, à condition que l'ordre soit donné dans le cadre de la relation infirmier-patient. Cet article est également modifié de sorte que cette exonération ne s'applique que si les services en cause sont rendus à un particulier.

Ces modifications s'appliquent aux fournitures effectuées après le 26 février 2008.

Concordance québécoise: LTVQ, art. 117.

Définitions: « fourniture », « service » — 123(1).

Renvois: 123(1)« acquéreur » (circonstances dans lesquelles une personne est un acquéreur).

Règlements: *Règlement sur les services de santé (TPS/TVH)*.

Mémorandums: TPS 300-4-2, 17/11/93, *Services de santé*.

Lettres d'interprétation (Québec): 03-0110050 — Interprétation relative à la TPS et à la TVQ — Services de soins de santé.

11. [Aliments et boissons] — La fourniture d'aliments et de boissons, y compris les services de traiteur, effectuée au profit de l'administrateur d'un établissement de santé aux termes d'un contrat visant à offrir des repas de façon régulière aux patients ou résidents de l'établissement.

Notes historiques: L'article 11 de la Partie II de l'annexe V a été ajouté par L.C. 1990, c. 45, art. 18.

Concordance québécoise: LTVQ, art. 118.

Définitions: « fourniture » — 123(1).

Renvois: 123(1)« acquéreur » (circonstances dans lesquelles une personne est un acquéreur); V:Partie III:14 (fourniture d'aliments ou de boissons aux termes d'un contrat); V:Partie V.1: (fournitures exonérées par les organismes de bienfaisance).

Mémorandums: TPS 300-4-2, 17/11/93, *Services de santé*.

Lettres d'interprétation (Québec): 98-0100275 — Décision portant sur l'application de la TPS — Interprétation relative à la TVQ — Fourniture de biens et services effectuée entre établissements du réseau de la santé; 02-0107777 — Interprétation relative à la TPS et à la TVQ — Règles générales, résidences pour personnes âgées; 03-0108310 — Fourniture d'un service de concessionnaire alimentaire dans une résidence pour personnes âgées.

12. [*Abrogé*]

Notes historiques: L'article 12 de la Partie II de l'annexe V a été abrogé par L.C. 1997, c. 10, par. 96(1) et cette abrogation s'applique aux fournitures effectuées après 1997. Il se lisait comme suit :

12. La fourniture d'un service de psychanalyse effectuée par une personne qui, à la fois :

a) a reçu pour la fourniture du service la même formation que les médecins qui fournissent ces services, de la part de la même institution de formation;

b) est membre en règle de l'institution de formation relativement à la fourniture de tels services au Canada, qui, à la fois :

(i) fixe et maintient les mêmes normes de pratique et de conduite pour tous ses membres;

(ii) compte au moins 300 membres au Canada, dont les deux tiers au moins sont des médecins.

Cet article a été ajouté par L.C. 1990, c. 45, art. 18.

13. [Service ménager à domicile] — La fourniture d'un service ménager à domicile rendu à un particulier à son lieu de résidence et dont l'acquéreur est le particulier ou une autre personne, si, selon le cas :

Modification proposée — Ann. V, partie II, 13

13. [Service ménager à domicile] — La fourniture d'un service de soins à domicile rendu à un particulier à son lieu de résidence et dont l'acquéreur est le particulier ou une autre personne, si, selon le cas :

Application: Le préambule de l'article 13 de la partie II de l'annexe V sera remplacé par le par. 5(1) de l'*Avis de motion de voies et moyens accompagnant le budget fédéral* du 21 mars 2013 et cette modification s'appliquera aux fournitures effectuées après le 21 mars 2013.

Budget fédéral, Renseignements supplémentaires, 21 mars 2013: [Voir sous Annexe V, partie II, art. 1.2 — n.d.l.r.]

a) le fournisseur est un gouvernement ou une municipalité;

b) un gouvernement, une municipalité ou un organisme administrant un programme gouvernemental ou municipal de services ménagers à domicile verse un montant au fournisseur pour la fourniture ou à une personne en vue de l'acquisition du service;

Modification proposée — Ann. V, partie II, 13b)

b) un gouvernement, une municipalité ou un organisme administrant un programme gouvernemental ou municipal de services de soins à domicile verse un montant au fournisseur pour la fourniture ou à une personne en vue de l'acquisition du service;

Application: L'alinéa 13b) de la partie II de l'annexe V sera remplacé par le par. 5(2) de l'*Avis de motion de voies et moyens accompagnant le budget fédéral* du 21 mars 2013 et cette modification s'appliquera aux fournitures effectuées après le 21 mars 2013.

Budget fédéral, Renseignements supplémentaires, 21 mars 2013: [Voir sous Annexe V, partie II, art. 1.2 — n.d.l.r.]

c) une autre fourniture de services ménagers à domicile rendus au particulier est effectuée dans les circonstances visées aux alinéas a) ou b).

Modification proposée — Ann. V, partie II, 13c)

c) une autre fourniture de services de soins à domicile rendus au particulier est effectuée dans les circonstances visées aux alinéas a) ou b).

Application: L'alinéa 13c) de la partie II de l'annexe V sera remplacé par le par. 5(3) de l'*Avis de motion de voies et moyens accompagnant le budget fédéral* du 21 mars 2013 et cette modification s'appliquera aux fournitures effectuées après le 21 mars 2013.

Budget fédéral, Renseignements supplémentaires, 21 mars 2013: [Voir sous Annexe V, partie II, art. 1.2 — n.d.l.r.]

Notes historiques: L'article 13 de la Partie II de l'annexe V a été modifié par L.C. 1994, c. 9, par. 27(1) et s'applique aux fournitures dont la contrepartie devient due après 1992 ou est payée après 1992 sans qu'elle soit devenue due. Il se lisait auparavant comme suit :

> 13. La fourniture d'un service ménager à domicile rendu à un particulier à son lieu de résidence s'il est fourni à l'acquéreur par l'une des personnes suivantes :
>
> a) un gouvernement ou une municipalité;
>
> b) une personne qui reçoit d'un gouvernement, d'une municipalité ou d'un organisme administrant un programme provincial ou municipal de service ménager à domicile un montant pour la fourniture.

L'article 13 de la Partie II de l'annexe V a été ajouté par L.C. 1993, c. 27, par. 154(1) et s'applique aux fournitures dont la contrepartie devient due ou est payée après mars 1991 et à l'égard desquelles aucune partie de la contrepartie n'est devenue due ou n'a été payée avant avril 1991. Cet article remplace l'ancien article 16 de la Partie VI de l'annexe V.

Concordance québécoise: LTVQ, art. 119.1.

Définitions: « acquéreur », « fourniture », « gouvernement », « montant », « municipalité », « personne », « service » — 123(1).

Renvois: 123(1)« acquéreur » (circonstances dans lesquelles une personne est un acquéreur); V:Partie II:6 (services de soins rendus par un infirmier).

Énoncés de politique: P-130, 05/08/92, *Lieu de résidence*.

Mémorandums: TPS 300-4-2, 17/11/93, *Services de santé*.

Lettres d'interprétation (Québec): 98-0103998 — Décision concernant l'application de la TPS — Interprétation relative à la TVQ — Organisme XYZ; 99-0102287 — Décision concernant l'application de la TPS — Interprétation relative à la TVQ — Organisme XYZ; 99-0113086 — Interprétation relative à la TPS et à la TVQ — Services rendus par des préposés(es) aux bénéficiaires et des infirmiers(ères); 99-0111817 — Interprétation relative à la TPS et à la TVQ [relative à certaines fournitures de services ménagers à domicile]; 00-0110783 — Interprétation relative à la TPS et à la TVQ — Services ménagers à domicile; 02-0107777 — Interprétation relative à la TPS et à la TVQ — Règles générales, résidences pour personnes âgées; 03-010842 — Interprétation relative à la TPS et à la TVQ — Service de psychologie.

14. [Fourniture d'un service de formation conçue spécialement pour aider les particuliers ayant un trouble ou une déficience] — La fourniture, sauf la fourniture détaxée ou visée par règlement, d'un service de formation si, à la fois :

a) la formation est conçue spécialement pour aider les particuliers ayant un trouble ou une déficience à composer avec ses effets, à les atténuer ou à les éliminer et est donnée à un particulier donné ayant un trouble ou une déficience ou à un autre particulier qui prend soin ou assure la surveillance du particulier donné autrement qu'à titre professionnel;

b) l'un des faits ci-après s'avère :

(i) une personne agissant en qualité de praticien, de médecin, de travailleur social ou d'infirmier ou d'infirmière autorisé et dans le cadre d'une relation professionnel-client entre la personne et le particulier donné a attesté par écrit que la formation est un moyen approprié d'aider le particulier donné à composer avec les effets du trouble ou de la déficience, à les atténuer ou à les éliminer,

(ii) une personne visée par règlement ou un membre d'une catégorie de personnes visée par règlement a attesté par écrit, compte tenu de circonstances ou conditions visées par règlement, que la formation est un moyen approprié d'aider le particulier donné à composer avec les effets du trouble ou de la déficience, à les atténuer ou à les éliminer,

(iii) le fournisseur, selon le cas :

(A) est un gouvernement,

(B) reçoit une somme pour effectuer la fourniture de la part d'un gouvernement ou d'un organisme qui administre un programme gouvernemental ayant pour objet d'aider les particuliers ayant un trouble ou une déficience,

(C) reçoit des preuves, que le ministre estime acceptables, qu'un montant pour l'acquisition du service a été payé ou est payable à une personne par un gouvernement ou un organisme qui administre un programme gouvernemental ayant pour objet d'aider les particuliers ayant un trouble ou une déficience.

Notes historiques: L'article 14 de la partie II de l'annexe V a été ajouté par L.C. 2008, c. 28, par. 84(1) et s'applique aux fournitures effectuées après le 26 février 2008.

avril 2008, Notes explicatives: Le nouvel article 14 de la partie II de l'annexe V a pour effet d'ajouter à la liste des fournitures exonérées de services de santé la fourniture d'un service de formation qui est conçu spécialement pour aider les particuliers ayant un trouble ou une déficience à composer avec les effets du trouble ou de la déficience, à les atténuer ou à les éliminer.

Pour que la formation soit exonérée, elle doit être donnée au particulier ayant le trouble ou la déficience ou à un autre particulier qui prend soin ou assure la surveillance de ce particulier autrement qu'à titre professionnel. De plus, l'une des conditions énoncées aux sous-alinéas 14b)(i) à (iii) doit être remplie pour que la fourniture du service soit exonérée aux termes de l'article 14.

La première condition, énoncée au nouveau sous-alinéa 14b)(i), prévoit que l'un des professionnels de la santé mentionnés à ce sous-alinéa doit attester par écrit, dans le cadre de la relation professionnel-client qu'il entretient avec un particulier ayant un trouble ou une déficience, que la formation est un moyen approprié d'aider le particulier à composer avec les effets du trouble ou de la déficience, à les atténuer ou à les éliminer. Sont compris parmi ces professionnels les médecins, travailleurs sociaux, infirmiers autorisés et autres praticiens, au sens de l'article 1 de la partie II de l'annexe V.

La deuxième condition, énoncée au nouveau sous-alinéa 14b)(ii), prévoit qu'une personne visée par règlement ou un membre d'une catégorie de personnes visée par règlement doit attester par écrit que la formation est un moyen approprié d'aider le particulier à composer avec les effets du trouble ou de la déficience, à les atténuer ou à les éliminer. Il n'est pas envisagé pour le moment de prendre un règlement visant ces personnes ou catégories de personnes.

La troisième condition, énoncée au nouveau sous-alinéa 14b)(iii), peut être remplie de l'une de trois façons. En premier lieu, la condition est remplie si le fournisseur du service de formation est un gouvernement. En deuxième lieu, elle est remplie si le fournisseur du service de formation reçoit une somme pour effectuer la fourniture de la part d'un gouvernement ou d'un organisme qui administre un programme gouvernemental ayant pour objet d'aider les particuliers ayant un trouble ou une déficience. En troisième et dernier lieu, la condition est remplie si le fournisseur reçoit des preuves, que le ministre du Revenu national estime acceptables, qu'un montant pour l'acquisition du service a été payé ou est payable par un gouvernement ou un organisme qui administre un programme gouvernemental ayant pour objet d'aider les particuliers ayant un trouble ou une déficience.

Les conditions énoncées aux nouvelles divisions 14b)(iii)(B) et (C) peuvent être remplies même si seulement une partie de la contrepartie de la fourniture d'un service de formation est subventionnée au moyen d'une somme visée à ces divisions. Par exemple, la condition serait remplie si une partie de la contrepartie de la fourniture d'un service de formation était réglée par un gouvernement provincial et le reste par les parents d'une personne ayant un trouble ou une déficience.

La règle d'interprétation énoncée au nouvel article 15 de la partie II de l'annexe V précise que la notion de « service de formation » ne comprend pas, pour l'application de l'article 14, toute formation qui est semblable à celle offerte au grand public.

L'exonération prévue au nouvel article 14 ne s'applique pas aux fournitures détaxées ni à toute formation qui est exclue par l'effet du nouvel article 15.

Les articles 14 et 15 s'appliquent aux fournitures effectuées après le 26 février 2008.

Concordance québécoise: LTVQ, art. 119.2.

15. [Formation non comprise dans un service de formation en application de l'article 14] — Pour l'application de l'article 14, n'est pas comprise dans un service de formation toute formation qui est semblable à celle qui est habituellement donnée à des particuliers qui, à la fois :

a) n'ont pas de trouble ou de déficience;

b) ne prennent pas soin et n'assurent pas la surveillance d'un particulier ayant un trouble ou une déficience.

Notes historiques: L'article 15 de la partie II de l'annexe V a été ajouté par L.C. 2008, c. 28, par. 84(1) et s'applique aux fournitures effectuées après le 26 février 2008.

avril 2008, Notes explicatives: [Voir sous l'art. 14 de la partie II de l'ann. V — n.d.l.r.]

Concordance québécoise: LTVQ, art. 119.2.

Partie III — Services d'enseignement

1. [Définitions] — Les définitions qui suivent s'appliquent à la présente partie.

« école de formation professionnelle » Institution établie et administrée principalement pour offrir des cours par correspondance ou des cours de formation qui permettent à l'étudiant d'acquérir ou d'améliorer une compétence professionnelle.

Notes historiques: La définition de « école de formation professionnelle » à l'article 1 de la Partie III de l'annexe V a été modifiée par L.C. 1997, c. 10, par. 97(1) et cette modification s'applique en ce qui a trait aux fournitures effectuées après 1996. Elle se lisait comme suit :

> « école de formation professionnelle » Institution établie et administrée principalement pour donner des cours par correspondance ou des cours de formation qui permettent à l'étudiant de développer ou d'améliorer une compétence professionnelle. Y est assimilé l'établissement d'enseignement reconnu par le ministre de l'Emploi et de l'Immigration pour l'application du paragraphe 118.5(1) de la *Loi de l'impôt sur le revenu*.

Cette définition a été ajoutée par L.C. 1990, c. 45, art. 18.

Concordance québécoise: LTVQ, art. 120« école de formation professionnelle ».

Jurisprudence: *C.A.D. Ringrose Therapy Institute Ltd. c. La Reine*, [1993] G.S.T.C. 54 (CCI); [1995] G.S.T.C. 10 (CAF); [1996] G.S.T.C. 2 (CSC); *Sterling Business Academy Inc. c. Canada*, [1998] G.S.T.C. 130 (CCI); *Fleming School of Dance Ltd. v. R.*, [2007] G.S.T.C. 152 (CCI [procédure informelle]).

Mémorandums: TPS 300-4-3, 10/01/92, *Services d'enseignement*.

Énoncés de politique: P-039, 09/11/92, *La définition de l'expression « école de formation professionnelle » à l'article 1 de la partie III de l'annexe V de la Loi sur la taxe d'accise*; P-229, 18/05/99, *Définition d'« école de formation professionnelle » à l'article 1 de la partie III de l'annexe V de la Loi sur la taxe d'accise.*

Lettres d'interprétation (Québec): 98-0110266 — Interprétation relative à la TPS — Interprétation relative à la TVQ — Services d'enseignement.

« élève du primaire ou du secondaire » Particulier inscrit, dans une école administrée par une administration scolaire dans une province :

a) soit à des cours d'enseignement primaire;

b) soit à des cours qui permettent d'obtenir des crédits menant à un diplôme ou à un certificat décerné ou approuvé par le gouvernement provincial, ou à des cours équivalents.

Notes historiques: La définition de « élève du primaire ou du secondaire » à l'article 1 de la Partie III de l'annexe V a été ajoutée par L.C. 1990, c. 45, art. 18.

Concordance québécoise: LTVQ, art. 120« élève du primaire ou du secondaire ».

« organisme provincial de réglementation » *[Abrogée]*

Notes historiques: La définition de « organisme provincial de réglementation » à l'article 1 de la Partie III de l'annexe V a été abrogée par L.C. 1993, c. 27, par. 155(1), rétroactivement au 17 décembre 1990. Cette expression a été remplacée par l'expression « organisme de réglementation ». Elle se lisait comme suit :

> « organisme provincial de réglementation » Organisme habilité par une loi provinciale à réglementer l'exercice d'une profession dans la province, ou constitué à cette fin, et qui, dans ce but, établit des normes de connaissances et de compétence pour les praticiens et accorde des permis d'exercice ou accepte les inscriptions.

La définition de « organisme provincial de réglementation » a été ajoutée par L.C. 1990, c. 45, art. 18.

« organisme de réglementation » Organisme habilité par une loi fédérale ou provinciale à réglementer l'exercice d'une profession, ou constitué à cette fin, et qui, dans ce but, établit des normes de connaissances et de compétence pour les praticiens.

Notes historiques: La définition de « organisme de réglementation » à l'article 1 de la Partie III de l'annexe V a été ajoutée par L.C. 1993, c. 27, par. 155(2) et est réputée entrée en vigueur le 17 décembre 1990. L'expression « organisme de réglementation » remplace l'expression « organisme provincial de réglementation ».

Concordance québécoise: LTVQ, art. 120« organisme de réglementation ».

Jurisprudence: *Paquet c. R.*, [2002] G.S.T.C. 31 (CCI); *1146491 Ontario Ltd. v. R.*, [2002] G.S.T.C. 54 (CCI).

2. [Services consistant à donner des cours] — La fourniture par une administration scolaire d'une province d'un service consistant à donner à des particuliers des cours s'adressant principalement aux élèves du primaire ou du secondaire.

Notes historiques: L'article 2 de la Partie III de l'annexe V a été ajouté par L.C. 1990, c. 45, art. 18.

Concordance québécoise: LTVQ, art. 121.

Jurisprudence: *Town Centre Children's School Inc. c. Canada*, [1997] G.S.T.C. 13 (CCI); *Riverfront Medical Evaluations Ltd. c. La Reine*, [2002] G.S.T.C. 110 (CFC); *North Vancouver School District No. 44 v. R.*, [2008] G.S.T.C. 171 (CCI [procédure générale]).

Mémorandums: TPS 300-4-3, 10/01/92, *Services d'enseignement.*

Lettres d'interprétation (Québec): 98-0108716 — Décision portant sur l'application de la TPS — Interprétation relative à la TVQ — Activités parascolaires; 98-0103188 — Décision portant sur l'application de la TPS — Interprétation relative à la TVQ — Activités parascolaires; 04-0100455 — Interprétation relative à la TPS et à la TVQ — services de supervision des srages.

3. [Aliments, boissons ou services] — La fourniture d'aliments ou de boissons (sauf ceux visés par règlement pour l'application de l'article 12 ou fournis au moyen d'un distributeur automatique), de services ou de droits d'entrée effectuée par une administration scolaire principalement au profit d'élèves du primaire ou du secondaire dans le cadre d'activités parascolaires qu'elle a autorisées et dont elle a la responsabilité.

Notes historiques: L'article 3 de la Partie III de l'annexe V a été modifié par L.C. 1997, c. 10, par. 98(1) et cette modification s'applique aux fournitures effectuées après le 23 avril 1996. Il se lisait comme suit :

> 3. La fourniture d'aliments, de boissons ou de services, y compris les droits d'entrée, effectuée par une administration scolaire principalement au profit d'élèves du primaire ou du secondaire dans le cadre d'activités parascolaires qu'elle a autorisées et dont elle a la responsabilité.

Cet article a été ajouté par L.C. 1990, c. 45, art. 18.

Concordance québécoise: LTVQ, art. 122.

Renvois: 123(1)« acquéreur » (circonstances dans lesquelles une personne est un acquéreur).

Bulletins de l'information technique: B-075R, 23/04/96, *Modifications proposées à la TPS.*

Mémorandums: TPS 300-4-3, 10/01/92, *Services d'enseignement.*

Lettres d'interprétation (Québec): 04-0101677 — Fourniture de droits d'entrée à un bal de fin d'études effectuée par une commission scolaire.

4. [Service exécuté par un élève du primaire ou du secondaire ou par son enseignant] — La fourniture par une administration scolaire d'un service exécuté par un élève du primaire ou du secondaire ou par son enseignant dans le cours normal de l'instruction de l'élève.

Notes historiques: L'article 4 de la Partie III de l'annexe V a été ajouté par L.C. 1990, c. 45, art. 18.

Concordance québécoise: LTVQ, art. 123.

Mémorandums: TPS 300-4-3, 10/01/92, *Services d'enseignement.*

Lettres d'interprétation (Québec): 99-0101966 — Interprétation relative à la TPS et à la TVQ — Fourniture de certains biens et services par une administration scolaire.

5. [Service consistant à assurer le transport d'un élève] — La fourniture, effectuée par une administration scolaire au profit d'une personne qui n'est pas une autre administration scolaire, d'un service consistant à assurer le transport d'élèves du primaire ou du secondaire entre un point donné et une école administrée par une administration scolaire.

Notes historiques: L'article 5 de la partie III de l'annexe V a été remplacé par L.C. 2003, c. 15, par. 64(1) et cette modification est réputée être entrée en vigueur le 17 décembre 1990. Lorsque la taxe nette d'une administration scolaire pour une période de déclaration diffère du montant qui correspondrait à sa taxe nette pour la période si ce paragraphe n'était pas édicté et que le ministre du Revenu national a établi une cotisation visant la taxe nette pour la période, le ministre peut établir une nouvelle cotisation visant la taxe nette, ou un montant payable par l'administration en vertu de l'article 230.1, en vue de tenir compte de la différence, au plus tard le 20 juin 2004 ou, s'il est postérieur, le dernier jour du délai, prévu par ailleurs à l'article 298, pour l'établissement de la nouvelle cotisation, malgré cet article et toute décision relative à cette période de déclaration de l'administration rendue par un tribunal après le 21 décembre 2001. Antérieurement, cet article se lisait ainsi :

> 5. La fourniture, effectuée par une administration scolaire au profit d'un élève du primaire ou du secondaire, d'un service consistant à assurer le transport de l'élève entre un point donné et une école administrée par une administration scolaire.

L'article 5 de la Partie III de l'annexe V a été ajouté par L.C. 1990, c. 45, art. 18.

Concordance québécoise: LTVQ, art. 124.

Renvois: 123(1)« acquéreur » (circonstances dans lesquelles une personne est un acquéreur).

Jurisprudence: *Des Chênes (Commission Scolaire) c. R.*, [2000] G.S.T.C. 36 (CCI); [2001] G.S.T.C. 120 (CAF); *Victoriaville (Commission scolaire) c. R.*, [2006] G.S.T.C. 7 (CCI); *Patriotes (Commission scolaire) c. R.*, [2007] G.S.T.C. 10 (CCI).

Mémorandums: TPS 300-4-3, 10/01/92, *Services d'enseignement.*

Lettres d'interprétation (Québec): 99-0102097 — Interprétation relative à la TPS et à la TVQ [Fourniture d'un service de transport scolaire effectuée par une commission scolaire]; 00-0104596 — Demande d'interprétation — somme versée par une école privée à une commission scolaire en guise de renflouement du déficit global du transport scolaire.

6. [Service consistant à donner des cours et des examens menant à une accréditation ou à un titre professionnel] — La fourniture, effectuée par une association professionnelle, un gouvernement, une école de formation professionnelle, une université, un collège public ou un organisme de réglementation, des services ou certificats suivants, sauf si le fournisseur fait un choix en application du présent article, en la forme déterminée par le ministre et contenant les renseignements requis par celui-ci :

a) un service consistant à donner à des particuliers des cours qui mènent à une accréditation ou à un titre professionnel reconnus par l'organisme ou qui permettent de conserver ou d'améliorer une telle accréditation ou un tel titre;

b) un certificat, ou un service consistant à donner un examen, concernant un cours, une accréditation ou un titre mentionné à l'alinéa a).

Notes historiques: L'article 6 de la Partie III de l'annexe V a été modifié par L.C. 1993, c. 27, par. 156(1) et est réputé entré en vigueur le 17 décembre 1990. Toutefois, il ne s'applique pas aux fournitures de certificats décernés avant le 6 novembre 1991 ni aux fournitures de services consistant à donner, avant cette date, un examen qui ne concerne pas un cours. De plus, pour l'application de cet article aux cours commençant avant le 6 novembre 1991 ou aux examens concernant ces cours, la mention de « organisme de réglementation » à cet article vaut mention de « organisme de réglementation constitué ou habilité en vertu d'une loi provinciale ». Il se lisait comme suit :

> 6. La fourniture, effectuée par une association professionnelle, un gouvernement, une école de formation professionnelle, une université, un collège public ou un organisme provincial de réglementation, d'un service consistant à donner à des particuliers des cours et des examens qui mènent à une accréditation ou à un titre professionnel reconnus par l'organisme provincial de réglementation ou qui permettent de conserver ou d'améliorer une telle accréditation ou un tel titre, sauf si le fournisseur présente au ministre un choix fait en application du présent article, en la forme et avec les renseignements déterminés par le ministre.

L'article 6 de la Partie III de l'annexe V a été ajouté par L.C. 1990, c. 45, art. 18.

Concordance québécoise: LTVQ, art. 125.

Jurisprudence: *Algonquin College of Applied Arts c. Canada*, [1999] G.S.T.C. 71 (CCI); *North Vancouver School District No. 44 v. R.*, [2008] G.S.T.C. 171 (CCI [procédure générale]).

Bulletins de l'information technique: B-065, 13/07/92, *Le plan en six points en vue simplifier.*

Mémorandums: TPS 300-4-3, 10/01/92, *Services d'enseignement.*

Formulaires: FP-2029, *Choix exercé par un organisme pour que la fourniture de ses cours, de ses examens ou de ses certificats soit taxable*; GST29, *Choix et révocation du choix de rendre taxable la fourniture de cours, certificats ou examens.*

7. [Service consistant à donner des cours ou des examens menant à un diplôme] — La fourniture, effectuée par une administration scolaire, un collège public ou une université, d'un service consistant à donner à des particuliers des cours ou des examens qui mènent à un diplôme.

Notes historiques: L'article 7 de la Partie III de l'annexe V a été modifié par L.C. 1993, c. 27, par. 157(1) pour remplacer les mots « des cours ou des examens » par les mots « des cours et des examens » et est réputé entré en vigueur le 17 décembre 1990. L'article 7 de la Partie III de l'annexe V a été ajouté par L.C. 1990, c. 45, art. 18.

Concordance québécoise: LTVQ, art. 126.

Renvois: V:Partie III:7.1 (service ou droit d'adhésion liés à des cours ou examens menant à un diplôme); VI:Partie V:18 (cours et examens).

Jurisprudence: *City University c. La Reine*, [1996] G.S.T.C. 24 (CCI).

Énoncés de politique: P-214R, 02/02/98, *Entité située à l'étranger admissible à titre d'« université » aux fins de la Loi sur la taxe d'accise (« LTA »).*

Mémorandums: TPS 300-4-3, 10/01/92, *Services d'enseignement.*

Lettres d'interprétation (Québec): 02-0106332 — Interprétation relative à la TPS et à la TVQ — Choix en application de l'article 8 de la partie III de l'annexe V de la LTA; 04-0100455 — Interprétation relative à la TPS et à la TVQ — services de supervision des srages.

7.1 [Service ou droit d'adhésion liés à des cours ou examens menant à un diplôme] — La fourniture d'un service ou d'un droit d'adhésion dont l'acquéreur est tenu de payer la contrepartie en raison de son acquisition de fournitures incluses à l'article 7.

Notes historiques: L'article 7.1 de la Partie III de l'annexe V a été ajouté par L.C. 1993, c. 27, par. 158(1) et est réputé entré en vigueur le 17 décembre 1990.

Concordance québécoise: LTVQ, art. 126.1.

Énoncés de politique: P-214R, 02/02/98, *Entité située à l'étranger admissible à titre d'« université » aux fins de la Loi sur la taxe d'accise (« LTA »).*

8. [Service consistant à donner des cours et des examens menant à un certificat, un diplôme ou un permis] — La fourniture, sauf une fourniture détaxée, effectuée par un gouvernement, une administration scolaire, une école de formation professionnelle, un collège public ou une université, d'un service consistant à donner à des particuliers des cours ou des examens qui mènent à des certificats, diplômes, permis ou documents semblables, ou à des classes ou des grades conférés par un permis, attestant la compétence de particuliers dans l'exercice d'un métier, sauf si le fournisseur a fait un choix en application du présent article en la forme déterminée par le ministre et contenant les renseignements requis par celui-ci.

Notes historiques: L'alinéa 8c) de la partie III de l'annexe V a été modifié par L.C. 1997, c. 10, par. 99(1) et cette modification s'applique aux fournitures effectuées après 1996. Auparavant, cet alinéa se lisait comme suit :

> c) le fournisseur est un organisme sans but lucratif ou un organisme de bienfaisance.

L'article 8 de la partie III de l'annexe V a été remplacé par L.C. 2001, c. 15, par. 25(1). Cette modification s'applique :

> a) aux fournitures dont la contrepartie devient due après le 4 octobre 2000 ou est payée après cette date sans être devenue due;
>
> b) aux fournitures dont la contrepartie, même partielle, devient due ou est payée avant le 5 octobre 2000, si aucun montant n'a été exigé ou perçu au titre de la taxe prévue par la partie IX de la même loi relativement à la fourniture avant cette date; toutefois, en ce qui concerne ces fournitures, il n'est pas tenu compte du passage « sauf si le fournisseur a fait un choix en application du présent article en la forme déterminée par le ministre et contenant les renseignements requis par celui-ci » à l'article 8 de la partie III de l'annexe V.

Antérieurement, l'article 8 de la partie III de l'annexe V se lisait ainsi :

> 8. La fourniture, sauf une fourniture détaxée, effectuée par une administration scolaire, une école de formation professionnelle, un collège public ou une université, d'un service consistant à donner à des particuliers des cours ou des examens qui mènent à quelque certificat, diplôme, permis ou acte semblable, ou à des classes ou des grades conférés par un permis, attestant la compétence de particuliers dans l'exercice d'un métier, si, selon le cas :
>
> a) l'acte, la classe ou le grade est visé par un règlement fédéral ou provincial;
>
> b) le fournisseur est soumis aux lois fédérales ou provinciales concernant les écoles de formation professionnelle;
>
> c) le fournisseur est un organisme à but non lucratif ou une institution publique.

L'article 8 de la Partie III de l'annexe V a été modifié par L.C. 1993, c. 27, par. 159(1) et s'applique aux fournitures dont la contrepartie devient due ou est payée et à l'égard desquelles aucune contrepartie n'est devenue due ou n'a été payée avant avril 1991. Toutefois, en ce qui concerne les cours commençant avant le 6 novembre 1991 ou les examens passés avant cette date, il s'applique compte non tenu du passage « sauf une fourniture détaxée ». L'article 8 de la Partie III de l'annexe V se lisait auparavant comme suit :

> 8. La fourniture, effectuée par une administration scolaire, une école de formation professionnelle, un collège public ou une université, d'un service consistant à donner à des particuliers des cours et des examens qui mènent à un certificat, à un diplôme, à un permis ou à un acte semblable ou des classes ou des grades conférés par un permis, visés par un règlement fédéral ou provincial et attestant la compétence de particuliers dans l'exercice d'un métier.

L'article 8 de la Partie III de l'annexe V a été ajouté par L.C. 1990, c. 45, art. 18.

Concordance québécoise: LTVQ, art. 127.

Renvois: VI:Partie V:18 (cours et examens).

Jurisprudence: *Sterling Business Academy Inc. c. Canada*, [1998] G.S.T.C. 130 (CCI); *Gastown Actors Studio Ltd. c. Canada*, [1999] G.S.T.C. 79 (TCC); [2000] G.S.T.C. 108 (CAF); *Avenue Business Campuses Ltd. c. R.*, [2001] G.S.T.C. 125 (CCI); *Fleming School of Dance Ltd. v. R.*, [2007] G.S.T.C. 152 (CCI [procédure informelle]).

Énoncés de politique: P-034R, 09/11/92, *Statut fiscal du temps de vol en vertu de la LTA, annexe V, partie III, article 8*; P-229, 18/05/99, *Définition d'« école de formation professionnelle » à l'article 1 de la partie III de l'annexe V de la Loi sur la taxe d'accise*; P-231, 08/06/99, *Cours exonérés en vertu de l'article 8 de la partie III de l'annexe V de la Loi sur la taxe d'accise*.

Mémorandums: TPS 300-4-3, 10/01/92, *Services d'enseignement*.

Formulaires: FP-2029, *Choix exercé par un organisme pour que la fourniture de ses cours, de ses examens ou de ses certificats soit taxable*; GST29, *Choix et révocation du choix de rendre taxable la fourniture de cours, certificats ou examens*.

Lettres d'interprétation (Québec): 01-0105898 — Interprétation relative à la TPS et à la TVQ — Cours de préposé aux bénéficiaires; 02-0106332 — Interprétation relative à la TPS et à la TVQ — Choix en application de l'article 8 de la partie III de l'annexe V de la LTA.

9. [Service consistant à donner des cours particuliers] — La fourniture d'un service consistant à donner à un particulier l'un des cours suivants :

a) un cours conforme à un programme d'études désigné par une administration scolaire ou pour lequel elle accorde un crédit;

b) l'équivalent d'un cours mentionné à l'alinéa a), visé par règlement;

c) un cours préalable à l'un des cours mentionnés aux alinéas a) et b), autre qu'un cours qui est lui-même préalable à ce cours.

Notes historiques: L'article 9 de la Partie III de l'annexe V a été modifié par L.C. 1993, c. 27, par. 160(1) et est réputé entré en vigueur le 17 décembre 1990. Il remplace les anciens articles 9 et 10 de la Partie III de l'annexe V. Il se lisait comme suit :

> 9. La fourniture d'un service consistant à donner des cours particuliers conformes à un programme d'études désigné par une administration scolaire ou des cours équivalents visés par règlement.

L'article 9 de la Partie III de l'annexe V a été ajouté par L.C. 1990, c. 45, art. 18.

Concordance québécoise: LTVQ, art. 128.

Renvois: V:Partie VI:12, 13 (exonération pour certains programmes de formation).

Règlements: *Règlement sur les cours équivalents (TPS/TVH)*, art. 2.

Énoncés de politique: P-233, 31/07/99, *Service consistant à donner un cours pour lequel une administration scolaire accorde un crédit*.

Mémorandums: TPS 300-4-3, 10/01/92, *Services d'enseignement*.

Lettres d'interprétation (Québec): 99-0109167 — Interprétation relative à la TPS et à la TVQ — [Programme de formation]; 04-0101776 — Interprétation relative à la TPS et la TVQ — Subvention ou contrepartie de fourniture.

10. [*Abrogé*]

Notes historiques: L'article 10 de la Partie III de l'annexe V a été abrogé par L.C. 1993, c. 27, par. 160(1) rétroactivement au 17 décembre 1990. Il a été intégré à l'article 9 de la Partie III de l'annexe V. Il se lisait comme suit :

> 10. La fourniture d'un service consistant à donner à un particulier un cours préalable à un autre cours qui est conforme à un programme d'études désigné par une administration scolaire ou à un cours équivalent visé par règlement.

L'article 10 de la Partie III de l'annexe V a été ajouté par L.C. 1990, c. 45, art. 18.

11. [Service consistant à donner des cours de langue seconde en français ou en anglais] — La fourniture, effectuée par une administration scolaire, une école de formation professionnelle, un collège public ou une université ou dans le cadre d'une entreprise établie et administrée principalement pour donner des cours de langue, d'un service consistant à donner de tels cours et des examens dans le cadre d'un programme d'enseignement de langue seconde en français ou en anglais.

Notes historiques: L'article 11 de la partie III de l'annexe V a été remplacé par L.C. 2000, c. 30, par. 116(1) et cette modification s'applique aux fournitures effectuées après avril 1999. Antérieurement, il se lisait comme suit :

> 11. La fourniture, effectuée par une administration scolaire, un collège public, une université ou une institution établie et administrée principalement pour donner des cours de langue, d'un service consistant à donner de tels cours et des examens dans le cadre d'un programme d'enseignement de langue seconde en français ou en anglais.

L'article 11 de la Partie III de l'annexe V a été ajouté par L.C. 1990, c. 45, art. 18.

Concordance québécoise: LTVQ, art. 130.

Jurisprudence: *North Vancouver School District No. 44 v. R.*, [2008] G.S.T.C. 171 (CCI [procédure générale]).

Mémorandums: TPS 300-4-3, 10/01/92, *Services d'enseignement*.

Lettres d'interprétation (Québec): 98-0112619 — Décision portant sur l'application de la TPS — Interprétation relative à la TVQ — Cours d'anglais langue seconde.

12. [Fourniture d'aliments ou de boissons dans la cafétéria d'une école primaire ou secondaire] — La fourniture d'aliments ou de boissons (à l'exclusion de ceux visés par règlement ou fournis au moyen d'un distributeur automatique), effectuée dans la cafétéria d'une école primaire ou secondaire principalement au profit des élèves, sauf si elle est effectuée pour une réception, une réunion ou une activité semblable à caractère privé.

Notes historiques: L'article 12 de la Partie III de l'annexe V a été ajouté par L.C. 1990, c. 45, art. 18.

Concordance québécoise: LTVQ, art. 131.

Renvois: 123(1)« acquéreur » (circonstances dans lesquelles une personne est un acquéreur); 165.1(2) (appareil automatique — calcul de la taxe); V:Partie III:14 (fourniture d'aliments ou de boissons aux termes d'un contrat).

Jurisprudence: *Paquet c. R.*, [2002] G.S.T.C. 31 (CCI).

Règlements: *Règlement sur les aliments et les boissons de cafétérias d'école (TPS)*, 1.

Mémorandums: TPS 300-4-3, 10/01/92, *Services d'enseignement*.

13. [Repas dans une université ou un collège public] — La fourniture d'un repas à un étudiant inscrit à une université ou un collège public, dans le cadre d'un régime d'une durée d'au moins un mois qui prévoit uniquement l'achat par l'étudiant du fournisseur, pour une contrepartie unique, du droit de prendre au moins dix repas par semaine tout au long de la période dans un restaurant ou une cafétéria situé à l'université ou au collège.

Notes historiques: L'article 13 de la Partie III de l'annexe V a été modifié par L.C. 1997, c. 10, par. 100(1) et cette modification s'applique aux fournitures dont la contrepartie devient due après juin 1996 ou est payée après juin 1996 sans qu'elle soit devenue due. Cet article, ajouté par L.C. 1990, c. 45, art. 18, se lisait comme suit :

> 13. La fourniture d'un repas dans une université ou un collège public au profit d'un étudiant, dans le cadre d'un régime prévoyant l'achat par l'étudiant du fournisseur, pour une contrepartie unique, d'une fourniture d'au moins dix repas par semaine pour une période d'au moins un mois.

Concordance québécoise: LTVQ, art. 132.

Renvois: 123(1)« acquéreur » (circonstances dans lesquelles une personne est un acquéreur); V:Partie III:14 (fourniture d'aliments ou de boissons aux termes d'un contrat).

Jurisprudence: *Paquet c. R.*, [2002] G.S.T.C. 31 (CCI).

Bulletins de l'information technique: B-075R, 23/04/96, *Modifications proposées à la TPS*.

Mémorandums: TPS 300-4-3, 10/01/92, *Services d'enseignement*.

14. [Fourniture d'aliments ou de boissons aux termes d'un contrat] — La fourniture d'aliments et de boissons, y compris les services de traiteur, effectuée au profit d'une administration scolaire, d'une université ou d'un collège public aux termes d'un contrat visant à offrir des aliments ou des boissons soit à des étudiants dans le cadre d'un régime visé à l'article 13, soit dans la cafétéria d'une école primaire ou secondaire principalement aux élèves de l'école, sauf dans la mesure où les aliments, les boissons et les services sont offerts dans le cadre d'une réception, d'une conférence ou d'un autre occasion ou événement spécial.

Notes historiques: L'article 14 de la Partie III de l'annexe V a été ajouté par L.C. 1990, c. 45, art. 18.

Concordance québécoise: LTVQ, art. 133.

Renvois: 123(1)« acquéreur » (circonstances dans lesquelles une personne est un acquéreur); V:Partie II:11 (aliments et boissons); V:Partie VI:15 (aliments ou boissons offerts à domicile aux personnes âgées, infirmes, handicapées ou défavorisées).

Jurisprudence: *Philippe Plamondon Inc. c. Canada*, [1998] G.S.T.C. 19 (CCI); *Paquet c. R.*, [2002] G.S.T.C. 31 (CCI).

Énoncés de politique: P-224, 04/01/99, *L'expression service de traiteur est utilisée à plusieurs endroits dans la Loi sur la taxe d'accise (la Loi). Cependant, la Loi ne donne pas de définition de service de traiteur.*

Mémorandums: TPS 300-4-3, 10/01/92, *Services d'enseignement*.

15. [Location d'un bien meuble] — La fourniture d'un bien meuble par bail, effectuée par une administration scolaire au profit d'un élève du primaire ou du secondaire.

Notes historiques: L'article 15 de la Partie III de l'annexe V a été ajouté par L.C. 1990, c. 45, art. 18.

Concordance québécoise: LTVQ, art. 134.

Renvois: 123(1)« acquéreur » (circonstances dans lesquelles une personne est un acquéreur).

Mémorandums: TPS 300-4-3, 10/01/92, *Services d'enseignement*.

16. [Service consistant à donner des cours faisant partie d'un programme constitué d'au moins deux cours] — La fourniture, effectuée par un organisme — administration scolaire, collège public ou université — d'un service consistant à donner à des particuliers des cours, ou les examens afférents, (sauf des cours de sports, jeux ou autres loisirs, conçus pour être suivis principalement à des fins récréatives) qui font partie d'un programme constitué d'au moins deux cours et soumis à l'examen et à l'approbation d'un conseil, d'une commission ou d'un comité de l'organisme, établi en vue d'examiner et d'approuver les cours offerts par l'organisme.

Notes historiques: L'article 16 de la Partie III de l'annexe V a été modifié par L.C. 1993, c. 27, par. 161(1) et s'applique aux fournitures dont la contrepartie devient due ou est payée après mars 1991 et à l'égard desquelles aucune contrepartie n'est devenue due ou n'a été payée avant avril 1991. Il se lisait auparavant comme suit :

> 16. La fourniture, effectuée par un collège public ou une université, d'un service consistant à donner à des particuliers des cours, ou les examens y afférents, (sauf des cours en sports, jeux ou autres loisirs, conçus pour être suivis principalement à des fins récréatives) qui font partie d'un programme constitué d'au moins deux cours et soumis à l'examen et à l'approbation d'un conseil, d'une commission ou d'un comité de l'université ou du collège, établi en vue d'examiner et d'approuver les cours offerts par l'université ou le collège.

L'article 16 de la Partie III de l'annexe V a été ajouté par L.C. 1990, c. 45, art. 18.

Concordance québécoise: LTVQ, art. 135.

Mémorandums: TPS 300-4-3, 10/01/92, *Services d'enseignement*.

Partie IV — Services de garde d'enfants et de soins personnels

1. [Services de garde d'enfants] — La fourniture de services de garde d'enfants qui consistent principalement à assurer la garde et la surveillance d'enfants de quatorze ans ou moins pendant des périodes d'une durée normale de moins de vingt-quatre heures par jour. Est exclue la fourniture d'un service qui consiste à surveiller un enfant non accompagné, effectuée par une personne à l'occasion de la fourniture taxable par celle-ci d'un service de transport de passagers.

Notes historiques: L'article 1 de la partie IV de l'annexe V a été remplacé par L.C. 2000, c. 30, par. 117(1) et cette modification s'applique aux fournitures de services de garde d'enfants dont la contrepartie devient due après 1999 ou est payée après 1999 sans être devenue due. Antérieurement, il se lisait comme suit :

> 1. La fourniture de services de garde d'enfants qui consistent principalement à assurer la garde et la surveillance d'enfants de quatorze ans ou moins pendant des périodes d'une durée normale de moins de vingt-quatre heures par jour.

L'article 1 de la Partie IV de l'annexe V a été ajouté par L.C. 1990, c. 45, art. 18.

Concordance québécoise: LTVQ, art. 136.

Définitions: « fourniture », « personne », « service » — 123(1).

Renvois: V:Partie II:13 (service ménager à domicile); V:Partie VI:12a) (droit d'adhésion à un programme de formation par un organisme du secteur public), 13, 14, 25 (services de pension et d'hébergement par un organisme du secteur public); VI:Partie VII:4 (services de tansport des bagages et de surveillance d'un enfant).

Énoncés de politique: P-017, 04/09/92, *Services de garde d'enfants*.

Mémorandums: TPS 300-4-4, 26/11/91, *Services de garde d'enfants et de soins personnels*.

Lettres d'interprétation (Québec): 98-0108716 — Décision portant sur l'application de la TPS — Interprétation relative à la TVQ — Activités parascolaires; 98-0103188 — Décision portant sur l'application de la TPS — Interprétation relative à la TVQ — Activités parascolaires.

2. [Services consistant à assurer la garde et la surveillance des résidents d'un établissement] — La fourniture de services qui consistent à assurer la garde et la surveillance d'enfants ou de personnes handicapées ou défavorisées, et à leur offrir un lieu de résidence, dans un établissement exploité à cette fin par le fournisseur.

Notes historiques: L'article 2 de la Partie IV de l'annexe V a été modifié par L.C. 1997, c. 10, par. 101(1) et s'applique à compter du 20 mars 1997. Il se lisait comme suit :

> 2. La fourniture de services qui consistent à assurer la garde et la surveillance de particuliers handicapés ou défavorisés ou d'enfants, et à leur offrir un lieu de résidence, dans un établissement exploité à cette fin par le fournisseur.

Auparavant, l'article 2 de la Partie IV de l'annexe V a été modifié par L.C. 1993, c. 27, par. 162(1) et est réputé entré en vigueur le 17 décembre 1990. Il se lisait comme suit :

> 2. La fourniture par une personne de services qui consistent à assurer la garde et la surveillance des résidents d'un établissement constitué et exploité par la personne en vue d'offrir de tels services, ainsi qu'un lieu de résidence, à des enfants ou à des particuliers handicapés ou défavorisés.

Cet article a été ajouté par L.C. 1990, c. 45, art. 18.

Concordance québécoise: LTVQ, art. 137.

Définitions: « fourniture » — 123(1).

Renvois: V:Partie I:6 (location d'un immeuble); V:Partie VI:13, 14, 25 (services de pension et d'hébergement par un organisme du secteur public).

Énoncés de politique: P-130, 05/08/92, *Lieu de résidence*.

Mémorandums: TPS 300-4-4, 26/11/91, *Services de garde d'enfants et de soins personnels*.

3. [Service de soins et de surveillance] — La fourniture d'un service de soins et de surveillance d'une personne dont l'aptitude physique ou mentale sur le plan de l'autonomie et de l'autocontrôle est limitée en raison d'une infirmité ou d'une invalidité, si le service est rendu principalement dans un établissement du fournisseur.

Notes historiques: L'article 3 de la partie IV de l'annexe V a été ajouté par L.C. 2000, c. 30, art. 118(1) et s'applique aux services exécutés après le 24 février 1998.

Dans le cas où la fourniture visée à l'article 3 de la partie IV de l'annexe V comprend la prestation de services au cours d'une période commençant avant le 25 février 1998 et se terminant après le 24 février 1998, pour l'application de la partie IX, la prestation des services pour la partie de la période qui est antérieure au 25 février 1998 est réputée être une fourniture distincte effectuée pour une contrepartie distincte égale à la fraction de la contrepartie totale de l'ensemble des services offerts qu'il est raisonnable d'imputer aux services offerts au cours de cette partie de période, et la prestation des services restants est réputée être une fourniture distincte effectuée pour une contrepartie distincte égale à la fraction de cette contrepartie totale qu'il est raisonnable d'imputer à ces services restants.

Les règles suivantes s'appliquent à la personne qui, par suite de l'édiction de l'article 3 de la partie IV de l'annexe V, cesse d'utiliser son immobilisation dans le cadre de ses activités commerciales, ou réduit l'utilisation qui en est faite dans ce cadre, et est réputée par les paragraphes 200(2), 203(2), 206(4) ou (5) ou 207(1) ou (2) avoir fourni l'immobilisation en tout ou en partie et avoir perçu la taxe afférente à cette fourniture :

a) elle n'est pas tenue d'inclure la taxe dans le calcul de sa taxe nette pour une période de déclaration;

b) elle est réputée, aux fins du calcul de la teneur en taxe, au sens du paragraphe 123(1) quant à l'immobilisation, avoir eu le droit de recouvrer un montant égal à la taxe au titre du remboursement de la taxe visée à l'élément A de la formule figurant à l'alinéa a) de cette définition.

Concordance québécoise: LTVQ, art. 137.1.

Définitions: « fourniture », « personne », « service » — 123(1).

Renvois: V:Partie IV:2 (services consistant à assurer la garde et la surveillance des résidents d'un établissement).

Partie V — Services d'aide juridique

1. [Services juridiques] — La fourniture de services juridiques rendus dans le cadre d'un programme d'aide juridique administré ou autorisé par un gouvernement provincial et effectuée par l'administrateur du programme.

Notes historiques: L'article 1 de la Partie V de l'annexe V a été ajouté par L.C. 1990, c. 45, art. 18.

Concordance québécoise: LTVQ, art. 138.

Renvois: 258 (remboursement de TPS sur la fourniture taxable de services juridiques dans le cadre d'un régime d'aide juridique).

Jurisprudence: *Factums Instanter S.E.N.C. c. R.*, [2006] G.S.T.C. 11 (CCI).

Série de mémorandums: Mémorandum 5.3, 05/95, *Services d'aide juridique*; Mémorandum 13.2, 12/94, *Remboursements: Aide juridique*.

Partie V.1 — Fournitures par les organismes de bienfaisance

Notes historiques: L'intertitre de la Partie V.1 de l'annexe V a été ajouté par L.C. 1997, c. 10, art. 102(1).

1. [Fourniture par un organisme de bienfaisance] — La fourniture de biens ou de services par un organisme de bienfaisance, à l'exclusion des fournitures suivantes :

a) la fourniture d'un bien ou d'un service incluse à l'annexe VI;

b) la fourniture d'un bien ou d'un service qui, aux termes de la partie IX de la loi, est réputée avoir été effectuée par l'organisme (sauf une fourniture qui est réputée avoir été effectuée par l'effet de l'article 187 de la loi ou par le seul effet de l'article 136.1 de la loi);

c) la fourniture d'un bien meuble (sauf un bien que l'organisme a acquis, fabriqué ou produit en vue de le fournir par vente et un bien fourni par bail, licence ou accord semblable à l'occasion de la fourniture exonérée d'un immeuble par bail, licence ou accord semblable effectuée par l'organisme) qui, immédiatement avant le moment où la taxe deviendrait payable pour la première fois relativement à la fourniture s'il s'agissait d'une fourniture taxable, est utilisé (autrement que pour effectuer la fourniture) dans le cadre des activités commerciales de l'organisme ou, si le bien est une immobilisation, principalement dans ce cadre;

d) la fourniture d'un bien meuble corporel (sauf un bien fourni par bail, licence ou accord semblable à l'occasion de la fourniture exonérée d'un immeuble par bail, licence ou accord semblable effectuée par l'organisme) que l'organisme a acquis, fabriqué ou produit en vue de le fournir et qui n'a ni fait l'objet d'un don à l'organisme ni été utilisé par une autre personne avant son acquisition par l'organisme, ou la fourniture d'un service par l'organisme relativement à un tel bien, à l'exception d'un tel bien ou service que l'organisme a fourni en exécution d'un contrat pour des services de traiteur;

d.1) la fourniture d'un service déterminé, au sens du paragraphe 178.7(1) de la loi, qui est effectuée au profit d'un inscrit à un moment où est en vigueur une désignation de l'organisme effectuée en vertu de l'article 178.7 de la loi;

e) la fourniture d'un droit d'entrée dans un lieu de divertissement, sauf si la contrepartie maximale d'une telle fourniture ne dépasse pas un dollar;

f) la fourniture d'un service de supervision ou d'enseignement dans le cadre d'une activité récréative ou sportive, ou un droit d'adhésion ou autre droit permettant à une personne de bénéficier d'un tel service, sauf si, selon le cas :

(i) il est raisonnable de s'attendre, compte tenu de la nature de l'activité ou du niveau d'aptitude ou de capacité nécessaire pour y participer, que ces services, droits d'adhésion ou autres droits fournis par l'organisme soient offerts principalement à des enfants de 14 ans et moins et qu'ils ne fassent pas partie ni ne se rapportent à un programme qui, en grande partie, comporte une surveillance de nuit,

(ii) ces services, droits d'adhésion ou autres droits fournis par l'organisme s'adressent principalement aux personnes défavorisées ou handicapées;

g) la fourniture d'un droit d'adhésion (sauf celui visé aux sous-alinéas f)(i) ou (ii)) qui, selon le cas :

(i) confère au membre :

(A) soit le droit d'entrée dans un lieu de divertissement dont la fourniture, si elle était effectuée séparément de la fourniture du droit d'adhésion, serait une fourniture taxable,

(B) soit le droit à un rabais sur la valeur de la contrepartie de la fourniture du droit d'entrée visé à la division (A),

(ii) comprend le droit de prendre part à une activité récréative ou sportive dans un lieu de divertissement ou d'y utiliser les installations;

sauf si la valeur du droit d'entrée, du rabais ou du droit est négligeable par rapport à la contrepartie du droit d'adhésion;

h) la fourniture de services d'artistes exécutants d'un spectacle, dont l'acquéreur est la personne qui effectue des fournitures taxables de droits d'entrée au spectacle;

i) la fourniture du droit (sauf le droit d'entrée) de jouer à un jeu de hasard ou d'y participer, si l'organisme ou le jeu est visé par règlement;

j) la fourniture par vente d'un immeuble d'habitation ou d'un droit dans un tel immeuble;

k) la fourniture par vente d'un immeuble à un particulier ou une fiducie personnelle, à l'exception de la fourniture d'un immeuble sur lequel se trouve une construction que l'organisme utilise comme bureau ou dans le cadre d'activités commerciales ou pour la réalisation de fournitures exonérées;

l) la fourniture par vente d'un immeuble qui, immédiatement avant le moment où la taxe deviendrait payable pour la première fois relativement à la fourniture s'il s'agissait d'une fourniture taxable, est utilisé (autrement que pour effectuer la fourniture) principalement dans le cadre des activités commerciales de l'organisme;

m) la fourniture d'un immeuble pour lequel le choix prévu à l'article 211 de la loi est en vigueur au moment où la taxe deviendrait payable relativement à la fourniture s'il s'agissait d'une fourniture taxable;

n) la fourniture d'un bien municipal désigné, si l'organisme est une personne désignée comme municipalité pour l'application de l'article 259 de la loi.

Ajout proposé — Ann. V, partie V.1, 1o)

o) la fourniture d'une aire de stationnement si, à la fois :

(i) la fourniture est effectuée pour une contrepartie, par bail, licence ou accord semblable et dans le cadre d'une entreprise exploitée par l'organisme de bienfaisance,

(ii) l'aire de stationnement est située dans un bien donné à l'égard duquel il est raisonnable de s'attendre, au moment où la fourniture est effectuée, à ce que les aires de stationnement qui y sont situées soient utilisées principalement, au cours de l'année civile dans laquelle la fourniture est effectuée, par des particuliers qui se rendent à un bien d'une personne donnée — municipalité, administration scolaire, administration hospitalière, collège public ou université — ou à un établissement exploité par cette personne,

(iii) au moins une des conditions ci-après est remplie :

(A) d'après les statuts régissant l'organisme de bienfaisance, celui-ci utilisera vraisemblablement une partie importante de son revenu ou de ses actifs au profit de la personne donnée,

(B) l'organisme de bienfaisance et la personne donnée ont conclu, entre eux ou avec d'autres personnes, un ou plusieurs accords relatifs à l'utilisation des aires de stationnement situées dans le bien donné par les particuliers visés au sous-alinéa (ii),

(C) la personne donnée accomplit des fonctions ou des activités relatives à la fourniture par l'organisme de bienfaisance d'aires de stationnement situées dans le bien donné.

Application: L'alinéa 1o) de la partie V.1 de l'annexe V sera ajouté par le par. 10(1) de l'*Avis de motion de voies et moyens accompagnant le budget fédéral* du 21 mars 2013 et s'appliquera aux fournitures effectuées après le 21 mars 2013.

Budget fédéral, Renseignements supplémentaires, 21 mars 2013: *Fournitures de stationnement payant par l'intermédiaire d'organismes de bienfaisance*

Une disposition spéciale d'exonération de TPS/TVH s'applique à l'égard des stationnements fournis par un organisme de bienfaisance qui n'est pas une municipalité, une université, un collège public, une administration scolaire ou une administration hospitalière. Cette exonération spéciale a pour but de réduire les obligations de perception et de comptabilisation de la TPS/TVH par les organismes de bienfaisance, beaucoup d'entre eux étant de petite taille et comptant sur les services de bénévoles.

Il est proposé dans le budget de 2013 de préciser que l'exonération spéciale de TPS/TVH à l'égard des fournitures de stationnement par les organismes de bienfaisance ne s'applique pas aux fournitures de stationnement payant par bail, licence ou accord semblable et dans le cadre d'une entreprise exploitée par un organisme de bienfaisance créé ou utilisé par une municipalité, une université, un collège public, une administration scolaire ou une administration hospitalière pour exploiter des installations de stationnement. Cette mesure vise à assurer un traitement fiscal uniforme des fournitures de stationnement payant effectuées directement par des municipalités, des universités, des collèges publics, des administrations scolaires et des administrations hospitalières, et les fournitures effectuées par des organismes de bienfaisance créés ou utilisés par ces entités pour exploiter leurs installations de stationnement.

Cette mesure s'appliquera aux fournitures effectuées après le 21 mars 2013.

Notes historiques: L'alinéa b) de l'article 1 de la partie V.1 de l'annexe V a été remplacé par L.C. 2001, c. 15, par. 26(1). Cette modification s'applique aux fournitures qui sont réputées avoir été effectuées par l'effet de l'article 136.1 pour des périodes de location ou des périodes de facturation commençant le 1er avril 1997 ou postérieurement. Antérieurement, il se lisait ainsi :

b) la fourniture d'un bien ou d'un service qui, aux termes de la partie IX de la loi, compte non tenu de l'article 187, est réputée effectuée par l'organisme;

L'alinéa c) de l'article 1 de la partie V.I de l'annexe V a été remplacé par L.C. 2001, c. 15, par. 26(2). Cette modification s'applique aux fournitures dont la contrepartie devient due après 1996 ou est payée après 1996 sans être devenue due. Il ne s'appliquera pas aux fournitures relativement auxquelles un montant a été exigé ou perçu, avant le 5 octobre 2000, au titre de la taxe prévue par la partie IX de la même loi.

Dans le cas où les conditions suivantes sont réunies :

a) avant 1997, un organisme de bienfaisance utilisait une immobilisation lui appartenant à l'occasion de la réalisation par bail, licence ou accord semblable de fournitures taxables d'immeubles, ou de fournitures taxables de biens meubles effectuées conjointement avec des fournitures d'immeubles, incluses aux alinéas 2f) ou 25f) ou h) de la partie VI de l'annexe V, dans sa version applicable à cette époque,

b) en raison de l'édiction de l'article 1 de la partie V.1 de cette annexe, tel que modifié par le remplacement de l'alinéa c), l'organisme, à la fois :

(i) est considéré comme ayant, à un moment donné, cessé d'utiliser l'immobilisation dans le cadre de ses activités commerciales, ou réduit l'utilisation qu'il en fait dans ce cadre, du fait qu'il a commencé à l'utiliser à l'occasion de la réalisation par bail, licence ou accord semblable de sa première fourniture exonérée d'immeubles, ou de sa première fourniture exonérée de biens meubles effectuée conjointement avec une fourniture d'immeubles, incluse à cet article, qui aurait été une fourniture taxable incluse à l'un des alinéas mentionnés à l'alinéa a) si la partie VI de l'annexe avait continué de s'appliquer aux organismes de bienfaisance,

(ii) est réputé, par les paragraphes 200(2) ou 206(4) ou (5) de la même loi, avoir effectué, immédiatement avant le moment donné, une fourniture de l'immobilisation ou d'une partie de celle-ci et avoir perçu la taxe relative à cette fourniture,

l'organisme n'a pas à inclure cette taxe dans le calcul de sa taxe nette pour une de ses périodes de déclaration et est réputé, pour ce qui est du calcul de la teneur en taxe (au sens du paragraphe 123(1) de la même loi) de l'immobilisation, avoir eu le droit de recouvrer un montant égal à la taxe à titre de remboursement de taxe compris dans l'élément A de la formule figurant à cette définition.

Antérieurement, l'alinéa c) de l'article 1 de la partie V.I de l'annexe V se lisait ainsi :

c) la fourniture d'un bien meuble (sauf un bien que l'organisme a acquis, fabriqué ou produit en vue de le fournir par vente) qui, immédiatement avant le moment où la taxe serait payable relativement à la fourniture s'il s'agissait d'une fourniture taxable, était utilisé (autrement que pour effectuer la fourniture) dans le cadre des activités commerciales de l'organisme ou, si le bien est une immobilisation, principalement dans ce cadre;

L'alinéa 1d) de la partie V.1 de l'annexe V a été remplacé par L.C. 2007, c. 18, par. 55(1) et cette modification s'applique aux fournitures dont la contrepartie, même partielle, devient due après 1996 ou est payée après 1996 sans être devenue due. Elle ne s'applique pas aux fournitures relativement auxquelles la taxe prévue à la partie IX a été exigée ou perçue au plus tard le 3 octobre 2003.

Pour l'application de la partie IX, dans le cas où, par l'effet de l'alinéa 1d) de la partie V.1 de l'annexe V, un organisme de bienfaisance est considéré comme ayant cessé, à un moment donné, d'utiliser une immobilisation lui appartenant principalement dans le cadre de ses activités commerciales et est réputé, en vertu du paragraphe 200(2), avoir effectué une fourniture de l'immobilisation immédiatement avant ce moment et avoir perçu la taxe afférente, et où cette cessation ne serait pas considérée comme s'étant produite à ce moment si L.C. 2007, c. 18, par. 55(1) n'était pas édicté, les règles suivantes s'appliquent :

a) l'organisme n'a pas à inclure cette taxe dans le calcul de sa taxe nette pour une période de déclaration;

b) pour ce qui est du calcul de la teneur en taxe, au sens du paragraphe 123(1), de l'immobilisation, l'organisme est réputé avoir eu le droit de recouvrer, à titre de remboursement de taxe inclus à l'élément A de la formule figurant à la définition de « teneur en taxe » à ce paragraphe, un montant égal à cette taxe.

Antérieurement, l'alinéa 1d) de la partie V.1 de l'annexe V se lisait ainsi :

d) la fourniture d'un bien meuble corporel que l'organisme a acquis, fabriqué ou produit en vue de le fournir et qui n'a pas été donné à l'organisme ni utilisé par une autre personne avant son acquisition par l'organisme, ou la fourniture d'un service par l'organisme relativement à un tel bien, à l'exception d'un tel bien ou service que l'organisme a fourni en exécution d'un contrat pour des services de traiteur;

L'alinéa d.1) de l'article 1 de la partie V.1 de l'annexe V a été ajouté par L.C. 2000, c. 30, par. 119(1) et s'applique aux fournitures effectuées par un organisme de bienfaisance au cours de ses périodes de déclaration commençant après le 24 février 1998.

L'alinéa l) de l'article 1 de la partie V.I de l'annexe V a été remplacé par L.C. 2001, c. 15, par. 26(3). Cette modification s'applique aux fournitures dont la contrepartie devient due après 1996 ou est payée après 1996 sans être devenue due. Elle ne s'appliquera pas aux fournitures relativement auxquelles un montant a été exigé ou perçu, le 4 octobre ou antérieurement, au titre de la taxe prévue par la partie IX.

Dans le cas où les conditions suivantes sont réunies :

a) avant 1997, un organisme de bienfaisance utilisait une immobilisation lui appartenant à l'occasion de la réalisation par bail, licence ou accord semblable de fournitures taxables d'immeubles, ou de fournitures taxables de biens meubles effectuées conjointement avec des fournitures d'immeubles, incluses aux alinéas 2f) ou 25f ou h) de la partie VI de l'annexe V, dans leur version applicable à cette époque,

b) en raison de l'édiction de l'article 1 de la partie V.1 de cette annexe, tel que modifié par le remplacement de l'alinéa l), l'organisme, à la fois :

(i) est considéré comme ayant, à un moment donné, cessé d'utiliser l'immobilisation dans le cadre de ses activités commerciales, ou réduit l'utilisation qu'il en fait dans ce cadre, du fait qu'il a commencé à l'utiliser à l'occasion de la réalisation par bail, licence ou accord semblable de sa première fourniture exonérée d'immeubles, ou de sa première fourniture exonérée de biens meubles effectuée conjointement avec une fourniture d'immeubles, incluse à cet article qui aurait été une fourniture taxable incluse à l'un des alinéas mentionnés à l'alinéa a) si la partie VI de l'annexe avait continué de s'appliquer aux organismes de bienfaisance,

(ii) est réputé, par les paragraphes 200(2) ou 206(4) ou (5) de la même loi, avoir effectué, immédiatement avant le moment donné, une fourniture de l'immobilisation ou d'une partie de celle-ci et avoir perçu la taxe relative à cette fourniture,

l'organisme n'a pas à inclure cette taxe dans le calcul de sa taxe nette pour une de ses périodes de déclaration et est réputé, pour ce qui est du calcul de la teneur en taxe (au sens du paragraphe 123(1)) de l'immobilisation, avoir eu le droit de recouvrer un montant égal à la taxe à titre de remboursement de taxe compris dans l'élément A de la formule figurant à cette définition.

Antérieurement, l'alinéa l) de l'article 1 de la partie V.I de l'annexe V se lisait ainsi :

l) la fourniture d'un immeuble qui, immédiatement avant le moment où la taxe serait payable relativement à la fourniture s'il s'agissait d'une fourniture taxable, était utilisé (autrement que pour effectuer la fourniture) principalement dans le cadre des activités commerciales de l'organisme;

L'alinéa 1n) de la partie V.1 de l'annexe V a été ajouté par L.C. 2004, c. 22, par. 40(1) et s'applique aux fournitures dont la contrepartie, même partielle, devient due après le 9 mars 2004 ou est payée après cette date sans être devenue due. Il ne s'applique pas aux fournitures effectuées conformément à une convention écrite conclue avant le 10 mars 2004.

L'article 1 de la Partie V.1 de l'annexe V a été ajouté par L.C. 1997, c. 10, art. 102(1). Il s'applique aux fournitures dont la contrepartie, même partielle, devient due après 1996 ou est payée après 1996 sans qu'elle soit devenue due. Toutefois, en ce qui a trait aux fournitures par un organisme de bienfaisance de droits d'entrée à un dîner, un bal, un concert, un spectacle ou une activité semblable pour lesquels l'organisme a fourni des droits d'entrée avant 1997, l'annexe V s'applique comme si la partie V.1 n'était pas édictée.

27 novembre 2006, Notes explicatives: L'article 1 de la partie V.1 de l'annexe V prévoit une exonération générale applicable aux fournitures effectuées par les organismes de bienfaisance. Les fournitures incluses à l'un des alinéas 1a) à m) en sont toutefois exclues.

Dans le cadre de la série de mesures visant à simplifier l'observation de la TPS/TVH pour les organismes de bienfaisance, certaines modifications — s'appliquant, de façon générale, aux fournitures dont la contrepartie, même partielle, est devenue exigible après 1996 — ont été apportées en vue d'étendre l'exonération générale applicable aux fournitures effectuées par ces organismes aux fournitures d'immeubles effectuées aux termes de baux à court terme et de licences. Cette exonération devait aussi s'appliquer aux produits fournis avec ces immeubles, comme le matériel audio-visuel loué avec une salle de conférence. Toutefois, l'exclusion prévue à l'alinéa 1d) fait obstacle à l'application de l'exonération dans le cas où les produits fournis avec l'immeuble ont été acquis, fabriqués ou produits par l'organisme de bienfaisance en vue d'être fournis.

La modification apportée à l'alinéa 1d) corrige ce problème de sorte que l'exonération visant les produits fournis avec un immeuble exoneré puisse s'appliquer conformément à l'intention initiale.

Cette modification s'applique rétroactivement de la même manière que la modification antérieure qui a permis d'ajouter l'exonération visant les fournitures en vertu de baux à court terme et de licences effectuées par les organismes de bienfaisance. Elle s'applique donc, de façon générale, aux fournitures dont la contrepartie, même partielle, est devenue exigible après 1996. Toutefois, l'exonération des produits fournis avec un immeuble exonéré ne s'applique pas dans le cas où l'organisme de bienfaisance a déjà traité la fourniture comme étant taxable et a exigé ou perçu la taxe afférente. De plus, comme ce fut le cas au moment de l'ajout de l'exonération des baux à court terme et licences visant des immeubles, une règle transitoire est prévue afin d'éviter que l'entrée en vigueur de la modification n'entraîne l'application des règles sur le changement d'utilisation des biens.

Concordance québécoise: LTVQ, art. 138.1.

Définitions: « acquéreur », « bien », « bien meuble », « contrepartie », « coût direct », « droit d'adhésion », « droit d'entrée », « fiducie personnelle », « fourniture », « fourniture exonérée », « fourniture taxable », « immeuble », « immeuble d'habitation », « immobilisation », « jeu de hasard », « lieu de divertissement », « organisme de bienfaisance », « personne », « service », « vente » — 123(1).

Renvois: 155(2)b)(iii) (fourniture entre personnes liées — exception); 183(1)d) (saisie et reprise de possession — fourniture taxable réputée); 184(1)d) (fourniture à l'assureur sur règlement de sinistre — fourniture taxable réputée); V:Partie V.1:6 (jeux de hasard); V:Partie VI:2 (fourniture par une institution publique).

Jurisprudence: *Cosmopolitain Music Society c. Canada*, [1995] G.S.T.C. 19 (CCI); *Camp Kahquah Corp. Ltd. c. Canada*, [1998] G.S.T.C. 100 (CCI); *Camp Mini-Yo-We Inc. v. R.*, [2006] G.S.T.C. 154 (CAF); *Cosmopolitan Industries Ltd. v. R.*, 2010 CarswellNat 2830, 2010 CCI 96, [2010] G.S.T.C. 29 (CCI [procédure informelle]).

Règlements: *Règlement sur les jeux de hasard (TPS/TVH)*, art. 1.

Énoncés de politique: P-224, 04/01/99, *L'expression service de traiteur est utilisée à plusieurs endroits dans la Loi sur la taxe d'accise (la Loi). Cependant, la Loi ne donne pas de définition de service de traiteur.*

Bulletins de l'information technique: B-075R, 23/04/96, *Modifications proposées à la TPS.*

Série de mémorandums: Mémorandum 19.4.2, 08/99, *Immeubles commerciaux — Fournitures réputées.*

Formulaires: RC4082, *Renseignements sur la TPS/TVH pour les organismes de bienfaisance.*

Lettres d'interprétation (Québec): 97-0106498[A] — Interprétation relative à la TPS et à la TVQ — Traitement des subventions; 98-0102842 — Fournitures de services d'entretien ménager commercial par un organisme de charité; 98-0103576 — Services intégrés d'aide à l'emploi et de formation professionnelle; 98-0109037 — Interprétation relative à la TPS — Interprétation relative à la TVQ — Organisme de bienfaisance; 98-0109656 — Décision portant sur l'application de la TPS — Interprétation relative à la TVQ — Fourniture unique et fournitures multiples — Droit d'entrée dans un musée accompagné d'un tour de ville; 99-0100232 — Interprétation relative à la TPS — Interprétation relative à la TVQ — Objets sacramentaux; 99-0100463 — Interprétation relative à la TPS — Interprétation relative à la TVQ [relative à des appareils installés dans des auberges de jeunesse; 99-0104226 — Décision concernant l'application de la TPS — Interprétation relative à la TVQ [à l'égard des cours offerts par un organisme de bienfaisance]; 99-0106064 — Interprétation relative à la TPS et à la TVQ — Fournitures effectuées par un CHSLD; 99-0109423 — Décision portant sur l'application de la TPS — Interprétation relative à la TVQ — Locations d'immeubles, CTI/RTI; 99-0113169 — Interprétation relative à la TPS et à la TVQ — [Fourniture d'infrastructures par un organisme de bienfaisance]; 00-0102731 — Interprétation relative à la TPS et à la TVQ — Remise d'un véhicule automobile à une corporation pour un tirage; 00-0102905 — Interprétation portant sur l'application de la TPS — Interprétation relative à la TVQ — Camp religieux; 00-0105056 — Interprétation relative à la TPS et à la TVQ [à l'égard de la fourniture d'un droit d'entrée à une activité de financement]; 00-0106377 — Interprétation relative à la TPS et à la TVQ — Entente entre une municipalité et un organisme de bienfaisance; 00-0111583 — Interprétation relative à la TPS et à la TVQ — Qualification des fournitures de droits de pêche et autres; 01-0102002 — Interprétation relative à la TPS et à la TVQ — Sommes versées par une municipalité: Subvention ou contrepartie d'une fourniture; 02-0105110 — Interprétation relative à la TPS et à la TVQ — Fourniture de services de supervision et d'enseignement par un organisme de bienfaisance; 02-0107777 — Interprétation relative à la TPS et à la TVQ — Règles générales, résidences pour personnes âgées; 03-0109193 — Interprétation relative à la TPS et à la TVQ — résiliation de contrats [à l'égard d'une société de cimetière]; 04-0101784 — Interprétation relative à la TPS et à la TVQ — ordinateurs reconditionnés [par un organisme de bienfaisance]; 05-0104967 — Interprétation relative à la TPS et à la TVQ — fournitures offertes aux personnes défavorisées; 06-0104437 — Demande d'interprétation de la TPS et à la TVQ — traitement des matières recyclables par un organisme de bienfaisance.

2. [Activité de financement] — La fourniture, effectuée par un organisme de bienfaisance, d'un droit d'entrée à une activité de financement — dîner, bal, concert, spectacle ou activité semblable — dans le cas où il est raisonnable de considérer une partie de la contrepartie comme un don à l'organisme relativement auquel un reçu visé aux paragraphes 110.1(2) ou 118.1(2) de la *Loi de l'impôt sur le revenu* peut être délivré, ou pourrait l'être si l'acquéreur de la fourniture était un particulier.

Notes historiques: L'article 2 de la Partie V.1 de l'annexe V a été ajouté par L.C. 1997, c. 10, art. 102(1). Il s'applique aux fournitures dont la contrepartie, même partielle, devient due après 1996 ou est payée après 1996 sans qu'elle soit devenue due. Toutefois, en ce qui a trait aux fournitures par un organisme de bienfaisance de droits d'entrée à un dîner, un bal, un concert, un spectacle ou une activité semblable pour lesquels l'organisme a fourni des droits d'entrée avant 1997, l'annexe V s'applique comme si la partie V.1 n'était pas édictée.

Concordance québécoise: LTVQ, art. 138.2.

Définitions: « acquéreur », « contrepartie », « droit d'entrée », « fourniture », « organisme de bienfaisance », « service », « vente » — 123(1).

Renvois: V:Partie VI:3 (fourniture effectuée par une institution publique); V:Partie VI:18.2 (fourniture effectuée par un parti enregistré).

Bulletins de l'information technique: B-075R, 23/04/96, *Modifications proposées à la TPS.*

Lettres d'interprétation (Québec): 99-0100463 — Interprétation relative à la TPS — Interprétation relative à la TVQ [relative à des appareils installés dans des auberges de jeunesse; 00-0105056 — Interprétation relative à la TPS et à la TVQ [à l'égard de la fourniture d'un droit d'entrée à une activité de financement].

3. [Vente d'un bien meuble ou d'un service] — La fourniture par vente d'un bien meuble ou d'un service effectuée par un organisme de bienfaisance dans le cadre de ses activités de financement, à l'exclusion des fournitures suivantes :

a) la fourniture d'un bien ou d'un service, dans le cas où :

(i) l'organisme fournit de tels biens ou services dans le cadre de ces activités de façon régulière ou continue tout au long de l'année ou d'une bonne partie de l'année,

(ii) aux termes de la convention portant sur la fourniture, l'acquéreur peut recevoir des biens ou des services de l'organisme de façon régulière ou continue tout au long de l'année ou d'une bonne partie de l'année;

b) la fourniture d'un bien ou d'un service inclus aux alinéas 1a), b), c) ou i);

c) la fourniture d'un droit d'entrée dans un lieu de divertissement où l'activité principale consiste à jouer à des jeux de hasard ou à parier.

Notes historiques: L'article 3 de la Partie V.1 de l'annexe V a été ajouté par L.C. 1997, c. 10, art. 102(1). Il s'applique aux fournitures dont la contrepartie, même partielle, devient due après 1996 ou est payée après 1996 sans qu'elle soit devenue due. Toutefois, en ce qui a trait aux fournitures par un organisme de bienfaisance de droits d'entrée à un dîner, un bal, un concert, un spectacle ou une activité semblable pour lesquels l'organisme a fourni des droits d'entrée avant 1997, l'annexe V s'applique comme si la partie V.1 n'était pas édictée.

Concordance québécoise: LTVQ, art. 138.3.

Définitions: « acquéreur », « bien », « bien meuble », « droit d'entrée », « fourniture », « jeu de hasard », « lieu de divertissement », « organisme de bienfaisance », « service », « vente » — 123(1).

Renvois: V:Partie VI:3.1 (fourniture effectuée par une institution publique).

Bulletins de l'information technique: B-075R, 23/04/96, *Modifications proposées à la TPS*.

Lettres d'interprétation (Québec): 00-0106377 — Interprétation relative à la TPS et à la TVQ — Entente entre une municipalité et un organisme de bienfaisance.

4. [Aliments et boissons] — La fourniture par un organisme de bienfaisance d'aliments ou de boissons aux aînés ou aux personnes défavorisées ou handicapées dans le cadre d'un programme mis sur pied et administré afin de leur offrir à domicile des aliments préparés, ainsi que la fourniture d'aliments ou de boissons effectuée au profit de l'organisme dans le cadre du programme.

Notes historiques: L'article 4 de la Partie V.1 de l'annexe V a été ajouté par L.C. 1997, c. 10, art. 102(1). Il s'applique aux fournitures dont la contrepartie, même partielle, devient due après 1996 ou est payée après 1996 sans qu'elle soit devenue due. Toutefois, en ce qui a trait aux fournitures par un organisme de bienfaisance de droits d'entrée à un dîner, un bal, un concert, un spectacle ou une activité semblable pour lesquels l'organisme a fourni des droits d'entrée avant 1997, l'annexe V s'applique comme si la partie V.1 n'était pas édictée.

Concordance québécoise: LTVQ, art. 138.4.

Définitions: « fourniture », « organisme de bienfaisance » — 123(1).

Renvois: V:Partie VI:15 (fourniture par une institution publique).

Énoncés de politique: P-130, 05/08/92, *Lieu de résidence*.

Bulletins de l'information technique: B-075R, 23/04/96, *Modifications proposées à la TPS*.

5. [Fourniture à titre gratuit] — La fourniture par un organisme de bienfaisance de biens ou de services, sauf la fourniture de sang ou de dérivés du sang, si la totalité, ou presque, des fournitures de tels biens ou services sont effectuées à titre gratuit.

Modification proposée — Ann. V, partie V.1, 5

5. [Fourniture à titre gratuit] — La fourniture par un organisme de bienfaisance de biens ou de services, si la totalité ou la presque totalité de ces fournitures sont effectuées à titre gratuit, à l'exclusion des fournitures suivantes :

a) les fournitures de sang ou de dérivés du sang;

b) les fournitures d'aires de stationnement effectuées pour une contrepartie, par bail, licence ou accord semblable et dans le cadre d'une entreprise exploitée par l'organisme de bienfaisance.

Application: L'article 5 de la partie V.1 de l'annexe V sera remplacé par le par. 11(1) de l'*Avis de motion de voies et moyens accompagnant le budget fédéral* du 21 mars 2013 et cette modification s'appliquera aux fournitures dont la contrepartie, même partielle, devient due après 1996 ou est payée après cette année sans être devenue due.

Budget fédéral, Renseignements supplémentaires, 21 mars 2013: [Voir sous Annexe V, partie V.1, art. 1 — n.d.l.r.]

Notes historiques: L'article 5 de la Partie V.1 de l'annexe V a été ajouté par L.C. 1997, c. 10, art. 102(1). Il s'applique aux fournitures dont la contrepartie, même partielle, devient due après 1996 ou est payée après 1996 sans qu'elle soit devenue due. Toutefois, en ce qui a trait aux fournitures par un organisme de bienfaisance de droits d'entrée à un dîner, un bal, un concert, un spectacle ou une activité semblable pour lesquels l'organisme a fourni des droits d'entrée avant 1997, l'annexe V s'applique comme si la partie V.1 n'était pas édictée.

Concordance québécoise: LTVQ, art. 138.5.

Définitions: « fourniture », « organisme de bienfaisance » — 123(1).

Renvois: 155(2)b)(iii) (fourniture entre personnes liées — exception); 226(4) (fourniture d'un contenant usagé — exception); 226(6) (fourniture d'un service de recyclage au distributeur — exception); V:Partie V.1:5.1 (vente d'un bien meuble); V:Partie VI:10 (fourniture par une institution publique).

Bulletins de l'information technique: B-075R, 23/04/96, *Modifications proposées à la TPS*.

5.1 [Vente d'un bien meuble] — La fourniture par vente, effectuée par un organisme de bienfaisance au profit d'un acquéreur, d'un bien meuble corporel (sauf une immobilisation de l'organisme et, si celui-ci est une personne désignée comme municipalité pour l'application de l'article 259 de la loi, un bien municipal désigné), ou d'un service que l'organisme a acheté en vue de le fournir par vente, dans le cas où le prix total de la fourniture est le prix habituel que l'organisme demande à ce type d'acquéreur pour ce type de fourniture et où :

a) si l'organisme ne demande pas à l'acquéreur un montant au titre de la taxe prévue à la partie IX de la loi relativement à la fourniture, le prix total de la fourniture ne dépasse pas son coût direct et il n'est pas raisonnable de s'attendre à ce qu'il le dépasse;

b) si l'organisme demande à l'acquéreur un montant au titre de la taxe prévue à la partie IX de la loi relativement à la fourniture, la contrepartie de la fourniture n'est ni égale ni supérieure à son coût direct et il n'est pas raisonnable de s'attendre à ce qu'elle le soit, ce coût direct étant déterminé compte non tenu de la taxe imposée par cette partie ni de la taxe qui est devenue payable aux termes du premier alinéa de l'article 16 de la *Loi sur la taxe de vente du Québec*, L.R.Q., ch. T-0.1, à un moment où l'organisme était un inscrit au sens de l'article 1 de cette loi.

Notes historiques: Le préambule de l'article 5.1 de la partie V.1 de l'annexe V a été remplacé par L.C. 2004, c. 22, par. 41(1) et cette modification s'applique aux fournitures dont la contrepartie, même partielle, devient due après le 9 mars 2004 ou est payée après cette date sans être devenue due. Cette modification ne s'applique pas aux fournitures effectuées conformément à une convention écrite conclue avant le 10 mars 2004. Antérieurement, il se lisait comme suit :

> 5.1 La fourniture par vente, effectuée par un organisme de bienfaisance au profit d'un acquéreur, d'un bien meuble corporel (sauf une immobilisation de l'organisme), ou d'un service que l'organisme a acheté en vue de le fournir par vente, dans le cas où le prix total de la fourniture est le prix habituel que l'organisme demande à ce type d'acquéreur pour ce type de fourniture et où :

Les alinéas a) et b) de l'article 5.1 de la partie V.1 de l'annexe V ont été remplacés par L.C. 2000, c. 30, par. 120(1) et cette modification s'applique aux fournitures dont la contrepartie, même partielle, devient due après 1996 ou est payée après cette année sans être devenue due. Antérieurement, ils se lisaient comme suit :

> a) si l'organisme ne demande pas à l'acquéreur un montant au titre de la taxe relative à la fourniture, le prix total de la fourniture ne dépasse pas son coût direct et il n'est pas raisonnable de s'attendre à ce qu'il le dépasse;
>
> b) si l'organisme demande à l'acquéreur un montant au titre de la taxe relative à la fourniture, la contrepartie de la fourniture n'est pas égale à son coût direct, déterminé compte non tenu de la taxe imposée par la présente partie, ni n'y est supérieur, et il n'est pas raisonnable de s'attendre à ce qu'il le soit.

L'article 5.1 de la Partie V.1 de l'annexe V a été ajouté par L.C. 1997, c. 10, art. 102(1). Il s'applique aux fournitures dont la contrepartie, même partielle, devient due après 1996 ou est payée après 1996 sans qu'elle soit devenue due. Toutefois, en ce qui a trait aux fournitures par un organisme de bienfaisance de droits d'entrée à un dîner, un bal, un concert, un spectacle ou une activité semblable pour lesquels l'organisme a fourni

LTA (TPS)

des droits d'entrée avant 1997, l'annexe V s'applique comme si la partie V.1 n'était pas édictée.

Concordance québécoise: LTVQ, art. 138.6.

Définitions: « acquéreur », « bien », « bien meuble », « contrepartie », « coût direct », « fourniture », « immobilisation », « organisme de bienfaisance », « service », « vente » — 123(1).

Renvois: V:Partie V.1:5 (fourniture à titre gratuit).

Bulletins de l'information technique: B-075R, 23/04/96, *Modifications proposées à la TPS.*

Lettres d'interprétation (Québec): 98-0100275 — Décision portant sur l'application de la TPS — Interprétation relative à la TVQ — Fourniture de biens et services effectuée entre établissements du réseau de la santé; 99-0106064 — Interprétation relative à la TPS et à la TVQ — Fournitures effectuées par un CHSLD.

5.2 [Fourniture d'aliments, de boisson ou d'un logement provisoire] — La fourniture par un organisme de bienfaisance d'aliments, de boissons ou d'un logement provisoire dans le cadre d'une activité dont l'objet consiste à alléger la pauvreté, la souffrance ou la détresse de particuliers et non à lever des fonds.

Notes historiques: L'article 5.2 de la partie V.1 de l'annexe V été ajouté par L.C. 2000, c. 30, par. 121(1) et s'applique aux fournitures suivantes :

a) la fourniture dont la contrepartie devient due après 1999 ou est payée après 1999 sans être devenue due;

b) la fourniture dont la contrepartie, même partielle, est devenue due ou a été payée après 1996 mais avant 2000, sauf si l'organisme de bienfaisance a exigé ou perçu, relativement à la fourniture, un montant au titre de la taxe prévue à la partie IX de la même loi.

Concordance québécoise: LTVQ, art. 138.6.1.

Définitions: « fourniture », « organisme de bienfaisance » — 123(1).

Renvois: V:Partie VI:14 (aliments, boissons ou logement provisoire dans le cadre d'une activité autre que la levée de fonds).

Lettres d'interprétation (Québec): 00-0112250 — Interprétation relative à la TPS et à la TVQ — Fourniture de repas en cafétéria par un organisme de bienfaisance aux locataires d'une résidence à loyer modique pour personnes âgées en perte d'autonomie.

6. [Jeux de hasard] — La fourniture par un organisme de bienfaisance du droit d'entrée dans un lieu de divertissement où l'activité principale consiste à jouer à des jeux de hasard ou à parier, si, à la fois :

a) seuls des bénévoles accomplissent les tâches administratives et autres qui interviennent dans le déroulement du jeu et la prise de paris;

b) s'il s'agit d'un bingo ou d'un casino, le jeu n'a pas lieu dans un endroit, y compris une construction temporaire, qui sert principalement à tenir des jeux d'argent.

Notes historiques: L'article 6 de la Partie V.1 de l'annexe V a été ajouté par L.C. 1997, c. 10, art. 102(1). Il s'applique aux fournitures dont la contrepartie, même partielle, devient due après 1996 ou est payée après 1996 sans qu'elle soit devenue due. Toutefois, en ce qui a trait aux fournitures par un organisme de bienfaisance de droits d'entrée à un dîner, un bal, un concert, un spectacle ou une activité semblable pour lesquels l'organisme a fourni des droits d'entrée avant 1997, l'annexe V s'applique comme si la partie V.1 n'était pas édictée.

Concordance québécoise: LTVQ, art. 138.7.

Définitions: « droit d'entrée », « fourniture », « jeu de hasard », « lieu de divertissement », « organisme de bienfaisance » — 123(1).

Renvois: V:Partie VI:5 (fourniture par une institution publique).

Bulletins de l'information technique: B-075R, 23/04/96, *Modifications proposées à la TPS.*

Guides (Québec): IN-228 — La TVQ et la TPS/TVH pour les organismes de bienfaisance.

Partie VI — Organismes du secteur public

1. [Définitions] — Les définitions qui suivent s'appliquent à la présente partie.

« activité désignée » Activité d'un organisme ou d'une administration, pour laquelle ceux-ci sont désignés comme municipalité en application de l'article 259 de la loi ou des articles 22 ou 23.

Notes historiques: La définition de « activité désignée » à l'article 1 de la Partie VI de l'annexe V a été ajoutée par L.C. 1993, c. 27, par. 163(2) et est réputée entrée en vigueur le 17 décembre 1990.

Concordance québécoise: LTVQ, art. 139, 140, 141« activité désignée ».

Renvois: V:Partie VI:28 (fournitures entre différentes entités).

« commission de transport »

a) Division, ministère ou organisme d'un gouvernement, d'une municipalité ou d'une administration scolaire, dont le principal objet consiste à fournir des services publics de transport de passagers;

b) organisme à but non lucratif qui, selon le cas :

(i) est financé par un gouvernement, une municipalité ou une administration scolaire dans le but de faciliter la fourniture de services publics de transport de passagers,

(ii) est établi et administré afin d'offrir aux personnes handicapées des services publics de transport de passagers.

Notes historiques: La définition « commission de transport » à l'article 1 de la Partie VI de l'annexe V a été ajoutée par L.C. 1990, c. 45, art. 18.

Concordance québécoise: LTVQ, art. 139« commission de transport ».

« coût direct » [*Abrogée*]

Notes historiques: La définition de « coût direct » à l'article 1 de la Partie VI de l'annexe V a été abrogée par L.C. 1997, c. 10, par. 103(1) et cette abrogation est réputée entrée en vigueur le 1er janvier 1997. Elle se lisait auparavant comme suit :

« coût direct » S'agissant du coût direct d'un film, d'un diaporama ou d'une représentation semblable ou d'une fourniture d'un bien meuble corporel ou d'un service, le total des montants dont chacun représente la valeur de la contrepartie payée ou payable par le fournisseur des droits d'entrée à la représentation ou du bien ou du service pour un article ou du matériel, sauf une immobilisation du fournisseur, que celui-ci a acheté, dans la mesure où l'article ou le matériel doit être incorporé au bien, ou en être une partie constitutive, ou être consommé ou utilisé directement dans la présentation de la représentation, dans la fourniture du service ou dans la fabrication, la production, le traitement ou l'emballage du bien. Sont assimilés au coût direct :

a) s'il s'agit de la fourniture d'un bien ou d'un service que le fournisseur a acheté antérieurement, la valeur de la contrepartie payée ou payable par le fournisseur pour le bien ou le service;

b) s'il s'agit d'un film, d'un diaporama ou d'une représentation semblable, le total des montants dont chacun représente la valeur de la contrepartie payée ou payable par le fournisseur de droits d'entrée à la représentation pour la location d'un film, d'une diapositive ou d'un bien semblable ou d'un projecteur ou d'une machine semblable, ou pour le droit de les utiliser.

Pour l'application de la présente définition, la contrepartie payée ou payable par le fournisseur d'un bien ou d'un service est réputée comprendre l'excédent éventuel de la taxe payable par lui relativement au bien ou au service sur le total des montants dont chacun représente son crédit de taxe sur les intrants ou son remboursement, aux termes de la partie IX de la loi, qu'il a demandé, ou a le droit de demander, pour le bien ou le service.

Cette définition a été ajoutée par L.C. 1990, c. 45, art. 18.

« municipalité locale » Municipalité qui fait partie d'une municipalité régionale et dont la compétence s'étend sur une région qui fait partie du territoire de cette dernière.

Notes historiques: La définition de « municipalité locale » à l'article 1 de la Partie VI de l'annexe V a été ajoutée par L.C. 1993, c. 27, par. 163(2) et est réputée entrée en vigueur le 17 décembre 1990.

Concordance québécoise: LTVQ, art. 139« municipalité locale ».

Renvois: V:Partie VI:28 (fournitures entre différentes entités).

« organisation paramunicipale » Organisation, sauf un gouvernement, qui appartient à un organisme municipal, ou qui est sous sa surveillance, et qui :

a) dans le cas où l'organisme municipal est une municipalité :

(i) soit est désignée comme municipalité, en vertu de l'article 259 de la loi ou des articles 22 ou 23, pour l'application de ces articles,

(ii) soit est établie par l'organisme municipal et possède, en conformité avec l'alinéa b) de la définition de « municipalité » au paragraphe 123(1) de la loi, le statut de municipalité pour l'application de la partie IX de la loi;

b) dans le cas où l'organisme municipal est un organisme désigné de régime provincial, possède, en conformité avec l'alinéa b) de la définition de « municipalité » au paragraphe 123(1) de la loi, le statut de municipalité pour l'application de la partie IX de la loi.

Pour l'application de la présente définition, une organisation appartient à un organisme municipal ou est sous sa surveillance si, selon le cas :

c) la totalité, ou presque, de ses actions sont la propriété de l'organisme municipal ou la totalité, ou presque, des éléments d'actif qu'elle détient sont la propriété de l'organisme municipal ou sont des éléments dont l'aliénation est surveillée par ce dernier de sorte que, dans l'éventualité d'une liquidation de l'organisation, les éléments soient dévolus à l'organisme municipal;

d) elle est tenue de présenter périodiquement à l'organisme municipal, pour approbation, son budget d'exploitation et, le cas échéant, son budget des immobilisations, et la majorité des membres de son conseil d'administration sont nommés par l'organisme municipal.

Notes historiques: La définition de « organisation paramunicipale » à l'article 1 de la Partie VI de l'annexe V a été ajoutée par L.C. 1993, c. 27, par. 163(2) et est réputée entrée en vigueur le 17 décembre 1990.

Concordance québécoise: LTVQ, art. 139« organisation paramunicipale » et 140.1.

Renvois: V:Partie VI:28 (fournitures entre différentes entités).

« organisme de services publics » Ne sont pas des organismes de services publics les organismes de bienfaisance.

Notes historiques: La définition d'« organisme de services publics » à l'article 1 de la partie VI de l'annexe V a été ajoutée par L.C. 1997, c. 10, par. 103(3) et est réputée entrée en vigueur le 1er janvier 1997. Toutefois, cette définition s'applique également en ce qui a trait aux fournitures qu'effectue avant le 1er janvier 1997 la personne qui, à cette date, est un organisme de bienfaisance, au sens où cette expression s'entend à cette date, si la contrepartie, même partielle, des fournitures devient due à cette date ou postérieurement ou est payée à cette date ou postérieurement sans qu'elle soit devenue due.

Concordance québécoise: LTVQ, art. 139« organisme de services publics ».

Renvois: 123(1) (définition de « organisme de services publics »).

Lettres d'interprétation (Québec): 02-0105581 — Fournitures effectuées par un organisme à but non lucratif.

« organisme désigné de régime provincial » Organisme établi par Sa Majesté du chef d'une province et désigné comme municipalité, en vertu de l'article 259 de la loi, pour l'application de cet article.

Notes historiques: La définition de « organisme désigné de régime provincial » à l'article 1 de la Partie VI de l'annexe V a été ajoutée par L.C. 1993, c. 27, par. 163(2) et est réputée entrée en vigueur le 17 décembre 1990.

Concordance québécoise: LTVQ, art. 139« organisme désigné du gouvernement du Québec ».

Renvois: V:Partie VI:28 (fournitures entre différentes entités).

« organisme du secteur public » Ne sont pas des organismes du secteur public les organismes de bienfaisance.

Notes historiques: La définition de « organisme du secteur public » à l'article 1 de la partie VI de l'annexe V a été ajoutée par L.C. 1997, c. 10, par. 103(3) et est réputée entrée en vigueur le 1er janvier 1997. Toutefois, cette définition s'applique également en ce qui a trait aux fournitures qu'effectue avant le 1er janvier 1997 la personne qui, à cette date, est un organisme de bienfaisance, au sens où cette expression s'entend à cette date, si la contrepartie, même partielle, des fournitures devient due à cette date ou postérieurement ou est payée à cette date ou postérieurement sans qu'elle soit devenue due.

Concordance québécoise: aucune.

Renvois: 123(1) (définition de « organisme du secteur public »).

« organisme municipal » Municipalité ou organisme municipal de régime provincial.

Notes historiques: La définition de « organisme municipal » à l'article 1 de la Partie VI de l'annexe V a été ajoutée par L.C. 1993, c. 27, par. 163(2) et est réputée entrée en vigueur le 17 décembre 1990.

Concordance québécoise: LTVQ, art. 139« organisme municipal ».

Renvois: V:Partie VI:28 (fournitures entre différentes entités).

« parti enregistré » Parti (y compris ses associations régionales et locales), comité référendaire ou candidat assujettis à une loi fédérale ou provinciale qui régit les dépenses électorales ou référendaires.

Notes historiques: La définition de « parti enregistré » à l'article 1 de la partie VI de l'annexe V a été ajoutée par L.C. 1997, c. 10, par. 103(3) et est réputée entrée en vigueur le 23 avril 1996; elle s'applique également en ce qui a trait aux fournitures effectuées avant cette date et dont la contrepartie, même partielle, devient due à cette date ou postérieurement ou est payée à cette date ou postérieurement sans qu'elle soit devenue due.

Concordance québécoise: LTVQ, art. 139« parti autorisé ».

Bulletins de l'information technique: B-075R, 23/04/96, *Modifications proposées à la TPS*.

« service ménager à domicile » [*Abrogée*]

Notes historiques: La définition de « service ménager à domicile » à l'article 1 de la Partie VI de l'annexe V a été abrogée rétroactivement au 1er avril 1991 par L.C. 1993, c. 27, par. 163(1). Cette définition figure maintenant à l'article 1 de la Partie II de l'annexe V. Elle se lisait auparavant comme suit :

> « service ménager à domicile » Service ménager ou personnel, notamment le ménage, la lessive, la préparation des repas et la garde des enfants, donné à un particulier qui, en raison de son âge, d'une infirmité ou d'une invalidité, a besoin d'aide.

La définition de « service ménager à domicile » à l'article 1 de la Partie VI de l'annexe V a été ajoutée par L.C. 1990, c. 45, art. 18.

« service municipal de transport » Service public de transport de passagers (sauf un service d'affrètement ou un service qui fait partie d'un voyage organisé) fourni par une commission de transport et dont la totalité, ou presque, des fournitures consistent en services publics de transport de passagers offerts dans une municipalité et ses environs.

Notes historiques: La définition de « service municipal de transport » à l'article 1 de la Partie VI de l'annexe V a été ajoutée par L.C. 1990, c. 45, art. 18.

Concordance québécoise: LTVQ, art. 139« service municipal de transport ».

Jurisprudence: *Société de transport de Laval (Ville) v. R.*, 2008 G.T.C. 374 (CCI [procédure générale]); *Calgary (City) v. R.*, 2010 CarswellNat 3090, 2010 CAF 127, [2010] G.S.T.C. 78 (CAF).

Bulletins de l'information technique: B-075R, 23/04/96, *Modifications proposées à la TPS*.

Jurisprudence: *Société de Transport de Laval v. R.*, 2008 CarswellNat 511 (CCI [procédure générale]); *Calgary (City) v. R.* (26 avril 2012), 2012 CarswellNat 1146, 2012 SCC 20, 2012 G.S.T.C. 1030 (CSC).

Lettres d'interprétation (Québec): 99-0109423 — Décision portant sur l'application de la TPS — Interprétation relative à la TVQ — Locations d'immeubles, CTI/RTI.

2. [Biens meubles ou services par une institution publique] — La fourniture de biens meubles ou de services par une institution publique, sauf la fourniture :

a) d'un bien ou d'un service inclus à l'annexe VI;

b) du bien ou du service qui, aux termes de la partie IX de la loi, est réputé fourni par l'institution (sauf s'il s'agit d'une fourniture qui est réputée avoir été effectuée par le seul effet de l'article 136.1 de la loi);

c) du bien, sauf une immobilisation de l'institution ou un bien qu'elle a acquis, fabriqué ou produit en vue de le fournir, qui, immédiatement avant le moment où la taxe serait payable relativement à la fourniture s'il s'agissait d'une fourniture taxable, était utilisé (autrement que pour effectuer la fourniture) dans le cadre des activités commerciales de l'institution;

d) de l'immobilisation de l'institution qui, immédiatement avant le moment où la taxe serait payable relativement à la fourniture s'il s'agissait d'une fourniture taxable, était utilisée (autrement que pour effectuer la fourniture) principalement dans le cadre des activités commerciales de l'institution;

e) du bien corporel que l'institution acquiert, fabrique ou produit en vue de le fournir et qui n'a pas été donné à l'institution ni utilisé par une autre personne avant son acquisition par l'institution, ou du service que l'institution fournit relativement au bien, à

LTA (TPS)

l'exception d'un tel bien ou service que l'institution fournit en exécution d'un contrat pour des services de traiteur;

f) d'un bien, effectuée par bail, licence ou accord semblable, conjointement avec la fourniture d'un immeuble visé à l'alinéa 25f);

g) du bien ou du service par l'institution en exécution d'un contrat pour des services de traiteur lors d'un événement commandité ou organisé par l'autre partie contractante;

h) du droit d'adhésion qui, selon le cas :

(i) donne au membre le droit de recevoir des fournitures de droits d'entrée dans un lieu de divertissement — lesquelles fournitures seraient taxables si elles étaient effectuées séparément de la fourniture du droit d'adhésion — ou le droit à des rabais sur la valeur de la contrepartie de telles fournitures,

(ii) comprend le droit de prendre part à une activité récréative ou sportive dans un tel lieu ou d'y utiliser les installations,

sauf si la valeur des fournitures, rabais ou droits visés au sous-alinéa (i) ou (ii) est négligeable par rapport à la contrepartie du droit d'adhésion;

i) des services d'artistes exécutants d'un spectacle, si l'acquéreur de la fourniture est la personne qui effectue des fournitures taxables de droits d'entrée au spectacle;

j) d'un service de supervision ou d'enseignement dans le cadre d'une activité récréative ou sportive, ou d'un droit d'adhésion ou autre droit permettant à une personne de bénéficier d'un tel service;

k) du droit de jouer à un jeu de hasard ou d'y participer;

l) d'un service consistant à donner des cours à des particuliers, ou les examens y afférents, si la fourniture est effectuée par une école de formation professionnelle, au sens de l'article 1 de la partie III, ou par une administration scolaire, un collège public ou une université;

m) d'un droit d'entrée :

(i) à un lieu de divertissement,

(ii) à un colloque, une conférence ou un événement semblable, si la fourniture est effectuée par une université ou un collège public,

(iii) à une activité de levée de fonds tenue après avril 1991.

n) d'un bien ou d'un service par une municipalité;

o) d'un bien municipal désigné, si l'institution est une personne désignée comme municipalité pour l'application de l'article 259 de la loi.

p) d'un bien ou d'un service dont la fourniture, à la fois :

(i) constitue :

(A) soit une fourniture de services esthétiques, au sens de l'article 1 de la partie II de la présente annexe,

(B) soit une fourniture afférente à la fourniture visée à la division (A) et qui n'est pas effectuée à des fins médicales ou restauratrices,

(ii) serait incluse dans la partie II de la présente annexe s'il n'était pas tenu compte de son article 1.1, ou dans la partie II de l'annexe VI s'il n'était pas tenu compte de son article 1.2.

Modification proposée — Ann. V, partie VI, 2p)(ii)

(ii) serait incluse dans la partie II de la présente annexe s'il n'était pas tenu compte de ses articles 1.1 et 1.2, ou dans la partie II de l'annexe VI s'il n'était pas tenu compte de son article 1.2;

Application: Le sous-alinéa 2p)(ii) de la partie VI de l'annexe V sera remplacé par le par. 6(1) de l'*Avis de motion de voies et moyens accompagnant le budget fédéral* du 21 mars 2013 et cette modification s'appliquera aux fournitures effectuées après le 21 mars 2013.

Budget fédéral, Renseignements supplémentaires, 21 mars 2013: [Voir sous Annexe V, partie II, art. 1.2 — n.d.l.r.]

Ajout proposé — Ann. V, partie VI, 2q)

q) d'un bien ou d'un service dont la fourniture, à la fois :

(i) ne constitue pas une fourniture admissible de services de santé, au sens de l'article 1 de la partie II de la présente annexe;

(ii) serait incluse à l'un des articles 2 à 8 et 10 de la partie II de la présente annexe s'il n'était pas tenu compte des articles 1.1 et 1.2 de cette partie.

Application: L'alinéa 2q) de la partie VI de l'annexe V sera ajouté par le par. 6(2) de l'*Avis de motion de voies et moyens accompagnant le budget fédéral* du 21 mars 2013 et s'appliquera aux fournitures effectuées après le 21 mars 2013.

Budget fédéral, Renseignements supplémentaires, 21 mars 2013: [Voir sous Annexe V, partie II, art. 1.2 — n.d.l.r.]

Notes historiques: Le préambule de l'article 2 de la partie VI de l'annexe V a été modifié par L.C. 1997, c. 10, par. 104(1) et cette modification s'applique aux fournitures dont la contrepartie, même partielle, devient due après 1996 ou est payée après 1996 sans qu'elle soit devenue due. Auparavant, ce préambule se lisait comme suit :

2. La fourniture de biens meubles ou de services par un organisme de bienfaisance, sauf la fourniture :

L'alinéa 2a) de la Partie VI de l'annexe V a été modifié par L.C. 1993, c. 27, par. 164(1) et est réputé entré en vigueur le 17 décembre 1990. Il se lisait auparavant comme suit :

a) d'un bien ou d'un service figurant à l'annexe VI, mais non à l'article 6 ou 10;

L'alinéa b) de l'article 2 de la partie VI de l'annexe V a été remplacé par L.C. 2001, c. 15, par. 27(1). Cette modification s'applique aux fournitures qui sont réputées avoir été effectuées par l'effet de l'article 136.1 pour des périodes de location ou des périodes de facturation commençant le 1er avril 1997 ou postérieurement. Antérieurement, il se lisait ainsi :

b) du bien ou du service qui, aux termes de la partie IX de la loi, est réputé fourni par l'institution;

L'alinéa 2b) de la partie VI de l'annexe V a été modifié par L.C. 1997, c. 10, par. 104(2) et cette modification s'applique aux fournitures dont la contrepartie, même partielle, devient due après 1996 ou est payée après 1996 sans qu'elle soit devenue due. Auparavant, cet alinéa se lisait comme suit :

b) du bien ou du service qui, aux termes de la partie IX de la loi, à l'exclusion de l'article 133, est réputé fourni par l'organisme;

L'alinéa 2b) de la Partie VI de l'annexe V a été modifié par L.C. 1994, c. 9, art. 28 et s'applique à compter du 12 mai 1994. Il se lisait auparavant comme suit :

b) du bien ou du service qui, aux termes de la partie IX de la loi, est réputé fourni par l'organisme;

Les alinéas 2c) à e) de la partie VI de l'annexe V ont été modifiés par L.C. 1997, c. 10, par. 104(2) et cette modification s'applique aux fournitures dont la contrepartie, même partielle, devient due après 1996 ou est payée après 1996 sans qu'elle soit devenue due. Auparavant, ces alinéas se lisaient comme suit :

c) du bien, sauf l'immobilisation de l'organisme ou un bien qu'il a acquis, fabriqué ou produit en vue de le fournir, qui, immédiatement avant le moment où la taxe serait payable relativement à la fourniture s'il s'agissait d'une fourniture taxable, était utilisé (autrement que pour effectuer la fourniture) dans le cadre des activités commerciales de l'organisme;

d) de l'immobilisation de l'organisme qui, immédiatement avant le moment où la taxe serait payable relativement à la fourniture s'il s'agissait d'une fourniture taxable, était utilisé (autrement que pour effectuer la fourniture) principalement dans le cadre des activités commerciales de l'organisme;

e) du bien corporel que l'organisme acquiert, fabrique ou produit en vue de le fournir et qui n'a pas été donné à l'organisme ni utilisé par une autre personne avant son acquisition par l'organisme, ou du service que l'organisme fournit relativement au bien, à l'exception d'un tel bien ou service que l'organisme fournit en exécution d'un contrat pour des services de traiteur;

L'alinéa 2g) de la partie VI de l'annexe V a été modifié par L.C. 1997, c. 10, par. 104(3) et cette modification s'applique aux fournitures dont la contrepartie, même partielle, devient due après 1996 ou est payée après 1996 sans qu'elle soit devenue due. Auparavant, cet alinéa se lisait comme suit :

g) du bien ou du service par l'organisme en exécution d'un contrat pour des services de traiteur lors d'un événement commandité ou organisé par l'autre partie contractante;

Le préambule de l'alinéa 2h) de la Partie VI de l'annexe V a été modifié par L.C. 1993, c. 27, par. 164(2) et est réputé entré en vigueur le 17 décembre 1990. Il se lisait auparavant comme suit :

h) du droit d'entrée dans un lieu de divertissement ou du droit d'adhésion qui :

L'alinéa 2m) de la Partie VI de l'annexe V a été modifié par L.C. 1993, c. 27, par. 164(3) et est réputé entré en vigueur le 17 décembre 1990. Il se lisait auparavant comme suit :

m) d'un droit d'entrée à un colloque, une conférence ou un événement semblable, effectuée par une université ou un collège public.

Les alinéas 2n) et o) de la partie VI de l'annexe V ont été ajoutés par L.C. 2004, c. 22, par. 42(1) et s'appliquent aux fournitures dont la contrepartie, même partielle, devient due après le 9 mars 2004 ou est payée après cette date sans être devenue due. Ils ne s'appliquent pas aux fournitures effectuées conformément à une convention écrite conclue avant le 10 mars 2004.

L'alinéa p) de l'article 2 de la partie VI de l'annexe V a été ajouté par L.C. 2010, c. 12, par. 87(1) et s'applique selon les mêmes modalités d'application que celles de l'ajout proposé sous la définition de « fourniture de services esthétiques » sous l'art. 1 de la partie II de l'annexe V.

L'article 2 de la Partie VI de l'annexe V a été ajouté par L.C. 1990, c. 45, art. 18.

avril 2010, Notes explicatives: L'article 2 de la partie VI de l'annexe V a pour effet d'exonérer toutes les fournitures de biens meubles et de services qui sont effectuées par les institutions publiques, au sens du paragraphe 123(1) de la Loi, à l'exception de celles figurant aux alinéas a) à o).

Cet article est modifié par l'ajout de l'alinéa p), qui a pour effet d'exclure de l'application de l'article les fournitures de services esthétiques, au sens de l'article 1 de la partie II de l'annexe V, et les fournitures afférentes de biens ou de services qui ne sont effectuées à des fins médicales ou restauratrices. Il est toutefois précisé au sous-alinéa p)(ii) que l'exclusion ne s'applique que dans le cas où la fourniture serait également incluse à la partie II de l'annexe V (Services de santé) ou à la partie II de l'annexe VI (Appareils médicaux et appareils fonctionnels) si ce n'était le fait qu'elle est exclue de ces parties parce qu'elle est une fourniture de services esthétiques ou une fourniture afférente qui n'est pas effectuée à des fins médicales ou restauratrices.

De façon générale, cette modification vise les administrations hospitalières qui sont des institutions publiques. Supposons, par exemple, qu'une administration hospitalière qui est une institution publique effectue une fourniture de bien ou de service à laquelle s'applique la définition de « service de soins de santé en établissement » à l'article 1 de la partie II de l'annexe V. Si cette fourniture a trait à la réalisation d'une fourniture de services esthétiques qui n'est pas effectuée à des fins médicales ou restauratrices et qui, par conséquent, est expressément exclue de la partie II de l'annexe V par l'effet de l'article 1.1 de cette partie, la fourniture ne serait pas exonérée en vertu de l'article 2 de la partie VI de l'annexe V.

Un exemple d'une fourniture qui ne serait pas exclue par l'effet du nouvel alinéa p) est celle qui consiste à appliquer un maquillage spécial à des personnes à la suite d'intervention esthétique effectuée dans le cadre d'un cours de formation des étudiants par un collège public qui est une institution publique. Puisque le service d'application du maquillage ne serait pas inclus à la partie II de l'annexe V même si cette partie s'appliquait sans l'exclusion visant les fournitures de services esthétiques et les fournitures afférentes, elle n'est pas exclue par l'effet du nouvel alinéa p) malgré le fait que la fourniture qui consiste à appliquer le maquillage a été effectuée à des fins esthétiques et non à des fins médicales ou restauratrices et pourrait être considérée comme liée à l'intervention esthétique.

Cette modification s'applique aux fournitures effectuées après le 4 mars 2010. Elle s'applique aussi aux fournitures effectuées avant le 5 mars 2010 si le fournisseur a exigé, perçu ou versé un montant de TPS/TVH relatif à la fourniture ou si la totalité de la contrepartie de la fourniture devient due après le 4 mars 2010 ou est payée après cette date sans être devenue due.

Concordance québécoise: LTVQ, art. 141.

Renvois: V:Partie V.1:1 (fourniture de biens ou de services par un organisme de bienfaisance); V:Partie VI:3.1 (fourniture effectuée par une institution publique).

Jurisprudence: *Cosmopolitain Music Society c. Canada*, [1995] G.S.T.C. 19 (CCI); *Camp Kahquah Corp. Ltd. c. Canada*, [1998] G.S.T.C. 100 (CCI); *Corp. de l'École Polytechnique c. R.*, 2004 G.T.C. 213 (Eng.) (CCI); *Corp. de l'École Polytecnique c. R.*, 325 N.R. 64 (CFA); *Jema International Travel Clinic Inc. v. R.*, 2011 CarswellNat 5021, 2011 CCI 462, 2011 G.T.C. 995 (CCI [procédure générale]).

Énoncés de politique: P-224, 04/01/99, *L'expression service de traiteur est utilisée à plusieurs endroits dans la Loi sur la taxe d'accise (la Loi). Cependant, la Loi ne donne pas de définition de service de traiteur.*

Mémorandums: TPS 300-4-6, 31/05/91, *Organismes du secteur public.*

Lettres d'interprétation (Québec): 98-0102859 — Achat de droits de propriété intellectuelle; 99-0101966 — Interprétation relative à la TPS et à la TVQ — Fourniture de certains biens et services par une administration scolaire; 99-0102097 — Interprétation relative à la TPS et à la TVQ [Fourniture d'un service de transport scolaire effectuée par une commission scolaire]; 99-0104218 — Interprétation relative à la TPS — Interprétation relative à la TVQ — Hébergement / conception d'un site Web; 99-0113649 — Fournitures de photocopies; 00-0102343 — Interprétation relative à la TPS et à la TVQ — Fourniture de copies de dossiers médicaux par une institution publique.

3. [Activité de financement par une institution publique] — La fourniture, effectuée par une institution publique, d'un droit d'entrée à une activité de financement — dîner, bal, concert, spectacle ou activité semblable — dans le cas où il est raisonnable de considérer une partie de la contrepartie comme un don à l'institution relativement auquel un reçu visé aux paragraphes 110.1(2) ou 118.1(2) de la *Loi de l'impôt sur le revenu* peut être délivré, ou pourrait l'être si l'acquéreur de la fourniture était un particulier.

Notes historiques: L'alinéa 3e) de la Partie VI de l'annexe V a été modifié par L.C. 1993, c. 27, par. 165(1) et est réputé entré en vigueur le 17 décembre 1990. Il se lisait comme suit :

> e) la fourniture du droit d'entrée dans un lieu de divertissement où des paris sont engagés ou des jeux de hasard organisés;

L'article 3 de l'annexe V a été modifié par L.C. 1997, c. 10, par 105(1) et cette modification s'applique aux fournitures dont la contrepartie, même partielle, devient due après 1996 ou est payée après 1996 sans qu'elle soit devenue due. Toutefois, il ne s'applique pas aux fournitures de droits d'entrée à un dîner, un bal, un concert, un spectacle ou une activité semblable pour lesquels des droits d'entrée ont été fournis avant 1997. Auparavant, cet article se lisait comme suit :

> 3. La fourniture de biens ou de services par un organisme de bienfaisance, si, selon le cas :
>
> a) la fourniture est effectuée dans le cadre de l'entreprise de l'organisme qui consiste à fournir de tels biens ou services ou des biens ou services semblables, et les tâches administratives quotidiennes et autres tâches qui interviennent dans l'exploitation de l'entreprise sont accomplies exclusivement par des bénévoles;
>
> b) la fourniture est effectuée dans le cadre d'une activité que l'organisme exerce autrement que dans le cadre de l'entreprise visée à l'alinéa a), et les tâches administratives quotidiennes et autres tâches qui interviennent dans l'exercice de l'activité, y compris la livraison de biens ou la prestation de services dans le cadre de l'activité, sont accomplies exclusivement par des bénévoles;
>
> c) le bien ou le service est fourni, ou est présenté aux acquéreurs éventuels comme devant être fourni, dans le cadre d'un programme établi par l'organisme qui comporte une série de cours ou d'autres activités, et les tâches non administratives qui interviennent dans l'exercice des activités sont accomplies exclusivement par des bénévoles.
>
> Les fournitures suivantes ne sont pas exonérées :
>
> d) la fourniture de biens ou de services visés à l'alinéa 2a), b), c), d), ou k);
>
> e) la fourniture du droit d'entrée dans un lieu de divertissement où l'activité principale consiste à engager des paris ou à participer à des jeux de hasard;
>
> f) la fourniture d'un immeuble par vente.

L'article 3 de la Partie VI de l'annexe V a été ajouté par L.C. 1990, c. 45, art. 18.

Concordance québécoise: LTVQ, art. 143.1.

Renvois: V:Partie V.1:2 (activité de financement); V:Partie VI:4 (vent d'un bien meuble corporel); V:Partie VI:18.2 (fourniture effectuée par un parti enregistré).

Bulletins de l'information technique: B-075R, 23/04/96, *Modifications proposées à la TPS.*

Mémorandums: TPS 300-4-6, 31/05/91, *Organismes du secteur public.*

3.1 [Vente d'un bien meuble ou d'un service] — La fourniture par vente d'un bien meuble ou d'un service effectuée par une institution publique dans le cadre de ses activités de financement, à l'exclusion des fournitures suivantes :

a) la fourniture d'un bien ou d'un service, dans le cas où :

(i) l'institution fournit de tels biens ou services dans le cadre de ces activités de façon régulière ou continue tout au long de l'année ou d'une bonne partie de l'année,

(ii) aux termes de la convention portant sur la fourniture, l'acquéreur peut recevoir des biens ou des services de l'institution de façon régulière ou continue tout au long de l'année ou d'une bonne partie de l'année;

b) la fourniture d'un bien ou d'un service inclus aux alinéas 2a), b), c), d) ou k);

c) la fourniture d'un droit d'entrée dans un lieu de divertissement où l'activité principale consiste à jouer à des jeux de hasard ou à parier.

Notes historiques: L'article 3.1 de la Partie VI de l'annexe V a été ajouté par L.C. 1997, c. 10, par. 105(1) et s'applique aux fournitures dont la contrepartie, même partielle, devient due après 1996 ou est payée après 1996 sans qu'elle soit devenue due. Toutefois, il ne s'applique pas aux fournitures de droits d'entrée à un dîner, un bal, un concert, un spectacle ou une activité semblable pour lesquels des droits d'entrée ont été fournis avant 1997.

Concordance québécoise: LTVQ, art. 143.2.

Renvois: V:Partie V.1:3 (vente d'un bien meuble ou d'un service).

Bulletins de l'information technique: B-075R, 23/04/96, *Modifications proposées à la TPS.*

4. [Vente d'un bien meuble corporel] — La fourniture par vente d'un bien meuble corporel (sauf les boissons alcooliques et les produits du tabac) effectuée par un organisme du secteur public si, à la fois :

a) l'organisme n'exploite pas d'entreprise qui consiste à vendre de tels biens;

b) tous les vendeurs sont bénévoles;

c) la contrepartie de chaque article vendu ne dépasse pas cinq dollars;

d) les biens ne sont pas vendus lors d'un événement auquel des biens du type ou de la catégorie fourni sont fournis par des personnes dont l'entreprise consiste à les vendre.

Notes historiques: L'article 4 de la Partie VI de l'annexe V a été ajouté par L.C. 1990, c. 45, art. 18.

Concordance québécoise: LTVQ, art. 144.

Renvois: V:Partie VI:3.1 (fourniture effectuée par une institution publique).

Jurisprudence: *Quesnel & District Minor Hockey Assn. c. Canada*, [1997] G.S.T.C. 41 (CCI).

Mémorandums: TPS 300-4-6, 31/05/91, *Organismes du secteur public.*

Lettres d'interprétation (Québec): 99-0100232 — Interprétation relative à la TPS — Interprétation relative à la TVQ — Objets sacramentaux.

5. [Droit d'entrée dans un lieu de divertissement] — La fourniture, effectuée par un organisme du secteur public, du droit d'entrée dans un lieu de divertissement où l'activité principale consiste à engager des paris ou à jouer des jeux de hasard, si, à la fois :

a) les tâches administratives et autres tâches qui interviennent dans le déroulement du jeu ou la prise des paris sont accomplies exclusivement par des bénévoles;

b) s'il s'agit d'un bingo ou d'un casino, le jeu n'a pas lieu dans un endroit, y compris une construction temporaire, qui sert principalement à tenir des jeux d'argent.

Notes historiques: L'article 5 de la Partie VI de l'annexe V a été ajouté par L.C. 1990, c. 45, art. 18.

Concordance québécoise: LTVQ, art. 145.

Renvois: V:Partie V.1:6 (jeux de hasard).

Mémorandums: TPS 300-4-6, 31/05/91, *Organismes du secteur public*; TPS 500-6-10, 31/05/91, *Organismes du secteur public*; TPS 500-6-10, 1/05/92, *Jeux d'argent, paris et jeux de hasard*, par. 12, 14, 23, 24, 27, 40–47.

5.1 [Jeu de hasard] — La fourniture, effectuée par une institution publique ou un organisme à but non lucratif, du droit (à l'exclusion du droit d'entrée) de jouer à un jeu de hasard ou d'y participer, sauf si la personne ou le jeu est visé par règlement.

Notes historiques: L'article 5.1 de la Partie VI de l'annexe V a été modifié par L.C. 1997, c. 10, par. 106(1) et cette modification s'applique aux fournitures dont la contrepartie, même partielle, devient due après 1996 ou est payée après 1996 sans qu'elle soit devenue due. Il se lisait comme suit :

> 5.1 La fourniture, effectuée par un organisme de bienfaisance ou un organisme à but non lucratif, sauf une personne visée par règlement, du droit (à l'exclusion d'un droit d'entrée) de jouer à un jeu de hasard ou d'y participer, sauf un jeu de hasard visé par règlement.

Auparavant, cet article a été modifié par L.C. 1993, c. 27, par. 166(1) et est réputé entré en vigueur le 17 décembre 1990. Il se lisait comme suit :

> 5.1 La fourniture, effectuée par un organisme de bienfaisance ou un organisme à but non lucratif (sauf une personne visée par règlement), du droit de jouer à un jeu de hasard ou d'y participer, sauf un jeu de hasard visé par règlement.

Cet article a été édicté par L.C. 1990, c. 45, art. 18.

Concordance québécoise: LTVQ, art. 146.

Renvois: 187 (fourniture réputée — paris); 188 (paris et jeux de hasard); V:Partie V.1:1 (fourniture de biens ou de services par un organisme de bienfaisance).

Règlements: *Règlement sur les jeux de hasard (TPS/TVH)*, art. 1.

Mémorandums: TPS 300-4-6, 31/05/91, *Organismes du secteur public*; TPS 500-6-10, 31/05/91, *Organismes du secteur public*; TPS 500-6-10, 1/05/92, *Jeux d'argent, paris et jeux de hasard*, par. 12, 14, 23, 24, 27, 40–47.

Lettres d'interprétation (Québec): 98-0112650 — Interprétation relative à la TPS et à la TVQ — Notion de « coût direct ».

5.2 [Service réputé fourni] — La fourniture d'un service réputé, en application de l'article 187 de la loi, être fourni :

a) par une institution publique ou un organisme à but non lucratif, sauf une personne visée par règlement;

b) dans le cas où le service est relatif à un pari fait par l'intermédiaire d'un système de pari mutuel sur une course de chevaux, une course de chevaux au trot ou à l'amble.

Notes historiques: L'alinéa 5.2a) de la partie VI de l'annexe V a été modifié par L.C. 1997, c. 10, par. 107(1) et cette modification s'applique aux fournitures dont la contrepartie, même partielle, devient due après 1996 ou est payée après 1996 sans qu'elle soit devenue due. Auparavant, cet alinéa se lisait comme suit :

> a) par un organisme de charité ou un organisme à but non lucratif, sauf une personne visée par règlement;

L'article 5.2 de la Partie VI de l'annexe V a été ajouté par L.C. 1990, c. 45, art. 18.

Concordance québécoise: LTVQ, art. 147.

Renvois: V:Partie V.1:1 (fourniture de biens ou de services par un organisme de bienfaisance).

Mémorandums: TPS 300-4-6, 31/05/91, *Organismes du secteur public*; TPS 500-6-10, 31/05/91, *Organismes du secteur public*; TPS 500-6-10, 1/05/92, *Jeux d'argent, paris et jeux de hasard*, par. 12, 14, 23, 24, 27, 40–47.

6. [Vente d'un bien meuble corporel ou d'un service par un organisme de services publics] — La fourniture par vente, effectuée par un organisme de services publics (sauf une municipalité) au profit d'un acquéreur, d'un bien meuble corporel (sauf une immobilisation de l'organisme et, si celui-ci est une personne désignée comme municipalité pour l'application de l'article 259 de la loi, un bien municipal désigné), ou d'un service que l'organisme a acheté en vue de le fournir par vente, dans le cas où le prix total de la fourniture est le prix habituel que l'organisme demande à ce type d'acquéreur pour ce type de fourniture et où :

a) si l'organisme ne demande pas à l'acquéreur un montant au titre de la taxe prévue à la partie IX de la loi relativement à la fourniture, le prix total de la fourniture ne dépasse pas son coût direct et il n'est pas raisonnable de s'attendre à ce qu'il le dépasse;

b) si l'organisme demande à l'acquéreur un montant au titre de la taxe prévue à la partie IX de la loi relativement à la fourniture, la contrepartie de la fourniture n'est ni égale ni supérieure à son coût direct et il n'est pas raisonnable de s'attendre à ce qu'elle le soit, ce coût direct étant déterminé compte non tenu de la taxe imposée par cette partie ni de la taxe qui est devenue payable aux termes du premier alinéa de l'article 16 de la *Loi sur la taxe de vente du Québec*, (L.R.Q., ch. T-0.1), à un moment où l'organisme était un inscrit au sens de l'article 1 de cette loi.

Notes historiques: Le préambule de l'article 6 de la partie VI de l'annexe V a été remplacé par L.C. 2004, c. 22, par. 43(1) et cette modification s'applique aux fournitures dont la contrepartie, même partielle, devient due après le 9 mars 2004 ou est payée après cette date sans être devenue due. Cette modification ne s'applique pas aux fournitures effectuées conformément à une convention écrite conclue avant le 10 mars 2004. Antérieurement, il se lisait ainsi :

> 6. La fourniture par vente, effectuée par un organisme de services publics au profit d'un acquéreur, d'un bien meuble corporel (sauf une immobilisation de l'organisme), ou d'un service que l'organisme a acheté en vue de le fournir par vente, dans le cas où le prix total de la fourniture est le prix habituel que l'organisme demande à ce type d'acquéreur pour ce type de fourniture et où :

Les alinéas 6a) et b) de la partie VI de l'annexe V ont été remplacés par L.C. 2000, c. 30, par. 122(1). Cette modification s'applique aux fournitures dont la contrepartie, même partielle, devient due après 1996 ou est payée après cette année sans être devenue due. Antérieurement, ils se lisaient comme suit :

> a) si l'organisme ne demande pas à l'acquéreur un montant au titre de la taxe relative à la fourniture, le prix total de la fourniture ne dépasse pas son coût direct et il n'est pas raisonnable de s'attendre à ce qu'il le dépasse;

b) si l'organisme demande à l'acquéreur un montant au titre de la taxe relative à la fourniture, la contrepartie de la fourniture n'est pas égale à son coût direct, déterminé compte non tenu de la taxe imposée par la présente partie, ni n'y est supérieure, et il n'est pas raisonnable de s'attendre à ce qu'elle le soit.

L'article 6 de la Partie VI de l'annexe V a été modifié par L.C. 1997, c. 10, par. 108(1) et cette modification s'applique aux fournitures dont la contrepartie devient due après 1996 ou est payée après 1996 sans qu'elle soit devenue due. Il se lisait comme suit :

6. La fourniture, effectuée par un organisme de services publics, d'un des services ou biens suivants, si la valeur de la contrepartie payée ou payable par l'acquéreur est égale au montant habituel que l'organisme demande à de tels acquéreurs pour de telles fournitures mais ne dépasse pas, et ne dépassera vraisemblablement pas, le coût direct de la fourniture :

a) un service fourni dans le cadre d'une entreprise qui consiste à fournir ce service;

b) un bien meuble corporel, sauf une immobilisation de l'organisme, fourni par vente;

c) un bien meuble corporel fourni par bail, licence ou accord semblable en application d'une convention écrite conclue avant le 28 mars 1991.

L'article 6 de la Partie VI de l'annexe V a été modifié par L.C. 1993, c. 27, par. 167(1) et s'applique aux fournitures de biens livrés à l'acquéreur après le 27 mars 1991 ainsi qu'aux fournitures dont la contrepartie devient due ou est payée après cette date et dont nulle partie de la contrepartie n'est devenue due ou n'a été payée avant cette date ou à cette date. Il se lisait comme suit :

6. La fourniture, effectuée par un organisme de services publics, d'un service dans le cadre d'une entreprise qui consiste à fournir ce service, ou d'un bien meuble corporel, si la valeur de la contrepartie payée ou payable par l'acquéreur est égale au montant habituel que l'organisme demande à de tels acquéreurs pour de telles fournitures mais ne dépasse pas, et ne dépassera vraisemblablement pas, le coût direct de la fourniture.

L'article 6 de la Partie VI de l'annexe V a été ajouté par L.C. 1990, c. 45, art. 18.

Concordance québécoise: LTVQ, art. 148.

Renvois: 155(2)b)(iii) (fourniture entre personnes liées — exception); V:Partie V.1:1, 5, 5.1 (vente d'un bien meuble); V:Partie VI:2 (fourniture par une institution publique).

Jurisprudence: *Club 63 North c. La Reine*, [1995] G.S.T.C. 75 (CCI); *Saskatchewan Pesticide Container Management Assn. Inc. c. Canada*, [1999] G.S.T.C. 115 (CCI); *Commission scolaire du Fer c. R.*, [2004] G.S.T.C. 143 (CCI).

Énoncés de politique: P-053, 02/11/92, *Application du critère de la totalité ou presque au immeubles d'habitation*.

Bulletins de l'information technique: B-075R, 23/04/96, *Modifications proposées à la TPS*.

Mémorandums: TPS 300-4-6, 31/05/91, *Organismes du secteur public*.

Lettres d'interprétation (Québec): 98-0100275 — Décision portant sur l'application de la TPS — Interprétation relative à la TVQ — Fourniture de biens et services effectuée entre établissements du réseau de la santé; 98-0112650 — Interprétation relative à la TPS et à la TVQ — Notion de « coût direct »; 99-0100232 — Interprétation relative à la TPS — Interprétation relative à la TVQ — Objets sacramentaux; 99-0101966 — Interprétation relative à la TPS et à la TVQ — Fourniture de certains biens et services par une administration scolaire; — Interprétation relative à la TPS et à la TVQ — Fourniture d'une *** par une université; 99-0109423 — Décision portant sur l'application de la TPS — Interprétation relative à la TVQ — Locations d'immeubles, CTI/RTI; 01-0106094 — ; 06-0104114 — Interprétation relative à la TPS et à la TVQ — organisation d'un congrès par un organisme sans but lucratif.

7. [*Abrogé*]

Notes historiques: L'article 7 de la Partie VI de l'annexe V a été abrogé par L.C. 1997, c. 10, par. 108(1) et cette abrogation s'applique aux fournitures dont la contrepartie devient due après 1996 ou est payée après 1996 sans qu'elle soit devenue due. Il se lisait comme suit :

7. La fourniture de services, sauf celles visées à l'article 6, effectuée par un organisme de services publics dans le cadre d'un événement ou d'une activité, si le total des montants dont chacun représente la contrepartie de la fourniture d'un tel service effectuée par l'organisme dans ce cadre ne dépassera vraisemblablement pas le total des montants dont chacun représente le coût direct de la fourniture effectuée par l'organisme dans ce cadre.

Cet article a été ajouté par L.C. 1990, c. 45, art. 18.

8. [*Abrogé*]

Notes historiques: L'article 8 de la Partie VI de l'annexe V a été abrogé par L.C. 1997, c. 10, par. 108(1) et cette abrogation s'applique aux fournitures dont la contrepartie devient due après 1996 ou est payée après 1996 sans qu'elle soit devenue due. Il se lisait comme suit :

8. La fourniture par un organisme du secteur public du droit d'entrée à un film, un diaporama ou une représentation semblable, si le total des montants dont chacun représente la contrepartie d'un droit d'entrée à la représentation ne dépassera vraisemblablement pas le coût direct de la représentation.

Cet article a été ajouté par L.C. 1990, c. 45, art. 18.

9. [Droit d'entrée dans un lieu de divertissement pour une contrepartie inférieure ou égale à un dollar] — La fourniture par un organisme du secteur public d'un droit d'entrée dans un lieu de divertissement, si la contrepartie maximale d'une telle fourniture ne dépasse pas un dollar.

Notes historiques: L'article 9 de la Partie VI de l'annexe V a été modifié par L.C. 1997, c. 10, par. 109(1) et cette modification s'applique aux fournitures effectuées après le 23 avril 1996. Il se lisait comme suit :

9. La fourniture, effectuée à un moment donné par un organisme du secteur public, d'un droit d'entrée dans un lieu de divertissement, si la contrepartie maximale d'une telle fourniture à ce moment ne dépasse pas un dollar.

Cet article a été ajouté par L.C. 1990, c. 45, art. 18.

Concordance québécoise: LTVQ, art. 151.

Renvois: Voir sous l'Ann. V, Part. VI, art. V:Partie VI:6.

Lettres d'interprétation (Québec): 06-0104114 — Interprétation relative à la TPS et à la TVQ — organisation d'un congrès par un organisme sans but lucratif.

10. [Biens ou services à titre gratuit] — La fourniture par un organisme du secteur public de biens ou services, sauf la fourniture de sang ou de dérivés du sang, si la totalité, ou presque, des fournitures des biens ou services sont effectuées par l'organisme à titre gratuit.

Modification proposée — Ann. V, partie VI, 10

10. [Biens ou services à titre gratuit] — La fourniture par un organisme du secteur public de biens ou de services, si la totalité ou la presque totalité de ces fournitures sont effectuées à titre gratuit, à l'exclusion des fournitures suivantes :

a) les fournitures de sang ou de dérivés du sang;

b) les fournitures d'aires de stationnement effectuées pour une contrepartie, par bail, licence ou accord semblable et dans le cadre d'une entreprise exploitée par l'organisme.

Application: L'article 10 de la partie VI de l'annexe V sera remplacé par le par. 12(1) de l'*Avis de motion de voies et moyens accompagnant le budget fédéral* du 21 mars 2013 et cette modification sera réputée être entrée en vigueur le 17 décembre 1990.

Budget fédéral, Renseignements supplémentaires, 21 mars 2013: *Fournitures de stationnement payant par les OSP*

Il existe une disposition spéciale qui exonère de TPS/TVH toutes les fournitures de biens et de services d'un OSP si la totalité ou la presque totalité — en général 90 % ou plus — de ces fournitures sont effectuées à titre gratuit. Cette disposition a pour but de simplifier l'application de la TPS/TVH pour les OSP en les exemptant de l'obligation de percevoir la taxe à l'égard de ventes occasionnelles de biens ou de services qu'elles fournissent gratuitement la quasi-totalité du temps. Il n'a jamais été question que l'exonération s'applique à des activités commerciales, comme la fourniture de stationnement payant sur une base régulière par un OSP susceptible de faire concurrence à d'autres fournisseurs de stationnement payant.

Il est proposé dans le budget de 2013 de préciser que cette règle d'exonération spéciale destinée à simplifier le régime ne s'applique pas aux fournitures de stationnement payant par bail, licence ou accord semblable et dans le cadre d'une entreprise exploitée par un OSP. Les fournitures taxables de stationnement payant comprennent les stationnements payants fournis sur une base régulière par un OSP, par exemple des aires de stationnement ou des installations de stationnement exploitées par une municipalité ou une administration hospitalière. Les fournitures occasionnelles de stationnement payant par un OSP, comme lors d'une activité de collecte de fonds spéciale, continueront à être admissibles à une exonération.

On précise ainsi que la TPS/TVH s'applique à l'égard des installations et aires de stationnement payant exploitées par un OSP, même si l'OSP fournit une quantité importante de stationnements à titre gratuit. On vise ainsi à faire en sorte que la législation applique comme il se doit la TPS/TVH aux fournitures de stationnement payant effectuées dans le cadre de l'exploitation d'une entreprise, ainsi que le conçoivent généralement les fournisseurs et les contribuables de même que l'Agence du revenu du Canada dans son administration de la TPS/TVH.

Cette mesure s'applique à compter de la date d'entrée en vigueur des dispositions législatives concernant la TPS.

Notes historiques: L'article 10 de la Partie VI de l'annexe V a été modifié par L.C. 1997, c. 10, par. 109(1) et cette modification est réputée entrée en vigueur le 17 décembre 1990. Toutefois, en ce qui a trait aux fournitures effectuées avant le 24 avril 1996, la mention de « des fournitures des biens ou services » vaut mention de « des fournitures de tels biens ou services ». Il se lisait comme suit :

> 10. La fourniture par un organisme du secteur public de biens ou services, si la totalité, ou presque, des fournitures de tels biens ou services sont effectuées par l'organisme à titre gratuit.

Cet article a été ajouté par L.C. 1990, c. 45, art. 18.

Concordance québécoise: LTVQ, art. 152.

Renvois: 226(4) (fourniture d'un contenant usagé — exception); 226(6) (fourniture d'un service de recyclage au distributeur — exception); Voir aussi sous l'Ann. V, Part. VI, art. V:Partie VI:6.

Jurisprudence: *Thompson Trailbreakers Snowmobile Club Inc. c. R.*, [2005] G.S.T.C. 124; *Université de Sherbrooke c. R.*, 2007 CCI 229 (CCI); *North Vancouver School District No. 44 v. R.*, [2008] G.S.T.C. 171 (CCI [procédure générale]); *Gatineau (Ville) v. R.* (4 mars 2009), 2009 CarswellNat 1778 (CCI [procédure générale]); *Jema International Travel Clinic Inc. v. R.*, 2011 CarswellNat 5021, 2011 CCI 462, 2011 G.T.C. 995 (CCI [procédure générale]).

Bulletins de l'information technique: B-075R, 23/04/96, *Modifications proposées à la TPS*.

Lettres d'interprétation (Québec): 02-0103453 — Interprétation relative à la TPS et à la TVQ — Fournitures effectuées par un organisme à but non lucratif; 06-0104114 — Interprétation relative à la TPS et à la TVQ — organisation d'un congrès par un organisme sans but lucratif.

11. [Droit d'être spectateur à un spectacle ou à un événement sportif ou compétitif] — La fourniture du droit d'être spectateur à un spectacle ou à un événement sportif ou compétitif, si la totalité, ou presque, des exécutants, des athlètes ou des compétiteurs y prenant part ne reçoivent ni directement ni indirectement de rémunération pour leur participation, exception faite d'un montant raisonnable à titre de prix, de cadeaux ou d'indemnités pour frais de déplacement ou autres frais accessoires à leur participation et des subventions qui leur sont accordées par un gouvernement ou une municipalité, et si aucune publicité ou représentation relative au spectacle ou à l'événement ne met en vedette des participants ainsi rémunérés. N'est pas une fourniture exonérée la fourniture du droit d'être spectateur à un événement compétitif où des prix en argent sont décernés et dont des compétiteurs sont des participants professionnels pour ce qui est des événements compétitifs.

Notes historiques: L'article 11 de la Partie VI de l'annexe V a été ajouté par L.C. 1990, c. 45, art. 18.

Concordance québécoise: LTVQ, art. 153.

Renvois: V:Partie VI:1 ().

Jurisprudence: *Cosmopolitan Music Society c. La Reine*, [1995] G.S.T.C. 19 (CCI); *Université de Sherbrooke c. R.*, 2007 CCI 229 (CCI).

Énoncés de politque: P-159R1, 08/03/99, *Sens de l'expression « peut raisonnablement être considérée comme accessoire »*.

Mémorandums: TPS 300-4-6, 31/05/91, *Organismes du secteur public*.

Lettres d'interprétation (Québec): 04-0106254 — Interprétation relative à la TVQ — parrainage de tournois de hockey ou de baseball ôrganisés par OSBL].

12. [Droit d'adhésion à un programme consistant en une série de cours ou d'activités de formation] — La fourniture par un organisme du secteur public d'un droit d'adhésion à un programme, établi et administré par l'organisme, qui consiste en une série de cours ou d'activités de formation, sous surveillance, dans des domaines tels l'athlétisme, les loisirs de plein air, la musique, la danse, les arts, l'artisanat ou d'autres passe-temps ou activités de loisir, ainsi que des services offerts dans le cadre d'un tel programme, si :

a) il est raisonnable de s'attendre, compte tenu de la nature des cours ou des activités ou du niveau d'aptitude ou de capacité nécessaire pour y participer, à ce que le programme soit offert principalement aux enfants de quatorze ans ou moins, sauf si une grande partie du programme comporte une surveillance de nuit;

b) le programme est offert principalement aux personnes défavorisées ou handicapées.

Notes historiques: L'alinéa 12b) de la partie VI de l'annexe V a été modifié par L.C. 1997, c. 10, art. 110 et cette modification est réputée entrée en vigueur le 20 mars 1997. Auparavant, cet alinéa se lisait comme suit :

> b) le programme est offert principalement aux particuliers défavorisés ou ayant un handicap physique ou mental.

L'article 12 de la Partie VI de l'annexe V a été ajouté par L.C. 1990, c. 45, art. 18.

Concordance québécoise: LTVQ, art. 154.

Renvois: V:Partie III:9 (service consistant à donner des cours particuliers); V:Partie IV:1 (); V:Partie IV:2 (services consistant à assurer la garde et la surveillance des résidents d'un établissement); V:Partie V.1:1 (fourniture de biens ou de services par un organisme de bienfaisance).

Jurisprudence: *Philippe Plamondon Inc. c. Canada*, [1998] G.S.T.C. 19 (CCI); *Quesnel & District Minor Hockey Assn. c. Canada*, [1997] G.S.T.C. 41 (CCI).

Mémorandums: TPS 300-4-4, 26/11/91, *Services de garde d'enfants et de soins personnels*; TPS 300-4-6, 31/05/91, *Organismes du secteur public*.

Lettres d'interprétation (Québec): 99-0109167 — Interprétation relative à la TPS et à la TVQ — [Programme de formation]; 04-0101701 — Interprétation relative à la TPS et à la TVQ — terrains de jeux/droit d'adhésion [par un organisme du secteur public].

13. [Services de pension et d'hébergement ou de loisirs au profit de particuliers défavorisés ou handicapés physiquement ou mentalement] — La fourniture, effectuée par un organisme du secteur public, de services de pension et d'hébergement ou de loisirs dans un camp d'activités récréatives ou un endroit semblable, dans le cadre d'un programme ou d'un accord visant la prestation de tels services, principalement au profit de personnes défavorisées ou handicapées.

Notes historiques: L'article 13 de la Partie VI de l'annexe V a été modifié par L.C. 1997, c. 10, art. 111 et cette modification est réputée entrée en vigueur le 20 mars 1997. Auparavant, cet article, ajouté par L.C. 1990, c. 45, art. 18, se lisait comme suit :

> 13. La fourniture, effectuée par un organisme du secteur public de services de pension et d'hébergement ou de loisirs dans un camp d'activités récréatives ou un endroit semblable, dans le cadre d'un programme ou d'un accord visant la prestation de tels services, principalement au profit de particuliers défavorisés ou ayant un handicap physique ou mental.

Concordance québécoise: LTVQ, art. 155.

Info TPS/TVQ: GI-037 — *Exploitation de camps pour enfants par des organismes du secteur public*.

14. [Aliments, boissons ou logement provisoire dans le cadre d'une activité autre que la levée de fonds] — La fourniture par un organisme du secteur public d'aliments, de boissons ou d'un logement provisoire dans le cadre d'une activité dont l'objet consiste à alléger la pauvreté, la souffrance ou la détresse de particuliers et non à lever des fonds.

Notes historiques: L'article 14 de la Partie VI de l'annexe V a été modifié par L.C. 1993, c. 27, par. 168(1) pour remplacer les mots « et d'un logement provisoire » par les mots « ou d'un logement provisoire » et est réputé entré en vigueur le 17 décembre 1990. L'article 14 de la Partie VI de l'annexe V a été ajouté par L.C. 1990, c. 45, art. 18.

Concordance québécoise: LTVQ, art. 156.

Renvois: 123(1)« acquéreur » (circonstances dans lesquelles une personne est un acquéreur); V:Partie I:6 (location d'un immeuble); V:Partie II:11 (aliments et boissons); V:Partie III:14 (fourniture d'aliments ou de boissons aux termes d'un contrat); V:Partie V.1:1, 4, 5.2 (fourniture de biens ou de services par un organisme de bienfaisance); V:Partie VI:25 (exonération concernant la fourniture d'immeubles par certains organismes de services publiques).

Mémorandums: TPS 300-4-4, 26/11/91, *Services de garde d'enfants et de soins personnels*; TPS 300-4-6, 31/05/91, *Organismes du secteur public*.

Lettres d'interprétation (Québec): 00-0112250 — Interprétation relative à la TPS et à la TVQ — Fourniture de repas en cafétéria par un organisme de bienfaisance aux locataires d'une résidence à loyer modique pour personnes âgées en perte d'autonomie.

15. [Aliments ou boissons offerts à domicile aux personnes âgées, infirmes, handicapées ou défavorisées] — La fourniture par un organisme du secteur public d'aliments ou de boissons aux aînés ou aux personnes défavorisées ou handicapées dans le cadre d'un programme mis sur pied et administré afin de leur offrir à domicile des aliments préparés, ainsi que la fourniture d'aliments ou de boissons effectuée au profit d'un organisme du secteur public dans le cadre du programme.

Notes historiques: L'article 15 de la Partie VI de l'annexe V a été modifié par L.C. 1997, c. 10, art. 112 et cette modification est réputée entrée en vigueur le 20 mars 1997. Auparavant, cet article, ajouté par L.C. 1990, c. 45, art. 18, se lisait comme suit :

15. La fourniture par un organisme du secteur public d'aliments ou de boissons aux personnes âgées, infirmes, handicapées ou défavorisées dans le cadre d'un programme mis sur pied et administré afin de leur offrir à domicile des aliments préparés ainsi que la fourniture d'aliments ou de boissons effectuée au profit d'un organisme du secteur public dans le cadre du programme.

: La modification apportée à l'article 15 de la partie VI de l'annexe V consiste à remplacer le passage « aux personnes âgées, infirmes, handicapées ou défavorisées » par le passage « aux aînés ou aux personnes défavorisées ou handicapées », qui est plus approprié.

Concordance québécoise: LTVQ, art. 157.

Renvois: Voir sous l'Ann. V, Partie VI, art. 14.

16. [*Abrogé*]

Notes historiques: L'article 16 de la Partie VI de l'annexe V a été abrogé par L.C. 1993, c. 27, par. 169(1) pour les fournitures dont la contrepartie devient due ou est payée après mars 1991 et dont nulle partie de la contrepartie n'est devenue due ou n'a été payée avant avril 1991. Cet article a été remplacé par l'article 13 de la Partie II de l'annexe V. Il se lisait auparavant comme suit :

16. La fourniture d'un service ménager à domicile par un gouvernement ou une municipalité ou par un organisme à but non lucratif qui reçoit un montant de ceux-ci pour la fourniture.

L'article 16 de la Partie VI de l'annexe V a été ajouté par L.C. 1990, c. 45, art. 18.

17. [Droit d'adhésion] — La fourniture d'un droit d'adhésion à un organisme du secteur public (sauf un droit d'adhésion à un club dont l'objet principal consiste à permettre l'utilisation d'installations pour les repas, les loisirs ou les sports ou à un parti enregistré) qui ne confère aux membres que les avantages suivants, sauf si l'organisme a fait un choix selon le présent article en la forme déterminée par le ministre et contenant les renseignements requis :

a) un avantage indirect qui est censé profiter à l'ensemble des membres;

b) le droit d'obtenir des services d'enquête, de conciliation et de règlement des plaintes ou litiges intéressant les membres, fournis par l'organisme;

c) le droit de voter aux assemblées ou d'y participer;

d) le droit de recevoir ou d'acquérir des biens ou des services fournis pour une contrepartie distincte de la contrepartie du droit d'adhésion, égale à la juste valeur marchande des biens ou services au moment de la fourniture;

e) le droit de recevoir un rabais sur la valeur de la contrepartie d'une fourniture à effectuer par l'organisme, dans le cas où la valeur totale de tels rabais auxquels un membre a droit en raison de son droit d'adhésion est négligeable en regard de la contrepartie du droit d'adhésion;

f) le droit de recevoir des bulletins, rapports et publications périodiques :

(i) dont la valeur est négligeable en regard de la contrepartie du droit d'adhésion,

(ii) qui donnent des renseignements sur les activités ou la situation financière de l'organisme mais qui ne sont pas des bulletins, rapports ou publications périodiques dont la valeur est appréciable en regard de la contrepartie du droit d'adhésion et que l'organisme vend habituellement aux non-membres.

Notes historiques: Le préambule de l'article 17 de la Partie VI de l'annexe V a été modifié par L.C. 1997, c. 10, par. 113(1) et cette modification s'applique aux fournitures effectuées après le 23 avril 1996, mais non aux fournitures de droits d'adhésion relativement auxquelles le fournisseur a remis à l'acquéreur une offre écrite, ou une facture, avant juin 1996. Il se lisait comme suit :

17. La fourniture d'un droit d'adhésion dans un organisme du secteur public, sauf un droit d'adhésion dans un club dont l'objet principal consiste à permettre l'utilisation d'installations pour les repas, les loisirs ou les sports, qui ne confère aux membres que les avantages suivants, sauf si l'organisme a fait un choix selon le présent article en la forme déterminée par le ministre et contenant les renseignements requis :

Auparavant, ce préambule a été modifié par L.C. 1993, c. 27, par. 170(1) et est réputé entré en vigueur le 27 avril 1992.

Ce préambule se lisait comme suit :

17. La fourniture d'un droit d'adhésion dans un organisme du secteur public (sauf un droit d'adhésion dans un club dont l'objet principal consiste à permettre l'utilisation d'installations pour les repas, les loisirs ou les sports) qui ne confère aux membres que les avantages suivants, sauf si l'organisme présente au ministre un choix fait selon le présent article en la forme et avec les renseignements qu'il détermine :

L'article 17 de la Partie VI de l'annexe V a été ajouté par L.C. 1990, c. 45, art. 18.

Concordance québécoise: LTVQ, art. 159.

Renvois: V:Partie V.1:1 (fourniture de biens ou de services par un organisme de bienfaisance).

Jurisprudence: *Club 63 North c. La Reine*, [1995] G.S.T.C. 75 (CCI); *L'Association Récréative Les Jardins du Château inc. c. La Reine*, [1994] G.S.T.C. 32 (CCI); *O'Connor Group Realty Inc. c. R.*, [2000] G.S.T.C. 55 (CCI).

Bulletins de l'information technique: B-065, 13/07/92, *Le plan en six points en vue de simplifier la TPS*; B-075R, 23/04/96, *Modifications proposées à la TPS*.

Mémorandums: TPS 300-4-6, 31/05/91, *Organismes du secteur public*; TPS 400-3-7, 6/03/91, *Cotisations relatives à l'emploi*, par. 24, 27, 28.

Formulaires: GST23, *Choix d'un organisme du secteur public de faire considérer ses droits d'adhésion exonérés comme des fournitures taxables* [N.D.L.R. le bulletin de l'information technique B-065 indique que l'obligation de présenter ce formulaire est éliminée. Toutefois, les inscrits sont tenus de remplir le formulaire].

Lettres d'interprétation (Québec): 98-0102933 — Décision portant sur l'application de la TPS — Interprétation relative à la TVQ — Amarrage à un ponton et choix de l'article 211; 99-0102253 — Droits d'adhésion; 02-0104477 — Interprétation relative à la TPS et à la TVQ — Fourniture d'une part sociale; 02-0105581 — Fournitures effectuées par un organisme à but non lucratif; 03-0106207 — Décision portant sur l'application de la TPS — Interprétation relative à la TVQ; 04-0101586 — Interprétation relative à la TPS et la TVQ — fourniture de droits d'adhésion.

18. [Droit d'adhésion nécessaire à la conservation d'un statut professionnel reconnu par la loi] — La fourniture, effectuée par une organisation, d'un droit d'adhésion qui est nécessaire pour conserver un statut professionnel reconnu par la loi, sauf si le fournisseur a fait un choix selon le présent article en la forme déterminée par le ministre et contenant les renseignements requis.

Notes historiques: L'article 18 de la Partie VI de l'annexe V a été modifié par L.C. 1993, c. 27, par. 171(1) et est réputé entré en vigueur le 27 avril 1992. Il se lisait auparavant comme suit :

18. La fourniture d'un droit d'adhésion effectuée par une organisation, qui est nécessaire pour conserver un statut professionnel reconnu par la loi, sauf si le fournisseur présente au ministre un choix fait selon le présent article en la forme et avec les renseignements qu'il détermine.

L'article 18 de la Partie VI de l'annexe V a été ajouté par L.C. 1990, c. 45, art. 18.

Concordance québécoise: LTVQ, art. 160.

Renvois: Voir sous l'Ann. V, Part. VI, art. V:Partie VI:17.

Bulletins de l'information technique: B-065, 13/07/92, *Le plan en six points en vue de simplifier la TPS*.

Formulaires: FP-2018, *Choix relatif aux droits d'adhésion à une organisation professionnelle*; GST24, *Choix permettant de taxer les droits d'adhésion à une association professionnelle* [N.D.L.R. le bulletin de l'information technique B-065 indique que l'obligation de présenter ce formulaire est éliminée. Toutefois, les inscrits sont tenus de remplir le formulaire].

Lettres d'interprétation (Québec): 98-0113450 — Interprétation relative à la TPS et à la TVQ — Fonds d'indemnisation; 02-0107223 — Interprétation relative à la TPS et à la TVQ — Cotisation annuelle [Application de la loi aux avis de].

18.1 [Droit d'adhésion à un parti enregistré] — La fourniture d'un droit d'adhésion à un parti enregistré.

Notes historiques: L'article 18.1 de la Partie VI de l'annexe V a été ajouté par L.C. 1997, c. 10, art. 113.1 et s'applique aux fournitures effectuées après le 23 avril 1996, mais non aux fournitures relativement auxquelles le fournisseur a remis à l'acquéreur une offre écrite, ou une facture, avant juin 1996.

Concordance québécoise: LTVQ, art. 160.1.

Renvois: V:Partie VI:18.2 (fourniture effectuée par un parti enregistré).

18.2 [Fourniture effectuée par un parti enregistré] — La fourniture effectuée par un parti enregistré, s'il est raisonnable de considérer une partie de la contrepartie comme une contribution au parti et si l'acquéreur peut demander à l'égard du total de telles contributions une déduction ou un crédit dans le calcul de son impôt payable en vertu de la *Loi de l'impôt sur le revenu* ou d'une loi provinciale semblable.

Notes historiques: L'article 18.2 de la Partie VI de l'annexe V a été ajouté par L.C. 1997, c. 10, art. 113.1 et s'applique aux fournitures effectuées après 1996, à l'exception des fournitures de droits d'entrée à une activité pour laquelle des droits d'entrée ont été fournis avant 1997.

Concordance québécoise: LTVQ, art. 160.2.

Renvois: V:Partie V.1:2 (activité de financement); V:Partie VI:3 (fourniture effectuée par une institution publique); V:Partie VI:18.2 (fourniture effectuée par un parti enregistré).

19. [Droit de faire des emprunts dans une bibliothèque publique] — La fourniture par un organisme du secteur public du droit de faire des emprunts dans une bibliothèque publique.

Notes historiques: L'article 19 de la Partie VI de l'annexe V a été ajouté par L.C. 1990, c. 45, art. 18.

Concordance québécoise: LTVQ, art. 161.

Renvois: 259.1 (livres imprimés).

Lettres d'interprétation (Québec): 01-0105039 — Interprétation relative à la TPS et à la TVQ — Entente intermunicipale à l'égard d'une bibliothèque municipale.

20. [Fournitures effectuées par un gouvernement ou une municipalité] — Les fournitures suivantes effectuées par un gouvernement ou une municipalité, ou par une commission ou autre organisme établi par ceux-ci :

a) l'une des fournitures suivantes :

(i) le service d'enregistrement d'un bien, ou de traitement d'une demande d'enregistrement d'un bien, conformément à un régime d'enregistrement de biens,

(ii) le service de dépôt d'un document, ou de traitement d'une demande de dépôt d'un document, conformément à un régime d'enregistrement de biens,

(iii) un droit d'accès à un régime d'enregistrement de biens, ou un droit d'utilisation d'un tel régime, en vue d'enregistrer un bien, ou d'en demander l'enregistrement, ou de déposer un document, ou d'en demander le dépôt, conformément à ce régime;

b) l'une des fournitures suivantes :

(i) le service de dépôt d'un document, ou de traitement d'une demande de dépôt d'un document, conformément au régime d'enregistrement d'un tribunal ou en vertu d'une loi, le service de dépôt d'un document, ou de traitement d'une demande de dépôt d'un document, conformément au régime d'enregistrement d'un tribunal ou en vertu d'une loi,

(ii) un droit d'accès au régime d'enregistrement d'un tribunal ou à tout autre régime d'enregistrement dans le cadre duquel des documents sont déposés en vertu d'une loi, ou un droit d'utilisation d'un tel régime, en vue de déposer un document conformément à ce régime,

(iii) le service de délivrance ou de prestation d'un document provenant du régime d'enregistrement d'un tribunal, ou le service de traitement d'une demande de délivrance ou de prestation d'un tel document,

(iv) un droit d'accès au régime d'enregistrement d'un tribunal, ou un droit d'utilisation d'un tel régime, en vue de délivrer ou d'obtenir un document provenant de ce régime;

c) l'une des fournitures suivantes (sauf la fourniture d'un droit ou d'un service relativement à l'importation de boissons alcoolisées) :

(i) une licence, un permis, un contingent ou un droit semblable,

(ii) le service de traitement d'une demande de licence, de permis, de contingent ou de droit semblable,

(iii) un droit d'accès à un régime de dépôt ou d'enregistrement, ou un droit d'utilisation d'un tel régime, en vue de demander une licence, un permis, un contingent ou un droit semblable;

d) la fourniture d'un document, d'un service de prestation de renseignements ou d'un droit d'accès à un régime de dépôt ou d'enregistrement, ou d'un droit d'utilisation d'un tel régime, en vue d'obtenir un document ou des renseignements sur :

(i) les statistiques démographiques, la résidence, la citoyenneté ou le droit de vote d'une personne,

(ii) l'inscription d'une personne à un service offert par un gouvernement ou une municipalité, ou par une commission ou autre organisme établi par ceux-ci,

(iii) toutes autres données concernant une personne;

e) la fourniture d'un document, d'un service de prestation de renseignements ou d'un droit d'accès à un régime de dépôt ou d'enregistrement, ou d'un droit d'utilisation d'un tel régime, en vue d'obtenir un document ou des renseignements sur :

(i) le titre de propriété d'un bien ou les droits sur un bien,

(ii) les charges sur un bien ou une évaluation le concernant,

(iii) le zonage d'un immeuble;

f) les services qui consistent à donner des renseignements en vertu de la *Loi sur la protection des renseignements personnels*, de la *Loi sur l'accès à l'information* ou d'une loi provinciale semblable;

g) les services de police ou d'incendie, effectuée [*sic*] au profit d'un gouvernement ou d'une municipalité, ou d'une commission ou autre organisme établi par ceux-ci;

h) les services de collecte des ordures, y compris les matières recyclables;

i) le droit de laisser des ordures à un lieu destiné à les recevoir.

Les fournitures suivantes ne sont pas exonérées :

j) la fourniture à un consommateur d'un droit de chasse ou de pêche;

k) la fourniture du droit d'extraire ou de prendre des produits forestiers, des produits de la pêche, des produits poussant dans l'eau, des minéraux ou de la tourbe :

(i) soit à un consommateur,

(ii) soit à un non-inscrit qui acquiert le droit dans le cadre de son entreprise consistant à fournir de tels produits, des minéraux ou de la tourbe à des consommateurs;

l) la fourniture d'un droit d'utilisation d'un bien du gouvernement, de la municipalité ou de l'organisme ou du droit d'y entrer ou d'y accéder, à l'exception du droit d'accès à un régime de dépôt ou d'enregistrement et du droit d'utilisation d'un tel régime visés aux alinéas a) à e).

Modification proposée — Ann. V, partie VI, art. 20

Protocole d'entente concernant l'harmonisation des taxes de vente en vue de la conclusion d'une entente intégrée globale de coordination fiscale entre le Canada et le Québec, 30 septembre 2011: *Achats de l'état*

14. À compter du 1er avril 2013, les parties conviennent de payer la TPS/TVH et la TVQ modifiée relativement aux fournitures effectuées au profit de leurs gouvernements respectifs ou des mandataires de ceux-ci. En cas d'immunité fiscale entre administrations, les montants de TPS/TVH et de TVQ modifiée seront recouvrables au moyen d'un mécanisme de remboursement.

Document d'information, 30 septembre 2011: [Voir sous l'art. 142 — n.d.l.r.]

Notes historiques: Les alinéas 20a) à e) de la partie VI de l'annexe V ont été remplacés par L.C. 2007, c. 18, par. 56(1) et cette modification est réputée être entrée en vigueur le 17 décembre 1990. Toutefois :

a) les alinéas 20a), b), d) et e) de la partie VI de l'annexe V ne s'appliquent pas aux fournitures relativement auxquelles le fournisseur a exigé ou perçu un montant au titre de la taxe prévue à la partie IX au plus tard le 27 novembre 2006;

b) l'alinéa 20c) de la partie VI de l'annexe V ne s'applique pas aux fournitures suivantes :

(i) la fourniture d'un droit d'accès à un régime de dépôt ou d'enregistrement, ou d'un droit d'utilisation d'un tel régime, relativement à laquelle le fournisseur a exigé ou perçu un montant au titre de la taxe prévue à la partie IX au plus tard le 27 novembre 2006,

(ii) la fourniture d'un service effectuée au plus tard à cette date et à l'égard de laquelle, selon le cas :

(A) le fournisseur n'a pas exigé ni perçu de montant au titre de la taxe prévue à la partie IX au plus tard à cette date,

(B) d'une part, le fournisseur a exigé ou perçu un montant au titre de cette taxe au plus tard à cette date et, d'autre part, un montant (sauf celui qui est réputé, en vertu de l'alinéa 296(5)a), avoir été demandé par suite d'une cotisation établie après cette date) a été demandé :

(I) soit dans une demande visant le remboursement prévu au paragraphe 261(1), que le ministre du Revenu national a reçue au plus tard à cette date,

(II) soit à titre de déduction, relative à un redressement, un remboursement ou un crédit prévus au paragraphe 232(1), dans une déclaration produite aux termes de la section V de la partie IX que le ministre a reçue avant cette date;

c) en ce qui concerne les fournitures dont la contrepartie, même partielle, devient due avant 1997 ou est payée avant cette année sans être devenue due, l'alinéa 20e) de la partie VI de l'annexe V est réputé avoir le libellé suivant :

e) la fourniture d'un document, d'un service de prestation de renseignements ou d'un droit d'accès à un régime de dépôt ou d'enregistrement, ou d'un droit d'utilisation d'un tel régime, en vue d'obtenir un document ou des renseignements sur :

(i) le titre de propriété d'un bien ou les droits sur un bien,

(ii) les charges sur un bien ou une évaluation le concernant;

Antérieurement, les alinéas 20a) à e) se lisaient ainsi :

a) l'enregistrement d'un bien et la production d'un document conformément à un régime d'enregistrement de biens;

b) le service de production d'un document par un tribunal ou de dépôt d'un document devant celui-ci;

b.1) le service de production d'un document en vertu d'une loi;

c) une licence, un permis, un contingent ou un droit semblable (sauf un tel droit fourni relativement à l'importation de boissons alcoolisées) et les services relatifs à la demande d'un tel droit;

d) les services de renseignements sur les statistiques démographiques, la résidence, la citoyenneté ou le droit de vote des personnes, leur inscription à un service offert par le gouvernement ou toutes autres données les concernant, ou les certificats ou autres documents attestant ces données;

e) les services de renseignements ou les certificats ou autres documents concernant :

(i) le titre de propriété d'un bien ou les droits sur un bien,

(ii) les charges sur un bien ou une évaluation le concernant,

(iii) le zonage d'un immeuble;

L'alinéa 20b.1) de la Partie VI de l'annexe V a été ajouté et l'alinéa 20c) de la Partie VI de l'annexe V a été modifié par L.C. 1993, c. 27, par. 172(1) rétroactivement au 17 décembre 1990. L'alinéa 20c) de la Partie VI de l'annexe V se lisait auparavant comme suit :

c) une licence, un permis, un contingent ou un droit semblable (sauf un tel droit fourni relativement à l'importation de boissons alcooliques);

L'alinéa 20e) de la partie VI de l'annexe V a été modifié par L.C. 1997, c. 10, par 11(1) et cette modification s'applique aux fournitures dont la contrepartie devient due après 1996 ou est payée après 1996 sans qu'elle soit devenue due. Auparavant, il se lisait comme suit :

e) les services de renseignements sur le titre de propriété d'un bien ou les droits ou les charges sur un bien, ou les certificats ou autres documents attestant ces titres, droits et charges;

L'alinéa 20f) de la Partie VI de l'annexe V a été modifié par L.C. 1993, c. 27, par. 172(2) et est réputé entré en vigueur le 17 décembre 1990. Il se lisait auparavant comme suit :

f) les services qui consistent à donner des renseignements en vertu de la *Loi sur l'accès à l'information*;

L'alinéa 20h) de la partie VI de l'annexe V a été modifié par L.C. 1997, c. 10, par. 114(1) et cette modification réputé entré en vigueur le 17 décembre 1990. Toutefois, en ce qui a trait aux fournitures de services rendus avant 1997, l'alinéa 20h) de la partie VI de l'annexe V est remplacé par ce qui suit :

h) les services de collecte des ordures, y compris les matières recyclables, mais à l'exclusion des services qui ne font pas partie du service usuel de collecte des ordures fourni par le gouvernement ou la municipalité selon un calendrier régulier;

Auparavant, l'alinéa 20h) de la partie VI de l'annexe V se lisait comme suit :

h) les services de collecte des ordures, à l'exclusion de la fourniture de services qui ne font pas partie des services de base fournis par le gouvernement ou la municipalité suivant un calendrier régulier;

L'alinéa 20k) de la Partie VI de l'annexe V a été modifié par L.C. 1993, c. 27, par. 172(3) et est réputé entré en vigueur le 17 décembre 1990. Il se lisait auparavant comme suit :

k) la fourniture du droit d'extraire ou de prendre des minéraux, des produits forestiers ou des produits de l'eau ou de la pêche :

(i) soit à un consommateur,

(ii) soit à un non-inscrit qui acquiert le droit dans le cadre d'une entreprise consistant à fournir des minéraux ou de tels produits à des consommateurs;

L'alinéa 20l) de la partie VI de l'annexe V a été remplacé par L.C. 2007, c. 18, par. 56(2) et cette modification est réputée être entrée en vigueur le 17 décembre 1990. Toutefois, l'alinéa 20l) ne s'applique pas aux fournitures relativement auxquelles le fournisseur a exigé ou perçu un montant au titre de la taxe prévue à la partie IX au plus tard le 27 novembre 2006. Antérieurement, il se lisait ainsi :

l) la fourniture du droit d'utilisation d'un bien du gouvernement, de la municipalité ou de l'organisme ou du droit d'y entrer ou d'y accéder.

L'article 20 de la Partie VI de l'annexe V a été ajouté par L.C. 1990, c. 45, art. 18.

27 novembre 2006, Notes explicatives: L'article 20 de la partie VI de l'annexe V dresse la liste de certaines fournitures liées à des fonctions de réglementation et d'administration qui sont exonérées lorsqu'elles sont effectuées par un gouvernement ou une municipalité ou par une commission ou un autre organisme établi par ceux-ci.

Sont notamment exonérés, selon les alinéas 20a), b), b.1), d) et e), les services de production et d'extraction de certains documents ou renseignements conformément à des régimes d'enregistrement officiels, tels que des documents ou renseignements sur les statistiques démographiques (naissance, décès, mariages, etc.), les biens (régimes d'enregistrement foncier) ou les tribunaux.

Les alinéas 20a), b), b.1), d) et e) sont modifiés de sorte que l'exonération qu'ils prévoient s'applique aussi aux fournitures effectuées dans des circonstances où la production ou l'extraction de documents ou de renseignements consiste en la fourniture d'un droit plutôt qu'en la fourniture d'un service (comme cela se produit, par exemple, lorsque la fourniture est effectuée avec peu d'intervention humaine, voire aucune, du fait qu'elle consiste à offrir un droit d'accès ou d'utilisation à une base de données électroniques).

Les alinéas 20a) et b) sont aussi modifiés afin de prévoir que la fourniture qui consiste à traiter des demandes de production ou d'extraction de documents et de renseignements est exonérée même si le traitement entraîne le rejet de la demande.

Selon l'alinéa 20b.1), le service de production d'un document conformément à des exigences législatives est exonéré. Les dispositions de cet alinéa sont regroupées avec celles de l'alinéa 20b), qui prévoit l'exonération de la fourniture du service de production d'un document par un tribunal ou de dépôt d'un document devant celuici. L'alinéa 20b) est également modifié afin de confirmer que cette exonération s'applique peu importe que des droits soient versés pour la production d'un document conformément au régime d'enregistrement d'un tribunal ou pour la délivrance, la prestation ou l'obtention d'un tel document et qu'elle vise la délivrance, la prestation ou l'obtention d'un document conformément au régime d'enregistrement des tribunaux de tout ordre.

Les modifications touchant les alinéas 20a), b), b.1), d) et e) sont réputées être entrées en vigueur le 17 décembre 1990. Toutefois, elles ne s'appliquent pas aux fournitures relativement auxquelles le fournisseur exige ou perçoit un montant de taxe à la date de publication ou antérieurement.

Selon l'alinéa 20c), les fournitures de licences, de permis, de contingents ou de droits semblables et les fournitures de services de traitement d'une demande de licence, de permis, de contingent ou de droit semblable sont exonérées. Les modifications apportées à cet alinéa ont pour objet de veiller à ce que son libellé soit conforme à celui des alinéas a) et b) (qui portent également sur la fourniture de services de traitement de demandes) et de confirmer que l'exonération ne s'applique pas à des services autres que les services de traitement de demandes (comme les services d'inspection). Les modifications ont également pour effet d'étendre l'exonération à la fourniture du droit d'accès à un régime de dépôt ou d'enregistrement, ou du droit d'utilisation d'un tel régime, en vue de demander une licence, un permis, un contingent ou un droit semblable.

Les modifications apportées à l'alinéa 20c) sont réputées être entrées en vigueur le 17 décembre 1990. Toutefois, elles ne s'appliquent pas aux fournitures de services effectuées à la date de publication ou antérieurement relativement auxquelles un montant de taxe n'est pas exigé ni perçu, ou un remboursement de taxe n'est pas demandé, au plus tard à cette date. Elles ne s'appliquent pas non plus aux fournitures de droits d'accès à un régime de dépôt ou d'enregistrement, ou de droits d'utilisation d'un tel régime, relativement auxquelles le fournisseur exige ou perçoit un montant de taxe au plus tard à la date de publication.

L'alinéa 20l) a pour effet d'exclure des exonérations prévues à l'article 20 les fournitures de droits d'accès aux biens d'un gouvernement ou d'une municipalité, ou d'une commission ou autre organisme établi par ceux-ci, et les fournitures de droits d'utilisation de tels biens. Cet alinéa est modifié en raison des changements apportés aux alinéas 20a) à e) de sorte que l'exclusion ne s'applique pas aux fournitures de droits d'accès à un régime de dépôt ou d'enregistrement, ou de droits d'utilisation d'un tel régime, qui sont exonérées par suite de ces changements.

Les modifications apportées à l'alinéa 20l) sont réputées être entrées en vigueur le 17 décembre 1990. Toutefois, elles ne s'appliquent pas aux fournitures relativement auxquelles le fournisseur exige ou perçoit un montant de taxe au plus tard à la date de publication.

Concordance québécoise: LTVQ, art. 162, 163.

Renvois: 146 (fournitures par les gouvernements et municipalités); 189.1 (frais à verser à un gouvernement); 200(4) (vente du bien meuble d'un gouvernement); V:Partie II:13 (service ménager à domicile).

Jurisprudence: *Parkland Crane Service Ltd. c. La Reine*, 1994 G.S.T.C. 58 (CCI); *Libra Transport (B.C.) Ltd. c. R.*, [2001] G.S.T.C. 57 (CCI); *Vanex Truck Service Ltd. c. Canada*, [1999] G.S.T.C. 101 (CCI); [2001] G.S.T.C. 70 (CAF); *Agence de Sécurité Mauricienne (1983) Inc. c. R.*, [2003] G.S.T.C. 97 (TCC); *Quon c. R.*, [2003] G.S.T.C. 54 (CFA); *Agence de Sécurité Mauricienne (1983) Inc. c. R.*, [2003] G.S.T.C. 97 (CCI); *Crabtree (Municipalité) c. R.*, 2006 G.T.C. 111 (CCI).

Énoncés de politique: P-199R, 01/01/96, *Services de collecte des ordures de bases*; P-209, 11/03/97, *Débours d'avocats* (Ébauche); P-247, 04/11/05, *Examen de ce qui constitue un « autre organisme établi par un gouvernement » pour l'application de la Loi sur la taxe d'accise (la Loi)*; P-XX8, 01/05, *Examen de ce qui constitue un « autre organisme établi par un gouvernement » pour l'application de la Loi sur la taxe d'accise (LTA)*.

Bulletins de l'information technique: B-075R, 23/04/96, *Modifications proposées à la TPS*.

Lettres d'interprétation (Québec): 98-0103766 — Interprétation relative à la TPS et à la TVQ — Tarification de services fournis par la division d'urbanisme; 98-0109631; 98-0110100 — Décision portant sur l'application de la TPS — Interprétation relative à la TVQ — Frais d'enregistrement de la grande faune; 99-0109308[A] — Décision portant sur l'application de la TPS — Interprétation relative à la TVQ — Perception des frais liés à la publication de droits au registre des droits personnels et réels mobiliers du ministère de la Justice et frais de consultation; 99-0109076 — Interprétation relative à la TPS et à la TVQ — Fournitures relatives au traitement de matières recyclables; 00-0102343 — Interprétation relative à la TPS et à la TVQ — Fourniture de copies de dossiers médicaux par une institution publique; 00-0108456 — Définition de l'expression « organisme établi par une municipalité »; 00-0110817 — Décision portant sur l'application de la TPS — Interprétation relative à la TVQ — Fournitures du droit de laisser des ordures à un lieu destiné à les recevoir; 03-010917 — Décision portant sur l'application de la TPS — Interprétation relative à la TVQ — Entente intermunicipale / service de protection contre l'incendie; 07-0100045 — Interprétation relative à la TPS et à la TVQ — fourniture par une municipalité de compteurs d'eau et de bacs roulants.

21. [Service municipal] — La fourniture d'un service municipal si, à la fois :

a) la fourniture est effectuée :

(i) soit par un gouvernement ou une municipalité au profit d'un acquéreur qui est le propriétaire ou l'occupant d'un immeuble situé dans une région géographique donnée,

(ii) soit pour le compte d'un gouvernement ou d'une municipalité au profit d'un acquéreur, autre que le gouvernement ou la municipalité, qui est le propriétaire ou l'occupant d'un immeuble situé dans une région géographique donnée;

b) il s'agit d'un service , selon le cas :

(i) que le propriétaire ou l'occupant ne peut refuser,

(ii) qui est fourni du fait que le propriétaire ou l'occupant a manqué à une obligation imposée par une loi;

c) il ne s'agit pas d'un service d'essai ou d'inspection d'un bien pour vérifier s'il est conforme à certaines normes de qualité ou s'il se prête à un certain mode de consommation, d'utilisation ou de fourniture, ou pour le confirmer.

Notes historiques: L'article 21 de la Partie VI de l'annexe V a été remplacé par L.C. 2003, c. 15, par. 65(1) et cette modification est réputée être entrée en vigueur le 17 décembre 1990. Toutefois, pour l'application de l'article 21 la partie VI de l'annexe V, aux fournitures dont la contrepartie devient due ou est payée avant le 24 avril 1996, il n'est pas tenu compte du sous-alinéa 21b)(ii). Antérieurement, il se lisait ainsi :

> 21. La fourniture d'un service municipal effectuée par un gouvernement ou une municipalité, ou pour leur compte, au profit des propriétaires ou occupants d'immeubles situés dans une région géographique donnée si, selon le cas :
>
> a) les propriétaires ou occupants ne peuvent refuser le service;
>
> b) le service est fourni du fait qu'un propriétaire ou un occupant a manqué à une obligation imposée par une loi.
>
> N'est pas exonérée la fourniture d'un service d'essai ou d'inspection d'un bien pour vérifier s'il est conforme à certaines normes de qualité ou s'il se prête à un certain mode de consommation, d'utilisation ou de fourniture, ou pour le confirmer.

L'article 21 de la Partie VI de l'annexe V a été modifié par L.C. 1997, c. 10, par. 115(1) et cette modification s'applique aux fournitures dont la contrepartie, même partielle, devient due après le 23 avril 1996 ou est payée après cette date sans qu'elle soit devenue due. Il se lisait comme suit :

> 21. La fourniture d'un service municipal effectuée par un gouvernement ou une municipalité, ou pour leur compte, au profit des propriétaires ou occupants d'immeubles situés dans une région géographique donnée, s'ils ne peuvent refuser le service, à l'exception de la fourniture d'un service d'essai ou d'inspection d'un bien pour vérifier s'il est conforme à certaines normes de qualité ou s'il se prête à un certain mode de consommation, d'utilisation ou de fourniture, ou pour le confirmer.

Cet article a été ajouté par L.C. 1990, c. 45, art. 18.

Concordance québécoise: LTVQ, art. 164.

Renvois: 123(1)« acquéreur » (circonstances dans lesquelles une personne est un acquéreur); 146 (fournitures par les gouvernements et municipalités); V:Partie VI:21.1 (municipalité); V:Partie V:21 (essai ou examen d'un bien meuble corporel).

Jurisprudence: *Stobbe Construction Ltd. c. La Reine*, [1996] G.S.T.C. 41 (CCI); *Commission scolaire du Fer c. R.*, [2004] G.S.T.C. 143 (CCI); *Îles-de-la Madeleine (Comté) c. R.*, 2006 G.T.C. 267 (CCI); *Lethbridge (County) v. R.* (20 janvier 2009), 2009 CarswellNat 1677 (CCI [procédure générale]); *Gatineau (Ville) v. R.* (4 mars 2009), 2009 CarswellNat 1778 (CCI [procédure générale]); *Brandon (City) v. R.*, 2010 CarswellNat 4841, 2010 CAF 244, [2010] G.S.T.C. 141 (CAF); *Gatineau (Ville) v. R.*, 2010 CarswellNat 1800, 2010 CAF 82, [2010] G.S.T.C. 48 (CAF).

Énoncés de politique: P-168R, 17/01/95, *Droit des municipalités à demander des CTI's à l'égard de la TPS payée relativement à l'aménagement de terrains destinés être vendus en parcelles viabilisées*; P-177R, 06/04/95, *Fourniture, par une municipalité ou au nom d'une municipalité, de services assujettis àà l'article 21 de la partie VI de l'annexe V de la Loi sur la taxe d'accise*; P-209, 11/03/97, *Débours d'avocats* (Ébauche).

Bulletins de l'information technique: B-075R, 23/04/96, *Modifications proposées à la TPS*.

Série de mémorandums: Mémorandum 19.4.2, 08/99, *Immeubles commerciaux — Fournitures réputées*.

Lettres d'interprétation (Québec): 99-0100190 — Travaux d'infrastructures municipales — CTI/RTI, notion de mandataire; 99-0104481 — Décision portant sur l'application de la TPS — Interprétation relative à la TVQ — Infrastructures municipales; 99-0105454 — Interprétation relative à la TPS et à la TVQ — Infrastructures municipales; 00-0102954 — SDU: [Amendes pour fausses alarmes]; 00-0106583 — Service de vidange de réservoirs septiques — Service de traitement des eaux usées; 00-0108704 — Interprétation relative à la TPS et à la TVQ — Travaux municipaux; 00-0111591 — Fourniture d'un service d'incendie au profit d'un occupant d'immeuble situé dans une région géographique donnée; 00-0104380 — Interprétation relative à la TPS et à la TVQ — Entente intervenue entre deux municipalités relativement aux services d'entretien des chemins municipaux et d'inspection; 07-0100045 — Interprétation relative à la TPS et à la TVQ — fourniture par une municipalité de compteurs d'eau et de bacs roulants.

21.1 [Municipalité] — La fourniture d'un des services suivants effectuée par une municipalité ou par une commission ou autre organisme établi par une municipalité :

a) l'installation, le remplacement, la réparation ou l'enlèvement de panneaux de signalisation, de panneaux indicateurs, de barrières, de lampadaires, de feux de circulation ou de biens semblables;

b) l'enlèvement de neige, de glace ou d'eau;

c) l'enlèvement, la coupe, la taille, le traitement ou la plantation de végétaux;

d) la réparation ou l'entretien de routes, de rues, de trottoirs ou de biens semblables ou adjacents;

e) l'installation d'entrées ou de sorties.

Notes historiques: L'article 21.1 de la Partie VI de l'annexe V a été ajouté par L.C. 1997, c. 10, par. 115(1) et s'applique aux fournitures dont la contrepartie, même partielle, devient due après 1996 ou est payée après 1996 sans qu'elle soit devenue due.

Concordance québécoise: LTVQ, art. 164.1.

Renvois: V:Partie V:21 (essai ou examen d'un bien meuble corporel).

Jurisprudence: *Regina (City) c. R.*, [2001] G.S.T.C. 68 (CCI); *Lethbridge (County) v. R.* (20 janvier 2009), 2009 CarswellNat 1677 (CCI [procédure générale]).

Bulletins de l'information technique: B-075R, 23/04/96, *Modifications proposées à la TPS*.

Lettres d'interprétation (Québec): 98-0111561 — Interprétation relative à la TPS et à la TVQ — Infrastructures municipales; 99-0100190 — Travaux d'infrastructures municipales — CTI/RTI, notion de mandataire; 99-0104481 — Décision portant sur l'application de la TPS — Interprétation relative à la TVQ — Infrastructures municipales; 99-0105454 — Interprétation relative à la TPS et à la TVQ — Infrastructures municipales; 00-0108704 — Interprétation relative à la TPS et à la TVQ — Travaux municipaux; 00-0104380 — Interprétation relative à la TPS et à la TVQ — Entente intervenue entre deux municipalités relativement aux services d'entretien des chemins municipaux et d'inspection.

22. [Installation ou réparation d'un réseau de distribution d'eau ou d'un système d'égouts ou de drainage] — La fourniture d'un service, effectuée par une municipalité ou par une administration qui exploite un réseau de distribution d'eau ou un système d'égouts ou de drainage et que le ministre désigne comme municipalité pour l'application du présent article, qui consiste à installer, à réparer ou à entretenir un tel réseau ou système ou à en interrompre le fonctionnement.

Notes historiques: L'article 22 de la Partie VI de l'annexe V a été modifié par L.C. 1997, c. 10, par. 115(1) et cette modification s'applique aux fournitures dont la contrepartie, même partielle, devient due après 1996 ou est payée après 1996 sans qu'elle soit devenue due. Il se lisait comme suit :

> 22. La fourniture d'un service effectuée par une municipalité ou par une administration qui exploite un réseau de distribution d'eau ou un système d'égouts ou de drainage et que le ministre désigne comme municipalité pour l'application du présent article, qui consiste à installer, à réparer ou à entretenir un tel réseau ou système à l'usage des occupants et des propriétaires d'immeubles situés dans une région géographique donnée. N'est pas exonérée la fourniture d'un service, facturée exclusivement à l'acquéreur, qui consiste à réparer ou à entretenir une partie d'un tel réseau ou système, dans le cas où l'acquéreur est le propriétaire ou l'occupant d'une parcelle d'immeuble située dans la région géographique donnée et où les occupants et les propriétaires de cette parcelle sont les utilisateurs exclusifs de la partie de réseau ou de système en question.

Auparavant, cet article a été modifié par L.C. 1993, c. 27, par. 173(1) et est réputé entré en vigueur le 17 décembre 1990. Toutefois, en ce qui concerne les fournitures effectuées avant octobre 1992, il s'applique sans tenir compte du passage « qui exploite un réseau de distribution d'eau ou un système d'égouts ou de drainage et ». Il se lisait comme suit :

> 22. La fourniture d'un service effectuée par un gouvernement ou une municipalité, ou pour leur compte, ou par une administration que le ministre désigne comme municipalité pour l'application du présent article, qui consiste à installer, à réparer ou à entretenir un réseau de distribution d'eau ou un système d'égouts ou de drainage à l'usage des occupants et des propriétaires d'immeubles situés dans une région géographique donnée. N'est pas exonérée la fourniture d'un service, facturé exclusivement à l'acquéreur, qui consiste à réparer ou à entretenir la partie d'un tel réseau ou système dont les occupants ou les propriétaires d'une parcelle donnée d'un immeuble sont les seuls utilisateurs.

L'article 22 de la Partie VI de l'annexe V a été édicté par L.C. 1990, c. 45 art. 18.

Concordance québécoise: LTVQ, art. 165.

Renvois: V:Partie VI:23 (eau non embouteillée).

Jurisprudence: *Hidden Valley Golf Resort Assn. c. Canada*, [1998] G.S.T.C. 95 (CCI); [2000] G.S.T.C. 42 (CAF).

Énoncés de politique: P-168R, 17/01/95, *Droit des municipalités à demander des CTI's à l'égard de la TPS payée relativement à l'aménagement de terrains destinés être vendus en parcelles viabilisées*; P-204, 19/01/96, *Date d'entrée en vigueur des désignations comme municipalité et des octrois du statut de municipalité par le ministre.*

Bulletins de l'information technique: B-075R, 23/04/96, *Modifications proposées à la TPS.*

Lettres d'interprétation (Québec): 98-0111561 — Interprétation relative à la TPS et à la TVQ — Infrastructures municipales; 99-0100190 — Travaux d'infrastructures municipales — CTI/RTI, notion de mandataire; 99-0104481 — Décision portant sur l'application de la TPS — Interprétation relative à la TVQ — Infrastructures municipales; 99-0105454 — Interprétation relative à la TPS et à la TVQ — Infrastructures municipales; 00-0101626 — Interprétation relative à la TPS — Interprétation relative à la TVQ — Installation d'un réseau de distribution d'eau en partie sur le territoire d'une municipalité et en partie sur celui d'une réserve; 00-0108704 — Interprétation relative à la TPS et à la TVQ — Travaux municipaux; 01-0105567 — Interprétation relative à la TPS et à la TVQ — Vente d'un terrain viabilisé par une municipalité à un particulier; 07-0100045 — Interprétation relative à la TPS et à la TVQ — fourniture par une municipalité de compteurs d'eau et de bacs roulants.

23. [Eau non embouteillée] — La fourniture :

a) d'eau non embouteillée effectuée par une personne autre qu'un gouvernement ou par un gouvernement que le ministre désigne comme municipalité pour l'application du présent article, sauf une fourniture détaxée et une fourniture d'eau distribuée en portions individuelles à des consommateurs au moyen d'un distributeur automatique ou dans un établissement stable du fournisseur;

b) d'un service de livraison d'eau par le fournisseur de l'eau, dans le cas où cette fourniture d'eau est incluse à l'alinéa a).

Notes historiques: L'article 23 de la Partie VI de l'annexe V a été modifié par L.C. 1997, c. 10, par. 115(1) et cette modification s'applique aux fournitures dont la contrepartie devient due après le 23 avril 1996 ou est payée après cette date sans qu'elle soit devenue due.

Toutefois, pour ce qui est des fournitures dont tout ou partie de la contrepartie devient due ou est payée avant le 11 mars 1992, cet article est remplacé par ce qui suit :

> 23. La fourniture d'eau non embouteillée, (sauf une fourniture détaxée et une fourniture d'eau distribuée en portions individuelles à des consommateurs au moyen d'un distributeur automatique ou dans un établissement stable du fournisseur), y compris le service de livraison de l'eau, effectuée par une municipalité ou une administration que le ministre désigne comme municipalité pour l'application du présent article.

L'administration que le ministre désigne comme municipalité pour l'application de l'article 22 de la Partie VI de l'annexe V avant que le présent article soit édicté par L.C. 1993, c. 27, est réputée avoir également été désignée pour l'application de l'article 23 de Partie VI de l'annexe V, si la désignation n'a pas été révoquée.

Il se lisait auparavant comme suit :

> 23. La fourniture d'eau non embouteillée (sauf une fourniture détaxée et une fourniture d'eau distribuée en portions individuelles à des consommateurs au moyen d'un distributeur automatique ou dans un établissement stable du fournisseur), y compris le service de livraison de l'eau, effectuée par une personne autre qu'un gouvernement ou par un gouvernement que le ministre désigne comme municipalité pour l'application du présent article.

Auparavant, cet article a été modifié par L.C. 1993, c. 27, par. 174(1) et est réputé entré en vigueur le 17 décembre 1990. Il se lisait comme suit :

> 23. La fourniture d'eau non embouteillée, effectuée par un gouvernement, une municipalité ou une administration désignée visée à l'article 22.

L'article 23 de Partie VI de l'annexe V a été édicté par L.C. 1990, c. 45, art. 18.

Concordance québécoise: LTVQ, art. 166.

Renvois: 162(1) (redevances sur ressources naturelles); VI:Partie III:1, VI:Partie III:2 (eau non embouteillée).

Jurisprudence: *Stobbe Construction Ltd. c. La Reine*, [1996] G.S.T.C. 41 (CCI); *Hidden Valley Golf Resort Assn. c. Canada*, [1998] G.S.T.C. 95 (CCI); [2000] G.S.T.C. 42 (CAF); *Brandon (City) v. R.*, 2010 CarswellNat 4841, 2010 CAF 244, [2010] G.S.T.C. 141 (CAF).

Énoncés de politique: P-204, 19/01/96, *Date d'entrée en vigueur des désignations comme municipalité et des octrois du statut de municipalité par le ministre.*

Série de mémorandums: TPS 28.3, 12/98, *Services de transport de passagers*, par. 38-39.

Bulletins de l'information technique: Mémorandum 4.3, 11/97, *Produits alimentaires de base* .

Info TPS/TVQ: GI-011 — *Transporteurs d'eau.*

Lettres d'interprétation (Québec): 07-0100045 — Interprétation relative à la TPS et à la TVQ — fourniture par une municipalité de compteurs d'eau et de bacs roulants.

24. [Services municipaux de transport] — La fourniture, effectuée au profit d'un membre du public, de services municipaux de transport ou de services publics de transport de passagers désignés par le ministre comme services municipaux de transport.

Notes historiques: L'article 24 de la Partie VI de l'annexe V a été modifié par L.C. 1997, c. 10, par. 115(1) et cette modification s'applique aux fournitures dont la contrepartie devient due après le 23 avril 1996 ou est payée après cette date sans qu'elle soit devenue due. Il se lisait comme suit :

> 24. La fourniture de services municipaux de transport ou de services publics de transport de passagers désignés par le ministre comme services municipaux de transport.

Cet article a été ajouté par L.C. 1990, c. 45, art. 18.

Concordance québécoise: LTVQ, art. 167.

Jurisprudence: *Association Coopérative de Taxi de L'est de Montréal c. STCUM*, [2000] G.S.T.C. 33 (CS Qué); *Société de transport de Laval (Ville) v. R.*, 2008 G.T.C. 374 (CCI [procédure générale]); *Calgary (City) v. R.*, 2010 CarswellNat 3090, 2010 CAF 127, [2010] G.S.T.C. 78 (CAF); *Calgary (City) v. R.* (26 avril 2012), 2012 CarswellNat 1146, 2012 SCC 20, 2012 G.T.C. 1030 (CSC).

Énoncés de politique: P-204, 19/01/96, *Date d'entrée en vigueur des désignations comme municipalité et des octrois du statut de municipalité par le ministre.*

Bulletins de l'information technique: B-075R, 23/04/96, *Modifications proposées à la TPS.*

Série de mémorandums: TPS 28.3, 12/98, *Services de transport de passagers*, par. 38-39.

Lettres d'interprétation (Québec): 98-0113716 — Interprétation relative à la TPS et à la TVQ — Délivrance d'une carte d'identité par le fournisseur d'un service de transport en commun; 99-0113292 — Décision portant sur l'application de la TPS — Interprétation relative à la TVQ — Fourniture d'un service de transport de passagers.

25. [Immeubles] — La fourniture d'immeubles par un organisme de services publics (sauf une institution financière, une municipalité et un gouvernement), à l'exclusion des fournitures suivantes :

a) les immeubles d'habitation, ou les droits y afférents, fournis par vente;

b) les immeubles qui sont réputés fournis aux termes de la partie IX de la loi (sauf s'il s'agit d'une fourniture qui est réputée avoir été effectuée par le seul effet de l'article 136.1 de la loi);

c) les immeubles fournis par vente à un particulier ou à une fiducie personnelle, sauf les fournitures d'immeubles sur lesquels se trouve une construction que l'organisme utilisait comme bureau, dans le cadre d'activités commerciales ou pour la réalisation de fournitures exonérées;

d) les immeubles qui, immédiatement avant le moment où la taxe serait payable relativement à la fourniture s'il s'agissait d'une fourniture taxable, étaient utilisés (autrement que pour effectuer la fourniture) principalement dans le cadre des activités commerciales de l'organisme;

e) les logements provisoires fournis par un organisme à but non lucratif, une municipalité, une université, un collège public ou une administration scolaire;

f) les immeubles, sauf les logements provisoires, fournis soit par bail prévoyant la possession ou l'utilisation continues de l'immeuble pour une durée de moins d'un mois, soit par licence, si la fourniture est effectuée dans le cadre de l'exploitation d'une entreprise par l'organisme;

g) les immeubles pour lesquels le choix prévu à l'article 211 de la loi est en vigueur au moment où la taxe deviendrait payable en application de la partie IX de la loi relativement à la fourniture s'il s'agissait d'une fourniture taxable;

h) les aires de stationnement fournies par bail, licence ou accord semblable dans le cadre d'une entreprise exploitée par l'organisme;

i) les immeubles dont la dernière fourniture effectuée au profit de l'organisme a été réputée effectuée en application du paragraphe 183(1) de la loi.

j) les biens municipaux désignés, si l'organisme est une personne désignée comme municipalité pour l'application de l'article 259 de la loi.

Notes historiques: Le préambule de l'article 25 de la partie VI de l'annexe V a été remplacé par L.C. 2004, c. 22, par. 44(1) et cette modification s'applique aux fournitures dont la contrepartie, même partielle, devient due après le 9 mars 2004 ou est payée après cette date sans être devenue due. Cette modification ne s'applique pas aux fournitures effectuées conformément à une convention écrite conclue avant le 10 mars 2004. Antérieurement, il se lisait ainsi :

25. La fourniture d'immeubles par un organisme de services publics (sauf une institution financière ou un gouvernement), à l'exclusion des fournitures suivantes :

L'alinéa b) de l'article 25 de la partie VI de l'annexe V a été remplacé par L.C. 2001, c. 15, par. 28(1). Cette modification s'applique aux fournitures qui sont réputées avoir été effectuées par l'effet de l'article 136.1 pour des périodes de location commençant le 1er avril 1997 ou postérieurement. Antérieurement, il se lisait ainsi :

b) les immeubles qui sont réputés fournis aux termes de la partie IX de la loi;

L'alinéa 25c) de la Partie VI de l'annexe V a été modifié par L.C. 1997, c. 10, par 116(1) et cette modification s'applique aux fournitures effectuées après le 23 avril 1996. Il se lisait auparavant comme suit :

c) les immeubles fournis par vente à un particulier ou à une fiducie dont l'ensemble des bénéficiaires, sauf les bénéficiaires subsidiaires, sont des particuliers et, le cas échéant, dont l'ensemble des bénéficiaires subsidiaires sont des particuliers ou des organismes de bienfaisance, sauf les fournitures d'immeubles sur lesquels se trouve une construction que l'organisme utilisait comme bureau ou dans le cadre d'activités commerciales ou pour la réalisation de fournitures exonérées;

Auparavant, cet alinéa c) a été modifié par L.C. 1993, c. 27, par. 175(1) et s'applique aux fournitures d'immeubles, sauf celles dans le cadre desquelles la possession ou la propriété de l'immeuble est transférée à l'acquéreur avant le 28 mars 1991 ou celles qui sont effectuées en conformité avec une convention écrite conclue avant cette date.

Il se lisait comme suit :

c) les immeubles fournis par vente à un particulier, sauf les fournitures d'immeubles sur lesquels se trouve une construction que l'organisme utilisait comme bureau ou dans le cadre d'activités commerciales ou pour la réalisation de fournitures exonérées;

L'alinéa 25f) de la Partie VI de l'annexe V a été modifié par L.C. 1997, c. 10, par. 116(1) et cette modification s'applique aux fournitures effectuées en application d'une convention conclue après le 14 septembre 1992. Toutefois, il ne s'applique pas au calcul d'un montant demandé (sauf un montant réputé demandé par l'effet de l'alinéa 296(5)a) de la même loi par suite d'une cotisation établie après le 23 avril 1996) :

a) soit dans une demande présentée aux termes de la section VI de la partie IX de la même loi, et reçue par le ministre du Revenu national avant le 23 avril 1996;

b) soit comme déduction, au titre d'un redressement, d'un remboursement ou d'un crédit prévu au paragraphe 232(1) de la même loi, dans une déclaration présentée aux termes de la section V de cette partie, et reçue par le ministre avant le 23 avril 1996.

Il se lisait auparavant comme suit :

f) les immeubles, sauf les logements provisoires, fournis soit par bail pour une période de moins d'un mois, soit par licence, si la fourniture est effectuée dans le cadre de l'exploitation d'une entreprise par l'organisme;

Auparavant, il a été modifié par L.C. 1993, c. 27, par. 175(2) et s'applique aux fournitures visées par une convention conclue après le 14 septembre 1992.

Il se lisait comme suit :

f) les immeubles (sauf les logements provisoires) fournis par bail, licence ou accord semblable pour une période de moins d'un mois, si la fourniture est effectuée dans le cadre d'une entreprise que l'organisme exploite;

L'alinéa 25h) de la Partie VI de l'annexe V a été modifié par L.C. 1994, c. 9, al. 35c) afin de remplacer l'expression « espace de stationnement » par l'expression « aire de stationnement » avec les adaptations nécessaires.

L'alinéa 25i) de la Partie VI de l'annexe V a été ajouté par L.C. 1997, c. 10, par. 116(1) et cette modification s'applique aux fournitures suivantes :

a) celles effectuées en application d'une convention conclue par un organisme de services publics après le 23 avril 1996;

b) celles effectuées en application d'une convention conclue par un organisme de services publics avant le 24 avril 1996, sauf si l'un des faits suivants se vérifie :

(i) l'organisme n'a pas demandé ou perçu, avant le 24 avril 1996, un montant au titre de la taxe prévue à la partie IX relativement à la fourniture,

(ii) l'organisme a demandé ou perçu un montant au titre de la taxe prévue à la partie IX relativement à la fourniture et, avant le 23 avril 1996, le ministre du Revenu national a reçu une demande (sauf une demande réputée produite par l'effet de l'alinéa 296(5)a) par suite d'une cotisation établie après le 23 avril 1996) visant le remboursement prévu au paragraphe 261(1) relativement à ce montant ou une déclaration aux termes de la section V de cette partie dans laquelle l'organisme a demandé une déduction au titre d'un redressement, d'un remboursement ou d'un crédit dont le montant a fait l'objet en vertu du paragraphe 232(1) (sauf une déduction réputée demandée par l'effet de l'alinéa 296(5)a) par suite d'une cotisation établie après le 23 avril 1996).

L'alinéa 25j) de la partie VI de l'annexe V a été ajouté par L.C. 2004, c. 22, par. 45(1) et s'applique aux fournitures dont la contrepartie, même partielle, devient due après le 9 mars 2004 ou est payée après cette date sans être devenue due. Il ne s'applique pas aux fournitures effectuées conformément à une convention écrite conclue avant le 10 mars 2004.

L'article 25 de la Partie VI de l'annexe V a été ajouté par L.C. 1990, c. 45, art. 18.

Concordance québécoise: LTVQ, art. 168.

Renvois: 183(1)d) (saisie et reprise de possession); 184(1)d) (fourniture à l'assureur sur règlement de sinistre); 211 (choix visant l'immeuble d'un organisme de services publics); V:Partie I:6 (location d'un immeuble); V:Partie V.I:1 (fourniture par un organisme de bienfaisance); V:Partie VI:2 (fourniture par une institution publique); V:Partie VI:14 (aliments, boissons ou logement provisoire dans le cadre d'une activité autre que la levée de fonds).

Jurisprudence: *Cosmopolitan Music Society c. La Reine*, [1995] G.S.T.C. 19 (CCI); *The Metropolitan Toronto Hockey League c. La Reine*, [1994] G.S.T.C. 55 (CCI); [1995] G.S.T.C. 31 (CAF); *Camp Kahquah Corp. Ltd. c. Canada*, [1998] G.S.T.C. 100 (CCI); *Découvreurs (Commission scolaire) c. R.*, [2004] G.S.T.C. 49 (TCC); *Commission scolaire du Fer c. R.*, [2004] G.S.T.C. 143 (CCI); *Lévis (Ville) c. R.*, [2006] G.S.T.C. 151 (CCI); *Crabtree (Municipalité) c. R.*, 2006 G.T.C. 111 (CCI).

Bulletins de l'information technique: B-075R, 23/04/96, *Modifications proposées à la TPS*; B-093R, 11/08, *Application de la TPS/TVH aux droits d'inhumation et aux accords de prévoyance pour biens ou services de cimetière.*

Énoncés de politique: P-062, 25/05/93, *Distinction entre bail, licence et accord semblable*; P-111R, 25/05/93, *Définition d'une vente à l'égard d'un immeuble.*

Série de mémorandums: TPS/TVH 19.4.2, 20/01/02, *Immeubles commerciaux — Fournitures réputées.*

Lettres d'interprétation (Québec): 98-0101471 — Interprétation relative à la TPS/Interprétation relative à la TVQ Vente ou location de lots intramunicipaux; 98-0102933 — Décision portant sur l'application de la TPS — Interprétation relative à la TVQ — Amarrage à un ponton et choix de l'article 211; 98-0109078 — Interprétation relative à la TPS et à la TVQ — Contrepartie symbolique; 99-0106064 — Interprétation relative à la TPS et à la TVQ — Fournitures effectuées par un CHSLD; 99-0109423 — Décision portant sur l'application de la TPS — Interprétation relative à la TVQ — Locations d'immeubles, CTI/RTI; 99-0111064 — Convention entre [une ville] et un inscrit en TPS/TVQ; 99-0113276 — Interprétation relative à la TPS et à la TVQ — Fourniture de terrains viabilisés par une municipalité; 00-0101717 — Interprétation relative à la TPS et à la TVQ — Fourniture par une université de chambres dans une résidence d'étudiants à des personnes autres que des étudiants; 01-0105567 — Interprétation relative à la TPS et à la TVQ — Vente d'un terrain viabilisé par une municipalité à un particulier; 02-0102588 — Interprétation relative à la TPS et à la TVQ — Vente d'un terrain par un municipalité à un particulier; 02-0107694 — Interprétation relative à la TPS et à la TVQ Vente de terrains viabilisés par une municipalité; 02-0107777 — Interprétation relative à la TPS et à la TVQ — Règles générales, résidences pour personnes âgées.

Info TPS/TVQ: GI-008 — *Administrations portuaires.*

26. [Fourniture entre un organisme sans but lucratif et un syndicat] — Une fourniture, effectuée par un organisme sans but lucratif constitué principalement au profit d'une organisation syndicale, au profit d'un des organismes suivants ou une fourniture effectuée par un de ceux-ci au profit d'un tel organisme sans but lucratif :

a) un syndicat, une association ou un organisme, visé aux alinéas 189a) à c) de la loi, qui est membre de l'organisme sans but lucratif ou y est affilié;

b) un autre organisme sans but lucratif constitué principalement au profit d'une organisation syndicale.

Notes historiques: L'article 26 de la Partie VI de l'annexe V a été ajouté par L.C. 1990, c. 45, art. 18.

Concordance québécoise: LTVQ, art. 169.

Renvois: 123(1)« acquéreur » (circonstances dans lesquelles une personne est un acquéreur); 189 (cotisations relatives à l'emploi).

Énoncés de politique: P-204, 19/01/96, *Date d'entrée en vigueur des désignations comme municipalité et des octrois du statut de municipalité par le ministre.*

Bulletins de l'information technique: B-075R, 23/04/96, *Modifications proposées à la TPS.*

Mémorandums: TPS 300-4-6, 31/05/91, *Organismes du secteur public*, par. 38.

27. [Fourniture d'un coquelicot ou d'une couronne] — La fourniture d'un coquelicot ou d'une couronne, effectuée :

a) soit par le ministre des Anciens combattants dans le cadre de l'exploitation d'un atelier protégé;

b) soit par la direction nationale, une direction provinciale ou une filiale de la Légion royale canadienne.

Notes historiques: L'article 27 de la Partie VI de l'annexe V a été ajouté par L.C. 1993, c. 27, par. 176(1) et est réputé entré en vigueur le 17 décembre 1990.

Concordance québécoise: LTVQ, art. 169.1.

Renvois: V:Partie VI:6, 10 (biens ou services à titre gratuit).

28. [Fournitures entre différentes entités] — Les fournitures entre les entités suivantes :

a) un organisme municipal et ses organisations paramunicipales;

b) une organisation paramunicipale d'un organisme municipal et d'autres semblables organisations de l'organisme;

c) une municipalité régionale et ses municipalités locales ou les organisations paramunicipales de celles-ci;

d) une organisation paramunicipale d'une municipalité régionale et les municipalités locales de celle-ci ou les organisations paramunicipales des municipalités locales;

e) une municipalité régionale ou ses organisations paramunicipales et d'autres organisations (sauf un gouvernement) dont les activités désignées comprennent la livraison d'eau ou la prestation des services municipaux dans une région qui fait partie du territoire de la municipalité régionale.

Ne sont pas exonérées :

f) les fournitures d'électricité, de gaz, de vapeur ou de services de télécommunication effectuées par un organisme municipal ou une organisation paramunicipale, ou sa succursale ou division, qui agit à titre d'entreprise de services publics;

g) les fournitures effectuées ou reçues par les entités suivantes en dehors du cadre de leurs activités désignées :

(i) un organisme désigné de régime provincial,

(ii) une organisation paramunicipale désignée en vertu de l'article 259 de la loi ou des articles 22 ou 23,

(iii) une organisation visée à l'alinéa e).

Notes historiques: Le passage de l'article 28 de la partie VI de l'annexe V suivant l'alinéa e) a été modifié par L.C. 1997, c. 10, par. 117(1) et cette modification s'applique aux fournitures dont la contrepartie, même partielle, devient due après le 23 avril 1996 ou est payée après cette date sans qu'elle soit devenue due. Auparavant, ce passage lisait comme suit :

> Ne sont pas exonérées les fournitures effectuées ou reçues par les entités suivantes en dehors du cadre de leurs activités désignées :
>
> f) un organisme désigné de régime provincial;
>
> g) une organisation paramunicipale désignée en vertu de l'article 259 de la loi ou des articles 22 ou 23;
>
> h) une autre organisation visée à l'alinéa e).

L'article 28 de la Partie VI de l'annexe V a été ajouté par L.C. 1993, c. 27, par. 176(1) et est réputé entré en vigueur le 17 décembre 1990.

Concordance québécoise: LTVQ, art. 169.2.

Renvois: 123(1)« acquéreur » (circonstances dans lesquelles une personne est un acquéreur).

Jurisprudence: *Gatineau (Ville de) c. R.*, [2005] G.S.T.C. 111 (CCI); *Gatineau (Ville) v. R.* (4 mars 2009), 2009 CarswellNat 1778 (CCI [procédure générale]).

Bulletins de l'information technique: B-075R, 23/04/96, *Modifications proposées à la TPS.*

Formulaires: RC4049, *Renseignements sur la TPS/TVH pour les municipalités.*

Lettres d'interprétation (Québec): 01-010193 — Décision portant sur l'application de la TPS — Interprétation relative à la TVQ — Construction de routes; 01-0107241 — Interprétation relative à la TPS et à la TVQ.

Partie VII — Services financiers

1. [Services financiers] — La fourniture de services financiers qui ne figurent pas à la partie IX de l'annexe VI.

Notes historiques: L'article 1 de la Partie VII de l'annexe V a été ajouté par L.C. 1990, c. 45, art. 18.

Concordance québécoise: aucune.

Définitions: « fourniture », « service financier » — 123(1).

Jurisprudence: *Assurance-Vie Banque Nationale, cie d'assurance-vie c. R.*, [2006] G.S.T.C. 176 (CCI); *Assurance-Vie Banque Nationale, cie d'assurance-vie c. R.*, 2006 G.T.C. 1191 (CAF); *General Motors of Canada Ltd. v. R.* (22 février 2008), [2008] G.S.T.C. 41 (CCI [procédure générale]).

Lettres d'interprétation (Québec): 98-0110084 — Interprétation relative à la TPS et à la TVQ — Rachat anticipé d'unités de participation dans un fonds mutuel; 99-0100166 — Interprétation relative à la TPS — Interprétation relative à la TVQ — Cautionnement (frais d'analyse de dossier); 99-0101339 — Interprétation relative à la TPS et à la TVQ — Institution financière aux fins de la taxe compensatoire; 99-0109134 — Interprétation relative à la TPS — Interprétation relative à la TVQ — Vente sous contrôle de justice — certificats d'actions; 06-0102159 — Interprétation relative à la TPS et à la TVQ Pénalités et frais d'administration et d'ouverture de dossier.

2. [Service financier réputé] — La fourniture réputée par le paragraphe 150(1) de la loi être une fourniture de service financier.

Notes historiques: L'article 2 de la Partie VII de l'annexe V a été ajouté par L.C. 1990, c. 45, art. 18.

Concordance québécoise: aucune.

Définitions: « fourniture », « service financier » — 123(1).

Partie VIII — Traversiers, routes et ponts à péage

Modification proposée — Ann. V, partie VIII, intertitre Organismes internationaux

Application: L'intertitre de la partie VIII de l'annexe VI sera remplacé par le par. 13(1) de l'*Avis de motion de voies et moyens accompagnant le budget fédéral* du 21 mars 2013 et cette modification entrera en vigueur ou sera réputée être entrée en vigueur le 1er juillet 2013.

1. [Service de navette par bateau de passagers ou de biens] — La fourniture, sauf une fourniture détaxée, d'un service de navette par bateau, dont l'objet principal consiste à transporter des véhicules à moteur et des passagers entre les parties d'un réseau routier qui sont séparées par une étendue d'eau.

Abrogation proposée — Ann. V, partie VIII, 1

Application: L'article 1 de la partie VIII de l'annexe VI sera abrogé par le par. 14(1) de l'*Avis de motion de voies et moyens accompagnant le budget fédéral* du 21 mars 2013 et cette abrogation s'appliquera aux fournitures effectuées après juin 2013.

Notes historiques: L'article 1 de la Partie VIII de l'annexe V a été modifié par L.C. 1993, c. 27, par. 177(1) et est réputé entré en vigueur le 17 décembre 1990. Il se lisait comme suit :

> 1. La fourniture d'un service de navette par bateau de passagers ou de biens, dont l'objet principal consiste à transporter des véhicules à moteur et des passagers entre les parties d'un réseau routier qui sont séparées par une étendue d'eau.

Cet article a été édicté par L.C. 1990, c. 45, art. 18.

Concordance québécoise: LTVQ, art. 170.

Définitions: « fourniture », « fourniture détaxée », « service » — 123(1).

Renvois: VI:Partie VII:14 (service de navette par bateau international).

Série de mémorandums: Mémorandum 17.14, 07/11, *Choix visant les fournitures exonérées*; Mémorandum 28.1, 06/09, *Traversiers et routes et ponts à péage*; Mémorandum 28.3, 12/98, *Services de transport de passagers*.

2. [Droit d'utiliser une route ou un pont à péage] — La fourniture du droit d'utiliser une route ou un pont à péage.

Notes historiques: L'article 2 de la Partie VIII de l'annexe V a été ajouté par L.C. 1990, c. 45, art. 18.

Concordance québécoise: LTVQ, art. 171.

Définitions: « fourniture » — 123(1).

Jurisprudence: *Parkland Crane Service Ltd. c. La Reine*, 1994 G.S.T.C. 58 (CCI).

Série de mémorandums: Mémorandum 28.1, 06/09, *Traversiers et routes et ponts à péage*; Mémorandum 28.3, 12/98, *Services de transport de passagers*.

ANNEXE VI — FOURNITURES DÉTAXÉES

(paragraphe 123(1))

Partie I — Médicaments sur ordonnance et substances biologiques

Notes historiques [Ann. VI:Partie I]: Le titre de la Partie I de l'annexe VI a été modifié par L.C. 1993, c. 27, par. 178(1) pour ajouter les mots « et substances biologiques » et est réputé entré en vigueur le 1er avril 1991.

1. [Définitions] — Les définitions qui suivent s'appliquent à la présente partie.

« médecin » Personne autorisée par la législation provinciale à exercer la profession de médecin ou de dentiste.

Notes historiques: La définition de « médecin » à l'article 1 de la Partie I de l'annexe VI a été ajoutée par L.C. 1997, c. 10, art. 118(3) et est réputée entrée en vigueur le 23 avril 1996.

Concordance québécoise: LTVQ, art. 173« médecin ».

« ordonnance » Ordre écrit ou verbal, que le médecin ou le particulier autorisé donne au pharmacien, portant qu'une quantité déterminée d'une drogue ou d'un mélange de drogues précisé doit être délivrée au particulier qui y est nommé.

Notes historiques: La définition « ordonnance » à l'article 1 de la partie I de l'annexe VI a été remplacée par L.C. 2008, c. 28, par. 85(1) et cette modification s'applique aux fournitures effectuées :

> a) après le 26 février 2008;
>
> b) avant le 27 février 2008, à condition qu'aucun montant n'ait été exigé, perçu ou versé avant cette date au titre de la taxe prévue par la partie IX relativement à la fourniture.

Antérieurement, elle se lisait ainsi :

> « ordonnance » Ordre écrit ou verbal, que le médecin donne au pharmacien, portant qu'une quantité déterminée d'une drogue ou d'un mélange de drogues précisé doit être délivrée à la personne qui y est nommée.

La définition de « ordonnance » à l'article 1 de la Partie I de l'annexe VI a été modifiée par L.C. 1997, c. 10, par. 118(2) et cette modification est réputée entrée en vigueur le 23 avril 1996. Cette définition, ajoutée par L.C. 1990, c. 45, art. 18, se lisait comme suit :

> « ordonnance » Ordre écrit ou verbal, que le praticien donne au pharmacien, portant qu'une quantité déterminée de la drogue ou du mélange de drogues précisé doit être délivrée à la personne qui y est nommée.

avril 2008, Notes explicatives: La partie I de l'annexe VI dresse la liste des médicaments sur ordonnance et substances biologiques qui sont détaxés sous le régime de la TPS/TVH. L'article 1 de cette partie définit certains termes pour l'application des dispositions figurant dans cette partie.

Les modifications touchant l'article 1, dont il est question ci-dessous, s'appliquent aux fournitures effectuées après le 26 février 2008 ainsi qu'aux fournitures effectuées avant le 27 février 2008 si la TPS/TVH n'a pas été exigée, perçue ni versée relativement aux fournitures.

La modification apportée à la définition de « ordonnance », à l'article 1 de la partie I de l'annexe VI de la loi, consiste à ajouter un renvoi à la définition de « particulier autorisé », qui figure également à cet article. Cette modification fait suite au changement apporté à l'alinéa 3b) de la partie I de l'annexe VI.

Concordance québécoise: LTVQ, art. 173« prescription ».

Série de mémorandums: Mémorandum 4.1, 06/00, *Médicaments et substances biologiques.*

« particulier autorisé » Particulier, à l'exception d'un médecin, qui est autorisé par la législation provinciale à donner un ordre portant qu'une quantité déterminée d'une drogue ou d'un mélange de drogues précisé doit être délivrée au particulier qui est nommé dans l'ordre.

Notes historiques: La définition « particulier autorisé » à l'article 1 de la partie I de l'annexe VI a été ajoutée par L.C. 2008, c. 28, par. 85(2) et s'applique aux fournitures effectuées :

> a) après le 26 février 2008;
>
> b) avant le 27 février 2008, à condition qu'aucun montant n'ait été exigé, perçu ou versé avant cette date au titre de la taxe prévue par la partie IX relativement à la fourniture.

avril 2008, Notes explicatives: L'article 1 est modifié par l'ajout de la définition de « particulier autorisé ». Il s'agit d'un particulier, sauf un médecin, qui est autorisé par les lois d'une province à prescrire des drogues. Cette modification fait suite au changement apporté à l'alinéa 3b) de la partie I de l'annexe VI.

Concordance québécoise: aucune.

« pharmacien » Personne habilitée par la législation provinciale à exercer la profession de pharmacien.

Notes historiques: La définition de « pharmacien » à l'article 1 de la Partie I de l'annexe VI a été ajoutée par L.C. 1990, c. 45, art. 18.

Concordance québécoise: LTVQ, art. 173« pharmacien ».

Série de mémorandums: Mémorandum 4.1, 06/00, *Médicaments et substances biologiques.*

« praticien » [*Abrogée*]

Notes historiques: La définition de « praticien » à l'article 1 de la Partie I de l'annexe VI a été abrogé par L.C. 1997, c. 10, par 118(1) et cette abrogation est réputée en vigueur le 23 avril 1996.

Cette définition a été ajoutée par L.C. 1990, c. 45, art. 18. Elle se lisait comme suit :

> « praticien » Personne habilitée par la législation provinciale à exercer la profession de médecin ou de dentiste.

2. [Drogues] — La fourniture des drogues ou substances suivantes :

a) les drogues incluses aux annexes C ou D de la *Loi sur les aliments et drogues*;

b) les drogues incluses à l'annexe F du *Règlement sur les aliments et drogues*, à l'exception des drogues et des mélanges de drogues qui peuvent être vendus au consommateur sans ordonnance ni ordre écrit signé par le Directeur, au sens de ce règlement, conformément à la *Loi sur les aliments et drogues* ou à ce règlement;

Non en vigueur — Ann. VI, partie I, al. 2b)

b) les drogues figurant, individuellement ou par catégories, sur la liste établie en vertu du paragraphe 29.1(1) de la *Loi sur les aliments et drogues*, à l'exception des drogues et des mélanges de drogues qui peuvent être vendus au consommateur sans ordonnance conformément à cette loi ou au Règlement sur les aliments et drogues;

Application: L'alinéa 2b) de la partie I de l'annexe VI a été remplacé par L.C. 2012, c. 19, art. 418 et cette modification entrera en vigueur à la date fixée par décret.

c) les drogues et autres substances figurant à l'annexe de la partie G du *Règlement sur les aliments et drogues*;

d) les drogues contenant un stupéfiant figurant à l'annexe du *Règlement sur les stupéfiants*, à l'exception des drogues et des mélanges de drogues qui peuvent être vendus au consommateur sans ordonnance ni exemption accordée par le ministre de la Santé relativement à la vente, conformément à la *Loi réglementant certaines drogues et autres substances* ou à ses règlements d'application;

d.1) les drogues comprises à l'annexe 1 du *Règlement sur les benzodiazépines et autres substances ciblées*;

e) les drogues suivantes :

(i) digoxine,

(ii) digitoxine,

(iii) prénylamine,

(iv) deslanoside,

(v) tétranitrade d'érythrol,

(vi) dinitrade d'isosorbide,

(vi.1) 5-mononitrate d'isosorbide,

(vii) trinitrate de glycéryle,

(viii) quinidine et ses sels,

(ix) oxygène à usage médical,

(x) épinéphrine et ses sels;

avril 2012, Notes explicatives: L'alinéa 2e) de la partie I de l'annexe VI dresse la liste des drogues en vente libre servant à traiter des maladies graves qui sont détaxées à tous les niveaux de production et de distribution.

Le nouveau sous-alinéa 2e)(vi.1) a pour effet d'ajouter la drogue « 5-mononitrate d'isosorbide » à cette liste.

Cette modification s'applique aux fournitures effectuées après le 29 mars 2012 ainsi qu'aux fournitures effectuées avant le 30 mars 2012 si aucun montant n'a été exigé, perçu ou versé avant cette date au titre de la taxe prévue par la partie IX de la Loi relativement à la fourniture.

f) les drogues dont la fourniture est autorisée par le *Règlement sur les aliments et drogues* pour utilisation dans un traitement d'urgence;

g) les expanseurs du volume plasmatique.

N'est toutefois pas détaxée la fourniture de drogues ou de substances réservées à un usage agricole ou vétérinaire et étiquetées ou fournies à cette fin.

Notes historiques: Le préambule de l'article 2 de la partie I de l'annexe VI a été remplacé par L.C. 2007, c. 18, par. 57(1) et cette modification s'applique aux fournitures effectuées après le 12 avril 2001 ainsi qu'aux fournitures dont la contrepartie, même partielle, devient due après cette date ou est payée après cette date sans être devenue due. Antérieurement, il se lisait ainsi :

2. La fourniture des drogues suivantes :

Les alinéas 2a) et b) de la Partie I de l'annexe VI ont été modifiés par L.C. 1993, c. 27, par. 179(1) et s'appliquent aux drogues importées après mars 1991 ainsi qu'aux fournitures effectuées au Canada dont la contrepartie devient due ou est payée après mars 1991 et dont nulle partie de la contrepartie n'est devenue due ou n'a été payée avant avril 1991. Ils se lisaient auparavant comme suit :

a) les drogues visées à l'annexe D de la *Loi sur les aliments et drogues*;

b) les drogues visées à l'annexe F du *Règlement sur les aliments et drogues*, à l'exception des drogues et des mélanges de drogues qui peuvent être vendus au consommateur sans ordonnance conformément à la *Loi sur les aliments et drogues* ou à ce règlement;

Le paragraphe 2b) de la partie I de l'annexe VI a été remplacé par L.C. 2008, c. 28, par. 86(1) et cette modification s'applique aux fournitures effectuées après le 26 février 2008. Antérieurement, il se lisait ainsi :

b) les drogues incluses à l'annexe F du *Règlement sur les aliments et drogues*, à l'exception des drogues et des mélanges de drogues qui peuvent être vendus au consommateur sans ordonnance conformément à la *Loi sur les aliments et drogues* ou à ce règlement;

Les alinéas 2c) et d) de la partie I de l'annexe VI ont été remplacés par L.C. 2000, c. 30, par. 123(1) et cette modification est réputée entrée en vigueur le 14 mai 1997. Antérieurement, il se lisait comme suit :

c) les drogues ou autres substances figurant à l'annexe G de la *Loi sur les aliments et drogues*;

d) les drogues contenant un stupéfiant figurant à l'annexe de la *Loi sur les stupéfiants*, à l'exception d'une drogue et d'un mélange de drogues qui peuvent être vendus au consommateur sans ordonnance conformément à cette loi ou à son règlement d'application;

Le paragraphe 2d) de la partie I de l'annexe VI a été remplacé par L.C. 2008, c. 28, par. 86(2) et cette modification s'applique aux fournitures effectuées après le 26 février 2008. Antérieurement, il se lisait ainsi :

d) les drogues contenant un stupéfiant figurant à l'annexe du *Règlement sur les stupéfiants*, à l'exception d'une drogue et d'un mélange de drogues qui peuvent être vendus au consommateur sans ordonnance conformément à la *Loi réglementant certaines drogues et autres substances* ou à ses règlements d'application;

L'alinéa 2d.1) de la partie I de l'annexe VI a été ajouté par L.C. 2007, c. 18, par. 57(2) et est réputé être entré en vigueur le 1er septembre 2000. Toutefois, il ne s'applique pas :

a) aux fournitures effectuées après août 2000 et au plus tard le 27 novembre 2006 si le fournisseur a perçu, au plus tard à cette date, un montant au titre de la taxe prévue à la partie IX relativement à la fourniture;

b) dans le cadre de l'article 6 de l'annexe VII, aux drogues importées après août 2000 et au plus tard le 27 novembre 2006 si un montant a été payé, au plus tard à cette date, au titre de la taxe prévue à la partie IX relativement à l'importation;

c) dans le cadre de l'article 15 de la partie I de l'annexe X, aux drogues transférées dans une province participante après août 2000 et au plus tard le 27 novembre 2006 si un montant a été payé, au plus tard à cette date, au titre de la taxe prévue à la partie IX relativement au transfert.

Le sous-alinéa 2e)(vi.1) de la partie I de l'annexe VI a été ajouté par L.C. 2012, c. 19, par. 31(1) et s'applique aux fournitures effectuées :

a) après le 29 mars 2012;

b) avant le 30 mars 2012, à condition qu'aucun montant n'ait été exigé, perçu ou versé avant cette date au titre de la taxe prévue par la partie IX de la même loi relativement à la fourniture.

L'alinéa 2f) de la Partie I de l'annexe VI a été ajouté par L.C. 1993, c. 27, par. 179(2) et s'applique aux drogues importées après septembre 1992 et aux fournitures au Canada de drogues livrées à l'acquéreur après septembre 1992.

L'alinéa 2g) de la partie I de l'annexe VI a été ajouté par L.C. 2007, c. 18, par. 57(3) et s'applique aux fournitures effectuées après le 12 avril 2001 ainsi qu'aux fournitures dont la contrepartie, même partielle, devient due après cette date ou est payée après cette date sans être devenue due.

Le passage *in fine* de l'article 2 de la partie I de l'annexe VI a été remplacé par L.C. 2007, c. 18, par. 57(3) et cette modification s'applique aux fournitures effectuées après le 12 avril 2001 ainsi qu'aux fournitures dont la contrepartie, même partielle, devient due après cette date ou est payée après cette date sans être devenue due. Antérieurement, il se lisait ainsi :

N'est toutefois pas détaxée la fourniture de drogues réservées à un usage agricole ou vétérinaire et étiquetées ou fournies à cette fin.

L'article 2 de la Partie I de l'annexe VI a été ajouté par 1990, c. 45, art. 18.

avril 2008, Notes explicatives: L'article 2 de la partie I de l'annexe VI dresse la liste des drogues et substances qui sont détaxées inconditionnellement à tous les niveaux de production et de distribution.

L'alinéa 2b) de la partie I de l'annexe VI prévoit que la fourniture des drogues incluses à l'annexe F du *Règlement sur les aliments et drogues*, à l'exception des drogues qui peuvent être vendues au consommateur sans ordonnance conformément à la Loi sur les aliments et drogues ou à ce règlement, est détaxée sous le régime de la TPS/TVH.

Cet alinéa est modifié afin de préciser que les seules drogues incluses à l'annexe F qui ne sont pas détaxées par l'effet de cet alinéa sont celles qui peuvent être vendues au consommateur sans ordonnance ou sans ordre écrit signé par le Directeur, au sens du *Règlement sur les aliments et drogues*, autorisant la vente.

L'alinéa 2d) de la partie I de l'annexe VI prévoit que la fourniture de drogues figurant à l'annexe du *Règlement sur les stupéfiants*, à l'exception des drogues qui peuvent être vendues au consommateur sans ordonnance conformément à la *Loi réglementant certaines drogues et autres substances ou à ce règlement*, sont détaxées sous le régime de la TPS/TVH.

Cet alinéa est modifié afin de préciser que les seules drogues figurant à l'annexe du *Règlement sur les stupéfiants* qui ne sont pas détaxées par l'effet de cet alinéa sont celles qui peuvent être vendues au consommateur sans ordonnance ou sans exemption accordée par le ministre de la Santé autorisant la vente.

Les modifications apportées aux alinéas 2b) et d) s'appliquent aux fournitures effectuées après le 26 février 2008.

27 novembre 2006, Notes explicatives: L'article 2 de la partie I de l'annexe VI contient la liste des drogues et substances dont la fourniture est inconditionnellement détaxée à toutes les étapes de la production et de la distribution. L'une des modifications apportées à cet article consiste à ajouter à la liste des médicaments sur ordonnance et substances biologiques détaxés le succédané de sang appelé « expanseur du volume plasmatique ». Ce produit est acheté par les sociétés du sang et est distribué aux hôpitaux et autres fournisseurs de soins de santé. Il sert à maintenir le volume sanguin des patients pendant les interventions chirurgicales ou les soins traumatologiques.

L'article 2 est également modifié par l'ajout de l'alinéa d.1), qui a pour effet de détaxer les drogues figurant à l'annexe 1 du *Règlement sur les benzodiazépines et autres substances ciblées*. Auparavant, ces drogues étaient détaxées par l'effet de l'alinéa b) puisqu'elles figuraient à l'annexe F du *Règlement sur les aliments et drogues*.

Cette modification est rendue nécessaire du fait que les mesures de réglementation fédérale visant les benzodiazépines, qui étaient prévues par le *Règlement sur les aliments et drogues*, sont prévues, depuis le 1er septembre 2000, par le *Règlement sur les benzodiazépines et autres substances ciblées* pris en vertu de la *Loi réglementant certaines drogues et autres substances*.

La modification concernant les expanseurs du volume plasmatique s'applique aux fournitures effectuées après le 12 avril 2001 ainsi qu'aux fournitures dont la contrepartie, même partielle, devient due après cette date ou est payée après cette date sans être devenue due.

La modification concernant les benzodiazépines est réputée être entrée en vigueur le 1er septembre 2000. Toutefois, elle ne s'applique pas aux fournitures, importations ou transferts dans une province participante, effectués après août 2000, mais au plus tard à la date de publication, et pour lesquelles la taxe a été payée ou exigée à cette date ou antérieurement.

Concordance québécoise: LTVQ, art. 174:1º.

Définitions: « consommateur », « fourniture », « règlement », — 123(1).

Jurisprudence: *Molenaar c. R.*, [2003] G.S.T.C. 136 (CCI); *Molenaar c. R.*, [2004] G.S.T.C. 142 (CFA); *Lavie c. R.*, G.T.C. 682 (CCI); *Centre hospitalier Le Gardeur c. R.*, 2007 CCI 425 (CCI).

Série de mémorandums: Mémorandum 4.1, 06/00, *Médicaments et substances biologiques*.

Lettres d'interprétation (Québec): 00-0103119 — Interprétation relative à la TPS et à la TVQ — Réactifs aux fins de diagnostics; 01-0101368 — Interprétation relative à la TPS et à la TVQ — Fourniture de produits servant à l'établissement de diagnostics; 03-0105845 — [Fourniture de vaccins]; 07-0103130 — Demande d'interprétation relative à la TPS et à la TVQ Statut fiscal de la fourniture de solutions anesthésiques.

3. [Drogues destinées à la consommation humaine] — La fourniture de drogues destinées à la consommation humaine et délivrées :

a) par un médecin à un particulier pour la consommation ou l'utilisation personnelles par celui-ci ou par un particulier qui lui est lié;

b) sur ordonnance d'un médecin ou d'un particulier autorisé pour consommation ou utilisation personnelles du particulier qui y est nommé.

Notes historiques: Les alinéas 3a) et b) de la partie I de l'annexe VI ont été modifiés par L.C. 1997, c. 10, par. 119(1) et cette modification s'applique aux fournitures effectués après le 23 avril 1996. Auparavant, ces alinéas se lisaient comme suit :

a) par un praticien à un particulier pour la consommation ou l'utilisation personnelles par celui-ci ou par un particulier qui lui est lié;

b) sur ordonnance d'un praticien pour consommation ou utilisation personnelles de la personne y nommée.

Le paragraphe 3b) de la partie I de l'annexe VI a été remplacé par L.C. 2008, c. 28, par. 87(1) et cette modification s'applique aux fournitures effectuées :

a) après le 26 février 2008;

b) avant le 27 février 2008, à condition qu'aucun montant n'ait été exigé, perçu ou versé avant cette date au titre de la taxe prévue par la partie IX relativement à la fourniture.

Antérieurement, il se lisait ainsi :

b) sur l'ordonnance d'un médecin pour consommation ou utilisation personnelles de la personne qui y est nommée.

L'article 3 de la Partie I de l'annexe VI a été ajouté par L.C. 1990, c. 45, art. 18.

avril 2008, Notes explicatives: Selon l'article 3 de la partie I de l'annexe VI, la fourniture d'une drogue est détaxée sous le régime de la TPS/TVH si la drogue est délivrée à un particulier sur l'ordonnance d'un médecin. Les drogues qui ne sont pas vendues uniquement sur ordonnance en vertu de la législation fédérale sont détaxées selon cet article lorsqu'elles sont fournies sur ordonnance.

La modification apportée à l'alinéa 3b) consiste à ajouter la mention « particulier autorisé » (se reporter aux notes concernant la nouvelle définition de ce terme figurant à l'article 1 de la partie I de l'annexe VI). Par conséquent, seront détaxées par l'effet de cet alinéa toutes les fournitures de drogues délivrées sur l'ordonnance d'un médecin ou d'une personne autorisée, habilitée à prescrire les drogues selon la législation provinciale, qui sont destinées à la consommation ou à l'utilisation du particulier nommé dans l'ordonnance.

Cette modification s'applique aux fournitures effectuées après le 26 février 2008 ainsi qu'aux fournitures effectuées avant le 27 février 2008 si la TPS/TVH n'a pas été exigée, perçue ni versée relativement aux fournitures.

Concordance québécoise: LTVQ, art. 174:2º.

Définitions: « fourniture », « personne » — 123(1).

Jurisprudence: *Gestion Alain St-Pierre Inc. c. R.*, [2001] G.S.T.C. 36 (CCI); *Molenaar c. R.* (2004), 325 N.R. 64 (CFA); *Molenaar c. R.*, [2005] 2 C.T.C. 176 (CFA).

Bulletins de l'information technique: B-075R, 23/04/96, *Modifications proposées à la TPS*.

Série de mémorandums: Mémorandum 4.1, 06/00, *Médicaments et substances biologiques*.

Lettres d'interprétation (Québec): 98-0106090 — Statut fiscal des tisanes thérapeutiques; 99-0101198 — Décision portant sur l'application de la TPS — Interprétation relative à la TVQ — Fourniture de tisanes thérapeutiques; 06-0102175 — Demande d'interprétation relative à la TPS et à la TVQ — statut fiscal de la fourniture d'une magistrale.

4. [Service consistant à délivrer une drogue qui figure à la Partie I] — La fourniture d'un service qui consiste à délivrer une drogue dont la fourniture figure à la présente partie.

Notes historiques: L'article 4 de la Partie I de l'annexe VI a été ajouté par L.C. 1990, c. 45, art. 18.

Concordance québécoise: LTVQ, art. 174:3º.

Définitions: « fourniture », « service » — 123(1).

Série de mémorandums: Mémorandum 4.1, 06/00, *Médicaments et substances biologiques*.

5. [Sperme humain] — La fourniture de sperme humain.

Notes historiques: L'article 5 de la Partie I de l'annexe VI a été ajouté par L.C. 1993, c. 27, par. 180(1) et s'applique au sperme humain importé après avril 1991 ainsi qu'aux fournitures effectuées au Canada dont la fourniture devient due ou est payée après mars 1991 et dont nulle partie de la contrepartie n'est devenue due ou n'a été payée avant avril 1991.

Concordance québécoise: LTVQ, art. 174:4º.

Définitions: « fourniture » » — 123(1).

Série de mémorandums: Mémorandum 4.1, 06/00, *Médicaments et substances biologiques*.

Partie II — Appareils médicaux et appareils fonctionnels

Notes historiques: L'intertitre « Appareils médicaux et appareils fonctionnels » de la partie II de l'annexe VI a été modifié par L.C. 1997, c. 10, art. 120. Auparavant, il se lisait « appareils médicaux ». Cette modification est réputée entrée en vigueur le 20 mars 1997.

1. [Définitions] — Les définitions qui suivent s'appliquent à la présente partie.

« cosmétique » Bien, avec ou sans effets thérapeutiques ou prophylactiques, communément ou commercialement appelé article de toilette, préparation ou cosmétique, destiné à l'usage ou à l'application aux fins de toilette, ou pour le soin de tout ou partie du corps humain, soit pour le nettoyage, la désodorisation, l'embellissement, la conservation ou la restauration. Sont visés par la présente définition les savons de toilette, crèmes et lotions pour la peau, dentifrices, rince-bouche, pâtes dentifrices, poudres dentifrices, crèmes et adhésifs pour prothèses dentaires, antiseptiques, produits de décoloration, dépilatoires, parfums, odeurs et articles de toilette, préparations ou cosmétiques semblables.

Notes historiques: La définition de « cosmétique » à l'article 1 de la Partie II de l'annexe VI a été ajoutée par L.C. 1990, c. 45, art. 18.

Concordance québécoise: LTVQ, art. 176:25°.

« médecin » [*Abrogée*]

Notes historiques: La définition « médecin » de article 1 de la partie II de l'annexe VI a été abrogée par L.C. 2012, c. 19, par. 32(1) et cette abrogation s'applique aux fournitures effectuées après le 29 mars 2012. Antérieurement, elle se lisait ainsi :

> « médecin » Personne autorisée par la législation provinciale à exercer la profession de médecin.

La définition de « médecin » à l'article 1 de la Partie II de l'annexe VI a été ajoutée par L.C. 1997, c. 10, par. 121(2) et cette modification est réputée entrée en vigueur le 20 mars 1997.

« praticien » [*Abrogée*]

Notes historiques: La définition de « praticien » à l'article 1 de la Partie II de l'annexe VI a été abrogée par L.C. 1997, c. 10, par 11(1) et cette abrogation est réputée entrée en vigueur le 23 avril 1996. Elle se lisait comme suit :

> « praticien » Personne habilitée par la législation provinciale à exercer la profession de médecin.

Cette définition a été ajoutée par L.C. 1990, c. 45, art. 18.

« professionnel déterminé »

a) Personne autorisée par les lois d'une province à exercer la profession de médecin, de physiothérapeute ou d'ergothérapeute;

b) infirmier ou infirmière autorisé.

Notes historiques: La définition de « professionnel déterminé » de l'article 1 de la partie II de l'annexe VI a été ajoutée par L.C. 2012, c. 19, par. 32(2) et s'applique aux fournitures effectuées après le 29 mars 2012.

Concordance québécoise: aucune.

avril 2012, Notes explicatives: L'article 1 de la partie II de l'annexe VI définit certains termes pour l'application de cette partie, laquelle dresse la liste des fournitures d'appareils médicaux et d'appareils fonctionnels qui sont détaxées sous le régime de la TPS/TVH.

La modification apportée à cet article consiste à abroger la définition de « médecin » et de la remplacer par la définition de « professionnel déterminé ». Par conséquent, le terme « médecin » est remplacé par « professionnel déterminé » aux articles 3, 4, 5.1, 7, 14.1, 21.1, 21.2, 23, 24.1, 30, 35, 36 et 41 de la partie II.

Le terme « professionnel déterminé » désigne toute personne qui est autorisée par les lois d'une province à exercer la profession de médecin, de physiothérapeute ou d'ergothérapeute ainsi que les infirmiers et infirmières autorisés. Par l'effet de cette modification, la condition selon laquelle la fourniture détaxée d'un appareil médical ou d'un appareil fonctionnel figurant aux articles 3, 4, 5.1, 7, 14.1, 21.1, 21.2, 23, 24.1, 30, 35, 36 et 41 de la partie II de l'annexe VI doit être effectuée en exécution d'un ordre écrit ou, dans le cas de l'article 30, d'un certificat d'un médecin est remplacée par la condition selon laquelle cette fourniture doit être effectuée en exécution d'un ordre écrit ou, dans le cas de l'article 30, d'un certificat d'un professionnel déterminé.

Cette modification s'applique aux fournitures effectuées après le 29 mars 2012.

Lettres d'interprétation (Québec): 07-0100375 — Décision portant sur l'application de la TPS — fourniture d'un service d'accès à la Bourse de Toronto.

1.1 Pour l'application des dispositions de la présente partie, à l'exclusion de l'article 33, la fourniture d'un bien qui n'est pas conçu pour usage humain ou pour aider une personne handicapée ou ayant une déficience est réputée ne pas être incluse dans la présente partie.

Notes historiques: L'article 1.1 de la partie II de l'annexe VI a été ajouté par L.C. 2008, c. 28, par. 88(1) et s'applique aux fournitures effectuées après le 26 février 2008.

avril 2008, Notes explicatives: La partie II de l'annexe VI dresse la liste des fournitures d'appareils médicaux et appareils fonctionnels qui sont détaxées sous le régime de la TPS/TVH. Les pièces et accessoires conçus spécialement pour ces appareils, ainsi que les services liés à l'installation, à l'entretien, à la restauration, à la réparation et à la modification de ces biens, sont également détaxés.

Le nouvel article 1.1 de la partie II de l'annexe VI confirme la politique établie de longue date selon laquelle seules les fournitures d'appareils médicaux et appareils fonctionnels conçus pour usage humain ou pour aider une personne handicapée ou ayant une déficience sont détaxées.

Cet article s'applique aux fournitures effectuées après le 26 février 2008.

Concordance québécoise: LTVQ, art. 175.1.

1.2 Pour l'application de la présente partie, les fournitures de services esthétiques, au sens de l'article 1 de la partie II de l'annexe V, et les fournitures afférentes qui ne sont pas effectuées à des fins médicales ou restauratrices sont réputées ne pas être incluses dans la présente partie.

Notes historiques: L'article 1.2 de la partie II de l'annexe VI a été ajouté par L.C. 2010, c. 12, par. 88(1) et s'applique selon les mêmes modalités d'application que celles de l'ajout proposé sous la définition de « fourniture de services esthétiques » sous l'art. 1 de la partie II de l'annexe V.

avril 2010, Notes explicatives: La partie II de l'annexe VI porte sur les fournitures d'appareils médicaux et d'appareils fonctionnels qui sont détaxées sous le régime de la TPS/TVH.

Le nouvel article 1.2 de cette partie précise que les fournitures de services esthétiques, au sens de l'article 1 de la partie II de l'annexe V, et les fournitures afférentes qui ne sont pas effectuées à des fins médicales ou restauratrices ne donnent pas droit à la détaxation prévue par cette partie. Par exemple, si une fourniture d'une prothèse médicale ou chirurgicale est effectuée à des fins esthétiques et non à des fins médicales ou restauratrices, la prothèse n'est pas détaxée en vertu de l'article 25 de cette partie, même si elle est fournie séparément d'une fourniture de services esthétiques.

Cette modification s'applique aux fournitures effectuées après le 4 mars 2010. Elle s'applique aussi aux fournitures effectuées avant le 5 mars 2010 si le fournisseur a exigé, perçu ou versé un montant de TPS/TVH relatif à la fourniture ou si la totalité de la contrepartie de la fourniture devient due après le 4 mars 2010 ou est payée après cette date sans être devenue due.

Concordance québécoise: aucune.

2. [Appareil de communication] — La fourniture d'un appareil de communication, sauf un appareil visé à l'article 7, qui est spécialement conçu pour être utilisé par les personnes ayant une déficience de la parole ou une déficience visuelle ou auditive.

Notes historiques: L'article 2 de la Partie II de l'annexe VI a été modifié par L.C. 1997, c. 10, par. 122(1) et cette modification s'applique aux fournitures dont la contrepartie, même partielle, devient due après le 23 avril 1996 ou est payée après cette date sans qu'elle soit devenue due. Il se lisait comme suit :

> 2. La fourniture d'un appareil de communication, à utiliser avec un dispositif télégraphique ou téléphonique par les malentendants ou les personnes ayant un problème d'élocution, fourni sur l'ordonnance écrite d'un praticien.

Cet article a été ajouté par L.C. 1990, c. 45, art. 18.

Concordance québécoise: LTVQ, art. 176:1°.

Définitions: « fourniture » — 123(1).

Renvois: VI:Partie II:31 (bien ou service visé par règlement).

Bulletins de l'information technique: B-075R, 23/04/96, *Modifications proposées à la TPS.*

Série de mémorandums: Mémorandum 4.2, 02/95, *Appareils médicaux et appareils fonctionnels.*

Lettres d'interprétation (Québec): 99-0111189 — Interprétation relative à la TPS et à la TVQ [relative à certaines fournitures effectuées par une corporation de gestion en faveur d'audioprothésistes].

3. [Appareil électronique de surveillance cardiaque] — La fourniture d'un appareil électronique de surveillance cardiaque, fourni sur l'ordonnance écrite d'un professionnel déterminé pour l'usage du consommateur ayant des troubles cardiaques qui y est nommé.

Notes historiques: L'article 3 de la partie II de l'annexe VI a été remplacé par L.C. 2012, c. 19, par. 33(1) et cette modification s'applique aux fournitures effectuées après le 29 mars 2012. Antérieurement, il se lisait ainsi :

> 3. La fourniture d'un appareil électronique de surveillance cardiaque, fourni sur l'ordonnance écrite d'un médecin pour l'usage du consommateur ayant des troubles cardiaques qui y est nommé.

L'article 3 de la Partie II de l'annexe VI a été modifié par L.C. 1997, c. 10, par. 122(1) et cette modification s'applique aux fournitures dont la contrepartie, même partielle, devient due après le 23 avril 1996 ou est payée après cette date sans qu'elle soit devenue due. Il se lisait comme suit :

> 3. La fourniture d'un appareil électronique de surveillance cardiaque, fourni au consommateur sur l'ordonnance écrite d'un praticien pour l'usage d'une personne souffrant de troubles cardiaques.

Cet article a été ajouté par L.C. 1990, c. 45, art. 18.

avril 2012, Notes explicatives: Selon l'article 3 de la partie II de l'annexe VI, est détaxée sous le régime de la TPS/TVH la fourniture d'un appareil de surveillance cardiaque, fourni sur l'ordonnance écrite d'un médecin pour l'usage du consommateur ayant des troubles cardiaques qui y est nommé.

La modification apportée à cet article consiste à remplacer « médecin » par « professionnel déterminé », terme au sens plus large défini à l'article 1 de cette partie. Cette modification a pour effet d'élargir les circonstances dans lesquelles un appareil de surveillance cardiaque peut être fourni sous un régime de détaxation.

Cette modification s'applique aux fournitures effectuées après le 29 mars 2012.

Concordance québécoise: LTVQ, art. 176:2°.

Définitions: « consommateur », « fourniture » — 123(1).

Série de mémorandums: Mémorandum 4.2, 02/95, *Appareils médicaux et appareils fonctionnels.*

4. [Lit d'hôpital] — La fourniture d'un lit d'hôpital soit au profit de l'administrateur d'un établissement de santé, au sens de l'article 1 de la partie II de l'annexe V, soit sur l'ordonnance écrite d'un professionnel déterminé pour l'usage de la personne ayant une déficience, qui y est nommée.

Notes historiques: L'article 4 de la partie II de l'annexe VI a été remplacé par L.C. 2012, c. 19, par. 33(1) et cette modification s'applique aux fournitures effectuées après le 29 mars 2012. Antérieurement, il se lisait ainsi :

> 4. La fourniture d'un lit d'hôpital soit au profit de l'administrateur d'un établissement de santé, au sens de l'article 1 de la partie II de l'annexe V, soit sur l'ordonnance écrite d'un médecin pour l'usage de la personne ayant une déficience, qui y est nommée.

L'article 4 de la Partie II de l'annexe VI a été modifié par L.C. 1997, c. 10, par. 122(1) et cette modification s'applique aux fournitures dont la contrepartie, même partielle, devient due après le 23 avril 1996 ou est payée après cette date sans qu'elle soit devenue due. Il se lisait comme suit :

> 4. La fourniture d'un lit d'hôpital au profit d'une administration hospitalière ou sur l'ordonnance écrite d'un praticien pour l'usage de personnes frappées d'invalidité.

L'article 4 de la Partie II de l'annexe VI a été ajouté par L.C. 1990, c. 45, art. 18.

avril 2012, Notes explicatives: Selon l'article 4 de la partie II de l'annexe VI, est détaxée sous le régime de la TPS/TVH la fourniture d'un lit d'hôpital effectuée soit au profit de l'administrateur d'un établissement de santé, au sens de l'article 1 de la partie II de l'annexe V de la Loi, soit sur l'ordonnance écrite d'un médecin pour l'usage de la personne ayant une déficience, qui y est nommée.

La modification apportée à cet article consiste à remplacer « médecin » par « professionnel déterminé », terme au sens plus large défini à l'article 1 de cette partie. Cette modification a pour effet d'élargir les circonstances dans lesquelles un lit d'hôpital peut être fourni sous un régime de détaxation.

Cette modification s'applique aux fournitures effectuées après le 29 mars 2012.

Concordance québécoise: LTVQ, art. 176:3°.

Définitions: « fourniture », « personne » — 123(1).

Bulletins de l'information technique: B-075R, 23/04/96, *Modifications proposées à la TPS.*

Énoncés de politique: P-191, 12/11/95, *Traitement de la fourniture des lits d'hôpitaux aux fins de la TPS.*

Série de mémorandums: Mémorandum 4.2, 02/95, *Appareils médicaux et appareils fonctionnels.*

Lettres d'interprétation (Québec): 98-0111975 — Interprétation TPS/TVQ — Statut fiscal de certains biens acquis par une administration hospitalière; 01-0105583 — Interprétation relative à la TPS et à la TVQ — Fourniture de matelas à réduction de pression; 02-0109732 — Interprétation en TPS et en TVQ [fourniture de lits ajustables]; 03-0104764 — Précision à une interprétation — fourniture de matelas à réduction de pression; 06-0106036 — Demande d'interprétation relative à la TPS et à la TVQ — statut fiscal de la fourniture d'un matelas pour un lit d'hôpital.

5. [Appareil de respiration artificielle] — La fourniture d'un appareil de respiration artificielle conçu spécialement pour les personnes ayant des troubles respiratoires.

Notes historiques: L'article 5 de la Partie II de l'annexe VI a été modifié par L.C. 1997, c. 10, par. 123(1). Il se lisait comme suit :

> 5. La fourniture d'un appareil de respiration artificielle conçu spécialement pour les personnes souffrant de troubles respiratoires.

Cet article a été ajouté par L.C. 1990, c. 45, art. 18.

Concordance québécoise: LTVQ, art. 176:4°.

Définitions: « fourniture » — 123(1).

Renvois: VI:Partie II:5.1 (aérochambre ou inhalateur doseur).

Série de mémorandums: Mémorandum 4.2, 02/95, *Appareils médicaux et appareils fonctionnels.*

5.1 [Aérochambre ou inhalateur doseur] — La fourniture d'une aérochambre ou d'un inhalateur doseur utilisés pour le traitement de l'asthme, effectuée sur l'ordonnance écrite d'un professionnel déterminé pour l'usage du consommateur qui y est nommé.

Notes historiques: L'article 5.1 de la partie II de l'annexe VI a été remplacé par L.C. 2012, c. 19, par. 34(1) et cette modification s'applique aux fournitures effectuées après le 29 mars 2012. Antérieurement, il se lisait ainsi :

> 5.1 La fourniture d'une aérochambre ou d'un inhalateur doseur utilisés pour le traitement de l'asthme, effectuée sur l'ordonnance écrite d'un médecin pour l'usage du consommateur qui y est nommé.

L'article 5.1 de la Partie II de l'annexe VI a été modifié par L.C. 1997, c. 10, par. 124(1) et cette modification s'applique aux fournitures effectuées après le 23 avril 1996.

Il se lisait comme suit :

> 5.1 La fourniture d'une aérochambre ou d'un inhalateur doseur utilisés pour le traitement de l'asthme, effectuée au profit d'un consommateur sur ordonnance écrite d'un praticien.

Cet article a été ajouté par L.C. 1993, c. 27, par. 181(1) et s'applique aux biens importés après le 5 novembre 1991 ainsi qu'aux fournitures effectuées au Canada dont la contrepartie devient due ou est payée après 1990, sauf celles dans le cadre desquelles, selon le cas :

> a) nulle partie de la contrepartie ne devient due, ou n'est payée sans qu'elle soit devenue due, après le 5 novembre 1991;
>
> b) la propriété ou la possession du bien est transférée à l'acquéreur avant octobre 1991.

avril 2012, Notes explicatives: Selon l'article 5.1 de la partie II de l'annexe V, est détaxée sous le régime de la TPS/TVH la fourniture d'une aérochambre ou d'un inhalateur doseur utilisés pour le traitement de l'asthme, effectuée sur l'ordonnance écrite d'un médecin pour l'usage du consommateur qui y est nommé.

La modification apportée à cet article consiste à remplacer « médecin » par « professionnel déterminé », terme au sens plus large défini à l'article 1 de cette partie. Cette modification a pour effet d'élargir les circonstances dans lesquelles ces appareils peuvent être fournis sous un régime de détaxation.

Cette modification s'applique aux fournitures effectuées après le 29 mars 2012.

Concordance québécoise: LTVQ, art. 176:4.1°.

Définitions: « consommateur », « fourniture » — 123(1).

Renvois: VI:Partie II:5 (appareil de respiration artificielle).

Bulletins de l'information technique: B-075R, 23/04/96, *Modifications proposées à la TPS.*

Série de mémorandums: Mémorandum 4.2, 02/95, *Appareils médicaux et appareils fonctionnels.*

5.2 [Appareils divers] — La fourniture d'un moniteur respiratoire, d'un nébuliseur, d'une trousse de soins post-trachéostomie, d'une sonde gastrique, d'un dialyseur, d'une pompe à perfusion ou d'un dispositif intraveineux, qui peut être utilisé à domicile.

Notes historiques: L'article 5.2 de la Partie II de l'annexe VI a été ajouté par L.C. 1997, c. 10, par. 124(1) et s'applique aux fournitures effectuées après le 23 avril 1996.

Concordance québécoise: LTVQ, art. 176:4.2°.

Définitions: « fourniture » — 123(1).

Renvois: VI:Partie II:31 (bien ou service visé par règlement).

Bulletins de l'information technique: B-075R, 23/04/96, *Modifications proposées à la TPS.*

6. [Percuteur mécanique pour drainage postural] — La fourniture d'un percuteur mécanique pour drainage postural ou d'un système d'oscillation pour la paroi thoracique qui sert à dégager les voies aériennes.

Notes historiques: L'article 6 de la partie II de l'annexe VI a été remplacé par L.C. 2008, c. 28, par. 89(1) et cette modification s'applique aux fournitures effectuées après le 26 février 2008. Antérieurement, il se lisait ainsi :

> 6. La fourniture d'un percuteur mécanique pour drainage postural.

L'article 6 de la Partie II de l'annexe VI a été ajouté par L.C. 1990, c. 45, art. 18.

avril 2008, Notes explicatives: Selon l'article 6 de la partie II de l'annexe VI, la fourniture d'un percuteur mécanique pour drainage postural est détaxée sous le régime de la TPS/TVH. Cet appareil est utilisé dans le cadre d'un traitement thérapeutique visant à dégager les voies aériennes qui oblige le patient à assumer une position particulière.

Cet article est modifié de façon à s'appliquer aussi à la fourniture d'un système d'oscillation pour la paroi thoracique. Cet appareil accomplit une fonction semblable au percuteur mécanique, mais n'oblige pas le patient à assumer une position particulière.

Cette modification s'applique aux fournitures effectuées après le 26 février 2008.

Concordance québécoise: LTVQ, art. 176:5º.

Définitions: « fourniture » — 123(1).

Série de mémorandums: Mémorandum 4.2, 02/95, *Appareils médicaux et appareils fonctionnels*.

7. [Appareil conçu pour transformer les sons en signaux lumineux] — La fourniture d'un appareil conçu pour transformer les sons en signaux lumineux, effectuée sur l'ordonnance écrite d'un professionnel déterminé pour l'usage du consommateur ayant une déficience auditive qui y est nommé.

Notes historiques: L'article 7 de la partie II de l'annexe VI a été remplacé par L.C. 2012, c. 19, par. 35(1) et cette modification s'applique aux fournitures effectuées après le 29 mars 2012. Antérieurement, il se lisait ainsi :

> 7. La fourniture d'un appareil conçu pour transformer les sons en signaux lumineux, effectuée sur l'ordonnance d'un médecin pour l'usage du consommateur ayant une déficience auditive qui y est nommé.

L'article 7 de la Partie II de l'annexe VI a été modifié par L.C. 1997, c. 10, par. 125(1) et cette modification s'applique aux fournitures effectuées après le 23 avril 1996. Il se lisait comme suit :

> 7. La fourniture d'un appareil conçu pour transformer les sons en signaux lumineux, fourni sur l'ordonnance écrite d'un praticien pour l'usage des malentendants.

Cet article a été ajouté par L.C. 1990, c. 45, art. 18.

avril 2012, Notes explicatives: Selon l'article 7 de la partie II de l'annexe VI, est détaxée sous le régime de la TPS/TVH la fourniture d'un appareil conçu pour transformer les sons en signaux lumineux, effectuée sur l'ordonnance écrite d'un médecin pour l'usage du consommateur ayant une déficience auditive qui y est nommé.

La modification apportée à cet article consiste à remplacer « médecin » par « professionnel déterminé », terme au sens plus large défini à l'article 1 de cette partie. Cette modification a pour effet d'élargir les circonstances dans lesquelles cet appareil peut être fourni sous un régime de détaxation.

Cette modification s'applique aux fournitures effectuées après le 29 mars 2012.

Concordance québécoise: LTVQ, art. 176:6º.

Définitions: « consommateur », « fourniture » — 123(1).

Bulletins de l'information technique: B-075R, 23/04/96, *Modifications proposées à la TPS*.

Série de mémorandums: Mémorandum 4.2, 02/95, *Appareils médicaux et appareils fonctionnels*.

Lettres d'interprétation (Québec): 99-0111189 — Interprétation relative à la TPS et à la TVQ [relative à certaines fournitures effectuées par une corporation de gestion en faveur d'audioprothésistes].

8. [Appareil de commande à sélecteur] — La fourniture d'un appareil de commande à sélecteur, conçu spécialement pour permettre aux personnes handicapées de choisir, d'actionner et de commander des appareils ménagers, du matériel industriel ou du matériel de bureau.

Notes historiques: L'article 8 de la Partie II de l'annexe VI a été modifié par L.C. 1997, c. 10, par. 125(1) et cette modification s'applique aux fournitures effectuées après le 23 avril 1996. Il se lisait comme suit :

> 8. La fourniture d'un appareil de commande à sélecteur, conçu spécialement à l'intention des handicapés physiques pour leur permettre de choisir, d'actionner et de commander divers appareils ménagers, matériels industriels ou matériels de bureau.

Cet article a été ajouté par L.C. 1990, c. 45, art. 18.

Concordance québécoise: LTVQ, art. 176:7º.

Définitions: « fourniture » — 123(1).

Série de mémorandums: Mémorandum 4.2, 02/95, *Appareils médicaux et appareils fonctionnels*.

Lettres d'interprétation (Québec): 98-0112577 — Interprétation TPS/TVQ [relative à la fabrication de vêtements « spécialisés »].

9. [Lunettes et lentilles cornéennes] — La fourniture de lunettes ou de lentilles cornéennes, lorsqu'elles sont fournies ou destinées à être fournies sur l'ordonnance écrite d'une personne, ou conformément au dossier d'évaluation établi par une personne, pour le traitement ou la correction d'un trouble visuel du consommateur qui y est nommé et que la personne est autorisée par les lois de la province où elle exerce à prescrire des lunettes ou des lentilles cornéennes, ou à établir un dossier d'évaluation devant servir à délivrer des lunettes ou des lentilles cornéennes, pour le traitement ou la correction du trouble visuel du consommateur.

Notes historiques: L'article 9 de la partie II de l'annexe VI a été remplacé par L.C. 2012, c. 19, par. 36(1) et cette modification s'applique aux fournitures effectuées :

a) après le 29 mars 2012;

b) avant le 30 mars 2012, à condition qu'aucun montant n'ait été exigé, perçu ou versé avant cette date au titre de la taxe prévue par la partie IX relativement à la fourniture.

Antérieurement, il se lisait ainsi :

> 9. La fourniture de lunettes ou de lentilles cornéennes, lorsque celles-ci sont fournies ou destinées à être fournies sur l'ordonnance écrite d'un professionnel de la vue pour le traitement ou la correction de troubles visuels du consommateur qui y est nommé et que le professionnel est habilité, par la législation de la province où il exerce, à prescrire des lunettes ou des lentilles cornéennes à ces fins.

L'article 9 de la partie II de l'annexe VI a été remplacé par L.C. 2000, c. 30, par. 124(1) et cette modification s'applique aux fournitures effectuées après le 8 octobre 1999. Antérieurement, il se lisait comme suit :

> 9. La fourniture de lunettes ou de lentilles cornéennes, effectuée sur l'ordonnance écrite d'un professionnel de la vue pour le traitement ou la correction de troubles visuels du consommateur qui y est nommé, à condition que le professionnel soit habilité, par la législation de la province où il exerce, à prescrire des lunettes ou des lentilles cornéennes à ces fins.

L'article 9 de la Partie II de l'annexe VI a été modifié par L.C. 1997, c. 10, par. 125(1) et cette modification s'applique aux fournitures effectuées après le 23 avril 1996. Il se lisait comme suit :

> 9. La fourniture de verres ou de verres de contact, fournis pour le traitement ou la correction de troubles visuels au profit d'un consommateur sur l'ordonnance écrite d'un professionnel de la vue qui est habilité, par la législation de la province où il exerce, à prescrire des verres ou des verres de contact à cette fin.

Auparavant, cet article a été modifié par L.C. 1993, c. 27, par. 182(1) et s'applique aux fournitures effectuées après 1992. Il se lisait auparavant comme suit :

> 9. La fourniture de verres et de verres de contact, fournis pour le traitement ou la correction de troubles visuels du consommateur sur l'ordonnance écrite d'un professionnel de la vue qui est habilité par la législation de la province où il exerce à prescrire des verres ou des verres de contact à cette fin.

L'article 9 de la Partie II de l'annexe VI a été ajouté par L.C. 1990, c. 45, art. 18.

avril 2012, Notes explicatives: L'article 9 de la partie II de l'annexe VI a pour effet de détaxer la fourniture de lunettes ou de lentilles cornéennes correctrices qui sont fournies, ou destinées à être fournies, sur ordonnance à un consommateur.

La modification apportée à cet article a pour effet de détaxer la fourniture de lunettes ou de lentilles cornéennes qui sont fournies, ou destinées à être fournies, conformément à un dossier d'évaluation tel que celui produit au moyen d'un système automatisé de réfraction. Ce dossier doit préciser le nom du consommateur en cause et être établi par une personne qui est autorisée par les lois de la province où elle exerce sa profession à établir un dossier d'évaluation devant servir à délivrer des lunettes ou des lentilles cornéennes correctrices.

Cette modification s'applique aux fournitures effectuées après le 29 mars 2012 ainsi qu'aux fournitures effectuées avant le 30 mars 2012 si aucun montant n'a été exigé, perçu ou versé avant cette date au titre de la taxe prévue par la partie IX de la Loi relativement à la fourniture.

Concordance québécoise: LTVQ, art. 176:8º.

Définitions: « consommateur », « fourniture », « province » — 123(1).

Bulletins de l'information technique: B-075R, 23/04/96, *Modifications proposées à la TPS*.

Série de mémorandums: Mémorandum 4.2, 02/95, *Appareils médicaux et appareils fonctionnels*.

Lettres d'interprétation (Québec): 98-0108682 — Montures pour lunettes.

10. [Yeux artificiels] — La fourniture de yeux artificiels.

Notes historiques: L'article 10 de la Partie II de l'annexe VI a été ajouté par L.C. 1990, c. 45, art. 18.

Concordance québécoise: LTVQ, art. 176:9º.

LTA (TPS)

Définitions: « fourniture » — 123(1).

Série de mémorandums: Mémorandum 4.2, 02/95, *Appareils médicaux et appareils fonctionnels.*

11. [Dents artificielles] — La fourniture de dents artificielles.

Notes historiques: L'article 11 de la Partie II de l'annexe VI a été ajouté par L.C. 1990, c. 45, art. 18.

Concordance québécoise: LTVQ, art. 176:10°.

Définitions: « fourniture » — 123(1).

Renvois: VI:Partie II:11.1 (appareil orthodontique); VI:Partie II:23, 23.1 (orthèse ou appareil orthopédique); VI:Partie II:25 (prothèses détaxées).

Jurisprudence: *Buccal Services Ltd. c. La Reine*, [1994] G.S.T.C. 70 (CCI).

Série de mémorandums: Mémorandum 4.2, 02/95, *Appareils médicaux et appareils fonctionnels.*

Lettres d'interprétation (Québec): 98-0110639 — Prothèse dentaire et dent artificielle — Produits d'empreinte dentaire; 04-0104929 — Demande d'interprétation relative à la TPS et à la TVQ — traitement fiscal des dents artificielles.

11.1 [Appareil orthodontique] — La fourniture d'un appareil orthodontique.

Notes historiques: L'article 11.1 de la Partie II de l'annexe VI a été ajouté par L.C. 1997, c. 10, art. 126 et s'applique aux fournitures dont la contrepartie devient due après le 23 avril 1996 ou est payée après cette date sans qu'elle soit devenue due.

Concordance québécoise: LTVQ, art. 176:10.1°.

Définitions: « fourniture » — 123(1).

Renvois: VI:Partie II:11 (dents artificielles); VI:Partie II:23 (orthèse ou appareil orthopédique).

Bulletins de l'information technique: B-075R, 23/04/96, *Modifications proposées à la TPS.*

Série de mémorandums: Mémorandum 4.2, 02/95, *Appareils médicaux et appareils fonctionnels.*

Lettres d'interprétation (Québec): 99-0111338 [B] — Fourniture d'appareil et de service d'orthodontie pour un montant forfaitaire global.

12. [Appareil auditif] — La fourniture d'un appareil auditif.

Notes historiques: L'article 12 de la Partie II de l'annexe VI a été ajouté par L.C. 1990, c. 45, art. 18.

Concordance québécoise: LTVQ, art. 176:11°.

Définitions: « fourniture » — 123(1).

Série de mémorandums: Mémorandum 4.2, 02/95, *Appareils médicaux et appareils fonctionnels.*

13. [Larynx artificiel] — La fourniture d'un larynx artificiel.

Notes historiques: L'article 13 de la Partie II de l'annexe VI a été ajouté par L.C. 1990, c. 45, art. 18.

Concordance québécoise: LTVQ, art. 176:12°.

Définitions: « fourniture » — 123(1).

Série de mémorandums: Mémorandum 4.2, 02/95, *Appareils médicaux et appareils fonctionnels.*

14. [Aide de locomotion pour personnes handicapées] — La fourniture d'une chaise, d'une marchette, d'un élévateur de fauteuil roulant ou d'une aide de locomotion semblable, avec ou sans roues, y compris les moteurs et assemblages de roues, conçu spécialement pour être actionné par une personne handicapée en vue de sa locomotion.

Notes historiques: L'article 14 de la partie II de l'annexe VI a été remplacé par L.C. 2008, c. 28, par. 90(1) et cette modification s'applique aux fournitures effectuées après le 26 février 2008. Antérieurement, il se lisait ainsi :

> 14. La fourniture d'une chaise, d'une chaise percée, d'une marchette, d'un élévateur de fauteuil roulant ou d'une aide de locomotion semblable, avec ou sans roues, y compris les moteurs et assemblages de roues, conçu spécialement pour les personnes handicapées.

L'article 14 de la Partie II de l'annexe VI a été modifié par L.C. 1997, c. 10, art. 127 et cette modification est réputée entrée en vigueur le 20 mars 1997. Il se lisait comme suit :

> 14. La fourniture d'une chaise d'invalide, d'une chaise percée, d'une marchette, d'un élévateur de fauteuil roulant et d'une aide de locomotion semblable, avec ou sans roues, y compris les moteurs et assemblages de roues, conçu spécialement pour les handicapés.

Cet article a été ajouté par L.C. 1990, c. 45, art. 18.

avril 2008, Notes explicatives: Selon l'article 14 de la partie II de l'annexe VI, la fourniture de chaises et autres aides de locomotion conçues spécialement pour les personnes handicapées est détaxée sous le régime de la TPS/TVH.

La modification apportée à cet article consiste à supprimer la mention « chaise percée » afin de l'insérer à l'article 20. Cette modification permet de mieux refléter la nature des deux dispositions.

L'article 14 est par ailleurs modifié de façon à préciser que, pour que leur fourniture soit détaxée, les chaises et autres aide de locomotion doivent être spécialement conçues pour être actionnées par une personne handicapée en vue de sa locomotion.

Le nouvel article 14.1 prévoit que la fourniture d'une chaise qui est conçue spécialement pour les personnes handicapées est détaxée sous le régime de la TPS/TVH si la chaise est fournie sur l'ordonnance écrite d'un médecin pour l'usage du consommateur qui est nommé dans l'ordonnance.

Les modifications apportées à l'article 14 et le nouvel article 14.1 s'appliquent aux fournitures effectuées après le 26 février 2008.

Concordance québécoise: LTVQ, art. 176:13°.

Définitions: « fourniture » — 123(1).

Renvois: 258.1, 258.2 (remboursement — véhicule à moteur); VI:Partie II:16, 17 (rampe pour fauteuil roulant); VI:Partie II:18.1 (modification à un véhicule moteur).

Jurisprudence: *Interior Mediquip Ltd. c. La Reine*, [1994] G.S.T.C. 86 (CCI); *Consolidated Canadian Contractors Inc. c. Canada*, [1997] G.S.T.C. 34 (CCI); [1998] G.S.T.C. 91 (CAF).

Série de mémorandums: Mémorandum 4.2, 02/95, *Appareils médicaux et appareils fonctionnels.*

Lettres d'interprétation (Québec): 98-0112577 — Interprétation TPS/TVQ [relative à la fabrication de vêtements « spécialisés »]; 99-0113151 — Fournitures détaxées — personnes handicapées; 06-0102258 — Demande d'interprétation relative de la TPS et à la TVQ — planches de bain et ceintures de contention ou de marche; 06-0105574 — Demande d'interprétation de la TPS et à la TVQ — statut fiscal de la fourniture de vêtements adaptés; 06-0106036 — Demande d'interprétation relative à la TPS et à la TVQ — statut fiscal de la fourniture d'un matelas pour un lit d'hôpital.

14.1 [Chaise conçue spécialement pour une personne handicapée] — La fourniture d'une chaise conçue spécialement pour être utilisée par une personne handicapée, effectuée sur l'ordonnance écrite d'un professionnel déterminé pour l'usage du consommateur qui y est nommé.

Notes historiques: L'article 14.1 de la partie II de l'annexe VI a été remplacé par L.C. 2012, c. 19, par. 37(1) et cette modification s'applique aux fournitures effectuées après le 29 mars 2012. Antérieurement, il se lisait ainsi :

> 14.1 La fourniture d'une chaise conçue spécialement pour être utilisée par une personne handicapée qui est fournie sur l'ordonnance écrite d'un médecin pour l'usage du consommateur qui est nommé dans l'ordonnance.

L'article 14.1 de la partie II de l'annexe VI a été ajouté par L.C. 2008, c. 28, par. 90(1) et s'applique aux fournitures effectuées après le 26 février 2008.

avril 2012, Notes explicatives: Selon l'article 14.1 de la partie II de l'annexe VI, est détaxée sous le régime de la TPS/TVH la fourniture d'une chaise conçue spécialement pour être utilisée par une personne handicapée, effectuée sur l'ordonnance écrite d'un médecin pour l'usage du consommateur qui y est nommé.

La modification apportée à cet article consiste à remplacer « médecin » par « professionnel déterminé », terme au sens plus large défini à l'article 1 de cette partie. Cette modification a pour effet d'élargir les circonstances dans lesquelles une telle chaise peut être fournie sous un régime de détaxation.

Cette modification s'applique aux fournitures effectuées après le 29 mars 2012.

avril 2008, Notes explicatives: [Voir les Notes sous les articles 14, 15 de la partie II de l'annexe VI — n.d.l.r.]

Concordance québécoise: LTVQ, art. 176:13.1°.

15. [Élévateur conçu spécialement pour déplacer les handicapés] — La fourniture d'un élévateur conçu spécialement pour déplacer les personnes handicapées.

Notes historiques: L'article 15 de la Partie II de l'annexe VI a été modifié par L.C. 1997, c. 10, par. 127(1) et cette modification est réputée entrée en vigueur le 20 mars 1997. Il se lisait comme suit :

> 15. La fourniture d'un élévateur conçu spécialement pour déplacer les handicapés.

Cet article a été ajouté par L.C. 1990, c. 45, art. 18.

Concordance québécoise: LTVQ, art. 176:14°.

Définitions: « fourniture » — 123(1).

Série de mémorandums: Mémorandum 4.2, 02/95, *Appareils médicaux et appareils fonctionnels.*

Lettres d'interprétation (Québec): 98-0112577 — Interprétation TPS/TVQ [relative à la fabrication de vêtements « spécialisés »].

16. [Rampe pour fauteuil roulant] — La fourniture d'une rampe pour fauteuil roulant conçue spécialement pour permettre l'accès aux véhicules à moteur.

Notes historiques: L'article 16 de la Partie II de l'annexe VI a été ajouté par L.C. 1990, c. 45, art. 18.

Concordance québécoise: LTVQ, art. 176:15°.

Définitions: « fourniture » — 123(1).

Renvois: 258.1, 258.2 (remboursement — véhicule à moteur); VI:Partie II:17 (rampe pour fauteuil roulant); VI:Partie II:18.1 (modification à un véhicule moteur).

Jurisprudence: *Interior Mediquip Ltd. c. La Reine*, [1994] G.S.T.C. 86 (CCI).

Série de mémorandums: Mémorandum 4.2, 02/95, *Appareils médicaux et appareils fonctionnels*.

17. [Rampe portative pour fauteuil roulant] — La fourniture d'une rampe portative pour fauteuil roulant.

Notes historiques: L'article 17 de la Partie II de l'annexe VI a été ajouté par L.C. 1990, c. 45, art. 18.

Concordance québécoise: LTVQ, art. 176:16°.

Définitions: « fourniture » — 123(1).

Série de mémorandums: Mémorandum 4.2, 02/95, *Appareils médicaux et appareils fonctionnels*.

18. [Appareil de conduite auxiliaire] — La fourniture d'un appareil de conduite auxiliaire conçu pour être installé dans un véhicule à moteur afin de faciliter la conduite du véhicule par les personnes handicapées.

Notes historiques: L'article 18 de la Partie II de l'annexe VI a été modifié par L.C. 1997, c. 10, par. 128(1) et cette modification est réputée entrée en vigueur le 20 mars 1997. Il se lisait comme suit :

> 18. La fourniture d'un appareil de conduite auxiliaire conçu pour être installé dans un véhicule à moteur afin de faciliter la conduite du véhicule par les handicapés physiques.

Cet article a été ajouté par L.C. 1990, c. 45, art. 18.

Concordance québécoise: LTVQ, art. 176:17°.

Définitions: « fourniture » — 123(1).

Renvois: 258.1, 258.2 (remboursement — véhicule à moteur); VI:Partie II:18.1 (modification à un véhicule moteur).

Jurisprudence: *Interior Mediquip Ltd. c. La Reine*, [1994] G.S.T.C. 86 (CCI).

Série de mémorandums: Mémorandum 4.2, 02/95, *Appareils médicaux et appareils fonctionnels*.

Lettres d'interprétation (Québec): 98-0112577 — Interprétation TPS/TVQ [relative à la fabrication de vêtements « spécialisés »].

18.1 [Modification à un véhicule moteur] — La fourniture d'un service qui consiste à modifier un véhicule à moteur en vue de l'adapter au transport d'un particulier utilisant un fauteuil roulant, ainsi que la fourniture d'un bien autre que le véhicule effectuée conjointement avec la fourniture du service et à cause de cette fourniture.

Notes historiques: L'article 18.1 de la partie II de l'annexe VI a été modifié par L.C. 1997, c. 10, par. 128(1) et cette modification s'applique aux fournitures dont la contrepartie, même partielle, devient due après le 23 avril 1996 ou est payée après cette date sans qu'elle soit devenue due après le. Cette modification est réputée entrée en vigueur le 20 mars 1997. Il se lisait comme suit :

> 18.1 La fourniture d'un service qui consiste à modifier le véhicule à moteur d'un particulier en vue de l'adapter au transport d'un particulier utilisant un fauteuil roulant, ainsi que la fourniture d'un bien autre que le véhicule effectuée conjointement avec la fourniture du service et à cause de cette fourniture.

Auparavant, cet article a été ajouté par L.C. 1994, c. 9, par. 29(1) et s'applique aux fournitures dont la contrepartie devient due après le 10 décembre 1992 ou est payée après cette date sans qu'elle soit devenue due.

Concordance québécoise: LTVQ, art. 176:17.1°.

Définitions: « acquéreur », « bien », « fourniture », « service » — 123(1).

Renvois: 258.1, 258.2 (remboursement — véhicule à moteur); VI:Partie II:14 (aide de locomotion pour personnes handcapées); VI:Partie II:16 (rampe pour fauteuil roulant); VI:Partie II:18.1 (modification à un véhicule moteur).

Jurisprudence: *Technessen Ltd. c. MNR*, [1994] G.S.T.C. 81 (TCCE); *Interior Mediquip Ltd. c. La Reine*, [1994] G.S.T.C. 86 (CCI).

Bulletins de l'information technique: B-075R, 23/04/96, *Modifications proposées à la TPS*.

Série de mémorandums: Mémorandum 4.2, 02/95, *Appareils médicaux et appareils fonctionnels*.

19. [Dispositif de structuration fonctionnelle] — La fourniture d'un dispositif de structuration fonctionnelle conçu spécialement pour les personnes handicapées.

Notes historiques: L'article 19 de la Partie II de l'annexe VI a été modifié par L.C. 1997, c. 10, par. 128(1). Il se lisait comme suit :

> 19. La fourniture d'un dispositif de structuration fonctionnelle conçu spécialement pour les handicapés.

Cet article a été ajouté par L.C. 1990, c. 45, art. 18.

Concordance québécoise: LTVQ, art. 176:18°.

Définitions: « fourniture » — 123(1).

Série de mémorandums: Mémorandum 4.2, 02/95, *Appareils médicaux et appareils fonctionnels*.

Lettres d'interprétation (Québec): 98-0112577 — Interprétation TPS/TVQ [relative à la fabrication de vêtements « spécialisés »].

20. [Siège de toilette, baignoire ou douche] — La fourniture d'un siège de toilette, d'un siège de baignoire, d'un siège de douche ou d'une chaise percée conçu spécialement pour les personnes handicapées.

Notes historiques: L'article 20 de la partie II de l'annexe VI a été remplacé par L.C. 2008, c. 28, par. 91(1) et cette modification s'applique aux fournitures effectuées après le 26 février 2008. Antérieurement, il se lisait ainsi :

> 20. La fourniture d'un siège de toilette, de baignoire ou de douche conçu spécialement pour les personnes handicapées.

L'article 20 de la Partie II de l'annexe VI a été modifié par L.C. 1997, c. 10, par. 128(1). Il se lisait comme suit :

> 20. La fourniture d'un siège de toilette, de baignoire ou de douche conçu spécialement pour les handicapés.

Cet article a été ajouté par L.C. 1990, c. 45, art. 18.

avril 2008, Notes explicatives: Selon l'article 20 de la partie II de l'annexe VI, la fourniture d'un siège de toilette, de baignoire ou de douche conçu spécialement pour les personnes handicapées est détaxée sous le régime de la TPS/TVH.

La modification apportée à cet article consiste à ajouter les chaises percées à la liste. Ces chaises figuraient auparavant à l'article 14 (se reporter aux notes concernant cet article).

Cette modification s'applique aux fournitures effectuées après le 26 février 2008.

Concordance québécoise: LTVQ, art. 176:19°.

Définitions: « fourniture » — 123(1).

Série de mémorandums: Mémorandum 4.2, 02/95, *Appareils médicaux et appareils fonctionnels*.

Lettres d'interprétation (Québec): 98-0112577 — Interprétation TPS/TVQ [relative à la fabrication de vêtements « spécialisés »]; 06-0102258 — Demande d'interprétation relative de la TPS et à la TVQ — planches de bain et ceintures de contention ou de marche.

21. [Pompe à perfusion d'insuline et seringues à insuline] — La fourniture d'une pompe à perfusion d'insuline et de seringues à insuline.

Notes historiques: L'article 21 de la Partie II de l'annexe VI a été ajouté par L.C. 1990, c. 45, art. 18.

Concordance québécoise: LTVQ, art. 176:20°.

Définitions: « fourniture » — 123(1).

Série de mémorandums: Mémorandum 4.2, 02/95, *Appareils médicaux et appareils fonctionnels*.

21.1 [Dispositif de compression des membres, pompe intermittente ou appareil similaire] — La fourniture d'un dispositif de compression des membres, d'une pompe intermittente ou d'un appareil similaire utilisés pour le traitement du lymphoedème, effectuée sur l'ordonnance écrite d'un professionnel déterminé pour l'usage du consommateur qui y est nommé.

Notes historiques: L'article 21.1 de la partie II de l'annexe VI a été remplacé par L.C. 2012, c. 19, par. 38(1) et cette modification s'applique aux fournitures effectuées après le 29 mars 2012. Antérieurement, il se lisait ainsi :

> 21.1 La fourniture d'un dispositif de compression des membres, d'une pompe intermittente ou d'un appareil similaire utilisés pour le traitement du lymphoedème, effectuée sur l'ordonnance écrite d'un médecin pour l'usage du consommateur qui y est nommé.

L'article 21.1 de la Partie II de l'annexe VI a été modifié par L.C. 1997, c. 10, par. 129(1) et cette modification s'applique aux fournitures effectuées après le 23 avril 1996. Il se lisait comme suit :

> 21.1 La fourniture d'un dispositif de compression des membres, d'une pompe intermittente ou d'un appareil similaire utilisés pour le traitement du lymphoedème, effectuée au profit d'un consommateur sur ordonnance écrite d'un praticien.

L'article 21.1 de la Partie II de l'annexe VI a été ajouté par L.C. 1993, c. 27, par. 183(1) et s'applique aux biens importés après le 5 novembre 1991 ainsi qu'aux fournitures effectuées au Canada dont la contrepartie devient due ou est payée après 1990, sauf celles dans le cadre desquelles, selon le cas :

> a) nulle partie de la contrepartie ne devient due, ou n'est payée sans qu'elle soit devenue due, après le 5 novembre 1991 :
>
> b) la propriété ou la possession du bien est transférée à l'acquéreur avant octobre 1991.

avril 2012, Notes explicatives: Selon l'article 21.1 de la partie II de l'annexe VI, est détaxée sous le régime de la TPS/TVH la fourniture d'un dispositif de compression des membres, d'une pompe intermittente ou d'un appareil similaire utilisés pour le traitement du lymphœdème, effectuée sur l'ordonnance écrite d'un médecin pour l'usage du consommateur qui y est nommé.

La modification apportée à cet article consiste à remplacer « médecin » par « professionnel déterminé », terme au sens plus large défini à l'article 1 de cette partie. Cette modification a pour effet d'élargir les circonstances dans lesquelles un tel dispositif, pompe ou appareil peut être fourni sous un régime de détaxation.

Cette modification s'applique aux fournitures effectuées après le 29 mars 2012.

Concordance québécoise: LTVQ, art. 176:20.1°.

Définitions: « consommateur », « fourniture » — 123(1).

Renvois: 123(1)« acquéreur » (circonstances dans lesquelles une personne est un acquéreur).

Bulletins de l'information technique: B-075R, 23/04/96, *Modifications proposées à la TPS.*

Série de mémorandums: Mémorandum 4.2, 02/95, *Appareils médicaux et appareils fonctionnels.*

21.2 [Cathéter] — La fourniture d'un cathéter pour injection sous-cutanée, effectuée sur l'ordonnance écrite d'un professionnel déterminé pour l'usage du consommateur qui y est nommé.

Notes historiques: L'article 21.2 de la partie II de l'annexe VI a été remplacé par L.C. 2012, c. 19, par. 38(1) et cette modification s'applique aux fournitures effectuées après le 29 mars 2012. Antérieurement, il se lisait ainsi :

> 21.2 La fourniture d'un cathéter pour injection sous-cutanée, effectuée sur l'ordonnance écrite d'un médecin pour l'usage du consommateur qui y est nommé.

L'article 21.2 de la Partie II de l'annexe VI a été modifié par L.C. 1997, c. 10, par. 129(1) et cette modification s'applique aux fournitures effectuées après le 23 avril 1996. Toutefois, en ce qui concerne les fournitures dont la contrepartie devient due ou est payée avant 1997, le passage « La fourniture d'un cathéter pour injection sous-cutanée » est remplacé par « La fourniture d'un cathéter pour injection sous-cutanée ou d'une lancette »;

Il se lisait comme suit :

> 21.2 La fourniture d'un cathéter pour injection sous-cutanée ou d'une lancette, effectuée au profit d'un consommateur sur ordonnance écrite d'un praticien.

Cet article a été ajouté par L.C. 1993, c. 27, par. 183(1) et s'applique aux biens importés après le 5 novembre 1991 ainsi qu'aux fournitures effectués au Canada dont la contrepartie devient due ou est payée après 1990, sauf celles dans le cadre desquelles, selon le cas :

> a) nulle partie de la contrepartie ne devient due, ou n'est payée sans qu'elle soit devenue due, après le 5 novembre 1991 :
>
> b) la propriété ou la possession du bien est transférée à l'acquéreur avant octobre 1991.

avril 2012, Notes explicatives: Selon l'article 21.2 de la partie II de l'annexe VI, est détaxée sous le régime de la TPS/TVH la fourniture d'un cathéter pour injection sous-cutanée, effectuée sur l'ordonnance écrite d'un médecin pour l'usage du consommateur qui y est nommé.

La modification apportée à cet article consiste à remplacer « médecin » par « professionnel déterminé », terme au sens plus large défini à l'article 1 de cette partie. Cette modification a pour effet d'élargir les circonstances dans lesquelles un tel cathéter peut être fourni sous un régime de détaxation.

Cette modification s'applique aux fournitures effectuées après le 29 mars 2012.

Concordance québécoise: LTVQ, art. 176:20.2°.

Définitions: « consommateur », « fourniture » — 123(1).

Renvois: VI:Partie II:21 (pompes à perfusion d'insuline et seringues à insuline); VI:Partie II:21.3 (lancette).

Bulletins de l'information technique: B-075R, 23/04/96, *Modifications proposées à la TPS.*

Série de mémorandums: Mémorandum 4.2, 02/95, *Appareils médicaux et appareils fonctionnels.*

21.3 [Lancette] — La fourniture d'une lancette.

Notes historiques: L'article 21.3 de la Partie II de l'annexe VI a été ajouté par L.C. 1997, c. 10, par. 129 et s'applique aux fournitures effectuées après le 23 avril 1996. Toutefois, en ce qui concerne les fournitures dont la contrepartie devient due ou est payée avant 1997, l'article 21.3 ne s'applique pas.

Concordance québécoise: LTVQ, art. 176:20.2°.

Définitions: « fourniture » — 123(1).

Renvois: VI:Partie II:21.2 (cathéter).

22. [Membres artificiels] — La fourniture de membres artificiels.

Notes historiques: L'article 22 de la Partie II de l'annexe VI a été ajouté par L.C. 1990, c. 45, art. 18.

Concordance québécoise: LTVQ, art. 176:21°.

Définitions: « fourniture » — 123(1).

Série de mémorandums: Mémorandum 4.2, 02/95, *Appareils médicaux et appareils fonctionnels.*

23. [Orthèse ou appareil orthopédique] — La fourniture d'une orthèse ou d'un appareil orthopédique, fabriqué sur commande pour un particulier ou fourni sur l'ordonnance écrite d'un professionnel déterminé pour l'usage du consommateur qui y est nommé.

Notes historiques: L'article 23 de la partie II de l'annexe VI a été remplacé par L.C. 2012, c. 19, par. 39(1) et cette modification s'applique aux fournitures effectuées après le 29 mars 2012. Antérieurement, il se lisait ainsi :

> 23. La fourniture d'une orthèse ou d'un appareil orthopédique, fabriqué sur commande pour un particulier ou fourni sur l'ordonnance écrite d'un médecin pour l'usage du consommateur qui y est nommé.

L'article 23 de la Partie II de l'annexe VI a été modifié par L.C. 1997, c. 10, par. 130(1) et cette modification s'applique aux fournitures dont la contrepartie devient due après le 23 avril 1996 ou est payée après cette date sans qu'elle soit devenue due. Toutefois, en ce qui a trait aux fournitures dont la contrepartie, même partielle, devient due avant le 14 mai 1996 ou est payée avant cette date sans qu'elle soit devenue due, l'article 23 de la partie II de l'annexe VI est remplacé par ce qui suit :

> 23. La fourniture d'une orthèse sur l'ordonnance écrite d'un médecin pour l'usage du consommateur qui y est nommé ou la fourniture d'un support de l'épine dorsale ou d'un autre support orthopédique.

Il se lisait auparavant comme suit :

> 23. La fourniture de supports de l'épine dorsale et autres supports orthopédiques.

Cet article a été ajouté par L.C. 1990, c. 45, art. 18.

avril 2012, Notes explicatives: Selon l'article 23 de la partie II de l'annexe VI, est détaxée sous le régime de la TPS/TVH la fourniture d'une orthèse ou d'un appareil orthopédique, fabriqué sur commande pour un particulier ou fourni sur l'ordonnance écrite d'un médecin pour l'usage du consommateur qui y est nommé.

La modification apportée à cet article consiste à remplacer « médecin » par « professionnel déterminé », terme au sens plus large défini à l'article 1 de cette partie. Cette modification a pour effet d'élargir les circonstances dans lesquelles un tel appareil peut être fourni sous un régime de détaxation.

Cette modification s'applique aux fournitures effectuées après le 29 mars 2012.

Concordance québécoise: LTVQ, art. 176:22°.

Définitions: « consommateur », « fourniture » — 123(1).

Renvois: VI:Partie II:11.1 (appareil orthodontique).

Jurisprudence: *Buccal Services Ltd. c. La Reine*, [1994] G.S.T.C. 70 (CCI).

Bulletins de l'information technique: B-075R, 23/04/96, *Modifications proposées à la TPS.*

Série de mémorandums: Mémorandum 4.2, 02/95, *Appareils médicaux et appareils fonctionnels.*

23.1 [*Abrogé*]

Notes historiques: L'article 23.1 de la Partie II de l'annexe VI a été abrogé par L.C. 1997, c. 10, par. 130(1) et cette abrogation s'applique aux fournitures dont la contrepartie devient due après le 23 avril 1996 ou est payée après cette date sans qu'elle soit devenue due.

Auparavant, l'article 23.1 se lisait comme suit :

> 23.1 La fourniture d'une orthèse, effectuée au profit d'un consommateur sur ordonnance écrite d'un praticien.

L'article 23.1 de la Partie II de l'annexe VI a été ajouté par L.C. 1993, c. 27, par. 184(1) et s'applique aux biens importés après le 5 novembre 1991 ainsi qu'aux fournitures effectuées au Canada dont la contrepartie devient due ou est payée après 1990, sauf celles dans le cadre desquelles, selon le cas :

> a) nulle partie de la contrepartie ne devient due, ou n'est payée sans qu'elle soit devenue due, après le 5 novembre 1991 :
>
> b) la propriété ou la possession du bien est transférée à l'acquéreur avant octobre 1991.

24. [Appareil fabriqué sur commande — infirmité ou difformité du pied ou de la cheville] — La fourniture d'un appareil fabriqué sur commande pour les personnes ayant une infirmité ou une difformité du pied ou de la cheville.

Notes historiques: L'article 24 de la Partie II de l'annexe VI a été modifié par L.C. 1997, c. 10, art. 131 et cette modification est réputée entrée en vigueur le 20 mars 1997. Il se lisait comme suit :

> 24. La fourniture d'un appareil fabriqué sur commande pour les personnes souffrant d'une infirmité ou d'une difformité du pied ou de la cheville.

Cet article a été ajouté par L.C. 1990, c. 45, art. 18.

Concordance québécoise: LTVQ, art. 176:23°.

Définitions: « fourniture » — 123(1).

Renvois: VI:Partie II:24.1 (chaussures conçues pour les personnes ayant une infirmité ou une difformité du pied).

Série de mémorandums: Mémorandum 4.2, 02/95, *Appareils médicaux et appareils fonctionnels*.

24.1 [Chaussures conçues pour les personnes ayant une infirmité ou une difformité du pied] — La fourniture de chaussures conçues spécialement pour les personnes ayant une infirmité ou une difformité du pied ou une déficience semblable, effectuée sur l'ordonnance écrite d'un professionnel déterminé.

Notes historiques: L'article 24.1 de la partie II de l'annexe VI a été remplacé par L.C. 2012, c. 19, par. 40(1) et cette modification s'applique aux fournitures effectuées après le 29 mars 2012. Antérieurement, il se lisait ainsi :

> 24.1 La fourniture de chaussures conçues spécialement pour les personnes ayant une infirmité ou une difformité du pied ou une déficience semblable, effectuée sur l'ordonnance écrite d'un médecin.

L'article 24.1 de la Partie II de l'annexe VI a été ajouté par L.C. 1997, c. 10, par. 132(1) et s'applique aux fournitures dont la contrepartie devient due après 1996 ou est payée après 1996 sans qu'elle soit devenue due.

avril 2012, Notes explicatives: Selon l'article 24.1 de la partie II de l'annexe VI, est détaxée sous le régime de la TPS/TVH la fourniture de chaussures conçues spécialement pour les personnes ayant une infirmité ou une difformité du pied ou une déficience semblable, effectuée sur l'ordonnance écrite d'un médecin.

La modification apportée à cet article consiste à remplacer « médecin » par « professionnel déterminé », terme au sens plus large défini à l'article 1 de cette partie. Cette modification a pour effet d'élargir les circonstances dans lesquelles de telles chaussures peuvent être fournies sous un régime de détaxation.

Cette modification s'applique aux fournitures effectuées après le 29 mars 2012.

Concordance québécoise: LTVQ, art. 176:23.1°.

Définitions: « fourniture » — 123(1).

Renvois: VI:Partie II:31 (bien ou service visé par règlement).

Bulletins de l'information technique: B-075R, 23/04/96, *Modifications proposées à la TPS*.

Lettres d'interprétation (Québec): 03-0111025 — Interprétation relative à la TPS et à la TVQ — Fourniture de chaussures effectuées sur l'ordonnance écrite d'un médecin.

25. [Article de prothèse médicale ou chirurgicale ou autres articles semblables] — La fourniture d'un article de prothèse médicale ou chirurgicale, d'un appareil d'iléostomie et de colostomie et d'un appareil pour voies urinaires ou autres articles semblables destinés à être portés par une personne.

Notes historiques: L'article 25 de la Partie II de l'annexe VI a été ajouté par L.C. 1990, c. 45, art. 18.

Concordance québécoise: LTVQ, art. 176:24°.

Définitions: « fourniture », « personne » — 123(1).

Renvois: VI:Partie II:26 (article et matière nécessairea à la bonne application et à l'entretien d'une prothèse ou d'un appareil).

Jurisprudence: *Buccal Services Ltd. c. La Reine*, [1994] G.S.T.C. 70 (CCI); *Institut de Cardiologie de Montréal c. Canada*, [1999] G.S.T.C. 57 (CCI).

Série de mémorandums: Mémorandum 4.2, 02/95, *Appareils médicaux et appareils fonctionnels*.

Lettres d'interprétation (Québec): 98-0105282[A] — Interprétation — Prothèses médicales — Prothèses mammaires; 98-0105282[B] — Modification à une interprétation — Implants mammaires; 98-0110639 — Prothèse dentaire et dent artificielle — Produits d'empreinte dentaire; 04-0100489 — Demande d'interprétation relative à la TPS et à la TVQ — stimulateur cardiaque, défibrilateur implantable et valve synthétique; 06-0105582 — Demande d'interprétation de la TPS et à la TVQ — statut fiscal de la fourniture d'un [appareil pour patient atteint d'anévrisme] et de ses accessoires.

26. [Article et matière nécessaires à la bonne application et à l'entretien d'une prothèse ou d'un appareil] — La fourniture d'un article et des matières, à l'exclusion des cosmétiques, devant servir à l'utilisateur d'une prothèse, d'un appareil ou d'un article semblable visé à l'article 25 et nécessaires à leur bonne application et leur entretien.

Notes historiques: L'article 26 de la Partie II de l'annexe VI a été ajouté par L.C. 1990, c. 45, art. 18.

Concordance québécoise: LTVQ, art. 176:25°.

Définitions: « fourniture » — 123(1).

Jurisprudence: *Buccal Services Ltd. c. La Reine*, [1994] G.S.T.C. 70 (CCI); *Institut de Cardiologie de Montréal c. Canada*, [1999] G.S.T.C. 57 (CCI).

Série de mémorandums: Mémorandum 4.2, 02/95, *Appareils médicaux et appareils fonctionnels*.

Lettres d'interprétation (Québec): 98-0110639 — Prothèse dentaire et dent artificielle — Produits d'empreinte dentaire; 06-0105574 — Demande d'interprétation de la TPS et à la TVQ — statut fiscal de la fourniture de vêtements adaptés.

27. [Cannes et béquilles] — La fourniture de cannes et de béquilles conçues spécialement pour les personnes handicapées.

Notes historiques: L'article 27 de la Partie II de l'annexe VI a été modifié par L.C. 1997, c. 10, art. 133 et cette modification est réputée entrée en vigueur le 20 mars 1997. Il se lisait comme suit :

> 27. La fourniture de cannes et de béquilles conçues pour les handicapés physiques.

Cet article a été ajouté par L.C. 1990, c. 45, art. 18.

Concordance québécoise: LTVQ, art. 176:26°.

Définitions: « fourniture » — 123(1).

Bulletins de l'information technique: B-075R, 23/04/96, *Modifications proposées à la TPS*.

Série de mémorandums: Mémorandum 4.2, 02/95, *Appareils médicaux et appareils fonctionnels*.

Lettres d'interprétation (Québec): 98-0112577 — Interprétation TPS/TVQ [relative à la fabrication de vêtements « spécialisés »].

28. [Moniteur et appareil de mesure de la glycémie] — La fourniture d'un moniteur et d'un appareil de mesure de la glycémie.

Notes historiques: L'article 28 de la Partie II de l'annexe VI a été ajouté par L.C. 1990, c. 45, art. 18.

Concordance québécoise: LTVQ, art. 176:27°.

Définitions: « fourniture » — 123(1).

Renvois: VI:Partie II:21.2, 21.3 (cathéter et lancette).

Série de mémorandums: Mémorandum 4.2, 02/95, *Appareils médicaux et appareils fonctionnels*.

29. [Bâtonnets réactifs] — La fourniture de bâtonnets réactifs servant à l'estimation de la glycémie ou du cétone sanguin ou de bâtonnets réactifs, de comprimés ou de substances servant à l'estimation du glucose dans l'urine ou du cétone urinaire.

Notes historiques: L'article 29 de la Partie II de l'annexe VI a été modifié par L.C. 1994, c. 9, par. 30(1) et est réputé entré en vigueur le 17 décembre 1990. Il se lisait comme suit :

> 29. La fourniture de bandelettes réactives pour l'estimation de la glycémie et du glucose dans l'urine.

L'article 29 de la Partie II de l'annexe VI a été édicté par 1990, c. 45, art. 18.

Concordance québécoise: LTVQ, art. 176:28º.

Définitions: « fourniture » — 123(1).

Série de mémorandums: Mémorandum 4.2, 02/95, *Appareils médicaux et appareils fonctionnels*.

Lettres d'interprétation (Québec): 01-0101368 — Interprétation relative à la TPS et à la TVQ — Fourniture de produits servant à l'établissement de diagnostics.

29.1 La fourniture :

a) d'un appareil de contrôle ou de mesure de la coagulation du sang conçu spécialement pour les personnes devant contrôler ou mesurer la coagulation de leur sang;

b) de bandelettes ou de réactifs compatibles avec l'appareil visé à l'alinéa a).

Notes historiques: L'article 29.1 de la partie II de l'annexe VI a été ajouté par L.C. 2012, c. 19, par. 41(1) et s'applique aux fournitures effectuées après le 29 mars 2012.

avril 2012, Notes explicatives: Le nouvel article 29.1 de la partie II de l'annexe VI a pour effet de détaxer les appareils de contrôle ou de mesure de la coagulation du sang qui sont conçus spécialement pour les personnes devant contrôler la coagulation de leur sang. Les bandelettes et les réactifs compatibles avec ces appareils sont également détaxés.

Cette modification s'applique aux fournitures effectuées après le 29 mars 2012.

Concordance québécoise: aucune.

30. [Article conçu spécialement pour les aveugles] — La fourniture d'un article conçu spécialement pour les personnes aveugles et fourni, pour usage par celles-ci, à l'Institut national canadien pour les aveugles ou à toute autre institution ou association reconnue d'aide aux personnes aveugles, ou par ceux-ci, ou en exécution d'un ordre ou d'un certificat d'un professionnel déterminé.

Notes historiques: L'article 30 de la partie II de l'annexe VI a été remplacé par L.C. 2012, c. 19, par. 41(1) et cette modification s'applique aux fournitures effectuées après le 29 mars 2012. Antérieurement, il se lisait ainsi :

> 30. La fourniture d'un article conçu spécialement pour les personnes aveugles et fourni, pour usage par celles-ci, à l'Institut national canadien pour les aveugles ou à toute autre institution ou association reconnue d'aide aux personnes aveugles, ou par ceux-ci, ou en exécution d'un ordre ou d'un certificat d'un médecin.

L'article 30 de la Partie II de l'annexe VI a été modifié par L.C. 1997, c. 10, par. 134(1) et cette modification s'applique aux fournitures effectuées après le 23 avril 1996. Il se lisait comme suit :

> 30. La fourniture d'un article conçu spécialement pour les aveugles et fourni, pour usage par ceux-ci, à un praticien, à l'Institut national canadien des aveugles ou à toute autre institution ou association reconnue d'aide aux aveugles, ou en exécution de leur ordre ou certificat.

Cet article a été ajouté par L.C. 1990, c. 45, art. 18.

avril 2012, Notes explicatives: Selon l'article 30 de la partie II de l'annexe VI, est détaxée sous le régime de la TPS/TVH la fourniture d'un article conçu spécialement pour les personnes aveugles et fourni, pour usage par celles-ci, à l'Institut national canadien pour les aveugles ou à toute autre institution ou association reconnue d'aide aux personnes aveugles, ou par ceux-ci, ou en exécution d'un ordre ou d'un certificat d'un médecin.

La modification apportée à cet article consiste à remplacer « médecin » par « professionnel déterminé », terme au sens plus large défini à l'article 1 de cette partie. Cette modification a pour effet d'élargir les circonstances dans lesquelles ces articles peuvent être fournis sous un régime de détaxation.

Cette modification s'applique aux fournitures effectuées après le 29 mars 2012.

Concordance québécoise: LTVQ, art. 176:29º.

Définitions: « fourniture » — 123(1).

Renvois: VI:Partie II:33 (chien-guide).

Série de mémorandums: Mémorandum 4.2, 02/95, *Appareils médicaux et appareils fonctionnels*.

31. [Bien ou service visé par règlement] — La fourniture d'un bien ou d'un service visé par règlement.

Notes historiques: L'article 31 de la Partie II de l'annexe VI a été ajouté par L.C. 1990, c. 45, art. 18.

Concordance québécoise: LTVQ, art. 176:30º.

Définitions: « acquéreur », « bien », « fourniture », « service » — 123(1).

Série de mémorandums: Mémorandum 4.2, 02/95, *Appareils médicaux et appareils fonctionnels*.

32. [Pièces et accessoires conçus spécialement pour les biens visés à la Partie II] — La fourniture de pièces et accessoires conçus spécialement pour les biens visés à la présente partie.

Notes historiques: L'article 32 de la Partie II de l'annexe VI a été ajouté par L.C. 1990, c. 45, art. 18.

Concordance québécoise: LTVQ, art. 176:31º.

Définitions: « fourniture » — 123(1).

Jurisprudence: *Interior Mediquip Ltd. c. La Reine*, [1994] G.S.T.C. 86 (CCI).

Série de mémorandums: Mémorandum 4.2, 02/95, *Appareils médicaux et appareils fonctionnels*.

Lettres d'interprétation (Québec): 98-0108682 — Montures pour lunettes; 98-0110639 — Prothèse dentaire et dent artificielle — Produits d'empreinte dentaire; 98-0111975 — Interprétation TPS/TVQ — Statut fiscal de certains biens acquis par une administration hospitalière; 00-0102327 — Interprétation relative à la TPS et à la TVQ — Fourniture de draps et autres articles de literie; 03-0104764 — Précision à une interprétation — fourniture de matelas à réduction de pression; 06-0105574 — Demande d'interprétation de la TPS et à la TVQ — statut fiscal de la fourniture de vêtements adaptés; 06-0105582 — Demande d'interprétation de la TPS et à la TVQ — statut fiscal de la fourniture d'un [appareil pour patient atteint d'anévrisme] et de ses accessoires; 06-0106036 — Demande d'interprétation relative à la TPS et à la TVQ — statut fiscal de la fourniture d'un matelas pour un lit d'hôpital.

33. [Chien–guide] — La fourniture d'un animal qui est ou doit être spécialement dressé pour aider une personne handicapée ou ayant une déficience à composer avec un problème découlant du handicap ou de la déficience ou la fourniture du service qui consiste à apprendre à une personne comment se servir de l'animal, si la fourniture est effectuée par une organisation spécialisée dans la fourniture de tels animaux aux personnes ayant ce handicap ou cette déficience, ou à son profit.

Notes historiques: L'article 33 de la partie II de l'annexe VI a été remplacé par L.C. 2008, c. 28, par. 92(1) et cette modification s'applique aux fournitures effectuées après le 26 février 2008. Antérieurement, il se lisait ainsi :

> 33. La fourniture d'un chien-guide ou d'un chien qui doit être dressé à cette fin, y compris le service qui consiste à apprendre à une personne aveugle comment se servir du chien, si la fourniture est effectuée par une organisation spécialisée dans la fourniture de tels chiens aux personnes aveugles, ou à son profit.

L'article 33 de la Partie II de l'annexe VI a été modifié par L.C. 1997, c. 10, art. 135 et cette modification est réputée entrée en vigueur le 20 mars 1997. Il se lisait comme suit :

> 33. La fourniture d'un chien qui est un chien d'aveugle, ou doit être dressé à cette fin, y compris le service qui consiste à apprendre à l'aveugle comment se servir du chien, si la fourniture est effectuée par une organisation exploitée en vue de fournir de tels chiens aux aveugles, ou à son profit.

Cet article a été ajouté par L.C. 1990, c. 45, art. 18.

avril 2008, Notes explicatives: Selon les articles 33 et 33.1 de la partie II de l'annexe VI, la fourniture d'un chien qui est ou doit être dressé à titre de chien-guide pour l'usage d'une personne aveugle ou pour aider une personne ayant une déficience auditive, de même que la fourniture du service qui consiste à apprendre à la personne comment se servir du chien, sont détaxées sous le régime de la TPS/TVH.

L'article 34 de la partie II de l'annexe VI prévoit que les fournitures de certains services liés à des appareils médicaux qui figurent dans d'autres articles de cette partie auxquels il est renvoyé sont détaxées sous le régime de la TPS/TVH.

Les articles 33 et 33.1 sont remplacés par le nouvel article 33, qui prévoit que la fourniture d'un animal qui est ou doit être spécialement dressé pour aider une personne handicapée ou ayant une déficience, ainsi que la fourniture du service qui consiste à apprendre à une personne comment se servir de l'animal, sont détaxées sous le régime de la TPS/TVH si l'animal ou le service est fourni par une organisation spécialisée dans la fourniture de tels animaux, ou à son profit.

La modification apportée à l'article 34 consiste à ajouter un renvoi au nouvel article 41 de la partie II de l'annexe VI (se reporter aux notes concernant cet article).

Le nouvel article 33 et les modifications apportées à l'article 34 s'appliquent aux fournitures effectuées après le 26 février 2008.

Concordance québécoise: LTVQ, art. 176:32º.

Définitions: « acquéreur », « fourniture », « personne », « service » — 123(1).

Renvois: 123(1)« acquéreur » (circonstances dans lesquelles une personne est un acquéreur); VI:Partie II:33.1 (chien pour handicapés auditifs).

Série de mémorandums: Mémorandum 4.2, 02/95, *Appareils médicaux et appareils fonctionnels*.

33.1 [*Abrogé*].

Notes historiques: L'article 33.1 de la partie II de l'annexe VI a été abrogé par L.C. 2008, c. 28, par. 92(1) et cette abrogation s'applique aux fournitures effectuées après le 26 février 2008. Antérieurement, il se lisait ainsi :

> 33.1 La fourniture d'un chien dressé pour aider les personnes ayant une déficience auditive, ou qui doit être dressé à cette fin, ou la fourniture du service qui consiste à apprendre à ces personnes comment se servir d'un tel chien, si la fourniture est effectuée par une organisation spécialisée dans la fourniture de tels chiens à ces personnes, ou à son profit.

L'article 33.1 de la Partie II de l'annexe VI a été modifié par L.C. 1997, c. 10, par. 135(1) et cette modification est réputée entrée en vigueur le 20 mars 1997.

Auparavant, il se lisait comme suit :

> 33.1 La fourniture, effectuée par une organisation exploitée en vue de fournir aux handicapés auditifs des chiens dressés pour aider une personne ayant une déficience auditive à surmonter les problèmes découlant de sa déficience, ou qui doit être dressé à cette fin, ou à son profit :
>
> a) soit d'un tel chien;
>
> b) soit d'un service qui consiste à apprendre à la personne comment se servir d'un tel chien.

L'article 33.1 de la Partie II de l'annexe VI a été ajouté par L.C. 1993, c. 27, par. 185(1) et s'applique aux biens importés après le 5 novembre 1991 ainsi qu'aux fournitures effectuées au Canada dont la contrepartie devient due ou est payée après 1990, sauf celles dans le cadre desquelles, selon le cas :

> a) nulle partie de la contrepartie ne devient due, ou n'est payée sans qu'elle ne soit devenue due, après le 5 novembre 1991;
>
> b) la propriété ou la possession du bien est transférée à l'acquéreur avant octobre 1991.

34. [Services consistant à installer, restaurer, réparer ou modifier un bien visé aux articles 2 à 32 et 37 à 40] — La fourniture de services (sauf ceux dont la fourniture est incluse dans la partie II de l'annexe V, à l'exception de l'article 9 de cette partie) qui consistent à installer, entretenir, restaurer, réparer ou modifier un bien dont la fourniture est incluse à l'un des articles 2 à 32 et 37 à 41 de la présente partie, et la fourniture d'une pièce liée à un tel bien effectuée conjointement avec le service.

Notes historiques: L'article 34 de la partie II de l'annexe VI a été remplacé par L.C. 2010, c. 12, par. 89(1) et cette modification s'applique selon les mêmes modalités d'application que celles de l'ajout proposé sous la définition de « fourniture de services esthétiques » sous l'art. 1 de la partie II de l'annexe V. Antérieurement, il se lisait ainsi :

> 34. La fourniture de services (sauf ceux dont la fourniture est incluse dans la partie II de l'annexe V, à l'exception de l'article 9 de cette partie, et ceux qui sont liés à la prestation de services chirurgicaux ou dentaires exécutés à des fins esthétiques et non à des fins médicales ou restauratrices) qui consistent à installer, entretenir, restaurer, réparer ou modifier un bien dont la fourniture est incluse à l'un des articles 2 à 32 et 37 à 41 de la présente partie, et la fourniture en même temps que le service d'une pièce liée à un tel bien.

L'article 34 de la partie II de l'annexe VI a été remplacé par L.C. 2008, c. 28, par. 92(1) et cette modification s'applique aux fournitures effectuées après le 26 février 2008. Antérieurement, il se lisait ainsi :

> 34. La fourniture de services (sauf ceux dont la fourniture est incluse dans la partie II de l'annexe V, à l'exception de l'article 9 de cette partie, et ceux qui sont liés à la prestation de services chirurgicaux ou dentaires exécutés à des fins esthétiques et non à des fins médicales ou restauratrices) qui consistent à installer, entretenir, restaurer, réparer ou modifier un bien visé à l'un des articles 2 à 32 et 37 à 40 de la présente partie, et la fourniture en même temps que le service d'une pièce liée à un tel bien.

L'article 34 de la partie II de l'annexe VI a été remplacé par L.C. 2000, c. 30, par. 125(1) et cette modification s'applique aux fournitures effectuées après le 23 avril 1996. Antérieurement, il se lisait comme suit :

> 34. La fourniture de services (sauf ceux dont la fourniture est incluse à la partie II de l'annexe V, à l'exception de l'article 9 de cette partie, et ceux qui sont liés à la prestation de services chirurgicaux ou dentaires exécutés à des fins esthétiques et non à des fins médicales ou restauratrices) qui consistent à installer, entretenir, restaurer, réparer ou modifier un bien visé à l'un des articles 2 à 32 et 38 à 40 de la présente partie, et la fourniture en même temps que le service d'une pièce liée à un tel bien.

L'article 34 de la Partie II de l'annexe VI a été modifié par L.C. 1997, c. 10, par 136(1) et cette modification s'applique aux fournitures effectuées après le 23 avril 1996. Auparavant, il a été modifié par L.C. 1994, c. 9, par. 31(1) et est réputé entré en vigueur le 17 décembre 1990. Il se lisait comme suit :

> 34. La fourniture de services (sauf ceux dont la fourniture est incluse à la partie II de l'annexe V, à l'exception de l'article 9 de cette partie, ou ceux qui sont liés à la prestation de services chirurgicaux ou dentaires exécutés à des fins esthétiques et non à des fins médicales ou restauratrices) qui consistent à installer, entretenir, restaurer, réparer ou modifier un bien visé à l'un des articles 2 à 32 de la présente partie, et la fourniture en même temps que le service d'une pièce liée à un tel bien.

Toutefois, il ne s'applique pas au calcul, effectué selon une méthode réglementaire aux termes du paragraphe 227(1), de la taxe nette d'une personne pour une période de déclaration se terminant avant juin 1993. Il se lisait auparavant comme suit :

> 34. La fourniture de services, sauf ceux dont la fourniture est incluse à la partie II de l'annexe V ou ceux qui sont liés à la prestation de services chirurgicaux ou dentaires exécutés à des fins esthétiques plutôt que médicales ou restauratrices, qui consistent à installer, entretenir, restaurer, réparer ou modifier un bien visé à l'un des articles 2 à 32 de la présente partie ou toute partie de celui-ci fournie en même temps que le service.

L'article 34 de la Partie II de l'annexe VI a été modifié par L.C. 1993, c. 27, par. 186(1) et s'applique aux fournitures effectuées après le 14 septembre 1992. Il se lisait auparavant comme suit :

> 34. La fourniture de services, sauf ceux dont la fourniture figure à la partie II de l'annexe V, qui consistent à installer, entretenir, restaurer, réparer ou modifier un bien visé à l'un des articles 2 à 32 de la présente partie ou toute partie de celui-ci fournie en même temps que le service.

L'article 34 de la Partie II de l'annexe VI a été ajouté par L.C. 1990, c. 45, art. 18.

avril 2010, Notes explicatives: L'article 34 de la partie II de l'annexe VI a pour effet de détaxer la fourniture d'un service qui consiste à installer, entretenir, restaurer, réparer ou modifier des appareils médicaux ou appareils fonctionnels détaxés, sauf si le service est une fourniture exonérée incluse à la partie II de l'annexe V ou sauf s'il est lié à la prestation d'un service chirurgical ou dentaire qui est exécuté à des fins esthétiques et non à des fins médicales ou restauratrices.

Cet article est modifié de façon à supprimer la mention des services liés à la prestation d'un service chirurgical ou dentaire qui est exécuté à des fins esthétiques et non à des fins médicales ou restauratrices. Cette modification fait suite à l'ajout de l'article 1.2 à la partie II, lequel a pour effet d'exclure de la détaxation prévue par cette partie les fournitures de services esthétiques et les fournitures afférentes qui ne sont pas effectuées à des fins médicales ou restauratrices.

Cette modification s'applique aux fournitures effectuées après le 4 mars 2010. Elle s'applique aussi aux fournitures effectuées avant le 5 mars 2010 si le fournisseur a exigé, perçu ou versé un montant de TPS/TVH relatif à la fourniture ou si la totalité de la contrepartie de la fourniture devient due après le 4 mars 2010 ou est payée après cette date sans être devenue due.

Concordance québécoise: LTVQ, par. 176:33°.

Définitions: « acquéreur », « bien », « fourniture », « service » — 123(1).

Renvois: V:Partie II:2, 5 (fins esthétiques).

Jurisprudence: *Buccal Services Ltd. c. La Reine*, [1994] G.S.T.C. 70 (CCI); *Interior Mediquip Ltd. c. La Reine*, [1994] G.S.T.C. 86 (CCI); *Dr. James Singer Inc. v. R.*, [2006] G.S.T.C. 43 (CCI).

Série de mémorandums: Mémorandum 4.2, 02/95, *Appareils médicaux et appareils fonctionnels*.

35. [Bas fournis sur ordonnance] — La fourniture de bas de compression graduée, de bas anti-embolie ou d'articles similaires, effectuée sur l'ordonnance écrite d'un professionnel déterminé pour l'usage du consommateur qui y est nommé.

Notes historiques: L'article 35 de la Partie II de l'annexe VI a été remplacé par L.C. 2012, c. 19, par. 42(1) et cette modification s'applique aux fournitures effectuées après le 29 mars 2012. Antérieurement, il se lisait ainsi :

> 35. La fourniture de bas de compression graduée, de bas anti-embolie ou d'articles similaires, effectuée sur l'ordonnance écrite d'un médecin pour l'usage du consommateur qui y est nommé.

L'article 35 de la Partie II de l'annexe VI a été modifié par L.C. 1997, c. 10, par. 136(1) et cette modification s'applique aux fournitures effectuées après le 23 avril 1996.

Auparavant, il se lisait comme suit :

> 35. La fourniture de bas de compression graduée, de bas anti-embolie ou d'articles similaires, effectuée au profit d'un consommateur sur ordonnance écrite d'un praticien.

Cet article a été ajouté par L.C. 1993, c. 27, par. 187(1) et s'applique aux biens importés après le 5 novembre 1991 ainsi qu'aux fournitures effectuées au Canada dont la contre-

LTA (TPS)

partie devient due ou est payée après 1990, sauf celles dans le cadre desquelles, selon le cas :

a) nulle partie de la contrepartie ne devient due, ou n'est payée sans qu'elle soit devenue due, après le 5 novembre 1991;

b) la propriété ou la possession du bien est transférée à l'acquéreur avant octobre 1991.

avril 2012, Notes explicatives: Selon l'article 35 de la partie II de l'annexe VI, est détaxée sous le régime de la TPS/TVH la fourniture de bas de compression graduée, de bas anti-embolie ou d'articles similaires, effectuée sur l'ordonnance écrite d'un médecin pour l'usage du consommateur qui y est nommé.

La modification apportée à cet article consiste à remplacer « médecin » par « professionnel déterminé », terme au sens plus large défini à l'article 1 de cette partie. Cette modification a pour effet d'élargir les circonstances dans lesquelles ces articles peuvent être fournis sous un régime de détaxation.

Cette modification s'applique aux fournitures effectuées après le 29 mars 2012.

Concordance québécoise: LTVQ, art. 176:34º.

Définitions: « consommateur », « fourniture » — 123(1).

Renvois: 123(1)« acquéreur » (circonstances dans lesquelles une personne est un acquéreur).

Bulletins de l'information technique: B-075R, 23/04/96, *Modifications proposées à la TPS.*

Série de mémorandums: Mémorandum 4.2, 02/95, *Appareils médicaux et appareils fonctionnels.*

Lettres d'interprétation (Québec): 06-0105574 — Demande d'interprétation de la TPS et à la TVQ — statut fiscal de la fourniture de vêtements adaptés.

36. [Vêtements fournis sur ordonnance] — La fourniture de vêtements conçus spécialement pour les personnes handicapées, effectuée sur l'ordonnance écrite d'un professionnel déterminé pour l'usage du consommateur qui y est nommé.

Notes historiques: L'article 36 de la partie II de l'annexe VI a été remplacé par L.C. 2012, c. 19, par. 42(1) et cette modification s'applique aux fournitures effectuées après le 29 mars 2012. Antérieurement, il se lisait ainsi :

> 36. La fourniture de vêtements conçus spécialement pour les personnes handicapées, effectuée sur l'ordonnance écrite d'un médecin pour l'usage du consommateur qui y est nommé.

L'article 36 de la Partie II de l'annexe VI a été modifié par L.C. 1997, c. 10, par. 136(1) et cette modification s'applique aux fournitures effectuées après le 23 avril 1996.

Auparavant, il se lisait comme suit :

> 36. La fourniture de vêtements conçus spécialement pour une personne handicapée, effectuée au profit d'un consommateur sur ordonnance écrite d'un praticien.

Cet article a été ajouté par L.C. 1993, c. 27, par. 187(1) et s'applique aux biens importés après le 5 novembre 1991 ainsi qu'aux fournitures effectuées au Canada dont la contrepartie devient due ou est payée après 1990, sauf celles dans le cadre desquelles, selon le cas :

a) nulle partie de la contrepartie ne devient due, ou n'est payée sans qu'elle soit devenue due, après le 5 novembre 1991;

b) la propriété ou la possession du bien est transférée à l'acquéreur avant octobre 1991.

avril 2012, Notes explicatives: Selon l'article 36 de la partie II de l'annexe VI, est détaxée sous le régime de la TPS/TVH la fourniture de vêtements conçus spécialement pour les personnes handicapées, effectuée sur l'ordonnance écrite d'un médecin pour l'usage du consommateur qui y est nommé.

La modification apportée à cet article consiste à remplacer « médecin » par « professionnel déterminé », terme au sens plus large défini à l'article 1 de cette partie. Cette modification a pour effet d'élargir les circonstances dans lesquelles ces vêtements peuvent être fournis sous un régime de détaxation.

Cette modification s'applique aux fournitures effectuées après le 29 mars 2012.

Concordance québécoise: LTVQ, art. 176:35º.

Définitions: « consommateur », « fourniture » — 123(1).

Renvois: 123(1)« acquéreur » (circonstances dans lesquelles une personne est un acquéreur).

Bulletins de l'information technique: B-075R, 23/04/96, *Modifications proposées à la TPS.*

Série de mémorandums: Mémorandum 4.2, 02/95, *Appareils médicaux et appareils fonctionnels.*

Lettres d'interprétation (Québec): 98-0112577 — Interprétation TPS/TVQ [relative à la fabrication de vêtements « spécialisés »]; 99-0113136 — Décision concernant l'application de la TPS — Interprétation relative à la TVQ [concernant des fournitures de sous-vêtements adaptés]; 06-0105574 — Demande d'interprétation de la TPS et à la TVQ — statut fiscal de la fourniture de vêtements adaptés.

37. [Produits pour incontinence] — La fourniture de produits pour incontinence conçus spécialement pour les personnes handicapées.

Notes historiques: L'article 37 de la Partie II de l'annexe VI a été ajouté par L.C. 1997, c. 10, par. 136(1) et s'applique aux fournitures effectuées après le 23 avril 1996.

Concordance québécoise: LTVQ, art. 176:36º.

Définitions: « fourniture » — 123(1).

Renvois: VI:Partie II:31 (bien ou service visé par règlement).

Bulletins de l'information technique: B-075R, 23/04/96, *Modifications proposées à la TPS.*

Série de mémorandums: Mémorandum 4.2, 02/95, *Appareils médicaux et appareils fonctionnels.*

Lettres d'interprétation (Québec): 98-0111975 — Interprétation TPS/TVQ — Statut fiscal de certains biens acquis par une administration hospitalière; 98-0112577 — Interprétation TPS/TVQ [relative à la fabrication de vêtements « spécialisés »]; 99-0110306 — Décision concernant l'application de la TPS — Interprétation relative à la TVQ.

38. [Ustensiles d'alimentation] — La fourniture d'ustensiles d'alimentation ou d'autres appareils de préhension conçus spécialement pour les personnes ayant une infirmité de la main ou une déficience semblable.

Notes historiques: L'article 38 de la Partie II de l'annexe VI a été ajouté par L.C. 1997, c. 10, par. 136(1) et s'applique aux fournitures effectuées après le 23 avril 1996.

Concordance québécoise: LTVQ, art. 176:37º.

Définitions: « fourniture » — 123(1).

Renvois: VI:Partie II:31 (bien ou service visé par règlement).

Série de mémorandums: Mémorandum 4.2, 02/95, *Appareils médicaux et appareils fonctionnels.*

39. [Pince télescopique] — La fourniture d'une pince télescopique conçue spécialement pour les personnes handicapées.

Notes historiques: L'article 39 de la Partie II de l'annexe VI a été ajouté par L.C. 1997, c. 10, par. 136(1) et s'applique aux fournitures effectuées après le 23 avril 1996.

Concordance québécoise: LTVQ, art. 176:38º.

Définitions: « fourniture » — 123(1).

Renvois: VI:Partie II:31 (bien ou service visé par règlement).

Série de mémorandums: Mémorandum 4.2, 02/95, *Appareils médicaux et appareils fonctionnels.*

Lettres d'interprétation (Québec): 98-0112577 — Interprétation TPS/TVQ [relative à la fabrication de vêtements « spécialisés »].

40. [Planche inclinable] — La fourniture d'une planche inclinable conçue spécialement pour les personnes handicapées.

Notes historiques: L'article 40 de la Partie II de l'annexe VI a été ajouté par L.C. 1997, c. 10, par. 136(1) et s'applique aux fournitures effectuées après le 23 avril 1996.

Concordance québécoise: LTVQ, art. 176:39º.

Définitions: « fourniture » — 123(1).

Renvois: VI:Partie II:31 (bien ou service visé par règlement).

Série de mémorandums: Mémorandum 4.2, 02/95, *Appareils médicaux et appareils fonctionnels.*

Lettres d'interprétation (Québec): 98-0112577 — Interprétation TPS/TVQ [relative à la fabrication de vêtements « spécialisés »].

41. [Appareil pour la verticalisation ou la stimulation neuromusculaire] — La fourniture d'un appareil conçu spécialement pour la verticalisation ou la stimulation neuromusculaire à des fins thérapeutiques qui est fourni sur l'ordonnance écrite d'un professionnel déterminé pour l'usage du consommateur ayant une paralysie ou un handicap moteur grave qui est nommé dans l'ordonnance.

Notes historiques: L'article 41 de la partie II de l'annexe VI a été remplacé par L.C. 2012, c. 19, par. 43(1) et cette modification s'applique aux fournitures effectuées après le 29 mars 2012. Antérieurement, il se lisait ainsi :

> 41. La fourniture d'un appareil conçu spécialement pour la verticalisation ou la stimulation neuromusculaire à des fins thérapeutiques qui est fourni sur l'ordonnance écrite d'un médecin pour l'usage du consommateur ayant une paralysie ou un handicap moteur grave qui est nommé dans l'ordonnance.

L'article 41 de la partie II de l'annexe VI a été ajouté par L.C. 2008, c. 28, par. 93(1) et s'applique aux fournitures effectuées après le 26 février 2008.

avril 2012, Notes explicatives: Selon l'article 41 de la partie II de l'annexe VI, est détaxée sous le régime de la TPS/TVH la fourniture d'un appareil conçu spécialement pour la verticalisation ou la stimulation neuromusculaire à des fins thérapeutiques qui est fourni sur l'ordonnance écrite d'un médecin pour l'usage du consommateur ayant une paralysie ou un handicap moteur grave qui est nommé dans l'ordonnance.

La modification apportée à cet article consiste à remplacer « médecin » par « professionnel déterminé », terme au sens plus large défini à l'article 1 de cette partie. Cette modification a pour effet d'élargir les circonstances dans lesquelles un tel appareil peut être fourni sous un régime de détaxation.

Cette modification s'applique aux fournitures effectuées après le 29 mars 2012.

avril 2008, Notes explicatives: Le nouvel article 41 de la partie II de l'annexe VI ajoute à la liste des fournitures d'appareils médicaux et d'appareils fonctionnels détaxées la fourniture d'un appareil conçu spécialement pour la verticalisation ou la stimulation neuromusculaire à des fins thérapeutiques qui est fourni sur l'ordonnance écrite d'un médecin pour l'usage du consommateur ayant une paralysie ou un handicap moteur grave qui est nommé dans l'ordonnance.

Ce nouvel article s'applique aux fournitures effectuées après le 26 février 2008.

Concordance québécoise: aucune.

Partie III — Produits alimentaires de base

1. [Aliments et boissons destinés à la consommation humaine] — La fourniture d'aliments et de boissons destinés à la consommation humaine (y compris les édulcorants, assaisonnements et autres ingrédients devant être mélangés à ces aliments et boissons ou être utilisés dans leur préparation), sauf les fournitures suivantes :

a) les vins, spiritueux, bières, liqueurs de malt et autres boissons alcoolisées;

b) [*Abrogé*];

c) les boissons gazeuses;

d) les boissons de jus de fruit et les boissons à saveur de fruit non gazeuses, sauf les boissons à base de lait, contenant moins de 25 % par volume :

(i) de jus de fruit naturel ou d'une combinaison de tels jus,

(ii) de jus de fruit naturel ou d'une combinaison de tels jus, qui ont été reconstitués à l'état initial,

ainsi que les produits qui, lorsqu'ils sont ajoutés à de l'eau, produisent une boisson figurant au présent alinéa;

e) les bonbons, les confiseries qui peuvent être classées comme bonbons, ainsi que tous les produits vendus au titre de bonbons, tels la barbe-à-papa, la gomme à mâcher et le chocolat, qu'ils soient naturellement ou artificiellement sucrés, y compris les fruits, graines, noix et maïs soufflé lorsqu'ils sont enduits ou traités avec du sucre candi, du chocolat, du miel, de la mélasse, du sucre, du sirop ou des édulcorants artificiels;

f) les croustilles, spirales et bâtonnets — tels les croustilles de pommes de terre, les croustilles de maïs, les bâtonnets au fromage, les bâtonnets de pommes de terre ou les pommes de terre juliennes, les croustilles de bacon et les spirales de fromage — et autres grignotines semblables, le maïs soufflé et les bretzels croustillants, à l'exclusion de tout produit vendu principalement comme céréale pour le petit déjeuner;

g) les noix et les graines salées;

h) les produits de granola, à l'exclusion des produits vendus principalement comme céréale pour le petit déjeuner;

i) les mélanges de grignotines contenant des céréales, des noix, des graines, des fruits séchés ou autres produits comestibles, à l'exclusion de tout mélange vendu principalement comme céréale pour le petit déjeuner;

j) les sucettes glacées, les tablettes glacées au jus de fruit et les friandises glacées, aromatisées, colorées ou sucrées, congelées ou non;

k) la crème glacée, le lait glacé, le sorbet, le yogourt glacé, la crème-dessert (*pouding*) glacée, les succédanés de ces produits ou tout produit contenant l'un ou l'autre de ces produits, lorsqu'ils sont emballés ou vendus en portions individuelles;

l) les tablettes, roulés et pastilles aux fruits et autres grignotines semblables à base de fruits;

m) les gâteaux, muffins, tartes, pâtisseries, tartelettes, biscuits, beignes, gâteaux au chocolat et aux noix (*brownies*) et croissants avec garniture sucrée, ou autres produits semblables (à l'exclusion des produits de boulangerie tels les bagels, les muffins anglais, les croissants et les petits pains, sans garniture sucrée) qui :

(i) sont pré-emballés pour la vente aux consommateurs en paquets de moins de six articles constituant chacun une portion individuelle,

(ii) ne sont pas pré-emballés pour la vente aux consommateurs et sont vendus en quantités de moins de six portions individuelles;

n) les boissons, sauf le lait non aromatisé, ou la crème-dessert (pouding) — gélatine aromatisée, mousse, dessert fouetté aromatisé et tout autre produit semblable à la crème-dessert — qui ne sont pas, selon le cas :

(i) préparés et pré-emballés spécialement pour être consommés par les bébés,

(ii) vendus en paquets pré-emballés par le fabricant ou le producteur et constitués de plusieurs portions individuelles,

(iii) vendus en boîte, en bouteille ou autre contenant d'origine, dont le contenu dépasse une portion individuelle;

o) les aliments ou boissons chauffés pour la consommation;

o.1) les salades, sauf celles qui sont en conserve ou sous vide;

o.2) les sandwiches et produits semblables, sauf ceux qui sont congelés;

o.3) les plateaux de fromage, de charcuteries, de fruits ou de légumes et autres arrangements d'aliments préparés;

o.4) les boissons servies au point de vente;

o.5) les aliments ou boissons vendus dans le cadre d'un contrat conclu avec un traiteur;

p) les aliments et boissons vendus au moyen d'un distributeur automatique;

q) les aliments et boissons vendus dans un établissement où la totalité, ou presque, des ventes d'aliments et de boissons portent sur des aliments et boissons visés à l'un des alinéas a) à p), sauf si :

(i) les aliments ou boissons sont vendus sous une forme qui n'en permet pas la consommation immédiate, compte tenu de la nature du produit, de la quantité vendue ou de son emballage,

(ii) dans le cas d'un produit visé à l'alinéa m), le produit n'est pas vendu pour consommation dans l'établissement et, selon le cas :

(A) est pré-emballé pour la vente aux consommateurs en quantités de plus de cinq articles dont chacun constitue une portion individuelle,

(B) n'est pas pré-emballé pour la vente aux consommateurs et est vendu en quantités de plus de cinq portions individuelles;

r) l'eau non embouteillée, sauf la glace.

Notes historiques: L'alinéa 1b) de la partie III de l'annexe VI a été modifié par L.C. 1997, c. 10, par. 137(1).

Auparavant, cet alinéa se lisait comme suit :

b) les liqueurs de malt non alcoolisées;

L'alinéa 1j) de la partie III de l'annexe VI a été modifié par L.C. 1997, c. 10, par. 137(2) et cet modification s'applique aux fournitures dont la contrepartie devient due après le

13 mai 1996 ou est payée après cette date sans qu'elle soit devenue due. Il se lisait auparavant comme suit :

> j) les sucettes glacées et les friandises glacées, aromatisées, colorées ou sucrées, congelées ou non;

L'alinéa 1k) de la partie III de l'annexe VI a été modifié par L.C. 1997, c. 10, par. 137(2) et cet modification s'applique aux fournitures dont la contrepartie devient due après le 13 mai 1996 ou est payée après cette date sans qu'elle soit devenue due. Il se lisait comme suit :

> k) la crème glacée, le lait glacé, le sorbet, le yogourt glacé, la crème-dessert (*pouding*) glacée ou tout produit contenant l'un ou l'autre de ces produits, lorsqu'ils sont emballés en portions individuelles;

L'alinéa 1n) de la Partie III de l'annexe VI a été modifié par L.C. 1993, c. 27, par. 188(1) et est réputé entré en vigueur le 17 décembre 1990. Toutefois, pour ce qui est de son application aux fournitures relativement auxquelles la taxe serait devenue payable avant le 28 mars 1991 sans cette modification, aux fournitures relativement auxquelles un montant a été payé avant cette date au titre de la taxe et aux biens importés avant cette date, il doit ce lire comme suit :

> n) le yogourt, la crème-dessert (pouding) ou les boissons, sauf le lait non aromatisé, qui ne sont pas, selon le cas :
>
> (i) préparés et pré-emballés spécialement pour être consommés par les bébés,
>
> (ii) vendus en paquets pré-emballés par le fabricant ou le producteur et constitués de plusieurs portions individuelles,
>
> (iii) vendus en boîte, en bouteille ou autre contenant d'origine, dont le contenu dépasse une portion individuelle;

L'alinéa 1n) de la Partie III de l'annexe VI se lisait auparavant comme suit :

> n) le yogourt, la crème-dessert (*pouding*) ou les boissons (sauf le lait non aromatisé), sauf s'ils sont emballés pour la vente aux consommateurs en paquets constitués de plusieurs portions individuelles ou en quantités dépassant une portion individuelle et sauf s'ils sont préparés et emballés spécialement pour être consommés par les bébés;

L'alinéa 1o) de la partie III de l'annexe VI a été modifié par L.C. 1997, c. 10, par. 137(3) et cet modification s'applique aux fournitures dont la contrepartie devient due après le 13 mai 1996 ou est payée après cette date sans qu'elle soit devenue due. Il se lisait auparavant comme suit :

> o) les aliments et boissons préparés suivants, vendus sous une forme qui en permet la consommation immédiate, au point de vente ou ailleurs, notamment :
>
> (i) les aliments et boissons chauffés pour la consommation,
>
> (ii) les salades préparées,
>
> (iii) les sandwiches et les produits semblables,
>
> (iv) les plateaux de fromages, de charcuteries, de fruits ou de légumes et autres arrangements d'aliments préparés,
>
> (v) la crème glacée, le lait glacé, le sorbet, le yogourt glacé, la crème-dessert (*pouding*) glacée ou les produits contenant ces produits, vendus en portions individuelles et servis au point de vente,
>
> (vi) les boissons distribuées au point de vente;

Les alinéas o.1) à o.5) ont été ajoutés par L.C. 1997, c. 10, par. 137(3) et s'appliquent aux fournitures dont la contrepartie devient due après le 13 mai 1996 ou est payée après cette date sans qu'elle soit devenue due.

L'alinéa 1r) de la Partie III de l'annexe VI a été ajouté par L.C. 1993, c. 27, par. 188(2) et s'applique aux fournitures dont la contrepartie devient due ou est payée après avril 1991 et dont nulle partie de la contrepartie n'est devenue due ou n'a été payée avant mai 1991.

L'article 1 de la Partie III de l'annexe VI a été ajouté par L.C. 1990, c. 45, art. 18.

Concordance québécoise: LTVQ, art. 177.

Définitions: « fourniture », « produits », « vente » — 123(1).

Renvois: 160 (appareil automatique); 165.1(2) (appareil automatique — calcul de la taxe); VI:Partie II:11 (dents artificielles); VI:Partie III:2 (eau non embouteillée); V:Partie III:12 (fourniture d'aliments ou de boissons dans la cafétéria d'une école primaire ou secondaire); V:Partie III:14 (fourniture d'aliments ou de boissons aux termes d'un contrat); V:Partie V.1:1 (fourniture de biens ou de services par un organisme de bienfaisance); V:Partie V.1:4 (aliments et boissons); VI:Partie VI:2 (biens meubles ou services par une institution publique); *Règlement sur les aliments et les boissons de cafétérias d'école (TPS)*, 1.

Jurisprudence: *The Cookie Florist Canada Ltd. c. La Reine*, [1995] G.S.T.C. 37 (CCI); *Hubka (J.) c. La Reine*, [1995] G.S.T.C. 58 (CCI); *Oxford Frozen Foods Ltd. c. La Reine*, [1996] G.S.T.C. 76 (CCI); *Patten Packaging Ltd. c. Canada*, [1997] G.S.T.C. 79 (CCI); *Frisco Mills Inc. c. R.*, [2000] G.S.T.C. 68 (CCI); *Ladas c. R.*, [2000] G.S.T.C. 72 (CCI); *Siddiqi c. R.*, [2001] G.S.T.C. 61 (CCI); *Vincent Chow White Crane Martial Arts Inc. c. Canada*, [1999] G.S.T.C. 67 (CCI); *Ladas c. R.*, [2002] G.S.T.C. 69 (CFC); *Aliments Koyo inc. v. R.*, [2004] T.C.C. 286 (CCI); *Triple G. Corp. v. R.* (24 avril 2008), [2008] G.S.T.C. 102 (CCI [procédure générale]); *9056-2059 Québec Inc. c. R.*, 2011 CarswellNat 4270, 2011 CAF 296, 2011 G.T.C. 2054 (CAF).

Énoncés de politique: P-081R, 25/05/99, *Statut fiscal du vin désalcoolisé*; P-213, 16/10/97, *GST statut aux fins de la TPS/TVH de certains produits de crème glacée, de lait glacé, de sorbert, de yougourt glacé, de crème-dessert (pouding) glacé* (Ébauche); P-224, 04/01/99, *L'expression service de traiteur est utilisée à plusieurs endroits dans la Loi sur la taxe d'accise (la Loi). Cependant, la Loi ne donne pas de définition de service de traiteur*; P-232, 24/06/99, *Signification de « autres arrangements d'aliments préparés »*; P-240, 31/07/02, *Application de la TPS/TVH aux produits connus sous le nom de « suppléments diététiques »*; P-241, 09/05/02, *Signification de l'expression « autres grignotines semblables » à l'alinéa 1f) de la partie III de l'annexe VI de la Loi sur la taxe d'accise (LTA)*.

Série de mémorandums: Mémorandum 4.3, 11/97, *Produits alimentaires de base* , par. 25.

Énoncés de politique: P-251, 17/12/08, *Établissements de restauration.*

Lettres d'interprétation (Québec): 98-0106090 — Statut fiscal des tisanes thérapeutiques; 98-0111975 — Interprétation TPS/TVQ — Statut fiscal de certains biens acquis par une administration hospitalière; 99-0102105 — Interprétation relative à la TPS — Interprétation relative à la TVQ [à l'égard de la vente de salades]; 99-0104580 — Décision portant sur l'application de la TPS — Interprétation relative à la TVQ — Fourniture de glace; 99-0106064 — Interprétation relative à la TPS et à la TVQ — Fournitures effectuées par un CHSLD; 01-0109080 — Interprétation relative à la TPS et à la TVQ — Fourniture de saumon fumé congelé; 06-0101581 — Demande d'interprétation de la TPS et de la TVQ — Préemballage par le fabricant ou le producteur; 06-0105533 — Demande d'interprétation de la TPS et à la TVQ — statut fiscal de la fourniture de sacs de salade emballée sous vide; 07-0103056 — Demande d'interprétation relative à la TPS et à la TVQ — statut fiscal de la fourniture du Sport Shake; 07-0104401 — Fourniture des produits.

2. [Eau non embouteillée] — La fourniture, effectuée au profit d'un consommateur, d'eau non embouteillée destinée à la consommation humaine et distribuée au moyen d'un distributeur automatique du fournisseur ou à l'établissement stable de celui-ci, en quantités dépassant une portion individuelle.

Notes historiques: L'article 2 de la Partie III de l'annexe VI a été ajouté par L.C. 1993, c. 27, par. 189(1) et est réputé entré en vigueur le 17 décembre 1990.

Concordance québécoise: LTVQ, art. 177.1.

Définitions: « consommateur », « établissement stable », « fourniture », « produits », « vente » — 123(1).

Renvois: 123(1)« acquéreur » (circonstances dans lesquelles une personne est un acquéreur); 162(1) (redevances sur ressources naturelles); V:Partie VI:23 (eau non embouteillée); VI:Partie III:1 (eau non embouteillée).

Mémorandums: TPS 300-3-3, 27/08/90, *Produits alimentaires de base.*

Série de mémorandums: Mémorandum 4.3, 11/97, *Produits alimentaires de base* , par. 25.

Info TPS/TVQ: GI-011 — *Transporteurs d'eau.*

Partie IV — Agriculture et pêche

1. [Bétail, volaille ou abeilles] — La fourniture de bétail (autre que des lapins), de volaille ou d'abeilles, habituellement élevés ou gardés pour servir à la consommation humaine, pour produire des aliments destinés à la consommation humaine ou pour produire de la laine.

Notes historiques: L'article 1 de la Partie IV de l'annexe VI a été modifié par L.C. 1994, c. 9, par. 32(1) et est réputé entré en vigueur le 17 décembre 1990. Il se lisait comme suit :

> 1. La fourniture de bétail, de volaille ou d'abeilles, habituellement élevés ou gardés pour produire des aliments pour la consommation humaine ou destinés à la consommation humaine ou pour produire de la laine.

L'article 1 a été édicté par L.C. 1990, c. 45, art. 18.

Concordance québécoise: LTVQ, art. 178:1°.

Définitions: « fourniture » — 123(1).

Renvois: VI:Partie IV:1.1 (lapins).

Jurisprudence: *Great Canadian Trophy Hunts Inc. c. R.*, [2005] G.S.T.C. 162 (CCI).

Énoncés de politique: P-040, 01/12/92, *La fourniture d'autruche, d'émeus et de nandous.*

Bulletins de l'information technique: B-075R, 23/04/96, *Modifications proposées à la TPS.*

Série de mémorandums: Mémorandum 4.4, 07/07, *Agriculture et pêche.*

1.1 [Lapins] — La fourniture de lapins effectuée autrement que dans le cadre d'une entreprise qui consiste à fournir régulièrement des animaux de compagnie à des consommateurs.

Notes historiques: L'article 1.1 de la Partie IV de l'annexe VI a été ajouté par L.C. 1994, c. 9, par. 32(1) et est réputé entré en vigueur le 17 décembre 1990.

Concordance québécoise: LTVQ, art. 178:1.1°.

Définitions: « entreprise », « fourniture » — 123(1).

Série de mémorandums: Mémorandum 4.4, 07/07, *Agriculture et pêche*.

2. [Graines, semences, foin, produits d'ensilage et autres produits de fourrage] — La fourniture de graines et de semences à leur état naturel, traitées pour l'ensemencement ou irradiées pour l'entreposage, de foin, de produits d'ensilage ou d'autres produits de fourrage, fournis en quantités plus importantes que celles qui sont habituellement vendues ou offertes pour vente aux consommateurs, et servant habituellement d'aliments pour la consommation humaine ou animale ou à la production de tels aliments, à l'exclusion des graines, des semences et des mélanges de celles-ci emballés, préparés ou vendus pour servir de nourriture aux oiseaux sauvages ou aux animaux domestiques.

Notes historiques: L'article 2 de la Partie IV de l'annexe VI a été modifié par L.C. 1997, c. 10, par. 138(1) et cette modification s'applique aux fournitures dont la contrepartie, même partielle, devient due après le 23 avril 1996 ou est payée après cette date sans qu'elle soit devenue due. Il se lisait comme suit :

> 2. La fourniture de graines et de semences à leur état naturel, ou traitées aux fins d'ensemencement, de foin, de produits d'ensilage ou d'autres produits de fourrage, fournis en quantités plus importantes que celles qui sont habituellement vendues ou offertes pour vente aux consommateurs, et servant habituellement d'aliments pour la consommation humaine ou animale ou à la production de tels aliments, à l'exclusion des graines, des semences et des mélanges de celles-ci emballées, préparées ou vendues pour servir de nourriture d'oiseaux sauvages ou d'animaux domestiques.

Cet article a été ajouté par L.C. 1993, c. 27, par. 189(1) et est réputé entré en vigueur le 17 décembre 1990.

Concordance québécoise: LTVQ, art. 178:2°.

Définitions: « entreprise », « fourniture », « vente » — 123(1).

Renvois: VI:Partie IV:2.1 (aliments pour animaux).

Jurisprudence: *Winnipeg Livestock Sales Ltd. c. Canada*, [1998] G.S.T.C. 87 (CCI); *Coleman c. R.*, [2002] G.S.T.C. 105 (CCI).

Bulletins de l'information technique: B-075R, 23/04/96, *Modifications proposées à la TPS*.

Série de mémorandums: Mémorandum 4.4, 07/07, *Agriculture et pêche*.

2.1 [Aliments pour animaux] — La fourniture d'aliments pour animaux, effectuée par l'exploitant d'un parc d'engraissement et réputée constituer une fourniture distincte en application de l'alinéa 164.1(2)a) de la loi.

Notes historiques: L'article 2.1 de la Partie IV de l'annexe VI a été ajouté par L.C. 1993, c. 27, par. 190(1) et est réputé entré en vigueur le 17 décembre 1990.

Concordance québécoise: LTVQ, art. 178:2.1°.

Définitions: « fourniture » — 123(1).

Série de mémorandums: Mémorandum 4.4, 07/07, *Agriculture et pêche*.

Lettres d'interprétation (Québec): 00-0105502 — Interprétation relative à la TPS et à la TVQ — Parc d'engraissement pour animaux.

3. [Houblon, orge, graine de lin, paille, canne à sucre et betteraves sucrières] — La fourniture de houblon, d'orge, de graine de lin, de paille, de canne à sucre et de betteraves sucrières.

Notes historiques: L'article 3 de la Partie IV de l'annexe VI a été ajouté par L.C. 1990, c. 45, art. 18.

27 novembre 2006, Notes explicatives: La modification apportée à l'article 3 de la partie IV de l'annexe VI consiste à ajouter à la liste des fournitures détaxées de produits agricoles la fourniture de graines ou de semences, ou de tiges matures (c'est-à-dire la paille), de plantes de chanvre industriel. Ces fournitures sont détaxées lorsqu'elles sont effectuées conformément à la *Loi réglementant certaines drogues et autres substances* ou sont exclues de l'application de cette loi. Dans le cas des graines ou des semences, elles ne doivent pas être traitées au-delà de la stérilisation ou du traitement pour l'ensemencement et ne doivent pas être vendues ou utilisées comme nourriture pour les oiseaux sauvages ou les animaux domestiques.

Cette modification s'applique aux fournitures dont la contrepartie, même partielle, devient due après le 12 avril 2001 ou est payée après cette date sans être devenue due.

Concordance québécoise: LTVQ, art. 178:3°.

Définitions: « fourniture » — 123(1).

Série de mémorandums: Mémorandum 4.4, 07/07, *Agriculture et pêche*.

3.1 [Chanvre industriel] — La fourniture de graines ou de semences, ou de tiges matures sans feuilles, fleurs, graines ou branches, de plantes de chanvre du genre *Cannabis*, si, à la fois :

a) s'agissant de graines ou de semences, elles ne sont pas traitées au-delà de la stérilisation ou du traitement pour l'ensemencement et ne sont pas emballées, préparées ou vendues pour servir de nourriture aux oiseaux sauvages ou aux animaux domestiques;

b) s'agissant de graines ou de semences viables, elles sont comprises dans la définition de « chanvre industriel » à l'article 1 du *Règlement sur le chanvre industriel* pris en vertu de la *Loi réglementant certaines drogues et autres substances*;

c) la fourniture est effectuée conformément à cette loi, le cas échéant.

Notes historiques: L'article 3.1 de la partie IV de l'annexe VI a été ajouté par L.C. 2007, c. 18, par. 58(1) et s'applique aux fournitures dont la contrepartie, même partielle, devient due après le 12 avril 2001 ou est payée après cette date sans être devenue due.

Concordance québécoise: aucune.

4. [Œufs de volaille ou de poissons] — La fourniture d'œufs de volaille ou de poissons, produits pour incubation.

Notes historiques: L'article 4 de la Partie IV de l'annexe VI a été ajouté par L.C. 1990, c. 45, art. 18.

Concordance québécoise: LTVQ, art. 178:4°.

Définitions: « fourniture » — 123(1).

Série de mémorandums: Mémorandum 4.4, 07/07, *Agriculture et pêche*.

5. [Engrais en vrac] — La fourniture d'engrais (sauf un produit vendu à titre de terre ou de mélange de terre, qu'il contienne ou non de l'engrais) en vrac ou en contenants d'au moins 25 kg, à condition que la quantité totale d'engrais fournie au moment de la fourniture soit d'au moins 500 kg.

Notes historiques: L'article 5 de la Partie IV de l'annexe VI a été modifié par L.C. 1997, c. 10, par. 139(1) et cette modification s'applique aux fournitures effectuées après le 23 avril 1996. Il se lisait auparavant comme suit :

> 5. La fourniture d'engrais en vrac ou dans un contenant d'au moins 25kg, à condition que la quantité totale d'engrais fournie au moment d'une fourniture donnée soit d'au moins 500kg.

Auparavant, il a été modifié par L.C. 1993, c. 27, par. 191(1) et est réputé entré en vigueur le 17 décembre 1990. Toutefois, pour son application aux fournitures d'engrais livrés avant le 11 mars 1992, il n'est pas tenu compte du passage « ou dans un contenant d'au moins 25 kg ». Pour son application aux fournitures d'engrais livrés après le 10 mars 1992 mais avant octobre 1992, la mention d'un contenant au même article vaut mention d'un sac. Il se lisait comme suit :

> 5. La fourniture d'engrais en vrac, fournis en quantités dépassant 500 kilogrammes.

L'article 5 de la Partie IV de l'annexe V a été édicté par L.C. 1990, c. 45, art. 18.

Concordance québécoise: LTVQ, art. 178:5°.

Définitions: « fourniture » — 123(1).

Renvois: 133 (convention portant sur une fourniture).

Énoncés de politique: P-235, 08/03/00, *Signification du mot « engrais »*; P-XX12, 04/09, *Engrais et/ou produits antiparasitaires fournis avec un service d'application* (ébauche).

Bulletins de l'information technique: B-075R, 23/04/96, *Modifications proposées à la TPS*.

Série de mémorandums: Mémorandum 4.4, 07/07, *Agriculture et pêche*.

6. [Laine] — La fourniture de laine, qui n'est pas traitée au-delà du lavage.

Notes historiques: L'article 6 de la Partie IV de l'annexe VI a été ajouté par L.C. 1990, c. 45, art. 18.

Concordance québécoise: LTVQ, art. 178:6°.

Définitions: « fourniture » — 123(1).

Série de mémorandums: Mémorandum 4.4, 07/07, *Agriculture et pêche*.

7. [Feuilles de tabac] — La fourniture de feuilles de tabac, qui ne sont pas traitées au-delà du séchage et du triage.

LTA (TPS)

Notes historiques: L'article 7 de la Partie IV de l'annexe VI a été ajouté par L.C. 1990, c. 45, art. 18.

Concordance québécoise: LTVQ, art. 178:7º.

Définitions: « fourniture » — 123(1).

Série de mémorandums: Mémorandum 4.4, 07/07, *Agriculture et pêche*.

8. [Poissons ou autres animaux d'eau salée ou d'eau douce] — La fourniture de poissons ou d'autres animaux d'eau salée ou d'eau douce, qui n'ont pas dépassé l'étape du traitement où ils sont surgelés, salés, fumés, séchés, écaillés, vidés ou filetés, sauf les animaux de ce type qui, selon le cas :

a) ne servent pas habituellement d'aliments pour la consommation humaine;

b) sont vendus comme appâts pour la pêche sportive.

Notes historiques: L'article 8 de la Partie IV de l'annexe VI a été ajouté par L.C. 1990, c. 45, art. 18.

Concordance québécoise: LTVQ, art. 178:8º.

Définitions: « fourniture » — 123(1).

Série de mémorandums: Mémorandum 4.4, 07/07, *Agriculture et pêche*.

9. [Location de terres agricoles] — La fourniture, par bail, licence ou accord semblable, de terres agricoles, effectuée au profit d'un inscrit, dans la mesure où la contrepartie de la fourniture est constituée d'une part de la production de biens des terres, dont la fourniture constitue une fourniture détaxée.

Notes historiques: L'article 9 de la Partie IV de l'annexe VI a été ajouté par L.C. 1990, c. 45, art. 18.

Concordance québécoise: LTVQ, art. 178:9º.

Définitions: « contrepartie », « fourniture », « fourniture détaxée », « inscrit » — 123(1).

Jurisprudence: *Ross (M.) c. La Reine*, [1996] G.S.T.C. 33 (CCI).

Série de mémorandums: Mémorandum 4.4, 07/07, *Agriculture et pêche*; Mémorandum 19.5, 06/02, *Fonds de terre et immeubles connexes*.

Énoncés de politique: P-253, 13/01/09, *Métayage*.

10. [Biens visés par règlement] — La fourniture de biens visés par règlement.

Notes historiques: L'article 10 de la Partie IV de l'annexe VI a été ajouté par L.C. 1990, c. 45, art. 18.

Concordance québécoise: LTVQ, art. 178:10º.

Définitions: « fourniture », « règlement » — 123(1).

Jurisprudence: *Grewal (M.) c. La Reine*, [1996] G.S.T.C. 59 (CCI); *Winnipeg Livestock Sales Ltd. c. Canada*, [1998] G.S.T.C. 87 (CCI).

Règlements: *Règlement sur les biens liés à l'agriculture ou à la pêche (TPS/TVH)*, 1.

Bulletins de l'information technique: B-075R, 23/04/96, *Modifications proposées à la TPS*.

Série de mémorandums: Mémorandum 4.4, 07/07, *Agriculture et pêche*.

Lettres d'interprétation (Québec): 98-0113138 — Décision portant sur l'application de la TPS — Interprétation relative à la TVQ moulée pour les chevaux; 04-0107385 — Fourniture d'un tracteur agricole et de certains équipements.

Partie V — Exportations

1. [Bien meuble corporel] — La fourniture d'un bien meuble corporel, sauf un produit soumis à l'accise, effectuée par une personne au profit d'un acquéreur, autre qu'un consommateur, qui a l'intention d'exporter le bien, si à la fois :

a) le bien étant un produit transporté en continu que l'acquéreur a l'intention d'exporter au moyen d'un fil, d'un pipeline ou d'une autre canalisation, l'acquéreur n'est pas inscrit aux termes de la sous-section d de la section V de la partie IX de la loi;

b) l'acquéreur exporte le bien dans un délai raisonnable après en avoir pris livraison de cette personne, compte tenu des circonstances entourant l'exportation et, le cas échéant, de ses pratiques commerciales normales;

c) l'acquéreur n'acquiert pas le bien pour consommation, utilisation ou fourniture au Canada avant l'exportation;

d) entre le moment de la fourniture et celui de l'exportation, le bien n'est pas davantage traité, transformé ou modifié au Canada, sauf dans la mesure raisonnablement nécessaire ou accessoire à son transport;

e) la personne possède des preuves, que le ministre estime acceptables, de l'exportation du bien par l'acquéreur.

Notes historiques: Les alinéas 1a) à d) de la partie V de l'annexe VI deviennent respectivement les alinéas 1b) à e) et cet article est modifié par L.C. 2000, c. 30, par. 126(1) par l'adjonction, avant l'alinéa b) ainsi renuméroté, de l'alinéa a). Cette modification s'applique aux biens fournis après octobre 1998.

L'alinéa 1d) de la Partie V de l'annexe VI a été modifié et l'alinéa 1e) de la Partie V de l'annexe VI a été abrogé par L.C. 1993, c. 27, par. 192(1) rétroactivement au 17 décembre 1990. Ces alinéas se lisaient auparavant comme suit :

d) la personne possède des preuves, satisfaisantes au ministre, que l'acquéreur a exporté le bien;

e) l'acquéreur ne transporte pas le bien au Canada au moyen d'un camion ou autre véhicule à moteur conçu pour la grande route (à l'exclusion d'un camion ou autre véhicule à moteur exploité par un voiturier public) après que le bien lui est livré au Canada.

L'alinéa e) de l'article 1 de la partie V de l'annexe VI a été remplacé par L.C. 2001, c. 15, par. 29(1). Cette modification s'applique aux fournitures effectuées après 2000. Antérieurement, il se lisait ainsi :

e) la personne possède des preuves, que le ministre estime acceptables, de l'exportation du bien par l'acquéreur ou, s'il y est autorisé en application du paragraphe 221.1(2) de la loi, l'acquéreur remet à la personne un certificat dans lequel il déclare que le bien sera exporté dans les circonstances visées aux alinéas b) à d).

L'alinéa 1e) de la partie V de l'annexe VI, renuméroté par L.C. 2000, c. 30, par. 126(1), a été remplacé par L.C. 2000, c. 30, par. 126(2) et cette modification s'applique aux biens fournis après octobre 1998. Antérieurement, il se lisait comme suit :

e) la personne possède des preuves, que le ministre estime acceptables, de l'exportation du bien par l'acquéreur ou, s'il y est autorisé en application du paragraphe 221.1(2) de la loi, l'acquéreur remet à la personne un certificat dans lequel il déclare que le bien sera exporté dans les circonstances visées aux alinéas a) à c).

L'article 1 de la Partie V de l'annexe VI a été ajouté par L.C. 1990, c. 45, art. 18.

Concordance québécoise: LTVQ, art. 179.

Définitions: « acquéreur », « bien », « bien meuble », « consommateur », « exportation », « fourniture », « inscrit », « ministre », « personne », « produits », « produit soumis à l'accise » — 123(1).

Renvois: 252(1) (remboursement aux non-résidents — produits exportés).

Jurisprudence: *Impact Shipping Inc. c. La Reine*, [1995] G.S.T.C. 28 (CCI); *Niagara Resale Center Inc. c. CAAG Auto Auction Group*, [2000] G.S.T.C. 25 (Ont SCJ); *Bam Packaging Ltd. c. R.*, [2001] G.S.T.C. 76 (CCI); *800537 Ontario Inc. v. R.*, [2005] G.S.T.C. 165 (CAF); *Rockwood Motor Products c. R.*, 2005 CCI 204 (CCI); *Évasion Hors Piste Inc. c. R.*, 2006 G.T.C. 489 (CCI); *R. Marcoux & Fils Inc. c. R.*, [2007] G.S.T.C. 8 (CCI).

Bulletins de l'information technique: B-044, 01/02/91, *Certificat destiné aux exportateurs de bois de construction*; B-062, 08/11/91, *Documents d'exportation*.

Série de mémorandums: Mémorandum 4.5.2, 11/97, *Exportations — Biens meubles corporels*; Mémorandum 4.5.3, 06/98, *Exportations — Services et propriété intellectuelle*.

Lettres d'interprétation (Québec): 98-0102834 — Preuve satisfaisante pour le ministre de l'expédition du bien hors du Québec; 99-0108920 — Interprétation en TPS et en TVQ — Certificats d'exportation et preuves de l'exportation d'un bien; 99-0111510 — Projet d'investissement à caractère international; 00-0109900 — Interprétation relative à la TPS et à la TVQ — Fourniture de documents à des destinataires hors Québec ou hors Canada.

1.1 [Vente avec certificat d'exportation] — La fourniture taxable par vente, effectuée au profit d'un acquéreur (sauf un consommateur) qui est inscrit aux termes de la sous-section d de la section V de la partie IX de la loi, d'un bien meuble corporel (sauf un bien qui est un produit soumis à l'accise ou un produit transporté en continu qui est destiné à être transporté par l'acquéreur, ou pour son compte, au moyen d'un fil, d'un pipeline ou d'une autre canalisation), si les conditions suivantes sont réunies :

a) l'acquéreur présente au fournisseur un certificat d'exportation, au sens de l'article 221.1 de la loi, attestant que l'autorisation d'utiliser le certificat qui a été accordée à l'acquéreur en vertu de cet article est en vigueur au moment de la fourniture et lui communique le numéro mentionné au paragraphe 221.1(4) de la loi ainsi que la date d'expiration de l'autorisation;

b) si l'autorisation d'utiliser le certificat n'est pas en vigueur au moment de la fourniture ou si l'acquéreur n'exporte pas le bien dans les circonstances visées aux alinéas 1b) à d), il s'avère que, au dernier moment où la taxe relative à la fourniture serait devenue payable si la fourniture n'avait pas été une fourniture détaxée, le fournisseur ne savait pas, et ne pouvait vraisemblablement pas savoir, que l'autorisation n'était pas en vigueur au moment de la fourniture ou que l'acquéreur n'exporterait pas ainsi le bien.

Notes historiques: L'article 1.1 de la partie V de l'annexe VI a été ajouté par L.C. 2001, c. 15, par. 30(1) et s'applique aux fournitures effectuées après 2000. Toutefois, en ce qui concerne la fourniture relativement à laquelle l'acquéreur présente un certificat d'exportation (au sens de l'article 221.1) qui est en vigueur au moment de la fourniture, mais qui a été délivré avant le 1er janvier 2001 et non renouvelé avant la fourniture, ou renouvelé pour la dernière fois avant le 1er janvier 2001, il n'est pas tenu compte du passage « et lui communique le numéro mentionné au paragraphe 221.1(4) de la loi ainsi que la date d'expiration de l'autorisation » à l'alinéa 1.1a) de la partie V de l'annexe VI.

Concordance québécoise: LTVQ, art. 179.1 .

Définitions: « acquéreur », « bien », « bien meuble », « consommateur », « exportation », « fourniture », « inscrit », « produits », « produit soumis à l'accise », « vente » — 123(1).

Renvois: 217 (fourniture taxable importée); 221.1(2) (certificat d'exportation); 236.2 (redressement en cas d'utilisation non valide d'un certificat d'exportation).

Bulletins de l'information technique [art. 179]: B-088, 04/07/02, *Programme de centres de distribution des exportations.*

1.2 [Vente avec certificat de centre de distribution des exportations] — La fourniture taxable par vente, effectuée au profit d'un acquéreur inscrit aux termes de la sous-section d de la section V de la partie IX de la loi, d'un bien (sauf un bien qui est un produit soumis à l'accise ou un produit transporté en continu qui est destiné à être transporté par l'acquéreur, ou pour son compte, au moyen d'un fil, d'un pipeline ou d'une autre canalisation), si les conditions suivantes sont réunies :

a) l'acquéreur présente au fournisseur un certificat de centre de distribution des exportations, au sens de l'article 273.1 de la loi, attestant que l'autorisation d'utiliser le certificat qui a été accordée à l'acquéreur en vertu de cet article est en vigueur au moment de la fourniture et que le bien est acquis pour utilisation ou fourniture à titre de stocks intérieurs ou de bien d'appoint de l'acquéreur (au sens où ces expressions s'entendent à cet article), et lui communique le numéro mentionné au paragraphe 273.1(9) de la loi ainsi que la date d'expiration de l'autorisation;

b) le total, indiqué dans une seule facture ou convention, de la contrepartie de la fourniture en question et des contreparties des autres fournitures effectuées au profit de l'acquéreur et visées par ailleurs au présent article est d'au moins 1 000 $;

c) si l'autorisation d'utiliser le certificat n'est pas en vigueur au moment de la fourniture ou si l'acquéreur n'acquiert pas le bien pour utilisation ou fourniture à titre de stocks intérieurs ou de bien d'appoint (au sens où ces expressions s'entendent à cet article) dans le cadre de ses activités commerciales, il s'avère que, au dernier moment où la taxe relative à la fourniture serait devenue payable si la fourniture n'avait pas été une fourniture détaxée, le fournisseur ne savait pas, et ne pouvait vraisemblablement pas savoir, que l'autorisation n'était pas en vigueur au moment de la fourniture ou que l'acquéreur n'acquérait pas le bien à cette fin.

Notes historiques: L'article 1.2 de la partie V de l'annexe VI a été ajouté par L.C. 2001, c. 15, par. 30(1) et s'applique aux fournitures effectuées après 2000.

Concordance québécoise: LTVQ, art. 179.2 .

Définitions: « acquéreur », « bien », « fourniture », « inscrit », « produits », « produit soumis à l'accise », « vente » — 123(1).

Renvois: 169(2) (certificat d'exportation); 217 (fourniture taxable importée); 236.3 (redressement en cas d'utilisation non valide d'un certificat de centre de distribution des exportations); 273.1 (centres de distribution des exportations).

2. [Bien ou service au profit d'une personne non résidante] — La fourniture d'un bien ou d'un service (sauf la fourniture d'un immeuble par vente) effectuée au profit d'une personne non résidante qui n'est pas inscrite aux termes de la sous-section d de la section V de la partie IX de la loi au moment de la fourniture, si la personne acquiert le bien ou le service pour consommation, utilisation ou fourniture :

a) si elle exploite une entreprise de transport de passagers ou de biens par bateau, aéronef ou train en provenance ou à destination du Canada ou entre des points à l'étranger, dans le cadre d'un tel transport;

b) dans le cadre de l'exploitation d'un bateau ou d'un aéronef par le gouvernement d'un pays étranger, ou pour son compte;

c) dans le cadre de l'exploitation d'un bateau en vue d'obtenir des données scientifiques à l'étranger ou pour poser ou réparer des câbles télégraphiques sous-marins.

Notes historiques: L'alinéa 2a) de la partie V de l'annexe VI a été modifié par L.C. 1997, c. 10, par. 140(1) et cette modification s'applique aux fournitures effectuées après le 23 avril 1996. Auparavant, cet alinéa se lisait comme suit :

> a) si elle exploite une entreprise de transport de passagers ou de biens en provenance ou à destination du Canada par bateau, aéronef ou chemin de fer, dans le cadre d'un tel transport;

L'article 2 de la Partie V de l'annexe VI a été ajouté par L.C. 1990, c. 45, art. 18.

Concordance québécoise: LTVQ, art. 180.

Définitions: « bien », « entreprise », « fourniture », « immeuble », « personne », « service », « vente » — 123(1).

Renvois: 123(1)« acquéreur » (circonstances dans lesquelles une personne est un acquéreur); VI:Partie V:2.1 (carburant).

Énoncés de politique: P-005, 03/04/92, *Signification de fourniture effectuée au profit d'une personne non résidante*; P-009, 03/04/92, *Déterminer la preuve de la résidence et du statut relatif à l'inscription*; P-076, 22/07/93, *Signification de l'expression « dans le cadre d'un tel transport de passagers ou de biens »*; P-142, 15/06/94, *Signification des termes « exploite une entreprise de transport de passagers ou de biens en provenance ou à destination du Canada ».*

Bulletins de l'information technique: B-075R, 23/04/96, *Modifications proposées à la TPS.*

Série de mémorandums: Mémorandum 4.5.1, 01/98, *Exportations — Déterminer le statut de résidence*; Mémorandum 4.5.2, 11/97, *Exportations — Biens meubles corporels*; Mémorandum 4.5.3, 06/98, *Exportations — Services et propriété intellectuelle.*

2.1 [Carburant] — La fourniture de carburant à une personne qui est inscrite en vertu de la sous-section d de la section V de la partie IX de la loi au moment de la fourniture, dans le cas où les conditions suivantes sont réunies :

a) la personne exploite une entreprise de transport de passagers ou de biens par bateau, aéronef ou train en provenance ou à destination du Canada ou entre des points à l'étranger;

b) la personne acquiert le carburant pour utilisation dans le cadre de pareil transport de passagers ou de biens.

Notes historiques: L'alinéa 2.1a) de la partie V de l'annexe VI a été modifié par L.C. 1997, c. 10, par. 141(1) et cette modification s'applique aux fournitures effectuées après le 23 avril 1996. Auparavant, cet alinéa se lisait comme suit :

> a) la personne exploite une entreprise de transport de passagers ou de biens par bateau, aéronef ou train à destination ou en provenance du Canada;

L'article 2.1 de la Partie V de l'annexe VI a été ajouté par L.C. 1993, c. 27, par. 193(1) et s'applique aux fournitures de carburant livré à l'acquéreur après le 5 novembre 1991.

Concordance québécoise: LTVQ, art. 180.1.

Définitions: « bien », « entreprise », « fourniture », « personne » — 123(1).

Renvois: 123(1)« acquéreur » (circonstances dans lesquelles une personne est un acquéreur); VI:Partie V:2 (bien ou service au profit d'une personne non résidante).

Énoncés de politique: P-006, 19/05/92, *Crédit de taxe relatifs à la fourniture de carburant aux transporteurs.*

Bulletins de l'information technique: B-075R, 23/04/96, *Modifications proposées à la TPS.*

Série de mémorandums: Mémorandum 4.5.2, 11/97, *Exportations — Biens meubles corporels.*

2.2 [Service de navigation aérienne] — La fourniture de services de navigation aérienne, au sens du paragraphe 2(1) de la *Loi sur la commercialisation des services de navigation aérienne civile*, effectuée au profit d'une personne qui est inscrite aux termes de la sous-section d de la section V de la partie IX de la loi au moment de la fourniture, si les conditions suivantes sont réunies :

a) la personne exploite une entreprise de transport aérien de passagers ou de biens à destination ou en provenance du Canada ou entre des endroits à l'étranger;

b) les services sont acquis par la personne pour utilisation dans le cadre de ce transport.

Notes historiques: L'article 2.2 de la partie V de l'annexe VI a été ajouté par L.C. 2000, c. 30, par. 127(1) et s'applique aux services exécutés après mars 1997.

Concordance québécoise: LTVQ, art. 180.3.

Définitions: « personne », « service » — 123(1).

3. [Produit soumis à l'accise] — La fourniture d'un produit soumis à l'accise, si l'acquéreur l'exporte sans payer les droits prévus par la *Loi sur l'accise* ou la *Loi de 2001 sur l'accise*.

Notes historiques: L'article 3 de la Partie V de l'annexe VI a été remplacé par L.C. 2002, c. 22, art. 391 et cette modification est entrée en vigueur le 1er juillet 2003 [C.P. 2003-388]. Antérieurement, il se lisait ainsi :

3. La fourniture d'un produit soumis à l'accise, si l'acquéreur l'exporte en douane.

L'article 3 de la Partie V de l'annexe VI a été ajouté par L.C. 1990, c. 45, art. 18.

Concordance québécoise: LTVQ, art. 181.

Définitions: « acquéreur », « bien », « entreprise », « fourniture », « produits », « produit soumis à l'accise » — 123(1).

Série de mémorandums: Mémorandum 4.5.2, 11/97, *Exportations — Biens meubles corporels*; Mémorandum 4.5.3, 06/98, *Exportations — Services et propriété intellectuelle*.

4. [Service relatif à un bien meuble corporel habituellement situé à l'étranger qui est importé provisoirement] — La fourniture :

a) d'un service, sauf un service de transport, relatif à un bien meuble corporel habituellement situé à l'étranger qui est importé provisoirement dans le seul but de permettre l'exécution du service et qui est exporté dans les meilleurs délais une fois le service exécuté;

b) d'un bien meuble corporel fourni avec le service visé à l'alinéa a).

Notes historiques: L'article 4 de la Partie V de l'annexe VI a été modifié par L.C. 1997, c. 10, par. 142(1) et cette modification s'applique aux fournitures effectuées après le 23 avril 1996. Il se lisait auparavant comme suit :

4. La fourniture d'un service, sauf un service de transport, relatif à un bien meuble corporel habituellement situé à l'étranger qui est importé provisoirement dans le seul but de permettre l'exécution du service et qui est exporté dans les meilleurs délais une fois le service exécuté.

Cet article a été ajouté par L.C. 1990, c. 45, art. 18.

Concordance québécoise: LTVQ, art. 182.

Définitions: « acquéreur », « bien », « bien meuble », « fourniture », « service » — 123(1).

Jurisprudence: *Robertson. c. R.*, [2002] G.S.T.C. 13 (CCI).

Énoncés de politique: P-074, 01/12/92, *Statut fiscal des frais d'entreposage*.

Bulletins de l'information technique: B-075R, 23/04/96, *Modifications proposées à la TPS*.

Série de mémorandums: Mémorandum 4.5.2, 11/97, *Exportations — Biens meubles corporels*; Mémorandum 4.5.3, 06/98, *Exportations — Services et propriété intellectuelle*.

Lettres d'interprétation (Québec): 98-0111330 — Interprétation relative à la TPS — Fourniture d'un service à une personne non résidente.

5. [Service de mandataire au profit d'une personne non–résidente] — La fourniture, effectuée au profit d'une personne non-résidente, d'un service de mandataire ou d'un service consistant à faire passer des commandes pour des fournitures à effectuer par la personne ou à son profit, à obtenir de telles commandes ou à faire des démarches pour en obtenir, dans le cas où le service se rapporte :

a) soit à une fourniture effectuée au profit de la personne, incluse dans un autre article de la présente partie;

b) soit à une fourniture effectuée à l'étranger par la personne ou à son profit.

Notes historiques: L'article 5 de la Partie V de l'annexe VI a été modifié par L.C. 1997, c. 10, par. 142(1) et cette modification est réputée entrée en vigueur le 17 décembre 1990. Il se lisait comme suit :

5. La fourniture, effectuée au profit d'une personne non résidante, d'un service de mandataire, dans la mesure où le service se rapporte :

a) à une fourniture effectuée au profit de cette personne, figurant dans un autre article de la présente partie;

b) à une fourniture effectuée à l'étranger par cette personne ou à son profit.

Cet article a été ajouté par L.C. 1990, c. 45, art. 18.

Concordance québécoise: LTVQ, art. 183.

Définitions: « bien », « fourniture », « personne », « service » — 123(1).

Renvois: 123(1)« acquéreur » (circonstances dans lesquelles une personne est un acquéreur); VI:Partie V:7 (service à un non-résident); VI:Partie VII:12 (service de mandataire d'une personne non résidante).

Jurisprudence: *Artistic Ideas Inc. v. Minister of National Revenue*, 2008 CarswellNat 5702 (7 août 2008) (CCI [procédure générale]).

Énoncés de politique: P-005, 03/04/92, *Signification de fourniture effectuée au profit d'une personne non résidante*; P-009, 03/04/92, *Déterminer la preuve de la résidence et du statut relatif à l'inscription*; P-016, 01/01/91, *Service de mandataire*; P-067R, 06/07/93, *Signification de « moyen de transport » ou « conteneur »*; P-182R, 28/08/03, *Du mandat*.

Bulletins de l'information technique: B-075R, 23/04/96, *Modifications proposées à la TPS*.

Série de mémorandums: Mémorandum 4.5.1, 01/98, *Exportations — Déterminer le statut de résidence*; Mémorandum 4.5.3, 06/98, *Exportations — Services et propriété intellectuelle*.

Lettres d'interprétation (Québec): 00-0104281 — Commissions versées par une compagnie américaine.

6. [Service de réparation d'urgence] — La fourniture, effectuée par une personne au profit d'un acquéreur non-résident, d'un service de réparation d'urgence et, le cas échéant, d'un bien meuble corporel fourni avec ce service, relativement à un moyen de transport ou à un conteneur que la personne utilise ou transporte dans le cadre d'une entreprise de transport de passagers ou de biens.

Notes historiques: L'article 6 de la Partie V de l'annexe VI a été modifié par L.C. 1997, c. 10, par. 142(1) et cette modification s'applique aux fournitures effectuées après le 23 avril 1996. Il se lisait comme suit :

6. La fourniture, effectuée par une personne au profit d'un acquéreur non-résident, d'un service de réparation d'urgence et, le cas échéant, d'un bien fourni avec ce service, relativement à un moyen de transport ou à un conteneur que la personne utilise dans une entreprise de transport de passagers ou de produits.

Cet article a été modifié par L.C. 1993, c. 27, par. 194(1) et est réputé entré en vigueur le 17 décembre 1990. Il se lisait comme suit :

6. La fourniture, effectuée par une personne au profit d'un acquéreur non résidant, d'un service de réparation d'urgence et d'un bien fourni avec ce service, en rapport avec un conteneur que la personne utilise dans une entreprise de transport de passagers ou de produits.

Cet article a été édicté par L.C. 1990, c. 45, art. 18.

Concordance québécoise: LTVQ, art. 184.

Définitions: « acquéreur », « bien », « bien meuble », « entreprise », « fourniture », « personne », « service » — 123(1).

Renvois: 123(1)« acquéreur » (circonstances dans lesquelles une personne est un acquéreur).

Énoncés de politique: P-005, 03/04/92, *Signification de fourniture effectuée au profit d'une personne non résidante*; P-009, 03/04/92, *Déterminer la preuve de la résidence et du statut relatif à l'inscription*; P-016, 01/01/91, *Service de mandataire*; P-067R, 06/07/93, *Signification de « moyen de transport » ou « conteneur »*; P-182R, 28/08/03, *Du mandat*.

Bulletins de l'information technique: B-075R, 23/04/96, *Modifications proposées à la TPS*.

Bulletins de l'information technique: B-075R, 23/04/96, *Modifications proposées à la TPS*.

Série de mémorandums: Mémorandum 4.5.1, 01/98, *Exportations — Déterminer le statut de résidence*; Mémorandum 4.5.2, 11/97, *Exportations — Biens meubles corporels*; Mémorandum 4.5.3, 06/98, *Exportations — Services et propriété intellectuelle*.

6.1 [Service de réparation d'urgence] — La fourniture, effectuée au profit d'une personne non-résidente qui n'est pas inscrite aux termes de la sous-section d de la section V de la partie IX de la loi, d'un service de réparation d'urgence et, le cas échéant, d'un bien meuble corporel fourni avec ce service, relativement à du matériel roulant utilisé dans le cadre d'une entreprise de transport de passagers ou de biens.

Notes historiques: L'article 6.1 de la Partie V de l'annexe VI a été ajouté par L.C. 1997, c. 10, par. 142(1) et s'applique aux fournitures effectuées après le 23 avril 1996.

Concordance québécoise: LTVQ, art. 184.1.

Définitions: « bien », « bien meuble », « entreprise », « fourniture », « personne », « service » — 123(1).

Renvois: 123(1)« acquéreur » (circonstances dans lesquelles une personne est un acquéreur).

Énoncés de politique: P-217, 21/01/99, *Signification du terme matériel roulant*.

Bulletins de l'information technique: B-075R, 23/04/96, *Modifications proposées à la TPS*.

Série de mémorandums: Mémorandum 4.5.1, 01/98, *Exportations — Déterminer le statut de résidence*; Mémorandum 4.5.2, 11/97, *Exportations — Biens meubles corporels*; Mémorandum 4.5.3, 06/98, *Exportations — Services et propriété intellectuelle*.

6.2 [Idem] — La fourniture, effectuée au profit d'une personne non-résidente qui n'est pas inscrite aux termes de la sous-section d de la section V de la partie IX de la loi :

a) d'un service de réparation d'urgence relatif à un conteneur vide d'une longueur d'au moins 6,1 mètres et d'une contenance d'au moins 14 mètres cubes, ou d'un service d'entreposage d'un tel conteneur, qui, à la fois :

(i) sert au transport de biens en provenance ou à destination du Canada,

(ii) est classé sous la position 98.01 ou la sous-position 9823.90 de l'annexe I du *Tarif des douanes*;

b) d'un bien meuble corporel fourni avec le service de réparation visé à l'alinéa a).

Notes historiques: L'article 6.2 de la Partie V de l'annexe VI a été ajouté par L.C. 1997, c. 10, par. 142(1) et s'applique aux fournitures effectuées après le 23 avril 1996.

Concordance québécoise: LTVQ, art. 184.2.

Définitions: « bien », « bien meuble », « fourniture », « personne », « service » — 123(1).

Renvois: 123(1)« acquéreur » (circonstances dans lesquelles une personne est un acquéreur).

Énoncés de politique: P-067R, 06/07/93, *Signification de « moyen de transport » ou « conteneur »*.

Bulletins de l'information technique: B-075R, 23/04/96, *Modifications proposées à la TPS*.

Série de mémorandums: Mémorandum 4.5.1, 01/98, *Exportations — Déterminer le statut de résidence*; Mémorandum 4.5.2, 11/97, *Exportations — Biens meubles corporels*; Mémorandum 4.5.3, 06/98, *Exportations — Services et propriété intellectuelle*.

7. [Service à un non-résident] — La fourniture d'un service au profit d'une personne non-résidente, à l'exclusion des fournitures suivantes :

a) un service fourni à un particulier qui se trouve au Canada lorsqu'il communique avec le fournisseur concernant la fourniture;

a.1) un service rendu à un particulier pendant qu'il se trouve au Canada;

b) un service consultatif ou professionnel;

c) un service postal;

d) un service lié à un immeuble situé au Canada;

e) un service lié à un bien meuble corporel qui est situé au Canada au moment de l'exécution du service;

f) un service de mandataire de la personne ou un service consistant à faire passer des commandes pour des fournitures à effectuer par la personne ou à son profit, à obtenir de telles commandes ou à faire des démarches en vue d'en obtenir;

g) un service de transport.

h) un service de télécommunication.

Notes historiques: Le préambule de l'article 7 de la partie V de l'annexe VI a été modifié par L.C. 1997, c. 10, par 143(1) et cette modification s'applique aux fournitures dont la contrepartie devient due après le 30 juin 1996 ou est payée après cette date sans qu'elle soit devenue due. Auparavant, ce préambule se lisait comme suit :

7. La fourniture d'un service au profit d'une personne non-résidente, sauf un particulier, ou d'un particulier non résident qui est à l'étranger lors de chacune de ses communications avec le fournisseur concernant la fourniture, à l'exclusion des fournitures suivantes :

L'alinéa a) a été modifié par L.C. 1997, c. 10, par. 143(1) et cette modification s'applique aux fournitures dont la contrepartie devient due après le 30 juin 1996 ou est payée après cette date sans qu'elle soit devenue due. Auparavant, cet alinéa se lisait comme suit :

a) un service à consommer ou à utiliser principalement au Canada;

L'alinéa a.1) a été ajouté par L.C. 1997, c. 10, par. 143(1) et s'applique aux fournitures dont la contrepartie devient due après le 30 juin 1996 ou est payée après cette date sans qu'elle soit devenue due.

L'alinéa f) a été modifié par L.C. 1997, c. 10, par. 143(1) et cette modification s'applique aux fournitures effectuées après le 23 avril 1996. Auparavant, cet alinéa se lisait comme suit :

f) un service de mandataire de la personne ou du particulier;

L'alinéa h) a été ajouté par L.C. 1997, c. 10, par. 143(1) et s'applique aux fournitures effectuées après le 15 décembre 1996.

L'article 7 de la Partie V de l'annexe VI a été modifié par L.C. 1993, c. 27, par. 195(1) et s'applique aux fournitures de services dont l'exécution commence au plus tôt le 10 juin 1993. Il se lisait auparavant comme suit :

7. La fourniture d'un service effectuée au profit d'une personne non résidante donnée, sauf un particulier, ou d'un particulier non résidant qui était à l'étranger pendant que le service était exécuté, à l'exclusion des fournitures suivantes :

a) un service, sauf un service consultatif ou professionnel, destiné principalement à la consommation ou à l'utilisation par une personne au Canada ou un service postal, sauf un service lié à un service de télécommunication ou postal qu'un inscrit exploitant une entreprise de fourniture de tels services fournit à une personne non résidante qui n'est pas un inscrit et qui exploite une telle entreprise;

b) un service lié à un immeuble situé au Canada;

c) un service lié à un bien meuble corporel habituellement situé au Canada ou à y être livré;

d) un service de mandataire du particulier non résidant ou de la personne donnée;

e) un service de transport.

L'article 7 de la Partie V de l'annexe VI a été ajouté par L.C. 1990, c. 45, art. 18.

Concordance québécoise: LTVQ, art. 185.

Définitions: « bien », « bien meuble », « fourniture », « immeuble », « personne », « service », « service de télécommunication » — 123(1).

Renvois: 123(1)« acquéreur » (circonstances dans lesquelles une personne est un acquéreur); 179(2) (livraison au consignataire d'un non-résident); 252.41 (remboursement aux non résidants pour services d'installation); VI:Partie V:5 (service de mandataire au profit d'une personne non-résidente); VI:Partie V:17 (service de dépositaire).

Jurisprudence: *GKO Engineering c. R.*, [2000] G.S.T.C. 29 (CCI); [2001] G.S.T.C. 53 (CAF); *Ingle Manor Farms, Inc. c. R.*, [2001] G.S.T.C. 118 (CCI); *Robertson. c. R.*, [2002] G.S.T.C. 13 (CCI); *Invera Inc. c. R.*, [2005] G.S.T.C. 163 (CCI); *Federico c. R.*, [2005] G.S.T.C. 103 (CCI); *Hawkins Taxidermists of Canada Ltd. c. R.*, 2005 TCC 376 (CCI).

Énoncés de politique: P-004, 03/04/92, *Destiné principalement à la consommation ou à l'utilisation par une personne au Canada*; P-005, 03/04/92, *Signification de fourniture effectuée au profit d'une personne non résidante*; P-009, 03/04/92, *Déterminer la preuve de la résidence et du statut relatif à l'inscription*; P-010, 10/03/92, *L'interprétation des alinéas 7b)* et 7c) de la partie V de l'annexe VI de la LTA; P-144, 01/06/94, *Services d'aide aux voyageurs fournis à des organisateurs non résidants de voyages*; P-169R, 25/05/99, *Définition des expressions « lié à un immeuble situé au Canada » et « lié à un bien meuble corporel qui est situé au Canada au moment de l'exécution du service » pour l'application des articles 7 et 23 de la partie V de l'annexe VI de la Loi sur la taxe d'accise*; P-182R, 28/08/03, *Du mandat*.

Bulletins de l'information technique: B-075R, 23/04/96, *Modifications proposées à la TPS*; B-090, 07/02, *La TPS/TVH et le commerce électronique*.

Série de mémorandums: Mémorandum 4.5.1, 01/98, *Exportations — Déterminer le statut de résidence*; Mémorandum 4.5.3, 06/98, *Exportations — Services et propriété intellectuelle*; Mémorandum 17.9, 08/99, *Agents et courtiers d'assurance*; Mémorandum 19.1, 10/97, *Les immeubles et la TPS/TVH*.

Lettres d'interprétation (Québec): 98-0107494 — Application de la *Loi sur la taxe d'accise* (L.R.C. 1985, c. E-15; « la LTA ») et de la *Loi sur la taxe de vente du Québec* (L.R.Q., c. T-0.1; « la LTVQ ») [relativement à la fourniture de service de télémarketing]; 99-0104218 — Interprétation relative à la TPS — Interprétation relative à la TVQ — Hébergement / conception d'un site Web; 99-0109159 — Interprétation relative à la TPS / TVH — Interprétation relative à la TVQ — Conception / hébergement d'un site Web; 00-0107052 — Nature des frais administratifs facturés par une agence de voyage; 00-0110977 — Interprétation concernant l'application de la Loi sur la taxe d'accise et de la Loi sur la taxe de vente du Québec; 00-0112094 — Contrat de mandat; 02-0100160 — Interprétation relative à la TPS et à la TVQ — Qualification d'un service rendu à ses membres par une association (« Asso »); 03-0101794 — Interprétation relative à la TPS et à la TVH — Interprétation relative à la TVQ — [Activités reliées au secteur de l'informatique].

8. [Service de publicité] — La fourniture d'un service de publicité effectuée au profit d'une personne non résidante qui n'est pas inscrite aux termes de la sous-section d de la section V de la partie IX de la loi au moment où le service est exécuté.

Notes historiques: L'article 8 de la Partie V de l'annexe VI a été ajouté par L.C. 1990, c. 45, art. 18.

Concordance québécoise: LTVQ, art. 186.

Définitions: « bien », « fourniture », « personne », « service » — 123(1).

Renvois: 123(1)« acquéreur » (circonstances dans lesquelles une personne est un acquéreur).

Énoncés de politique: P-005, 03/04/92, *Signification de fourniture effectuée au profit d'une personne non résidante*; P-009, 03/04/92, *Déterminer la preuve de la résidence et du statut relatif à l'inscription*.

Bulletins de l'information technique: B-090, 07/02, *La TPS/TVH et le commerce électronique*.

Série de mémorandums: Mémorandum 4.5.1, 01/98, *Exportations — Déterminer le statut de résidence*; Mémorandum 4.5.3, 06/98, *Exportations — Services et propriété intellectuelle*.

9. [Service de conseil, de consultation ou de recherche] — La fourniture effectuée au profit d'une personne non résidante d'un service de conseil, de consultation ou de recherche en vue de l'aider à établir sa résidence au Canada ou à y établir une entreprise.

Notes historiques: L'article 9 de la Partie V de l'annexe VI a été ajouté par L.C. 1990, c. 45, art. 18.

Concordance québécoise: LTVQ, art. 187.

Définitions: « bien », « entreprise », « fourniture », « personne », « service » — 123(1).

Renvois: 123(1)« acquéreur » (circonstances dans lesquelles une personne est un acquéreur); VI:Partie V:7, 23 (service à un non-résident).

Jurisprudence: *Federico c. R.*, [2005] G.S.T.C. 103 (CCI).

Énoncés de politique: P-005, 03/04/92, *Signification de fourniture effectuée au profit d'une personne non résidante*; P-009, 03/04/92, *Déterminer la preuve de la résidence et du statut relatif à l'inscription*; P-173, 01/03/95, *Sens de l'expression « établir une entreprise au Canada »* (Ébauche).

Série de mémorandums: Mémorandum 4.5.1, 01/98, *Exportations — Déterminer le statut de résidence*; Mémorandum 4.5.3, 06/98, *Exportations — Services et propriété intellectuelle*.

10. [Propriété intellectuelle] — La fourniture d'une invention, d'un brevet, d'un secret industriel, d'une marque de commerce, d'une raison sociale, d'un droit d'auteur, d'une conception industrielle ou de toute autre propriété intellectuelle, ou des droits, licences ou privilèges afférents à leur utilisation, au profit d'un acquéreur non résidant qui n'est pas inscrit aux termes de la sous-section d de la section V de la partie IX de la loi au moment de la fourniture.

Notes historiques: L'article 10 de la Partie V de l'annexe VI a été ajouté par L.C. 1990, c. 45, art. 18.

Concordance québécoise: LTVQ, art. 188.

Définitions: « acquéreur », « bien », « fourniture », « inscrit », « non résidant » — 123(1).

Renvois: 142(2) (fourniture à l'étranger);; 217c.1) (fourniture taxable importée).

Jurisprudence: *Dawn's Place Ltd c. R.*, [2006] G.S.T.C. 1 37.

Énoncés de politique: P-005, 03/04/92, *Signification de fourniture effectuée au profit d'une personne non résidante*; P-009, 03/04/92, *Déterminer la preuve de la résidence et du statut relatif à l'inscription*; P-195R, 10/08/99, *Remboursement pour œuvres artistiques destinées à l'exportation*; P-200R, 01/01/96, *Lieu de fourniture de biens meubles incorporels et d'immeubles*.

Bulletins de l'information technique: B-090, 07/02, *La TPS/TVH et le commerce électronique*.

Série de mémorandums: Mémorandum 4.5.1, 01/98, *Exportations — Déterminer le statut de résidence*; Mémorandum 4.5.3, 06/98, *Exportations — Services et propriété intellectuelle*.

Lettres d'interprétation (Québec): 01-0106649 — Vente d'images numérisées par Internet — interprétation relative à la TPS/TVH — interprétation relative à la TVQ; 03-0106520 — Interprétation relative à la TPS/TVH — Interprétation relative à la TVQ — [Fourniture d'un bien meuble incorporel — Internet].

Info TPS/TVQ: GI-034 — *Exportations de biens meubles incorporels*.

10.1 La fourniture d'un bien meuble incorporel effectuée au profit d'une personne non-résidente qui n'est pas inscrite aux termes de la sous-section d de la section V de la partie IX de la loi au moment de la fourniture, à l'exclusion des fournitures suivantes :

a) la fourniture effectuée au profit d'un particulier, sauf s'il se trouve à l'étranger au moment de la fourniture;

b) la fourniture d'un bien meuble incorporel qui se rapporte, selon le cas :

(i) à un immeuble situé au Canada,

(ii) à un bien meuble corporel habituellement situé au Canada,

(iii) à un service dont la fourniture est effectuée au Canada et n'est pas une fourniture détaxée visée à l'un des articles de la présente partie ou des parties VII ou IX;

c) la fourniture qui consiste à mettre à la disposition de quiconque une installation de télécommunication qui est un bien meuble incorporel devant servir à offrir un service visé à l'alinéa a) de la définition de « service de télécommunication » au paragraphe 123(1) de la loi;

d) la fourniture d'un bien meuble incorporel qui ne peut être utilisé qu'au Canada;

e) toute fourniture visée par règlement.

Notes historiques: L'article 10.1 de la partie V de l'annexe VI a été ajouté par L.C. 2007, c. 29, par. 52(1) et est réputé être entré en vigueur le 17 décembre 1990. Toutefois, cet article ne s'applique pas aux fournitures à l'égard desquelles le fournisseur a exigé ou perçu, avant le 20 mars 2007, un montant au titre de la taxe prévue à la partie IX. Pour l'application de l'article 10.1, les définitions de « installation de télécommunication » et « service de télécommunication », au paragraphe 123(1), sont réputées être entrées en vigueur le 17 décembre 1990.

Le paragraphe 52(3) de L.C. 2007, c. 29 prévoit que si, lors de l'établissement d'une cotisation, en vertu de l'article 296, concernant la taxe nette d'une personne pour une de ses périodes de déclaration, un montant a été pris en compte à titre de taxe devenue percevable par la personne relativement à une fourniture qu'elle a effectuée avant le 20 mars 2007 et que, par l'effet de l'article 10.1, aucune taxe n'était percevable par la personne relativement à la fourniture, les règles suivantes s'appliquent :

a) au plus tard deux ans après le 22 juin 2007, la personne peut demander par écrit au ministre du Revenu national d'établir une cotisation, une nouvelle cotisation ou une cotisation supplémentaire en vue de tenir compte du fait qu'aucune taxe n'était percevable par elle relativement à la fourniture;

b) sur réception de la demande, le ministre, avec diligence :

(i) examine la demande,

(ii) établit, en vertu de l'article 296 et malgré l'article 298, une cotisation, une nouvelle cotisation ou une cotisation supplémentaire concernant la taxe nette de la personne pour toute période de déclaration de celle-ci, et les intérêts, pénalités ou autres obligations de la personne, mais seulement dans la mesure où il est raisonnable de considérer que la cotisation a trait à la fourniture.

juin 2007, Notes explicatives: Le nouvel article 10.1 de la partie V de l'annexe VI a pour effet de détaxer les fournitures de biens meubles incorporels effectuées au profit de non-résidents qui ne sont pas inscrits sous le régime de la TPS/TVH. Sont toutefois exclues de cette mesure les fournitures visées aux alinéas 10.1a) à e) dont il est question ci-dessous.

Selon l'alinéa 10.1a), les fournitures de biens meubles incorporels effectuées au profit d'un particulier non résident sont exclues de la mesure de détaxation prévue à l'article 10.1, sauf si le particulier se trouve à l'étranger au moment de la fourniture. Par exemple, la vente de musique téléchargeable à un non-résident qui achète le fichier pendant un séjour au Canada ne serait pas détaxée selon l'article 10.1.

Sont également exclues, selon les sous-alinéas 10.1b)(i) et (ii), les fournitures de biens meubles incorporels qui se rapportent à des immeubles situés au Canada ou à des biens meubles corporels habituellement situés au Canada. Par exemple, la vente d'un droit de préemption sur un fonds situé au Canada et la vente d'un tel droit sur du matériel d'exploitation minière qui est habituellement situé au Canada seraient exclues de la mesure de détaxation par l'effet des sous-alinéas 10.1b)(i) et (ii) respectivement. Sont par ailleurs exclues, selon le sous alinéa 10.1b)(iii), les fournitures de biens meubles incorporels qui se rapportent à un service dont la fourniture est effectuée au Canada et n'est pas détaxée par l'effet de l'un des articles des parties V, VII ou IX de l'annexe VI. Par exemple, la fourniture d'un abonnement à un centre de culture physique qui donne droit à des cours donnés par les instructeurs du centre au Canada ne serait pas détaxée.

L'alinéa 10.1c) a pour effet d'exclure de la mesure de détaxation les fournitures de biens meubles incorporels qui consistent à mettre à la disposition de quiconque une « installation de télécommunication », au sens du paragraphe 123(1) de la Loi, qui sert à offrir un service visé à l'alinéa a) de la définition de « service de télécommunication », au sens du même paragraphe.

Selon l'alinéa 10.1d), ne sont pas détaxées les fournitures de biens meubles incorporels qui ne peuvent être utilisés qu'au Canada. C'est le cas notamment de la fourniture du droit d'accès à l'enseigne d'un franchiseur qui permet d'exploiter une entreprise uniquement au Canada. La fourniture d'un bien meuble incorporel qui peut être utilisé à la fois au Canada et à l'étranger ne serait pas exclue de la mesure de détaxation par l'effet de l'alinéa 10.1d).

Enfin, selon l'alinéa 10.1e), les fournitures visées par règlement sont exclues de la mesure de détaxation. Pour le moment, aucune fourniture n'est ainsi visée.

Le nouvel article 10.1 est réputé être entré en vigueur le 17 décembre 1990. Toutefois, il ne s'applique pas aux fournitures relativement auxquelles le fournisseur a exigé ou perçu, avant le 20 mars 2007, un montant au titre de la TPS/TVH.

Une règle spéciale s'applique au fournisseur qui n'a pas exigé ni perçu la TPS/TVH relative à une fourniture de bien meuble incorporel effectuée avant le 20 mars 2007 qui est détaxée par l'effet du nouvel article 10.1, mais à l'égard duquel une cotisation a été établie pour avoir omis de percevoir la taxe. Dans ce cas, le fournisseur pourra demander par écrit au ministre du Revenu national, au plus tard deux ans après la sanction de la loi édictant l'article 10.1, d'établir une nouvelle cotisation pour tenir compte de cet article et ce, même si la période normale pour l'établissement d'une nouvelle cotisation est expirée.

Concordance québécoise: LTVQ, art. 188.1.

Renvois: 123(1)« acquéreur » (circonstances dans lesquelles une personne est un acquéreur); VI:Partie V:16 (boutique hors taxes); 217c.1) (fourniture taxable importée).

Jurisprudence: *Stantec Inc. v. R.*, [2008] G.S.T.C. 137 (20 juin 2008) (CCI [procédure informelle]).

Série de mémorandums: Mémorandum 4.5.2, 11/97, *Exportations — Biens meubles corporels*.

11. [Bien meuble corporel fourni dans une boutique hors taxes agréée] — La fourniture d'un bien meuble corporel, effectuée dans une boutique hors taxes agréée comme telle en vertu de la *Loi sur les douanes*, par une personne qui exploite une telle boutique au profit d'un particulier pour exportation par ce dernier.

Notes historiques: L'article 11 de la Partie V de l'annexe VI a été ajouté par L.C. 1990, c. 45, art. 18.

Concordance québécoise: LTVQ, art. 189.

Définitions: « bien », « bien meuble », « exportation », « fourniture », « personne » — 123(1).

Renvois: 123(1)« acquéreur » (circonstances dans lesquelles une personne est un acquéreur); VI:Partie V:16 (boutique hors taxes).

Série de mémorandums: Mémorandum 4.5.2, 11/97, *Exportations — Biens meubles corporels*.

Définitions: « acquéreur », « bien », « bien meuble », « fourniture », « produits » — 123(1).

Renvois: 142(2) (fourniture à l'étranger).

Jurisprudence: *Robertson. c. R.*, [2002] G.S.T.C. 13 (CCI); *800537 Ontario Inc. v. R.*, [2005] G.S.T.C. 165 (CAF); *Hawkins Taxidermists of Canada Ltd. c. R.*, 2005 TCC 376 (CCI).

Bulletins de l'information technique: B-075R, 23/04/96, *Modifications proposées à la TPS*.

Série de mémorandums: Mémorandum 4.5.2, 11/97, *Exportations — Biens meubles corporels*.

12. [Bien meuble corporel livré à l'étranger] — La fourniture d'un bien meuble corporel (sauf un produit transporté en continu au moyen d'un fil, d'un pipeline ou d'une autre canalisation), dans le cas où le fournisseur, selon le cas :

a) expédie le bien à une destination à l'étranger, précisée dans le contrat de factage visant le bien;

b) transfère la possession du bien à un transporteur public ou à un consignataire qui a été chargé d'expédier le bien à une destination à l'étranger par l'une des personnes suivantes :

(i) le fournisseur pour le compte de l'acquéreur,

(ii) l'employeur de l'acquéreur;

c) envoie le bien par courrier ou messager à une adresse à l'étranger.

Notes historiques: L'article 12 de la partie V de l'annexe VI sera remplacé par L.C. 2000, c. 30, par. 128(1) et cette modification s'applique aux fournitures effectuées après le 7 août 1998. Toutefois, en ce qui concerne les fournitures effectuées avant mai 1999, l'article 12 de la partie V de l'annexe VI est remplacé par ce qui suit :

> 12. La fourniture d'un bien meuble corporel (sauf un produit transporté en continu au moyen d'un fil, d'un pipeline ou d'une autre canalisation) que le fournisseur livre à un transporteur public, ou poste, en vue de son exportation.

Antérieurement, il se lisait comme suit :

> 12. La fourniture d'un bien meuble corporel que le fournisseur livre à un voiturier public, ou poste, en vue de son exportation.

L'article 12 de la Partie V de l'annexe VI a été modifié par L.C. 1997, c. 10, par. 144(1) et cette modification s'applique aux fournitures effectuées après le 23 avril 1996. Il se lisait comme suit :

> 12. La fourniture d'un bien meuble corporel, effectuée par une personne au profit d'un acquéreur, que la personne livre à un voiturier public, ou poste, pour qu'il soit exporté et livré à l'acquéreur à l'étranger.

Cet article a été ajouté par L.C. 1990, c. 45, art. 18.

Concordance québécoise: LTVQ, art. 190.

13. [Services exécutés relativement à des biens meubles corporels conformément à une garantie] — La fourniture, au profit d'une personne non-résidente qui n'est pas inscrite en vertu de la sous-section d de la section V de la partie IX de la loi :

a) de biens meubles corporels, ou de services exécutés relativement à des biens meubles corporels ou des immeubles, si la personne acquiert le bien ou le service en vue d'exécuter ses obligations relativement à une garantie;

b) d'un bien meuble corporel, dans le cas où la fourniture est réputée par l'article 179 de la loi avoir été effectuée par suite du transfert de la possession du bien dans le cadre de l'exécution des obligations de la personne relativement à une garantie.

Notes historiques: L'alinéa 13a) de la partie V de l'annexe VI a été remplacé par L.C. 2000, c. 30, par. 129(1) et cette modification s'applique aux fournitures de services effectuées après le 10 décembre 1998. Antérieurement, il se lisait comme suit :

> a) de biens meubles corporels, ou de services exécutés relativement à de tels biens, dans le cas où la personne acquiert le bien ou le service en vue d'exécuter ses obligations relativement à une garantie;

L'article 13 de la Partie V de l'annexe VI a été modifié par L.C. 1993, c. 27, par. 196(1) et est réputé entré en vigueur le 17 décembre 1990. Il se lisait comme suit :

> 13. La fourniture, au profit d'une personne non résidante qui n'est pas inscrite en vertu de la sous-section d de la section V de la partie IX de la loi, de services exécutés relativement à des biens meubles corporels en conformité avec une garantie donnée par la personne.

Cet article a été édicté par L.C. 1990, c. 45, art. 18.

Concordance québécoise: LTVQ, art. 191.

Définitions: « bien », « bien meuble », « fourniture », « personne », « service » — 123(1).

Renvois: 123(1)« acquéreur » (circonstances dans lesquelles une personne est un acquéreur).

Énoncés de politique: P-005, 03/04/92, *Signification de fourniture effectuée au profit d'une personne non résidante*; P-009, 03/04/92, *Déterminer la preuve de la résidence et du statut relatif à l'inscription.*

Série de mémorandums: Mémorandum 4.5.1, 01/98, *Exportations — Déterminer le statut de résidence*; Mémorandum 4.5.2, 01/98, *Exportations — Déterminer le statut de* *résidence*; Mémorandum 4.5.3, 06/98, *Exportations — Services et propriété intellectuelle*.

14. (1) [Définitions] — Les définitions qui suivent s'appliquent au présent article.

« accessoire fixe » Dispositif utilisé pour tenir les biens en cours de fabrication pendant que les outils de travail sont en marche, mais qui n'est doté d'aucun système spécial pour guider les outils de travail.

Concordance québécoise: LTVQ, art. 191.1« accessoire fixe ».

« calibre » Dispositif utilisé pour l'usinage de précision de biens en cours de fabrication, qui sert à retenir les biens solidement en place et à guider les outils à la position exacte.

Concordance québécoise: LTVQ, art. 191.1« calibre ».

« matrice » Forme pleine ou creuse utilisée pour façonner des substances par l'estampage, l'emboutissage, le filage, l'étirage ou le filetage.

Concordance québécoise: LTVQ, art. 191.1« matrice ».

« moule » Pièce creuse dans laquelle on verse des substances pour produire des biens de formes désirées.

Concordance québécoise: LTVQ, art. 191.1« moule ».

« outil » Dispositif destiné aux machines de production ou à leurs dispositifs, qui sert à assembler ou à travailler des substances par tournage, fraisage, meulage, polissage, perçage, poinçonnage, alésage, profilage, cisaillement, emboutissage ou rabotage.

Concordance québécoise: LTVQ, art. 191.1« outil ».

(2) [Fourniture de calibre, matrice, moule, outil] — La fourniture, effectuée au profit d'une personne non-résidente qui n'est pas inscrite aux termes de la sous-section d de la section V de la partie IX de la loi au moment de la fourniture, d'un bien — calibre, matrice, moule, outil ou accessoire fixe — ou d'un droit dans un tel bien, à utiliser directement dans la fabrication ou la production d'un bien meuble corporel pour la personne.

Concordance québécoise: LTVQ, art. 191.2.

Notes historiques: L'article 14 de la Partie V de l'annexe VI a été ajouté par L.C. 1993, c. 27, par. 196(1) et est réputé entré en vigueur le 17 décembre 1990.

Définitions: « bien », « bien meuble », « fourniture », « personne » — 123(1).

Renvois: 123(1)« acquéreur » (circonstances dans lesquelles une personne est un acquéreur).

Énoncés de politique: P-005, 03/04/92, *Signification de fourniture effectuée au profit d'une personne non résidante*; P-009, 03/04/92, *Déterminer la preuve de la résidence et du statut relatif à l'inscription*.

Série de mémorandums: Mémorandum 1.5, 09/94, *Définitions*; Mémorandum 4.5.1, 01/98, *Exportations — Déterminer le statut de résidence*; Mémorandum 4.5.2, 01/98, *Exportations — Déterminer le statut de résidence*.

Lettres d'interprétation (Québec): 99-0102774 — Interprétation en TPS et en TVQ — Fourniture de moules au profit d'un non-résident.

15. [Fourniture de gaz naturel à des fins d'exportation] — La fourniture de gaz naturel, effectuée par une personne au profit d'un acquéreur qui n'est pas inscrit aux termes de la sous-section d de la section V de la partie IX de la loi et qui a l'intention d'exporter le gaz par pipeline, si, à la fois :

a) l'acquéreur :

(i) soit exporte le gaz,

(ii) soit reçoit la fourniture, figurant à l'article 15.3, d'un service offert relativement au gaz pour une période, puis exporte le gaz,

dans un délai raisonnable après en avoir pris livraison du fournisseur ou, en cas d'application du sous-alinéa (ii), après en avoir pris livraison à l'expiration de la période, compte tenu des circonstances entourant l'exportation et, le cas échéant, de ses pratiques commerciales normales;

b) avant l'exportation, l'acquéreur n'acquiert pas le gaz pour consommation ou utilisation au Canada (autrement que par un transporteur qui l'utilise comme gaz combustible ou gaz de compression pour en effectuer le transport par pipeline) ou pour fourniture au Canada (sauf s'il s'agit d'une fourniture de liquides de gaz naturel ou d'éthane visée au paragraphe 153(6) de la loi);

c) entre le moment de la fourniture et celui de l'exportation, le gaz n'est pas davantage traité, transformé ou modifié au Canada, sauf dans la mesure raisonnablement nécessaire ou accessoire à son transport et sauf aux fins de récupérer des liquides de gaz naturel ou de l'éthane dans une installation de traitement complémentaire;

d) la personne possède des preuves susceptibles de convaincre le ministre que l'acquéreur a exporté le gaz.

Notes historiques: Le passage de l'article 15 de la partie V de l'annexe VI précédant l'alinéa d) a été remplacé par L.C. 2000, c. 30, par. 130(1). Cette modification s'applique aux fournitures de gaz naturel dont la contrepartie, même partielle, devient due après le 7 août 1998 ou est payée après cette date sans être devenue due. Toutefois, en ce qui concerne les fournitures effectuées avant novembre 1998, il n'est pas tenu compte du passage « qui n'est pas inscrit aux termes de la sous-section d de la section V de la partie IX de la loi et » dans le passage de l'article 15 de la partie V de l'annexe VI précédant l'alinéa a). Antérieurement, ce passage se lisait comme suit :

> 15. La fourniture de gaz naturel, effectuée par une personne au profit d'un acquéreur qui a l'intention de l'exporter par pipeline, si, à la fois :
>
> a) l'acquéreur exporte le gaz dans un délai raisonnable après en avoir pris livraison de la personne, compte tenu des circonstances entourant l'exportation et, le cas échéant, de ses pratiques commerciales normales;
>
> b) l'acquéreur n'acquiert pas le gaz pour consommation, utilisation ou fourniture au Canada avant l'exportation; toutefois, un transporteur peut en utiliser une partie comme gaz combustible ou gaz de compression pour effectuer le transport du gaz par pipeline;
>
> c) entre le moment de la fourniture et celui de l'exportation, le gaz n'est pas davantage traité, transformé ou modifié au Canada, sauf dans la mesure raisonnablement nécessaire ou accessoire à son transport;

L'article 15 de la Partie V de l'annexe VI a été ajouté par L.C. 1993, c. 27, par. 196(1) et est réputé entré en vigueur le 17 décembre 1990.

Concordance québécoise: LTVQ, art. 191.3.

Définitions: « acquéreur », « bien », « exportation », « fourniture », « inscrit », « ministre », « personne », « service » — 123(1).

Renvois: VI:Partie V:1 (fourniture détaxée d'un produit soumis à l'accise); VI:Partie V:15.1, 15.2, 15.3 (fournitures détaxées — exportations).

Jurisprudence: *RFA Natural Gas Inc. c. R.*, [2000] G.S.T.C. 40 (CCI).

Énoncés de politique: P-074, 01/12/92, *Statut fiscal des frais d'entreposage*.

Série de mémorandums: Mémorandum 4.5.2, 01/98, *Exportations — Déterminer le statut de résidence*.

15.1 [Fourniture d'un produit transporté en continu] — La fourniture :

a) d'un produit transporté en continu, effectuée par un fournisseur (appelé « premier vendeur » au présent article) au profit d'une personne (appelée « premier acheteur » au présent article) qui n'est pas inscrite aux termes de la sous-section d de la section V de la partie IX de la loi, si les conditions suivantes sont réunies :

(i) le premier acheteur effectue une fourniture du produit au profit d'un inscrit et le lui livre au Canada,

(ii) la contrepartie de la fourniture du produit par le premier acheteur au profit de l'inscrit est constituée en totalité ou en partie d'un bien de même catégorie ou nature livré au premier acheteur à l'étranger,

(iii) entre le moment de la livraison du produit au premier acheteur et celui de sa livraison par celui-ci à l'inscrit :

(A) le premier acheteur n'utilise pas le produit, sauf, dans le cas du gaz naturel, dans la mesure où un transporteur l'utilise comme gaz combustible ou gaz de compression pour en effectuer le transport par pipeline,

(B) le produit n'est pas davantage traité, transformé ou modifié, sauf dans la mesure raisonnablement nécessaire ou accessoire à son transport et sauf, dans le cas du gaz naturel, aux fins de récupérer des liquides de gaz naturel ou de l'éthane dans une installation de traitement complémentaire,

(iv) entre le moment où la fourniture par le premier vendeur est effectuée et celui où l'inscrit prend livraison du produit, le seul moyen utilisé pour le transport du produit est un fil, un pipeline ou autre canalisation,

(v) le premier vendeur possède des preuves susceptibles de convaincre le ministre que le produit a été fourni par le premier acheteur à l'inscrit;

b) d'un service, fourni par l'inscrit au profit du premier acheteur, qui consiste à prendre des mesures en vue de l'échange du produit contre le bien de même catégorie ou nature, ou à effectuer cet échange, si le premier acheteur est une personne non-résidente.

Notes historiques: L'article 15.1 de la partie V de l'annexe VI a été ajouté par L.C. 2000, c. 30, par. 131(1). Il s'applique aux fournitures de produits transportés en continu livrés au Canada, et aux fournitures de services, dont la contrepartie, même partielle, devient due après le 7 août 1998 ou est payée après cette date sans être devenue due. Toutefois, en ce qui concerne les fournitures effectuées avant novembre 1998 :

a) il n'est pas tenu compte du passage « qui n'est pas inscrite aux termes de la sous-section d de la section V de la partie IX de la loi » à l'alinéa 15.1a) de la partie V de l'annexe VI

b) l'alinéa 15.1b) de la partie V de cette annexe est remplacé par ce qui suit :

b) d'un service, fourni par l'inscrit au profit du premier acheteur, qui consiste à prendre des mesures en vue de l'échange du produit contre le bien de même catégorie ou nature, ou à effectuer cet échange, si le premier acheteur est une personne non-résidente qui n'est pas inscrite aux termes de la sous-section d de la section V de la partie IX de la loi.

Concordance québécoise: LTVQ, art. 191.3.1.

Définitions: « bien », « fourniture », « inscrit », « ministre », « personne », « produits », « service » — 123(1).

Renvois: 144.01 (biens en transit); 153(3) (Troc entre inscrits); 217 (fourniture taxable importée); 236.1 (redressement — non-exportation ou non-fourniture); VI:Partie V:1 (fourniture détaxée d'un produit soumis à l'accise); VI:Partie V:15 (fourniture de gaz naturel à des fins d'exportation); VI:Partie V:15.4 (fourniture d'un service consistant à prendre l'excédent d'électricité).

Énoncés de politique: P-221, 12/11/98, *Signification de l'expression d'une catégorie donnée ou d'un type donné telle qu'on la trouve dans le paragraphe 153(3) de la Loi.*

15.2 [Fourniture d'un produit transporté en continu] — La fourniture donnée d'un produit transporté en continu, effectuée par un fournisseur au profit d'un acquéreur qui est inscrit aux termes de la sous-section d de la section V de la partie IX de la loi et qui déclare par écrit au fournisseur qu'il a l'intention :

a) soit d'exporter le produit au moyen d'un fil, d'un pipeline ou d'une autre canalisation dans les circonstances visées aux alinéas 15a) à c), s'il s'agit de gaz naturel, ou aux alinéas 1b) à d), dans les autres cas,

b) soit de le fournir dans les circonstances visées aux sous-alinéas 15.1a)(i) à (iv),

à condition que, dans le cas où l'acquéreur n'exporte pas ultérieurement le produit de la manière prévue à l'alinéa a) ni ne le fournit ultérieurement de la manière prévue à l'alinéa b), il s'avère que le fournisseur ne savait pas et ne pouvait vraisemblablement pas savoir, au plus tard au dernier moment où la taxe relative à la fourniture donnée serait devenue payable si la fourniture n'avait pas été une fourniture détaxée, que l'acquéreur n'exporterait ni ne fournirait ainsi le produit.

Notes historiques: L'article 15.2 de la partie V de l'annexe VI ajouté par L.C. 2000, c. 30, par. 131(1) et s'applique aux fournitures effectuées après octobre 1998.

Concordance québécoise: LTVQ, art. 191.3.2.

Définitions: « acquéreur », « bien », « fourniture », « inscrit », « produits », « service » — 123(1).

Renvois: Voir sous l'Ann. VI, Part. V, art. VI:Partie V:15.1.

Références: Voir sous l'Ann. VI, Part. V, art. VI:Partie V:15.1.

15.3 [Fourniture d'un service de stockage de gaz naturel] — La fourniture, effectuée par une personne au profit d'un acquéreur non-résident qui n'est pas inscrit aux termes de la sous-section d de la section V de la partie IX de la loi, d'un service de stockage de gaz naturel pour une période ou d'un service consistant à prendre, pour une période, l'excédent de gaz naturel appartenant à l'acquéreur puis à le lui retourner à la fin de la période, si, à la fois :

a) à la fin de la période, le gaz doit être livré à l'acquéreur en vue de son exportation;

b) à la fin de la période, l'acquéreur détient une licence ou une ordonnance valide délivrée en application de la *Loi sur l'Office national de l'énergie* qui l'autorise à exporter le gaz naturel;

c) il ne s'agit pas d'un cas où, au plus tard au dernier moment où la taxe relative à la fourniture serait devenue payable si la fourniture n'avait pas été une fourniture détaxée, la personne savait ou pouvait vraisemblablement savoir :

(i) soit que l'acquéreur n'exporterait pas le gaz dans un délai raisonnable après la fin de la période, compte tenu des circonstances entourant l'exportation et, le cas échéant, ses pratiques commerciales normales,

(ii) soit que le gaz ne serait pas exporté :

(A) en une quantité équivalente à celle qui a été stockée ou prise, exception faite de toute perte découlant de son utilisation par un transporteur comme gaz combustible ou gaz de compression à l'occasion du transport du gaz par pipeline, et

(B) dans le même état, sauf dans la mesure où il est traité ou modifié d'une façon raisonnablement nécessaire ou accessoire à son transport ou nécessaire à la récupération de liquides de gaz naturel ou d'éthane à partir du gaz dans une installation de traitement complémentaire.

Notes historiques: L'article 15.3 de la partie V de l'annexe VI a été ajouté par L.C. 2000, c. 30, par. 131(1). Il s'applique aux fournitures de produits transportés en continu livrés au Canada, et aux fournitures de services, dont la contrepartie, même partielle, devient due après le 7 août 1998 ou est payée après cette date sans être devenue due.

Concordance québécoise: LTVQ, art. 191.3.3.

Définitions: « acquéreur », « bien », « exportation », « fourniture », « inscrit », « personne », « service » — 123(1).

Renvois: Voir sous l'Ann. VI, Part. V, art. VI:Partie V:15.1.

Références: Voir sous l'Ann. VI, Part. V, art. VI:Partie V:15.1.

15.4 [Fourniture d'un service consistant à prendre l'excédent d'électricité] — La fourniture, effectuée par un fournisseur au profit d'un acquéreur non-résident qui n'est pas inscrit aux termes de la sous-section d de la section V de la partie IX de la loi, d'un service consistant à prendre, pour une période, l'excédent d'électricité appartenant à l'acquéreur puis à le lui retourner à la fin de la période ou d'un service consistant à reporter la livraison de l'électricité fournie à l'acquéreur au début d'une période jusqu'à la fin de la période, si, à la fois :

a) l'électricité est exportée par le fournisseur ou l'acquéreur, à la fois :

(i) en une quantité équivalente et dans le même état, sauf dans la mesure où elle est consommée ou modifiée d'une façon raisonnablement nécessaire ou accessoire à son transport,

(ii) dans un délai raisonnable après la fin de la période, compte tenu des circonstances entourant l'exportation et, le cas échéant, les pratiques commerciales normales de l'exportateur;

b) à la fin de la période, l'exigence prévue par la *Loi sur l'Office national de l'énergie* selon laquelle une licence, une ordonnance ou un permis valide délivré en application de cette loi doit être détenu pour faire l'exportation d'électricité est remplie.

Notes historiques: L'article 15.4 de la partie V de l'annexe VI a été ajouté par L.C. 2000, c. 30, par. 131(1). Il s'applique aux fournitures de produits transportés en continu livrés au Canada, et aux fournitures de services, dont la contrepartie, même partielle, devient due après le 7 août 1998 ou est payée après cette date sans être devenue due.

Concordance québécoise: LTVQ, art. 191.3.4.

Définitions: « acquéreur », « bien », « exportation », « fourniture », « inscrit », « service » — 123(1).

Renvois: VI:Partie V:15.3 (fourniture d'un service de stockage de gaz naturel).

16. [Boutique hors taxes] — La fourniture par vente d'un bien meuble corporel effectuée au profit d'une personne exploitant une boutique hors taxes agréée en vertu de la *Loi sur les douanes*, si la personne acquiert le bien à titre de stock pour le fournir par vente dans la boutique à un particulier qui l'exportera et si la personne communique au fournisseur le numéro d'agrément de la boutique.

Notes historiques: L'article 16 de la Partie V de l'annexe VI a été ajouté par L.C. 1993, c. 27, par. 196(1) et s'applique aux fournitures de biens livrés à l'acquéreur après mars 1991.

Concordance québécoise: LTVQ, art. 189.1.

Définitions: « bien », « bien meuble », « fourniture », « personne », « vente » — 123(1).

Renvois: 123(1)« acquéreur » (circonstances dans lesquelles une personne est un acquéreur); VI:Partie V:11 (bien meuble corporel fourni à une boutique hors taxes agréée).

Série de mémorandums: Mémorandum 4.5.2, 01/98, *Exportations — Déterminer le statut de résidence*.

17. [Service de dépositaire ou de propriétaire par compte] — La fourniture, au profit d'une personne non-résidente, d'un service de dépositaire ou de propriétaire pour compte relativement à des titres ou des métaux précieux de la personne.

Notes historiques: L'article 17 de la Partie V de l'annexe VI a été modifié par L.C. 1997, c. 10, par 11(1) et cette modification s'applique aux fournitures effectuées après 1996. Il se lisait comme suit :

> 17. La fourniture, au profit d'une personne non-résidente, d'un service de dépositaire ou de propriétaire pour compte relativement à des titres de la personne.

Cet article a été ajouté par L.C. 1993, c. 27, par. 196(1) et est réputé entré en vigueur le 17 décembre 1990.

Concordance québécoise: LTVQ, art. 191.4.

Définitions: « bien », « fourniture », « personne », « service » — 123(1).

Renvois: 123(1)« acquéreur » (circonstances dans lesquelles une personne est un acquéreur); 217 (fourniture taxable importée); VI:Partie IX:1 (service financier).

Énoncés de politique: P-005, 03/04/92, *Signification de fourniture effectuée au profit d'une personne non résidante*; P-009, 03/04/92, *Déterminer la preuve de la résidence et du statut relatif à l'inscription*; P-189, 22/08/95, *Signification de l'expression « service de dépositaire »*.

Série de mémorandums: Mémorandum 4.5.1, 01/98, *Exportations — Déterminer le statut de résidence*; Mémorandum 4.5.3, 06/98, *Exportations — Services et propriété intellectuelle*.

18. [Cours et examens] — La fourniture, au profit d'une personne non-résidente, sauf un particulier, qui n'est pas inscrite aux termes de la sous-section d de la section V de la partie IX de la loi, d'un service qui consiste à donner à des particuliers non-résidents des cours et des examens qui mènent à un certificat, à un diplôme, à un permis ou à un acte semblable, ou des classes ou des grades conférés par un permis, attestant la compétence de ces particuliers dans l'exercice d'un métier.

Notes historiques: L'article 18 de la Partie V de l'annexe VI a été ajouté par L.C. 1993, c. 27, par. 196(1) et s'applique aux cours commençant, et aux examens donnés, après le 5 novembre 1991.

Concordance québécoise: LTVQ, art. 191.5.

Définitions: « bien », « fourniture », « personne », « service » — 123(1).

Renvois: 123(1)« acquéreur » (circonstances dans lesquelles une personne est un acquéreur); 217 (fourniture taxable importée); V:Partie III:7 (service consistant à donner des cours ou des examens menant à un diplôme).

Énoncés de politique: P-005, 03/04/92, *Signification de fourniture effectuée au profit d'une personne non résidante*; P-009, 03/04/92, *Déterminer la preuve de la résidence et du statut relatif à l'inscription*; P-231, 09/06/99, *Cours exonérés en vertu de l'article 8 de la partie III de l'annexe V de la Loi sur la taxe d'accise*.

Série de mémorandums: Mémorandum 4.5.1, 01/98, *Exportations — Déterminer le statut de résidence*; Mémorandum 4.5.3, 06/98, *Exportations — Services et propriété intellectuelle*.

19. [Destruction ou mise au rebut d'un bien meuble corporel] — La fourniture, au profit d'une personne non-résidente qui n'est pas inscrite aux termes de la sous-section d de la section V de la partie IX de la loi, d'un service qui consiste à détruire un bien meuble corporel ou à le mettre au rebut.

Notes historiques: L'article 19 de la Partie V de l'annexe VI a été ajouté par L.C. 1993, c. 27, par. 196(1) et s'applique aux fournitures dont tout ou partie de la contrepartie est due après le 5 novembre 1991 ou est payée après ce jour sans qu'elle devienne due.

Concordance québécoise: LTVQ, art. 191.6.

Définitions: « bien », « bien meuble », « fourniture », « personne », « service » — 123(1).

Renvois: 123(1)« acquéreur » (circonstances dans lesquelles une personne est un acquéreur); VI:Partie V:21 (essai ou examen d'un bien meuble corporel).

Énoncés de politique: P-005, 03/04/92, *Signification de fourniture effectuée au profit d'une personne non résidante*; P-009, 03/04/92, *Déterminer la preuve de la résidence et du statut relatif à l'inscription*.

Série de mémorandums: Mémorandum 4.5.1, 01/98, *Exportations — Déterminer le statut de résidence*; Mémorandum 4.5.3, 06/98, *Exportations — Services et propriété intellectuelle*.

Lettres d'interprétation (Québec): 04-0108185 — Interprétation relative à la TPS/TVH, Interprétation relative à la TVQ, Destruction biologique de produits contaminés.

20. [Démontage d'un bien] — La fourniture, au profit d'une personne non-résidente qui n'est pas inscrite aux termes de la sous-section d de la section V de la partie IX de la loi, d'un service qui consiste à démonter un bien en vue de l'exporter.

Notes historiques: L'article 20 de la Partie V de l'annexe VI a été ajouté par L.C. 1993, c. 27, par. 196(1) et s'applique aux fournitures dont tout ou partie de la contrepartie est due après le 5 novembre 1991 ou est payée après ce jour sans qu'elle devienne due.

Concordance québécoise: LTVQ, art. 191.7.

Définitions: « bien », « fourniture », « personne », « service » — 123(1).

Renvois: 123(1)« acquéreur » (circonstances dans lesquelles une personne est un acquéreur).

Énoncés de politique: P-005, 03/04/92, *Signification de fourniture effectuée au profit d'une personne non résidante*; P-009, 03/04/92, *Déterminer la preuve de la résidence et du statut relatif à l'inscription*.

Série de mémorandums: Mémorandum 4.5.1, 01/98, *Exportations — Déterminer le statut de résidence*; Mémorandum 4.5.3, 06/98, *Exportations — Services et propriété intellectuelle*; Mémorandum 19.1, 10/97, *Les immeubles et la TPS/TVH*.

21. [Essai ou examen d'un bien meuble corporel] — La fourniture, au profit d'une personne non-résidente qui n'est pas inscrite aux termes de la sous-section d de la section V de la partie IX de la loi, d'un service qui consiste à mettre à l'essai ou à examiner un bien meuble corporel qui est importé ou acquis au Canada dans l'unique but d'obtenir ce service et qui sera détruit ou mis au rebut en cours d'exécution du service ou une fois le service exécuté.

Notes historiques: L'article 21 de la Partie V de l'annexe VI a été ajouté par L.C. 1993, c. 27, par. 196(1) et s'applique aux fournitures dont tout ou partie de la contrepartie est due après le 5 novembre 1991 ou est payée après ce jour sans qu'elle devienne due.

Concordance québécoise: LTVQ, art. 191.8.

Définitions: « bien », « bien meuble », « fourniture », « personne », « service » — 123(1).

Renvois: 123(1)« acquéreur » (circonstances dans lesquelles une personne est un acquéreur); VI:Partie V:19 (destruction ou mise au rebut d'un bien meuble corporel).

Énoncés de politique: P-005, 03/04/92, *Signification de fourniture effectuée au profit d'une personne non résidante*; P-009, 03/04/92, *Déterminer la preuve de la résidence et du statut relatif à l'inscription*.

Série de mémorandums: Mémorandum 4.5.1, 01/98, *Exportations — Déterminer le statut de résidence*; Mémorandum 4.5.3, 06/98, *Exportations — Services et propriété intellectuelle*.

22. [Service postal] — La fourniture d'un service postal effectuée par un inscrit qui exploite une entreprise qui consiste à fournir des services postaux, au profit d'une personne non-résidente qui n'est pas un inscrit et qui exploite une telle entreprise.

Notes historiques: L'article 22 de la Partie V de l'annexe VI a été modifié par L.C. 1997, c. 10, par. 145(1) et cette modification s'applique aux fournitures effectuées après le 23 avril 1996.

Auparavant, il se lisait comme suit :

22. La fourniture d'un service relatif à un service de télécommunication ou à un service postal, effectuée par un inscrit qui exploite une entreprise qui consiste à fournir des services de télécommunication ou des services postaux, au profit d'une personne non-résidente qui n'est pas un inscrit et qui exploite une telle entreprise.

Cet article a été ajouté par L.C. 1993, c. 27, par. 196(1) et s'applique aux fournitures de services dont l'exécution commence au plus tôt le 10 juin 1993.

Concordance québécoise: LTVQ, art. 191.9.

Définitions: « bien », « entreprise », « fourniture », « inscrit », « personne », « service » — 123(1).

Renvois: 123(1)« acquéreur » (circonstances dans lesquelles une personne est un acquéreur); VI:Partie V:22.1 (fourniture détaxée — service de télécommunication).

Énoncés de politique: P-005, 03/04/92, *Signification de fourniture effectuée au profit d'une personne non résidante*; P-009, 03/04/92, *Déterminer la preuve de la résidence et du statut relatif à l'inscription.*

Bulletins de l'information technique: B-075R, 23/04/96, *Modifications proposées à la TPS.*

Série de mémorandums: Mémorandum 4.5.1, 01/98, *Exportations — Déterminer le statut de résidence*; Mémorandum 4.5.3, 06/98, *Exportations — Services et propriété intellectuelle*; Mémorandum 19.1, 10/97, *Les immeubles et la TPS/TVH.*

22.1 [Service de télécommunication] — La fourniture d'un service de télécommunication effectuée par un inscrit qui exploite une entreprise qui consiste à fournir des services de télécommunication, au profit d'une personne non-résidente qui n'est pas un inscrit et qui exploite une telle entreprise, à l'exclusion de la fourniture d'un service de télécommunication lorsque la communication est émise et reçue au Canada.

Notes historiques: L'article 22.1 de la Partie V de l'annexe VI a été ajouté par L.C. 1997, c. 10, par. 145(1) et s'applique aux fournitures effectuées après le 23 avril 1996 et également aux fournitures effectuées avant le 24 avril 1996, sauf si, selon le cas :

a) le fournisseur n'a pas demandé ou perçu, avant le 24 avril 1996, un montant au titre de la taxe prévue à la partie IX relativement à la fourniture;

b) le fournisseur a demandé ou perçu un montant au titre de la taxe prévue à la partie IX relativement à la fourniture et, avant le 23 avril 1996, le ministre du Revenu national a reçu une demande visant le remboursement prévu au paragraphe 261(1) relativement à ce montant ou une déclaration aux termes de la section V de cette partie dans laquelle le fournisseur a demandé une déduction au titre d'un redressement, d'un remboursement ou d'un crédit dont le montant a fait l'objet en vertu du paragraphe 232(1) (sauf une demande ou une déclaration réputée produite par l'effet de l'alinéa 296(5)a) par suite d'une cotisation établie après cette date).

Concordance québécoise: LTVQ, art. 191.9.1.

Définitions: « bien », « entreprise », « fourniture », « inscrit », « service », « service de télécommunication » — 123(1).

Renvois: 142.1 (lieu de fourniture d'un service de télécommunication); VI:Partie V:7 (service à un non-résident); IX:Partie VI:2 (TVH — fourniture d'un service de transport de passagers).

Bulletins de l'information technique: B-075R, 23/04/96, *Modifications proposées à la TPS*; B-090, 07/02, *La TPS/TVH et le commerce électronique.*

Série de mémorandums: Mémorandum 4.5.3, 06/98, *Exportations — Services et propriété intellectuelle.*

Lettres d'interprétation (Québec): 99-0104218 — Interprétation relative à la TPS — Interprétation relative à la TVQ — Hébergement / conception d'un site Web.

23. [Service consultatif ou professionnel] — La fourniture d'un service consultatif ou professionnel au profit d'une personne non-résidente, à l'exclusion des fournitures suivantes :

a) un service rendu à un particulier dans le cadre d'une instance criminelle, civile ou administrative au Canada, sauf s'il est rendu avant le début de l'instance;

b) un service lié à un immeuble situé au Canada;

c) un service lié à un bien meuble corporel qui est situé au Canada au moment de l'exécution du service;

d) un service de mandataire de la personne ou un service consistant à faire passer des commandes pour des fournitures à effectuer par la personne ou à son profit, à obtenir de telles commandes ou à faire des démarches en vue d'en obtenir.

Notes historiques: L'alinéa 23d) de la partie V de l'annexe VI a été modifié par L.C. 1997, c. 10, par. 145(1) et cette modification s'applique aux fournitures effectuées après le 23 avril 1996. Auparavant, cet alinéa se lisait comme suit :

d) un service de mandataire de la personne.

L'article 23 de la Partie V de l'annexe VI a été ajouté par L.C. 1993, c. 27, par. 196(1) et s'applique aux fournitures de services dont l'exécution commence au plus tôt le 10 juin 1993.

Concordance québécoise: LTVQ, art. 191.10.

Définitions: « bien », « bien meuble », « fourniture », « immeuble », « personne », « service » — 123(1).

Renvois: 123(1)« acquéreur » (circonstances dans lesquelles une personne est un acquéreur); 217 (fourniture taxable importée); VI:Partie V:7 (service à un non-résident).

Jurisprudence: *Lau c. R.*, [2003] G.S.T.C. 1 (CCI); *Invera Inc. c. R.*, [2005] G.S.T.C. 163 (CCI).

Énoncés de politique: P-005, 03/04/92, *Signification de fourniture effectuée au profit d'une personne non résidante*; P-009, 03/04/92, *Déterminer la preuve de la résidence et du statut relatif à l'inscription*; P-169R, 25/05/99, *Définition des expressions « lié à un immeuble situé au Canada » et « lié à un bien meuble corporel qui est situé au Canada au moment de l'exécution du service » pour l'application des articles 7 et 23 de la partie V de l'annexe VI de la Loi sur la taxe d'accise*; P-173, 01/03/95, *Sens de l'expression « établir une entreprise au Canada »*; P-182R, 28/08/03, *Du mandat*; P-189, 22/08/95, *Signification de l'expression « service de dépositaire »*; P-206, 11/07/97, *Services fournis à des non-résidents dans le cadre d'une instance*; P-209, 11/03/97, *Débours d'avocats* (Ébauche).

Bulletins de l'information technique: B-075R, 23/04/96, *Modifications proposées à la TPS.*

Série de mémorandums: Mémorandum 4.5.1, 01/98, *Exportations — Déterminer le statut de résidence*; Mémorandum 4.5.3, 06/98, *Exportations — Services et propriété intellectuelle*; Mémorandum 19.1, 10/97, *Les immeubles et la TPS/TVH.*

Lettres d'interprétation (Québec): 98-0107668 — Interprétation relative à la TPS — Interprétation relative à la TVQ — Service de recherche médicale; 98-0108880 — Interprétation en TPS et en TVQ — Fourniture de services professionnels au profit de non-résidents; 01-0105666 — Interprétation relative à la TPS et à la TVQ.

24. [Maisons mobiles] — Pour l'application de la présente partie, les maisons mobiles qui ne sont pas fixées à un fonds et les maisons flottantes sont réputées être des biens meubles corporels et non des immeubles.

Notes historiques: L'article 24 de la Partie V de l'annexe VI a été ajouté par L.C. 1993, c. 27, par. 196(1) et est réputé entré en vigueur le 17 décembre 1990.

Concordance québécoise: LTVQ, art. 191.11.

Définitions: « bien », « fourniture » — 123(1).

Renvois: 142(3) (maisons mobiles et maisons flottantes).

Série de mémorandums: Mémorandum 4.5.2, 11/97, *Exportations — Biens meubles corporels*; Mémorandum 19.1, 10/97, *Les immeubles et la TPS/TVH.*

Partie VI — Services aux voyageurs

Modification proposée — Gouverneur général et application de la TPS/TVH

Budget fédéral, Renseignements supplémentaires, 21 mars 2013: En vertu d'un allègement spécial énoncé dans la *Loi sur la taxe d'accise*, aucune TPS/TVH n'est payable à l'égard des achats réservés à l'usage du gouverneur général. Cependant, le gouverneur général verse sur une base volontaire la TPS/TVH payable sur ses achats personnels.

À la suite de consultations entre le gouverneur général et le gouvernement, il a été convenu que l'allègement de TPS/TVH en vigueur relativement au gouverneur général devrait prendre fin, et que la TPS/TVH sera payable à l'égard des achats réservés à l'usage du gouverneur général. Le gouverneur général et son cabinet pourront recouvrer la TPS/TVH qu'ils paient à l'égard d'achats effectués pour des fins officielles en vertu du *Décret de remise concernant la TPS accordée aux ministères fédéraux*, de la même manière que le font les ministères fédéraux.

Cette approche facilitera l'observation des règles pour les vendeurs puisqu'il ne sera plus nécessaire de tenir des comptes spéciaux pour justifier les cas où la taxe n'a pas été perçue.

Cette mesure s'appliquera aux fournitures effectuées après le 30 juin 2013.

1. [Partie d'un voyage organisé qui n'en est pas la partie taxable] — La fourniture de la partie d'un voyage organisé qui n'en est pas la partie taxable.

Notes historiques: L'article 1 de la Partie VI de l'annexe VI a été ajouté par L.C. 1990, c. 45, art. 18.

Concordance québécoise: LTVQ, art. 192.

Définitions: « fourniture » — 123(1).

Jurisprudence: *Marco Polo Travel Ltd. v. R.*, [2003] G.S.T.C. 187 (CCI).

Série de mémorandums: Mémorandum 27.3R, 01/10, *Programme d'incitation pour congrès étrangers et voyages organisés — Remboursement de la taxe payée sur les voyages organisés admissibles et sur l'hébergement fourni dans le cadre d'un voyage organisé admissible.*

Partie VII — Services de transport

1. (1) [Définitions] — Les définitions qui suivent s'appliquent à la présente partie.

« destination » S'agissant de la destination d'un service continu de transport de marchandises, endroit, précisé par l'expéditeur, où la possession d'un bien est transférée de l'expéditeur au consignataire ou au destinataire.

Concordance québécoise: LTVQ, art. 193« destination ».

« destination finale » Endroit où prend fin le dernier service de transport de passagers qui fait partie d'un voyage continu.

Concordance québécoise: LTVQ, art. 193« destination finale ».

Renvois: IX:Partie VI:1« destination finale » (TVH — services de transport).

Série de mémorandums: Mémorandum 28.3, 12/98, *Services de transport de passagers*, par. 20-22.

« escale » Endroit auquel un particulier ou un groupe de particuliers en voyage continu embarque sur le moyen de transport utilisé dans le cadre d'un service de transport de passagers qui fait partie du voyage continu, ou en débarque, sauf si l'embarquement ou le débarquement se fait en vue du transfert à un autre moyen de transport ou de l'entretien ou du réapprovisionnement en carburant du moyen de transport.

Concordance québécoise: LTVQ, art. 193« escale ».

Renvois: IX:Partie VI:1« escale » (TVH — services de transport).

Jurisprudence: *American Adventures 2000 c. La Reine*, [1996] G.S.T.C. 100 (CCI); *482733 Ontario Inc. [KM Delivery Service] c. R.*, [2001] G.S.T.C. 49 (CCI).

Série de mémorandums: Mémorandum 28.3, 12/98, *Services de transport de passagers*, par. 20-22.

« expéditeur » Personne qui transfère la possession du bien meuble corporel expédié au transporteur au point d'origine d'un service continu de transport de marchandises ou d'un service continu de transport de marchandises vers l'étranger, à l'exclusion d'un transporteur du bien qui fait l'objet du service.

Concordance québécoise: LTVQ, art. 193« expéditeur ».

« point à l'étranger » Y est assimilé, à un moment donné, en ce qui concerne un service de transport de marchandises, un endroit au Canada si, à ce moment, un bien, dont le transport est conforme aux dispositions de la *Loi sur les douanes* ou d'une autre loi fédérale qui interdisent, contrôlent ou réglementent l'importation de produits, a été importé mais non dédouané.

Concordance québécoise: LTVQ, art. 193« point à l'étranger ».

Renvois: 144 (fourniture avant dédouanement).

Série de mémorandums: Mémorandum 28.2, 01/99, *Services de transport de marchandises.*

« point d'origine »

a) Dans le cas d'un service continu de transport de marchandises, endroit où le premier transporteur dans le cadre du service prend possession du bien transporté;

b) dans le cas d'un voyage continu, endroit où commence en premier le service de transport de passagers qui fait partie du voyage continu.

Concordance québécoise: LTVQ, art. 193« point d'origine ».

Renvois: IX:Partie VI:1« point d'origine » (TVH — services de transport).

Série de mémorandums: Mémorandum 28.3, 12/98, *Services de transport de passagers.*

« service continu de transport de marchandises » Transport d'un bien meuble corporel par un ou plusieurs transporteurs à une destination précisée par l'expéditeur, si tous les services de transport de marchandises fournis par les transporteurs le sont par suite des instructions de l'expéditeur.

Concordance québécoise: LTVQ, art. 193« service continu de transport de marchandises ».

Jurisprudence: *482733 Ontario Inc. [KM Delivery Service] c. R.*, [2001] G.S.T.C. 49 (CCI).

Série de mémorandums: Mémorandum 28.2, 01/99, *Services de transport de marchandises.*

Lettres d'interprétation (Québec): 03-0109318 — Interprétation relative à la TPS et à la TVQ — fourniture de services de chauffeurs; 07-0104609 — Service continu de transport de marchandises.

« service continu de transport de marchandises vers l'étranger » Transport d'un bien meuble corporel par un ou plusieurs transporteurs d'un endroit au Canada vers un point à l'étranger ou d'un endroit au Canada vers un autre endroit au Canada d'où il doit être exporté, si, entre le moment où l'expéditeur transfère la possession du bien à un transporteur et celui où le bien est exporté, le bien n'est pas davantage traité, transformé ou modifié au Canada, sauf dans la mesure raisonnablement nécessaire ou accessoire à son transport et sauf, dans le cas de gaz naturel transporté par pipeline, aux fins de récupérer des liquides de gaz naturel ou de l'éthane dans une installation de traitement complémentaire.

Jurisprudence: *Bam Packaging Ltd. c. R.*, [2001] G.S.T.C. 76 (CCI).

Mémorandums: Mémorandum 28.2, 01/99, *Services de transport de marchandises.*

Notes historiques: La définition de « service continu de transport de marchandises vers l'étranger », au paragraphe 1(1) de la partie VII de l'annexe VI a été remplacée par L.C. 2000, c. 30, par. 132(1). Cette modification est réputée entrée en vigueur le 7 août 1998 et s'applique aux fournitures de services de transport dont la contrepartie, même partielle, devient due après cette date ou est payée après cette date sans être devenue due. Antérieurement, elle se lisait comme suit :

> « service continu de transport de marchandises vers l'étranger » Transport d'un bien meuble corporel par un ou plusieurs transporteurs d'un endroit au Canada vers un point à l'étranger ou d'un endroit au Canada vers un autre endroit au Canada d'où il doit être exporté, si, entre le moment où l'expéditeur transfère la possession du bien à un transporteur et celui où le bien est exporté, le bien n'est pas davantage traité, transformé ou modifié au Canada sauf dans la mesure raisonnablement nécessaire à son transport.

Concordance québécoise: LTVQ, art. 193« service continu de transport de marchandises vers l'étranger ».

« service de transport de marchandises » Service de transport d'un bien meuble corporel, y compris :

a) un service de livraison du courrier;

b) tout autre bien ou service fourni à l'acquéreur du service de transport en question par la personne qui fournit celui-ci, dans le cas où le bien ou le service fait partie du service de transport en question, ou y est accessoire, indépendamment du fait que des frais distincts soient exigés pour ce bien ou service.

N'est pas un service de transport de marchandises le service, offert par le fournisseur d'un service de transport de passagers, qui consiste à transporter les bagages d'un particulier dans le cadre d'un tel service.

Concordance québécoise: LTVQ, art. 193« service de transport de marchandises ».

Renvois: 123(1)« transporteur » (fourniture d'un service de transport de marchandises); 138 (fournitures accessoires); IX:Partie VI:1« service de transport de marchandises » (TVH — services de transport).

Jurisprudence: *Dangerous Goods Packaging Ltd. c. La Reine*, [1994] G.S.T.C. 87 (CCI); *Bam Packaging Ltd. c. R.*, [2001] G.S.T.C. 76 (CCI); *Vuruna c. R.* (28 octobre 2010), 2010 CarswellNat 4896, 2010 CCI 365 (CCI [procédure informelle]).

Énoncés de politique: P-050, 24/11/92, *Traitement fiscal des services rendus aux centres de rechargement*; P-182R, 28/08/03, *Du mandat.*

Série de mémorandums: Mémorandum 28.2, 01/99, *Services de transport de marchandises.*

« transporteur » [*Abrogée*]

Notes historiques: La définition de « transporteur » au paragraphe 1(1) de la Partie VII de l'annexe VI a été abrogée par L.C. 1993, c. 27, par. 197(1) rétroactivement au 17 décembre 1990. Cette définition figure maintenant au paragraphe 123(1). Cette définition se lisait auparavant comme suit :

« transporteur » Personne qui fournit un service de transport de marchandises.

« vol international » [*Abrogée*]

Notes historiques: La définition de « vol international » au paragraphe 1(1) de la Partie VII de l'annexe VI a été abrogée par L.C. 1997, c. 10, par 11(1) et cette abrogation est réputée entrée en vigueur le 24 avril 1996. Cette définition se lisait auparavant comme suit :

« vol international » Vol d'un aéronef, sauf le vol qui commence et prend fin au Canada, exploité par une personne dans le cadre d'une entreprise qui consiste à fournir des services de transport aérien de passagers.

« voyage continu » L'ensemble des services de transport de passagers qui sont offerts à un particulier ou à un groupe de particuliers et qui sont :

a) soit visés par un seul billet ou une seule pièce justificative;

b) soit visés par plusieurs billets ou pièces justificatives pour plusieurs étapes d'un même voyage, sans escale entre les étapes visées par les billets ou pièces justificatives distincts délivrés par le même fournisseur ou par plusieurs fournisseurs par l'entremise d'un agent agissant en leur nom si, selon le cas :

(i) tous les billets ou pièces justificatives sont délivrés au même moment et le fournisseur ou l'agent possède des preuves, satisfaisantes au ministre, que les étapes du voyage, visées par les billets ou pièces justificatives distincts, se font sans escale,

(ii) les billets ou pièces justificatives sont délivrés à des moments différents et le fournisseur ou l'agent présente des preuves, satisfaisantes au ministre, que les étapes du voyage, visées par les billets ou pièces justificatives distincts, se font sans escale.

Concordance québécoise: LTVQ, art. 193« voyage continu ».

Renvois: IX:Partie VI:1 (TVH — services de transport).

Jurisprudence: *American Adventures 2000 c. La Reine*, [1996] G.S.T.C. 100 (CCI).

Énoncés de politique: P-182R, 28/08/03, *Du mandat*.

Série de mémorandums: Mémorandum 28.3, 12/98, *Services de transport de passagers*, par. 20-22.

« zone de taxation » Le Canada, les États-Unis (sauf Hawaii) et les îles de Saint-Pierre-et-Miquelon.

Concordance québécoise: LTVQ, art. 193« zone de taxation ».

Série de mémorandums: Mémorandum 28.3, 12/98, *Services de transport de passagers*, par. 20-22.

(2) [Présomptions] — Pour l'application de la présente partie, dans le cas où, plusieurs transporteurs fournissent des services de transport de marchandises dans le cadre d'un service continu de transport de marchandises et où l'expéditeur ou le consignataire d'un bien est tenu, conformément au contrat de factage visant le service continu, de payer à un de ces transporteurs un montant qui représente tout ou partie de la contrepartie des services de transport de marchandises fournis par l'ensemble des transporteurs, les présomptions suivantes s'appliquent :

a) le transporteur auquel le montant est payé est réputé avoir effectué la fourniture d'un service de transport de marchandises, dont la destination est la même que celle du service continu de transport de marchandises, au profit de l'expéditeur ou du consignataire, pour une contrepartie égale à ce montant, indépendamment du fait que ce montant comprenne un montant qui est payé à ce transporteur en sa qualité de mandataire des autres transporteurs;

b) l'expéditeur ou le consignataire est réputé avoir reçu la fourniture d'un service de transport de marchandises du transporteur auquel le montant est payé, pour une contrepartie égale à ce montant, et ne pas avoir reçu de services de transport de marchandises des autres transporteurs;

c) dans la mesure où l'un des transporteurs — appelé « premier transporteur » au présent alinéa — paie une partie du montant à un autre des transporteurs, le premier transporteur est réputé être l'acquéreur des services de transport de marchandises fournis par les autres transporteurs dans le cadre du service continu de transport de marchandises et ces transporteurs, dans cette même mesure, sont réputés avoir fourni ces services de transport de marchandises au premier transporteur et non à l'expéditeur ou au consignataire.

Notes historiques: L'alinéa 1(2)a) de la partie VII de l'annexe VI a été modifié par L.C. 1997, c. 10, par. 253(1) et cette modification est entrée en vigueur le 1er avril 1997. Auparavant, cet alinéa se lisait comme suit :

a) le transporteur auquel le montant est payé est réputé avoir effectué la fourniture d'un service de transport de marchandises au profit de l'expéditeur ou du consignataire, pour une contrepartie égale à ce montant, indépendamment du fait que ce montant comprenne un montant qui est payé à ce transporteur en sa qualité de mandataire des autres transporteurs;

Concordance québécoise: LTVQ, art. 196.

Renvois: VI:Partie VII:11 (service de transport de marchandises par le transporteur au profit d'un autre).

Énoncés de politique: P-157, 22/08/94, *Statut fiscal des accords de partage d'un service de transport entre les propriétaires de carrière de gravier et les exploitants de camion à benne*; P-182R, 28/08/03, *Du mandat.*

Série de mémorandums: Mémorandum 28.2, 01/99, *Services de transport de marchandises.*

Notes historiques: L'article 1 de la Partie VII de l'annexe VI a été ajouté par L.C. 1990, c. 45, art. 18.

Définitions: « acquéreur », « bien », « bien meuble », « contrepartie », « fourniture », « importation », « ministre », « montant », « personne », « produits », « service », « transporteur » — 123(1).

Lettres d'interprétation (Québec): 01-0109122 — Service d'escorte routière.

2. [Service de transport de passagers faisant partie d'un voyage continu qui ne comporte pas de transport aérien] — La fourniture d'un service de transport de passagers qui est offert à un particulier ou à un groupe de particuliers et qui fait partie d'un voyage continu du particulier ou du groupe ne comportant pas de transport aérien, si, selon le cas :

a) le point d'origine ou la destination finale du voyage continu est à l'étranger;

b) le voyage continu comporte une escale à l'étranger.

En est exclu le service de transport de passagers qui fait partie d'un voyage continu si le point d'origine et la destination finale du voyage sont tous deux au Canada et si, au début du voyage, il n'est pas prévu que le particulier ou le groupe de particuliers soit à l'étranger pendant une période ininterrompue d'au moins vingt-quatre heures au cours du voyage.

Notes historiques: L'article 2 de la Partie VII de l'annexe VI a été ajouté par L.C. 1990, c. 45, art. 18.

Concordance québécoise: LTVQ, art. 194:1°, 195.

Définitions: « fourniture », « service » — 123(1).

Renvois: 123(1)« acquéreur » (circonstances dans lesquelles une personne est un acquéreur); VI:Partie VII:4 (services de transport des bagages et de surveillance d'un enfant); VI:Partie VII:5 (billets, pièce justificative ou de réservation visant la fourniture d'un service de transport aux passagers); VI:Partie VII:5.1 (service à titre de mandataire); IX:Partie VI:2 (TVH — fourniture d'un service de transport de passagers).

Jurisprudence: *American Adventures 2000 c. La Reine*, [1996] G.S.T.C. 100 (CCI); *Club Med Sales Inc. c. Canada*, [1997] G.S.T.C. 28 (CCI).

Énoncés de politique: P-037, 01/10/92, *Remboursement de la TPS payée par erreur sur des services de transport intérieur.*

Série de mémorandums: Mémorandum 28.3, 12/98, *Services de transport de passagers*, par. 20-22.

3. [Service de transport de passagers faisant partie d'un voyage continu qui comprend le transport aérien] — La fourniture d'un service de transport de passagers qui est offert à un particulier ou à un groupe de particuliers et qui fait partie du voyage continu du particulier ou du groupe comprenant le transport aérien, si, selon le cas :

a) le point d'origine ou la destination finale du voyage continu, ou d'une escale qui en fait partie, est hors de la zone de taxation;

b) le point d'origine et la destination finale du voyage continu, et de toutes les escales qui en font partie, sont à l'étranger;

c) le point d'origine du voyage continu est à l'intérieur de la zone de taxation, mais à l'étranger;

d) tous les endroits auxquels le particulier ou le groupe embarque dans un aéronef, ou en débarque, sont à l'étranger de même que le point d'origine ou la destination finale du voyage continu, ou d'une escale qui en fait partie.

Notes historiques: L'alinéa 3c) de la partie VII de l'annexe VI a été remplacé par L.C. 2000, c. 30, par. 133(1). Cette modification s'applique aux fournitures dont la contrepartie devient due après 1999 ou est payée après 1999 sans être devenue due. Antérieurement, il se lisait comme suit :

> c) le point d'origine du voyage continu est à l'intérieur de la zone de taxation, mais à l'étranger, et l'acquéreur paie la contrepartie de la fourniture à un point à l'étranger;

L'article 3 de la Partie VII de l'annexe VI a été ajouté par L.C. 1990, c. 45, art. 18.

Concordance québécoise: LTVQ, art. 194:1°.

Définitions: « fourniture », « service » — 123(1).

Renvois: Voir sous l'Ann. VI, Part.VII, art. VI:Partie VII:2.

Références: Voir sous l'Ann. VI, Part.VII, art. VI:Partie VII:2.

Série de mémorandums: Mémorandum 28.3, 12/98, *Services de transport de passagers*, par. 20-22.

Info TPS/TVQ: GI-054 — *Transition à la taxe de vente harmonisée de l'Ontario et de la Colombie-Britannique — services de transport de passagers.*

4. [Services de transport des bagages et de surveillance d'un enfant] — La fourniture de l'un des services suivants, effectuée par une personne à l'occasion de la fourniture par celle-ci d'un service de transport de passagers figurant aux articles 2 ou 3 :

a) un service de transport des bagages d'un particulier;

b) un service de surveillance d'un enfant non accompagné.

Notes historiques: L'article 4 de la partie VII de l'annexe VI a été remplacé par L.C. 2000, c. 30, par. 134(1). Cette modification s'applique aux fournitures de services liés à un service de transport de passagers, si la contrepartie de la fourniture devient due après 1999 ou est payée après 1999 sans être devenue due. Antérieurement, il se lisait comme suit :

> 4. La fourniture, par le fournisseur d'un service de transport de passagers visé à l'article 2 ou 3, d'un service de transport des bagages d'un particulier en rapport avec le service de transport de passagers, pour une contrepartie distincte de celle du service de transport de passagers.

L'article 4 de la Partie VII de l'annexe VI a été ajouté par L.C. 1990, c. 45, art. 18.

Concordance québécoise: LTVQ, par. 194:2°.

Définitions: « fourniture », « personne », « service » — 123(1).

Renvois: 138 (fournitures accessoires); VI:Partie VII:5.1 (service à titre de mandataire); IX:Partie VI:4 (services de transport des bagages et de surveillance d'un enfant).

Série de mémorandums: Mémorandum 28.3, 12/98, *Services de transport de passagers*, par. 20-22.

5. [Billet, pièce justificative ou de réservation visant la fourniture d'un service de transport aux passagers] — La fourniture par une personne d'un service qui consiste à délivrer, à livrer, à modifier, à remplacer ou à annuler un billet, une pièce justificative ou une réservation visant la fourniture d'un service de transport de passagers, effectuée par cette personne, qui figurerait aux articles 2 ou 3 si elle était effectuée conformément à la convention la concernant.

Notes historiques: L'article 5 de la partie VII de l'annexe VI a été réédicté par L.C. 2000, c. 30, par. 134(1) et cet ajout s'applique aux fournitures de services liés à un service de transport de passagers, si la contrepartie de la fourniture devient due après 1999 ou est payée après 1999 sans être devenue due.

L'article 5 de la Partie VII de l'annexe VI a été abrogé par L.C. 1997, c. 10, par. 148(1) et cette abrogation aux fournitures effectuées après le 23 avril 1996. Il se lisait comme suit :

> 5. La fourniture d'un bien meuble corporel ou d'un service, effectuée par une personne dans le cadre d'une entreprise qui consiste à effectuer des fournitures de services de transport de passagers, au profit d'un particulier à bord d'un aéronef lors d'un vol international, si le bien est livré, ou le service exécuté entièrement, à bord de l'aéronef.

Cet article a été ajouté par L.C. 1990, c. 45, art. 18.

Concordance québécoise: aucune.

Définitions: « fourniture », « personne », « service » — 123(1).

Renvois: VI:Partie VII:5.1 (service à titre de mandataire); IX:Partie VI:4 (services de transport des bagages et de surveillance d'un enfant).

Bulletins de l'information technique: B-075R, 23/04/96, *Modifications proposées à la TPS.*

5.1 [Service à titre de mandataire] — La fourniture au profit d'une personne d'un service qui consiste à effectuer, à titre de mandataire de la personne et pour le compte de celle-ci, une fourniture qui figurerait à l'un des articles 2 à 5 si cette fourniture était effectuée conformément à la convention la concernant.

Notes historiques: L'article 5.1 de la partie VII de l'annexe VI a été ajouté par L.C. 2000, c. 30, par. 134(1) et s'applique aux fournitures de services liés à un service de transport de passagers, si la contrepartie de la fourniture devient due après 1999 ou est payée après 1999 sans être devenue due.

Concordance québécoise: LTVQ, par. 194:5°.

Définitions: « fourniture », « personne », « service » — 123(1).

Renvois: VI:Partie VII:5 (billets, pièce justificative ou de réservation visant la fourniture d'un service de transport aux passagers).

Lettres d'interprétation (Québec): 00-0102525 — Interprétation relative à la TPS et à la TVQ [à l'égard des commissions versées aux agences de voyage]; 02-0109930 — Interprétation relative à la TVQ — Mandataire pour la fourniture d'un service de transport de passagers; 04-0103442 — Interprétation relative à la TPS/TVH — interprétation relative à la TVQ — agences de voyage.

6. [Service de transport d'un bien meuble corporel du Canada à l'étranger] — La fourniture d'un service de transport de marchandises relativement au transport d'un bien meuble corporel d'un endroit au Canada à un point à l'étranger, si la valeur de la contrepartie de la fourniture est d'au moins 5 $.

Notes historiques: L'article 6 de la Partie VII de l'annexe VI a été ajouté par L.C. 1990, c. 45, art. 18.

Concordance québécoise: LTVQ, par. 197:1°.

Définitions: « bien », « bien meuble », « contrepartie », « fourniture », « service » — 123(1).

Jurisprudence: *Dangerous Goods Packaging Ltd. c. La Reine*, [1994] G.S.T.C. 87 (CCI); *Bam Packaging Ltd. c. R.*, [2001] G.S.T.C. 76 (CCI); *Vuruna c. R.* (28 octobre 2010), 2010 CarswellNat 4896, 2010 CCI 365 (CCI [procédure informelle]).

Bulletins de l'information technique: B-044, 01/02/91, *Certificat destiné aux exportateurs de bois de construction*; B-062, 08/11/91, *Documents d'exportation.*

Série de mémorandums: Mémorandum 28.2, 01/99, *Services de transport de marchandises.*

7. [Service de transport d'un bien meuble corporel au Canada] — La fourniture, effectuée par un transporteur, d'un service de transport de marchandises relativement au transport d'un bien meuble corporel d'un endroit au Canada à un autre endroit au Canada, si, à la fois :

a) l'expéditeur remet au transporteur une déclaration écrite, en la forme déterminée par le ministre, portant que le bien est destiné à l'exportation et que le service de transport de marchandises à fournir par le transporteur fait partie d'un service continu de transport de marchandises vers l'étranger visant le bien;

b) le bien est exporté et le service fait partie d'un service continu de transport de marchandises vers l'étranger visant le bien;

c) la valeur de la contrepartie de la fourniture est d'au moins 5 $.

Notes historiques: L'article 7 de la Partie VII de l'annexe VI a été ajouté par L.C. 1990, c. 45, art. 18.

Concordance québécoise: LTVQ, art. 197:2º.

Définitions: « bien », « bien meuble », « contrepartie », « exportation », « fourniture », « ministre », « service », « transporteur » — 123(1).

Renvois: 221(3) (perception de la taxe); VI:Partie VII:12 (service de mandataire d'une personne non résidante). Voir aussi sous l'Ann. VI, Part.VII, art. VI:Partie VII:6.

Série de mémorandums: Mémorandum 28.2, 01/99, *Services de transport de marchandises*.

Lettres d'interprétation (Québec): 00-0109900 — Interprétation relative à la TPS et à la TVQ — Fourniture de documents à des destinataires hors Québec ou hors Canada; 06-0103421 — Interprétation relative à la TVQ Position administrative — Services de transport de marchandises.

8. [Service de transport d'un bien meuble corporel de l'étranger vers le Canada] — La fourniture d'un service de transport de marchandises relativement au transport d'un bien meuble corporel d'un point à l'étranger à un endroit au Canada.

Notes historiques: L'article 8 de la Partie VII de l'annexe VI a été ajouté par L.C. 1990, c. 45, art. 18.

Concordance québécoise: LTVQ, art. 197:4º.

Définitions: « bien », « bien meuble », « fourniture », « service » — 123(1).

Renvois: 162.1 (matériel roulant, droit de stationnement et surestaries); VI:Partie VII:12 (service de mandataire d'une personne non résidante).

Série de mémorandums: Mémorandum 28.2, 01/99, *Services de transport de marchandises*.

9. [Service de transport d'un bien meuble corporel à l'étranger] — La fourniture d'un service de transport de marchandises relativement au transport d'un bien meuble corporel entre deux points à l'étranger.

Notes historiques: L'article 9 de la Partie VII de l'annexe VI a été ajouté par L.C. 1990, c. 45, art. 18.

Concordance québécoise: LTVQ, art. 197:5º.

Définitions: « bien », « bien meuble », « fourniture », « service » — 123(1).

Renvois: Voir sous l'Ann. VI, Part.VII, art. VI:Partie VII:8.

Série de mémorandums: Mémorandum 28.2, 01/99, *Services de transport de marchandises*.

10. [Service de transport de marchandises au Canada faisant partie d'un service continu de transport de marchandises de l'étranger vers le Canada] — La fourniture d'un service de transport de marchandises d'un endroit au Canada à un autre endroit au Canada, qui fait partie d'un service continu de transport de marchandises d'un point d'origine à l'étranger à une destination au Canada, si le fournisseur du service possède des preuves documentaires, satisfaisantes au ministre, que le service fait partie d'un service continu de transport de marchandises d'un point d'origine à l'étranger à une destination au Canada.

Notes historiques: L'article 10 de la Partie VII de l'annexe VI a été ajouté par L.C. 1990, c. 45, art. 18.

Concordance québécoise: LTVQ, art. 196, 197:6º.

Définitions: « fourniture », « ministre », « service », « service » — 123(1).

Renvois: Voir sous l'Ann. VI, Part.VII, art. VI:Partie VII:8.

Série de mémorandums: Mémorandum 28.2, 01/99, *Services de transport de marchandises*.

Lettres d'interprétation (Québec): 06-0103421 — Interprétation relative à la TVQ Position administrative — Services de transport de marchandises.

11. [Service de transport de marchandises par le transporteur au profit d'un autre] — La fourniture d'un service de transport de marchandises effectuée par le transporteur du bien transporté au profit d'un autre transporteur, si le service fait partie d'un service continu de transport de marchandises et si l'autre transporteur n'est ni l'expéditeur ni le consignataire du bien.

Notes historiques: L'article 11 de la Partie VII de l'annexe VI a été ajouté par L.C. 1990, c. 45, art. 18.

Concordance québécoise: LTVQ, art. 196, 197:7º.

Définitions: « bien », « fourniture », « service », « service », « transporteur » — 123(1).

Renvois: 123(1)« acquéreur » (circonstances dans lesquelles une personne est un acquéreur); VI:Partie VII:1(2) (Service de transport de passagers faisant partie d'un voyage continu qui ne comporte pas de transport aérien).

Jurisprudence: *Fedderly Transportation Ltd. c. Canada*, [1998] G.S.T.C. 77 (CCI); [2000] G.S.T.C. 83 (CAF); *482733 Ontario Inc. [KM Delivery Service] c. R.*, [2001] G.S.T.C. 49 (CCI).

Énoncés de politique: P-157, 22/08/94, *Statut fiscal des accords de partage d'un service de transport entre les propriétaires de carrière de gravier et les exploitants de camion à benne*.

Série de mémorandums: Mémorandum 28.2, 01/99, *Services de transport de marchandises*.

Lettres d'interprétation (Québec): 03-0109318 — Interprétation relative à la TPS et à la TVQ — fourniture de services de chauffeurs; 06-0103421 — Interprétation relative à la TVQ Position administrative — Services de transport de marchandises.

12. [Service de mandataire d'une personne non résidante] — La fourniture d'un service qui consiste à agir à titre de mandataire d'une personne non résidante qui n'est pas inscrite aux termes de la sous-section d de la section V de la partie IX de la loi au moment de la fourniture, dans la mesure où le service est lié à une fourniture, au profit de cette personne, d'un service de transport de marchandises visé aux articles 6, 7, 8, 9 ou 10.

Notes historiques: L'article 12 de la Partie VII de l'annexe VI a été ajouté par L.C. 1990, c. 45, art. 18.

Concordance québécoise: LTVQ, par. 197:8º.

Définitions: « fourniture », « personne », « service » — 123(1).

Renvois: VI:Partie V:5 (service de mandataire au profit d'une personne non-résidente).

Énoncés de politique: P-182R, 28/08/03, *Du mandat*.

Série de mémorandums: Mémorandum 28.2, 01/99, *Services de transport de marchandises*.

13. [Entreposage avant dédouanement] — La fourniture, effectuée par une personne titulaire d'un agrément aux termes de l'alinéa 24(1)a) de la *Loi sur les douanes*, d'un service consistant à entreposer des biens importés dans un entrepôt d'attente exploité par la personne, si le service a pour objet de permettre la visite des biens avant leur dédouanement.

Notes historiques: L'article 13 de la Partie VII de l'annexe VI a été ajouté par L.C. 1993, c. 27, par. 198(1) et est réputé entré en vigueur le 17 décembre 1990.

Concordance québécoise: LTVQ, art. 197:9º.

Définitions: « dédouanement », « fourniture », « personne », « service » — 123(1).

Série de mémorandums: Mémorandum 28.2, 01/99, *Services de transport de marchandises*.

14. [Navette par bateau] — La fourniture d'un service de navette par bateau à destination ou en provenance d'un endroit à l'étranger, dont l'objet principal consiste à transporter des véhicules à moteur et des passagers entre les parties d'un réseau routier qui sont séparées par une étendue d'eau.

Notes historiques: L'article 14 de la Partie VII de l'annexe VI a été ajouté par L.C. 1993, c. 27, par. 198(1) et est réputé entré en vigueur le 17 décembre 1990.

Concordance québécoise: LTVQ, art. 197:10º.

Définitions: « fourniture », « service » — 123(1).

Renvois: V:Partie VIII:1 (service de navette par bateau de passagers ou de biens).

Série de mémorandums: Mémorandum 28.1, 06/09, *Traversiers et routes et ponts à péage*; Mémorandum 28.2, 01/99, *Services de transport de marchandises*; Mémorandum 28.3, 12/98, *Services de transport de passagers*.

15. [Service d'ambulance aérienne] — La fourniture d'un service d'ambulance aérienne à destination ou en provenance d'un endroit à l'étranger, effectuée par une personne dont l'entreprise consiste à fournir des services d'ambulance aérienne.

Notes historiques: L'article 15 de la Partie VII de l'annexe VI a été ajouté par L.C. 1997, c. 10, par. 149(1) et est réputé entré en vigueur le 17 décembre 1990.

Concordance québécoise: LTVQ, art. 197.1.

Définitions: « entreprise », « fourniture », « personne », « service » — 123(1).

Renvois: V:Partie II:4 (services ambulanciers).

Bulletins de l'information technique: B-075R, 23/04/96, *Modifications proposées à la TPS*.

Série de mémorandums: Mémorandum 28.3, 12/98, *Services de transport de passagers.*

Jurisprudence: *Gatineau (Ville de) c. R.*, [2005] G.S.T.C. 111 (CCI).

Info TPS/TVQ [art. Ann. VI:Partie VII]: GI-055 — *Transition à la taxe de vente harmonisée de l'Ontario et de la Colombie-Britannique — laisse-passer de transport de passagers.*

Partie VIII — Organismes internationaux et représentants

1. [Bien ou service réservé à l'usage du gouverneur général] — La fourniture d'un bien ou d'un service réservé à l'usage du gouverneur général.

Notes historiques: L'article 1 de la Partie VIII de l'annexe VI a été ajouté par L.C. 1990, c. 45, art. 18.

Concordance québécoise: LTVQ, par. 198:2º.

Définitions: « bien », « fourniture », « service » — 123(1).

Mémorandums: TPS 300-3-8, 23/04/93, *Organismes internationaux et représentants*, par. 1, 8–11.

2. [Bien ou service fourni pour utilisation dans la construction d'un pont ou d'un tunnel traversant la frontière canado-américaine] — La fourniture d'un bien ou d'un service, effectuée au profit d'une administration de ponts ou de tunnels internationaux pour utilisation dans la construction d'un pont ou d'un tunnel traversant la frontière canado-américaine.

Notes historiques: L'article 2 de la Partie VIII de l'annexe VI a été ajouté par L.C. 1990, c. 45, art. 18.

Concordance québécoise: aucune.

Définitions: « bien », « fourniture », « service » — 123(1).

Renvois: 123(1)« acquéreur » (circonstances dans lesquelles une personne est un acquéreur); 362 (TVH — construction de l'ouvrage de franchissement du détroit de Northumberland).

Décrets de remise: *Décret de remise visant les projets conjoints des gouvernements du Canada et des États-Unis* C.P.1990-2848.

Mémorandums: TPS 300-3-8, 23/04/93, *Organismes internationaux et représentants*, par. 1, 8–11.

Partie IX — Services financiers

1. [Service financier fourni à une personne non résidante] — La fourniture d'un service financier, à l'exception d'une fourniture figurant à l'article 2, effectuée par une institution financière au profit d'une personne non résidante, sauf s'il est lié à ce qui suit :

a) une dette qui découle :

(i) soit du dépôt de fonds au Canada, si l'effet faisant foi du dépôt est négociable,

(ii) soit du prêt d'argent à utiliser principalement au Canada;

b) une dette pour tout ou partie de la contrepartie de la fourniture d'un immeuble situé au Canada;

c) une dette pour tout ou partie de la contrepartie de la fourniture d'un bien meuble à utiliser principalement au Canada;

d) une dette pour tout ou partie de la contrepartie de la fourniture d'un service à exécuter principalement au Canada;

e) un effet financier, sauf une police d'assurance ou un métal précieux, acquis, autrement que directement d'un émetteur non-résident, par l'institution financière agissant à titre de mandant.

Notes historiques: L'alinéa 1e) de la Partie IX de l'annexe VI a été modifié par L.C. 1993, c. 27, par. 199(1) et s'applique aux services financiers fournis après le 5 novembre 1991. Il se lisait auparavant comme suit :

> e) le transfert de la propriété d'un bien — titre de créance, titre de participation ou participation dans une société de personnes ou une fiducie ou droit afférent à une telle participation — que l'institution financière achète ou vend comme principal (à l'exception du transfert dans le cadre duquel l'institution agit en qualité de preneur ferme).

L'article 1 de la Partie IX de l'annexe VI a été ajouté par L.C. 1990, c. 45, art. 18.

Concordance québécoise: LTVQ, par. 198:1º.

Définitions: « argent », « bien », « bien meuble », « effet financier », « fourniture », « immeuble », « institution financière », « métal précieux », « non-résident », « personne », « police d'assurance », « service », « service financier » — 123(1); « Canada » — 123(2).

Renvois: 123(1)« acquéreur » (circonstances dans lesquelles une personne est un acquéreur); 148 (exclusion dans le calcul du seuil de petit fournisseur); 149(1) (institutions financières); 149(4.01) (exclusion — vente de métaux précieux); VI:Partie V:17 (service de dépositaire).

Jurisprudence: *Assurance-Vie Banque Nationale, cie d'assurance-vie c. R.*, [2006] G.S.T.C. 176 (CCI); *Assurance-Vie Banque Nationale, cie d'assurance-vie c. R.*, 2006 G.T.C. 1191 (CAF).

Énoncés de politique: P-035, 17/09/92, *Les services financiers détaxés et le seuil du petit fournisseur.*

Mémorandums: TPS 300-3-9, 17/08/92, *Services financiers*, par. 24, 25, 30.

Série de mémorandums: Mémorandum 17.1, 04/99, *Définition d'« effet financier »*, par. 20-27; Mémorandum 17.2.3, 08/04, *Produits et services offerts par des compagnies d'assurance-vie et d'assurance-maladie*; Mémorandum 17.8, 04/99, *Caisses de crédit*; Mémorandum 17.9, 08/99, *Agents et courtiers d'assurance.*

Lettres d'interprétation (Québec): 99-0110850 — Services financiers détaxés — TPS; 02-0109989 — Interprétation relative à la TVQ Frais réclamés lorsqu'un transfert de fonds est refusé ou qu'un chèque est retourné par l'institution financière du locataire d'un véhicule routier.

2. [Service financier lié à une police d'assurance] — La fourniture par une institution financière d'un service financier lié à une police d'assurance établie par l'institution, à l'exception d'un service lié aux placements de l'institution, dans la mesure où :

a) s'agissant d'une police d'assurance-vie, d'assurance-accident ou d'assurance-maladie (sauf une police collective), la police est établie au titre d'un particulier qui, au moment de l'entrée en vigueur de la police, est un particulier non résidant;

b) s'agissant d'une police collective d'assurance-vie, d'assurance-accident ou d'assurance-maladie, la police concerne des particuliers non résidants qui sont assurés aux termes de la police;

c) s'agissant d'une police visant un immeuble, la police concerne un immeuble situé à l'étranger;

d) s'agissant d'un autre type de police, la police concerne des risques qui sont habituellement situés à l'étranger.

Notes historiques: L'article 2 de la Partie IX de l'annexe VI a été ajouté par L.C. 1990, c. 45, art. 18.

Concordance québécoise: LTVQ, par. 198:1º.

Définitions: « fourniture », « immeuble », « institution financière », « police d'assurance », « service », « service financier » — 123(1).

Jurisprudence: *Assurance-Vie Banque Nationale, cie d'assurance-vie c. R.*, [2006] G.S.T.C. 176 (CCI); *Assurance-Vie Banque Nationale, cie d'assurance-vie c. R.*, 2006 G.T.C. 1191 (CAF).

Énoncés de politique: P-011, 08/04/92, *Le calcul au prorata des risques dans le but de détaxer l'assurance maritime.*

Mémorandums: TPS 300-3-9, 17/08/92, *Services financiers*, par. 24, 25, 30.

Série de mémorandums: Mémorandum 17.2.3, 08/04, *Produits et services offerts par des compagnies d'assurance-vie et d'assurance-maladie*; Mémorandum 17.8, 04/99, *Caisses de crédit*; Mémorandum 17.9, 08/99, *Agents et courtiers d'assurance.*

3. [Service financier consistant en la fourniture de métaux précieux] — La fourniture d'un service financier qui consiste en la fourniture de métaux précieux par le raffineur ou par la personne pour le compte de laquelle les métaux ont été raffinés.

Notes historiques: L'article 3 de la Partie IX de l'annexe VI a été ajouté par L.C. 1990, c. 45, art. 18.

Concordance québécoise: aucune.

Définitions: « fourniture », « personne », « police d'assurance », « service », « service financier » — 123(1).

Mémorandums: TPS 300-3-9, 17/08/92, *Services financiers*, par. 24, 25, 30.

Série de mémorandums: Mémorandum 17.1, 04/99, *Définition d'« effet financier »*, par. 20-27; Mémorandum 17.2.3, 08/04, *Produits et services offerts par des compagnies* *d'assurance-vie et d'assurance-maladie*; Mémorandum 17.8, 04/99, *Caisses de crédit*; Mémorandum 17.9, 08/99, *Agents et courtiers d'assurance*.

Partie X — Perception des droits de douane

1. [Droits de douane] — La fourniture effectuée par la Société canadienne des postes d'un service visé par un accord conclu avec le ministre de la Sécurité publique et de la Protection civile aux termes du paragraphe 147.1(3) de la *Loi sur les douanes*.

Notes historiques: L'article 1 de la partie X de l'annexe VI a été modifié par L.C. 2005, c. 38, par. 145 par le remplacement de « solliciteur général du Canada » par les mots « ministre de la Sécurité publique et de la Protection civile ». Cette modification est entrée en vigueur le 12 décembre 2005 [C.P. 2005-2041 du 21 novembre 2005 (TR/2005-119)].

L'article 1 de la partie X de l'annexe VI a été remplacé par L.C. 2005, c. 38, art. 108 et cette modification est entrée en vigueur le 12 décembre 2005 [C.P. 2005-2041 du 21 novembre 2005 (TR/2005-119)]. Antérieurement, il se lisait ainsi :

> 1. La fourniture effectuée par la Société canadienne des postes d'un service visé par un accord conclu avec le ministre aux termes du paragraphe 147.1(3) de la *Loi sur les douanes*.

L'article 1 de la partie X de l'annexe VI a été ajouté par L.C. 1992, c. 28, art. 41, applicable aux fournitures de service effectuées le 1er juillet 1992 ou après [décret C.P. 1992-1425 [TR/92-127], 24 juin 1992.

Concordance québécoise: aucune.

Définitions: « fourniture », « ministre », « service » — 123(1).

Notes historiques: La Partie X de l'annexe VI a été ajoutée par L.C. 1992, c. 28, art. 41.

ANNEXE VII — IMPORTATIONS NON TAXABLES

(articles 213 et 217)

1. [Produits classés sous certains numéros tarifaires] — Les produits classés sous les positions 98.01, 98.02, 98.03, 98.04, 98.05, 98.06, 98.07, 98.10, 98.11, 98.12, 98.15, 98.16 ou 98.19 ou sous les sous-positions 9823.60, 9823.70, 9823.80 ou 9823.90 à l'annexe I du *Tarif des douanes*, dans la mesure où ils ne sont pas soumis à des droits aux termes de cette loi, à l'exclusion des produits classés sous le numéro tarifaire 9804.30.00 de cette annexe.

Notes historiques: L'article 1 de l'annexe VII a été modifié par L.C. 1994, c. 9, par. 33(1) et s'applique aux produits importés après 1993. Il se lisait auparavant comme suit :

> 1. Les produits classés sous les numéros 98.01, 98.02, 98.03, 98.04, 98.05, 98.06, 98.07, 98.10, 98.11, 98.12, 98.15, 98.16, 98.19 et 98.21 à l'annexe I du *Tarif des douanes*, dans la mesure où ils ne sont pas soumis à des droits aux termes de cette loi, à l'exclusion des produits classés sous le numéro tarifaire 9804.30.00 de cette annexe.

L'article 1 de l'annexe VII a été modifié par L.C. 1993, c. 27, par. 200(1) et est réputé entré en vigueur le 17 décembre 1990. Il se lisait comme suit :

> 1. Les produits classés sous les numéros 98.01, 98.02, 98.03, 98.04, 98.05, 98.06, 98.07, 98.10, 98.11, 98.12, 98.13, 98.14, 98.15, 98.16, 98.19 et 98.21 à l'annexe I du *Tarif des douanes*, dans la mesure où ils ne sont pas soumis à des droits aux termes de cette loi, à l'exclusion des produits classés sous le numéro tarifaire 9804.30.00.

Cet article a été édicté par L.C. 1990, c. 45, art. 18.

Concordance québécoise: LTVQ, par. 81:1°.

Définitions: « produits » — 123(1).

Renvois: 123(4) (application des dispositions s'appliquant à la Partie IX à l'annexe VIII); 195.2 (dernière acquisition ou importation — exception); 213 (dernière acquisition ou importation — exception); 213.2 (certificat d'importation); 216(4) (appel concernant le classement); X:Partie I:1-10 (TVH); X:Partie I:20 (TVH — biens transférés dans une province participante).

Mémorandums: TPS 300-8, 6/02/91, *Produits importés*, par. 62, 65.

1.1 [« droits »] — Pour l'application de l'article 1, « droits » ne vise pas le droit spécial imposé en vertu de l'article 54 de la *Loi de 2001 sur l'accise*.

Notes historiques: L'article 1.1 de l'annexe II a été remplacé par L.C. 2002, c. 22, art. 392 et cette modification est entrée en vigueur le 1er juillet 2003 [C.P. 2003-388]. Antérieurement, il se lisait ainsi :

> 1.1 Pour l'application de l'article 1, « droits » ne vise pas les droits perçus en vertu du paragraphe 21(2) du *Tarif des douanes*.

L'article 1.1 de l'annexe II a été ajouté par L.C. 2001, c. 16, par. 42(1) et est entré ou est réputé être entré en vigueur le 1er octobre 2001. De même, pour l'application des dispositions de la *Loi sur la taxe d'accise* concernant le paiement d'intérêts, ou l'obligation d'en payer, relativement à un montant donné, ce montant est déterminé et les intérêts y afférents sont calculés comme si le L.C. 2001, c. 16 avait été sanctionné le 6 avril 2001.

Concordance québécoise: aucune.

1.2 [Application — Tarif des douanes] — Pour l'application de l'article 1, le paragraphe 140(2) du *Tarif des douanes* ne s'applique pas en ce qui a trait à la mention de la position 98.04.

Notes historiques: L'article 1.2 à l'annexe VII a été ajouté par L.C. 2007, c. 35, par. 7(1) et est réputé entré en vigueur le 1er janvier 1998.

2 octobre 2007, Notes explicatives: L'annexe VII dresse la liste des produits qui ne sont pas assujettis à la TPS/TVH aux termes de la section III de la partie IX de la loi lorsqu'ils sont importés. L'article 1 de cette annexe porte notamment sur les produits qui sont classés sous la position 98.04 de l'annexe 1 du *Tarif des douanes*. Y sont ainsi visés les produits, n'excédant pas une certaine valeur, que les résidents rentrant au pays rapportent de l'étranger et qui ne sont pas assujettis à la TPS/TVH lors de leur importation.

La modification consiste à ajouter l'article 1.2 à l'annexe VII. Cet article prévoit que le paragraphe 140(2) du *Tarif des douanes* ne s'applique pas en ce qui a trait au renvoi à la position 98.04 qui figure à l'article 1 de l'annexe VII. Le paragraphe 140(2) a été mis en œuvre afin que le statut fiscal de produits importés demeure le même après l'adoption, en 1998, du nouveau *Tarif des douanes* simplifié.

En ce qui concerne la TPS/TVH, le paragraphe 140(2) du *Tarif des douanes* prévoit que la mention dans une loi fédérale (sauf le *Tarif des douanes*), ou dans un décret ou un règlement pris en vertu d'une loi fédérale, de tout ou partie d'une position, d'une sous-position, d'un numéro tarifaire ou d'un code de l'ancien *Tarif des douanes* ou d'une note de chapitre de l'annexe I de l'ancienne loi, vaut mention, pour l'application d'une taxe imposée sous le régime de la *Loi sur la taxe d'accise*, de tout ou partie de cette position, de cette sous-position, de ce numéro tarifaire, de ce code ou de cette note de chapitre dans sa version antérieure au 1er janvier 1998.

Par suite de la modification, l'article 1 de l'annexe VII renvoie aux produits qui sont classés sous la position 98.04, telle qu'elle est modifiée dans l'annexe du *Tarif des douanes*. L'une de ces modifications figurait dans la *Loi d'exécution du budget de 2007*. Elle avait pour effet de faire passer de 200 $ à 400 $, à compter du 20 mars 2007, la valeur maximale des produits que les résidents rentrant au pays peuvent importer en franchise de droits de douane, après un séjour d'au moins 48 heures. La modification permet que cette hausse de l'exemption aux voyageurs s'applique également pour les fins de la TPS/TVH à compter du 20 mars 2007. Le relèvement du seuil d'exemption pour les séjours de 48 heures facilitera le passage à la frontière des voyageurs et réduira le fardeau des procédures administratives à la frontière.

Le nouvel article 1.2 est réputé être entré en vigueur le 1er janvier 1998, date d'entrée en vigueur du *Tarif des douanes* simplifié.

Concordance québécoise: aucune.

2. [Médailles, trophées et autres prix] — Les médailles, trophées et autres prix, à l'exclusion des produits marchands habituels, gagnés à l'étranger lors de compétitions ou décernés, reçus ou acceptés à l'étranger ou donnés par des personnes à l'étranger pour un acte d'héroïsme, la bravoure ou une distinction.

Notes historiques: L'article 2 de l'annexe VII a été ajouté par L.C. 1990, c. 45, art. 18.

Concordance québécoise: LTVQ, par. 81:3°.

Définitions: « produits » — 123(1).

Renvois: X:Partie I:11 (médailles, trophées et autres prix).

Mémorandums: TPS 300-8, 6/02/91, *Produits importés*, par. 62, 65.

3. [Imprimés promouvant le tourisme] — Les imprimés à être mis à la disposition du grand public gratuitement en vue de promouvoir le tourisme et qui :

a) sont importés par un gouvernement étranger, ou sur son ordre, ou par son organisme ou représentant;

b) sont importés par une chambre de commerce, une association municipale, une association d'automobilistes ou un organisme semblable auxquels ils ont été fournis à titre gratuit, mis à partles frais d'expédition et de manutention.

LTA (TPS)

Notes historiques: L'article 3 de l'annexe VII a été ajouté par L.C. 1990, c. 45, art. 18.

Concordance québécoise: LTVQ, par. 81:4º.

Définitions: « gouvernement » — 123(1).

Renvois: 259.1 (livres imprimés); X:Partie I:12 (imprimés mis à la disposition du grand public gratuitement en vue de promouvoir le tourisme).

Mémorandums: TPS 300-8, 6/02/91, *Produits importés*, par. 62, 65.

4. [Produits importés par un organisme de bienfaisance au Canada] — Les produits importés par un organisme de bienfaisance ou une institution publique au Canada, qui représentent des dons à l'organisme ou à l'institution.

Notes historiques: L'article 4 de l'annexe VII a été modifié par L.C. 1997, c. 10, par. 149.1(1) et cette modification est réputée entrée en vigueur le 1er janvier 1997. Il se lisait comme suit :

> 4. Les produits importés par un organisme de bienfaisance au Canada, qui représentent des dons à l'organisme.

Cet article a été ajouté par L.C. 1990, c. 45, art. 18.

Concordance québécoise: LTVQ, par. 81:5º.

Définitions: « Canada » — 123(2); « institution publique », « organisme de bienfaisance », « produits » — 123(1).

Renvois: 260 (exportation par un organisme de bienfaisance); X:Partie I:13 (biens transférés par un organisme de bienfaisance ou une institution publique).

Mémorandums: TPS 300-8, 6/02/91, *Produits importés*, par. 62, 65.

5. [Produits importés qui sont des pièces de rechange ou des biens de remplacement visés par une garantie] — Les produits importés par une personne, qui lui sont fournis par une personne non-résidente à titre gratuit, mis à part les frais de manutention et d'expédition, et qui sont des pièces de rechange ou des biens de remplacement visés par une garantie.

Notes historiques: L'article 5 de l'annexe VII a été remplacé par L.C. 2000, c. 30, par. 135(1) et cette modification s'applique aux produits importés après le 10 décembre 1998. Antérieurement, il se lisait comme suit :

> 5. Les produits importés par une personne, qui lui sont fournis par une personne non résidante à titre gratuit, mis à part les frais de manutention et d'expédition, et qui sont des pièces de rechange visées par la garantie applicable à des biens meubles corporels.

L'article 5 de l'annexe VII a été ajouté par L.C. 1990, c. 45, art. 18.

Concordance québécoise: LTVQ, par. 81:6º.

Définitions: « personne », « produits » — 123(1).

Renvois: 178.8(7) (entente d'importation); VII:5.1 (obligation prévue par garantie); X:Partie I:14 (pièces de rechange ou de biens de remplacement visés par une garantie).

Jurisprudence: *DSL Ltd. c. R.*, [2005] G.S.T.C. 126 (CCI).

Bulletins de l'information technique: B-088, 04/07/02, *Programme de centres de distribution des exportations*.

Mémorandums: TPS 300-8, 6/02/91, *Produits importés*, par. 62, 65.

5.1 [Obligation prévue par garantie] — Les produits importés dans l'unique but de remplir une obligation, prévue par une garantie, de réparer ou de remplacer les produits défectueux, à condition que les produits de remplacement soient fournis à titre gratuit, mis à part les frais d'expédition et de manutention, et exportés sans être consommés ou utilisés au Canada, sauf dans la mesure qu'il est raisonnable de considérer comme nécessaire ou accessoire à leur transport.

Notes historiques: L'article 5.1 de l'annexe VII a été ajouté par le L.C. 2001, c. 15, par. 31(1) et s'applique aux produits importés après le 28 février 2000.

Concordance québécoise: aucune.

Définitions: « Canada » — 123(2); « produits » — 123(1).

Renvois: VII:5 (importation non taxable).

6. [Produits visés aux Parties I à IV et VIII de l'Annexe VI] — Les produits dont la fourniture figure à l'une des parties I à IV et VIII de l'annexe VI, à l'exclusion de l'article 3.1 de la partie IV de cette annexe.

Notes historiques: L'article 6 de l'annexe VII a été remplacé par L.C. 2007, c. 18, par. 59(1) et cette modification s'applique aux produits importés après le 12 avril 2001. Antérieurement, il se lisait ainsi :

> 6. Les produits dont la fourniture figure à l'une des parties I à IV et VIII de l'annexe VI.

L'article 6 de l'annexe VII a été modifié par L.C. 1994, c. 9, par. 34(1) et s'applique aux produits importés après avril 1991. Il se lisait auparavant comme suit :

> 6. Les produits dont la fourniture figure à l'article 2 de la partie I ou aux parties II, III, IV ou VIII de l'annexe VI.

L'article 6 de l'annexe VII a été ajouté par L.C. 1990, c. 45, art. 18.

27 novembre 2006, Notes explicatives: La modification apportée à l'article 6 de l'annexe VII concorde avec la modification visant la partie IV de l'annexe VI, qui a pour objet de détaxer les ventes de graines ou de semences et de tiges matures (c'est-à-dire, la paille) de chanvre industriel effectuées au Canada, de même qu'avec les modifications apportées à l'annexe VII, qui font en sorte que les importations de ces produits ne soient pas taxables.

L'article 6 de l'annexe VII est modifié de façon à ne pas s'appliquer aux importations de graines ou de semences et de paille de chanvre industriel. Ces importations font en effet l'objet du nouvel article 12 de l'annexe de sorte que la condition prévoyant la conformité avec la *Loi réglementant certaines drogues et autres substances* puisse s'appliquer.

Cette modification s'applique aux produits importés après le 12 avril 2001.

Concordance québécoise: LTVQ, par. 81:7º.

Définitions: « fourniture », « produits » — 123(1).

Renvois: 213.2 (certificat d'importation); VII:12 (plantes de chanvre); X:Partie I:15 (autres biens transférés).

Mémorandums: TPS 300-8, 6/02/91, *Produits importés*, par. 62, 65.

Série de mémorandums: Mémorandum 4.1, 06/00, *Médicaments et substances biologiques*.

7. [Produits envoyés au Canada par courrier ou messager] — Les produits, sauf les produits visés par règlement, qui sont envoyés à l'acquéreur de la fourniture, par courrier ou messager (au sens du paragraphe 2(1) de la *Loi sur les douanes*), à une adresse au Canada et dont la valeur, déterminée en application de l'alinéa 215(1)a) de la loi, n'est pas supérieure à 20 $.

Notes historiques: L'article 7 de l'annexe VII a été modifié par L.C. 1992, c. 28, art. 42 et est réputé entré en vigueur le 17 décembre 1990. Toutefois, dans son application aux produits importés avant le 1er juillet 1992 (décret C.P. 1992-1425 [TR/92-127], 24 juin 1992) la somme de 20 $ est remplacée par la somme de 40 $. Par ailleurs, en l'absence d'une disposition réglementaire précisant le sens de « messager » pour l'application de la *Loi sur les douanes*, il n'est pas tenu compte du passage « (au sens du paragraphe 2(1) de la *Loi sur les douanes*) ». Il se lisait comme suit :

> 7. Les produits, sauf les produits visés par règlement, qui sont envoyés à l'acquéreur de la fourniture, par courrier ou messager, à une adresse au Canada et dont la valeur, déterminée en application du paragraphe 215(1) de la loi, n'est pas supérieure à 40 $.

L'article 7 de l'annexe VII a été édicté par L.C. 1990, c. 45, art. 18.

Concordance québécoise: LTVQ, par. 81:8º.

Définitions: « acquéreur », « fourniture », « messager », « produits », « règlement » — 123(1); « Canada » — 123(2).

Renvois: 143.1 (fourniture par la poste ou par messager).

Jurisprudence: *DSL Ltd. c. R.*, [2005] G.S.T.C. 126 (CCI).

Règlements: *Règlement sur les importations par courrier ou messager (TPS/TVH)*.

Mémorandums: TPS 300-8, 6/02/91, *Produits importés*, par. 62, 65.

7.1 [Produits envoyés au Canada par courrier ou messager] — Les produits qui sont visés par règlement pour l'application de l'article 143.1 de la loi et qui sont envoyés à l'acquéreur, par la poste ou par messager, à une adresse au Canada, dans le cas où le fournisseur est inscrit aux termes de la sous-section d de la section V de la partie IX de la loi au moment de l'importation des produits.

Notes historiques: L'article 7.1 de l'annexe VII a été ajouté par L.C. 1993, c. 27, par. 201(1) et s'applique aux produits importés après 1992.

Concordance québécoise: LTVQ, par 81:8.1º.

Définitions: « acquéreur », « importation », « messager », « produits », « règlement » — 123(1); « Canada » — 123(2).

Règlements: *Règlement concernant la fourniture de publications par un inscrit non résidant*, art. 1.

8. [Produits visés par règlement] — Les produits visés par règlement, importés dans des circonstances visées par règlement et selon les modalités réglementaires.

Notes historiques: L'article 8 de l'annexe VII a été modifié par L.C. 1993, c. 27, par. 202(1) et est réputé entré en vigueur le 17 décembre 1990. Il se lisait comme suit :

> 8. Les produits visés par règlement, importés dans des circonstances visées par règlement.

Cet article a été édicté par L.C. 1990, c. 45, art. 18.

Concordance québécoise: LTVQ, par. 81:9º.

Définitions: « importation », « produits », « règlement » — 123(1).

Renvois: 195.2 (dernière acquisition ou importation — exception); 213.2 (certificat d'importation); X:Partie I:23 (autres biens transférés).

Règlements: *Règlement sur les produits importés non taxables (TPS/TVH).*

Jurisprudence: *Tenaska Marketing Canada v. Canada (Minister of Public Safety & Emergency Preparedness)*, [2006] G.S.T.C. 66 (CF).

Énoncés de politique: P-024R, 12/05/99, *Importation temporaire de moyens de transport*; P-047, 09/06/92, *Importations par des exportateurs de services de traitement. (Ébauche).*

Mémorandums: TPS 300-8, 6/02/91, *Produits importés*, par. 62, 65.

8.1 [Produits importés par un inscrit muni d'un certificat d'importation] — Les produits donnés importés par un inscrit muni d'une autorisation accordée en vertu de l'article 213.2 de la loi et qui est en vigueur au moment de l'importation, qui, selon le cas :

a) sont traités, distribués ou entreposés au Canada puis exportés sans y être consommés ou utilisés, sauf dans la mesure qu'il est raisonnable de considérer comme nécessaire ou accessoire à leur transport;

b) sont transformés en d'autres produits ou incorporés, fixés, combinés ou réunis à d'autres produits, lesquels sont traités au Canada puis exportés sans y être consommés ou utilisés, sauf dans la mesure qu'il est raisonnable de considérer comme nécessaire ou accessoire à leur transport;

c) sont des matières ou du matériel (sauf les carburants, les lubrifiants et le matériel d'usine) qui sont consommés ou absorbés directement lors du traitement au Canada d'autres produits qui sont exportés sans être consommés ou utilisés au Canada, sauf dans la mesure qu'il est raisonnable de considérer comme nécessaire ou accessoire à leur transport.

Les conditions suivantes doivent toutefois être réunies :

d) les produits donnés sont importés dans l'unique but de faire exécuter des services que l'inscrit fournit à une personne non-résidente;

e) tout au long de la période commençant au moment de l'importation des produits donnés par l'inscrit et se terminant au moment de l'exportation de ces produits ou des produits (appelés « produits issus du traitement » au présent article) découlant du traitement visé à celui des alinéas a) à c) qui est applicable, les faits suivants se vérifient :

(i) ni les produits donnés ni les produits issus du traitement ne sont des biens d'une personne résidant au Canada,

(ii) l'inscrit n'a pas de droit de propriété dans les produits donnés ou dans les produits issus du traitement,

(iii) l'inscrit n'est pas étroitement lié à la personne non-résidente visée à l'alinéa d) ni à une personne non-résidente dont les biens sont constitués des produits donnés ou des produits issus du traitement;

f) l'inscrit ne transfère, à aucun moment de la période visée à l'alinéa e), la possession matérielle des produits donnés ou des produits issus du traitement à une autre personne au Canada, sauf en vue de leur entreposage, de leur transport à destination ou en provenance d'un entrepôt ou de leur transport dans le cadre de leur exportation;

g) les produits donnés ou les produits issus du traitement, selon le cas, sont exportés dans les quatre ans suivant le jour où les produits donnés font l'objet d'une déclaration en détail ou provisoire en application de l'article 32 de la *Loi sur les douanes*;

h) au moment de cette déclaration, l'inscrit indique, dans le document de déclaration, le numéro qui lui a été attribué en vertu du paragraphe 213.2(1) de la loi;

i) l'inscrit a donné toute garantie exigée en vertu de l'article 213.1 de la loi.

Notes historiques: L'article 8.1 de l'annexe VII a été ajouté par L.C. 2001, c. 15, par. 32(1). Il est réputé être entré en vigueur le 1er mars 1992 et s'applique aux produits importés à cette date ou postérieurement. Toutefois, en ce qui concerne les produits importés avant le 29 février 2000, il n'est pas tenu compte des mots « distribués ou entreposés » à l'alinéa 8.1a) de l'annexe VII.

Concordance québécoise: aucune.

Définitions: « Canada » — 123(2); « documents », « personne », « produits » — 123(1).

Renvois: 215(3) (valeur de produits réimportés après traitement).

Bulletins de l'information technique: B-088, 04/07/02, *Programme de centres de distribution des exportations.*

Série de mémorandums: Mémorandum 3.1, 08/99, *Assujettissement à la taxe.*

8.2 [Traitement] — Pour l'application de l'article 8.1, le traitement comprend l'ajustement, la modification, l'assemblage ou le désassemblage, le nettoyage, l'entretien ou la réparation, l'examen ou la mise à l'essai, l'étiquetage ou le marquage, la fabrication, la production, l'emballage, le déballage ou le remballage et l'empaquetage ou le rempaquetage.

Notes historiques: L'article 8.2 de l'annexe VII a été ajouté par L.C. 2001, c. 15, par. 32(1). Il est réputé être entré en vigueur le 1er mars 1992 et s'applique aux produits importés à cette date ou postérieurement.

Concordance québécoise: aucune.

Bulletins de l'information technique: B-088, 04/07/02, *Programme de centres de distribution des exportations.*

8.3 [*Abrogé*].

Notes historiques: L'article 8.3 de l'annexe VII a été abrogé par L.C. 2007, c. 18, par. 60(1) et cette abrogation est réputée être entrée en vigueur le 17 novembre 2005. Antérieurement, il se lisait ainsi :

> 8.3 [Personnes étroitement liées] — Pour l'application de l'article 8.1, l'inscrit et l'autre personne qui seraient étroitement liés en vertu de l'article 128 de la loi si l'autre personne était un inscrit résidant au Canada sont considérés comme étant étroitement liés.

L'article 8.3 de l'annexe VII a été ajouté par L.C. 2001, c. 15, par. 32(1). Il est réputé être entré en vigueur le 1er mars 1992 et s'applique aux produits importés à cette date ou postérieurement.

27 novembre 2006, Notes explicatives: L'article 8.1 de l'annexe VII prévoit les conditions qu'un inscrit doit remplir pour que soient exonérées de TPS/TVH certaines importations de produits importés dans l'unique but de faire exécuter des services que l'inscrit fournit à une personne non-résidente. L'une de ces conditions, énoncée au sous-alinéa 8.1e)(iii), prévoit que l'inscrit ne doit pas être étroitement lié à la personne non-résidente ni à tout propriétaire non-résident des produits importés ou issus du traitement. Selon l'article 8.3 de l'annexe, la personne non-résidente visée à l'article 8.1 est considérée comme étant étroitement liée à l'inscrit dans le cas où ils seraient étroitement liés l'un à l'autre en vertu de l'article 128 de la loi si la personne non-résidente était un inscrit résidant au Canada.

La modification apportée à l'annexe VII consiste à abroger l'article 8.3. Elle fait suite aux modifications apportées à l'article 128, qui consistent à supprimer l'exigence selon laquelle des personnes morales doivent être des inscrits résidant au Canada pour être considérées comme étant étroitement liées l'une à l'autre.

La modification apportée à l'annexe VII est réputée être entrée en vigueur le 17 novembre 2005.

9. [Produits importés en franchise des droits de douane] — Les contenants qui, par suite d'un règlement pris en vertu de la note 11c) du chapitre 98 de l'annexe I du *Tarif des douanes*, peuvent être importés en franchise des droits de douane.

Notes historiques: L'article 9 de l'annexe VII a été ajouté par L.C. 1993, c. 27, par. 202(1) et est réputé entré en vigueur le 17 décembre 1990.

Concordance québécoise: LTVQ, art. 81:10º.

Définitions: « produits », « règlement » — 123(1).

Renvois: 195.2 (dernière acquisition ou importation — exception); X:Partie I:16 (contenants transférés).

10. [Écrit établissant un effet financier] — L'argent, les certificats ou autres écrits établissant un droit qui est un effet financier.

Notes historiques: L'article 10 de l'annexe VII a été ajouté par L.C. 1993, c. 27, par. 202(1) et est réputé entré en vigueur le 17 décembre 1990.

Concordance québécoise: LTVQ, art. 81:11°.

Définitions: « argent », « effet financier » — 123(1).

Renvois: X:Partie I:17 (argent, certificats ou autres écrits).

11. [Stock intérieur, bien d'appoint ou produit de client] — Un produit donné qui est un article faisant partie des stocks intérieurs, un bien d'appoint ou un produit de client (au sens où ces expressions s'entendent à l'article 273.1 de la loi), si l'importateur est un inscrit aux termes de la sous-section d de la section V de la partie IX de la loi et s'est vu accorder l'autorisation — qui est en vigueur au moment de l'importation — d'utiliser un certificat de centre de distribution des exportations (au sens de cet article), et si, à la fois :

a) dans le cas où le produit a fait l'objet d'une déclaration en détail ou provisoire en application de l'article 32 de la *Loi sur les douanes*, l'importateur atteste que l'autorisation est en vigueur au moment de l'importation et communique le numéro mentionné au paragraphe 273.1(9) de la loi ainsi que les dates de prise d'effet et d'expiration de l'autorisation;

b) l'importateur a donné toute garantie exigée en vertu de l'article 213.1 de la loi.

Notes historiques: L'article 11 de l'annexe VII a été ajouté par le L.C. 2001, c. 15, par. 33(1) et s'applique aux produits importés après 2000.

Concordance québécoise: aucune.

Définitions: « importation », « personne », « produits » — 123(1); « bien d'appoint », « produit de client », « stocks intérieurs » — 273.1(1); « caution » — 35(1) *Loi d'interprétation*.

Renvois: 215(3) (valeur de produits réimportés après traitement); VI:Partie V:1.2 (fournitures détaxées — exportations).

12. [Plantes de chanvre] — Les graines ou les semences importées, ou les tiges matures importées sans feuilles, fleurs, graines ou branches, de plantes de chanvre du genre *Cannabis*, si, à la fois :

a) s'agissant de graines ou de semences, elles ne sont pas traitées au-delà de la stérilisation ou du traitement pour l'ensemencement et ne sont pas emballées, préparées ou vendues pour servir de nourriture aux oiseaux sauvages ou aux animaux domestiques;

b) s'agissant de graines ou de semences viables, elles sont comprises dans la définition de « chanvre industriel » à l'article 1 du *Règlement sur le chanvre industriel* pris en vertu de la *Loi réglementant certaines drogues et autres substances*;

c) l'importation est effectuée conformément à cette loi, le cas échéant.

Notes historiques: L'article 12 de l'annexe VII a été ajouté par L.C. 2007, c. 18, par. 61(1) et s'applique aux graines et semences importées après le 12 avril 2001 ainsi qu'aux tiges matures importées après cette date.

27 novembre 2006, Notes explicatives: La modification apportée à l'article 12 de l'annexe VII concorde avec la modification visant la partie IV de l'annexe VI, qui a pour objet de détaxer les ventes de graines ou de semences et de tiges matures (c'est-à-dire, la paille) de chanvre industriel effectuées au Canada. Les importations de ces produits ne sont ainsi pas taxables.

Le nouvel article 12 prévoit les circonstances dans lesquelles les graines ou semences et la paille de chanvre industriel peuvent être importées en franchise de taxe. Étant donné que l'importation de ces produits est, dans certains cas, réglementée par la *Loi réglementant certaines drogues et autres substances*, l'une des conditions d'exonération de la taxe à la frontière prévoit que l'importation doit être effectuée conformément à cette loi, le cas échéant.

Cette modification s'applique aux graines ou semences et tiges importées après le 12 avril 2001.

Concordance québécoise: aucune.

Définitions: « importation », « règlement » — 123(1).

ANNEXE VIII — PROVINCES PARTICIPANTES ET TAUX DE TAXE APPLICABLES

(paragraphe 123(1))

Province participante	Taux de taxe
1. Ontario	8 %
2. Nouvelle-Écosse	8 %
3. Nouveau-Brunswick	8 %
4. [Abrogé].	
5. Terre-Neuve-et-Labrador	8 %
6. Zone extracôtière de la Nouvelle-Écosse	8 %
7. Zone extracôtière de Terre-Neuve	8 %

Notes historiques: L'article 4 de l'annexe VIII a été abrogé par L.C. 2012, c. 19, par. 44(1) et cette abrogation s'applique :

a) relativement aux fournitures effectuées après mars 2013, à l'exception de celles qui sont réputées, en vertu de l'article 172.1, avoir été effectuées;

b) aux fins d'application de l'article 172.1 relativement à l'exercice d'une personne commençant après mars 2013;

c) au calcul de la taxe, prévu à la division 173(1)d)(ii)(B), relativement aux années d'imposition d'un particulier se terminant après 2013;

d) aux fins d'application de l'article 174 relativement à une indemnité versée par une personne après mars 2013;

e) au calcul de la taxe, prévu au paragraphe 218.1(1.2), pour une année déterminée, au sens de l'article 217, d'une personne commençant après mars 2013;

f) relativement aux produits importés :

(i) après mars 2013,

(ii) avant avril 2013, si les produits, après mars 2013, font l'objet d'une déclaration en vertu du paragraphe 32(1), de l'alinéa 32(2)a) ou du paragraphe 32(5) de la *Loi sur les douanes* ou sont dédouanés dans les circonstances prévues à l'alinéa 32(2)b) de cette loi;

g) relativement aux biens qui sont transférés dans une province, ou en sont retirés, après mars 2013;

h) relativement aux biens qui sont transférés dans une province par un transporteur avant avril 2013 et livrés dans la province à un consignataire après mars 2013;

i) au calcul du montant pour une province qui, selon le paragraphe 225.2(2) de la *Loi sur la taxe d'accise*, doit être ajouté à la taxe nette, ou peut être déduit de cette taxe, pour une période de déclaration d'une institution financière commençant après mars 2013;

j) aux fins d'application de l'élément C de la formule figurant à l'alinéa a) de la définition de « montant de remboursement de pension provincial » au paragraphe 261.01(1) de la même loi pour une période de demande d'une entité de gestion commençant après mars 2013.

Antérieurement, il se lisait « 4. Colombie-Britannique — 7 % ».

L'annexe VIII a été remplacée par L.C. 2009, c. 32, par. 44(1) et cette modification est entrée en vigueur le 1er juillet 2010. Antérieurement, elle se lisait ainsi :

ANNEXE VIII — PROVINCES PARTICIPANTES ET TAUX DE TAXE APPLICABLES

(paragraphe 123(1))

Province participante	Taux de taxe
1. Nouvelle-Écosse	8%
2. Nouveau Brunswick	8%
3. Terre-Neuve	8%
4. Zone extracôtière de la Nouvelle-Écosse	8%
5. Zone extracôtière de la Terre-Neuve	8%

L'annexe VIII a été ajoutée par L.C. 1997, c. 10, art. 254 et est réputée entrée en vigueur le 20 mars 1997.

avril 2012, Notes explicatives: L'annexe VIII dresse la liste des provinces participantes sous le régime de la TVH et indique, en regard du nom de chacune, le taux de la composante provinciale qui lui est applicable. Ces taux s'appliquent à moins qu'un autre taux soit fixé pour une province participante aux termes les règlements relatifs à la TPS/TVH pris en vertu de la Loi.

La modification apportée à cette annexe consiste à supprimer le nom de la Colombie-Britannique et le taux de taxe 7 % en raison de la décision de cette province de se retirer du régime de la TVH le 1er avril 2013.

Cette modification met en œuvre une exigence législative — qui ne peut être remplie par règlement — relative à la décision du gouvernement de la Colombie-Britannique de se retirer du cadre de la TVH. Il est proposé que les règles transitoires, annoncées par le ministère des Finances le 17 février 2012, soient mises en œuvre au moyen de règlements pris en vertu de la Loi.

Concordance québécoise: aucune.

Définitions: « province participante », « taux de taxe », « zone extracôtière de la Nouvelle-Écosse », « zone extracôtière de Terre-Neuve » — 123(1).

Série de mémorandums: Mémorandum 3.1, 08/99, *Assujettissement à la taxe*.

Info TPS/TVQ: GI-057 — *Taxe de vente harmonisée de l'Ontario et de la Colombie-Britannique-Droits d'adhésion* ; GI-058 — *Taxe de vente harmonisée de l'Ontario et de la Colombie-Britannique-Droits d'entrée* ; GI-059 — *Taxe de vente harmonisée de l'Ontario et de la Colombie-Britannique-Biens meubles incorporels* ; GI-102 — *Hausse du taux de la TVH de la Nouvelle Écosse - Ventes et locations d'immeubles non résidentiels*; GI-103 — *Hausse du taux de la TVH de la Nouvelle Écosse - Paiements échelonnés et retenues*; GI-104 — *Hausse du taux de la TVH de la Nouvelle Écosse - Ventes et locations d'habitations neuves*; GI-108 — *Application de la hausse du taux de la TVH en Nouvelle-Écosse (2010)-Biens meubles* ; GI-109 — *Application de la hausse du taux de la TVH en Nouvelle-Écosse (2010)-Services* ; GI-110 — *Application de la hausse du taux de la TVH en Nouvelle-Écosse (2010)-Droits d'entrée et droits d'adhésion*; GI-111 — *Application de la hausse du taux de la TVH en Nouvelle-Écosse (2010)-Services de transport et laissez-passer.*

ANNEXE IX — FOURNITURE DANS UNE PROVINCE

(article 144.1)

Partie I — Définitions et interprétation

1. [Définitions] — Les définitions qui suivent s'appliquent à la présente annexe.

« lieu de négociation » Quant à une fourniture, lieu où est situé l'établissement stable du fournisseur auquel le particulier qui est le principal négociateur, pour le compte du fournisseur, de la convention portant sur la fourniture travaille ou se présente habituellement dans l'exercice de ses fonctions liées aux activités du fournisseur dans le cadre desquelles la fourniture est effectuée. Pour l'application de la présente définition, est un négociateur celui qui fait ou accepte une offre.

Notes historiques: La définition de « lieu de négociation » à l'article 1 de la partie I de l'annexe IX a été ajoutée par L.C. 1997, c. 10, art. 254 et est réputée entrée en vigueur le 20 mars 1997.

Concordance québécoise: LTVQ, art. 22.2« lieu de négociation ».

« période de location » Quant à une fourniture par bail, licence ou accord semblable, s'entend au sens de l'article 136.1 de la loi.

Notes historiques: La définition de « période de location » à l'article 1 de la partie I de l'annexe IX a été ajoutée par L.C. 1997, c. 10, art. 254 et est réputée entrée en vigueur le 20 mars 1997.

Concordance québécoise: LTVQ, art. 22.2« période de location ».

Définitions: « établissement stable », « fourniture » — 123(1).

Bulletins de l'information technique: B-078, 28/02/97, *Règles sur le lieu de fourniture sous le régime de la TVH*; B-090, 07/02, *La TPS/TVH et le commerce électronique*.

Série de mémorandums: Mémorandum 19.1.1, 11/97, *Règles spéciales s'appliquant aux immeubles dans le régime de la TVH*.

Lettres d'interprétation (Québec): 06-0103629 — Interprétation relative à la TVQ Contrat de franchise vendue par un non-résident à un résident du Québec.

2. [Maisons mobiles et maisons flottantes] — Pour l'application de la présente annexe, les maisons mobiles qui ne sont pas fixées à un fonds et les maisons flottantes sont réputées être des biens meubles corporels et non des immeubles.

Notes historiques: L'article 2 de la partie I de l'annexe IX a été ajouté par L.C. 1997, c. 10, art. 254 et est réputé entré en vigueur le 20 mars 1997.

Concordance québécoise: LTVQ, art. 22.3.

Bulletins de l'information technique: B-078, 28/02/97, *Règles sur le lieu de fourniture sous le régime de la TVH*.

Série de mémorandums: Mémorandum 19.1, 10/97,*Immeubles — TPS/TVH*.

3. [Bien ou service jamais livré ou rendu] — Pour l'application de la présente annexe, le bien ou le service dont la fourniture est prévue par une convention mais qui n'est jamais livré ou rendu à l'acquéreur est réputé l'avoir été là où il devait l'être aux termes de la convention.

Notes historiques: L'article 3 de la partie I de l'annexe IX a été ajouté par L.C. 1997, c. 10, art. 254 et est réputé entré en vigueur le 20 mars 1997.

: L'article 3 de la partie I de l'annexe IX fait en sorte que les règles sur le lieu de fourniture énoncées à cette annexe s'appliquent aux fournitures de biens ou de services même si ceux-ci ne seront jamais livrés ou exécutés. Selon cet article, les biens sont réputés avoir été livrés, ou les services exécutés, en conformité avec les modalités de la convention portant sur la fourniture.

Concordance québécoise: LTVQ, art. 22.4.

Définitions: « acquéreur », « bien », « fourniture » — 123(1).

Bulletins de l'information technique: B-078, 28/02/97, *Règles sur le lieu de fourniture sous le régime de la TVH*.

4. [Emplacement habituel d'un bien] — Lorsqu'il est fait mention de l'emplacement habituel d'un bien aux fins de déterminer, selon la présente annexe, si une fourniture est effectuée dans une province et que le fournisseur et l'acquéreur s'entendent de temps à autre sur ce qui doit être l'emplacement habituel du bien à un moment donné, cet emplacement est réputé, pour l'application de cette annexe, être l'emplacement habituel de ce bien à ce moment.

Notes historiques: L'article 4 de la partie I de l'annexe IX a été ajouté par L.C. 1997, c. 10, art. 254 et est réputé entré en vigueur le 20 mars 1997.

Concordance québécoise: LTVQ, art. 22.5.

Définitions: « acquéreur », « bien », « fourniture » — 123(1).

Bulletins de l'information technique: B-078, 28/02/97, *Règles sur le lieu de fourniture sous le régime de la TVH*.

5. [Application de « messager »] — La définition de « messager » au paragraphe 123(1) ne s'applique pas dans le cadre de la présente annexe.

Notes historiques: L'article 5 de la partie I de l'annexe IX a été ajouté par L.C. 1997, c. 10, art. 254 et est réputé entré en vigueur le 20 mars 1997.

Concordance québécoise: aucune.

Renvois: 132.1(2) (établissement stable); 144.1 (fourniture dans une province — application de l'annexe IX); IX:Partie II:3b) (bien livré dans une province).

Bulletins de l'information technique: B-078, 28/02/97, *Règles sur le lieu de fourniture sous le régime de la TVH*.

Partie II — Biens meubles corporels

1. [Fourniture dans une province] — Sous réserve de l'article 3 de la partie VI, la fourniture par vente d'un bien meuble corporel est effectuée dans une province si le fournisseur le livre à l'acquéreur dans la province ou l'y met à sa disposition.

Notes historiques: L'article 1 de la partie II de l'annexe IX a été ajouté par L.C. 1997, c. 10, art. 254 et est réputé entré en vigueur le 20 mars 1997.

Concordance québécoise: LTVQ, art. 22.7.

Définitions: « acquéreur », « bien meuble », « fourniture », « vente » — 123(1).

Renvois: 142 (fourniture au Canada et hors du Canada); IX:Partie I:3 (bien ou service jamais livré ou rendu); IX:Partie II:3 (bien livré dans une province); IX:Partie VI:3 (fourniture par vente d'un bien meuble corporel ou d'un service).

Énoncés de politique: P-078R, 16/03/99, *Sens de l'expression « Livré à l'acquéreur ou mis à sa disposition au Canada (ou à l'étranger) »*.

Bulletins de l'information technique: B-078, 28/02/97, *Règles sur le lieu de fourniture sous le régime de la TVH*.

Série de mémorandums: Mémorandum 13.4, 07/02, *Remboursements pour les livres imprimés, les enregistrements sonores de livres imprimés et les versions imprimées des Écritures d'une religion*.

Lettres d'interprétation (Québec): 98-0107239 — Demande d'interprétation TPS/TVQ; 06-0104502 — Application de l'article 327.1 LTVQ.

2. [Fourniture d'un bien meuble corporel autrement que par vente] — La fourniture d'un bien meuble corporel autrement que par vente est effectuée dans une province si :

a) dans le cas où le bien est fourni dans le cadre d'une convention selon laquelle la possession ou l'utilisation continues du bien est transférée pendant une période maximale de trois mois, le fournisseur livre le bien à l'acquéreur dans la province ou l'y met à sa disposition;

b) dans les autres cas :

(i) lorsque le bien est un véhicule à moteur déterminé, il doit être immatriculé, au moment où la fourniture est effectuée, aux termes de la législation provinciale sur l'immatriculation des véhicules à moteur,

(ii) lorsque le bien n'est pas un véhicule à moteur déterminé, son emplacement habituel, déterminé au moment où la fourniture est effectuée, se trouve dans la province.

Notes historiques: L'article 2 de la partie II de l'annexe IX a été ajouté par L.C. 1997, c. 10, art. 254 et est réputé entré en vigueur le 20 mars 1997.

Concordance québécoise: LTVQ, art. 22.8.

Définitions: « acquéreur », « bien meuble », « fourniture », « mois », « vente » — 123(1).

Renvois: 136.1(1) (bail ou licence visant un bien); 142 (fourniture au Canada et hors du Canada); IX:Partie I:3 (bien ou service jamais livré ou rendu); IX:Partie II:3 (bien livré dams une province); IX:Partie II:4 (fournitures réputées effectuées dans une province); X:Partie I:19 (biens non taxables aux fins de la TVH).

Énoncés de politique: P-078R, 16/03/99, *Sens de l'expression « Livré à l'acquéreur ou mis à sa disposition au Canada (ou à l'étranger) »*; P-193R, 10/02/99, *Les fournitures de biens meubles corporels effectuées autrement que par vente*.

Bulletins de l'information technique: B-078, 28/02/97, *Règles sur le lieu de fourniture sous le régime de la TVH*.

3. [Bien livré dans une province] — Pour l'application de la présente partie et de la partie VII, un fournisseur est réputé livrer un bien dans une province donnée et ne pas le livrer dans une autre province si, selon le cas :

a) il expédie le bien à une destination dans la province donnée, précisée dans le contrat de factage visant le bien, ou en transfère la possession à un transporteur public ou un consignataire qu'il a chargé, pour le compte de l'acquéreur, d'expédier le bien à une telle destination;

b) il envoie le bien par courrier ou messagerie à une adresse dans la province donnée.

Notes historiques: L'alinéa 3a) de la partie II de l'annexe IX a été remplacé par L.C. 2000, c. 30, par. 136(1) et cette modification est réputée entrée en vigueur le 10 décembre 1998. Antérieurement, il se lisait comme suit :

> a) il expédie le bien à une destination dans la province donnée, précisée dans le contrat de factage visant le bien, ou en transfère la possession à un voiturier public ou un consignataire qu'il a chargé, pour le compte de l'acquéreur, d'expédier le bien à une telle destination;

L'article 3 de la partie II de l'annexe IX a été ajouté par L.C. 1997, c. 10, art. 254 et est réputé entré en vigueur le 20 mars 1997.

Concordance québécoise: LTVQ, art. 22.9.

Définitions: « acquéreur », « transporteur » — 123(1).

Renvois: 218.1 (livraison dans une province); IX:Partie I:3 (bien ou service jamais livré ou rendu).

Énoncés de politique: P-193R, 10/02/99, *Les fournitures de biens meubles corporels effectuées autrement que par vente*.

Bulletins de l'information technique: B-078, 28/02/97, *Règles sur le lieu de fourniture sous le régime de la TVH*.

Lettres d'interprétation (Québec): 06-0104502 — Application de l'article 327.1 LTVQ.

4. [Fournitures réputées effectuées dans une province] — Dans le cas où les conditions suivantes sont réunies :

a) la fourniture d'un bien meuble corporel est effectuée par bail, licence ou accord semblable qui prévoit la possession ou l'utilisation continues du bien pendant une durée maximale de trois mois,

b) le bien est réputé, par l'effet de l'alinéa 136.1(1)a) de la loi, faire l'objet de plus d'une fourniture aux termes de l'accord,

c) en l'absence de cet alinéa, la fourniture du bien aux termes de l'accord serait effectuée dans une province,

l'ensemble des fournitures du bien qui sont réputées, par l'effet de cet alinéa, être effectuées aux termes de l'accord sont effectuées dans cette province.

Notes historiques: L'article 4 de la partie II de l'annexe IX a été ajouté par L.C. 2000, c. 30, art. 137(1) et s'applique aux fins de déterminer la province dans laquelle est effectuée une fourniture après le 10 décembre 1998.

Concordance québécoise: LTVQ, art. 22.9.1.

Définitions: « bien meuble », « fourniture », « mois » — 123(1).

Partie III — Biens meubles incorporels

1. [Sens de « droits canadiens »] — Dans la présente partie, « droits canadiens » s'entend, quant à un bien meuble incorporel, de la partie du bien qui peut être utilisée au Canada.

Notes historiques: L'article 1 de la partie III de l'annexe IX a été ajouté par L.C. 1997, c. 10, art. 254 et est réputé entré en vigueur le 20 mars 1997.

Concordance québécoise: LTVQ, art. 22.10.

Définitions: « bien meuble » — 123(1).

Renvois: *Règlement sur le lieu de fourniture (TPS/TVH)* (avant-projet), 1.

Bulletins de l'information technique: B-078, 28/02/97, *Règles sur le lieu de fourniture sous le régime de la TVH*; B-090, 07/02, *La TPS/TVH et le commerce électronique*.

Lettres d'interprétation (Québec): 01-0106649 — Vente d'images numérisées par Internet — interprétation relative à la TPS/TVH — interprétation relative à la TVQ.

2. [Lieu de fourniture d'un bien meuble incorporel] — La fourniture d'un bien meuble incorporel est effectuée dans une province si :

a) dans le cas d'un bien lié à un immeuble :

(i) la totalité, ou presque, de l'immeuble qui est située au Canada est située dans la province,

(ii) le lieu de négociation de la fourniture se trouve dans la province, et il ne s'agit pas d'un cas où l'immeuble est situé en totalité, ou presque, à l'extérieur de la province;

b) dans le cas d'un bien lié à un bien meuble corporel :

(i) la totalité, ou presque, du bien meuble corporel qui est habituellement située au Canada est habituellement située dans la province,

(ii) le lieu de négociation de la fourniture se trouve dans la province, et il ne s'agit pas d'un cas où le bien meuble corporel est habituellement situé en totalité, ou presque, à l'extérieur de la province;

c) dans le cas d'un bien lié à des services à exécuter :

(i) la totalité, ou presque, des services à exécuter au Canada sont à exécuter dans la province,

(ii) le lieu de négociation de la fourniture se trouve dans la province, et il ne s'agit pas d'un cas où les services sont à exécuter en totalité, ou presque, à l'extérieur de la province;

d) dans les autres cas :

(i) la totalité, ou presque, des droits canadiens relatifs au bien ne peuvent être utilisés que dans la province,

(ii) le lieu de négociation de la fourniture se trouve dans la province, et le bien peut être utilisé autrement qu'exclusivement à l'extérieur de la province.

Notes historiques: L'article 2 de la partie III de l'annexe IX a été ajouté par L.C. 1997, c. 10, art. 254 et est réputé entré en vigueur le 20 mars 1997.

Concordance québécoise: LTVQ, art. 22.11.1, 22.11.2 .

Définitions: « bien meuble », « immeuble », « fourniture » — 123(1).

Renvois: 4 (emplacement habituel d'un bien); 123(2) (Canada); 123(4) (application des dispositions s'appliquant à la Partie IX à l'annexe IX); 142 (fourniture au Canada et hors du Canada); IX:Partie I:1 (lieu de négociation).

Bulletins de l'information technique: B-078, 28/02/97, *Règles sur le lieu de fourniture sous le régime de la TVH*; B-090, 07/02, *La TPS/TVH et le commerce électronique*.

Série de mémorandums: Mémorandum 19.1.1, 11/97, *Règles spéciales s'appliquant aux immeubles dans le régime de la TVH.*

Lettres d'interprétation (Québec): 98-0102065 — Interprétation relative à la TPS — Interprétation relative à la TVQ — Fourniture de droits d'adhésion; 01-0106649 — Vente d'images numérisées par Internet — interprétation relative à la TPS/TVH — interprétation relative à la TVQ.

3. [Lieu de fourniture d'un bien meuble incorporel] — Sous réserve de l'article 2 :

a) lorsqu'un bien meuble incorporel lié à un immeuble est fourni et que, à la fois :

(i) la partie de l'immeuble qui est située au Canada est principalement située dans les provinces participantes,

(ii) dans le cas où le lieu de négociation de la fourniture se trouve à l'étranger, l'immeuble est situé en totalité, ou presque, au Canada,

la fourniture du bien meuble incorporel est effectuée dans la province participante où se trouve la plus grande proportion de l'immeuble qui est situé dans les provinces participantes;

b) un bien meuble incorporel lié à un bien meuble corporel est fourni et que :

(i) la partie du bien meuble corporel qui est habituellement située au Canada est habituellement située principalement dans les provinces participantes,

(ii) dans le cas où le lieu de négociation de la fourniture se trouve à l'étranger, le bien meuble est habituellement situé en totalité, ou presque, au Canada,

la fourniture du bien meuble incorporel est effectuée dans la province participante où est située habituellement la plus grande proportion du bien meuble corporel qui est situé habituellement dans les provinces participantes;

c) lorsqu'un bien meuble incorporel lié à des services à exécuter est fourni et que :

(i) les services à exécuter au Canada sont à exécuter principalement dans les provinces participantes,

(ii) dans le cas où le lieu de négociation de la fourniture se trouve à l'étranger, les services sont à exécuter en totalité, ou presque, au Canada,

la fourniture du bien meuble incorporel est effectuée dans la province participante où sont à exécuter la plus grande proportion des services à exécuter au Canada;

d) lorsqu'un bien meuble incorporel lié ni à un immeuble, ni à un bien meuble corporel, ni à des services à exécuter est fourni et que :

(i) les droits canadiens relatifs au bien meuble incorporel ne peuvent être utilisés autrement que principalement dans les provinces participantes,

(ii) dans le cas où le lieu de négociation de la fourniture se trouve à l'étranger, le bien ne peut être utilisé autrement qu'exclusivement au Canada,

la fourniture du bien meuble incorporel est effectuée dans la province participante où peut être utilisée la plus grande proportion des droits canadiens qui ne peuvent être utilisés que dans les provinces participantes.

Notes historiques: L'article 3 de la partie III de l'annexe IX a été ajouté par L.C. 1997, c. 10, art. 254 et est réputé entré en vigueur le 20 mars 1997.

Concordance québécoise: LTVQ, art. 22.11.3, 22.11.4.

Définitions: « bien meuble », « immeuble », « fourniture », « province participante » — 123(1).

Bulletins de l'information technique: B-078, 28/02/97, *Règles sur le lieu de fourniture sous le régime de la TVH*; B-090, 07/02, *La TPS/TVH et le commerce électronique.*

Série de mémorandums: Mémorandum 19.1.1, 11/97, *Règles spéciales s'appliquant aux immeubles dans le régime de la TVH.*

Lettres d'interprétation (Québec): 98-0102065 — Interprétation relative à la TPS — Interprétation relative à la TVQ — Fourniture de droits d'adhésion; 01-0106649 — Vente d'images numérisées par Internet — interprétation relative à la TPS/TVH — interprétation relative à la TVQ.

Partie IV — Immeubles

1. [Lieu de fourniture d'un immeuble] — La fourniture d'un immeuble est effectuée dans une province si l'immeuble est situé dans la province.

Notes historiques: L'article 1 de la partie IV de l'annexe IX a été ajouté par L.C. 1997, c. 10, art. 254 et est réputé entré en vigueur le 20 mars 1997.

Concordance québécoise: LTVQ, art. 22.12.

Définitions: « fourniture » — 123(1).

Renvois: 136.2 (fourniture d'un immeuble en partie hors d'une province); 142 (fourniture au Canada et hors du Canada).

Bulletins de l'information technique: B-078, 28/02/97, *Règles sur le lieu de fourniture sous le régime de la TVH.*

Série de mémorandums: Mémorandum 19.1.1, 11/97, *Règles spéciales s'appliquant aux immeubles dans le régime de la TVH.*

2. [Fourniture d'un service lié à un immeuble] — La fourniture d'un service lié à un immeuble est effectuée dans une province si, selon le cas :

a) la partie de l'immeuble qui est située au Canada est située en totalité, ou presque, dans la province;

b) le lieu de négociation de la fourniture se trouve dans la province, et il ne n'agit pas d'un cas où l'immeuble est situé en totalité, ou presque, à l'extérieur de la province.

Notes historiques: L'article 2 de la partie IV de l'annexe IX a été ajouté par L.C. 1997, c. 10, art. 254 et est réputé entré en vigueur le 20 mars 1997.

Concordance québécoise: aucune.

Définitions: « fourniture », « service » — 123(1).

Renvois: 136.2 (fourniture d'un immeuble en partie hors d'une province); 142 (fourniture au Canada et hors du Canada); 261.3 (remboursement pour un bien meuble incorporel ou service fourni dans une province participante); IX:Partie I:3 (bien ou service jamais livré ou rendu).

Bulletins de l'information technique: B-078, 28/02/97, *Règles sur le lieu de fourniture sous le régime de la TVH.*

Série de mémorandums: Mémorandum 19.1.1, 11/97, *Règles spéciales s'appliquant aux immeubles dans le régime de la TVH.*

3. [Exception] — Sous réserve de l'article 2, lorsque la fourniture d'un service lié à un immeuble est effectuée et que la partie de l'immeuble qui est située au Canada est située principalement dans les provinces participantes, la fourniture est effectuée dans la province participante où se trouve la plus grande proportion de l'immeuble qui est situé dans les provinces participantes, sauf si le lieu de négociation de la fourniture se trouve à l'étranger et sauf si le bien n'est pas situé en totalité, ou presque, au Canada.

Notes historiques: L'article 3 de la partie IV de l'annexe IX a été ajouté par L.C. 1997, c. 10, art. 254 et est réputé entré en vigueur le 20 mars 1997.

Concordance québécoise: aucune.

Définitions: « fourniture », « province participante », « service » — 123(1).

Bulletins de l'information technique: B-078, 28/02/97, *Règles sur le lieu de fourniture sous le régime de la TVH.*

Série de mémorandums: Mémorandum 19.1.1, 11/97, *Règles spéciales s'appliquant aux immeubles dans le régime de la TVH.*

Partie V — Services

1. [Élément canadien d'un service] — Dans la présente partie, l'élément canadien d'un service est la partie de celui-ci qui est exécutée au Canada.

Notes historiques: L'article 1 de la partie V de l'annexe IX a été ajouté par L.C. 1997, c. 10, art. 254 et est réputé entré en vigueur le 20 mars 1997.

Concordance québécoise: LTVQ, art. 22.14.

Bulletins de l'information technique: B-078, 28/02/97, *Règles sur le lieu de fourniture sous le régime de la TVH*; B-090, 07/02, *La TPS/TVH et le commerce électronique.*

Lettres d'interprétation (Québec): 99-0106247 — Interprétation relative à la TPS — Interprétation relative à la TVQ [relative à la fourniture de services de marketing et de communication à des entreprises qui utilisent Internet].

2. [Fourniture d'un service dans une province] — Sous réserve des parties IV et VI à VIII, la fourniture d'un service est effectuée dans une province si, selon le cas :

a) l'élément canadien du service est exécuté en totalité, ou presque, dans la province;

b) le lieu de négociation de la fourniture se trouve dans la province, et il ne s'agit pas d'un cas où le service est exécuté en totalité, ou presque, à l'extérieur de la province.

Notes historiques: L'article 2 de la partie V de l'annexe IX a été ajouté par L.C. 1997, c. 10, art. 254 et est réputé entré en vigueur le 20 mars 1997.

Concordance québécoise: LTVQ, art. 22.15.0.1, 22.15.0.2.

Définitions: « fourniture » — 123(1).

Renvois: 136.1(2) (services continus); 142 (fourniture au Canada et hors du Canada); 261.3 (remboursement pour un bien meuble incorporel ou service fourni dans une province participante); IX:Partie I:3 (bien ou service jamais livré ou rendu); IX:Partie IV:2 (service lié à un immeuble); IX:Partie V:3 (fourniture d'un service dans les provinces participantes).

Énoncés de politique: P-219, 26/05/99, *Lieu de fourniture (TVH) dans le cas des contrats nationaux d'entretien d'équipement* (Ébauche).

Bulletins de l'information technique: B-078, 28/02/97, *Règles sur le lieu de fourniture sous le régime de la TVH*; B-090, 07/02, *La TPS/TVH et le commerce électronique*.

Lettres d'interprétation (Québec): 99-0106247 — Interprétation relative à la TPS — Interprétation relative à la TVQ [relative à la fourniture de services de marketing et de communication à des entreprises qui utilisent Internet]; 00-0104372 — Interprétation relative à la TVQ / Campagne de publicité nationale; 03-0101794 — Interprétation relative à la TPS et à la TVH — Interprétation relative à la TVQ — [Activités reliées au secteur de l'informatique].

3. [Fourniture d'un service dans les provinces participantes] — Sous réserve de l'article 2, lorsque l'élément canadien d'un service est exécuté principalement dans les provinces participantes, la fourniture du service est effectuée dans la province participante où est exécutée la plus grande proportion de l'élément canadien, sauf si le lieu de négociation de la fourniture se trouve à l'étranger et qu'il ne s'agit pas d'un cas où le service est exécuté en totalité, ou presque, au Canada.

Notes historiques: L'article 3 de la partie V de l'annexe IX a été ajouté par L.C. 1997, c. 10, art. 254 et est réputé entré en vigueur le 20 mars 1997.

Concordance québécoise: LTVQ, art. 22.15.0.4, 22.15.0.5, 22.15.0.6.

Définitions: « fourniture », « province participante » — 123(1).

Renvois: IX:Partie I:3 (bien ou service jamais livré ou rendu).

Énoncés de politique: P-219, 26/05/99, *Lieu de fourniture (TVH) dans le cas des contrats nationaux d'entretien d'équipement* (Ébauche).

Bulletins de l'information technique: B-078, 28/02/97, *Règles sur le lieu de fourniture sous le régime de la TVH*.

Lettres d'interprétation (Québec): 99-0106247 — Interprétation relative à la TPS — Interprétation relative à la TVQ [relative à la fourniture de services de marketing et de communication à des entreprises qui utilisent Internet].

Partie VI — Services de transport

1. [Définitions] — Les définitions qui suivent s'appliquent à la présente partie.

« destination » Quant à un service de transport de marchandises, endroit, précisé par l'expéditeur, où la possession d'un bien est transférée de l'expéditeur au consignataire ou au destinataire.

Notes historiques: La définition de « destination » à l'article 1 de la partie VI de l'annexe IX a été ajoutée par L.C. 1997, c. 10, art. 254 et est réputée entrée en vigueur le 20 mars 1997.

Concordance québécoise: LTVQ, art. 22.16« destination ».

Bulletins de l'information technique: B-078, 28/02/97, *Règles sur le lieu de fourniture sous le régime de la TVH*.

« destination finale » S'entend au sens de l'article 1 de la partie VII de l'annexe VI.

Notes historiques: La définition de « destination finale » à l'article 1 de la partie VI de l'annexe IX a été ajoutée par L.C. 1997, c. 10, art. 254 et est réputée entrée en vigueur le 20 mars 1997.

Concordance québécoise: LTVQ, art. 22.16« destination ».

« escale » S'entend au sens de l'article 1 de la partie VII de l'annexe VI. Toutefois, dans le cas du voyage continu d'un particulier ou d'un groupe de particuliers qui ne comporte pas de transport aérien et dont le point d'origine et la destination finale se trouvent au Canada, un endroit à l'étranger n'est pas une escale si, au début du voyage, il n'était pas prévu que le particulier ou le groupe se trouve à l'étranger pendant une période ininterrompue d'au moins 24 heures pendant la durée du voyage.

Notes historiques: La définition de « escale » à l'article 1 de la partie VI de l'annexe IX a été ajoutée par L.C. 1997, c. 10, art. 254 et est réputée entrée en vigueur le 20 mars 1997.

Concordance québécoise: LTVQ, art. 22.16« escale ».

Bulletins de l'information technique: B-078, 28/02/97, *Règles sur le lieu de fourniture sous le régime de la TVH*.

« étape » La partie d'un voyage à bord d'un moyen de transport qui se déroule entre deux arrêts du moyen de transport en vue de permettre l'embarquement ou le débarquement de passagers ou l'entretien ou le réapprovisionnement en carburant du moyen de transport.

Notes historiques: La définition de « étape » à l'article 1 de la partie VI de l'annexe IX a été ajoutée par L.C. 1997, c. 10, art. 254 et est réputée entrée en vigueur le 20 mars 1997.

Concordance québécoise: aucune.

« point d'origine » S'entend au sens de l'article 1 de la partie VII de l'annexe VI.

Notes historiques: La définition de « point d'origine » à l'article 1 de la partie VI de l'annexe IX a été ajoutée par L.C. 1997, c. 10, art. 254 et est réputée entrée en vigueur le 20 mars 1997.

Concordance québécoise: LTVQ, art. 22.16« point d'origine ».

« service de transport de marchandises » S'entend au sens de l'article 1 de la partie VII de l'annexe VI.

Notes historiques: La définition de « service de transport de marchandises » à l'article 1 de la partie VI de l'annexe IX a été ajoutée par L.C. 1997, c. 10, art. 254 et est réputée entrée en vigueur le 20 mars 1997.

Concordance québécoise: LTVQ, art. 22.16« service de transport de marchandises ».

« voyage continu » S'entend au sens de l'article 1 de la partie VII de l'annexe VI.

Notes historiques: La définition de « voyage continu » à l'article 1 de la partie VI de l'annexe IX a été ajoutée par L.C. 1997, c. 10, art. 254 et est réputée entrée en vigueur le 20 mars 1997.

Concordance québécoise: LTVQ, art. 22.16« voyage continu ».

Définitions: « bien », « service » — 123(1).

Bulletins de l'information technique: B-078, 28/02/97, *Règles sur le lieu de fourniture sous le régime de la TVH*.

Série de mémorandums: Mémorandum 28.2, 01/99, *Services de transport de marchandises*.

Lettres d'interprétation (Québec): 98-0103253 — Interprétation relative à la TPS, à la TVH et à la TVQ — Service de transport de marchandises.

2. [Fourniture d'un service de transport de passagers] — La fourniture d'un service de transport de passagers qui fait partie d'un voyage continu est effectuée dans une province si :

a) dans le cas où le billet ou la pièce justificative délivré relativement au premier service de transport de passagers qui est compris dans le voyage continu précise le point d'origine de ce voyage, ce point se trouve dans la province et la destination finale, ainsi que toutes les escales, du voyage se trouvent au Canada;

b) dans les autres cas, le lieu de négociation de la fourniture se trouve dans la province.

Notes historiques: L'article 2 de la partie VI de l'annexe IX a été ajouté par L.C. 1997, c. 10, art. 254 et est réputé entré en vigueur le 20 mars 1997.

Concordance québécoise: LTVQ, art. 22.17.

Définitions: « fourniture », « service » — 123(1).

Renvois: VI:Partie VII:2 (fourniture d'un service de distribution postale).

Bulletins de l'information technique: B-078, 28/02/97, *Règles sur le lieu de fourniture sous le régime de la TVH.*

Série de mémorandums: Mémorandum 28.3, 12/98, *Services de transport de passagers*, par. 20-22.

3. [Fourniture par vente d'un bien meuble corporel ou d'un service] — Lorsque la fourniture par vente d'un bien meuble corporel ou d'un service (sauf un service de transport de passagers) est effectuée au profit d'un particulier à bord d'un moyen de transport dans le cadre d'une entreprise qui consiste à fournir des services de transport de passagers et que la possession matérielle du bien est transférée au particulier, ou le service entièrement exécuté, à bord du moyen de transport pendant une étape du voyage qui commence et prend fin dans une province participante, la fourniture est effectuée dans la province participante où commence cette étape du voyage.

Notes historiques: L'article 3 de la partie VI de l'annexe IX a été ajouté par L.C. 1997, c. 10, art. 254 et est réputé entré en vigueur le 20 mars 1997.

Concordance québécoise: aucune.

Définitions: « bien », « entreprise », « fourniture », « province participante », « service » — 123(1).

Renvois: 180.1 (vols et voyages internationaux).

Bulletins de l'information technique: B-078, 28/02/97, *Règles sur le lieu de fourniture sous le régime de la TVH.*

Série de mémorandums: Mémorandum 28.3, 12/98, *Services de transport de passagers*, par. 20-22.

4. [Services de transport des bagages et de surveillance d'un enfant] — La fourniture de l'un des services suivants effectuée par une personne, à l'occasion de la fourniture par celle-ci d'un service de transport de passagers, est effectuée dans une province si la fourniture du service de transport de passagers y est effectuée :

a) un service de transport des bagages d'un particulier;

b) un service de surveillance d'un enfant non accompagné.

Notes historiques: L'article 4 de la partie VI de l'annexe IX a été remplacé par L.C. 2000, c. 30, par. 138(1) et cette modification s'applique à la fourniture d'un service lié à un service de transport de passagers, si la contrepartie de la fourniture devient due après 1999 ou est payée après 1999 sans être devenue due. Antérieurement, il se lisait comme suit :

> 4. La fourniture par une personne d'un service de transport des bagages d'un particulier dans le cadre d'un service de transport de passagers que la personne fournit au particulier est effectuée dans une province si la fourniture du service de transport y est effectuée.

Concordance québécoise: LTVQ, art. 22.18.

Définitions: « fourniture », « personne », « service » — 123(1).

Renvois: 138 (fournitures accessoires); VI:Partie VII:4 (fourniture d'un service de distribution postale).

Bulletins de l'information technique: B-078, 28/02/97, *Règles sur le lieu de fourniture sous le régime de la TVH.*

Série de mémorandums: Mémorandum 28.3, 12/98, *Services de transport de passagers*, par. 20-22.

4.1 [Service de billet, de pièce justificative ou de réservation] — La fourniture par une personne d'un service qui consiste à délivrer, à livrer, à modifier, à remplacer ou à annuler un billet, une pièce justificative ou une réservation visant la fourniture par cette personne d'un service de transport de passagers est effectuée dans une province dans le cas où la fourniture du service de transport de passagers y serait effectuée si elle était effectuée conformément à la convention la concernant.

Notes historiques: L'article 4.1 de la partie VI de l'annexe IX a été ajouté par L.C. 2000, c. 30, par. 138(1) et s'applique à la fourniture d'un service lié à un service de transport de passagers, si la contrepartie de la fourniture devient due après 1999 ou est payée après 1999 sans être devenue due.

Concordance québécoise: LTVQ, art. 22.18.1.

Définitions: « fourniture », « personne », « service » — 123(1).

5. [Lieu de fourniture d'un service de transport de marchandises] — Sous réserve de la partie VII, la fourniture d'un service de transport de marchandises est effectuée dans une province si la destination du service s'y trouve.

Notes historiques: L'article 5 de la partie VI de l'annexe IX a été ajouté par L.C. 1997, c. 10, art. 254 et est réputé entré en vigueur le 20 mars 1997.

Concordance québécoise: LTVQ, art. 22.19.

Définitions: « fourniture », « service » — 123(1).

Renvois: 136.3 (fournitures distinctes de services de transport de biens).

Bulletins de l'information technique: B-078, 28/02/97, *Règles sur le lieu de fourniture sous le régime de la TVH.*

Série de mémorandums: Mémorandum 28.2, 01/99, *Services de transport de marchandises.*

Lettres d'interprétation (Québec): 98-0103253 — Interprétation relative à la TPS, à la TVH et à la TVQ — Service de transport de marchandises.

Partie VII — Services postaux

1. [Définitions] — Les définitions qui suivent s'appliquent à la présente partie.

« marque de permis » Marque servant à constater le paiement du port qui est réservée à l'usage exclusif d'une personne aux termes d'un accord qu'elle a conclu avec la Société canadienne des postes, à l'exclusion des empreintes de machine à affranchir et de l'inscription « réponse d'affaires » ou des articles portant cette inscription.

Notes historiques: La définition de « marque de permis » à l'article 1 de la partie VII de l'annexe IX a été ajoutée par L.C. 1997, c. 10, art. 254 et est réputée entrée en vigueur le 20 mars 1997.

Concordance québécoise: LTVQ, art. 22.21« marque de permis ».

Série de mémorandums: Mémorandum 28.2, 01/99, *Services de transport de marchandises.*

« timbre-poste » Vignette servant, avec l'autorisation de la Société canadienne des postes, à constater le paiement du port, à l'exclusion des empreintes de machine à affranchir, des marques de permis et de l'inscription « réponse d'affaires » ou des articles portant cette inscription.

Notes historiques: La définition de « timbre-poste » à l'article 1 de la partie VII de l'annexe IX a été ajoutée par L.C. 1997, c. 10, art. 254 et est réputée entrée en vigueur le 20 mars 1997.

Concordance québécoise: LTVQ, art. 22.21« timbre-poste ».

Série de mémorandums: Mémorandum 28.2, 01/99, *Services de transport de marchandises.*

Bulletins de l'information technique: B-078, 28/02/97, *Règles sur le lieu de fourniture sous le régime de la TVH.*

2. [Fourniture d'un timbre-poste ou d'une carte ou d'un colis affranchi ou d'un article semblable] — La fourniture d'un timbre-poste ou d'une carte ou d'un colis affranchi ou d'un article semblable (sauf un article portant l'inscription « réponse d'affaires ») autorisé par la Société canadienne des postes est effectuée dans une province si le fournisseur y livre le timbre ou l'article à l'acquéreur. Dans le cas où le timbre ou l'article sert à constater le paiement du port d'un service de distribution postale, la fourniture du service est effectuée dans cette province, sauf si, selon le cas :

a) elle est effectuée conformément à une lettre de transport;

b) sa contrepartie est de 5 $ ou plus et l'adresse d'expédition de l'envoi n'est pas dans une province participante.

Notes historiques: L'article 2 de la partie VII de l'annexe IX a été ajouté par L.C. 1997, c. 10, art. 254 et est réputé entré en vigueur le 20 mars 1997.

Concordance québécoise: LTVQ, art. 22.22.

Définitions: « province participante » — 123(1).

Série de mémorandums: Mémorandum 28.2, 01/99, *Services de transport de marchandises.*

3. [Fourniture d'un service de distribution postale] — Dans le cas où le paiement du port d'un service de distribution postale fourni par la Société canadienne des postes est constaté par une empreinte faite au moyen d'une machine à affranchir, la fourniture du service est effectuée dans une province si l'emplacement habituel de la machine, déterminé au moment où l'acquéreur de la fourniture paie un montant à la Société en règlement de ce port, est dans la province, à moins que la fourniture ne soit effectuée conformément à une lettre de transport.

Notes historiques: L'article 3 de la partie VII de l'annexe IX a été ajouté par L.C. 1997, c. 10, art. 254 et est réputé entré en vigueur le 20 mars 1997.

Concordance québécoise: LTVQ, art. 22.23.

Série de mémorandums: Mémorandum 28.2, 01/99, *Services de transport de marchandises.*

4. [Idem] — Dans le cas où le paiement du port d'un service de distribution postale fourni par la Société canadienne des postes autrement que conformément à une lettre de transport est constaté par une marque de permis, la fourniture du service est effectuée dans la province dans laquelle l'acquéreur de la fourniture remet l'envoi à la Société en conformité avec l'accord qu'il a conclu avec cette dernière autorisant l'utilisation de la marque de permis.

Notes historiques: L'article 4 de la partie VII de l'annexe IX a été ajouté par L.C. 1997, c. 10, art. 254 et est réputé entré en vigueur le 20 mars 1997.

Concordance québécoise: LTVQ, art, 22.24.

Série de mémorandums: Mémorandum 28.2, 01/99, *Services de transport de marchandises.*

Partie VIII — Services de télécommunication

1. [Lieu de facturation d'un service de télécommunication] — Pour l'application de la présente partie, le lieu de facturation d'un service de télécommunication fourni à un acquéreur se trouve dans une province si :

a) dans le cas où la contrepartie payée ou payable pour le service est imputée à un compte que l'acquéreur a avec une personne exploitant une entreprise qui consiste à fournir des services de télécommunication et que le compte se rapporte à des installations de télécommunication que l'acquéreur utilise ou peut utiliser pour obtenir des services de télécommunication, l'ensemble de ces installations de télécommunication se trouvent habituellement dans la province;

b) dans les autres cas, l'installation de télécommunication qui sert à engager le service se trouve dans la province.

Notes historiques: L'article 1 de la partie VIII de l'annexe IX a été ajouté par L.C. 1997, c. 10, art. 254 et est réputé entré en vigueur le 20 mars 1997.

Concordance québécoise: LTVQ, art. 22.25.

Définitions: « contrepartie », « entreprise », « installation de télécommunication », « service de télécommunication » — 123(1).

Renvois: 142.1 (lieu de facturation d'un service de télécommunication).

Bulletins de l'information technique: B-078, 28/02/97, *Règles sur le lieu de fourniture sous le régime de la TVH*; B-090, 07/02, *La TPS/TVH et le commerce électronique.*

Lettres d'interprétation (Québec): 04-0106379 — Interprétation relative à la TPS/TVH — interprétation relative à la TVQ — service de diffusion sur Internet.

2. [Fourniture d'un service de télécommunication] — La fourniture d'un service de télécommunication (sauf le service visé à l'article 3) est effectuée dans une province si :

a) dans le cas du service de télécommunication qui consiste à mettre des installations de télécommunication à la disposition de quelqu'un :

(i) toutes ces installations se trouvent habituellement dans la province,

(ii) si toutes ces installations ne se trouvent pas habituellement dans la province, la facture visant la fourniture du service est expédiée à une adresse dans la province;

b) dans les autres cas :

(i) la télécommunication est émise et reçue dans la province,

(ii) la télécommunication est émise ou reçue dans la province, et le lieu de facturation du service se trouve dans la province,

(iii) la télécommunication est émise dans la province et est reçue à l'extérieur de la province, et le lieu de facturation du service ne se trouve pas dans la province où la télécommunication est émise ou reçue.

Notes historiques: L'article 2 de la partie VIII de l'annexe IX a été ajouté par L.C. 1997, c. 10, art. 254 et est réputé entré en vigueur le 20 mars 1997.

Concordance québécoise: LTVQ, art. 22.26.

Définitions: « facture », « fourniture », « service de télécommunication » — 123(1).

Renvois: 142.1 (lieu de facturation d'un service de télécommunication); VI:Partie V:22.1 (fourniture détaxée — service de télécommunication); *Règlement sur le lieu de fourniture (TPS/TVH)* (avant-projet), 1.

Bulletins de l'information technique: B-078, 28/02/97, *Règles sur le lieu de fourniture sous le régime de la TVH*; B-090, 07/02, *La TPS/TVH et le commerce électronique.*

Lettres d'interprétation (Québec): 99-0106247 — Interprétation relative à la TPS — Interprétation relative à la TVQ [relative à la fourniture de services de marketing et de communication à des entreprises qui utilisent Internet]; 99-0109159 — Interprétation relative à la TPS / TVH — Interprétation relative à la TVQ — Conception / hébergement d'un site Web; 04-0106379 — Interprétation relative à la TPS/TVH — interprétation relative à la TVQ — service de diffusion sur Internet.

3. [Unique accès à une voie de télécommunication] — La fourniture du service de télécommunication qui consiste à accorder à l'acquéreur l'unique accès à une voie de télécommunication, au sens de l'article 136.4 de la loi, est effectuée dans une province si elle est réputée y être effectuée par cet article.

Notes historiques: L'article 3 de la partie VIII de l'annexe IX a été ajouté par L.C. 1997, c. 10, art. 254 et est réputé entré en vigueur le 20 mars 1997.

Concordance québécoise: LTVQ, art. 22.27.

Définitions: « fourniture », « service de télécommunication » — 123(1).

Renvois: 136.4(2) (voie de télécommunication réservée).

Bulletins de l'information technique: B-078, 28/02/97, *Règles sur le lieu de fourniture sous le régime de la TVH.*

Partie IX — Fournitures réputées et fournitures visées par règlement

1. [Lieu et moment de la fourniture d'un bien] — Malgré les autres parties de la présente annexe, la fourniture d'un bien qui est réputée, par l'un des articles 129, 129.1, 171, 171.1 et 172, des paragraphes 183(1) et (4) et 184(1) et (3) et des articles 196.1 et 268 de la loi, avoir été effectuée ou reçue à un moment donné est effectuée là où le bien se trouve à ce moment.

Notes historiques: L'article 1 de la partie IX de l'annexe IX a été ajouté par L.C. 1997, c. 10, art. 254 et est réputé entré en vigueur le 20 mars 1997.

Concordance québécoise: LTVQ, art. 22.28.

Définitions: « bien », « fourniture » — 123(1).

Bulletins de l'information technique: B-078, 28/02/97, *Règles sur le lieu de fourniture sous le régime de la TVH.*

Série de mémorandums: Mémorandum 19.1.1, 11/97, *Règles spéciales s'appliquant aux immeubles dans le régime de la TVH.*

2. [Idem] — Malgré les autres parties de la présente annexe, la fourniture d'un bien ou d'un service est effectuée dans une province si elle est réputée y être effectuée en vertu de la partie IX de la loi ou d'un règlement pris en application de cette partie.

Notes historiques: L'article 2 de la partie IX de l'annexe IX a été ajouté par L.C. 1997, c. 10, art. 254 et est réputé entré en vigueur le 20 mars 1997.

Concordance québécoise: LTVQ, art. 22.29.

Définitions: « bien », « fourniture », « règlement », « service » — 123(1).

Bulletins de l'information technique: B-078, 28/02/97, *Règles sur le lieu de fourniture sous le régime de la TVH.*

Série de mémorandums: Mémorandum 19.1.1, 11/97, *Règles spéciales s'appliquant aux immeubles dans le régime de la TVH.*

3. [Idem] — Malgré les autres parties de la présente annexe, la fourniture d'un bien ou d'un service est effectuée dans une province si elle y est effectuée aux termes d'un règlement.

Notes historiques: L'article 3 de la partie IX de l'annexe IX a été ajouté par L.C. 1997, c. 10, art. 254 et est réputé entré en vigueur le 20 mars 1997.

Concordance québécoise: LTVQ, art. 22.30.

Définitions: « bien », « fourniture », « règlement », « service » — 123(1).

Bulletins de l'information technique: B-078, 28/02/97, *Règles sur le lieu de fourniture sous le régime de la TVH.*

ANNEXE X — BIENS ET SERVICES NON TAXABLES POUR L'APPLICATION DE LA SECTION IV.1 DE LA PARTIE IX

Partie I — Biens non taxables pour l'application de la sous-section A

(*paragraphes 220.05(3) et 220.06(3)*)

Bulletins de l'information technique [Ann. X:Partie I]: B-079, 28/02/97, *Autocotisation de la TVH sur les fournitures transférées dans une province participante.*

1. [Biens transférés dans une province participante] — Les biens visés aux sous-positions 98.01, 98.10 ou 98.12 de l'annexe I du *Tarif des douanes* qui sont transférés dans une province participante, dans la mesure où ils ne sont pas frappés de droits de douane en vertu de cette loi.

Notes historiques: L'article 1 de la partie I de l'annexe X a été ajouté par L.C. 1997, c. 10, art. 254 et est réputé entré en vigueur le 20 mars 1997.

Concordance québécoise: aucune.

Définitions: « province non participante » — 123(1).

Renvois: VII:1 (importations non taxables).

Bulletins de l'information technique: B-078, 28/02/97, *Règles sur le lieu de fourniture sous le régime de la TVH.*

2. [Moyens de transport transférés temporairement dans une province participante] — Les moyens de transport transférés temporairement dans une province participante par une personne résidant dans la province, qui servent au transport international non commercial de cette personne et des personnes qui l'accompagnent à bord du même moyen de transport.

Notes historiques: L'article 2 de la partie I de l'annexe X a été ajouté par L.C. 1997, c. 10, art. 254 et est réputé entré en vigueur le 20 mars 1997.

Concordance québécoise: aucune.

Définitions: « personne », « province non participante » — 123(1).

Renvois: VII:1 (importations non taxables).

3. [Moyens de transport et bagages] — Les moyens de transport et les bagages transférés temporairement dans une province participante par une personne non résidente et réservés à l'usage de cette personne dans la province.

Notes historiques: L'article 3 de la partie I de l'annexe X a été ajouté par L.C. 1997, c. 10, art. 254 et est réputé entré en vigueur le 20 mars 1997.

Concordance québécoise: aucune.

Définitions: « personne », « province participante » — 123(1).

Renvois: VII:1 (importations non taxables); X:Partie I:8 (biens retirés des États-Unis ou du Mexique).

4. [Armes, approvisionnements militaires et munitions de guerre] — Les armes, approvisionnements militaires et munitions de guerre transférés dans une province participante par le gouvernement du Canada en remplacement, dans l'attente ou pour l'échange réel de marchandises semblables prêtées, remises en échange ou à remettre en échange au gouvernement d'un pays étranger désigné par le gouverneur en conseil sous le régime de la position 98.10 de l'annexe I du *Tarif des douanes*, conformément aux règlements que peut prendre le ministre de la Sécurité publique et de la Protection civile pour l'application de la position 98.11 de cette loi.

Notes historiques: L'article 4 de la partie I de l'annexe X a été modifié par L.C. 2005, c. 38, par. 145 par le remplacement de « solliciteur général du Canada » par les mots « ministre de la Sécurité publique et de la Protection civile ». Cette modification est entrée en vigueur le 12 décembre 2005 [C.P. 2005-2041 du 21 novembre 2005 (TR/2005-119)].

L'article 4 de la partie I de l'annexe X a été remplacé par L.C. 2005, c. 38, art. 109 et cette modification est entrée en vigueur le 12 décembre 2005 [C.P. 2005-2041 du 21 novembre 2005 (TR/2005-119)]. Antérieurement, il se lisait ainsi :

> 4. Les armes, approvisionnements militaires et munitions de guerre transférés dans une province participante par le gouvernement du Canada en remplacement, dans l'attente ou pour l'échange réel de marchandises semblables prêtées, remises en échange ou devant être remises en échange au gouvernement d'un pays étranger désigné par le gouverneur en conseil sous le régime de la position 98.10 de l'annexe I du *Tarif des douanes*, conformément aux règlements que peut prendre le ministre pour l'application de la position 98.11 de cette loi.

L'article 4 de la partie I de l'annexe X a été ajouté par L.C. 1997, c. 10, art. 254 et est réputé entré en vigueur le 20 mars 1997.

Concordance québécoise: aucune.

Définitions: « gouvernement », « ministre », « province participante » — 123(1).

Renvois: VII:1 (importations non taxables).

5. [Vêtements ou livres transférés dans une province participante] — Les vêtements ou les livres transférés dans une province participante pour servir dans des œuvres de bienfaisance et les photographies, ne dépassant pas trois, transférées dansune province participante à une fin autre que la vente.

Notes historiques: L'article 5 de la partie I de l'annexe X a été ajouté par L.C. 1997, c. 10, art. 254 et est réputé entré en vigueur le 20 mars 1997.

Concordance québécoise: aucune.

Définitions: « province participante », « vente » — 123(1).

Renvois: VII:1 (importations non taxables); X:Partie I:13 (biens transférés par un organisme de bienfaisance ou une institution publique).

6. [Biens dont la juste valeur marchande ne dépasse pas 60 $] — Les biens (sauf le matériel de réclame, le tabac et les boissons alcoolisées) dont la juste valeur marchande ne dépasse pas 60 $ et qui représentent des cadeaux occasionnels envoyés par une personne dans une province non participante à une personne dans une province participante, ou transférés dans une province participante donnée par une personne ne résidant pas dans une province participante à titre de cadeau à une personne dans la province participante donnée, conformément aux règlements que peut prendre le ministre de la Sécurité publique et de la Protection civile pour l'application de la position 98.16 de l'annexe I du *Tarif des douanes*.

Notes historiques: L'article 6 de la partie I de l'annexe X a été modifié par L.C. 2005, c. 38, par. 145 par le remplacement de « solliciteur général du Canada » par les mots « ministre de la Sécurité publique et de la Protection civile ». Cette modification est entrée en vigueur le 12 décembre 2005 [C.P. 2005-2041 du 21 novembre 2005 (TR/2005-119)].

L'article 6 de la partie I de l'annexe X a été remplacé par L.C. 2005, c. 38, art. 110 et cette modification est entrée en vigueur le 12 décembre 2005 [C.P. 2005-2041 du 21 novembre 2005 (TR/2005-119)]. Antérieurement, il se lisait ainsi :

> 6. Les biens (sauf le matériel de réclame, le tabac et les boissons alcoolisées) dont la juste valeur marchande ne dépasse pas 60 $ et qui représentent des cadeaux occasionnels envoyés par une personne dans une province non participante à une personne dans une province participante, ou transférés dans une province participante donnée par une personne ne résidant pas dans les provinces participantes à titre de cadeau à une personne dans la province donnée, conformément aux règlements que peut prendre le ministre pour l'application de la position 98.16 de l'annexe I du *Tarif des douanes*.

L'article 6 de la partie I de l'annexe X a été ajouté par L.C. 1997, c. 10, art. 254 et est réputé entré en vigueur le 20 mars 1997.

Concordance québécoise: aucune.

Définitions: « juste valeur marchande », « ministre », « personne », « province non participante », « province participante » — 123(1).

Renvois: VII:1 (importations non taxables).

7. [Biens transférés dans une province participante en vue de leur exposition] — Les biens transférés dans une province participante pour une période maximale de six mois en vue de leur exposition lors d'un congrès, au sens du *Règlement sur l'importation temporaire de marchandises d'exhibition* pris en vertu du *Tarif des douanes*, ou d'une exposition publique où sont exposés les produits de divers fabricants ou producteurs.

Notes historiques: L'article 7 de la partie I de l'annexe X a été ajouté par L.C. 1997, c. 10, art. 254 et est réputé entré en vigueur le 20 mars 1997.

Concordance québécoise: aucune.

Définitions: « mois », « produits », « province participante » — 123(1).

Renvois: VII:1 (importations non taxables).

8. [Biens retirés des États-Unis ou du Mexique] — Les biens suivants transférés temporairement dans une province participante après avoir été retirés des États-Unis ou du Mexique :

a) les biens pour exposition ou démonstration;

b) les échantillons commerciaux;

c) les films publicitaires;

d) les moyens de transport ou les conteneurs qui relèvent d'un lieu aux États-Unis ou au Mexique servant au trafic international de marchandises.

Notes historiques: L'article 8 de la partie I de l'annexe X a été ajouté par L.C. 1997, c. 10, art. 254 et est réputé entré en vigueur le 20 mars 1997.

Concordance québécoise: aucune.

Définitions: « province participante » — 123(1).

Renvois: VII:1 (importations non taxables); X:Partie I:3 (moyens de transport et bagages).

9. [Biens transférés par certains particuliers] — Les biens transférés dans une province participante par les particuliers suivants :

a) ceux qui ont déjà résidé dans la province et qui, au moment du transfert, reviennent y résider après avoir résidé dans une autre province pendant au moins un an;

b) ceux qui résident dans la province et qui, au moment du transfert, y reviennent après une absence d'au moins un an;

c) ceux qui entrent dans la province au moment du transfert dans l'intention d'y établir leur résidence pendant au moins douze mois (ne sont pas visées par le présent alinéa les personnes qui entrent au Canada en vue d'y résider pour occuper un emploi pendant une période temporaire d'au plus 36 mois, et les personnes qui y entrent en vue de fréquenter un établissement d'enseignement).

Les biens doivent être destinés à l'usage personnel ou ménager des particuliers et avoir été leur propriété et en leur possession avant le moment du transfert, à condition que, si les biens ont été la propriété et en la possession des particuliers pendant moins de 31 jours avant leur transfert dans la province participante :

d) les particuliers aient payé la taxe de vente au détail applicable aux biens dans la province d'où ils sont transférés;

e) les particuliers n'aient pas droit au remboursement de cette taxe.

Notes historiques: L'article 9 de la partie I de l'annexe X a été ajouté par L.C. 1997, c. 10, art. 254 et est réputé entré en vigueur le 20 mars 1997.

Concordance québécoise: aucune.

Définitions: « mois », « province participante », « taxe », « vente » — 123(1).

Renvois: VII:1 (importations non taxables).

10. [Cadeau, legs] — Les biens suivants transférés dans une province participante et qu'un particulier résidant dans la province reçoit à titre de cadeau ou de legs :

a) les effets mobiliers d'un particulier décédé à l'extérieur des provinces participantes, qui résidait dans une province participante au moment de son décès;

b) les effets mobiliers reçus par un particulier, résidant dans une province participante, par suite ou en prévision du décès d'un particulier ne résidant pas dans une province participante.

Notes historiques: L'article 10 de la partie I de l'annexe X a été ajouté par L.C. 1997, c. 10, art. 254 et est réputé entré en vigueur le 20 mars 1997.

Concordance québécoise: aucune.

Définitions: « province participante » — 123(1).

Renvois: VII:1 (importations non taxables).

11. [Médailles, trophées et autres prix] — Les médailles, trophées et autres prix, à l'exclusion des produits marchands habituels, gagnés à l'extérieur des provinces participantes lors de compétitions ou décernés, reçus ou acceptés à l'extérieur de ces provinces ou donnés par des personnes à l'extérieur de ces provinces pour un acte d'héroïsme, la bravoure ou une distinction.

Notes historiques: L'article 11 de la partie I de l'annexe X a été ajouté par L.C. 1997, c. 10, art. 254 et est réputé entré en vigueur le 20 mars 1997.

Concordance québécoise: aucune.

Définitions: « produits » — 123(1).

Renvois: VII:2 (médailles, trophées et autres prix).

12. [Imprimés mis à la disposition du grand public gratuitement en vue de promouvoir le tourisme] — Les imprimés à être mis à la disposition du grand public gratuitement en vue de promouvoir le tourisme et qui sont transférés dans une province participante :

a) par un gouvernement étranger ou un gouvernement à l'extérieur de la province, ou sur son ordre, ou par son organisme ou représentant;

b) par une chambre de commerce, une association municipale, une association d'automobilistes ou un organisme semblable auxquels ils ont été fournis à titre gratuit, mis à part les frais de manutention et d'expédition.

Notes historiques: L'article 12 de la partie I de l'annexe X a été ajouté par L.C. 1997, c. 10, art. 254 et est réputé entré en vigueur le 20 mars 1997.

Concordance québécoise: aucune.

Définitions: « gouvernement », « province participante » — 123(1).

Renvois: 259.1 (livres imprimés); VII:3 (imprimés promouvant le tourisme devant être mis gratuitement à la disposition du grand public).

13. [Biens transférés par un organisme de bienfaisance ou une institution publique] — Les biens transférés dans une province participante par un organisme de bienfaisance ou une institution publique, qui représentent des dons à l'organisme ou à l'institution.

Notes historiques: L'article 13 de la partie I de l'annexe X a été ajouté par L.C. 1997, c. 10, art. 254 et est réputé entré en vigueur le 20 mars 1997.

Concordance québécoise: aucune.

Définitions: « institution publique », « organisme de bienfaisance », « province participante » — 123(1).

Renvois: 260 (exportation par un organisme de bienfaisance); VII:4 (produits importés par un organisme de bienfaisance au Canada); X:Partie I:5 (vêtements ou livres transférés dans une province participante).

14. [Pièces de rechange ou biens de remplacement visés par une garantie] — Les biens transférés dans une province participante par une personne, qui lui sont fournis à titre gratuit, mis à part les frais de manutention et d'expédition, et qui sont des pièces de rechange ou des biens de remplacement visés par une garantie.

Notes historiques: L'article 14 de la partie I de l'annexe X a été remplacé par L.C. 2000, c. 30, par. 139(1) et cette modification s'applique aux biens transférés dans une province participante après le 10 décembre 1998. Antérieurement, il se lisait comme suit :

> 14. Les biens transférés dans une province participante par une personne, qui lui sont fournis à titre gratuit, mis à part les frais de manutention et d'expédition, dans le cadre d'une garantie applicable à des biens meubles corporels et qui sont des pièces de rechange visées par la garantie.

L'article 14 de la partie I de l'annexe X a été ajouté par L.C. 1997, c. 10, art. 254 et est réputé entré en vigueur le 20 mars 1997.

Concordance québécoise: aucune.

Définitions: « personne », « province participante » — 123(1).

Renvois: VII:5 (produits importés qui sont des pièces de rechange ou des biens de remplacement visés par une garantie).

15. [Autres biens transférés] — Les biens transférés dans une province participante et dont la fourniture est incluse à l'une des parties I à IV et VIII de l'annexe VI.

Notes historiques: L'article 15 de la partie I de l'annexe X a été ajouté par L.C. 1997, c. 10, art. 254 et est réputé entré en vigueur le 20 mars 1997.

Concordance québécoise: aucune.

Définitions: « fourniture », « province participante » — 123(1).

Renvois: VII:6 (produits visés aux Parties I à IV et VIII de l'Annexe VI).

16. [Contenants transférés] — Les contenants transférés dans une province participante qui, par suite d'un règlement pris en vertu de la note 11c) du chapitre 98 de l'annexe I du *Tarif des douanes*, pourraient être importés, le cas échéant, en franchise des droits de douane prévus par cette loi.

Notes historiques: L'article 16 de la partie I de l'annexe X a été ajouté par L.C. 1997, c. 10, art. 254 et est réputé entré en vigueur le 20 mars 1997.

Concordance québécoise: aucune.

Définitions: « province participante » — 123(1).

Renvois: VII:9 (produits importés en franchise des droits de douanes).

17. [Argent, certificats ou autres écrits] — L'argent, les certificats ou autres écrits constatant un droit qui est un effet financier.

Notes historiques: L'article 17 de la partie I de l'annexe X a été ajouté par L.C. 1997, c. 10, art. 254 et est réputé entré en vigueur le 20 mars 1997.

Concordance québécoise: aucune.

Définitions: « argent », « effet financier » — 123(1).

Renvois: VII:10 (écrit établissant un effet financier).

18. [Biens transférés — taxe payable] — Les biens qu'une personne transfère dans une province participante après qu'ils lui ont été fournis dans des circonstances telles que la taxe prévue au paragraphe 165(2) ou à l'article 218.1 de la loi était payable par elle relativement au bien.

Notes historiques: L'article 18 de la partie I de l'annexe X a été ajouté par L.C. 1997, c. 10, art. 254 et est réputé entré en vigueur le 20 mars 1997.

Concordance québécoise: aucune.

Définitions: « bien », « personne », « province participante », « taxe » — 123(1).

Renvois: X:Partie I:20 (biens transférés — importations).

19. [Biens transférés — bail, licence ou accord semblable] — Les biens qu'une personne transfère dans une province participante à un moment où ils lui sont fournis dans une province non participante par bail, licence ou accord semblable prévoyant la possession ou l'utilisation continues du bien pendant une période de plus de trois mois et dans des circonstances telles que la taxe prévue au paragraphe 165(1) est payable par la personne relativement à la fourniture.

Notes historiques: L'article 19 de la partie I de l'annexe X a été ajouté par L.C. 1997, c. 10, art. 254 et est réputé entré en vigueur le 20 mars 1997.

Concordance québécoise: aucune.

Définitions: « bien », « fourniture », « mois », « personne », « province non participante », « province participante », « taxe » — 123(1).

Renvois: 136.1(1) (bail ou licence visant un bien); IX:Partie II:2 (fourniture d'un bien meuble corporel autrement que par vente).

20. [Biens transférés — importation] — Les biens qu'une personne transfère dans une province participante après les avoir importés dans des circonstances telles que, selon le cas :

a) la taxe prévue à l'article 212 de la loi n'est pas payable relativement au bien par l'effet de l'article 213 de la loi;

b) la taxe prévue à l'article 212.1 de la loi est payable, et la personne n'a pas droit au remboursement de cette taxe en vertu de l'article 261.2 de la loi.

Notes historiques: L'article 20 de la partie I de l'annexe X a été ajouté par L.C. 1997, c. 10, art. 254 et est réputé entré en vigueur le 20 mars 1997.

Concordance québécoise: aucune.

Définitions: « bien », « importation », « personne », « province participante », « taxe » — 123(1).

Renvois: X:Partie I:18 (biens transférés — taxe payable).

21. [Biens transférés — utilisés] — Les biens qu'une personne transfère dans une province participante après les avoir utilisés dans une telle province et les en avoir retirés, et relativement auxquels la personne n'avait pas droit au remboursement prévu à l'article 261.1.

Notes historiques: L'article 21 de la partie I de l'annexe X a été ajouté par L.C. 1997, c. 10, art. 254 et est réputé entré en vigueur le 20 mars 1997.

Concordance québécoise: aucune.

Définitions: « personne », « province participante » — 123(1).

Renvois: 261.1 (remboursement pour produits retirés d'une province participante).

22. [Biens transférés pour consommation, utilisation ou fourniture exclusive dans le cadre d'activités commerciales] — Les biens, sauf les véhicules à moteur déterminés, transférés dans une province participante par un inscrit, sauf celui dont la taxe nette est déterminée selon l'article 225.1 de la loi ou selon les parties IV ou V du *Règlement sur la comptabilité abrégée (TPS/TVH)*, pour consommation, utilisation ou fourniture exclusivement dans le cadre de ses activités commerciales.

Notes historiques: L'article 22 de la partie I de l'annexe X a été remplacé par L.C. 2007, c. 18, par. 62(1) et cette modification s'applique aux biens transférés dans une province participante après avril 2002. Antérieurement, il se lisait ainsi :

> 22. Les biens, sauf les contenants consignés au sens du paragraphe 226(1) et les véhicules à moteur déterminés, transférés dans une province participante par un inscrit (sauf celui dont la taxe nette est déterminée selon l'article 225.1 de la loi ou les parties IV ou V du *Règlement sur la comptabilité abrégée (TPS)*) pour consommation, utilisation ou fourniture exclusive dans le cadre de ses activités commerciales.

L'article 22 de la partie I de l'annexe X a été ajouté par L.C. 1997, c. 10, art. 254 et est réputé entré en vigueur le 20 mars 1997.

27 novembre 2006, Notes explicatives : L'article 22 de la partie I de l'annexe X porte sur des produits qui sont exonérés de la taxe imposée aux termes de la section IV.1 de la partie IX de la loi (c'est-à-dire, la composante provinciale de la TVH) quand ils sont transférés dans une province participante. De façon générale, l'exonération s'applique aux produits transférés par un inscrit pour être consommés, utilisés ou fournis exclusivement dans le cadre de ses activités commerciales. Dans ce cas, sans exonération, l'inscrit aurait droit par ailleurs au plein montant du crédit de taxe sur les intrants au titre de la taxe.

L'article 22 exclut les contenants à boisson consignés de l'allègement de la taxe payable aux termes de la section IV.1. La raison en est que, en vertu des règles actuelles, l'inscrit n'aurait pas droit dans tous les cas à un crédit de taxe sur les intrants pour la composante fiscale de la consigne sur les contenants, même si la boisson dans les contenants remplis et scellés a été transférée dans une province participante exclusivement pour être fournie dans le cadre des activités commerciales de l'inscrit. Selon l'article 226 de la loi, les inscrits ne peuvent demander ces crédits de taxe sur les intrants s'ils ne sont pas tenus d'inclure dans leur taxe nette la composante fiscale de la consigne sur les contenants au moment de la vente de la boisson dans des contenants remplis et scellés.

L'actuelle exclusion de l'article 22 pour les contenants consignés n'est pas nécessaire sous les règles modifiées visant les contenants consignés à l'article 226 (voir les notes concernant cet article). Selon ces règles, l'inscrit peut demander des crédits de taxe sur les intrants à l'égard de la taxe (incluant la taxe sur la consigne) relative à la boisson contenue dans des contenants consignés remplis et scellés qui est transférée dans une province participante. L'inscrit peut se voir refuser ce crédit seulement lorsque la boisson dans le contenant rempli et scellé est à la fois acquise dans une province participante et fournie dans la même province (voir les notes concernant le paragraphe 226(8)). Cette modification s'applique aux contenants transférés dans une province participante après avril 2002.

Concordance québécoise: aucune.

Définitions: « fourniture », « inscrit », « produits », « province participante », « taxe » — 123(1).

Renvois: 185(1) (inscrit autre qu'une institution financière).

Bulletins de l'information technique: B-089, 23/04/02, *Contenants consignés*.

23. [Autres biens transférés] — Les biens visés par règlement qui sont transférés dans une province participante dans les circonstances prévues par règlement, sous réserve des modalités réglementaires.

Notes historiques: L'article 23 de la partie I de l'annexe X a été ajouté par L.C. 1997, c. 10, art. 254 et est réputé entré en vigueur le 20 mars 1997.

Concordance québécoise: aucune.

Définitions: « province participante » — 123(1).

Renvois: VII:8 (produits visés par règlement).

24. [Véhicules à moteur déterminés] — Les véhicules à moteur déterminés qu'une personne transfère dans une province participante après qu'ils lui ont été fournis par vente dans une province non participante dans des circonstances telles que la taxe prévue au paragraphe 165(1) de la loi n'était pas payable relativement à la fourniture.

Notes historiques: L'article 24 de la partie I de l'annexe X a été ajouté par L.C. 1997, c. 10, art. 254 et est réputé entré en vigueur le 20 mars 1997.

Concordance québécoise: aucune.

Définitions: « fourniture », « personne », « province non participante », « province participante », « taxe », « vente » — 123(1).

25. [Maisons mobiles et maisons flottantes] — Les maisons mobiles et les maisons flottantes utilisées ou occupées au Canada à titre résidentiel.

Notes historiques: L'article 25 de la partie I de l'annexe X a été ajouté par L.C. 1997, c. 10, art. 254 et est réputé entré en vigueur le 20 mars 1997.

Concordance québécoise: aucune.

Renvois: 220.01 (TVH — maisons mobiles et maisons flottantes réputées biens meubles).

Énoncés de politique: P-130, 05/08/92, *Lieu de résidence*.

26. [Biens transférés — entrepreneur indépendant] — Les biens visés aux paragraphes 178.3(1) ou 178.4(1) de la loi qui sont transférés dans une province participante par un entrepreneur indépendant, au sens de l'article 178.1 de la loi, qui n'est pas un distributeur à l'égard duquel l'approbation accordée selon le paragraphe 178.2(4) est en vigueur.

Notes historiques: L'article 26 de la partie I de l'annexe X a été ajouté par L.C. 1997, c. 10, art. 254 et est réputé entré en vigueur le 20 mars 1997.

Concordance québécoise: aucune.

Définitions: « province non participante » — 123(1).

Partie II — Biens et services non taxables pour l'application de la sous-section B

(*paragraphe 220.08(3)*)

1. [Acquisition dans le cadre des activités commerciales] — La fourniture d'un bien ou d'un service au profit d'un inscrit (sauf celui dont la taxe nette est déterminée selon l'article 225.1 de la loi ou les parties IV ou V du *Règlement sur la comptabilité abrégée (TPS/TVH)*) qui acquiert le bien ou le service pour consommation, utilisation ou fourniture exclusive dans le cadre de ses activités commerciales.

Notes historiques: L'article 1 de la partie II de l'annexe X a été modifié par L.C. 2007, c. 18, al. 63(1)g) par le remplacement de « (TPS) » par « (TPS/ TVH) ». Cette modification est réputée être entrée en vigueur le 1er avril 1997.

L'article 1 de la partie II de l'annexe X a été ajouté par L.C. 1997, c. 10, art. 254 et est réputé entré en vigueur le 20 mars 1997.

Concordance québécoise: aucune.

Définitions: « bien », « fourniture », « inscrit », « service » — 123(1).

2. [Fourniture détaxée] — La fourniture détaxée d'un bien ou d'un service.

Notes historiques: L'article 2 de la partie II de l'annexe X a été ajouté par L.C. 1997, c. 10, art. 254 et est réputé entré en vigueur le 20 mars 1997.

Concordance québécoise: aucune.

Définitions: « bien », « fourniture », « fourniture détaxée », « service » — 123(1).

Renvois: 217 (fourniture taxable importée).

3. [Service lié à un bien meuble corporel] — La fourniture d'un service (sauf un service de dépositaire ou de propriétaire pour compte relatif à des titres ou des métaux précieux) lié à un bien meuble corporel qui est retiré des provinces participantes dès que possible après l'exécution du service, compte tenu des circonstances entourant le retrait, et n'est ni consommé, ni utilisé, ni fourni dans ces provinces entre l'exécution du service et le retrait du bien.

Notes historiques: L'article 3 de la partie II de l'annexe X a été ajouté par L.C. 1997, c. 10, art. 254 et est réputé entré en vigueur le 20 mars 1997.

Concordance québécoise: aucune.

Définitions: « bien », « fourniture », « province participante », « service » — 123(1).

Renvois: 217 (fourniture taxable importée).

4. [Service dans le cadre d'un litige] — La fourniture d'un service rendu à l'occasion d'un litige criminel, civil ou administratif tenu à l'extérieur des provinces participantes, à l'exclusion d'un service rendu avant le début du litige.

Notes historiques: L'article 4 de la partie II de l'annexe X a été ajouté par L.C. 1997, c. 10, art. 254 et est réputé entré en vigueur le 20 mars 1997.

Concordance québécoise: aucune.

Définitions: « fourniture », « province participante », « service » — 123(1).

Renvois: 217 (fourniture taxable importée); VI:Partie V:23 (service consultatif ou professionnel).

5. [Fourniture d'un service de transport] — La fourniture d'un service de transport.

Notes historiques: L'article 5 de la partie II de l'annexe X a été ajouté par L.C. 1997, c. 10, art. 254 et est réputé entré en vigueur le 20 mars 1997.

Concordance québécoise: aucune.

Définitions: « fourniture », « service » — 123(1).

Renvois: 217 (fourniture taxable importée).

6. [Fourniture d'un service de télécommunication] — La fourniture d'un service de télécommunication.

Notes historiques: L'article 6 de la partie II de l'annexe X a été ajouté par L.C. 1997, c. 10, art. 254 et est réputé entré en vigueur le 20 mars 1997.

Concordance québécoise: aucune.

Définitions: « fourniture », « service », « service de télécommunication » — 123(1).

7. [Fourniture d'un bien acquis dans des circonstances prévues par règlement] — La fourniture, visée par règlement, d'un bien ou d'un service que l'acquéreur acquiert dans des circonstances prévues par règlement, sous réserve des modalités réglementaires.

Notes historiques: L'article 7 de la partie II de l'annexe X a été ajouté par L.C. 1997, c. 10, art. 254 et est réputé entré en vigueur le 20 mars 1997.

27 novembre 2006, Notes explicatives: [Voir sous les paragraphes 195.2(1), (2) — n.d.l.r.]

Concordance québécoise: aucune.

Définitions: « acquéreur », « bien », « fourniture », « service » — 123(1).

RÈG. CAN. RÈGLEMENT SUR LES ALIMENTS ET LES BOISSONS DE CAFÉTÉRIAS D'ÉCOLE (TPS/TVH)

DORS/91-29 [C.P. 1990-2738], 18 décembre 1990, tel que modifié par C.P. 2002-1262 [DORS/2002-277], 17 juillet 2002.

Sur avis conforme du ministre des Finances et en vertu du paragraphe 277(1) de la *Loi sur la taxe d'accise*, il plaît à Son Excellence le Gouverneur général en conseil de prendre le *Règlement visant les aliments et les boissons taxables fournis dans les cafétérias d'école*, ci-après.

Notes historiques: Le titre intégral a été remplacé par C.P. 2002-1262 [DORS/2002-277], 17 juillet 2002, art. 6 et cette modification est réputée être entrée en vigueur le 17 juillet 2002. Antérieurement, il se lisait « Règlement visant les aliments et les boissons taxables fournis dans les cafétérias d'école ».

1. [*Abrogé*].

Notes historiques: L'article 1 et l'intertitre le précédant ont été abrogés par C.P. 2002-1262 [DORS/2002-277], 17 juillet 2002, art. 7 et cette abrogation est réputée être entrée en vigueur le 17 juillet 2002. Antérieurement, ils se lisaient ainsi :

1. Titre abrégé — *Règlement sur les aliments et les boissons de cafétérias d'école (TPS).*

2. Définition — La définition qui suit s'applique au présent règlement.

« Loi » La *Loi sur la taxe d'accise*.

3. Aliments et boissons — Les aliments et les boissons suivants sont visés pour l'application de l'article 12 de la partie III de l'annexe V de la Loi :

a) les boissons gazeuses;

b) les boissons incluses à l'alinéa 1d) de la partie III de l'annexe VI de la Loi qui sont vendues en canettes, en boîtes de carton ou en bouteilles;

c) les aliments inclus à l'un des alinéas 1e) à l) de la partie III de l'annexe VI de la Loi qui sont pré-emballés pour la vente aux consommateurs.

RÈG. CAN. RÈGLEMENT SUR LES APPAREILS MÉDICAUX (TPS) [ABROGÉ]

Règlement visant des appareils médicaux

DORS/91-24 [C.P. 1990-2733], 18 décembre 1990, tel que modifié par C.P. 1999-621 [DORS/99-171], 15 avril 1999; C.P. 2006-586 [DORS/2006-162], 23 juin 2006.

Sur avis conforme du ministre des Finances et en vertu du paragraphe 277(1) de la *Loi sur la taxe d'accise*, il plaît à Son Excellence le Gouverneur général en conseil de prendre le *Règlement visant des appareils médicaux*, ci-après.

1.-2. [*Abrogés*].

Notes historiques: Le Règlement a été abrogé par C.P. 2006-586 [DORS/2006-162], 23 juin 2006, art. 1 et cette abrogation est entrée en vigueur le 12 juillet 2006. Antérieurement, le Règlement se lisait comme suit :

1. Titre abrégé — *Règlement sur les appareils médicaux (TPS).*

2. Biens — Pour l'application de l'article 31 de la partie II de l'annexe VI de la *Loi sur la taxe d'accise*, sont visés les biens suivants :

a)-d) (abrogés).

L'alinéa 2a) a été abrogé par C.P. 1999-621 [DORS/99-171], 15 avril 1999, par. 1(1) et cette abrogation s'applique aux fournitures effectuées après le 23 avril 1996. Auparavant, cet alinéa se lisait comme suit :

a) les moniteurs, les nébuliseurs et les compresseurs respiratoires, les nécessaires de trachéostomie, les tubulures pour alimentation gastro-intestinale, les dialyseurs, les pompes à perfusion et le matériel pour intraveineuse dont la personne peut se servir chez elle;

L'alinéa 2b) a été abrogé par C.P. 1999-621 [DORS/99-171], 15 avril 1999, par. 1(1) et cette abrogation s'applique aux fournitures effectuées après le 23 avril 1996. Auparavant, cet alinéa se lisait comme suit :

b) les dispositifs d'alimentation et autres organes de préhension à l'usage des personnes souffrant d'une incapacité de la main ou d'un problème semblable;

L'alinéa 2c) a été abrogé par C.P. 1999-621 [DORS/99-171], 15 avril 1999, par. 1(2) et cette abrogation s'applique aux fournitures dont la contrepartie devient due après 1996 ou est payée après cette année sans qu'elle soit devenue due. Auparavant, cet alinéa se lisait comme suit :

c) les articles chaussants conçus spécialement pour les personnes souffrant d'une incapacité ou d'une difformité du pied ou d'un problème semblable;

L'alinéa 2d) a été abrogé par C.P. 1999-621 [DORS/99-171], 15 avril 1999, par. 1(3) et (4). Pour le passage de l'alinéa 2d) précédant le sous-alinéa (iv), cette abrogation s'applique aux fournitures effectuées après le 23 avril 1996. Pour le sous-alinéa (iv), cette abrogation s'applique aux fournitures dont la contrepartie, même partielle, devient due après le 23 avril 1996 ou est payée après cette date sans qu'elle soit devenue due. Auparavant, cet alinéa se lisait comme suit :

d) les biens suivants conçus spécialement pour le traitement de personnes souffrant d'un état physique anormal chronique ou destinés à leur usage :

(i) les produits pour incontinents;

(ii) les pinces longues;

(iii) les planches inclinables;

(iv) les appareils de communication utilisés par les malentendants ou les personnes ayant des problèmes d'élocution ou de vision, à l'exclusion des appareils à utiliser avec un dispositif télégraphique ou téléphonique.

Les ajouts apportés par L.C. 1997, c. 10 à l'annexe VI, partie II, y ont incorporé les appareils auparavant énumérés dans le présent règlement.

RÈG. CAN. RÈGLEMENT SUR LES AVANTAGES LIÉS AUX DÉPENSES DE FONCTIONNEMENT D'UNE AUTOMOBILE (TPS/TVH)

DORS/99-176 [C.P. 1999-626], 15 avril 1999, tel que modifié par C.P. 2007-1349 [DORS/2007-202], 18 septembre 2007; C.P. 2008-1349 [DORS/2008-237], 28 juillet 2008; C.P. 2010-791 [DORS/2010-152], 17 juin 2010; C.P. 2012-1127 [DORS/2012-191], 20 septembre 2012.

Notes historiques: Le titre de ce règlement, édicté par C.P. 1999-626 [DORS/99-176], 15 avril 1999, a été remplacé par C.P. 1999-626 [DORS/99-176], 15 avril 1999, art. 3 et cette modification est réputée être entrée en vigueur le 1er avril 1997. Antérieurement, ce titre se lisait « *Règlement sur l'avantage relié aux frais de fonctionnement d'une automobile (TPS)* ». Sous réserve des autres dispositions d'application, ce Règlement s'applique aux années d'imposition 1993 et suivantes.

1. [*Abrogé*].

Notes historiques: L'article 1 a été abrogé par C.P. 2007-1349 [DORS/2007-202], 18 septembre 2007, art. 1 et cette abrogation est réputée entrée en vigueur le 18 septembre 2007. Antérieurement, il se lisait ainsi :

> 1. [Pourcentage] — Le pourcentage visé au sous-alinéa 173(1)b)(iii) de la *Loi sur la taxe d'accise* est de 5 %.

L'article 1 a été édicté par C.P. 1999-626 [DORS/99-176], 15 avril 1999, art. 1 et ne s'applique qu'aux montants à inclure dans le calcul du revenu d'un particulier pour l'application de la *Loi de l'impôt sur le revenu* pour les années d'imposition 1993 à 1996. Toutefois, en ce qui concerne l'année d'imposition 1996, la mention du sous-alinéa 173(1)b)(iii) à cet article vaut la mention de la division 173(1)d)(ii)(A).

2. [Pourcentage visé à l'article 173 de la Loi] — Dans le cas où un montant relatif à la fourniture d'un bien ou d'un service par un inscrit doit être inclus dans le calcul du revenu d'un particulier pour l'application de la *Loi de l'impôt sur le revenu* pour une année d'imposition, le pourcentage, visé à la division 173(1)*d*)(ii)(A) de la *Loi sur la taxe d'accise*, de la contrepartie totale qui comprend ce montant est le suivant :

a) 9 % si, selon le cas :

(i) le particulier est le salarié de l'inscrit, il est tenu, aux termes du paragraphe 6(1) de la *Loi de l'impôt sur le revenu*, d'inclure le montant dans ce calcul et le dernier établissement de l'inscrit où il a habituellement travaillé ou s'est habituellement présenté, au cours de l'année dans le cadre de sa charge ou de son emploi, est situé en Ontario, au Nouveau-Brunswick ou à Terre-Neuve-et-Labrador,

(ii) le particulier est l'actionnaire de l'inscrit, il est tenu, aux termes du paragraphe 15(1) de la *Loi de l'impôt sur le revenu*, d'inclure le montant dans ce calcul et il réside en Ontario, au Nouveau-Brunswick ou à Terre-Neuve-et-Labrador à la fin de l'année;

b) 11 % si, selon le cas :

(i) le particulier est le salarié de l'inscrit, il est tenu, aux termes du paragraphe 6(1) de la *Loi de l'impôt sur le revenu*, d'inclure le montant dans ce calcul et le dernier établissement de l'inscrit où il a habituellement travaillé ou s'est habituellement présenté, au cours de l'année dans le cadre de sa charge ou de son emploi, est situé en Nouvelle-Écosse,

(ii) le particulier est l'actionnaire de l'inscrit, il est tenu, aux termes du paragraphe 15(1) de la *Loi de l'impôt sur le revenu*, d'inclure le montant dans ce calcul et il réside en Nouvelle-Écosse à la fin de l'année;

c) [*Abrogé*];

d) 3 % dans les autres cas.

Notes historiques: Les alinéas 2a) et b) ont été remplacés et les alinéas c) et d) ont été ajoutés par C.P. 2010-791 [DORS/2010-152], 17 juin 2010, art. 8 et ces modifications s'appliquent aux montants à inclure dans le calcul du revenu d'un particulier pour l'application de la *Loi de l'impôt sur le revenu* pour les années d'imposition 2010 et suivantes. Toutefois :

a) en ce qui a trait à l'année d'imposition 2010 :

(i) la mention « 9 % » à l'alinéa 2a) vaut mention de « 6 % » si l'inscrit n'est pas une grande entreprise, au sens du paragraphe 236.01(1) de la Loi, le 31 décembre 2010 et que :

(A) le particulier étant un salarié de l'inscrit, le dernier établissement de l'inscrit où il a habituellement travaillé ou s'est habituellement présenté, au cours de l'année dans le cadre de sa charge ou de son emploi, est situé en Ontario,

(B) le particulier étant un actionnaire de l'inscrit, il réside en Ontario à la fin de l'année,

(ii) la mention « 9 % » à l'alinéa 2a) vaut mention de « 4,5 % » si l'inscrit est une grande entreprise, au sens du paragraphe 236.01(1) de la Loi, le 31 décembre 2010 et que :

(A) le particulier étant un salarié de l'inscrit, le dernier établissement de l'inscrit où il a habituellement travaillé ou s'est habituellement présenté, au cours de l'année dans le cadre de sa charge ou de son emploi, est situé en Ontario,

(B) le particulier étant un actionnaire de l'inscrit, il réside en Ontario à la fin de l'année,

(iii) la mention « 11 % » à l'alinéa 2b) vaut mention de « 10 % »,

(iv) la mention « 5 % » à l'alinéa 2c) vaut mention de « 4 % »;

b) en ce qui a trait aux années d'imposition 2011 à 2014, la mention « 9 % » à l'alinéa 2a) vaut mention de « 6 % » si l'inscrit est une grande entreprise, au sens du paragraphe 236.01(1) de la Loi, le 31 décembre de l'année en cause et que :

(i) le particulier étant un salarié de l'inscrit, le dernier établissement de l'inscrit où il a habituellement travaillé ou s'est habituellement présenté, au cours de l'année dans le cadre de sa charge ou de son emploi, est situé en Ontario,

(ii) le particulier étant un actionnaire de l'inscrit, il réside en Ontario à la fin de l'année;

c) en ce qui a trait à l'année d'imposition 2015, la mention « 9 % » à l'alinéa 2a) vaut mention de « 6,6 % » si l'inscrit est une grande entreprise, au sens du paragraphe 236.01(1) de la Loi, le 31 décembre 2015 et que :

(i) le particulier étant un salarié de l'inscrit, le dernier établissement de l'inscrit où il a habituellement travaillé ou s'est habituellement présenté, au cours de l'année dans le cadre de sa charge ou de son emploi, est situé en Ontario,

(ii) le particulier étant un actionnaire de l'inscrit, il réside en Ontario à la fin de l'année;

d) en ce qui a trait à l'année d'imposition 2016, la mention « 9 % » à l'alinéa 2a) vaut mention de « 7,2 % » si l'inscrit est une grande entreprise, au sens du paragraphe 236.01(1) de la Loi, le 31 décembre 2016 et que :

(i) le particulier étant un salarié de l'inscrit, le dernier établissement de l'inscrit où il a habituellement travaillé ou s'est habituellement présenté, au cours de l'année dans le cadre de sa charge ou de son emploi, est situé en Ontario,

(ii) le particulier étant un actionnaire de l'inscrit, il réside en Ontario à la fin de l'année;

e) en ce qui a trait à l'année d'imposition 2017, la mention « 9 % » à l'alinéa 2a) vaut mention de « 7,8 % » si l'inscrit est une grande entreprise, au sens du paragraphe 236.01(1) de la Loi, le 31 décembre 2017 et que :

(i) le particulier étant un salarié de l'inscrit, le dernier établissement de l'inscrit où il a habituellement travaillé ou s'est habituellement présenté, au cours de l'année dans le cadre de sa charge ou de son emploi, est situé en Ontario,

(ii) le particulier étant un actionnaire de l'inscrit, il réside en Ontario à la fin de l'année;

f) en ce qui a trait à l'année d'imposition 2018, la mention « 9 % » à l'alinéa 2a) vaut mention de « 8,4 % » si l'inscrit est une grande entreprise, au sens du paragraphe 236.01(1) de la Loi, le 31 décembre 2018 et que :

(i) le particulier étant un salarié de l'inscrit, le dernier établissement de l'inscrit où il a habituellement travaillé ou s'est habituellement présenté, au cours de l'année dans le cadre de sa charge ou de son emploi, est situé en Ontario,

(ii) le particulier étant un actionnaire de l'inscrit, il réside en Ontario à la fin de l'année.

Antérieurement, les alinéas 2a) et b) se lisaient ainsi :

a) 9 % si, selon le cas :

(i) le particulier est le salarié de l'inscrit et est tenu par le paragraphe 6(1) de la *Loi de l'impôt sur le revenu* d'inclure le montant dans ce calcul, et le dernier établissement de l'inscrit où le particulier a travaillé habituellement, ou s'est présenté habituellement, au cours de l'année ou s'est présenté habituellement au cours de l'année dans le cadre de sa charge ou de son emploi est situé dans une province participante,

(ii) le particulier est l'actionnaire de l'inscrit, est tenu par le paragraphe 15(1) de la *Loi de l'impôt sur le revenu* d'inclure le montant dans ce calcul et réside dans une province participante à la fin de l'année;

b) 3 % dans les autres cas.

Le préambule de l'alinéa 2a) a été remplacé par C.P. 2008-1349 [DORS/2008-237], 28 juillet 2008, par. 1(1) et cette modification s'applique aux montants à inclure dans le calcul du revenu d'un particulier pour l'application de la *Loi de l'impôt sur le revenu* pour les années d'imposition 2008 et suivantes. Antérieurement, il se lisait ainsi :

a) 10 % si, selon le cas :

Le préambule de l'alinéa 2a) a été remplacé par C.P. 2007-1349 [DORS/2007-202], 18 septembre 2007, par. 2(1) et cette modification s'applique aux montants à inclure dans le calcul du revenu d'un particulier pour l'application de la *Loi de l'impôt sur le revenu* pour les années d'imposition 2006 et suivantes. Toutefois, en ce qui concerne l'année d'imposition 2006, la mention « 10 % » à l'alinéa 2a) du même règlement, édicté par le paragraphe 2(1) du présent règlement, vaut mention de « 10,5 % ». Antérieurement, il se lisait ainsi :

a) 11 % si, selon le cas :

L'alinéa 2b) a été remplacé par C.P. 2008-1349 [DORS/2008-237], 28 juillet 2008, par. 2(2) et cette modification s'applique aux montants à inclure dans le calcul du revenu d'un particulier pour l'application de la *Loi de l'impôt sur le revenu* pour les années d'imposition 2008 et suivantes. Antérieurement, il se lisait ainsi :

b) 4 % dans les autres cas.

L'alinéa 2b) a été remplacé par C.P. 2007-1349 [DORS/2007-202], 18 septembre 2007, par. 2(2) et cette modification s'applique aux montants à inclure dans le calcul du revenu d'un particulier pour l'application de la *Loi de l'impôt sur le revenu* pour les années d'imposition 2006 et suivantes. Toutefois, en ce qui concerne l'année d'imposition 2006, la mention « 4 % » à l'alinéa 2b) du même règlement, édicté par le paragraphe 2(2) du présent règlement, vaut mention de « 4,5 % ». Antérieurement, il se lisait ainsi :

b) 5 % dans les autres cas.

L'alinéa 2c) a été abrogé C.P. 2012-1127 [DORS/2012-191], 20 septembre 2012, par. 19(2) et cette abrogation s'applique relativement aux montants qui sont à inclure dans le calcul du revenu d'un particulier pour l'application de la *Loi de l'impôt sur le revenu* pour ses années d'imposition 2014 et suivantes. Antérieurement, il se lisait ainsi :

c) 5 % si, selon le cas :

Le préambule de l'alinéa 2c) a été remplacé C.P. 2012-1127 [DORS/2012-191], 20 septembre 2012, par. 19(1) et cette modification s'applique relativement aux montants qui sont à inclure dans le calcul du revenu d'un particulier pour l'application de la *Loi de l'impôt sur le revenu* pour son année d'imposition 2013. Antérieurement, il se lisait ainsi :

c) 3,5 % si, selon le cas :

(i) le particulier est le salarié de l'inscrit, il est tenu, aux termes du paragraphe 6(1) de la *Loi de l'impôt sur le revenu*, d'inclure le montant dans ce calcul et le dernier établissement de l'inscrit où il a habituellement travaillé ou s'est habituellement présenté, au cours de l'année dans le cadre de sa charge ou de son emploi, est situé en Colombie-Britannique,

(ii) le particulier est l'actionnaire de l'inscrit, il est tenu, aux termes du paragraphe 15(1) de la *Loi de l'impôt sur le revenu*, d'inclure le montant dans ce calcul et il réside en Colombie-Britannique à la fin de l'année;

L'article 2 a été édicté par C.P. 1999-626 [DORS/99-176], 15 avril 1999, art. 2 et ne s'applique qu'aux montants à inclure dans le calcul du revenu d'un particulier pour l'application de la *Loi de l'impôt sur le revenu* pour les années d'imposition 1997 et suivantes. Toutefois, en ce qui concerne l'année d'imposition 1997, la mention de 11 % à cet article vaut mention de 9,5 %.

3-7 [*Abrogés*].

Notes historiques: Les articles 3 à 7 ont été abrogés par C.P. 2007-1349 [DORS/2007-202], 18 septembre 2007, art. 3 à 7 et ces abrogations s'appliquent aux montants à inclure dans le calcul du revenu d'un particulier pour l'application de la *Loi de l'impôt sur le revenu* pour les années d'imposition 2006 et suivantes. Antérieurement, ils se lisaient ainsi :

3. Le titre du même règlement est remplacé par ce qui suit :

RÈGLEMENT SUR LES AVANTAGES LIÉS AUX DÉPENSES DE FONCTIONNEMENT D'UNE AUTOMOBILE (TPS/TVH)

4. Sous réserve des articles 5 à 7, le présent règlement s'applique aux années d'imposition 1993 et suivantes.

5. L'article 1 ne s'applique qu'aux montants à inclure dans le calcul du revenu d'un particulier pour l'application de la *Loi de l'impôt sur le revenu* pour les années d'imposition 1993 à 1996. Toutefois, en ce qui concerne l'année d'imposition 1996, la mention du sous-alinéa 173(1)b)(iii) à cet article vaut mention de la division 173(1)d)(ii)(A).

6. L'article 2 ne s'applique qu'aux montants à inclure dans le calcul du revenu d'un particulier pour l'application de la *Loi de l'impôt sur le revenu* pour les années d'imposition 1997 et suivantes. Toutefois, en ce qui concerne l'année d'imposition 1997, la mention de 11 % à cet article vaut mention de 9,5 %.

7. L'article 3 est réputé être entré en vigueur le 1er avril 1997.

RÈG. CAN. RÈGLEMENT SUR LES BIENS FOURNIS PAR VENTE AUX ENCHÈRES (TPS/TVH)

DORS/2001-66 [C.P. 2001-152], 30 janvier 2001.

1. Biens visés — Les biens suivants sont visés pour l'application du paragraphe 177(1.3) de la *Loi sur la taxe d'accise* :

a) les fleurs et feuillage coupés, plantes à repiquer, plants de pépinières, plantes en pot et bulbes et tubercules de plantes;

b) les chevaux;

c) les véhicules à moteur conçus pour servir sur la grande route;

d) les machines et le matériel (sauf le matériel de bureau) conçus pour servir à l'une des fins suivantes :

(i) les travaux d'exploration, de mise en valeur ou de production de pétrole, de gaz naturel, de minéraux ou d'eau,

(ii) l'exploitation de mines, de carrières ou de concessions forestières,

(iii) la construction ou la démolition de travaux d'immobilisations, de bâtiments, de constructions, de routes, de ponts, de tunnels ou d'autres travaux,

(iv) la fabrication ou la production de biens meubles corporels, la mise au point de procédés de fabrication ou de production ou la mise au point de biens meubles corporels à fabriquer ou à produire,

(v) le traitement ou la transformation de déchets toxiques ou la détection, la mesure, la prévention, le traitement, la réduction ou l'élimination de polluants,

(vi) le transport de déchets ou de rebuts, ou l'évacuation de la poussière ou des émanations nocives, provenant d'activités de fabrication ou de production,

(vii) l'atténuation des effets ou la prévention des accidents du travail;

e) les accessoires pour les biens meubles corporels visés à l'alinéa d);

f) les outillages de réparation et pièces de remplacement des biens meubles corporels visés aux alinéas d) ou e).

2. Entrée en vigueur — Le présent règlement est réputé être entré en vigueur le 1er avril 1997.

Règlement sur les biens liés à l'agriculture ou à la pêche (TPS/TVH)

DORS/91-39 [C.P. 1990-2749], 18 décembre 1990, tel que modifié par C.P. 1994-843 [DORS/94-368], 26 mai 1994; C.P. 2000-211 [DORS/2000-68], 24 février 2000; C.P. 2012-1127 [DORS/2012-191], 20 septembre 2012.

Sur avis conforme du ministre des Finances et en vertu du paragraphe 277(1) de la *Loi sur la taxe d'accise*, il plaît à Son Excellence le Gouverneur général en conseil de prendre le *Règlement concernant les biens liés à l'agriculture ou à la pêche*, ci-après.

Notes historiques: Le titre a été remplacé par C.P. 2012-1127 [DORS/2012-191], 20 septembre 2012, art. 10 et cette modification est entrée en vigueur le 10 octobre 2012. Antérieurement, il se lisait « *Règlement concernant les biens liés à l'agriculture ou à la pêche* ».

1. [*Abrogé*].

[C.P. 2012-1127 [DORS/2012-191], 20 septembre 2012, art. 11]

Notes historiques: L'article 1 et l'intertitre le précédant ont été abrogés par C.P. 2012-1127 [DORS/2012-191], 20 septembre 2012, art. 11 et cette abrogation est entrée en vigueur le 10 octobre 2012. Antérieurement, ils se lisaient ainsi :

1. Titre abrégé — *Règlement sur les biens liés à l'agriculture ou à la pêche (TPS/TVH).*

L'article 1 a été modifié par C.P. 2000-211 [DORS/2000-68], 24 février 2000, art. 1 par l'ajout de « /TVH ». Cette modification est réputée être entrée en vigueur le 1er avril 1997.

2. Biens — Pour l'application de l'article 10 de la partie IV de l'annexe VI de la *Loi sur la taxe d'accise*, sont visés les biens énumérés à l'annexe, lorsqu'ils sont fournis par vente.

ANNEXE

(*article 2*)

1. Biens liés à l'agriculture :

(1) Matériel :

a) tracteurs réservés à l'agriculture et dont la prise de force est de 44,74 kW (60 PDF CV) ou plus;

b) matériel de récolte :

(i) moissonneuses-batteuses tractées ou automotrices,

(ii) andaineuses tractées ou automotrices,

(iii) moissonneuses-andaineuses tractées ou automotrices,

(iv) têtes de coupe pour moissonneuses-batteuses, récolteuses-hacheuses, andaineuses ou moissonneuses-andaineuses,

(v) ramasseurs pour moissonneuses-batteuses ou récolteuses-hacheuses,

(vi) récolteuses-hacheuses,

(vii) récolteuses de fruits ou de légumes tractées, automotrices ou montées sur tracteur;

c) matériel aratoire :

(i) charrues à socs à trois versoirs ou plus,

(ii) charrues à disques à trois versoirs ou plus,

(iii) extirpateurs lourds d'une largeur utile de 2,44 m (huit pieds) ou plus,

(iv) sous-soleuses d'une largeur utile de 2,44 m (huit pieds) ou plus,

(v) herses à disques d'une largeur utile de 2,44 m (huit pieds) ou plus,

(vi) sarcleuses d'une largeur utile de 2,44 m (huit pieds) ou plus,

(vi.1) extirpeuses à haricots d'une largeur utile de 2,44 m (huit pieds) ou plus,

(vii) cultivateurs pour grandes cultures d'une largeur utile de 2,44 m (huit pieds) ou plus,

(viii) cultivateurs pour cultures sarclées d'une largeur utile de 2,44 m (huit pieds) ou plus,

(ix) disques-cultivateurs d'une largeur utile de 1,83 m (six pieds) ou plus,

(x) motobêches d'une largeur utile de 1,83 m (six pieds) ou plus,

(xi) cultivateurs rotatifs d'une largeur utile de 1,83 m (six pieds) ou plus,

(xii) herses d'une largeur utile de 2,44 m (huit pieds) ou plus, vendues en unités autonomes,

(xiii) pulvérisateurs d'une largeur utile de 2,44 m (huit pieds) ou plus,

(xiii.1) rouleaux cultilisateurs (modèles agricoles) d'une largeur utile de 2,44 m (huit pieds) ou plus,

(xiv) émotteurs d'une largeur utile de 2,44 m (huit pieds) ou plus,

(xv) houes rotatives d'une largeur utile de 2,44 m (huit pieds) ou plus;

d) semoirs et planteuses :

(i) semoirs pneumatiques,

(ii) semoirs en lignes ou à céréales d'une largeur utile de 2,44 m (huit pieds) ou plus,

(iii) semoirs et planteuses portés pour cultures sarclées (modèles agricoles), conçus pour l'ensemencement simultané de deux rangées ou plus;

e) matériel de fenaison :

(i) faucheuses-conditionneuses,

(ii) ramasseuses-presse,

(iii) cubeuses,

(iv) lanceurs, manutentionneurs ou transporteurs de balles,

(v) râteaux à foin,

(vi) faneuses,

(vii) conditionneurs de fourrage, éclateurs de fourrage à rouleaux lisses, éclateurs de fourrage à rouleaux crénelés,

(viii) tourne-andains;

(ix) emballeuses de balles cylindriques et ensacheuses;

f) matériel de traitement du grain :

(i) cellules ou compartiments à grain d'une capacité d'au plus 181 m^3 (5 000 boisseaux),

(ii) convoyeurs transportables munis de courroies d'une largeur de moins de 76,2 cm (30 pouces) et d'une épaisseur de moins de 0,48 cm (3/16 pouce), vis à grain transportables pour fermes, vis sans fin tout usage transportables et élévateurs transportables,

(iii) dispositifs de balayage de trémie ou nettoyeurs de trémie conçus pour être fixés sur les vis à grain mobiles,

(iv) transporteurs pneumatiques pour le grain, montés sur tracteur agricole,

(v) moulins à provende (modèles agricoles), y compris les moulins à cylindres ou à marteaux,

(vi) mélangeurs (modèles agricoles),

(vii) broyeurs-mélangeurs (modèles agricoles),

(viii) broyeurs (modèles agricoles),

(ix) mélangeurs d'ensilage,

(x) torréfacteurs à grain (modèles agricoles), utilisés dans la préparation d'aliments pour le bétail,

(xi) chariots à aliments ou à ensilage automoteurs;

(xii) séchoirs à grains;

g) divers :

(i) cuves de refroidissement du lait en vrac (modèles agricoles),

(ii) érocheurs,

(iii) souffleuses de fourrage,

(iv) désileuses,

(iv.1) charrettes ou remorques pour fermes, automotrices, montées sur tracteur ou tractées et conçues, à la fois :

(A) pour la manutention et le transport hors route de grain, de fourrage, d'aliments pour le bétail ou d'engrais,

(B) pour être utilisées à une vitesse maximale de 40 km à l'heure,

(iv.2) déchiqueteuses d'une largeur utile de 3,66 m (12 pieds) ou plus,

(v) système de traite assemblés et entièrement opérationnels, constitués d'un groupe de réception, d'une pompe à vide, de pulsateurs et de matériel connexe,

(vi) composants d'un système de traite constitué d'un groupe de réception, d'une pompe à vide, de pulsateurs et de matériel connexe, fournis ensemble mais non assemblés et qui, une fois assemblés, forment un système de traite entièrement opérationnel,

(vi.1) systèmes d'alimentation automatiques informatisés pour bétail ou volaille, assemblés et entièrement opérationnels,

(vi.2) composants d'un système d'alimentation automatique informatisé pour bétail ou volaille, fournis ensemble mais non assemblés et qui, une fois assemblés, forment un système d'alimentation entièrement opérationnel,

(vii) râteaux à pierres ou râteaux débroussailleurs et andaineuses à pierres ou à débris,

(viii) vaporisateurs agricoles tractés, automoteurs ou montés sur tracteur ou sur cultivateur, d'une capacité minimale de citerne de 300 L (66 gallons),

(viii.1) distributeurs d'engrais granulé et épandeurs à produits antiparasitaires (modèles agricoles) d'une capacité minimale de 0,2265 m^3 (huit pieds cubes),

(ix) épandeurs à caisse, à cuve ou à fléau pour fumier ou purin,

(x) systèmes d'injection pour épandeurs à purin,

(xi) mégachiles.

Notes historiques: Le sous-alinéa 1(1)b)(vii) de l'annexe a été remplacé par C.P. 2000-211 [DORS/2000-68], 24 février 2000, par. 2(1) et cette modification est réputée être entrée en vigueur le 31 décembre 1990. Antérieurement, il se lisait comme suit :

(vii) récolteuses de fruits ou de légumes automotrices ou montées sur tracteur;

Le sous-alinéa 1(1)c)(vi.1) de l'annexe a été ajouté par C.P. 2000-211 [DORS/2000-68], 24 février 2000, par. 2(2) et s'applique aux fournitures de biens livrés aux acquéreurs après le 10 juin 1993.

Le sous-alinéa 1(1)c)(xiii.1) de l'annexe a été ajouté par C.P. 2000-211 [DORS/2000-68], 24 février 2000, par. 2(3) et est réputé être entré en vigueur le 31 décembre 1990.

Le sous-alinéa 1(1)c)(xiv) de l'annexe a été remplacé par C.P. 2000-211 [DORS/2000-68], 24 février 2000, par. 2(4) et cette modification s'applique aux fournitures de biens dont la contrepartie, même partielle, devient due après le 23 avril 1996 ou est payée après cette date sans qu'elle soit devenue due. Antérieurement, il se lisait ainsi :

(xiv) rouleaux-émotteurs d'une largeur utile de 2,44 m (huit pieds) ou plus,

Le sous-alinéa 1(1)d)(iii) de l'annexe a été modifié par C.P. 1994-843 [DORS/94-368], 26 mai 1994, art. 16. Il se lisait auparavant comme suit :

(iii) semoirs et planteuses portées pour cultures sarclées (modèles agricoles), conçus pour l'ensemencement simultané de deux rangées ou plus;

Le sous-alinéa 1(1)e)(ix) de l'annexe a été ajouté par C.P. 2000-211 [DORS/2000-68], 24 février 2000, par. 2(5) et s'applique aux fournitures de biens livrés à des acquéreurs après le 10 juin 1993.

Le sous-alinéa 1(1)f)(ii) de l'annexe a été remplacé par C.P. 2000-211 [DORS/2000-68], 24 février 2000, par. 2(6) et cette modification s'applique aux fournitures de biens dont la contrepartie, même partielle, devient due après le 23 avril 1996 ou est payée après cette date sans qu'elle soit devenue due. Antérieurement, il se lisait ainsi :

(ii) vis à grain transportables et vis sans fin tout usage transportables, pour fermes,

Le sous-alinéa 1(1)f)(xii) de l'annexe a été ajouté par C.P. 2000-211 [DORS/2000-68], 24 février 2000, par. 2(7) et s'applique aux fournitures de biens livrés aux acquéreurs après le 10 juin 1993.

Les sous-alinéas 1(1)g)(iv.1) et (iv.2) de l'annexe ont été ajoutés par C.P. 2000-211 [DORS/2000-68], 24 février 2000, par. 2(8) et s'appliquent aux fournitures de biens dont la contrepartie, même partielle, devient due après le 23 avril 1996 ou est payée après cette date sans qu'elle soit devenue due.

Les sous-alinéas 1(1)g)(vi.1) et (vi.2) de l'annexe ont été ajoutés par C.P. 2000-211 [DORS/2000-68], 24 février 2000, par. 2(9) et s'appliquent aux fournitures de biens dont la contrepartie, même partielle, devient due après le 23 avril 1996 ou est payée après cette date sans qu'elle soit devenue due.

Le sous-alinéa 1(1)g)(vii) de l'annexe a été remplacé par C.P. 2000-211 [DORS/2000-68], 24 février 2000, par. 2(10) et cette modification est réputée être entrée en vigueur le 31 décembre 1990. Antérieurement, il se lisait ainsi :

(vii) râteaux à pierres et andaineuses à pierres et à débris,

Le sous-alinéa 1(1)g)(viii) de l'annexe a été remplacé par C.P. 2000-211 [DORS/2000-68], 24 février 2000, par. 2(11) et cette modification s'applique aux fournitures de biens livrés aux acquéreurs après le 10 juin 1993. Toutefois, avant la date de la publication du présent règlement dans la Gazette du Canada, il ne sera pas tenu compte du passage « ou sur cultivateur » au sous-alinéa 1(1)g)(viii) de l'annexe. Antérieurement, il se lisait ainsi :

(viii) vaporisateurs ou poudreuses agricoles automoteurs, montés sur tracteur ou tractés, d'une capacité minimale de 300 l (66 gallons),

Le sous-alinéa 1(1)g)(viii.1) de l'annexe a été ajouté par C.P. 2000-211 [DORS/2000-68], 24 février 2000, par. 2(11) et s'applique aux fournitures de biens livrés aux acquéreurs après le 10 juin 1993.

Le sous-alinéa 1(1)g)(xi) de l'annexe a été ajouté par C.P. 2000-211 [DORS/2000-68], 24 février 2000, par. 2(12) et s'applique aux fournitures de biens livrés aux acquéreurs après le 10 juin 1993.

(2) Aliments vendus en vrac en quantité d'au moins 20 kg (44 livres) ou vendus en sacs contenant au moins 20 kg (44 livres), et qui, à la fois :

a) constituent un aliment complet, un supplément, un macro-prémélange, un micro-prémélange ou un aliment minéral, sauf un complément d'oligo-éléments et de sel, tous ces termes s'entendant au sens du *Règlement de 1983 sur les aliments du bétail*;

b) sont étiquetés conformément à ce règlement;

c) sont conçus :

(i) soit pour une seule espèce ou catégorie de bétail, de poissons ou de volaille qui sont habituellement élevés ou gardés pour servir à la consommation humaine, pour produire des aliments destinés à la consommation humaine ou pour produire de la laine,

(ii) soit pour les lapins.

Notes historiques: L'alinéa 1(2)a) de l'annexe a été remplacé par C.P. 2000-211 [DORS/2000-68], 24 février 2000, par. 2(14) et cette modification s'applique aux fournitures de biens livrées aux acquéreurs après le 10 juin 1993. Antérieurement, il se lisait ainsi :

a) constituent un aliment complet, un supplément, un macro-prémélange ou un micro-prémélange, tous ces termes s'entendant au sens du *Règlement de 1983 sur les aliments du bétail*;

L'alinéa 1(2)a) de l'annexe a été remplacé par C.P. 2000-211 [DORS/2000-68], 24 février 2000, par. 2(13) et cette modification est réputée être entrée en vigueur le 31 décembre 1990. Antérieurement, il se lisait ainsi :

a) constituent un aliment complet, un complément, un macro-prémélange ou un micro-prémélange, toutes ces expressions s'entendant au sens du *Règlement sur les aliments du bétail*;

L'alinéa 1(2)b) de l'annexe a été remplacé par C.P. 2000-211 [DORS/2000-68], 24 février 2000, par. 2(13) et cette modification est réputée être entrée en vigueur le 31 décembre 1990. Antérieurement, il se lisait ainsi :

b) sont étiquetés conformément au *Règlement sur les aliments du bétail*;

L'alinéa 1(2)c) de l'annexe a été remplacé par C.P. 2000-211 [DORS/2000-68], 24 février 2000, par. 2(15) et cette modification est réputée être entrée en vigueur le 31 décembre 1990. Toutefois, en ce qui concerne les fournitures d'aliments du bétail livrés à des acquéreurs avant le 11 décembre 1992, cet alinéa doit se lire comme suit :

c) sont conçus pour une seule espèce ou catégorie de bétail (sauf les lapins), de poissons ou de volaille qui sont habituellement élevés ou gardés pour servir à la consommation humaine, pour produire des aliments destinés à la consommation humaine ou pour produire de la laine.

Antérieurement, il se lisait ainsi :

c) sont conçus pour une espèce ou catégorie donnée de bétail, de poissons ou de volaille qui sont habituellement élevés ou gardés pour produire des aliments pour la consommation humaine ou destinés à la consommation humaine ou pour produire de la laine.

(2.1) Aliments, vendus en vrac en quantité d'au moins 20 kg (44 livres) ou vendus en sacs contenant au moins 20 kg (44 livres), qui sont conçus pour les autruches, les nandous, les émeus ou les abeilles.

Notes historiques: Le paragraphe 1(2.1) de l'annexe a été ajouté par C.P. 2000-211 [DORS/2000-68], 24 février 2000, par. 2(16) et s'applique aux fournitures de biens dont la contrepartie, même partielle, devient due après le 23 avril 1996 ou est payée après cette date sans qu'elle soit devenue due.

(3) Sous-produits de l'industrie alimentaire et produits d'origine végétale ou animale, vendus en vrac en quantité d'au moins 20 kg (44 livres) ou vendus en sacs contenant au moins 20 kg (44 livres), qui servent habituellement d'aliments pour le bétail, les poissons ou la volaille visés au sous-alinéa (2)c)(i) ou pour les lapins, les autruches, les nandous, les émeus ou les abeilles, ou qui sont des ingrédients de tels aliments.

Notes historiques: Le paragraphe 1(3) de l'annexe a été remplacé par C.P. 2000-211 [DORS/2000-68], 24 février 2000, par. 2(17) et cette modification est réputée être entré en vigueur le 31 décembre 1990. Toutefois :

a) en ce qui concerne les fournitures de sous-produits, et de produits d'origine végétale ou animale, livrés aux acquéreurs avant le 11 décembre 1992, le paragraphe 1(3) de l'annexe est remplacé par ce qui suit :

(3) Sous-produits de l'industrie alimentaire et produits d'origine végétale ou animale, vendus en vrac en quantité d'au moins 20 kg (44 livres) ou vendus en sacs contenant au moins 20 kg (44 livres), qui servent habituellement d'aliments pour le bétail, les poissons ou la volaille visés à l'alinéa (2)c), ou qui sont des ingrédients de tels aliments.

b) en ce qui concerne les fournitures de sous-produits, et de produits d'origine végétale ou animale, livrés aux acquéreurs après le 10 décembre 1992, dont la contrepartie est devenue due ou a été payée le 23 avril 1996 ou antérieurement, le paragraphe 1(3) de l'annexe est remplacé par ce qui suit :

(3) Sous-produits de l'industrie alimentaire et produits d'origine végétale ou animale, vendus en vrac en quantité d'au moins 20 kg (44 livres) ou vendus en sacs contenant au moins 20 kg (44 livres), qui servent habituellement d'aliments pour le bétail, les poissons ou la volaille visés au sous-alinéa (2) c)(i) ou pour les lapins, ou qui sont des ingrédients de tels aliments.

Antérieurement, il se lisait ainsi :

(3) Sous-produits de l'industrie alimentaire et produits d'origine végétale ou animale qui servent habituellement d'aliments pour le bétail ou la volaille visés à l'alinéa (2)c) ou qui sont des ingrédients de tels aliments, vendus en vrac en quantité d'au moins 20 kg (44 livres) ou vendus en sacs contenant au moins 20 kg (44 livres).

(4) Produits antiparasitaires étiquetés en conformité avec le *Règlement sur les produits antiparasitaires* comme produits d'une classe autre que « domestique » servant, entre autres, à un usage agricole.

Notes historiques: Le paragraphe 1(4) de l'annexe a été remplacé par C.P. 2000-211 [DORS/2000-68], 24 février 2000, par. 2(18) et cette modification s'applique aux fournitures de produits antiparasitaires livrés aux acquéreurs après le 10 mars 1992. Antérieurement, il se lisait ainsi :

(4) Produits antiparasitaires étiquetés en conformité avec le *Règlement sur les produits antiparasitaires* comme produits d'une classe autre que « domestique » servant, entre autres, à un usage agricole, s'ils sont fournis à une personne et si le total de la contrepartie des produits, apparaissant sur une même facture, qui est payée ou payable par la personne est d'au moins 500 $.

(5) Quota autorisé par un organisme gouvernemental ou un office de commercialisation relativement à des produits agricoles dont la fourniture est incluse à l'article 1 de la partie III ou aux articles 1, 2, 3, 4 ou 7 de la partie IV de l'annexe VI de la *Loi sur la taxe d'accise*.

2. Biens liés à la pêche :

(1) Tout bateau de pêche fourni à une personne par vente au Canada, ou par vente à l'étranger et importé par la personne, en vue d'être utilisé par elle pour la pêche commerciale, dans le cas où les renseignements suivants sont donnés, s'il s'agit d'une fourniture au Canada, au fournisseur au moment de la vente ou, s'il s'agit d'une importation, au bureau de douane où le bateau est dédouané au moment de la déclaration en détail ou de la déclaration provisoire dont le bateau fait l'objet en conformité avec l'article 32 de la *Loi sur les douanes* :

a) le numéro d'inscription attribué à la personne aux termes de l'article 241 de la *Loi sur la taxe d'accise*;

b) une déclaration signée par la personne indiquant qu'elle a l'intention d'utiliser le bateau pour la pêche commerciale;

c) le numéro d'un permis de pêche commerciale de la personne, comme suit :

(i) s'il s'agit de pêche commerciale sur la côte du Pacifique du Canada, un permis délivré par le ministère des Pêches et des Océans soit à la personne, soit relativement au bateau, à l'exclusion d'un permis des catégories D, P ou Z,

(ii) s'il s'agit de pêche commerciale sur la côte atlantique du Canada, un permis délivré à la personne par le ministère des Pêches et des Océans, à l'exclusion d'un permis pour la récolte de plantes marines ou la pêche de moules, d'huîtres, de requins, d'éperlans ou de calmars,

(iii) s'il s'agit de pêche en eau douce, un permis de pêche commerciale délivré à la personne par un gouvernement provincial,

(iv) s'il s'agit de pêche commerciale au Yukon, aux Territoires du Nord-Ouest ou au Nunavut, un permis de pêche commerciale délivré à la personne par le ministère des Pêches et des Océans;

d) s'il s'agit de pêche commerciale sur la côte atlantique du Canada, le numéro indiqué sur le certificat d'immatriculation du bateau délivré par le ministère des Pêches et des Océans.

Notes historiques: Le préambule et le sous-alinéa c)(ii) du paragraphe 2(1) de l'annexe ont été modifiés par C.P. 1994-843 [DORS/94-368], 26 mai 1994, art. 17(1).

Le préambule du paragraphe 2(1) se lisait auparavant comme suit :

2. (1) Tout bateau de pêche fourni à une personne par vente au Canada, ou par vente à l'étranger et importé par la personne, en vue d'être utilisé par elle pour la pêche commerciale, dans le cas où les renseignements suivants sont donnés, s'il s'agit d'une fourniture au Canada, au fournisseur au moment de la vente ou, s'il s'agit d'une importation, au bureau de douane où le bateau est dédouané au moment de la déclaration en détail dont le bateau fait l'objet en conformité avec l'article 32 de la *Loi sur les douanes* :

Le sous-alinéa c)(ii) du paragraphe 2(1) se lisait auparavant comme suit :

(ii) s'il s'agit de pêche commerciale sur la côte Atlantique du Canada, un permis délivré à la personne par le ministère des Pêches et des Océans, à l'exclusion d'un permis pour la récolte de plantes marines ou la pêche de moules, d'huîtres, de requins, d'éperlans ou de calmars,

Le sous-alinéa 2(1)c)(ii) de l'annexe a été modifié par C.P. 1994-843 [DORS/94-368], 26 mai 1994, art. 17(2).

Le sous-alinéa 2(1)c)(iv) a été remplacé par C.P. 2012-1127 [DORS/2012-191], 20 septembre 2012, art. 12 et cette modification est réputée être entrée en vigueur le 1er avril 1999. Antérieurement, il se lisait ainsi :

(iv) s'il s'agit de pêche commerciale dans le Yukon ou les Territoires du Nord-Ouest, un permis de pêche commerciale délivré à la personne par le ministère des Pêches et des Océans;

(2) Filets de pêche et engins connexes :

a) filets maillants et pièces accessoires : nappes, ralingues de plomb, lignes de flotteurs et flotteurs;

b) sennes et pièces accessoires : nappes, ralingues de plomb, lignes de flotteurs et flotteurs;

c) chaluts et pièces accessoires : nappes, ralingues de plomb et lignes de flotteurs;

d) tambours pour filets maillants, sennes, chaluts et palangres;

e) nappes pour la prise au piège et nappes pour prédateurs;

f) panneaux de chalut.

(3) Autres engins :

a) boëtteurs automatiques;

b) turluttes automatiques;

c) appareils mécaniques à laver les filets;

d) nourrisseurs automatiques pour enclos à filets;

e) enclos à filets de fabrication commerciale destinés à l'aquaculture;

f) élévateurs de poissons.

[C.P. 2012-1127 [DORS/2012-191], 20 septembre 2012, art. 12]

RÈG. CAN. RÈGLEMENT SUR LES BIENS MEUBLES CORPORELS DÉSIGNÉS (TPS/TVH)

Règlement fixant le montant applicable aux biens meubles corporels désignés

DORS/91-20 [C.P. 1990-2729], 18 décembre 1990, tel que modifié par C.P. 1994-843 [DORS/94-368], 26 mai 1994; C.P. 1999-622 [DORS/99-172], 15 avril 1999.

Sur avis conforme du ministre des Finances et en vertu du paragraphe 277(1) de la *Loi sur la taxe d'accise*, il plaît à Son Excellence le Gouverneur général en conseil de prendre le *Règlement fixant le montant et le pourcentage de la taxe applicables aux biens meubles corporels désignés*, ci-après.

Notes historiques: Le titre intégral a été remplacé par C.P. 1999-622 [DORS/99-172], 15 avril 1999, art. 1 et cette modification s'applique après le 23 avril 1996. Auparavant, ce titre intégral se lisait « *Règlement fixant le montant et le pourcentage de la taxe applicables aux biens meubles corporels désignés* ».

1. Titre abrégé — *Règlement sur les biens meubles corporels désignés (TPS/TVH).*

Notes historiques: L'article 1 a été remplacé par C.P. 1999-622 [DORS/99-172], 15 avril 1999, art. 2. Cette modification est réputée entrée en vigueur le 1er avril 1997. Auparavant, cet article se lisait comme suit :

> 1. Titre abrégé — *Règlement sur les biens meubles corporels désignés (TPS).*

2. Montant — Pour l'application des articles 183 et 184 de la *Loi sur la taxe d'accise*, le montant relatif aux biens meubles corporels désignés est le suivant :

a) dans le cas d'estampes, de gravures, de dessins, de tableaux, de sculptures ou d'autres œuvres d'art de même nature, 2 000 $;

b) dans le cas de bijoux, 2 000 $;

c) dans le cas d'in-folio rares, de manuscrits rares ou de livres rares, 2 000 $;

d) dans le cas de timbres, leur valeur nominale;

e) dans le cas de pièces de monnaie, zéro.

Notes historiques: Le préambule de l'article 2 a été remplacé par C.P. 1999-622 [DORS/99-172], 15 avril 1999, art. 3. Cette modification s'applique après le 23 avril 1996. Auparavant, ce préambule se lisait comme suit :

> 2. Pour l'application de l'article 176 et de l'alinéa 252(1)a) de la *Loi sur la taxe d'accise*, le montant relatif aux biens meubles corporels désignés est le suivant :

Auparavant, le préambule de l'article 2 a été modifié par C.P. 1994-843 [DORS/94-368], 26 mai 1994, art. 6 et est réputé entré en vigueur le 31 décembre 1990. Il se lisait comme suit :

> 2. Pour l'application des paragraphes 176(2), (5) et (6) et de l'alinéa 252(1)a) de la *Loi sur la taxe d'accise*, le montant relatif aux biens meubles corporels désignés est le suivant :

3. [*Abrogé*].

Notes historiques: L'article 3 a été abrogé par C.P. 1999-622 [DORS/99-172], 15 avril 1999, art. 4. Cette abrogation s'applique après le 23 avril 1996. Auparavant, cet article se lisait comme suit :

> 3. Pourcentage de la taxe — Pour l'application de l'article 176 de la *Loi sur la taxe d'accise*, le pourcentage de la taxe qu'un inscrit a été tenu de payer ou aurait été tenu de payer est le suivant :
>
> a) si l'inscrit a acquis le bien d'une personne avec laquelle il avait un lien de dépendance au moment de l'acquisition, 100 %;
>
> b) sinon, 90 %.

Le préambule de l'article 3 a été modifié par C.P. 1994-843 [DORS/94-368], 26 mai 1994, art. 7 et est réputé entré en vigueur le 31 décembre 1990. Il se lisait auparavant comme suit :

> 3. Pour l'application de la division 176(2)b)(ii)(C) de cette loi, le pourcentage de la taxe qu'un inscrit a été tenu de payer ou aurait été tenu de payer est le suivant :

RÈG. CAN. RÈGLEMENT SUR LES COENTREPRISES (TPS/TVH)

Règlement visant des activités de coentreprise

DORS/91-36 [C.P. 1990-2745], 18 décembre 1990, tel que modifié par DORS/2006-162 [C.P. 2006-586], 23 juin 2006; DORS/2011-263 [C.P. 2011-56], 3 mars 2011.

Sur avis conforme du ministre des Finances et en vertu du paragraphe 277(1) de la *Loi sur la taxe d'accise*, il plaît à Son Excellence le Gouverneur général en conseil de prendre le *Règlement visant des activités de coentreprise*, ci-après.

Notes historiques: Le titre du *Règlement sur les coentreprises (TPS)* a été remplacé par C.P. 2006-586 [DORS/2006-162], 23 juin 2006, art. 2 par « *Règlement sur les coentreprises (TPS/TVH)* » et cette modification est entrée en vigueur le 12 juillet 2006.

1. [*Abrogé*].

Notes historiques: L'article 1 et son intertitre ont été abrogés par C.P. 2006-586 [DORS/2006-162], 23 juin 2006, art. 3 et cette abrogation est entrée en vigueur le 12 juillet 2006. Antérieurement, ils se lisaient comme suit :

1. Titre abrégé — *Règlement sur les coentreprises (TPS)*.

2. Définition — La définition qui suit s'applique au présent règlement.

« Loi » La *Loi sur la taxe d'accise*.

3. (1) Activités — Sous réserve du paragraphe (2), les activités suivantes sont visées pour l'application du paragraphe 273(1) de la Loi :

a) la construction d'un immeuble, y compris la tenue d'études de faisabilité, le tracé des plans, les activités d'aménagement et les appels d'offres entrepris dans le cadre d'une coentreprise portant sur la construction d'un immeuble;

b) l'exercice des droits ou privilèges, ou l'acquittement des obligations, liés à la propriété d'un droit sur un immeuble, y compris sa construction et les activités d'aménagement connexes, dans le but d'en tirer un revenu par vente ou aux termes d'un bail, d'une licence ou d'un accord semblable;

c) la commercialisation par l'entrepreneur d'une coentreprise, aux termes d'une convention qu'il a conclue avec le cœntrepreneur, de tout ou partie de la part de celui-ci sur la production de la coentreprise, à condition que la production provienne d'une activité exercée aux termes de la convention visée au paragraphe 273(1) de la Loi;

d) le transport de liquides de gaz naturel au moyen d'un pipeline qui est exploité à titre de transporteur public de tels liquides;

e) l'exploitation d'une installation qui sert à produire de l'électricité;

f) l'exploitation d'une ligne de transmission qui sert à transmettre de l'énergie électrique;

g) la transformation de la production (appelée « raffinage » au présent alinéa) provenant de l'exploration ou de l'exploitation d'une ressource forestière, y compris toute activité conjointe d'exploration ou d'exploitation dont la production est transformée aux termes de la convention mentionnée au paragraphe 273(1) de la Loi relativement au raffinage et à la commercialisation de la production transformée ou non transformée provenant de cette activité;

h) la production d'un fertilisant et sa commercialisation;

i) l'élimination des déchets, y compris la collecte et le transport de déchets en vue de leur élimination;

j) l'exercice de droits ou de privilèges, ou l'exécution de fonctions ou d'obligations, liés à la propriété d'un droit sur un animal dans le but de tirer un revenu d'un prix, de frais de saillie ou de vente;

k) l'entretien d'une route, sauf si l'entretien constitue une fourniture exonérée;

l) l'exploitation et l'entretien du Système d'alerte du Nord;

m) l'exploitation d'une entreprise agricole au sens de la *Loi de l'impôt sur le revenu*;

n) la production de méthanol liquide à partir du gaz naturel;

o) la production et l'enregistrement de données sismiques;

p) l'exploitation d'une installation de traitement de bois d'œuvre, de contreplaqué, de bardeaux, de pulpe ou de papier ou d'une installation semblable de traitement du bois.

Notes historiques: Les alinéas c), d), e), f), g) et h) du paragraphe 3(1) ont été ajoutés par C.P. 2011-263 [DORS/2011-56], 3 mars 2011, par. 17(1) et sont réputés être entrés en vigueur le 1er janvier 1991.

Les alinéas i), j), k), l), m) et n) du paragraphe 3(1) ont été ajoutés par C.P. 2011-263 [DORS/2011-56], 3 mars 2011 par. 17(2), et sont réputés être entrés en vigueur le 1er juin 1991.

Les alinéas o) et p) du paragraphe 3(1) ont été ajoutés par C.P. 2011-263 [DORS/2011-56], 3 mars 2011 par. 17(3), et sont réputés être entrés en vigueur le 1er septembre 1991.

(2) Exception — Les activités visées à l'alinéa (1)b) qui sont des entreprises dans le cadre d'une coentreprise portant sur un immeuble autre qu'un immeuble d'habitation ne sont pas visées pour l'application du paragraphe 273(1) de la Loi si une personne — participant à la coentreprise ou liée ou associée à un tel participant — utilise tout ou partie de l'immeuble autrement qu'exclusivement dans le cadre d'une activité commerciale et si la personne :

a) soit n'est pas l'acquéreur de la fourniture taxable d'un droit qui lui permet d'utiliser ainsi l'immeuble, de l'occuper ou de le posséder;

b) soit, étant l'acquéreur de la fourniture taxable visée à l'alinéa a), ne paie pas la taxe sur la fourniture ou paie cette taxe calculée sur une contrepartie inférieure à la juste valeur marchande de l'utilisation, de l'occupation ou de la possession.

RÈG. CAN. RÈGLEMENT SUR LA COMMUNICATION DE RENSEIGNEMENTS (PARTIE IX DE LA LOI SUR LA TAXE D'ACCISE) [ABROGÉ]

Règlement fixant les conditions auxquelles est soumise la communication à des gouvernements des renseignements et énoncés obtenus en vertu de la partie IX de la *Loi sur la taxe d'accise* et établissant les catégories de personnes pouvant avoir accès aux renseignements et documents obtenus pour l'application de cette partie

DORS/91-46 [C.P. 1990-2756], 18 décembre 1990, tel que modifié par C.P. 1992-2346 [DORS/92-686], 19 novembre 1992; C.P. 2002-1262 [DORS/2002-277], 17 juillet 2002.

1–4 [*Abrogés*].

Notes historiques: Ce règlement a été abrogé par C.P. 2002-1262 [DORS/2002-277], 17 juillet 2002, art. 16 et cette abrogation est réputée être entrée en vigueur le 17 juillet 2002. Antérieurement, ce règlement se lisait ainsi :

1. Titre abrégé — *Règlement sur la communication de renseignements (partie IX de la Loi sur la taxe d'accise).*

2. Définitions — La définition qui suit s'applique au présent règlement.

« Loi » La *Loi sur la taxe d'accise.*

3. (1) Conditions — Pour l'application de l'alinéa 295(5)b) de la Loi, un fonctionnaire ou une personne autorisée peut communiquer ou permettre que soit communiqué un renseignement obtenu en vertu de la partie IX de la Loi, ou permettre l'examen de tout énoncé écrit obtenu selon cette partie, ou en permettre l'accès, au gouvernement d'une province ou à un de ses agents, fonctionnaires ou préposés, lorsque ce gouvernement s'engage :

a) d'une part, à ne pas fournir ni communiquer ni permettre que soient fournis ou communiqués le renseignement ou l'énoncé en cause ou les renseignements recueillis à l'examen de l'énoncé à une personne autre qu'un agent, un fonctionnaire ou un préposé chargé de l'application, de l'exécution ou de la préparation pour mise en application de lois qui imposent un droit, un impôt ou une taxe, qui est au service :

(i) soit de ce gouvernement,

(ii) soit du gouvernement du Canada,

(iii) soit du gouvernement d'une autre province qui communique ou livre au ministre, selon une formule d'échange réciproque, des renseignements ou des énoncés écrits obtenus par ce gouvernement pour l'application d'une loi imposant une taxe de vente ou une taxe semblable à celle imposée par la partie IX de la Loi;

b) d'autre part, à ne pas utiliser les renseignements à des fins autres que l'application, l'exécution ou la préparation pour mise en application de lois qui imposent un droit, un impôt ou une taxe.

(2) Pour l'application de l'alinéa 295(5)b) de la Loi, un fonctionnaire ou une personne autorisée peut communiquer ou permettre que soit communiqué un renseignement obtenu en vertu de la partie IX de la Loi, ou permettre l'examen de tout énoncé écrit obtenu selon cette partie, ou en permettre l'accès, au gouvernement d'un État étranger ou d'une subdivision politique d'un tel État ou à un de ses agents, fonctionnaires ou préposés, lorsque ce gouvernement s'engage :

a) d'une part, à ne pas fournir ni communiquer ni permettre que soient fournis ou communiqués le renseignement ou l'énoncé en cause ou les renseignements recueillis à l'examen de l'énoncé à une personne autre qu'un agent, un fonctionnaire ou un préposé de ce gouvernement;

b) d'autre part, à ne pas utiliser les renseignements à des fins autres que l'application ou l'exécution de lois qui imposent une taxe de vente ou une taxe semblable à celle imposée par la partie IX de la Loi.

4. Pour l'application de l'alinéa 295(5)c) de la Loi, sont établies les catégories de personnes suivantes :

a) les membres de la Gendarmerie royale du Canada;

b) les membres de tout service de police établi en vertu d'une loi provinciale portant sur les municipalités ou la police;

c) les membres des organismes qui font partie du Service canadien de renseignements criminels;

d) les agents ou préposés du gouvernement d'un État étranger ou d'une subdivision politique d'un tel État qui sont chargés de l'application des lois portant sur l'importation ou l'exportation de produits ou de services.

L'article 3 avait auparavant été remplacé par C.P. 1992-2346 [DORS/92-686], 19 novembre 1992. Cet article se lisait antérieurement comme suit :

3. Pour l'application de l'alinéa 295(5)b) de la Loi, les conditions auxquelles est soumis le gouvernement d'une province, d'un État étranger ou d'une subdivision politique d'un tel État sont les suivantes :

a) le gouvernement ou son représentant s'engage à ne fournir ou communiquer ni permettre que soient fournis ou communiqués le renseignement ou l'énoncé en cause ou les renseignements recueillis à l'examen de l'énoncé à nul autre qu'un agent ou un préposé de ce gouvernement;

b) le gouvernement ou son représentant s'engage à ne pas utiliser les renseignements à des fins autres que l'application ou le contrôle d'application des lois qui imposent une taxe de vente ou une taxe semblable à la taxe imposée en vertu de la partie IX de la Loi.

RÈG. CAN. RÈGLEMENT CONCERNANT LA RÉDUCTION ET LA COMPENSATION DE LA TAXE (TPS/TVH)

DORS/91-49 [C.P. 1990-2759], 18 décembre 1990, tel que modifié par C.P. 1993-939 [DORS/93-242], 11 mai 1993; C.P. 2002-1262 [DORS/2002-277], 17 juillet 2002.

Sur recommandation du ministre du Revenu national et en vertu des paragraphes 228(7) et 277(1) de la *Loi sur la taxe d'accise*, il plaît à Son Excellence le Gouverneur général en conseil de prendre le *Règlement concernant la réduction et la compensation de la taxe par remboursement*, ci-après.

Notes historiques: Le titre intégral a été remplacé par C.P. 2002-1262 [DORS/2002-277], 17 juillet 2002, art. 17 et cette modification est réputée être entrée en vigueur le 17 juillet 2002. Antérieurement, il se lisait « *Règlement sur la compensation de la taxe par remboursement (TPS)* ».

1. [*Abrogé*].

Notes historiques: L'article 1 et l'intertitre le précédant ont été abrogés par C.P. 2002-1262 [DORS/2002-277], 17 juillet 2002, art. 18 et ces abrogations sont réputées être entrées en vigueur le 17 juillet 2002. Antérieurement, ils se lisaient « *Règlement concernant la réduction et la compensation de la taxe par remboursement* » et :

1. Titre abrégé — *Règlement sur la compensation de la taxe par remboursement (TPS)*.

2. Définitions — Les définitions qui suivent s'appliquent au présent règlement.

« avis » Avis d'un membre visé à l'alinéa 5d).

« coordinateur » Personne désignée à ce titre conformément à l'alinéa 5a).

« demande conjointe » Demande de l'ensemble des membres présentée conformément à l'alinéa 5b).

« Loi » La *Loi sur la taxe d'accise*.

« membre » Membre d'un groupe étroitement lié.

« nouvelle demande » Demande présentée conformément à l'alinéa 5h).

3. Application — Le présent règlement s'applique à la taxe devant être versée en application des paragraphes 228(2) ou (4) de la Loi.

4. Circonstances — Les circonstances visées au paragraphe 228(7) de la Loi sont les suivantes :

a) la personne pouvant réduire ou compenser la taxe qu'elle est tenue de verser et l'autre personne pouvant avoir droit à un remboursement prévu par la Loi sont des personnes morales;

b) les personnes morales visées à l'alinéa a) sont des membres.

5. Conditions — Les conditions visées au paragraphe 228(7) de la Loi sont les suivantes :

a) les membres ont désigné parmi eux le coordinateur qui présente en leur nom toutes les demandes conjointes, les nouvelles demandes, ou les renseignements exigés par le présent règlement et les déclarations présentées en vertu de la sous-section c de la section V de la Loi ou toute autre demande et les avis visant un remboursement en vertu de la Loi;

b) le coordinateur présente, selon la formule déterminée par le ministre, la demande conjointe de réduction ou compensation de la taxe qu'un membre est tenu de verser par tout ou partie du remboursement auquel un autre membre a droit en vertu de la Loi;

c) une copie de l'acte de désignation du coordinateur accompagne la demande conjointe;

d) le coordinateur présente pour la période de déclaration l'avis de tout membre réclamant que tout ou partie d'un remboursement auquel il a droit en vertu de la Loi soit appliqué en réduction ou en compensation de la taxe qu'un autre membre est tenu de verser;

e) le coordinateur a reçu une confirmation ministérielle de réception de la demande conjointe;

f) la période de déclaration des membres est la même;

g) aucun membre n'appartient à un autre groupe étroitement lié ayant présenté une demande conjointe ou une nouvelle demande et n'ayant pas présenté une notification en vertu de la division 6c)(ii)(C);

h) si une personne morale devient membre après la présentation d'une demande conjointe, le coordinateur présente, selon la formule déterminée par le ministre, une nouvelle demande afin de l'inclure pour l'application du présent règlement;

i) le coordinateur a reçu une confirmation ministérielle de réception de la nouvelle demande, le cas échéant;

j) sous réserve de l'alinéa k), le coordinateur présente conjointement, pour la période de déclaration, les déclarations des membres présentées en vertu de la sous-section c de la section V de la Loi et toute autre demande ou tout avis visant un remboursement en vertu de la Loi;

k) par suite d'une nouvelle demande, le coordinateur ne présente pas la déclaration, la demande de remboursement en vertu de la Loi ou l'avis du nouveau membre avant la réception de la confirmation ministérielle;

l) le coordinateur notifie le fait qu'une personne morale cesse d'être membre.

6. Règles — Les règles visées au paragraphe 228(7) de la Loi sont les suivantes :

a) une demande conjointe contient les renseignements qui permettent d'établir que chacune des personnes morales qui y est partie est un membre;

b) une nouvelle demande contient les renseignements qui permettent d'établir que la personne morale visée à l'alinéa 5h) est un membre;

c) la taxe qu'un membre est tenu de verser peut être réduite ou compensée du montant de tout ou partie du remboursement auquel un autre membre a droit en vertu de la Loi pour toute période de déclaration :

(i) durant ou après laquelle la réception d'une confirmation visée à l'alinéa 5e) ou à l'alinéa 5i) selon le cas, est reçue,

(ii) antérieure à toute période de déclaration où :

(A) une personne morale cesse d'être un membre,

(B) un membre ne se conforme pas à la Loi ou au présent règlement,

(C) le coordinateur notifie que les membres n'ont plus l'intention de réduire ou compenser entre eux les taxes par des remboursements prévus par la Loi;

d) un avis présenté au nom d'un membre n'est mis en application que si, selon le cas :

(i) le membre n'a aucune taxe à verser,

Règlements

(ii) avant de mettre en application cet avis, la taxe qu'un membre est tenu de verser est réduite ou compensée en application du paragraphe 228(6) de la Loi du montant de tout remboursement auquel il a droit en vertu de la Loi;

e) le coordinateur présente :

(i) les demandes conjointes et les nouvelles demandes au bureau régional ou au bureau de district de l'accise où il est inscrit,

(ii) au ministre au Centre de traitement de l'accise, pour chaque période de déclaration, les déclarations, les demandes ou les avis visant un remboursement en vertu de la Loi ainsi qu'un relevé indiquant :

(A) le montant de la taxe qu'est tenu de verser chaque membre,

(B) le montant du remboursement auquel chaque membre a droit en vertu de la Loi,

(iii) au ministre au Centre de traitement de l'accise, concurremment avec les documents prévus au sous-alinéa (ii), une liste indiquant pour chaque période de déclaration :

(A) la dénomination de chacun des membres ayant droit à un remboursement en vertu de la Loi, ainsi que le contenu de l'avis émanant de lui,

(B) la dénomination de chacun des membres qui peut réduire ou compenser la taxe devant être versée du montant de tout ou partie d'un remboursement, conformément à un avis, ainsi que le montant de la réduction ou de la compensation,

(C) l'ordre dans lequel les remboursements doivent être appliqués en réduction ou compensation de la taxe conformément à un avis visant la réduction ou la compensation de la taxe de plus d'un membre;

f) le coordinateur verse, pour la période de déclaration, le montant de la taxe que chaque membre est tenu de verser et, lors d'une réduction ou d'une compensation de la taxe qu'un membre est tenu de verser conformément à un avis, le montant du reliquat de cette taxe.

Notes historiques: La division 6e)(ii)(B) a été modifiée par C.P. 1993-939 [DORS/93-242], 11 mai 1993 afin de remplacer les mots « un membre » par « chaque membre ».

Les divisions 6e)(iii)(A) et (B) ont été abrogées et remplacées par C.P. 1993-939 [DORS/93-242], 11 mai 1993 et se lisait antérieurement comme suit :

(A) la dénomination des membres ayant droit à un remboursement en vertu de la Loi, ainsi que le contenu de l'avis émanant de chacun d'eux,

(B) la dénomination des membres qui peuvent réduire ou compenser la taxe devant être versée, du montant de tout ou partie d'un remboursement, conformément à un avis, ainsi que le montant de la réduction ou de la compensation,

L'alinéa 6f) a été abrogé et remplacé par C.P. 1993-939 [DORS/93-242], 11 mai 1993 et se lisait antérieurement comme suit :

f) le coordinateur verse, pour la période de déclaration, le montant de la taxe qu'un membre est tenu de verser et lors d'une réduction ou d'une compensation de la taxe qu'un membre est tenu de verser conformément à un avis, le montant du reliquat de cette taxe.

Règ. Can. Règlement sur la comptabilité abrégée (TPS/TVH)

Règlement sur la comptabilité abrégée (TPS/TVH)

DORS/91-51 [C.P. 1990-2748], 18 décembre 1990, tel que modifié par C.P. 1993-939 [DORS/93-242], 11 mai 1993; C.P. 1999-1644 [DORS/99-368], 29 septembre 1999; C.P. 2002-1256 [DORS/2002-272], 17 juillet 2002; C.P. 2006-586 [DORS/2006-162], 23 juin 2006; C.P. 2007-1350 [DORS/2007-203], 18 septembre 2007; C.P. 2011-263 [DORS/2011-56], 3 mars 2011; C.P. 2012-1127 [DORS/2012-191], 20 septembre 2012.

Sur avis conforme du ministre des Finances et en vertu du paragraphe 277(1) de la *Loi sur la taxe d'accise*, il plaît à Son Excellence le Gouverneur général en conseil de prendre le *Règlement prévoyant les méthodes de comptabilité abrégée et d'autres éléments pour l'application de l'article 227 de la Loi sur la taxe d'accise*, ci-après.

Notes historiques: Le titre intégral a été remplacé par C.P. 2006-586 [DORS/2006-162], 23 juin 2006 art. 5 et cette modification est entrée en vigueur le 12 juillet 2006. Antérieurement, ce titre se lisait « *Règlement prévoyant les méthodes de comptabilité abrégée et d'autres éléments pour l'application de l'article 227 de la Loi sur la taxe d'accise* ».

1. [*Abrogé*].

Notes historiques: L'article 1 et l'intertitre le précédant ont été abrogés par C.P. 2006-586 [DORS/2006-162], 23 juin 2006, art. 6 et cette abrogation est entrée en vigueur le 12 juillet 2006. Antérieurement, ils se lisaient ainsi :

1. Titre abrégé — *Règlement sur la comptabilité abrégée (TPS/TVH)*.

L'article 1 a été remplacé par C.P. 1999-1644 [DORS/99-368], art. 1 et cette modification est réputée entrée en vigueur le 1er avril 1997. Antérieurement, cet article se lisait comme suit :

1. *Règlement sur la comptabilité abrégée (TPS)*.

Définitions et interprétation

2. (1) [Définition] — Les définitions qui suivent s'appliquent au présent règlement.

« améliorations » (*abrogée*).

Notes historiques: La définition de « améliorations » au paragraphe 2(1) a été abrogée par C.P. 1999-1644 [DORS/99-368], par. 2(1) et cette abrogation est réputée être entrée en vigueur le 24 avril 1996. Antérieurement, cette définition se lisait comme suit :

« améliorations » Biens ou services fournis à un inscrit, ou produits importés par celui-ci, en vue d'améliorer son bien immobilisé ou son immeuble, dans la mesure où la contrepartie payée ou payable par lui pour les biens ou les services, ou la valeur des produits, est incluse dans le prix de base rajusté ou le coût, pour lui, du bien immobilisé ou de l'immeuble, pour l'application de la *Loi de l'impôt sur le revenu*, ou serait ainsi incluse s'il était un contribuable aux termes de cette loi.

« appareil médical » (*abrogée*).

Notes historiques: La définition de « appareil médical » au paragraphe 2(1) a été abrogée par C.P. 1999-1644 [DORS/99-368], art. 2(1) et cette abrogation s'applique au calcul de la taxe nette d'un inscrit pour les périodes de déclarations commençant :

a) après 1994, si le choix de l'inscrit de déterminer sa taxe nette en conformité avec l'une des parties I à III du règlement était en vigueur le 1er juin 1993;

b) après le 1er juin 1993, dans les autre cas.

Antérieurement, cette définition se lisait comme suit :

« appareil médical » Bien qu'un inscrit a acquis ou importé en vue d'en effectuer une fourniture incluse à la partie II de l'annexe VI de la Loi.

« bien immobilisé » Bien qui est l'immobilisation d'une personne au sens de la *Loi de l'impôt sur le revenu*, ou qui le serait si la personne était un contribuable aux termes de cette loi.

Notes historiques: La définition de « bien immobilisé » au paragraphe 2(1) a été remplacée par C.P. 1999-1644 [DORS/99-368], art. 2(3) et cette modification est réputée être entrée en vigueur le 1er mars 1994. Antérieurement, cette définition se lisait comme suit :

« bien immobilisé » Bien qui est le bien en immobilisation d'une personne au sens de la *Loi de l'impôt sur le revenu*, ou qui le serait si la personne était un contribuable aux termes de cette loi.

« choix » Choix prévu au paragraphe 227(1) de la Loi.

« contrepartie » Font partie de la contrepartie d'une fourniture les montants portés au crédit de l'acquéreur au titre d'un bien repris, au sens du paragraphe 153(4) de la Loi, accepté en contrepartie totale ou partielle de la fourniture ou, dans le cas où le fournisseur a un lien de dépendance avec l'acquéreur au moment de la fourniture et où le montant porté au crédit de l'acquéreur au titre du bien repris dépasse la juste valeur marchande du bien repris au moment du transfert de sa propriété au fournisseur, cette juste valeur marchande.

Notes historiques: La définition de « contrepartie » au paragraphe 2(1) a été ajoutée par C.P. 1999-1644 [DORS/99-368], par. 2(4) et s'applique aux biens repris acceptés en contrepartie totale ou partielle, si cette contrepartie devient due après le 30 juin 1997 ou est payée après cette date sans être devenue due.

« établissement de détail » (*abrogée*).

Notes historiques: La définition de « établissement de détail » au paragraphe 2(1) a été abrogée par C.P. 1999-1644 [DORS/99-368], par. 2(1). Cette abrogation s'applique au calcul de la taxe nette d'un inscrit pour les périodes de déclarations commençant :

a) après 1994, si le choix de l'inscrit de déterminer sa taxe nette en conformité avec l'une des parties I à III du règlement était en vigueur le 1er juin 1993;

b) après le 1er juin 1993, dans les autre cas.

Antérieurement, cette définition se lisait comme suit :

« établissement de détail » Boutique ou magasin où un inscrit exploite principalement une entreprise consistant à effectuer des fournitures aux consommateurs qui s'y présentent.

« immobilisation admissible » Bien qui est l'immobilisation admissible d'une personne au sens de la *Loi de l'impôt sur le revenu*, ou qui le serait si la personne était un contribuable aux termes de cette loi.

Notes historiques: La définition de « immobilisation admissible » au paragraphe 2(1) a été remplacée par C.P. 1999-1644 [DORS/99-368], par. 2(3) et cette modification est réputée être entrée en vigueur le 1er mars 1994. Antérieurement, cette définition se lisait comme suit :

« immobilisation admissible » Bien qui est le bien en immobilisation admissible d'une personne au sens de la *Loi de l'impôt sur le revenu*, ou qui le serait si la personne était un contribuable aux termes de cette loi.

« Loi » La *Loi sur la taxe d'accise*.

« médicament sur ordonnance » (*abrogée*).

Notes historiques: La définition de « médicament sur ordonnance » au paragraphe 2(1) a été abrogée par C.P. 1999-1644 [DORS/99-368], par. 2(1). Cette abrogation s'applique au calcul de la taxe nette d'un inscrit pour les périodes de déclarations commençant :

a) après 1994, si le choix de l'inscrit de déterminer sa taxe nette en conformité avec l'une des parties I à III du règlement était en vigueur le 1er juin 1993;

b) après le 1er juin 1993, dans les autre cas.

Antérieurement, cette définition se lisait comme suit :

« médicament sur ordonnance » Bien qu'un inscrit a acquis ou importé en vue d'en effectuer une fourniture incluse à la partie I de l'annexe VI de la Loi.

« produit alimentaire de base » (*abrogée*).

Notes historiques: La définition de « produit alimentaire de base » au paragraphe 2(1) a été abrogée par C.P. 1999-1644 [DORS/99-368], par. 2(1). Cette abrogation s'ap-

Règlements

plique au calcul de la taxe nette d'un inscrit pour les périodes de déclarations commençant :

a) après 1994, si le choix de l'inscrit de déterminer sa taxe nette en conformité avec l'une des parties I à III du règlement était en vigueur le 1er juin 1993;

b) après le 1er juin 1993, dans les autre cas.

Antérieurement, cette définition se lisait comme suit :

« produit alimentaire de base » Bien qu'un inscrit a acquis ou importé en vue d'en effectuée une fourniture incluse à la partie III de l'annexe VI de la Loi.

« section II », « section III », « section IV », « section IV.1 » et **« section V »** S'entendent respectivement des sections II, III, IV, IV.1 et V de la partie IX de la Loi.

Notes historiques: La définition de « section II », « section III » et « section V » au paragraphe 2(1) a été remplacée par C.P. 1999-1644 [DORS/99-368], par. 2(2). Cette modification est réputée être entrée en vigueur le 1er avril 1997. Antérieurement, cette définition se lisait comme suit :

« section II », « section III » et « section V » S'entendent respectivement des sections II, III et V de la partie IX de la Loi.

(2) [Calcul du montant déterminant de base] — Pour l'application du présent règlement, le montant déterminant de base pour une période de déclaration d'un inscrit est calculé selon la formule suivante :

$$(A + B) \times \frac{365}{C}$$

où :

A représente le total des contreparties, sauf celle visée à l'article 167.1 de la Loi qui est imputable à l'achalandage d'une entreprise, qui sont devenues dues à l'inscrit au cours de la période déterminante pour la période de déclaration, ou qui lui ont été payées au cours de cette période déterminante sans être devenues dues, relativement à des fournitures taxables (sauf des fournitures de services financiers, des fournitures par vente d'immeubles, de biens immobilisés ou d'immobilisations admissibles et des fournitures réputées par le paragraphe 177(1.2) de la Loi être effectuées par l'inscrit) qui sont effectuées au Canada par l'inscrit, ou qui le seraient si ce n'était ce paragraphe,

B le total des taxes prévues à la section II qui sont devenues percevables au cours de la période déterminante relativement à des fournitures taxables (sauf des fournitures de services financiers, des fournitures par vente d'immeubles, de biens immobilisés ou d'immobilisations admissibles et des fournitures réputées par le paragraphe 177(1.2) de la Loi être effectuées par l'inscrit) qui sont effectuées au Canada par l'inscrit, ou qui le seraient si ce n'était ce paragraphe,

C le nombre de jours de la période déterminante.

Notes historiques: L'élément A de la formule figurant au paragraphe 2(2) a été remplacé par C.P. 1999-1644 [DORS/99-368], art. 2(6). Cette modification s'applique au calcul du montant déterminant de base qui entre dans le calcul du taux applicable, dans le cadre de la méthode rapide, relativement aux fournitures effectuées après le 26 novembre 1997.

Auparavant, l'élément A de la formule figurant au paragraphe 2(2) a été remplacé par C.P. 1999-1644 [DORS/99-368], par. 2(5). Cette modification s'applique au calcul de la taxe nette d'un inscrit pour les pédiodes de déclaration qui correspondent à des exercices se terminant après 1992 ou à des mois ou trimestres d'exercice se terminant après février 1993. L'élément A, ainsi modifié, se lisait comme suit :

A représente le total des contreparties, sauf celle visée à l'article 167.1 de la Loi qui est imputable à l'achalandage d'une entreprise, des fournitures taxables (sauf les fournitures de services financiers et les fournitures par vente d'immeubles, de biens immobilisés ou d'immobilisations admissibles) effectuées au Canada par l'inscrit, qui lui sont devenues dues au cours de la période déterminante pour la période de déclaration ou qui lui ont été payées au cours de cette période déterminante sans être devenues dues;

Antérieurement, cet élément se lisait ainsi :

A représente le total des contreparties des fournitures taxables (sauf les fournitures de services financiers et les fournitures par vente d'immeubles, de biens immobilisés ou d'immobilisations admissibles) effectuées au Canada par l'inscrit, qui lui sont devenues dues, ou qui lui ont été payées sans qu'elles soient devenues dues, au cours de la période déterminante pour la période de déclaration;

L'élément B de la formule figurant au paragraphe 2(2) a été remplacé par C.P. 1999-1644 [DORS/99-368], par. 2(6). Cette modification s'applique au calcul du montant déterminant de base qui entre dans le calcul du taux applicable, dans le cadre de la méthode rapide, relativement aux fournitures effectuées après le 26 novembre 1997. Antérieurement, cet élément se lisait comme suit :

B la taxe prévue à la section II qui est devenue percevable au cours de la période déterminante relativement aux fournitures taxables (sauf les fournitures de services financiers et les fournitures par vente d'immeubles, de biens immobilisés ou d'immobilisations admissibles) effectuées au Canada par l'inscrit;

(3) [Calcul du montant déterminant total] — Pour l'application du présent règlement, le montant déterminant total pour une période de déclaration d'un inscrit correspond au total des montants suivants :

a) le montant obtenu par la formule suivante :

$$(A + B) \times \frac{365}{C}$$

où :

A représente le total des contreparties, sauf celle visée à l'article 167.1 de la Loi qui est imputable à l'achalandage d'une entreprise, des fournitures taxables (sauf les fournitures de services financiers et les fournitures par vente d'immeubles, de biens immobilisés ou d'immobilisations admissibles) effectuées par l'inscrit, qui lui sont devenues dues au cours de la période déterminante pour la période de déclaration ou qui lui ont été payées au cours de cette période déterminante sans être devenues dues,

B la taxe prévue à la section II qui est devenue percevable au cours de la période déterminante relativement aux fournitures taxables (sauf les fournitures de services financiers et les fournitures par vente d'immeubles, de biens immobilisés ou d'immobilisations admissibles) effectuées par l'inscrit,

C le nombre de jours de la période déterminante;

b) le total des montants dont chacun représente un montant applicable à un associé de l'inscrit — s'ils étaient associés à la fin du dernier exercice de l'associé se terminant au cours de la période déterminante — obtenu par la formule suivante :

$$(D + E) \times \frac{365}{F}$$

où :

D représente le total des contreparties, sauf celle visée à l'article 167.1 de la Loi qui est imputable à l'achalandage d'une entreprise, des fournitures taxables (sauf les fournitures de services financiers et les fournitures par vente d'immeubles, de biens immobilisés ou d'immobilisations admissibles) effectuées par l'associé, qui lui sont devenues dues au cours de l'exercice en cause ou qui lui ont été payées au cours de cet exercice sans être devenues dues,

E la taxe prévue à la section II qui est devenue percevable au cours de l'exercice donné relativement aux fournitures taxables (sauf les fournitures de services financiers et les fournitures par vente d'immeubles, de biens immobilisés ou d'immobilisations admissibles) effectuées par l'associé,

F le nombre de jours de l'exercice en cause.

Notes historiques: L'élément A de la formule figurant à l'alinéa 2(3)a) a été remplacé par C.P. 1999-1644 [DORS/99-368], par. 2(7). Cette modification s'applique au calcul de la taxe nette d'un inscrit pour les pédiodes de déclaration qui correspondent à des exercices se terminant après 1992 ou à des mois ou trimestres d'exercice se terminant après février 1993. Antérieurement, cet élément se lisait comme suit :

A représente le total des contreparties des fournitures taxables (sauf les fournitures de services financiers et les fournitures par vente d'immeubles, de biens immobilisés ou d'immobilisations admissibles) effectuées par l'inscrit, qui lui sont devenues dues, ou qui lui ont été payées sans qu'elles soient devenues dues, au cours de la période déterminante pour la période de déclaration,

L'élément D de la formule figurant à l'alinéa 2(3)b) a été remplacé par C.P. 1999-1644 [DORS/99-368], par. 2(8). Cette modification s'applique au calcul de la taxe nette d'un inscrit pour les pédiodes de déclaration qui correspondent à des exercices se terminant après 1992 ou à des mois ou trimestres d'exercice se terminant après février 1993. Antérieurement, cet élément se lisait comme suit :

D représente le total des contreparties des fournitures taxables (sauf les fournitures de services financiers et les fournitures par vente d'immeubles, de biens immobilisés ou d'immobilisations admissibles) effectuées par l'associé, qui lui sont devenues dues, ou qui lui ont été payées sans qu'elles soient devenues dues, au cours de l'exercice en cause,

PARTIE I — [ABROGÉE]

Notes historiques: La Partie I a été abrogée par C.P. 1999-1644 [DORS/99-368], art. 3. Cette abrogation s'applique au calcul de la taxe nette d'un inscrit pour les périodes de déclarations commençant :

a) après 1994, si le choix de l'inscrit de déterminer sa taxe nette en conformité avec l'une des parties I à III du règlement était en vigueur le 1er juin 1993;

b) après le 1er juin 1993, dans les autre cas.

Antérieurement, la Partie I s'intitulait « Comptabilité abrégée — Première méthode ».

3–6 [*Abrogés*].

Notes historiques: Les articles 3 à 6 de la Partie I ont été abrogés par C.P. 1999-1644 [DORS/99-368], art. 3. Cette abrogation s'applique au calcul de la taxe nette d'un inscrit pour les périodes de déclarations commençant :

a) après 1994, si le choix de l'inscrit de déterminer sa taxe nette en conformité avec l'une des parties I à III du règlement était en vigueur le 1er juin 1993;

b) après le 1er juin 1993, dans les autre cas.

Antérieurement, ces articles se lisaient comme suit :

3. (1) Définitions et interprétation — La définition qui suit s'applique à la présente partie.

« bien déterminé » Bien meuble corporel qu'un inscrit a acquis ou importé pour le fournir par vente. Ne sont pas des biens déterminés :

a) les médicaments sur ordonnance;

b) les produits alimentaires de base ou les appareils médicaux, que l'inscrit a acquis ou importés dans l'unique but de les fournir à des personnes autres que des consommateurs;

c) les biens à incorporer dans un bien meuble corporel fabriqué ou produit au Canada par l'inscrit, ou devant en former un élément constitutif ou un composant.

(2) Pour l'application de la présente partie, la période déterminante pour chaque période de déclaration de l'exercice d'un inscrit correspond :

a) s'il choisit de déterminer sa taxe nette en conformité avec la présente partie et que ce choix entre en vigueur au cours de l'exercice, à toute période de quatre trimestres d'exercice de l'inscrit qui prend fin au cours de l'un de ses deux derniers trimestres d'exercice précédant celui au cours duquel le choix est entré en vigueur;

b) s'il choisit de déterminer sa taxe nette en conformité avec la présente partie et que ce choix est entré en vigueur avant le début de l'exercice et est toujours en vigueur au début de celui-ci, à l'exercice précédant cet exercice.

(3) Malgré le paragraphe (2), pour l'application de la présente partie, si l'inscrit choisit de déterminer sa taxe nette en conformité avec la présente partie et que ce choix entre en vigueur au cours d'un de ses trimestres d'exercice se terminant en 1991, la période déterminante pour chacune de ses périodes de déclaration se terminant au cours d'un de ses trimestres d'exercice qui prend fin en 1992 correspond à toute période de quatre trimestres d'exercice de l'inscrit qui prend fin au cours de l'un de ses deux derniers trimestres d'exercice se terminant en 1991.

(4) Dans le cadre de la première méthode, le taux applicable à l'inscrit pour chaque période de déclaration de son exercice correspond au nombre, arrondi à la quatrième décimale, obtenu par la formule suivante :

$$\frac{A - B}{C - D}$$

où :

A représente le total des montants suivants :

a) les contreparties des fournitures taxables par vente de biens déterminés, effectuées au Canada par l'inscrit, qui lui sont devenues dues, ou qui lui ont été payées sans qu'elles soient devenues dues, au cours de l'exercice précédent,

b) la taxe prévue à la section II relativement aux fournitures par vente de biens déterminés, qui est devenue percevable par l'inscrit au cours de l'exercice précédent;

B le total des montants dont chacun représente un montant que l'inscrit a payé à une personne, ou porté à son crédit, au cours de l'exercice précédent au titre :

a) soit d'une réduction ou d'un remboursement de tout ou partie de la contrepartie de la fourniture taxable par vente, à la personne, d'un bien déterminé, effectuée au Canada par l'inscrit,

b) soit d'un remboursement ou d'un crédit au titre de la taxe prévue à la section II, exigée ou perçue de la personne pour la fourniture par vente d'un bien déterminé;

C le total des montants suivants :

a) les contreparties devenues dues par l'inscrit, ou payées par lui sans qu'elles soient devenues dues, au cours de l'exercice précédent pour des fournitures, effectuées au Canada à celui-ci, de biens à utiliser comme biens déterminés,

b) la valeur globale des biens déterminés, établie selon l'article 215 de la Loi, importés par l'inscrit au cours de l'exercice précédent,

c) la taxe prévue aux sections II ou III qui est devenue payable par l'inscrit au cours de l'exercice précédent relativement aux biens acquis ou importés par lui pour utilisation comme biens déterminés;

D le total des montants dont chacun représente un montant qu'une personne a payé à l'inscrit, ou porté à son crédit, au cours de l'exercice précédent au titre :

a) soit d'une réduction ou d'un remboursement de tout ou partie de la contrepartie de la fourniture à l'inscrit, effectuée par la personne au Canada, d'un bien à utiliser comme bien déterminé,

b) soit d'un remboursement ou d'un crédit au titre de la taxe prévue à la section II, exigée ou perçue de l'inscrit pour un bien à utiliser comme bien déterminé qui lui a été fourni.

(5) Sous réserve du paragraphe (6), si l'inscrit fabrique ou produit un bien meuble corporel à partir de son bien déterminé, les montants suivants sont exclus du total visé à l'élément C de la formule figurant au paragraphe (4) :

a) la contrepartie due ou payée par lui pour le bien déterminé qui lui a été fourni ou, si l'a importé, la valeur du bien, établie selon l'article 215 de la Loi;

b) la taxe éventuelle prévue aux sections II ou III qui est payable par lui relativement au bien déterminé.

(6) L'inscrit peut choisir d'inclure respectivement les montants énumérés aux alinéas d) et e) dans les totaux visés aux éléments A et C de la formule figurant au paragraphe (4), aux fins du calcul du taux, dans le cadre de la première méthode, qui lui est applicable pour ses périodes de déclaration se terminant au cours de l'exercice suivant un exercice donné, si les conditions suivantes sont réunies :

a) au cours de l'exercice donné, il fabrique ou produit, pour fourniture au Canada, des aliments ou des boissons destinés à la consommation humaine;

b) la fourniture à celui-ci d'un bien meuble corporel à partir duquel il a fabriqué ou produit les aliments ou les boissons constitue une fourniture détaxée;

c) la taxe prévue à la section II est payable relativement aux aliments ou aux boissons fournis par lui.

Le cas échéant, peuvent être inclus les montants suivants :

d) quant au total visé à l'élément A, le total des montants dont chacun représente, selon le cas :

(i) la contrepartie qui est devenue due à l'inscrit, ou qui lui a été payée sans qu'elle soit devenue due, au cours de l'exercice donné pour des fournitures taxables d'aliments ou de boissons destinés à la consommation humaine effectuées au Canada par lui,

(ii) la taxe prévue à la section II qui est devenue percevable par l'inscrit au cours de l'exercice donné relativement à des fournitures d'aliments ou de boissons destinés à la consommation humaine effectuées par lui;

e) quant au total visé à l'élément C, le total des montants dont chacun représente, selon le cas :

(i) la contrepartie devenue due par l'inscrit, ou payée par lui sans qu'elle soit devenue due, au cours de l'exercice donné pour des fournitures, effectuées au Canada à celui-ci, des biens meubles corporels à partir desquels il a fabriqué ou produit, pour fourniture au Canada, des aliments ou des boissons destinés à la consommation humaine,

(ii) la valeur, établie selon l'article 215 de la Loi, des biens meubles corporels importés par l'inscrit au cours de l'exercice donné et à partir desquels il a fabriqué ou produit, pour fourniture au Canada, des aliments ou des boissons destinés à la consommation humaine,

(iii) la taxe prévue aux sections II ou III, applicable aux biens meubles corporels visés au sous-alinéa (i) ou (ii), qui est devenue payable par l'inscrit au cours de l'exercice donné.

4. (1) Inscrits — Sous réserve de l'article 23, l'inscrit peut choisir de déterminer sa taxe nette en conformité avec la présente partie, ce choix entrant en vigueur à compter du premier jour de sa période de déclaration, si les conditions suivantes sont réunies :

a) le montant déterminant total pour la période de déclaration ne dépasse pas :

(i) 8 000 000 $, si cette période prend fin au cours d'un de ses trimestres d'exercice se terminant en 1991,

(ii) 6 000 000 $, si cette période prend fin au cours d'un de ses trimestres d'exercice se terminant en 1992,

(iii) 2 000 000 $, dans les autres cas;

Règlements

b) au début de la période de déclaration,

(i) il exploite principalement une entreprise consistant à effectuer des fournitures à des consommateurs,

(ii) il fournit par vente à des consommateurs, par l'entremise de son établissement de détail, des produits alimentaires de base et d'autres biens déterminés, et les fournitures effectuées par l'entremise de l'établissement ne consistent pas exclusivement en des fournitures d'autres biens déterminés ou de services, ou des deux à la fois,

(iii) il n'a pas l'habitude d'indiquer séparément, sur les factures ou les reçus délivrés aux consommateurs, la contrepartie payée ou payable pour les fournitures et la taxe, s'y rapportant, payable aux termes de la section II;

c) il a exercé des activités commerciales tout au long de la période de 365 jours se terminant le jour précédant la période de déclaration, et un choix de l'inscrit n'a pas cessé d'être en vigueur au cours de la période de 365 jours par suite de la production d'un avis de révocation aux termes de l'alinéa 227(3)b) de la Loi.

(2) L'inscrit qui a fait le choix prévu au paragraphe (1) ne peut plus déterminer sa taxe nette en conformité avec la présente partie à la fin du premier en date des trimestres d'exercice suivants :

a) son premier trimestre d'exercice se terminant en 1992 qui comprend sa période de déclaration pour laquelle le montant déterminant total dépasse 6 000 000 $;

b) son premier trimestre d'exercice se terminant après 1992 qui comprend sa période de déclaration pour laquelle le montant déterminant total dépasse 2 000 000 $;

c) son trimestre d'exercice au cours duquel il cesse d'exploiter principalement une entreprise consistant à effectuer des fournitures aux consommateurs;

d) son trimestre d'exercice au cours duquel il cesse d'exploiter une entreprise consistant à effectuer des fournitures de produits alimentaires de base aux consommateurs;

e) son trimestre d'exercice au cours duquel il cesse d'avoir un établissement de détail;

f) son trimestre d'exercice au cours duquel il prend l'habitude d'indiquer séparément, sur les factures ou les reçus délivrés aux consommateurs, la contrepartie payée ou payable pour les fournitures et la taxe, s'y rapportant, payable aux termes de la section II.

5. (1) **Calcul de la taxe nette** — Si le choix de l'inscrit, fait en vertu du paragraphe 4(1), est en vigueur au cours d'une période de déclaration donnée de celui-ci, sa taxe nette pour cette période correspond au montant positif ou négatif obtenu par la formule suivante :

$$[A \times (B - C)] + D - E$$

où :

A représente le taux applicable à l'inscrit, dans le cadre de la première méthode, pour la période de déclaration donnée;

B le total des montants suivants :

a) la taxe prévue aux sections II ou III qui est devenue payable par l'inscrit au cours de la période de déclaration donnée relativement à des biens qu'il a acquis ou importés pour utilisation comme biens déterminés,

b) la taxe prévue à la section II que l'inscrit est réputé, en application des paragraphes 176(1) et 180(2) de la Loi, avoir payée au cours de la période de déclaration donnée relativement à des biens qu'il a acquis pour utilisation comme biens déterminés (sauf des biens auxquels le paragraphe 120(3) de la Loi s'applique),

c) si l'inscrit a acquis un bien pour utilisation comme bien déterminé d'une personne avec laquelle il a fait, aux termes de l'article 156 de la Loi, un choix qui est en vigueur au cours de la période de déclaration donnée et si la taxe relative à cette fourniture à celui-ci était, sans cet article, devenue pour la première fois payable par lui à un moment de cette période, le total des montants dont chacun représente un montant relatif à cette fourniture, égal à 7 % de la juste valeur marchande du bien à ce moment;

C le total des montants suivants :

a) la taxe que l'inscrit est réputé, en application de l'alinéa 181(2)b) de la Loi, avoir perçue au cours de la période de déclaration donnée relativement à des biens qu'il a acquis pour utilisation comme biens déterminés,

b) les montants relatifs à des biens que l'inscrit a acquis pour utilisation comme biens déterminés, à ajouter, en application du paragraphe 232(3) de la Loi, dans le calcul de la taxe nette pour la période de déclaration donnée;

D le total des montants suivants :

a) les montants dont chacun représente un montant perçu ou devenu percevable par l'inscrit au cours de la période de déclaration donnée au titre de la taxe prévue à la section II relativement aux fournitures suivantes :

(i) les fournitures effectuées par lui, sauf les fournitures par vente de biens déterminés,

(ii) les fournitures effectuées par lui de biens qu'il a fabriqués ou produits à partir de biens déterminés,

(iii) les fournitures par vente, effectuées par lui, de biens déterminés dont la fourniture à celui-ci constituait une fourniture détaxée,

b) les montants à ajouter, en application de la section V, dans le calcul de la taxe nette pour la période de déclaration donnée,

c) la taxe que l'inscrit est réputé, en application de l'alinéa 181(2)b) de la Loi, avoir perçue au cours de la période de déclaration donnée relativement aux biens qu'il a acquis pour utilisation comme biens déterminés,

d) les montants dont chacun représente un montant à ajouter, en application du paragraphe (2) ou de l'article 6, dans le calcul de la taxe nette pour la période de déclaration donnée;

E le total des montants suivants :

a) les montants dont chacun représente un crédit de taxe sur les intrants pour la période de déclaration donnée ou pour une période de déclaration antérieure de l'inscrit, demandé dans la déclaration qu'il produit en application de la section V pour la période de déclaration donnée,

b) les montants relatifs à des fournitures (sauf les fournitures par vente de biens déterminés) effectuées par l'inscrit, demandés dans la déclaration qu'il produit en application de la section V pour la période de déclaration donnée et déductibles en application de cette section dans le calcul de la taxe nette pour cette période,

c) les montants déductibles en application de l'alinéa 346(1)a) de la Loi dans le calcul de la taxe nette pour la période de déclaration donnée,

d) les montants dont chacun représente un montant déductible en application du paragraphe (4) ou de l'article 6 dans le calcul de la taxe nette pour la période de déclaration donnée.

(2) L'inscrit qui fait le choix prévu au paragraphe 4(1), lequel choix est entré en vigueur un jour donné d'une de ses périodes de déclaration, ajoute dans le calcul de sa taxe nette :

a) pour la période de déclaration qui correspond à son exercice, le montant obtenu par la formule suivante :

$$A \times B \times C$$

où :

A représente le taux de taxe prévu au paragraphe 165(1) de la Loi, applicable aux fournitures taxables autres que les fournitures détaxées,

B le taux applicable à l'inscrit, dans le cadre de la première méthode, pour la période de déclaration,

C la valeur globale des biens déterminés de l'inscrit (sauf les biens dont la fourniture à celui-ci constituait une fourniture détaxée) qui figurent, au début du jour donné, à l'inventaire au Canada des biens qu'il détient pour fourniture par vente, calculée à ce moment selon la méthode comptable qu'il serait tenu d'utiliser pour déterminer son revenu d'entreprise pour l'application de la *Loi de l'impôt sur le revenu*;

b) pour chaque période de déclaration qui est la dernière de chacun de ses quatre premiers trimestres d'exercice se terminant après le jour donné, le quart du montant obtenu par la formule figurant à l'alinéa a).

(3) Le paragraphe (2) ne s'applique pas à l'inscrit quant aux biens figurant à son inventaire le jour de l'entrée en vigueur de son choix fait en vertu du paragraphe 4(1), si les conditions suivantes sont réunies :

a) le choix entre en vigueur avant 1992;

b) il ne présente pas au ministre avant 1992 une demande de remboursement en application de l'article 120 de la Loi;

c) il ne demande pas, dans les déclarations qu'il produit en application de la section V pour toute période de déclaration commençant ou se terminant en 1991, de crédit de taxe sur les intrants pour des biens visés à l'alinéa 120(3)b) de la Loi;

d) moins du quart de la valeur qui, sans le présent paragraphe, serait incluse dans le total visé à l'élément C de la formule figurant au paragraphe (2) est attribuable à des produits visés à l'article 3 de la partie III ou à la partie XV de l'annexe III de la Loi, qui sont exonérés de la taxe de consommation ou de vente imposée par la partie VI de la Loi.

(4) L'inscrit déduit le montant obtenu par la formule suivante dans le calcul de la taxe nette pour une de ses périodes de déclaration si son choix, fait en vertu du paragraphe 4(1), cesse d'être en vigueur un jour donné de cette période :

$$A \times B \times C$$

où :

A représente le taux de taxe prévu au paragraphe 165(1) de la Loi, applicable aux fournitures taxables autres que les fournitures détaxées;

B le taux applicable à l'inscrit, dans le cadre de la première méthode, pour la période de déclaration;

C la valeur globale des biens déterminés de l'inscrit (sauf les biens dont la fourniture à celui-ci constituait une fourniture détaxée) qui figurent, à la fin du jour donné, à l'inventaire au Canada des biens qu'il détient pour fourniture par vente, calculée à ce moment selon la méthode comptable qu'il serait tenu d'utiliser pour déterminer son revenu d'entreprise pour l'application de la *Loi de l'impôt sur le revenu*.

6. **Nouveaux inscrits** — Pour l'application de la présente partie, si, au premier jour d'une période de déclaration de l'inscrit, il n'avait pas exercé d'activités commerciales tout au long de la période de 365 jours se terminant la veille de ce jour et s'il est raisonnable de s'attendre à ce qu'il fasse le choix prévu au paragraphe 4(1) au début de son premier exercice commençant au moins 365 jours après qu'il a commencé à exercer des activités commerciales, les règles suivantes s'appliquent :

a) il peut faire ce choix, lequel entre en vigueur ce jour-là;

b) s'il fait ce choix entré en vigueur ce jour-là :

(i) le taux qui lui est applicable, dans le cadre de la première méthode, pour ses périodes de déclaration se terminant avant le début de l'exercice correspond à 1,3,

(ii) il ajoute, dans le calcul de sa taxe nette pour la période de déclaration donnée qui correspond à la première en date de sa dernière période de déclaration se terminant avant le début de l'exercice et de sa dernière période de déclaration pendant laquelle le choix est en vigueur, le montant positif obtenu par la formule suivante :

$$A - B + [C \times (A - B)]$$

où :

A représente le total des montants dont chacun représenterait la taxe nette de l'inscrit pour une période de déclaration de celui-ci se terminant au cours de la période (appelée « période de rapprochement » au présent sous-alinéa) commençant ce jour-là et prenant fin le dernier jour de la période de déclaration donnée, si la période de rapprochement correspondait à la période déterminante pour cette période,

B le total des montants dont chacun représenterait la taxe nette de l'inscrit pour une période de déclaration de celui-ci se terminant au cours de la période de rapprochement, si le montant obtenu par la présente formule était nul,

C la moitié du pourcentage obtenu lorsque le taux d'intérêt calculé selon le *Règlement sur le taux d'intérêt (Loi sur la taxe d'accise)* est multiplié par le nombre de jours de la période de rapprochement et divisé par 365,

(iii) il déduit, dans le calcul de sa taxe nette pour la période de déclaration donnée visée au sous-alinéa (ii), tout montant négatif obtenu par la formule figurant à ce sous-alinéa.

PARTIE II — [ABROGÉE]

Notes historiques: La Partie II a été abrogée par C.P. 1999-1644 [DORS/99-368], art. 3. Cette abrogation s'applique au calcul de la taxe nette d'un inscrit pour les périodes de déclarations commençant :

a) après 1994, si le choix de l'inscrit de déterminer sa taxe nette en conformité avec l'une des parties I à III du règlement était en vigueur le 1er juin 1993;

b) après le 1er juin 1993, dans les autre cas.

Antérieurement, la Partie II s'intitulait « Comptabilité abrégée — Deuxième méthode ».

7–10 [*Abrogés*].

Notes historiques: Les articles 7 à 10 de la Partie II ont été abrogés par C.P. 1999-1644 [DORS/99-368], art. 3. Cette abrogation s'applique au calcul de la taxe nette d'un inscrit pour les périodes de déclarations commençant :

a) après 1994, si le choix de l'inscrit de déterminer sa taxe nette en conformité avec l'une des parties I à III du règlement était en vigueur le 1er juin 1993;

b) après le 1er juin 1993, dans les autre cas.

Antérieurement, ces articles se lisaient comme suit :

7. (1) **Définitions et interprétation** — La définition qui suit s'applique à la présente partie.

« bien déterminé » Produit alimentaire de base qu'un inscrit a acquis ou importé pour le fournir par vente. N'est pas un bien déterminé :

a) le produit alimentaire de base que l'inscrit a acquis ou importé dans l'unique but de le fournir à des personnes autres que des consommateurs;

b) le bien à incorporer dans un bien meuble corporel fabriqué ou produit au Canada par l'inscrit, ou devant en former un élément constitutif ou un composant.

(2) Pour l'application de la présente partie, le taux applicable à l'inscrit pour sa période de déclaration correspond, dans le cadre de la deuxième méthode :

a) si le montant déterminant total pour la période de déclaration dépasse 2 000 000 $, à 120 %;

b) sinon, à 125 %.

(3) Pour l'application de la présente partie, la période déterminante pour la période de déclaration de l'inscrit correspond à celle déterminée pour l'application de la partie I.

8. (1) **Inscrits** — Sous réserve de l'article 23, l'inscrit peut choisir de déterminer sa taxe nette en conformité avec la présente partie, ce choix entrant en vigueur le premier jour de sa période de déclaration, si les conditions suivantes sont réunies :

a) le montant déterminant total pour la période de déclaration ne dépasse pas :

(i) 8 000 000 $, si cette période prend fin au cours d'un de ses trimestres d'exercice se terminant en 1991,

(ii) 6 000 000 $, si cette période prend fin au cours d'un de ses trimestres d'exercice se terminant en 1992,

(iii) 2 000 000 $, dans les autres cas;

b) au début de la période de déclaration,

(i) il exploite principalement une entreprise consistant à effectuer des fournitures aux consommateurs,

(ii) il fournit par vente à des consommateurs, par l'entreprise de son établissement de détail, des biens déterminés et d'autres biens meubles corporels,

(iii) il n'a pas l'habitude d'indiquer séparément, sur les factures ou les reçus délivrés aux consommateurs, la contrepartie payée ou payable pour les fournitures et la taxe, s'y rapportant, payable aux termes de la section II;

c) il a exercé des activités commerciales tout au long de la période de 365 jours se terminant le jour précédant la période de déclaration, et un choix de celui-ci n'a pas cessé d'être en vigueur au cours de cette période de 365 jours par suite de la production d'un avis de révocation aux termes de l'alinéa 227(3)b) de la Loi;

(2) L'inscrit qui a fait le choix prévu au paragraphe (1) ne peut plus déterminer sa taxe nette en conformité avec la présente partie à la fin du premier en date des trimestres d'exercice suivants :

a) son premier trimestre d'exercice se terminant en 1992 qui comprend sa période de déclaration pour laquelle le montant déterminant total dépasse 6 000 000 $;

b) son premier trimestre d'exercice se terminant après 1992 qui comprend sa période de déclaration pour laquelle le montant déterminant total dépasse 2 000 000 $;

c) son trimestre d'exercice au cours duquel il cesse d'exploiter principalement une entreprise consistant à effectuer des fournitures aux consommateurs;

d) son trimestre d'exercice au cours duquel il cesse d'exploiter une entreprise consistant à effectuer des fournitures de biens déterminés aux consommateurs;

e) son trimestre d'exercice au cours duquel il cesse d'avoir un établissement de détail;

f) son trimestre d'exercice au cours duquel il prend l'habitude d'indiquer séparément, sur les factures ou les reçus délivrés aux consommateurs, la contrepartie payée ou payable pour les fournitures et la taxe, s'y rapportant, payable aux termes de la section II.

9. (1) **Calcul de la taxe nette** — Si le choix d'un inscrit, fait en vertu du paragraphe 8(1), est en vigueur au cours d'une période de déclaration donnée de celui-ci, sa taxe nette pour cette période correspond au montant positif ou négatif obtenu par la formule suivante :

$$A \times B - C - [D \times (E - F)] + G - H$$

où :

A représente la fraction de taxe;

B le total des montants suivants :

a) les contreparties des fournitures taxables (sauf les fournitures de médicaments sur ordonnance), effectuées au Canada par l'inscrit, qui lui sont devenues dues, ou qui lui ont été payées sans qu'elles soient devenues dues, au cours de la période de déclaration donnée,

b) les montants devenus percevables et les autres montants perçus par l'inscrit au cours de la période de déclaration donnée au titre de la taxe prévue à la section II relativement aux fournitures taxables effectuées par celui-ci;

C le total des montants dont chacun représente un montant que l'inscrit a payé à une personne, ou porté à son crédit, au cours de la période de déclaration donnée au titre :

a) soit d'une réduction ou d'un remboursement de tout ou partie de la contrepartie d'une fourniture à la personne (sauf une fourniture de médicaments sur ordonnance) effectuée au Canada par lui,

b) soit d'un remboursement ou d'un crédit au titre de la taxe prévue à la section II, exigée ou perçue de la personne pour une fourniture (sauf une fourniture de médicaments sur ordonnance) effectuée par lui;

D le taux applicable à l'inscrit, dans le cadre de la deuxième méthode, pour la période de déclaration donnée;

E le total des montants suivants :

a) les contreparties des fournitures taxables à l'inscrit, effectuées au Canada, de biens à utiliser comme biens déterminés, qui sont devenues dues par lui ou qu'il a payées sans qu'elles soient devenues dues, au cours de la période de déclaration donnée,

b) la valeur globale des biens déterminés, établie selon l'article 215 de la Loi, que l'inscrit a importés au cours de la période de déclaration donnée,

F le total des montants qui ont été payés à l'inscrit, ou portés à son crédit, au cours de la période de déclaration donnée au titre d'une réduction ou d'un remboursement de tout ou partie de la contrepartie de la fourniture à celui-ci, effectuée au Canada par la personne, d'un bien à utiliser comme bien déterminé;

G le total des montants suivants :

a) les montants à ajouter, en application de la section V, dans le calcul de la taxe nette pour la période de déclaration donnée,

b) les montants à ajouter, en application du paragraphe (2), dans le calcul de la taxe nette pour la période de déclaration donnée;

H le total des montants suivants :

a) les montants dont chacun représente un crédit de taxe sur les intrants pour la période de déclaration donnée, ou pour une période de déclaration antérieure de l'inscrit, demandé dans sa déclaration produite en application de la section V pour la période de déclaration donnée,

b) les montants déductibles en application de l'article 234 de la Loi dans le calcul de la taxe nette pour la période de déclaration donnée et demandés dans la déclaration que l'inscrit produit en application de la section V pour cette période,

c) le montant déductible en application de l'alinéa 346(1)a) de la Loi dans le calcul de la taxe nette pour la période de déclaration donnée.

(2) L'inscrit ajoute le montant obtenu par la formule suivante dans le calcul de la taxe nette pour la période de déclaration à la fin de laquelle son choix, fait en vertu du paragraphe 8(1), cesse d'être en vigueur :

$$A \times [(B \times C) - D]$$

où :

A représente la fraction de taxe;

B le taux applicable à l'inscrit, dans le cadre de la deuxième méthode, pour la période donnée;

C le total des contreparties des fournitures taxables de biens déterminés, effectuées au Canada à l'inscrit, qui sont devenues dues par lui, ou qu'il a payées sans qu'elles soient devenues dues, au cours des trois mois d'exercice consécutifs dont le dernier se termine le dernier jour de cette période;

D le total des montants suivants :

a) les contreparties des fournitures taxables effectuées au Canada par l'inscrit, qui lui sont devenues dues, ou qui lui ont été payées sans qu'elles soient devenues dues, au cours de ces mois d'exercice,

b) la taxe prévue à la section II qui est devenue percevable au cours de ces mois d'exercice relativement à des fournitures taxables effectuées au Canada par l'inscrit.

10. **Nouveaux inscrits** — Pour l'application de la présente partie, si, au premier jour d'une période de déclaration de l'inscrit, il n'avait pas exercé d'activités commerciales tout au long de la période de 365 jours se terminant la veille de ce jour et s'il est raisonnable de s'attendre à ce qu'il fasse le choix prévu au paragraphe 8(1) au début de son premier exercice commençant au moins 365 jours après qu'il a commencé à exercer des activités commerciales, les règles suivantes s'appliquent :

a) il peut faire ce choix, lequel entre en vigueur ce jour-là;

b) le taux qui lui est applicable, dans le cadre de la deuxième méthode, pour ses périodes de déclaration se terminant avant le début de l'exercice correspond :

(i) s'il est raisonnable de s'attendre à ce que le montant déterminant total pour chacune de ses périodes de déclaration se terminant au cours de l'exercice ne dépasse pas 2 000 000 $, à 125 %,

(ii) sinon à 120 %.

PARTIE III — [ABROGÉE]

Notes historiques: L'intitulé de la Partie III a été abrogé par C.P. 1999-1644 [DORS/99-368], art. 3. Cette abrogation s'applique au calcul de la taxe nette d'un inscrit pour les périodes de déclarations commençant :

a) après 1994, si le choix de l'inscrit de déterminer sa taxe nette en conformité avec l'une des parties I à III du règlement était en vigueur le 1er juin 1993;

b) après le 1er juin 1993, dans les autre cas.

Antérieurement, il s'intitulait « Méthode de comptabilité abrégée transitoire pour les établissements de détail distincts ».

11–14 [*Abrogés*].

Notes historiques: Les articles 11 à 14 de la Partie III ont été abrogés par C.P. 1999-1644 [DORS/99-368], art. 3. Cette abrogation s'applique au calcul de la taxe nette d'un inscrit pour les périodes de déclarations commençant :

a) après 1994, si le choix de l'inscrit de déterminer sa taxe nette en conformité avec l'une des parties I à III du règlement était en vigueur le 1er juin 1993;

b) après le 1er juin 1993, dans les autre cas.

Antérieurement, ces articles se lisaient ainsi :

11. (1) [Définitions et interprétation] — Les définitions qui suivent s'appliquent à la présente partie.

« établissement de détail distinct » Établissement de détail d'un inscrit qui est une succursale ou une division de celui-ci, géographiquement distincte de ses autres établissements commerciaux, pour laquelle il tient des registres, des livres de comptes et des systèmes comptables distincts.

« montant déterminant de base » Le montant déterminant de base d'un établissement de détail distinct pour une période de déclaration d'un inscrit est le montant qui correspondrait, si l'établissement était une personne distincte et inscrite, au montant déterminant de base de l'établissement pour cette période.

(2) Pour l'application de la présente partie, l'établissement de détail distinct de l'inscrit est un établissement de détail déterminé tout au long d'un de ses trimestres d'exercice commençant avant 1993, si les conditions suivantes sont réunies :

a) le montant déterminant de base de l'établissement pour ses périodes de déclaration se terminant au cours du trimestre d'exercice ne dépasse pas :

(i) 4 000 000 $, si le trimestre d'exercice commence ou se termine en 1991,

(ii) 2 000 000 $, si le trimestre d'exercice commence en 1992;

b) au début du trimestre d'exercice,

(i) si l'établissement est désigné pour l'application de la partie I, l'inscrit fournit par vente à des consommateurs, par l'entremise de l'établissement, des produits alimentaires de base et d'autres biens qui sont des biens déterminés (au sens de cette partie), et les fournitures effectuées par l'entremise de l'établissement ne consistent pas exclusivement en des fournitures d'autres biens ou de services, ou des deux à la fois,

(ii) si l'établissement est désigné pour l'application de la partie II, l'inscrit fournit par vente à des consommateurs, par l'entremise de l'établissement, des biens déterminés (au sens de cette partie) et d'autres biens meubles corporels;

c) au début du trimestre d'exercice, l'inscrit n'a pas l'habitude d'indiquer séparément, sur les factures ou les reçus délivrés aux consommateurs qui se présentent à son établissement, la contrepartie payée ou payable pour les fournitures et la taxe, s'y rapportant, payable aux termes de la section II;

(3) Pour l'application de la présente partie, la période déterminante pour la période de déclaration d'un inscrit correspond à celle qui est déterminée pour l'application de la partie I.

12. (1) [Établissement de détail distinct d'un inscrit] — Les règles suivantes s'appliquent au calcul du montant déterminant de base d'un établissement de détail distinct d'un inscrit, ainsi qu'au calcul du montant qui correspondrait à la taxe nette d'un tel établissement, qui est un établissement de détail déterminé, si cet établissement était une personne distincte et inscrite ayant fait le choix prévu aux parties I ou II :

a) chaque fourniture effectuée par l'inscrit est réputée être une fourniture effectuée par l'établissement de détail distinct, dans la mesure où il est raisonnable de considérer qu'il a effectué la fourniture dans le cadre de ses activités commerciales exercées par l'entremise de cet établissement;

b) les biens et les services acquis ou importés par l'inscrit sont réputés l'avoir été par l'établissement de détail distinct, dans la mesure où il est raisonnable de considérer qu'il les a acquis ou importés pour consommation, utilisation ou fourniture dans le cadre de ses activités commerciales exercées par l'entremise de cet établissement.

(2) Malgré le paragraphe (1), les règles suivantes s'appliquent si, à un moment donné de la période de déclaration d'un inscrit, un bien ou un service acquis ou importé par lui pour fourniture dans le cadre de ses activités commerciales exercées par l'entremise d'un établissement commercial est transféré à un autre de ses

établissements commerciaux qu'il y exerce — l'un des deux établissements étant un établissement de détail déterminé :

a) l'inscrit est réputé avoir reçu à ce moment un remboursement des montants suivants :

(i) si la fourniture du bien ou du service à l'inscrit est effectuée au Canada, les contreparties devenues dues, ou payées sans qu'elles soient devenues dues, et la taxe prévue à la section II devenue payable, ou payée sans qu'elle soit devenue payable, par lui au plus tard à ce moment relativement à la fourniture, cette taxe est réputée correspondre à un montant à ajouter en application de l'alinéa 232(3)c) de la Loi dans le calcul de sa taxe nette pour la période de déclaration,

(ii) si l'inscrit a importé le bien, la valeur du bien, établie selon l'article 215 de la Loi, et la taxe prévue à la section III devenue payable ou payée par lui au plus tard à ce moment relativement à ce bien, cette taxe étant réputée correspondre à un montant à ajouter en application de l'alinéa 232(3)c) de la Loi dans le calcul de sa taxe nette pour la période de déclaration;

b) l'inscrit est réputé avoir acquis ou importé le bien ou le service pour fourniture dans le cadre de ses activités commerciales exercées par l'entremise de l'autre établissement commercial et avoir payé, immédiatement après ce moment, la contrepartie payée ou due, ainsi que la taxe payée ou payable, relativement à la fourniture du bien ou du service à celui-ci ou à leur importation par lui.

13. (1) [Inscrits] — Sous réserve de l'article 23, l'inscrit peut choisir de déterminer sa taxe nette en conformité avec la présente partie, ce choix entrant en vigueur le premier jour de sa période de déclaration se terminant au cours d'un de ses trimestres d'exercice qui prend fin avant 1993, si les conditions suivantes sont réunies ce jour-là :

a) l'inscrit a un établissement de détail déterminé;

b) un choix de l'inscrit n'a pas cessé d'être en vigueur au cours de la période de 365 jours se terminant la veille de ce jour, par suite de la production d'un avis de révocation aux termes de l'alinéa 227(3)b) de la Loi.

(2) Sous réserve du paragraphe (3), pour calculer la taxe nette d'un inscrit qui a fait le choix prévu au paragraphe (1), un de ses établissements de détail déterminés est désigné pour l'application des parties I ou II tout au long de la période au cours de laquelle le choix est en vigueur, s'il a établi, au plus tard le jour où il produit une déclaration selon la section V pour sa première période de déclaration qui prend fin après l'entrée en vigueur du choix, que la taxe nette de l'établissement doit être calculée en conformité avec la partie applicable.

(3) Dans le cas où l'inscrit a fait un choix entré en vigueur au cours d'un de ses trimestres d'exercice se terminant en 1991, un de ses établissements de détail déterminés est désigné pour l'application des parties I ou II pour ses trimestres d'exercice commençant en 1992, s'il a établi, au plus tard le jour où il produit une déclaration en application de la section V pour sa première période de déclaration qui prend fin au cours d'un de ses trimestres d'exercice commençant en 1992, que la taxe nette de l'établissement doit être déterminée en conformité avec la partie applicable.

(4) L'inscrit qui a fait le choix prévu au paragraphe (1) ne peut plus déterminer sa taxe nette en conformité avec la présente partie à la fin du premier en date des trimestres d'exercice suivants :

a) son premier trimestre d'exercice qui prend fin en 1993;

b) son trimestre d'exercice qui précède son premier trimestre d'exercice au cours duquel il n'a pas d'établissement de détail déterminé.

14. [Calcul de la taxe nette] — Si le choix de l'inscrit, fait en vertu du paragraphe 13(1), est en vigueur au cours d'une période de déclaration donnée de celui-ci, sa taxe nette pour cette période correspond au montant positif ou négatif obtenu par la formule suivante :

$$A + B + C$$

où :

A représente le total des montants dont chacun représenterait la taxe nette, calculée en conformité avec la partie I, pour la période de déclaration donnée d'un établissement de détail déterminé de l'inscrit, désigné pour l'application de cette partie, si l'établissement était une personne distincte et inscrite ayant choisi de calculer la taxe nette en conformité avec cette partie;

B le total des montants dont chacun représenterait la taxe nette, calculée en conformité avec la partie II, pour la période de déclaration donnée d'un établissement de détail déterminé de l'inscrit, désigné pour l'application de cette partie, si l'établissement était une personne distincte et inscrite ayant choisi de calculer la taxe nette en conformité avec cette partie;

C le montant qui représenterait la taxe nette de l'inscrit, calculée en conformité avec l'article 225 de la Loi pour la période de déclaration donnée, s'il exerçait des activités commerciales autrement que par l'entremise d'un établissement de détail déterminé pour lequel un montant est inclus dans le calcul du total visé aux éléments A ou B de la présente formule pour la période de déclaration donnée.

PARTIE IV — COMPTABILITÉ ABRÉGÉE — MÉTHODE RAPIDE

Définitions et interprétation

15. (1) [Définition] — Les définitions qui suivent s'appliquent à la présente partie.

« bien déterminé » Tout bien d'une personne, à l'exclusion de ses immeubles, de ses biens immobilisés et de ses immobilisations admissibles.

« coût » Le coût pour un inscrit, au cours d'une période déterminante, d'un bien meuble corporel d'une catégorie ou d'un type donné qu'il a acquis à une fin donnée est le montant obtenu par la formule suivante :

$$(A + B + C) \times \frac{365}{D}$$

où :

A représente le total des contreparties devenues dues par l'inscrit, ou payées par lui sans qu'elles soient devenues dues, au cours de la période déterminante pour des fournitures taxables à celui-ci, effectuées au Canada, de biens meubles corporels de cette catégorie ou de ce type qu'il a acquis à cette fin;

B la valeur globale des biens meubles corporels de cette catégorie ou de ce type, établie selon l'article 215 de la Loi, importés par l'inscrit à cette fin;

C le total des taxes prévues à l'une des sections II à IV.1 qui sont devenues payables par l'inscrit au cours de la période déterminante relativement à des biens meubles corporels de cette catégorie ou de ce type qu'il a acquis, importés, ou transférés dans une province participante à cette fin;

D le nombre de jours de la période déterminante.

Notes historiques: L'élément C de la formule figurant dans la définition de « coût » au paragraphe 15(1) a été remplacé par C.P. 1999-1644 [DORS/99-368], par. 4(1). Cette modification s'applique aux biens acquis, importés, ou transférés dans une province participante après mars 1997. Antérieurement, cet élément se lisait ainsi :

C le total des taxes prévues aux sections II et III qui sont devenues payables par l'inscrit au cours de la période déterminante relativement à des biens meubles corporels de cette catégorie ou de ce type qu'il a acquis ou importés à cette fin;

« fourniture déterminée » Toute fourniture taxable, à l'exclusion des fournitures suivantes :

a) la fourniture par vente d'un immeuble, d'un bien immobilisé ou d'une immobilisation admissible du fournisseur;

b) la fourniture détaxée;

c) la fourniture qui est réputée par les articles 172 ou 175.1 de la Loi avoir été effectuée ou à laquelle s'applique l'article 173 de la Loi;

d) la fourniture effectuée à l'étranger;

e) la fourniture à l'égard de laquelle l'acquéreur n'est pas tenu de payer la taxe par l'effet d'une loi fédérale, sauf si, dans le cas d'une fourniture à Sa Majesté du chef d'une province, celle-ci a convenu, en vertu d'un accord avec Sa Majesté du chef du Canada, de payer, relativement à la fourniture, la taxe prévue à la partie IX de la Loi;

f) la fourniture à laquelle s'applique le paragraphe 177(1.1) de la Loi;

g) la fourniture réputée par les paragraphes 177(1) ou (1.2) de la Loi avoir été effectuée par un inscrit agissant à titre de mandataire.

Notes historiques: L'alinéa b) de la définition de « fourniture déterminée » au paragraphe 15(1) a été remplacé par C.P. 1999-1644 [DORS/99-368], par. 4(2). Cette modification s'applique au calcul de la taxe nette d'un inscrit pour une période de déclaration commençant :

a) après juin 1993, si la période de déclaration est un exercice de l'inscrit;

b) après 1993, dans les autres cas.

Règlements

Antérieurement, cet alinéa se lisait ainsi :

b) la fourniture d'un service financier;

L'alinéa c) de la définition de « fourniture déterminée » au paragraphe 15(1) a été remplacé par C.P. 1999-1644 [DORS/99-368], par. 4(2). Cette modification est réputée être entrée en vigueur le 31 décembre 1990. Toutefois, pour l'application de cet alinéa aux fournitures réputées avoir été effectuées avant le 24 avril 1996, il n'est pas tenu compte des mentions des fournitures réputées effectuées par l'article 175.1 de la *Loi sur la taxe d'accise*.

Antérieurement, cet alinéa se lisait ainsi :

c) la fourniture qui est réputée, en application des articles 172 ou 173 de la Loi, avoir été effectuée.

L'alinéa d) de la définition de « fourniture déterminée » au paragraphe 15(1) a été ajouté par C.P. 1999-1644 [DORS/99-368], par. 4(2). Cet ajout s'applique au calcul de la taxe nette d'un inscrit pour une période de déclaration commençant :

a) après juin 1993, si la période de déclaration est un exercice de l'inscrit;

b) après 1993, dans les autres cas.

L'alinéa e) de la définition de « fourniture déterminée » au paragraphe 15(1) a été ajouté par C.P. 1999-1644 [DORS/99-368], par. 4(2). Cet ajout s'applique au calcul de la taxe nette d'un inscrit pour une période de déclaration commençant :

a) après juin 1993, si la période de déclaration est un exercice de l'inscrit;

b) après 1993, dans les autres cas.

L'alinéa f) de la définition de « fourniture déterminée » au paragraphe 15(1) a été ajouté par C.P. 1999-1644 [DORS/99-368], par. 4(2). Cet ajout s'applique aux fournitures relativement auxquelles a été fait le choix prévu au paragraphe 177(1.1) de la *Loi sur la taxe d'accise*, édicté par le paragraphe 26(1) de la *Loi modifiant la Loi sur la taxe d'accise, la Loi sur les arrangements fiscaux entre le gouvernement fédéral et les provinces, la Loi de l'impôt sur le revenu, la Loi sur le compte de service et de réduction de la dette et des lois connexes*, chapitre 10 des Lois du Canada (1997).

L'alinéa g) de la définition de « fourniture déterminée » au paragraphe 15(1) a été ajouté par C.P. 1999-1644 [DORS/99-368], par. 4(3). Cet ajout s'applique aux fournitures effectuées après le 26 novembre 1997.

« inscrit déterminé » Est un inscrit déterminé à un moment donné l'inscrit qui répond aux conditions suivantes

a) tout au long de ses quatre trimestres d'exercice précédant celui qui comprend ce moment :

(i) il n'est pas une institution financière désignée;

(ii) il n'a pas rendu de services juridiques, comptables ou actuariels dans l'exercice de sa profession;

(iii) il n'a pas rendu de services de tenue de livres, de consultation financière ou fiscale ou de préparation de déclarations d'impôt dans le cadre de ses activités commerciales;

b) à ce moment, il n'est ni un organisme de bienfaisance ni un organisme déterminé de services publics, au sens de l'article 259 de la Loi, ni une institution publique;

c) il n'est pas un organisme à but non lucratif admissible, au sens de l'article 259 de la Loi :

(i) si la période de déclaration qui comprend ce moment correspond à son mois d'exercice ou son trimestre d'exercice, au début de cette période,

(ii) sinon, à la fin de sa période de déclaration qui comprend ce moment.

Notes historiques: L'alinéa b) de la définition de « inscrit déterminé » au paragraphe 15(1) a été remplacé par C.P. 2007-1350 [DORS/2007-203], par. 1(1) et cette modification s'applique au calcul de la taxe nette d'un inscrit pour une période de déclaration commençant après 1996. Antérieurement, il se lisait comme suit :

b) à ce moment, il n'est ni un organisme de bienfaisance, ni un organisme déterminé de services publics, au sens de l'article 259 de la Loi;

« produit alimentaire de base » Bien qu'un inscrit a acquis ou importé en vue d'en effectuer une fourniture incluse à la partie III de l'annexe VI de la Loi.

Notes historiques: La définition de « produit alimentaire de base » au paragraphe 15(1) a été ajoutée par C.P. 1999-1644 [DORS/99-368], par. 4(4). Cet ajout s'applique au calcul de la taxe nette d'un inscrit pour les périodes de déclarations commençant :

a) après 1994, si le choix de l'inscrit de déterminer sa taxe nette en conformité avec l'une des parties I à III du règlement était en vigueur le 1er juin 1993;

b) après le 1er juin 1993, dans les autre cas.

(2) **[Incorporation d'un bien corporel]** — Pour l'application de la présente partie, l'inscrit qui acquiert, importe ou transfère dans une province participante un bien meuble corporel devant être incorporé dans un autre bien meuble corporel qu'il fabrique ou produit au Canada, ou devant en former un élément constitutif ou un composant, est réputé avoir acquis ou importé le bien, ou l'avoir transféré dans une province participante, selon le cas, pour le fournir par vente.

Notes historiques: Le paragraphe 15(2) a été remplacé par C.P. 2007-1350 [DORS/2007-203], par. 1(2) et cette modification s'applique auc biens transférés dans une province participante après mars 1997. Antérieurement, il se lisait comme suit :

(2) Pour l'application de la présente partie, l'inscrit qui acquiert ou importe un bien meuble corporel à incorporer dans un autre bien meuble corporel qu'il fabrique ou produit au Canada, ou devant en former un élément constitutif ou un composant, est réputé avoir acquis ou importé le bien pour le fournir par vente.

(3) **[Période déterminante]** — Sous réserve du paragraphe (4), pour l'application de la présente partie, la période déterminante pour une période de déclaration donnée d'un inscrit correspond :

a) s'il choisit de déterminer sa taxe nette en conformité avec la présente partie et que ce choix entre en vigueur au cours de son exercice qui comprend la période de déclaration donnée, à toute période de quatre trimestres d'exercice de celui-ci qui prend fin au cours de l'un de ses deux derniers trimestres d'exercice précédant celui au cours duquel le choix est entré en vigueur;

b) s'il choisit de déterminer sa taxe nette en conformité avec la présente partie et que ce choix est entré en vigueur avant le début de son exercice qui comprend la période de déclaration donnée, et est toujours en vigueur au début de cet exercice, à l'exercice précédant cet exercice.

(4) **[Période déterminante]** — Si l'inscrit choisit de déterminer sa taxe nette en conformité avec la présente partie et que ce choix entre en vigueur le 1er janvier 1991, les règles suivantes s'appliquent :

a) si le choix est présenté au ministre après la fin d'un exercice de l'inscrit se terminant en 1990, la période déterminante pour ses périodes de déclaration qui prennent fin au cours de son exercice qui comprend le 1er janvier 1991 correspond à son dernier exercice se terminant avant la présentation du choix;

b) sinon, la période déterminante de l'inscrit pour ses périodes de déclaration se terminant au cours de son exercice qui comprend le 1er janvier 1991, aux fins du calcul, prévu au paragraphe (5), du taux qui lui est applicable pour ces périodes correspond, s'il choisit son dernier exercice se terminant avant la présentation du choix au ministre comme période déterminante, à ce dernier exercice.

(5) **[Taux dans le cadre de la méthode rapide]** — Dans le cadre de la méthode rapide, le taux applicable à un inscrit pour une période de déclaration relativement à une fourniture qu'il effectue correspond au pourcentage suivant :

a) dans le cas où le coût pour l'inscrit, au cours de la période déterminante pour la période de déclaration, des biens meubles corporels (sauf les produits alimentaires de base et les biens relativement à l'acquisition desquels l'inscrit n'était pas tenu de payer la taxe) qu'il a acquis pour en effectuer la fourniture par vente représente au moins 40 % du montant déterminant de base pour la période de déclaration, déterminé compte non tenu des fournitures incluses à la partie III de l'annexe VI de la Loi :

(i) si l'inscrit effectue la fourniture par l'entremise de son établissement stable situé en Ontario, au Nouveau-Brunswick ou à Terre-Neuve-et-Labrador :

(A) 4,4 %, si la fourniture est effectuée en Ontario, au Nouveau-Brunswick ou à Terre-Neuve-et-Labrador,

(B) 6,1 %, si elle est effectuée en Nouvelle-Écosse,

(C) [*Abrogée*],

(D) 0 %, si elle est effectuée dans une province non participante,

(ii) s'il effectue la fourniture par l'entremise de son établissement stable situé en Nouvelle-Écosse :

(A) 3,3 %, si la fourniture est effectuée en Ontario, au Nouveau-Brunswick ou à Terre-Neuve-et-Labrador,

(B) 5 %, si elle est effectuée en Nouvelle-Écosse,

(C) [*Abrogée*],

(D) 0 %, si elle est effectuée dans une province non participante,

(iii) [*Abrogé*],

(iv) s'il effectue la fourniture par l'entremise de son établissement stable situé dans une province non participante :

(A) 8,8 %, si la fourniture est effectuée en Ontario, au Nouveau-Brunswick ou à Terre-Neuve-et-Labrador,

(B) 10,4 %, si elle est effectuée en Nouvelle-Écosse,

(C) [*Abrogée*],

(D) 1,8 %, si elle est effectuée dans une province non participante;

b) dans les autres cas :

(i) si l'inscrit effectue la fourniture par l'entremise de son établissement stable situé en Ontario, au Nouveau-Brunswick ou à Terre-Neuve-et-Labrador :

(A) 8,8 %, si la fourniture est effectuée en Ontario, au Nouveau-Brunswick ou à Terre-Neuve-et-Labrador,

(B) 10,4 %, si elle est effectuée en Nouvelle-Écosse,

(C) [*Abrogée*],

(D) 1,8 %, si elle est effectuée dans une province non participante,

(ii) s'il effectue la fourniture par l'entremise de son établissement stable situé en Nouvelle-Écosse :

(A) 8,4 %, si la fourniture est effectuée en Ontario, au Nouveau-Brunswick ou à Terre-Neuve-et-Labrador,

(B) 10 %, si elle est effectuée en Nouvelle-Écosse,

(C) [*Abrogée*],

(D) 1,4 %, si elle est effectuée dans une province non participante,

(iii) [*Abrogé*],

(iv) s'il effectue la fourniture par l'entremise de son établissement stable situé dans une province non participante :

(A) 10,5 %, si la fourniture est effectuée en Ontario, au Nouveau-Brunswick ou à Terre-Neuve-et-Labrador,

(B) 12 %, si elle est effectuée en Nouvelle-Écosse,

(C) [*Abrogée*],

(D) 3,6 %, si elle est effectuée dans une province non participante.

Notes historiques: La division 15(5)a)(i)(C) a été abrogée par C.P. 2012-1127 [DORS/2012-191], 20 septembre 2012, par. 13(1) et cette abrogation s'applique au calcul de la taxe nette d'un inscrit pour les périodes de déclaration se terminant après mars 2013. Toutefois, le taux applicable à l'inscrit dans le cadre de la méthode rapide pour sa période de déclaration qui comprend le 1er avril 2013 et qui s'applique relativement à une fourniture correspond, en ce qui concerne la contrepartie de la fourniture qui est payée ou devient due avant cette date, au taux qui lui serait applicable dans le cadre de cette méthode pour cette période de demande si cet article n'était pas entré en vigueur. Antérieurement, elle se lisait ainsi :

(C) 3,6 %, si elle est effectuée en Colombie-Britannique,

Les sous-alinéas 15(5)a)(i) à (iv) ont été remplacés par C.P. 2011-263 [DORS/2011-56], par. 18(2) et cette modification s'applique au calcul de la taxe nette d'un inscrit pour les périodes de déclaration se terminant après juin 2010. Toutefois, le taux applicable à l'inscrit, dans le cadre de la méthode rapide, pour sa période de déclaration qui comprend le 1er juillet 2010, relativement à une fourniture, correspond, en ce qui concerne la contrepartie de la fourniture qui est payée ou devient due avant cette date, au taux qui lui serait applicable dans le cadre de cette méthode pour cette période si ces paragraphes n'entraient pas en vigueur. Antérieurement, il se lisait ainsi :

(i) si l'inscrit effectue la fourniture dans une province non participante par l'entremise de son établissement stable situé dans une telle province, 1,8 %,

(ii) s'il effectue la fourniture dans une province participante par l'entremise de son établissement stable situé dans une province non participante, 8,8 %,

(iii) s'il effectue la fourniture dans une province non participante par l'entremise de son établissement stable situé dans une province participante, 0 %,

(iv) s'il effectue la fourniture dans une province participante par l'entremise de son établissement stable situé dans une telle province, 4,4 %;

Les sous-alinéas 15(5)a)(i) à (iv) ont été remplacés par C.P. 2011-263 [DORS/2011-56], par. 18(1) et cette modification s'applique au calcul de la taxe nette d'un inscrit pour les périodes de déclaration se terminant après décembre 2007. Toutefois, le taux applicable à l'inscrit, dans le cadre de la méthode rapide, pour sa période de déclaration qui comprend le 1er janvier 2008, relativement à une fourniture, correspond, en ce qui concerne la contrepartie de la fourniture qui est payée ou devient due avant cette date, au taux qui lui serait applicable dans le cadre de cette méthode pour cette période si ces paragraphes n'entraient pas en vigueur. Antérieurement, il se lisait ainsi :

(i) si l'inscrit effectue la fourniture dans une province non participante par l'entremise de son établissement stable dans une telle province, 2,2 %,

(ii) s'il effectue la fourniture dans une province participante par l'entremise de son établissement stable dans une province non participante, 9 %,

(iii) s'il effectue la fourniture dans une province non participante par l'entremise de son établissement stable dans une province participante, 0 %,

(iv) s'il effectue la fourniture dans une province participante par l'entremise de son établissement stable dans une telle province, 4,7 %;

Les sous-alinéas 15(5)a)(i) et (ii) ont été remplacés par C.P. 2007-1350 [DORS/2007-203], par. 1(3) et cette modification s'applique au calcul de la taxe nette d'un inscrit pour les périodes de déclaration se terminant après juin 2006. Toutefois, le taux applicable à l'inscrit dans le cadre de la méthode rapide pour sa période de déclaration qui comprend le 1er juillet 2006 et qui s'applique à une fourniture correspond, en ce qui concerne la contrepartie de la fourniture qui est payée ou devient due avant cette date, au taux qui lui serait applicable dans le cadre de cette méthode pour cette période si ces paragraphes n'entraient pas en vigueur. Antérieurement, ils se lisaient ainsi :

(i) si l'inscrit effectue la fourniture dans une province non participante par l'entremise de son établissement stable dans une telle province, 2,5 %,

(ii) s'il effectue la fourniture dans une province participante par l'entremise de son établissement stable dans une province non participante, 9,3 %,

La division 15(5)a)(ii)(C) a été abrogée par C.P. 2012-1127 [DORS/2012-191], 20 septembre 2012, par. 13(2) et cette abrogation s'applique au calcul de la taxe nette d'un inscrit pour les périodes de déclaration se terminant après mars 2013. Toutefois, le taux applicable à l'inscrit dans le cadre de la méthode rapide pour sa période de déclaration qui comprend le 1er avril 2013 et qui s'applique relativement à une fourniture correspond, en ce qui concerne la contrepartie de la fourniture qui est payée ou devient due avant cette date, au taux qui lui serait applicable dans le cadre de cette méthode pour cette période de demande si cet article n'était pas entré en vigueur. Antérieurement, elle se lisait ainsi :

(C) 2,5 %, si elle est effectuée en Colombie-Britannique,

Le sous-alinéa 15(5)a)(iii) a été abrogé par C.P. 2012-1127 [DORS/2012-191], 20 septembre 2012, par. 13(3) et cette abrogation s'applique au calcul de la taxe nette d'un inscrit pour les périodes de déclaration se terminant après mars 2013. Toutefois, le taux applicable à l'inscrit dans le cadre de la méthode rapide pour sa période de déclaration qui comprend le 1er avril 2013 et qui s'applique relativement à une fourniture correspond, en ce qui concerne la contrepartie de la fourniture qui est payée ou devient due avant cette date, au taux qui lui serait applicable dans le cadre de cette méthode pour cette période de demande si cet article n'était pas entré en vigueur. Antérieurement, il se lisait ainsi :

(iii) s'il effectue la fourniture par l'entremise de son établissement stable situé en Colombie-Britannique :

(A) 5 %, si la fourniture est effectuée en Ontario, au Nouveau-Brunswick ou à Terre-Neuve-et-Labrador,

(B) 6,6 %, si elle est effectuée en Nouvelle-Écosse,

(C) 4,1 %, si elle est effectuée en Colombie-Britannique,

(D) 0 %, si elle est effectuée dans une province non participante,

La division 15(5)a)(iv)(C) a été abrogée par C.P. 2012-1127 [DORS/2012-191], 20 septembre 2012, par. 13(4) et cette abrogation s'applique au calcul de la taxe nette d'un inscrit pour les périodes de déclaration se terminant après mars 2013. Toutefois, le taux applicable à l'inscrit dans le cadre de la méthode rapide pour sa période de déclaration qui comprend le 1er avril 2013 et qui s'applique relativement à une fourniture correspond, en ce qui concerne la contrepartie de la fourniture qui est payée ou devient due avant cette date, au taux qui lui serait applicable dans le cadre de cette méthode pour cette période de demande si cet article n'était pas entré en vigueur. Antérieurement, elle se lisait ainsi :

(C) 8 %, si elle est effectuée en Colombie-Britannique,

Le sous-alinéa 15(5)a)(iv) a été remplacé par C.P. 2007-1350 [DORS/2007-203], par. 1(4) et cette modification s'applique au calcul de la taxe nette d'un inscrit pour les périodes de déclaration se terminant après juin 2006. Toutefois, le taux applicable à l'inscrit dans le cadre de la méthode rapide pour sa période de déclaration qui comprend le 1er juillet 2006 et qui s'applique à une fourniture correspond, en ce qui concerne la contrepartie de la fourniture qui est payée ou devient due avant cette date, au taux qui lui serait applicable dans le cadre de cette méthode pour cette période si ces paragraphes n'entraient pas en vigueur. Antérieurement, il se lisait ainsi :

(iv) s'il effectue la fourniture dans une province participante par l'entremise de son établissement stable dans une telle province, 5 %;

La division 15(5)b)(i)(C) a été abrogée par C.P. 2012-1127 [DORS/2012-191], 20 septembre 2012, par. 13(5) et cette abrogation s'applique au calcul de la taxe nette d'un

Règlements

inscrit pour les périodes de déclaration se terminant après mars 2013. Toutefois, le taux applicable à l'inscrit dans le cadre de la méthode rapide pour sa période de déclaration qui comprend le 1er avril 2013 et qui s'applique relativement à une fourniture correspond, en ce qui concerne la contrepartie de la fourniture qui est payée ou devient due avant cette date, au taux qui lui serait applicable dans le cadre de cette méthode pour cette période de demande si cet article n'était pas entré en vigueur. Antérieurement, elle se lisait ainsi :

(C) 8 %, si elle est effectuée en Colombie-Britannique,

Les sous-alinéas 15(5)b)(i) à (iv) ont été remplacés par C.P. 2011-263 [DORS/2011-56], par. 18(4) et cette modification s'applique au calcul de la taxe nette d'un inscrit pour les périodes de déclaration se terminant après juin 2010. Toutefois, le taux applicable à l'inscrit, dans le cadre de la méthode rapide, pour sa période de déclaration qui comprend le 1er juillet 2010, relativement à une fourniture, correspond, en ce qui concerne la contrepartie de la fourniture qui est payée ou devient due avant cette date, au taux qui lui serait applicable dans le cadre de cette méthode pour cette période si ces paragraphes n'entraient pas en vigueur. Antérieurement, il se lisait ainsi :

(i) si l'inscrit effectue la fourniture dans une province non participante par l'entremise de son établissement stable situé dans une telle province, 3,6 %,

(ii) s'il effectue la fourniture dans une province participante par l'entremise de son établissement stable situé dans une province non participante, 10,5 %,

(iii) s'il effectue la fourniture dans une province non participante par l'entremise de son établissement stable situé dans une province participante, 1,8 %,

(iv) s'il effectue la fourniture dans une province participante par l'entremise de son établissement stable situé dans une telle province, 8,8 %.

Les sous-alinéas 15(5)b)(i) à (iv) ont été remplacés par C.P. 2011-263 [DORS/2011-56], par. 18(3) et cette modification s'applique au calcul de la taxe nette d'un inscrit pour les périodes de déclaration se terminant après décembre 2007. Toutefois, le taux applicable à l'inscrit, dans le cadre de la méthode rapide, pour sa période de déclaration qui comprend le 1er janvier 2008, relativement à une fourniture, correspond, en ce qui concerne la contrepartie de la fourniture qui est payée ou devient due avant cette date, au taux qui lui serait applicable dans le cadre de cette méthode pour cette période si ces paragraphes n'entraient pas en vigueur. Antérieurement, il se lisait ainsi :

(i) si l'inscrit effectue la fourniture dans une province non participante par l'entremise de son établissement stable dans une telle province, 4,3 %,

(ii) s'il effectue la fourniture dans une province participante par l'entremise de son établissement stable dans une province non participante, 11 %,

(iii) s'il effectue la fourniture dans une province non participante par l'entremise de son établissement stable dans une province participante, 2,6 %,

(iv) s'il effectue la fourniture dans une province participante par l'entremise de son établissement stable dans une telle province, 9,4 %.

Les sous-alinéa 15(5)b)(i) à (iv) ont été remplacé par C.P. 2007-1350 [DORS/2007-203], par. 1(5) et cette modification s'applique au calcul de la taxe nette d'un inscrit pour les périodes de déclaration se terminant après juin 2006. Toutefois, le taux applicable à l'inscrit dans le cadre de la méthode rapide pour sa période de déclaration qui comprend le 1er juillet 2006 et qui s'applique à une fourniture correspond, en ce qui concerne la contrepartie de la fourniture qui est payée ou devient due avant cette date, au taux qui lui serait applicable dans le cadre de cette méthode pour cette période si ces paragraphes n'entraient pas en vigueur. Antérieurement, ils se lisaient ainsi :

(i) si l'inscrit effectue la fourniture dans une province non participante par l'entremise de son établissement stable dans une telle province, 5 %,

(ii) s'il effectue la fourniture dans une province participante par l'entremise de son établissement stable dans une province non participante, 11,6 %,

(iii) s'il effectue la fourniture dans une province non participante par l'entremise de son établissement stable dans une province participante, 3,2 %,

(iv) s'il effectue la fourniture dans une province participante par l'entremise de son établissement stable dans une telle province, 10 %.

La division 15(5)b)(ii)(C) a été abrogée par C.P. 2012-1127 [DORS/2012-191], 20 septembre 2012, par. 13(6) et cette abrogation s'applique au calcul de la taxe nette d'un inscrit pour les périodes de déclaration se terminant après mars 2013. Toutefois, le taux applicable à l'inscrit dans le cadre de la méthode rapide pour sa période de déclaration qui comprend le 1er avril 2013 et qui s'applique relativement à une fourniture correspond, en ce qui concerne la contrepartie de la fourniture qui est payée ou devient due avant cette date, au taux qui lui serait applicable dans le cadre de cette méthode pour cette période de demande si cet article n'était pas entré en vigueur. Antérieurement, elle se lisait ainsi :

(C) 7,6 %, si elle est effectuée en Colombie-Britannique,

Le sous-alinéa 15(5)b)(iii) a été abrogé par C.P. 2012-1127 [DORS/2012-191], 20 septembre 2012, par. 13(7) et cette abrogation s'applique au calcul de la taxe nette d'un inscrit pour les périodes de déclaration se terminant après mars 2013. Toutefois, le taux applicable à l'inscrit dans le cadre de la méthode rapide pour sa période de déclaration qui comprend le 1er avril 2013 et qui s'applique relativement à une fourniture correspond, en ce qui concerne la contrepartie de la fourniture qui est payée ou devient due avant cette date, au taux qui lui serait applicable dans le cadre de cette méthode pour cette période de demande si cet article n'était pas entré en vigueur. Antérieurement, il se lisait ainsi :

(iii) s'il effectue la fourniture par l'entremise de son établissement stable situé en Colombie-Britannique :

(A) 9 %, si la fourniture est effectuée en Ontario, au Nouveau-Brunswick ou à Terre-Neuve-et-Labrador,

(B) 10,6 %, si elle est effectuée en Nouvelle-Écosse,

(C) 8,2 %, si elle est effectuée en Colombie-Britannique,

(D) 2,1 %, si elle est effectuée dans une province non participante,

La division 15(5)b)(iv)(C) a été abrogée par C.P. 2012-1127 [DORS/2012-191], 20 septembre 2012, par. 13(8) et cette abrogation s'applique au calcul de la taxe nette d'un inscrit pour les périodes de déclaration se terminant après mars 2013. Toutefois, le taux applicable à l'inscrit dans le cadre de la méthode rapide pour sa période de déclaration qui comprend le 1er avril 2013 et qui s'applique relativement à une fourniture correspond, en ce qui concerne la contrepartie de la fourniture qui est payée ou devient due avant cette date, au taux qui lui serait applicable dans le cadre de cette méthode pour cette période de demande si cet article n'était pas entré en vigueur. Antérieurement, elle se lisait ainsi :

(C) 9,7 %, si elle est effectuée en Colombie-Britannique,

Le paragraphe 15(5) a été remplacé par C.P. 1999-1644 [DORS/99-368], par. 4(6). Cette modification s'applique au calcul de la taxe nette d'un inscrit pour les périodes de déclaration se terminant après mars 1997. Toutefois :

a) le taux applicable à un inscrit, dans le cadre de la méthode rapide, pour sa période de déclaration qui comprend le 1er avril 1997, relativement à une fourniture, correspond, en ce qui concerne la contrepartie de la fourniture qui est payée ou devient due avant cette date, au taux qui lui serait applicable dans le cadre de cette méthode pour cette période si cette modification n'entrait pas en vigueur;

b) le taux applicable à un inscrit, dans le cadre de la méthode rapide spéciale, pour sa période de déclaration qui comprend le 1er avril 1997, relativement à une fourniture, correspond, en ce qui concerne la contrepartie de la fourniture qui est payée ou devient due avant cette date, au taux qui serait applicable relativement à la fourniture si cette modification n'entrait pas en vigueur;

c) le taux applicable à un inscrit, dans le cadre de la méthode rapide, pour sa période de déclaration qui se termine avant le 1er juillet 1997, ou qui comprend cette date, relativement à une fourniture, correspond, en ce qui concerne la contrepartie de la fourniture qui est payée ou devient due avant cette date, au taux qui serait applicable s'il n'était pas tenu compte du passage « et les biens relativement à l'acquisition desquels l'inscrit n'était pas tenu de payer la taxe » à l'alinéa 15(5)a);

d) pour déterminer la taxe nette d'un inscrit pour une période de déclaration commençant avant le 27 novembre 1997 et se terminant après le 1er avril 1997, la mention de « 3,2 % » au sous-alinéa 15(5)b)(iii) vaut mention de « 2,7 % ».

Auparavant, le paragraphe 15(5) a été remplacé par C.P. 1999-1644 [DORS/99-368], par. 4(5). Cette modification s'applique au calcul de la taxe nette d'un inscrit pour une période de déclaration commençant :

a) après juin 1993, si la période de déclaration est un exercice de l'inscrit;

b) après 1993, dans les autres cas.

Le paragraphe 15(5), ainsi modifié, se lisait comme suit :

(5) Dans le cadre de la méthode rapide, le taux applicable à un inscrit pour une période de déclaration correspond au pourcentage suivant :

a) 2,5 %, si le coût pour l'inscrit, au cours de la période déterminante pour la période de déclaration, des biens meubles corporels (sauf les produits alimentaires de base) qu'il a acquis pour en effectuer la fourniture par vente représente au moins 40 % du montant déterminant de base pour la période de déclaration, déterminé compte non tenu des fournitures incluses à la partie III de l'annexe VI de la Loi;

b) 5 %, dans les autres cas.

Antérieurement, ce paragraphe se lisait comme suit :

(5) Dans le cadre de la méthode rapide, le taux applicable à un inscrit pour une période de déclaration donnée correspond au moins élevé des pourcentages suivants applicables :

a) 1 %, si le montant déterminant total pour la période de déclaration donnée ne dépasse pas 500 000 $ et si au moins la moitié du montant déterminant de base pour cette période est attribuable à des fournitures de produits alimentaires de base effectuées par l'inscrit dans le cours normal de l'exploitation d'un établissement de détail;

b) 1,75 % si, à la fois :

(i) le montant déterminant total pour la période de déclaration donnée ne dépasse pas 500 000 $,

(ii) au moins le quart du montant déterminant de base pour cette période est attribuable à des fournitures de produits alimentaires de base effectuées par l'inscrit dans le cours normal de l'exploitation d'un établissement de détail,

(iii) au plus la moitié du montant déterminant de base est attribuable à des fournitures de services, à des fournitures d'aliments ou de boissons préparés visés à l'alinéa 1o) de la partie III de l'annexe VI de la Loi ou à des fournitures par bail, licence ou accord semblable, de biens meubles corporels, ou encore à un ensemble de telles fournitures;

c) 3 % si, à la fois :

(i) le montant déterminant total pour la période de déclaration donnée ne dépasse pas 200 000 $,

(ii) le coût pour l'inscrit, au cours de la période déterminante pour la période de déclaration donnée, de tous les biens meubles corporels (sauf les produits alimentaires de base) qu'il a acquis pour en effectuer la fourniture par vente représente au moins 40 % du montant déterminant de base pour cette période;

d) 50 %, dans les autres cas, si le montant déterminant de base pour la période de déclaration donnée ne dépasse pas 200 000 $.

(5.01) [Déduction en vertu du par. 234(3) de la Loi] — Aux fins de la détermination, selon le paragraphe (5), du taux applicable dans le cadre de la méthode rapide relativement à une fourniture pour laquelle le fournisseur a droit à la déduction prévue au paragraphe 234(3) de la Loi, la fourniture est réputée avoir été effectuée dans une province non participante par l'entremise d'un établissement stable du fournisseur situé dans une telle province.

Notes historiques: Le paragraphe 15(5.01) a été ajouté par C.P. 1999-1644 [DORS/99-368], par. 4(6) et s'applique au calcul de la taxe nette d'un inscrit pour les périodes de déclaration se terminant après mars 1997. Toutefois :

a) le taux applicable à un inscrit, dans le cadre de la méthode rapide, pour sa période de déclaration qui comprend le 1er avril 1997, relativement à une fourniture, correspond, en ce qui concerne la contrepartie de la fourniture qui est payée ou devient due avant cette date, au taux qui lui serait applicable dans le cadre de cette méthode pour cette période si ce paragraphe n'entrait pas en vigueur;

b) le taux applicable à un inscrit, dans le cadre de la méthode rapide spéciale, pour sa période de déclaration qui comprend le 1er avril 1997, relativement à une fourniture, correspond, en ce qui concerne la contrepartie de la fourniture qui est payée ou devient due avant cette date, au taux qui serait applicable relativement à la fourniture si ce paragraphe n'entrait pas en vigueur;

c) pour déterminer le taux applicable, dans le cadre de la méthode rapide, à une fourniture effectuée avant le 27 novembre 1997, le paragraphe 15(5.01) est remplacé par ce qui suit :

(5.01) Malgré le paragraphe (5), le taux applicable dans le cadre de la méthode rapide relativement à une fourniture pour laquelle le fournisseur a droit à la déduction prévue au paragraphe 234(3) de la Loi correspond à 2,5 %.

(5.02) [Fournitures par l'entremise d'un établissement stable] — Aux fins de la détermination, selon le paragraphe (5), du taux qui lui est applicable dans le cadre de la méthode rapide pour une période de déclaration relativement aux fournitures qu'il effectue par l'entremise de son établissement stable, un inscrit peut :

a) si la presque totalité des fournitures déterminées qu'il effectue au cours de la période de déclaration par l'entremise de cet établissement sont effectuées dans une province participante, considérer les fournitures déterminées qu'il effectue ainsi au cours de cette période comme étant toutes effectuées dans cette province;

b) si la presque totalité des fournitures déterminées qu'il effectue au cours de la période de déclaration par l'entremise de cet établissement sont effectuées dans des provinces non participantes, considérer les fournitures déterminées qu'il effectue ainsi au cours de cette période comme étant toutes effectuées dans une province non participante.

Notes historiques: L'alinéa 15(5.02)a) a été remplacé par C.P. 2011-263 [DORS/2011-56], 3 mars 2011, par. 18(5) et cette modification s'applique au calcul de la taxe nette d'un inscrit pour les périodes de déclaration se terminant après juin 2010. Toutefois, le taux applicable à l'inscrit, dans le cadre de la méthode rapide, pour sa période de déclaration qui comprend le 1er juillet 2010, relativement à une fourniture, correspond, en ce qui concerne la contrepartie de la fourniture qui est payée ou devient due avant cette date, au taux qui lui serait applicable dans le cadre de cette méthode pour cette période si ces paragraphes n'entraient pas en vigueur. Antérieurement, il se lisait ainsi :

a) si la presque totalité des fournitures déterminées qu'il effectue au cours de la période de déclaration par l'entremise de cet établissement sont effectuées dans des provinces participantes, considérer les fournitures déterminées qu'il effectue ainsi au cours de cette période comme étant toutes effectuées dans une province participante;

Le paragraphe 15(5.02) a été ajouté par C.P. 1999-1644 [DORS/99-368], par. 4(6) et s'applique au calcul de la taxe nette d'un inscrit pour les périodes de déclaration se terminant après mars 1997. Toutefois :

a) le taux applicable à un inscrit, dans le cadre de la méthode rapide, pour sa période de déclaration qui comprend le 1er avril 1997, relativement à une fourniture, correspond, en ce qui concerne la contrepartie de la fourniture qui est payée ou devient due avant cette date, au taux qui lui serait applicable dans le cadre de cette méthode pour cette période si ce paragraphe n'entrait pas en vigueur;

b) le taux applicable à un inscrit, dans le cadre de la méthode rapide spéciale, pour sa période de déclaration qui comprend le 1er avril 1997, relativement à une fourniture, correspond, en ce qui concerne la contrepartie de la fourniture qui est payée ou devient due avant cette date, au taux qui serait applicable relativement à la fourniture si ce paragraphe n'entrait pas en vigueur;

c) pour déterminer la taxe nette d'un inscrit pour une période de déclaration commençant avant le 27 novembre 1997 et se terminant après le 1er avril 1997, la mention de « 3,2 % » au sous-alinéa 15(5)b)(iii) vaut mention de « 2,7 % ».

(5.1) [Fournitures déterminées nettes] — Les fournitures déterminées nettes d'un inscrit pour une période de déclaration correspondent au résultat du calcul suivant :

$$A - B$$

où :

A représente le total des montants suivants :

a) les contreparties des fournitures déterminées effectuées par l'inscrit, qui lui sont devenues dues au cours de la période de déclaration ou qui lui ont été payées au cours de cette période sans être devenues dues,

b) les montants devenus percevables par l'inscrit, et les autres montants qu'il a perçus, au cours de la période de déclaration au titre de la taxe prévue à la section II relativement aux fournitures déterminées qu'il a effectuées;

B le total des montants représentant chacun un montant que l'inscrit a payé à une personne, ou porté à son crédit, au cours de la période de déclaration au titre :

a) soit d'une réduction ou d'un remboursement de tout ou partie de la contrepartie d'une fourniture déterminée effectuée par l'inscrit au profit de la personne,

b) soit d'un remboursement ou d'un crédit relatif à la taxe prévue à la section II et exigée ou perçue de la personne relativement à une fourniture déterminée effectuée par l'inscrit.

Notes historiques: Le paragraphe 15(5.1) a été ajouté par C.P. 1999-1644 [DORS/99-368], par. 4(5) et s'applique au calcul de la taxe nette d'un inscrit pour une période de déclaration commençant :

a) après juin 1993, si la période de déclaration est un exercice de l'inscrit;

b) après 1993, dans les autres cas.

(6) [Taux applicable] — Le taux applicable, dans le cadre de la méthode rapide, à un inscrit pour ses périodes de déclaration se terminant au cours du premier trimestre d'exercice d'un de ses exercices correspond à celui qui lui est applicable pour sa période de déclaration se terminant le jour précédant ce trimestre, s'il ne peut plus déterminer sa taxe nette en conformité avec la présente partie ou si la révocation d'un de ses choix entre en vigueur.

(7) [*Abrogé*].

Notes historiques: Le paragraphe 15(7) a été abrogé par C.P. 1999-1644 [DORS/99-368], par. 4(7) et cette abrogation s'applique au calcul de la taxe nette d'un inscrit pour une période de déclaration commençant :

a) après juin 1993, si la période de déclaration est un exercice de l'inscrit;

b) après 1993, dans les autres cas.

Toutefois :

c) l'abrogation du paragraphe 15(7) ne s'applique pas au calcul de la taxe nette d'un inscrit pour les périodes de déclaration suivantes :

(i) la première période de déclaration de l'inscrit commençant après juin 1993, si elle correspond à un exercice de l'inscrit et si le choix de l'inscrit de déterminer sa taxe nette en conformité avec la partie IV du règlement était en vigueur le 1er juin 1993,

(ii) une période de déclaration commençant avant 1995, si la période de déclaration de l'inscrit ne correspond pas à un de ses exercices et si le choix de l'inscrit de déterminer sa taxe nette en conformité avec la partie IV du règlement était en vigueur au cours de sa dernière période de déclaration commençant avant 1994;

Antérieurement, ce paragraphe se lisait comme suit :

(7) Pour l'application du paragraphe (5) et de l'article 16, si l'inscrit ne tient pas de registres dont la forme et le contenu lui permettent de déterminer la proportion du montant déterminant de base pour une de ses périodes de déclaration qui est

attribuable à des fournitures de produits alimentaires de base, cette proportion est réputée égale au pourcentage obtenu par la formule suivante :

$$\frac{125\ \% \times A \times B}{C}$$

où :

A représente le coût pour l'inscrit, au cours de la période déterminante pour la période de déclaration, de tous les produits alimentaires de base qu'il acquiert pour les fournir par vente dans le cours normal de l'exploitation d'un établissement de détail;

B le quotient de la division de 365 par le nombre de jours de la période déterminante;

C le montant déterminant de base.

(8) [*Abrogé*].

Notes historiques: Le paragraphe 15(8) a été abrogé par C.P. 1999-1644 [DORS/99-368], par. 4(7) et cette abrogation s'applique au calcul de la taxe nette d'un inscrit pour une période de déclaration commençant :

a) après juin 1993, si la période de déclaration est un exercice de l'inscrit;

b) après 1993, dans les autres cas.

Toutefois :

c) l'abrogation du paragraphe 15(8) ne s'applique pas au calcul de la taxe nette d'un inscrit pour les périodes de déclaration suivantes :

(i) la première période de déclaration de l'inscrit commençant après juin 1993, si elle correspond à un exercice de l'inscrit et si le choix de l'inscrit de déterminer sa taxe nette en conformité avec la partie IV du règlement était en vigueur le 1er juin 1993,

(ii) une période de déclaration commençant avant 1995, si la période de déclaration de l'inscrit ne correspond pas à un de ses exercices et si le choix de l'inscrit de déterminer sa taxe nette en conformité avec la partie IV du règlement était en vigueur au cours de sa dernière période de déclaration commençant avant 1994;

Antérieurement, ce paragraphe se lisait comme suit :

(8) Pour l'application de la présente partie, les présomptions suivantes s'appliquent si un inscrit acquiert ou importe un bien meuble corporel dans l'unique but de le fournir à des personnes autres que des consommateurs :

a) le bien est réputé avoir été acquis ou importé pour être fourni autrement que dans le cours normal de l'exploitation d'un établissement de détail;

b) toute fourniture du bien par l'inscrit est réputée avoir été effectuée autrement que dans le cours normal de l'exploitation d'un établissement de détail.

Inscrits

16. (1) [Choix] — Un inscrit est un inscrit qui peut produire un choix — devant entrer en vigueur le premier jour de sa période de déclaration — pour que sa taxe nette soit déterminée en conformité avec la présente partie si les conditions suivantes sont réunies :

a) il est un inscrit déterminé à un moment de sa période de déclaration;

b) le montant déterminant total pour la période de déclaration ne dépasse pas 400 000 $;

c) l'inscrit a exercé des activités commerciales tout au long de la période de 365 jours se terminant la veille du début de la période de déclaration, et un choix de celui-ci n'a pas cessé d'être en vigueur au cours de cette période de 365 jours en raison de sa révocation.

Notes historiques: Le préambule du paragraphe 16(1) a été remplacé par C.P. 1999-1644 [DORS/99-368], par. 5(1) et cette modification s'applique au calcul de la taxe nette d'un inscrit pour les périodes de déclaration commençant :

a) après 1994, si le choix de l'inscrit de déterminer sa taxe nette en conformité avec l'une des parties I à III du règlement était en vigueur le 1er juin 1993;

b) après le 1er juin 1993, dans les autres cas.

Antérieurement, ce préambule se lisait comme suit :

(1) Sous réserve de l'article 23, l'inscrit peut choisir de déterminer sa taxe nette en conformité avec la présente partie, ce choix entrant en vigueur le premier jour de sa période de déclaration, si les conditions suivantes sont réunies :

L'alinéa 16(1)b) a été remplacé par C.P. 2012-1127 [DORS/2012-191], 20 septembre 2012, par. 14(1) et cette modification s'applique au calcul de la taxe nette d'un inscrit pour les périodes de déclaration commençant après 2012. Antérieurement, il se lisait ainsi :

b) le montant déterminant total pour la période de déclaration ne dépasse pas 200 000 $;

L'alinéa 16(1)b) a été remplacé par C.P. 1999-1644 [DORS/99-368], par. 5(2) et cette modification s'applique au calcul de la taxe nette d'un inscrit pour une période de déclaration commençant :

a) après juin 1993, si la période de déclaration est un exercice de l'inscrit;

b) après 1993, dans les autres cas.

Antérieurement, cet alinéa se lisait comme suit :

b) l'une ou l'autre des situations suivantes existe :

(i) le montant déterminant total pour la période de déclaration ne dépasse pas 200 000 $,

(ii) le montant déterminant total pour la période de déclaration ne dépasse pas 500 000 $, au moins le quart du montant déterminant de base pour la période de déclaration est attribuable à des fournitures de produits alimentaires de base, qu'il effectue dans le cours normal de l'exploitation d'un établissement de détail, et enfin, au plus la moitié du montant déterminant de base est attribuable à des fournitures de services, à des fournitures d'aliments ou de boissons préparés visés à l'alinéa 1o) de la partie III de l'annexe VI de la Loi et à des fournitures par bail, licence ou accord semblable, de biens meubles corporels, ou encore à un ensemble de telles fournitures;

L'alinéa c) du paragraphe 16(1) a été remplacé par C.P. 1999-1644 [DORS/99-368], par. 5(2) et cette modification est réputée être entrée en vigueur le 1er mars 1993.

Antérieurement, cet alinéa se lisait comme suit :

c) l'inscrit exerce des activités commerciales tout au long de la période de 365 jours se terminant le jour précédant la période de déclaration, et un de ses choix n'a pas cessé d'être en vigueur au cours de cette période de 365 jours par suite de la production d'un avis de révocation aux termes de l'alinéa 227(3)b) de la Loi.

Les alinéas 16(2)b) et c) ont été remplacés par C.P. 2012-1127 [DORS/2012-191], 20 septembre 2012, par. 14(2) et cette modification s'applique au calcul de la taxe nette d'un inscrit pour les périodes de déclaration commençant après 2012. Antérieurement, ils se lisaient ainsi :

b) son exercice précédant son premier exercice qui est une période de déclaration pour laquelle le montant déterminant total dépasse 200 000 $;

c) son premier trimestre d'exercice comprenant une période de déclaration pour laquelle le montant déterminant total dépasse 200 000 $;

(2) [Limite] — L'inscrit qui fait le choix prévu au paragraphe (1) ne peut plus déterminer sa taxe nette en conformité avec la présente partie à la fin de la première en date des périodes suivantes :

a) son premier exercice qui est une période de déclaration au cours de laquelle il cesse d'être un inscrit déterminé;

b) son exercice précédant son premier exercice qui est une période de déclaration pour laquelle le montant déterminant total dépasse 400 000 $;

c) son premier trimestre d'exercice comprenant une période de déclaration pour laquelle le montant déterminant total dépasse 400 000 $;

d) son trimestre d'exercice précédant son premier trimestre d'exercice comprenant une période de déclaration au cours de laquelle il cesse d'être un inscrit déterminé.

Notes historiques: L'alinéa a) du paragraphe 16(2) a été remplacé par C.P. 1999-1644 [DORS/99-368], par. 5(3) et cette modification s'applique au calcul de la taxe nette d'un inscrit pour une période de déclaration commençant :

a) après juin 1993, si la période de déclaration est un exercice de l'inscrit;

b) après 1993, dans les autres cas.

Toutefois :

c) Cette modification ne s'applique pas au calcul de la taxe nette d'un inscrit pour les périodes de déclaration suivantes :

(i) la première période de déclaration de l'inscrit commençant après juin 1993, si elle correspond à un exercice de l'inscrit et si le choix de l'inscrit de déterminer sa taxe nette en conformité avec la partie IV du règlement était en vigueur le 1er juin 1993,

(ii) une période de déclaration commençant avant 1995, si la période de déclaration de l'inscrit ne correspond pas à un de ses exercices et si le choix de l'inscrit de déterminer sa taxe nette en conformité avec la partie IV du règlement était en vigueur au cours de sa dernière période de déclaration commençant avant 1994;

Antérieurement, cet alinéa se lisait comme suit :

a) son premier trimestre d'exercice comprenant une période de déclaration pour laquelle le montant déterminant total dépasse 500 000 $;

L'alinéa b) du paragraphe 16(2) a été remplacé par C.P. 1999-1644 [DORS/99-368], par. 5(3) et cette modification s'applique au calcul de la taxe nette d'un inscrit pour une période de déclaration commençant :

a) après juin 1993, si la période de déclaration est un exercice de l'inscrit;

b) après 1993, dans les autres cas.

Toutefois :

c) Cette modification ne s'applique pas au calcul de la taxe nette d'un inscrit pour les périodes de déclaration suivantes :

(i) la première période de déclaration de l'inscrit commençant après juin 1993, si elle correspond à un exercice de l'inscrit et si le choix de l'inscrit de déterminer sa taxe nette en conformité avec la partie IV du règlement était en vigueur le 1er juin 1993,

(ii) une période de déclaration commençant avant 1995, si la période de déclaration de l'inscrit ne correspond pas à un de ses exercices et si le choix de l'inscrit de déterminer sa taxe nette en conformité avec la partie IV du règlement était en vigueur au cours de sa dernière période de déclaration commençant avant 1994;

Antérieurement, cet alinéa se lisait comme suit :

b) son premier trimestre d'exercice comprenant une période de déclaration pour laquelle :

(i) le montant déterminant total dépasse 200 000 $,

(ii) moins du quart du montant déterminant de base est attribuable à des fournitures de produits alimentaires de base, qu'il effectue dans le cours normal de l'exploitation d'un établissement de détail;

L'alinéa c) du paragraphe 16(2) a été remplacé par C.P. 1999-1644 [DORS/99-368], par. 5(3) et cette modification s'applique au calcul de la taxe nette d'un inscrit pour une période de déclaration commençant :

a) après juin 1993, si la période de déclaration est un exercice de l'inscrit;

b) après 1993, dans les autres cas.

Toutefois :

c) Cette modification ne s'applique pas au calcul de la taxe nette d'un inscrit pour les périodes de déclaration suivantes :

(i) la première période de déclaration de l'inscrit commençant après juin 1993, si elle correspond à un exercice de l'inscrit et si le choix de l'inscrit de déterminer sa taxe nette en conformité avec la partie IV du règlement était en vigueur le 1er juin 1993,

(ii) une période de déclaration commençant avant 1995, si la période de déclaration de l'inscrit ne correspond pas à un de ses exercices et si le choix de l'inscrit de déterminer sa taxe nette en conformité avec la partie IV du règlement était en vigueur au cours de sa dernière période de déclaration commençant avant 1994;

Antérieurement, cet alinéa se lisait comme suit :

c) son premier trimestre d'exercice comprenant une période de déclaration pour laquelle :

(i) le montant déterminant total dépasse 20 000 $,

(ii) moins de la moitié du montant déterminant de base est attribuable à des fournitures de produits alimentaires de base, qu'il effectue dans le cours normal de l'exploitation d'un établissement de détail,

(iii) plus de la moitié du montant déterminant de base est attribuable à des fournitures de services, à des fournitures d'aliments ou de boissons préparés visés à l'alinéa 1o) de la partie III de l'annexe VI de la Loi, à des fournitures par bail, licence ou accord semblable, de biens meubles corporels, ou encore à un ensemble de telles fournitures;

L'alinéa d) du paragraphe 16(2) a été remplacé par C.P. 1999-1644 [DORS/99-368], par. 5(3) et cette modification s'applique au calcul de la taxe nette d'un inscrit pour une période de déclaration commençant :

a) après juin 1993, si la période de déclaration est un exercice de l'inscrit;

b) après 1993, dans les autres cas.

Toutefois :

c) Cette modification ne s'applique pas au calcul de la taxe nette d'un inscrit pour les périodes de déclaration suivantes :

(i) la première période de déclaration de l'inscrit commençant après juin 1993, si elle correspond à un exercice de l'inscrit et si le choix de l'inscrit de déterminer sa taxe nette en conformité avec la partie IV du règlement était en vigueur le 1er juin 1993,

(ii) une période de déclaration commençant avant 1995, si la période de déclaration de l'inscrit ne correspond pas à un de ses exercices et si le choix de l'inscrit de déterminer sa taxe nette en conformité avec la partie IV du règlement était en vigueur au cours de sa dernière période de déclaration commençant avant 1994;

Antérieurement, cet alinéa se lisait comme suit :

d) son premier trimestre d'exercice qui précède son premier trimestre au cours duquel il cesse d'être un inscrit déterminé.

Calcul de la taxe nette

17. (1) [Calcul de la taxe nette] — Sous réserve du paragraphe 21.3(1), si le choix de l'inscrit de déterminer sa taxe nette en conformité avec la présente partie est en vigueur au cours d'une période de déclaration donnée de celui-ci, sa taxe nette pour cette période correspond au montant positif ou négatif obtenu par la formule suivante :

$$A + B - C - (1\,\% \times D)$$

où :

A représente le total des montants dont chacun est calculé, quant aux fournitures données auxquelles s'applique le même taux dans le cadre de la méthode rapide, selon la formule suivante :

$$E \times F$$

où :

E représente le taux applicable à l'inscrit, dans le cadre de la méthode rapide, pour la période donnée relativement aux fournitures données,

F la partie des fournitures déterminées nettes de l'inscrit pour la période donnée qui est attribuable aux fournitures données;

B le total des montants suivants :

a) les montants devenus percevables par l'inscrit, et les autres montants qu'il a perçus, au cours de la période donnée au titre de la taxe prévue à la section II relativement aux fournitures suivantes :

(i) les fournitures, sauf des fournitures déterminées, qu'il a effectuées,

(ii) les fournitures qu'il a effectuées pour le compte d'une autre personne à titre de son mandataire et relativement auxquelles il a fait le choix prévu au paragraphe 177(1.1) de la Loi,

b) les montants relatifs à des fournitures, sauf des fournitures déterminées, qui sont à ajouter en application de la section V dans le calcul de la taxe nette pour la période donnée,

c) le montant à ajouter en application du paragraphe 238.1(4) de la Loi dans le calcul de la taxe nette pour la période donnée;

C le total des montants représentant chacun, selon le cas :

a) un des crédits de taxe sur les intrants suivants, demandé dans la déclaration que l'inscrit produit en application de la section V pour la période donnée :

(i) le crédit pour la période donnée ou une période de déclaration antérieure de l'inscrit, relatif à un bien, sauf un bien déterminé, acquis, importé, ou transféré dans une province participante par l'inscrit ou à des améliorations apportées à ce bien,

(ii) le crédit pour une période de déclaration de l'inscrit se terminant avant l'entrée en vigueur du choix, relatif à des biens déterminés ou des services (sauf les améliorations apportées à des biens qui ne sont pas des biens déterminés) acquis, importés, ou transférés dans une province participante par l'inscrit,

(iii) le crédit pour la période donnée ou une période de déclaration antérieure de l'inscrit, relatif à un bien meuble corporel qui est un bien déterminé acquis, importé, ou transféré dans une province participante par l'inscrit en vue d'être fourni par vente et qui est réputé par le paragraphe 177(1.2) de la Loi avoir été fourni par un encanteur agissant à titre de mandataire pour le compte de l'inscrit ou qui est fourni par une personne agissant à ce titre dans les circonstances visées au paragraphe 177(1.1) de la Loi,

(iv) le crédit pour la période donnée ou une période de déclaration antérieure de l'inscrit au cours de laquelle le choix était en vigueur, relatif à un bien meuble corporel qui est réputé, par l'alinéa 180e) de la Loi, avoir été acquis par l'inscrit et, par les paragraphes 177(1) ou (1.2) de la Loi, avoir été fourni par lui,

b) un montant relatif à une fourniture, sauf une fourniture déterminée, que l'inscrit peut déduire en application de la section V dans le calcul de sa taxe nette pour la période donnée et qu'il demande dans la déclaration qu'il produit aux termes de cette section pour cette période,

c) un montant égal à 2,8 % de la partie des fournitures déterminées nettes de l'inscrit pour la période donnée qui est attribuable à des fournitures effectuées par l'entremise de son établissement stable situé en Ontario, au Nouveau-Brunswick ou à Terre-Neuve-et-Labrador et auxquelles s'applique, dans le cadre de la méthode rapide, le taux de 0 %,

d) un montant égal à 4 % de la partie des fournitures déterminées nettes de l'inscrit pour la période donnée qui est attribuable à des fournitures effectuées par l'entremise de son établissement stable situé en Nouvelle-Écosse et auxquelles s'applique, dans le cadre de la méthode rapide, le taux de 0 %,

e) [*Abrogé*];

D l'un des montants suivants :

a) dans le cas où le choix n'était pas en vigueur le jour ci-après, zéro :

(i) si l'inscrit est devenu un inscrit au cours de son exercice qui comprend la période donnée, le jour où il l'est devenu,

(ii) sinon, le premier jour de cet exercice,

b) dans le cas où le total des fournitures déterminées nettes de l'inscrit pour ses périodes de déclaration de cet exercice au cours desquelles il était un inscrit et qui se terminent avant la période donnée est d'au moins 30 000 $, zéro,

c) dans les autres cas :

(i) si la période donnée est la première période de déclaration de cet exercice au cours de laquelle l'inscrit était un inscrit, les fournitures déterminées nettes de l'inscrit pour la période donnée ou, si elle est inférieure, la somme de 30 000 $,

(ii) sinon, le moins élevé des montants suivants :

(A) les fournitures déterminées nettes de l'inscrit pour la période donnée,

(B) l'excédent de 30 000 $ sur le total des fournitures déterminées nettes de l'inscrit pour ses périodes de déclaration comprises dans cet exercice au cours desquelles il était un inscrit et qui se terminent avant la période donnée.

(2) [Présomption] — Pour l'application des alinéas b) et c) de l'élément E de la formule figurant au paragraphe (1), la première période de déclaration d'un inscrit commençant après 1993 et comprise dans un de ses exercices commençant avant 1994 est réputée être sa première période de déclaration comprise dans cet exercice.

Notes historiques: La formule figurant au paragraphe 17(1) et le passage de ce paragraphe suivant la formule ont été remplacés par C.P. 1999-1644 [DORS/99-368], par. 6(4). Cette modification s'applique au calcul de la taxe nette d'un inscrit pour les périodes de déclaration se terminant après mars 1997. Toutefois :

a) le taux applicable à un inscrit, dans le cadre de la méthode rapide, pour sa période de déclaration qui comprend le 1er avril 1997, relativement à une fourniture, correspond, en ce qui concerne la contrepartie de la fourniture qui est payée ou devient due avant cette date, au taux qui lui serait applicable dans le cadre de cette méthode pour cette période si cette modification n'entrait pas en vigueur;

b) le taux applicable à un inscrit, dans le cadre de la méthode rapide spéciale, pour sa période de déclaration qui comprend le 1er avril 1997, relativement à une fourniture, correspond, en ce qui concerne la contrepartie de la fourniture qui est payée ou devient due avant cette date, au taux qui serait applicable relativement à la fourniture si cette modification n'entrait pas en vigueur;

c) le taux applicable à un inscrit, dans le cadre de la méthode rapide, pour sa période de déclaration qui se termine avant le 1er juillet 1997, ou qui comprend cette date, relativement à une fourniture, correspond, en ce qui concerne la contrepartie de la fourniture qui est payée ou devient due avant cette date, au taux qui serait applicable s'il n'était pas tenu compte du passage « et les biens relativement à l'acquisition desquels l'inscrit n'était pas tenu de payer la taxe » à l'alinéa 15(5)a);

d) pour déterminer la taxe nette d'un inscrit pour une période de déclaration commençant avant le 27 novembre 1997 et se terminant après le 1er avril 1997 :

(i) la mention de « 2,1 % » à l'alinéa c) de l'élément C de la formule figurant au paragraphe 17(1) vaut mention de « 2,6 % »;

e) le sous-alinéa a)(ii) de l'élément B de la formule figurant au paragraphe 17(1) ne s'applique qu'aux fournitures effectuées après mars 1997.

Auparavant, l'article 17 a été modifié par C.P. 1999-1644 [DORS/99-368], par. 6(2). Cette formule et le passage suivant la formule se lisaient alors comme suit :

$$(A \times B) + C - D - (1\ \% \times E)$$

où :

A représente le taux applicable à l'inscrit, dans le cadre de la méthode rapide, pour la période donnée;

B les fournitures déterminées nettes de l'inscrit pour la période donnée;

C le total des montants suivants :

a) les montants devenus percevables par l'inscrit, et les autres montants qu'il a perçus, au cours de la période donnée au titre de la taxe prévue à la section II relativement à des fournitures, sauf des fournitures déterminées, qu'il a effectuées

b) les montants relatifs à des fournitures, sauf des fournitures déterminées, effectuées par l'inscrit, qui sont à ajouter, en application de la section V, dans le calcul de la taxe nette pour la période donnée,

c) le montant à ajouter, en application du paragraphe 238.1(4) de la Loi, dans le calcul de la taxe nette pour la période donnée;

D le total des montants représentant chacun, selon le cas :

a) un des crédits de taxe sur les intrants suivants, demandé dans la déclaration que l'inscrit produit en application de la section V pour la période donnée :

(i) le crédit pour la période donnée ou une période de déclaration antérieure de l'inscrit, relatif à un bien (sauf un bien déterminé) acquis ou importé par l'inscrit ou à des améliorations apportées à ce bien,

(ii) le crédit pour une période de déclaration de l'inscrit se terminant avant l'entrée en vigueur du choix, relatif à des biens déterminés ou des services (sauf les améliorations apportées à des biens qui ne sont pas des biens déterminés) acquis ou importés par l'inscrit,

(iii) le crédit pour la période donnée ou une période de déclaration antérieure de l'inscrit au cours de laquelle le choix était en vigueur, relatif à un bien meuble corporel qui est un bien déterminé acquis ou importé par l'inscrit en vue d'être fourni par vente et qui est réputé par le paragraphe 177(1.2) de la Loi avoir été fourni par un encanteur agissant à titre de mandataire pour le compte de l'inscrit ou qui est fourni par une personne agissant à ce titre dans les circonstances visées au paragraphe 177(1.1) de la Loi,

(iv) le crédit pour la période donnée ou une période de déclaration antérieure de l'inscrit au cours de laquelle le choix était en vigueur, relatif à un bien meuble corporel qui est réputé, par l'alinéa 180e) de la Loi, avoir été acquis par l'inscrit et, par les paragraphes 177(1) ou (1.2) de la Loi, avoir été fourni par lui,

b) un montant relatif à une fourniture, sauf une fourniture déterminée, effectuée par l'inscrit, demandé dans la déclaration qu'il produit en application de la section V pour la période donnée et déductible par lui en application de cette section dans le calcul de sa taxe nette pour cette période;

E l'un des montants suivants :

a) si le choix n'était pas en vigueur le premier jour de l'exercice de l'inscrit qui comprend la période donnée, zéro,

b) si le total des fournitures déterminées nettes de l'inscrit pour ses périodes de déclaration de cet exercice qui se terminent avant la période donnée est d'au moins 30 000 $, zéro,

c) dans les autres cas :

(i) si la période donnée est la première période de déclaration de cet exercice, les fournitures déterminées nettes de l'inscrit pour la période donnée ou, si elle est inférieure, la somme de 30 000 $,

(ii) sinon, le moins élevé des montants suivants :

(A) les fournitures déterminées nettes de l'inscrit pour la période donnée,

(B) l'excédent de 30 000 $ sur le total des fournitures déterminées nettes de l'inscrit pour ses périodes de déclaration comprises dans cet exercice qui se terminent avant la période donnée.

L'alinéa b) de l'élément B de la formule du paragraphe 17(1) a été remplacé par C.P. 2007-1350 [DORS/2007-203], par. 2(1) et cette modification s'applique au calcul de la taxe nette pour les périodes de déclaration se terminant après le 20 décembre 2002. Antérieurement, ce passage se lisait comme suit :

b) les montants relatifs à des fournitures, sauf des fournitures déterminées, effectuées par l'inscrit qui sont à ajouter, en application de la section V, dans le calcul de la taxe nette pour la période donnée,

L'alinéa c) de l'élément C de la formule figurant au paragraphe 17(1) a été remplacé par C.P. 2011-263 [DORS/2011-56], 3 mars 2011, par. 19(2) et cette modification s'applique au calcul de la taxe nette d'un inscrit pour les périodes de déclaration se terminant après juin 2010. Toutefois, pour l'application de l'alinéa d) de l'élément C de la formule figurant au paragraphe 17(1) du *Règlement sur la comptabilité abrégée (TPS/TVH)*, édicté par le paragraphe 19(2), relativement à la période de déclaration de l'inscrit qui comprend le 1er juillet 2010 et à la contrepartie d'une fourniture qui est payée ou devient due avant cette date, la mention « 4 % » vaut mention de « 2,8 % ». Antérieurement, il se lisait ainsi :

c) un montant égal à 2,8 % de la partie des fournitures déterminées nettes de l'inscrit pour la période donnée qui est attribuable à des fournitures auxquelles s'applique, dans le cadre de la méthode rapide, le taux de 0 %;

L'alinéa c) de l'élément C de la formule du paragraphe 17(1) a été remplacé par C.P. 2011-263 [DORS/2011-56], 3 mars 2011, par. 19(1) et cette modification s'applique au calcul de la taxe nette d'un inscrit pour les périodes de déclaration se terminant après décembre 2007. Toutefois, si une période de déclaration de l'inscrit comprend le 1er janvier 2008, l'alinéa c) de l'élément C de la formule figurant au paragraphe 17(1) du *Règlement sur la comptabilité abrégée (TPS/TVH)*, édicté par le paragraphe 19(1), est réputé avoir le libellé suivant :

c) le montant obtenu par la formule suivante :

$$[(2{,}5\ \% \times C_1) + (2{,}8\ \% \times C_2)] - [(2{,}1\ \% \times C_3) + (2{,}5\ \% \times C_4) + (2{,}8\ \% \times C_5)]$$

où :

C_1 représente, relativement à des fournitures déterminées auxquelles s'applique, dans le cadre de la méthode rapide, le taux de 0 %, le total des montants suivants :

(i) les contreparties des fournitures déterminées effectuées par l'inscrit qui lui sont devenues dues au cours de la période donnée, mais avant le 1er janvier 2008, ou qui lui ont été payées au cours de cette période, mais avant cette date sans être devenues dues,

(ii) les montants devenus percevables par l'inscrit, et les autres montants qu'il a perçus, au cours de la période donnée au titre de la taxe prévue à la section II au taux de 6 % relativement aux fournitures déterminées qu'il a effectuées,

C_2 relativement à des fournitures déterminées auxquelles s'applique, dans le cadre de la méthode rapide, le taux de 0 %, le total des montants suivants :

(i) les contreparties des fournitures déterminées effectuées par l'inscrit qui lui sont devenues dues au cours de la période donnée, mais après décembre 2007, ou qui lui ont été payées au cours de cette période, mais après ce mois sans être devenues dues,

(ii) les montants devenus percevables par l'inscrit, et les autres montants qu'il a perçus, au cours de la période donnée au titre de la taxe prévue à la section II au taux de 5 % relativement aux fournitures déterminées qu'il a effectuées,

C_3 le total des montants représentant chacun un montant que l'inscrit a payé à une personne, ou porté à son crédit, au cours de la période donnée au titre :

(i) soit d'une réduction ou d'un remboursement de tout ou partie de la contrepartie d'une fourniture déterminée qu'il a effectuée au profit de la personne, si la contrepartie de cette fourniture est devenue due avant le 1er juillet 2006, ou a été payée avant cette date sans être devenue due, et si le taux applicable à cette fourniture dans le cadre de la méthode rapide est de 0 %,

(ii) soit d'un remboursement ou d'un crédit relatif à la taxe prévue à la section II et exigée ou perçue de la personne au taux de 7 % pour une fourniture déterminée effectuée par l'inscrit, si le taux applicable à cette fourniture dans le cadre de la méthode rapide est de 0 %,

C_4 le total des montants représentant chacun un montant que l'inscrit a payé à une personne, ou porté à son crédit, au cours de la période donnée au titre :

(i) soit d'une réduction ou d'un remboursement de tout ou partie de la contrepartie d'une fourniture déterminée qu'il a effectuée au profit de la personne, si la contrepartie de cette fourniture est devenue due après juin 2006 et avant janvier 2008, ou a été payée après juin 2006 et avant janvier 2008 sans être devenue due, et si le taux applicable à cette fourniture dans le cadre de la méthode rapide est de 0 %,

(ii) soit d'un remboursement ou d'un crédit relatif à la taxe prévue à la section II et exigée ou perçue de la personne au taux de 6 % pour une fourniture déterminée effectuée par l'inscrit, si le taux applicable à cette fourniture dans le cadre de la méthode rapide est de 0 %,

C_5 le total des montants représentant chacun un montant que l'inscrit a payé à une personne, ou porté à son crédit, au cours de la période donnée au titre :

(i) soit d'une réduction ou d'un remboursement de tout ou partie de la contrepartie d'une fourniture déterminée qu'il a effectuée au profit de la personne, si la contrepartie de cette fourniture est devenue due après décembre 2007, ou a été payée après ce mois sans être devenue due, et si le taux applicable à cette fourniture dans le cadre de la méthode rapide est de 0 %,

(ii) soit d'un remboursement ou d'un crédit relatif à la taxe prévue à la section II et exigée ou perçue de la personne au taux de 5 % pour une fourniture déterminée effectuée par l'inscrit, si le taux applicable à cette fourniture dans le cadre de la méthode rapide est de 0 %;

Antérieurement, il se lisait ainsi :

c) un montant égal à 2,5 % de la partie des fournitures déterminées nettes de l'inscrit pour la période donnée qui est attribuable à des fournitures auxquelles s'applique, dans le cadre de la méthode rapide, le taux de 0 %;

L'alinéa b) de l'élément C de la formule du paragraphe 17(2) a été remplacé par C.P. 2007-1350 [DORS/2007-203], par. 2(2) et cette modification s'applique au calcul de la taxe nette pour les périodes de déclaration se terminant après le 20 décembre 2002. Antérieurement, ce passage se lisait comme suit :

b) un montant relatif à une fourniture, sauf une fourniture déterminée, effectuée par l'inscrit, demandé dans la déclaration qu'il produit en application de la section V pour la période donnée et déductible par lui en application de cette section dans le calcul de sa taxe nette pour cette période;

L'alinéa c) de l'élément C de la formule du paragraphe 17(3) a été remplacé par C.P. 2007-1350 [DORS/2007-203], par. 2(3) et cette modification s'applique au calcul de la taxe nette d'un inscrit pour les périodes de déclaration se terminant après juin 2006. Toutefois, si l'une des périodes de déclaration de l'inscrit comprend le 1er juillet 2006, l'alinéa c) de l'élément C de la formule figurant au paragraphe 17(1) du même règlement est réputé avoir le libellé suivant :

c) un montant égal à 2,1 % de la partie des fournitures déterminées nettes de l'inscrit pour la période donnée qui est attribuable à des fournitures auxquelles s'applique, dans le cadre de la méthode rapide, le taux de 0 %;

$$[2{,}1\ \% \times (A - B)] + [2{,}5\ \% \times (C - D)]$$

où :

A représente, relativement à des fournitures déterminées auxquelles s'applique, dans le cadre de la méthode rapide, le taux de 0 %, le total des montants suivants :

a) les contreparties des fournitures déterminées effectuées par l'inscrit qui lui sont devenues dues au cours de la période donnée, mais avant le 1er juillet 2006, ou qui lui ont été payées au cours de cette période, mais avant cette date sans être devenues dues,

b) les montants devenus percevables par l'inscrit, et les autres montants qu'il a perçus, au cours de la période donnée au titre de la taxe prévue à la section II au taux de 7 % relativement aux fournitures déterminées qu'il a effectuées,

B le total des montants représentant chacun un montant que l'inscrit a payé à une personne, ou porté à son crédit, au cours de la période donnée au titre :

a) soit d'une réduction ou d'un remboursement de tout ou partie de la contrepartie d'une fourniture déterminée qu'il a effectuée au profit de la personne, si la contrepartie de cette fourniture est devenue due avant le 1er juillet 2006, ou a été payée avant cette date sans être devenue due, et si le taux applicable à cette fourniture dans le cadre de la méthode rapide est de 0 %,

b) soit d'un remboursement ou d'un crédit relatif à la taxe prévue à la section II et exigée ou perçue de la personne au taux de 7 % pour une fourniture déterminée effectuée par l'inscrit, si le taux applicable à cette fourniture dans le cadre de la méthode rapide est de 0 %,

C relativement à des fournitures déterminées auxquelles s'applique, dans le cadre de la méthode rapide, le taux de 0 %, le total des montants suivants :

a) les contreparties des fournitures déterminées effectuées par l'inscrit qui lui sont devenues dues au cours de la période donnée, mais après juin 2006, ou qui lui ont été payées au cours de cette période, mais après ce mois sans être devenues dues,

b) les montants devenus percevables par l'inscrit, et les autres montants qu'il a perçus, au cours de la période donnée au titre de la taxe prévue à la section II au taux de 6 % relativement aux fournitures déterminées qu'il a effectuées,

D le total des montants représentant chacun un montant que l'inscrit a payé à une personne, ou porté à son crédit, au cours de la période donnée au titre :

a) soit d'une réduction ou d'un remboursement de tout ou partie de la contrepartie d'une fourniture déterminée qu'il a effectuée au profit de la personne, si la contrepartie de cette fourniture est devenue due après juin 2006, ou a été payée après ce mois sans être devenue due, et si le taux applicable à cette fourniture dans le cadre de la méthode rapide est de 0 %,

b) soit d'un remboursement ou d'un crédit relatif à la taxe prévue à la section II et exigée ou perçue de la personne au taux de 6 % pour une fourniture déterminée effectuée par l'inscrit, si le taux applicable à cette fourniture dans le cadre de la méthode rapide est de 0 %;

Antérieurement, ce passage se lisait comme suit :

c) un montant égal à 2,1 % de la partie des fournitures déterminées nettes de l'inscrit pour la période donnée qui est attribuable à des fournitures auxquelles s'applique, dans le cadre de la méthode rapide, le taux de 0 %;

L'alinéa e) de l'élément C de la formule du paragraphe 17(1) a été abrogé par C.P. 2012-1127 [DORS/2012-191], 20 septembre 2012, art. 15 et cette abrogation s'applique au calcul de la taxe nette d'un inscrit pour les périodes de déclaration se terminant après mars 2013, sauf s'il s'agit de la partie des fournitures déterminées nettes de l'inscrit, au sens du paragraphe 15(5.1) du Règlement sur la comptabilité abrégée (TPS/TVH), pour sa période de déclaration qui comprend le 1er avril 2013 qui est attribuable à des fournitures effectuées avant cette date par l'intermédiaire d'un établissement stable de l'inscrit situé en Colombie-Britannique. Antérieurement, il se lisait ainsi :

> e) un montant égal à 2,3 % de la partie des fournitures déterminées nettes de l'inscrit pour la période donnée qui est attribuable à des fournitures effectuées par l'entremise de son établissement stable situé en Colombie-Britannique et auxquelles s'applique, dans le cadre de la méthode rapide, le taux de 0 %;

Le sous-alinéa a)(iii) de l'élément D de la formule figurant au paragraphe 17(1) a été remplacé par C.P. 1999-1644 [DORS/99-368], par. 6(3) et cette modification s'applique aux crédits de taxe sur les intrants relatifs aux biens dont la fourniture est réputée effectuée par un mandataire aux termes des paragraphes 177(1) ou (1.2) de la *Loi sur la taxe d'accise*, édictés par le paragraphe 26(1) de la *Loi modifiant la Loi sur la taxe d'accise, la Loi sur les arrangements fiscaux entre le gouvernement fédéral et les provinces, la Loi de l'impôt sur le revenu, la Loi sur le compte de service et de réduction de la dette et des lois connexes*, chapitre 10 des *Lois du Canada* (1997).

Antérieurement, ce sous-alinéa, tel que modifié par C.P. 1999-1644 [DORS/99-368], par. 6(2), se lisait comme suit :

> (iii) le crédit pour la période donnée ou une période de déclaration antérieure de l'inscrit, relatif à des biens visés à l'alinéa 120(3)b) de la Loi,

Le sous-alinéa a)(iv) de l'élément D de la formule figurant au paragraphe 17(1) a été ajouté par C.P. 1999-1644 [DORS/99-368], par. 6(3) et s'applique aux crédits de taxe sur les intrants relatifs aux biens dont la fourniture est réputée effectuée par un mandataire aux termes des paragraphes 177(1) ou (1.2) de la *Loi sur la taxe d'accise*, édictés par le paragraphe 26(1) de la *Loi modifiant la Loi sur la taxe d'accise*, la *Loi sur les arrangements fiscaux entre le gouvernement fédéral et les provinces*, la *Loi de l'impôt sur le revenu*, la *Loi sur le compte de service et de réduction de la dette et des lois connexes*, chapitre 10 des *Lois du Canada* (1997).

L'article 17 a été remplacé par C.P. 1999-1644 [DORS/99-368], par. 6(2) et cette modification s'applique au calcul de la taxe nette d'un inscrit pour une période de déclaration commençant :

> a) après juin 1993, si la période de déclaration est un exercice de l'inscrit;
>
> b) après 1993, dans les autres cas.

Toutefois, l'alinéa c) de l'élément C de la formule figurant au paragraphe 17(1) s'applique au calcul de la taxe nette d'un inscrit pour les périodes de déclaration commençant après mars 1994.

Antérieurement, cet article se lisait ainsi :

> 17. **Calcul de la taxe nette** — Sous réserve du paragraphe 21.3(1), si le choix de l'inscrit de déterminer sa taxe nette en conformité avec la présente partie est en vigueur au cours d'une période de déclaration donnée de celui-ci, sa taxe nette pour cette période correspond au montant positif ou négatif obtenu par la formule suivante :
>
> $$[A \times (B - C)] + D - E$$
>
> où :
>
> A représente le taux applicable à l'inscrit, dans le cadre de la méthode rapide, pour la période de déclaration donnée;
>
> B le total des montants suivants :
>
> a) les contreparties des fournitures déterminées effectuées au Canada par l'inscrit, qui lui sont devenues dues, ou qui lui ont été payées sans qu'elles soient devenues dues, au cours de la période de déclaration donnée,
>
> b) les montants devenus percevables et les autres montants perçus par l'inscrit au cours de la période de déclaration donnée au titre de la taxe prévue à la section II relativement aux fournitures déterminées effectuées au Canada par celui-ci;
>
> C le total des montants dont chacun représente un montant que l'inscrit a payé à une personne, ou porté à son crédit, au cours de la période de déclaration donnée au titre :
>
> a) soit d'une réduction ou d'un remboursement de tout ou partie de la contrepartie d'une fourniture déterminée, à la personne, effectuée au Canada par l'inscrit,
>
> b) soit d'un remboursement ou d'un crédit au titre de la taxe, prévue à la section II, exigée ou perçue de la personne pour une fourniture déterminée effectuée par l'inscrit;
>
> D le total des montants suivants :
>
> a) les montants qui sont devenus percevables et les autres montants perçus par l'inscrit au cours de la période de déclaration donnée au titre de la taxe prévue à la section II relativement à des fournitures (sauf des fournitures déterminées) effectuées par celui-ci,
>
> b) les montants relatifs à des fournitures (sauf des fournitures déterminées) effectuées par l'inscrit, à ajouter en application de la section V dans le calcul de la taxe nette pour la période de déclaration donnée,
>
> c) le montant éventuel à ajouter en application de l'article 18 dans le calcul de la taxe nette pour la période de déclaration donnée;
>
> E le total des montants dont chacun représente, selon le cas :
>
> a) un des crédits de taxe sur les intrants suivants, demandé dans la déclaration que l'inscrit produit en application de la section V pour la période de déclaration donnée :
>
> (i) le crédit visant la période de déclaration donnée ou une période de déclaration antérieure de l'inscrit, pour un bien (sauf un bien déterminé) acquis ou importé par celui-ci ou pour des améliorations apportées à ce bien,
>
> (ii) le crédit visant une période de déclaration de l'inscrit se terminant avant l'entrée en vigueur du choix, pour des biens déterminés ou des services (sauf les améliorations aux biens qui ne sont pas des biens déterminés) acquis ou importés par celui-ci,
>
> (iii) le crédit visant la période de déclaration donnée ou une période de déclaration antérieure de l'inscrit, pour des biens visés à l'alinéa 120(3)b) de la Loi,
>
> b) un montant relatif à une fourniture (sauf une fourniture déterminée) effectuée par l'inscrit, demandé dans la déclaration qu'il produit en application de la section V pour la période de déclaration donnée et déductible par celui-ci en application de cette section dans le calcul de la taxe nette pour cette période,
>
> c) un montant à déduire en application de l'alinéa 18(1)d) dans le calcul de la taxe nette pour la période de déclaration donnée,
>
> d) un montant déductible en application de l'alinéa 346(1)a) de la Loi dans le calcul de la taxe nette pour la période de déclaration donnée.

Le passage de l'article 17 précédant la formule a été remplacé par C.P. 1999-1644 [DORS/99-368], par. 6(1) et cette modification s'applique au calcul de la taxe nette d'un inscrit pour les périodes de déclaration qui correspondent à des exercices se terminant après 1992 ou à des mois ou trimestres d'exercice se terminant après février 1993.

Antérieurement, ce passage se lisait comme suit :

> 17. Si le choix de l'inscrit, fait en vertu du paragraphe 16(1), est en vigueur au cours d'une période de déclaration donnée de celui-ci, sa taxe nette pour cette période correspond au montant positif ou négatif obtenu par la formule suivante :

Nouveaux inscrits

Notes historiques: L'intertitre précédant l'article 18 a été remplacé par C.P. 1999-1644 [DORS/99-368], art. 7. Cette modification s'applique après 1993. Antérieurement, cet intertitre se lisait « Nouveaux inscrits et rapprochements ».

L'intertitre précédant l'article 18 a auparavant été modifié par C.P. 1993-939 [DORS/93-242], 11 mai 1993 afin d'ajouter les mots « et rapprochements ».

18. (1) [Choix] — Pour l'application de la présente partie, si, au premier jour d'une période de déclaration de l'inscrit, il n'avait pas exercé d'activités commerciales tout au long de la période de 365 jours se terminant la veille de ce jour et s'il est raisonnable de s'attendre à ce qu'il fasse le choix prévu au paragraphe 16(1) au début de son premier exercice commençant au moins 365 jours après qu'il a commencé à exercer des activités commerciales, les règles suivantes s'appliquent :

a) il peut faire ce choix, lequel entre en vigueur ce jour-là;

b) le taux qui lui est applicable, dans le cadre de la méthode rapide, pour ses périodes de déclaration se terminant avant le début de l'exercice correspond au taux visé au paragraphe 15(5) qui est raisonnable dans les circonstances;

c), d) [*Abrogés*];

Notes historiques: L'alinéa 18(1)c) a été abrogé par C.P. 1999-1644 [DORS/99-368], par. 8(1). Cette abrogation s'applique au calcul de la taxe nette d'un inscrit pour une période de déclaration commençant :

> a) après juin 1993, si la période de déclaration est un exercice de l'inscrit;
>
> b) après 1993, dans les autres cas.

Antérieurement, cet alinéa se lisait ainsi :

> c) il ajoute, dans le calcul de sa taxe nette pour la période de déclaration donnée qui correspond à la première en date de sa dernière période de déclaration se terminant avant le début de l'exercice et de sa dernière période de déclaration pendant laquelle le choix est en vigueur, le montant positif obtenu par la formule suivante :
>
> $$A - B + [C \times (A - B)]$$

où :

A représente le total des montants dont chacun représenterait la taxe nette pour une période de déclaration de l'inscrit se terminant au cours de la période (appelée « période de rapprochement » au présent alinéa) commençant ce jour-là et prenant fin le dernier jour de la période de déclaration donnée, si la période de rapprochement correspondait à la période déterminante pour la période de déclaration,

B le total des montants dont chacun représenterait la taxe nette pour une période de déclaration de l'inscrit se terminant au cours de la période de rapprochement, si le montant obtenu par la présente formule était nul,

C la moitié du pourcentage obtenu lorsque le taux d'intérêt calculé selon le *Règlement sur le taux d'intérêt (Loi sur la taxe d'accise)* est multiplié par le nombre de jours de la période de rapprochement et divisé par 365,

L'alinéa 18(1)d) a été abrogé par C.P. 1999-1644 [DORS/99-368], par. 8(1). Cette abrogation s'applique au calcul de la taxe nette d'un inscrit pour une période de déclaration commençant :

a) après juin 1993, si la période de déclaration est un exercice de l'inscrit;

b) après 1993, dans les autres cas.

Antérieurement, cet alinéa se lisait ainsi :

d) il déduit, dans le calcul de sa taxe nette pour la période de déclaration donnée visée à l'alinéa c), le montant négatif obtenu par la formule figurant à cet alinéa.

(2) [*Abrogé*].

Notes historiques: Le paragraphe 18(2) a été abrogé par C.P. 1999-1644 [DORS/99-368], par. 8(2). Cette abrogation s'applique au calcul de la taxe nette d'un inscrit pour une période de déclaration commençant :

a) après juin 1993, si la période de déclaration est un exercice de l'inscrit;

b) après 1993, dans les autres cas.

Antérieurement, ce paragraphe se lisait ainsi :

(2) Sauf en cas d'application du paragraphe (1), les règles suivantes s'appliquent à l'inscrit qui commence à exploiter une entreprise de façon stable au cours d'un exercice donné où son choix, fait en vertu du paragraphe 16(1), est en vigueur :

a) l'inscrit ajoute dans le calcul de sa taxe nette, pour la période de déclaration donnée qui correspond à la première en date de sa dernière période de déclaration se terminant au cours de l'exercice donné et de sa dernière période de déclaration pendant laquelle le choix est en vigueur, le montant obtenu par la formule suivante :

$$A - B + [C \times (A - B)]$$

où :

A représente le total des montants dont chacun représenterait la taxe nette pour une période de déclaration de l'inscrit se terminant au cours de la période (appelée « période de rapprochement » au présent alinéa) commençant le premier jour du premier trimestre d'exercice de celui-ci suivant celui au cours duquel il a commencé à exploiter l'entreprise de façon stable et prenant fin le dernier jour de la période de déclaration donnée, si la période de rapprochement correspondait à la période déterminante pour la période de déclaration,

B le total des montants dont chacun représenterait la taxe nette pour une période de déclaration de l'inscrit se terminant au cours de la période de rapprochement si le montant obtenu par la présente formule était nul,

C la moitié du pourcentage obtenu lorsque le taux d'intérêt calculé selon le *Règlement sur le taux d'intérêt (Loi sur la taxe d'accise)* est multiplié par le nombre de jours de la période de rapprochement et divisé par 365;

b) si le montant obtenu par la formule figurant à l'alinéa a) est nul et si le choix est en vigueur au début du premier exercice de l'inscrit (appelé « exercice de rapprochement » au présent alinéa) suivant l'exercice donné visé à l'alinéa a), il ajoute dans le calcul de sa taxe nette, pour la période de déclaration donnée qui correspond à la première en date de sa dernière période de déclaration se terminant au cours de l'exercice de rapprochement et de sa dernière période de déclaration pendant laquelle le choix est en vigueur, le montant obtenu par la formule suivante :

$$A - B + [C \times (A - B)]$$

où :

A représente le total des montants dont chacun représenterait la taxe nette pour une période de déclaration de l'inscrit se terminant au cours de la période (appelée « période de rapprochement » au présent alinéa) commençant le premier jour de l'exercice de rapprochement et prenant fin le dernier jour de la période de déclaration donnée, si la période de rapprochement correspondait à la période déterminante pour la période de déclaration,

B le total des montants dont chacun représenterait la taxe nette pour une période de déclaration de l'inscrit se terminant au cours de la période de rapprochement si le montant obtenu par la présente formule était nul,

C la moitié du pourcentage obtenu lorsque le taux d'intérêt calculé selon le *Règlement sur le taux d'intérêt (Loi sur la taxe d'accise)* est multiplié par le nombre de jours de la période de rapprochement et divisé par 365.

L'élément B aux alinéas 18(2)a) et b) a été abrogé et remplacé par C.P. 1993-939 [DORS/93-242], 11 mai 1993 et se lisait antérieurement comme suit :

B le total des montants dont chacun représente la taxe nette pour une période de déclaration de l'inscrit se terminant au cours de la période de rapprochement, ou représenterait cette taxe si le montant obtenu par la présente formule était nul,

(3) [*Abrogé*].

Notes historiques: Le paragraphe 18(3) a été abrogé par C.P. 1999-1644 [DORS/99-368], par. 8(2). Cette abrogation s'applique aux trimestres d'exercice suivants d'un inscrit :

a) ceux qui font partie des exercices de l'inscrit commençant après juin 1993, si la période de déclaration de l'inscrit correspond à un exercice;

b) ceux qui commencent après 1993, dans les autres cas.

Antérieurement, ce paragraphe se lisait ainsi :

(3) Pour l'application du paragraphe (2), l'inscrit est réputé commencer à exploiter une entreprise de façon stable au cours d'un trimestre d'exercice donné si l'une des conditions suivantes est remplie :

a) l'entreprise n'est pas saisonnière et le total des contreparties des fournitures taxables, effectuées au Canada par l'inscrit dans le cadre de l'entreprise, qui lui sont devenues dues, ou qui lui ont été payées sans qu'elles soient devenues dues, au cours du trimestre d'exercice donné dépasse, selon le cas :

(i) le montant obtenu par la formule suivante :

$$\frac{(A + B)}{C} \times D$$

où :

A représente le total des contreparties des fournitures taxables, effectuées au Canada par l'inscrit dans le cadre de l'entreprise, qui lui sont devenues dues, ou qui lui ont été payées sans qu'elles soient devenues dues, au cours de son trimestre d'exercice (appelé « trimestre de base » au présent sous-alinéa) qui correspond au premier trimestre d'exercice précédant le trimestre d'exercice donné,

B la moitié du total visé à l'élément C de la présente formule, déterminé pour le trimestre de base,

C le total des contreparties des fournitures taxables, effectuées au Canada par l'inscrit, qui lui sont devenues dues, ou qui lui ont été payées sans qu'elles soient devenues dues, au cours du trimestre de base,

D le total des contreparties des fournitures taxables, effectuées au Canada par l'inscrit, qui lui sont devenues dues, ou qui lui ont été payées sans qu'elles soient devenues dues, au cours du trimestre d'exercice donné,

(ii) le montant qui serait obtenu par la formule figurant au sous-alinéa (i) si le trimestre de base visé à ce sous-alinéa correspondait au deuxième trimestre d'exercice de l'inscrit précédant le trimestre d'exercice donné;

b) l'inscrit commence à exploiter l'entreprise au cours du trimestre d'exercice donné, et le total des contreparties des fournitures taxables, effectuées au Canada par celui-ci dans le cadre de l'entreprise, qui lui sont devenues dues, ou qui lui ont été payées sans qu'elles soient devenues dues, au cours de ce trimestre dépasse la moitié du total des contreparties des fournitures taxables, effectuées au Canada par lui, qui lui sont devenues dues, ou qui lui ont été payées sans qu'elles soient devenues dues, au cours du même trimestre.

(4) [*Abrogé*].

Notes historiques: Le paragraphe 18(4) a été abrogé par C.P. 1999-1644 [DORS/99-368], par. 8(2). Cette abrogation s'applique au calcul de la taxe nette d'un inscrit pour une période de déclaration commençant :

a) après juin 1993, si la période de déclaration est un exercice de l'inscrit;

b) après 1993, dans les autres cas.

Antérieurement, ce paragraphe se lisait ainsi :

(4) Sauf en cas d'application des paragraphes (1) ou (2), si le choix de l'inscrit, fait en vertu du paragraphe 16(1), est en vigueur tout au long de la période (appelée « période de rapprochement » au présent paragraphe) commençant le premier jour de son exercice et prenant fin le dernier jour de la période de déclaration donnée qui correspond à la première en date de sa dernière période de déclaration se terminant au cours de l'exercice et de sa dernière période de déclaration pendant laquelle le choix est en vigueur, il ajoute le montant obtenu par la formule suivante dans le calcul de sa taxe nette pour la période de déclaration donnée :

$$A \times (B - C)$$

où :

A représente 1 %,

B le total des montants suivants :

a) les contreparties des fournitures déterminées, effectuées au Canada par l'inscrit, qui lui sont devenues dues, ou qui lui ont été payées sans qu'elles soient devenues dues, au cours de la période de rapprochement,

b) les montants devenus percevables et les autres montants perçus par l'inscrit au cours de la période de rapprochement au titre de la taxe prévue à la section II relativement aux fournitures déterminées effectuées au Canada par celui-ci;

C le total des montants dont chacun représente un montant que l'inscrit a payé à une personne, ou porté à son crédit, au cours de la période de rapprochement au titre :

a) soit d'une réduction ou d'un remboursement de tout ou partie de la contrepartie d'une fourniture déterminée, à la personne, effectuée au Canada par l'inscrit,

b) soit d'un remboursement ou d'un crédit au titre de la taxe prévue à la section II, exigée ou perçue de la personne pour une fourniture déterminée effectuée par l'inscrit.

Toutefois, ce montant n'est ainsi ajouté que si l'une des conditions suivantes est remplie :

a) dans le cadre de la méthode rapide, le taux applicable à l'inscrit pour ses périodes de déclaration se terminant au cours de la période de rapprochement correspond à 1 %, et moins du quart du montant déterminant de base pour ces périodes serait attribuable à des fournitures de produits alimentaires de base si la période de rapprochement correspondait à la période déterminante pour ces périodes de déclaration;

b) dans le cadre de la méthode rapide, le taux applicable à l'inscrit pour ses périodes de déclaration se terminant au cours de la période de rapprochement correspond à 1,75 %, et moins de 12,5 % du montant déterminant de base pour ces périodes serait attribuable à des fournitures de produits alimentaires de base si la période de rapprochement correspondait à la période déterminante pour ces périodes de déclaration.

Toutefois, ce montant n'est ainsi ajouté que si l'une des conditions suivantes est remplie :

a) dans le cadre de la méthode rapide, le taux applicable à l'inscrit pour ses périodes de déclaration se terminant au cours de la période de rapprochement correspond à 1 %, et moins du quart du montant déterminant de base pour ces périodes serait attribuable à des fournitures de produits alimentaires de base si la période de rapprochement correspondait à la période déterminante pour ces périodes de déclaration;

b) dans le cadre de la méthode rapide, le taux applicable à l'inscrit pour ses périodes de déclaration se terminant au cours de la période de rapprochement correspond à 1,75 %, et moins de 12,5 % du montant déterminant de base pour ces périodes serait attribuable à des fournitures de produits alimentaires de base si la période de rapprochement correspondait à la période déterminante pour ces périodes de déclaration.

PARTIE V — MÉTHODE RAPIDE SPÉCIALE RÉSERVÉE AUX ORGANISMES DE SERVICES PUBLICS

Définitions et interprétation

19. (1) [Définitions] — Les définitions qui suivent s'appliquent à la présente partie.

« bien déterminé » Tout bien immobilisé ou immobilisation admissible d'un inscrit.

« établissement de détail » Boutique ou magasin où un inscrit exploite principalement une entreprise consistant à effectuer des fournitures aux consommateurs qui s'y présentent.

Notes historiques: La définition de « établissement de détail » au paragraphe 19(1) a été ajoutée par C.P. 1999-1644 [DORS/99-368], par. 9(3) et s'applique au calcul de la taxe nette d'un inscrit pour les périodes de déclaration commençant :

a) après 1994, si le choix de l'inscrit de déterminer sa taxe nette en conformité avec l'une des parties I à III du même règlement était en vigueur le 1er juin 1993;

b) après le 1er juin 1993, dans les autres cas.

« exploitant d'établissement déterminé » Organisme à but non lucratif qui exploite, à des fins non lucratives, un établissement de santé au sens de l'alinéa c) de la définition de ce terme à l'article 1 de la partie II de l'annexe V de la Loi.

Notes historiques: La définition de « exploitant d'établissement déterminé » au paragraphe 19(1) a été ajoutée par C.P. 1999-1644 [DORS/99-368], par. 9(3) et s'applique au calcul de la taxe nette d'un inscrit pour les périodes de déclaration commençant après 1996.

« fourniture désignée »

a) Fourniture par vente d'un immeuble, d'un bien immobilisé ou d'une immobilisation admissible du fournisseur;

b) fourniture incluse à la partie V de l'annexe VI de la Loi;

c) fourniture effectuée à Sa Majesté du chef d'une province, sauf si elle est convenue, aux termes d'un accord conclu avec Sa Majesté du chef du Canada, de payer, relativement à la fourniture, la taxe prévue à la partie IX de la Loi.

« fourniture déterminée » L'une des fournitures suivantes quant à un inscrit :

a) la fourniture par vente d'un immeuble;

b) la fourniture par vente d'un bien déterminé dont la juste valeur marchande au moment de la fourniture est d'au moins 10 000 $;

c) la fourniture par vente d'un bien déterminé, effectuée par l'inscrit qui a demandé, ou a le droit de demander, un crédit de taxe sur les intrants pour la dernière fourniture du bien qui lui a été effectuée ou la dernière importation du bien par lui;

d) la fourniture qui est réputée par le paragraphe 172(2), l'article 175.1 ou les paragraphes 183(5) ou (6) de la Loi avoir été effectuée par l'inscrit ou la fourniture effectuée par lui à laquelle s'applique le paragraphe 173(1) de la Loi;

e) la fourniture détaxée;

f) la fourniture effectuée à l'étranger;

g) la fourniture à l'égard de laquelle l'acquéreur n'est pas tenu de payer la taxe par l'effet d'une loi fédérale, sauf si, dans le cas d'une fourniture à Sa Majesté du chef d'une province, celle-ci a convenu, en vertu d'un accord avec Sa Majesté du chef du Canada, de payer, relativement à la fourniture, la taxe prévue à la partie IX de la Loi;

h) la fourniture à laquelle s'applique le paragraphe 177(1.1) de la Loi;

i) la fourniture réputée par les paragraphes 177(1) ou (1.2) de la Loi avoir été effectuée par un inscrit agissant à titre de mandataire.

Notes historiques: L'alinéa d) de la définition de « fourniture déterminée » au paragraphe 19(1) a été remplacé par C.P. 1999-1644 [DORS/99-368], par. 9(1) et cette modification est réputée être entrée en vigueur le 31 décembre 1990. Toutefois, pour l'application de cet alinéa aux fournitures réputées avoir été effectuées avant le 24 avril 1996, il n'est pas tenu compte des mentions des fournitures réputées effectuées par l'article 175.1 de la *Loi sur la taxe d'accise.*

Antérieurement, cet alinéa se lisait ainsi :

d) la fourniture qui est réputée, en application des paragraphes 172(2), 173(1) ou 183(3) de la Loi, avoir été effectuée par l'inscrit.

L'alinéa e) de la définition de « fourniture déterminée » au paragraphe 19(1) a été ajouté par C.P. 1999-1644 [DORS/99-368], par. 9(1) et s'applique aux périodes de déclaration commençant après mai 1993.

L'alinéa f) de la définition de « fourniture déterminée » au paragraphe 19(1) a été ajouté par C.P. 1999-1644 [DORS/99-368], par. 9(1) et s'applique aux périodes de déclaration commençant après mai 1993.

L'alinéa g) de la définition de « fourniture déterminée » au paragraphe 19(1) a été ajouté par C.P. 1999-1644 [DORS/99-368], par. 9(1) et s'applique aux périodes de déclaration commençant après mai 1993.

L'alinéa h) de la définition de « fourniture déterminée » au paragraphe 19(1) a été ajouté par C.P. 1999-1644 [DORS/99-368], par. 9(1) et s'applique aux fournitures relativement auxquelles a été fait le choix prévu au paragraphe 177(1.1) de la *Loi sur la taxe d'accise*, édicté par le paragraphe 26(1) de la *Loi modifiant la Loi sur la taxe d'accise, la Loi sur les arrangements fiscaux entre le gouvernement fédéral et les provinces, la Loi de l'impôt sur le revenu, la Loi sur le compte de service et de réduction de la dette et des lois connexes*, chapitre 10 des Lois du Canada (1997).

L'alinéa i) de la définition de « fourniture déterminée » au paragraphe 19(1) a été ajouté par C.P. 1999-1644 [DORS/99-368], par. 9(2) et s'applique aux fournitures effectuées après le 26 novembre 1997.

(2) [Application] — Pour l'application de la présente partie, les termes « exploitant d'établissement », « fournisseur externe », « municipalité », « organisme à but non lucratif admissible » et « organisme déterminé de services publics » s'entendent au sens de l'article 259 de la Loi.

Notes historiques: Le paragraphe 19(2) a été remplacé par C.P. 2007-1350 [DORS/2007-203], par. 3(1) et cette modification est réputée être entrée en vigueur le 1er janvier 2005. Antérieurement, ce paragraphe se lisait ainsi :

(2) Pour l'application de la présente partie, « municipalité », organisme à but non lucratif admissible » et « organisme déterminé de services publics » s'entendent au sens de l'article 259 la Loi.

Le paragraphe 19(2) a été remplacé par C.P. 1999-1644 [DORS/99-368], par. 9(4) et cette modification s'applique au calcul de la taxe nette d'un inscrit pour les périodes de déclaration commençant après 1996. Antérieurement, ce paragraphe se lisait ainsi :

(2) Pour l'application de la présente partie, « municipalité », « organisme à but non lucratif admissible », « organisme de bienfaisance » et « organisme déterminé de services publics » s'entendent au sens de l'article 259 de la Loi.

(3) [Taux dans le cadre de la méthode rapide spéciale] — Sous réserve de la présente partie et dans le cadre de la méthode rapide spéciale, le taux applicable à un inscrit pour une période de déclaration de son exercice relativement à une fourniture qu'il effectue est le suivant :

a) dans le cas où l'inscrit effectue la fourniture dans le cadre d'une activité qu'il exerce en sa qualité d'exploitant d'établissement déterminé, d'organisme à but non lucratif admissible ou d'organisme de bienfaisance désigné en vertu de l'article 178.7 de la Loi et non à titre d'organisme déterminé de services publics :

(i) s'il effectue la fourniture par l'entremise de son établissement stable situé en Ontario :

(A) 9,9 %, si la fourniture est effectuée en Ontario, au Nouveau-Brunswick ou à Terre-Neuve-et-Labrador,

(B) 11,4 %, si elle est effectuée en Nouvelle-Écosse,

(C) [*Abrogée*],

(D) 3 %, si elle est effectuée dans une province non participante,

(ii) s'il effectue la fourniture par l'entremise de son établissement stable situé en Nouvelle-Écosse :

(A) 8,4 %, si la fourniture est effectuée en Ontario, au Nouveau-Brunswick ou à Terre-Neuve-et-Labrador,

(B) 10 %, si elle est effectuée en Nouvelle-Écosse,

(C) [*Abrogée*],

(D) 1,4 %, si elle est effectuée dans une province non participante,

(iii) s'il effectue la fourniture par l'entremise de son établissement stable situé au Nouveau-Brunswick ou à Terre-Neuve-et-Labrador :

(A) 8,8 %, si la fourniture est effectuée en Ontario, au Nouveau-Brunswick ou à Terre-Neuve-et-Labrador,

(B) 10,4 %, si elle est effectuée en Nouvelle-Écosse,

(C) [*Abrogée*],

(D) 1,8 %, si elle est effectuée dans une province non participante,

(iv) [*Abrogé*],

(v) si aucun des sous-alinéas (i) à (iv) ne s'applique :

(A) 10,5 %, si la fourniture est effectuée en Ontario, au Nouveau-Brunswick ou à Terre-Neuve-et-Labrador,

(B) 12 %, si elle est effectuée en Nouvelle-Écosse,

(C) [*Abrogée*],

(D) 3,6 %, si elle est effectuée dans une province non participante;

b) dans le cas où l'inscrit effectue la fourniture dans le cadre d'une activité qu'il exerce en sa qualité d'administration scolaire :

(i) s'il effectue la fourniture par l'entremise de son établissement stable situé en Ontario :

(A) 11 %, si la fourniture est effectuée en Ontario, au Nouveau-Brunswick ou à Terre-Neuve-et-Labrador,

(B) 12,6 %, si elle est effectuée en Nouvelle-Écosse,

(C) [*Abrogée*],

(D) 4,2 %, si elle est effectuée dans une province non participante,

(ii) s'il effectue la fourniture par l'entremise de son établissement stable situé en Nouvelle-Écosse :

(A) 10,4 %, si la fourniture est effectuée en Ontario, au Nouveau-Brunswick ou à Terre-Neuve-et-Labrador,

(B) 12 %, si elle est effectuée en Nouvelle-Écosse,

(C) [*Abrogée*],

(D) 3,6 %, si elle est effectuée dans une province non participante,

(iii) s'il effectue la fourniture par l'entremise de son établissement stable situé au Nouveau-Brunswick ou à Terre-Neuve-et-Labrador :

(A) 9,3 %, si la fourniture est effectuée en Ontario, au Nouveau-Brunswick ou à Terre-Neuve-et-Labrador,

(B) 10,9 %, si elle est effectuée en Nouvelle-Écosse,

(C) [*Abrogée*],

(D) 2,4 %, si elle est effectuée dans une province non participante,

(iv) [*Abrogé*],

(v) si aucun des sous-alinéas (i) à (iv) ne s'applique :

(A) 11,1 %, si la fourniture est effectuée en Ontario, au Nouveau-Brunswick ou à Terre-Neuve-et-Labrador,

(B) 12,7 %, si elle est effectuée en Nouvelle-Écosse,

(C) [*Abrogée*],

(D) 4,4 %, si elle est effectuée dans une province non participante;

c) dans le cas où l'inscrit effectue la fourniture dans le cadre d'une activité qu'il exerce en sa qualité d'université ou de collège public :

(i) lorsque les fournitures effectuées dans le cours normal des affaires par l'entremise de distributeurs automatiques exploités par lui et de ses établissements de détail (sauf les restaurants, cafétérias, débits de boissons et établissements semblables) où il fournit principalement des biens meubles corporels, représentent au moins le quart du montant obtenu par la formule suivante :

$$(A + B) \times \frac{365}{C}$$

où :

A représente le total des contreparties des fournitures taxables (sauf les fournitures désignées) effectuées au Canada par l'inscrit, qui lui sont devenues dues, ou qui lui ont été payées sans qu'elles soient devenues dues, au cours de son exercice précédant l'exercice donné,

B le total des taxes prévues à la section II qui sont devenues percevables au cours de l'exercice de l'inscrit précédant l'exercice donné relativement aux fournitures taxables (sauf les fournitures par vente d'immeubles et de biens déterminés) effectués par l'inscrit,

Règlements

C le nombre de jours de l'exercice de l'inscrit précédant l'exercice donné,

(A) si l'inscrit effectue la fourniture par l'entremise de son établissement stable situé en Ontario :

(I) 10,2 %, si la fourniture est effectuée en Ontario, au Nouveau-Brunswick ou à Terre-Neuve-et-Labrador,

(II) 11,8 %, si elle est effectuée en Nouvelle-Écosse,

(III) [*Abrogée*],

(IV) 3,3 %, si elle est effectuée dans une province non participante,

(B) s'il effectue la fourniture par l'entremise de son établissement stable situé en Nouvelle-Écosse :

(I) 9,6 %, si la fourniture est effectuée en Ontario, au Nouveau-Brunswick ou à Terre-Neuve-et-Labrador,

(II) 11,2 %, si elle est effectuée en Nouvelle-Écosse,

(III) [*Abrogée*],

(IV) 2,7 %, si elle est effectuée dans une province non participante,

(C) s'il effectue la fourniture par l'entremise de son établissement stable situé au Nouveau-Brunswick ou à Terre-Neuve-et-Labrador :

(I) 7,8 %, si la fourniture est effectuée en Ontario, au Nouveau-Brunswick ou à Terre-Neuve-et-Labrador,

(II) 9,4 %, si elle est effectuée en Nouvelle-Écosse,

(III) [*Abrogée*],

(IV) 0,8 %, si elle est effectuée dans une province non participante,

(D) [*Abrogée*],

(E) si aucune des divisions (A) à (D) ne s'applique :

(I) 10,9 %, si la fourniture est effectuée en Ontario, au Nouveau-Brunswick ou à Terre-Neuve-et-Labrador,

(II) 12,4 %, si elle est effectuée en Nouvelle-Écosse,

(III) [*Abrogée*],

(IV) 4,1 %, si elle est effectuée dans une province non participante,

(ii) lorsque le sous-alinéa (i) ne s'applique pas :

(A) si l'inscrit effectue la fourniture par l'entremise de son établissement stable situé en Ontario :

(I) 10,7 %, si la fourniture est effectuée en Ontario, au Nouveau-Brunswick ou à Terre-Neuve-et-Labrador,

(II) 12,3 %, si elle est effectuée en Nouvelle-Écosse,

(III) [*Abrogée*],

(IV) 3,9 %, si elle est effectuée dans une province non participante,

(B) s'il effectue la fourniture par l'entremise de son établissement stable situé en Nouvelle-Écosse :

(I) 10,4 %, si la fourniture est effectuée en Ontario, au Nouveau-Brunswick ou à Terre-Neuve-et-Labrador,

(II) 12 %, si elle est effectuée en Nouvelle-Écosse,

(III) [*Abrogée*],

(IV) 3,6 %, si elle est effectuée dans une province non participante,

(C) s'il effectue la fourniture par l'entremise de son établissement stable situé au Nouveau-Brunswick ou à Terre-Neuve-et-Labrador :

(I) 9,3 %, si la fourniture est effectuée en Ontario, au Nouveau-Brunswick ou à Terre-Neuve-et-Labrador,

(II) 10,9 %, si elle est effectuée en Nouvelle-Écosse,

(III) [*Abrogée*],

(IV) 2,4 %, si elle est effectuée dans une province non participante,

(D) [*Abrogée*],

(E) si aucune des divisions (A) à (D) ne s'applique :

(I) 11,1 %, si la fourniture est effectuée en Ontario, au Nouveau-Brunswick ou à Terre-Neuve-et-Labrador,

(II) 12,7 %, si elle est effectuée en Nouvelle-Écosse,

(III) [*Abrogée*],

(IV) 4,4 %, si elle est effectuée dans une province non participante;

d) dans le cas où l'inscrit effectue la fourniture dans le cadre d'une activité qu'il exerce en sa qualité de fournisseur externe, d'exploitant d'établissement ou d'administration hospitalière :

(i) si l'inscrit effectue la fourniture par l'entremise de son établissement stable situé en Ontario :

(A) 11 %, si la fourniture est effectuée en Ontario, au Nouveau-Brunswick ou à Terre-Neuve-et-Labrador,

(B) 12,5 %, si elle est effectuée en Nouvelle-Écosse,

(C) [*Abrogée*],

(D) 4,2 %, si elle est effectuée dans une province non participante,

(ii) s'il effectue la fourniture par l'entremise de son établissement stable situé en Nouvelle-Écosse :

(A) 10,8 %, si la fourniture est effectuée en Ontario, au Nouveau-Brunswick ou à Terre-Neuve-et-Labrador,

(B) 12,4 %, si elle est effectuée en Nouvelle-Écosse,

(C) [*Abrogée*],

(D) 4 %, si elle est effectuée dans une province non participante,

(iii) s'il effectue la fourniture par l'entremise de son établissement stable situé au Nouveau-Brunswick ou à Terre-Neuve-et-Labrador :

(A) 9,1 %, si la fourniture est effectuée en Ontario, au Nouveau-Brunswick ou à Terre-Neuve-et-Labrador,

(B) 10,7 %, si elle est effectuée en Nouvelle-Écosse,

(C) [*Abrogée*],

(D) 2,1 %, si elle est effectuée dans une province non participante,

(iv) [*Abrogée*],

(v) si aucun des sous-alinéas (i) à (iv) ne s'applique :

(A) 11,3 %, si la fourniture est effectuée en Ontario, au Nouveau-Brunswick ou à Terre-Neuve-et-Labrador,

(B) 12,8 %, si elle est effectuée en Nouvelle-Écosse,

(C) [*Abrogée*],

(D) 4,5 %, si elle est effectuée dans une province non participante;

e) dans le cas où l'inscrit effectue la fourniture dans le cadre d'une activité qu'il exerce en sa qualité de municipalité :

(i) si l'inscrit effectue la fourniture par l'entremise de son établissement stable situé en Ontario :

(A) 11,1 %, si la fourniture est effectuée en Ontario, au Nouveau-Brunswick ou à Terre-Neuve-et-Labrador,

(B) 12,6 %, si elle est effectuée en Nouvelle-Écosse,

(C) [*Abrogée*],

(D) 4,3 %, si elle est effectuée dans une province non participante,

(ii) s'il effectue la fourniture par l'entremise de son établissement stable situé en Nouvelle-Écosse :

(A) 10,5 %, si la fourniture est effectuée en Ontario, au Nouveau-Brunswick ou à Terre-Neuve-et-Labrador,

(B) 12,1 %, si elle est effectuée en Nouvelle-Écosse,

(C) [*Abrogée*],

(D) 3,7 %, si elle est effectuée dans une province non participante,

(iii) s'il effectue la fourniture par l'entremise de son établissement stable situé au Nouveau-Brunswick :

(A) 10,7 %, si la fourniture est effectuée en Ontario, au Nouveau-Brunswick ou à Terre-Neuve-et-Labrador,

(B) 12,3 %, si elle est effectuée en Nouvelle-Écosse,

(C) [*Abrogée*],

(D) 3,9 %, si elle est effectuée dans une province non participante,

(iv) s'il effectue la fourniture par l'entremise de son établissement stable situé à Terre-Neuve-et-Labrador :

(A) 9,7 %, si la fourniture est effectuée en Ontario, au Nouveau-Brunswick ou à Terre-Neuve-et-Labrador,

(B) 11,2 %, si elle est effectuée en Nouvelle-Écosse,

(C) [*Abrogée*],

(D) 2,8 %, si elle est effectuée dans une province non participante,

(v) si aucun des sous-alinéas (i) à (iv) ne s'applique :

(A) 11,5 %, si la fourniture est effectuée en Ontario, au Nouveau-Brunswick ou à Terre-Neuve-et-Labrador,

(B) 13 %, si elle est effectuée en Nouvelle-Écosse,

(C) [*Abrogée*],

(D) 4,7 %, si elle est effectuée dans une province non participante.

Notes historiques: Le préambule du paragraphe 19(3) précédant l'alinéa c) a été remplacé par C.P. 1999-1644 [DORS/99-368], par. 9(5) et cette modification s'applique au calcul de la taxe nette d'un inscrit pour les périodes de déclaration se terminant après mars 1997. Toutefois :

a) le taux applicable à un inscrit, dans le cadre de la méthode rapide, pour sa période de déclaration qui comprend le 1er avril 1997, relativement à une fourniture, correspond, en ce qui concerne la contrepartie de la fourniture qui est payée ou devient due avant cette date, au taux qui lui serait applicable dans le cadre de cette méthode pour cette période si cette modification n'entrait pas en vigueur;

b) le taux applicable à un inscrit, dans le cadre de la méthode rapide spéciale, pour sa période de déclaration qui comprend le 1er avril 1997, relativement à une fourniture, correspond, en ce qui concerne la contrepartie de la fourniture qui est payée ou devient due avant cette date, au taux qui serait applicable relativement à la fourniture si cette modification n'entrait pas en vigueur;

c) pour déterminer la taxe nette d'un inscrit pour une période de déclaration commençant avant le 27 novembre 1997 et se terminant après le 1er avril 1997 :

(i) la mention de « 3,2 % » à la division 19(3)a)(i)(B) vaut mention de « 2,7 % »,

(ii) la mention de « 5,4 % » à la division 19(3)b)(i)(B) vaut mention de « 4,9 % »,

(iii) la mention de « 10,7 % » à la division 19(3)b)(ii)(A) vaut mention de « 10,4 % »,

(iv) la mention de « 4,1 % » à la division 19(3)b)(ii)(B) vaut mention de « 2,4 % ».

d) aux fins du calcul de la taxe nette d'un organisme de bienfaisance pour les périodes de déclaration commençant avant 1997, le préambule de l'alinéa 19(3)a) est remplacé par ce qui suit :

a) dans le cas où l'inscrit exerce l'activité en sa qualité d'organisme de bienfaisance ou d'organisme à but non lucratif admissible et non à titre d'organisme déterminé de services publics :

Auparavant, le passage du paragraphe 19(3) précédant l'alinéa c) se lisait comme suit :

(3) Sous réserve de la présente partie, le taux applicable, dans le cadre de la méthode rapide spéciale, à une activité exercée par un inscrit et à une période de déclaration au cours d'un exercice donné de celui-ci correspond :

a) dans le cas où l'inscrit exerce l'activité en sa qualité d'organisme de bienfaisance ou d'organisme à but non lucratif admissible et non à titre d'organisme déterminé de services publics, à 5 %;

b) dans le cas où l'inscrit exerce l'activité en sa qualité d'administration scolaire, à 6 %;

Le préambule de l'alinéa 19(3)a) a été remplacé par C.P. 2002-1256 [DORS/2002-272], par. 1(1) et cette modification s'applique à l'égard du calcul de la taxe nette d'un inscrit pour les périodes de déclaration commençant après le 24 février 1998. Antérieurement, il se lisait ainsi :

a) dans le cas où l'inscrit effectue la fourniture dans le cadre d'une activité qu'il exerce en sa qualité d'exploitant d'établissement déterminé ou d'organisme à but non lucratif admissible et non à titre d'organisme déterminé de services publics :

La division 19(3)a)(i)(C) a été abrogée par C.P. 2012-1127 [DORS/2012-191], 20 septembre 2012, par. 16(1) et cette abrogation s'applique au calcul de la taxe nette d'un inscrit pour les périodes de déclaration se terminant après mars 2013. Toutefois, le taux applicable à l'inscrit dans le cadre de la méthode rapide spéciale pour sa période de déclaration qui comprend le 1er avril 2013 et qui s'applique relativement à une fourniture correspond, en ce qui concerne la contrepartie de la fourniture qui est payée ou devient due avant cette date, au taux qui lui serait applicable dans le cadre de cette méthode pour cette période de demande si cet article n'était pas entré en vigueur. Antérieurement, elle se lisait ainsi :

(C) 9,1 %, si elle est effectuée en Colombie-Britannique,

Les sous-alinéas 19(3)a)(i) et (ii) ont été remplacés par C.P. 2011-263 [DORS/2011-56], 3 mars 2011, par. 20(2) et cette modification s'applique au calcul de la taxe nette d'un inscrit pour les périodes de déclaration se terminant après juin 2010. Toutefois, le taux applicable à l'inscrit, dans le cadre de la méthode rapide spéciale, pour sa période de déclaration qui comprend le 1er juillet 2010, relativement à une fourniture, correspond, en ce qui concerne la contrepartie de la fourniture qui est payée ou devient due avant cette date, au taux qui lui serait applicable dans le cadre de cette méthode pour cette période si ces paragraphes n'entraient pas en vigueur. Antérieurement, il se lisait ainsi :

(i) s'il effectue la fourniture par l'entremise de son établissement stable situé en Nouvelle-Écosse, au Nouveau-Brunswick ou à Terre-Neuve-et-Labrador :

(A) 8,8 %, si la fourniture est effectuée dans une province participante,

(B) 1,8 %, si elle est effectuée dans une province non participante,

(ii) si le sous-alinéa (i) ne s'applique pas :

(A) 10,5 %, si la fourniture est effectuée dans une province participante,

(B) 3,6 %, si elle est effectuée dans une province non participante;

Les sous-alinéas 19(3)a)(i) et (ii) ont été remplacés par C.P. 2011-263 [DORS/2011-56], 3 mars 2011, par. 20(1) et cette modification s'applique au calcul de la taxe nette d'un inscrit pour les périodes de déclaration se terminant après décembre 2007. Toutefois, le taux applicable à l'inscrit, dans le cadre de la méthode rapide spéciale, pour sa période de déclaration qui comprend le 1er janvier 2008, relativement à une fourniture, correspond, en ce qui concerne la contrepartie de la fourniture qui est payée ou devient due avant cette date, au taux qui lui serait applicable dans le cadre de cette méthode pour cette période si ces paragraphes n'entraient pas en vigueur. Antérieurement, il se lisait ainsi :

(i) s'il effectue la fourniture par l'entremise de son établissement stable en Nouvelle-Écosse, au Nouveau-Brunswick ou à Terre-Neuve-et-Labrador :

(A) 9,4 %, si la fourniture est effectuée dans une province participante,

(B) 2,5 %, si elle est effectuée dans une province non participante,

(ii) si le sous-alinéa (i) ne s'applique pas :

(A) 11 %, si la fourniture est effectuée dans une province participante,

(B) 4,3 %, si elle est effectuée dans une province non participante;

Les sous-alinéas 19(3)a)(i) et (ii) ont été remplacés par C.P. 2007-1350 [DORS/2007-203], par. 3(2) et cette modification s'applique au calcul de la taxe nette d'un inscrit pour les périodes de déclaration se terminant après juin 2006. Toutefois, le taux applicable à l'inscrit dans le cadre de la méthode rapide spéciale pour sa période de déclaration qui comprend le 1er juillet 2006 et qui s'applique à une fourniture correspond, en ce qui concerne la contrepartie de la fourniture qui est payée ou devient due avant cette date, au taux qui lui serait applicable dans le cadre de cette méthode pour cette période si ces paragraphes n'entraient pas en vigueur. Antérieurement, il se lisait ainsi :

(i) s'il effectue la fourniture par l'entremise de son établissement stable en Nouvelle-Écosse, au Nouveau-Brunswick ou à Terre-Neuve :

(A) 10 %, si la fourniture est effectuée dans une province participante,

(B) 3,2 %, si elle est effectuée dans une province non participante,

(ii) si le sous-alinéa (i) ne s'applique pas :

(A) 11,6 %, si la fourniture est effectuée dans une province participante,

(B) 5 %, si elle est effectuée dans une province non participante;

La division 19(3)a)(ii)(C) a été abrogée par C.P. 2012-1127 [DORS/2012-191], 20 septembre 2012, par. 16(2) et cette abrogation s'applique selon les mêmes modalités d'application que C.P. 2012-1127 [DORS/2012-191], 20 septembre 2012, par. 16(1). Antérieurement, elle se lisait ainsi :

(C) 7,6 %, si elle est effectuée en Colombie-Britannique,

La division 19(3)a)(iii)(C) a été abrogée par C.P. 2012-1127 [DORS/2012-191], 20 septembre 2012, par. 16(3) et cette abrogation s'applique selon les mêmes modalités d'application que C.P. 2012-1127 [DORS/2012-191], 20 septembre 2012, par. 16(1). Antérieurement, elle se lisait ainsi :

(C) 8 %, si elle est effectuée en Colombie-Britannique,

Le sous-alinéa 19(3)a)(iv) a été abrogé par C.P. 2012-1127 [DORS/2012-191], 20 septembre 2012, par. 16(4) et cette abrogation s'applique selon les mêmes modalités d'ap-

Règlements

plication que C.P. 2012-1127 [DORS/2012-191], 20 septembre 2012, par. 16(1). Antérieurement, il se lisait ainsi :

(iv) s'il effectue la fourniture par l'entremise de son établissement stable situé en Colombie-Britannique :

(A) 9,2 %, si la fourniture est effectuée en Ontario, au Nouveau-Brunswick ou à Terre-Neuve-et-Labrador,

(B) 10,8 %, si elle est effectuée en Nouvelle-Écosse,

(C) 8,4 %, si elle est effectuée en Colombie-Britannique,

(D) 2,3 %, si elle est effectuée dans une province non participante,

La division 19(3)a)(v)(C) a été abrogée par C.P. 2012-1127 [DORS/2012-191], 20 septembre 2012, par. 16(5) et cette abrogation s'applique selon les mêmes modalités d'application que C.P. 2012-1127 [DORS/2012-191], 20 septembre 2012, par. 16(1). Antérieurement, elle se lisait ainsi :

(C) 9,7 %, si elle est effectuée en Colombie-Britannique,

La division 19(3)b)(i)(C) a été abrogée par C.P. 2012-1127 [DORS/2012-191], 20 septembre 2012, par. 16(6) et cette abrogation s'applique selon les mêmes modalités d'application que C.P. 2012-1127 [DORS/2012-191], 20 septembre 2012, par. 16(1). Antérieurement, elle se lisait ainsi :

(C) 10,2 %, si elle est effectuée en Colombie-Britannique,

Les sous-alinéas 19(3)b)(i) à (iii) ont été remplacés par C.P. 2011-263 [DORS/2011-56], 3 mars 2011, par. 20(4) et cette modification s'applique au calcul de la taxe nette d'un inscrit pour les périodes de déclaration se terminant après juin 2010. Toutefois, le taux applicable à l'inscrit, dans le cadre de la méthode rapide spéciale, pour sa période de déclaration qui comprend le 1er juillet 2010, relativement à une fourniture, correspond, en ce qui concerne la contrepartie de la fourniture qui est payée ou devient due avant cette date, au taux qui lui serait applicable dans le cadre de cette méthode pour cette période si ces paragraphes n'entraient pas en vigueur. Antérieurement, il se lisait ainsi :

(i) s'il effectue la fourniture par l'entremise de son établissement stable situé en Nouvelle-Écosse :

(A) 10,5 %, si la fourniture est effectuée dans une province participante,

(B) 3,7 %, si elle est effectuée dans une province non participante,

(ii) s'il effectue la fourniture par l'entremise de son établissement stable situé au Nouveau-Brunswick ou à Terre-Neuve-et-Labrador :

(A) 9,3 %, si la fourniture est effectuée dans une province participante,

(B) 2,4 %, si elle est effectuée dans une province non participante,

(iii) si ni le sous-alinéa (i) ni le sous-alinéa (ii) ne s'appliquent :

(A) 11,1 %, si la fourniture est effectuée dans une province participante,

(B) 4,4 %, si elle est effectuée dans une province non participante;

Les sous-alinéas 19(3)b)(i) à (iii) ont été remplacés par C.P. 2011-263 [DORS/2011-56], 3 mars 2011, par. 20(3) et cette modification s'applique au calcul de la taxe nette d'un inscrit pour les périodes de déclaration se terminant après décembre 2007. Toutefois, le taux applicable à l'inscrit, dans le cadre de la méthode rapide spéciale, pour sa période de déclaration qui comprend le 1er janvier 2008, relativement à une fourniture, correspond, en ce qui concerne la contrepartie de la fourniture qui est payée ou devient due avant cette date, au taux qui lui serait applicable dans le cadre de cette méthode pour cette période si ces paragraphes n'entraient pas en vigueur. Antérieurement, il se lisait ainsi :

(i) s'il effectue la fourniture par l'entremise de son établissement stable en Nouvelle-Écosse :

(A) 11,3 %, si la fourniture est effectuée dans une province participante,

(B) 4,6 %, si elle est effectuée dans une province non participante,

(ii) s'il effectue la fourniture par l'entremise de son établissement stable au Nouveau-Brunswick ou à Terre-Neuve-et-Labrador :

(A) 10 %, si la fourniture est effectuée dans une province participante,

(B) 3,2 %, si elle est effectuée dans une province non participante,

(iii) si ni le sous-alinéa (i) ni le sous-alinéa (ii) ne s'appliquent :

(A) 11,8 %, si la fourniture est effectuée dans une province participante,

(B) 5,2 %, si elle est effectuée dans une province non participante;

Les sous-alinéas 19(3)b)(i) à (iii) ont été remplacés par C.P. 2007-1350 [DORS/2007-203], par. 3(3) et cette modification s'applique au calcul de la taxe nette d'un inscrit pour les périodes de déclaration se terminant après juin 2006. Toutefois, le taux applicable à l'inscrit dans le cadre de la méthode rapide spéciale pour sa période de déclaration qui comprend le 1er juillet 2006 et qui s'applique à une fourniture correspond, en ce qui concerne la contrepartie de la fourniture qui est payée ou devient due avant cette date, au taux qui lui serait applicable dans le cadre de cette méthode pour cette période si ces paragraphes n'entraient pas en vigueur. Antérieurement, il se lisait ainsi :

(i) s'il effectue la fourniture par l'entremise de son établissement stable en Nouvelle-Écosse :

(A) 12 %, si la fourniture est effectuée dans une province participante,

(B) 5,4 %, si elle est effectuée dans une province non participante,

(ii) s'il effectue la fourniture par l'entremise de son établissement stable au Nouveau-Brunswick ou à Terre-Neuve :

(A) 10,7 %, si la fourniture est effectuée dans une province participante,

(B) 4,1 %, si elle est effectuée dans une province non participante,

(iii) si ni le sous-alinéa (i) ni le sous-alinéa (ii) ne s'appliquent :

(A) 12,5 %, si la fourniture est effectuée dans une province participante,

(B) 6 %, si elle est effectuée dans une province non participante;

La division 19(3)b)(i)(C) a été abrogée par C.P. 2012-1127 [DORS/2012-191], 20 septembre 2012, par. 16(6) et cette abrogation s'applique selon les mêmes modalités d'application que C.P. 2012-1127 [DORS/2012-191], 20 septembre 2012, par. 16(1). Antérieurement, elle se lisait ainsi :

(C) 10,2 %, si elle est effectuée en Colombie-Britannique,

La division 19(3)b)(ii)(C) a été abrogée par C.P. 2012-1127 [DORS/2012-191], 20 septembre 2012, par. 16(7) et cette abrogation s'applique selon les mêmes modalités d'application que C.P. 2012-1127 [DORS/2012-191], 20 septembre 2012, par. 16(1). Antérieurement, elle se lisait ainsi :

(C) 9,6 %, si elle est effectuée en Colombie-Britannique,

La division 19(3)b)(iii)(C) a été abrogée par C.P. 2012-1127 [DORS/2012-191], 20 septembre 2012, par. 16(8) et cette abrogation s'applique selon les mêmes modalités d'application que C.P. 2012-1127 [DORS/2012-191], 20 septembre 2012, par. 16(1). Antérieurement, elle se lisait ainsi :

(C) 8,5 %, si elle est effectuée en Colombie-Britannique,

Le sous-alinéa 19(3)b)(iv) a été abrogé par C.P. 2012-1127 [DORS/2012-191], 20 septembre 2012, par. 16(9) et cette abrogation s'applique selon les mêmes modalités d'application que C.P. 2012-1127 [DORS/2012-191], 20 septembre 2012, par. 16(1). Antérieurement, il se lisait ainsi :

(iv) s'il effectue la fourniture par l'entremise de son établissement stable situé en Colombie-Britannique :

(A) 10,9 %, si la fourniture est effectuée en Ontario, au Nouveau-Brunswick ou à Terre-Neuve-et-Labrador,

(B) 12,5 %, si elle est effectuée en Nouvelle-Écosse,

(C) 10,1 %, si elle est effectuée en Colombie-Britannique,

(D) 4,1 %, si elle est effectuée dans une province non participante,

La division 19(3)b)(v)(C) a été abrogée par C.P. 2012-1127 [DORS/2012-191], 20 septembre 2012, par. 16(10) et cette abrogation s'applique selon les mêmes modalités d'application que C.P. 2012-1127 [DORS/2012-191], 20 septembre 2012, par. 16(1). Antérieurement, elle se lisait ainsi :

(C) 10,3 %, si elle est effectuée en Colombie-Britannique,

Le passage de l'alinéa 19(3)c) précédant la formule a été remplacé par C.P. 1999-1644 [DORS/99-368], par. 9(6) et cette modification s'applique au calcul de la taxe nette d'un inscrit pour les périodes de déclaration se terminant après mars 1997. Toutefois :

a) le taux applicable à un inscrit, dans le cadre de la méthode rapide, pour sa période de déclaration qui comprend le 1er avril 1997, relativement à une fourniture, correspond, en ce qui concerne la contrepartie de la fourniture qui est payée ou devient due avant cette date, au taux qui lui serait applicable dans le cadre de cette méthode pour cette période si cette modification n'entrait pas en vigueur;

b) le taux applicable à un inscrit, dans le cadre de la méthode rapide spéciale, pour sa période de déclaration qui comprend le 1er avril 1997, relativement à une fourniture, correspond, en ce qui concerne la contrepartie de la fourniture qui est payée ou devient due avant cette date, au taux qui serait applicable relativement à la fourniture si cette modification n'entrait pas en vigueur;

Auparavant, ce passage se lisait comme suit :

c) dans le cas où l'inscrit exerce l'activité en sa qualité d'université ou de collège public :

(i) à 5,6 %, si les fournitures effectuées dans le cours normal des affaires par l'entremise de distributeurs automatiques exploités par l'inscrit et d'établissements de détail de celui-ci (sauf les restaurants, les cafétérias, les débits de boissons ou les établissements semblables) où il fournit principalement des biens meubles corporels, représentent au moins le quart du montant obtenu par la formule suivante :

La subdivision 19(3)c)(i)(A)(III) a été abrogée par C.P. 2012-1127 [DORS/2012-191], 20 septembre 2012, par. 16(11) et cette abrogation s'applique selon les mêmes modalités d'application que C.P. 2012-1127 [DORS/2012-191], 20 septembre 2012, par. 16(1). Antérieurement, elle se lisait ainsi :

(III) 9,4 %, si elle est effectuée en Colombie-Britannique,

La subdivision 19(3)c)(i)(B)(III) a été abrogée par C.P. 2012-1127 [DORS/2012-191], 20 septembre 2012, par. 16(12) et cette abrogation s'applique selon les mêmes modalités d'application que C.P. 2012-1127 [DORS/2012-191], 20 septembre 2012, par. 16(1). Antérieurement, elle se lisait ainsi :

(III) 8,8 %, si elle est effectuée en Colombie-Britannique,

L'élément B de la formule figurant au sous-alinéa 19(3)c)(i) a été remplacé par C.P. 1999-1644 [DORS/99-368], par. 9(7) et cette modification s'applique au calcul de la taxe nette d'un inscrit pour les périodes de déclaration se terminant après mars 1997. Toutefois :

a) le taux applicable à un inscrit, dans le cadre de la méthode rapide, pour sa période de déclaration qui comprend le 1er avril 1997, relativement à une fourniture, correspond, en ce qui concerne la contrepartie de la fourniture qui est payée ou devient due avant cette date, au taux qui lui serait applicable dans le cadre de cette méthode pour cette période si cette modification n'entrait pas en vigueur;

b) le taux applicable à un inscrit, dans le cadre de la méthode rapide spéciale, pour sa période de déclaration qui comprend le 1er avril 1997, relativement à une fourniture, correspond, en ce qui concerne la contrepartie de la fourniture qui est payée ou devient due avant cette date, au taux qui serait applicable relativement à la fourniture si cette modification n'entrait pas en vigueur;

Auparavant, ce passage se lisait comme suit :

B le total de la taxe prévue à la section II qui est devenue percevable au cours de l'exercice de l'inscrit précédant l'exercice donné relativement aux fournitures taxables (sauf les fournitures par vente d'immeubles, de biens immobilisés et d'immobilisations admissibles) effectuées par celui-ci,

La subdivision 19(3)c)(i)(C)(III) a été abrogée par C.P. 2012-1127 [DORS/2012-191], 20 septembre 2012, par. 16(13) et cette abrogation s'applique selon les mêmes modalités d'application que C.P. 2012-1127 [DORS/2012-191], 20 septembre 2012, par. 16(1). Antérieurement, elle se lisait ainsi :

(III) 7 %, si elle est effectuée en Colombie-Britannique,

Les divisions 19(3)c)(i)(A) à (C) ont été remplacés par C.P. 2011-263 [DORS/2011-56], 3 mars 2011, par. 20(6) et cette modification s'applique au calcul de la taxe nette d'un inscrit pour les périodes de déclaration se terminant après juin 2010. Toutefois, le taux applicable à l'inscrit, dans le cadre de la méthode rapide spéciale, pour sa période de déclaration qui comprend le 1er juillet 2010, relativement à une fourniture, correspond, en ce qui concerne la contrepartie de la fourniture qui est payée ou devient due avant cette date, au taux qui lui serait applicable dans le cadre de cette méthode pour cette période si ces paragraphes n'entraient pas en vigueur. Antérieurement, il se lisait ainsi :

(A) si l'inscrit est en Nouvelle-Écosse :

(I) 9,8 %, si la fourniture est effectuée dans une province participante,

(II) 3 %, si elle est effectuée dans une province non participante,

(B) s'il est au Nouveau-Brunswick ou à Terre-Neuve-et-Labrador :

(I) 7,8 %, si la fourniture est effectuée dans une province participante,

(II) 0,8 %, si elle est effectuée dans une province non participante,

(C) s'il est dans une province non participante :

(I) 10,9 %, si la fourniture est effectuée dans une province participante,

(II) 4,1 %, si elle est effectuée dans une province non participante,

Les divisions 19(3)c)(i)(A) à (C) ont été remplacés par C.P. 2011-263 [DORS/2011-56], 3 mars 2011, par. 20(5) et cette modification s'applique au calcul de la taxe nette d'un inscrit pour les périodes de déclaration se terminant après décembre 2007. Toutefois, le taux applicable à l'inscrit, dans le cadre de la méthode rapide spéciale, pour sa période de déclaration qui comprend le 1er janvier 2008, relativement à une fourniture, correspond, en ce qui concerne la contrepartie de la fourniture qui est payée ou devient due avant cette date, au taux qui lui serait applicable dans le cadre de cette méthode pour cette période si ces paragraphes n'entraient pas en vigueur. Antérieurement, il se lisait ainsi :

(A) si l'inscrit est en Nouvelle-Écosse :

(I) 10,5 %, si la fourniture est effectuée dans une province participante,

(II) 3,8 %, si elle est effectuée dans une province non participante,

(B) s'il est au Nouveau-Brunswick ou à Terre-Neuve-et-Labrador :

(I) 8,5 %, si la fourniture est effectuée dans une province participante,

(II) 1,6 %, si elle est effectuée dans une province non participante,

(C) s'il est dans une province non participante :

(I) 11,5 %, si la fourniture est effectuée dans une province participante,

(II) 4,8 %, si elle est effectuée dans une province non participante,

Les divisions 19(3)c)(i)(A) à (C) ont été remplacés par C.P. 2007-1350 [DORS/2007-203], par. 3(4) et cette modification s'applique au calcul de la taxe nette d'un inscrit pour les périodes de déclaration se terminant après juin 2006. Toutefois, le taux applicable à l'inscrit dans le cadre de la méthode rapide spéciale pour sa période de déclaration qui comprend le 1er juillet 2006 et qui s'applique à une fourniture correspond, en ce qui concerne la contrepartie de la fourniture qui est payée ou devient due avant cette date, au taux qui lui serait applicable dans le cadre de cette méthode pour cette période si ces paragraphes n'entraient pas en vigueur. Antérieurement, il se lisait ainsi :

(A) si l'inscrit est en Nouvelle-Écosse :

(I) 11,2 %, si la fourniture est effectuée dans une province participante,

(II) 4,5 %, si elle est effectuée dans une province non participante,

(B) s'il est au Nouveau-Brunswick ou à Terre-Neuve :

(I) 9,1 %, si la fourniture est effectuée dans une province participante,

(II) 2,3 %, si elle est effectuée dans une province non participante,

(C) s'il est dans une province non participante :

(I) 12,2 %, si la fourniture est effectuée dans une province participante,

(II) 5,6 %, si elle est effectuée dans une province non participante,

La division 19(3)c)(i)C(A) a été ajoutée par C.P. 1999-1644 [DORS/99-368], par. 9(8) et s'applique au calcul de la taxe nette d'un inscrit pour les périodes de déclaration se terminant après mars 1997. Toutefois :

a) le taux applicable à un inscrit, dans le cadre de la méthode rapide, pour sa période de déclaration qui comprend le 1er avril 1997, relativement à une fourniture, correspond, en ce qui concerne la contrepartie de la fourniture qui est payée ou devient due avant cette date, au taux qui lui serait applicable dans le cadre de cette méthode pour cette période si cette modification n'entrait pas en vigueur;

b) le taux applicable à un inscrit, dans le cadre de la méthode rapide spéciale, pour sa période de déclaration qui comprend le 1er avril 1997, relativement à une fourniture, correspond, en ce qui concerne la contrepartie de la fourniture qui est payée ou devient due avant cette date, au taux qui serait applicable relativement à la fourniture si cette modification n'entrait pas en vigueur;

c) pour déterminer la taxe nette d'un inscrit pour une période de déclaration commençant avant le 27 novembre 1997 et se terminant après le 1er avril 1997 :

(i) la mention de « 4,5 % » à la subdivision 19(3c)(i)(A)(II) vaut mention de « 4 % »,

La division 19(3)c)(i)C(B) a été ajoutée par C.P. 1999-1644 [DORS/99-368], par. 9(8) et s'applique au calcul de la taxe nette d'un inscrit pour les périodes de déclaration se terminant après mars 1997. Toutefois :

a) le taux applicable à un inscrit, dans le cadre de la méthode rapide, pour sa période de déclaration qui comprend le 1er avril 1997, relativement à une fourniture, correspond, en ce qui concerne la contrepartie de la fourniture qui est payée ou devient due avant cette date, au taux qui lui serait applicable dans le cadre de cette méthode pour cette période si cette modification n'entrait pas en vigueur;

b) le taux applicable à un inscrit, dans le cadre de la méthode rapide spéciale, pour sa période de déclaration qui comprend le 1er avril 1997, relativement à une fourniture, correspond, en ce qui concerne la contrepartie de la fourniture qui est payée ou devient due avant cette date, au taux qui serait applicable relativement à la fourniture si cette modification n'entrait pas en vigueur;

c) pour déterminer la taxe nette d'un inscrit pour une période de déclaration commençant avant le 27 novembre 1997 et se terminant après le 1er avril 1997 :

(i) la mention de « 9,1 % » à la subdivision 19(3)c)(i)(B)(I) vaut mention de « 8,8 % »,

(ii) la mention de « 2,3 % » à la subdivision 19(3)c)(i)(B)(II) vaut mention de « 0,8 % »,

La division 19(3c)(i)C(C) a été ajoutée par C.P. 1999-1644 [DORS/99-368], par. 9(8) et s'applique au calcul de la taxe nette d'un inscrit pour les périodes de déclaration se terminant après mars 1997. Toutefois :

a) le taux applicable à un inscrit, dans le cadre de la méthode rapide, pour sa période de déclaration qui comprend le 1er avril 1997, relativement à une fourniture, correspond, en ce qui concerne la contrepartie de la fourniture qui est payée ou devient due avant cette date, au taux qui lui serait applicable dans le cadre de cette méthode pour cette période si cette modification n'entrait pas en vigueur;

b) le taux applicable à un inscrit, dans le cadre de la méthode rapide spéciale, pour sa période de déclaration qui comprend le 1er avril 1997, relativement à une fourniture, correspond, en ce qui concerne la contrepartie de la fourniture qui est payée ou devient due avant cette date, au taux qui serait applicable relativement à la fourniture si cette modification n'entrait pas en vigueur.

La division 19(3)c)(i)(D) a été abrogée par C.P. 2012-1127 [DORS/2012-191], 20 septembre 2012, par. 16(14) et cette abrogation s'applique selon les mêmes modalités d'application que C.P. 2012-1127 [DORS/2012-191], 20 septembre 2012, par. 16(1). Antérieurement, elle se lisait ainsi :

(D) s'il effectue la fourniture par l'entremise de son établissement stable situé en Colombie-Britannique :

(I) 10,2 %, si la fourniture est effectuée en Ontario, au Nouveau-Brunswick ou à Terre-Neuve-et-Labrador,

(II) 11,8 %, si elle est effectuée en Nouvelle-Écosse,

(III) 9,4 %, si elle est effectuée en Colombie-Britannique,

(IV) 3,4 %, si elle est effectuée dans une province non participante,

La subdivision 19(3)c)(i)(E)(III) a été abrogée par C.P. 2012-1127 [DORS/2012-191], 20 septembre 2012, par. 16(15) et cette abrogation s'applique selon les mêmes modalités d'application que C.P. 2012-1127 [DORS/2012-191], 20 septembre 2012, par. 16(1). Antérieurement, elle se lisait ainsi :

(III) 10,1 %, si elle est effectuée en Colombie-Britannique,

Le sous-alinéa 19(3)c)(ii) a été remplacé par C.P. 1999-1644 [DORS/99-368], par. 9(8) et cette modification s'applique au calcul de la taxe nette d'un inscrit pour les périodes de déclaration se terminant après mars 1997. Toutefois :

a) le taux applicable à un inscrit, dans le cadre de la méthode rapide, pour sa période de déclaration qui comprend le 1er avril 1997, relativement à une fourniture, correspond, en ce qui concerne la contrepartie de la fourniture qui est payée ou devient due avant cette date, au taux qui lui serait applicable dans le cadre de cette méthode pour cette période si cette modification n'entrait pas en vigueur;

b) le taux applicable à un inscrit, dans le cadre de la méthode rapide spéciale, pour sa période de déclaration qui comprend le 1er avril 1997, relativement à une fourniture, correspond, en ce qui concerne la contrepartie de la fourniture qui est payée ou devient due avant cette date, au taux qui serait applicable relativement à la fourniture si cette modification n'entrait pas en vigueur;

c) pour déterminer la taxe nette d'un inscrit pour une période de déclaration commençant avant le 27 novembre 1997 et se terminant après le 1er avril 1997 :

(i) la mention de « 5,4 % » à la subdivision 19(3)c)(ii)(A)(II) vaut mention de « 4,9 % »,

(ii) la mention de « 10,8 % » à la subdivision 19(3)c)(ii)(B)(I) vaut mention de « 10,5 % »,

(iii) la mention de « 4,1 % » à la subdivision 19(3)c)(ii)(B)(II) vaut mention de « 2,5 % ».

Auparavant, ce sous-alinéa se lisait comme suit :

(ii) à 6 %, dans les autres cas;

La subdivision 19(3)c)(ii)(A)(III) a été abrogée par C.P. 2012-1127 [DORS/2012-191], 20 septembre 2012, par. 16(16) et cette abrogation s'applique selon les mêmes modalités d'application que C.P. 2012-1127 [DORS/2012-191], 20 septembre 2012, par. 16(1). Antérieurement, elle se lisait ainsi :

(III) 9,9 %, si elle est effectuée en Colombie-Britannique,

La subdivision 19(3)c)(ii)(B)(III) a été abrogée par C.P. 2012-1127 [DORS/2012-191], 20 septembre 2012, par. 16(17) et cette abrogation s'applique selon les mêmes modalités d'application que C.P. 2012-1127 [DORS/2012-191], 20 septembre 2012, par. 16(1). Antérieurement, elle se lisait ainsi :

(III) 9,6 %, si elle est effectuée en Colombie-Britannique,

La subdivision 19(3)c)(ii)(C)(III) a été abrogée par C.P. 2012-1127 [DORS/2012-191], 20 septembre 2012, par. 16(18) et cette abrogation s'applique selon les mêmes modalités d'application que C.P. 2012-1127 [DORS/2012-191], 20 septembre 2012, par. 16(1). Antérieurement, elle se lisait ainsi :

(III) 8,5 %, si elle est effectuée en Colombie-Britannique,

Les divisions 19(3)c)(ii)(A) à (C) ont été remplacés par C.P. 2011-263 [DORS/2011-56], 3 mars 2011, par. 20(8) et cette modification s'applique au calcul de la taxe nette d'un inscrit pour les périodes de déclaration se terminant après juin 2010. Toutefois, le taux applicable à l'inscrit, dans le cadre de la méthode rapide spéciale, pour sa période de déclaration qui comprend le 1er juillet 2010, relativement à une fourniture, correspond, en ce qui concerne la contrepartie de la fourniture qui est payée ou devient due avant cette date, au taux qui lui serait applicable dans le cadre de cette méthode pour cette période si ces paragraphes n'entraient pas en vigueur. Antérieurement, il se lisait ainsi :

(A) si l'inscrit est en Nouvelle-Écosse :

(I) 10,5 %, si la fourniture est effectuée dans une province participante,

(II) 3,7 %, si elle est effectuée dans une province non participante,

(B) s'il est au Nouveau-Brunswick ou à Terre-Neuve-et-Labrador :

(I) 9,3 %, si la fourniture est effectuée dans une province participante,

(II) 2,4 %, si elle est effectuée dans une province non participante,

(C) s'il est dans une province non participante :

(I) 11,1 %, si la fourniture est effectuée dans une province participante,

(II) 4,4 %, si elle est effectuée dans une province non participante;

Les divisions 19(3)c)(ii)(A) à (C) ont été remplacés par C.P. 2011-263 [DORS/2011-56], 3 mars 2011, par. 20(7) et cette modification s'applique au calcul de la taxe nette d'un inscrit pour les périodes de déclaration se terminant après décembre 2007. Toutefois, le taux applicable à l'inscrit, dans le cadre de la méthode rapide spéciale, pour sa période de déclaration qui comprend le 1er janvier 2008, relativement à une fourniture, correspond, en ce qui concerne la contrepartie de la fourniture qui est payée ou devient due avant cette date, au taux qui lui serait applicable dans le cadre de cette méthode pour cette période si ces paragraphes n'entraient pas en vigueur. Antérieurement, il se lisait ainsi :

(A) si l'inscrit est en Nouvelle-Écosse :

(I) 11,3 %, si la fourniture est effectuée dans une province participante,

(II) 4,6 %, si elle est effectuée dans une province non participante,

(B) s'il est au Nouveau-Brunswick ou à Terre-Neuve-et-Labrador :

(I) 10,1 %, si la fourniture est effectuée dans une province participante,

(II) 3,3 %, si elle est effectuée dans une province non participante,

(C) s'il est dans une province non participante :

(I) 11,8 %, si la fourniture est effectuée dans une province participante,

(II) 5,2 %, si elle est effectuée dans une province non participante;

Les divisions 19(3)c)(ii)(A) à (C) ont été remplacés par C.P. 2007-1350 [DORS/2007-203], par. 3(5) et cette modification s'applique au calcul de la taxe nette d'un inscrit pour les périodes de déclaration se terminant après juin 2006. Toutefois, le taux applicable à l'inscrit dans le cadre de la méthode rapide spéciale pour sa période de déclaration qui comprend le 1er juillet 2006 et qui s'applique à une fourniture correspond, en ce qui concerne la contrepartie de la fourniture qui est payée ou devient due avant cette date, au taux qui lui serait applicable dans le cadre de cette méthode pour cette période si ces paragraphes n'entraient pas en vigueur. Antérieurement, il se lisait ainsi :

(A) si l'inscrit est en Nouvelle-Écosse :

(I) 12 %, si la fourniture est effectuée dans une province participante,

(II) 5,4 %, si elle est effectuée dans une province non participante,

(B) s'il est au Nouveau-Brunswick ou à Terre-Neuve :

(I) 10,8 %, si la fourniture est effectuée dans une province participante,

(II) 4,1 %, si elle est effectuée dans une province non participante,

(C) s'il est dans une province non participante :

(I) 12,5 %, si la fourniture est effectuée dans une province participante,

(II) 6 %, si elle est effectuée dans une province non participante;

La division 19(3)c)(ii)(D) a été abrogée par C.P. 2012-1127 [DORS/2012-191], 20 septembre 2012, par. 16(19) et cette abrogation s'applique selon les mêmes modalités d'application que C.P. 2012-1127 [DORS/2012-191], 20 septembre 2012, par. 16(1). Antérieurement, elle se lisait ainsi :

(D) s'il effectue la fourniture par l'entremise de son établissement stable situé en Colombie-Britannique :

(I) 10,7 %, si la fourniture est effectuée en Ontario, au Nouveau-Brunswick ou à Terre-Neuve-et-Labrador,

(II) 12,3 %, si elle est effectuée en Nouvelle-Écosse,

(III) 9,9 %, si elle est effectuée en Colombie-Britannique,

(IV) 3,9 %, si elle est effectuée dans une province non participante,

La subdivision 19(3)c)(ii)(E)(III) a été abrogée par C.P. 2012-1127 [DORS/2012-191], 20 septembre 2012, par. 16(20) et cette abrogation s'applique selon les mêmes modalités d'application que C.P. 2012-1127 [DORS/2012-191], 20 septembre 2012, par. 16(1). Antérieurement, elle se lisait ainsi :

(III) 10,3 %, si elle est effectuée en Colombie-Britannique,

Le préambule de l'alinéa 19(3)d) a été remplacé par C.P. 2007-1350 [DORS/2007-203], par. 3(6) et cette modification s'applique au calcul de la taxe nette d'un inscrit pour les périodes de déclaration se terminant après 2004. Toutefois, le taux applicable à l'inscrit dans le cadre de la méthode rapide spéciale pour sa période de déclaration qui comprend le 1er janvier 2005 et qui s'applique à une fourniture correspond, en ce qui concerne la contrepartie de la fourniture qui est payée ou devient due avant cette date, au taux qui lui serait applicable dans le cadre de cette méthode pour cette période si ce paragraphe n'entrait pas en vigueur. Antérieurement, il se lisait ainsi :

d) dans le cas où l'inscrit effectue la fourniture dans le cadre d'une activité qu'il exerce en sa qualité d'administration hospitalière :

La division 19(3)d)(i)(C) a été abrogée par C.P. 2012-1127 [DORS/2012-191], 20 septembre 2012, par. 16(21) et cette abrogation s'applique selon les mêmes modalités d'application que C.P. 2012-1127 [DORS/2012-191], 20 septembre 2012, par. 16(1). Antérieurement, elle se lisait ainsi :

(C) 10,2 %, si elle est effectuée en Colombie-Britannique,

La division 19(3)d)(ii)(C) a été abrogée par C.P. 2012-1127 [DORS/2012-191], 20 septembre 2012, par. 16(22) et cette abrogation s'applique selon les mêmes modalités d'application que C.P. 2012-1127 [DORS/2012-191], 20 septembre 2012, par. 16(1). Antérieurement, elle se lisait ainsi :

(C) 10 %, si elle est effectuée en Colombie-Britannique,

La division 19(3)d)(iii)(C) a été abrogée par C.P. 2012-1127 [DORS/2012-191], 20 septembre 2012, par. 16(23) et cette abrogation s'applique selon les mêmes modalités d'application que C.P. 2012-1127 [DORS/2012-191], 20 septembre 2012, par. 16(1). Antérieurement, elle se lisait ainsi :

(C) 8,3 %, si elle est effectuée en Colombie-Britannique,

Les sous-alinéas 19(3)d)(i) à (iii) ont été remplacés par C.P. 2011-263 [DORS/2011-56], 3 mars 2011, par. 20(10) et cette modification s'applique au calcul de la taxe nette d'un inscrit pour les périodes de déclaration se terminant après juin 2010. Toutefois, le taux applicable à l'inscrit, dans le cadre de la méthode rapide spéciale, pour sa période de déclaration qui comprend le 1er juillet 2010, relativement à une fourniture, correspond, en ce qui concerne la contrepartie de la fourniture qui est payée ou devient due avant cette date, au taux qui lui serait applicable dans le cadre de cette méthode pour cette période si ces paragraphes n'entraient pas en vigueur. Antérieurement, il se lisait ainsi :

(i) si l'inscrit est en Nouvelle-Écosse :

(A) 10,9 %, si la fourniture est effectuée dans une province participante,

(B) 4,1 %, si elle est effectuée dans une province non participante,

(ii) s'il est au Nouveau-Brunswick ou à Terre-Neuve-et-Labrador :

(A) 9,1 %, si la fourniture est effectuée dans une province participante,

(B) 2,1 %, si elle est effectuée dans une province non participante,

(iii) si ni le sous-alinéa (i) ni le sous-alinéa (ii) ne s'appliquent :

(A) 11,3 %, si la fourniture est effectuée dans une province participante,

(B) 4,5 %, si elle est effectuée dans une province non participante;

Les sous-alinéas 19(3)d)(i) à (iii) ont été remplacés par C.P. 2011-263 [DORS/2011-56], 3 mars 2011, par. 20(9) et cette modification s'applique au calcul de la taxe nette d'un inscrit pour les périodes de déclaration se terminant après décembre 2007. Toutefois, le taux applicable à l'inscrit, dans le cadre de la méthode rapide spéciale, pour sa période de déclaration qui comprend le 1er janvier 2008, relativement à une fourniture, correspond, en ce qui concerne la contrepartie de la fourniture qui est payée ou devient due avant cette date, au taux qui lui serait applicable dans le cadre de cette méthode pour cette période si ces paragraphes n'entraient pas en vigueur. Antérieurement, il se lisait ainsi :

(i) s'il est en Nouvelle-Écosse :

(A) 11,6 %, si la fourniture est effectuée dans une province participante,

(B) 5 %, si elle est effectuée dans une province non participante,

(ii) s'il est au Nouveau-Brunswick ou à Terre-Neuve-et-Labrador :

(A) 9,8 %, si la fourniture est effectuée dans une province participante,

(B) 3 %, si elle est effectuée dans une province non participante,

(iii) si ni le sous-alinéa (i) ni le sous-alinéa (ii) ne s'appliquent :

(A) 12 %, si la fourniture est effectuée dans une province participante,

(B) 5,4 %, si elle est effectuée dans une province non participante;

Les sous-alinéas 19(3)d)(i) à (iii) ont été remplacés par C.P. 2007-1350 [DORS/2007-203], par. 3(7) et cette modification s'applique au calcul de la taxe nette d'un inscrit pour les périodes de déclaration se terminant après juin 2006. Toutefois, le taux applicable à l'inscrit dans le cadre de la méthode rapide spéciale pour sa période de déclaration qui comprend le 1er juillet 2006 et qui s'applique à une fourniture correspond, en ce qui concerne la contrepartie de la fourniture qui est payée ou devient due avant cette date, au taux qui lui serait applicable dans le cadre de cette méthode pour cette période si ces paragraphes n'entraient pas en vigueur. Antérieurement, il se lisait ainsi :

(i) s'il est en Nouvelle-Écosse :

(A) 12,4 %, si la fourniture est effectuée dans une province participante,

(B) 5,8 %, si elle est effectuée dans une province non participante,

(ii) s'il est au Nouveau-Brunswick ou à Terre-Neuve :

(A) 10,6 %, si la fourniture est effectuée dans une province participante,

(B) 3,9 %, si elle est effectuée dans une province non participante,

(iii) si ni le sous-alinéa (i) ni le sous-alinéa (ii) ne s'appliquent :

(A) 12,7 %, si la fourniture est effectuée dans une province participante,

(B) 6,2 %, si elle est effectuée dans une province non participante;

Le sous-alinéa 19(3)d)(iv) a été abrogée par C.P. 2012-1127 [DORS/2012-191], 20 septembre 2012, par. 16(24) et cette abrogation s'applique selon les mêmes modalités d'application que C.P. 2012-1127 [DORS/2012-191], 20 septembre 2012, par. 16(1). Antérieurement, elle se lisait ainsi :

(iv) s'il effectue la fourniture par l'entremise de son établissement stable situé en Colombie-Britannique :

(A) 10,5 %, si la fourniture est effectuée en Ontario, au Nouveau-Brunswick ou à Terre-Neuve-et-Labrador,

(B) 12 %, si elle est effectuée en Nouvelle-Écosse,

(C) 9,7 %, si elle est effectuée en Colombie-Britannique,

(D) 3,6 %, si elle est effectuée dans une province non participante,

La division 19(3)d)(v)(C) a été abrogée par C.P. 2012-1127 [DORS/2012-191], 20 septembre 2012, par. 16(25) et cette abrogation s'applique selon les mêmes modalités d'application que C.P. 2012-1127 [DORS/2012-191], 20 septembre 2012, par. 16(1). Antérieurement, elle se lisait ainsi :

(C) 10,5 %, si elle est effectuée en Colombie-Britannique,

L'alinéa 19(3)d) a été remplacé par C.P. 1999-1644 [DORS/99-368], par. 9(9) et cette modification s'applique au calcul de la taxe nette d'un inscrit pour les périodes de déclaration se terminant après mars 1997. Toutefois :

a) le taux applicable à un inscrit, dans le cadre de la méthode rapide, pour sa période de déclaration qui comprend le 1er avril 1997, relativement à une fourniture, correspond, en ce qui concerne la contrepartie de la fourniture qui est payée ou devient due avant cette date, au taux qui lui serait applicable dans le cadre de cette méthode pour cette période si cette modification n'entrait pas en vigueur;

b) le taux applicable à un inscrit, dans le cadre de la méthode rapide spéciale, pour sa période de déclaration qui comprend le 1er avril 1997, relativement à une fourniture, correspond, en ce qui concerne la contrepartie de la fourniture qui est payée ou devient due avant cette date, au taux qui serait applicable relativement à la fourniture si cette modification n'entrait pas en vigueur;

c) pour déterminer la taxe nette d'un inscrit pour une période de déclaration commençant avant le 27 novembre 1997 et se terminant après le 1er avril 1997 :

(i) la mention de « 5,8 % » à la division 19(3)d)(i)(B) du même règlement, édictée par le paragraphe 9(9), vaut mention de « 5,3 % »,

(ii) la mention de « 10,6 % » à la division 19(3)d)(ii)(A) du même règlement, édictée par le paragraphe 9(9), vaut mention de « 8,8 % »,

(iii) la mention de « 3,9 % » à la division 19(3)d)(ii)(B) du même règlement, édictée par le paragraphe 9(9), vaut mention de « 0,8 % »,

Auparavant, cet alinéa se lisait comme suit :

d) dans le cas où l'inscrit exerce l'activité en sa qualité d'administration hospitalière, à 6,2 %;

Le préambule du sous-alinéa 19(3)e)(i) a été remplacé par C.P. 2012-1127 [DORS/2012-191], 20 septembre 2012, par. 16(26) et cette modification s'applique selon les mêmes modalités d'application que C.P. 2012-1127 [DORS/2012-191], 20 septembre 2012, par. 16(1). Antérieurement, il se lisait ainsi :

(i) si l'inscrit effectue la fourniture par l'entremise de son établissement stable situé en Ontario ou en Colombie-Britannique :

La division 19(3)e)(i)(C) a été abrogée par C.P. 2012-1127 [DORS/2012-191], 20 septembre 2012, par. 16(27) et cette abrogation s'applique selon les mêmes modalités d'application que C.P. 2012-1127 [DORS/2012-191], 20 septembre 2012, par. 16(1). Antérieurement, elle se lisait ainsi :

(C) 10,3 %, si elle est effectuée en Colombie-Britannique,

La division 19(3)e)(ii)(C) a été abrogée par C.P. 2012-1127 [DORS/2012-191], 20 septembre 2012, par. 16(28) et cette abrogation s'applique selon les mêmes modalités d'application que C.P. 2012-1127 [DORS/2012-191], 20 septembre 2012, par. 16(1). Antérieurement, elle se lisait ainsi :

(C) 9,7 %, si elle est effectuée en Colombie-Britannique,

La division 19(3)e)(iii)(C) a été abrogée par C.P. 2012-1127 [DORS/2012-191], 20 septembre 2012, par. 16(29) et cette abrogation s'applique selon les mêmes modalités d'application que C.P. 2012-1127 [DORS/2012-191], 20 septembre 2012, par. 16(1). Antérieurement, elle se lisait ainsi :

(C) 9,9 %, si elle est effectuée en Colombie-Britannique,

Les sous-alinéas 19(3)e)(i) à (iii) ont été remplacés par C.P. 2011-263 [DORS/2011-56], 3 mars 2011, par. 20(12) et cette modification s'applique au calcul de la taxe nette d'un inscrit pour les périodes de déclaration se terminant après juin 2010. Toutefois, le taux applicable à l'inscrit, dans le cadre de la méthode rapide spéciale, pour sa période de déclaration qui comprend le 1er juillet 2010, relativement à une fourniture, correspond, en ce qui concerne la contrepartie de la fourniture qui est payée ou devient due avant cette date, au taux qui lui serait applicable dans le cadre de cette méthode pour cette période si ces paragraphes n'entraient pas en vigueur. Antérieurement, il se lisait ainsi :

(i) si l'inscrit est en Nouvelle-Écosse ou au Nouveau-Brunswick :

(A) 10,7 %, si la fourniture est effectuée dans une province participante,

(B) 3,9 %, si elle est effectuée dans une province non participante,

(ii) s'il est à Terre-Neuve-et-Labrador :

(A) 9,7 %, si la fourniture est effectuée dans une province participante,

(B) 2,8 %, si elle est effectuée dans une province non participante,

(iii) si ni le sous-alinéa (i) ni le sous-alinéa (ii) ne s'appliquent :

(A) 11,5 %, si la fourniture est effectuée dans une province participante,

(B) 4,7 %, si elle est effectuée dans une province non participante.

Les sous-alinéas 19(3)e)(i) à (iii) ont été remplacés par C.P. 2011-263 [DORS/2011-56], par. 20(11), 3 mars 2011, et cette modification s'applique au calcul de la taxe nette d'un inscrit pour les périodes de déclaration se terminant après décembre 2007. Toutefois, le taux applicable à l'inscrit, dans le cadre de la méthode rapide spéciale, pour sa période de déclaration qui comprend le 1er janvier 2008, relativement à une fourniture, correspond, en ce qui concerne la contrepartie de la fourniture qui est payée ou devient due avant cette date, au taux qui lui serait applicable dans le cadre de cette méthode pour cette période si ces paragraphes n'entraient pas en vigueur. Antérieurement, il se lisait ainsi :

(i) s'il est en Nouvelle-Écosse ou au Nouveau-Brunswick :

(A) 11,5 %, si la fourniture est effectuée dans une province participante,

(B) 4,8 %, si elle est effectuée dans une province non participante,

(ii) s'il est à Terre-Neuve-et-Labrador :

(A) 10,5 %, si la fourniture est effectuée dans une province participante,

(B) 3,7 %, si elle est effectuée dans une province non participante,

(iii) si ni le sous-alinéa (i) ni le sous-alinéa (ii) ne s'appliquent :

(A) 12,2 %, si la fourniture est effectuée dans une province participante,

(B) 5,6 %, si elle est effectuée dans une province non participante.

Les sous-alinéas 19(3)e)(i) à (iii) ont été remplacés par C.P. 2007-1350 [DORS/2007-203], par. 3(9) et cette modification s'applique au calcul de la taxe nette d'un inscrit pour les périodes de déclaration se terminant après juin 2006. Toutefois, le taux applicable à l'inscrit dans le cadre de la méthode rapide spéciale pour sa période de déclaration qui comprend le 1er juillet 2006 et qui s'applique à une fourniture correspond, en ce qui concerne la contrepartie de la fourniture qui est payée ou devient due avant cette date, au taux qui lui serait applicable dans le cadre de cette méthode pour cette période si ces paragraphes n'entraient pas en vigueur. Antérieurement, il se lisait ainsi :

(i) s'il est en Nouvelle-Écosse ou au Nouveau-Brunswick :

(A) 12,3 %, si la fourniture est effectuée dans une province participante,

(B) 5,7 %, si elle est effectuée dans une province non participante,

(ii) s'il est à Terre-Neuve-et-Labrador :

(A) 11,2 %, si la fourniture est effectuée dans une province participante,

(B) 4,6 %, si elle est effectuée dans une province non participante,

(iii) si ni le sous-alinéa (i) ni le sous-alinéa (ii) ne s'appliquent :

(A) 13 %, si la fourniture est effectuée dans une province participante,

(B) 6,5 %, si elle est effectuée dans une province non participante.

Les sous-alinéas 19(3)e)(i) à (iii) ont été remplacés par C.P. 2007-1350 [DORS/2007-203], par. 3(8) et cette modification s'applique au calcul de la taxe nette d'un inscrit pour les périodes de déclaration se terminant après janvier 2004. Toutefois, le taux applicable à l'inscrit dans le cadre de la méthode rapide spéciale pour sa période de déclaration qui comprend le 1er février 2004 et qui s'applique à une fourniture correspond, en ce qui concerne la contrepartie de la fourniture qui est payée ou devient due avant cette date, au taux qui lui serait applicable dans le cadre de cette méthode pour cette période si ce paragraphe n'entrait pas en vigueur. Antérieurement, il se lisait ainsi :

(i) s'il est en Nouvelle-Écosse ou au Nouveau-Brunswick :

(A) 11,6 %, si la fourniture est effectuée dans une province participante,

(B) 5 %, si elle est effectuée dans une province non participante,

(ii) s'il est à Terre-Neuve :

(A) 10,5 %, si la fourniture est effectuée dans une province participante,

(B) 3,8 %, si elle est effectuée dans une province non participante,

(iii) si ni le sous-alinéa (i) ni le sous-alinéa (ii) ne s'appliquent :

(A) 12,4 %, si la fourniture est effectuée dans une province participante,

(B) 5,8 %, si elle est effectuée dans une province non participante.

La division 19(3)e)(iv)(C) a été abrogée par C.P. 2012-1127 [DORS/2012-191], 20 septembre 2012, par. 16(30) et cette abrogation s'applique selon les mêmes modalités d'application que C.P. 2012-1127 [DORS/2012-191], 20 septembre 2012, par. 16(1). Antérieurement, elle se lisait ainsi :

(C) 8,9 %, si elle est effectuée en Colombie-Britannique,

La division 19(3)e)(v)(C) a été abrogée par C.P. 2012-1127 [DORS/2012-191], 20 septembre 2012, par. 16(31) et cette abrogation s'applique selon les mêmes modalités d'application que C.P. 2012-1127 [DORS/2012-191], 20 septembre 2012, par. 16(1). Antérieurement, elle se lisait ainsi :

(C) 10,7 %, si elle est effectuée en Colombie-Britannique,

L'alinéa 19(3)e) a été remplacé par C.P. 1999-1644 [DORS/99-368], par. 9(9) et cette modification s'applique au calcul de la taxe nette d'un inscrit pour les périodes de déclaration se terminant après mars 1997. Toutefois :

a) le taux applicable à un inscrit, dans le cadre de la méthode rapide, pour sa période de déclaration qui comprend le 1er avril 1997, relativement à une fourniture, correspond, en ce qui concerne la contrepartie de la fourniture qui est payée ou devient due avant cette date, au taux qui lui serait applicable dans le cadre de cette méthode pour cette période si cette modification n'entrait pas en vigueur;

b) le taux applicable à un inscrit, dans le cadre de la méthode rapide spéciale, pour sa période de déclaration qui comprend le 1er avril 1997, relativement à une fourniture, correspond, en ce qui concerne la contrepartie de la fourniture qui est payée ou devient due avant cette date, au taux qui serait applicable relativement à la fourniture si cette modification n'entrait pas en vigueur;

c) pour déterminer la taxe nette d'un inscrit pour une période de déclaration commençant avant le 27 novembre 1997 et se terminant après le 1er avril 1997 :

(i) la mention de « 5 % » à la division 19(3)e)(i)(B) du même règlement, édictée par le paragraphe 9(9), vaut mention de « 4,4 % »,

(ii) la mention de « 3,8 % » à la division 19(3)e)(ii)(B) du même règlement, édictée par le paragraphe 9(9), vaut mention de « 2,6 % »;

Auparavant, cet alinéa se lisait comme suit :

e) dans le cas où l'inscrit exerce l'activité en sa qualité de municipalité et non à titre d'un autre type d'organisme déterminé de services publics, à 5,8 %.

(4) **[Déduction en vertu du par. 234(3) de la Loi]** — Aux fins de la détermination, selon le paragraphe (3), du taux applicable dans le cadre de la méthode rapide spéciale relativement à une fourniture pour laquelle le fournisseur a droit à la déduction prévue au paragraphe 234(3) de la Loi, les présomptions suivantes s'appliquent :

a) la fourniture est réputée avoir été effectuée dans une province non participante;

b) le fournisseur est réputé avoir effectué la fourniture par l'entremise de son établissement stable situé dans une province non participante.

Notes historiques: Le paragraphe 19(4) a été ajouté par C.P. 1999-1644 [DORS/99-368], par. 9(9) et cette modification s'applique au calcul de la taxe nette d'un inscrit pour les périodes de déclaration se terminant après mars 1997. Toutefois :

a) le taux applicable à un inscrit, dans le cadre de la méthode rapide, pour sa période de déclaration qui comprend le 1er avril 1997, relativement à une fourniture, correspond, en ce qui concerne la contrepartie de la fourniture qui est payée ou devient due avant cette date, au taux qui lui serait applicable dans le cadre de cette méthode pour cette période si cette modification n'entrait pas en vigueur;

b) le taux applicable à un inscrit, dans le cadre de la méthode rapide spéciale, pour sa période de déclaration qui comprend le 1er avril 1997, relativement à une fourniture, correspond, en ce qui concerne la contrepartie de la fourniture qui est payée ou devient due avant cette date, au taux qui serait applicable relativement à la fourniture si cette modification n'entrait pas en vigueur.

L'alinéa 19(4)b) a été remplacé par C.P. 2011-263 [DORS/2011-56], 3 mars 2011, par. 20(13) et cette modification s'applique au calcul de la taxe nette d'un inscrit pour les périodes de déclaration se terminant après juin 2010. Toutefois, le taux applicable à l'inscrit, dans le cadre de la méthode rapide spéciale, pour sa période de déclaration qui comprend le 1er juillet 2010, relativement à une fourniture, correspond, en ce qui concerne la contrepartie de la fourniture qui est payée ou devient due avant cette date, au taux qui lui serait applicable dans le cadre de cette méthode pour cette période si ces paragraphes n'entraient pas en vigueur. Antérieurement, il se lisait ainsi :

b) le fournisseur est réputé :

(i) s'il est un organisme déterminé de services publics, être situé dans une province non participante,

(ii) s'il est un exploitant d'établissement déterminé, un organisme à but non lucratif admissible ou un organisme de bienfaisance désigné en vertu de l'article 178.7 de la Loi, mais non un organisme déterminé de services publics, avoir effectué la fourniture par l'entremise de son établissement stable situé dans une province non participante.

Le sous-alinéa 19(4)b)(ii) a été remplacé par C.P. 2002-1256 [DORS/2002-272], par. 1(2) et cette modification s'applique à l'égard du calcul de la taxe nette d'un inscrit pour les périodes de déclaration commençant après le 24 février 1998. Antérieurement, il se lisait ainsi :

(ii) s'il est un exploitant d'établissement déterminé ou un organisme à but non lucratif admissible, mais non un organisme déterminé de services publics, avoir effectué la fourniture par l'entremise de son établissement stable situé dans une province non participante.

(5) **[Organisme public de services publics ou à but non lucratif]** — Afin de déterminer, selon le paragraphe (3), le taux qui lui est applicable dans le cadre de la méthode rapide spéciale pour une période de déclaration, un inscrit peut :

a) si la presque totalité des fournitures (sauf les fournitures déterminées) qu'il effectue au cours de la période de déclaration par l'entremise de son établissement stable sont effectuées dans une province participante, considérer les fournitures qu'il effectue ainsi au cours de cette période comme étant toutes effectuées dans cette province;

b) si la presque totalité des fournitures (sauf les fournitures déterminées) qu'il effectue au cours de la période de déclaration par l'entremise de son établissement stable sont effectuées dans des provinces non participantes, considérer les fournitures qu'il effectue ainsi au cours de cette période comme étant toutes effectuées dans une province non participante.

Notes historiques: Le paragraphe 19(5) a été remplacé par C.P. 2011-263 [DORS/2011-56], 3 mars 2011, par. 20(14) et cette modification s'applique au calcul de la taxe nette d'un inscrit pour les périodes de déclaration se terminant après juin 2010. Toutefois, le taux applicable à l'inscrit, dans le cadre de la méthode rapide spéciale, pour sa période de déclaration qui comprend le 1er juillet 2010, relativement à une fourniture, correspond, en ce qui concerne la contrepartie de la fourniture qui est payée ou devient due avant cette date, au taux qui lui serait applicable dans le cadre de cette méthode pour cette période si ces paragraphes n'entraient pas en vigueur. Antérieurement, il se lisait ainsi :

(5) [Organisme public de services publics ou à but non lucratif] — Aux fins de la détermination, selon le paragraphe (3), du taux qui est applicable à un inscrit dans le cadre de la méthode rapide spéciale pour une période de déclaration :

a) s'il est un exploitant d'établissement déterminé, un organisme à but non lucratif admissible ou un organisme de bienfaisance désigné en vertu de l'article 178.7 de la Loi, mais non un organisme déterminé de services publics, l'inscrit peut :

(i) si la presque totalité des fournitures (sauf les fournitures déterminées) qu'il effectue au cours de la période de déclaration par l'entremise de son établissement stable sont effectuées dans des provinces participantes, considérer les fournitures qu'il effectue ainsi au cours de cette période comme étant toutes effectuées dans une province participante,

(ii) si la presque totalité des fournitures (sauf les fournitures déterminées) qu'il effectue au cours de la période de déclaration par l'entremise de son établissement stable sont effectuées dans des provinces non participantes, considérer les fournitures qu'il effectue ainsi au cours de cette période comme étant toutes effectuées dans une province non participante;

b) s'il est un organisme déterminé de services publics, l'inscrit peut :

(i) si la presque totalité des fournitures (sauf les fournitures déterminées) qu'il effectue au cours de la période de déclaration sont effectuées dans des provinces participantes, considérer les fournitures qu'il effectue au cours de cette période comme étant toutes effectuées dans une province participante,

(ii) si la presque totalité des fournitures (sauf les fournitures déterminées) qu'il effectue au cours de la période de déclaration sont effectuées dans des provinces non participantes, considérer les fournitures qu'il effectue au cours de cette période comme étant toutes effectuées dans une province non participante.

Le préambule de l'alinéa 19(5)a) a été remplacé par C.P. 2002-1256 [DORS/2002-272], par. 1(3) et cette modification s'applique à l'égard du calcul de la taxe nette d'un inscrit pour les périodes de déclaration commençant après le 24 février 1998. Antérieurement, il se lisait ainsi :

a) s'il est un exploitant d'établissement déterminé ou un organisme à but non lucratif admissible, mais non un organisme déterminé de services publics, l'inscrit peut :

Le paragraphe 19(5) a été ajouté par C.P. 1999-1644 [DORS/99-368], par. 9(9) et cette modification s'applique au calcul de la taxe nette d'un inscrit pour les périodes de déclaration se terminant après mars 1997. Toutefois :

a) le taux applicable à un inscrit, dans le cadre de la méthode rapide, pour sa période de déclaration qui comprend le 1er avril 1997, relativement à une fourniture, correspond, en ce qui concerne la contrepartie de la fourniture qui est payée ou devient due avant cette date, au taux qui lui serait applicable dans le cadre de cette méthode pour cette période si cette modification n'entrait pas en vigueur;

b) le taux applicable à un inscrit, dans le cadre de la méthode rapide spéciale, pour sa période de déclaration qui comprend le 1er avril 1997, relativement à une fourniture, correspond, en ce qui concerne la contrepartie de la fourniture qui est payée ou devient due avant cette date, au taux qui serait applicable relativement à la fourniture si cette modification n'entrait pas en vigueur.

Inscrit

20. (1) [Choix] — L'inscrit (sauf une institution financière désignée ou un inscrit visé pour l'application du paragraphe 188(5) de la Loi) qui, le premier jour de sa période de déclaration, est un exploitant d'établissement déterminé, un organisme à but non lucratif admissible, un organisme de bienfaisance désigné en vertu de l'article 178.7 de la Loi ou un organisme déterminé de services publics peut faire le choix, lequel entre en vigueur ce jour-là, de déterminer sa taxe nette en conformité avec la présente partie, si un choix de celui-ci n'a pas cessé d'être en vigueur au cours de la période de 365 jours se terminant la veille de ce jour en raison de sa révocation.

Notes historiques: Le paragraphe 20(1) a été remplacé par C.P. 2002-1256 [DORS/2002-272], art. 2 et cette modification s'applique à l'égard du calcul de la taxe nette d'un inscrit pour les périodes de déclaration commençant après le 24 février 1998. Antérieurement, il se lisait ainsi :

(1) L'inscrit (sauf une institution financière désignée ou un inscrit visé pour l'application du paragraphe 188(5) de la Loi) qui, le premier jour de sa période de déclaration, est un exploitant d'établissement déterminé, un organisme à but non lucratif admissible ou un organisme déterminé de services publics peut faire le choix, lequel entre en vigueur ce jour-là, de déterminer sa taxe nette en conformité avec la présente partie, si un choix de celui-ci n'a pas cessé d'être en vigueur au cours de la période 365 jours se terminant la veille de ce jour en raison de sa révocation.

Le paragraphe 20(1) a été remplacé par C.P. 1999-1644 [DORS/99-368], par. 10(2) et cette modification s'applique au calcul de la taxe nette d'un inscrit pour les périodes de déclaration commençant :

a) après 1994, si le choix de l'inscrit de déterminer sa taxe nette en conformité avec l'une des parties I à III du règlement était en vigueur le 1er juin 1993;

b) après le 1er juin 1993, dans les autres cas.

Toutefois, en ce qui concerne les périodes de déclaration commençant avant 1997, la mention de « un exploitant d'établissement déterminé » au paragraphe 20(1) vaut mention de « un organisme de bienfaisance ».

Auparavant, le paragraphe 20(1) a été remplacé par C.P. 1999-1644 [DORS/99-368], par. 10(1) et cette modification est réputée être entrée en vigueur le 1er mars 1993. Il se lisait comme suit :

(1) **[Inscrit]** — Sous réserve de l'article 23, l'inscrit (sauf une institution financière désignée ou un inscrit visé pour l'application du paragraphe 188(5) de la Loi) qui, le premier jour de sa période de déclaration, est un organisme de bienfaisance, un organisme à but non lucratif admissible ou un organisme déterminé de services publics peut faire le choix, lequel entre en vigueur ce jour-là, de déterminer sa taxe nette en conformité avec la présente partie, si un choix de celui-ci n'a pas cessé d'être en vigueur au cours de la période 365 jours se terminant la veille de ce jour en raison de sa révocation.

Antérieurement, ce paragraphe se lisait comme suit :

(1) **[Inscrit]** — Sous réserve de l'article 23, l'inscrit (sauf une institution financière désignée ou un inscrit visé pour l'application du paragraphe 188(5) de la Loi) qui est, le premier jour de sa période de déclaration, un organisme de bienfaisance, un organisme à but non lucratif admissible ou un organisme déterminé de services publics peut faire le choix, lequel entre en vigueur ce jour-là, de déterminer sa taxe nette en conformité avec la présente partie, si un choix de celui-ci n'a pas cessé d'être en vigueur au cours de la période de 365 jours se terminant la veille de ce jour, par suite de la production d'un avis de révocation aux termes de l'alinéa 227(3)b) de la Loi.

(2) [Limite] — L'inscrit qui est un organisme à but non lucratif (autre qu'un organisme déterminé de services publics ou un exploitant d'établissement déterminé) et qui a fait le choix prévu au paragraphe (1) ne peut plus déterminer sa taxe nette en conformité avec la présente partie immédiatement avant le début de l'exercice suivant :

a) si l'exercice correspond à sa période de déclaration, celui à la fin duquel il n'est pas un organisme à but non lucratif admissible;

b) sinon, celui au début duquel il n'est pas un organisme à but non lucratif admissible.

Notes historiques: Le préambule du paragraphe 20(2) a été remplacé par C.P. 1999-1644 [DORS/99-368], par. 10(3) et cette modification s'applique au calcul de la taxe nette d'un inscrit pour les périodes de déclaration commençant après 1996. Antérieurement, ce préambule se lisait ainsi :

(2) L'inscrit qui est un organisme à but non lucratif autre qu'un organisme déterminé de services publics et qui a fait le choix prévu au paragraphe (1) ne peut plus déterminer sa taxe nette en conformité avec la présente partie immédiatement avant l'exercice suivant :

Série de mémorandums [art. 20]: Mémorandum 27.2R, 08/09, *Congrès*.

Calcul de la taxe nette

21. (1) [Calcul de la taxe nette] — Sous réserve des paragraphes (2) et 21.3(1), si le choix d'un inscrit de déterminer sa taxe nette en conformité avec la présente partie est en vigueur au cours d'une période de déclaration donnée de celui-ci, sa taxe nette pour cette période correspond au résultat positif ou négatif du calcul suivant :

$$A + B - C$$

où :

A représente le total des montants dont chacun est calculé, quant aux fournitures données auxquelles s'applique le même taux dans le cadre de la méthode rapide spéciale, selon la formule suivante :

$$D \times (E - F)$$

où :

D représente le taux qui est applicable à l'inscrit pour la période de déclaration donnée, dans le cadre de la méthode rapide spéciale, relativement aux fournitures données,

E le total des montants suivants :

a) les contreparties qui sont devenues dues à l'inscrit au cours de la période de déclaration donnée, ou qui lui ont été payées au cours de cette période sans être devenues dues, relativement aux fournitures données qui sont des fournitures taxables (sauf des fournitures désignées, des fournitures de services financiers, des fournitures déterminées et des fournitures réputées par l'article 181.1 ou le paragraphe 200(2) de la Loi avoir été effectuées) qu'il a effectuées au Canada,

b) les montants devenus percevables par l'inscrit, et les autres montants qu'il a perçus, au cours de la période de déclaration donnée au titre de la taxe prévue à la section II relativement aux fournitures données qui sont des fournitures taxables (sauf des fournitures déterminées et des fournitures réputées par l'article 181.1 ou le paragraphe 200(2) de la Loi avoir été effectuées) effectuées par celui-ci,

F le total des montants représentant chacun un montant que l'inscrit a payé à une personne, ou porté à son crédit, au cours de la période de déclaration donnée au titre :

a) soit d'une réduction ou d'un remboursement de tout ou partie de la contrepartie d'une fourniture donnée (sauf une

Règlements

fourniture désignée ou une fourniture déterminée) effectuée au Canada par l'inscrit,

b) soit d'un remboursement ou d'un crédit relatif à la taxe prévue à la section II et exigée ou perçue de la personne pour une fourniture donnée (sauf une fourniture déterminée);

B le total des montants suivants :

a) les montants représentant chacun un montant devenu percevable ou perçu par l'inscrit au cours de la période de déclaration donnée au titre de la taxe prévue à la section II relativement aux fournitures suivantes :

(i) les fournitures déterminées qu'il a effectuées,

(ii) les fournitures qu'il a effectuées pour le compte d'une autre personne à titre de son mandataire et relativement auxquelles il a fait le choix prévu au paragraphe 177(1.1) de la Loi,

b) les montants relatifs à des fournitures déterminées, à ajouter en application de la section V dans le calcul de la taxe nette pour la période de déclaration donnée,

b.1) le montant à ajouter, en application du paragraphe 238.1(4) de la Loi, dans le calcul de la taxe nette pour la période de déclaration donnée,

c) les montants dont chacun représente un montant de taxe qui est réputé en application du paragraphe 200(2) de la Loi avoir été perçu par l'inscrit au cours de la période de déclaration donnée ou d'une de ses périodes de déclaration antérieures relativement à une fourniture (sauf une fourniture déterminée), dans la mesure où il demande le remboursement du montant en conformité avec l'article 259 de la Loi pour la période de déclaration donnée,

d) les montants dont chacun représente un montant de taxe que l'inscrit est réputé, en application du paragraphe 199(3) de la Loi, avoir payé au cours de la période de déclaration donnée ou d'une de ses périodes de déclaration antérieures relativement à la fourniture d'un bien, et pour lequel il a demandé un remboursement en conformité avec l'article 259 de la Loi pour la période de déclaration donnée, dans la mesure où il est déjà réputé, en application du paragraphe 200(2) de la Loi, avoir perçu la taxe relativement à la fourniture du bien qui n'était pas une fourniture déterminée;

C le total des montants suivants :

a) les montants dont chacun représente un crédit de taxe sur les intrants de l'inscrit pour l'une des périodes suivantes, demandé dans la déclaration qu'il produit en application de la section V pour la période de déclaration donnée :

(i) la période de déclaration donnée ou une période de déclaration antérieure de l'inscrit au cours de laquelle le choix était en vigueur quant à un immeuble qu'il a acquis par achat ou à des améliorations apportées à cet immeuble,

(ii) la période de déclaration donnée ou une période de déclaration antérieure de l'inscrit au cours de laquelle le choix était en vigueur quant à la fourniture par vente à celui-ci, à l'importation par lui ou au transfert par lui dans une province participante, d'un bien meuble qu'il a acquis, importé ou ainsi transféré pour utilisation comme bien déterminé et dont la juste valeur marchande au moment de la fourniture ou du transfert, ou la valeur établie selon l'article 215 de la Loi au moment de l'importation, selon le cas, est d'au moins 10 000 $,

(iii) la période de déclaration donnée ou une période de déclaration antérieure de l'inscrit au cours de laquelle le choix était en vigueur quant à des améliorations apportées à un bien déterminé (sauf un immeuble) de celui-ci, s'il a demandé, ou a le droit de demander, un crédit de taxe sur les intrants pour la dernière fourniture du bien déterminé qui a été effectuée à son profit ou la dernière importation du bien par lui,

(iv) une période de déclaration de l'inscrit se terminant avant l'entrée en vigueur du choix,

(v) la période de déclaration donnée ou une période de déclaration antérieure de l'inscrit au cours de laquelle le choix était en vigueur quant à un bien meuble corporel (sauf un bien visé au sous-alinéa (ii)) qui est acquis, importé, ou transféré dans une province participante en vue d'être fourni par vente et qui est réputé par le paragraphe 177(1.2) de la Loi avoir été fourni par un encanteur agissant à titre de mandataire pour le compte de l'inscrit ou qui est fourni par une personne agissant à ce titre dans les circonstances visées au paragraphe 177(1.1) de la Loi,

(vi) la période de déclaration donnée ou une période de déclaration antérieure de l'inscrit au cours de laquelle le choix était en vigueur quant à un bien meuble corporel qui est réputé, par l'alinéa 180e) de la Loi, avoir été acquis par l'inscrit et, par les paragraphes 177(1) ou (1.2) de la Loi, avoir été fourni par lui,

b) les montants relatifs à des fournitures déterminées qui sont déductibles en application de la section V dans le calcul de la taxe nette pour la rériode donnée et qui l'inscrit demande dans la déclaration qu'il produit aux termes de cette section pour cette période;

c) le montant qui est déductible en application de l'alinéa 346(1)a) de la Loi dans le calcul de la taxe nette pour la période de déclaration donnée.

Notes historiques: Le passage du paragraphe 21(1) précédant la première formule a été remplacé par C.P. 1999-1644 [DORS/99-368], par. 11(1) et cette modification s'applique au calcul de la taxe nette d'un inscrit pour les périodes de déclaration qui correspondent à des exercices se terminant après 1992 ou à des mois ou trimestres d'exercice se terminant après février 1993. Antérieurement, ce passage se lisait ainsi :

> 21. (1) Sous réserve du paragraphe (2), si le choix d'un inscrit, fait en vertu du paragraphe 20(1), est en vigueur au cours d'une période de déclaration donnée de celui-ci, sa taxe nette pour cette période correspond au montant positif ou négatif obtenu par la formule suivante :

L'alinéa b) de l'élément C de la formule figurant au paragraphe 21(1) a été remplacé par C.P. 2007-1350 [DORS/2007-203], art. 4 et cette modification s'applique au calcul de la taxe nette pour les périodes de déclaration se terminant après le 20 décembre 2002. Antérieurement, cet alinéa se lisait ainsi :

> b) les montants relatifs à des fournitures déterminées effectuées par l'inscrit, demandés dans la déclaration qu'il produit en application de la section V pour la période de déclaration donnée et déductibles en application de cette section dans le calcul de la taxe nette pour cette période;

L'alinéa a) de l'élément E de la formule figurant à l'élément A de la formule figurant au paragraphe 21(1) a été remplacé par C.P. 1999-1644 [DORS/99-368], par. 11(2) et cette modification est réputée être entrée en vigueur le 31 décembre 1990. Toutefois, pour l'application de cet alinéa aux fournitures réputées avoir été effectuées avant le 24 avril 1996, il n'est pas tenu compte des mentions des fournitures réputées effectuées par l'article 175.1 de la *Loi sur la taxe d'accise*. Antérieurement, cet alinéa se lisait ainsi :

> a) les contreparties des fournitures taxables (sauf les fournitures désignées, les fournitures de services financiers, les fournitures déterminées et les fournitures qui sont réputées, en application de l'alinéa 181(2)b) ou du paragraphe 200(2) de la Loi, avoir été effectuées), effectuées au Canada par l'inscrit dans le cadre de l'activité, qui lui sont devenues dues, ou qui lui ont été payées sans qu'elles soient devenues dues, au cours de la période de déclaration donnée,

L'alinéa b) de l'élément E de la formule figurant à l'élément A de la formule figurant au paragraphe 21(1) a été remplacé par C.P. 1999-1644 [DORS/99-368], par. 11(2) et cette modification est réputée être entrée en vigueur le 31 décembre 1990. Toutefois, pour l'application de cet alinéa aux fournitures réputées avoir été effectuées avant le 24 avril 1996, il n'est pas tenu compte des mentions des fournitures réputées effectuées par l'article 175.1 de la *Loi sur la taxe d'accise*. Antérieurement, cet alinéa se lisait ainsi :

> b) les montants devenus percevables et tous les autres montants perçus par l'inscrit au cours de la période de déclaration donnée au titre de la taxe prévue à la section II relativement à des fournitures taxables (sauf des fournitures déterminées et des fournitures qui sont réputées, en application de l'alinéa 181(2)b) ou du paragraphe 200(2) de la Loi, avoir été effectuées) effectuées par celui-ci dans le cadre de l'activité,

L'élément A de la formule figurant au paragraphe 21(1) a été remplacé par C.P. 1999-1644 [DORS/99-368], par. 11(3) et cette modification s'applique au calcul de la taxe nette d'un inscrit pour les périodes de déclaration se terminant après mars 1997. Toutefois :

> a) le taux applicable à un inscrit, dans le cadre de la méthode rapide, pour sa période de déclaration qui comprend le 1er avril 1997, relativement à une fourniture, correspond, en ce qui concerne la contrepartie de la fourniture qui est payée ou devient

due avant cette date, au taux qui lui serait applicable dans le cadre de cette méthode pour cette période si cette modification n'entrait pas en vigueur;

b) le taux applicable à un inscrit, dans le cadre de la méthode rapide spéciale, pour sa période de déclaration qui comprend le 1er avril 1997, relativement à une fourniture, correspond, en ce qui concerne la contrepartie de la fourniture qui est payée ou devient due avant cette date, au taux qui serait applicable relativement à la fourniture si cette modification n'entrait pas en vigueur.

Antérieurement, cet élément se lisait ainsi :

A représente le total des montants dont chacun est calculé, quant à une activité exercée par l'inscrit, selon la formule suivante :

$$D \times (E - F)$$

où :

D représente le taux applicable, dans le cadre de la méthode rapide spéciale, à l'activité et à la période de déclaration donnée,

E le total des montants suivants :

a) les contreparties des fournitures taxables (sauf les fournitures désignées, les fournitures de services financiers, les fournitures déterminées et les fournitures réputées par l'article 181.1 ou le paragraphe 200(2) de la Loi avoir été effectuées), effectuées au Canada par l'inscrit dans le cadre de l'activité, qui lui sont devenues dues au cours de la période de déclaration donnée ou qui lui ont été payées au cours de cette période sans être devenues dues,

b) les montants devenus percevables par l'inscrit, et les autres montants qu'il a perçus, au cours de la période de déclaration donnée au titre de la taxe prévue à la section II relativement à des fournitures taxables (sauf des fournitures déterminées et des fournitures réputées par l'article 181.1 ou le paragraphe 200(2) de la Loi avoir été effectuées) qu'il a effectuées dans le cadre de l'activité,

F le total des montants dont chacun représente un montant que l'inscrit a payé à une personne, ou porté à son crédit, au cours de la période de déclaration donnée au titre :

a) soit d'une réduction ou d'un remboursement de tout ou partie de la contre-partie d'une fourniture à la personne (sauf une fourniture désignée ou une fourniture déterminée) effectuée au Canada par l'inscrit dans le cadre de l'activité,

b) soit d'un remboursement ou d'un crédit au titre de la taxe prévue à la section II, exigée ou perçue de la personne pour une fourniture (sauf une fourniture déterminée) effectuée dans le cadre de l'activité;

L'alinéa a) de l'élément B de la formule figurant au paragraphe 21(1) a été remplacé par C.P. 1999-1644 [DORS/99-368], par. 11(4) et cette modification s'applique aux fournitures effectuées après mars 1997. Antérieurement, cet alinéa se lisait ainsi :

a) les montants devenus percevables et les autres montants perçus par l'inscrit au cours de la période de déclaration donnée au titre de la taxe prévue à la section II relativement à des fournitures déterminées effectuées par celui-ci,

L'alinéa b.1) de l'élément B de la formule figurant au paragraphe 21(1) a été ajouté par C.P. 1999-1644 [DORS/99-368], par. 11(5) et s'applique au calcul de la taxe nette d'un inscrit pour les périodes de déclaration commençant après mars 1994.

Le sous-alinéa a)(i) de l'élément C de la formule figurant au paragraphe 21(1) a été remplacé par C.P. 1999-1644 [DORS/99-368], par. 11(6) et cette modification s'applique au calcul de la taxe nette d'un inscrit pour les périodes de déclaration se terminant après mars 1997. Toutefois :

a) le taux applicable à un inscrit, dans le cadre de la méthode rapide, pour sa période de déclaration qui comprend le 1er avril 1997, relativement à une fourniture, correspond, en ce qui concerne la contrepartie de la fourniture qui est payée ou devient due avant cette date, au taux qui lui serait applicable dans le cadre de cette méthode pour cette période si cette modification n'entrait pas en vigueur;

b) le taux applicable à un inscrit, dans le cadre de la méthode rapide spéciale, pour sa période de déclaration qui comprend le 1er avril 1997, relativement à une fourniture, correspond, en ce qui concerne la contrepartie de la fourniture qui est payée ou devient due avant cette date, au taux qui serait applicable relativement à la fourniture si cette modification n'entrait pas en vigueur.

Antérieurement, ce sous-alinéa se lisait ainsi :

(i) la période de déclaration donnée ou une période de déclaration antérieure de l'inscrit au cours de laquelle le choix était en vigueur quant à un immeuble qu'il a acquis par achat ou à des améliorations, dont le coût pour lui est d'au mois 10 000 $, apportées à cet immeuble,

Le sous-alinéa a)(ii) de l'élément C de la formule figurant au paragraphe 21(1) a été remplacé par C.P. 1999-1644 [DORS/99-368], par. 11(6) et cette modification s'applique au calcul de la taxe nette d'un inscrit pour les périodes de déclaration se terminant après mars 1997. Toutefois :

a) le taux applicable à un inscrit, dans le cadre de la méthode rapide, pour sa période de déclaration qui comprend le 1er avril 1997, relativement à une fourniture, correspond, en ce qui concerne la contrepartie de la fourniture qui est payée ou devient due avant cette date, au taux qui lui serait applicable dans le cadre de cette méthode pour cette période si cette modification n'entrait pas en vigueur;

b) le taux applicable à un inscrit, dans le cadre de la méthode rapide spéciale, pour sa période de déclaration qui comprend le 1er avril 1997, relativement à une fourniture, correspond, en ce qui concerne la contrepartie de la fourniture qui est payée ou devient due avant cette date, au taux qui serait applicable relativement à la fourniture si cette modification n'entrait pas en vigueur.

Antérieurement, ce sous-alinéa se lisait ainsi :

(ii) la période de déclaration donnée ou une période de déclaration antérieure de l'inscrit au cours de laquelle le choix était en vigueur quant à la fourniture par vente à celui-ci, ou à l'importation par lui, d'un bien meuble qu'il a acquis ou importé pour utilisation comme bien déterminé et dont la juste valeur marchande au moment de la fourniture, ou la valeur établie selon l'article 215 de la Loi au moment de l'importation, est d'au moins 10 000 $,

Le sous-alinéa a)(iii) de l'élément C de la formule figurant au paragraphe 21(1) a été remplacé par C.P. 1999-1644 [DORS/99-368], par. 11(6) et cette modification s'applique au calcul de la taxe nette d'un inscrit pour les périodes de déclaration se terminant après mars 1997. Toutefois :

a) le taux applicable à un inscrit, dans le cadre de la méthode rapide, pour sa période de déclaration qui comprend le 1er avril 1997, relativement à une fourniture, correspond, en ce qui concerne la contrepartie de la fourniture qui est payée ou devient due avant cette date, au taux qui lui serait applicable dans le cadre de cette méthode pour cette période si cette modification n'entrait pas en vigueur;

b) le taux applicable à un inscrit, dans le cadre de la méthode rapide spéciale, pour sa période de déclaration qui comprend le 1er avril 1997, relativement à une fourniture, correspond, en ce qui concerne la contrepartie de la fourniture qui est payée ou devient due avant cette date, au taux qui serait applicable relativement à la fourniture si cette modification n'entrait pas en vigueur.

Antérieurement, ce sous-alinéa se lisait ainsi :

(iii) la période de déclaration donnée ou une période de déclaration antérieure de l'inscrit au cours de laquelle le choix était en vigueur quant à des améliorations apportées à un bien déterminé (sauf un immeuble) de celui-ci, si le coût pour lui des améliorations est d'au moins 10 000 $ et s'il a demandé, ou a le droit de demander, un crédit de taxe sur les intrants pour la dernière fourniture du bien déterminé qui lui a été effectuée, ou la dernière importation du bien par lui,

Le sous-alinéa a)(v) de l'élément C de la formule figurant au paragraphe 21(1) a été remplacé par C.P. 1999-1644 [DORS/99-368], par. 11(7) et cette modification s'applique aux crédits de taxe sur les intrants relatifs aux biens dont la fourniture est réputée effectuée par un mandataire aux termes des paragraphes 177(1) ou (1.2) de la *Loi sur la taxe d'accise*, édictés par le paragraphe 26(1) de la *Loi modifiant la Loi sur la taxe d'accise*, la *Loi sur les arrangements fiscaux entre le gouvernement fédéral et les provinces*, la *Loi de l'impôt sur le revenu*, la *Loi sur le compte de service et de réduction de la dette et des lois connexes*, chapitre 10 des *Lois du Canada* (1997). Toutefois, avant avril 1997, il n'est pas tenu compte de la mention du transfert d'un bien dans une province participante figurant au sous-alinéa a)(v) de l'élément C de la formule figurant au paragraphe 21(1). Antérieurement, ce sous-alinéa se lisait ainsi :

(v) la période de déclaration donnée ou une période de déclaration antérieure de l'inscrit au cours de laquelle le choix était en vigueur quant au bien qui est réputé, en application de l'alinéa 120(3)b) de la Loi, être un bien meuble corporel d'occasion fourni au Canada par vente à celui-ci le 1er janvier 1991;

Le sous-alinéa a)(vi) de l'élément C de la formule figurant au paragraphe 21(1) a été ajouté par C.P. 1999-1644 [DORS/99-368], par. 11(7) et s'applique aux crédits de taxe sur les intrants relatifs aux biens dont la fourniture est réputée effectuée par un mandataire aux termes des paragraphes 177(1) ou (1.2) de la *Loi sur la taxe d'accise*, édictés par le paragraphe 26(1) de la *Loi modifiant la Loi sur la taxe d'accise*, la *Loi sur les arrangements fiscaux entre le gouvernement fédéral et les provinces*, la *Loi de l'impôt sur le revenu*, la *Loi sur le compte de service et de réduction de la dette et des lois connexes*, chapitre 10 des *Lois du Canada* (1997).

(2) [Services téléphoniques, d'électricité, etc.] — Sous réserve du paragraphe 21.3(1), la taxe nette pour une période de déclaration donnée de l'inscrit qui exploite, dans une division ou un service distinct, une entreprise consistant à fournir des services téléphoniques, de l'électricité ou du gaz naturel correspond au résultat positif ou négatif obtenu par la formule suivante si son choix, fait en vertu du paragraphe 20(1), est en vigueur au cours de cette période :

$$A + B$$

où :

A représente le montant qui correspondrait à la taxe nette de l'inscrit pour la période de déclaration donnée, calculé selon le paragraphe (1), s'il n'exploitait pas l'entreprise et si tous les biens et services acquis, importés, ou transférés dans une province participante par lui non principalement pour consommation, utilisation ou fourniture dans le cadre de l'entreprise étaient les seuls qu'il ait acquis, importés ou transférés;

B le montant qui correspondrait à la taxe nette de l'inscrit pour la période de déclaration donnée, calculée selon l'article 225 de la Loi, si l'exploitation de l'entreprise était la seule activité de celui-ci et si les biens et services acquis, importés, ou transférés dans une province participante par lui principalement pour consommation, utilisation ou fourniture dans le cadre de l'entreprise étaient les seuls qu'il ait acquis, importés ou transférés.

Notes historiques: Le passage du paragraphe 21(2) précédant la formule a été remplacé par C.P. 1999-1644 [DORS/99-368], par. 11(8) et cette modification s'applique au calcul de la taxe nette d'un inscrit pour les périodes de déclaration qui correspondent à des exercices se terminant après 1992 ou à des mois ou trimestres d'exercice se terminant après février 1993. Antérieurement, ce passage se lisait ainsi :

(2) La taxe nette pour une période de déclaration donnée de l'inscrit qui exploite, dans une division ou un service distinct, une entreprise consistant à fournir des services téléphoniques, de l'électricité ou du gaz naturel correspond au montant positif ou négatif obtenu par la formule suivante si son choix, fait en vertu du paragraphe 20(1), est en vigueur au cours de cette période :

L'élément A de la formule figurant au paragraphe 21(2) a été remplacé par C.P. 1999-1644 [DORS/99-368], par. 11(9) et cette modification s'applique au calcul de la taxe nette d'un inscrit pour les périodes de déclaration se terminant après mars 1997. Toutefois :

a) le taux applicable à un inscrit, dans le cadre de la méthode rapide, pour sa période de déclaration qui comprend le 1er avril 1997, relativement à une fourniture, correspond, en ce qui concerne la contrepartie de la fourniture qui est payée ou devient due avant cette date, au taux qui lui serait applicable dans le cadre de cette méthode pour cette période si cette modification n'entrait pas en vigueur;

b) le taux applicable à un inscrit, dans le cadre de la méthode rapide spéciale, pour sa période de déclaration qui comprend le 1er avril 1997, relativement à une fourniture, correspond, en ce qui concerne la contrepartie de la fourniture qui est payée ou devient due avant cette date, au taux qui serait applicable relativement à la fourniture si cette modification n'entrait pas en vigueur.

Antérieurement, cet élément se lisait ainsi :

A représente le montant qui correspondrait à la taxe nette de l'inscrit pour la période de déclaration donnée, calculée selon le paragraphe (1), s'il n'exploitait pas l'entreprise et si tous les biens et les services acquis ou importés par lui non principalement pour consommation, utilisation ou fourniture dans le cadre de l'entreprise étaient les seuls qu'il ait acquis ou importés;

L'élément B de la formule figurant au paragraphe 21(2) a été remplacé par C.P. 1999-1644 [DORS/99-368], par. 11(9) et cette modification s'applique au calcul de la taxe nette d'un inscrit pour les périodes de déclaration se terminant après mars 1997. Toutefois :

a) le taux applicable à un inscrit, dans le cadre de la méthode rapide, pour sa période de déclaration qui comprend le 1er avril 1997, relativement à une fourniture, correspond, en ce qui concerne la contrepartie de la fourniture qui est payée ou devient due avant cette date, au taux qui lui serait applicable dans le cadre de cette méthode pour cette période si cette modification n'entrait pas en vigueur;

b) le taux applicable à un inscrit, dans le cadre de la méthode rapide spéciale, pour sa période de déclaration qui comprend le 1er avril 1997, relativement à une fourniture, correspond, en ce qui concerne la contrepartie de la fourniture qui est payée ou devient due avant cette date, au taux qui serait applicable relativement à la fourniture si cette modification n'entrait pas en vigueur.

Antérieurement, cet élément se lisait ainsi :

B le montant qui correspondrait à la taxe nette de l'inscrit pour la période de déclaration donnée, calculée selon l'article 225 de la Loi, si l'exploitation de l'entreprise était la seule activité de celui-ci et si les biens et les services acquis ou importés par lui principalement pour consommation, utilisation ou fourniture dans le cadre de l'entreprise étaient les seuls qu'il ait acquis ou importés.

(3) [Université ou collège public] — Si l'inscrit est une université ou un collège public et que le choix qu'il fait en vertu du paragraphe 20(1) entre en vigueur au cours de son premier exercice (appelé « exercice donné » au présent paragraphe) au cours duquel il exploite une entreprise consistant à effectuer des fournitures taxables, principalement de biens meubles corporels, par l'entremise d'un établissement de détail (sauf un restaurant, une cafétéria, un débit de boissons ou un établissement semblable), le taux applicable, dans le cadre de la méthode rapide spéciale, à une fourniture donnée qu'il effectue dans le cadre d'une activité qu'il exerce en sa qualité d'université ou de collège public et à ses périodes de déclaration se terminant au cours de l'exercice donné, correspond, s'il est raisonnable de s'attendre à ce que le taux, applicable à cette fourniture et à ses périodes de déclaration se terminant au cours de l'exercice suivant l'exercice donné, corresponde à l'un des pourcentages fixés au sous-alinéa 19(3)c)(i), à ce pourcentage.

Notes historiques: Le paragraphe 21(3) a été remplacé par C.P. 2011-263 [DORS/2011-56], 3 mars 2011, art. 21 et cette modification s'applique au calcul de la taxe nette d'un inscrit pour les périodes de déclaration se terminant après mars 1997. Antérieurement, il se lisait ainsi :

(3) [Université ou collège public] — Si l'inscrit est une université ou un collège public et que le choix qu'il fait en vertu du paragraphe 20(1) entre en vigueur au cours de son premier exercice (appelé « exercice donné » au présent paragraphe) au cours duquel il exploite une entreprise consistant à effectuer des fournitures taxables, principalement de biens meubles corporels, par l'entremise d'un établissement de détail (sauf un restaurant, une cafétéria, un débit de boissons ou un établissement semblable), le taux applicable, dans le cadre de la méthode rapide spéciale, à une activité qu'il exerce en sa qualité d'université ou de collège public et à ses périodes de déclaration se terminant au cours de l'exercice donné, correspond :

a) s'il est raisonnable de s'attendre à ce que le taux, applicable à cette activité et à ses périodes de déclaration se terminant au cours de l'exercice suivant l'exercice donné, soit de 5,6 %, à ce même taux;

b) sinon, à 6 %.

PARTIE V.1 — MÉTHODE ABRÉGÉE FONDÉE SUR LE CRÉDIT DE TAXE SUR LES INTRANTS

Interprétation

Notes historiques: La Partie V.1 a été ajoutée par C.P. 1999-1644 [DORS/99-368], art. 12 et cet ajout s'applique au calcul de la taxe nette d'un inscrit pour les périodes de déclaration qui correspondent à des exercices se terminant après 1992 ou à des mois ou trimestres d'exercices se terminant après février 1993.

21.1 (1) [Calcul du montant déterminant] — Pour l'application de la présente partie, le montant déterminant pour l'exercice d'un inscrit correspond au total des montants suivants :

a) le résultat du calcul suivant :

$$A \times \frac{365}{B}$$

où :

A représente le total des contreparties, sauf celle visée à l'article 167.1 de la Loi qui est imputable à l'achalandage d'une entreprise, des fournitures taxables (sauf les fournitures de services financiers et les fournitures par vente d'immeubles qui sont des immobilisations de l'inscrit) effectuées par l'inscrit, qui lui sont devenues dues au cours de son exercice précédent (appelé « exercice de base » au présent paragraphe) ou qui lui ont été payées au cours de cet exercice sans être devenues dues,

B le nombre de jours de l'exercice de base;

b) le total des montants représentant chacun un montant applicable à l'associé de l'inscrit — soit la personne associée à l'inscrit à la fin du dernier exercice de cette personne se terminant au cours de l'exercice de base — obtenu par la formule suivante :

$$C \times \frac{365}{D}$$

où :

C représente le total des contreparties, sauf celle visée à l'article 167.1 de la Loi qui est imputable à l'achalandage d'une entreprise, des fournitures taxables (sauf les fournitures de services financiers et les fournitures par vente d'immeubles qui sont des immobilisations de l'associé) effectuées par l'associé, qui lui sont devenues dues au cours du dernier exercice ou qui lui ont été payées au cours de cet exercice sans être devenues dues,

D le nombre de jours du dernier exercice.

(2) [Montant déterminant par un trimestre d'exercice] — Pour l'application de la présente partie, le montant déterminant pour un trimestre d'exercice donné compris dans l'exercice d'un inscrit correspond au total des montants suivants :

a) le total des contreparties, sauf celle visée à l'article 167.1 de la Loi qui est imputable à l'achalandage d'une entreprise, des fournitures taxables (sauf les fournitures de services financiers et les fournitures par vente d'immeubles qui sont des immobilisations de l'inscrit) effectuées par l'inscrit, qui lui sont devenues dues au cours des trimestres d'exercice antérieurs compris dans son exercice ou qui lui ont été payées au cours de ces trimestres sans être devenues dues,

b) le total des montants représentant chacun un montant applicable à l'associé de l'inscrit — soit la personne associée à l'inscrit au début du trimestre d'exercice donné — égal au total des contreparties, sauf la contrepartie visée à l'article 167.1 de la Loi qui est imputable à l'achalandage d'une entreprise, des fournitures taxables (sauf les fournitures de services financiers et les fournitures par vente d'immeubles qui sont des immobilisations de l'associé) effectuées par l'associé, qui lui sont devenues dues au cours de ses trimestres d'exercice se terminant pendant l'exercice de l'inscrit mais avant le début du trimestre d'exercice donné, ou qui lui ont été payées au cours de ces trimestres sans être devenues dues.

(3) [Montant déterminant des achats] — Pour l'application de la présente partie, le montant déterminant des achats pour l'exercice d'un inscrit correspond au total des montants représentant chacun, à la fois :

a) un montant qui est devenu dû par l'inscrit au cours de l'exercice précédent, ou qui a été payé par lui au cours de cet exercice sans être devenu dû, pour la fourniture taxable, sauf une fourniture détaxée, d'un bien ou d'un service qu'il a acquis au Canada ou qu'il a acquis à l'étranger puis importé;

b) l'un des montants suivants :

(i) un montant inclus dans le calcul du coût du bien ou du service pour l'inscrit pour l'application de la *Loi de l'impôt sur le revenu*,

(ii) la taxe payable par l'inscrit relativement à l'acquisition ou à l'importation du bien ou du service.

(4) [Montant déterminant des achats pour un jour] — Pour l'application de la présente partie, le montant déterminant des achats d'un inscrit pour un jour donné correspond au total des montants représentant chacun, à la fois :

a) un montant relatif à la fourniture taxable, sauf une fourniture détaxée, d'un bien ou d'un service que l'inscrit a acquis au Canada ou qu'il a acquis à l'étranger puis importé, qui est devenu dû par lui au plus tard le jour donné et au cours de son exercice qui comprend ce jour, ou qui a été payé par lui au plus tard ce jour-là et au cours de cet exercice sans être devenu dû;

b) l'un des montants suivants :

(i) un montant inclus dans le calcul du coût du bien ou du service pour l'inscrit pour l'application de la *Loi de l'impôt sur le revenu*,

(ii) la taxe payable par l'inscrit relativement à l'acquisition ou à l'importation du bien ou du service.

(5) [Fournitures devenues dues] — Pour l'application de la présente partie, lorsque tout ou partie de la contrepartie de la fourniture d'un bien ou d'un service est réputée, par l'article 152 de la Loi, devenir due un jour donné, les frais, droits ou taxes qui ne sont pas devenus dus au plus tard ce jour-là sont réputés devenus dus ce jour-là, si les conditions suivantes sont réunies :

a) ils sont visés aux alinéas 3b) ou c) du *Règlement sur les frais, droits et taxes* (TPS/TVH);

b) ils sont imposés sur le bien ou le service;

c) ils sont calculés sur la contrepartie ou la partie de contrepartie.

Notes historiques: L'article 21.1 a été ajouté par C.P. 1999-1644 [DORS/99-368], art. 12 et s'applique au calcul de la taxe nette d'un inscrit pour les périodes de déclaration qui correspondent à des exercices se terminant après 1992 ou à des mois ou trimestres d'exercice se terminant après février 1993. Toutefois, avant avril 1997, la mention de « (TPS/TVH) » à l'alinéa 21.1(5)a) vaut mention de « (TPS) ».

Inscrits

21.2 (1) [Choix] — Un inscrit est un inscrit visé qui peut faire un choix — devant entrer en vigueur le premier jour de sa période de déclaration — pour que sa taxe nette soit déterminée en conformité avec la présente partie, si les conditions suivantes sont réunies :

a) le montant déterminant pour l'exercice de l'inscrit qui comprend la période de déclaration ne dépasse pas 1 000 000 $;

b) si le trimestre d'exercice de l'inscrit qui comprend la période de déclaration n'est pas le premier de l'exercice, le montant déterminant pour le trimestre ne dépasse pas 1 000 000 $;

c) le montant déterminant des achats pour l'exercice ne dépasse pas 4 000 000 $;

d) si l'inscrit est un organisme de services publics, il est raisonnable de s'attendre, au début de la période de déclaration, à ce que le montant déterminant des achats pour son exercice subséquent ne dépasse pas 4 000 000 $;

e) l'inscrit n'est pas une personne visée à l'alinéa 149(1)a) de la Loi au début de la période de déclaration.

(2) [Limite] — L'inscrit qui a choisi de déterminer sa taxe nette en conformité avec la présente partie cesse d'être un inscrit qui peut ainsi déterminer cette taxe au premier en date des moments suivants :

a) si le montant déterminant pour le deuxième ou troisième trimestre d'exercice compris dans l'un de ses exercices dépasse 1 000 000 $, la fin du premier trimestre d'exercice compris dans cet exercice pour lequel ce montant dépasse 1 000 000 $;

b) si le montant déterminant pour un de ses exercices dépasse 1 000 000 $, la fin du premier trimestre d'exercice de cet exercice;

c) s'il n'est pas un organisme de services publics et si le montant déterminant de ses achats pour un jour donné dépasse 4 000 000 $, la fin du jour précédent;

d) s'il est un organisme de services publics et si le montant déterminant des achats pour un de ses exercices dépasse 4 000 000 $, la fin du premier trimestre d'exercice compris dans cet exercice;

e) s'il devient une personne visée à l'alinéa 149(1)a) de la Loi au cours d'un de ses trimestres d'exercice, la fin de ce trimestre.

Notes historiques: Les alinéas 21.2(1)a) à d) ont été remplacés par C.P. 2012-1127 [DORS/2012-191], 20 septembre 2012, par. 17(1) et cette modification s'applique au calcul de la taxe nette d'un inscrit pour les périodes de déclaration commençant après 2012. Antérieurement, ils se lisaient ainsi :

a) le montant déterminant pour l'exercice de l'inscrit qui comprend la période de déclaration ne dépasse pas 500 000 $;

b) si le trimestre d'exercice de l'inscrit qui comprend la période de déclaration n'est pas le premier de l'exercice, le montant déterminant pour le trimestre ne dépasse pas 500 000 $;

c) le montant déterminant des achats pour l'exercice ne dépasse pas 2 000 000 $,

d) si l'inscrit est un organisme de services publics, il est raisonnable de s'attendre, au début de la période de déclaration, à ce que le montant déterminant des achats pour son exercice subséquent ne dépasse pas 2 000 000 $;

Les alinéas 21.2(2)a) à d) ont été remplacés par C.P. 2012-1127 [DORS/2012-191], 20 septembre 2012, par. 17(2) et cette modification s'applique au calcul de la taxe nette d'un inscrit pour les périodes de déclaration commençant après 2012. Antérieurement, ils se lisaient ainsi :

a) si le montant déterminant pour le deuxième ou troisième trimestre d'exercice compris dans l'un de ses exercices dépasse 500 000 $, la fin du premier trimestre d'exercice compris dans cet exercice pour lequel ce montant dépasse 500 000 $;

b) si le montant déterminant pour un de ses exercices dépasse 500 000 $, la fin du premier trimestre d'exercice de cet exercice;

c) s'il n'est pas un organisme de services publics et si le montant déterminant de ses achats pour un jour donné dépasse 2 000 000 $, la fin du jour précédent;

d) s'il est un organisme de services publics et si le montant déterminant des achats pour un de ses exercices dépasse 2 000 000 $, la fin du premier trimestre d'exercice compris dans cet exercice;

L'article 21.2 a été ajouté par C.P. 1999-1644 [DORS/99-368], art. 12 et s'applique au calcul de la taxe nette d'un inscrit pour les périodes de déclaration qui correspondent à

Règlements

des exercices se terminant après 1992 ou à des mois ou trimestres d'exercice se terminant après février 1993. Toutefois :

a) pour ce qui est des périodes de déclaration d'un inscrit commençant :

(i) avant 1995, dans le cas d'un inscrit dont le choix de déterminer sa taxe nette en conformité avec l'une des parties I à III du règlement était en vigueur le 1er juin 1993,

(ii) le 1er juin 1993 ou antérieurement, dans le cas d'un autre inscrit, le passage du paragraphe 21.2(1) précédant l'alinéa a) est remplacé par ce qui suit :

21.2. (1) Sous réserve de l'article 23, un inscrit est un inscrit visé qui peut faire un choix — devant entrer en vigueur le premier jour de sa période de déclaration — pour que sa taxe nette soit déterminée en conformité avec la présente partie, si les conditions suivantes sont réunies :

b) les alinéas 21.2(1)c) et d) et (2)c) et d) ne s'appliquent pas aux exercices commençant avant juillet 1993;

Calcul de la taxe nette

21.3 (1) [Calcul de la taxe nette] — Si le choix de l'inscrit de déterminer sa taxe nette en conformité avec la présente partie est en vigueur au cours d'une de ses périodes de déclaration, sa taxe nette pour cette période correspond, sous réserve de la présente partie, au montant positif ou négatif de taxe nette pour cette période, déterminé en conformité avec :

a) la partie IV, si l'inscrit a choisi de déterminer sa taxe nette en conformité avec cette partie et que ce choix soit en vigueur au cours de la période de déclaration en cause;

b) la partie V, si l'inscrit a choisi de déterminer sa taxe nette en conformité avec cette partie et que ce choix soit en vigueur au cours de la période de déclaration en cause;

c) le paragraphe 225(1) de la Loi, dans les autres cas.

(2) [Crédit de taxe sur les intrants] — Lorsqu'une personne fournit un bien meuble ou un service au Canada à un inscrit, ou lui fournit un bien meuble corporel à l'étranger que l'inscrit importe par la suite, et que l'inscrit peut demander, pour une de ses périodes de déclaration, un crédit de taxe sur les intrants pour le bien ou le service, aux fins du calcul des montants suivants :

a) le crédit de taxe sur les intrants de l'inscrit relativement au bien ou au service pour une période de déclaration donnée de l'inscrit,

b) le montant à ajouter, en application du paragraphe 235(1) de la Loi, dans le calcul de la taxe nette de l'inscrit pour une période de déclaration,

le montant de taxe prévu aux sections II ou III, selon le cas, qui est devenu payable par l'inscrit au cours de la période donnée, ou qui a été payé par lui au cours de cette période sans être devenu payable, relativement à la fourniture ou à l'importation du bien ou du service est réputé, pour l'application de la présente partie, être égal au résultat du calcul suivant :

$$A \times B$$

où :

A représente le résultat du calcul suivant :

$$\frac{C}{D}$$

où :

C représente :

(i) dans le cas où la taxe prévue au paragraphe 165(2) ou à l'article 212.1 de la Loi était payable relativement à la fourniture ou à l'importation, la somme du taux fixé au paragraphe 165(1) de la Loi et du taux de taxe applicable à la province participante relativement à la fourniture ou à l'importation,

(ii) dans les autres cas, le taux fixé au paragraphe 165(1) de la Loi,

D la somme de 100 % et du pourcentage déterminé selon l'élément C;

B le total des montants représentant chacun :

a) la contrepartie qui est devenue due par l'inscrit au cours de la période, ou qui a été payée par lui au cours de cette période sans être devenue due, relativement à la fourniture,

b) la taxe prévue par les sections II ou III qui est devenue payable par l'inscrit au cours de la période, ou qui a été payée par lui au cours de cette période sans être devenue payable, relativement à la fourniture ou à l'importation,

c) dans le cas d'un bien meuble corporel importé par l'inscrit, une taxe ou un droit imposé sur le bien en vertu de la Loi, sauf la partie IX, de la *Loi sur les douanes*, de la *Loi sur les mesures spéciales d'importation* ou de toute autre loi en matière douanière qui est devenu dû par l'inscrit au cours de la période ou qui a été payé par lui au cours de cette période sans être devenu dû,

d) les taxes, droits ou frais visés aux alinéas 3b) ou c) du *Règlement sur les frais, droits et taxes* (TPS/TVH), qui sont devenus dus par l'inscrit au cours de la période, ou qui ont été payés par lui au cours de cette période sans être devenus dus, relativement au bien ou au service, à l'exception d'une taxe imposée en application d'une loi provinciale dans la mesure où elle est recouvrable par l'inscrit aux termes de cette loi,

e) un pourboire raisonnable payé par l'inscrit au cours de la période dans le cadre de la fourniture,

f) les intérêts, pénalités ou autres montants payés par l'inscrit au cours de la période qui ont été exigés de l'inscrit par le fournisseur du fait qu'un montant de contrepartie, ou un montant de taxes, droits ou frais visés aux alinéas c) ou d), payable relativement à la fourniture ou à l'importation est impayé;

Notes historiques: Les sous alinéas (i) et (ii) de l'élément C de la formule figurant au paragraphe 21.3(2) a été remplacé par C.P. 2007-1350 [DORS/2007-203], par. 5(1) et cette modification s'applique au calcul d'un montant de taxe qui est devenu payable par un inscrit au cours de périodes de déclaration se terminant après juin 2006, ou qui a été payé par lui au cours de ces périodes sans être devenu payable. Toutefois, pour ce qui est de sa période de déclaration qui comprend le 1er juillet 2006, la formule, y compris la description des éléments, figurant au paragraphe 21.3(2) du même règlement est réputée avoir le libellé suivant :

$$(A \times B) + (C \times D)$$

où :

A représente :

a) dans le cas où la taxe prévue au paragraphe 165(2) ou à l'article 212.1 de la Loi était payable relativement à la fourniture ou à l'importation, 15/115,

b) dans les autres cas, 7/107;

B le total des montants représentant chacun :

a) la contrepartie qui est devenue due par l'inscrit au cours de la période donnée, mais avant le 1er juillet 2006, ou qui a été payée par lui au cours de cette période, mais avant cette date sans être devenue due, relativement à la fourniture,

b) la taxe prévue par les sections II ou III qui est devenue payable par l'inscrit au cours de la période donnée, mais avant le 1er juillet 2006, ou qui a été payée par lui au cours de cette période, mais avant cette date sans être devenue payable, relativement à la fourniture ou à l'importation,

c) dans le cas d'un bien meuble corporel importé par l'inscrit, une taxe ou un droit imposé sur le bien en vertu de la Loi, sauf la partie IX, de la *Loi sur les douanes*, de la *Loi sur les mesures spéciales d'importation* ou de toute autre loi en matière douanière qui est devenu dû par l'inscrit au cours de la période donnée, mais avant le 1er juillet 2006, ou qui a été payé par lui au cours de cette période, mais avant cette date sans être devenu dû,

d) les taxes, droits ou frais visés aux alinéas 3b) ou c) du *Règlement sur les frais, droits et taxes (TPS/TVH)* qui sont devenus dus par l'inscrit au cours de la période donnée, mais avant le 1er juillet 2006, ou qui ont été payés par lui au cours de cette période, mais avant cette date, sans être devenus dus, relativement au bien ou au service, à l'exception d'une taxe imposée en application d'une loi provinciale dans la mesure où elle est recouvrable par l'inscrit aux termes de cette loi,

e) un pourboire raisonnable payé par l'inscrit au cours de la période donnée, mais avant le 1er juillet 2006, dans le cadre de la fourniture,

f) les intérêts, pénalités ou autres montants payés par l'inscrit au cours de la période donnée, mais avant le 1er juillet 2006, qui ont été exigés de l'inscrit par le fournisseur du fait qu'un montant de contrepartie, ou un montant de taxes, droits ou frais visés aux alinéas c) ou d), payable relativement à la fourniture ou à l'importation est impayé;

C

a) dans le cas où la taxe prévue au paragraphe 165(2) ou à l'article 212.1 de la Loi était payable relativement à la fourniture ou à l'importation, 14/114,

b) dans les autres cas, 6/106;

D le total des montants représentant chacun :

a) la contrepartie qui est devenue due par l'inscrit au cours de la période donnée, mais après juin 2006, ou qui a été payée par lui au cours de cette période, mais après ce mois sans être devenue due, relativement à la fourniture,

b) la taxe prévue par les sections II ou III qui est devenue payable par l'inscrit au cours de la période donnée, mais après juin 2006, ou qui a été payée par lui au cours de cette période, mais après ce mois, sans être devenue payable, relativement à la fourniture ou à l'importation,

c) dans le cas d'un bien meuble corporel importé par l'inscrit, une taxe ou un droit imposé sur le bien en vertu de la Loi, sauf la partie IX, de la *Loi sur les douanes*, de la *Loi sur les mesures spéciales d'importation* ou de toute autre loi en matière douanière qui est devenu dû par l'inscrit au cours de la période donnée, mais après juin 2006, ou qui a été payé par lui au cours de cette période, mais après ce mois, sans être devenu dû,

d) les taxes, droits ou frais visés aux alinéas 3b) ou c) du *Règlement sur les frais, droits et taxes (TPS/TVH)* qui sont devenus dus par l'inscrit au cours de la période donnée, mais après juin 2006, ou qui ont été payés par lui au cours de cette période, mais après ce mois, sans être devenus dus, relativement au bien ou au service, à l'exception d'une taxe imposée en application d'une loi provinciale dans la mesure où elle est recouvrable par l'inscrit aux termes de cette loi,

e) un pourboire raisonnable payé par l'inscrit au cours de la période donnée, mais après juin 2006, dans le cadre de la fourniture,

f) les intérêts, pénalités ou autres montants payés par l'inscrit au cours de la période donnée, mais après juin 2006, qui ont été exigés de l'inscrit par le fournisseur du fait qu'un montant de contrepartie, ou un montant de taxes, droits ou frais visés aux alinéas c) ou d), payable relativement à la fourniture ou à l'importation est impayé.

Antérieurement, cet élément se lisait ainsi :

(i) dans le cas où la taxe prévue au paragraphe 165(2) ou à l'article 212.1 de la Loi était payable relativement à la fourniture ou à l'importation, la somme de 7 % et du taux de taxe applicable à la province participante relativement à la fourniture ou à l'importation,

(ii) dans les autres cas, 7 %,

L'alinéa f) de l'élément B de la formule figurant au paragraphe 21.3(2) a été remplacé par C.P. 2007-1350 [DORS/2007-203], par. 5(2) et cette modification est entrée en vigueur le 18 septembre 2007. Antérieurement, cet élément se lisait ainsi :

f) les intérêts, la pénalité ou tout autre montant payés par l'inscrit au cours de la période et qui ont été exigés de l'inscrit par le fournisseur en raison d'un paiement tardif au titre d'une contrepartie, ou les taxes, droits ou frais visés aux alinéas c) ou d), payables relativement à la fourniture ou à l'importation.

(3) [Limite] — Le paragraphe (2) ne s'applique pas aux voitures de tourisme ni aux aéronefs qu'un inscrit — qui est un particulier ou une société de personnes — acquiert ou importe pour utilisation comme immobilisation non exclusivement dans le cadre de ses activités commerciales.

(4) [Voiture de tourisme] — Pour l'application de la présente partie, lorsqu'un montant est réputé, par les alinéas 13(7)g) ou h) de la *Loi de l'impôt sur le revenu*, correspondre au coût en capital d'une voiture de tourisme pour un inscrit pour l'application de l'article 13 de cette loi, l'excédent éventuel du total visé à l'alinéa a) sur le montant visé à l'alinéa b) n'est pas inclus dans le calcul d'un crédit de taxe sur les intrants de l'inscrit pour sa période de déclaration :

a) le total des montants représentant chacun un montant de taxe qui est réputé, par le paragraphe (2), être devenu payable par l'inscrit, ou avoir été payé par lui sans être devenu payable, relativement à l'acquisition ou à l'importation de la voiture ou d'améliorations à celle-ci;

b) le résultat du calcul suivant :

$$A \times B$$

où :

A représente le résultat du calcul suivant :

$$\frac{C}{D}$$

où :

C représente :

(i) dans le cas où la taxe prévue au paragraphe 165(2) ou à l'article 212.1 de la Loi était payable relativement à l'acquisition ou à l'importation, la somme du taux fixé au paragraphe 165(1) de la Loi et du taux de taxe applicable à la province participante relativement à l'acquisition ou à l'importation,

(ii) dans les autres cas, le taux fixé au paragraphe 165(1) de la Loi,

D la somme de 100 % et du pourcentage déterminé selon l'élément C,

B le montant qui est réputé, par les alinéas 13(7)g) ou h) de la *Loi de l'impôt sur le revenu*, correspondre au coût en capital de la voiture pour l'inscrit pour l'application de l'article 13 de cette loi.

Notes historiques: Les sous-alinéas (i) et (ii) de l'élément C de la formule figurant à l'alinéa 21.3(4)b) a été remplacé par C.P. 2007-1350 [DORS/2007-203], par. 5(3) et cette modification s'applique au calcul du crédit de taxe sur les intrants relativement à une voiture de tourisme, si la taxe relative à l'acquisition ou à l'importation de la voiture est devenue payable pour la première fois après juin 2006 ou a été payée pour la première fois après ce mois sans être devenue payable. Antérieurement, cet élément se lisait ainsi :

(i) dans le cas où la taxe prévue au paragraphe 165(2) ou à l'article 212.1 de la Loi était payable relativement à l'acquisition ou à l'importation, la somme de 7 % et du taux de taxe applicable à la province participante relativement à l'acquisition ou à l'importation,

(ii) dans les autres cas, 7 %,

(5) [Remboursement au salarié, associé ou bénévole] — Aux fins du calcul, en conformité avec la présente partie, du crédit de taxe sur les intrants d'une personne qui rembourse un montant à l'un de ses salariés, à l'un de ses associés, si elle est une société de personnes, ou à l'un de ses bénévoles, si elle est un organisme de bienfaisance ou une institution publique, au titre d'un bien ou d'un service acquis ou importé par le salarié, l'associé ou le bénévole et sur lequel ils étaient tenus de payer la taxe prévue aux sections II ou III, le montant de cette taxe est réputé, pour l'application de l'article 175 de la Loi, être égal au montant qui serait déterminé selon le paragraphe (2) si celui-ci s'appliquait à l'acquisition ou à l'importation par le salarié, l'associé ou le bénévole.

Notes historiques: L'article 21.3 a été ajouté par C.P. 1999-1644 [DORS/99-368], art. 12 et s'applique au calcul de la taxe nette d'un inscrit pour les périodes de déclaration qui correspondent à des exercices se terminant après 1992 ou à des mois ou trimestres d'exercice se terminant après février 1993. Toutefois :

a) avant avril 1997, la mention de « (TPS/TVH) » à l'alinéa d) de l'élément B de la formule figurant au paragraphe 21.3(2) vaut mention de « (TPS) »;

b) l'élément A de la formule figurant au paragraphe 21.3(2) est remplacé, avant avril 1997, par ce qui suit :

A représente la fraction de taxe;

c) l'élément A de la formule figurant au paragraphe 21.3(4) est remplacé, avant avril 1997, par ce qui suit :

A représente la fraction de taxe,

d) pour l'application du paragraphe 21.3(5) il n'est pas tenu compte, avant 1997, de la mention d'une institution publique qui y figure.

21.4 (1) [Choix non en vigueur] — Le montant qui est devenu payable par un inscrit, ou qui a été payé par lui sans être devenu payable, pendant que le choix de celui-ci de déterminer sa taxe nette en conformité avec la présente partie n'est pas en vigueur n'est pas inclus dans le calcul de la valeur de l'élément B de la formule figurant au paragraphe 21.3(2) relativement à la période de déclaration de l'inscrit au cours de laquelle ce choix est en vigueur.

(2) [Choix non en vigueur] — Malgré le paragraphe 21.3(2), lorsque le choix de déterminer la taxe nette d'un inscrit en conformité avec la présente partie cesse d'être en vigueur à un moment donné d'une période de déclaration de celui-ci et que la taxe prévue aux sections II ou III devient payable par l'inscrit après ce moment mais au cours de la période, ou est payée par lui après ce moment mais au cours de cette période sans être devenue payable, relativement à la fourniture ou à l'importation d'un bien ou d'un service, le montant de taxe qui est devenu payable par l'inscrit au cours de la période, ou qui est payé par lui au cours de cette période sans être devenu payable, relativement à cette fourniture ou cette importation est réputé, aux fins visées aux alinéas 21.3(2)a) ou b), être égal au total des montants suivants :

a) le montant qui, si ce n'était le présent paragraphe, serait déterminé selon le paragraphe 21.3(2) relativement à cette fourniture ou cette importation;

b) la taxe prévue aux sections II ou III qui est devenue payable par l'inscrit après le moment donné mais au cours de la période, ou qui a été payée par lui après ce moment mais au cours de cette période sans être devenue payable, relativement à cette fourniture ou cette importation.

Notes historiques: L'article 21.4 a été ajouté par C.P. 1999-1644 [DORS/99-368], art. 12 et s'applique au calcul de la taxe nette d'un inscrit pour les périodes de déclaration qui correspondent à des exercices se terminant après 1992 ou à des mois ou trimestres d'exercice se terminant après février 1993.

Partie visée

21.5 [Partie visée] — La présente partie est une partie visée pour l'application du paragraphe 227(4.2) de la Loi.

Notes historiques: L'article 21.5 a été ajouté par C.P. 1999-1644 [DORS/99-368], art. 12 et est réputé être entré en vigueur le 1er mars 1993.

PARTIE VI — CRÉDITS DE TAXE SUR LES INTRANTS

22. [Crédit de taxe sur les intrants] — Si l'inscrit choisit de déterminer sa taxe nette en conformité avec l'une des parties du présent règlement et que ce choix cesse d'être en vigueur à un moment donné, chaque crédit de taxe sur les intrants qu'il aurait eu le droit d'inclure dans le calcul de la taxe nette pour une de ses périodes de déclaration se terminant à ce moment ou avant, s'il l'avait demandé dans une déclaration produite en application de la section V pour une telle période, est un crédit pour l'application du paragraphe 227(5) de la Loi qu'il peut demander dans une déclaration produite pour une période de déclaration se terminant après ce moment.

PARTIE VII — DISPOSITIONS GÉNÉRALES

23. [*Abrogé*].

Notes historiques: L'article 23 a été abrogé par C.P. 1999-1644 [DORS/99-368], par. 13(2) et cette abrogation s'applique au calcul de la taxe nette d'un inscrit pour les périodes de déclaration commençant :

a) après 1994, si le choix de l'inscrit de déterminer sa taxe nette en conformité avec l'une des parties I à III du règlement était en vigueur le 1er juin 1993;

b) après le 1er juin 1993, dans les autres cas.

Antérieurement, cet article se lisait comme suit :

23. (1) Sous réserve du paragraphe (2), les règles suivantes s'appliquent :

a) l'inscrit ne peut choisir de déterminer sa taxe nette pour ses périodes de déclaration en conformité avec une partie donnée du présent règlement si un choix semblable fait par lui conformément à l'une des parties I à III est déjà en vigueur;

b) l'inscrit ne peut choisir de déterminer sa taxe nette pour ses périodes de déclaration qu'en conformité avec la partie V.1 si un choix semblable fait par lui conformément aux parties IV ou V est déjà en vigueur;

c) l'inscrit ne peut choisir de déterminer sa taxe nette pour ses périodes de déclaration en conformité avec l'une des parties I à III, si un choix semblable fait par lui conformément à la partie V.1 est déjà en vigueur.

(2) Dans le cas où un choix de l'inscrit de déterminer sa taxe nette en conformité avec une partie donnée du présent règlement a été en vigueur tout au long de la période de trois trimestres d'exercice de celui-ci se terminant le jour précédant l'un de ses exercices (appelé « exercice donné » au présent paragraphe) et où, au début de l'exercice donné, il serait visé pour l'application de l'article 227 de la Loi et de toute autre partie du présent règlement si, d'une part, le choix n'était pas en vigueur, et, d'autre part, la période déterminante pour ses périodes de déclaration se terminant au cours de l'exercice donné correspondait à son exercice précédant cet exercice, les règles suivantes s'appliquent :

a) l'inscrit peut faire en vertu d'une autre partie du règlement un second choix, lequel entre en vigueur le premier jour de l'exercice donné;

b) si l'inscrit exerce le choix visé à l'alinéa a), le choix antérieur cesse d'avoir effet à l'entrée en vigueur du second choix et la période déterminante pour ses périodes de déclaration se terminant au cours de l'exercice donné est réputée correspondre à l'exercice précédant cet exercice.

Auparavant, le paragraphe 23(1) avait été remplacé par C.P. 1999-1644 [DORS/99-368], par. 13(1) et cette modification s'applique au calcul de la taxe nette d'un inscrit pour les périodes de déclaration qui correspondent à des exercices se terminant après 1992 ou à des mois ou trimestres d'exercice se terminant après février 1993. Avant cette modification, ce paragraphe se lisait comme suit :

(1) Sous réserve du paragraphe (2), un inscrit ne peut choisir de déterminer la taxe nette pour ses périodes de déclaration en conformité avec une partie donnée du présent règlement si semblable choix fait conformément à une autre partie du même règlement est déjà en vigueur.

24. (1) [Application des articles 225(2) à (3.1) de la Loi] — Les paragraphes 225(2) à (3.1) de la Loi s'appliquent, avec les adaptations nécessaires, au calcul de la taxe nette pour une période de déclaration d'un inscrit, effectué en conformité avec une partie du présent règlement.

Notes historiques: Le paragraphe 24(1) a été remplacé par C.P. 1999-1644 [DORS/99-368], par. 14(1) et cette modification s'applique au calcul de la taxe nette d'un inscrit pour les périodes de déclaration qui correspondent à des exercices se terminant après 1992 ou à des mois ou trimestres d'exercice se terminant après février 1993. Toutefois :

a) le passage « Les paragraphes 225(2) à (3.1) » au paragraphe 24(1) est remplacé, avant le 23 avril 1996, par « Les paragraphes 225(2) et (3) ».

Antérieurement, ce paragraphe se lisait comme suit :

(1) [Application de la LTA] — Les paragraphes 225(2) à (5) de la Loi s'appliquent, compte tenu des adaptations de circonstance, au calcul de la taxe nette pour une période de déclaration d'un inscrit, effectué en conformité avec une partie du présent règlement.

(2) [Présomption] — Pour l'application du présent règlement, les montants suivants relatifs à la fourniture d'un bien ou d'un service sont réputés devenus dus le jour où la taxe s'y rapportant, prévue à la section II, devient payable par un inscrit en application des paragraphes 168(3), (6) ou (7) de la Loi :

a) la contrepartie sur laquelle la taxe est calculée;

b) les taxes, droits ou frais, visés aux alinéas 3b) ou c) du *Règlement sur les frais, droits et taxes* (TPS/TVH), qui sont payables par l'inscrit relativement au bien ou au service et qui ne sont pas devenus dus ce jour-là ou antérieurement.

Notes historiques: Le paragraphe 24(2) a été remplacé par C.P. 1999-1644 [DORS/99-368], par. 14(1) et cette modification s'applique au calcul de la taxe nette d'un inscrit pour les périodes de déclaration qui correspondent à des exercices se terminant après 1992 ou à des mois ou trimestres d'exercice se terminant après février 1993. Toutefois, avant avril 1997, la mention de « (TPS/TVH) » à l'alinéa 24(2)b) vaut mention de « (TPS) ». Antérieurement, ce paragraphe se lisait comme suit :

(2) Pour l'application du présent règlement, la contrepartie d'une fourniture est réputée devenue due le jour où la taxe s'y rapportant, prévue à la section II, devient payable en application des paragraphes 168(3), (6) ou (7) de la Loi.

(3) [Règles d'application] — Pour déterminer un montant en conformité avec le présent règlement, sauf un montant de taxe nette qui, aux termes de ce règlement, est à déterminer en conformité avec le paragraphe 225(1) de la Loi, les règles suivantes s'appliquent :

a) est réputé être la contrepartie de la fourniture d'un bien ou d'un service le bon — y compris la pièce justificative ou toute autre pièce, mais à l'exclusion de tout certificat-cadeau — qu'un fournisseur accepte, à un moment donné, en contrepartie totale ou partielle de la fourniture si le bon est échangeable contre le bien ou le service ou permet à l'acquéreur de la fourniture de bénéficier d'une réduction ou d'un rabais sur le prix du bien ou du service et si le fournisseur a le droit de recevoir d'une autre personne un montant en vue du rachat du bon; la taxe calculée sur cette contrepartie est réputée devenir percevable, et être perçue, à ce moment;

b) lorsque la contrepartie d'une fourniture, indiquée sur la facture se rapportant à la fourniture, peut être réduite si elle est payée dans le délai précisé sur la facture et qu'elle est ainsi réduite, la contrepartie est réputée égale au montant réduit, et la taxe totale perçue ou percevable relativement à la fourniture est réputée égale à la taxe calculée sur le montant réduit;

c) est réputée ne pas être la contrepartie de la fourniture taxable (sauf la fourniture par vente d'un immeuble) effectuée par un fournisseur dans le cadre des activités qu'il exerce dans une de ses succursales ou divisions, tout ou partie de la contrepartie de la fourniture qui lui devient due au moment où la succursale ou la division est une division de petit fournisseur au sens du paragraphe 129(1) de la Loi, ou qui lui est payée à ce moment sans être devenue due;

d) pour l'application du paragraphe 21.1(3), ne peut être inclus dans le calcul du montant déterminant des achats d'une personne pour un exercice le montant qui devient dû par elle, ou qui est payé par elle sans être devenu dû, pour la fourniture d'un bien ou d'un service qu'elle acquiert pour consommation, utilisation ou fourniture dans le cadre des activités qu'elle exerce dans une de ses succursales ou divisions au moment où celle-ci est une division de petit fournisseur au sens du paragraphe 129(1) de la Loi.

Notes historiques: L'alinéa 24(3)c) a été remplacé par C.P. 1999-1644 [DORS/99-368], par. 14(2) et cette modification est réputée être entrée en vigueur le 31 décembre 1990. Toutefois, pour l'application de cet alinéa aux fournitures réputées avoir été effectuées avant le 24 avril 1996, il n'est pas tenu compte des mentions des fournitures réputées effectuées par l'article 175.1 de la *Loi sur la taxe d'accise*. Antérieurement, cet alinéa se lisait comme suit :

c) est réputée ne pas être la contrepartie d'une fourniture taxable (sauf la fourniture par vente d'un immeuble) effectuée par un fournisseur dans le cadre de ses activités exercées dans une de ses succursales ou divisions, tout ou partie de la contrepartie de la fourniture qui lui devient due, ou qui lui est payée sans qu'elle soit devenue due, au moment où la succursale ou division est, par application du paragraphe 129(2) et de l'article 148 de la Loi, un petit fournisseur.

L'alinéa 24(3)d) a été ajouté par C.P. 1999-1644 [DORS/99-368], par. 14(3) et s'applique au calcul de la taxe nette d'un inscrit pour les périodes de déclaration qui correspondent à des exercices se terminant après 1992 ou à des mois ou trimestres d'exercice se terminant après février 1993.

(4) [Lien de dépendance] — Pour déterminer un montant en conformité avec la partie IV du présent règlement, sauf un montant de taxe nette qui, aux termes de ce règlement, est à déterminer en conformité avec le paragraphe 225(1) de la Loi, l'inscrit qui effectue, à un moment où un choix qu'il a fait est en vigueur, la fourniture taxable d'un bien ou d'un service au profit d'une personne avec laquelle il a un lien de dépendance, à titre gratuit ou pour une contrepartie inférieure à la juste valeur marchande du bien ou du service à ce moment, est réputé avoir effectué la fourniture pour une contrepartie, payée à ce moment, égale à cette juste valeur marchande; la taxe calculée sur cette contrepartie est réputée devenir percevable, et être perçue, à ce moment.

Notes historiques: Le paragraphe 24(4) a été remplacé par C.P. 1999-1644 [DORS/99-368], par. 14(4) et cette modification s'applique au calcul de la taxe nette d'un inscrit pour les périodes de déclaration commençant :

a) après 1994, si le choix de l'inscrit de déterminer sa taxe nette en conformité avec l'une des parties I à III du même règlement était en vigueur le 1er juin 1993;

b) après le 1er juin 1993, dans les autres cas.

Antérieurement, ce paragraphe se lisait comme suit :

(4) Pour déterminer un montant en conformité avec l'une des parties I à IV du présent règlement, sauf un montant de taxe nette qui, aux termes de ce règlement, est à déterminer en conformité avec le paragraphe 225(1) de la Loi, l'inscrit — ayant fait un choix qui est en vigueur à un moment donné — qui, à ce moment, fournit un bien ou un service à une personne avec laquelle il a un lien de dépendance, à titre gratuit ou pour une contrepartie inférieure à la juste valeur marchande du bien ou du service à ce moment, est réputé avoir effectué la fourniture pour une contrepartie, payée à ce moment, égale à cette juste valeur marchande; la taxe calculée sur cette contrepartie est réputée devenir percevable, et être perçue, à ce moment.

Règ. Can. Règlement sur les contenants consignés (TPS/TVH)

Loi sur la taxe d'accise

DORS/2008-48 C.P. 2000-317 [DORS/08-48], 13 décembre 2007

Sur recommandation du ministre des Finances et en vertu de l'alinéa 226(2)b) [52] et de l'article 277[53] de la *Loi sur la taxe d'accise*, Son Excellence la Gouverneure générale en conseil prend le *Règlement sur les contenants consignés (TPS/TVH)*, ci-après.

1. Lois visées — Les lois ci-après sont visées pour l'application de l'alinéa 226(2)b) de la *Loi sur la taxe d'accise* :

a) la loi intitulée *Environment Act*, S.N.S. 1994-95, ch. 1;

b) la *Loi sur les récipients à boisson*, L.N.-B. 1991, ch. B-2.2;

c) la loi intitulée *Environmental Protection Act*, S.N.L. 2002, ch. E-14.2.

---

[52] L.C. 2007, ch. 18, par. 28(2)

[53] L.C. 1993, ch. 27, par. 125(1)

RÈG. CAN. RÈGLEMENT SUR LA CONTINUATION DES PERSONNES MORALES FUSIONNANTES OU LIQUIDÉES (TPS/TVH)

Règlement précisant les dispositions pour l'application desquelles les personnes morales issues d'une fusion ou parties à une liquidation sont réputées être les mêmes personnes morales que les personnes morales fusionnantes ou liquidées et en être la continuation

DORS/91-33 [C.P. 1990-2742], 18 décembre 1990, tel que modifié par C.P. 1999-623 [DORS/99-173], 15 avril 1999.

Sur avis conforme du ministre des Finances et en vertu du paragraphe 277(1) de la *Loi sur la taxe d'accise*, il plaît à Son Excellence le Gouverneur général en conseil de prendre le *Règlement précisant les dispositions pour l'application desquelles les personnes morales issues d'une fusion ou parties à une liquidation sont réputées être les mêmes personnes morales que les personnes morales fusionnantes ou liquidées et en être la continuation*, ci-après.

1. Titre abrégé — *Règlement sur la continuation des personnes morales fusionnantes ou liquidées (TPS/TVH).*

Notes historiques: L'article 1 a été remplacé par C.P. 1999-623 [DORS/99-173], 15 avril 1999, art. 1, par l'ajout de « /TVH ». Cette modification est réputée entrée en vigueur le 1er avril 1997. Auparavant, cet article se lisait comme suit :

1. Titre abrégé — *Règlement sur les biens meubles corporels désignés (TPS).*

2. Dispositions applicables — Pour l'application des articles 271 et 272 de la *Loi sur la taxe d'accise*, sont visées les dispositions de la même loi énumérées à l'annexe.

ANNEXE

(*article 2*)

Article 120

Définition de « constructeur » au paragraphe 123(1)

Article 134

Article 148

Article 148.1

Paragraphe 149(1)

Article 150

Article 156

Article 160

Article 166

Article 181.1

Article 182

Paragraphes 183(2) et (4) à (8)

Paragraphes 184(2) à (7)

Paragraphe 186(1)

Article 194

Article 219

Article 222

Paragraphe 223(2)

Article 224

Article 225

Article 227

Article 228

Article 229

Article 230

Article 230.1

Article 232

Article 233

Article 237

Article 238

Article 261

Article 263

Article 263.1

Article 264

Article 265

Article 266

Article 273

Article 274

Sections VIII et IX de la partie IX

Modification proposée — Annexe

Application: L'annexe sera modifiée par l'art. 19 de l'*Avant-projet de règlement modifiant divers règlements relatifs à la TPS/TVH* du 28 janvier 2011 par adjonction, selon l'ordre numérique, de « Article 225.2 ». Cette modification sera réputée être entrée en vigueur le 1er juillet 2010.

Notes historiques: L'annexe a été modifiée par C.P. 1999-623 [DORS/99-173], 15 avril 1999 :

- Par le par. 2(1) par la suppression de la mention « Article 178 » et cette modification est réputée être entrée en vigueur le 24 avril 1996.
- Par le par. 2(2) par le remplacement de la mention « Paragraphe 181(2) » par « Article 181.1 » et cette modification est réputée être entrée en vigueur le 31 décembre 1990.
- Par le par. 2(3) par le remplacement des mentions « Paragraphes 183(2), (3) et (5) » et « Paragraphes 184(2) à (4) » par les mentions « Paragraphes 183(2) et (4) à (8) » et « Paragraphes 184(2) à (7) » et ces modifications sont réputées être entrées en vigueur le 31 décembre 1990.
- Par le par. 2(4) par l'ajout des articles suivants : Article 134, Article 148.1, Article 230.1, Article 263.1, Article 265 et Article 266 et ces ajouts sont réputés être entrés en vigueur le 27 novembre 1997.

Règlements

RÈG. CAN. RÈGLEMENT SUR LES COURS ÉQUIVALENTS (TPS/TVH)

DORS/91-27 [C.P. 1990-2736], 18 décembre 1990, tel que modifié par C.P. 1994-843 [DORS/94-368], 26 mai 1994; C.P. 2002-1262 [DORS/2002-277], 17 juillet 2002.

Sur avis conforme du ministre des Finances et en vertu du paragraphe 277(1) de la *Loi sur la taxe d'accise*, il plaît à Son Excellence le Gouverneur général en conseil de prendre le *Règlement déterminant les équivalents aux cours conformes à un programme d'études désigné par une administration scolaire*, ci-après.

Notes historiques: Le titre intégral a été remplacé par C.P. 2002-1262 [DORS/2002-277], 17 juillet 2002, art. 4 et cette modification est réputée être entrée en vigueur le 17 juillet 2002. Antérieurement, il se lisait « *Règlement déterminant les équivalents aux cours conformes à un programme d'études désigné par une administration scolaire* ».

1. [*Abrogé*].

Notes historiques: L'article 1 et l'intertitre le précédant ont été abrogés par C.P. 2002-1262 [DORS/2002-277], 17 juillet 2002, art. 5 et cette abrogation est réputée être entrée en vigueur le 17 juillet 2002. Antérieurement, ils se lisaient ainsi :

> 1. Titre abrégé — *Règlement sur les cours équivalents (TPS).*

2. Cours — Pour l'application de l'article 9 de la partie III de l'annexe V de la *Loi sur la taxe d'accise*, est équivalent aux cours de musique conformes à un programme d'études désigné par une administration scolaire tout autre cours de musique.

Notes historiques: L'article 2 a été remplacé par C.P. 1994-843 [DORS/94-368], 26 mai 1994, art. 12 et cette modification est réputée être entrée en vigueur le 31 décembre 1990. Il se lisait auparavant comme suit :

> 2. Pour l'application des articles 9 et 10 de la partie III de l'annexe V de la *Loi sur la taxe d'accise*, est équivalent aux cours de musique conformes à un programme d'études désigné par une administration scolaire tout autre cours de musique.

RÈG. CAN. RÈGLEMENT SUR LA DÉDUCTION POUR LE REMBOURSEMENT PROVINCIAL (TPS/TVH)

DORS/2001-65 [C.P. 2001-151], 30 janvier 2001, tel que modifié par C.P. 2007-843 [DORS/2007-112], 31 mai 2007; C.P. 2010-791 [DORS/2010-152], 17 juin 2010; C.P. 2012-1127 [DORS/2012-191], 20 septembre 2012 [non en vigueur].

1. Définitions — Les définitions qui suivent s'appliquent au présent règlement.

« aliments et boissons admissibles » Les aliments et boissons ci-après, à l'exception des vins, spiritueux, bières, liqueurs de malt et autres boissons alcoolisées, qui sont destinés à la consommation humaine et qui, compte tenu de la nature du produit, de la quantité vendue ou de son emballage, sont vendus sous une forme qui en permet la consommation immédiate :

a) les aliments ou boissons chauffés pour la consommation;

b) les salades, sauf celles qui sont en conserve ou sous vide;

c) les sandwiches et produits semblables, sauf ceux qui sont congelés;

d) les plateaux de fromage, de charcuteries, de fruits ou de légumes et autres arrangements d'aliments préparés;

e) les gâteaux, muffins, tartes, pâtisseries, tartelettes, biscuits, beignes, gâteaux au chocolat et aux noix (*brownies*), croissants avec garniture sucrée ou produits semblables qui ne sont pas préemballés pour la vente aux consommateurs et qui sont vendus en quantités de moins de six portions individuelles;

f) la crème glacée, le lait glacé, le sorbet, le yogourt glacé ou la crème-dessert (pouding) glacée, les succédanés de ces produits ou tout produit contenant l'un ou l'autre de ces produits, vendus en portions individuelles et non préemballés;

g) les aliments dont la fourniture est une fourniture taxable (sauf une fourniture détaxée) qui serait une fourniture détaxée incluse à l'article 1 de la partie III de l'annexe VI de la Loi en l'absence de l'alinéa q) de cet article;

h) les boissons non gazeuses servies au point de vente;

i) les boissons ci-après dont la fourniture n'est pas une fourniture détaxée :

(i) le lait (aromatisé ou non aromatisé),

(ii) les boissons à base de soya, de riz ou d'amandes et autres succédanés semblables du lait,

(iii) les boissons de jus de fruit et boissons à saveur de fruit non gazeuses, sauf les boissons à base de lait, contenant au moins 25 % par volume de jus de fruit naturel ou d'un mélange de tels jus ou de jus de fruit naturel ou d'un mélange de tels jus qui ont été reconstitués à l'état initial;

j) les boissons ci-après vendues à une personne en même temps que des aliments ou des boissons visés aux alinéas a) à i) et dont la fourniture n'est pas une fourniture détaxée :

(i) les boissons gazeuses servies au point de vente,

(ii) les boissons autres que celles visées aux alinéas a), h) et i), si toutes les conditions ci-après sont remplies :

(A) elles sont vendues en boîte, en bouteille ou autre contenant d'origine, dont le contenu ne dépasse pas une portion individuelle,

(B) elles ne sont pas vendues en paquets préemballés par le fabricant ou le producteur et constitués de plusieurs portions individuelles;

k) les aliments ci-après vendus à une personne avec des aliments ou des boissons visés aux alinéas a) à i) pour une contrepartie unique :

(i) les gâteaux, muffins, tartes, pâtisseries, tartelettes, biscuits, beignes, gâteaux au chocolat et aux noix (*brownies*), croissants avec garniture sucrée ou produits semblables qui sont préemballés pour la vente aux consommateurs en paquets de moins de six articles constituant chacun une portion individuelle,

(ii) la crème glacée, le lait glacé, le sorbet, le yogourt glacé ou la crème-dessert (pouding) glacée, les succédanés de ces produits ou tout produit contenant l'un ou l'autre de ces produits, préemballés et vendus en portions individuelles,

(iii) les aliments visés à l'un des alinéas 1e) à j) et l) de la partie III de l'annexe VI de la Loi.

Notes historiques: La définition de « aliments et boissons admissibles » à l'article 1 a été ajoutée par C.P. 2010-791, 17 juin 2010 art. 9 et est entrée en vigueur ou est réputée être entrée en vigueur le 1er juillet 2010.

Jusqu'au 31 décembre 2010, les sièges d'auto visés par le *Règlement sur la déduction pour le remboursement provincial (TPS/TVH)*, modifié par les articles 9 à 11, peuvent, au lieu d'être conformes aux exigences du *Règlement sur la sécurité des ensembles de retenue et des sièges d'appoint (véhicules automobiles)*, être conformes aux exigences du *Règlement sur la sécurité des ensembles de retenue et des coussins d'appoint (véhicules automobiles)*, dans sa version au 11 mai 2010, avec les modifications apportées à son application prévues dans l'*Arrêté modifiant l'application du Règlement sur la sécurité des ensembles de retenue et des coussins d'appoint (véhicules automobiles)* et du *Règlement sur la sécurité des véhicules automobiles*, qui a pris effet le 1er mai 2009 et qui a été publié dans la *Gazette du Canada* Partie I le 9 mai 2009.

Info TPS/TVQ: GI-064 — *Taxe de vente harmonisée de l'Ontario — remboursement au point de vente pour les aliments et les boissons préparés.*

« annexe provinciale »

a) Dans le cas de l'Ontario, l'annexe 1;

b) dans le cas de la Nouvelle-Écosse, l'annexe 2;

c) dans le cas du Nouveau-Brunswick, l'annexe 3;

d) dans le cas de la Colombie-Britannique, l'annexe 4;

Non en vigueur — 1« annexe provinciale »d)

Application: L'alinéa d) de la définition de « annexe provinciale » à l'article 1 a été abrogée par C.P. 2012-1127 [DORS/2012-191], 20 septembre 2012, par. 20(2) et cette abrogation entrera en vigueur le 1er avril 2013.

e) dans le cas de Terre-Neuve-et-Labrador, l'annexe 5.

Notes historiques: La définition de « annexe provinciale » à l'article 1 a été ajoutée par C.P. 2010-791, 17 juin 2010 art. 9 et est entrée en vigueur ou est réputée être entrée en vigueur le 1er juillet 2010.

Jusqu'au 31 décembre 2010, les sièges d'auto visés par le *Règlement sur la déduction pour le remboursement provincial (TPS/TVH)*, modifié par les articles 9 à 11, peuvent, au lieu d'être conformes aux exigences du *Règlement sur la sécurité des ensembles de retenue et des sièges d'appoint (véhicules automobiles)*, être conformes aux exigences du *Règlement sur la sécurité des ensembles de retenue et des coussins d'appoint (véhicules automobiles)*, dans sa version au 11 mai 2010, avec les modifications apportées à son application prévues dans l'*Arrêté modifiant l'application du Règlement sur la sécurité des ensembles de retenue et des coussins d'appoint (véhicules automobiles)* et du *Règlement sur la sécurité des véhicules automobiles*, qui a pris effet le 1er mai 2009 et qui a été publié dans la *Gazette du Canada* Partie I le 9 mai 2009.

« bien mixte » Bien qui est enveloppé, emballé ou autrement préparé en vue d'être vendu comme produit unitaire et est composé uniquement d'un livre imprimé et, selon le cas :

a) d'un support non inscriptible contenant des données dont il est raisonnable d'attribuer la totalité ou la presque totalité de la valeur à l'un ou plusieurs des éléments suivants :

(i) la reproduction du livre imprimé,

(ii) des données qui renvoient expressément au livre imprimé et à son contenu et qui complètent ce contenu et y sont intégrées;

b) si le produit est particulièrement destiné aux étudiants inscrits à un cours admissible, d'un support non inscriptible ou d'un droit d'accès à un site Web, ou de l'un et l'autre, qui contient des données ayant trait au sujet du livre imprimé.

Notes historiques: La définition de « bien mixte » a été ajoutée par C.P. 2007-843, 31 mai 2007 art. 1 et est réputée entrée en vigueur le 1er septembre 2006.

« **carburant** »

a) Essence;

b) carburant diesel;

c) carburant d'aéronef.

Non en vigueur — 1« carburant »

Application: La définition de « carburant » à l'article 1 a été abrogée par C.P. 2012-1127 [DORS/2012-191], 20 septembre 2012, par. 20(1) et cette abrogation entrera en vigueur le 1er avril 2013.

Notes historiques: La définition de « carburant » à l'article 1 a été ajoutée par C.P. 2010-791, 17 juin 2010 art. 9 et est entrée en vigueur ou est réputée être entrée en vigueur le 1er juillet 2010.

Jusqu'au 31 décembre 2010, les sièges d'auto visés par le *Règlement sur la déduction pour le remboursement provincial (TPS/TVH)*, modifié par les articles 9 à 11, peuvent, au lieu d'être conformes aux exigences du *Règlement sur la sécurité des ensembles de retenue et des sièges d'appoint (véhicules automobiles)*, être conformes aux exigences du *Règlement sur la sécurité des ensembles de retenue et des coussins d'appoint (véhicules automobiles)*, dans sa version au 11 mai 2010, avec les modifications apportées à son application prévues dans l'*Arrêté modifiant l'application du Règlement sur la sécurité des ensembles de retenue et des coussins d'appoint (véhicules automobiles)* et du *Règlement sur la sécurité des véhicules automobiles*, qui a pris effet le 1er mai 2009 et qui a été publié dans la *Gazette du Canada* Partie I le 9 mai 2009.

Info TPS/TVQ: GI-061 — *Taxe de vente harmonisée de la Colombie-Britannique — remboursement au point de vente pour les carburants.*

« **carburant d'aéronef** » Combustible qui peut être utilisé dans les moteurs d'aéronefs et qui est commercialisé ou vendu à titre de combustible pour ces moteurs.

Non en vigueur — 1« carburant d'aéronef »

Application: La définition de « carburant d'aéronef » à l'article 1 a été abrogée par C.P. 2012-1127 [DORS/2012-191], 20 septembre 2012, par. 20(1) et cette abrogation entrera en vigueur le 1er avril 2013.

Notes historiques: La définition de « carburant d'aéronef » à l'article 1 a été ajoutée par C.P. 2010-791, 17 juin 2010 art. 9 et est entrée en vigueur ou est réputée être entrée en vigueur le 1er juillet 2010.

Jusqu'au 31 décembre 2010, les sièges d'auto visés par le *Règlement sur la déduction pour le remboursement provincial (TPS/TVH)*, modifié par les articles 9 à 11, peuvent, au lieu d'être conformes aux exigences du *Règlement sur la sécurité des ensembles de retenue et des sièges d'appoint (véhicules automobiles)*, être conformes aux exigences du *Règlement sur la sécurité des ensembles de retenue et des coussins d'appoint (véhicules automobiles)*, dans sa version au 11 mai 2010, avec les modifications apportées à son application prévues dans l'*Arrêté modifiant l'application du Règlement sur la sécurité des ensembles de retenue et des coussins d'appoint (véhicules automobiles)* et du *Règlement sur la sécurité des véhicules automobiles*, qui a pris effet le 1er mai 2009 et qui a été publié dans la *Gazette du Canada* Partie I le 9 mai 2009.

« **carburant diesel** » Combustible, à l'exception du carburant d'aéronef, du mazout lourd et du combustible commercialisé ou vendu à titre d'huile de chauffage, qui peut être utilisé dans les moteurs à combustion interne de type allumage par compression et qui est commercialisé ou vendu à titre de combustible pour ces moteurs.

Non en vigueur — 1« carburant diesel »

Application: La définition de « carburant diesel » à l'article 1 a été abrogée par C.P. 2012-1127 [DORS/2012-191], 20 septembre 2012, par. 20(1) et cette abrogation entrera en vigueur le 1er avril 2013.

Notes historiques: La définition de « carburant diesel » à l'article 1 a été ajoutée par C.P. 2010-791, 17 juin 2010 art. 9 et est entrée en vigueur ou est réputée être entrée en vigueur le 1er juillet 2010.

Jusqu'au 31 décembre 2010, les sièges d'auto visés par le *Règlement sur la déduction pour le remboursement provincial (TPS/TVH)*, modifié par les articles 9 à 11, peuvent, au lieu d'être conformes aux exigences du *Règlement sur la sécurité des ensembles de retenue et des sièges d'appoint (véhicules automobiles)*, être conformes aux exigences du *Règlement sur la sécurité des ensembles de retenue et des coussins d'appoint (véhicules automobiles)*, dans sa version au 11 mai 2010, avec les modifications apportées à son application prévues dans l'*Arrêté modifiant l'application du Règlement sur la sécurité des ensembles de retenue et des coussins d'appoint (véhicules automobiles)* et du *Règlement sur la sécurité des véhicules automobiles*, qui a pris effet le 1er mai 2009 et qui a été publié dans la *Gazette du Canada* Partie I le 9 mai 2009.

« **chaussures pour enfants** » Les chaussures ci-après, à l'exception des bas, des chaussettes et autres articles chaussants et des chaussures d'une catégorie qui sert exclusivement à la pratique d'activités sportives ou récréatives :

a) celles qui sont conçues pour les bébés;

b) celles qui sont conçues pour les filles ou les garçons et dont la semelle intérieure mesure 24,25 centimètres ou moins.

Notes historiques: La définition de « chaussures pour enfants » à l'article 1 a été ajoutée par C.P. 2010-791, 17 juin 2010 art. 9 et est entrée en vigueur ou est réputée être entrée en vigueur le 1er juillet 2010.

Jusqu'au 31 décembre 2010, les sièges d'auto visés par le *Règlement sur la déduction pour le remboursement provincial (TPS/TVH)*, modifié par les articles 9 à 11, peuvent, au lieu d'être conformes aux exigences du *Règlement sur la sécurité des ensembles de retenue et des sièges d'appoint (véhicules automobiles)*, être conformes aux exigences du *Règlement sur la sécurité des ensembles de retenue et des coussins d'appoint (véhicules automobiles)*, dans sa version au 11 mai 2010, avec les modifications apportées à son application prévues dans l'*Arrêté modifiant l'application du Règlement sur la sécurité des ensembles de retenue et des coussins d'appoint (véhicules automobiles)* et du *Règlement sur la sécurité des véhicules automobiles*, qui a pris effet le 1er mai 2009 et qui a été publié dans la *Gazette du Canada* Partie I le 9 mai 2009.

Info TPS/TVQ: GI-063 — *Taxe de vente harmonisée de l'Ontario, de la Colombie-Britannique et de la Nouvelle-Écosse — remboursement au point de vente pour les produits pour enfants.*

« **couche pour enfants** » Les produits ci-après conçus pour les bébés ou les enfants :

a) les couches;

b) les inserts et doublures de couches;

c) les culottes de propreté;

d) les culottes de caoutchouc destinées à être utilisées avec l'un des articles mentionnés aux alinéas a) à c).

Notes historiques: La définition de « couche pour enfants » à l'article 1 a été ajoutée par C.P. 2010-791, 17 juin 2010 art. 9 et est entrée en vigueur ou est réputée être entrée en vigueur le 1er juillet 2010.

Jusqu'au 31 décembre 2010, les sièges d'auto visés par le *Règlement sur la déduction pour le remboursement provincial (TPS/TVH)*, modifié par les articles 9 à 11, peuvent, au lieu d'être conformes aux exigences du *Règlement sur la sécurité des ensembles de retenue et des sièges d'appoint (véhicules automobiles)*, être conformes aux exigences du *Règlement sur la sécurité des ensembles de retenue et des coussins d'appoint (véhicules automobiles)*, dans sa version au 11 mai 2010, avec les modifications apportées à son application prévues dans l'*Arrêté modifiant l'application du Règlement sur la sécurité des ensembles de retenue et des coussins d'appoint (véhicules automobiles)* et du *Règlement sur la sécurité des véhicules automobiles*, qui a pris effet le 1er mai 2009 et qui a été publié dans la *Gazette du Canada* Partie I le 9 mai 2009.

Info TPS/TVQ: GI-063 — *Taxe de vente harmonisée de l'Ontario, de la Colombie-Britannique et de la Nouvelle-Écosse — remboursement au point de vente pour les produits pour enfants.*

« **essence** » Carburant du type essence, à l'exception du carburant d'aéronef, qui peut être utilisé dans les moteurs à combustion interne et qui est commercialisé ou vendu à titre de carburant pour ces moteurs.

Non en vigueur — 1« essence »

Application: La définition de « essence » à l'article 1 a été abrogée par C.P. 2012-1127 [DORS/2012-191], 20 septembre 2012, par. 20(1) et cette abrogation entrera en vigueur le 1er avril 2013.

Notes historiques: La définition de « essence » à l'article 1 a été ajoutée par C.P. 2010-791, 17 juin 2010 art. 9 et est entrée en vigueur ou est réputée être entrée en vigueur le 1er juillet 2010.

Jusqu'au 31 décembre 2010, les sièges d'auto visés par le *Règlement sur la déduction pour le remboursement provincial (TPS/TVH)*, modifié par les articles 9 à 11, peuvent, au lieu d'être conformes aux exigences du *Règlement sur la sécurité des ensembles de retenue et des sièges d'appoint (véhicules automobiles)*, être conformes aux exigences du *Règlement sur la sécurité des ensembles de retenue et des coussins d'appoint (véhicules automobiles)*, dans sa version au 11 mai 2010, avec les modifications apportées à son application prévues dans l'*Arrêté modifiant l'application du Règlement sur la sécurité des ensembles de retenue et des coussins d'appoint (véhicules automobiles)* et du *Règlement sur la sécurité des véhicules automobiles*, qui a pris effet le 1er mai 2009 et qui a été publié dans la *Gazette du Canada* Partie I le 9 mai 2009.

« **journal admissible** » Journal imprimé, à l'exception d'un dépliant, d'un encart, d'une revue, d'un périodique et d'un guide du consommateur, qui contient des nouvelles, des éditoriaux, des articles spécialisés et d'autres renseignements d'intérêt général auprès du grand public et qui est publié périodiquement.

Notes historiques: La définition de « journal admissible » à l'article 1 a été ajoutée par C.P. 2010-791, 17 juin 2010 art. 9 et est entrée en vigueur ou est réputée être entrée en vigueur le 1er juillet 2010.

Jusqu'au 31 décembre 2010, les sièges d'auto visés par le *Règlement sur la déduction pour le remboursement provincial (TPS/TVH)*, modifié par les articles 9 à 11, peuvent, au lieu d'être conformes aux exigences du *Règlement sur la sécurité des ensembles de retenue et des sièges d'appoint (véhicules automobiles)*, être conformes aux exigences du *Règlement sur la sécurité des ensembles de retenue et des coussins d'appoint (véhicules automobiles)*, dans sa version au 11 mai 2010, avec les modifications apportées à son application prévues dans l'*Arrêté modifiant l'application du Règlement sur la sécurité des ensembles de retenue et des coussins d'appoint (véhicules automobiles)* et du *Règlement sur la sécurité des véhicules automobiles*, qui a pris effet le 1er mai 2009 et qui a été publié dans la *Gazette du Canada* Partie I le 9 mai 2009.

Info TPS/TVQ: GI-060 — *Taxe de vente harmonisée de l'Ontario — remboursement au point de vente pour les journaux.*

« livre imprimé » S'entend au sens du paragraphe 259.1(1) de la Loi.

Info TPS/TVQ: GI-0605 — *Taxe de vente harmonisée de l'Ontario et de la Colombie-Britannique — remboursement au point de vente pour les livres..*

« Loi » La *Loi sur la taxe d'accise.*

« norme nationale » Norme qui fait partie des Normes nationales du Canada, en leur état au 1er janvier 2010, dans le domaine CAN/CGSB-49, *Tailles de vêtements*, publiée par l'Office des normes générales du Canada.

Notes historiques: La définition de « norme nationale » à l'article 1 a été ajoutée par C.P. 2010-791, 17 juin 2010 art. 9 et est entrée en vigueur ou est réputée être entrée en vigueur le 1er juillet 2010.

Jusqu'au 31 décembre 2010, les sièges d'auto visés par le *Règlement sur la déduction pour le remboursement provincial (TPS/TVH)*, modifié par les articles 9 à 11, peuvent, au lieu d'être conformes aux exigences du *Règlement sur la sécurité des ensembles de retenue et des sièges d'appoint (véhicules automobiles)*, être conformes aux exigences du *Règlement sur la sécurité des ensembles de retenue et des coussins d'appoint (véhicules automobiles)*, dans sa version au 11 mai 2010, avec les modifications apportées à son application prévues dans l'*Arrêté modifiant l'application du Règlement sur la sécurité des ensembles de retenue et des coussins d'appoint (véhicules automobiles)* et du *Règlement sur la sécurité des véhicules automobiles*, qui a pris effet le 1er mai 2009 et qui a été publié dans la *Gazette du Canada* Partie I le 9 mai 2009.

« produit d'hygiène féminine » Produit — serviette hygiénique, tampon, ceinture hygiénique, coupelle menstruelle ou autre produit semblable — qui est commercialisé exclusivement pour l'hygiène féminine.

Notes historiques: La définition de « produit d'hygiène féminine » à l'article 1 a été ajoutée par C.P. 2010-791, 17 juin 2010 art. 9 et est entrée en vigueur ou est réputée être entrée en vigueur le 1er juillet 2010.

Jusqu'au 31 décembre 2010, les sièges d'auto visés par le *Règlement sur la déduction pour le remboursement provincial (TPS/TVH)*, modifié par les articles 9 à 11, peuvent, au lieu d'être conformes aux exigences du *Règlement sur la sécurité des ensembles de retenue et des sièges d'appoint (véhicules automobiles)*, être conformes aux exigences du *Règlement sur la sécurité des ensembles de retenue et des coussins d'appoint (véhicules automobiles)*, dans sa version au 11 mai 2010, avec les modifications apportées à son application prévues dans l'*Arrêté modifiant l'application du Règlement sur la sécurité des ensembles de retenue et des coussins d'appoint (véhicules automobiles)* et du *Règlement sur la sécurité des véhicules automobiles*, qui a pris effet le 1er mai 2009 et qui a été publié dans la *Gazette du Canada* Partie I le 9 mai 2009.

Info TPS/TVQ: GI-062 — *Taxe de vente harmonisée de l'Ontario, de la Colombie-Britannique et de la Nouvelle-Écosse — remboursement au point de vente pour les produits d'hygiène féminine.*

« siège d'auto » Ensemble de retenue ou siège d'appoint qui est conforme à la Norme de sécurité des véhicules automobiles du Canada 213, 213.1, 213.2 ou 213.5 établie en vertu du *Règlement sur la sécurité des ensembles de retenue et des sièges d'appoint* (véhicules automobiles).

Notes historiques: La définition de « siège d'auto » à l'article 1 a été ajoutée par C.P. 2010-791, 17 juin 2010 art. 9 et est entrée en vigueur ou est réputée être entrée en vigueur le 1er juillet 2010.

Jusqu'au 31 décembre 2010, les sièges d'auto visés par le *Règlement sur la déduction pour le remboursement provincial (TPS/TVH)*, modifié par les articles 9 à 11, peuvent, au lieu d'être conformes aux exigences du *Règlement sur la sécurité des ensembles de retenue et des sièges d'appoint (véhicules automobiles)*, être conformes aux exigences du *Règlement sur la sécurité des ensembles de retenue et des coussins d'appoint (véhicules automobiles)*, dans sa version au 11 mai 2010, avec les modifications apportées à son application prévues dans l'*Arrêté modifiant l'application du Règlement sur la sécurité des ensembles de retenue et des coussins d'appoint (véhicules automobiles)* et du *Règlement sur la sécurité des véhicules automobiles*, qui a pris effet le 1er mai 2009 et qui a été publié dans la *Gazette du Canada* Partie I le 9 mai 2009.

« support non inscriptible » Support corporel conçu pour le stockage en lecture seule d'information et d'autres données sous forme numérique.

Notes historiques: La définition de « support non inscriptible » a été ajoutée par C.P. 2007-843, 31 mai 2007 art. 1 et est réputée entrée en vigueur le 1er septembre 2006.

« vêtements pour enfants » Les vêtements ci-après, à l'exception des vêtements d'une catégorie qui sert exclusivement à la pratique d'activités sportives ou récréatives, des costumes, des couches pour enfants et des chaussures pour enfants :

a) les vêtements conçus pour les bébés, y compris les bavettes, nids d'ange et petites couvertures;

b) les vêtements pour enfants :

(i) conçus pour les filles, d'une taille n'excédant pas celle qui correspond à la taille 16 pour filles selon la norme nationale applicable à ces vêtements,

(ii) conçus pour les garçons, d'une taille n'excédant pas celle qui correspond à la taille 20 pour garçons selon la norme nationale applicable à ces vêtements,

(iii) en l'absence de norme nationale, conçus pour les filles ou les garçons et portant une désignation de taille « très petit », « petit », « moyen » ou « grand »;

c) les articles chaussants ou chaussettes extensibles, chapeaux, cravates, foulards, ceintures, bretelles, mitaines et gants de tailles et de styles conçus pour les enfants ou les bébés.

Notes historiques: La définition de « vêtements pour enfants » à l'article 1 a été ajoutée par C.P. 2010-791, 17 juin 2010 art. 9 et est entrée en vigueur ou est réputée être entrée en vigueur le 1er juillet 2010.

Jusqu'au 31 décembre 2010, les sièges d'auto visés par le *Règlement sur la déduction pour le remboursement provincial (TPS/TVH)*, modifié par les articles 9 à 11, peuvent, au lieu d'être conformes aux exigences du *Règlement sur la sécurité des ensembles de retenue et des sièges d'appoint (véhicules automobiles)*, être conformes aux exigences du *Règlement sur la sécurité des ensembles de retenue et des coussins d'appoint (véhicules automobiles)*, dans sa version au 11 mai 2010, avec les modifications apportées à son application prévues dans l'*Arrêté modifiant l'application du Règlement sur la sécurité des ensembles de retenue et des coussins d'appoint (véhicules automobiles)* et du *Règlement sur la sécurité des véhicules automobiles*, qui a pris effet le 1er mai 2009 et qui a été publié dans la *Gazette du Canada* Partie I le 9 mai 2009.

Info TPS/TVQ: GI-063 — *Taxe de vente harmonisée de l'Ontario, de la Colombie-Britannique et de la Nouvelle-Écosse — remboursement au point de vente pour les produits pour enfants.*

2. Montant déterminé — Le montant à déterminer pour l'application du paragraphe 234(3) de la Loi relativement à un article inclus à l'annexe provinciale relative à une province participante est le montant, égal à un montant de taxe payable en vertu de la partie IX de la Loi relativement à l'article, qui peut être payé ou crédité aux termes d'une loi de la province.

Notes historiques: L'article 2 a été remplacé par C.P. 2010-791, 17 juin 2010 art. 10 et cette modification est entrée en vigueur ou est réputée être entrée en vigueur le 1er juillet 2010. Antérieurement, il se lisait ainsi :

> 2. Le montant à déterminer pour l'application du paragraphe 234(3) de la Loi relativement à un article figurant à l'annexe est le montant, égal à un montant de taxe payable en vertu de la partie IX de la Loi relativement à l'article, qui peut être payé ou crédité aux termes d'une loi provinciale.

Jusqu'au 31 décembre 2010, les sièges d'auto visés par le *Règlement sur la déduction pour le remboursement provincial (TPS/TVH)*, modifié par les articles 9 à 11, peuvent, au lieu d'être conformes aux exigences du *Règlement sur la sécurité des ensembles de retenue et des sièges d'appoint (véhicules automobiles)*, être conformes aux exigences du *Règlement sur la sécurité des ensembles de retenue et des coussins d'appoint (véhicules automobiles)*, dans sa version au 11 mai 2010, avec les modifications apportées à son application prévues dans l'*Arrêté modifiant l'application du Règlement sur la sécurité des ensembles de retenue et des coussins d'appoint (véhicules automobiles)* et du *Règlement sur la sécurité des véhicules automobiles*, qui a pris effet le 1er mai 2009 et qui a été publié dans la *Gazette du Canada* Partie I le 9 mai 2009.

Info TPS/TVQ: GI-060 — *Taxe de vente harmonisée de l'Ontario — remboursement au point de vente pour les journaux*; GI-061 — *Taxe de vente harmonisée de la Colombie-Britannique — remboursement au point de vente pour les carburants*; GI-062 —

Règlements

Taxe de vente harmonisée de l'Ontario, de la Colombie-Britannique et de la Nouvelle-Écosse — remboursement au point de vente pour les produits d'hygiène féminine; GI-063 — *Taxe de vente harmonisée de l'Ontario, de la Colombie-Britannique et de la Nouvelle-Écosse — remboursement au point de vente pour les produits pour enfants*; GI-064 — *Taxe de vente harmonisée de l'Ontario — remboursement au point de vente pour les aliments et les boissons préparés*; GI-0605 — *Taxe de vente harmonisée de l'Ontario et de la Colombie-Britannique — remboursement au point de vente pour les livres.*.

Restrictions liées aux remboursements au point de vente

2.1 Bons — Pour l'application du nouveau régime de la taxe à valeur ajoutée harmonisée, l'article 181 de la Loi fait l'objet des adaptations suivantes :

a) le passage « d'une fourniture effectuée dans une province participante » à l'alinéa a) de la définition de « fraction de taxe » au paragraphe 181(1) de la Loi est remplacé par « d'une fourniture effectuée dans une province participante, sauf une fourniture relativement à laquelle le fournisseur verse à l'acquéreur, ou porte à son crédit, un montant déterminé par règlement pour l'application du paragraphe 234(3) et sauf une fourniture relativement à laquelle le fournisseur porte au crédit d'une personne un montant admissible au sens de l'article 1 du *Règlement sur le crédit pour allègement provincial (TVH)* »;

b) pour l'application des alinéas 181(2)b) et c) de la Loi, si la fraction de taxe mentionnée à ces alinéas est déterminée selon l'alinéa b) de la définition de « fraction de taxe » au paragraphe 181(1) de la Loi, le passage « taxe percevable » aux alinéas 181(2)b) et c) de la Loi est remplacé par « taxe percevable en vertu du paragraphe 165(1) » et le passage « taxe payable » à l'alinéa 181(2)c) de la Loi est remplacé par « taxe payable en vertu du paragraphe 165(1) ».

Notes historiques: L'alinéa 2.1a) a été remplacé par C.P. 2011-263 [DORS/2011-56], 3 mars 2011, art. 22 et cette modification est réputée être entrée en vigueur le 1er septembre 2010. Antérieurement, il se lisait ainsi :

> a) le passage « d'une fourniture effectuée dans une province participante » à l'alinéa a) de la définition de « fraction de taxe » au paragraphe 181(1) de la Loi est remplacé par « d'une fourniture effectuée dans une province participante, sauf une fourniture relativement à laquelle le fournisseur verse à l'acquéreur, ou porte à son crédit, un montant déterminé par règlement pour l'application du paragraphe 234(3) »;

L'article 2.1 a été ajouté par C.P. 2010-791, 17 juin 2010 art. 10 et est entré en vigueur ou est réputé être entrée en vigueur le 1er juillet 2010.

Jusqu'au 31 décembre 2010, les sièges d'auto visés par le *Règlement sur la déduction pour le remboursement provincial (TPS/TVH)*, modifié par les articles 9 à 11, peuvent, au lieu d'être conformes aux exigences du *Règlement sur la sécurité des ensembles de retenue et des sièges d'appoint (véhicules automobiles)*, être conformes aux exigences du *Règlement sur la sécurité des ensembles de retenue et des coussins d'appoint (véhicules automobiles)*, dans sa version au 11 mai 2010, avec les modifications apportées à son application prévues dans l'*Arrêté modifiant l'application du Règlement sur la sécurité des ensembles de retenue et des coussins d'appoint (véhicules automobiles)* et du *Règlement sur la sécurité des véhicules automobiles*, qui a pris effet le 1er mai 2009 et qui a été publié dans la *Gazette du Canada* Partie I le 9 mai 2009.

2.2 Restriction — Afin d'adapter l'article 234 de la Loi au nouveau régime de la taxe à valeur ajoutée harmonisée, le paragraphe ci-après est ajouté après son paragraphe (4) :

(4.1) **Restriction additionnelle** — Le montant d'un crédit de taxe sur les intrants, d'un remboursement ou d'une remise prévu par la présente loi ou par toute autre loi fédérale ou le montant d'un avantage fiscal, au sens du paragraphe 274(1), n'est pas crédité, versé, accordé ou conféré dans la mesure où il est raisonnable de considérer qu'il est déterminé, directement ou indirectement, par rapport à un montant déterminé par règlement pour l'application du paragraphe (3).

Notes historiques: L'article 2.2 a été ajouté par C.P. 2010-791, 17 juin 2010 art. 10 et est entré en vigueur ou est réputé être entrée en vigueur le 1er juillet 2010.

Jusqu'au 31 décembre 2010, les sièges d'auto visés par le *Règlement sur la déduction pour le remboursement provincial (TPS/TVH)*, modifié par les articles 9 à 11, peuvent, au lieu d'être conformes aux exigences du *Règlement sur la sécurité des ensembles de retenue et des sièges d'appoint (véhicules automobiles)*, être conformes aux exigences du *Règlement sur la sécurité des ensembles de retenue et des coussins d'appoint (véhicules automobiles)*, dans sa version au 11 mai 2010, avec les modifications apportées à son application prévues dans l'*Arrêté modifiant l'application du Règlement sur la sécurité des ensembles de retenue et des coussins d'appoint (véhicules automobiles)* et du *Règlement sur la sécurité des véhicules automobiles*, qui a pris effet le 1er mai 2009 et qui a été publié dans la *Gazette du Canada* Partie I le 9 mai 2009.

3. Entrée en vigueur — Le présent règlement est réputé être entré en vigueur le 1er avril 1997.

Annexe (article 11)

ANNEXE 1 — ONTARIO

(article 1)

1. Livres imprimés ou leur mise à jour.

Info TPS/TVQ: GI-0605 — *Taxe de vente harmonisée de l'Ontario et de la Colombie-Britannique — remboursement au point de vente pour les livres.*.

2. Enregistrements sonores qui consistent, en totalité ou en presque totalité, en une lecture orale d'un livre imprimé.

3. Versions imprimées, reliées ou non, des Écritures d'une religion.

4. Biens mixtes.

5. Vêtements pour enfants.

Info TPS/TVQ: GI-063 — *Taxe de vente harmonisée de l'Ontario, de la Colombie-Britannique et de la Nouvelle-Écosse — remboursement au point de vente pour les produits pour enfants.*

6. Chaussures pour enfants.

Info TPS/TVQ: GI-063 — *Taxe de vente harmonisée de l'Ontario, de la Colombie-Britannique et de la Nouvelle-Écosse — remboursement au point de vente pour les produits pour enfants.*

7. Couches pour enfants.

Info TPS/TVQ: GI-063 — *Taxe de vente harmonisée de l'Ontario, de la Colombie-Britannique et de la Nouvelle-Écosse — remboursement au point de vente pour les produits pour enfants.*

8. Produits d'hygiène féminine.

Info TPS/TVQ: GI-062 — *Taxe de vente harmonisée de l'Ontario, de la Colombie-Britannique et de la Nouvelle-Écosse — remboursement au point de vente pour les produits d'hygiène féminine.*

9. Sièges d'auto.

10. Journaux admissibles.

Info TPS/TVQ: GI-060 — *Taxe de vente harmonisée de l'Ontario — remboursement au point de vente pour les journaux.*

11. Aliments et boissons admissibles vendus à une personne à un moment donné, si la contrepartie totale des aliments et boissons vendus à la personne à ce moment est de quatre dollars ou moins.

Info TPS/TVQ: GI-064 — *Taxe de vente harmonisée de l'Ontario — remboursement au point de vente pour les aliments et les boissons préparés.*

ANNEXE 2 — NOUVELLE-ÉCOSSE

(article 1)

1. Livres imprimés ou leur mise à jour.

2. Enregistrements sonores qui consistent, en totalité ou en presque totalité, en une lecture orale d'un livre imprimé.

3. Versions imprimées, reliées ou non, des Écritures d'une religion.

4. Un bien mixte.

5. Vêtements pour enfants.

Info TPS/TVQ: GI-063 — *Taxe de vente harmonisée de l'Ontario, de la Colombie-Britannique et de la Nouvelle-Écosse — remboursement au point de vente pour les produits pour enfants.*

6. Chaussures pour enfants.

Info TPS/TVQ: GI-063 — *Taxe de vente harmonisée de l'Ontario, de la Colombie-Britannique et de la Nouvelle-Écosse — remboursement au point de vente pour les produits pour enfants.*

7. Couches pour enfants.

Info TPS/TVQ: GI-063 — *Taxe de vente harmonisée de l'Ontario, de la Colombie-Britannique et de la Nouvelle-Écosse — remboursement au point de vente pour les produits pour enfants.*

8. Produits d'hygiène féminine.

Info TPS/TVQ: GI-062 — *Taxe de vente harmonisée de l'Ontario, de la Colombie-Britannique et de la Nouvelle-Écosse — remboursement au point de vente pour les produits d'hygiène féminine.*

ANNEXE 3 — NOUVEAU-BRUNSWICK

(*article 1*)

1. Livres imprimés ou leur mise à jour.

2. Enregistrements sonores qui consistent, en totalité ou en presque totalité, en une lecture orale d'un livre imprimé.

3. Versions imprimées, reliées ou non, des Écritures d'une religion.

4. Biens mixtes.

ANNEXE 4 — COLOMBIE-BRITANNIQUE

Non en vigueur — Annexe A

Application: L'annexe 4 a été abrogée par C.P. 2012-1127 [DORS/2012-191], 20 septembre 2012, art. 21 et cette abrogation entrera en vigueur le 1er avril 2013.

C.P. 2012-1127 [DORS/2012-191] [non en vigueur].

1. Livres imprimés ou leur mise à jour.

Info TPS/TVQ: GI-0605 — *Taxe de vente harmonisée de l'Ontario et de la Colombie-Britannique — remboursement au point de vente pour les livres..*

Non en vigueur — Annexe A

Application: L'annexe 4 a été abrogée par C.P. 2012-1127 [DORS/2012-191], 20 septembre 2012, art. 21 et cette abrogation entrera en vigueur le 1er avril 2013.

2. Enregistrements sonores qui consistent, en totalité ou en presque totalité, en une lecture orale d'un livre imprimé.

Non en vigueur — Annexe A

Application: L'annexe 4 a été abrogée par C.P. 2012-1127 [DORS/2012-191], 20 septembre 2012, art. 21 et cette abrogation entrera en vigueur le 1er avril 2013.

3. Versions imprimées, reliées ou non, des Écritures d'une religion.

Non en vigueur — Annexe A

Application: L'annexe 4 a été abrogée par C.P. 2012-1127 [DORS/2012-191], 20 septembre 2012, art. 21 et cette abrogation entrera en vigueur le 1er avril 2013.

4. Biens mixtes.

Non en vigueur — Annexe A

Application: L'annexe 4 a été abrogée par C.P. 2012-1127 [DORS/2012-191], 20 septembre 2012, art. 21 et cette abrogation entrera en vigueur le 1er avril 2013.

5. Vêtements pour enfants.

Info TPS/TVQ: GI-063 — *Taxe de vente harmonisée de l'Ontario, de la Colombie-Britannique et de la Nouvelle-Écosse — remboursement au point de vente pour les produits pour enfants.*

Non en vigueur — Annexe A

Application: L'annexe 4 a été abrogée par C.P. 2012-1127 [DORS/2012-191], 20 septembre 2012, art. 21 et cette abrogation entrera en vigueur le 1er avril 2013.

6. Chaussures pour enfants.

Info TPS/TVQ: GI-063 — *Taxe de vente harmonisée de l'Ontario, de la Colombie-Britannique et de la Nouvelle-Écosse — remboursement au point de vente pour les produits pour enfants.*

Non en vigueur — Annexe A

Application: L'annexe 4 a été abrogée par C.P. 2012-1127 [DORS/2012-191], 20 septembre 2012, art. 21 et cette abrogation entrera en vigueur le 1er avril 2013.

7. Couches pour enfants.

Info TPS/TVQ: GI-063 — *Taxe de vente harmonisée de l'Ontario, de la Colombie-Britannique et de la Nouvelle-Écosse — remboursement au point de vente pour les produits pour enfants.*

Non en vigueur — Annexe A

Application: L'annexe 4 a été abrogée par C.P. 2012-1127 [DORS/2012-191], 20 septembre 2012, art. 21 et cette abrogation entrera en vigueur le 1er avril 2013.

8. Produits d'hygiène féminine.

Info TPS/TVQ: GI-062 — *Taxe de vente harmonisée de l'Ontario, de la Colombie-Britannique et de la Nouvelle-Écosse — remboursement au point de vente pour les produits d'hygiène féminine.*

Non en vigueur — Annexe A

Application: L'annexe 4 a été abrogée par C.P. 2012-1127 [DORS/2012-191], 20 septembre 2012, art. 21 et cette abrogation entrera en vigueur le 1er avril 2013.

9. Sièges d'auto.

Non en vigueur — Annexe A

Application: L'annexe 4 a été abrogée par C.P. 2012-1127 [DORS/2012-191], 20 septembre 2012, art. 21 et cette abrogation entrera en vigueur le 1er avril 2013.

10. Carburants.

Info TPS/TVQ: GI-061 — *Taxe de vente harmonisée de la Colombie-Britannique — remboursement au point de vente pour les carburants.*

Non en vigueur — Annexe A

Application: L'annexe 4 a été abrogée par C.P. 2012-1127 [DORS/2012-191], 20 septembre 2012, art. 21 et cette abrogation entrera en vigueur le 1er avril 2013.

ANNEXE 5 — TERRE-NEUVE-ET-LABRADOR

(*article 1*)

1. Livres imprimés ou leur mise à jour.

2. Enregistrements sonores qui consistent, en totalité ou en presque totalité, en une lecture orale d'un livre imprimé.

3. Versions imprimées, reliées ou non, des Écritures d'une religion.

4. Biens mixtes.

Notes historiques: L'article 4 de l'annexe a été ajoutée par C.P. 2007-843, 31 mai 2007 art. 1 et est réputé entré en vigueur le 1er septembre 2006.

L'annexe a été remplacée par C.P. 2010-791, 17 juin 2010 art. 11 et cette modification est entrée en vigueur ou est réputée être entrée en vigueur le 1er juillet 2010. Antérieurement, elle se lisait ainsi :

ANNEXE

(*article 2*)

1. Un livre imprimé ou sa mise à jour.

2. Un enregistrement sonore qui consiste, en totalité ou en presque totalité, en une lecture orale d'un livre imprimé.

3. Une version imprimée, reliée ou non, des Écritures d'une religion.

4. Un bien mixte.

Règlements

Jusqu'au 31 décembre 2010, les sièges d'auto visés par le *Règlement sur la déduction pour le remboursement provincial (TPS/TVH)*, modifié par les articles 9 à 11, peuvent, au lieu d'être conformes aux exigences du *Règlement sur la sécurité des ensembles de retenue et des sièges d'appoint (véhicules automobiles)*, être conformes aux exigences du *Règlement sur la sécurité des ensembles de retenue et des coussins d'appoint (véhicules automobiles)*, dans sa version au 11 mai 2010, avec les modifications apportées à son application prévues dans l'*Arrêté modifiant l'application du Règlement sur la sécurité des ensembles de retenue et des coussins d'appoint (véhicules automobiles)* et du *Règlement sur la sécurité des véhicules automobiles*, qui a pris effet le 1er mai 2009 et qui a été publié dans la *Gazette du Canada* Partie I le 9 mai 2009.

RÈG. CAN. RÈGLEMENT SUR LA DIVULGATION DE LA TAXE (TPS/TVH)

DORS/91-38 [C.P. 1990-2747], 18 décembre 1990, tel que modifié par C.P. 2002-1262 [DORS/2002-277], 17 juillet 2002.

Notes historiques: Le titre intégral a été remplacé par C.P. 2002-1262 [DORS/2002-277], 17 juillet 2002, art. 13 et cette modification est réputée être entrée en vigueur le 17 juillet 2002. Antérieurement, il se lisait « *Règlement visant les modalités de divulgation par les inscrits de la taxe sur les produits et services* ».

1. [*Abrogé*].

Notes historiques: L'article 1 et l'intertitre le précédant ont été abrogés par C.P. 2002-1262 [DORS/2002-277], 17 juillet 2002, art. 14 et ces abrogations sont réputées être entrées en vigueur le 17 juillet 2002. Antérieurement, ils se lisaient ainsi :

> 1. Titre abrégé — *Règlement sur la divulgation de la taxe sur les produits et services.*

2. Modalités — **(1)** Pour l'application du paragraphe 223(1) de la *Loi sur la taxe d'accise*, les modalités consistent à aviser l'acquéreur d'une fourniture taxable de manière clairement visible sur les lieux de la fourniture.

(2) Pour la fourniture d'un service téléphonique au moyen d'un téléphone payant, les modalités consistent à donner l'avis prévu au paragraphe (1) ou à inclure un avis de la taxe payable en vertu du paragraphe 165.1(1) de la *Loi sur la taxe d'accise* dans le bottin publié par le fournisseur.

Notes historiques: Le paragraphe 2(2) a été remplacé par C.P. 2002-1262 [DORS/2002-277], 17 juillet 2002, art. 15 et cette modification est réputée être entrée en vigueur le 17 juillet 2002. Antérieurement, il se lisait ainsi :

> (2) Pour la fourniture d'un service téléphonique au moyen d'un téléphone payant, les modalités consistent à donner l'avis prévu au paragraphe (1) ou à inclure un avis de la taxe payable en vertu du paragraphe 165(3) de la Loi dans le bottin publié par le fournisseur.

(3) Pour la fourniture d'un service de stationnement au moyen de pièces de monnaie insérées dans un parcomètre, les modalités consistent à donner l'avis prévu au paragraphe (1) ou un avis public de l'inclusion de la taxe dans le prix de la fourniture.

Règ. Can. Règlement sur la divulgation du numéro d'assurance sociale

Règlement concernant la divulgation du numéro d'assurance sociale aux fins de l'inscription selon l'article 240 de la *Loi sur la taxe d'accise*

DORS/91-41 [C.P. 1990-2751], 18 décembre 1990

Sur avis conforme du ministre du Revenu national et en vertu de l'alinéa 277(1)d) de la *Loi sur la taxe d'accise*, il plaît à Son Excellence le Gouverneur général en conseil de prendre le *Règlement concernant la divulgation du numéro d'assurance sociale aux fins de l'inscription selon l'article 240 de la Loi sur la taxe d'accise*, ci-après.

1. Titre abrégé — *Règlement sur la divulgation du numéro d'assurance sociale.*

2. Divulgation — Quiconque présente au ministre, en la forme que celui-ci détermine, une demande d'inscription selon l'article 240 de la *Loi sur la taxe d'accise* doit y stipuler son numéro d'assurance sociale.

RÈG. CAN. RÈGLEMENT SUR LA FOURNITURE DE PUBLICATIONS PAR UN INSCRIT (TPS/TVH)

Règlement concernant la fourniture de publications par un inscrit

DORS/91-43 [C.P. 1990-2753], 18 décembre 1990, tel que modifié par C.P. 1993-939 [DORS/193-242], 11 mai 1993; C.P. 2000-631 [DORS/2000-178], 4 mai 2000.

Sur avis conforme du ministre du Revenu national et en vertu de l'alinéa 143(2)a) et du paragraphe 277(1) de la *Loi sur la taxe d'accise*, il plaît à Son Excellence le Gouverneur général en conseil de prendre le *Règlement concernant la fourniture de publications par un inscrit non résident*, ci-après.

Notes historiques: Le titre intégral a été remplacé par C.P. 2000-631 [DORS/2000-178], 4 mai 2000, art. 1 et cette modification est réputée être entrée en vigueur le 1er janvier 1993. Antérieurement, il se lisait « *Règlement concernant la fourniture de publications par un inscrit non résident* ».

1. Titre abrégé — *Règlement sur la fourniture de publications par un inscrit (TPS/TVH).*

Notes historiques: L'article 1 a été remplacé par C.P. 2000-631 [DORS/2000-178], 4 mai 2000, art. 2 et cette modification est réputée être entrée en vigueur le 1er janvier 1993. Toutefois, avant le 1er avril 1997, la mention de (« TPS/TVH ») vaut mention de (« TPS »). Antérieurement, il se lisait ainsi :

> 1. *Règlement sur la fourniture de publications par un inscrit non résident.*

2. Définitions — Les définitions qui suivent s'appliquent au présent règlement.

« Loi » La *Loi sur la taxe d'accise.*

« numéro d'inscription » Le numéro d'inscription attribué conformément au paragraphe 241(1) de la Loi.

Notes historiques: La définition de « numéro d'inscription » à l'article 2 a été remplacée par C.P. 2000-631 [DORS/2000-178], 4 mai 2000, art. 3 et cette modification est réputée être entrée en vigueur le 4 mai 2000. Antérieurement, elle se lisait ainsi :

> « numéro d'inscription » Le numéro d'inscription attribué à une personne conformément à l'article 241 de la Loi.

3. Biens visés — Pour l'application de l'article 143.1 de la Loi, est un bien meuble corporel :

a) tout livre, journal, périodique ou revue et toute autre publication semblable, à l'exception d'une publication visée à l'article 1 de l'annexe VII de la Loi;

b) tout enregistrement sonore relatif à une publication visée à l'alinéa a) qui accompagne celle-ci au moment où elle est confiée à la Société canadienne des postes ou à un agent des douanes.

Notes historiques: Le préambule de l'article 3 a été remplacé par C.P. 2000-631 [DORS/2000-178], 4 mai 2000, par. 4(1) et cette modification est réputée entrée en vigueur le 1er janvier 1993. Antérieurement, il se lisait ainsi :

> 3. Pour l'application de l'alinéa 143(2)a) de la Loi, est un bien meuble corporel :

Les alinéas 3a) et b) ont été remplacés par C.P. 2000-631 [DORS/2000-178], 4 mai 2000, par. 4(2) et cette modification est réputée entrée en vigueur le 26 novembre 1997. Antérieurement, ils se lisaient ainsi :

> a) tout livre, journal, périodique, revue et toute autre publication semblable, à l'exception d'une publication ou d'un livre dénommé au numéro tarifaire 9812.00.00 de l'annexe I du *Tarif des douanes*;
>
> b) toute audiocassette relative à une publication visée à l'alinéa a) qui accompagne celle-ci au moment où elle est remise à la Société canadienne des postes ou à un agent des douanes.

L'alinéa 3b) a été abrogé et remplacé par C.P. 1993-939 [DORS/93-242], 11 mai 1993, par. 4(2) et se lisait antérieurement comme suit :

> b) toute cassette se rapportant à une publication visée à l'alinéa a) et confiée avec cette publication à la Société canadienne des postes ou à un agent des douanes.

4. Preuve d'inscription — Lorsqu'une personne effectue la fourniture d'une publication visée à l'alinéa 3a) et que la fourniture est réputée effectuée au Canada selon l'article 143.1 de la Loi, la personne indique :

a) soit son numéro d'inscription à l'un des endroits suivants :

(i) dans le cartouche de la publication ou sur l'une des cinq premières pages de la publication si le cartouche ne se trouve pas dans ces pages,

(ii) à l'endos de la publication, lorsque l'adresse de cette personne y est indiquée,

(iii) sur l'étiquette d'envoi apposée à la publication;

b) soit, lorsque la publication est confiée à la Société canadienne des postes ou à un agent des douanes, son numéro d'inscription sur l'emballage de la publication ou sur un document qui y est annexé;

c) soit, lorsqu'elle n'a pas de numéro d'inscription au moment de la mise à la poste de la publication ou de son envoi par messagerie, un document, annexé à la publication confiée à la Société canadienne des postes ou à un agent des douanes, établissant qu'elle a présenté une demande d'inscription.

Notes historiques: Le préambule de l'article 4 a été remplacé par C.P. 2000-631 [DORS/2000-178], 4 mai 2000, art. 5 et cette modification est réputée être entrée en vigueur le 1er janvier 1993. Toutefois, la mention de « une personne » vaut mention de « une personne non résidante » avant le 24 mai 2000. Antérieurement, il se lisait ainsi :

> 4. Lorsqu'une personne non résidante fournit une publication visée à l'alinéa 3a) et que, aux termes du paragraphe 143(2) de la Loi, la fourniture de cette publication est réputée avoir été effectuée au Canada, elle doit indiquer :

Règlements

Règlement sur les frais, droits et taxes (TPS/TVH)

DORS/91-34 [C.P. 1990-2743], 18 décembre 1990, tel que modifié par C.P. 2002-1257 [DORS/2002-273], 17 juillet 2002; C.P. 2006-1299 [DORS/2006-280], 9 novembre 2006; C.P. 2010-791 [DORS/2010-152], 17 juin 2010; C.P. 2012-1127 [DORS/2012–191], 20 septembre 2012 [non en vigueur].

Sur avis conforme du ministre des Finances et en vertu du paragraphe 277(1) de la *Loi sur la taxe d'accise*, il plaît à Son Excellence le Gouverneur général en conseil de prendre le *Règlement concernant certains frais, droits et taxes*, ci-après.

Notes historiques: Le titre intégral a été remplacé par C.P. 2006-1299 [DORS/2006-280], 9 novembre 2006, art. 1 et cette modification est entrée en vigueur le 29 novembre 2006. Antérieurement, il se lisait « *Règlement concernant certains frais, droits et taxes* ».

1. [*Abrogé*].

Notes historiques: L'article 1 et l'intertitre le précédant ont été abrogés par C.P. 2006-1299 [DORS/2006-280], 9 novembre 2006, art. 2 et cette abrogation est entrée en vigueur le 29 novembre 2006. Antérieurement, ils se lisaient ainsi :

1. Titre abrégé — *Règlement sur les frais, droits et taxes (TPS/TVH).*

L'article 1 a été remplacé par C.P. 2002-1257 [DORS/2002-273], 17 juillet 2002, art. 1 et cette modification est réputée être entrée en vigueur le 1er avril 1997. Antérieurement, il se lisait ainsi :

1 Titre abrégé — *Règlement sur les frais, droits et taxes (TPS).*

2. (1) Définitions et interprétation — Les définitions qui suivent s'appliquent au présent règlement.

« taux de taxe déterminé » Taux applicable dans une province, égal au plus élevé des taux suivants :

a) 12 %;

b) le taux général de la taxe de vente de la province plus 4 %.

Notes historiques: L'alinéa b) de la définition de « taux de taxe déterminé » au paragraphe 2(1) a été remplacé par C.P. 2002-1257 [DORS/2002-273], 17 juillet 2002, par. 2(9) et cette modification est réputée être entrée en vigueur le 1er juillet 1992. Antérieurement, il se lisait ainsi :

b) le taux général de la taxe de vente au détail provinciale plus 4 %.

« taux général de la taxe de vente »

a) Dans le cas d'une province participante, le taux de taxe qui lui est applicable;

b) dans le cas du Québec, le taux prévu au premier alinéa de l'article 16 de la *Loi sur la taxe de vente du Québec*, L.R.Q., ch. T-0.1;

c) dans le cas du Manitoba, le taux prévu au paragraphe 2(1) de la *Loi de la taxe sur les ventes au détail*, C.P.L.M., ch. R130;

Non en vigueur — 2(1)« taux général de la taxe de vente »c.1)

c.1) dans le cas de la Colombie-Britannique, le taux prévu au paragraphe 34(1) de la loi intitulée *Provincial Sales Tax Act*, S.B.C. 2012, ch. 35;

Application: L'alinéa c.1) de la définition de « taux général de la taxe de vente » au paragraphe 2(1) a été ajouté par C.P. 2012-1127 [DORS/2012-191], 20 septembre 2012, art. 6 et entrera en vigueur le 1er avril 2013.

d) dans le cas de l'Île-du-Prince-Édouard, le taux prévu à l'article 4 de la loi intitulée *Revenue Tax Act*, R.S.P.E.I. 1988, ch. R-14;

e) dans le cas de la Saskatchewan, le taux prévu au paragraphe 5(1) de la loi intitulée *The Provincial Sales Tax Act*, R.S.S. 1978, ch. P-34.1.

Notes historiques: Le préambule de la définition de « taux général de la taxe de vente » au paragraphe 2(1) a été remplacé par C.P. 2002-1257 [DORS/2002-273], 17 juillet 2002, par. 2(1) et cette modification est réputée être entrée en vigueur le 1er juillet 1992. Antérieurement, il se lisait ainsi :

« taux général de la taxe de vente au détail » Taux prévu aux dispositions législatives suivantes :

L'alinéa a) de la définition de « taux général de la taxe de vente » au paragraphe 2(1) a été remplacé par C.P. 2002-1257 [DORS/2002-273], 17 juillet 2002, par. 2(2) et cette modification est réputée être entrée en vigueur le 17 juillet 2002. Antérieurement, il se lisait ainsi :

a) dans le cas de la province d'Ontario, le paragraphe 2(1) de la *Loi sur la taxe de vente au détail*, L.R.O. 1980, c. 454;

L'alinéa b) de la définition de « taux général de la taxe de vente » au paragraphe 2(1) a été remplacé par C.P. 2002-1257 [DORS/2002-273], 17 juillet 2002, par. 2(3) et cette modification est réputée être entrée en vigueur le 1er juillet 1992. Antérieurement, il se lisait ainsi :

b) dans le cas de la province de Québec, l'article 6 de la *Loi concernant l'impôt sur la vente en détail*, L.R.Q. 1977, c. I-1;

L'alinéa c) de la définition de « taux général de la taxe de vente » au paragraphe 2(1) a été remplacé par C.P. 2002-1257 [DORS/2002-273],17 juillet 2002, par. 2(4) et cette modification est réputée être entrée en vigueur le 1er avril 1996. Antérieurement, il se lisait ainsi :

c) dans le cas de la province de la Nouvelle-Écosse, l'alinéa 5(1)c) de la loi intitulée *Health Services Tax Act*, R.S.N.S. 1989, c. 198;

L'alinéa c) de la définition de « taux général de la taxe de vente au détail » au paragraphe 2(1) a été remplacé par C.P. 2002-1257 [DORS/2002-273], 17 juillet 2002, par. 2(5) et cette modification est réputée être entrée en vigueur le 1er avril 1997. Antérieurement, il se lisait ainsi :

c) dans le cas de la province de la Nouvelle-Écosse, l'alinéa 15(1)b) de la loi intitulée *Revenue Act*, S.N.S. 1995-96, ch. 17;

L'alinéa d) de la définition de « taux général de la taxe de vente » au paragraphe 2(1) a été remplacé par C.P. 2002-1257 [DORS/2002-273], 17 juillet 2002, par. 2(5) et cette modification est réputée être entrée en vigueur le 1er avril 1997. Antérieurement, il se lisait ainsi :

d) dans le cas de la province du Nouveau-Brunswick, l'article 4 de la *Loi sur la taxe pour les services sociaux et l'éducation*, L.R.N.-B. 1973, c. S-10, à l'exclusion des alinéas 4a) à d);

L'alinéa e) de la définition de « taux général de la taxe de vente » au paragraphe 2(1) a été remplacé par C.P. 2002-1257 [DORS/2002-273], 17 juillet 2002, par. 2(6) et cette modification est réputée être entrée en vigueur le 17 juillet 2002. Antérieurement, il se lisait ainsi :

e) dans le cas de la province du Manitoba, l'article 2 de la *Loi de la taxe sur les ventes au détail*, CPLM c. R130;

L'alinéa f) de la définition de « taux général de la taxe de vente » au paragraphe 2(1) a été remplacé par C.P. 2002-1257 [DORS/2002-273],17 juillet 2002, par. 2(6) et cette modification est réputée être entrée en vigueur le 21 avril 1997. Antérieurement, il se lisait ainsi :

f) dans le cas de la province de la Colombie-Britannique, l'article 2 de la loi intitulée *Social Service Tax Act*, R.S.B.C. 1979, c. 388;

L'alinéa h) de la définition de « taux général de la taxe de vente » au paragraphe 2(1) a été remplacé par C.P. 2002-1257 [DORS/2002-273], 17 juillet 2002, par. 2(7) et cette modification est réputée être entrée en vigueur le 27 juin 2000. Antérieurement, il se lisait ainsi :

h) dans le cas de la province de la Saskatchewan, l'article 5 de la loi intitulée *The Education and Health Tax Act*, R.S.S. 1978, c. E-3;

L'alinéa i) de la définition « taux général de la taxe de vente » au paragraphe 2(1) a été remplacé par C.P. 2006-1299 [DORS/2006-280], 9 novembre 2006, art. 3 et cette modification est entrée en vigueur le 29 novembre 2006. Antérieurement, il se lisait ainsi :

i) dans le cas de la province de Terre-Neuve, l'article 3 de l'annexe VIII de la *Loi sur la taxe d'accise*.

L'alinéa i) de la définition de « taux général de la taxe de vente » au paragraphe 2(1) a été remplacé par C.P. 2002-1257 [DORS/2002-273], 17 juillet 2002, par. 2(8) et cette modification est réputée être entrée en vigueur le 1er avril 1997. Antérieurement, il se lisait ainsi :

i) dans le cas de la province de Terre-Neuve, l'article 3 de la loi intitulée *The Retail Sales Tax Act, 1978*, S.N. 1978, c. 36.

La définition de « taux général de la taxe de vente » au paragraphe 2(1) a été remplacée par C.P. 2010-791 [DORS/2010-152], 17 juin 2010, art. 1 et cette modification est entrée en vigueur ou est réputée être entrée en vigueur le 1er juillet 2010. Antérieurement, elle se lisait ainsi :

« taux général de la taxe de vente » Taux prévu aux dispositions législatives suivantes :

a) dans le cas de la province d'Ontario, le paragraphe 2(1) de la *Loi sur la taxe de vente au détail*, L.R.O. 1990, ch. R.31;

b) dans le cas de la province de Québec, le premier alinéa de l'article 16 de la *Loi sur la taxe de vente du Québec*, L.R.Q., ch. T-0.1;

c) dans le cas de la province de la Nouvelle-Écosse, l'article 1 de l'annexe VIII de la *Loi sur la taxe d'accise*;

d) dans le cas de la province du Nouveau-Brunswick, l'article 2 de l'annexe VIII de la *Loi sur la taxe d'accise*;

e) dans le cas de la province du Manitoba, le paragraphe 2(1) de la *Loi de la taxe sur les ventes au détail*, C.P.L.M., ch. R130;

f) dans le cas de la province de la Colombie-Britannique, le paragraphe 6(1) de la loi intitulée *Social Service Tax Act*, R.S.B.C. 1996, ch. 431;

g) dans le cas de la province de l'Île-du-Prince-Édouard, l'article 4 de la loi intitulée *Revenue Tax Act*, R.S.P.E.I. 1988, c. R-14;

h) dans le cas de la province de la Saskatchewan, le paragraphe 5(1) de la loi intitulée *The Provincial Sales Tax Act*, R.S.S. 1978, ch. P-34.1;

i) dans le cas de la province de Terre-Neuve-et-Labrador, l'article 3 de l'annexe VIII de la *Loi sur la taxe d'accise*.

(2) Pour l'application du présent règlement, les renvois à une loi de la législature d'une province sont réputés se rapporter à sa version éventuellement modifiée.

[C.P. 2010-791, 17 juin 2010, art. 1; C.P. 2012-112, 20 septembre 2012, art. 6 [non en vigueur]].

3. Frais, droits et taxes — Pour l'application de l'article 154 de la *Loi sur la taxe d'accise*, sont visés les frais, droits et taxes suivants :

a) les frais, droits et taxes applicables au transfert d'immeubles et imposés en application de :

(i) la *Loi sur les droits de cession immobilière*, L.R.O. 1990, ch. L.6,

(i.1) le chapitre 760 du *City of Toronto Municipal Code*, pris en vertu de la partie X de la *Loi de 2006 sur la cité de Toronto*, L.O. 2006, ch. 11, ann. A, à supposer que les frais, droits ou taxes s'appliquaient au transfert en vertu de ce chapitre en son état au 1er février 2008,

(ii) la *Loi concernant les droits sur les transferts de terrain*, L.R.Q., ch. D-17,

(ii.1) la partie III.7 de la *Loi sur les impôts*, L.R.Q., ch. I-3,

(iii) la *Loi concernant les droits sur les mutations immobilières*, L.R.Q., ch. D-15.1,

(iv)-(viii) [*abrogés*]

(ix) la partie V de la loi intitulée *Municipal Government Act*, S.N.S. 1998, ch. 18,

(ix.1) [*abrogé*]

(x) la *Loi de la taxe sur le transfert de biens réels*, L.N.-B. 1983, c. R-2.1,

(xi) la partie III de la *Loi sur l'administration des impôts et des taxes et divers impôts et taxes*, C.P.L.M., ch. T2,

(xii) la loi intitulée *Property Transfer Tax Act*, R.S.B.C. 1996, ch. 378,

(xiii) la loi intitulée *The Land Titles Act*, 2000, S.S. 2000, ch. L-5.1;

(xiv) la loi intitulée *Land Titles Act*, R.S.A. 2000, ch. L-4,

(xv) la loi intitulée *Real Property Transfer Tax Act*, S.P.E.I. 2005, ch. 49,

(xvi) la loi intitulée *Registration of Deeds Act*, R.S.N.L. 1990, ch. R-10,

(xvii) la loi intitulée *St. John's Assessment Act*, R.S.N.L. 1990, ch. S-1;

b) la taxe imposée par l'assemblée législative d'une province, en application d'une des lois mentionnées dans la définition de « taux général de la taxe de vente », au paragraphe 2(1), relativement à un bien ou à un service dans le cas où, à la fois :

(i) la taxe représente un pourcentage de la valeur ou du prix soit du bien, soit du service,

(ii) elle est payable par l'acquéreur de la fourniture du bien ou du service,

(iii) elle n'est pas incluse dans la valeur ou le prix soit du bien, soit du service aux fins du calcul d'une autre taxe imposée en application de cette loi relativement au bien ou au service,

(iv) le total des taux de toute taxe imposée par cette loi relativement au bien ou au service et représentant un pourcentage de la valeur ou du prix de ceux-ci ne dépasse pas le taux de taxe déterminé;

c) la taxe imposée en application d'un des textes suivants relativement à un bien meuble ou à un service :

(i)-(vii) [*abrogés*]

(viii) l'article 330 de la *Loi sur les municipalités*, C.P.L.M., ch. M225,

(viii.1) le paragraphe 442(1) de la *Charte de la ville de Winnipeg*, L.M. 2002, ch. 39,

(ix) [*abrogé*]

(ix.1) l'article 36 de la loi intitulée *The Power Corporation Act*, R.S.S. 1978, ch. P-19,

(x) la loi intitulée *The Liquor Consumption Tax Act*, S.S. 1979, ch. L-19.1,

(x.1) [*abrogé*],

(xi) l'article 316 de la loi intitulée *The Municipalities Act*, S.S. 2005, ch. M.36.1,

(xii) le paragraphe 2(1) de la loi intitulée *Tourism Levy Act*, R.S.A. 2000, ch. T-5.5,

(xiii) l'article 28.1 de la loi intitulée *St. John's Assessment Act*, R.S.N.L. 1990, ch. S-1,

(xiv) l'article 2 de la *Loi de la taxe sur les boissons alcoolisées*, L.R.Y. 2002, ch. 141.

Doivent être réunies par ailleurs les conditions suivantes :

(xv) la taxe représente un pourcentage de la valeur ou du prix soit du bien, soit du service,

(xvi) elle est payable par l'acquéreur de la fourniture du bien ou du service,

(xvii) aucune taxe relative au bien ou au service n'est imposée par l'assemblée législative d'une province en application d'une des lois mentionnées dans la définition de « taux général de la taxe de vente », au paragraphe 2(1),

(xviii) le total des taux de toute taxe satisfaisant aux conditions suivantes ne dépasse pas le taux de taxe déterminé :

(A) la taxe est imposée en vertu d'une loi de la législature de la province relativement au bien ou au service,

(B) elle représente un pourcentage de la valeur ou du prix soit du bien, soit du service,

(C) elle est payable par l'acquéreur de la fourniture du bien ou du service.

[C.P. 2010-791, 17 juin 2010, art. 2].

Notes historiques: Le sous-alinéa 3a)(i) a été remplacé par C.P. 2002-1257 [DORS/2002-273], 17 juillet 2002, par. 3(1) et cette modification est réputée être entrée en vigueur le 26 novembre 1997. Antérieurement, il se lisait ainsi :

(i) la *Loi sur les droits de cession immobilière*, L.R.O. 1980, c. 231,

Le sous-alinéa 3a)(i.1) a été ajouté par C.P. 2010-791 [DORS/2010-152], 17 juin 2010, par. 2(1) et est réputé être entré en vigueur le 1er février 2008.

Le sous-alinéa 3a)(ii) a été remplacé par C.P. 2006-1299 [DORS/2006-280], 9 novembre 2006, par. 4(1) et cette modification est entrée en vigueur le 29 novembre 2006. Antérieurement, il se lisait ainsi :

(ii) la *Loi concernant les droits sur les transferts de terrain*, L.R.Q. 1977, ch. D-17,

Le sous-alinéa 3a)(ii) a été remplacé par C.P. 2002-1257 [DORS/2002-273], 17 juillet 2002, par. 3(1) et cette modification est réputée être entrée en vigueur le 26 novembre 1997. Antérieurement, il se lisait ainsi :

(ii) la *Loi concernant les droits sur les transferts de terrain*, L.R.Q. 1977, c. D-17,

Le sous-alinéa 3a)(ii.1) a été ajouté par C.P. 2002-1257 [DORS/2002-273], 17 juillet 2002, par. 3(2) et s'applique aux immeubles transférés après le 8 octobre 1993.

Le sous-alinéa 3a)(iii) a été remplacé par C.P. 2002-1257 [DORS/2002-273], 17 juillet 2002, par. 3(3) et cette modification est réputée être entrée en vigueur le 20 juin 1991. Antérieurement, il se lisait ainsi :

(iii) la *Loi autorisant les municipalités à percevoir un droit sur les mutations immobilières*, L.R.Q. 1977, c. M-39,

Le sous-alinéa 3a)(iv) a été abrogé par C.P. 2002-1257 [DORS/2002-273], 17 juillet 2002, par. 3(4) et cette abrogation est réputée être entrée en vigueur le 1er août 1995. Antérieurement, il se lisait ainsi :

(iv) la loi intitulée *The City of Sydney*, S.N.S. 1903, c. 174,

Le sous-alinéa 3a)(v) a été abrogé par C.P. 2002-1257 [DORS/2002-273], 17 juillet 2002, par. 3(4) et cette abrogation est réputée être entrée en vigueur le 12 août 1992. Antérieurement, il se lisait ainsi :

(v) la loi intitulée *Halifax County Deed Transfer Tax Act*, S.N.S. 1960, c. 85,

Le sous-alinéa 3a)(vi) a été abrogé par C.P. 2002-1257 [DORS/2002-273], 17 juillet 2002, par. 3(4) et cette abrogation est réputée être entrée en vigueur le 12 août 1992. Antérieurement, il se lisait ainsi :

(vi) la loi intitulée *Halifax City Charter*, S.N.S. 1963, c. 52,

Le sous-alinéa 3a)(vii) a été abrogé par C.P. 2002-1257 [DORS/2002-273], 17 juillet 2002, par. 3(4) et cette abrogation est réputée être entrée en vigueur le 12 août 1992. Antérieurement, il se lisait ainsi :

(vii) la loi intitulée *Dartmouth City Charter*, S.N.S. 1978, c. 43A,

Le sous-alinéa 3a)(viii) a été abrogé par C.P. 2002-1257 [DORS/2002-273], 17 juillet 2002, par. 3(4) et cette abrogation est réputée être entrée en vigueur le 12 août 1992. Antérieurement, il se lisait ainsi :

(viii) la loi intitulée *Bedford By-Laws Act*, S.N.S. 1987, c. 58,

Le sous-alinéa 3a)(ix) a été remplacé par C.P. 2002-1257 [DORS/2002-273], 17 juillet 2002, par. 3(5) et cette modification est entrée en vigueur le 3 décembre 1998. Antérieurement, il se lisait ainsi :

(ix) la loi intitulée *Deed Transfer Tax Act*, R.S.N.S. 1989, c. 121,

Le sous-alinéa 3a)(ix.1) a été ajouté par C.P. 2002-1257 [DORS/2002-273], 17 juillet 2002, par. 3(6) et est réputé être entré en vigueur le 12 août 1992. Toutefois, avant avril 1996, le sous-alinéa 3a)(ix.1), est remplacé par ce qui suit :

(ix.1) la partie IX de la loi intitulée *Halifax County Charter*, S.N.S. 1992, ch. 63,

Le sous-alinéa 3a)(ix.1) a été abrogé par C.P. 2002-1257 [DORS/2002-273], 17 juillet 2002, par. 3(7) et cette abrogation est réputée être entrée en vigueur le 3 décembre 1998. Antérieurement, il se lisait ainsi :

(viii) la partie VII de la loi intitulée *Halifax Regional Municipality Act*, S.N.S. 1995, ch. 3,

Le sous-alinéa 3a)(xi) a été remplacé par C.P. 2006-1299 [DORS/2006-280], 9 novembre 2006, par. 4(2) et cette modification est entrée en vigueur le 29 novembre 2006. Antérieurement, il se lisait ainsi :

(xi) la partie III de la *Loi sur le revenu*, C.P.L.M., ch. R150,

Le sous-alinéa 3a)(xi) a été remplacé par C.P. 2002-1257 [DORS/2002-273], 17 juillet 2002, par. 3(8) et cette modification est entrée en vigueur le 17 juillet 2002. Antérieurement, il se lisait ainsi :

(xi) la partie III de la *Loi sur le revenu*, L.R.M. 1987, c. R150,

Le sous-alinéa 3a)(xii) a été remplacé par C.P. 2002-1257 [DORS/2002-273], 17 juillet 2002, par. 3(8) et cette modification est réputée être entrée en vigueur le 1er août 1992. Antérieurement, il se lisait ainsi :

(xii) la loi intitulée *Property Purchase Tax Act*, S.B.C. 1987, c. 15,

Le sous-alinéa 3a)(xii) a été remplacé par C.P. 2002-1257 [DORS/2002-273], 17 juillet 2002, par. 3(9) et cette modification est entrée en vigueur le 17 juillet 2002. Antérieurement, il se lisait ainsi :

(xii) la loi intitulée *Property Transfer tax Act*, S.B.C. 1987, c. 15,

Le sous-alinéa 3a)(xiii) a été remplacé par C.P. 2006-1299 [DORS/2006-280], 9 novembre 2006, par. 4(3) et cette modification est entrée en vigueur le 25 juin 2001. Antérieurement, il se lisait ainsi :

(xiii) la loi intitulée *The Land Titles Act*, R.S.S. 1978, c. L-5,

Le sous-alinéa 3a)(xiv) a été remplacé par C.P. 2006-1299 [DORS/2006-280], 9 novembre 2006, par. 4(4) et cette modification est entrée en vigueur le 29 novembre 2006. Antérieurement, il se lisait ainsi :

(xiv) la loi intitulée *Land Titles Act*, R.S.A. 1980, c. L-5,

Le sous-alinéa 3a)(xv) a été ajouté par C.P. 2006-1299 [DORS/2006-280], 9 novembre 2006, par. 4(5) et est réputé être entré en vigueur le 16 mai 2005.

Le sous-alinéa 3a)(xv) a été remplacé par C.P. 2002-1257 [DORS/2002-273], 17 juillet 2002, par. 3(10) et cette modification est réputée être entrée en vigueur le 31 décembre 1990. Antérieurement, il se lisait ainsi :

(xv) la loi intitulée *The St. John's Assessment Act*, S.N. 1980, c. 39;

Le sous-alinéa 3a)(xv) a été abrogé par C.P. 2002-1257 [DORS/2002-273], 17 juillet 2002, par. 3(11) et cette abrogation est réputée être entrée en vigueur le 17 juillet 2002. Antérieurement, il se lisait ainsi :

(xv) la loi intitulée *Conditionnal Sales Act*, R.S.N. 1990, ch. C-28;

Le sous-alinéa 3a)(xvi) a été ajouté par C.P. 2002-1257 [DORS/2002-273],17 juillet 2002, par. 3(10) et est réputé être entré en vigueur le 31 décembre 1990.

Les sous-alinéas 3a)(xvi) et (xvii) ont été remplacés par C.P. 2006-1299 [DORS/2006-280], 9 novembre 2006, par. 4(6) et cette modification est réputée entrée en vigueur le 29 novembre 2006. Antérieurement, ils se lisaient ainsi :

(xvi) la loi intitulée *Registration of Deeds Act*, R.S.N. 1990, c. R-10,

(xvii) la loi intitulée *St-John's Assessment Act*, R.S.N. 1990, ch. S-1,

Le sous-alinéa 3a)(xvii) a été ajouté par C.P. 2002-1257 [DORS/2002-273],17 juillet 2002, par. 3(10) et est réputé être entré en vigueur le 31 décembre 1990.

Le préambule de l'alinéa 3b) a été remplacé par C.P. 2002-1257 [DORS/2002-273],17 juillet 2002, par. 3(12) et cette modification est réputée être entrée en vigueur le 1er juillet 1992. Antérieurement, il se lisait ainsi :

b) la taxe imposée par la législature d'une province, en application d'une des lois mentionnées dans la définition de « taux général de la taxe de vente au détail » à l'article 2, relativement à un bien meuble ou à un service dans le cas où, à la fois :

Le préambule de l'alinéa 3c) a été remplacé par C.P. 2010-791 [DORS/2010-152], 17 juin 2010, par. 2(2) et cette modification est entrée en vigueur le 30 juin 2010. Antérieurement, il se lisait ainsi :

c) la taxe imposée en application d'un des textes ci-après relativement à un bien ou à un service :

Le préambule de l'alinéa 3c) a été remplacé par C.P. 2002-1257 [DORS/2002-273], 17 juillet 2002, par. 3(13) et cette modification est réputée être entrée en vigueur le 1er avril 1997. Antérieurement, il se lisait ainsi :

c) la taxe imposée en application d'une des lois suivantes relativement à un bien meuble ou à un service :

Le sous-alinéa 3c)(i) a été abrogé par C.P. 2002-1257 [DORS/2002-273], 17 juillet 2002, par. 3(14) et cette abrogation s'applique aux prix d'entrée à un lieu d'amusements payés après le 30 juin 1992. Antérieurement, il se lisait ainsi :

(i) la *Loi concernant les droits sur les divertissements*, L.R.Q. 1977, c. D-14,

Le sous-alinéa 3c)(ii) a été abrogé par C.P. 2002-1257 [DORS/2002-273], 17 juillet 2002, par. 3(14) et cette abrogation s'applique à la publicité électronique diffusée après le 30 juin 1992. Antérieurement, il se lisait ainsi :

(ii) la *Loi concernant la taxe sur la publicité électronique*, L.R.Q. 1977, c. T-2,

Le sous-alinéa 3c)(iii) a été abrogé par C.P. 2002-1257 [DORS/2002-273], 17 juillet 2002, par. 3(14) et cette abrogation est réputée être entrée en vigueur le 31 décembre 1990. Antérieurement, il se lisait ainsi :

(iii) la *Loi concernant la taxe sur les repas et l'hôtellerie*, L.R.Q. 1977, c. T-3,

Le sous-alinéa 3c)(iv) a été abrogé par C.P. 2002-1257 [DORS/2002-273], 17 juillet 2002, par. 3(14) et cette abrogation s'applique aux télécommunications expédiées ou reçues après le 30 juin 1992 ainsi qu'aux loyers imputables à une période postérieure à cette date. Antérieurement, il se lisait ainsi :

(iv) la *Loi concernant la taxe sur les télécommunications*, L.R.Q. 1977, c. T-4,

Le sous-alinéa 3c)(v) a été abrogé par C.P. 2002-1257 [DORS/2002-273], 17 juillet 2002, par. 3(14) et cette abrogation est réputée être entrée en vigueur le 17 juillet 2002. Antérieurement, ils se lisaient ainsi :

(v) la loi intitulée *Theatres and Amusements Act*, R.S.N.S. 1989, c. 466,

Le sous-alinéa 3c)(v.1) a été ajouté par C.P. 2002-1257 [DORS/2002-273], 17 juillet 2002, par. 3(15) et est réputé être entré en vigueur le 1er avril 1997.

Le sous-alinéa 3c)(v.1) a été abrogé par C.P. 2002-1257 [DORS/2002-273], 17 juillet 2002, par. 3(16) et cette abrogation s'applique aux biens meubles achetés après mars 1999. Antérieurement, il se lisait ainsi :

(v.1) la partie IV de la loi intitulée *Sales Tax Act*, S.N.S. 1996, ch. 31,

Le sous-alinéa 3c)(vi) a été abrogé par C.P. 2002-1257 [DORS/2002-273],17 juillet 2002, par. 3(17) et cette abrogation est réputée être entrée en vigueur le 17 juillet 2002. Antérieurement, il se lisait ainsi :

(vi) la *Loi sur la taxe d'entrée et de divertissement*, L.N.-B. 1988, c. A-2.1,

Le sous-alinéa 3c)(vii) a été abrogé par C.P. 2010-791 [DORS/2010-152], 17 juin 2010, par. 2(3) et cette abrogation est entrée en vigueur le 30 juin 2010. Antérieurement, il se lisait ainsi :

(vii) la Partie I.1 de la *Loi sur l'administration des impôts et des taxes et divers impôts et taxes*, C.P.L.M., ch. T2,

Le sous-alinéa 3c)(vii) a été remplacé par C.P. 2002-1257 [DORS/2002-273], 17 juillet 2002, par. 3(18) et cette modification est réputée être entrée en vigueur le 17 juillet 2002. Antérieurement, il se lisait ainsi :

(vii) la *Loi sur le revenu*, L.R.M. 1987, c. R150,

Les sous-alinéas 3c)(vii) et (viii) ont été remplacés par C.P. 2006-1299 [DORS/2006-280], 9 novembre 2006, par. 4(7) et cette modification est réputée entrée en vigueur le 29 novembre 2006. Antérieurement, ils se lisaient ainsi :

(vii) la partie I de la *Loi sur le revenu*, C.P.L.M., ch. R150,

(viii) l'article 330 de la *Loi sur les municipalités*, L.R.M. 1988, c. M225,

Le sous-alinéa 3c)(viii) a été remplacé par C.P. 2002-1257 [DORS/2002-273],17 juillet 2002, par. 3(19) et cette modification est réputée être entrée en vigueur le 17 juillet 2002. Antérieurement, il se lisait ainsi :

(viii) la *Loi sur les municipalités*, L.R.M. 1988, c. M225,

Le sous-alinéa 3c)(viii.1) a été remplacé par C.P. 2006-1299 [DORS/2006-280], 9 novembre 2006, par. 4(8) et cette modification est réputée entrée en vigueur le 1er janvier 2003. Antérieurement, il se lisait ainsi :

(viii.1) le paragraphe 668(3) de la *Loi sur la Ville de Winnipeg*, L.M. 1989-90, ch. 10,

Le sous-alinéa 3c)(viii.1) a été ajouté par C.P. 2002-1257 [DORS/2002-273], 17 juillet 2002, par. 3(20) et est réputé être entré en vigueur le 31 décembre 1990.

Le sous-alinéa 3c)(ix) a été abrogé par C.P. 2010-791 [DORS/2010-152], 17 juin 2010, par. 2(4) et cette abrogation est entrée en vigueur ou est réputée être entrée en vigueur le 1er juillet 2010. Antérieurement, il se lisait ainsi :

(ix) les articles 2 à 3.1 de la loi intitulée *Hotel Room Tax Act*, R.S.B.C., ch. 207,

Le sous-alinéa 3c)(ix) a été remplacé par C.P. 2006-1299 [DORS/2006-280], 9 novembre 2006, par. 4(9) et cette modification est entrée en vigueur le 29 novembre 2006. Antérieurement, il se lisait ainsi :

(ix) la loi intitulée *Hotel Room Tax Act*, R.S.B.C. 1996, ch. 207,

Le sous-alinéa 3c)(ix) a été remplacé par C.P. 2002-1257 [DORS/2002-273], 17 juillet 2002, par. 3(21) et cette modification est réputé être entré en vigueur le 17 juillet 2002. Antérieurement, il se lisait ainsi :

(ix) la loi intitulée *Hotel Room Tax Act*, R.S.B.C. 1979, c. 183,

Le sous-alinéa 3c) (ix.1) a été ajouté par C.P. 2002-1257 [DORS/2002-273], 17 juillet 2002, par. 3(21) et est réputé être entré en vigueur le 10 décembre 1997.

Le sous-alinéa 3c)(x) a été remplacé par C.P. 2002-1257 [DORS/2002-273], 17 juillet 2002, par. 3(21) et cette modification est réputé être entré en vigueur le 17 juillet 2002. Antérieurement, il se lisait ainsi :

(x) la loi intitulée *The Rural Municipality Act*, R.S.S. 1978, c. R-26,

Le sous-alinéa 3c)(x.1) a été abrogé et le sous-alinéa 3c)(xi) a été remplacé par C.P. 2006-1299 [DORS/2006-280], 9 novembre 2006, par. 4(10) et ces modifications sont réputées être entrées en vigueur le 1er janvier 2006. Antérieurement, ils se lisaient ainsi :

(x.1) l'article 310 de la loi intitulée *The Urban Municipality Act*, 1984, S.S. 1983-84, ch. U-11,

(xi) l'article 337 de la loi intitulée *The Rural Municipality Act*, 1989, S.S. 1989-90, ch. R-26.1,

Le sous-alinéa 3c) (x.1) a été ajouté par C.P. 2002-1257 [DORS/2002-273], 17 juillet 2002, par. 3(21) et est réputé être entré en vigueur le 1er avril 1991.

Le sous-alinéa 3c)(xi) a été remplacé par C.P. 2002-1257 [DORS/2002-273], 17 juillet 2002, par. 3(21) et cette modification est réputé être entré en vigueur le 17 juillet 2002. Antérieurement, il se lisait ainsi :

(xi) la loi intitulée *The Liquor Consumption Tax Act*, S.S. 1979, c. L-19.1,

Les sous-alinéas 3c)(xii) à (xiv) ont été remplacés par C.P. 2006-1299 [DORS/2006-280], 9 novembre 2006, par. 4(11) et cette modification est entrée en vigueur le 29 novembre 2006. Antérieurement, ils se lisaient ainsi :

(xii) la loi intitulée *Hotel Room Tax Act*, S.A. 1987, c. H-11.5,

(xiii) l'article 28.1 de la loi intitulée *The St. John's Assessment Act*, R.S.N. 1980, ch. S-1,

(xiv) la *Loi de la taxe sur les boissons alcoolisées*, L.R.Y. (1986), ch. 106,

Le sous-alinéa 3c)(xiii) a été remplacé par C.P. 2002-1257 [DORS/2002-273], 17 juillet 2002, par. 3(22) et cette modification est réputée être entrée en vigueur le 17 juillet 2002. Antérieurement, il se lisait ainsi :

(xiii) la loi intitulée *The St. John's Assessment Act*, S.N. 1980, c. 39,

Le sous-alinéa 3c)(xiv) a été remplacé par C.P. 2002-1257 [DORS/2002-273], 17 juillet 2002, par. 3(22) et cette modification est réputée être entrée en vigueur le 17 juillet 2002. Antérieurement, il se lisait ainsi :

(xiv) la loi intitulée *Liquor Tax Act*, R.S.Y. 1986, c. 106.

Le sous-alinéa 3c)(xvii) a été remplacé par C.P. 2002-1257 [DORS/2002-273], 17 juillet 2002, par. 3(23) et cette modification est réputée être entrée en vigueur le 1er juillet 1992. Antérieurement, il se lisait ainsi :

(xvii) aucune taxe relative au bien ou au service n'est imposée par la législature de la province en application d'une des lois mentionnées dans la définition de « taux général de la taxe de vente au détail », à l'article 2,

RÈG. CAN. RÈGLEMENT SUR LES IMPORTATIONS PAR COURRIER OU MESSAGER (TPS/TVH)

Règlement concernant les produits taxables importés par courrier ou par messager

DORS/91-32 [C.P. 1990-2741], 18 décembre 1990, tel que modifié par C.P. 2001-149 [DORS/2001-63], 30 janvier 2001.

Sur avis conforme du ministre des Finances et en vertu du paragraphe 277(1) de la *Loi sur la taxe d'accise*, il plaît à Son Excellence le Gouverneur général en conseil de prendre le *Règlement concernant les produits taxables importés par courrier ou messager*, ci-après.

1. Titre abrégé — *Règlement sur les importations par courrier ou messager (TPS/TVH).*

Notes historiques: L'article 1 a été remplacé par C.P. 2001-149 [DORS/2001-63], 30 janvier 2001, art. 1 et cette modification est réputée être entrée en vigueur le 1er avril 1997. Antérieurement, il se lisait ainsi :

1. *Règlement sur les importations par courrier ou messager (TPS).*

2. Définition — La définition qui suit s'applique au présent règlement.

« Loi » La *Loi sur la taxe d'accise.*

3. Produits — Pour l'application de l'article 7 de l'annexe VII de la Loi, sont visés les produits importés suivants :

a) les produits soumis à l'accise et le vin;

b) les produits qui sont visés pour l'application de l'article 143.1 de la Loi et dont le fournisseur n'est pas inscrit aux termes de la sous-section d de la section V de la partie IX de la Loi alors qu'il est tenu de l'être;

c) les produits dont la valeur en douane est réduite par application de l'article 85 du *Tarif des douanes*;

d) les produits achetés au Canada d'un marchand au détail qui les fait poster ou expédier à l'acheteur directement d'un endroit situé à l'étranger;

e) les produits achetés ou commandés d'une personne au Canada, ou par son entremise, qui représente un vendeur de l'étranger ou qui agit pour le compte d'un tel vendeur.

Notes historiques: L'alinéa 3a) a été remplacé par C.P. 2001-149 [DORS/2001-63], 30 janvier 2001, par. 2(1) et cette modification s'applique aux produits importés après le 26 novembre 1997. Antérieurement, il se lisait ainsi :

a) les boissons alcoolisées, les cigares, les cigarettes et le tabac manufacturé;

L'alinéa 3b) a été remplacé par C.P. 2001-149 [DORS/2001-63], 30 janvier 2001, par. 2(1) et cette modification s'applique aux produits importés après le 26 novembre 1997. Antérieurement, il se lisait ainsi :

b) les livres, les journaux, les périodiques, les revues ou autres publications semblables dont le fournisseur n'est pas inscrit aux termes de la sous-section d de la section V de la partie IX de la Loi alors qu'il est tenu de l'être;

L'alinéa 3c) a été remplacé par C.P. 2001-149 [DORS/2001-63], 30 janvier 2001, par. 2(2) et cette modification est réputée être entrée en vigueur le 1er janvier 1998. Antérieurement, il se lisait ainsi :

c) les produits dont la valeur en douane est réduite par application de la note 12 du chapitre 98 de l'annexe I du *Tarif des douanes*;

Rég. Can. Règlement sur les jeux de hasard (TPS/TVH)

Règlement sur les jeux de hasard (TPS/TVH)

DORS/91-28 [C.P. 1990-2737], 18 décembre 1990, tel que modifié C.P. 1998-1551 [DORS/98-440], 26 août 1998; C.P. 2011-263 [DORS/2011-56], 3 mars 2011; C.P. 2012–1127 [DORS/2012-191], 20 septembre 2012.

[Abrogé]

Notes historiques: Le titre intégral a été remplacé par C.P. 2011-263 [DORS/2011-56], 3 mars 2011, art. 7 et cette modification est réputée être entrée en vigueur le 16 mars 2011. Antérieurement, il se lisait « *Règlement concernant les jeux de hasard, les inscrits qui les organisent et le calcul de la taxe nette de ces inscrits* ».

1. [*Abrogé*].

Notes historiques: L'article 1 et l'intertitre le précédant ont été abrogés par C.P. 2011-263 [DORS/2011-56], 3 mars 2011, art. 8 et cette abrogation est réputée être entrée en vigueur le 16 mars 2011. Antérieurement, ils se lisaient ainsi :

> 1. Titre abrégé — *Règlement sur les jeux de hasard (TPS/TVH).*

L'article 1 a été modifié par l'ajout de « /TVH » par C.P. 1998-1551 [DORS/98-440], 26 août 1998, art. 2 et est réputé entré en vigueur le 1er avril 1997.

Définition

2. Définition de « Loi » — Dans le présent règlement, « Loi » s'entend de la *Loi sur la taxe d'accise*.

Notes historiques: L'article 2 a été remplacé par C.P. 2011-263 [DORS/2011-56], 3 mars 2011, art. 9 et cette modification est réputée être entrée en vigueur le 16 mars 2011. Antérieurement, ils se lisaient ainsi :

> 2. La définition qui suit s'applique au présent règlement.
>
> « Loi » La *Loi sur la taxe d'accise.*

Partie I — Inscrits

Notes historiques: L'intertitre de la Partie I a été ajouté par C.P. 1998-1551 [DORS/98-440], 26 août 1998, art. 3 et est réputé entré en vigueur le 31 décembre 1990.

3. Inscrits — Pour l'application du paragraphe 188(5) de la Loi, sont des inscrits les personnes suivantes :

a) la Société des loteries de l'Atlantique;

b) la British Columbia Lottery Corporation;

c) la Corporation manitobaine des loteries;

d) la Société des loteries et des jeux de l'Ontario;

e) la Société des loteries et courses du Québec;

f) la Western Canada Lottery Corporation.

g) la Société de la loterie interprovinciale;

h) l'Alberta Gaming and Liquor Commission;

i) la Saskatchewan Liquor and Gaming Authority

j) la Saskatchewan Gaming Corporation;

k) la Société des loteries et des jeux du Nouveau-Brunswick;

l) la Nova Scotia Gaming Corporation;

m) la société, visée à l'article 15, qui est une filiale à cent pour cent d'un inscrit visé à l'un des alinéas du présent article, sauf l'alinéa g) et le présent alinéa.

Notes historiques: L'alinéa 3c) a été remplacé par C.P. 1998-1551 [DORS/98-440], 26 août 1998, par. 4(1) et est réputé entré en vigueur le 27 juillet 1993. Antérieurement, il se lisait ainsi :

> c) la Fondation manitobaine des loteries;

L'alinéa 3d) a été remplacé par C.P. 2011-263 [DORS/2011-56], 3 mars 2011, par. 10(1) et cette modification est réputée être entrée en vigueur le 1er avril 2000. Antérieurement, il se lisait ainsi :

> d) la Société des loteries de l'Ontario;

L'alinéa 3g) a été ajouté par C.P. 1998-1551 [DORS/98-440], 26 août 1998, par. 4(2) et est réputé entré en vigueur le 31 décembre 1990.

L'alinéa 3h), édicté par C.P. 1998-1551 [DORS/98-440], 26 août 1998, par. 4(2), a été remplacé par C.P. 1998-1551 [DORS/98-440], 26 août 1998, par. 4(3) et est réputé entré en vigueur le 15 juillet 1996. Antérieurement il se lisait ainsi :

> h) l'Alberta Lotteries;

L'alinéa 3h) a été ajouté par C.P. 1998-1551 [DORS/98-440], 26 août 1998, par. 4(2) et est réputé entré en vigueur le 31 décembre 1990.

L'alinéa 3i) a été ajouté par C.P. 1998-1551 [DORS/98-440], 26 août 1998, par. 4(2) est réputé entré en vigueur le 1er juillet 1993.

L'alinéa 3j) a été ajouté par C.P. 1998-1551 [DORS/98-440], 26 août 1998, par. 4(2) et est réputé entré en vigueur le 2 juin 1994.

L'alinéa 3k) a été abrogé par C.P. 2011-263 [DORS/2011-56], 3 mars 2011, par. 10(2) et cette modification est réputée être entrée en vigueur le 1er avril 2000. Antérieurement, il se lisait ainsi :

> k) la Société des casinos de l'Ontario;

L'alinéa 3k) a été ajouté par C.P. 2011-263 [DORS/2011-56], 3 mars 2011, par. 10(3) et est réputé être entré en vigueur le 26 juin 2008.

L'alinéa 3k) a été ajouté par C.P. 1998-1551 [DORS/98-440], 26 août 1998, par. 4(2) et est réputé entré en vigueur le 2 décembre 1993.

L'alinéa 3l) a été ajouté par C.P. 1998-1551 [DORS/98-440], 26 août 1998, par. 4(2) et est réputé entré en vigueur le 15 février 1995.

L'alinéa 3m) a été remplacé par C.P. 2011-263 [DORS/2011-56], 3 mars 2011, par. 10(4) et cette modification est réputée être entrée en vigueur le 31 décembre 1990. Toutefois, pour ce qui est de toute fourniture effectuée avant le 4 octobre 2003 :

> a) il n'est pas tenu compte des alinéas c) et d) de la définition de « coût imputable » au paragraphe 5(1) du *Règlement sur les jeux de hasard (TPS/TVH)*, édictée par le paragraphe 11(4);
>
> b) la mention « de bien meuble corporel ou d'immeuble » à la division d)(iii)(A) de l'élément A1 de la formule figurant au paragraphe 7(7) du *Règlement sur les jeux de hasard (TPS/TVH)*, édictée par le paragraphe 12(13), vaut mention de « d'immeuble »;
>
> c) l'article 13 ne s'applique pas au crédit de taxe sur les intrants ou au crédit de taxe sur les intrants imputé qu'une administration provinciale de jeux et paris demande dans une déclaration produite aux termes de la section V de la partie IX de la *Loi sur la taxe d'accise* avant le 3 octobre 2003.

Antérieurement, il se lisait ainsi :

> m) la société qui est une filiale à cent pour cent de l'inscrit visé à l'un des alinéas du présent article, sauf l'alinéa g) et le présent alinéa.

L'alinéa 3m) a été ajouté par C.P. 1998-1551 [DORS/98-440], 26 août 1998, par. 4(2) et est réputé entré en vigueur le 31 décembre 1990.

Partie II — Jeux de hasard

Notes historiques: La Partie II et l'intertitre précédant l'art. 4 ont été ajoutés par C.P. 1998-1551 [DORS/98-440], 26 août 1998, art. 5 et sont réputés entrés en vigueur le 31 décembre 1990.

4. Jeux de hasard — Sont visés pour l'application de l'alinéa l i) de la partie V.1 de l'annexe V de la Loi et de l'article 5.1 de la partie VI de cette annexe les jeux de hasard organisés par les personnes énumérés à l'article 3.

Notes historiques: L'art. 4 a été remplacé par C.P. 1998-1551 [DORS/98-440], 26 août 1998, art. 5 et est réputé entré en vigueur le 31 décembre 1990. Toutefois pour ce qui est des jeux de hasard auxquels le droit de jouer ou de participer a été fourni pour une contrepartie qui est devenue due ou a été payée avant 1997, l'article 4 est remplacé par ce qui suit :

> 4. Pour l'application de l'article 5.1 de la partie VI de l'annexe V de la Loi, sont visés les jeux de hasard organisés par les personnes énumérées à l'article 3.

Antérieurement il se lisait ainsi :

4. Jeux de hasard — Pour l'application de l'article 5.1 de la partie VI de l'annexe V de la Loi, sont visés les jeux de hasard organisés par les personnes suivantes :

a) les personnes mentionnées aux alinéas 3a) à f);

b) la Société de la loterie interprovinciale.

PARTIE III — TAXE NETTE DES INSCRITS

Définitions et interprétation

Notes historiques: La Partie III et l'intertitre précédant l'art. 5 ont été ajoutés par C.P. 1998-1551 [DORS/98-440], 26 août 1998, par. 6(1) et sont réputés entrés en vigueur le 31 décembre 1990.

5. (1) Définitions — Les définitions qui suivent s'appliquent à la présente partie.

« activité de jeu » Activité commerciale d'une administration provinciale de jeux et paris, sauf dans la mesure où elle comporte la réalisation par l'administration de fournitures non liées au jeu. Y est assimilé tout acte accompli par l'administration à l'occasion de l'acquisition, de la mise sur pied, de l'aliénation ou de la cessation de l'activité commerciale.

Notes historiques: La définition de « activité de jeu » au par. 5(1) a été ajoutée par C.P. 1998-1551 [DORS/98-440], 26 août 1998, par. 6(1)et est réputée entrée en vigueur le 31 décembre 1990.

« activité non liée au jeu » Activité commerciale d'une administration provinciale de jeux et paris, sauf dans la mesure où elle consiste en une activité de jeu.

Notes historiques: La définition de « activité non liée au jeu » au par. 5(1) a été ajoutée par C.P. 1998-1551 [DORS/98-440], 26 août 1998, par. 6(1) et est réputée entrée en vigueur le 31 décembre 1990.

« administration provinciale de jeux et paris » Inscrit visé à l'article 3, à l'exception de l'inscrit mentionné aux alinéas 3g) ou m).

Notes historiques: La définition de « administration provinciale de jeux et paris » au par. 5(1) a été ajoutée par C.P. 1998-1551 [DORS/98-440], 26 août 1998, par. 6(1) et est réputée entrée en vigueur le 31 décembre 1990.

« billet de loterie instantanée » Billet, carte ou autre imprimé qui représente le droit de jouer ou de participer à une loterie instantanée ou en fait foi.

Notes historiques: La définition de « billet de loterie instantanée » au par. 5(1) a été ajoutée par C.P. 1998-1551 [DORS/98-440], 26 août 1998, par. 6(1) et est réputée entrée en vigueur le 31 décembre 1990.

« contrepartie » N'est pas une contrepartie de la fourniture d'un service (sauf un service visé au paragraphe (2)) effectuée au profit d'une administration provinciale de jeux et paris par son distributeur un montant de remboursement.

Notes historiques: La définition de « contrepartie » au par. 5(1) a été ajoutée par C.P. 1998-1551 [DORS/98-440], 26 août 1998, par. 6(1) et est réputée entrée en vigueur le 31 décembre 1990.

« coût imputable »Le coût imputable pour une période donnée, relativement à la fourniture par bail d'un bien meuble corporel ou d'un immeuble effectuée au profit d'une administration provinciale de jeux et paris, correspond à la somme des montants suivants :

a) le total des montants représentant chacun la partie du coût en capital du bien ou de l'immeuble pour le fournisseur qu'il est raisonnable d'attribuer à une période de location pour laquelle un paiement faisant partie de la contrepartie de la fourniture devient dû au cours de la période donnée ou est payé au cours de cette période sans être devenu dû;

b) le total des montants représentant chacun un montant, non visé à l'alinéa a), qui représente un coût pour le fournisseur qu'il est raisonnable d'attribuer à la réalisation de la fourniture pour une période de location visée à cet alinéa, à l'exception, dans le cas d'une fourniture à laquelle l'article 16 s'applique, de toute partie de ce coût qui est déduite de la valeur de la contrepartie de la fourniture dans le calcul, prévu à cet article, du montant qui est réputé être la taxe payable relativement à la fourniture;

c) toute perte en capital résultant de la disposition du bien ou de l'immeuble par le fournisseur qui est recouvrée de l'administration au cours de la période donnée;

d) le montant qui, à un moment de la période donnée, est constaté dans les livres de compte du fournisseur à titre de perte non recouvrable et qui représente l'excédent de la fraction non amortie du coût en capital du bien ou de l'immeuble sur sa juste valeur marchande à ce moment.

Notes historiques: La définition de « coût imputable » au par. 5(1) a été ajoutée par C.P. 2011-263 [DORS/2011-56], 3 mars 2011, par. 11(4) et est réputée être entrée en vigueur le 31 décembre 1990. Toutefois, pour ce qui est de toute fourniture effectuée avant le 4 octobre 2003 :

a) il n'est pas tenu compte des alinéas c) et d) de la définition de « coût imputable » au paragraphe 5(1) du *Règlement sur les jeux de hasard (TPS/TVH)*, édictée par le paragraphe 11(4);

b) la mention « de bien meuble corporel ou d'immeuble » à la division d)(iii)(A) de l'élément A1 de la formule figurant au paragraphe 7(7) du *Règlement sur les jeux de hasard (TPS/TVH)*, édictée par le paragraphe 12(13), vaut mention de « d'immeuble »;

c) l'article 13 ne s'applique pas au crédit de taxe sur les intrants ou au crédit de taxe sur les intrants imputé qu'une administration provinciale de jeux et paris demande dans une déclaration produite aux termes de la section V de la partie IX de la *Loi sur la taxe d'accise* avant le 3 octobre 2003.

« crédit de taxe sur les intrants imputé » Montant qui correspondrait au crédit de taxe sur les intrants relatif à un bien ou à un service pour une période de déclaration d'une administration provinciale de jeux et paris si le montant au titre du bien ou du service que l'administration est tenue d'inclure, en application de l'un des sous-alinéas d) (i) à (iii) de l'élément A1 de la formule figurant au paragraphe 7(7), dans le calcul de la taxe imputée payable par elle pour la période était une taxe qui est devenue payable par elle au cours de la période relativement au bien ou au service.

Notes historiques: La définition de « crédit de taxe sur les intrants imputé » au paragraphe 5(1) a été ajoutée par C.P. 1998-1551 [DORS/98-440], 26 août 1998, par. 6(2) et est réputée entrée en vigueur le 30 janvier 1998 et s'applique aux fins du calcul de la taxe nette des administrations provinciales de jeux et paris pour les périodes de déclaration commençant à cette date ou postérieurement.

« distributeur » S'entend au sens du paragraphe 188.1(1) de la Loi.

Notes historiques: La définition de « distributeur » au par. 5(1) a été ajoutée par C.P. 1998-1551 [DORS/98-440], 26 août 1998, par. 6(1) et est réputée entrée en vigueur le 31 décembre 1990.

« droit » Quant à une administration provinciale de jeux et paris, s'entend au sens du paragraphe 188.1(1) de la Loi.

Notes historiques: La définition de « droit » au par. 5(1) a été ajoutée par C.P. 1998-1551 [DORS/98-440], 26 août 1998, par. 6(1) et est réputée entrée en vigueur le 31 décembre 1990.

« fabrication » Y sont assimilés la production, le traitement et l'emballage d'un bien.

Notes historiques: La définition de « fabrication » au par. 5(1) a été ajoutée par C.P. 1998-1551 [DORS/98-440], 26 août 1998, par. 6(1) et est réputée entrée en vigueur le 31 décembre 1990.

« fourniture de promotion »Les fournitures ci-après effectuées par une administration provinciale de jeux et paris :

a) la fourniture d'un bien (sauf la fourniture par vente d'une immobilisation de l'administration) effectuée à titre gratuit ou pour une contrepartie symbolique;

b) la fourniture par vente d'un des biens ou services ci-après, effectuée pour une contrepartie inférieure au coût de base du bien ou du service pour l'administration :

(i) un service ou un bien meuble incorporel acheté par l'administration,

(ii) un bien meuble corporel (sauf une immobilisation de l'administration).

Notes historiques: La définition de « fourniture de promotion » au paragraphe 5(1) a été remplacée par C.P. 2011-263 [DORS/2011-56], 3 mars 2011, par. 11(1). Cette modification s'applique aux fournitures effectuées après le 5 juillet 2000. Antérieurement, il se lisait ainsi :

« fourniture de promotion » Les fournitures ci-après effectuées par une administration provinciale de jeux et paris :

a) la fourniture d'un bien (sauf la fourniture par vente d'une immobilisation de l'administration) effectuée à titre gratuit ou pour une contrepartie symbolique;

b) la fourniture par vente d'un des biens ou services ci-après, effectuée pour une contrepartie inférieure au coût de base du bien ou du service pour l'administration :

(i) un service ou un bien meuble incorporel acheté par l'administration,

(ii) un bien meuble corporel (sauf une immobilisation de l'administration).

La définition de « fourniture de promotion » au par. 5(1) a été ajoutée par C.P. 1998-1551 [DORS/98-440], 26 août 1998, par. 6(1) et est réputée entrée en vigueur le 31 décembre 1990.

« fourniture non liée au jeu » Toute fourniture, sauf les suivantes :

a) la fourniture d'un service qui consiste à accepter un pari dans un jeu de hasard, une course ou un autre événement;

b) la fourniture du droit de jouer ou de participer à un jeu de hasard, ou d'un billet, d'une carte ou d'un autre imprimé qui fait foi d'un tel droit, effectuée au profit d'un des distributeurs d'une administration provinciale de jeux et paris;

c) une fourniture visée à l'alinéa 188.1(4)b) de la Loi qui, sans cet alinéa, serait une fourniture effectuée par une administration provinciale de jeux et paris au profit d'un de ses distributeurs;

d) la fourniture d'un prix et nature;

e) une fourniture de promotion.

Notes historiques: La définition de « fourniture non liée au jeu » au par. 5(1) a été ajoutée par C.P. 1998-1551 [DORS/98-440], 26 août 1998, par. 6(1) et est réputée entrée en vigueur le 31 décembre 1990.

« impôt foncier » Impôt prélevé par une municipalité ou autre administration locale sur un immeuble ou relativement à la propriété, à l'occupation ou à l'utilisation d'un immeuble.

Notes historiques: La définition de « impôt foncier » au par. 5(1) a été ajoutée par C.P. 1998-1551 [DORS/98-440], 26 août 1998, par. 6(1) et est réputée entrée en vigueur le 31 décembre 1990.

« loterie instantanée » Jeu de hasard dans lequel le droit de jouer ou de participer est constaté par un billet, une carte ou un autre imprimé renfermant des renseignements suffisants, à eux seuls, pour établir si le détenteur de l'imprimé a droit à un prix ou à des gains.

Notes historiques: La définition de « loterie instantanée » au par. 5(1) a été ajoutée par C.P. 1998-1551 [DORS/98-440], 26 août 1998, par. 6(1) et est réputée entrée en vigueur le 31 décembre 1990.

« montant de remboursement » Montant de contrepartie, au sens du paragraphe 123(1) de la Loi, qui, à la fois :

a) est payé ou payable par une administration provinciale de jeux et paris à l'un de ses distributeurs à titre d'indemnité ou de remboursement relatif à une dépense engagée ou à engager par lui autrement qu'en sa qualité de mandataire de l'administration;

b) est facturé ou demandé à l'administration séparément de montants qui ne se rapportent pas à des dépenses précises engagées ou à engager par le distributeur.

Notes historiques: Le préambule de la définition de « montant de remboursement », au paragraphe 5(1) a été remplacé par C.P. 2011-263 [DORS/2011-56], 3 mars 2011, par. 11(2). Cette modification est réputée être entrée en vigueur le 31 décembre 1990. Toutefois, pour ce qui est de toute fourniture effectuée avant le 4 octobre 2003 :

a) il n'est pas tenu compte des alinéas c) et d) de la définition de « coût imputable » au paragraphe 5(1) du *Règlement sur les jeux de hasard (TPS/TVH)*, édictée par le paragraphe 11(4);

b) la mention « de bien meuble corporel ou d'immeuble » à la division d)(iii)(A) de l'élément A1 de la formule figurant au paragraphe 7(7) du *Règlement sur les jeux de hasard (TPS/TVH)*, édictée par le paragraphe 12(13), vaut mention de « d'immeuble »;

c) l'article 13 ne s'applique pas au crédit de taxe sur les intrants ou au crédit de taxe sur les intrants imputé qu'une administration provinciale de jeux et paris demande dans une déclaration produite aux termes de la section V de la partie IX de la *Loi sur la taxe d'accise* avant le 3 octobre 2003.

Antérieurement, il se lisait ainsi :

« montant de remboursement »Montant de contrepartie qui, à la fois :

La définition de « montant de remboursement » au par. 5(1) a été ajoutée par C.P. 1998-1551 [DORS/98-440], 26 août 1998, par. 6(1) et est réputée entrée en vigueur le 31 décembre 1990.

« montant de remboursement non lié au jeu »Montant de remboursement payé ou payable par une administration provinciale de jeux et paris qui se rapporte à une dépense engagée par l'un de ses distributeurs et qui représente une partie du coût, pour elle, de la réalisation de fournitures non liées au jeu.

Notes historiques: La définition de « montant de remboursement non lié au jeu » au par. 5(1) a été ajoutée par C.P. 2011-263 [DORS/2011-56], 3 mars 2011, par. 11(4) et est réputée être entrée en vigueur le 31 décembre 1990. Toutefois, pour ce qui est de toute fourniture effectuée avant le 4 octobre 2003 :

a) il n'est pas tenu compte des alinéas c) et d) de la définition de « coût imputable » au paragraphe 5(1) du *Règlement sur les jeux de hasard (TPS/TVH)*, édictée par le paragraphe 11(4);

b) la mention « de bien meuble corporel ou d'immeuble » à la division d)(iii)(A) de l'élément A1 de la formule figurant au paragraphe 7(7) du *Règlement sur les jeux de hasard (TPS/TVH)*, édictée par le paragraphe 12(13), vaut mention de « d'immeuble »;

c) l'article 13 ne s'applique pas au crédit de taxe sur les intrants ou au crédit de taxe sur les intrants imputé qu'une administration provinciale de jeux et paris demande dans une déclaration produite aux termes de la section V de la partie IX de la *Loi sur la taxe d'accise* avant le 3 octobre 2003.

« montant de remboursement non taxable » Montant de remboursement payé ou payable au distributeur d'une administration provinciale de jeux et paris relativement à une dépense engagée par le distributeur à l'occasion de la fourniture d'un service d'exploitation de casino à l'administration, dans le cas ou la dépense est :

a) soit la contrepartie (sauf des intérêts) d'une fourniture effectuée au profit du distributeur, sauf une fourniture qui serait réputée par le paragraphe 188.1(4) de la Loi ne pas en être une si elle était effectuée au profit de l'administration et non du distributeur, qui est, selon le cas :

(i) la fourniture exonérée d'un bien meuble ou d'un service,

(ii) une fourniture détaxée,

(iii) une fourniture taxable dont la contrepartie, en tout ou en partie, n'est pas incluse, par l'effet de l'article 166 de la Loi, dans le calcul de la taxe payable relativement à la fourniture;

b) soit un impôt foncier payable par le distributeur.

Notes historiques: L'alinéa a) de la définition de « montant de remboursement non taxable » au paragraphe 5(1) a été remplacé par C.P. 2011-263 [DORS/2011-56], 3 mars 2011, par. 11(3). Cette modification est réputée être entrée en vigueur le 3 octobre 2003. Antérieurement, il se lisait ainsi :

a) soit la contrepartie (sauf des intérêts) d'une fourniture exonérée de bien meuble ou de service, ou d'une fourniture détaxée, effectuée au profit du distributeur, sauf une fourniture qui serait réputée par le paragraphe 188.1(4) de la Loi ne pas en être une si elle était effectuée au profit de l'administration et non du distributeur;

La définition de « montant de remboursement non taxable » au par. 5(1) a été ajoutée par C.P. 1998-1551 [DORS/98-440], 26 août 1998, par. 6(1) et est réputée entrée en vigueur le 31 décembre 1990.

« période de location »En ce qui concerne la fourniture d'un bien par bail, période à laquelle un paiement faisant partie de la contrepartie de la fourniture est attribuable et qui correspond à tout ou partie de la période pendant laquelle la convention portant sur la fourniture permet la possession ou l'utilisation du bien.

Notes historiques: La définition de « période de location » au par. 5(1) a été ajoutée par C.P. 2011-263 [DORS/2011-56], 3 mars 2011, par. 11(4) et est réputée être entrée en vigueur le 31 décembre 1990. Toutefois, pour ce qui est de toute fourniture effectuée avant le 4 octobre 2003 :

a) il n'est pas tenu compte des alinéas c) et d) de la définition de « coût imputable » au paragraphe 5(1) du *Règlement sur les jeux de hasard (TPS/TVH)*, édictée par le paragraphe 11(4);

b) la mention « de bien meuble corporel ou d'immeuble » à la division d)(iii)(A) de l'élément A1 de la formule figurant au paragraphe 7(7) du *Règlement sur les jeux de hasard (TPS/TVH)*, édictée par le paragraphe 12(13), vaut mention de « d'immeuble »;

c) l'article 13 ne s'applique pas au crédit de taxe sur les intrants ou au crédit de taxe sur les intrants imputé qu'une administration provinciale de jeux et paris demande dans une déclaration produite aux termes de la section V de la partie IX de la *Loi sur la taxe d'accise* avant le 3 octobre 2003.

« prix en nature » Bien ou service remis à titre de prix ou de gains dans le cadre d'un jeu de hasard.

Notes historiques: La définition de « prix en nature » au par. 5(1) a été ajoutée par C.P. 1998-1551 [DORS/98-440], 26 août 1998, par. 6(1) et est réputée entrée en vigueur le 31 décembre 1990.

« produit du bingo Superstar » Les sommes — représentant un pourcentage du produit tiré du jeu de bingo appelé *Superstar* organisé par la Société des loteries de l'Ontario — que cette société verse à la *Provincial Bingo Charitable Activities Association*, qui les reçoit à titre de mandataire d'autres organismes à but non lucratif ou de bienfaisance.

Notes historiques: La définition de « produit du bingo Superstar » au par. 5(1) a été ajoutée par C.P. 1998-1551 [DORS/98-440], 26 août 1998, par. 6(1) et est réputée entrée en vigueur le 31 décembre 1990.

« service d'exploitation de casino » Service consistant à gérer et à administrer les activités de jeux courantes d'une administration provinciale de jeux et paris rattachées à l'un de ses casinos, et à en assurer le déroulement.

Notes historiques: La définition de « service d'exploitation de casino » au par. 5(1) a été ajoutée par C.P. 1998-1551 [DORS/98-440], 26 août 1998, par. 6(1) et est réputée entrée en vigueur le 31 décembre 1990.

« valeur nominale » La valeur nominale du droit de jouer ou de participer à un jeu de hasard qui est constaté par un billet, une carte ou un autre imprimé ou la valeur nominale d'un tel imprimé s'entend de la somme indiquée sur l'imprimé qui en représente le prix comprenant la taxe prévue à la partie IX de la Loi.

Notes historiques: La définition de « valeur nominale » au par. 5(1) a été ajoutée par C.P. 1998-1551 [DORS/98-440], 26 août 1998, par. 6(1) et est réputée entrée en vigueur le 31 décembre 1990.

(2) Coût de base — Pour l'application de la présente partie, le coût de base d'un bien meuble ou d'un service pour une administration provinciale de jeux et paris correspond à celui des montants suivants qui est applicable :

a) dans le cas d'un aliment ou d'une boisson préparé par l'administration, le total des contreparties payées ou payables par elle pour l'achat de l'aliment ou de la boisson et des ingrédients entrant dans sa préparation, dans la mesure où ces contreparties représentent un coût pour elle de l'aliment ou de la boisson;

b) dans le cas d'un bien meuble corporel donné (sauf un aliment ou une boisson) fabriqué en tout ou en partie par ou pour l'administration, le total des contreparties payées ou payables par elle pour l'achat des biens et services suivants, dans la mesure où ces contreparties représentent un coût pour elle du bien donné :

(i) un bien meuble corporel qui est incorporé au bien donné ou qui en est une partie constituante ou une composante,

(ii) un bien meuble corporel consommé ou utilisé directement dans le processus de fabrication du bien donné,

(iii) un service consistant à fabriquer le bien donné en tout ou en partie;

c) dans le cas d'un bien meuble corporel qui est acheté par l'administration et qui ne fait pas l'objet d'une étape ultérieure de fabrication par ou pour elle, la contrepartie payée ou payable par elle pour l'achat du bien;

d) dans le cas d'un service ou d'un bien meuble incorporel, la contrepartie payée ou payable par l'administration pour l'achat du service ou du bien.

Notes historiques: Le préambule du paragraphe 5(2) a été remplacé par C.P. 2011-263 [DORS/2011-56], 3 mars 2011, par. 11(5) et cette modification s'applique aux fournitures effectuées après le 5 juillet 2000. Antérieurement, il se lisait ainsi :

(2) Coût de base — Pour l'application de la présente partie, le coût de base d'un bien meuble corporel ou d'un service pour une administration provinciale de jeux et paris correspond au montant suivant :

L'alinéa 5(2)d) a été remplacé par C.P. 2011-263 [DORS/2011-56], 3 mars 2011, par. 11(6) et cette modification s'applique aux fournitures effectuées après le 5 juillet 2000. Antérieurement, il se lisait ainsi :

d) dans le cas d'un service, la contrepartie payée ou payable par l'administration pour l'achat du service.

Le paragraphe 5(2) a été ajouté par C.P. 1998-1551 [DORS/98-440], 26 août 1998, par. 6(1) et est réputé entré en vigueur le 31 décembre 1990.

(2.1) Exclusion — La fourniture d'un bien ou d'un service donné, effectuée par une administration provinciale de jeux et paris, n'est pas visée par la définition de « fourniture de promotion » au paragraphe (1) dans le cas où l'administration pourrait, en l'absence du présent paragraphe, inclure, dans le calcul de la valeur de l'élément A2 de la formule figurant au paragraphe 7(7) ou de la valeur de l'élément B de la formule figurant à l'article 8, la totalité ou une partie d'un crédit de taxe sur les intrants relatif :

a) au bien ou service donné;

b) à un service de fabrication du bien donné;

c) à un autre bien meuble corporel que l'administration a acquis, importé ou transféré dans une province participante pour qu'il entre dans la préparation du bien donné ou pour qu'il y soit incorporé, en soit une partie constitutive ou soit consommé ou utilisé directement dans sa fabrication.

Notes historiques: Le paragraphe 5(2.1) a été ajouté par C.P. 2011-263 [DORS/2011-56], 3 mars 2011, par. 11(7) et s'applique aux fournitures effectuées après le 5 juillet 2000.

(2.2) Réduction de la contrepartie — Pour l'application de la définition de « fourniture de promotion » au paragraphe (1), si une administration provinciale de jeux et paris, dans le cadre de la fourniture d'un bien ou d'un service :

a) soit accepte de l'acquéreur de la fourniture un bon, une pièce justificative, un reçu, un billet, un imprimé qui, abstraction faite de l'article 181.2 de la Loi, est un certificat-cadeau ou tout autre imprimé pouvant être échangé contre le bien ou le service ou permettant à l'acquéreur d'obtenir une réduction ou un rabais sur le prix du bien ou du service (le montant de la réduction ou du rabais étant appelé « valeur du bon » au présent paragraphe);

b) soit applique, à titre de rabais ou de crédit sur le prix du bien ou du service, un montant (appelé « valeur du crédit » au présent paragraphe) que l'administration a porté au crédit de l'acquéreur,

la contrepartie de la fourniture est réputée être égale au montant qui représenterait, en l'absence de l'article 181 de la Loi, la contrepartie de la fourniture, diminuée de la valeur du bon ou de la valeur du crédit, selon le cas.

Notes historiques: Le paragraphe 5(2.2) a été ajouté par C.P. 2011-263 [DORS/2011-56], 3 mars 2011, par. 11(7) et s'applique aux fournitures effectuées après le 5 juillet 2000.

(2.3) Exception — Le paragraphe (2.2) ne s'applique pas à la fourniture d'un bien ou d'un service effectuée par une administration provinciale de jeux et paris si, selon le cas :

a) le paragraphe 181(2) de la Loi s'applique à la fourniture;

b) la contrepartie de la fourniture est réduite dans les circonstances visées au paragraphe 232(2) de la Loi;

c) le bien ou le service est remis en échange, ou la réduction, le rabais ou le crédit accordé, en remplacement du remboursement ou de la réduction de la totalité ou d'une partie de la contrepartie de la fourniture non liée au jeu, effectuée par l'administration, d'un autre bien ou service.

Notes historiques: Le paragraphe 5(2.3) a été ajouté par C.P. 2011-263 [DORS/2011-56], 3 mars 2011, par. 11(7) et s'applique aux fournitures effectuées après le 5 juillet 2000.

(3) Pari accepté ou engagé — Pour l'application de la présente partie, la vente du droit de jouer ou de participer à un jeu de hasard organisé par une administration provinciale de jeux et paris à une personne autre qu'un distributeur de l'administration est assimilée à la fourniture d'un service qui consiste à accepter, dans le cadre du jeu, un pari d'un montant égal au prix de vente du droit, et l'achat du droit est assimilé au fait d'engager ce pari dans le cadre du jeu.

Notes historiques [par. 5(3)]: Le paragraphe 5(3) a été ajouté par C.P. 1998-1551 [DORS/98-440], 26 août 1998, par. 6(1) et est réputé entré en vigueur le 31 décembre 1990.

Notes historiques: L'art. 5 a été ajouté par C.P. 1998-1551 [DORS/98-440], 26 août 1998, par. 6(1) et est réputé entré en vigueur le 31 décembre 1990.

Taxe nette des administrations provinciales de jeux et paris

Notes historiques: L'intertitre précédant l'art. 6 du *Règlement sur les jeux de hasard (TPS/TVH)* a été ajouté par C.P. 1998-1551 [DORS/98-440], 26 août 1998, par. 6(1) et est réputé entré en vigueur le 31 décembre 1990.

6. Total de la taxe nette — La taxe nette de l'administration provinciale de jeux et paris pour sa période de déclaration correspond au montant positif ou négatif obtenu par la formule suivante :

$$A + B$$

où :

A représente la taxe nette de l'administration pour la période imputable à des activités de jeu, déterminée selon l'article 7;

B le montant positif ou négatif de sa taxe nette pour la période imputable à des activités non liées au jeu; déterminée selon l'article 8.

Notes historiques: L'article 6 a été ajouté par C.P. 1998-1551 [DORS/98-440], 26 août 1998, par. 6(1) et est réputé entré en vigueur le 31 décembre 1990.

7. (1) Taxe nette imputable à des activités de jeu — La taxe nette de l'administration provinciale de jeux et paris imputable à des activités de jeu pour sa période de déclaration correspond au montant obtenu par la formule suivante :

$$A - B$$

où :

A représente le total des montants que l'administration est tenue d'ajouter, en application des paragraphes (2) ou (3), dans le calcul de sa taxe nette pour la période;

B la somme de ses crédits pour la période relatifs aux prix ou gains, déterminés selon les paragraphes (4) ou (5), et de ses crédits supplémentaires relatifs à des activités de jeu pour la période, déterminés selon le paragraphe (6).

(2) Paris acceptés — L'administration provinciale de jeux et paris auprès de laquelle une personne engage un pari (autrement que par l'achat d'un billet de loterie instantanée auprès d'un distributeur de l'administration) est tenue d'ajouter, dans le calcul de sa taxe nette imputable à des activités de jeu pour la période de déclaration où il peut être établi si un montant est payable au titre d'un prix ou de gains relatifs au pari, le montant obtenu par la formule suivante :

$$\left(\frac{A}{B}\right) \times (C - D)$$

où :

A représente :

a) si la personne a engagé le pari dans une province participante, la somme du taux fixé au paragraphe 165(1) de la Loi et du taux de taxe applicable à cette province,

b) dans les autres cas, le taux fixé au paragraphe 165(1) de la Loi;

B la somme de 100 % et du pourcentage déterminé selon l'élément A;

C le montant total versé par la personne relativement au pari, y compris les montants payables par elle relativement au pari au titre de la taxe prévue à la partie IX de la Loi ou d'une taxe prévue par une loi provinciale;

D le montant de toute taxe payable par la personne relativement au pari en vertu d'une loi provinciale.

Notes historiques: L'élément A de la formule figurant au paragraphe 7(2) a été remplacé par C.P. 2011-263 [DORS/2011-56], 3 mars 2011, par. 12(2) et cette modification est réputée être entrée en vigueur le 1er janvier 2008. Antérieurement, il se lisait ainsi :

A :

(a) si la personne a engagé le pari dans une province participante, la somme de 6% et du taux de taxe applicable à cette province,

(b) dans les autres cas, 6 %,

L'élément A de la formule figurant au paragraphe 7(2) a été remplacé par C.P. 2011-263 [DORS/2011-56], 3 mars 2011, par. 12(1) et cette modification est réputée être entrée en vigueur le 1er juillet 2006. Antérieurement, il se lisait ainsi :

A :

(a) si la personne a engagé le pari dans une province participante, la somme de 7 % et du taux de taxe applicable à cette province,

(b) dans les autres cas, 7 %;

(3) Fourniture d'un billet de loterie instantanée — Lorsque l'administration provinciale de jeux et paris a livré ou convenu de livrer un billet de loterie instantanée à l'un de ses distributeurs et que ce dernier, au cours d'une période de déclaration de l'administration, lui paie un montant au titre du billet ou devient redevable d'un tel montant, l'administration est tenue d'ajouter, dans le calcul de sa taxe nette imputable à des activités de jeu pour la période, le montant obtenu par la formule suivante :

$$\left(\frac{A}{B}\right) \times (C - D)$$

où :

A représente :

a) si le billet a été ou doit être livré au distributeur dans une province participante, la somme du taux fixé au paragraphe 165(1) de la Loi et du taux de taxe applicable à cette province,

b) dans les autres cas, le taux fixé au paragraphe 165(1) de la Loi;

B la somme de 100 % et du pourcentage déterminé selon l'élément A;

C la valeur nominale du billet, y compris tout montant payable par le distributeur relativement au billet au titre d'une taxe prévue par une loi provinciale;

D le montant de toute taxe payable par le distributeur relativement au billet en vertu d'une loi provinciale.

Notes historiques: L'élément A de la formule figurant au paragraphe 7(3) a été remplacé par C.P. 2011-263 [DORS/2011-56], 3 mars 2011, par. 12(4) et cette modification est réputée être entrée en vigueur le 1er janvier 2008. Antérieurement, il se lisait ainsi :

A :

(a) si le billet a été ou doit être livré au distributeur dans une province participante, la somme de 6% et du taux de taxe applicable à cette province,

(b) dans les autres cas, 6 %,

L'élément A de la formule figurant au paragraphe 7(3) a été remplacé par C.P. 2011-263 [DORS/2011-56], 3 mars 2011, par. 12(3) et cette modification est réputée être entrée en vigueur le 1er juillet 2006. Antérieurement, il se lisait ainsi :

A :

(a) si le billet a été ou doit être livré au distributeur dans une province participante, la somme de 7 % et du taux de taxe applicable à cette province,

(b) dans les autres cas, 7 %;

(4) Prix et gains — Le crédit de l'administration provinciale de jeux et paris pour sa période de déclaration relativement à une somme d'argent dont elle devient redevable, au cours de la période, au titre d'un prix ou de gains dans le cadre d'un jeu de hasard qu'elle organise (sauf un prix ou des gains relatifs à un pari engagé par l'achat d'un billet de loterie instantanée auprès de l'un de ses distributeurs) correspond au montant obtenu par la formule suivante :

$$\left(\frac{A}{B}\right) \times C$$

où :

Règlements

A représente :

a) si le pari relativement auquel le prix ou les gains deviennent payables a été engagé dans une province participante, la somme du taux fixé au paragraphe 165(1) de la Loi et du taux de taxe applicable à cette province,

b) dans les autres cas, le taux fixé au paragraphe 165(1) de la Loi;

B la somme de 100 % et du pourcentage déterminé selon l'élément A;

C la somme d'argent.

Notes historiques: L'élément A de la formule figurant au paragraphe 7(4) a été remplacé par C.P. 2011-263 [DORS/2011-56], 3 mars 2011, par. 12(6) et cette modification est réputée être entrée en vigueur le 1er janvier 2008. Antérieurement, il se lisait ainsi :

A :

(a) si le pari relativement auquel le prix ou les gains deviennent payables a été engagé dans une province participante, la somme de 6% et du taux de taxe applicable à cette province,

(b) dans les autres cas, 6 %,

L'élément A de la formule figurant au paragraphe 7(4) a été remplacé par C.P. 2011-263 [DORS/2011-56], 3 mars 2011, par. 12(5) et cette modification est réputée être entrée en vigueur le 1er juillet 2006. Antérieurement, il se lisait ainsi :

A :

(a) si le pari relativement auquel le prix ou les gains deviennent payables a été engagé dans une province participante, la somme de 7 % et du taux de taxe applicable à cette province,

(b) dans les autres cas, 7 %;

(5) Prix relatif à un billet de loterie instantanée — Le crédit de l'administration provinciale de jeux et paris pour sa période de déclaration relativement à un prix ou des gains sur un billet de loterie instantanée d'un type déterminé qu'elle a livré ou convenu de livrer à l'un de ses distributeurs et au titre duquel ce dernier lui paie un montant, ou devient redevable d'un montant, au cours de la période correspond au montant obtenu par la formule suivante :

$$\left(\frac{A}{B}\right) \times C$$

où :

A représente :

a) si le billet a été ou doit être livré au distributeur dans une province participante, la somme du taux fixé au paragraphe 165(1) de la Loi et du taux de taxe applicable à cette province,

b) dans les autres cas, le taux fixé au paragraphe 165(1) de la Loi;

B la somme de 100 % et du pourcentage déterminé selon l'élément A;

C la valeur espérée, déterminée selon des probabilités mathématiques, du prix ou des gains sur chaque billet de loterie instantanée de ce type fourni par l'administration.

Notes historiques: L'élément A de la formule figurant au paragraphe 7(5) a été remplacé par C.P. 2011-263 [DORS/2011-56], 3 mars 2011, par. 12(8) et cette modification est réputée être entrée en vigueur le 1er janvier 2008. Antérieurement, il se lisait ainsi :

A :

(a) si le billet a été ou doit être livré au distributeur dans une province participante, la somme de 6% et du taux de taxe applicable à cette province,

(b) dans les autres cas, 6 %,

L'élément A de la formule figurant au paragraphe 7(5) a été remplacé par C.P. 2011-263 [DORS/2011-56], 3 mars 2011, par. 12(7) et cette modification est réputée être entrée en vigueur le 1er juillet 2006. Antérieurement, il se lisait ainsi :

A :

(a) si le billet a été ou doit être livré au distributeur dans une province participante, la somme de 7 % et du taux de taxe applicable à cette province,

(b) dans les autres cas, 7 %;

(6) Crédit supplémentaire — Le crédit supplémentaire de l'administration provinciale de jeux et paris relativement à des activités de jeu pour sa période de déclaration correspond au montant obtenu par la formule suivante :

$$A - B - C$$

où :

A représente le total des montants représentant chacun un montant que l'administration est tenue d'ajouter, en application des paragraphes (2) ou (3), dans le calcul de sa taxe nette pour la période;

B le total des montants représentant chacun un crédit de l'administration relativement à un prix ou des gains pour la période, déterminé selon les paragraphes (4) ou (5);

C la taxe imputée payable par elle sur les frais de jeu pour la période, déterminée selon le paragraphe (7).

(7) Taxe imputée sur les frais de jeu — La taxe imputée payable par l'administration provinciale de jeux et paris sur les frais de jeu pour une période de déclaration donnée correspond au montant obtenu par la formule suivante :

$$A + B + C + D + E$$

où :

A représente le montant obtenu par la formule suivante :

$$A_1 - A_2$$

où :

A_1 représente le total des montants représentant chacun, selon le cas :

a) la taxe (sauf celle qui est réputée par les paragraphes 206(2) ou (3) de la Loi avoir été payée ou qui est calculée sur un montant de remboursement) qui est devenue payable par l'administration au cours de la période donnée, ou qui a été payée par elle au cours de cette période sans qu'elle soit devenue payable, au titre d'un bien ou d'un service (sauf un service d'exploitation de casino ou un prix en nature) qu'elle a acquis ou importé,

a.1) le double du montant déterminé selon l'article 13 pour la période donnée qui représente la taxe imputée payable par l'administration relativement aux dépenses engagées par la Société de la loterie interprovinciale,

b) la taxe que l'administration est réputée avoir perçue au cours de la période donnée aux termes du paragraphe 206(5) de la Loi,

b.1) un montant de taxe, sauf le montant visé au sous-alinéa d)(ii), relatif à une fourniture réputée, en vertu du paragraphe 143(1) de la Loi, avoir été effectuée à l'étranger (à l'exception d'une fourniture visée au paragraphe 178.8(2) de la Loi) qui serait devenu payable par l'administration au cours de la période donnée si la fourniture avait été effectuée au Canada par un inscrit,

c) le total des montants dont chacun s'obtient par la formule suivante :

$$A_3 \times A_4$$

où :

A_3 représente un montant de remboursement (sauf un montant de remboursement non lié au jeu) qui est devenu payable par l'administration au cours de la période donnée, ou qui a été payé par elle au cours de cette période sans être devenu payable, à l'un de ses distributeurs, à l'exclusion des montants suivants :

(i) un montant de remboursement non taxable,

(ii) un montant de remboursement du coût pour le distributeur du droit de jouer ou de participer à un jeu de hasard qu'il remet gratuitement,

(iii) un montant de remboursement du traitement, salaire ou autre rémunération payé ou payable par lui à l'un de ses salariés dans la mesure où la rémunération représente pour lui un coût lié à la fourniture d'un service d'exploitation de casino à l'administration,

(iv) un montant de remboursement d'une dépense engagée par le distributeur dans le cadre de la fourniture d'un service visé au sous-alinéa 188.1(4)a)(iii) de la Loi,

A_4 :

(i) si le montant de remboursement se rapporte à une fourniture effectuée par le distributeur au profit de l'administration dans une province participante, la somme du taux fixé au paragraphe 165(1) de la Loi et du taux de taxe applicable à cette province,

(ii) dans les autres cas, le taux fixé au paragraphe 165(1) de la Loi,

d) le double de la valeur des montants représentant chacun, selon le cas :

(i) un montant qui, n'eût été les paragraphes 156(2) ou 167(1.1) de la Loi, serait devenu payable par elle au cours de la période donnée au titre de la taxe prévue à la section II de la partie IX de la Loi relativement à une fourniture effectuée à son profit,

(ii) un montant qui serait devenu payable par elle au cours de la période donnée au titre de la taxe prévue aux sections IV ou IV.1 de la partie IX de la Loi si ses activités de jeu n'étaient pas des activités commerciales,

(iii) l'excédent du montant visé à la division (A) sur le montant visé à la division (B) :

(A) le total des montants représentant chacun la taxe qui serait devenue payable par elle au cours de la période donnée en vertu de la section II de la partie IX de la Loi relativement à une fourniture, sauf celle visée aux sous-alinéas (iv) ou (v), effectuée à son profit qui est soit une fourniture taxable de bien ou de service pour une contrepartie inférieure à la juste valeur marchande, soit une fourniture exonérée par bail de bien meuble corporel ou d'immeuble, si la fourniture avait été une fourniture taxable effectuée pour une contrepartie égale à la juste valeur marchande,

(B) le total de la taxe prévue à cette section qui est devenue payable par elle au cours de la période do nnée relativement aux fournitures visées à la division (A),

(iv) le montant de taxe qui serait devenu payable par elle au cours de la période donnée en vertu de la section II de la partie IX de la Loi relativement à une fourniture exonérée d'immeuble par bail effectuée à son profit par sa filiale à cent pour cent qui avait acquis l'immeuble pour une contrepartie égale à la juste valeur marchande, si la fourniture avait été une fourniture taxable et si le montant de la contrepartie de la fourniture, devenue due au cours de la période ou payée au cours de la période sans être devenue due, correspondait au coût imputable de la fourniture pour la période ou, s'il est supérieur, au total des montants de contrepartie de la fourniture, déterminés par ailleurs pour l'application de la partie IX de la Loi, qui sont devenus dus au cours de la période ou qui ont été payés au cours de la période sans être devenus dus,

(v) l'excédent du montant visé à la division (A) sur le montant visé à la division (B) :

(A) le montant de taxe qui serait devenu payable par elle au cours de la période donnée en vertu de la section II de la partie IX de la Loi relativement à une fourniture taxable de bien par bail effectuée à son profit par sa filiale à cent pour cent qui avait acquis le bien pour une contrepartie égale à la juste valeur marchande, si la contrepartie de la fourniture, égale au coût imputable de celle-ci pour la période, était devenue due au cours de la période et si cette contrepartie était la seule contrepartie de la fourniture qui est devenue due au cours de la période ou qui a été payée au cours de la période sans être devenue due,

(B) le total de la taxe prévue à cette section qui est devenue payable par elle au cours de la période donnée relativement à la fourniture,

A_2 le total des montants dont chacun s'obtient par la formule suivante :

$$A_5 \times A_6$$

où :

A_5 représente :

a) soit un crédit de taxe sur les intrants de l'administration pour la période donnée qui se rapporte à un montant inclus selon l'alinéa a) de l'élément A_1 dans le calcul du total visé à cet élément pour cette période,

b) soit le double de la valeur d'un crédit de taxe sur les intrants imputé de l'administration pour la période donnée qui se rapporte à un montant inclus selon l'un des sous-alinéas d) (i) à (iii) de l'élément A_1 dans le calcul du total visé à cet élément pour cette période,

A_6 la mesure (exprimée en pourcentage) dans laquelle l'administration peut inclure, sous réserve de l'article 9, le crédit de taxe sur les intrants ou le crédit de taxe sur les intrants imputé, selon le cas, dans le calcul du présent total pour la période donnée;

B le total des montants représentant chacun un montant de taxe qui serait devenu payable par l'administration au cours de la période donnée relativement à la contrepartie de la fourniture d'un service d'exploitation de casino effectuée à son profit par l'un de ses distributeurs si le paragraphe 188.1(4) de la Loi ne s'était pas appliqué à la fourniture et si la contrepartie de la fourniture avait été égale au montant obtenu par la formule suivante :

$$B_1 - (B_2 + B_3)$$

où :

B_1 représente la contrepartie du service d'exploitation de casino, déterminée selon la partie IX de la Loi compte non tenu de ce paragraphe,

B_2 le total des montants dont chacun s'obtient par la formule suivante :

$$B_4 \times B_5$$

où :

B_4 représente le traitement, salaire ou autre rémunération (sauf le montant visé à l'élément B_6) payé ou payable par le distributeur, ou par une personne (appelée « filiale du distributeur » au présent élément et à l'élément B_6) qui est l'une de ses filiales à cent pour cent, à l'un des salariés du distributeur ou de la filiale du distributeur,

B_5 la mesure (exprimée en pourcentage) dans laquelle ce traitement, salaire ou autre rémunération représente :

(i) soit un coût, pour le distributeur, lié à la fourniture du service d'exploitation de casino à l'administration,

(ii) soit un coût, pour l'administration, lié à la gestion, à l'administration et au déroulement de ses activités de jeu courantes rattachées à l'un de ses casinos,

B_3 le total des montants dont chacun s'obtient par la formule suivante :

$$B_6 \times B_7$$

où :

Règlements

B_6 représente un montant donné qui soit est payé par le distributeur ou la filiale du distributeur à l'un de leurs salariés ou à une personne liée à un tel salarié, soit se rapporte à la fourniture d'un bien ou d'un service effectuée par le distributeur ou la filiale du distributeur au profit d'un tel salarié ou d'une telle personne, et que le salarié est tenu par l'article 6 de la *Loi de l'impôt sur le revenu* d'inclure dans le calcul de son revenu pour son année d'imposition,

B_7 la mesure (exprimée en pourcentage) dans laquelle le montant donné représente :

(i) soit un coût, pour le distributeur, lié à la fourniture du service d'exploitation de casino à l'administration,

(ii) soit un coût, pour l'administration, lié à la gestion, à l'administration et au déroulement de ses activités de jeu courantes rattachées à l'un de ses casinos;

C le total des montants dont chacun s'obtient par le formule suivante :

$$C_1 \times C_2$$

où :

C_1 représente le total des montants dont chacun correspond à un montant qui, sans le paragraphe 188.1(4) de la Loi, correspondrait soit à la contrepartie (sauf le produit du bingo Superstar) d'une fourniture (sauf la fourniture d'un service d'exploitation de casino) effectuée au profit de l'administration par l'un de ses distributeurs, soit à un montant de remboursement payé ou payable par l'administration à l'un de ses distributeurs (à l'exclusion d'un montant de remboursement non lié au jeu, d'un montant de remboursement non taxable, d'un montant de remboursement du coût, pour le distributeur, du droit de jouer ou de participer à un jeu de hasard qu'il remet gratuitement et d'un montant de remboursement du traitement, salaire ou autre rémunération payé ou payable par lui à l'un de ses salariés dans la mesure où la rémunération représente, pour lui, un coût lié à la fourniture d'un service d'exploitation de casino à l'administration), dans le cas où :

a) si le montant représente une commission relative à la vente, effectuée par le distributeur pour le compte de l'administration, du droit de jouer ou de participer à un jeu de hasard (sauf une loterie instantanée), il peut être établi au cours de la période donné si un prix ou des gains étaient payables relativement au droit,

b) dans les autres cas, le montant est devenu dû au distributeur au cours de la période donnée ou lui a été payé au cours de cette période sans qu'il soit devenu dû,

C_2 :

a) si la fourniture donnée effectuée par le distributeur au profit de l'administration a trait à la réalisation de fournitures de droits de l'administration dans une province participante, la somme du taux fixé au paragraphe 165(1) de la Loi et du taux de taxe applicable à cette province,

b) dans les autres cas, le taux fixé au paragraphe 165(1) de la Loi;

D le total des montants représentant chacun, pour chaque distributeur de l'administration, le montant positif ou négatif obtenu par la formule suivante :

$$(D_1 - D_2) \times D_3$$

où :

D_1 représente l'excédent du montant visé à l'alinéa a) sur le montant visé à l'alinéa b) :

a) la valeur nominale totale des droits de l'administration constatés par des billets, cartes ou autres imprimés que le distributeur a acquis de celle-ci en vue de les fournir pour son propre compte autrement qu'à titre de prix en nature et :

(i) dans le cas de billets de loterie instantanée, dont la fourniture par l'administration au profit du distributeur a été effectuée pour une contrepartie devenue due au cours de la période donnée ou payée au cours de cette période sans qu'elle soit devenue due,

(ii) dans les autres cas, à l'égard desquels il peut être établi au cours de la période donnée si des montants sont payables à titre de prix ou de gains,

b) le montant total payé ou payable pour les fournitures visées à l'alinéa a) effectuées au profit du distributeur par l'administration,

D_2 l'excédent du montant visé à l'alinéa a) sur le montant visé à l'alinéa b) :

a) la valeur nominale totale des droits de l'administration constatés par des billets, cartes ou autres imprimés que celle-ci a fournis au distributeur, dont la valeur nominale est incluse dans le calcul de la valeur de l'élément D_1 pour la période donnée ou pour une période de déclaration antérieure de l'administration et que le distributeur retourne à l'administration au cours de la période donnée,

b) le montant total payé ou payable pour les fournitures visées à l'alinéa a) effectuées au profit du distributeur par l'administration,

D_3 :

a) si le distributeur a acquis les imprimés en vue de les fournir dans une province participante, la somme du taux fixé au paragraphe 165(1) de la Loi et du taux de taxe applicable à cette province,

b) dans les autres cas, le taux fixé au paragraphe 165(1) de la Loi;

E :

a) si la période donnée comprend le dernier jour de février d'une année civile, le total des montants éventuels dont chacun s'obtient par la formule suivante :

$$E_1 \times (100\ \% - E_2) \times E_3$$

où :

E_1 représente un montant (appelé « avantage » au présent alinéa) qui :

(i) d'une part :

(A) ou bien a été payé par l'administration à un particulier qui était l'un de ses salariés au cours de l'année civile précédente, ou à une personne liée à un tel particulier,

(B) ou bien se rapporte à la fourniture d'un bien ou d'un service (sauf un bien ou un service relativement auquel l'administration n'avait pas droit à un crédit de taxe sur les intrants par l'effet du paragraphe 170(1) de la Loi) effectuée par l'administration au profit du particulier visé à la division (A) ou d'une personne liée à ce particulier,

(ii) d'autre part, doit, en vertu de l'article 6 de la *Loi de l'impôt sur le revenu*, être inclus dans le calcul du revenu du particulier pour cette année civile précédente,

E_2 la mesure (exprimée en pourcentage) dans laquelle l'avantage représente pour l'administration un coût lié à la réalisation de fournitures non liées au jeu, sauf la fourniture mentionnée à la division (i)(B) de l'élément E1,

E_3 :

(i) si l'avantage est à inclure, en application des alinéas 6(1)k) ou l) de la *Loi de l'impôt sur le revenu*, dans le calcul du revenu du particulier :

(A) lorsque le dernier établissement de l'administration auquel le particulier travaillait ou se présentait habituellement au cours de l'année civile précédente dans le cadre de sa charge ou de son emploi auprès de l'administration est situé :

(I) en Ontario, au Nouveau-Brunswick ou à Terre-Neuve-et-Labrador, le pourcentage figurant à l'alinéa 2a) du *Règlement sur les avantages liés aux dépenses de fonctionnement d'une automobile (TPS/TVH)*,

(II) en Nouvelle-Écosse, le pourcentage figurant à l'alinéa 2b) du *Règlement sur les avantages liés aux dépenses de fonctionnement d'une automobile (TPS/TVH)*,

(III) [*abrogée*],

(B) dans les autres cas, 3 %,

(ii) dans les autres cas, le montant déterminé par la formule suivante :

$$\frac{E_4}{E_5}$$

où :

E_4 représente :

(A) si l'avantage est à inclure en application des alinéas 6(1)a) ou e) de la *Loi de l'impôt sur le revenu* et que le dernier établissement auquel le particulier travaillait ou se présentait habituellement au cours de l'année civile précédente dans le cadre de sa charge ou de son emploi auprès de l'administration est situé dans une province participante, la somme de 4 % et du taux de taxe applicable à la province,

(A.1) [*Abrogée*],

(B) dans les autres cas, 4 %.

E_5 la somme de 100 % et du pourcentage déterminé selon l'élément E_4,

b) dans les autres cas, zéro.

Notes historiques: L'alinéa b.1) de l'élément A_1 de la formule figurant au paragraphe 7(7) a été ajouté par C.P. 2011-263 [DORS/2011-56], 3 mars 2011, par. 12(9) et s'applique aux fournitures effectuées après le 3 octobre 2003.

L'alinéa d) de l'élément A_1 de la formule figurant au paragraphe 7(7) a été ajouté par C.P. 1998-1551 [DORS/98-440], 26 août 1998, par. 6(7) et est réputé entré en vigueur le 30 janvier 1998 et s'applique aux fins du calcul de la taxe nette des administrations provinciales de jeux et paris pour les périodes de déclaration commençant à cette date ou postérieurement. Toutefois, pour le calcul de la taxe nette de ces administrations pour les périodes de déclaration commençant avant la publication du présent règlement dans la *Gazette du Canada*, la division d)(iii)(A) de l'élément A_1 de la formule figurant au paragraphe 7(7) est remplacée par ce qui suit :

(A) le total des montants représentant chacun la taxe qui serait devenue payable par elle au cours de la période donnée en vertu de la section II de la partie IX de la Loi relativement à une fourniture exonérée d'immeuble effectuée par bail à son profit, ou à une fourniture taxable d'immeuble effectuée par bail à son profit pour un montant inférieur à la juste valeur marchande, si la fourniture était une fourniture taxable effectuée pour un montant égal à la juste valeur marchande ou, si l'article 16 s'applique à la fourniture, pour le montant déterminé selon la formule figurant à cet article,

Le sous-alinéa d)(iii) de l'élément A_1 de la formule figurant au paragraphe 7(7) a été remplacé et les sous-alinéas d)(iv) et d)(v) ont été ajoutés par C.P. 2011-263 [DORS/2011-56], 3 mars 2011, par. 12(13). Ces modifications sont réputées être entrées en vigueur le 31 décembre 1990. Toutefois, pour ce qui est de toute fourniture effectuée avant le 4 octobre 2003 :

a) il n'est pas tenu compte des alinéas c) et d) de la définition de « coût imputable » au paragraphe 5(1) du *Règlement sur les jeux de hasard (TPS/TVH)*, édictée par le paragraphe 11(4);

b) la mention « de bien meuble corporel ou d'immeuble » à la division d)(iii)(A) de l'élément A1 de la formule figurant au paragraphe 7(7) du *Règlement sur les jeux de hasard (TPS/TVH)*, édictée par le paragraphe 12(13), vaut mention de « d'immeuble »;

c) l'article 13 ne s'applique pas au crédit de taxe sur les intrants ou au crédit de taxe sur les intrants imputé qu'une administration provinciale de jeux et paris demande dans une déclaration produite aux termes de la section V de la partie IX de la *Loi sur la taxe d'accise* avant le 3 octobre 2003.

Antérieurement, il se lisait ainsi :

(iii) l'excédent éventuel du total visé à la division (A) sur le montant visé à la division (B) :

(A) le total des montants représentant chacun la taxe qui serait devenue payable par elle au cours de la période donnée en vertu de la section II de la partie IX de la Loi relativement a une fourniture exonérée d'immeuble effectuée par bail a son profit, ou à une fourniture taxable de bien ou de service effectuée a son profit pour un montant inférieur à la juste valeur marchande, si la fourniture était une fourniture taxable effectuée pour un montant égal à la juste valeur marchande ou, si l'article 16 s'applique à la fourniture, pour le montant déterminé selon la formule figurant à cet article,

(B) le total de la taxe prévue à cette section qui est devenue payable par elle au cours de la période donnée relativement à ces fournitures,

L'élément A_2 de la formule figurant au paragraphe 7(7) a été remplacé par C.P. 1998-1551 [DORS/98-440], 26 août 1998, par. 6(9) et est réputé entré en vigueur le 30 janvier 1998 et s'applique aux fins du calcul de la taxe nette des administrations provinciales de jeux et paris pour les périodes de déclaration commençant à cette date ou postérieurement. Antérieurement il se lisait ainsi :

A_2 le total des montants dont chacun s'obtient par la formule suivante :

$$A_5 \times A_6$$

où :

A_5 représente un crédit de taxe sur les intrants de l'administration pour la période donnée qui se rapporte à un montant inclus selon l'alinéa a) de l'élément A_1 dans le calcul du total visé à cet élément pour cette période,

A_6 la mesure (exprimée en pourcentage) dans laquelle l'administration peut inclure, sous réserve de l'article 9, le crédit de taxe sur les intrants dans le calcul du présent total pour la période donnée ;

Le préambule de l'élément A_3 de la formule figurant au paragraphe 7(7) a été remplacé par C.P. 2011-263 [DORS/2011-56], 3 mars 2011, par. 12(10) et cette modification est réputée être entrée en vigueur le 31 décembre 1990. Toutefois, pour ce qui est de toute fourniture effectuée avant le 4 octobre 2003 :

a) il n'est pas tenu compte des alinéas c) et d) de la définition de « coût imputable » au paragraphe 5(1) du *Règlement sur les jeux de hasard (TPS/TVH)*, édictée par le paragraphe 11(4);

b) la mention « de bien meuble corporel ou d'immeuble » à la division d)(iii)(A) de l'élément A1 de la formule figurant au paragraphe 7(7) du *Règlement sur les jeux de hasard (TPS/TVH)*, édictée par le paragraphe 12(13), vaut mention de « d'immeuble »;

c) l'article 13 ne s'applique pas au crédit de taxe sur les intrants ou au crédit de taxe sur les intrants imputé qu'une administration provinciale de jeux et paris demande dans une déclaration produite aux termes de la section V de la partie IX de la *Loi sur la taxe d'accise* avant le 3 octobre 2003.

Antérieurement, il se lisait ainsi :

A_3 représente un montant de remboursement qui est devenu payable par l'administration au cours de la période donnée, ou qui a été payée par elle au cours de cette période sans qu'il soit devenu payable, à l'un de ses distributeurs, à l'exclusion des montants suivants :

Pour l'application de la partie IX de la *Loi sur la taxe d'accise*, si une administration provinciale de jeux et paris a droit, ou aurait droit en l'absence du paragraphe 261(3) de cette loi, au remboursement prévu au paragraphe 261(1) de cette loi de la différence entre, d'une part, le montant qu'elle a payé, avant la date où le présent règlement est publié dans la *Gazette du Canada*, à titre de taxe imputée payable en vertu du paragraphe 7(7) du *Règlement sur les jeux de hasard (TPS/TVH)* sur les frais de jeux pour une de ses périodes de déclaration se terminant après juin 2006 et avant janvier 2008 et, d'autre part, le montant de la taxe imputée payable par elle sur les frais de jeux pour cette période de déclaration, calculée selon le paragraphe 7(7) de ce règlement, modifié par les paragraphes 12(11), (17), (19), (22) et (25), l'administration peut, malgré le paragraphe 261(3) de cette même loi, demander selon le paragraphe 261(1) de cette loi, au plus tard le jour qui suit d'un an la date où le présent règlement est publié dans la *Gazette du Canada*, le remboursement de la partie de cette différence qui est uniquement attribuable aux textes édictés en vertu de ces paragraphes.

Pour l'application de la partie IX de la *Loi sur la taxe d'accise*, si une administration provinciale de jeux et paris a droit, ou aurait droit en l'absence du paragraphe 261(3) de cette loi, au remboursement prévu au paragraphe 261(1) de cette loi de la différence entre, d'une part, le montant qu'elle a payé, avant la date où le présent règlement est publié dans la *Gazette du Canada*, à titre de taxe imputée payable en vertu du paragraphe 7(7) du *Règlement sur les jeux de hasard (TPS/TVH)* sur les frais de jeux pour une de ses périodes de déclaration se terminant après décembre 2007 et, d'autre part, le montant de la taxe imputée payable par elle sur les frais de jeux pour cette période de déclaration, calculée selon le paragraphe 7(7) de ce règlement, modifié par les paragraphes 12(12), (18), (20), (23) et (26), l'administration peut, malgré le paragraphe 261(3) de cette même loi, demander selon le paragraphe 261(1) de cette loi, au plus tard le jour qui suit d'un an la date où le présent règlement est publié dans la *Gazette du Canada*, le remboursement de la partie de cette différence qui est uniquement attribuable aux textes édictés en vertu de ces paragraphes.

L'élément A_4 de la formule figurant au paragraphe 7(7) a été remplacé par C.P. 2011-263 [DORS/2011-56], 3 mars 2011, par. 12(12) et cette modification s'applique aux périodes de déclaration d'une aqdministration provinciale de jeux et paris se terminant après décembre 2007. Antérieurement, il se lisait ainsi :

A_4 :

(i) si le montant de remboursement se rapporte à une fourniture effectuée par le distributeur au profit de l'administration dans une province participante, la somme de 6 % et du taux de taxe applicable à cette province,

(ii) dans les autres cas, 6 %,

L'élément A_4 de la formule figurant au paragraphe 7(7) a été remplacé par C.P. 2011-263 [DORS/2011-56], 3 mars 2011, par. 12(11) et cette modification s'applique aux périodes de déclaration d'une administration provinciale de jeux et paris se terminant après juin 2006. Antérieurement, il se lisait ainsi :

A_4 :

(i) si le montant de remboursement se rapporte à une fourniture effectuée par le distributeur au profit de l'administration dans une province participante, la somme de 7 % et du taux de taxe applicable à cette province,

(ii) dans les autres cas, 7 %,

L'élément A_4 de la formule figurant au paragraphe 7(7) a été remplacé par C.P. 1998-1551 [DORS/98-440], 26 août 1998, par. 6(8) et est réputé entré en vigueur le 1er avril 1997. Antérieurement il se lisait ainsi :

A_4 7 %,

Les éléments B_4 et B_5 de la formule figurant au paragraphe 7(7) ont été remplacés par C.P. 2011-263 [DORS/2011-56], 3 mars 2011, par. 12(14) et ces modifications s'appliquent relativement au calcul, prévu au paragraphe 7(7) du *Règlement sur les jeux de hasard (TPS/TVH)*, de la taxe imputée payable par une administration provinciale de jeux et paris sur les frais de jeu pour ses périodes de déclaration se terminant après le 1er janvier 1996. Antérieurement, il se lisait ainsi :

B_4 représente le traitement, salaire ou autre rémunération (sauf un montant visé à l'élément B_6) payé ou payable par le distributeur à l'un de ses salariés,

B_5 la mesure (exprimée en pourcentage) dans laquelle ce traitement, salaire ou autre rémunération représente pour le distributeur un coût lié à la fourniture du service d'exploitation de casino à l'administration,

Les éléments B_6 et B_7 de la formule figurant au paragraphe 7(7) ont été remplacés par C.P. 2011-263 [DORS/2011-56], 3 mars 2011, par. 12(15) et ces modifications s'appliquent relativement au calcul, prévu au paragraphe 7(7) du *Règlement sur les jeux de hasard (TPS/TVH)*, de la taxe imputée payable par une administration provinciale de jeux et paris sur les frais de jeu pour ses périodes de déclaration se terminant après le 1er janvier 1996. Antérieurement, il se lisait ainsi :

B_6 représente un montant au titre de la fourniture d'un bien ou d'un service effectuée par le distributeur, ou un montant payé par lui, à son salarié ou à une personne liée à celui-ci, que le salarié est tenu par l'article 6 de la *Loi de l'impôt sur le revenu* d'inclure dans le calcul de son revenu pour son année d'imposition,

B_7 la mesure (exprimée en pourcentage) dans laquelle le montant représente pour le distributeur un coût lié à la fourniture du service d'exploitation de casino à l'administration;

Le préambule de l'élément C_1 de la formule figurant au paragraphe 7(7) a été remplacé par C.P. 2011-263 [DORS/2011-56], 3 mars 2011, par. 12(16) et cette modification est réputée être entrée en vigueur le 31 décembre 1990. Toutefois, pour ce qui est de toute fourniture effectuée avant le 4 octobre 2003 :

a) il n'est pas tenu compte des alinéas c) et d) de la définition de « coût imputable » au paragraphe 5(1) du *Règlement sur les jeux de hasard (TPS/TVH)*, édictée par le paragraphe 11(4);

b) la mention « de bien meuble corporel ou d'immeuble » à la division d)(iii)(A) de l'élément A1 de la formule figurant au paragraphe 7(7) du *Règlement sur les jeux de hasard (TPS/TVH)*, édictée par le paragraphe 12(13), vaut mention de « d'immeuble »;

c) l'article 13 ne s'applique pas au crédit de taxe sur les intrants ou au crédit de taxe sur les intrants imputé qu'une administration provinciale de jeux et paris demande dans une déclaration produite aux termes de la section V de la partie IX de la *Loi sur la taxe d'accise* avant le 3 octobre 2003.

Antérieurement, il se lisait ainsi :

C_1 représente le total des montants dont chacun correspond à un montant qui, sans le paragraphe 188.1(4) de la Loi, correspondrait soit à la contrepartie (sauf le produit du bingo *Superstar*) d'une fourniture (sauf la fourniture d'un service d'exploitation de casino) effectuée au profit de l'administration par l'un de ses distributeurs, soit à un montant de remboursement payé ou payable par l'administration à l'un de ses distributeurs (à l'exclusion d'un montant de remboursement non taxable et d'un montant de remboursement du coût pour le distributeur du droit de jouer ou de participer à un jeu de hasard qu'il remet gratuitement), dans le cas où :

L'élément C_2 de la formule figurant au paragraphe 7(7) a été remplacé par C.P. 2011-263 [DORS/2011-56], 3 mars 2011, par. 12(18) et s'applique aux périodes de déclaration d'une administration provinciale de jeux et paris se terminant après décembre 2007. Antérieurement, il se lisait ainsi :

C_2 :

a) si la fourniture donnée effectuée par le distributeur au profit de l'administration a trait à la réalisation de fournitures de droits de l'administration dans une province participante, la somme de 6 % et du taux de taxe applicable à cette province,

b) dans les autres cas, 6 %;

L'élément C_2 de la formule figurant au paragraphe 7(7) a été remplacé par C.P. 2011-263 [DORS/2011-56], 3 mars 2011, par. 12(17) et cette modification s'applique aux périodes de déclaration d'une administration provinciale de jeux et paris se terminant après juin 2006. Antérieurement, il se lisait ainsi :

C_2 :

a) si la fourniture donnée effectuée par le distributeur au profit de l'administration a trait à la réalisation de fournitures de droits de l'administration dans une province participante, la somme de 7 % et du taux de taxe applicable à cette province,

b) dans les autres cas, 7 %;

L'élément C_2 de la formule figurant au paragraphe 7(7) a été remplacé par C.P. 1998-1551 [DORS/98-440], 26 août 1998, par. 6(10) et est réputé entré en vigueur le 1er avril 1997. Antérieurement il se lisait ainsi :

C_2 7 %;

L'élément D_3 de la formule figurant au paragraphe 7(7) a été remplacé par C.P. 2011-263 [DORS/2011-56], 3 mars 2011, par. 12(20) et cette modification s'applique aux périodes de déclaration d'une administration provinciale de jeux et paris se terminant après décembre 2007. Antérieurement, il se lisait ainsi :

D_3 :

a) si le distributeur a acquis les imprimés en vue de les fournir dans une province participante, la somme de 6 % et du taux de taxe applicable à cette province,

b) dans les autres cas, 6 %;

L'élément D_3 de la formule figurant au paragraphe 7(7) a été remplacé par C.P. 2011-263 [DORS/2011-56], 3 mars 2011, par. 12(19) et cette modification s'applique aux périodes de déclaration d'une administration provinciale de jeux et paris se terminant après juin 2006. Antérieurement, il se lisait ainsi :

D_3 :

a) si le distributeur a acquis les imprimés en vue de les fournir dans une province participante, la somme de 7 % et du taux de taxe applicable à cette province,

b) dans les autres cas, 7 %;

L'élément D_3 de la formule figurant au paragraphe 7(7) a été remplacé par C.P. 1998-1551 [DORS/98-440], 26 août 1998, par. 6(11) et est réputé entré en vigueur le 1er avril 1997. Antérieurement il se lisait ainsi :

D_3 7 %;

Le sous-alinéa (ii) de l'élément E_1 de la formule figurant au paragraphe 7(7) du *Règlement sur les jeux de hasard (TPS/TVH)* a été remplacé par C.P. 1998-1551 [DORS/98-440], 26 août 1998, par. 6(12), applicable aux années d'imposition 1996 et suivantes. Antérieurement il se lisait ainsi :

(ii) d'autre part, doit, en vertu de l'article 6 de la *Loi de l'impôt sur le revenu* (sauf son alinéa (1) e.1)), être inclus dans le calcul du revenu du particulier pour cette année civile précédente.

L'élément E_2 de la formule figurant au paragraphe 7(7) a été remplacé par C.P. 2011-263 [DORS/2011-56], 3 mars 2011, par. 12(21) et cette modification est réputée être entrée en vigueur le 31 décembre 1990. Toutefois, pour ce qui est de toute fourniture effectuée avant le 4 octobre 2003 :

a) il n'est pas tenu compte des alinéas c) et d) de la définition de « coût imputable » au paragraphe 5(1) du *Règlement sur les jeux de hasard (TPS/TVH)*, édictée par le paragraphe 11(4);

b) la mention « de bien meuble corporel ou d'immeuble » à la division d)(iii)(A) de l'élément A1 de la formule figurant au paragraphe 7(7) du *Règlement sur les jeux de hasard (TPS/TVH)*, édictée par le paragraphe 12(13), vaut mention de « d'immeuble »;

c) l'article 13 ne s'applique pas au crédit de taxe sur les intrants ou au crédit de taxe sur les intrants imputé qu'une administration provinciale de jeux et paris demande dans une déclaration produite aux termes de la section V de la partie IX de la *Loi sur la taxe d'accise* avant le 3 octobre 2003.

Antérieurement, il se lisait ainsi :

E_2 la mesure (exprimée en pourcentage) dans laquelle l'avantage représente pour l'administration un coût lié à la réalisation de fournitures non liées au jeu,

La subdivision (i)(A)(III) de l'élément E_3 de la formule du paragraphe 7(7) a été abrogée par C.P. 2012-1127 [DORS/2012-191], 20 septembre 2012, par. 3(1) et cette abrogation s'applique relativement aux périodes de déclaration d'une administration provinciale de jeux et paris commençant après février 2014. Antérieurement, elle se lisait ainsi :

(III) en Colombie-Britannique, le pourcentage figurant à l'alinéa 2c) du *Règlement sur les avantages liés aux dépenses de fonctionnement d'une automobile (TPS/TVH)*,

La division (i)(A) de l'élément E_3 de la formule figurant au paragraphe 7(7) ont été remplacés par C.P. 2011-263 [DORS/2011-56], 3 mars 2011, par. 12(24) et cette modification s'applique aux années civiles 2010 et suivantes. Toutefois, en ce qui concerne 2010 :

a) le passage « le pourcentage figurant à l'alinéa 2a) du *Règlement sur les avantages liés aux dépenses de fonctionnement d'une automobile (TPS/TVH)* », à la subdivision (i)(A)(I) de l'élément E 3 de la formule figurant au paragraphe 7(7) du *Règlement sur les jeux de hasard (TPS/TVH)*, édictée par le paragraphe 12(24), est remplacé par « 6 % » si le dernier établissement de l'administration auquel le particulier travaillait ou se présentait habituellement au cours de l'année dans le cadre de sa charge ou de son emploi auprès de l'administration est situé en Ontario;

b) le passage « le pourcentage figurant à l'alinéa 2b) du *Règlement sur les avantages liés aux dépenses de fonctionnement d'une automobile (TPS/TVH)* », à la subdivision (i)(A)(II) de l'élément E 3 de la formule figurant au paragraphe 7(7) du *Règlement sur les jeux de hasard (TPS/TVH)*, édictée par le paragraphe 12(24), est remplacé par « 10 % »;

c) le passage « le pourcentage figurant à l'alinéa 2c) du *Règlement sur les avantages liés aux dépenses de fonctionnement d'une automobile (TPS/TVH)* », à la subdivision (i)(A)(III) de l'élément E3 de la formule figurant au paragraphe 7(7) du *Règlement sur les jeux de hasard (TPS/TVH)*, édictée par le paragraphe 12(24), est remplacé par « 4 % ».

Antérieurement, il se lisait ainsi :

(A) lorsque le dernier établissement de l'administration auquel le particulier travaillait ou se présentait habituellement au cours de l'année civile précédente dans le cadre de sa charge ou de son emploi auprès de l'administration est situé dans une province participante, 9 %,

Les divisions (i)(A) et (B) de l'élément E_3 de la formule figurant au paragraphe 7(7) ont été remplacés par C.P. 2011-263 [DORS/2011-56], 3 mars 2011, par. 12(23) et cette modification s'applique aux années civiles 2008 et 2009. Antérieurement, il se lisait ainsi :

(A) lorsque le dernier établissement de l'administration auquel le particulier travaillait ou se présentait habituellement au cours de l'année civile précédente dans le cadre de sa charge ou de son emploi auprès de l'administration est situé dans une province participante, 10 %,

(B) dans les autres cas, 4 %,

Les divisions (i)(A) et (B) de l'élément E_3 de la formule figurant au paragraphe 7(7) ont été remplacés par C.P. 2011-263 [DORS/2011-56], 3 mars 2011, par. 12(22) et cette modification s'applique aux années civiles 2006 et 2007. Toutefois, en ce qui concerne 2006, les mentions « 10 % » et « 4 % », à l'élément E_3 de la formule figurant au paragraphe 7(7) du *Règlement sur les jeux de hasard (TPS/TVH)*, édicté par le paragraphe 12(22), valent mention respectivement de « 10,5 % » et « 4,5 % ». Antérieurement, il se lisait ainsi :

(A) lorsque le dernier établissement de l'administration auquel le particulier travaillait ou se présentait habituellement au cours de l'année civile précédente dans le cadre de sa charge ou de son emploi auprès de l'administration est situé dans une province participante, 11 %,

(B) dans les autres cas, 5 %,

L'élément E_3 de la formule figurant au paragraphe 7(7) a été remplacé par C.P. 1998-1551 [DORS/98-440], 26 août 1998, par. 6(14), applicable aux années d'imposition 1997 et suivantes. Toutefois, pour l'application de l'élément E_3 de la formule figurant au paragraphe 7(7), à l'année d'imposition 1997, la mention de « 11 % » à la division (i)(A) de cet élément vaut mention de « 9,5 % » et le passage « du taux de taxe applicable à la province » au sous-alinéa (ii) de cet élément est remplacé par « de 6 % ». Antérieurement il se lisait ainsi :

E_3 :

(i) si l'avantage est à inclure, en application des alinéas 6(1)k) ou l) de la *Loi de l'impôt sur le revenu*, dans le calcul du revenu du particulier, 5 %,

(ii) dans les autres cas, $^6/_{106}$,

L'élément E_3 de la formule figurant au paragraphe 7(7) a été remplacé par C.P. 1998-1551 [DORS/98-440], 26 août 1998, par. 6(13), applicable à l'année d'imposition 1996. Antérieurement il se lisait ainsi :

E_3 7 %,

La division (A.1) de l'élément E_4 de la formule du paragraphe 7(7) a été ajoutée par C.P. 2012-1127 [DORS/2012-191], 20 septembre 2012, par. 3(2) et s'applique relativement à la période de déclaration d'une administration provinciale de jeux et paris qui comprend le 28 février 2014.

La division (A.1) de l'élément E_4 de la formule du paragraphe 7(7) a été abrogée par C.P. 2012-1127 [DORS/2012-191], 20 septembre 2012, par. 3(3) et cette abrogation s'applique relativement aux périodes de déclaration d'une administration provinciale de jeux et paris commençant après février 2014. Antérieurement, elle se lisait ainsi :

(A.1) malgré la division (A), si l'avantage est à inclure en application des alinéas 6(1)a) ou e) de la *Loi de l'impôt sur le revenu* et que le dernier établissement auquel le particulier travaillait ou se présentait habituellement au cours de l'année civile précédente dans le cadre de sa charge ou de son emploi auprès de l'administration est situé en Colombie-Britannique, 5,75 %,

L'élément E_4 de la formule figurant au paragraphe 7(7) a été remplacé par C.P. 2011-263 [DORS/2011-56], 3 mars 2011, par. 12(26) et cette modification s'applique aux années civiles 2008 et suivantes. Antérieurement, il se lisait ainsi :

E_4 représente :

(A) si l'avantage est à inclure en application des alinéas 6(1)a) ou e) de la *Loi de l'impôt sur le revenu* et que le dernier établissement auquel le particulier travaillait ou se présentait habituellement au cours de l'année civile précédente dans le cadre de sa charge ou de son emploi auprès de l'administration est situé dans une province participante, la somme de 5 % et du taux de taxe applicable à la province,

(B) dans les autres cas, 5 %.

L'élément E_4 de la formule figurant au paragraphe 7(7) a été remplacé par C.P. 2011-263 [DORS/2011-56], 3 mars 2011, par. 12(25) et cette modification s'applique aux années civiles 2006 et 2007. Toutefois, en ce qui concerne 2006, la mention « 5 % », à l'élément E_4 de la formule figurant au paragraphe 7(7) du *Règlement sur les jeux de hasard (TPS/TVH)*, édicté par le paragraphe 12(25), est remplacée par « 5,5 % ». Antérieurement, il se lisait ainsi :

E_4 représente :

(A) si l'avantage est à inclure en application des alinéas 6(1)a) ou e) de la *Loi de l'impôt sur le revenu* et si le dernier établissement auquel le particulier travaillait ou se présentait habituellement au cours de l'année civile précédente dans le cadre de sa charge ou de son emploi auprès de l'administration est situé dans une province participante, la somme de 6 % et du taux de taxe applicable à la province,

(B) dans les autres cas, 6 %,

L'article 39 de C.P. 2011-263 [DORS/2011-56], 3 mars 2011, prévoit que pour l'application de la partie IX de la *Loi sur la taxe d'accise*, si une administration provinciale de jeux et paris a droit, ou aurait droit en l'absence du paragraphe 261(3) de cette loi, au remboursement prévu au paragraphe 261(1) de cette loi, de la différence entre, d'une part, le montant qu'elle a payé, avant le 16 mars 2011, à titre de taxe imputée payable en vertu du paragraphe 7(7) du *Règlement sur les jeux de hasard (TPS/TVH)* sur les frais de jeux pour une de ses périodes de déclaration se terminant après juin 2006 et avant janvier 2008 et, d'autre part, le montant de la taxe imputée payable par elle sur les frais de jeux pour cette période de déclaration, calculée selon le paragraphe 7(7) de ce règlement, l'administration peut, malgré le paragraphe 261(3) de cette même loi, demander selon le paragraphe 261(1) de cette loi, au plus tard le jour qui suit d'un an le 16 mars 2011, le remboursement de la partie de cette différence qui est uniquement attribuable aux textes édictés en vertu de ces paragraphes.

L'article 40 de C.P. 2011-263 [DORS/2011-56], 3 mars 2011, prévoit que pour l'application de la partie IX de la *Loi sur la taxe d'accise*, si une administration provinciale de jeux et paris a droit, ou aurait droit en l'absence du paragraphe 261(3) de cette loi, au remboursement prévu au paragraphe 261(1) de cette loi, de la différence entre, d'une part, le montant qu'elle a payé, avant le 16 mars 2011, à titre de taxe imputée payable en vertu du paragraphe 7(7) du *Règlement sur les jeux de hasard (TPS/TVH)* sur les frais de jeux pour une de ses périodes de déclaration se terminant après décembre 2007 et, d'autre part, le montant de la taxe imputée payable par elle sur les frais de jeux pour cette période de déclaration, calculée selon le paragraphe 7(7) de ce règlement, l'administration peut, malgré le paragraphe 261(3) de cette même loi, demander selon le paragraphe 261(1) de cette loi, au plus tard le jour qui suit d'un an le 16 mars 2011, le remboursement de la partie de cette différence qui est uniquement attribuable aux textes édictés en vertu de ces paragraphes.

Le paragraphe 7(7) a été ajouté par C.P. 1998-1551 [DORS/98-440], 26 août 1998, par. 6(1) et est réputé entré en vigueur le 31 décembre 1990.

8. Taxe nette imputable à des activités non liées au jeu — La taxe nette de l'administration provinciale de jeux et paris imputable à des activités non liées au jeu pour une période de déclaration donnée correspond au montant positif ou négatif obtenu par la formule suivante :

$$A - B$$

où :

A représente le total des montants représentant chacun :

a) un montant qui est devenu percevable par l'administration au cours de la période donnée, ou qui a été perçu par elle au cours de cette période sans qu'il soit devenu percevable, au titre de la taxe prévue à la section II de la partie IX de la Loi relativement à une fourniture non liée au jeu qu'elle a effectuée,

Règlements

b) un montant qui doit être ajouté, en application de l'un des articles 231 à 236 de la Loi, dans le calcul de sa taxe nette pour la période donnée;

c) un montant qui doit être ajouté, en application de l'article 236.01 de la Loi, dans le calcul de sa taxe nette pour la période donnée, mais seulement dans la mesure où sa capacité d'inclure ce montant dans le total visé à l'élément B n'est pas limitée par l'effet du paragraphe 9(1);

B le total des montants suivants :

a) les montants représentant chacun l'un des montants suivants demandés dans la déclaration que l'administration produit pour la période donnée en vertu de la section V de la partie IX de la Loi :

(i) un crédit de taxe sur les intrants (sauf celui visé à l'alinéa b)) pour la période donnée ou pour une période de déclaration antérieure de l'administration,

(ii) un montant relatif à une fourniture non liée au jeu qui peut être déduit, en application de l'un des articles 231, 232 et 234 de la Loi, dans le calcul de sa taxe nette pour la période donnée,

(iii) un montant qui peut être déduit, en application de l'article 236.01 de la Loi, dans le calcul de sa taxe nette pour la période donnée,

b) le double de la valeur des montants représentant chacun l'un des crédits suivants demandés dans la déclaration que l'administration produit pour la période donnée en vertu de la section V de la partie IX de la Loi :

(i) un crédit de taxe sur les intrants de l'administration pour la période donné ou pour une période de déclaration antérieure relativement à la taxe qu'elle est réputée par les paragraphes 206(2) ou (3) de la Loi avoir payée,

(ii) un crédit de taxe sur les intrants de l'administration pour la période donnée ou pour une période de déclaration antérieure déterminé selon le paragraphe 193(1) de la Loi,

c) les montants dont chacun s'obtient par la formule suivante :

$$B_1 \times (100\ \% - B_2)$$

où :

B_1 représente :

(i) soit un montant de réduction, remboursement ou crédit de taxe pour lequel une note de crédit est reçue, ou une note de débit remise, au cours de la période donnée par l'administration dans les circonstances visées au paragraphe 232(3) de la Loi,

(ii) soit un montant de remise que l'administration reçoit au cours de cette période au titre de la taxe dans les circonstances visées à l'article 181.1 de la Loi,

B_2 la mesure (exprimée en pourcentage) dans laquelle l'administration pouvait demander un crédit de taxe sur les intrants au titre de cette taxe dans le calcul de sa taxe nette pour une période de déclaration.

[C.P. 2012-191, 20 septembre 2012, art. 4]

Notes historiques: L'alinéa c) de l'élément A de la formule du l'article 8 a été ajouté par C.P. 2012-1127 [DORS/2012-191], 20 septembre 2012, par. 4(1) et s'applique relativement à toute période de déclaration d'une personne se terminant après juin 2010.

Le sous-alinéa a)(ii) de l'élément B de la formule du l'article 8 a été ajouté par C.P. 2012-1127 [DORS/2012-191], 20 septembre 2012, par. 4(2) et s'applique relativement à toute période de déclaration d'une personne se terminant après juin 2010.

L'article 8 a été ajouté par C.P. 1998-1551 [DORS/98-440], 26 août 1998, par. 6(1) et est réputé entré en vigueur le 31 décembre 1990.

9. (1) Restriction — crédits de taxe sur les intrants — Le crédit de taxe sur les intrants (sauf celui déterminé selon le paragraphe 193 (1) de la Loi), ou le crédit de taxe sur les intrants imputé, relatif à un bien ou à un service n'entre pas dans le calcul du total visé à l'élément A_2 de la formule figurant au paragraphe 7(7) ni dans le total visé à l'élément B de la formule figurant à l'article 8 dans la mesure où, selon le cas :

a) le bien ou le service a été acquis ou importé, ou transféré dans une province participante, par l'administration pour consommation ou utilisation dans le cadre de ses activités de jeu, de l'amélioration d'immobilisations utilisées dans le cadre de ces activités, de la réalisation de fournitures de promotion ou de la réalisation de fournitures de services financiers liées à ses activités de jeu;

b) le bien ou le service a été acquis ou importé, ou transféré dans une province participante, par l'administration en vue de faire l'objet d'une fourniture de promotion;

c) le bien est un bien meuble corporel qui a été acquis ou importé, ou transféré dans une province participante, par l'administration pour utilisation comme ingrédient dans la préparation d'aliments ou de boissons dont la fourniture par elle constitue une fourniture de promotion;

d) le bien est un bien meuble corporel qui a été acquis ou importé, ou transféré dans une province participante, par l'administration en vue soit d'être incorporé à un bien meuble corporel donné (sauf un aliment ou une boisson) qu'elle fabrique ou fait fabriquer pour en effectuer une fourniture de promotion, soit de devenir une partie constituante ou une composante d'un tel bien, soit d'être consommé ou utilisé directement dans le processus de fabrication d'un tel bien;

e) le service consiste à fabriquer, pour l'administration, un bien meuble corporel (sauf un aliment ou une boisson), et elle acquiert ce service en vue d'effectuer une fourniture du bien à titre de fourniture de promotion.

Notes historiques: L'alinéa 9(1)a) a été remplacé par C.P. 2011-263 [DORS/2011-56], 3 mars 2011, art. 13 et cette modification est réputé être entrée en vigueur le 31 décembre 1990. Toutefois, pour ce qui est de toute fourniture effectuée avant le 4 octobre 2003 :

a) il n'est pas tenu compte des alinéas c) et d) de la définition de « coût imputable » au paragraphe 5(1) du *Règlement sur les jeux de hasard (TPS/TVH)*, édictée par le paragraphe 11(4);

b) la mention « de bien meuble corporel ou d'immeuble » à la division d)(iii)(A) de l'élément A1 de la formule figurant au paragraphe 7(7) du *Règlement sur les jeux de hasard (TPS/TVH)*, édictée par le paragraphe 12(13), vaut mention de « d'immeuble »;

c) l'article 13 ne s'applique pas au crédit de taxe sur les intrants ou au crédit de taxe sur les intrants imputé qu'une administration provinciale de jeux et paris demande dans une déclaration produite aux termes de la section V de la partie IX de la *Loi sur la taxe d'accise* avant le 3 octobre 2003.

Antérieurement, il se lisait ainsi :

a) le bien ou le service a été acquis ou importé, ou transféré dans une province participante, par l'administration pour consommation ou utilisation dans le cadre de ses activités de jeu, de l'amélioration d'immobilisations utilisées dans le cadre de telles activités ou de la réalisation de fournitures de promotion;

L'alinéa 9(1)a) a été remplacé par C.P. 1998-1551 [DORS/98-440], 26 août 1998, par. 6(15) et est réputé entré en vigueur le 30 janvier 1998 et s'applique aux fins du calcul de la taxe nette des administrations provinciales de jeux et paris pour les périodes de déclaration commençant à cette date ou postérieurement. Antérieurement il se lisait ainsi :

a) le bien ou le service a été acquis ou importé par l'administration pour consommation ou utilisation dans le cadre de ses activités de jeu, de l'amélioration d'immobilisations utilisées dans le cadre de telles activités ou de la réalisation de fournitures de promotion;

L'alinéa 9(1)b) a été remplacé par C.P. 1998-1551 [DORS/98-440], 26 août 1998, par. 6(15). Antérieurement il se lisait ainsi :

b) le bien ou le service a été acquis ou importé par l'administration en vue de faire l'objet d'une fourniture de promotion;

L'alinéa 9(1)c) a été remplacé par C.P. 1998-1551 [DORS/98-440], 26 août 1998, par. 6(15). Antérieurement il se lisait ainsi :

c) le bien est un bien meuble corporel qui a été acquis ou importé par l'administration pour utilisation comme ingrédient dans la préparation d'aliments ou de boissons dont la fourniture par elle constitue une fourniture de promotion;

L'alinéa 9(1)d) a été remplacé par C.P. 1998-1551 [DORS/98-440], 26 août 1998, par. 6(15). Antérieurement il se lisait ainsi :

d) le bien est un bien meuble corporel qui a été acquis ou importé par l'administration en vue soit d'être incorporé à un bien meuble corporel donné (sauf un aliment ou une boisson) qu'elle fabrique ou fait fabriquer pour en effectuer une fourniture de promotion, soit de devenir une partie constituante ou une composante d'un tel bien, soit d'être consommé ou utilisé directement dans le processus de fabrication d'un tel bien;

Le paragraphe 9(1) a été ajouté par C.P. 1998-1551 [DORS/98-440], 26 août 1998, par. 6(1) et est réputé entré en vigueur le 31 décembre 1990. Toutefois il n'est pas tenu compte du passage « ou un crédit de taxe sur les intrants imputé » au paragraphe 9(1) aux fins du calcul de la taxe nette d'une administration provinciale de jeux et paris pour les périodes de déclaration commençant avant le 30 janvier 1998.

(2) Utilisation des immobilisations — Pour l'application de l'article 193 de la Loi et des dispositions de la sous-section d de la section II de la partie IX de la Loi au calcul de la taxe nette de l'administration provinciale de jeux et paris, les règles suivantes s'appliquent :

a) les paragraphes 141(1) à (4), 193 (2), 199 (2) à (4) et 200 (2) et (3) de la Loi ne s'appliquent pas à l'administration;

b) le paragraphe 193(1) de la Loi s'applique, avec les adaptations nécessaires, aux biens (sauf les voitures de tourisme) qu'elle acquiert ou importe pour utilisation à titre d'immobilisation lui appartenant comme si elle n'était pas un organisme du secteur public et comme si, dans le cas de biens meubles, les biens qu'elle a acquis ou importés à cette fin étaient des immeubles;

c) les paragraphes 206 (2) à (5) de la Loi s'appliquent, avec les adaptations nécessaires, aux biens meubles qu'elle acquiert ou importe pour utilisation à titre d'immobilisation lui appartenant, ainsi qu'aux améliorations apportées à des biens meubles qui font partie de ses immobilisations, comme si les biens meubles étaient des immeubles; à cette fin, les mentions de « acquis » dans ces paragraphes valent mention de « acquis ou importé »;

d) le bien qu'elle acquiert ou importe pour utilisation à titre d'immobilisation lui appartenant dans le cadre de ses activités commerciales est réputé n'avoir été acquis ou importé pour utilisation dans ce cadre que dans la mesure où il l'a été pour utilisation dans le cadre de ses activités non liées au jeu;

e) le bien qu'elle utilise à titre d'immobilisation lui appartenant dans le cadre de ses activités commerciales est réputé n'être utilisé dans ce cadre que dans la mesure où il est utilisé dans le cadre de ses activités non liées au jeu.

Notes historiques: Le paragraphe 9(2) a été ajouté par C.P. 1998-1551 [DORS/98-440], 26 août 1998, par. 6(1) et est réputé entré en vigueur le 31 décembre 1990.

(3) Double comptabilisation — Un montant ne peut entrer dans le calcul du total visé à l'élément A des formules figurant au paragraphe 7(1) et à l'article 8 pour une période de déclaration de l'administration provinciale de jeux et paris s'il a été inclus dans ce total pour une période de déclaration antérieure de l'administration.

Notes historiques: Le paragraphe 9(3) a été ajouté par C.P. 1998-1551 [DORS/98-440], 26 août 1998, par. 6(1) et est réputé entré en vigueur le 31 décembre 1990.

(4) Restriction — Un montant ne peut entrer dans le calcul du total visé à l'élément B de la formule figurant à l'article 8 pour une période de déclaration donnée de l'administration provinciale de jeux et paris s'il a été demandé ou pris en compte dans ce total dans le calcul de sa taxe nette pour une période de déclaration antérieure, à moins que les conditions suivantes ne soient réunies :

a) l'administration ne pouvait demander le montant dans le calcul de sa taxe nette pour la période antérieure du seul fait que, avant de produire la déclaration pour cette période, elle ne remplissait pas les exigences du paragraphe 169(4) de la Loi relativement au montant;

b) dans le cas où l'administration demande le montant dans la déclaration visant la période donnée et où le ministre ne l'a pas refusé à titre de crédit de taxe sur les intrants lors de l'établissement de sa taxe nette pour la période antérieure :

(i) elle avise le ministre par écrit, au plus tard à la date de production de la déclaration visant la période donnée, qu'elle a commis une erreur en demandant le montant dans le calcul de sa taxe nette pour la période antérieure,

(ii) si elle n'avise pas le ministre de l'erreur au moins trois mois avant la fin de la période après laquelle une cotisation visant sa taxe nette pour la période antérieure ne peut, par l'effet du paragraphe 298(1) de la Loi, être établie, elle paie au receveur général, au plus tard à la date de production de la déclaration visant la période donnée, le montant en question ainsi que les pénalités et intérêts applicables.

Notes historiques: Le paragraphe 9(4) a été ajouté par C.P. 1998-1551 [DORS/98-440], 26 août 1998, par. 6(1) et est réputé entré en vigueur le 31 décembre 1990.

(5) Montants remboursés, remis ou versés — Un montant ne peut entrer dans le calcul du total visé à l'élément B de la formule figurant à l'article 8 pour une période de déclaration de l'administration provinciale de jeux et paris si, avant la fin de la période, il a été remboursé, remis ou versé à celle-ci en vertu d'une loi fédérale.

Notes historiques: Le paragraphe 9(5) a été ajouté par C.P. 1998-1551 [DORS/98-440], 26 août 1998, par. 6(1) et est réputé entré en vigueur le 31 décembre 1990.

(6) Application — Les articles 231 à 236.01 de la Loi ne s'appliquent pas au calcul de la taxe nette d'une administration provinciale de jeux et paris, sauf disposition contraire de la présente partie.

Notes historiques: Le paragraphe 9(6) a été remplacé par C.P. 2012-1127 [DORS/2012-191], 20 septembre 2012, art. 5 et cette modification s'applique relativement à toute période de déclaration d'une personne se terminant après juin 2010. Antérieurement, il se lisait ainsi :

> (6) Les articles 231 à 236 de la Loi ne s'appliquent pas aux fins du calcul de la taxe nette de l'administration provinciale de jeux et paris, sauf disposition contraire de la présente partie.

Le paragraphe 9(6) a été ajouté par C.P. 1998-1551 [DORS/98-440], 26 août 1998, par. 6(1) et est réputé entré en vigueur le 31 décembre 1990.

(7) Méthodes de mesure de l'utilisation — Seules des méthodes justes et raisonnables et suivies tout au long d'un exercice peuvent être employées par une personne au cours de l'exercice pour déterminer la mesure dans laquelle :

a) elle acquiert ou importe des biens ou des services, ou les transfère dans une province participante, pour consommation ou utilisation à des fins données ou dans le cadre d'activités données;

b) elle consomme ou utilise des biens ou des services à des fins données ou dans le cadre d'activités données.

Notes historiques: L'alinéa 9(7)a) a été remplacé par C.P. 1998-1551 [DORS/98-440], 26 août 1998, par. 6(16) et est réputé entré en vigueur le 1er avril 1997. Antérieurement il se lisait ainsi :

> a) elle acquiert ou importe des biens ou des services pour consommation ou utilisation à des fins données ou dans le cadre d'activités données;

Le paragraphe 9(7) a été ajouté par C.P. 1998-1551 [DORS/98-440], 26 août 1998, par. 6(1) et est réputé entré en vigueur le 31 décembre 1990.

La Société de la loterie interprovinciale et ses membres

Notes historiques: L'intertitre précédant l'art. 10 a été ajouté par C.P. 1998-1551 [DORS/98-440], 26 août 1998, par. 6(1) et est réputé entré en vigueur le 31 décembre 1990.

10. Taxe nette de la Société de la loterie interprovinciale — La taxe nette de la Société de la loterie interprovinciale pour une période de déclaration correspond au montant qui représenterait cette taxe pour la période, déterminée selon l'article 225 de la Loi, si le montant percevable par elle au titre de la taxe prévue à la section II de la partie IX de la Loi relativement à chaque fourniture qu'elle a effectuée au profit d'une administration provinciale de jeux et paris était le montant déterminé selon l'article 11.

Notes historiques: L'article 10 a été ajouté par C.P. 1998-1551 [DORS/98-440], 26 août 1998, par. 6(1) et est réputé entré en vigueur le 31 décembre 1990.

11. Présomption concernant la taxe sur la fourniture — Pour l'application de la présente partie et pour l'application de la partie IX de la Loi au calcul de la taxe nette de la Société de la loterie interprovinciale, la taxe payable relativement à la fourniture d'un bien ou d'un service effectuée par la société au profit d'une administration provinciale de jeux et paris est réputée être celle qui serait payable relativement à la fourniture si la valeur de la contrepartie de celle-ci correspondait au montant obtenu par la formule suivante :

$$A - B$$

Règlements

où :

A représente la valeur de la contrepartie de la fourniture, déterminée compte non tenu du présent article;

B le total des montants dont chacun s'obtient par la formule suivante :

$$B_1 \times B_2$$

où :

B_1 représente le montant constitué, selon le cas :

a) du traitement, salaire ou autre rémunération payé ou payable à un salarié de la société, à l'exception d'un montant qu'il est tenu par l'article6 de la *Loi de l'impôt sur le revenu* d'inclure dans le calcul de son revenu pour l'application de cette loi,

b) de la contrepartie payé ou payable par la société pour une fourniture exonérée de service ou une fourniture détaxée,

c) des frais, droits ou taxes visés par règlement pour l'application de l'article 154 de la Loi;

B_2 la mesure (exprimée en pourcentage) dans laquelle le montant visé à l'élément B1 représente pour la société un coût lié à la fourniture du bien ou service.

Notes historiques: L'article 11 a été ajouté par C.P. 1998-1551 [DORS/98-440], 26 août 1998, par. 6(1) et est réputé entré en vigueur le 31 décembre 1990.

12. Présomptions concernant les droits et les distributions — Pour l'application de la présente partie et pour l'application de la partie IX de la Loi au calcul de la taxe nette de la Société de la loterie interprovinciale et d'une administration provinciale de jeux et paris, dans le cas où tout ou partie du produit tiré d'un jeu de hasard organisé par la société est distribué à une ou plusieurs administrations provinciales de jeux et paris, les présomptions suivantes s'appliquent :

a) les droits de jouer ou de participer au jeu auxquels la part du produit qui revient à chaque administration est imputable sont réputés être ceux de l'administration et non de la société;

b) en ce qui concerne ces droits :

(i) le jeu est réputé être organisé par l'administration et non par la société,

(ii) les paris afférents sont réputés être placés auprès de l'administration et non de la société, et être acceptés par elle et non par la société,

(iii) l'obligation de remettre les prix ou gains connexes est réputée être celle de l'administration et non de la société.

Notes historiques: L'article 12 a été ajouté par C.P. 1998-1551 [DORS/98-440], 26 août 1998, par. 6(1) et est réputé entré en vigueur le 31 décembre 1990.

13. Dépenses engagées par la Société de la loterie interprovinciale — Dans le cas où la Société de la loterie interprovinciale engage, dans le cadre de l'organisation d'un jeu de hasard, des dépenses qui ne sont pas demandées à une administration provinciale de jeux et paris à titre de contrepartie d'une fourniture taxable, mais qui lui sont demandées à un autre titre ou sont prises en compte dans le calcul du produit tiré du jeu qui lui est versé, pour l'application de l'alinéa a.1) de l'élément A_1 de la formule figurant au paragraphe 7(7), la taxe imputée payable par l'administration relativement à ces dépenses pour sa période de déclaration qui comprend le moment où les dépenses sont demandées ou le produit versé correspond au montant obtenu par la formule suivante :

$$A \times (B - C))$$

où :

A représente le taux fixé au paragraphe 165(1) de la Loi;

B le montant des dépenses en cause;

C le total des montants dont chacun s'obtient par la formule suivante :

$$C_1 \times C_2$$

où :

C_1 représente le montant constitué, selon le cas :

a) du traitement, salaire ou autre rémunération payé ou payable à un salarié de la société, à l'exception d'un montant qu'il est tenu par l'article 6 de la *Loi de l'impôt sur le revenu* d'inclure dans le calcul de son revenu pour l'application de cette loi,

b) de la contrepartie payée ou payable par la société pour une fourniture exonérée de service ou une fourniture détaxée,

c) des frais, droits ou taxes visés par règlement pour l'application de l'article 154 de la Loi,

C_2 la mesure (exprimée en pourcentage) dans laquelle le montant visé à l'élément C_1 représente pour la société un coût lié à l'organisation du jeu et est inclus dans les dépenses visées à l'élément B.

Notes historiques: La première formule figurant à l'article 13 ainsi que la description de ses éléments ont été remplacés par C.P. 2011-263 [DORS/2011-56], 3 mars 2011, par. 15(2) et cette modification s'applique au calcul, prévu au paragraphe 7(7) du *Règlement sur les jeux de hasard (TPS/TVH)*, de la taxe imputée payable par une administration provinciale de jeux et paris sur les dépenses engagées par la Société de la loterie interprovinciale en ce qui concerne un jeux de hasard organisé pour toute période de déclaration de l'administration se terminant après décembre 2007. Antérieurement, il se lisait ainsi :

$$6\ \% \times (A - B)$$

où :

A représente le montant de ces dépenses;

B le total des montants dont chacun s'obtient par la formule suivante :

$$B_1 \times B_2$$

où :

B_1 représente le montant constitué, selon le cas :

a) du traitement, salaire ou autre rémunération payé ou payable à un salarié de la société, à l'exception d'un montant qu'il est tenu par l'article 6 de la *Loi de l'impôt sur le revenu* d'inclure dans le calcul de son revenu pour l'application de cette loi,

b) de la contrepartie payée ou payable par la société pour une fourniture exonérée de service ou une fourniture détaxée,

c) des frais, droits ou taxes visés par règlement pour l'application de l'article 154 de la Loi,

B_2 la mesure (exprimée en pourcentage) dans laquelle le montant visé à l'élément B_1 représente pour la société un coût lié à l'organisation du jeu et est inclus dans les dépenses visées à l'élément A.

La première formule figurant à l'article 13 a été remplacé par C.P. 2011-263 [DORS/2011-56], 3 mars 2011, par. 15(1) et cette modification s'applique au calcul, prévu au paragraphe 7(7) du *Règlement sur les jeux de hasard (TPS/TVH)*, de la taxe imputée payable par une administration provinciale de jeux et paris sur les dépenses engagées par la Société de la loterie interprovinciale en ce qui concerne un jeux de hasard organisé pour toute période de déclaration de l'administration se terminant après juin 2006. Antérieurement, il se lisait ainsi :

$$7\ \% \times (A - B)$$

L'article 13 a été ajouté par C.P. 1998-1551 [DORS/98-440], 26 août 1998, par. 6(1) et est réputé entré en vigueur le 31 décembre 1990.

14. Présomption concernant l'état d'institution financière — La Société de la loterie interprovinciale est réputée ne pas être une institution financière à toutes fins liées au calcul de sa taxe nette.

Notes historiques: L'article 14 a été ajouté par C.P. 1998-1551 [DORS/98-440], 26 août 1998, par. 6(1) et est réputé entré en vigueur le 31 décembre 1990.

Administration provinciale de jeux et paris agissant à titre de distributeur

14.1 Règle spéciale — Dans le cas où une administration provinciale de jeux et paris, à l'exception de la Société de la loterie interprovinciale, (appelée « administration déclarante » au présent article) est le distributeur d'une autre administration provinciale de jeux et paris en ce qui concerne un jeu de hasard organisé par celle-ci ou pour son compte, les règles suivantes s'appliquent :

a) pour l'application du paragraphe 7(7) et des articles 8 et 9 du présent règlement et de la partie IX de la Loi au calcul de la taxe imputée payable sur les frais de jeu et des crédits de taxe sur les intrants de l'administration déclarante et de l'autre administration, tout montant payé ou payable par l'administration déclarante pour le compte de l'autre administration relativement à l'acquisition ou à l'importation, ou au transfert dans une province participante, d'un bien ou d'un service pour consommation, utilisation ou fourniture dans le cadre de l'organisation du jeu est pris en compte comme si, à la fois :

(i) le jeu était organisé par l'administration déclarante dans le cadre de ses activités de jeu et non de celles de l'autre administration,

(ii) le bien ou le service était acquis ou importé, ou transféré dans la province participante, et le montant était payé ou payable par l'administration déclarante pour son propre compte et non par l'autre administration,

(iii) les droits de jouer ou de participer au jeu étaient des droits de l'administration déclarante et non de l'autre administration,

(iv) des personnes autres que l'administration déclarante, agissant à titre de distributeurs de l'autre administration en ce qui concerne le jeu, étaient les distributeurs de l'administration déclarante, et non de l'autre administration, en ce qui concerne le jeu;

b) nul montant qui, en l'absence du paragraphe 188.1(4) de la Loi, représenterait la contrepartie d'une fourniture effectuée par l'administration déclarante au profit de l'autre administration en ce qui concerne le jeu n'est inclus dans la valeur de l'élément C_1 de la formule figurant au paragraphe 7(7);

c) nul montant de remboursement payé ou payable par l'autre administration à l'administration déclarante au titre d'une dépense engagée ou à engager par celle-ci qui est attribuable au jeu n'est inclus dans la valeur des éléments A_3 ou C_1 de la formule figurant au paragraphe 7(7).

Notes historiques: L'article 14.1 et l'intertitre le précédant ont été ajoutés par C.P. 2011-263 [DORS/2011-56], 3 mars 2011, art. 16 et sont réputés être entrés en vigueur le 31 décembre 1990. Toutefois, pour ce qui est de toute fourniture effectuée avant le 4 octobre 2003 :

a) il n'est pas tenu compte des alinéas c) et d) de la définition de « coût imputable » au paragraphe 5(1) du *Règlement sur les jeux de hasard (TPS/TVH)*, édictée par le paragraphe 11(4);

b) la mention « de bien meuble corporel ou d'immeuble » à la division d)(iii)(A) de l'élément A1 de la formule figurant au paragraphe 7(7) du *Règlement sur les jeux de hasard (TPS/TVH)*, édictée par le paragraphe 12(13), vaut mention de « d'immeuble »;

c) l'article 13 ne s'applique pas au crédit de taxe sur les intrants ou au crédit de taxe sur les intrants imputé qu'une administration provinciale de jeux et paris demande dans une déclaration produite aux termes de la section V de la partie IX de la *Loi sur la taxe d'accise* avant le 3 octobre 2003.

Filiale à cent pour cent détentrice d'immeubles

Notes historiques: L'intertitre précédant l'art. 15 a été ajouté par C.P. 1998-1551 [DORS/98-440], 26 août 1998, par. 6(1) et est réputé entré en vigueur le 31 décembre 1990.

15. Taxe nette de la filiale à cent pour cent détentrice d'immeubles — La taxe nette pour la période de déclaration d'une société qui est la filiale à cent pour cent d'une administration provinciale de jeux et paris et qui fournit à cette dernière, par bail, licence ou accord semblable, un immeuble que l'administration acquiert pour utilisation à titre de siège social correspond au montant qui représenterait la taxe nette de la société pour la période, déterminée selon l'article 225 de la Loi, si le montant percevable par elle au titre de la taxe prévue à la section II de la partie IX de la Loi relativement à chaque semblable fourniture de cet immeuble effectuée au profit de l'administration correspondait au montant déterminé selon l'article 16.

Notes historiques: L'article 15 a été ajouté par C.P. 1998-1551 [DORS/98-440], 26 août 1998, par. 6(1) et est réputé entré en vigueur le 31 décembre 1990.

16. Présomption concernant la taxe sur une fourniture d'immeuble — Pour l'application de la présente partie et pour l'application de la partie IX de la Loi au calcul de la taxe nette de la filiale à cent pour cent d'une administration provinciale de jeux et paris, dans le cas où la filiale fournit à l'administration (autrement que dans le cadre d'une fourniture à laquelle s'applique l'article 156 de la Loi), par bail, licence ou accord semblable, un immeuble que l'administration acquiert pour utilisation à titre de siège social, la taxe payable relativement à la fourniture est réputée égale à la taxe qui serait payable relativement à la fourniture si la valeur de la contrepartie de la fourniture correspondait au montant obtenu par la formule suivante :

$$A - B$$

où :

A représente la valeur de la contrepartie de la fourniture, déterminée compte non tenu du présent article;

B le total des montants dont chacun s'obtient par la formule suivante :

$$B_1 \times B_2 \times B_3$$

où :

B_1 représente l'impôt foncier payable par la filiale relativement à l'immeuble ou la contrepartie payée ou payable par elle pour une fourniture détaxée ou une fourniture exonérée de bien meuble ou de service, sauf une fourniture qui serait réputée par le paragraphe 188.1(4) de la Loi ne pas en être une si elle était effectuée au profit de l'administration et non de la filiale,

B_2 la mesure (exprimée en pourcentage) dans laquelle la valeur de l'élément B_1 représente pour la filiale un coût lié à la réalisation de la fourniture de l'immeuble à l'administration,

B_3 la mesure (exprimée en pourcentage) dans laquelle l'administration acquiert l'immeuble pour utilisation à titre de siège social.

Notes historiques: L'article 16 a été ajouté par C.P. 1998-1551 [DORS/98-440], 26 août 1998, par. 6(1) et est réputé entré en vigueur le 31 décembre 1990.

Règlements

RÈG. CAN. RÈGLEMENT SUR LE LIEU DE FOURNITURE (TPS/TVH) [ABROGÉ]

DORS/2001-170 [C.P. 2001-827], 10 mai 2001, tel que modifié par C.P. 2010-701 [DORS/2010-117], 31 mai 2010

Sur recommandation du ministre des Finances et en vertu de l'article 277 (L.C. 1993, ch. 27, par. 125(1)) de la *Loi sur la taxe d'accise* et de l'article 3 (L.C. 1997, ch. 10, art. 254) de la partie IX de l'annexe IX de cette loi, Son Excellence la Gouverneure générale en conseil prend le *Règlement sur le lieu de fourniture (TPS/TVH)*, ci-après.

[Abrogé]

1. [*Abrogé*].

[C.P. 2001-827, art. 1].; [C.P. 2010-701, art. 59].

Notes historiques: L'article 1 et l'intertitre le précédant ont été abrogés par C.P. 2010-701 [DORS/2010-117], 31 mai 2010, art. 59 et cette abrogation est réputée être entrée en vigueur le 9 juin 2010. Antérieurement, ils se lisaient « Définitions et interprétation » et :

1. Définitions — Les définitions qui suivent s'appliquent au présent règlement.

« dernier acquéreur » En ce qui concerne un service informatique ou l'accès à l'Internet, personne qui est l'acquéreur d'une fourniture du service ou de l'accès et qui l'acquiert à une fin autre que celle de sa fourniture à une autre personne.

« droits canadiens » La partie d'un bien meuble incorporel qui peut être utilisée au Canada.

« étape » La partie du vol d'un aéronef qui se déroule entre deux arrêts de l'aéronef en vue de permettre l'embarquement ou le débarquement de passagers, le chargement ou le déchargement de marchandises ou l'entretien ou le réapprovisionnement en carburant de l'aéronef.

« FERR » Fonds enregistré de revenu de retraite au sens du paragraphe 248(1) de la *Loi de l'impôt sur le revenu*.

« Loi » La *Loi sur la taxe d'accise*.

« REEE » Régime enregistré d'épargne-études au sens du paragraphe 248(1) de la *Loi de l'impôt sur le revenu*.

« REER » Régime enregistré d'épargne-retraite au sens du paragraphe 248(1) de la *Loi de l'impôt sur le revenu*.

« service informatique »

a) service de soutien technique offert par voie de télécommunications et ayant trait au fonctionnement ou à l'utilisation de matériel informatique ou de logiciels;

b) service comportant le stockage électronique et le transfert interordinateur d'informations.

L'article 1 a été ajouté par C.P. 2001-827, 10 mai 2001, art. 1 et est réputé entré en vigueur le 1er avril 1997.

2. [*Abrogé*].

[C.P. 2001-827, art. 2].; [C.P. 2010-701, art. 59].

Notes historiques: L'article 2 a été abrogé par C.P. 2010-701 [DORS/2010-117], 31 mai 2010, art. 59 et cette abrogation est réputée être entrée en vigueur le 9 juin 2010. Antérieurement, il se lisait ainsi :

2. Présomption de livraison — Pour l'application du présent règlement, un fournisseur est réputé livrer un bien dans une province donnée et ne pas le livrer dans une autre province si, selon le cas :

a) il expédie le bien vers une destination située dans la province donnée et précisée dans le contrat de factage, ou il transfère la possession du bien à un transporteur public ou un consignataire et le charge, pour le compte de l'acquéreur, d'expédier celui-ci à une telle destination;

b) il envoie le bien par la poste ou par messager à une adresse dans la province donnée.

L'article 2 a été ajouté par C.P. 2001-827, 10 mai 2001, art. 2 et est réputé entré en vigueur le 1er avril 1997.

3. [*Abrogé*].

[C.P. 2001-827, art. 3].; [C.P. 2010-701, art. 59].

Notes historiques: L'article 3 a été abrogé par C.P. 2010-701 [DORS/2010-117], 31 mai 2010, art. 59 et cette abrogation est réputée être entrée en vigueur le 9 juin 2010. Antérieurement, il se lisait ainsi :

3. Application — Le présent règlement s'applique dans le cadre de l'article 3 de la partie IX de l'annexe IX de la Loi.

L'article 3 a été ajouté par C.P. 2001-827, 10 mai 2001, art. 3 et est réputé entré en vigueur le 1er avril 1997.

[Abrogé]

4. [*Abrogé*].

[C.P. 2001-827, art. 4].; [C.P. 2010-701, art. 59].

Notes historiques: L'article 4 et l'intertitre le précédant ont été abrogés par C.P. 2010-701 [DORS/2010-117], 31 mai 2010, art. 59 et cette abrogation est réputée être entrée en vigueur le 9 juin 2010. Antérieurement, ils se lisaient « Lieu de fourniture » et :

4. (1) Services de courtier en douane — La fourniture d'un service relatif à l'importation de produits est effectuée dans une province si les produits se trouvent dans la province au moment de leur dédouanement, au sens du paragraphe 2(1) de la *Loi sur les douanes*, et si le service consiste :

a) soit à prendre des mesures en vue de ce dédouanement;

b) soit à remplir, relativement à l'importation, toute obligation, prévue par cette loi ou par le *Tarif des douanes*, de faire une déclaration en détail ou provisoire de produits, de faire une déclaration, de communiquer des renseignements ou de verser des sommes.

(2) Exception — Le paragraphe (1) ne s'applique pas à la fourniture d'un service rendu relativement à une opposition, un appel, une révision, un réexamen, un remboursement, un abattement, une remise ou un drawback, ou relativement à une demande visant l'un de ceux-ci.

L'article 4 a été ajouté par C.P. 2001-827, 10 mai 2001, art. 4 et est réputé entré en vigueur le 1er avril 1997.

5. [*Abrogé*].

[C.P. 2001-827, art. 5].; [C.P. 2010-701, art. 59].

Notes historiques: L'article 5 a été abrogé par C.P. 2010-701 [DORS/2010-117], 31 mai 2010, art. 59 et cette abrogation est réputée être entrée en vigueur le 9 juin 2010. Antérieurement, il se lisait ainsi :

5. (1) Matériel roulant de chemin de fer — La fourniture de matériel roulant de chemin de fer autrement que par vente est effectuée dans une province si le fournisseur livre le matériel à l'acquéreur dans la province ou l'y met à sa disposition.

(2) Lieu de fourniture pour une période de location — Si une fourniture de matériel roulant de chemin de fer est effectuée dans une province par bail, licence ou accord semblable pour la première période de location, au sens du paragraphe 136.1(1) de la Loi, de la période totale de possession ou d'utilisation du matériel prévue par l'accord, la fourniture du matériel pour chacune des autres périodes de location prévues par l'accord est, malgré le paragraphe (1), effectuée dans cette province.

(3) Renouvellement de l'accord — Sous réserve du paragraphe (4), pour l'application du présent article, si un fournisseur transfère à un acquéreur la possession continue de matériel roulant de chemin de fer, ou lui permet d'utiliser du matériel roulant de chemin de fer de façon continue, tout au long d'une période aux termes de plusieurs baux, licences ou accords semblables successifs qu'il a conclus avec lui, le matériel est réputé avoir été livré à l'acquéreur, ou mis à sa disposition, aux termes de chacun de ces accords à l'endroit où il lui a été livré, ou a été mis à sa disposition, aux termes du premier de ces accords.

(4) Convention conclue avant le 1er avril 1997 — Lorsqu'une fourniture de matériel roulant de chemin de fer autrement que par vente est effectuée aux termes d'une convention donnée qui est en vigueur le 1er avril 1997 et que, aux termes de cette convention, le matériel a été livré à l'acquéreur, ou mis à sa disposition, avant cette date, les règles suivantes s'appliquent :

a) le matériel est réputé avoir été livré à l'acquéreur, ou mis à sa disposition, aux termes de la convention donnée à l'extérieur des provinces participantes;

b) si l'acquéreur conserve la possession ou l'utilisation continue du matériel aux termes d'une convention (appelée « convention de renouvellement » au présent alinéa) conclue avec le fournisseur qui suit immédiatement la convention donnée, le paragraphe (3) s'applique comme si la convention de renouvellement constituait le premier accord conclu entre le fournisseur et l'acquéreur en vue de la fourniture du matériel.

L'article 5 a été ajouté par C.P. 2001-827, 10 mai 2001, art. 5 et est réputé entré en vigueur le 1er avril 1997.

6. [*Abrogé*].

[C.P. 2001-827, art. 6].; [C.P. 2010-701, art. 59].

Notes historiques: L'article 6 a été abrogé par C.P. 2010-701 [DORS/2010-117], 31 mai 2010, art. 59 et cette abrogation est réputée être entrée en vigueur le 9 juin 2010. Antérieurement, il se lisait ainsi :

6. Droit d'adhésion fourni à un particulier — Dans le cas où les droits canadiens relatifs à un droit d'adhésion fourni à un particulier peuvent être exercés non exclusivement dans une province, la fourniture est effectuée dans une province si l'adresse postale du particulier se trouve dans la province.

L'article 6 a été ajouté par C.P. 2001-827, 10 mai 2001, art. 6 et est réputé entré en vigueur le 1er avril 1997.

7. [*Abrogé*].

[C.P. 2001-827, art. 7].; [C.P. 2010-701, art. 59].

Notes historiques: L'article 7 a été abrogé par C.P. 2010-701 [DORS/2010-117], 31 mai 2010, art. 59 et cette abrogation est réputée être entrée en vigueur le 9 juin 2010. Antérieurement, il se lisait ainsi :

7. Produit photographique, service de réparation, etc. — Dans le cas où un fournisseur reçoit un bien meuble corporel d'une autre personne en vue :

a) soit de fournir un service de réparation, d'entretien, de nettoyage, d'ajustement ou de modification du bien,

b) soit de produire un négatif, une diapositive, une épreuve photographique ou un autre produit photographique,

la fourniture du service (ou d'un bien fourni dans le cadre du service) ou du produit photographique est effectuée dans une province si le fournisseur livre le bien ou le produit, selon le cas, à l'acquéreur dans la province une fois le service exécuté ou la production du produit, achevée.

L'article 7 a été ajouté par C.P. 2001-827, 10 mai 2001, art. 7 et est réputé entré en vigueur le 1er avril 1997.

8. [*Abrogé*].

[C.P. 2001-827, art. 8].; [C.P. 2010-701, art. 59].

Notes historiques: L'article 8 a été abrogé par C.P. 2010-701 [DORS/2010-117], 31 mai 2010, art. 59 et cette abrogation est réputée être entrée en vigueur le 9 juin 2010. Antérieurement, il se lisait ainsi :

8. Service de fiduciaire de REER, de FERR ou de REEE — La fourniture d'un service relatif à une fiducie régie par un REER, un FERR ou un REEE offert par un fiduciaire de la fiducie est effectuée dans une province si l'adresse postale du rentier du REER ou du FERR ou du souscripteur du REEE se trouve dans la province.

L'article 8 a été ajouté par C.P. 2001-827, 10 mai 2001, art. 8 et est réputé entré en vigueur le 1er avril 1997.

9. [*Abrogé*].

[C.P. 2001-827, art. 9].; [C.P. 2010-701, art. 59].

Notes historiques: L'article 9 a été abrogé par C.P. 2010-701 [DORS/2010-117], 31 mai 2010, art. 59 et cette abrogation est réputée être entrée en vigueur le 9 juin 2010. Antérieurement, il se lisait ainsi :

9. Service 1-900 ou 1-976 — La fourniture d'un service offert par téléphone et obtenu par la composition d'un numéro commençant par 1-900 ou 1-976 est effectuée dans une province si l'appel téléphonique est lancé dans la province.

L'article 9 a été ajouté par C.P. 2001-827, 10 mai 2001, art. 9 et est réputé entré en vigueur le 1er avril 1997.

10. [*Abrogé*].

[C.P. 2001-827, art. 10].; [C.P. 2010-701, art. 59].

Notes historiques: L'article 10 a été abrogé par C.P. 2010-701 [DORS/2010-117], 31 mai 2010, art. 59 et cette abrogation est réputée être entrée en vigueur le 9 juin 2010. Antérieurement, il se lisait ainsi :

10. (1) Service informatique ou accès à l'Internet — dernier acquéreur unique — Lorsqu'un fournisseur donné effectue la fourniture d'un service informatique ou d'un accès à l'Internet qui doit être utilisé par un seul dernier acquéreur qui acquiert le service ou obtient l'accès aux termes d'une convention conclue avec le fournisseur donné ou un autre fournisseur, les règles suivantes s'appliquent :

a) si le dernier acquéreur profite habituellement de ce service ou de cet accès à un seul endroit qui est situé dans une province et que le fournisseur donné possède des renseignements permettant d'identifier cet endroit ou obtient de tels renseignements dans le cadre de ses pratiques commerciales habituelles, la fourniture est effectuée dans la province;

b) dans les autres cas, la fourniture est effectuée dans une province si l'adresse postale de l'acquéreur de cette fourniture se trouve dans la province.

(2) Service informatique ou accès à l'Internet — derniers acquéreurs multiples — Lorsqu'un fournisseur donné effectue la fourniture d'un service informatique ou d'un accès à l'Internet qui doit être utilisé par plusieurs derniers acquéreurs dont chacun acquiert le service ou obtient l'accès aux termes d'une convention conclue avec le fournisseur donné ou un autre fournisseur, les règles suivantes s'appliquent :

a) si chacun de ces derniers acquéreurs profite habituellement de ce service ou de cet accès à un seul endroit et si le fournisseur donné possède des renseignements permettant d'identifier cet endroit ou obtient de tels renseignements dans le cadre de ses pratiques commerciales habituelles, la fourniture est effectuée dans la province où, selon les parties III ou V de l'annexe IX de la Loi, la fourniture serait effectuée si le service était exécuté ou l'Internet accessible, selon le cas, dans chaque province où les derniers acquéreurs profitent du service ou de l'accès et dans la même mesure où ils profitent du service ou de l'accès;

b) si la province dans laquelle la fourniture est effectuée n'est pas déterminée selon l'alinéa a), la fourniture est effectuée dans une province si l'adresse postale de l'acquéreur de cette fourniture se trouve dans la province.

L'article 10 a été ajouté par C.P. 2001-827, 10 mai 2001, art. 10 et est réputé entré en vigueur le 1er avril 1997.

11. [*Abrogé*].

[C.P. 2001-827, art. 11].; [C.P. 2010-701, art. 59].

Notes historiques: L'article 11 a été abrogé par C.P. 2010-701 [DORS/2010-117], 31 mai 2010, art. 59 et cette abrogation est réputée être entrée en vigueur le 9 juin 2010. Antérieurement, il se lisait ainsi :

11. Services de navigation aérienne — La fourniture de services de navigation aérienne, au sens du paragraphe 2(1) de la *Loi sur la commercialisation des services de navigation aérienne civile*, est effectuée dans une province si le vol ou l'étape du vol relativement auquel les services sont exécutés commence dans la province.

L'article 11 a été ajouté par C.P. 2001-827, 10 mai 2001, art. 11 et est réputé entré en vigueur le 1er avril 1997.

12. [*Abrogé*].

[C.P. 2001-827, art. 12].; [C.P. 2010-701, art. 59].

Notes historiques: L'article 12 a été abrogé par C.P. 2010-701 [DORS/2010-117], 31 mai 2010, art. 59 et cette abrogation est réputée être entrée en vigueur le 9 juin 2010. Antérieurement, il se lisait ainsi :

12. Entrée en vigueur — Le présent règlement est réputé entré en vigueur le 1er avril 1997.

L'article 12 a été ajouté par C.P. 2001-827, 10 mai 2001, art. 12 et est réputé entré en vigueur le 1er avril 1997.

RÈG. CAN. RÈGLEMENT SUR LES MANDATAIRES DE SA MAJESTÉ (TPS) [ABROGÉ]

DORS91-148 [C.P. 1991-228], 14 février 1991, abrogé par C.P. 1999-625, [DORS/99-175], 15 avril 1999.

1–2 [*Abrogés*].

Notes historiques: Ce règlement a été abrogé par C.P. 1999-625 [DORS/99-175], 15 avril 1999, art. 3 et cette abrogation est réputée être entrée en vigueur le 27 février 1991. Auparavant, ce règlement se lisait comme suit :

1. Titre abrégé — *Règlement sur les mandataires de Sa Majesté (TPS).*

2. Mandataires — Pour l'application de l'alinéa 122c) de la *Loi sur la taxe d'accise*, sont des mandataires de Sa Majesté du chef du Canada:

a) la Société Radio-Canada;

b) la Société de développement de l'industrie cinématographique canadienne;

c) la Commission canadienne du blé;

d) la Banque du Canada;

e) chaque mandataire de Sa Majesté du chef du Canada mentionné à l'annexe III de la *Loi sur la gestion des finances publiques*;

f) chaque mandataire de Sa Majesté du chef du Canada qui est la filiale d'une personne morale visée à l'un des alinéas a) à e).

DORS/99-175 [C.P. 1999-625], 15 avril 1999, tel que modifié par L.C. 2002, c. 17 [C.P. 2002-1253], 17 juillet 2002.

Mandataires désignés

Notes historiques: Le *Règlement sur les mandataires désignés (TPS)* a été édicté par C.P. 1999-625 [DORS/99-175], 15 avril 1999, art. 1 et est réputé être entré en vigueur le 31 décembre 1990. Le titre a été modifié par C.P. 1999-625 [DORS/99-175], 15 avril 1999, art. 2 pour ajouter « /TVH ». Cette modification est réputée être entrée en vigueur le 1er avril 1997.

1. [Interprétation] — Pour l'application de la définition de « mandataire désigné » au paragraphe 123(1) de la *Loi sur la taxe d'accise*, les personnes suivantes sont des mandataires de Sa Majesté du chef du Canada :

a) la Société Radio-Canada;

b) Téléfilm Canada;

c) la Commission canadienne du blé;

d) la Banque du Canada;

e) tout mandataire de Sa Majesté du chef du Canada mentionné à l'annexe III de la *Loi sur la gestion des finances publiques*;

f) tout mandataire de Sa Majesté du chef du Canada qui est la filiale d'une personne morale visée à l'un des alinéas a) à e).

Notes historiques: L'alinéa 1b) a été modifié par le remplacement de la mention « Société de développement de l'industrie cinématographique canadienne » par « Téléfilm Canada » par L.C. 2002, c. 17, al. 15(1)b). Cette modification est entrée en vigueur le 22 juillet 2002 [C.P. 2002-1253].

RÈG. CAN. RÈGLEMENT SUR LA MÉTHODE D'ATTRIBUTION APPLICABLE AUX INSTITUTIONS FINANCIÈRES DÉSIGNÉES PARTICULIÈRES (TPS/TVH)

DORS/2001-171 [C.P. 2001-828], 10 mai 2001, tel que modifié par C.P. 2006-586 [DORS/2006-162], 23 juin 2006; C.P. 2008-1350 [DORS/2008-238], 28 juillet 2008.

Sur recommandation du ministre des Finances et en vertu de l'alinéa 225.2(1)d) (L.C. 1997, ch. 10, par. 208(1)) de l'alinéa a) (L.C. 1997, ch. 10, par. 208(1)) de l'élément A de la formule figurant au paragraphe 225.2(2), de l'élément C (L.C. 1997, ch. 10, par. 208(1)) de cette formule, de l'alinéa a) (L.C. 1997, ch. 10, par. 208(1)) de l'élément F de cette formule, de l'élément G (L.C. 1997, ch. 10, par. 208(1)) de cette formule, du paragraphe 228(2.2) (L.C. 1997, ch. 10, par. 210(3)) de l'élément D (L.C. 1997, ch. 10, par. 216(2)) de la formule figurant au sous-alinéa 237(5)b)(ii), de l'article 277 (L.C. 1993, ch. 27, par. 125(1)), de l'élément D (L.C. 1997, ch. 10, art. 241) de la formule figurant au sous-alinéa 363(2)a)(ii), de l'élément D (L.C. 1997, ch. 10, art. 241) de la formule figurant à l'alinéa 363(2)b), de l'élément F (L.C. 1997, ch. 10, art. 241) de la formule figurant au sous-alinéa 363(2)c)(ii) et de l'élément F (L.C. 1997, ch. 10, art. 241) de la formule figurant à l'alinéa 363(2)d) de la *Loi sur la taxe d'accise*, Son Excellence la Gouverneure générale en conseil prend le *Règlement sur la méthode d'attribution applicable aux institutions financières désignées particulières (TPS/TVH)*, ci-après.

Définition

1. Définition de « Loi » — Dans le présent règlement, « Loi » s'entend de la *Loi sur la taxe d'accise*.

PARTIE 1 — INSTITUTIONS FINANCIÈRES VISÉES

2. Conditions — Pour l'application de l'alinéa 225.2(1)d) de la Loi, une institution financière est une institution financière visée par règlement, tout au long d'une période de déclaration comprise dans un exercice de l'institution se terminant dans une année d'imposition donnée, si elle est une personne morale qui répond aux conditions suivantes :

a) au cours de l'année donnée et de l'année d'imposition précédente, elle est inscrite à l'annexe III de la *Loi sur la gestion des finances publiques*;

b) aux termes des règles énoncées à l'un des articles 402 à 405 du *Règlement de l'impôt sur le revenu*, elle aurait, si le paragraphe 124(3) ou l'alinéa 149(1)d) de la *Loi de l'impôt sur le revenu* ne s'appliquaient pas et si elle avait un revenu imposable pour l'année donnée et pour l'année d'imposition précédente, un revenu imposable gagné au cours de ces années dans une ou plusieurs provinces participantes ainsi qu'un revenu imposable gagné au cours de ces années dans une ou plusieurs provinces non participantes.

PARTIE 2 — POURCENTAGE QUANT À UNE PROVINCE PARTICIPANTE

Définitions et interprétations

3. Définitions — Les définitions qui suivent s'appliquent à la présente partie.

« établissement stable » S'entend :

a) En ce qui concerne une personne morale, s'entend au sens du paragraphe 400(2) du *Règlement de l'impôt sur le revenu*;

b) en ce qui concerne un particulier, s'entend au sens du paragraphe 2600(2) de ce règlement;

c) en ce qui concerne une société de personnes déterminée dont l'ensemble des associés sont des particuliers, s'entend d'un établissement stable qui serait le sien aux termes du paragraphe 2600(2) de ce règlement si elle était un particulier;

d) en ce qui concerne une société de personnes déterminée à laquelle l'alinéa c) ne s'applique pas, s'entend d'un établissement stable qui serait le sien aux termes du paragraphe 400(2) de ce règlement si elle était une personne morale.

« particulier » Sont assimilées aux particuliers les successions et les fiducies.

« période donnée »

a) Une année d'imposition pour l'application de la présente partie dans le cadre des dispositions suivantes de la Loi : l'élément C de la formule figurant au paragraphe 225.2(2) (sauf si cet élément est déterminé pour l'application du paragraphe 228(2.2) de la Loi), l'élément D de la formule figurant au sous-alinéa 363(2)a)(ii), l'élément D de la formule figurant à l'alinéa 363(2)b), l'élément F de la formule figurant au sous-alinéa 363(2)c)(ii) et l'élément F de la formule figurant à l'alinéa 363(2)d);

b) une période de déclaration pour l'application de la présente partie dans le cadre du calcul de la valeur de l'élément C de la formule figurant au paragraphe 225.2(2) de la Loi pour l'application du paragraphe 228(2.2) de la Loi;

c) un trimestre d'exercice pour l'application de la présente partie dans le cadre de l'élément D de la formule figurant au sous-alinéa 237(5)b)(ii) de la Loi.

« recettes brutes » En ce qui concerne une institution financière désignée particulière pour une période, le montant qui représenterait ses recettes brutes pour la période pour l'application de la *Loi de l'impôt sur le revenu* si elle était un contribuable aux termes de cette loi et si les mentions, dans cette loi, de l'année d'imposition de l'institution financière valaient mention de cette période.

« recettes brutes totales » En ce qui concerne une institution financière désignée particulière pour une période, la partie de ses recettes brutes qu'il est raisonnable d'attribuer à ses établissements stables au Canada pour la période.

« société de personnes déterminée » S'entend au sens du paragraphe 225.2(8) de la Loi.

4. Interprétation — Sauf indication contraire, les termes de la présente partie s'entendent au sens des parties IV et XXVI du *Règlement de l'impôt sur le revenu*.

Calcul du pourcentage d'attribution

5. Règles de base — Pour l'application de l'élément C de la formule figurant au paragraphe 225.2(2), de l'élément D de la formule figurant au sous-alinéa 237(5)b)(ii), de l'élément D de la formule figurant au sous-alinéa 363(2)a)(ii), de l'élément D de la formule figurant à l'alinéa 363(2)b), de l'élément F de la formule figurant au sous-alinéa 363(2)c)(ii) et de l'élément F de la formule figurant à l'alinéa 363(2)d) de la Loi, le pourcentage applicable à une institution financière quant à une province participante pour une période donnée est déterminé conformément aux dispositions de la présente partie.

6. Associé d'une société de personnes — Pour l'application de la présente partie, si une partie des activités de l'institution financière désignée particulière qui est l'associée d'une société de personnes ont été exercées au cours d'une période donnée en société de personnes avec une ou plusieurs autres personnes, les règles suivantes s'appliquent :

a) nulle partie des recettes brutes totales de la société de personnes n'est incluse dans les recettes brutes de l'institution financière pour la période;

b) nulle partie des traitements et salaires versés aux employés de la société de personnes n'est incluse dans ceux versés par l'institution financière au cours de la période.

Particuliers

7. (1) Absence d'établissement stable dans une province participante — Le pourcentage applicable, quant à une province participante pour une période donnée, à l'institution financière désignée particulière qui, au cours de la période, est un particulier et n'a pas d'établissement stable dans la province est nul.

(2) Calcul du pourcentage — Le pourcentage applicable, quant à une province participante pour une période donnée, à l'institution financière désignée particulière qui, au cours de la période, est un particulier et a un établissement stable dans la province correspond à la moitié de la somme des pourcentages suivants :

a) le pourcentage qui représente le rapport entre, d'une part, ses recettes brutes pour la période qu'il est raisonnable d'attribuer à ses établissements stables situés dans la province et, d'autre part, ses recettes brutes totales pour la période;

b) le pourcentage qui représente le rapport entre, d'une part, le total des traitements et salaires qu'elle a versés pendant la période aux employés de ses établissements stables situés dans la province et, d'autre part, le total des traitements et salaires qu'elle a versés pendant la période aux employés de ses établissements stables au Canada.

(3) Règles spéciales — attribution des recettes brutes — Pour l'application du paragraphe (2) et de la définition de « recettes brutes totales » en ce qui concerne l'institution financière qui est un particulier, il est raisonnable d'attribuer les recettes brutes de l'institution financière pour une période donnée à un établissement stable dans le cas où ces recettes seraient attribuables à cet établissement aux termes des règles énoncées au paragraphe 2603(4) du *Règlement de l'impôt sur le revenu* si l'institution financière était un contribuable aux termes de la *Loi de l'impôt sur le revenu* et si les mentions, à ce paragraphe, d'année et de recettes brutes de l'année valaient mention respectivement de période donnée et de recettes brutes de la période donnée.

(4) Rétribution — Pour l'application du paragraphe (2), si une institution financière verse une rétribution à une autre personne aux termes d'une entente suivant laquelle cette dernière ou les employés de cette dernière exécutent pour l'institution financière des services qui seraient normalement exécutés par des employés de l'institution financière, la rétribution ainsi versée est réputée être un traitement versé par l'institution financière et la partie de la rétribution qu'il est raisonnable de considérer comme un paiement pour des services rendus dans un établissement stable de l'institution financière est réputée être un traitement versé à un employé de l'établissement.

(5) Commission — Pour l'application du paragraphe (4), n'est pas une rétribution la commission versée par une institution financière à une personne qui n'est pas son employé.

Notes historiques: Le paragraphe 7(1) a été remplacé par C.P. 2006-586 [DORS/2006-162], 23 juin 2006, par. 9(1) et cette modification est entrée en vigueur le 12 juillet 2006. Antérieurement, il se lisait ainsi :

> 7. (1) Le pourcentage applicable, quant à une province participante pour une période, à l'institution financière désignée particulière qui, au cours de la période, est un particulier et n'a pas d'établissement stable dans la province est nul.

Le préambule du paragraphe 7(2) a été remplacé par C.P. 2006-586 [DORS/2006-162], 23 juin 2006, par. 9(2) et cette modification est entrée en vigueur le 12 juillet 2006. Antérieurement, il se lisait ainsi :

> (2) Le pourcentage applicable, quant à une province participante pour une période, à l'institution financière désignée particulière qui, au cours de la période, est un particulier et a un établissement stable dans la province correspond à la moitié de la somme des pourcentages suivants :

Personnes morales — dispositions générales

8. (1) Absence d'établissement stable dans une province participante — Le pourcentage applicable, quant à une province participante pour une période donnée, à l'institution financière désignée particulière qui, au cours de la période, est une personne morale et n'a pas d'établissement stable dans la province est nul.

(2) Calcul du pourcentage — Sous réserve de la présente partie, le pourcentage applicable, quant à une province participante pour une période donnée, à l'institution financière désignée particulière qui, au cours de la période, est une personne morale et a un établissement stable dans la province est le suivant :

a) sauf en cas d'application des alinéas b) ou c), la moitié de la somme des pourcentages suivants :

(i) le pourcentage qui représente le rapport entre, d'une part, ses recettes brutes pour la période qu'il est raisonnable d'attribuer à ses établissements stables situés dans la province et, d'autre part, ses recettes brutes totales pour la période,

(ii) le pourcentage qui représente le rapport entre, d'une part, le total des traitements et salaires qu'elle a versés pendant la période aux employés de ses établissements stables situés dans la province et, d'autre part, le total des traitements et salaires qu'elle a versés pendant la période aux employés de ses établissements stables au Canada;

b) si ses recettes brutes totales pour la période sont nulles, le pourcentage qui représente le rapport entre, d'une part, le total des traitements et salaires qu'elle a versés pendant la période aux employés de ses établissements stables situés dans la province et, d'autre part, le total des traitements et salaires qu'elle a versés pendant la période aux employés de ses établissements stables au Canada;

c) si le total des traitements et salaires qu'elle a versés pendant la période aux employés de ses établissements stables au Canada est nul, le pourcentage qui représente le rapport entre, d'une part, ses recettes brutes pour la période qu'il est raisonnable d'attribuer à ses établissements stables situés dans la province et, d'autre part, ses recettes brutes totales pour la période.

(3) Règles spéciales — attribution des recettes brutes — Pour l'application du paragraphe (2) et de la définition de « recettes brutes totales » en ce qui concerne l'institution financière qui n'est pas un particulier, il est raisonnable d'attribuer les recettes brutes de l'institution financière pour une période donnée à un établissement stable dans le cas où ces recettes seraient attribuables à cet établissement aux termes des règles énoncées aux paragraphes 402(4) et (4.1) et 413(1) du *Règlement de l'impôt sur le revenu* si l'institution financière était un contribuable aux termes de la *Loi de l'impôt sur le revenu* et si, à ces paragraphes, les mentions « année » et « année d'imposition » valaient mention de « période donnée ».

(4) Intérêts sur certains effets — Pour l'application du paragraphe (2), sont exclus des recettes brutes les intérêts sur les obligations et les hypothèques, les dividendes versés sur des actions de capital-actions et les loyers ou les redevances provenant de biens non utilisés dans le cadre des principales activités d'entreprise de l'institution financière.

Règlements

(5) **Rétribution** — Pour l'application du paragraphe (2), si une institution financière verse une rétribution à une autre personne aux termes d'une entente suivant laquelle cette dernière ou les employés de cette dernière exécutent pour l'institution financière des services qui seraient normalement exécutés par des employés de l'institution financière, la rétribution ainsi versée est réputée être un traitement versé par l'institution financière pendant la période donnée et la partie de la rétribution qu'il est raisonnable de considérer comme un paiement pour des services rendus dans un établissement stable de l'institution financière est réputée être un traitement versé à un employé de cet établissement.

(6) **Commission** — Pour l'application du paragraphe (5), n'est pas une rétribution la commission versée par une institution financière à une personne qui n'est pas son employé.

Notes historiques: Le paragraphe 8(3) a été remplacé par C.P. 2006-586 [DORS/2006-162], 23 juin 2006, par. 10(1) et cette modification est entrée en vigueur le 12 juillet 2006. Antérieurement, il se lisait ainsi :

(3) Pour l'application du paragraphe (2) et de la définition de « recettes brutes totales » en ce qui concerne l'institution financière qui n'est pas un particulier, il est raisonnable d'attribuer les recettes brutes de l'institution financière pour une période donnée à un établissement stable dans le cas où ces recettes seraient attribuables à cet établissement aux termes des règles énoncées aux paragraphes 402(4) et (4.1) et 413(1) du *Règlement de l'impôt sur le revenu* si l'institution financière était un contribuable aux termes de la *Loi de l'impôt sur le revenu* et si, à ces paragraphes, les mentions d'année et d'année d'imposition valaient mention de période donnée et la mention de recettes brutes de l'année valait mention de recettes brutes de la période donnée.

Le paragraphe 8(4) a été remplacé par C.P. 2006-586 [DORS/2006-162], par. 10(2) et cette modification est entrée en vigueur le 12 juillet 2006. Antérieurement, il se lisait ainsi :

(4) Pour l'application du paragraphe (2), sont exclus des recettes brutes les intérêts sur les obligations et les hypothèques, les dividendes versés sur des actions de capital-actions et les loyers ou les redevances provenant de biens non utilisés dans le cadre de la principale activité commerciale de l'institution financière.

Compagnies d'assurance

9. (1) Primes nettes — Pour l'application du présent article, « primes nettes » d'une institution financière désignée particulière pour une période donnée s'entend du total des primes brutes qu'elle a reçues au cours de la période, sauf la contrepartie reçue pour des rentes, moins la somme des montants suivants pour la période :

a) les primes de réassurance qu'elle a versées;

b) les participations ou ristournes qu'elle a versées aux titulaires de police, ou portées à leur crédit;

c) les remboursements de primes ou autres remboursements qu'elle a versés relativement aux annulations de police.

(2) **Calcul du pourcentage** — Lorsqu'une institution financière désignée particulière est une compagnie d'assurance, le pourcentage qui lui est applicable quant à une province participante pour une période donnée au cours de laquelle elle a un établissement stable dans la province correspond, malgré le paragraphe 8(2), au pourcentage représenté par le rapport entre :

a) d'une part, la somme de ses primes nettes pour la période relatives à l'assurance sur des biens situés dans la province et de ses primes nettes pour la période relatives à l'assurance, sauf celle sur des biens, découlant de contrats conclus avec des personnes résidant dans la province;

b) d'autre part, la somme de ses primes nettes pour la période relatives à l'assurance sur des biens situés au Canada et de ses primes nettes pour la période relatives à l'assurance, sauf celle sur des biens, découlant de contrats conclus avec des personnes résidant au Canada qui sont incluses dans le calcul de son revenu pour l'application de la partie I de la *Loi de l'impôt sur le revenu*.

(3) **Attribution de primes nettes à une province participante** — Pour l'application du paragraphe (2), si une institution financière désignée particulière n'a pas d'établissement stable au cours d'une période donnée dans une province participante donnée, les présomptions suivantes s'appliquent :

a) chaque prime nette pour la période relative à l'assurance sur des biens situés dans la province donnée est réputée être une prime nette relative à l'assurance sur des biens situés dans la province où se trouve l'établissement stable de l'institution financière auquel il est raisonnable d'attribuer la prime nette;

b) chaque prime nette pour la période relative à l'assurance, sauf celle sur des biens, découlant de contrats conclus avec des personnes résidant dans la province donnée est réputée être une prime nette relative à l'assurance, sauf celle sur des biens, découlant de contrats conclus avec des personnes résidant dans la province où est situé l'établissement stable de l'institution financière auquel il est raisonnable d'attribuer la prime nette.

Notes historiques: L'alinéa 9(1)b) a été remplacé par C.P. 2006-586 [DORS/2006-162], 23 juin 2006, art. 11 et cette modification est entrée en vigueur le 12 juillet 2006. Antérieurement, il se lisait ainsi :

b) les participations ou remboursements qu'elle a versés aux titulaires de police, ou portés à leur crédit;

L'alinéa 9(1)c) a été remplacé par C.P. 2006-586 [DORS/2006-162], 23 juin 2006, art. 11 et cette modification est entrée en vigueur le 12 juillet 2006. Antérieurement, il se lisait ainsi :

c) les ristournes ou les remboursements de primes qu'elle a versés relativement aux annulations de polices.

Banques

10. (1) Calcul du pourcentage — Malgré le paragraphe 8(2), le pourcentage applicable, pour une période donnée, à l'institution financière désignée particulière qui est une banque, quant à une province participante où elle a un établissement stable, correspond au tiers de la somme des pourcentages suivants :

a) le pourcentage qui représente le rapport entre, d'une part, le total des traitements et salaires versés par l'institution financière pendant la période aux employés de ses établissements stables situés dans la province et, d'autre part, le total des traitements et salaires qu'elle a versés pendant la période aux employés de ses établissements stables au Canada;

b) deux fois le pourcentage qui représente le rapport entre, d'une part, le total des prêts et dépôts de ses établissements stables situés dans la province pour la période et, d'autre part, le total des prêts et dépôts de ses établissements stables au Canada pour la période.

(2) **Montant des prêts** — Pour l'application du paragraphe (1), le montant des prêts pour une période donnée correspond au montant obtenu par la formule suivante :

$$\frac{A}{B}$$

où :

A représente le total des montants impayés, sur les prêts consentis par l'institution financière, à la fermeture des bureaux le dernier jour de chaque mois se terminant dans la période;

B le nombre de mois se terminant dans la période.

(3) **Montant des dépôts** — Pour l'application du paragraphe (1), le montant des dépôts pour une période donnée correspond au montant obtenu par la formule suivante :

$$\frac{A}{B}$$

où :

A représente le total des montants en dépôt auprès de l'institution financière à la fermeture des bureaux le dernier jour de chaque mois se terminant dans la période;

B le nombre de mois se terminant dans la période.

(4) Exclusion — Pour l'application des paragraphes (2) et (3), sont exclus des prêts et dépôts les obligations, actions, valeurs en transit et dépôts pour le compte de Sa Majesté du chef du Canada.

Sociétés de fiducie et de prêt

11. (1) Calcul du pourcentage — Malgré le paragraphe 8(2), le pourcentage applicable, pour une période donnée, à l'institution financière désignée particulière qui est une société de fiducie et de prêt, une société de fiducie ou une société de prêt, quant à une province participante où elle a un établissement stable, correspond au pourcentage qui représente le rapport entre, d'une part, les recettes brutes pour la période de ses établissements stables situés dans la province et, d'autre part, les recettes brutes totales pour la période de ses établissements stables au Canada.

(2) Calcul des recettes brutes — Pour l'application du paragraphe (1), « recettes brutes pour la période de ses établissements stables situés dans la province » s'entend, en ce qui concerne une institution financière, du total de ses recettes brutes pour la période donnée provenant des sources suivantes :

a) les prêts garantis par des terrains situés dans la province participante;

b) les prêts, non garantis par des terrains, consentis à des personnes résidant dans la province;

c) les prêts qui répondent aux conditions suivantes, à l'exception de ceux qui sont garantis par des terrains situés dans une province, ou dans un pays étranger, où l'institution financière a un établissement stable :

(i) ils sont consentis à des personnes résidant dans une province, ou dans un pays étranger, où l'institution financière n'a pas d'établissement stable,

(ii) ils sont administrés par un établissement stable situé dans la province participante;

d) les affaires menées à ses établissements stables situés dans la province participante, sauf celles qui donnent lieu à des recettes provenant de prêts.

Sociétés de personnes déterminées

12. Calcul du pourcentage — Le pourcentage applicable, quant à une province participante pour une période donnée, à l'institution financière désignée particulière qui est une société de personnes déterminée est le suivant :

a) si l'ensemble des associés de la société sont des particuliers, le pourcentage qui serait déterminé selon l'article 7 quant à la province pour la période si la société était un particulier;

b) dans les autres cas, le pourcentage qui serait déterminé selon l'article 8 quant à la province pour la période si la société était une personne morale.

Entreprises divisées

13. Accord avec le ministre — moyenne pondérée — Lorsqu'une institution financière désignée particulière est une personne morale autre qu'une institution financière visée à l'un des articles 9 à 11 et qu'une ou plusieurs parties de son entreprise pour une période donnée consistent en activités habituellement exercées par une institution financière d'une catégorie visée à l'un de ces articles, l'institution financière et le ministre peuvent convenir que le pourcentage applicable à l'institution financière quant à une province participante pour la période correspond à la moyenne pondérée des pourcentages résultant :

a) de l'application, à chacune de ces parties de l'entreprise, de celui de ces articles qui vise une catégorie d'institutions financières qui exercent habituellement les activités constituant cette partie de l'entreprise;

b) de l'application de l'article 8 au reste de l'entreprise qui ne consiste pas en activités habituellement exercées par une institution financière d'une catégorie visée à l'un de ces articles.

PARTIE 3 — MONTANTS DE TAXE

14. Montant exclus de la formule de redressement de taxe nette — Pour l'application de l'alinéa a) de l'élément A de la formule figurant au paragraphe 225.2(2) de la Loi et de l'alinéa a) de l'élément F de cette formule, les montants suivants sont visés :

a) un montant de taxe qui est devenu payable par un assureur, ou qui a été payé par lui sans être devenu payable, relativement à des biens ou des services acquis, importés ou transférés dans une province participante exclusivement et directement pour consommation, utilisation ou fourniture dans le cadre d'une enquête, d'un règlement ou d'une opposition relative à une réclamation fondée sur une police d'assurance autre qu'une police d'assurance-accidents, d'assurance-maladie ou d'assurance-vie;

b) un montant de taxe qui est devenu payable par une institution financière désignée particulière, ou qui a été payé par elle sans être devenu payable, relativement à la fourniture ou à l'importation d'un bien visé au paragraphe 259.1(2) de la Loi.

PARTIE 4 — MONTANTS À DÉTERMINER

15. Redressements — Pour l'application de l'élément G de la formule figurant au paragraphe 225.2(2) de la Loi, sont à déterminer pour une période de déclaration donnée comprise dans un exercice se terminant dans l'année d'imposition d'une institution financière désignée particulière :

a) le montant positif ou négatif obtenu, quant à une province participante, par la formule suivante :

$$G_1 - \left[(G_2 - G_3) \times G_4 \times \left(\frac{G_5}{G_6}\right) \right]$$

où :

G_1 représente la somme des montants suivants :

(i) le total des montants représentant chacun un montant qui a été payé ou est devenu payable par l'institution financière au titre de la taxe prévue au paragraphe 165(2) de la Loi et qui a été redressé, remboursé ou crédité en application de l'article 232 de la Loi au cours de la période de déclaration donnée, dans la mesure où il a été inclus dans la valeur de l'élément F de la formule figurant au paragraphe 225.2(2) de la Loi pour une période de déclaration de l'institution financière,

(ii) si, selon les articles 252.4 ou 252.41 de la Loi, une personne verse à l'institution financière, ou porte à son crédit, au cours de la période de déclaration donnée un montant au titre d'un remboursement, le total des montants représentant chacun un montant ainsi payé à l'institution financière, ou ainsi porté à son crédit, dans la mesure où il se rapporte à la taxe prévue au paragraphe 165(2) ou à l'article 212.1 de la Loi et a été inclus dans la valeur de l'élément F de la formule figurant au paragraphe 225.2(2) de la Loi pour une période de déclaration de l'institution financière,

(iii) le total des montants représentant chacun un montant qui a été remis ou remboursé à l'institution financière au cours de la période de déclaration donnée en application d'une loi fédérale, sauf la présente loi, dans la mesure où il se rapporte à la taxe prévue au paragraphe 165(2) ou à l'article 212.1 de la Loi et a été inclus dans la valeur de l'élément F de la formule figurant au paragraphe 225.2(2) de la Loi pour une période de déclaration de l'institution financière,

(iv) le total des montants représentant chacun un montant de taxe qui a été payé ou est devenu payable par l'institu-

Règlements

tion financière en vertu du paragraphe 165(2) de la Loi relativement à la fourniture d'un bien ou d'un service pour laquelle elle n'a pas droit à un crédit de taxe sur les intrants par l'effet de l'article 351 ou de l'alinéa 356(5)b) de la Loi, dans la mesure où le montant a été inclus dans la valeur de l'élément F de la formule figurant au paragraphe 225.2(2) de la Loi pour la période de déclaration donnée,

(v) le total des montants obtenus par la formule ci-après relativement à chaque remise à laquelle s'applique l'article 181.1 de la Loi et que l'institution financière a reçue au cours de la période de déclaration donnée :

$$\left[\frac{A}{(100 + A + B)}\right] \times C$$

où :

A représente :

(A) si la taxe prévue au paragraphe 165(2) de la Loi était payable relativement à la fourniture, effectuée au profit de l'institution financière, du bien ou du service relativement auquel la remise est versée, le taux de taxe applicable à la province participante où la fourniture est effectuée,

(B)le taux fixé au paragraphe 165(1) de la Loi,

(C)le montant de la remise,

B le montant de la remise,

G_2 la somme des montants suivants :

(i) le total des montants représentant chacun un montant qui a été payé ou est devenu payable par l'institution financière au titre de la taxe prévue au paragraphe 165(1) de la Loi et qui a été redressé, remboursé ou crédité en application de l'article 232 de la Loi au cours de la période de déclaration donnée, dans la mesure où il a été inclus dans la valeur de l'élément A de la formule figurant au paragraphe 225.2(2) de la Loi pour une période de déclaration de l'institution financière,

(ii) si, selon les articles 252.4 ou 252.41 de la Loi, une personne verse à l'institution financière, ou porte à son crédit, au cours de la période de déclaration donnée un montant au titre d'un remboursement, le total des montants représentant chacun un montant ainsi payé à l'institution financière, ou ainsi porté à son crédit, dans la mesure où il se rapporte à la taxe prévue au paragraphe 165(1) ou aux articles 212 ou 218 de la Loi et a été inclus dans la valeur de l'élément A de la formule figurant au paragraphe 225.2(2) de la Loi pour une période de déclaration de l'institution financière,

(iii) le total des montants représentant chacun un montant (sauf celui visé au sous-alinéa (i)) qui a été remis ou remboursé à l'institution financière au cours de la période de déclaration donnée en application d'une loi fédérale, dans la mesure où il se rapporte à la taxe prévue au paragraphe 165(1) ou aux articles 212 ou 218 de la Loi et a été inclus dans la valeur de l'élément A de la formule figurant au paragraphe 225.2(2) de la Loi pour une période de déclaration de l'institution financière,

(iv) le total des montants représentant chacun un montant de taxe qui a été payé ou est devenu payable par l'institution financière en vertu du paragraphe 165(1) ou des articles 212 ou 218 de la Loi relativement à une fourniture ou une importation relativement à laquelle, selon le cas :

(A) en l'absence du paragraphe 218.1(2) et de l'article 220.04 de la Loi, la taxe prévue au paragraphe 165(2), aux articles 212.1 ou 218.1 ou à la section IV.1 de la partie IX de la Loi aurait été payable par l'institution financière n'eût été la sous-section c de la section X de cette partie ou le fait que la fourniture n'est pas visée à la sous-section b de la section X de cette partie,

(B) si la taxe prévue au paragraphe 165(2), aux articles 212.1 ou 218.1 ou à la section IV.1 de la partie IX de la Loi avait été payable par l'institution financière, celle-ci n'aurait pas eu droit à un crédit de taxe sur les intrants au titre de cette taxe par l'effet de l'article 351 ou de l'alinéa 356(5)b) de la Loi,

dans la mesure où le montant a été inclus dans la valeur de l'élément A de la formule figurant au paragraphe 225.2(2) de la Loi pour la période de déclaration donnée,

(v) le total des montants obtenus par la formule ci-après relativement à chaque remise à laquelle s'applique l'article 181.1 de la Loi et que l'institution financière a reçue au cours de la période de déclaration donnée :

$$\left[\frac{A}{(100 + A + B)}\right] \times C$$

où :

A représente le taux fixé au paragraphe 165(1) de la Loi,

B :

(A) si la taxe prévue au paragraphe 165(2) de la Loi était payable relativement à la fourniture, effectuée au profit de l'institution financière, du bien ou du service relativement auquel la remise est versée, le taux de taxe applicable à la province participante où la fourniture est effectuée,

(B) dans les autres cas, zéro,

C le montant de la remise,

G_3 la somme des montants suivants :

(i) les crédits de taxe sur les intrants de l'institution financière, demandés dans la déclaration qu'elle produit pour une de ses périodes de déclaration aux termes de la section V de la partie IX de la Loi, au titre d'un montant visé à l'un des sous-alinéas (i) à (iii) de l'élément G_2 pour la période de déclaration donnée,

(ii) les montants inclus pour une période de déclaration de l'institution financière dans la valeur de l'élément B de la formule figurant au paragraphe 225.2(2) de la Loi au titre d'un montant visé au sous-alinéa (iv) de l'élément G_2 pour la période de déclaration donnée,

(iii) le total des montants représentant chacun un montant de taxe que l'institution financière est réputée, par l'alinéa 181.1b) de la Loi, avoir perçu au cours de la période de déclaration donnée,

G_4 :

(i) pour les besoins du calcul, selon l'alinéa 228(2.1)a) de la Loi, de la taxe nette provisoire de l'institution financière pour la période de déclaration donnée, le pourcentage qui lui est applicable quant à la province participante pour l'année d'imposition ou, s'il est inférieur, celui qui lui est applicable quant à cette province pour l'année d'imposition précédente, chaque pourcentage étant déterminé conformément aux règles énoncées à la partie 2 qui sont applicables à l'institution financière,

(ii) malgré le sous-alinéa (i), pour les besoins du calcul, selon l'alinéa 228(2.1)a) de la Loi, de la taxe nette provisoire de l'institution financière pour la période de déclaration donnée dans le cas où elle est une institution financière désignée particulière à laquelle s'applique le paragraphe 228(2.2) de la Loi, le pourcentage qui lui est applicable quant à la province participante pour la période de déclaration précédant la période de déclaration donnée, déterminé conformément aux règles énoncées à la partie 2 qui lui sont applicables,

(iii) dans les autres cas, le pourcentage applicable à l'institution financière quant à la province participante pour l'année d'imposition, déterminé conformément aux règles énoncées à la partie 2 qui lui sont applicables,

G_5 le taux de taxe applicable à la province participante,

G_6 le taux fixé au paragraphe 165(1) de la loi;

b) le montant positif ou négatif obtenu, quant à une province participante, par la formule suivante :

$$\left[(G_7 - G_8) \times G_9 \times \left(\frac{G_{10}}{G_{11}}\right)\right] - G_{12}$$

où :

G_7 représente la somme des montants suivants :

(i) le total des montants représentant chacun un montant de taxe qui est réputé, par l'alinéa 129(6)b) ou le paragraphe 129.1(4) de la Loi, avoir été perçu par l'institution financière au cours de la période de déclaration donnée,

(ii) le total des montants représentant chacun un montant de taxe qui est réputé, par l'alinéa 180d) de la Loi, avoir été payé par l'institution financière au cours de la période de déclaration donnée, dans la mesure où il se rapporte à la taxe payée par une autre personne en vertu du paragraphe 165(1) ou de l'article 212 de la Loi et n'a pas été inclus dans la valeur de l'élément A de la formule figurant au paragraphe 225.2(2) de la Loi pour une période de déclaration de l'institution financière,

(iii) le total des montants représentant chacun un montant qui est à ajouter en application des paragraphes 235(1) ou 236(1) de la Loi dans le calcul de la taxe nette de l'institution financière pour la période de déclaration donnée,

(iv) le total des montants représentant chacun un des montants de taxe suivants, qui a été payé ou est devenu payable par l'institution financière avant avril 1997 en vertu du paragraphe 165(1) ou des articles 212 ou 218 de la Loi :

(A) un montant de taxe relatif à la fourniture ou à l'importation d'un bien ou d'un service à laquelle s'appliquent la section X de la partie IX de la Loi ainsi que la taxe prévue au paragraphe 165(2), aux articles 212.1 ou 218.1 ou à la section IV.1 de cette partie, ou à laquelle la section X de cette partie et cette taxe se seraient appliquées si la fourniture avait été effectuée ou le bien, livré ou rendu disponible, ou sa possession matérielle, transférée, selon le cas, dans une province participante, dans la mesure où il n'est pas inclus dans la valeur de l'élément A de la formule figurant au paragraphe 225.2(2) de la Loi pour une période de déclaration de l'institution financière,

(B) un montant de taxe relativement auquel l'institution financière a demandé un crédit de taxe sur les intrants dans une déclaration qu'elle produit après mars 1997 aux termes de la section V de la partie IX de la Loi, dans la mesure où il n'est pas inclus dans la valeur de l'élément A de la formule figurant au paragraphe 225.2(2) de la Loi, mais l'a été dans la valeur de l'élément B de cette formule pour une des périodes de déclaration de l'institution financière,

G_8 le total des crédits de taxe sur les intrants que l'institution financière peut demander dans la déclaration qu'elle produit pour la période de déclaration donnée aux termes de la section V de la partie IX de la Loi au titre d'un montant visé au sous-alinéa (ii) ou à la division (iv)(A) de l'élément G_7 pour cette période, dans la mesure où le montant n'est pas inclus dans la valeur de l'élément B de la formule figurant au paragraphe 225.2(2) de la Loi pour une période de déclaration de l'institution financière,

G_9 :

(i) pour les besoins du calcul, selon l'alinéa 228(2.1)a) de la Loi, de la taxe nette provisoire de l'institution financière pour la période de déclaration donnée, le pourcentage qui lui est applicable quant à la province participante pour l'année d'imposition ou, s'il est inférieur, celui qui lui est applicable quant à cette province pour l'année d'imposition précédente, chaque pourcentage étant déterminé conformément aux règles énoncées à la partie 2 qui sont applicables à l'institution financière,

(ii) malgré le sous-alinéa (i), pour les besoins du calcul, selon l'alinéa 228(2.1)a) de la Loi, de la taxe nette provisoire de l'institution financière pour la période de déclaration donnée dans le cas où elle est une institution financière désignée particulière à laquelle s'applique le paragraphe 228(2.2) de la Loi, le pourcentage qui lui est applicable quant à la province participante pour la période de déclaration précédant la période de déclaration donnée, déterminé conformément aux règles énoncées à la partie 2 qui lui sont applicables,

(iii) dans les autres cas, le pourcentage applicable à l'institution financière quant à la province participante pour l'année d'imposition, déterminé conformément aux règles énoncées à la partie 2 qui lui sont applicables,

G_{10} le taux de taxe applicable à la province participante,

G_{11} le taux fixé au paragraphe 165(1) de la loi,

G_{12} le total des montants représentant chacun un montant de taxe qui est réputé, par l'alinéa 180d) de la Loi, avoir été payé par l'institution financière au cours de la période de déclaration donnée, dans la mesure où il se rapporte à la taxe payée par une autre personne en vertu du paragraphe 165(2) ou de l'article 212.1 de la Loi et n'est pas inclus dans la valeur de l'élément F de la formule figurant au paragraphe 225.2(2) de la Loi pour une période de déclaration de l'institution financière.

Notes historiques: La formule du sous-alinéa (v) de l'élément G_1 de l'alinéa 15a), édictée par le par. 1(1) de C.P. 2008-1350 [DORS/2008-238], a été remplacée par C.P. 2008-1350 [DORS/2008-238], 28 juillet 2008, par. 1(2) et cette modification s'applique lorsqu'il s'agit de déterminer des montants pour toute période de déclaration d'une institution financière désignée particulière se terminant après décembre 2007. Antérieurement, elle se lisait ainsi :

$$\left[\frac{A}{(106 + A)}\right] \times B$$

La formule du sous-alinéa (v) de l'élément G_1 de l'alinéa 15a) a été remplacée par C.P. 2008-1350 [DORS/2008-238], 28 juillet 2008, par. 1(1) et cette modification s'applique lorsqu'il s'agit de déterminer des montants pour toute période de déclaration d'une institution financière désignée particulière se terminant après juin 2006. Antérieurement, elle se lisait ainsi :

$$\left[\frac{A}{(107 + A)}\right] \times B$$

L'élément B du sous-alinéa (v) de l'élément G_1 de l'alinéa 15a) a été remplacé et l'élément C a été ajouté par C.P. 2008-1350 [DORS/2008-238], 28 juillet 2008, par. 1(3) et ces modifications s'appliquent lorsqu'il s'agit de déterminer des montants pour toute période de déclaration d'une institution financière désignée particulière se terminant après décembre 2007. Antérieurement, il se lisait ainsi :

(B) dans les autres cas, zéro,

Le préambule du sous-alinéa (iv) de l'élément G_2 de l'alinéa 15a) a été remplacé par C.P. 2006-586 [DORS/2006-162], 23 juin 2006, art. 12 et cette modification est entrée en vigueur le 12 juillet 2006. Antérieurement, il se lisait ainsi :

(iv) le total des montants représentant chacun un montant de taxe qui a été payé ou est devenu payable par l'institution financière en vertu du paragraphe 165(1) ou des articles 212 ou 218 de la Loi relativement à une fourniture ou à une importation relativement à laquelle :

La formule du sous-alinéa (v) de l'élément G_2 de l'alinéa 15a), édictée par le par. 1(4) de C.P. 2008-1350 [DORS/2008-238], a été remplacée par C.P. 2008-1350 [DORS/2008-238], 28 juillet 2008, par. 1(5) et cette modification s'applique lorsqu'il s'agit de déterminer des montants pour toute période de déclaration d'une institution financière désignée particulière se terminant après décembre 2007. Antérieurement, elle se lisait ainsi :

$$\left[\frac{6}{(106 + A)}\right] \times B$$

La formule du sous-alinéa (v) de l'élément G_2 de l'alinéa 15a) a été remplacée par C.P. 2008-1350 [DORS/2008-238], 28 juillet 2008, par. 1(4) et cette modification s'applique lorsqu'il s'agit de déterminer des montants pour toute période de déclaration d'une institution financière désignée particulière se terminant après juin 2006. Antérieurement, elle se lisait ainsi :

$$\left[\frac{7}{(107 + A)}\right] \times B$$

Les éléments A et B du sous-alinéa (v) de l'élément G_2 de l'alinéa 15a) ont été remplacés et l'élément C a été ajouté par C.P. 2008-1350 [DORS/2008-238], 28 juillet 2008, par. 1(6) et ces modifications s'appliquent lorsqu'il s'agit de déterminer des montants pour toute période de déclaration d'une institution financière désignée particulière se terminant après décembre 2007. Antérieurement, ils se lisaient ainsi :

A représente :

(A) si la taxe prévue au paragraphe 165(2) de la Loi était payable relativement à la fourniture, effectuée au profit de l'institution financière, du bien ou du service relativement auquel la remise est versée, le taux de taxe applicable à la province participante où la fourniture est effectuée,

(B) dans les autres cas, zéro,

L'élément G_6 de l'alinéa 15a), édicté par le par. 1(7) de C.P. 2008-1350 [DORS/2008-238], a été remplacé par C.P. 2008-1350 [DORS/2008-238], 28 juillet 2008, par. 1(8) et cette modification s'applique lorsqu'il s'agit de déterminer des montants pour toute période de déclaration d'une institution financière désignée particulière se terminant après décembre 2007. Antérieurement, elle se lisait ainsi :

G_6 6 %;

L'élément G_6 de l'alinéa 15a) a été remplacé par C.P. 2008-1350 [DORS/2008-238], 28 juillet 2008, par. 1(7) et cette modification s'applique lorsqu'il s'agit de déterminer des montants pour toute période de déclaration d'une institution financière désignée particulière se terminant après juin 2006. Antérieurement, il se lisait ainsi :

G_6 7 %;

L'élément G_{11} de l'alinéa 15a), édicté par le par. 1(9) de C.P. 2008-1350 [DORS/2008-238], a été remplacé par C.P. 2008-1350 [DORS/2008-238], 28 juillet 2008, par. 1(10) et cette modification s'applique lorsqu'il s'agit de déterminer des montants pour toute période de déclaration d'une institution financière désignée particulière se terminant après décembre 2007. Antérieurement, elle se lisait ainsi :

G_{11} 6 %;

L'élément G_{11} de l'alinéa 15a) a été remplacé par C.P. 2008-1350 [DORS/2008-238], 28 juillet 2008, par. 1(9) et cette modification s'applique lorsqu'il s'agit de déterminer des montants pour toute période de déclaration d'une institution financière désignée particulière se terminant après juin 2006. Antérieurement, il se lisait ainsi :

G_{11} 7 %;

16. Entrée en vigueur — Le présent règlement est réputé être entré en vigueur le 1er avril 1997. Toutefois, au cours de la période commençant à cette date et se terminant la veille de la publication du même règlement dans la partie I de la *Gazette du Canada* :

a) le sous-alinéa (v) de l'élément G_1 de la formule figurant à l'alinéa 15a) du même règlement est remplacé par ce qui suit :

(v) si une personne verse à l'institution financière au cours de la période de déclaration donnée une remise à laquelle s'applique l'article 181.1 de la Loi et que l'institution financière soit réputée, par l'alinéa 181.1b) de la Loi, avoir perçu une taxe égale au montant déterminé selon cet alinéa, le total des montants représentant chacun un montant ainsi déterminé, dans la mesure où il se rapporte à la taxe prévue au paragraphe 165(2) de la Loi,

b) le sous-alinéa (v) de l'élément G_2 de la formule figurant à l'alinéa 15a) du même règlement est remplacé par ce qui suit :

(v) si une personne verse à l'institution financière au cours de la période de déclaration donnée une remise à laquelle s'applique l'article 181.1 de la Loi et que l'institution financière soit réputée, par l'alinéa 181.1b) de la Loi, avoir perçu une taxe égale au montant déterminé selon cet alinéa, le total des montants représentant chacun un montant ainsi déterminé, dans la mesure où il se rapporte à la taxe prévue au paragraphe 165(1) de la Loi,

c) l'élément G_3 de la formule figurant à l'alinéa 15a) du même règlement est remplacé par ce qui suit :

G_3 la somme des montants suivants :

(i) les crédits de taxe sur les intrants, demandés par l'institution financière dans la déclaration qu'elle produit pour une de ses périodes de déclaration aux termes de la section V de la partie IX de la Loi, au titre d'un montant visé à l'un des sous-alinéas (i) à (iii) et (v) de l'élément G_2 pour la période de déclaration donnée,

(ii) les montants inclus pour une période de déclaration de l'institution financière dans la valeur de l'élément B de la formule figurant au paragraphe 225.2(2) de la Loi au titre d'un montant visé au sous-alinéa (iv) de l'élément G_2 pour la période de déclaration donnée,

Modification proposée — 1-16

1. (1) Définitions — Les définitions qui suivent s'appliquent au présent règlement ainsi qu'au paragraphe 225.2(2) de la Loi, adapté par le présent règlement.

« entité de gestion » Régime de placement qui est une entité de gestion pour l'application de l'article 172.1 de la Loi.

« établissement stable »

a) Dans le cas d'une personne morale, établissement stable au sens du paragraphe 400(2) du *Règlement de l'impôt sur le revenu*;

b) dans le cas d'un particulier ou d'une fiducie, établissement stable au sens du paragraphe 2600(2) de ce règlement;

c) dans le cas d'une société de personnes admissible dont l'ensemble des associés sont des particuliers ou des fiducies, établissement stable qui serait un établissement stable de la société de personnes au sens du paragraphe 2600(2) de ce règlement si celle-ci était un particulier;

d) dans le cas d'une société de personnes admissible à laquelle l'alinéa c) ne s'applique pas, établissement stable qui serait un établissement stable de la société de personnes au sens du paragraphe 400(2) de ce règlement si celle-ci était une personne morale.

« fonds coté en bourse » Régime de placement par répartition dont les unités sont cotées ou négociées sur une bourse ou un autre marché public.

« gestionnaire » Est gestionnaire d'un régime de placement :

a) dans le cas d'une entité de gestion d'un régime de pension, l'administrateur, au sens du paragraphe 147.1(1) de la *Loi de l'impôt sur le revenu, du régime*;

b) dans les autres cas, la personne qui, en définitive, est responsable de la gestion et de l'administration de l'actif et du passif du régime de placement.

« Loi » La *Loi sur la taxe d'accise.*

« participant » Relativement à un régime de placement qui est un régime de placement privé ou une entité de gestion d'un régime de pension, tout particulier qui a le droit, immédiat ou futur, absolu ou conditionnel, de recevoir des prestations prévues par l'un des mécanismes suivants :

a) si le régime de placement est une fiducie de soins de santé au bénéfice d'employés, le régime de placement;

b) si le régime de placement est une entité de gestion d'un régime de pension, le régime de pension;

c) dans les autres cas, le régime de participation différée aux bénéfices, le régime de prestations aux employés, la fiducie d'employés, le régime de participation des employés aux bénéfices, le régime enregistré de prestations supplémentaires de chômage ou la convention de retraite, selon le cas, qui régit le régime de placement.

« particulier » Sont comprises parmi les particuliers les successions.

« régime de pension » S'entend au sens du paragraphe 172.1(1) de la Loi.

« régime de pension à cotisations déterminées » La partie d'un régime de pension qui n'est pas un régime de pension à prestations déterminées.

« régime de pension à prestations déterminées » La partie d'un régime de pension dans le cadre de laquelle les prestations sont déterminées conformément à une formule prévue par le régime, pourvu que les cotisations de l'employeur prévues par cette partie ne soient pas ainsi déterminées.

« régime de placement » Personne visée aux sous-alinéas 149(1)a)(vi) ou (ix) de la Loi, à l'exception d'une fiducie régie par un régime enregistré d'épargne-retraite, un fonds enregistré de revenu de retraite ou un régime enregistré d'épargne-études.

« régime de placement par répartition » Régime de placement qui est une fiducie de fonds commun de placement, une société de placement à capital variable, une fiducie d'investissement à participation unitaire, une société de placement hypothécaire, une société de placement, une société de placement appartenant à des non-résidents ou un fonds réservé d'assureur.

« régime de placement non stratifié » Régime de placement par répartition qui n'est pas un régime de placement stratifié.

« régime de placement privé » Régime de placement qui est une fiducie de soins de santé au bénéfice d'employés ou une fiducie régie par une convention de retraite, une fiducie d'employés, un régime de participation des employés aux bénéfices, un régime de participation différée aux bénéfices, un régime de prestations aux employés ou un régime enregistré de prestations supplémentaires de chômage.

« régime de placement stratifié » Régime de placement par répartition dont les unités sont émises en plusieurs séries.

« ressource d'employeur » S'entend au sens du paragraphe 172.1(1) de la Loi.

« ressource déterminée » Ressource déterminée au sens du paragraphe 172.1(5) de la Loi.

« série »

a) Dans le cas d'une fiducie, toute catégorie d'unités de la fiducie;

b) dans le cas d'une personne morale, toute catégorie du capital-actions de la personne morale.

« série cotée en bourse » Série d'un régime de placement stratifié, dont les unités sont cotées ou négociées sur une bourse ou un autre marché public.

« série provinciale » Relativement à l'exercice d'un régime de placement stratifié, série du régime qui remplit les conditions ci-après tout au long de l'exercice quant à une province donnée :

a) selon les lois fédérales ou provinciales, il est permis de vendre ou de distribuer des unités de la série dans la province donnée et non dans une autre province;

b) selon le prospectus, la déclaration d'enregistrement ou un autre document semblable concernant la série ou selon les lois fédérales ou provinciales, la personne qui devient propriétaire ou qui fait l'acquisition d'unités de la série doit remplir notamment les conditions suivantes :

(i) elle doit résider dans la province donnée au moment de l'acquisition des unités,

(ii) si elle cesse de résider dans la province donnée, les unités doivent être vendues, transférées ou rachetées dans un délai raisonnable après qu'elle a cessé d'y résider;

c) le pourcentage applicable au régime quant à la série et à la province donnée pour l'année d'imposition dans laquelle l'exercice précédent prend fin, ou le pourcentage qui lui serait applicable quant à la série et à cette province pour cette année d'imposition si cette province était une province participante, s'établit à au moins 90 %.

« unité »

a) Dans le cas d'une fiducie, unité de la fiducie;

b) dans le cas d'une série d'une fiducie, unité de la fiducie faisant partie de cette série;

c) dans le cas d'une personne morale, action de son capital-actions;

d) dans le cas d'une série d'une personne morale, action du capital-actions de la personne morale faisant partie de cette série;

e) dans le cas d'un fonds réservé d'assureur, participation d'une personne autre que l'assureur dans le fonds.

(2) Autres définitions — Loi de l'impôt sur le revenu — Pour l'application du présent règlement, « compte d'épargne libre d'impôt », « convention de retraite », « fiducie de fonds commun de placement », « fiducie d'employés », « fiducie d'investissement à participation unitaire », « fonds enregistré de revenu de retraite « , « régime de participation des employés aux bénéfices », « régime de participation différée aux bénéfices », « régime de prestations aux employés », « régime enregistré d'épargne- études », « régime enregistré d'épargne-invalidité », « régime enregistré d'épargne-retraite », « régime enregistré de prestations supplémentaires de chômage », « société de placement », « société de placement à capital variable », « société de placement appartenant à des non-résidents » et « société de placement hypothécaire » s'entendent au sens du paragraphe 248(1) de la *Loi de l'impôt sur le revenu.*

2. Définition de « société de personnes admissible » — Pour l'application du présent règlement, une société de personnes est une société de personnes admissible au cours de son année d'imposition si elle compte, au cours de cette année :

a) un associé qui a, au cours de son année d'imposition dans laquelle l'année d'imposition de la société de personnes prend fin, un établissement stable dans une province participante donnée soit par l'intermédiaire duquel une entreprise de la société de personnes est exploitée, soit qui est réputé, en vertu de l'article 4, être son établissement stable;

b) un associé, y compris celui visé à l'alinéa a), qui a, au cours de son année d'imposition dans laquelle l'année d'imposition de la société de personnes prend fin, un établissement stable dans une province autre que la province donnée soit par l'intermédiaire duquel une entreprise de la société de personnes est exploitée, soit qui est réputé, en vertu de l'article 4, être son établissement stable.

3. Définitions — **(1)** Les définitions qui suivent s'appliquent au présent article.

« employé » Employé actuel ou ancien d'un employeur, y compris tout particulier à l'égard duquel l'employeur a assumé la responsabilité d'assurer des prestations désignées du fait qu'il a acquis une entreprise dans laquelle le particulier occupait un emploi.

« employé clé » Par rapport à un employeur pour une année d'imposition donnée, tout employé qui, selon le cas :

a) était un employé déterminé, au sens du paragraphe 248(1) de la *Loi de l'impôt sur le revenu*, de l'employeur au cours de l'année donnée ou d'une année d'imposition antérieure;

b) était un employé dont le revenu d'emploi pour l'application de cette loi provenant de l'employeur au cours de deux des cinq années d'imposition précédant l'année donnée dépassait cinq fois le maximum des gains annuels ouvrant droit à pension, déterminé selon l'article 18 du *Régime de pensions du Canada*, pour l'année civile où le revenu d'emploi a été gagné.

« prestation désignée » Prestation provenant d'une police d'assurance-vie collective temporaire ou d'un régime privé d'assurance-maladie, au sens du paragraphe 248(1) de la *Loi de l'impôt sur le revenu*, ou encore d'un régime d'assurance collective contre la maladie ou les accidents.

(2) Définition de « fiducie de soins de santé au bénéfice d'employés » — Pour l'application du présent règlement, est une

Règlements

fiducie de soins de santé au bénéfice d'employés pour une année d'imposition toute fiducie établie au bénéfice d'employés d'un ou de plusieurs employeurs (appelés chacun « employeur participant » au présent paragraphe) qui remplit les conditions ci-après tout au long de l'année :

a) elle a pour seuls objets :

(i) d'assurer des prestations désignées à des employés d'un employeur participant, ou pour leur compte,

(ii) de profiter, à sa liquidation, en proportion de leur participation, aux bénéficiaires restants de la fiducie, à l'exclusion des employés clés;

b) elle réside au Canada pour l'application de la *Loi de l'impôt sur le revenu*, compte non tenu de l'article 94 de cette loi;

c) chacun de ses bénéficiaires est :

(i) un employé d'un employeur participant,

(ii) un particulier qui est ou était lié à un tel employé,

(iii) une autre fiducie de soins de santé au bénéfice d'employés;

d) il n'est pas raisonnable de considérer, compte tenu des circonstances, qu'elle est maintenue principalement au profit d'un ou de plusieurs employés clés d'un employeur participant;

e) les droits des employés clés d'un employeur participant dans le cadre de la fiducie ne sont pas plus avantageux que ceux des participants faisant partie d'une catégorie de bénéficiaires de la fiducie qui présente les caractéristiques suivantes :

(i) les participants faisant partie de la catégorie représentent au moins 25 % de l'ensemble des bénéficiaires de la fiducie qui sont des employés de l'employeur participant,

(ii) au moins 75 % des participants faisant partie de la catégorie ne sont pas des employés clés de l'employeur participant,

(iii) les droits de chaque participant faisant partie de la catégorie dans le cadre de la fiducie sont identiques;

f) selon l'acte de fiducie, les seuls droits consentis à un employeur participant ou à une personne ayant un lien de dépendance avec un tel employeur, à titre de bénéficiaire ou autrement, sont des droits à des prestations désignées;

g) la fiducie est administrée en conformité avec ses conditions et ses objets;

h) elle a le droit légal d'exiger le versement de cotisations à la fiducie;

i) ses fiduciaires ne sont pas constitués en majorité de représentants d'un ou de plusieurs employeurs participants.

4. Établissement stable dans une province — Les règles ci-après s'appliquent au présent règlement :

a) si une institution financière est une banque et que, au cours de son année d'imposition, elle tient un compte de dépôt ou un autre compte semblable au nom d'une personne résidant dans une province ou un prêt qu'elle a consenti n'est pas remboursé et est soit garanti par un terrain situé dans une province, soit, s'il n'est pas garanti par un terrain, exigible d'une personne résidant dans une province, les règles suivantes s'appliquent :

(i) l'institution financière est réputée avoir un établissement stable dans la province tout au long de l'année d'imposition,

(ii) les prêts ci-après consentis par l'institution financière et les comptes de dépôt ou autres comptes semblables ci-après qu'elle tient sont réputés être des prêts et des dépôts de l'établissement stable mentionné au sous-alinéa (i) et non d'un autre de ses établissements stables :

(A) les prêts non remboursés garantis par des terrains situés dans la province,

(B) les prêts non remboursés, non garantis par des terrains, exigibles de personnes résidant dans la province,

(C) les comptes de dépôt et autres comptes semblables au nom d'une personne résidant dans la province;

b) si une institution financière est un assureur qui, au cours de son année d'imposition, assure un risque relatif à un bien qui est habituellement situé dans une province ou un risque relatif à une personne résidant dans une province, elle est réputée avoir un établissement stable dans la province tout au long de l'année d'imposition;

c) si une institution financière est une société de fiducie et de prêt, une société de fiducie ou une société de prêt et que, au cours de son année d'imposition, elle exerce des activités (sauf des activités relatives à des prêts) dans une province ou un prêt qu'elle a consenti n'est pas remboursé et est soit garanti par un terrain situé dans une province, soit, s'il n'est pas garanti par un terrain, exigible d'une personne résidant dans une province, elle est réputée avoir un établissement stable dans la province tout au long de l'année d'imposition;

d) si une institution financière est un fonds réservé d'assureur, elle est réputée avoir un établissement stable dans une province donnée tout au long de son année d'imposition si, au cours de cette année, selon le cas :

(i) l'assureur est autorisé, par les lois fédérales ou provinciales, à vendre des unités de l'institution financière dans la province donnée,

(ii) une personne résidant dans la province donnée détient une ou plusieurs unités de l'institution financière;

e) si une institution financière est un régime de placement par répartition autre qu'un fonds réservé d'assureur, elle est réputée avoir un établissement stable dans une province donnée tout au long de son année d'imposition si, au cours de cette année, selon le cas :

(i) elle est autorisée, par les lois fédérales ou provinciales, à vendre ou à distribuer ses unités dans la province donnée,

(ii) une personne résidant dans la province donnée détient une ou plusieurs de ses unités;

f) si une institution financière est un régime de placement privé ou une entité de gestion d'un régime de pension et que, au cours de son année d'imposition, un de ses participants réside dans une province, elle est réputée avoir un établissement stable dans la province tout au long de l'année d'imposition.

5. Établissement stable tout au long d'une année d'imposition — Pour l'application du présent règlement, une institution financière a un établissement stable dans une province tout au long de son année d'imposition si elle a un tel établissement dans la province au cours de cette année.

6. Résidence d'une personne — Pour l'application du présent règlement et malgré le paragraphe 132.1(1) de la Loi, une personne résidant au Canada réside dans la province où se trouve, selon le cas :

a) si elle est un particulier, son adresse postale principale au Canada;

b) si elle est une personne morale ou une société de personnes, son entreprise principale au Canada;

c) si elle est une fiducie régie par un régime enregistré d'épargne-retraite, un fonds enregistré de revenu de retraite, un régime enregistré d'épargne-études, un régime enregistré d'épargne-invalidité ou un compte d'épargne libre d'impôt, l'adresse postale principale au Canada du rentier du régime enregistré d'épargne-retraite ou du fonds enregistré de revenu de retraite, du souscripteur du régime enregistré d'épargne-études ou du titulaire du régime enregistré d'épargne-invalidité ou du compte d'épargne libre d'impôt;

d) si elle est une fiducie, sauf celle visée à l'alinéa c), l'entreprise principale du fiduciaire au Canada ou, si celui-ci n'exploite pas d'entreprise, son adresse postale principale au Canada;

e) dans les autres cas, l'entreprise principale au Canada de la personne ou, si celle-ci n'exploite pas d'entreprise, son adresse postale principale au Canada.

7. Catégorie d'actions émises en série — Dans le présent règlement, la mention « catégorie » vaut mention de « série de la catégorie », avec les adaptations nécessaires, pour ce qui est d'une personne morale qui a émis des actions d'une catégorie de son capital-actions en une ou plusieurs séries.

8. Définitions — article 225.3 de la Loi — **(1)** Pour l'application de l'article 225.3 de la Loi, « fonds coté en bourse », « régime de placement stratifié », « série » et « série cotée en bourse » s'entendent au sens du paragraphe 1(1).

(2) Définitions — article 225.4 de la Loi — Pour l'application de l'article 225.4 de la Loi :

a) « fonds coté en bourse », « participant », « particulier », « régime de placement », « régime de placement non stratifié », « régime de placement privé », « régime de placement stratifié », « série », « série cotée en bourse » et « unité » s'entendent au sens du paragraphe 1(1);

b) « investisseur déterminé » s'entend au sens de l'article 17.

Partie 1 — Institutions financières visées

9. Définition de « montant de taxe non recouvrable » — **(1)** Au présent article, « montant de taxe non recouvrable » s'entend, relativement à une période de déclaration d'une personne, du montant obtenu par la formule suivante :

$$A - B$$

où :

A représente le total des montants dont chacun représente :

a) soit un montant qui serait inclus dans la valeur de l'élément A de la formule figurant au paragraphe 225.2(2) de la Loi, compte non tenu de toute adaptation prévue par la partie 5, pour la période de déclaration si la personne était une institution financière désignée particulière tout au long de cette période,

b) soit un montant de taxe que la personne est réputée avoir payé en vertu des sous-alinéas 172.1(5)d)(ii) ou (6)d)(ii) ou de l'alinéa 172.1(7)d) de la Loi au cours de la période de déclaration;

B le total des montants dont chacun serait inclus dans la valeur de l'élément B de la formule figurant au paragraphe 225.2(2) de la Loi, compte non tenu de toute adaptation prévue par la partie 5, pour la période de déclaration si la personne était une institution financière désignée particulière tout au long de cette période.

(2) Petits régimes de placement admissibles — Pour l'application de la présente partie, un régime de placement, sauf un régime de placement par répartition, est un petit régime de placement admissible pour un exercice donné si :

a) dans le cas où l'exercice donné est le premier exercice du régime, le montant obtenu par la formule ci-après pour chaque période de déclaration du régime comprise dans l'exercice donné est égal ou inférieur à 10 000 $:

$$A \times (365/B)$$

où :

A représente le montant de taxe non recouvrable pour la période de déclaration,

B le nombre de jours de la période de déclaration;

b) dans les autres cas, le montant obtenu par la formule ci-après est égal ou inférieur à 10 000 $:

$$A \times (365/B)$$

où :

A représente le total des montants représentant chacun un montant de taxe non recouvrable pour une période de déclaration du régime comprise dans son exercice (appelé « exercice précédent » au présent alinéa) qui précède l'exercice donné,

B le nombre de jours de l'exercice précédent.

10. Régime de placement — Pour l'application de l'alinéa 149(5)g) de la Loi, les fiducies de soins de santé au bénéfice d'employés sont des personnes visées.

11. Institution financière visée — alinéa 225.2(1)b) de la Loi — Sous réserve des articles 12 à 14 et pour l'application de l'alinéa 225.2(1)b) de la Loi, une institution financière est visée tout au long d'une période de déclaration comprise dans un exercice donné se terminant dans son année d'imposition si, à la fois :

a) selon le cas :

(i) au cours de l'année d'imposition, elle a un établissement stable dans une province participante ainsi qu'un établissement stable dans une autre province,

(ii) elle est une société de personnes admissible au cours de l'année d'imposition;

b) dans le cas où elle est un petit régime de placement admissible pour l'exercice donné, l'un des faits suivants s'avère :

(i) sous réserve de l'article 16, à la fois :

(A) elle a été une institution financière désignée particulière tout au long de l'un de ses deux exercices précédant l'exercice donné,

(B) elle n'a pas été un petit régime de placement admissible pour ni l'un ni l'autre de ces deux exercices,

(C) elle n'a pas été une institution financière désignée particulière tout au long de son troisième exercice précédant l'exercice donné,

(ii) elle a fait le choix prévu au paragraphe 15(1), lequel est en vigueur tout au long de l'exercice donné.

12. Exception — régimes de placement provinciaux — L'article 11 ne s'applique pas relativement à une période de déclaration comprise dans un exercice se terminant dans une année d'imposition d'une institution financière qui est un régime de placement non stratifié et qui remplit les conditions ci-après tout au long de l'exercice quant à une province donnée :

a) selon les lois fédérales ou provinciales, il est permis de vendre ou de distribuer des unités de l'institution financière dans la province donnée mais non dans une autre province;

b) aux termes du prospectus, de la déclaration d'enregistrement ou d'un document semblable concernant l'institution financière, ou aux termes des lois du Canada ou d'une province, la personne qui devient propriétaire ou qui fait l'acquisition d'unités de l'institution financière doit remplir notamment les conditions suivantes :

(i) elle doit résider dans la province donnée au moment de l'acquisition des unités,

(ii) si elle cesse de résider dans la province donnée, les unités doivent être vendues, transférées ou rachetées dans un délai raisonnable après qu'elle a cessé d'y résider;

c) le pourcentage applicable à l'institution financière quant à la province donnée pour l'année d'imposition dans laquelle l'exercice précédent prend fin, ou le pourcentage qui lui serait applicable quant à cette province pour cette année si cette province était une province participante, s'établit à au moins 90 %.

13. Exception — régimes de placement ayant une série provinciale — L'article 11 ne s'applique pas relativement à une période de déclaration comprise dans un exercice d'une institution financière qui est un régime de placement stratifié si chaque série de l'institution financière est une série provinciale pour l'exercice.

14. Exception — régimes de pension et régimes de pension privés — L'article 11 ne s'applique pas relativement à une période de déclaration comprise dans un exercice se terminant dans une année d'imposition d'une institution financière qui est un régime de placement privé ou une entité de gestion d'un régime de pension si, à la fois :

a) tout au long de l'année d'imposition, moins de 10 % des participants de l'institution financière résident dans les provinces participantes;

b) tout au long de l'exercice précédent :

(i) dans le cas d'une entité de gestion d'un régime de pension à prestations déterminées, la valeur totale du passif actuariel du régime de pension qu'il est raisonnable d'attribuer aux participants de l'institution financière résidant dans les provinces participantes est inférieure à 100 000 000 $,

(ii) dans les autres cas, la valeur totale des actifs du régime de placement ou du régime de pension qu'il est raisonnable d'attribuer aux participants de l'institution financière résidant dans les provinces participantes est inférieure à 100 000 000 $.

15. Choix — petit régime de placement admissible — (1) Le régime de placement qui est un petit régime de placement admissible pour un exercice, ou qui s'attend raisonnablement à l'être, et à l'égard duquel la demande prévue au paragraphe 16(1), relativement à l'exercice, n'a pas été approuvée par le ministre peut faire, pour l'application du sous-alinéa 11b)(ii), un choix qui entre en vigueur le premier jour de l'exercice.

(2) **Forme et modalités** — Le document concernant le choix fait par un régime de placement selon le paragraphe (1) doit :

a) être établi en la forme et contenir les renseignements déterminés par le ministre;

b) préciser le premier exercice du régime au cours duquel le choix doit être en vigueur;

c) être présenté au ministre, selon les modalités qu'il détermine, au plus tard le premier jour de ce premier exercice ou à toute date postérieure fixée par lui.

(3) **Cessation** — Le choix qu'une personne fait selon le paragraphe (1) cesse d'être en vigueur au premier en date des jours suivants :

a) le premier jour d'un exercice se terminant dans la première année d'imposition de la personne où elle ne remplit pas l'exigence énoncée à l'alinéa 11a);

b) le premier jour de l'exercice de la personne où elle cesse d'être un régime de placement;

c) le jour où la révocation du choix prend effet.

(4) **Révocation** — Le régime de placement qui a fait le choix prévu au paragraphe (1) peut le révoquer, avec effet à compter du premier jour de son exercice qui commence au moins trois ans après l'entrée en vigueur du choix ou à toute date antérieure fixée par le ministre sur demande de la personne. Pour ce faire, il présente au ministre, en la forme et selon les modalités déterminées par lui, un avis de révocation contenant les renseignements déterminés par lui, au plus tard à la date de prise d'effet de la révocation ou à toute date postérieure fixée par lui.

16. Demande relative à l'état de petit régime de placement — (1) Un régime de placement peut présenter au ministre une demande afin que le sous-alinéa 11b)(i) ne s'applique pas lorsqu'il s'agit de déterminer si le régime est une institution financière désignée particulière pour toute période de déclaration comprise dans son exercice et toute période de déclaration comprise dans l'exercice subséquent.

(2) **Autorisation** — Dans les quatre-vingt-dix jours suivant la réception de la demande d'un régime de placement visant un exercice donné et l'exercice subséquent, le ministre examine la demande et l'approuve ou la refuse, selon qu'il est raisonnable ou non de s'attendre, d'après les renseignements en sa possession, à ce que le régime soit un petit régime de placement admissible pour ces deux exercices. Dans ce même délai, il avise le régime de sa décision par écrit.

(3) **Forme et modalités** — La demande d'un régime de placement doit être établie en la forme et contenir les renseignements déterminés par le ministre et lui être présentée, selon les modalités qu'il détermine, au plus tard le quatre-vingt-dixième jour précédant le début du premier exercice qu'elle vise ou à toute date postérieure fixée par le ministre.

Application: Les articles 1 à 16 seront remplacés par l'art. 2 de l'*Avant-projet de règlement modifiant divers règlements relatifs à la TPS/TVH* du 28 janvier 2011.

Les articles 1 à 3, les alinéas 4a), 4d), 4e), 4f) et les articles 5 à 16 s'appliqueront relativement aux périodes de déclaration d'une personne se terminant après juin 2010. Toutefois, lorsqu'il s'agit de déterminer si un régime de placement est un petit régime de placement admissible pour un exercice donné commençant au plus tard à la date de publication conformément à l'article 9, la formule figurant au paragraphe 9(1) s'appliquera compte non tenu de l'alinéa b) de l'élément A;

Les alinéas 4b) et c) s'appliqueront relativement aux périodes de déclaration comprises dans les exercices d'une personne commençant après juin 2010.

Ajout proposé — 17-65

Partie 2 — Pourcentage quant à une province participante [Définitions et interprétations]

17. Définitions — (1) Les définitions qui suivent s'appliquent à la présente partie.

« investisseur déterminé » Relativement à un régime de placement par répartition donné pour un exercice de celui-ci se terminant dans une année civile, personne (sauf un particulier ou un régime de placement par répartition) qui détenait des unités du régime donné le 30 septembre de l'année civile précédente et qui remplit les critères suivants :

a) si la personne est un régime de placement :

(i) elle détenait des unités du régime donné d'une valeur totale de moins de 10 000 000 $ au 30 septembre de l'année civile précédente,

(ii) au plus tard le 31 décembre de l'année civile précédente, elle n'a pas avisé le régime donné qu'elle était un investisseur admissible de ce régime le 30 septembre de cette année pour l'application de l'article 55, conformément à l'alinéa 55(6)a),

(iii) le régime donné ne sait pas ni ne devrait savoir qu'elle était un investisseur déterminé de ce régime le 30 septembre de l'année civile précédente pour l'application de l'article 55;

b) dans les autres cas, au 30 septembre de l'année civile précédente :

(i) si le régime donné est un régime de placement stratifié, pour chaque série du régime donné dont la personne détient des unités, elle détenait des unités de la série d'une valeur totale de moins de 10 000 000 $,

(ii) si le régime donné est un régime de placement non stratifié, elle détenait des unités du régime donné d'une valeur totale de moins de 10 000 000 $.

« moment d'attribution » Relativement à un régime de placement ou à une série d'un régime de placement pour une année d'imposition dans laquelle un exercice donné du régime prend fin, chacun des jours suivants :

a) si le choix prévu à l'article 19 n'est pas en vigueur tout au long de l'exercice donné relativement au régime ou à la série :

(i) dans le cas d'une série :

(A) s'il s'agit d'une série cotée en bourse, le 30 septembre de l'exercice donné ainsi que l'une ou plusieurs des dates suivantes, selon ce que prévoit le régime : le 31 mars, le 30 juin et le 31 décembre de cet exercice,

(B) dans les autres cas, le 30 septembre de l'exercice donné,

(ii) dans le cas d'un régime de placement :

(A) s'il s'agit d'un régime de placement par répartition (sauf un fonds coté en bourse) ou d'une entité de gestion d'un régime de pension à cotisations déterminées, le 30 septembre de l'exercice donné,

(B) s'il s'agit d'un fonds coté en bourse, le 30 septembre de l'exercice donné ainsi que l'une ou plusieurs des dates suivantes, selon ce que prévoit le régime : le 31 mars, le 30 juin et le 31 décembre de cet exercice,

(C) s'il s'agit d'une entité de gestion d'un régime de pension à prestations déterminées, le dernier jour de l'exercice donné et des trois exercices précédents du régime de placement où des calculs du passif actuariel du régime ont été faits ou, à défaut d'un tel jour, le 30 septembre de l'exercice donné,

(D) dans les autres cas, le dernier jour de l'exercice donné et de l'exercice précédent du régime de placement où celui-ci possède, ou devrait vraisemblablement posséder, la totalité ou la presque totalité des données nécessaires au calcul du pourcentage qui lui est applicable pour l'exercice donné quant à chaque province participante ou, à défaut d'un tel jour, le 30 septembre de l'exercice donné;

b) si le choix prévu à l'article 19 est en vigueur tout au long de l'exercice donné relativement au régime ou à la série :

(i) s'il est précisé dans le document concernant le choix que les moments d'attribution sont trimestriels, le dernier jour ouvrable de mars, juin et septembre de l'exercice donné et de décembre de l'exercice précédent, ou quatre autres jours de l'exercice donné, dont chacun fait partie d'un trimestre différent, fixés par le ministre sur demande du régime,

(ii) s'il est précisé dans ce document que les moments d'attribution sont mensuels, le dernier jour ouvrable de chaque mois de la période de douze mois se terminant le 30 septembre de l'exercice donné ou tout autre jour ouvrable de chaque mois de cette période fixé par le ministre sur demande du régime,

(iii) s'il est précisé dans ce document que les moments d'attribution sont hebdomadaires, le dernier jour ouvrable de chaque semaine de la période de douze mois se terminant le 30 septembre de l'exercice donné ou tout autre jour ouvrable de chaque semaine de cette période fixé par le ministre sur demande du régime,

(iv) s'il est précisé dans ce document que les moments d'attribution sont quotidiens, chaque jour ouvrable de la période de douze mois se terminant le 30 septembre de l'exercice donné.

« opération déterminée » Relativement à un moment d'attribution relatif à un régime de placement non stratifié ou à une série d'un régime de placement stratifié, pour une année d'imposition du régime, l'acquisition d'unités du régime ou de la série par une personne, ou par un groupe de personnes, du régime si les conditions suivantes sont réunies :

a) l'acquisition par la personne, ou chaque acquisition par un membre du groupe, se produit moins de trente et un jours avant le moment d'attribution;

b) les unités font l'objet d'une disposition, au sens du paragraphe 248(1) de la *Loi de l'impôt sur le revenu*, par la personne ou par chaque membre du groupe dans les trente jours suivant le moment d'attribution;

c) dans le cas où les unités sont acquises par un groupe de personnes, chaque membre du groupe est lié à chaque autre membre;

d) la valeur totale des unités au moment d'attribution excède le moins élevé des montants suivants :

(i) 10 000 000 $,

(ii) le montant représentant 10 % de la valeur totale des unités du régime ou de la série au moment d'attribution;

e) le pourcentage applicable au régime quant à une province participante pour l'année d'imposition ou le pourcentage qui lui est applicable quant à la série et à une province participante pour cette année, déterminé compte non tenu des paragraphes 32(3) et 34(3), est inférieur à ce qu'il serait s'il était déterminé compte non tenu des unités;

f) l'acquisition par la personne, ou toute acquisition par un membre du groupe, ne remplit aucune des conditions suivantes :

(i) l'acquisition a été lancée de bonne foi par la personne ou le membre et le régime dans le cadre des pratiques commerciales normales du régime,

(ii) la personne ou le membre et le régime n'ont entre eux aucun lien de dépendance,

(iii) la contrepartie de l'acquisition est égale ou supérieure à la valeur des unités au moment de l'acquisition,

(iv) ni le régime ni son gestionnaire n'offrent de garanties ou d'indemnités à la personne ou au membre au titre des gains ou des pertes de la valeur des unités au cours de la période commençant à la date de l'acquisition et se terminant le trentième jour suivant cette date,

(v) les frais que le régime exige de la personne ou du membre relativement aux unités sont semblables à ceux qu'il exige d'autres personnes détentrices d'unités du régime ou de la série.

« période donnée »

a) Pour l'application de la présente partie aux dispositions suivantes de la Loi :l'élément C de la formule figurant au paragraphe 225.2(2) (sauf si cet élément est déterminé pour l'application du paragraphe 228(2.2) de la Loi) et l'élément A_6 de la formule figurant au paragraphe 225.2(2), adaptée par le paragraphe 51(1) : année d'imposition;

b) pour l'application de la présente partie au calcul de la valeur de l'élément C de la formule figurant au paragraphe 225.2(2) de la Loi pour l'application du paragraphe 228(2.2) de la Loi : période de déclaration;

c) pour l'application de la présente partie à l'élément D de la formule figurant au sous-alinéa 237(5)b)(ii) de la Loi : trimestre d'exercice.

« recettes brutes » En ce qui concerne une institution financière désignée particulière pour une période, le montant qui représenterait ses recettes brutes pour la période pour l'application de la *Loi de l'impôt sur le revenu* si elle était un contribuable aux termes de cette loi et si les mentions, dans cette loi, de l'année d'imposition de l'institution financière valaient mention de cette période.

« recettes brutes totales » En ce qui concerne une institution financière désignée particulière pour une période, la partie de ses recettes brutes pour la période qu'il est raisonnable d'attribuer à ses établissements stables au Canada.

(2) Mention de « particulier » — Pour l'application des articles 23, 24 et 28, la mention d'un particulier vaut également mention d'une fiducie qui n'est pas un régime de placement.

18. Interprétation — Sauf indication contraire, les termes de la présente partie s'entendent au sens des parties IV et XXVI du *Règlement de l'impôt sur le revenu*.

19. Choix relatif au moment d'attribution — séries — (1) Le régime de placement stratifié qui est une institution financière désignée particulière peut faire un choix relatif à l'une de ses séries pour l'application de la définition de « moment d'attribution » au paragraphe 17(1). Ce choix entre en vigueur le premier jour d'un exercice du régime.

(2) Choix relatif au moment d'attribution — régime de placement — Le régime de placement (sauf un régime de placement stratifié) qui est une institution financière désignée particulière peut faire un choix relatif au régime pour l'application de la définition de « moment d'attribution » au paragraphe 17(1). Ce choix entre en vigueur le premier jour d'un exercice du régime.

(3) Restriction — Le choix fait selon le paragraphe (1) relativement à une série d'un régime de placement n'entre pas en vigueur si, à la date où il doit entrer en vigueur, le choix fait selon le paragraphe 52(1) relativement à la série est en vigueur.

(4) Restriction — Le choix fait selon le paragraphe (2) relativement à un régime de placement n'entre pas en vigueur si, à la date où il doit entrer en vigueur, le choix fait selon le paragraphe 52(2) relativement au régime est en vigueur.

(5) Forme — Le document concernant le choix fait par un régime de placement selon les paragraphes (1) ou (2) doit :

a) être établi en la forme et contenir les renseignements déterminés par le ministre;

b) préciser le premier exercice du régime au cours duquel le choix doit être en vigueur;

c) préciser si les moments d'attribution relatifs à la série ou au régime sont trimestriels, mensuels, hebdomadaires ou quotidiens.

(6) Cessation — Le choix fait selon les paragraphes (1) ou (2) par une personne qui est un régime de placement cesse d'être en vigueur au premier en date des jours suivants :

a) le premier jour de l'exercice de la personne où elle cesse d'être un régime de placement ou une institution financière désignée particulière;

b) le jour où la révocation du choix prend effet.

(7) Révocation — Le régime de placement qui a fait le choix prévu aux paragraphes (1) ou (2) peut le révoquer dans un document établi en la forme et contenant les renseignements déterminés par le ministre. Cette révocation prend effet le premier jour d'un exercice du régime qui commence au moins trois ans après l'entrée en vigueur du choix.

(8) Restriction — Si le choix fait selon les paragraphes (1) ou (2) cesse d'être en vigueur à une date donnée, tout choix subséquent fait selon ces paragraphes n'est valide que si le premier jour de l'exercice précisé dans le document concernant le choix subséquent suit cette date d'au moins trois ans.

Calcul du pourcentage d'attribution

20. (1) Règles de base — Pour l'application du présent règlement, de l'élément C de la formule figurant au paragraphe 225.2(2) de la Loi et de l'élément D de la formule figurant au sous-alinéa de la Loi, le pourcentage applicable à une institution financière quant à une province participante pour une période donnée est déterminé selon la présente partie.

(2) Règles de base — temps réel — Pour l'application du présent règlement et de l'élément A3 de la formule figurant au paragraphe 225.2(2) de la Loi, adaptée par les paragraphes 51(1) ou (2), le pourcentage applicable à une institution financière quant à une province participante à une date donnée ou le pourcentage qui lui est applicable quant à toute série et à toute province participante à une date donnée, selon le cas, est déterminé selon la présente partie.

(3) Règles de base — série — Pour l'application du présent règlement et de l'élément A6 de la formule figurant au paragraphe 225.2(2) de la Loi, adaptée par le paragraphe 51(1), le pourcentage applicable à une institution financière quant à toute série et à toute province participante pour une période donnée est déterminé selon la présente partie.

21. Associé d'une société de personnes — Pour l'application de la présente partie, si une partie des activités de l'institution financière désignée particulière qui est un associé d'une société de personnes ont été exercées au cours d'une période donnée en partenariat avec une ou plusieurs autres personnes, les règles suivantes s'appliquent :

a) nulle partie des recettes brutes totales de la société de personnes n'est incluse dans les recettes brutes de l'institution financière pour la période;

b) nulle partie des traitements et salaires versés aux salariés de la société de personnes n'est incluse dans ceux versés par l'institution financière au cours de la période.

22. (1) Agent payeur central — Pour l'application de la présente partie, si un particulier (appelé « salarié déterminé » au présent article) occupe un emploi auprès d'une personne (appelée « employeur » au présent article) et accomplit un service dans une province donnée au profit ou pour le compte d'une personne (appelée « bénéficiaire de main-d'œuvre » au présent article) qui n'est pas l'employeur, tout montant qu'il est raisonnable de considérer comme étant égal au traitement ou salaire (appelé « rémunération donnée » au présent article) gagné par le salarié déterminé au titre du service est réputé être une rémunération versée par le bénéficiaire de main-d'œuvre à son salarié au cours de sa période donnée où la rémunération donnée est versée si, à la fois :

a) au moment où le service est accompli :

(i) d'une part, le bénéficiaire de main-d'œuvre et l'employeur ont un lien de dépendance,

(ii) d'autre part, le bénéficiaire de main-d'œuvre a un établissement stable dans la province donnée;

b) le service, à la fois :

(i) est accompli par le salarié déterminé dans le cours normal de son emploi auprès de l'employeur,

(ii) est accompli au profit ou pour le compte du bénéficiaire de main-d'œuvre dans le cours normal d'une entreprise exploitée par celui-ci,

(iii) est d'un type dont on pourrait raisonnablement s'attendre à ce qu'il soit accompli par des salariés du bénéficiaire de main-d'œuvre dans le cours normal de l'entreprise mentionnée au sous-alinéa (ii);

c) le montant n'est pas inclus par ailleurs dans le total, déterminé pour l'application de la présente partie, des traitements et salaires versés par le bénéficiaire de main-d'œuvre.

(2) Paiements réputés — établissement stable — Pour l'application de la présente partie, tout montant réputé en vertu du paragraphe (1) être une rémunération versée par un bénéficiaire de main-d'œuvre à son salarié au titre d'un service accompli dans une province donnée est réputé avoir été versé :

a) si le service a été accompli dans un ou plusieurs établissements stables du bénéficiaire de main-d'œuvre situés dans la province, à un salarié de cet établissement ou de ces établissements;

b) si l'alinéa a) ne s'applique pas, à un salarié de tout autre établissement stable du bénéficiaire de main-d'œuvre situé dans la province, selon ce qui peut être raisonnablement déterminé dans les circonstances.

(3) **Rémunérations données versées non incluses** — Est à déduire dans le calcul, selon la présente partie, du montant des traitements et salaires versés au cours d'une période donnée par un employeur la somme des montants représentant chacun une rémunération donnée versée par l'employeur au cours de cette période.

(4) **Opérations sans lien de dépendance** — Malgré le sous-alinéa (1)a)(i), le présent article s'applique au bénéficiaire de main-d'œuvre et à l'employeur qui n'ont entre eux aucun lien de dépendance si le ministre établit qu'ils ont conclu un arrangement ayant pour but de réduire, au moyen de la prestation de services visés au paragraphe (1), la taxe nette de l'employeur ou du bénéficiaire de main-d'œuvre pour une période de déclaration ou le montant à payer au receveur général en vertu de l'article 237 de la Loi.

Particuliers

23. (1) **Absence d'établissement stable dans une province participante** — Le pourcentage applicable, quant à une province participante pour une période donnée, à l'institution financière désignée particulière qui, au cours de la période, est un particulier et n'a pas d'établissement stable dans la province est nul.

(2) **Calcul du pourcentage** — Le pourcentage applicable, quant à une province participante pour une période donnée, à l'institution financière désignée particulière qui, au cours de la période, est un particulier et a un établissement stable dans la province correspond à la moitié de la somme des pourcentages suivants :

a) le pourcentage que représente le rapport entre, d'une part, ses recettes brutes pour la période qu'il est raisonnable d'attribuer à ses établissements stables situés dans la province et, d'autre part, ses recettes brutes totales pour la période;

b) le pourcentage que représente le rapport entre, d'une part, le total des traitements et salaires qu'elle a versés pendant la période aux salariés de ses établissements stables situés dans la province et, d'autre part, le total des traitements et salaires qu'elle a versés pendant la période aux salariés de ses établissements stables au Canada.

(3) **Règles spéciales — attribution des recettes brutes** — Pour l'application du paragraphe (2) et de la définition de « recettes brutes totales » en ce qui concerne l'institution financière qui est un particulier, il est raisonnable d'attribuer les recettes brutes de l'institution financière pour une période donnée à un établissement stable dans le cas où ces recettes seraient attribuables à cet établissement aux termes des règles énoncées au paragraphe 2603(4) du *Règlement de l'impôt sur le revenu* si l'institution financière était un contribuable aux termes de la *Loi de l'impôt sur le revenu* et si les mentions « année » et « recettes brutes de l'année » à ce paragraphe étaient remplacées respectivement par « période donnée » et « recettes brutes de la période donnée ».

(4) **Honoraires** — Pour l'application du paragraphe (2), si une institution financière verse des honoraires à une autre personne aux termes d'un accord suivant lequel cette dernière ou les salariés de cette dernière exécutent pour l'institution financière des services qui seraient normalement exécutés par les salariés de l'institution financière, les honoraires sont réputés être une rémunération versée par l'institution financière et la partie des honoraires qu'il est raisonnable de considérer comme un paiement pour des services rendus dans un établissement stable de l'institution financière est réputée être une rémunération versée à un salarié de l'établissement.

(5) **Commission** — Pour l'application du paragraphe (4), n'est pas comprise dans les honoraires la commission versée par une institution financière à une personne qui n'est pas son salarié.

Personnes morales — dispositions générales

24. (1) **Absence d'établissement stable dans une province participante** — Le pourcentage applicable, quant à une province participante pour une période donnée, à l'institution financière désignée particulière qui, au cours de la période, est une personne morale et n'a pas d'établissement stable dans la province est nul.

(2) **Calcul du pourcentage** — Sous réserve de la présente partie, le pourcentage applicable, quant à une province participante pour une période donnée, à l'institution financière désignée particulière qui, au cours de la période, est une personne morale et a un établissement stable dans la province correspond à celui des pourcentages ci-après qui est applicable :

a) sauf en cas d'application des alinéas b) ou c), la moitié de la somme des pourcentages suivants :

(i) le pourcentage que représente le rapport entre, d'une part, ses recettes brutes pour la période qu'il est raisonnable d'attribuer à ses établissements stables situés dans la province et, d'autre part, ses recettes brutes totales pour la période,

(ii) le pourcentage que représente le rapport entre, d'une part, le total des traitements et salaires qu'elle a versés pendant la période aux salariés de ses établissements stables situés dans la province et, d'autre part, le total des traitements et salaires qu'elle a versés pendant la période aux salariés de ses établissements stables au Canada;

b) si ses recettes brutes totales pour la période sont nulles, le pourcentage que représente le rapport entre, d'une part, le total des traitements et salaires qu'elle a versés pendant la période aux salariés de ses établissements stables situés dans la province et, d'autre part, le total des traitements et salaires qu'elle a versés pendant la période aux salariés de ses établissements stables au Canada;

c) si le total des traitements et salaires qu'elle a versés pendant la période aux salariés de ses établissements stables au Canada est nul, le pourcentage que représente le rapport entre, d'une part, ses recettes brutes pour la période qu'il est raisonnable d'attribuer à ses établissements stables situés dans la province et, d'autre part, ses recettes brutes totales pour la période.

(3) **Règles spéciales — attribution des recettes brutes** — Pour l'application du paragraphe (2) et de la définition de « recettes brutes totales » en ce qui concerne l'institution financière qui n'est pas un particulier, il est raisonnable d'attribuer les recettes brutes de l'institution financière pour une période donnée à un établissement stable dans le cas où ces recettes seraient attribuables à cet établissement aux termes des règles énoncées aux paragraphes 402(4) et (4.1) et 413(1) du *Règlement de l'impôt sur le revenu* si l'institution financière était un contribuable aux termes de la *Loi de l'impôt sur le revenu* et si les mentions « année » et « année d'imposition » à ces paragraphes étaient remplacées par « période donnée ».

(4) **Intérêts sur certains effets** — Pour l'application du paragraphe (2), sont exclus des recettes brutes les intérêts sur les obligations, les débentures et les hypothèques, les dividendes versés sur des actions de capital-actions et les loyers ou les redevances provenant de biens non utilisés dans le cadre des principales activités d'entreprise de l'institution financière.

(5) **Honoraires** — Pour l'application du paragraphe (2), si une institution financière verse des honoraires à une autre personne aux termes d'un accord suivant lequel cette dernière ou les salariés de

cette dernière exécutent pour l'institution financière des services qui seraient normalement exécutés par les salariés de l'institution financière, les honoraires sont réputés être une rémunération versée par l'institution financière et la partie des honoraires qu'il est raisonnable de considérer comme un paiement pour des services rendus dans un établissement stable de l'institution financière est réputée être une rémunération versée à un salarié de cet établissement.

(6) Commission — Pour l'application du paragraphe (5), n'est pas comprise dans les honoraires la commission versée par une institution financière à une personne qui n'est pas son salarié.

Assureurs

25. (1) Définition de « primes nettes » — Au présent article, « primes nettes » d'une institution financière désignée particulière pour une période donnée s'entend du total des primes brutes qu'elle a reçues au cours de la période, sauf la contrepartie reçue pour des rentes, moins la somme des montants ci-après pour la période :

a) les primes de réassurance qu'elle a versées;

b) les participations ou remboursements qu'elle a versés aux titulaires de police, ou portés à leur crédit;

c) les remboursements de primes ou autres remboursements qu'elle a versés relativement aux annulations de police.

(2) Calcul du pourcentage — Lorsqu'une institution financière désignée particulière est un assureur, le pourcentage qui lui est applicable quant à une province participante pour une période donnée au cours de laquelle elle a un établissement stable dans la province correspond, malgré les paragraphes 23(2) et 24(2), au montant, exprimé en pourcentage, obtenu par la formule suivante :

$$A / B$$

où :

A représente la somme de ses primes nettes pour la période se rapportant à l'assurance de risques relatifs à des biens situés dans la province et de ses primes nettes pour la période se rapportant à l'assurance de risques relatifs à des personnes résidant dans la province, qui sont incluses dans le calcul de son revenu pour l'application de la partie I de la *Loi de l'impôt sur le revenu*;

B la somme de ses primes nettes pour la période se rapportant à l'assurance de risques relatifs à des biens situés au Canada et de ses primes nettes pour la période se rapportant à l'assurance de risques relatifs à des personnes résidant au Canada, qui sont incluses dans le calcul de son revenu pour l'application de la partie I de la *Loi de l'impôt sur le revenu*.

(3) Montants exclus des primes nettes — Pour l'application des paragraphes (1) et (2), aucun montant lié à une police d'assurance établie par une institution financière désignée particulière n'entre dans le calcul des primes nettes de l'institution financière dans la mesure où :

a) s'agissant d'une police d'assurance-vie ou d'assurance accident et maladie, sauf une police collective, elle est établie relativement à un particulier qui est un non-résident au moment de l'entrée en vigueur de la police;

b) s'agissant d'une police collective d'assurance-vie ou d'assurance accident et maladie, elle vise des particuliers non-résidents qui sont assurés aux termes de la police;

c) s'agissant d'une police relative à des immeubles, elle vise des immeubles situés à l'étranger;

d) s'agissant d'une police d'un autre type, elle porte sur des risques qui se trouvent habituellement à l'étranger.

Banques

26. (1) Calcul du pourcentage — Malgré le paragraphe 24(2), le pourcentage applicable, pour une période donnée, à l'institution financière désignée particulière qui est une banque, quant à une province participante où elle a un établissement stable, correspond au cinquième de la somme des pourcentages suivants :

a) le pourcentage que représente le rapport entre, d'une part, le total des traitements et salaires qu'elle a versés pendant la période aux salariés de ses établissements stables situés dans cette province et, d'autre part, le total des traitements et salaires qu'elle a versés pendant la période aux salariés de ses établissements stables au Canada;

b) quatre fois le pourcentage que représente le rapport entre, d'une part, le total des prêts et dépôts de ses établissements stables situés dans cette province pour la période et, d'autre part, le total des prêts et dépôts de ses établissements stables au Canada pour la période.

(2) Montant des prêts — Lorsqu'une institution financière désignée particulière est un assureur, le pourcentage qui lui est applicable quant à une province participante pour une période donnée au cours de laquelle elle a un établissement stable dans la province correspond, malgré les paragraphes 23(2) et 24(2), au montant, exprimé en pourcentage, obtenu par la formule suivante :

$$A / B$$

où :

A représente le total des montants impayés, sur les prêts consentis par l'institution financière, à la fermeture des bureaux le dernier jour de chaque mois se terminant dans la période;

B le nombre de mois se terminant dans la période.

(3) Montant des dépôts — Pour l'application du paragraphe (1), le montant des dépôts pour une période donnée s'obtient par la formule suivante :

$$A / B$$

où :

A représente le total des montants en dépôt auprès de l'institution financière à la fermeture des bureaux le dernier jour de chaque mois se terminant dans la période;

B le nombre de mois se terminant dans la période.

(4) Montants exclus des prêts et dépôts — Pour l'application des paragraphes (2) et (3), sont exclus des prêts et dépôts :

a) les obligations, actions, débentures, valeurs en transit et dépôts pour le compte de Sa Majesté du chef du Canada;

b) tout prêt consenti à une personne non-résidente et tout dépôt détenu par une telle personne, sauf si le prêt ou le dépôt est une dette ou un effet financier visé aux alinéas 1a) à e) de la partie IX de l'annexe VI de la Loi.

(5) Montants exclus des traitements et salaires — Pour l'application du paragraphe (1), les traitements et salaires versés par une institution financière ne comprennent pas ceux qui sont versés à son salarié dans la mesure où il est raisonnable de les attribuer à la prestation par ce dernier de services dont la fourniture est détaxée.

Sociétés de fiducie et de prêt

27. (1) Calcul du pourcentage — Malgré le paragraphe 24(2), le pourcentage applicable, pour une période donnée, à l'institution financière désignée particulière qui est une société de fiducie et de prêt, une société de fiducie ou une société de prêt, quant à une province participante où elle a un établissement stable, correspond au pourcentage que représente le rapport entre, d'une part, les recettes brutes pour la période de ses établissements stables situés dans la province et, d'autre part, les recettes brutes totales pour la période de ses établissements stables au Canada.

(2) Calcul des recettes brutes — Pour l'application du paragraphe (1), les recettes brutes pour la période donnée des établissements stables d'une institution financière désignée particulière situés dans la province participante correspond au total de ses recettes brutes pour la période provenant des sources suivantes :

a) les prêts garantis par des terrains situés dans la province;

b) les prêts, non garantis par des terrains, consentis à des personnes résidant dans la province;

c) les prêts qui répondent aux conditions ci-après, à l'exception de ceux qui sont garantis par des terrains situés dans un pays étranger où l'institution financière a un établissement stable :

(i) ils sont consentis à des personnes résidant dans un pays étranger où l'institution financière n'a pas d'établissement stable,

(ii) ils sont administrés par un établissement stable situé dans la province;

d) les affaires menées à ses établissements stables situés dans la province, sauf celles qui donnent lieu à des revenus provenant de prêts.

Sociétés de personnes admissibles

28. Calcul du pourcentage — Le pourcentage applicable, quant à une province participante pour une période donnée, à l'institution financière désignée particulière qui est une société de personnes admissible correspond à celui des pourcentages ci-après qui est applicable :

a) si l'ensemble des associés de la société de personnes sont des particuliers, le pourcentage qui serait déterminé selon l'article 23 quant à la province pour la période si la société de personnes était un particulier;

b) dans les autres cas, le pourcentage qui serait déterminé selon l'article 24 quant à la province pour la période si la société de personnes était une personne morale.

Régimes de placement

Règles générales

29. Primauté — Les articles 30 à 40 s'appliquent malgré les articles 23, 24 et 28.

30. Pourcentage de l'investisseur — Pour le calcul du pourcentage applicable à un régime de placement quant à une série donnée et à une province participante selon les articles 31 ou 32 ou pour le calcul du pourcentage applicable à un régime de placement donné quant à une province participante selon les articles 33 ou 34 (la série donnée ou le régime donné, selon le cas, étant appelé « émetteur » au présent article), le pourcentage de l'investisseur quant à une province participante applicable à une personne donnée qui détient des unités de l'émetteur correspond, à une date donnée, à celui des pourcentages ci-après qui est applicable :

a) dans le cas où la personne donnée est à la fois une institution financière désignée particulière et un régime de placement non stratifié, le pourcentage qui lui serait applicable quant à la province participante à la date donnée si le choix prévu à l'article 52 relativement à la personne était en vigueur tout au long de son exercice qui comprend cette date;

b) dans le cas où la personne donnée est à la fois une institution financière désignée particulière et un régime de placement stratifié, le pourcentage qui correspond au total des montants dont chacun est déterminé, quant à une série donnée de la personne donnée, selon la formule suivante :

$$A \times (B/C)$$

où :

A représente le pourcentage qui correspondrait au pourcentage applicable à la personne donnée quant à la série donnée et à la province participante à la date donnée si le choix prévu à l'article 52 relativement à la personne était en vigueur tout au long de son exercice qui comprend cette date,

B la valeur totale, à la date donnée, des unités de l'émetteur détenues par la personne donnée qu'il est raisonnable d'attribuer à la série donnée de celle-ci,

C la valeur totale, à la date donnée, des unités de l'émetteur détenues par la personne donnée;

c) dans le cas où la personne donnée est une institution financière désignée particulière non visée aux alinéas a) ou b), la valeur de l'élément C de la formule figurant au paragraphe 225.2(2) de la Loi pour son année d'imposition dans laquelle prend fin l'exercice qui comprend celle de ses périodes de déclaration ci-après qui est applicable :

(i) si la personne était tenue de produire une déclaration aux termes de la section V de la partie IX de la Loi, la période de déclaration pour laquelle une telle déclaration est la dernière déclaration semblable qui était à produire par elle au plus tard à la date donnée,

(ii) dans les autres cas, la période de déclaration pour laquelle une déclaration aurait été à produire par la personne aux termes de la section V de la partie IX de la Loi — laquelle déclaration serait la dernière déclaration semblable à produire ainsi par la personne au plus tard à la date donnée — si la personne était à tout moment un inscrit;

d) dans le cas où la personne donnée est un petit régime de placement admissible pour l'application de la partie 1 et n'est pas une institution financière désignée particulière, le montant qui, si elle était une institution financière désignée particulière, représenterait la valeur de l'élément C de la formule figurant au paragraphe 225.2(2) de la Loi pour son année d'imposition dans laquelle prend fin l'exercice qui comprend celle de ses périodes de déclaration ci-après qui est applicable :

(i) si la personne était tenue de produire une déclaration aux termes de la section V de la partie IX de la Loi, la période de déclaration pour laquelle une telle déclaration est la dernière déclaration semblable qui était à produire par elle au plus tard à la date donnée,

(ii) dans les autres cas, la période de déclaration pour laquelle une déclaration aurait été à produire par la personne aux termes de la section V de la partie IX de la Loi — laquelle déclaration serait la dernière déclaration semblable à produire ainsi par la personne au plus tard à la date donnée — si la personne était à tout moment un inscrit;

e) dans les autres cas, le pourcentage obtenu par la formule suivante :

$$A / B$$

où :

A représente le revenu imposable de la personne donnée gagné dans la province participante, déterminé pour l'application de la Loi de l'impôt sur le revenu conformément aux règles énoncées aux parties IV et XXVI du *Règlement de l'impôt sur le revenu*, au cours de l'année d'imposition donnée qui correspond :

(i) si la personne était tenue de produire une déclaration aux termes de cette loi, à sa dernière année d'imposition pour laquelle une déclaration est à produire aux termes de cette loi au plus tard à la date donnée,

(ii) dans les autres cas, à sa dernière année d'imposition se terminant au plus tard à la date donnée,

B le revenu imposable total de la personne donnée pour l'application de cette loi pour l'année d'imposition donnée.

Régimes de placement stratifiés

31. (1) Pourcentage — temps réel — Si une institution financière désignée particulière est un régime de placement stratifié et que le choix prévu à l'article 52 est en vigueur relativement à l'une de ses séries tout au long de son exercice donné, le pourcentage qui lui est applicable quant à la série et à une province participante à une date donnée de cet exercice correspond à celui des pourcentages ci-après qui est applicable :

a) dans le cas d'une province participante en particulier (appelée « province désignée » au présent article) où le taux de taxe est le plus élevé le premier jour de l'exercice donné, le pourcentage obtenu par la formule suivante :

$$[(A + B)/C] + [D \times ((A + B)/E)] + [(1 - D) - (E/C)]$$

où :

A représente le total des montants représentant chacun la valeur totale des unités de la série détenues, à la date donnée, par une personne qui est un particulier ou un investisseur déterminé de l'institution financière et dont celle-ci sait qu'elle réside, à cette date, dans la province désignée,

B le total des montants représentant chacun la valeur totale des unités de la série détenues, à la date donnée, par une personne qui n'est ni un particulier ni un investisseur déterminé de l'institution financière et dont celle-ci connaît le pourcentage de l'investisseur quant à chaque province participante à cette date, multipliée par le pourcentage de l'investisseur qui est applicable à la personne à cette même date quant à la province désignée,

C la valeur totale, à la date donnée, des unités de la série, à l'exception de celles détenues à cette date par un particulier, ou par un investisseur déterminé de l'institution financière, dont celle-ci sait qu'il ne réside pas au Canada à cette date,

D 0,1 ou, s'il est moins élevé, le montant obtenu par la formule suivante :

$$D_1 / D_2$$

où :

D_1 représente le total des montants représentant chacun la valeur totale des unités de la série détenues, à la date donnée, par une personne à l'égard de laquelle l'institution financière :

(i) d'une part, n'a pas connaissance d'une partie des renseignements concernant les unités visés à celui des paragraphes 55(3) à (5) qui s'applique à ces unités (cette partie étant appelée « renseignements manquants » au présent élément),

(ii) d'autre part, demande, au plus tard le 15 octobre de l'exercice précédant l'exercice donné, les renseignements manquants conformément au paragraphe applicable mentionné au sous-alinéa (i),

D_2 la valeur de l'élément C,

E le total des montants représentant chacun la valeur totale des unités de la série détenues, à la date donnée, par une personne :

(i) qui est un particulier, ou un investisseur déterminé de l'institution financière, résidant au Canada à cette date et dont celle-ci connaît la province de résidence à cette date,

(ii) qui n'est ni un particulier ni un investisseur déterminé de l'institution financière et dont celle-ci connaît le pourcentage de l'investisseur quant à chaque province participante à cette date;

b) dans le cas d'une province participante (sauf la province désignée) dans laquelle l'institution financière a un établissement stable au cours de l'année d'imposition dans laquelle l'exercice donné prend fin, le pourcentage obtenu par la formule suivante :

$$[(A + B)/C] + [D \times ((A + B)/E)]$$

où :

A représente le total des montants représentant chacun la valeur totale des unités de la série détenues, à la date donnée, par une personne qui est un particulier ou un investisseur déterminé de l'institution financière et dont celle-ci sait qu'elle réside dans la province participante à cette date,

B le total des montants représentant chacun la valeur totale des unités de la série détenues, à la date donnée, par une personne qui n'est ni un particulier ni un investisseur déterminé de l'institution financière et dont celle-ci connaît le pourcentage de l'investisseur quant à chaque province participante à cette date, multipliée par le pourcentage de l'investisseur qui est applicable à la personne quant à la province participante à cette même date,

C la valeur totale, à la date donnée, des unités de la série, à l'exception de celles détenues à cette date par un particulier, ou par un investisseur déterminé de l'institution financière, dont celle-ci sait qu'il ne réside pas au Canada à cette date,

D 0,1 ou, s'il est moins élevé, le montant obtenu par la formule suivante :

$$D_1 / D_2$$

où :

D_1 représente le total des montants représentant chacun la valeur totale des unités de la série détenues, à la date donnée, par une personne à l'égard de laquelle l'institution financière :

(i) d'une part, n'a pas connaissance d'une partie des renseignements concernant les unités visés à celui des paragraphes 55(3) à (5) qui s'applique à ces unités (cette partie étant appelée « renseignements manquants » au présent élément),

(ii) d'autre part, demande, au plus tard le 15 octobre de l'exercice précédant l'exercice donné, les renseignements manquants conformément au paragraphe applicable mentionné au sous-alinéa (i),

D_2 la valeur de l'élément C,

E le total des montants représentant chacun la valeur totale des unités de la série détenues, à la date donnée, par une personne :

(i) qui est un particulier, ou un investisseur déterminé de l'institution financière, résidant au Canada à cette date et dont celle-ci connaît la province de résidence à cette date,

(ii) qui n'est ni un particulier ni un investisseur déterminé de l'institution financière et dont celle-ci connaît le pourcentage de l'investisseur quant à chaque province participante à cette date;

c) dans le cas de toute autre province participante, zéro.

(2) Attribution de détenteurs d'unités à une province participante — Pour l'application du paragraphe (1), si, pour une série d'un régime de placement stratifié et une date donnée d'un exercice du régime, le total des montants représentant chacun la valeur totale des unités données de la série détenues à cette date soit par une personne qui est un particulier ou un investisseur déterminé du régime et dont celui-ci sait si elle réside ou non au Canada à cette date et, dans l'affirmative, dans quelle province elle réside à cette date, soit par une personne qui n'est ni un particulier ni un investisseur déterminé du régime et dont celui-ci connaît le pourcentage de l'investisseur quant à chaque province participante à cette date, est inférieur à 50 % de la valeur totale des unités de la série à cette date, les règles suivantes s'appliquent :

a) les unités de la série, à l'exception des unités données, sont réputées être détenues à cette date par un particulier donné et non par une autre personne;

b) ce particulier est réputé résider, à cette date, au Canada et dans la province désignée visée au paragraphe (1) pour la série et cette date;

c) le régime de placement est réputé savoir que ce particulier réside au Canada et dans la province désignée.

(3) **Pourcentage — exception** — Malgré le paragraphe (1), si une institution financière désignée particulière est un régime de placement stratifié, que le choix prévu à l'article 52 est en vigueur relativement à une série de l'institution financière tout au long d'un exercice donné de celle-ci et que, à une date donnée de cet exercice, plus de 10 % de la valeur totale des unités de la série est détenue par des personnes autres que des particuliers et des investisseurs déterminés du régime, les règles suivantes s'appliquent :

a) si le premier jour de l'exercice donné où plus de 10 % de la valeur totale des unités de la série est détenue par des personnes autres que des particuliers et des investisseurs déterminés du régime correspond ou est antérieur au premier jour de cet exercice où le pourcentage applicable à l'institution financière quant à la série et à une province participante doit être déterminé selon le paragraphe 225.2(2) de la Loi, le pourcentage applicable à l'institution financière quant à la série et à une province participante à chaque jour de l'exercice donné correspond à celui des pourcentages ci-après qui est applicable :

(i) dans le cas où le choix prévu à l'article 52 n'est pas en vigueur relativement à la série tout au long de l'exercice du régime (appelé « exercice précédent » au présent alinéa) précédant l'exercice donné, le pourcentage applicable à l'institution financière quant à la série et à la province participante pour l'exercice précédent,

(ii) dans les autres cas, le total des montants représentant chacun le pourcentage applicable à l'institution financière quant à la série et à la province participante à un jour de l'exercice précédent où ce pourcentage doit être déterminé selon le paragraphe 225.2(2) de la Loi, divisé par le nombre de ces jours compris dans l'exercice précédent;

b) dans les autres cas, le pourcentage applicable à l'institution financière quant à la série et à une province participante à la date donnée et à chaque jour suivant de l'exercice donné s'obtient par la formule suivante :

$$A / B$$

où :

A représente le total des montants représentant chacun le pourcentage applicable à l'institution financière quant à la série et à la province participante à une date (appelée « jour d'attribution » au présent alinéa) de l'exercice donné, à la fois :

(i) qui précède le premier jour de l'exercice donné où plus de 10 % de la valeur des unités de la série est détenue par des personnes autres que des particuliers et des investisseurs déterminés du régime,

(ii) où ce pourcentage doit être déterminé selon le paragraphe 225.2(2) de la Loi,

B le nombre de jours d'attribution compris dans l'exercice donné.

32. (1) Pourcentage — période donnée — Si une institution financière désignée particulière est un régime de placement stratifié, que le choix prévu à l'article 52 n'est pas en vigueur relativement à l'une de ses séries tout au long d'un de ses exercices se terminant dans une période donnée et que la série n'est pas une série cotée en bourse, le pourcentage qui est applicable à l'institution financière quant à la série et à une province participante pour la période donnée correspond à celui des pourcentages ci-après qui est applicable :

a) dans le cas d'une province participante en particulier (appelée « province désignée » au présent article) où le taux de taxe est le plus élevé le premier jour de l'exercice, le pourcentage obtenu par la formule suivante :

$$A / B$$

où :

A représente le total des montants dont chacun est déterminé selon la formule ci-après pour un moment d'attribution relativement à la série pour la période donnée :

$$[(A_1 + A_2)/A_3] + [A_4 \times ((A_1 + A_2)/A_5)] + [(1 - A_4) - (A_5/A_3)]$$

où :

A_1 représente le total des montants représentant chacun la valeur totale des unités de la série détenues, au moment d'attribution, par une personne qui est un particulier ou un investisseur déterminé de l'institution financière et dont celle-ci sait, le 31 décembre de l'exercice, qu'elle réside, au moment d'attribution, dans la province désignée,

A_2 le total des montants représentant chacun la valeur totale des unités de la série détenues, au moment d'attribution, par une personne qui n'est ni un particulier ni un investisseur déterminé de l'institution financière et dont celle-ci connaît, le 31 décembre de l'exercice, le pourcentage de l'investisseur quant à chaque province participante au moment d'attribution, multipliée par le pourcentage de l'investisseur applicable à la personne à ce moment quant à la province désignée,

A_3 la valeur totale, au moment d'attribution, des unités de la série, à l'exception de celles détenues, à ce moment, par un particulier, ou par un investisseur déterminé de l'institution financière, dont celle-ci sait, le 31 décembre de l'exercice, qu'il ne réside pas au Canada au moment d'attribution,

A_4 1 ou, s'il est moins élevé, le montant obtenu par la formule suivante :

$$C / D$$

où :

C représente le total des montants représentant chacun la valeur totale des unités de la série détenues, au moment d'attribution, par une personne à l'égard de laquelle l'institution financière :

(i) d'une part, n'a pas connaissance, le 31 décembre de l'exercice, d'une partie des renseignements concernant les unités visés à celui des paragraphes 55(3) à (5) qui s'applique à ces unités (cette partie étant appelée « renseignements manquants » au présent élément),

(ii) d'autre part, demande, au plus tard le 15 octobre de l'exercice, les renseignements manquants conformément au paragraphe applicable mentionné au sous-alinéa (i),

D la valeur de l'élément A_3,

A_5 le total des montants représentant chacun la valeur totale des unités de la série détenues, au moment d'attribution, par une personne :

(i) qui est un particulier, ou un investisseur déterminé de l'institution financière, résidant au Canada à ce moment et dont celle-ci connaît la province de résidence à ce moment,

(ii) qui n'est ni un particulier ni un investisseur déterminé de l'institution financière et dont celle-ci connaît, le 31 décembre de l'exercice, le pourcentage de

Règlements

l'investisseur quant à chaque province participante au moment d'attribution,

B le nombre de moments d'attribution relatifs à la série pour la période donnée;

b) dans le cas d'une province participante (sauf la province désignée) dans laquelle l'institution financière a un établissement stable au cours de la période donnée, le pourcentage obtenu par la formule suivante :

$$A / B$$

où :

A représente le total des montants dont chacun est déterminé selon la formule ci-après pour un moment d'attribution relativement à la série pour la période donnée :

$$[(A_1 + A_2)/A_3] + [A_4 \times ((A_1 + A_2)/A_5)]$$

où :

A_1 représente le total des montants représentant chacun la valeur totale des unités de la série détenues, au moment d'attribution, par une personne qui est un particulier ou un investisseur déterminé de l'institution financière et dont celle-ci sait, le 31

A_2 décembre de l'exercice, qu'elle réside dans le province participante au moment d'attribution, le total des montants représentant chacun la valeur totale des unités de la série détenues, au moment d'attribution, par une personne qui n'est ni un particulier ni un investisseur déterminé de l'institution financière et dont celle-ci connaît, le 31 décembre de l'exercice, le pourcentage de l'investisseur quant à chaque province participante au moment d'attribution, multipliée par le pourcentage de l'investisseur applicable à la personne quant à la province participante à ce moment,

A_3 la valeur totale, au moment d'attribution, des unités de la série, à l'exception de celles détenues, à ce moment, par un particulier, ou par un investisseur déterminé de l'institution financière, dont celle-ci sait, le 31 décembre de l'exercice, qu'il ne réside pas au Canada au moment d'attribution,

A_4 1 ou, s'il est moins élevé, le montant obtenu par la formule suivante :

$$C / D$$

où :

C représente le total des montants représentant chacun la valeur totale des unités de la série détenues, au moment d'attribution, par une personne à l'égard de laquelle l'institution financière :

(i) d'une part, n'a pas connaissance, le 31 décembre de l'exercice, d'une partie des renseignements concernant les unités visés à celui des paragraphes 55(3) à (5) qui s'applique à ces unités (cette partie étant appelée « renseignements manquants » au présent élément),

(ii) d'autre part, demande, au plus tard le 15 octobre de l'exercice, les renseignements manquants conformément au paragraphe applicable mentionné au sous-alinéa (i),

D la valeur de l'élément A_3,

A_5 le total des montants représentant chacun la valeur totale des unités de la série détenues, au moment d'attribution, par une personne :

(i) qui est un particulier, ou un investisseur déterminé de l'institution financière, résidant au Canada à ce moment et dont celle-ci connaît la province de résidence à ce moment,

(ii) qui n'est ni un particulier ni un investisseur déterminé de l'institution financière et dont celle-ci connaît, le 31 décembre de l'exercice, le pourcentage de l'investisseur quant à chaque province participante au moment d'attribution,

B le nombre de moments d'attribution relatifs à la série pour la période donnée;

c) dans le cas de toute autre province participante, zéro.

(2) Attribution des détenteurs d'unités à une province participante — Pour l'application du paragraphe (1), si, pour un moment d'attribution relatif à une série d'un régime de placement pour une période donnée dans laquelle un exercice du régime prend fin, le total des montants représentant chacun la valeur totale des unités données de la série détenues, à ce moment, soit par une personne qui est un particulier ou un investisseur déterminé du régime et dont celui-ci sait, le 31 décembre de l'exercice, si elle réside ou non au Canada au moment d'attribution et, dans l'affirmative, dans quelle province elle réside à ce moment, soit par une personne qui n'est ni un particulier ni un investisseur déterminé du régime et dont celui-ci connaît, le 31 décembre de l'exercice, le pourcentage de l'investisseur quant à chaque province participante au moment d'attribution, est inférieur à 50 % de la valeur totale des unités de la série à ce moment, les règles suivantes s'appliquent :

a) les unités de la série, à l'exception des unités données, sont réputées être détenues à ce moment par un particulier donné et non par une autre personne;

b) ce particulier est réputé résider, à ce moment, au Canada et dans la province désignée visée au paragraphe (1) pour la série et la période donnée;

c) le régime de placement est réputé savoir, le 31 décembre de l'exercice, que ce particulier réside, au moment d'attribution, au Canada et dans la province désignée.

(3) Opérations déterminées — Pour l'application du paragraphe (1), si le choix prévu à l'article 19 n'est pas en vigueur relativement à une série d'un régime de placement tout au long d'un exercice de celui-ci et qu'une opération déterminée est effectuée à l'égard d'un moment d'attribution relativement à la série pour une période donnée dans laquelle l'exercice prend fin, les règles suivantes s'appliquent :

a) les unités de la série acquises dans le cadre de l'opération sont réputées être détenues à ce moment par un particulier donné et non par une autre personne;

b) ce particulier est réputé résider, à ce moment, au Canada et dans la province désignée visée au paragraphe (1) pour la série et la période donnée;

c) l'institution financière est réputée savoir, le 31 décembre de l'exercice, que ce particulier réside, au moment d'attribution, au Canada et dans la province désignée.

Régimes de placement non stratifiés

33. (1) Pourcentage — temps réel — Si une institution financière désignée particulière est un régime de placement non stratifié (sauf un fonds coté en bourse) relativement auquel le choix prévu à l'article 52 est en vigueur tout au long d'un exercice donné de l'institution financière, le pourcentage qui est applicable à celle-ci quant à une province participante à une date donnée de cet exercice correspond à celui des pourcentages ci-après qui est applicable :

a) dans le cas d'une province participante en particulier (appelée « province désignée » au présent article) où le taux de taxe est le plus élevé le premier jour de l'exercice donné, le pourcentage obtenu par la formule suivante :

$$[(A + B)/C] + [D \times ((A + B)/E)] + [(1 - D) - (E/C)]$$

où :

A représente le total des montants représentant chacun la valeur totale des unités de l'institution financière détenues, à la date donnée, par une personne qui est un particulier ou un investisseur déterminé de l'institution financière et dont celle-ci sait qu'elle réside, à cette date, dans la province désignée,

B le total des montants représentant chacun la valeur totale des unités de l'institution financière détenues, à la date donnée, par une personne qui n'est ni un particulier ni un investisseur déterminé de l'institution financière et dont celle-ci connaît le pourcentage de l'investisseur quant à chaque province participante à cette date, multipliée

C par le pourcentage de l'investisseur qui est applicable à la personne à cette même date quant à la province désignée, la valeur totale, à la date donnée, des unités de l'institution financière, à l'exception de celles détenues à cette date par un particulier, ou par un investisseur déterminé de l'institution financière, dont celle-ci sait qu'il ne réside pas au Canada à cette date,

D 0,1 ou, s'il est moins élevé, le montant obtenu par la formule suivante :

$$D_1 / D_2$$

où :

D_1 représente le total des montants représentant chacun la valeur totale des unités de l'institution financière détenues, à la date donnée, par une personne à l'égard de laquelle l'institution financière :

(i) d'une part, n'a pas connaissance d'une partie des renseignements concernant les unités visés à celui des paragraphes 55(3) à (5) qui s'applique à ces unités (cette partie étant appelée « renseignements manquants » au présent élément),

(ii) d'autre part, demande, au plus tard le 15 octobre de l'exercice précédant l'exercice donné, les renseignements manquants conformément au paragraphe applicable mentionné au sous-alinéa (i),

D_2 la valeur de l'élément C,

E le total des montants représentant chacun la valeur totale des unités de l'institution financière détenues, à la date donnée, par une personne :

(i) qui est un particulier, ou un investisseur déterminé de l'institution financière, résidant au Canada à cette date et dont celle-ci connaît la province de résidence à cette date,

(ii) qui n'est ni un particulier ni un investisseur déterminé de l'institution financière et dont celle-ci connaît le pourcentage de l'investisseur quant à chaque province participante à cette date;

b) dans le cas d'une province participante (sauf la province désignée) dans laquelle l'institution financière a un établissement stable au cours de l'année d'imposition dans laquelle l'exercice donné prend fin, le pourcentage obtenu par la formule suivante :

$$[(A + B)/C] + [D \times ((A + B)/E)]$$

où :

A représente le total des montants représentant chacun la valeur totale des unités de l'institution financière détenues, à la date donnée, par une personne qui est un particulier ou un investisseur déterminé de l'institution financière et dont celle-ci sait qu'elle réside dans la province participante à cette date,

B le total des montants représentant chacun la valeur totale des unités de l'institution financière détenues, à la date donnée, par une personne qui n'est ni un particulier ni un investisseur déterminé de l'institution financière et dont celle-ci connaît le pourcentage de l'investisseur quant à chaque province participante à cette date, multipliée

C par le pourcentage de l'investisseur qui est applicable à la personne quant à la province participante à cette même date, la valeur totale, à la date donnée, des unités de l'institution financière, à l'exception de celles détenues à cette date par un particulier, ou par un investisseur déterminé de l'institution financière, dont celle-ci sait qu'il ne réside pas au Canada à cette date,

D 0,1 ou, s'il est moins élevé, le montant obtenu par la formule suivante :

$$D_1 / D_2$$

où :

D_1 représente le total des montants représentant chacun la valeur totale des unités de l'institution financière détenues, à la date donnée, par une personne à l'égard de laquelle l'institution financière :

(i) d'une part, n'a pas connaissance d'une partie des renseignements concernant les unités visés à celui des paragraphes 55(3) à (5) qui s'applique à ces unités (cette partie étant appelée « renseignements manquants » au présent élément),

(ii) d'autre part, demande, au plus tard le 15 octobre de l'exercice précédant l'exercice donné, les renseignements manquants conformément au paragraphe applicable mentionné au sous-alinéa (i),

D_2 la valeur de l'élément C,

E le total des montants représentant chacun la valeur totale des unités de l'institution financière détenues, à la date donnée, par une personne :

(i) qui est un particulier, ou un investisseur déterminé de l'institution financière, résidant au Canada à cette date et dont celle-ci connaît la province de résidence à cette date,

(ii) qui n'est ni un particulier ni un investisseur déterminé de l'institution financière et dont celle-ci connaît le pourcentage de l'investisseur quant à chaque province participante à cette date;

c) dans le cas de toute autre province participante, zéro.

(2) Attribution de détenteurs d'unités à une province participante — Pour l'application du paragraphe (1), si, pour une date donnée d'un exercice d'un régime de placement, le total des montants représentant chacun la valeur totale des unités données du régime détenues, à cette date, soit par une personne qui est un particulier ou un investisseur déterminé du régime et dont celui-ci sait si elle réside ou non au Canada à cette date et, dans l'affirmative, dans quelle province elle réside à cette date, soit par une personne qui n'est ni un particulier ni un investisseur déterminé du régime et dont celui-ci connaît le pourcentage de l'investisseur quant à chaque province participante à cette date, est inférieur à 50 % de la valeur totale des unités du régime à cette date, les règles suivantes s'appliquent :

a) les unités du régime, à l'exception des unités données, sont réputées être détenues à cette date par un particulier donné et non par une autre personne;

b) ce particulier est réputé résider, à cette date, au Canada et dans la province désignée visée au paragraphe (1) pour cette date;

c) le régime est réputé savoir que ce particulier réside au Canada et dans la province désignée.

(3) Pourcentage — exception — Malgré le paragraphe (1), si une institution financière désignée particulière est un régime de placement non stratifié autre qu'un fonds coté en bourse, que le choix prévu à l'article 52 est en vigueur relativement à l'institution financière tout au long d'un exercice donné de celle-ci et que, à

Règlements

une date donnée de cet exercice, plus de 10 % de la valeur totale des unités de l'institution financière est détenue par des personnes autres que des particuliers ou des investisseurs déterminés du régime, les règles suivantes s'appliquent :

a) si le premier jour de l'exercice donné où plus de 10 % de la valeur totale des unités de l'institution financière est détenue par des personnes autres que des particuliers et des investisseurs déterminés du régime correspond ou est antérieur au premier jour de cet exercice où le pourcentage applicable à l'institution financière quant à une province participante doit être déterminé selon le paragraphe 225.2(2) de la Loi, le pourcentage applicable à l'institution financière quant à une province participante à chaque jour de l'exercice donné correspond à celui des pourcentages ci-après qui est applicable :

(i) dans le cas où le choix prévu à l'article 52 n'est pas en vigueur relativement au régime tout au long de l'exercice du régime (appelé « exercice précédent » au présent alinéa) précédant l'exercice donné, le pourcentage applicable à l'institution financière quant à la province participante pour l'exercice précédent,

(ii) dans les autres cas, le total des montants représentant chacun le pourcentage applicable à l'institution financière quant à la province participante à un jour de l'exercice précédent où ce pourcentage doit être déterminé selon le paragraphe 225.2(2) de la Loi, divisé par le nombre de ces jours compris dans l'exercice précédent;

b) dans les autres cas, le pourcentage applicable à l'institution financière quant à une province participante à la date donnée et à chaque jour suivant de l'exercice donné s'obtient par la formule suivante :

$$A / B$$

où :

A représente le total des montants représentant chacun le pourcentage applicable à l'institution financière quant à la province participante à une date (appelée « jour d'attribution » au présent alinéa) de l'exercice donné, à la fois :

(i) qui précède le premier jour de l'exercice donné où plus de 10 % de la valeur des unités de l'institution financière est détenue par des personnes autres que des particuliers et des investisseurs déterminés du régime,

(ii) où ce pourcentage doit être déterminé selon le paragraphe 225.2(2) de la Loi,

B le nombre de jours d'attribution compris dans l'exercice donné.

34. (1) Pourcentage — période donnée — Si une institution financière désignée particulière est un régime de placement non stratifié (sauf un fonds coté en bourse) et que le choix prévu à l'article 52 n'est pas en vigueur relativement à l'institution financière tout au long d'un de ses exercices se terminant dans une période donnée, le pourcentage qui est applicable à l'institution financière quant à une province participante pour cette période correspond à celui des pourcentages ci-après qui est applicable :

a) dans le cas d'une province participante en particulier (appelée « province désignée » au présent article) où le taux de taxe est le plus élevé le premier jour de l'exercice, le pourcentage obtenu par la formule suivante :

$$A / B$$

où :

A représente le total des montants dont chacun est déterminé selon la formule ci-après pour un moment d'attribution relativement à l'institution financière pour la période donnée :

$$[(A_1 + A_2)/A_3] + [A_4 \times ((A_1 + A_2)/A_5)] + [(1 - A_4) - (A_5/A_3)]$$

où :

A_1 représente le total des montants représentant chacun la valeur totale des unités de l'institution financière détenues, au moment d'attribution, par une personne qui est un particulier ou un investisseur déterminé de l'institution financière et dont celle-ci sait, le 31 décembre de l'exercice, qu'elle réside, au moment d'attribution, dans la province désignée,

A_2 le total des montants représentant chacun la valeur totale des unités de l'institution financière détenues, au moment d'attribution, par une personne qui n'est ni un particulier ni un investisseur déterminé de l'institution financière et dont celle-ci connaît, le 31 décembre de l'exercice, le pourcentage de l'investisseur quant à chaque province participante au moment d'attribution, multipliée par le pourcentage de l'investisseur applicable à la personne à ce moment quant à la province désignée,

A_3 la valeur totale, au moment d'attribution, des unités de l'institution financière, à l'exception de celles détenues à ce moment par un particulier, ou par un investisseur déterminé de l'institution financière, dont celle-ci sait, le 31 décembre de l'exercice, qu'il ne réside pas au Canada au moment d'attribution,

A_4 1 ou, s'il est moins élevé, le montant obtenu par la formule suivante :

$$C / D$$

où :

C représente le total des montants représentant chacun la valeur totale des unités de l'institution financière détenues, au moment d'attribution, par une personne à l'égard de laquelle l'institution financière :

(i) d'une part, n'a pas connaissance, le 31 décembre de l'exercice, d'une partie des renseignements concernant les unités visés à celui des paragraphes 55(3) à (5) qui s'applique à ces unités (cette partie étant appelée « renseignements manquants » au présent élément),

(ii) d'autre part, demande, au plus tard le 15 octobre de l'exercice, les renseignements manquants conformément au paragraphe applicable mentionné au sous-alinéa (i),

D la valeur de l'élément A_3,

A_5 le total des montants représentant chacun la valeur totale des unités de l'institution financière détenues, au moment d'attribution, par une personne :

(i) qui est un particulier, ou un investisseur déterminé de l'institution financière, résidant au Canada à ce moment et dont celle-ci connaît la province de résidence à ce moment,

(ii) qui n'est ni un particulier ni un investisseur déterminé de l'institution financière et dont celle-ci connaît, le 31 décembre de l'exercice, le pourcentage de l'investisseur quant à chaque province participante au moment d'attribution,

B le nombre de moments d'attribution relatifs à l'institution financière pour la période donnée;

b) dans le cas d'une province participante (sauf la province désignée) dans laquelle l'institution financière a un établissement stable au cours de la période donnée, le pourcentage obtenu par la formule suivante :

$$A / B$$

où :

A représente le total des montants dont chacun est déterminé selon la formule ci-après pour un moment d'attribution relativement à l'institution financière pour la période donnée :

$$[(A_1 + A_2)/A_3] + [A_4 \times ((A_1 + A_2)/A_5)]$$

où :

A_1 représente le total des montants représentant chacun la valeur totale des unités de l'institution financière détenues, au moment d'attribution, par une personne qui est un particulier ou un investisseur déterminé de l'institution financière et dont celle-ci sait, le 31 décembre de l'exercice, qu'elle réside dans la province participante au moment d'attribution,

A_2 le total des montants représentant chacun la valeur totale des unités de l'institution financière détenues, au moment d'attribution, par une personne qui n'est ni un particulier ni un investisseur déterminé de l'institution financière et dont celle-ci connaît, le 31 décembre de l'exercice, le pourcentage de l'investisseur quant à chaque province participante au moment d'attribution, multipliée par le pourcentage de l'investisseur applicable à la personne quant à la province participante à ce moment,

A_3 la valeur totale, au moment d'attribution, des unités de l'institution financière, à l'exception de celles détenues, à ce moment, par un particulier, ou par un investisseur déterminé de l'institution financière, dont celle-ci sait, le 31 décembre de l'exercice, qu'il ne réside pas au Canada au moment d'attribution,

A_4 1 ou, s'il est moins élevé, le montant obtenu par la formule suivante :

$$C / D$$

où :

C représente le total des montants représentant chacun la valeur totale des unités de l'institution financière détenues, au moment d'attribution, par une personne à l'égard de laquelle l'institution financière :

(i) d'une part, n'a pas connaissance, le 31 décembre de l'exercice, d'une partie des renseignements concernant les unités visés à celui des paragraphes 55(3) à (5) qui s'applique à ces unités (cette partie étant appelée « renseignements manquants » au présent élément),

(ii) d'autre part, demande, au plus tard le 15 octobre de l'exercice, les renseignements manquants conformément au paragraphe applicable mentionné au sous-alinéa (i),

D la valeur de l'élément A_3,

A_5 le total des montants représentant chacun la valeur totale des unités de l'institution financière détenues, au moment d'attribution, par une personne :

(i) qui est un particulier, ou un investisseur déterminé de l'institution financière, résidant au Canada à ce moment et dont celle-ci connaît la province de résidence à ce moment,

(ii) qui n'est ni un particulier ni un investisseur déterminé de l'institution financière et dont celle-ci connaît, le 31 décembre de l'exercice, le pourcentage de l'investisseur quant à chaque province participante au moment d'attribution,

B le nombre de moments d'attribution relatifs à l'institution financière pour la période donnée;

c) dans le cas de toute autre province participante, zéro.

(2) Attribution des détenteurs d'unités à une province participante — Pour l'application du paragraphe (1), si, pour un moment d'attribution relatif à un régime de placement pour une période donnée dans laquelle un exercice du régime prend fin, le total des montants représentant chacun la valeur totale des unités données du régime détenues, à ce moment, soit par une personne qui est un particulier ou un investisseur déterminé du régime et dont celui-ci sait, le 31 décembre de l'exercice, si elle réside ou non au Canada au moment d'attribution et, dans l'affirmative, dans quelle province elle réside à ce moment, soit par une personne qui n'est ni un particulier ni un investisseur déterminé du régime et dont celui-ci connaît, le 31 décembre de l'exercice, le pourcentage de l'investisseur quant à chaque province participante au moment d'attribution, est inférieur à 50 % de la valeur totale des unités du régime à ce moment, les règles suivantes s'appliquent :

a) les unités du régime, à l'exception des unités données, sont réputées être détenues à ce moment par un particulier donné et non par une autre personne;

b) ce particulier est réputé résider, à ce moment, au Canada et dans la province désignée visée au paragraphe (1) pour la période donnée;

c) le régime est réputé savoir, le 31 décembre de l'exercice, que ce particulier réside, au moment d'attribution, au Canada et dans la province désignée.

(3) Opérations déterminées — Pour l'application du paragraphe (1), si le choix prévu à l'article 19 n'est pas en vigueur relativement à un régime de placement tout au long d'un exercice de celui-ci et qu'une opération déterminée est effectuée à l'égard d'un moment d'attribution relativement au régime pour une période donnée dans laquelle l'exercice prend fin, les règles suivantes s'appliquent :

a) les unités du régime acquises dans le cadre de l'opération sont réputées être détenues à ce moment par un particulier donné et non par une autre personne;

b) ce particulier est réputé résider, à ce moment, au Canada et dans la province désignée visée au paragraphe (1) pour la période donnée;

c) l'institution financière est réputée savoir, le 31 décembre de l'exercice, que ce particulier réside, au moment d'attribution, au Canada et dans la province désignée.

Règlements

Fonds cotés en bourse

35. (1) Pourcentage — fonds cotés en bourse stratifiés — Si une institution financière désignée particulière est un régime de placement stratifié ainsi qu'un fonds coté en bourse au cours d'une période donnée dans laquelle son exercice prend fin, le pourcentage qui lui est applicable quant à l'une de ses séries cotées en bourse et à une province participante pour cette période correspond à celui des pourcentages ci-après qui est applicable :

a) dans le cas d'une province participante en particulier (appelée « province désignée » au présent article) où le taux de taxe est le plus élevé le premier jour de l'exercice, le pourcentage obtenu par la formule suivante :

$$A / B$$

où :

A représente le total des montants dont chacun est déterminé selon la formule ci-après pour un moment d'attribution relativement à la série pour la période donnée :

$$(A_1/A_2) + [A_3 \times (A_1/A_4)] + [(1 - A_3) - (A_4/A_2)]$$

où :

A_1 représente le total des montants représentant chacun la valeur totale des unités de la série détenues, au moment d'attribution, par une personne dont l'institution financière sait, le 31 décembre de l'exercice, qu'elle réside, au moment d'attribution, dans la province désignée,

A_2 la valeur totale des unités de la série, à l'exception de celles détenues, au moment d'attribution, par une personne dont l'institution financière sait, le 31 décembre de l'exercice, qu'elle ne réside pas au Canada au moment d'attribution,

A_3 1 ou, s'il est moins élevé, le montant obtenu par la formule suivante :

$$C / D$$

où :

C représente le total des montants représentant chacun la valeur totale des unités de la série détenues, au moment d'attribution, par une personne dont l'institution financière, le 31 décembre de l'exercice :

(i) ne sait pas si elle réside au Canada au moment d'attribution,

(ii) sait qu'elle réside au Canada au moment d'attribution mais ne sait pas dans quelle province elle réside à ce moment,

D la valeur de l'élément A_2,

A_4 le total des montants représentant chacun la valeur totale des unités de la série détenues, au moment d'attribution, par une personne résidant au Canada à ce moment et dont l'institution financière connaît, le 31 décembre de l'exercice, la province de résidence au moment d'attribution,

B le nombre de moments d'attribution relatifs à la série pour la période donnée;

b) dans le cas d'une province participante (sauf la province désignée) dans laquelle l'institution financière a un établissement stable au cours de la période donnée, le pourcentage obtenu par la formule suivante :

$$A / B$$

où :

A représente le total des montants dont chacun est déterminé selon la formule ci-après pour un moment d'attribution relativement à la série pour la période donnée :

$$(A_1/A_2) + [A_3 \times (A_1/A_4)]$$

où :

A_1 représente le total des montants représentant chacun la valeur totale des unités de la série détenues, au moment d'attribution, par une personne dont l'institution financière sait, le 31 décembre de l'exercice, qu'elle réside dans la province participante au moment d'attribution,

A_2 la valeur totale des unités de la série, à l'exception de celles détenues, au moment d'attribution, par une personne dont l'institution financière sait, le 31 décembre de l'exercice, qu'elle ne réside pas au Canada au moment d'attribution,

A_3 1 ou, s'il est moins élevé, le montant obtenu par la formule suivante :

$$C / D$$

où :

C représente le total des montants représentant chacun la valeur totale des unités de la série détenues, au moment d'attribution, par une personne dont l'institution financière, le 31 décembre de l'exercice :

(i) ne sait pas si elle réside au Canada au moment d'attribution,

(ii) sait qu'elle réside au Canada au moment d'attribution mais ne sait pas dans quelle province elle réside à ce moment,

D la valeur de l'élément A_2,

A_4 le total des montants représentant chacun la valeur totale des unités de la série détenues, au moment d'attribution, par une personne résidant au Canada à ce moment et dont l'institution financière connaît, le 31 décembre de l'exercice, la province de résidence au moment d'attribution,

B le nombre de moments d'attribution relatifs à la série pour la période donnée;

c) dans le cas de toute autre province participante, zéro.

(2) Attribution des détenteurs d'unités à une province participante — Pour l'application du paragraphe (1), si, pour un moment d'attribution relatif à une série d'un régime de placement pour une période donnée dans laquelle un exercice du régime prend fin, le total des montants représentant chacun la valeur totale des unités données de la série détenues, à ce moment, par une personne dont le régime sait, le 31 décembre de l'exercice, si elle réside ou non au Canada au moment d'attribution et, dans l'affirmative, dans quelle province elle réside à ce moment, est inférieur à 50 % de la valeur totale des unités de la série à ce moment, les règles suivantes s'appliquent :

a) les unités de la série, à l'exception des unités données, sont réputées être détenues à ce moment par un particulier donné et non par une autre personne;

b) ce particulier est réputé résider, à ce moment, au Canada et dans la province désignée visée au paragraphe (1) pour la série et la période donnée;

c) l'institution financière est réputée savoir, le 31 décembre de l'exercice, que ce particulier réside, au moment d'attribution, au Canada et dans la province désignée.

36. (1) Pourcentage — fonds cotés en bourse non stratifiés — Si une institution financière désignée particulière est un régime de placement non stratifié ainsi qu'un fonds coté en bourse au cours d'une période donnée dans laquelle l'un de ses exercices prend fin, le pourcentage qui lui est applicable quant à une province participante pour cette période correspond à celui des pourcentages ci-après qui est applicable :

a) dans le cas d'une province participante en particulier (appelée « province désignée » au présent article) où le taux de taxe est le plus élevé le premier jour de l'exercice, le pourcentage obtenu par la formule suivante :

$$A / B$$

où :

A représente le total des montants dont chacun est déterminé selon la formule ci-après pour un moment d'attribution relativement à l'institution financière pour la période donnée :

$$(A_1/A_2) + [A_3 \times (A_1/A_4)] + [(1 - A_3) - (A_4/A_2)]$$

où :

A_1 représente le total des montants représentant chacun la valeur totale des unités de l'institution financière détenues, au moment d'attribution, par une personne dont l'institution financière sait, le 31 décembre de l'exercice, qu'elle réside, au moment d'attribution, dans la province désignée,

A_2 la valeur totale des unités de l'institution financière, à l'exception de celles détenues, au moment d'attribution, par une personne dont l'institution financière sait, le 31 décembre de l'exercice, qu'elle ne réside pas au Canada au moment d'attribution,

A_3 1 ou, s'il est moins élevé, le montant obtenu par la formule suivante :

$$C / D$$

où :

C représente le total des montants représentant chacun la valeur totale des unités de l'institution financière détenues, au moment d'attribution, par une personne dont l'institution financière, le 31 décembre de l'exercice :

(i) ne sait pas si elle réside au Canada au moment d'attribution,

(ii) sait qu'elle réside au Canada au moment d'attribution mais ne sait pas dans quelle province elle réside à ce moment,

D la valeur de l'élément A_2,

A_4 le total des montants représentant chacun la valeur totale des unités de l'institution financière détenues, au moment d'attribution, par une personne résidant au Canada à ce moment et dont l'institution financière connaît, le 31 décembre de l'exercice, la province de résidence au moment d'attribution,

B le nombre de moments d'attribution relatifs à l'institution financière pour la période donnée;

b) dans le cas d'une province participante (sauf la province désignée) dans laquelle l'institution financière a un établissement stable au cours de la période donnée, le pourcentage obtenu par la formule suivante :

$$A / B$$

où :

A représente le total des montants dont chacun est déterminé selon la formule ci-après pour un moment d'attribution relativement à l'institution financière pour la période donnée :

$$(A_1/A_2) + [A_3 \times (A_1/A_4)]$$

où :

A_1 représente le total des montants représentant chacun la valeur totale des unités de l'institution financière détenues, au moment d'attribution, par une personne dont l'institution financière sait, le 31 décembre de l'exercice, qu'elle réside dans la province participante à ce moment,

A_2 la valeur totale des unités de l'institution financière, à l'exception de celles détenues, au moment d'attribution, par une personne dont l'institution financière sait, le 31 décembre de l'exercice, qu'elle ne réside pas au Canada au moment d'attribution,

A_3 1 ou, s'il est moins élevé, le montant obtenu par la formule suivante :

$$C / D$$

où :

C représente le total des montants représentant chacun la valeur totale des unités de l'institution financière détenues, au moment d'attribution, par une personne dont l'institution financière, le 31 décembre de l'exercice :

(i) ne sait pas si elle réside au Canada au moment d'attribution,

(ii) sait qu'elle réside au Canada au moment d'attribution mais ne sait pas dans quelle province elle réside à ce moment,

D la valeur de l'élément A_2,

A_4 le total des montants représentant chacun la valeur totale des unités de l'institution financière détenues, au moment d'attribution, par une personne résidant au Canada à ce moment et dont l'institution financière connaît, le 31 décembre de l'exercice, la province de résidence au moment d'attribution,

B le nombre de moments d'attribution relatifs à l'institution financière pour la période donnée;

c) dans le cas de toute autre province participante, zéro.

(2) Attribution des détenteurs d'unités à une province participante — Pour l'application du paragraphe (1), si, pour un moment d'attribution relatif à un régime de placement pour une période donnée dans laquelle un exercice du régime prend fin, le total des montants représentant chacun la valeur totale des unités données du régime détenues, à ce moment, par une personne dont le régime sait, le 31 décembre de l'exercice, si elle réside ou non au Canada au moment d'attribution et, dans l'affirmative, dans quelle province elle réside à ce moment, est inférieur à 50 % de la valeur totale des unités du régime à ce moment, les règles suivantes s'appliquent :

a) les unités du régime, à l'exception des unités données, sont réputées être détenues à ce moment par un particulier donné et non par une autre personne;

b) ce particulier est réputé résider, à ce moment, au Canada et dans la province désignée visée au paragraphe (1) pour la période donnée;

c) l'institution financière est réputée savoir, le 31 décembre de l'exercice, que ce particulier réside, au moment d'attribution, au Canada et dans la province désignée.

Régimes de pension et régimes de placement privés

37. (1) Pourcentage — régimes à cotisations déterminées, régimes de participation aux bénéfices et conventions de retraite — Sous réserve de l'article 40, si une institution financière désignée particulière est soit une entité de gestion d'un régime de pension à cotisations déterminées donné, soit un régime de placement privé qui est une fiducie régie par un régime de participation différée aux bénéfices donné, un régime de participation des employés aux bénéfices donné ou une convention de retraite donnée au cours d'une période donnée dans laquelle l'un de ses exercices prend fin, le pourcentage qui lui est applicable quant à une province participante pour cette période correspond à celui des pourcentages ci-après qui est applicable :

a) dans le cas d'une province participante en particulier (appelée « province désignée » au présent article) où le taux de taxe est le plus élevé le premier jour de l'exercice, le pourcentage obtenu par la formule suivante :

$$A / B$$

où :

A représente le total des montants dont chacun est déterminé selon la formule ci-après pour un moment d'attribution relativement à l'institution financière pour la période donnée :

$$(A_1/A_2) + [A_3 \times (A_1/A_4)] + [(1 - A_3) - (A_4/A_2)]$$

où :

A_1 représente le total des montants représentant chacun la valeur totale, au moment d'attribution, des actifs du régime donné ou de la convention donnée qu'il est raisonnable d'attribuer à un participant de l'institution financière dont celle-ci sait, le 31 décembre de l'exercice, qu'il réside, au moment d'attribution, dans la province désignée,

A_2 la valeur totale, au moment d'attribution, des actifs du régime donné ou de la convention donnée, à l'exception de ceux qu'il est raisonnable d'attribuer aux participants de l'institution financière dont celle-ci sait, le 31 décembre de l'exercice, qu'ils ne résident pas au Canada au moment d'attribution,

A_3 1 ou, s'il est moins élevé, le montant obtenu par la formule suivante :

$$C / D$$

où :

C représente le total des montants représentant chacun la valeur totale, au moment d'attribution, des actifs du régime donné ou de la convention donnée qu'il est raisonnable d'attribuer à un participant de l'institution financière dont celle-ci, le 31 décembre de l'exercice :

(i) ne sait pas s'il réside au Canada au moment d'attribution,

Règlements

(ii) sait qu'il réside au Canada au moment d'attribution mais ne sait pas dans quelle province il réside à ce moment,

D la valeur de l'élément A_2,

A_4 le total des montants représentant chacun la valeur totale, au moment d'attribution, des actifs du régime donné ou de la convention donnée qu'il est raisonnable d'attribuer à un participant de l'institution financière résidant au Canada à ce moment et dont celle-ci connaît, le 31 décembre de l'exercice, la province de résidence au moment d'attribution,

B le nombre de moments d'attribution relatifs à l'institution financière pour la période donnée;

b) dans le cas d'une province participante (sauf la province désignée) dans laquelle l'institution financière a un établissement stable au cours de la période donnée, le pourcentage obtenu par la formule suivante :

$$A / B$$

où :

A représente le total des montants dont chacun est déterminé selon la formule ci-après pour un moment d'attribution relativement à l'institution financière pour la période donnée :

$$(A_1/A_2) + [A_3 \times (A_1/A_4)]$$

où :

A_1 représente le total des montants représentant chacun la valeur totale, au moment d'attribution, des actifs du régime donné ou de la convention donnée qu'il est raisonnable d'attribuer à un participant de l'institution financière dont celle-ci sait, le 31 décembre de l'exercice, qu'il réside dans la province participante au moment d'attribution,

A_2 la valeur totale, au moment d'attribution, des actifs du régime donné ou de la convention donnée, à l'exception de ceux qu'il est raisonnable d'attribuer à des participants de l'institution financière dont celle-ci sait, le 31 décembre de l'exercice, qu'ils ne résident pas au Canada au moment d'attribution,

A_3 1 ou, s'il est moins élevé, le montant obtenu par la formule suivante :

$$C / D$$

où :

C représente le total des montants représentant chacun la valeur totale, au moment d'attribution, des actifs du régime donné ou de la convention donnée qu'il est raisonnable d'attribuer à un participant de l'institution financière dont celle-ci, le 31 décembre de l'exercice :

(i) ne sait pas s'il réside au Canada au moment d'attribution,

(ii) sait qu'il réside au Canada au moment d'attribution mais ne sait pas dans quelle province il réside à ce moment

D la valeur de l'élément A_2,

A_4 le total des montants représentant chacun la valeur totale, au moment d'attribution, des actifs du régime donné ou de la convention donnée qu'il est raisonnable d'attribuer à un participant de l'institution financière résidant au Canada à ce moment et dont celle-ci connaît, le 31 décembre de l'exercice, la province de résidence au moment d'attribution,

B le nombre de moments d'attribution relatifs à l'institution financière pour la période donnée;

c) dans le cas de toute autre province participante, zéro.

(2) Attribution des participants à une province participante — Pour l'application du paragraphe (1), si une institution financière désignée particulière est soit une entité de gestion d'un régime de pension donné, soit un régime de placement privé qui est une fiducie régie par un régime de participation différée aux bénéfices donné, un régime de participation des employés aux bénéfices donné ou une convention de retraite donnée et que, pour un moment d'attribution relatif à l'institution financière pour une période donnée dans laquelle un exercice de celle-ci prend fin, le total des montants représentant chacun la valeur totale, à ce moment, des actifs du régime donné ou de la convention donnée qu'il est raisonnable d'attribuer à un participant de l'institution financière (appelé « participant connu » au présent paragraphe) dont celle-ci sait, le 31 décembre de l'exercice, s'il réside ou non au Canada au moment d'attribution et, dans l'affirmative, dans quelle province il réside à ce moment, est inférieur à 50 % de la valeur totale, à ce moment, des actifs du régime donné ou de la convention donnée qu'il est raisonnable d'attribuer à des participants de l'institution financière résidant au Canada, les règles suivantes s'appliquent :

a) la valeur totale, au moment d'attribution, des actifs du régime donné ou de la convention donnée, à l'exception de ceux qu'il est raisonnable d'attribuer aux participants connus, est réputée être attribuable à une personne donnée et non à une autre personne;

b) la personne donnée est réputée être un participant de l'institution financière et résider, au moment d'attribution, au Canada et dans la province désignée visée au paragraphe (1) pour la période donnée;

c) l'institution financière est réputée savoir, le 31 décembre de l'exercice, que la personne donnée réside, au moment d'attribution, au Canada et dans la province désignée.

38. (1) Pourcentage — régimes à prestations déterminées — Sous réserve de l'article 40, si une institution financière désignée particulière est une entité de gestion d'un régime de pension à prestations déterminées au cours d'une période donnée dans laquelle l'un de ses exercices prend fin, le pourcentage qui lui est applicable quant à une province participante pour cette période correspond à celui des pourcentages ci-après qui est applicable :

a) dans le cas d'une province participante en particulier (appelée « province désignée » au présent article) où le taux de taxe est le plus élevé le premier jour de l'exercice, le pourcentage obtenu par la formule suivante :

$$A / B$$

où :

A représente le total des montants dont chacun est déterminé selon la formule ci-après pour un moment d'attribution relativement à l'institution financière pour la période donnée :

$$(A_1/A_2) + [A_3 \times (A_1/A_4)] + [(1 - A_3) - (A_4/A_2)]$$

où :

A_1 représente le total des montants représentant chacun la valeur totale, au moment d'attribution, du passif actuariel du régime qu'il est raisonnable d'attribuer à un participant de l'institution financière dont celle-ci sait, le 31 décembre de l'exercice, qu'il réside, au moment d'attribution, dans la province désignée,

A_2 la valeur totale, au moment d'attribution, du passif actuariel du régime, à l'exception de celui qu'il est raisonnable d'attribuer aux participants de l'institution financière dont celle-ci sait, le 31 décembre de l'exercice, qu'ils ne résident pas au Canada au moment d'attribution,

A_3 1 ou, s'il est moins élevé, le montant obtenu par la formule suivante :

$$C / D$$

où :

C représente le total des montants représentant chacun la valeur totale, au moment d'attribution, du passif actuariel du régime qu'il est raisonnable d'attribuer à un participant de l'institution financière dont celle-ci, le 31 décembre de l'exercice :

(i) ne sait pas s'il réside au Canada au moment d'attribution,

(ii) ne sait pas s'il réside au Canada au moment d'attribution,

D la valeur de l'élément A_2,

A_4 le total des montants représentant chacun la valeur totale, au moment d'attribution, du passif actuariel du régime qu'il est raisonnable d'attribuer à un participant de l'institution financière résidant au Canada à ce moment et dont celle-ci connaît, le 31 décembre de l'exercice, la province de résidence au moment d'attribution,

B le nombre de moments d'attribution relatifs à l'institution financière pour la période donnée;

b) dans le cas d'une province participante (sauf la province désignée) dans laquelle l'institution financière a un établissement stable au cours de la période donnée, le pourcentage obtenu par la formule suivante :

$$A / B$$

où :

A représente le total des montants dont chacun est déterminé selon la formule ci-après pour un moment d'attribution relativement à l'institution financière pour la période donnée :

$$(A_1/A_2) + [A_3 \times (A_1/A_4)]$$

où :

A_1 représente le total des montants représentant chacun la valeur totale, au moment d'attribution, du passif actuariel du régime qu'il est raisonnable d'attribuer à un participant de l'institution financière dont celle-ci sait, le 31 décembre de l'exercice, qu'il réside dans la province participante au moment d'attribution,

A_2 la valeur totale, au moment d'attribution, du passif actuariel du régime, à l'exception de celui qu'il est raisonnable d'attribuer à un participant de l'institution financière dont celle-ci sait, le 31 décembre de l'exercice, qu'il ne réside pas au Canada au moment d'attribution,

A_3 1 ou, s'il est moins élevé, le montant obtenu par la formule suivante :

$$C / D$$

où :

C représente le total des montants représentant chacun la valeur totale, au moment d'attribution, du passif actuariel du régime qu'il est raisonnable d'attribuer à un participant de l'institution financière dont celle-ci, le 31 décembre de l'exercice :

(i) ne sait pas s'il réside au Canada au moment d'attribution,

(ii) sait qu'il réside au Canada au moment d'attribution mais ne sait pas dans quelle province il réside à ce moment,

D la valeur de l'élément A_2,

A_4 le total des montants représentant chacun la valeur totale, au moment d'attribution, du passif actuariel du régime qu'il est raisonnable d'attribuer à un participant de l'institution financière résidant au Canada à ce moment et dont celle-ci connaît, le 31 décembre de l'exercice, la province de résidence au moment d'attribution,

B le nombre de moments d'attribution relatifs à l'institution financière pour la période donnée;

c) dans le cas de toute autre province participante, zéro.

(2) Attribution des participants à une province participante — Pour l'application du paragraphe (1), si, pour un moment d'attribution relatif à une entité de gestion d'un régime de pension pour une période donnée dans laquelle un exercice de l'entité prend fin, le total des montants représentant chacun la valeur totale, à ce moment, du passif actuariel du régime qu'il est raisonnable d'attribuer à un participant de l'entité (appelé « participant connu » au présent paragraphe) dont celle-ci sait, le 31 décembre de l'exercice, s'il réside ou non au Canada au moment d'attribution et, dans l'affirmative, dans quelle province il réside à ce moment, est inférieur à 50 % de la valeur totale, à ce moment, du passif actuariel du régime qu'il est raisonnable d'attribuer à des participants de l'entité résidant au Canada, les règles suivantes s'appliquent :

a) la valeur totale, au moment d'attribution, du passif actuariel du régime, à l'exception de celui qu'il est raisonnable d'attribuer aux participants connus, est réputée être attribuable à une personne donnée et non à une autre personne;

b) la personne donnée est réputé être un participant de l'entité et résider, au moment d'attribution, au Canada et dans la province désignée visée au paragraphe (1) pour la période donnée;

c) l'entité est réputée savoir, le 31 décembre de l'exercice, que la personne donnée réside au Canada et dans la province désignée.

39. (1) Pourcentage — régimes de prestations aux employés — Si une institution financière désignée particulière est un régime de placement privé qui est une fiducie de soins de santé au bénéfice d'employés ou une fiducie régie par un régime de prestations aux employés, une fiducie d'employés ou un régime enregistré de prestations supplémentaires de chômage au cours d'une période donnée dans laquelle un exercice de l'institution financière prend fin, le pourcentage qui est applicable à celle-ci quant à une province participante pour cette période correspond à celui des pourcentages ci-après qui est applicable :

a) dans le cas d'une province participante en particulier (appelée « province désignée » au présent article) où le taux de taxe est le plus élevé le premier jour de l'exercice, le pourcentage obtenu par la formule suivante :

$$A / B$$

où :

A représente le total des montants dont chacun est déterminé selon la formule ci-après pour un moment d'attribution relativement à l'institution financière pour la période donnée :

$$(A_1/A_2) + [A_3 \times (A_1/A_4)] + [(1 - A_3) - (A_4/A_2)]$$

où :

A_1 représente le nombre total de participants du régime de placement dont l'institution financière sait, le 31 décembre de l'exercice, qu'ils résident, au moment d'attribution, dans la province désignée,

A_2 le nombre total de participants du régime de placement, à l'exception de ceux dont l'institution financière sait, le 31 décembre de l'exercice, qu'ils ne résident pas au Canada au moment d'attribution,

A_3 1 ou, s'il est moins élevé, le montant obtenu par la formule suivante :

$$C / D$$

où :

C représente le nombre total de participants du régime de placement à l'égard de chacun desquels l'institution financière, le 31 décembre de l'exercice :

(i) ne sait pas s'il réside au Canada au moment d'attribution,

Règlements

(ii) sait qu'il réside au Canada au moment d'attribution mais ne sait pas dans quelle province il réside à ce moment,

D la valeur de l'élément A_2,

A_4 le nombre total de participants du régime de placement résidant au Canada au moment d'attribution et à l'égard de chacun desquels l'institution financière connaît, le 31 décembre de l'exercice, la province de résidence au moment d'attribution,

B le nombre de moments d'attribution relatifs à l'institution financière pour la période donnée;

b) dans le cas d'une province participante (sauf la province désignée) dans laquelle l'institution financière a un établissement stable au cours de la période donnée, le pourcentage obtenu par la formule suivante :

$$A / B$$

où :

A représente le total des montants dont chacun est déterminé selon la formule ci-après pour un moment d'attribution relativement à l'institution financière pour la période donnée :

$$(A_1/A_2) + [A_3 \times (A_1/A_4)]$$

où :

A_1 représente le nombre total de participants du régime de placement dont l'institution financière sait, le 31 décembre de l'exercice, qu'ils résident dans la province participante au moment d'attribution,

A_2 le nombre total de participants du régime de placement, à l'exception de ceux dont l'institution financière sait, le 31 décembre de l'exercice, qu'ils ne résident pas au Canada au moment d'attribution,

A_3 1 ou, s'il est moins élevé, le montant obtenu par la formule suivante :

$$C / D$$

où :

C représente le nombre total de participants du régime de placement à l'égard de chacun desquels l'institution financière, le 31 décembre de l'exercice :

(i) ne sait pas s'il réside au Canada au moment d'attribution,

(ii) sait qu'il réside au Canada au moment d'attribution mais ne sait pas dans quelle province il réside à ce moment,

D la valeur de l'élément A_2,

A_4 le nombre total de participants du régime de placement résidant au Canada au moment d'attribution et à l'égard de chacun desquels l'institution financière connaît, le 31 décembre de l'exercice, la province de résidence au moment d'attribution,

B le nombre de moments d'attribution relatifs à l'institution financière pour la période donnée;

c) dans le cas de toute autre province participante, zéro.

(2) **Attribution des participants à une province participante** — Pour l'application du paragraphe (1), si, pour un moment d'attribution relatif à un régime de placement pour une période donnée dans laquelle un exercice du régime prend fin, le nombre total de participants du régime (appelés « participants connus » au présent paragraphe) à l'égard de chacun desquels le régime sait, le 31 décembre de l'exercice, s'il réside ou non au Canada au moment d'attribution et, dans l'affirmative, dans quelle province il réside à ce moment, est inférieur à 50 % du nombre total de participants du régime résidant au Canada à ce moment, les règles suivantes s'appliquent :

a) les participants du régime, à l'exception des participants connus, sont réputés résider, au moment d'attribution, au Canada et dans la province désignée visée au paragraphe (1) pour la période donnée;

b) le régime est réputé savoir, le 31 décembre de l'exercice, que les participants du régime, à l'exception des participants connus, résident, au moment d'attribution, au Canada et dans la province désignée.

40. Pourcentage — régimes de pension mixtes — Si une institution financière désignée particulière est une entité de gestion d'un régime de pension — dont une partie est un régime de pension à cotisations déterminées et l'autre partie un régime de pension à prestations déterminées — au cours d'une période donnée dans laquelle un exercice de l'institution financière prend fin, le pourcentage qui est applicable à celle-ci quant à une province participante pour cette période s'obtient par la formule suivante :

$$[A \times (B/C)] + [D \times (C - B)/C]$$

où :

A représente le pourcentage applicable à l'institution financière déterminé quant à la province participante pour la période donnée par application de l'article 37 à la partie du régime qui constitue le régime de pension à cotisations déterminées;

B la valeur des actifs du régime de pension à cotisations déterminées détenus par des entités de gestion du régime à un moment d'attribution donné relativement à l'institution financière pour la période donnée qui est le dernier moment d'attribution semblable qui

C sert à déterminer le pourcentage visé à l'élément A ou tout autre montant fixé par le ministre sur demande du régime; la valeur totale des actifs du régime détenus par des entités de gestion du régime au moment d'attribution donné ou tout autre montant fixé par le ministre sur demande du régime;

D le pourcentage applicable à l'institution financière déterminé quant à la province participante pour la période donnée par application de l'article 38 à la partie du régime qui constitue le régime de pension à prestations déterminées.

Entreprises divisées

41. Accord avec le ministre — moyenne pondérée — Si une ou plusieurs parties de l'entreprise d'une institution financière désignée particulière, sauf une institution financière visée à l'un des articles 25 à 27, pour une période donnée consistent en activités habituellement exercées par l'une des catégories d'institutions financières visées à l'un de ces articles ou des articles 31 à 40, l'institution financière et le ministre peuvent convenir que le pourcentage applicable à l'institution financière quant à une province participante pour la période correspond à la moyenne pondérée des pourcentages résultant :

a) de l'application, à chacune de ces parties de l'entreprise, de celui de ces articles qui vise une catégorie d'institutions financières qui exercent habituellement les activités constituant cette partie de l'entreprise;

b) de l'application de l'article 24 au reste de l'entreprise qui ne consiste pas en activités habituellement exercées par une institution financière d'une catégorie visée à l'un de ces articles.

Partie 3 — Montants de taxe visés

42. Montants exclus de la formule de redressement de taxe nette — Pour l'application de l'alinéa a) de l'élément A de la formule figurant au paragraphe 225.2(2) de la Loi et de l'alinéa

a) de l'élément F de cette formule, les montants ci-après sont visés :

a) un montant de taxe qui est devenu payable par un assureur, ou qui a été payé par lui sans être devenu payable, relativement à des biens ou à des services acquis, importés ou transférés dans une province participante exclusivement et directement pour consommation, utilisation ou fourniture dans le cadre d'une enquête, d'un règlement ou d'une opposition relative à une réclamation fondée sur une police d'assurance autre qu'une police d'assurance accident et maladie ou d'assurance-vie;

b) un montant de taxe qui est devenu payable par une institution financière désignée particulière, ou qui a été payé par elle sans être devenu payable, relativement à la fourniture ou à l'importation d'un bien visé au paragraphe 259.1(2) de la Loi;

c) un montant de taxe qui est devenu payable par un régime de placement stratifié, ou qui a été payé par lui sans être devenu payable, relativement à un bien ou à un service, dans la mesure où le bien ou le service a été acquis, importé ou transféré dans une province participante en vue d'être consommé, utilisé ou fourni dans le cadre d'activités relatives à une série provinciale du régime.

43. Article 220.04 de la Loi — Pour l'application de l'article 220.04 de la Loi, est un montant de taxe visé tout montant de taxe qui, selon le cas :

a) est visé par règlement pour l'application de l'alinéa a) de l'élément F de la formule figurant au paragraphe 225.2(2) de la Loi;

b) se rapporte à un bien ou à un service transféré dans une province participante, ou acquis, autrement qu'en vue d'être consommé, utilisé ou fourni dans le cadre d'une initiative, au sens du paragraphe 141.01(1) de la Loi, de la personne visée à l'article 220.04 de la Loi.

44. Montants transitoires visés — Est un montant visé pour l'application de l'alinéa 169(3)c) de la Loi le montant de taxe qui est devenu payable en vertu du paragraphe 165(2) ou de l'article 212.1 de la Loi au cours d'une période de déclaration se terminant avant le 1er juillet 2010 en raison de l'application de la partie 3 du *Règlement sur le nouveau régime de la taxe à valeur ajoutée harmonisée* ou des sections 2 et 3 de la partie 9 du *Règlement no 2 sur le nouveau régime de la taxe à valeur ajoutée harmonisée.*

Partie 4 — Montants à déterminer

45. Définitions — **(1)** Les définitions qui suivent s'appliquent au présent article et à l'alinéa 46d).

« agriculture » S'entend au sens du paragraphe 248(1) de la *Loi de l'impôt sur le revenu.*

« aliments, boissons et divertissements admissibles » Aliments, boissons ou divertissements qui sont des biens ou services déterminés.

« bien ou service déterminé » Les biens ou services ci-après, sauf les biens ou services exclus :

a) les véhicules automobiles désignés;

b) le carburant moteur, sauf le carburant diesel, qui est acquis ou importé en vue d'être consommé ou utilisé dans le moteur d'un véhicule automobile désigné;

c) les biens, sauf ceux servant à l'entretien ou à la réparation, acquis ou importés par une personne en vue d'être consommés ou utilisés relativement à un véhicule automobile désigné qu'elle a acquis ou importé, si l'acquisition ou l'importation des biens est effectuée dans les 365 jours suivant l'acquisition ou l'importation du véhicule;

d) les services, sauf les services d'entretien ou de réparation, acquis par une personne en vue d'être consommés ou utilisés relativement à un véhicule automobile désigné que la personne a acquis ou importé, si l'acquisition des services est effectuée dans les 365 jours suivant l'acquisition ou l'importation du véhicule;

e) toute forme d'énergie déterminée;

f) les services visés à l'alinéa a) de la définition de « service de télécommunication » au paragraphe 123(1) de la Loi;

g) l'accès à un circuit, une ligne, une fréquence, un canal ou une voie partielle de télécommunication ou à un autre moyen semblable de transmission d'une télécommunication, à l'exception d'une voie de satellite, qui sert à offrir un service visé à l'alinéa a) de la définition de « service de télécommunication » au paragraphe 123(1) de la Loi;

h) les aliments, les boissons et les divertissements acquis par une personne relativement auxquels le paragraphe 67.1(1) de la *Loi de l'impôt sur le revenu* s'applique ou s'appliquerait si la personne était un contribuable pour l'application de cette loi.

« bien ou service exclu » Les biens ou services suivants :

a) une forme d'énergie déterminée qui est acquise ou importée en vue d'être consommée ou utilisée exclusivement pour chauffer l'asphalte devant servir directement dans la construction ou l'entretien d'une voie admissible;

b) un bien ou un service visé à l'un des alinéas e) à g) de la définition de « bien ou service déterminé » qui est acquis ou importé par l'organisateur ou le promoteur d'un congrès et qui est destiné à être consommé ou utilisé exclusivement lors du congrès;

c) un service téléphonique 1-800, 1-866, 1-877 ou 1-888 ou un service téléphonique sans frais semblable, ou un service visé aux alinéas f) ou g) de la définition de « bien ou service déterminé » qui est lié à un tel service téléphonique;

d) un accès Internet;

e) un service d'hébergement Web;

f) un taxi dont l'exploitation et la garde sont confiées à une personne par le titulaire du permis de taxi;

g) un bien ou un service acquis ou importé exclusivement dans le but :

(i) soit d'être fourni par une personne,

(ii) soit de devenir un composant d'un bien meuble corporel devant être fourni par une personne,

(iii) soit, dans le cas d'un bien ou d'un service visé aux alinéas f) ou g) de la définition de « bien ou service déterminé » qui est acquis par une personne exploitant un service de télécommunication, d'être utilisé directement et uniquement dans la réalisation de la fourniture taxable d'un service de télécommunication par la personne. « carburant admissible » Carburant moteur qui est un bien ou service déterminé.

« carburant admissible » Carburant moteur qui est un bien ou service déterminé.

« forme d'énergie admissible » Forme d'énergie déterminée qui est un bien ou service déterminé.

« forme d'énergie déterminée » S'entend au sens de l'article 26 du *Règlement n° 2 sur le nouveau régime de la taxe à valeur ajoutée harmonisée.*

« grande entreprise » Est une grande entreprise à un moment donné toute personne qui est visée par règlement à ce moment pour l'application de la définition de « grande entreprise » au paragraphe 236.01(1) de la Loi.

« mesure déterminée » La mesure déterminée d'un bien ou d'un service relativement à une catégorie déterminée de bien ou service déterminé, pour une province qui est l'Ontario ou la Colombie-Bri-

Règlements

tannique et pour une période de déclaration d'une personne, correspond à celui des pourcentages ci-après qui est applicable :

a) s'il s'agit de la catégorie déterminée des services de télécommunication admissibles, que le bien ou le service comprend de tels services ainsi que d'autres biens ou services qui ne sont pas des biens ou services déterminés (chacun étant appelé « élément » au présent alinéa) et que la contrepartie du bien ou service déterminé et celle de chaque élément ne sont pas déterminées séparément :

(i) si la province est la Colombie-Britannique, 95 %,

(ii) si la province est l'Ontario et que la personne obtient le bien ou service déterminé avec :

(A) un élément qui est un service, 96 %,

(B) un élément qui est un bien, 89 %,

(C) un élément qui est un service et un élément qui est un bien, 86 %;

b) si l'alinéa a) ne s'applique pas et que le bien ou le service est un bien ou service déterminé (sauf un bien ou service agricole de la personne pour la période de déclaration) faisant partie de la catégorie déterminée, 100 %;

c) dans les autres cas, 0 %.

« rémunération déterminée » S'entend au sens de l'article 31 du *Règlement n° 2 sur le nouveau régime de la taxe à valeur ajoutée harmonisée*.

« service de télécommunication admissible » Bien ou service déterminé visé aux alinéas f) ou g) de la définition de « bien ou service déterminé ».

« taux de récupération » S'entend au sens de l'article 26 du *Règlement n° 2 sur le nouveau régime de la taxe à valeur ajoutée harmonisée*.

« véhicule automobile » S'entend au sens de l'article 26 du *Règlement n° 2 sur le nouveau régime de la taxe à valeur ajoutée harmonisée*.

« véhicule automobile admissible »

a) Véhicule automobile désigné qui est un bien ou service déterminé;

b) bien (sauf le carburant moteur) ou service, relatif à un véhicule automobile désigné, qui est un bien ou service déterminé.

« véhicule automobile désigné » Véhicule automobile qui est immatriculé, ou doit l'être, pour utilisation sur la voie publique en vertu d'une loi provinciale en matière d'immatriculation des véhicules automobiles et qui, avec sa pleine capacité de carburant, de lubrifiant et de liquide de refroidissement, pèse moins de 3000 kilogrammes au moment où il est immatriculé pour la première fois, ou doit l'être, en vertu de cette loi.

« voie admissible » S'entend au sens de l'article 26 du *Règlement n° 2 sur le nouveau régime de la taxe à valeur ajoutée harmonisée*.

(2) Catégories déterminées — Pour l'application du présent article et de l'alinéa 49d), les éléments ci-après sont des catégories déterminées de biens ou services déterminés :

a) les formes d'énergie admissibles;

b) les aliments, boissons et divertissements admissibles;

c) le carburant admissible;

d) les véhicules automobiles admissibles;

e) les services de télécommunication admissibles.

(3) Bien ou service agricole — Pour l'application du présent article et de l'alinéa 49d), un bien ou service déterminé d'une personne est un bien ou service agricole de celle-ci pour une période de déclaration donnée si la principale source de revenu de la personne pour son année d'imposition précédant la période donnée était l'agriculture et que le bien ou service déterminé est consommé ou utilisé principalement dans le cadre de ses activités agricoles.

(4) Taux de recouvrement de taxe — Pour l'application de l'alinéa 49d), le taux de recouvrement de taxe d'une institution financière relativement à une catégorie déterminée de biens ou services déterminés pour une période de déclaration de l'institution financière correspond à celui des taux ci-après qui est applicable :

a) s'il s'agit de la catégorie déterminée du carburant admissible, le taux de recouvrement de taxe de l'institution financière applicable aux véhicules automobiles admissibles pour la période de déclaration, déterminé selon l'alinéa b);

b) s'il s'agit d'une autre catégorie déterminée, celui des pourcentages ci-après qui est applicable :

(i) si le choix prévu à l'article 46 est en vigueur tout au long de la période de déclaration, le pourcentage obtenu par la formule suivante :

$$A / B$$

où :

A représente le total des montants représentant chacun un crédit de taxe sur les intrants de l'institution financière pour la période de déclaration au titre d'un montant de taxe prévu au paragraphe 165(1) ou aux articles 212, 218 ou 218.01 de la Loi,

B le total des montants représentant chacun un montant de taxe prévu au paragraphe 165(1) ou aux articles 212, 218 ou 218.01 de la Loi qui est devenu payable par l'institution financière au cours de la période de déclaration mais n'a pas été payé avant cette période, ou qui a été payé par elle au cours de la période sans être devenu payable,

(ii) dans les autres cas, le pourcentage obtenu par la formule suivante :

$$C / D$$

où :

C représente le total des montants représentant chacun un crédit de taxe sur les intrants de l'institution financière pour la période de déclaration, relatif à un bien ou service déterminé de la catégorie déterminée, au titre d'un montant de taxe prévu au paragraphe 165(1) ou aux articles 212, 218 ou 218.01 de la Loi,

D le total des montants représentant chacun un montant de taxe prévu au paragraphe 165(1) ou aux articles 212, 218 ou 218.01 de la Loi, relatif à la fourniture d'un bien ou service déterminé de la catégorie déterminée qui est devenu payable par l'institution financière au cours de la période mais n'a pas été payé avant cette période, ou qui a été payé par elle au cours de la période sans être devenu payable.

46. Choix — paragraphe 45(4) — **(1)** Sous réserve du paragraphe (4), une institution financière peut faire un choix pour l'application de l'alinéa 45(4)b) qui entre en vigueur le premier jour de sa première période de déclaration qui remplit les critères suivants :

a) elle se termine après juin 2010;

b) il s'agit d'une période de déclaration tout au long de laquelle l'institution financière est une institution financière désignée particulière;

c) il s'agit d'une période de déclaration au cours de laquelle l'institution financière est une grande entreprise.

(2) Forme du choix — Le document concernant le choix fait par une institution financière selon le paragraphe (1) doit :

a) être établi en la forme et contenir les renseignements déterminés par le ministre;

b) être présenté au ministre, selon les modalités qu'il détermine, au plus tard le premier jour de la première période de déclaration mentionnée au paragraphe (1) ou à toute date postérieure fixée par lui.

(3) **Révocation** — L'institution financière qui a fait le choix prévu au paragraphe (1) peut le révoquer. Pour ce faire, elle présente au ministre, en la forme et selon les modalités déterminées par lui, un avis de révocation contenant les renseignements déterminés par lui, au plus tard à la date de prise d'effet de la révocation ou à toute date postérieure fixée par lui.

(4) **Restriction** — L'institution financière qui a fait le choix prévu au paragraphe (1) et qui l'a révoqué selon le paragraphe (3) ne peut faire aucun autre choix selon le paragraphe (1).

47. Interprétation — régimes de placement non stratifiés — (1) Si une institution financière désignée particulière est un régime de placement non stratifié et que le choix prévu à l'article 52 relativement à l'institution financière est en vigueur tout au long d'un exercice se terminant dans une année d'imposition de celle-ci, pour le calcul, selon l'article 49, des montants déterminés par règlement pour l'application de l'élément G de la formule figurant au paragraphe 225.2(2) de la Loi pour une période de déclaration donnée de l'institution financière comprise dans l'exercice, les règles suivantes s'appliquent :

a) la mention, à l'article 49, de la valeur de l'élément A vaut mention du total des montants représentant chacun la valeur de l'élément A_1;

b) la mention, à l'article 49, de la valeur de l'élément B vaut mention du total des montants représentant chacun la valeur de l'élément A_2;

c) la mention, à l'article 49, de la valeur de l'élément F vaut mention de la valeur de l'élément D;

d) les passages « le pourcentage applicable à l'institution financière quant à la province participante pour l'année d'imposition » et « le pourcentage qui est applicable à l'institution financière quant à la province participante pour l'année d'imposition ou, s'il est moins élevé, le pourcentage qui lui est applicable quant à cette province pour l'année d'imposition précédente » à l'article 49 sont remplacés par « le pourcentage qui est applicable à l'institution financière quant à la province participante le premier jour de la période de déclaration donnée ».

(2) **Interprétation — régimes de placement stratifiés** — Si une institution financière désignée particulière est un régime de placement stratifié, pour le calcul, selon l'article 49, des montants déterminés par règlement pour l'application de l'élément G de la formule figurant au paragraphe 225.2(2) de la Loi pour une période de déclaration donnée de l'institution financière comprise dans un exercice se terminant dans une année d'imposition de celle-ci, les règles suivantes s'appliquent :

a) la mention, à l'article 49, de la valeur de l'élément A vaut mention de la somme du total des montants représentant chacun la valeur de l'élément A1 et du total des montants représentant chacun la valeur de l'élément A_4;

b) la mention, à l'article 49, de la valeur de l'élément B vaut mention de la somme du total des montants représentant chacun la valeur de l'élément A_2 et du total des montants représentant chacun la valeur de l'élément A_5;

c) la mention, à l'article 49, de la valeur de l'élément F vaut mention de la valeur de l'élément D;

d) pour l'application de l'article 49, le pourcentage applicable à l'institution financière quant à une province participante pour l'année d'imposition ou pour l'année d'imposition précédente n'est pas déterminé conformément aux règles énoncées à la partie 2 qui s'appliquent à elle, mais correspond au total des montants dont chacun est déterminé, quant à l'une de ses séries, selon la formule suivante :

$$A \times (B/C)$$

où :

A représente :

(i) si le choix prévu à l'article 52 relativement à la série est en vigueur tout au long de la période de déclaration donnée, le pourcentage applicable à l'institution financière quant à la série et à la province participante le premier jour de cette période,

(ii) dans les autres cas, le pourcentage applicable à l'institution financière quant à la série et à la province participante pour l'année d'imposition précédente,

B la valeur totale des unités de la série le premier jour de la période de déclaration donnée,

C la valeur totale des unités de l'institution financière le premier jour de la période de déclaration donnée.

48. Restriction — Les montants qui entrent dans le calcul de la valeur de l'élément G1 de la formule figurant à l'alinéa 49a), de l'élément G_{12} de la formule figurant à l'alinéa 49b) ou de l'élément G_{18} de la formule figurant à l'alinéa 49c) en vue du calcul d'un montant à déterminer conformément à l'article 49 pour une période de déclaration d'une institution financière désignée particulière et quant à une province participante ne sont pas à inclure dans le calcul d'un montant à déterminer conformément à cet article pour la période de déclaration et quant à toute autre province participante.

49. Redressements — Pour l'application de l'élément G de la formule figurant au paragraphe 225.2(2) de la Loi, sont à déterminer pour une période de déclaration donnée comprise dans un exercice se terminant dans l'année d'imposition d'une institution financière désignée particulière et quant à une province participante :

a) le montant positif ou négatif obtenu par la formule suivante :

$$G_1 - [(G_2 - G3) \times G_4 \times (G_5/G_6)]$$

où :

G_1 représente la somme des montants suivants :

(i) le total des montants représentant chacun un montant qui a été payé ou est devenu payable par l'institution financière au titre de la taxe prévue au paragraphe 165(2) de la Loi et qui a été redressé, remboursé ou crédité en application de l'article 232 de la Loi au cours de la période de déclaration donnée, dans la mesure où il a été inclus dans la valeur de l'élément F de la formule figurant au paragraphe 225.2(2) de la Loi pour une période de déclaration de l'institution financière, y compris la période donnée,

(ii) si, selon les articles 252.4 ou 252.41 de la Loi, une personne verse à l'institution financière, ou porte à son crédit, au cours de la période de déclaration donnée un montant au titre d'un remboursement, le total des montants représentant chacun un montant ainsi payé à l'institution financière, ou ainsi porté à son crédit, dans la mesure où il se rapporte à la taxe prévue au paragraphe 165(2) ou à l'article 212.1 de la Loi et a été inclus dans la valeur de l'élément F de la formule figurant au paragraphe 225.2(2) de la Loi pour une période de déclaration de l'institution financière, y compris la période donnée,

(iii) le total des montants représentant chacun un montant qui a été remis ou remboursé à l'institution financière au cours de la période de déclaration donnée en application d'une loi fédérale, sauf la présente loi, dans la mesure où il se rapporte à la taxe prévue au paragraphe 165(2) ou à l'article 212.1 de la Loi et a été inclus dans la valeur de l'élément F de la formule figurant au paragraphe 225.2(2) de la Loi pour une période de déclaration de l'institution financière, y compris la période donnée,

(iv) le total des montants dont chacun est déterminé, pour chaque remise relativement à laquelle l'article 181.1 de la Loi s'applique qui est reçue par l'institution financière

Règlements

au cours de la période de déclaration donnée, selon la formule suivante :

$$[A/(100 + A + B)] \times C$$

où :

A représente :

(A) si la taxe prévue au paragraphe 165(2) de la Loi était payable relativement à la fourniture, effectuée au profit de l'institution financière, du bien ou du service relativement auquel la remise est versée, le taux de taxe applicable à la province participante où la fourniture est effectuée,

(B) dans les autres cas, zéro,

B le taux fixé au paragraphe 165(1) de la Loi,

C le montant de la remise,

(v) le total des montants représentant chacun un montant, relatif à la fourniture d'un bien ou d'un service, effectuée à un moment de la période de déclaration donnée, à laquelle le choix fait par l'institution financière et une autre personne selon le paragraphe 225.2(4) de la Loi s'applique, égal à la taxe payable par l'institution financière en vertu du paragraphe 165(2), des articles 212.1 ou 218.1 ou de la section IV.1 de la partie IX de la Loi qui est incluse dans le coût, pour elle, de la fourniture du bien ou du service au profit de l'autre personne,

(vi) le total des montants représentant chacun :

(A) le montant de composante provinciale, au sens de l'article 232.01 de la Loi, indiqué dans une note de redressement de taxe délivrée en vertu du paragraphe 232.01(3) de la Loi à l'institution financière au cours de la période de déclaration donnée relativement à une ressource déterminée si un montant relatif à une fourniture de tout ou partie de la ressource a été inclus selon le sous-alinéa (ii) de l'élément G_{12} de la formule figurant à l'alinéa b) pour la période donnée ou pour une période de déclaration antérieure de l'institution financière,

(B) le montant de composante provinciale, au sens de l'article 232.02 de la Loi, indiqué dans une note de redressement de taxe délivrée en vertu du paragraphe 232.02(2) de la Loi à l'institution financière au cours de la période de déclaration donnée relativement à des ressources d'employeur si un montant relatif à des fournitures de ces ressources a été inclus selon le sous-alinéa (iii) de l'élément G_{12} de la formule figurant à l'alinéa b) pour la période donnée ou pour une période de déclaration antérieure de l'institution financière,

G_2 la somme des montants suivants :

(i) le total des montants représentant chacun un montant qui a été payé ou est devenu payable par l'institution financière au titre de la taxe prévue au paragraphe 165(1) de la Loi et qui a été redressé, remboursé ou crédité en application de l'article 232 de la Loi au cours de la période de déclaration donnée, dans la mesure où il a été inclus dans la valeur de l'élément A de la formule figurant au paragraphe 225.2(2) de la Loi pour une période de déclaration de l'institution financière, y compris la période donnée,

(ii) si, selon les articles 252.4 ou 252.41 de la Loi, une personne verse à l'institution financière, ou porte à son crédit, au cours de la période de déclaration donnée un montant au titre d'un remboursement, le total des montants représentant chacun un montant ainsi payé à l'institution financière, ou ainsi porté à son crédit, dans la mesure où il se rapporte à la taxe prévue au paragraphe 165(1) ou aux articles 212, 218 ou 218.01 de la Loi et a été inclus dans la valeur de l'élément A de la formule figurant au paragraphe 225.2(2) de la Loi pour une période de déclaration de l'institution financière, y compris la période donnée,

(iii) le total des montants représentant chacun un montant (sauf celui visé au sous-alinéa (i)) qui a été remis ou remboursé à l'institution financière au cours de la période de déclaration donnée en application d'une loi fédérale, dans la mesure où il se rapporte à la taxe prévue au paragraphe 165(1) ou aux articles 212, 218 ou 218.01 de la Loi et a été inclus dans la valeur de l'élément A de la formule figurant au paragraphe 225.2(2) de la Loi ou dans le total déterminé selon le sous-alinéa (iv) de l'élément G_7 de la formule figurant à l'alinéa b) pour une période de déclaration de l'institution financière, y compris la période donnée,

(iv) le total des montants dont chacun est déterminé, relativement à chaque remise à laquelle l'article 181.1 de la Loi s'applique qui est reçue par l'institution financière au cours de la période de déclaration donnée, selon la formule suivante :

$$[A/(100 + A + B)] \times C$$

où :

A représente le taux fixé au paragraphe 165(1) de la Loi,

B :

(A) si la taxe prévue au paragraphe 165(2) de la Loi était payable relativement à la fourniture, effectuée au profit de l'institution financière, du bien ou du service relativement auquel la remise est versée, le taux de taxe applicable à la province participante où la fourniture est effectuée,

(B) dans les autres cas, zéro,

C le montant de la remise,

(v) le total des montants représentant chacun :

(A) le montant de composante fédérale, au sens de l'article 232.01 de la Loi, indiqué dans une note de redressement de taxe délivrée en vertu du paragraphe 232.01(3) de la Loi à l'institution financière au cours de la période de déclaration donnée relativement à une ressource déterminée si un montant relatif à une fourniture de tout ou partie de la ressource a été inclus selon le sous-alinéa (iv) de l'élément G_7 de la formule figurant à l'alinéa b) pour la période donnée ou pour une période de déclaration antérieure de l'institution financière,

(B) le montant de composante fédérale, au sens de l'article 232.02 de la Loi, indiqué dans une note de redressement de taxe délivrée en vertu du paragraphe 232.02(2) de la Loi à l'institution financière au cours de la période de déclaration donnée relativement à des ressources d'employeur si un montant relatif à des fournitures de ces ressources a été inclus selon le sous-alinéa (iv) de l'élément

(vi) le total des montants représentant chacun un montant de taxe qui est devenu payable par l'institution financière en vertu du paragraphe 165(1) ou des articles 212, 218 ou 218.01 de la Loi, si la taxe représente le coût d'une fourniture pour elle, que la fourniture est effectuée à un moment de la période de déclaration donnée au profit d'une autre personne qui est une institution financière désignée particulière à ce moment et que le choix fait par l'institution financière et l'autre personne selon le paragraphe 225.2(4) de la Loi s'applique à la fourniture,

G_3 la somme des montants suivants :

(i) les crédits de taxe sur les intrants de l'institution financière, demandés dans la déclaration qu'elle produit pour une de ses périodes de déclaration, y compris la période de déclaration donnée, aux termes de la section V de la partie IX de la Loi, au titre d'un montant visé à l'un des sous-alinéas (i) à (iii) de l'élément G_2 pour la période donnée,

(ii) les montants inclus pour une période de déclaration de l'institution financière, y compris la période de déclaration donnée, dans la valeur de l'élément B de la formule figurant au paragraphe 225.2(2) de la Loi au titre d'un montant visé au sous-alinéa (iv) de l'élément G_2 pour la période donnée,

(iii) le total des montants représentant chacun un montant de taxe que l'institution financière est réputée, par l'alinéa 181.1b) de la Loi, avoir perçu au cours de la période de déclaration donnée,

(iv) le total des montants représentant chacun :

(A) un montant que l'institution financière était tenue par l'alinéa 232.01(5)b) de la Loi d'inclure dans le calcul de sa taxe nette pour la période de déclaration donnée relativement à ses crédits de taxe sur les intrants inclus dans la valeur de l'élément B de la formule figurant au paragraphe 225.2(2) de la Loi pour la période donnée ou pour une période de déclaration antérieure,

(B) un montant que l'institution financière était tenue par l'alinéa 232.02(4)b) de la Loi d'inclure dans le calcul de sa taxe nette pour la période de déclaration donnée relativement à ses crédits de taxe sur les intrants inclus dans la valeur de l'élément B de la formule figurant au paragraphe 225.2(2) de la Loi pour la période donnée ou pour une période de déclaration antérieure,

(C) si une note de redressement de taxe est délivrée à l'institution financière en vertu du paragraphe 232.01(3) de la Loi relativement à tout ou partie d'une ressource déterminée, qu'une fourniture de tout ou partie de cette ressource est réputée, pour l'application de l'article 232.01 de la Loi, avoir été reçue par l'institution financière en vertu du sous-alinéa 172.1(5)d)(i) de la Loi et que la taxe relative à la fourniture est réputée, pour l'application de l'article 232.01 de la Loi, avoir été payée un jour donné en vertu du sous-alinéa 172.1(5)d)(ii) de la Loi par l'institution financière, un montant que celle-ci serait tenue, en vertu de l'alinéa 232.01(5)c) de la Loi, de verser au receveur général au cours de la période de déclaration donnée du fait que la note de redressement de taxe a été délivrée si elle était une institution financière désignée particulière ce jour-là,

(D) si une note de redressement de taxe est délivrée à l'institution financière en vertu du paragraphe 232.02(2) de la Loi relativement à des ressources d'employeur, que des fournitures données (mentionnées au paragraphe 232.02(4) de la Loi) de ces ressources sont réputées pour l'application de l'article 232.02 de la Loi avoir été reçues par l'institution financière en vertu du sous-alinéa 172.1(6)d)(i) de la Loi et que la taxe relative à chacune des fournitures données est réputée pour l'application de l'article 232.02 de la Loi avoir été payée en vertu du sous-alinéa 172.1(6)d)(ii) de la Loi par l'institution financière, un montant que celle-ci serait tenue, en vertu de l'alinéa 232.02(4)c) de la Loi, de verser au receveur général au cours de la période de déclaration donnée du fait que la note de redressement de taxe a été délivrée si elle était une institution financière désignée particulière le premier jour où un montant de taxe est réputé pour l'application de l'article 232.02 de la Loi avoir été payé relativement aux fournitures données,

G_4 :

(i) pour le calcul, selon l'alinéa 228(2.1)a) de la Loi, de la taxe nette provisoire de l'institution financière pour la période de déclaration donnée, le pourcentage qui est applicable à l'institution financière quant à la province participante pour l'année d'imposition ou, s'il est moins élevé, le pourcentage qui lui est applicable quant à cette province pour l'année d'imposition précédente, chacun étant déterminé conformément aux règles énoncées à la partie 2 qui s'appliquent à elle,

(ii) malgré le sous-alinéa (i), pour le calcul, selon l'alinéa 228(2.1)a) de la Loi, de la taxe nette provisoire de l'institution financière pour la période de déclaration donnée dans le cas où elle est une institution financière désignée particulière à laquelle le paragraphe 228(2.2) de la Loi s'applique, le pourcentage qui lui est applicable quant à la province participante pour la période de déclaration précédant la période de déclaration donnée, déterminé conformément aux règles énoncées à la partie 2 qui s'appliquent à elle,

(iii) dans les autres cas, le pourcentage applicable à l'institution financière quant à la province participante pour l'année d'imposition, déterminé conformément aux règles énoncées à la partie 2 qui s'appliquent à elle,

G_5 le taux de taxe applicable à la province participante,

G_6 le taux fixé au paragraphe 165(1) de la Loi;

b) le montant positif ou négatif obtenu par la formule suivante :

$$[(G_7 - G_8) \times G_9 \times (G_{10}/G_{11})] - G_{12}$$

où :

G_7 représente la somme des montants suivants :

(i) le total des montants représentant chacun un montant de taxe qui est réputé, par l'alinéa 129(6)b) ou le paragraphe 129.1(4) de la Loi, avoir été perçu par l'institution financière au cours de la période de déclaration donnée,

(ii) le total des montants représentant chacun un montant de taxe qui est réputé, par l'alinéa 180d) de la Loi, avoir été payé par l'institution financière au cours de la période de déclaration donnée, dans la mesure où il se rapporte à la taxe payée par une autre personne en vertu du paragraphe 165(1) ou de l'article 212 de la Loi et n'a pas été inclus dans la valeur de l'élément A de la formule figurant au paragraphe 225.2(2) de la Loi pour une période de déclaration de l'institution financière, y compris la période donnée,

(iii) le total des montants représentant chacun un montant qui est à ajouter en application des paragraphes 235(1) ou 236(1) de la Loi dans le calcul de la taxe nette de l'institution financière pour la période de déclaration donnée,

(iv) le total des montants représentant chacun un montant de taxe que l'institution financière est réputée avoir payé au cours de la période de déclaration donnée en vertu des sous-alinéas 172.1(5)d)(ii) ou (6)d)(ii) ou de l'alinéa 172.1(7)d) de la Loi,

G_8 la somme des montants suivants :

(i) les crédits de taxe sur les intrants que l'institution financière peut demander dans la déclaration qu'elle produit pour la période de déclaration donnée aux termes de la section V de la partie IX de la Loi au titre d'un montant visé au sous-alinéa (ii) de l'élément G7 pour cette période, dans la mesure où le montant n'est pas inclus dans la valeur de l'élément B de la formule figurant au paragraphe 225.2(2) de la Loi pour une période de déclaration de l'institution financière, y compris la période donnée,

Règlements

(ii) le total des montants dont chacun serait, en l'absence du choix prévu à l'article 150 de la Loi, un crédit de taxe sur les intrants de l'institution financière pour la période de déclaration donnée relativement à une fourniture qu'elle a effectuée à un moment donné au profit d'une autre personne qui est une institution financière désignée particulière à ce moment, dans le cas où la taxe prévue au paragraphe 165(1) de la Loi aurait été payable relativement à la fourniture en l'absence de ce choix et où aucun choix fait par l'institution financière et l'autre personne selon le paragraphe 225.2(4) de la Loi ne s'applique relativement à la fourniture,

G_9 :

(i) pour le calcul, selon l'alinéa 228(2.1)a) de la Loi, de la taxe nette provisoire de l'institution financière pour la période de déclaration donnée, le pourcentage qui est applicable à l'institution financière quant à la province participante pour l'année d'imposition ou, s'il est moins élevé, le pourcentage qui lui est applicable quant à cette province pour l'année d'imposition précédente, chacun étant déterminé conformément aux règles énoncées à la partie 2 qui s'appliquent à elle,

(ii) malgré le sous-alinéa (i), pour le calcul, selon l'alinéa 228(2.1)a) de la Loi, de la taxe nette provisoire de l'institution financière pour la période de déclaration donnée dans le cas où elle est une institution financière désignée particulière à laquelle le paragraphe 228(2.2) de la Loi s'applique, le pourcentage qui lui est applicable quant à la province participante pour la période de déclaration précédant la période de déclaration donnée, déterminé conformément aux règles énoncées à la partie 2 qui s'appliquent à elle,

(iii) dans les autres cas, le pourcentage applicable à l'institution financière quant à la province participante pour l'année d'imposition, déterminé conformément aux règles énoncées à la partie 2 qui s'appliquent à elle,

G_{10} le taux de taxe applicable à la province participante,

G_{11} le taux fixé au paragraphe 165(1) de la Loi,

G_{12} la somme des montants suivants :

(i) le total des montants représentant chacun un montant de taxe qui est réputé, en vertu de l'alinéa 180d) de la Loi, avoir été payé par l'institution financière au cours de la période de déclaration donnée dans la mesure où il se rapporte à la taxe payée par une autre personne en vertu du paragraphe 165(2) ou de l'article 212.1 de la Loi et n'a pas été inclus dans la valeur de l'élément F de la formule figurant au paragraphe 225.2(2) de la Loi pour une période de déclaration de l'institution financière, y compris la période donnée,

(ii) le total des montants représentant chacun la valeur de l'élément B de la formule figurant à l'alinéa 172.1(5)c) de la Loi relativement à une fourniture que l'institution financière est réputée avoir reçue au cours de la période de déclaration donnée en vertu de l'alinéa 172.1(5)d) de la Loi,

(iii) le total des montants représentant chacun la valeur de l'élément B de la formule figurant à l'alinéa 172.1(6)c) de la Loi relativement à une fourniture que l'institution financière est réputée avoir reçue au cours de la période de déclaration donnée en vertu de l'alinéa 172.1(6)d) de la Loi,

(iv) le total des montants représentant chacun la valeur de l'élément B de la formule figurant à l'alinéa 172.1(7)c) de la Loi relativement à une fourniture sur laquelle l'institution financière est réputée avoir payé une taxe au cours de la période de déclaration donnée en vertu de l'alinéa 172.1(7)d) de la Loi;

c) si la province participante est l'Ontario, la Nouvelle-Écosse ou la Colombie-Britannique, le montant positif ou négatif obtenu par la formule suivante :

$$[(G_{13} - G_{14}) \times G_{15} \times (G_{16}/G_{17})] - G_{18}$$

où :

G_{13} représente la somme des montants suivants :

(i) le total des montants représentant chacun un montant de taxe prévu au paragraphe 165(1) ou aux articles 212, 218 ou 218.01 de la Loi qui a été payé ou est devenu payable par l'institution financière avant le début de sa période de déclaration qui comprend le 1er juillet 2010 et au titre duquel elle a demandé un crédit de taxe sur les intrants dans la déclaration produite pour la période de déclaration donnée aux termes de la section V de la partie IX de la Loi, dans la mesure où le montant a été inclus dans la valeur de l'élément B de la formule figurant au paragraphe 225.2(2) de la Loi pour la période de déclaration donnée,

(ii) si la période de déclaration donnée commence avant le 1er juillet 2010 et se termine à cette date ou par la suite, le total des montants dont chacun est déterminé — relativement à une taxe qui est devenue payable en vertu du paragraphe 165(1) ou des articles 212, 218 ou 218.01 de la Loi par l'institution financière au cours de la période de déclaration donnée ou qui a été payée par elle au cours de cette période sans être devenue payable et qui a trait à un bien livré ou rendu disponible en tout ou en partie, ou à un service rendu en tout ou en partie, après la période de déclaration donnée — selon la formule suivante :

$$(A - B) \times (C/D) \times E$$

où :

A représente le montant de cette taxe,

B le total des crédits de taxe sur les intrants de l'institution financière au titre de cette taxe,

C le nombre de jours de la période de déclaration donnée qui sont antérieurs à juillet 2010,

D le nombre total de jours de la période de déclaration donnée,

E 100 % moins le pourcentage qui représente la mesure dans laquelle le bien est livré ou rendu disponible, ou le service rendu, avant la fin de la période de déclaration donnée,

G_{14} la somme des montants suivants :

(i) le total des montants dont chacun est déterminé — relativement à une taxe qui est devenue payable en vertu du paragraphe 165(1) ou des articles 212, 218 ou 218.01 de la Loi par l'institution financière au cours de la période de déclaration donnée, ou qui a été payée par elle au cours de cette période sans être devenue payable, relativement à la fourniture ou à l'importation d'un bien (sauf un immeuble) qui est livré ou rendu disponible en tout ou en partie, d'un immeuble dont la propriété ou la possession est transférée ou d'un service qui est rendu en tout ou en partie, avant la période de déclaration de l'institution financière qui comprend le 1er juillet 2010 — selon la formule suivante :

$$(A - B) \times (C/D) \times E$$

où :

A représente le montant de cette taxe,

B le total des crédits de taxe sur les intrants de l'institution financière au titre de cette taxe,

C le nombre de jours de la période de déclaration donnée qui sont postérieurs à juin 2010,

D le nombre total de jours de la période de déclaration donnée,

E dans le cas d'un immeuble, 100 % et, dans les autres cas, le pourcentage qui représente la mesure dans laquelle le bien est livré ou rendu disponible, ou le service rendu, avant la période de déclaration de l'institution financière qui comprend le 1er juillet 2010,

(ii) si la période de déclaration donnée commence après juin 2010, le total des montants dont chacun est déterminé — relativement à une taxe qui est devenue payable en vertu du paragraphe 165(1) ou des articles 212, 218 ou 218.01 de la Loi par l'institution financière au cours de la période de déclaration donnée, ou qui a été payée par elle au cours de cette période sans être devenue payable, relativement à la fourniture ou à l'importation d'un bien (sauf un immeuble) qui est livré ou rendu disponible en tout ou en partie, d'un immeuble dont la propriété ou la possession est transférée ou d'un service qui est rendu en tout ou en partie, au cours d'une autre période de déclaration de l'institution financière commençant avant le 1er juillet 2010 et se terminant à cette date ou par la suite — selon la formule suivante :

$$(A - B) \times (C/D) \times E$$

où :

A représente le montant de cette taxe,

B le total des crédits de taxe sur les intrants de l'institution financière au titre de cette taxe,

C le nombre de jours de l'autre période de déclaration qui sont antérieurs à juillet 2010,

D le nombre total de jours de l'autre période de déclaration,

E dans le cas d'un immeuble, 100 % et, dans les autres cas, le pourcentage qui représente la mesure dans laquelle le bien est livré ou rendu disponible, ou le service rendu, au cours de l'autre période de déclaration,

(iii) si l'article 60 ne s'applique pas à l'institution financière et que la période de déclaration donnée commence avant le 1er juillet 2010 et se termine à cette date ou par la suite, le montant obtenu par la formule suivante :

$$(A - B) \times (C/D)$$

où :

A représente le total des montants ci-après, dont chacun est déterminé à l'égard de la période de déclaration donnée et de la province participante :

(A) la valeur de l'élément A de la formule figurant au paragraphe 225.2(2) de la Loi,

(B) la valeur de l'élément G_3 de la formule figurant à l'alinéa a),

(C) la valeur de l'élément G_7 de la formule figurant à l'alinéa b),

B le total des montants ci-après, dont chacun est déterminé à l'égard de la période de déclaration donnée et de la province participante :

(A) la valeur de l'élément B de la formule figurant au paragraphe 225.2(2) de la Loi,

(B) la valeur de l'élément G_2 de la formule figurant à l'alinéa a),

(C) la valeur de l'élément G_8 de la formule figurant à l'alinéa b),

C le nombre de jours de la période de déclaration donnée qui sont antérieurs à juillet 2010,

D le nombre total de jours de la période de déclaration donnée,

G_{15} :

(i) pour le calcul, selon l'alinéa 228(2.1)a) de la Loi, de la taxe nette provisoire de l'institution financière pour la période de déclaration donnée, le pourcentage qui est applicable à l'institution financière quant à la province participante pour l'année d'imposition ou, s'il est moins élevé, le pourcentage qui lui est applicable quant à cette province pour l'année d'imposition précédente, chacun étant déterminé conformément aux règles énoncées à la partie 2 qui s'appliquent à elle,

(ii) malgré le sous-alinéa (i), pour le calcul, selon l'alinéa 228(2.1)a) de la Loi, de la taxe nette provisoire de l'institution financière pour la période de déclaration donnée dans le cas où elle est une institution financière désignée particulière à laquelle le paragraphe 228(2.2) de la Loi s'applique, le pourcentage qui lui est applicable quant à la province participante pour la période de déclaration précédant la période de déclaration donnée, déterminé conformément aux règles énoncées à la partie 2 qui s'appliquent à elle, (iii) dans les autres cas, le pourcentage applicable à l'institution financière quant à la province participante pour l'année d'imposition, déterminé conformément aux règles énoncées à la partie 2 qui s'appliquent à elle,

G_{16} :

(i) si la province participante est l'Ontario ou la Colombie-Britannique, le taux de taxe qui lui est applicable,

(ii) si la province participante est la Nouvelle-Écosse, 2 %,

G_{17} le taux fixé au paragraphe 165(1) de la Loi,

G_{18} le total des montants représentant chacun un montant de taxe qui a été payé ou est devenu payable par l'institution financière, en vertu du paragraphe 165(2) ou de l'article 212.1 de la Loi, relativement à la fourniture ou à l'importation d'un bien ou d'un service relativement à laquelle la taxe prévue au paragraphe 165(1) ou aux articles 212, 218 ou 218.01 de la Loi a été payée ou est devenue payable par l'institution financière au cours de sa période de déclaration donnée se terminant après juin 2010, dans la mesure où le montant n'a pas été inclus dans la valeur de l'élément F de la formule figurant au paragraphe 225.2(2) de la Loi pour une période de déclaration de l'institution financière, y compris la période donnée, pourvu qu'une taxe soit payable relativement à la fourniture ou à l'importation en vertu du paragraphe 165(2) ou de l'article 212.1 de la Loi en raison de l'application de la partie 3 du *Règlement sur le nouveau régime de la taxe à valeur ajoutée harmonisée* ou des sections 2 et 3 de la partie 9 du *Règlement nº 2 sur le nouveau régime de la taxe à valeur ajoutée harmonisée* ou qu'une taxe soit payable au taux de 10 % relativement à une telle fourniture ou importation en raison de l'application du *Règlement de 2010 sur la TVH applicable à la Nouvelle-Écosse*;

d) si la province participante est l'Ontario ou la Colombie-Britannique, le montant positif ou négatif obtenu par la formule suivante :

$$[G_{19} \times G_{20} \times (G_{21}/G_{22}) \times G_{23}] - G_{24}$$

où :

G_{19} représente :

(i) si l'institution financière est une grande entreprise au cours de la période de déclaration donnée, le total des montants dont chacun est déterminé, relativement à une catégorie déterminée de bien ou service déterminé, selon la formule suivante :

$$A \times B \times C$$

où :

A représente la somme des montants suivants :

Règlements

(A) le total des montants représentant chacun un montant de taxe (sauf celui qui est visé par règlement pour l'application de l'alinéa a) de l'élément A de la formule figurant au paragraphe 225.2(2) de la Loi ou qui est visé au sous-alinéa (vi) de l'élément G_2 de la formule figurant à l'alinéa a)) qui est devenu payable en vertu du paragraphe 165(1) ou des articles 212, 218 ou 218.01 de la Loi par l'institution financière au cours de la période de déclaration donnée relativement à la fourniture ou à l'importation d'un bien ou d'un service, multiplié par la mesure déterminée du bien ou du service relativement à la catégorie déterminée pour la province participante et pour cette période,

(B) le total des montants représentant chacun un montant de taxe prévu au paragraphe 165(1) de la Loi relativement à la fourniture d'un bien ou d'un service (sauf celle à laquelle la division (C) s'applique) effectuée par une personne au profit de l'institution financière qui, en l'absence du choix prévu à l'article 150 de la Loi, serait devenu payable par l'institution financière au cours de la période de déclaration donnée, multiplié par la mesure déterminée du bien ou du service relativement à la catégorie déterminée pour la province participante et pour cette période,

(C) le total des montants représentant chacun un montant, relatif à la fourniture d'un bien ou d'un service, effectuée au cours de la période de déclaration donnée, à laquelle le choix fait par l'institution financière et une autre personne selon le paragraphe 225.2(4) de la Loi s'applique, égal à la taxe calculée sur le coût, pour l'autre personne, de la fourniture du bien ou du service au profit de l'institution financière, à l'exclusion de toute rémunération versée à des salariés de l'autre personne, du coût de services financiers et de la taxe prévue par la partie IX de la Loi, multiplié par la mesure déterminée du bien ou du service relativement à la catégorie déterminée pour la province participante et pour cette période,

(D) le total des montants représentant chacun un montant de taxe, sauf celui qui est visé par règlement pour l'application de l'alinéa a) de l'élément A de la formule figurant au paragraphe 225.2(2) de la Loi, qui aurait été payable en vertu du paragraphe 165(1) ou des articles 212, 218 ou 218.01 de la Loi par l'institution financière au cours de la période de déclaration donnée relativement à la fourniture ou à l'importation d'un bien ou d'un service, mul66 tiplié par la mesure déterminée du bien ou du service relativement à la catégorie déterminée pour la province participante et pour cette période, si :

(I) dans le cas où le bien ou le service est acquis ou importé par l'institution financière pour qu'il soit consommé, utilisé ou fourni exclusivement dans le cadre d'activités commerciales et où, par suite de cette consommation, utilisation ou fourniture exclusive, la taxe prévue aux articles 212 ou 218 de la Loi n'est pas payable relativement à l'acquisition ou à l'importation, cette taxe avait été payable relativement à l'acquisition ou à l'importation,

(II) dans le cas où le bien ou le service fait l'objet d'une fourniture qui est réputée en vertu du paragraphe 143(1) de la Loi avoir été effectuée à l'étranger, la fourniture n'avait pas été réputée avoir été effectuée à l'étranger,

(III) dans le cas où le bien ou le service fait l'objet d'une fourniture qui est réputée en vertu de la partie IX de la Loi avoir été effectuée sans contrepartie, la fourniture n'avait pas été réputée avoir été effectuée sans contrepartie,

(IV) dans le cas où le bien ou le service fait l'objet d'une fourniture qui est réputée en vertu de l'alinéa 273(1)c) de la Loi ne pas en être une, la fourniture n'avait pas été réputée ne pas être une fourniture,

(E) s'il s'agit de la catégorie déterminée des véhicules automobiles admissibles et que l'institution financière exploite une entreprise qui consiste à fournir des véhicules automobiles par vente, le total des montants dont chacun est déterminé — relativement à un véhicule automobile désigné visé au sous-alinéa g)(i) de la définition de « bien ou service exclu » au paragraphe 45(1) qui a été acquis ou importé par l'institution financière et qu'elle utilise, au cours de la période de déclaration donnée, autrement qu'exclusivement dans le but mentionné à ce sous-alinéa — selon la formule suivante :

$$D \times E \times 2\ \%$$

où :

D représente le montant de taxe, sauf celui qui est visé par règlement pour l'application de l'alinéa a) de l'élément A de la formule figurant au paragraphe 225.2(2) de la Loi, qui est devenu payable en vertu du paragraphe 165(1) ou des articles 212, 218 ou 218.01 de la Loi par l'institution financière relativement à la fourniture ou à l'importation du véhicule,

E le nombre de mois d'exercice de la période de déclaration donnée au cours desquels le véhicule a été utilisé autrement qu'exclusivement dans le but mentionné au sous-alinéa g)(i) de la définition de « bien ou service exclu » au paragraphe 45(1),

B le taux de recouvrement de taxe de l'institution financière relativement à la catégorie déterminée pour la période de déclaration donnée,

C :

(A) s'il s'agit de la catégorie déterminée des aliments, boissons et divertissements, 50 %,

(B) s'il s'agit de la catégorie déterminée du carburant admissible et que la province participante est la Colombie-Britannique, 0 %,

(C) s'il s'agit de la catégorie déterminée des formes d'énergie admissibles, le pourcentage obtenu par la formule suivante :

$$F / G$$

où :

F représente le total des rémunérations déterminées que l'institution financière verse à ses salariés au cours de son avant-dernière année d'imposition précédant la période de déclaration donnée pour tout acte accompli par les salariés relativement à leur charge ou emploi dans la province, dans la mesure où il est raisonnable de considérer que ces rémunérations déterminées ne sont pas attribuables à la participation directe de ces salariés à des activités qui sont des activités admissibles de recherche scientifique et de développement expérimental pour l'application :

(I) de la *Loi de 2007 sur les impôts*, L.O. 2007, ch. 11, ann. A, si la province participante est l'Ontario,

(II) de la loi intitulée *Income Tax Act*, R.S.B.C. 1996, ch. 215, si la province participante est la Colombie-Britannique, le total des rémunérations déterminées que l'institution financière verse à ses salariés au cours de son avant-dernière année d'imposition précédant la période de déclaration donnée pour tout acte accompli par les salariés relativement à leur charge ou emploi dans la province participante,

G

(D) dans les autres cas, 100 %,

(ii) dans les autres cas, zéro,

G_{20} :

(i) pour le calcul, selon l'alinéa 228(2.1)a) de la Loi, de la taxe nette provisoire de l'institution financière pour la période de déclaration donnée, le pourcentage qui est applicable à l'institution financière quant à la province participante pour l'année d'imposition ou, s'il est moins élevé, le pourcentage qui lui est applicable quant à cette province pour l'année d'imposition précédente, chacun étant déterminé conformément aux règles énoncées à la partie 2 qui s'appliquent à elle,

(ii) malgré le sous-alinéa (i), pour le calcul, selon l'alinéa 228(2.1)a) de la Loi, de la taxe nette provisoire de l'institution financière pour la période de déclaration donnée dans le cas où elle est une institution financière désignée particulière à laquelle le paragraphe 228(2.2) de la Loi s'applique, le pourcentage qui lui est applicable quant à la province participante pour la période de déclaration précédant la période de déclaration donnée, déterminé conformément aux règles énoncées à la partie 2 qui s'appliquent à elle,

(iii) dans les autres cas, le pourcentage applicable à l'institution financière quant à la province participante pour l'année d'imposition, déterminé conformément aux règles énoncées à la partie 2 qui s'appliquent à elle,

G_{21} le taux de taxe applicable à la province participante,

G_{22} le taux fixé au paragraphe 165(1) de la Loi,

G_{23} :

(i) si la période de déclaration donnée commence avant le 1er juillet 2010 et se termine à cette date ou par la suite, le montant obtenu par la formule suivante :

$$A / B$$

où :

A représente le nombre de jours de la période de déclaration donnée, postérieurs à juin 2010, où l'institution financière était une grande entreprise,

B le nombre de jours de la période de déclaration donnée,

(ii) si la période de déclaration donnée commence le 1er juillet 2010 ou par la suite, le montant obtenu par la formule suivante :

$$(A \times B)/C_2$$

où :

A représente le total des montants représentant chacun le taux de récupération applicable à un jour de la période de déclaration donnée,

B le nombre de jours de la période de déclaration donnée où l'institution financière était une grande entreprise,

C le nombre de jours de la période de déclaration donnée,

G_{24} le total des montants dont chacun est déterminé — relativement à un véhicule automobile désigné que l'institution financière, au cours de la période de déclaration donnée, soit fournit par vente à une personne qui ne lui est pas liée, soit retire du Canada et fait immatriculer dans un pays étranger et relativement à la dernière acquisition ou importation duquel, effectuée au cours d'une autre de ses périodes de déclaration, l'institution financière a inclus un montant selon l'élément G_{19} dans le calcul de sa taxe nette pour l'autre période de déclaration — selon la formule suivante :

$$A \times B \times (C/D) \times E \times (F/G)$$

où :

A représente le montant déterminé quant à la province participante selon l'élément G19 au cours de l'autre période de déclaration relativement à la dernière acquisition ou importation du véhicule,

B la valeur de l'élément G_{20}, déterminée relativement à la province participante pour l'autre période de déclaration,

C le taux de taxe applicable à la province participante,

D le taux fixé au paragraphe 165(1) de la Loi,

E la valeur de l'élément G_{23}, déterminée relativement à l'institution financière pour l'autre période de déclaration,

F :

(i) si l'institution financière fournit le véhicule à un acquéreur avec lequel elle a un lien de dépendance ou si elle le retire du Canada, la juste valeur marchande du véhicule au moment de la fourniture ou du retrait,

(ii) dans les autres cas, la contrepartie de la fourniture par vente du véhicule,

G la contrepartie relative à la dernière acquisition du véhicule par l'institution financière, ou la valeur relative à la dernière importation du véhicule par elle, relativement à laquelle la valeur de l'élément A est attribuable;

e) si la période de déclaration donnée comprend le 1er juillet 2010 et que la province participante est la Nouvelle-Écosse, le Nouveau-Brunswick ou Terre-Neuve-et-Labrador, la valeur négative du montant obtenu par la formule suivante :

$$G_{25} \times G_{26} \times 8/5$$

où :

G_{25} représente le total des montants représentant chacun un montant de taxe qui est devenu payable en vertu du paragraphe 165(1) ou des articles 212 ou 218 de la Loi par l'institution financière au cours d'une période de déclaration de celle-ci qui précède la période de déclaration donnée, ou qui a été payé par elle au cours d'une telle période sans être devenu payable, relativement à la fourniture ou à l'importation d'un bien ou d'un service destiné à être consommé ou utilisé exclusivement en Ontario ou en Colombie- Britannique, dans la mesure où le montant est inclus dans la valeur de l'élément A de la formule figurant au paragraphe 225.2(2) de la Loi pour une période de déclaration précédant la période de déclaration donnée et n'est pas inclus dans la valeur de l'élément B de cette formule pour une période de déclaration quelconque de l'institution financière, y compris la période donnée, si une taxe est payable relativement à la fourniture ou à l'importation en vertu du paragraphe 165(2) ou de l'article 212.1 de la Loi en raison de l'application de la partie 3 du *Règlement sur le nouveau régime de la taxe à valeur ajoutée harmonisée* ou des sections 2 et 3 de la partie

Règlements

9 du *Règlement no 2 sur le nouveau régime de la taxe à valeur ajoutée harmonisée,*

G_{26} :

(i) pour le calcul, selon l'alinéa 228(2.1)a) de la Loi, de la taxe nette provisoire de l'institution financière pour la période de déclaration donnée, le pourcentage qui est applicable à l'institution financière quant à la province participante pour l'année d'imposition ou, s'il est moins élevé, le pourcentage qui lui est applicable quant à cette province pour l'année d'imposition précédente, chacun étant déterminé conformément aux règles énoncées à la partie 2 qui s'appliquent à elle,

(ii) malgré le sous-alinéa (i), pour le calcul, selon l'alinéa 228(2.1)a) de la Loi, de la taxe nette provisoire de l'institution financière pour la période de déclaration donnée dans le cas où elle est une institution financière désignée particulière à laquelle le paragraphe 228(2.2) de la Loi s'applique, le pourcentage qui lui est applicable quant à la province participante pour la période de déclaration précédant la période de déclaration donnée, déterminé conformément aux règles énoncées à la partie 2 qui s'appliquent à elle,

(iii) dans les autres cas, le pourcentage applicable à l'institution financière quant à la province participante pour l'année d'imposition, déterminé conformément aux règles énoncées à la partie 2 qui s'appliquent à elle.

Partie 5 — Régimes de placement

Définitions

50. Définitions — Pour l'application de la présente partie :

a) « investisseur déterminé » s'entend au sens du paragraphe 17(1);

b) « pourcentage de l'investisseur » s'entend au sens de l'article 30.

Redressement de taxe nette — régimes de placement

51. Adaptation du paragraphe 225.2(2) de la Loi — régimes stratifiés — (1) Pour l'application du paragraphe 225.2(2) de la Loi au calcul de la taxe nette pour une période de déclaration donnée comprise dans un exercice se terminant dans une année d'imposition d'un régime de placement stratifié, la formule figurant à ce paragraphe et la description de ses éléments sont adaptées de la façon suivante :

$$[[A \times (B/C)] - D] + E$$

où :

A représente le total des montants positifs ou négatifs dont chacun est déterminé relativement à une série de l'institution financière, sauf une série provinciale de celle-ci pour l'exercice, et est égal à celui des montants ci-après qui est applicable :

a) si le choix prévu à l'article 52 du *Règlement sur la méthode d'attribution applicable aux institutions financières désignées particulières (TPS/TVH)* est en vigueur relativement à la série tout au long de la période de déclaration donnée, le total des montants dont chacun est déterminé pour un jour donné de cette période selon la formule suivante :

$$(A_1 - A_2) \times A_3$$

où :

A_1 représente la somme des montants suivants :

(i) les montants de taxe (sauf ceux visés aux articles 42 ou 60 ou à l'alinéa 58(2)a) de ce règlement) relatifs à la fourniture ou à l'importation d'un bien ou d'un service qui sont devenus payables en vertu du paragraphe 165(1) ou des articles 212, 218 ou 218.01 par l'institution financière le jour donné ou qui ont été payés par elle ce jour-là sans être devenus payables, dans la mesure où le bien ou le service a été acquis ou importé en vue d'être consommé, utilisé ou fourni dans le cadre des activités relatives à la série, déterminée selon l'article 54 de ce règlement,

(ii) le total des montants représentant chacun un montant de taxe prévu au paragraphe 165(1) relativement à la fourniture d'un bien ou d'un service (sauf celle à laquelle le sous-alinéa (iii) s'applique) effectuée par une personne au profit de l'institution financière qui, en l'absence du choix prévu à l'article 150, serait devenu payable par l'institution financière le jour donné, dans la mesure où le bien ou le service a été acquis en vue d'être consommé, utilisé ou fourni dans le cadre des activités relatives à la série, déterminée selon l'article 54 de ce règlement,

(iii) le total des montants représentant chacun un montant, relatif à la fourniture d'un bien ou d'un service, effectuée le jour donné, à laquelle le choix fait par l'institution financière et une autre personne selon le paragraphe (4) s'applique, égal à la taxe calculée sur le coût, pour l'autre personne, de la fourniture du bien ou du service au profit de l'institution financière, à l'exclusion de la rémunération versée aux salariés de l'autre personne, du coût de services financiers et de la taxe prévue par la présente partie, dans la mesure où le bien ou le service a été acquis en vue d'être consommé, utilisé ou fourni dans le cadre des activités relatives à la série, déterminée selon l'article 54 de ce règlement,

A_2 la somme des montants suivants :

(i) le total des montants représentant chacun un crédit de taxe sur les intrants (sauf celui au titre d'un montant de taxe qui est visé aux articles 42 ou 60 ou à l'alinéa 58(2)a) de ce règlement) de l'institution financière pour la période de déclaration donnée ou pour ses périodes de déclaration antérieures au titre de l'acquisition ou de l'importation d'un bien ou d'un service, qu'elle a demandé dans la déclaration qu'elle produit aux termes de la présente section pour la période donnée, dans la mesure où le bien ou le service a été acquis ou importé en vue d'être consommé, utilisé ou fourni dans le cadre des activités relatives à la série, déterminée selon l'article 54 de ce règlement et dans la mesure où le montant n'a pas été inclus dans la valeur de l'élément A2 pour un autre jour de la période donnée,

(ii) le total des montants dont chacun serait un crédit de taxe sur les intrants de l'institution financière pour la période de déclaration donnée au titre d'un bien ou d'un service si un montant de taxe, égal au montant inclus relativement à la série pour un jour quelconque de la période donnée selon les sous-alinéas (ii) ou (iii) de l'élément A_1 relativement à la fourniture, était devenu payable au cours de la période donnée relativement à la fourniture du bien ou du service, dans la mesure où le montant n'a pas été inclus dans la valeur de l'élément A2 pour un autre jour de la période donnée,

A_3 le pourcentage applicable à l'institution financière quant à la série et à la province participante, déterminé relativement aux institutions financières de cette catégorie conformément à ce règlement :

(i) le premier jour ouvrable du trimestre civil qui comprend le jour donné, ou tout autre jour ouvrable de ce trimestre fixé par le ministre sur demande de l'institution financière, si le choix prévu à l'article 52 de ce règlement indique que les pourcentages applicables à l'institution financière sont déterminés trimestriellement,

(ii) le premier jour ouvrable du mois civil qui comprend le jour donné, ou tout autre jour ouvrable de ce mois fixé par le ministre sur demande de l'institution financière, si le choix prévu à l'article 52 de ce règlement relativement à la série indique que les pourcentages applicables à l'institution financière quant à la série sont déterminés mensuellement,

(iii) le premier jour ouvrable de la semaine qui comprend le jour donné, ou tout autre jour ouvrable de cette semaine fixé par le ministre sur demande de l'institution financière, si le choix prévu à l'article 52 de ce règlement relativement à la série indique que les pourcentages applicables à l'institution financière quant à la série sont déterminés hebdomadairement,

(iv) le jour donné, dans les autres cas,

b) si le choix prévu à l'article 52 du *Règlement sur la méthode d'attribution applicable aux institutions financières désignées particulières (TPS/TVH)* n'est pas en vigueur relativement à la série tout au long de la période de déclaration donnée, le montant obtenu par la formule suivante :

$$(A_4 - A_5) \times A_6$$

où :

A_4 représente la somme des montants suivants :

(i) les montants de taxe (sauf ceux visés aux articles 42 ou 60 ou à l'alinéa 58(2)a) de ce règlement) relatifs à la fourniture ou à l'importation d'un bien ou d'un service qui sont devenus payables en vertu du paragraphe 165(1) ou des articles 212, 218 ou 218.01 par l'institution financière au cours de la période de déclaration donnée ou qui ont été payés par elle au cours de cette période sans être devenus payables, dans la mesure où le bien ou le service a été acquis ou importé en vue d'être consommé, utilisé ou fourni dans le cadre des activités relatives à la série, déterminée selon l'article 54 de ce règlement,

(ii) le total des montants représentant chacun un montant de taxe prévu au paragraphe 165(1) relativement à la fourniture d'un bien ou d'un service (sauf celle à laquelle le sous-alinéa (iii) s'applique) effectuée par une personne au profit de l'institution financière qui, en l'absence du choix prévu à l'article 150, serait devenu payable par l'institution financière au cours de la période de déclaration donnée, dans la mesure où le bien ou le service a été acquis en vue d'être consommé, utilisé ou fourni dans le cadre des activités relatives à la série, déterminée selon l'article 54 de ce règlement,

(iii) le total des montants représentant chacun un montant, relatif à la fourniture d'un bien ou d'un service, effectuée au cours de la période de déclaration donnée, à laquelle le choix fait par l'institution financière et une autre personne selon le paragraphe (4) s'applique, égal à la taxe calculée sur le coût, pour l'autre personne, de la fourniture du bien ou du service au profit de l'institution financière, à l'exclusion de la rémunération versée aux salariés de l'autre personne, du coût de services financiers et de la taxe prévue par la présente partie, dans la mesure où le bien ou le service a été acquis en vue d'être consommé, utilisé ou fourni dans le cadre des activités relatives à la série, déterminée selon l'article 54 de ce règlement,

A_5 la somme des montants suivants :

(i) le total des montants représentant chacun un crédit de taxe sur les intrants (sauf celui au titre d'un montant de taxe qui est visé aux articles 42 ou 60 ou à l'alinéa 58(2)a) de ce règlement) de l'institution financière pour la période de déclaration donnée ou pour ses périodes de déclaration antérieures au titre de l'acquisition ou de l'importation d'un bien ou d'un service, qu'elle a demandé dans la déclaration qu'elle produit aux termes de la présente section pour la période de déclaration donnée, dans la mesure où le bien ou le service a été acquis ou importé en vue d'être consommé, utilisé ou fourni dans le cadre des activités relatives à la série, déterminée selon l'article 54 de ce règlement,

(ii) le total des montants dont chacun serait un crédit de taxe sur les intrants de l'institution financière pour la période de déclaration donnée au titre d'un bien ou d'un service si un montant de taxe, égal au montant inclus pour la période donnée selon les sous-alinéas (ii) ou (iii) de l'élément A_4 relativement à la fourniture, était devenu payable au cours de la période donnée relativement à la fourniture du bien ou du service,

A_6 :

(i) si le choix prévu à l'article 53 de ce règlement est en vigueur tout au long de la période de déclaration donnée, le pourcentage applicable à l'institution financière quant à la série et à la province participante pour l'année d'imposition, déterminé relativement aux institutions financières de cette catégorie conformément à ce règlement,

(ii) dans les autres cas, le pourcentage applicable à l'institution financière quant à la série et à la province participante pour son année d'imposition précédente, déterminé relativement aux institutions financières de cette catégorie conformément à ce règlement;

B le taux de taxe applicable à la province participante;

C le taux fixé au paragraphe 165(1);

D la somme des montants suivants :

a) le total des montants représentant chacun un montant de taxe (sauf celui visé aux articles 42 ou 60 ou à l'alinéa 58(2)a) du *Règlement sur la méthode d'attribution applicable aux institutions financières désignées particulières (TPS/TVH)*) prévu au paragraphe 165(2) relativement à une fourniture effectuée dans la province participante au profit de l'institution financière, ou prévu à l'article 212.1 et calculé au taux de taxe applicable à la province participante, qui, à la fois :

(i) est devenu payable au cours de l'une des périodes ci-après, ou a été payé au cours de cette période sans être devenu payable :

(A) la période de déclaration donnée,

(B) toute autre période de déclaration de l'institution financière antérieure à la période de déclaration donnée, pourvu que :

(I) d'une part, la période de déclaration donnée se termine dans les deux ans suivant la fin de l'exercice de l'institution financière qui comprend l'autre période de déclaration,

(II) d'autre part, l'institution financière ait été une institution financière désignée particulière tout au long de l'autre période de déclaration,

(ii) n'a pas été déduit dans le calcul d'un montant qui, selon le présent paragraphe, doit être ajouté à la taxe nette pour une période de déclaration de l'institution financière autre que la période de déclaration donnée, ou peut être déduit de cette taxe nette,

Règlements

(iii) est demandé par l'institution financière dans une déclaration produite par celle-ci en vertu de la présente section pour la période de déclaration donnée,

b) le total des montants représentant chacun un montant, relatif à la fourniture d'un bien ou d'un service, effectuée au cours de la période de déclaration donnée, à laquelle le choix fait par l'institution financière et une autre personne selon le paragraphe (4) s'applique, égal à la taxe payable par l'autre personne en vertu du paragraphe 165(2), des articles 212.1 ou 218.1 ou de la section IV.1 qui est incluse dans le coût, pour elle, de la fourniture du bien ou du service au profit de l'institution financière;

E le total des montants dont chacun est visé à l'article 49 ou à l'alinéa 58(2)b) du *Règlement sur la méthode d'attribution applicable aux institutions financières désignées particulières (TPS/TVH)*.

(2) **Adaptation du paragraphe 225.2(2) de la Loi — régimes non stratifiés — temps réel** — Pour l'application du paragraphe 225.2(2) de la Loi au calcul de la taxe nette pour une période de déclaration donnée comprise dans un exercice se terminant dans une année d'imposition d'un régime de placement non stratifié et tout au long de laquelle le choix prévu à l'article 52 est en vigueur, la formule figurant à ce paragraphe et la description de ses éléments sont adaptées de la façon suivante :

$$[[A \times (B/C)] - D] + E$$

où :

A représente le total des montants positifs ou négatifs dont chacun est déterminé pour un jour donné de la période de déclaration donnée selon la formule suivante :

$$(A_1 - A_2) \times A_3$$

où :

A_1 représente la somme des montants suivants :

a) les montants de taxe (sauf ceux qui sont visés aux articles 42 ou 60 ou à l'alinéa 58(2)a) du *Règlement sur la méthode d'attribution applicable aux institutions financières désignées particulières (TPS/TVH)*) relatifs à la fourniture ou à l'importation d'un bien ou d'un service qui sont devenus payables en vertu du paragraphe 165(1) ou des articles 212, 218 ou 218.01 par l'institution financière le jour donné ou qui ont été payés par elle ce jour-là sans être devenus payables,

b) le total des montants représentant chacun un montant de taxe prévu au paragraphe 165(1) relativement à la fourniture d'un bien ou d'un service (sauf celle à laquelle l'alinéa c) s'applique) effectuée par une personne au profit de l'institution financière qui, en l'absence du choix prévu à l'article 150, serait devenu payable par l'institution financière le jour donné,

c) le total des montants représentant chacun un montant, relatif à la fourniture d'un bien ou d'un service, effectuée le jour donné, à laquelle le choix fait par l'institution financière et une autre personne selon le paragraphe (4) s'applique, égal à la taxe calculée sur le coût, pour l'autre personne, de la fourniture du bien ou du service au profit de l'institution financière, à l'exclusion de la rémunération versée aux salariés de l'autre personne, du coût de services financiers et de la taxe prévue par la présente partie,

A_2 la somme des montants suivants :

a) le total des montants représentant chacun un crédit de taxe sur les intrants (sauf celui au titre d'un montant de taxe qui est visé aux articles 42 ou 60 ou à l'alinéa 58(2)a) du *Règlement sur la méthode d'attribution applicable aux institutions financières désignées particulières (TPS/TVH)*) de l'institution financière pour la période de déclaration donnée ou pour ses périodes de déclaration antérieures, qu'elle a demandé dans la déclaration qu'elle produit aux termes de la présente section pour la période donnée, dans la mesure où le montant n'a pas été inclus dans la valeur de l'élément A_2 pour un autre jour de la période donnée,

a) le total des montants dont chacun serait un crédit de taxe sur les intrants de l'institution financière pour la période de déclaration donnée au titre d'un bien ou d'un service si un montant de taxe, égal au montant inclus pour un jour quelconque de la période de déclaration donnée selon les alinéas b) ou c) de l'élément A_1 relativement à la fourniture, était devenu payable au cours de la période donnée relativement à la fourniture du bien ou du service, dans la mesure où le montant n'a pas été inclus dans la valeur de l'élément A_2 pour un autre jour de la période donnée,

A_3 le pourcentage applicable à l'institution financière quant à la province participante, déterminé relativement aux institutions financières de cette catégorie conformément au *Règlement sur la méthode d'attribution applicable aux institutions financières désignées particulières (TPS/TVH)* :

a) le premier jour ouvrable du trimestre civil qui comprend le jour donné, ou tout autre jour ouvrable de ce trimestre fixé par le ministre sur demande de l'institution financière, si le choix prévu à l'article 52 de ce règlement indique que les pourcentages applicables à l'institution financière sont déterminés trimestriellement,

b) le premier jour ouvrable du mois civil qui comprend le jour donné, ou tout autre jour ouvrable de ce mois fixé par le ministre sur demande de l'institution financière, si le choix prévu à l'article 52 de ce règlement indique que les pourcentages applicables à l'institution financière sont déterminés mensuellement,

c) le premier jour ouvrable de la semaine qui comprend le jour donné, ou tout autre jour ouvrable de cette semaine fixé par le ministre sur demande de l'institution financière, si le choix prévu à l'article 52 de ce règlement indique que les pourcentages applicables à l'institution financière sont déterminés hebdomadairement,

d) le jour donné, dans les autres cas;

B le taux de taxe applicable à la province participante;

C le taux fixé au paragraphe 165(1);

D la somme des montants suivants :

a) le total des montants représentant chacun un montant de taxe (sauf celui visé aux articles 42 ou 60 ou à l'alinéa 58(2)a) du *Règlement sur la méthode d'attribution applicable aux institutions financières désignées particulières (TPS/TVH)*) prévu au paragraphe 165(2) relativement à une fourniture effectuée dans la province participante au profit de l'institution financière, ou prévu à l'article 212.1 et calculé au taux de taxe applicable à la province participante, qui, à la fois :

(i) est devenu payable au cours de l'une des périodes ci-après, ou a été payé au cours de cette période sans être devenu payable :

(A) la période de déclaration donnée,

(B) toute autre période de déclaration de l'institution financière antérieure à la période de déclaration donnée, pourvu que :

(I) d'une part, la période de déclaration donnée se termine dans les deux ans suivant la fin de l'exercice de l'institution financière qui comprend l'autre période de déclaration,

(II) d'autre part, l'institution financière ait été une institution financière désignée particulière tout au long de l'autre période de déclaration,

(ii) n'a pas été déduit dans le calcul d'un montant qui, selon le présent paragraphe, doit être ajouté à la taxe nette pour une période de déclaration de l'institution financière autre que la période de déclaration donnée, ou peut être déduit de cette taxe nette,

(iii) est demandé par l'institution financière dans une déclaration produite par celle-ci en vertu de la présente section pour la période de déclaration donnée,

b) le total des montants représentant chacun un montant, relatif à la fourniture d'un bien ou d'un service, effectuée au cours de la période de déclaration donnée, à laquelle le choix fait par l'institution financière et une autre personne selon le paragraphe (4) s'applique, égal à la taxe payable par l'autre personne en vertu du paragraphe 165(2), des articles 212.1 ou 218.1 ou de la section IV.1 qui est incluse dans le coût, pour elle, de la fourniture du bien ou du service au profit de l'institution financière;

E le total des montants dont chacun est visé à l'article 49 ou à l'alinéa 58(2)b) du *Règlement sur la méthode d'attribution applicable aux institutions financières désignées particulières (TPS/TVH)*.

(3) Adaptation de l'élément C de la formule figurant au paragraphe 225.2(2) de la Loi — LSi une institution financière désignée particulière est un régime de placement, que ni le paragraphe (1) ni le paragraphe (2) ne s'appliquent relativement à une période de déclaration donnée comprise dans un exercice se terminant dans une année d'imposition de l'institution financière et que le choix prévu à l'article 53 n'est pas en vigueur tout au long de l'exercice, pour le calcul de la taxe nette pour la période donnée, la description de l'élément C de la formule figurant au paragraphe 225.2(2) de la Loi est adaptée de la façon suivante : « le pourcentage applicable à l'institution financière quant à la province participante pour l'année d'imposition précédente, déterminé relativement aux institutions financières de cette catégorie conformément au *Règlement sur la méthode d'attribution applicable aux institutions financières désignées particulières (TPS/TVH)* ».

(4) Adaptation du paragraphe 225.2(7) de la Loi — Pour le calcul de la taxe nette pour une période de déclaration relativement à laquelle le paragraphe (1) ou (2) s'applique, le paragraphe 225.2(7) de la Loi est adapté par remplacement du passage « l'élément F de la formule figurant au paragraphe (2) » par le passage « l'élément D de la formule figurant au paragraphe (2), adaptée par l'article 51 du *Règlement sur la méthode d'attribution applicable aux institutions financières désignées particulières (TPS/TVH)* ».

(5) Base des acomptes provisionnels — régime non stratifié — temps réel — Si un régime de placement est un régime de placement non stratifié et que le choix prévu à l'article 52 est en vigueur tout au long d'un exercice du régime ou si un régime de placement est un régime de placement stratifié et que le choix prévu à cet article est en vigueur relativement à chaque série du régime tout au long d'un exercice du régime, le paragraphe 237(1) de la Loi est adapté de la façon suivante pour chaque période de déclaration du régime comprise dans l'exercice :

237. (1) L'inscrit dont la période de déclaration correspond à un exercice ou à une période déterminée selon le paragraphe 248(3) est tenu de verser au receveur général, au cours du mois qui suit chacun de ses trimestres d'exercice se terminant dans la période de déclaration, un acompte provisionnel égal au montant qui correspondrait à sa taxe nette pour le trimestre si celui-ci était une période de déclaration de l'inscrit.

(6) Base des acomptes provisionnels — régime stratifié — Si un régime de placement est un régime de placement stratifié, que le paragraphe (5) ne s'applique pas relativement à une période de déclaration du régime et que le choix prévu à l'article 53 est en vigueur tout au long de cette période, les règles suivantes s'appliquent :

a) la description de l'élément A de la formule figurant au sous-alinéa 237(2)a)(i) de la Loi est adaptée de la façon suivante pour la période de déclaration : « représente le montant qui correspondrait à la taxe nette pour la période de déclaration donnée si l'élément A_6 de la formule figurant au paragraphe 225.2(2), adapté par le paragraphe 51(1) du *Règlement sur la méthode d'attribution applicable aux institutions financières désignées particulières (TPS/TVH)*, avait le libellé suivant : « le pourcentage applicable à l'institution financière quant à la série et à la province participante pour son année d'imposition précédente, déterminé relativement aux institutions financières de cette catégorie conformément à ce règlement; » »;

b) le sous-alinéa 237(2)a)(ii) de la Loi est adapté de la façon suivante pour la période de déclaration :

(ii) dans les autres cas, le montant qui correspondrait à la taxe nette pour la période de déclaration donnée si l'élément A6 de la formule figurant au paragraphe 225.2(2), adapté par le paragraphe 51(1) du *Règlement sur la méthode d'attribution applicable aux institutions financières désignées particulières (TPS/TVH)* avait le libellé suivant : « le pourcentage applicable à l'institution financière quant à la série et à la province participante pour son année d'imposition précédente, déterminé relativement aux institutions financières de cette catégorie conformément à ce règlement; ».

(7) Base des acomptes provisionnels — autres régimes de placement — Si ni le paragraphe (5) ni le paragraphe (6) ne s'appliquent relativement à une période de déclaration d'un régime de placement et que le choix prévu à l'article 53 est en vigueur tout au long de cette période, les règles suivantes s'appliquent :

a) la description de l'élément A de la formule figurant au sous-alinéa 237(2)a)(i) de la Loi est adaptée de la façon suivante pour la période de déclaration : « représente le montant qui correspondrait à la taxe nette pour la période de déclaration donnée si l'élément C de la formule figurant au paragraphe 225.2(2) avait le libellé suivant : « le pourcentage applicable à l'institution financière quant à la province participante pour son année d'imposition précédente, déterminé relativement aux institutions financières de cette catégorie conformément au *Règlement sur la méthode d'attribution applicable aux institutions financières désignées particulières (TPS/TVH)*; » »;

b) le sous-alinéa 237(2)a)(ii) de la Loi est adapté de la façon suivante pour la période de déclaration :

(ii) dans les autres cas, le montant qui correspondrait à la taxe nette de la personne pour la période de déclaration donnée si l'élément C de la formule figurant au paragraphe 225.2(2) avait le libellé suivant : « le pourcentage applicable à l'institution financière quant à la province participante pour son année d'imposition précédente, déterminé relativement aux institutions financières de cette catégorie conformément au *Règlement sur la méthode d'attribution applicable aux institutions financières désignées particulières (TPS/TVH)* ».

(8) Versement provisoire — rapprochement ou temps réel — Si le choix prévu à l'article 53 n'est pas en vigueur tout au long d'un exercice d'un régime de placement, si un régime de placement est un régime de placement non stratifié et que le choix prévu à l'article 52 est en vigueur tout au long d'un exercice du régime ou si un régime de placement est un régime de placement stratifié et que le choix prévu à cet article est en vigueur relativement à chaque série du régime tout au long d'un exercice du régime, l'alinéa 228(2.1)a) de la Loi est adapté de la façon suivante

Règlements

pour chaque période de déclaration du régime comprise dans l'exercice :

a) doit y calculer le montant (appelé « taxe nette provisoire » dans la présente partie) qui correspond à sa taxe nette pour la période;

(9) Versement provisoire — régimes stratifiés — Si un régime de placement est un régime de placement stratifié et que le paragraphe (8) ne s'applique pas relativement à une période de déclaration du régime, l'alinéa 228(2.1)a) de la Loi est adapté de la façon suivante pour la période de déclaration :

a) doit y calculer le montant (appelé « taxe nette provisoire » dans la présente partie) qui correspondrait à sa taxe nette pour la période si l'élément A6 de la formule figurant au paragraphe 225.2(2), adapté par le paragraphe 51(1) du *Règlement sur la méthode d'attribution applicable aux institutions financières désignées particulières (TPS/TVH)*, avait le libellé suivant : « le pourcentage applicable à l'institution financière quant à la série et à la province participante pour son année d'imposition précédente, déterminé relativement aux institutions financières de cette catégorie en conformité avec ce règlement »;

(10) Versement provisoire — autres cas — Si ni le paragraphe (8) ni le paragraphe (9) ne s'appliquent relativement à une période de déclaration d'un régime de placement, l'alinéa 228(2.1)a) de la Loi est adapté de la façon suivante pour cette période :

a) doit y calculer le montant (appelé « taxe nette provisoire » dans la présente partie) qui correspondrait à sa taxe nette pour la période si l'élément C de la formule figurant au paragraphe 225.2(2) avait le libellé suivant : « le pourcentage applicable à l'institution financière quant à la province participante pour l'année d'imposition précédente, déterminé en conformité avec les règles prévues par règlement qui s'appliquent aux institutions financières de cette catégorie »;

(11) Premier exercice — base des acomptes provisionnels et versement provisoire — Les paragraphes 228(2.2) et 237(5) de la Loi ne s'appliquent pas relativement aux périodes de déclaration comprises dans un exercice d'un régime de placement.

Attribution de dépenses à une série

52. Choix relatif au calcul en temps réel — régimes stratifiés — **(1)** Le régime de placement stratifié (sauf une société de placement hypothécaire) qui est une institution financière désignée particulière peut faire un choix relativement à l'une de ses séries (sauf une série cotée en bourse) pour l'application du présent règlement et du paragraphe 225.2(2) de la Loi, adapté par le paragraphe 51(1). Ce choix entre en vigueur le premier jour d'un exercice du régime.

(2) Choix relatif au calcul en temps réel — régimes non stratifiés — Le régime de placement non stratifié (sauf un fonds coté en bourse ou une société de placement hypothécaire) qui est une institution financière désignée particulière peut faire un choix relativement au régime pour l'application du présent règlement et du paragraphe 225.2(2) de la Loi, adapté par le paragraphe 51(2). Ce choix entre en vigueur le premier jour d'un exercice du régime.

(3) Restriction — Le choix fait selon le paragraphe (1) relativement à une série d'un régime de placement ou selon le paragraphe (2) relativement à un régime de placement ne peut entrer en vigueur si, selon le cas :

a) à la date où il doit entrer en vigueur, l'un ou l'autre des choix ci-après est en vigueur :

(i) le choix prévu au paragraphe 19(1) relativement à la série ou le choix prévu au paragraphe 19(2) relativement au régime de placement,

(ii) le choix fait par le régime selon l'article 53;

b) le 30 septembre précédant la date où le choix doit entrer en vigueur, moins de 90 % de la valeur totale des unités de la série ou du régime est détenue par des particuliers ou par des investisseurs déterminés du régime.

(4) Forme — Le document concernant le choix fait selon le paragraphe (1) relativement à une série d'un régime de placement ou selon le paragraphe (2) relativement à un régime de placement doit :

a) être établi en la forme et contenir les renseignements déterminés par le ministre;

b) préciser le premier exercice du régime au cours duquel le choix doit être en vigueur;

c) préciser si les pourcentages qui sont applicables au régime, ou les pourcentages qui lui sont applicables quant à la série, doivent être déterminés quotidiennement, hebdomadairement, mensuellement ou trimestriellement.

(5) Cessation — Le choix qu'une personne qui est un régime de placement fait selon le paragraphe (1) relativement à une série du régime ou selon le paragraphe (2) relativement au régime cesse d'être en vigueur au premier en date des jours suivants :

a) si, au cours d'un exercice donné de la personne, le paragraphe 31(3) s'applique relativement à la série ou le paragraphe 33(3) s'applique relativement au régime, le premier jour de l'exercice de la personne qui suit l'exercice donné;

b) le premier jour de l'exercice de la personne où elle cesse d'être un régime de placement ou une institution financière désignée particulière ou devient une société de placement hypothécaire;

c) s'il s'agit du choix prévu au paragraphe (1), le premier jour de l'exercice de la personne au cours duquel le série devient une série cotée en bourse;

d) s'il s'agit du choix prévu au paragraphe (2), le premier jour de l'exercice de la personne au cours duquel celle-ci devient un fonds coté en bourse;

e) le jour où la révocation du choix prend effet.

(6) Révocation — Le régime de placement qui a fait le choix prévu aux paragraphes (1) ou (2) peut le révoquer dans un document établi en la forme et contenant les renseignements déterminés par le ministre. Cette révocation prend effet le premier jour d'un exercice du régime qui commence au moins trois ans après l'entrée en vigueur du choix.

(7) Restriction — Si le choix fait selon les paragraphes (1) ou (2) cesse d'être en vigueur à une date donnée, tout choix subséquent fait selon ces paragraphes n'est valide que si le premier jour de l'exercice précisé dans le document concernant le choix subséquent suit cette date d'au moins trois ans.

53. Choix relatif au rapprochement — **(1)** Le régime de placement qui est une institution financière désignée particulière peut faire un choix pour l'application de l'article 51 et du paragraphe 225.2(2) de la Loi, adapté par le paragraphe 51(1). Ce choix entre en vigueur le premier jour d'un exercice du régime.

(2) Restriction — Le choix fait par un régime de placement selon le paragraphe (1) ne peut entrer en vigueur si, à la date où il doit entrer en vigueur, le choix fait selon le paragraphe 52(1) relativement à une série du régime ou selon le paragraphe 52(2) relativement au régime est en vigueur.

(3) Forme — Le document concernant le choix fait par un régime de placement selon le paragraphe (1) doit :

a) être établi en la forme et contenir les renseignements déterminés par le ministre;

b) préciser le premier exercice du régime au cours duquel le choix doit être en vigueur.

(4) Cessation — Le choix fait selon le paragraphe (1) par une personne qui est un régime de placement cesse d'être en vigueur au premier en date des jours suivants :

a) le premier jour de l'exercice de la personne où elle cesse d'être un régime de placement ou une institution financière désignée particulière;

b) le jour où la révocation du choix prend effet.

(5) Révocation — Le régime de placement qui a fait le choix prévu au paragraphe (1) peut le révoquer dans un document établi en la forme et contenant les renseignements déterminés par le ministre. Cette révocation prend effet le premier jour d'un exercice du régime qui commence au moins trois ans après l'entrée en vigueur du choix.

(6) Restriction — Si le choix fait selon le paragraphe (1) cesse d'être en vigueur à une date donnée, tout choix subséquent fait selon ce paragraphe n'est valide que si le premier jour de l'exercice précisé dans le document concernant le choix subséquent suit cette date d'au moins trois ans.

Attribution de dépenses à une série

54. Attribution de dépenses à une série — (1) Pour l'application du présent règlement, du *Règlement no 2 sur le nouveau régime de la taxe à valeur ajoutée harmonisée* et du paragraphe 225.2(2) de la Loi, adapté par le paragraphe 51(1), et sous réserve des paragraphes (2) et (3), un régime de placement stratifié est tenu de déterminer, pour chaque bien ou service qu'il acquiert, importe ou transfère dans une province participante, la mesure dans laquelle le bien ou le service est acquis, importé ou ainsi transféré en vue d'être consommé, utilisé ou fourni dans le cadre des activités relatives à chacune des séries du régime.

(2) Exigence — Le total des pourcentages dont chacun représente, relativement à un bien ou à un service acquis, importé ou transféré dans une province participante par un régime de placement stratifié, une mesure déterminée selon le présent article doit être égal à 100 %.

(3) Méthode d'attribution des dépenses — Les méthodes employées par un régime de placement stratifié pour déterminer la mesure dans laquelle des biens ou des services sont acquis, importés ou transférés dans une province participante en vue d'être consommés, utilisés ou fournis dans le cadre des activités relatives à chacune de ses séries doivent être justes et raisonnables et suivies tout au long d'un exercice du régime.

Échange de renseignements

55. (1) Définitions — Les définitions qui suivent s'appliquent au présent article.

« groupe affilié » Groupe de régimes de placement dont chacun des membres est affilié à chacun des autres membres.

« investisseur admissible » Investisseur désigné d'un régime de placement qui, selon le cas :

a) n'est pas un petit régime de placement admissible pour l'application de la partie 1;

b) est une institution financière désignée particulière;

c) est membre d'un groupe affilié dont les membres, selon le cas :

(i) détiennent ensemble des unités du régime d'une valeur totale d'au moins 10 000 000 $,

(ii) comptent une institution financière désignée particulière.

« investisseur désigné » Régime de placement, sauf un régime de placement par répartition, qui détient, dans un autre régime de placement, des unités d'une valeur totale de moins de 10 000 000 $.

(2) Personnes affiliées — Pour l'application du présent article, sont des personnes affiliées les unes aux autres :

a) les entités de gestion du même régime de pension;

b) les fiducies régies par le même régime de participation différée aux bénéfices, régime de prestations aux employés, régime enregistré de prestations supplémentaires de chômage ou régime de participation des employés aux bénéfices ou par la même convention de retraite ou fiducie d'employés;

c) les fiducies de soins de santé au bénéfice d'employés établies à l'égard des mêmes salariés;

d) les personnes liées.

(3) Communication du pourcentage de l'investisseur — Toute personne (sauf un particulier ou un investisseur déterminé du régime de placement) qui détient des unités d'un régime de placement non stratifié (sauf un fonds coté en bourse) qui est une institution financière désignée particulière, ou des unités d'une série (sauf une série cotée en bourse) d'un régime de placement stratifié qui est une telle institution financière, doit communiquer au régime, si celui-ci lui en fait la demande par écrit au cours d'une année civile, le pourcentage de l'investisseur qui lui est applicable quant à chaque province participante au 30 septembre de cette année, ainsi que le nombre d'unités du régime de placement non stratifié, ou de chaque série (sauf une série cotée en bourse) du régime de placement stratifié, qu'elle détient à cette date, au plus tard au dernier en date des jours suivants :

a) le 15 novembre de cette année civile;

b) le jour qui suit de quarante-cinq jours la date de réception de la demande.

(4) Communication de l'adresse — investisseurs désignés — Toute personne résidant au Canada qui est un investisseur désigné, mais non un investisseur admissible, d'un régime de placement non stratifié (sauf un fonds coté en bourse), ou d'un régime de placement stratifié, qui est une institution financière désignée particulière doit communiquer au régime, si celui-ci lui en fait la demande par écrit au cours d'une année civile, l'adresse qui permet d'établir, selon l'article 6, sa province de résidence au 30 septembre de cette année, ainsi que le nombre d'unités du régime de placement non stratifié, ou de chaque série (sauf une série cotée en bourse) du régime de placement stratifié, qu'elle détient à cette date, au plus tard au dernier en date des jours suivants :

a) le 15 novembre de cette année civile;

b) le jour qui suit de quarante-cinq jours la date de réception de la demande.

(5) Communication de l'adresse — courtiers en valeurs mobilières — Toute personne qui vend ou distribue des unités d'un régime de placement non stratifié (sauf un fonds coté en bourse), ou d'une série (sauf une série cotée en bourse) d'un régime de placement stratifié, qui est une institution financière désignée particulière doit communiquer au régime, si celui-ci lui en fait la demande par écrit au cours d'une année civile, pour chaque province participante, le nombre d'unités du régime de placement non stratifié, ou le nombre d'unités de chaque série (sauf une série cotée en bourse) du régime de placement stratifié, détenues par ses clients résidant dans la province au 30 septembre de cette année, ainsi que le nombre d'unités du régime de placement non stratifié, ou le nombre d'unités de chaque série (sauf une série cotée en bourse) du régime de placement stratifié, détenues par les clients résidant au Canada à cette date, au plus tard au dernier en date des jours suivants :

a) le 15 novembre de cette année civile;

b) le jour qui suit de quarante-cinq jours la date de réception de la demande.

(6) Communication de la qualité d'investisseur admissible — Toute personne qui, le 30 septembre d'une année civile (appelée « date donnée » au présent paragraphe), est un investisseur

Règlements

admissible d'un régime de placement doit communiquer au régime, au plus tard le 15 novembre de l'année :

a) un avis selon lequel elle est un investisseur admissible du régime à la date donnée;

b) le nombre d'unités du régime et, le cas échéant, de chaque série du régime qu'elle détient à la date donnée;

c) le pourcentage de l'investisseur qui lui est applicable quant à chaque province participante à la date donnée.

(7) **Utilisation des renseignements** — Le régime de placement par répartition qui obtient des renseignements concernant une personne selon l'un des paragraphes (3) à (6) ne peut sciemment, sans le consentement écrit de la personne, utiliser ou communiquer les renseignements, ou permettre qu'ils soient utilisés ou communiqués, autrement que conformément à la Loi, au présent règlement ou à tout autre règlement pris sous le régime de la Loi.

(8) **Pénalité pour défaut de communiquer des renseignements** — Toute personne qui omet de communiquer à un régime de placement par répartition, sur demande de celui-ci faite selon l'un des paragraphes (3) à (5), les renseignements visés à ce paragraphe dans le délai fixé à ce paragraphe, ou qui indique de tels renseignements au régime de façon erronée, est passible, pour chaque défaut, d'une pénalité égale à 0,01 % de la valeur totale, au 30 septembre de l'année civile indiquée dans la demande, des unités du régime relativement auxquelles la personne était tenue de communiquer des renseignements au régime conformément à ce paragraphe, jusqu'à concurrence de 10 000 $.

(9) **Pénalité pour défaut de communiquer l'avis** — Toute personne qui omet de communiquer à un régime de placement par répartition les renseignements mentionnés au paragraphe (6) qu'elle est tenue, selon ce paragraphe, de lui communiquer au plus tard le 15 novembre d'une année civile est passible, pour chaque défaut, d'une pénalité égale à 0,01 % de la valeur totale, au 30 septembre de cette année, des unités du régime qu'elle détient à cette date, jusqu'à concurrence de 10 000 $.

Choix relatif aux déclarations

56. **Choix de l'entité déclarante** — (1) Le régime de placement qui est une institution financière désignée particulière et le gestionnaire du régime peuvent faire un choix conjoint afin que les déclarations du régime à produire aux termes de la section V de la partie IX de la Loi soient produites par le gestionnaire.

(2) **Effet du choix** — Malgré l'article 238 de la Loi, si le choix fait selon le paragraphe (1) par un gestionnaire et un régime de placement est en vigueur à la date limite où une déclaration est à produire aux termes de la section V de la partie IX de la Loi pour une période de déclaration du régime, cette déclaration doit être présentée au ministre par le gestionnaire, selon les modalités déterminées par le ministre.

(3) **Choix — forme et production** — Le document concernant le choix fait selon le paragraphe (1) par un gestionnaire et un régime de placement doit :

a) être établi en la forme déterminée par le ministre et contenir les renseignements qu'il détermine;

b) préciser le jour où le choix doit entrer en vigueur;

c) être présenté au ministre, selon les modalités qu'il détermine, avant ce jour ou toute date postérieure fixée par lui.

(4) **Cessation** — Le choix que font, selon le paragraphe (1), une personne donnée qui est un gestionnaire et une autre personne qui est un régime de placement cesse d'être en vigueur au premier en date des jours suivants :

a) le jour où la personne donnée cesse d'être le gestionnaire de l'autre personne;

b) le dernier jour de la période de déclaration de l'autre personne au cours de laquelle elle cesse d'être un régime de placement ou une institution financière désignée particulière;

c) le jour où la révocation du choix prend effet.

(5) **Révocation** — Le régime de placement qui a fait le choix prévu au paragraphe (1) peut le révoquer, avec effet à compter d'une date donnée. Pour ce faire, il présente au ministre, en la forme et selon les modalités déterminées par lui, un avis de révocation contenant les renseignements déterminés par lui, au plus tard à cette date ou à toute date postérieure fixée par le ministre.

(6) **Restriction** — La révocation d'un choix conjoint, effectuée par un régime de placement selon le paragraphe (5), ne prend effet que si le régime, avant la date de prise d'effet de la révocation, en avise le gestionnaire qui a fait le choix.

(7) **Responsabilité solidaire** — Si le choix fait selon le paragraphe (1) par un gestionnaire et un régime de placement est en vigueur à la date limite où une déclaration doit être produite aux termes de la section V de la partie IX de la Loi pour une période de déclaration du régime ou si un gestionnaire d'un régime de placement produit une déclaration aux termes de cette section pour une période de déclaration du régime à une date où le choix fait selon le paragraphe (1) par le gestionnaire et le régime est en vigueur, le gestionnaire et le régime sont solidairement tenus de payer :

a) la taxe nette pour la période;

b) les intérêts ou les pénalités relatifs à la taxe nette pour la période ou relatifs à la déclaration.

57. **Choix de déclaration consolidée** — (1) Un gestionnaire et au moins deux des régimes de placement avec lesquels il a fait le choix prévu au paragraphe 56(1) peuvent faire un choix conjoint afin que les déclarations de ces régimes soient produites sur une base consolidée.

(2) **Ajout d'un régime de placement** — Le gestionnaire qui a fait le choix prévu au paragraphe (1) avec plusieurs régimes de placement peut faire, avec un autre régime de placement avec lequel il a fait le choix prévu au paragraphe 56(1), un choix conjoint afin que cet autre régime soit inclus dans le choix prévu au paragraphe (1).

(3) **Retrait du choix** — Si le choix conjoint prévu au paragraphe (1) est en vigueur entre un gestionnaire et au moins trois régimes de placement, l'un de ces régimes peut choisir de se retirer du choix.

(4) **Restriction** — Le choix conjoint fait selon le paragraphe (1) par des régimes de placement et un gestionnaire qui doit entrer en vigueur à une date donnée d'un exercice de l'un de ces régimes ne peut être fait que si les périodes de déclaration respectives des régimes, comprises dans l'exercice de chacun de ceux-ci, prennent fin le même jour.

(5) **Restriction** — Le choix, fait par un régime de placement donné et un gestionnaire selon le paragraphe (2), d'inclure ce régime dans un choix conjoint — fait par le gestionnaire et plusieurs autres régimes de placement et devant entrer en vigueur à une date donnée d'un exercice du régime donné — ne peut être fait que si la fin de la période de déclaration du régime donné, comprise dans son exercice, coïncide avec la fin des périodes de déclaration respectives des autres régimes de placement, comprises dans l'exercice de chacun de ceux-ci.

(6) **Restriction** — Le choix, fait par un régime de placement donné selon le paragraphe (3), de se retirer d'un choix conjoint fait par un gestionnaire, le régime donné et plusieurs autres régimes de placement ne peut entrer en vigueur avant la date où le gestionnaire et les autres régimes ont été avisés du choix du régime donné de se retirer.

(7) **Effet du choix** — Malgré l'article 238 de la Loi, si le choix fait selon le paragraphe (1) par des régimes de placement et un

gestionnaire est en vigueur à la date limite où les déclarations visant une période de déclaration des régimes seraient à produire aux termes de la section V de la partie IX de la Loi en l'absence du présent paragraphe, le gestionnaire doit présenter au ministre au nom des régimes au plus tard à cette date, en la forme et selon les modalités déterminées par le ministre, une déclaration conjointe unique pour la période de déclaration contenant les renseignements déterminés par le ministre. Dès lors, les régimes n'ont pas chacun à produire de déclaration aux termes de cette section pour la période de déclaration.

(8) Effet du choix — Pour l'application du présent article et de l'article 59, si un régime de placement donné et un gestionnaire ont fait le choix, prévu au paragraphe (2), d'être inclus, à compter d'une date donnée, dans un choix donné fait par le gestionnaire et plusieurs autres régimes de placement selon le paragraphe (1), les règles suivantes s'appliquent :

a) le choix donné cesse d'être en vigueur à la date donnée;

b) un choix est réputé avoir été fait selon le paragraphe (1) par le gestionnaire, le régime donné et les autres régimes et être entré en vigueur à la date donnée.

(9) Effet du retrait — Pour l'application du présent article et de l'article 59, si le choix fait par un régime de placement donné selon le paragraphe (3) de se retirer, à compter d'une date donnée, d'un choix conjoint donné fait selon le paragraphe (1) par le régime donné, un gestionnaire et plusieurs autres régimes de placement, les règles suivantes s'appliquent :

a) le choix conjoint donné cesse d'être en vigueur à la date donnée;

b) un choix est réputé avoir été fait selon le paragraphe (1) par le gestionnaire et les autres régimes de placement et ce choix est réputé être entré en vigueur à la date donnée.

(10) Choix — forme et production — Le document concernant le choix fait selon l'un des paragraphes (1) à (3) doit :

a) être établi en la forme déterminée par le ministre et contenir les renseignements qu'il détermine;

b) préciser le jour où le choix doit entrer en vigueur;

c) être présenté au ministre, selon les modalités qu'il détermine, avant ce jour ou toute date postérieure fixée par lui.

(11) Cessation — Le choix fait par une personne selon le paragraphe (1) cesse d'être en vigueur au premier en date des jours suivants :

a) le jour où il cesse d'être en vigueur selon les alinéas (8)a) ou (9)a);

b) le jour où la révocation du choix prend effet;

c) le premier jour de l'exercice de la personne au cours duquel l'un des régimes de placement ayant fait le choix cesse d'avoir les mêmes périodes de déclaration que tout autre régime de placement ayant fait le choix;

d) si la personne est le gestionnaire d'un régime de placement avec lequel elle a fait le choix, le jour où elle cesse d'être le gestionnaire du régime;

e) si la personne est un régime de placement, le dernier jour de sa période de déclaration au cours de laquelle elle cesse d'être un régime de placement ou une institution financière désignée particulière.

(12) Révocation — Les régimes de placement qui ont fait le choix prévu au paragraphe (1) peuvent le révoquer conjointement, avec effet à compter d'une date donnée. Pour ce faire, ils présentent au ministre, en la forme et selon les modalités déterminées par lui, un avis de révocation contenant les renseignements déterminés par lui, au plus tard à cette date ou à toute date postérieure fixée par le ministre.

(13) Révocation — restriction — La révocation d'un choix conjoint, effectuée par plusieurs régimes de placement selon le paragraphe (12), ne prend effet que si l'un de ces régimes en avise, avant la date de prise d'effet de la révocation, le gestionnaire qui a fait le choix.

(14) Responsabilité solidaire — Si le choix fait par un gestionnaire et plusieurs régimes de placement selon le paragraphe (1) est en vigueur à la date limite où les déclarations à produire aux termes de la section V de la partie IX de la Loi pour les périodes de déclaration de ces régimes seraient à produire en l'absence du paragraphe (7) ou si un gestionnaire de plusieurs régimes de placement produit une déclaration conjointe mentionnée au paragraphe (7) pour les périodes de déclaration de ces régimes à une date où le choix fait selon le paragraphe (1) par le gestionnaire et ces régimes est en vigueur, le gestionnaire et ces régimes sont solidairement tenus de payer :

a) la taxe nette pour ces périodes;

b) les intérêts ou les pénalités relatifs à la taxe nette pour ces périodes ou relatifs à la déclaration conjointe visée au paragraphe (7).

58. Choix relatif au transfert des redressements de taxe — **(1)** Le régime de placement qui est une institution financière désignée particulière et son gestionnaire peuvent faire un choix conjoint, avec effet à compter du premier jour d'une période de déclaration du gestionnaire, afin que les redressements apportés à la taxe nette du régime en vertu du paragraphe 225.2(2) de la Loi soient transférés au gestionnaire.

(2) Effet du choix — Si un gestionnaire a fait avec un ou plusieurs régimes de placement (appelés chacun « régime admissible » au présent paragraphe) des choix conjoints selon le paragraphe (1) qui sont en vigueur tout au long d'une période de déclaration donnée du gestionnaire, les règles suivantes s'appliquent :

a) pour l'application de l'alinéa a) de l'élément A de la formule figurant au paragraphe 225.2(2) de la Loi et de l'alinéa a) de l'élément F de cette formule, les montants de taxe ci-après sont visés pour chaque régime admissible :

(i) tout montant de taxe relatif à une fourniture qui est devenu payable par le régime admissible, ou qui a été payé par lui sans être devenu payable, à un moment compris, à la fois :

(A) dans la période donnée,

(B) dans une période de déclaration du régime pour laquelle une déclaration doit être produite par un gestionnaire conformément au paragraphe 56(2),

(ii) tout montant de taxe relatif à une fourniture effectuée par le gestionnaire au profit du régime admissible qui est devenu payable par celui-ci, ou qui a été payé par lui sans être devenu payable, à un moment compris, à la fois :

(A) dans la période donnée,

(B) dans une période de déclaration du régime pour laquelle une déclaration n'a pas à être produite par un gestionnaire conformément au paragraphe 56(2),

b) si le gestionnaire est une institution financière désignée particulière tout au long de la période donnée, est un montant visé pour lui, pour l'application de l'élément G de la formule figurant au paragraphe 225.2(2) de la Loi, le total des montants donnés représentant chacun un montant positif qu'un régime admissible devrait ajouter, ou un montant négatif (appelé « montant de redressement négatif » au présent article) qu'il pourrait déduire, dans le calcul de sa taxe nette selon le paragraphe 225.2(2) de la Loi, compte tenu de toute adaptation applicable effectuée à ce paragraphe selon le présent règlement, pour une période de déclaration donnée du régime admissible, si, à la fois :

(i) le début et la fin de la période de déclaration donnée du régime admissible coïncidaient avec le début et la fin de la période de déclaration donnée du gestionnaire,

(ii) les montants de taxe visés à l'alinéa a) n'étaient pas des montants de taxe visés pour le régime admissible selon cet alinéa et les articles 42 ou 60,

(iii) les seuls montants inclus dans le calcul de ces montants positif ou négatif étaient des montants relatifs aux fournitures mentionnées à l'alinéa a),

(iv) le présent règlement s'appliquait compte non tenu du présent article;

c) si le gestionnaire n'est pas une institution financière désignée particulière tout au long de la période de déclaration donnée, le paragraphe 225.2(2) de la Loi est adapté de la façon suivante relativement à la période de déclaration donnée :

(2) Dans le calcul de la taxe nette pour une période de déclaration donnée comprise dans un exercice d'un gestionnaire qui a fait des choix conjoints avec un ou plusieurs régimes de placement (appelés chacun « régime admissible » au présent paragraphe) selon le paragraphe 58(1) du *Règlement sur la méthode d'attribution applicable aux institutions financières désignées particulières (TPS/TVH)* qui sont en vigueur tout au long de la période donnée, le gestionnaire doit ajouter les montants positifs et peut déduire les montants négatifs, s'il a versé ceux-ci au régime admissible ou les a portés à son crédit, dont chacun est égal au total des montants positifs que le régime admissible serait tenu d'ajouter, et des montants négatifs qu'il pourrait déduire, dans le calcul de sa taxe nette en vertu du présent paragraphe, compte tenu de toute adaptation applicable effectuée à ce paragraphe selon ce règlement, pour une période de déclaration donnée du régime admissible si, à la fois :

a) le début et la fin de la période de déclaration donnée du régime admissible coïncidaient avec le début et la fin de la période de déclaration donnée du gestionnaire;

b) les montants de taxe ci-après n'étaient pas des montants de taxe visés pour le régime admissible selon les articles 42 ou 60 ou l'alinéa 58(2)a) de ce règlement :

(i) un montant de taxe relatif à une fourniture qui est devenu payable par le régime admissible, ou qui a été payé par lui sans être devenu payable, à un moment compris, à la fois :

(A) dans la période de déclaration donnée du gestionnaire,

(B) dans une période de déclaration du régime admissible pour laquelle une déclaration doit être produite par un gestionnaire conformément au paragraphe 56(2) de ce règlement,

(ii) un montant de taxe relatif à une fourniture effectuée par le gestionnaire au profit du régime admissible qui est devenu payable par celui-ci, ou qui a été payé par lui sans être devenu payable, à un moment compris, à la fois :

(A) dans la période de déclaration donnée du gestionnaire,

(B) dans une période de déclaration du régime admissible pour laquelle une déclaration n'a pas à être produite par un gestionnaire conformément au paragraphe 56(2) de ce règlement;

c) les seuls montants inclus dans le calcul de ces montants positifs ou négatifs étaient des montants relatifs aux fournitures mentionnées à l'alinéa b);

d) le présent règlement s'appliquait compte non tenu de l'article 58.

(3) Restriction — Malgré l'alinéa (2)b), un montant de redressement négatif relativement à un régime de placement n'est à inclure dans le calcul, selon cet alinéa, d'un montant visé relativement à une période de déclaration d'un gestionnaire pour l'application de l'élément G de la formule figurant au paragraphe 225.2(2) de la Loi que si le gestionnaire l'a versé au régime ou l'a porté à son crédit.

(4) Choix — forme et production — Le document concernant le choix fait par un gestionnaire et un régime de placement selon le paragraphe (1) doit :

a) être établi en la forme déterminée par le ministre et contenir les renseignements qu'il détermine;

b) préciser le premier exercice du gestionnaire au cours duquel le choix doit être en vigueur;

c) être présenté au ministre, selon les modalités qu'il détermine, avant le début de ce premier exercice ou toute date postérieure fixée par lui.

(5) Cessation — Le choix que font, selon le paragraphe (1), une personne donnée qui est un gestionnaire et une autre personne qui est un régime de placement cesse d'être en vigueur au premier en date des jours suivants :

a) le premier jour de l'exercice de la personne donnée où elle cesse d'être le gestionnaire de l'autre personne;

b) le premier jour de l'exercice de la personne donnée où l'autre personne cesse d'être un régime de placement ou une institution financière désignée particulière; préciser le premier exercice du gestionnaire au cours duquel le choix doit être en vigueur;

c) le jour où la révocation du choix prend effet.

(6) Révocation — Le gestionnaire et le régime de placement qui ont fait le choix conjoint prévu au paragraphe (1) peuvent le révoquer, avec effet à compter du premier jour d'un exercice du gestionnaire. Pour ce faire, ils présentent au ministre, en la forme et selon les modalités déterminées par lui, un avis de révocation contenant les renseignements déterminés par lui, au plus tard à la date de prise d'effet de la révocation ou à toute date postérieure fixée par le ministre.

(7) Révocation — restriction — La révocation d'un choix conjoint, effectuée par une personne selon le paragraphe (6), ne prend effet que si la personne, avant la date de prise d'effet de la révocation, en avise l'autre personne qui a fait le choix.

(8) Responsabilité solidaire — Si le choix fait par un gestionnaire et un régime de placement selon le paragraphe (1) est en vigueur tout au long d'une période de déclaration du gestionnaire, le gestionnaire et le régime sont solidairement tenus de payer la taxe nette pour la période et les intérêts ou les pénalités relatifs à cette taxe.

59. (1) Inscription — L'institution financière désignée particulière qui a fait le choix prévu à l'un des articles 56 et 58, mais non le choix prévu à l'article 57, est une institution financière visée pour l'application du paragraphe 240(1.2) de la Loi, et la date fixée pour l'application de l'alinéa 240(2.1)a.1) de la Loi est la date d'entrée en vigueur du choix.

(2) Inscription de groupe — Si plusieurs institutions financières désignées particulières et leur gestionnaire ont fait, en vertu de l'article 57, un choix conjoint qui entre en vigueur à une date donnée, les règles suivantes s'appliquent :

a) pour l'application du paragraphe 240(1.3) de la Loi, les institutions financières sont un groupe visé;

b) pour l'application du paragraphe 240(2.2) de la Loi, le gestionnaire est la personne visée relativement aux institutions financières et la date qui correspond au trentième jour suivant la date donnée est la date fixée;

c) pour l'application du paragraphe 242(1.2) de la Loi, le fait que le choix conjoint cesse d'être en vigueur selon l'un des alinéas 57(11)b) à e) fait partie des circonstances prévues;

d) pour l'application du paragraphe 242(1.4) de la Loi, le retrait de l'une des institutions financières du choix conjoint selon le paragraphe 57(9) fait partie des circonstances prévues.

Règles transitoires de 2010 relatives aux régimes de placement

Nouvelles institutions financières désignées particulières

60. Exclusion — formule figurant au paragraphe 225.2(2) de la Loi — Si un régime de placement est une institution financière désignée particulière tout au long de l'année d'imposition dans laquelle prend fin son exercice qui comprend le 1er juillet 2010, mais n'a pas été une telle institution financière tout au long de son année d'imposition précédente, tout montant de taxe prévu par la partie IX de la Loi qui est devenu payable par le régime avant cette date ou qui a été payé par lui avant cette date sans être devenu payable est un montant de taxe visé par règlement pour l'application de l'alinéa a) de l'élément A de la formule figurant au paragraphe 225.2(2) de la Loi et de l'alinéa a) de l'élément F de cette formule.

Moment d'attribution

61. Moment d'attribution — série d'un régime de placement stratifié — **(1)** Pour l'application de la partie 2 et de l'article 62, si un régime de placement est un régime de placement stratifié et que le choix prévu à l'article 19 n'est pas en vigueur relativement à une série du régime tout au long d'un exercice de celui-ci qui prend fin après le 30 juin 2010 et avant le 1er janvier 2011, « moment d'attribution » s'entend, relativement à la série pour l'ensemble des années d'imposition du régime dans lesquelles un tel exercice prend fin et pour l'année d'imposition précédant la première en date de ces années d'imposition, du jour déterminé par le régime qui est postérieur à juin 2009 et antérieur à juillet 2010.

(2) Moment d'attribution — régime de placement non stratifié — Pour l'application de la partie 2 et de l'article 63, si un régime de placement est un régime de placement non stratifié et que le choix prévu à l'article 19 n'est pas en vigueur relativement au régime tout au long d'un exercice de celui-ci qui prend fin après le 30 juin 2010 et avant le 1er janvier 2011, « moment d'attribution » s'entend, relativement au régime pour l'ensemble de ses années d'imposition dans lesquelles un tel exercice prend fin et pour l'année d'imposition précédant la première en date de ces années d'imposition, du jour déterminé par le régime qui est postérieur à juin 2009 et antérieur à juillet 2010.

Pourcentages applicables aux régimes de placement par répartition

62. Régime de placement stratifié — Malgré l'article 32, si une institution financière désignée particulière est un régime de placement stratifié, que le choix prévu à l'article 52 n'est pas en vigueur relativement à une série de l'institution financière tout au long d'un exercice de celle-ci qui prend fin après juin 2010 et avant janvier 2011, que le choix prévu à l'article 53 n'est pas en vigueur tout au long de cet exercice et que l'institution financière a fait un choix, dans un document établi en la forme et contenant les renseignements déterminés par le ministre, afin que le présent article s'applique à chacune de ses séries (sauf une série cotée en bourse), le pourcentage qui lui est applicable quant à chacune de ces séries et à chaque province participante pour chaque année d'imposition déterminée — à savoir, son année d'imposition dans laquelle l'exercice prend fin et son année d'imposition précédente — correspond au pourcentage qui lui serait applicable selon l'article 32 quant à la série et à la province participante pour l'année d'imposition déterminée si, à la fois :

a) dans le cas où, à un moment d'attribution relatif à la série pour l'année d'imposition déterminée, moins de 10 % de la valeur totale des unités de la série sont détenues par des personnes (appelées « investisseurs institutionnels » au présent article) qui ne sont ni des particuliers ni des investisseurs déterminés de l'institution financière, aucune des unités de la série détenues, au moment d'attribution, par des investisseurs institutionnels inconnus — chacun étant un investisseur institutionnel dont l'institution financière ne connaît pas, le 31 décembre 2010, le pourcentage de l'investisseur quant à chaque province participante au moment d'attribution — n'existait au moment d'attribution;

b) dans le cas où l'alinéa a) ne s'applique pas relativement à un moment d'attribution relatif à la série pour l'année d'imposition déterminée et où, au moment d'attribution, moins de 10 % de la valeur totale des unités de la série détenues par des investisseurs institutionnels sont détenues par des investisseurs institutionnels donnés dont l'institution financière ne connaît pas, le 31 décembre 2010, le pourcentage de l'investisseur quant à chaque province participante au moment d'attribution, aucune des unités de la série détenues, à ce moment, par les investisseurs institutionnels donnés n'existait à ce moment;

c) dans le cas où les alinéas a) et b) ne s'appliquent pas pour un moment d'attribution relativement à la série pour l'année d'imposition déterminée, tout investisseur institutionnel qui détient, au moment d'attribution, des unités de la série était un particulier;

d) le passage « le 15 octobre de l'exercice » à l'article 32 était remplacé par « le 31 décembre 2010 »;

e) le passage « le 31 décembre de l'exercice » à cet article était remplacé par « le 31 décembre 2010 ».

63. Régime de placement non stratifié — Malgré l'article 34, si une institution financière désignée particulière est un régime de placement non stratifié (sauf un fonds coté en bourse) à l'égard duquel les choix prévus aux articles 52 et 53 ne sont pas en vigueur tout au long d'un exercice de l'institution financière qui prend fin après juin 2010 et avant janvier 2011 et que l'institution financière a fait un choix, dans un document établi en la forme et contenant les renseignements déterminés par le ministre, afin que le présent article s'applique, le pourcentage qui lui est applicable quant à chaque province participante pour chaque année d'imposition déterminée — à savoir, son année d'imposition dans laquelle l'exercice prend fin et son année d'imposition précédente — correspond au pourcentage qui lui serait applicable selon l'article 34 quant à la province participante pour l'année d'imposition déterminée si, à la fois :

a) dans le cas où, à un moment d'attribution relatif à l'institution financière pour l'année d'imposition déterminée, moins de 10 % de la valeur totale des unités de l'institution financière sont détenues par des personnes (appelées « investisseurs institutionnels » au présent article) qui ne sont ni des particuliers ni des investisseurs déterminés de l'institution financière, aucune des unités de l'institution financière détenues, au moment d'attribution, par des investisseurs institutionnels inconnus — chacun étant un investisseur institutionnel dont l'institution financière ne connaît pas, le 31 décembre 2010, le pourcentage de l'investisseur quant à chaque province participante au moment d'attribution — n'existait au moment d'attribution;

b) dans le cas où l'alinéa a) ne s'applique pas relativement à un moment d'attribution relatif à l'institution financière pour l'année d'imposition déterminée et où, au moment d'attribution, moins de 10 % de la valeur totale des unités de l'institution financière détenues par des investisseurs institutionnels sont détenues par des investisseurs institutionnels donnés dont l'institution financière ne connaît pas, le 31 décembre 2010, le pourcentage de l'investisseur quant à chaque province participante au moment d'attribution, aucune des unités de l'institution financière détenues, à ce moment, par les investisseurs institutionnels donnés n'existait à ce moment;

c) dans le cas où les alinéas a) et b) ne s'appliquent pas pour un moment d'attribution relativement à l'institution financière pour l'année d'imposition déterminée, tout investisseur institutionnel qui détient, au moment d'attribution, des unités de l'institution financière était un particulier;

d) le passage « le 15 octobre de l'exercice » à l'article 34 était remplacé par « le 31 décembre 2010 »;

e) le passage « le 31 décembre de l'exercice » à cet article était remplacé par « le 31 décembre 2010 ».

64. (1) Communication de renseignements — Toute personne résidant au Canada qui détient des unités soit d'un régime de placement non stratifié (sauf un fonds coté en bourse) qui est une institution financière désignée particulière, soit d'une série (sauf une série cotée en bourse) d'un régime de placement stratifié qui est une telle institution financière, et qui n'est ni un particulier ni un investisseur déterminé du régime doit communiquer au régime, si celui-ci lui en fait la demande par écrit, l'adresse qui permet d'établir, selon l'article 6, sa province de résidence à une date, fixée dans la demande, qui est postérieure à juin 2009 et antérieure à juillet 2010, ainsi que le nombre d'unités du régime de placement non stratifié, ou de chaque série (sauf une série cotée en bourse) du régime de placement stratifié, qu'elle détient à cette date, au plus tard le jour qui suit de quarante-cinq jours la date de réception de la demande.

(2) Utilisation des renseignements — Le régime de placement par répartition qui obtient des renseignements concernant une personne selon le paragraphe (1) ne peut sciemment, sans le consentement écrit de la personne, utiliser ou communiquer les renseignements, ou permettre qu'ils soient utilisés ou communiqués, autrement que conformément à la Loi, au présent règlement ou à tout autre règlement pris sous le régime de la Loi.

(3) Pénalité pour défaut de communiquer des renseignements — Toute personne qui omet de communiquer à un régime de placement par répartition, sur demande de celui-ci faite selon le paragraphe (1), les renseignements visés à ce paragraphe dans le délai fixé à ce paragraphe, ou qui indique de tels renseignements au régime de façon erronée, est passible, pour chaque défaut, d'une pénalité égale à 0,01 % de la valeur totale, à la date indiquée dans la demande, des unités du régime relativement auxquelles la personne était tenue de communiquer des renseignements au régime conformément à ce paragraphe, jusqu'à concurrence de 10 000 $.

65. Transition — Ontario et Colombie-Britannique — Pour l'application des articles 60 à 63, l'Ontario et la Colombie-Britannique sont réputées être des provinces participantes à tout moment.

Application: Les articles 17 à 65 seront ajoutés par l'art. 2 de l'*Avant-projet de règlement modifiant divers règlements relatifs à la TPS/TVH* du 28 janvier 2011.

Les articles 17 à 21, 23, 24, 26 et 28 à 65 s'appliqueront relativement aux périodes de déclaration d'une personne se terminant après juin 2010. Toutefois, nul ne sera passible de la pénalité prévue aux paragraphes 55(8) ou (9) relativement à des renseignements à communiquer à un régime de placement au plus tard à la date où le présent règlement sera publié dans la Gazette du Canada, Partie II.

Les articles 22, 25 et 27 s'appliqueront relativement aux périodes de déclaration comprises dans les exercices d'une personne commençant après juin 2010.

RÈG. CAN. RÈGLEMENT SUR LES MÉTHODES D'ATTRIBUTION DES CRÉDITS DE TAXE SUR LES INTRANTS (TPS/TVH)

L.C. 2010, c. 12, art. 91.

1. Définitions — Les définitions qui suivent s'appliquent au présent règlement.

« assureur » Est un assureur relativement à un exercice la personne qui est un assureur au sens du paragraphe 123(1) de la Loi et dont l'entreprise principale au Canada consiste en l'exploitation d'une entreprise d'assurance à un moment de l'exercice.

avril 2010, NE: Le *Règlement sur les méthodes d'attribution des crédits de taxe sur les intrants (TPS/TVH)* (le règlement) prévoit les catégories d'institutions financières, de même que les montants et pourcentages qui leur sont applicables, auxquelles l'article 141.02 de la *Loi sur la taxe d'accise* (la Loi) s'applique.

Ce règlement est réputé être entré en vigueur le 1er avril 2007.

Les termes suivants sont définis à l'article 1 pour l'application du règlement.

La définition d'« assureur » qui figure au règlement est plus limitative que celle qui figure au paragraphe 123(1) de la Loi. En effet, pour être un assureur selon l'article 1 du règlement, la personne doit non seulement répondre à la définition de ce terme au paragraphe 123(1), mais aussi exploiter une entreprise d'assurance à titre d'entreprise principale au Canada. Par conséquent, la personne, telle une banque étrangère, qui est autorisée à exploiter une entreprise d'assurance dans son pays d'origine, mais qui n'exploite pas réellement une entreprise d'assurance au Canada, ne sera pas considérée comme un assureur pour l'application du règlement, bien qu'elle puisse être un assureur au sens du paragraphe 123(1).

« banque » N'est pas une banque relativement à un exercice la personne qui est un assureur à un moment de l'exercice.

avril 2010, NE: Le terme « banque » s'entend au sens du paragraphe 123(1). Les assureurs, au sens du règlement, en sont toutefois exclus. La personne qui est une banque, au sens du paragraphe 123(1), à un moment d'un exercice et qui est également un assureur sera considérée comme un assureur et non comme une banque tout au long de l'exercice pour l'application du règlement et de l'article 141.02.

« courtier en valeurs mobilières » Est un courtier en valeurs mobilières relativement à un exercice la personne qui remplit les conditions suivantes :

a) son entreprise principale au Canada consiste en l'exploitation d'une entreprise de courtier ou de négociant en valeurs mobilières, ou de vendeur de telles valeurs, à un moment de l'exercice;

b) elle est autorisée par les lois du Canada ou d'une province à exploiter au Canada une entreprise de courtier ou de négociant en valeurs mobilières, ou de vendeur de telles valeurs, à un moment de l'exercice;

c) elle n'est ni une banque ni un assureur à un moment quelconque de l'exercice.

avril 2010, NE: Est un « courtier en valeurs mobilières » relativement à un exercice la personne qui, à la fois :

- exploite une entreprise de courtier ou de négociant en valeurs mobilières, ou de vendeur de telles valeurs;
- exploite cette entreprise à titre d'entreprise principale au Canada au cours de l'exercice;
- est autorisée par les lois du Canada ou d'une province à exploiter cette entreprise.

Est toutefois exclue de cette définition toute personne qui est une banque ou un assureur, au sens du règlement, à un moment de l'exercice en cause.

« loi » La *Loi sur la taxe d'accise*.

avril 2010, NE: Il s'agit de la *Loi sur la taxe d'accise*.

Notes historiques: L'article 1 a été ajouté par L.C. 2010, c. 12, art. 91 et est réputé être entré en vigueur le 1er avril 2007.

2. Catégories réglementaires — Sont des catégories réglementaires d'institutions financières pour l'application de la définition de « institution admissible » au paragraphe 141.02(1) et des paragraphes 141.02(3), (8), (9), (24) et (30) de la Loi :

a) les banques;

b) les assureurs;

c) les courtiers en valeurs mobilières.

Notes historiques: L'article 2 a été ajouté par L.C. 2010, c. 12, par. 91 et est réputé être entré en vigueur le 1er avril 2007.

avril 2010, NE: L'article 2 du règlement prévoit les catégories réglementaires d'institutions financières pour l'application de l'article 141.02 de la Loi. Les banques, les assureurs et les courtiers en valeurs mobilières, au sens de l'article 1 du règlement, forment chacun une catégorie.

3. Montants réglementaires — Sont des montants réglementaires pour l'application de la définition de « institution admissible » au paragraphe 141.02(1) et du paragraphe 141.02(24) de la Loi :

a) dans le cas des banques : 500 000 $;

b) dans le cas des assureurs : 500 000 $;

c) dans le cas des courtiers en valeurs mobilières : 500 000 $.

Notes historiques: L'article 3 a été ajouté par L.C. 2010, c. 12, art. 91 et est réputé être entré en vigueur le 1er avril 2007.

avril 2010, NE: L'article 3 du règlement prévoit, pour l'application de l'article 141.02, les montants réglementaires applicables aux institutions financières qui font partie d'une catégorie réglementaire. Ce montant s'établit à 500 000 $ pour chacune des trois catégories (banques, assureurs et courtiers en valeurs mobilières).

4. Pourcentages réglementaires — Sont des pourcentages réglementaires pour l'application de la définition de « institution admissible » au paragraphe 141.02(1) et des paragraphes 141.02(8), (9) et (30) de la Loi :

a) dans le cas des banques : 12 %;

b) dans le cas des assureurs : 10 %;

c) dans le cas des courtiers en valeurs mobilières : 15 %.

Notes historiques: L'article 4 a été ajouté par L.C. 2010, c. 12, art. 91 et est réputé être entré en vigueur le 1er avril 2007.

avril 2010, NE: L'article 4 du règlement prévoit, pour l'application de l'article 141.02, les pourcentages réglementaires applicables aux institutions financières qui font partie d'une catégorie réglementaire. Ce pourcentage s'établit à 12 % dans le cas des banques, à 10 % dans le cas des assureurs et à 15 % dans le cas des courtiers en valeurs mobilières.

RÈG. CAN. RÈGLEMENT SUR LES PERSONNES MORALES ÉTROITEMENT LIÉES (TPS/TVH)

Règlement sur les personnes morales étroitement liées

DORS/91-21 [C.P. 1990-2730], 18 décembre 1990, tel que modifié par C.P. 1993-939 [DORS/93-242], 11 mai 1993; C.P. 1994-843 [DORS/94-368], 26 mai 1994; C.P. 2001-826 [DORS/2001-169], 10 mai 2001; C.P. 2011-263 [DORS/2011-56], 3 mars 2011.

Sur avis conforme du ministre des Finances et en vertu du paragraphe 277(1) de la *Loi sur la taxe d'accise*, il plaît à Son Excellence le Gouverneur général en conseil de prendre le *Règlement déterminant les personnes morales étroitement liées*, ci-après.

Notes historiques: Le titre intégral a été remplacé par l'art. 1 du C.P. 2011-263 [DORS/2011-56] du 3 mars 2011 et cette modification est réputée être entrée en vigueur le 16 mars 2011. Antérieurement, il se lisait « Règlement sur les personnes morales étroitement liées (TPS/TVH) ».

1. [*Abrogé*].

Notes historiques: L'article 1et l'intertitre le précédant ont été abrogés par l'art. 2 du C.P. 2011-263 [DORS/2011-56] du 3 mars 2011 et cette abrogation est réputée être entrée en vigueur le 16 mars 2011. Antérieurement, ils se lisaient ainsi :

1. Titre abrégé — *Règlement sur les personnes morales étroitement liées (TPS/TVH).*

L'article 1 a été remplacé par l'art. 1 du C.P. 2001-826 [DORS/2001-169] du 10 mai 2001. Cette modification est réputée être entrée en vigueur le 1er avril 1997. Antérieurement, il se lisait ainsi :

1. Titre abrégé — *Règlement sur les personnes morales étroitement liées (TPS).*

2. Définitions — Les définitions qui suivent s'appliquent au présent règlement.

« action déterminée » Action émise et en circulation du capital-actions d'une personne morale et comportant en toutes circonstances plein droit de vote.

« Loi » La *Loi sur la taxe d'accise*.

3. Personnes morales étroitement liées — Pour l'application de l'alinéa 128(1)b) de la Loi, est étroitement liée à une personne morale donnée toute autre personne morale, selon le cas :

a) si :

(i) d'une part, les actions déterminées de l'autre personne morale représentant au moins 90 % de la valeur et du nombre de telles actions remplissent chacune l'une des conditions suivantes :

(A) elle appartient à la personne morale donnée,

(B) elle appartient à une personne morale étroitement liée à la personne morale donnée selon l'alinéa 128(1)a) de la Loi,

(C) elle appartient :

(I) soit à un salarié de l'autre personne morale, d'une personne morale étroitement liée à celle-ci selon l'alinéa 128(1)a) de la Loi ou d'une personne morale visée aux divisions (A) ou (B),

(II) soit à une personne morale dont au moins 90 % de la valeur et du nombre des actions déterminées appartiennent aux salariés visés à la subdivision (I)

et, par ailleurs, les actions déterminées de la personne morale mentionnée à la subdivision (II) ou de l'autre personne morale qui appartiennent à de tels salariés leur appartiennent au titre de leur emploi et ne sont pas négociables dans une bourse des valeurs,

(D) elle n'est pas négociable dans une bourse des valeurs et est détenue en fiducie au bénéfice de l'autre personne morale ou d'un salarié visé à la subdivision (C)(I), lequel en a acquis la propriété effective au titre de son emploi,

(ii) d'autre part, les actions déterminées de l'autre personne morale représentant au moins 50 % de la valeur et du nombre de telles actions appartiennent chacune à une personne morale visée aux divisions (i)(A) ou (B);

b) si les actions déterminées de l'autre personne morale représentant au moins 90 % de la valeur et du nombre de telles actions appartiennent chacune à l'une des personnes suivantes :

(i) la personne morale donnée,

(ii) une personne morale étroitement liée à la personne morale donnée selon l'alinéa 128(1)a) de la Loi,

(iii) une personne morale étroitement liée à la personne morale donnée selon l'alinéa a).

Notes historiques: Le préambule de l'article 3 a été remplacé par l'art. 3 du C.P. 2011-263 [DORS/2011-56] du 3 mars 2011 et cette modification est réputée être entreé en vigueur le 17 novembre 2005. Antérieurement, il se lisait ainsi :

3. Pour l'application de l'alinéa 128(1)b) de la Loi, est étroitement liée à une personne morale donnée toute autre personne morale qui est un inscrit résidant au Canada et, selon le cas :

Le préambule de l'article 3 a été modifié par C.P. 1994-843 [DORS/94-368], 26 mai 1994, art. 9. Il se lisait auparavant comme suit :

Pour l'application de l'alinéa 128(1)b) de la Loi, est étroitement liée à la personne morale donnée l'autre personne morale qui est un inscrit résidant au Canada et, selon le cas :

Le préambule du sous-alinéa 3a)(i) a été abrogé et remplacé par C.P. 1993-939 [DORS/93-242], 11 mai 1993 et se lisait antérieurement comme suit :

(i) d'une part, au moins 90 % de la valeur et du nombre des actions déterminées de l'autre personne morale remplissent chacune l'une des conditions suivantes :

Le sous-alinéa 3a)(ii) a été abrogé et remplacé par C.P. 1993-939 [DORS/93-242], 11 mai 1993 et se lisait antérieurement comme suit :

(ii) d'autre part, au moins 50 % de la valeur et du nombre des actions déterminées de l'autre personne morale appartiennent à une personne morale visée aux divisions (i)(A) ou (B);

Le préambule de l'alinéa 3b) a été abrogé et remplacé par C.P. 1993-939 [DORS/93-242], 11 mai 1993 et se lisait antérieurement comme suit :

b) si, au moins 90 % de la valeur et du nombre des actions déterminées de l'autre personne morale appartiennent à l'une des personnes suivantes :

4. Co-operators Data services Ltd — Pour l'application de l'alinéa 128(1)b) de la Loi, chacune des personnes ci-après, si elle réside au Canada et est un inscrit, est une personne visée quant à chaque caisse de crédit :

a) la CDSL Canada Limited;

b) la CUE Datawest Ltd.

Notes historiques: Le paragraphe 4a) a été remplacé par le par. 2(3) du C.P. 2001-826 [DORS/2001-169], du 10 mai 2001. Cette modification est réputée être entrée en vigueur le 4 octobre 2000. Antérieurement, il se lisait ainsi :

a) la CDSL Holdings Limited;

L'article 4 a été remplacé par le par. 2(1) du C.P. 2001-826 [DORS/2001-169], du 10 mai 2001. Cette modification est réputée être entrée en vigueur le 19 novembre 1996. Antérieurement, il se lisait ainsi :

4. Pour l'application de l'alinéa 128(1)b) de la Loi, la *Co-operators Data Services Limited* est, si elle est un inscrit résidant au Canada, une personne morale étroitement liée à chaque caisse de crédit.

L'article 4 a été remplacé par le par. 2(2) du C.P. 2001-826 [DORS/2001-169] du 10 mai 2001. Cette modification est réputée être entrée en vigueur le 31 janvier 2000. Antérieurement, il se lisait ainsi :

> 4. Pour l'application de l'alinéa 128(1)b) de la Loi, la CDSL Holdings Limited, si elle réside au Canada et est un inscrit, est une personne visée quant à chaque caisse de crédit.

Règ. Can. Règlement sur le pourcentage transitoire de la base des acomptes provisionnels (TPS) [Abrogé]

Règlement fixant le pourcentage à utiliser dans le calcul de la base des acomptes provisionnels de l'année transitoire d'un inscrit

DORS/91-22 [C.P. 1990-2731], 18 décembre 1990, Tel que modifié par C.P. 2002-1262 [DORS/2002-277], 17 juillet 2002.

1-2 [*Abrogés*].

Notes historiques: Ce règlement a été abrogé par C.P. 2002-1262 [DORS/2002-277], 17 juillet 2002, art. 1 et cette abrogation est réputée être entrée en vigueur le 17 juillet 2002. Antérieurement, ce règlement se lisait ainsi :

1. Titre abrégé — *Règlement sur le pourcentage transitoire de la base des acomptes provisionnels (TPS).*

2. Pourcentage — Aux fins du calcul, selon le paragraphe 237(5) de la *Loi sur la taxe d'accise*, de la base des acomptes provisionnels pour la période de déclaration d'un inscrit, est fixé le pourcentage suivant :

a) 1,75 %, si la contrepartie totale reçue par l'inscrit, ou qui lui est due, au cours de l'exercice précédant sa période de déclaration pour les fournitures détaxées figurant à la partie III de l'annexe VI de la *Loi sur la taxe d'accise* et effectuées par l'inscrit représente au moins 25 % de l'élément B décrit à l'alinéa 237(5)b) de cette loi;

b) 5 %, dans les autres cas.

RÈG. CAN. RÈGLEMENT SUR LES PRODUITS IMPORTÉS NON TAXABLES (TPS/TVH)

DORS/91-31 [C.P. 1990-2740], 18 décembre 1990, tel que modifié par C.P. 2002-1262 [DORS/2002-277], 17 juillet 2002; L.C. 2012, c. 19, art. 49.

Notes historiques: Le titre intégral a été remplacé par C.P. 2002-1262 [DORS/2002-277], 17 juillet 2002, art. 11 et cette modification est réputée être entrée en vigueur le 17 juillet 2002. Antérieurement, il se lisait « *Règlement concernant les produits qui sont non taxables lorsqu'ils sont importés dans certaines circonstances* ».

1. [*Abrogé*].

Notes historiques: L'article 1 et l'intertitre le précédant ont été abrogés par C.P. 2002-1262 [DORS/2002-277], 17 juillet 2002, art. 12 et ces abrogations sont réputées être entrées en vigueur le 17 juillet 2002. Antérieurement, ils se lisaient ainsi :

1. Titre abrégé — *Règlement sur les produits importés non taxables (TPS).*

2. Définitions — Les définitions qui suivent s'appliquent au présent règlement.

« agent » S'entend au sens de la *Loi sur les douanes*.

« Loi » La *Loi sur la taxe d'accise*.

« véhicule admissible » Véhicule, à l'exception d'une voiture de course visée à la position no 87.03 de la liste des dispositions tarifaires de l'annexe du *Tarif des douanes*, qui est immatriculé en vertu de la législation d'un pays étranger relative à l'immatriculation des véhicules à moteur et qui, selon le cas :

a) est visé à la position no 87.02, à l'une des sous-positions nos 8703.21 à 8703.90, 8704.21, 8704.31, 8704.90 et 8711.20 à 8711.90 ou aux nos tarifaires 8716.39.30 ou 8716.39.90 de cette liste;

b) est visé aux sous-positions nos 8704.22 ou 8704.32 de cette liste et a un poids nominal brut du véhicule, au sens du paragraphe 2(1) du Règlement sur la sécurité des véhicules automobiles, n'excédant pas dix tonnes;

c) est visé au no tarifaire 8716.10.00 de cette liste et est un véhicule pour le camping.

Notes historiques: La définition de « véhicule admissible » à l'article 2 a été ajoutée par L.C. 2012, c. 19, par. 49(1) et est entrée en vigueur ou est réputée être entrée en vigueur le 1er juin 2012.

3. Produits et circonstances — Pour l'application de l'article 8 de l'annexe VII de la Loi, sont visés les circonstances et les produits suivants :

a) les métaux précieux importés dans toutes circonstances;

b) l'argent, l'or ou le platine, sous forme brute, les déchets et les débris de métaux précieux ou de plaqués ou de doublés de métaux précieux, et les concentrés d'argent, d'or ou de platine, importés pour être transformés, par affinage, en métaux précieux;

c) les produits importés dans l'unique but d'être exposés publiquement par un organisme du secteur public, si les conditions suivantes sont réunies pendant que les produits se trouvent au Canada :

(i) la propriété des biens n'est ni censée être transmise ni transmise à une personne au Canada,

(ii) l'usage effectif des biens n'est ni censé être transmis ni transmis au Canada à une personne qui n'est pas un organisme du secteur public;

d) les produits importés dans l'unique but d'être entretenus, remis en état ou réparés au Canada, si les conditions suivantes sont réunies :

(i) ni la propriété ni l'usage effectif des produits n'est censé être transmis ni n'est transmis à une personne au Canada pendant qu'ils s'y trouvent,

(ii) les produits sont exportés dans un délai raisonnable une fois l'entretien, la remise en état ou la réparation achevée, compte tenu des circonstances entourant l'importation et, le cas échéant, des pratiques commerciales normales de l'importateur;

e) le pétrole brut, si les conditions suivantes sont réunies :

(i) le pétrole est importé uniquement pour raffinage au Canada,

(ii) au moment de l'importation du pétrole brut, aucune personne au Canada n'en a la propriété,

(iii) la propriété du pétrole brut n'est ni censée être transmise ni transmise à une personne au Canada pendant qu'il s'y trouve,

(iv) la propriété des produits raffinés qui sont tirés du pétrole brut n'est ni censée être transmise ni transmise à une personne au Canada pendant qu'ils s'y trouvent,

(v) tout produit raffiné est exporté dans un délai raisonnable une fois le raffinage achevé, compte tenu des circonstances entourant l'importation et, le cas échéant, des pratiques commerciales normales de l'importateur;

f) les moyens de transport dont le point d'attache est à l'étranger, si les conditions suivantes sont réunies :

(i) le moyen de transport, non taxable en raison du renvoi, apparaissant à l'article 1 de l'annexe VII de la Loi, à la position 98.01 de l'annexe I du *Tarif des douanes*, est réaffecté pour entretien, remise en état ou réparation au Canada,

(ii) ni la propriété ni l'usage effectif du moyen de transport n'est censé être transmis ni n'est transmis à une personne au Canada pendant qu'il s'y trouve,

(iii) le moyen de transport est exporté dans un délai raisonnable une fois l'entretien, la remise en état ou la réparation achevé, compte tenu des circonstances entourant l'importation et, le cas échéant, des pratiques commerciales normales de l'importateur;

g) les estampes, les gravures, les dessins, les tableaux, les sculptures ou les autres œuvres d'art de même nature, si les conditions suivantes sont réunies :

(i) l'œuvre fait partie d'un envoi d'œuvres d'art importées en consignation dont la valeur totale, établie conformément à l'article 215 de la Loi, est d'au moins 250 000 $,

(ii) au moment de l'importation, il est raisonnable de s'attendre, compte tenu de l'expérience de l'importateur en matière d'importation d'œuvres d'art, à ce qu'au moins 75 %, en valeur, des œuvres de l'envoi soient exportées dans l'année suivant l'importation,

(iii) l'œuvre est importée pour être fournie par l'importateur dans le cours normal de son entreprise,

(iv) l'importateur fait la déclaration prévue à l'article 4;

h) les locomotives, le matériel roulant de chemin de fer et les navires importés dans des circonstances où les droits de douane ont été remis ou supprimés en application :

(i) du *Décret de remise nº 3 visant le matériel roulant de chemin de fer (service international)*,

(ii) du code 2338 de l'annexe II du *Tarif des douanes*,

(iii) du *Décret de remise nº 4 visant le matériel roulant de chemin de fer (service international)*,

(iv) du *Décret de remise n° 2 visant le matériel roulant de chemin de fer (service intérieur au Canada)*,

(v) des articles 5, 6, 7, 15, 16 ou 17 du *Règlement sur la diminution ou la suppression des droits de douane sur les navires*;

i) les produits visés aux articles suivants de l'annexe du *Règlement sur l'importation temporaire de marchandises*, importés conformément aux conditions de ce règlement :

(i) les articles 3, 16 à 18, 27, 32, 33, 36, 39 à 44, 49, 52 à 54 et 57,

(ii) les articles 38 et 47, si l'importateur est une personne non résidante;

j) les produits importés après avoir été exportés pour réparation aux termes d'une garantie;

k) les médailles, trophées, plaques et autres articles semblables qui doivent être décernés par l'importateur au cours de cérémonies;

l) les produits énumérés au code 1910 de l'annexe II du *Tarif des douanes* et importés conformément aux exigences de ce code.

m) le véhicule admissible qui est importé temporairement par un particulier résidant au Canada et qui n'est pas déclaré à titre de produit commercial, au sens du paragraphe 212.1(1) de la Loi, en vertu de l'article 32 de la *Loi sur les douanes* si, à la fois :

(i) le véhicule a été fourni au particulier la dernière fois, dans le cadre d'une entreprise de location de véhicules, au moyen d'un bail, d'une licence ou d'un accord semblable selon lequel la possession ou l'utilisation continues du véhicule est transférée pendant une période de moins de cent quatre-vingts jours,

(ii) immédiatement avant l'importation, le particulier a séjourné à l'étranger pendant une période ininterrompue d'au moins 48 heures,

(iii) le véhicule est exporté dans les trente jours suivant l'importation.

Notes historiques: L'alinéa 3m) a été ajouté par L.C. 2012, c. 19, par. 50(1) et s'applique aux véhicules admissibles importés après mai 2012.

4. Documents — L'importateur de produits visés à l'alinéa 3g) doit annexer la déclaration suivante, signée et datée, à la déclaration en détail des produits faite conformément à l'article 32 de la *Loi sur les douanes*, ou l'y inscrire :

Je déclare m'attendre à ce qu'au moins 75 %, en valeur, des œuvres d'art de cet envoi soient exportées d'ici un an.

(signature) ....

(date) ....

5. (1) Formalités — L'importateur des produits visés à l'alinéa 3j) doit annexer les documents suivants à la déclaration en détail des produits faite conformément à l'article 32 de la *Loi sur les douanes* :

a) sauf en cas d'application du paragraphe (2), un exemplaire du rapport d'exportation qui a trait aux produits;

b) une facture ou une attestation écrite du fournisseur des produits indiquant que, à l'exception des frais d'expédition, des frais de communication et autres frais non liés à la réparation, le coût de la réparation des produits aux termes d'une garantie est supporté par le fournisseur selon les conditions de la garantie.

(2) À défaut du rapport d'exportation visé à l'alinéa (1)a) en raison de circonstances indépendantes de la volonté de l'importateur, celui-ci fournit :

a) soit un document douanier canadien prouvant l'exportation en conformité avec la *Loi sur les douanes*;

b) soit un document du transporteur concernant l'exportation des produits;

c) soit un document de déclaration en détail du service des douanes concernant l'importation des produits dans le pays où ceux-ci ont été réparés aux termes de la garantie;

d) soit une déclaration de l'exportateur étranger mentionnant que les produits exportés au Canada sont ceux qui ont été exportés pour être réparés aux termes de la garantie;

e) soit tout autre preuve que le ministre juge satisfaisante et qui démontre l'exportation des produits hors du Canada.

6. Avis — L'importateur d'un envoi d'œuvres d'art visées à l'alinéa 3g) qui exporte moins de 75 %, en valeur, des œuvres dans l'année suivant l'importation avise par écrit un agent à un bureau de douane du pourcentage, en valeur, des œuvres d'art de l'envoi qui ont été exportées.

RÈG. CAN. RÈGLEMENT SUR LE REMBOURSEMENT DE LA TAXE DE VENTE FÉDÉRALE À L'INVENTAIRE

Règlement concernant le remboursement de la taxe de vente fédérale à l'inventaire

DORS/91-52 , le 18 décembre 1990, tel que modifié par DORS/94-383, 26 mai 1994.

En vertu du paragraphe 59(1) et de l'article 120 de la *Loi sur la taxe d'accise*, le ministre des Finances prend le *Règlement concernant le remboursement de la taxe de vente fédérale à l'inventaire*, ci-après.

1. Titre abrégé — *Règlement sur le remboursement de la taxe de vente fédérale à l'inventaire.*

2. Définitions — Les définitions qui suivent s'appliquent au présent règlement.

« **produit logiciel** » Support de transmission de données, y compris les instructions ou les données enregistrées sur ce support. Ne sont pas des produits logiciels les enregistrements sonores ou vidéo, les circuits intégrés, les semi-conducteurs et les autres dispositifs similaires, ni les articles contenant de tels enregistrements, circuits, semi-conducteurs et dispositifs similaires.

« **Loi** » La *Loi sur la taxe d'accise*.

« **support de transmission de données** » Support sur lequel sont enregistrées des instructions ou des données à traiter au moyen de matériel informatique.

3. Facteurs — Pour l'application du paragraphe 120(5) de la Loi, sont visés les facteurs suivants quant aux catégories données de marchandises :

a) pour les marchandises mentionnées à l'annexe IV de la Loi, 5,6 %;

b) pour l'essence, le taux de taxe prévu à la partie VI de la Loi et applicable à l'essence sans plomb le 31 décembre 1990;

c) pour le combustible diesel, le taux de taxe prévu à la partie VI de la Loi et applicable à ce combustible le 31 décembre 1990;

d) pour le propane, 1,4 %;

e) pour les maisons mobiles et les bâtiments modulaires, 2,8 %;

f) pour les véhicules à moteur conçus pour servir sur les routes, 11,1 %;

g) pour les produits logiciels, 8,1 %;

h) pour les autres marchandises, 8,1 %.

4. Méthode de détermination du remboursement — Pour l'application du paragraphe 120(5) de la Loi, le remboursement à verser à une personne relativement à son inventaire correspond :

a) soit au total des montants calculés pour chaque catégorie de marchandises selon la formule :

$$A \times B$$

où :

A représente le facteur applicable à la catégorie de marchandises;

B représente :

(i) s'il s'agit d'essence ou de combustible diesel, le nombre de litres d'essence ou de litres de combustible figurant à cet inventaire,

(ii) s'il s'agit de produits logiciels, soit la valeur globale des supports de transmission de données figurant à l'inventaire, à l'exclusion de la valeur des instructions ou des données enregistrées sur ces supports, soit le produit de la multiplication du nombre de ces supports par 5 $,

(iii) sinon, la valeur globale des marchandises de la catégorie figurant à l'inventaire, à l'exclusion des marchandises d'occasion, telle qu'elle devrait être déterminée au début du 1er janvier 1991 aux fins du calcul du revenu d'entreprise de la personne pour l'application de la *Loi de l'impôt sur le revenu*.

b) soit, si la personne en fait le choix et que les conditions suivantes sont réunies :

(i) la personne détient, au début du 1er janvier 1991, des marchandises mentionnées à la partie V de l'annexe III de la Loi et devant faire l'objet d'une fourniture taxable, au sens du paragraphe 123(1) de la Loi, par vente dans le cours normal de son entreprise,

(ii) le total des montants suivants, déterminés à ce moment selon la méthode que la personne serait tenue d'utiliser pour calculer son revenu d'entreprise en application de la *Loi de l'impôt sur le revenu*, ne dépasse pas 70 000 $:

(A) la valeur globale des marchandises figurant à l'inventaire de la personne à ce moment, à l'exclusion de l'essence, du combustible diesel et des marchandises d'occasion,

(B) la valeur globale des marchandises, à l'exclusion de l'essence, du combustible diesel et des marchandises d'occasion, qui figureraient à l'inventaire de la personne à ce moment s'il s'agissait de marchandises libérées de taxe,

au montant déterminé selon la formule :

$$A + B + C$$

où :

A représente le produit de la multiplication du nombre de litres d'essence figurant à l'inventaire de la personne au début du 1er janvier 1991 par le facteur applicable à l'essence;

B le produit de la multiplication du nombre de litres de combustible diesel figurant à l'inventaire de la personne à ce moment par le facteur applicable au combustible diesel;

C 2,5 % du total calculé au sous-alinéa (ii).

Notes historiques: Le préambule du sous-alinéa 4b)(ii) a été modifié par DORS/94-383, 26 mai 1994, art. 1. Il se lisait auparavant comme suit:

(ii) le total des montants suivants, déterminés selon la méthode que la personne serait tenue d'utiliser pour calculer, à ce moment, son revenu d'entreprise en application de la *Loi de l'impôt sur le revenu*, ne dépasse pas 70 000 $:

RÈG. CAN. RÈGLEMENT SUR LE REMBOURSEMENT FÉDÉRAL POUR LIVRES (TPS/TVH)

DORS/98-351 [C.P. 1998-1141], 18 juin 1998, tel que modifié par C.P. 2001-150, [DORS/2001-64], 30 janvier 2001; C.P. 2001-1356, [DORS/2001-279], 1er août 2001; C.P. 2003-1557 [DORS/2003-340], 9 octobre 2003; C.P. 2005-2211 [DORS/2005-391], 28 novembre 2005; C.P. 2012–1127 [DORS/2012-191], 20 septembre 2012.

Notes historiques: Le *Règlement sur le remboursement fédéral pour livres* a été ajouté par C.P. 1998-1141, 18 juin 1998 et est réputé entré en vigueur le 24 octobre 1996.

1. Personnes déterminées — Pour l'application de l'alinéa f) de la définition de « personne déterminée » au paragraphe 259.1(1) de la *Loi sur la taxe d'accise*, sont visées les organismes de bienfaisance ou organismes à but non lucratif admissibles mentionnés à l'annexe.

2. Entrée en vigueur — Le présent règlement est réputé entré en vigueur le 24 octobre 1996.

ANNEXE [1]

(*article 1*)

- A Book of My Own Literacy Campaign
- Action Read Community Literacy Centre of Guelph
- AlphaPlus Centre / Centre AlphaPlus
- Barrie Literacy Council
- Comox Valley Community Adult Literacy and Learning Society
- COMQUAT inc.
- Conseil pour l'enseignement de la lecture aux analphabètes de Montréal
- Core Literacy Centre, Waterloo Region Inc.
- Drayton Valley Adult Literacy Society
- Friends of the Fredericton Public Library Inc.
- Haldimand-Norfolk Literacy Council
- Journeys Education Association Inc.
- L'ABC communautaire/Péninsule du Niagara
- La magie des mots
- Le Centre La Magie Des Lettres Ottawa Inc.
- Literacy Council of South Temiskaming
- Literacy Council York South
- Literacy Society of South Muskoka
- Metro Toronto Movement for Literacy/Le Rassemblement pour l'alphabétisation de la Communauté urbaine de Toronto
- North Algoma Literacy Coalition
- Oakville Literacy Council
- Organization for Literacy Coalition
- Peel Adult Learning Network
- Peel Literacy Guild Inc.
- Prince Edward Learning Centre
- Project Literacy Victoria
- PTP — Preparatory Training Programs of Toronto
- Quinte Literacy Group
- Stevenson-Britannia Community Resource Centre
- The Centre for Literacy of Quebec Inc./Le Centre d'alphabétisation du Québec inc.
- Winnipeg Volunteer Reading Aides Inc.
- Yukon Learn Society

Notes historiques: L'annexe a été modifiée par C.P. 2012-1127, 20 septembre 2012, art. 18 par l'ajout de « A Book of My Own Literacy Campaign » et « COMQUAT inc. » Cette modification est réputée être entrée en vigueur :

a) le 30 mars 2012, pour ce qui est de l'organisme A Book of My Own Literacy Campaign;

b) à la date qui précède de quatre ans le 10 octobre 2012, pour ce qui est de l'organisme COMQUAT inc.

L'annexe a été modifiée par C.P. 2005-2211, 28 novembre 2005, par. 1(1) par l'ajout de « La magie des mots » et cette modification est réputée être entrée en vigueur le 1er août 1999.

L'annexe a été modifiée par C.P. 2005-2211, 28 novembre 2005, par. 1(2) par l'ajout de « Oakville Literacy Council » et cette modification est réputée être entrée en vigueur le 1er août 2000.

RÈG. CAN. RÈGLEMENT SUR LE REMBOURSEMENT POUR HABITATIONS NEUVES

Règlement concernant le remboursement de la taxe de vente fédérale sur les habitations neuves

DORS/91-53, 18 décembre 1990, tel que modifié par DORS/94-383, 26 mai 1994; DORS/96-551, 11 décembre 1996; DORS/97-571, 11 décembre 1997.

En vertu du paragraphe 59(1) et de l'article 121 de la *Loi sur la taxe d'accise*, le ministre des Finances prend le *Règlement concernant le remboursement de la taxe de vente fédérale sur les habitations neuves*, ci-après.

1. Titre abrégé — *Règlement sur le remboursement pour habitations neuves.*

2. Définition — La définition qui suit s'applique au présent règlement.

« **Loi** » La *Loi sur la taxe d'accise.*

3. Montant — Pour l'application de la définition de « taxe de vente fédérale estimative » au paragraphe 121(1) de la loi, le montant relatif à un immeuble d'habitation est le suivant :

a) dans le cas où le remboursement demandé en vertu de l'article 121 de la Loi n'est fondé ni sur la juste valeur marchande de l'immeuble, ni sur la contrepartie de sa fourniture, ni sur le prix de souscription, au sens du paragraphe 336(6) de la Loi, d'une participation dans une société en commandite s'y rapportant, le montant déterminé selon la formule suivante :

$$A \times 50\ \$$$

où A représente :

(i) si l'immeuble n'est pas un logement en copropriété, le nombre de mètres carrés de la surface de l'immeuble,

(ii) si l'immeuble est un logement en copropriété, le total des nombres suivants :

(A) le nombre de mètres carrés de la surface du logement,

(B) le produit de la multiplication du nombre total de mètres carrés de la surface des parties communes de l'immeuble d'habitation en copropriété dans lequel le logement est situé par le quotient obtenu par la division du nombre de mètres carrés de la surface du logement par le nombre de mètres carrés de tous les logements en copropriété situés dans l'immeuble d'habitation en copropriété;

b) dans les autres cas, le montant déterminé selon la formule suivante :

$$A \times 4.25\ \%$$

où A représente :

(i) la contrepartie de la fourniture par vente de l'immeuble à un particulier, si le remboursement prévu au paragraphe 121(2) de la Loi est payable à celui-ci,

(ii) la contrepartie de la fourniture par vente de l'immeuble par un constructeur, si le remboursement prévu au paragraphe 121(3) de la Loi est payable à celui-ci,

(iii) lorsque le constructeur de l'immeuble est réputé, aux termes de l'article 191 de la Loi, avoir perçu la taxe et que le remboursement prévu à l'article 121 de la Loi est payable au constructeur :

(A) si le constructeur est une société en commandite et l'immeuble, un logement en copropriété et si le paragraphe 336(5) de la Loi s'applique au constructeur en ce qui concerne l'immeuble, 80 % du prix de souscription, au sens du paragraphe 336(6) de la Loi, de la participation dans la société se rapportant à l'immeuble,

(B) dans les autres cas, la juste valeur marchande de l'immeuble au moment de la perception de la taxe.

(iv) la contrepartie de la fourniture de l'immeuble, si la taxe est réputée, par le paragraphe 336(3) de la Loi, avoir été perçue sur cette fourniture et si le remboursement prévu au paragraphe 121(3) de la Loi est payable au constructeur de l'immeuble,

(v) la contrepartie de la fourniture qui est attribuable au logement, s'il s'agit d'un logement en copropriété, si la taxe est réputée, par le paragraphe 336(4) de la Loi, avoir été perçue sur la fourniture de l'immeuble d'habitation en copropriété dans lequel le logement est situé et si le remboursement prévu au paragraphe 121(3) de la Loi est payable au constructeur de l'immeuble.

Notes historiques: Le passage de l'alinéa 3a) précédant la formule a été modifié par DORS/97-571, 11 décembre 1997, par. 1(1) et cette modification est réputée entrée en vigueur le 1er janvier 1991. Auparavant, le passage de l'alinéa 3a) précédant la formule se lisait comme suit :

> a) dans le cas où le remboursement demandé en vertu de l'article 121 de la Loi n'est fondé ni sur la juste valeur marchande de l'immeuble ni sur la contrepartie de sa fourniture, le montant déterminé selon la formule suivante :

Le sous-alinéa (iii) de l'élément A de la formule figurant à l'alinéa 3b) a été modifié par DORS/97-571, 11 décembre 1997, par. 1(2) et cette modification est réputée entrée en vigueur le 1er janvier 1991. Le sous-alinéa (iii) de l'élément A de la formule figurant à l'alinéa 3b) se lisait auparavant comme suit :

> (iii) la juste valeur marchande de l'immeuble au moment où le constructeur de l'immeuble est réputé, par l'article 191 de la Loi, avoir perçu la taxe, si cet article s'applique et si le remboursement prévu à l'article 121 de la Loi est payable au constructeur,

Auparavant, l'article 3 a été modifié par DORS/96-551, 25 décembre 1996, art. 1 et cette modification a pris effet le 1er janvier 1991. Auparavant, cet article se lisait comme suit :

> 3. Pour l'application de la définition de « taxe de vente fédérale estimative » au paragraphe 121(1) de la Loi, la valeur de l'élément A quant à un immeuble d'habitation est :
>
> a) 50 $, si le remboursement demandé en vertu de l'article 121 de la Loi n'est fondé ni sur la juste valeur marchande de l'immeuble d'habitation ni sur la contrepartie;
>
> b) 4,25 % de la contrepartie, si après que la taxe prévue à la partie IX de la Loi est devenue payable à la suite de la vente de l'immeuble d'habitation à un particulier, le remboursement prévu au paragraphe 121(2) de la Loi devient payable à ce particulier;
>
> c) 4,25 % de la contrepartie, si après que la taxe prévue à la partie IX de la Loi est devenue percevable par un constructeur à la suite de la vente de l'immeuble d'habitation, le remboursement prévu au paragraphe 121(3) de la Loi devient payable à ce constructeur;
>
> d) 4,25 % de la juste valeur marchande de l'immeuble d'habitation au moment où le constructeur de cet immeuble est réputé, par l'article 191 de la Loi, avoir perçu la taxe, si cet article s'applique et si le remboursement prévu à l'article 121 de la Loi devient payable à ce constructeur;
>
> e) 4,25 % de la contrepartie, si la taxe est réputée, par le paragraphe 336(3) de la Loi, avoir été perçue sur la fourniture de l'immeuble d'habitation et si le remboursement prévu au paragraphe 121(3) de la Loi devient payable au constructeur de cet immeuble;
>
> f) 4,25 % de la contrepartie attribuable au logement, s'il s'agit d'un logement en copropriété, si la taxe est réputée, par le paragraphe 336(4) de la Loi, avoir été perçue sur la fourniture de l'immeuble d'habitation en copropriété dans lequel le logement est situé et si le remboursement prévu au paragraphe 121(3) de la Loi devient payable au constructeur de l'immeuble d'habitation.

4. (1) Surface — Pour l'application du présent règlement mais sous réserve du paragraphe (2), la surface d'un immeuble d'habitation ou d'un logement se calcule à partir de la face externe de tout mur extérieur non adjacent à un autre immeuble ou logement et, dans le cas contraire, à partir du milieu du mur extérieur.

Notes historiques: Le paragraphe 4(1) a été modifié par DORS/96-551, 25 décembre 1996, art. 3 et cette modification a pris effet le 1er janvier 1991. Auparavant, ce paragraphe se lisait comme suit :

> 4. (1) Pour l'application du présent article, sous réserve du paragraphe (2), la surface d'un immeuble d'habitation ou d'un logement se calcule à partir de la face externe de tout mur extérieur non adjacent à un autre immeuble ou logement et, dans le cas contraire, à partir du milieu du mur extérieur.

(2) La surface d'un immeuble d'habitation et des parties communes d'un immeuble d'habitation en copropriété ne comprend pas celles des endroits suivants :

a) les salles de rangement, les greniers et les sous-sols dont la finition par l'une des personnes suivantes n'est pas équivalente à celle des espaces habitables de l'immeuble;

(i) dans le cas des immeubles d'habitation à logement unique déterminés, le constructeur qui fournit l'immeuble à la personne qui a droit, relativement à l'immeuble, au remboursement prévu à l'article 121,

(ii) dans les autres cas, un constructeur de l'immeuble;

b) les stationnements;

c) les salles prévues pour les appareils de chauffage, de distribution d'eau, de gaz ou d'électricité de l'immeuble d'habitation ou de l'immeuble d'habitation en copropriété.

(3) [*Abrogé*].

Notes historiques: Le paragraphe 4(3) a été abrogé par DORS/96-551, 25 décembre 1996, art. 4 et cette abrogation a pris effet le 1er janvier 1991. Auparavant, ce paragraphe se lisait comme suit :

> (3) Pour l'application de la définition de « taxe de vente fédérale estimative » au paragraphe 121(1) de la Loi, la surface visée d'un immeuble d'habitation est égale à :
>
> a) si la valeur de l'élément A pour l'immeuble n'est pas 50 $, un mètre carré;
>
> b) dans tout autre cas,
>
> (i) si l'immeuble d'habitation n'est pas un logement en copropriété, la surface de cet immeuble,
>
> (ii) si l'immeuble d'habitation est un logement en copropriété, le total des surfaces suivantes :
>
> (A) la surface du logement,
>
> (B) le produit de la multiplication de la surface des parties communes de l'immeuble en copropriété dans lequel le logement est situé par le rapport du nombre de mètres carrés de la surface du logement sur le nombre de mètres carrés de tous les logements en copropriété situés dans l'immeuble en copropriété.

RÈG. CAN. RÈGLEMENT SUR LES REMBOURSEMENTS AUX NON-RÉSIDENTS (TPS) [ABROGÉ]

Règlement concernant les remboursements relatifs à la fourniture d'un logement provisoire et les demandes de remboursement présentées par des non-résidents

DORS/91-42 [C.P. 1990-2752], 18 décembre 1990, tel que modifié par C.P. 1994-843 [DORS/94-368], 26 mai 1994; C.P. 2006-256 [DORS/2006-162], 23 juin 2006.

Sur avis conforme du ministre du Revenu national et en vertu des paragraphes 252(2) à (4) et 277(1) de la *Loi sur la taxe d'accise*, il plaît à Son Excellence le Gouverneur général en conseil de prendre le *Règlement concernant les remboursements relatifs à la fourniture d'un logement provisoire et les demandes de remboursement présentées par des non-résidents*, ci-après.

1.-6. [*Abrogés*].

Notes historiques: Le Règlement a été abrogé par C.P. 2006-586 [DORS/2006-162], 23 juin 2006, art. 4 et cette abrogation est entrée en vigueur le 12 juillet 2006. Il se lisait auparavant comme suit :

1. Titre abrégé — *Règlement sur les remboursements aux non-résidents (TPS).*

2. Définitions — Les définitions qui suivent s'appliquent au présent règlement.

« Loi » La *Loi sur la taxe d'accise.*

« requérant » Personne qui présente une demande de remboursement relativement à la fourniture d'un logement provisoire.

3. Demandes — Pour l'application de l'alinéa 252.2b) de la Loi, la demande visée est celle qui, à la fois :

a) est présentée par un particulier non résident à une boutique hors taxe faisant l'objet d'une entente avec le ministre pour l'administration des demandes de remboursement présentées conformément à l'article 252 de la Loi;

b) porte sur un remboursement d'au plus 500 $ ou, si elle est prise avec toutes les autres demandes de remboursement présentées le même jour par ce particulier à la même boutique hors taxe, sur un remboursement n'excédant pas 500 $ dans l'ensemble.

L'intertitre précédant l'article 3 a été modifié par C.P. 1994-843 [DORS/94-368], 26 mai 1994, art. 2 et est réputé entré en vigueur le 10 juin 1993.

Le préambule de l'article 3 a été modifié par C.P. 1994-843 [DORS/94-368], 26 mai 1994, art. 3 et est réputé entré en vigueur le 10 juin 1993. Il se lisait auparavant comme suit :

3. Pour l'application de l'alinéa 252(3)c) de la Loi, la demande visée est celle qui, à la fois :

L'article 4 a été abrogé par C.P. 1994-843 [DORS/94-368], 26 mai 1994, art. 4 à compter du 10 juin 1993. Il se lisait auparavant comme suit :

4. Pour l'application de l'alinéa 252(2)c) de la Loi, le montant visé est de 5 $ par nuit de logement provisoire.

L'article 5 a été abrogé par C.P. 1994-843 [DORS/94-368], 26 mai 1994, art. 4 à compter du 10 juin 1993. Il se lisait auparavant comme suit :

5. Pour l'application de l'alinéa 252(4)a) de la Loi, le requérant doit, pour justifier le montant de la taxe payée relativement à la fourniture du logement provisoire, produire au ministre l'original du reçu ou de la facture donnant, en montants distincts, la contrepartie de la fourniture du logement provisoire ainsi que le montant de la taxe payée sur celle-ci.

L'article 6 a été abrogé par C.P. 1994-843 [DORS/94-368], 26 mai 1994, art. 4 à compter du 10 juin 1993. Il se lisait auparavant comme suit :

6. Pour l'application de l'alinéa 252(4)b) de la Loi, le montant de la taxe payée relativement à la fourniture d'un logement provisoire s'établit de l'une des façons suivantes :

a) dans le cas où le requérant produit au ministre l'original du reçu ou de la facture donnant à la fois :

(i) en montants distincts, la contrepartie de la fourniture du logement provisoire et celle de la fourniture d'autres biens ou services,

(ii) le montant global de la taxe payée relativement à toutes les fournitures taxables,

le montant de la taxe payée correspond à sept pour cent de la valeur de la contrepartie du logement provisoire;

b) dans le cas où le requérant produit au ministre l'original d'un reçu ou d'une facture indiquant que le montant payé pour la fourniture du logement provisoire comprend la taxe, le montant de la taxe payée correspond à la fraction de taxe du montant payé pour la fourniture du logement provisoire;

c) dans les autres cas :

(i) lorsque le requérant produit au ministre l'original d'un reçu ou d'une facture visant la fourniture d'un forfait comprenant seulement le logement provisoire et les repas, accompagné d'une preuve du nombre de nuits de logement provisoire :

(A) si le reçu ou la facture indique, d'une part, la contrepartie du forfait et, d'autre part, le montant de la taxe payée sur celui-ci, le montant de la taxe payée correspond au montant de la taxe qui y est indiquée, jusqu'à concurrence de 5 $ par nuit,

(B) si le reçu ou la facture indique que le montant payé pour le forfait comprend la taxe payée, le montant de la taxe payée correspond à la fraction de taxe du montant payé pour le forfait, jusqu'à concurrence de 5 par nuit;

(ii) lorsque le requérant produit au ministre l'original d'un reçu ou d'une facture qui a été délivré par un inscrit pour un forfait comprenant plus que le logement provisoire et les repas, accompagné d'une preuve du nombre de nuits de logement provisoire et du nombre de nuits visées par le reçu ou la facture :

(A) si le reçu ou la facture indique la contrepartie du forfait et le montant de la taxe payée sur celui-ci, le montant de la taxe payée est établi selon la formule suivante :

$$\frac{A}{B} \times \frac{C}{2}$$

où

A représente le nombre de nuits de logement provisoire compris dans le forfait,

B, le nombre de nuits visées par le reçu ou la facture,

C, le montant de la taxe indiqué sur le reçu ou la facture,

(B) si le reçu ou la facture indique que le montant payé pour le forfait comprend la taxe payable sur la fourniture, le montant de la taxe payée est établi selon la formule suivante :

$$\frac{A}{B} \times \frac{C}{2}$$

où

A représente le nombre de nuits de logement provisoire compris dans le forfait,

B, le nombre de nuits visées par le reçu ou la facture,

C, la fraction de taxe du montant payé pour le forfait.

Pour l'application des sous-alinéas (1)c)(i) et (ii), constitue, entre autres, une preuve du nombre de nuits de logement provisoire ou du nombre de nuits visées par l'original du reçu ou de la facture :

a) dans le cas où le reçu ou la facture indique le nombre de nuits, ce reçu ou cette facture;

b) dans les autres cas, tout autre document délivré relativement à la fourniture du logement provisoire qui indique le nombre de nuits.

RÈG. CAN. RÈGLEMENT SUR LES REMBOURSEMENTS AUX ORGANISMES DE SERVICES PUBLICS (TPS/TVH)

Règlement sur les remboursements aux organismes de services publics (TPS/TVH)

DORS/91-37 [C.P. 1990-2746], 18 décembre 1990, tel que modifié par C.P. 1994-843 [DORS/94-368], 26 mai 1994; C.P. 1999-1643 [DORS/99-367], 29 septembre 1999; C.P. 2010-791 [DORS/2010-152], 17 juin 2010; C.P. 2012-1127 [DORS/2012-191], 20 septembre 2012.

Sur avis conforme du ministre des Finances et en vertu du paragraphe 277(1) de la *Loi sur la taxe d'accise*, il plaît à Son Excellence le Gouverneur général en conseil de prendre le *Règlement établissant les éléments nécessaires au calcul des montants remboursables aux organismes de services publics en application de l'article 259 de la Loi sur la taxe d'accise*, ci-après.

Notes historiques: Le titre intégral a été remplacé par C.P. 2010-791 [DORS/2010-152], 17 juin 2010, art. 3 et cette modification est entrée en vigueur le 30 juin 2010. Antérieurement, il se lisait « Règlement établissant les éléments nécessaires au calcul des montants remboursables aux organismes de services publics en application de l'article 259 de la *Loi sur la taxe d'accise* ».

1. *[Abrogé].*

Notes historiques: L'article 1 et l'intertitre le précédant ont été abrogés par C.P. 2010-791 [DORS/2010-152], 17 juin 2010, art. 4 et cette abrogation est entrée en vigueur le 30 juin 2010. Antérieurement, ils se lisaient ainsi :

1. Titre abrégé — *Règlement sur les remboursements aux organismes de services publics (TPS/TVH).*

L'article 1 a été remplacé par C.P. 1999-1643 [DORS/99-367], 29 septembre 1999, art. 1 et cette modification est réputée entrée en vigueur le 1er avril 1997. Il se lisait auparavant comme suit :

1. *Règlement sur les remboursements aux organismes de services publics (TPS).*

2. Définitions — Les définitions qui suivent s'appliquent au présent règlement.

« contrepartie » Font partie de la contrepartie d'une fourniture les montants portés au crédit de l'acquéreur au titre d'un bien repris, au sens du paragraphe 153(4) de la Loi, accepté en contrepartie totale ou partielle de la fourniture ou, si le fournisseur a un lien de dépendance avec l'acquéreur au moment de la fourniture et que le montant porté au crédit de l'acquéreur au titre du bien repris dépasse la juste valeur marchande du bien repris au moment du transfert de sa propriété au fournisseur, cette juste valeur marchande.

Notes historiques: La définition de « contrepartie » à l'article 2 a été ajoutée par C.P. 1999-1643 [DORS/99-367], 29 septembre 1999, art. 2(3). Cet ajout s'applique au calcul du montant du remboursement payable en vertu de l'article 259 de la *Loi sur la taxe d'accise* pour les périodes de demande commençant après le 26 novembre 1997.

« Loi » La *Loi sur la taxe d'accise*.

« montant admissible fédéral » S'entend, relativement à un bien ou à un service pour une période de demande d'une personne, de la partie d'un montant inclus dans le total déterminé selon l'alinéa a) de la définition de « taxe exigée non admise au crédit » au paragraphe 259(1) de la Loi qui est soit une taxe prévue au paragraphe 165(1) ou aux articles 212 ou 218 de la Loi qui est payée ou payable par la personne ou qui est réputée avoir été payée ou perçue par elle, soit un montant, relatif à un montant de taxe prévu au paragraphe 165(1) ou aux articles 212 ou 218 de la Loi, qui est à ajouter dans le calcul de la taxe nette de la personne, et qui, à la fois :

a) n'est pas incluse dans le calcul d'un crédit de taxe sur les intrants de la personne;

b) est un montant à l'égard duquel il n'est pas raisonnable de considérer que la personne a obtenu ou a le droit d'obtenir un remboursement ou une remise en vertu d'une autre disposition de la Loi, sauf l'article 259, ou d'une autre loi fédérale;

c) n'est pas incluse dans un montant remboursé à la personne, redressé en sa faveur ou porté à son crédit pour lequel elle reçoit une note de crédit visée au paragraphe 232(3) de la Loi ou remet une note de débit visée à ce paragraphe.

Notes historiques: La définition de « montant admissible fédéral » à l'article 2 a été ajoutée par C.P. 2010-791 [DORS/2010-152], 17 juin 2010, art. 5 et s'applique relativement au calcul d'un montant remboursable en application de l'article 259 de la Loi pour une période de demande d'une personne se terminant après juin 2010.

« montant admissible provincial » S'entend, relativement à un bien ou à un service pour une période de demande d'une personne, de la partie d'un montant inclus dans le total déterminé selon l'alinéa a) de la définition de « taxe exigée non admise au crédit » au paragraphe 259(1) de la Loi qui est soit une taxe prévue au paragraphe 165(2) ou aux articles 212.1 ou 218.1 de la Loi ou à la section IV.1 de la partie IX de la Loi qui est payée ou payable par la personne ou qui est réputée avoir été payée ou perçue par elle, soit un montant, relatif à un montant de taxe prévu au paragraphe 165(2) ou aux articles 212.1 ou 218.1 de la Loi ou à la section IV.1 de la partie IX de la Loi, qui est à ajouter dans le calcul de la taxe nette de la personne, et qui, à la fois :

a) n'est pas incluse dans le calcul d'un crédit de taxe sur les intrants de la personne;

b) est un montant à l'égard duquel il n'est pas raisonnable de considérer que la personne a obtenu ou a le droit d'obtenir un remboursement ou une remise en vertu d'une autre disposition de la Loi, sauf l'article 259, ou d'une autre loi fédérale;

c) n'est pas incluse dans un montant remboursé à la personne, redressé en sa faveur ou porté à son crédit pour lequel elle reçoit une note de crédit visée au paragraphe 232(3) de la Loi ou remet une note de débit visée à ce paragraphe.

Notes historiques: La définition de « montant admissible provincial » à l'article 2 a été ajoutée par C.P. 2010-791 [DORS/2010-152], 17 juin 2010, art. 5 et s'applique relativement au calcul d'un montant remboursable en application de l'article 259 de la Loi pour une période de demande d'une personne se terminant après juin 2010.

« montant de financement public » Le montant de financement public d'une personne s'entend :

a) de toute somme d'argent, y compris un prêt à remboursement conditionnel, mais à l'exclusion de tout autre type de prêt et des remboursements, ristournes, remises ou crédits de frais, droits ou taxes imposés en application d'une loi, qui est facilement vérifiable et qui est payée ou payable à la personne par un subventionnaire :

(i) soit en vue de l'aider financièrement à atteindre ses objectifs et non en contrepartie de fournitures,

(ii) soit en contrepartie des biens ou des services qu'elle met à la disposition d'autres personnes (exception faite du subventionnaire, des particuliers qui en sont les cadres, salariés, actionnaires ou membres et des personnes liées au subventionnaire ou à ces particuliers), au moyen de fournitures exonérées;

b) de toute somme d'argent payée ou payable à la personne soit par un organisme intermédiaire qui a reçu le montant d'un subventionnaire, soit par un autre organisme qui a reçu le montant d'un organisme intermédiaire, lorsque, à la fois :

(i) dans le cas d'un montant qui, après 1990, devient payable ou est payé à la personne, l'organisme intermédiaire ou l'autre organisme remet à la personne, au moment du paiement, une attestation en la forme déterminée par le ministre portant que le montant constitue un montant de financement public,

(ii) le montant serait un montant de financement public de la personne par l'effet de l'alinéa a) si le subventionnaire le lui versait directement dans le même but que celui dans lequel l'organisme intermédiaire ou l'autre organisme, selon le cas, le lui a versé et si cet organisme était compris dans la notion de « subventionnaire » au sous-alinéa a)(ii).

Notes historiques: Le préambule du paragraphe a) de la définition de « montant de financement public » à l'article 2 a été remplacé par C.P. 1999-1643 [DORS/99-367], 29 septembre 1999, art. 2(1). Cette modification est réputée entrée en vigueur le 31 décembre 1990. Auparavant, ce préambule se lisait comme suit :

a) de toute somme d'argent, y compris un prêt à remboursement conditionnel, mais à l'exclusion d'un remboursement, d'une ristourne ou d'un crédit de frais, droits ou taxes imposés par une loi, qui est facilement déterminable et qui est payée ou payable à la personne par un subventionnaire :

Le sous-alinéa b)(ii) de la définition de « montant de financement public » à l'article 2 a été remplacé par C.P. 1999-1643 [DORS/99-367], 29 septembre 1999, art. 2(2). Cette modification s'applique au calcul du montant du remboursement payable en vertu de l'article 259 de la *Loi sur la taxe d'accise* pour les périodes de demande commençant après le 26 novembre 1997. Auparavant, ce sous-alinéa se lisait comme suit :

(ii) le montant serait un montant de financement public de la personne par l'effet de l'alinéa a) si le subventionnaire le lui versait directement.

« municipalité » S'entend au sens du paragraphe 259(1) de la Loi.

« organisme de bienfaisance » S'entend au sens du paragraphe 259(1) de la Loi.

« subventionnaire »

a) Gouvernement ou municipalité, à l'exception d'une personne morale dont la totalité, ou presque, des activités sont des activités commerciales ou des activités consistant à fournir des services financiers, ou les deux;

b) personne morale sous contrôle gouvernemental ou municipal dont l'un des principaux objectifs consiste à financer des activités de bienfaisance ou des activités à but non lucratif;

c) conseil, fiducie, commission ou autre entité créés par un gouvernement, une municipalité ou une personne morale visée à l'alinéa b), dont l'un des principaux objectifs consiste à financer des activités de bienfaisance ou des activités à but non lucratif;

d) bande indienne, au sens de toute loi fédérale.

2.1 Organismes gouvernementaux — Pour l'application de la définition de « organisme à but non lucratif » au paragraphe 259(1) de la Loi, est un organisme d'un gouvernement toute personne qui est un mandataire déterminé ou un mandataire de Sa Majesté du chef d'une province et qui serait un organisme à but non lucratif au sens du paragraphe 123(1) de la Loi s'il n'était pas tenu compte de la mention « les gouvernements » dans la définition de cette expression.

Notes historiques: L'article 2.1 a été ajouté par C.P. 1999-1643 [DORS/99-367], 29 septembre 1999, art. 3 et est réputé entré en vigueur le 31 décembre 1990.

3. (1) Pourcentage de financement public — Pour l'application de la définition de « pourcentage de financement public », au paragraphe 259(1) de la Loi, le pourcentage applicable à une personne pour son exercice correspond au plus élevé des pourcentages suivants :

a) le pourcentage calculé selon la formule suivante :

$$\frac{A}{A + B + C - D} \times 100$$

où :

A représente l'excédent éventuel du total des montants qui figurent dans les états financiers annuels de la personne pour l'exercice à titre de montants de financement public reçus ou à recevoir au cours de l'exercice (selon la méthode comptable utilisée pour déterminer son revenu ou son financement pour l'exercice), sur le total de ses montants de financement public qu'elle a remboursés au cours de l'exercice, ou qui, bien qu'à recevoir avant l'exercice, n'ont pas été reçus pendant celui-ci,

B le total des montants suivants :

(i) les dons d'argent, sauf les montants de financement public, que la personne reçoit au cours de l'exercice,

(ii) le total des montants qui représentent chacun l'excédent éventuel de la juste valeur marchande, au moment de la réception, d'un effet financier reçu par la personne au cours de l'exercice sur la contrepartie payée ou payable par elle pour l'effet, si cette valeur est facilement déterminable à ce moment,

(iii) l'excédent éventuel du total visé à la division (A) sur le total visé à la division (B) :

(A) le total des contreparties qui deviennent dues à la personne, ou qui lui sont payées sans qu'elles soient devenues dues, au cours de l'exercice pour des fournitures qu'elle a effectuées, y compris la contrepartie d'un service, ou pour l'utilisation d'un bien, qu'elle accorde et auquel l'article 135 de la Loi s'applique, mais à l'exclusion de la contrepartie des fournitures suivantes :

(I) les fournitures de droits de participer à des jeux de hasard organisés par la personne,

(II) les fournitures que la personne est réputée avoir effectuées, en application de l'article 187 de la Loi,

(III) les fournitures par vente d'immeubles ou d'immobilisations de la personne,

(IV) les fournitures d'effets financiers,

(V) les fournitures que la personne est réputée avoir effectuées en application de l'un des paragraphes 171(3), 172(2) et 183(4) à (6) de la Loi et les fournitures effectuées par elle auxquelles s'applique le paragraphe 173(1) de la Loi,

(B) le total des montants payés à des acquéreurs au cours de l'exercice, ou portés à leur crédit, au titre d'une réduction ou d'un remboursement de tout ou partie de la contrepartie des fournitures que la personne leur a effectuées,

(iv) l'excédent éventuel du total visé à la division (A) sur le total visé à la division (B) :

(A) le total des montants qui représentent chacun la contrepartie qui devient due à la personne, ou qui lui est payée sans qu'elle soit devenue due, au cours de l'exercice pour la fourniture du droit de participer à un jeu de hasard qu'elle organise ou pour une fourniture qu'elle est réputée, en application de l'article 187 de la Loi, avoir effectuée pour un pari,

(B) le total des montants qui représentent chacun soit une somme d'argent payée ou payable par la personne à titre de prix ou de gains dans le cadre du jeu ou en règlement du pari, soit la contrepartie payée ou payable par elle pour un bien ou un service remis à titre de prix ou de gains dans le cadre du jeu ou en règlement du pari,

C le total des montants suivants :

(i) les montants qui représentent chacun des intérêts ou des dividendes en argent que la personne reçoit au cours de l'exercice,

(ii) les sommes d'argent qu'une fiducie distribue à la personne au cours de l'exercice, autrement que lors d'une distribution de capital, relativement au droit de la personne à titre de bénéficiaire (au sens de l'alinéa 108(1)b) de la *Loi de l'impôt sur le revenu*) de la fiducie,

Règlements

(iii) les montants qui deviennent dus à la personne, ou qui lui sont payés sans qu'ils soient devenus dus, au cours de l'exercice relativement à un titre de créance qu'elle a émis en faveur de l'une des personnes suivantes ou à un prêt que celles-ci lui ont consenti, à l'exclusion des montants relatifs à un prêt dont les intérêts, payables au moins annuellement, sont calculés à un taux qui serait raisonnable dans les circonstances si le prêt était conclu entre personnes sans lien de dépendance :

(A) une autre personne avec laquelle la personne avait un lien de dépendance au moment de l'octroi du prêt ou de l'émission du titre,

(B) une autre personne qui est le cadre, le salarié, l'actionnaire, l'associé ou le membre de la personne ou qui a accepté ou a cessé de l'être,

(iv) les contreparties qui deviennent dues à la personne, ou qui lui sont payées sans qu'elles soient devenues dues, au cours de l'exercice pour un titre de participation qu'elle a émis,

(v) les apports de capital en argent que la personne reçoit au cours de l'exercice, sauf les montants de financement public et les montants visés à l'un des sous-alinéas (i) à (iv),

D le total des montants suivants :

(i) 25 % du total calculé à l'élément B de la présente formule pour l'exercice,

(ii) les montants que la personne paie au cours de l'exercice en remboursement de montants qui sont inclus dans le total visé à l'élément B ou C pour l'exercice, ou qui auraient été ainsi inclus si la personne les avait reçus au cours de l'exercice;

b) le pourcentage égal :

(i) pour le premier exercice de la personne, à zéro,

(ii) pour le deuxième exercice de la personne, au pourcentage qui serait calculé selon l'alinéa a) si tous les renvois à l'exercice étaient remplacés par des renvois au premier exercice de la personne,

(iii) pour tout autre exercice, au pourcentage qui serait calculé selon l'alinéa a) si tous les renvois à l'exercice étaient remplacés par des renvois aux deux exercices précédents de la personne.

(2) Dans la formule apparaissant à l'alinéa (1)a), si le dénominateur de la fraction est nul ou est un montant négatif, il est réputé égal :

a) à 1, si le numérateur est nul;

b) au numérateur, dans les autres cas.

Notes historiques: Le préambule du paragraphe 3(1) a été remplacé par C.P. 1999-1643 [DORS/99-367], 29 septembre 1999, art. 4(1) et cette modification est réputée entrée en vigueur le 31 décembre 1990. Antérieurement, ce préambule se lisait comme suit :

3. Pour l'application de la définition de « pourcentage de financement public », au paragraphe 259(1) de la Loi, le pourcentage applicable à une personne pour son exercice correspond au plus élevé des montants suivants :

La subdivision (iii)(A)(V) de l'élément B de la formule figurant à l'alinéa 3(1)a) a été remplacée par C.P. 1999-1643 [DORS/99-367], 29 septembre 1999, art. 4(2). Cette modification est réputée entrée en vigueur le 31 décembre 1990. Antérieurement, cette subdivision se lisait comme suit :

(V) les fournitures que la personne est réputée avoir effectuées en application du paragraphe 171(3), 172(2), 173(1) ou 183(3) de la Loi,

4. (1) Biens et services — Pour le calcul du remboursement payable à une personne en application de l'article 259 de la Loi, les biens et les services suivants sont visés :

a) le bien ou le service principalement pour consommation, utilisation ou fourniture par la personne dans le cadre de la fourniture par bail, licence ou accord semblable d'un immeuble d'habitation ou d'une habitation (sauf les fournitures de logements provisoires et les fournitures qui sont exonérées par application de l'alinéa 6b) ou de l'article 6.1 de la partie I de l'annexe V de la Loi), si :

(i) dans le cas d'un bien ou d'un service principalement pour consommation, utilisation ou fourniture dans le cadre de la fourniture d'habitations situées dans un immeuble d'habitation à logements multiples de plus de deux habitations qui appartient à la personne ou lui est fourni par bail, licence ou accord semblable, la totalité, ou presque, des habitations de l'immeuble ne seront pas occupées exclusivement par les personnes suivantes :

(A) les aînés,

(B) les jeunes gens,

(C) les personnes handicapées, les personnes en détresse ou autres personnes démunies,

(D) les handicapés physiques ou mentaux, les personnes en détresse ou autres personnes démunies,

(E) les particuliers dont les ressources ou le revenu sont tels qu'ils sont admissibles à titre de locataires ou ont droit à une réduction de loyer,

(F) les particuliers pour le compte desquels seul un organisme du secteur public paie une contrepartie pour les fournitures de logement, et qui soit ne paient aucune contrepartie pour ces fournitures, soit en paient une qui est considérablement moindre que celle qu'ils paieraient vraisemblablement, pour des fournitures comparables, à des personnes dont l'entreprise consiste à effectuer de telles fournitures à des fins lucratives,

(G) des personnes visées aux divisions (A) à (F),

(ii) dans les autres cas, l'objectif principal de la personne dans l'exercice de l'activité consistant à fournir l'immeuble ou l'habitation n'est pas d'offrir un logement aux personnes visées à l'une des divisions (i)(A) à (F);

b) le bien ou le service principalement pour consommation, utilisation ou fourniture par la personne dans le cadre de la fourniture d'une aire de stationnement visée à l'article 8.1 de la partie I de l'annexe V de la Loi pour une période donnée, si cette fourniture est accessoire à l'utilisation d'un fonds, d'un immeuble d'habitation ou d'une habitation et si les biens ou les services à utiliser par elle principalement dans le cadre de la fourniture par bail, licence ou accord semblable du fonds, de l'immeuble d'habitation ou de l'habitation au cours de la période constituent des biens ou des services visés par l'effet de l'alinéa a);

c) le bien ou le service principalement pour consommation, utilisation ou fourniture par la personne dans le cadre des fournitures suivantes :

(i) la fourniture d'un terrain, d'un bâtiment ou d'une partie de bâtiment à une personne autre qu'un organisme du secteur public, si cette fourniture est exonérée par application de l'article 6.1 de la partie I de l'annexe V de la Loi,

(ii) la fourniture exonérée d'espaces de stationnement qui est accessoire à l'utilisation du terrain, du bâtiment ou de la partie de bâtiment;

d) le bien ou le service principalement pour consommation, utilisation ou fourniture par la personne dans le cadre des fournitures suivantes :

(i) la fourniture d'un terrain, d'un bâtiment ou d'une partie de bâtiment à un organisme du secteur public pour une période, si cette fourniture est exonérée par application de l'article 6.1 de la partie I de l'annexe V de la Loi et si le bien ou le service serait un bien ou un service visé par l'effet de l'alinéa a) si les fournitures du terrain, du bâtiment ou de la partie de bâtiment effectuées par l'organisme au cours de cette période étaient effectuées par la personne,

(ii) la fourniture exonérée d'espaces de stationnement qui est accessoire à l'utilisation du terrain, du bâtiment ou de la partie de bâtiment;

e) les boissons alcoolisées ou les produits du tabac que la personne acquiert en vue d'en effectuer la fourniture pour une contrepartie distincte de la contrepartie des repas les accompagnant, sauf la taxe est payable relativement à la fourniture des boissons ou des produits effectuée par la personne;

f) le droit d'adhésion à une association dont l'objet principal consiste à offrir des installations pour les loisirs, les sports ou les repas;

g) le bien ou le service (appelé « avantage » au présent alinéa) que la personne acquiert, importe ou transfère dans une province participante exclusivement pour la consommation ou l'utilisation personnelles soit d'un particulier donné qui est le cadre, le salarié ou le membre de la personne — ou qui a accepté ou cessé de l'être —, soit d'un autre particulier lié au particulier donné, sauf si, selon le cas :

(i) la personne fournit le bien ou le service au particulier donné ou à l'autre particulier pour une contrepartie qui devient due au cours de l'année où elle a acquis ou importé le bien ou le service, ou l'a transféré dans la province participante, selon le cas, et qui correspond à la juste valeur marchande du bien ou du service au moment où la contrepartie devient due et où la taxe est payable sur la fourniture,

(ii) lorsqu'aucun montant n'est payable par le particulier donné pour l'avantage, aucun montant n'est à inclure à ce titre selon l'article 6 de la *Loi de l'impôt sur le revenu* dans le calcul de son revenu pour l'application de cette loi;

h) le bien ou le service qui est fourni à une autre personne, si, à la fois :

(i) un montant est à inclure, en application des alinéas 6(1)a), e), k) ou l) ou du paragraphe 15(1) de la *Loi de l'impôt sur le revenu*, dans le calcul du revenu de l'autre personne pour l'application de cette loi,

(ii) le paragraphe 173(1) de la *Loi sur la taxe d'accise* ne s'applique pas à la fourniture ou, s'il s'y applique, aucune taxe n'est payable au titre de la fourniture;

i) le bien ou le service qui est réputé par l'article 273 de la Loi être acquis, importé, ou transféré dans une province participante par la personne agissant à titre d'entrepreneur, au sens de cet article, d'une coentreprise à l'égard de laquelle le choix prévu à cet article est en vigueur, dans le cas où l'un des coentrepreneurs, au sens de cet article, de la coentreprise n'aurait pas droit à un remboursement pour le bien ou le service en vertu de l'article 259 de la Loi s'il l'acquérait, l'importait ou le transférait dans le même but que celui dans lequel la personne l'a acquis, importé ou transféré au nom du coentrepreneur et s'il avait à payer une taxe sur ce bien ou ce service;

j) le contenant consigné, au sens de l'article 226 de la Loi, qu'une personne acquiert, ou transfère dans une province participante, dans des circonstances où, si elle était un inscrit, elle ne pourrait pas par l'effet du paragraphe 226(4) de la Loi inclure la taxe au titre de l'acquisition ou du transfert dans le calcul de son crédit de taxe sur les intrants, même si elle avait pu l'inclure en l'absence de ce paragraphe.

(2) L'alinéa (1)a) s'applique, compte tenu des adaptations de circonstance, aux biens ou aux services pour consommation, utilisation ou fourniture dans le cadre de la fourniture d'un fonds visée à l'article 7 de la partie I de l'annexe V de la Loi comme si le fonds était un immeuble d'habitation.

Notes historiques: Le préambule du paragraphe 4(1) a été remplacé par C.P. 1999-1643 [DORS/99-367], 29 septembre 1999, art. 5(1). Cette modification est réputée entrée en vigueur le 31 décembre 1990. Antérieurement, ce préambule se lisait comme suit :

4. (1) Pour calculer le remboursement payable à une personne en application du paragraphe 259(4) de la Loi, les biens et services suivants sont visés :

La division 4(1)a)(i)(A) a été remplacée par C.P. 1999-1643 [DORS/99-367], 29 septembre 1999, art. 5(2). Cette modification est réputée entrée en vigueur le 13 octobre 1999. Antérieurement, cette division se lisait comme suit :

(A) les personnes âgées,

La division 4(1)a)(i)(C) a été remplacée par C.P. 1999-1643 [DORS/99-367], 29 septembre 1999, art. 5(3). Cette modification est réputée entrée en vigueur le 13 octobre 1999. Antérieurement, cette division se lisait comme suit :

(C) les étudiants,

L'alinéa 4(1)b) a été remplacé par C.P. 1999-1643 [DORS/99-367], 29 septembre 1999, art. 5(4). Cette modification est réputée entrée en vigueur le 31 décembre 1990. Antérieurement, cette division se lisait comme suit :

b) le bien ou le service principalement pour consommation, utilisation ou fourniture par la personne dans le cadre de la fourniture d'un espace de stationnement visé à l'article 8 de la partie I de l'annexe V de la Loi pour une période, si cette fourniture est accessoire à l'utilisation d'un fonds, d'un immeuble d'habitation ou d'une habitation et si les biens ou les services à utiliser par la personne principalement dans le cadre de fournitures par bail, licence ou accord semblable du fonds, de l'immeuble d'habitation ou de l'habitation au cours de la période constituent des biens ou des services visés par application de l'alinéa a);

Le préambule de l'alinéa 4(1)g) a été remplacé par C.P. 1999-1643 [DORS/99-367], 29 septembre 1999, art. 5(6). Cette modification est réputée entrée en vigueur le 1er avril 1997. Antérieurement, ce préambule se lisait comme suit :

g) le bien ou le service (appelé « avantage » au présent alinéa) que la personne acquiert ou importe exclusivement pour la consommation ou l'utilisation personnelles soit d'un particulier donné qui est le cadre, le salarié ou le membre de la personne — ou qui a accepté ou cessé de l'être —, soit d'un autre particulier lié au particulier donné, sauf si, selon le cas :

Le préambule de l'alinéa 4(1)g) a été remplacé par C.P. 1999-1643 [DORS/99-367], 29 septembre 1999, art. 5(5). Cette modification est réputée entrée en vigueur le 31 décembre 1990. Antérieurement, ce préambule se lisait comme suit :

g) le bien ou le service (appelé « avantage » au présent alinéa) que la personne acquiert ou importe exclusivement pour la consommation ou l'utilisation personnelles d'un particulier donné qui est le cadre, le salarié ou le membre de la personne ou d'un autre particulier lié à celle-ci, ou qui a accepté ou a cessé de l'être, sauf si, selon le cas :

Le sous-alinéa 4(1)g)(i) a été remplacé par C.P. 1999-1643 [DORS/99-367], 29 septembre 1999, art. 5(6). Cette modification est réputée entrée en vigueur le 1er avril 1997. Antérieurement, ce sous-alinéa se lisait comme suit :

(i) la personne fournit le bien ou le service au particulier donné ou à l'autre particulier pour une contrepartie qui devient due au cours de l'année où elle a acquis ou importé le bien ou le service et qui correspond à la juste valeur marchande du bien ou du service au moment où la contrepartie devient due et où la taxe est payable sur la fourniture,

Le sous-alinéa 4(1)g)(ii) a été modifié par C.P. 1994-843 [DORS/94-368], 26 mai 1994, art. 14 et est réputé entré en vigueur le 31 décembre 1990. Il se lisait auparavant comme suit :

(ii) aucun montant n'est payable par le particulier donné pour l'avantage, ni n'est à inclure à ce titre selon l'article 6 de la *Loi de l'impôt sur le revenu* dans le calcul de son revenu pour l'application de cette loi;

L'alinéa 4(1)h) a été remplacé par C.P. 1999-1643 [DORS/99-367], 29 septembre 1999, art. 5(7). Cette modification est réputée entrée en vigueur le 31 décembre 1990. Toutefois, le passage « alinéas 6(1)a), e), k) ou l) » est remplacé par « alinéas 6(1)a) ou e) » en ce qui a trait aux montants à inclure dans le calcul du revenu pour l'application de la *Loi de l'impôt sur le revenu* pour les années d'imposition 1992 et antérieures. Antérieurement, cet alinéa se lisait comme suit :

h) le bien ou le service qui doit être mis à la disposition d'une autre personne, si, à la fois :

(i) un montant est, aux termes des alinéas 6(1)a) ou e) ou des paragraphes 15(1) ou (1.4) de la *Loi de l'impôt sur le revenu*, à inclure dans le calcul du revenu de l'autre personne pour l'application de cette loi,

(ii) soit le paragraphe 173(1) de la Loi ne s'applique pas en l'espèce, soit une fourniture du bien ou du service est réputée, selon ce paragraphe, avoir été effectuée mais aucune taxe n'est payable relativement à la fourniture.

L'alinéa 4(1)i) a été ajouté par C.P. 1999-1643 [DORS/99-367], 29 septembre 1999, art. 5(7) et s'applique aux biens et aux services acquis ou importés après le 11 décembre 1992 ou transférés dans une province participante après mars 1997. Avant avril 1997, il n'est pas tenu compte de la mention, à cet alinéa, du transfert d'un bien dans une province participante.

L'alinéa j) a été ajouté par C.P. 1999-1643 [DORS/99-367], 29 septembre 1999, art. 5(7) et s'applique au calcul du montant du remboursement payable en vertu de l'article 259 de la *Loi sur la taxe d'accise* pour les périodes de demande commençant après le 26 novembre 1997.

Pourcentages provinciaux établis

5. Provinces, catégories et pourcentages visés — Pour l'application de l'alinéa f) de la définition de « pourcentage provincial établi » au paragraphe 259(1) de la Loi :

a) les provinces participantes suivantes sont visées :

(i) l'Ontario,

(ii) la Nouvelle-Écosse,

(iii) le Nouveau-Brunswick,

(iv) [*Abrogé*],

(v) Terre-Neuve-et-Labrador;

b) les catégories de personnes suivantes sont visées :

(i) les organismes de bienfaisance et organismes à but non lucratif admissibles qui ne sont pas des organismes déterminés de services publics,

(ii) les administrations hospitalières,

(iii) les administrations scolaires,

(iv) les universités et les collèges publics,

(v) les municipalités,

(vi) les exploitants d'établissement et les fournisseurs externes;

c) les pourcentages suivants sont visés :

(i) dans le cas d'une personne visée au sous-alinéa b)(i) qui réside :

(A) en Ontario, 82 %,

(B) en Nouvelle-Écosse, 50 %,

(C) au Nouveau-Brunswick, 50 %,

(D) [*Abrogé*],

(E) à Terre-Neuve-et-Labrador, 50 %,

(ii) dans le cas d'une personne visée au sous-alinéa b)(ii) qui réside :

(A) en Ontario, 87 %,

(B) en Nouvelle-Écosse, 83 %,

(C) [*Abrogé*],

(iii) dans le cas d'une personne visée au sous-alinéa b)(iii) qui réside :

(A) en Ontario, 93 %,

(B) en Nouvelle-Écosse, 68 %,

(C) [*Abrogé*],

(iv) dans le cas d'une personne visée au sous-alinéa b)(iv) qui réside :

(A) en Ontario, 78 %,

(B) en Nouvelle-Écosse, 67 %,

(C) [*Abrogé*],

(v) dans le cas d'une personne visée au sous-alinéa b)(v) qui réside :

(A) en Ontario, 78 %,

(B) en Nouvelle-Écosse, 57,14 %,

(C) au Nouveau-Brunswick, 57,14 %,

(D) [*Abrogé*],

(vi) dans le cas d'une personne visée au sous-alinéa b)(vi) qui réside en Ontario, 87 %.

Notes historiques: Le préambule de l'article 5 a été remplacé par C.P. 1999-1643 [DORS/99-367], 29 septembre 1999, art. 6 et cette modification est réputée entrée en vigueur le 31 décembre 1990. Antérieurement, ce préambule se lisait comme suit :

5. Pour l'application du paragraphe 259(4) de la Loi, le pourcentage de la taxe payable par les personnes suivantes s'établit comme suit :

Le sous-alinéa 5a)(iv) a été abrogé par C.P. 2012-1127 [DORS/2012-191], 20 septembre 2012, par. 7(1) et cette abrogation s'applique au calcul du remboursement d'une personne prévu à l'article 259 de la Loi pour toute période de demande se terminant après mars 2013. Toutefois, le remboursement est déterminé comme si ces articles n'étaient pas entrés en vigueur pour ce qui est du calcul du remboursement d'une personne pour sa période de déclaration qui comprend le 1er avril 2013 relativement aux montants suivants :

a) un montant de taxe qui est devenu payable par la personne avant cette date;

b) un montant qui est réputé avoir été payé ou perçu par la personne avant cette date;

c) un montant qui est à ajouter dans le calcul de la taxe nette de la personne du fait :

(i) soit qu'une succursale ou une division de la personne est devenue une division de petit fournisseur avant cette date,

(ii) soit que la personne a cessé d'être un inscrit avant cette date.

Antérieurement, il se lisait ainsi :

(iv) la Colombie-Britannique,

La division 5c)(i)(D) a été abrogée par C.P. 2012-1127 [DORS/2012-191], 20 septembre 2012, par. 7(2) et cette abrogation s'applique au calcul du remboursement d'une personne prévu à l'article 259 de la Loi pour toute période de demande se terminant après mars 2013. Toutefois, le remboursement est déterminé comme si ces articles n'étaient pas entrés en vigueur pour ce qui est du calcul du remboursement d'une personne pour sa période de déclaration qui comprend le 1er avril 2013 relativement aux montants suivants :

a) un montant de taxe qui est devenu payable par la personne avant cette date;

b) un montant qui est réputé avoir été payé ou perçu par la personne avant cette date;

c) un montant qui est à ajouter dans le calcul de la taxe nette de la personne du fait :

(i) soit qu'une succursale ou une division de la personne est devenue une division de petit fournisseur avant cette date,

(ii) soit que la personne a cessé d'être un inscrit avant cette date.

Antérieurement, elle se lisait ainsi :

(D) en Colombie-Britannique, 57 %,

La division 5c)(ii)(C) a été abrogée par C.P. 2012-1127 [DORS/2012-191], 20 septembre 2012, par. 7(3) et cette abrogation s'applique au calcul du remboursement d'une personne prévu à l'article 259 de la Loi pour toute période de demande se terminant après mars 2013. Toutefois, le remboursement est déterminé comme si ces articles n'étaient pas entrés en vigueur pour ce qui est du calcul du remboursement d'une personne pour sa période de déclaration qui comprend le 1er avril 2013 relativement aux montants suivants :

a) un montant de taxe qui est devenu payable par la personne avant cette date;

b) un montant qui est réputé avoir été payé ou perçu par la personne avant cette date;

c) un montant qui est à ajouter dans le calcul de la taxe nette de la personne du fait :

(i) soit qu'une succursale ou une division de la personne est devenue une division de petit fournisseur avant cette date,

(ii) soit que la personne a cessé d'être un inscrit avant cette date.

Antérieurement, elle se lisait ainsi :

(C) en Colombie-Britannique, 58 %,

La division 5c)(iii)(C) a été abrogée par C.P. 2012-1127 [DORS/2012-191], 20 septembre 2012, par. 7(4) et cette abrogation s'applique au calcul du remboursement d'une personne prévu à l'article 259 de la Loi pour toute période de demande se terminant après mars 2013. Toutefois, le remboursement est déterminé comme si ces articles n'étaient pas entrés en vigueur pour ce qui est du calcul du remboursement d'une personne pour sa période de déclaration qui comprend le 1er avril 2013 relativement aux montants suivants :

a) un montant de taxe qui est devenu payable par la personne avant cette date;

b) un montant qui est réputé avoir été payé ou perçu par la personne avant cette date;

c) un montant qui est à ajouter dans le calcul de la taxe nette de la personne du fait :

(i) soit qu'une succursale ou une division de la personne est devenue une division de petit fournisseur avant cette date,

(ii) soit que la personne a cessé d'être un inscrit avant cette date.

Antérieurement, elle se lisait ainsi :

(C) en Colombie-Britannique, 87 %,

La division 5c)(iv)(C) a été abrogée par C.P. 2012-1127 [DORS/2012-191], 20 septembre 2012, par. 7(5) et cette abrogation s'applique au calcul du remboursement d'une personne prévu à l'article 259 de la Loi pour toute période de demande se terminant après mars 2013. Toutefois, le remboursement est déterminé comme si ces articles n'étaient pas entrés en vigueur pour ce qui est du calcul du remboursement d'une personne pour sa période de déclaration qui comprend le 1er avril 2013 relativement aux montants suivants :

a) un montant de taxe qui est devenu payable par la personne avant cette date;

b) un montant qui est réputé avoir été payé ou perçu par la personne avant cette date;

c) un montant qui est à ajouter dans le calcul de la taxe nette de la personne du fait :

(i) soit qu'une succursale ou une division de la personne est devenue une division de petit fournisseur avant cette date,

(ii) soit que la personne a cessé d'être un inscrit avant cette date.

Antérieurement, elle se lisait ainsi :

(C) en Colombie-Britannique, 75 %,

La division 5c)(v)(D) a été abrogée par C.P. 2012-1127 [DORS/2012-191], 20 septembre 2012, par. 7(6) et cette abrogation s'applique au calcul du remboursement d'une personne prévu à l'article 259 de la Loi pour toute période de demande se terminant après mars 2013. Toutefois, le remboursement est déterminé comme si ces articles n'étaient pas entrés en vigueur pour ce qui est du calcul du remboursement d'une personne pour sa période de déclaration qui comprend le 1er avril 2013 relativement aux montants suivants :

a) un montant de taxe qui est devenu payable par la personne avant cette date;

b) un montant qui est réputé avoir été payé ou perçu par la personne avant cette date;

c) un montant qui est à ajouter dans le calcul de la taxe nette de la personne du fait :

(i) soit qu'une succursale ou une division de la personne est devenue une division de petit fournisseur avant cette date,

(ii) soit que la personne a cessé d'être un inscrit avant cette date.

Antérieurement, elle se lisait ainsi :

(D) en Colombie-Britannique, 75 %,

Le sous-alinéa 5c)(vi) a été remplacé par C.P. 2012-1127 [DORS/2012-191], 20 septembre 2012, par. 7(7) et cette modificarion s'applique au calcul du remboursement d'une personne prévu à l'article 259 de la Loi pour toute période de demande se terminant après mars 2013. Toutefois, le remboursement est déterminé comme si ces articles n'étaient pas entrés en vigueur pour ce qui est du calcul du remboursement d'une personne pour sa période de déclaration qui comprend le 1er avril 2013 relativement aux montants suivants :

a) un montant de taxe qui est devenu payable par la personne avant cette date;

b) un montant qui est réputé avoir été payé ou perçu par la personne avant cette date;

c) un montant qui est à ajouter dans le calcul de la taxe nette de la personne du fait :

(i) soit qu'une succursale ou une division de la personne est devenue une division de petit fournisseur avant cette date,

(ii) soit que la personne a cessé d'être un inscrit avant cette date.

Antérieurement, il se lisait ainsi :

(vi) dans le cas d'une personne visée au sous-alinéa b)(vi) qui réside :

(A) en Ontario, 87 %,

(B) en Colombie-Britannique, 58 %.

L'article 5 et l'intertitre le précédant ont été remplacés par C.P. 2010-791 [DORS/2010-152], 17 juin 2010, art. 6 et cette modification s'applique relativement au calcul d'un montant remboursable en application de l'article 259 de la Loi pour une période de demande d'une personne se terminant après juin 2010. Antérieurement, ils se lisaient ainsi :

5. Pourcentages du remboursement — Pour le calcul du remboursement payable à une personne en vertu de l'article 259 de la Loi, le pourcentage applicable est le suivant :

a) les organismes de bienfaisance ou organismes à but non lucratif admissibles (sauf les organismes déterminés de services publics), 50 %;

b) les administrations hospitalières, 83 %;

c) les administrations scolaires, 68 %;

d) les universités ou collèges publics, 67 %;

e) les municipalités, 57,14 %.

Répartition du remboursement

5.1 Mesure d'utilisation, de consommation ou de fourniture — moment considéré — Pour déterminer, par rapport à un montant admissible fédéral ou à un montant admissible provincial relatif à un bien ou à un service, la mesure dans laquelle une personne avait l'intention de consommer, d'utiliser ou de fournir le bien ou le service dans le cadre de certaines activités, le moment considéré mentionné aux paragraphes 5.2(2), 5.3(2) ou 5.4(2) correspond à celui des moments suivants qui est applicable :

a) si le montant admissible fédéral ou le montant admissible provincial est un montant de taxe relatif à la fourniture du bien effectuée au profit de la personne à un moment donné, ou à l'importation du bien ou à son transfert dans une province participante par la personne à un moment donné, ce moment;

b) si le montant admissible fédéral ou le montant admissible provincial est un montant réputé avoir été payé ou perçu à un moment donné par la personne, ce moment;

c) si le montant admissible fédéral ou le montant admissible provincial est un montant à ajouter en application du paragraphe 129(7) de la Loi dans le calcul de la taxe nette de la personne du fait qu'une de ses succursales ou divisions est devenue une division de petit fournisseur à un moment donné, ce moment;

d) si le montant admissible fédéral ou le montant admissible provincial est un montant à ajouter en application de l'alinéa 171(4)b) de la Loi dans le calcul de la taxe nette de la personne du fait qu'elle a cessé d'être un inscrit à un moment donné, ce moment.

5.2 (1) Catégories réglementaires — paragraphe 259(3) — Sont des catégories réglementaires pour l'application de l'alinéa 259(3)b) de la Loi :

a) les organismes de bienfaisance qui ne sont pas des organismes déterminés de services publics et qui résident dans plusieurs provinces;

b) les organismes à but non lucratif admissibles qui ne sont pas des organismes déterminés de services publics et qui résident dans plusieurs provinces;

c) les organismes déterminés de services publics qui ne sont ni des organismes de bienfaisance ni des organismes à but non lucratif admissibles et qui résident dans plusieurs provinces.

(2) Modalités réglementaires — paragraphe 259(3) — Pour le calcul du montant remboursable selon le paragraphe 259(3) de la Loi pour une période de demande d'une personne visée au paragraphe (1), le montant visé à l'alinéa 259(3)b) de la Loi correspond au total des montants dont chacun est déterminé selon la formule ci-après par rapport à un montant admissible provincial relatif à un bien ou à un service, sauf ceux visés à l'article 4, pour la période de demande pour chaque province participante où la personne réside :

$$A \times B \times C$$

où :

A représente le pourcentage provincial établi applicable à la personne relativement à la province participante;

B le montant admissible provincial;

C le pourcentage qui représente la mesure dans laquelle la personne avait l'intention, au moment considéré, de consommer, d'utiliser ou de fournir le bien ou le service dans le cadre d'activités qu'elle exerce dans la province participante.

(3) Organismes déterminés de services publics — Si une personne transfère un bien meuble corporel dans une province participante à la date ou après la date qui correspond au dernier en date du 1er juillet 2010 et de la date où le présent article est publié dans la *Gazette du Canada* pour la première fois, le paragraphe 259(7) de la Loi est adapté de la façon suivante :

(7) L'organisme déterminé de services publics qui acquiert, importe ou transfère dans une province participante un bien ou un service pour consommation, utilisation ou fourniture principalement dans le cadre des activités exercées par un autre organisme déterminé de services publics est réputé, aux fins du calcul du montant remboursable au titre de la taxe exigée non admise au crédit relativement au bien ou au service pour une de ses périodes de demande, exercer ces activités.

(4) Organismes déterminés de services publics — Si une personne transfère un bien meuble corporel dans une province participante à la date ou après la date qui correspond au dernier en date du 1er juillet 2010 et de la date où le présent article est publié dans la *Gazette du Canada* pour la première fois, le paragraphe 259(8) de la Loi est adapté de la façon suivante :

(8) Le montant remboursable à une personne au titre de la taxe exigée non admise au crédit pour une période de demande relativement à un bien ou à un service qu'elle acquiert, importe ou

transfère dans une province participante pour consommation, utilisation ou fourniture principalement dans le cadre des activités qu'elle exerce en sa qualité d'organisme déterminé de services publics visé à l'un des alinéas a) à g) de la définition de « organisme déterminé de services publics » au paragraphe (1) est calculé comme si elle n'était visée à aucun autre de ces alinéas.

(5) Organismes déterminés de services publics — L'organisme déterminé de services publics qui acquiert, importe ou transfère dans une province participante un bien ou un service pour consommation, utilisation ou fourniture principalement dans le cadre des activités exercées par un autre organisme déterminé de services publics est réputé, pour l'application du paragraphe (2) relativement à un montant admissible provincial relatif au bien ou au service pour une de ses périodes de demande, exercer ces activités.

(6) Organismes déterminés de services publics — Si une personne acquiert, importe ou transfère dans une province participante un bien ou un service pour consommation, utilisation ou fourniture principalement dans le cadre des activités qu'elle exerce en sa qualité d'organisme déterminé de services publics visé à l'un des alinéas a) à g) de la définition de « organisme déterminé de services publics » au paragraphe 259(1) de la Loi, le montant déterminé selon le paragraphe (2) par rapport à un montant admissible provincial relatif au bien ou au service pour une période de demande est déterminé comme si la personne n'était visée à aucun autre de ces alinéas.

Notes historiques: L'article 5.2 a été ajouté par C.P. 2010-791 [DORS/2010-152], 17 juin 2010, art. 6 et s'applique relativement au calcul d'un montant remboursable en application de l'article 259 de la Loi pour une période de demande d'une personne se terminant après juin 2010.

5.3 (1) Catégories réglementaires — paragraphe 259(4) — Pour l'application de l'alinéa 259(4)b) de la Loi, les personnes résidant dans plusieurs provinces sont des personnes faisant partie d'une catégorie réglementaire.

(2) Modalités réglementaires — paragraphe 259(4) — Pour le calcul du montant remboursable en application du paragraphe 259(4) de la Loi pour une période de demande d'une personne visée au paragraphe (1), le montant déterminé selon l'alinéa 259(4)b) de la Loi correspond au total des montants dont chacun est déterminé selon la formule ci-après par rapport à un montant admissible provincial relatif à un bien ou un service pour la période de demande pour chaque province participante où la personne réside :

$$A \times B \times C$$

où :

A représente le pourcentage provincial établi applicable à une municipalité résidant dans la province;

B le montant admissible provincial;

C le pourcentage qui représente la mesure dans laquelle la personne avait l'intention, au moment considéré, de consommer, d'utiliser ou de fournir le bien ou le service dans le cadre des activités précisées qu'elle exerce dans la province.

Notes historiques: L'article 5.3 a été ajouté par C.P. 2010-791 [DORS/2010-152], 17 juin 2010, art. 6 et s'applique relativement au calcul d'un montant remboursable en application de l'article 259 de la Loi pour une période de demande d'une personne se terminant après juin 2010.

5.4 (1) Catégories réglementaires — paragraphe 259(4.1) — Sont des catégories réglementaires pour l'application du paragraphe 259(4.1) de la Loi :

a) les organismes de bienfaisance qui sont des organismes déterminés de services publics;

b) les institutions publiques qui sont des organismes déterminés de services publics;

c) les organismes à but non lucratif admissibles qui sont des organismes déterminés de services publics.

(2) Modalités réglementaires — paragraphe 259(4.1) — Pour l'application du paragraphe 259(4.1) de la Loi, le montant remboursable relativement à un bien ou à un service, sauf ceux visés à l'article 4, pour une période de demande d'une personne visée au paragraphe (1) correspond au total des montants suivants :

a) 50 % du total des montants admissibles fédéraux relatifs au bien ou au service pour la période de demande;

b) le total des montants dont chacun est déterminé selon la formule ci-après par rapport à un montant admissible provincial relatif au bien ou au service pour la période de demande pour chaque province participante où la personne réside :

$$A \times B \times C$$

où :

A représente :

(i) 0 % :

(A) si la personne est un organisme déterminé de services publics visé à l'un des alinéas a) à e) de la définition de « organisme déterminé de services publics » au paragraphe 259(1) de la Loi qui réside dans la province participante et que le pourcentage provincial établi qui lui est applicable est de 0 %,

(B) si la personne est un organisme déterminé de services publics visé aux alinéas f) ou g) de cette définition et que la province participante est Terre-Neuve-et-Labrador,

(ii) 50 %, dans les autres cas,

B le montant admissible provincial,

C le pourcentage qui représente la mesure dans laquelle la personne avait l'intention, au moment considéré, de consommer, d'utiliser ou de fournir le bien ou le service dans le cadre d'activités qu'elle exerce dans la province participante;

c) dans le cas d'une personne qui est désignée comme municipalité pour l'application de l'article 259 de la Loi relativement à des activités (appelées « activités désignées » au présent alinéa) précisées dans la désignation et qui consomme, utilise ou fournit le bien ou le service dans le cadre de ces activités, le total des montants suivants :

(i) le total des montants dont chacun est déterminé selon la formule ci-après par rapport à un montant admissible fédéral relatif au bien ou au service pour la période de demande :

$$A \times B \times C$$

où :

A représente le pourcentage établi applicable à une municipalité moins 50 %,

B le montant admissible fédéral,

C le pourcentage qui représente la mesure dans laquelle la personne avait l'intention, au moment considéré, de consommer, d'utiliser ou de fournir le bien ou le service dans le cadre des activités désignées,

(ii) le total des montants dont chacun est déterminé selon la formule ci-après par rapport à un montant admissible provincial relatif au bien ou au service pour la période de demande pour chaque province participante où la personne réside :

$$D \times E \times F$$

où :

D représente le plus élevé des pourcentages suivants :

(A) le pourcentage provincial établi applicable à une municipalité résidant dans la province participante moins 50 %,

(B) 0 %,

E le montant admissible provincial,

F le pourcentage qui représente la mesure dans laquelle la personne avait l'intention, au moment considéré, de consommer, d'utiliser ou de fournir le bien ou le service dans le cadre des activités désignées exercées dans la province participante;

d) dans le cas d'une personne qui a le statut de municipalité selon l'alinéa b) de la définition de « municipalité » au paragraphe 123(1) de la Loi et qui consomme, utilise ou fournit le bien ou le service dans le cadre de l'exécution de ses responsabilités à titre d'administration locale, le total des montants suivants :

(i) le total des montants dont chacun est déterminé selon la formule ci-après par rapport à un montant admissible fédéral relatif au bien ou au service pour la période de demande :

$$A \times B \times C$$

où :

A représente le pourcentage établi applicable à une municipalité moins 50 %,

B le montant admissible fédéral,

C le pourcentage qui représente la mesure dans laquelle la personne avait l'intention, au moment considéré, de consommer, d'utiliser ou de fournir le bien ou le service dans le cadre d'activités qu'elle exerce lors de l'exécution de ses responsabilités à titre d'administration locale,

(ii) le total des montants dont chacun est déterminé selon la formule ci-après par rapport à un montant admissible provincial relatif au bien ou au service pour la période de demande pour chaque province participante où la personne réside :

$$D \times E \times F$$

où :

D représente le plus élevé des pourcentages suivants :

(A) le pourcentage provincial établi applicable à une municipalité résidant dans la province participante moins 50 %,

(B) 0 %,

E le montant admissible provincial,

F le pourcentage qui représente la mesure dans laquelle la personne avait l'intention, au moment considéré, de consommer, d'utiliser ou de fournir le bien ou le service dans le cadre d'activités qu'elle exerce lors de l'exécution de ses responsabilités à titre d'administration locale dans la province participante;

e) dans le cas d'une personne qui, en sa qualité d'administration hospitalière, consomme, utilise ou fournit le bien ou le service dans le cadre d'activités qu'elle exerce lors de l'exploitation d'un hôpital public, lors de l'exploitation d'un établissement admissible en vue de la réalisation de fournitures en établissement ou lors de la réalisation de fournitures en établissement, de fournitures connexes ou de fournitures de biens ou services médicaux à domicile, le total des montants suivants :

(i) le total des montants dont chacun est déterminé selon la formule ci-après par rapport à un montant admissible fédéral relatif au bien ou au service pour la période de demande :

$$A \times B \times C$$

où :

A représente le pourcentage établi applicable à une administration hospitalière moins 50 %,

B le montant admissible fédéral,

C le pourcentage qui représente la mesure dans laquelle la personne avait l'intention, au moment considéré, de consommer, d'utiliser ou de fournir le bien ou le service dans le cadre d'activités qu'elle exerce lors de l'exploitation d'un hôpital public, lors de l'exploitation d'un établissement admissible en vue de la réalisation de fournitures en établissement ou lors de la réalisation de fournitures en établissement, de fournitures connexes ou de fournitures de biens ou services médicaux à domicile,

(ii) le total des montants dont chacun est déterminé selon la formule ci-après par rapport à un montant admissible provincial relatif au bien ou au service pour la période de demande pour chaque province participante où la personne réside :

$$D \times E \times F$$

où :

D représente le plus élevé des pourcentages suivants :

(A) le pourcentage provincial établi applicable à une administration hospitalière résidant dans la province participante moins 50 %,

(B) 0 %,

E le montant admissible provincial,

F :

(A) si la province participante est l'Ontario ou la Colombie-Britannique, le pourcentage qui représente la mesure dans laquelle la personne avait l'inten-tion, au moment considéré, de consommer, d'utiliser ou de fournir le bien ou le service dans le cadre d'activités qu'elle exerce, selon le cas :

(I) lors de l'exploitation d'un hôpital public dans la province participante ou lors de l'exploitation d'un établissement admissible dans cette province en vue de la réalisation de fournitures en établissement,

(II) dans la province participante lors de la réalisation de fournitures en établissement, de fournitures connexes ou de fournitures de biens ou services médicaux à domicile,

(B) dans les autres cas, le pourcentage qui représente la mesure dans laquelle la personne avait l'intention, au moment considéré, de consommer, d'utiliser ou de fournir le bien ou le service dans le cadre d'activités qu'elle exerce lors de l'exploitation d'un hôpital public dans la province participante;

f) dans le cas d'une personne qui, en sa qualité d'exploitant d'établissement ou de fournisseur externe, consomme, utilise ou fournit le bien ou le service dans le cadre d'activités qu'elle exerce lors de l'exploitation d'un établissement admissible en vue de la réalisation de fournitures en établissement ou lors de la réalisation de fournitures en établissement, de fournitures connexes ou de fournitures de biens ou services médicaux à domicile, le total des montants suivants :

(i) le total des montants dont chacun est déterminé selon la formule ci-après par rapport à un montant admissible fédéral relatif au bien ou au service pour la période de demande :

$$A \times B \times C$$

où :

A représente le pourcentage établi applicable à un exploitant d'établissement ou à un fournisseur externe moins 50 %,

B le montant admissible fédéral,

C le pourcentage qui représente la mesure dans laquelle la personne avait l'intention, au moment considéré, de consommer, d'utiliser ou de fournir le bien ou le service dans le cadre d'activités qu'elle exerce lors de l'exploitation d'un établissement admissible en vue de la réalisation de fournitures en établissement ou lors de la réalisation de fournitures en établissement, de fournitures connexes ou de fournitures de biens ou services médicaux à domicile,

(ii) le total des montants dont chacun est déterminé selon la formule ci-après par rapport à un montant admissible provincial relatif au bien ou au service pour la période de demande pour chaque province participante où la personne réside :

$$D \times E \times F$$

où :

D représente le plus élevé des pourcentages suivants :

(A) le pourcentage provincial établi applicable à un exploitant d'établissement ou à un fournisseur externe résidant dans la province participante moins 50 %,

(B) 0 %,

E le montant admissible provincial,

F le pourcentage qui représente la mesure dans laquelle la personne avait l'intention, au moment considéré, de consommer, d'utiliser ou de fournir le bien ou le service dans le cadre d'activités qu'elle exerce, selon le cas :

(A) lors de l'exploitation d'un établissement admissible dans la province participante en vue de la réalisation de fournitures en établissement,

(B) dans la province participante lors de la réalisation de fournitures en établissement, de fournitures connexes ou de fournitures de biens ou services médicaux à domicile;

g) dans le cas d'une personne qui, en sa qualité d'administration scolaire, consomme, utilise ou fournit le bien ou le service dans le cadre d'activités qu'elle exerce lors de l'exploitation d'une école primaire ou secondaire, le total des montants suivants :

(i) le total des montants dont chacun est déterminé selon la formule ci-après par rapport à un montant admissible fédéral relatif au bien ou au service pour la période de demande :

$$A \times B \times C$$

où :

A représente le pourcentage établi applicable à une administration scolaire moins 50 %,

B le montant admissible fédéral,

C le pourcentage qui représente la mesure dans laquelle la personne avait l'intention, au moment considéré, de consommer, d'utiliser ou de fournir le bien ou le service dans le cadre d'activités qu'elle exerce lors de l'exploitation d'une école primaire ou secondaire,

(ii) le total des montants dont chacun est déterminé selon la formule ci-après par rapport à un montant admissible provincial relatif au bien ou au service pour la période de demande pour chaque province participante où la personne réside :

$$D \times E \times F$$

où :

D représente le plus élevé des pourcentages suivants :

(A) le pourcentage provincial établi applicable à une administration scolaire résidant dans la province participante moins 50 %,

(B) 0 %,

E le montant admissible provincial,

F le pourcentage qui représente la mesure dans laquelle la personne avait l'intention, au moment considéré, de consommer, d'utiliser ou de fournir le bien ou le service dans le cadre d'activités qu'elle exerce lors de l'exploitation d'une école primaire ou secondaire dans la province participante;

h) dans le cas d'une personne qui, en sa qualité d'université ou de collège public, consomme, utilise ou fournit le bien ou le service dans le cadre d'activités qu'elle exerce lors de l'exploitation d'un collège d'enseignement postsecondaire, d'un institut technique d'enseignement postsecondaire ou d'une institution reconnue qui décerne des diplômes, d'une école affiliée à une telle institution ou de l'institut de recherche d'une telle institution, le total des montants suivants :

(i) le total des montants dont chacun est déterminé selon la formule ci-après par rapport à un montant admissible fédéral relatif au bien ou au service pour la période de demande :

$$A \times B \times C$$

où :

A représente le pourcentage établi applicable à une université ou à un collège public moins 50 %,

B le montant admissible fédéral,

C le pourcentage qui représente la mesure dans laquelle la personne avait l'intention, au moment considéré, de consommer, d'utiliser ou de fournir le bien ou le service dans le cadre d'activités qu'elle exerce lors de l'exploitation d'un collège d'enseignement postsecondaire, d'un institut technique d'enseignement postsecondaire ou d'une institution reconnue qui décerne des diplômes, d'une école affiliée à une telle institution ou de l'institut de recherche d'une telle institution,

(ii) le total des montants dont chacun est déterminé selon la formule ci-après par rapport à un montant admissible provincial relatif au bien ou au service pour la période de demande pour chaque province participante où la personne réside :

$$D \times E \times F$$

où :

D représente le plus élevé des pourcentages suivants :

(A) le pourcentage provincial établi applicable à une université ou un collège public résidant dans la province participante moins 50 %,

(B) 0 %,

E le montant admissible provincial,

F le pourcentage qui représente la mesure dans laquelle la personne avait l'intention, au moment considéré, de consommer, d'utiliser ou de fournir le bien ou le service dans le cadre d'activités qu'elle exerce lors de l'exploitation d'un collège d'enseignement postsecondaire, d'un institut technique d'enseignement postsecondaire ou d'une institution reconnue qui décerne des diplômes, d'une école affiliée à une telle institution ou de l'institut de recherche d'une telle institution dans la province participante;

i) dans le cas d'une personne résidant en Ontario, le total des montants dont chacun est déterminé selon la formule ci-après par rapport à un montant admissible provincial relatif au bien ou au service pour la période de demande :

$$A \times B \times C$$

où :

A représente 32 %,

B le montant admissible provincial,

C le pourcentage qui représente la mesure dans laquelle la personne avait l'intention, au moment considéré, de consommer, d'utiliser ou de fournir le bien ou le service dans le cadre d'activités, sauf celles relativement auxquelles l'un des alinéas c) à h) s'applique, qu'elle exerce en Ontario;

j) [*Abrogé*];

(3) Montant admissible fédéral — fournitures déterminées — Malgré les alinéas (2)e) et f), si une personne — administration hospitalière, exploitant d'établissement ou fournisseur externe — est l'acquéreur de la fourniture déterminée d'un bien relativement à laquelle un montant de taxe, à un moment donné, devient payable ou est payé sans être devenu payable et que ce montant est un montant admissible fédéral relativement au bien, pour le calcul d'un montant donné en application de l'un ou l'autre de ces alinéas relativement au bien pour la période de demande qui comprend ce moment, le montant admissible fédéral, mentionné à l'élément B de la formule figurant à ces alinéas, qui entre dans le calcul du montant donné relatif à la consommation, à l'utilisation ou à la fourniture du bien dans le cadre d'activités relativement auxquelles l'un ou l'autre de ces alinéas s'applique, sauf celles que la personne exerce lors de l'exploitation d'un hôpital public, correspond au montant obtenu par la formule suivante :

$$A \times B$$

où :

A représente le montant qui, en l'absence du présent paragraphe, représenterait le montant admissible fédéral relativement à cette taxe;

B le montant obtenu par la formule suivante :

$$(C - D)/C$$

où :

C représente la juste valeur marchande du bien au moment où la fourniture déterminée est effectuée,

D la juste valeur marchande du bien le 1er janvier 2005.

Notes historiques: L'alinéa 5.4(2)j) a été abrogé par C.P. 2012-1127 [DORS/2012-191], 20 septembre 2012, art. 8 et cette abrogation s'applique au calcul du remboursement d'une personne prévu à l'article 259 de la Loi pour toute période de demande se terminant après mars 2013. Toutefois, le remboursement est déterminé comme si ces articles n'étaient pas entrés en vigueur pour ce qui est du calcul du remboursement d'une personne pour sa période de déclaration qui comprend le 1er avril 2013 relativement aux montants suivants :

a) un montant de taxe qui est devenu payable par la personne avant cette date;

b) un montant qui est réputé avoir été payé ou perçu par la personne avant cette date;

c) un montant qui est à ajouter dans le calcul de la taxe nette de la personne du fait :

(i) soit qu'une succursale ou une division de la personne est devenue une division de petit fournisseur avant cette date,

(ii) soit que la personne a cessé d'être un inscrit avant cette date.

Antérieurement, il se lisait ainsi :

j) dans le cas d'une personne résidant en Colombie-Britannique, le total des montants dont chacun est déterminé selon la formule ci-après par rapport à un montant admissible provincial relatif au bien ou au service pour la période de demande :

$$A \times B \times C$$

où :

A représente 7 %,

B le montant admissible provincial,

C le pourcentage qui représente la mesure dans laquelle la personne avait l'intention, au moment considéré, de consommer, d'utiliser ou de fournir le bien ou le service dans le cadre d'activités, sauf celles relativement auxquelles l'un des alinéas c) à h) s'applique, qu'elle exerce en Colombie-Britannique.

L'article 5.4 a été ajouté par C.P. 2010-791 [DORS/2010-152], 17 juin 2010, art. 6 et s'applique relativement au calcul d'un montant remboursable en application de l'article 259 de la Loi pour une période de demande d'une personne se terminant après juin 2010.

6. Méthode de calcul du remboursement — **(1)** Pour l'application de l'article 7, le montant déterminant pour l'exercice d'une personne correspond au total des montants suivants :

a) le résultat du calcul suivant :

$$\frac{A \times 365}{B}$$

où :

A représente le total des contreparties, sauf celle visée à l'article 167.1 de la Loi qui est imputable à l'achalandage d'une entreprise, des fournitures taxables (sauf les fournitures de services financiers et les fournitures par vente d'immeubles qui sont des immobilisations de la personne) effectuées par celle-ci, qui lui sont devenues dues au cours de son exercice précédant (appelé « exercice de base » au présent paragraphe), ou qui lui ont été payées au cours de cet exercice sans être devenues dues;

B le nombre de jours de l'exercice de base;

b) le total des montants représentant chacun le montant applicable à un associé — une autre personne qui, à la fin de son dernier exercice se terminant dans l'exercice de base, était associée à la personne — obtenu par la formule suivante :

$$\frac{C \times 365}{D}$$

où :

C représente le total des contreparties, sauf celle visée à l'article 167.1 de la Loi qui est imputable à l'achalandage d'une entreprise, des fournitures taxables (sauf les fournitures de services financiers et les fournitures par vente d'immeubles qui sont des immobilisations de l'associé) effectuées par celui-ci, qui lui sont devenues dues au cours du dernier exercice, ou qui lui ont été payées au cours de cet exercice sans être devenues dues;

D le nombre de jours du dernier exercice.

(2) Pour l'application de l'article 7, le montant déterminant pour un trimestre d'exercice donné compris dans l'exercice d'une personne correspond au total des montants suivants :

a) le total des contreparties, sauf celle visée à l'article 167.1 de la Loi qui est imputable à l'achalandage d'une entreprise, des fournitures taxables (sauf les fournitures de services financiers et les fournitures par vente d'immeubles qui sont des immobilisations de la personne) effectuées par celle-ci, qui lui sont devenues dues au cours des trimestres d'exercice antérieurs compris dans cet exercice, ou qui lui ont été payées au cours de ces trimestres sans être devenues dues;

b) le total des montants représentant chacun un montant applicable à un associé — une autre personne qui, au début du trimestre d'exercice donné, était associée à la personne — égal au total des contreparties, sauf celle visée à l'article 167.1 de la Loi qui est imputable à l'achalandage d'une entreprise, des fournitures taxables (sauf les fournitures de services financiers et les fournitures par vente d'immeubles qui sont des immobilisations de l'associé) effectuées par celui-ci, qui lui sont devenues dues au cours de ses trimestres d'exercice se terminant dans l'exercice de la personne mais avant le début du trimestre d'exercice donné, ou qui lui ont été payées au cours de ces trimestres sans être devenues dues.

(3) Pour l'application des paragraphes (1) et (2), est réputée ne pas être la contrepartie d'une fourniture taxable la contrepartie, ou toute partie de celle-ci, qui devient due à une personne, ou qui lui est payée sans être devenue due, pour une fourniture taxable (sauf la fourniture par vente d'un immeuble) effectuée par elle dans le cadre de ses activités exercées dans une de ses succursales ou divisions au moment où celle-ci est une division de petit fournisseur au sens du paragraphe 129(1) de la Loi.

(4) Pour l'application de l'article 7, le montant déterminant des achats pour l'exercice d'une personne correspond au total des montants représentant chacun, à la fois :

a) un montant qui est devenu dû par elle au cours de son exercice précédent, ou qui a été payé par elle au cours de cet exercice sans être devenu dû, pour la fourniture taxable, sauf la fourniture détaxée, d'un bien ou d'un service qu'elle a acquis au Canada ou qu'elle a acquis à l'étranger puis importé;

b) l'un des montants suivants :

(i) un montant inclus dans le calcul du coût pour elle du bien ou du service pour l'application de la *Loi de l'impôt sur le revenu*,

(ii) la taxe payable par elle relativement à l'acquisition ou à l'importation du bien ou du service.

(5) Pour l'application du paragraphe (4), ne peut être inclus dans le calcul du montant déterminant des achats d'une personne pour un exercice le montant qui devient dû par elle, ou qui est payé par elle sans être devenu dû, pour la fourniture d'un bien ou d'un service qu'elle acquiert pour consommation, utilisation ou fourniture dans le cadre de ses activités exercées dans une de ses succursales ou divisions au moment où celle-ci est une division de petit fournisseur au sens du paragraphe 129(1) de la Loi.

(6) Pour l'application du présent article et des articles 7 et 8, lorsque la contrepartie de la fourniture d'un bien ou d'un service est réputée, par l'article 152 de la Loi, devenir due un jour donné, le montant de frais, droits ou taxes qui n'est pas devenu dû au plus tard ce jour-là est réputé le devenir ce jour-là s'il répond aux conditions suivantes :

a) il est visé aux alinéas 3b) ou c) du *Règlement sur les frais, droits et taxes (TPS/TVH)*;

b) il est imposé à l'égard du bien ou du service;

c) il est calculé sur la contrepartie.

(7) Pour l'application du présent article et des articles 7 et 8, les montants suivants relatifs à la fourniture d'un bien ou d'un service sont réputés devenus dus le jour où la taxe s'y rapportant devient payable par une personne en application des paragraphes 168(3), (6) ou (7) de la Loi :

a) la contrepartie sur laquelle la taxe est calculée;

b) les taxes, droits ou frais visés aux alinéas 3b) ou c) du *Règlement sur les frais, droits et taxes (TPS/TVH)* qui sont payables par la personne relativement au bien ou au service et qui ne sont pas devenus dus au plus tard ce jour-là.

Notes historiques: L'article 6 a été ajouté par C.P. 1999-1643 [DORS/99-367], 29 septembre 1999, art. 7 et s'applique au calcul du montant des remboursements payables en vertu de l'article 259 de la *Loi sur la taxe d'accise* pour des périodes de demande qui constituent des exercices se terminant après 1992 ou des mois d'exercice ou des trimestres d'exercice se terminant après février 1993. Toutefois, avant le 1er avril 1997, les mentions de « (TPS/TVH) » à l'alinéa 6(6)a) valent mention de « (TPS) ».

7. [Personne visée] — **(1)** Une personne est une personne visée pour l'application du paragraphe 259(12) de la Loi le premier jour de sa période de demande si les conditions suivantes sont réunies :

a) le montant déterminant pour l'exercice de la personne qui comprend la période de demande ne dépasse pas 1 000 000 $;

b) si le trimestre d'exercice de celle-ci qui comprend la période de demande n'est pas le premier de l'exercice, le montant déterminant pour le trimestre ne dépasse pas 1 000 000 $;

c) le montant déterminant des achats pour l'exercice ne dépasse pas 4 000 000 $;

d) il est raisonnable de s'attendre, au début de la période de demande, à ce que le montant déterminant des achats pour son exercice subséquent ne dépasse pas 4 000 000 $.

Modification proposée — 7(1)a)-d)

a) le montant déterminant pour l'exercice de la personne qui comprend la période de demande ne dépasse pas 1 000 000 $;

b) si le trimestre d'exercice de celle-ci qui comprend la période de demande n'est pas le premier de l'exercice, le montant déterminant pour le trimestre ne dépasse pas 1 000 000 $;

c) le montant déterminant des achats pour l'exercice ne dépasse pas 4 000 000 $;

d) il est raisonnable de s'attendre, au début de la période de demande, à ce que le montant déterminant des achats pour son exercice subséquent ne dépasse pas 4 000 000 $.

Application: Les alinéas 7(1)a) à d) seront remplacés par le par. 3(1) de l'*Avant-projet de modification du Règlement sur les remboursements aux organismes de services publics (TPS/TVH)* du 29 mars 2012 (Budget fédéral 2012–2013) et cette modification s'appliquera au calcul d'un montant remboursable en application de l'article 259 de la Loi pour les périodes de demande commençant après 2012.

(2) Une personne cesse d'être une personne visée pour l'application du paragraphe 259(12) de la Loi au premier en date des moments suivants :

a) si le montant déterminant pour un de ses exercices dépasse 1 000 000 $, la fin du premier trimestre d'exercice de celui-ci;

b) si le montant déterminant pour le deuxième ou troisième trimestre d'exercice au cours de l'un de ses exercices dépasse 1 000 000 $, la fin du premier trimestre d'exercice de celui-ci pour lequel ce montant dépasse 1 000 000 $;

c) si le montant déterminant des achats pour un de ses exercices dépasse 4 000 000 $, la fin du premier trimestre d'exercice de celui-ci.

Modification proposée — 7(2)a)-c)

a) si le montant déterminant pour un de ses exercices dépasse 1 000 000 $, la fin du premier trimestre d'exercice de celui-ci;

b) si le montant déterminant pour le deuxième ou troisième trimestre d'exercice au cours de l'un de ses exercices dépasse 1 000 000 $, la fin du premier trimestre d'exercice de celui-ci pour lequel ce montant dépasse 1 000 000 $;

c) si le montant déterminant des achats pour un de ses exercices dépasse 4 000 000 $, la fin du premier trimestre d'exercice de celui-ci.

Application: Les alinéas 7(2)a) à c) seront remplacés par le par. 3(2) de l'*Avant-projet de modification du Règlement sur les remboursements aux organismes de services publics (TPS/TVH)* du 29 mars 2012 (Budget fédéral 2012–2013) et cette modification s'appliquera au calcul d'un montant remboursable en application de l'article 259 de la Loi pour les périodes de demande commençant après 2012.

Notes historiques: Les alinéas 7(1)a) à d) ont été remplacés par C.P. 2012-1127 [DORS/2012-191], 20 septembre 2012, par. 9(1) et cette modification s'applique au calcul d'un remboursement prévu à l'article 259 de la Loi relativement à toute période de demande commençant après 2012. Antérieurement, ils se lisaient ainsi :

a) le montant déterminant pour l'exercice de la personne qui comprend la période de demande ne dépasse pas 500 000 $;

b) si le trimestre d'exercice de celle-ci qui comprend la période de demande n'est pas le premier de l'exercice, le montant déterminant pour le trimestre ne dépasse pas 500 000 $;

c) le montant déterminant des achats pour l'exercice ne dépasse pas 2 000 000 $;

d) il est raisonnable de s'attendre, au début de la période de demande, à ce que le montant déterminant des achats pour son exercice subséquent ne dépasse pas 2 000 000 $.

Les alinéas 7(2)a) à c) ont été remplacés par C.P. 2012-1127 [DORS/2012-191], 20 septembre 2012, par. 9(2) et cette modification s'applique au calcul d'un remboursement prévu à l'article 259 de la Loi relativement à toute période de demande commençant après 2012. Antérieurement, ils se lisaient ainsi :

a) si le montant déterminant pour un de ses exercices dépasse 500 000 $, la fin du premier trimestre d'exercice de celui-ci;

b) si le montant déterminant pour le deuxième ou troisième trimestre d'exercice au cours de l'un de ses exercices dépasse 500 000 $, la fin du premier trimestre d'exercice de celui-ci pour lequel ce montant dépasse 500 000 $;

c) si le montant déterminant des achats pour un de ses exercices dépasse 2 000 000 $, la fin du premier trimestre d'exercice de celui-ci.

L'article 7 a été ajouté par C.P. 1999-1643 [DORS/99-367], 29 septembre 1999, art. 7 et s'applique au calcul du montant des remboursements payables en vertu de l'article 259 de la *Loi sur la taxe d'accise* pour des périodes de demande qui constituent des exercices se terminant après 1992 ou des mois d'exercice ou des trimestres d'exercice se terminant après février 1993. Toutefois :

a) avant le 1er avril 1997, les mentions de « (TPS/TVH) » à l'alinéa (7)b) valent mention de « (TPS) »;

b) les alinéas 7(1)c) et d) ne s'appliquent pas lorsqu'il s'agit de déterminer si une personne peut faire, en vertu du paragraphe 259(12) de la Loi, un choix qui entre en vigueur au cours de son exercice commençant avant juillet 1993;

c) l'alinéa 7(2)c) ne s'applique pas lorsqu'il s'agit de déterminer si une personne cesse d'être une personne visée pour l'application du paragraphe 259(12) de la Loi au cours de son exercice commençant avant juillet 1993.

8. [Montant du remboursement] — **(1)** Dans le cas où, à la fois :

a) une personne fournit un bien meuble ou un service au Canada à une autre personne, ou lui fournit un bien meuble corporel à l'étranger que l'autre personne importe par la suite,

b) l'autre personne peut demander, en vertu de l'article 259 de la Loi, un remboursement à l'égard du bien ou du service pour une de ses périodes de demande,

aux fins du calcul, en conformité avec le présent règlement, du montant du remboursement payable en vertu de cet article relativement au bien ou au service pour une période de demande de l'autre personne, la taxe prévue aux paragraphes 165(1) ou (2) ou aux articles 212 ou 212.1 de la Loi, selon le cas, qui est devenue payable par l'autre personne au cours de la période de demande, ou qui a été payée par elle au cours de cette période sans être devenue payable, relativement à la fourniture ou à l'importation du bien ou du service est réputée égale au résultat du calcul suivant :

$$A \times B$$

où :

A représente :

a) si ni la taxe prévue au paragraphe 165(2) de la Loi ni celle prévue à l'article 212.1 de la Loi n'étaient payables relativement à l'acquisition ou à l'importation, le montant obtenu par la formule ci-après dans le cas de la taxe payable en vertu du paragraphe 165(1) ou de l'article 212 de la Loi :

$$C/D$$

où :

C représente le taux fixé au paragraphe 165(1) de la Loi,

D le total de 100 % et du pourcentage visé à l'élément C,

b) si la taxe prévue au paragraphe 165(2) ou à l'article 212.1 de la Loi était payable relativement à l'acquisition ou à l'importation :

(i) dans le cas de la taxe payable en vertu du paragraphe 165(1) ou de l'article 212 de la Loi, le montant obtenu par la formule suivante :

$$E/F$$

où :

E représente le taux fixé au paragraphe 165(1) de la Loi,

F le total de 100 %, du pourcentage visé à l'élément E et du taux de taxe applicable à la province participante où la fourniture a été effectuée ou, dans le cas d'une importation, où l'autre personne réside,

(ii) dans le cas de la taxe payable en vertu du paragraphe 165(2) ou de l'article 212.1 de la Loi, le montant obtenu par la formule suivante :

$$G/H$$

où :

G représente le taux de taxe applicable à la province participante où la fourniture a été effectuée ou, dans le cas d'une importation, où l'autre personne réside,

H le total de 100 %, du pourcentage visé à l'élément G et du taux fixé au paragraphe 165(1) de la Loi;

B le total des montants représentant chacun :

a) la contrepartie qui est devenue due par l'autre personne au cours de la période, ou qui a été payée par elle au cours de cette période sans être devenue due, relativement à la fourniture du bien ou du service,

b) la taxe prévue par les sections II ou III de la partie IX de la Loi qui est devenue payable par l'autre personne au cours de la période, ou qui a été payée par elle au cours de cette période sans être devenue payable, relativement à la fourniture ou à l'importation du bien ou du service,

c) dans le cas d'un bien meuble corporel importé par l'autre personne, les taxes ou droits imposés sur le bien en vertu de la Loi, sauf la partie IX, de la *Loi sur les douanes*, de la *Loi sur les mesures spéciales d'importation* ou de toute autre loi en matière douanière qui sont devenus dus par l'autre personne au cours de la période, ou qui ont été payés par elle au cours de cette période sans être devenus dus,

d) les taxes, droits ou frais visés aux alinéas 3b) ou c) du *Règlement sur les frais, droits et taxes* (TPS/TVH) qui sont devenus dus par l'autre personne au cours de la période, ou qui ont été payés par elle au cours de cette période sans être devenus dus, relativement au bien ou au service, à l'exception de la taxe imposée en application d'une loi provinciale dans la mesure où elle est recouvrable par l'autre personne aux termes de cette loi,

e) un pourboire raisonnable payé par l'autre personne au cours de la période dans le cadre de la fourniture,

f) les intérêts, la pénalité ou tout autre montant payés par l'autre personne au cours de la période et qui ont été exigés par le fournisseur du bien ou du service en raison d'un paiement tardif au titre de la contrepartie ou des taxes, droits ou frais visés aux alinéas c) ou d), payables relativement à la fourniture ou à l'importation.

(2) Aux fins du calcul, en conformité avec le présent règlement, du montant du remboursement payable à une personne en vertu de l'article 259 de la Loi au titre d'un bien ou d'un service acquis ou importé par l'un de ses salariés, par l'un de ses associés, si elle est une société de personnes, ou par l'un de ses bénévoles, si elle est un organisme de bienfaisance ou une institution publique, et sur lequel il était tenu de payer la taxe prévue aux sections II ou III de la partie IX de la Loi, le montant de cette taxe est réputé, pour l'application de l'article 175 de la Loi, être égal au montant qui serait déterminé selon le paragraphe (1) si celui-ci s'appliquait à l'acquisition ou à l'importation par le salarié, l'associé ou le bénévole.

Notes historiques: Le passage du paragraphe 8(1) suivant l'alinéa b) et précédant l'élément B a été remplacé par C.P. 1999-1643 [DORS/99-367], 29 septembre 1999, art. 8 et cette modification est réputée entrée en vigueur le 1er avril 1997. Antérieurement, ce passage se lisait comme suit :

aux fins du calcul, en conformité avec le présent règlement, du montant du remboursement payable en vertu de cet article relativement au bien ou au service pour une période de demande de l'autre personne, la taxe prévue aux sections II ou III, selon le cas, de la partie IX de la Loi qui est devenue payable par l'autre personne au cours de la période de demande, ou qui a été payée par elle au cours de cette période sans être devenue payable, relativement à la fourniture ou à l'importation du bien ou du service est réputée égale au résultat du calcul suivant :

$$A \times B$$

où :

A représente la fraction de taxe;

L'alinéa a) de l'élément A de la formule au paragraphe 8(1) a été remplacé par C.P. 2010-791 [DORS/2010-152], 17 juin 2010, par. 7(1) et cette modification s'applique relativement au calcul d'un montant remboursable en application de l'article 259 de la Loi pour une période de demande se terminant après juin 2006. Toutefois, si la période de demande d'une personne comprend le 30 juin 2006, le passage du paragraphe 8(1) du même règlement suivant l'alinéa a) est réputé avoir le libellé suivant :

b) l'autre personne peut demander, en vertu de l'article 259 de la Loi, un remboursement à l'égard du bien ou du service pour sa période de demande qui comprend le 30 juin 2006,

pour le calcul, en conformité avec le présent règlement, du montant du remboursement payable en vertu de cet article relativement au bien ou au service pour la période de demande de l'autre personne, la taxe prévue aux paragraphes 165(1) ou (2) ou aux articles 212 ou 212.1 de la Loi, selon le cas, qui est devenue payable par l'autre personne au cours de la période de demande, ou qui a été payée par elle au cours de cette période sans être devenue payable, relativement à la fourniture ou à l'importation du bien ou du service est réputée être égale au montant obtenu par la formule suivante :

$$(A \times B) + (C \times D)$$

où :

A représente :

a) si ni la taxe prévue au paragraphe 165(2) de la Loi ni celle prévue à l'article 212.1 de la Loi n'étaient payables relativement à l'acquisition ou à l'importation, 7/107 dans le cas de la taxe prévue au paragraphe 165(1) ou à l'article 212 de la Loi qui est devenue payable avant le 1er juillet 2006 ou qui a été payée avant cette date sans être devenue payable,

b) si la taxe prévue au paragraphe 165(2) ou à l'article 212.1 de la Loi était payable relativement à l'acquisition ou à l'importation :

(i) 7/115, dans le cas de la taxe prévue au paragraphe 165(1) ou à l'article 212 de la Loi qui est devenue payable avant le 1er juillet 2006 ou qui a été payée avant cette date sans être devenue payable,

(ii) 8/115, dans le cas de la taxe prévue au paragraphe 165(2) ou à l'article 212.1 de la Loi qui est devenue payable avant le 1er juillet 2006 ou qui a été payée avant cette date sans être devenue payable;

B le total des montants représentant chacun :

a) la contrepartie qui est devenue due par l'autre personne au cours de la période mais avant le 1er juillet 2006, ou qui a été payée par elle au cours de cette période mais avant cette date sans être devenue due, relativement à la fourniture du bien ou du service,

b) la taxe prévue par les sections II ou III de la partie IX de la Loi qui est devenue payable par l'autre personne au cours de la période mais avant le 1er juillet 2006, ou qui a été payée par elle au cours de cette période mais avant cette date sans être devenue payable, relativement à la fourniture ou à l'importation du bien ou du service,

c) dans le cas d'un bien meuble corporel importé par l'autre personne, les taxes ou droits imposés sur le bien en vertu de la Loi, sauf la partie IX, de la *Loi sur les douanes*, de la *Loi sur les mesures spéciales d'importation* ou de toute autre loi en matière douanière qui sont devenus dus par l'autre personne au cours de la période mais avant le 1er juillet 2006, ou qui ont été payés par elle au cours de cette période mais avant cette date sans être devenus dus,

d) les taxes, droits ou frais visés aux alinéas 3b) ou c) du *Règlement sur les frais, droits et taxes (TPS/TVH)* qui sont devenus dus par l'autre personne au cours de la période mais avant le 1er juillet 2006, ou qui ont été payés par elle au cours de cette période mais avant cette date sans être devenus dus, relativement au bien ou au service, à l'exception de la taxe imposée en application d'une loi provinciale dans la mesure où elle est recouvrable par l'autre personne aux termes de cette loi,

e) un pourboire raisonnable payé par l'autre personne au cours de la période mais avant le 1er juillet 2006 dans le cadre de la fourniture,

f) les intérêts, la pénalité ou tout autre montant payés par l'autre personne au cours de la période mais avant le 1er juillet 2006 et qui ont été exigés par le fournisseur du bien ou du service en raison d'un paiement tardif au titre de la contrepartie ou des taxes, droits ou frais visés aux alinéas c) ou d), payables relativement à la fourniture ou à l'importation;

C représente :

a) si ni la taxe prévue au paragraphe 165(2) de la Loi ni celle prévue à l'article 212.1 de la Loi n'étaient payables relativement à l'acquisition ou à l'importation, 6/106 dans le cas de la taxe prévue au paragraphe 165(1) ou à l'article 212 de la Loi qui est devenue payable après le 30 juin 2006 ou qui a été payée après cette date sans être devenue payable,

b) si la taxe prévue au paragraphe 165(2) ou à l'article 212.1 de la Loi était payable relativement à l'acquisition ou à l'importation :

(i) 6/114, dans le cas de la taxe prévue au paragraphe 165(1) ou à l'article 212 de la Loi qui est devenue payable après le 30 juin 2006 ou qui a été payée après cette date sans être devenue payable,

(ii) 8/114, dans le cas de la taxe prévue au paragraphe 165(2) ou à l'article 212.1 de la Loi qui est devenue payable après le 30 juin 2006 ou qui a été payée après cette date sans être devenue payable;

D le total des montants représentant chacun :

a) la contrepartie qui est devenue due par l'autre personne au cours de la période mais après le 30 juin 2006, ou qui a été payée par elle au cours de cette période mais après cette date sans être devenue due, relativement à la fourniture du bien ou du service,

b) la taxe prévue par les sections II ou III de la partie IX de la Loi qui est devenue payable par l'autre personne au cours de la période mais après le 30 juin 2006, ou qui a été payée par elle au cours de cette période mais après cette date sans être devenue payable, relativement à la fourniture ou à l'importation du bien ou du service,

c) dans le cas d'un bien meuble corporel importé par l'autre personne, les taxes ou droits imposés sur le bien en vertu de la Loi, sauf la partie IX, de la *Loi sur les douanes*, de la *Loi sur les mesures spéciales d'importation* ou de toute autre loi en matière douanière qui sont devenus dus par l'autre personne au cours de la période mais après le 30 juin 2006, ou qui ont été payés par elle au cours de cette période mais après cette date sans être devenus dus,

d) les taxes, droits ou frais visés aux alinéas 3b) ou c) du *Règlement sur les frais, droits et taxes (TPS/TVH)* qui sont devenus dus par l'autre personne au cours de la période mais après le 30 juin 2006, ou qui ont été payés par elle au cours de cette période mais après cette date sans être devenus dus, relativement au bien ou au service, à l'exception de la taxe imposée en application d'une loi provinciale dans la mesure où elle est recouvrable par l'autre personne aux termes de cette loi,

e) un pourboire raisonnable payé par l'autre personne au cours de la période mais après le 30 juin 2006 dans le cadre de la fourniture,

f) les intérêts, la pénalité ou tout autre montant payés par l'autre personne au cours de la période mais après le 30 juin 2006 et qui ont été exigés par le fournisseur du bien ou du service en raison d'un paiement tardif au titre de la contrepartie ou des taxes, droits ou frais visés aux alinéas c) ou d), payables relativement à la fourniture ou à l'importation.

Antérieurement, l'alinéa a) de l'élément A de la formule au paragraphe 8(1) se lisait ainsi :

a) si ni la taxe prévue au paragraphe 165(2) de la Loi ni celle prévue à l'article 212.1 de la Loi n'étaient payables relativement à l'acquisition ou à l'importation, 7/107 dans le cas de la taxe payable en vertu du paragraphe 165(1) ou de l'article 212 de la Loi,

L'alinéa a) de l'élément A de la formule au paragraphe 8(1) a été remplacé par C.P. 2010-791 [DORS/2010-152], 17 juin 2010, par. 7(2) et cette modification s'applique relativement au calcul d'un montant remboursable en application de l'article 259 de la Loi pour une période de demande se terminant après décembre 2007. Toutefois, si la période de demande d'une personne comprend le 31 décembre 2007, le passage du paragraphe 8(1) du même règlement suivant l'alinéa a) est réputé avoir le libellé suivant :

b) l'autre personne peut demander, en vertu de l'article 259 de la Loi, un remboursement à l'égard du bien ou du service pour sa période de demande qui comprend le 31 décembre 2007,

pour le calcul, en conformité avec le présent règlement, du montant du remboursement payable en vertu de cet article relativement au bien ou au service pour la période de demande de l'autre personne, la taxe prévue aux paragraphes 165(1) ou (2) ou aux articles 212 ou 212.1 de la Loi, selon le cas, qui est devenue payable par l'autre personne au cours de la période de demande, ou qui a été payée par elle au cours de cette période sans être devenue payable, relativement à la fourniture ou à l'importation du bien ou du service est réputée être égale au montant obtenu par la formule suivante :

$$(A \times B) + (C \times D)$$

où :

A représente :

a) si ni la taxe prévue au paragraphe 165(2) de la Loi ni celle prévue à l'article 212.1 de la Loi n'étaient payables relativement à l'acquisition ou à l'importation, 6/106 dans le cas de la taxe prévue au paragraphe 165(1) ou à l'article 212 de la Loi qui est devenue payable avant le 1er janvier 2008 ou qui a été payée avant cette date sans être devenue payable,

b) si la taxe prévue au paragraphe 165(2) ou à l'article 212.1 de la Loi était payable relativement à l'acquisition ou à l'importation :

(i) 6/114, dans le cas de la taxe prévue au paragraphe 165(1) ou à l'article 212 de la Loi qui est devenue payable avant le 1er janvier 2008 ou qui a été payée avant cette date sans être devenue payable,

(ii) 8/114, dans le cas de la taxe prévue au paragraphe 165(2) ou à l'article 212.1 de la Loi qui est devenue payable avant le 1er janvier 2008 ou qui a été payée avant cette date sans être devenue payable;

B le total des montants représentant chacun :

a) la contrepartie qui est devenue due par l'autre personne au cours de la période mais avant le 1er janvier 2008, ou qui a été payée par elle au cours de cette période mais avant cette date sans être devenue due, relativement à la fourniture du bien ou du service,

b) la taxe prévue par les sections II ou III de la partie IX de la Loi qui est devenue payable par l'autre personne au cours de la période mais avant le 1er janvier 2008, ou qui a été payée par elle au cours de cette période mais avant cette date sans être devenue payable, relativement à la fourniture ou à l'importation du bien ou du service,

c) dans le cas d'un bien meuble corporel importé par l'autre personne, les taxes ou droits imposés sur le bien en vertu de la Loi, sauf la partie IX, de la *Loi sur les douanes*, de la *Loi sur les mesures spéciales d'importation* ou de toute autre loi en matière douanière qui sont devenus dus par l'autre personne au cours de la période mais avant le 1er janvier 2008, ou qui ont été payés par elle au cours de cette période mais avant cette date sans être devenus dus,

d) les taxes, droits ou frais visés aux alinéas 3b) ou c) du *Règlement sur les frais, droits et taxes (TPS/TVH)* qui sont devenus dus par l'autre personne au cours de la période mais avant le 1er janvier 2008, ou qui ont été payés par elle au cours de cette période mais avant cette date sans être devenus dus, relativement au bien ou au service, à l'exception de la taxe imposée en application d'une loi provinciale dans la mesure où elle est recouvrable par l'autre personne aux termes de cette loi,

e) un pourboire raisonnable payé par l'autre personne au cours de la période mais avant le 1er janvier 2008 dans le cadre de la fourniture,

f) les intérêts, la pénalité ou tout autre montant payés par l'autre personne au cours de la période mais avant le 1er janvier 2008 et qui ont été exigés par le fournisseur du bien ou du service en raison d'un paiement tardif au titre de la contrepartie ou des taxes, droits ou frais visés aux alinéas c) ou d), payables relativement à la fourniture ou à l'importation;

C représente :

a) si ni la taxe prévue au paragraphe 165(2) de la Loi ni celle prévue à l'article 212.1 de la Loi n'étaient payables relativement à l'acquisition ou à l'importation, 5/105 dans le cas de la taxe prévue au paragraphe 165(1) ou à l'article 212 de la Loi qui est devenue payable après le 31 décembre 2007 ou qui a été payée après cette date sans être devenue payable,

b) si la taxe prévue au paragraphe 165(2) ou à l'article 212.1 de la Loi était payable relativement à l'acquisition ou à l'importation :

(i) 5/113, dans le cas de la taxe prévue au paragraphe 165(1) ou à l'article 212 de la Loi qui est devenue payable après le 31 décembre 2007 ou qui a été payée après cette date sans être devenue payable,

(ii) 8/113, dans le cas de la taxe prévue au paragraphe 165(2) ou à l'article 212.1 de la Loi qui est devenue payable après le 31 décembre 2007 ou qui a été payée après cette date sans être devenue payable;

D le total des montants représentant chacun :

a) la contrepartie qui est devenue due par l'autre personne au cours de la période mais après le 31 décembre 2007, ou qui a été payée par elle au cours de cette période mais après cette date sans être devenue due, relativement à la fourniture du bien ou du service,

b) la taxe prévue par les sections II ou III de la partie IX de la Loi qui est devenue payable par l'autre personne au cours de la période mais après le 31 décembre 2007, ou qui a été payée par elle au cours de cette période mais après cette date sans être devenue payable, relativement à la fourniture ou à l'importation du bien ou du service,

c) dans le cas d'un bien meuble corporel importé par l'autre personne, les taxes ou droits imposés sur le bien en vertu de la Loi, sauf la partie IX, de la *Loi sur les douanes*, de la *Loi sur les mesures spéciales d'importation* ou de toute autre loi en matière douanière qui sont devenus dus par l'autre personne au cours de la période mais après le 31 décembre 2007, ou qui ont été payés par elle au cours de cette période mais après cette date sans être devenus dus,

d) les taxes, droits ou frais visés aux alinéas 3b) ou c) du *Règlement sur les frais, droits et taxes (TPS/TVH)* qui sont devenus dus par l'autre personne au cours de la période mais après le 31 décembre 2007, ou qui ont été payés par elle au cours de cette période mais après cette date sans être devenus dus, relativement au bien ou au service, à l'exception de la taxe imposée en application d'une loi provinciale dans la mesure où elle est recouvrable par l'autre personne aux termes de cette loi,

e) un pourboire raisonnable payé par l'autre personne au cours de la période mais après le 31 décembre 2007 dans le cadre de la fourniture,

f) les intérêts, la pénalité ou tout autre montant payés par l'autre personne au cours de la période mais après le 31 décembre 2007 et qui ont été exigés par le fournisseur du bien ou du service en raison d'un paiement tardif au titre de la contrepartie ou des taxes, droits ou frais visés aux alinéas c) ou d), payables relativement à la fourniture ou à l'importation.

Antérieurement, l'alinéa a) de l'élément A de la formule au paragraphe 8(1) se lisait ainsi :

a) si ni la taxe prévue au paragraphe 165(2) de la Loi ni celle prévue à l'article 212.1 de la Loi n'étaient payables relativement à l'acquisition ou à l'importation, 6/106 dans le cas de la taxe payable en vertu du paragraphe 165(1) ou de l'article 212 de la Loi,

Les sous-alinéas b)(i) et (ii) de l'élément A de la formule au paragraphe 8(1) ont été remplacés par C.P. 2010-791 [DORS/2010-152], 17 juin 2010, par. 7(3) et cette modification s'applique relativement au calcul d'un montant remboursable en application de l'article 259 de la Loi pour une période de demande se terminant après juin 2006. Toutefois, si la période de demande d'une personne comprend le 30 juin 2006, le passage du paragraphe 8(1) du même règlement suivant l'alinéa a) est réputé avoir le libellé suivant :

b) l'autre personne peut demander, en vertu de l'article 259 de la Loi, un remboursement à l'égard du bien ou du service pour sa période de demande qui comprend le 30 juin 2006,

pour le calcul, en conformité avec le présent règlement, du montant du remboursement payable en vertu de cet article relativement au bien ou au service pour la période de demande de l'autre personne, la taxe prévue aux paragraphes 165(1) ou (2) ou aux articles 212 ou 212.1 de la Loi, selon le cas, qui est devenue payable par l'autre personne au cours de la période de demande, ou qui a été payée par elle au cours de cette période sans être devenue payable, relativement à la fourniture ou à l'importation du bien ou du service est réputée être égale au montant obtenu par la formule suivante :

$$(A \times B) + (C \times D)$$

où :

A représente :

a) si ni la taxe prévue au paragraphe 165(2) de la Loi ni celle prévue à l'article 212.1 de la Loi n'étaient payables relativement à l'acquisition ou à l'importation, 7/107 dans le cas de la taxe prévue au paragraphe 165(1) ou à l'article 212 de la Loi qui est devenue payable avant le 1er juillet 2006 ou qui a été payée avant cette date sans être devenue payable,

b) si la taxe prévue au paragraphe 165(2) ou à l'article 212.1 de la Loi était payable relativement à l'acquisition ou à l'importation :

(i) 7/115, dans le cas de la taxe prévue au paragraphe 165(1) ou à l'article 212 de la Loi qui est devenue payable avant le 1er juillet 2006 ou qui a été payée avant cette date sans être devenue payable,

(ii) 8/115, dans le cas de la taxe prévue au paragraphe 165(2) ou à l'article 212.1 de la Loi qui est devenue payable avant le 1er juillet 2006 ou qui a été payée avant cette date sans être devenue payable;

B le total des montants représentant chacun :

a) la contrepartie qui est devenue due par l'autre personne au cours de la période mais avant le 1er juillet 2006, ou qui a été payée par elle au cours de cette période mais avant cette date sans être devenue due, relativement à la fourniture du bien ou du service,

b) la taxe prévue par les sections II ou III de la partie IX de la Loi qui est devenue payable par l'autre personne au cours de la période mais avant le 1er juillet 2006, ou qui a été payée par elle au cours de cette période mais avant cette date sans être devenue payable, relativement à la fourniture ou à l'importation du bien ou du service,

c) dans le cas d'un bien meuble corporel importé par l'autre personne, les taxes ou droits imposés sur le bien en vertu de la Loi, sauf la partie IX, de la *Loi sur les douanes*, de la *Loi sur les mesures spéciales d'importation* ou de toute autre loi en matière douanière qui sont devenus dus par l'autre personne au cours de la période mais avant le 1er juillet 2006, ou qui ont été payés par elle au cours de cette période mais avant cette date sans être devenus dus,

d) les taxes, droits ou frais visés aux alinéas 3b) ou c) du *Règlement sur les frais, droits et taxes (TPS/TVH)* qui sont devenus dus par l'autre personne au cours de la période mais avant le 1er juillet 2006, ou qui ont été payés par elle au cours de cette période mais avant cette date sans être devenus dus, relativement au bien ou au service, à l'exception de la taxe imposée en application d'une loi provinciale dans la mesure où elle est recouvrable par l'autre personne aux termes de cette loi,

e) un pourboire raisonnable payé par l'autre personne au cours de la période mais avant le 1er juillet 2006 dans le cadre de la fourniture,

f) les intérêts, la pénalité ou tout autre montant payés par l'autre personne au cours de la période mais avant le 1er juillet 2006 et qui ont été exigés par le fournisseur du bien ou du service en raison d'un paiement tardif au titre de la contrepartie ou des taxes, droits ou frais visés aux alinéas c) ou d), payables relativement à la fourniture ou à l'importation;

C représente :

a) si ni la taxe prévue au paragraphe 165(2) de la Loi ni celle prévue à l'article 212.1 de la Loi n'étaient payables relativement à l'acquisition ou à l'importation, 6/106 dans le cas de la taxe prévue au paragraphe 165(1) ou à l'article 212 de la Loi qui est devenue payable après le 30 juin 2006 ou qui a été payée après cette date sans être devenue payable,

b) si la taxe prévue au paragraphe 165(2) ou à l'article 212.1 de la Loi était payable relativement à l'acquisition ou à l'importation :

(i) 6/114, dans le cas de la taxe prévue au paragraphe 165(1) ou à l'article 212 de la Loi qui est devenue payable après le 30 juin 2006 ou qui a été payée après cette date sans être devenue payable,

(ii) 8/114, dans le cas de la taxe prévue au paragraphe 165(2) ou à l'article 212.1 de la Loi qui est devenue payable après le 30 juin 2006 ou qui a été payée après cette date sans être devenue payable;

D le total des montants représentant chacun :

a) la contrepartie qui est devenue due par l'autre personne au cours de la période mais après le 30 juin 2006, ou qui a été payée par elle au cours de cette période mais après cette date sans être devenue due, relativement à la fourniture du bien ou du service,

b) la taxe prévue par les sections II ou III de la partie IX de la Loi qui est devenue payable par l'autre personne au cours de la période mais après le 30 juin 2006, ou qui a été payée par elle au cours de cette période mais après cette date sans être devenue payable, relativement à la fourniture ou à l'importation du bien ou du service,

c) dans le cas d'un bien meuble corporel importé par l'autre personne, les taxes ou droits imposés sur le bien en vertu de la Loi, sauf la partie IX, de la Loi sur les douanes, de la Loi sur les mesures spéciales d'importation ou de toute autre loi en matière douanière qui sont devenus dus par l'autre personne au cours de la période mais après le 30 juin 2006, ou qui ont été payés par elle au cours de cette période mais après cette date sans être devenus dus,

d) les taxes, droits ou frais visés aux alinéas 3b) ou c) du Règlement sur les frais, droits et taxes (TPS/TVH) qui sont devenus dus par l'autre personne au cours de la période mais après le 30 juin 2006, ou qui ont été payés par elle au cours de cette période mais après cette date sans être devenus dus, relativement au bien ou au service, à l'exception de la taxe imposée en application d'une loi provinciale dans la mesure où elle est recouvrable par l'autre personne aux termes de cette loi,

e) un pourboire raisonnable payé par l'autre personne au cours de la période mais après le 30 juin 2006 dans le cadre de la fourniture,

f) les intérêts, la pénalité ou tout autre montant payés par l'autre personne au cours de la période mais après le 30 juin 2006 et qui ont été exigés par le fournisseur du bien ou du service en raison d'un paiement tardif au titre de la contrepartie ou des taxes, droits ou frais visés aux alinéas c) ou d), payables relativement à la fourniture ou à l'importation.

Antérieurement, les sous-alinéas b)(i) et (ii) de l'élément A de la formule au paragraphe 8(1) se lisaient ainsi :

(i) 7/115, dans le cas de la taxe payable en vertu du paragraphe165(1) ou de l'article 212 de la Loi,

(ii) 8/115, dans le cas de la taxe payable en vertu du paragraphe 165(2) ou de l'article 212.1 de la Loi;

Les sous-alinéas b)(i) et (ii) de l'élément A de la formule au paragraphe 8(1) ont été remplacés par C.P. 2010-791 [DORS/2010-152], 17 juin 2010, par. 7(4) et cette modification s'applique relativement au calcul d'un montant remboursable en application de l'article 259 de la Loi pour une période de demande se terminant après décembre 2007. Toutefois, si la période de demande d'une personne comprend le 31 décembre 2007, le passage du paragraphe 8(1) du même règlement suivant l'alinéa a) est réputé avoir le libellé suivant :

b) l'autre personne peut demander, en vertu de l'article 259 de la Loi, un remboursement à l'égard du bien ou du service pour sa période de demande qui comprend le 31 décembre 2007,

pour le calcul, en conformité avec le présent règlement, du montant du remboursement payable en vertu de cet article relativement au bien ou au service pour la période de demande de l'autre personne, la taxe prévue aux paragraphes 165(1) ou (2) ou aux articles 212 ou 212.1 de la Loi, selon le cas, qui est devenue payable par l'autre personne au cours de la période de demande, ou qui a été payée par elle au cours de cette période sans être devenue payable, relativement à la fourniture ou à l'importation du bien ou du service est réputée être égale au montant obtenu par la formule suivante :

$$(A \times B) + (C \times D)$$

où :

A représente :

a) si ni la taxe prévue au paragraphe 165(2) de la Loi ni celle prévue à l'article 212.1 de la Loi n'étaient payables relativement à l'acquisition ou à l'importation, 6/106 dans le cas de la taxe prévue au paragraphe 165(1) ou à l'article 212 de la Loi qui est devenue payable avant le 1er janvier 2008 ou qui a été payée avant cette date sans être devenue payable,

b) si la taxe prévue au paragraphe 165(2) ou à l'article 212.1 de la Loi était payable relativement à l'acquisition ou à l'importation :

(i) 6/114, dans le cas de la taxe prévue au paragraphe 165(1) ou à l'article 212 de la Loi qui est devenue payable avant le 1er janvier 2008 ou qui a été payée avant cette date sans être devenue payable,

(ii) 8/114, dans le cas de la taxe prévue au paragraphe 165(2) ou à l'article 212.1 de la Loi qui est devenue payable avant le 1er janvier 2008 ou qui a été payée avant cette date sans être devenue payable;

B le total des montants représentant chacun :

a) la contrepartie qui est devenue due par l'autre personne au cours de la période mais avant le 1er janvier 2008, ou qui a été payée par elle au cours de cette période mais avant cette date sans être devenue due, relativement à la fourniture du bien ou du service,

b) la taxe prévue par les sections II ou III de la partie IX de la Loi qui est devenue payable par l'autre personne au cours de la période mais avant le 1er janvier 2008, ou qui a été payée par elle au cours de cette période mais avant cette date sans être devenue payable, relativement à la fourniture ou à l'importation du bien ou du service,

c) dans le cas d'un bien meuble corporel importé par l'autre personne, les taxes ou droits imposés sur le bien en vertu de la Loi, sauf la partie IX, de la *Loi sur les douanes*, de la *Loi sur les mesures spéciales d'importation* ou de toute autre loi en matière douanière qui sont devenus dus par l'autre personne au cours de la période mais avant le 1er janvier 2008, ou qui ont été payés par elle au cours de cette période mais avant cette date sans être devenus dus,

d) les taxes, droits ou frais visés aux alinéas 3b) ou c) du *Règlement sur les frais, droits et taxes (TPS/TVH)* qui sont devenus dus par l'autre personne au cours de la période mais avant le 1er janvier 2008, ou qui ont été payés par elle au cours de cette période mais avant cette date sans être devenus dus, relativement au bien ou au service, à l'exception de la taxe imposée en application d'une loi provinciale dans la mesure où elle est recouvrable par l'autre personne aux termes de cette loi,

e) un pourboire raisonnable payé par l'autre personne au cours de la période mais avant le 1er janvier 2008 dans le cadre de la fourniture,

f) les intérêts, la pénalité ou tout autre montant payés par l'autre personne au cours de la période mais avant le 1er janvier 2008 et qui ont été exigés par le fournisseur du bien ou du service en raison d'un paiement tardif au titre de la contrepartie ou des taxes, droits ou frais visés aux alinéas c) ou d), payables relativement à la fourniture ou à l'importation;

C représente :

a) si ni la taxe prévue au paragraphe 165(2) de la Loi ni celle prévue à l'article 212.1 de la Loi n'étaient payables relativement à l'acquisition ou à l'importation, 5/105 dans le cas de la taxe prévue au paragraphe 165(1) ou à l'article 212 de la Loi qui est devenue payable après le 31 décembre 2007 ou qui a été payée après cette date sans être devenue payable,

b) si la taxe prévue au paragraphe 165(2) ou à l'article 212.1 de la Loi était payable relativement à l'acquisition ou à l'importation :

(i) 5/113, dans le cas de la taxe prévue au paragraphe 165(1) ou à l'article 212 de la Loi qui est devenue payable après le 31 décembre 2007 ou qui a été payée après cette date sans être devenue payable,

(ii) 8/113, dans le cas de la taxe prévue au paragraphe 165(2) ou à l'article 212.1 de la Loi qui est devenue payable après le 31 décembre 2007 ou qui a été payée après cette date sans être devenue payable;

D le total des montants représentant chacun :

a) la contrepartie qui est devenue due par l'autre personne au cours de la période mais après le 31 décembre 2007, ou qui a été payée par elle au cours de cette période mais après cette date sans être devenue due, relativement à la fourniture du bien ou du service,

b) la taxe prévue par les sections II ou III de la partie IX de la Loi qui est devenue payable par l'autre personne au cours de la période mais après le 31 décembre 2007, ou qui a été payée par elle au cours de cette période mais après cette date sans être devenue payable, relativement à la fourniture ou à l'importation du bien ou du service,

c) dans le cas d'un bien meuble corporel importé par l'autre personne, les taxes ou droits imposés sur le bien en vertu de la Loi, sauf la partie IX, de la *Loi sur les douanes*, de la *Loi sur les mesures spéciales d'importation* ou de toute autre loi en matière douanière qui sont devenus dus par l'autre personne au cours de la période mais après le 31 décembre 2007, ou qui ont été payés par elle au cours de cette période mais après cette date sans être devenus dus,

d) les taxes, droits ou frais visés aux alinéas 3b) ou c) du *Règlement sur les frais, droits et taxes (TPS/TVH)* qui sont devenus dus par l'autre personne au cours de la période mais après le 31 décembre 2007, ou qui ont été payés par elle au cours de cette période mais après cette date sans être devenus dus, relativement au bien ou au service, à l'exception de la taxe imposée en application d'une loi provinciale dans la mesure où elle est recouvrable par l'autre personne aux termes de cette loi,

e) un pourboire raisonnable payé par l'autre personne au cours de la période mais après le 31 décembre 2007 dans le cadre de la fourniture,

f) les intérêts, la pénalité ou tout autre montant payés par l'autre personne au cours de la période mais après le 31 décembre 2007 et qui ont été exigés par le fournisseur du bien ou du service en raison d'un paiement tardif au titre de la contrepartie ou des taxes, droits ou frais visés aux alinéas c) ou d), payables relativement à la fourniture ou à l'importation.

Antérieurement, les sous-alinéas b)(i) et (ii) de l'élément A de la formule au paragraphe 8(1) se lisaient ainsi :

(i) 6/114, dans le cas de la taxe payable en vertu du paragraphe 165(1) ou de l'article 212 de la Loi,

(ii) 8/114, dans le cas de la taxe payable en vertu du paragraphe 165(2) ou de l'article 212.1 de la Loi;

Le paragraphe 8(1) a été ajouté par C.P. 1999-1643 [DORS/99-367], 29 septembre 1999, art. 7 et s'applique au calcul du montant des remboursements payables en vertu de l'article 259 de la *Loi sur la taxe d'accise* pour des périodes de demande qui constituent des exercices se terminant après 1992 ou des mois d'exercice ou des trimestres d'exercice se terminant après février 1993. Toutefois, avant le 1er avril 1997, les mentions de « (TPS/TVH) » à l'alinéa d) de l'élément B de la formule figurant au paragraphe 8(1) valent mention de « (TPS) ».

RÈG. CAN. RÈGLEMENT SUR LES RENSEIGNEMENTS À INCLURE DANS LES NOTES DE CRÉDIT ET LES NOTES DE DÉBIT (TPS/TVH)

Règlement concernant les renseignements à inclure dans les notes de crédit et les notes de débit

DORS/91-44 [C.P. 1990-2754], 18 décembre 1990, tel que modifié par C.P. 2000-632 [DORS/2000-179], 4 mai 2000.

Titre abrégé

1. [Titre abrégé] — *Règlement sur les renseignements à inclure dans les notes de crédit et les notes de débit (TPS/TVH).*

Notes historiques: Le titre intégral a été remplacé par C.P. 2000-632 [DORS/2000-179], art. 1 et cette modification est réputée entrée en vigueur le 31 décembre 1990. Antérieurement, il se lisait « Règlement sur les renseignements à inclure dans les notes de crédit ».

L'article 1 a été remplacé par C.P. 2000-632 [DORS/2000-179], art. 2 et cette modification est réputée entrée en vigueur le 31 décembre 1990. Toutefois, la mention de « (TPS/TVH) » vaut mention de « (TPS) » avant avril 1997. Antérieurement, il se lisait ainsi :

1. *Règlement sur les renseignements à inclure dans les notes de crédit.*

Définitions

2. [Définitions] — Les définitions qui suivent s'appliquent au présent règlement.

« intermédiaire » Inscrit qui, agissant à titre de mandataire d'une personne ou aux termes d'une convention conclue avec la personne, permet à cette dernière d'effectuer une fourniture ou en facilite la réalisation.

« Loi » La *Loi sur la taxe d'accise*.

Notes historiques: L'intertitre précédant l'article 2 a été remplacé par C.P. 2000-632 [DORS/2000-179], art. 3 et cette modification est réputée entrée en vigueur le 24 avril 1996. Antérieurement, il se lisait « Définition ».

L'article 2 a été remplacé par C.P. 2000-632 [DORS/2000-179], art. 4 et cette modification est réputée entrée en vigueur le 24 avril 1996. Antérieurement, il se lisait ainsi :

2. La définition qui suit s'applique au présent règlement.

« Loi » La *Loi sur la taxe d'accise*.

Renseignements

3. [Renseignements] — Pour l'application de l'alinéa 232(3)a) de la Loi, les renseignements que doivent contenir la note de crédit ou la note de débit relativement à une ou plusieurs fournitures sont les suivants :

a) une déclaration ou une mention indiquant que le document en question est une note de crédit ou une note de débit;

b) le nom ou le nom commercial du fournisseur ou de l'intermédiaire et le numéro d'inscription attribué, conformément au paragraphe 241(1) de la Loi, au fournisseur ou à l'intermédiaire, selon le cas;

c) soit le nom de l'acquéreur ou son nom commercial, soit le nom de son mandataire ou de son représentant autorisé;

d) la date à laquelle la note est remise;

e) lorsque la note est remise relativement à une ristourne dans les circonstances visées au paragraphe 233(2) de la Loi, le montant du redressement, du remboursement ou du crédit de taxe que l'émetteur de la ristourne est réputé par l'alinéa 233(2)b) de la Loi avoir effectué relativement aux fournitures auxquelles la ristourne se rapporte;

f) sauf en cas d'application de l'alinéa e) :

(i) lorsque la note porte sur un montant total qui comprend le montant appliqué en réduction de la contrepartie relative à une ou plusieurs fournitures taxables (sauf des fournitures détaxées)et de la taxe afférente :

(A) soit le montant du redressement, du remboursement ou du crédit de taxe qui est inclus dans le montant total,

(B) soit l'ensemble des éléments suivants :

(I) une déclaration portant que le montant total comprend le montant du redressement, du remboursement ou du crédit de taxe,

(II) le total (appelé « taux de taxe total » à la présente division) des taux auxquels la taxe a été payée ou était payable relativement à chacune des fournitures taxables qui n'est pas une fourniture détaxée et qui a fait l'objet d'une réduction de taxe,

(III) le total des montants appliqués en réduction de la contrepartie et de la taxe relativement à chacune de ces fournitures ou le total des montants ainsi appliqués relativement à l'ensemble de ces fournitures auxquelles s'applique le même taux de taxe total,

(ii) dans les autres cas, le montant du redressement, du remboursement ou du crédit de taxe pour lequel la note est remise.

g) sauf lorsque la note de crédit est remise aux termes du sous-alinéa 233(2)a)(i) de la Loi :

Notes historiques: Le préambule de l'article 3 et l'alinéa 3a) ont été remplacés par C.P. 2000-632 [DORS/2000-179], par. 5(1) et cette modification est réputée entrée en vigueur 31 décembre 1990. Antérieurement, ils se lisaient ainsi :

3. Pour l'application de l'alinéa 232(3)a) de la Loi, les renseignements à inclure dans la note de crédit sont les suivants :

a) une déclaration ou une mention indiquant que le document en question est une note de crédit;

L'alinéa 3b) a été remplacé par C.P. 2000-632 [DORS/2000-179], par. 5(2) et cette modification s'applique aux fournitures effectuées après le 23 avril 1996. Antérieurement, il se lisait ainsi :

b) le nom du fournisseur ou son nom commercial, ainsi que le numéro d'inscription qui lui a été attribué conformément à l'article 241 de la Loi;

L'alinéa 3d) a été modifié par C.P. 2000-632 [DORS/2000-179], par. 5(3) par le remplacement des mots « note de crédit » par le mot « note ». Cette modification est réputée être entrée en vigueur le 31 décembre 1990.

L'alinéa 3e) a été remplacé par C.P. 2000-632 [DORS/2000-179], par. 5(4) et cette modification s'applique aux notes de crédit et notes de débit remises après mars 1997. Antérieurement, il se lisait ainsi :

e) lorsque la note est remise relativement à une ristourne dans les circonstances visées au paragraphe 233(2) de la Loi et que l'émetteur de la ristourne n'a pas fait, en vertu du sous-alinéa 233(2)a)(ii) de la Loi, un choix en vigueur pour son exercice au cours duquel la ristourne est versée, le montant déterminé, au sens du paragraphe 233(1) de la Loi, par rapport à la ristourne ainsi que la fraction de contrepartie et la fraction de taxe de ce montant;

L'alinéa 3e) a été remplacé et l'alinéa 3f) a été abrogé par C.P. 2000-632 [DORS/2000-179], par. 5(3) et ces modifications sont réputées être entrées en vigueur le 31 décembre 1990. Antérieurement, ils se lisaient ainsi :

e) une déclaration précisant que la note de crédit porte soit sur un redressement, soit sur un remboursement, soit sur un crédit;

f) lorsque la note de crédit est remise aux termes du sous-alinéa 233(2)a)(i) de la Loi, le montant déterminé relativement à la ristourne ainsi que, pour ce montant, la fraction de contrepartie et la fraction de taxe;

L'alinéa 3f) a été remplacé par C.P. 2000-632 [DORS/2000-179], par. 5(6) et cette modification s'applique aux notes de crédit et notes de débit remises après mars 1997. Tou-

Règlements

tefois, en ce qui concerne celles remises avant février 1998, la division 3f)(i)(B) est remplacée par ce qui suit :

(B) une déclaration portant que le montant total comprend le montant du redressement, du remboursement ou du crédit de taxe,

Antérieurement, il se lisait ainsi :

f) sauf en cas d'application de l'alinéa e) :

(i) lorsqu'une seule facture pour la fourniture visée par la note est délivrée à l'acquéreur ou que la fourniture est effectuée aux termes d'une convention écrite, la date apparaissant sur la facture ou sur la convention,

(ii) lorsque la note se rapporte à plus d'une facture, la date de la première facture délivrée et celle de la dernière facture délivrée,

(iii) dans les autres cas, la date où la taxe est devenue payable ou, si elle n'est pas devenue payable, la date où elle a été payée,

(iv) une description de chaque fourniture suffisante pour l'identifier,

(v) si le montant de la taxe exigée ou perçue a fait l'objet d'un redressement, d'un remboursement ou d'un crédit conformément au paragraphe 232(2) de la Loi :

(A) dans le cas où la facture ou la convention écrite visée au sous-alinéa (i) indique séparément la contrepartie de la fourniture et le montant de la taxe payable sur la fourniture, d'une part, la différence entre la valeur de la contrepartie indiquée sur la facture ou la convention et la valeur réduite de la contrepartie et, d'autre part, le montant de la taxe exigée ou perçue sur cette différence,

(B) dans le cas où la facture ou la convention écrite visée au sous-alinéa (i) indique un montant payé ou payable pour la fourniture qui comprend la taxe payable sur celle-ci, d'une part, la différence entre le montant indiqué sur la facture ou la convention et le montant réduit et, d'autre part, une déclaration portant que la différence comprend la taxe payable sur cette fourniture.

L'ancien alinéa 3g) a été renuméroté pour devenir l'alinéa 3f) et le passage précédant le sous-alinéa (iii) a été remplacé par C.P. 2000-632 [DORS/2000-179], par. 5(5). Cette modification est réputée être entrée en vigueur le 31 décembre 1990. Antérieurement, il se lisait ainsi :

g) sauf lorsque la note de crédit est remise aux termes du sous-alinéa 233(2)a)(i) de la Loi :

(i) sous réserve du sous-alinéa (ii), dans le cas où le fournisseur délivre à l'acquéreur une facture pour la fourniture ou lorsque la fourniture a été faite selon une convention écrite, la date apparaissant sur la facture ou sur la convention, selon le cas,

(ii) dans le cas où la note de crédit porte sur plus d'une facture, la date de la facture délivrée en premier et celle de la facture délivrée en dernier,

RÈG. CAN. RÈGLEMENT SUR LES RENSEIGNEMENTS NÉCESSAIRES À UNE DEMANDE DE CRÉDIT DE TAXE SUR LES INTRANTS (TPS/TVH)

Règlement concernant les renseignements à obtenir pour produire une déclaration contenant une demande de crédit de taxe sur les intrants

DORS/91-45 [C.P. 1990-2755], 18 décembre 1990, tel que modifié par C.P. 1994-843 [DORS/94-368], 26 mai 1994; C.P. 2000-633 [DORS/2000-180], 4 mai 2000.

1. Titre abrégé — *Règlement sur les renseignements nécessaires à une demande de crédit de taxe sur les intrants (TPS/TVH).*

Notes historiques: L'article 1 a été remplacé par C.P. 2000-633 [DORS/2000-180], art. 1 et cette modification est réputée être en vigueur le 1er avril 1997. Antérieurement, il se lisait ainsi :

1. *Règlement sur les renseignements nécessaires à une demande de crédit de taxe sur les intrants.*

2. Définitions — Les définitions qui suivent s'appliquent au présent règlement.

« catégorie » Selon le cas :

a) fourniture exonérée;

b) fourniture taxable qui est une fourniture détaxée;

c) fourniture taxable qui n'est pas une fourniture détaxée.

« intermédiaire » Inscrit qui, agissant à titre de mandataire d'une personne ou aux termes d'une convention conclue avec la personne, permet à cette dernière d'effectuer une fourniture ou en facilite la réalisation.

Notes historiques: La définition de « intermédiaire » a été ajoutée par C.P. 2000-633 [DORS/2000-180], art. 2 et s'applique aux fournitures effectuées après le 23 avril 1996.

« Loi » La *Loi sur la taxe d'accise*.

« pièce justificative » Document qui contient les renseignements exigés à l'article 3, notamment :

a) une facture;

b) un reçu;

c) un bordereau de carte de crédit;

d) une note de débit;

e) un livre ou registre de comptabilité;

f) une convention ou un contrat écrits;

g) tout registre faisant partie d'un système de recherche documentaire informatisé ou électronique ou d'une banque de données;

h) tout autre document signé ou délivré en bonne et due forme par un inscrit pour une fourniture qu'il a effectuée et à l'égard de laquelle il y a une taxe payée ou payable.

« taxe de vente provinciale » Taxe visée à l'alinéa 3b) du *Règlement sur les frais, droits et taxes (TPS).*

« taxe de vente provinciale payée ou payable » Taxe de vente provinciale devenue payable ou qui a été payée alors même qu'elle n'était pas devenue payable.

Notes historiques: La définition de « taxe de vente provinciale payée ou payable » a été modifiée par C.P. 1994-843 [DORS/94-368], 26 mai 1994, art. 1 et se lisait auparavant comme suit :

« taxe de vente provinciale payée ou payable » Taxe de vente provinciale devenue payable ou qui a été payée alors même qu'elle n'était pas payable.

« taxe payée ou payable » Taxe devenue payable ou qui a été payée alors même qu'elle n'était pas devenue payable.

3. Renseignements — Les renseignements visés à l'alinéa 169(4)a) de la Loi, sont les suivants :

a) lorsque le montant total payé ou payable, selon la pièce justificative, à l'égard d'une ou de plusieurs fournitures est de moins de 30 $:

(i) le nom ou le nom commercial du fournisseur ou de l'intermédiaire,

(ii) si une facture a été remise pour la ou les fournitures, la date de cette facture,

(iii) si aucune facture n'a été remise pour la ou les fournitures, la date à laquelle il y a un montant de taxe payée ou payable sur celles-ci,

(iv) le montant total payé ou payable pour la ou les fournitures;

b) lorsque le montant total payé ou payable, selon la pièce justificative, à l'égard d'une ou de plusieurs fournitures est de 30 $ ou plus et de moins de 150 $:

(i) le nom ou le nom commercial du fournisseur ou de l'intermédiaire et le numéro d'inscription attribué, conformément au paragraphe 241(1) de la Loi, au fournisseur ou à l'intermédiaire, selon le cas,

(ii) les renseignements visés aux sous-alinéas a)(ii) à (iv),

(iii) dans le cas où la taxe payée ou payable n'est pas comprise dans le montant payé ou payable pour la ou les fournitures :

(A) ou bien, la taxe payée ou payable pour toutes les fournitures ou pour chacune d'elles,

(B) ou bien, si une taxe de vente provinciale est payable pour chaque fourniture taxable qui n'est pas une fourniture détaxée, mais ne l'est pas pour une fourniture exonérée ou une fourniture détaxée :

(I) soit le total de la taxe payée ou payable selon la section II de la partie IX de la Loi et de la taxe de vente provinciale payée ou payable pour chaque fourniture taxable, ainsi qu'une déclaration portant que le total pour chaque fourniture taxable comprend la taxe payée ou payable selon cette section,

(II) soit le total de la taxe payée ou payable selon la section II de la partie IX de la Loi et de la taxe de vente provinciale payée ou payable pour toutes les fournitures taxables, ainsi qu'une déclaration portant que ce total comprend la taxe payée ou payable selon cette section.

(iv) dans le cas où la taxe payée ou payable est comprise dans le montant payé ou payable pour la ou les fournitures et que l'une ou plusieurs de celles-ci sont des fournitures taxables qui ne sont pas des fournitures détaxées :

(A) une déclaration portant que la taxe est comprise dans le montant payé ou payable pour chaque fourniture taxable,

(B) le total (appelé « taux de taxe total » au présent alinéa) des taux auxquels la taxe a été payée ou était payable rela-

Règlements

tivement à chacune des fournitures taxables qui n'est pas une fourniture détaxée,

(C) le montant payé ou payable pour chacune de ces fournitures ou le montant total payé ou payable pour l'ensemble de ces fournitures auxquelles s'applique le même taux de taxe total,

(v) dans le cas où deux fournitures ou plus appartiennent à différentes catégories, une mention de la catégorie de chaque fourniture taxable qui n'est pas une fourniture détaxée;

c) lorsque le montant total payé ou payable, selon la pièce justificative, à l'égard d'une ou de plusieurs fournitures est de 150 $ ou plus :

(i) les renseignements visés aux alinéas a) et b),

(ii) soit le nom de l'acquéreur ou son nom commercial, soit le nom de son mandataire ou de son représentant autorisé,

(iii) les modalités de paiement,

(iv) une description suffisante pour identifier chaque fourniture.

Notes historiques: Le sous-alinéa 3a)(i) a été remplacé par C.P. 2000-633 [DORS/2000-180], par. 3(1) et cette modification s'applique aux fournitures effectuées après le 23 avril 1996. Antérieurement, il se lisait ainsi :

(i) le nom du fournisseur ou son nom commercial,

Les sous-alinéas 3b)(i) et (ii) ont été remplacés par C.P. 2000-633 [DORS/2000-180], par. 3(2) et cette modification s'applique aux fournitures effectuées après le 23 avril 1996. Antérieurement, ils se lisaient ainsi :

(i) les renseignements requis à l'alinéa a),

(ii) le numéro d'inscription attribué au fournisseur conformément à l'article 241 de la Loi,

Le sous-alinéa 3b)(iv) a été remplacé par C.P. 2000-633 [DORS/2000-180], par. 3(3) et cette modification s'applique aux fournitures effectuées après mars 1997. Toutefois, en ce qui concerne les fournitures effectuées avant février 1998, il n'est pas tenu compte de la division 3b)(iv)(C). Antérieurement, il se lisait ainsi :

(iv) dans le cas où la taxe payée ou payable est comprise dans le montant payé ou payable pour la ou les fournitures et que l'une ou plusieurs de celles-ci sont des fournitures taxables qui ne sont pas des fournitures détaxées, une déclaration portant que la taxe est comprise dans le montant payé ou payable pour chaque fourniture à l'égard de laquelle il y a une taxe payée ou payable,

Le sous-alinéa 3c)(i) a été remplacé par C.P. 2000-633 [DORS/2000-180], par. 3(4) et cette modification s'applique aux fournitures effectuées après le 23 avril 1996. Antérieurement, il se lisait ainsi :

(i) les renseignements requis à l'alinéa a) et aux sous-alinéas b)(ii) à (v),

Règ. Can. Règlement sur les représentants d'artistes (TPS/TVH)

Règlement visant les inscrits qui fournissent des biens meubles incorporels pour le compte d'artistes

DORS/91-25 [C.P. 1990-2734], 18 décembre 1990, tel que modifié par C.P. 1999-624 [DORS/99-174], 15 avril 1999; C.P. 2001-148 [DORS/2001-62], 30 janvier 2001; C.P. 2003-1558 [DORS/2003-341], 9 octobre 2003; C.P. 2006-578 [DORS/2006-158], 23 juin 2006.

Sur avis conforme du ministre des Finances et en vertu du paragraphe 277(1) de la *Loi sur la taxe d'accise*, il plaît à son Excellence le Gouverneur général en conseil de prendre le *Règlement visant les inscrits qui fournissent des biens meubles incorporels pour le compte d'artistes*, ci-après.

1. Titre abrégé — *Règlement sur les représentants d'artistes (TPS/TVH).*

Notes historiques: L'article 1 a été remplacé par C.P. 1999-624 [DORS/99-174], 15 avril 1999, art. 1 et cette modification est réputée être en vigueur le 1er avril 1997. Auparavant, cet article se lisait comme suit :

1. Titre abrégé — *Règlement sur les représentants d'artistes (TPS).*

2. Inscrits — Pour l'application du paragraphe 177(2) de la *Loi sur la taxe d'accise*, sont visés les inscrits mentionnés à l'annexe.

Annexe [1]

(*article 2*)

Agence canadienne des droits de reproduction musicaux Limitée

Agence des droits de retransmission des radiodiffuseurs canadiens Inc. (ADRRC)

Agence pour licence de reproduction de vidéo-audio Inc. (ALVA)

Association canadienne des éditeurs de musique

Association des compositeurs, auteurs et éditeurs du Canada, Ltée (CAPAC)

Association des producteurs et distributeurs du média d'éducation du Canada

Association du droit de retransmission canadien (ADRC)

Canadian Artists' Representation/Front des artistes canadiens (CARFAC)

Canadian Copyright Licensing Agency (CANCOPY)

FWS Joint Sports Claimants Inc.

Guilde canadienne des réalisateurs et ses conseils de district

Intermède Musique Média Inc.

La Société canadienne de gestion des droits éducatifs (SCGDE)

La Société canadienne de gestion des droits voisins (SCGDV)

Major League Baseball Collective of Canada, Inc. (MLBC)

Morning Music Limited

Producers Audiovisual Collective of Canada/La Société canadienne de gestion des producteurs de matériel audio-visuel (PACC)

Société canadienne des auteurs, compositeurs et éditeurs de musique

Société collective de gestion des droits des producteurs de phonogrammes et de vidéogrammes du Québec (SOPROQ)

Société collective de retransmission du Canada

Société de droits d'auteur des artistes en arts visuels (SODART)

Société de gestion collective de l'Union des Artistes inc. (ARTISTI)

Société de perception de droit d'auteur du Canada

Société des auteurs et compositeurs dramatiques (SACD)

Société des droits d'auteur en arts visuels Inc. (SODAAV)

Société des droits d'exécution du Canada Ltée (SDE)

Société pour l'avancement des droits en audiovisuel Ltée (SADA)

Société québécoise de gestion collective des droits de reproduction (COPIBEC)

Société québécoise des auteurs dramatiques inc.

SODRAC 2003 Inc

Union des écrivaines et écrivains québécois (UNEQ)

Vis-Art Droits d'auteur Inc.

Notes historiques: L'annexe a été modifiée par C.P. 2006-578 [DORS/2006-158], 23 juin 2006, art. 1 par l'ajout de « SODRAC 2003 inc. ». Cette modification est réputée être entrée en vigueur le 1er avril 2004.

L'annexe a été modifiée par C.P. 2006-578 [DORS/2006-158], 23 juin 2006, art. 2 par la suppression de « Société du droit de reproduction des auteurs, compositeurs et éditeurs au Canada (SODRAC) ». Cette modification est réputée être entrée en vigueur le 30 avril 2004.

L'annexe a été modifiée par C.P. 2003-1558 [DORS/2003-341], 9 octobre 2003, art. 1 par l'ajout de « Société québécoise des auteurs dramatiques inc. ». Cette modification est réputée être entrée en vigueur le 1er juillet 2002.

L'annexe a été modifiée par C.P. 2001-148 [DORS/2001-62], 30 janvier 2001, art. 1 par la suppression de la mention « Canadian Reprography Collective Inc. (CANCOPY) ». Cette modification est réputée être entrée en vigueur le 13 juin 1994.

L'annexe a été modifiée par C.P. 2001-148 [DORS/2001-62], 30 janvier 2001, art. 2 par l'ajout des mentions suivantes : « Canadian Copyright Licensing Agency (CANCOPY) », réputée être entrée en vigueur le 13 juin 1994, « Producers Audiovisual Collective of Canada/La Société canadienne de gestion des producteurs de matériel audiovisuel (PACC) » réputée être entrée en vigueur le 29 avril 1999, « Société de gestion collective de l'Union des Artistes inc. (ARTISTI) », réputée être entrée en vigueur le 22 décembre 1997 et « Société québécoise de gestion collective des droits de reproduction (COPIBEC) », réputée être entrée en vigueur le 1er avril 1998.

L'annexe a été modifiée par C.P. 1999-624 [DORS/99-174], 15 avril 1999, art. 2 par l'ajout des inscrits suivants : Guilde canadienne des réalisateurs et ses conseils de district, La Société canadienne de gestion des droits éducatifs (SCGDE), La Société canadienne de gestion des droits voisins (SCGDV), Société collective de gestion des droits des producteurs de phonogrammes et de vidéogrammes du Québec (SOPROQ), Société de droits d'auteur des artistes en arts visuels (SODART).

En ce qui concerne la Guilde canadienne des réalisateurs et ses conseils de district, cet ajout est réputé être entré en vigueur le 1er janvier 1997.

En ce qui concerne La Société canadienne de gestion des droits éducatifs (SCGDE) et la Société de droits d'auteur des artistes en arts visuels (SODART), ces ajouts sont réputés être entrés en vigueur le 1er janvier 1999.

En ce qui concerne La Société canadienne de gestion des droits voisins (SCGDV), cet ajout est réputé être entré en vigueur le 1er janvier 1998.

En ce qui concerne la Société collective de gestion des droits des producteurs de phonogrammes et de vidéogrammes du Québec (SOPROQ), cet ajout est réputé être entré en vigueur le 1er août 1991.

RÈG. CAN. RÈGLEMENT SUR LES SERVICES DE SANTÉ (TPS/TVH)

DORS/91-23 [C.P. 1990-2732], 18 décembre 1990, tel que modifié par C.P. 1994-843 [DORS/94-368], 26 mai 1994; C.P. 2002-1262 [DORS/2002-277], 17 juillet 2002; L.C. 2010, c. 12.

Notes historiques: Le titre intégral a été remplacé par C.P. 2002-1262 [DORS/2002-277], 17 juillet 2002, art. 2 et cette modification est réputée être entrée en vigueur le 17 juillet 2002. Antérieurement, il se lisait « *Règlement visant des services de traitement et de diagnostic et d'autres services de santé* ».

1. [*Abrogé*].

Notes historiques: L'article 1 et l'intertitre le précédant ont été abrogés par C.P. 2002-1262 [DORS/2002-277], 17 juillet 2002, art. 3 et ces abrogations sont réputées être entrées en vigueur le 17 juillet 2002. Antérieurement, ils se lisaient ainsi :

1. Titre abrégé — *Règlement sur les services de santé (TPS).*

2. Services de santé — Les services ci-après sont visés pour l'application de l'article 10 de la partie II de l'annexe V de la *Loi sur la taxe d'accise* :

a) les services de laboratoire ou de radiologie ou les autres services de diagnostic généralement offerts dans un établissement de santé;

b) l'administration de drogues, de substances biologiques ou de préparations connexes dans le cadre de la prestation des services visés à l'alinéa a).

Notes historiques: Le préambule de l'article 2 a été remplacé par L.C. 2010, c. 12, par. 90(1) et cette modification s'applique relativement aux fournitures suivantes :

a) les fournitures effectuées après le 4 mars 2010;

b) les fournitures effectuées avant le 5 mars 2010 si :

(i) la totalité de la contrepartie de la fourniture devient due après le 4 mars 2010 ou est payée après cette date sans être devenue due,

(ii) la contrepartie, même partielle, de la fourniture est devenue due ou a été payée avant le 5 mars 2010, sauf si le fournisseur n'a pas exigé, perçu ni versé de montant avant cette date au titre de la taxe prévue par la partie IX relativement à la fourniture.

Antérieurement, il se lisait ainsi :

2. Pour l'application de l'article 10 de la partie II de l'annexe V de la *Loi sur la taxe d'accise*, sont visés les services suivants, sauf ceux qui sont liés à la prestation de services chirurgicaux ou dentaires exécutés à des fins esthétiques et non à des fins médicales ou restauratrices :

Le préambule de l'article 2 a été modifié par C.P. 1994-843 [DORS/94-368], 26 mai 1994, art. 10 et est réputé entré en vigueur le 31 décembre 1990. Il se lisait auparavant comme suit :

2. Pour l'application de l'article 10 de la partie II de l'annexe V de la *Loi sur la taxe d'accise*, sont visés les services suivants qui ne sont pas liés à la prestation de services chirurgicaux ou dentaires exécutés à des fins esthétiques plutôt que médicales ou restauratrices :

RÈG. CAN. RÈGLEMENT SUR LES SERVICES FINANCIERS (TPS/TVH)

Règlement sur les services financiers (TPS/TVH)

DORS/91-26 [C.P. 1990-2735], 18 décembre 1990, tel que modifié par C.P. 1993-939 [DORS/93-242], 11 mai 1993; C.P. 2001-147 [DORS/2001-61], 30 janvier 2001; C.P. 2011-263 [DORS/2011-56], 3 mars 2011.

Sur avis conforme du ministre des Finances et en vertu du paragraphe 277(1) de la *Loi sur la taxe d'accise*, il plaît à Son Excellence le Gouverneur général en conseil de prendre le *Règlement concernant les services prévus aux alinéas m) et t) de la définition de « service financier », au paragraphe 123(1) de la Loi sur la taxe d'accise*, ci-après.

Notes historiques: Le titre intégral a été remplacé par C.P. 2011-263 [DORS/2011-56], 3 mars 2011, art. 4 et cette modification est réputée entrée en vigueur le 16 mars 2011. Antérieurement, il se lisait « Règlement concernant les services prévus aux alinéas m) et t) de la définition de « service financier », au paragraphe 123(1) de la Loi sur la taxe d'accise ».

1. [*Abrogé*].

Notes historiques: L'article 1 et l'intertitre le précédant ont été abrogés par C.P. 2011-263 [DORS/2011-56], 3 mars 2011, art. 5 et cette abrogation est réputée entrée en vigueur le 16 mars 2011. Antérieurement, ils se lisaient ainsi :

> 1. Titre abrégé — *Règlement sur les services financiers (TPS/TVH)*.

L'article 1 a été remplacé par C.P. 2001-147, 30 janvier 2001, art. 1 et cette modification est réputée entrée en vigueur le 1er avril 1997. Antérieurement, il se lisait ainsi :

> 1. *Règlement sur les services financiers (TPS)*.

2. Définition — La définition qui suit s'applique à la présente Loi.

« **Loi** » La *Loi sur la taxe d'accise*.

3. Services — Pour l'application de l'alinéa m) de la définition de « service financier », au paragraphe 123(1) de la Loi, sont visés les services fournis par l'Association canadienne des paiements ou par l'un de ses membres et liés à la compensation et au règlement de chèques et autres instruments de paiement dans le cadre du système national de paiement de cette association.

3.1 (1) FERR et REER — Dans le présent article, « fonds enregistré de revenu de retraite » et « régime enregistré d'épargne-retraite » s'entendent au sens du paragraphe 248(1) de la *Loi de l'impôt sur le revenu*.

(2) « Services financiers » — Pour l'application du sous-alinéa q)(ii) de la définition de « service financier » au paragraphe 123(1) de la Loi, sont des services prévus les services ci-après s'ils sont fournis par un fournisseur qui rend des services de gestion ou d'administration à une personne visée à l'alinéa q) de cette définition :

a) l'émission d'un effet financier par le fournisseur à la personne ou le transfert de propriété d'un effet financier du fournisseur à la personne;

b) la tenue d'un compte d'épargne, de chèques, de dépôt, de prêts, d'achats à crédit ou autre que la personne a auprès du fournisseur;

c) si la personne est une fiducie régie par un fonds enregistré de revenu de retraite autogéré ou un régime enregistré d'épargne-retraite autogéré, la prise de mesures en vue de l'émission, du renouvellement, de la modification ou du transfert de propriété d'un effet financier pour le compte de la personne.

Notes historiques: L'article 3.1 a été ajouté par C.P. 2001-147 [DORS/2001-61], 30 janvier 2001, art. 2 et est réputé entré en vigueur le 31 décembre 1990.

4. (1) Définitions — Les définitions qui suivent s'appliquent au présent article.

« **effet** » Argent, compte, pièce justificative de carte de crédit ou de paiement, ou effet financier.

« **personne à risque** » Personne exposée à un risque financier du fait de la propriété, de l'acquisition ou de l'émission par la personne d'un effet à l'égard duquel un service mentionné au paragraphe (2) est offert, ou à cause d'une garantie, d'une acceptation ou d'une indemnité se rapportant à l'effet, à l'exclusion de la personne qui s'expose à un tel risque dans le cadre et du seul fait de l'autorisation d'une opération relative à l'effet ou de la fourniture d'un service de compensation ou de règlement relativement à l'effet.

Notes historiques: La définition de « personne à risque » au paragraphe 4(1) a été remplacée par C.P. 2001-147 [DORS/2001-61], 30 janvier 2001, par. 3(1) et cette modification est réputée entrée en vigueur le 31 décembre 1990. Antérieurement, elle se lisait ainsi :

> « personne à risque » Personne exposée à un risque financier du fait de la propriété, de l'acquisition ou de la délivrance soit d'un effet à l'égard duquel un service mentionné au paragraphe (2) est offert, soit d'une garantie, d'une acceptation ou d'une indemnité se rapportant à cet effet.

(2) Application — Sous réserve du paragraphe (3), pour l'application de l'alinéa t) de la définition de « service financier », au paragraphe 123(1) de la Loi, sont visés les services suivants, sauf ceux mentionnés à l'article 3 :

a) la communication, la collecte ou le traitement de renseignements;

b) les services administratifs, y compris ceux reliés au paiement ou au recouvrement de dividendes, d'intérêts, de capital, de créances, d'avantages ou d'autres montants, à l'exclusion des services ne portant que sur le paiement ou le recouvrement.

(3) Exception — Pour l'application de l'alinéa t) de la définition de « service financier », au paragraphe 123(1) de la Loi, ne sont pas visés les services mentionnés au paragraphe (2) et fournis relativement à un effet par :

a) la personne à risque;

b) une personne membre du même groupe étroitement lié que la personne à risque, si l'acquéreur du service n'est ni la personne à risque ni une autre personne membre du même groupe étroitement lié que celle-ci;

c) le mandataire, le vendeur ou le courtier qui prend des mesures en vue de l'émission, du renouvellement, de la modification ou du transfert de propriété de l'effet pour le compte de la personne à risque ou d'une personne membre du même groupe étroitement lié que celle-ci.

Notes historiques: L'alinéa 4(3)b) a été remplacés par C.P. 2011-263 [DORS/2011-56], 3 mars 2011, art. 6 et cette modification s'applique aux fournitures effectuées après le 16 novembre 2005. Antérieurement, il se lisait ainsi :

> b) la personne étroitement liée à la personne à risque, si l'acquéreur du service n'est ni la personne à risque, ni une autre personne étroitement liée à celle-ci;

L'alinéa 4(3)b) a été abrogé et remplacé par C.P. 1993-939 [DORS/93-242], 11 mai 1993 et se lisait antérieurement comme suit :

> b) la personne étroitement liée à la personne à risque, si l'acquéreur du service n'est ni la personne à risque, ni la personne étroitement liée à celle-ci;

L'alinéa 4(3) c) a été remplacés par C.P. 2011-263 [DORS/2011-56], 3 mars 2011, art. 6 et cette modification s'applique aux fournitures effectuées après le 16 novembre 2005. Antérieurement, il se lisait ainsi :

> c) le mandataire, le vendeur ou le courtier qui prend des mesures en vue de l'émission, du renouvellement, de la modification ou du transfert de propriété de

Règlements

l'effet pour le compte de la personne à risque ou d'une personne étroitement liée à celle-ci.

L'alinéa 4(3)c) a été remplacé par C.P. 2001-147 [DORS/2001-61], 30 janvier 2001, par. 3(2) et cette modification est réputée entrée en vigueur le 31 décembre 1990. Antérieurement, il se lisait ainsi :

c) le mandataire, le vendeur ou le courtier agissant, dans le cadre du transfert de propriété de l'effet pour le compte de la personne à risque ou de la personne étroitement liée à celle-ci.

Ajout proposé — 5-6

5. contribuable admissible pour l'application de la section IV de la partie IX de la Loi — Pour l'application du sous-alinéa 217.1(1)b)(iv) de la Loi, une fiducie non-résidente est une personne visée si la valeur totale de ses actifs sur lesquels une ou plusieurs personnes résidant au Canada ont un droit de bénéficiaire est, à la fois :

a) égale ou supérieure à 10 000 000 $;

b) égale ou supérieure à 10 % de la valeur totale de ses actifs.

6. Personne visée pour l'application de l'article 273.2 de la Loi — Les institutions financières désignées particulières qui sont des régimes de placement, au sens du paragraphe 1(1) du *Règlement sur la méthode d'attribution applicable aux institutions financières désignées particulières (TPS/TVH)*, sont visées pour l'application du paragraphe 273.2(2) de la Loi.

Application: Les articles 5 et 6 seront ajoutés par l'art. 18 de l'*Avant-projet de règlement modifiant divers règlements relatifs à la TPS/TVH* du 28 janvier 2011. L'article 5 s'appliquera relativement à toute année déterminée, au sens de l'article 217 de la *Loi sur la taxe d'accise*, d'une personne commençant après juin 2010. L'article 6 s'appliquera relativement à tout exercice d'une personne se terminant après juin 2010.

Modification proposée — Protocole d'entente concernant l'harmonisation des taxes de vente en vue de la conclusion d'une entente intégrée globale de coordination fiscale entre le Canada et le Québec, 30 septembre 2011

Services financiers: 13. Le Québec s'engage à ce que les textes législatifs concernant la TVQ reflètent les règles relatives aux services financiers et aux institutions financières prévues par les textes législatifs concernant la TPS/TVH. Le Québec veillera à ce que l'harmonisation du régime de la TVQ à celui de la TPS/TVH à cet égard se fasse en évitant les cas de double taxation et d'absence de taxation et en assurant la neutralité du régime fiscal pour les entreprises de ce secteur. Les parties se pencheront sur cette question en tenant compte des principes énoncés ci-dessus et le Québec déterminera la meilleure façon de parvenir à ce résultat dans le cadre de la législation québécoise.

Document d'information, 30 septembre 2011: *Harmonisation de la Taxe de vente du Québec*

Le protocole d'entente (PE) qu'ont signé le Canada et le Québec le 30 septembre 2011 engage le Québec à harmoniser la Taxe de vente du Québec (TVQ) avec la Taxe sur les produits et services. Dans le cadre de ce PE, le Québec continuera d'administrer, de manière générale, la TVQ et la Taxe sur les produits et services/taxe de vente harmonisée (TPS/TVH) dans la province, tandis que la TVQ sera toujours régie par le Québec.

Le PE se traduira par l'harmonisation de la TPS et des assiettes et règles fiscales de la TPS et de la TVQ, ce qui allègera le fardeau des entreprises en matière d'observation des règles fiscales.

Une fois pleinement mis en œuvre, le PE éliminera complètement la TVQ sur des intrants clés tels que les télécommunications et l'énergie et permettra de s'assurer que le traitement fiscal des services financiers est conforme aux fins de l'application de la TVQ et de la TPS.

Principales caractéristiques du PE entre le Canada et le Québec

Selon le PE :

Le Canada versera au Québec des paiements totalisant 2,2 milliards de dollars – 733 millions de dollars le 1er janvier 2013, après la mise en œuvre de la TVQ modifiée, et 1,467 milliard de dollars le 1er janvier 2014.

Le Québec veillera à ce que l'assiette fiscale de la TVQ et les paramètres administratifs, structurels et définitionnels connexes produisent des résultats identiques à ceux obtenus dans le cadre du régime de la TPS/TVH et soient administrés de façon à produire des résultats identiques (sous réserve d'exceptions décrites dans le PE et expliquées ci-dessous).

Le Québec entreprendra d'éliminer la TPS de l'assiette fiscale de la TVQ (plus de taxe sur la taxe).

En vertu des dispositions législatives de la TVQ, le Québec s'engage à apporter toute modification que le Canada apportera en vertu des dispositions législatives de la TPS. En général, la modification s'appliquera à la même date que celle de l'entrée en vigueur de la modification à la TPS, mais, en tout état de cause, au plus tard 60 jours à partir de la date d'entrée en vigueur de la modification à la TPS.

Le traitement fiscal des services financiers au Québec sera harmonisé avec celui de la TPS.

Le Québec entreprendra de reproduire, en vertu des dispositions législatives de la TVQ, les règles sur le lieu de fourniture en vertu des dispositions législatives de la TPS/TVH, afin d'éviter les cas de non-taxe et de double taxe (les règles sur le lieu de fourniture précisent si les fournisseurs font payer la TVQ sur leurs produits).

Le Québec entreprendra d'éliminer progressivement ses restrictions actuelles sur les remboursements de taxe sur les intrants au cours d'une période transitoire d'au plus huit ans.

Le Québec adoptera les paramètres administratifs, structurels et définitionnels de la TPS pour les remboursements municipaux à compter du 1er janvier 2014.

Le Canada et le Québec conviennent de payer la TPS/TVH et la TVQ sur les achats gouvernementaux à compter du 1er avril 2013, afin de simplifier le processus d'observation des règles fiscales pour les entreprises. Lorsque les règles de l'exclusivité des compétences s'appliquent, la taxe payée sera récupérée à l'aide d'un mécanisme de rabais.

Le Québec continuera à fixer le taux de la TVQ et pourra conserver un nombre limité de ses mesures actuelles. Cela tient compte de l'existence de la TVQ depuis le 1er juillet 1992.

Comme pour les autres provinces, l'assiette fiscale de la TVQ pourra afficher un écart d'au plus 5 p. cent par rapport à l'assiette fiscale de la TPS.

Le Canada et le Québec feront de leur mieux pour conclure une Entente intégrée globale de coordination fiscale (EIGCF) d'ici le 1er avril 2012. L'EIGCF est un accord détaillé qui décrit les droits et obligations des parties liées par l'entente. Ce processus consistant à conclure un PE qui débouche sur une EIGCF est identique à celui que suit l'Ontario.

RÈG. CAN. RÈGLEMENT SUR LE TAUX D'INTÉRÊT (LOI SUR LA TAXE D'ACCISE) [ABROGÉ]

Règlement établissant les règles servant à fixer un taux d'intérêt pour l'application de la Loi sur la taxe d'accise

DORS/91-19 [C.P. 1990-2729], 18 décembre 1990, tel que modifié par C.P. 1997-1819 [DORS/97-557], 9 décembre 1997; C.P. 2006-1057 [DORS/2006-230], 28 septembre 2006.

Sur avis conforme du ministre des Finances et en vertu des paragraphes 59(3.1) et 277(1) de la *Loi sur la taxe d'accise*, il plaît à Son Excellence le Gouverneur général en conseil d'abroger le *Règlement sur le taux d'intérêt relatif aux taxes de vente et d'accise*, pris par le décret C.P. 1986-741 du 26 mars 1986, et de prendre en remplacement, à compter du 1er janvier 1991, le *Règlement établissant les règles servant à fixer un taux d'intérêt pour l'application de la Loi sur la taxe d'accise*, ci-après.

1. [Abrogé]

Notes historiques: L'article 1 a été abrogé par C.P. 2006-1057 [DORS/2006-230], 28 septembre 2006, art. 4 et cette abrogation est réputée entrée en vigueur le 1er juillet 2003. Antérieurement, il se lisait :

1. Titre abrégé — *Règlement sur le taux d'intérêt (Loi sur la taxe d'accise).*

2. Définition — La définition qui suit s'applique au présent règlement.

« trimestre » Toute période de trois mois consécutifs commençant à l'une des dates suivantes : le 1er janvier, le 1er avril, le 1er juillet ou le 1er octobre.

3. Taux d'intérêt — Pour l'application de la *Loi sur la taxe d'accise*, le taux réglementaire d'intérêt en vigueur au cours d'un trimestre donné correspond au pourcentage mensuel (arrêté au dixième de point, les résultats qui ont au moins cinq au centième de point étant arrondis au dixième de point supérieur), calculé selon la formule suivante :

$$\frac{A}{12}$$

où

A est la moyenne arithmétique des pourcentages dont chacun représente le taux de rendement moyen (exprimé en pourcentage annuel) des bons du Trésor du gouvernement du Canada qui viennent à échéance environ trois mois après la date de leur émission et qui sont vendus au cours d'adjudication de bons du Trésor pendant le premier mois du trimestre qui précède le trimestre donné.

[ABROGÉ]

2. [Abrogé]

Notes historiques: L'article 2 a été abrogé par C.P. 2006-1057 [DORS/2006-230], 28 septembre 2006, art. 4 et cette abrogation est réputée entrée en vigueur le 1er juillet 2003. Antérieurement, il se lisait :

1. Titre abrégé — *Règlement sur le taux d'intérêt (Loi sur la taxe d'accise).*

2. Définition — La définition qui suit s'applique au présent règlement.

« trimestre » Toute période de trois mois consécutifs commençant à l'une des dates suivantes : le 1er janvier, le 1er avril, le 1er juillet ou le 1er octobre.

3. Taux d'intérêt — Pour l'application de la *Loi sur la taxe d'accise*, le taux réglementaire d'intérêt en vigueur au cours d'un trimestre donné correspond au pourcentage mensuel (arrêté au dixième de point, les résultats qui ont au moins cinq au centième de point étant arrondis au dixième de point supérieur), calculé selon la formule suivante :

$$\frac{A}{12}$$

où

A est la moyenne arithmétique des pourcentages dont chacun représente le taux de rendement moyen (exprimé en pourcentage annuel) des bons du Trésor du gouvernement du Canada qui viennent à échéance environ trois mois après la date de leur émission et qui sont vendus au cours d'adjudication de bons du Trésor pendant le premier mois du trimestre qui précède le trimestre donné.

3. [Abrogé]

Notes historiques: L'article 3 a été abrogé par C.P. 2006-1057 [DORS/2006-230], 28 septembre 2006, art. 4 et cette abrogation est réputée entrée en vigueur le 1er juillet 2003. Antérieurement, il se lisait :

3. Taux d'intérêt — Pour l'application de la *Loi sur la taxe d'accise*, le taux réglementaire d'intérêt en vigueur au cours d'un trimestre donné correspond au pourcentage mensuel (arrêté au dixième de point, les résultats qui ont au moins cinq au centième de point étant arrondis au dixième de point supérieur), calculé selon la formule suivante :

$$\frac{A}{12}$$

où

A est la moyenne arithmétique des pourcentages dont chacun représente le taux de rendement moyen (exprimé en pourcentage annuel) des bons du Trésor du gouvernement du Canada qui viennent à échéance environ trois mois après la date de leur émission et qui sont vendus au cours d'adjudication de bons du Trésor pendant le premier mois du trimestre qui précède le trimestre donné.

Le deuxième alinéa de l'article 3 a été modifié par C.P. 1997-1819 [DORS/97-557], 9 décembre 1997, par la suppression du mot « hebdomadaire » après les mots « le taux de rendement » et par le remplacement des mots « au cours d'une des adjudications hebdomadaires de bons » par les mots « au cours d'adjudication de bons ». Cette modification est réputée entrée en vigueur le 31 décembre 1997.

Règ. Can. Règlement sur les taux d'intérêt (Loi sur la taxe d'accise)

DORS/2006-230 [C.P. 2006-1057], 28 septembre 2006, tel que modifié par C.P. 2008-246 [DORS/2008-36], 7 février 2008; L.C. 2010, c. 12.

Sur avis conforme du ministre des Finances et en vertu des paragraphes 59(3.1), (3.4) et 277(1) de la *Loi sur la taxe d'accise*, il plaît à Son Excellence le Gouverneur général en conseil prend le *Règlement sur les taux d'intérêt (Loi sur la taxe d'accise)*, ci-après.

Définition

1. Définitions — Les définitions qui suivent s'appliquent au présent règlement.

« **Loi** » La *Loi sur la taxe d'accise*.

« **taux de base** » Le taux de base pour un trimestre donné correspond à la moyenne arithmétique simple, exprimée en pourcentage annuel et arrondie au point de pourcentage supérieur, des pourcentages dont chacun représente le taux de rendement moyen, exprimé en pourcentage annuel, des bons du Trésor du gouvernement du Canada qui arrivent à échéance environ trois mois après la date de leur émission et qui sont vendus au cours d'adjudication de bons du Trésor pendant le premier mois du trimestre qui précède le trimestre donné.

« **trimestre** » Toute période de trois mois consécutifs commençant à l'une des dates suivantes : le 1er janvier, le 1er avril, le 1er juillet ou le 1er octobre.

Taux d'intérêt

2. Taux généraux — Pour l'application de la Loi, le taux d'intérêt en vigueur au cours d'un trimestre donné correspond à ce qui suit :

a) dans le cas d'intérêts à payer au receveur général, le taux de base pour le trimestre donné, majoré de 4 %;

b) dans le cas d'intérêts à payer ou à imputer sur un montant que le ministre verse à une personne (sauf une personne morale), le taux de base pour le trimestre donné, majoré de 2% ;

b.1) dans le cas d'intérêts à payer ou à imputer sur un montant que le ministre verse à une personne morale, le taux de base pour le trimestre donné;

c) dans les autres cas, la somme du taux de base pour le trimestre donné et de 4 %.

Notes historiques: L'alinéa 2b) a été remplacé par L.C. 2010, c. 12, par. 94(1) et cette modification est entrée en vigueur ou est réputée être entrée en vigueur le er juillet 2010. Antérieurement, il se lisait ainsi :

> b) dans le cas d'intérêts à payer ou à imputer sur un montant que le ministre verse à une personne, le taux de base pour le trimestre donné, majoré de 2 %;

L'alinéa 2b.1) a été ajouté par L.C. 2010, c. 12, par. 94(1) et est entré en vigueur ou est réputé être entré en vigueur le er juillet 2010.

L'alinéa 2c) a été remplacé par C.P. 2008-246 [DORS/2008-36], 7 février 2008, art. 1 et cette modification est réputée être entrée en vigueur le 1er avril 2007. Antérieurement, il se lisait ainsi :

> c) dans les autres cas, le taux de base pour le trimestre donné.

3. [*Abrogé*].

Abrogation

4. [*Abrogé*].

Entrée en vigueur

5. Le présent règlement est réputé être entrée en vigueur le 1e juillet 2003.

RÈG. CAN. RÈGLEMENT SUR LES TAUX D'INTÉRÊT (LOI SUR LE DROIT POUR LA SÉCURITÉ DES PASSAGERS DU TRANSPORT AÉRIEN)

C.P. 2007-1774, le 22 novembre 2007, tel que modifié par L.C. 2010, c. 12.

1. Définitions — Les définitions qui suivent s'appliquent au présent règlement.

« taux de base » Le taux de base applicable à un trimestre donné correspond à la moyenne arithmétique simple, exprimée en pourcentage annuel et arrondie au point de pourcentage supérieur, des pourcentages dont chacun représente le taux de rendement moyen, exprimé en pourcentage annuel, des bons du Trésor du gouvernement du Canada qui viennent à échéance environ trois mois après la date de leur émission et qui sont vendus au cours d'adjudications de bons du Trésor pendant le premier mois du trimestre qui précède le trimestre donné.

« trimestre » Toute période de trois mois consécutifs commençant le 1er janvier, le 1er avril, le 1er juillet ou le 1er octobre

Notes historiques: L'article 1 a été ajouté par C.P. 2007-1774 du 22 novembre 2007 [DORS/2007-267] art. 1 et est réputé être entré en vigueur le 1er avril 2002.

2. Taux d'intérêt — Pour l'application de la *Loi sur le droit pour la sécurité des passagers du transport aérien*, le taux d'intérêt en vigueur au cours d'un trimestre donné commençant après mars 2002 et se terminant avant avril 2007 correspond au pourcentage mensuel, arrêté au dixième de point, les résultats qui ont au moins cinq au centième de point étant arrondis au dixième de point supérieur, obtenu par la formule suivante :

$$A/12$$

où :

A représente la moyenne arithmétique simple des pourcentages représentant chacun le taux de rendement moyen, exprimé en pourcentage annuel, des bons du Trésor du gouvernement du Canada qui viennent à échéance environ trois mois après la date de leur émission et qui sont vendus au cours d'adjudications de bons du Trésor pendant le premier mois du trimestre qui précède le trimestre donné.

Notes historiques: L'article 2 a été ajouté par C.P. 2007-1774 du 22 novembre 2007 [DORS/2007-267] art. 1 et est réputé être entré en vigueur le 1er avril 2002.

3. Taux d'intérêt — Pour l'application de la *Loi sur le droit pour la sécurité des passagers du transport aérien*, le taux d'intérêt en vigueur au cours d'un trimestre donné commençant après mars 2007 correspond à celui des taux suivants qui est applicable :

a) s'il s'agit d'intérêts à payer au receveur général, le total du taux de base applicable au trimestre donné et de 4 %;

b) s'il s'agit d'intérêts à payer ou à imputer sur une somme à payer par le ministre à une personne autre qu'une personne morale, le total du taux de base applicable au trimestre donné et de 2%;

c) s'il s'agit d'intérêts à payer ou à imputer sur une somme à payer par le ministre à une personne morale, le taux de base applicable au trimestre donné .

Notes historiques: L'alinéa 3b) a été remplacé par L.C. 2010, c. 12, par. 97(1) et cette modification est entrée en vigueur ou est réputée être entrée en vigueur le 1er juillet 2010. Antérieurement, il se lisait ainsi :

> b) s'il s'agit d'intérêts à payer ou à imputer sur une somme à payer par le ministre à une personne, le total du taux de base applicable au trimestre donné et de 2 %.

L'alinéa 3c) a été ajouté par L.C. 2010, c. 12, par. 97(1) et est entré en vigueur ou est réputé être entré en vigueur le 1er juillet 2010.

L'article 3 a été ajouté par C.P. 2007-1774 du 22 novembre 2007 [DORS/2007-267] art. 1 et est réputé être entré en vigueur le 1er avril 2002.

4. Entrée en vigueur — Le présent règlement est réputé être entré en vigueur le 1er avril 2002.

Notes historiques: L'article 4 a été ajouté par C.P. 2007-1774 du 22 novembre 2007 [DORS/2007-267] art. 1 et est réputé être entré en vigueur le 1er avril 2002.

RÈG. CAN. RÈGLEMENT SUR LA VALEUR DES IMPORTATIONS (TPS/TVH)

DORS/91-30 [C.P. 1990-2739], 18 décembre 1990, tel que modifié par C.P. 1999-1340 [DORS/99-321], 28 juillet 1999; C.P. 2002-1262 [DORS/2002-277], 17 juillet 2002; L.C. 2012, c. 19, art. 47.

Sur avis conforme du ministre des Finances et en vertu de l'article 277(1) de la *Loi sur la taxe d'accise*, il plaît à Son Excellence le Gouverneur général en conseil de prendre le *Règlement établissant les modalités de détermination de la valeur des produits importés dans certaines circonstances*, ci-après.

Notes historiques: Le titre intégral a été remplacé par C.P. 2002-1262 [DORS/2002-277], 17 juillet 2002, art. 8 et cette modification est réputée être entrée en vigueur le 17 juillet 2002. Antérieurement, il se lisait « *Règlement établissant les modalités de détermination de la valeur des produits importés dans certaines circonstances* ».

1. [*Abrogé*].

Notes historiques: L'article 1 et l'intertitre le précédant ont été abrogés par C.P. 2002-1262 [DORS/2002-277], 17 juillet 2002, art. 9 et cette abrogation est réputée être entrée en vigueur le 17 juillet 2002. Antérieurement, ils se lisaient ainsi :

> 1. Titre abrégé — *Règlement sur la valeur des importations (TPS/TVH)*.

L'article 1 a été remplacé par C.P. 1999-1340 [DORS/99-321], 28 juillet 1999 et cette modification est réputée être entrée en vigueur le 1er avril 1997. Antérieurement, cet article se lisait comme suit :

> 1. *Règlement sur la valeur des importations (TPS)*

2. (1) Définitions — Les définitions qui suivent s'appliquent au présent règlement.

« droits à payer » Total des droits de douane, des droits d'accise et des taxes d'accise (sauf la taxe prévue à la partie IX de la Loi) applicables à un produit, dans la mesure où ils n'ont pas été remis, supprimés, réduits ou ne font pas l'objet d'une exonération.

« eaux douanières canadiennes » S'entend au sens du *Règlement sur la diminution ou la suppression des droits de douane sur les navires*.

« logiciel » Instructions ou données à traiter au moyen de matériel informatique.

« Loi » La *Loi sur la taxe d'accise*.

« mois » [*abrogée*].

Notes historiques: La définition de « mois » à l'article 2 a été abrogée par C.P. 1999-1340 [DORS/99-321], 28 juillet 1999 et cette abrogation est réputée être entrée en vigueur le 31 décembre 1990. Antérieurement, cette définition se lisait comme suit :

> « mois » Tout ou partie d'un mois civil.

« navire » S'entend au sens du *Règlement sur la diminution ou la suppression des droits de douane sur les navires*.

« support de transmission » Produit pouvant servir au stockage de logiciels.

« traitement » S'entend notamment de l'ajustement, de la modification, de l'assemblage, de l'entretien, de la fabrication, de la production, de la remise en état, de l'emballage, du réemballage, de la réparation ou de la mise à l'essai de produits.

Notes historiques: La définition de « traitement » à l'article 2 a été ajoutée par C.P. 1999-1340 [DORS/99-321], 28 juillet 1999 et est réputée être entrée en vigueur le 1er avril 1991.

« valeur en douane » S'entend au sens de la *Loi sur les douanes*.

« véhicule admissible » S'entend au sens de l'article 2 du *Règlement sur les produits importés non taxables (TPS/TVH)*.

Notes historiques: La définition de « véhicule admissible » au paragraphe 2(1) a été ajoutée par L.C. 2012, c. 19, par. 47(1) et est entrée en vigueur ou est réputée être entrée en vigueur le 1er juin 2012.

Notes historiques: L'article 2 a été modifié par C.P. 1999-1340 [DORS/99-321], 28 juillet 1999 en remplaçant l'article 2 par le paragraphe 2(1). Cette modification est réputée être entrée en vigueur le 31 décembre 1990.

(2) Pour l'application du présent règlement, le nombre de mois ou de semaines dans une période correspond au nombre de mois ou de semaines, selon le cas, compris, en tout ou en partie, dans la période, le premier jour du premier mois ou de la première semaine, selon le cas, de la période correspondant au premier jour de la période.

Notes historiques: Le paragraphe 2(2) a été remplacé par L.C. 2012, c. 19, par. 47(2) et cette modification est entrée en vigueur ou est réputée être entrée en vigueur le 1er juin 2012. Antérieurement, il se lisait ainsi :

> (2) Pour l'application du présent règlement, le nombre de mois dans une période correspond au nombre de mois compris, en tout ou en partie, dans la période, le premier jour du premier mois de la période correspondant au premier jour de la période.

Le paragraphe 2(2) a été ajouté par C.P. 1999-1340 [DORS/99-321], 28 juillet 1998 et est réputé être entré en vigueur le 31 décembre 1990.

3. Modalités — Pour l'application du paragraphe 215(2) de la Loi, la valeur des produits énumérés aux articles 19, 22, 25, 28, 29, 34, 37, 50, 51, 55 ou 56 de l'annexe du *Règlement sur l'importation temporaire de marchandises (prélèvement d'accise et droits supplémentaires)* ou, s'il s'agit de produits importés par une personne non-résidente, aux articles 4, 10, 13, 45 ou 48 de cette annexe, qui sont importés conformément aux modalités de ce règlement ou, en cas d'inapplication de ce règlement, conformément à ces modalités (sauf celles concernant les garanties) si le règlement s'appliquait, est déterminée selon la formule suivante :

$$(\frac{1}{60} \times A \times B) + C$$

où :

A représente la valeur en douane des produits;

B le nombre de mois où les produits se trouvent au Canada;

C les droits à payer relativement aux produits.

Notes historiques: Le passage de l'article 3 précédant la formule a été remplacé par C.P. 1999-1340 [DORS/99-321], 28 juillet 1999. Cette modification s'applique aux produits importés après le 26 novembre 1997. Toutefois, en ce qui concerne les produits importés avant le 1er janvier 1998, la mention « *Règlement sur l'importation temporaire de marchandises (prélèvement d'accise et droits supplémentaires)* » dans le passage de l'article 3 précédant la formule, vaut mention de « *Règlement sur l'importation temporaire de marchandises* ». Antérieurement, ce passage se lisait comme suit :

> 3. Pour l'application du paragraphe 215(2) de la Loi, la valeur des produits énumérés aux articles 19, 22, 25, 28, 29, 34, 37, 50, 51, 55 ou 56 de l'annexe du *Règlement sur l'importation temporaire de marchandises* ou, s'il s'agit de produits importés par une personne non résidante, aux articles 4, 10, 13, 45 ou 48 de cette annexe, qui sont importés conformément aux modalités de ce règlement, est déterminée selon la formule suivante :

4. [Support de transmission] — Pour l'application du paragraphe 215(2) de la Loi, la valeur d'un navire importé temporairement dans les circonstances visées à l'article 3 du *Règlement sur la diminution ou la suppression des droits de douane sur les navires* est déterminée selon la formule suivante :

$$(\frac{1}{120} \times A \times B) + C$$

où :

A représente la valeur en douane du navire;

B le nombre de mois où le navire se trouve dans les eaux douanières canadiennes;

C les droits à payer relativement au navire.

5. [Navire importé temporairement] — Pour l'application du paragraphe 215(2) de la Loi, la valeur d'un navire importé temporairement dans les circonstances visées à l'alinéa 11a) du *Règlement sur la diminution ou la suppression des droits de douane sur les navires* est déterminée selon la formule suivante :

$$(\frac{1}{50} \times A \times B) + C$$

où :

A représente la valeur en douane du navire;

B le nombre de mois où le navire est visé par cet alinéa;

C les droits à payer relativement au navire.

6. [Navire importé temporairement] — Pour l'application du paragraphe 215(2) de la Loi, la valeur d'un navire importé temporairement dans les circonstances visées à l'alinéa 11b) du *Règlement sur la diminution ou la suppression des droits de douane sur les navires* est déterminée selon la formule suivante :

$$(\frac{1}{100} \times A \times B) + C$$

où :

A représente la valeur en douane du navire;

B le nombre de mois où le navire est visé par cet alinéa;

C les droits à payer relativement au navire.

7. [Navire] — Pour l'application du paragraphe 215(2) de la Loi, la valeur d'un navire importé dans les circonstances visées à l'article 13 ou 14 du *Règlement sur la diminution ou la suppression des droits de douane sur les navires* est déterminée selon la formule suivante :

$$A + B$$

où :

A représente la valeur des réparations ou des modifications apportées au navire et auxquelles l'article 13 ou 14 de ce règlement s'applique;

B les droits à payer relativement au navire.

8. [Support de transmission] — Pour l'application du paragraphe 215(2) de la Loi, la valeur du support de transmission, contenant un logiciel, qui est importé dans des circonstances où une taxe était payable, ou deviendra payable, par l'importateur sur la fourniture effectuée à celui-ci au Canada du droit d'utiliser ce logiciel est déterminée selon la formule suivante :

$$A - B$$

où :

A représente la valeur en douane du support de transmission et du logiciel;

B la valeur du logiciel.

9. [Locomotive] — Pour l'application du paragraphe 215(2) de la Loi, la valeur d'une locomotive ou du matériel de chemin de fer importés dans des circonstances où les droits de douane sont partiellement remis en conformité avec le décret C.P. 1953-18/894 est déterminée selon la formule suivante :

$$(\frac{1}{120} \times A \times B) + C$$

où :

A représente la valeur en douane de la locomotive ou du matériel;

B le nombre de mois où la locomotive ou le matériel se trouvent au Canada;

C les droits à payer relativement à la locomotive ou au matériel.

10. [Matériel roulant de chemin de fer] — Pour l'application du paragraphe 215(2) de la Loi, la valeur du matériel roulant de chemin de fer importé pour servir à l'exploitation d'un service international dans des circonstances visées par le *Décret de remise nº4 visant le matériel roulant de chemin de fer (service international)* et dans lesquelles le matériel est affecté temporairement à une autre fin, au sens de ce décret, est déterminée selon la formule suivante :

$$A + B$$

où :

A représente la valeur du loyer mensuel du matériel;

B les droits à payer relativement au matériel.

11. [Matériel roulant de chemin de fer] — Pour l'application du paragraphe 215(2) de la Loi, la valeur du matériel roulant de chemin de fer importé dans des circonstances visées au code 2338 du *Tarif des douanes* et dans lesquelles le matériel devient assujetti aux droits de douane du fait qu'il est utilisé temporairement au Canada est déterminée selon la formule suivante :

$$(A \times B) + C$$

où :

A représente le loyer mensuel moyen du matériel;

B le nombre de mois où le matériel est utilisé temporairement au Canada;

C les droits à payer relativement au matériel.

12. [Autres produits] — Pour l'application du paragraphe 215(2) de la Loi, dans les cas non visés aux articles 3 à 11, est déterminée selon la formule suivante la valeur des produits importés dans des circonstances où les droits de douane, les droits d'accise ou les taxes d'accise (sauf la taxe prévue à la partie IX de la Loi) sont réduits, supprimés, remis ou font l'objet d'une exonération en conformité avec soit une loi fédérale, soit un règlement ou un décret de remise pris en application d'une loi fédérale :

$$A + B$$

où :

A représente la valeur en douane des produits;

B les droits à payer relativement aux produits.

13. [Application du par. 215(2) de la Loi] — Pour l'application du paragraphe 215(2) de la Loi, dans le cas où les conditions suivantes sont réunies :

a) des produits (appelés « produits exportés » au présent article) sont exportés en vue de leur traitement,

b) des produits (appelés « produits issus du traitement » au présent article) sont importés pour la première fois après ce traitement et sont accompagnés d'une preuve que le ministre estime acceptable, que ces produits soit constituent les produits exportés qui ont fait l'objet du traitement, soit contiennent les produits exportés,

c) la dernière importation des produits exportés n'a pas été effectuée dans l'une ou l'autre des circonstances suivantes :

(i) une taxe, calculée sur la valeur déterminée selon le présent règlement (sauf le présent article et les articles 8 et 12), était payable,

(ii) les produits étaient des produits visés par une des dispositions du *Règlement sur les produits importés non taxables (TPS/TVH)*, à l'exception des alinéas 3j) et k),

(iii) une personne avait droit au remboursement prévu à l'article 215.1 de la Loi relativement aux produits,

(iv) si les produits ont été importés pour la dernière fois avant 1991 :

(A) la taxe prévue à la partie VI de la Loi n'était pas payable sur les produits, pourvu que ceux-ci aient été exportés dans un certain délai,

(B) une exonération du paiement de cette taxe ou un remboursement ou une remise de celle-ci a été accordé, pourvu que les produits aient été exportés dans un certain délai,

d) les produits issus du traitement ne sont pas importés pour la première fois après que les produits exportés ou les produits issus du traitement ont été fournis :

(i) soit à l'étranger,

(ii) soit à un acquéreur qui a droit au remboursement prévu à l'article 252 de la Loi relativement à la fourniture,

(iii) soit dans des circonstances où la fourniture figurait à la partie V de l'annexe VI de la Loi,

la valeur des produits issus du traitement est déterminée selon la formule suivante :

$$A + B$$

où :

A représente la valeur du traitement, y compris la valeur de tout produit ajouté aux produits exportés,

B les droits à payer relativement aux produits issus du traitement.

Notes historiques: Le sous-alinéa 13c)(ii) a été remplacé par C.P. 2002-1262 [DORS/2002-277], 17 juillet 2002, art. 10 et cette modification est réputée être entrée en vigueur le 17 juillet 2002. Antérieurement, il se lisait ainsi :

(ii) les produits étaient des produits visés par une des dispositions du *Règlement sur les produits importés non taxables (TPS)*, à l'exception des alinéas 3j) et k),

L'article 13 a été ajouté par C.P. 1999-1340 [DORS/99-321], 28 juillet 1999 et s'applique aux produits qui sont dédouanés après mars 1991.

14. [Application du par. 215(2) de la Loi] — Pour l'application du paragraphe 215(2) de la Loi, dans le cas où les conditions suivantes sont réunies :

a) un autobus ou un aéronef (appelé « moyen de transport » au présent article) est importé temporairement par son preneur aux termes d'un bail conclu avec un bailleur non-résident avec lequel le preneur n'a aucun lien de dépendance;

b) le moyen de transport est exporté au plus tard au premier en date des jours suivants :

(i) le jour qui tombe 24 mois après le jour de l'importation temporaire,

(ii) le jour où il est mis fin au bail;

c) si le moyen de transport est importé plus d'une fois, le nombre cumulatif de mois dans les périodes tout au long desquelles le preneur détient le moyen de transport au Canada aux termes d'un bail conclu avec le bailleur ne dépasse pas 24;

d) sur demande écrite présentée au ministre avant le jour de l'importation temporaire, le preneur obtient l'autorisation écrite du ministre de déterminer la valeur du moyen de transport en vertu du présent article, sous réserve des modalités précisées dans l'autorisation,

la valeur du moyen de transport est déterminée selon la formule suivante :

$$(\frac{1}{60} \times A \times B) + C$$

où :

A représente la valeur en douane du moyen de transport;

B le nombre de mois de la période commençant le jour de l'importation temporaire et se terminant le jour où le moyen de transport est exporté pour la première fois après le jour de l'importation temporaire;

C les droits à payer relativement au moyen de transport.

Notes historiques: L'article 14 a été ajouté par C.P. 1999-1340 [DORS/99-321], 28 juillet 1999 et s'applique aux importations de moyens de transport à l'égard desquels la taxe prévue à la section III de la partie IX de la *Loi sur la taxe d'accise* devient à verser après le 4 novembre 1991.

15. Pour l'application du paragraphe 215(2) de la Loi, la valeur d'un véhicule admissible qui est importé temporairement par un particulier résidant au Canada, qui n'est pas déclaré à titre de produit commercial (au sens du paragraphe 212.1(1) de la Loi) en vertu de l'article 32 de la *Loi sur les douanes*, qui est exporté dans les trente jours suivant l'importation et qui a été fourni au particulier la dernière fois, dans le cadre d'une entreprise de location de véhicules, au moyen d'un bail, d'une licence ou d'un accord semblable selon lequel la possession ou l'utilisation continues du véhicule est transférée pendant une période de moins de cent quatre-vingts jours est déterminée par la formule suivante :

$$(A \times B) + C$$

où :

A représente :

a) si le véhicule est visé à l'une des sous-positions nos 8703.21 à 8703.90 et 8711.20 à 8711.90 de la liste des dispositions tarifaires de l'annexe du Tarif des douanes :

(i) dans le cas d'un camion, d'un véhicule utilitaire sport, d'une minifourgonnette ou d'une fourgonnette, 300 $,

(ii) dans le cas d'une autocaravane ou d'un véhicule semblable, 1 000 $,

(ii) dans les autres cas, 200 $,

b) dans les autres cas, 300 $;

B le nombre de semaines où le véhicule demeure au Canada;

C les droits à payer relativement au véhicule.

Notes historiques: L'article 15 a été ajouté par L.C. 2012, c. 19, par. 48(1) et s'applique aux véhicules admissibles importés après mai 2012.

Règles de pratique et de procédure de la Cour canadienne de l'impôt à l'égard de la Loi sur la taxe d'accise (procédure informelle)

DORS/92-42 [C.P. 1991-2511], 12 décembre 1991, tel que modifié par C.P. 1993-346 [DORS/93-100], 23 février 1993; C.P. 1995-298 [DORS/95-117], 21 février 1995; Erratum, (1995) G.C. partie II, p. 1479; C.P. 1996-1781, [DORS/96-507], 26 novembre 1996; C.P. 1999-836 [DORS/99-211], 6 mai 1999; C.P. 2004-500 [DORS/2004-103], 27 avril 2004; C.P. 2007-969 [DORS/2007-144], 14 juin 2007; C.P. 2008-1760 [DORS/2008-300], 20 novembre 2008.

Sur recommandation du ministre de la Justice et en vertu du paragraphe 20(1) de la *Loi sur la Cour canadienne de l'impôt*, il plaît à Son Excellence le Gouverneur général en conseil d'approuver la prise des *Règles de procédure de la Cour canadienne de l'impôt à l'égard de la Loi sur la taxe d'accise (procédure informelle)*, ci-après, par le comité des règles de la Cour canadienne de l'impôt.

Notes historiques: Le titre intégral a été remplacé C.P. 2004-500 [DORS/2004-103], 27 avril 2004, art. 1, et cette modification est entrée en vigueur le 19 mai 2004. Antérieurement, il se lisait ainsi : « *Règles de procédure de la Cour canadienne de l'impôt à l'égard de la Loi sur la taxe d'accise (procédure informelle)* ».

1. Titre abrégé — *Règles de procédure de la Cour canadienne de l'impôt à l'égard de la Loi sur la taxe d'accise (procédure informelle)*.

2. Définitions — Les définitions qui suivent s'appliquent aux présentes règles.

« avocat » Quiconque peut exercer à titre d'avocat ou de procureur dans une province.

« cotisation » Comprend une nouvelle cotisation et une cotisation supplémentaire.

« dépôt électronique » L'action de déposer par voie électronique par l'intermédiaire du site Web de la Cour (www.tcc-cci.gc.ca) ou de tout autre site Web visé par une directive de la Cour, tout document énuméré sur ces sites.

Notes historiques: La définition de « dépôt électronique » a été ajoutée C.P. 2007-969 [DORS/2007-144], 14 juin 2007, art. 1, et est entrée en vigueur le 27 juin 2007.

« greffe » Greffe établi par l'administrateur en chef du Service administratif des tribunaux judiciaires au bureau principal de la Cour au 200, rue Kent, 2e étage, Ottawa (Ontario) K1A 0M1 (téléphone : (613) 992-0901 ou 1-800-927-5499; télécopieur : (613) 957-9034; site Web : www.tcc-cci.gc.ca), ou à tout autre bureau local de la Cour mentionné dans les avis publiés par celle-ci.

Notes historiques: La définition de « greffe » a été remplacée C.P. 2004-500 [DORS/2004-103], 27 avril 2004, art. 2, et cette modification est entrée en vigueur le 19 mai 2004. Antérieurement, elle se lisait ainsi :

> « greffe » Le bureau principal de la Cour au 200, rue Kent, 2e étage, Ottawa, (Ontario) K1A 0M1 ((613) 992-0901), ou tout autre bureau de la Cour situé à
>
> MONTRÉAL, 500, Place d'Armes, Bureau 1800, 18e étage, Montréal (Québec), H2Y 2W2, (514) 283-9912
>
> TORONTO, 200, rue King ouest, Bureau 902, C.P. 10, Toronto (Ontario), M5H 3T4, (416) 973-9181
>
> VANCOUVER, 700, rue Georgia-ouest, 17e étage, C.P. 10091, Vancouver (Colombie-Britannique), V7Y 1A1, (604) 666-7987

La définition de « greffe » a été modifiée C.P. 1993-346 [DORS/93-100], 23 février 1993, art. 1, pour corriger l'adresse du bureau de Montréal.

« greffier » La personne nommée à titre de greffier de la Cour par l'administrateur en chef du Service administratif des tribunaux judiciaires après consultation du juge en chef.

Notes historiques: La définition de « greffier » a été remplacée C.P. 2004-500 [DORS/2004-103], 27 avril 2004, art. 2, et cette modification est entrée en vigueur le 19 mai 2004. Antérieurement, elle se lisait ainsi :

> « greffier » Le greffier de la Cour ou en son absence le greffier adjoint de la Cour.

« Loi » La *Loi sur la Cour canadienne de l'impôt*.

« ministre » Le ministre du Revenu national.

3. Application — Les présentes règles s'appliquent aux appels interjetés en vertu de la partie IX de la *Loi sur la taxe d'accise*, sauf les appels auxquels s'appliquent les *Règles de la Cour canadienne de l'impôt (procédure générale)*.

4. Dépot de l'avis d'appel — L'appel visé à l'article 3 est interjeté par le dépôt, de l'une des manières ci-après, d'un avis d'appel qui peut être établi conformément au modèle figurant à l'annexe 4 :

a) remise au greffe;

b) expédition au greffe par la poste;

c) transmission au greffe par télécopieur ou par dépôt électronique.

Notes historiques: Le paragraphe 4(1) a été remplacé C.P. 2004-500 [DORS/2004-103], 27 avril 2004, par. 3(1) et cette modification est entrée en vigueur le 19 mai 2004. Antérieurement, il se lisait ainsi :

> (1) L'appel visé l'article 3 est interjeté par écrit et contient l'exposé sommaire des faits et moyens; la présentation de la plaidoirie n'est assujettie à aucune condition de forme.

L'alinéa 4(3)c) a été remplacé C.P. 2007-969 [DORS/2007-144], 14 juin 2007, art. 2, et cette modification est entrée en vigueur le 27 juin 2007. Antérieurement, il se lisait ainsi :

> c) soit par la transmission par télécopie ou courrier électronique d'une copie du document, au greffe, sous réserve de dispositions prises avec l'agrément du greffier pour le paiement du droit de dépôt.

Le paragraphe 4(7) a été abrogé C.P. 2004-500 [DORS/2004-103], 27 avril 2004, par. 3(2), et cette abrogation est entrée en vigueur le 19 mai 2004. Antérieurement, il se lisait ainsi :

> (7) Décision — droit de dépôt — La Cour fonde sa décision de renoncer ou non au droit de dépôt uniquement sur la base des renseignements indiqués dans le document mentionné au paragraphe (1).

Le paragraphe 4(8) a été abrogé C.P. 2004-500 [DORS/2004-103], 27 avril 2004, par. 3(2), et cette abrogation est entrée en vigueur le 19 mai 2004. Antérieurement, il se lisait ainsi :

> (8) Formule d'appel — L'appel peut être interjeté au moyen d'un avis conforme au modèle figurant à l'annexe 4 des présentes règles.

L'article 4 a été remplacé par C.P. 2008-1760 [DORS/2008-300], 20 novembre 2008, art. 2 et cette modification est entrée en vigueur le 10 décembre 2008. Antérieurement, il se lisait ainsi :

> 4. (1) Modalités d'appel — L'appel visé à l'article 3 est interjeté par écrit et contient l'exposé sommaire des faits et moyens. L'appel peut être interjeté au moyen d'un avis conforme au modèle figurant à l'annexe 4; la présentation de la plaidoirie n'est assujettie à aucune condition de forme.
>
> (2) Début de l'appel — Pour interjeter l'appel viséau paragraphe (1), il faut :
>
> a) d'une part, déposer au greffe l'original du document écrit mentionné au paragraphe (1);
>
> b) d'autre part, acquitter la somme de 100 $ comme droit de dépôt.
>
> (3) Dépôt du document — Le dépôt du document écrit mentionné au paragraphe (1) s'effectue :
>
> a) soit par la remise de l'original du document au greffe;
>
> b) soit par l'expédition par la poste de l'original du document au greffe;
>
> c) soit par la transmission par télécopieur ou dépôt électronique d'une copie du document au greffe, sous réserve de dispositions prises avec l'agrément du greffier pour le paiement du droit de dépôt.
>
> (4) Date de dépôt — Le dépôt prévu au paragraphe (2) est réputé effectué le jour où le greffe a reçu le document.
>
> (5) Dépôt par voie électronique — Si le dépôt prévu au paragraphe (2) est effectué en conformité avec l'alinéa (3)c), la partie qui a engagé la procédure, ou

Règlements

son avocat ou autre représentant, envoie aussitôt l'original du document écrit au greffe.

(6) Pouvoirs de la Cour — droit de dépôt — À la demande d'un particulier faite dans le document mentionné au paragraphe (1), la Cour peut renoncer au droit de dépôt si elle est convaincue que son paiement causerait de sérieuses difficultés financières au particulier.

(7) [*Abrogé*].

(8) [*Abrogé*].

L'article 4 a été remplacé par C.P. 1999-836 [DORS/99-211], 6 mai 1999, art. 1. Cette modification est entrée en vigueur le 26 mai 1999. Cet article se lisait antérieurement comme suit :

4. (1) Un appel est formé devant la Cour selon les conditions prescrites par l'article 306 de la *Loi sur la taxe d'accise* qui dispose :

306. La personne qui a produit un avis d'opposition à une cotisation aux termes de la présente sous-section peut interjeter appel à la Cour canadienne de l'impôt pour faire annuler la cotisation ou en faire établir une nouvelle lorsque, selon le cas :

a) la cotisation est confirmée par le ministre ou une nouvelle cotisation est établie;

b) un délai de 180 jours suivant la production de l'avis est expiré sans que le ministre n'ait notifié la personne du fait qu'il a annulé ou confirmé la cotisation ou procédé à une nouvelle cotisation.

Toutefois, nul appel ne peut être interjeté après l'expiration d'un délai de 90 jours suivant l'envoi à la personne, aux termes de l'article 301, d'un avis portant que le ministre a confirmé la cotisation ou procédé à une nouvelle cotisation.

(2) L'appel interjeté sous le régime des présentes règles doit l'être par écrit et contenir l'exposé sommaire des faits et moyens.

(3) L'appel peut être interjeté conformément au modèle figurant à l'annexe 4.

(4) L'appel est interjeté par le dépôt au greffe de la Cour de l'avis d'appel, ce dépôt pouvant toutefois se faire par l'envoi, par la poste, du document au greffe.

4.1 Dépôt des autres documents — Sauf disposition contraire des présentes règles ou directive contraire de la Cour, le dépôt d'un document autre qu'un avis d'appel peut s'effectuer de l'une des manières ci-après :

a) remise au greffe;

b) expédition au greffe par la poste;

c) transmission au greffe par télécopieur ou par dépôt électronique.

Notes historiques: L'article 4.1 a été remplacé par C.P. 2008-1760 [DORS/2008-300], 20 novembre 2008, art. 2 et cette modification est entrée en vigueur le 10 décembre 2008. Antérieurement, il se lisait ainsi :

4.1 Dépôt des autres documents — (1) Sauf disposition contraire des présentes règles et sauf directive contraire de la Cour, le dépôt d'un document au greffe peut s'effectuer :

a) soit par la remise du document;

b) soit par l'envoi par la poste ou par télécopieur du document;

c) soit par le dépôt électronique du document, s'il s'agit d'un document énuméré à cette fin sur le site Web de la Cour (www. tcc-cci.gc.ca).

(2) Sauf disposition contraire des présentes règles et sauf directive contraire de la Cour, le dépôt d'un document au greffe est réputé effectué :

a) dans le cas d'un document remis au greffe ou envoyé par courrier ou par télécopieur, à la date estampillée sur le document par le greffe au moment du dépôt;

b) dans le cas d'un document faisant l'objet d'un dépôt électronique, à celle apparaissant sur l'accusé de réception transmis par la Cour.

(3) Sauf disposition contraire des présentes règles et sauf directive contraire de la Cour, lorsqu'un document fait l'objet d'un dépôt électronique, la copie du document imprimée par le greffe et placée dans le dossier de la Cour est réputée être la version originale du document.

(4) À la demande d'une partie ou de la Cour ou si les présentes règles l'exigent, la partie qui procède par dépôt électronique doit fournir une copie papier du document et la déposer au greffe.

(5) Si le greffe n'a aucune trace de la réception d'un document, le document est réputé ne pas avoir été déposé, sauf directive contraire de la Cour.

L'article 4.1 a été ajouté C.P. 2007-969 [DORS/2007-144], 14 juin 2007, art. 3, et est entré en vigueur le 27 juin 2007.

4.2 Date de dépôt — Sauf disposition contraire des présentes règles ou directive contraire de la Cour, le dépôt d'un document au greffe est réputé effectué :

a) dans le cas d'un document remis au greffe, expédié par la poste ou transmis par télécopieur, à la date estampillée sur le document par le greffe à sa réception;

b) dans le cas d'un document faisant l'objet d'un dépôt électronique, à celle apparaissant sur l'accusé de réception transmis par la Cour.

Notes historiques: L'article 4.2 a été ajouté par C.P. 2008-1760 [DORS/2008-300], 20 novembre 2008, art. 2 et est entré en vigueur le 10 décembre 2008.

4.3 Dépôt électronique — **(1)** Sauf disposition contraire des présentes règles et sauf directive contraire de la Cour, lorsqu'un document fait l'objet d'un dépôt électronique, la copie du document imprimée par le greffe et placée dans le dossier de la Cour est réputée être la version originale du document.

(2) À la demande d'une partie ou de la Cour ou si les présentes règles l'exigent, la partie qui procède par dépôt électronique doit fournir une copie papier du document et la déposer au greffe.

(3) Si le greffe n'a aucune trace de la réception d'un document, le document est réputé ne pas avoir été déposé, sauf directive contraire de la Cour.

Notes historiques: L'article 4.3 a été ajouté par C.P. 2008-1760 [DORS/2008-300], 20 novembre 2008, art. 2 et est entré en vigueur le 10 décembre 2008.

5. (1) Adresse de l'appelant aux fins de signification des documents — L'avis d'appel doit aussi mentionner l'adresse de l'appelant aux fins de signification des documents.

(2) [Adresse] — L'adresse de l'appelant aux fins de signification peut être celle de l'appelant lui-même, celle de son avocat ou celle de son représentant.

(3) [Avis de changement d'adresse] — Un avis écrit de changement dans l'adresse de l'appelant aux fins de signification doit être envoyé sans délai au greffe par l'appelant, par son avocat ou par son représentant. Cette adresse sera par la suite celle de la partie aux fins de signification.

(4) [Avis de changement d'adresse] — Jusqu'à réception, au greffe, d'un avis de changement dans l'adresse de l'appelant aux fins de signification, toute signification qui doit être faite à l'appelant de documents relatifs à son appel doit être faite par courrier à l'adresse mentionnée dans l'avis d'appel et constitue une signification valable et suffisante à l'appelant.

Notes historiques: L'intertitre précédant l'article 5 a été ajouté C.P. 2004-500 [DORS/2004-103], 27 avril 2004, art. 4 et est entré en vigueur le 19 mai 2004.

6. (1) Réponse à l'avis d'appel — La réponse indique :

a) les faits admis,

b) les faits niés,

c) les faits que l'intimée ne connaît pas et qu'elle n'admet pas,

d) les conclusions ou les hypothèses de fait sur lesquelles le ministre s'est fondé en établissant sa cotisation,

e) tout autre fait pertinent,

f) les points en litige,

g) les dispositions législatives invoquées,

h) les moyens sur lesquels l'intimée entend se fonder,

i) les conclusions recherchées.

(2) [Signification] — Le ministre signifie, par courrier recommandé, dans les cinq jours qui suivent le dépôt de la réponse, une copie de celle-ci à l'adresse de l'appelant aux fins de la signification des documents.

Notes historiques: L'article 6 est devenu le paragraphe 6(1) et le paragraphe 6(2) a été ajouté par C.P. 1993-346 [DORS/93-100], 23 février 1993, art. 2.

7. (1) Témoins experts — Une partie qui désire produire un témoin expert à l'audition d'un appel doit déposer au greffe et signifier à chacune des autres parties un rapport, au moins 10 jours avant la date de l'audition de l'appel. Ce rapport, signé par l'expert, doit indiquer les nom, adresse, titres et compétences de ce dernier et exposer l'essentiel du témoignage que l'expert rendra à l'audience.

(2) [Témoignage d'un témoin expert] — Sauf avec la permission du juge, un témoin expert ne peut témoigner si le paragraphe (1) n'a pas été satisfait.

8. (1) Désistement — La partie qui a interjeté un appel devant la Cour peut, en tout temps, s'en désister par avis écrit.

(2) [Modèle] — Le désistement peut se faire conformément au modèle figurant à l'annexe 8.

Ajout proposé — 8.1

8.1 Prononcé et dépôt des jugements — **(1)** Dans le cas d'un appel, d'une requête interlocutoire ou de toute autre demande ayant pour objet de statuer au fond, en tout ou en partie, sur un droit en litige entre les parties, la Cour rend un jugement et, dans le cas de toute autre demande ou de toute autre requête interlocutoire, elle rend une ordonnance.

(2) Le jugement est daté du jour de la signature, qui constitue la date du prononcé du jugement.

(3) Le jugement et les motifs sur lesquels il est fondé, le cas échéant, sont déposés sans délai au greffe.

Application: L'article 8.1 sera ajouté par l'art. 44 du *Projet de règlement modifiant certaines règles établies en vertu de la Loi sur la Cour canadienne de l'impôt* du 16 novembre 2012 (prépublié dans la *Gazette du Canada*, Partie I du 8 décembre 2012) et entrera en vigueur à la date de sanction du *Projet de règlement*.

9. Frais et dépens — **(1)** La Cour peut fixer les frais et dépens, les répartir et désigner les personnes qui doivent les supporter.

Notes historiques: Le paragraphe 9(1) a été remplacé C.P. 2004-500 [DORS/2004-103], 27 avril 2004, art. 5, et cette modification est entrée en vigueur le 19 mai 2004. Antérieurement, il se lisait ainsi :

> 9. (1) Les dépens sont laissés à la discrétion du juge qui règle l'appel, dans les circonstances établies à l'article 18.3009 de la Loi qui prévoit :
>
> « 18.3009 (1) Dans sa décision d'accueillir un appel visé à l'article 18,3001, la Cour peut, conformément aux modalités prévues par ses règles, allouer les frais et dépens à la personne qui a interjeté appel si le jugement réduit le montant de la taxe, de la taxe nette, du remboursement, des intérêts ou de la pénalité qui font l'objet de l'appel de plus de la moitié et si les conditions suivantes sont réunies :
>
> a) le montant en litige est égal ou inférieur à 7 000 $;
>
> b) le total des fournitures pour l'exercice précédent de cette personne est égal ou inférieur à 1 000 000 $.
>
> (2) Pour en venir à sa décision d'allouer ou non les frais et dépens, la Cour peut prendre en compte les offres écrites de règlement faites après le dépôt de l'avis d'appel. »

(2) [Allocation des frais] — La Cour ne peut allouer les frais à l'intimé que si les actions de l'appelant ont retardé indûment le règlement prompt et efficace de l'appel et ce, jusqu'à concurrence des sommes prévues à l'article 10.

(3) [Paiement d'une somme forfaitaire] — La Cour peut ordonner le paiement d'une somme forfaitaire, au lieu des dépens taxés.

Notes historiques: L'article 9 a été remplacé par C.P. 2008-1760 [DORS/2008-300], 20 novembre 2008, art. 3 et cette modification est entrée en vigueur le 10 décembre 2008. Antérieurement, il se lisait ainsi :

> 9. Frais et dépens — (1) Les dépens sont laissés à la discrétion du juge qui règle l'appel, dans les circonstances établies à l'article 18.3009 de la Loi, qui prévoit ce qui suit :
>
> « 18.3009 (1) Dans sa décision d'accueillir un appel visé à l'article 18.3001, la Cour rembourse à la personne qui a interjeté appel le droit de dépôt qu'elle a acquitté en vertu de l'alinéa 18.15(3)b), et la Cour peut, conformément aux modalités prévues par ses règles, allouer les frais et dépens à cette personne, si le montant en litige est réduit de plus de moitié et si :
>
> a) dans le cas d'un appel interjeté en vertu de la partie V.1 de la *Loi sur les douanes*, le montant en litige n'excède pas 10 000 $;
>
> b) dans le cas d'un appel interjeté en vertu de la *Loi de 2001 sur l'accise* :
>
> (i) le montant en litige n'excède pas 25 000 $,
>
> (ii) le total des ventes de la personne pour l'année civile précédente n'excède pas 1 000 000 $;
>
> c) dans le cas d'un appel interjeté en vertu de la partie IX de la *Loi sur la taxe d'accise* :
>
> (i) le montant en litige n'excède pas 7 000 $,
>
> (ii) le total des fournitures pour l'exercice précédent de la personne n'excède pas 1 000 000 $.
>
> (2) Pour en venir à sa décision d'allouer ou non les frais et dépens, la Cour peut prendre en compte les offres écrites de règlement faites après le dépôt de l'avis d'appel. »
>
> (2) [Montant forfaitaire] — Le juge peut ordonner le paiement d'un montant forfaitaire, au lieu des dépens taxés.

10. [Taxation des dépens] — Lors de la taxation des dépens entre parties, les honoraires suivants peuvent être adjugés pour les services d'un avocat :

a) la préparation de l'avis d'appel ou la prestation de conseils portant sur l'appel — 185 $,

b) la préparation de l'audience — 250 $,

c) l'audience — 375 $ pour chaque demi-journée ou fraction de celle-ci,

d) la taxation des dépens — 60 $.

Notes historiques: Les alinéas 10a) à d) ont été remplacés C.P. 2004-500 [DORS/2004-103], 27 avril 2004, art. 6 et cette modification est entrée en vigueur le 19 mai 2004. Antérieurement, ils se lisaient ainsi :

> a) la préparation de l'avis d'appel — 150 $,
>
> b) la préparation de l'audience — 200 $,
>
> c) l'audience — 300 $ pour chaque demi-journée ou fraction de celle-ci,
>
> d) la taxation des dépens — 50 $.

10.1 [Dépens à un conseiller autre qu'un avocat] — Sauf directive contraire de la Cour, si l'appelant est représenté ou assisté par un conseiller autre qu'un avocat, les débours visant les services mentionnés à l'article 10 peuvent être adjugés lors de la taxation des dépens entre parties jusqu'à concurrence de la moitié des montants énumérés à cet article.

Notes historiques: L'article 10.1 a été ajouté C.P. 2004-500 [DORS/2004-103], 27 avril 2004, art. 7, et est entré en vigueur le 19 mai 2004.

10.2 (1) [Autres débours] — Les autres débours essentiels à la tenue de l'appel peuvent être adjugés s'il est établi qu'ils ont été versés ou que la partie est tenue de les verser.

(2) [Taxes] — Peuvent être adjugées les taxes sur les services, les taxes de vente, les taxes d'utilisation, les taxes de consommation et autres taxes semblables payées ou payables sur les honoraires d'avocat et les débours adjugés, s'il est établi que ces taxes ont été payées ou sont payables et qu'elles ne peuvent faire l'objet d'aucune autre forme de remboursement, notamment sur présentation, à l'égard de ces taxes, d'une demande de crédits de taxe sur les intrants.

Notes historiques: L'article 10.2 a été ajouté C.P. 2004-500 [DORS/2004-103], 27 avril 2004, art. 7, et est entré en vigueur le 19 mai 2004.

11. (1) [Indemnisation des témoins] — Un témoin, sauf s'il comparaît en qualité d'expert, a le droit de recevoir de la partie qui le fait comparaître la somme de soixante-quinze dollars par jour, plus les frais de déplacement et de subsistance raisonnables et appropriés.

Notes historiques: Le paragraphe 11(1) a été remplacé C.P. 2007-969 [DORS/2007-144], 14 juin 2007, art. 4, et cette modification est entrée en vigueur le 27 juin 2007. Antérieurement, il se lisait ainsi :

11. (1) Un témoin, sauf s'il comparaît en qualité d'expert, a le droit de recevoir de la partie qui l'a convoqué le montant suivant : 50 $ par jour plus les frais de déplacement et de subsistance raisonnables et appropriés.

(1.1) [Frais pour témoin] — Aucun montant n'est payable à l'appelant aux termes du paragraphe (1), à moins que l'avocat de l'intimée n'ait appelé l'appelant à témoigner.

Notes historiques: Le paragraphe 11(1.1) a été ajouté par C.P. 1996-1781 [DORS/96-507], 26 novembre 1996, par. 1(1).

(2) [Frais pour témoin expert] — Il peut être versé au témoin qui comparaît en qualité d'expert un montant raisonnable, qui ne doit pas dépasser 300 $ par jour, sauf si la Cour en ordonne autrement, en échange de ses services, tant pour préparer son témoignage que pour le rendre.

(3) [*Abrogé*].

Notes historiques: Le paragraphe 11(3) a été abrogé C.P. 2004-500 [DORS/2004-103], 27 avril 2004, art. 8, et cette abrogation est entrée en vigueur le 19 mai 2004. Antérieurement, il se lisait ainsi :

(3) Les autres débours essentiels à la tenue de l'appel peuvent être adjugés s'il est établi qu'ils ont été versés ou que la partie est tenue de les verser.

(4) [*Abrogé*].

Notes historiques: Le paragraphe 11(4) a été abrogé C.P. 2004-500 [DORS/2004-103], 27 avril 2004, art. 8 et cette abrogation est entrée en vigueur le 19 mai 2004. Antérieurement, il se lisait ainsi :

(4) Peuvent être adjugées les taxes sur les services, les taxes de vente, les taxes d'utilisation, les taxes de consommation et autres taxes semblables payées ou payables sur les honoraires d'avocat et les débours adjugés, s'il est établi que ces taxes ont été payées ou sont payables et qu'elles ne peuvent faire l'objet d'aucune autre forme de remboursement, notamment sur présentation, à l'égard de ces taxes, d'une demande de crédits de taxe sur les intrants.

Le paragraphe 11(4) de l'article 11 a été modifié par C.P. 1996-1781 [DORS/96-507], 26 novembre 1996, par. 1(2) et cette modification est entrée en vigueur le 12 décembre 1991. Il se lisait auparavant comme suit :

(4) Tous autres débours essentiels à la tenue de l'appel peuvent être adjugés.

12. (1) [Taxation des dépens] — Sous réserve du paragraphe 9(3), les dépens sont taxés par le greffier ou par toute autre personne que le juge en chef peut désigner à titre d'officier taxateur.

Notes historiques: Le paragraphe 12(1) a été remplacé par C.P. 2008-1760 [DORS/2008-300], 20 novembre 2008, art. 4 et cette modification est entrée en vigueur le 10 décembre 2008. Antérieurement, il se lisait ainsi :

12. (1) [Taxation des dépens] — Sous réserve du paragraphe 9(2), les dépens sont taxés par le greffier ou par toute autre personne que le juge en chef peut désigner à titre d'officier taxateur.

(2) [Mémoire de frais] — L'appelant qui a droit à la taxation de ses dépens produit auprès du greffier de la Cour un mémoire de frais qui peut être établi conformément au modèle figurant à l'annexe 12.

(3) [Copie] — Le greffier envoie sans délai un exemplaire conforme du mémoire de frais à l'avocat de l'intimée.

(4) [Certificat de taxation] — À la suite de la taxation, le greffier envoie sans délai un certificat de taxation à chacune des parties.

13. (1) [Appel de la taxation] — Chaque partie peut interjeter appel de la taxation devant un juge de la Cour en expédiant un avis écrit au greffier dans les 20 jours de la date de la mise à la poste du certificat de taxation.

(2) [Prolongation] — Le délai prévu au paragraphe (1) peut être prolongé par un juge de la Cour.

13.1 Dépens dans les instances vexatoires — Si un juge rend l'ordonnance visée à l'article 19.1 de la Loi, des dépens peuvent être adjugés contre la personne à l'égard de laquelle l'ordonnance a été rendue.

Notes historiques: L'article 13.1 a été ajouté C.P. 2004-500 [DORS/2004-103], 27 avril 2004, art. 9 et est entré en vigueur le 19 mai 2004.

14. Appel interjeté selon la procédure informelle qui devient régi par la procédure générale ou appel interjeté selon la procédure générale qui devient régi par la procédure informelle — Une demande du procureur général du Canada pour que l'appel soit régi par la procédure générale plutôt que par la procédure informelle doit être présentée par voie de requête; la Cour peut donner toutes les directives nécessaires à la poursuite de l'appel. Sauf directive contraire de la Cour, il n'y a aucun droit de dépôt additionnel pour passer à la procédure générale.

Notes historiques: L'article 14 a été remplacé C.P. 2004-500 [DORS/2004-103], 27 avril 2004, art. 10 et cette modification est entrée en vigueur le 19 mai 2004. Antérieurement, il se lisait ainsi :

14. Une demande du procureur général du Canada pour que l'appel soit régi par la procédure générale plutôt que par la procédure informelle doit être présentée par voie de requête; la Cour peut donner toutes les directives nécessaires à la poursuite de l'appel.

15. (1) [Choix] — La personne qui a interjeté appel aux termes de la partie IX de la *Loi sur la taxe d'accise* et qui n'a pas demandé, dans l'avis d'appel, que l'article 18.3001 et les articles 18.3003 à 18.302 (procédure informelle) de la Loi s'appliquent peut exercer un tel choix dans les 90 jours qui suivent la date de la signification de la réponse ou dans le délai supplémentaire que la Cour peut accorder sur requête pour des motifs spéciaux.

Notes historiques: Le paragraphe 15(1) a été remplacé C.P. 2004-500 [DORS/2004-103], 27 avril 2004, art. 11 et cette modification est entrée en vigueur le 19 mai 2004. Antérieurement, il se lisait ainsi :

15. (1) La personne qui a interjeté appel aux termes de la partie IX de la *Loi sur la taxe d'accise* et qui n'a pas demandé, dans l'avis d'appel, que l'article 18.3001 et les articles 18.3003 à 18.301 (*procédure informelle*) de la Loi s'appliquent peut exercer un tel choix dans les 90 jours qui suivent la date de la signification de la réponse ou dans le délai supplémentaire que la Cour peut accorder sur requête pour des motifs spéciaux.

Le paragraphe 15(1) a été abrogé et remplacé par C.P. 1993-346 [DORS/93-100], 23 février 1993, art. 3. Ce paragraphe se lisait antérieurement comme suit :

15. (1) La personne qui a interjeté appel aux termes de la partie IX de la *Loi sur la taxe d'accise* et qui n'a pas demandé que l'article 18.3001 et les articles 18.3003 à 18.301 (procédure informelle) s'appliquent peut, dans un délai d'au moins 20 jours avant le début de l'audition de l'appel ou dans un délai plus court que la Cour peut accorder sur requête, exercer un tel choix.

(2) [Modèle] — Le choix visé au paragraphe (1) peut se faire conformément au modèle figurant à l'annexe 15.

16. (1) Demande de prorogation des délais — La personne qui a présenté au ministre une demande de prorogation du délai pour produire un avis d'opposition ou pour présenter une requête écrite à celui-ci en vue de l'établissement d'une cotisation en ce qui concerne une opération d'évitement peut demander à la Cour d'y faire droit après :

a) le rejet de la demande par le ministre;

b) l'expiration d'un délai de 90 jours suivant la présentation de la demande, si le ministre n'a pas avisé la personne de sa décision.

[Prescription] — Toutefois, une telle demande ne peut être présentée après l'expiration d'un délai de 30 jours suivant la date de mise à la poste de l'avis de la décision du ministre à la personne.

(2) [Modèle] — La demande présentée en application du paragraphe (1) peut se faire conformément au modèle figurant à l'annexe 16(1) — OPPOSITION ou à l'annexe 16(2) — REQUÊTE, selon le cas.

Notes historiques: Le paragraphe 16(2) a été remplacé C.P. 2004-500 [DORS/2004-103], 27 avril 2004, par. 12(1) et cette modification est entrée en vigueur le 19 mai 2004. Antérieurement, il se lisait ainsi :

(2) La demande visée au paragraphe (1) peut se faire conformément au modèle figurant à l'annexe 16(1) — OPPOSITION ou à l'annexe 16(2) — REQUÊTE, selon le cas.

(3) [Mode d'envoi] — La demande présentée en application du paragraphe (1) se fait par dépôt auprès du greffier, de la manière prévue aux paragraphes 4(3) et (5), de trois exemplaires de la demande adressée au ministre, accompagnés de trois exemplaires de l'avis d'opposition ou de la requête, selon le cas, et de trois exemplaires de la décision du ministre, le cas échéant.

Modification proposée — 16(3)

(3) La demande présentée en application du paragraphe (1) se fait par dépôt au greffe, de la manière prévue à l'article 4.1, de trois exemplaires de la demande adressée au ministre, accompagnés de trois exemplaires de l'avis d'opposition ou de la requête, selon le cas, et de trois exemplaires de la décision du ministre, le cas échéant.

Application: Le paragraphe 16(3) sera modifié par l'art. 45 du *Projet de règlement modifiant certaines règles établies en vertu de la Loi sur la Cour canadienne de l'impôt* du 16 novembre 2012 (prépublié dans la *Gazette du Canada*, Partie I du 8 décembre 2012) et cette modification entrera en vigueur à la date de sanction du *Projet de règlement*.

Notes historiques: Le paragraphe 16(3) a été remplacé C.P. 2004-500 [DORS/2004-103], 27 avril 2004, par. 12(2) et cette modification est entrée en vigueur le 19 mai 2004. Antérieurement, il se lisait ainsi :

> (3) La demande visée au paragraphe (1) se fait par dépôt auprès du greffier, ou par envoi à celui-ci par courrier recommandé, de trois exemplaires de la demande adressée au ministre, accompagnés de trois exemplaires de l'avis d'opposition ou de la requête, selon le cas, et de trois exemplaires de la décision du ministre, le cas échéant.

(4) [Ordonnance de la Cour] — La Cour peut rejeter la demande présentée en application du paragraphe (1) ou y faire droit. Dans ce dernier cas, elle peut imposer les conditions qu'elle estime justes ou ordonner que l'avis d'opposition ou la requête soit réputé valide à compter de la date de l'ordonnance.

(5) [Conditions] — Il n'est fait droit à la demande d'une personne que si les conditions suivantes sont réunies :

a) la demande a été présentée dans l'année qui suit :

(i) soit l'expiration du délai par ailleurs imparti par la *Loi sur la taxe d'accise* pour la production d'un avis d'opposition[54]

Notes historiques: La note en bas de page du sous-alinéa 16(5)a)(i) a été remplacée C.P. 2004-500 [DORS/2004-103], 27 avril 2004, par. 12(3) et cette modification est entrée en vigueur le 19 mai 2004. Antérieurement, elle se lisait ainsi :

> Le paragraphe 301(1) de la *Loi sur la taxe d'accise* prévoit que :
>
> 301. (1) La personne qui fait opposition à la cotisation établie à son égard peut, dans les 90 jours suivant le jour où l'avis de cotisation lui est envoyé, présenter au ministre un avis d'opposition, en la forme et selon les modalités déterminées par celui-ci, exposant les motifs de son opposition et tous les faits pertinents.

(ii) soit l'intervalle de 180 jours suivant la date de mise à la poste de l'avis prévu au paragraphe 274(6) de la *Loi sur la taxe d'accise*;

b) la personne démontre que :

(i) dans le délai applicable prévu aux sous-alinéas a)(i) ou (ii) :

(A) soit elle n'a pu ni agir ni charger quelqu'un d'agir en son nom,

(B) soit elle avait véritablement l'intention de faire opposition à la cotisation ou de présenter la requête,

(ii) compte tenu des raisons indiquées dans la demande et des circonstances en l'espèce, il est juste et équitable de faire droit à la demande,

(iii) la demande de prorogation du délai a été présentée au ministre dès que les circonstances l'ont permis.

(6) La demande est réputée avoir été déposée à la date de sa réception au greffe, même si elle n'est pas accompagnée des documents mentionnés au paragraphe (3), pourvu que ces documents soient déposés dans les trente jours suivant cette date ou dans tout délai raisonnable fixé par la Cour.

Notes historiques: Le paragraphe 16(6) a été ajouté C.P. 2007-969 [DORS/2007-144], 14 juin 2007, art. 5 et est entré en vigueur le 27 juin 2007.

Notes historiques [art. 16]: L'article 16 a été remplacé par C.P. 1995-298 [DORS/95-117], 21 février 1995, art. 1.

16.1 [Demande de prorogation du délai pour interjeter un appel] — **(1)** La demande en vue d'obtenir une ordonnance prorogeant le délai pour interjeter appel peut se faire conformément au modèle figurant à l'annexe 16.1.

(2) [Mode d'envoi] — La demande visée au paragraphe (1) se fait par dépôt auprès du greffier, de la manière prévue aux paragraphes 4(3) et (5), de trois exemplaires de la demande, accompagnés de trois exemplaires de l'avis d'appel.

Modification proposée — 16.1(2)

(2) Elle est déposée au greffe, de la manière prévue à l'article 4.1, en trois exemplaires, accompagnée de trois exemplaires de l'avis d'appel.

Application: Le paragraphe 16.1(2) sera modifié par l'art. 46 du *Projet de règlement modifiant certaines règles établies en vertu de la Loi sur la Cour canadienne de l'impôt* du 16 novembre 2012 (prépublié dans la *Gazette du Canada*, Partie I du 8 décembre 2012) et cette modification entrera en vigueur à la date de sanction du *Projet de règlement*.

Notes historiques: Le paragraphe 16.1(2) a été remplacé C.P. 2004-500 [DORS/2004-103], 27 avril 2004, art. 13 et cette modification est entrée en vigueur le 19 mai 2004. Antérieurement, il se lisait ainsi :

> (2) La demande visée au paragraphe (1) se fait par dépôt auprès du greffier, ou par envoi à celui-ci par courrier recommandé, de trois exemplaires de la demande, accompagnés de trois exemplaires de l'avis d'appel.

(3) [Conditions] — Il n'est fait droit à la demande d'une personne que si les conditions suivantes sont réunies :

a) la demande est présentée dans l'année qui suit l'expiration du délai de 90 jours suivant la date d'envoi de l'avis adressé à la personne par le ministre afin de l'informer qu'il a ratifié la cotisation ou établi une nouvelle cotisation;

b) la personne démontre que :

(i) dans le délai de 90 jours prévu à l'alinéa a) :

(A) soit elle n'a pu ni agir ni charger quelqu'un d'agir en son nom,

(B) soit elle avait véritablement l'intention d'interjeter appel,

(ii) compte tenu des raisons indiquées dans la demande et des circonstances en l'espèce, il est juste et équitable de faire droit à la demande,

(iii) la demande a été présentée dès que les circonstances l'ont permis,

(iv) l'appel formé contre la cotisation repose sur des motifs raisonnables.

(4) La demande est réputée avoir été déposée à la date de sa réception au greffe, même si elle n'est pas accompagnée de l'avis d'appel visé au paragraphe (2), pourvu que cet avis d'appel soit déposé dans les trente jours suivant cette date ou dans tout délai raisonnable fixé par la Cour.

Notes historiques: Le paragraphe 16.1(4) a été ajouté C.P. 2007-969 [DORS/2007-144], 14 juin 2007, art. 6 et est entré en vigueur le 27 juin 2007.

Notes historiques [art. 16.1]: L'article 16.1 a été ajouté par C.P. 1995-298 [DORS/95-117], 21 février 1995, art. 1.

16.2 Jugement fondé sur un aveu ou une preuve documentaire — Une partie peut à tout stade d'une procédure, et ce, sans

---

[54]Le paragraphe 301(1.1) de la *Loi sur la taxe d'accise* prévoit ce qui suit :

« (1.1) La personne qui fait opposition à la cotisation établie à son égard peut, dans les 90 jours suivant le jour où l'avis de cotisation lui est envoyé, présenter au ministre un avis d'opposition, en la forme et selon les modalités déterminées par celui-ci, exposant les motifs de son opposition et tous les faits pertinents. »

Règlements

attendre qu'il soit statué sur tout autre point litigieux entre les parties, demander :

a) qu'il soit rendu jugement sur toute question, par suite d'un aveu fait dans les actes de procédure ou d'autres documents déposés à la Cour, ou fait au cours de l'interrogatoire d'une autre partie;

b) qu'il soit rendu jugement sur toute question à l'égard de laquelle la preuve n'a été faite qu'au moyen de documents et des déclarations sous serment qui sont nécessaires pour prouver la signature ou l'authenticité de ces documents.

Notes historiques: L'article 16.2 a été ajouté par C.P. 1999-836 [DORS/99-211], 6 mai 1999, art. 2 et est entré en vigueur le 26 mai 1999.

17. Subpoena — (1) La partie qui veut appeler un témoin à l'audience peut lui signifier un subpoena exigeant sa présence à l'audience à la date, à l'heure et au lieu indiqués dans le subpoena. Le subpoena peut également exiger que le témoin produise à l'audience les documents ou autres objets précisés dans le subpoena qui se trouvent en sa possession, sous son contrôle ou sous sa garde et qui se rapportent aux questions en litige.

(2) **[Subpoena en blanc]** — À la demande d'une partie ou d'un avocat, le greffier ou une autre personne autorisée par le juge en chef délivre un subpoena en blanc revêtu de sa signature et du sceau du tribunal. La partie ou l'avocat peut remplir le subpoena et y inscrire le nom des témoins qu'il veut appeler.

(3) **[Signification]** — Le subpoena est signifié aux témoins par voie de signification à personne. L'indemnité de présence, aux termes de l'article 11, est versée ou offerte au témoin au moment de la signification.

Notes historiques: L'article 18 est devenu l'article 17 par C.P. 1995-298 [DORS/95-117], 21 février 1995, art. 2 et cette modification est entrée en vigueur le 8 mars 1995.

18. Dispositions générales — Sous réserve d'une ordonnance limitant l'accès des tiers à un dossier particulier, que la Cour peut rendre dans des circonstances spéciales, toute personne peut, sous une surveillance appropriée, lorsque les installations et les services de la Cour permettent de le faire sans gêner les travaux ordinaires de celle-ci :

a) examiner les dossiers de la Cour portant sur une question dont celle-ci est saisie;

b) sur paiement de 0,40 $ par page, obtenir une photocopie de tout document contenu dans un dossier de la Cour.

Notes historiques: L'article 18 est devenu l'article 17 et a été remplacé par C.P. 1995-298 [DORS/95-117], 21 février 1995, art. 2 et 3 et cette modification est entrée en vigueur le 8 mars 1995.

L'article 18 a été ajouté par C.P. 1993-346 [DORS/93-100], 23 février 1993, art. 4.

19. (1) [Conséquences de l'inobservation des présentes règles] — L'inobservation des présentes règles n'annule aucune procédure, à moins que la Cour ne l'ordonne expressément. Toutefois, cette procédure peut être rejetée en tout ou en partie comme irrégulière et être modifiée ou traitée autrement, de la manière et aux conditions que la Cour estime nécessaires dans les circonstances.

(2) **[Demande de rejet pour irrégularité]** — Lorsqu'une personne demande le rejet d'une procédure pour irrégularité, elle doit exposer clairement dans sa demande les arguments qu'elle a l'intention d'avancer.

(3) **[Exception]** — La Cour peut, en tout temps, dispenser de l'observation de toute règle si l'intérêt de la justice l'exige.

(4) **[Silence des présentes règles]** — En cas de silence des présentes règles, la pratique applicable est déterminée par la Cour, soit sur une requête sollicitant des directives, soit après le fait en l'absence d'une telle requête.

Notes historiques: L'article 19 a été ajouté C.P. 2004-500 [DORS/2004-103], 27 avril 2004, art. 14 et est entré en vigueur le 19 mai 2004.

20. Outrage au tribunal — (1) Est coupable d'outrage au tribunal quiconque, selon le cas :

a) étant présent à une audience de la Cour, ne se comporte pas avec respect, ne garde pas le silence ou manifeste son approbation ou sa désapprobation du déroulement de l'instance;

b) désobéit volontairement à un moyen de contrainte ou à une ordonnance de la Cour;

c) agit de façon à entraver la bonne administration de la justice ou à porter atteinte à l'autorité ou à la dignité de la Cour;

d) étant fonctionnaire de la Cour, n'accomplit pas ses fonctions;

e) étant shérif ou huissier, n'exécute pas immédiatement un bref ou ne dresse pas le procès-verbal d'exécution;

f) en contravention des présentes règles et sans excuse légitime, selon le cas :

(i) refuse ou omet d'obéir à un subpoena ou de se présenter aux date, heure et lieu de son interrogatoire préalable,

(ii) refuse de prêter serment ou de faire une affirmation solennelle ou de répondre à une question,

(iii) refuse ou omet de produire un document ou un autre bien ou d'en permettre l'examen,

(iv) refuse ou omet de répondre aux interrogatoires ou de donner communication de documents.

(2) **[Ordonnance]** — Sous réserve du paragraphe (6), avant qu'une personne puisse être reconnue coupable d'outrage au tribunal, une ordonnance, rendue sur requête d'une personne ayant un intérêt dans l'instance ou sur l'initiative de la Cour, doit lui être signifiée. Cette ordonnance lui enjoint :

a) de comparaître devant un juge aux date, heure et lieu précisés;

b) d'être prête à entendre la preuve de l'acte qui lui est reproché, dont une description suffisamment détaillée est donnée pour lui permettre de connaître la nature des accusations portées contre elle;

c) d'être prête à présenter une défense.

(3) **[Requête]** — Une requête peut être présentée *ex parte* pour obtenir l'ordonnance visée au paragraphe (2).

(4) **[Preuve *prima facie*]** — La Cour peut rendre l'ordonnance visée au paragraphe (2) si elle est d'avis qu'il existe une preuve *prima facie* de l'outrage reproché.

(5) **[Signification]** — Sauf ordonnance contraire de la Cour, l'ordonnance visée au paragraphe (2) et les documents à l'appui sont signifiés à personne.

(6) **[Acte commis en présence d'un juge]** — En cas d'urgence, une personne peut être reconnue coupable d'outrage au tribunal pour un acte commis en présence d'un juge dans l'exercice de ses fonctions et condamnée sur-le-champ, pourvu qu'on lui ait d'abord demandé de justifier son comportement.

(7) **[Preuve hors de tout doute raisonnable]** — La déclaration de culpabilité dans le cas d'outrage au tribunal est fondée sur une preuve hors de tout doute raisonnable.

(8) **[Témoignage]** — La personne à qui l'outrage au tribunal est reproché ne peut être contrainte à témoigner.

(9) **[Demande d'assistance]** — La Cour peut, si elle l'estime nécessaire, demander l'assistance du procureur général du Canada ou d'une autre personne dans les instances pour outrage au tribunal.

(10) **[Sanctions]** — Lorsqu'une personne est reconnue coupable d'outrage au tribunal, le juge peut notamment ordonner :

a) qu'elle soit incarcérée pour une période de moins de deux ans;

b) qu'elle paie une amende;

c) qu'elle accomplisse un acte ou s'abstienne de l'accomplir;

d) que ses biens soient mis sous séquestre;

e) qu'elle soit condamnée aux dépens.

Notes historiques: L'article 20 a été ajouté C.P. 2004-500 [DORS/2004-103], 27 avril 2004, art. 14 et est entré en vigueur le 19 mai 2004.

ANNEXE 4 — AVIS D'APPEL (PROCÉDURE INFORMELLE)

(article 4)

COUR CANADIENNE DE L'IMPÔT

ENTRE : (nom) appelant, et SA MAJESTÉ LA REINE, intimée.

Avis d'appel

SACHEZ QUE (nom) interjette appel devant la Cour de (décrire la (les) cotisation(s) (qui comprend (comprennent) une nouvelle cotisation et une cotisation supplémentaire) et en préciser la date et la période s'y rapportant).

A. Motifs de l'appel. Indiquer ici pourquoi vous affirmez que la (les) cotisation(s) n'est (ne sont) pas fondée(s).

B. Énoncé des faits pertinents qui fondent l'appel.

Je DEMANDE que la procédure informelle prévue à l'article 18.3001 et aux articles 18.3003 à 18.302 de la *Loi sur la Cour canadienne de l'impôt* régisse le présent appel.

DATE :

DESTINATAIRE :	Le greffier Cour canadienne de l'impôt 200, rue Kent Ottawa (Ontario) K1A 0M1 ou Tout autre bureau du greffe.	(Signature) (Indiquer le nom, l'adresse aux fins de signification et le numéro de téléphone de l'appelant, de son avocat ou de son représentant)

Notes historiques: Le passage suivant le quatrième paragraphe de l'annexe 4 a été remplacé C.P. 2007-969 [DORS/2007-144], 14 juin 2007, art. 7 et cette modification est entrée en vigueur le 27 juin 2007. Antérieurement, il se lisait ainsi :

DATE :

DESTINATAIRE :	Le greffier Cour canadienne de l'impôt 200, rue Kent Ottawa (Ontario) K1A 0M1 ou Tout autre bureau de la Cour indiqué à l'article 2.	(Signature) (Indiquer le nom, l'adresse aux fins de signification et le numéro de téléphone de l'appelant, de son avocat ou de son représentant)

L'annexe 4 a été remplacée C.P. 2004-500 [DORS/2004-103], 27 avril 2004, art. 15 et cette modification est entrée en vigueur le 19 mai 2004. Antérieurement, elle se lisait ainsi :

ANNEXE 4 — AVIS D'APPEL (PROCÉDURE INFORMELLE)

Article 4

COUR CANADIENNE DE L'IMPÔT

ENTRE : (nom) appelant, et SA MAJESTÉ LA REINE, intimée

AVIS D'APPEL

SACHEZ QUE (nom) interjette appel devant la Cour de (décrire la (les) cotisation(s)* et en préciser la date et la période s'y rapportant).

A. Motifs de l'appel. Indiquer ici pourquoi vous affirmez que la (les) cotisation(s) n'est (ne sont) pas fondée(s).

B. Énoncé des faits pertinents qui fondent l'appel.

Je DEMANDE que la procédure informelle prévue à l'article 18.3001 et aux articles 18.3003 à 18.301 de la *Loi sur la Cour canadienne de l'impôt* régisse le présent appel.

DATE :

DESTINATAIRE :	Le greffier Cour canadienne de l'impôt 200, rue Kent Ottawa (Ontario) K1A 0M1 ou Tout autre bureau de la Cour indiqué à l'article 2.	(Signature) (Indiquer le nom, l'adresse aux fins de signification et le numéro de téléphone de l'appelant, de son avocat ou de son représentant)

*NOTEZ la définition du mot cotisation contenue à l'article 2.

ANNEXE 8 — AVIS DE DÉSISTEMENT (PROCÉDURE INFORMELLE)

(article 8)

COUR CANADIENNE DE L'IMPÔT

ENTRE : (nom) appelant, et SA MAJESTÉ LA REINE, intimée.

Avis de désistement

SACHEZ QUE l'appelant se désiste de l'appel interjeté à l'égard de (décrire la (les) cotisation(s) (qui comprend (comprennent) une nouvelle cotisation et une cotisation supplémentaire) et en préciser la date et la période s'y rapportant).

A. Motifs de l'appel. Indiquer ici pourquoi vous affirmez que la (les) cotisation(s) n'est (ne sont) pas fondée(s).

B. Énoncé des faits pertinents qui fondent l'appel.

Je DEMANDE que la procédure informelle prévue à l'article 18.3001 et aux articles 18.3003 à 18.302 de la *Loi sur la Cour canadienne de l'impôt* régisse le présent appel.

DATE :

DESTINATAIRE :	Le greffier Cour canadienne de l'impôt 200, rue Kent Ottawa (Ontario) K1A 0M1 ou Tout autre bureau du greffe.	(Signature) (Indiquer le nom, l'adresse aux fins de signification et le numéro de téléphone de l'appelant, de son avocat ou de son représentant)

Notes historiques: Le passage suivant le premier paragraphe de l'annexe 8 a été remplacé C.P. 2007-969 [DORS/2007-144], 14 juin 2007, art. 8 et cette modification est entrée en vigueur le 27 juin 2007. Antérieurement, il se lisait ainsi :

DATE :

DESTINATAIRE :	Le greffier, Cour Canadienne de l'impôt, 200, rue Kent, Ottawa (Ontario), K1A 0M1 ou Tout autre bureau de la Cour indiqué à l'article 2	(Indiquer le nom, l'adresse aux fins de signification et le numéro de téléphone de l'appelant, de son avocat ou de son représentant)

L'annexe 8 a été remplacée C.P. 2004-500 [DORS/2004-103], 27 avril 2004, art. 16 et cette modification est entrée en vigueur le 19 mai 2004. Antérieurement, elle se lisait ainsi :

ANNEXE 8 — AVIS DE DÉSISTEMENT (PROCÉDURE INFORMELLE)

(article 8)

COUR CANADIENNE DE L'IMPÔT

ENTRE : (nom) appelant, et SA MAJESTÉ LA REINE, intimé.

AVIS DE DÉSISTEMENT

SACHEZ QUE l'appelant se désiste de l'appel interjeté à l'égard de (décrire la(les) cotisation(s)* et en préciser la date et la période s'y rapportant).

DATE :

DESTINATAIRE :	Le greffier Cour canadienne de l'impôt 200, rue Kent Ottawa (Ontario) K1A 0M1 ou avocat ou de son Tout autre bureau de la Cour indiqué à l'article 2.	(Signature) (Indiquer le nom, l'adresse aux fins de signification et le numéro de téléphone de l'appelant, de son avocat ou de son représentant)

*NOTEZ la définition du mot cotisation contenue à l'article 2.

ANNEXE 12 — MÉMOIRE DE FRAIS (PROCÉDURE INFORMELLE)

(article 12)

COUR CANADIENNE DE L'IMPÔT

ENTRE : (nom) appelant, et SA MAJESTÉ LA REINE, intimée.

Règlements

Mémoire de frais

Voici mon mémoire de frais pour l'appel susmentionné.

A. Je demande les honoraires suivants pour les services d'un avocat :

a) la préparation de l'avis d'appel, ...$

b) la préparation de l'audience, ...$

c) l'audience ( ), ...$ (Indiquer le nombre de demi-journées)

B. Je demande les sommes suivantes pour les frais des témoins : ....$ (Indiquer le nombre de témoins et joindre les reçus et autres pièces justificatives)

C. Je demande les sommes suivantes pour les témoins experts : ....$ (Veuillez joindre les reçus et autres pièces justificatives)

D. Autres débours : ....$ (Veuillez joindre les reçus et autres pièces justificatives)

DATE :

DESTINA-TAIRE :	Le greffier Cour canadienne de l'impôt 200, rue Kent Ottawa (Ontario) K1A 0M1 ou Tout autre bureau du greffe.	(Signature) (Indiquer le nom, l'adresse aux fins de signification et le numéro de téléphone de l'appelant, de son avocat ou de son représentant)

Notes historiques: Le passage suivant le paragraphe D de l'annexe 12 a été remplacé C.P. 2007-969 [DORS/2007-144], 14 juin 2007, art. 9 et cette modification est entrée en vigueur le 27 juin 2007. Antérieurement, il se lisait ainsi :

DATE :

DESTINATAIRE :	Le greffier, Cour Canadienne de l'impôt, 200, rue Kent, Ottawa (Ontario), K1A 0M1 ou Tout autre bureau de la Cour indiqué à l'article 2	(Indiquer le nom, l'adresse aux fins de signification et le numéro de téléphone de l'appelant, de son avocat ou de son représentant)

Annexe 15 — Choix de la procédure informelle (procédure informelle)

(article 15)

COUR CANADIENNE DE L'IMPÔT

ENTRE : (nom) appelant, et SA MAJESTÉ LA REINE, intimée.

Choix

SACHEZ QUE l'appelant demande que la procédure informelle régisse l'appel.

DATE :

DESTINA-TAIRE :	Le greffier Cour canadienne de l'impôt 200, rue Kent Ottawa (Ontario) K1A 0M1 ou Tout autre bureau du greffe.	(Signature) (Indiquer le nom, l'adresse aux fins de signification et le numéro de téléphone de l'appelant, de son avocat ou de son représentant)

Notes historiques: Le passage suivant le premier paragraphe de l'annexe 15 a été remplacé C.P. 2007-969 [DORS/2007-144], 14 juin 2007, art. 10 et cette modification est entrée en vigueur le 27 juin 2007. Antérieurement, il se lisait ainsi :

DATE :

DESTINATAIRE :	Le greffier, Cour Canadienne de l'impôt, 200, rue Kent, Ottawa (Ontario), K1A 0M1 ou Tout autre bureau de la Cour indiqué à l'article 2	(Indiquer le nom, l'adresse aux fins de signification et le numéro de téléphone de l'appelant, de son avocat ou de son représentant)

Annexe 16(1) — Opposition demande de prorogation du délai pour produire un avis d'opposition

(paragraphe 16(2))

COUR CANADIENNE DE L'IMPÔT

ENTRE : (nom) appelant, et SA MAJESTÉ LA REINE, intimée.

Demande de prorogation du délai pour produire un avis d'opposition

Je demande PAR LES PRÉSENTES une ordonnance prorogeant le délai pour produire un avis d'opposition à une cotisation (indiquer la(les) cotisation(s) (qui comprend(comprennent) une nouvelle cotisation et une cotisation supplémentaire) et la période s'y rapportant).

Indiquer ici pourquoi il a été impossible de produire l'avis d'opposition dans le délai imparti pour ce faire et donner tout autre motif pertinent à l'appui de la demande.

DATE :

DESTINA-TAIRE :	Le greffier Cour canadienne de l'impôt 200, rue Kent Ottawa (Ontario) K1A 0M1 ou Tout autre bureau du greffe.	(Signature) (Indiquer le nom, l'adresse aux fins de signification et le numéro de téléphone du requérant, de son avocat ou de son représentant)

*VEUILLEZ NOTER que trois exemplaires de la présente demande, accompagnés de trois exemplaires de la demande adressée au ministre, de trois exemplaires de la requête et de trois exemplaires de la décision du ministre, le cas échéant, doivent être déposés auprès du greffier de la Cour canadienne de l'impôt de la manière prévue aux paragraphes 4(3) et (5).

Modification proposée — Annexe 16(1) note *in fine*

Application: La note qui figure à la fin de l'annexe 16(1) sera modifiée par l'al. 47a) du *Projet de règlement modifiant certaines règles établies en vertu de la Loi sur la Cour canadienne de l'impôt* du 16 novembre 2012 (prépublié dans la *Gazette du Canada*, Partie I du 8 décembre 2012) par le remplacement de « aux paragraphes 4(3) et (5) » par « à l'article 4.1 ». Cette modification entrera en vigueur à la date de sanction du *Projet de règlement*.

Notes historiques: Le passage suivant le deuxième paragraphe de l'annexe 16(1) a été remplacé C.P. 2007-969 [DORS/2007-144], 14 juin 2007, art. 11 et cette modification est entrée en vigueur le 27 juin 2007. Antérieurement, il se lisait ainsi :

DATE :

DESTINATAIRE :	Le greffier, Cour Canadienne de l'impôt, 200, rue Kent, Ottawa (Ontario), K1A 0M1 ou Tout autre bureau de la Cour indiqué à l'article 2	(Indiquer le nom, l'adresse aux fins de signification et le numéro de téléphone de l'appelant, de son avocat ou de son représentant)

*NOTEZ que trois exemplaires de la présente demande, accompagnés de trois exemplaires de la demande adressée au ministre, de trois exemplaires de l'avis d'opposition et de trois exemplaires de la décision du ministre, le cas échéant, doivent être déposés auprès du greffier de la Cour canadienne de l'impôt de la manière prévue aux paragraphes 4(3) et (5).

L'annexe 16(1) a été remplacée C.P. 2004-500 [DORS/2004-103], 27 avril 2004, art. 17 et cette modification est entrée en vigueur le 19 mai 2004. Antérieurement, elle se lisait ainsi :

Annexe 16(1) — Opposition demande de prorogation du délai pour produire un avis d'opposition

(procédure informelle) (paragraphe 16(2))

COUR CANADIENNE DE L'IMPÔT

ENTRE : (nom) requérant, et SA MAJESTÉ LA REINE, intimée.

DEMANDE DE PROROGATION DU DÉLAI POUR PRODUIRE UN AVIS D'OPPOSITION

Je demande PAR LES PRÉSENTES une ordonnance prorogeant le délai pour produire un avis d'opposition à une cotisation* (indiquer la(les) cotisation(s) et la période s'y rapportant).

Indiquer ici pourquoi il a été impossible de produire l'avis d'opposition dans le délai imparti pour ce faire et donner tout autre motif pertinent à l'appui de la demande.**

DATE :

DESTINATAIRE :	Le greffier Cour canadienne de l'impôt 200, rue Kent Ottawa (Ontario) K1A 0M1 ou Tout autre bureau de la Cour indiqué à l'article 2.	(Signature) (Indiquer le nom, l'adresse aux fins de signification et le numéro de téléphone de l'appelant, de son avocat ou de son représentant)

*NOTEZ la définition du mot cotisation contenue à l'article 2.

**NOTEZ que trois exemplaires de la présente demande, accompagnés de trois exemplaires de la demande adressée au ministre, de trois exemplaires de l'avis d'opposition et de trois exemplaires de la décision du ministre, le cas échéant, doivent être déposés auprès du greffier de la Cour canadienne de l'impôt ou lui être envoyés par courrier recommandé.

ANNEXE 16(2) — REQUÊTE DEMANDE DE PROROGATION DU DÉLAI POUR PRÉSENTER UNE REQUÊTE AFIN QUE LE MINISTRE ÉTABLISSE UNE COTISATION, UNE NOUVELLE COTISATION OU UNE COTISATION SUPPLÉMENTAIRE

(paragraphe 16(2))

COUR CANADIENNE DE L'IMPÔT

ENTRE : (nom) appelant, et SA MAJESTÉ LA REINE, intimée.

Demande de prorogation du délai pour présenter une requête au ministre

Je demande PAR LES PRÉSENTES une ordonnance prorogeant le délai pour présenter une requête au ministre (indiquer s'il s'agit d'une cotisation, d'une nouvelle cotisation ou d'une cotisation supplémentaire et l'opération (les opérations) d'évitement s'y rapportant).

Indiquer ici pourquoi il a été impossible de présenter la requête dans le délai de 180 jours suivant la date de mise à la poste de l'avis de cotisation, de nouvelle cotisation ou de cotisation supplémentaire, selon le cas, et donner tout autre motif pertinent à l'appui de la demande.

DATE :

DESTINATAIRE :	Le greffier Cour canadienne de l'impôt 200, rue Kent Ottawa (Ontario) K1A 0M1 ou Tout autre bureau du greffe.	(Signature) (Indiquer le nom, l'adresse aux fins de signification et le numéro de téléphone du requérant, de son avocat ou de son représentant)

*VEUILLEZ NOTER que trois exemplaires de la présente demande, accompagnés de trois exemplaires de la demande adressée au ministre, de trois exemplaires de l'avis d'opposition et de trois exemplaires de la décision du ministre, le cas échéant, doivent être déposés auprès du greffier de la Cour canadienne de l'impôt de la manière prévue aux paragraphes 4(3) et (5).

Modification proposée — Annexe 16(2) note *in fine*

Application: La note qui figure à la fin de l'annexe 16(2) sera modifiée par l'al. 47b) du *Projet de règlement modifiant certaines règles établies en vertu de la Loi sur la Cour canadienne de l'impôt* du 16 novembre 2012 (prépublié dans la *Gazette du Canada*, Partie I du 8 décembre 2012) par le remplacement de « aux paragraphes 4(3) et (5) » par « à l'article 4.1 ». Cette modification entrera en vigueur à la date de sanction du *Projet de règlement.*

Notes historiques: Le passage suivant le deuxième paragraphe de l'annexe 16(2) a été remplacé C.P. 2007-969 [DORS/2007-144], 14 juin 2007, art. 12 et cette modification est entrée en vigueur le 27 juin 2007. Antérieurement, il se lisait ainsi :

DATE :

DESTINATAIRE :	Le greffier, Cour Canadienne de l'impôt, 200, rue Kent, Ottawa (Ontario), K1A 0M1 ou Tout autre bureau de la Cour indiqué à l'article 2	(Signature) (Indiquer le nom, l'adresse aux fins de signification et le numéro de téléphone de l'appelant, de son avocat ou de son représentant)

*NOTEZ que trois exemplaires de la présente demande, accompagnés de trois exemplaires de la demande adressée au ministre, de trois exemplaires de la requête et de trois exemplaires de la décision du ministre, le cas échéant, doivent être déposés auprès du greffier de la Cour canadienne de l'impôt de la manière prévue aux paragraphes 4(3) et (5).

La note en bas de page de l'annexe 16(2) a été remplacée C.P. 2004-500 [DORS/2004-103], 27 avril 2004, art. 18 et cette modification est entrée en vigueur le 19 mai 2004. Antérieurement, elle se lisait ainsi :

*NOTEZ que trois exemplaires de la présente demande, accompagnés de trois exemplaires de la demande adressée au ministre, de trois exemplaires de la requête et de trois exemplaires de la décision du ministre, le cas échéant, doivent être déposés auprès du greffier de la Cour canadienne de l'impôt ou lui être envoyés par courrier recommandé.

ANNEXE 16.1 — DEMANDE DE PROROGATION DU DÉLAI POUR INTERJETER APPEL (PROCÉDURE INFORMELLE)

(paragraphe 16.1(1))

COUR CANADIENNE DE L'IMPÔT

ENTRE : (nom) appelant, et SA MAJESTÉ LA REINE, intimée.

Demande de prorogation du délai pour interjeter appel

Je demande PAR LES PRÉSENTES une ordonnance prorogeant le délai pour interjeter appel (indiquer la(les) cotisations(s) (qui comprend(comprennent) une nouvelle cotisation et une cotisation supplémentaire) et la période s'y rapportant).

Indiquer ici les motifs pour lesquels l'appel n'a pas été interjeté auprès de la Cour avant l'expiration des 90 jours suivant la date d'envoi de l'avis de cotisation et donner tout autre motif pertinent à l'appui de la demande.

DATE :

DESTINATAIRE :	Le greffier Cour canadienne de l'impôt 200, rue Kent Ottawa (Ontario) K1A 0M1 ou Tout autre bureau du greffe.	(Signature) (Indiquer le nom, l'adresse aux fins de signification et le numéro de téléphone du requérant, de son avocat ou de son représentant)

*VEUILLEZ NOTER que trois exemplaires de la présente demande, accompagnés de trois exemplaires d'un avis d'appel, doivent être déposés auprès du greffier de la Cour canadienne de l'impôt de la manière prévue aux paragraphes 4(3) et (5).

Modification proposée — Annexe 16.1 note *in fine*

Application: La note qui figure à la fin de l'annexe 16.1 sera modifiée par l'al. 47c) du *Projet de règlement modifiant certaines règles établies en vertu de la Loi sur la Cour canadienne de l'impôt* du 16 novembre 2012 (prépublié dans la *Gazette du Canada*, Partie I du 8 décembre 2012) par le remplacement de « aux paragraphes 4(3) et (5) » par « à l'article 4.1 ». Cette modification entrera en vigueur à la date de sanction du *Projet de règlement*.

Notes historiques: Le passage suivant le deuxième paragraphe de l'annexe 16.1 a été remplacé C.P. 2007-969 [DORS/2007-144], 14 juin 2007, art. 13 et cette modification est entrée en vigueur le 27 juin 2007. Antérieurement, il se lisait ainsi :

DATE :

DESTINATAIRE :	Le greffier, Cour Canadienne de l'impôt, 200, rue Kent, Ottawa (Ontario), K1A 0M1 ou Tout autre bureau de la Cour indiqué à l'article 2	(Signature) (Indiquer le nom, l'adresse aux fins de signification et le numéro de téléphone du requérant, de son avocat ou de son représentant)

*NOTEZ que trois exemplaires de la présente demande, accompagnés de trois exemplaires d'un avis d'appel, doivent être déposés auprès du greffier de la Cour canadienne de l'impôt de la manière prévue aux paragraphes 4(3) et (5).

L'annexe 16.1 a été remplacée C.P. 2004-500 [DORS/2004-103], 27 avril 2004, art. 19 et cette modification est entrée en vigueur le 19 mai 2004. Antérieurement, elle se lisait ainsi :

ANNEXE 16.1 — DEMANDE DE PROROGATION DU DÉLAI POUR INTERJETER APPEL

(procédure informelle) (paragraphe 16.1(1))

COUR CANADIENNE DE L'IMPÔT

ENTRE : (nom) requérant, et SA MAJESTÉ LA REINE, intimée.

DEMANDE DE PROROGATION DU DÉLAI POUR INTERJETER APPEL

Je demande PAR LES PRÉSENTES une ordonnance prorogeant le délai pour interjeter appel* (indiquer la(les) cotisation(s) et la période s'y rapportant).

Indiquer ici les motifs pour lesquels l'appel n'a pas été interjeté auprès de la Cour avant l'expiration des 90 jours suivant la date d'envoi de l'avis de cotisation et donner tout autre motif pertinent à l'appui de la demande.**

DATE :

DESTINATAIRE :	Le greffier Cour canadienne de l'impôt 200, rue Kent Ottawa (Ontario) K1A 0M1 ou Tout autre bureau de la Cour indiqué à l'article 2.	(Signature) (Indiquer le nom, l'adresse aux fins de signification et le numéro de téléphone de l'appelant, de son avocat ou de son représentant)

*NOTEZ la définition du mot cotisation contenue à l'article 2.

**NOTEZ que trois exemplaires de la présente demande, accompagnés de trois exemplaires d'un avis d'appel, doivent être déposés auprès du greffier de la Cour canadienne de l'impôt ou lui être envoyés par courrier recommandé.

RÈG. CAN. RÈGLEMENT SUR LA TAXE DE TRANSPORT AÉRIEN (1992)

Règlement concernant la taxe de transport aérien

DORS/93-294 [C.P. 1993-1204], 8 juin 1993, tel que modifié par C.P. 1994-945 [DORS/94-420], 2 juin 1994; C.P. 1995-666 [DORS/95-205], 26 avril 1995; C.P. 1997-1828 [DORS/97-564], 9 décembre 1997.

Sur recommandation du ministre du Revenu national, du ministre des Transports et du ministre des Finances et en vertu de l'article 21[55] de la *Loi sur la taxe d'accise*, il plaît à Son Excellence le Gouverneur général en conseil d'abroger le *Règlement sur la taxe de transport aérien*, C.R.C., ch. 583, et de prendre en remplacement le *Règlement concernant la taxe de transport aérien*, ci-après.

TITRE ABRÉGÉ

1. [Titre abrégé] — *Règlement sur la taxe de transport aérien (1992).*

DORS/93-2948, art. 1

DÉFINITIONS

2. [Définitions] — Les définitions qui suivent s'appliquent au présent règlement.

« licence » Licence de taxe de transport aérien accordée par le ministre en vertu de l'article 17 de la Loi.

« Loi » La *Loi sur la taxe d'accise*.

DORS/93-2948, art. 2

DÉCLARATIONS

3. [Déclarations exigées par l'article 20 de la Loi] — Les déclarations que l'article 20 de la Loi exige du transporteur aérien titulaire de licence sont remises ou expédiées par la poste au chef de la Perception ou au chef de l'Exécution du bureau régional de l'accise où la licence a été délivrée.

DORS/93-2948, art. 3

PREUVE DU PAIEMENT DE LA TAXE

4. (1) [Preuve du paiement de la taxe] — Le paiement de la taxe imposée sur le montant payé ou payable en contrepartie du transport aérien d'une personne, fait à un transporteur aérien titulaire de licence ou à son mandataire avant l'embarquement à bord d'un aéronef à un aéroport au Canada, est indiqué sur le billet de transport aérien et y est désigné comme taxe canadienne.

(2) [Présentation du billet] — Le billet visé au paragraphe (1) est, au moment de l'embarquement de la personne à bord d'un aéronef à un aéroport au Canada pour un vol international, présenté à la personne à qui le transporteur aérien fournissant le transport aérien a donné l'autorisation d'accepter les billets de transport aérien et de permettre l'embarquement pour les vols indiqués sur ces billets.

DORS/93-2948, art. 4

5. [Preuve du paiement anticipé de la taxe] — Pour l'application du paragraphe 10(2) de la Loi, la preuve du paiement anticipé de la taxe imposée sur le montant payé ou payable en contrepartie du transport aérien d'une personne qui commence et se termine en un point situé dans la zone de taxation est:

a) sous forme de billet, de carte d'embarquement ou de facture faisant état du paiement anticipé;

b) présentée au transporteur aérien titulaire de licence ou à son mandataire au moment de l'embarquement au Canada.

DORS/93-2948, art. 5

GROUPES EXEMPTÉS — SERVICES AÉRIENS COMMERCIAUX

6. [Services aériens commerciaux exemptés] — Sont soustraits à l'application de la partie II de la Loi, en ce qui a trait au transport aérien de personnes, les services aériens commerciaux fournis par un transporteur aérien titulaire de certificat à bord:

a) de tout aéronef à voilure tournante;

b) de tout aéronef à voilure fixe dont la masse maximale homologuée au décollage (MMHD) ne dépasse pas 8 000 kg.

DORS/93-2948, art. 6

TRANSPORT AFFRÉTÉ

7. [Répartition du montant exigé] — Aux fins de la taxe imposée en vertu de l'article 10 de la Loi, lorsque le montant exigé pour le transport aérien comprend le transport aérien de personnes et de marchandises, il est réparti de la façon suivante:

a) le montant applicable au transport des personnes est égal au montant exigé pour le transport aérien diminué du montant attribué aux frais de transport des marchandises autres que les bagages ou le matériel des personnes transportées;

b) le montant applicable au transport des marchandises est égal au montant exigé pour le transport aérien qui est attribuable au segment du voyage au cours duquel les marchandises sont transportées, multiplié par le pourcentage de sièges passagers qui restent libres pendant ce segment.

DORS/93-2948, art. 7

PAIEMENT DU TRANSPORT

8. [Paiement à crédit] — Pour l'application de la partie II de la Loi, dans les cas où un transporteur aérien accepte de fournir le transport aérien d'une personne à crédit, le montant payable pour ce transport est censé être payé ou payable au lieu et à la date où le transporteur aérien accepte de fournir le service.

DORS/93-2948, art. 8

9. [Assujettissement à la taxe *ad valorem*] — Lorsque le transport aérien d'une personne est assujetti à la taxe de transport aérien *ad valorem* imposée par les États-Unis, la taxe sur le montant

Règlements

[55] L.R., ch. 28 (3e suppl.), art. 289

payé ou payable à l'étranger pour ce transport, calculée selon le paragraphe 11(1) de la Loi, est réduite:

a) dans le cas où le montant est payé ou payable après le 31 décembre 1997 pour des embarquements postérieurs au 28 février 1998, au moindre des montants suivants:

(i) la somme de 2 $ et du montant représentant 3 pour cent du montant payé ou payable pour ce transport,

(ii) 15 $;

b) dans les autres cas, au moindre des montants suivants:

(i) la somme de 4 $ et du montant représentant 5 pour cent du montant payé ou payable pour ce transport,

(ii) 27,50 $.

DORS/93-2948, art. 9; DORS/94-420, art. 1; DORS/95-205, art. 1; DORS/97-564, art. 1

DÉCRET DE 1995 SUR LA TAXE DE TRANSPORT AÉRIEN

Décret fixant les montants pour l'application du sous-alinéa 11(1)a)(ii) et des alinéas 11(1)b) et (2)b) de la Loi sur la taxe d'accise

DORS/95-206 C.P. 1995-667, 26 avril 1995, tel que modifié par [C.P. 1997-1910], 17 décembre 1997.

Sur recommandation du ministre des Transports et en vertu de l'article 11[56] de la *Loi sur la taxe d'accise*, il plaît à Son Excellence le Gouverneur général en conseil d'abroger le Décret de 1994 sur la taxe de transport aérien, pris par le décret C.P. 1994-666 du 28 avril 1994[57], et de prendre en remplacement le Décret fixant les montants pour l'application du sous-alinéa 11(1)a)(ii) et des alinéas 11(1)b) et (2)b) de la *Loi sur la taxe d'accise*, ci-après, lequel entre en vigueur le 1er mai 1995.

TITRE ABRÉGÉ

1. *Décret de 1995 sur la taxe de transport aérien.*

DÉFINITION

2. La définition qui suit s'applique au présent décret.

« Loi » La *Loi sur la taxe d'accise*.

MONTANTS FIXÉS

3. (1) [Montant de la taxe] — Si le montant payé ou payable est payé ou payable après le 31 décembre 1997 en contrepartie du transport aérien d'une personne commençant après le 28 février 1998, le montant représentant la taxe de transport aérien imposée, prélevée et perçue en vertu du paragraphe 10(1) de la Loi est égal :

a) pour l'application du sous-alinéa 11(1)a)(ii) de la Loi :

(i) pour un parcours aérien sans escale ni retour au point de départ, à 1,50 $,

(ii) dans tous les autres cas, à 3 $;

b) pour l'application de l'alinéa 11(1)b) de la Loi :

(i) si la personne remplit son propre billet et si celui-ci est limité, en raison du mode de délivrance des billets utilisé par le transporteur aérien, à un seul parcours aérien sans escale ni retour au point de départ, à 15 $,

(ii) dans tous les autres cas, à 30 $.

(2) [Idem] — Si le montant payé ou payable est payé ou payable après le 31 décembre 1997 en contrepartie du transport aérien d'une personne et si l'embarquement a lieu après le 28 février 1998, le montant représentant la taxe de transport aérien imposée, prélevée et perçue en vertu du paragraphe 10(2) de la Loi est égal :

a) pour l'application du sous-alinéa 11(1)a)(ii) de la Loi :

(i) si la personne remplit son propre billet et si celui-ci est limité, en raison du mode de délivrance des billets utilisé par le transporteur aérien, à un seul parcours aérien sans escale ni retour au point de départ, à 1,50 $,

(ii) dans tous les autres cas, à 3 $;

b) pour l'application de l'alinéa 11(1)b) de la Loi :

(i) si la personne remplit son propre billet et si celui-ci est limité, en raison du mode de délivrance des billets utilisé par le transporteur aérien, à un seul parcours aérien sans escale ni retour au point de départ, à 15 $,

(ii) dans tous les autres cas, à 30 $.

(3) [Idem] — Dans le cas du transport aérien d'une personne commençant le 28 février 1998 ou avant cette date, le montant représentant la taxe de transport aérien imposée, prélevée et perçue en vertu du paragraphe 10(1) de la Loi est égal :

a) pour l'application du sous-alinéa 11(1)a)(ii) de la Loi, si la personne remplit son propre billet et si celui-ci est limité, en raison du mode de délivrance des billets utilisé par le transporteur aérien, à un seul parcours aérien sans escale ni retour au point de départ, à 3 $;

b) pour l'application de l'alinéa 11(1)b) de la Loi :

(i) si la personne remplit son propre billet et si celui-ci est limité, en raison du mode de délivrance des billets utilisé par le transporteur aérien, à un seul parcours aérien sans escale ni retour au point de départ, à 27,50 $,

(ii) dans tous les autres cas, à 55 $.

(4) [Idem] — Si l'embarquement a lieu le 28 février 1998 ou avant cette date, le montant représentant la taxe de transport aérien imposée, prélevée et perçue en vertu du paragraphe 10(2) de la Loi est égal :

a) pour l'application du sous-alinéa 11(1)a)(ii) de la Loi, si la personne remplit son propre billet et si celui-ci est limité, en raison du mode de délivrance des billets utilisé par le transporteur aérien, à un seul parcours aérien sans escale ni retour au point de départ, à 3 $;

b) pour l'application de l'alinéa 11(1)b) de la Loi :

(i) si la personne remplit son propre billet et si celui-ci est limité, en raison du mode de délivrance des billets utilisé par le transporteur aérien, à un seul parcours aérien sans escale ni retour au point de départ, à 27,50 $.

(ii) dans tous les autres cas, à 55 $.

Notes historiques: L'article 3 a été remplacé par C.P. 1997-1910, art. 1, 17 décembre 1997 et cette modification est entrée en vigueur le 1e janvier 1998. Antérieurement, il se lisait ainsi :

3. Le montant représentant la taxe de transport aérien imposée, prélevée et perçue en vertu des paragraphes 10(1) ou (2) de la Loi est égal:

a) pour l'application du sous-alinéa 11(1)a)(ii) de la Loi, dans le cas où la personne transportée remplit son propre billet et que celui-ci est limité, en raison du mode de délivrance des billets utilisé par le transporteur aérien, à un seul parcours aérien sans escale ni retour au point de départ, à 3 $;

b) pour l'application de l'alinéa 11(1)b) de la Loi:

(i) dans le cas où la personne transportée remplit son propre billet et que celui-ci est limité, en raison du mode de délivrance des billets utilisé par le transporteur aérien, à un seul parcours aérien sans escale ni retour au point de départ, à 50 pour cent du montant visé au sous-alinéa (ii),

(ii) dans tous les autres cas, à 55 $.

4. (1) [Montant de la taxe — contrat d'affrètement] — Dans le cas d'un montant payé ou payable après le 31 décembre 1997 pour

Règlements

[56] L.C. 1994, ch. 29, art. 2

[57] DORS/94-331, *Gazette du Canada* Partie II, 1994, p. 2076

tout transport aérien commençant après le 28 février 1998, pour l'application de l'alinéa 11(2)b) de la Loi, le montant représentant la taxe de transport aérien imposé, prélevée et perçue pour chaque embarquement dans le cadre du contrat d'affrètement est de 15 $.

(2) [Idem] — Dans le cas d'un montant payé ou payable pour tout transport aérien commençant le 28 février 1998 ou avant cette date, pour l'application de l'alinéa 11(2)b) de la Loi, le montant représentant la taxe de transport aérien imposée, prélevée et perçue pour chaque embarquement dans le cadre du contrat d'affrètement est de 27,50 $.

Notes historiques: L'article 4 a été remplacé par C.P. 1997-1910, art. 1, 17 décembre 1997 et cette modification est entrée en vigueur le 1e janvier 1998. Antérieurement, il se lisait ainsi :

4. Sous réserve de l'article 5, remise est accordée des droits de douane et des taxes d'accise payés ou payables à l'égard des marchandises importées par la poste dont la valeur en douane ne dépasse pas 20 $.

Règlement visant la taxe d'accise sur l'essence

DORS/2000-253 [C.P. 2000-1006], 21 juin 2000

1. Définition — Dans le présent règlement, « Loi » s'entend de la *Loi sur la taxe d'accise*.

Notes historiques: L'article 1 a été ajouté par C.P. 2000-1006 [DORS/2000-253], 21 juin 2000, art. 1 et est réputé entré en vigueur le 21 juin 2000.

2. Méthode de calcul — **(1)** Pour l'application de l'alinéa 68.16(6)a) de la Loi, lorsqu'une personne a acheté de l'essence à l'égard de laquelle la taxe d'accise imposée en vertu de la partie III de la Loi a été payée et qu'elle a recouvré la totalité ou une partie du coût de cette essence d'une personne visée à l'un des alinéas 68.16(1)g.1) à g.3) de la Loi, le montant à payer conformément au paragraphe 68.16(1) de la Loi est calculé en multipliant le nombre de litres d'essence achetés à un prix qui comprend la taxe d'accise par 0,015 $.

(2) Malgré le paragraphe (1), dans le cas où l'essence est utilisée pour une automobile ou un camion, le montant à payer conformément au paragraphe 68.16(1) de la Loi peut être calculé, au choix de l'acheteur présumé de l'essence visé à l'article 3, en multiplant le nombre de kilomètres parcourus au Canada par cet acheteur ou pour son compte par 0,0015 $.

Notes historiques: L'article 2 a été ajouté par C.P. 2000-1006 [DORS/2000-253], 21 juin 2000, art. 2 et est réputé entré en vigueur le 21 juin 2000.

3. Acheteur présumé — **(1)** Pour l'application de l'alinéa 68.16(6)b) de la Loi, est réputée être l'acheteur de l'essence la personne qui a acheté l'essence à l'égard de laquelle la taxe d'accise imposée en vertu de la partie III de la Loi a été payée et qui a recouvré la totalité ou une partie du coût de cette essence d'une personne visée à l'un des alinéas 68.16(1)g.1) à g.3) de la Loi.

(2) Malgré le paragraphe (1), est réputée être l'acheteur de l'essence la personne de qui le coût a été recouvré si elle est visée aux alinéas 68.16(1)g.1) ou g.2) de la Loi et si elle était l'employeur de la personne ayant acheté l'essence.

Notes historiques: L'article 3 a été ajouté par C.P. 2000-1006 [DORS/2000-253], 21 juin 2000, art. 3 et est réputé entré en vigueur le 21 juin 2000.

4. Abrogation — Le *Règlement de la taxe d'accise sur l'essence et l'essence d'aviation*[58] est abrogé.

Notes historiques: L'article 4 a été ajouté par C.P. 2000-1006 [DORS/2000-253], 21 juin 2000, art. 4 et est réputé entré en vigueur le 21 juin 2000.

5. Entrée en vigueur — Le présent règlement entre en vigueur à la date de son enregistrement.

Notes historiques: L'article 5 a été ajouté par C.P. 2000-1006 [DORS/2000-253], 21 juin 2000, art. 5 et est réputé entré en vigueur le 21 juin 2000.

[58] DORS/83-107

TVH

C.P. 2010-99 [DORS/2010-99] Enregistrement le 29 avril 2010, tel que modifié par C.P. 2010-791 [DORS/2010-152], 17 juin 2010.

Définitions et interprétation

1. (1) Définitions — Les définitions qui suivent s'appliquent au présent règlement.

« expéditeur » S'entend au sens du paragraphe 1(1) de la partie VII de l'annexe VI de la Loi.

« fourniture continue » Fourniture d'un bien ou d'un service qui est livré, exécuté ou rendu disponible de façon continue au moyen d'un fil, d'un pipeline, d'un satellite, d'une autre canalisation ou d'une autre installation de télécommunication.

« immeuble d'habitation à logement unique » S'entend au sens du paragraphe 254(1) de la Loi.

« Loi » La *Loi sur la taxe d'accise*.

« période de validité » S'entend, dans le cas d'un laissez-passer de transport de passagers, de l'une ou l'autre des périodes suivantes :

a) la période tout au long de laquelle le laissez-passer permet à un particulier d'obtenir des services de transport;

b) si la période visée à l'alinéa a) ne peut être déterminée au moment où le laissez-passer est fourni à un acquéreur, la période commençant le jour où celui-ci est livré à l'acquéreur de la fourniture, ou mis à sa disposition, et se terminant le jour où il expire ou, en l'absence de date d'expiration, le 1er juillet 2012.

Info TPS/TVQ: GI-111 — *Application de la hausse du taux de la TVH en Nouvelle-Écosse (2010) — Services de transport et laissez-passer.*

« service continu de transport de marchandises » S'entend au sens du paragraphe 1(1) de la partie VII de l'annexe VI de la Loi.

« service de transport de marchandises » S'entend au sens du paragraphe 1(1) de la partie VII de l'annexe VI de la Loi.

« services funéraires » S'entend au sens du paragraphe 344(1) de la Loi.

« voyage continu » S'entend au sens du paragraphe 1(1) de la partie VII de l'annexe VI de la Loi.

(2) Fournitures continues — Pour l'application du présent règlement, si un bien ou un service est livré, exécuté ou rendu disponible de façon continue au moyen d'un fil, d'un pipeline, d'un satellite, d'une autre canalisation ou d'une autre installation de télécommunication au cours d'une période qui comprend le 1er juillet 2010 et pour laquelle le fournisseur établit une facture et que, en raison de la méthode d'enregistrement de la livraison du bien ou de la prestation du service, le moment auquel le bien ou le service est livré ou rendu ne peut être raisonnablement déterminé, des parties égales de la totalité du bien livré, ou de la totalité du service rendu, au cours de la période sont réputées avoir été livrées ou rendues, selon le cas, chaque jour de la période.

Notes historiques: L'article 1 a été ajouté par C.P. 2010-559, 29 avril 2010, art. 1 et est réputé être entré en vigueur le 6 avril 2010.

Taux de taxe

2. (1) Taux de taxe applicable à la Nouvelle-Écosse — Pour l'application de l'alinéa a) de la définition de « taux de taxe » au paragraphe 123(1) de la Loi, le taux applicable à la Nouvelle-Écosse s'établit à 10 %.

(2) Taux de taxe applicable à la zone extracôtière de la Nouvelle-Écosse — Pour l'application de l'alinéa b) de la définition de « taux de taxe » au paragraphe 123(1) de la Loi, le taux applicable à la zone extracôtière de la Nouvelle-Écosse s'établit à 10 %.

Notes historiques: L'article 2 a été ajouté par C.P. 2010-559, 29 avril 2010, art. 2 et s'applique :

a) aux fournitures effectuées après juin 2010;

b) à la contrepartie, même partielle, de la fourniture par vente (sauf une fourniture continue) d'un bien meuble corporel ou d'un bien meuble incorporel (sauf un droit d'entrée, un laissez-passer de transport de passagers ou un droit d'adhésion qui n'est pas un droit d'adhésion à vie d'un particulier) qui devient due après juin 2010 ou est payée après ce mois sans être devenue due;

c) à la contrepartie, même partielle, de la fourniture (sauf une fourniture continue) d'un service qui, à la fois :

(i) devient due après avril 2010 ou est payée après ce mois sans être devenue due,

(ii) est attribuable à la partie du service qui est exécutée après juin 2010;

d) à la contrepartie, même partielle, de la fourniture d'un bien par bail, licence ou accord semblable qui, à la fois :

(i) devient due après avril 2010 ou est payée après ce mois sans être devenue due,

(ii) est un loyer, une redevance ou un paiement semblable attribuable à une période postérieure à juin 2010;

e) à la contrepartie, même partielle, de la fourniture par vente d'un immeuble dont la possession et la propriété sont transférées après juin 2010;

f) à la contrepartie, même partielle, d'une fourniture continue qui, à la fois :

(i) devient due après avril 2010 ou est payée après ce mois sans être devenue due,

(ii) est attribuable à la partie du bien ou du service qui est livrée, exécutée ou rendue disponible après juin 2010;

g) à la contrepartie, même partielle, de la fourniture par vente d'un bien meuble incorporel qui est un droit d'adhésion (sauf un droit d'adhésion à vie d'un particulier), un droit d'entrée ou un laissez-passer de transport de passagers qui, à la fois :

(i) devient due après avril 2010 ou est payée après ce mois sans être devenue due,

(ii) est attribuable :

(A) dans le cas d'un droit d'adhésion ou d'entrée, à la partie de sa durée qui est postérieure à juin 2010,

(B) dans le cas d'un laissez-passer de transport de passagers, à la partie de sa période de validité qui est postérieure à juin 2010;

h) à la contrepartie, même partielle, d'une fourniture effectuée aux termes d'un contrat qui porte sur la réalisation de travaux de construction, de rénovation, de transformation ou de réparation d'un immeuble ou d'un bateau ou autre bâtiment de mer qui, à la fois :

(i) devient due après avril 2010, ou est payée après ce mois sans être devenue due, à titre de paiement échelonné aux termes du contrat,

(ii) est vraisemblablement attribuable à un bien livré ou à un service exécuté, aux termes du contrat après juin 2010;

i) aux produits importés au Canada après juin 2010;

j) aux produits importés au Canada avant le 1er juillet 2010 qui, à cette date ou par la suite, font l'objet d'une déclaration en détail ou provisoire prévue au paragraphe 32(1), à l'alinéa 32(2)a) ou au paragraphe 32(5) de la Loi sur les douanes ou sont dédouanés dans les circonstances visées à l'alinéa 32(2)b) de cette loi;

k) aux biens transférés en Nouvelle-Écosse ou dans la zone extracôtière de la Nouvelle-Écosse après juin 2010;

l) aux biens transférés en Nouvelle-Écosse ou dans la zone extracôtière de la Nouvelle-Écosse par un transporteur avant le 1er juillet 2010 qui sont livrés à un consignataire dans cette province ou cette zone à cette date ou par la suite;

m) au calcul des éléments ci-après, si aucun des alinéas a) à l) ne s'applique :

(i) la taxe applicable à la Nouvelle-Écosse ou à la zone extracôtière de la Nouvelle-Écosse après juin 2010,

(ii) la taxe qui n'est pas payable relativement à la Nouvelle-Écosse ou à la zone extracôtière de la Nouvelle-Écosse, mais qui l'aurait été après juin 2010 en l'absence de certaines circonstances prévues par la Loi,

(iii) tout montant ou nombre déterminé après juin 2010 selon une formule algébrique qui fait mention du taux de taxe applicable à une province participante, si ce montant ou ce nombre doit être déterminé relativement à la Nouvelle-Écosse ou à la zone extracôtière de la Nouvelle-Écosse.

Malgré le paragraphe ci-haut, l'article 2 ne s'applique pas à ce qui suit :

a) la fourniture d'un bien par bail, licence ou accord semblable dont la contrepartie est un loyer, une redevance ou un paiement semblable attribuable à une période commençant avant le 1er juillet 2010 et se terminant avant le 31 juillet 2010;

b) la fourniture (sauf une fourniture continue) d'un service qui est exécuté en totalité ou en presque totalité avant juillet 2010;

c) la fourniture d'un service de transport d'un particulier ou de transport des bagages d'un particulier dans le cadre du transport de celui-ci, si le transport du particulier fait partie d'un voyage continu qui débute avant juillet 2010;

d) la fourniture d'un service de transport de marchandises dans le cadre d'un service continu de transport de marchandises — biens meubles corporels — si l'expéditeur transfère la possession de ceux-ci au premier transporteur chargé du service continu avant juillet 2010;

e) la fourniture d'un droit d'adhésion (sauf un droit d'adhésion à vie d'un particulier) ou d'un droit d'entrée dont la totalité ou la presque totalité de la durée est antérieure à juillet 2010;

f) la fourniture d'un laissez-passer de transport de passagers dont la période de validité commence avant juillet 2010 et se termine avant août 2010;

g) la fourniture de services funéraires prévus par un arrangement visant la fourniture de tels services relativement à un particulier si :

(i) dans le cas où, selon les modalités de l'arrangement, il s'avère que les fonds nécessaires au règlement des services funéraires sont détenus par un fiduciaire, lequel est chargé d'acquérir les services funéraires relativement au particulier :

(A) l'arrangement est pris par écrit avant juillet 2010,

(B) au moment où l'arrangement est pris, il est raisonnable de s'attendre à ce que tout ou partie de ces fonds soient avancés au fiduciaire avant le décès du particulier,

(ii) dans les autres cas :

(A) l'arrangement est pris par écrit avant juillet 2010,

(B) au moment où l'arrangement est pris, il est raisonnable de s'attendre à ce que tout ou partie de la contrepartie de la fourniture des services funéraires soit payée avant le décès du particulier;

h) la fourniture par vente d'un immeuble d'habitation à logement unique ou d'un logement en copropriété effectuée aux termes d'une convention écrite conclue avant le 7 avril 2010;

i) la fourniture d'un immeuble d'habitation à logement unique ou d'un logement en copropriété qui est réputée avoir été effectuée en vertu du paragraphe 191(1) de la Loi du fait que le constructeur de l'immeuble d'habitation ou du logement a transféré la possession ou l'utilisation de ceux-ci à une personne après juin 2010 aux termes d'une convention, mentionnée au sousalinéa 191(1)b)(ii) de la Loi, conclue par écrit avant le 7 avril 2010;

j) la contrepartie, même partielle, d'une fourniture effectuée aux termes d'un plan à versements égaux mentionné au paragraphe 10(1) qui devient due avant le 1er juillet 2010 ou qui est payée avant cette date sans être devenue due;

k) la contrepartie, même partielle, d'une fourniture effectuée aux termes d'un contrat qui porte sur la réalisation de travaux de construction, de rénovation, de transformation ou de réparation d'un immeuble ou d'un bateau ou autre bâtiment de mer qui, à la fois :

(i) devient due après avril 2010, ou est payée après ce mois sans être devenue due, à titre de paiement échelonné aux termes du contrat,

(ii) est vraisemblablement attribuable à un bien livré, ou à un service exécuté, aux termes du contrat avant juillet 2010;

l) la contrepartie, même partielle, de la fourniture d'un bien meuble incorporel par bail, licence ou accord semblable qui devient due avant juillet 2010 si le montant de contrepartie n'est pas fonction de la proportion de cette utilisation ou de la production tirée du bien, ni des bénéfices provenant de cette utilisation ou de cette production.

Règles transitoires

3. (1) Transition — services — Sous réserve du paragraphe (2) et de l'article 8, si un inscrit effectue la fourniture taxable (sauf une fourniture détaxée) d'un service en Nouvelle-Écosse ou dans la zone extracôtière de la Nouvelle-Écosse au profit d'une personne qui n'est pas un consommateur du service, que la taxe prévue au paragraphe 165(2) de la Loi est payable par la personne relativement à un montant de contrepartie de la fourniture qui devient dû après le 6 avril 2010 et avant le 1er mai 2010, ou qui est payé au cours de cette période sans être devenu dû, et qu'une partie de ce montant est attribuable à une partie du service qui n'est pas exécutée avant juillet 2010, pour l'application de la partie IX de la Loi, la taxe (appelée « taxe totale » au présent article) prévue par le paragraphe 165(2) de la Loi est calculée au taux de 10 % sur cette partie de montant et les règles ci-après s'appliquent :

a) pour le calcul du montant de taxe (appelé « taxe à percevoir » au présent article) que l'inscrit est tenu de percevoir, la taxe prévue au paragraphe 165(2) de la Loi qui est payable par la personne sur cette partie de montant est réputée avoir été calculée au taux de 8 %;

b) la personne est tenue de payer, conformément à l'article 9, un montant de taxe égal à la différence entre la taxe totale et la taxe à percevoir.

(2) Exception — Le paragraphe (1) ne s'applique pas relativement à la fourniture taxable d'un service si :

a) s'agissant d'un service de transport d'un particulier ou de transport des bagages d'un particulier dans le cadre du transport de celui-ci, le transport du particulier fait partie d'un voyage continu qui débute avant juillet 2010;

b) s'agissant d'un service de transport de marchandises dans le cadre d'un service continu de transport de marchandises - biens meubles corporels -, l'expéditeur transfère la possession de ceux-ci au premier transporteur chargé du service continu avant juillet 2010;

c) dans les autres cas, la totalité ou la presque totalité du service est exécutée avant juillet 2010.

Notes historiques: L'article 3 a été ajouté par C.P. 2010-559, 29 avril 2010, art. 3 et est réputé être entré en vigueur le 6 avril 2010.

Info TPS/TVQ: GI-109 — *Application de la hausse du taux de la TVH en Nouvelle-Écosse (2010) — Services.*

4. (1) Transition — baux et licences — Sous réserve du paragraphe (2) et de l'article 8, si un inscrit effectue la fourniture taxable (sauf une fourniture détaxée) d'un bien par bail, licence ou accord semblable en Nouvelle-Écosse ou dans la zone extracôtière de la Nouvelle-Écosse au profit d'une personne qui n'est pas un consommateur du bien, que la taxe prévue au paragraphe 165(2) de la Loi est payable par la personne relativement à un montant de contrepartie de la fourniture qui est un loyer, une redevance ou un paiement semblable qui devient dû après le 6 avril 2010 et avant le 1er mai 2010, ou qui est payé au cours de cette période sans être devenu dû, et qu'une partie de ce montant est attribuable à une période postérieure à juin 2010, pour l'application de la partie IX de la Loi, la taxe (appelée « taxe totale » au présent article) prévue au paragraphe 165(2) de la Loi est calculée au taux de 10 % sur cette partie de montant et les règles ci-après s'appliquent :

a) pour le calcul du montant de taxe (appelé « taxe à percevoir » au présent article) que l'inscrit est tenu de percevoir, la taxe prévue au paragraphe 165(2) de la Loi qui est payable par la personne sur cette partie de montant est réputée avoir été calculée au taux de 8 %;

b) la personne est tenue de payer, conformément à l'article 9, un montant de taxe égal à la différence entre la taxe totale et la taxe à percevoir.

(2) Exception — Le paragraphe (1) ne s'applique pas relativement à la fourniture taxable d'un bien par bail, licence ou accord semblable dans les cas suivants :

a) la contrepartie de la fourniture est un loyer, une redevance ou un paiement semblable attribuable à une période de la durée du bail, de la licence ou de l'accord semblable qui commence avant le 1er juillet 2010 et prend fin avant le 31 juillet 2010;

b) le bien est un bien meuble incorporel et la contrepartie de la fourniture n'est pas fonction de la proportion de l'utilisation ou de la production tirée du bien, ni des bénéfices provenant de cette utilisation ou de cette production.

Notes historiques: L'article 4 a été ajouté par C.P. 2010-559, 29 avril 2010, art. 4 et est réputé être entré en vigueur le 6 avril 2010.

Info TPS/TVQ: GI-108 — *Application de la hausse du taux de la TVH en Nouvelle-Écosse (2010) — Biens meubles.*

5. (1) Transition — droits d'adhésion ou d'entrée — Sous réserve du paragraphe (2) et de l'article 8, si un inscrit effectue la fourniture taxable (sauf une fourniture détaxée) d'un droit d'adhésion (sauf un droit d'adhésion à vie d'un particulier) ou d'un droit d'entrée en Nouvelle-Écosse ou dans la zone extracôtière de la Nouvelle-Écosse au profit d'une personne qui n'est pas un consommateur du droit, que la taxe prévue au paragraphe 165(2) de la Loi est payable par la personne relativement à un montant de contrepartie de la fourniture qui devient dû après le 6 avril 2010 et avant le 1er mai 2010, ou qui est payé au cours de cette période sans être devenu dû, et qu'une partie de ce montant est attribuable à une partie de la durée du droit qui est postérieure à juin 2010, pour l'application de la partie IX de la Loi, la taxe (appelée « taxe totale » au présent article) prévue au paragraphe 165(2) de la Loi est calculée au taux de 10 % sur cette partie de montant et les règles ci-après s'appliquent :

a) pour le calcul du montant de taxe (appelé « taxe à percevoir » au présent article) que l'inscrit est tenu de percevoir, la taxe prévue au paragraphe 165(2) de la Loi qui est payable par la personne sur cette partie de montant est réputée avoir été calculée au taux de 8 %;

b) la personne est tenue de payer, conformément à l'article 9, un montant de taxe égal à la différence entre la taxe totale et la taxe à percevoir.

(2) Exception — Le paragraphe (1) ne s'applique pas relativement à la fourniture taxable d'un droit d'adhésion ou d'un droit d'entrée dont la totalité ou la presque totalité de la durée est antérieure à juillet 2010.

Notes historiques: L'article 5 a été ajouté par C.P. 2010-559, 29 avril 2010, art. 5 et est réputé être entré en vigueur le 6 avril 2010.

Info TPS/TVQ: GI-110 — *Application de la hausse du taux de la TVH en Nouvelle-Écosse (2010) — Droits d'entrée et droits d'adhésion.*

6. (1) Transition — laissez-passer de transport de passagers — Sous réserve du paragraphe (2) et de l'article 8, si un inscrit effectue la fourniture taxable (sauf une fourniture détaxée) d'un laissez-passer de transport de passagers en Nouvelle-Écosse ou dans la zone extracôtière de la Nouvelle-Écosse au profit d'une personne qui n'est pas un consommateur du laissez-passer, que la taxe prévue au paragraphe 165(2) de la Loi est payable par la personne relativement à un montant de contrepartie de la fourniture qui devient dû après le 6 avril 2010 et avant le 1er mai 2010, ou qui est payé au cours de cette période sans être devenu dû, et qu'une partie de ce montant est attribuable à une partie de la période de validité du laissez-passer qui est postérieure à juin 2010, pour l'application de la partie IX de la Loi, la taxe (appelée « taxe totale » au présent article) prévue au paragraphe 165(2) de la Loi est calculée au taux de 10 % sur cette partie de montant et les règles ci-après s'appliquent :

a) pour le calcul du montant de taxe (appelé « taxe à percevoir » au présent article) que l'inscrit est tenu de percevoir, la taxe prévue au paragraphe 165(2) de la Loi qui est payable par la personne sur cette partie de montant est réputée avoir été calculée au taux de 8 %;

b) la personne est tenue de payer, conformément à l'article 9, un montant de taxe égal à la différence entre la taxe totale et la taxe à percevoir.

(2) Exception — Le paragraphe (1) ne s'applique pas relativement à la fourniture taxable d'un laissez-passer de transport de passagers dont la période de validité commence avant juillet 2010 et se termine avant août 2010.

Notes historiques: L'article 6 a été ajouté par C.P. 2010-559, 29 avril 2010, art. 6 et est réputé être entré en vigueur le 6 avril 2010.

Info TPS/TVQ: GI-111 — *Application de la hausse du taux de la TVH en Nouvelle-Écosse (2010) — Services de transport et laissez-passer.*

7. Transition — adhésions à vie — Si un inscrit effectue la fourniture taxable (sauf une fourniture détaxée) d'un droit d'adhésion à vie d'un particulier en Nouvelle-Écosse ou dans la zone extracôtière de la Nouvelle-Écosse au profit d'une personne, que la taxe prévue au paragraphe 165(2) de la Loi est payable par la personne relativement au total (appelé « montant déterminé » au présent article) des montants de contrepartie de la fourniture qui deviennent dus après le 6 avril 2010 et avant le 1er juillet 2010, ou qui sont payés au cours de cette période sans être devenus dus, et que le montant déterminé excède 25 % de la contrepartie totale de la fourniture, pour l'application de la partie IX de la Loi, la taxe (appelée « taxe totale » au présent article) prévue au paragraphe 165(2) de la Loi est calculée au taux de 10 % sur la différence entre le montant déterminé et 25 % de la contrepartie totale et les règles ci-après s'appliquent :

a) pour le calcul du montant de taxe (appelé « taxe à percevoir » au présent article) que l'inscrit est tenu de percevoir, la taxe prévue au paragraphe 165(2) de la Loi qui est payable par la personne sur cette différence est réputée avoir été calculée au taux de 8 %;

b) la personne est tenue de payer, conformément à l'article 9, un montant de taxe égal à la différence entre la taxe totale et la taxe à percevoir.

Notes historiques: L'article 7 a été ajouté par C.P. 2010-559, 29 avril 2010, art. 7 et est réputé être entré en vigueur le 6 avril 2010.

8. Exception — Les articles 3 à 6 ne s'appliquent pas relativement à la fourniture taxable d'un bien ou d'un service effectuée au profit d'une personne si les conditions ci-après sont réunies :

a) la personne acquiert le bien ou le service en vue de le consommer, de l'utiliser ou de le fournir exclusivement dans le cadre de ses activités commerciales;

b) elle peut inclure, dans le calcul de son crédit de taxe sur les intrants au titre du bien ou du service, le montant total de la taxe prévue au paragraphe 165(2) de la Loi qui est payable par elle relativement à la fourniture et, le cas échéant, n'aurait pas à ajouter de montant au titre d'un tel crédit dans le calcul de sa taxe nette pour une de ses périodes de déclaration;

c) elle n'est ni un inscrit qui est une institution financière désignée particulière, ni un inscrit dont la taxe nette est déterminée selon l'article 225.1 de la Loi ou selon les parties IV ou V du *Règlement sur la comptabilité abrégée (TPS/TVH)*.

Notes historiques: L'article 8 a été ajouté par C.P. 2010-559, 29 avril 2010, art. 8 et est réputé être entré en vigueur le 6 avril 2010.

9. Paiement — Les règles ci-après s'appliquent à l'égard de toute personne qui est tenue de payer un montant de taxe conformément au présent article en raison de l'application des articles 3 à 7 :

a) si la personne est un inscrit, elle est tenue d'ajouter le montant dans le calcul de sa taxe nette pour sa période de déclaration au cours de laquelle il est devenu payable;

b) dans les autres cas, elle est tenue, au plus tard le dernier jour du mois suivant le mois civil au cours duquel le montant est devenu payable, de payer celui-ci au receveur général et de présenter au ministre, en la forme et selon les modalités qu'il détermine, une déclaration concernant le montant contenant les renseignements déterminés par le ministre.

Notes historiques: L'article 9 a été ajouté par C.P. 2010-559, 29 avril 2010, art. 9 et est réputé être entré en vigueur le 6 avril 2010.

10. (1) Plans à versements égaux — Si un inscrit effectue la fourniture d'un bien ou d'un service en Nouvelle-Écosse aux termes d'un plan à versements égaux visant une période donnée commençant avant le 1er juillet 2010 et se terminant à cette date, ou par la suite, et que le plan prévoit un rapprochement des paiements de contrepartie de la fourniture effectués au cours de la période donnée, lequel rapprochement est prévu à la fin de cette période, ou par la suite, et avant le 1er juillet 2011, l'inscrit, au moment où il établit une facture à la suite de ce rapprochement, est tenu de calculer le montant positif ou négatif obtenu par la formule suivante :

$$A - B$$

où :

A représente la taxe qui serait payable par l'acquéreur de la fourniture en vertu du paragraphe 165(2) de la Loi relativement au bien ou au service, ou à la partie de ceux-ci, qui a été livré, exécuté ou rendu disponible après juin 2010, si la contrepartie de la fourniture de ce bien ou de ce service, ou de cette partie, était devenue due et avait été payée après ce mois,

B le total de la taxe payable par l'acquéreur de la fourniture en vertu du paragraphe 165(2) de la Loi relativement au bien ou au service livré, exécuté ou rendu disponible au cours de la période donnée.

(2) Perception de la taxe — Les règles ci-après s'appliquent si le montant calculé par un inscrit en application du paragraphe (1) est positif :

a) le montant est réputé être une taxe payable par l'acquéreur en vertu du paragraphe 165(2) de la Loi relativement à la fourniture;

b) l'inscrit est réputé avoir perçu le montant le jour de l'établissement de la facture à la suite du rapprochement.

(3) Remboursement de l'excédent — Les règles ci-après s'appliquent si le montant calculé par un inscrit en application du paragraphe (1) est négatif :

a) l'inscrit est tenu de rembourser le montant à l'acquéreur de la fourniture ou de le porter à son crédit;

b) l'inscrit est tenu de remettre une note de crédit à l'acquéreur pour le montant du remboursement ou du crédit;

c) l'article 232 de la Loi s'applique comme si la note de crédit était remise aux termes de cet article.

Notes historiques: L'article 10 a été ajouté par C.P. 2010-559, 29 avril 2010, art. 10 et est réputé être entré en vigueur le 6 avril 2010.

11. Fournitures combinées — Si une fourniture portant sur un ou plusieurs biens meubles, immeubles ou services (chacun étant appelé « élément » au présent article) est effectuée en Nouvelle-Écosse ou dans la zone extracôtière de la Nouvelle-Écosse et que la contrepartie de la fourniture devient due après le 6 avril 2010 et avant le 1er juillet 2010 ou est payée au cours de cette période sans être devenue due, pour l'application du paragraphe 165(2) de la Loi à la fourniture, chaque élément de la fourniture qui constitue un bien meuble corporel est réputé avoir été fourni séparément de tous les autres pour la partie de la contrepartie qui lui est attribuable.

Notes historiques: L'article 11 a été ajouté par C.P. 2010-559, 29 avril 2010, art. 11 et est réputé être entré en vigueur le 6 avril 2010.

Info TPS/TVQ: GI-108 — *Application de la hausse du taux de la TVH en Nouvelle-Écosse (2010) — Biens meubles.*

12. (1) Terminologie — Au présent article, « démarcheur », « distributeur », « entrepreneur indépendant », « prix de vente au détail suggéré » et « produit exclusif » s'entendent au sens de l'article 178.1 de la Loi.

(2) Redressement pour produits exclusifs — démarcheurs — Si l'approbation du ministre visant l'application de l'article 178.3 de la Loi à un démarcheur est en vigueur, que le démarcheur effectue la fourniture taxable par vente (sauf une fourniture détaxée) de son produit exclusif au profit d'un de ses entrepreneurs indépendants qui n'est pas un distributeur à l'égard duquel l'approbation accordée en application du paragraphe 178.2(4) de la Loi est en vigueur, que la contrepartie de la fourniture devient due avant le 1er juillet 2010 ou est payée avant cette date sans être devenue due et que le produit est destiné à être vendu en Nouvelle-Écosse par l'entrepreneur à cette date ou par la suite, un montant représentant 2 % du prix de vente au détail suggéré du produit est à ajouter dans le calcul de la taxe nette du démarcheur pour sa période de déclaration qui comprend cette même date.

(3) Redressement pour produits exclusifs — distributeurs — Si l'approbation du ministre visant l'application de l'article 178.4 de la Loi à un distributeur d'un démarcheur est en vigueur, que le distributeur effectue la fourniture taxable par vente (sauf une fourniture détaxée) d'un produit exclusif du démarcheur au profit d'un entrepreneur indépendant de celui-ci qui n'est pas un distributeur à l'égard duquel l'approbation accordée en application du paragraphe 178.2(4) de la Loi est en vigueur, que la contrepartie de la fourniture devient due avant le 1er juillet 2010 ou est payée avant cette date sans être devenue due et que le produit est destiné à être vendu en Nouvelle-Écosse par l'entrepreneur à cette date ou par la suite, un montant représentant 2 % du prix de vente au détail suggéré du produit est à ajouter dans le calcul de la taxe nette du distributeur pour sa période de déclaration qui comprend cette même date.

Notes historiques: L'article 12 a été ajouté par C.P. 2010-559, 29 avril 2010, art. 12 et est réputé être entré en vigueur le 6 avril 2010.

13. (1) Indication additionnelle — immeubles — Si un constructeur effectue la fourniture taxable d'un immeuble d'habitation en Nouvelle-Écosse aux termes d'un contrat de vente conclu après le 6 avril 2010 et avant le 1er juillet 2010 et que la taxe prévue au paragraphe 165(2) de la Loi s'applique relativement à la fourniture au taux de 10 %, le constructeur est tenu d'indiquer dans le contrat :

a) soit le total de la taxe payable relativement à la fourniture, de sorte que ce total apparaisse clairement et qu'il soit possible d'établir si celui-ci tient compte de tout montant à payer ou à créditer conformément au paragraphe 254(4) de la Loi;

b) soit le total des taux auxquels la taxe est payable relativement à la fourniture.

(2) Manquement — Si un constructeur omet de se conformer au paragraphe (1) relativement à une fourniture au titre de laquelle il est tenu, aux termes de l'article 221 de la Loi, de percevoir la taxe à un moment donné, les règles ci-après s'appliquent :

a) la taxe payable par l'acquéreur relativement à la fourniture est calculée comme si la taxe prévue au paragraphe 165(2) de la Loi s'appliquait relativement à la fourniture au taux de 8 % et non au taux de 10 %;

b) malgré l'alinéa a), le constructeur est réputé avoir perçu la taxe au moment donné relativement à la fourniture au taux de 10 %.

Notes historiques: L'article 13 a été ajouté par C.P. 2010-559, 29 avril 2010, art. 13 et est réputé être entré en vigueur le 6 avril 2010.

Info TPS/TVQ: GI-087 — *Taxe de vente harmonisée — prix convenu déduction faite du remboursement de la TPS/TVH pour habitations neuves en Nouvelle-Écosse.*

14. Avantages aux salariés et aux actionnaires — Pour ce qui est de l'année d'imposition 2010 si, selon le cas :

a) un avantage est à inclure, en application des alinéas 6(1)a) ou e) de la *Loi de l'impôt sur le revenu*, dans le calcul du revenu d'un particulier tiré d'une charge ou d'un emploi et le dernier établissement de l'employeur auquel le particulier travaillait ou se présentait habituellement au cours de l'année dans le cadre de cette charge ou de cet emploi est situé en Nouvelle-Écosse ou dans la zone extracôtière de la Nouvelle-Écosse,

b) un avantage est à inclure, en application du paragraphe 15(1) de cette même loi, dans le calcul du revenu d'un particulier, lequel réside en Nouvelle-Écosse à la fin de l'année,

le passage de la subdivision (I) suivant la sous-subdivision 2 de l'élément A de la formule figurant à la division 173(1)d)(ii)(B) de la Loi est adapté de la façon suivante :

13 %,

Notes historiques: L'alinéa 14a) a été remplacé par C.P. 2010-791, 17 juin 2010, art. 12 et cette modification est entrée en vigueur ou réputée être entrée en vigueur le 1er juillet 2010. Antérieurement, il se lisait ainsi :

> a) un avantage est à inclure, en application des alinéas 6(1)a) ou e) de la *Loi de l'impôt sur le revenu*, dans le calcul du revenu d'un particulier tiré d'une charge ou d'un emploi et le dernier établissement de l'employeur auquel le particulier travaillait ou se présentait habituellement au cours de l'année dans le cadre de cette charge ou de cet emploi est situé en Nouvelle-Écosse ou dans la zone extracôtière de la Nouvelle-Écosse, ou le particulier est le salarié d'un inscrit et est tenu, aux termes du paragraphe 6(1) de cette loi, d'inclure ainsi l'avantage et le dernier établissement de l'inscrit auquel le particulier travaillait ou se présentait habituellement au cours de l'année dans le cadre de cette charge ou de cet emploi est situé en Nouvelle-Écosse ou dans la zone extracôtière de la Nouvelle-Écosse,

L'article 14 a été ajouté par C.P. 2010-559, 29 avril 2010, art. 14 et est réputé être entré en vigueur le 12 mai 2010.

15. Remboursement pour habitation neuve de la Nouvelle-Écosse — Les paragraphes 254(2.01) à (2.1) de la Loi ne s'appliquent pas relativement à un immeuble d'habitation à l'égard duquel un contrat de vente a été conclu par un particulier après le 6 avril 2010, sauf si la propriété ou la possession de l'immeuble est transférée à celui-ci avant juillet 2010.

Notes historiques: L'article 15 a été ajouté par C.P. 2010-559, 29 avril 2010, art. 15 et est réputé être entré en vigueur le 6 avril 2010.

16. Remboursement pour habitation neuve de la Nouvelle-Écosse — Les paragraphes 254.1(2.01) à (2.1) de la Loi ne s'appliquent pas relativement à tout ou partie d'un bâtiment dans lequel est située une habitation faisant partie d'un immeuble d'habitation si la convention portant sur la fourniture par vente du bâtiment ou de la partie de bâtiment au profit d'un particulier est conclue par celui-ci après le 6 avril 2010, à moins que la possession de l'habitation ne soit transférée au particulier avant juillet 2010.

Notes historiques: L'article 16 a été ajouté par C.P. 2010-559, 29 avril 2010, art. 16 et est réputé être entré en vigueur le 6 avril 2010.

17. Remboursement pour habitation neuve de la Nouvelle-Écosse — Les paragraphes 255(2.01) à (2.1) de la Loi ne s'appliquent pas relativement à la fourniture, effectuée par une coopérative d'habitation au profit d'un particulier, d'une part du capital social de la coopérative à l'égard de laquelle le contrat de vente est conclu par le particulier après le 6 avril 2010, sauf si la propriété de la part est transférée à celui-ci avant juillet 2010.

Notes historiques: L'article 17 a été ajouté par C.P. 2010-559, 29 avril 2010, art. 17 et est réputé être entré en vigueur le 6 avril 2010.

18. Remboursement pour habitation neuve de la Nouvelle-Écosse — Les paragraphes 256(2.02) à (2.1) de la Loi ne s'appliquent pas relativement à un immeuble d'habitation, sauf si la demande prévue au paragraphe 256(3) de la Loi visant le remboursement prévu au paragraphe 256(2.1) de la Loi est présentée au ministre du Revenu national relativement à l'immeuble d'habitation avant juillet 2010.

Notes historiques: L'article 18 a été ajouté par C.P. 2010-559, 29 avril 2010, art. 18 et est réputé être entré en vigueur le 6 avril 2010.

RÈG. CAN. RÈGLEMENT SUR LE NOUVEAU RÉGIME DE LA TAXE À VALEUR AJOUTÉE HARMONISÉE

C.P. 2010-701 [DORS/2010-117] Enregistrement le 31 mai 2010, tel que modifié par L.C. 2010,c. 25; C.P. 2012-1127 [DORS/2012-191].

Définitions

1. Définitions — Les définitions qui suivent s'appliquent au présent règlement.

« Loi » La *Loi sur la taxe d'accise.*

« voyage continu » S'entend au sens du paragraphe 1(1) de la partie VII de l'annexe VI de la Loi.

Notes historiques: L'article 1 a été ajouté par C.P. 2010-701, 31 mai 2010, art. 1 et s'applique à compter du 26 mars 2009. Toutefois, la définition de « voyage continu » à l'article 1 s'applique à compter du 26 février 2010.

PARTIE 1 — LIEU DE FOURNITURE

SECTION 1 — DÉFINITIONS ET INTERPRÉTATION

Définitions

Notes historiques: La partie 1 a été ajoutée par C.P. 2010-701, 31 mai 2010, art. 2 et s'applique aux fournitures effectuées :

a) après avril 2010;

b) après le 25 février 2010 et avant le 1er mai 2010, sauf si une partie de la contrepartie de la fourniture devient due ou est payée avant mai 2010.

2. Définitions — Les définitions qui suivent s'appliquent à la présente partie.

« CÉLI » Compte d'épargne libre d'impôt au sens du paragraphe 248(1) de la *Loi de l'impôt sur le revenu.*

« dernier acquéreur » En ce qui concerne un service informatique ou un accès Internet, personne qui est l'acquéreur d'une fourniture du service ou de l'accès et qui l'acquiert à une fin autre que celle de sa fourniture à une autre personne.

« droits canadiens » La partie d'un bien meuble incorporel qui peut être utilisée au Canada.

« élément canadien » La partie d'un service qui est exécutée au Canada.

« emplacement déterminé » S'entend, relativement à un fournisseur :

a) de son établissement stable;

b) d'un distributeur automatique.

« FERR » Fonds enregistré de revenu de retraite au sens du paragraphe 248(1) de la *Loi de l'impôt sur le revenu.*

« REEE » Régime enregistré d'épargne-études au sens du paragraphe 248(1) de la *Loi de l'impôt sur le revenu.*

« REEI » Régime enregistré d'épargne-invalidité au sens du paragraphe 248(1) de la *Loi de l'impôt sur le revenu.*

« REER » Régime enregistré d'épargne-retraite au sens du paragraphe 248(1) de la *Loi de l'impôt sur le revenu.*

« service informatique »

a) Service de soutien technique offert par voie de télécommunication et ayant trait au fonctionnement ou à l'utilisation de matériel informatique ou de logiciels;

b) service comportant le stockage électronique et le transfert interordinateur d'informations.

Notes historiques: L'article 2 a été ajouté par C.P. 2010-701, 31 mai 2010, art. 2 et s'applique à compter du 26 mars 2009.

3. Livraison réputée — Pour l'application de la présente partie, un fournisseur est réputé livrer un bien dans une province donnée et ne pas le livrer dans une autre province si, selon le cas :

a) il expédie le bien à une destination située dans la province donnée et précisée dans le contrat de transport, ou il transfère la possession du bien à un transporteur public ou à un consignataire et charge celui-ci, pour le compte de l'acquéreur, d'expédier le bien à une telle destination;

b) il envoie le bien par la poste ou par messagerie à une adresse dans la province donnée.

Notes historiques: L'article 3 a été ajouté par C.P. 2010-701, 31 mai 2010, art. 3 et s'applique à compter du 26 mars 2009.

4. Application — **(1)** La présente partie s'applique à l'article 3 de la partie IX de l'annexe IX de la Loi.

(2) Transition — Ontario et Colombie-Britannique — Pour l'application des dispositions de la partie 3 par rapport à l'application de la présente partie entre le 25 février 2010 et le 1er juillet 2010 :

a) l'Ontario et la Colombie-Britannique sont réputées être des provinces participantes;

b) le taux de taxe applicable à l'Ontario est réputé être de 8 %;

c) le taux de taxe applicable à la Colombie-Britannique est réputé être de 7 %.

Notes historiques: L'article 4 a été ajouté par C.P. 2010-701, 31 mai 2010, art. 4 et s'applique à compter du 26 mars 2009.

Info TPS/TVQ: GI-056 — *Transition à la taxe de vente harmonisée de l'Ontario et de la Colombie-Britannique — services.*

SECTION 2 — BIENS MEUBLES INCORPORELS

5. Application — La présente section ne s'applique pas aux biens meubles incorporels auxquels s'appliquent les parties VII ou VIII de l'annexe IX de la Loi.

Notes historiques: L'article 5 a été ajouté par C.P. 2010-701, 31 mai 2010, art. 5 et s'applique à compter du 26 mars 2009.

6. Droits canadiens utilisables principalement dans des provinces participantes — **(1)** La fourniture d'un bien meuble incorporel, sauf un tel bien lié à un immeuble ou à un bien meuble corporel, relativement auquel les droits canadiens peuvent être utilisés seulement principalement dans des provinces participantes est effectuée dans une province participante si une proportion égale ou supérieure de ces droits ne peut être utilisée dans une autre province participante.

(2) Droits canadiens utilisables principalement dans des provinces participantes — Sous réserve du paragraphe (1), la fourniture d'un bien meuble incorporel, sauf un tel bien lié à un immeuble ou à un bien meuble corporel, relativement auquel les droits canadiens peuvent être utilisés seulement principalement dans des provinces participantes est effectuée dans une province participante donnée si :

a) s'agissant d'une fourniture dont la valeur de la contrepartie est de 300 $ ou moins et qui est effectuée par l'intermédiaire d'un emplacement déterminé du fournisseur situé dans la province

TVH

donnée et en présence d'un particulier qui en est l'acquéreur ou qui agit au nom de celui-ci, le bien peut être utilisé dans la province donnée;

b) s'agissant d'une fourniture à l'égard de laquelle l'alinéa a) ne s'applique pas, les conditions suivantes sont réunies :

(i) dans le cours normal des activités de son entreprise, le fournisseur obtient une adresse (appelée « adresse donnée » au présent alinéa) qui est :

(A) s'il n'obtient qu'une seule adresse qui est une adresse résidentielle ou d'affaires de l'acquéreur au Canada, cette adresse,

(B) s'il obtient plus d'une adresse visée à la division (A), l'adresse visée à cette division qui est la plus étroitement liée à la fourniture,

(C) dans les autres cas, l'adresse de l'acquéreur au Canada qui est la plus étroitement liée à la fourniture,

(ii) l'adresse donnée se trouve dans la province donnée,

(iii) le bien peut être utilisé dans la province donnée;

c) s'agissant d'une fourniture à l'égard de laquelle ni l'alinéa a) ni l'alinéa b) ne s'appliquent, la province donnée est celle des provinces participantes où le bien peut être utilisé qui présente le taux de taxe le plus élevé.

Notes historiques: L'article 6 a été ajouté par C.P. 2010-701, 31 mai 2010, art. 6 et s'applique à compter du 26 mars 2009.

7. Droits canadiens utilisables principalement dans des provinces non participantes — La fourniture d'un bien meuble incorporel, sauf un tel bien lié à un immeuble ou à un bien meuble corporel, relativement auquel les droits canadiens peuvent être utilisés seulement principalement dans des provinces non participantes est effectuée dans une province non participante.

Notes historiques: L'article 7 a été ajouté par C.P. 2010-701, 31 mai 2010, art. 7 et s'applique à compter du 26 mars 2009.

8. Droits canadiens utilisables — autrement — La fourniture d'un bien meuble incorporel, sauf un tel bien lié à un immeuble ou à un bien meuble corporel, relativement auquel les droits canadiens peuvent être utilisés autrement que seulement principalement dans des provinces participantes et autrement que seulement principalement à l'extérieur de ces provinces est effectuée dans une province donnée si :

a) s'agissant d'une fourniture dont la valeur de la contrepartie est de 300 $ ou moins et qui est effectuée par l'intermédiaire d'un emplacement déterminé du fournisseur situé dans la province donnée et en présence d'un particulier qui en est l'acquéreur ou qui agit au nom de celui-ci, le bien peut être utilisé dans la province donnée;

b) s'agissant d'une fourniture à l'égard de laquelle l'alinéa a) ne s'applique pas, les conditions suivantes sont réunies :

(i) dans le cours normal des activités de son entreprise, le fournisseur obtient une adresse (appelée « adresse donnée » au présent alinéa) qui est :

(A) s'il n'obtient qu'une seule adresse qui est une adresse résidentielle ou d'affaires de l'acquéreur au Canada, cette adresse,

(B) s'il obtient plus d'une adresse visée à la division (A), l'adresse visée à cette division qui est la plus étroitement liée à la fourniture,

(C) dans les autres cas, l'adresse de l'acquéreur au Canada qui est la plus étroitement liée à la fourniture,

(ii) l'adresse donnée se trouve dans la province donnée,

(iii) le bien peut être utilisé dans la province donnée;

c) s'agissant d'une fourniture à l'égard de laquelle ni l'alinéa a) ni l'alinéa b) ne s'appliquent, la province donnée est celle des provinces où le bien peut être utilisé qui présente le taux de taxe le plus élevé.

Notes historiques: L'article 8 a été ajouté par C.P. 2010-701, 31 mai 2010, art. 8 et s'applique à compter du 26 mars 2009.

Lettre d'interprétation (Québec) [par. 165(1)]: 12-014001-001 — *Interprétation relative à la TPS/TVH - Interprétation relative à la TVQ (Commerce électronique).*

9. Bien meuble incorporel lié à des immeubles — La fourniture d'un bien meuble incorporel lié à des immeubles est effectuée :

a) dans une province participante si les immeubles situés au Canada sont situés principalement dans des provinces participantes et qu'il s'avère :

(i) qu'une proportion égale ou supérieure des immeubles n'est pas située dans une autre province participante,

(ii) si le sous-alinéa (i) ne s'applique pas, que le taux de taxe de la province participante est le plus élevé de ceux des provinces participantes où une proportion supérieure des immeubles n'est pas située dans une autre province participante;

b) dans une province non participante si les immeubles situés au Canada ne sont pas situés principalement dans des provinces participantes.

Notes historiques: L'article 9 a été ajouté par C.P. 2010-701, 31 mai 2010, art. 9 et s'applique à compter du 26 mars 2009.

10. Bien meuble incorporel lié à des biens meubles corporels — La fourniture d'un bien meuble incorporel lié à des biens meubles corporels est effectuée :

a) dans une province participante si les biens meubles corporels qui sont habituellement situés au Canada sont habituellement situés principalement dans des provinces participantes et qu'il s'avère :

(i) qu'une proportion égale ou supérieure des biens meubles corporels n'est pas habituellement située dans une autre province participante,

(ii) si le sous-alinéa (i) ne s'applique pas, que le taux de taxe de la province participante est le plus élevé de ceux des provinces participantes où une proportion supérieure des biens meubles corporels n'est pas habituellement située dans une autre province participante;

b) dans une province non participante si les biens meubles corporels qui sont habituellement situés au Canada ne sont pas habituellement situés principalement dans des provinces participantes.

Notes historiques: L'article 10 a été ajouté par C.P. 2010-701, 31 mai 2010, art. 10 et s'applique à compter du 26 mars 2009.

11. Même taux — Si le lieu de fourniture d'un bien meuble incorporel ne peut être établi selon les alinéas 6(2)c) ou 8c) ou les sous-alinéas 9a)(ii) ou 10a)(ii) du fait que plusieurs provinces participantes (chacune étant appelée « province déterminée » au présent article) présentent le même taux de taxe, la fourniture est effectuée soit dans la province déterminée où se trouve l'adresse d'affaires du fournisseur qui est la plus étroitement liée à la fourniture soit, si cette adresse ne se trouve pas dans l'une des provinces déterminées, dans la province déterminée qui est la plus proche de cette adresse, selon ce qu'il est raisonnable de considérer.

Notes historiques: L'article 11 a été ajouté par C.P. 2010-701, 31 mai 2010, art. 11 et s'applique à compter du 26 mars 2009.

SECTION 3 — SERVICES

12. Application — La présente section ne s'applique pas aux services auxquels s'appliquent l'un des articles 4 à 5 de la partie VI ou les parties VII ou VIII de l'annexe IX de la Loi.

Notes historiques: L'article 12 a été ajouté par C.P. 2010-701, 31 mai 2010, art. 12 et s'applique à compter du 26 mars 2009.

13. Règle générale applicable aux services — adresse obtenue — (1) Sous réserve des articles 14 à 17, la fourniture d'un service est effectuée dans une province si, dans le cours normal des activités de son entreprise, le fournisseur obtient une adresse dans la province qui est :

a) s'il n'obtient qu'une seule adresse qui est une adresse résidentielle ou d'affaires de l'acquéreur au Canada, cette adresse;

b) s'il obtient plus d'une adresse visée à l'alinéa a), l'adresse visée à cet alinéa qui est la plus étroitement liée à la fourniture;

c) dans les autres cas, l'adresse de l'acquéreur au Canada qui est la plus étroitement liée à la fourniture.

(2) Règle générale applicable aux services — aucune adresse obtenue — Sous réserve du paragraphe (1) et des articles 14 à 17, la fourniture d'un service est effectuée :

a) dans une province participante si l'élément canadien du service est exécuté principalement dans des provinces participantes et qu'il s'avère :

(i) qu'une proportion égale ou supérieure de cet élément n'est pas exécutée dans une autre province participante,

(ii) si le sous-alinéa (i) ne s'applique pas, que le taux de taxe de la province participante est le plus élevé de ceux des provinces participantes où une proportion supérieure du service n'est pas exécutée dans une autre province participante;

b) dans une province non participante si l'élément canadien du service n'est pas exécuté principalement dans des provinces participantes.

Notes historiques: Le préambule du paragraphe 13(1) a été remplacé par C.P. 2011-263 [DORS/2011-56], 3 mars 2011, art. 23 et cette modification s'applique aux fournitures suivantes :

a) celles effectuées après avril 2010;

b) celle effectuées après le 25 février 2010 et avant mai 2010, sauf si une partie de la contrepartie de la fourniture devient due ou est payée avant le 1er mai 2010.

Antérieurement, il se lisait ainsi :

Sous réserve des articles 14 à 17, la fourniture d'un service est effectuée dans une province si, dans le cours normal des activités de son entreprise, le fournisseur obtient une adresse (appelée « adresse donnée » au présent paragraphe) dans la province qui est :

L'article 13 a été ajouté par C.P. 2010-701, 31 mai 2010, art. 13 et s'applique à compter du 26 mars 2009.

14. Services liés à des immeubles — La fourniture d'un service lié à des immeubles est effectuée :

a) dans une province participante si les immeubles situés au Canada sont situés principalement dans des provinces participantes et qu'il s'avère :

(i) qu'une proportion égale ou supérieure des immeubles n'est pas située dans une autre province participante,

(i) si le sous-alinéa (i) ne s'applique pas, que le taux de taxe de la province participante est le plus élevé de ceux des provinces participantes où une proportion supérieure des immeubles n'est pas située dans une autre province participante;

b) dans une province non participante si les immeubles situés au Canada ne sont pas situés principalement dans des provinces participantes.

Notes historiques: L'article 14 a été ajouté par C.P. 2010-701, 31 mai 2010, art. 14 et s'applique à compter du 26 mars 2009.

15. Services liés à des biens meubles corporels — Si une personne effectue la fourniture d'un service lié à des biens meubles corporels qui sont situés dans une ou plusieurs provinces au moment donné où l'élément canadien du service commence à être exécuté et que, à tout moment où cet élément est exécuté, les biens demeurent dans la province où ils se trouvaient au moment donné, la fourniture est effectuée :

a) dans une province participante si les biens sont situés principalement dans des provinces participantes au moment donné et qu'il s'avère :

(i) qu'une proportion égale ou supérieure des biens n'est pas située dans une autre province participante à ce moment,

(ii) si le sous-alinéa (i) ne s'applique pas, que le taux de taxe de la province participante est le plus élevé de ceux des provinces participantes où une proportion supérieure des biens n'est pas située dans une autre province participante à ce moment;

b) dans une province non participante si les biens ne sont pas situés principalement dans des provinces participantes à ce même moment.

Notes historiques: L'article 15 a été ajouté par C.P. 2010-701, 31 mai 2010, art. 15 et s'applique à compter du 26 mars 2009.

16. Services liés à des biens meubles corporels — Si une personne effectue la fourniture d'un service lié à des biens meubles corporels qui sont situés dans une ou plusieurs provinces au moment donné où l'élément canadien du service commence à être exécuté et que, au cours de la période où cet élément est exécuté, les biens ne demeurent pas dans la province où ils se trouvaient au moment donné, la fourniture est effectuée :

a) dans une province participante si les biens sont situés principalement dans des provinces participantes à un moment où le service est exécuté, que l'élément canadien du service est exécuté principalement dans des provinces participantes et qu'il s'avère :

(i) qu'une proportion égale ou supérieure du service n'est pas exécutée dans une autre province participante,

(ii) si le sous-alinéa (i) ne s'applique pas, que le taux de taxe de la province participante est le plus élevé de ceux des provinces participantes où une proportion supérieure du service n'est pas exécutée dans une autre province participante;

b) dans une province non participante si les biens ne sont pas situés principalement dans des provinces participantes à tout moment où le service est exécuté ou que l'élément canadien du service n'est pas exécuté principalement dans des provinces participantes.

Notes historiques: L'article 16 a été ajouté par C.P. 2010-701, 31 mai 2010, art. 16 et s'applique à compter du 26 mars 2009.

17. Services personnels — La fourniture d'un service, sauf un service consultatif ou professionnel, qui est exécuté en totalité ou en presque totalité en présence du particulier à qui il est rendu est effectuée :

a) dans une province participante si l'élément canadien du service est exécuté principalement dans des provinces participantes et qu'il s'avère :

(i) qu'une proportion égale ou supérieure du service n'est pas exécutée dans une autre province participante,

(ii) si le sous-alinéa (i) ne s'applique pas, que le taux de taxe de la province participante est le plus élevé de ceux des provinces participantes où une proportion supérieure du service n'est pas exécutée dans une autre province participante;

b) dans une province non participante si l'élément canadien du service n'est pas exécuté principalement dans des provinces participantes.

Notes historiques: L'article 17 a été ajouté par C.P. 2010-701, 31 mai 2010, art. 17 et s'applique à compter du 26 mars 2009.

18. Même taux — Si le lieu de fourniture d'un service ne peut être établi selon les sous-alinéas 13(2)a)(ii), 14a)(ii), 15a)(ii), 16a)(ii) ou 17a)(ii) du fait que plusieurs provinces participantes (chacune étant appelée « province déterminée » au présent article) présentent le même taux de taxe, la fourniture est effectuée soit dans la province déterminée où se trouve l'adresse d'affaires du fournisseur qui est la plus étroitement liée à la fourniture soit, si cette adresse ne se trouve pas dans l'une des provinces déterminées, dans la province déterminée qui est la plus proche de cette adresse, selon ce qu'il est raisonnable de considérer.

Notes historiques: L'article 18 a été ajouté par C.P. 2010-701, 31 mai 2010, art. 18 et s'applique à compter du 26 mars 2009.

SECTION 4 — SERVICES DE TRANSPORT

19. Application — La présente section s'applique malgré les sections 2 et 3.

Notes historiques: L'article 19 a été ajouté par C.P. 2010-701, 31 mai 2010, art. 19 et s'applique à compter du 26 mars 2009.

20. Définitions — Les définitions qui suivent s'appliquent à la présente section.

« destination finale » S'entend au sens du paragraphe 1(1) de la partie VII de l'annexe VI de la Loi.

« escale » S'entend au sens du paragraphe 1(1) de la partie VII de l'annexe VI de la Loi. Toutefois, dans le cas du voyage continu d'un particulier ou d'un groupe de particuliers qui ne comporte pas de transport aérien et dont le point d'origine et la destination finale se trouvent au Canada, un endroit à l'étranger n'est pas une escale si, au début du voyage, il n'était pas prévu que le particulier ou le groupe se trouve à l'étranger pendant une période ininterrompue d'au moins 24 heures pendant la durée du voyage.

« étape » La partie d'un voyage à bord d'un moyen de transport qui se déroule entre deux arrêts du moyen de transport en vue de permettre l'embarquement ou le débarquement de passagers ou l'entretien ou le réapprovisionnement en carburant du moyen de transport.

« point d'origine » S'entend au sens du paragraphe 1(1) de la partie VII de l'annexe VI de la Loi.

Notes historiques: L'article 20 a été ajouté par C.P. 2010-701, 31 mai 2010, art. 20 et s'applique à compter du 26 mars 2009.

21. Services de transport de passagers — La fourniture d'un service de transport de passagers est effectuée :

a) dans une province participante si :

(i) le service fait partie d'un voyage continu pour lequel un billet ou une pièce justificative précisant le point d'origine du voyage est délivré relativement au premier service de transport de passagers qui est compris dans le voyage et, à la fois :

(A) le point d'origine se trouve dans la province participante,

(B) la destination finale et toutes les escales du voyage se trouvent au Canada,

(ii) le service fait partie d'un voyage continu pour lequel aucun billet ni pièce justificative précisant le point d'origine du voyage n'est délivré relativement au premier service de transport de passagers qui est compris dans le voyage et, à la fois :

(A) le premier service compris dans le voyage ne peut débuter ailleurs que dans la province participante,

(B) la destination finale et toutes les escales du voyage se trouvent au Canada,

(iii) le service ne fait pas partie d'un voyage continu et, à la fois :

(A) il débute dans la province participante,

(B) il prend fin au Canada;

b) dans une province non participante si :

(i) le service fait partie d'un voyage continu pour lequel un billet ou une pièce justificative précisant le point d'origine du voyage est délivré relativement au premier service de transport de passagers qui est compris dans le voyage et, selon le cas :

(A) le point d'origine se trouve à l'extérieur des provinces participantes,

(B) la destination finale ou une escale du voyage se trouve à l'étranger,

(ii) le service fait partie d'un voyage continu pour lequel aucun billet ni pièce justificative précisant le point d'origine du voyage n'est délivré relativement au premier service de transport de passagers qui est compris dans le voyage et, selon le cas :

(A) le premier service compris dans le voyage ne peut débuter dans une province participante,

(B) la destination finale ou une escale du voyage se trouve à l'étranger,

(iii) le service ne fait pas partie d'un voyage continu et, selon le cas :

(A) il débute à l'extérieur des provinces participantes,

(B) il prend fin à l'étranger.

Notes historiques: L'article 21 a été ajouté par C.P. 2010-701, 31 mai 2010, art. 21 et s'applique à compter du 26 mars 2009.

22. Laissez-passer de transport de passagers — cas particulier — **(1)** Si un fournisseur est en mesure de déterminer, au moment où il effectue la fourniture d'un bien meuble incorporel qui est un laissez-passer de transport ou un bien semblable permettant à un particulier d'obtenir un ou plusieurs services de transport de passagers, que chacun de ces services ne pourrait débuter ailleurs que dans la même province participante et prendrait fin au Canada, la fourniture du bien est effectuée dans cette province.

(2) Laissez-passer de transport de passagers — cas particulier — Si un fournisseur est en mesure de déterminer, au moment où il effectue la fourniture d'un bien meuble incorporel qui est un laissez-passer de transport ou un bien semblable permettant à un particulier d'obtenir un ou plusieurs services de transport de passagers, que chacun de ces services ne pourrait débuter ailleurs que dans une province non participante ou prendrait fin à l'étranger, la fourniture du bien est effectuée dans une province non participante.

Notes historiques: L'article 22 a été ajouté par C.P. 2010-701, 31 mai 2010, art. 22 et s'applique à compter du 26 mars 2009.

23. Bien ou service fourni à bord d'un moyen de transport — Si la fourniture d'un bien ou d'un service, sauf un service de transport de passagers, est effectuée au profit d'un particulier à bord d'un moyen de transport dans le cours des activités d'une entreprise qui consiste à fournir des services de transport de passagers et que le bien ou le service est livré, exécuté ou rendu disponible à bord du moyen de transport pendant une étape du voyage qui débute dans une province donnée et prend fin dans cette province ou dans une autre province, la fourniture est effectuée dans la province donnée.

Notes historiques: L'article 23 a été ajouté par C.P. 2010-701, 31 mai 2010, art. 23 et s'applique à compter du 26 mars 2009.

SECTION 5 — CAS PARTICULIERS

24. Application — La présente section s'applique malgré les sections 2 et 3.

Notes historiques: L'article 24 a été ajouté par C.P. 2010-701, 31 mai 2010, art. 24 et s'applique à compter du 26 mars 2009.

25. Services de courtier en douane — **(1)** Si la fourniture d'un service est effectuée relativement à l'importation de produits et que le service consiste à prendre des mesures en vue de leur dédouanement, au sens du paragraphe 2(1) de la *Loi sur les douanes*, ou à remplir, relativement à l'importation, une obligation, prévue par cette loi ou par le Tarif des douanes, de faire une déclaration en détail ou provisoire des produits, de faire une déclaration, de communiquer des renseignements ou de verser des montants, les règles suivantes s'appliquent :

a) si les produits sont déclarés à titre de produits commerciaux, au sens du paragraphe 212.1(1) de la Loi, en vertu de l'article 32 de la *Loi sur les douanes*, la fourniture est effectuée dans la province où les produits sont situés au moment de leur dédouanement;

b) si l'alinéa a) ne s'applique pas et que la taxe, calculée au taux de taxe applicable à une province participante, est imposée aux termes du paragraphe 212.1(2) de la Loi, ou serait ainsi imposée si les paragraphes 212.1(3) et (4) et l'article 213 de la Loi ne s'appliquaient pas, relativement à l'importation, la fourniture est effectuée dans cette province;

c) dans les autres cas, la fourniture est effectuée dans une province non participante.

(2) Exception — Le paragraphe (1) ne s'applique pas à la fourniture d'un service rendu relativement à une opposition, un appel, une révision, un réexamen, un remboursement, un abattement, une remise ou un drawback ou relativement à une demande visant l'un de ceux-ci.

Notes historiques: L'article 25 a été ajouté par C.P. 2010-701, 31 mai 2010, art. 25 et s'applique à compter du 26 mars 2009.

26. Matériel roulant de chemin de fer — (1) La fourniture de matériel roulant de chemin de fer autrement que par vente est effectuée dans une province donnée si le fournisseur livre le matériel à l'acquéreur, ou le met à sa disposition, dans cette province.

(2) Lieu de fourniture pour une période de location — Si une fourniture de matériel roulant de chemin de fer est effectuée dans une province donnée par bail, licence ou accord semblable pour la première période de location, au sens du paragraphe 136.1(1) de la Loi, de la période totale de possession ou d'utilisation du matériel prévue par l'accord, la fourniture du matériel pour chacune des autres périodes de location prévues par l'accord est, malgré le paragraphe (1), effectuée dans cette province.

(3) Renouvellement de l'accord — Sous réserve des paragraphes (4) et (5), pour l'application du présent article, si un fournisseur transfère à un acquéreur la possession continue de matériel roulant de chemin de fer, ou lui permet d'utiliser du matériel roulant de chemin de fer de façon continue, tout au long d'une période aux termes de plusieurs baux, licences ou accords semblables successifs qu'il a conclus avec lui, le matériel est réputé avoir été livré à l'acquéreur, ou mis à sa disposition, aux termes de chacun de ces accords à l'endroit où il lui a été livré, ou a été mis à sa disposition, aux termes du premier de ces accords.

(4) Accords conclus avant avril 1997 — Si une fourniture de matériel roulant de chemin de fer autrement que par vente est effectuée aux termes d'une convention donnée qui est en vigueur le 1er avril 1997 et que, aux termes de cette convention, le matériel a été livré à l'acquéreur, ou mis à sa disposition, avant cette date, les règles suivantes s'appliquent :

a) le matériel est réputé avoir été livré à l'acquéreur, ou mis à sa disposition, aux termes de la convention donnée à l'extérieur des provinces participantes;

b) si l'acquéreur conserve la possession ou l'utilisation continues du matériel aux termes d'une convention (appelée « convention de renouvellement » au présent alinéa) conclue avec le fournisseur qui suit immédiatement la convention donnée, le paragraphe (3) s'applique comme si la convention de renouvellement constituait le premier accord conclu entre le fournisseur et l'acquéreur en vue de la fourniture du matériel.

(5) Accords conclus avant juillet 2010 — Si une fourniture de matériel roulant de chemin de fer autrement que par vente est effectuée aux termes d'une convention donnée qui est en vigueur le 1er juillet 2010 et que, selon cette convention, le matériel a été livré à l'acquéreur, ou mis à sa disposition, en Ontario ou en Colombie-Britannique avant cette date, les règles suivantes s'appliquent :

a) le matériel est réputé avoir été livré à l'acquéreur, ou mis à sa disposition, aux termes de la convention donnée à l'extérieur des provinces participantes;

b) si l'acquéreur conserve la possession ou l'utilisation continues du matériel aux termes d'une convention (appelée « convention de renouvellement » au présent alinéa) conclue avec le fournisseur qui suit immédiatement la convention donnée, le paragraphe (3) s'applique comme si la convention de renouvellement constituait le premier accord conclu entre le fournisseur et l'acquéreur en vue de la fourniture du matériel.

Notes historiques: L'article 26 a été ajouté par C.P. 2010-701, 31 mai 2010, art. 26 et s'applique à compter du 26 mars 2009.

27. Services rendus à l'occasion d'une instance — La fourniture d'un service rendu à l'occasion d'une instance criminelle, civile ou administrative, sauf un service rendu avant le début d'une telle instance, qui relève de la compétence d'un tribunal établi en application des lois d'une province, ou qui est de la nature d'un appel d'une décision d'un tel tribunal, est effectuée dans cette province.

Notes historiques: L'article 27 a été ajouté par C.P. 2010-701, 31 mai 2010, art. 27 et s'applique à compter du 26 mars 2009.

28. Services liés à des événements en un lieu déterminé — La fourniture d'un service lié à un événement - spectacle, événement sportif ou compétitif, festival, cérémonie, conférence ou activité semblable - est effectuée dans une province si le service doit être exécuté principalement à l'endroit où l'événement aura lieu dans la province.

Notes historiques: L'article 28 a été ajouté par C.P. 2010-701, 31 mai 2010, art. 28 et s'applique à compter du 26 mars 2009.

29. Produit photographique, service de réparation, etc. — Dans le cas où un fournisseur reçoit un bien meuble corporel d'une autre personne en vue soit de fournir un service de réparation, d'entretien, de nettoyage, d'ajustement ou de modification du bien, soit de produire un négatif, une diapositive, une épreuve photographique ou un autre produit photographique, la fourniture du service (ou d'un bien fourni dans le cadre du service) ou du produit photographique est effectuée dans une province donnée si le fournisseur livre le bien meuble corporel ou le produit, selon le cas, à l'acquéreur dans cette province une fois le service exécuté ou la production du produit, achevée.

Notes historiques: L'article 29 a été ajouté par C.P. 2010-701, 31 mai 2010, art. 29 et s'applique à compter du 26 mars 2009.

30. Service de fiduciaire de REER, FERR, REEE, REEI ou CÉLI — La fourniture d'un service relatif à une fiducie régie par un REER, un FERR, un REEE, un REEI ou un CÉLI offert par un fiduciaire de la fiducie est effectuée dans une province donnée si l'adresse postale du rentier du REER ou du FERR, du souscripteur du REEE ou du titulaire du REEI ou du CÉLI se trouve dans cette province.

Notes historiques: L'article 30 a été ajouté par C.P. 2010-701, 31 mai 2010, art. 30 et s'applique à compter du 26 mars 2009.

31. Service 1-900 ou 976 — La fourniture d'un service offert par téléphone et obtenu par la composition d'un numéro commençant par 1-900 ou par l'indicatif téléphonique local 976 est effectuée dans une province donnée si l'appel téléphonique est lancé dans cette province.

Notes historiques: L'article 31 a été ajouté par C.P. 2010-701, 31 mai 2010, art. 31 et s'applique à compter du 26 mars 2009.

32. Service informatique ou accès Internet — dernier acquéreur unique — (1) Lorsqu'un fournisseur donné effectue la fourniture d'un service informatique ou d'un accès Internet qui doit être utilisé par un seul dernier acquéreur qui acquiert le service ou obtient l'accès aux termes d'une convention conclue avec le fournisseur donné ou un autre fournisseur, les règles suivantes s'appliquent :

a) si le dernier acquéreur profite habituellement de ce service ou de cet accès à un seul endroit qui est situé dans une province donnée et que le fournisseur donné possède des renseignements permettant d'identifier cet endroit ou obtient de tels renseignements dans le cadre de ses pratiques commerciales habituelles, la fourniture est effectuée dans cette province;

b) dans les autres cas, la fourniture est effectuée dans une province donnée si l'adresse postale de l'acquéreur de cette fourniture se trouve dans cette province.

(2) Service informatique ou accès Internet — derniers acquéreurs multiples — Lorsqu'un fournisseur donné effectue la fourniture d'un service informatique ou d'un accès Internet qui doit être utilisé par plusieurs derniers acquéreurs dont chacun acquiert le service ou obtient l'accès aux termes d'une convention conclue avec le fournisseur donné ou un autre fournisseur, les règles suivantes s'appliquent :

a) si chacun de ces derniers acquéreurs profite habituellement de ce service ou de cet accès à un seul endroit et que le fournisseur donné possède des renseignements permettant d'identifier cet endroit ou obtient de tels renseignements dans le cadre de ses pratiques commerciales habituelles, la fourniture est effectuée dans la province où, selon les sections 2 ou 3, la fourniture serait effectuée si le service était exécuté ou Internet accessible, selon le cas, dans chaque province où les derniers acquéreurs profitent du service ou de l'accès et dans la même mesure où ils profitent du service ou de l'accès;

b) si la province dans laquelle la fourniture est effectuée n'est pas déterminée selon l'alinéa a), la fourniture est effectuée dans une province donnée si l'adresse postale de l'acquéreur de cette fourniture se trouve dans cette province.

Notes historiques: L'article 32 a été ajouté par C.P. 2010-701, 31 mai 2010, art. 32 et s'applique à compter du 26 mars 2009.

33. Définition de « étape » — **(1)** Au présent article, « étape » s'entend de la partie du vol d'un aéronef qui se déroule entre deux arrêts de l'aéronef en vue de permettre l'embarquement ou le débarquement de passagers, le chargement ou le déchargement de marchandises ou l'entretien ou le réapprovisionnement en carburant de l'aéronef.

(2) Services de navigation aérienne — La fourniture de services de navigation aérienne, au sens du paragraphe 2(1) de la *Loi sur la commercialisation des services de navigation aérienne civile*, est effectuée dans une province donnée si l'étape du vol relativement auquel les services sont exécutés débute dans cette province.

Notes historiques: L'article 33 a été ajouté par C.P. 2010-701, 31 mai 2010, art. 33 et s'applique à compter du 26 mars 2009.

33.1 Véhicules à moteur déterminés — Si une fourniture par vente d'un véhicule à moteur déterminé est effectuée et que le fournisseur possède des preuves, que le ministre estime acceptables, établissant que, au plus tard à la date qui suit de sept jours la date où le véhicule a été livré à l'acquéreur de la fourniture, ou mis à sa disposition, dans une province participante, l'immatriculation du véhicule a été obtenue par l'acquéreur ou pour son compte, autrement que temporairement, aux termes de la législation d'une autre province sur l'immatriculation de véhicules à moteur, la fourniture est effectuée dans cette autre province.

C.P. 2012-1127 [DORS/2012-191], 20 septembre 2012, art. 22.

Notes historiques: L'article 33.1 a été ajouté par C.P. 2012-1127 [DORS/2012-191], 20 septembre 2012, art. 22 et s'applique relativement à la fourniture par vente d'un véhicule à moteur déterminé effectuée :

a) à la date de la publication du présent règlement dans la *Gazette du Canada* ou par la suite;

b) après juin 2010 et avant la date de la publication du présent règlement dans la *Gazette du Canada* si, à la fois :

(i) le véhicule a été livré ou rendu disponible dans une province participante et a été immatriculé aux termes de la législation d'une autre province,

(ii) selon le cas :

(A) si l'autre province est une province participante, le fournisseur a exigé ou perçu un montant au titre de la taxe prévue au paragraphe 165(2) de la Loi relativement à la fourniture calculé au taux de taxe applicable à l'autre province,

(B) sinon, le fournisseur n'a ni exigé ni perçu un montant au titre de la taxe prévue au paragraphe 165(2) de la Loi relativement à la fourniture.

L'article 33.1 a été ajouté par C.P. 2012-1127 [DORS/2012-191], 20 septembre 2012, art. 22 et est entré en vigueur le 10 octobre 2012.

33.2 Services de contrôle — La fourniture d'un service de contrôle effectuée par un fournisseur de services de contrôle au profit de l'Administration, au sens donné à ces termes par l'article 2 de la *Loi sur l'Administration canadienne de la sûreté du transport aérien*, est effectuée dans une province si la totalité ou la presque totalité du service est exécutée à un aéroport situé dans la province.

C.P. 2012-1127 [DORS/2012-191], 20 septembre 2012, art. 22.

Notes historiques: L'article 33.2 a été ajouté par C.P. 2012-1127 [DORS/2012-191], 20 septembre 2012, art. 22 et s'applique relativement aux fournitures suivantes :

a) celles effectuées après décembre 2011

b) celles effectuées après avril 2010 et avant janvier 2012, sauf si le fournisseur a exigé ou perçu la taxe prévue au paragraphe 165(2) de la Loi relativement à la fourniture au taux de 8% sur la valeur de la contrepartie de la fourniture.

PARTIE 2 — RÈGLES ANTI-ÉVITEMENT RELATIVES À L'HARMONISATION

34. Application — La présente partie s'applique malgré les dispositions de la Loi.

Notes historiques: L'article 34 a été ajouté par C.P. 2010-701, 31 mai 2010, art. 34 et s'applique relativement aux fournitures suivantes :

a) celles effectuées après décembre 2011;

b) celles effectuées après avril 2010 et avant janvier 2012, sauf si le fournisseur a exigé ou perçu la taxe prévue au paragraphe 165(2) de la Loi relativement à la fourniture au taux de 8 % sur la valeur de la contrepartie de la fourniture.

35. Modification d'une convention — nouvelle province harmonisée — Dans le cas où les conditions suivantes sont réunies :

a) une convention portant sur la fourniture taxable d'un bien ou d'un service est conclue entre un fournisseur et un acquéreur à un moment antérieur à la date d'harmonisation applicable à une province participante,

b) à un moment postérieur, le fournisseur et l'acquéreur, directement ou indirectement :

(i) ou bien modifient la convention portant sur la fourniture,

(ii) ou bien résilient la convention et concluent, entre eux ou avec d'autres personnes, une ou plusieurs nouvelles conventions dans le cadre de laquelle ou desquelles le fournisseur fournit et l'acquéreur reçoit une ou plusieurs fournitures comprenant la totalité ou la presque totalité du bien ou du service visé à l'alinéa a),

c) le fournisseur, l'acquéreur et éventuellement les autres personnes ont entre eux un lien de dépendance au moment où la convention visée à l'alinéa a) est conclue ou au moment postérieur,

d) la taxe prévue au paragraphe 165(2) ou à l'article 218.1 de la Loi ou à la section IV.1 de la partie IX de la Loi relativement à la fourniture visée à l'alinéa a) aurait été calculée, au taux de taxe applicable à la province, sur tout ou partie de la valeur de la contrepartie de la fourniture attribuable au bien ou au service si la convention n'avait pas été modifiée ou résiliée,

e) la taxe prévue au paragraphe 165(2) ou à l'article 218.1 de la Loi ou à la section IV.1 de la partie IX de la Loi relativement à la fourniture effectuée aux termes de la convention modifiée ou de l'une ou de plusieurs des nouvelles conventions soit serait calculée, en l'absence du présent article, à un taux inférieur au taux de taxe applicable à la province participante sur toute partie de la valeur de la contrepartie de la fourniture — attribuable à une partie quelconque du bien ou du service — sur laquelle la taxe prévue au paragraphe 165(2) ou à l'article 218.1 de la Loi ou à la section IV.1 de la partie IX de la Loi relativement à la fourniture visée à l'alinéa a) aurait été calculée au taux de taxe applicable à la province si la convention n'avait pas été modifiée ou résiliée, soit ne s'appliquerait pas, en l'absence du présent article, à une telle partie de la valeur de la contrepartie de la fourniture,

f) il n'est pas raisonnable, en ce qui concerne le fournisseur et l'acquéreur, de considérer que la modification de la convention ou la conclusion des nouvelles conventions a été principalement effectuée pour des objets véritables — le fait de réduire, d'éviter ou de reporter, directement ou indirectement, la taxe ou un autre montant payable en application de la partie IX de la Loi ou le fait de tirer profit, directement ou indirectement, d'une quelconque façon du passage de la province à l'état de province participante n'étant pas considéré comme un objet véritable,

la taxe prévue au paragraphe 165(2) ou à l'article 218.1 de la Loi ou à la section IV.1 de la partie IX de la Loi relativement à la fourniture effectuée aux termes de la convention modifiée ou de l'une ou de plusieurs des nouvelles conventions est calculée au taux auquel elle aurait été calculée selon l'alinéa d) sur toute partie de la valeur de la contrepartie visée à l'alinéa e) attribuable à une partie quelconque du bien ou du service.

Notes historiques: L'article 35 a été ajouté par C.P. 2010-701, 31 mai 2010, art. 35 et s'applique aux conventions modifiées ou résiliées après le 25 mars 2009 ainsi qu'aux nouvelles conventions conclues après cette date.

36. Modification d'une convention — changement du taux de taxe — Dans le cas où les conditions suivantes sont réunies :

a) à un moment antérieur à la date donnée où un changement du taux de taxe applicable à une province participante s'applique relativement à la fourniture taxable d'un bien ou d'un service, une convention portant sur une fourniture taxable du bien ou du service est conclue entre un fournisseur et un acquéreur,

b) à un moment postérieur, le fournisseur et l'acquéreur, directement ou indirectement :

(i) ou bien modifient la convention portant sur la fourniture,

(ii) ou bien résilient la convention et concluent, entre eux ou avec d'autres personnes, une ou plusieurs nouvelles conventions dans le cadre de laquelle ou desquelles le fournisseur fournit et l'acquéreur reçoit une ou plusieurs fournitures comprenant la totalité ou la presque totalité du bien ou du service visé à l'alinéa a),

c) le fournisseur, l'acquéreur et éventuellement les autres personnes ont entre eux un lien de dépendance au moment où la convention visée à l'alinéa a) est conclue ou au moment postérieur,

d) la taxe prévue au paragraphe 165(2) ou à l'article 218.1 de la Loi ou à la section IV.1 de la partie IX de la Loi relativement à la fourniture visée à l'alinéa a) aurait été calculée sur tout ou partie de la valeur de la contrepartie de la fourniture attribuable au bien ou au service, si la convention n'avait pas été modifiée ou résiliée, au taux de taxe applicable à la province participante (appelé « taux supérieur » au présent article) qui correspond au plus élevé des taux suivants :

(i) le taux de taxe applicable à la province participante immédiatement avant la date donnée relativement à une fourniture taxable du bien ou du service,

(ii) le taux de taxe applicable à la province participante à la date donnée relativement à une fourniture taxable du bien ou du service;

e) la taxe prévue au paragraphe 165(2) ou à l'article 218.1 de la Loi ou à la section IV.1 de la partie IX de la Loi relativement à la fourniture effectuée aux termes de la convention modifiée ou de l'une ou de plusieurs des nouvelles conventions soit serait calculée, en l'absence du présent article, à un taux inférieur au taux supérieur sur toute partie de la valeur de la contrepartie de la fourniture — attribuable à une partie quelconque du bien ou du service — sur laquelle la taxe prévue au paragraphe 165(2) ou à l'article 218.1 de la Loi ou à la section IV.1 de la partie IX de la Loi relativement à la fourniture visée à l'alinéa a) aurait été calculée au taux supérieur si la convention n'avait pas été modifiée ou résiliée, soit ne s'appliquerait pas, en l'absence du présent article, à une telle partie de la valeur de la contrepartie de la fourniture,

f) il n'est pas raisonnable, en ce qui concerne le fournisseur et l'acquéreur, de considérer que la modification de la convention ou la conclusion des nouvelles conventions a été principalement effectuée pour des objets véritables - le fait de réduire, d'éviter ou de reporter, directement ou indirectement, la taxe ou un autre montant payable en application de la partie IX de la Loi ou le fait de tirer profit, directement ou indirectement, d'une quelconque façon du changement de taux n'étant pas considéré comme un objet véritable,

la taxe prévue au paragraphe 165(2) ou à l'article 218.1 de la Loi ou à la section IV.1 de la partie IX de la Loi relativement à la fourniture effectuée aux termes de la convention modifiée ou de l'une ou de plusieurs des nouvelles conventions est calculée au taux auquel elle aurait été calculée selon l'alinéa d) sur toute partie de la valeur de la contrepartie visée à l'alinéa e) attribuable à une partie quelconque du bien ou du service.

Notes historiques: L'article 36 a été ajouté par C.P. 2010-701, 31 mai 2010, art. 36 et s'applique aux conventions modifiées ou résiliées après le 5 avril 2010 ainsi qu'aux nouvelles conventions conclues après cette date.

37. Définitions — **(1)** Les définitions qui suivent s'appliquent au présent article.

« avantage fiscal » Réduction, évitement ou report de taxe ou d'un autre montant payable en application de la partie IX de la Loi ou augmentation d'un remboursement de taxe ou d'un autre montant en vertu de cette partie.

« opération » S'entend au sens du paragraphe 274(1) de la Loi.

« opération d'harmonisation » L'adhésion d'une province au nouveau régime de la taxe à valeur ajoutée harmonisée ou tout changement appelé « marge de manœuvre provinciale en matière de politique fiscale » à l'alinéa 277.1(3)a) de la Loi.

« personne » Ne vise pas les consommateurs.

(2) Opération d'harmonisation — opérations — Dans le cas où les conditions suivantes sont réunies :

a) une opération ou une série d'opérations portant sur un bien est effectuée entre plusieurs personnes ayant entre elles un lien de dépendance au moment où l'une ou plusieurs des opérations sont effectuées,

b) en l'absence du présent article, l'opération, l'une des opérations de la série ou la série proprement dite se traduirait, directement ou indirectement, par un avantage fiscal pour une ou plusieurs des personnes en cause,

c) il n'est pas raisonnable de considérer que l'opération ou la série d'opérations a été effectuée principalement pour des objets véritables - le fait pour l'une ou plusieurs des personnes en cause d'obtenir un avantage fiscal par suite d'une opération d'harmonisation n'étant pas considéré comme un objet véritable,

tout montant de taxe, de taxe nette, de crédit de taxe sur les intrants ou de remboursement ou tout autre montant qui est payable par l'une ou plusieurs des personnes en cause, ou qui leur est remboursable, en application de la partie IX de la Loi, ou tout autre montant qui entre dans le calcul d'un tel montant, est déterminé de façon raisonnable dans les circonstances de sorte à supprimer l'avantage fiscal en cause.

(3) Suppression de l'avantage fiscal découlant d'opérations — Un avantage fiscal ne peut être supprimé en vertu du paragraphe (2) qu'au moyen de l'établissement d'une cotisation, d'une nouvelle cotisation ou d'une cotisation supplémentaire en vertu de la partie IX de la Loi.

(4) Demande de rajustement — Dans les 180 jours suivant l'envoi d'un avis de cotisation, de nouvelle cotisation ou de cotisation supplémentaire qui, en ce qui concerne une opération, tient compte du paragraphe (2), toute personne (à l'exclusion du destinataire d'un tel avis) peut demander par écrit au ministre d'établir à son égard une cotisation, une nouvelle cotisation ou une cotisation supplémentaire en application du paragraphe (2) relativement à l'opération.

(5) Obligations du ministre — Sur réception d'une demande présentée par une personne conformément au paragraphe (4), le ministre établit, dès que possible, après avoir examiné la demande et malgré les paragraphes 298(1) et (2) de la Loi, une cotisation, une nouvelle cotisation ou une cotisation supplémentaire en vertu de la

TVH

partie IX de la Loi, en se fondant sur la demande. Toutefois, une cotisation, une nouvelle cotisation ou une cotisation supplémentaire ne peut être établie que s'il est raisonnable de considérer qu'elle concerne l'opération visée au paragraphe (4).

Notes historiques: Le paragraphe 37(4) a été remplacé par L.C. 2010, c. 25, art. 143 et cette modification est réputée être entrée en vigueur le 15 décembre 2010. Antérieurement, il se lisait ainsi :

> (4) Dans les 180 jours suivant la mise à la poste d'un avis de cotisation, de nouvelle cotisation ou de cotisation supplémentaire qui, en ce qui concerne une opération, tient compte du paragraphe (2), toute personne (à l'exclusion du destinataire d'un tel avis) peut demander par écrit au ministre d'établir à son égard une cotisation, une nouvelle cotisation ou une cotisation supplémentaire en application du paragraphe (2) relativement à l'opération.

L'article 37 a été ajouté par C.P. 2010-701, 31 mai 2010, art. 37 et s'applique aux opérations effectuées après le 25 mars 2009.

PARTIE 3 — RÈGLES TRANSITOIRES GÉNÉRALES DE LA TVH APPLICABLES À L'ONTARIO ET À LA COLOMBIE-BRITANNIQUE

SECTION 1 — DÉFINITIONS ET INTERPRÉTATION

Définitions

Notes historiques: La partie 3 a été ajoutée par C.P. 2010-701, 31 mai 2010, art. 38 et est réputée être entrée en vigueur le 15 octobre 2009.

38. Définitions — **(1)** Les définitions qui suivent s'appliquent à la présente partie.

« accord de réciprocité fiscale » Accord visé à l'article 32 de la *Loi sur les arrangements fiscaux entre le gouvernement fédéral et les provinces.*

« province déterminée » L'Ontario ou la Colombie-Britannique.

« provinces harmonisées » Les provinces participantes incluant l'Ontario et la Colombie-Britannique.

« taxe de vente au détail » Taxe de vente au détail générale d'un pourcentage déterminé, imposée en vertu d'une loi d'une province déterminée sur des biens autres que ceux expressément énumérés dans cette loi.

(2) Primauté — La présente partie s'applique malgré les dispositions de la Loi.

Notes historiques: L'article 38 a été ajouté par C.P. 2010-701, 31 mai 2010, art. 38 et est réputé être entré en vigueur le 15 octobre 2009.

SECTION 2 — APPLICATION

39. Biens meubles et services — **(1)** Sous réserve de la section 3, le paragraphe 165(2) de la Loi et les autres dispositions de la partie IX de la Loi, sauf les sections IX et X de cette partie, concernant la taxe prévue à ce paragraphe s'appliquent aux fournitures de biens meubles corporels, de biens meubles incorporels ou de services effectuées dans une province déterminée si tout ou partie de la contrepartie de la fourniture devient due ou est payée, ou est réputée être devenue due ou avoir été payée, le 1er juillet 2010 ou par la suite et n'est pas réputée être devenue due ou avoir été payée avant cette date. Toutefois, la taxe prévue à ce paragraphe n'est pas payable (autrement que par l'effet de la section 3) relativement à toute partie de la contrepartie de la fourniture qui devient due ou est payée avant cette date et qui n'est pas réputée être devenue due ou avoir été payée à cette date ou par la suite.

(2) Produits importés — article 212.1 — Sous réserve de la section 3, l'article 212.1 de la Loi et les autres dispositions de la partie IX de la Loi, sauf les sections IX et X de cette partie, concernant la taxe prévue à cet article s'appliquent aux biens meubles corporels, aux maisons mobiles non fixées à un fonds et aux maisons flottantes importés par une personne résidant dans une province déterminée le 1er juillet 2010 ou par la suite, ainsi qu'à de tels biens importés par une personne résidant dans une province déterminée avant cette date qui, à cette date ou par la suite, font l'objet d'une déclaration en détail ou provisoire prévue au paragraphe 32(1), à l'alinéa 32(2)a) ou au paragraphe 32(5) de la *Loi sur les douanes* ou sont dédouanés dans les circonstances visées à l'alinéa 32(2)b) de cette loi.

(3) Produits importés — paragraphe 220.07(1) — Sous réserve de la section 3, le paragraphe 220.07(1) de la Loi et les autres dispositions de la partie IX de la Loi, sauf les sections IX et X de cette partie, concernant la taxe prévue à ce paragraphe s'appliquent aux biens meubles corporels, aux maisons mobiles non fixées à un fonds et aux maisons flottantes transférés dans une province déterminée en provenance de l'étranger le 1er juillet 2010 ou par la suite, ainsi qu'à de tels biens transférés dans une province déterminée en provenance de l'étranger avant cette date qui, à cette date ou par la suite, font l'objet d'une déclaration en détail ou provisoire prévue au paragraphe 32(1), à l'alinéa 32(2)a) ou au paragraphe 32(5) de la *Loi sur les douanes* ou sont dédouanés dans les circonstances visées à l'alinéa 32(2)b) de cette loi.

(4) Biens meubles corporels transférés dans une province déterminée — Sous réserve de la section 3, les paragraphes 220.05(1) et 220.06(1) de la Loi et les autres dispositions de la partie IX de la Loi, sauf les sections IX et X de cette partie, concernant la taxe prévue à ces paragraphes s'appliquent aux biens meubles corporels, aux maisons mobiles non fixées à un fonds et aux maisons flottantes transférés dans une province déterminée le 1er juillet 2010 ou par la suite, ainsi qu'à de tels biens transférés dans une province déterminée avant cette date par un transporteur si les biens sont livrés à un consignataire dans la province à cette date ou par la suite.

(5) Biens meubles corporels fournis à l'étranger — Sous réserve de la section 3, le paragraphe 218.1(1) de la Loi et les autres dispositions de la partie IX de la Loi, sauf les sections IX et X de cette partie, concernant la taxe prévue à ce paragraphe s'appliquent aux fournitures de biens meubles corporels effectuées à l'étranger au profit d'une personne à laquelle ces biens sont livrés ou rendus disponibles dans une province déterminée, ou à laquelle la possession matérielle de ces biens est transférée dans une telle province, si tout ou partie de la contrepartie de la fourniture devient due ou est payée, ou est réputée être devenue due ou avoir été payée, le 1er juillet 2010 ou par la suite et n'est pas réputée être devenue due ou avoir été payée avant cette date. Toutefois, la taxe prévue à ce paragraphe n'est pas payable (autrement que par l'effet de la section 3) relativement à toute partie de la contrepartie de la fourniture qui devient due ou est payée avant cette date et qui n'est pas réputée être devenue due ou avoir été payée à cette date ou par la suite.

(6) Consommation, utilisation ou fourniture dans une province déterminée — Sous réserve de la section 3, les paragraphes 218.1(1) et 220.08(1) de la Loi et les autres dispositions de la partie IX de la Loi, sauf les sections IX et X de cette partie, concernant la taxe prévue à ces paragraphes s'appliquent aux fournitures de biens meubles incorporels ou de services acquis en vue d'être consommés, utilisés ou fournis dans une province déterminée, si tout ou partie de la contrepartie de la fourniture devient due ou est payée, ou est réputée être devenue due ou avoir été payée, le 1er juillet 2010 ou par la suite et n'est pas réputée être devenue due ou avoir été payée avant cette date. Toutefois, si la fourniture est effectuée au profit d'une personne qui réside dans une province déterminée, mais non en Nouvelle-Écosse, au Nouveau-Brunswick ou à Terre-Neuve-et-Labrador, la taxe prévue à ces paragraphes n'est pas payable (autrement que par l'effet de la section 3) relativement à toute partie de la contrepartie de la fourniture qui devient due ou est payée avant cette date et qui n'est pas réputée être devenue due ou avoir été payée à cette date ou par la suite.

Notes historiques: L'article 39 a été ajouté par C.P. 2010-701, 31 mai 2010, art. 39 et est réputé être entré en vigueur le 15 octobre 2009.

Info TPS/TVQ: GI-056 — *Transition à la taxe de vente harmonisée de l'Ontario et de la Colombie-Britannique — services.*

SECTION 3 — TRANSITION

40. Taxe nette — (1) Pour le calcul de la taxe nette d'une personne selon le paragraphe 225(1) de la Loi, le montant que la personne perçoit, avant le 1er juillet 2010, au titre de la taxe relative à une fourniture (sauf la taxe prévue au paragraphe 165(1) de la Loi), calculée sur un montant de contrepartie de la fourniture qui est réputé, en vertu de la présente partie, être devenu dû à cette date et ne pas avoir été payé avant cette date, est réputé avoir été perçu par la personne à cette date et ne pas avoir été perçu avant cette date.

(2) **Crédits de taxe sur les intrants et remboursements** — Pour le calcul d'un crédit de taxe sur les intrants ou d'un remboursement d'une personne selon la partie IX de la Loi, le montant que la personne paie, avant le 1er juillet 2010, au titre de la taxe relative à une fourniture (sauf la taxe prévue au paragraphe 165(1) ou à l'article 218 de la Loi), calculée sur un montant de contrepartie de la fourniture qui est réputé, en vertu de la présente partie, être devenu dû à cette date et ne pas avoir été payé avant cette date, est réputé avoir été payé par la personne à cette date et ne pas avoir été payé avant cette date.

(3) **Fournitures continues** — Pour l'application de la présente partie, si un bien ou un service est livré, exécuté ou rendu disponible de façon continue au moyen d'un fil, d'un pipeline, d'un satellite, d'une autre canalisation ou d'une autre installation de télécommunication au cours d'une période qui comprend le 1er juillet 2010 et pour laquelle le fournisseur établit une facture et que, en raison de la méthode d'enregistrement de la livraison du bien ou de la prestation du service, le moment auquel le bien est livré ou le service rendu ne peut être raisonnablement déterminé, des parties égales de la totalité du bien livré, ou de la totalité du service rendu, au cours de la période sont réputées avoir été livrées ou rendues, selon le cas, chaque jour de la période.

Info TPS/TVQ: GI-076 — *Transition à la taxe de vente harmonisée de l'Ontario et de la Colombie-Britannique — fournitures continues et plans à versements égaux.*

Notes historiques: L'article 40 a été ajouté par C.P. 2010-701, 31 mai 2010, art. 40 et est réputé être entré en vigueur le 15 octobre 2009.

41. Transfert de biens meubles corporels avant juillet 2010 — (1) La taxe prévue au paragraphe 165(2) de la Loi n'est pas payable relativement à la contrepartie de la fourniture taxable par vente d'un bien meuble corporel effectuée au profit d'une personne dans une province déterminée dans la mesure où, selon le cas :

a) le bien est livré à la personne avant le 1er juillet 2010;

b) la propriété du bien lui est transférée avant cette date.

(2) **Fourniture taxable importée** — La taxe prévue au paragraphe 218.1(1) de la Loi n'est pas payable relativement à la contrepartie de la fourniture taxable importée, au sens de l'article 217 de la Loi, d'un bien meuble corporel effectuée au profit d'une personne si, selon le cas :

a) le bien est livré ou rendu disponible à la personne dans une province déterminée avant le 1er juillet 2010;

b) la possession matérielle du bien lui est transférée dans une telle province avant cette date.

Info TPS/TVQ: GI-085 — *Taxe de vente harmonisée — prix convenu déduction faite des remboursements de la TPS/TVH pour habitations neuves en Ontario*; GI-093 — *Taxe de vente harmonisée - Remboursement pour immeubles d'habitation locatifs neufs de l'Ontario.*

(3) **Contrepartie due ou payée après avril 2010** — Pour l'application du paragraphe 165(2) de la Loi à la fourniture taxable par vente d'un bien meuble corporel effectuée dans une province déterminée, la contrepartie de la fourniture qui devient due après avril 2010 et avant juillet 2010, ou qui est payée au cours de cette période sans être devenue due, relativement à un bien qui n'est pas livré à l'acquéreur avant le 1er juillet 2010 et dont la propriété ne lui est pas transférée avant cette date est réputée être devenue due à cette date et ne pas avoir été payée avant cette date.

Info TPS/TVQ: GI-086 — *Taxe de vente harmonisée — prix convenu déduction faite des remboursements de la TPS/TVH pour habitations neuves en Colombie-Britannique.*

(4) **Contrepartie due ou payée après avril 2010** — Pour l'application du paragraphe 218.1(1) de la Loi à la fourniture taxable par vente d'un bien meuble corporel effectuée à l'étranger au profit d'une personne à laquelle le bien est livré ou rendu disponible dans une province déterminée, ou à laquelle la possession matérielle du bien est transférée dans une telle province, la contrepartie de la fourniture qui devient due après avril 2010 et avant juillet 2010, ou qui est payée au cours de cette période sans être devenue due, relativement à un bien qui n'est pas livré ou rendu disponible à la personne ou dont la possession matérielle ne lui est pas transférée, selon le cas, avant le 1er juillet 2010 est réputée être devenue due à cette date et ne pas avoir été payée avant cette date.

(5) **Contrepartie due ou payée avant mai 2010** — Sous réserve du paragraphe (7), si un montant de contrepartie de la fourniture taxable par vente d'un bien meuble corporel effectuée dans une province déterminée par un inscrit au profit d'une personne qui n'est pas un consommateur du bien devient dû après le 14 octobre 2009 et avant le 1er mai 2010 ou est payé au cours de cette période sans être devenu dû et que ni la propriété ni la possession du bien ne sont transférées à la personne avant juillet 2010, pour l'application du paragraphe 165(2) de la Loi à la fourniture, ce montant de contrepartie est réputé être devenu dû le 1er juillet 2010 et ne pas avoir été payé avant cette date et la personne est tenue de payer, conformément au paragraphe (8), la taxe prévue au paragraphe 165(2) de la Loi qui est payable relativement à la fourniture sur ce montant.

(6) **Contrepartie due ou payée avant mai 2010** — Sous réserve du paragraphe (7), si un montant de contrepartie de la fourniture taxable par vente d'un bien meuble corporel effectuée à l'étranger au profit d'une personne qui n'est pas un consommateur du bien devient dû après le 14 octobre 2009 et avant le 1er mai 2010 ou est payé au cours de cette période sans être devenu dû et que le bien est livré ou rendu disponible à la personne dans une province déterminée, ou la possession matérielle du bien lui est transférée dans une telle province, après juin 2010, pour l'application du paragraphe 218.1(1) de la Loi à la fourniture, ce montant de contrepartie est réputé être devenu dû le 1er juillet 2010 et ne pas avoir été payé avant cette date et, malgré le paragraphe 218.1(2) de la Loi, la personne est tenue de payer, conformément au paragraphe (8), la taxe prévue au paragraphe 218.1(1) de la Loi qui est payable relativement à la fourniture sur ce montant.

(7) **Exception — paragraphes (5) et (6)** — Les paragraphes (5) et (6) ne s'appliquent pas relativement à la fourniture par vente d'un bien meuble corporel effectuée au profit d'une personne si les conditions suivantes sont réunies :

a) la personne acquiert le bien en vue de le consommer, de l'utiliser ou de le fournir exclusivement dans le cadre de ses activités commerciales;

b) la personne :

(i) pourrait inclure, dans le calcul de son crédit de taxe sur les intrants au titre du bien, le montant total de la taxe prévue aux paragraphes 165(2) ou 218.1(1) de la Loi qui serait payable par ailleurs par elle relativement à la fourniture,

(ii) n'aurait pas eu à ajouter de montant, dans le calcul de sa taxe nette pour une de ses périodes de déclaration, au titre du crédit de taxe sur les intrants mentionné au sous-alinéa (i);

c) la personne n'est :

(i) ni un inscrit qui est une institution financière désignée particulière,

(ii) ni un inscrit dont la taxe nette est déterminée selon l'article 225.1 de la Loi ou selon les parties IV ou V du *Règlement sur la comptabilité abrégée* (TPS/TVH).

(8) **Paiement de la taxe — paragraphes (5) et (6)** — Dans le cas où une personne est tenue de payer une taxe conformément au présent paragraphe en raison de l'application des paragraphes (5) ou (6), les règles suivantes s'appliquent :

a) si la personne est un inscrit dont la déclaration, prévue à l'article 238 de la Loi pour la période de déclaration qui comprend le

TVH

1er juillet 2010, doit être produite au plus tard à une date donnée antérieure au 1er novembre 2010, elle est tenue de payer la taxe au receveur général au plus tard à la date donnée et d'indiquer cette taxe dans cette déclaration;

b) dans les autres cas, l'article 219 de la Loi ne s'applique pas relativement à la taxe et la personne est tenue, avant le 1er novembre 2010, de payer la taxe au receveur général et de présenter au ministre, en la forme et selon les modalités qu'il détermine, une déclaration concernant cette taxe contenant les renseignements déterminés par le ministre.

(9) Exception — abonnements — Malgré les paragraphes (3) et (5), la taxe prévue au paragraphe 165(2) de la Loi n'est pas payable relativement à la contrepartie payée avant le 1er juillet 2010 pour la fourniture taxable, effectuée dans une province déterminée, d'un abonnement à un journal, magazine ou autre périodique.

(10) Exercice d'une option d'achat — La taxe prévue au paragraphe 165(2) de la Loi n'est pas payable relativement à la fourniture taxable par vente d'un bien meuble corporel effectuée dans une province déterminée au profit d'une personne si les conditions suivantes sont réunies :

a) la personne était l'acquéreur d'une autre fourniture du bien effectuée par bail, licence ou accord semblable;

b) la fourniture taxable est effectuée du fait que la personne a exercé, après le 1er juillet 2010, une option d'achat du bien qui est prévue par l'accord visé à l'alinéa a);

c) la taxe de vente au détail de la province déterminée relativement à la vente du bien est devenue payable avant le 1er juillet 2010 ou serait devenue payable avant cette date si le bien ou la personne, selon le cas, n'était pas exonéré de cette taxe.

(11) Application — Le présent article ne s'applique pas aux fournitures auxquelles s'appliquent les articles 46 ou 54.

Notes historiques: L'article 41 a été ajouté par C.P. 2010-701, 31 mai 2010, art. 41 et est réputé être entré en vigueur le 15 octobre 2009.

Info TPS/TVQ: GI-056 — *Transition à la taxe de vente harmonisée de l'Ontario et de la Colombie-Britannique — services.*

42. Périodes de location antérieures à juillet 2010 — (1) La taxe prévue au paragraphe 165(2) de la Loi n'est pas payable relativement à la contrepartie de la fourniture taxable d'un bien effectuée par bail, licence ou accord semblable dans une province déterminée dans la mesure où la contrepartie est un loyer, une redevance ou un paiement semblable attribuable à une période antérieure à juillet 2010.

(2) Périodes de location antérieures à juillet 2010 — La taxe prévue aux paragraphes 218.1(1) ou 220.08(1) de la Loi n'est pas payable relativement à la contrepartie de la fourniture d'un bien effectuée par bail, licence ou accord semblable à l'extérieur des provinces harmonisées dans la mesure où la contrepartie est un loyer, une redevance ou un paiement semblable attribuable à une période antérieure à juillet 2010, si la fourniture est effectuée au profit, selon le cas :

a) d'une personne qui réside dans une province déterminée, mais non en Nouvelle-Écosse, au Nouveau-Brunswick ou à Terre-Neuve-et-Labrador;

b) d'une personne à laquelle le bien est livré ou rendu disponible dans une province déterminée ou à laquelle la possession matérielle du bien est transférée dans une telle province.

(3) Loyers et redevances dûs ou payés après avril 2010 — Si la fourniture taxable d'un bien est effectuée par bail, licence ou accord semblable dans une province déterminée et qu'un montant de contrepartie de la fourniture devient dû après avril 2010 et avant juillet 2010, ou est payé au cours de cette période sans être devenu dû, ce montant de contrepartie, dans la mesure où il est un loyer, une redevance ou un paiement semblable attribuable à une période postérieure à juin 2010, est réputé, pour l'application du paragraphe 165(2) de la Loi à la fourniture, être devenu dû le 1er juillet 2010 et ne pas avoir été payé avant cette date.

(4) Loyers et redevances dûs ou payés après avril 2010 — Si la fourniture taxable d'un bien est effectuée par bail, licence ou accord semblable à l'extérieur des provinces harmonisées au profit soit d'une personne résidant dans une province déterminée, mais non en Nouvelle-Écosse, au Nouveau-Brunswick ou à Terre-Neuve-et-Labrador, soit d'une personne à laquelle le bien est livré ou rendu disponible dans une province déterminée ou à laquelle la possession matérielle du bien est transférée dans une telle province et qu'un montant de contrepartie de la fourniture devient dû après avril 2010 et avant juillet 2010, ou est payé au cours de cette période sans être devenu dû, ce montant de contrepartie, dans la mesure où il est un loyer, une redevance ou un paiement semblable attribuable à une période postérieure à juin 2010, est réputé, pour l'application des paragraphes 218.1(1) ou 220.08(1) de la Loi, être devenu dû le 1er juillet 2010 et ne pas avoir été payé avant cette date.

(5) Loyers et redevances dûs ou payés avant mai 2010 — Sous réserve du paragraphe (7), si un montant de contrepartie de la fourniture taxable d'un bien effectuée par bail, licence ou accord semblable dans une province déterminée par un inscrit au profit d'une personne qui n'est pas un consommateur du bien devient dû après le 14 octobre 2009 et avant le 1er mai 2010 ou est payé au cours de cette période sans être devenu dû et qu'une partie du montant de contrepartie est un loyer, une redevance ou un paiement semblable attribuable à une période postérieure à juin 2010, pour l'application du paragraphe 165(2) de la Loi à la fourniture, cette partie du montant de contrepartie est réputée être devenue due le 1er juillet 2010 et ne pas avoir été payée avant cette date et la personne est tenue de payer, conformément au paragraphe (8), la taxe prévue au paragraphe 165(2) de la Loi qui est payable relativement à la fourniture sur cette partie du montant de contrepartie.

(6) Loyers et redevances dûs ou payés avant mai 2010 — Sous réserve du paragraphe (7), si un montant de contrepartie de la fourniture taxable d'un bien effectuée par bail, licence ou accord semblable à l'extérieur des provinces harmonisées au profit soit d'une personne qui n'est pas un consommateur du bien et qui réside dans une province déterminée, mais non en Nouvelle-Écosse, au Nouveau-Brunswick ou à Terre-Neuve-et-Labrador, soit d'une personne qui n'est pas un consommateur du bien et à laquelle le bien est livré ou rendu disponible dans une province déterminée, ou à laquelle la possession matérielle du bien est transférée dans une telle province, devient dû après le 14 octobre 2009 et avant le 1er mai 2010 ou est payé au cours de cette période sans être devenu dû et qu'une partie du montant de contrepartie est un loyer, une redevance ou un paiement semblable attribuable à une période postérieure à juin 2010, pour l'application des paragraphes 218.1(1) ou 220.08(1) de la Loi à la fourniture, cette partie du montant de contrepartie est réputée être devenue due le 1er juillet 2010 et ne pas avoir été payée avant cette date et, malgré le paragraphe 218.1(2) et l'article 220.04 de la Loi, la personne est tenue de payer, conformément au paragraphe (8), la taxe prévue aux paragraphes 218.1(1) ou 220.08(1) de la Loi, selon le cas, qui est payable relativement à la fourniture, en l'absence de l'article 1 de la partie II de l'annexe X de la Loi, sur cette partie du montant de contrepartie.

(7) Exception — paragraphes (5) et (6) — Les paragraphes (5) et (6) ne s'appliquent pas relativement à la fourniture d'un bien effectuée par bail, licence ou accord semblable au profit d'une personne si les conditions suivantes sont réunies :

a) la personne acquiert le bien en vue de le consommer, de l'utiliser ou de le fournir exclusivement dans le cadre de ses activités commerciales;

b) la personne :

(i) pourrait inclure, dans le calcul de son crédit de taxe sur les intrants au titre du bien, le montant total de la taxe prévue aux paragraphes 165(2), 218.1(1) ou 220.08(1) de la Loi qui serait payable par ailleurs par elle relativement à la fourniture,

(ii) n'aurait pas eu à ajouter de montant, dans le calcul de sa taxe nette pour une de ses périodes de déclaration, au titre du crédit de taxe sur les intrants mentionné au sous-alinéa (i);

c) la personne n'est :

(i) ni un inscrit qui est une institution financière désignée particulière,

(ii) ni un inscrit dont la taxe nette est déterminée selon l'article 225.1 de la Loi ou selon les parties IV ou V du *Règlement sur la comptabilité abrégée* (TPS/TVH).

(8) Paiement de la taxe — paragraphes (5) et (6) — Dans le cas où une personne est tenue de payer une taxe conformément au présent paragraphe en raison de l'application des paragraphes (5) ou (6), les règles suivantes s'appliquent :

a) si la personne est un inscrit dont la déclaration, prévue à l'article 238 de la Loi pour la période de déclaration qui comprend le 1er juillet 2010, doit être produite au plus tard à une date donnée antérieure au 1er novembre 2010, elle est tenue de payer la taxe au receveur général au plus tard à la date donnée et d'indiquer cette taxe dans cette déclaration;

b) dans les autres cas, l'article 219 et le paragraphe 220.09(1) de la Loi ne s'appliquent pas relativement à la taxe et la personne est tenue, avant le 1er novembre 2010, de payer la taxe au receveur général et de présenter au ministre, en la forme et selon les modalités qu'il détermine, une déclaration concernant cette taxe contenant les renseignements déterminés par le ministre.

(9) Période de location se terminant avant le 31 juillet 2010 — Malgré les paragraphes (3) et (5), la taxe prévue au paragraphe 165(2) de la Loi n'est pas payable relativement à la fourniture taxable d'un bien effectuée par bail, licence ou accord semblable dans une province déterminée si la contrepartie de la fourniture est un loyer, une redevance ou un paiement semblable attribuable à une période commençant avant le 1er juillet 2010 et se terminant avant le 31 juillet 2010.

(10) Période de location se terminant avant le 31 juillet 2010 — Malgré les paragraphes (4) et (6), la taxe prévue aux paragraphes 218.1(1) ou 220.08(1) de la Loi n'est pas payable relativement à la fourniture taxable d'un bien effectuée par bail, licence ou accord semblable au profit d'une personne à laquelle le bien est livré ou rendu disponible dans une province déterminée ou à laquelle la possession matérielle du bien est transférée dans une telle province, si la contrepartie de la fourniture est un loyer, une redevance ou un paiement semblable attribuable à une période commençant avant le 1er juillet 2010 et se terminant avant le 31 juillet 2010.

(11) Exception — paragraphes (9) et (10) — Les paragraphes (9) et (10) ne s'appliquent pas relativement à la contrepartie de la fourniture d'un bien qui est un loyer, une redevance ou un paiement semblable attribuable à une période si le fournisseur fournit des services relatifs au bien pour la même période et que la contrepartie de la fourniture du bien et celle de la fourniture des services figurent sur une même facture.

(12) Application — Les paragraphes (1) à (6), (9) et (10) ne s'appliquent pas relativement à un montant de contrepartie de la fourniture d'un bien meuble incorporel si ce montant n'est pas fonction de la proportion de l'utilisation ou de la production tirée du bien, ni des bénéfices provenant de cette utilisation ou de cette production.

Notes historiques: L'article 42 a été ajouté par C.P. 2010-701, 31 mai 2010, art. 42 et est réputé être entré en vigueur le 15 octobre 2009.

Info TPS/TVQ: GI-061 — *Taxe de vente harmonisée de la Colombie-Britannique — remboursement au point de vente pour les carburants*; GI-092 — *Taxe de vente harmonisée — locations d'immeubles en Ontario et en Colombie Britannique.*

43. Terminologie — (1) Au présent article, « expéditeur », « service continu de transport de marchandises » et « service de transport de marchandises » s'entendent au sens du paragraphe 1(1) de la partie VII de l'annexe VI de la Loi.

Info TPS/TVQ: GI-085 — *Taxe de vente harmonisée — prix convenu déduction faite des remboursements de la TPS/TVH pour habitations neuves en Ontario*; GI-093 — *Taxe de vente harmonisée - Remboursement pour immeubles d'habitation locatifs neufs de l'Ontario.*

(2) Services exécutés en partie avant juillet 2010 — La taxe prévue au paragraphe 165(2) de la Loi n'est pas payable relativement à la contrepartie de la fourniture taxable d'un service effectuée dans une province déterminée dans la mesure où la contrepartie est liée à une partie du service qui est exécutée avant juillet 2010.

Info TPS/TVQ: GI-086 — *Taxe de vente harmonisée — prix convenu déduction faite des remboursements de la TPS/TVH pour habitations neuves en Colombie-Britannique.*

(3) Services exécutés en partie avant juillet 2010 — La taxe prévue aux paragraphes 218.1(1) ou 220.08(1) de la Loi n'est pas payable relativement à la contrepartie de la fourniture d'un service effectuée à l'extérieur des provinces harmonisées au profit d'une personne résidant dans une province déterminée, mais non en Nouvelle-Écosse, au Nouveau-Brunswick ou à Terre-Neuve-et-Labrador, dans la mesure où la contrepartie est liée à une partie du service qui est exécutée avant juillet 2010.

(4) Contrepartie due ou payée après avril 2010 — Si la fourniture taxable d'un service est effectuée dans une province déterminée et que tout ou partie de la contrepartie de la fourniture devient due après avril 2010 et avant juillet 2010, ou est payée au cours de cette période sans être devenue due, cette contrepartie, dans la mesure où elle est liée à une partie du service qui n'est pas exécutée avant le 1er juillet 2010, est réputée, pour l'application du paragraphe 165(2) de la Loi à la fourniture, être devenue due à cette date et ne pas avoir été payée avant cette date.

(5) Contrepartie due ou payée après avril 2010 — Si la fourniture taxable d'un service est effectuée à l'extérieur des provinces harmonisées au profit d'une personne résidant dans une province déterminée, mais non en Nouvelle-Écosse, au Nouveau-Brunswick ou à Terre-Neuve-et-Labrador, et que tout ou partie de la contrepartie de la fourniture devient due après avril 2010 et avant juillet 2010, ou est payée au cours de cette période sans être devenue due, cette contrepartie, dans la mesure où elle est liée à une partie du service qui n'est pas exécutée avant le 1er juillet 2010, est réputée, pour l'application des paragraphes 218.1(1) ou 220.08(1) de la Loi à la fourniture, être devenue due à cette date et ne pas avoir été payée avant cette date.

(6) Contrepartie due ou payée avant mai 2010 — Sous réserve du paragraphe (8), si un montant de contrepartie de la fourniture taxable d'un service effectuée dans une province déterminée par un inscrit au profit d'une personne qui n'est pas un consommateur du service devient dû après le 14 octobre 2009 et avant le 1er mai 2010 ou est payé au cours de cette période sans être devenu dû et qu'une partie du montant de contrepartie vise une partie du service qui n'est pas exécutée avant juillet 2010, pour l'application du paragraphe 165(2) de la Loi à la fourniture, cette partie du montant de contrepartie est réputée être devenue due le 1er juillet 2010 et ne pas avoir été payée avant cette date et la personne est tenue de payer, conformément au paragraphe (9), la taxe prévue au paragraphe 165(2) de la Loi qui est payable relativement à la fourniture sur cette partie du montant de contrepartie.

(7) Contrepartie due ou payée avant mai 2010 — Sous réserve du paragraphe (8), si un montant de contrepartie de la fourniture taxable d'un service effectuée à l'extérieur des provinces harmonisées au profit d'une personne qui n'est pas un consommateur du service et qui réside dans une province déterminée, mais non en Nouvelle-Écosse, au Nouveau-Brunswick ou à Terre-Neuve-et-Labrador, devient dû après le 14 octobre 2009 et avant le 1er mai 2010 ou est payé au cours de cette période sans être devenu dû et qu'une partie du montant de contrepartie vise une partie du service qui n'est pas exécutée avant juillet 2010, pour l'application des paragraphes 218.1(1) ou 220.08(1) de la Loi à la fourniture, cette partie du montant de contrepartie est réputée être devenue due le 1er juillet 2010 et ne pas avoir été payée avant cette date et, malgré le paragraphe 218.1(2) et l'article 220.04 de la Loi, la personne est tenue de payer, conformément au paragraphe (9), la taxe prévue aux paragraphes 218.1(1) ou 220.08(1) de la Loi, selon le cas, qui est payable relativement à la fourniture, en l'absence de l'article 1 de la partie II de l'annexe X de la Loi, sur cette partie du montant de contrepartie.

(8) Exception — paragraphes (6) et (7) — Les paragraphes (6) et (7) ne s'appliquent pas à la fourniture d'un service effectuée au profit d'une personne si les conditions suivantes sont réunies :

a) la personne acquiert le service en vue de le consommer, de l'utiliser ou de le fournir exclusivement dans le cadre de ses activités commerciales;

b) la personne :

(i) pourrait inclure, dans le calcul de son crédit de taxe sur les intrants au titre du service, le montant total de la taxe prévue aux paragraphes 165(2), 218.1(1) ou 220.08(1) de la Loi qui serait payable par ailleurs par elle relativement à la fourniture,

(ii) n'aurait pas eu à ajouter de montant, dans le calcul de sa taxe nette pour une de ses périodes de déclaration, au titre du crédit de taxe sur les intrants mentionné au sous-alinéa (i);

c) la personne n'est :

(i) ni un inscrit qui est une institution financière désignée particulière,

(ii) ni un inscrit dont la taxe nette est déterminée selon l'article 225.1 de la Loi ou selon les parties IV ou V du *Règlement sur la comptabilité abrégée* (TPS/TVH).

(9) Paiement de la taxe — paragraphes (6) et (7) — Dans le cas où une personne est tenue de payer une taxe conformément au présent paragraphe en raison de l'application des paragraphes (6) ou (7), les règles suivantes s'appliquent :

a) si la personne est un inscrit dont la déclaration, prévue à l'article 238 de la Loi pour la période de déclaration qui comprend le 1er juillet 2010, doit être produite au plus tard à une date donnée antérieure au 1er novembre 2010, elle est tenue de payer la taxe au receveur général au plus tard à la date donnée et d'indiquer cette taxe dans cette déclaration;

b) dans les autres cas, l'article 219 et le paragraphe 220.09(1) de la Loi ne s'appliquent pas relativement à la taxe et la personne est tenue, avant le 1er novembre 2010, de payer la taxe au receveur général et de présenter au ministre, en la forme et selon les modalités qu'il détermine, une déclaration concernant cette taxe contenant les renseignements déterminés par le ministre.

(10) Services exécutés en presque totalité avant juillet 2010 — Malgré les paragraphes (4) et (6), la taxe prévue au paragraphe 165(2) de la Loi n'est pas payable relativement à la contrepartie de la fourniture taxable d'un service, sauf un service de transport de marchandises, un service de transport d'un particulier et un service auquel s'applique l'article 45, effectuée dans une province déterminée si la totalité ou la presque totalité du service est exécutée avant juillet 2010.

(11) Services exécutés en presque totalité avant juillet 2010 — Malgré les paragraphes (5) et (7), la taxe prévue aux paragraphes 218.1(1) ou 220.08(1) de la Loi n'est pas payable relativement à la contrepartie de la fourniture d'un service, sauf un service de transport de marchandises, un service de transport d'un particulier et un service auquel s'applique l'article 45, effectuée au profit d'une personne résidant dans une province déterminée, mais non en Nouvelle-Écosse, au Nouveau-Brunswick ou à Terre-Neuve-et-Labrador, si la totalité ou la presque totalité du service est exécutée avant juillet 2010.

(12) Services de transport de passagers débutant avant juillet 2010 — Malgré les paragraphes (4) et (6), la taxe prévue au paragraphe 165(2) de la Loi n'est pas payable relativement à la contrepartie de la fourniture taxable, effectuée dans une province déterminée, d'un service de transport d'un particulier ou d'un service de transport des bagages d'un particulier dans le cadre d'un service de transport de celui-ci si le service de transport du particulier fait partie d'un voyage continu qui débute avant juillet 2010.

(13) Service de transport de marchandises débutant avant juillet 2010 — Malgré les paragraphes (4) et (6), si un ou plusieurs transporteurs effectuent, dans une province déterminée, la fourniture taxable d'un service de transport de marchandises dans le cadre d'un service continu de transport de marchandises - biens meubles corporels - et que, avant juillet 2010, l'expéditeur des biens transfère la possession de ceux-ci au premier transporteur chargé du service continu, la taxe prévue au paragraphe 165(2) de la Loi n'est pas payable relativement à la contrepartie de la fourniture.

(14) Application — Le présent article ne s'applique pas aux fournitures auxquelles s'applique l'article 46.

Notes historiques: L'article 43 a été ajouté par C.P. 2010-701, 31 mai 2010, art. 43 et est réputé être entré en vigueur le 15 octobre 2009.

Info TPS/TVQ: GI-077 — *Taxe de vente harmonisée — acheteurs d'habitations neuves en Ontario*.

44. Réduction de la contrepartie — paragraphe 220.08(1) — Si un montant donné de contrepartie pour une fourniture taxable effectuée dans une province déterminée au profit d'une personne résidant en Nouvelle-Écosse, au Nouveau-Brunswick ou à Terre-Neuve-et-Labrador devient dû à un moment postérieur à avril 2010 ou est payé à un tel moment sans être devenu dû et que, par l'effet de la présente partie, la taxe prévue au paragraphe 165(2) de la Loi n'est payable que relativement à une partie du montant donné, pour le calcul du montant de taxe payable par la personne en vertu du paragraphe 220.08(1) de la Loi, la valeur de la contrepartie de la fourniture qui devient due ou est payée au moment en cause est réputée être égale au montant donné diminué de cette partie de montant.

Notes historiques: L'article 44 a été ajouté par C.P. 2010-701, 31 mai 2010, art. 44 et est réputé être entré en vigueur le 15 octobre 2009.

45. Fournitures continues — **(1)** Si la fourniture d'un bien ou d'un service qui est livré, exécuté ou rendu disponible de façon continue au moyen d'un fil, d'un pipeline, d'un satellite, d'une autre canalisation ou d'une autre installation de télécommunication est effectuée dans une province déterminée au profit d'une personne, la taxe prévue au paragraphe 165(2) de la Loi n'est pas payable relativement à la contrepartie de la fourniture dans la mesure où elle est attribuable, selon le cas :

a) à un bien qui est livré ou rendu disponible à la personne avant le 1er juillet 2010;

b) à toute partie du service qui est exécutée ou rendue disponible avant cette date.

(2) Application — Le présent article ne s'applique pas aux fournitures auxquelles s'applique l'article 46.

Notes historiques: L'article 45 a été ajouté par C.P. 2010-701, 31 mai 2010, art. 45 et est réputé être entré en vigueur le 15 octobre 2009.

46. Plans à versements égaux — **(1)** Dans le cas où un inscrit effectue la fourniture d'un bien ou d'un service dans une province déterminée aux termes d'un plan à versements égaux portant sur une période donnée commençant avant le 1er juillet 2010 et se terminant à cette date ou par la suite et que le plan prévoit, à la fin de la période, ou par la suite, et avant le 1er juillet 2011, un rapprochement des paiements de contrepartie de la fourniture effectués au cours de la période donnée, l'inscrit, au moment où il établit une facture à la suite de ce rapprochement, est tenu de calculer le montant positif ou négatif obtenu par la formule suivante :

$$A - B$$

où :

A représente la taxe qui serait payable par l'acquéreur en vertu du paragraphe 165(2) de la Loi relativement au bien ou au service, ou à la partie de ceux-ci, qui a été livré, exécuté ou rendu disponible le 1er juillet 2010, ou par la suite, si la contrepartie de la fourniture de ce bien, de ce service ou de cette partie était devenue due et avait été payée à cette date ou par la suite;

B le total de la taxe qui était payable par l'acquéreur en vertu du paragraphe 165(2) de la Loi relativement à la fourniture du bien ou du service livré, exécuté ou rendu disponible au cours de la période donnée.

(2) Perception de la taxe — Si le montant calculé par un inscrit en application du paragraphe (1) est positif, les règles suivantes s'appliquent :

a) le montant est réputé être une taxe payable par l'acquéreur en vertu du paragraphe 165(2) de la Loi relativement à la fourniture;

b) l'inscrit est réputé avoir perçu le montant le jour de l'établissement de la facture à la suite du rapprochement.

(3) Remboursement de l'excédent — Si le montant calculé par un inscrit en application du paragraphe (1) est négatif, les règles suivantes s'appliquent :

a) l'inscrit est tenu de rembourser le montant à l'acquéreur ou de le porter à son crédit;

b) l'inscrit est tenu de remettre une note de crédit pour le montant du remboursement ou du crédit;

c) l'article 232 de la Loi s'applique comme si la note de crédit était remise aux termes de cet article.

Notes historiques: L'article 46 a été ajouté par C.P. 2010-701, 31 mai 2010, art. 46 et est réputé être entré en vigueur le 15 octobre 2009.

47. Définition de « services funéraires » — **(1)** Au présent article, « services funéraires » s'entend au sens du paragraphe 344(1) de la Loi.

(2) Arrangements funéraires — fiduciaire — Un fiduciaire n'a pas à payer la taxe prévue au paragraphe 165(2) de la Loi relativement à la fourniture, effectuée dans une province déterminée, de services funéraires prévus par un arrangement visant la fourniture de tels services relativement à un particulier, ni la taxe prévue à l'article 212.1 ou aux paragraphes 218.1(1), 220.05(1), 220.06(1), 220.07(1) ou 220.08(1) de la Loi relativement à des services funéraires fournis aux termes de l'arrangement pour consommation ou utilisation dans la province déterminée, si les conditions suivantes sont réunies :

a) l'arrangement est pris par écrit avant le 1er juillet 2010;

b) selon les modalités de l'arrangement, les fonds nécessaires au règlement des services funéraires sont détenus par le fiduciaire, lequel est chargé d'acquérir les services funéraires relativement au particulier;

c) au moment où l'arrangement est pris, il est raisonnable de s'attendre à ce que tout ou partie de ces fonds soient avancés au fiduciaire avant le décès du particulier.

(3) Arrangements funéraires — autre — Aucune taxe n'est payable en vertu du paragraphe 165(2) de la Loi relativement à la fourniture, effectuée dans une province déterminée, de services funéraires prévus par un arrangement visant la fourniture de tels services relativement à un particulier ou en vertu de l'article 212.1 ou des paragraphes 218.1(1), 220.05(1), 220.06(1), 220.07(1) ou 220.08(1) de la Loi relativement à des services funéraires fournis aux termes de l'arrangement pour consommation ou utilisation dans la province déterminée, si les conditions suivantes sont réunies :

a) l'arrangement est pris par écrit avant le 1er juillet 2010;

b) au moment où l'arrangement est pris, il est raisonnable de s'attendre à ce que tout ou partie de la contrepartie de la fourniture des services funéraires soit payée avant le décès du particulier.

Notes historiques: L'article 47 a été ajouté par C.P. 2010-701, 31 mai 2010, art. 47 et est réputé être entré en vigueur le 15 octobre 2009.

Info TPS/TVQ: GI-074 — *Transition à la taxe de vente harmonisée de l'Ontario et de la Colombie Britannique — arrangements de services funéraires payés d'avance, accords de prévoyance pour services de cimetière et droits d'inhumation*; GI-091 — *Taxe de vente harmonisée — renseignements à l'intention des propriétaires d'habitations locatives neuves.*

47.1 Définition de « bien servant à l'inhumation » — **(1)** Au présent article, « bien servant à l'inhumation » s'entend d'un immeuble qui sert à l'inhumation de dépouilles mortelles ou de vestiges de crémation.

(2) Bien servant à l'inhumation — La taxe prévue au paragraphe 165(2) de la Loi n'est pas payable relativement à la fourniture d'un bien servant à l'inhumation qui est effectuée par bail, licence ou accord semblable dans une province déterminée aux termes d'une convention portant sur la fourniture d'un tel bien qui est conclue par écrit avant le 1er juillet 2010.

Notes historiques: L'article 47.1 a été ajouté par C.P. 2011-263 [DORS/2011-56], 3 mars 2011, art. 24 et est réputé être entré en vigueur le 15 octobre 2009.

48. Droits d'adhésion et d'entrée — application — **(1)** Le présent article ne s'applique pas à la fourniture du droit d'acquérir un droit d'adhésion à un club, une organisation ou une association.

(2) Durée du droit d'adhésion ou d'entrée antérieure à juillet 2010 — La taxe prévue au paragraphe 165(2) de la Loi n'est pas payable relativement à la contrepartie de la fourniture taxable, effectuée dans une province déterminée, d'un droit d'adhésion (sauf un droit d'adhésion à vie d'un particulier) à un club, une organisation ou une association ou d'un droit d'entrée à un lieu de divertissement, un colloque, une activité ou un événement dans la mesure où la contrepartie se rapporte à une partie de la durée du droit qui est antérieure à juillet 2010.

(3) Contrepartie due ou payée après avril 2010 — Si la fourniture taxable d'un droit d'adhésion (sauf un droit d'adhésion à vie d'un particulier) à un club, une organisation ou une association ou d'un droit d'entrée à un lieu de divertissement, un colloque, une activité ou un événement est effectuée dans une province déterminée et que tout ou partie de la contrepartie de la fourniture devient due après avril 2010 et avant juillet 2010, ou est payée au cours de cette période sans être devenue due, cette contrepartie, dans la mesure où elle se rapporte à une partie de la durée du droit qui est postérieure à juin 2010, est réputée, pour l'application du paragraphe 165(2) de la Loi à la fourniture, être devenue due le 1er juillet 2010 et ne pas avoir été payée avant cette date.

(4) Contrepartie due ou payée avant mai 2010 — Sous réserve du paragraphe (5), si un montant de contrepartie de la fourniture taxable d'un droit d'adhésion (sauf un droit d'adhésion à vie d'un particulier) à un club, une organisation ou une association ou d'un droit d'entrée à un lieu de divertissement, un colloque, une activité ou un événement effectuée dans une province déterminée par un inscrit au profit d'une personne qui n'est pas un consommateur du droit devient dû après le 14 octobre 2009 et avant le 1er mai 2010 ou est payé au cours de cette période sans être devenu dû et qu'une partie du montant de contrepartie vise une partie de la durée du droit qui n'est pas antérieure à juillet 2010, pour l'application du paragraphe 165(2) de la Loi à la fourniture, cette partie du montant de contrepartie est réputée être devenue due le 1er juillet 2010 et ne pas avoir été payée avant cette date et la personne est tenue de payer, conformément au paragraphe (6), la taxe prévue au paragraphe 165(2) de la Loi qui est payable relativement à la fourniture sur cette partie du montant de contrepartie.

(5) Exception — paragraphe (4) — Le paragraphe (4) ne s'applique pas relativement à la fourniture d'un droit d'adhésion ou d'entrée effectuée au profit d'une personne si les conditions suivantes sont réunies :

a) la personne acquiert le droit en vue de le consommer, de l'utiliser ou de le fournir exclusivement dans le cadre de ses activités commerciales;

b) la personne :

(i) pourrait inclure, dans le calcul de son crédit de taxe sur les intrants au titre du droit, le montant total de la taxe prévue au paragraphe 165(2) de la Loi qui serait payable par ailleurs par elle relativement à la fourniture,

(ii) n'aurait pas eu à ajouter de montant, dans le calcul de sa taxe nette pour une de ses périodes de déclaration, au titre du crédit de taxe sur les intrants mentionné au sous-alinéa (i);

c) la personne n'est :

(i) ni un inscrit qui est une institution financière désignée particulière,

TVH

(ii) ni un inscrit dont la taxe nette est déterminée selon l'article 225.1 de la Loi ou selon les parties IV ou V du *Règlement sur la comptabilité abrégée* (TPS/TVH).

(6) Paiement de la taxe — paragraphe (4) — Dans le cas où une personne est tenue de payer une taxe conformément au présent paragraphe en raison de l'application du paragraphe (4), les règles suivantes s'appliquent :

a) si la personne est un inscrit dont la déclaration, prévue à l'article 238 de la Loi pour la période de déclaration qui comprend le 1er juillet 2010, doit être produite au plus tard à une date donnée antérieure au 1er novembre 2010, elle est tenue de payer la taxe au receveur général au plus tard à la date donnée et d'indiquer cette taxe dans cette déclaration;

b) dans les autres cas, la personne est tenue, avant le 1er novembre 2010, de payer la taxe au receveur général et de présenter au ministre, en la forme et selon les modalités qu'il détermine, une déclaration concernant cette taxe contenant les renseignements déterminés par le ministre.

(7) Durée du droit d'adhésion ou d'entrée écoulée en presque totalité avant juillet 2010 — Malgré les paragraphes (3) et (4), la taxe prévue au paragraphe 165(2) de la Loi n'est pas payable relativement à la contrepartie de la fourniture taxable d'un droit d'adhésion (sauf un droit d'adhésion à vie d'un particulier) à un club, une organisation ou une association ou d'un droit d'entrée à un lieu de divertissement, un colloque, une activité ou un événement effectuée dans une province déterminée si la totalité ou la presque totalité de la durée du droit est antérieure à juillet 2010.

(8) Adhésion à vie — Pour l'application du paragraphe 165(2) de la Loi à la fourniture taxable d'un droit d'adhésion à vie d'un particulier effectuée dans une province déterminée, si le total des montants payés après le 14 octobre 2009 et avant le 1er juillet 2010 en contrepartie de la fourniture excède 25 % de la contrepartie totale de la fourniture, l'excédent est réputé être devenu dû le 1er juillet 2010 et ne pas avoir été payé avant cette date.

(9) Adhésion à vie — Pour l'application des paragraphes 218.1(1) ou 220.08(1) de la Loi à la fourniture d'un droit d'adhésion à vie d'un particulier effectuée à l'extérieur des provinces harmonisées au profit d'une personne résidant dans une province déterminée, mais non en Nouvelle-Écosse, au Nouveau-Brunswick ou à Terre-Neuve-et-Labrador, si le total des montants payés après le 14 octobre 2009 et avant le 1er juillet 2010 en contrepartie de la fourniture excède 25 % de la contrepartie totale de la fourniture, l'excédent est réputé être devenu dû le 1er juillet 2010 et ne pas avoir été payé avant cette date.

Notes historiques: L'article 48 a été ajouté par C.P. 2010-701, 31 mai 2010, art. 48 et est réputé être entré en vigueur le 15 octobre 2009.

Info TPS/TVQ: GI-057 — *Transition à la taxe de vente harmonisée de l'Ontario et de la Colombie-Britannique — droits d'adhésion*; GI-058 — *Transition à la taxe de vente harmonisée de l'Ontario et de la Colombie-Britannique — droits d'entrée.*

49. Définition de « période de validité » — **(1)** Au présent article, « période de validité » s'entend, dans le cas d'un laissez-passer de transport de passagers, de l'une ou l'autre des périodes suivantes :

a) la période tout au long de laquelle le laissez-passer permet à un particulier d'obtenir des services de transport;

b) si la période visée à l'alinéa a) ne peut être déterminée au moment où le laissez-passer est fourni à une personne, la période commençant le jour où celui-ci est livré à l'acquéreur de la fourniture, ou mis à sa disposition, et se terminant le jour où il expire ou, en l'absence de date d'expiration, le 1er juillet 2012.

(2) Période de validité antérieure à juillet 2010 — La taxe prévue au paragraphe 165(2) de la Loi n'est pas payable relativement à la contrepartie de la fourniture taxable d'un laissez-passer de transport de passagers effectuée dans une province déterminée dans la mesure où cette contrepartie est attribuable à une partie de la période de validité du laissez-passer qui est antérieure à juillet 2010.

(3) Contrepartie due ou payée après avril 2010 — Si la fourniture taxable d'un laissez-passer de transport de passagers est effectuée dans une province déterminée et que tout ou partie de la contrepartie de celui-ci devient due après avril 2010 et avant juillet 2010, ou est payée au cours de cette période sans être devenue due, cette contrepartie, dans la mesure où elle est attribuable à une partie de la période de validité du laissez-passer qui est postérieure à juin 2010, est réputée, pour l'application du paragraphe 165(2) de la Loi à la fourniture, être devenue due le 1er juillet 2010 et ne pas avoir été payée avant cette date.

(4) Contrepartie due ou payée avant mai 2010 — Sous réserve du paragraphe (5), si un montant de contrepartie de la fourniture taxable d'un laissez-passer de transport de passagers effectuée dans une province déterminée par un inscrit au profit d'une personne qui n'est pas un consommateur du laissez-passer devient dû après le 14 octobre 2009 et avant le 1er mai 2010 ou est payé au cours de cette période sans être devenu dû et qu'une partie du montant de contrepartie est attribuable à une partie de la période de validité du laissez-passer qui est postérieure à juin 2010, pour l'application du paragraphe 165(2) de la Loi à la fourniture, cette partie du montant de contrepartie est réputée être devenue due le 1er juillet 2010 et ne pas avoir été payée avant cette date et la personne est tenue de payer, conformément au paragraphe (6), la taxe prévue au paragraphe 165(2) de la Loi qui est payable relativement à la fourniture sur cette partie du montant de contrepartie.

(5) Exception — Le paragraphe (4) ne s'applique pas relativement à la fourniture d'un laissez-passer de transport de passagers effectuée au profit d'une personne si les conditions suivantes sont réunies :

a) la personne acquiert le laissez-passer en vue de le consommer, de l'utiliser ou de le fournir exclusivement dans le cadre de ses activités commerciales;

b) la personne :

(i) pourrait inclure, dans le calcul de son crédit de taxe sur les intrants au titre du laissez-passer, le montant total de la taxe prévue au paragraphe 165(2) de la Loi qui serait payable par elle relativement à la fourniture,

(ii) n'aurait pas eu à ajouter de montant, dans le calcul de sa taxe nette pour une de ses périodes de déclaration, au titre du crédit de taxe sur les intrants mentionné au sous-alinéa (i);

c) la personne n'est :

(i) ni un inscrit qui est une institution financière désignée particulière,

(ii) ni un inscrit dont la taxe nette est déterminée selon l'article 225.1 de la Loi ou selon les parties IV ou V du *Règlement sur la comptabilité abrégée* (TPS/TVH).

(6) Paiement de la taxe — paragraphe (4) — Dans le cas où une personne est tenue de payer une taxe conformément au présent paragraphe en raison de l'application du paragraphe (4), les règles suivantes s'appliquent :

a) si la personne est un inscrit dont la déclaration, prévue à l'article 238 de la Loi pour la période de déclaration qui comprend le 1er juillet 2010, doit être produite au plus tard à une date donnée antérieure au 1er novembre 2010, elle est tenue de payer la taxe au receveur général au plus tard à la date donnée et d'indiquer cette taxe dans cette déclaration;

b) dans les autres cas, la personne est tenue, avant le 1er novembre 2010, de payer la taxe au receveur général et de présenter au ministre, en la forme et selon les modalités qu'il détermine, une déclaration concernant cette taxe contenant les renseignements déterminés par le ministre.

(7) Période de validité se terminant avant août 2010 — Malgré les paragraphes (3) et (4), la taxe prévue au paragraphe 165(2) de la Loi n'est pas payable relativement à la fourniture taxable, effectuée dans une province déterminée, d'un laissez-passer de transport de passagers dont la période de validité commence avant juillet 2010 et se termine avant août 2010.

Notes historiques: L'article 49 a été ajouté par C.P. 2010-701, 31 mai 2010, art. 49 et est réputé être entré en vigueur le 15 octobre 2009.

50. Retour d'un bien meuble corporel après juin 2010 — Dans le cas où une personne, ayant acheté d'un fournisseur dans une province déterminée, avant le 1er juillet 2010, un bien meuble corporel relativement auquel elle a payé la taxe de vente au détail, retourne le bien à cette date ou par la suite et avant novembre 2010, en échange d'un autre bien meuble corporel que le fournisseur lui fournit dans la province déterminée, les règles suivantes s'appliquent :

a) si la contrepartie de la fourniture de l'autre bien excède celle du bien retourné, la taxe prévue au paragraphe 165(2) de la Loi relativement à l'autre bien ne s'applique qu'à l'excédent;

b) si la contrepartie de la fourniture de l'autre bien est égale ou inférieure à celle du bien retourné, la taxe prévue au paragraphe 165(2) de la Loi n'est pas payable relativement à la fourniture de l'autre bien.

Notes historiques: L'article 50 a été ajouté par C.P. 2010-701, 31 mai 2010, art. 50 et est réputé être entré en vigueur le 15 octobre 2009.

51. Paiements échelonnés — Malgré les autres dispositions de la présente partie, si une fourniture taxable est effectuée dans une province déterminée aux termes d'un contrat qui porte sur la réalisation de travaux de construction, de rénovation, de transformation ou de réparation d'un immeuble ou d'un bateau ou autre bâtiment de mer, les règles suivantes s'appliquent :

a) la contrepartie de la fourniture qui devient due après le 14 octobre 2009 et avant le 1er juillet 2010, ou qui est payée au cours de cette période sans être devenue due, à titre de paiement échelonné prévu par le contrat ou à titre de retenue opérée sur un tel paiement est réputée, pour l'application du paragraphe 165(2) de la Loi, être devenue due le 1er juillet 2010 et ne pas avoir été payée avant cette date;

b) la taxe prévue au paragraphe 165(2) de la Loi n'est pas payable relativement à toute partie de la contrepartie de la fourniture qu'il est raisonnable d'attribuer à des biens livrés et à des services exécutés aux termes du contrat avant juillet 2010;

c) si l'alinéa 168(3)c) de la Loi s'applique relativement à la fourniture, que la taxe prévue au paragraphe 165(2) de la Loi est payable relativement à celle-ci et que les travaux sont achevés en grande partie avant juin 2010, ceux-ci sont réputés, pour l'application du paragraphe 165(2) de la Loi, avoir été achevés en grande partie le 1er juin 2010 et non avant cette date.

Notes historiques: L'article 51 a été ajouté par C.P. 2010-701, 31 mai 2010, art. 51 et est réputé être entré en vigueur le 15 octobre 2009.

52. Fournitures combinées — Lorsqu'une fourniture donnée incluant un mélange de biens meubles, d'immeubles ou de services (chacun étant appelé « élément » au présent article) est effectuée dans une province déterminée, que la contrepartie de chaque élément n'est pas identifiée séparément et que la taxe prévue au paragraphe 165(2) de la Loi ne serait pas payable relativement à tout élément qui constitue un bien dont la propriété ou la possession est transférée à l'acquéreur avant juillet 2010 si cet élément était fourni séparément, pour l'application de la taxe prévue à ce paragraphe relativement à la fourniture, cet élément est réputé avoir été fourni séparément de tous les autres.

Notes historiques: L'article 52 a été ajouté par C.P. 2010-701, 31 mai 2010, art. 52 et est réputé être entré en vigueur le 15 octobre 2009.

53. Redressements — (1) Si une personne paie, par suite de l'application des paragraphes 41(5) ou (6), 42(5) ou (6), 43(6) ou (7), 48(4) ou 49(4), la taxe calculée sur tout ou partie de la contrepartie d'une fourniture taxable et que cette contrepartie est réduite par la suite, la partie de la taxe payable en vertu des paragraphes 165(2), 218.1(1) ou 220.08(1) de la Loi qui a été calculée sur le montant de la réduction est réputée, pour ce qui est du calcul du montant remboursable en vertu de l'article 261 de la Loi, être un montant que la personne n'avait pas à payer ou à verser dans la mesure où elle n'a pas demandé, et ne pourrait demander en l'absence du présent article, de crédit de taxe sur les intrants ou de remboursement au titre de cette partie de taxe.

(2) Application — Le paragraphe (1) ne s'applique pas dans le cas où l'article 161 de la Loi s'applique.

Notes historiques: L'article 53 a été ajouté par C.P. 2010-701, 31 mai 2010, art. 53 et est réputé être entré en vigueur le 15 octobre 2009.

54. Terminologie — (1) Au présent article, « démarcheur », « distributeur », « entrepreneur indépendant » et « produit exclusif » s'entendent au sens de l'article 178.1 de la Loi.

(2) Produits exclusifs détenus le 1er juillet 2010 — Si, avant le 1er juillet 2010 et à un moment où l'approbation du ministre visant l'application de l'article 178.3 de la Loi à un démarcheur est en vigueur, le démarcheur a effectué la fourniture taxable par vente (sauf une fourniture détaxée) de son produit exclusif au profit d'un de ses entrepreneurs indépendants qui n'est pas un distributeur à l'égard duquel l'approbation accordée en application du paragraphe 178.2(4) de la Loi est en vigueur et que l'entrepreneur détient ce produit, au début de ce jour, en vue de le vendre dans une province déterminée, pour l'application des paragraphes 165(2) ou 220.05(1) de la Loi, le démarcheur est réputé avoir effectué, et l'entrepreneur avoir reçu, le 1er juillet 2010 une fourniture par vente du produit en conformité avec les règles énoncées au paragraphe 178.3(1) de la Loi.

(3) Paiements anticipés relatifs à des produits exclusifs non livrés au plus tard le 1er juillet 2010 — Si, avant le 1er juillet 2010 et à un moment où l'approbation du ministre pour l'application de l'article 178.3 de la Loi à un démarcheur est en vigueur :

a) le démarcheur a effectué la fourniture taxable par vente (sauf une fourniture détaxée) de son produit exclusif au profit d'un de ses entrepreneurs indépendants qui n'est pas un distributeur relativement auquel l'approbation accordée en application du paragraphe 178.2(4) de la Loi est en vigueur,

b) la contrepartie de la fourniture devient due après le 14 octobre 2009 et avant le 1er juillet 2010 ou est payée au cours de cette période sans être devenue due,

c) le produit n'est pas livré à l'entrepreneur avant le 1er juillet 2010,

d) le produit doit être détenu par l'entrepreneur pour vente dans une province déterminée,

pour l'application des paragraphes 165(2) ou 220.05(1) de la Loi, le démarcheur est réputé avoir effectué, et l'entrepreneur avoir reçu, le 1er juillet 2010 une fourniture par vente du produit en conformité avec les règles énoncées au paragraphe 178.3(1) de la Loi.

(4) Produits exclusifs détenus le 1er juillet 2010 — Si, avant le 1er juillet 2010 et à un moment où l'approbation du ministre visant l'application de l'article 178.4 de la Loi à un distributeur d'un démarcheur est en vigueur, le distributeur a effectué la fourniture taxable par vente (sauf une fourniture détaxée) d'un produit exclusif du démarcheur au profit d'un entrepreneur indépendant de celui-ci qui n'est pas un distributeur à l'égard duquel l'approbation accordée en application du paragraphe 178.2(4) de la Loi est en vigueur et que l'entrepreneur détient ce produit, au début de ce jour, en vue de le vendre dans une province déterminée, pour l'application des paragraphes 165(2) ou 220.05(1) de la Loi, le distributeur est réputé avoir effectué, et l'entrepreneur avoir reçu, le 1er juillet 2010 une fourniture par vente du produit en conformité avec les règles énoncées au paragraphe 178.4(1) de la Loi.

(5) Paiements anticipés relatifs à des produits exclusifs non livrés au plus tard le 1er juillet 2010 — Si, avant le 1er juillet 2010 et à un moment où l'approbation du ministre pour l'application de l'article 178.4 de la Loi à un distributeur d'un démarcheur est en vigueur :

a) le distributeur a effectué la fourniture taxable par vente (sauf une fourniture détaxée) d'un produit exclusif du démarcheur au

TVH

profit d'un entrepreneur indépendant de celui-ci qui n'est pas un distributeur relativement auquel l'approbation accordée en application du paragraphe 178.2(4) de la Loi est en vigueur,

b) la contrepartie de la fourniture devient due après le 14 octobre 2009 et avant le 1er juillet 2010 ou est payée au cours de cette période sans être devenue due,

c) le produit n'est pas livré à l'entrepreneur avant le 1er juillet 2010,

d) le produit doit être détenu par l'entrepreneur pour vente dans une province déterminée,

pour l'application des paragraphes 165(2) ou 220.05(1) de la Loi, le distributeur est réputé avoir effectué, et l'entrepreneur avoir reçu, le 1er juillet 2010 une fourniture par vente du produit en conformité avec les règles énoncées au paragraphe 178.4(1) de la Loi.

Notes historiques: L'article 54 a été ajouté par C.P. 2010-701, 31 mai 2010, art. 54 et est réputé être entré en vigueur le 15 octobre 2009.

55. Accords de réciprocité fiscale — Les paragraphes 41(3) à (6), 42(3) à (6), 43(4) à (7), 48(3), (4), (8) et (9) et 49(3) et (4) ne s'appliquent pas relativement à la contrepartie d'une fourniture effectuée au profit d'une personne dont le nom figure :

a) à la partie II de l'annexe A de l'accord de réciprocité fiscale conclu entre le gouvernement du Canada et le gouvernement de l'Ontario qui est en vigueur entre le 1er juillet 2006 et le 30 juin 2010;

b) à l'annexe A de l'accord de réciprocité fiscale conclu entre le gouvernement du Canada et le gouvernement de la Colombie-Britannique qui est en vigueur entre le 1er novembre 2005 et le 30 juin 2010.

Notes historiques: L'article 55 a été ajouté par C.P. 2010-701, 31 mai 2010, art. 55 et est réputé être entré en vigueur le 15 octobre 2009.

Info TPS/TVQ: GI-073 — *Transition à la taxe de vente harmonisée — paiements de la TPS/TVH par les entités des gouvernements de l'Ontario et de la Colombie-Britannique.*

SECTION 4 — CAS PARTICULIERS

56. Avantages aux salariés et aux actionnaires — Ontario — **(1)** Pour ce qui est de l'année d'imposition 2010 si, selon le cas :

a) un avantage est à inclure, en application des alinéas 6(1)a) ou e) de la *Loi de l'impôt sur le revenu*, dans le calcul du revenu d'un particulier tiré d'une charge ou d'un emploi et le dernier établissement de l'employeur auquel le particulier travaillait ou se présentait habituellement au cours de l'année dans le cadre de cette charge ou de cet emploi est situé en Ontario,

b) un avantage est à inclure, en application du paragraphe 15(1) de cette loi, dans le calcul du revenu d'un particulier, lequel réside en Ontario à la fin de l'année,

le passage de la subdivision (I) suivant la sous-subdivision 2 de l'élément A de la formule figurant à la division 173(1)d)(ii)(B) de la Loi est adapté de la façon suivante :

8 %,

(2) Avantages aux salariés et aux actionnaires — Colombie-Britannique — Pour ce qui est de l'année d'imposition 2010 si, selon le cas :

a) un avantage est à inclure, en application des alinéas 6(1)a) ou e) de la *Loi de l'impôt sur le revenu*, dans le calcul du revenu d'un particulier tiré d'une charge ou d'un emploi et le dernier établissement de l'employeur auquel le particulier travaillait ou se présentait habituellement au cours de l'année dans le cadre de cette charge ou de cet emploi est situé en Colombie-Britannique,

b) un avantage est à inclure, en application du paragraphe 15(1) de cette loi, dans le calcul du revenu d'un particulier, lequel réside en Colombie-Britannique à la fin de l'année,

le passage de la subdivision (I) suivant la sous-subdivision 2 de l'élément A de la formule figurant à la division 173(1)d)(ii)(B) de la Loi est adapté de la façon suivante :

7,5 %,

Notes historiques: L'article 56 a été ajouté par C.P. 2010-701, 31 mai 2010, art. 56 et est réputé être entré en vigueur le 15 octobre 2009.

57. Choix visant un exercice abrégé — La personne qui, immédiatement avant le 1er juillet 2010, réside dans une province déterminée et est inscrite aux termes de la sous-section d de la section V de la partie IX de la Loi peut, sous réserve de l'article 250 de la Loi :

a) si sa période de déclaration précédant cette date est un trimestre d'exercice, faire le choix, prévu à l'article 246 de la Loi, pour que ses périodes de déclaration correspondent à ses mois d'exercice, ce choix devant entrer en vigueur, malgré le paragraphe 246(1) de la Loi, le premier jour d'un de ses trimestres d'exercice commençant avant juillet 2011;

b) si sa période de déclaration précédant le 1er juillet 2010 est un exercice :

(i) soit faire le choix, prévu à l'article 246 de la Loi, pour que ses périodes de déclaration correspondent à ses mois d'exercice, ce choix devant entrer en vigueur, malgré le paragraphe 246(1) de la Loi, le premier jour d'un de ses mois d'exercice commençant avant juillet 2011,

(ii) soit faire le choix, prévu à l'article 247 de la Loi, pour que ses périodes de déclaration correspondent à ses trimestres d'exercice, ce choix devant entrer en vigueur, malgré le paragraphe 247(1) de la Loi, le premier jour d'un de ses trimestres d'exercice commençant avant juillet 2011.

Notes historiques: L'article 57 a été ajouté par C.P. 2010-701, 31 mai 2010, art. 57 et est réputé être entré en vigueur le 15 octobre 2009.

58. Révocation du choix d'utiliser la comptabilité abrégée — **(1)** L'inscrit qui a fait le choix prévu au paragraphe 227(1) de la Loi, lequel choix est en vigueur le 1er juillet 2010, et qui réside dans une province déterminée immédiatement avant cette date ou qui y a fait des fournitures au cours de l'année s'étant terminée immédiatement avant cette date peut, malgré l'alinéa 227(4.1)a) de la Loi, mais sous réserve de l'alinéa 227(4.1)b) de la Loi, révoquer le choix aux termes du paragraphe 227(4) de la Loi. La révocation entre en vigueur :

a) si la période de déclaration de l'inscrit qui comprend le 1er juillet 2010 correspond à son exercice, le premier jour d'un de ses mois d'exercice commençant avant juillet 2011;

b) dans les autres cas, le premier jour d'une de ses périodes de déclaration commençant avant juillet 2011.

(2) Nouvelle période de déclaration en cas de choix — Lorsqu'un inscrit dont la période de déclaration correspond à un exercice révoque un choix aux termes du paragraphe 227(4) de la Loi en conformité avec le paragraphe (1), lequel choix cesse de s'appliquer le premier jour d'un mois d'exercice d'un de ses exercices qui n'est pas le premier mois de cet exercice, les règles suivantes s'appliquent :

a) pour l'application de la partie IX de la Loi, la période commençant le premier jour de cet exercice et se terminant immédiatement avant le premier jour du mois en question et la période commençant le premier jour de ce mois et se terminant le dernier jour de cet exercice sont chacune réputées être des périodes de déclaration distinctes de l'inscrit;

b) pour l'application des paragraphes 237(1) et (2) de la Loi, chacune de ces périodes de déclaration distinctes est réputée être une période de déclaration déterminée selon le paragraphe 248(3) de la Loi.

Notes historiques: L'article 58 a été ajouté par C.P. 2010-701, 31 mai 2010, art. 58 et est réputé être entré en vigueur le 15 octobre 2009.

Ajout proposé — 58.1

58.1 (1) Base des acomptes provisionnels à la suite de l'harmonisation — Malgré le paragraphe 237(2) de la Loi, si un inscrit (sauf une institution financière désignée particulière) auquel s'applique le paragraphe 237(1) de la Loi réside dans une province déterminée, mais non en Nouvelle-Écosse, au Nouveau-Brunswick ou à Terre- Neuve-et-Labrador, et que sa période de déclaration commence en 2010, sa base des acomptes provisionnels pour la période correspond, pour le calcul, selon le paragraphe 237(1) de la Loi, des acomptes provisionnels qui deviennent payables après son premier trimestre d'exercice commençant après juin 2010, au moins élevé des montants suivants :

a) le montant déterminé selon l'alinéa 237(2)a) de la Loi;

b) 240 % du montant déterminé selon l'alinéa 237(2)b) de la Loi.

(2) Base des acomptes provisionnels à la suite de l'harmonisation — Malgré le paragraphe 237(2) de la Loi, si un inscrit (sauf une institution financière désignée particulière) auquel s'applique le paragraphe 237(1) de la Loi réside dans une province déterminée ainsi qu'en Nouvelle-Écosse, au Nouveau-Brunswick ou à Terre-Neuve- et-Labrador, et que sa période de déclaration commence en 2010, sa base des acomptes provisionnels pour la période correspond, pour le calcul, selon le paragraphe 237(1) de la Loi, des acomptes provisionnels qui deviennent payables après son premier trimestre d'exercice commençant après juin 2010, au montant déterminé selon l'alinéa 237(2)a) de la Loi.

(3) Institutions financières désignées particulières — acomptes provisionnels dans l'année de transition — Malgré le paragraphe 237(1) de la Loi, lorsqu'une période de déclaration donnée d'une institution financière désignée particulière (sauf un régime de placement au sens du paragraphe 1(1) du *Règlement sur la méthode d'attribution applicable aux institutions financières désignées particulières (TPS/TVH)*) prend fin dans un exercice se terminant dans son année d'imposition et que l'exercice commence avant le 1er juillet 2010 et se termine à cette date ou par la suite, l'acompte provisionnel à payer aux termes de ce paragraphe dans le mois suivant la fin de chaque trimestre d'exercice, compris dans la période donnée, qui se termine à cette date ou par la suite correspond au montant déterminé selon celui des alinéas ci-après aux termes duquel l'institution financière a choisi, en la forme déterminée par le ministre, de déterminer les acomptes provisionnels pour ces trimestres :

a) le moins élevé des montants suivants :

(i) le quart du montant déterminé selon l'alinéa 237(2)a) de la Loi,

(ii) le montant obtenu par la formule suivante :

$$A + (B/4)$$

où :

A représente le total des montants dont chacun est déterminé, quant à une province harmonisée, selon la formule suivante :

$$[C \times D \times (E/F) \times (G/365)]/H$$

où :

C représente la base des acomptes provisionnels de l'institution financière pour la période donnée, déterminée selon l'alinéa 237(2)b) de la Loi comme si elle n'était pas une institution financière désignée particulière et que la taxe prévue au paragraphe 165(2), aux articles 212.1 ou 218.1 ou à la section IV.1 de la partie IX de la Loi n'était pas imposée,

D le pourcentage applicable à l'institution financière quant à la province harmonisée pour l'année d'imposition ou, s'il est inférieur, le pourcentage qui lui est applicable quant à la province pour l'année d'imposition précédente, chaque pourcentage étant déterminé en conformité avec les règles prévues par règlement applicables à cette institution financière,

E le taux de taxe applicable à la province harmonisée,

F 5 %,

G le nombre de jours de la période donnée qui sont postérieurs à juin 2010,

H le nombre de jours de la période donnée qui sont postérieurs à juin 2010, le nombre de trimestres d'exercice compris dans la période donnée qui se terminent après juin 2010,

B la base des acomptes provisionnels de l'institution financière pour la période donnée, déterminée selon l'alinéa 237(2)b) de la Loi comme si elle n'était pas une institution financière désignée particulière et que la taxe prévue au paragraphe 165(2), aux articles 212.1 ou 218.1 ou à la section IV.1 de la partie IX de la Loi n'était pas imposée;

b) le montant obtenu par la formule suivante :

$$A + (B/4)$$

où :

A représente le total des montants dont chacun est déterminé, quant à une province harmonisée, selon la formule suivante :

$$[C \times D \times (E/F) \times (G/365)]/H$$

où :

C représente la base des acomptes provisionnels de l'institution financière pour la période donnée, déterminée selon l'alinéa 237(2)b) de la Loi comme si elle n'était pas une institution financière désignée particulière et que la taxe prévue au paragraphe 165(2), aux articles 212.1 ou 218.1 ou à la section IV.1 de la partie IX de la Loi n'était pas imposée,

D le pourcentage applicable à l'institution financière quant à la province harmonisée pour l'année d'imposition précédente, déterminé en conformité avec les règles prévues par règlement applicables à cette institution financière,

E le taux de taxe applicable à la province harmonisée,

F 5 %,

G le nombre de jours de la période donnée qui sont postérieurs à juin 2010,

H le nombre de trimestres d'exercice compris dans la période donnée qui se terminent après juin 2010,

B la base des acomptes provisionnels de l'institution financière pour la période donnée, déterminée selon l'alinéa 237(2)b) de la Loi comme si elle n'était pas une institution financière désignée particulière et que la taxe prévue au paragraphe 165(2), aux articles 212.1 ou 218.1 ou à la section IV.1 de la partie IX de la Loi n'était pas imposée;

c) le moins élevé des montants suivants :

(i) le quart du montant déterminé selon l'alinéa 237(2)a) de la Loi,

(ii) le montant obtenu par la formule suivante :

$$A + B + (C/4)$$

où :

A représente le total des montants dont chacun est déterminé, quant à une province harmonisée, selon la formule suivante :

$$[[(D - E) \times F \times (G/H) \times (I/365)] - J]/K$$

où :

D représente le total des montants suivants :

(A) la taxe (sauf un montant de taxe qui est visé aux articles 42 ou 60 ou à l'alinéa 58(2)a) du *Règlement sur la méthode d'attribution applicable aux institutions financières désignées particulières*

TVH

(TPS/TVH)) prévue au paragraphe 165(1) ou aux articles 212, 218 ou 218.01 de la Loi qui est devenue payable par l'institution financière au cours de la période donnée ou qui a été payée par elle au cours de cette période sans être devenue payable,

(B) le total des montants représentant chacun la taxe prévue au paragraphe 165(1) de la Loi relativement à une fourniture (sauf celle à laquelle s'applique la division (C)) effectuée au profit de l'institution financière qui, en l'absence du choix prévu à l'article 150 de la Loi, serait devenue payable par celle-ci au cours de la période donnée,

(C) le total des montants représentant chacun un montant, relatif à la fourniture d'un bien ou d'un service, effectuée au cours de la période donnée, à laquelle le choix fait par l'institution financière et une autre personne selon le paragraphe 225.2(4) de la Loi s'applique, égal à la taxe calculée sur le coût, pour l'autre personne, de la fourniture du bien ou du service au profit de l'institution financière, à l'exclusion de la rémunération versée aux salariés de l'autre personne, du coût de services financiers et de la taxe prévue par la partie IX de la Loi,

E le total des montants suivants :

(A) les crédits de taxe sur les intrants (sauf ceux relatifs à un montant de taxe qui est visé aux articles 42 ou 60 ou à l'alinéa 58(2)a) du *Règlement sur la méthode d'attribution applicable aux institutions financières désignées particulières (TPS/TVH)*) de l'institution financière pour la période donnée ou pour ses périodes de déclaration antérieures, qu'elle a demandés dans la déclaration qu'elle a produite aux termes de la section V de la partie IX de la Loi pour la période donnée,

(B) le total des montants dont chacun représenterait un crédit de taxe sur les intrants de l'institution financière pour la période donnée relatif à un bien ou à un service si une taxe, égale au montant inclus pour cette période selon les divisions (B) ou (C) de l'élément D relativement à la fourniture du bien ou du service, devenait payable au cours de cette période relativement à la fourniture, le pourcentage applicable à l'institution financière quant à la province harmonisée pour l'année d'imposition ou, s'il est inférieur,

F le pourcentage qui lui est applicable quant à la province pour l'année d'imposition précédente, chaque pourcentage étant déterminé en conformité avec les règles prévues par règlement applicables à cette institution financière,

G le taux de taxe applicable à la province harmonisée,

H 5 %,

I le nombre de jours de la période donnée qui sont postérieurs à juin 2010,

J le total des montants suivants :

(A) la taxe (sauf un montant de taxe qui est visé aux articles 42 ou 60 ou à l'alinéa 58(2)a) du *Règlement sur la méthode d'attribution applicable aux institutions financières désignées particulières (TPS/TVH)*) prévue au paragraphe 165(2) de la Loi relativement aux fournitures effectuées au profit de l'institution financière dans la province harmonisée ou prévue à l'article 212.1 de la Loi relativement aux produits qu'elle a importés pour utilisation dans cette province, qui est devenue payable par elle au cours du trimestre d'exercice ou qui a été payée par elle au cours de ce trimestre sans être devenue payable,

(B) le total des montants représentant chacun un montant, relatif à la fourniture d'un bien ou d'un service, effectuée au cours du trimestre d'exercice, à laquelle le choix fait par l'institution financière et une autre personne selon le paragraphe 225.2(4) de la Loi s'applique, égal à la taxe payable par l'autre personne en vertu du paragraphe 165(2), des articles 212.1 ou 218.1 ou de la section IV.1 de la partie IX de la Loi qui est incluse dans le coût pour elle de la fourniture du bien ou du service au profit de l'institution financière, le nombre de trimestres d'exercice compris dans la période donnée qui se terminent après juin 2010,

K le total des montants devenus percevables et des autres montants perçus par l'institution financière au cours du trimestre d'exercice au titre de la taxe prévue au paragraphe 165(2) de la Loi,

B le total des montants devenus percevables et des autres montants perçus par l'institution financière au cours du trimestre d'exercice au titre de la taxe prévue au paragraphe 165(2) de la Loi,

C la base des acomptes provisionnels de l'institution financière pour la période donnée, déterminée selon l'alinéa 237(2)b) de la Loi comme si elle n'était pas une institution financière désignée particulière et que la taxe prévue au paragraphe 165(2), aux articles 212.1 ou 218.1 ou à la section IV.1 de la partie IX de la Loi n'était pas imposée;

d) le montant obtenu par la formule suivante :

$$A + B + (C/4)$$

où :

A représente le total des montants dont chacun est déterminé, quant à une province harmonisée, selon la formule suivante :

$$[[(D - E) \times F \times (G/H) \times (I/365)] - J]/K$$

où :

D représente le total des montants suivants :

(i) la taxe (sauf un montant de taxe qui est visé aux articles 42 ou 60 ou à l'alinéa 58(2)a) du *Règlement sur la méthode d'attribution applicable aux institutions financières désignées particulières (TPS/TVH)*) prévue au paragraphe 165(1) ou aux articles 212, 218 ou 218.01 de la Loi qui est devenue payable par l'institution financière au cours d'une de ses périodes de déclaration (appelée « période antérieure » au présent alinéa) se terminant dans les douze mois précédant la période donnée ou qui a été payée par elle au cours de la période antérieure sans être devenue payable,

(ii) le total des montants représentant chacun la taxe prévue au paragraphe 165(1) de la Loi relativement à une fourniture (sauf celle à laquelle le sous-alinéa (iii) s'applique) effectuée au profit de l'institution financière qui, en l'absence du choix prévu à l'article 150 de la Loi, serait devenue payable par l'institution financière au cours de la période antérieure,

(iii) le total des montants représentant chacun un montant, relatif à la fourniture d'un bien ou d'un service, effectuée au cours de la période antérieure, à laquelle le choix fait par l'institution financière et une autre personne selon le paragraphe 225.2(4) de la Loi s'applique, égal à la taxe calculée sur le coût, pour l'autre personne, de la fourniture du bien ou du service au profit de l'institution financière, à l'exclusion de la rémunération versée aux salariés de l'autre personne, du coût de services financiers et de la taxe prévue par la partie IX de la Loi,

E le total des montants suivants :

(i) les crédits de taxe sur les intrants (sauf ceux relatifs à un montant de taxe qui est visé aux articles 42 ou 60 ou à l'alinéa 58(2)a) du *Règlement sur la méthode d'attribution applicable aux institutions financières désignées particulières (TPS/TVH)*) de l'institution financière pour la période antérieure ou pour ses périodes de déclaration précédentes, qu'elle a demandés dans la déclaration qu'elle a produite aux termes de la section V de la partie IX de la Loi pour la période antérieure,

(ii) le total des montants dont chacun représenterait un crédit de taxe sur les intrants de l'institution financière pour la période antérieure relatif à un bien ou à un service si une taxe, égale au montant inclus pour cette période selon les sous-alinéas (ii) ou (iii) de l'élément D relativement à la fourniture du bien ou du service, devenait payable au cours de cette période relativement à la fourniture,

F le pourcentage applicable à l'institution financière quant à la province harmonisée pour l'année d'imposition précédente, déterminé en conformité avec les règles prévues par règlement applicables à cette institution financière,

G le taux de taxe applicable à la province harmonisée,

H 5 %,

I le nombre de jours de la période donnée qui sont postérieurs à juin 2010,

J le total des montants suivants :

(i) la taxe (sauf un montant de taxe qui est visé aux articles 42 ou 60 ou à l'alinéa 58(2)a) du *Règlement sur la méthode d'attribution applicable aux institutions financières désignées particulières (TPS/TVH)*) prévue au paragraphe 165(2) de la Loi relativement aux fournitures effectuées au profit de l'institution financière dans la province harmonisée ou prévue à l'article 212.1 de la Loi relativement aux produits qu'elle a importés pour utilisation dans cette province, qui est devenue payable par elle au cours du trimestre d'exercice ou qui a été payée par elle au cours de ce trimestre sans être devenue payable,

(ii) le total des montants représentant chacun un montant, relatif à la fourniture d'un bien ou d'un service, effectuée au cours du trimestre d'exercice, à laquelle le choix fait par l'institution financière et une autre personne selon le paragraphe 225.2(4) de la Loi s'applique, égal à la taxe payable par l'autre personne en vertu du paragraphe 165(2), des articles 212.1 ou 218.1 ou de la section IV.1 de la partie IX de la Loi qui est incluse dans le coût pour elle de la fourniture du bien ou du service au profit de l'institution financière,

K le nombre de trimestres d'exercice compris dans la période donnée qui se terminent après juin 2010,

B le total des montants devenus percevables et des autres montants perçus par l'institution financière au cours du trimestre d'exercice au titre de la taxe prévue au paragraphe 165(2) de la Loi,

C la base des acomptes provisionnels de l'institution financière pour la période donnée, déterminée selon l'alinéa 237(2)b) de la Loi comme si elle n'était pas une institution financière désignée particulière et que la taxe prévue au paragraphe 165(2), aux articles 212.1 ou 218.1 ou à la section IV.1 de la partie IX de la Loi n'était pas imposée.

(4) Documents — Pour l'application du présent article, les paragraphes 169(4) et (5) et 223(2) de la Loi s'appliquent à tout montant visé à l'élément J de la formule figurant aux alinéas (3)c) et d) comme s'il s'agissait d'un crédit de taxe sur les intrants.

(5) Exclusion — Aucun montant de taxe payé ou payable par une institution financière désignée particulière relativement à des biens ou à des services acquis, importés ou transférés dans une province harmonisée autrement qu'en vue d'être consommés, utilisés ou fournis dans le cadre de son initiative, au sens du paragraphe 141.01(1) de la Loi, n'est inclus dans le calcul de l'acompte provisionnel dont elle est redevable aux termes du paragraphe (3).

Application: L'article 58.1 sera ajouté par l'art. 3 de l'*Avant-projet de règlement modifiant divers règlements relatifs à la TPS/TVH* du 28 janvier 2011 et sera réputé être entré en vigueur le 1er juillet 2010.

TVH

RÈG. CAN. RÈGLEMENT NO 2 SUR LE NOUVEAU RÉGIME DE LA TAXE À VALEUR AJOUTÉE HARMONISÉE

DORS/2010-151, tel que modifié C.P. 2011-263 [DORS/2011-56], 3 mars 2011; L.C. 2012, c. 19; C.P. 2012-1127 [DORS/2012-191], 20 septembre 2012.

C.P. 2010-790 Le 17 juin 2010

Sur recommandation du ministre des Finances et en vertu des articles 236.01 *(voir référence a)*, 277 *(voir référence b)* et 277.1 *(voir référence c)* de la *Loi sur la taxe d'accise (voir référence d)*, Son Excellence la Gouverneure générale en conseil prend le *Règlement nº 2 sur le nouveau régime de la taxe à valeur ajoutée harmonisée*, ci-après.

DÉFINITION

1. Définition de « Loi » — Dans le présent règlement, **« Loi »** s'entend de la *Loi sur la taxe d'accise*.

Modification proposée — 1

1. Définitions — Les définitions qui suivent s'appliquent au présent règlement.

« Loi » La *Loi sur la taxe d'accise*.

« régime de placement provincial » Quant à une province donnée, l'institution financière visée à l'article 12 du *Règlement sur la méthode d'attribution applicable aux institutions financières désignées particulières (TPS/TVH)* dont il est permis, selon les lois fédérales ou provinciales, de vendre les unités dans la province donnée.

« régime de placement stratifié » S'entend au sens du paragraphe 1(1) du *Règlement sur la méthode d'attribution applicable aux institutions financières désignées particulières (TPS/ TVH)*.

« série provinciale » Série provinciale d'une institution financière quant à une province donnée, au sens du paragraphe 1(1) du *Règlement sur la méthode d'attribution applicable aux institutions financières désignées particulières (TPS/TVH)*, dont il est permis, selon les lois fédérales ou provinciales, de vendre les unités dans la province donnée.

« unité » S'entend au sens du paragraphe 1(1) du *Règlement sur la méthode d'attribution applicable aux institutions financières désignées particulières (TPS/TVH)*.

Application: L'article 1 sera remplacé par l'art. 4 de l'*Avant-projet de règlement modifiant divers règlements relatifs à la TPS/TVH* du 28 janvier 2011. Cette modification sera réputée être entrée en vigueur le 1er juillet 2010.

Notes historiques: L'article 1 a été ajouté par C.P. 2010-790, 17 juin 2010 art. 1 et est réputé être entré en vigueur le 18 juin 2009.

PARTIE 1 — ÉTABLISSEMENT STABLE DANS UNE PROVINCE

2. (1) Catégories de personnes — Sont des catégories de personnes pour l'application du paragraphe 132.1(3) de la Loi :

a) les organismes de bienfaisance;

b) les organismes à but non lucratif;

c) les organismes déterminés de services publics, au sens du paragraphe 259(1) de la Loi.

(2) Établissement stable dans une province — Pour l'application du paragraphe 132.1(3) de la Loi, une personne visée au paragraphe (1) est réputée avoir un établissement stable dans une province dans le cas où un endroit dans la province serait son établissement stable, au sens de la partie IV du *Règlement de l'impôt sur le revenu*, si, à la fois :

a) elle était une personne morale;

b) ses activités constituaient une entreprise pour l'application de la *Loi de l'impôt sur le revenu*.

Ajout proposé — 2(3), (4)

(3) Établissement stable dans une province — série provinciale — Pour l'application du paragraphe 132.1(3) de la Loi, le régime de placement stratifié ayant une ou plusieurs séries provinciales est une personne visée et est réputé, pour ce qui est de chaque province quant à laquelle il a une série provinciale, avoir un établissement stable dans la province pour l'application du paragraphe 132.1(1) de la Loi dans le cadre de l'article 218.1 de la Loi et de la section IV.1 de la partie IX de la Loi.

(4) Établissement stable dans une province — régime de placement provincial — Pour l'application du paragraphe 132.1(3) de la Loi, l'institution financière qui est un régime de placement provincial quant à une province est une personne visée et est réputée avoir un établissement stable dans la province pour l'application du paragraphe 132.1(1) de la Loi dans le cadre de l'article 218.1 de la Loi et de la section IV.1 de la partie IX de la Loi.

Application: Les paragraphes 2(3) et (4) seront ajoutés par l'art. 5 de l'*Avant-projet de règlement modifiant divers règlements relatifs à la TPS/TVH* du 28 janvier 2011 et seront réputés être entrés en vigueur le 1er juillet 2010.

Notes historiques: L'alinéa 2(1)c a été remplacé par C.P. 2011-263 [DORS/2011-56], 3 mars 2011, art. 25 et cette modification est réputée être entrée en vigueur le 1er juillet 2010. Antérieurement, il se lisait ainsi :

c) les organismes déterminés de services publics.

L'article 2 a été ajouté par C.P. 2010-790, 17 juin 2010 art. 2 et est entré en vigueur le 1er juillet 2010.

PARTIE 2 — INDEMNITÉS POUR DÉPLACEMENT ET AUTRES INDEMNITÉS

3. Pourcentage — Pour l'application du sous-alinéa (i) de l'élément B de la formule figurant à l'alinéa 174e) de la Loi :

a) si la totalité ou la presque totalité des fournitures au titre desquelles l'indemnité est versée ont été effectuées dans une province participante donnée ou si l'indemnité est versée pour l'utilisation du véhicule à moteur et que la totalité ou la presque totalité de cette utilisation se fait dans une province participante donnée, le pourcentage correspond au total du taux fixé au paragraphe 165(1) de la Loi et du taux de taxe applicable à cette province;

b) sauf en cas d'application de l'alinéa a), si la totalité ou la presque totalité des fournitures au titre desquelles l'indemnité est versée ont été effectuées dans plusieurs provinces participantes ou si l'indemnité est versée pour l'utilisation du véhicule à moteur et que la totalité ou la presque totalité de cette utilisation se fait dans plusieurs provinces participantes, le pourcentage correspond au total du taux fixé au paragraphe 165(1) de la Loi et du taux de taxe le moins élevé de ceux de ces provinces.

Notes historiques: L'article 3 a été ajouté par C.P. 2010-790, 17 juin 2010 art. 3 et s'applique aux indemnités versées par une personne après juin 2010.

Partie 3 — Démarcheurs

4. Redressement — provinces participantes — Pour l'application du nouveau régime de la taxe à valeur ajoutée harmonisée, les paragraphes 178.3(5) et (6) et 178.4(5) et (6) de la Loi ne s'appliquent pas relativement aux fournitures de produits exclusifs effectuées par des entrepreneurs indépendants.

Notes historiques: L'article 4 a été ajouté par C.P. 2010-790, 17 juin 2010 art. 4 et s'applique aux fournitures effectuées par des entrepreneurs indépendants à la date ou après la date qui correspond au dernier en date du 1er juillet 2010 et de la date où le présent règlement est publié dans la *Gazette du Canada* pour la première fois.

Partie 4 — Utilisation non exclusive d'une voiture de tourisme ou d'un aéronef

5. Transfert entre provinces participantes — Pour l'application de l'élément I de la formule figurant au sous-alinéa (iv) de l'élément A de la formule figurant à l'alinéa 202(4)b) de la Loi, le taux correspond à celui des pourcentages suivants qui est applicable :

a) en cas de transfert dans une province participante d'une voiture ou d'un aéronef à partir d'une autre province participante, le pourcentage obtenu par la formule suivante :

A – B

où :

A représente le taux de taxe applicable à la province dans laquelle la voiture ou l'aéronef est transféré,

B le taux de taxe applicable à l'autre province;

b) dans les autres cas, 0 %.

Notes historiques: L'article 5 a été ajouté par C.P. 2010-790, 17 juin 2010 art. 5 et s'applique relativement au transfert dans une province participante d'une voiture ou d'un aéronef à partir d'une autre province participante, effectué après juin 2010.

Partie 5 — Biens et services transférés dans une province

Section 1 — Définitions

6. Définitions — Les définitions qui suivent s'appliquent à la présente partie.

« article déterminé » En ce qui concerne une province, bien ou service qui est un article inclus dans une annexe du *Règlement sur la déduction pour le remboursement provincial (TPS/TVH)* et à l'égard duquel un montant peut être payé ou crédité en vertu d'une loi de la province.

« taux provincial »

a) S'agissant d'une province participante, le taux de taxe applicable à cette province;

b) s'agissant d'une province non participante, 0 %.

Notes historiques: L'article 6 a été ajouté par C.P. 2010-790, 17 juin 2010 art. 6 et est réputé être entré en vigueur le 25 février 2010.

Section 1.1 — Taxe sur l'importation de produits

Notes historiques: L'intitulé de la section 1.1 a été ajouté par L.C. 2012, c. 19, par. 51(1) et s'applique aux produits importés après mai 2012.

6.1 Produits visés — alinéa 212.1(2)a) — Sont visés, pour l'application de l'alinéa 212.1(2)a) de la Loi, les produits dont la valeur est déterminée pour l'application de la section III de la partie IX de la Loi en vertu de l'article 15 du *Règlement sur la valeur des importations (TPS/TVH)*.

Notes historiques: L'article 6.1 a été ajouté par L.C. 2012, c. 19, par. 51(1) et s'applique aux produits importés après mai 2012.

Section 2 — Taxe sur les fournitures taxables importées

7. Mesure de la consommation, de l'utilisation ou de la fourniture — Est prévue pour l'application de l'alinéa 218.1(1)a) de la Loi une mesure d'au moins 10 %.

Modification proposée — 7

7. Fin et mesure prévues — alinéa 218.1(1)a) — Pour l'application de l'alinéa 218.1(1)a) de la Loi :

a) est une fin prévue relativement à la fourniture d'un bien ou d'un service effectuée au profit d'un régime de placement stratifié ayant une ou plusieurs séries provinciales la fin qui consiste à consommer, à utiliser ou à fournir le bien ou le service dans le cadre d'activités relatives à une ou plusieurs séries provinciales du régime quant aux provinces participantes dans une mesure (exprimée en pourcentage) d'au moins 10 %, cette mesure étant déterminée selon la formule suivante :

A / B

où :

A représente le total des montants représentant chacun la mesure dans laquelle le bien ou le service est acquis en vue d'être consommé, utilisé ou fourni dans le cadre d'activités relatives à une série provinciale du régime quant à une province participante, déterminée selon l'article 54 du *Règlement sur la méthode d'attribution applicable aux institutions financières désignées particulières (TPS/TVH)*,

B le total des montants représentant chacun la mesure dans laquelle le bien ou le service est acquis en vue d'être consommé, utilisé ou fourni dans le cadre d'activités relatives à une série provinciale du régime quant à une province quelconque, déterminée selon l'article 54 du *Règlement sur la méthode d'attribution applicable aux institutions financières désignées particulières (TPS/TVH)*;

b) est une fin prévue relativement à la fourniture d'un bien ou d'un service effectuée au profit d'un régime de placement provincial la fin qui consiste à consommer, à utiliser ou à fournir le bien ou le service dans le cadre des activités du régime;

c) la mesure prévue est d'au moins 10 %.

Application: L'article 7 sera remplacé par l'art. 6 de l'*Avant-projet de règlement modifiant divers règlements relatifs à la TPS/TVH* du 28 janvier 2011 et cette modification s'appliquera :

a) à toute fourniture effectuée après juin 2010;

b) relativement à la contrepartie, même partielle, d'une fourniture qui devient due après juin 2010 ou qui est payée après ce mois sans être devenue due.

Notes historiques: L'article 7 a été ajouté par C.P. 2010-790, 17 juin 2010 art. 7 et s'applique :

a) aux fournitures effectuées après juin 2010;

b) relativement à la contrepartie, même partielle, d'une fourniture qui devient due après juin 2010 ou qui est payée après ce mois sans être devenue due.

Section 3 — Taxe sur les biens et services transférés dans une province participante

7.1 Article déterminé additionnel — Pour l'application de la présente section, un bien ou un service relativement auquel une personne s'est fait payer ou créditer un montant admissible, au sens de l'article 1 du *Règlement sur le crédit pour allègement provincial (TVH)*, ou a le droit de se faire payer ou créditer un tel montant, est un article déterminé relativement à l'Ontario.

Notes historiques: L'article 7.1 a été ajouté par C.P. 2011-263 [DORS/2011-56], 3 mars 2011, art. 26 et est réputé être entré en vigueur le 1er septembre 2010.

7.2 Taxe provinciale déterminée — Pour l'application du nouveau régime de la taxe à valeur ajoutée harmonisée, l'alinéa c) de la

TVH

définition de « taxe provinciale déterminée » à l'article 220.01 de la Loi est adapté de la façon suivante :

c) dans le cas d'un véhicule immatriculé dans la province de Terre-Neuve-et-Labrador, la taxe prévue par la partie VIII de la loi intitulée *Revenue Administration Act*, S.N.L. 2009, ch. R-15.01, et ses modifications successives.

Notes historiques: L'article 7.2 a été ajouté par C.P. 2011-263 [DORS/2011-56], 3 mars 2011, art. 26 et est réputé être entré en vigueur le 28 mai 2009.

8. Taxe provinciale déterminée — Est prévue pour l'application de l'alinéa d) de la définition de « taxe provinciale déterminée » à l'article 220.01 de la Loi :

a) dans le cas d'un véhicule immatriculé en Ontario, la taxe prévue par la *Loi sur la taxe de vente au détail*, L.R.O. 1990, ch. R.31, et ses modifications successives;

b) dans le cas d'un véhicule immatriculé en Colombie-Britannique, la taxe prévue à la partie 5 de la loi intitulée *Consumption Tax Rebate and Transition Act*, S.B.C. 2010, ch. 5, et ses modifications successives.

Non en vigueur — 8

8. Taxe provinciale déterminée — Ontario — Pour l'application de l'alinéa d) de la définition de « taxe provinciale déterminée » à l'article 220.01 de la Loi, est prévue, dans le cas d'un véhicule immatriculé en Ontario, la taxe prévue par la *Loi sur la taxe de vente au détail*, L.R.O. 1990, ch. R.31, et ses modifications successives.

Application: L'article 8 a été remplacé par C.P. 2012-1127 [DORS/2012-191], 20 septembre 2012, art. 23 et cette modification entrera en vigueur le 1er avril 2013.

Notes historiques: L'article 8 a été ajouté par C.P. 2010-790, 17 juin 2010 art. 8 et est entré en vigueur ou est réputé être entré en vigueur le 1er juillet 2010.

9. Calcul de la taxe — paragraphe 220.05(1) — Pour l'application du paragraphe 220.05(1) de la Loi, le montant de taxe payable en vertu de ce paragraphe par une personne qui transfère un bien meuble corporel à un moment donné d'une province (appelée « autre province » au présent article) à une province participante s'obtient par la formule suivante :

$$A \times B$$

où :

A représente le pourcentage obtenu par la formule suivante :

$$C - D$$

où :

C représente le taux de taxe applicable à la province participante,

D :

a) si le bien est un article déterminé relativement à l'autre province, 0 %,

b) dans les autres cas, le taux provincial applicable à l'autre province;

B :

a) si le bien est un véhicule à moteur déterminé que la personne est tenue de faire immatriculer aux termes de la législation de la province participante sur l'immatriculation des véhicules à moteur, sa valeur déterminée,

b) si le bien n'est pas un véhicule à moteur déterminé visé à l'alinéa a) et que la totalité ou une partie de la contrepartie a été payée ou était payable relativement à une fourniture du bien qu'une autre personne sans lien de dépendance avec la personne a effectuée par vente au profit de celle-ci, la valeur de cette contrepartie ou, si elle est inférieure, la juste valeur marchande du bien au moment donné,

c) dans les autres cas, la juste valeur marchande du bien au moment donné.

Notes historiques: L'article 9 a été ajouté par C.P. 2010-790, 17 juin 2010 art. 9 et est entré en vigueur ou est réputé être entré en vigueur le 1er juillet 2010. Toutefois, l'article 9 s'applique compte non tenu de l'alinéa a) de l'élément D pour ce qui est des biens qu'une personne transfère dans une province participante en provenance de l'Ontario, de la Nouvelle-Écosse ou de la Colombie-Britannique, s'ils ont été acquis ou transférés dans celle-ci par la personne avant juillet 2010 et n'en ont été retirés qu'après juin 2010.

10. Biens non taxables — paragraphe 220.05(3) — Pour l'application de l'alinéa 220.05(3)b) de la Loi, la taxe prévue au paragraphe 220.05(1) de la Loi n'est pas payable relativement à un bien qu'une personne transfère dans une province participante si, selon le cas :

a) le bien est fourni par la personne à un acquéreur qui a payé la taxe prévue à l'article 220.06 de la Loi relativement à la fourniture et est livré à l'acquéreur dans la province participante, ou y est mis à sa disposition, ou est expédié par la poste ou par messagerie à une adresse dans cette province;

b) le total des montants, dont chacun représente un montant de taxe qui, en l'absence du présent alinéa et des alinéas 11b) et 15b), deviendrait payable par la personne en vertu de la section IV.1 de la partie IX de la Loi et à l'égard duquel le paragraphe 220.09(3) de la Loi ne s'appliquerait pas si cette taxe devenait payable par la personne, correspond à 25 $ ou moins au cours du mois civil qui comprend :

(i) dans le cas d'un bien qui est un véhicule à moteur déterminé que la personne est tenue de faire immatriculer aux termes de la législation de la province participante sur l'immatriculation des véhicules à moteur, le jour où la personne fait immatriculer le véhicule ou, s'il est antérieur, le jour où elle est tenue de le faire immatriculer,

(ii) dans les autres cas, le jour où le bien est transféré dans la province participante.

Notes historiques: Le préambule de l'alinéa 10b) a été remplacé par C.P. 2012-1127 [DORS/2012-191], 20 septembre 2012, art. 24 et cette modification est entrée en vigueur le 10 octobre 2012. Antérieurement, il se lisait ainsi :

> b) le total des montants dont chacun représente un montant de taxe qui, en l'absence du présent alinéa et des alinéas 11b) et 15b), deviendrait payable par la personne en vertu de la section IV.1 de la partie IX de la Loi et à l'égard duquel le paragraphe 220.09(3) de la Loi ne s'appliquerait pas si cette taxe devenait payable par la personne correspond à 25 $ ou moins au cours du mois civil qui comprend :

L'article 10 a été ajouté par C.P. 2010-790, 17 juin 2010 art. 10 et est entré en vigueur ou est réputé être entré en vigueur le 1er juillet 2010.

11. Biens non taxables — paragraphe 220.06(3) — Pour l'application de l'alinéa 220.06(3)b) de la Loi, la taxe prévue au paragraphe 220.06(1) de la Loi n'est pas payable relativement à la fourniture, effectuée au profit d'un acquéreur, d'un bien qui est livré à celui-ci dans une province participante, ou qui y est mis à sa disposition, ou qui est expédié par la poste ou par messagerie à une adresse dans la province si, selon le cas :

a) la fourniture est effectuée par une personne qui a payé la taxe prévue aux articles 220.05 ou 220.07 de la Loi relativement au transfert du bien dans la province;

b) le total des montants, dont chacun représente un montant de taxe qui, en l'absence du présent alinéa et des alinéas 10b) et 15b), deviendrait payable par l'acquéreur en vertu de la section IV.1 de la partie IX de la Loi et à l'égard duquel le paragraphe 220.09(3) de la Loi ne s'appliquerait pas si cette taxe devenait payable par l'acquéreur, correspond à 25 $ ou moins au cours du mois civil qui comprend le jour où le bien est livré à l'acquéreur dans la province ou y est mis à sa disposition.

Notes historiques: L'alinéa 11b) a été remplacé par C.P. 2012-1127 [DORS/2012-191], 20 septembre 2012, art. 25 et cette modification est entrée en vigueur le 10 octobre 2012. Antérieurement, il se lisait ainsi :

> b) le total des montants dont chacun représente un montant de taxe qui, en l'absence du présent alinéa et des alinéas 10b) et 15b), deviendrait payable par l'acquéreur en vertu de la section IV.1 de la partie IX de la Loi et à l'égard duquel le paragraphe 220.09(3) de la Loi ne s'appliquerait pas si cette taxe devenait payable par l'acquéreur correspond à 25 $ ou moins au cours du mois civil qui comprend le jour où le bien est livré à l'acquéreur dans la province ou y est mis à sa disposition.

L'article 11 a été ajouté par C.P. 2010-790, 17 juin 2010 art. 11 et est entré en vigueur ou est réputé être entré en vigueur le 1er juillet 2010.

12. Biens non taxables — restriction — Les biens mentionnés aux articles 18, 20 ou 21 de la partie I de l'annexe X de la Loi sont visés pour l'application des alinéas 220.05(3)a) et 220.06(3)a) de la Loi, sauf s'ils sont mentionnés dans un article de cette partie autre que les articles 18, 20 et 21.

Notes historiques: L'article 12 a été remplacé par C.P. 2011-263 [DORS/2011-56], 3 mars 2011, art. 27 et cette modification est réputée être entrée en vigueur le 1er juillet 2010. Antérieurement, il se lisait ainsi :

> 12. Biens non taxables — restriction — Sont visés pour l'application des alinéas 220.05(3)a) et 220.06(3)a) de la Loi :
>
> a) les biens qu'une personne transfère dans une province participante après qu'ils lui ont été fournis par une autre personne dans des circonstances telles que la taxe prévue au paragraphe 165(2) ou à l'article 218.1 de la Loi était payable par la personne relativement aux biens;
>
> b) les biens qu'une personne transfère dans une province participante après les avoir importés dans des circonstances telles que la taxe prévue à l'article 212.1 de la Loi était payable et que la personne n'avait pas droit au remboursement de cette taxe prévu l'article 261.2 de la Loi;
>
> c) les biens qu'une personne transfère dans une province participante après les avoir utilisés dans une telle province et les en avoir retirés, et relativement auxquels la personne n'avait pas droit au remboursement prévu à l'article 261.1 de la Loi.

L'article 12 a été ajouté par C.P. 2010-790, 17 juin 2010 art. 12 et est entré en vigueur ou est réputé être entré en vigueur le 1er juillet 2010.

13. Calcul de la taxe — paragraphe 220.08(1) — Pour l'application du paragraphe 220.08(1) de la Loi, le montant de taxe payable en vertu de ce paragraphe par l'acquéreur de la fourniture taxable, effectuée dans une province donnée, d'un bien meuble incorporel ou d'un service à tout moment où la totalité ou une partie de la contrepartie de la fourniture devient due ou est payée sans qu'elle soit devenue due correspond au total des montants dont chacun s'obtient, pour une province participante, par la formule suivante :

$$A \times B \times C$$

où :

A représente le pourcentage obtenu par la formule suivante :

$$D - E$$

où :

D représente le taux de taxe applicable à la province participante,

E :

a) si le bien ou le service est un article déterminé relativement à la province donnée, 0 %,

b) dans les autres cas, le taux provincial applicable à la province donnée;

B la valeur de la contrepartie qui est payée ou devient due au moment considéré;

C le pourcentage qui représente la mesure dans laquelle l'acquéreur a acquis le bien ou le service pour le consommer, l'utiliser ou le fournir dans la province participante.

Modification proposée — 13C

C :

a) si l'acquéreur est un régime de placement stratifié ayant une ou plusieurs séries provinciales, le total des montants représentant chacun le pourcentage qui représente la mesure dans laquelle il a acquis le bien ou le service pour le consommer, l'utiliser ou le fournir dans le cadre d'activités relatives à une série provinciale de l'institution financière quant à la province participante, déterminée selon l'article 54 du *Règlement sur la méthode d'attribution applicable aux institutions financières désignées particulières (TPS/TVH)*,

b) s'il est un régime de placement provincial quant à la province participante, 100 %,

c) s'il est un régime de placement provincial quant à une province autre que la province participante, 0 %,

d) dans les autres cas, le pourcentage qui représente la mesure dans laquelle l'acquéreur a acquis le bien ou le service pour le consommer, l'utiliser ou le fournir dans la province participante.

Application: L'élément C de la formule à l'article 13 sera remplacé par l'art. 7 de l'*Avant-projet de règlement modifiant divers règlements relatifs à la TPS/TVH* du 28 janvier 2011 et cette modification s'appliquera :

a) à toute fourniture effectuée après juin 2010;

b) relativement à la contrepartie, même partielle, d'une fourniture qui devient due après juin 2010 ou qui est payée après ce mois sans être devenue due.

Notes historiques: L'article 13 a été ajouté par C.P. 2010-790, 17 juin 2010 art. 13 et s'applique :

a) aux fournitures effectuées après juin 2010;

b) relativement à la contrepartie, même partielle, d'une fourniture qui devient due après juin 2010 ou qui est payée après ce mois sans être devenue due.

Ajout proposé — 13.1

13.1 Fin prévue — paragraphe 220.08(1) — Pour l'application du paragraphe 220.08(1) de la Loi :

a) est une fin prévue relativement à la fourniture d'un bien ou d'un service effectuée au profit d'une institution financière désignée particulière qui est un régime de placement stratifié ayant une ou plusieurs séries provinciales la fin qui consiste à consommer, à utiliser ou à fournir le bien ou le service dans le cadre d'activités relatives à une ou plusieurs de ces séries;

b) est une fin prévue relativement à la fourniture d'un bien ou d'un service effectuée au profit d'un régime de placement provincial la fin qui consiste à consommer, à utiliser ou à fournir le bien ou le service dans le cadre des activités du régime.

Application: L'article 13.1 sera ajouté par l'art. 8 de l'*Avant-projet de règlement modifiant divers règlements relatifs à la TPS/TVH* du 28 janvier 2011 et s'appliquera :

a) à toute fourniture effectuée après juin 2010;

b) relativement à la contrepartie, même partielle, d'une fourniture qui devient due après juin 2010 ou qui est payée après ce mois sans être devenue due.

14. Biens et services non taxables — restriction — La fourniture mentionnée à l'article 4 de la partie II de l'annexe X de la Loi est visée pour l'application de l'alinéa 220.08(3)a) de la Loi, sauf si elle est mentionnée dans un autre article de cette partie.

Notes historiques: L'article 14 a été remplacé par C.P. 2011-263 [DORS/2011-56], 3 mars 2011, art. 28 et cette modification s'applique :

a) aux fournitures effectuées après juin 2010;

b) relativement à la contrepartie, même partielle, d'une fourniture qui devient due après juin 2010 ou qui est payée après ce mois sans être devenue due.

Antérieurement, il se lisait ainsi :

> 14. Biens et services non taxables — restriction — Est visée pour l'application de l'alinéa 220.08(3)a) de la Loi la fourniture d'un service rendu à l'occasion d'une instance criminelle, civile ou administrative à l'extérieur des provinces participantes, à l'exclusion d'un service rendu avant le début d'une telle instance.

L'article 14 a été ajouté par C.P. 2010-790, 17 juin 2010 art. 14 et s'applique :

a) aux fournitures effectuées après juin 2010;

b) relativement à la contrepartie, même partielle, d'une fourniture qui devient due après juin 2010 ou qui est payée après ce mois sans être devenue due.

15. Biens et services non taxables — paragraphe 220.08(3) — Pour l'application de l'alinéa 220.08(3)b) de la Loi, la taxe prévue au paragraphe 220.08(1) de la Loi n'est pas payable relativement à la totalité ou à une partie de la contrepartie de la fourniture d'un bien ou d'un service, effectuée dans une province donnée au profit d'une personne, qui devient due à un moment donné ou qui est payée à ce moment sans qu'elle soit devenue due si, selon le cas :

a) la mesure dans laquelle la personne a acquis le bien ou le service pour le consommer, l'utiliser ou le fournir dans des provinces participantes où le taux de taxe, à ce moment, est supérieur au taux provincial applicable à la province donnée est de moins de 10 %;

Modification proposée — 15a), a.1)

a) la personne n'est ni un régime de placement stratifié ayant une ou plusieurs séries provinciales ni un régime de placement provincial et la mesure dans laquelle elle a acquis le bien ou le service pour le consommer, l'utiliser ou le fournir dans des provinces participantes où le taux de taxe, à ce moment, est supérieur au taux provincial applicable à la province donnée est de moins de 10 %;

a.1) la personne est un régime de placement stratifié ayant une ou plusieurs séries provinciales et la mesure dans laquelle elle a acquis le bien ou le service pour le consommer, l'utiliser ou le fournir dans le cadre d'activités relatives à une ou plusieurs de ses séries provinciales quant à des provinces participantes où le taux de taxe est supérieur au taux provincial applicable à la province donnée est de moins de 10 %, cette mesure (exprimée en pourcentage) étant déterminée selon la formule suivante :

$$A / B$$

où :

A représente le total des montants représentant chacun la mesure dans laquelle le bien ou le service est acquis en vue d'être consommé, utilisé ou fourni dans le cadre d'activités relatives à une série provinciale du régime quant à une province participante où le taux de taxe est supérieur au taux provincial applicable à la province donnée, déterminée selon l'article 54 du *Règlement sur la méthode d'attribution applicable aux institutions financières désignées particulières (TPS/TVH)*,

B le total des montants représentant chacun la mesure dans laquelle le bien ou le service est acquis en vue d'être consommé, utilisé ou fourni dans le cadre d'activités relatives à une série provinciale du régime quant à une province quelconque, déterminée selon l'article 54 du *Règlement sur la méthode d'attribution applicable aux institutions financières désignées particulières (TPS/TVH)*;

Application: L'alinéa 15a) sera remplacé et l'alinéa 15a.1) sera ajouté par l'art. 9 de l'*Avant-projet de règlement modifiant divers règlements relatifs à la TPS/TVH* du 28 janvier 2011. Ces modifications s'appliqueront :

a) à toute fourniture effectuée après juin 2010;

b) relativement à la contrepartie, même partielle, d'une fourniture qui devient due après juin 2010 ou qui est payée après ce mois sans être devenue due.

b) le total des montants, dont chacun représente un montant de taxe qui, en l'absence du présent alinéa et des alinéas 10b) et 11b), deviendrait payable par la personne en vertu de la section IV.1 de la partie IX de la Loi et à l'égard duquel le paragraphe 220.09(3) de la Loi ne s'appliquerait pas si cette taxe devenait payable par la personne, correspond à 25 $ ou moins au cours du mois civil qui comprend le moment donné.

Notes historiques: L'alinéa 15b) a été remplacé par C.P. 2011-263 [DORS/2011-56], 3 mars 2011, art. 29 et cette modification s'applique :

a) aux fournitures effectuées après juin 2010;

b) relativement à la contrepartie, même partielle, d'une fourniture qui devient due après juin 2010 ou qui est payée après ce mois sans être devenue due.

Antérieurement, il se lisait ainsi :

b) le total des montants dont chacun représente un montant de taxe qui, en l'absence du présent alinéa et des alinéas 10b) et 11b), deviendrait payable par la personne en vertu de la section IV.1 de la partie IX de la Loi et à l'égard duquel le paragraphe 220.09(3) de la Loi ne s'appliquerait pas si cette taxe devenait payable par la personne correspond à 25 $ ou moins au cours du mois civil qui comprend le montant donné.

L'article 15 a été ajouté par C.P. 2010-790, 17 juin 2010 art. 15 et s'applique :

a) aux fournitures effectuées après juin 2010;

b) relativement à la contrepartie, même partielle, d'une fourniture qui devient due après juin 2010 ou qui est payée après ce mois sans être devenue due.

SECTION 4 — REMBOURSEMENT POUR LES BIENS ET SERVICES RETIRÉS D'UNE PROVINCE PARTICIPANTE

16. Conditions du remboursement — paragraphe 261.1(1) — Pour déterminer si un montant est remboursable en vertu du paragraphe 261.1(1) de la Loi à une personne qui, étant l'acquéreur de la fourniture d'un bien effectuée dans une province participante, transfère le bien dans une autre province, les conditions à remplir sont les suivantes :

a) le bien est acquis en vue d'être consommé, utilisé ou fourni exclusivement à l'extérieur de la province participante;

b) si la personne est un consommateur du bien et que celui-ci n'est pas un véhicule à moteur déterminé, la personne réside dans l'autre province;

c) la personne paie les frais, droits et taxes visés par règlement pour l'application de l'article 154 de la Loi qui sont payables par elle relativement au bien.

Notes historiques: L'article 16 a été ajouté par C.P. 2010-790, 17 juin 2010 art. 16 et est entré en vigueur ou est réputé être entré en vigueur le 1er juillet 2010.

17. Calcul du remboursement — paragraphe 261.1(1) — Pour l'application du paragraphe 261.1(1) de la Loi, le montant remboursable en vertu de ce paragraphe à une personne qui, étant l'acquéreur de la fourniture d'un bien effectuée dans une province participante, transfère le bien dans une autre province s'obtient par la formule suivante :

$$A - B$$

où :

A représente le montant de taxe qui est devenu payable et qui a été payé par la personne en vertu du paragraphe 165(2) de la Loi relativement à la fourniture;

B :

a) si le bien est un article déterminé relativement à l'autre province, zéro,

b) dans les autres cas, le montant de taxe qui serait devenue payable par la personne en vertu du paragraphe 165(2) de la Loi relativement à la fourniture si cette taxe était calculée au taux provincial applicable à l'autre province.

Notes historiques: L'article 17 a été ajouté par C.P. 2010-790, 17 juin 2010 art. 17 et est entré en vigueur ou est réputé être entré en vigueur le 1er juillet 2010.

18. Conditions du remboursement — article 261.2 — Pour l'application de l'article 261.2 de la Loi, constitue une condition à remplir le paiement par la personne des frais, droits et taxes visés par règlement pour l'application de l'article 154 de la Loi qui sont payables par elle relativement au bien.

Notes historiques: L'article 18 a été ajouté par C.P. 2010-790, 17 juin 2010 art. 18 et est entré en vigueur ou est réputé être entré en vigueur le 1er juillet 2010.

19. Calcul du remboursement — article 261.2 — Pour l'application de l'article 261.2 de la Loi, le montant remboursable en vertu de ce paragraphe à la personne qui importe un bien pour qu'il soit consommé ou utilisé exclusivement dans une province s'obtient par la formule suivante :

$$A - B$$

où :

A représente le montant de taxe payé par la personne en vertu du paragraphe 212.1(2) de la Loi relativement au bien;

B :

a) si le bien est un article déterminé relativement à la province, zéro,

b) dans les autres cas, le montant de taxe qui serait devenue payable par la personne en vertu du paragraphe 212.1(2) de la

Loi relativement au bien si cette taxe était calculée au taux provincial applicable à la province.

Notes historiques: L'article 19 a été ajouté par C.P. 2010-790, 17 juin 2010 art. 19 et est entré en vigueur ou est réputé être entré en vigueur le 1er juillet 2010.

20. Conditions du remboursement — paragraphe 261.3(1) — Pour l'application du paragraphe 261.3(1) de la Loi, un montant n'est remboursable à une personne en vertu de ce paragraphe relativement à la fourniture d'un bien meuble incorporel ou d'un service effectuée dans une province participante que si, à la fois :

a) un montant de taxe, calculé sur la totalité ou une partie de la contrepartie de la fourniture, devient payable par la personne à un moment donné en vertu du paragraphe 165(2) de la Loi relativement à la fourniture;

b) la mesure dans laquelle la personne a acquis le bien ou le service pour le consommer, l'utiliser ou le fournir ailleurs que dans des provinces participantes où le taux de taxe, à ce moment, est égal ou supérieur à celui de la province participante est d'au moins 10 %.

Notes historiques: L'article 20 a été ajouté par C.P. 2010-790, 17 juin 2010 art. 20 et s'applique :

a) aux fournitures effectuées après juin 2010;

b) relativement à la contrepartie, même partielle, d'une fourniture qui devient due après juin 2010 ou qui est payée après ce mois sans être devenue due.

21. Calcul du remboursement — paragraphe 261.3(1) — Pour l'application du paragraphe 261.3(1) de la Loi, le montant remboursable en vertu de ce paragraphe à une personne qui est l'acquéreur de la fourniture, effectuée dans une province participante donnée, d'un bien meuble incorporel ou d'un service s'obtient par la formule suivante :

$$A - B$$

où :

A représente le montant de taxe visé à l'alinéa 20a) relativement à la fourniture;

B le total des montants dont chacun s'obtient, pour une province participante, par la formule suivante :

$$C \times D$$

où :

C représente :

a) si le bien ou le service est un article déterminé relativement à la province participante, zéro,

b) dans les autres cas, le montant de taxe qui, au moment donné mentionné à l'alinéa 20a), serait devenu payable par la personne en vertu du paragraphe 165(2) de la Loi relativement à la fourniture si cette taxe était calculée, sur la totalité ou une partie de la contrepartie visée à cet alinéa relativement à la fourniture, à celui des taux ci-après qui est applicable :

(i) dans le cas où le taux de taxe applicable à la province participante est inférieur à celui de la province participante donnée, le taux de taxe applicable à la province participante,

(ii) dans les autres cas, le taux de taxe applicable à la province participante donnée,

D le pourcentage qui représente la mesure dans laquelle la personne a acquis le bien ou le service pour le consommer, l'utiliser ou le fournir dans la province participante.

Notes historiques: L'article 21 a été ajouté par C.P. 2010-790, 17 juin 2010 art. 21 et s'applique :

a) aux fournitures effectuées après juin 2010;

b) relativement à la contrepartie, même partielle, d'une fourniture qui devient due après juin 2010 ou qui est payée après ce mois sans être devenue due.

Ajout proposé — 21.1

21.1 (1) Personne visée — paragraphe 261.31(2) — Pour l'application du paragraphe 261.31(2) de la Loi, une institution financière désignée particulière qui est un régime de placement stratifié ayant une ou plusieurs séries provinciales est une personne visée.

(2) Montant visé — paragraphe 261.31(2) — Pour l'application du paragraphe 261.31(2) de la Loi, le montant remboursable aux termes de ce paragraphe à une personne dans les circonstances où la taxe prévue au paragraphe 165(2) ou aux articles 212.1 ou 218.1 de la Loi ou à la section IV.1 de la partie IX de la Loi devient payable par la personne à un moment donné, est égal à celui des montants ci-après qui est applicable :

a) si la personne est un régime de placement stratifié ayant une ou plusieurs séries provinciales :

(i) si la taxe est payable en vertu du paragraphe 165(2) de la Loi relativement à la fourniture d'un bien ou d'un service, le total des montants dont chacun est déterminé relativement à une série provinciale de la personne selon la formule suivante :

$$(A - B) \times C$$

où :

A représente le montant de cette taxe,

B :

(A) s'il s'agit d'une série provinciale quant à une province participante, le montant de taxe qui serait devenu payable en vertu du paragraphe 165(2) de la Loi relativement à la fourniture au moment donné si cette taxe était calculée au taux de taxe applicable à cette province,

(B)dans les autres cas, zéro,

C le pourcentage qui représente la mesure dans laquelle le bien ou le service a été acquis en vue d'être consommé, utilisé ou fourni dans le cadre des activités relatives à la série provinciale, déterminée selon l'article 54 du *Règlement sur la méthode d'attribution applicable aux institutions financières désignées particulières (TPS/ TVH)*,

(ii) si la taxe est payable en vertu des articles 212.1 ou 218.1 ou du paragraphe 220.06(1) de la Loi relativement à un bien meuble corporel, le total des montants dont chacun est déterminé relativement à une série provinciale de la personne selon la formule suivante :

$$(D - E) \times F$$

où :

D représente le montant de cette taxe,

E :

(A) s'il s'agit d'une série provinciale quant à une province participante, le montant de taxe qui serait devenu payable en vertu de cet article ou ce paragraphe relativement au bien au moment donné si cette taxe était calculée au taux de taxe applicable à cette province,

(B)dans les autres cas, zéro,

F le pourcentage qui représente la mesure dans laquelle le bien meuble corporel a été acquis ou importé en vue d'être consommé, utilisé ou fourni dans le cadre des activités relatives à la série provinciale, déterminée selon l'article 54 du *Règlement sur la méthode d'attribution applicable aux institutions financières désignées particulières (TPS/TVH)*,

(iii) si la taxe est payable en vertu des paragraphes 220.05(1) ou 220.07(1) de la Loi relativement au transfert d'un bien meuble corporel dans une province participante donnée, le total des montants dont chacun est déterminé re-

TVH

lativement à une série provinciale de la personne selon la formule suivante :

$$(G - H) \times I$$

où :

G représente le montant de cette taxe,

H :

(A) s'il s'agit d'une série provinciale quant à la province participante donnée, le montant de cette taxe,

(B) s'il s'agit d'une série provinciale quant à une province participante autre que la province participante donnée, le montant de taxe qui serait devenu payable en vertu de ce paragraphe relativement au transfert du bien si ce bien était transféré dans la province donnée,

(C) dans les autres cas, zéro,

I le pourcentage qui représente la mesure dans laquelle le bien a été transféré dans la province participante donnée en vue d'être consommé, utilisé ou fourni dans le cadre des activités relatives à la série provinciale, déterminée selon l'article 54 du *Règlement sur la méthode d'attribution applicable aux institutions financières désignées particulières (TPS/TVH)*,

(iv) dans les autres cas, zéro;

b) si la personne est un régime de placement provincial :

(i) si la taxe est payable en vertu du paragraphe 165(2) de la Loi relativement à la fourniture d'un bien ou d'un service, le montant obtenu par la formule suivante :

$$A - B$$

où :

A représente le montant de cette taxe,

B :

(A) si la personne est un régime de placement provincial quant à une province participante, le montant de taxe qui serait devenu payable en vertu du paragraphe 165(2) de la Loi relativement à la fourniture au moment donné si cette taxe était calculée au taux de taxe applicable à cette province,

(B) dans les autres cas, zéro,

(ii) si la taxe est payable en vertu des articles 212.1 ou 218.1 ou du paragraphe 220.06(1) de la Loi relativement à un bien meuble corporel, le montant obtenu par la formule suivante :

$$C - D$$

où :

C représente le montant de cette taxe,

D :

(A) si la personne est un régime de placement provincial quant à une province participante, le montant de taxe qui serait devenu payable en vertu de cet article ou ce paragraphe relativement au bien au moment donné si cette taxe était calculée au taux de taxe applicable à cette province,

(B) dans les autres cas, zéro,

(iii) si la taxe est payable en vertu des paragraphes 220.05(1) ou 220.07(1) de la Loi relativement au transfert d'un bien meuble corporel dans une province participante donnée, le montant obtenu par la formule suivante :

$$E - F$$

où :

E représente le montant de cette taxe,

F :

(A) si la personne est un régime de placement provincial quant à la province participante donnée, le montant de cette taxe,

(B) si elle est un régime de placement provincial quant à une province participante autre que la province participante donnée, le montant de taxe qui serait devenu payable en vertu de ce paragraphe relativement au transfert du bien si ce bien était transféré dans la province en cause,

(C) dans les autres cas, zéro,

(iv) dans les autres cas, zéro;

c) dans les autres cas :

(i) si la taxe est payable en vertu du paragraphe 165(2) de la Loi relativement à la fourniture d'un bien ou d'un service, le montant obtenu par la formule suivante :

$$A - B$$

où :

A représente le montant de cette taxe,

B le total des montants dont chacun est déterminé relativement à une province participante selon la formule suivante :

$$C \times D$$

où :

C représente le montant de taxe qui serait devenu payable en vertu du paragraphe 165(2) de la Loi relativement à la fourniture au moment donné si cette taxe était calculée au taux de taxe applicable à la province participante,

D le pourcentage qui représente la mesure dans laquelle il est raisonnable de considérer que la personne détient ou investit des fonds au bénéfice de personnes qui résident dans la province participante,

(ii) si la taxe est payable en vertu des articles 212.1 ou 218.1 ou du paragraphe 220.06(1) de la Loi relativement à un bien meuble corporel, le montant obtenu par la formule suivante :

$$E - F$$

où :

E représente le montant de cette taxe,

F le total des montants dont chacun est déterminé relativement à une province participante selon la formule suivante :

$$G \times H$$

où :

G représente le montant de taxe qui serait devenu payable en vertu de cet article ou ce paragraphe relativement au bien au moment donné si cette taxe était calculée au taux de taxe applicable à la province participante,

H le pourcentage qui représente la mesure dans laquelle il est raisonnable de considérer que la personne détient ou investit des fonds au bénéfice de personnes qui résident dans la province participante,

(iii) si la taxe est payable en vertu de l'article 218.1 ou du paragraphe 220.08(1) de la Loi relativement à la fourniture d'un bien meuble incorporel ou d'un service sur un montant de contrepartie de la fourniture, le montant obtenu par la formule suivante :

$$I - J$$

où :

I représente le montant de cette taxe,

J le total des montants dont chacun est déterminé relativement à une province participante selon la formule suivante :

$$K \times L$$

où :

K représente le montant de taxe qui serait devenu payable en vertu de cet article ou ce paragraphe relativement à la fourniture au moment donné si cette fourniture était acquise par la personne en vue d'être consommée, utilisée ou fournie exclusivement dans la province participante,

L le pourcentage qui représente la mesure dans laquelle il est raisonnable de considérer que la personne détient ou investit des fonds au bénéfice de personnes qui résident dans la province participante,

(iv) si la taxe est payable en vertu des paragraphes 220.05(1) ou 220.07(1) de la Loi relativement au transfert d'un bien meuble corporel dans une province participante donnée, le montant obtenu par la formule suivante :

$$M - N$$

où :

M représente le montant de cette taxe,

N le total des montants dont chacun est déterminé relativement à une province participante selon la formule suivante :

$$O \times P$$

où :

O représente le montant de taxe qui serait devenu payable en vertu de ce paragraphe relativement au transfert si le bien était transféré dans la province participante,

P le pourcentage qui représente la mesure dans laquelle il est raisonnable de considérer que la personne détient ou investit des fonds au bénéfice de personnes qui résident dans la province participante.

(3) Montant visé — paragraphe 263.01(4) — Pour l'application du paragraphe 263.01(4) de la Loi, le montant de taxe qui devient payable par une personne visée au paragraphe (1), ou qui est payé par cette personne sans être devenu payable, relativement à une fourniture qui est acquise en tout ou en partie en vue d'être consommée, utilisée ou fournie dans le cadre d'activités relatives à une série provinciale de la personne est un montant de taxe visé.

Application: L'article 21.1 sera ajouté par l'art. 10 de l'*Avant-projet de règlement modifiant divers règlements relatifs à la TPS/TVH* du 28 janvier 2011 et s'appliquera :

a) à toute fourniture effectuée après juin 2010;

b) relativement à la contrepartie, même partielle, d'une fourniture qui devient due après juin 2010 ou qui est payée après ce mois sans être devenue due.

22. Remboursements — restrictions — Pour l'application de l'alinéa 261.4d) de la Loi, les circonstances sont les suivantes :

a) dans le cas du remboursement prévu aux articles 261.1 ou 261.3 de la Loi, il est justifié par un reçu d'un montant qui comprend une taxe d'au moins 5 $ et la personne a droit par ailleurs à ce remboursement;

b) le total des montants dont chacun représente un montant de remboursement auquel la personne a droit par ailleurs en vertu de l'un des articles 261.1 à 261.3 de la Loi et qui fait l'objet de la demande de remboursement est d'au moins 25 $.

Modification proposée — 22b)

b) le total des montants dont chacun représente un montant de remboursement auquel la personne a droit par ailleurs en vertu de l'un des articles 261.1 à 261.31 de la Loi et qui fait l'objet de la demande de remboursement est d'au moins 25 $.

Application: L'alinéa 22b) sera remplacé par l'art. 11 de l'*Avant-projet de règlement modifiant divers règlements relatifs à la TPS/TVH* du 28 janvier 2011 et cette modification sera réputée être entrée en vigueur le 1er juillet 2010.

Notes historiques: L'article 22 a été ajouté par C.P. 2010-790, 17 juin 2010 art. 22 et est entré en vigueur ou est réputé être entré en vigueur le 1er juillet 2010.

SECTION 5 — BIENS ET SERVICES NON TAXABLES

22.1 Article déterminé additionnel — Pour l'application de la présente section, un bien relativement auquel une personne s'est fait payer ou créditer un montant admissible, au sens de l'article 1 du *Règlement sur le crédit pour allègement provincial (TVH)*, ou a le droit de se faire payer ou créditer un tel montant, est un article déterminé relativement à l'Ontario.

Notes historiques: L'article 22.1 a été ajouté par C.P. 2011-263 [DORS/2011-56], 3 mars 2011 art. 30 et est réputé être entré en vigueur le 1er septembre 2010.

23. Biens non taxables — Sont visés pour l'application de l'article 23 de la partie I de l'annexe X de la Loi :

a) les biens qui seraient des biens non taxables selon l'article 6 de la partie I de l'annexe X de la Loi si :

(i) le passage « province non participante » à cet article était remplacé par « province participante »,

(ii) le passage « province participante » à cet article était remplacé par « autre province participante »,

(iii) le passage « ne résidant pas dans une province participante » à cet article était remplacé par « résidant dans une province participante »;

b) les biens ci-après qu'un particulier résidant dans une province participante reçoit à titre de cadeau ou de legs et qui sont transférés dans une province participante :

(i) les effets mobiliers d'un particulier décédé dans une province participante qui résidait dans une telle province au moment de son décès,

(ii) les effets mobiliers reçus par un particulier, résidant dans une province participante, par suite ou en prévision du décès d'un particulier résidant dans une telle province;

c) les médailles, trophées et autres prix, à l'exclusion des produits marchands habituels, gagnés dans une province participante lors de compétitions ou décernés, reçus ou acceptés dans une telle province ou donnés par des personnes dans une telle province pour un acte d'héroïsme ou de bravoure ou une distinction;

d) les biens qu'une personne transfère dans une province participante à un moment donné après les avoir acquis ou transférés dans une province participante donnée à un autre moment dans des circonstances telles que la taxe prévue aux paragraphes 165(2) ou 218.1(1) de la Loi ou à la section IV.1 de la partie IX de la Loi était payable par elle si, à la fois :

(i) le taux auquel cette taxe a été calculée est égal ou supérieur au taux de taxe applicable à la province participante au moment donné,

(ii) la personne n'avait pas droit au remboursement de cette taxe en vertu de l'article 261.1 de la Loi,

(iii) le bien n'était pas un article déterminé relativement à la province participante donnée à l'autre moment;

e) les biens qu'une personne transfère dans une province participante à un moment où ils lui sont fournis dans une telle province par bail, licence ou accord semblable prévoyant la possession ou l'utilisation continues des biens pendant une période de plus de trois mois et dans des circonstances telles que la taxe prévue au paragraphe 165(1) de la Loi est payable par la personne relativement à la fourniture;

f) les biens qu'une personne transfère dans une province participante à un moment donné après les avoir importés à un autre moment dans des circonstances telles que la taxe prévue au para-

TVH

graphe 212.1(2) de la Loi a été imposée au taux de taxe applicable à une province participante donnée si, à la fois :

(i) le taux auquel cette taxe a été calculée est égal ou supérieur au taux de taxe applicable à la province participante au moment donné,

(ii) la personne n'avait pas droit au remboursement de cette taxe en vertu de l'article 261.2 de la Loi,

(iii) le bien n'était pas un article déterminé relativement à la province participante donnée à l'autre moment;

g) les biens qu'une personne transfère dans une province participante à un moment donné après les avoir utilisés dans une telle province (appelée « province déterminée » au présent alinéa) puis retirés de cette province à un autre moment si, à la fois :

(i) le taux de taxe applicable à la province déterminée à l'autre moment est égal ou supérieur à celui de la province participante au moment donné,

(ii) dans le cas où taxe était payable par la personne en vertu du paragraphe 165(2) de la Loi relativement à une fourniture du bien effectuée à son profit dans la province déterminée, la personne n'avait pas droit au remboursement de cette taxe en vertu de l'article 261.1 de la Loi,

(iii) le bien n'était pas un article déterminé relativement à la province déterminée à l'autre moment;

h) les véhicules à moteur déterminés qu'une personne transfère dans une province participante après qu'ils lui ont été fournis par vente dans une province participante dans des circonstances telles que la taxe prévue au paragraphe 165(1) de la Loi n'était pas payable relativement à la fourniture.

Notes historiques: L'article 23 a été ajouté par C.P. 2010-790, 17 juin 2010 art. 23 et est entré en vigueur ou est réputé être entré en vigueur le 1er juillet 2010.

24. Biens et services non taxables — La fourniture d'un service (sauf un service de dépositaire ou de propriétaire pour compte relatif à des titres ou à des métaux précieux de l'acquéreur de la fourniture) qui est lié à un bien meuble corporel et qui est acquis par l'acquéreur de la fourniture quelles que soient les circonstances est visée pour l'application de l'article 7 de la partie II de l'annexe X de la Loi si le bien est transféré d'une province participante donnée à une autre province participante dès que possible après l'exécution du service, compte tenu des circonstances entourant le retrait, et n'est ni consommé, ni utilisé, ni fourni dans la province participante donnée entre l'exécution du service et le retrait du bien.

Notes historiques: L'article 24 a été ajouté par C.P. 2010-790, 17 juin 2010 art. 24 et s'applique :

a) aux fournitures effectuées après juin 2010;

b) relativement à la contrepartie, même partielle, d'une fourniture qui devient due après juin 2010 ou qui est payée après ce mois sans être devenue due.

25. Biens et services non taxables — Est visée pour l'application de l'article 7 de la partie II de l'annexe X de la Loi la fourniture d'un service rendu à l'occasion d'une instance criminelle, civile ou administrative, sauf un service rendu avant le début d'une telle instance, qui relève de la compétence d'un tribunal établi en application des lois d'une province, ou qui est de la nature d'un appel d'une décision d'un tel tribunal, et qui est acquis par l'acquéreur de la fourniture quelles que soient les circonstances.

Notes historiques: L'article 25 a été ajouté par C.P. 2010-790, 17 juin 2010 art. 25 et s'applique :

a) aux fournitures effectuées après juin 2010;

b) relativement à la contrepartie, même partielle, d'une fourniture qui devient due après juin 2010 ou qui est payée après ce mois sans être devenue due.

PARTIE 6 — RÉCUPÉRATION DE CRÉDITS DE TAXE SUR LES INTRANTS PROVINCIAUX DÉTERMINÉS

SECTION 1 — DÉFINITIONS

26. Définitions — Les définitions qui suivent s'appliquent à la présente partie.

« agriculture » S'entend au sens du paragraphe 248(1) de la *Loi de l'impôt sur le revenu.*

« forme d'énergie déterminée »

a) Électricité, gaz et vapeur;

b) toute chose, à l'exception du carburant destiné aux moteurs à propulsion, qui peut servir à produire de l'énergie :

(i) soit par combustion ou oxydation,

(ii) soit par suite d'une réaction nucléaire dans un réacteur servant à la production d'énergie.

« matériel de production »

a) La machinerie, l'outillage, l'appareillage et les accessoires;

b) les moules et les matrices;

c) les supports pour l'enregistrement d'images ou de son;

d) les plans, les dessins, les maquettes et les prototypes;

e) les composants et les pièces de rechange des biens mentionnés aux alinéas a) à d);

f) les matériaux servant à fabriquer ou à réparer les biens mentionnés aux alinéas a) à e);

g) les explosifs et les matériaux entrant dans leur fabrication.

« moment déterminé » Relativement à un crédit de taxe sur les intrants provincial déterminé d'une personne attribuable à la taxe, relative à la fourniture, à l'importation ou au transfert dans une province d'un bien ou service déterminé, qui devient payable par la personne, qui est payée par elle sans être devenue payable ou qui serait devenue payable par elle si les règles énoncées aux alinéas 29(1)a) à g) s'appliquaient relativement à la fourniture, à l'importation ou au transfert ou si le paragraphe 29(2) s'appliquait relativement au transfert, celui des jours ci-après qui est applicable :

a) dans le cas où cette taxe ne serait devenue payable par la personne que si les règles énoncées aux alinéas 29(1)a) à g) s'appliquaient relativement à la fourniture, à l'importation ou au transfert ou que si le paragraphe 29(2) s'appliquait relativement au transfert, le jour où cette taxe serait devenue payable par la personne;

b) dans les autres cas, le premier en date des jours suivants :

(i) le jour où cette taxe devient payable par la personne,

(ii) le 1er juillet 2010 ou, s'il est postérieur, le jour où cette taxe est payée par la personne.

« montant de récupération de la Colombie-Britannique » Crédit de taxe sur les intrants provincial déterminé relativement :

a) à l'acquisition d'un bien en Colombie-Britannique;

b) au transfert d'un bien en Colombie-Britannique;

c) à l'acquisition d'un service pour consommation ou utilisation en Colombie-Britannique.

« période d'acomptes » Toute période commençant le premier jour du quatrième mois d'exercice d'un exercice d'une personne et se terminant le dernier jour du troisième mois d'exercice de son exercice suivant.

« période de récupération » Toute période de douze mois civils qui :

a) commence le 1er juillet d'une année civile;

b) se situe entre le 1er juillet 2010 et le 30 juin 2018.

Info TPS/TVQ: GI-100 — *Taxe de vente harmonisée — les constructeurs et l'exigence de récupération des crédits de taxe sur les intrants.*

« production » Les activités ci-après, sauf celles qui consistent à assembler, à transformer ou à fabriquer des biens meubles corporels dans un établissement de détail ou à entreposer des produits finis :

a) l'assemblage, la transformation ou la fabrication d'un bien meuble corporel donné en vue d'en créer un autre qui est différent du bien donné par sa nature ou ses propriétés;

b) la production de toute forme d'énergie ou sa transformation en une autre forme d'énergie;

c) la remise en état d'un bien meuble corporel par son propriétaire;

d) l'enregistrement d'images ou de son sur un support;

e) la coupe, la transformation et la manipulation de bois dans une forêt et la construction et l'entretien de voies d'accès en forêt dans le cadre de ces activités;

f) l'extraction et le traitement de minerai jusqu'au premier stade de concentration ou l'équivalent;

g) la transformation de déchets industriels toxiques en produits non toxiques;

h) les activités ci-après effectuées en corrélation avec une activité mentionnée à l'un des alinéas a) à g) par le même exécutant :

(i) la détection, la mesure, le traitement, la réduction ou l'élimination des polluants de l'eau, du sol ou de l'air qui sont attribuables à la production de biens meubles,

(ii) le transport des rebuts ou déchets découlant de la production de biens meubles,

(iii) le contrôle de la qualité de biens meubles en voie de production ou de matériel de production,

(iv) le nettoyage, le tri, le criblage, l'emballage, l'empaquetage ou la mise en contenant de biens.

« province déterminée » L'Ontario ou la Colombie-Britannique.

« système de classification des industries » Le Système de classification des industries de l'Amérique du Nord, dans sa version applicable au 1er juillet 2010.

« taux de récupération » Taux applicable à un moment donné relativement à un crédit de taxe sur les intrants provincial déterminé, à savoir :

a) s'agissant d'un crédit de taxe sur les intrants provincial déterminé qui est un montant de récupération de la Colombie-Britannique :

(i) 100 %, si le moment est postérieur au 30 juin 2010 mais antérieur au 1er avril 2013,

(ii) 0 %, s'il est postérieur au 31 mars 2013;

b) dans les autres cas :

(i) 100 %, si le moment est postérieur au 30 juin 2010 mais antérieur au 1er juillet 2015,

(ii) 75 %, s'il est postérieur au 30 juin 2015 mais antérieur au 1er juillet 2016,

(ii) 50 %, s'il est postérieur au 30 juin 2016 mais antérieur au 1er juillet 2017,

(iv) 25 %, s'il est postérieur au 30 juin 2017 mais antérieur au 1er juillet 2018,

(v) 0 %, s'il est postérieur au 30 juin 2018.

« véhicule automobile » Tout véhicule à moteur conçu pour le transport de particuliers ou de biens meubles corporels, à l'exception :

a) des bicyclettes assistées;

b) des motoneiges;

c) des véhicules tout terrain;

d) des fauteuils roulants mus électriquement;

e) des tramways;

f) des véhicules pouvant circuler uniquement sur rails;

g) des tracteurs agricoles et autres machines agricoles qui sont acquis, ou transférés dans une province, en vue d'être utilisés exclusivement dans le cadre d'activités d'agriculture.

« véhicule automobile admissible » Véhicule automobile acquis ou transféré dans une province déterminée qui est immatriculé, ou doit l'être, pour utilisation sur la voie publique en vertu des lois de la province en matière d'immatriculation des véhicules automobiles et qui, avec sa pleine capacité de carburant, de lubrifiant et de liquide de refroidissement, pèse moins de 3000 kilogrammes au moment où il est immatriculé pour la première fois, ou doit l'être, en vertu de ces lois.

« voie admissible » Chemin, route, pont, tunnel ou débarcadère de traversier qui sert au passage de véhicules, à l'exclusion des aires de stationnement réservées, des pistes d'aéroport, des chantiers maritimes, des voies d'accès pour autos, des pistes cyclables et des sentiers pédestres.

Notes historiques: La définition de « moment déterminé » à l'article 26 a été ajoutée par C.P. 2012-1127 [DORS/2012-191], 20 septembre 2012, par. 27(2) et s'applique relativement à toute période de déclaration d'une personne se terminant après juin 2010.

La définition de « montant de récupération de la Colombie-Britannique » à l'article 26 a été ajoutée par C.P. 2012-1127 [DORS/2012-191], 20 septembre 2012, par. 27(2) et est entrée en vigueur le 10 octobre 2012.

La définition de « taux de récupération » à l'article 26 a été remplacée par C.P. 2012-1127 [DORS/2012-191], 20 septembre 2012, par. 27(1) et cette modification est entrée en vigueur le 10 octobre 2012. Antérieurement, elle se lisait ainsi :

« taux de récupération » Taux applicable à un moment donné, à savoir :

a) 100 %, si le moment est postérieur au 30 juin 2010 mais antérieur au 1&sup-er; juillet 2015;

b) 75 %, s'il est postérieur au 30 juin 2015 mais antérieur au 1&sup-er; juillet 2016;

c) 50 %, s'il est postérieur au 30 juin 2016 mais antérieur au 1&sup-er; juillet 2017;

d) 25 %, s'il est postérieur au 30 juin 2017 mais antérieur au 1&sup-er; juillet 2018;

e) 0 %, s'il est postérieur au 30 juin 2018.

L'article 26 a été ajouté par C.P. 2010-790, 17 juin 2010 art. 26 et s'applique relativement à toute période de déclaration d'une personne se terminant après juin 2010.

SECTION 2 — PERSONNES VISÉES

27. (1) Grande entreprise — Pour l'application de la définition de « grande entreprise » au paragraphe 236.01(1) de la Loi, est une personne visée pour une période de récupération l'inscrit dont le montant seuil de récupération des crédits de taxe sur les intrants pour la période excède 10 000 000 $.

(2) Grande entreprise — Pour l'application de la définition de « grande entreprise » au paragraphe 236.01(1) de la Loi, est une personne visée à un moment donné l'inscrit qui est, à ce moment :

a) une banque;

b) une personne morale titulaire d'un permis ou autrement autorisée par la législation fédérale ou provinciale à exploiter au Canada une entreprise d'offre au public de services de fiduciaire;

c) une caisse de crédit;

d) un assureur ou une autre personne dont l'entreprise principale consiste à offrir de l'assurance dans le cadre de polices d'assurance;

e) le fonds réservé d'un assureur;

f) un régime de placement au sens du paragraphe 149(5) de la Loi;

g) la Société d'assurance-dépôts du Canada;

h) toute personne liée à une personne mentionnée aux alinéas a) à f).

(3) Montant seuil de récupération des crédits de taxe sur les intrants — Pour l'application du présent article, le montant seuil de récupération des crédits de taxe sur les intrants d'une per-

TVH

sonne donnée pour une période de récupération correspond au total des montants suivants :

a) le montant obtenu par la formule suivante :

$$A \times (365/B)$$

où :

A représente le total de la contrepartie, sauf celle visée à l'article 167.1 de la Loi qui est imputable à l'achalandage d'une entreprise, qui est devenue due à la personne au cours de son dernier exercice (appelé « exercice de référence » au présent paragraphe) se terminant avant le début de la période de récupération, ou qui lui a été payée au cours de cet exercice sans être devenue due, relativement à des fournitures taxables (sauf des fournitures de services financiers et des fournitures par vente d'immeubles qui font partie de ses immobilisations) qu'elle a effectuées au Canada ou à l'étranger par l'intermédiaire d'un établissement stable situé au Canada,

B le nombre de jours de l'exercice de référence;

b) le total des montants dont chacun est déterminé selon la formule ci-après relativement à une personne (appelée « associé » au présent alinéa) qui est associée à la personne donnée à la fin de l'exercice de référence :

$$C \times (365/D)$$

où :

C représente le total de la contrepartie, sauf celle visée à l'article 167.1 de la Loi qui est imputable à l'achalandage d'une entreprise, qui est devenue due à l'associé au cours de son dernier exercice se terminant avant le début de la période de récupération, ou qui lui a été payée au cours de cet exercice sans être devenue due, relativement à des fournitures taxables (sauf des fournitures de services financiers et des fournitures par vente d'immeubles qui font partie de ses immobilisations) qu'il a effectuées au Canada ou à l'étranger par l'intermédiaire d'un établissement stable situé au Canada,

D le nombre de jours du dernier exercice de l'associé se terminant avant le début de la période de récupération;

c) le total des montants dont chacun est déterminé selon la formule ci-après relativement à une personne (appelée « vendeur » au présent alinéa) qui effectue la fourniture d'une entreprise au profit de la personne donnée dans le cas où, aux termes de la convention portant sur la fourniture, celle-ci acquiert, à un moment de la période de douze mois précédant la période de récupération, la propriété, la possession ou l'utilisation de la totalité ou de la presque totalité des biens qu'il est raisonnable de considérer comme étant nécessaires pour qu'elle soit en mesure d'exploiter l'entreprise et où le montant seuil de récupération des crédits de taxe sur les intrants du vendeur pour la période de récupération donnée qui comprend ce moment excéderait 10 000 000 $ en l'absence de l'alinéa b) :

$$(E/F) \times (365 - G)$$

où :

E représente le total de la contrepartie, sauf celle visée à l'article 167.1 de la Loi qui est imputable à l'achalandage d'une entreprise, relative à des fournitures taxables (sauf des fournitures de services financiers et des fournitures par vente d'immeubles qui font partie des immobilisations de la personne donnée) que la personne donnée a effectuées au Canada ou à l'étranger par l'intermédiaire d'un établissement stable situé au Canada, qui est devenue due à cette personne au cours de la période de douze mois précédant la période de récupération ou qui lui a été payée au cours de cette période de douze mois sans être devenue due relativement à l'entreprise qu'elle a acquise,

F le nombre de jours de la période de douze mois précédant la période de récupération qui sont postérieurs à ce moment,

G le nombre de jours de la période de douze mois précédant la période de récupération qui sont postérieurs à ce moment et qui font partie de l'exercice de référence.

(4) Contrepartie — Pour l'application du paragraphe (3), la contrepartie de la fourniture d'un bien ou d'un service comprend :

a) tout montant qui, en l'absence du paragraphe 153(4) de la Loi, serait compris dans la contrepartie de la fourniture;

b) tout montant qui, en l'absence du paragraphe 156(2) de la Loi, serait la contrepartie de la fourniture;

c) si la fourniture est effectuée entre personnes ayant un lien de dépendance, tout excédent, sur la contrepartie, de la juste valeur marchande du bien ou du service au moment où la fourniture est effectuée.

(5) Grande entreprise — société de personnes — Si un associé, sauf un particulier, d'une société de personnes qui est une grande entreprise acquiert un bien ou un service, ou le transfère dans une province déterminée, en vue de le consommer, de l'utiliser ou de le fournir relativement aux activités de la société de personnes mais non pour le compte de celle-ci, l'associé est une personne visée pour l'application de la définition de « grande entreprise » au paragraphe 236.01(1) de la Loi relativement à l'acquisition ou au transfert à tout moment où il est un inscrit.

(6) Grande entreprise — coentreprise — Si un entrepreneur, au sens du paragraphe 273(1) de la Loi, qui participe à une coentreprise avec une grande entreprise en conformité avec une convention mentionnée à ce paragraphe acquiert un bien ou un service, ou le transfère dans une province déterminée, aux termes de la convention au nom de la grande entreprise dans le cadre des activités relativement auxquelles la convention a été conclue et que, au moment de l'acquisition ou du transfert, le choix prévu au paragraphe 273(1) de la Loi effectué par l'entrepreneur et la grande entreprise est en vigueur, l'entrepreneur est une personne visée pour l'application de la définition de « grande entreprise » au paragraphe 236.01(1) de la Loi relativement à l'acquisition ou au transfert.

(7) Grande entreprise — acquisition de contrôle — Si, au cours d'une période de récupération, une grande entreprise acquiert le contrôle d'une personne morale qui n'est pas une grande entreprise, cette personne morale et les personnes qui lui sont associées sont des personnes visées pour l'application de la définition de « grande entreprise » au paragraphe 236.01(1) de la Loi pour la période commençant à la date d'acquisition du contrôle et se terminant le dernier jour de la période de récupération qui comprend le dernier jour de l'exercice de la personne morale qui comprend cette date.

(8) Grande entreprise — fusion — Si plusieurs personnes morales (appelées chacune « personne remplacée » au présent paragraphe) fusionnent au cours d'une période de récupération pour former une nouvelle personne morale et que la somme des montants seuils de récupération des crédits de taxe sur les intrants des personnes remplacées pour la période de récupération excède 10 000 000 $, la nouvelle personne morale est une personne visée pour l'application de la définition de « grande entreprise » au paragraphe 236.01(1) de la Loi pour la période commençant à la date de la fusion et se terminant le dernier jour de la période de récupération qui comprend le dernier jour du premier exercice de la nouvelle personne morale.

(9) Grande entreprise — acquisition d'une entreprise — Dans le cas où une personne effectue la fourniture d'une entreprise au cours d'une période de récupération au profit d'une autre personne qui n'est pas une grande entreprise, où le montant seuil de récupération des crédits de taxe sur les intrants de la personne pour la période de récupération excéderait 10 000 000 $ en l'absence de l'alinéa (3)b), où l'autre personne acquiert, aux termes de la convention portant sur la fourniture, la propriété, la possession ou l'utilisation de la totalité ou de la presque totalité des biens qu'il est raisonnable de considérer comme étant nécessaires pour qu'elle soit en mesure d'exploiter l'entreprise et où, après le moment où la fourniture est effectuée, l'entreprise est exploitée par l'autre personne, celle-ci est une personne visée pour l'application de la définition de « grande entreprise » au paragraphe 236.01(1) de la Loi pour la période commençant au premier en date du jour où elle commence à exploiter l'entreprise et du jour où elle acquiert la propriété, la possession ou l'utilisation de la totalité ou de la presque totalité des biens en cause et se terminant le dernier jour de la période de récupération.

(10) Grande entreprise — nouvel inscrit — Si une personne devient un inscrit à un moment d'une période de récupération et que son montant seuil de récupération des crédits de taxe sur les intrants, ou celui d'une autre personne qui lui est associée à ce moment, excède 10 000 000 $ pour cette période, la personne est visée pour l'application de la définition de « grande entreprise » au paragraphe 236.01(1) de la Loi pour la période commençant à ce moment et se terminant le dernier jour de la période de récupération.

(11) Personne qui cesse d'être une grande entreprise — addition — Pour l'application de la définition de « grande entreprise » au paragraphe 236.01(1) de la Loi, est une personne visée au moment prévu, établi selon les articles 30 ou 32, relativement à un crédit de taxe sur les intrants provincial déterminé de la personne au titre d'un bien ou d'un service déterminé la personne qui a cessé d'être une grande entreprise, à la fois :

a) avant le moment prévu;

b) après celui des moments ci-après qui est applicable :

(i) dans le cas d'un véhicule automobile admissible auquel l'article 32 s'applique, le moment où la personne commence à utiliser le véhicule autrement qu'exclusivement dans le but mentionné au sous-alinéa 28(2)g)(i),

(ii) dans les autres cas, le moment déterminé relativement au crédit de taxe sur les intrants provincial déterminé.

(12) Personne qui cesse d'être une grande entreprise — déduction — Pour l'application de la définition de « grande entreprise » au paragraphe 236.01(1) de la Loi, est une personne visée au moment prévu, établi selon l'article 33, relativement à un véhicule automobile admissible la personne qui cesse d'être une grande entreprise, à la fois :

a) avant le moment prévu;

b) après la fin de la période de déclaration au cours de laquelle elle était tenue d'ajouter un montant à sa taxe nette pour la période de déclaration par l'effet du paragraphe 31(2) relativement à son crédit de taxe sur les intrants provincial déterminé au titre du véhicule.

(13) Grande entreprise — exclusion — Malgré les paragraphes (1) à (10), pour l'application de la définition de « grande entreprise » au paragraphe 236.01(1) de la Loi, n'est pas une personne visée à un moment donné la personne qui est, à ce moment :

a) un organisme de services publics;

b) une institution financière désignée particulière;

Abrogation proposée — 27(13)b)

Application: L'alinéa 27(13)b) sera abrogé par l'art. 12 de l'*Avant-projet de règlement modifiant divers règlements relatifs à la TPS/TVH* du 28 janvier 2011 et cette abrogation s'appliquera relativement aux périodes de déclaration d'une personne se terminant après juin 2010.

c) une entité du gouvernement du Canada qui ne figure pas à l'annexe I de la *Loi sur les arrangements fiscaux entre le gouvernement fédéral et les provinces*;

d) un ministère au sens de l'article 2 de la *Loi sur la gestion des finances publiques*;

e) une entité du gouvernement d'une province qui peut demander, aux termes d'une disposition d'un accord d'harmonisation de la taxe de vente conclu avec cette province, un remboursement de taxe payée en vertu de la partie IX de la Loi.

Notes historiques: Le paragraphe 27(11) a été remplacé par C.P. 2012-1127 [DORS/2012-191], 20 septembre 2012, art. 28 et cette modification s'applique relativement à toute période de déclaration d'une personne se terminant après juin 2010. Antérieurement, il se lisait ainsi :

(11) Pour l'application de la définition de « grande entreprise » au paragraphe 236.01(1) de la Loi, est une personne visée au moment prévu, établi selon les articles 30 ou 32, relativement à un crédit de taxe sur les intrants provincial déterminé de la personne au titre d'un véhicule automobile admissible auquel s'applique l'alinéa 30a) ou l'article 32 ou d'un bien ou d'un service visé à l'alinéa 28(1)h) la personne qui a cessé d'être une grande entreprise, à la fois :

a) avant le moment prévu;

b) après celui des moments suivants qui est applicable :

(i) s'agissant d'un véhicule automobile admissible auquel l'alinéa 30a) s'applique ou d'un bien ou d'un service visé à l'alinéa 28(1)h), le moment qui, en l'absence des alinéas 30a) et b), correspondrait au moment prévu relativement au crédit,

(ii) s'agissant d'un véhicule automobile admissible auquel l'article 32 s'applique, le moment où la personne commence à utiliser le véhicule autrement qu'exclusivement dans le but mentionné au sous-alinéa 28(2)g)(i).

L'article 27 a été ajouté par C.P. 2010-790, 17 juin 2010 art. 27 et s'applique relativement à toute période de déclaration d'une personne se terminant après juin 2010.

Info TPS/TVQ: GI-100 — *Taxe de vente harmonisée — les constructeurs et l'exigence de récupération des crédits de taxe sur les intrants.*

SECTION 3 — BIENS OU SERVICES VISÉS

28. (1) Bien ou service déterminé — Sont visés pour l'application de la définition de « bien ou service déterminé » au paragraphe 236.01(1) de la Loi les biens et services suivants :

a) les véhicules automobiles admissibles acquis ou transférés dans une province déterminée;

b) le carburant moteur, sauf le carburant diesel, qui est acquis ou transféré en Ontario pour être consommé ou utilisé dans le moteur d'un véhicule automobile admissible;

c) les biens, sauf ceux servant à l'entretien ou à la réparation, acquis ou transférés dans une province déterminée par une personne relativement à un véhicule automobile admissible qu'elle a acquis ou transféré dans une telle province si l'acquisition ou le transfert des biens est effectué dans les 365 jours suivant l'acquisition ou le transfert du véhicule;

d) les services, sauf les services d'entretien ou de réparation, acquis en vue d'être consommés ou utilisés dans une province déterminée relativement à un véhicule automobile admissible qu'une personne a acquis ou transféré dans une telle province si l'acquisition des services est effectuée dans les 365 jours suivant l'acquisition ou le transfert du véhicule;

e) toute forme d'énergie déterminée qui est acquise ou transférée dans une province déterminée;

f) les services visés à l'alinéa a) de la définition de « service de télécommunication » au paragraphe 123(1) de la Loi qui sont acquis en vue d'être consommés ou utilisés dans une province déterminée;

g) l'accès à un circuit, une ligne, une fréquence, un canal ou une voie partielle de télécommunication ou à un autre moyen semblable de transmission d'une télécommunication, à l'exception d'une voie de satellite, qui sert à offrir un service visé à l'alinéa a) de la définition de « service de télécommunication » au paragraphe 123(1) de la Loi, si l'accès est acquis en vue d'être consommé ou utilisé dans une province déterminée;

h) les aliments, les boissons et les divertissements acquis dans une province déterminée et relativement auxquels le paragraphe 67.1(1) de la *Loi de l'impôt sur le revenu* s'applique ou s'appliquerait si la personne était un contribuable pour l'application de cette loi.

(2) Bien ou service déterminé — exclusion — Malgré le paragraphe (1), les biens et services mentionnés aux alinéas (1)a) à h) ne sont pas des biens ou services visés pour l'application de la défini-

TVH

tion de « bien ou service déterminé » au paragraphe 236.01(1) de la Loi s'il s'agit :

a) d'une forme d'énergie déterminée qui est acquise ou transférée dans une province déterminée en vue d'être consommée ou utilisée exclusivement pour chauffer l'asphalte devant servir directement dans la construction ou l'entretien d'une voie admissible;

b) de biens ou de services visés aux alinéas (1)e) à g) qui sont acquis ou transférés dans une province déterminée par l'organisateur ou le promoteur d'un congrès et qui sont destinés à être consommés ou utilisés exclusivement lors du congrès;

c) d'un service téléphonique 1-800, 1-866, 1-877 ou 1-888 ou d'un service téléphonique sans frais semblable, ou d'un service visé aux alinéas (1)f) ou g) qui est lié à un tel service téléphonique;

d) d'un accès Internet;

e) d'un service d'hébergement Web;

f) d'un taxi dont l'exploitation et la garde sont confiées à une personne par le titulaire du permis de taxi;

g) de biens ou de services acquis ou transférés dans une province déterminée exclusivement dans le but :

(i) soit d'être fournis par une personne,

(ii) soit de devenir un composant d'un bien meuble corporel devant être fourni par une personne,

(iii) soit, dans le cas d'un bien ou d'un service visé aux alinéas (1)f) ou g) qui est acquis par une personne exploitant un service de télécommunication, d'être utilisé directement et uniquement dans la réalisation de la fourniture taxable d'un service de télécommunication par la personne.

Notes historiques: L'article 28 a été ajouté par C.P. 2010-790, 17 juin 2010 art. 28 et s'applique relativement à toute période de déclaration d'une personne se terminant après juin 2010.

Info TPS/TVQ: GI-100 — *Taxe de vente harmonisée — les constructeurs et l'exigence de récupération des crédits de taxe sur les intrants.*

SECTION 4 — MONTANT, CONDITIONS ET CIRCONSTANCES VISÉS

29. (1) Crédit de taxe sur les intrants provincial déterminé — Pour l'application de l'alinéa b) de la définition de « crédit de taxe sur les intrants provincial déterminé » au paragraphe 236.01(1) de la Loi, est un montant visé se rapportant à un montant qui serait un crédit de taxe sur les intrants d'une personne, relatif à un bien ou service déterminé, attribuable à la taxe prévue au paragraphe 165(2) ou aux articles 212.1 ou 218.1 de la Loi ou à la section IV.1 de la partie IX de la Loi le montant qui serait un tel crédit si :

a) dans le cas où le bien ou service déterminé est acquis, ou transféré dans une province déterminée, par la personne pour qu'il soit consommé, utilisé ou fourni exclusivement dans le cadre d'activités commerciales et où, par suite de cette consommation, utilisation ou fourniture exclusive, la taxe prévue à l'article 218.1 de la Loi ou à la section IV.1 de la partie IX de la Loi n'est pas payable relativement à l'acquisition ou au transfert, cette taxe avait été payable relativement à l'acquisition ou au transfert;

b) dans le cas où le bien ou service déterminé fait l'objet d'une fourniture qui est réputée en vertu du paragraphe 143(1) de la Loi avoir été effectuée à l'étranger, la fourniture n'avait pas été réputée avoir été effectuée à l'étranger;

c) dans le cas où le bien ou service déterminé fait l'objet d'une fourniture qui est réputée en vertu de la partie IX de la Loi avoir été effectuée sans contrepartie, la fourniture n'avait pas été réputée avoir été effectuée sans contrepartie;

d) dans le cas où le bien ou service déterminé fait l'objet d'une fourniture qui est réputée en vertu de l'alinéa 273(1)c) de la Loi ne pas en être une, la fourniture n'avait pas été réputée ne pas être une fourniture;

e) dans le cas où le bien ou service déterminé est fourni à la personne dans une province déterminée, ou y est transféré par elle, et est un article, figurant à l'annexe du *Règlement sur la déduction pour le remboursement provincial (TPS/ TVH)* applicable à la province en cause, au titre duquel un montant peut être versé ou crédité en vertu d'une loi de cette province, le bien ou le service n'était pas un article figurant à cette annexe.

f) dans le cas où le bien ou service déterminé fait l'objet d'une fourniture sans contrepartie entre personnes ayant entre elles un lien de dépendance, la fourniture avait été effectuée pour une contrepartie, payée au moment où elle a été effectuée, d'une valeur égale à la juste valeur marchande du bien ou du service à ce moment;

g) dans le cas où le bien ou service déterminé fait l'objet d'une fourniture entre personnes ayant entre elles un lien de dépendance pour une contrepartie inférieure à sa juste valeur marchande au moment où la fourniture est effectuée, la valeur de la contrepartie était égale à la juste valeur marchande du bien ou du service à ce moment.

(2) Crédit de taxe sur les intrants provincial déterminé — Si un bien meuble corporel, qu'une personne transfère dans une province déterminée à partir d'une province participante, devient un bien ou service déterminé au moment du transfert et par suite de ce transfert, pour l'application de l'alinéa b) de la définition de « crédit de taxe sur les intrants provincial déterminé » au paragraphe 236.01(1) de la Loi, est un montant visé se rapportant à un montant qui serait un crédit de taxe sur les intrants de la personne, relatif au bien, attribuable à la taxe prévue au paragraphe 165(2) de la Loi le montant obtenu par la formule suivante :

$$A - B$$

où :

A représente le montant qui serait un tel crédit si, à la fois :

a) une fourniture taxable, sauf une fourniture détaxée, du bien était effectuée dans la province déterminée à ce moment au profit de la personne,

b) la contrepartie de la fourniture était égale à la valeur, déterminée selon l'élément B de la formule figurant à l'article 9, relative au bien à ce moment,

c) le bien n'était pas un article, figurant à l'annexe du *Règlement sur la déduction pour le remboursement provincial (TPS/TVH)* applicable à la province déterminée, au titre duquel un montant peut être versé ou crédité en vertu d'une loi de la province déterminée,

d) la taxe relative à la fourniture, calculée sur cette contrepartie, était payée par la personne à ce moment;

B le montant qui représente un crédit de taxe sur les intrants provincial déterminé de la personne attribuable à la taxe prévue à la section IV.1 de la partie IX de la Loi relativement au transfert.

Notes historiques: Les alinéas f) et g) du paragraphe 29(1) ont été ajoutés par C.P. 2011-263 [DORS/2011-56], 3 mars 2011, art. 31 et s'appliquent relativement aux périodes de déclaration d'une personne se terminant après juin 2010.

L'article 29 a été ajouté par C.P. 2010-790, 17 juin 2010 art. 29 et s'applique relativement à toute période de déclaration d'une personne se terminant après juin 2010.

Info TPS/TVQ: GI-100 — *Taxe de vente harmonisée — les constructeurs et l'exigence de récupération des crédits de taxe sur les intrants.*

SECTION 5 — MONTANT AJOUTÉ À LA TAXE NETTE — MOMENT PRÉVU

30. Moment prévu — Dans le cas où une personne acquiert ou importe un bien ou service déterminé ou le transfère dans une province déterminée et où la taxe prévue au paragraphe 165(2) ou aux articles 212.1 ou 218.1 de la Loi ou à la section IV.1 de la partie IX de la Loi relativement à la fourniture, à l'importation ou au transfert devient payable par la personne, est payée par elle sans être devenue payable ou serait devenue payable par elle si les règles énoncées aux alinéas 29(1)a) à g) s'appliquaient relativement à la fourniture, à l'importation ou au transfert ou si le paragraphe 29(2) s'appliquait relativement au transfert, le moment prévu pour l'application du paragraphe 236.01(2) de la Loi relativement à un crédit de taxe sur les intrants provincial déterminé de la personne au titre du bien ou service déterminé correspond à celui des jours ci-après qui est applicable :

a) dans le cas où le bien ou service déterminé est un véhicule automobile admissible dont la fourniture est effectuée aux termes d'un bail et où la personne est tenue, en application du paragraphe 235(1) de la Loi, d'ajouter un montant représentant tout ou partie de cette taxe dans le calcul de sa taxe nette pour une période de déclaration, le dernier jour de la période de déclaration indiquée déterminée selon le paragraphe 235(2) de la Loi;

b) dans le cas où le bien ou service déterminé est un aliment, une boisson ou un divertissement et où la personne est tenue, en application du paragraphe 236(1) de la Loi, d'ajouter un montant représentant tout ou partie de cette taxe dans le calcul de sa taxe nette pour une période de déclaration, le dernier jour de la période de déclaration indiquée déterminée selon le paragraphe 236(1.1) de la Loi;

c) dans le cas où cette taxe ne serait devenue payable par la personne que si les règles énoncées aux alinéas 29(1)a) à g) s'appliquaient relativement à la fourniture, à l'importation ou au transfert ou que si le paragraphe 29(2) s'appliquait relativement au transfert :

(i) le jour où cette taxe serait devenue payable par la personne dans le cas où :

(A) la période de déclaration de la personne correspond à un exercice,

(B) la période de déclaration de la personne correspond à un trimestre d'exercice et, selon le cas :

(I) ce jour fait partie d'un mois d'exercice qui n'est pas le dernier mois d'exercice du trimestre d'exercice,

(II) ce jour fait partie du dernier mois d'exercice du trimestre d'exercice, et la personne a ajouté à sa taxe nette un montant au titre du crédit de taxe sur les intrants provincial déterminé pour sa période de déclaration qui comprend ce jour,

(C) la période de déclaration de la personne correspond à un mois d'exercice, et la personne a ajouté à sa taxe nette un montant au titre du crédit de taxe sur les intrants provincial déterminé pour sa période de déclaration qui comprend ce jour,

(ii) dans les autres cas, le premier jour de la période de déclaration suivant celle qui comprend le jour où cette taxe serait devenue payable par la personne;

d) dans les autres cas, le premier en date des jours suivants :

(i) celui des jours ci-après qui est applicable :

(A) le jour où cette taxe devient payable par la personne dans le cas où :

(I) un crédit de taxe sur les intrants au titre de cette taxe est demandé dans la déclaration produite aux termes de la section V de la partie IX de la Loi pour la période de déclaration qui comprend ce jour,

(II) la période de déclaration de la personne correspond à un exercice,

(III) la période de déclaration de la personne correspond à un trimestre d'exercice et, selon le cas :

1. ce jour fait partie d'un mois d'exercice qui n'est pas le dernier mois d'exercice du trimestre d'exercice,

2. ce jour fait partie du dernier mois d'exercice du trimestre d'exercice, et la personne a ajouté à sa taxe nette un montant au titre du crédit de taxe sur les intrants provincial déterminé pour sa période de déclaration qui comprend ce jour,

(IV) la période de déclaration de la personne correspond à un mois d'exercice, et la personne a ajouté à sa taxe nette un montant au titre du crédit de taxe sur les intrants provincial déterminé pour sa période de déclaration qui comprend ce jour,

(B) dans les autres cas, le premier jour de la période de déclaration suivant celle qui comprend le jour où cette taxe devient payable par la personne,

(ii) le 1er juillet 2010 ou, s'il est postérieur, celui des jours ci-après qui est applicable :

(A) le jour où cette taxe est payée par la personne dans le cas où :

(I) un crédit de taxe sur les intrants au titre de cette taxe est demandé dans la déclaration produite aux termes de la section V de la partie IX de la Loi pour la période de déclaration qui comprend ce jour,

(II) la période de déclaration de la personne correspond à un exercice,

(III) la période de déclaration de la personne correspond à un trimestre d'exercice et, selon le cas :

1. ce jour fait partie d'un mois d'exercice qui n'est pas le dernier mois d'exercice du trimestre d'exercice,

2. ce jour fait partie du dernier mois d'exercice du trimestre d'exercice, et la personne a ajouté à sa taxe nette un montant au titre du crédit de taxe sur les intrants provincial déterminé pour sa période de déclaration qui comprend ce jour,

(IV) la période de déclaration de la personne correspond à un mois d'exercice, et la personne a ajouté à sa taxe nette un montant au titre du crédit de taxe sur les intrants provincial déterminé pour sa période de déclaration qui comprend ce jour,

(B) dans les autres cas, le premier jour de la période de déclaration suivant celle qui comprend le jour où cette taxe est payée par la personne.

Notes historiques: Le préambule de l'article 30 a été remplacé par C.P. 2012-1127 [DORS/2012-191], 20 septembre 2012, par. 29(1) et cette modification s'applique relativement à toute période de déclaration d'une personne se terminant après juin 2010. Antérieurement, il se lisait ainsi :

30. Dans le cas où une personne acquiert ou importe un bien ou service déterminé ou le transfère dans une province déterminée et où la taxe prévue au paragraphe 165(2) ou aux articles 212.1 ou 218.1 de la Loi ou à la section IV.1 de la partie IX de la Loi relativement à la fourniture, à l'importation ou au transfert devient payable par la personne, est payée par elle sans être devenue payable ou serait devenue payable par elle si les règles énoncées aux alinéas 29(1)a) à e) s'appliquaient relativement à la fourniture, à l'importation ou au transfert ou si le paragraphe 29(2) s'appliquait relativement au transfert, le moment prévu pour l'application du paragraphe 236.01(2) de la Loi relativement à un crédit de taxe sur les intrants provincial déterminé de la personne au titre du bien ou service déterminé correspond à celui des jours suivants qui est applicable :

Les alinéas 30c) et d) ont été remplacés par C.P. 2012-1127 [DORS/2012-191], 20 septembre 2012, par. 29(1) et cette modification s'applique relativement à toute période de déclaration d'une personne se terminant après juin 2010. Antérieurement, ils se lisaient ainsi :

c) dans le cas où cette taxe ne serait devenue payable par la personne que si les règles énoncées aux alinéas 29(1)a) à e) s'appliquaient relativement à la fourniture, à l'importation ou au transfert ou que si le paragraphe 29(2) s'appliquait relativement au transfert, le jour où cette taxe serait devenue payable par la personne;

d) dans les autres cas, le premier en date des jours suivants :

(i) le jour où cette taxe devient payable par la personne,

(ii) le dernier en date des jours suivants :

(A) le jour où cette taxe est payée par la personne,

(B) le 1&sup-er; juillet 2010.

L'article 30 a été ajouté par C.P. 2010-790, 17 juin 2010 art. 30 et s'applique relativement à toute période de déclaration d'une personne se terminant après juin 2010.

TVH

SECTION 6 — MONTANT AJOUTÉ À LA TAXE NETTE — MODALITÉS RÉGLEMENTAIRES

Règles générales

31. (1) Définitions — Les définitions qui suivent s'appliquent au présent article.

« énergie déterminée pour la production » La partie d'une forme d'énergie déterminée qui est acquise ou transférée dans une province déterminée par une personne désignée en vue d'être consommée ou utilisée par celle-ci dans la production de biens meubles corporels destinés à la vente ou dans la production de matériel de production servant à produire de tels biens. En est exclue la partie de la forme d'énergie déterminée qui est acquise ou transférée dans la province déterminée en vue d'être consommée ou utilisée par la personne désignée dans le matériel de climatisation, d'éclairage, de chauffage ou de ventilation des lieux de production ou dans d'autre matériel, si cette consommation ou utilisation ne fait pas partie intégrante de cette production.

« énergie déterminée pour la recherche »

a) S'agissant d'une forme d'énergie déterminée acquise ou transférée en Ontario par une personne, la partie de celle-ci devant être consommée ou utilisée par la personne dans le cadre d'activités en Ontario qui sont des activités admissibles de recherche scientifique et de développement expérimental pour l'application de la *Loi de 2007 sur les impôts*, L.O. 2007, ch. 11, ann. A, et au titre desquelles elle déduit un montant dans le calcul de son impôt payable en vertu de cette loi;

b) s'agissant d'une forme d'énergie déterminée acquise ou transférée en Colombie-Britannique par une personne, la partie de celle-ci devant être consommée ou utilisée par la personne dans le cadre d'activités en Colombie-Britannique qui sont des activités admissibles de recherche scientifique et de développement expérimental pour l'application de la loi intitulée *Income Tax Act*, R.S.B.C. 1996, ch. 215, et au titre desquelles elle déduit un montant dans le calcul de son impôt payable en vertu de cette loi.

« personne désignée » Personne autre que les suivantes :

a) les institutions financières;

b) les hôtels, bars, cafés et restaurants;

c) les ateliers de réparation d'automobiles;

d) les commerçants en ferraille.

« rémunération déterminée » Tout traitement, salaire ou autre rémunération d'un salarié et tout autre montant qui est ou doit être inclus à titre de revenu tiré d'une charge ou d'un emploi dans le calcul du revenu du salarié pour l'application de la *Loi de l'impôt sur le revenu*.

(2) Véhicules automobiles admissibles et biens ou services liés — Si une personne est une grande entreprise au cours de sa période de déclaration et que le moment prévu, établi selon l'article 30 relativement à son crédit de taxe sur les intrants provincial déterminé au titre d'un bien ou d'un service déterminé visé à l'un des alinéas 28(1)a) à d), fait partie de la période de déclaration, le montant à ajouter à sa taxe nette pour cette période relativement à ce crédit pour l'application du paragraphe 236.01(2) de la Loi s'obtient par la formule suivante :

$$A \times B$$

où :

A représente :

a) si le bien ou service déterminé est un véhicule automobile admissible relativement auquel l'alinéa 30a) s'applique et que la personne est une grande entreprise au moment qui, en l'absence de cet alinéa, serait le moment prévu relativement au crédit de taxe sur les intrants provincial déterminé, ce crédit,

b) s'il est un bien ou un service autre qu'un véhicule automobile admissible relativement auquel l'alinéa 30a) s'applique et que la personne est une grande entreprise au moment prévu, le crédit de taxe sur les intrants provincial déterminé,

c) dans les autres cas, zéro;

B le taux de récupération applicable au moment déterminé relativement au crédit de taxe sur les intrants provincial déterminé.

(3) Forme d'énergie déterminée — Si une personne est une grande entreprise au cours de sa période de déclaration, que le moment prévu, établi selon l'article 30 relativement à son crédit de taxe sur les intrants provincial déterminé au titre d'une forme d'énergie déterminée, fait partie de la période de déclaration et qu'elle est une grande entreprise à ce moment, le montant à ajouter à sa taxe nette pour cette période relativement à ce crédit pour l'application du paragraphe 236.01(2) de la Loi s'obtient par la formule suivante :

$$A \times B$$

où :

A représente :

a) si la personne fait le choix prévu au paragraphe (7) pour la période de récupération qui comprend le moment prévu et que le choix qu'elle a fait selon le paragraphe (8) est en vigueur à ce moment, le montant obtenu par la formule suivante :

$$C \times D \times E$$

où :

C représente le crédit de taxe sur les intrants provincial déterminé,

D le pourcentage obtenu par la formule suivante :

$$F/G$$

où :

F représente :

(i) s'agissant d'une forme d'énergie déterminée acquise ou transférée en Ontario, le total des rémunérations déterminées que la personne verse à ses salariés au cours de son avant-dernière année d'imposition précédant la période de déclaration pour tout acte accompli par les salariés relativement à leur charge ou emploi en Ontario dans la mesure où il est raisonnable de considérer que ces rémunérations déterminées ne sont pas attribuables à la participation directe de ces salariés à des activités qui sont des activités admissibles de recherche scientifique et de développement expérimental pour l'application de la *Loi de 2007 sur les impôts*, L.O. 2007, ch. 11, ann. A,

(ii) s'agissant d'une forme d'énergie déterminée acquise ou transférée en Colombie-Britannique, le total des rémunérations déterminées que la personne verse à ses salariés au cours de son avant-dernière année d'imposition précédant la période de déclaration pour tout acte accompli par les salariés relativement à leur charge ou emploi en Colombie-Britannique dans la mesure où il est raisonnable de considérer que ces rémunérations déterminées ne sont pas attribuables à la participation directe de ces salariés à des activités qui sont des activités admissibles de recherche scientifique et de développement expérimental pour l'application de la loi intitulée *Income Tax Act*, R.S.B.C. 1996, ch. 215,

G le total des rémunérations déterminées que la personne verse à ses salariés au cours de son avant-dernière année d'imposition précédant la période de déclaration pour tout acte accompli par les salariés relativement à leur charge ou emploi dans la province déterminée où la forme d'énergie déterminée a été acquise ou transférée,

E :

(i) si le crédit de taxe sur les intrants provincial déterminé se rapporte à une forme d'énergie déterminée acquise ou transférée en Ontario, que la production effectuée par la personne au Canada au cours de son dernier exercice précédant la période de déclaration est effectuée principalement en Ontario et que l'activité la plus importante que la personne exerce au Canada au cours de cet exercice figure au système de classification des industries sous le code :

(A) 113, 211, 212, 322, 324, 325, 327 ou 331, 4 %,

(B) 311, 312, 313, 314, 321, 326 ou 332, 13 %,

(C) 315, 316, 323, 333, 334, 335, 336, 337 ou 339, 30 %,

(ii) si le crédit de taxe sur les intrants provincial déterminé se rapporte à une forme d'énergie déterminée acquise ou transférée en Colombie-Britannique, qu'au moins 10 % de la production effectuée par la personne au Canada au cours de son dernier exercice précédant la période de déclaration est effectuée en Colombie-Britannique et que l'activité la plus importante que la personne exerce au Canada au cours de cet exercice figure au système de classification des industries sous le code :

(A) 113, 211, 212, 322, 324, 325, 327 ou 331, 4 %,

(B) 311, 312, 313, 314, 321, 326 ou 332, 13 %,

(C) 315, 316, 323, 333, 334, 335, 336, 337 ou 339, 30 %,

(iii) dans les autres cas, le pourcentage obtenu par la formule suivante :

$$H/I$$

où :

H représente le montant qui correspondrait au crédit de taxe sur les intrants provincial déterminé au titre de la forme d'énergie déterminée si celle-ci ne comprenait pas d'énergie déterminée pour la production ni d'énergie déterminée pour la recherche,

I le montant qui correspondrait au crédit de taxe sur les intrants provincial déterminé au titre de la forme d'énergie déterminée si celle-ci ne comprenait pas d'énergie déterminée pour la recherche,

b) si le choix fait par la personne selon le paragraphe (8) est en vigueur au moment prévu et que la personne n'a pas fait le choix prévu au paragraphe (7) pour la période de récupération qui comprend ce moment, le montant obtenu par la formule suivante :

$$J \times K$$

où :

J représente le montant qui correspondrait au crédit de taxe sur les intrants provincial déterminé au titre de la forme d'énergie déterminée si celle-ci ne comprenait pas d'énergie déterminée pour la recherche,

K :

(i) si le crédit de taxe sur les intrants provincial déterminé se rapporte à une forme d'énergie déterminée acquise ou transférée en Ontario, que la production effectuée par la personne au Canada au cours de son dernier exercice précédant la période de déclaration est effectuée principalement en Ontario et que l'activité la plus importante que la personne exerce au Canada au cours de cet exercice figure au système de classification des industries sous le code :

(A) 113, 211, 212, 322, 324, 325, 327 ou 331, 4 %,

(B) 311, 312, 313, 314, 321, 326 ou 332, 13 %,

(C) 315, 316, 323, 333, 334, 335, 336, 337 ou 339, 30 %,

(ii) si le crédit de taxe sur les intrants provincial déterminé se rapporte à une forme d'énergie déterminée acquise ou transférée en Colombie-Britannique, qu'au moins 10 % de la production effectuée par la personne au Canada au cours de son dernier exercice précédant la période de déclaration est effectuée en Colombie-Britannique et que l'activité la plus importante que la personne exerce au Canada au cours de cet exercice figure au système de classification des industries sous le code :

(A) 113, 211, 212, 322, 324, 325, 327 ou 331, 4 %,

(B) 311, 312, 313, 314, 321, 326 ou 332, 13 %,

(C) 315, 316, 323, 333, 334, 335, 336, 337 ou 339, 30 %,

(iii) dans les autres cas, le pourcentage obtenu par la formule suivante :

$$L/M$$

où :

L représente le montant qui correspondrait au crédit de taxe sur les intrants provincial déterminé au titre de la forme d'énergie déterminée si celle-ci ne comprenait pas d'énergie déterminée pour la production ni d'énergie déterminée pour la recherche,

M le montant qui correspondrait au crédit de taxe sur les intrants provincial déterminé au titre de la forme d'énergie déterminée si celle-ci ne comprenait pas d'énergie déterminée pour la recherche,

c) si la personne a fait le choix prévu au paragraphe (7) pour la période de récupération qui comprend le moment prévu et que le choix de la personne prévu au paragraphe (8) n'est pas en vigueur à ce moment, le montant obtenu par la formule suivante :

$$N \times O$$

où :

N représente le montant qui correspondrait au crédit de taxe sur les intrants provincial déterminé au titre de la forme d'énergie déterminée si celle-ci ne comprenait pas d'énergie déterminée pour la production,

O le pourcentage obtenu par la formule suivante :

$$P/Q$$

où :

P représente :

(i) s'agissant d'une forme d'énergie déterminée acquise ou transférée en Ontario, le total des rémunérations déterminées que la personne verse à ses salariés au cours de son avant-dernière année d'imposition précédant la période de déclaration pour tout acte accompli par les salariés relativement à leur charge ou emploi en Ontario dans la mesure où il est raisonnable de considérer que ces rémunérations déterminées ne sont pas attribuables à la participation directe de ces salariés à des activités qui sont des activités admissibles de recherche scientifique et de développement expérimental pour l'application de la *Loi de 2007 sur les impôts*, L.O. 2007, ch. 11, ann. A,

(ii) s'agissant d'une forme d'énergie déterminée acquise ou transférée en Colombie-Britannique, le total des rémunérations déterminées que la personne verse à ses salariés au cours de son avant-dernière année d'imposition précédant la période de déclaration pour tout acte accompli par les salariés relativement à leur charge ou emploi en Colombie-Britan-

TVH

nique dans la mesure où il est raisonnable de considérer que ces rémunérations déterminées ne sont pas attribuables à la participation directe de ces salariés à des activités qui sont des activités admissibles de recherche scientifique et de développement expérimental pour l'application de la loi intitulée *Income Tax Act*, R.S.B.C. 1996, ch. 215,

Q le total des rémunérations déterminées que la personne verse à ses salariés au cours de son avant-dernière année d'imposition précédant la période de déclaration pour tout acte accompli par les salariés relativement à leur charge ou emploi dans la province déterminée où la forme d'énergie déterminée a été acquise ou transférée,

d) dans les autres cas, le montant qui correspondrait au crédit de taxe sur les intrants provincial déterminé au titre de la forme d'énergie déterminée si celle-ci ne comprenait pas d'énergie déterminée pour la production ni d'énergie déterminée pour la recherche;

B le taux de récupération applicable au moment déterminé relativement au crédit de taxe sur les intrants provincial déterminé.

(4) Télécommunications — Si une personne est une grande entreprise au cours de sa période de déclaration, que le moment prévu, établi selon l'article 30 relativement à son crédit de taxe sur les intrants provincial déterminé au titre d'un bien ou service déterminé visé aux alinéas 28(1)f) ou g), fait partie de la période de déclaration et qu'elle est une grande entreprise à ce moment, le montant à ajouter à sa taxe nette pour cette période relativement à ce crédit pour l'application du paragraphe 236.01(2) de la Loi s'obtient par la formule suivante :

$$A \times B$$

où :

A représente 100 % du crédit de taxe sur les intrants provincial déterminé; toutefois, si la personne obtient le bien ou service déterminé avec d'autres biens ou services qui ne sont pas des biens ou services déterminés (chacun étant appelé « élément » au présent paragraphe) et que la contrepartie du bien ou service déterminé et celle de chaque élément ne sont pas déterminées séparément, la personne peut appliquer celui des pourcentages suivants qui est applicable :

a) si le bien ou service déterminé est acquis en vue d'être consommé ou utilisé en Colombie-Britannique, 95 %,

b) s'il est acquis en vue d'être consommé ou utilisé en Ontario et que la personne l'obtient avec :

(i) un élément qui est un service, 96 %,

(ii) un élément qui est un bien, 89 %,

(iii) un élément visé au sous-alinéa (i) et un élément visé au sous-alinéa (ii), 86 %;

B le taux de récupération applicable au moment déterminé relativement au crédit de taxe sur les intrants provincial déterminé.

(5) Aliments, boissons et divertissements — Si une personne est une grande entreprise au cours de sa période de déclaration et que le moment prévu, établi selon l'article 30 relativement à son crédit de taxe sur les intrants provincial déterminé au titre d'un bien ou service déterminé visé à l'alinéa 28(1)h), fait partie de la période de déclaration, le montant à ajouter à sa taxe nette pour cette période relativement à ce crédit pour l'application du paragraphe 236.01(2) de la Loi s'obtient par la formule suivante :

$$A \times B$$

où :

A représente :

a) si la personne est une grande entreprise au moment qui, en l'absence de l'alinéa 30b), correspondrait au moment prévu relativement au crédit de taxe sur les intrants provincial déterminé, 50 % de ce crédit,

b) dans les autres cas, zéro;

B le taux de récupération applicable au moment déterminé relativement au crédit de taxe sur les intrants provincial déterminé.

(6) Agriculteurs — Malgré les paragraphes (2) à (5), aucun montant n'est à ajouter par l'effet de ces paragraphes à la taxe nette d'une personne pour sa période de déclaration relativement à son crédit de taxe sur les intrants provincial déterminé si sa principale source de revenu pour son année d'imposition précédant la période de déclaration est l'agriculture et que tous les biens ou services auxquels le crédit se rapporte sont consommés ou utilisés principalement dans le cadre de ses activités agricoles.

Ajout proposé — 31(6.1)

(6.1) Institutions financières désignées particulières — Malgré les paragraphes (2) à (5), aucun montant n'est ajouté à la taxe nette d'une personne pour sa période de déclaration par l'effet de ces paragraphes relativement à un crédit de taxe sur les intrants provincial déterminé au titre d'un montant de taxe qui devient payable par la personne à un moment où elle est une institution financière désignée particulière, à moins que le montant de taxe, selon le cas :

a) ne soit réputé avoir été payé par la personne en vertu des paragraphes 171(1) ou 171.1(2) de la Loi;

b) ne soit visé pour l'application de l'alinéa 169(3)c) de la Loi ou de l'alinéa a) de l'élément F de la formule figurant au paragraphe 225.2(2) de la Loi.

Application: Le paragraphe 31(6.1) sera ajouté par l'art. 13 de l'*Avant-projet de règlement modifiant divers règlements relatifs à la TPS/TVH* du 28 janvier 2011 et s'appliquera relativement aux périodes de déclaration d'une personne se terminant après juin 2010.

(7) Choix de méthode — recherche scientifique et développement expérimental — Pour l'application du paragraphe (3), une personne peut, avant le début d'une période de récupération, choisir, pour cette période, de déterminer le montant à ajouter aux termes de ce paragraphe relativement à son crédit de taxe sur les intrants provincial déterminé au titre d'une forme d'énergie déterminée selon une méthode exposée à ce paragraphe.

(8) Choix de méthode — production — Pour l'application du paragraphe (3), la personne qui produit des biens meubles corporels destinés à la vente peut choisir de déterminer le montant à ajouter aux termes de ce paragraphe relativement à son crédit de taxe sur les intrants provincial déterminé au titre d'une forme d'énergie déterminée selon une méthode exposée à ce paragraphe tant que le choix demeure en vigueur.

(9) Forme et modalités — Le document concernant le choix fait par une personne selon le paragraphe (8) doit :

a) être établi en la forme et contenir les renseignements déterminés par le ministre;

b) préciser la date où il entre en vigueur, laquelle doit être le premier jour d'une période de récupération;

c) être présenté au ministre au plus tard à la date limite où la personne doit produire une déclaration aux termes de la section V de la partie IX de la Loi pour sa période de déclaration qui comprend la date d'entrée en vigueur du choix;

d) demeurer en vigueur jusqu'à l'entrée en vigueur de sa révocation.

(10) Révocation — La personne qui a fait le choix prévu au paragraphe (8) peut le révoquer, avec effet le premier jour d'une période de récupération qui commence au moins un an après l'entrée en vigueur du choix. Pour ce faire, elle présente au ministre, en la forme et selon les modalités déterminées par lui, un avis de révocation contenant les renseignements déterminés par lui au plus tard à la date limite où elle doit produire une déclaration aux termes de la section V de la partie IX de la Loi pour sa période de déclaration qui comprend la date d'entrée en vigueur de la révocation.

Notes historiques: L'élément B de la formule du paragraphe 31(2) a été remplacé par C.P. 2012-1127 [DORS/2012-191], 20 septembre 2012, par. 30(1) et cette modification s'applique relativement à toute période de déclaration d'une personne se terminant après juin 2010. Antérieurement, il se lisait ainsi :

B :

a) si le bien ou service déterminé est un véhicule automobile admissible relativement auquel l'alinéa 30a) s'applique, le taux de récupération applicable au moment qui, en l'absence de cet alinéa, serait le moment prévu relativement au crédit de taxe sur les intrants provincial déterminé,

b) dans les autres cas, le taux de récupération applicable au moment prévu.

L'élément B de la formule du paragraphe 31(4) a été remplacé par C.P. 2012-1127 [DORS/2012-191], 20 septembre 2012, par. 30(3) et cette modification s'applique relativement à toute période de déclaration d'une personne se terminant après juin 2010. Antérieurement, il se lisait ainsi :

B le taux de récupération applicable au moment prévu.

L'élément B de la formule du paragraphe 31(5) a été remplacé par C.P. 2012-1127 [DORS/2012-191], 20 septembre 2012, par. 30(4) et cette modification s'applique relativement à toute période de déclaration d'une personne se terminant après juin 2010. Antérieurement, il se lisait ainsi :

B le taux de récupération applicable au moment qui, en l'absence de l'alinéa 30b), correspondrait au moment prévu relativement au crédit de taxe sur les intrants provincial déterminé.

L'article 31 a été ajouté par C.P. 2010-790, 17 juin 2010 art. 31 et s'applique relativement à toute période de déclaration d'une personne se terminant après juin 2010.

Cas particulier

32. Véhicule automobile admissible — Si un véhicule automobile admissible qu'une personne acquiert ou transfère dans une province déterminée n'est pas un bien ou service déterminé par le seul effet du sous-alinéa 28(2)g)(i), que la personne exploite une entreprise qui consiste à fournir des véhicules automobiles par vente et qu'elle utilise le véhicule, au cours de l'exercice où elle est une grande entreprise, autrement qu'exclusivement dans le but mentionné au sousalinéa 28(2)g)(i), les règles suivantes s'appliquent :

a) le véhicule est un bien visé pour l'application de la définition de « bien ou service déterminé » au paragraphe 236.01(1) de la Loi;

b) pour l'application du paragraphe 236.01(2) de la Loi :

(i) malgré l'article 30, le moment prévu relatif à un crédit de taxe sur les intrants provincial déterminé de la personne au titre du véhicule correspond au dernier jour de chaque exercice de la personne au cours duquel elle utilise le véhicule autrement qu'exclusivement dans le but mentionné au sousalinéa 28(2)g)(i),

(ii) malgré le paragraphe 31(2), le montant à ajouter à la taxe nette de la personne pour une période de déclaration qui comprend le dernier jour d'un exercice mentionné au sousalinéa (i) s'obtient par la formule suivante :

$$A \times B$$

où :

A représente le montant obtenu par la formule suivante :

$$C \times D \times 2\,\%$$

où :

C représente le crédit de taxe sur les intrants provincial déterminé,

D le nombre de mois d'exercice de l'exercice au cours duquel le véhicule est utilisé autrement qu'exclusivement dans le but mentionné au sousalinéa 28(2)g)(i) et au cours duquel la personne est une grande entreprise;

B le taux de récupération applicable le dernier jour de l'exercice relativement au crédit de taxe sur les intrants provincial déterminé.

Notes historiques: L'élément B de la formule du sous-alinéa 32 b)(ii) a été remplacé par C.P. 2012-1127 [DORS/2012-191], 20 septembre 2012, art. 31 et cette modification est entrée en vigueur le 10 octobre 2012. Antérieurement, il se lisait ainsi :

B le taux de récupération applicable le dernier jour de l'exercice.

L'article 32 a été ajouté par C.P. 2010-790, 17 juin 2010 art. 32 et s'applique relativement à toute période de déclaration d'une personne se terminant après juin 2010.

SECTION 7 — MONTANT DÉDUIT DE LA TAXE NETTE

33. Moment prévu — Si une personne fournit un véhicule automobile admissible par vente ou le retire d'une province déterminée et le fait immatriculer dans une autre province et que, par l'effet du paragraphe 31(2), elle a ajouté un montant à sa taxe nette pour sa période de déclaration relativement à son crédit de taxe sur les intrants provincial déterminé au titre du véhicule, le moment prévu pour l'application du paragraphe 236.01(3) de la Loi relativement au véhicule correspond au moment où le véhicule est fourni ou retiré de la province.

Notes historiques: L'article 33 a été ajouté par C.P. 2010-790, 17 juin 2010 art. 33 et s'applique relativement à toute période de déclaration d'une personne se terminant après juin 2010.

34. Modalités réglementaires — Pour l'application du paragraphe 236.01(3) de la Loi, la personne qui fournit par vente à une autre personne à laquelle elle n'est pas liée un véhicule automobile admissible au titre duquel elle a ajouté un montant en application du paragraphe 236.01(2) de la Loi dans le calcul de sa taxe nette et relativement auquel l'alinéa 28(1)a) s'applique, ou qui retire un tel véhicule d'une province déterminée et le fait immatriculer à l'extérieur de cette province, peut déduire de sa taxe nette pour sa période de déclaration qui comprend le moment prévu établi selon l'article 33 le montant obtenu par la formule suivante :

$$A \times (B/C)$$

où :

A représente le total des montants ajoutés en application du paragraphe 236.01(2) de la Loi relativement à la dernière acquisition ou au dernier transfert du véhicule par la personne;

B :

a) si la personne fournit le véhicule à un acquéreur avec lequel elle a un lien de dépendance ou qu'elle retire le véhicule de la province déterminée, la juste valeur marchande du véhicule à ce moment,

b) dans les autres cas, la contrepartie de la fourniture par vente du véhicule;

C la contrepartie relative à la dernière acquisition du véhicule par la personne, ou la valeur relative à son dernier transfert par la personne, à laquelle la valeur de l'élément A est attribuable.

Notes historiques: Le passage précédant la formule de l'article 34 a été remplacé par C.P. 2011-263 [DORS/2011-56], 3 mars 2011, art. 32 et s'applique relativement aux périodes de déclaration d'une personne se terminant après juin 2010. Antérieurement, il se lisait ainsi :

Pour l'application du paragraphe 236.01(3) de la Loi, la personne qui fournit par vente à une autre personne à laquelle elle n'est pas liée un véhicule automobile admissible au titre duquel elle a ajouté un montant en application du paragraphe 236.01(2) de la Loi dans le calcul de sa taxe nette et relativement auquel l'alinéa 28(1)a) s'applique, ou qui retire un tel véhicule d'une province déterminée et le fait immatriculer dans une autre province, peut déduire de sa taxe nette pour sa période de déclaration qui comprend le moment prévu établi selon l'article 33 le montant obtenu par la formule suivante :

L'article 34 a été ajouté par C.P. 2010-790, 17 juin 2010 art. 34 et s'applique relativement à toute période de déclaration d'une personne se terminant après juin 2010.

Non en vigueur — 34.1

34.1 Restriction — L'article 34 ne s'applique pas relativement à la fourniture d'un véhicule automobile admissible, ni au retrait d'un tel véhicule de la Colombie-Britannique, effectué par une personne après mars 2013 si la personne a ajouté un montant en application du paragraphe 236.01(2) de la Loi relativement à la dernière acquisition ou au dernier transfert du véhicule par elle et que ce montant se rapporte à un montant de récupération de la Colombie-Britannique.

Application: L'article 34.1 a été ajouté par C.P. 2012-1127 [DORS/2012-191], 20 septembre 2012, art. 32 et entrera en vigueur le 1er avril 2013.

TVH

SECTION 8 — MÉTHODES, DÉCLARATION ET COMPTABILITÉ ET OBSERVATION

35. (1) Choix d'utiliser la méthode d'acomptes — Une personne peut choisir d'appliquer l'article 36 à son cas tant que le choix est en vigueur.

(2) Condition — choix — Une personne ne peut choisir d'appliquer l'article 36 à son cas à compter d'un jour donné de son exercice s'il s'agit de son premier exercice.

(3) Forme et modalités — Le document concernant le choix fait par une personne selon le paragraphe (1) doit :

a) être établi en la forme et contenir les renseignements déterminés par le ministre;

b) préciser la date où il entre en vigueur, laquelle doit être :

(i) le premier jour du quatrième mois d'exercice d'un exercice de la personne,

(ii) si la personne devient une grande entreprise au cours de son exercice, le jour où elle le devient;

c) être présenté au ministre au plus tard à la date limite où la personne doit produire une déclaration aux termes de la section V de la partie IX de la Loi pour sa période de déclaration qui comprend la date d'entrée en vigueur du choix;

d) demeurer en vigueur jusqu'à l'entrée en vigueur de sa révocation.

(4) Révocation — La personne qui a fait le choix prévu au paragraphe (1) peut le révoquer, avec effet le premier jour d'une période d'acomptes qui commence après l'entrée en vigueur du choix. Pour ce faire, elle présente au ministre, en la forme et selon les modalités déterminées par lui, un avis de révocation contenant les renseignements déterminés par lui au plus tard à la date limite où elle doit produire une déclaration aux termes de la section V de la partie IX de la Loi pour sa période de déclaration qui comprend la date d'entrée en vigueur de la révocation.

Notes historiques: L'article 35 a été ajouté par C.P. 2010-790, 17 juin 2010 art. 35 et s'applique relativement à toute période de déclaration d'une personne se terminant après juin 2010.

Info TPS/TVQ: GI-100 — *Taxe de vente harmonisée — les constructeurs et l'exigence de récupération des crédits de taxe sur les intrants.*

36. (1) Effet du choix — Pour l'application de l'alinéa 236.01(4)a) de la Loi et malgré les articles 31 et 32, si le choix fait par une personne selon le paragraphe 35(1) est en vigueur au cours d'une période d'acomptes, le montant à ajouter à la taxe nette de la personne pour chacune de ses périodes de déclaration données — au cours desquelles elle est une grande entreprise — se terminant à un moment de la période d'acomptes où le choix est en vigueur correspond au total des montants dont chacun s'obtient, relativement à un crédit de taxe sur les intrants provincial déterminé, par la formule suivante :

$$(A/B) \times C \times D$$

où :

A représente la totalité ou une partie du crédit de taxe sur les intrants provincial déterminé qui aurait été à ajouter en application du paragraphe 236.01(2) de la Loi pour chaque période de déclaration de la personne se terminant dans son dernier exercice qui prend fin avant le début de la période d'acomptes si, à la fois :

a) le premier jour de cet exercice étant antérieur au 1er juillet 2010, le nouveau régime de la taxe à valeur ajoutée harmonisée avait été en vigueur, compte tenu des modifications nécessaires, tout au long de cet exercice relativement à chaque province déterminée et la date d'harmonisation applicable à la province déterminée avait été le premier jour de cet exercice,

b) le choix prévu au paragraphe 35(1) n'avait pas été en vigueur,

c) le taux de récupération applicable tout au long de l'exercice avait été de 100 %;

B le nombre de mois d'exercice du dernier exercice de la personne qui prend fin avant le début de la période d'acomptes;

C :

a) si la période de déclaration donnée est un exercice, 12,

b) si elle est un mois d'exercice, 1,

c) si elle est un trimestre d'exercice, 3;

D le taux de récupération applicable le dernier jour de la période de déclaration donnée relativement au crédit de taxe sur les intrants provincial déterminé.

(2) Rapprochement — Pour l'application de l'alinéa 236.01(4)a) de la Loi, si le choix fait par une personne selon le paragraphe 35(1) est en vigueur au cours d'un exercice de la personne, celle-ci est tenue d'ajouter, dans le calcul de sa taxe nette pour une période de déclaration comprenant le dernier jour de cet exercice ou pour une période de déclaration commençant après cet exercice et se terminant au plus tard le dernier jour du troisième mois d'exercice suivant la fin de cet exercice, le montant positif obtenu par la formule ci-après ou de déduire, dans ce calcul, le montant négatif obtenu par cette formule :

$$A - B$$

où :

A représente le total des montants qui, en l'absence du paragraphe (1), auraient été à ajouter à sa taxe nette en application du paragraphe 236.01(2) de la Loi par l'effet des articles 31 ou 32 pour chacune de ses périodes de déclaration se terminant dans l'exercice;

B le total des montants dont chacun est ajouté à sa taxe nette par l'effet du paragraphe (1) ou des articles 31 ou 32 pour chacune de ses périodes de déclaration se terminant dans l'exercice.

(3) Rapprochement en cas de cessation — Malgré le paragraphe (2), pour l'application de l'alinéa 236.01(4)a) de la Loi, si le choix fait par une personne selon le paragraphe 35(1) est en vigueur au cours d'un exercice donné de la personne au cours duquel elle cesse d'être un inscrit, la personne est tenue d'ajouter, dans le calcul de sa taxe nette pour la période de déclaration donnée où elle cesse d'être un inscrit, le montant positif obtenu par la formule ci-après ou de déduire, dans ce calcul, le montant négatif obtenu par cette formule :

$$(A - B) + (C - D)$$

où :

A représente le total des montants qui, en l'absence du paragraphe (1), auraient été à ajouter à sa taxe nette en application du paragraphe 236.01(2) de la Loi par l'effet des articles 31 ou 32 pour chacune de ses périodes de déclaration se terminant dans l'exercice donné;

B le total des montants dont chacun a été ajouté à sa taxe nette par l'effet du paragraphe (1) ou des articles 31 ou 32 pour chacune de ses périodes de déclaration se terminant dans l'exercice donné;

C :

a) si le choix prévu au paragraphe 35(1) était en vigueur au cours de l'exercice (appelé « exercice précédent » au présent paragraphe) précédant l'exercice donné et que la personne n'a pas ajouté ou déduit de montant aux termes du paragraphe (2) relativement à l'exercice précédent pour une période de déclaration se terminant avant la période de déclaration donnée, le total des montants qui, en l'absence du paragraphe (1), auraient été à ajouter à sa taxe nette en application du paragraphe 236.01(2) de la Loi par l'effet des articles 31 ou 32 pour chacune de ses périodes de déclaration se terminant dans l'exercice précédent,

b) dans les autres cas, zéro;

D :

a) si le choix prévu au paragraphe 35(1) était en vigueur au cours de l'exercice précédent et que la personne n'a pas ajouté ou déduit de montant aux termes du paragraphe (2) relativement à cet exercice pour une période de déclaration se terminant avant la période de déclaration donnée, le total des montants dont chacun a été ajouté à sa taxe nette par l'effet du paragraphe (1) ou des articles 31 ou 32 pour chacune de ses périodes de déclaration se terminant dans l'exercice précédent,

b) dans les autres cas, zéro.

(4) **Personne visée** — La personne tenue aux termes des paragraphes (2) ou (3) d'ajouter un montant positif, ou de déduire un montant négatif, dans le calcul de sa taxe nette pour sa période de déclaration est une personne visée pour l'application de la définition de « grande entreprise » au paragraphe 236.01(1) de la Loi relativement à cette addition ou cette déduction.

Notes historiques: Le préambule du paragraphe 36(1) a été remplacé par C.P. 2012-1127 [DORS/2012-191], 20 septembre 2012, par. 33(1) et cette modification est entrée en vigueur le 10 octobre 2012. Antérieurement, il se lisait ainsi :

36. (1) Pour l'application de l'alinéa 236.01(4)a) de la Loi et malgré les articles 31 et 32, si le choix fait par une personne selon le paragraphe 35(1) est en vigueur au cours d'une période d'acomptes, le montant à ajouter à la taxe nette de la personne pour chacune de ses périodes de déclaration données se terminant à un moment de la période d'acomptes où le choix est en vigueur et au cours desquelles elle est une grande entreprise s'obtient par la formule suivante :

Le préambule de l'élément A de la formule du paragraphe 36(1) a été remplacé par C.P. 2012-1127 [DORS/2012-191], 20 septembre 2012, par. 33(2) et cette modification est entrée en vigueur le 10 octobre 2012. Antérieurement, il se lisait ainsi :

A représente le total des montants qui auraient été à ajouter à la taxe nette de la personne en application du paragraphe 236.01(2) de la Loi pour chacune de ses périodes de déclaration se terminant dans son dernier exercice qui prend fin avant le début de la période d'acomptes si, à la fois :

L'élément D de la formule du paragraphe 36(1) a été remplacé par C.P. 2012-1127 [DORS/2012-191], 20 septembre 2012, par. 33(3) et cette modification est entrée en vigueur le 10 octobre 2012. Antérieurement, il se lisait ainsi :

D le taux de récupération applicable le dernier jour de la période de déclaration donnée.

L'article 36 a été ajouté par C.P. 2010-790, 17 juin 2010 art. 36 et s'applique relativement à toute période de déclaration d'une personne se terminant après juin 2010. Toutefois, pour l'application du paragraphe 36(2), si une période de déclaration mentionnée dans le passage de ce paragraphe précédant la formule se termine avant le 1er avril 2011, le passage « une période de déclaration comprenant le dernier jour de cet exercice ou une période de déclaration commençant après cet exercice et se terminant au plus tard le dernier jour du troisième mois d'exercice suivant la fin de cet exercice » à ce paragraphe est remplacé par « la période de déclaration qui comprend le 1er avril 2011 ».

Info TPS/TVQ: GI-100 — *Taxe de vente harmonisée — les constructeurs et l'exigence de récupération des crédits de taxe sur les intrants.*

Section 9 — Certains avantages et remboursements

37. Véhicule automobile admissible — Si un inscrit effectue, au profit d'un particulier ou d'une personne liée à celui-ci, la fourniture d'un véhicule automobile admissible à un moment d'une année d'imposition du particulier à laquelle le paragraphe 173(1) de la Loi s'applique et que, par l'effet du paragraphe 31(2), l'inscrit a ajouté un montant à sa taxe nette pour sa période de déclaration se terminant au plus tard à ce moment relativement à son crédit de taxe sur les intrants provincial déterminé au titre du véhicule, pour le calcul d'un montant de taxe selon le sous-alinéa 173(1)d)(ii) de la Loi relativement à un montant qui est réputé être la contrepartie totale payable relativement à l'obtention du véhicule au cours de l'année d'imposition, le passage « du taux de taxe applicable à la province » dans le passage de la subdivision (I) de l'élément A de la formule figurant à la division 173(1)d)(ii)(B) de la Loi suivant la sous-subdivision 2 est remplacé par « du pourcentage obtenu par la formule suivante :

$$D \times (E - F)$$

où :

D représente le taux de taxe applicable à la province,

E 100 %,

F le taux de récupération, au sens de l'article 26 du *Règlement n° 2 sur le nouveau régime de la taxe à valeur ajoutée harmonisée*, applicable le dernier jour de la dernière période de déclaration de l'inscrit, comprise dans l'année d'imposition du particulier ou antérieure à celle-ci, pour laquelle l'inscrit a ajouté un montant en application du paragraphe 236.01(2) dans le calcul de sa taxe nette relativement à l'automobile ».

Notes historiques: L'article 37 a été ajouté par C.P. 2010-790, 17 juin 2010 art. 37 et est entré en vigueur ou est réputé être entré en vigueur le 1er juillet 2010.

38. Restriction — remboursement à l'associé — Pour l'application du nouveau régime de la taxe à valeur ajoutée harmonisée, le paragraphe 253(2) de la Loi est adapté de sorte que le passage « le montant qui correspondrait au crédit de taxe sur les intrants de la société relativement au bien ou au service pour la dernière période de déclaration de son dernier exercice se terminant au cours de l'année civile, si, à la fois : » dans le passage de ce paragraphe précédant l'alinéa a) soit remplacé par « le montant qui correspondrait au crédit de taxe sur les intrants de la société relativement au bien ou au service pour la dernière période de déclaration de son dernier exercice se terminant au cours de l'année civile, à l'exception de la partie de ce montant qui aurait été à ajouter à la taxe nette de la société conformément au paragraphe 236.01(2) si, à la fois : ».

Notes historiques: L'article 38 a été ajouté par C.P. 2010-790, 17 juin 2010 art. 38 et est entré en vigueur ou est réputé être entré en vigueur le 1er juillet 2010.

Partie 7 — Remboursement aux salariés et aux associés

39. (1) Pourcentage — paragraphe 253(1) — Pour l'application de l'élément F de la formule figurant à l'alinéa b) de l'élément A de la formule figurant au paragraphe 253(1) de la Loi, le pourcentage correspond au taux auquel la taxe mentionnée à l'alinéa b) de ce paragraphe était payable.

(2) Pourcentage — paragraphe 253(1) — Pour l'application de l'élément H de la formule figurant à l'alinéa c) de l'élément A de la formule figurant au paragraphe 253(1) de la Loi, le pourcentage correspond au taux auquel la taxe prévue au paragraphe 165(2) ou aux articles 212.1 ou 218.1 de la Loi ou à la section IV.1 de la partie IX de la Loi, mentionnée à l'alinéa 253(1)b) de la Loi, était payable.

(3) Pourcentage — paragraphe 253(2) — Pour l'application de l'élément E de la formule figurant à la division (B) de l'élément A de la formule figurant au sous-alinéa 253(2)a)(ii) de la Loi, le pourcentage correspond au taux auquel la taxe mentionnée à l'alinéa 253(1)b) de la Loi était payable par le particulier relativement à l'acquisition ou à l'importation de l'instrument ou à son transfert dans une province participante.

(4) Pourcentage — paragraphe 253(2) — Pour l'application de l'élément G de la formule figurant à la division (C) de l'élément A de la formule figurant au sous-alinéa 253(2)a)(ii) de la Loi, le pourcentage correspond au taux auquel la taxe prévue au paragraphe 165(2) ou aux articles 212.1 ou 218.1 de la Loi ou à la section IV.1 de la partie IX de la Loi, mentionnée à l'alinéa 253(1)b) de la Loi, était payable par le particulier relativement à l'acquisition ou à l'importation de l'instrument ou à son transfert dans une province participante.

(5) Pourcentage — paragraphe 253(2) — Pour l'application de l'élément E de la formule figurant à la division (B) de l'élément A de la formule figurant au sous-alinéa 253(2)c)(ii) de la Loi, le pourcentage correspond au taux auquel la taxe mentionnée à l'alinéa 253(1)b) de la Loi était payable par le particulier relativement à l'acquisition ou à l'importation du bien ou du service ou au transfert du bien dans une province participante.

(6) Pourcentage — paragraphe 253(2) — Pour l'application de l'élément G de la formule figurant à la division (C) de l'élément A de la formule figurant au sous-alinéa 253(2)c)(ii) de la Loi, le pourcentage correspond au taux auquel la taxe prévue au paragraphe 165(2) ou aux articles 212.1 ou 218.1 de la Loi ou à la section IV.1 de la partie IX de la Loi, mentionnée à l'alinéa 253(1)b) de la Loi, était payable par le particulier relativement à l'acquisition ou à l'importation du bien ou du service ou au transfert du bien dans une province participante.

Notes historiques: L'article 39 a été ajouté par C.P. 2010-790, 17 juin 2010 art. 39 et s'applique au calcul de tout remboursement prévu à l'article 253 de la Loi pour 2010 et les années suivantes.

PARTIE 8 — REMBOURSEMENTS POUR HABITATIONS NEUVES

SECTION 1 — DÉFINITION ET INTERPRÉTATION

40. Groupe de particuliers — Si la fourniture d'un immeuble d'habitation ou d'une part du capital social d'une coopérative d'habitation est effectuée au profit de plusieurs particuliers ou que plusieurs particuliers construisent ou font construire un immeuble d'habitation ou y font ou y font faire des rénovations majeures, la mention d'un particulier aux articles 41, 43, 45 et 46 ainsi qu'à l'article 256.21 de la Loi vaut mention de l'ensemble de ces particuliers en tant que groupe. Toutefois, seulement l'un d'entre eux peut demander un remboursement en application du paragraphe 256.21(1) de la Loi relativement à l'immeuble ou à la part, dont le montant est déterminé selon les articles 41, 43, 45 ou 46.

Notes historiques: L'article 40 a été ajouté par C.P. 2010-790, 17 juin 2010 art. 40 et est réputé être entré en vigueur le 18 juin 2009.

SECTION 2 — REMBOURSEMENTS POUR HABITATIONS NEUVES — BÂTIMENTS ET FONDS

41. (1) Définitions — Au présent article, **« immeuble d'habitation à logement unique »** et **« proche »** s'entendent au sens du paragraphe 254(1) de la Loi.

(2) Remboursement en Ontario — Dans le cas où un particulier a droit au remboursement prévu au paragraphe 254(2) de la Loi au titre d'un immeuble d'habitation qui est un immeuble d'habitation à logement unique ou un logement en copropriété acquis en vue de servir en Ontario de résidence habituelle du particulier ou de son proche ou aurait droit à ce remboursement si la contrepartie totale, au sens de l'alinéa 254(2)c) de la Loi, relative à l'immeuble était inférieure à 450 000 $, pour l'application du paragraphe 256.21(1) de la Loi, le particulier est une personne visée et le montant du remboursement versé au titre de l'immeuble selon ce paragraphe est égal au montant obtenu par la formule suivante, jusqu'à concurrence de 24 000 $:

$$A \times B$$

où :

A représente 75 %;

B le total de la taxe payée en vertu du paragraphe 165(2) de la Loi relativement à la fourniture de l'immeuble au profit du particulier ou relativement à toute autre fourniture, effectuée au profit de celui-ci, d'un droit sur l'immeuble.

Info TPS/TVQ: GI-079 — *Taxe de vente harmonisée — remboursement pour habitations neuves de l'Ontario*; GI-088 — *Taxe de vente harmonisée — prix convenu déduction faite des remboursements de la TPS/TVH pour habitations neuves et du remboursement transitoire de la TVD pour habitations neuves en Ontario*.

(3) [*Abrogé*].

Info TPS/TVQ: GI-078 — *Taxe de vente harmonisée — acheteurs d'habitations neuves en Colombie-Britannique*; GI-089 — *Taxe de vente harmonisée — prix convenu déduction faite des remboursements de la TPS/TVH pour habitations neuves et du remboursement transitoire de la TVP pour habitations neuves en Colombie-Britannique*.

(4) Demande de remboursement — Pour l'application du paragraphe 256.21(2) de la Loi, le remboursement dont le montant est déterminé selon le paragraphe (2) doit être demandé dans les deux ans suivant la date où la propriété de l'immeuble est transférée au particulier.

(5) Restriction — Le remboursement dont le montant est déterminé selon le paragraphe (2) n'est pas versé à un particulier en application du paragraphe 256.21(1) de la Loi au titre d'un immeuble s'il a demandé au titre de l'immeuble le remboursement prévu au paragraphe 256(2) de la Loi.

(6) Demande présentée au constructeur — Pour l'application du paragraphe 256.21(3) de la Loi relativement à un remboursement visant un immeuble d'habitation qui est un immeuble d'habitation à logement unique ou un logement en copropriété :

a) le constructeur de l'immeuble est une personne visée;

b) tout particulier qui est une personne visée aux termes du paragraphe (2) relativement à l'immeuble est un particulier faisant partie d'une catégorie réglementaire;

c) les circonstances suivantes sont prévues :

(i) le constructeur effectue une fourniture taxable de l'immeuble par vente au profit d'un particulier visé à l'alinéa b) et lui transfère la propriété de l'immeuble aux termes du contrat portant sur la fourniture,

(ii) le constructeur convient de verser au particulier, ou de porter à son crédit, un remboursement visé au paragraphe 256.21(1) de la Loi, dont le montant est déterminé selon le paragraphe (2), qui est payable au particulier au titre de l'immeuble,

(iii) la taxe prévue à la section II de la partie IX de la Loi a été payée ou est payable par le particulier relativement à la fourniture,

(iv) le particulier, dans les deux ans suivant la date où la propriété de l'immeuble lui est transférée aux termes du contrat portant sur la fourniture, présente une demande de remboursement conformément au paragraphe 256.21(3) de la Loi,

(v) la taxe payable relativement à la fourniture n'a pas été payée au moment où le particulier présente une demande de remboursement au constructeur et, s'il avait payé la taxe et présenté une telle demande, le remboursement lui aurait été payable en application du paragraphe 256.21(1) de la Loi.

Info TPS/TVQ: GI-088 — *Taxe de vente harmonisée — prix convenu déduction faite des remboursements de la TPS/TVH pour habitations neuves et du remboursement transitoire de la TVD pour habitations neuves en Ontario*; GI-089 — *Taxe de vente harmonisée — prix convenu déduction faite des remboursements de la TPS/TVH pour habitations neuves et du remboursement transitoire de la TVP pour habitations neuves en Colombie-Britannique*.

Notes historiques: Le préambule du paragraphe 41(3) a été abrogé par C.P. 2012-1127 [DORS/2012-191], 20 septembre 2012, par. 34(2) et cette abrogation s'applique relativement aux fournitures d'immeubles d'habitation relativement auxquelles la taxe devient payable par l'effet du paragraphe 168(5) de la Loi après mars 2013. Antérieurement, il se lisait ainsi :

> (3) Remboursement en Colombie-Britannique — Dans le cas où un particulier a droit au remboursement prévu au paragraphe 254(2) de la Loi relativement à un immeuble d'habitation qui est un immeuble d'habitation à logement unique ou un logement en copropriété acquis en vue de servir en Colombie-Britannique de résidence habituelle du particulier ou de son proche, ou aurait droit à ce remboursement si la contrepartie totale, au sens de l'alinéa 254(2)c) de la Loi, relative à l'immeuble était inférieure à 450 000 $, pour l'application du paragraphe 256.21(1) de la Loi, le particulier est une personne visée et le montant du remboursement versé au titre de l'immeuble selon ce paragraphe est égal au montant obtenu par la formule suivante, jusqu'à concurrence de 42 500 $:
>
> $$A \times B$$
>
> où :
>
> A représente 71,43 %;
>
> B le total de la taxe payée en vertu du paragraphe 165(2) de la Loi relativement à la fourniture de l'immeuble au profit du particulier ou relativement à toute autre fourniture, effectuée au profit de celui-ci, d'un droit sur l'immeuble.

Le préambule du paragraphe 41(3) a été remplacé par C.P. 2012-1127 [DORS/2012-191], 20 septembre 2012, par. 34(1) et cette modification s'applique relativement aux fournitures d'immeubles d'habitation relativement auxquelles la taxe devient payable par l'effet du paragraphe 168(5) de la Loi après mars 2012. Antérieurement, il se lisait ainsi :

(3) Remboursement en Colombie-Britannique — Dans le cas où un particulier a droit au remboursement prévu au paragraphe 254(2) de la Loi relativement à un immeuble d'habitation qui est un immeuble d'habitation à logement unique ou un logement en copropriété acquis en vue de servir en Colombie-Britannique de résidence habituelle du particulier ou de son proche ou aurait droit à ce remboursement si la contrepartie totale, au sens de l'alinéa 254(2)c) de la Loi, relative à l'immeuble était inférieure à 450 000 $, pour l'application du paragraphe 256.21(1) de la Loi, le particulier est une personne visée et le montant du remboursement versé au titre de l'immeuble selon ce paragraphe est égal au montant obtenu par la formule suivante, jusqu'à concurrence de 26 250 $:

Les paragraphes 41(4) et (5) ont été remplacés par C.P. 2012-1127 [DORS/2012-191], 20 septembre 2012, par. 34(3) et cette modificaiton s'applique relativement aux fournitures d'immeubles d'habitation relativement auxquelles la taxe devient payable par l'effet du paragraphe 168(5) de la Loi après mars 2013. Antérieurement, ils se lisaient ainsi :

(4) Demande de remboursement — Pour l'application du paragraphe 256.21(2) de la Loi, le remboursement dont le montant est déterminé selon les paragraphes (2) ou (3) doit être demandé dans les deux ans suivant la date où la propriété de l'immeuble est transférée au particulier.

(5) Restriction — Le remboursement dont le montant est déterminé selon les paragraphes (2) ou (3) n'est pas versé à un particulier en application du paragraphe 256.21(1) de la Loi au titre d'un immeuble s'il a demandé au titre de l'immeuble le remboursement prévu au paragraphe 256(2) de la Loi.

L'alinéa 41(6)b) a été remplacé par C.P. 2012-1127 [DORS/2012-191], 20 septembre 2012, par. 34(4) et cette modificaiton s'applique relativement aux fournitures d'immeubles d'habitation relativement auxquelles la taxe devient payable par l'effet du paragraphe 168(5) de la Loi après mars 2013. Antérieurement, il se lisait ainsi :

b) tout particulier qui est une personne visée aux termes des paragraphes (2) ou (3) relativement à l'immeuble est un particulier faisant partie d'une catégorie réglementaire;

Le sous-alinéa 41(6)c)(ii) a été remplacé par C.P. 2012-1127 [DORS/2012-191], 20 septembre 2012, par. 34(5) et cette modificaiton s'applique relativement aux fournitures d'immeubles d'habitation relativement auxquelles la taxe devient payable par l'effet du paragraphe 168(5) de la Loi après mars 2013. Antérieurement, il se lisait ainsi :

(ii) le constructeur convient de verser au particulier, ou de porter à son crédit, un remboursement visé au paragraphe 256.21(1) de la Loi, dont le montant est déterminé selon les paragraphes (2) ou (3), qui est payable au particulier au titre de l'immeuble,

L'article 41 a été ajouté par C.P. 2010-790, 17 juin 2010 art. 41 et s'applique relativement aux immeubles d'habitations qui sont fournis par vente et dont la propriété et la possession sont transférées après juin 2010 aux termes du contrat portant sur la fourniture.

SECTION 3 — REMBOURSEMENTS POUR HABITATIONS NEUVES — BÂTIMENT SEULEMENT

42. Montants et taux applicables aux provinces participantes — Pour l'application du paragraphe 254.1(2) de la Loi relativement :

a) à un immeuble d'habitation situé en Ontario :

(i) la mention de 472 500 $ à ce paragraphe vaut mention de 508 500 $,

(ii) la mention de 367 500 $ à ce paragraphe vaut mention de 395 500 $,

(iii) la mention de 105 000 $ à ce paragraphe vaut mention de 113 000 $,

(iv) le passage « le montant correspondant à 1,71 % » à l'alinéa h) de ce paragraphe vaut mention de « 6 300 $ ou, s'il est moins élevé, le montant correspondant à 1,60 % »,

(v) la mention de 1,71 % à l'élément A de la formule figurant à l'alinéa i) de ce paragraphe vaut mention de 1,60 %;

b) à un immeuble d'habitation situé en Nouvelle-Écosse :

(i) la mention de 472 500 $ à ce paragraphe vaut mention de 517 500 $,

(ii) la mention de 367 500 $ à ce paragraphe vaut mention de 402 500 $,

(iii) la mention de 105 000 $ à ce paragraphe vaut mention de 115 000 $,

(iv) le passage « le montant correspondant à 1,71 % » à l'alinéa h) de ce paragraphe vaut mention de « 6 300 $ ou, s'il est moins élevé, le montant correspondant à 1,57 % »,

(v) la mention de 1,71 % à l'élément A de la formule figurant à l'alinéa i) de ce paragraphe vaut mention de 1,57 %;

c) à un immeuble d'habitation situé au Nouveau-Brunswick :

(i) la mention de 472 500 $ à ce paragraphe vaut mention de 508 500 $,

(ii) la mention de 367 500 $ à ce paragraphe vaut mention de 395 500 $,

(iii) la mention de 105 000 $ à ce paragraphe vaut mention de 113 000 $,

(iv) le passage « le montant correspondant à 1,71 % » à l'alinéa h) de ce paragraphe vaut mention de « 6 300 $ ou, s'il est moins élevé, le montant correspondant à 1,60 % »,

(v) la mention de 1,71 % à l'élément A de la formule figurant à l'alinéa i) de ce paragraphe vaut mention de 1,60 %;

d) [*Abrogé*];

e) à un immeuble d'habitation situé à Terre-Neuve-et-Labrador :

(i) la mention de 472 500 $ à ce paragraphe vaut mention de 508 500 $,

(ii) la mention de 367 500 $ à ce paragraphe vaut mention de 395 500 $,

(iii) la mention de 105 000 $ à ce paragraphe vaut mention de 113 000 $,

(iv) le passage « le montant correspondant à 1,71 % » à l'alinéa h) de ce paragraphe vaut mention de « 6 300 $ ou, s'il est moins élevé, le montant correspondant à 1,60 % »,

(v) la mention de 1,71 % à l'élément A de la formule figurant à l'alinéa i) de ce paragraphe vaut mention de 1,60 %.

Notes historiques: L'article 42 a été ajouté par C.P. 2010-790, 17 juin 2010 art. 42. Les sous-alinéas 42a)(i) à (iii) et d)(i) à (iii) s'appliquent au calcul d'un remboursement relatif à la fourniture, effectuée au profit d'un particulier visé au paragraphe 254.1(2), de tout ou partie d'un bâtiment dans lequel est située une habitation faisant partie d'un immeuble d'habitation si la fourniture de l'immeuble mentionnée à l'alinéa 254.1(2)d) est réputée en vertu de l'article 191 avoir été effectuée après juin 2010, sauf si la taxe prévue au paragraphe 165(2) n'est pas payable relativement à cette dernière fourniture.

Les sous-alinéas 42a)(iv) et (v) et d)(iv) et (v) s'appliquent au calcul d'un remboursement relatif à la fourniture, effectuée au profit d'un particulier visé au paragraphe 254.1(2), de tout ou partie d'un bâtiment dans lequel est située une habitation faisant partie d'un immeuble d'habitation si la fourniture de l'immeuble mentionnée à l'alinéa 254.1(2)d) est réputée en vertu de l'article 191 avoir été effectuée à la date de publication du présent règlement dans la *Gazette du Canada* ou par la suite, sauf si la taxe prévue au paragraphe 165(2) n'est pas payable relativement à cette dernière fourniture.

Les sous-alinéas 42b)(i) à (iii), c)(i) à (iii) et e)(i) à (iii) s'appliquent au calcul d'un remboursement relatif à la fourniture, effectuée au profit d'un particulier visé au paragraphe 254.1(2), de tout ou partie d'un bâtiment dans lequel est située une habitation faisant partie d'un immeuble d'habitation si la fourniture de l'immeuble mentionnée à l'alinéa 254.1(2)d) est réputée en vertu de l'article 191 avoir été effectuée après juin 2010, sauf si le contrat mentionné à l'alinéa 254.1(2)a) entre le particulier et le constructeur est conclu avant le 7 avril 2010.

Les sous-alinéas 42b)(iv) et (v), c)(iv) et (v) et e)(iv) et (v) s'appliquent au calcul d'un remboursement relatif à la fourniture, effectuée au profit d'un particulier visé au paragraphe 254.1(2), de tout ou partie d'un bâtiment dans lequel est située une habitation faisant partie d'un immeuble d'habitation si la fourniture de l'immeuble mentionnée à l'alinéa 254.1(2)d) est réputée en vertu de l'article 191 avoir été effectuée à la date de publication du présent règlement dans la *Gazette du Canada* ou par la suite, sauf si le contrat mentionné à l'alinéa 254.1(2)a) entre le particulier et le constructeur est conclu avant cette date.

L'alinéa 42d) a été abrogé par C.P. 2012-1127 [DORS/2012-191], 20 septembre 2012, art. 35 et cette abrogation s'applique relativement à un bâtiment, ou à une partie de bâtiment, dans lequel est située une habitation faisant partie d'un immeuble d'habitation si le constructeur de l'immeuble est réputé, en vertu de l'article 191 de la Loi, avoir effectué une fourniture de l'immeuble après mars 2013. Antérieurement, il se lisait ainsi :

d) à un immeuble d'habitation situé en Colombie-Britannique :

(i) la mention de 472 500 $ à ce paragraphe vaut mention de 504 000 $,

(ii) la mention de 367 500 $ à ce paragraphe vaut mention de 392 000 $,

(iii) la mention de 105 000 $ à ce paragraphe vaut mention de 112 000 $,

TVH

(iv) le passage « le montant correspondant à 1,71 % » à l'alinéa h) de ce paragraphe vaut mention de « 6 300 $ ou, s'il est moins élevé, le montant correspondant à 1,61 % »,

(v) la mention de 1,71 % à l'élément A de la formule figurant à l'alinéa i) de ce paragraphe vaut mention de 1,61 %;

43. (1) Remboursement en Ontario — Dans le cas où un particulier a le droit de demander le remboursement prévu au paragraphe 254.1(2) de la Loi, ou de se faire verser ou de faire porter à son crédit le montant de ce remboursement selon le paragraphe 254.1(4) de la Loi, relativement à tout ou partie d'un bâtiment dans lequel est située une habitation faisant partie d'un immeuble d'habitation en Ontario, ou aurait ce droit si la juste valeur marchande de l'immeuble, au moment où la possession de l'immeuble lui est transférée aux termes du contrat portant sur la fourniture de l'immeuble à son profit, était inférieure à 508 500 $, pour l'application du paragraphe 256.21(1) de la Loi, le particulier est une personne visée et le montant du remboursement versé au titre de l'immeuble selon ce paragraphe est égal au montant correspondant à 5,31 % de la contrepartie totale, au sens de l'alinéa 254.1(2)h) de la Loi, relative à l'immeuble, jusqu'à concurrence de 24 000 $.

Info TPS/TVQ: GI-079 — *Taxe de vente harmonisée — remboursement pour habitations neuves de l'Ontario*; GI-088 — *Taxe de vente harmonisée — prix convenu déduction faite des remboursements de la TPS/TVH pour habitations neuves et du remboursement transitoire de la TVD pour habitations neuves en Ontario.*

(2) Remboursement en Colombie-Britannique — [*Abrogé*].

Info TPS/TVQ: GI-078 — *Taxe de vente harmonisée — acheteurs d'habitations neuves en Colombie-Britannique*; GI-080 — *Taxe de vente harmonisée — remboursement pour habitations neuves de la Colombie-Britannique*; GI-089 — *Taxe de vente harmonisée — prix convenu déduction faite des remboursements de la TPS/TVH pour habitations neuves et du remboursement transitoire de la TVP pour habitations neuves en Colombie-Britannique.*

(3) Demande de remboursement — Pour l'application du paragraphe 256.21(2) de la Loi, le remboursement dont le montant est déterminé selon le paragraphe (1) doit être demandé dans les deux ans suivant la date où la possession de l'immeuble est transférée au particulier.

(4) Demande présentée au constructeur — Pour l'application du paragraphe 256.21(3) de la Loi relativement à un remboursement visant tout ou partie d'un bâtiment dans lequel est située une habitation faisant partie d'un immeuble d'habitation :

a) le constructeur de l'immeuble est une personne visée;

b) tout particulier qui est une personne visée aux termes du paragraphe (1) relativement à l'immeuble est un particulier faisant partie d'une catégorie réglementaire;

c) les circonstances suivantes sont prévues :

(i) le constructeur effectue une fourniture de l'immeuble au profit d'un particulier aux termes d'un contrat visé à l'alinéa 254.1(2)a) de la Loi et lui transfère la possession de l'immeuble aux termes de ce contrat,

(ii) le constructeur convient de verser au particulier, ou de porter à son crédit, un remboursement visé au paragraphe 256.21(1) de la Loi, dont le montant est déterminé selon le paragraphe (1), qui est payable au particulier au titre de l'immeuble,

(iii) le particulier, dans les deux ans suivant la date où la possession de l'immeuble lui est transférée aux termes du contrat portant sur la fourniture, présente une demande de remboursement conformément au paragraphe 256.21(3) de la Loi.

Info TPS/TVQ: GI-088 — *Taxe de vente harmonisée — prix convenu déduction faite des remboursements de la TPS/TVH pour habitations neuves et du remboursement transitoire de la TVD pour habitations neuves en Ontario*; GI-089 — *Taxe de vente harmonisée — prix convenu déduction faite des remboursements de la TPS/TVH pour habitations neuves et du remboursement transitoire de la TVP pour habitations neuves en Colombie-Britannique.*

Notes historiques: Le paragraphe 43(2) a été abrogé par C.P. 2012-1127 [DORS/2012-191], 20 septembre 2012, par. 36(2) et cette abrogation s'applique relativement à un bâtiment, ou à une partie de bâtiment, dans lequel est située une habitation faisant partie d'un immeuble d'habitation si le constructeur de l'immeuble est réputé, en vertu de l'article 191 de la Loi, avoir effectué une fourniture de l'immeuble après mars 2013. Antérieurement, il se lisait ainsi :

> (2) Remboursement en Colombie-Britannique — Dans le cas où un particulier a droit au remboursement prévu au paragraphe 254.1(2) de la Loi relativement à tout ou partie d'un bâtiment dans lequel est située une habitation faisant partie d'un immeuble d'habitation en Colombie-Britannique, ou aurait droit à ce remboursement si la juste valeur marchande de l'immeuble, au moment où la possession de l'immeuble lui est transférée aux termes du contrat portant sur la fourniture de l'immeuble à son profit, était inférieure à 504 000 $, pour l'application du paragraphe 256.21(1) de la Loi, le particulier est une personne visée et le montant du remboursement versé au titre de l'immeuble selon ce paragraphe est égal au montant correspondant à 4,47 % de la contrepartie totale, au sens de l'alinéa 254.1(2)h) de la Loi, relative à l'immeuble, jusqu'à concurrence de 42 500 $.

Le paragraphe 43(2) a été remplacé par C.P. 2012-1127 [DORS/2012-191], 20 septembre 2012, par. 36(1) et cette modification s'applique relativement à un bâtiment, ou à une partie de bâtiment, dans lequel est située une habitation faisant partie d'un immeuble d'habitation si le constructeur de l'immeuble est réputé, en vertu de l'article 191 de la Loi, avoir effectué une fourniture de l'immeuble après mars 2012. Antérieurement, il se lisait ainsi :

> (2) Dans le cas où un particulier a droit au remboursement prévu au paragraphe 254.1(2) de la Loi relativement à tout ou partie d'un bâtiment dans lequel est située une habitation faisant partie d'un immeuble d'habitation en Colombie-Britannique, ou aurait droit à ce remboursement si la juste valeur marchande de l'immeuble, au moment où la possession de l'immeuble lui est transférée aux termes du contrat portant sur la fourniture de l'immeuble à son profit, était inférieure à 504 000 $, pour l'application du paragraphe 256.21(1) de la Loi, le particulier est une personne visée et le montant du remboursement versé au titre de l'immeuble selon ce paragraphe est égal au montant correspondant à 4,47 % de la contrepartie totale, au sens de l'alinéa 254.1(2)h) de la Loi, relative à l'immeuble, jusqu'à concurrence de 26 250 $.

Le paragraphe 43(3) a été remplacé par C.P. 2012-1127 [DORS/2012-191], 20 septembre 2012, par. 36(3) et cette modification s'applique relativement à un bâtiment, ou à une partie de bâtiment, dans lequel est située une habitation faisant partie d'un immeuble d'habitation si le constructeur de l'immeuble est réputé, en vertu de l'article 191 de la Loi, avoir effectué une fourniture de l'immeuble après mars 2012. Antérieurement, il se lisait ainsi :

> (3) Pour l'application du paragraphe 256.21(2) de la Loi, le remboursement dont le montant est déterminé selon les paragraphes (1) ou (2) doit être demandé dans les deux ans suivant la date où la possession de l'immeuble est transférée au particulier.

L'alinéa 43(4)b) a été remplacé par C.P. 2012-1127 [DORS/2012-191], 20 septembre 2012, par. 36(4) et cette modification s'applique relativement à un bâtiment, ou à une partie de bâtiment, dans lequel est située une habitation faisant partie d'un immeuble d'habitation si le constructeur de l'immeuble est réputé, en vertu de l'article 191 de la Loi, avoir effectué une fourniture de l'immeuble après mars 2012. Antérieurement, il se lisait ainsi :

> b) tout particulier qui est une personne visée aux termes des paragraphes (1) ou (2) relativement à l'immeuble est un particulier faisant partie d'une catégorie réglementaire;

Le sous-alinéa 43(4) c)(ii) a été remplacé par C.P. 2012-1127 [DORS/2012-191], 20 septembre 2012, par. 36(5) et cette modification s'applique relativement à un bâtiment, ou à une partie de bâtiment, dans lequel est située une habitation faisant partie d'un immeuble d'habitation si le constructeur de l'immeuble est réputé, en vertu de l'article 191 de la Loi, avoir effectué une fourniture de l'immeuble après mars 2012. Antérieurement, il se lisait ainsi :

> (ii) le constructeur convient de verser au particulier, ou de porter à son crédit, un remboursement visé au paragraphe 256.21(1) de la Loi, dont le montant est déterminé selon les paragraphes (1) ou (2), qui est payable au particulier au titre de l'immeuble,

L'article 43 a été ajouté par C.P. 2010-790, 17 juin 2010 art. 43 et s'applique relativement à tout ou partie d'un bâtiment dans lequel est située une habitation faisant partie d'un immeuble d'habitation si la possession de l'habitation est transférée au particulier mentionné au paragraphe 254.1(2) après juin 2010, sauf si le constructeur de l'immeuble est réputé en vertu de l'article 191 avoir effectué une fourniture de l'immeuble relativement à laquelle la taxe prévue au paragraphe 165(2) ne s'appliquait pas.

SECTION 4 — REMBOURSEMENTS POUR HABITATIONS EN COOPÉRATIVE

44. Montants et taux applicables aux provinces participantes — Pour l'application du paragraphe 255(2) de la Loi relativement :

a) à un immeuble d'habitation situé en Ontario :

(i) la mention de 472 500 $ à ce paragraphe vaut mention de 508 500 $,

(ii) la mention de 367 500 $ à ce paragraphe vaut mention de 395 500 $,

(iii) la mention de 105 000 $ à ce paragraphe vaut mention de 113 000 $,

(iv) le passage « le montant correspondant à 1,71 % » à l'alinéa g) de ce paragraphe vaut mention de « 6 300 $ ou, s'il est moins élevé, le montant correspondant à 1,60 % »,

(v) la mention de 1,71 % à l'élément A de la formule figurant à l'alinéa h) de ce paragraphe vaut mention de 1,60 %;

b) à un immeuble d'habitation situé en Nouvelle-Écosse :

(i) la mention de 472 500 $ à ce paragraphe vaut mention de 517 500 $,

(ii) la mention de 367 500 $ à ce paragraphe vaut mention de 402 500 $,

(iii) la mention de 105 000 $ à ce paragraphe vaut mention de 115 000 $,

(iv) le passage « le montant correspondant à 1,71 % » à l'alinéa g) de ce paragraphe vaut mention de « 6 300 $ ou, s'il est moins élevé, le montant correspondant à 1,57 % »,

(v) la mention de 1,71 % à l'élément A de la formule figurant à l'alinéa h) de ce paragraphe vaut mention de 1,57 %;

c) à un immeuble d'habitation situé au Nouveau-Brunswick :

(i) la mention de 472 500 $ à ce paragraphe vaut mention de 508 500 $,

(ii) la mention de 367 500 $ à ce paragraphe vaut mention de 395 500 $,

(iii) la mention de 105 000 $ à ce paragraphe vaut mention de 113 000 $,

(iv) le passage « le montant correspondant à 1,71 % » à l'alinéa g) de ce paragraphe vaut mention de « 6 300 $ ou, s'il est moins élevé, le montant correspondant à 1,60 % »,

(v) la mention de 1,71 % à l'élément A de la formule figurant à l'alinéa h) de ce paragraphe vaut mention de 1,60 %;

d) [*Abrogé*];

e) à un immeuble d'habitation situé à Terre-Neuve-et-Labrador :

(i) la mention de 472 500 $ à ce paragraphe vaut mention de 508 500 $,

(ii) la mention de 367 500 $ à ce paragraphe vaut mention de 395 500 $,

(iii) la mention de 105 000 $ à ce paragraphe vaut mention de 113 000 $,

(iv) le passage « le montant correspondant à 1,71 % » à l'alinéa g) de ce paragraphe vaut mention de « 6 300 $ ou, s'il est moins élevé, le montant correspondant à 1,60 % »,

(v) la mention de 1,71 % à l'élément A de la formule figurant à l'alinéa h) de ce paragraphe vaut mention de 1,60 %.

Notes historiques: L'article 44 a été ajouté par C.P. 2010-790, 17 juin 2010 art. 44.

Les sous-alinéas 44a)(i) à (iii) et d)(i) à (iii) s'appliquent au calcul d'un remboursement relatif à la fourniture, effectuée par une coopérative d'habitation au profit d'un particulier, d'une part du capital social de la coopérative si la demande de remboursement est présentée après juin 2010, sauf si la coopérative n'a pas payé la taxe prévue au paragraphe 165(2) relativement à la fourniture de l'immeuble, mentionnée à l'alinéa 255(2)a), effectuée au profit de la coopérative.

Les sous-alinéas 44a)(iv) et (v) et d)(iv) et (v) s'appliquent au calcul d'un remboursement relatif à la fourniture, effectuée par une coopérative d'habitation au profit d'un particulier, d'une part du capital social de la coopérative si la demande de remboursement est présentée à la date de publication du présent règlement dans la *Gazette du Canada* ou par la suite, sauf si la coopérative n'a pas payé la taxe prévue au paragraphe 165(2) relativement à la fourniture de l'immeuble, mentionnée à l'alinéa 255(2)a), effectuée au profit de la coopérative.

Les sous-alinéas 44b)(i) à (iii) s'appliquent au calcul d'un remboursement relatif à la fourniture, effectuée par une coopérative d'habitation au profit d'un particulier, d'une part du capital social de la coopérative que le particulier a acquise pour qu'une habitation d'un immeuble d'habitation lui serve de résidence habituelle ou serve ainsi à son proche, au sens du paragraphe 255(1), si la coopérative a payé la taxe prévue au paragraphe 165(2) au taux de 10 % relativement à une fourniture taxable de l'immeuble effectuée à son profit, sauf si le contrat mentionné à l'alinéa 255(2)c) entre le particulier et la coopérative est conclu avant le 7 avril 2010.

Les sous-alinéas 44b)(iv) et (v) s'appliquent au calcul d'un remboursement relatif à la fourniture, effectuée par une coopérative d'habitation au profit d'un particulier, d'une part du capital social de la coopérative que le particulier a acquise pour qu'une habitation d'un immeuble d'habitation lui serve de résidence habituelle ou serve ainsi à son proche, au sens du paragraphe 255(1), si la coopérative a payé la taxe prévue au paragraphe 165(2) au taux de 10 % relativement à une fourniture taxable de l'immeuble effectuée à son profit, sauf si le contrat mentionné à l'alinéa 255(2)c) entre le particulier et la coopérative est conclu avant la date de publication du présent règlement dans la *Gazette du Canada*.

Les sous-alinéas 44c)(i) à (iii) et e)(i) à (iii) s'appliquent au calcul d'un remboursement relatif à la fourniture, effectuée par une coopérative d'habitation au profit d'un particulier, d'une part du capital social de la coopérative si la demande de remboursement est présentée après le 6 avril 2010, sauf si le contrat mentionné à l'alinéa 255(2)c) entre le particulier et la coopérative est conclu avant le 7 avril 2010.

Les sous-alinéas 44c)(iv) et (v) et e)(iv) et (v) s'appliquent au calcul d'un remboursement relatif à la fourniture, effectuée par une coopérative d'habitation au profit d'un particulier, d'une part du capital social de la coopérative si la demande de remboursement est présentée à la date de publication du présent règlement dans la *Gazette du Canada* ou par la suite, sauf si le contrat mentionné à l'alinéa 255(2)c) entre le particulier et la coopérative est conclu avant cette date.

L'alinéa 44d) a été abrogé par C.P. 2012-1127 [DORS/2012-191], 20 septembre 2012, art. 37 et cette abrogation s'applique relativement à la fourniture, effectuée par une coopérative d'habitation au profit d'un particulier, d'une part du capital social de la coopérative si la taxe relative à la fourniture, mentionnée à l'alinéa 255(2)a) de la Loi, de l'immeuble effectuée au profit de la coopérative devient payable par l'effet du paragraphe 168(5) de la Loi après mars 2013 ou est réputée, en vertu de l'article 191 de la Loi, avoir été payée après ce mois. Antérieurement, il se lisait ainsi :

d) à un immeuble d'habitation situé en Colombie-Britannique :

(i) la mention de 472 500 $ à ce paragraphe vaut mention de 504 000 $,

(ii) la mention de 367 500 $ à ce paragraphe vaut mention de 392 000 $,

(iii) la mention de 105 000 $ à ce paragraphe vaut mention de 112 000 $,

(iv) le passage « le montant correspondant à 1,71 % » à l'alinéa g) de ce paragraphe vaut mention de « 6 300 $ ou, s'il est moins élevé, le montant correspondant à 1,61 % »,

(v) la mention de 1,71 % à l'élément A de la formule figurant à l'alinéa h) de ce paragraphe vaut mention de 1,61 %;

45. (1) Définition de « proche » — Au présent article, **« proche »** s'entend au sens du paragraphe 255(1) de la Loi.

(2) Remboursement en Ontario — Pour l'application du paragraphe 256.21(1) de la Loi, dans le cas où les conditions ci-après sont réunies, le particulier en cause est une personne visée et le montant du remboursement versé selon ce paragraphe au titre d'une part du capital social d'une coopérative d'habitation est égal au montant correspondant à 5,31 % de la contrepartie totale visée à l'alinéa c), jusqu'à concurrence de 24 000 $:

a) le particulier a acquis la part pour qu'une habitation faisant partie d'un immeuble d'habitation de la coopérative situé en Ontario lui serve de résidence habituelle ou serve ainsi à son proche;

b) la coopérative a payé la taxe prévue au paragraphe 165(2) de la Loi relativement à la fourniture taxable de l'immeuble effectuée à son profit;

c) le particulier a droit au remboursement prévu au paragraphe 255(2) de la Loi au titre de la part ou y aurait droit si le total (appelé « contrepartie totale » au présent paragraphe) des montants dont chacun représente la contrepartie payable pour la fourniture au profit du particulier de la part, d'une participation dans la coopérative ou d'un droit sur l'immeuble ou le logement, était inférieur à 508 500 $.

(3) [*Abrogé*].

(4) Demande de remboursement — Pour l'application du paragraphe 256.21(2) de la Loi, le remboursement dont le montant est déterminé selon le paragraphe (2) doit être demandé dans les deux ans suivant la date où la propriété de la part est transférée au particulier.

(5) Demande de remboursement — Pour l'application du paragraphe 256.21(2) de la Loi, le remboursement dont le montant est déterminé selon le paragraphe (3) doit être demandé dans les deux

TVH

ans suivant la date où la propriété de la part est transférée au particulier mais au plus tard le 31 mars 2017.

Non en vigueur — 45(5)

Application: Le paragraphe 45(5) a été abrogé par C.P. 2012-1127 [DORS/2012-191], 20 septembre 2012, par. 38(4) et cette abrogation entrera en vigueur le 1er avril 2017.

Notes historiques: Le paragraphe 45(3) a été abrogé par C.P. 2012-1127 [DORS/2012-191], 20 septembre 2012, par. 38(2) et cette abrogation s'applique relativement à la fourniture, effectuée par une coopérative d'habitation au profit d'un particulier, d'une part du capital social de la coopérative si la taxe relative à la fourniture, mentionnée à l'alinéa 255(2)a) de la Loi, de l'immeuble effectuée au profit de la coopérative devient payable par l'effet du paragraphe 168(5) de la Loi après mars 2013 ou est réputée, en vertu de l'article 191 de la Loi, avoir été payée après ce mois. Antérieurement, il se lisait ainsi :

(3) Remboursement en Colombie-Britannique — Pour l'application du paragraphe 256.21(1) de la Loi, dans le cas où les conditions ci-après sont réunies, le particulier en cause est une personne visée et le montant du remboursement versé selon ce paragraphe au titre d'une part du capital social d'une coopérative d'habitation est égal au montant correspondant à 4,47 % de la contrepartie totale visée à l'alinéa c), jusqu'à concurrence de 42 500 $:

a) le particulier a acquis la part pour qu'une habitation faisant partie d'un immeuble d'habitation de la coopérative situé en Colombie-Britannique lui serve de résidence habituelle ou serve ainsi à son proche;

b) la coopérative a payé la taxe prévue au paragraphe 165(2) de la Loi relativement à la fourniture taxable de l'immeuble effectuée à son profit;

c) le particulier a droit au remboursement prévu au paragraphe 255(2) de la Loi au titre de la part ou y aurait droit si le total (appelé « contrepartie totale » au présent paragraphe) des montants dont chacun représente la contrepartie payable pour la fourniture au profit du particulier de la part, d'une participation dans la coopérative ou d'un droit sur l'immeuble ou le logement, était inférieur à 504 000 $.

Le préambule du paragraphe 45(3) a été remplacé par C.P. 2012-1127 [DORS/2012-191], 20 septembre 2012, par. 38(1) et cette modification s'applique relativement à la fourniture, effectuée par une coopérative d'habitation au profit d'un particulier, d'une part du capital social de la coopérative si la taxe relative à la fourniture, mentionnée à l'alinéa 255(2)a) de la Loi, de l'immeuble effectuée au profit de la coopérative devient payable par l'effet du paragraphe 168(5) de la Loi après mars 2012 ou est réputée, en vertu de l'article 191 de la Loi, avoir été payée après ce mois. Antérieurement, il se lisait ainsi :

(3) Remboursement en Colombie-Britannique — Pour l'application du paragraphe 256.21(1) de la Loi, dans le cas où les conditions ci-après sont réunies, le particulier en cause est une personne visée et le montant du remboursement versé selon ce paragraphe au titre d'une part du capital social d'une coopérative d'habitation est égal au montant correspondant à 4,47 % de la contrepartie totale visée à l'alinéa c), jusqu'à concurrence de 26 250 $:

Le paragraphe 45(4) a été remplacé et le paragraphe 45(5) a été ajouté par C.P. 2012-1127 [DORS/2012-191], 20 septembre 2012, par. 38(3) et ces modifications sont entrées en vigueur le 10 octobre 2012. Antérieurement, le paragraphe 45(4) se lisait ainsi :

(4) Pour l'application du paragraphe 256.21(2) de la Loi, le remboursement dont le montant est déterminé selon les paragraphes (2) ou (3) doit être demandé dans les deux ans suivant la date où la propriété de la part est transférée au particulier.

L'article 45 a été ajouté par C.P. 2010-790, 17 juin 2010 art. 45 et s'applique relativement à la fourniture, effectuée par une coopérative d'habitation au profit d'un particulier, d'une part du capital social de la coopérative si le particulier acquiert la part dans le but d'utiliser une habitation faisant partie d'un immeuble d'habitation et que la possession de l'habitation est transférée au particulier pour la première fois après juin 2010 du fait qu'il est propriétaire de la part, sauf si la taxe prévue au paragraphe 165(2) ne s'est pas appliquée à la fourniture de l'immeuble, mentionnée à l'alinéa 255(2)a), effectuée au profit de la coopérative.

SECTION 5 — REMBOURSEMENTS POUR HABITATIONS CONSTRUITES PAR SOI-MÊME

46. (1) Définitions — Au présent article, « **proche** » s'entend au sens du paragraphe 256(1) de la Loi.

(2) Remboursement en Ontario — Dans le cas où les conditions suivantes sont réunies :

a) un particulier a droit au remboursement prévu au paragraphe 256(2) de la Loi au titre d'un immeuble d'habitation qu'il a construit ou fait construire ou auquel il a fait ou fait faire des rénovations majeures pour qu'il lui serve en Ontario de résidence habituelle ou serve ainsi à son proche, ou aurait droit à ce remboursement si la juste valeur marchande de l'immeuble, au moment où les travaux sont achevés en grande partie, était inférieure à 450 000 $,

b) le particulier a payé la taxe payable relativement à la fourniture par vente, effectuée à son profit, du fonds qui fait partie de l'immeuble ou d'un droit sur ce fonds ou relativement à la fourniture effectuée à son profit, ou à l'importation ou au transfert en Ontario par lui, d'améliorations à ce fonds ou, dans le cas d'une maison mobile ou d'une maison flottante, de l'immeuble (le total de cette taxe, prévue au paragraphe 165(2) et aux articles 212.1, 218.1 et 220.05 à 220.07 de la Loi, étant appelé « total de la taxe relative à la province » au présent paragraphe et au paragraphe (4)),

pour l'application du paragraphe 256.21(1) de la Loi, le particulier est une personne visée et le montant du remboursement versé au titre de l'immeuble selon ce paragraphe est égal à celui des montants suivants qui est applicable :

c) si la taxe prévue au paragraphe 165(2) de la Loi est payable relativement à la fourniture par vente, effectuée au profit du particulier, du fonds qui fait partie de l'immeuble ou d'un droit sur ce fonds, le montant correspondant à 75 % du total de la taxe relative à la province, jusqu'à concurrence de 24 000 $;

d) dans les autres cas, le montant correspondant à 75 % du total de la taxe relative à la province, jusqu'à concurrence de 16 080 $.

(3) [*Abrogé*].

(4) Occupation d'une habitation lors de sa construction ou rénovation — La taxe qui se rapporte aux améliorations qu'un particulier acquiert relativement à un immeuble d'habitation mentionné au paragraphe (2) et qui devient payable par lui plus de deux ans après le jour où l'immeuble est occupé pour la première fois de la manière prévue au sous-alinéa 256(2)d)(i) de la Loi n'entre pas dans le calcul du total de la taxe relative à la province visée au l'alinéa (2)b).

(5) Maisons mobiles et maisons flottantes — Pour l'application du présent article, un particulier est réputé avoir construit une maison mobile ou une maison flottante et en avoir achevé la construction en grande partie immédiatement avant l'occupation visée à l'alinéa d) ou, s'il est antérieur, le transfert visé à cet alinéa si les conditions suivantes sont réunies :

a) il achète ou importe la maison, ou la transfère en Ontario, à un moment donné, laquelle n'a jamais été utilisée ni occupée à ce moment à titre résidentiel ou d'hébergement au Canada;

b) il ne demande pas au ministre ou au fournisseur de remboursement concernant la maison aux termes des articles 254 ou 254.1 de la Loi ni de remboursement la concernant aux termes de l'article 256.21 de la Loi dont le montant est déterminé selon les paragraphes 41(2) ou 43(1);

c) il acquiert ou importe la maison, ou la transfère en Ontario, pour qu'elle lui serve de résidence habituelle ou serve ainsi à son proche;

d) soit que le premier particulier à occuper la maison au Canada est le particulier ou son proche visé à l'alinéa c), soit que le particulier transfère la propriété de la maison aux termes d'un contrat portant sur la vente de la maison dans le cadre d'une fourniture exonérée.

Si la maison est importée par le particulier, son occupation ou utilisation à l'étranger est réputée ne pas être une occupation ou une utilisation.

(6) Demande de remboursement — Pour l'application du paragraphe 256.21(2) de la Loi, le remboursement au titre d'un immeuble d'habitation, dont le montant est déterminé selon le paragraphe (2), doit être demandé au plus tard à celle des dates ci-après qui est applicable :

a) la date (appelée « date d'échéance » au présent paragraphe) qui correspond au premier en date des jours suivants :

(i) le jour qui suit de quatre ans la date où l'immeuble est occupé pour la première fois de la manière prévue au sous-alinéa 256(2)d)(i) de la Loi,

(ii) le jour qui suit de deux ans la date où la propriété est transférée de la manière prévue au sous-alinéa 256(2)d)(ii) de la Loi,

(iii) le jour qui suit de deux ans la date où la construction ou les rénovations majeures de l'immeuble sont achevées en grande partie;

b) toute date postérieure à la date d'échéance qui est fixée par le ministre en application de l'alinéa 256(3)b) de la Loi relativement au remboursement prévu à l'article 256 de la Loi au titre de l'immeuble;

c) si l'alinéa b) ne s'applique pas, toute date postérieure à la date d'échéance qui figure dans une demande écrite présentée au ministre par le particulier mentionné au paragraphe (2) et que le ministre estime acceptable.

Notes historiques: Le paragraphe 46(3) a été abrogé par C.P. 2012-1127 [DORS/2012-191], 20 septembre 2012, par. 39(2) et cette abrogation s'applique au remboursement au titre d'un immeuble d'habitation à l'égard duquel une demande a été présentée au ministre du Revenu national après mars 2017. Antérieurement, il se lisait ainsi :

(3) Remboursement en Colombie-Britannique — Dans le cas où les conditions suivantes sont réunies :

a) un particulier a droit au remboursement prévu au paragraphe 256(2) de la Loi relativement à un immeuble d'habitation qu'il a construit ou fait construire ou auquel il a fait ou fait faire des rénovations majeures pour qu'il lui serve en Colombie-Britannique de résidence habituelle ou serve ainsi à son proche, ou aurait droit à ce remboursement si la juste valeur marchande de l'immeuble, au moment où les travaux sont achevés en grande partie, était inférieure à 450 000 $,

b) le particulier a payé la taxe payable relativement à la fourniture par vente, effectuée à son profit, du fonds qui fait partie de l'immeuble ou d'un droit sur ce fonds ou relativement à la fourniture effectuée à son profit, ou à l'importation ou au transfert en Colombie-Britannique par lui, d'améliorations à ce fonds ou, dans le cas d'une maison mobile ou d'une maison flottante, de l'immeuble (le total de cette taxe, prévue au paragraphe 165(2) et aux articles 212.1, 218.1 et 220.05 à 220.07 de la Loi, étant appelé « total de la taxe relative à la province » au présent paragraphe et au paragraphe (4)),

pour l'application du paragraphe 256.21(1) de la Loi, le particulier est une personne visée et le montant du remboursement versé au titre de l'immeuble selon ce paragraphe est égal à celui des montants suivants qui est applicable :

c) si la taxe prévue au paragraphe 165(2) de la Loi est payable relativement à la fourniture par vente, effectuée au profit du particulier, du fonds qui fait partie de l'immeuble ou d'un droit sur ce fonds, le montant correspondant à 71,43 % du total de la taxe relative à la province, jusqu'à concurrence de 42 500 $;

d) dans les autres cas, le montant correspondant à 71,43 % du total de la taxe relative à la province, jusqu'à concurrence de 28 475 $.

Les alinéas 46(3)c) et d) ont été remplacés par C.P. 2012-1127 [DORS/2012-191], 20 septembre 2012, par. 39(1) et cette modification s'applique à tout remboursement au titre d'un immeuble d'habitation dont la construction ou les rénovations majeures sont achevées en grande partie après mars 2012 et à l'égard duquel une demande a été présentée au ministre du Revenu national après ce mois. Antérieurement, ils se lisaient ainsi :

c) si la taxe prévue au paragraphe 165(2) de la Loi est payable relativement à la fourniture par vente, effectuée au profit du particulier, du fonds qui fait partie de l'immeuble ou d'un droit sur ce fonds, le montant correspondant à 71,43 % du total de la taxe relative à la province, jusqu'à concurrence de 26 250 $;

d) dans les autres cas, le montant correspondant à 71,43 % du total de la taxe relative à la province, jusqu'à concurrence de 17 588 $.

Le paragraphe 46(4) a été remplacé par C.P. 2012-1127 [DORS/2012-191], 20 septembre 2012, par. 39(3) et cette modification s'applique au remboursement au titre d'un immeuble d'habitation à l'égard duquel une demande a été présentée au ministre du Revenu national après mars 2017. Antérieurement, il se lisait ainsi :

(4) La taxe qui se rapporte aux améliorations qu'un particulier acquiert relativement à un immeuble d'habitation mentionné aux paragraphes (2) ou (3) et qui devient payable par lui plus de deux ans après le jour où l'immeuble est occupé pour la première fois de la manière prévue au sous-alinéa 256(2)d)(i) de la Loi n'entre pas dans le calcul du total de la taxe relative à la province visée aux alinéas (2)b) ou (3)b).

Les alinéas 46(5)a) à c) ont été remplacés par C.P. 2012-1127 [DORS/2012-191], 20 septembre 2012, par. 39(4) et cette modification s'applique à tout remboursement au titre d'un immeuble d'habitation dont la construction ou les rénovations majeures sont achevées en grande partie après mars 2012 et à l'égard duquel une demande a été présentée au ministre du Revenu national après ce mois. Antérieurement, ils se lisaient ainsi :

a) il achète ou importe la maison, ou la transfère en Ontario ou en Colombie-Britannique, à un moment donné, laquelle n'a jamais été utilisée ni occupée à ce moment à titre résidentiel ou d'hébergement au Canada;

b) il ne demande pas au ministre ou au fournisseur de remboursement concernant la maison aux termes des articles 254 ou 254.1 de la Loi ni de remboursement la concernant aux termes de l'article 256.21 de la Loi dont le montant est déterminé selon les paragraphes 41(2) ou (3) ou 43(1) ou (2);

c) il acquiert ou importe la maison, ou la transfère en Ontario ou en Colombie-Britannique, pour qu'elle lui serve de résidence habituelle ou serve ainsi son proche;

Le préambule du paragraphe 46(6) a été remplacé par C.P. 2012-1127 [DORS/2012-191], 20 septembre 2012, par. 39(6) et cette modification s'applique à tout remboursement au titre d'un immeuble d'habitation dont la construction ou les rénovations majeures sont achevées en grande partie après mars 2012 et à l'égard duquel une demande a été présentée au ministre du Revenu national après ce mois. Antérieurement, il se lisait ainsi :

(6) Pour l'application du paragraphe 256.21(2) de la Loi, le remboursement au titre d'un immeuble d'habitation, dont le montant est déterminé selon les paragraphes (2) ou (3), doit être demandé au plus tard à celle des dates ci-après qui est applicable :

L'alinéa 46(6)c) a été remplacé par C.P. 2012-1127 [DORS/2012-191], 20 septembre 2012, par. 39(7) et cette modification s'applique à tout remboursement au titre d'un immeuble d'habitation dont la construction ou les rénovations majeures sont achevées en grande partie après mars 2012 et à l'égard duquel une demande a été présentée au ministre du Revenu national après ce mois. Antérieurement, il se lisait ainsi :

c) si l'alinéa b) ne s'applique pas, toute date postérieure à la date d'échéance qui figure dans une demande écrite présentée au ministre par le particulier mentionné aux paragraphes (2) ou (3), selon le cas, et que le ministre estime acceptable.

Le paragraphe 46(6) a été remplacé par C.P. 2012-1127 [DORS/2012-191], 20 septembre 2012, par. 39(5) et cette modification est entrée en vigueur le 10 octobre 2012. Antérieurement, ils se lisaient ainsi :

(6) Demande de remboursement — Pour l'application du paragraphe 256.21(2) de la Loi, le remboursement au titre d'un immeuble d'habitation, dont le montant est déterminé selon les paragraphes (2) ou (3), doit être demandé dans les deux ans suivant le dernier en date des jours suivants :

a) le premier en date des jours suivants :

(i) le jour qui suit de deux ans le jour où l'immeuble est occupé pour la première fois de la manière prévue au sous-alinéa 256(2)d)(i) de la Loi,

(ii) le jour où la propriété est transférée de la manière prévue au sous-alinéa 256(2)d)(ii) de la Loi,

(iii) le jour où la construction ou les rénovations majeures de l'immeuble sont achevées en grande partie;

b) le jour qui précède de deux ans la date fixée par le ministre selon l'alinéa 256(3)b) de la Loi relativement au remboursement prévu à l'article 256 de la Loi au titre de l'immeuble.

L'article 46 a été ajouté par C.P. 2010-790, 17 juin 2010 art. 46 et s'applique relativement à un immeuble d'habitation à l'égard duquel le particulier visé à l'alinéa 256(2)c) a payé la taxe prévue au paragraphe 165(2), aux articles 212.1 ou 218.1 ou à l'un des articles 220.05 à 220.07 relativement au fonds qui fait partie de l'immeuble ou à un droit sur ce fonds ou relativement à des améliorations au fonds ou à l'immeuble.

SECTION 6 — REMBOURSEMENTS POUR BIENS NEUFS LOUÉS À DES FINS RÉSIDENTIELLES

47. (1) Définitions — Au présent article, **« habitation admissible »**, **« pourcentage de superficie totale »** et **« proche »** s'entendent au sens du paragraphe 256.2(1) de la Loi.

(2) Définition de « fraction provinciale de teneur en taxe » — Au présent article, **« fraction provinciale de teneur en taxe »** s'entend, en ce qui concerne le bien d'une personne à un moment donné, du montant qui représenterait la teneur en taxe du bien à ce moment si aucun montant de taxe, prévue au paragraphe 165(1) ou aux articles 212 ou 218 de la Loi, n'était inclus dans le calcul de cette teneur en taxe.

(3) Fonds et bâtiments — Ontario — Sous réserve des paragraphes (13) à (15), dans le cas où une personne a droit au remboursement prévu au paragraphe 256.2(3) de la Loi au titre d'un immeuble d'habitation, d'un droit sur un tel immeuble ou d'une adjonction à un immeuble d'habitation à logements multiples, situé en Ontario, ou aurait droit à ce remboursement si la juste valeur marchande de l'immeuble ou de l'adjonction était inférieure à 450 000 $, pour l'ap-

TVH

plication du paragraphe 256.21(1) de la Loi, la personne est une personne visée et le montant du remboursement versé au titre de l'immeuble, du droit ou de l'adjonction, selon le cas, selon ce paragraphe correspond au total des montants dont chacun représente un montant, relatif à chaque habitation qui fait partie de l'immeuble ou de l'adjonction et qui est une habitation admissible de la personne au moment considéré — soit le moment auquel la taxe relative à l'immeuble, au droit ou à l'adjonction, selon le cas, devient payable pour la première fois relativement à l'achat auprès du fournisseur, au sens du sous-alinéa 256.2(3)a)(i) de la Loi, ou est réputée avoir été payée par la personne relativement à l'achat présumé, au sens du sous-alinéa 256.2(3)a)(ii) de la Loi — égal au montant obtenu par la formule suivante, jusqu'à concurrence de 24 000 $:

$$A \times B$$

où :

A représente 75 % du total de la taxe prévue au paragraphe 165(2) de la Loi qui, au moment considéré, est payable relativement à l'achat auprès du fournisseur ou est réputée avoir été payée relativement à l'achat présumé de l'immeuble ou de l'adjonction;

B :

a) si l'habitation est un immeuble d'habitation à logement unique ou un logement en copropriété, 1,

b) dans les autres cas, le pourcentage de superficie totale de l'habitation.

(4) [*Abrogé*].

Info TPS/TVQ: GI-094 — *Taxe de vente harmonisée — remboursement pour immeubles d'habitation locatifs neufs de la Colombie-Britannique.*

(5) Vente de bâtiment et location de fonds — Ontario — Sous réserve des paragraphes (13) et (14), dans le cas où une personne a droit au remboursement prévu au paragraphe 256.2(4) de la Loi au titre d'un immeuble d'habitation ou d'une adjonction à un immeuble d'habitation à logements multiples, situé en Ontario, ou aurait droit à ce remboursement si la juste valeur marchande de l'immeuble ou de l'adjonction était inférieure à 450 000 $ pour l'application de ce paragraphe et du paragraphe 254.1(2) de la Loi et que le montant obtenu par la première formule figurant au paragraphe 256.2(4) de la Loi était positif, pour l'application du paragraphe 256.21(1) de la Loi, la personne est une personne visée et le montant du remboursement versé au titre de l'immeuble ou de l'adjonction selon ce paragraphe correspond au total des montants dont chacun représente un montant, relatif à une habitation qui fait partie de l'immeuble ou de l'adjonction, selon le cas, et qui est, dans le cas d'un immeuble d'habitation à logements multiples ou d'une adjonction à un tel immeuble, une habitation admissible de la personne au moment considéré — soit le moment auquel la personne est réputée vertu de l'article 191 de la Loi avoir effectué et reçu une fourniture taxable par vente de l'immeuble ou de l'adjonction et avoir payé la taxe relative à cette fourniture — égal au montant obtenu par la formule suivante :

$$A - B$$

où :

A représente le montant obtenu par la formule suivante, jusqu'à concurrence de 24 000 $:

$$A_1 \times A_2$$

où :

A_1 représente 75 % de la taxe prévue au paragraphe 165(2) de la Loi qui est réputée en vertu de l'article 191 de la Loi avoir été payée par la personne au moment considéré,

A_2 :

a) si l'habitation est un immeuble d'habitation à logement unique ou un logement en copropriété, 1,

b) dans les autres cas, le pourcentage de superficie totale de l'habitation;

B le montant du remboursement prévu au paragraphe 256.21(1) de la Loi, dont le montant est déterminé selon le paragraphe 43(1) et auquel l'acquéreur de la fourniture exonérée par vente mentionnée au sous-alinéa 256.2(4)a)(i) de la Loi a droit relativement à l'immeuble ou à l'habitation.

(6) [*Abrogé*].

Info TPS/TVQ: GI-094 — *Taxe de vente harmonisée — remboursement pour immeubles d'habitation locatifs neufs de la Colombie-Britannique.*

(7) Coopérative d'habitation — Ontario — Sous réserve des paragraphes (13) et (14), dans le cas où une coopérative d'habitation a droit au remboursement prévu au paragraphe 256.2(5) de la Loi au titre d'une habitation faisant partie d'un immeuble d'habitation situé en Ontario ou aurait droit à ce remboursement si la juste valeur marchande de l'immeuble était inférieure à 450 000 $ et que le montant obtenu par la première formule figurant à ce paragraphe était positif, pour l'application du paragraphe 256.21(1) de la Loi, la coopérative est une personne visée relativement à l'habitation et le montant du remboursement versé au titre de l'habitation selon ce paragraphe correspond au montant obtenu par la formule suivante :

$$A - B$$

où :

A représente le montant obtenu par la formule suivante, jusqu'à concurrence de 24 000 $:

$$A_1 \times A_2$$

où :

A_1 représente 75 % de la taxe prévue au paragraphe 165(2) de la Loi qui est payable relativement à l'achat auprès du fournisseur, au sens du sous-alinéa 256.2(5)a)(i) de la Loi, de l'immeuble ou du droit sur l'immeuble, selon le cas, ou qui est réputée avoir été payée relativement à l'achat présumé, au sens du sous-alinéa 256.2(5)a)(ii) de la Loi, de l'immeuble ou de l'adjonction, selon le cas,

A_2 :

a) si l'habitation est un immeuble d'habitation à logement unique, 1,

b) dans les autres cas, le pourcentage de superficie totale de l'habitation;

B le montant du remboursement prévu au paragraphe 256.21(1) de la Loi, dont le montant est déterminé selon le paragraphe 45(2) et auquel l'acquéreur de la fourniture exonérée de l'habitation mentionnée à l'alinéa 256.2(5)c) de la Loi a droit relativement à l'habitation.

(8) [*Abrogé*].

Info TPS/TVQ: GI-094 — *Taxe de vente harmonisée — remboursement pour immeubles d'habitation locatifs neufs de la Colombie-Britannique.*

(9) Fonds loués à des fins résidentielles — Ontario — Sous réserve des paragraphes (13) et (14), dans le cas où une personne a droit au remboursement prévu au paragraphe 256.2(6) de la Loi au titre de la fourniture exonérée d'un fonds situé en Ontario ou aurait droit à ce remboursement si la valeur de l'élément B de la formule figurant à ce paragraphe était inférieure à 112 500 $, pour l'application du paragraphe 256.21(1) de la Loi, la personne est une personne visée et le montant du remboursement versé au titre du fonds selon ce paragraphe correspond à celui des montants suivants qui est applicable :

a) s'il s'agit de la fourniture d'un emplacement dans un parc à roulottes résidentiel ou d'une adjonction à un tel parc, le produit de 7 920 $ par le nombre total d'emplacements dans le parc ou l'adjonction, selon le cas, ou, s'il est moins élevé :

(i) si la personne est réputée avoir payé la taxe calculée sur la juste valeur marchande du parc ou de l'adjonction relativement à la fourniture taxable mentionnée au sous-alinéa 256.2(6)a)(ii) de la Loi, le montant correspondant à 75 % de la taxe prévue au paragraphe 165(2) de la Loi qui est réputée avoir été payée relativement à cette fourniture,

(ii) si la personne est réputée avoir payé, à un moment donné, une taxe égale à la teneur en taxe du parc ou de l'adjonction relativement à la fourniture taxable mentionnée au sous-alinéa 256.2(6)a)(ii) de la Loi, le montant correspondant à 75 % de la fraction provinciale de teneur en taxe du parc ou de l'adjonction à ce moment;

b) dans les autres cas, 7 920 $ ou, s'il est moins élevé :

(i) si la personne est réputée avoir payé la taxe calculée sur la juste valeur marchande du fonds relativement à la fourniture taxable mentionnée au sous-alinéa 256.2(6)a)(ii) de la Loi, le montant correspondant à 75 % de la taxe prévue au paragraphe 165(2) de la Loi qui est réputée avoir été payée relativement à cette fourniture,

(ii) si la personne est réputée avoir payé, à un moment donné, une taxe égale à la teneur en taxe du fonds relativement à la fourniture taxable mentionnée au sous-alinéa 256.2(6)a)(ii) de la Loi, le montant correspondant à 75 % de la fraction provinciale de teneur en taxe du fonds à ce moment.

(10) [*Abrogé*].

Info TPS/TVQ: GI-094 — *Taxe de vente harmonisée — remboursement pour immeubles d'habitation locatifs neufs de la Colombie-Britannique.*

(11) Demande de remboursement — Pour l'application du paragraphe 256.21(2) de la Loi, tout remboursement dont le montant est déterminé selon les paragraphes (3), (5), (7) ou (9) doit être demandé dans les deux ans suivant celui des moments ci-après qui est applicable :

a) s'agissant d'un remboursement au titre d'une habitation dont le montant est déterminé selon les paragraphes (3) ou (5), la fin du mois au cours duquel la taxe devient payable pour la première fois par la personne, ou est réputée avoir été payée par elle, relativement à l'habitation ou au droit sur l'habitation ou relativement à l'immeuble d'habitation ou à l'adjonction, ou au droit sur ceux-ci, dans lequel l'habitation est située;

b) s'agissant d'un remboursement dont le montant est déterminé selon le paragraphe (7), la fin du mois au cours duquel la personne effectue la fourniture exonérée mentionnée à ce paragraphe;

c) s'agissant d'un remboursement dont le montant est déterminé selon le paragraphe (9), la fin du mois au cours duquel la personne est réputée avoir payé la taxe mentionnée à ce paragraphe.

(11.1) Demande de remboursement — Pour l'application du paragraphe 256.21(2) de la Loi, tout remboursement dont le montant est déterminé selon les paragraphes (4), (6), (8) ou (10) doit être demandé :

a) s'agissant d'un remboursement au titre d'une habitation dont le montant est déterminé selon les paragraphes (4) ou (6), dans les deux ans suivant la fin du mois au cours duquel la taxe devient payable pour la première fois par la personne, ou est réputée avoir été payée par elle, relativement à l'habitation ou au droit sur l'habitation ou relativement à l'immeuble d'habitation ou à l'adjonction, ou au droit sur ceux-ci, dans lequel l'habitation est située;;

b) s'agissant d'un remboursement dont le montant est déterminé selon le paragraphe (8), dans les deux ans suivant la fin du mois au cours duquel la personne effectue la fourniture exonérée mentionnée à ce paragraphe, mais au plus tard le 31 mars 2017;

c) s'agissant d'un remboursement dont le montant est déterminé selon le paragraphe (10), dans les deux ans suivant la fin du mois au cours duquel la personne est réputée avoir payé la taxe mentionnée à ce paragraphe.

Non en vigueur — 47(11.1)

Application: Le paragraphe 47(11.1) a été abrogé par C.P. 2012-1127 [DORS/2012-191], 20 septembre 2012, par. 40(11) et cette abrogation entrera en vigueur le 1er avril 2017.

(12) Circonstances — Les circonstances ci-après sont prévues pour l'application du paragraphe 256.21(1) de la Loi en ce qui a trait à tout remboursement versé à une personne et dont le montant est déterminé selon le présent article :

a) dans le cas où le remboursement fait suite à une fourniture taxable reçue par la personne d'une autre personne, la personne a payé la totalité de la taxe payable relativement à cette fourniture;

b) dans le cas où le remboursement fait suite à une fourniture taxable relativement à laquelle la personne est réputée avoir perçu la taxe au cours d'une de ses périodes de déclaration, la personne a indiqué la taxe dans sa déclaration produite aux termes de la section V de la partie IX de la Loi pour la période de déclaration et a versé la totalité de la taxe nette qui était à verser d'après cette déclaration;

c) aucun montant de taxe inclus dans le calcul du remboursement n'entrerait par ailleurs dans le calcul d'un remboursement de la personne prévu à l'article 256.1 de la Loi ou dans le calcul d'un remboursement de la personne prévu à l'article 256.21 de la Loi dont le montant est déterminé selon les articles 41, 43, 45 ou 46;

d) aucun montant de taxe qui entrerait par ailleurs dans le calcul du remboursement n'est inclus dans le calcul d'un remboursement de la personne prévu à l'article 259 de la Loi.

(12.1) Application du paragraphe 256.2(9) de la Loi — Dans le cas où, en l'absence du présent paragraphe, le remboursement prévu au paragraphe 256.21(1) de la Loi au titre d'un immeuble ne serait pas payable à une personne du seul fait que la totalité ou une partie de la taxe incluse dans le calcul du montant d'un remboursement donné prévu à l'article 256.2 de la Loi au titre de l'immeuble serait incluse par ailleurs dans le calcul du montant d'un remboursement qui lui serait accordé en vertu de l'article 259 de la Loi, la personne est réputée, pour l'application du présent article relativement à l'immeuble, avoir droit au remboursement donné.

(12.2) Restriction — La personne qui a le droit d'inclure un montant de taxe dans le calcul, prévu au présent article, du montant d'un remboursement donné payable en vertu du paragraphe 256.21(1) de la Loi au titre d'un immeuble et qui en inclut la totalité ou une partie dans le calcul du montant d'un remboursement prévu à l'article 259 de la Loi qu'elle demande à un moment donné est réputée, pour l'application de l'article 256.21 de la Loi relativement à l'immeuble, ne jamais avoir eu le droit d'inclure le montant de taxe dans le calcul du montant du remboursement donné.

(13) Règles spéciales — Le paragraphe 256.2(8) de la Loi s'applique au présent article, avec les adaptations nécessaires.

(14) Restrictions — Est exclue du calcul, selon le présent article, d'un remboursement payable à une personne en application du paragraphe 256.21(1) de la Loi toute taxe que la personne, par l'effet d'une loi fédérale, sauf la Loi, ou de toute autre règle de droit :

a) n'a pas à payer ou à verser;

b) peut recouvrer au moyen d'un remboursement ou d'une remise.

(15) Exception — personne visée — La personne qui, en l'absence du présent paragraphe, serait, selon le paragraphe (3), une personne visée pour l'application du paragraphe 256.21(1) de la Loi relativement à une habitation admissible, sauf une habitation située dans un immeuble d'habitation à logements multiples, et qui, dans l'année suivant la première occupation de l'habitation à titre résidentiel, une fois achevées en grande partie sa construction ou les dernières rénovations majeures dont elle a fait l'objet, effectue la fourniture par vente de l'habitation, sauf une fourniture réputée par les articles 183 ou 184 de la Loi avoir été effectuée, au profit d'un acheteur qui ne l'acquiert pas pour qu'elle lui serve de résidence habituelle ou serve ainsi à son proche est réputée ne jamais avoir été, selon le paragraphe (3), une personne visée pour l'application du paragraphe 256.21(1) de la Loi relativement à l'habitation admissible.

Notes historiques: L'article 47 a été ajouté par C.P. 2010-790, 17 juin 2010 art. 47. Les paragraphes 47(1), (2), (12) et (13) sont réputés être entrés en vigueur le 18 juin 2009.

Les paragraphes 47(3) et (4) s'appliquent relativement à un immeuble d'habitation, à un droit sur un tel immeuble ou à une adjonction si le moment mentionné à l'alinéa

TVH

256.2(3)b) relativement à l'immeuble, au droit ou à l'adjonction est postérieur à juin 2010.

Le paragraphe 47(4) a été abrogé par C.P. 2012-1127 [DORS/2012-191], 20 septembre 2012, par. 40(2) et cette abrogation s'applique relativement à un immeuble d'habitation, à un droit sur un tel immeuble ou à une adjonction à un tel immeuble à l'égard duquel le moment donné visé à l'alinéa 256.2(3) b) de la Loi est postérieur à mars 2013. Antérieurement, il se lisait ainsi :

(4) Fonds et bâtiments — Colombie-Britannique — Sous réserve des paragraphes (13) à (15), dans le cas où une personne a droit au remboursement prévu au paragraphe 256.2(3) de la Loi au titre d'un immeuble d'habitation, d'un droit sur un tel immeuble ou d'une adjonction à un immeuble d'habitation à logements multiples, situé en Colombie-Britannique, ou aurait droit à ce remboursement si la juste valeur marchande de l'immeuble ou de l'adjonction était inférieure à 450 000 $, pour l'application du paragraphe 256.21(1) de la Loi, la personne est une personne visée et le montant du remboursement versé au titre de l'immeuble, du droit ou de l'adjonction, selon le cas, selon ce paragraphe correspond au total des montants dont chacun représente un montant, relatif à chaque habitation qui fait partie de l'immeuble ou de l'adjonction et qui est une habitation admissible de la personne au moment considéré — soit le moment auquel la taxe relative à l'immeuble, au droit ou à l'adjonction, selon le cas, devient payable pour la première fois relativement à l'achat auprès du fournisseur, au sens du sous-alinéa 256.2(3)a)(i) de la Loi, ou est réputée avoir été payée par la personne relativement à l'achat présumé, au sens du sous-alinéa 256.2(3)a)(ii) de la Loi — égal au montant obtenu par la formule suivante, jusqu'à concurrence de 42 500 $:

$$A \times B$$

où :

A représente 71,43 % du total de la taxe prévue au paragraphe 165(2) de la Loi qui, au moment considéré, est payable relativement à l'achat auprès du fournisseur ou est réputée avoir été payée relativement à l'achat présumé de l'immeuble ou de l'adjonction;

B :

a) si l'habitation est un immeuble d'habitation à logement unique ou un logement en copropriété, 1,

b) dans les autres cas, le pourcentage de superficie totale de l'habitation.

Le préambule du paragraphe 47(4) a été remplacé par C.P. 2012-1127 [DORS/2012-191], 20 septembre 2012, par. 40(1) et cette modification s'applique relativement à un immeuble d'habitation, à un droit sur un tel immeuble ou à une adjonction à un tel immeuble à l'égard duquel le moment donné visé à l'alinéa 256.2(3)b) de la Loi est postérieur à mars 2012. Antérieurement, il se lisait ainsi :

(4) Sous réserve des paragraphes (13) à (15), dans le cas où une personne a droit au remboursement prévu au paragraphe 256.2(3) de la Loi au titre d'un immeuble d'habitation, d'un droit sur un tel immeuble ou d'une adjonction à un immeuble d'habitation à logements multiples, situé en Colombie-Britannique, ou aurait droit à ce remboursement si la juste valeur marchande de l'immeuble ou de l'adjonction était inférieure à 450 000 $, pour l'application du paragraphe 256.21(1) de la Loi, la personne est une personne visée et le montant du remboursement versé au titre de l'immeuble, du droit ou de l'adjonction, selon le cas, selon ce paragraphe correspond au total des montants dont chacun représente un montant, relatif à chaque habitation qui fait partie de l'immeuble ou de l'adjonction et qui est une habitation admissible de la personne au moment considéré — soit le moment auquel la taxe relative à l'immeuble, au droit ou à l'adjonction, selon le cas, devient payable pour la première fois relativement à l'achat auprès du fournisseur, au sens du sous-alinéa 256.2(3)a)(i) de la Loi, ou est réputée avoir été payée par la personne relativement à l'achat présumé, au sens du sous-alinéa 256.2(3)a)(ii) de la Loi — égal au montant obtenu par la formule suivante, jusqu'à concurrence de 26 250 $:

Les paragraphes 47(5) et (6) s'appliquent relativement à un immeuble d'habitation ou à une adjonction si le moment mentionné à l'alinéa 256.2(4)c) relativement à l'immeuble ou à l'adjonction est postérieur à juin 2010.

Le paragraphe 47(6) a été abrogé par C.P. 2012-1127 [DORS/2012-191], 20 septembre 2012, par. 40(4) et cette abrogation s'applique relativement à un immeuble d'habitation ou à une adjonction à un tel immeuble à l'égard duquel le moment donné visé à l'alinéa 256.2(4) c) de la Loi est postérieur à mars 2013. Antérieurement, il se lisait ainsi :

(6) Vente de bâtiment et location de fonds — Colombie-Britannique — Sous réserve des paragraphes (13) et (14), dans le cas où une personne a droit au remboursement prévu au paragraphe 256.2(4) de la Loi au titre d'un immeuble d'habitation ou d'une adjonction à un immeuble d'habitation à logements multiples, situé en Colombie-Britannique, ou aurait droit à ce remboursement si la juste valeur marchande de l'immeuble ou de l'adjonction était inférieure à 450 000 $ pour l'application de ce paragraphe et du paragraphe 254.1(2) de la Loi et que le montant obtenu par la première formule figurant au paragraphe 256.2(4) de la Loi était positif, pour l'application du paragraphe 256.21(1) de la Loi, la personne est une personne visée et le montant du remboursement versé au titre de l'immeuble ou de l'adjonction selon ce paragraphe correspond au total des montants dont chacun représente un montant, relatif à une habitation qui fait partie de l'immeuble ou de l'adjonction, selon le cas, et qui est, dans le cas d'un immeuble d'habitation à logements multiples ou d'une adjonction à un tel immeuble, une habitation admissible de la personne au moment considéré — soit le moment auquel la personne est réputée vertu de l'article 191 de la Loi avoir effectué et reçu une fourniture taxable par vente de l'immeuble ou de l'adjonction et avoir payé la taxe relative à cette fourniture — égal au montant obtenu par la formule suivante :

$$A - B$$

où :

A représente le montant obtenu par la formule suivante, jusqu'à concurrence de 42 500 $:

$$A_1 \times A_2$$

où :

A_1 représente 71,43 % de la taxe prévue au paragraphe 165(2) de la Loi qui est réputée en vertu de l'article 191 de la Loi avoir été payée par la personne au moment considéré,

A_2 :

a) si l'habitation est un immeuble d'habitation à logement unique ou un logement en copropriété, 1,

b) dans les autres cas, le pourcentage de superficie totale de l'habitation;

B le montant du remboursement prévu au paragraphe 256.21(1) de la Loi, dont le montant est déterminé selon le paragraphe 43(2) et auquel l'acquéreur de la fourniture exonérée par vente mentionnée au sous-alinéa 256.2(4)a)(i) de la Loi a droit relativement à l'immeuble ou à l'habitation.

Le préambule de l'élément A du paragraphe 47(6) a été remplacé par C.P. 2012-1127 [DORS/2012-191], 20 septembre 2012, par. 40(3) et cette modification s'applique relativement à un immeuble d'habitation ou à une adjonction à un tel immeuble à l'égard duquel le moment donné visé à l'alinéa 256.2(4)c) de la Loi est postérieur à mars 2012. Antérieurement, il se lisait ainsi :

A représente le montant obtenu par la formule suivante, jusqu'à concurrence de 26 250 $:

Les paragraphes 47(7) et (8) s'appliquent relativement à une habitation faisant partie d'un immeuble d'habitation si la possession de l'habitation est transférée à un particulier pour la première fois après juin 2010 du fait qu'il est propriétaire d'une part du capital social d'une coopérative d'habitation, sauf si la taxe prévue au paragraphe 165(2) ne s'est pas appliquée à la fourniture de l'immeuble, mentionnée au sous-alinéa 256.2(5)a)(i) ou (ii), effectuée au profit de la coopérative.

Le paragraphe 47(8) a été abrogé par C.P. 2012-1127 [DORS/2012-191], 20 septembre 2012, par. 40(6) et cette abrogation s'applique relativement à une habitation faisant partie d'un immeuble d'habitation si la taxe relative à la fourniture, mentionnée aux sous-alinéas 256.2(5)a)(i) ou (ii) de la Loi, de l'immeuble devient payable par l'effet du paragraphe 168(5) de la Loi après mars 2013 ou est réputée, en vertu de l'article 191 de la Loi, avoir été payée après ce mois. Antérieurement, il se lisait ainsi :

(8) Coopérative d'habitation — Colombie-Britannique — Sous réserve des paragraphes (13) et (14), dans le cas où une coopérative d'habitation a droit au remboursement prévu au paragraphe 256.2(5) de la Loi au titre d'une habitation faisant partie d'un immeuble d'habitation situé en Colombie-Britannique ou aurait droit à ce remboursement si la juste valeur marchande de l'immeuble était inférieure à 450 000 $ et que le montant obtenu par la première formule figurant à ce paragraphe était positif, pour l'application du paragraphe 256.21(1) de la Loi, la coopérative est une personne visée relativement à l'habitation et le montant du remboursement versé au titre de l'habitation selon ce paragraphe correspond au montant obtenu par la formule suivante :

$$A - B$$

où :

A représente le montant obtenu par la formule suivante, jusqu'à concurrence de 42 500 $:

$$A_1 \times A_2$$

où :

A_1 représente 71,43 % de la taxe prévue au paragraphe 165(2) de la Loi qui est payable relativement à l'achat auprès du fournisseur, au sens du sous-alinéa 256.2(5)a)(i) de la Loi, de l'immeuble ou du droit sur l'immeuble, selon le cas, ou qui est réputée avoir été payée relativement à l'achat présumé, au sens du sous-alinéa 256.2(5)a)(ii) de la Loi, de l'immeuble ou de l'adjonction, selon le cas,

A_2 :

a) si l'habitation est un immeuble d'habitation à logement unique, 1,

b) dans les autres cas, le pourcentage de superficie totale de l'habitation;

B le montant du remboursement prévu au paragraphe 256.21(1) de la Loi, dont le montant est déterminé selon le paragraphe 45(3) et auquel l'acquéreur de la fourniture exonérée de l'habitation mentionnée à l'alinéa 256.2(5)c) de la Loi a droit relativement à l'habitation.

Le préambule de l'élément A du paragraphe 47(8) a été remplacé par C.P. 2012-1127 [DORS/2012-191], 20 septembre 2012, par. 40(5) et cette modification s'applique relativement à une habitation faisant partie d'un immeuble d'habitation si la taxe relative à la fourniture, mentionnée aux sous-alinéas 256.2(5)a)(i) ou (ii) de la Loi, de l'immeuble devient payable par l'effet du paragraphe 168(5) de la Loi après mars 2012 ou est réputée, en vertu de l'article 191 de la Loi, avoir été payée après ce mois. Antérieurement, il se lisait ainsi :

A représente le montant obtenu par la formule suivante, jusqu'à concurrence de 26 250 $:

Les paragraphes 47(9) et (10) s'appliquent relativement à un fonds si la fourniture exonérée du fonds mentionnée à l'alinéa 256.2(6)a) est effectuée après juin 2010.

Le paragraphe 47(10) a été abrogé par C.P. 2012-1127 [DORS/2012-191], 20 septembre 2012, par. 40(9) et cette abrogation s'applique relativement à la fourniture exonérée d'un fonds effectuée par une personne et par suite de laquelle la personne est réputée avoir effectué la fourniture taxable du fonds visée au sousalinéa 256.2(6)a)(ii) et avoir payé la taxe relative à la fourniture après mars 2013. Antérieurement, il se lisait ainsi :

(10) Fonds loués à des fins résidentielles — Colombie-Britannique — Sous réserve des paragraphes (13) et (14), dans le cas où une personne a droit au remboursement prévu au paragraphe 256.2(6) de la Loi au titre de la fourniture exonérée d'un fonds situé en Colombie-Britannique ou aurait droit à ce remboursement si la valeur de l'élément B de la formule figurant à ce paragraphe était inférieure à 112 500 $, pour l'application du paragraphe 256.21(1) de la Loi, la personne est une personne visée et le montant du remboursement versé au titre du fonds selon ce paragraphe correspond à celui des montants suivants qui est applicable :

a) s'il s'agit de la fourniture d'un emplacement dans un parc à roulottes résidentiel ou d'une adjonction à un tel parc, le produit de 14 025 $ par le nombre total d'emplacements dans le parc ou l'adjonction, selon le cas, ou, s'il est moins élevé :

(i) si la personne est réputée avoir payé la taxe calculée sur la juste valeur marchande du parc ou de l'adjonction relativement à la fourniture taxable mentionnée au sous-alinéa 256.2(6)a)(ii) de la Loi, le montant correspondant à 71,43 % de la taxe prévue au paragraphe 165(2) de la Loi qui est réputée avoir été payée relativement à cette fourniture,

(ii) si la personne est réputée avoir payé, à un moment donné, une taxe égale à la teneur en taxe du parc ou de l'adjonction relativement à la fourniture taxable mentionnée au sous-alinéa 256.2(6)a)(ii) de la Loi, le montant correspondant à 71,43 % de la fraction provinciale de teneur en taxe du parc ou de l'adjonction à ce moment;

b) dans les autres cas, 14 025 $ ou, s'il est moins élevé :

(i) si la personne est réputée avoir payé la taxe calculée sur la juste valeur marchande du fonds relativement à la fourniture taxable mentionnée au sous-alinéa 256.2(6)a)(ii) de la Loi, le montant correspondant à 71,43 % de la taxe prévue au paragraphe 165(2) de la Loi qui est réputée avoir été payée relativement à cette fourniture,

(ii) si la personne est réputée avoir payé, à un moment donné, une taxe égale à la teneur en taxe du fonds relativement à la fourniture taxable mentionnée au sous-alinéa 256.2(6)a)(ii) de la Loi, le montant correspondant à 71,43 % de la fraction provinciale de teneur en taxe du fonds à ce moment.

Le préambule de l'alinéa 47(10)a) a été remplacé par C.P. 2012-1127 [DORS/2012-191], 20 septembre 2012, par. 40(7) et cette modification s'applique relativement à la fourniture exonérée d'un fonds effectuée par une personne et par suite de laquelle la personne est réputée avoir effectué la fourniture taxable du fonds visée au sousalinéa 256.2(6)a)(ii) et avoir payé la taxe relative à la fourniture après mars 2012. Antérieurement, il se lisait ainsi :

a) s'il s'agit de la fourniture d'un emplacement dans un parc à roulottes résidentiel ou d'une adjonction à un tel parc, le produit de 8 663 $ par le nombre total d'emplacements dans le parc ou l'adjonction, selon le cas, ou, s'il est moins élevé :

Le préambule de l'alinéa 47(10)b) a été remplacé par C.P. 2012-1127 [DORS/2012-191], 20 septembre 2012, par. 40(8) et cette modification s'applique relativement à la fourniture exonérée d'un fonds effectuée par une personne et par suite de laquelle la personne est réputée avoir effectué la fourniture taxable du fonds visée au sousalinéa 256.2(6)a)(ii) et avoir payé la taxe relative à la fourniture après mars 2012. Antérieurement, il se lisait ainsi :

b) dans les autres cas, 8 663 $ ou, s'il est moins élevé :

Le paragraphe 47(11) a été remplacé par C.P. 2012-1127 [DORS/2012-191], 20 septembre 2012, par. 40(10) et cette modification est entrée en vigueur le 10 octobre 2012. Antérieurement, il se lisait ainsi :

(11) Pour l'application du paragraphe 256.21(2) de la Loi, tout remboursement dont le montant est déterminé selon le présent article doit être demandé dans les deux ans suivant celui des moments suivants qui est applicable :

a) s'agissant d'un remboursement dont le montant est déterminé selon les paragraphes (7) ou (8), la fin du mois au cours duquel la personne effectue la fourniture exonérée mentionnée à ce paragraphe;

b) s'agissant d'un remboursement dont le montant est déterminé selon les paragraphes (9) ou (10), la fin du mois au cours duquel la personne est réputée avoir payé la taxe mentionnée à ce paragraphe;

c) s'agissant de tout autre remboursement au titre d'une habitation dont le montant est déterminé selon le présent article, la fin du mois au cours duquel la taxe devient payable pour la première fois par la personne, ou est réputée avoir été payée par elle, relativement à l'habitation ou au droit sur l'habitation ou relativement à l'immeuble d'habitation ou à l'adjonction, ou au droit sur ceux-ci, dans lequel l'habitation est située.

Le paragraphe 47(11.1) a été ajouté par C.P. 2012-1127 [DORS/2012-191], 20 septembre 2012, par. 40(10) et est entré en vigueur le 10 octobre 2012.

Les paragraphes 47(12.1) et (12.2) ont été ajoutés par C.P. 2012-1127 [DORS/2012-191], 20 septembre 2012, par. 40(12) et sont réputés être entrés en vigueur le 1er juillet 2010. Toutefois, si une personne a produit une demande visant un remboursement prévu à l'article 259 de la Loi avant le 1er avril 2013 et qu'elle a inclus, dans le calcul du montant de ce remboursement, la totalité ou une partie du montant de taxe qu'elle aurait par ailleurs le droit d'inclure dans le calcul du montant d'un remboursement donné prévu au paragraphe 256.21(1) de la Loi relativement à un immeuble, les règles suivantes s'appliquent :

a) le paragraphe 47(12.2) du *Règlement nº 2 sur le nouveau régime de la taxe à valeur ajoutée harmonisée*, édicté par le paragraphe 40(12), ne s'applique pas relativement au remboursement donné;

b) la personne peut, malgré les paragraphes 47(11) et (11.1) de ce règlement, produire une demande visant le remboursement donné avant le 1er avril 2013;

c) dans le cas où, en l'absence du présent alinéa, le remboursement donné ne serait pas payable à la personne du seul fait que le paragraphe 256.2(7) de la Loi s'applique relativement à un autre remboursement prévu à l'article 256.2 de la Loi au titre de l'immeuble, la personne est réputée, pour l'application des paragraphes 47(3) à (10) de ce règlement relativement à l'immeuble, avoir droit à l'autre remboursement;

d) toute partie d'un remboursement prévu à l'article 259 de la Loi demandé par une personne qui est attribuable à la taxe incluse dans le calcul du montant du remboursement donné est à déduire du montant de ce remboursement.

Le paragraphe 47(15) a été remplacé par C.P. 2012-1127 [DORS/2012-191], 20 septembre 2012, par. 40(13) et cette modification s'applique relativement à un immeuble d'habitation, à un droit sur un tel immeuble ou à une adjonction à un tel immeuble à l'égard duquel le moment donné visé à l'alinéa 256.2(3)b) de la Loi est postérieur à mars 2013. Antérieurement, il se lisait ainsi :

(15) La personne qui, en l'absence du présent paragraphe, serait, selon les paragraphes (3) ou (4), une personne visée pour l'application du paragraphe 256.21(1) de la Loi relativement à une habitation admissible, sauf une habitation située dans une immeuble d'habitation à logements multiples, et qui, dans l'année suivant la première occupation de l'habitation à titre résidentiel, une fois achevés en grande partie sa construction ou les dernières rénovations majeures dont elle a fait l'objet, effectue la fourniture par vente de l'habitation, sauf une fourniture réputée par les articles 183 ou 184 de la Loi avoir été effectuée, au profit d'un acheteur qui ne l'acquiert pas pour qu'elle lui serve de résidence habituelle ou serve ainsi à son proche est réputée ne jamais avoir été, selon les paragraphes (3) ou (4), selon le cas, une personne visée pour l'application du paragraphe 256.21(1) de la Loi relativement à l'habitation admissible.

Les paragraphes 47(11), (14) et (15) et sont entrés en vigueur ou sont réputés être entrés en vigueur le 1er juillet 2010.

PARTIE 9 — RÈGLES TRANSITOIRES SUR LES IMMEUBLES APPLICABLES À L'ONTARIO ET À LA COLOMBIE-BRITANNIQUE

SECTION 1 — DÉFINITIONS ET INTERPRÉTATION

48. (1) Définitions — Les définitions qui suivent s'appliquent à la présente partie.

« date déterminée »

a) Dans le cas de l'Ontario, le 18 juin 2009;

b) dans le cas de la Colombie-Britannique, le 18 novembre 2009.

« province déterminée » L'Ontario ou la Colombie-Britannique.

(2) Personnes liées — Pour l'application de la présente partie, un particulier est réputé avoir un lien de dépendance avec ses tantes, oncles, neveux et nièces.

(3) Groupe de personnes — Si la fourniture d'un immeuble d'habitation est effectuée au profit de plusieurs personnes ou que plusieurs personnes construisent ou font construire un immeuble d'habitation ou y font ou y font faire des rénovations majeures, la mention d'une personne ou d'un particulier dans la présente partie vaut mention de l'ensemble de ces personnes en tant que groupe.

TVH

Toutefois, seulement l'une d'elles peut demander un remboursement en application du paragraphe 256.21(1) de la Loi relativement à l'immeuble, dont le montant est déterminé selon la présente partie.

Notes historiques: L'article 48 a été ajouté par C.P. 2010-790, 17 juin 2010 art. 48 et est réputé être entré en vigueur le 18 juin 2009.

SECTION 2 — APPLICATION

49. (1) Application — Sous réserve du paragraphe (2), de la section 3 et de l'article 42 du *Règlement sur le nouveau régime de la taxe à valeur ajoutée harmonisée*, le paragraphe 165(2) de la Loi et les dispositions de la partie IX de la Loi, à l'exception des sections IX et X de cette partie, concernant la taxe prévue à ce paragraphe s'appliquent aux fournitures suivantes :

a) les fournitures d'immeubles effectuées dans une province déterminée après juin 2010;

b) les fournitures d'immeubles effectuées par vente dans une province déterminée avant le 1er juillet 2010 si la propriété et la possession de l'immeuble sont transférées à l'acquéreur de la fourniture à cette date ou par la suite;

c) les fournitures d'immeubles effectuées par bail, licence ou accord semblable dans une province déterminée avant le 1er juillet 2010 et dont la totalité de la contrepartie devient due à cette date ou par la suite ou est payée à cette date ou par la suite sans être devenue due, ou est réputée être devenue ou avoir été payée à cette date ou par la suite et n'est pas réputée être devenue due ou avoir été payée avant cette date;

d) les fournitures d'immeubles effectuées par bail, licence ou accord semblable dans une province déterminée avant le 1er juillet 2010 et dont une partie de la contrepartie devient due à cette date ou par la suite ou est payée à cette date ou par la suite sans être devenue due, ou est réputée être devenue ou avoir été payée à cette date ou par la suite.

(2) Exception — Sous réserve de la section 3, la taxe prévue au paragraphe 165(2) de la Loi n'est pas payable relativement à toute partie de la contrepartie d'une fourniture visée à l'alinéa (1)d) qui devient due ou est payée avant le 1er juillet 2010 et qui n'est pas réputée être devenue ou avoir été payée à cette date ou par la suite.

Notes historiques: L'article 49 a été ajouté par C.P. 2010-790, 17 juin 2010 art. 49 et est réputé être entré en vigueur le 18 juin 2009.

50. Taxe non indiquée dans le contrat — Dans le cas où les conditions suivantes sont réunies :

a) le constructeur d'un immeuble d'habitation effectue une fourniture taxable par vente de l'immeuble dans une province déterminée aux termes d'un contrat de vente conclu après la date déterminée applicable à la province et avant le 1er juillet 2010,

b) la taxe prévue au paragraphe 165(2) de la Loi devient payable relativement à la fourniture,

c) le contrat ne précise pas par écrit :

(i) le total de la taxe payable relativement à la fourniture, de sorte que ce total apparaisse clairement et qu'il soit possible d'établir si celui-ci tient compte de tout montant à payer ou à créditer conformément aux paragraphes 254(4) ou 256.21(3) de la Loi,

(ii) le total des taux auxquels la taxe est payable relativement à la fourniture,

d) le constructeur est tenu, aux termes de l'article 221 de la Loi, de percevoir la taxe relative à la fourniture,

les règles suivantes s'appliquent :

e) pour l'application de la partie IX de la Loi, la contrepartie de la fourniture est réputée être égale au montant obtenu par la formule suivante :

$$(100\ \%/A) \times B$$

où :

A représente le total de 100 % et du taux auquel la taxe prévue au paragraphe 165(2) de la Loi est calculée relativement à la fourniture,

B la contrepartie de la fourniture, déterminée par ailleurs selon la partie IX de la Loi;

f) pour l'application de la partie IX de la Loi, le constructeur est réputé avoir perçu et l'acquéreur avoir payé, au premier en date du jour où la propriété de l'immeuble est transférée à l'acquéreur et du jour où la possession de l'immeuble lui est transférée aux termes du contrat, la taxe prévue au paragraphe 165(2) de la Loi calculée sur la contrepartie de la fourniture;

g) pour l'application de la partie IX de la Loi, si l'acquéreur a droit au remboursement prévu au paragraphe 254(2) de la Loi relativement à l'immeuble et que le constructeur lui verse le montant de ce remboursement, ou le porte à son crédit, conformément au paragraphe 254(4) de la Loi, l'acquéreur est réputé avoir droit relativement à l'immeuble à un remboursement visé au paragraphe 256.21(1) de la Loi, dont le montant est déterminé selon les paragraphes 41(2) ou (3), et le constructeur est réputé avoir porté ce montant au crédit de l'acquéreur conformément au paragraphe 256.21(3) de la Loi au premier en date du jour où la propriété de l'immeuble est transférée à l'acquéreur et du jour où la possession de l'immeuble lui est transférée aux termes du contrat.

Notes historiques: L'article 50 a été ajouté par C.P. 2010-790, 17 juin 2010 art. 50 et est réputé être entré en vigueur le 18 juin 2009.

Info TPS/TVQ: GI-083 — *Taxe de vente harmonisée — renseignements pour les constructeurs d'habitations neuves en Ontario*; GI-084 — *Taxe de vente harmonisée — renseignements pour les constructeurs d'habitations neuves en Colombie-Britannique*; GI-090 — *Taxe de vente harmonisée — exigences de divulgation à l'intention des constructeurs en Ontario et en Colombie-Britannique*; GI-095 — *Taxe de vente harmonisée — renseignements sur le redressement fiscal transitoire pour les constructeurs d'habitations en Ontario et en Colombie-Britannique*.

SECTION 3 — TRANSITION

51. (1) Transfert d'un immeuble d'habitation à logement unique après juin 2010 — Dans le cas où les conditions suivantes sont réunies :

a) la fourniture taxable donnée d'un immeuble d'habitation à logement unique, sauf une maison flottante ou une maison mobile, est effectuée par vente dans une province déterminée au profit d'un particulier aux termes d'un contrat, constaté par écrit, conclu entre le fournisseur (appelé « vendeur initial » au présent article) et le particulier au plus tard à la date déterminée applicable à la province,

b) la propriété et la possession de l'immeuble ne sont pas transférées au particulier aux termes du contrat avant le 1er juillet 2010,

c) la possession de l'immeuble est transférée au particulier aux termes du contrat le 1er juillet 2010 ou par la suite,

les règles suivantes s'appliquent :

d) la taxe prévue au paragraphe 165(2) de la Loi n'est pas payable relativement à la fourniture donnée;

e) pour l'application de la partie IX de la Loi, si, immédiatement après juin 2010, la construction ou les dernières rénovations majeures de l'immeuble sont achevées à moins de 90 %, le vendeur initial est réputé avoir effectué une autre fourniture taxable relativement à l'immeuble et avoir perçu relativement à cette fourniture, au premier en date du jour où la propriété de l'immeuble est transférée au particulier et du jour où la possession de l'immeuble lui est transférée aux termes du contrat, un montant de taxe prévu à la section II de la partie IX de la Loi égal aux pourcentages ci-après de la contrepartie de la fourniture donnée :

(i) si, immédiatement après juin 2010, la construction ou les dernières rénovations majeures de l'immeuble sont achevées à moins de 10 %, 2 %,

(ii) si, immédiatement après juin 2010, la construction ou les dernières rénovations majeures de l'immeuble sont achevées à 10 % ou plus mais à moins de 25 %, 1,5 %,

(iii) si, immédiatement après juin 2010, la construction ou les dernières rénovations majeures de l'immeuble sont achevées à 25 % ou plus mais à moins de 50 %, 1 %,

(iv) si, immédiatement après juin 2010, la construction ou les dernières rénovations majeures de l'immeuble sont achevées à 50 % ou plus mais à moins de 75 %, 0,5 %,

(v) si, immédiatement après juin 2010, la construction ou les dernières rénovations majeures de l'immeuble sont achevées à 75 % ou plus mais à moins de 90 %, 0,2 %;

f) pour l'application de l'alinéa e), dans le cas où la valeur de la contrepartie de la fourniture donnée est inférieure au montant qui correspondrait à la juste valeur marchande de l'immeuble au moment de la conclusion du contrat si la construction de l'immeuble ou, s'il fait l'objet de rénovations majeures, les dernières rénovations majeures dont il a fait l'objet étaient achevées en grande partie à ce moment, la contrepartie est réputée être égale à ce montant;

g) pour l'application de la section 4, l'immeuble est réputé ne pas un immeuble d'habitation à logement unique déterminé.

(2) Cession du contrat — Les règles énoncées aux alinéas (1)d) à g) s'appliquent relativement au contrat visé à l'alinéa (1)a) concernant un immeuble d'habitation à logement unique, sauf une maison flottante ou une maison mobile, si les conditions suivantes sont réunies :

a) le contrat est cédé à un particulier donné;

b) la propriété et la possession de l'immeuble ne sont transférées à aucune personne aux termes du contrat avant le 1er juillet 2010;

c) la possession de l'immeuble est transférée au particulier donné aux termes du contrat le 1er juillet 2010 ou par la suite;

d) les faits ci-après s'avèrent relativement à la cession du contrat en faveur du particulier donné ainsi que relativement à toute autre cession antérieure du contrat :

(i) le contrat n'a pas fait l'objet d'une novation,

(ii) le vendeur initial de l'immeuble et le particulier qui cède le contrat n'ont entre eux aucun lien de dépendance et ne sont pas associés l'un à l'autre,

(iii) ni le vendeur initial de l'immeuble ni une personne avec laquelle il a un lien de dépendance ou à laquelle il est associé n'acquiert de droit sur l'immeuble.

Pour l'application de ces règles, la mention « particulier » à l'alinéa (1)e) vaut mention de « particulier donné ».

Info TPS/TVQ: GI-097 — *Taxe de vente harmonisée — cession de contrats de vente d'habitations bénéficiant de droits acquis en Ontario et en Colombie-Britannique.*

(3) Premier revendeur — Si un particulier (appelé « premier revendeur » au présent article) effectue la fourniture taxable par vente (appelée « première revente » au présent article) d'un immeuble d'habitation à logement unique, sauf une maison flottante ou une maison mobile, au profit d'un particulier donné aux termes d'un contrat constaté par écrit et qu'il est l'acquéreur d'une fourniture antérieure de l'immeuble relativement à laquelle la taxe prévue au paragraphe 165(2) de la Loi n'est pas payable par l'effet des paragraphes (1) ou (2), cette taxe n'est pas payable relativement à la première revente si les conditions suivantes sont réunies :

a) le premier revendeur acquiert l'immeuble principalement dans le but d'en effectuer une fourniture taxable par vente;

b) la possession de l'immeuble est transférée au premier revendeur une fois que la construction ou les dernières rénovations majeures de l'immeuble sont achevées en grande partie;

c) le vendeur initial de l'immeuble et le premier revendeur n'ont entre eux aucun lien de dépendance et ne sont pas associés l'un à l'autre;

d) selon le cas :

(i) le premier revendeur est un constructeur de l'immeuble qui est visé aux alinéas b) et d) de la définition de « constructeur » au paragraphe 123(1) de la Loi mais non aux alinéas a), c) et e) de cette définition, et la totalité ou la presque totalité de la construction ou la totalité ou la presque totalité des dernières rénovations majeures de l'immeuble, ainsi que toute construction ou rénovation subséquente, selon le cas, qui est achevée au premier en date du jour où le premier revendeur transfère la propriété de l'immeuble au particulier donné et du jour où il lui transfère la possession de l'immeuble, ont été achevées par une personne autre que le premier revendeur,

(ii) le premier revendeur est un constructeur de l'immeuble qui n'est visé qu'à l'alinéa d) de la définition de « constructeur » au paragraphe 123(1) de la Loi;

e) ni le vendeur initial de l'immeuble ni une personne avec laquelle il a un lien de dépendance ou à laquelle il est associé n'acquiert de droit sur l'immeuble.

(4) Premier revendeur — communication de renseignements — Dans le cas où un premier revendeur effectue une première revente d'un immeuble d'habitation à logement unique, sauf une maison flottante ou une maison mobile, au profit d'un particulier donné et où la taxe prévue au paragraphe 165(2) de la Loi n'est pas payable relativement à cette revente par l'effet du paragraphe (3) ou n'aurait pas été payable relativement à cette revente par l'effet de ce paragraphe si celui-ci s'appliquait compte non tenu de son alinéa e), le premier revendeur est tenu de communiquer par écrit les renseignements suivants au particulier donné :

a) le nom du vendeur initial de l'immeuble;

b) le fait que le premier revendeur a été l'acquéreur d'une fourniture antérieure de l'immeuble relativement à laquelle la taxe prévue au paragraphe 165(2) de la Loi n'était pas payable par l'effet des paragraphes (1) ou (2).

(5) Crédit de taxe sur les intrants — premier revendeur — Si un particulier effectue la fourniture taxable par vente (appelée « fourniture donnée » au présent paragraphe) d'un immeuble d'habitation à logement unique, sauf une maison flottante ou une maison mobile, au profit d'une personne aux termes d'un contrat constaté par écrit, qu'il est l'acquéreur d'une fourniture antérieure de l'immeuble relativement à laquelle la taxe prévue au paragraphe 165(2) de la Loi n'est pas payable par l'effet des paragraphes (1) ou (2) et que cette taxe est payable relativement à la fourniture donnée, pour le calcul de son crédit de taxe sur les intrants et pour l'application de l'article 54, le particulier est réputé avoir reçu une autre fourniture taxable relativement à l'immeuble et avoir payé, au moment où la possession de l'immeuble est transférée à la personne, une taxe relative à l'autre fourniture égale à 2 % de la contrepartie de la fourniture antérieure effectuée au profit du particulier par le vendeur initial de l'immeuble.

(6) Revendeur subséquent — Si un particulier (appelé « revendeur subséquent » au présent article) effectue la fourniture taxable par vente (appelée « revente subséquente » au présent article) d'un immeuble d'habitation à logement unique, sauf une maison flottante ou une maison mobile, au profit d'un particulier donné aux termes d'un contrat constaté par écrit et qu'il est l'acquéreur d'une fourniture antérieure de l'immeuble relativement à laquelle la taxe prévue au paragraphe 165(2) de la Loi n'est pas payable par l'effet du paragraphe (3) ou du présent paragraphe, cette taxe n'est pas payable relativement à la revente subséquente si les conditions suivantes sont réunies :

a) le revendeur subséquent acquiert l'immeuble principalement dans le but d'en effectuer une fourniture taxable par vente;

d) selon le cas :

(i) le revendeur subséquent est un constructeur de l'immeuble qui est visé aux alinéas b) et d) de la définition de « constructeur » au paragraphe 123(1) de la Loi mais non aux alinéas a), c) et e) de cette définition, et la totalité ou la presque totalité de la construction ou la totalité ou la presque totalité des dernières rénovations majeures de l'immeuble, ainsi que toute construction ou rénovation subséquente, selon le cas, qui est achevée au premier en date du jour où le revendeur subsé-

TVH

quent transfère la propriété de l'immeuble au particulier donné et du jour où il lui transfère la possession de l'immeuble, ont été achevées par une personne autre que le revendeur subséquent,

(ii) le revendeur subséquent est un constructeur de l'immeuble qui n'est visé qu'à l'alinéa d) de la définition de « constructeur » au paragraphe 123(1) de la Loi;

c) ni le vendeur initial de l'immeuble ni une personne avec laquelle il a un lien de dépendance ou à laquelle il est associé n'acquiert de droit sur l'immeuble.

(7) **Revendeur subséquent — communication de renseignements** — Dans le cas où un revendeur subséquent effectue une revente subséquente d'un immeuble d'habitation à logement unique, sauf une maison flottante ou une maison mobile, au profit d'un particulier donné et où la taxe prévue au paragraphe 165(2) de la Loi n'est pas payable relativement à cette revente par l'effet du paragraphe (6) ou n'aurait pas été payable relativement à cette revente par l'effet de ce paragraphe si celui-ci s'appliquait compte non tenu de son alinéa c), le revendeur subséquent est tenu de communiquer par écrit les renseignements suivants au particulier donné :

a) le nom du vendeur initial de l'immeuble;

b) le fait que le revendeur subséquent a été l'acquéreur d'une fourniture antérieure de l'immeuble relativement à laquelle la taxe prévue au paragraphe 165(2) de la Loi n'était pas payable par l'effet des paragraphes (3) ou (6).

(8) **Taxe non indiquée dans le contrat** — Dans le cas où les conditions suivantes sont réunies :

a) un premier revendeur ou un revendeur subséquent d'un immeuble d'habitation à logement unique, sauf une maison flottante ou une maison mobile, effectue la fourniture taxable par vente de l'immeuble dans une province déterminée aux termes d'un contrat de vente,

b) la taxe prévue au paragraphe 165(2) de la Loi devient payable relativement à la fourniture,

c) le contrat ne précise pas par écrit :

(i) le total de la taxe payable relativement à la fourniture, de sorte que ce total apparaisse clairement et qu'il soit possible d'établir si celui-ci tient compte de tout montant à payer ou à créditer conformément aux paragraphes 254(4) ou 256.21(3) de la Loi,

(ii) le total des taux auxquels la taxe est payable relativement à la fourniture,

d) le premier revendeur ou le revendeur subséquent, selon le cas, est tenu, aux termes de l'article 221 de la Loi, de percevoir la taxe relative à la fourniture,

les règles suivantes s'appliquent :

e) pour l'application de la partie IX de la Loi, la contrepartie de la fourniture est réputée être égale au montant obtenu par la formule suivante :

$$(100\ \%/A) \times B$$

où :

A représente le total de 100 % et du taux auquel la taxe prévue au paragraphe 165(2) de la Loi est calculée relativement à la fourniture,

B la contrepartie de la fourniture, déterminée par ailleurs selon la partie IX de la Loi;

f) pour l'application de la partie IX de la Loi, le premier revendeur ou le revendeur subséquent, selon le cas, est réputé avoir perçu et l'acquéreur avoir payé, au premier en date du jour où la propriété de l'immeuble est transférée à l'acquéreur et du jour où la possession de l'immeuble lui est transférée aux termes du contrat, la taxe prévue au paragraphe 165(2) de la Loi calculée sur la contrepartie de la fourniture;

g) pour l'application de la partie IX de la Loi, si l'acquéreur a droit au remboursement prévu au paragraphe 254(2) de la Loi relativement à l'immeuble et que le premier revendeur ou le revendeur subséquent, selon le cas, lui verse le montant de ce remboursement, ou le porte à son crédit, l'acquéreur est réputé avoir droit relativement à l'immeuble à un remboursement visé au paragraphe 256.21(1) de la Loi, dont le montant est déterminé selon les paragraphes 41(2) ou (3), et le premier revendeur ou le revendeur subséquent, selon le cas, est réputé avoir porté ce montant au crédit de l'acquéreur conformément au paragraphe 256.21(3) de la Loi au premier en date du jour où la propriété de l'immeuble est transférée à l'acquéreur et du jour où la possession de l'immeuble lui est transférée aux termes du contrat.

(9) **Autocotisation — acquisition d'un immeuble** — Dans le cas où un particulier donné est l'acquéreur de la fourniture taxable par vente d'un immeuble d'habitation à logement unique, sauf une maison flottante ou une maison mobile, d'une autre personne, où la taxe prévue au paragraphe 165(2) de la Loi est payable relativement à la fourniture, où cette taxe n'aurait pas été payable relativement à la fourniture si le paragraphe (2) s'appliquait compte non tenu de son sous-alinéa d)(iii), le paragraphe (3), compte non tenu de son alinéa e) ou le paragraphe (6), compte non tenu de son alinéa c), selon celui de ces cas qui est applicable à la fourniture taxable, et où l'autre personne serait tenue aux termes de l'article 221 de la Loi, en l'absence du présent paragraphe, de percevoir la taxe relative à la fourniture, les règles suivantes s'appliquent :

a) malgré l'article 221 de la Loi, l'autre personne n'est pas tenue de percevoir la taxe prévue au paragraphe 165(2) de la Loi relativement à la fourniture;

b) le particulier donné est tenu :

(i) s'il est un inscrit et a acquis l'immeuble pour l'utiliser ou le fournir principalement dans le cadre de ses activités commerciales, de payer au receveur général la taxe payable en vertu du paragraphe 165(2) de la Loi relativement à la fourniture et d'indiquer cette taxe dans sa déclaration pour la période de déclaration où la taxe est devenue payable, au plus tard à la date limite où il doit produire cette déclaration,

(ii) dans les autres cas, de payer au receveur général la taxe payable en vertu du paragraphe 165(2) de la Loi et de présenter au ministre, en la forme et selon les modalités déterminées par lui, une déclaration concernant cette taxe contenant les renseignements déterminées par lui, au plus tard le dernier jour du mois suivant le mois civil où la taxe est devenue payable;

c) le paragraphe (8) ne s'applique pas relativement à la fourniture;

d) [*alinéa abrogé*].

Notes historiques: Le paragraphe 51(5) a été remplacé par C.P. 2011-263 [DORS/2011-56], 3 mars 2011, par. 33(1) et cette modification est réputée être entrée en vigueur le 18 juin 2009. Toutefois, avant le 1er juillet 2010, il n'est pas tenu compte du passage « et pour l'application de l'article 54 » au paragraphe 51(5) du *Règlement no 2 sur le nouveau régime de la taxe à valeur ajoutée harmonisée*, édicté par le paragraphe 33(1), au paragraphe 52(5) de ce règlement, édicté par le paragraphe 34(1), et au paragraphe 53(5) de ce règlement, édicté par le paragraphe 35(1). Antérieurement, il se lisait ainsi :

(5) Crédit de taxe sur les intrants — premier revendeur — Si un particulier effectue la fourniture taxable par vente (appelée « fourniture donnée » au présent paragraphe) d'un immeuble d'habitation à logement unique, sauf une maison flottante ou une maison mobile, au profit d'une personne aux termes d'un contrat constaté par écrit, qu'il est l'acquéreur d'une fourniture antérieure de l'immeuble relativement à laquelle la taxe prévue au paragraphe 165(2) de la Loi n'est pas payable par l'effet des paragraphes (1) ou (2) et que cette taxe est payable relativement à la fourniture donnée, pour le calcul de son crédit de taxe sur les intrants, le particulier est réputé avoir payé, au moment où la possession de l'immeuble est transférée à la personne, une taxe relative à la fourniture antérieure de l'immeuble effectuée au profit du particulier par le vendeur initial de l'immeuble égale à 2 % de la contrepartie de cette fourniture.

L'alinéa 51(9)d) a été abrogé par C.P. 2011-263 [DORS/2011-56], 3 mars 2011, par. 33(2) et cette abrogation s'applique relativement à la fourniture taxable par vente d'un immeuble d'habitation à logement unique effectuée après la date où le présent règlement est publié dans la *Gazette du Canada*, sauf si elle est effectuée aux termes d'un contrat de vente, constaté par écrit, conclu au plus tard à cette date. Antérieurement, il se lisait ainsi :

d) pour le calcul de son crédit de taxe sur les intrants, le particulier donné est réputé avoir payé relativement à la fourniture, au moment où la possession de l'immeuble lui est transférée, une taxe égale à 2 % de la contrepartie de la fourniture de l'immeuble effectuée par le vendeur initial.

L'article 51 a été ajouté par C.P. 2010-790, 17 juin 2010 art. 51 et est réputé être entré en vigueur le 18 juin 2009.

Info TPS/TVQ: GI-098 — *Taxe de vente harmonisée — reventes d'habitations neuves en Ontario et en Colombie-Britannique.*

52. (1) Transfert d'un logement en copropriété après juin 2010 — Dans le cas où les conditions suivantes sont réunies :

a) la fourniture taxable donnée d'un logement en copropriété est effectuée par vente dans une province déterminée au profit d'une personne aux termes d'un contrat, constaté par écrit, conclu entre le fournisseur (appelé « vendeur initial » au présent article) et la personne au plus tard à la date déterminée applicable à la province,

b) la propriété et la possession du logement ne sont pas transférées à la personne aux termes du contrat avant le 1er juillet 2010,

c) la possession du logement est transférée à la personne aux termes du contrat le 1er juillet 2010 ou par la suite,

les règles suivantes s'appliquent :

d) la taxe prévue au paragraphe 165(2) de la Loi n'est pas payable relativement à la fourniture donnée;

e) pour l'application de la partie IX de la Loi, le vendeur initial est réputé avoir effectué une autre fourniture taxable relativement au logement et avoir perçu relativement à cette fourniture, au premier en date du jour où la propriété du logement est transférée à la personne et du jour où la possession du logement lui est transférée aux termes du contrat, un montant de taxe calculé selon la section II de la partie IX de la Loi égal à 2 % de la contrepartie de la fourniture donnée;

f) pour l'application de l'alinéa e) et de la section 4, dans le cas où la valeur de la contrepartie de la fourniture donnée est inférieure au montant qui correspondrait à la juste valeur marchande du logement au moment de la conclusion du contrat si la construction du logement ou, s'il fait l'objet de rénovations majeures, les dernières rénovations majeures dont il a fait l'objet étaient achevées en grande partie à ce moment, la contrepartie est réputée être égale à ce montant.

(1.1) Exception — Pour l'application de l'alinéa (1)e) relativement à la fourniture taxable d'un logement en copropriété effectuée en Colombie-Britannique, le passage « au premier en date du jour où la propriété du logement est transférée à la personne et du jour où la possession du logement lui est transférée aux termes du contrat, un montant de taxe calculé selon la section II de la partie IX de la Loi » à cet alinéa est remplacé par « au moment où la taxe prévue à la section II de la partie IX de la Loi est payable relativement à la fourniture donnée, un montant de taxe calculé selon cette section ».

Non en vigueur — 52(1.1)

Application: Le paragraphe 52(1.1) a été abrogé par C.P. 2012-1127 [DORS/2012-191], 20 septembre 2012, par. 41(2) et entrera en vigueur le 1er avril 2013.

(2) Cession du contrat — Les règles énoncées aux alinéas (1)d) à f) s'appliquent relativement à un contrat visé au paragraphe (1)a) concernant un logement en copropriété si les conditions suivantes sont réunies :

a) le contrat est cédé à une personne donnée;

b) la propriété et la possession du logement ne sont transférées à aucune personne aux termes du contrat avant le 1er juillet 2010;

c) la possession du logement est transférée à la personne donnée aux termes du contrat le 1er juillet 2010 ou par la suite;

d) les faits ci-après s'avèrent relativement à la cession du contrat en faveur de la personne donnée ainsi que relativement à toute autre cession antérieure du contrat :

(i) le contrat n'a pas fait l'objet d'une novation,

(ii) le vendeur initial du logement et la personne qui cède le contrat n'ont entre eux aucun lien de dépendance et ne sont pas associés l'un à l'autre,

(iii) ni le vendeur initial du logement ni une personne avec laquelle il a un lien de dépendance ou à laquelle il est associé n'acquiert de droit sur le logement.

Pour l'application de ces règles, la mention « personne » à l'alinéa (1)e) vaut mention de « personne donnée ».

Info TPS/TVQ: GI-097 — *Taxe de vente harmonisée — cession de contrats de vente d'habitations bénéficiant de droits acquis en Ontario et en Colombie-Britannique.*

(3) Premier revendeur — Si une personne (appelée « premier revendeur » au présent article) effectue la fourniture taxable par vente (appelée « première revente » au présent article) d'un logement en copropriété au profit d'une personne donnée aux termes d'un contrat constaté par écrit et qu'elle est l'acquéreur d'une fourniture antérieure du logement relativement à laquelle la taxe prévue au paragraphe 165(2) de la Loi n'est pas payable par l'effet des paragraphes (1) ou (2), cette taxe n'est pas payable relativement à la première revente si les conditions suivantes sont réunies :

a) le premier revendeur acquiert le logement principalement dans le but d'en effectuer une fourniture taxable par vente;

b) la possession du logement est transférée au premier revendeur une fois que la construction ou les dernières rénovations majeures du logement sont achevées en grande partie;

c) le vendeur initial du logement et le premier revendeur n'ont entre eux aucun lien de dépendance et ne sont pas associés l'un à l'autre;

d) selon le cas :

(i) le premier revendeur est un constructeur du logement qui est visé aux alinéas b) et d) de la définition de « constructeur » au paragraphe 123(1) de la Loi mais non aux alinéas a), c) et e) de cette définition, et la totalité ou la presque totalité de la construction du logement ou la totalité ou la presque totalité des dernières rénovations majeures dont il a fait l'objet, ainsi que toute construction ou rénovation subséquente, selon le cas, qui est achevée au premier en date du jour où le premier revendeur transfère la propriété du logement à la personne donnée et du jour où il lui transfère la possession du logement, ont été achevées par une personne autre que le premier revendeur,

(ii) le premier revendeur est un constructeur du logement qui n'est visé qu'à l'alinéa d) de la définition de « constructeur » au paragraphe 123(1) de la Loi;

e) ni le vendeur initial du logement ni une personne avec laquelle il a un lien de dépendance ou à laquelle il est associé n'acquiert de droit sur le logement.

(4) Premier revendeur — communication de renseignements — Dans le cas où un premier revendeur effectue une première revente d'un logement en copropriété au profit d'une personne donnée et où la taxe prévue au paragraphe 165(2) de la Loi n'est pas payable relativement à cette revente par l'effet du paragraphe (3) ou n'aurait pas été payable relativement à cette revente par l'effet de ce paragraphe si celui-ci s'appliquait compte non tenu de son alinéa e), le premier revendeur est tenu de communiquer par écrit les renseignements suivants à la personne donnée :

a) le nom du vendeur initial du logement;

b) le fait que le premier revendeur a été l'acquéreur d'une fourniture antérieure du logement relativement à laquelle la taxe prévue au paragraphe 165(2) de la Loi n'était pas payable par l'effet des paragraphes (1) ou (2).

(5) Crédit de taxe sur les intrants — premier revendeur — Si une personne donnée effectue la fourniture taxable par vente (ap-

TVH

pelée « fourniture donnée » au présent paragraphe) d'un logement en copropriété au profit d'une autre personne aux termes d'un contrat constaté par écrit, qu'elle est l'acquéreur d'une fourniture antérieure du logement relativement à laquelle la taxe prévue au paragraphe 165(2) de la Loi n'est pas payable par l'effet des paragraphes (1) ou (2) et que cette taxe est payable relativement à la fourniture donnée, pour le calcul de son crédit de taxe sur les intrants et pour l'application de l'article 54, la personne donnée est réputée avoir reçu une autre fourniture taxable relativement au logement et avoir payé, au moment où la possession du logement est transférée à l'autre personne, une taxe relative à l'autre fourniture égale à 2 % de la contrepartie de la fourniture antérieure effectuée au profit de la personne donnée par le vendeur initial du logement.

(6) Revendeur subséquent — Si une personne (appelée « revendeur subséquent » au présent article) effectue la fourniture taxable par vente (appelée « revente subséquente » au présent article) d'un logement en copropriété au profit d'une personne donnée aux termes d'un contrat constaté par écrit et qu'elle est l'acquéreur d'une fourniture antérieure du logement relativement à laquelle la taxe prévue au paragraphe 165(2) de la Loi n'est pas payable par l'effet du paragraphe (3) ou du présent paragraphe, cette taxe n'est pas payable relativement à la revente subséquente si les conditions suivantes sont réunies :

a) le revendeur subséquent acquiert le logement principalement dans le but d'en effectuer une fourniture taxable par vente;

b) selon le cas :

(i) le revendeur subséquent est un constructeur du logement qui est visé aux alinéas b) et d) de la définition de « constructeur » au paragraphe 123(1) de la Loi mais non aux alinéas a), c) et e) de cette définition, et la totalité ou la presque totalité de la construction du logement ou la totalité ou la presque totalité des dernières rénovations majeures dont il a fait l'objet, ainsi que toute construction ou rénovation subséquente, selon le cas, qui est achevée au premier en date du jour où le revendeur subséquent transfère la propriété du logement à la personne donnée et du jour où il lui transfère la possession du logement, ont été achevées par une personne autre que le revendeur subséquent,

(ii) le revendeur subséquent est un constructeur du logement qui n'est visé qu'à l'alinéa d) de la définition de « constructeur » au paragraphe 123(1) de la Loi;

c) ni le vendeur initial du logement ni une personne avec laquelle il a un lien de dépendance ou à laquelle il est associé n'acquiert de droit sur le logement.

(7) Revendeur subséquent — communication de renseignements — Dans le cas où un revendeur subséquent effectue une revente subséquente d'un logement en copropriété au profit d'une personne donnée et où la taxe prévue au paragraphe 165(2) de la Loi n'est pas payable relativement à cette revente par l'effet du paragraphe (6) ou n'aurait pas été payable relativement à cette revente par l'effet de ce paragraphe si celui-ci s'appliquait compte non tenu de son alinéa c), le revendeur subséquent est tenu de communiquer par écrit les renseignements suivants à la personne donnée :

a) le nom du vendeur initial du logement;

b) le fait que le revendeur subséquent a été l'acquéreur d'une fourniture antérieure du logement relativement à laquelle la taxe prévue au paragraphe 165(2) de la Loi n'était pas payable par l'effet des paragraphes (3) ou (6).

(8) Taxe non indiquée dans le contrat — Dans le cas où les conditions suivantes sont réunies :

a) un premier revendeur ou un revendeur subséquent d'un logement en copropriété effectue la fourniture taxable par vente du logement dans une province déterminée aux termes d'un contrat de vente,

b) la taxe prévue au paragraphe 165(2) de la Loi devient payable relativement à la fourniture,

c) le contrat ne précise pas par écrit :

(i) le total de la taxe payable relativement à la fourniture, de sorte que ce total apparaisse clairement et qu'il soit possible d'établir si celui-ci tient compte de tout montant à payer ou à créditer conformément aux paragraphes 254(4) ou 256.21(3) de la Loi,

(ii) le total des taux auxquels la taxe est payable relativement à la fourniture,

d) le premier revendeur ou le revendeur subséquent, selon le cas, est tenu, aux termes de l'article 221 de la Loi, de percevoir la taxe relative à la fourniture,

les règles suivantes s'appliquent :

e) pour l'application de la partie IX de la Loi, la contrepartie de la fourniture est réputée être égale au montant obtenu par la formule suivante :

$$(100\ \%/A) \times B$$

où :

A représente le total de 100 % et du taux auquel la taxe prévue au paragraphe 165(2) de la Loi est calculée relativement à la fourniture,

B la contrepartie de la fourniture, déterminée par ailleurs selon la partie IX de la Loi;

f) pour l'application de la partie IX de la Loi, le premier revendeur ou le revendeur subséquent, selon le cas, est réputé avoir perçu et l'acquéreur avoir payé, au premier en date du jour où la propriété du logement est transférée à l'acquéreur et du jour où la possession du logement lui est transférée aux termes du contrat, la taxe prévue au paragraphe 165(2) de la Loi calculée sur la contrepartie de la fourniture;

g) pour l'application de la partie IX de la Loi, si l'acquéreur a droit au remboursement prévu au paragraphe 254(2) de la Loi relativement au logement et que le premier revendeur ou le revendeur subséquent, selon le cas, lui verse le montant de ce remboursement, ou le porte à son crédit, l'acquéreur est réputé avoir droit relativement au logement à un remboursement visé au paragraphe 256.21(1) de la Loi, dont le montant est déterminé selon les paragraphes 41(2) ou (3), et le premier revendeur ou le revendeur subséquent, selon le cas, est réputé avoir porté ce montant au crédit de l'acquéreur conformément au paragraphe 256.21(3) de la Loi au premier en date du jour où la propriété du logement est transférée à l'acquéreur et du jour où la possession du logement lui est transférée aux termes du contrat.

(9) Autocotisation — acquisition d'un immeuble — Dans le cas où une personne donnée est l'acquéreur de la fourniture taxable par vente d'un logement en copropriété d'une autre personne, où la taxe prévue au paragraphe 165(2) de la Loi est payable relativement à la fourniture, où cette taxe n'aurait pas été payable relativement à la fourniture si le paragraphe (2) s'appliquait compte non tenu de son sous-alinéa d)(iii), le paragraphe (3), compte non tenu de son alinéa e) ou le paragraphe (6), compte non tenu de son alinéa c), selon celui de ces cas qui est applicable à la fourniture taxable, et où l'autre personne serait tenue aux termes de l'article 221 de la Loi, en l'absence du présent paragraphe, de percevoir la taxe relative à la fourniture, les règles suivantes s'appliquent :

a) malgré l'article 221 de la Loi, l'autre personne n'est pas tenue de percevoir la taxe prévue au paragraphe 165(2) de la Loi relativement à la fourniture;

b) la personne donnée est tenue :

(i) si elle est un inscrit et a acquis le logement pour l'utiliser ou le fournir principalement dans le cadre de ses activités commerciales, de payer au receveur général la taxe payable en vertu du paragraphe 165(2) de la Loi relativement à la fourniture et d'indiquer cette taxe dans sa déclaration pour la période de déclaration où la taxe est devenue payable, au plus tard à la date limite où elle doit produire cette déclaration,

(ii) dans les autres cas, de payer au receveur général la taxe payable en vertu du paragraphe 165(2) de la Loi et de présenter au ministre, en la forme et selon les modalités déterminées par lui, une déclaration concernant cette taxe contenant les renseignements déterminées par lui, au plus tard le dernier jour du mois suivant le mois civil où la taxe est devenue payable;

c) le paragraphe (8) ne s'applique pas relativement à la fourniture;

d) [*alinéa abrogé*].

Notes historiques: Le paragraphe 52(1.1) a été ajouté par C.P. 2012-1127 [DORS/2012-191], 20 septembre 2012, par. 41(1) et est entré en vigueur le 10 octobre 2012.

Le paragraphe 52(5) a été remplacé par C.P. 2011-263 [DORS/2011-56], 3 mars 2011, par. 34(1) et cette modification est réputée être entrée en vigueur le 18 juin 2009. Toutefois, avant le 1er juillet 2010, il n'est pas tenu compte du passage « et pour l'application de l'article 54 » au paragraphe 51(5) du *Règlement no 2 sur le nouveau régime de la taxe à valeur ajoutée harmonisée*, édicté par le paragraphe 33(1), au paragraphe 52(5) de ce règlement, édicté par le paragraphe 34(1), et au paragraphe 53(5) de ce règlement, édicté par le paragraphe 35(1). Antérieurement, il se lisait ainsi :

(5) **Crédit de taxe sur les intrants — premier revendeur** — Si une personne donnée effectue la fourniture taxable par vente (appelée « fourniture donnée » au présent paragraphe) d'un logement en copropriété au profit d'une autre personne aux termes d'un contrat constaté par écrit, qu'elle est l'acquéreur d'une fourniture antérieure du logement relativement à laquelle la taxe prévue au paragraphe 165(2) de la Loi n'est pas payable par l'effet des paragraphes (1) ou (2) et que cette taxe est payable relativement à la fourniture donnée, pour le calcul de son crédit de taxe sur les intrants, la personne donnée est réputée avoir payé, au moment où la possession du logement est transférée à l'autre personne, une taxe relative à la fourniture antérieure du logement effectuée au profit de la personne donnée par le vendeur initial du logement égale à 2 % de la contrepartie de cette fourniture.

L'alinéa 52(9)d) a été abrogé par C.P. 2011-263 [DORS/2011-56], 3 mars 2011, par. 34(2) et cette abrogation s'applique relativement à la fourniture taxable par vente d'un logement en copropriété effectuée après la date où le présent règlement est publié dans la Gazette du Canada, sauf si elle est effectuée aux termes d'un contrat de vente, constaté par écrit, conclu au plus tard à cette date. Antérieurement, il se lisait ainsi :

d) pour le calcul de son crédit de taxe sur les intrants, la personne donnée est réputée avoir payé relativement à la fourniture, au moment où la possession du logement lui est transférée, une taxe égale à 2 % de la contrepartie de la fourniture du logement effectuée par le vendeur initial.

L'article 52 a été ajouté par C.P. 2010-790, 17 juin 2010 art. 52 et est réputé être entré en vigueur le 18 juin 2009.

Info TPS/TVQ: GI-098 — *Taxe de vente harmonisée — reventes d'habitations neuves en Ontario et en Colombie-Britannique.*

53. (1) Transfert d'un immeuble d'habitation en copropriété après juin 2010 — Dans le cas où les conditions suivantes sont réunies :

a) la fourniture taxable donnée d'un immeuble d'habitation en copropriété est effectuée par vente dans une province déterminée au profit d'une personne aux termes d'un contrat, constaté par écrit, conclu entre le fournisseur (appelé « vendeur initial » au présent article) et la personne au plus tard à la date déterminée applicable à la province,

b) la propriété et la possession de l'immeuble ne sont pas transférées à la personne aux termes du contrat avant le 1er juillet 2010,

c) à cette date ou par la suite, la propriété de l'immeuble est transférée à la personne aux termes du contrat ou l'immeuble est enregistré à titre d'immeuble d'habitation en copropriété,

les règles suivantes s'appliquent :

d) la taxe prévue au paragraphe 165(2) de la Loi n'est pas payable relativement à la fourniture donnée;

e) pour l'application de la partie IX de la Loi, le vendeur initial est réputé avoir effectué une autre fourniture taxable relativement à l'immeuble et avoir perçu relativement à cette fourniture, au premier en date du jour où la propriété de l'immeuble est transférée à la personne aux termes du contrat et du soixantième jour suivant la date d'enregistrement de l'immeuble à titre d'immeuble d'habitation en copropriété, un montant de taxe calculé selon la section II de la partie IX de la Loi égal à 2 % de la contrepartie de la fourniture donnée;

f) pour l'application de l'alinéa e) et de la section 4, dans le cas où la valeur de la contrepartie de la fourniture donnée est inférieure au montant qui correspondrait à la juste valeur marchande de l'immeuble au moment de la conclusion du contrat si la construction de l'immeuble ou, s'il fait l'objet de rénovations majeures, les dernières rénovations majeures dont il a fait l'objet étaient achevées en grande partie à ce moment, la contrepartie est réputée être égale à ce montant.

(2) Cession du contrat — Les règles énoncées aux alinéas (1)d) à f) s'appliquent à un contrat visé à l'alinéa (1)a) concernant un immeuble d'habitation en copropriété si les conditions suivantes sont réunies :

a) le contrat est cédé à une personne donnée;

b) la propriété et la possession de l'immeuble ne sont transférées à aucune personne aux termes du contrat avant le 1er juillet 2010;

c) à cette date ou par la suite, la propriété de l'immeuble est transférée à la personne donnée ou l'immeuble est enregistré à titre d'immeuble d'habitation en copropriété;

d) les faits ci-après s'avèrent relativement à la cession du contrat en faveur de la personne donnée ainsi que relativement à toute autre cession antérieure du contrat :

(i) le contrat n'a pas fait l'objet d'une novation,

(ii) le vendeur initial de l'immeuble et la personne qui cède le contrat n'ont entre eux aucun lien de dépendance et ne sont pas associés l'un à l'autre,

(iii) ni le vendeur initial de l'immeuble ni une personne avec laquelle il a un lien de dépendance ou à laquelle il est associé n'acquiert de droit sur l'immeuble.

Pour l'application de ces règles, la mention « personne » à l'alinéa (1)e) vaut mention de « personne donnée ».

Info TPS/TVQ: GI-097 — *Taxe de vente harmonisée — cession de contrats de vente d'habitations bénéficiant de droits acquis en Ontario et en Colombie-Britannique.*

(3) Premier revendeur — Si une personne (appelée « premier revendeur » au présent article) effectue la fourniture taxable par vente (appelée « première revente » au présent article) d'un immeuble d'habitation en copropriété ou de tout logement en copropriété situé dans un tel immeuble au profit d'une personne donnée aux termes d'un contrat constaté par écrit et qu'elle est l'acquéreur d'une fourniture antérieure de l'immeuble relativement à laquelle la taxe prévue au paragraphe 165(2) de la Loi n'est pas payable par l'effet des paragraphes (1) ou (2), cette taxe n'est pas payable relativement à la première revente si les conditions suivantes sont réunies :

a) le premier revendeur acquiert l'immeuble principalement dans le but d'effectuer une fourniture taxable par vente de l'immeuble ou du logement, selon le cas;

b) la possession de l'immeuble est transférée au premier revendeur une fois que la construction ou les dernières rénovations majeures de l'immeuble sont achevées en grande partie;

c) le vendeur initial de l'immeuble et le premier revendeur n'ont entre eux aucun lien de dépendance et ne sont pas associés l'un à l'autre;

d) selon le cas :

(i) le premier revendeur est un constructeur de l'immeuble ou du logement, selon le cas, qui est visé aux alinéas b) et d) de la définition de « constructeur » au paragraphe 123(1) de la Loi mais non aux alinéas a), c) et e) de cette définition, et la totalité ou la presque totalité de la construction de l'immeuble ou du logement ou la totalité ou la presque totalité des dernières rénovations majeures dont il a fait l'objet, ainsi que toute construction ou rénovation subséquente, selon le cas, qui est achevée au premier en date du jour où le premier revendeur transfère la propriété de l'immeuble ou du logement à la personne donnée et du jour où il lui transfère la possession de l'immeuble ou du logement, ont été achevées par une personne autre que le premier revendeur,

TVH

(ii) le premier revendeur est un constructeur de l'immeuble ou du logement, selon le cas, qui n'est visé qu'à l'alinéa d) de la définition de « constructeur » au paragraphe 123(1) de la Loi;

e) ni le vendeur initial de l'immeuble ni une personne avec laquelle il a un lien de dépendance ou à laquelle il est associé n'acquiert de droit sur l'immeuble ou le logement.

(4) Premier revendeur — communication de renseignements — Dans le cas où un premier revendeur effectue une première revente d'un immeuble d'habitation en copropriété ou de tout logement en copropriété situé dans un tel immeuble au profit d'une personne donnée et où la taxe prévue au paragraphe 165(2) de la Loi n'est pas payable relativement à cette revente par l'effet du paragraphe (3) ou n'aurait pas été payable relativement à cette revente par l'effet de ce paragraphe si celuici s'appliquait compte non tenu de son alinéa e), le premier revendeur est tenu de communiquer par écrit les renseignements suivants à la personne donnée :

a) le nom du vendeur initial de l'immeuble;

b) le fait que le premier revendeur a été l'acquéreur d'une fourniture antérieure de l'immeuble relativement à laquelle la taxe prévue au paragraphe 165(2) de la Loi n'était pas payable par l'effet des paragraphes (1) ou (2).

(5) Crédit de taxe sur les intrants — premier revendeur — Si une personne donnée effectue la fourniture taxable par vente (appelée « fourniture donnée » au présent paragraphe) d'un immeuble d'habitation en copropriété ou d'un logement en copropriété situé dans un tel immeuble au profit d'une autre personne aux termes d'un contrat constaté par écrit, qu'elle est l'acquéreur d'une fourniture antérieure de l'immeuble relativement à laquelle la taxe prévue au paragraphe 165(2) de la Loi n'est pas payable par l'effet des paragraphes (1) ou (2) et que cette taxe est payable relativement à la fourniture donnée, les règles ci-après s'appliquent au calcul du crédit de taxe sur les intrants de la personne donnée et pour l'application de l'article 54 :

a) si la fourniture donnée est la fourniture d'un immeuble d'habitation en copropriété, la personne donnée est réputée avoir reçu une autre fourniture taxable relativement à l'immeuble et avoir payé, au moment où la possession de l'immeuble est transférée à l'autre personne, une taxe relative à l'autre fourniture égale à 2 % de la contrepartie de la fourniture antérieure effectuée au profit de la personne donnée par le vendeur initial de l'immeuble;

b) si la fourniture donnée est la fourniture d'un logement en copropriété situé dans un immeuble d'habitation en copropriété, la personne donnée est réputée avoir reçu une autre fourniture taxable relativement à l'immeuble et avoir payé, au moment où la possession du logement est transférée à l'autre personne, une taxe relative à l'autre fourniture égale au résultat de la multiplication de 2 % de la contrepartie de la fourniture antérieure effectuée au profit de la personne donnée par le vendeur initial de l'immeuble par le pourcentage de superficie totale, au sens du paragraphe 256.2(1) de la Loi, du logement.

(6) Revendeur subséquent — immeuble d'habitation en copropriété — Si une personne (appelée « revendeur subséquent » au présent article), ayant acquis un immeuble d'habitation en copropriété, effectue la fourniture taxable par vente (appelée « revente subséquente » au présent article) de l'immeuble ou d'un logement en copropriété situé dans cet immeuble au profit d'une personne donnée aux termes d'un contrat constaté par écrit et que la taxe prévue au paragraphe 165(2) de la Loi n'est pas payable par l'effet du paragraphe (3) ou du présent paragraphe relativement à l'acquisition de l'immeuble par le revendeur subséquent, cette taxe n'est pas payable relativement à la revente subséquente si les conditions suivantes sont réunies :

a) le revendeur subséquent acquiert l'immeuble principalement dans le but d'effectuer une fourniture taxable par vente de l'immeuble ou de tout logement en copropriété situé dans cet immeuble;

b) selon le cas :

(i) le revendeur subséquent est un constructeur de l'immeuble ou du logement, selon le cas, qui est visé aux alinéas b) et d) de la définition de « constructeur » au paragraphe 123(1) de la Loi mais non aux alinéas a), c) et e) de cette définition, et la totalité ou la presque totalité de la construction de l'immeuble ou du logement ou la totalité ou la presque totalité des dernières rénovations majeures dont il a fait l'objet, ainsi que toute construction ou rénovation subséquente, selon le cas, qui est achevée au premier en date du jour où le revendeur subséquent transfère la propriété de l'immeuble ou du logement à la personne donnée et du jour où il lui transfère la possession de l'immeuble ou du logement, ont été achevées par une personne autre que le revendeur subséquent,

(ii) le revendeur subséquent est un constructeur de l'immeuble ou du logement, selon le cas, qui n'est visé qu'à l'alinéa d) de la définition de « constructeur » au paragraphe 123(1) de la Loi;

c) ni le vendeur initial de l'immeuble ni une personne avec laquelle il a un lien de dépendance ou à laquelle il est associé n'acquiert de droit sur l'immeuble ou le logement, selon le cas.

(7) Revendeur subséquent — communication de renseignements — Dans le cas où un revendeur subséquent effectue une revente subséquente d'un immeuble d'habitation en copropriété ou de tout logement en copropriété situé dans un tel immeuble au profit d'une personne donnée et où la taxe prévue au paragraphe 165(2) de la Loi n'est pas payable relativement à cette revente par l'effet du paragraphe (6) ou n'aurait pas été payable relativement à cette revente par l'effet de ce paragraphe si celuici s'appliquait compte non tenu de son alinéa c), le revendeur subséquent est tenu de communiquer par écrit les renseignements suivants à la personne donnée :

a) le nom du vendeur initial de l'immeuble;

b) le fait que le revendeur subséquent a été l'acquéreur d'une fourniture antérieure de l'immeuble ou du logement, selon le cas, relativement à laquelle la taxe prévue au paragraphe 165(2) de la Loi n'était pas payable par l'effet des paragraphes (3) ou (6).

(8) Revendeur subséquent — logement en copropriété — Si une personne (appelée « revendeur subséquent » au présent article), ayant acquis un logement en copropriété, en effectue la fourniture taxable par vente (appelée « revente subséquente » au présent article) au profit d'une personne donnée aux termes d'un contrat constaté par écrit et que la taxe prévue au paragraphe 165(2) de la Loi n'est pas payable par l'effet des paragraphes (3) ou (6) ou du présent paragraphe relativement à l'acquisition du logement par le revendeur subséquent, cette taxe n'est pas payable relativement à la revente subséquente si les conditions suivantes sont réunies :

a) le revendeur subséquent acquiert le logement principalement dans le but d'en effectuer une fourniture taxable par vente;

b) selon le cas :

(i) le revendeur subséquent est un constructeur du logement qui est visé aux alinéas b) et d) de la définition de « constructeur » au paragraphe 123(1) de la Loi mais non aux alinéas a), c) et e) de cette définition, et la totalité ou la presque totalité de la construction du logement ou la totalité ou la presque totalité des dernières rénovations majeures dont il a fait l'objet, ainsi que toute construction ou rénovation subséquente, selon le cas, qui est achevée au premier en date du jour où le revendeur subséquent transfère la propriété du logement à la personne donnée et du jour où il lui transfère la possession du logement, ont été achevées par une personne autre que le revendeur subséquent,

ii) le revendeur subséquent est un constructeur du logement qui n'est visé qu'à l'alinéa d) de la définition de « constructeur » au paragraphe 123(1) de la Loi;

c) ni le vendeur initial de l'immeuble d'habitation en copropriété dans lequel le logement est situé ni une personne avec laquelle il a un lien de dépendance ou à laquelle il est associé n'acquiert de droit sur le logement.

(9) Revendeur subséquent — communication de renseignements — Dans le cas où un revendeur subséquent effectue une revente subséquente d'un logement en copropriété situé dans un immeuble d'habitation en copropriété au profit d'une personne donnée et où la taxe prévue au paragraphe 165(2) de la Loi n'est pas payable relativement à cette revente par l'effet du paragraphe (8) ou n'aurait pas été payable relativement à cette revente par l'effet de ce paragraphe si celui-ci s'appliquait compte non tenu de son alinéa c), le revendeur subséquent est tenu de communiquer par écrit les renseignements suivants à la personne donnée :

a) le nom du vendeur initial de l'immeuble;

b) le fait que le revendeur subséquent a été l'acquéreur d'une fourniture antérieure du logement relativement à laquelle la taxe prévue au paragraphe 165(2) de la Loi n'était pas payable par l'effet des paragraphes (3), (6) ou (8).

(10) Taxe non indiquée dans le contrat — Dans le cas où les conditions suivantes sont réunies :

a) un premier revendeur ou un revendeur subséquent d'un immeuble d'habitation en copropriété ou d'un logement en copropriété effectue la fourniture taxable par vente de l'immeuble ou du logement dans une province déterminée aux termes d'un contrat de vente,

b) la taxe prévue au paragraphe 165(2) de la Loi devient payable relativement à la fourniture,

c) le contrat ne précise pas par écrit :

(i) le total de la taxe payable relativement à la fourniture, de sorte que ce total apparaisse clairement et qu'il soit possible d'établir si celui-ci tient compte de tout montant à payer ou à créditer conformément aux paragraphes 254(4) ou 256.21(3) de la Loi,

(ii) le total des taux auxquels la taxe est payable relativement à la fourniture,

d) le premier revendeur ou le revendeur subséquent, selon le cas, est tenu, aux termes de l'article 221 de la Loi, de percevoir la taxe relative à la fourniture,

les règles suivantes s'appliquent :

e) pour l'application de la partie IX de la Loi, la contrepartie de la fourniture est réputée être égale au montant obtenu par la formule suivante :

$$(100\ \%/A) \times B$$

où :

A représente le total de 100 % et du taux auquel la taxe prévue au paragraphe 165(2) de la Loi est calculée relativement à la fourniture,

B la contrepartie de la fourniture, déterminée par ailleurs selon la partie IX de la Loi;

f) pour l'application de la partie IX de la Loi, le premier revendeur ou le revendeur subséquent, selon le cas, est réputé avoir perçu et l'acquéreur avoir payé, au premier en date du jour où la propriété de l'immeuble ou du logement est transférée à l'acquéreur et du jour où la possession de l'immeuble ou du logement lui est transférée aux termes du contrat, la taxe prévue au paragraphe 165(2) de la Loi calculée sur la contrepartie de la fourniture;

g) pour l'application de la partie IX de la Loi, si l'acquéreur a droit au remboursement prévu au paragraphe 254(2) de la Loi relativement à l'immeuble et que le premier revendeur ou le revendeur subséquent, selon le cas, lui verse le montant de ce remboursement, ou le porte à son crédit, l'acquéreur est réputé avoir droit relativement à l'immeuble à un remboursement visé au paragraphe 256.21(1) de la Loi, dont le montant est déterminé selon les paragraphes 41(2) ou (3), et le premier revendeur ou le revendeur subséquent, selon le cas, est réputé avoir porté ce montant au crédit de l'acquéreur conformément au paragraphe 256.21(3) de la Loi au premier en date du jour où la propriété de l'immeuble ou du logement est transférée à l'acquéreur et du jour où la possession de l'immeuble ou du logement lui est transférée aux termes du contrat.

(11) Autocotisation — acquisition d'un immeuble — Dans le cas où une personne donnée est l'acquéreur de la fourniture taxable par vente d'un immeuble d'habitation en copropriété ou d'un logement en copropriété d'une autre personne, où la taxe prévue au paragraphe 165(2) de la Loi est payable relativement à la fourniture, où cette taxe n'aurait pas été payable relativement à la fourniture si le paragraphe (2) s'appliquait compte non tenu de son sous-alinéa d)(iii), le paragraphe (3), compte non tenu de son alinéa e), le paragraphe (6), compte non tenu de son alinéa c) ou le paragraphe (8), compte non tenu de son alinéa c), selon celui de ces cas qui est applicable à la fourniture taxable, et où l'autre personne serait tenue aux termes de l'article 221 de la Loi, en l'absence du présent paragraphe, de percevoir la taxe relative à la fourniture, les règles suivantes s'appliquent :

a) malgré l'article 221 de la Loi, l'autre personne n'est pas tenue de percevoir la taxe prévue au paragraphe 165(2) de la Loi relativement à la fourniture;

b) la personne donnée est tenue :

(i) si elle est un inscrit et a acquis l'immeuble ou le logement pour l'utiliser ou le fournir principalement dans le cadre de ses activités commerciales, de payer au receveur général la taxe payable en vertu du paragraphe 165(2) de la Loi relativement à la fourniture et d'indiquer cette taxe dans sa déclaration pour la période de déclaration où la taxe est devenue payable, au plus tard à la date limite où elle doit produire cette déclaration,

(ii) dans les autres cas, de payer au receveur général la taxe payable en vertu du paragraphe 165(2) de la Loi et de présenter au ministre, en la forme et selon les modalités déterminées par lui, une déclaration concernant cette taxe contenant les renseignements déterminés par lui, au plus tard le dernier jour du mois suivant le mois civil où la taxe est devenue payable;

c) le paragraphe (10) ne s'applique pas relativement à la fourniture;

d) [*alinéa abrogé*].

Notes historiques: Le paragraphe 53(5) a été remplacé par C.P. 2011-263 [DORS/2011-56], 3 mars 2011, par. 35(1) et cette modification sont réputés être entrés en vigueur le 18 juin 2009. Toutefois, avant le 1er juillet 2010, il n'est pas tenu compte du passage « et pour l'application de l'article 54 » au paragraphe 51(5) du *Règlement no 2 sur le nouveau régime de la taxe à valeur ajoutée harmonisée*, édicté par le paragraphe 33(1), au paragraphe 52(5) de ce règlement, édicté par le paragraphe 34(1), et au paragraphe 53(5) de ce règlement, édicté par le paragraphe 35(1). Antérieurement, il se lisait ainsi :

(5) **Crédit de taxe sur les intrants — premier revendeur** — Si une personne donnée effectue la fourniture taxable par vente (appelée « fourniture donnée » au présent paragraphe) d'un immeuble d'habitation en copropriété ou d'un logement en copropriété situé dans un tel immeuble au profit d'une autre personne aux termes d'un contrat constaté par écrit, qu'elle est l'acquéreur d'une fourniture antérieure de l'immeuble relativement à laquelle la taxe prévue au paragraphe 165(2) de la Loi n'est pas payable par l'effet des paragraphes (1) ou (2) et que cette taxe est payable relativement à la fourniture donnée, les règles ci-après s'appliquent au calcul du crédit de taxe sur les intrants de la personne donnée :

a) si la fourniture donnée est la fourniture d'un immeuble d'habitation en copropriété, la personne donnée est réputée avoir payé, au moment où la possession de l'immeuble est transférée à l'autre personne, une taxe relative à la fourniture antérieure de l'immeuble effectuée au profit de la personne donnée par le vendeur initial de l'immeuble égale à 2 % de la contrepartie de cette fourniture;

b) si la fourniture donnée est la fourniture d'un logement en copropriété situé dans un immeuble d'habitation en copropriété, la personne donnée est réputée avoir payé, au moment où la possession du logement est transférée à l'autre personne, une taxe relative à la fourniture antérieure de l'immeuble effectuée au profit de la personne donnée par le vendeur initial de l'immeuble égale au résultat de la multiplication de 2 % de la contrepartie de cette fourniture par le pourcentage de superficie totale, au sens du paragraphe 256.2(1) de la Loi, du logement.

L'alinéa 53(11)d) a été abrogé par C.P. 2011-263 [DORS/2011-56], 3 mars 2011, par. 35(2) et cette abrogation s'applique relativement à la fourniture taxable par vente d'un immeuble d'habitation en copropriété ou d'un logement en copropriété effectuée après la date où le présent règlement est publié dans la *Gazette du Canada*, sauf si elle est effectuée aux termes d'un contrat de vente, constaté par écrit, conclu au plus tard à cette date. Antérieurement, il se lisait ainsi :

d) pour le calcul du crédit de taxe sur les intrants de la personne donnée :

(i) s'il s'agit de la fourniture d'un immeuble d'habitation en copropriété, la personne donnée est réputée avoir payé relativement à la fourniture, au moment où la possession de l'immeuble lui est transférée, une taxe égale à 2 % de la contrepartie de la fourniture de l'immeuble effectuée par le vendeur initial,

(ii) s'il s'agit de la fourniture d'un logement en copropriété situé dans un immeuble d'habitation en copropriété, la personne donnée est réputée avoir payé relativement à la fourniture du logement, au moment où la possession du logement lui est transférée, une taxe égale au produit de 2 % de la contrepartie de la fourniture de l'immeuble effectuée par le vendeur initial par le pourcentage de superficie totale, au sens du paragraphe 256.2(1) de la Loi, du logement.

L'article 53 a été ajouté par C.P. 2010-790, 17 juin 2010 art. 53 et est réputé être entré en vigueur le 18 juin 2009.

Info TPS/TVQ: GI-083 — *Taxe de vente harmonisée — renseignements pour les constructeurs d'habitations neuves en Ontario*; GI-084 — *Taxe de vente harmonisée — renseignements pour les constructeurs d'habitations neuves en Colombie-Britannique*; GI-098 — *Taxe de vente harmonisée — reventes d'habitations neuves en Ontario et en Colombie-Britannique*.

54. (1) Remboursement aux non-inscrits — Pour l'application du paragraphe 256.21(1) de la Loi, le non-inscrit qui est réputé avoir payé une taxe en vertu des paragraphes 51(5), 52(5) ou 53(5) relativement à une fourniture taxable se rapportant à un immeuble d'habitation est une personne visée et le montant du remboursement versé au titre de l'immeuble selon le paragraphe 256.21(1) de la Loi est égal au montant de cette taxe.

Notes historiques: L'article 54(1) a été remplacé par C.P. 2011-263 [DORS/2011-56], 3 mars 2011, art. 36 et cette modification s'applique relativement au remboursement visant un immeuble d'habitation relativement auquel une demande est présentée après la date où le présent règlement est publié dans la *Gazette du Canada*, sauf s'il a trait à une taxe qui est réputée, en vertu des paragraphes 51(9), 52(9) ou 53(11) du *Règlement no 2 sur le nouveau régime de la taxe à valeur ajoutée harmonisée*, avoir été payée relativement à la fourniture taxable par vente, visée à celui de ces paragraphes qui est applicable, de l'immeuble d'habitation qui est effectuée aux termes d'un contrat de vente, constaté par écrit, conclu au plus tard à cette date. Antérieurement, il se lisait ainsi :

54. (1) Remboursement aux non-inscrits — Pour l'application du paragraphe 256.21(1) de la Loi, le non-inscrit qui est réputé avoir payé une taxe en vertu des paragraphes 51(5) ou (9), 52(5) ou (9) ou 53(5) ou (11) relativement à un immeuble d'habitation est réputé être une personne visée et le montant du remboursement versé au titre de l'immeuble selon le paragraphe 256.21(1) de la Loi est égal au montant de cette taxe.

(2) Demande de remboursement — Pour l'application du paragraphe 256.21(2) de la Loi, le remboursement dont le montant est déterminé selon le paragraphe (1) doit être demandé dans les deux ans suivant la date où la taxe mentionnée à ce paragraphe est réputée avoir été payée.

L'article 54 a été ajouté par C.P. 2010-790, 17 juin 2010 art. 54 et est entré en vigueur ou est réputé être entré en vigueur le 1er juillet 2010.

SECTION 4 — REMBOURSEMENTS TRANSITOIRES POUR HABITATIONS NEUVES

55. (1) Définitions — Les définitions qui suivent s'appliquent à la présente section.

« immeuble d'habitation à logement unique déterminé » Immeuble d'habitation, sauf une maison flottante ou une maison mobile, à l'égard duquel les conditions suivantes sont réunies :

a) il s'agit d'un immeuble d'habitation à logement unique au sens du paragraphe 254(1) de la Loi;

b) la construction ou les dernières rénovations majeures dont il a fait l'objet ont commencé avant le 1er juillet 2010;

c) il n'a pas été occupé à titre résidentiel ou d'hébergement après le début de la construction ou des dernières rénovations majeures et avant le 1er juillet 2010.

« immeuble d'habitation déterminé »

a) Immeuble d'habitation à logements multiples, sauf celui visé à la définition de « immeuble d'habitation à logement unique » au paragraphe 254(1) de la Loi, ou adjonction à un tel immeuble, dont la construction ou les dernières rénovations majeures ont commencé avant le 1er juillet 2010 et dont la fourniture n'est pas réputée avoir été effectuée en vertu des paragraphes 191(3) ou (4) de la Loi, selon le cas, et n'aurait pas été réputée avoir été effectuée en vertu de ces paragraphes en l'absence des paragraphes 191(5) à (7) de la Loi après la date où la construction ou les dernières rénovations majeures ont commencé et avant le 1er juillet 2010;

b) logement en copropriété situé dans un immeuble d'habitation en copropriété si la construction ou les dernières rénovations majeures de l'immeuble ont commencé avant le 1er juillet 2010 et qu'une fourniture du logement n'est pas réputée avoir été effectuée en vertu des paragraphes 191(1) ou (2) de la Loi et n'aurait pas été réputée avoir été effectuée en vertu de ces paragraphes en l'absence des paragraphes 191(5) à (7) de la Loi après la date où la construction ou les dernières rénovations majeures ont commencé et avant le 1er juillet 2010.

« prélèvement provincial estimé » S'entend, relativement à un remboursement au titre d'un immeuble d'habitation déterminé ou d'un immeuble d'habitation à logement unique déterminé :

a) dans le cas où le montant qui fait l'objet de la demande de remboursement n'est pas fondé sur la juste valeur marchande de l'immeuble ou sur la contrepartie de la fourniture de l'immeuble, le montant obtenu par la formule suivante :

$$A \times B$$

où :

A représente :

(i) si l'immeuble n'est pas un logement en copropriété, le nombre de mètres carrés de surface utile de l'immeuble,

(ii) si l'immeuble est un logement en copropriété, le total des montants suivants :

(A) le nombre de mètres carrés de surface utile du logement,

(B) le résultat de la multiplication du nombre total de mètres carrés de surface utile des parties communes de l'immeuble d'habitation en copropriété dans lequel le logement est situé par le résultat de la division du nombre de mètres carrés de surface utile du logement par le nombre total de mètres carrés de surface utile de l'ensemble des logements en copropriété situés dans l'immeuble,

B :

(i) si l'immeuble est situé en Ontario, 45 $,

(ii) s'il est situé en Colombie-Britannique, 60 $;

b) dans les autres cas, le montant obtenu par la formule suivante :

$$A \times 2\,\%$$

où :

A représente :

(i) si le constructeur de l'immeuble est réputé en vertu de l'article 191 de la Loi avoir perçu à un moment donné la taxe relative à l'immeuble et qu'il s'agit d'un remboursement prévu au paragraphe 256.21(1) de la Loi, dont le montant est déterminé selon les paragraphes 56(4) ou 57(4), qui est payable au constructeur relativement à l'immeuble, la juste valeur marchande de l'immeuble à ce moment,

(ii) si une taxe est réputée en vertu de l'alinéa 52(1)e) avoir été perçue relativement à une fourniture taxable qui est relative à l'immeuble et qu'il s'agit d'un remboursement prévu au paragraphe 256.21(1) de la Loi, dont le montant est déterminé selon le paragraphe 57(4), qui est payable au constructeur de l'immeuble, la contrepartie de la fourniture,

(iii) s'agissant d'un immeuble qui est un logement en copropriété, si une taxe est réputée en vertu de l'alinéa 53(1)e) avoir été perçue relativement à une fourniture taxable qui est relative à l'immeuble d'habitation en copropriété dans lequel le logement est situé et qu'il s'agit d'un remboursement prévu au paragraphe 256.21(1) de la Loi, dont le montant est déterminé selon le paragraphe 57(4), qui est payable au constructeur de l'immeuble, la partie de la contrepartie de la fourniture qui est attribuable au logement,

(iv) s'il s'agit d'un remboursement prévu au paragraphe 256.21(1) de la Loi, relativement auquel le sous-alinéa (i) ne s'applique pas et dont le montant est déterminé selon le paragraphe 56(4), qui est payable à un particulier relativement à l'immeuble, la contrepartie de la fourniture par vente de l'immeuble effectuée au profit du particulier,

(v) s'il s'agit d'un remboursement prévu au paragraphe 256.21(1) de la Loi, relativement auquel les sous-alinéas (i) à (iii) ne s'appliquent pas et dont le montant est déterminé selon le paragraphe 57(4), qui est payable à un constructeur relativement à l'immeuble, la contrepartie de la fourniture par vente de l'immeuble effectuée par le constructeur.

(2) Surface utile — Sous réserve du paragraphe (3), pour l'application de la présente section, la surface utile d'un immeuble d'habitation ou d'un logement se calcule à partir de la face externe des murs extérieurs non adjacents à un autre immeuble ou logement et à partir du milieu des murs extérieurs adjacents à un autre immeuble ou logement.

(3) Surface utile — La surface utile d'un immeuble d'habitation et des parties communes d'un immeuble d'habitation en copropriété ne comprend pas celle des endroits suivants :

a) les salles de rangement, les greniers et les sous-sols dont la finition par l'une des personnes ci-après n'est pas équivalente à celle des espaces habitables de l'immeuble :

(i) dans le cas d'un immeuble d'habitation à logement unique déterminé, le constructeur qui fournit l'immeuble à la personne qui a droit à un remboursement au titre de l'immeuble, dont le montant est déterminé selon la présente section, ou tout constructeur antérieur de l'immeuble,

(ii) dans les autres cas, un constructeur de l'immeuble;

b) les aires de stationnement;

c) les salles prévues pour les appareils de chauffage, de climatisation ou de distribution d'eau, de gaz ou d'électricité de l'immeuble d'habitation ou de l'immeuble d'habitation en copropriété.

Notes historiques: Les sous-alinéas (ii) et (iii) de l'élément A de la formule figurant à l'alinéa b) de la définition de « prélèvement provincial estimé », au paragraphe 55(1), ont été remplacés par C.P. 2011-263 [DORS/2011-56], 3 mars 2011, art. 37 et ces modifications sont réputées être entrées en vigueur le 1er juillet 2010. Antérieurement, il se lisait ainsi :

> (ii) si une taxe est réputée en vertu de l'alinéa 52(1)e) avoir été perçue relativement à une fourniture de l'immeuble et qu'il s'agit d'un remboursement prévu au paragraphe 256.21(1) de la Loi, dont le montant est déterminé selon le paragraphe 57(4), qui est payable au constructeur de l'immeuble, la contrepartie de la fourniture,
>
> (iii) s'agissant d'un immeuble qui est un logement en copropriété, si une taxe est réputée en vertu de l'alinéa 53(1)e) avoir été perçue relativement à une fourniture de l'immeuble dans lequel le logement est situé et qu'il s'agit d'un remboursement prévu au paragraphe 256.21(1) de la Loi, dont le montant est déterminé selon le paragraphe 57(4), qui est payable au constructeur de l'immeuble, la partie de la contrepartie de la fourniture qui est attribuable au logement,

L'article 55 a été ajouté par C.P. 2010-790, 17 juin 2010 art. 55 et est entré en vigueur ou est réputé être entré en vigueur le 1er juillet 2010.

56. (1) Remboursement — immeuble d'habitation à logement unique déterminé — Pour l'application du paragraphe 256.21(1) de la Loi, les circonstances ci-après sont prévues relativement à un immeuble d'habitation à logement unique déterminé :

a) un constructeur de l'immeuble, selon le cas :

(i) est réputé en vertu de l'article 191 de la Loi avoir effectué une fourniture taxable de l'immeuble du fait qu'il en a transféré la possession ou l'utilisation à une personne ou du fait qu'il l'occupe à titre résidentiel,

(ii) effectue une fourniture taxable par vente de l'immeuble au profit d'un particulier;

b) l'immeuble est situé dans une province déterminée;

c) la taxe prévue au paragraphe 165(2) de la Loi est payable relativement à la fourniture;

d) en cas d'application du sous-alinéa a)(i), la première prise de possession ou la première utilisation de l'immeuble à titre résidentiel, une fois que la construction ou les dernières rénovations majeures de l'immeuble sont achevées en grande partie, se produit après le 30 juin 2010 et avant le 1er juillet 2014;

e) en cas d'application du sous-alinéa a)(ii), la possession de l'immeuble est transférée au particulier après le 30 juin 2010 et avant le 1er juillet 2014;

f) immédiatement après juin 2010, cette construction ou ces dernières rénovations majeures sont achevées à 10 % ou plus.

(2) Bien et personne visés — Si les circonstances prévues au paragraphe (1) sont réunies relativement à un immeuble d'habitation, l'immeuble est un bien visé et les personnes ci-après sont des personnes visées pour l'application du paragraphe 256.21(1) de la Loi :

a) dans le cas prévu au sous-alinéa (1)a)(i), le constructeur mentionné à l'alinéa (1)a);

b) dans le cas prévu au sous-alinéa (1)a)(ii), le particulier mentionné à ce sous-alinéa.

(3) Cession du remboursement — Si les circonstances prévues au paragraphe (1) sont réunies relativement à un immeuble d'habitation et que le sous-alinéa (1)a)(ii) s'applique relativement à l'immeuble, le remboursement prévu au paragraphe 256.21(1) de la Loi relativement à l'immeuble, dont le montant est déterminé selon le paragraphe (4), est visé pour l'application du paragraphe 256.21(6) de la Loi et peut être cédé au constructeur de l'immeuble mentionné à l'alinéa (1)a).

(4) Montant du remboursement — Si les circonstances prévues au paragraphe (1) sont réunies relativement à un immeuble d'habitation, pour l'application du paragraphe 256.21(1) de la Loi, le montant du remboursement relatif à l'immeuble correspond à celui des montants suivants qui est applicable :

a) 100 % du prélèvement provincial estimé pour l'immeuble si, immédiatement après juin 2010, la construction ou les dernières rénovations majeures de l'immeuble sont achevées à 90 % ou plus;

b) 90 % du prélèvement provincial estimé pour l'immeuble si, immédiatement après juin 2010, la construction ou les dernières rénovations majeures de l'immeuble sont achevées à 75 % ou plus mais à moins de 90 %;

c) 75 % du prélèvement provincial estimé pour l'immeuble si, immédiatement après juin 2010, la construction ou les dernières rénovations majeures de l'immeuble sont achevées à 50 % ou plus mais à moins de 75 %;

d) 50 % du prélèvement provincial estimé pour l'immeuble si, immédiatement après juin 2010, la construction ou les dernières rénovations majeures de l'immeuble sont achevées à 25 % ou plus mais à moins de 50 %;

e) 25 % du prélèvement provincial estimé pour l'immeuble si, immédiatement après juin 2010, la construction ou les dernières rénovations majeures de l'immeuble sont achevées à 10 % ou plus mais à moins de 25 %.

TVH

Notes historiques: Le sous-alinéa 56(1)a)(i) a été remplacé par C.P. 2011-263 [DORS/2011-56], 3 mars 2011, art. 38 cette modification est réputée être entrée en vigueur le 1er juillet 2010. Antérieurement, il se lisait ainsi :

(i) est réputé en vertu de l'article 191 de la Loi avoir effectué une fourniture taxable de l'immeuble du fait qu'il en a transféré la possession ou l'utilisation à une personne aux termes d'un bail, d'un licence ou d'un accord semblable ou du fait qu'il l'occupe à titre résidentiel,

L'article 56 a été ajouté par C.P. 2010-790, 17 juin 2010 art. 56 et est entré en vigueur ou est réputé être entré en vigueur le 1er juillet 2010.

Info TPS/TVQ: GI-088 — *Taxe de vente harmonisée — prix convenu déduction faite des remboursements de la TPS/TVH pour habitations neuves et du remboursement transitoire de la TVD pour habitations neuves en Ontario*; GI-089 — *Taxe de vente harmonisée — prix convenu déduction faite des remboursements de la TPS/TVH pour habitations neuves et du remboursement transitoire de la TVP pour habitations neuves en Colombie-Britannique*; GI-105 — *Comment déterminer le pourcentage d'achèvement aux fins des remboursements transitoires provinciaux pour habitations neuves et du redressement fiscal transitoire en Ontario et en Colombie-Britannique*.

57. (1) Remboursement — immeuble d'habitation déterminé — Les circonstances ci-après sont prévues pour l'application du paragraphe 256.21(1) de la Loi relativement à un immeuble d'habitation déterminé :

a) immédiatement avant le 1er juillet 2010, un constructeur de l'immeuble situé dans une province déterminée est propriétaire de l'immeuble ou en a la possession;

b) avant cette date, le constructeur visé à l'alinéa a) n'avait pas transféré la propriété ou la possession de l'immeuble aux termes d'un contrat de vente à une personne qui n'est pas un constructeur de l'immeuble;

c) si l'immeuble n'est pas un logement en copropriété, sa construction ou, s'il fait l'objet de rénovations majeures, les dernières rénovations majeures dont il a fait l'objet sont achevées à 10 % ou plus immédiatement après juin 2010;

d) si l'immeuble est un logement en copropriété qui fait l'objet de rénovations majeures et que l'immeuble d'habitation en copropriété dans lequel ce logement est situé ne fait pas l'objet de telles rénovations, les dernières rénovations majeures dont l'immeuble d'habitation déterminé a fait l'objet sont achevées à 10 % ou plus immédiatement après juin 2010;

e) si l'immeuble est un logement en copropriété et que l'immeuble d'habitation en copropriété dans lequel ce logement est situé est en construction ou fait l'objet de rénovations majeures, la construction de l'immeuble d'habitation en copropriété ou, s'il fait l'objet de rénovations majeures, les dernières rénovations majeures dont il a fait l'objet sont achevées à 10 % ou plus immédiatement après juin 2010.

(2) Bien et personne visés — Si les circonstances prévues au paragraphe (1) sont réunies relativement à un immeuble d'habitation déterminé, l'immeuble est un bien visé et le constructeur est une personne visée pour l'application du paragraphe 256.21(1) de la Loi.

(3) Exception — personne visée — Si les paragraphes 191(1) à (4) de la Loi ne s'appliquent pas à un constructeur d'un immeuble d'habitation déterminé en raison de l'application de l'un des paragraphes 191(5) à (7) de la Loi, le constructeur est réputé ne jamais avoir été une personne visée en vertu du paragraphe (2) relativement à l'immeuble pour l'application du paragraphe 256.21(1) de la Loi.

(4) Montant du remboursement — Si les circonstances prévues au paragraphe (1) sont réunies relativement à un immeuble d'habitation déterminé, pour l'application du paragraphe 256.21(1) de la Loi, le montant du remboursement relatif à l'immeuble correspond à celui des montants suivants qui est applicable :

a) si l'immeuble n'est pas un logement en copropriété :

(i) 100 % du prélèvement provincial estimé pour l'immeuble si, immédiatement après juin 2010, la construction ou les dernières rénovations majeures de l'immeuble sont achevées à 90 % ou plus,

(ii) 90 % du prélèvement provincial estimé pour l'immeuble si, immédiatement après juin 2010, la construction ou les dernières rénovations majeures de l'immeuble sont achevées à 75 % ou plus mais à moins de 90 %,

(iii) 75 % du prélèvement provincial estimé pour l'immeuble si, immédiatement après juin 2010, la construction ou les dernières rénovations majeures de l'immeuble sont achevées à 50 % ou plus mais à moins de 75 %,

(iv) 50 % du prélèvement provincial estimé pour l'immeuble si, immédiatement après juin 2010, la construction ou les dernières rénovations majeures de l'immeuble sont achevées à 25 % ou plus mais à moins de 50 %,

(v) 25 % du prélèvement provincial estimé pour l'immeuble si, immédiatement après juin 2010, la construction ou les dernières rénovations majeures de l'immeuble sont achevées à 10 % ou plus mais à moins de 25 %;

b) si l'immeuble est un logement en copropriété qui fait l'objet de rénovations majeures et que l'immeuble d'habitation en copropriété dans lequel ce logement est situé ne fait pas l'objet de telles rénovations :

(i) 100 % du prélèvement provincial estimé pour l'immeuble d'habitation déterminé si, immédiatement après juin 2010, les rénovations majeures de cet immeuble sont achevées à 90 % ou plus,

(ii) 90 % du prélèvement provincial estimé pour l'immeuble d'habitation déterminé si, immédiatement après juin 2010, les rénovations majeures de cet immeuble sont achevées à 75 % ou plus mais à moins de 90 %,

(iii) 75 % du prélèvement provincial estimé pour l'immeuble d'habitation déterminé si, immédiatement après juin 2010, les rénovations majeures de cet immeuble sont achevées à 50 % ou plus mais à moins de 75 %,

(iv) 50 % du prélèvement provincial estimé pour l'immeuble d'habitation déterminé si, immédiatement après juin 2010, les rénovations majeures de cet immeuble sont achevées à 25 % ou plus mais à moins de 50 %,

(v) 25 % du prélèvement provincial estimé pour l'immeuble d'habitation déterminé si, immédiatement après juin 2010, les rénovations majeures de cet immeuble sont achevées à 10 % ou plus mais à moins de 25 %;

c) si l'immeuble est un logement en copropriété et que l'immeuble d'habitation en copropriété dans lequel ce logement est situé est en construction ou fait l'objet de rénovations majeures :

(i) 100 % du prélèvement provincial estimé pour l'immeuble d'habitation déterminé si, immédiatement après juin 2010, la construction ou les dernières rénovations majeures de l'immeuble d'habitation en copropriété dans lequel le logement est situé sont achevées à 90 % ou plus,

(ii) 90 % du prélèvement provincial estimé pour l'immeuble d'habitation déterminé si, immédiatement après juin 2010, la construction ou les dernières rénovations majeures de l'immeuble d'habitation en copropriété dans lequel le logement est situé sont achevées à 75 % ou plus mais à moins de 90 %,

(iii) 75 % du prélèvement provincial estimé pour l'immeuble d'habitation déterminé si, immédiatement après juin 2010, la construction ou les dernières rénovations majeures de l'immeuble d'habitation en copropriété dans lequel le logement est situé sont achevées à 50 % ou plus mais à moins de 75 %,

(iv) 50 % du prélèvement provincial estimé pour l'immeuble d'habitation déterminé si, immédiatement après juin 2010, la construction ou les dernières rénovations majeures de l'immeuble d'habitation en copropriété dans lequel le logement est situé sont achevées à 25 % ou plus mais à moins de 50 %,

(v) 25 % du prélèvement provincial estimé pour l'immeuble d'habitation déterminé si, immédiatement après juin 2010, la construction ou les dernières rénovations majeures de l'immeuble d'habitation en copropriété dans lequel le logement est situé sont achevées à 10 % ou plus mais à moins de 25 %.

(5) Restriction — Une personne n'a pas droit au remboursement prévu au paragraphe 256.21(1) de la Loi au titre d'un immeuble d'habitation situé en Colombie-Britannique — dont le montant est déterminé selon le paragraphe (4) — si la taxe prévue au paragraphe 165(1) de la Loi n'est pas devenue payable par elle relativement à une fourniture de l'immeuble.

Non en vigueur — 57(5)

Application: Le paragraphe 57(5) a été abrogé par C.P. 2012-1127 [DORS/2012-191], 20 septembre 2012, par. 42(2) et entrera en vigueur le 1er avril 2013.

Notes historiques: Le paragraphe 57(5) a été ajouté par C.P. 2012-1127 [DORS/2012-191], 20 septembre 2012, par. 42(1) et est entré en vigueur le 17 février 2012.

L'article 57 a été ajouté par C.P. 2010-790, 17 juin 2010 art. 57 et est entré en vigueur ou est réputé être entré en vigueur le 1er juillet 2010.

Info TPS/TVQ: GI-083 — *Taxe de vente harmonisée — renseignements pour les constructeurs d'habitations neuves en Ontario*; GI-084 — *Taxe de vente harmonisée — renseignements pour les constructeurs d'habitations neuves en Colombie-Britannique*; GI-088 — *Taxe de vente harmonisée — prix convenu déduction faite des remboursements de la TPS/TVH pour habitations neuves et du remboursement transitoire de la TVD pour habitations neuves en Ontario*; GI-089 — *Taxe de vente harmonisée — prix convenu déduction faite des remboursements de la TPS/TVH pour habitations neuves et du remboursement transitoire de la TVP pour habitations neuves en Colombie-Britannique*; GI-105 — *Comment déterminer le pourcentage d'achèvement aux fins des remboursements transitoires provinciaux pour habitations neuves et du redressement fiscal transitoire en Ontario et en Colombie-Britannique*.

58. (1) Demande de remboursement — Pour l'application du paragraphe 256.21(2) de la Loi, le remboursement dont le montant est déterminé selon la présente section doit être demandé avant le 1er juillet 2014.

(2) Restriction — Si une personne est le constructeur d'un immeuble d'habitation, le ministre ne lui verse, relativement à l'immeuble, un remboursement prévu au paragraphe 256.21(1) de la Loi, dont le montant est déterminé selon les paragraphes 56(4) ou 57(4), que si, ayant reçu une attestation, une déclaration ou une autre preuve documentaire, il est convaincu qu'elle a acquitté toutes les taxes et frais liés aux activités de construction du constructeur, imposés par une loi de la province où l'immeuble est situé.

(3) Remboursement fondé sur la surface utile — Pour déterminer, selon le paragraphe 57(4), le montant d'un remboursement payable à une personne relativement à un immeuble d'habitation, le prélèvement provincial estimé pour l'immeuble doit être établi en fonction de la surface utile de l'immeuble si la personne demande le remboursement avant la date où la taxe prévue à la partie IX de la Loi devient payable relativement à une fourniture de l'immeuble effectuée par la personne.

Notes historiques: L'article 58 a été ajouté par C.P. 2010-790, 17 juin 2010 art. 58 et est entré en vigueur ou est réputé être entré en vigueur le 1er juillet 2010.

Info TPS/TVQ: GI-088 — *Taxe de vente harmonisée — prix convenu déduction faite des remboursements de la TPS/TVH pour habitations neuves et du remboursement transitoire de la TVD pour habitations neuves en Ontario*; GI-089 — *Taxe de vente harmonisée — prix convenu déduction faite des remboursements de la TPS/TVH pour habitations neuves et du remboursement transitoire de la TVP pour habitations neuves en Colombie-Britannique*; GI-105 — *Comment déterminer le pourcentage d'achèvement aux fins des remboursements transitoires provinciaux pour habitations neuves et du redressement fiscal transitoire en Ontario et en Colombie-Britannique*.

TVH

Règ. Can. Règlement sur la transmission électronique de déclarations et la communication de renseignements (TPS/TVH)

C.P. 2010-789 [DORS/2010-150] Enregistrement le 17 juin 2010

Définitions

1. Définitions — Les définitions qui suivent s'appliquent au présent règlement.

« déclaration déterminée » Toute déclaration visée à l'article 4.

« fourniture d'habitation admissible » Toute fourniture d'immeuble d'habitation relativement à laquelle, selon le cas :

a) la taxe prévue au paragraphe 165(2) de la Loi n'est pas payable par l'effet des paragraphes 51(1) ou (2), 52(1) ou (2) ou 53(1) ou (2) du *Règlement nº 2 sur le nouveau régime de la taxe à valeur ajoutée harmonisée*;

b) l'article 2 du *Règlement de 2010 sur la TVH applicable à la Nouvelle-Écosse* ne s'applique pas par l'effet des alinéas 19(3h) ou i) de ce règlement.

« fourniture d'habitation déterminée » Fourniture d'habitation admissible relativement à laquelle aucun montant n'est remboursable en vertu des paragraphes 254(2) ou 254.1(2) ou de l'article 256.2 de la Loi.

« Loi » La *Loi sur la taxe d'accise*.

« remboursement transitoire pour habitation neuve » Tout remboursement prévu au paragraphe 256.21(1) de la Loi dont le montant est déterminé selon la section 4 de la partie 9 du *Règlement nº 2 sur le nouveau régime de la taxe à valeur ajoutée harmonisée*.

Notes historiques: L'article 1 a été ajouté par C.P. 2010-789, 17 juin 2010 art. 1 et s'applique relativement aux périodes de déclaration d'une personne se terminant après juin 2010. Toutefois, nul n'est passible d'une pénalité dont le montant est déterminé selon le présent règlement relativement à une déclaration déterminée pour une telle période de déclaration qui est produite avant le 1er juillet 2010 ou, si elle est postérieure, la date où le présent règlement est publié dans la *Gazette du Canada* pour la première fois.

Transmission électronique de déclarations

2. Personne visée — Pour l'application du paragraphe 278.1(2.1) de la Loi, la personne, sauf une institution financière désignée particulière, qui est un inscrit est une personne visée pour une période de déclaration comprise dans son exercice si, selon le cas :

a) elle n'est pas un organisme de bienfaisance et le montant déterminant qui lui est applicable pour l'exercice, déterminé selon le paragraphe 249(1) de la Loi, excède 1 500 000 $;

b) elle est une grande entreprise, au sens de l'article 236.01 de la Loi, au cours de la période de déclaration ou d'une période de déclaration antérieure comprise dans l'exercice;

c) elle est un constructeur qui, selon le cas :

(i) effectue une fourniture d'habitation déterminée relativement à laquelle la taxe prévue au paragraphe 165(1) de la Loi devient payable au cours de la période de déclaration,

(ii) étant l'acquéreur d'une fourniture d'immeuble d'habitation qui est une fourniture d'habitation admissible, effectue une fourniture de l'immeuble d'habitation relativement à laquelle la taxe prévue au paragraphe 165(2) de la Loi devient payable au cours de la période de déclaration,

(iii) est réputé, pour l'application de la Loi, avoir perçu un montant de taxe, au cours de la période de déclaration, par l'effet des alinéas 51(1)e), 52(1)e) ou 53(1)e) du *Règlement nº 2 sur le nouveau régime de la taxe à valeur ajoutée harmonisée*;

d) elle est un constructeur qui demande, conformément au paragraphe 228(6) de la Loi, un remboursement transitoire pour habitation neuve dans une déclaration produite aux termes de la section V de la partie IX de la Loi pour la période de déclaration.

Notes historiques: L'article 2 a été ajouté par C.P. 2010-789, 17 juin 2010 art. 2 et s'applique relativement aux périodes de déclaration d'une personne se terminant après juin 2010. Toutefois, nul n'est passible d'une pénalité dont le montant est déterminé selon le présent règlement relativement à une déclaration déterminée pour une telle période de déclaration qui est produite avant le 1er juillet 2010 ou, si elle est postérieure, la date où le présent règlement est publié dans la *Gazette du Canada* pour la première fois.

Info TPS/TVQ: GI-090 — *Taxe de vente harmonisée — exigences de divulgation à l'intention des constructeurs en Ontario et en Colombie-Britannique*; GI-099 — *Les constructeurs et les exigences de production par voie électronique*.

Pénalités

3. Défaut de produire — Pour l'application de l'article 280.11 de la Loi, la pénalité dont une personne est passible pour avoir omis de produire une déclaration est égale :

a) à 100 $ pour le premier défaut;

b) à 250 $ pour chaque récidive.

Notes historiques: L'article 3 a été ajouté par C.P. 2010-789, 17 juin 2010 art. 3 et s'applique relativement aux périodes de déclaration d'une personne se terminant après juin 2010. Toutefois, nul n'est passible d'une pénalité dont le montant est déterminé selon le présent règlement relativement à une déclaration déterminée pour une telle période de déclaration qui est produite avant le 1er juillet 2010 ou, si elle est postérieure, la date où le présent règlement est publié dans la *Gazette du Canada* pour la première fois.

4. Déclaration visée — Pour l'application de l'article 284.01 de la Loi, est une déclaration visée pour une période de déclaration d'une personne toute déclaration pour la période qui doit être transmise par voie électronique conformément au paragraphe 278.1(2.1) de la Loi.

Modification proposée — 4

4. Déclaration visée — Pour l'application de l'article 284.01 de la Loi, est une déclaration visée pour une période de déclaration d'une personne :

a) toute déclaration pour la période qui doit être transmise par voie électronique conformément au paragraphe 278.1(2.1) de la Loi;

b) si la personne est une institution financière désignée particulière, toute déclaration à produire aux termes de la section V de la partie IX de la Loi pour la période.

Application: L'article 4 sera remplacé par l'art. 14 de l'*Avant-projet de règlement modifiant divers règlements relatifs à la TPS/TVH* du 28 janvier 2011. Cette modification s'appliquera relativement aux périodes de déclaration d'une personne se terminant après juin 2010.

Notes historiques: L'article 4 a été ajouté par C.P. 2010-789, 17 juin 2010 art. 4 et s'applique relativement aux périodes de déclaration d'une personne se terminant après juin 2010. Toutefois, nul n'est passible d'une pénalité dont le montant est déterminé selon le présent règlement relativement à une déclaration déterminée pour une telle période de déclaration qui est produite avant le 1er juillet 2010 ou, si elle est postérieure, la date où le présent règlement est publié dans la *Gazette du Canada* pour la première fois.

5. (1) Crédits de taxe sur les intrants récupérés — addition — Pour l'application du présent article, si une personne est tenue d'ajouter, en application du paragraphe 236.01(2) de la Loi, dans le calcul de sa taxe nette pour une période de déclaration, la totalité ou une partie de son crédit de taxe sur les intrants provincial déterminé, au sens du paragraphe 236.01(1) de la Loi, relatif à un bien ou un service, les règles suivantes s'appliquent :

a) le total de ces montants qu'il est raisonnable d'attribuer à des biens acquis ou transférés en Ontario ou qui se rapportent à un service acquis en vue d'être consommé ou utilisé dans cette province est un montant déterminé relativement à une déclaration déterminée pour la période de déclaration;

b) le total de ces montants qu'il est raisonnable d'attribuer à des biens acquis ou transférés en Colombie-Britannique ou qui se rapportent à un service acquis en vue d'être consommé ou utilisé dans cette province est un montant déterminé relativement à une déclaration déterminée pour la période de déclaration.

(2) **Crédits de taxe sur les intrants récupérés — déduction** — Pour l'application du présent article, si une personne peut déduire, en application du paragraphe 236.01(3) de la Loi, dans le calcul de sa taxe nette pour une période de déclaration, la totalité ou une partie de son crédit de taxe sur les intrants provincial déterminé, au sens du paragraphe 236.01(1) de la Loi, relatif à un bien ou un service, les règles suivantes s'appliquent :

a) le total de ces montants qu'il est raisonnable d'attribuer à des biens acquis ou transférés en Ontario ou qui se rapportent à un service acquis en vue d'être consommé ou utilisé dans cette province est un montant déterminé relativement à une déclaration déterminée pour la période de déclaration;

b) le total de ces montants qu'il est raisonnable d'attribuer à des biens acquis ou transférés en Colombie-Britannique ou qui se rapportent à un service acquis en vue d'être consommé ou utilisé dans cette province est un montant déterminé relativement à une déclaration déterminée pour la période de déclaration.

(3) **Montants visés** — Pour l'application de l'article 284.01 de la Loi, sont des montants visés relativement à une déclaration déterminée pour une période de déclaration d'une personne :

a) le montant positif ou négatif obtenu par la formule suivante :

$$A - B$$

où :

A représente le montant déterminé visé à l'alinéa 5(1)a) relativement à la déclaration déterminée pour la période de déclaration,

B le montant déterminé visé à l'alinéa 5(2)a) relativement à la déclaration déterminée pour la période de déclaration;

b) le montant positif ou négatif obtenu par la formule suivante :

$$A - B$$

où :

A représente le montant déterminé visé à l'alinéa 5(1)b) relativement à la déclaration déterminée pour la période de déclaration,

B le montant déterminé visé à l'alinéa 5(2)b) relativement à la déclaration déterminée pour la période de déclaration.

Ajout proposé — 5(4)

(4) **Crédits de taxe sur les intrants récupérés — institutions financières désignées particulières** — Pour l'application de l'article 284.01 de la Loi, tout montant positif qu'une personne doit ajouter dans le calcul de sa taxe nette pour une période de déclaration ou tout montant négatif qu'elle peut déduire dans ce calcul, selon l'alinéa 49d) du *Règlement sur la méthode d'attribution applicable aux institutions financières désignées particulières (TPS/TVH)*, est un montant visé relativement à une déclaration déterminée pour la période.

Application: Le paragraphe 5(4) sera ajouté par l'art. 15 de l'*Avant-projet de règlement modifiant divers règlements relatifs à la TPS/TVH* du 28 janvier 2011 et s'appliquera relativement aux périodes de déclaration d'une personne se terminant après juin 2010. Toutefois, nul n'est passible d'une pénalité dont le montant est déterminé selon l'article 7 du *Règlement sur la transmission électronique de déclarations et la communication de renseignements (TPS/TVH)* relativement à un montant donné qui, à la fois :

(i) est relatif à une déclaration déterminée pour une période de déclaration qui est produite avant la date où le présent règlement est publié dans la *Gazette du Canada*, Partie II,

(ii) est un montant visé par règlement pour l'application de l'article 284.01 de la *Loi sur la taxe d'accise* par l'effet du paragraphe 5(4) de ce règlement, édicté par l'article 15.

Notes historiques: L'article 5 a été ajouté par C.P. 2010-789, 17 juin 2010 art. 5 et s'applique relativement aux périodes de déclaration d'une personne se terminant après juin 2010. Toutefois, nul n'est passible d'une pénalité dont le montant est déterminé selon le présent règlement relativement à une déclaration déterminée pour une telle période de déclaration qui est produite avant le 1er juillet 2010 ou, si elle est postérieure, la date où le présent règlement est publié dans la *Gazette du Canada* pour la première fois.

6. Redressement de taxe transitoire — Si un constructeur est réputé, pour l'application de la Loi, avoir perçu, par l'effet des alinéas 51(1)e), 52(1)e) ou 53(1)e) du *Règlement nº 2 sur le nouveau régime de la taxe à valeur ajoutée harmonisée*, des montants de taxe au cours de sa période de déclaration, le total de ces montants relatifs à l'Ontario et le total de ces montants relatifs à la Colombie-Britannique sont des montants visés pour l'application de l'article 284.01 de la Loi relativement à une déclaration déterminée pour la période de déclaration.

Notes historiques: L'article 6 a été ajouté par C.P. 2010-789, 17 juin 2010 art. 6 et s'applique relativement aux périodes de déclaration d'une personne se terminant après juin 2010. Toutefois, nul n'est passible d'une pénalité dont le montant est déterminé selon le présent règlement relativement à une déclaration déterminée pour une telle période de déclaration qui est produite avant le 1er juillet 2010 ou, si elle est postérieure, la date où le présent règlement est publié dans la *Gazette du Canada* pour la première fois.

7. Pénalité — articles 5 et 6 — La pénalité prévue à l'article 284.01 de la Loi à l'égard d'un montant donné relatif à une déclaration déterminée pour une période de déclaration donnée d'une personne qui est un montant visé, pour l'application de cet article, selon le paragraphe 5(3) ou l'article 6 est égale à la somme des montants suivants :

Modification proposée — 7 préambule

7. Montant de la pénalité — articles 5 et 6 — La pénalité prévue à l'article 284.01 de la Loi à l'égard d'un montant donné relatif à une déclaration déterminée pour une période de déclaration donnée d'une personne qui est un montant visé, pour l'application de cet article, selon les paragraphes 5(3) ou (4) ou l'article 6 est égale à la somme des montants suivants :

Application: Le préambule de l'article 7 sera remplacé par l'art. 16 de l'*Avant-projet de règlement modifiant divers règlements relatifs à la TPS/TVH* du 28 janvier 2011 et cette modification s'appliquera relativement aux périodes de déclaration d'une personne se terminant après juin 2010.

a) le montant (appelé « pénalité de base » au présent article) qui correspond à 5 % du montant obtenu par la formule suivante :

$$A - B$$

où :

A représente le montant donné,

B :

(i) si la personne a omis de déclarer le montant donné dans le délai et selon les modalités prévus, zéro,

(ii) si elle a indiqué le montant donné de façon erronée, le montant qu'elle a indiqué dans la déclaration déterminée;

b) le résultat de la multiplication du cinquième de la pénalité de base par le nombre de mois entiers, jusqu'à concurrence de cinq, compris dans la période commençant à la date limite où la déclaration déterminée devait être produite et se terminant au premier en date des jours suivants :

(i) le jour où la personne déclare le montant donné et fait connaître la période de déclaration donnée au ministre par avis écrit ou de toute autre manière que celui-ci estime acceptable,

(ii) le jour où le ministre envoie un avis de cotisation qui comprend une cotisation concernant la taxe nette pour la période

TVH

de déclaration donnée qui tient compte du fait que la personne a omis de déclarer le montant donné ou l'a indiqué de façon erronée.

Notes historiques: L'article 7 a été ajouté par C.P. 2010-789, 17 juin 2010 art. 7 et s'applique relativement aux périodes de déclaration d'une personne se terminant après juin 2010. Toutefois, nul n'est passible d'une pénalité dont le montant est déterminé selon le présent règlement relativement à une déclaration déterminée pour une telle période de déclaration qui est produite avant le 1er juillet 2010 ou, si elle est postérieure, la date où le présent règlement est publié dans la *Gazette du Canada* pour la première fois.

8. Ventes d'habitations déterminées — contrepartie — Si un constructeur effectue des fournitures d'habitations déterminées relativement auxquelles la taxe prévue au paragraphe 165(1) de la Loi devient payable au cours d'une période de déclaration du constructeur, le total des contreparties de ces fournitures effectuées en Ontario, le total des contreparties de ces fournitures effectuées en Nouvelle-Écosse et le total des contreparties de ces fournitures effectuées en Colombie-Britannique sont des montants visés pour l'application de l'article 284.01 de la Loi relativement à une déclaration déterminée pour la période de déclaration.

Notes historiques: L'article 8 a été ajouté par C.P. 2010-789, 17 juin 2010 art. 8 et s'applique relativement aux périodes de déclaration d'une personne se terminant après juin 2010. Toutefois, nul n'est passible d'une pénalité dont le montant est déterminé selon le présent règlement relativement à une déclaration déterminée pour une telle période de déclaration qui est produite avant le 1er juillet 2010 ou, si elle est postérieure, la date où le présent règlement est publié dans la *Gazette du Canada* pour la première fois.

Info TPS/TVQ: GI-090 — *Taxe de vente harmonisée — exigences de divulgation à l'intention des constructeurs en Ontario et en Colombie-Britannique.*

9. Ventes d'anciennes habitations admissibles — Ontario et Colombie-Britannique — Si un constructeur est l'acquéreur de fournitures d'immeubles d'habitation qui sont des fournitures d'habitations admissibles effectuées en Ontario ou en Colombie-Britannique et qu'il effectue par la suite dans ces provinces d'autres fournitures d'immeubles d'habitation relativement auxquelles la taxe prévue au paragraphe 165(2) de la Loi devient payable au cours d'une période de déclaration du constructeur, le total des contreparties de ces fournitures d'habitations admissibles effectuées en Ontario et le total des contreparties de ces fournitures d'habitations admissibles effectuées en Colombie-Britannique sont des montants visés pour l'application de l'article 284.01 de la Loi relativement à une déclaration déterminée pour la période de déclaration.

Notes historiques: L'article 9 a été ajouté par C.P. 2010-789, 17 juin 2010 art. 9 et s'applique relativement aux périodes de déclaration d'une personne se terminant après juin 2010. Toutefois, nul n'est passible d'une pénalité dont le montant est déterminé selon le présent règlement relativement à une déclaration déterminée pour une telle période de déclaration qui est produite avant le 1er juillet 2010 ou, si elle est postérieure, la date où le présent règlement est publié dans la *Gazette du Canada* pour la première fois.

Info TPS/TVQ: GI-090 — *Taxe de vente harmonisée — exigences de divulgation à l'intention des constructeurs en Ontario et en Colombie-Britannique.*

10. Ventes d'anciennes habitations admissibles — Nouvelle-Écosse — Si un constructeur est l'acquéreur de fournitures d'immeubles d'habitation qui sont des fournitures d'habitations admissibles effectuées en Nouvelle-Écosse et que le constructeur ou bien effectue par la suite dans cette province d'autres fournitures d'immeubles d'habitation, sauf des fournitures d'habitations admissibles, relativement auxquelles la taxe prévue au paragraphe 165(2) de la Loi devient payable au cours d'une de ses périodes de déclaration, ou bien est réputé en vertu du paragraphe 191(1) de la Loi, au cours de la période de déclaration, avoir effectué des fournitures taxables, sauf des fournitures d'habitations admissibles, des immeubles d'habitation par vente et avoir perçu la taxe payable en vertu du paragraphe 165(2) de la Loi relativement à ces fournitures taxables, le total des contreparties de ces fournitures d'habitations admissibles est un montant visé pour l'application de l'article 284.01 de la Loi relativement à une déclaration déterminée pour la période de déclaration.

Notes historiques: L'article 10 a été ajouté par C.P. 2010-789, 17 juin 2010 art. 10 et s'applique relativement aux périodes de déclaration d'une personne se terminant après juin 2010. Toutefois, nul n'est passible d'une pénalité dont le montant est déterminé selon le présent règlement relativement à une déclaration déterminée pour une telle période de déclaration qui est produite avant le 1er juillet 2010 ou, si elle est postérieure, la date où le présent règlement est publié dans la *Gazette du Canada* pour la première fois.

11. Pénalité — articles 8 à 10 — La pénalité prévue à l'article 284.01 de la Loi à l'égard d'un montant donné relatif à une déclaration déterminée pour une période de déclaration donnée d'une personne qui est visé, pour l'application de cet article, à l'un des articles 8 à 10 est égale à la somme des montants suivants :

a) le montant (appelé « pénalité de base » au présent article) qui correspond à 5 % de la valeur absolue du montant positif ou négatif obtenu par la formule suivante :

$$A - B$$

où :

A représente le montant donné,

B :

(i) si la personne a omis de déclarer le montant donné dans le délai et selon les modalités prévus, zéro,

(ii) si elle a indiqué le montant donné de façon erronée, le montant qu'elle a indiqué dans la déclaration déterminée;

b) e résultat de la multiplication du cinquième de la pénalité de base par le nombre de mois entiers, jusqu'à concurrence de cinq, compris dans la période commençant à la date limite où la déclaration déterminée devait être produite et se terminant au premier en date des jours suivants :

(i) le jour où la personne déclare le montant donné et fait connaître la période de déclaration donnée au ministre par avis écrit ou de toute autre manière que celui-ci estime acceptable,

(ii) le jour où le ministre envoie un avis de cotisation qui comprend une cotisation concernant la taxe nette pour la période de déclaration donnée qui tient compte du fait que la personne a omis de déclarer le montant donné ou l'a indiqué de façon erronée.

Notes historiques: L'article 11 a été ajouté par C.P. 2010-789, 17 juin 2010 art. 11 et s'applique relativement aux périodes de déclaration d'une personne se terminant après juin 2010. Toutefois, nul n'est passible d'une pénalité dont le montant est déterminé selon le présent règlement relativement à une déclaration déterminée pour une telle période de déclaration qui est produite avant le 1er juillet 2010 ou, si elle est postérieure, la date où le présent règlement est publié dans la *Gazette du Canada* pour la première fois.

12. Nombre de logements — Si une personne est tenue d'indiquer dans une déclaration déterminée pour une période de déclaration un montant déterminé selon l'un des articles 8 à 10 relativement à des immeubles d'habitation, le nombre (appelé « nombre déterminé » au présent règlement) d'immeubles d'habitation qu'elle fournit au cours de cette période en Ontario, en Nouvelle-Écosse et en Colombie-Britannique et relativement auxquels le montant est déterminé selon ces articles est un renseignement visé pour l'application de l'article 284.01 de la Loi.

Notes historiques: L'article 12 a été ajouté par C.P. 2010-789, 17 juin 2010 art. 12 et s'applique relativement aux périodes de déclaration d'une personne se terminant après juin 2010. Toutefois, nul n'est passible d'une pénalité dont le montant est déterminé selon le présent règlement relativement à une déclaration déterminée pour une telle période de déclaration qui est produite avant le 1er juillet 2010 ou, si elle est postérieure, la date où le présent règlement est publié dans la *Gazette du Canada* pour la première fois.

13. Pénalité — article 12 — La pénalité prévue à l'article 284.01 de la Loi à l'égard d'un nombre déterminé qui est un renseignement visé, pour l'application de cet article, selon l'article 12 est égale au produit de 250 $ par la différence entre le nombre déterminé et celle des valeurs suivantes qui est applicable :

a) si la personne a omis d'indiquer le nombre déterminé dans le délai et selon les modalités prévus, zéro;

b) si elle a indiqué le nombre déterminé de façon erronée, le nombre qu'elle a indiqué dans la déclaration déterminée.

Notes historiques: L'article 13 a été ajouté par C.P. 2010-789, 17 juin 2010 art. 13 et s'applique relativement aux périodes de déclaration d'une personne se terminant après juin 2010. Toutefois, nul n'est passible d'une pénalité dont le montant est déterminé selon le présent règlement relativement à une déclaration déterminée pour une telle période de déclaration qui est produite avant le 1er juillet 2010 ou, si elle est postérieure, la date où le présent règlement est publié dans la *Gazette du Canada* pour la première fois.

14. Remboursements pour habitations neuves — Pour l'application de l'article 284.01 de la Loi, le montant donné qui correspond au total des montants dont chacun se rapporte à des remboursements visant des immeubles d'habitation qu'une personne déduit, en application du paragraphe 234(1) de la Loi, dans le calcul de sa taxe nette pour une période de déclaration, indépendamment du fait que l'obligation de transmettre les documents concernant cette déduction ait été remplie, est un montant visé relativement à une déclaration déterminée pour la période de déclaration.

Notes historiques: L'article 14 a été ajouté par C.P. 2010-789, 17 juin 2010 art. 14 et s'applique relativement aux périodes de déclaration d'une personne se terminant après juin 2010. Toutefois, nul n'est passible d'une pénalité dont le montant est déterminé selon le présent règlement relativement à une déclaration déterminée pour une telle période de déclaration qui est produite avant le 1er juillet 2010 ou, si elle est postérieure, la date où le présent règlement est publié dans la *Gazette du Canada* pour la première fois.

15. Pénalité — article 14 — La pénalité prévue à l'article 284.01 de la Loi à l'égard du montant donné relatif à une déclaration déterminée pour une période de déclaration donnée d'une personne qui est un montant visé, pour l'application de cet article, selon l'article 14 est égale, dans le cas où la personne a omis de déclarer le montant donné dans le délai et selon les modalités prévus, à celui des montants suivants qui est applicable :

a) si la personne n'a pas transmis au ministre, conformément aux paragraphes 254(5), 254.1(5) ou 256.21(4) de la Loi, les demandes visées au paragraphe 234(1) de la Loi relativement aux remboursements, le total des montants suivants :

(i) le montant (appelé « pénalité de base » au présent article) qui correspond à 5 % du montant donné,

(ii) le résultat de la multiplication du cinquième de la pénalité de base par le nombre de mois entiers, jusqu'à concurrence de cinq, compris dans la période commençant à la date limite où la déclaration déterminée devait être produite et se terminant au premier en date des jours suivants :

(A) le jour où une demande visant l'un ou plusieurs des remboursements est transmis au ministre conformément au paragraphe applicable de la Loi,

(B) le jour où le ministre envoie un avis de cotisation qui comprend une cotisation concernant la taxe nette pour la période de déclaration donnée qui tient compte du fait que la personne a omis de déclarer le montant donné;

b) dans les autres cas, 250 $.

Notes historiques: L'article 15 a été ajouté par C.P. 2010-789, 17 juin 2010 art. 15 et s'applique relativement aux périodes de déclaration d'une personne se terminant après juin 2010. Toutefois, nul n'est passible d'une pénalité dont le montant est déterminé selon le présent règlement relativement à une déclaration déterminée pour une telle période de déclaration qui est produite avant le 1er juillet 2010 ou, si elle est postérieure, la date où le présent règlement est publié dans la *Gazette du Canada* pour la première fois.

16. Remboursements transitoires pour habitations neuves — Pour l'application de l'article 284.01 de la Loi, si une personne demande dans une déclaration déterminée pour une période de déclaration, conformément au paragraphe 228(6) de la Loi, un montant au titre d'un remboursement transitoire pour habitation neuve qui lui est cédé ou auquel elle a droit, ce montant est un montant visé et, si la personne déclare ce montant à titre de déduction dans le calcul de sa taxe nette pour la période de déclaration et, de ce fait, omet de déclarer le montant selon les modalités prévues, la pénalité prévue à l'article 284.01 de la Loi à l'égard de ce montant visé est égale à 250 $.

Notes historiques: L'article 16 a été ajouté par C.P. 2010-789, 17 juin 2010 art. 16 et s'applique relativement aux périodes de déclaration d'une personne se terminant après juin 2010. Toutefois, nul n'est passible d'une pénalité dont le montant est déterminé selon le présent règlement relativement à une déclaration déterminée pour une telle période de déclaration qui est produite avant le 1er juillet 2010 ou, si elle est postérieure, la date où le présent règlement est publié dans la *Gazette du Canada* pour la première fois.

RÈG. CAN. RÈGLEMENT SUR LES DROITS EN GARANTIE (TPS/TVH)

C.P. 2011-262 [DORS/2011-55] Enregistrement le 3 mars 2011

1. Définitions — Dans le présent règlement, « Loi » s'entend de la *Loi sur la taxe d'accise*.

Notes historiques: L'article 1 a été ajouté par C.P. 2011-262 [DORS/2011-55], 3 mars 2011, art. 1 et est réputé être entré en vigueur le 20 octobre 2000.

16 mars 2011, Résumé de l'étude d'impact de la réglementation: *Question et objectifs* :

La taxe sur les produits et services et la taxe de vente harmonisée (TPS/TVH) est prévue par la *Loi sur la taxe d'accise* (LTA). Toute somme perçue par une personne au titre de la TPS/TVH est réputée être détenue en fiducie pour Sa Majesté du chef du Canada jusqu'à ce qu'elle soit versée ou retirée conformément à la LTA. En outre, la LTA prévoit que le droit de la Couronne sur les sommes détenues en fiducie a priorité sur tout autre droit d'un créancier garanti (appelé « droit en garantie ») sur ces sommes, sauf s'il s'agit d'un droit en garantie visé par règlement pris en vertu de la LTA.

Description et justification :

Conformément aux règlements pris en vertu de la *Loi de l'impôt sur le revenu*, du *Régime de pensions du Canada* et de la *Loi sur l'assurance-emploi*, le *Règlement sur les droits en garantie (TPS/TVH)* [le Règlement] précise en quoi consiste un droit en garantie pour l'application des dispositions de la LTA concernant la fiducie réputée. De façon générale, il s'agit d'une hypothèque sur un fonds ou un bâtiment qui a été enregistrée avant la perception d'un montant de TPS/TVH qui est en défaut de versement.

Le droit en garantie visé par règlement est assujetti à certaines restrictions prévues par le Règlement. En effet, les prêteurs qui jouissent de plusieurs garanties doivent d'abord épuiser celles qui laisseront intacte la garantie limitée de la Couronne. En conséquence, si un prêteur conclut un contrat de garantie générale comportant des sûretés supplémentaires qui, avec l'hypothèque sur le fonds ou le bâtiment, garantissent la créance, la valeur pour lui des sûretés supplémentaires réduira le montant de la garantie visée par règlement.

En outre, la garantie visée par règlement est limitée au montant impayé de la créance au moment où le débiteur fait défaut de verser la TPS/TVH. Ainsi, les avances que le prêteur pourrait consentir au débiteur après le défaut seront exclues du calcul de la garantie visée par règlement.

Enfin, une troisième restriction a pour effet de limiter le montant de la garantie visée par règlement à une valeur qui tient compte des sommes payées ou créditées après le défaut du débiteur de verser la TPS/TVH. Par conséquent, le prêteur qui avance des fonds à un débiteur en défaut ne pourra pas éviter l'érosion de la garantie visée par règlement en réalisant des sûretés supplémentaires avant que la fiducie réputée ne soit invoquée ou en prenant des mesures en vue d'obtenir des paiements préférentiels.

Consultation

L'intention de prendre le Règlement a été annoncée le 7 avril 1997 dans un communiqué du ministère des Finances, lequel proposait des modifications à la *Loi de l'impôt sur le revenu*, au *Régime de pensions du Canada*, à la *Loi sur l'assurance-emploi* et à la LTA visant à faire en sorte que la Couronne conserve sa priorité relativement aux retenues à la source non versées et à la TPS/TVH impayée, compte tenu d'une exception visant certains droits en garantie. Le public a eu amplement l'occasion de commenter les mesures depuis la publication du communiqué. Des règlements semblables relatifs à la *Loi de l'impôt sur le revenu*, au Régime de pensions du Canada et à la *Loi sur l'assurance-emploi* ont déjà été pris. L'Agence du revenu du Canada a été consultée lors de la préparation du Règlement.

Personnes-ressources

Yuki Bourdeau, Division de la taxe de vente, Ministère des Finances, 140, rue O'Connor, Ottawa (Ontario), K1A 0G5, Téléphone : 613-996-4222.

Costa Dimitrakopoulos, Direction de l'Accise et des Décisions de la TPS/TVH, Agence du revenu du Canada, Place de Ville, Tour A, 15e étage, Ottawa (Ontario), K1A 0L5, Téléphone : 613-954-7959.

2. Droits en garantie visés — **(1)** Pour l'application du paragraphe 222(4) de la Loi, est un droit en garantie visé, quant à un montant qui est réputé en vertu du paragraphe 222(1) de la Loi être détenu en fiducie par une personne, la partie d'une hypothèque garantissant l'exécution d'une obligation de la personne qui grève un fonds ou un bâtiment, mais seulement si l'hypothèque est enregistrée conformément au régime d'enregistrement foncier applicable avant le moment où le montant est ainsi réputé être détenu en fiducie.

(2) Pour l'application du paragraphe (1), si, à un moment donné, un montant réputé être détenu en fiducie par la personne mentionnée à ce paragraphe n'est pas versé au receveur général ou retiré selon les modalités et dans le délai prévus par la partie IX de la Loi, le montant du droit en garantie mentionné à ce paragraphe ne peut excéder la somme obtenue par la formule ci-après tant que tous les montants réputés en vertu du paragraphe 222(1) de la Loi être détenus en fiducie par la personne ne sont pas retirés conformément au paragraphe 222(2) de la Loi ou versés au receveur général :

$$A - B$$

où :

A représente le montant de l'obligation garantie par l'hypothèque qui est impayé au moment donné;

B la somme des montants suivants :

a) le total des montants dont chacun représente la valeur déterminée au moment donné, compte tenu des circonstances, y compris l'existence d'une fiducie réputée établie au profit de Sa Majesté conformément au paragraphe 222(1) de la Loi, des droits du créancier garanti garantissant l'obligation, consentis par la personne ou non, y compris les garanties et droits de compensation mais non l'hypothèque visée au paragraphe (1),

b) les montants appliqués en réduction de l'obligation après le moment donné.

(3) Le droit en garantie visé au paragraphe (1) comprend le produit de l'assurance ou de l'expropriation lié à un fonds ou à un bâtiment qui fait l'objet d'un droit hypothécaire enregistré, rajusté conformément au paragraphe (2), mais non les privilèges, priorités ou autres garanties créés par une loi, les cessions ou hypothèques de loyers ou de baux ou les droits hypothécaires sur les biens d'équipement ou les accessoires fixes que le créancier hypothécaire ou une autre personne a le droit absolu ou conditionnel d'enlever du fonds ou du bâtiment ou dont il a le droit absolu ou conditionnel de disposer séparément.

Notes historiques: L'article 2 a été ajouté par C.P. 2011-262 [DORS/2011-55], 3 mars 2011, art. 2 et est réputé être entré en vigueur le 20 octobre 2000.

16 mars 2011, Résumé de l'étude d'impact de la réglementation: [Voir sous l'article 1 — n.d.l.r.]

3. Entrée en vigueur — Le présent règlement est réputé être entré en vigueur le 20 octobre 2000.

Notes historiques: L'article 3 a été ajouté par C.P. 2011-262 [DORS/2011-55], 3 mars 2011, art. 3 et est réputé être entré en vigueur le 20 octobre 2000.

16 mars 2011, Résumé de l'étude d'impact de la réglementation: [Voir sous l'article 1 — n.d.l.r.]

Règ. Can Règlement sur le crédit pour allègement provincial (TVH)

C.P. 2011-264 [DORS/2011-57] Enregistrement le 3 mars 2011

Définitions

1. Les définitions qui suivent s'appliquent au présent règlement.

« Loi » *La Loi sur la taxe d'accise.*

« montant admissible » Montant au titre duquel un paiement ou un crédit est envisagé dans un accord d'harmonisation de la taxe de vente conclu entre le gouvernement du Canada et le gouvernement de l'Ontario, qui est égal à un montant de taxe payé ou payable par une personne en vertu du paragraphe 165(2) ou des articles 212.1 ou 218.1 de la Loi ou de la section IV.1 de la partie IX de la Loi et qui, selon le règlement de l'Ontario, peut être payé à la personne, ou porté à son crédit, par la Couronne du chef de l'Ontario ou en son nom.

« règlement de l'Ontario » Le règlement de l'Ontario 317/10 (*Rebates for First Nations in Ontario*), en son état au 13 août 2010, pris en vertu de la *Loi sur la taxe de vente au détail*, L.R.O. 1990, ch. R.31.

[C.P. 2011-264, 3 mars 2011, art. 1].

Crédit au fournisseur

2. (1) Crédit — L'inscrit qui effectue une fourniture en Ontario au profit d'une personne et qui porte au crédit de celle-ci, au cours d'une période de déclaration de l'inscrit, un montant admissible relativement à la fourniture peut demander un crédit égal à tout ou partie de ce montant en présentant au ministre une demande relative à une déclaration visant la période de déclaration en cause ou l'une de ses périodes de déclaration postérieures.

(2) Forme et modalités — La demande de crédit doit contenir les renseignements déterminés par le ministre et lui être présentée en la forme et selon les modalités qu'il détermine.

(3) Paiement du crédit — Si, à un moment donné, un inscrit produit une déclaration en vertu de la partie IX de la Loi pour une de ses périodes de déclaration et y joint une demande de crédit prévu au paragraphe (1) relativement à cette déclaration, les règles suivantes s'appliquent :

(a) si l'inscrit indique, dans la déclaration, un montant (appelé « versement » au présent alinéa) qui doit être versé aux termes des paragraphes 228(2), (2.1) ou (2.3) de la Loi ou payé aux termes du paragraphe 228(4) de la Loi ou des sections IV ou IV.1 de la partie IX de la Loi, il est réputé avoir versé à ce moment au titre de son versement, et le ministre est réputé avoir payé à ce moment au titre du crédit, un montant égal au versement ou, s'il est moins élevé, au montant du crédit;

(b) le ministre peut payer à l'inscrit toute partie du montant du crédit qui n'est pas réputée avoir été payée en vertu de l'alinéa a).

(4) Restriction — Pour l'application des articles 263.02 et 263.1 de la Loi, le montant d'un crédit que le ministre peut payer à un inscrit aux termes de l'alinéa (3)b) est réputé être un remboursement prévu par la partie IX de la Loi.

(5) Intérêts sur le crédit et paiement en trop — Pour l'application des paragraphes 264(1) et 297(4) de la Loi, le montant d'un crédit payé à un inscrit aux termes de l'alinéa (3)b) est réputé être un remboursement prévu à la section VI de la partie IX de la Loi qui est payé à l'inscrit selon le paragraphe 297(3) de la Loi, et la date de production de la déclaration à laquelle la demande de crédit se rapporte ou, si elle est postérieure, la date de production de la demande de crédit est réputée être la date de production de la demande visant ce remboursement.

[C.P. 2011-264, 3 mars 2011, art. 2].

Indication de la taxe

3. Exception — L'inscrit qui effectue une fourniture en Ontario au profit d'une personne et qui porte au crédit de celle-ci un montant admissible relativement à la fourniture n'a pas à inclure, en vertu des paragraphes 223(1) ou (1.1) de la Loi, la taxe prévue au paragraphe 165(2) de la Loi, ou le taux de cette taxe, dans le total de la taxe payable ou le total des taux de taxe payable relativement à la fourniture.

[C.P. 2011-264, 3 mars 2011, art. 3].

Pénalités

4. (1) Pénalité pour indication erronée — L'inscrit qui effectue une fourniture en Ontario au profit d'une personne, qui porte au crédit de celle-ci un montant admissible relativement à la fourniture et qui, dans le calcul de sa taxe nette pour une de ses périodes de déclaration, déduit un montant représentant tout ou partie du montant admissible ou omet d'ajouter un montant de taxe, représentant tout ou partie du montant admissible, qui est devenu à percevoir de la personne relativement à la fourniture au cours de la période de déclaration est passible, en plus de toute autre pénalité ou des intérêts prévus par la partie IX de la Loi, d'une pénalité égale au montant obtenu par la formule suivante :

$$A \times [5\ \% + (1\ \% \times B)]$$

où :

A représente le montant (appelé « montant erroné » au présent paragraphe) que l'inscrit a déduit ou a omis d'ajouter;

B cinq ou, s'il est moins élevé, le nombre de mois entiers compris dans la période commençant à la date limite où doit être produite la déclaration dans laquelle l'inscrit déduit ou omet d'ajouter le montant erroné et se terminant à celle des dates suivantes qui est antérieure à l'autre :

a) la date où l'inscrit déclare le montant erroné et indique au ministre, par écrit ou de toute autre manière que celui-ci estime acceptable, de quelle période de déclaration il s'agit;

b) la date où le ministre envoie un avis de cotisation portant notamment sur la taxe nette de l'inscrit pour la période de déclaration et tenant compte du montant erroné.

(2) Pénalité pour production tardive — L'inscrit qui demande, conformément au paragraphe 2(1), un crédit donné égal à tout ou partie d'un montant admissible plus de quatre ans après la date où il a crédité le montant admissible est passible d'une pénalité égale au montant du crédit donné.

(3) Renonciation ou annulation de pénalités — Le ministre peut, au plus tard à la date qui suit de dix années civiles la fin d'une période de déclaration d'un inscrit, ou sur demande de celui-ci faite au plus tard à cette date, annuler tout ou partie d'une pénalité payable par l'inscrit en vertu du paragraphe (1) relativement à une déclaration pour la période de déclaration ou y renoncer.

(4) Renonciation ou annulation de pénalités — Le ministre peut, au plus tard à la date qui suit de dix années civiles le jour où un inscrit a demandé un crédit donné conformément au paragraphe 2(1), ou sur demande de l'inscrit faite au plus tard à cette date, annuler tout ou partie d'une pénalité payable par l'inscrit en vertu du paragraphe (2) relativement au crédit donné ou y renoncer.

[C.P. 2011-264, 3 mars 2011, art. 4].

DÉDUCTION — IMPORTATIONS, FOURNITURES TAXABLES IMPORTÉES ET TRANSFERTS

5. Déduction — article 212.1 — Si la taxe prévue à l'article 212.1 de la Loi est payable par une personne et que tout ou partie de cette taxe est un montant égal à un montant admissible qui est porté au crédit de la personne en vertu du règlement de l'Ontario, le montant admissible est appliqué en déduction de cette taxe dans le calcul du montant à payer et à percevoir en vertu de l'article 214 de la Loi.

[C.P. 2011-264, 3 mars 2011, art. 5].

6. Déduction — article 218.1 et section IV.1 de la partie IX — Si la taxe prévue à l'article 218.1 de la Loi ou à la section IV.1 de la partie IX de la Loi est payable par une personne et que tout ou partie de cette taxe est un montant égal à un montant admissible, le montant admissible est porté au crédit de la personne par le ministre et est appliqué en déduction de cette taxe dans le calcul du montant à payer en vertu de l'article 219 ou du paragraphe 220.09(1) de la Loi si la personne présente au ministre, en la forme et selon les modalités qu'il détermine, une demande de crédit, contenant les renseignements qu'il détermine, avec la déclaration dans laquelle elle est tenue d'indiquer la taxe en vertu de l'article 219 ou du paragraphe 220.09(1) de la Loi.

[C.P. 2011-264, 3 mars 2011, art. 6].

RESTRICTIONS

7. Crédits de taxe sur les intrants, etc. — Un montant de taxe prévu au paragraphe 165(2), aux articles 212.1 ou 218.1 de la Loi ou à la section IV.1 de la partie IX de la Loi n'est pas inclus dans le calcul d'un crédit de taxe sur les intrants d'une personne ou d'un remboursement ou d'une remise pouvant être versé ou accordé à une personne en vertu de la Loi ou d'une autre loi fédérale dans la mesure où il est raisonnable de considérer qu'un montant admissible a été porté au crédit de la personne, ou que la personne a le droit de se faire payer ou créditer un montant admissible, en vertu du règlement de l'Ontario relativement à ce montant de taxe.

[C.P. 2011-264, 3 mars 2011, art. 7].

8. Restriction additionnelle — Aucun montant de crédit de taxe sur les intrants, de remboursement ou de remise prévu par la Loi ou par une autre loi fédérale ni aucun montant d'avantage fiscal, au sens du paragraphe 274(1) de la Loi, n'est crédité, payé, accordé ou consenti dans la mesure où il est raisonnable de considérer que le montant est déterminé, directement ou indirectement, par rapport à un montant admissible qui a été porté au crédit d'une personne, ou qu'une personne a le droit de se faire payer ou créditer, en vertu du règlement de l'Ontario relativement à ce montant de taxe.

[C.P. 2011-264, 3 mars 2011, art. 8].

9. Aucun redressement en cas de montant crédité — Si un inscrit effectue une fourniture en Ontario au profit d'une personne et porte au crédit de celle-ci un montant admissible relativement à la fourniture, le montant de taxe prévu au paragraphe 165(2) de la Loi relativement à la fourniture qui est égal au montant admissible n'est pas inclus dans le calcul du montant qui peut être déduit ou qui doit être ajouté, selon le cas, en application des articles 231 ou 232 de la Loi dans le calcul de la taxe nette de l'inscrit pour toute période de déclaration de celui-ci.

[C.P. 2011-264, 3 mars 2011, art. 9].

10. Application — **(1)** Les articles 1 à 3 et 5 à 9 sont réputés être entrés en vigueur le 1er septembre 2010.

(2) L'article 4 s'applique relativement à toute période de déclaration d'une personne se terminant après août 2010. Toutefois, nul n'est passible d'une pénalité dont le montant est déterminé selon le présent règlement relativement à une déclaration pour cette période de déclaration qui est produite après août 2010 et avant la date de la publication du présent règlement dans la Gazette du Canada.

[C.P. 2011-264, 3 mars 2011, art. 10].

30 septembre 2011 — Protocole d'entente concernant l'harmonisation des taxes de vente en vue de la conclusion d'une entente intégrée globale de coordination fiscale entre le Canada et le Québec

ENTRE :

Le gouvernement du Canada (ci-après appelé « le Canada »), représenté par le ministre des Finances du Canada,

ET

Le gouvernement du Québec (ci-après appelé « le Québec »), représenté par le ministre des Finances du Québec et par le ministre responsable des Affaires intergouvernementales canadiennes et de la Francophonie canadienne,

ci-après appelés « les parties ».

Préambule

Le présent protocole d'entente témoigne de l'engagement ferme des parties de travailler en collaboration en vue d'établir des assises économiques plus solides.

Conformément au présent protocole, les parties s'engagent à faire de leur mieux pour négocier une entente intégrée globale de coordination fiscale entre le Canada et le Québec (ci-après appelée « l'EIGCF Canada-Québec »), ainsi que les accords connexes nécessaires.

Le présent protocole constitue le cadre pour la conclusion de l'EIGCF Canada-Québec.

EIGCF Canada-Québec

1. Les parties s'engagent à conclure l'EIGCF Canada-Québec et à demander toutes les autorisations éventuellement requises. Elles comprennent que le présent protocole n'est pas un accord visé au paragraphe 8.3(1) de la *Loi sur les arrangements fiscaux entre le gouvernement fédéral et les provinces*.

2. Les parties feront de leur mieux pour conclure l'EIGCF Canada-Québec au plus tard le 1er avril 2012.

3. Les parties conviennent de faire de leur mieux pour remplir les engagements pris aux termes du présent protocole avant le 1er juin 2012, sauf disposition contraire prévue par le présent protocole, et notamment :

a) de finaliser toutes les modalités sur le plan de la politique et de l'administration;

b) de signer tous les accords relatifs à l'EIGCF Canada-Québec;

c) pour ce qui est du Québec, d'annoncer publiquement l'ensemble des modifications qui seront apportées à la législation pour donner effet à la taxe de vente du Québec (« TVQ ») modifiée conformément au présent protocole (appelée ci-après « TVQ modifiée ») et toute autre mesure appropriée relative au passage à la TVQ modifiée.

Date de mise en œuvre

4. Sous réserve de la signature par les parties de l'EIGCF Canada-Québec et de toute autorisation législative nécessaire, le Québec travaillera en vue de la mise en œuvre de la TVQ modifiée le 1er janvier 2013. Sous réserve de ces autorisations et de l'exécution, avant le 1er juin 2012, des engagements prévus à l'article 3, l'Agence du revenu du Québec (« Revenu Québec ») et l'Agence du revenu du Canada (« ARC ») auront mis en place les systèmes nécessaires en vue de l'administration efficace, conformément au présent protocole, de la TVQ modifiée au plus tard le 1er janvier 2013. La date de mise en œuvre de la TVQ modifiée est appelée ci-après « date de mise en œuvre ».

Paiements d'aide fédérale au Québec

5. Le Canada fera au Québec des paiements totalisant 2 200 millions de dollars (« montant d'aide »), sous réserve de l'article 22 et de toute autorisation législative éventuellement requise.

6. Sauf accord contraire entre les parties, le montant d'aide sera versé selon le calendrier suivant : 733 millions de dollars le premier jour ouvrable suivant la date de mise en œuvre et 1 467 millions de dollars le premier jour ouvrable suivant le jour qui suit d'un an la date de mise en œuvre, pourvu que la TVQ modifiée soit toujours en place.

Durée d'application de certains droits et obligations

7. Les parties conviennent que les droits et les obligations énoncés aux articles 8 à 14 demeureront en vigueur pendant une période d'au moins cinq ans à compter de la date de mise en œuvre et que ceux énoncés aux articles 15 et 18 demeureront en vigueur pendant une période d'au moins dix ans à compter de cette date.

Maintien d'une assiette fiscale harmonisée

8. Sous réserve des exceptions prévues par le présent protocole, le Québec veillera à ce que l'assiette de la TVQ modifiée, de même que les paramètres administratifs, structurels et définitionnels, produisent des résultats qui sont identiques à ceux produits sous le régime de la taxe sur les produits et services (« TPS ») ou de la taxe de vente harmonisée (« TVH ») et soient administrés d'une manière qui produit des résultats identiques. Le Québec, malgré l'alinéa 10d), s'engage donc à retirer la TPS de l'assiette de la TVQ modifiée.

9. Sous réserve des exceptions prévues par le présent protocole, et dans le respect des compétences de l'Assemblée nationale, le Québec s'engage à reproduire le plus tôt possible dans les textes législatifs concernant la TVQ, conformément à l'article 8, toute modification apportée par le Canada aux textes législatifs concernant la TPS/TVH. Toute modification requise apportée aux textes législatifs concernant la TVQ :

a) sera annoncée publiquement par le Québec le plus tôt possible après la date à laquelle le Canada aura annoncé publiquement la modification correspondante apportée à la TPS/TVH, mais au plus tard 90 jours après cette date, sauf accord contraire entre les parties;

b) de façon générale, s'appliquera à compter de la même date que la modification correspondante apportée à la TPS/TVH, mais au plus tard 60 jours après la date de cette modification, sauf s'il s'agit d'une modification imposant des pénalités ou des amendes.

Protocole TVH

Dans le cas d'une modification imposant des pénalités ou des amendes, le Québec s'engage à déposer à l'Assemblée nationale, le plus tôt possible après avoir annoncé publiquement la modification, un projet de loi la mettant en œuvre.

Marge de manœuvre du Québec en matière de politique fiscale

10. La marge de manœuvre du Québec en matière de politique fiscale relative à la TVQ modifiée, qui a été établie compte tenu du fait que la TVQ est en vigueur depuis le 1er juillet 1992, sera confirmée dans l'EIGCF Canada-Québec. En voici la teneur :

a) Le Québec peut augmenter ou réduire le taux de la TVQ modifiée.

b) Les mesures relatives à la TVQ mentionnées à l'annexe A, telles qu'elles s'appliquent et sont administrées à la date de la signature du présent protocole, qui diffèrent de la TPS/TVH peuvent continuer de différer de celle-ci sous le régime de la TVQ modifiée, mais seulement dans la mesure de la différence.

c) Le Québec peut adopter des mesures administratives pour assurer l'intégrité du régime de la TVQ modifiée ou pour en simplifier, en améliorer ou en assouplir l'application, pour autant que les parties s'entendent sur l'adoption de ces mesures selon les principes du présent protocole.

d) L'assiette de la TVQ modifiée peut s'écarter de l'assiette de la TPS/TVH, pour autant que le total de la valeur absolue des écarts n'excède pas 5 % (tel que déterminé par le Canada en consultation avec le Québec) de l'assiette de TPS estimative pour le Québec.

Les parties conviennent que, pour l'application du présent protocole, la valeur totale des écarts ayant trait aux mesures mentionnées à l'annexe B qui ont été mises en place par le Québec avant la signature du présent protocole représente 3 % de l'assiette de TPS estimative pour le Québec.

Les parties conviennent que tout nouvel écart de l'assiette ne se fera que sous réserve de la disponibilité des données et des définitions utilisées dans le Système de comptabilité nationale du Canada ou dans d'autres sources de données, de définitions ou de méthodologies convenues d'un commun accord. Si des données ou des définitions ainsi convenues ne sont pas facilement accessibles, les coûts liés à leur obtention ou à leur établissement seront assumés entièrement par le Québec.

e) Le Québec peut fixer le taux des remboursements de la TVQ modifiée applicables aux municipalités, universités, écoles, collèges, hôpitaux, organismes de bienfaisance et organismes à but non lucratif admissibles ainsi que le taux des remboursements de la TVQ modifiée et les seuils applicables aux habitations neuves, tout en respectant les paramètres administratifs, structurels et définitionnels de la TPS/TVH relativement à ces remboursements. Toutefois, compte tenu de l'existence d'un accord entre le Québec et ses municipalités, le Québec peut conserver sa structure de remboursement relative aux municipalités, telle qu'elle s'applique et est administrée à la date de la signature du présent protocole, mais seulement jusqu'au 31 décembre 2013.

Réduction de l'assiette

11. Conformément aux dispositions de l'annexe C, si le Canada propose de retirer un bien ou un service de l'assiette de la TPS/TVH et que la reproduction de cette modification dans les textes législatifs concernant la TVQ aurait pour effet de réduire de plus de un pour cent les recettes nettes tirées de la TVQ modifiée, le Canada peut mettre la modification en œuvre si le ministre des Finances du Québec y consent par écrit. Le Canada, s'il met la modification en œuvre sans consulter le Québec ou s'il procède à sa mise en œuvre sans le consentement écrit du ministre des Finances du Québec, s'engage à dédommager le Québec conformément aux dispositions de cette annexe.

Règles sur le lieu de fourniture

12. Le Québec s'engage à ce que les textes législatifs concernant la TVQ reflètent les règles sur le lieu de fourniture prévues par les textes législatifs concernant la TPS/TVH. À cet égard, il s'engage à éliminer les cas de double taxation et d'absence de taxation.

Services financiers

13. Le Québec s'engage à ce que les textes législatifs concernant la TVQ reflètent les règles relatives aux services financiers et aux institutions financières prévues par les textes législatifs concernant la TPS/TVH. Le Québec veillera à ce que l'harmonisation du régime de la TVQ à celui de la TPS/TVH à cet égard se fasse en évitant les cas de double taxation et d'absence de taxation et en assurant la neutralité du régime fiscal pour les entreprises de ce secteur. Les parties se pencheront sur cette question en tenant compte des principes énoncés ci-dessus et le Québec déterminera la meilleure façon de parvenir à ce résultat dans le cadre de la législation québécoise.

Achats de l'état

14. À compter du 1er avril 2013, les parties conviennent de payer la TPS/TVH et la TVQ modifiée relativement aux fournitures effectuées au profit de leurs gouvernements respectifs ou des mandataires de ceux-ci. En cas d'immunité fiscale entre administrations, les montants de TPS/TVH et de TVQ modifiée seront recouvrables au moyen d'un mécanisme de remboursement.

Élimination des restrictions applicables aux remboursements de la taxe sur les intrants

15. Au terme d'une période initiale d'une durée maximale de cinq ans à compter de la date de mise en œuvre, le Québec s'engage à éliminer graduellement ses restrictions applicables aux remboursements de la taxe sur les intrants des grandes entreprises en proportions annuelles égales sur une période d'une durée maximale de trois ans.

Gouvernance

16. Les parties conviennent qu'un comité d'examen, constitué de représentants de celles-ci, sera établi afin d'examiner des questions liées à la TPS/TVH et à la TVQ modifiée, notamment l'assiette fiscale harmonisée et les paramètres administratifs, structurels et définitionnels, et de fournir au besoin des conseils aux ministres des Finances des parties.

Perception et administration

17. Au Québec, la TPS/TVH et la TVQ modifiée seront perçues et administrées par Revenu Québec, selon des niveaux de service et d'observation convenus d'un commun accord, en vertu de l'accord visant l'administration de la TPS/TVH au Québec par Revenu Québec, et ses modifications successives.

18. Les parties conviennent de ce qui suit :

a) l'ARC et Revenu Québec procéderont conjointement à un examen du coût que l'ARC engagerait pour administrer la TPS/TVH au Québec;

b) la portée de l'examen sera déterminée conjointement par l'ARC et Revenu Québec;

c) les résultats de l'examen seront mis à la disposition des parties au plus tard le 15 février 2012, sauf accord contraire entre les parties, afin qu'elles soient en mesure de conclure l'EIGCF Canada-Québec au plus tard le 1er avril 2012;

d) les parties assumeront chacune leurs coûts associés à l'examen;

e) le coût établi par suite de l'examen représente la somme maximale que le Canada versera au Québec pour l'administration de la TPS/TVH au Québec pour l'année qui commence à la date de mise en œuvre (« année de mise en œuvre »);

f) la cinquième année suivant l'année de mise en œuvre et la cinquième année de chaque période subséquente de cinq ans, le coût que l'ARC engagerait pour administrer la TPS/TVH au Québec sera déterminé de nouveau selon la même méthodologie que celle qui a servi à déterminer le coût pour l'année de mise en œuvre; le coût ainsi déterminé de nouveau représente la somme maximale que le Canada versera au Québec pour l'administration de la TPS/TVH au Québec pour la cinquième année en cause;

g) pour chacune des quatre années suivant l'année de mise en œuvre et suivant la cinquième année de chaque période subséquente de cinq ans, la somme maximale que le Canada versera au Québec pour l'administration de la TPS/TVH au Québec correspondra au coût déterminé pour l'année de mise en œuvre ou pour la cinquième année en cause, selon le cas, ajusté en fonction d'un facteur établi d'un commun accord entre les parties dans le cadre de l'examen.

19. Malgré l'article 17 :

a) la TPS/TVH applicable aux institutions financières désignées particulières (« IFDP »), au sens de la partie IX de la *Loi sur la taxe d'accise*, et aux institutions financières (« institutions financières déterminées ») qui seraient des IFDP si le Québec était une province participante aux termes de cette partie, sera perçue et administrée par l'ARC;

b) la TVQ modifiée applicable aux IFDP et aux institutions financières déterminées sera perçue et administrée par l'ARC, conformément à un accord conclu entre les parties, selon le principe de la rémunération des services et à la condition que les textes législatifs concernant la TVQ continuent de refléter les règles relatives aux services financiers et aux institutions financières prévues par les textes législatifs concernant la TPS/TVH, comme le prévoit l'article 13.

20. Les parties reconnaissent que les recettes perçues par l'ARC et payables au Québec en raison de l'administration par l'ARC de la TVQ modifiée, prévue à l'article 19, seront versées au Québec selon les modalités prévues dans l'accord mentionné à cet article, lequel accord comprendra un mécanisme de vérification par le Québec.

Échange de renseignements

21. Les parties travailleront en toute collaboration relativement à l'échange de renseignements pertinents concernant le Québec et ayant trait à la TPS/TVH et à la TVQ modifiée, sous réserve des lois et des règlements applicables.

Violation

22. Conformément aux dispositions de l'annexe D, si le Québec est considéré avoir commis une violation substantielle de l'EIGCF Canada-Québec, le montant d'aide deviendra aussitôt dû et remboursable par le Québec à titre de créance du Canada dans la mesure où le Québec l'aura reçu et, le cas échéant, tout montant d'aide résiduel ne lui sera pas versé.

Modification et résiliation

23. Les parties conviennent que l'EIGCF Canada-Québec comprendra des dispositions convenues d'un commun accord exposant le processus à suivre pour la modifier ou la résilier.

Compétence constitutionnelle

24. Ni l'une ni l'autre des parties n'est réputée avoir cédé ou abandonné les pouvoirs, droits, privilèges ou attributions qui lui sont conférés par les *Lois constitutionnelles de 1867 à 1982*, et leurs modifications, ou autrement, ou être lésée dans l'un ou l'autre de ces pouvoirs, droits, privilèges ou attributions.

Divers

25. Il est entendu que l'EIGCF Canada-Québec, n'étant pas fondée sur tous les éléments du cadre qui régit les ententes intégrées globales de coordination fiscale (« EIGCF ») conclues entre le Canada et les autres provinces, ne comportera pas tous les mêmes droits et obligations que les autres EIGCF conclues par le Canada, comme les droits et les obligations qui ont trait à la législation fédérale, à l'administration fédérale et à la répartition des revenus fiscaux, ou qui en découlent.

26. Il est entendu que le Québec ne contournera pas l'objectif sous-jacent du présent protocole au moyen d'une autre taxe à la valeur ajoutée.

Confidentialité

27. Les parties conviennent de mettre l'embargo sur l'existence du présent protocole et de ne pas divulguer de quelque manière que ce soit la teneur des pourparlers fédéraux-provinciaux concernant l'élaboration, la négociation et la mise en œuvre du présent protocole ou de l'EIGCF Canada-Québec, sauf d'un commun accord conclu par écrit ou sauf si elles y sont requises par la loi.

LE PRÉSENT PROTOCOLE D'ENTENTE A ÉTÉ CONCLU LE 29 septembre 2011
POUR LE CANADA

L'honorable James M. Flaherty
Ministre des Finances

POUR LE QUÉBEC

L'honorable Raymond Bachand

Ministre des Finances

L'honorable Yvon Vallières

Ministre responsable des Affaires intergouvernementales canadiennes et de la Francophonie canadienne

Annexe A

- Mesures administratives prévues par la Loi sur l'administration fiscale du Québec.
- Détaxation des véhicules automobiles acquis pour être fournis de nouveau et perception de la TVQ au détail par la Société de l'assurance automobile du Québec.
- Règle anti-évitement aux fins du calcul de la TVQ à payer à l'égard d'un véhicule routier usagé.
- Mesures applicables aux exploitants de marchés aux puces.
- Mesures applicables aux fabricants de vêtements.
- Mesures applicables aux exploitants d'établissements de restauration.
- Inscription obligatoire de certains petits fournisseurs et de certaines personnes ne résidant pas au Québec et n'y exploitant pas d'entreprise.
- Application de la taxe aux véhicules routiers fournis autrement que dans le cadre d'activités commerciales.
- Compensation aux villes de Montréal, de Québec et de Laval pour l'abolition des droits sur les divertissements.

Annexe B

- Détaxation du tabac.
- Détaxation des livres.
- Détaxation des couches pour enfants et des articles d'allaitement.
- Détaxation des droits d'entrée à un congrès non étranger vendus par le promoteur du congrès à un participant non résident.
- Détaxation des services de transport de passagers du Québec vers une autre province avec un changement de moyen de transport hors du Canada.
- Détaxation des services interprovinciaux de navette par bateau de véhicules à moteur et de passagers entre les parties d'un réseau routier séparées par une étendue d'eau.
- Détaxation des services ambulanciers aériens interprovinciaux.
- Mesures transitoires d'exemption pour les Mohawks de Kahnawake.
- Non-taxation à l'égard de certains biens et services fournis par les municipalités du fait que ces intrants n'étaient admissibles à aucun remboursement.
- Remboursement de la taxe payée par certains organismes internationaux.
- Remboursement de la taxe payée à l'égard des ouvre-portes automatiques pour l'usage de personnes handicapées.
- Remboursement de la taxe payée à l'égard d'un bateau de plaisance apporté temporairement au Québec pour l'entreposage hivernal.
- Taxation par autocotisation des produits alimentaires destinés à la fabrication de vin ou de bière.
- Non-remboursement de la taxe payée à l'égard des logements provisoires ou des emplacements de camping compris dans un voyage organisé.
- Assouplissement de la règle de fourniture à soi-même d'un immeuble d'habitation à logement unique ou d'un logement en copropriété.

Annexe C

1. Si le Canada propose de retirer un bien ou un service (« bien ou service ») de l'assiette de la TPS/TVH, que le Québec est tenu de reproduire cette modification aux termes des articles 8 et 9 du présent protocole et que la reproduction de cette modification (« reproduction de la modification de l'assiette ») dans les textes législatifs concernant la TVQ aurait pour effet (compte tenu de la TVQ modifiée qui est remboursée ou remise) de réduire de plus de un pour cent (« réduction ») les recettes nettes tirées de la TVQ modifiée (d'après des renseignements tirés du Système de comptabilité nationale du Canada) qui, en l'absence de la reproduction de la modification de l'assiette, reviendraient au Québec pour l'année civile au cours de laquelle il est proposé de mettre la modification de l'assiette de la TPS/TVH en œuvre (selon l'estimation de Finances (Canada) établie en consultation avec le Québec, au moment où la modification est proposée, au moyen des plus récentes données disponibles et suivant l'hypothèse que la reproduction de la modification de l'assiette aurait été en place au début de l'année civile en cause), le Canada peut mettre la modification en œuvre :

a) soit avec l'accord écrit préalable du Québec;

b) soit en compensant pleinement le Québec, après la fin de chaque année civile où la modification de l'assiette de la TPS/TVH demeure en vigueur et où l'assiette de la TVQ modifiée est en place en vertu de l'EIGCF Canada-Québec, pour sa perte de revenus (« perte de revenus ») attribuable uniquement à la reproduction de la modification de l'assiette pour l'année civile en cause (selon l'estimation de Finances (Canada) établie en consultation avec le Québec au moyen des plus récentes données disponibles), à condition que cette compensation soit assujettie à un processus de rapprochement et de rajustement et à un calendrier de paiement dont les parties conviendront.

2. Il est entendu que l'article 11 du présent protocole ne s'applique pas relativement à une modification proposée aux textes législatifs concernant la TPS/TVH si, à la fois :

a) la modification est proposée par suite de changements de circonstances touchant la TPS/TVH et dans le but de maintenir, selon le cas :

- la politique fiscale en matière de TPS/TVH,
- l'application ou l'administration de la TPS/TVH qui existerait en l'absence de ces changements de circonstances;

la modification proposée empêche un accroissement de l'assiette de la TPS/TVH ou y remédie.

Annexe D

1. Malgré les articles 5 et 6 du présent protocole, aucune partie du montant d'aide ne sera versée au Québec par le Canada à un moment donné si le Québec est considéré avoir commis, à ce moment ou antérieurement, une violation substantielle de l'EIGCF Canada-Québec.

2. Si le Québec est considéré avoir commis une violation substantielle de l'EIGCF Canada-Québec, les parties conviennent que le montant d'aide deviendra aussitôt dû et remboursable par le Québec à titre de créance du Canada dans la mesure où le Québec l'aura reçu. Le Canada pourra à tout moment, par compensation, soustraire la somme qui lui est due ou payable par le Québec en vertu du présent article de tout montant dont il est ou devient redevable au Québec pour une raison quelconque et à un moment quelconque, jusqu'au règlement complet de la dette du Québec envers le Canada. Ce droit de compensation demeure en vigueur après toute résiliation de l'EIGCF Canada-Québec.

3. Lorsque le Canada avise le Québec par écrit, à un moment donné, qu'il considère que le Québec a commis une violation substantielle de l'EIGCF Canada-Québec, le Québec est considéré avoir commis une telle violation à ce moment pour l'application des articles 1 et 2 si les conditions suivantes sont réunies :

a) le Québec a commis une violation substantielle de l'EIGCF Canada-Québec à ce moment ou antérieurement;

b) le Québec, selon le cas :

- n'a pas entrepris, dans les 60 jours suivant ce moment, des mesures raisonnables en vue de remédier pleinement à la violation,
- n'a pas remédié à la violation dans les 180 jours suivant ce moment.

4. Malgré l'article 3, pour l'application des articles 1 et 2, le Québec ne sera pas considéré avoir commis une violation substantielle de l'EIGCF Canada-Québec si la violation est commise plus de cinq ans après la date de mise en œuvre, sauf si elle est commise moins de dix après cette date et qu'elle porte sur les droits et les obligations prévus par l'EIGCF Canada-Québec qui ont trait à la perception et à l'administration ou à l'élimination des restrictions applicables aux remboursements de la taxe sur les intrants.

5. Une partie, avant d'aviser l'autre partie par écrit qu'elle considère que celle-ci a commis une violation substantielle de l'EIGCF Canada-Québec, consulte l'autre partie au sujet de la violation et discute, à cette occasion, des circonstances ou des actes qui, à son avis, y ont donné lieu.

6. Malgré l'article 2, le montant d'aide ne deviendra pas, à un moment donné, aussitôt dû et remboursable par le Québec à titre de créance du Canada si, à ce moment ou antérieurement, les faits suivants s'avèrent :

a) le Québec a avisé le Canada par écrit qu'il considère que le Canada a commis une violation substantielle de l'EIGCF Canada-Québec;

b) le Canada a commis la violation mentionnée à l'alinéa a);

c) le Canada n'a pas remédié à cette violation.

7. Malgré l'article 3, lorsque le Canada a avisé le Québec par écrit, à un moment donné, qu'il considère que le Québec a commis une violation substantielle de l'EIGCF Canada-Québec et que le Québec n'a pas entrepris, dans les 60 jours suivant ce moment, des mesures raisonnables en vue de remédier pleinement à la violation, mais qu'il est remédié à celle-ci dans les 180 jours suivant ce moment, les parties conviennent que le Québec ne sera pas considéré avoir commis la violation substantielle pour l'application des articles 1 et 2.

8. Pour l'application de l'alinéa 3a), il est entendu que le Québec a commis une violation substantielle de l'EIGCF Canada-Québec si toute modification apportée par le Canada aux textes législatifs concernant la TPS/TVH n'est pas reproduite dans les textes législatifs concernant la TVQ le plus tôt possible et conformément au présent protocole, sans tenir compte de la référence aux compétences de l'Assemblée nationale à la première phrase de l'article 9 de celui-ci.

DÉCRET DE REMISE VISANT LES IMPORTATIONS PAR LA POSTE

Décret concernant la remise des droits de douane et des taxes de vente et d'accise sur certaines marchandises importées par la poste

TR/85-181 modifié par TR/86-100; TR/88-18; TR/92-129; TR/98-21

Titre abrégé

1. *Décret de remise visant les importations par la poste.*

Définitions

2. La définition qui suit s'applique au présent décret.

« marchandises » À l'exception des publications et des livres classés dans le n° tarifaire 9812.00.00 de la liste des dispositions tarifaires de l'annexe du *Tarif des douanes*, ne vise pas :

a) les boissons alcoolisées, les cigares, les cigarettes et le tabac fabriqué;

b) les marchandises classées dans le n° tarifaire 9816.00.00 de la liste des dispositions tarifaires de l'annexe du *Tarif des douanes* et les marchandises pour lesquelles la valeur en douane est réduite par l'application de l'article 85 du *Tarif des douanes*;

c) les livres, les journaux, les périodiques, les revues et autres publications semblables dont le fournisseur n'est pas inscrit aux termes de la sous-section d de la section V de la partie IX de la *Loi sur la taxe d'accise* alors qu'il est tenu de l'être.

Application

3. Le présent décret ne s'applique pas :

a) aux marchandises importées qui sont achetées d'un détaillant au Canada et postées à l'acheteur directement d'un endroit situé hors du Canada;

b) aux marchandises importées qui sont achetées ou commandées par l'intermédiaire ou à partir d'une adresse, d'une case postale ou d'un numéro de téléphone au Canada;

c) aux marchandises importées par une personne autre que celle au Canada qui les a commandées ou achetées.

Remise

4. Sous réserve de l'article 5, remise est accordée des droits de douane et des taxes d'accise payés ou payables à l'égard des marchandises importées par la poste dont la valeur en douane ne dépasse pas 20 $.

Condition

5. Lorsque l'avantage de la remise n'est pas accordé au moment de l'importation, la remise visée à l'article 4 est accordée à la condition qu'une demande de remise soit présentée au ministre du Revenu national dans les deux années qui suivent la date de l'importation des marchandises à l'égard desquelles une remise est demandée.

Note explicative

[La Note explicative n'est pas reproduite — n.d.l.r.]

DÉCRET DE REMISE VISANT LES PROJETS CONJOINTS DES GOUVERNEMENTS DU CANADA ET DES ÉTATS-UNIS

Décret concernant la remise des droits, y compris la taxe imposée en vertu des parties III, IV et IX de la Loi sur la taxe d'accise, payés ou payables sur les marchandises, les immeubles ou les services destinés aux projets conjoints des gouvernements du Canada et des États-Unis

C.P. 1990-2848, 21 décembre 1990 (TR/91-9), tel que modifié par C.P. 1998-914 [TR/98-64], 28 mai 1998 (TR/98-64)

Titre abrégé

1. *Décret de remise visant les projets conjoints des gouvernements du Canada et des États-Unis.*

Définitions

2. Les définitions qui suivent s'appliquent au présent décret.

« droits » S'entend au sens de la *Loi sur les douanes*, à l'exclusion des droits prélevés en vertu de la *Loi sur l'accise*.

« fourniture » S'entend au sens de l'article 123 de la Loi.

« immeuble » S'entend au sens de l'article 123 de la Loi.

« Loi » La *Loi sur la taxe d'accise*.

« ministre » Le ministre du Revenu national.

Décrets

« **service** » S'entend au sens de l'article 123 de la Loi.

« **société d'État** » Établissement public dont le nom figure à l'annexe II de la *Loi sur la gestion des finances publiques* ou société d'État mère dont le nom figure à la partie I de l'annexe III de cette loi.

Remise

3. Sous réserve de l'article 4, remise est accordée des taxes imposées en vertu des parties III, IV et IX de la Loi, de même que des droits payés ou payables, à l'égard des marchandises importées au Canada et des marchandises ou services achetés au Canada, par le gouvernement des États-Unis ou son agent agréé ou par un ministère du gouvernement du Canada ou une société d'État agissant pour le compte du gouvernement des États-Unis, ainsi qu'à l'égard de la fourniture de marchandises, d'immeubles ou de services au gouvernement des États-Unis ou à son agent agréé, ou à un ministère du gouvernement du Canada ou à une société d'État agissant pour le compte du gouvernement des États-Unis.

Conditions

4. La remise visée à l'article 3 est accordée aux conditions suivantes:

a) les marchandises, les immeubles ou les services sont utilisés exclusivement à l'égard d'un établissement du gouvernement des États-Unis situé au Canada ou dans le cadre d'un projet que le ministre considère comme un projet conjoint des gouvernements du Canada et des États-Unis;

b) dans le cas de marchandises, elles sont ou deviendront la propriété du gouvernement des États-Unis ou seront exportées du Canada, détruites sous la supervision d'un agent au sens de l'article 2 de la *Loi sur les douanes* ou consommées durant le projet;

c) une demande de remise des droits, y compris la taxe imposée en vertu de la section III de la partie IX de la Loi, sur les marchandises importées est présentée au ministre dans les deux ans suivant la date de la déclaration en détail définitive des marchandises aux termes de l'article 32 de la *Loi sur les douanes*;

d) une demande de remise de toute taxe visée à l'article 3, sauf les droits visés à l'alinéa c), est présentée au ministre dans les deux ans suivant la date de l'achat ou de la fourniture.

Note explicative

[La Note explicative n'est pas reproduite — n.d.l.r.]

DÉCRET DE REMISE DE 1990 RELATIF AUX BASES AMÉRICAINES ÉTABLIES À TERRE-NEUVE

Décret concernant la remise des droits, y compris la taxe imposée en vertu de la section III de la partie IX de la Loi sur la taxe d'accise, les taxes imposées en vertu de toute autre section de la partie IX et de toute autre partie de cette loi et les droits imposés en vertu de la Loi sur l'accise, payés ou payables sur les marchandises, les immeubles ou les services destinés aux bases américaines établies à Terre-Neuve

C.P. 1990-2850, 21 décembre 1990 (TR/91-11)

Titre abrégé

1. *Décret de remise de 1990 relatif aux bases américaines établies à Terre-Neuve.*

Définitions

2. Les définitions qui suivent s'appliquent au présent décret.

« **droits** » S'entend au sens de la *Loi sur les douanes*.

« **fourniture** » S'entend au sens de l'article 123 de la Loi.

« **immeuble** » S'entend au sens de l'article 123 de la Loi.

« **Loi** » La *Loi sur la taxe d'accise*.

« **ministre** » Le ministre du Revenu national.

« **service** » S'entend au sens de l'article 123 de la Loi.

Remise

3. Sous réserve de l'article 4, remise est accordée des droits, y compris la taxe imposée en vertu de la section III de la partie IX de la Loi, des taxes imposées en vertu de toute autre section de la partie IX et de toute autre partie de la Loi et les droits imposés en vertu de la *Loi sur l'accise*, payés ou payables sur la fourniture, l'importation au Canada ou l'achat au Canada de ce qui suit:

a) les marchandises, les immeubles ou les services destinés à la construction, à l'entretien, au fonctionnement ou à la défense des bases américaines établies à Terre-Neuve;

b) les marchandises utilisées ou consommées à bord, ou les services rendus à bord, des navires publics de l'armée, de la marine, de la garde côtière ou du service géodésique et géographique des États-Unis qui sont affectés aux bases américaines établies à Terre-Neuve;

c) les marchandises, les immeubles ou les services utilisés dans les établissements situés sur les bases américaines établies à Terre-Neuve et qui relèvent du gouvernement des États-Unis, notamment les économats, les magasins de fournitures de navires, les entrepôts de ravitaillement et les clubs militaires;

d) les marchandises ou les services fournis aux établissements visés à l'alinéa c) à:

(i) des membres des forces armées des États-Unis,

(ii) des employés civils des États-Unis qui sont des nationaux des États-Unis et qui travaillent pour les bases américaines établies à Terre-Neuve,

(iii) des membres de la famille d'une personne visée aux sous-alinéas (i) ou (ii) qui résident avec cette personne et qui ne se livrent pas à une activité commerciale ni n'exercent de profession à Terre-Neuve;

e) les effets personnels et les biens mobilier des personnes visées à l'alinéa d), des entrepreneurs, ainsi que des employés de ces derniers, qui sont des nationaux des États-Unis s'occupant de la construction, de l'entretien ou du fonctionnement de bases américaines établies à Terre-Neuve et se trouvant à Terre-Neuve uniquement à cause de leur travail.

Conditions

4. La remise visée à l'article 3 est accordée aux conditions suivantes:

a) le gouvernement des États-Unis fournit au ministre les renseignements nécessaires à l'application du présent décret;

b) dans le cas de marchandises visées aux alinéas 3c), d) ou e), des mesures administrativessont prises par les autorités américain fourniture subséquente de ces marchandises par des établissements ou des personnes mentionnés dans ces alinéas à des personnes mentionnées aux alinéas 3d) ou e);

c) une demande de remise des droits, y compris la taxe imposée en vertu de la section III de la partie IX de la Loi, sur les marchandises importées est présentée au ministre dans les deux ans suivant la déclaration en détail définitive des marchandises aux termes de l'article 32 de la *Loi sur les douanes*;

d) une demande de remise de toute taxe visée à l'article 3, sauf les droits visés à l'alinéa c), est présentée au ministre dans les deux ans suivant la date de l'achat ou de la fourniture.

DÉCRET DE REMISE CONCERNANT LA TPS ACCORDÉE AUX MINISTÈRES FÉDÉRAUX

C.P. 1990-2854, 21 décembre 1990 (TR/91-13)

Sur recommandation du Conseil du Trésor et en vertu de l'article 23 de la *Loi sur la gestion des finances publiques*, il plaît à Son Excellence le Gouverneur général en conseil, le jugeant d'intérêt public, de faire remise de la taxe payée ou payable par les ministères en vertu de la partie IX[1] de la *Loi sur la taxe d'accise*.

Note explicative

(La présente note ne fait pas partie du décret.)

Bien qu'elle ne soit pas tenue de le faire, l'administration publique fédérale payera la TPS sur les achats taxables de produits et services et ce, principalement dans le but de simplifier les procédures comptables de ceux qui font affaire avec elle. Le décret accorde aux ministères fédéraux une remise de la TPS payée ou payable sur leurs achats taxables de produits et services. Cette remise n'a pas de répercussions sur les recettes nettes au titre de la TPS réalisées par l'État.

DÉCRET DE REMISE VISANT LES INDIENS ET LES BANDES DANS CERTAINS ÉTABLISSEMENTS INDIENS

Décret concernant la remise de certains impôts sur le revenu payables par les indiens et de la taxe sur les produits et services payable par les Indiens ou par les bandes ou les sociétés désignées dans certains établissements indiens

C.P. 1992-1052, 3 juin 1992 (TR/92-102), tel que modifié par C.P. 1994-2096, 28 décembre 1994 (TR/94-145)

Titre abrégé

1. *Décret de remise visant les Indiens et les bandes dans certains établissements indiens*

Définitions

2. Les définitions qui suivent s'appliquent au présent décret.

« bande » S'entend au sens du paragraphe 2(1) de la *Loi sur les Indiens*.

« établissement indien » L'une des régions nommées et décrites à l'annexe. La présente définition exclut :

a) une réserve au sens de la *Loi sur les Indiens*;

b) une terre de catégorie IA au sens de la *Loi sur les Cris et les Naskapis du Québec*.

« Indien » S'entend au sens du paragraphe 2(1) de la *Loi sur les Indiens*.

« réserve » S'entend au sens du paragraphe 2(1) de la *Loi sur les Indiens*.

« société désignée » La Société de développement de Oujé-Bougoumou ou la Ouje-Bougoumou Eenuch Association.

[1] L.C. 1990, ch. 45, art. 12.

I — Impôt sur le revenu

Définitions

3.(1) Les définitions qui suivent s'appliquent à la présente partie.

« **impôt** » L'impôt prévu aux parties I, I.1 et I.2 de la Loi.

« **Loi** » La *Loi de l'impôt sur le revenu.*

(2) Les autres termes de la présente partie s'entendent au sens de la Loi.

Remise de l'impôt sur le revenu

4. Remise est accordée à tout contribuable qui est un Indien, pour chaque année d'imposition postérieure à 1992, de l'excédent éventuel des impôts, intérêts et pénalités payables par lui pour l'année d'imposition aux termes de la Loi, sur les impôts, intérêts et pénalités qui auraient été payables par lui pour l'année, aux termes de la Loi si les établissements indiens avaient été des réserves pendant toute l'année.

II — Taxe sur les produits et services

Définitions

5.(1) Les définitions qui suivent s'appliquent à la présente partie.

« **Loi** » La *Loi sur la taxe d'accise.*

« **taxe** » La taxe sur les produits et services prévue à la section II de la partie IX de la Loi.

(2) Les autres termes de la présente partie s'entendent au sens de la partie IX de la Loi.

Remise de la taxe sur les produits et services

6. Sous réserve de l'article 8, remise d'un montant au titre de la taxe payée ou payable à compter de la date d'entrée en vigueur du présent décret est accordée à tout particulier qui est un Indien et qui est l'acquéreur d'une fourniture taxable, lequel montant est égal à l'excédent éventuel :

a) de la taxe payée ou payable par lui en application de la Loi

sur

b) la taxe qui aurait été payable par lui si les établissement indiens avaient été des réserves.

7. Sous réserve de l'article 8, remise d'un montant au titre de la taxe payée ou payable à compter du 1er janvier 1991 est accordé à toute bande ou société désignée qui est l'acquéreur d'une fourniture taxable, lequel montant est égal à l'excédent éventuel :

a) de la taxe payée ou payable par elle en application de la Loi

sur

b) la taxe qui aurait été payable par elle si les établissements indiens avaient été des réserves.

Condition

8. La remise de taxe visée aux articles 6 et 7 est accordée à la condition qu'une demande à cet effet soit présentée par écrit au ministre du Revenu national dans les quatre ans suivant la date du paiement de la taxe.

Annexe — Établissements indiens

(article 2)

1. **Oujé-Bougoumou (Québec)** — Cet établissement est situé sur la rive nord du lac Opémisca, à 32 km au nord-ouest de Chibougamau (Québec), dans le canton de Cuvier, à 49º55' de latitude et 74º49' de longitude, et s'étend sur 100 km^2.

2. **Kanesatake, Oka (Québec)** — Cet établissement est situé à 25 km au nord-ouest de Montréal, du côté nord du lac des Deux Montagnes et, pour l'application du présent décret, comprend le village d'Oka et les secteurs dans la partie ouest de la paroisse d'Oka connus comme Côte Sainte-Philomène, Côte Saint-Jean, Côte Saint-Ambroise, Côte Sainte-Germaine-Côte-Sud.

3. **Établissement Kee-Way-Win (Ontario)** — Cet établissement est situé du côté sud du lac Sandy, dans le district de Kenora, secteur Patricia, à 53º4' de latitude et 92º45' de longitude, et s'étend sur environ 19 030 hectares.

4. **Établissement de Savant Lake (Ontario)** — Cet établissement est situé du côté nord du lac Kasheweogama, dans le canton de McCubbin, district de Thunder Bay, à 50º4' de latitude et 90º43' de longitude, et s'étend sur environ 5 890 hectares.

5. **Établissement de Long Dog Lake (Ontario)** — Cet établissement est situé du côté du lac Long Dog, dans le district de Kenora, secteur Patricia, à 52º28' de latitude et 90º43' de longitude, et s'étend sur 5 305 hectares.

6. **Établissement de MacDowell Lake (Ontario)** — Cet établissement est situé à l'extrémité sud-ouest du lac MacDowell, dans le district de Kenora, secteur Patricia, à 52º11' de latitude et 92º45' de longitude, et s'étend sur environ 4 455 hectares.

7. **Établissement de Slate Falls (Ontario)** — Cet établissement est situé à l'extrémité nord-est du lac North Bamaji, dans le district de Kenora, secteur Patricia, à 51º11' de latitude et 91º35' de longitude, et s'étend sur environ 6 870 hectares.

8. **Établissement d'Aroland (Ontario)** — Cet établissement est situé des côtés nord et sud de l'autoroute King's Highway 643, dans la communauté rurale d'Aroland, canton de Danford, district de Thunder Bay, à 50º14' de latitude et 86º59' de longitude et, vers le nord, va jusqu'à l'ouest et au nord du lac Esnagami; il s'étend sur environ 18 130 hectares.

9. **Établissement de Grandmother's Point (Ontario)** — Cet établissement est situé à l'extrémité sud-ouest du lac Attawapiskat, dans le district de Kenora, secteur Patricia, à 52º14' de latitude et 87º53' de longitude, et s'étend sur environ 855 hectares.

10. **Établissement de Cadotte Lake (Alberta)** — Cet établissement est situé à 40 milles à l'est de Peace River (Alberta), près du lac Cadotte et de l'autoroute 686, et comprend des parties des cantons 86 et 87 situées dans les rangs 15, 16 et 17 et des terres de ces cantons longeant le lac Marten dans les rangs 13 et 14, à l'ouest du 5e méridien (excluant les mines et les minerais, ainsi que les lits et les rives des rivières Cadotte et Otter); il s'étend sur environ 14 245 hectares.

11. **Établissement de Fort MacKay (Alberta)** — Cet établissement est situé à 105 km au nord-ouest de Fort McMurray et comprend les régions du lac Namur et de la rivière Namur ainsi que des parties du hameau de Fort MacKay. Ce hameau est situé du côté ouest de la rivière Athabaska, et la bande de Fort MacKay occupe un territoire qui inclut les lots 1 à 7 figurant sur le plan 9022250 (excluant les mines et les minerais), en plus d'une petite partie de l'emprise du chemin East-West Government. L'établissement s'étend sur environ 86,6 hectares.

12. **Établissement de Little Buffalo (Alberta)** — Cet établissement est situé dans le nord du centre de l'Alberta et entoure le lac Lubicon; il s'étend sur environ 24 505 hectares.

Note explicative

(La présente note ne fait pas partie du décret.)

Le décret a pour objet d'étendre les avantages des mesures d'allégement de l'impôt sur le revenu et de la taxe sur les produits et services (TPS) aux Indiens comme si les établissements indiens désignés étaient des réserves. Le décret s'applique aux établissements à l'égard desquels le gouvernement du Canada s'est engagé publiquement à accorder soit le statut de réserve en vertu de la *Loi sur les Indiens*, soit, dans le cas de l'établissement Oujé-Bougoumou, le statut de terres de catégorie IA en vertu de la *Loi sur les Cris et les Naskapis du Québec*, et pour lesquels le périmètre des réserves et des terres de catégorie IA proposées a été établi. Le sous-ministre des Affaires indiennes et du Nord canadien a communiqué au sous-ministre du Revenu national (Douanes et Accise) la liste des établissements dont le périmètre a été établi qui devraient être inclus dans le décret.

En ce qui touche l'impôt sur le revenu, le décret met les particuliers indiens dans une position fiscale identique à celle qu'ils auraient si les établissements indiens avaient le statut de réserve ou le statut de terres de catégorie IA. En ce qui concerne la TPS, les mesures d'allégement applicables aux particuliers indiens et aux bandes indiennes, relativement aux acquisitions de fournitures taxables à l'intérieur de la réserve et à certaines de ces acquisitions à l'extérieur de la réserve, sont étendues aux particuliers indiens et aux bandes indiennes ou aux sociétés désignées quant aux acquisitions semblables à l'intérieur ou à l'extérieur des établissements indiens désignés.

Il est prévu que l'impôt sur le revenu et la TPS remis en application du présent décret totaliseront 2 500 000 $ pour l'exercice 1991–1992.

[Voir également le *Décret de remise visant les Indiens et la bande War Lake First Nation de l'établissement indien d'Ilford* — n.d.l.r.]

DÉCRET DE REMISE VISANT LES FORCES ÉTRANGÈRES PRÉSENTES AU CANADA (PARTIE IX DE LA LOI SUR LA TAXE D'ACCISE)

Décret concernant la remise de la taxe imposée en vertu de la partie IX de la Loi sur la taxe d'accise, payée ou payable sur la fourniture au Canada de biens meubles corporels, d'immeubles ou de services aux forces étrangères présentes au Canada

C.P. 1992-2399, 19 novembre 1992 (TR/92-210), tel que modifié par C.P. 1999-52, 21 juin 1999 (TR/99-6).

Titre abrégé

1. *Décret de remise visant les forces étrangères présentes au Canada (partie IX de la Loi sur la taxe d'accise).*

Définitions

2. Les définitions qui suivent s'appliquent au présent décret.

« **exercice** » La période commençant le 1er avril d'une année et se terminant le 31 mars de l'année suivante.

« **force étrangère présente au Canada** » S'entend au sens de l'article 2 de la *Loi sur les forces étrangères présentes au Canada*, mais exclut les membres d'une force étrangère présente au Canada et le personnel civil qui ont été désignés à titre d'élément civil d'une force étrangère présente au Canada.

« **fourniture** » S'entend au sens du paragraphe 123(1) de la *Loi sur la taxe d'accise*.

« **immeuble** » S'entend au sens du paragraphe 123(1) de la *Loi sur la taxe d'accise*.

« **service** » S'entend au sens du paragraphe 123(1) de la *Loi sur la taxe d'accise*.

« **taxe** » La taxe imposée en vertu de la section II de la partie IX de la *Loi sur la taxe d'accise*.

Remise

3. Sous réserve de l'article 4, remise est accordée de la taxe payée ou payable à compter du 1er janvier 1991, relativement à la fourniture de biens meubles corporels, d'immeubles ou de services à une force étrangère présente au Canada, pour usage officiel.

Conditions

4. La remise est accordée aux conditions suivantes :

a) dans le cas d'une fourniture qui n'est pas effectuée par le ministère de la Défense nationale ou la Corporation commerciale canadienne, la force étrangère présente au Canada présente une demande écrite au ministre du Revenu national dans les délais suivants :

(i) dans le cas d'une demande présentée relativement à une fourniture effectuée à la date d'entrée en vigueur du présent sous-alinéa ou après cette date, dans les deux ans suivant la fourniture,

(ii) dans tous les autres cas, dans les quatre ans suivant la fourniture;

Décrets

b) dans le cas d'une demande présentée conformément à l'alinéa a), la force étrangère présente au Canada fournit, au moment de la demande, l'original ou une copie certifiée conforme de la facture établissant le montant de la taxe payée à l'égard de la fourniture;

c) la force étrangère présente au Canada fournit au ministre du Revenu national, au plus tard le 30 avril de l'exercice en cours, un rapport complet précisant le montant total de la taxe qui lui a été remis au cours de l'exercice précédent.

Note explicative

[La Note explicative n'est pas reproduite — n.d.l.r.]

DÉCRET DE REMISE VISANT LES ASSOCIATIONS DE PÂTURE À BUT NON LUCRATIF (TPS)

Décret concernant la remise de la taxe prévue à la partie IX de la Loi sur la taxe d'accise, payée ou payable par des organismes à but non lucratif relativement à l'acquisition de biens ou services à utiliser dans le cadre de leur entreprise de fourniture de pâturages

C.P. 1993-117, 28 janvier 1993 (TR/93-10)

Titre abrégé

1. *Décret de remise visant les associations de pâture à but non lucratif (TPS).*

Définition

2. La définition qui suit s'applique au présent décret.

« Loi » La *Loi sur la taxe d'accise.*

Remise

3. Sous réserve de l'article 4, remise est accordée à un organisme à but non lucratif de la taxe prévue à la partie IX de la Loi qui est devenue payable par lui avant le 6 novembre 1991, ou qui a été payée par lui avant cette date sans qu'elle soit devenue payable, relativement à des biens ou services qu'il a acquis ou importés pour consommation, utilisation ou fourniture dans le cadre de son entreprise qui consiste à fournir des immeubles à des fins de pâturage.

Conditions

4. La remise visée à l'article 3 est accordée si les conditions suivantes sont réunies:

a) il s'agit d'un organisme à but non lucratif qui n'a pas droit au crédit de taxe sur les intrants aux termes de la partie IX de la Loi.

b) la taxe n'a pas été autrement remboursée ou remise:

c) l'organisme est inscrit aux termes de la partie IX de la Loi avant le 1er janvier 1994 et fait le choix prévu à l'article 211 de la Loi — lequel choix entre en vigueur avant le 1er janvier 1994 — relativement aux immeubles qu'il fournit à des fins de pâturage;

d) l'organisme présente par écrit une demande de remise au ministre du Revenu national dans les quatre ans suivant:

i) le jour où la taxe est devenue payable.

ii) si la taxe a été payée sans qu'elle soit devenue payable, le jour où elle a été payée.

Note explicative

[La Note explicative n'est pas reproduite — n.d.l.r.]

DÉCRET DE REMISE VISANT LES DROITS FONCIERS ISSUS DE TRAITÉS (SASKATCHEWAN)

Décret concernant la remise de la taxe sur les produits et services payée ou payable par certaines bandes indiennes à l'égard des terres achetées aux termes de certains accords sur les droits fonciers issus de traités

C.P. 1994-585, 14 avril 1994 (TR/94-47), tel que modifié par C.P. 1997-1829, 9 décembre 1997; C.P. 2002-534, 11 avril 2002

Titre abrégé

1. *Décret de remise visant les droits fonciers issus de traités (Saskatchewan).*

Définitions

2. Les définitions qui suivent s'appliquent au présent décret.

« accord-cadre » L'accord-cadre sur les droits fonciers issus de traités en Saskatchewan conclu le 22 septembre 1992 en vertu duquel seront remplies les obligations en souffrance du Canada en matière de droits fonciers issus de traités à l'égard des bandes parties à cet accord.

« accord particulier »

a) Dans le cas de la bande Nekaneet, l'accord de règlement avec la bande Nekaneet conclu par la bande Nekaneet de la Saskatchewan, le gouvernement du Canada et le gouvernement de la Saskatchewan le 23 septembre 1992;

b) dans le cas d'une bande signataire de l'accord-cadre, un accord conclu par celle-ci, le gouvernement du Canada et le gouvernement de la Saskatchewan pour mettre en oeuvre l'accord-cadre;

c) dans le cas de toute autre bande, un accord semblable ou identique à l'accord-cadre, conclu par celle-ci, le gouvernement du Canada et le gouvernement de la Saskatchewan en règlement d'une revendication fondée sur les droits fonciers issus de traités.

« **bande** » Une bande nommée à l'annexe.

« **Loi** » La *Loi sur la taxe d'accise*.

« **terre** » S'entend au sens de la définition de « immeuble » au paragraphe 123(1) de la Loi.

Remise de la taxe sur les produits et services

3. Sous réserve de l'article 4, remise est accordée à une bande nommée à colonne I de l'annexe de la taxe payée ou payable aux termes de la section II de la partie IX de la Loi, le 23 septembre 1992 ou après cette date, sur la valeur de la contrepartie payée ou payable pour l'achat de terres par elle ou son agent, jusqu'à concurrence de la superficie maximale indiquée à la colonne II de l'annexe pour cette bande, et de tout bien meuble corporel s'y trouvant au moment de l'achat, ainsi que sur les coûts afférents à cet achat, lorsque celui-ci est effectué en vertu de l'accord particulier.

Conditions

4. La remise est accordée si les conditions suivantes sont réunies:

a) la taxe payée ou payable aux termes de la section II de la partie IX de la Loi n'a pas été autrement remboursée ou remise à la bande en vertu de la Loi ou de la *Loi sur la gestion des finances publiques*;

b) la bande ne peut demander de crédit de taxe sur les intrants en vertu de la partie IX de la Loi à l'égard de la taxe;

c) une demande de remise est présentée par écrit au ministre du Revenu national dans les quatre ans suivant la date où la taxe a été payée ou est devenue payable.

Annexe

Article	*Colonne I* *Bandes*	*Colonne II* *Superficie* *(en acres)*
1.	Beardy's & Okemasis	71 137,51
2.	Canoe's Lake	49 973,33
3.	English River	37 646,66
4.	Flying Dust	33 910,08
5.	Joseph Bighead	28 704,00
6.	Keeseekoose	83 200,00
7.	Little Pine	92 870,31
8.	Moosomin	75 355,43
9.	Mosquito Grizzly Bear's Head	33 153,33
10.	Muskeg Lake	48 604,67
11.	Muskowekwan	51 555,52
12.	Nekaneet	27 327,00
13.	Ochapowace	54 160,59
14.	Okanese	14 337,58
15.	One Arrow	58 615,79
16.	Onion Lake	108 550,57
17.	Pelican Lake	35 714,68
18.	Peter Ballantyne	234 248,85
19.	Piapot	81 081,41
20.	Poundmaker	47 687,44
21.	Red Pheasant	72 331,77
22.	Saulteaux	56 144,17
23.	Star Blanket	11 235,58
24.	Sweetgrass	23 914,02
25.	Thunderchild	120 816,41
26.	Witchekan Lake	32 442,60
27.	Yellow Quill	117 274,00
28.	Cowessess	189 367,00
29.	Cary the Kettle	86 491,00
30.	Kawacatoose	102 976,00

Note explicative

(La présente note ne fait pas partie du décret.)

Le décret [C.P. 2002-534] modifie le *Décret de remise visant les droits fonciers issus de traités (Saskatchewan)*, qui accorde la remise de la taxe payée ou à payer à l'égard des terres achetées par centaines bandes indiennes de la Saskatchewan en guise de règlement de revendications fondées sur les droits fonciers issus de traités dans le cadre d'accords exécutoires conclus entre les bandes, le gouvernement du Canada et le gouvernement de la Saskatchewan.

Aux termes de ce décret, l'accord de règlement avec la première nation Kawacatoose conclu le 20 octobre 2002, est établi selon des principes identiques ou semblables à ceux de l'accord-cadre et est visé par la définition de « accord particulier ». Cette bande a donc le droit d'être ajoutée à l'annexe du *Décret de remise visant les droits fonciers issus de traités.*

DÉCRET DE REMISE VISANT LES BUREAUX ÉCONOMIQUES ET CULTURELS DE TAIPEI

Décret concernant la remise des droits, de douane, de certaines taxes imposées en vertu de la Loi sur la taxe d'accise et des droits imposés en vertu de la Loi sur l'accise, payés ou payables sur les marchandises, les biens meubles corporels, les immeubles ou les services destinés a l'usage officiel des bureaux économiques et culturels de Taipei et à l'usage personnel ou officiel des agents Taiwanais et d'autres personnes

C.P. 1994-568, 14 avril 1994 (TR/94-44)

Titre abrégé

1. *Décret de remise visant les Bureaux économiques et culturels de Taipei.*

Définitions

2. Les définitions qui suivent s'appliquent au présent décret.

« agent taiwanais » Fonctionnaire affecté par les autorités de Taiwan à un Bureau économique et culturel de Taip situé au Canada, qui n'est pas:

a) un citoyen ou un résident permanent du Canada;

b) un membre du personnel administratif et technique de ce bureau.

« droits de douane » Droits imposés en vertu du *Tarif des douanes* sur les marchandises importées.

« fourniture » S'entend au sens du paragraphe 123(1) de *Loi sur la taxe d'accise.*

« immeuble » S'entend au sens du paragraphe 123(1) de la *Loi sur la taxe d'accise.*

« membres de la famille faisant partie de son ménage » Les personnes suivantes qui résident avec un agent taiwanais ou avec un membre du personnel administratif et technique d'un Bureau économique et culturel de Taipei situé au Canada:

a) le conjoint de l'agent ou du membre;

b) le fils ou la fille à charge de l'agent ou du membre qui est entièrement ou en grande partie à la charge financière de ses parents et qui, selon le cas:

(i) est âgé de moins de 19 ans et n'est pas marié,

(ii) est âgé de 19 ans ou plus mais de moins de 25 ans, n'est pas marié et est étudiant à temps plein inscrit à un programme de formation générale, théorique ou professionnelle,

(iii) quel que soit son âge, souffre d'une incapacité de nature physique ou mentale et est entièrement ou en grande partie à la charge de ses parents, tant financièrement qu'émotionnellement.

« ministre » Le ministre du Revenu national.

« service » S'entend au sens du paragraphe 123(1) de la *Loi sur la taxe d'accise.*

« taxes imposées en vertu de la *Loi sur la taxe d'accise* » Taxes imposées en vertu:

a) des parties II, IV et IX de la *Loi sur la taxe d'accise*;

b) de la partie III de la *Loi sur la taxe d'accise* à l'égard:

(i) des marchandises importées au Canada,

(ii) des produits du tabac et des marchandises visées aux articles 6 et 7 de l'annexe I de la *Loi sur la taxe d'accise* qui sont achetés au Canada.

Remise

3. Sous réserve de l'article 4, remise est accordée des droits de douane, des droits imposés en vertu de la *Loi sur l'accise* et des taxes imposées en vertu de la *Loi sur la taxe d'accise*, payés ou payables sur la fourniture, l'importation au Canada ou l'achat au Canada, le 1er juin 1991 ou après cette date, de ce qui suit:

a) les marchandises, les biens meubles corporels, les immeubles ou les services destinés à l'usage officiel des Bureaux économiques et culturels de Taipei situés au Canada;

b) les marchandises, les biens meubles corporels ou les services destinés à l'usage personnel ou officiel:

(i) des agents taiwanais employés par ces bureaux,

(ii) des membres de la famille faisant partie du ménage d'une personne mentionnée au sous-alinéa (i);

c) les marchandises ou les biens meubles corporels destinés à l'usage personnel des membres taiwanais du personnel administratif et technique des Bureaux économiques et culturels de Taipei et des membres de la famille faisant partie de leur ménage, qui sont importés au moment de leur arrivée initiale au Canada.

Conditions

4. La remise visée à l'article 3 est accordée aux conditions suivantes:

a) une demande de remise des droits de douane et de toute taxe mentionnée à l'article 3, y compris la taxe prévue par la section III de la partie IX de la *Loi sur la taxe d'accise*, imposés sur les marchandises importées est présentée au ministre dans les deux ans suivant la déclaration qui en est faite conformément à l'article 32 de la *Loi sur les douanes*;

b) une demande de remise des droits d'accise et de toute taxe mentionnée à l'article 3, autres que les droits et taxes visés à l'alinéa a) est présentée au ministre dans les quatre ans suivant la fourniture;

c) dans le cas des produits du tabac achetés au Canada:

(i) s'il s'agit de produits fabriqués au Canada, ils ont été achetés du fabricant ou d'une personne qui détient une licence d'entrepôt accordée en vertu de l'alinéa 50(1)c) de la *Loi sur l'accise*,

(ii) s'il s'agit de produits importés au Canada, ils ont été achetés de l'exploitant d'un entrepôt de stockage agréé comme tel en vertu de la *Loi sur les douanes*.

Note explicative

(La présente note ne fait pas partie du décret.)

Le décret accorde aux Bureaux économiques et culturels de Taipei situés au Canada, à leurs agents, aux membres du personnel administratif et technique et aux membres de leur famille faisant partie de leur ménage au Canada une remise des droits de douane ainsi que des droits d'accise et de certaines taxes imposées en vertu de la *Loi sur la taxe d'accise*.

La remise ne s'étend pas aux membres du personnel et aux membres de leur famille qui sont citoyens ou résidents permanents du Canada.

Décret de remise visant les Indiens et la bande Webequie de l'établissement indien de Webequie

Décret concernant la remise de certains impôts sur le revenu payés ou payables par les indiens et de la taxe sur les produits et services payée ou payable par les indiens ou la bande Webequie dans l'établissement indien de Webequie

C.P. 1994-800, 12 mai 1994 (TR/94-70)

Titre abrégé

1. *Décret de remise visant les Indiens et la bande Webequie de l'établissement indien de Webequie.*

Définitions

2. Les définitions qui suivent s'appliquent au présent décret.

« bande » S'entend au sens du paragraphe 2(1) de la *Loi sur les Indiens*.

« établissement indien de Webequie » L'établissement qui est situé au bord du lac Winisk, district de Kenora, secteur Patricia (Ontario), par 52°59' de latitude et 88°11' de longitude, qui s'étend sur environ 27 195 hectares, y compris les terrains de l'aéroport de Webequie, et qui n'est pas une réserve.

« Indien » S'entend au sens du paragraphe 2(1) de la *Loi sur les Indiens*.

« réserve » S'entend au sens du paragraphe 2(1) de la *Loi sur les Indiens*.

Partie I — Impôt sur le revenu

Définitions

3.(1) Pour l'application de la présente partie, **« impôt »** s'entend de l'impôt prévu aux parties I, I.1 et I.2 de la *Loi de l'impôt sur le revenu*.

(2) Sous réserve de l'article 2, les autres termes de la présente partie s'entendent au sens de la *Loi de l'impôt sur le revenu*.

Remise de l'impôt sur le revenu

4. Remise est accordée à tout contribuable qui est un Indien, pour l'année d'imposition 1992 et chaque année d'imposition subséquente, de l'excédent éventuel des impôts, intérêts et pénalités payés ou payables par lui pour l'année d'imposition, aux termes de la *Loi de l'impôt sur le revenu*, sur les impôts, intérêts et pénalités qui auraient été payables par lui pour l'année aux termes de cette loi si l'établissement indien de Webequie avait été une réserve pendant toute l'année.

Partie II — Taxe sur les produits et services

Définitions

5.(1) Pour l'application de la présente partie, **« taxe »** s'entend de la taxe sur les produits et services prévue à la section II de la partie IX de la *Loi sur la taxe d'accise*.

(2) Sous réserve de l'article 2, les autres termes de la présente partie s'entendent au sens de la partie IX de la *Loi sur la taxe d'accise*.

Remise de la taxe sur les produits et services

6. Sous réserve de l'article 8, remise d'un montant au titre de la taxe payée ou payable est accordée à tout particulier qui est un Indien et qui est l'acquéreur d'une fourniture taxable effectuée à la date d'entrée en vigueur du présent décret ou après celle-ci, lequel montant est égal à l'excédent éventuel du montant visé à l'alinéa a) sur celui visé à l'alinéa b):

a) la taxe payée ou payable par lui;

b) la taxe qui aurait été payable par lui si l'établissement indien de Webequie avait été une réserve.

7. Sous réserve de l'article 8, remise d'un montant au titre de la taxe payée ou payable est accordée à la bande Webequie lorsqu'elle est l'acquéreur d'une fourniture taxable effectuée le 1er janvier 1992 ou après cette date, lequel montant est égal à l'excédent éventuel du montant visé à l'alinéa a) sur celui visé à l'alinéa b):

a) la taxe payée ou payable par la bande;

b) la taxe qui aurait été payable par la bande si l'établissement indien de Webequie avait été une réserve.

Condition

8. La remise de la taxe payée visée aux articles 6 et 7 est accordée à la condition qu'une demande à cet effet soit présentée par écrit au ministre du Revenu national dans les quatre ans suivant la date du paiement de la taxe.

Note explicative

(La présente note ne fait pas partie du décret.)

Le décret a pour objet d'étendre les avantages des mesures d'allégement de l'impôt sur le revenu et de la taxe sur les produits et services (TPS) aux Indiens de l'établissement indien de Webequie comme si cet établissement était une réserve. Le 14 janvier 1992, la province d'Ontario a signé un exposé d'intention provisoire qui définissait le territoire de Webequie dont doit se dessaisir la province en vue de la création d'une réserve en vertu de la *Loi sur les Indiens.*

En ce qui touche l'impôt sur le revenu, le décret met les Indiens dans l'établissement indien de Webequie dans une position fiscale identique à celle qu'ils auraient si Webequie avait le statut de réserve. En ce qui concerne la TPS, les mesures d'allégement applicables aux particuliers indiens et aux bandes indiennes, relativement aux acquisitions de fournitures taxables à l'intérieur des réserves et à certaines de ces acquisitions à l'extérieur des réserves, sont étendues aux Indiens et à leur bande de l'établissement indien de Webequie.

DÉCRET DE REMISE VISANT LES INDIENS ET LA BANDE WAR LAKE FIRST NATION DE L'ÉTABLISSEMENT INDIEN D'ILFORD

Décret concernant la remise de certains impôts sur le revenu payés ou payables par les Indiens et de la taxes sur les produits et services payée ou payable par les Indiens ou la bande War Lake First Nation de l'établissement indien d'Ilford

C.P. 1994-801, 1er juin 1994 (TR/94-71)

Titre abrégé

1. *Décret de remise visant les Indiens et la bande War Lake First Nation de l'établissement indien d'Ilford.*

Définitions

2. Les définitions qui suivent s'appliquent au présent décret.

« **bande** » S'entend au sens du paragraphe 2(1) de la *Loi sur les Indiens.*

« **établissement indien d'Ilford** » L'établissement qui est situé à d'Ilford (Manitoba), qui n'est pas une réserve et qui consiste en les parcelles de terrain désignées A et B sur le plan d'arpentage d'une partie du canton non levé 81 situé dans le rang 12, à l'est du méridien principal, et ayant respectivement une superficie de 2,89 hectares et de 3,89 hectares.

« **Indien** » S'entend au sens du paragraphe 2(1) de la *Loi sur les Indiens.*

« **réserve** » S'entend au sens du paragraphe 2(1) de la *Loi sur les Indiens.*

Partie I — Impôt sur le revenu

Définitions

3.(1) Pour l'application de la présente partie, « **impôt** » s'entend de l'impôt prévu aux parties I, I.1 et I.2 de la *Loi de l'impôt sur le revenu.*

(2) Sous réserve de l'article 2, les autres termes de la présente partie s'entendent au sens de la *Loi de l'impôt sur le revenu.*

Remise de l'impôt sur le revenu

4. Remise est accordée à tout contribuable qui est un Indien, pour l'année d'imposition 1992 et chaque année d'imposition subséquente, de l'excédent éventuel des impôts, intérêts et pénalités payés ou payables par lui pour l'année d'imposition, aux termes de la *Loi de l'impôt sur le revenu*, sur les impôts, intérêts et pénalités qui auraient été payables par lui pour l'année aux termes de cette loi si l'établissement indien d'Ilford avait été une réserve pendant toute l'année.

Partie II — Taxe sur les produits et services

Définitions

5.(1) Pour l'application de la présente partie, « **taxe** » s'entend de la taxe sur les produits et services prévue à la section II de la partie IX de la *Loi sur la taxe d'accise*.

(2) Sous réserve de l'article 2, les autres termes de la présente partie s'entendent au sens de la partie IX de la *Loi sur la taxe d'accise*.

Remise de la taxe sur les produits et services

6. Sous réserve de l'article 8, remise d'un montant au titre de la taxe payée ou payable est accordée à tout particulier qui est un Indien et qui est l'acquéreur d'une fourniture taxable effectuée à la date d'entrée en vigueur du présent décret ou après celle-ci, lequel montant est égal à l'excédent éventuel du montant visé à l'alinéa a) sur celui visé à l'alinéa b) :

a) la taxe payée ou payable par lui;

b) la taxe qui aurait été payable par lui si l'établissement indien d'Ilford avait été une réserve.

7. Sous réserve de l'article 8, remise d'un montant au titre de la taxe payée ou payable est accordée à la bande War Lake First Nation lorsqu'elle est l'acquéreur d'une fourniture taxable le 1er janvier 1992 ou après cette date, lequel montant est égal à l'excédent éventuel du montant visé à l'alinéa a) sur celui visé à l'alinéa b) :

a) la taxe payée ou payable par la bande;

b) la taxe qui aurait été payable par la bande si l'établissement indien d'Ilford avait été une réserve.

Condition

8. La remise de la taxe payée visée aux articles 6 et 7 est accordée à la condition qu'une demande à cet effet soit présentée par écrit au ministre du Revenu national dans les quatre ans suivant la date du paiement de la taxe.

Note explicative

(La présente note ne fait pas partie du décret.)

Le décret a pour objet d'étendre les avantages des mesures d'allégement de l'impôt sur le revenu et de la taxe sur les produits et services (TPS) aux Indiens de l'établissement indien d'Ilford, comme si cet établissement était une réserve. Le 6 juillet 1990, le ministère des Affaires indiennes et du Nord canadien a donné son approbation de principe à l'établissement d'une réserve pour la bande War Lake. La province du Manitoba a par la suite convenu de se dessaisir des terres aux fins de la création d'une réserve. Le 6 octobre 1992, elle a accepté le périmètre de la réserve proposée et a donné la permission d'arpenter les terres en question. L'entente visant le transfert des terres a été signée par toutes les parties intéressées le 7 décembre 1992.

En ce qui concerne l'impôt sur le revenu, le décret met les Indiens de l'établissement indien d'Ilford dans une position fiscale identique à celle qu'ils auraient si cet établissement avait le statut de réserve. Pour ce qui est de la TPS, les mesures d'allégement applicables aux particuliers indiens et aux bandes indiennes, relativement aux acquisitions de fournitures taxables à l'intérieur des réserves et à certaines de ces acquisitions à l'extérieur des réserves, sont étendues aux Indiens et à la bande War Lake First Nation de l'établissement indien d'Ilford.

DÉCRET CONCERNANT LA REMISE DE DROITS SUR CERTAINES MARCHANDISES IMPORTÉES AU CANADA PAR DES EXPÉDITIONS SCIENTIFIQUES OU EXPLORATIVES

C.P. 95-132, 31 janvier 1995, DORS/95-82, C.P. 1997-2032, 29 décembre 1997, DORS/98-60

Titre abrégé

1. *Décret de remise relatif aux expéditions scientifiques ou exploratives.*

Définitions

2. Les définitions qui suivent s'appliquent au présent décret :

« expédition scientifique ou explorative » Expédition :

a) menée ou commanditée par un organisme scientifique ou culturel, une association de savants ou un gouvernement étranger;

b) dont les participants ne sont pas résidents du Canada;

c) dont les commanditaires se sont engagés à faire connaître au gouvernement du Canada tous les renseignements recueillis au Canada dans le cadre des recherches menées au cours de l'expédition.

« Loi » La *Loi sur la taxe d'accise*.

« matériel auxiliaire » [*Abrogée*].

« matériel scientifique » Instruments, appareils, matériel photographique, machines ou leurs accessoires utilisés pour faire des expériences ou recueillir des renseignements dans le cadre d'expéditions scientifiques ou exploratives.

« outils » Outils spécialement conçus pour l'entretien, le contrôle, le calibrage ou la réparation du matériel scientifique.

Remise

3. Remise est accordée des taxes payées ou payables en vertu de la section III de la partie IX de la Loi et en vertu de toute autre partie de la Loi sur les produits alimentaires et autres marchandises consomptibles, à l'exclusion des boissons alcooliques et des produits du tabac, importés au plus tôt le 1er janvier 1991 par une expédition scientifique ou explorative pour son usage exclusif au cours de recherches menées au Canada.

4. Sous réserve de l'article 6, remise est accordée des taxes payées ou payables en vertu de la section III de la partie IX de la Loi et en vertu de toute autre partie de la Loi sur le matériel scientifique, les pièces de rechange du matériel scientifique et les outils importés au plus tôt le 1er janvier 1991 par une expédition scientifique ou explorative pour servir au cours de recherches menées au Canada.

5. [*Abrogé*].

Conditions

6.(1) Remise est accordée conformément à l'article 4 aux conditions suivantes :

a) le matériel scientifique, les pièces de rechange et les outils sont, au moment de l'importation, décrits dans un document en la forme autorisée par le ministre;

b) le matériel scientifique, les pièces de rechange et les outils servent à l'usage exclusif de l'expédition scientifique ou explorative au cours de recherches menées au Canada;

c) le matériel scientifique, les pièces de rechange et les outils sont détruits au Canada aux frais de l'importateur, sous la surveillance d'un agent des douanes, ou exportés du Canada :

(i) soit dans les deux ans suivant la date de la déclaration en détail des marchandises faite aux termes de la *Loi sur les douanes*,

(ii) soit, si une prolongation de ce délai est accordée en application du paragraphe (2), dans les deux ans suivant la date d'expiration de ce délai.

(2) Le ministre peut prolonger le délai de deux ans visé au sous-alinéa (1)c)(i) de périodes additionnelles, d'au plus deux ans chacune, si l'importateur établit qu'une prolongation est nécessaire à l'achèvement des travaux entrepris au Canada par l'expédition scientifique ou explorative.

Note explicative

[La Note explicative n'est pas reproduite — n.d.l.r.]

DÉCRET DE REMISE DE LA TAXE SUR LES PRODUITS ET SERVICES (CONSTRUCTEURS)

Décret concernant la remise de la taxe prévue à la partie IX de la Loi sur la taxe d'accise payée ou payable par certains constructeurs d'adjonctions à des immeubles d'habitation à logements multiples

C.P. 1995-317, 22 mars 1995 (TR/95-33)

Sur recommandation du ministre des Finances et en vertu du paragraphe 23(2) de la *Loi sur la gestion des finances publiques*, il plaît à Son Excellence le Gouverneur général en conseil, estimant que l'intérêt public le justifie, de prendre le Décret concernant la remise de la taxe prévue à la partie IX de la *Loi sur la taxe d'accise* payée ou payable par certains constructeurs d'adjonctions à des immeubles d'habitation à logements multiples, ci-après.

Titre abrégé

1. *Décret de remise de la taxe sur les produits et services (constructeurs).*

Définitions

2. Les définitions qui suivent s'appliquent au présent décret.

« Loi » La *Loi sur la taxe d'accise.*

« taxe de vente fédérale estimative » Taxe de vente fédérale estimative applicable à l'adjonction à un immeuble d'habitation à logements multiples, égale :

a) si la demande de la remise visée à l'article 5 est fondée sur la surface de l'adjonction, au résultat du calcul suivant :

$$A \times B$$

où :

A représente 50 $,

B la surface de l'adjonction, en mètres carrés;

b) dans les autres cas, à 4,25 pour cent de la juste valeur marchande de l'adjonction au moment où le constructeur de l'adjonction est réputé, aux termes du paragraphe 191(4) de la Loi, avoir perçu la taxe relative à celle-ci.

Surface de l'adjonction

3. Pour l'application du présent décret, la surface de l'adjonction à un immeuble d'habitation à logements multiples se calcule à partir de la face externe de tout mur extérieur non adjacent à un autre immeuble ou logement, et dans le cas contraire, à partir du milieu du mur extérieur; sont toutefois exclues de la surface les parties suivantes :

a) les salles de rangement, les greniers et les sous-sols dont la finition par le constructeur de l'adjonction est équivalente à celle des espaces habitables de l'immeuble;

b) les stationnements;

c) les salles prévues pour les appareils de chauffage, de distribution d'eau, de gaz ou d'électricité de l'immeuble.

Base du montant de la demande de remise

4. Le constructeur d'une adjonction à un immeuble d'habitation à logements multiples qui demande la remise visée à l'article 5 à l'égard de l'adjonction le fait en basant le montant de la demande sur la surface ou la juste valeur marchande de l'adjonction.

Remise

5. Lorsque le constructeur d'une adjonction à un immeuble d'habitation à logements multiples est réputé, aux termes du paragraphe 191(4) de la Loi, avoir perçu après 1990 la taxe relative à l'adjonction et que la construction de l'adjonction était, le 1er janvier 1991, achevée à plus de 25 pour cent, remise est accordée au constructeur, sous réserve de l'article 6, d'un montant au titre de la taxe qui est égal :

a) si la construction de l'adjonction n'était pas achevée à plus de 50 pour cent à cette date, au moins élevé des montants suivants :

(i) 50 pour cent de la taxe de vente fédérale estimative applicable à l'adjonction,

(ii) le montant de la taxe réputée ainsi perçue;

b) si la construction de l'adjonction était achevée à plus de 50 pour cent à cette date, au moins élevé des montants suivants :

(i) 75 pour cent de la taxe de vente fédérale estimative applicable à l'adjonction,

(ii) le montant de la taxe réputée ainsi perçue.

Conditions

6. La remise visée à l'article 5 est accordée si les conditions suivantes sont réunies :

a) le constructeur en fait la demande au ministre du Revenu national avant le 1er janvier 1996;

b) aucun remboursement n'a été versé en application de l'article 121 de la Loi au titre de l'immeuble;

c) aucune remise n'a été accordée aux termes de l'article 5 à une autre personne au titre de l'adjonction.

Note explicative

(La présente note ne fait pas partie du décret.)

Sous le régime de la taxe sur les produits et services (TPS), les maisons neuves sont assujetties à la TPS, calculée sur le prix de vente aux consommateurs. En absence de dispositions spéciales, la maison neuve qui était partiellement construite ou achevée avant la mise en application de la TPS mais qui n'a été vendue qu'après 1990 serait, dans une certaine mesure, assujettie à une double taxation. Cela s'explique par le fait que la maison neuve aurait été assujettie à la TPS, alors que son prix comprendrait pour une bonne partie la taxe de vente fédérale préalable frappant les matériaux de constructions. Afin de remédier à ce problème, l'article 121 de la *Loi sur la taxe d'accise* prévoit des remboursements de la taxe de vente fédérale déjà incluse dans le coût des maisons nouvellement construites à la date d'entrée en vigueur de la TPS.

Le même risque de double taxation touche les nouvelles adjonctions aux immeubles d'habitation à logements multiples existants. Si l'adjonction a été partiellement achevée avant 1991, son coût engloberait un élément de la taxe de vente fédérale, alors que le coût intégral de l'adjonction est assujetti à la TPS lorsque le constructeur loue les habitations qui en font partie. Toutefois, le remboursement prévu à l'article 121 de la Loi ne s'applique pas aux adjonctions. Le décret accorde donc aux constructeurs d'adjonctions à un immeuble d'habitation à logements multiples en partie construites ou achevées avant le 1re janvier 1991 une remise de la TPS payée au titre de l'adjonction. Les conditions à remplir pour obtenir une telle remise sont semblables à celles prévues à l'article 121 de la Loi pour un remboursement. À ce jour, seulement deux cas de remise ont été portés à l'attention du gouvernement. La perte des recettes estimatives découlant de ces remises s'élève à 250 000 $.

DÉCRET DE REMISE VISANT LES INDIENS ET LES BANDES DANS CERTAINS ÉTABLISSEMENTS INDIENS (1997)

C.P. 1997-1529, 23 octobre 1997 (TR/97-127)

Définitions

1. Les définitions qui suivent s'appliquent au présent décret.

« bande » S'entend au sens du paragraphe 2(1) de la *Loi sur les Indiens*.

« établissement indien » L'une des régions nommées et décrites à la colonne 2 de l'annexe.

« Indien » S'entend au sens du paragraphe 2(1) de la *Loi sur les Indiens*.

« réserve » S'entend au sens du paragraphe 2(1) de la *Loi sur les Indiens*.

Champ d'application

2. Le présent décret s'applique à tout établissement indien jusqu'à ce que la région le constituant soit désignée, en tout ou partie, comme une réserve par décret du gouverneur en conseil.

Partie I — Impôt sur le revenu

Définition

3.(1) Dans la présente partie, « impôt » s'entend de l'impôt prévu aux parties I, I.1 et I.2 de la *Loi de l'impôt sur le revenu*.

(2) Sous réserve de l'article 1, les autres termes de la présente partie s'entendent au sens de la *Loi de l'impôt sur le revenu*.

Remise de l'impôt sur le revenu

4. Remise est accordée à tout contribuable qui est un Indien — dont le revenu est situé sur un établissement indien — , pour l'année d'imposition indiquée à la colonne 3 de l'annexe relativement à cet établissement et chacune des années d'imposition subséquentes, de l'excédent éventuel du montant visé à l'alinéa a) sur celui visé à l'alinéa b) :

a) les impôts, intérêts et pénalités payés ou payables par lui pour l'année d'imposition aux termes de la *Loi de l'impôt sur le revenu*;

b) les impôts, intérêts et pénalités qui auraient été payables par lui pour l'année d'imposition aux termes de cette loi, si l'établissement indien avait été une réserve pendant toute l'année.

Partie II — Taxe sur les produits et services

Définition

5.(1) Dans la présente partie, « taxe » s'entend de la taxe sur les produits et services prévue à la section II de la partie IX de la *Loi sur la taxe d'accise*.

(2) Sous réserve de l'article 1, les autres termes de la présente partie s'entendent au sens de la partie IX de la *Loi sur la taxe d'accise*.

Remise de la taxe sur les produits et services

6. Sous réserve de l'article 8, remise d'un montant au titre de la taxe payée ou payable est accordée à tout particulier qui est un Indien, qui réside sur un établissement indien et qui est l'acquéreur d'une fourniture taxable effectuée au plus tôt à la date de remise indiquée à la colonne 4 de l'annexe, lequel montant est égal à l'excédent éventuel du montant visé à l'alinéa a) sur celui visé à l'alinéa b) :

a) la taxe payée ou payable par lui;

b) la taxe qui aurait été payable par lui si l'établissement indien avait été une réserve.

7. Sous réserve de l'article 9, remise d'un montant au titre de la taxe payée ou payable est accordée à toute bande qui est établie sur un établissement indien et qui est l'acquéresse d'une fourniture taxable effectuée au plus tôt à la date de remise indiquée à la colonne 5 de l'annexe, lequel montant est égal à l'excédent éventuel du montant visé à l'alinéa a) sur celui visé à l'alinéa b) :

a) la taxe payée ou payable par elle;

b) la taxe qui aurait été payable par elle si l'établissement indien avait été une réserve.

Conditions

8. La remise visée à l'article 6 est accordée à la condition qu'une demande à cet effet soit présentée par écrit au ministre du Revenu national dans les deux ans suivant la date du paiement de la taxe.

9. La remise visée à l'article 7 est accordée à la condition qu'une demande à cet effet soit présentée par écrit au ministre du Revenu national :

a) pour la taxe payée au plus tôt à la date de remise indiquée à la colonne 5 de l'annexe, mais avant la date de remise indiquée à la colonne 4, dans les deux ans suivant cette dernière date;

b) pour la taxe payée au plus tôt à la date de remise indiquée à la colonne 4 de l'annexe, dans les deux ans suivant la date du paiement de la taxe.

Annexe

(articles 1, 4, 6, 7 et 9)

Article	Colonne 1	Colonne 2	Colonne 3	Colonne 4	Colonne 5
	Bande	Nom et description officielle de l'établissement indien	Année d'imposition	Date de la remise de la TPS à chaque indien	Date de remise de la TPS aux bandes
1.	Première nation Nibinamik	Summer Beaver (Ontario) District de Nakina (Ontario) (52° 45' de latitude nord, 88° 35' de longitude ouest), ayant une superficie d'environ 3,5 milles carrés. (Sont exclus les établissements SN 160 et CL 6298, les emplacements des anciennes et des nouvelles écoles.)	1995	23 octobre 1997	1er janvier 1995
2.	Première nation Long Point	Winneway (Québec) Moitié nord des lots 50 et 51 rang 8, tout le lot 46-5 rang 9, et le coin sud-est du lot 47 rang 9, 51770 CLSR et 59890 CLSR, canton de Devlin, ayant une superficie d'environ 47 hectares.	1996	23 octobre 1997	1er janvier 1996
3.	Première nation God's River	God's River (Manitoba) Parcelle 5, plan 4955 NLTO (établissement situé dans le canton 67 projeté, rang 23, à l'est du méridien principal), ayant une superficie d'environ 2,83 acres.	1997	23 octobre 1997	1er janvier 1993

Note explicative

(La présente note ne fait pas partie du décret.)

Le décret a pour objet d'étendre les avantages des mesures d'allégement de l'impôt sur le revenu et de la taxe sur les produits et services (TPS) aux Indiens, comme si les établissements indiens désignés étaient des réserves. Le décret s'applique aux établissements à l'égard desquels le gouvernement du Canada s'est engagé publiquement à accorder le statut de réserve en vertu de la *Loi sur les indiens*. Le Ministère des Affaires indiennes et du Nord canadien a communiqué au Ministère du Revenu national la liste des établissements dont le périmètre a été établi qui devraient être inclus dans le décret.

En ce qui touche l'impôt sur le revenu, le décret met les particuliers indiens dans une position fiscale identique à celle qu'ils auraient si les établissements indiens avaient le statut de réserve. En ce qui concerne la TPS, les mesures d'allégement applicables aux particuliers indiens et aux bandes indiennes, relativement aux acquisitions de fournitures taxables à l'intérieur de la réserve et à certaines de ces acquisitions à l'extérieur de la réserve, sont étendues aux particuliers indiens ou aux bandes indiennes quant aux acquisitions semblables à l'intérieur ou à l'extérieur des établissements indiens désigné [*sic*].

DÉCRET DE REMISE SUR LES APPAREILS AUTOMATIQUES

C.P. 1999-326, 4 mars 1999 (TR/99-21)

Définitions

1. Les définitions qui suivent s'appliquent au présent décret.

« fourniture admissible » Fourniture pour laquelle la taxe payable en application de la section II de la partie IX de la Loi serait nulle en raison du paragraphe 165.1(2) de la Loi, si ce paragraphe était en vigueur au moment de la fourniture.

« inscrit » Personne qui, à un moment donné au cours de la période admissible, était un inscrit au sens du paragraphe 123(1) de la Loi.

« Loi » La *Loi sur la taxe d'accise*.

« période admissible » La période commençant le 1er janvier 1991 et se terminant le 23 avril 1996.

« période de déclaration » S'entend au sens du paragraphe 123(1) de la Loi.

« personne » S'entend au sens du paragraphe 123(1) de la Loi.

« taxe nette » S'entend au sens de la section V de la partie IX de la Loi.

Remise de taxe sur les produits et services

2. Sous réserve des articles 3 à 5, remise est accordée à l'inscrit de la taxe payable en application de la partie IX de la Loi pour les fournitures admissibles qu'il a effectuées dans une période de déclaration commençant au cours de la période admissible. La remise est calculée selon la formule suivante :

$$A - B$$

où :

A représente le montant positif ou négatif de la taxe nette de l'inscrit pour la période de déclaration;

B le montant positif ou négatif qui aurait été sa taxe nette pour la période de déclaration si cette taxe nette ne comprenait pas les montants perçus ou percevables par lui au titre de la taxe prévue à la section II de la partie IX de la Loi relativement à des fournitures admissibles.

3. Le montant de la remise accordée en application de l'article 2 pour une période de déclaration de l'inscrit est réduit du total des sommes qui sont perçues ou percevables par l'inscrit au titre de la taxe prévue à la section II de la partie IX de la Loi pour les fournitures admissibles et qui sont incluses dans la taxe nette pour la période, ou une partie de celle-ci, non remise au moment où l'inscrit dépose une demande de remise en vertu de l'article 5, si les conditions suivantes sont réunies :

a) cette taxe nette est un montant positif;

b) une cotisation de cette taxe nette n'a pas été établie en application de l'article 296 de la Loi avant le dépôt de la demande;

c) une telle cotisation ne peut être établie au moment du dépôt ou après ce moment en raison de l'article 298 de la Loi.

4. Remise est en outre accordée à l'inscrit des intérêts et pénalités qu'il a payés à l'égard de toute somme pour laquelle une remise est accordée en vertu de l'article 2.

Condition

5. La remise est accordée à la condition que l'inscrit dépose une demande écrite à cet égard au ministre du Revenu national dans les deux ans suivant la prise du présent décret, dans la mesure où la somme visée par la demande ne lui a pas déjà été remboursée, créditée ou remise en application de la Loi ou de la *Loi sur la gestion des finances publiques*.

Note explicative

(La présente note ne fait pas partie du décret.)

La *Loi sur la taxe d'accise* a été modifiée afin de prévoir que, après le 23 avril 1996, la TPS est nulle dans le cas des produits distribués ou des services rendus au moyen d'appareils automatiques à fonctionnement mécanique conçus pour n'accepter qu'une seule pièce de monnaie, de 25 cents ou moins, comme contrepartie totale de la fourniture effectuée au moyen de l'appareil.

La Cour canadienne de l'impôt a statué que la TPS ne s'applique pas à de telles fournitures si elles ont été effectuées avant le 24 avril 1996. Le présent décret vise à ce que les exploitants de tels appareils bénéficient d'un même traitement fiscal.

DÉCRET DE REMISE VISANT LE FONDS APPELÉ NOVA SCOTIA PUBLIC SERVICE LONG TERM DISABILITY PLAN TRUST FUND

C.P. 2000-354, 23 mars 2000 (TR/2000-16)

Remise

1. Sous réserve de l'article 2, remise est accordée de la moitié la taxe qui a été payée ou est devenue due au titre de la partie IX de la *Loi sur la taxe d'accise* par le fonds appelé Nova Scotia Public Service Long Term Disability Plan Trust Fund au cours de la période commençant le 21 juillet 1993 et se terminant 26 mars 1998.

Conditions

2. La remise est accordée à condition que le fonds présente une demande écrite à cet effet au ministre du Revenu national au plus tard le 31 décembre 2000 et que la taxe n'ait pas été par ailleurs remboursée ou remise.

Note explicative

(La présente note ne fait pas partie du décret.)

Le décret accorde une remise d'environ 98 000 $, soit la moitié la taxe payée au cours de la période en question par le fonds appelé Nova Scotia Public Service Long Term Disability Plan Trust Fund en vertu de la partie IX de la *Loi sur la taxe d'accise*. Cette remise est accordée du fait que le contribuable, ayant obtenu des renseignements erronés de fonctionnaires du ministère, a agi selon l'hypothèse qu'il avait droit au remboursement de 50 % la taxe sur les produits et services non recouvrable qui est offert aux organismes sans but lucratif admissibles.

DÉCRET DE REMISE VISANT LES ÉTABLISSEMENTS INDIENS (2000)

C.P. 2000-1112, 27 juillet 2000 (TR/2000-69)

Définitions

1. Les définitions qui suivent s'appliquent au présent décret.

« **établissement indien** » Établissement nommé à la colonne 1 de l'annexe 1 et décrit à la colonne 2 de cette annexe.

« **réserve** » S'entend au sens du paragraphe 2(1) de la *Loi sur les Indiens*.

Champ d'application

2. Le présent décret s'applique à tout établissement indien jusqu'à ce que la totalité ou une partie des terres le constituant soit désigée comme réserve par décret du gouverneur en conseil.

Partie I — Impôt sur le revenu

Définitions

3. Dans la présente partie :

a) « **impôt** » s'entend de l'impôt prévu aux articles I, I.1 et I.2 de la *Loi de l'impôt sur le revenu.*

b) les autres termes non définis autrement à l'article 1 s'entendent au sens de la *Loi de l'impôt sur le revenu*.

Remise de l'impôt sur le revenu

4. Remise est accordée à tout contribuable — dont le revenu est situé sur un établissement indien — pour chaque année d'imposition ou exercice commençant au cours de l'année indiquée à la colonne 2 de l'annexe 2 relativement à cet établissement ou après, de l'excédent du montant visé à l'alinéa a) sur celui visé à l'alinéa b) :

a) les impôts, intérêts et pénalités payés ou à payer par le contribuable pour l'année d'imposition ou l'exercice;

b) les impôts, intérêts et pénalités qu'il aurait eu à payer pour l'année d'imposition ou l'exercice si l'établissement indien avait été une réserve pendant toute l'année d'imposition ou l'exercice.

Partie II — Taxe sur les produits et services

Définitions

5. Dans la présente partie :

a) « **taxe** » s'entend de la taxe sur les produits et services prévue à la section II de la partie IX de la *Loi sur la taxe d'accise*;

b) les autres termes non définis autrement à l'article 1 s'entendent au sens de la partie IX de la *Loi sur la taxe d'accise.*

Remise de la taxe sur les produits et services

6. Remise est accordée à tout contribuable — dont le revenu est situé sur un établissement indien — pour chaque année d'imposition ou exercice commençant au cours de l'année indiquée à la colonne 2 de l'annexe 2 relativement à cet établissement ou après, de l'excédent du montant visé à l'alinéa a) sur celui visé à l'alinéa b) :

a) la taxe payée ou à payer par lui;

b) la taxe qu'il aurait eu à payer si l'établissement indien avait été une réserve.

Conditions

7. La remise visée à l'article 6 est accordée à un particulier aux conditions suivantes :

a) la taxe payée ou à payer n'a pas par ailleurs fait l'objet d'un remboursement, d'un crédit ou d'une remise en vertu de la partie IX de la *Loi sur la taxe d'accise* ou de la *Loi sur la gestion des finances publiques*;

b) une demande de remise est présentée au ministre du Revenu national dans les deux ans suivant la date à laquelle la taxe a été payée ou est devenue exigible.

8. La remise visée à l'article 6 est accordée à toute personne qui n'est pas un particulier aux conditions suivantes :

a) la taxe payée ou à payer n'a pas par ailleurs fait l'objet d'un remboursement, d'un crédit ou d'une remise en vertu de la partie IX de la *Loi sur la taxe d'accise* ou de la *Loi sur la gestion des finances publiques*;

b) pour la taxe payée au plus tôt à la date indiquée à la colonne 4 d'un article de l'annexe 2, mais avant la date indiquée à la colonne 3 de cet article, une demande de remise est présentée au ministre du Revenu national dans les deux ans suivant cette dernière date;

c) pour la taxe payée au plus tôt à la date indiquée à la colonne 3 d'un article de l'annexe 2, une demande de remise est présentée au ministre du Revenu national dans les deux ans suivant la date du paiement de la taxe.

Annexe 1

(article 1)

Article	Colonne I	Colonne II
1.	Établissement d'Alexander	Toutes les parcelles de terre situées en Alberta, au Canada, et composées de zones au nord et au sud de la réserve indienne d'Alexander nº 134, cantons 55 et 56, rang 27, à l'ouest du 4e méridien, et canton 56, rang 1, à l'ouest du 5e méridien, ainsi que les réserves routières qui s'y trouvent.
2.	Établissement de Fox Creek	Toutes les parcelles de terre situées en Alberta, au Canada, et composées des sections théoriques 10, 11, 14, 15, 22, 23, 26, 27 et 35, canton 61, rang 17, à l'ouest du 5e méridien, ainsi que les réserves routières qui s'y trouvent, à l'exception du plan routier 4429 J.Y., du plan 1386 R.S., du plan 4344 J.Y. et du plan 713 L.Z.
3.	Établissement de Fort Assiniboine	Tout le quart sud-est de la section 10, canton 62, rang 6, à l'ouest du 5e méridien, s'etendant au sud-ouest du plan routier 2216 L.Z. en Alberta, au Canada.
4.	Établissement de Loon River	Toutes les parcelles de terre situées en Alberta, au Canada, et composées : des sections théoriques 6, 7, 17, 18, 19, 20, 29 a 33, de la moitié ouest de la section 21, de la moitié ouest et de la partie nord-est de la section 28, et d'une partie de la moitié ouest et de la partie nord-est de la section 16, de la moitié est de la section 21, de la moitié ouest de la section 27, de la partie sud-est de la section 28 et de la moitié ouest de la section 34, canton 85, rang 9, à l'ouest du 5e méridien, ainsi que les réserves routières qui s'y trouvent; des sections théoriques 1 à 4, 7 à 16, 22 à 26, 35, 36, de la moitié nord et de la partie sud-est de la section 5, de la moitié nord et de la partie sud-ouest de la section 6, de la partie sud-est de la section 17, de la partie sud-est de la section 21, de la moitié sud de la section 27 et d'une partie de la partie sud-ouest de la section 5, et de la partie sud-est de la section 6, canton 85, rang 10, à l'ouest du 5e méridien, ainsi que les réserves routières qui s'y trouvent; des sections théoriques 4 à 9, 16 à 18, 20, 21, 32, 33, de la partie nord-ouest de la section 3, de la moitié ouest de la section 10, de la partie sud-ouest de la section 15, de la partie sud-est de la section 19, de la moitié nord de la section 28, de la moitié nord de la section 29, de la moitié nord et de la partie sud-ouest de la section 30, de la moitié sud et de la partie nord-est de la section 31 et d'une partie de la moitié est et de la partie sud-ouest de la section 3, de la moitié est de la section 10, de la moitié est et de la partie nord-ouest de la section 15, de la moitié nord et de la partie sud-ouest de la section 19, de la moitié ouest de la section 22, de la moitié ouest de la section 27, de la moitié sud de la section 28, de la moitié sud de la section 29, de la partie sud-est de la section 30, de la partie nord-ouest de la section 31, de la partie nord-est et de la moitié ouest de la section 34, canton 86, rang 9, à l'ouest du 5e méridien, ainsi que les réserves routières qui s'y trouvent; des sections théoriques 1 et 12, de la moitié sud et de la partie nord-est de la section 2, de la moitié est de la section 11, de la moitié sud de la section 13, de la partie nord-ouest de la section 24, de la partie sud-est de la section 25, et d'une partie de la moitié nord de la section 13, de la partie nord-est et de la moitié sud de la section 24, de la partie nord-est de la section 25 et de la moitié est de la section 36, canton 86, rang 10, à l'ouest du 5e méridien, ainsi que les réserves routières qui s'y trouvent;

Article	Colonne I	Colonne II
		des parties levées suivantes : la moitié ouest de la section 3, la moitié est de la section 4, la moitié est de la section 9, la moitié ouest et la partie nord-est de la section 10, la partie sud-est de la section 16, la partie nord-est de la section 21, la partie nord-ouest de la section 22, la moitié ouest de la section 27, la moitié est de la section 28, la moitié est de la section 33, la moitié ouest de la section 34 et une partie de la moitié ouest de la section 15, de la partie nord-est de la section 16, de la partie sud-est de la section 21, de la partie sud-ouest de la section 22, et les sections théoriques suivantes : la moitié est de la section 3, la moitié ouest de la section 4, la moitié est et la partie sud-ouest de la section 5, la partie sud-est de la section 8, la moitié ouest de la section 9, la moitié est de la section 10, la moitié ouest de la section 11, la partie sud-ouest de la section 16, la partie sud-est de la section 20, la partie nord-ouest de la section 21, la partie nord-ouest de la section 26, la moitié est de la section 27, la moitié ouest de la section 28, la partie nord-est de la section 29, la partie sud-est de la section 32, la moitié ouest de la section 33, la moitié est de la section 34, la moitié ouest de la section 35, et une partie des sections théoriques suivantes : la moitié ouest et la partie nord-est de la section 2, la partie nord-ouest de la section 5, la partie sud-est de la section 6, la moitié nord et la partie sud-ouest de la section 8, la moitié est de la section 15, la partie nord-ouest de la section 16, la section 17, la partie nord-est de la section 18, la partie sud-est de la section 19, la moitié nord et la partie sud-ouest de la section 20, la partie sud-ouest de la section 21, la moitié est de la section 22, la moitié nord et la partie sud-ouest de la section 23, la moitié est et la partie sud-ouest de la section 26, la moitié ouest et la partie sud-est de la section 29, la moitié ouest et la partie nord-est de la section 32, et la moitié est de la section 35, canton 87, rang 9, à l'ouest du 5e méridien, ainsi que les réserves routières qui s'y trouvent.
5.	Établissement de Loon Prairie	Toutes les parcelles de terre situées en Alberta, au Canada, et composées : des sections théoriques suivantes : la moitié nord de la section 20 et la moitié sud de la section 29, canton 90, rang 9, à l'ouest du 5e méridien, ainsi que les réserves routières qui s'y trouvent.

Annexe 2

(articles 4, 6 et 8)

Article	Colonne 1 Établissement indien	Colonne 2 Année d'imposition	Colonne 3 Date de remise de la TPS — particuliers	Colonne 4 Date remise de la TPS — personnes qui ne sont pas des particuliers
1.	Établissement d'Alexander	1998	27 juillet 2000	1er janvier 1998
2.	Établissement de Fox Creek	1998	27 juillet 2000	1er janvier 1998
3.	Établissement de Fort Assiniboine	1998	27 juillet 2000	1er janvier 1998
4.	Établissement de Loon River	1994	27 juillet 2000	1er janvier 1994
5.	Établissement de Loon Prairie	1994	27 juillet 2000	1er janvier 1994

Note explicative

(La présente note ne fait pas partie du décret.)

Le décret a pour objet d'accorder les avantages des mesures d'allégement de l'impôt sur le revenu et de la taxe sur les produits et services aux Indiens, aux bandes indiennes et aux entreprises des bandes admissibles sur certains établissements indiens, qui seraient accordés si ces établissements étaient des réserves. Il s'agit des établissements indiens à l'égard desquels le gouvernement du Canada s'est engagé publiquement à accorder le statut de réserve en vertu de la *Loi sur les Indiens.*

DÉCRET DE REMISE VISANT LE BUREAU DU COMMISSAIRE PROVISOIRE DU NUNAVUT

C.P. 2000-1113, 27 juillet 2000 (TR/2000-70)

Définitions

1. Les définitions qui suivent s'appliquent au présent décret.

« Bureau du commissaire provisoire » Le bureau du commissaire provisoire du Nunavut nommé en vertu du paragraphe 71(1) de la *Loi sur le Nunavut.*

« taxe » La taxe imposée au titre de la partie IX de la *Loi sur la taxe d'accise.*

Remise de la taxe sur les produits et services

2. Sous réserve de l'article 3, remise est accordée au Bureau du commissaire provisoire de la taxe payée ou à payer au cours de la période commençant le 26 novembre 1996 et se terminant le 31 mars 1999.

Condition

3. La remise est accordée, dans la mesure où la taxe n'a pas déjà été remboursée, remise ou versée, à la condition qu'une demande écrite à cet effet soit présentée au ministre du Revenu national dans les deux ans suivant la prise du présent décret.

Note explicative

(La présente note ne fait pas partie du décret.)

Le décret accorde la remise de la taxe sur les produits et services (TPS) payée ou à payer par le Bureau du commissaire provisoire du Nunavut (BCPN) au cours de la période commençant le 26 novembre 1996 et se terminant le 31 mars 1999.

Le BCPN a été établi le 26 novembre 1996 afin de créer l'infrastructure du nouveau territoire du Nunavut, qui a vu le jour le 1er avril 1999. La création du gouvernement du Nunavut a mis fin à son existence.

Le décret de remise est fondé sur le fait que les fonctions du BCPN étaient semblables à celles d'un gouvernement et que les dettes et obligations du BCPN sont devenues la responsabilité législative du gouvernement du Nunavut le 1er avril 1999. Si le BCPN avait été admissible à titre de gouvernement territorial officiel, il n'aurait pas payé de taxe.

Par ailleurs, si le BCPN avait été considéré comme faisant partie du gouvernement fédéral, il aurait eu droit à une remise de la TPS en vertu du *Décret de remise concernant la TPS accordée aux ministères fédéraux* (TR/91-13).

Or, le système fiscal ne prévoit pas de circonstances où une entité est mandatée pour établir un nouveau territoire. Le BCPN n'a donc pas eu droit au remboursement intégral de la TPS.

Par conséquent, il est considéré que l'intérêt public justifie un tel remboursement.

DÉCRET DE REMISE VISANT LES TR'ONDËK HWËCH'IN (TPS)

C.P. 2000-1662, 23 octobre 2000 (TR/2000-99)

Définitions

1. Les définitions qui suivent s'appliquent au présent décret.

« accord » L'*Entente sur l'autonomie gouvernementale des Tr'ondëk Hwëch'in* signée le 16 juillet 1998, dans sa version au 2 novembre 2000.

« personne » S'entend au sens du paragraphe 123(1) de la *Loi sur la taxe d'accise*.

Remise

2. Est accordée à toute personne, dans la mesure et selon les modalités de remboursement prévues aux articles 15.7 à 15.11 de l'accord à son égard, remise de la taxe qu'elle a payée aux termes de la partie IX de la *Loi sur la taxe d'accise* au cours de la période commençant le 15 septembre 1998 et se terminant le 31 octobre 2000, à la condition que cette taxe ne soit pas remboursable au titre de l'article 18.1 de la *Loi sur l'autonomie gouvernementale des premières nations du Yukon*.

Entrée en vigueur

3. Le présent décret entre en vigueur le 2 novembre 2000.

Note explicative

(La présente note ne fait pas partie du décret.)

L'*Entente sur l'autonomie gouvernementale des Tr'ondëk Hwëch'in* est entrée en vigueur le 15 septembre 1998. Cette entente contient des dispositions prévoyant le remboursement de la TPS payée dans le cadre des activités gouvernementales des Tr'ondëk Hwëch'in. Ces dispositions contiennent des règles précises ne prévoyant le remboursement qu'à l'égard des achats effectués dans le cadre des activités gouvernementales exercées à l'intérieur des terres désignées.

Étant donné que la modification apportée à la *Loi sur l'autonomie gouvernementale des premières nations du Yukon* en vue de donner effet aux dispositions sur le remboursement de la TPS est entrée en vigueur le 17 juin 1999 et que les modifications techniques apportées à l'*Entente sur l'autonomie gouvernementale des Tr'ondëk Hwëch'in* afin de donner effet aux dispositions de remboursement entrent en vigueur le 1er novembre 2000, il est dans l'intérêt public de faire remise de la TPS payée dans le cadre des activités gouvernementales exercées par les Tr'ondëk Hwëch'in pour la période commençant le 15 septembre 1998 et se terminant le 31 octobre 2000.

DÉCRET DE REMISE VISANT LA PREMIÈRE NATION DES GWITCHIN VUNTUT (TPS)

C.P. 2000-1663, 23 octobre 2000 (TR/2000-100)

Définitions

1. Les définitions qui suivent s'appliquent au présent décret.

« accord » L'*Entente sur l'autonomie gouvernementale de la première nation des Gwitchin Vuntut* signée le 29 mai 1993, dans sa version au 2 novembre 2000.

« personne » S'entend au sens du paragraphe 123(1) de la *Loi sur la taxe d'accise.*

Remise

2. Est accordée à toute personne, dans la mesure et selon les modalités de remboursement prévues aux articles 15.7 à 15.11 de l'accord à son égard, remise de la taxe qu'elle a payée aux termes de la partie IX de la *Loi sur la taxe d'accise* au cours de la période commençant le 1er octobre 1997 et se terminant le 31 octobre 2000, à la condition que cette taxe ne soit pas remboursable au titre de l'article 18.1 de la *Loi sur l'autonomie gouvernementale des premières nations du Yukon.*

Entrée en vigueur

3. Le présent décret entre en vigueur le 2 novembre 2000.

Note explicative

(La présente note ne fait pas partie du décret.)

Après la conclusion de l'*Entente sur l'autonomie gouvernementale de la première nation des Gwitchin Vuntut*, le Canada et la première nation des Gwitchin Vuntut ont convenu, en octobre 1997, d'ajouter à cet accord des dispositions prévoyant le remboursement de la TPS payée dans le cadre de leurs activités gouvernementales. Ces dispositions contiennent des règles précises ne prévoyant le remboursement qu'à l'égard des achats effectués dans le cadre des activités gouvernementales exercées à l'intérieur des terres désignées.

Il a été convenu avec cette première nation que le remboursement pourra être demandé une fois sanctionné le texte donnant effet aux dispositions sur le remboursement à l'égard des achats effectués à compter du 1er octobre 1997.

Étant donné que la modification apportée à la *Loi sur l'autonomie gouvernementale des premières nations du Yukon* en vue de donner effet aux dispositions sur le remboursement de la TPS est entrée en vigueur le 17 juin 1999 et que les modifications apportées à l'*Entente sur l'autonomie gouvernementale de la première nation Gwitchin Vuntut* entrent en vigueur le 1er novembre 2000, il est dans l'intérêt public de faire remise de la TPS payée dans le cadre des activités gouvernementales exercées par la première nation des Gwitchin Vuntut pour la période commençant le 1er octobre 1997 et se terminant le 31 octobre 2000.

DÉCRET DE REMISE VISANT LA PREMIÈRE NATION DE SELKIRK (TPS)

C.P. 2000-1664, 23 octobre 2000 (TR/2000-101)

Définitions

1. Les définitions qui suivent s'appliquent au présent décret.

« accord » L'Entente sur l'autonomie gouvernementale de la première nation de Selkirk signée le 21 juillet 1997, dans sa version au 2 novembre 2000.

« personne » S'entend au sens du paragraphe 123(1) de la *Loi sur la taxe d'accise.*

Remise

2. Est accordée à toute personne, dans la mesure et selon les modalités de remboursement prévues aux articles 15.7 à 15.11 de l'accord à son égard, remise de la taxe qu'elle a payée aux termes de la partie IX de la *Loi sur la taxe d'accise* au cours de la période commençant le 1er octobre 1997 et se terminant le 31 octobre 2000, à la condition que cette taxe ne soit pas remboursable au titre de l'article 18.1 de la *Loi sur l'autonomie gouvernementale des premières nations du Yukon.*

Entrée en vigueur

3. Le présent décret entre en vigueur le 2 novembre 2000.

Note explicative

(La présente note ne fait pas partie du décret.)

Après la conclusion de l'*Entente sur l'autonomie gouvernementale de la première nation de Selkirk*, le Canada et la première nation de Selkirk ont convenu, en octobre 1997, d'ajouter à cet accord des dispositions prévoyant le remboursement de la TPS payée dans le cadre de leurs activités gouvernementales. Ces dispositions contiennent des règles précises ne prévoyant le remboursement qu'à l'égard des achats effectués dans le cadre des activités gouvernementales exercées à l'intérieur des terres désignées.

Il a été convenu avec cette première nation que le remboursement pourra être demandé une fois sanctionné le texte donnant effet aux dispositions sur le remboursement à l'égard des achats effectués à compter du 1er octobre 1997.

Étant donné que la modification apportée à la *Loi sur l'autonomie gouvernementale des premières nations du Yukon* en vue de donner effet aux dispositions sur le remboursement de la TPS est entrée en vigueur le 17 juin 1999 et que les modifications apportées à l'*Entente sur l'autonomie gouvernementale de la première nation de Selkirk* entrent en vigueur le 1er novembre 2000, il est dans l'intérêt public de faire remise de la TPS payée dans le cadre des activités gouvernementales exercées par la première nation de Selkirk pour la période commençant le 1er octobre 1997 et se terminant le 31 octobre 2000.

DÉCRET DE REMISE VISANT LES PREMIÈRES NATIONS DE CHAMPAGNE ET DE AISHIHIK (TPS)

C.P. 2000-1665, 23 octobre 2000 (TR/2000-102)

Définitions

1. Les définitions qui suivent s'appliquent au présent décret.

« accord » L'*Entente sur l'autonomie gouvernementale des premières nations de Champagne et de Aishihik* signée le 29 mai 1993, dans sa version au 2 novembre 2000.

« personne » S'entend au sens du paragraphe 123(1) de la *Loi sur la taxe d'accise*.

Remise

2. Est accordée à toute personne, dans la mesure et selon les modalités de remboursement prévues aux articles 15.7 à 15.11 de l'accord à son égard, remise de la taxe qu'elle a payée aux termes de la partie IX de la *Loi sur la taxe d'accise* au cours de la période commençant le 1er octobre 1997 et se terminant le 31 octobre 2000, à la condition que cette taxe ne soit pas remboursable au titre de l'article 18.1 de la *Loi sur l'autonomie gouvernementale des premières nations du Yukon*.

Entrée en vigueur

3. Le présent décret entre en vigueur le 2 novembre 2000.

Note explicative

(La présente note ne fait pas partie du décret.)

Après la conclusion de l'*Entente sur l'autonomie gouvernementale dees premières nations de Champagne et de Aishihik*, le Canada et les premières nations de Champagne et de Aishihik ont convenu, en octobre 1997, d'ajouter à cet accord des dispositions prévoyant le remboursement de la TPS payée dans le cadre de leurs activités gouvernementales. Ces dispositions contiennent des règles précises ne prévoyant le remboursement qu'à l'égard des achats effectués dans le cadre des activités gouvernementales exercées à l'intérieur des terres désignées.

Il a été convenu avec ces premières nations que le remboursement pourra être demandé une fois sanctionné le texte donnant effet aux dispositions sur le remboursement à l'égard des achats effectués à compter du 1er octobre 1997.

Étant donné que la modification apportée à la *Loi sur l'autonomie gouvernementale des premières nations du Yukon* en vue de donner effet aux dispositions sur le remboursement de la TPS est entrée en vigueur le 17 juin 1999 et que les modifications apportées à l'*Entente sur l'autonomie gouvernementale des premières nations de Champagne et de Aishihik* entrent en vigueur le 1er novembre 2000, il est dans l'intérêt public de faire remise de la TPS payée dans le cadre des activités gouvernementales exercées par les premières nations de de Champagne et de Aishihik pour la période commençant le 1er octobre 1997 et se terminant le 31 octobre 2000.

DÉCRET DE REMISE VISANT LA PREMIÈRE NATION DE LITTLE SALMON/CARMACKS (TPS)

C.P. 2000-1666, 23 octobre 2000 (TR/2000-103)

Définitions

1. Les définitions qui suivent s'appliquent au présent décret.

« accord » L'*Entente sur l'autonomie gouvernementale de la première nation de Little Salmon/Carmacks* signée le 21 juillet 1997, dans sa version au 2 novembre 2000.

« personne » S'entend au sens du paragraphe 123(1) de la *Loi sur la taxe d'accise*.

Remise

2. Est accordée à toute personne, dans la mesure et selon les modalités de remboursement prévues aux articles 15.7 à 15.11 de l'accord à son égard, remise de la taxe qu'elle a payée aux termes de la partie IX de la *Loi sur la taxe d'accise* au cours de la période commençant le 1er octobre 1997 et se terminant le 31 octobre 2000, à la condition que cette taxe ne soit pas remboursable au titre de l'article 18.1 de la *Loi sur l'autonomie gouvernementale des premières nations du Yukon*.

Entrée en vigueur

3. Le présent décret entre en vigueur le 2 novembre 2000.

Note explicative

(La présente note ne fait pas partie du décret.)

Après la conclusion de l'*Entente sur l'autonomie gouvernementale de la première nation de Little Salmon/Carmacks*, le Canada et la première nation de Little Salmon/Carmacks ont convenu, en octobre 1997, d'ajouter à cet accord des dispositions prévoyant le remboursement de la TPS payée dans le cadre de leurs activités gouvernementales. Ces dispositions contiennent des règles précises ne prévoyant le remboursement qu'à l'égard des achats effectués dans le cadre des activités gouvernementales exercées à l'intérieur des terres désignées.

Il a été convenu avec cette première nation que le remboursement pourra être demandé une fois sanctionné le texte donnant effet aux dispositions sur le remboursement à l'égard des achats effectués à compter du 1er octobre 1997.

Étant donné que la modification apportée à la *Loi sur l'autonomie gouvernementale des premières nations du Yukon* en vue de donner effet aux dispositions sur le remboursement de la TPS est entrée en vigueur le 17 juin 1999 et que les modifications apportées à l'*Entente sur l'autonomie gouvernementale de la première nation de Little Salmon/Carmacks* entrent en vigueur le 1er novembre 2000, il est dans l'intérêt public de faire remise de la TPS payée dans le cadre des activités gouvernementales exercées par la première nation de Little Salmon/Carmacks pour la période commençant le 1er octobre 1997 et se terminant le 31 octobre 2000.

DÉCRET DE REMISE VISANT LE CONSEIL DES TLINGITS DE TESLIN (TPS)

C.P. 2000-1667, 23 octobre 2000 (TR/2000-104)

Définitions

1. Les définitions qui suivent s'appliquent au présent décret.

« **accord** » L'*Entente sur l'autonomie gouvernementale du conseil des Tlingits de Teslin* signée le 29 mai 1993, dans sa version au 2 novembre 2000.

« **personne** » S'entend au sens du paragraphe 123(1) de la *Loi sur la taxe d'accise*.

Remise

2. Est accordée à toute personne, dans la mesure et selon les modalités de remboursement prévues aux articles 15.7 à 15.11 de l'accord à son égard, remise de la taxe qu'elle a payée aux termes de la partie IX de la *Loi sur la taxe d'accise* au cours de la période commençant le 1er octobre 1997 et se terminant le 31 octobre 2000, à la condition que cette taxe ne soit pas remboursable au titre de l'article 18.1 de la *Loi sur l'autonomie gouvernementale des premières nations du Yukon*.

Entrée en vigueur

3. Le présent décret entre en vigueur le 2 novembre 2000.

Note explicative

(La présente note ne fait pas partie du décret.)

Après la conclusion de l'*Entente sur l'autonomie gouvernementale du conseil des Tlingits de Teslin*, le Canada et le conseil des Tlingits de Teslinnt convenu, en octobre 1997, d'ajouter à cet accord des dispositions prévoyant le remboursement de la TPS payée dans le cadre de leurs activités gouvernementales. Ces dispositions contiennent des règles précises ne prévoyant le remboursement qu'à l'égard des achats effectués dans le cadre des activités gouvernementales exercées à l'intérieur des terres désignées.

Il a été convenu avec le conseil des Tlingits de Teslin que le remboursement pourra être demandé une fois sanctionné le texte donnant effet aux dispositions sur le remboursement à l'égard des achats effectués à compter du 1er octobre 1997.

Étant donné que la modification apportée à la *Loi sur l'autonomie gouvernementale des premières nations du Yukon* en vue de donner effet aux dispositions sur le remboursement de la TPS est entrée en vigueur le 17 juin 1999 et que les modifications apportées à l'*Entente sur l'autonomie gouvernementale du conseil des Tlingits de Teslin* entrent en vigueur le 1er novembre 2000, il est dans l'intérêt public de faire remise de la TPS payée dans le cadre des activités gouvernementales exercées par le conseil des Tlingits de Teslin pour la période commençant le 1er octobre 1997 et se terminant le 31 octobre 2000.

DÉCRET DE REMISE VISANT LES DROITS FONCIERS ISSUS DE TRAITÉS (MANITOBA)

C.P. 2000-1767, 13 décembre 2000 (TR/2001-1)

Définitions et interprétation

1. (1) Les définitions qui suivent s'appliquent au présent décret.

« **accord-cadre** » L'accord-cadre sur les droits fonciers issus de traités au Manitoba signé le 29 mai 1997 par Sa Majesté la Reine du chef du Canada, Sa Majesté la Reine du chef du Manitoba et le Treaty Land Entitlement Committee of Manitoba Inc.

« **accord particulier** »

a) dans le cas d'une Première nation mentionnée dans la colonne 1 de l'annexe 1, l'accord conclu par cette Première nation et Sa Majesté la Reine du chef du Canada à la date indiquée dans la colonne 2, et portant exécution de l'obligation du Canada de mettre de côté et de réserver des terres à l'usage et au profit de cette Première nation en vertu d'un traité ou d'une adhésion à un traité;

b) dans le cas d'une Première nation mentionnée dans la colonne 1 de l'annexe 2, l'accord conclu par cette Première nation, Sa Majesté la Reine du chef du Canada, Sa Majesté la Reine du chef du Manitoba et le Treaty Land Entitlement Committee of Manitoba Inc., à la date indiquée dans la colonne 2, et portant acceptation, par cette Première nation, des conditions de l'accord-cadre.

« **intérêt de tierce partie** » S'entend au sens du paragraphe 1.01(91) de l'accord-cadre.

« **Loi** » La *Loi sur la taxe d'accise*.

« **Première nation** » Bande, au sens du paragraphe 2(1) de la *Loi sur les Indiens*, mentionnée à la colonne 1 des annexes 1 ou 2.

« **terre admissible** » Terre qu'une Première nation choisit ou acquiert conformément à l'accord particulier applicable avec l'approbation écrite du ministère des Affaires indiennes et du Nord canadien.

(2) Les autres termes du présent décret s'entendent au sens du paragraphe 123(1) de la Loi.

Remise de la taxe sur les produits et services

2. Sous réserve de l'article 3, remise est accordée à la Première nation mentionnée à la colonne 1 des annexes 1 ou 2 à l'égard :

a) de la taxe payée ou payable aux termes de la section II de partie IX de la Loi sur la valeur de la contrepartie payée payable par cette Première nation ou son mandataire pour :

(i) la fourniture à la Première nation ou à son mandataire d'une terre admissible dont la superficie ne dépasse pas celle indiquée à la colonne 3 pour cette Première nation,

(ii) la fourniture à la Première nation ou à son mandataire ou l'annulation en faveur de l'un ou l'autre — d'un intérêt de tierce partie sur une telle terre,

(iii) la fourniture à la Première nation ou à son mandataire tout bien meuble corporel situé sur cette terre au moment l'un ou l'autre acquiert sur celle-ci un droit foncier, pourvu que le titre du bien meuble corporel lui soit transféré,

(iv) les frais engagés par la Première nation ou par son mandataire dans le cadre de toute opération visée aux sous-alinéas (i) à (iii);

b) des intérêts et des pénalités payés ou payables par la Première nation, ou par son mandataire, en vertu de la section II la partie IX de la Loi relativement à toute opération visée l'alinéa a).

Conditions

3. La remise est accordée si les conditions suivantes sont réunies :

a) la taxe, les intérêts et les pénalités payés ou payables aux termes de la section II de la partie IX de la Loi n'ont pas été autrement remboursés, crédités ou remis à qui que ce soit vertu de la Loi ou de la *Loi sur la gestion des finances publiques*;

b) une demande de remise est présentée par écrit au ministre Revenu national :

(i) dans le cas de la taxe, des intérêts et des pénalités payés avant la date d'entrée en vigueur du présent décret, dans les deux ans suivant cette date,

(ii) dans le cas de la taxe, des intérêts et des pénalités payés le jour de l'entrée en vigueur du présent décret ou après cette date, dans les deux ans suivant le jour où la taxe, les intérêts et les pénalités ont été payés.

Annexe 1

(articles 1 et 2)

Article	Colonne 1 Première Nation	Colonne 2 Date	Colonne 3 Superficie (en acres)
1.	Première nation de Garden Hill	14 mars 1994	44 907
2.	Première nation de Long Plain	6 août 1994	26 437
3.	Première nation de Red Sucker Lake	14 mars 1996	9 487
4.	Bande indienne de Roseau River	29 mars 1994	16 218
5.	Première nation de St. Theresa Point	14 mars 1994	34 413
6.	Première nation de Swan Lake	30 mars 1995	13 035
7.	Première nation de Wasagamack	14 mars 1994	11 193

Annexe 2

(articles 1 et 2)

Article	Colonne 1 Première nation	Colonne 2 Date	Colonne 3 Superficie (en acres)
1.	Première nation de Barren Lands	15 juillet 1999	66 420
2.	Nation ojibway de Brokenhead	9 septembre 1998	14 481
3.	Première nation de Buffalo Point	24 mars 1998	4 039
4.	Première nation de God's Lake	28 mai 1999	42 600
5.	Nation crie de Manto Sipi, anciennement connue sous le nom de God's River	28 mai 1999	8 725
6.	Nation crie de Nisichawayasihk, anciennement connue sous le nom de Nelson House	1er septembre 1998	79 435
7.	Première nation de Northlands	9 novembre 1999	94 084
8.	Nation crie de Norway House	12 novembre 1998	104 784
9.	Nation crie de Opaskwayak	22 janvier 1999	56 068
10.	Première nation d'Oxford House	17 février 1999	35 434
11.	Première nation de Rolling River	6 mars 1998	47 112
12.	Nation crie de Sapotaweyak	1er septembre 1998	144 179
13.	Première nation de War Lake	28 mai, 1999	7 156
14.	Nation crie de Wuski Sipihk	9 septembre 1998	58 890

Note explicative

(La présente note ne fait pas partie du décret.)

Le décret accorde la remise de la taxe payée ou payable l'égard de la fourniture de terres, d'intérêts de tierce parties et de biens meubles corporels à certaines bandes indiennes, aux fins de règlement, dans le cadre d'accords particuliers, de revendications fondées sur les droits fonciers issus de traités.

DÉCRET DE REMISE VISANT LA PREMIÈRE NATION DES NACHO NYAK DUN (TPS)

C.P. 2001-477, 29 mars 2001 (TR/2001-47)

Définitions

1. Les définitions qui suivent s'appliquent au présent décret.

« accord » L'*Entente sur l'autonomie gouvernementale de la première nation des Nacho Nyak Dun* signée le 29 mai 1993, dans sa version au 1er avril 2001.

« personne » S'entend au sens du paragraphe 123(1) de la *Loi sur la taxe d'accise*.

Remise

2. Est accordée à toute personne, dans la mesure et selon les modalités de remboursement prévues aux articles 15.7 à 15.11 de l'accord à son égard, remise de la taxe qu'elle a payée aux termes de la partie IX de la *Loi sur la taxe d'accise* au cours de la période commençant le 1er octobre 1997 et se terminant le 31 mars 2001, à la condition que cette taxe ne soit pas remboursable au titre de l'article 18.1 de la *Loi sur l'autonomie gouvernementale des premières nations du Yukon*.

Entrée en vigueur

3. (1) Sous réserve du paragraphe (2), le présent décret entre en vigueur le 2 avril 2001.

(2) Il n'entre en vigueur que s'il a été consenti à la modification ajoutant les articles 15.7 à 15.11 à l'*Entente sur l'autonomie gouvernementale de la première nation des Nacho Nyak Dun*, conformément à l'article 6.2 de cette entente, au plus tard le 1er avril 2001.

Note explicative

(La présente note ne fait pas partie du décret.)

L'*Entente sur l'autonomie gouvernementale de la première nation des Nacho Nyak Dun* est entrée en vigueur le 14 février 1995. En octobre 1997, le Canada et la première nation des Nacho Nyak Dun ont convenu d'ajouter à cet accord des dispositions prévoyant le remboursement de la taxe sur les produits et services (TPS) payée dans le cadre des activités gouvernementales de cette première nation. Ces dispositions contiennent des règles précises ne prévoyant le remboursement qu'à l'égard des achats effectués dans le cadre des activités gouvernementales exercées par la première nation des Nacho Nyak Dun à l'intérieur des terres désignées.

Il a été convenu avec la première nation des Nacho Nyak Dun que, une fois devenu applicable le texte de loi donnant effet au remboursement de la TPS, un remboursement pourra être demandé à l'égard des achats effectués à compter du 1er octobre 1997.

Étant donné que la modification apportée à la *Loi sur l'autonomie gouvernementale des premières nations du Yukon* en vue de donner effet aux dispositions sur le remboursement de la TPS a été sanctionnée le 17 juin 1999 et que les modifications qui doivent être apportées à l'*Entente sur l'autonomie gouvernementale de la première nation des Nacho Nyak Dun* pour donner effet aux dispositions sur le remboursement entrent en vigueur le 1er avril 2001, il est dans l'intérêt public de faire remise de la TPS payée dans le cadre des activités gouvernementales exercées par cette première nation durant la période commençant le 1er octobre 1997 et se terminant le 31 mars 2001.

DÉCRET DE REMISE VISANT CERTAINES FOURNITURES DE VÉHICULE ROUTIER

C.P. 2001-896, 17 mai 2001 (TR/2001-69)

Définitions

1.(1) Les définitions qui suivent s'appliquent au présent décret.

« Indien » S'entend au sens du paragraphe 2(1) de la *Loi sur les Indiens*.

« Loi » La *Loi sur la taxe d'accise*.

« réserve » Selon le cas :

a) réserve au sens du paragraphe 2(1) de la *Loi sur les Indiens*;

b) terre de catégorie IA ou IA-N au sens du paragraphe 2(1) de la *Loi sur les Cris et les Naskapis du Québec*;

c) établissement indien au sens du *Décret de remise visant les Indiens et les bandes dans certains établissements indiens* ou du *Décret de remise visant les Indiens et les bandes dans certains établissements indiens (1997)*.

« taxe » La taxe sur les produits et services prévue à la section II de la partie IX de la Loi.

« véhicule routier » Véhicule motorisé pouvant circuler sur un chemin. Y sont assimilés les remorques, les semi-remorques et les essieux amovibles; sont exclus les véhicules pouvant circuler uniquement sur rails et les fauteuils roulants électriques.

(2) Les autres termes du présent décret s'entendent au sens du paragraphe 123(1) de la Loi.

Remise

2. Sous réserve de l'article 3, remise est accordée à tout Indien de la taxe qu'il a payée sur la fourniture d'un véhicule routier acquis au Québec au cours de la période commençant le 1er décembre 1998 et se terminant le 31 janvier 2000.

Conditions

3. La remise est accordée si les conditions suivantes sont remplies :

a) le véhicule routier a été acquis par un Indien à l'extérieur d'une réserve pour usage personnel ou, s'il est un petit fournisseur, pour une activité commerciale;

b) le véhicule routier a été livré à l'extérieur d'une réserve;

c) la taxe n'a pas été autrement remboursée ou remise en vertu de la Loi ou de la *Loi sur la gestion des finances publiques*;

d) la demande de remise est présentée par écrit au ministre du Revenu national dans l'année suivant la date de prise du présent décret, accompagnée des documents suivants :

(i) une copie du certificat de statut indien délivré à l'Indien par le ministère des Affaires indiennes et du Nord canadien,

(ii) une copie de la facture ou de la convention relative à la fourniture du véhicule routier, indiquant le nom et l'adresse du fournisseur, la date de la fourniture, le nom de l'Indien, la valeur de la contrepartie et une description suffisamment détaillée du véhicule routier, y compris son numéro d'identification,

(iii) une preuve du paiement de la taxe sur la fourniture du véhicule routier.

Note explicative

(La présente note ne fait pas partie du décret.)

Le décret accorde une remise de la taxe sur les produits et services (TPS) à certains Indiens dans des circonstances où l'allègement fiscal ne s'applique pas parce que les véhicules routiers achetés à l'extérieur d'une réserve entre le 1er décembre 1998 et le 31 janvier 2000 n'ont pas été livrés dans une réserve.

À la suite de renseignements erronés, les Indiens étaient convaincus qu'ils avaient droit au remboursement de la taxe payée. Le gouvernement du Québec a pris un décret de remise semblable afin de remettre la taxe de vente du Québec aux Indiens admissibles.

DÉCRET DE REMISE VISANT HAMPTON PLACE ET TAYLOR WAY

C.P. 2001-895, 17 mai 2001 [TR/2001-68]

Remise de la taxe sur les produits et services

1. Sous réserve de l'article 2, remise est accordée à l'acheteur d'un condominium situé à l'adresse municipale indiquée à la colonne 1 de l'annexe, sur un lot de copropriété loué indiqué à la colonne 2, d'une somme égale à la taxe payée aux termes de la partie IX de la *Loi sur la taxe d'accise* relativement à l'achat de ce condominium pour lequel aucune taxe n'était à payer.

Conditions

2. La remise est accordée aux conditions suivantes :

a) la somme demandée n'a pas par ailleurs donné lieu à un remboursement, une remise ou un crédit;

b) une demande de remise est présentée par écrit au ministre du Revenu national dans les deux ans suivant la date du présent décret.

Annexe

(article 1)

	Colonne I	Colonne II
Article	Adresse municipale	Description officielle
1.	5605, Hampton Place, Vancouver, C.-B.	Lots de copropriété 1 à 72, lot régional 6494, plan LMS2846
2.	5615, Hampton Place, Vancouver, C.-B.	Lots de copropriété 1 à 85, lot régional 6494, plan LMS2711
3.	5650, Hampton Place, Vancouver, C.-B.	Lots de copropriété 1 à 32, lot régional 6494, plan LMS1415
4.	5657, Hampton Place, Vancouver, C.-B.	Lots de copropriété 1 à 58, lot régional 6494, plan LMS3274
5.	5683, Hampton Place, Vancouver, C.-B.	Lots de copropriété 1 à 54, lot régional 6494, plan LMS2962
6.	5735, Hampton Place, Vancouver, C.-B.	Lots de copropriété 1 à 133, lot régional 6494, plan LMS2185
7.	5760, Hampton Place, Vancouver, C.-B.	Lots de copropriété 1 à 73, lot régional 6494, plan LMS675
8.	5775, Hampton Place, Vancouver, C.-B.	Lots de copropriété 1 à 97, lot régional 6494, plan LMS1791
9.	5835, Hampton Place, Vancouver, C.-B.	Lots de copropriété 1 à 139, lot régional 6494, plan LMS780
10.	5880, Hampton Place, Vancouver, C.-B.	Lots de copropriété 1 à 87, lot régional 6494, plan LMS365
11.	328, Taylor Way, West Vancouver, C.-B.	Lots de copropriété 112 à 181, lot régional 1039, plan LMS445
12.	338, Taylor Way, West Vancouver, C.-B.	Lots de copropriété 1 à 111, lot régional 1039, plan LMS445

Notes explicative

(La présente note ne fait pas partie du décret.)

En 1998, la Cour canadienne de l'impôt a statué que les acheteurs de condominiums situés sur des lots loués à Hampton Place et à Taylor Way, à Vancouver et West Vancouver (Colombie-Britannique), n'étaient pas tenus de payer la taxe sur les produits et services. En conséquence, plusieurs des acheteurs de ces condominiums ont demandé, et obtenu, un remboursement de la taxe payée par erreur.

Cependant, certains de ces acheteurs, sur le conseil erroné de fonctionnaires de l'Agence des douanes et du revenu du Canada, n'ont pas demandé de remboursement, et leur droit de le faire était prescrit lorsque la Cour a rendu sa décision.

Le décret accorde, aux acheteurs de condominiums à Hampton Place et Taylor Way dont le droit de demander un remboursement est prescrit, la remise de la taxe payée par erreur.

DÉCRET DE REMISE VISANT LES JEUX DE LA FRANCOPHONIE 2001

C.P. 2001-1149, 14 juin 2001 [DORS/2001-223]

Définitions

1. Les définitions qui suivent s'appliquent au présent décret.

« **comité organisateur** » Le Comité organisateur des Jeux de la Francophonie 2001.

« **commanditaire** » Tout commanditaire officiel des Jeux désigné comme tel par le comité organisateur.

« **fournisseur** » Tout fournisseur officiel des Jeux désigné comme tel par le comité organisateur.

« **Jeux** » Les Jeux de la Francophonie 2001 qui auront lieu à Ottawa (Ontario) et à Hull (Québec) du 14 au 24 juillet 2001.

« **membre de la famille des Jeux** » Selon le cas :

a) un particulier ne résidant pas habituellement au Canada qui participe aux Jeux à titre de concurrent, d'instructeur, d'entraîneur, d'officiel ou de juge;

b) un particulier ne résidant pas habituellement au Canada qui est titulaire d'une accréditation du Comité international des Jeux de la Francophonie ou de la Conférence des ministres de la jeunesse et des sports des pays d'expression française octroyée par le comité organisateur et qui est un membre :

(i) soit du Comité international des Jeux de la Francophonie ou de la Conférence des ministres de la Jeunesse et des sports des pays d'expression française,

(ii) soit d'une fédération sportive internationale reconnue par le comité organisateur.

« **société étrangère** » Personne morale dont le siège social est situé à l'étranger, qui n'a ni succursale ni filiale au Canada et qui est, relativement aux Jeux :

a) soit un titulaire de droits de diffusion;

b) soit un commanditaire;

c) soit un fournisseur.

« **titulaire de droits de diffusion** » Personne morale à laquelle le comité organisateur a accordé des droits de diffusion pour les Jeux.

Champ d'application

2. Le présent décret ne s'applique pas aux boissons alcoolisées, aux cigares, aux cigarettes ni au tabac fabriqué.

Remise

3. Sous réserve des articles 7 et 8, il est fait remise des taxes d'accise et de la taxe sur les produits et services payées ou à payer sur les marchandises importées temporairement au Canada par un membre de la famille des Jeux pour son usage exclusif dans le cadre des Jeux.

4.(1) Sous réserve des articles 7 et 8, il est fait remise d'une fraction de la taxe sur les produits et services payée ou à payer :

a) sur les marchandises en montre ainsi que les appareils et le matériel servant à les présenter, importés temporairement au Canada par une société étrangère ou par son mandataire pour être utilisés exclusivement dans le cadre des Jeux;

b) sur le matériel importé temporairement au Canada par le comité organisateur ou par une société étrangère, ou par le mandataire de l'un ou de l'autre, pour être utilisé exclusivement aux Jeux.

(2) La fraction de la taxe sur les produits et services qui est remise en vertu du paragraphe (1) correspond à la différence entre les montants suivants :

a) le montant de la taxe sur les produits et services payée ou à payer sur la valeur des marchandises;

b) le montant de la taxe sur les produits et services à payer sur 1/60 de la valeur des marchandises pour chaque mois ou fraction de mois pendant lequel les marchandises se trouvent au Canada.

5. Sous réserve de l'article 8, il est fait remise des droits de douane payés ou à payer sur les marchandises dont la valeur unitaire ne dépasse pas 60 $ et qui sont importées au Canada par une société étrangère ou son mandataire pour être distribuées gratuitement aux Jeux.

6. Sous réserve de l'article 8, il est fait remise des droits de douane, des taxes d'accise et de la taxe sur les produits et services payés ou à payer sur les marchandises dont la valeur unitaire ne dépasse pas 60 $ et qui sont importées au Canada par un membre de la famille des Jeux pour être données en cadeau ou en récompense :

a) soit à un membre de la famille des Jeux;

b) soit au comité organisateur;

c) soit à un résident du Canada qui participe aux Jeux;

d) soit à un résident du Canada qui agit à titre officiel dans le cadre des Jeux.

Conditions

7. La remise visée aux articles 3 et 4 est accordée à la condition que, au plus tard le 31 décembre 2001, les marchandises soient, selon le cas :

a) exportées du Canada;

b) détruites au Canada aux frais de l'importateur, sous la surveillance d'un agent des douanes.

8. Toute remise visée par le présent décret est assujettie aux conditions suivantes :

a) les marchandises sont importées au Canada au cours de la période commençant le 1er janvier 2001 et se terminant le 24 juillet 2001;

b) une demande de remise est présentée au ministre du Revenu national dans les deux ans suivant la date de la déclaration en détail des marchandises aux termes de l'article 32 de la *Loi sur les douanes*;

c) l'importateur fournit au ministre du Revenu national tout justificatif ou renseignement établissant qu'il a droit à la remise.

Entrée en vigueur

9. Le présent décret entre en vigueur à la date de son enregistrement.

Résumé de l'étude d'impact de la réglementation

(Ce résumé ne fait pas partie du décret.)

Description

Ce décret prévoit la remise de droits de douane, des taxes d'accise et de tout ou partie de la taxe sur les produits et services payés ou payables à l'égard de certaines marchandises comme les effets personnels, les cadeaux, les marchandises données en récompense, les marchandises d'exhibition et le matériel importé au Canada dans le cadre des Jeux de la Francophonie de 2001 qui auront lieu à Ottawa (Ontario) et Hull (Québec), au cours de la période du 14 au 24 juillet 2001. Les jeux sont une manifestation sportive et culturelle internationale qui favorise l'esprit sportif et la compréhension interculturelle parmi les participants de plus de 50 pays.

Ce décret est semblable aux décrets pris à l'égard des XIIIes Jeux panaméricains (C.P. 1999-1103 du 17 juin 1999), des XVes Jeux olympiques d'hiver (C.P. 1987-2694 du 23 décembre 1987), des IIIes Jeux mondiaux des services de police et d'incendie (C.P. 1989-1258 du 29 juin 1989), des Championnats du monde de base-ball amateur de 1990 (C.P. 1990-1126 du 14 juin 1990), du Championnat mondial de base-ball junior de 1991 (C.P. 1991-1153 du 20 juin 1991) et des XVes Jeux du Commonwealth (C.P. 1994-1083 du 23 juin 1994).

Solutions envisagées

Aucune solution de rechange n'a été envisagée. Un décret de remise est le seul moyen législatif disponible pour assurer l'exonération de droits dans le présent cas.

L'absence d'exonération de droits et de taxes sur ces marchandises pourrait ternir l'image du Canada à titre d'hôte d'événements sportifs internationaux. En outre, les commanditaires et les fournisseurs étrangers, dont plusieurs font don de produits et services, pourraient décider de s'abstenir de participer aux Jeux, ce qui augmenterait les frais du comité organisateur des Jeux de la Francophonie et priverait la collectivité d'effets économiques positifs.

Avantages et coûts

Les jeux auront des retombées favorables sur l'industrie touristique canadienne. Quelques milliers de visiteurs étrangers sont attendus aux championnats, dont 3 000 athlètes, artistes et officiels d'équipe d'environ 50 pays qui y participeront.

Les avantages économiques projetés des championnats pour l'industrie canadienne sont évalués à environ 70 millions de dollars en dépenses directes alors que la somme des droits de douanes, des taxes d'accise et de la taxe sur les produits et services faisant l'objet d'une remise s'élève à moins de 1 million de dollars.

Consultations

Le Comité interministériel des remises, formé de représentants des ministères des Finances et de l'Industrie ainsi que l'Agence des douanes et du revenu du Canada, a été consulté et appuie ce décret.

Respect et exécution

Le respect des conditions du décret sera assuré par les procédures administratives actuelles de l'Agence. Toute importation de marchandises effectuée en vertu du présent décret sera contrôlée afin de s'assurer que les marchandises satisfont aux conditions du décret et que les droits de douane, les taxes d'accise et la taxe sur les produits et services exigibles sont perçus.

Personne-ressource

Catharine Tait, Secrétaire, Comité interministériel des remises, Édifice Sir Richard Scott, 10e étage, 191, avenue Laurier Ouest, Ottawa (Ontario) K1A 0L5, Tél. : (613) 952-7915.

DÉCRET DE REMISE VISANT LES 8ES CHAMPIONNATS DU MONDE D'ATHLÉTISME DE L'IAAF

C.P. 2001-1150, 14 juin 2001 [DORS/2001-229]

Définitions

1. Les définitions qui suivent s'appliquent au présent décret.

« **Championnats** » Les 8es Championnats du monde d'athlétisme de l'IAAF qui auront lieu à Edmonton (Alberta) du 3 au 12 août 2001.

« **commanditaire** » Tout commanditaire officiel des Championnats désigné comme tel par le EWCA.

« **EWCA** » Le comité organisateur local appelé Edmonton 2001 World Championships in Athletics.

« **FIAA** » La Fédération internationale d'athlétisme amateur.

« **fournisseur** » Tout fournisseur officiel des Championnats désigné comme tel par le EWCA.

« **membre de la famille des Championnats** » Selon le cas :

Décrets

a) un particulier ne résidant pas habituellement au Canada qui participe aux Championnats à titre de concurrent, d'instructeur, d'entraîneur, d'officiel ou de juge;

b) un particulier ne résidant pas habituellement au Canada qui est titulaire d'une accréditation de la FIAA octroyée par le EWCA et qui est un membre :

(i) soit de la FIAA,

(ii) soit d'une fédération sportive internationale reconnue par le EWCA.

« société étrangère » Personne morale dont le siège social est situé à l'étranger, qui n'a ni succursale ni filiale au Canada et qui est, relativement aux Championnats :

a) soit un titulaire de droits de diffusion;

b) soit un commanditaire;

c) soit un fournisseur.

« titulaire de droits de diffusion » Personne morale à laquelle le EWCA a accordé des droits de diffusion pour les Championnats.

Champ d'application

2. Le présent décret ne s'applique pas aux boissons alcoolisées, aux cigares, aux cigarettes et au tabac fabriqué.

Remise

3. Sous réserve des articles 9 et 10, il est fait remise des taxes d'accise et de la taxe sur les produits et services payées ou à payer sur les marchandises importées temporairement au Canada par un membre de la famille des Championnats pour son usage exclusif dans le cadre des Championnats.

4.(1) Sous réserve des articles 9 et 10, il est fait remise d'une fraction de la taxe sur les produits et services payée ou à payer :

a) sur les marchandises en montre ainsi que les appareils et le matériel servant à les présenter, importés temporairement au Canada par une société étrangère ou par son mandataire pour être utilisés exclusivement dans le cadre des Championnats;

b) sur le matériel importé temporairement au Canada par le EWCA ou par une société étrangère, ou par le manditaire de l'un ou de l'autre, pour être utilisé exclusivement aux Championnats.

(2) La fraction de la taxe sur les produits et services qui est remise en vertu du paragraphe (1) correspond à la différence entre les montants suivants :

a) le montant de la taxe sur les produits et services payée ou à payer sur la valeur des marchandises;

b) le montant de la taxe sur les produits et services à payer sur 1/60 de la valeur des marchandises pour chaque mois ou fraction de mois pendant lequel les marchandises se trouvent au Canada.

5. Sous réserve de l'article 10, il est fait remise des droits de douane payés ou à payer sur les marchandises dont la valeur unitaire ne dépasse pas 60 $ et qui sont importées au Canada par une société étrangère ou son mandataire pour être distribuées gratuitement aux Championnats.

6. Sous réserve de l'article 10, il est fait remise des droits de douane, des taxes d'accise et de la taxe sur les produits et services payés ou à payer sur les marchandises dont la valeur unitaire ne dépasse pas 60 $ et qui sont importées au Canada par un membre de la famille des Championnats pour être données en cadeau ou en récompense :

a) soit à un membre de la famille des Championnats;

b) soit au EWCA;

c) soit à un résident du Canada qui participe aux Championnats;

d) soit à un résident du Canada qui agit à titre officiel dans le cadre des Championnats.

7. Sous réserve de l'article 10, il est fait remise des droits de douane payés ou à payer sur l'équipement d'athlétisme importé au Canada par le EWCA et répondant aux conditions suivantes :

a) il est certifié par la FIAA comme étant conforme aux normes internationales de compétition applicables au sport pour lequel l'équipement est conçu et comme étant nécessaire à l'entraînement d'un athlète de calibre ou à sa participation à une compétition amateur international;

b) il est donné à Athletics Alberta à la fin des Championnats;

c) il n'est pas vendu ni autrement aliéné dans les deux ans suivant l'importation.

8. Sous réserve de l'article 10, il est fait remise des droits de douane payés ou à payer sur certains vêtements importés au Canada par EWCA et répondant aux conditions suivantes :

a) ils sont donnés par Adidas-Salomon AG en qualité de commanditaire de la FIAA;

b) il son fournis gratuitement aux bénévoles du EWCA à titre d'uniforme pour l'exercise de leurs responsabilités officielles dans le cadre des Championnats;

c) ils sont conservés par les bénévoles à titre personnel à l'issue des Championnats.

Conditions

9. La remise visée aux articles 3 et 4 est accordée à la condition que, au plus tard le 31 décembre 2001, les marchandises soient, selon le cas :

a) exportées du Canada;

b) détruites au Canada aux frais de l'importateur, sous la surveillance d'un agent des douanes.

10. Toute remise visée par le présent décret est assujettie aux conditions suivantes :

a) les marchandises sont importées au Canada au cours de la période commençant le 1 janvier 2001 et se terminant le 12 août 2001;

b) une demande de remise est présentée au ministre du Revenu national dans les deux ans suivant la date de la déclaration en détail des marchandises aux termes de l'article 32 de la *Loi sur les douanes*;

c) l'importateur fournit au ministre du Revenu national tout justificatif ou renseignement établissant qu'il a droit à la remise.

Entrée en vigueur

11. Le présent décret entre en vigueur à la date de son enregistrement.

Résumé de l'étude d'impact de la réglementation

(Ce résumé ne fait pas partie du décret.)

Description

Ce décret prévoit la remise de droits de douane, des taxes d'accise et de tout ou partie de la taxe sur les produits et services payés ou payables à l'égard de certaines marchandises comme les effets personnels, les cadeaux, les marchandises d'exhibition et le matériel importé au Canada dans le cadre des 8es Championnats du monde d'athlétisme de l'IAAF (Championnats) qui auront lieu à Edmonton (Alberta), du 3 au 12 août 2001. Les Championnats sont une manifestation d'athlétisme internationale qui favorise la compréhension interculturelle et l'esprit sportif parmi les participants de plus de 200 pays.

Ce décret prévoit également la remise de droits de douanes sur l'équipement d'athlétisme qui sera donné gratuitement à Athletics Alberta à la fin des championnats. L'IAAF exige du comité organisateur des Championnats « Edmonton 2001 World Championships in Athletics » qu'il obtienne l'équipement d'athlétisme auprès d'un fournisseur certifié par l'IAAF. Il n'y a pas de fournisseur qui réponde à cette exigence au Canada.

Ce décret prévoit aussi la remise de droits sur les vêtements d'athlétisme donnés gratuitement par Adidas-Salomon AG afin qu'ils soient portés à titre d'uniforme lorsque les bénévoles assument leurs responsabilités officielles à l'occasion des Championnats. Les vêtements fournis par Adidas comprennent les T-shirts, pulls molletonnés, shorts, pantalons, souliers, bas, casquettes et sacs. Le comité organisateur local des Championnats doit utiliser les vêtements Adidas en raison de l'entente de commandite entre Adidas-Salomon AG et l'IAAF. À ce titre, le comité organisateur local n'avait pas l'option de soumettre des appels d'offre pour les vêtements ou uniformes et, par conséquent, aucune vente aux fournisseurs canadiens n'a été perdue.

Ce décret est semblable aux décrets pris à l'égard des XIIIes Jeux panaméricains (C.P. 1999-1103 du 17 juin 1999), des XVes Jeux olympiques d'hiver (C.P. 1987-2694 du 23 décembre 1987), des IIIes Jeux mondiaux des services de police et d'incendie (C.P. 1989-1258 du 29 juin 1989), des Championnats du monde de base-ball amateur de 1990 (C.P. 1990-1126 du 14 juin 1990), du Championnat mondial de base-ball junior de 1991 (C.P. 1991-1153 du 20 juin 1991) et des XVes Jeux du Commonwealth (C.P. 1994-1083 du 23 juin 1994).

Solutions envisagées

Aucune solution de rechange n'a été envisagée. Un décret de remise est le seul moyen législatif disponible pour assurer l'exonération de droits dans le présent cas.

L'absence d'exonération de droits et de taxes sur ces marchandises pourrait ternir l'image du Canada à titre d'hôte d'événements sportifs internationaux. En outre, les commanditaires et les fournisseurs étrangers, dont plusieurs font don de produits et services, pourraient décider de s'abstenir de participer aux Championnats, ce qui augmenterait les frais du comité organisateur local et priverait la collectivité d'effets économiques positifs.

Avantages et coûts

Les Championnats auront des retombées favorables sur l'industrie touristique canadienne. Quelques 2 800 visiteurs étrangers sont attendus aux Championnats, dont 3 000 athlètes et officiels d'équipe d'environ 200 pays.

L'activité économique directe, indirecte et induite totale entraînée par les dépenses faites par les visiteurs, les athlètes, les officiels, les médias, les organisateurs d'événements et par la construction d'installations est évaluée à 387 millions de dollars dans l'ensemble de la province d'Alberta. L'incidence ultime nette prévue est une augmentation de 203 millions de dollars du produit intérieur brut de l'Alberta, dont 157 millions de dollars dans la région d'Edmonton elle-même. On estime à moins d'un million de dollars les droits de douanes, les taxes d'accise et la taxe sur les produits et services qui devront être remis.

Consultations

Le Comité interministériel des remises, formé de représentants des ministères des Finances et de l'Industrie ainsi que de l'Agence des douanes et du revenu du Canada, a été consulté et appuie ce décret.

Respect et exécution

Le respect des conditions du décret sera assuré par les procédures administratives actuelles de l'Agence. Toute importation de marchandises effectuée en vertu du présent décret sera contrôlée afin de s'assurer que les marchandises satisfont aux conditions du décret et que les droits de douane, les taxes d'accise et la taxe sur les produits et services exigibles sont perçus.

Personne-ressource

Catharine Tait, Secrétaire, Comité interministériel des remises, Édifice Sir Richard Scott, 10e étage, 191, avenue Laurier Ouest, Ottawa (Ontario) K1A 0L5, Tél. : (613) 952-7915.

DÉCRET DE REMISE VISANT LES PREMIÈRES NATION DU YUKON NON SIGNATAIRES

C.P. 2003-764 29 mai 2003 (TR/2003-112)

Sur recommandation de la ministre du Revenu national et en vertu du paragraphe 23(2)[2] de la *Loi sur la gestion des finances publiques*, Son Excellence la Gouverneure générale en conseil, estimant que l'intérêt public le justifie, prend le *Décret de remise visant les premières nations du Yukon non signataires*, ci-après.

[2]L.C. 1991, ch. 24, par. 7(2)

Décrets

Définitions

1. Les définitions qui suivent s'appliquent au présent décret.

« bande » S'entend au sens du paragraphe 2(1) de la *Loi sur les Indiens.*

« demandeur admissible » Toute première nation du Yukon figurant à l'annexe et tout Indien qui en est membre.

« Indien » S'entend au sens du paragraphe 2(1) de la *Loi sur les Indiens.*

« Loi » La Loi sur la taxe d'accise.

« période admissible » La période commençant le 15 février 1998 et se terminant le 31 mars 2002.

« première nation du Yukon »« première nation du Yukon » Bande figurant à l'annexe.

« réserve » S'entend au sens du paragraphe 2(1) de la *Loi sur les Indiens.*

« taxe » La taxe sur les produits et services prévue à la section II de la partie IX de la Loi.

Remise de la taxe sur les produits et services

2. Sous réserve de l'article 3, il est accordé à tout demandeur admissible remise de la taxe qu'il a payée sur la fourniture d'un bien meuble corporel acquis à l'extérieur d'une réserve et non livré dans une réserve au cours de la période admissible.

Conditions

3. La remise est accordée si les conditions suivantes sont réunies :

a) le bien a été acquis par le demandeur admissible à l'extérieur d'une réserve pour sa consommation et son usage personnels;

b) le bien n'a pas été livré dans une réserve par le fournisseur ni par son agent;

c) la taxe payée n'a pas fait par ailleurs l'objet d'un remboursement, d'un crédit ou d'une remise en vertu de la Loi ou de la *Loi sur la gestion des finances publiques*;

d) la demande de remise est présentée par écrit au ministre du Revenu national dans les deux ans suivant la date de prise du présent décret, accompagnée des documents suivants :

(i) une copie du certificat de statut indien délivré au demandeur admissible par le ministère des Affaires indiennes et du Nord canadien,

(ii) une copie de la facture relative à la fourniture du bien qui indique le nom et l'adresse du fournisseur, la date de la fourniture, le nom du demandeur admissible et la valeur de la contrepartie payée pour la fourniture du bien, et qui donne une description suffisamment détaillée du bien,

(iii) la preuve du paiement de la taxe sur la fourniture du bien,

(iv) une déclaration du fournisseur selon laquelle le fournisseur, ou son agent, aurait normalement, à la demande du demandeur admissible, livré le bien dans une réserve, mais ne l'a pas fait au cours de la période admissible.

Annexe

(article 1)

Article	Première nation du Yukon
1.	La première nation de Carcross/Tagish, bande nº 491
2.	La première nation de Kluane, bande nº 503
3.	La première nation des Kwanlin Dun, bande nº 500
4.	La première nation de Liard, bande nº 502
5.	Le conseil Dena de Ross River, bande nº 497
6.	Le conseil des Ta'an Kwach'an, bande nº 508
7.	La première nation de White River, bande nº 506

Note explicative

(La présente note ne fait pas partie du décret.)

Le présent décret accorde une remise de la taxe sur les produits et services (TPS) à certaines premières nations du Yukon et aux Indiens qui en sont membres dans des circonstances où l'exemption de taxe ne s'appliquerait pas parce que les biens — des biens meubles corporels — achetés à l'extérieur d'une réserve au cours de la période commençant le 15 février 1998 et se terminant le 31 mars 2002 n'ont pas été livrés dans une réserve.

L'Agence des douanes et du revenu du Canada (ADRC) a interprété l'Accord-cadre définitif sur les revendications territoriales globales, qui a été signé le 29 mai 1993, comme mettant fin à l'exemption de taxe prévue à l'article 87 de la *Loi sur les Indiens*, pour toutes les premières nations du Yukon signataires, et ce à compter du 15 février 1998. À partir de cette interprétation, de nombreux membres de premières nations du Yukon qui n'avaient pas signé d'entente définitive sur les revendications territoriales ont payé la TPS sur des produits achetés au lieu d'affaires d'un fournisseur qui se trouvait à l'extérieur de la réserve et ils n'ont pas demandé que le produit soit livré dans une réserve afin de se prévaloir de l'exemption prévue à l'article 87 de la *Loi sur les Indiens*. Toutefois, dans l'affaire *Première nation Carcross/ Tagish c. Canada (C.A.)*, 2001 CAF 231 (5 juillet 2001), la Cour d'appel fédérale a établi que toute première nation du Yukon continue d'avoir droit à l'exemption de taxe prévue à l'article 87 de la *Loi sur les Indiens* jusqu'à ce que son entente définitive sur les revendications territoriales soit en vigueur. Le présent décret de remise prévoit l'exemption de taxe pour les premières nations du Yukon qui sont dans cette situation et pour les Indiens qui en sont membres, conformément à la décision rendue par la Cour d'appel fédérale.

DÉCRET DE REMISE VISANT CERTAINES MUNICIPALITÉS

C.P. 2003-124, 6 février 2003 (TR/2003-31)

Sur recommandation du ministre du Revenu national et en vertu du paragraphe 23(2)[3] de la *Loi sur la gestion des finances publiques*, Son Excellence la Gouverneure générale en conseil, estimant que l'intérêt public le justifie, prend le *Décret de remise visant certaines municipalités*, ci-après.

Décret de remise visant certaines municipalités

1. Remise est accordée à une municipalité visée à la colonne 1 de l'annexe de la somme indiquée à la colonne 2, laquelle représente la taxe payée — ainsi que les pénalités et les intérêts y afférents — aux termes de la section II de la partie IX de la *Loi sur la taxe d'accise*.

Annexe

(article 1)

Article	Colonne I Municipalité	Colonne II Somme ($)
1.	Comté de Lethbridge N° 26	163 546,92
2.	Comté de Forty Mile N° 8	97 168,83
3.	Comté de Paintearth N° 18	63 847,08
4.	District municipal de Cypress N° 1	31 299,00

Note explicative

(La présente note ne fait pas partie du décret.)

Le décret fait remise d'une partie de la taxe sur les produits et services (TPS) — ainsi que des pénalités et intérêts y afférents — ayant fait l'objet d'une cotisation par l'Agence des douanes et du revenu du Canada (ADRC) relativement à des crédits de taxe sur les intrants demandés à tort par les municipalités en question. Cette rémission résulte de conseils trompeurs de la part d'agents de l'ADRC.

DÉCRET DE REMISE VISANT L'ÉTABLISSEMENT INDIEN DE CAMP IPPERWASH (2003)

C.P. 2003-989, 18 juin 2003 (TR/2003-133)

Définitions

1. Les définitions qui suivent s'appliquent au présent décret.

« bande » S'entend au sens du paragraphe 2(1) de la *Loi sur les Indiens*.

« établissement indien » L'établissement figurant à l'annexe et dont les terres y sont décrites.

« Indien » S'entend au sens du paragraphe 2(1) de la *Loi sur les Indiens*.

« réserve » S'entend au sens du paragraphe 2(1) de la *Loi sur les Indiens*.

Champ d'application

2. Le présent décret s'applique à l'établissement indien jusqu'à ce que des terres le constituant soient désignées comme réserve par décret du gouverneur en conseil.

Partie 1 — Impôt sur le revenu

Définitions

3. Dans la présente partie :

a) **« impôt »** s'entend de l'impôt prévu aux parties I, I.1 et I.2 de la *Loi de l'impôt sur le revenu*;

b) les autres termes non définis autrement à l'article 1 s'entendent au sens de la *Loi de l'impôt sur le revenu*.

Remise de l'impôt sur le revenu

4. Il est accordé remise à l'Indien ou à la bande — dont le revenu est situé sur l'établissement indien — , pour chaque année d'imposition ou exercice commençant au cours de l'année civile 1985 ou après celle-ci, de l'excédent éventuel du montant visé à l'alinéa a) sur celui visé à l'alinéa b) :

a) les impôts, intérêts et pénalités payés ou à payer par l'Indien ou par la bande pour l'année d'imposition ou l'exercice;

b) les impôts, intérêts et pénalités que l'Indien ou la bande aurait eu à payer pour l'année d'imposition ou l'exercice si l'établissement indien avait été une réserve pendant toute l'année d'imposition ou tout l'exercice.

[3] L.C. 1991, ch. 24, par. 7(2)

Partie 2 — Taxe sur les produits et services

Définitions

5. Dans la présente partie :

a) **« taxe »** s'entend de la taxe sur les produits et services prévue au paragraphe 165(1) de la *Loi sur la taxe d'accise*;

b) les autres termes non définis autrement à l'article 1 s'entendent au sens de la partie IX de la *Loi sur la taxe d'accise*.

Remise de la taxe sur les produits et services

6. Sous réserve des articles 7 et 8, il est accordé remise à l'Indien ou à la bande qui est l'acquéreur d'une fourniture taxable fabriquée ou livrée dans l'établissement indien, au plus tôt à la date d'entrée en vigueur du présent décret dans le cas d'un Indien et au plus tôt le 1er janvier 1991 dans le cas d'une bande, de l'excédent éventuel du montant visé à l'alinéa a) sur celui visé à l'alinéa b) :

a) la taxe payée ou à payer par l'acquéreur;

b) la taxe que l'acquéreur aurait eu à payer si l'établissement indien avait été une réserve au moment où la fourniture a été fabriquée ou livrée.

Conditions

7. La remise prévue à l'article 6 est accordée à l'Indien si les conditions suivantes sont réunies :

a) la taxe payée ou à payer n'a pas par ailleurs fait l'objet d'un remboursement, d'un crédit ou d'une remise en vertu de la partie IX de la *Loi sur la taxe d'accise* ou en vertu de la *Loi sur la gestion des finances publiques*;

b) une demande de remise de la taxe payée est présentée par écrit au ministre du Revenu national dans les deux ans suivant la date du paiement de la taxe.

8. La remise prévue à l'article 6 est accordée à la bande si les conditions suivantes sont réunies :

a) la taxe payée ou à payer n'a pas par ailleurs fait l'objet d'un remboursement, d'un crédit ou d'une remise en vertu de la partie IX de la *Loi sur la taxe d'accise* ou en vertu de la *Loi sur la gestion des finances publiques*;

b) pour la taxe payée au plus tôt le 1er janvier 1991, mais avant la date d'entrée en vigueur du présent décret, une demande de remise est présentée par écrit au ministre du Revenu national dans les deux ans suivant cette dernière date;

c) pour la taxe payée au plus tôt à la date d'entrée en vigueur du présent décret, une demande de remise est présentée par écrit au ministre du Revenu national dans les deux ans suivant la date du paiement de la taxe.

Annexe 1

(article 1)

Établissement	**Description officielle des terres de l'établissement**
Camp Ipperwash	Les terres situées dans le canton de Bosanquet, comté de Lambton, dans la province d'Ontario, plus précisément décrites ainsi : Partie des lots 1 et 2, totalité des lots 3 à 7 inclusivement, concession A; Partie des lots 1 et 2, totalité des lots 3 à 8 inclusivement, concession B; Partie des lots 1 et 2, totalité des lots 3 à 8 inclusivement, concession C; Partie des lots 1, 2 et 8, totalité des lots 3 à 7 inclusivement, concession D. Le tout conformément au plan enregistré sous le numéro 23 et désigné comme étant la partie 1 sur le plan 25R-3072 déposé au bureau d'enregistrement immobilier de la division d'enregistrement de Lambton (nº 25). À l'exception des parties des lots 4, 5 et 6, concession A, et des réserves routières, représentées sur le plan enregistré sous le numéro 23 et désigné comme étant la partie 5 sur le plan 25R-3320 déposé au bureau d'enregistrement immobilier de la division d'enregistrement de Lambton (nº 25).

Note explicative

(La présente note ne fait pas partie du décret.)

Le décret a pour objet d'accorder remise de l'impôt fédéral sur le revenu et de la taxe sur les produits et services aux Indiens et aux bandes indiennes sur le Camp Ipperwash comme si ces terres étaient une réserve en vertu de la *Loi sur les Indiens*. Il s'agit d'un établissement indien à l'égard duquel le gouvernement du Canada s'est engagé publiquement à accorder le statut de réserve.

DÉCRET DE REMISE VISANT LE SASKATCHEWAN INDIAN FEDERATED COLLEGE (2003)

C.P. 2003-909 [*sic*] [devrait se lire C.P. 2003-910], 12 juin 2003 (TR/2003-122)

Définitions

1. Les définitions qui suivent s'appliquent au présent décret.

« bande » S'entend au sens du paragraphe 2(1) de la *Loi sur les Indiens*.

« établissement indien » Tout établissement figurant à l'annexe et dont les terres y sont décrites.

« Indien » S'entend au sens du paragraphe 2(1) de la *Loi sur les Indiens*.

« réserve » S'entend au sens du paragraphe 2(1) de la *Loi sur les Indiens*.

Champ d'application

2. Le présent décret s'applique à l'établissement indien jusqu'à ce que des terres le constituant soient désignées comme réserve par décret du gouverneur en conseil.

Partie 1 — Impôt sur le revenu

Définitions

3. Dans la présente partie :

a) « **impôt** » s'entend de l'impôt prévu aux parties I, I.1 et I.2 de la *Loi de l'impôt sur le revenu*;

b) les autres termes non définis autrement à l'article 1 s'entendent au sens de la *Loi de l'impôt sur le revenu.*

Remise de l'impôt sur le revenu

4. Il est accordé remise à l'Indien ou à la bande — dont le revenu est situé sur l'établissement indien — , pour chaque année d'imposition ou exercice commençant au cours de l'année civile 2000 ou après celle-ci, de l'excédent éventuel du montant visé à l'alinéa a) sur celui visé à l'alinéa b) :

a) les impôts, intérêts et pénalités payés ou à payer par l'Indien ou par la bande pour l'année d'imposition ou l'exercice;

b) les impôts, intérêts et pénalités que l'Indien ou la bande aurait eu à payer pour l'année d'imposition ou l'exercice si l'établissement indien avait été une réserve pendant toute l'année d'imposition ou tout l'exercice.

Partie 2 — Taxe sur les produits et services

Définitions

5. Dans la présente partie :

a) « **taxe** » s'entend de la taxe sur les produits et services prévue au paragraphe 165(1) de la *Loi sur la taxe d'accise*;

b) les autres termes non définis autrement à l'article 1 s'entendent au sens de la partie IX de la *Loi sur la taxe d'accise.*

Remise de la taxe sur les produits et services

6. Sous réserve des articles 7 et 8, il est accordé remise à l'Indien ou à la bande qui est l'acquéreur d'une fourniture taxable fabriquée ou livrée dans l'établissement indien, au plus tôt à la date d'entrée en vigueur du présent décret dans le cas d'un Indien et le 1er janvier 2000 dans le cas d'une bande, de l'excédent éventuel du montant visé à l'alinéa a) sur celui visé à l'alinéa b) :

a) la taxe payée ou à payer par l'acquéreur;

b) la taxe que l'acquéreur aurait eu à payer si l'établissement indien avait été une réserve au moment où la fourniture a été fabriquée ou livrée.

Conditions

7. La remise prévue à l'article 6 est accordée à l'Indien si les conditions suivantes sont réunies :

a) la taxe payée ou à payer n'a pas par ailleurs fait l'objet d'un remboursement, d'un crédit ou d'une remise en vertu de la partie IX de la *Loi sur la taxe d'accise* ou en vertu de la *Loi sur la gestion des finances publiques*;

b) une demande de remise de la taxe payée est présentée par écrit au ministre du Revenu national dans les deux ans suivant la date du paiement de la taxe.

8. La remise prévue à l'article 6 est accordée à la bande si les conditions suivantes sont réunies :

a) la taxe payée ou à payer n'a pas par ailleurs fait l'objet d'un remboursement, d'un crédit ou d'une remise en vertu de la partie IX de la *Loi sur la taxe d'accise* ou en vertu de la *Loi sur la gestion des finances publiques*;

b) pour la taxe payée au plus tôt le 1er janvier 2000, mais avant la date d'entrée en vigueur du présent décret, une demande de remise est présentée par écrit au ministre du Revenu national dans les deux ans suivant cette dernière date;

c) pour la taxe payée au plus tôt à la date d'entrée en vigueur du présent décret, une demande de remise est présentée par écrit au ministre du Revenu national dans les deux ans suivant la date du paiement de la taxe.

Annexe 1

(article 1)

Établissement	Description officielle des terres de l'établissement
Campus du Saskatchewan Indian Federated College	Dans la ville de Regina, dans les quarts nord-est et sud-est de la section 8, canton 17, rang 19, à l'ouest du deuxième méridien, dans la province de la Saskatchewan, toute la portion constituant le bloc B sur le plan d'arpentage déposé au répertoire des levés officiels de la Saskatchewan sous le nº 99RA08587, modifié par l'arrêté nº 01RA01057 du conservateur des titres, et ayant une superficie d'environ 13,153 hectares (32,503 acres).

Note explicative

(La présente note ne fait pas partie du décret.)

Le décret a pour objet d'accorder remise de l'impôt fédéral sur le revenu et de la taxe sur les produits et services aux Indiens et aux bandes indiennes sur le campus du Saskatchewan Indian Federated College comme si ce campus était une réserve en vertu de la *Loi sur les Indiens*. Il s'agit d'un établissement indien à l'égard duquel le gouvernement du Canada s'est engagé publiquement à accorder le statut de réserve.

DÉCRET DE REMISE VISANT LES 3ES CHAMPIONNATS DU MONDE D'ATHLÉTISME JEUNESSE DE L'IAAF

C.P. 2003-911, 12 juin 2003 (TR/2003-220)

Sur recommandation de la ministre du Revenu national et en vertu de l'article 115 du *Tarif des douanes*[a] , Son Excellence la Gouverneure générale en conseil prend le *Décret de remise visant les 3es Championnats du monde d'athlétisme jeunesse de l'IAAF*, ci-après.

Définitions

1. Les définitions qui suivent s'appliquent au présent décret.

« **Championnats** » Les 3es Championnats du monde d'athlétisme jeunesse de l'IAAF qui auront lieu à Sherbrooke (Québec) du 9 au 13 juillet 2003.

« **COL** » Le comité organisateur local appelé Les Mondiaux Jeunesse — Sherbrooke 2003.

« **commanditaire** » Tout commanditaire officiel des Championnats désigné comme tel par le COL.

« **fournisseur** » Tout fournisseur officiel des Championnats désigné comme tel par le COL.

« **IAAF** » L'Association internationale des fédérations d'athlétisme.

« **membre de la famille des Championnats** » Selon le cas :

a) un particulier ne résidant pas habituellement au Canada qui participe aux Championnats à titre de concurrent, d'instructeur, d'entraîneur, d'officiel ou de juge;

b) un particulier ne résidant pas habituellement au Canada qui est titulaire d'une accréditation de l'IAAF octroyée par le COL et qui est membre :

(i) soit de l'IAAF,

(ii) soit d'une fédération sportive membre de l'IAAF.

« **société étrangère** » Personne morale dont le siège social est situé à l'étranger, qui n'a ni succursale ni filiale au Canada et qui est, relativement aux Championnats :

a) soit titulaire de droits de diffusion;

b) soit commanditaire;

c) soit fournisseur.

« **titulaire de droits de diffusion** » Personne morale à laquelle le COL a accordé des droits de diffusion pour les Championnats.

Champ d'application

2. Le présent décret ne s'applique pas aux boissons alcoolisées et aux produits du tabac.

Remise

3. Sous réserve des articles 9 et 10, remise est accordée des taxes d'accise et de la taxe sur les produits et services payées ou à payer sur les marchandises importées temporairement au Canada par un membre de la famille des Championnats pour son usage exclusif dans le cadre des Championnats.

4.(1) Sous réserve des articles 9 et 10, remise est accordée d'une fraction de la taxe sur les produits et services payée ou à payer :

a) sur les marchandises en montre ainsi que les appareils et le matériel servant à les présenter importés temporairement au Canada par une société étrangère, son mandataire ou autre représentant pour être utilisés exclusivement dans le cadre des Championnats;

b) sur le matériel importé temporairement au Canada par le COL ou par une société étrangère, ou par le mandataire ou autre représentant de l'un ou de l'autre, pour être utilisé exclusivement dans le cadre des Championnats.

(2) La fraction de la taxe sur les produits et services qui est remise en vertu du paragraphe (1) correspond à la différence entre les montants suivants :

a) le montant de la taxe sur les produits et services payée ou à payer sur la valeur des marchandises;

b) le montant de la taxe sur les produits et services à payer sur 1/60 de la valeur des marchandises, pour chaque mois ou fraction de mois pendant lequel ils se trouvent au Canada.

5. Sous réserve de l'article 10, remise est accordée des droits de douane payés ou à payer sur les marchandises dont la valeur unitaire ne dépasse pas 60 $ et qui sont importées au Canada par une société étrangère, son mandataire ou autre représentant pour être distribuées gratuitement aux Championnats.

6. Sous réserve de l'article 10, remise est accordée des droits de douane, des taxes d'accise et de la taxe sur les produits et services payés ou à payer sur les marchandises dont la valeur unitaire ne dépasse pas 60 $ et qui sont importées au Canada par un membre de la famille des Championnats pour être données en cadeau ou en récompense :

a) soit à un membre de la famille des Championnats;

b) soit au COL;

[a]L.C. 1997, ch. 36

c) soit à un résident du Canada qui participe aux Championnats;

d) soit à un résident du Canada qui agit à titre officiel dans le cadre des Championnats.

7. Sous réserve de l'article 10, remise est accordée des droits de douane payés ou à payer sur l'équipement d'athlétisme importé au Canada par le COL et répondant aux conditions suivantes :

a) il est certifié par l'IAAF comme étant conforme aux normes internationales de compétition applicables au sport pour lequel il est conçu et comme étant nécessaire exclusivement à l'entraînement d'un athlète en vue d'une compétition amateur internationale ou à sa participation;

b) il est donné à l'Université de Sherbrooke à la fin des Championnats;

c) il n'en n'est disposé par vente ou autrement aliéné dans les deux ans suivant l'importation.

8. Sous réserve de l'article 10, remise est accordée des droits de douane payés ou à payer sur certains vêtements importés au Canada par le COL et répondant aux conditions suivantes :

a) ils sont donnés par Adidas-Salomon AG en sa qualité de commanditaire de l'IAAF;

b) ils sont fournis gratuitement aux bénévoles du COL à titre d'uniforme pour l'exercice de leurs responsabilités officielles dans le cadre des Championnats;

c) ils sont conservés par les bénévoles à titre personnel à l'issue des Championnats.

Conditions

9. La remise visée aux articles 3 et 4 est accordée à la condition que, au plus tard le 31 décembre 2003, les marchandises soient, selon le cas :

a) exportées du Canada;

b) détruites au Canada aux frais de l'importateur, sous la surveillance d'un agent des douanes.

10. Toute remise visée par le présent décret est assujettie aux conditions suivantes :

a) les marchandises sont importées au Canada au cours de la période commençant le 1er janvier 2003 et se terminant le 13 juillet 2003;

b) une demande de remise est présentée au ministre du Revenu national dans les deux ans suivant la date de la déclaration en détail des marchandises aux termes de l'article 32 de la *Loi sur les douanes*;

c) l'importateur fournit au ministre du Revenu national tout justificatif ou renseignement établissant qu'il a droit à la remise en vertu de présent décret.

Entrée en vigueur

11. Le présent décret entre en vigueur à la date de son enregistrement.

Résumé de l'étude d'impact de la réglementation

(Ce résumé ne fait pas partie du décret.)

Description

Ce décret prévoit la remise des droits de douane, des taxes d'accise et de tout ou partie de la taxe sur les produits et services payés ou payables à l'égard de certaines marchandises comme les effets personnels, les cadeaux, les marchandises d'exhibition et le matériel importé au Canada dans le cadre des 3es Championnats du monde d'athlétisme jeunesse de l'Association Internationale des Fédérations d'Athlétisme (championnats) qui auront lieu à Sherbrooke, dans la province de Québec, du 9 au 13 juillet 2003. Les championnats sont une manifestation d'athlétisme internationale qui favorise la compréhension interculturelle et l'esprit sportif parmi les participants de plus de 160 pays.

Ce décret est semblable aux décrets pris à l'égard des XIIIe Jeux panaméricains (C.P. 1999-1103 du 17 juin 1999), des XVe Jeux olympiques d'hiver (C.P. 1987-2694 du 23 décembre 1987), des IIIe Jeux mondiaux des services de police et d'incendie (C.P. 1989-1258 du 29 juin 1989), des championnats du monde de base-ball amateur de 1990 (C.P. 1990-1126 du 14 juin 1990), du Championnat mondial de base-ball junior de 1991 (C.P. 1991-1153 du 20 juin 1991), des XVe Jeux du Commonwealth (C.P. 1994-1083 du 23 juin 1994), et des 8es Championnats du monde d'athlétisme de I'IAAF (C.P. 2001-1150 du 14 juin 2001).

Solutions envisagées

Aucune solution de rechange n'a été envisagée. Un décret de remise est le seul moyen législatif disponible pour assurer l'exonération de droits dans le présent cas.

L'absence d'exonération de droits et de taxes sur ces marchandises pourrait ternir l'image du Canada à titre d'hôte d'événements sportifs internationaux. En outre, les commanditaires et les fournisseurs étrangers, dont plusieurs font don de produits et services, pourraient décider de s'abstenir de participer aux championnats, ce qui augmenterait les frais du comité organisateur local « Les Mondiaux Jeunesse — Sherbrooke 2003 » et priverait la collectivité d'effets économiques positifs.

Avantages et coûts

Les championnats auront des retombées favorables sur l'industrie touristique canadienne. Quelque 1 000 visiteurs étrangers sont attendus aux championnats, dont 2 000 athlètes et officiels d'équipe d'environ 160 pays.

Nous prévoyons des retombées économiques de 12 millions de dollars pour la province de Québec, dont 6 millions resteront dans la région de Sherbrooke. Les Championnats créeront environ 100 emplois temporaires dans Sherbrooke même et 22 emplois temporaires à travers d'autres régions de la province.

L'équipement qui sera donné à l'Université de Sherbrooke à la fin des Championnats servira à la création d'un centre d'excellence sportive qui desservira tout l'est du Canada.

Consultations

Le Comité interministériel des remises, formé de représentants des ministères des Finances, de l'Industrie et de l'Agence des douanes et du revenu du Canada, a été consulté et appuie ce décret.

Respect et exécution

Le respect des conditions du décret sera assuré par les procédures administratives actuelles de l'Agence. Toute importation de marchandises effectuée en vertu du présent décret sera contrôlée afin de s'assurer que les marchandises satisfont aux conditions du décret et que les droits de douane, les taxes d'accise et la taxe sur les produits et services exigibles sont perçus.

Personne-ressource

Catharine Tait, Secrétaire, Comité interministériel des remises, 150, rue Isabella, 4e étage, Ottawa (Ontario), K1A 0L5, Téléphone : (613) 946-0765.

DÉCRET DE REMISE SUR LES APPAREILS AUTOMATIQUES (UTILISATEURS DE LA COMPTABILITÉ ABRÉGÉE)

Loi sur la gestion des finances publiques

C.P. 2003-1620, 23 octobre 2003 (TR/2003-166)

Définitions

1. Les définitions qui suivent s'appliquent au présent décret.

« **demandeur admissible** » L'inscrit qui, à l'égard d'une période de déclaration, a fait un choix, en vertu de l'article 227 de la Loi, qui s'applique à la période de déclaration en question.

« **fourniture admissible** » Fourniture pour laquelle la taxe à payer en application de la section II de la partie IX de la Loi serait nulle en raison du paragraphe 165.1(2) de la Loi, si ce paragraphe était en vigueur au moment de la fourniture.

« **inscrit** » Personne qui, à un moment donné au cours de la période admissible, était un inscrit au sens du paragraphe 123(1) de la Loi.

« **Loi** » La *Loi sur la taxe d'accise*.

« **période admissible** » La période commençant le 1er janvier 1991 et se terminant le 23 avril 1996.

« **période de déclaration** » S'entend, à l'égard de l'inscrit, au sens du paragraphe 123(1) de la Loi.

« **personne** » S'entend au sens du paragraphe 123(1) de la Loi.

« **taxe nette** » S'entend au sens de la section V de la partie IX de la Loi.

Remise de la taxe sur les produits et services

2. Sous réserve des articles 3 et 5, remise est accordée à l'inscrit de toute somme perçue ou percevable par lui au titre de la taxe prévue à la section II de la partie IX de la Loi relativement à des fournitures admissibles qu'il a effectuées dans sa période de déclaration commençant au cours de la période admissible et durant laquelle l'inscrit était un demandeur admissible.

3. Le montant de la remise accordée en application de l'article 2 pour une période de déclaration de l'inscrit est réduit du total des sommes qui sont perçues ou percevable par l'inscrit au titre de la taxe prévue à la section II de la partie IX de la Loi pour les fournitures admissibles et qui sont incluses dans la taxe nette pour la période de déclaration, ou une partie de cette taxe nette, non remise au moment où l'inscrit dépose la demande de remise prévue à l'article 5, si les conditions suivantes sont réunies :

a) le montant de la taxe nette est positif;

b) la cotisation de cette taxe n'a pas été établie en application de l'article 296 de la Loi avant le dépôt de la demande;

c) une telle cotisation ne peut être établie au moment du dépôt ou après ce moment en raison de l'article 298 de la Loi.

4. Remise est en outre accordée à l'inscrit des intérêts et pénalités qu'il a payés à l'égard de toute somme pour laquelle une remise est accordée en vertu de l'article 2.

Condition

5. La remise est accordée à la condition que le demandeur admissible dépose une demande écrite à cet égard au ministre du Revenue national dans les deux ans suivant la prise du présent décret, dans la mesure où la somme visée par la demande ne lui a pas déjà été remboursée, créditée ou remise en application de la Loi ou de la *Loi sur la gestion des finances publiques*.

Note explicative

(La présente note ne fait pas partie du décret.)

La *Loi sur la taxe d'accise* (la « Loi ») a été modifiée afin de prévoir que, après le 23 avril 1996, la TPS à payer est nulle dans le cas des produits distribués ou des services rendus au moyen d'appareils automatiques à fonctionnement mécanique conçus pour n'accepter qu'une seule pièce de monnaie, de 25 cents ou moins, comme contrepartie totale de la fourniture effectuée au moyen de l'appareil. La Cour canadienne de l'impôt a statué par la suite que la TPS ne s'applique pas à de telles fournitures même celles qui ont été effectuées avant le 24 avril 1996. Le *Décret de remise sur les appareils automatiques* (TR/99-21) a été pris afin que les exploitants de tels appareils bénéficient d'un même traitement fiscal et puissent récupérer le montant total de la taxe perçue sur les fournitures effectuées par l'intermédiaire de ces appareils, pour la période commençant le 1er janvier 1991 et se terminant le 23 avril 1996.

Cependant, les exploitants des appareils automatiques à fonctionnement mécanique qui avaient choisi d'utiliser la méthode de comptabilité abrégée, en vertu de l'article 227 de la Loi, ont été désavantagés par rapport aux exploitants qui ont calculé leur taxe nette en vertu de l'article 225 de la Loi. La formule d'établissement de la taxe nette qui a servi à calculer les sommes à verser en vertu du *Décret de remise sur les appareils automatiques* ne pouvait s'appliquer aux utilisateurs de la méthode de comptabilité abrégée et elle ne leur permettait de tenir compte que du montant de la taxe nette réellement versée à l'Agence des douanes et du revenu du Canada (ADRC) et non du montant de la TPS perçue.

Le nouveau décret a pour but de corriger le traitement inéquitable des inscrits qui ont utilisé la méthode de comptabilité abrégée au cours de la période visée par le *Décret de remise sur les appareils automatiques*.

DÉCRET DE REMISE VISANT LES MISSIONS ACCRÉDITÉES AUPRÈS DE L'OACI (PARTIE IX DE LA LOI SUR LA TAXE D'ACCISE)

Décret de remise visant les missions accréditées auprès de l'OACI (Partie IX de la Loi sur la taxe d'accise)

C.P. 2003-1495, 2 octobre 2003 (TR/2003-164)

Définitions

1. Les définitions qui suivent s'appliquent au présent décret.

« mission accréditée auprès de l'OACI » Mission permanente d'un État étranger accréditée auprès de l'Organisation de l'aviation civile internationale au Canada pendant la période admissible.

« période admissible » La période commençant le 1er avril 2002 et se terminant le jour précédant celui où le *Décret modifiant le Décret sur les privilèges et immunités de l'OACI (missions accréditées)* est enregistré.

« taxe » La taxe imposée en vertu de la partie IX de la *Loi sur la taxe d'accise*.

Remise

2. Sous réserve des articles 3 et 4, remise est accordée à toute mission accréditée auprès de l'OACI d'une somme égale à l'excédent de la taxe visée à l'alinéa a) sur celle visée à l'alinéa b) :

a) la taxe qui est devenue exigible de la mission au cours de la période admissible;

b) la taxe qui serait devenue exigible de la mission au cours de la période admissible si les privilèges prévus à l'article 5 du *Décret sur les privilèges et immunités de l'OACI* lui avaient été accordés.

Conditions

3. La remise est accordée à la condition que la mission accréditée auprès de l'OACI ait payé la taxe pour laquelle elle demande une remise et qu'elle présente au ministre du Revenu national, avant le premier jour du troisième mois civil suivant celui au cours duquel le présent décret est pris, une demande écrite accompagnée des documents suivants :

a) les reçus originaux attestant les sommes payées au titre de la taxe;

b) une preuve écrite attestant l'accréditation de la mission auprès de l'OACI pendant la période visée par les reçus.

4. La taxe qui a par ailleurs fait l'objet d'un remboursement, d'un crédit ou d'une remise n'est pas prise en compte dans le calcul effectué en application de l'article 2.

Note explicative

(La présente note ne fait pas partie du décret.)

Le gouvernement du Canada s'est engagé à accorder aux missions étrangères accréditées auprès de l'Organisation de l'aviation civile internationale (OACI) des privilèges et immunités comparables à ceux accordés aux missions diplomatiques d'États étrangers au Canada. Ces privilèges et immunités, y compris le privilège d'exonération fiscale de la taxe imposée en vertu de la partie IX de la *Loi sur la taxe d'accise*, ont été accordés aux missions accréditées auprès de l'OACI en vertu du *Décret modifiant le Décret sur les privilèges et immunités de l'OACI (missions accréditées)*.

Le décret accorde une remise de la taxe payée sous le régime de la partie IX de la *Loi sur la taxe d'accise* par les missions étrangères accréditées auprès de l'OACI au Canada pour la période commençant le 1er avril 2002 et se terminant le jour précédant celui où le *Décret modifiant le Décret sur les privilèges et immunités de l'OACI (missions accréditées)* est enregistré.

La somme totale à verser en vertu du décret de remise est estimée à 61 000 $, soit environ 3 400 $ par mois.

DÉCRET DE REMISE VISANT CERTAINS ACHETEURS DE LOTISSEMENTS POUR CHALETS EN ONTARIO

C.P. 2005-384 Le 22 mars 2005 (TR/2005-26)

Sur recommandation du ministre du Revenu national et en vertu du paragraphe 23(2)[4] de la *Loi sur la gestion des finances publiques*, Son Excellence la Gouverneure générale en conseil, estimant que l'intérêt public le justifie, prend le *Décret de remise visant certains acheteurs de lotissements pour chalets en Ontario*, ci-après.

[4] L.C. 1991, ch. 24, par. 7(2)

Décrets

Remise de la taxe sur les produits et services

1. Remise est accordée aux acheteurs dont le nom figure à la colonne 1 de l'annexe de la somme indiquée à la colonne 4, laquelle correspond au montant de la taxe payée, et qui n'aurait pas dû l'être, aux termes de la section II de la partie IX de la *Loi sur la taxe d'accise* relativement à l'achat d'un lotissement pour chalets décrit à la colonne 2 et situé dans le district territorial précisé à la colonne 3.

Conditions

2. La remise est accordée si les conditions suivantes sont réunies :

a) la taxe payée n'a fait l'objet d'un remboursement, d'un crédit ou d'une remise ni par Sa Majesté du chef de la province d'Ontario, ni en vertu de la partie IX de la *Loi sur la taxe d'accise* ou de la *Loi sur la gestion des finances publiques*;

b) la demande de remise est présentée par écrit au ministre du Revenu national dans les deux ans suivant la date d'entrée en vigueur du présent décret.

Annexe

(article 1)

Article	Colonne 1 Acheteur(s)	Colonne 2 Description officielle du lotissement pour chalets	Colonne 3 District territorial	Colonne 4 Montant de la taxe ($)
1.	Adamko, Robert George	Lot 20, Plan SM-214	Rainy River	822,47
2.	Alexiuk, Amil Alexiuk, Cheryl Anne	Lot 8, Plan SM-314	Rainy River	262,50
3.	Alie, Conrad	Lot 8, Plan M-388	Cochrane	420,00
4.	Allard, Edward Joseph	Lot 6, Plan 55M-447	Thunder Bay	350,00
5.	Allen, Dale	Lot 32, Plan M-386	Thunder Bay	371,00
6.	Anderson, James Lawrence	Lot 23, Plan M-385	Thunder Bay	350,00
7.	Anderson, Leonard David Anderson, Judy Ann	Lot 1, Plan SM-332	Rainy River	441,00
8.	Auger, David Charles Coupal-Auger, Sousan	Lot 11, Plan M-1118	Sudbury	461,42
9.	Bahlieda, Florentine	Lot 1, Plan 55M-460	Thunder Bay	560,00
10.	Baillargeon, Raymond Baillargeon, Pauline	Lot 7, Plan M-388	Thunder Bay	315,00
11.	Barna, Robert James	Lot 13, Plan M-308	Timiskaming	455,00
12.	Barry, Richard Frances Barry, Margaret Barbara	Lot 8, Plan M-380	Thunder Bay	875,00
13.	Bayley, Gregory Paul Bayley, Maryanne	Lot 6, Plan M-1126	Sudbury	714,00
14.	Beaulne, Arthur Edmond Beaulne, Janice Margaret	Lot 4, Plan M-1076	Sudbury	307,30
15.	Bengtsson, Robert Karl Bengtsson, Ellen Jean	Lot 2, Plan M-455	Thunder Bay	714,00
16.	Bernier, Moran Bernier, Yolande	Lot 6, Plan M-989	Sudbury	490,00
17.	Bertrand, William	Lot 10, Plan M-411	Thunder Bay	280,00
18.	Blais, Gérald Blais, Claire	Lot 2, Plan M-375	Cochrane	385,00
19.	Bond, Gerald Joseph Bond, Ronald Joseph	Lot 11, Plan M-265	Timiskaming	378,00
20.	Bougie, Léo Paul Bougie, Jan Micheline	Lot 5, Plan M-400	Thunder Bay	462,00
21.	Bourgoin, Julien Bourgoin, Denise	Lot 9, Plan M-210	Thunder Bay	177,10
22.	Bozicovich, Rita	Lot 11, Plan M-265	Cochrane	966,00
23.	Breau, Claudette Mary Jane	Lot 8, Plan M-307	Timiskaming	694,17
24.	Brochu, Pierre Brochu, Pauline	Lot 10, Plan M-210	Thunder Bay	154,00
25.	Brooks, Daniel Clarence	Lot 7, Plan M-420	Thunder Bay	371,00
26.	Brown, George Edward Kendall, Donald Marvin	Lot 11, Plan M-1100	Sudbury	420,00
27.	Brown, John	Lot 2, Plan 55M-449	Thunder Bay	602,00
28.	Brown, Leslie Roy	Lot 13, Plan 55M-451	Thunder Bay	581,00

Article	Colonne 1 Acheteur(s)	Colonne 2 Description officielle du lotissement pour chalets	Colonne 3 District territorial	Colonne 4 Montant de la taxe ($)
29.	Brown, Neil Francis Brown, Gene Elizabeth	Lot 3, Plan M-400	Thunder Bay	462,00
30.	Brownlee, Donna Rose	Lot 8, Plan M-411	Thunder Bay	350,00
31.	Bruyère, Valarie Marie	Lot 7, Plan SM-288	Rainy River	949,67
32.	Busniuk, Kenneth Stephen	Lot 11, Plan M-373	Thunder Bay	525,00
33.	Buttman, Lance Walter	Lot 1, Plan M-400	Thunder Bay	483,00
34.	Caldwell, Donna Kathleen	Lot 2, Plan M-593	Kenora	291,20
35.	Cano, Gary Bernardo Cano, Diane Rose	Lot 4, Plan M-744	Kenora	1120,00
36.	Caouette, Robert Henry	Lot 14, Plan M-593	Kenora	278,18
37.	Carello, Tony	Lot 21, Plan M-1125	Sudbury	679,00
38.	Carignan, Yvan Carignan, Darkise	Lot 10, Plan M-374	Cochrane	312,00
39.	Cernigoj, Andrew Joseph	Lot 3, Plan M-399	Thunder Bay	455,00
40.	Chartrand, Colette	Lot 6, Plan M-396	Cochrane	917,00
41.	Clément, Raymond	Lot 6, Plan M-386	Cochrane	175,00
42.	Colosimo, David Anthony Bain, Corinne McLean	Lot 6, Plan M-380	Thunder Bay	910,00
43.	Corcoran, Patrick Joseph Corcoran, Ruth Eleanor	Lot 12, Plan M-211	Thunder Bay	399,00
44.	Coulson, Delmur George	Lot 4, Plan SM-338	Rainy River	441,00
45.	Coupal, Wayne Demers, Johanne	Lot 12, Plan M-1118	Sudbury	437,50
46.	Courville, Donald Joseph Courville, Louise Lucie	Lot 9, Plan M-328	Timiskaming	747,25
47.	Davis, Brian Leopold Davis, Leona Janet	Lot 4, Plan M-397	Thunder Bay	350,00
48.	DeAgazio, John	Lot 1, Plan 55M-461	Thunder Bay	840,00
49.	Delorme, Yvan Delorme, Patricia Ann	Lot 3, Plan M-1126	Sudbury	399,00
50.	DeMontigny, Patrick Xavier	Lot 5, Plan M-247	Cochrane	633,64
51.	DeRooy, Gerry William	Lot 1, Plan 55M-449	Thunder Bay	602,00
52.	Dnistranski, Ernie Jack Dnistranski, Roberta Carol	Lot 4, Plan M-369	Thunder Bay	378,00
53.	Donald, John Robert Donald, Marianne Eleanor	Lot 6, Plan M-257	Timiskaming	378,00
54.	Donaldson, Wilfred Louis	Lot 2, Plan M-205	Algoma	150,50
55.	Donivan, Frederick Joseph Donivan, Gail Maryann	Lot 3, Plan 53M-1185	Thunder Bay	385,00
56.	Doyle, Leslie Doyle, Lilianne	Lot 4, Plan M-1118	Sudbury	434,00
57.	Dubreuil, Roland Lemire, Nelson	Lot 6, Plan M-1069	Sudbury	337,05
58.	Durand, Robert	Lot 11, Plan M-413	Thunder Bay	357,00
59.	Edwin, Brian Jensen, Hilding	Lot 16, Plan M-411	Thunder Bay	322,00
60.	Ellis, Roy	Lot 4, Plan M-269	Timiskaming	1085,00
61.	Erickson, Gary Kenneth Erickson, Cheryl Lynn	Lot 6, Plan M-372	Thunder Bay	1015,00
62.	Erickson, Ralph Norman Erickson, Diane Susan	Lot 1, Plan 55M-455	Thunder Bay	679,00
63.	Éthier, Robert Antoine	Lot 2, Plan M-396	Cochrane	966,00
64.	Ferren, Eileen	Lot 6, Plan M-413	Thunder Bay	315,00
65.	Fournier, Alfred Lloyd York, Helene Jeanne	Lot 2, Plan M-420	Thunder Bay	406,00
66.	Fournier, John Derrick	Lot 7, Plan M-1128	Sudbury	490,00
67.	Friesen, Cliff	Lot 2, Plan M-411	Thunder Bay	280,00
68.	Gagnon, Jean P.	Lot 7, Plan M-390	Algoma	350,00

Article	Colonne 1 Acheteur(s)	Colonne 2 Description officielle du lotissement pour chalets	Colonne 3 District territorial	Colonne 4 Montant de la taxe ($)
	Gagnon, Sherry Lynn			
69.	Gagnon, Oloula Viviane	Location RY 263 AOL Parts 1 and 2	Cochrane	409,50
	Laflamme, Claude Joseph			
	Laflamme-Leroux, Nicole			
	Leroux, Pierre René			
70.	Garvey, William Patrick	Lot 19, Plan 53M-1185	Sudbury	376,78
	Garvey, Joanne Elaine			
71.	Gaulin, Lucien	Lot 51, Plan M-248	Cochrane	595,00
	Gaulin, Joanne			
72.	Gauthier, Wilfred Joseph	Lot 8, Plan M-174	Algoma	490,00
	Gauthier, Lea Marie			
73.	Girard, Jean Claude	Lot 12, Plan M-1100	Sudbury	378,88
	Girard, Mariette Thérèse			
74.	Groulx, Gary Donald	Lot 8, Plan M-211	Thunder Bay	399,00
	Groulx, Lidia			
75.	Groulx, William Clermont	Lot 2, Plan SM-333	Rainy River	441,00
76.	Guindon, Germain	Lot 8, Plan M-399	Cochrane	320,00
	Guindon, Marguerite			
77.	Guy, Frank Charles	Lot 5, Plan M-770	Kenora	560,00
78.	Haché, Edmond	Lot 2, Plan M-322	Timiskaming	749,00
	Haché, Gisèle			
79.	Hakkarainen, Timo Johannes	Lot 3, Plan M-437	Thunder Bay	805,00
	Hakkarainen, Diane Claire			
80.	Hambly, Kenneth John	Part 1, Plan 54R-1425	Timiskaming	301,00
81.	Hamel, Raymond	Lot 5, Plan M-1120	Sudbury	630,00
	Hamel, Margot			
82.	Hayes, David James	Lot 1, Plan SM-226	Rainy River	429,28
	Hayes, Maxine			
83.	Henry, Ronnie	Lot 3, Plan 55M-460	Thunder Bay	560,00
	Olson, Roger			
84.	Hoffren, Allan Olavi	Lot 8, Plan 53M-1147	Sudbury	308,00
85.	Hopkins, Reginal Winston	Lot 2, Plan 55M-460	Thunder Bay	560,00
	Hopkins, Carol Jane			
86.	Hutchinson, Dan	Lot 15, Plan M-390	Algoma	350,00
	Hutchinson, Freida			
87.	Iazzolino, Frank	Lot 1, Plan 55M-454	Thunder Bay	770,00
	Tallari, Patricia			
88.	Igercich, Richard Stephen	Lot 18, Plan M-1076	Sudbury	420,00
	Parrott, Charles Douglas			
89.	Jasmin, Donald	Lot 1, Plan M-387	Cochrane	371,00
	Jasmin, Lilliane			
90.	Jean, Michael Joseph	Lot 5, Plan M-412	Thunder Bay	490,00
91.	Jobson, Wayne Ivan	Lot 10, Plan M-593	Kenora	323,05
92.	Johns, Roger Owen	Lot 26, Plan M-85	Algoma	490,00
	Johns, Karin Julie			
93.	Johnson, Robert	Lot 7, Plan M-1122	Sudbury	420,00
	Johnson, Carole			
94.	Joly, Ronald William	Lot 9, Plan M-308	Timiskaming	350,00
95.	Jones, Alan Gregory	Lot 9, Plan M-411	Thunder Bay	280,00
96.	Joseph, Germain	Lot 17, Plan M-266	Cochrane	252,00
	Lecompte, Paul			
97.	Kaczmarek, Jerry Steve	Lot 5, Plan M-757	Kenora	623,00
	Kaczmarek, Catherine Mae			
98.	Kane, Brian D.	Lot 5, Plan M-1093	Sudbury	1237,25
99.	Karell, Edward Rocco	Lot 7, Plan 55M-447	Thunder Bay	385.00
	Karell, Emilia Betty			

Article	Colonne 1 Acheteur(s)	Colonne 2 Description officielle du lotissement pour chalets	Colonne 3 District territorial	Colonne 4 Montant de la taxe ($)
100.	Karvonen, John David Karvonen, Gloria Jean	Lot 1, Plan M-1093	Sudbury	840,00
101.	Keefe, Robert George	Lot 2, Plan 55M-461	Thunder Bay	700,00
102.	Kesik, Theodore Joseph	Lot 1, Plan M-988	Sudbury	1400,00
103.	Komar, John Clifford	Lot 11, Plan M-370	Thunder Bay	294,00
104.	Kowalchuk, David	Lot 6, Plan M-770	Kenora	560,00
105.	Kunze, Peter Joachim	Lot 11, Plan M-1069	Sudbury	364,00
106.	Kurish, Kenneth Lionel Kurish, Rosemary	Lot 11, Plan M-366	Thunder Bay	399,00
107.	Labrosse, Madeleine	Lot 10, Plan M-399	Cochrane	364,00
108.	Laferrière, Pierre Jean	Lot 11, Plan M-396	Cochrane	910,00
109.	Lambert, Aurèle Alexandre Lambert, Suzanne Claire	Lot 12, Plan M-985	Sudbury	875,00
110.	Lamontagne, Lisa Noella	Lot 4, Plan M-232	Cochrane	280,00
111.	Lapierre, Mario Gilles	Lot 1, Plan 53M-1185	Sudbury	377,48
112.	Lapierre, Roger André	Lot 14, Plan M-396	Cochrane	910,00
113.	Larivière, Albert	Lot 13, Plan M-328	Timiskaming	770,00
114.	Larrett, Brian Patrick Larrett, Joyce Rita	Lot 24, Plan M-399	Thunder Bay	455,00
115.	Laurikainen, Kari John	Lot 15, Plan M-399	Thunder Bay	476,00
116.	Lavoie, Rénald Lavoie, Claire	Lot 9, Plan M-983	Chapleau	455,00
117.	Lebel, Émilien Ouellet, Lise	Lot 6, Plan M-399	Cochrane	364,00
118.	Léger, André Jacques Léger, Darkise Pauline	Lot 6, Plan M-400	Cochrane	271,13
119.	Levasseur, Léo Levasseur, Suzanne	Lot 5, Plan M-375	Cochrane	280,00
120.	Lévesque, Joseph Daniel Lévesque, Guylène Élise	Lot 10, Plan M-270	Thunder Bay	399,00
121.	Lysak, James Richard Lysak, Rae Elaine	Lot 6, Plan M-369	Thunder Bay	359,10
122.	Lysak, Ronald	Lot 14, Plan M-400	Thunder Bay	476,00
123.	MacKinnon, Terrence Eric MacKinnon, Judith Arlene	Lot 4, Plan M-707	Kenora	568,40
124.	MacLean, James Colin MacLean, Pamela	Lot 3, Plan 55M-440	Thunder Bay	770,00
125.	MacRae, Gil	Lot 3, Plan M-243	Algoma	630,00
126.	Macodrum, Neil Collins Macodrum, Darlene Sondra	Lot 9, Plan M-387	Thunder Bay	399,00
127.	Maki, Oliver Brazeau, Joanne	Lot 4, Plan M-1122	Sudbury	441,00
128.	Marszowski, Bruno Marszowski, Irene	Lot 1, Plan M-166	Thunder Bay	399,00
129.	Martin, Gordon Maxwell	Lot 9, Plan M-369	Thunder Bay	350,00
130.	McDonald, Thomas Martin McDonald, Patricia Mae	Lot 7, Plan 55M-451	Thunder Bay	700,00
131.	McIntyre, Douglas George	Lot 1, Plan SM-338	Rainy River	629,58
132.	McOrmond, Charles Donald	Lot 3, Plan SM-338	Rainy River	441,00
133.	Merkley, Charles Leonard Merkley, Marilyn Dawn	Lot 13, Plan M-370	Thunder Bay	294,00
134.	Mill, Thomas William Mill, Barbara Ann	Lot 1, Plan 55M-458	Thunder Bay	560,00
135.	Miller, Randal John Miller, Aurore Delia	Lot 13, Plan M-388	Thunder Bay	315,00
136.	Morbey, Paul Gillian Morbey, Susan Elizabeth	Lot 6, Plan M-397	Thunder Bay	350,00

Article	Colonne 1 Acheteur(s)	Colonne 2 Description officielle du lotissement pour chalets	Colonne 3 District territorial	Colonne 4 Montant de la taxe ($)
137.	Morgan, Donald Murray Morgan, Kim Eloise	Lot 6, Plan M-411	Thunder Bay	280,00
138.	Morin, Guy Morin, Raymonde	Lot 6, Plan M-1073	Sudbury	420,00
139.	Morris, Gerald	Lot 4, Plan 55M-455	Thunder Bay	714,00
140.	Mullen, Robert Daniel	Lot 27, Plan M-399	Thunder Bay	441,00
141.	Mykulak, William Alexander Boulianne, Reine-Aimée	Lot 1, Plan 55M-440	Thunder Bay	784,00
142.	Nadon, Victor Alexander Nadon, Audrey Lucille	Lot 5, Plan M-388	Thunder Bay	315,00
143.	Napran, Allen Peter Vecsi, Joseph	Lot 11, Plan M-1076	Sudbury	322,00
144.	Nicholls, Wilhelmina Klaasje	Lot 12, Plan M-387	Thunder Bay	399,00
145.	Nickoluk, Stephen Nickoluk, Sylvia	Lot 10, Plan M-380	Thunder Bay	875,00
146.	Niskanen, David Otto Niskanen, Margit Viola	Lot 9, Plan M-397	Thunder Bay	350,00
147.	Onotsky, Elsie Murella	Lot 1, Plan M-326	Timiskaming	884,74
148.	Otto, Allan John	Lot 14, Plan M-370	Thunder Bay	294,00
149.	Otto, Gregory Joseph Otto, Eva	Lot 5, Plan 55M-458	Thunder Bay	644,00
150.	Ouellet, Gaetan André Ouellet, Nicole Malvina	Lot 11, Plan M-399	Cochrane	364,00
151.	Parker, Bruce Robert Parker, Alison Gladys	Lot 4, Plan 55M-457	Thunder Bay	693,00
152.	Parker, Guy George	Lot 1, Plan 55M-456	Thunder Bay	679,00
153.	Payette, James Robert Payette, Christa	Lot 7, Plan 55M-458	Thunder Bay	581,00
154.	Peddie, Dennis Peddie, Wanda Irene	Lot 16, Plan M-308	Timiskaming	350,00
155.	Pedulla, Giorolamo Tennant, Timothy	Lot 4, Plan M-769	Kenora	350,00
156.	Pelletier, Gaëtan Corale Pelletier, Jeannine	Lot 9, Plan M-399	Cochrane	389,03
157.	Penna, Lina Penna, Michele	Lot 10, Plan M-657	Sudbury	206,50
158.	Pihlaja, Tuula Maija	Lot 16, Plan M-400	Thunder Bay	476,00
159.	Poirier, Raymond Poirier, Helen	Lot 18, Plan M-328	Timiskaming	735,00
160.	Pollard, Donald Roy Pollard, Evelyn Gertrude	Lot 14, Plan M-438	Kenora	630,00
161.	Potestio, Anthony Joseph Potestio, Mario	Lot 9, Plan 55M-449	Thunder Bay	581,00
162.	Poulin, André Rondeau, Georges	Lot 9, Plan M-366	Thunder Bay	479,50
163.	Rathje, Garry Taylor, Elaine	Lot 37, Plan M-386	Thunder Bay	392,00
164.	Rossignol, Laurier Rossignol, Anita Irène	Lot 9, Plan M-211	Thunder Bay	399,00
165.	Roukkula, Lynda Marlys	Lot 1, Plan M-399	Thunder Bay	427,00
166.	Roy, Thérèse	Lot 22, Plan M-381	Cochrane	350,00
167.	Sauer, Karl John	Lot 6, Plan 55M-449	Thunder Bay	609,00
168.	Sawatsky, Harold William	Lot 10, Plan M-308	Timiskaming	350,00
169.	Schnekenburger, Paul J. Schnekenburger, Sandra L.	Lot 3, Plan SM-274	Rainy River	1050,00
170.	Shewchuk, William	Lot 6, Plan M-420	Thunder Bay	371,00
171.	Simpson, Mary	Lot 5, Plan M-411	Thunder Bay	322,00

Article	Colonne 1 Acheteur(s)	Colonne 2 Description officielle du lotissement pour chalets	Colonne 3 District territorial	Colonne 4 Montant de la taxe ($)
172.	Sinclair, William Norbert Sinclair, Mary-Ellen	Lot 3, Plan SM-315	Rainy River	614,02
173.	Smith, Colin Scott	Lot 18, Plan M-400	Thunder Bay	476,00
174.	Smith, David William Smith, Marlene Wilma	Lot 6, Plan M-387	Cochrane	371,00
175.	Smith, Lisa Roslyn	Lot 9, Plan M-696	Kenora	350,00
176.	Snow, Robert William James Snow, Brenda Joyce	Lot 5, Plan M-397	Thunder Bay	350,00
177.	Stacinski, Philip Stacinski, Dorothy Fern	Lot 3, Plan M-420	Thunder Bay	371,00
178.	Steele, Barry James	Lot 7, Plan SM-314	Rainy River	392,00
179.	Steele, Gary Tait, Teresa Monica	Lot 6, Plan M-460	Thunder Bay	560,00
180.	Stever, Eric John	Lot 4, Plan M-396	Thunder Bay	483,00
181.	Stillwell, Bernard Carl Stillwell, Jean Henderson	Lot 12, Plan M-399	Thunder Bay	427,00
182.	Stromberg, Guy Roy	Lot 3, Plan SM-334	Rainy River	441,00
183.	Sutherland, Gerald William Sutherland, Nicole Denise	Lot 6, Plan M-1128	Sudbury	455,00
184.	Swain, Paul Douglas	Lot 3, Plan SM-332	Rainy River	441,00
185.	Sylvester, Dennis Dale Sylvester, Sandra Jane	Lot 9, Plan M-382	Thunder Bay	1050,00
186.	Taphorn, Gary James Taphorn, Pauline Helene	Lot 10, Plan M-388	Thunder Bay	315,00
187.	Townsend, Lyle Playford	Lot 7, Plan M-1100	Sudbury	385,00
188.	Van Ryn, Peter Van Ryn, Margaret	Lot 1, Plan M-321	Timiskaming	420,00
189.	Varady, Andrew Varady, Gail	Lot 2, Plan M-402	Cochrane	525,00
190.	Viddal, Audrey Ann	Lot 2, Plan SM-314	Rainy River	392,00
191.	Ward, Kelly Donald	Lot 2, Plan SM-332	Rainy River	441,00
192.	Warren, James Michael	Lot 2, Plan SM-334	Rainy River	441,00
193.	Weldon, Robert	Lot 6, Plan M-399	Thunder Bay	469,00
194.	White, William Robert White, Darlene Dorothy	Lot 6, Plan M-400	Thunder Bay	490,00
195.	Whitney, Isaac Whitney, Jane Frances	Lot 11, Plan M-412	Thunder Bay	350,00
196.	Wiens, Rudolph Henry Wiens, Anna	Lot 7, Plan M-265	Timiskaming	378,00
197.	Wolframe, Brenda	Lot 2, Plan M-397	Thunder Bay	350,00
198.	Zarecki, Wayne Roderick	Lot 3, Plan M-688	Kenora	640,00

Note explicative

(La présente note ne fait pas partie du décret.)

Le décret accorde une remise de la taxe sur les produits et services (TPS) pour un montant total de 98 846,17 $ à certains acheteurs de lotissements pour chalets dans la province d'Ontario, qui ont payé la taxe sur ces lotissements au cours de la période commençant le 1er janvier 1991 et se terminant le 31 décembre 2001. Les acheteurs louaient ces lotissements sur une base exonérée de la TPS au titre de l'alinéa 7a) de la partie I de l'annexe V de la *Loi sur la taxe d'accise* immédiatement avant de les acheter. Ils ont reçu du ministère des Richesses naturelles de l'Ontario des renseignements erronés selon lesquels l'achat des lotissements pour chalets était taxable et, par conséquent, ont payé la taxe par erreur.

DÉCRET DE REMISE VISANT LES 14ÈMES CHAMPIONNATS DU MONDE DE SEMI-MARATHON DE L'IAAF

C.P. 2005-1507, 31 août 2005 (DORS/2005-263)

Décrets

Sur recommandation du ministre des Finances et en vertu de l'article 115 du *Tarif des douanes*[5], Son Excellence la Gouverneure générale en conseil prend le *Décret de remise visant les 14èmes Championnats du monde de semi-marathon de l'IAAF*, ci-après.

Définitions

1. 1. Les définitions qui suivent s'appliquent au présent décret.

« **Championnats** » Les 14èmes Championnats du monde de semi-marathon de l'IAAF qui auront lieu à Edmonton (Alberta) le 1er octobre 2005.

« **COL** » Le comité organisateur local appelé Edmonton World Half Marathon Championships 2005 Ltd. Local Organizing Committee.

« **IAAF** » La Fédération internationale d'athlétisme.

« **membre de la famille des Championnats** »

a) Tout particulier ne résidant pas habituellement au Canada qui participe aux Championnats à titre de concurrent, d'instructeur, d'entraîneur, d'officiel ou de juge;

b) tout particulier ne résidant pas habituellement au Canada qui est titulaire d'une accréditation de l'IAAF octroyée par le COL et qui est membre :

(i) soit de l'IAAF,

(ii) soit d'une fédération sportive membre de l'IAAF.

« **société étrangère** » Personne morale dont le siège social est situé à l'étranger, qui n'a ni succursale ni filiale au Canada et qui est soit désignée par le COL à titre de commanditaire ou de fournisseur officiel des Championnats, soit est le titulaire de droits de diffusion accordés par le COL.

Champ d'application

2. Le présent décret ne s'applique pas aux boissons alcoolisées ni aux produits du tabac.

Remise

3. Sous réserve des articles 7 et 8, est accordée une remise des taxes d'accise et de la taxe sur les produits et services payées ou à payer sur les marchandises importées temporairement au Canada par un membre de la famille des Championnats pour son usage exclusif dans le cadre des Championnats.

4.(1) Sous réserve des articles 7 et 8, est accordée une remise d'une fraction de la taxe sur les produits et services payée ou à payer sur les marchandises suivantes :

a) les marchandises en montre ainsi que les appareils et le matériel servant à les présenter, importés temporairement au Canada par une société étrangère ou son mandataire ou autre représentant pour usage exclusif dans le cadre des Championnats;

b) le matériel importé temporairement au Canada par le COL ou par une société étrangère, ou par le mandataire ou autre représentant de l'un ou de l'autre, pour usage exclusif dans le cadre des Championnats.

(2) La fraction de la taxe sur les produits et services qui est remise en vertu du paragraphe (1) correspond à la différence entre les montants suivants :

a) le montant de la taxe sur les produits et services payée ou à payer sur la valeur des marchandises;

b) le montant de la taxe sur les produits et services à payer sur 1/60 de la valeur des marchandises, pour chaque mois ou fraction de mois pendant lequel celles-ci se trouvent au Canada.

5. Sous réserve de l'article 8, est accordée une remise des droits de douane payés ou à payer sur les marchandises dont la valeur unitaire ne dépasse pas 60 $ et qui sont importées au Canada par une société étrangère ou son mandataire ou autre représentant pour être distribuées gratuitement aux Championnats.

6. Sous réserve de l'article 8, est accordée une remise des droits de douane, des taxes d'accise et de la taxe sur les produits et services payés ou à payer sur les marchandises dont la valeur unitaire ne dépasse pas 60 $ et qui sont importées au Canada par un membre de la famille des Championnats pour être données en cadeau ou en récompense :

a) soit à un autre membre de la famille des Championnats;

b) soit au COL ou à ses membres;

c) soit à un résident du Canada qui participe aux Championnats;

d) soit à un résident du Canada qui agit à titre officiel dans le cadre des Championnats.

7. La remise prévue aux articles 3 et 4 est accordée à la condition que, au plus tard le 31 décembre 2005, les marchandises soient, selon le cas :

a) exportées du Canada;

b) détruites au Canada aux frais de l'importateur, sous la surveillance d'un agent des douanes.

8. Toute remise prévue par le présent décret est assujettie aux conditions suivantes :

a) les marchandises sont importées au Canada au cours de la période commençant le 1er mars 2005 et se terminant le 1er octobre 2005;

b) une demande de remise est présentée au ministre de la Sécurité publique et de la Protection civile dans les deux ans suivant la date de la déclaration en détail des marchandises aux termes de l'article 32 de la *Loi sur les douanes*;

c) l'importateur fournit au ministre du Revenu national tout justificatif ou renseignement établissant qu'il a droit à la remise.

[5] L.C. 1997, ch. 36

Entrée en vigueur

9. Le présent décret entre en vigueur à la date de son enregistrement.

Résumé de l'étude d'impact de la réglementation

(Ce résumé ne fait pas partie du décret.)

Description

Ce décret prévoit la remise des droits de douane, des taxes d'accise et de tout ou partie de la taxe sur les produits et services payés ou payables à l'égard de certaines marchandises comme les effets personnels, les marchandises pour distribution gratuitement, les marchandises d'exhibition et le matériel importées au Canada aux fins des 14èmes Championnats du monde de semi-marathon de l'IAAF qui auront lieu à Edmonton (Alberta) le 1er octobre 2005.

Ce décret est semblable aux décrets pris à l'égard des XVe Jeux olympiques d'hiver à Calgary en Alberta (C.P. 1987-2694 du 23 décembre 1987), des XVe Jeux du Commonwealth à Victoria en Colombie-Britannique (C.P. 1994-1083 du 23 juin 1994), des 8es Championnats du monde d'athlétisme de l'IAAF à Edmonton en Alberta (C.P. 2001-1150 du 14 juin 2001), et des 3es Championnats du monde d'athlétisme jeunesse de l'IAAF à Sherbrooke au Québec (C.P. 2003-911 du 12 juin 2003).

Solutions envisagées

Aucune solution de rechange n'a été envisagée. Un décret de remise est le moyen approprié pour assurer l'exonération de droits et taxes dans le présent cas.

Avantages et coûts

Les championnats auront des retombées favorables sur l'industrie touristique canadienne. Quelque 900 visiteurs étrangers sont attendus aux championnats, dont 300 athlètes et officiels d'équipe provenant d'environ 60 pays.

Il est prévu que l'incidence économique de cet événement dans la région d'Edmonton sera de près de 2 millions de dollars. Le montant de remise de droits de douane, de taxes d'accise et de la taxe sur les produits et services ne devrait pas excéder 50 000 dollars.

Consultations

Les ministères de l'Industrie et du Patrimoine canadien et l'Agence des services frontaliers du Canada ont été consultés et appuient ce décret.

Respect et exécution

Le respect des conditions du décret sera assuré par l'Agence des services frontaliers du Canada. Toute importation de marchandises effectuée en vertu du présent décret sera contrôlée afin de s'assurer que les marchandises satisfont aux conditions du décret et que les droits de douane, les taxes d'accise et la taxe sur les produits et services exigibles sont perçus.

Personne-ressource

Paul J. Robichaud, Division de la politique commerciale internationale, Ministère des Finances, Ottawa (Ontario), K1A 0G5, Téléphone : (613) 992-2510.

DÉCRET DE REMISE CONCERNANT LA COUPE DU MONDE MASCULINE U-20 DE LA FIFA, CANADA 2007

C.P. 2007-251, 1er mars 2007 (DORS/2007-49)

Sur recommandation du ministre des Finances et en vertu de l'article 115[6] du *Tarif des douanes*[7], Son Excellence la Gouverneure générale en conseil prend le *Décret de remise concernant la Coupe du monde masculine U-20 de la FIFA*, Canada 2007, ci-après.

Définitions

1. Les définitions qui suivent s'appliquent au présent décret.

« ACS » L'Association canadienne de soccer incorporée.

« commanditaire » Tout commanditaire officiel de la Coupe du monde U-20, ainsi désigné par la FIFA.

« Coupe du monde U-20 » La Coupe du monde masculine U-20 de la FIFA, Canada 2007, qui aura lieu du 30 juin au 22 juillet 2007.

« FIFA » La Fédération Internationale de Football Assocation.

« fournisseur » Tout fournisseur officiel de la Coupe du monde U-20, ainsi désigné par l'ACS ou par la FIFA.

« membre de la famille de la Coupe du monde U-20 »

a) Tout particulier ne résidant pas habituellement au Canada qui participe à la Coupe du monde U-20 à titre de concurrent, d'entraîneur, d'officiel d'équipe, de membre du personnel de soutien ou d'officiel technique;

b) tout titulaire d'une accréditation délivrée par l'ACS et approuvée par la FIFA et qui est membre de celle-ci. (U-20 World Cup family member)

« société étrangère » La FIFA ou toute personne morale dont le siège social est situé à l'étranger, qui n'a ni succursale ni filiale au Canada et qui, relativement à la Coupe du monde U-20, est :

a) soit titulaire de droits de diffusion;

b) soit commanditaire;

c) soit fournisseur.

[6] L.C. 2005, ch. 38, par. 145(2)j)
[7] L.C. 1997, ch. 36

« titulaire de droits de diffusion » Personne morale à laquelle l'ACS ou la FIFA a accordé des droits de diffusion pour la Coupe du monde U-20.

Champ d'application

2. Le présent décret ne s'applique pas aux boissons alcoolisées ni aux produits du tabac.

Remise

3. Remise est accordée des droits de douane, des taxes d'accise et de la taxe sur les produits et services payés ou à payer sur les marchandises importées temporairement au Canada par un membre de la famille de la Coupe du monde U-20 pour son usage exclusif dans le cadre de celle-ci.

4.(1) Remise est accordée des droits de douane et d'une fraction de la taxe sur les produits et services payés ou à payer :

a) sur les marchandises en montre, y compris les appareils et le matériel servant à les présenter, qui sont importées temporairement au Canada par l'ACS ou par une société étrangère ou leur mandataire ou autre représentant pour être utilisées exclusivement dans le cadre de la Coupe du monde U-20;

b) sur le matériel importé temporairement au Canada par l'ACS ou par une société étrangère ou leur mandataire ou autre représentant pour être utilisé exclusivement dans le cadre de la Coupe du monde U-20.

(2) La fraction de la taxe sur les produits et services qui est remise en vertu du paragraphe (1) correspond à la différence entre les montants suivants :

a) le montant de la taxe sur les produits et services payée ou à payer sur la valeur des marchandises;

b) le montant de la taxe sur les produits et services à payer sur 1/60 de la valeur des marchandises, pour chaque mois ou fraction de mois pendant lequel elles se trouvent au Canada.

5. Remise est accordée des droits de douane payés ou à payer sur les marchandises dont la valeur unitaire ne dépasse pas 60 $ et qui sont importées au Canada par un titulaire de droits de diffusion, un commanditaire, un fournisseur ou la FIFA, ou leur mandataire ou autre représentant, pour être distribuées gratuitement lors de la Coupe du monde U-20.

6. Remise est accordée des droits de douane, des taxes d'accise et de la taxe sur les produits et services payés ou à payer sur les marchandises dont la valeur unitaire ne dépasse pas 60 $ et qui sont importées au Canada par un membre de la famille de la Coupe du monde U-20 pour être données en cadeau ou en récompense :

a) soit à un autre membre de la famille de la Coupe du monde U-20;
b) soit à un mandataire ou à un représentant de l'ACS;
c) soit à un résident du Canada qui participe à la Coupe du monde U-20;
d) soit à un résident du Canada qui agit à titre officiel dans le cadre de la Coupe du monde U-20.

7. Remise est accordée des droits de douane payés ou à payer sur l'équipement d'athlétisme importé au Canada par l'ACS, si les conditions ci-après sont réunies :

a) l'équipement est certifié par la FIFA comme étant conforme aux normes internationales de compétition applicables au soccer et comme étant nécessaire exclusivement à l'entraînement d'un athlète ou à sa participation à la Coupe du monde U-20;

b) à l'issue de la Coupe du monde U-20, il est donné à un club sportif sans but lucratif, une fédération sportive, un organisme de bienfaisance enregistré, un établissement d'enseignement ou toute institution publique, ou à une municipalité, une ville ou un village;

c) il n'en est pas disposé, notamment par vente, dans les deux ans suivant son importation.

8. Remise est accordée des droits de douane payés ou à payer sur les vêtements importés au Canada, si les conditions ci-après sont réunies :

a) les vêtements sont donnés à l'ACS par un commanditaire ou par un fournisseur;

b) ils sont fournis gratuitement aux volontaires de l'ACS à titre d'uniforme pour l'exercice de leurs responsabilités officielles dans le cadre de la Coupe du monde U-20;

c) ils sont conservés par les volontaires à titre personnel à l'issue de la Coupe du monde U-20.

Conditions

9. La remise prévue aux articles 3 et 4 est accordée à la condition que, au plus tard le 1er octobre 2007, les marchandises soient, selon le cas :

a) exportées du Canada;

b) détruites au Canada aux frais de l'importateur, sous la surveillance d'un fonctionnaire de l'Agence des services frontaliers du Canada.

10. Toute remise prévue par le présent décret est assujettie aux conditions suivantes :

a) les marchandises sont importées au Canada au cours de la période commençant le 1er février 2007 et se terminant le 22 juillet 2007;

b) la demande de remise est présentée au ministre de la Sécurité publique et de la Protection civile dans les deux ans suivant la date de la déclaration en détail des marchandises aux termes de l'article 32 de la *Loi sur les douanes*;

c) l'importateur présente à l'Agence des services frontaliers du Canada les documents et renseignements établissant son admissibilité à la remise.

Entrée en vigueur

11. Le présent décret entre en vigueur à la date de son enregistrement.

Résumé de l'étude d'impact de la réglementation

(Ce résumé ne fait pas partie du décret.)

Description

Annexe

Ce décret prévoit la remise des droits de douane, des taxes d'accise et de tout ou partie de la taxe sur les produits et services payés ou payables à l'égard de certaines marchandises, comme les effets personnels, les marchandises pour distribution gratuitement, les marchandises d'exhibition et le matériel, importées au Canada dans le cadre de la Coupe du monde U-20 de la FIFA Canada 2007, qui se tiendra à divers endroits au Canada, du 30 juin au 22 juillet 2007.

Ce décret est semblable aux décrets pris à l'égard d'événements similaires comme les XVes Jeux olympiques d'hiver à Calgary en Alberta (C.P. 1987-2694 du 23 décembre 1987), les XVes Jeux du Commonwealth à Victoria en Colombie-Britannique (C.P. 1994-1083 du 23 juin 1994), les 8es Championnats du monde d'athlétisme de l'IAAF à Edmonton en Alberta (C.P. 2001-1150 du 14 juin 2001), et les 14es Championnats du monde de semi-marathon de l'IAAF à Edmonton en Alberta (C.P. 2005-1507 du 6 juin 2005).

Solutions envisagées

Aucune solution de rechange n'a été envisagée. Un décret de remise est le moyen le plus opportun pour assurer l'exonération de droits et de taxes dans le présent cas.

Avantages et coûts

Cette mesure facilite la tenue au Canada de la Coupe du monde U-20 qui aura des retombées favorables sur l'industrie touristique canadienne. Quelque 500 000 spectateurs y sont attendus, dont 850 athlètes et officiels d'équipe d'environ 24 pays.

Il est prévu que les retombées économiques de cet événement au Canada s'élèveront à près de 60 millions de dollars. On estime à moins de 100 000 $ la somme des droits de douane, des taxes d'accise et de la taxe sur les produits et services qui devront être remis.

Consultations

Industrie Canada, Patrimoine Canada et l'Agence des services frontaliers du Canada ont été consultés et appuient ce décret

Respect et exécution

Le respect des conditions du décret sera assuré par l'agence des services frontaliers du Canada. Toute importation de marchandises effectuée en vertu du présent décret sera contrôlée afin d'assurer que les marchandises satisfont aux conditions du décret et que les droits de douane, les taxes d'accise et la taxe sur les produits et services exigibles sont perçus.

Personne-ressource

Stephanie Reid, Division de la politique commerciale internationale, Ministère des Finances, Ottawa (Ontario) K1A 0G5, Téléphone: (613) 996-7099.

DÉCRET DE REMISE VISANT CERTAINES ADMINISTRATIONS SCOLAIRES (TPS/TVH)

C.P. 2007-1634, 25 avril 2007 (TR/2007-98)

Sur recommandation du ministre des Finances et en vertu du paragraphe 23(2) de la *Loi sur la gestion des finances publiques*, Son Excellence la Gouverneure générale en conseil, estimant que l'intérêt public le justifie, prend le *Décret de remise visant certaines administrations scolaires (TPS/TVH)*, ci-après.

Remises

1. Sous réserve des articles 3 et 4, est accordée à toute administration scolaire nommée à la colonne 1 de l'annexe, située dans la province mentionnée à la colonne 3, remise de la somme indiquée dans la colonne 4, qui représente une taxe payée en vertu de la partie IX de la *Loi sur la taxe d'accise* par l'administration scolaire ou, le cas échéant, par celle nommée à la colonne 2 qu'elle a remplacée.

2. Sous réserve de l'article 3, est accordée à toute administration scolaire nommée à la colonne 1 de l'annexe, située dans la province mentionnée à la colonne 3, remise des intérêts et pénalités payés ou à payer, au plus tard à la date ci-après, par l'administration scolaire, ou, le cas échéant, par celle nommée à la colonne 2 qu'elle a remplacée, sur la somme pour laquelle une remise lui est accordée en vertu de l'article 1 :

a) le 10 mai 2004, dans le cas d'une administration scolaire visée à l'un des articles 1 à 4 ou 6 à 21 de l'annexe;

b) le 12 mai 2004, dans le cas d'une administration scolaire visée à l'article 5 de l'annexe;

c) le 5 avril 2004, dans le cas d'une administration scolaire visée à l'un des articles 22 à 44 de l'annexe.

Conditions

3. Les remises sont accordées à la condition que l'administration scolaire présente une demande écrite à cet effet au ministre du Revenu national dans les deux ans suivant la prise du présent décret.

4. La remise prévue à l'article 1 est accordée à l'administration scolaire sauf dans la mesure où la somme visée fait par ailleurs l'objet d'un remboursement ou d'un crédit en sa faveur, ou en faveur de celle qu'elle a remplacée, en application de la *Loi sur la taxe d'accise* :

a) après le 10 mai 2004, dans le cas d'une administration scolaire visée à l'un des articles 1 à 4 ou 6 à 21 de l'annexe;

b) après le 12 mai 2004, dans le cas d'une administration scolaire visée à l'article 5 de l'annexe;

c) après le 5 avril 2004, dans le cas d'une administration scolaire visée à l'un des articles 22 à 44 de l'annexe.

Annexe

(articles 1, 2 et 4)

ADMINISTRATIONS SCOLAIRES

Article	Colonne 1 Administration scolaire	Colonne 2 Administration scolaire remplacée	Colonne 3 Province	Colonne 4 Somme
1.	Commission scolaire au Cœur-des-Vallées	Sans objet	Québec	453 942,40 $
2.	Commission scolaire de la Rivière-du-Nord	Sans objet	Québec	903 858,21 $
3.	Commission scolaire de Laval	Sans objet	Québec	256 590,00 $
4.	Commission scolaire de l'Énergie	Sans objet	Québec	504 789,34 $
5.	Commission scolaire de l'Or-et-des-Bois	Sans objet	Québec	325 974,68 $
6.	Commission scolaire des Appalaches	Commission scolaire de l'Amiante	Québec	618 032,43 $
7.	Commission scolaire des Bois-Francs	Commission scolaire de Victoriaville	Québec	173 369,95 $
8.	Commission scolaire des Bois-Francs	Sans objet	Québec	634 492,06 $
9.	Commission scolaire des Chênes	Sans objet	Québec	615 003,57 $
10.	Commission scolaire des Grandes-Seigneuries	Commission scolaire du Goéland	Québec	51 975,09 $
11.	Commission scolaire des Hautes-Rivières	Sans objet	Québec	216 122,78 $
12.	Commission scolaire des Hauts-Bois-de-l'Outaouais	Sans objet	Québec	520 120,63 $
13.	Commission scolaire des Hauts-Cantons	Commission scolaire de Coaticook	Québec	103 940,62 $
14.	Commission scolaire des Hauts-Cantons	Sans objet	Québec	365 546,16 $
15.	Commission scolaire des Laurentides	Sans objet	Québec	576 738,92 $
16.	Commission scolaire des Patriotes	Sans objet	Québec	126 870,00 $
17.	Commission scolaire des Sommets	Sans objet	Québec	484 179,94 $
18.	Commission scolaire du Lac-Saint-Jean	Sans objet	Québec	480 802,97 $
19.	Commission scolaire du Val-des-Cerfs	Sans objet	Québec	72 335,14 $
20.	Commission scolaire Pierre-Neveu	Sans objet	Québec	403 509,94 $
21.	Commission scolaire Sir-Wilfrid-Laurier	Sans objet	Québec	96 626,26 $
22.	Avon Maitland District School Board	Huron County Board of Education	Ontario	278 403,00 $
23.	Conseil scolaire de district catholique des Grandes Rivières	Timmins District Roman Catholic Separate School Board	Ontario	193 600,85 $
24.	District School Board of Niagara	Niagara South Board of Education	Ontario	615 450,32 $
25.	District School Board Ontario North East	Timmins Board of Education	Ontario	166 075,89 $
26.	Grand Erie District School Board	Haldimand Board of Education	Ontario	232 701,30 $
27.	Grand Erie District School Board	Norfolk Board of Education	Ontario	71 479,39 $
28.	Greater Essex County District School Board	Essex County Board of Education	Ontario	628 687,00 $
29.	Hamilton-Wentworth District School Board	Wentworth County Board of Education	Ontario	548 130,72 $
30.	Kawartha Pine Ridge District School Board	Sans objet	Ontario	1 052 958,26 $
31.	Keewatin-Patricia District School Board	Red Lake Board of Education	Ontario	69 986,43 $
32.	Limestone District School Board	Frontenac County Board of Education	Ontario	421 762,62 $
33.	Limestone District School Board	Sans objet	Ontario	364 550,74 $
34.	Near North District School Board	Sans objet	Ontario	390 071,80 $
35.	Renfrew County Catholic District School Board	Sans objet	Ontario	94 739,64 $

Article	Colonne 1 Administration scolaire	Colonne 2 Administration scolaire remplacée	Colonne 3 Province	Colonne 4 Somme
36.	Renfrew County District School Board	Sans objet	Ontario	330 048,86 $
37.	Simcoe Muskoka Catholic District School Board	Sans objet	Ontario	1 163 864,42 $
38.	Superior-Greenstone District School Board	Beardmore, Geraldton, Longlac and Area Board of Education	Ontario	41 815,71 $
39.	Thunder Bay Catholic District School Board	Sans objet	Ontario	373 699,60 $
40.	Trillium Lakelands District School Board	Haliburton County Board of Education	Ontario	139 293,00 $
41.	Trillium Lakelands District School Board	Muskoka Board of Education	Ontario	344 000,90 $
42.	Upper Canada District School Board	Stormont Dundas&Glengarry Board of Education	Ontario	423 751,47 $
43.	Upper Grand District School Board	Sans objet	Ontario	473 437,21 $
44.	Waterloo Catholic District School Board	Sans objet	Ontario	182 608,16 $

Note explicative

(La présente note ne fait pas partie du décret.)

Le Décret accorde remise d'une partie de la taxe sur les produits et services ou de la taxe de vente harmonisée (TPS/TVH) que les administrations scolaires mentionnées à la colonne 1 ou 2 de l'annexe du Décret ont payée relativement à la prestation de services de transport scolaire, ainsi que certains intérêts et pénalités payés ou à payer par elles relativement à ces taxes.

Il s'agit d'une mesure annoncée dans le Budget du 19 mars 2007.

DÉCRET MODIFIANT LE DÉCRET DE REMISE VISANT LES DROITS FONCIERS ISSUS DE TRAITÉS (MANITOBA)

C.P. 2009-580, 23 avril 2009 (TR/2009-31).

Sur recommandation du ministre du Revenu national et en vertu du paragraphe 23(2)[8] de la *Loi sur la gestion des finances publiques*[9], Son Excellence la Gouverneure générale en conseil, estimant que l'intérêt public le justifie, prend le *Décret modifiant le Décret de remise visant les droits fonciers issus de traités (Manitoba)*, ci-après.

1. L'annexe 1 du *Décret de remise visant les droits fonciers issus de traités (Manitoba)*[10] est modifiée par adjonction, après l'article 7, de ce qui suit :

Article	Colonne 1 Première nation	Colonne 2 Date	Colonne 3 Superficie (en acres)
8.	Première nation de Peguis	29 avril 2008	166 794

Note explicative

(La présente note ne fait pas partie du décret.)

Le décret modifie le *Décret de remise visant les droits fonciers issus de traités (Manitoba)*, qui accorde la remise de la taxe payée ou à payer à l'égard de la fourniture de terres, d'intérêts de tierces parties et de biens meubles corporels à certaines premières nations du Manitoba en vue de régler des revendications fondées sur les droits fonciers issus de traités aux termes d'accords exécutoires conclus entre les premières nations, le gouvernement du Canada et le gouvernement du Manitoba.

L'accord de règlement conclu avec la Première nation de Peguis le 29 avril 2008 est établi selon des principes identiques ou essentiellement identiques à ceux prévus dans les accords antérieurs visés par le décret, et il est visé par l'alinéa a) de la définition de « accord particulier ». Par conséquent, cette première nation a le droit d'être ajoutée à l'annexe 1 du *Décret de remise visant les droits fonciers issus de traités (Manitoba)*.

[8] L.C. 1991, ch. 24, par. 7(2)

[9] L.R., ch. F-11

[10] TR/2001-1

DÉCRET DE REMISE VISANT LE COMITÉ D'ORGANISATION DES JEUX OLYMPIQUES ET PARALYMPIQUES D'HIVER DE 2010 À VANCOUVER (TPS/TVH)

C.P. 2010-116, 2 février 2010 (TR/2010-10).

Estimant que l'intérêt public le justifie, sur recommandation du ministre des Finances et en vertu du paragraphe 23(2) de la *Loi sur la gestion des finances publiques*, Son Excellence la Gouverneure générale en conseil prend le *Décret de remise visant le Comité d'organisation des Jeux olympiques et paralympiques d'hiver de 2010 à Vancouver (TPS/TVH)*, ci-après.

Définitions

1.(1) Les définitions qui suivent s'appliquent au présent décret.

« **Accord** » Le Contrat ville hôte signé à Prague, République tchèque, le 2 juillet 2003 entre le CIO, la ville de Vancouver et le Comité olympique canadien, modifié par l'Accord connexe du Contrat ville hôte daté du 30 octobre 2003 aux termes duquel le COVAN est devenu partie à ce contrat.

« **CIO** » Le Comité international olympique et toute entité lui appartenant à cent pour cent ou dont il a le contrôle.

« **CIP** » Le Comité international paralympique et toute entité lui appartenant à cent pour cent ou dont il a le contrôle.

« **COVAN** » Le Comité d'organisation des Jeux olympiques et paralympiques d'hiver de 2010 à Vancouver constitué en vertu des lois fédérales le 30 septembre 2003.

« **Jeux** » Les Jeux olympiques d'hiver de 2010 et les Jeux paralympiques d'hiver de 2010 qui se tiendront en Colombie-Britannique, dans la ville de Vancouver et la municipalité de villégiature de Whistler et aux environs, du 12 au 28 février 2010 et du 12 au 21 mars 2010 respectivement.

(2) Sauf indication contraire, les autres termes du présent décret s'entendent au sens de la partie IX de la *Loi sur la taxe d'accise*.

Remise

2. Sous réserve des articles 4 à 6, est accordée au COVAN remise de tout montant perçu ou à percevoir par lui au titre de la taxe prévue à la section II de la partie IX de la *Loi sur la taxe d'accise* relativement à toute fourniture de biens ou de services qu'il effectue au profit du CIO ou du CIP aux termes de l'Accord dans le seul but de planifier, d'organiser, de mettre en place ou de diffuser les Jeux.

3. Sous réserve des articles 4 et 7, est accordée au COVAN remise des intérêts et des pénalités payés ou à payer par lui sur tout montant remis en vertu de l'article 2.

Conditions

4. La remise prévue aux articles 2 ou 3 n'est accordée que dans la mesure où le montant remis n'a pas été par ailleurs remboursé ou remis au COVAN ou à toute autre personne, ou porté à son crédit, en vertu de la *Loi sur la gestion des finances publiques* ou d'une autre loi fédérale.

5. La remise prévue à l'article 2 est accordée à la condition que le montant soit perçu ou devienne à percevoir par le COVAN après le 1er juillet 2003 et avant le 1er janvier 2012 au titre de la taxe prévue à la section II de la partie IX de la *Loi sur la taxe d'accise*.

6. Dans le cas où un montant a été inclus dans le calcul de la taxe nette indiquée par le COVAN dans une déclaration présentée au ministre du Revenu national aux termes de la section V de la partie IX de la *Loi sur la taxe d'accise* pour une période de déclaration, la remise prévue à l'article 2 n'est accordée que si une demande en ce sens est présentée par écrit au ministre dans les deux ans suivant celle des dates ci-après qui est postérieure à l'autre :

a) la date de prise du présent décret;

b) la date où la période de déclaration prend fin.

7. Dans le cas où des intérêts et des pénalités ont été payés par le COVAN sur un montant remis en vertu de l'article 2, la remise des intérêts et pénalités ainsi payés n'est accordée en vertu de l'article 3 que si une demande en ce sens est présentée par écrit au ministre du Revenu national dans les deux ans suivant celle des dates ci-après qui est postérieure à l'autre :

a) la date de prise du présent décret;

b) la date où les intérêts et pénalités ont été payés par le COVAN.

Note explicative

(La présente note ne fait pas partie du décret.)

Le décret remet la taxe sur les produits et services et la taxe de vente harmonisée qui est perçue ou à percevoir par le Comité d'organisation des Jeux olympiques et paralympiques d'hiver de 2010 à Vancouver sur les fournitures de biens ou de services qu'il effectue au profit du Comité international olympique ou du Comité international paralympique, ou au profit d'entités leur appartenant à cent pour cent ou qu'ils contrôlent, uniquement dans le cadre de la planification, de l'organisation, de la mise en place et de la diffusion des Jeux olympiques et paralympiques d'hiver de 2010.

TABLE DES MATIÈRES DE LA LOI SUR LA TAXE D'ACCISE (AUTRE QUE TPS)

Table sommaire

LOI SUR LA TAXE D'ACCISE (AUTRE QUE TPS)

Loi concernant la taxe d'accise

L.R.C. 1985, ch. E-15, telle que modifiée par L.R.C. 1985, ch. 15 (1er suppl.); L.R.C. 1985, ch. 1 (2e suppl.), c. 7(2e suppl.); c. 42 (2e suppl.); L.R.C. 1985, ch. 18 (3e suppl.); c. 28 (3e suppl.); c. 41 (3e suppl.); c. 42(3e suppl.); L.R.C. 1985, c. 12 (4e suppl.); , c. 47 (4e suppl.); c. 65; L.C. 1989, c. 22, c. 45; L.C. 1991, c. 42; L.C. 1992, c. 1, c. 29; L.C. 1993, c. 25, c. 27, c. 28, c. 38; L.C. 1994, c. 9, c. 13, c. 21, c. 29, c. 41; L.C. 1995, c. 5, c. 36, c. 41, c. 46; L.C. 1996, c. 10, c. 11, c. 20, c. 21, c. 31; L.C. 1997, c. 26; L.C. 1998, c. 19, c. 21; L.C. 1999, c. 17, c. 28, c. 31; L.C. 2000, c. 12, c. 14, c. 19, c. 30, c. 34; L.C. 2001, c. 13, c. 15, c. 16, c. 17; L.C. 2002, c. 7, c. 8, c. 22; L.C. 2005, c. 30, c. 38, c. 55; L.C. 2006, c. 4, L.C. 2007, c. 18, c. 29, c. 29.

TITRE ABRÉGÉ

1. Titre abrégé — *Loi sur la taxe d'accise.*

S.R., c. E-13, art. 1

DÉFINITIONS ET INTERPRÉTATION

2. (1) Définitions — Les définitions qui suivent s'appliquent au présent article, aux parties I à VIII (sauf l'article 121) et aux annexes I à IV.

« accord international désigné »

a) La Convention concernant l'assistance administrative mutuelle en matière fiscale, conclue à Strasbourg le 25 janvier 1988 et modifiée par tout protocole ou autre instrument international, tel que ratifié par le Canada;

b) tout accord général d'échange de renseignements fiscaux qui a été conclu par le Canada, et qui est en vigueur, à l'égard d'un autre pays ou territoire.

« Agence » L'Agence du revenu du Canada, prorogée par le paragraphe 4(1) de la *Loi sur l'Agence du revenu du Canada*

« banque » Banque et banque étrangère autorisée, au sens de l'article 2 de la *Loi sur les banques*.

« bâtiment modulaire » Élément de bâtiment ou bâtiment conçu pour être placé sur des fondations et se composant d'au moins une pièce ou un espace dont les murs, les planchers et les plafonds sont finis, et comprenant l'équipement de plomberie, de chauffage et d'électricité installé qui convient à cette pièce ou à cet espace, dont la fabrication et l'assemblage sont terminés ou sensiblement terminés avant d'être livré à l'emplacement de construction et qui, lorsqu'il sera placé sur des fondations à cet emplacement, avec ou sans autres éléments ou bâtiments de fabrication semblable, constituera un bâtiment résidentiel, industriel, éducatif, institutionnel ou commercial complet, mais excluant les appareils ou les meubles non intégrés aux bâtiments et vendus avec celui-ci.

« bâtonnet de tabac » [*Abrogée*].

« boutique hors taxes » S'entend au sens du paragraphe 2(1) de la *Loi sur les douanes*.

« boutique hors taxes à l'étranger » Magasin de vente au détail situé dans un pays étranger qui est autorisé par les lois du pays à vendre des marchandises en franchise de certains droits et taxes aux particuliers sur le point de quitter le pays.

« cigare » [*Abrogée*].

« cigarette » [*Abrogée*].

« cigarettes non ciblées » [*Abrogée*].

« combustible diesel » S'entend notamment de toute huile combustible qui peut être utilisée dans les moteurs à combustion interne de type allumage par compression, à l'exception de toute huile combustible destinée à être utilisée et utilisée de fait comme huile à chauffage.

« commissaire » Le commissaire du revenu, nommé en application de l'article 25 de la *Loi sur l'Agence du revenu du Canada.*

« cosmétiques » Marchandises, avec ou sans effets thérapeutiques ou prophylactiques, communément ou commercialement appelées articles de toilette, préparations ou cosmétiques, destinées à l'usage ou à l'application aux fins de toilette, ou pour le soin du corps humain, y compris les cheveux, ongles, yeux, dents ou toute autre partie du corps humain, soit pour le nettoyage, la désodorisation, l'embellissement, la conservation ou la restauration. Sont visés par la présente définition les savons de toilette, savons à barbe et crèmes à raser, crèmes et lotions pour la peau, shampooings, dentifrices, rince-bouche, pâtes dentifrices, poudres dentifrices, crèmes et adhésifs pour prothèses dentaires, antiseptiques, produits de décoloration, dépilatoires, parfums, odeurs et préparations similaires.

« document » Sont compris parmi les documents les registres. Y sont assimilés les titres et les espèces.

« essence » Les carburants du genre de l'essence utilisés dans les moteurs à combustion interne autre que les moteurs d'aéronefs.

« exploitant » S'agissant de l'exploitant d'une boutique hors taxes, marchand en gros titulaire de licence, aux termes de la partie VI, qui exploite une telle boutique et qui est réputé par le paragraphe 55(2) être un marchand en gros ou un intermédiaire authentique.

« fabricant de tabac titulaire de licence » [*Abrogée*].

« fabricant ou producteur » Y sont assimilés :

a) le cessionnaire, le syndic de faillite, le liquidateur, le liquidateur de succession, l'exécuteur testamentaire ou le curateur de tout fabricant ou producteur et, d'une manière générale, quiconque continue les affaires d'un fabricant ou producteur ou dispose de ses valeurs actives en qualité fiduciaire, y compris une banque exerçant des pouvoirs qui lui sont conférés par la *Loi sur les banques* ainsi qu'un fiduciaire pour des porteurs d'obligations;

b) toute personne, firme ou personne morale qui possède, détient, réclame ou emploie un brevet, un droit de propriété, un droit de vente ou autre droit à des marchandises en cours de fabrication, soit par elle, en son nom, soit pour d'autres ou en son nom par d'autres, que cette personne, firme ou personne morale vende, distribue, consigne ou autrement aliène les marchandises ou non;

c) tout ministère du gouvernement du Canada ou de l'une des provinces, tout conseil, commission, chemin de fer, service d'utilité publique, manufacture, compagnie ou organisme possédé, contrôlé ou exploité par le gouvernement du Canada ou de l'une des provinces, ou sous l'autorité de la législature ou du lieutenant-gouverneur en conseil d'une province, qui fabrique ou produit des marchandises imposables;

d) toute personne qui vend, autrement que dans un magasin de détail exclusivement et directement aux consommateurs, des cosmétiques qui n'ont pas été fabriqués par elle au Canada, à l'exclusion d'une personne qui vend ces cosmétiques exclusivement et directement aux coiffeurs, esthéticiens et autres usagers semblables pour utilisation lors de l'administration de soins personnels et non pour la revente;

e) [*abrogé*].

f) toute personne qui, y compris par l'intermédiaire d'une autre personne agissant pour le compte de celle-ci, prépare des marchandises pour la vente en les assemblant, fusionnant, mélangeant, coupant sur mesure, diluant, embouteillant, emballant ou remballant, ou en les enduisant ou les finissant, à l'exclusion d'une personne qui prépare ainsi des marchandises dans un magasin de détail afin de les y vendre exclusivement et directement aux consommateurs;

g) toute personne qui importe au Canada des véhicules automobiles neufs conçus pour servir sur les routes, ou leur châssis;

h) toute personne qui vend des véhicules automobiles neufs conçus pour servir sur les routes, ou leur châssis, à l'exclusion de celle qui les vend principalement aux consommateurs;

i) toute personne qui vend des marchandises mentionnées à l'annexe III.1 sauf une personne qui vend ces marchandises exclusivement et directement aux consommateurs;

j) toute personne qui vend ou loue des vidéocassettes préenregistrées neuves ou non utilisées au Canada, sauf une personne qui vend ou loue de telles marchandises exclusivement et directement aux consommateurs, à l'exception des consommateurs qui louent de telles marchandises à d'autres personnes.

« Indien » [*Abrogée*].

« maison mobile » Remorque d'au moins trois mètres de largeur et huit mètres de longueur, équipée d'installations complètes de plomberie, d'électricité et de chauffage et conçue pour être remorquée sur son propre châssis jusqu'à un emplacement de construction pour y être placée sur des fondations et raccordée à des installations de service et être utilisée à des fins résidentielles, commerciales, éducatives, institutionnelles ou industrielles; sont exclus les appareils ou les meubles non intégrés à la maison mobile et vendus avec celle-ci, ainsi que les remorques destinées aux loisirs telles que les remorques de tourisme, les maisons motorisées et les tentes roulottes.

« marchandises relatives à la santé » Toutes les matières ou substances, ou tous les mélanges, composés ou préparations, quelle que soit leur composition ou leur forme, qui sont vendus pour servir au diagnostic, au traitement, à l'atténuation ou à la prévention d'une maladie, d'un trouble physique, d'un état physique anormal ou de leurs symptômes, chez l'homme ou les animaux, ou devant servir à la restauration, à la correction ou à la modification des fonctions organiques de l'homme ou des animaux.

« ministre » Le ministre du Revenu national.

« municipalité »

a) Administration métropolitaine, ville, village, canton, district, comté ou municipalité rurale constitués en personne morale ou autre organisme municipal ainsi constitué quelle qu'en soit la désignation;

b) telle autre administration locale à laquelle le ministre confère le statut de municipalité pour l'application de la présente loi.

« personne » Particulier, société de personnes, personne morale, fiducie ou succession, ainsi que l'organisme qui est un syndicat, un club, une association, une commission ou autre organisation; ces notions sont visées dans des formulations générales, impersonnelles ou comportant des pronoms ou adjectifs indéfinis.

« prescrit »

a) Dans le cas d'un formulaire, établi selon les instructions du ministre; dans le cas de renseignements à inscrire sur un formulaire ou de modalités de production d'un formulaire, déterminés selon les instructions du ministre;

b) dans les autres cas, visé par règlement, y compris déterminé conformément à des règles prévues par règlement.

« présente loi » La présente loi, exception faite de la partie IX et des annexes V à X.

« produit non ciblé » [*Abrogée*].

« provisions de bord à l'étranger » Produits du tabac pris à bord d'un navire ou d'un aéronef, pendant qu'il se trouve à l'étranger, qui sont destinés à être consommés par les passagers ou les membres d'équipage, ou à leur être vendus, pendant qu'ils sont à bord du navire ou de l'aéronef.

« registre » Sont compris parmi les registres les comptes, conventions, livres, graphiques et tableaux, diagrammes, formulaires, images, factures, lettres, cartes, notes, plans, déclarations, états, télégrammes, pièces justificatives et toute autre chose renfermant des renseignements, qu'ils soient par écrit ou sous toute autre forme.

« représentant accrédité » [*Abrogée*].

« tabac fabriqué » [*Abrogée*].

« tabac fabriqué atlantique » [*Abrogée*].

« tabac fabriqué non ciblé » [*Abrogée*].

« télécommunication » [*Abrogée*].

« timbre » ou **« timbre d'accise »** Timbre préparé pour l'application de la présente loi conformément à un ordre donné par le ministre en vertu de l'article 60.

(2) Application aux territoires — Pour l'application de la présente loi, « Sa Majesté du chef d'une province » s'entend notamment des gouvernements du Yukon, des Territoires du Nord-Ouest et du Nunavut, et « législature d'une province » s'entend notamment du conseil des Territoires du Nord-Ouest et de l'Assemblée législative du Yukon ou du Nunavut.

(2.1) Lien de dépendance — Pour l'application de la présente loi, des personnes liées sont réputées avoir entre elles un lien de dépendance et la question de savoir si des personnes non liées entre elles n'avaient aucun lien de dépendance à une date donnée est une question de fait.

(2.2) Personnes liées — Pour l'application de la présente loi, des personnes sont liées entre elles si elles sont des personnes liées au sens des paragraphes 251(2) à (6) de la *Loi de l'impôt sur le revenu*. Cependant, la mention à ces paragraphes d'une « société » vaut mention d'une « personne morale ou société de personnes » et la mention d'« actions » ou d'« actionnaires » vaut mention, en ce qui touche une société de personnes, de « droits » et d'« associés ».

(2.3) Personnes morales associées — Les paragraphes 256(1) à (6) de la *Loi de l'impôt sur le revenu* s'appliquent aux fins de déterminer si des personnes morales sont associées pour l'application de la présente loi.

(2.4) Personne associée à une personne morale — Une personne autre qu'une personne morale est associée à une personne morale pour l'application de la présente loi si elle la contrôle, seule ou avec un groupe de personnes associées les unes aux autres dont elle est membre.

(2.5) Personne associée à une société de personnes ou à une fiducie — Pour l'application de la présente loi, une personne est associée :

a) à une société de personnes si le total des parts sur les bénéfices de celle-ci auxquelles la personne et les personnes qui lui sont associées ont droit représente plus de la moitié des bénéfices totaux de la société ou le représenterait si celle-ci avait des bénéfices;

b) à une fiducie si la valeur globale des participations dans celle-ci qui appartiennent à la personne et aux personnes qui lui sont associées représente plus de la moitié de la valeur globale de l'ensemble des participations dans la fiducie.

(2.6) Personne associée à un tiers — Pour l'application de la présente loi, des personnes sont associées si chacune d'elles est associée à un tiers.

(3) Importateur réputé fabricant ou producteur — Pour l'application de la présente loi, la personne qui est un fabricant ou producteur au sens des alinéas d), i) ou j) de la définition de ce terme au paragraphe (1), à l'exception d'un membre d'une catégorie de petits fabricants ou producteurs exemptée, par règlement d'application du paragraphe 54(2), de l'obligation de demander une licence en vertu du paragraphe 54(1), et qui importe au Canada :

a) soit des cosmétiques;

b) [*abrogé*];

c) soit des marchandises mentionnées à l'annexe III.1;

d) soit des vidéocassettes préenregistrées neuves ou non utilisées au Canada,

est réputée en être le fabricant ou producteur au Canada et non leur importateur, et ces marchandises sont réputées être fabriquées ou produites au Canada et ne pas être des marchandises importées.

(4) Présomption de non-importation — Pour l'application de la présente loi, les marchandises importées au Canada par un fabricant ou producteur, au sens de l'alinéa f) de la définition de ce terme au paragraphe (1), à l'exception d'un membre d'une catégorie de petits fabricants ou producteurs exemptée, par règlement d'application du paragraphe 54(2), de l'obligation de demander une licence en vertu du paragraphe 54(1), et préparées au Canada d'une manière prévue à cet alinéa par cette personne, ou pour son compte, en vue de la vente sont réputées être fabriquées ou produites au Canada et ne pas être des marchandises importées.

(4.1) Importateur présumé fabricant ou producteur — Pour l'application de la présente loi, le fabricant ou producteur, au sens de l'alinéa g) de la définition de ce terme au paragraphe (1), à l'exception d'un membre d'une catégorie de petits fabricants ou producteurs exemptée, par règlement d'application du paragraphe 54(2), de l'obligation de demander une licence en vertu du paragraphe 54(1), qui importe au Canada des véhicules automobiles neufs conçus pour servir sur les routes, ou leur châssis, est réputé en être le fabricant ou producteur au Canada, et non leur importateur; les véhicules ou les châssis sont réputés être des marchandises fabriquées ou produites au Canada et non des marchandises importées.

(4.2) Présomption de non-importation — Pour l'application de la présente loi, les véhicules automobiles neufs conçus pour servir sur les routes, et leur châssis, importés au Canada et vendus par le fabricant ou producteur, au sens de l'alinéa h) de la définition de ce terme au paragraphe (1), à l'exception d'un membre d'une catégorie de petits fabricants ou producteurs exemptée, par règlement d'application du paragraphe 54(2), de l'obligation de demander une licence en vertu du paragraphe 54(1), sont réputés être fabriqués ou produits au Canada et ne pas être des marchandises importées.

(5) Idem — Pour l'application de la présente loi, un marchand en gros titulaire de licence qui donne gratuitement, à titre d'échantillons, de marchandises ou pièces de rechange, ou à un autre titre, des marchandises qui n'ont fait l'objet du paiement d'aucune taxe en vertu de la présente loi est réputé avoir gardé les marchandises pour son usage personnel, sauf si :

a) d'une part, il les donne à titre de marchandises ou pièces de rechange gratuites dans le cadre d'une garantie écrite donnée par le fabricant des marchandises à remplacer ou des marchandises auxquelles les pièces sont destinées à être incorporées;

b) d'autre part, les frais de garantie, lorsqu'il y en a, sont inclus dans le prix de vente demandé par le fabricant pour les marchandises à remplacer ou pour les marchandises auxquelles les pièces sont destinées à être incorporées ou, s'il s'agit de marchandises importées, dans leur valeur à l'acquitté.

(5.1) Effet rétroactif — Pour l'application de la présente loi, l'attribution du statut de municipalité effectuée dans le cadre de l'alinéa b) de la définition de « municipalité » au paragraphe (1) est rétroactive si elle comporte une disposition en ce sens, et est réputée être entrée en vigueur à une date antérieure à celle où elle a été faite, date qui ne peut remonter à plus de quatre ans.

(6) Mention de taxe prévue par la loi — La mention dans un règlement pris ou une ordonnance rendue avant 1991 en application d'une loi fédérale d'un remboursement, d'une remise ou d'une autre mesure d'allégement relativement à une taxe, un droit, une accise ou un prélèvement prévu par la présente loi, par la législation sur les douanes ou les droits de douane ou par la législation sur l'accise ou les droits d'accise est réputée exclure un remboursement, une remise ou une autre mesure d'allégement relativement à la taxe imposée par la partie IX, sauf disposition contraire expresse dans le règlement ou l'ordonnance.

(7) [*Abrogé*].

L.R. (1985), c. E-15, art. 2; L.R. (1985), c. 15 (1er suppl.), art. 1; c. 7 (2e suppl.), art. 1; c. 12 (4e suppl.), art. 1; 1990, c. 45, art. 1; 1993, c. 25, art. 54; c. 28, art. 78; c. 38, art. 86; 1994, c. 29, art. 1; 1998, c. 19, art. 275; 1999, c. 17, art. 145; c. 28, art. 158; c. 31, art. 247(F); 2000, c. 30, art. 2; 2000, c. 17, art. 233; 2001, c. 16, art. 16; 2002, c. 7, art. 166; c. 22, art. 366, 413; 2005, c. 38, art. 99; 2007, c. 18, art. 64; 2010, c. 25, art. 126; 2011, c. 15, art. 10

PARTIE I — PRIMES D'ASSURANCE AUTRES QUE L'ASSURANCE MARITIME

3. Définitions — Les définitions qui suivent s'appliquent à la présente partie.

« assureur » Toute personne morale constituée pour exercer des opérations d'assurance, toute association de personnes formée d'après le plan dit Lloyds, en vertu duquel chaque assureur associé devient responsable d'une partie déclarée, limitée ou proportionnelle de la somme entière assurée aux termes d'un contrat d'assurance, et toute Bourse.

« Bourse » Groupe de personnes formé aux fins d'échanger entre elles des contrats réciproques d'indemnité ou d'interassurance par l'entremise du même fondé de pouvoirs.

« primes nettes » Les primes brutes payées ou payables aux termes d'un contrat d'assurance, moins les dividendes reçus ou recevables à l'égard du contrat et moins les primes remises lors de l'annulation du contrat.

« surintendant » [*Abrogée*].

L.R. (1985), c. E-15, art. 3; L.R. (1985), c. 18 (3e suppl.), art. 35; 1999, c. 17, art. 146

4. (1) Taxe sur les primes relativement aux assurances contractées — Toute personne résidant au Canada par qui ou pour le compte de qui un contrat d'assurance, autre qu'un contrat de réassurance, a été conclu ou renouvelé contre un risque ordinairement dans les limites du Canada au moment où le contrat est conclu ou renouvelé :

a) avec, selon le cas :

(i) tout assureur non constitué en personne morale selon les lois fédérales ou provinciales ou non formé au Canada,

(ii) une Bourse ayant son bureau principal à l'étranger ou ayant un principal fondé de pouvoirs dont le centre d'affaires est situé à l'étranger,

qui au moment où le contrat est conclu ou renouvelé n'est pas autorisé selon les lois fédérales ou provinciales à faire des opérations d'assurance;

b) avec tout assureur qui au moment où le contrat est conclu ou renouvelé est autorisé selon les lois fédérales ou provinciales à faire des opérations d'assurance, si le contrat est conclu ou renouvelé par l'intermédiaire d'un courtier ou d'un agent à l'étranger,

doit, au plus tard le 30 avril de chaque année, payer au ministre, en plus de toute autre taxe payable sous le régime de quelque autre loi, une taxe de dix pour cent sur les primes nettes payées ou payables pendant l'année civile précédente à l'égard de cette assurance.

(2) Application — Le paragraphe (1) ne s'applique pas :

a) à un contrat d'assurance-vie, d'assurance contre les accidents corporels, d'assurance-maladie ou d'assurance contre les risques maritimes, ni à un contrat d'assurance contre les risques résultant de l'énergie nucléaire, dans la mesure où une assurance contre les risques résultant d'une telle énergie n'existe pas au Canada, de l'avis du commissaire;

b) à un contrat d'assurance conclu après le 19 février 1973 dans la mesure où une telle assurance n'existe pas au Canada, de l'avis du commissaire.

(3) Résidence de la personne morale — Pour l'application du présent article, toute personne morale faisant des affaires au Canada est réputée une personne résidant au Canada.

(4) Par l'intermédiaire de qui le contrat a été conclu — Lorsqu'un contrat d'assurance est conclu ou renouvelé par l'intermédiaire de plus d'un courtier ou agent, ou que le paiement total ou partiel de la prime y applicable est fait par l'intermédiaire de plus d'un courtier ou agent, le contrat est réputé, pour l'application de la présente partie, avoir été conclu ou renouvelé, selon le cas, par l'intermédiaire du courtier ou de l'agent que l'assuré a directement choisi ou constitué, et non par l'intermédiaire de quelque autre courtier ou agent.

L.R. (1985), c. E-15, art. 4; 1999, c. 17, art. 147

5. (1) Rapports — Toute personne visée par l'article 4 transmet au ministre, au plus tard le 30 avril de chaque année, un rapport écrit qui, à l'égard de chaque contrat d'assurance conclu ou renouvelé par elle ou pour son compte pendant l'année civile précédente dont les primes nettes sont imposables en vertu de l'article 4, énonce :

a) le nom de l'assureur;

b) le montant de l'assurance;

c) les primes nettes payées ou payables pendant l'année civile précédente;

d) si le contrat a été conclu ou renouvelé ainsi que le décrit l'alinéa 4(1)b), les nom et adresse du courtier ou de l'agent à l'étranger par l'intermédiaire de qui le contrat a été conclu ou renouvelé.

(2) Rapport du courtier ou de l'agent — Toute personne qui, agissant à titre de courtier ou agent, obtient, contracte ou place, ou aide à obtenir, contracter ou placer, un contrat d'assurance conclu ou renouvelé comme prévu à l'alinéa 4(1)a), dont les primes nettes sont imposables en vertu de l'article 4, transmet au ministre, au plus tard le 15 mars de chaque année, un rapport écrit qui, à l'égard de chaque contrat de ce genre ainsi conclu ou renouvelé pendant l'année civile précédente, énonce les nom et adresse de la personne résidant au Canada par qui ou pour le compte de qui le contrat a été conclu ou renouvelé, ainsi que les primes nettes payées ou payables pendant cette même année.

(3) Rapport de l'assureur — Chaque assureur qui conclut ou renouvelle un contrat d'assurance comme prévu à l'alinéa 4(1)b), dont les primes nettes sont imposables en vertu de l'article 4, transmet au ministre, au plus tard le 15 mars de chaque année, un rapport écrit qui, à l'égard de chaque contrat de ce genre ainsi conclu ou renouvelé pendant l'année civile précédente, énonce :

a) les nom et adresse de chaque personne résidant au Canada avec qui ou pour le compte de qui le contrat a été conclu ou renouvelé;

b) les primes nettes payées ou payables pendant l'année civile précédente;

c) les nom et adresse du courtier ou de l'agent à l'étranger par l'intermédiaire de qui le contrat a été conclu ou renouvelé.

L.R. (1985), c. E-15, art. 5; L.R. (1985), c. 7 (2e suppl.), art. 2

Formulaires [5]: B241, *Déclaration de la taxe d'accise — Courtier*; B243, *Déclaration de la taxe d'accise — Assuré*.

6. Examen des livres et registres — Le commissaire ou tout fonctionnaire ou employé de l'Agence désigné par le commissaire peut, à toute heure convenable, visiter le bureau de tout assureur, agent ou courtier et examiner ses livres et registres aux fins de vérifier tout rapport exigé par la présente partie.

L.R. (1985), c. E-15, art. 6; 1992, c. 1, art. 64; 1999, c. 17, art. 148

7. (1) Amendes pour défaut — Au présent article, « mois » s'entend de la période qui commence un quantième donné et prend fin :

a) la veille du même quantième du mois suivant;

b) si le mois suivant n'a pas de quantième correspondant au quantième donné, le dernier jour de ce mois.

(1.1) Défaut de produire une déclaration — Quiconque omet de produire une déclaration pour une période selon les modalités et dans le délai prévus au paragraphe 5(1) est tenu de payer une pénalité égale à la somme des montants suivants :

a) le montant correspondant à 1 % du total de la taxe impayée à l'expiration du délai de production de la déclaration;

b) le produit du quart du montant déterminé selon l'alinéa a) par le nombre de mois entiers, jusqu'à concurrence de douze, compris dans la période commençant à la date limite où la déclaration devait être produite et se terminant le jour où elle est effectivement produite.

(2) Idem — Quiconque refuse ou néglige de faire un rapport ainsi que l'exige le paragraphe 5(2) ou (3) encourt la moindre des pénalités suivantes : dix dollars pour chaque jour de manquement ou cinquante dollars.

L.R. (1985), c. E-15, art. 7; L.R. (1985), c. 7 (2e suppl.), art. 3; 2003, c. 15, art. 94; 2006, c. 4, art. 124

PARTIE II — TAXE DE TRANSPORT AÉRIEN

Définitions

Mémorandums [Partie II]: TPS 800, 19/02/91, *Autres droits et taxes*.

8. Définitions — Les définitions qui suivent s'appliquent à la présente partie.

« embarquement » N'est pas visé l'embarquement ayant eu lieu à la suite d'une escale effectuée par un aéronef uniquement pour obtention de services au sol.

« taxe » Taxe de transport aérien imposée en vertu de la présente partie.

« transporteur aérien » Personne qui fournit des services de transport aérien de voyageurs.

« transporteur aérien titulaire de certificat »

a) Transporteur aérien habilité, sous le régime de la partie II de la *Loi sur les transports au Canada*, à exploiter un service intérieur ou un service international;

b) transporteur aérien, autre qu'un transporteur aérien visé à l'alinéa a), qui, personnellement ou par l'entremise d'un représentant, vend au Canada des services de transport aérien de voyageurs, fournis en tout ou en partie par un transporteur aérien visé à l'alinéa a).

« transporteur aérien titulaire de licence » Transporteur aérien titulaire de certificat auquel une licence a été accordée en vertu de l'article 17.

« zone de taxation »

a) Le Canada;

b) les États-Unis, à l'exception d'Hawaii;

c) les Îles Saint-Pierre et Miquelon.

L.R. (1985), c. E-15, art. 8; L.R. (1985), c. 15 (1er suppl.), art. 2; c. 28 (3e suppl.), art. 287; 1996, c. 10, art. 225

Sa Majesté

9. Obligation de Sa Majesté — La présente partie lie Sa Majesté du chef du Canada ou d'une province.

S.R., c. E-13, art. 9

Taxe imposée

10. (1) Imposition d'une taxe — Une taxe de transport aérien, calculée selon l'article 11, est imposée, prélevée et perçue sur chaque montant payé ou payable au Canada en contrepartie du transport aérien d'une personne lorsque ce transport commence et se termine en un point situé dans la zone de taxation.

(2) Idem — Une taxe de transport aérien, calculée selon l'article 11, est imposée, prélevée et perçue sur chaque montant payé ou payable à l'étranger en contrepartie du transport aérien d'une personne lorsque ce transport :

a) d'une part, commence et se termine en un point situé dans la zone de taxation;

b) d'autre part, comporte l'embarquement à un aéroport au Canada à bord d'un aéronef pour un vol déterminé à destination d'un aéroport situé dans la zone de taxation à l'étranger, et le débarquement à un aéroport situé à l'étranger.

La personne acquitte la taxe au moment de l'embarquement, à un aéroport situé au Canada et visé à l'alinéa b), à bord d'un aéronef également visé à cet alinéa, sauf si, la taxe ayant déjà été payée à un transporteur aérien titulaire de licence ou à son mandataire, la personne présente, selon les modalités réglementaires, la preuve de ce paiement à une personne relevant d'une catégorie visée à ce règlement.

(3) Transport aérien — Pour l'application du paragraphe (1), le transport aérien commence et se termine en un point situé dans la zone de taxation s'il ne comprend pas un départ, un arrêt à destination ou une escale, à l'exclusion d'une escale de correspondance, à l'extérieur de la zone de taxation.

(4) Idem — Pour l'application du paragraphe (2), le transport aérien commence et se termine en un point situé dans la zone de taxation dans le cas suivant :

a) il ne comprend pas un départ, un arrêt à destination ni une escale, à l'exclusion d'une escale de correspondance, à l'extérieur de la zone de taxation;

b) il comprend au moins un départ à partir d'un point situé au Canada, à l'exclusion d'un départ résultant d'une escale de correspondance.

L.R. (1985), c. E-15, art. 10; L.R. (1985), c. 15 (1er suppl.), art. 3

11. (1) Montant de la taxe — Sous réserve des paragraphes (2) et (2.1), la taxe imposée en vertu du paragraphe 10(1) ou (2) sur chaque montant payé ou payable en contrepartie du transport aérien d'une personne est égale au moins élevé des montants suivants :

a) la somme des montants suivants :

(i) le montant représentant :

(A) quatre pour cent de chaque montant payé ou payable, s'il est payé ou payable au Canada après le 31 décembre 1997 en contrepartie du transport aérien d'une personne qui commence après le 28 février 1998,

(B) quatre pour cent de chaque montant payé ou payable, s'il est payé ou payable à l'étranger après le 31 décembre 1997 et si l'embarquement initial de la personne, visé à l'alinéa 10(2)b), a lieu après le 28 février 1998,

(C) sept pour cent de chaque montant payé ou payable, dans les autres cas,

(ii) six dollars ou un moindre montant fixé par décret du gouverneur en conseil sur la recommandation du ministre des Transports pour l'application du présent sous-alinéa;

b) le montant fixé, pour l'application du présent paragraphe, par décret du gouverneur en conseil sur recommandation du ministre des Transports.

(2) Vols d'affrètement — Dans les cas où le montant est payé ou payable au Canada en contrepartie d'un transport aérien exécuté au moyen d'un aéronef affrété par un ou plusieurs affréteurs, la taxe imposée en vertu du paragraphe 10(1) sur le montant payé ou payable à un transporteur aérien titulaire de certificat par chaque affréteur est égale au moins élevé des montants suivants :

a) la somme des montants suivants :

(i) le montant représentant :

(A) quatre pour cent de chaque montant payé ou payable, s'il est payé ou payable après le 31 décembre 1997 à un transporteur aérien titulaire de certificat par l'affréteur en contrepartie du transport aérien d'une personne qui commence après le 28 février 1998,

(B) sept pour cent de chaque montant payé ou payable à un transporteur aérien titulaire de certificat par l'affréteur, dans les autres cas,

(ii) le montant représentant :

(A) un dollar et cinquante cents pour chaque embarquement d'une personne à bord de l'aéronef dans le cadre du contrat d'affrètement de cet affréteur, si le montant est payé ou payable à un transporteur aérien titulaire de certificat par l'affréteur après le 31 décembre 1997 en contrepartie du transport aérien de la personne qui commence après le 28 février 1998,

(B) trois dollars pour chaque embarquement d'une personne à bord de l'aéronef dans le cadre du contrat d'affrètement de cet affréteur, dans les autres cas;

b) le total du montant que peut, pour l'application du présent paragraphe, fixer par décret le gouverneur en conseil sur la recommandation du ministre des Transports pour chaque embarquement d'une personne à bord de l'aéronef dans le cadre du contrat d'affrètement de cet affréteur.

(2.1) Montant de la taxe imposée sur un montant payé à l'étranger lorsque la taxe est payable au Canada — Dans les cas où la taxe imposée en vertu du paragraphe 10(2) sur un montant payé ou payable à l'étranger pour le transport aérien d'une personne est payable par celle-ci au moment de son embarquement à bord d'un aéronef à un aéroport situé au Canada et que la personne n'établit pas qu'elle a payé la taxe d'avance, selon les modalités réglementaires fixées par le gouverneur en conseil, auprès du transporteur aérien titulaire d'un permis qui doit, conformément à la présente partie, percevoir la taxe au Canada, et qu'un montant est prévu par décret du gouverneur en conseil pris conformément à l'alinéa (1)b), la taxe payable par la personne est le montant ainsi prévu.

(3) Exception — La taxe imposée par le paragraphe 10(1) et calculée selon le paragraphe (1) sur chaque montant payé ou payable en contrepartie du transport aérien d'une personne n'est pas payable dans le cas du transport acheté comme partie d'un voyage continu lorsque :

a) d'une part, le voyage comprend un vol d'affrètement pour lequel la taxe est imposée en vertu de l'article 10 ou 12;

b) d'autre part, la personne présente la preuve du voyage continu au transporteur aérien titulaire de licence, ou à son mandataire, de qui le transport aérien a été acheté.

L.R. (1985), c. E-15, art. 11; L.R. (1985), c. 15 (1er suppl.), art. 4; c. 7 (2e suppl.), art. 4; c. 42 (2e suppl.), art. 1; c. 12 (4e suppl.), art. 2; 1990, c. 45, art. 2; 1994, c. 29, art. 2; 1998, c. 21, art. 84

12. (1) Taxe forfaitaire — Une taxe de transport aérien, calculée selon l'article 13, est imposée, prélevée et perçue sur chaque montant payé ou payable au Canada en contrepartie du transport aérien d'une personne lorsque ce transport commence à un point situé dans la zone de taxation et se termine à un point situé à l'extérieur de la zone de taxation.

(2) Idem — Une taxe de transport aérien, calculée selon l'article 13, est imposée, prélevée et perçue sur chaque montant payé ou payable à l'étranger en contrepartie du transport aérien d'une personne lorsque ce transport :

a) d'une part, commence à un point situé dans la zone de taxation et se termine à un point situé à l'extérieur de la zone de taxation;

b) d'autre part, comporte l'embarquement à un aéroport au Canada à bord d'un aéronef pour un vol déterminé à destination d'un aéroport situé à l'étranger, et le débarquement à un aéroport situé à l'étranger.

La personne acquitte la taxe au moment de l'embarquement, à un aéroport situé au Canada et visé à l'alinéa b), à bord d'un aéronef également visé à cet alinéa, sauf si, la taxe ayant déjà été payée à un transporteur aérien titulaire de licence ou à son mandataire, la personne présente, selon les modalités réglementaires, la preuve de ce paiement à une personne relevant d'une catégorie visée à ce règlement.

(3) Transport aérien — Pour l'application du paragraphe (1), le transport aérien commence à un point situé dans la zone de taxation et se termine à un point situé à l'extérieur de la zone de taxation s'il comprend, en tout ou en partie, au moins un départ à partir d'un point situé dans la zone de taxation, à l'exclusion d'un départ résultant d'une escale de correspondance, vers une destination située à l'extérieur de la zone de taxation.

(4) Idem — Pour l'application du paragraphe (2), le transport aérien commence à un point situé dans la zone de taxation et se termine à un point situé à l'extérieur de la zone de taxation s'il comprend, en tout ou en partie, au moins un départ à partir d'un point situé au Canada, à l'exclusion d'un départ résultant d'une escale de correspondance, vers une destination située à l'extérieur de la zone de taxation, qu'il y ait ou non des escales intermédiaires.

L.R. (1985), c. E-15, art. 12; L.R. (1985), c. 15 (1er suppl.), art. 5

13. (1) Montant de la taxe — Sous réserve du paragraphe (2), la taxe imposée en vertu du paragraphe 12(1) pour le transport aérien d'une personne est, selon le cas :

a) égale au moindre des montants suivants :

(i) la somme de :

(A) trente dollars, si le montant payé ou payable en contrepartie du transport aérien de la personne est payé ou payable après le 31 décembre 1997 en contrepartie du transport aérien de la personne qui commence après le 28 février 1998,

(B) cinquante-cinq dollars, dans les autres cas,

(ii) le montant fixé, pour l'application du présent paragraphe, par décret du gouverneur en conseil sur recommandation du ministre des Transports;

b) de cinquante pour cent du montant prévu à l'alinéa a), lorsque cette personne est un enfant de moins de douze ans et qu'elle est transportée à un tarif inférieur, de cinquante pour cent ou plus, au tarif applicable.

(2) Vols d'affrètement — Dans les cas où le montant payé ou payable au Canada en contrepartie d'un transport aérien exécuté au moyen d'un aéronef affrété par un ou plusieurs affréteurs, la taxe imposée en vertu du paragraphe 12(1) sur le montant payé ou payable à un transporteur aérien titulaire d'un certificat par chaque affréteur est le total de ce qui suit :

a) le moins élevé des montants suivants :

(i) la somme de :

(A) trente dollars, si le montant payé ou payable en contrepartie du transport aérien d'une personne est payé ou payable à un transporteur aérien titulaire de certificat par l'affréteur après le 31 décembre 1997 en contrepartie du transport aérien de la personne qui commence après le 28 février 1998,

(B) cinquante-cinq dollars, dans les autres cas,

(ii) le montant que peut, pour l'application du présent paragraphe, fixer par décret le gouverneur en conseil sur la recommandation du ministre des Transports,

pour chaque embarquement d'une personne à bord de l'aéronef dans le cadre du contrat d'affrètement de cet affréteur, à l'exception d'une personne visée à l'alinéa b);

b) cinquante pour cent du montant prévu à l'alinéa a) pour chaque embarquement, dans le cadre du contrat d'affrètement de cet affréteur, à bord de l'aéronef d'un enfant âgé de moins de douze ans et transporté à un tarif réduit d'au moins cinquante pour cent par rapport au tarif applicable.

(2.1) Définition de « embarquement » — Pour l'application du paragraphe (2), « embarquement » s'entend d'un embarquement par une personne à un aéroport situé au Canada pour un vol déterminé destiné à un aéroport situé à l'étranger où la personne débarque.

(2.2) Montant de la taxe — La taxe imposée en vertu du paragraphe 12(2) pour le transport aérien d'une personne est :

a) dans le cas où l'embarquement initial de la personne a lieu dans un aéroport au Canada :

(i) le moindre des montants suivants :

(A) la somme de :

(I) trente dollars, si le montant payé ou payable en contrepartie du transport est payé ou payable après le 31 décembre 1997 et si l'embarquement initial de la personne, au sens du paragraphe (2.1), a lieu après le 28 février 1998,

(II) cinquante-cinq dollars, dans les autres cas,

(B) le montant fixé par décret du gouverneur en conseil sur la recommandation du ministre des Transports pour l'application du présent alinéa,

(ii) cinquante pour cent du montant prévu au sous-alinéa (i), lorsque la personne est un enfant de moins de douze ans et qu'elle est transportée à un tarif inférieur de cinquante pour cent ou plus au tarif applicable;

b) dans les autres cas :

(i) le moindre des montants suivants :

(A) la somme de :

(I) quinze dollars, si le montant payé ou payable en contrepartie du transport est payé ou payable après le 31 décembre 1997 et si l'embarquement initial de la personne, au sens du paragraphe (2.1), a lieu après le 28 février 1998,

(II) vingt-sept dollars et cinquante cents, dans les autres cas,

(B) le montant fixé par décret du gouverneur en conseil sur la recommandation du ministre des Transports pour l'application du présent alinéa,

(ii) cinquante pour cent du montant prévu au sous-alinéa (i), lorsque la personne est un enfant de moins de douze ans et qu'elle est transportée à un tarif inférieur de cinquante pour cent ou plus au tarif applicable.

(3) Exception — Les paragraphes 12(1) et (2) ne s'appliquent pas au transport aérien d'une personne à un tarif inférieur, de quatre-vingt-dix pour cent ou plus, au tarif applicable.

L.R. (1985), c. E-15, art. 13; L.R. (1985), c. 15 (1er suppl.), art. 6; c. 12 (4e suppl.), art. 3; 1990, c. 45, art. 3; 1994, c. 29, art. 3; 1995, c. 36, art. 1; 1998, c. 21, art. 85

13.1 (1) Plusieurs montants payables simultanément — Nonobstant les articles 11 et 13 mais sous réserve des paragraphes 11(3) et 13.1(2), dans le cas où plusieurs montants sont payés ou payables simultanément pour le transport aérien d'une personne lors d'un voyage continu :

a) le total des taxes imposées sur ces montants en vertu des paragraphes 10(1) ou (2), déterminées en vertu du paragraphe 11(1), ne doit pas être supérieur au moindre des montants suivants :

(i) l'une des sommes suivantes :

(A) la somme de quatre pour cent du total de ces montants et de trois dollars, si le montant payé ou payable en contrepartie du transport est payé ou payable après le 31 décembre 1997 en contrepartie du transport aérien de la personne qui commence après le 28 février 1998,

(B) la somme de sept pour cent du total de ces montants et de six dollars, dans les autres cas,

(ii) le montant éventuel fixé par décret du gouverneur en conseil en vertu de l'alinéa 11(1)b);

b) le total des taxes imposées sur ces montants en vertu des paragraphes 10(1) et 12(1), déterminées en vertu des paragraphes 11(1) et 13(1), ne doit pas être supérieur au montant déterminé en vertu du paragraphe 13(1) au titre de l'un de ces montants auquel ce paragraphe s'applique;

c) le total des taxes imposées sur ces montants en vertu des paragraphes 10(2) et 12(2), déterminées en vertu des paragraphes 11(1) et 13(2.2), ne doit pas être supérieur au montant le plus élevé déterminé en vertu du paragraphe 13(2.2) au titre de l'un de ces montants.

(2) Condition de la réduction de la taxe — Le paragraphe (1) ne s'applique à la réduction d'une taxe imposée en vertu de la présente partie sur le transport aérien d'une personne que si le transporteur aérien titulaire d'un permis, ou son mandataire, à qui le transport est acheté indique sur chaque billet émis simultanément les renseignements suivants :

a) les numéros de billet, y compris les codes du transporteur aérien, pour tous les vols formant le voyage continu;

b) les numéros de tous les vols formant le voyage continu.

L.R. (1985), c. 15 (1er suppl.), art. 7; c. 7 (2e suppl.), art. 5; c. 12 (4e suppl.), art. 4; 1990, c. 45, art. 4; 1994, c. 29, art. 4; 1998, c. 21, art. 86

14. Quand et par qui la taxe est payable — La taxe sur chaque montant payé ou payable au Canada pour le transport aérien d'une personne est payable :

a) au moment où le montant est ainsi payé ou devient payable et en tout cas avant que n'ait été fourni le transport;

b) par la personne effectuant le paiement.

S.R., c. E-13, art. 12; 1976–77, c. 15, art. 3

15. Employés d'un pays étranger — La présente partie ne s'applique pas dans le cas d'un montant payé pour le transport aérien d'une personne visée à l'article 2 de la partie II de l'annexe III.

S.R., c. E-13, art. 13

16. (1) Montant considéré payé au Canada — Lorsqu'un montant, pour le transport aérien d'une personne, est payé ou payable à l'étranger :

a) soit par envoi en provenance du Canada à un lieu situé à l'étranger au moyen du télégraphe ou par la poste, de numéraire, de chèque, de télégramme postal, de mandat-poste ou de toute autre semblable traite à un bureau des passages, une agence de voyages, un transporteur aérien ou l'un de leurs représentants;

b) soit par remise du montant à une agence installée au Canada pour l'envoi à un bureau des passages, une agence de voyages, un transporteur aérien ou l'un de leurs représentants installés en quelque lieu à l'étranger;

c) soit par tout autre arrangement avec une personne à l'étranger dans l'intérêt ou pour la commodité d'une personne se trouvant au Canada,

le montant est considéré, pour l'application de la présente partie, comme un montant payé ou payable au Canada et non à l'étranger.

(2) Vols d'affrètement — Lorsqu'un montant est payé ou payable à l'étranger pour l'affrètement d'un aéronef en vue du transport aérien d'une personne et que le transport commence en un point situé au Canada, le montant est considéré, pour l'application de la présente partie, comme un montant payé ou payable au Canada et non à l'étranger.

S.R., c. E-13, art. 14

16.1 Taxe de transport aérien — Aucune taxe n'est imposée, prélevée ou perçue sur un montant payé ou payable pour le transport aérien d'une personne qui :

a) dans le cas d'une taxe imposée en vertu des paragraphes 10(1) ou 12(1), commence après le 31 octobre 1998;

b) dans le cas d'une taxe imposée en vertu des paragraphes 10(2) ou 12(2), ne comprend pas l'embarquement de la personne, au sens du paragraphe 13(2.1), avant le 1er novembre 1998.

1996, c. 20, art. 104; 1998, c. 21, art. 87

Licences

17. (1) Obligation de présenter une demande de permis — Sous réserve des autres dispositions du présent article, tout transporteur aérien titulaire de certificat, à l'exclusion des transporteurs dont les opérations de transport aérien sont exemptées de l'application de la présente partie par l'alinéa 21d), doit présenter au ministre, en la forme prescrite, une demande de licence pour l'application de la présente partie.

(2) Octroi d'une licence — Le ministre peut accorder une licence à toute personne qui en fait la demande en vertu du paragraphe (1).

(3) Annulation — Le ministre peut annuler une licence accordée en vertu de la présente partie si, à son avis, cette licence n'est plus nécessaire pour l'application de la présente partie.

(4) Application — Le paragraphe (1) s'applique au transporteur aérien titulaire de certificat qui fournit des services de transport aérien avant le 1er novembre 1998.

L.R. (1985), c. E-15, art. 17; L.R. (1985), c. 7 (2e suppl.), art. 6; 1996, c. 20, art. 105; 1998, c. 21, art. 88

Perception de la taxe

18. (1) Obligation du transporteur aérien titulaire de licence — Chaque transporteur aérien titulaire de licence est un agent du ministre et à ce titre doit, ainsi que le prévoit le présent article :

a) prélever et percevoir toute taxe imposée par la présente partie pour le transport aérien d'une personne;

b) réajuster ou rembourser une partie de la taxe imposée sur les services de transport aérien de voyageurs qui n'ont pas été fournis ou ne l'ont été que partiellement ou d'une taxe imposée par erreur par un transporteur aérien titulaire de licence.

(2) Perception des taxes — La taxe imposée par la présente partie à l'égard de chaque montant payé ou payable au Canada en contrepartie du transport aérien d'une personne doit être perçue par le transporteur aérien titulaire de licence auquel est fait ou est dû le paiement du transport.

(3) Idem — La taxe imposée par la présente partie sur chaque montant payé ou payable à l'étranger en contrepartie du transport aérien d'une personne au moment de l'embarquement à un aéroport au Canada est perçue par le transporteur aérien titulaire de licence qui prend la personne en charge à bord de son aéronef, appelé au présent paragraphe « fournisseur de transport aérien », sauf si, la taxe ayant déjà été payée à un transporteur aérien titulaire de licence ou à son mandataire, la personne présente, selon les modalités réglementaires, la preuve de ce paiement au fournisseur de transport aérien.

(4) Idem — Lorsqu'une taxe est imposée par la présente partie à l'égard d'un montant payé ou payable au Canada en contrepartie du transport aérien d'une personne et que le transport aérien de cette personne est fourni par plusieurs transporteurs aériens dont un ou plusieurs sont titulaires de licence, la taxe, lorsqu'elle est applicable, est prélevée par le transporteur aérien titulaire de licence qui vend le titre de transport aérien ou, si le titre de transport n'est pas vendu par un transporteur aérien titulaire de licence, par le premier transporteur aérien titulaire de licence qui effectue une partie du transport.

(5) Redressements et remboursements résultant de réductions de taxe pour voyage continu — Dans les cas où il y a eu réduction de taxe, conformément au paragraphe 13.1(1), visant plusieurs montants payés ou payables simultanément pour le transport aérien d'une personne lors d'un voyage continu, il ne peut être procédé au redressement ou au remboursement de la totalité ou d'une partie de la taxe payée que si tous les billets achetés simultanément sont annulés simultanément.

L.R. (1985), c. E-15, art. 18; L.R. (1985), c. 15 (1er suppl.), art. 8; c. 28 (3e suppl.), art. 288

19. (1) Créance de Sa Majesté — Quiconque est tenu par la présente partie ou en conformité avec celle-ci de percevoir une taxe de transport aérien et omet de le faire comme il en est requis est comptable envers Sa Majesté du montant de la taxe. Ce même montant est recouvrable devant la Cour fédérale ou tout autre tribunal compétent, à titre de créance de Sa Majesté.

(2) Mandataires — Pour l'application de la présente partie, toute personne qui, n'étant pas un transporteur aérien titulaire de licence, vend au Canada le titre de transport pour le transport aérien d'une personne, lorsque ce transport doit être entièrement ou partiellement exécuté par un transporteur aérien titulaire de licence, est, pour la perception du prix du transport, le mandataire du transporteur qui exécute la totalité ou toute partie de ce transport, selon le cas; elle perçoit les taxes imposées par la présente partie pour le compte de ce transporteur aérien et elle lui transmet ensuite les sommes perçues.

S.R., c. E-13, art. 16; S.R., c. 10 (2e suppl.), art. 64; 1974-75-76, c. 24, art. 5

Pénalité pour défaut de production du rapport

20. (1) Déclarations mensuelles — Tout transporteur aérien titulaire de licence — le titulaire, pour l'application du présent article — que la présente partie oblige à percevoir des taxes doit, chaque mois, produire une déclaration véridique, en la forme prescrite, de tous les montants perçus ou percevables par lui au titre de la taxe imposée par la présente partie dans le mois écoulé et de tous les montants perçus, tant au Canada qu'à l'étranger, par lui ou son mandataire, au cours du mois écoulé au titre de la taxe imposée par la présente partie sur les montants payés ou payables à l'étranger en contrepartie d'un transport aérien d'une personne avant que celle-ci ne soit obligée, en application des paragraphes 10(2) ou 12(2), d'acquitter cette taxe. La déclaration doit également contenir les renseignements prescrits, y compris les données statistiques sur toute taxe qu'il n'a pas perçue pendant cette période parce qu'elle avait déjà été acquittée.

(2) Idem — Lorsque, au cours d'un mois, aucun montant mentionné au paragraphe (1) n'est perçu ou percevable, le titulaire doit produire la déclaration prévue à ce paragraphe et y mentionner ce fait.

(2.1) Cessation d'obligation — Aucune déclaration n'est requise aux termes du paragraphe (2) si le mois écoulé est postérieur au 31 octobre 1998.

(3) Déclarations pour des périodes variées — Malgré les paragraphes (1) et (2), le ministre peut, par règlement :

a) autoriser tout titulaire à produire une déclaration à l'égard de toute période comptable d'au moins vingt et un jours et d'au plus trente-cinq jours;

b) autoriser tout titulaire, si les montants perçus ou percevables par celui-ci au moyen de la taxe imposée par la présente partie n'ont pas dépassé quatre mille huit cents dollars pour l'année civile précédente, à produire une déclaration à l'égard de toute période de plus d'un mois mais ne dépassant pas six mois;

c) autoriser tout titulaire, dont les activités de transport aérien de passagers se font surtout au cours d'une saison, à produire une déclaration à l'égard de toute période de plus d'un mois mais ne dépassant pas six mois, si les montants perçus ou percevables par celui-ci au moyen de la taxe imposée par la présente partie, pour la période correspondante de l'année civile précédente, n'ont pas dépassé une moyenne de quatre cents dollars par mois au cours de toute la période équivalente.

(4) Date de production et de remise — Sous réserve du paragraphe (8) et des articles 20.1 et 79.2, la déclaration exigée par le présent article est produite et les taxes perçues ou percevables par un titulaire sont remises :

a) dans le cas où la déclaration doit être produite conformément aux paragraphes (1) ou (2), au plus tard le dernier jour du mois qui suit celui visé par la déclaration;

b) dans le cas où la déclaration peut être produite conformément à un règlement pris en vertu de l'alinéa (3)a), au plus tard le dernier jour de la période comptable autorisée suivant la fin de la période comptable visée par la déclaration;

c) dans le cas où la déclaration peut être produite conformément à un règlement pris en vertu des alinéas (3)b) ou c), au plus tard le dernier jour du mois qui suit la fin de la période visée par la déclaration.

(5) Pénalité et intérêts pour défaut — Sous réserve des paragraphes (6) à (9), en cas de défaut de remise de taxe dans le délai prévu par le paragraphe (4), le titulaire verse, en plus du montant impayé :

a) dans le cas où la taxe doit être remise au plus tard le dernier jour du mois, une pénalité d'un demi pour cent et des intérêts au taux prescrit, calculés sur les arriérés — pénalités et intérêts compris — par mois ou fraction de mois s'écoulant entre ce jour et la remise de ces arriérés;

b) dans le cas où la taxe doit être remise au plus tard le dernier jour d'une période comptable, une pénalité d'un demi pour cent et des intérêts au taux prescrit, calculés sur les arriérés — pénalités et intérêts compris — par période comptable ou fraction de celle-ci s'écoulant entre ce jour et la remise de ces arriérés.

(6) Pénalités et intérêts minimaux — Il n'est tenu aucun compte des pénalités ou intérêts exigibles en application du paragraphe (5) si le titulaire remet toutes les taxes perçues ou percevables par lui en application de la présente partie et si, au moment de la remise, la somme des pénalités et intérêts exigibles est inférieure à dix dollars.

(7) Délai de paiement — Le titulaire responsable du paiement des pénalités ou intérêts en application du paragraphe (5) doit les verser au plus tard le dernier jour du mois ou de la période comptable pour lequel ou laquelle ils sont calculés.

(8) Prorogation — Le ministre peut, avant ou après la fin du délai fixé par le paragraphe (4) pour la production d'une déclaration ou la remise d'une taxe, proroger, par écrit, ce délai, et dans de telles circonstances :

a) la déclaration doit être produite ou la taxe remise dans le délai ainsi prorogé;

b) des intérêts courent en application du paragraphe (5) à l'égard de la taxe comme si le délai n'avait pas été ainsi prorogé;

c) aucune pénalité n'est exigible, ni réputée le devenir, en application du paragraphe (5) à l'égard de la taxe avant la fin du délai ainsi prorogé;

d) la pénalité est exigible en application du paragraphe (5) à l'égard du défaut de remise de la taxe, ou de toute fraction de celle-ci, dans le délai ainsi prorogé, comme si le défaut était un défaut visé à ce paragraphe.

(9) Garantie — Lorsque le ministre détient une garantie en application de l'article 80.1 pour la remise d'une taxe prévue à la présente partie et lorsque celle-ci n'a pas été remise dans le délai fixé par le paragraphe (4) :

a) des intérêts courent en application du paragraphe (5) à l'égard de la taxe à compter de la fin du délai;

b) la pénalité est exigible en application du paragraphe (5) seulement si les arriérés, calculés pour chaque mois ou période comptable, ou fraction de mois ou période comptable, de durée du défaut, excèdent la valeur de la garantie à la date de son acceptation par le ministre et, si elle est exigible, la pénalité n'est calculée que sur le montant de l'excédent.

L.R. (1985), c. E-15, art. 20; L.R. (1985), c. 15 (1er suppl.), art. 9; c. 7 (2e suppl.), art. 7; c. 12 (4e suppl.), art. 5; 1996, c. 20, art. 106; 1998, c. 21, art. 89

20.1 (1) Définitions — Pour l'application du présent article :

a) la « base des acomptes provisionnels » d'un transporteur aérien titulaire de licence :

(i) pour un mois est la moins élevée des sommes suivantes :

(A) la taxe imposée par la présente partie perçue ou percevable par lui dans ce mois,

(B) la taxe ainsi perçue ou percevable dans le mois écoulé,

(ii) pour une période comptable est la moins élevée des sommes suivantes :

(A) la taxe imposée par la présente partie perçue ou percevable par lui dans cette période comptable,

(B) la taxe ainsi perçue ou percevable dans la période comptable écoulée,

(iii) pour toute autre période visée par une déclaration est la moins élevée des sommes suivantes :

(A) la taxe imposée par la présente partie perçue ou percevable par lui dans cette période,

(B) la taxe ainsi perçue ou percevable dans la période écoulée multipliée par le rapport du nombre de jours de la période visée par la déclaration sur le nombre de jours de la période écoulée;

b) un transporteur aérien titulaire de licence est un « contribuable important », à une date donnée :

(i) si la somme des taxes exigibles en vertu des parties II.1, III, IV et VI, autres que celles prévues par la *Loi sur les douanes*, et perçues ou percevables en vertu de la présente partie et de la partie II.2 par lui, dans l'année civile écoulée se terminant au moins quatre-vingt-dix jours, ou quatre-vingt-onze jours pour une année bissextile, avant cette date, dépasse douze millions de dollars,

(ii) s'il a été, dans l'année civile écoulée se terminant au moins quatre-vingt-dix jours, ou quatre-vingt-onze jours pour une année bissextile, avant cette date, membre d'un groupe de sociétés associées (au sens de l'article 256 de la *Loi de l'impôt sur le revenu*) dont la somme des taxes exigibles en vertu des parties II.1, III, IV et VI, autres que celles prévues par la *Loi sur les douanes*, et perçues ou percevables en vertu de la présente partie et de la partie II.2 par le groupe dans cette année dépasse douze millions de dollars et n'est pas autorisé à produire une déclaration conformément à un règlement pris en vertu des alinéas 20(3)b) ou c).

(2) Acomptes provisionnels par des contribuables importants — Tout contribuable important tenu de produire une déclaration et de remettre des taxes dans le délai prévu par le paragraphe 20(4) doit verser des acomptes provisionnels de taxes conformément aux règles suivantes :

a) dans le cas où la déclaration doit être produite conformément au paragraphe 20(1), il doit verser deux acomptes provisionnels, chacun égal à la moitié de sa base des acomptes provisionnels pour le mois dans lequel la taxe a été perçue ou est devenue percevable, le premier s'effectuant au plus tard le dernier jour de ce mois et le second au plus tard le quinzième jour du mois suivant;

b) dans le cas où la déclaration peut être produite conformément à un règlement pris en vertu de l'alinéa 20(3)a), il doit verser deux acomptes provisionnels, chacun égal à la moitié de sa base des acomptes provisionnels pour la période comptable visée par la déclaration, le premier s'effectuant au plus tard le dernier jour de cette période comptable et le second au plus tard le quinzième jour de la période comptable suivante.

(3) Acomptes provisionnels par d'autres transporteurs aériens — Tout transporteur aérien titulaire de licence — autre qu'un contribuable important — tenu de produire une déclaration et de remettre des taxes dans le délai prévu au paragraphe 20(4) doit verser un acompte provisionnel de taxes conformément aux règles suivantes :

a) dans le cas où la déclaration doit être produite conformément au paragraphe 20(1), égal à sa base des acomptes provisionnels pour le mois dans lequel la taxe a été perçue ou est devenue percevable, au plus tard le vingt et unième jour du mois suivant;

b) dans le cas où la déclaration peut être produite conformément à un règlement pris en vertu de l'alinéa 20(3)a), égal à sa base des acomptes provisionnels pour la période comptable visée par la déclaration, au plus tard le vingt et unième jour de la période comptable suivante;

c) dans le cas où la déclaration peut être produite conformément à un règlement pris en vertu des alinéas 20(3)b) ou c), égal à sa base des acomptes provisionnels pour la période visée par la déclaration, au plus tard le vingt et unième jour du mois suivant la fin de cette période.

(4) Pénalité et intérêts — contribuables importants — Sous réserve des paragraphes (6) à (8), en cas de défaut de paiement d'un acompte provisionnel dans le délai prévu au paragraphe (2), le contribuable important verse, en plus du montant impayé, pour la période s'écoulant entre la fin de ce délai et du délai prévu pour la remise de la taxe au titre de laquelle l'acompte provisionnel est payable :

a) dans le cas d'un acompte provisionnel devant être versé au plus tard le dernier jour du mois ou de la période comptable, une pénalité d'un demi pour cent et des intérêts au taux prescrit, calculés sur le montant dont

(i) la moitié de sa base des acomptes provisionnels pour ce mois ou cette période comptable

excède

(ii) la somme de toutes les taxes, au titre desquelles l'acompte provisionnel est payable, remises au plus tard à ce jour;

b) dans le cas d'un acompte provisionnel devant être versé au plus tard le quinzième jour du mois ou de la période comptable, une pénalité d'un quart pour cent et des intérêts à la moitié du taux prescrit, calculés sur le montant dont

(i) la moitié de sa base des acomptes provisionnels pour le mois ou la période comptable écoulé

excède

(ii) le montant dont la somme de toutes les taxes, au titre desquelles l'acompte provisionnel est payable, remises au plus tard à ce jour excède le moindre de

(A) la somme de toutes les taxes, au titre desquelles l'acompte provisionnel est payable, remises au plus tard le dernier jour du mois ou de la période comptable écoulé,

(B) la moitié de sa base des acomptes provisionnels pour le mois ou la période comptable écoulé.

(5) Pénalité et intérêts — autres transporteurs aériens — Sous réserve des paragraphes (6) à (8), en cas de défaut de paiement d'un acompte provisionnel dans le délai prévu au paragraphe (3), le transporteur aérien titulaire de licence — autre qu'un contribuable important — verse, en plus du montant impayé, pour la période s'écoulant entre la fin de ce délai et du délai prévu pour la remise de la taxe au titre de laquelle l'acompte provisionnel est payable :

a) dans le cas d'un acompte provisionnel devant être versé aux termes des alinéas (3)a) ou b), au plus tard le vingt et unième jour du mois ou de la période comptable, une pénalité d'un sixième pour cent et des intérêts au tiers du taux prescrit, calculés sur le montant dont

(i) sa base des acomptes provisionnels pour le mois ou la période comptable écoulé excède

(ii) la somme de toutes les taxes, au titre desquelles l'acompte provisionnel est payable, remises au plus tard à ce jour;

b) dans le cas d'un acompte provisionnel devant être versé aux termes de l'alinéa (3)c), au plus tard le vingt et unième jour du mois suivant la fin de la période, une pénalité d'un sixième pour cent et des intérêts au tiers du taux prescrit, calculés sur le montant dont

(i) sa base des acomptes provisionnels pour cette période

excède

(ii) la somme de toutes les taxes, au titre desquelles l'acompte provisionnel est payable, remises au plus tard à ce jour.

(6) Pénalité et intérêts minimaux — Aucune pénalité ou aucun intérêt n'est exigible en application des paragraphes (4) ou (5) si le contribuable important ou autre transporteur aérien titulaire de licence responsable du paiement de l'acompte provisionnel remet toutes les taxes perçues ou percevables par lui en vertu de la présente partie et si, au moment de la remise, la somme des pénalités et intérêts exigibles à l'égard de l'acompte provisionnel est inférieure à cinq dollars et à l'égard de toutes les taxes, est inférieure à dix dollars.

(7) Délai de paiement — Tout contribuable important ou autre transporteur aérien titulaire de licence responsable du paiement de la pénalité ou des intérêts en application des paragraphes (4) ou (5) à l'égard d'un défaut de paiement d'un acompte provisionnel doit verser, dans le délai prévu au paragraphe 20(4), la pénalité ou les intérêts pour la remise de la taxe au titre de laquelle l'acompte provisionnel est payable.

(8) Prorogation — Le ministre peut, avant ou après la fin du délai prévu aux paragraphes (2) ou (3) pour le paiement d'un acompte provisionnel, proroger, par écrit, ce délai pour toute période dans le délai prévu au paragraphe 20(4) en vue de la remise de la taxe au titre de laquelle l'acompte provisionnel est payable, et dans de telles circonstances :

a) l'acompte provisionnel doit être payé dans le délai ainsi prorogé;

b) des intérêts courent en application des paragraphes (4) ou (5) à l'égard d'un acompte provisionnel comme si le délai n'avait pas été ainsi prorogé;

c) aucune pénalité n'est exigible, ni réputée le devenir, en application des paragraphes (4) ou (5) à l'égard d'un acompte provisionnel avant la fin du délai ainsi prorogé;

d) la pénalité est exigible en application des paragraphes (4) ou (5) à l'égard du défaut de paiement d'un acompte provisionnel dans le délai ainsi prorogé, comme si le défaut était un défaut visé à ce paragraphe.

L.R. (1985), c. 12 (4e suppl.), art. 5; 1999, c. 31, art. 247(F)

Dispositions générales

20.2 (1) Présomption — Il demeure entendu que les montants perçus, au Canada ou à l'étranger, mentionnés au paragraphe 20(1), sont réputés être des sommes payables en vertu de la présente loi.

(2) Tenue de livres et de registres — Chaque transporteur aérien titulaire de licence tenu de produire une déclaration sur ces montants doit tenir des registres et livres de comptes selon la forme et renfermant les renseignements qui permettent de déterminer le montant des taxes et les autres sommes qui ont été payés à son mandataire ou à lui-même, ou ont été perçus par l'un ou l'autre; pour l'application du présent paragraphe, les paragraphes 98(2.01), (2.1) et (3) et 100(2) s'appliquent, compte tenu des adaptations de circonstance, comme si l'obligation de tenir les livres et registres était imposée par le paragraphe 98(1).

L.R. (1985), c. 12 (4e suppl.), art. 6; 1998, c. 19, art. 276

21. Règlements — Le gouverneur en conseil peut, par règlement :

a) prescrire, pour les cas où le montant exigé pour le transport aérien comprend le transport aérien de personnes et de marchandises, comment et par qui le montant exigé doit être réparti, aux fins de la taxe imposée en vertu des articles 10 à 12, entre le transport aérien de ces personnes et le transport aérien de ces marchandises;

b) prescrire, pour les cas où le montant total exigé pour le transport aérien d'une personne comprend le transport et d'autres services ou marchandises, comment et par qui le montant exigé doit être réparti, aux fins de la taxe imposée en vertu des articles 10 à 12, entre le transport aérien de cette personne et ces autres services ou marchandises;

c) prescrire les modalités relatives à la preuve du paiement anticipé des taxes imposées par la présente partie et indiquer la catégorie de personnes auxquelles cette preuve doit être présentée;

c.1) prescrire les modalités de présentation de la preuve du montant payé ou payable pour le transport aérien d'une personne;

d) soustraire à l'application de la présente partie, en ce qui a trait au transport aérien de voyageurs, certaines classes ou certains groupes de services aériens, de transporteurs aériens ou d'aéronefs;

e) réduire le montant de la taxe payée ou payable au Canada en vertu de la présente partie pour le transport aérien d'une personne ou supprimer cette taxe pour éviter partiellement ou totalement que le transport soit taxé simultanément par le Canada et par un pays étranger;

f) modifier les exigences de l'article 20 relatives aux rapports et à la date de versement pour les transporteurs aériens titulaires de licence autorisés par l'Office des transports du Canada à effectuer des vols d'affrètement internationaux en provenance du Canada, ou exempter ces transporteurs des dispositions de cet article relatives aux rapports, sous réserve des modalités qu'il estime d'intérêt public;

g) prescrire, dans les cas où un transporteur aérien fournit le transport aérien d'une personne à crédit, les date et lieu où le montant payable pour ce transport est censé être payé ou payable pour l'application de la présente partie;

h) d'une façon générale, prendre toute mesure d'application de la présente partie.

L.R. (1985), c. E-15, art. 21; L.R. (1985), c. 15 (1er suppl.), art. 10; c. 28 (3e suppl.), art. 289; 1996, c. 10, art. 226

PARTIE II.1 — TAXE SUR LES SERVICES DE PROGRAMMATION FOURNIS PAR VOIE DE TÉLÉCOMMUNICATION

Définitions et interprétation

21.1 (1) Définitions — Les définitions qui suivent s'appliquent à la présente partie.

« entreprise restreinte »

a) Personne qui fournit un service taxable seulement dans un lieu où est fourni un service de programmation par voie de télécommunication à des personnes en contrepartie du paiement d'un prix d'entrée constaté par la remise d'un billet ou par un moyen semblable de contrôle de l'entrée;

b) personne qui, au cours d'un mois, fournit un service taxable à au plus deux cents personnes, à l'exclusion d'une personne qui, au cours d'un mois de l'année précédant ce mois, a fourni un service taxable à plus de deux cents personnes.

« montant exigé » Tout montant payé ou payable par une personne en contrepartie d'un service taxable, avant que n'y soit ajouté tout montant payé ou payable au titre de toute taxe prévue par la présente partie ou imposée aux termes d'une loi provinciale sur la taxe de vente au détail.

« radiodiffusion » Toute radiocommunication dont les transmissions sont destinées à être captées directement par le public en général.

« service de programmation » Toute présentation sonore ou visuelle destinée à renseigner, éclairer ou divertir et propre à être diffusée par des postes de radio ou de télévision.

« service taxable »

a) Tout service de programmation fourni par voie de télécommunication au grand public ou à un public en particulier;

b) le fait d'entamer la fourniture d'un service de programmation visé à l'alinéa a), ou de l'interrompre;

c) la fourniture d'un instrument, dispositif, équipement, appareil ou d'une pièce de ceux-ci, autre qu'un téléviseur, et qui à la fois :

(i) sert à capter un service de programmation visé à l'alinéa a),

(ii) est fourni par la personne fournissant le service de programmation, ou par la personne qu'elle autorise ou désigne à cette fin ou qui agit en son nom, ou par toute personne liée à elle,

si la personne fournissant le service de programmation exige que l'instrument, le dispositif, l'équipement, l'appareil ou la pièce soit acquise exclusivement auprès d'elle ou d'une autre personne visée au sous-alinéa (ii);

d) l'installation, le débranchement, le remplacement, la réparation ou l'entretien d'un instrument, dispositif, équipement, appareil ou d'une pièce de ceux-ci, autre qu'un téléviseur, visés à l'alinéa c), par la personne fournissant le service de programmation pour lequel cet objet est utilisé ou par une autre personne visée au sous-alinéa c)(ii).

La présente définition ne vise pas :

e) un service de surveillance ou de contrôle, un service d'opérations télébancaires ou de télécommandes ou un service de sondage d'opinion;

f) un service de musique de fond propre à être fourni dans un centre commercial, dans un immeuble à bureaux, dans une usine ou dans les parties communes d'un immeuble en copropriété ou de rapport, à titre accessoire au magasinage, à la restauration, au travail ou à d'autres activités semblables accomplies dans ces lieux;

g) tout autre service prévu par règlement d'application de l'article 21.2,

que fournit une personne fournissant un service de programmation visé à l'alinéa a) en contrepartie de frais supplémentaires à la demande de la personne à qui le service de programmation est fourni ou qui est fourni par une personne qui ne fournit pas un service de programmation visé à l'alinéa a).

« télécommunication » [*Abrogée*].

« titulaire de licence » ou « titulaire » Toute personne à qui une licence a été attribuée en vertu de l'article 21.18, y compris toute personne tenue par l'article 21.17 de présenter une demande de licence.

(2) [*Abrogé*].

(3) Entreprise restreinte résidant au Canada — Dans le cadre de la présente partie, les paragraphes 250(3) et (4) de la *Loi de l'impôt sur le revenu* s'appliquent à l'interprétation de l'expression « entreprise restreinte résidant au Canada ».

(4) Présomptions — Pour l'application de la présente partie, lorsqu'une entreprise restreinte, au sens de l'alinéa a) de la définition de « entreprise restreinte » au paragraphe (1), acquiert un service taxable d'une personne, sauf du titulaire d'une licence ou d'une entreprise restreinte résidant au Canada, et fournit le service taxable à d'autres personnes en contrepartie de montants exigés, le total des montants exigés est réputé :

a) égal au montant exigé par la personne de qui l'entreprise restreinte a acquis le service;

b) avoir été payé à la fin du mois au cours duquel le service a été acquis de la personne visée à l'alinéa a).

(5) Calcul — Pour l'application de l'alinéa b) de la définition de « entreprise restreinte » au paragraphe (1), le nombre de personnes à qui une personne fournit un service taxable au cours d'un mois est constitué de ce qui suit :

a) le nombre de personnes, appelées au présent paragraphe les « clients », à qui cette personne, ou une personne liée à elle, fournit le service au cours de ce mois en contrepartie d'un montant exigé;

b) le nombre de personnes à qui les clients fournissent le service au cours de ce mois, en contrepartie ou non d'un montant exigé.

L.R. (1985), c. 15 (1er suppl.), art. 11; c. 12 (4e suppl.), art. 7

Application à la Couronne

21.11 Sa Majesté est liée — La présente partie lie Sa Majesté du chef du Canada ou d'une province.

L.R. (1985), c. 15 (1er suppl.), art. 11

Imposition et paiement de la taxe

21.12 Imposition de la taxe — Il est imposé, prélevé et perçu une taxe de onze pour cent sur le montant exigé pour un service taxable, le prestataire du service étant redevable de ce montant dès la date du paiement du montant exigé ou dès celle, si elle est antérieure, où ce montant est payable.

L.R. (1985), c. 15 (1er suppl.), art. 11; c. 7 (2e suppl.), art. 8; c. 42 (2e suppl.), art. 2; c. 12 (4e suppl.), art. 8; 1989, c. 22, art. 2

21.13 (1) Exonération de la taxe pour le titulaire de licence — La taxe imposée en vertu de l'article 21.12 n'est pas payable sur un service taxable fourni au titulaire de licence :

a) qui :

(i) dans le cas d'un service visé aux alinéas a), b), c) ou d) de la définition de « service taxable » au paragraphe 21.1(1), acquiert le service en vue de la radiodiffusion sans frais ou de la fourniture à une autre personne en contrepartie d'un montant exigé ou en vue de la radiodiffusion sans frais,

(ii) dans le cas d'un service visé à l'alinéa b), c) ou d) de cette définition, acquiert le service pour une utilisation conjointe avec le service visé au sous-alinéa (i) qu'il acquiert en vue de l'utilisation visée à ce sous-alinéa;

b) qui, en outre, à la date où le montant exigé en contrepartie du service est payé ou payable, selon ce qui survient en premier lieu, le certifie à la personne fournissant le service et lui donne son numéro de licence.

(2) Exonération de la taxe pour d'autres personnes — La taxe imposée en vertu de l'article 21.12 n'est pas payable sur un service taxable fourni à une personne qui n'est pas titulaire de licence et :

a) qui :

(i) dans le cas d'un service visé à l'alinéa a) de la définition de « service taxable » au paragraphe 21.1(1), acquiert le service en vue de la radiodiffusion sans frais ou pour la fourniture à une autre personne en vue de la radiodiffusion sans frais,

(ii) dans le cas d'un service visé à l'alinéa b), c) ou d) de cette définition, acquiert le service pour une utilisation conjointe avec le service visé au sous-alinéa (i) qu'il acquiert en vue de l'utilisation visée à ce sous-alinéa;

b) qui, en outre, à la date où le montant exigé en contrepartie du service est payé ou payable, selon ce qui survient en premier lieu, le certifie à la personne fournissant le service.

(3) Exonération de la taxe pour l'entreprise restreinte — La taxe imposée en vertu de l'article 21.12 n'est pas payable sur un service taxable fourni par une entreprise restreinte, à l'exception d'un service taxable :

a) d'une part, qui est fourni par une entreprise restreinte au sens de l'alinéa a) de la définition de « entreprise restreinte » au paragraphe 21.1(1);

b) d'autre part, que l'entreprise restreinte a acquis d'une personne, autre qu'un titulaire de licence ou qu'une entreprise restreinte résidant au Canada.

L.R. (1985), c. 15 (1er suppl.), art. 11

Cas spécial de détermination du montant exigé

21.14 (1) Lien de dépendance — Lorsqu'il a fourni un service taxable à une personne avec laquelle il a un lien de dépendance au moment de la fourniture, gratuitement ou pour un montant moindre que le montant exigé qui aurait été raisonnable dans les circonstances s'il n'y avait pas eu de lien de dépendance, le titulaire est réputé, pour l'application de la présente partie, le lui avoir fourni pour un montant exigé égal à un montant raisonnable pour ce service et, si aucun montant n'a été exigé, le montant est réputé payable à la fin du mois de la fourniture.

(2) Services fournis en certaines circonstances — Sous réserve du paragraphe (1), lorsqu'un montant exigé ne peut être établi en contrepartie d'un service taxable, le titulaire est réputé, pour l'application de la présente partie, l'avoir fourni à la personne visée au même paragraphe pour un montant égal à un montant raisonnable dans les circonstances.

L.R. (1985), c. 15 (1er suppl.), art. 11; c. 12 (4e suppl.), art. 9

Garantie

21.15 (1) Garantie — L'entreprise restreinte qui prévoit fournir un service taxable sur lequel est ou sera imposée la taxe prévue à l'article 21.12 donne, si le ministre l'exige, une garantie du paiement de la taxe conformément au paragraphe (2).

(2) Modalités — La garantie à donner par une entreprise restreinte en application du paragraphe (1) :

a) est donnée dans le délai fixé par le ministre, devant prendre fin au plus tard la veille du jour où commence la fourniture du service taxable;

b) représente au moins six pour cent :

(i) soit du total des montants exigés en contrepartie du service taxable par la personne de qui l'entreprise restreinte a acquis le service,

(ii) soit, dans les cas où le total des montants exigés en contrepartie de ce service taxable par la personne de qui l'entreprise restreinte a acquis le service ne peut être déterminé avant le commencement de la fourniture du service par l'entreprise restreinte, le total des montants qui, conformément à l'accord conclu entre l'entreprise et cette autre personne, sont payés ou payables par l'entreprise restreinte en contrepartie du service, calculé sept jours avant le commencement de la fourniture du service ou à la date ultérieure que le ministre peut fixer;

c) est donnée par une banque ou s'effectue par le dépôt auprès du ministre :

(i) soit d'un cautionnement — dont la forme est agréée par le ministre — d'une compagnie de garantie dotée de la personnalité morale, autorisée à exploiter une entreprise au Canada,

(ii) soit d'une obligation ou d'un autre titre émis par le gouvernement du Canada ou garanti par celui-ci.

(3) Annulation du cautionnement — Nonobstant le fait qu'un cautionnement donné par une compagnie de garantie en application du présent article ait été annulé, le cautionnement est réputé demeurer en vigueur en ce qui concerne les services taxables fournis, ou qui doivent être fournis, en contrepartie d'un montant exigé au moment de l'annulation jusqu'à ce que soient acquittées toutes les obligations de verser des montants au titre des taxes, pénalités, intérêts ou autres montants relatifs à ces services taxables.

L.R. (1985), c. 15 (1er suppl.), art. 11

Détournements

21.16 (1) Détournements — Lorsqu'un service taxable est exonéré de la taxe en application du paragraphe 21.13(1) ou (2) à cause de l'utilisation pour laquelle ce service est acquis, appelée au présent article l'« utilisation exonérée », et que ce service est détourné par la suite :

a) par la personne qui l'a acquis en vue de l'utilisation exonérée;

b) lorsque la personne visée à l'alinéa a) a acquis le service pour la fourniture à une autre personne en vue de la radiodiffusion sans frais, par cette autre personne,

vers une autre utilisation ou application à l'égard de laquelle le service n'aurait pas été exonéré ainsi à la date de l'acquisition en vue d'une utilisation exonérée, la personne qui a détourné le service et celle qui le lui a fourni sont, à compter du détournement, solidairement tenues de payer la taxe imposée en vertu de la présente partie sur le montant exigé pour le service.

(2) Époque de l'exigibilité — La taxe payable conformément au paragraphe (1) est payable à la date où le service est détourné et est calculée comme le montant de la taxe qui aurait été payable à la date de l'acquisition en vue de l'utilisation exonérée, si ce service n'avait pas été ainsi exonéré.

L.R. (1985), c. 15 (1er suppl.), art. 11

Licences

21.17 (1) Demande de licence — Sous réserve des autres dispositions du présent article, toute personne qui fournit un service taxable en contrepartie d'un montant exigé lors de l'entrée en vigueur de la présente partie doit présenter au ministre, selon la forme prescrite, une demande de licence pour l'application de la présente partie au plus tard le dernier jour du premier mois suivant celui où celle-ci entre en vigueur.

(2) Idem — Sous réserve des autres dispositions du présent article, toute personne qui commence à fournir, à compter de l'entrée en vigueur de la présente partie, un service taxable en contrepartie d'un montant exigé doit présenter au ministre, selon la forme prescrite, une demande de licence pour l'application de la présente partie au plus tard le dernier jour du premier mois suivant celui où cette personne commence à fournir le service.

(3) Exemption — Les paragraphes (1) et (2) ne s'appliquent pas à une entreprise restreinte.

(4) Cessation de l'exemption — Toute personne fournissant un service taxable en contrepartie d'un montant exigé qui cesse d'être une entreprise restreinte doit présenter au ministre, selon la forme prescrite, une demande de licence pour l'application de la présente partie au plus tard le dernier jour du premier mois suivant le mois au cours duquel elle a cessé d'être une entreprise restreinte.

L.R. (1985), c. 15 (1er suppl.), art. 11; c. 7 (2e suppl.), art. 9

21.18 Délivrance de licence — Le ministre peut délivrer une licence pour l'application de la présente partie à toute personne qui en fait la demande aux termes de l'article 21.17.

L.R. (1985), c. 15 (1er suppl.), art. 11

21.19 Annulation — Le ministre peut annuler une licence délivrée aux termes de l'article 21.18 s'il est d'avis que la licence n'est plus nécessaire pour l'application de la présente partie.

L.R. (1985), c. 15 (1er suppl.), art. 11

Règlements

21.2 Règlements — Le gouverneur en conseil peut, par règlement :

a) fixer, pour l'application de l'alinéa g) de la définition de « service taxable » au paragraphe 21.1(1), tout service, à l'exclusion d'un service de programmation visé à l'alinéa a) de cette définition;

b) fixer, pour l'application de l'article 21.14, le mode de détermination du montant exigé raisonnable pour un service taxable;

c) d'une façon générale, prendre les mesures nécessaires à l'application de la présente partie.

L.R. (1985), c. 15 (1er suppl.), art. 11; c. 12 (4e suppl.), art. 10

Augmentation du montant exigé par le titulaire d'une licence

21.21 Préséance — Un titulaire de licence peut :

a) nonobstant la *Loi sur la radiodiffusion* et toute autre loi fédérale ou tout règlement ou autre texte réglementaire pris sous leur régime ou toute autre règle de droit;

b) nonobstant :

(i) toute décision ou ordonnance, toute attribution de licence ou tout renouvellement de celle-ci émanant du Conseil de la radiodiffusion et des télécommunications canadiennes,

(ii) tout autre geste posé, toute autre chose donnée, faite ou émise conformément à la *Loi sur la radiodiffusion*, à toute autre loi fédérale ou à toute autre règle de droit,

avant ou après l'entrée en vigueur de la présente partie,

augmenter le montant exigé en contrepartie d'un service taxable d'une somme égale ou inférieure à la taxe qu'il doit payer en vertu de la présente partie relativement à ce service.

L.R. (1985), c. 15 (1er suppl.), art. 11

PARTIE II.2 — TAXE SUR LES SERVICES DE TÉLÉCOMMUNICATION

Définitions

21.22 (1) Définitions — Les définitions qui suivent s'appliquent à la présente partie.

« exploitant de télécommunication » Personne :

a) qui, en contrepartie d'un montant exigé, fournit des services de télécommunication au grand public ou à un public en particulier au moyen d'un système de télécommunication qui lui appartient — ou dont elle a le contrôle — et qu'elle exploite;

b) à qui une licence a été délivrée en application de l'article 21.18 ou qui est tenue, au titre de l'article 21.17, d'en demander une pour l'application de la partie II.1.

« montant exigé » Tout montant payé ou payable par une personne en contrepartie d'un service, avant que n'y soit ajouté tout montant payé ou payable au titre de toute taxe prévue par la présente partie ou imposée aux termes d'une loi provinciale sur la taxe de vente au détail.

« redevance distincte » Tout montant exigé pour un service fourni par une personne et apparaissant, en tant que tel dans un document — contrat, relevé, facture ou autre — délivré ou rendu accessible par elle au bénéficiaire du service ou, en l'absence d'un tel document et si elle est un titulaire, dans un tarif agréé appliqué par elle.

« service de télécommunication » Transmission d'information par un système de télécommunication ou partie de celui-ci; y est assimilée l'offre d'un tel système, ou partie de celui-ci, à cette fin, quelle qu'en soit l'utilisation; ne sont pas visés :

a) les services de télécommunication pour les taxis, services de messageries et autres services de répartition, si l'exploitant du système ou partie de celui-ci l'utilise principalement pour ses propres besoins;

b) les services de télécommunication pour l'utilité de tout occupant dans un immeuble ou ensemble immobilier par le propriétaire ou le gérant si :

(i) ces derniers exploitent le système ou partie de celui-ci exclusivement pour fournir le service dans l'immeuble ou l'ensemble immobilier,

(ii) le service est fourni par ces derniers exclusivement au moyen d'un tel système ou partie de celui-ci et consiste dans la revente de service obtenu d'une autre personne, ou de l'une ou l'autre manière;

c) la fourniture, conjointement avec un tel service, de services de traitement ou stockage informatique, d'information ou autres — ci-après dénommés services supplémentaires — par voie de télécommunication, en contrepartie d'une redevance distincte si :

(i) le service avec lequel sont fournis les services supplémentaires est lui-même proposé séparément,

(ii) les services supplémentaires sont ou pourraient être légalement fournis, par voie de télécommunication, par l'intermédiaire de personnes qui ne sont pas des exploitants de télécommunication.

« service taxable » À l'exception d'un service taxable défini au paragraphe 21.1(1) :

a) tout service de télécommunication;

b) l'ouverture ou la cessation d'un service de télécommunication;

c) la fourniture d'un instrument, dispositif, équipement ou appareil ou d'une pièce de ceux-ci, autre qu'un équipement terminal faisant l'objet d'une redevance distincte, qui est à la fois :

(i) utilisé conjointement avec un service de télécommunication,

(ii) fourni par la personne fournissant le service de télécommunication ou par toute personne qu'elle autorise ou désigne à cette fin ou qui agit en son nom, ou par toute personne liée à elle,

si la personne fournissant le service de télécommunication exige que l'instrument, le dispositif, l'équipement, l'appareil ou la pièce soient acquis exclusivement d'elle ou de toute autre personne visée au sous-alinéa (ii);

d) l'installation, le débranchement, le remplacement, la réparation ou l'entretien de tout instrument, dispositif, équipement ou appareil ou d'une pièce de ceux-ci, visés à l'alinéa c), par la personne fournissant le service de télécommunication avec lequel cet objet est utilisé ou par une autre personne visée au sous-alinéa c)(ii).

« tarif agréé » Le barème ou tarif admis établissant ou prévoyant les montants pouvant être appliqués par un titulaire pour tout service, lorsque ce barème ou tarif a été approuvé par, selon le cas :

a) le Conseil de la radiodiffusion et des télécommunications canadiennes;

b) le lieutenant-gouverneur en conseil d'une province;

c) tout conseil, tribunal, commission ou autre organisme constitué en vertu d'une loi provinciale pour régir les télécommunications;

d) toute personne désignée par le lieutenant-gouverneur en conseil d'une province pour y régir les télécommunications;

e) tout conseil, tribunal, commission ou autre organisme municipal ou local constitué pour régir les télécommunications dans la municipalité.

« titulaire de licence » ou **« titulaire »** Personne à qui une licence a été délivrée en vertu du paragraphe 21.3(2); y est assimilée la personne tenue de demander une licence au titre du paragraphe 21.3(1).

(2) Présomption — Pour l'application des définitions de « exploitant de télécommunication » et « service de télécommunication » au paragraphe (1), la personne qui fournit un service de télécommunication par la revente de service de télécommunication obtenu d'une autre personne est réputée ne pas contrôler le système de cette dernière.

L.R. (1985), c. 12 (4e suppl.), art. 11

Application à la Couronne

21.23 Obligation de Sa Majesté — La présente partie lie Sa Majesté du chef du Canada ou d'une province.

L.R. (1985), c. 12 (4e suppl.), art. 11

Imposition de la taxe

21.24 (1) Imposition de la taxe — Il est imposé, prélevé et perçu une taxe de onze pour cent sur le montant exigé pour un service taxable rendu par le titulaire, le bénéficiaire du service étant redevable de ce montant dès la date du paiement du montant exigé ou dès celle, si elle est antérieure, où ce montant est payable.

(2) Appel interurbain — Malgré le paragraphe (1), la taxe exigible sur un service téléphonique interurbain obtenu et payé au moyen d'un téléphone public est de cinq cents par tranche, complète ou incomplète, de cinquante cents au-delà de vingt-quatre cents, pourvu que le montant exigé pour le service en question dépasse cinquante cents.

(3) Service de liaison par téléavertisseur — Malgré le paragraphe (1), la taxe exigible sur un service de liaison par téléavertisseur est de trente cents, par mois ou fraction de celui-ci, à l'égard de chaque dispositif terminal de liaison par téléavertisseur, au moyen duquel le service est obtenu.

(4) Service international privé — Malgré le paragraphe (1), la taxe exigible sur un service de télécommunication fourni entre un lieu au Canada et un autre à l'étranger, au moyen d'une ligne, d'un canal, d'une voie ou d'une autre installation de télécommunication qui est à l'usage exclusif d'une personne, est calculée sur la portion du montant exigé correspondant au service fourni au Canada seulement.

L.R. (1985), c. 12 (4e suppl.), art. 11; 1989, c. 22, art. 1

Cas spécial de détermination du montant exigé

21.25 (1) Titulaire — Le titulaire qui se fournit à lui-même un service taxable dans le cadre de l'administration ou la gestion de son entreprise est réputé, pour l'application de la présente partie, l'avoir acquis de lui-même en contrepartie d'un montant exigé égal à cinquante pour cent du montant exigé qui aurait été raisonnable dans les circonstances si le service avait été fourni à une personne avec laquelle il n'avait pas de lien de dépendance; le montant exigé est réputé payable à la fin du mois de la fourniture du service.

(2) Lien de dépendance — Lorsque le titulaire a fourni un service taxable à une personne avec laquelle il a un lien de dépendance au moment de la fourniture, gratuitement ou pour un montant moindre que le montant exigé qui aurait été raisonnable dans les circonstances s'il n'y avait pas eu de lien de dépendance, celle-ci est réputée, pour l'application de la présente partie, l'avoir acquis de lui pour un montant exigé égal à un montant raisonnable pour le service et, si aucun montant n'a été exigé, le montant exigé est réputé payable à la fin du mois de la fourniture.

(3) Services fournis en certaines circonstances — Sous réserve du paragraphe (2), lorsqu'un montant exigé en contrepartie d'un service taxable ne peut être établi, la personne visée au même paragraphe est réputée, pour l'application de la présente partie, l'avoir acquis du titulaire pour un montant exigé égal à un montant raisonnable dans les circonstances.

(4) Présomption — Lorsque le montant qui peut être exigé en contrepartie d'un service taxable est établi ou prévu dans un document ou tarif agréé appliqué par le titulaire au moment de la fourniture, ce montant est réputé être celui qui, pour l'application des paragraphes (1) et (2), serait le montant exigé qui aurait été raisonnable dans les circonstances et, pour l'application du paragraphe (3), est le montant raisonnable dans les circonstances.

L.R. (1985), c. 12 (4e suppl.), art. 11

Exonération de la taxe

21.26 (1) Service téléphonique résidentiel — La taxe prévue à l'article 21.24 n'est pas exigible sur tout montant exigé pour :

a) la fourniture, l'ouverture ou la cessation d'un service téléphonique résidentiel, autre que la fourniture d'un service téléphonique interurbain;

b) la fourniture, l'installation, le débranchement, le remplacement, la réparation ou l'entretien de tout instrument, dispositif, équipement ou appareil ou d'une pièce de ceux-ci, utilisés conjointement avec un service téléphonique résidentiel.

(2) Service téléphonique public — La taxe prévue à l'article 21.24 n'est pas exigible sur tout montant exigé pour un service téléphonique obtenu et payé au moyen d'un téléphone public, autre qu'un service téléphonique interurbain pour lequel le montant exigé dépasse cinquante cents.

(3) Service de télécommunication international — La taxe prévue à l'article 21.24 n'est pas exigible sur tout montant exigé pour tout service taxable fourni entièrement à l'extérieur du Canada.

L.R. (1985), c. 12 (4e suppl.), art. 11

21.27 (1) Diplomates — La taxe prévue à l'article 21.24 n'est pas exigible sur tout montant exigé pour un service taxable obtenu par une personne mentionnée à l'article 2 de la partie II de l'annexe III ou par un membre de la famille de cette personne, si celui-ci n'est ni citoyen canadien ni résident permanent au Canada.

(2) Organismes internationaux — La taxe prévue à l'article 21.24 n'est pas exigible sur tout montant exigé pour un service taxable obtenu par une organisation visée par un décret du gouverneur en conseil pris en application du paragraphe 4(1) de la *Loi sur les privilèges et immunités des organisations internationales* et qui s'est vu conférer les privilèges et immunités énoncés à l'alinéa 7a) de l'annexe I de cette loi.

(3) Établissements militaires — La taxe prévue à l'article 21.24 n'est pas exigible sur tout montant exigé pour un service taxable obtenu par un gouvernement d'un pays désigné par le gouverneur en conseil aux termes de la position n° 98.10 de l'annexe I du *Tarif des douanes*, ou obtenu par un organisme du gouvernement canadien pour le compte du gouvernement de ce pays, si le montant exigé porte sur une télécommunication dont la source ou le terme est un établissement militaire ou de défense au Canada.

(4) Provinces — La taxe prévue à l'article 21.24 n'est pas exigible sur tout montant exigé pour un service taxable obtenu par Sa Majesté du chef d'une province, sauf dans le cas d'une province liée — au moment de l'obtention — par un accord de réciprocité fiscale visé à l'article 32 de la *Loi sur les arrangements fiscaux entre le gouvernement fédéral et les provinces et sur les contributions fédérales en matière d'enseignement postsecondaire et de santé*.

(5) Indiens — La taxe prévue à l'article 21.24 n'est pas exigible sur tout montant exigé pour un service taxable obtenu par un Indien ou une bande au sens du paragraphe 2(1) de la *Loi sur les Indiens* si la facturation à un Indien ou à une bande se trouvant dans une réserve — au sens du même paragraphe — porte sur une télécommunication dont la source ou le terme est la réserve.

L.R. (1985), c. 12 (4e suppl.), art. 11

Lettres d'interprétation (Québec) [art. 21.27]: 00-0110932 — Fourniture d'un service de téléphonie cellulaire à un indien.

21.28 (1) Détenteurs de licence en vertu de la présente partie — La taxe prévue à l'article 21.24 n'est pas exigible sur tout montant exigé pour un service taxable obtenu par une personne à qui une licence a été délivrée en application du paragraphe 21.3(2) soit pour la fourniture à une autre personne soit pour l'utilisation directe en vue de la fourniture à une autre personne d'un autre service taxable, à l'exception d'un service de liaison par téléavertisseur.

(2) **Détenteurs de licence en vertu de la partie II.1** — La taxe prévue à l'article 21.24 n'est pas exigible sur tout montant exigé pour un service taxable obtenu par une personne à qui une licence a été délivrée en application de l'article 21.18, pour l'utilisation en vue de la fourniture, par télécommunication, soit d'un service de programmation défini au paragraphe 21.1(1) à une autre personne en contrepartie d'un montant exigé — au sens de ce paragraphe — soit de la production d'un tel service pour une telle fourniture.

(3) **Exploitants de télécommunication étrangers** — Sous réserve du paragraphe (4), la taxe prévue à l'article 21.24 n'est pas exigible sur tout montant exigé pour un service taxable obtenu par un exploitant de télécommunication opérant uniquement à l'étranger soit pour fourniture à une autre personne à l'extérieur du Canada, soit pour l'utilisation directe en vue de la fourniture à une telle personne d'un autre service taxable.

(4) **Exception** — Le paragraphe (3) ne s'applique pas aux services de télécommunication fournis entre un lieu au Canada et un autre à l'étranger, par l'intermédiaire d'une ligne, d'un canal, d'une voie ou d'une autre installation de télécommunication qui est à l'usage exclusif d'une personne.

L.R. (1985), c. 12 (4e suppl.), art. 11

Détournements

21.29 (1) Détournements — Lorsque, en application des paragraphes 21.28(1) ou (2), aucune taxe n'est exigible pour un service taxable à cause de l'utilisation pour laquelle ce service est acquis, appelée dans le présent article l'« utilisation exonérée », et que ce service est détourné par la suite par la personne qui l'a acquis en vue de l'utilisation exonérée vers une autre utilisation à l'égard de laquelle le service n'aurait pas été exonéré ainsi à la date de l'acquisition, cette personne est tenue de payer la taxe imposée en vertu de la présente partie sur le montant exigé d'elle pour le service.

(2) **Époque de l'exigibilité** — La taxe payable conformément au paragraphe (1) est payable à la date où le service est détourné et est calculée comme le montant de la taxe qui aurait été payable à la date de l'acquisition en vue de l'utilisation exonérée, si ce service n'avait pas été acquis à cette fin.

(3) **Présomption** — Pour l'application des articles 21.32 et 21.33, la taxe payable conformément au paragraphe (1) est réputée être une taxe imposée en vertu de la présente partie et perçue ou percevable par la personne à compter du détournement.

L.R. (1985), c. 12 (4e suppl.), art. 11

Licences

21.3 (1) Demande de licence — Tout exploitant qui fournit des services taxables au Canada en contrepartie d'un montant exigé doit présenter au ministre, selon la forme prescrite, une demande de licence pour l'application de la présente partie au plus tard le dernier jour du mois suivant le premier mois, après le 31 décembre 1987, au cours duquel cette personne fournit ainsi un tel service.

(2) **Délivrance de licence** — Le ministre peut délivrer une licence pour l'application de la présente partie à toute personne qui en fait la demande aux termes du paragraphe (1).

(3) **Annulation** — Le ministre peut annuler la licence s'il est d'avis qu'elle n'est plus nécessaire pour l'application de la présente partie.

L.R. (1985), c. 12 (4e suppl.), art. 11

Perception de la taxe

21.31 (1) Obligation du titulaire — Chaque titulaire est mandataire du ministre aux fins de la perception de taxes aux termes de la présente partie et comme tel doit :

a) prélever et percevoir toute taxe imposée par la présente partie sur le montant exigé en contrepartie d'un service taxable obtenu de lui-même;

b) effectuer des redressements ou un remboursement pour toute partie de la taxe payée sur le montant exigé en contrepartie d'un service taxable qui n'a pas été fourni ou ne l'a été qu'en partie seulement par lui-même;

c) effectuer des redressements ou un remboursement pour toute partie de toute taxe perçue par erreur par lui-même.

(2) **Latitude des détenteurs de licence** — Malgré le paragraphe (1), lorsque la personne à qui une licence a été délivrée en application du paragraphe 21.3(2), à l'exception d'une personne qui fournit un service de liaison par téléavertisseur et aucun autre service taxable, obtient un service taxable d'un autre titulaire et que l'obtention ne fait pas l'objet d'une exemption, au titre des paragraphes 21.28(1) ou (2), celle-ci peut, au lieu de lui payer la taxe payable sur le montant exigé en contrepartie du service taxable, choisir de payer cette taxe directement au receveur général.

(3) **Présomption** — Pour l'application des articles 21.32 et 21.33, lorsqu'une personne se prévaut du paragraphe (2), la taxe est réputée être la taxe imposée par la présente partie qui a été perçue ou percevable par elle au moment où la taxe est devenue exigible pour elle.

(4) **Créance de Sa Majesté** — Quiconque est tenu sous le régime de la présente partie de percevoir une taxe et omet de le faire est comptable envers Sa Majesté du chef du Canada du montant de la taxe.

L.R. (1985), c. 12 (4e suppl.), art. 11

Déclaration et remise de la taxe

21.32 (1) Déclarations mensuelles — Tout titulaire doit produire chaque mois une déclaration véridique, en la forme prescrite et contenant les renseignements prescrits, de tous les montants perçus ou percevables au moyen de la taxe imposée par la présente partie dans le mois écoulé.

(2) **Idem** — Lorsque, au cours d'un mois, aucun montant mentionné au paragraphe (1) n'est perçu ou percevable, le titulaire doit produire la déclaration prévue à ce paragraphe et y mentionner ce fait.

(3) **Déclarations pour des périodes variées** — Malgré les paragraphes (1) et (2), le ministre peut, par règlement :

a) autoriser tout titulaire à produire une déclaration à l'égard de toute période comptable d'au moins vingt et un jours et d'au plus trente-cinq jours;

b) autoriser tout titulaire, si les montants perçus ou percevables par celui-ci au moyen de la taxe imposée par la présente partie n'ont pas dépassé quatre mille huit cents dollars pour l'année civile précédente, à produire une déclaration à l'égard de toute période de plus d'un mois mais ne dépassant pas six mois;

c) autoriser tout titulaire, dont les services taxables se font surtout au cours d'une saison d'exploitation, à produire une déclaration à l'égard de toute période de plus d'un mois mais ne dépassant pas six mois, si les montants perçus ou percevables par celui-ci au moyen de la taxe imposée par la présente partie, pour la période correspondante de l'année civile précédente, n'ont pas dépassé une moyenne de quatre cents dollars par mois au cours de la période équivalente.

(4) Date de production et de remise — Sous réserve du paragraphe (8) et des articles 21.33 et 79.2, la déclaration exigée par le présent article est produite et les taxes sur les montants exigés en contrepartie de services taxables perçues ou percevables par un titulaire sont remises :

a) dans le cas où la déclaration doit être produite conformément aux paragraphes (1) ou (2), au plus tard le dernier jour du mois qui suit celui pendant lequel les montants exigés pour les services taxables sont payés ou deviennent payables au titulaire;

b) dans le cas où la déclaration peut être produite conformément à un règlement pris en vertu de l'alinéa (3)a), au plus tard le dernier jour de la période comptable autorisée suivant la fin de la période comptable visée par la déclaration;

c) dans le cas où la déclaration peut être produite conformément à un règlement pris en vertu des alinéas (3)b) ou c), au plus tard le dernier jour du mois qui suit la fin de la période visée par la déclaration.

(5) Pénalité et intérêts pour défaut — Sous réserve des paragraphes (6) à (9), en cas de défaut de remise de taxe dans le délai prévu au paragraphe (4), le titulaire verse, en plus du montant impayé :

a) dans le cas où la taxe doit être remise au plus tard le dernier jour du mois, une pénalité d'un demi pour cent et des intérêts au taux prescrit, calculés sur les arriérés — pénalités et intérêts compris — par mois ou fraction de mois s'écoulant entre ce jour et celui de la remise de ces arriérés;

b) dans le cas où la taxe doit être remise au plus tard le dernier jour d'une période comptable, une pénalité d'un demi pour cent et des intérêts au taux prescrit, calculés sur les arriérés — pénalités et intérêts compris — par période comptable ou fraction de celle-ci s'écoulant entre ce jour et celui de la remise de ces arriérés.

(6) Pénalité et intérêts minimaux — Il n'est tenu aucun compte des pénalités ou intérêts exigibles en application du paragraphe (5) si le titulaire remet toutes les taxes perçues ou percevables par lui en application de la présente partie et si, au moment de la remise, la somme des pénalités et intérêts exigibles est inférieure à dix dollars.

(7) Délai de paiement — Le titulaire responsable du paiement des pénalités ou intérêts en application du paragraphe (5) doit les verser au plus tard le dernier jour du mois ou de la période comptable pour lequel ou laquelle ils sont calculés.

(8) Prorogation — Le ministre peut, avant ou après la fin du délai fixé par le paragraphe (4) pour la production d'une déclaration ou la remise d'une taxe, proroger, par écrit, ce délai, et dans de telles circonstances :

a) la déclaration doit être produite ou la taxe remise dans le délai ainsi prorogé;

b) des intérêts courent en application du paragraphe (5) à l'égard de la taxe comme si le délai n'avait pas été ainsi prorogé;

c) aucune pénalité n'est exigible, ni réputée le devenir, en application du paragraphe (5) à l'égard de la taxe avant la fin du délai ainsi prorogé;

d) la pénalité est exigible en application du paragraphe (5) à l'égard du défaut de remise de la taxe, ou de toute fraction de celle-ci, dans le délai ainsi prorogé, comme si le défaut était un défaut visé à ce paragraphe.

(9) Garantie — Lorsque le ministre détient une garantie en application de l'article 80.1 pour la remise d'une taxe prévue à la présente partie et lorsque celle-ci n'a pas été remise dans le délai prévu par le paragraphe (4) :

a) des intérêts courent en application du paragraphe (5) à l'égard de la taxe à compter de la fin du délai;

b) la pénalité est exigible en application du paragraphe (5) seulement si les arriérés, calculés pour chaque mois ou période comptable, ou fraction de mois ou période comptable, de durée du défaut, excèdent la valeur de la garantie à la date de son acceptation par le ministre et, si elle est exigible, la pénalité n'est calculée que sur le montant de l'excédent.

L.R. (1985), c. 12 (4e suppl.), art. 11

21.33 (1) Définitions — Pour l'application du présent article :

a) la « base des acomptes provisionnels » d'un titulaire :

(i) pour un mois est la moins élevée des sommes suivantes :

(A) la taxe imposée par la présente partie perçue ou percevable par lui dans ce mois,

(B) la taxe ainsi perçue ou percevable dans le mois écoulé,

(ii) pour une période comptable est la moins élevée des sommes suivantes :

(A) la taxe imposée par la présente partie perçue ou percevable par lui dans cette période comptable,

(B) la taxe ainsi perçue ou percevable dans la période comptable écoulée,

(iii) pour toute autre période visée par une déclaration est la moins élevée des sommes suivantes :

(A) la taxe imposée par la présente partie perçue ou percevable par lui dans cette période,

(B) la taxe ainsi perçue ou percevable dans la période écoulée multipliée par le rapport du nombre de jours de la période visée par la déclaration sur le nombre de jours de la période écoulée;

b) un titulaire de licence est un « contribuable important », à une date donnée :

(i) si la somme des taxes exigibles en vertu des parties II.1, III, IV et VI, autres que celles prévues par la *Loi sur les douanes*, et perçues ou percevables en vertu de la présente partie et de la partie II par lui, dans l'année civile précédente se terminant au moins quatre-vingt-dix jours, ou quatre-vingt-onze jours pour une année bissextile, avant cette date, dépasse douze millions de dollars,

(ii) s'il était, dans l'année civile précédente se terminant au moins quatre-vingt-dix jours, ou quatre-vingt-onze jours pour une année bissextile, avant cette date, membre d'un groupe de sociétés associées (au sens de l'article 256 de la *Loi de l'impôt sur le revenu*) dont la somme des taxes exigibles en vertu des parties II.1, III, IV et VI, autres que celles prévues par la *Loi sur les douanes*, et perçues ou percevables en vertu de la présente partie et de la partie II par le groupe dans cette année dépasse douze millions de dollars et n'est pas autorisé à produire une déclaration conformément à un règlement pris en vertu des alinéas 21.32(3)b) ou c).

(2) Acomptes provisionnels par des contribuables importants — Tout contribuable important tenu de produire une déclaration et de remettre des taxes dans le délai prévu par le paragraphe 21.32(4) doit verser des acomptes provisionnels de taxes conformément aux règles suivantes :

a) dans le cas où la déclaration doit être produite conformément au paragraphe 21.32(1), il doit verser deux acomptes provisionnels, chacun égal à la moitié de sa base des acomptes provisionnels pour le mois dans lequel la taxe a été perçue ou est devenue percevable, le premier s'effectuant au plus tard le dernier jour de ce mois et le second au plus tard le quinzième jour du mois suivant;

b) dans le cas où la déclaration peut être produite conformément à un règlement pris en vertu de l'alinéa 21.32(3)a), il doit verser deux acomptes provisionnels, chacun égal à la moitié de sa base des acomptes provisionnels pour la période comptable visée par la déclaration, le premier s'effectuant au plus tard le dernier jour de cette période comptable et le second au plus tard le quinzième jour de la période comptable suivante.

(3) Acomptes provisionnels par d'autres titulaires — Tout titulaire — autre qu'un contribuable important — tenu de produire une déclaration et de remettre des taxes dans le délai prévu au paragraphe 21.32(4) doit verser un acompte provisionnel de taxes conformément aux règles suivantes :

a) dans le cas où la déclaration doit être produite conformément au paragraphe 21.32(1), égal à sa base des acomptes provisionnels pour le mois dans lequel la taxe a été perçue ou est devenue percevable, au plus tard le vingt et unième jour du mois suivant;

b) dans le cas où la déclaration peut être produite conformément à un règlement pris en vertu de l'alinéa 21.32(3)a), égal à sa base des acomptes provisionnels pour la période comptable visée par la déclaration, au plus tard le vingt et unième jour de la période comptable suivante;

c) dans le cas où la déclaration peut être produite conformément à un règlement pris en vertu des alinéas 21.32(3)b) ou c), égal à sa base des acomptes provisionnels pour la période visée par la déclaration, au plus tard le vingt et unième jour du mois suivant la fin de cette période.

(4) Pénalité et intérêts — contribuables importants — Sous réserve des paragraphes (6) à (8), en cas de défaut de paiement d'un acompte provisionnel dans le délai prévu au paragraphe (2), le contribuable important verse, en plus du montant impayé, pour la période s'écoulant entre la fin de ce délai et du délai prévu pour la remise de la taxe au titre de laquelle l'acompte provisionnel est payable :

a) dans le cas d'un acompte provisionnel devant être versé au plus tard le dernier jour du mois ou de la période comptable, une pénalité d'un demi pour cent et des intérêts au taux prescrit, calculés sur le montant dont

(i) la moitié de sa base des acomptes provisionnels pour ce mois ou cette période comptable

excède

(ii) la somme de toutes les taxes, au titre desquelles l'acompte provisionnel est payable, remises au plus tard à ce jour;

b) dans le cas d'un acompte provisionnel devant être versé au plus tard le quinzième jour du mois ou de la période comptable, une pénalité d'un quart pour cent et des intérêts à la moitié du taux prescrit, calculés sur le montant dont

(i) la moitié de sa base des acomptes provisionnels pour le mois ou la période comptable écoulé

excède

(ii) le montant dont la somme de toutes les taxes, au titre desquelles l'acompte provisionnel est payable, remises au plus tard à ce jour excède le moindre de

(A) la somme de toutes les taxes, au titre desquelles l'acompte provisionnel est payable, remises au plus tard le dernier jour du mois ou de la période comptable écoulé,

(B) la moitié de sa base des acomptes provisionnels pour le mois ou la période comptable écoulé.

(5) Pénalité et intérêts — autres titulaires — Sous réserve des paragraphes (6) à (8), en cas de défaut de paiement d'un acompte provisionnel dans le délai prévu par le paragraphe (3), le titulaire — autre qu'un contribuable important — verse, en plus du montant impayé, pour la période s'écoulant entre la fin de ce délai et du délai prévu pour la remise de la taxe au titre de laquelle l'acompte provisionnel est payable :

a) dans le cas d'un acompte provisionnel devant être versé aux termes des alinéas (3)a) ou b), au plus tard le vingt et unième jour du mois ou de la période comptable, une pénalité d'un sixième pour cent et des intérêts au tiers du taux prescrit, calculés sur le montant dont

(i) sa base des acomptes provisionnels pour le mois ou la période comptable écoulé

excède

(ii) la somme de toutes les taxes, au titre desquelles l'acompte provisionnel est payable, remises au plus tard à ce jour;

b) dans le cas d'un acompte provisionnel devant être versé aux termes de l'alinéa (3)c), au plus tard le vingt et unième jour du mois suivant la fin de la période, une pénalité d'un sixième pour cent et des intérêts au tiers du taux prescrit, calculés sur le montant dont

(i) sa base des acomptes provisionnels pour cette période

excède

(ii) la somme de toutes les taxes, au titre desquelles l'acompte provisionnel est payable, remises au plus tard à ce jour.

(6) Pénalité et intérêts minimaux — Aucune pénalité ou aucun intérêt n'est exigible en application des paragraphes (4) ou (5) si le responsable du paiement de l'acompte provisionnel — contribuable important ou autre titulaire — remet toutes les taxes perçues ou percevables par lui en vertu de la présente partie et si, au moment de la remise, la somme des pénalités et intérêts exigibles à l'égard de l'acompte provisionnel est inférieure à cinq dollars et à l'égard de toutes les taxes est inférieure à dix dollars.

(7) Délai de paiement — Tout contribuable important ou autre titulaire responsable du paiement de la pénalité ou des intérêts en application des paragraphes (4) ou (5) à l'égard d'un défaut de paiement d'un acompte provisionnel doit verser, dans le délai prévu au paragraphe 21.32(4), la pénalité ou les intérêts pour la remise de la taxe au titre de laquelle l'acompte provisionnel est payable.

(8) Prorogation — Le ministre peut, avant ou après la fin du délai prévu aux paragraphes (2) ou (3) pour le paiement d'un acompte provisionnel, proroger, par écrit, ce délai pour toute période dans le délai prévu au paragraphe 21.32(4) en vue de la remise de la taxe au titre de laquelle l'acompte provisionnel est payable, et dans de telles circonstances :

a) l'acompte provisionnel doit être payé dans le délai ainsi prorogé;

b) des intérêts courent en application des paragraphes (4) ou (5) à l'égard d'un acompte provisionnel comme si le délai n'avait pas été ainsi prorogé;

c) aucune pénalité n'est exigible, ni réputée le devenir, en application des paragraphes (4) ou (5) à l'égard d'un acompte provisionnel avant la fin du délai ainsi prorogé;

d) la pénalité est exigible en application des paragraphes (4) ou (5) à l'égard du défaut de paiement d'un acompte provisionnel, dans le délai ainsi prorogé, comme si le défaut était un défaut visé à ce paragraphe.

L.R. (1985), c. 12 (4e suppl.), art. 11; 1999, c. 31, art. 247(F)

Pouvoir réglementaire

21.34 Règlement — Le gouverneur en conseil peut, par règlement :

a) fixer, pour l'application de l'article 21.25, le mode de détermination du montant exigé raisonnable pour un service taxable;

b) d'une façon générale, prendre les mesures nécessaires à l'application de la présente partie.

L.R. (1985), c. 12 (4e suppl.), art. 11

PARTIE III — TAXES D'ACCISE SUR LES COSMÉTIQUES, BIJOUX, POSTES DE RÉCEPTION DE T.S.F., ETC.

22. (1) Définitions — Les définitions qui suivent s'appliquent à la présente partie.

« marchand en gros titulaire de licence » S'entend au sens de l'article 42.

« prix de vente » Relativement à l'établissement de la taxe d'accise exigible en vertu de la présente partie, l'ensemble des montants suivants :

a) le montant exigé comme prix avant qu'un montant payable à l'égard de toute autre taxe prévue par la présente loi y soit ajouté;

b) tout montant que l'acheteur est tenu de payer au vendeur en raison ou à l'égard de la vente, en plus de la somme exigée comme prix — qu'elle soit payable au même moment ou en quelque autre temps —, et, notamment, tout montant prélevé pour la publicité, le financement, le service, la garantie, la commission ou à quelque autre titre, ou destiné à y pourvoir;

c) le montant des droits d'accise exigible aux termes de la *Loi sur l'accise*, que les marchandises soient vendues en entrepôt ou non.

« valeur à l'acquitté » La valeur de l'article telle qu'elle serait déterminée pour les fins de calcul d'un droit *ad valorem* sur l'importation de cet article au Canada en vertu de la législation relative aux douanes et du *Tarif des douanes*, que cet article soit, de fait, sujet ou non au droit *ad valorem* ou autre, plus le montant des droits de douane, le cas échéant, exigibles sur cet article.

(2) Calcul du prix de vente et de la valeur à l'acquitté — Pour déterminer la taxe d'accise exigible en vertu de la présente partie :

a) dans le calcul du prix de vente de marchandises fabriquées ou produites au Canada, est inclus le montant exigé comme prix pour ou concernant l'emballage, l'empaquetage, la boîte, la bouteille ou autre récipient dans lequel les marchandises sont contenues;

b) dans le calcul de la valeur à l'acquitté de marchandises importées qui, lors de l'importation, sont emballées, empaquetées, mises en boîtes ou en bouteilles ou autrement préparées pour la vente, est ajoutée à la valeur des marchandises, déterminée de la manière que prescrit la présente partie, la valeur, déterminée de la même manière, de l'emballage, de la boîte, bouteille ou autre récipient dans lequel les marchandises sont contenues.

S.R., c. E-13, art. 20; 1976–77, c. 6, art. 1

23. (1) Taxe sur divers articles selon le taux des annexes — Sous réserve des paragraphes (6) à (8), lorsque les marchandises énumérées à l'annexe I sont importées au Canada, ou y sont fabriquées ou produites, puis livrées à leur acheteur, il est imposé, prélevé et perçu, outre les autres droits et taxes exigibles en vertu de la présente loi ou de toute autre loi, une taxe d'accise sur ces marchandises, calculée selon le taux applicable figurant à l'article concerné de cette annexe. Lorsqu'il est précisé que ce taux est un pourcentage, il est appliqué à la valeur à l'acquitté ou au prix de vente, selon le cas.

Mémorandums [23(1)]: TPS 800-1, 25/05/92, *Taxes d'accise.*

(2) Paiement de la taxe — Lorsque les marchandises sont importées, la taxe d'accise prévue par le paragraphe (1) est payée conformément à la *Loi sur les douanes*, et lorsque les marchandises sont de fabrication ou de provenance canadienne et vendues au Canada, cette taxe d'accise est exigible du fabricant ou du producteur au moment de la livraison de ces marchandises à leur acheteur.

(3) Vente et livraison réputées être faites à l'acheteur — Pour l'application du paragraphe (2) :

a) l'essence ou le combustible diesel sont réputés avoir été vendus et livrés à l'acheteur lorsqu'ils sont livrés à un point de vente au détail par leur fabricant ou producteur ou en son nom;

b) l'essence, le combustible diesel ou le carburant aviation sont réputés avoir été vendus et livrés à l'acheteur avant le 1er mars 1987 lorsque, avant cette date, ils étaient détenus en inventaire par ou au nom d'une personne visée à l'alinéa e) de la définition de « fabricant ou producteur » au paragraphe 2(1) dans sa version antérieure à cette date et qui était, en outre, un fabricant titulaire de licence en vertu de la présente loi relativement à l'essence, au combustible diesel ou au carburant aviation seulement en application de cet alinéa et lorsque la taxe d'accise n'avait pas été payée ou n'était pas devenue payable au plus tard le 28 février 1987.

(3.1) Présomption de vente — Pour l'application de la présente partie, quiconque fabrique ou produit, dans le cadre d'un contrat visant la main-d'œuvre, des marchandises visées à l'annexe I à partir d'un article ou d'une matière fournis par une personne autre qu'un fabricant titulaire de licence pour l'application de la présente partie, pour livraison à cette autre personne, est réputé avoir vendu les marchandises à la date à laquelle elles sont livrées, à un prix de vente égal au montant exigé dans le cadre du contrat pour les marchandises.

(4) Taxe à la revente par le marchand en gros de marchandises visées à l'ann. I — Lorsqu'un marchand en gros titulaire de licence vend des marchandises énumérées à l'annexe I ou les garde pour son propre usage ou en vue de les louer à des tiers, il est imposé, prélevé et perçu, outre les autres droits et taxes exigibles en vertu de la présente loi ou de toute autre loi, une taxe d'accise sur ces marchandises suivant le taux applicable figurant à l'article concerné de cette annexe, calculée, lorsqu'il est précisé qu'il s'agit d'un pourcentage, d'après la valeur à l'acquitté ou le prix que le marchand les a payées, selon le cas. Cette taxe est payable par le marchand en gros au moment de la livraison des marchandises à l'acheteur ou au moment où le marchand les garde pour son propre usage ou en vue de les louer.

(5) [*Abrogé*].

(6) Exception — La taxe imposée par le paragraphe (1) n'est pas exigible dans le cas des marchandises visées à l'annexe I qu'un marchand en gros titulaire de licence achète ou importe pour les revendre.

(7) Exceptions — La taxe imposée en vertu du paragraphe (1) n'est pas exigible :

a) dans le cas de marchandises qui sont achetées ou importées par un fabricant titulaire de licence sous le régime de la présente partie , et qui doivent être incorporées à un article ou produit assujetti à un droit d'accise prévu par la présente loi, et en former un élément ou un composant, pourvu que la taxe sur l'article ou le produit n'ait pas été perçue en vertu du présent article;

b) dans le cas de la vente de véhicules automobiles neufs conçus pour servir sur les routes, ou de leur châssis, à une personne visée à l'alinéa h) de la définition de « fabricant ou producteur » au paragraphe 2(1) et qui est un fabricant titulaire de licence pour l'application de la présente partie.

(8) Exception — La taxe imposée en vertu du paragraphe (1) n'est pas exigible :

a) dans le cas de marchandises achetées ou importées en vue de la revente par un marchand en gros titulaire de licence qui est réputé, en vertu du paragraphe 55(2), être un marchand en gros ou un intermédiaire authentique;

b) dans le cas de marchandises exemptées de la taxe de consommation ou de vente en vertu des articles 12 ou 13 de la partie III de l'annexe III ou de l'article 1 de la partie VII de l'annexe III;

b.1) dans le cas de marchandises importées au Canada et classées au numéro tarifaire 9804.30.00 de l'annexe I du *Tarif des douanes*;

b.2) dans le cas de tabac fabriqué importé au Canada par un particulier pour son usage personnel si ce tabac est estampillé en conformité avec la *Loi sur l'accise* et est frappé des droits prévus à l'article 200 de cette loi;

c) dans le cas de combustible diesel devant servir à la production d'électricité, sauf lorsque l'électricité ainsi produite est principalement utilisée pour faire fonctionner un véhicule.

(8.1)-(8.3) [*Abrogés*].

(9) Revente ou usage qui rend taxable — Lorsqu'une personne, à qui un permis d'achat en vrac a été délivré en vertu d'un règlement pris par le gouverneur en conseil conformément au paragraphe 59(3), achète de l'essence ou de l'essence d'aviation destinée à son propre usage, cet achat étant de ce fait exempt d'une partie de la taxe de un cent et demi le litre imposée par le présent article, et vend cette essence ou essence d'aviation ou l'utilise à une fin pour laquelle elle n'aurait pas pu alors l'acheter exempte de cette partie de la taxe, la partie de la taxe de un cent et demi le litre qui aurait été payable au moment de l'achat le devient au moment où elle vend ou utilise ainsi l'essence ou l'essence d'aviation.

(9.1) Idem — Lorsque du combustible autre que de l'essence d'aviation a été acheté ou importé à une fin pour laquelle la taxe imposée par la présente partie sur le combustible diesel ou le carburant aviation n'est pas payable et que l'acheteur ou l'importateur vend ou affecte le combustible à une fin pour laquelle il n'aurait pas pu alors l'acheter ou l'importer sans le paiement de la taxe au moment de l'achat ou de l'importation, la taxe imposée en vertu de la présente partie sur le combustible diesel ou le carburant aviation le devient au moment où il vend ou affecte le combustible :

a) lorsque le combustible est vendu, au moment de la livraison à l'acheteur;

b) lorsque le combustible est affecté, au moment de cette affectation.

(9.2), (9.3) [*Abrogés*].

(10) Affectation par le fabricant ou producteur — Pour l'application de la présente partie, si un fabricant ou producteur affecte à son propre usage les marchandises fabriquées ou produites au Canada et mentionnées à l'annexe I :

a) les marchandises sont réputées avoir été livrées à l'acheteur au moment de leur affectation;

b) le prix de vente des marchandises est réputé être égal à celui qui aurait été raisonnable dans les circonstances si les marchandises avaient été vendues à cette date à une personne avec laquelle le fabricant ou producteur n'avait pas de lien de dépendance.

(11) Personne réputée fabricant ou producteur — Lorsqu'une personne a, au Canada, selon le cas :

a) placé un mécanisme d'horloge ou de montre dans un boîtier d'horloge ou de montre;

b) placé un mécanisme d'horloge ou de montre dans un boîtier d'horloge ou de montre et y a ajouté une courroie, un bracelet, une broche ou autre accessoire;

c) serti ou monté un ou plusieurs diamants, ou autres pierres précieuses ou fines, véritables ou imitées, en une bague, une broche ou autre article de bijouterie,

elle est réputée, pour l'application de la présente partie, avoir fabriqué ou produit la montre, l'horloge, la bague, la broche ou autre article de bijouterie au Canada.

L.R. (1985), c. E-15, art. 23; L.R. (1985), c. 15 (1er suppl.), art. 12; c. 1 (2e suppl.), art. 187; c. 7 (2e suppl.), art. 10; c. 12 (4e suppl.), art. 12; 1988, c. 65, art. 113; 1990, c. 45, art. 5; 1993, c. 25, art. 55; 1995, c. 41, art. 113; 2001, c. 15, art. 2; 2001, c. 16, art. 17; 2002, c. 22, art. 367

23.01 (1) Définitions — Les définitions qui suivent s'appliquent au présent article.

« combustible » L'essence, le combustible diesel et le carburant aviation.

« méthode fondée sur la compensation de la température » La méthode consistant à mesurer le volume du combustible en litres qui sont corrigés en fonction de la température de référence de 15 degrés Celsius, conformément aux exigences prévues sous le régime de la *Loi sur les poids et mesures*.

« méthode traditionnelle » La méthode consistant à mesurer le volume du combustible en litres qui ne sont pas corrigés en fonction d'une température de référence.

(2) Mesure du volume du combustible — Aux fins du calcul de la taxe imposée par le paragraphe 23(1) relativement au combustible, le volume du combustible est mesuré selon l'une des méthodes suivantes :

a) la méthode fondée sur la compensation de la température, dans le cas où cette méthode est utilisée par le fabricant ou le producteur du combustible pour établir la quantité de combustible livrée et facturée à l'acheteur, ou par l'importateur du combustible pour établir la quantité de combustible importée;

b) la méthode traditionnelle, dans le cas où cette méthode est utilisée par le fabricant ou le producteur du combustible pour établir la quantité de combustible livrée et facturée à l'acheteur, ou par l'importateur du combustible pour établir la quantité de combustible importée.

(3) Mesure du volume de combustible — marchands en gros titulaires de licence — Aux fins du calcul de la taxe imposée par le paragraphe 23(4) relativement au combustible vendu par un marchand en gros titulaire de licence, le volume du combustible est mesuré selon l'une des méthodes suivantes :

a) la méthode fondée sur la compensation de la température, dans le cas où cette méthode est utilisée par le marchand pour établir la quantité de combustible livrée et facturée à l'acheteur;

b) la méthode traditionnelle, dans le cas où cette méthode est utilisée par le marchand pour établir la quantité de combustible livrée et facturée à l'acheteur.

1997, c. 26, art. 87

23.1-23.36 [*Abrogés*].

1993, c. 25, art. 56; 1994, c. 29, art. 5, 6; 1995, c. 36, art. 2-4; 1997, c. 26, art. 59-65; 1998, c. 21, art. 80; 2000, c. 30, art. 3-5, 6-8; 2001, c. 16, art. 19-25; c. 26, art. 18; 2002, c. 22, art. 368, 414-417, 429

23.4 [*Abrogé*].

1993, c. 25, art. 56; 2003, c. 15, art. 61; 2007, c. 35, art. 8

23.5 [*Abrogé*].

2003, c. 15, art. 62; 2007, c. 35, art. 8

24. Garantie quant à la production de relevés fidèles — Pour l'application de la présente partie, le ministre peut obliger tout fabricant ou producteur à fournir une garantie qu'il produira les relevés fidèles de ses ventes requis par l'article 78 ou par des règlements pris sous son régime et payera toute taxe imposée sur ces ventes par la présente loi. La garantie est de 1 000 $ à 250 000 $, et est donnée par cautionnement d'une compagnie de garantie autorisée à faire des opérations au Canada et acceptable par le gouvernement du Canada, ou au moyen d'un dépôt d'obligations du gouvernement du Canada.

S.R., c. E-13, art. 22; 2002, c. 22, art. 369

PARTIE IV — [ABROGÉE]

25-28.1 [*Abrogés*].

1980-81-82-83, c. 68, art. 7; L.R. (1985), c. E-15, art. 27; L.R. (1985), c. 1 (2e suppl.), art. 189, art. 3; c. 7 (2e suppl.), art. 11, c. 42 (2e suppl.), art. 3; 1990, c. 45, art. 6; 1993, c. 25, art. 57; 2002, c. 22, art. 370

PARTIE V — [ABROGÉE]

29-34 [*Abrogés*].

L.R. (1985), c. E-15, art. 29; L.R. (1985), c. 15 (1er suppl.), art. 13, c. 7 (2e suppl.), art. 12; 1991, c. 42, art. 1; 2002, c. 22, art. 370

PARTIE V.1 — [ABROGÉE]

35–41.3 [*Abrogés*].

L.R. (1985), c. E-15, art. 35, 36, 37, 38, 39, 40, 41; L.R. (1985), c. 15 (1er suppl.), art. 14, 15; c. 7 (2e suppl.), art. 12; 1995, c. 46, art. 1; 1998, c. 19, art. 277; 2000, c. 30, art. 10

PARTIE VI — TAXE DE CONSOMMATION OU DE VENTE

Définitions et interprétation

42. Définitions — Les définitions qui suivent s'appliquent à la présente partie.

« fabricant titulaire de licence » Tout manufacturier fabricant ou producteur titulaire d'une licence en vertu de la présente partie.

« marchand en gros titulaire de licence » Tout marchand en gros, intermédiaire ou autre négociant titulaire d'une licence en vertu de la présente partie.

« marchandises partiellement fabriquées »

a) Les marchandises qui doivent être incorporées dans un objet assujetti à la taxe de consommation ou de vente ou doivent en former un élément ou un composant, si la taxe sur cet article n'a pas encore été prélevée conformément à l'article 50;

b) les marchandises qui doivent être préparées en les assemblant, fusionnant, mélangeant, coupant sur mesure, diluant, embouteillant, emballant, remballant, enduisant ou finissant, pour être vendues à titre de marchandises assujetties à la taxe de consommation ou de vente, à l'exclusion des marchandises qui sont préparées de cette façon dans un magasin de détail pour y être vendues exclusivement et directement aux consommateurs.

Le ministre est le seul à décider si des marchandises sont ou non des marchandises partiellement fabriquées.

« prix de vente » Relativement à l'établissement de la taxe de consommation ou de vente, s'entend :

a) sauf dans le cas des vins, de l'ensemble des montants suivants :

(i) le montant exigé comme prix avant qu'un montant payable à l'égard de toute autre taxe prévue par la présente loi y soit ajouté,

(ii) tout montant que l'acheteur est tenu de payer au vendeur en raison ou à l'égard de la vente en plus de la somme exigée comme prix — qu'elle soit payable au même moment ou en quelque autre temps — , y compris, notamment, tout montant prélevé pour la publicité, le financement, le service, la garantie, la commission ou à quelque autre titre, ou destiné à y pourvoir,

(iii) le montant des droits d'accise exigible aux termes de la *Loi sur l'accise*, que les marchandises soient vendues en entrepôt ou non,

et, dans le cas de marchandises importées, le prix de vente est réputé être leur valeur à l'acquitté;

b) dans le cas des vins, l'ensemble des montants suivants :

(i) le montant exigé comme prix, y compris le montant de la taxe d'accise payable conformément à l'article 27,

(ii) tout montant que l'acheteur est tenu de payer au vendeur en raison ou à l'égard de la vente en plus de la somme exigée comme prix — qu'elle soit payable au même moment ou en quelque autre temps — , y compris, notamment, tout montant prélevé pour la publicité, le financement, le service, la garantie, la commission ou à quelque autre titre, ou destiné à y pourvoir,

(iii) le montant des droits d'accise exigible aux termes de la *Loi sur l'accise*, que les marchandises soient vendues en entrepôt ou non,

et, dans le cas de vins importés, le prix de vente est réputé être l'ensemble de leur valeur à l'acquitté et du montant de la taxe d'accise payable conformément à l'article 27.

« producteur ou fabricant » Y est assimilé tout imprimeur, éditeur, lithographe, graveur ou artiste commercial, sauf, pour l'application de la présente partie et des annexes, un restaurateur, traiteur ou autre personne qui s'adonne à la préparation de nourriture ou de boissons dans un restaurant, une cuisine centralisée ou un établissement semblable, que cette nourriture ou ces boissons soient consommées sur place ou non.

« valeur à l'acquitté » La valeur de l'article telle qu'elle serait déterminée aux fins du calcul d'un droit *ad valorem* sur l'importation de cet article au Canada en vertu de la législation relative aux douanes et du *Tarif des douanes*, que cet article soit, de fait, sujet ou non à un droit *ad valorem* ou autre, plus le montant des droits de douane, le cas échéant, exigible sur cet article.

L.R. (1985), c. E-15, art. 42; L.R. (1985), c. 15 (1er suppl.), art. 16; c. 7 (2e suppl.), art. 13

43. Personne réputée fabricant ou producteur — Lorsqu'une personne a, au Canada, selon le cas :

a) placé un mécanisme d'horloge ou de montre dans un boîtier d'horloge ou de montre;

b) placé un mécanisme d'horloge ou de montre dans un boîtier d'horloge ou de montre et y a ajouté une courroie, un bracelet, une broche ou autre accessoire;

c) serti ou monté un ou plusieurs diamants ou autres pierres précieuses ou fines, véritables ou imitées, en une bague, une broche ou autre article de bijouterie,

elle est réputée, pour l'application de la présente partie, avoir fabriqué ou produit la montre, l'horloge, la bague, la broche ou autre article de bijouterie au Canada.

S.R., c. E-13, art. 26

43.1 Fabricant de boissons dans un point de vente au détail réputé ne pas en être le fabricant — La personne qui fabrique ou produit des boissons gazeuses ou des boissons à saveur de fruits non gazeuses, autres que des boissons alcooliques, ayant moins de vingt-cinq pour cent par volume de contenu de fruits naturels, dans un point de vente au détail, pour les y vendre exclusivement et directement aux consommateurs pour consommation immédiate, est, pour l'application de la présente partie, réputée ne pas en être, relativement à cette boisson ainsi fabriquée ou produite par elle, le fabricant ou producteur.

L.R. (1985), c. 7 (2e suppl.), art. 14

44. [*Abrogé*].

L.R. (1985), c. 7 (2e suppl.), art. 15

45. Le rechapeur de pneus est réputé être fabricant — Une personne qui exerce le commerce de rechapage de pneus est, pour l'application de la présente partie, réputée le fabricant ou producteur des pneus qu'elle a rechapés. Les pneus rechapés par elle, pour une autre personne ou pour le compte de cette autre personne, sont réputés être vendus, lors de leur livraison à cette autre personne, à un prix de vente équivalent aux frais de rechapage.

S.R., c. E-13, art. 26

45.1 Présomption de vente — Pour l'application de la présente partie, quiconque fabrique ou produit, dans le cadre d'un contrat visant la main-d'oeuvre, des marchandises à partir d'un article ou d'une matière fournis par une personne autre qu'un fabricant titulaire de licence, pour livraison à cette autre personne, est réputé avoir vendu les marchandises à la date à laquelle elles sont livrées, à un prix de vente égal au montant exigé dans le cadre du contrat pour les marchandises.

L.R. (1985), c. 15 (1er suppl.), art. 17

46. Calcul du prix de vente et de la valeur à l'acquitté — Pour déterminer la taxe de consommation ou de vente exigible en vertu de la présente partie :

a) dans le calcul du prix de vente de marchandises fabriquées ou produites au Canada, doit être inclus le montant exigé comme prix pour ou concernant :

(i) l'emballage, l'empaquetage, la boîte, la bouteille ou autre récipient dans lequel les marchandises sont contenues,

(ii) toutes autres marchandises contenues dans un semblable emballage, empaquetage, boîte, bouteille ou autre récipient, ou y attachées;

b) dans le calcul de la valeur à l'acquitté de marchandises importées qui, lors de l'importation, sont emballées, empaquetées, mises en boîtes ou en bouteilles ou autrement préparées pour la vente, doit être ajoutée à la valeur des marchandises, déterminée de la manière que prescrit la présente partie, la valeur semblablement déterminée de l'emballage, de l'empaquetage, de la boîte, bouteille ou autre récipient dans lequel les marchandises sont contenues;

c) dans le calcul du prix de vente de marchandises fabriquées ou produites au Canada, peuvent être inclus :

(i) tous droits payés au gouvernement du Canada ou d'une province pour l'inspection, le marquage, l'estampillage ou la certification de ces marchandises, à l'égard de la capacité, de l'exactitude, des normes ou de la sécurité, si les droits sont indiqués comme postes distincts dans les factures de vente des fabricants,

(ii) dans les circonstances que le gouverneur en conseil peut prescrire par règlement, une somme représentant :

(A) soit le coût de l'érection ou de l'installation des marchandises supporté par le fabricant ou producteur, lorsque le prix de vente de ces marchandises comprend leur érection ou installation,

(B) soit le coût du transport des marchandises supporté par le fabricant ou producteur lorsque le prix de vente de celles-ci comprend ce coût de transport ou bien en transportant les marchandises entre les locaux commerciaux du fabricant ou producteur au Canada, ou bien en les livrant de ses locaux commerciaux au Canada à l'acheteur,

calculé de la façon que le gouverneur en conseil peut prescrire par règlement.

L.R. (1985), c. E-15, art. 46; L.R. (1985), c. 12 (4e suppl.), art. 13

47. Présomption — Quiconque a, au Canada, selon le cas :

a) traité des pellicules photographiques exposées que lui a fournies un client pour en faire un négatif, une diapositive, une épreuve photographique ou une autre marchandise photographique connexe;

b) produit ou fabriqué un négatif, une diapositive, une épreuve photographique ou une autre marchandise photographique connexe à partir d'une marchandise que lui a fournie un client;

c) vendu un droit de traitement, de production ou de fabrication de marchandises visées aux alinéas a) ou b),

est, pour l'application de la présente partie, réputé être le producteur ou fabricant du négatif, de la diapositive, de l'épreuve photographique ou de toute autre marchandise photographique connexe et les marchandises sont réputées être vendues :

d) dans les cas visés aux alinéas a) ou b), à la date de la livraison des marchandises au client;

e) dans le cas visé à l'alinéa c), à la date de la vente du droit.

Le montant réclamé à leur égard est réputé être le prix de vente.

1980-81-82-83, c. 68, art. 8

48. (1) Demande faite par le fabricant — Tout fabricant titulaire de licence peut demander par écrit au ministre d'être considéré, pour l'application de la présente loi, comme étant le fabricant ou producteur de toutes les autres marchandises, appelées au présent article et à l'article 49 « marchandises semblables », qu'il vend conjointement avec des marchandises de sa fabrication ou production au Canada ou qui appartiennent à la même catégorie de marchandises qu'il fabrique ou produit au Canada.

(2) Renseignements supplémentaires — Le ministre peut demander à un requérant de fournir des renseignements supplémentaires relativement à cette demande.

(3) Étude de la demande — Le ministre saisi de la demande doit l'approuver ou la rejeter et il doit envoyer au requérant un avis écrit de sa décision; s'il y a approbation, l'avis mentionne la date à compter de laquelle l'approbation a effet.

(4) Effet de l'approbation — Sous réserve du paragraphe 49(2), à compter de la date indiquée dans l'avis visé au paragraphe (3), le requérant est réputé être le fabricant ou le producteur de toutes les marchandises semblables qu'il vend, et ces marchandises sont réputées être :

a) à la date où il en fait l'acquisition :

(i) des marchandises partiellement fabriquées, pour l'application de la présente partie,

(ii) des marchandises mentionnées à l'alinéa 23(7)a), pour l'application de la partie III;

b) par la suite, des marchandises produites ou fabriquées au Canada.

L.R. (1985), c. E-15, art. 48; L.R. (1985), c. 15 (1er suppl.), art. 18; c. 12 (4e suppl.), art. 14; 2002, c. 22, art. 371

49. (1) Annulation de l'approbation — Le ministre peut, et doit à la demande du requérant, annuler l'approbation accordée conformément au paragraphe 48(3); dans ce cas, il doit en aviser par écrit le requérant en précisant la date à compter de laquelle l'annulation a effet.

(2) Effet de l'annulation — À compter de la date indiquée dans l'avis d'annulation visé au paragraphe (1) :

a) le paragraphe 48(4) cesse de s'appliquer au requérant;

b) toutes les taxes imposées en vertu de la présente loi sont payables, au taux en vigueur à cette date, sur toutes les marchandises semblables alors en la possession du requérant qui ont été acquises exemptes de taxes en vertu du paragraphe 48(4), et ces taxes sont calculées :

(i) soit sur la valeur à l'acquitté des marchandises, si elles ont été importées par le requérant,

(ii) soit sur le prix auquel les marchandises ont été achetées par le requérant, si elles n'ont pas été importées par lui, ce prix comprenant le montant des droits d'accise sur les marchandises vendues en entrepôt.

(2.1) Présomption — Pour l'application du sous-alinéa (2)b)(ii), lorsque le requérant a acheté des marchandises ou que des droits de propriété sur celles-ci lui ont été autrement transférés d'une personne avec laquelle il avait un lien de dépendance à la date de l'achat ou du transfert, gratuitement ou pour un prix moindre que celui qui aurait été raisonnable dans les circonstances s'ils n'avaient pas eu de lien de dépendance à cette date, le requérant est réputé avoir acheté les marchandises à cette date pour un prix égal au prix raisonnable.

(3) Restriction visant une nouvelle demande — En cas du rejet d'une demande visée au paragraphe 48(3) ou de l'annulation d'une approbation visée au paragraphe (1), le requérant ne peut présenter une demande conformément au paragraphe 48(1) dans les deux ans qui suivent la date de l'avis du rejet ou la date à compter de laquelle l'annulation a effet, selon le cas.

L.R. (1985), c. E-15, art. 49; L.R. (1985), c. 12 (4e suppl.), art. 15

Taxe imposée

50. (1) Taxe de consommation ou de vente — Est imposée, prélevée et perçue une taxe de consommation ou de vente au taux spécifié au paragraphe (1.1) sur le prix de vente ou sur la quantité vendue de toutes marchandises :

a) produites ou fabriquées au Canada :

(i) payable, dans tout cas autre que ceux mentionnés aux sous-alinéas (ii) ou (iii), par le producteur ou fabricant au moment où les marchandises sont livrées à l'acheteur ou au moment où la propriété des marchandises est transmise, en choisissant celle de ces dates qui est antérieure à l'autre,

(ii) payable, dans un cas où le contrat de vente des marchandises, y compris un contrat de location-vente et tout autre contrat en vertu duquel la propriété des marchandises est transmise dès qu'il est satisfait à une condition, stipule que le prix de vente ou autre contrepartie doit être payé au fabricant ou producteur par versements — que, d'après le contrat, les marchandises doivent être livrées ou que la propriété des marchandises doive être transmise avant ou après le paiement d'une partie ou de la totalité des versements —, par le producteur ou fabricant au moment où chacun des versements devient exigible en conformité avec les conditions du contrat,

(iii) payable, dans un cas où les marchandises sont destinées à l'usage du producteur ou fabricant, par le producteur ou fabricant au moment où il affecte les marchandises à son usage;

b) importées au Canada, exigible conformément à la *Loi sur les douanes* de l'importateur, du propriétaire ou d'une autre personne tenue de payer les droits prévus par cette loi;

c) vendues par un marchand en gros titulaire de licence, payable par lui lors de la livraison à l'acheteur, et la taxe étant calculée :

(i) soit sur la valeur à l'acquitté des marchandises, si elles ont été importées par le marchand en gros titulaire de licence,

(ii) soit sur le prix auquel les marchandises ont été achetées par le marchand en gros titulaire de licence, si elles n'ont pas été importées par lui, ce prix comprenant le montant des droits d'accise sur les marchandises vendues en entrepôt;

d) retenues par un marchand en gros titulaire de licence pour son propre usage ou pour être louées par lui à d'autres, payable par le marchand en gros titulaire de licence au moment où les marchandises sont employées à son propre usage ou, pour la première fois, louées à d'autres, la taxe étant calculée :

(i) soit sur le total de la valeur à l'acquitté des marchandises et du montant des taxes auxquelles les marchandises sont assujetties en vertu de l'article 27, si elles ont été importées par le marchand en gros titulaire de licence,

(ii) soit sur le total du prix que le marchand en gros titulaire de licence a payé les marchandises, du montant des droits d'accise auxquels les marchandises sont assujetties si elles sont vendues en entrepôt, et du montant des taxes auxquelles les marchandises sont assujetties en vertu de l'article 27, si elles n'ont pas été importées par le marchand en gros titulaire de licence.

(1.1) Taux de taxe — La taxe prévue au paragraphe (1) est imposée aux taux suivants :

a) dix-neuf pour cent, dans le cas d'une part des vins, d'autre part des marchandises sur lesquelles un droit d'accise est imposé en vertu de la *Loi sur l'accise* ou le serait si elles étaient produites ou fabriquées au Canada;

b) neuf pour cent, dans le cas des marchandises énumérées à l'annexe IV (Matériaux de construction et Matériel pour bâtiments);

c) au taux indiqué vis-à-vis l'article correspondant de l'annexe II.1, ajusté conformément au paragraphe 50.1(1) et multiplié par le taux de taxe indiqué à l'alinéa d), exprimé en décimales et multiplié par cent, dans le cas d'essence ordinaire, d'essence sans plomb, d'essence super avec plomb, d'essence super sans plomb et de combustible diesel;

c.1) au taux spécifié à l'alinéa d), dans le cas des marchandises importées au Canada et classées au numéro tarifaire 9804.30.00 de l'annexe I du *Tarif des douanes*;

d) treize et demi pour cent, dans tout autre cas.

(2) Présomption de vente et de livraison de l'essence ou du combustible diesel — Nonobstant le paragraphe (1), l'essence ou le combustible diesel est réputé avoir été vendu et livré à l'acheteur lorsque l'essence ou le combustible diesel est livré à un point de vente au détail par son fabricant ou producteur ou en son nom.

(2.1) Disposition transitoire — Nonobstant le paragraphe (1), l'essence, le combustible diesel ou le carburant aviation est réputé avoir été vendu et livré à l'acheteur avant le 1er mars 1987 lorsque, avant cette date, il était détenu en inventaire par ou au nom d'une personne décrite à l'alinéa e) de la définition de « fabricant ou producteur » au paragraphe 2(1) dans sa version antérieure à cette date, qui était, en outre, un fabricant titulaire de licence en vertu de la présente loi relativement à l'essence, au combustible diesel ou au carburant aviation seulement en application de cet alinéa et lorsque la taxe de consommation ou de vente n'avait pas été payée ou n'était pas devenue payable au plus tard le 28 février 1987.

(3), (4) [*Abrogés*].

(5) Taxe de vente non payable sur certaines marchandises — Par dérogation au paragraphe (1), la taxe de consommation ou de vente n'est pas exigible sur les marchandises suivantes :

a) celles vendues par un fabricant titulaire de licence à un autre fabricant titulaire de licence si elles sont des marchandises partiellement fabriquées;

b) celles importées par un fabricant titulaire de licence si elles sont des marchandises partiellement fabriquées;

c) celles importées par un marchand en gros titulaire de licence autrement que pour son propre usage ou pour être louées à d'autres, sur importation;

d) celles vendues par un fabricant titulaire de licence à un marchand en gros titulaire de licence autrement que pour son propre usage ou pour être louées à d'autres;

e) celles vendues par un marchand en gros titulaire de licence à un fabricant titulaire de licence si elles sont des marchandises partiellement fabriquées;

f) celles vendues par un marchand en gros titulaire de licence à un autre marchand en gros titulaire de licence; toutefois, si un marchand en gros titulaire de licence vend à un autre marchand en gros titulaire de licence des marchandises à un prix inférieur à la valeur d'après laquelle la taxe serait calculée en vertu de l'alinéa (1)c), le vendeur devient immédiatement assujetti au paiement de la taxe sur la différence entre cette valeur et son prix de vente;

g) celles vendues à une personne, ou importées par une personne, visée à l'alinéa d) de la définition de « fabricant ou producteur » au paragraphe 2(1) qui est un fabricant titulaire de licence sous le régime de la présente loi, si elles sont des cosmétiques;

h) [*abrogé*];

i) celles qui sont des véhicules automobiles neufs conçus pour servir sur les routes, ou leur châssis, importés par une personne visée à l'alinéa g) de la définition de « fabricant ou producteur » au paragraphe 2(1) et qui est un fabricant titulaire de licence pour l'application de la présente partie;

j) celles qui sont des véhicules automobiles neufs conçus pour servir sur les routes, ou leur châssis, vendus à une personne visée à l'alinéa h) de la définition de « fabricant ou producteur » au paragraphe 2(1) et qui est un fabricant titulaire de licence pour l'application de la présente partie;

k) celles vendues à une personne, ou importées par une personne, visée à l'alinéa i) de la définition de « fabricant ou producteur » au paragraphe 2(1) qui est un fabricant titulaire de licence sous le régime de la présente loi, si les marchandises sont mentionnées à l'annexe III.1;

l) celles vendues ou louées à une personne, ou importées par une personne, visée à l'alinéa j) de la définition de « fabricant ou producteur » au paragraphe 2(1) qui est un fabricant titulaire de licence sous le régime de la présente loi, si les marchandises sont des vidéocassettes préenregistrées neuves ou non utilisées au Canada.

(6) Non-application de l'exemption — Si une personne, qui n'est pas le fabricant ou producteur, l'importateur, le propriétaire, le marchand en gros titulaire de licence ou l'intermédiaire mentionnés au présent article, acquiert de l'une de ces personnes ou contre elle le droit de vendre des marchandises, que ce soit par suite de l'application de la loi ou en conséquence d'une opération non sujette à la taxe établie au présent article, la vente de ces marchandises par cette personne est imposable comme si elle était faite par le fabricant ou producteur, l'importateur, le propriétaire, le marchand en gros titulaire de licence ou l'intermédiaire, selon le cas, et la personne qui vend ainsi est assujettie au paiement de la taxe.

(7) Affectation de certains articles à un usage, vente, etc. soumis à la taxe — Lorsqu'un véhicule automobile, un tracteur ou un aéronef, ou un navire ou autre vaisseau, ou une machine ou un outil devant être actionné par un véhicule automobile ou un tracteur, ou une pièce ou du matériel pour un aéronef ou pour un navire ou autre vaisseau :

a) ou bien a été acheté ou importé par une personne devant en faire un usage rendant un tel achat ou une telle importation exempt de la taxe imposée en vertu de la présente partie et de la partie III, ou de l'une ou l'autre;

b) ou bien a été acheté dans les conditions décrites au paragraphe 68.19(1),

les règles suivantes s'appliquent :

c) si, dans les cinq ans de la date à laquelle l'article a été acheté ou dédouané conformément à la *Loi sur les douanes* lorsqu'il s'agit d'un article importé, pour servir à un usage rendant l'achat ou le dédouanement exempts de la taxe imposée en vertu de la présente partie et de la partie III, ou de l'une ou l'autre, l'article est affecté à un usage quelconque — sauf de façon occasionnelle — pour lequel il n'aurait pas pu, lors du premier achat, être acheté ou dédouané en exemption de cette taxe, l'article sera réputé avoir été vendu au moment de sa première affectation à cet usage et la taxe imposée en vertu de la présente partie et de la partie III, ou de l'une ou l'autre, sera imposée, prélevée et perçue au moment de sa première affectation à cet usage :

(i) dans le cas des articles énumérés à l'annexe I assujettis à un taux fixe indiqué en regard de l'article, au taux fixe applicable à ce moment, ou, s'il est moins élevé, au taux fixe éventuellement applicable à l'article au moment où il a été acheté ou importé initialement pour servir à un usage rendant l'achat ou l'importation exempt de la ou des taxes,

(ii) dans tous les autres cas, sur le prix de vente qui aurait été raisonnable dans les circonstances si l'article avait été vendu à l'époque de sa première affectation à cet usage à une personne avec laquelle la personne affectant ainsi l'article n'avait pas de lien de dépendance,

payable par le propriétaire de l'article au moment de sa première affectation à cet usage;

d) si, dans les cinq ans de la date à laquelle l'article a été acheté ou dédouané conformément à la *Loi sur les douanes* lorsqu'il s'agit d'un article importé, pour servir à un usage rendant l'achat ou le dédouanement exempts de la taxe imposée en vertu de la présente partie et de la partie III, ou de l'une ou l'autre, l'article est vendu ou loué, il est réputé avoir été vendu au moment de cette vente ou location et la taxe imposée en vertu de la présente partie et de la partie III, ou de l'une ou l'autre, est, si elle s'applique, imposée, prélevée et perçue au moment de cette vente ou location :

(i) dans le cas des articles énumérés à l'annexe I assujettis à un taux fixe indiqué en regard de l'article, au taux fixe applicable à ce moment, ou, s'il est moins élevé, au taux fixe éventuellement applicable à l'article au moment où il a été acheté ou importé initialement pour servir à un usage rendant l'achat ou l'importation exempt de la ou des taxes,

(ii) dans tous les autres cas :

(A) lorsque l'article a été vendu, sur le prix de vente,

(B) lorsque l'article a été loué à une personne, sur le prix de vente qui aurait été raisonnable dans les circonstances s'il lui avait été vendu à l'époque de cette location,

payable par la personne qui a vendu ou loué l'article.

(8) Affectation de combustible — Lorsque le combustible acheté ou importé pour servir à chauffer ou à éclairer est vendu ou affecté par l'acheteur ou l'importateur à des fins auxquelles le combustible n'aurait pu être acheté ou importé exempt de taxe en vertu de la présente partie au moment de l'achat ou de l'importation, la taxe imposée sous le régime de la présente partie est payable par l'acheteur ou l'importateur, selon le cas :

a) lorsque le combustible est vendu, à la date de la livraison, calculée au taux de la taxe applicable à cette date, selon le volume vendu, dans le cas d'essence ou de combustible diesel ou dans tous autres cas, sur le prix de vente;

b) lorsque le combustible est affecté, à la date de l'affectation, calculée au taux de la taxe applicable à cette date, selon le volume affecté, dans le cas d'essence ou de combustible diesel ou dans tous autres cas, sur le prix de vente qui aurait été raisonnable dans les circonstances si le combustible avait été vendu à cette date à une personne avec laquelle l'acheteur ou l'importateur n'avait pas de lien de dépendance.

(9) [*Abrogé*].

L.R. (1985), c. E-15, art. 50; L.R. (1985), c. 15 (1er suppl.), art. 19; c. 1 (2e suppl.), art. 190; c. 7 (2e suppl.), art. 16; c. 42 (2e suppl.), art. 4, 5; c. 12 (4e suppl.), art. 16; 1988, c. 65, art. 114; 1989, c. 22, art. 3; 2002, c. 22, art. 372

50.1 (1) Rajustement des taux de taxe sur certains produits pétroliers — À compter du 1er avril 1986, les taux énumérés à l'annexe II.1 sont rajustés le premier jour de janvier, d'avril, de juillet et d'octobre de chaque année, de sorte que les taux applicables pendant le trimestre commençant à la date de rajustement soient égaux au résultat des opérations suivantes :

a) multiplication :

(i) des taux ainsi énumérés

par

(ii) les ratios, rajustés ou modifiés selon les modalités déterminées en application du paragraphe (3) et arrondis au millième le plus proche ou, lorsque le ratio est équidistant entre deux millièmes, au plus grand d'entre eux, que représentent :

(A) l'Indice des prix des produits industriels pour l'essence à moteur, dans le cas des taux énumérés aux articles 1 et 2 de l'annexe II.1,

(B) l'Indice des prix des produits industriels pour le carburant diesel, dans le cas du taux énuméré à l'article 5 de l'annexe II.1,

pour la période de douze mois se terminant le dernier jour avant le trimestre qui précède immédiatement le rajustement par rapport à :

(C) l'Indice des prix des produits industriels pour l'essence à moteur, dans le cas des taux énumérés aux articles 1 et 2 de l'annexe II.1,

(D) l'Indice des prix des produits industriels pour le carburant diesel, dans le cas du taux énuméré à l'article 5 de l'annexe II.1,

pour la période de douze mois se terminant le 30 septembre 1985;

b) arrondissement des produits obtenus en vertu de l'alinéa a) au cent millième de dollar le plus proche ou, si le produit est équidistant entre deux cent millièmes de dollar, au millième le plus élevé.

(2) **Indice des prix des produits industriels** — Pour l'application du paragraphe (1), l'Indice des prix des produits industriels pour l'essence à moteur ou l'Indice des prix des produits industriels pour le carburant diesel pour une période de douze mois est égal au résultat des opérations suivantes :

a) totalisation de l'Indice des prix des produits industriels pour l'essence à moteur ou l'Indice des prix des produits industriels pour le carburant diesel, selon le cas, publié pour chaque mois de la période, y compris les données pertinentes pour la période allant du 1er janvier 1981 au 31 décembre 1985, par Statistique Canada en vertu de la *Loi sur la statistique* au plus tard le quinzième jour du troisième mois suivant la fin de cette période et rajusté ou modifié selon les modalités réglementaires déterminées en application du paragraphe (3);

b) division par douze du total obtenu en application de l'alinéa a);

c) arrondissement du chiffre obtenu en application de l'alinéa b) au cent millième le plus proche ou, si le chiffre obtenu est équidistant entre deux cent millièmes de dollar, le plus élevé de ceux-ci.

(3) **Règlements de rajustement** — Le gouverneur en conseil, sur recommandation du ministre des Finances, peut, par règlement :

a) déterminer les modalités de rajustement ou de modification des ratios visés au sous-alinéa (1)a)(ii);

b) déterminer, pour l'application du paragraphe (2), les modalités de rajustement ou de modification, mensuellement, de l'Indice des prix des produits industriels pour l'essence à moteur ou l'Indice des prix des produits industriels pour le carburant diesel.

(4) **Définition des expressions** — Le gouverneur en conseil peut, par règlement, définir les expressions « essence ordinaire », « essence sans plomb », « essence super avec plomb » et « essence super sans plomb » pour l'application de l'alinéa 50(1.1)c) et de l'annexe II.1.

L.R. (1985), c. 7 (2e suppl.), art. 17; c. 42 (2e suppl.), art. 6; c. 12 (4e suppl.), art. 17

51. (1) Marchandises non assujetties à la taxe — La taxe imposée par l'article 50 ne s'applique pas à la vente ou à l'importation des marchandises mentionnées à l'annexe III, excepté les marchandises mentionnées à la partie XIII de cette annexe qui sont vendues ou importées par des personnes exemptées du paiement de la taxe de consommation ou de vente en application du paragraphe 54(2).

(2) **Articles exemptés partiellement** — La taxe imposée par l'article 50 est imposée seulement sur cinquante pour cent du prix de vente de balances métriques d'une portée maximale de cent kilogrammes et conçues spécialement pour le pesage de marchandises vendues au détail si elles sont fabriquées au Canada, ou, si elles sont importées, sur cinquante pour cent de leur valeur à l'acquitté, pourvu que la vente ou l'importation de ces balances ait lieu avant le 1er janvier 1984.

(3) **Idem** — La taxe imposée par l'article 50 sur le prix de vente des maisons mobiles et des bâtiments modulaires est imposée sur seulement cinquante pour cent de leur prix de vente.

L.R. (1985), c. E-15, art. 51; L.R. (1985), c. 7 (2e suppl.), art. 18

52. (1) Affectation par le fabricant ou producteur — Lorsque le fabricant ou producteur de marchandises affecte à son propre usage des marchandises fabriquées ou produites au Canada, le prix de vente des marchandises est réputé être égal à celui qui aurait été raisonnable dans les circonstances si les marchandises avaient été vendues à une personne avec laquelle le fabricant ou producteur n'avait pas eu de lien de dépendance au moment de l'affectation.

(2) **Exception** — Le paragraphe (1) ne s'applique pas aux marchandises, autres que des imprimés, fabriquées par Sa Majesté du chef du Canada ou d'une province (à l'exception des marchandises fabriquées par une société que vise la *Loi sur le fonctionnement des sociétés du secteur public*) à toute fin autre que :

a) la vente;

b) l'utilisation par tout bureau, commission, chemin de fer, service public, université, usine, compagnie ou organisme possédé, contrôlé ou exploité par le gouvernement du Canada ou d'une province, ou sous l'autorité du Parlement ou de la législature d'une province;

c) l'utilisation, à des fins commerciales ou mercantiles, par Sa Majesté du chef du Canada ou d'une province ou par ses mandataires ou préposés.

(3) **Location ou autre utilisation par le fabricant ou producteur** — Lorsque des marchandises fabriquées ou produites au Canada sont louées, ou dont le droit d'utilisation, mais non la propriété, est vendu ou donné à une personne, par leur fabricant ou producteur :

a) les marchandises sont réputées avoir été vendues au moment où elles ont été ainsi louées ou à celui où le droit de les utiliser a été vendu ou donné;

b) le prix de vente des marchandises est réputé être égal à celui qui aurait été raisonnable dans les circonstances si les marchandises lui avaient été vendues à ce moment-là.

(4) **Redevance ou autres droits** — Lorsque le prix de vente de marchandises consiste en tout ou en partie en une redevance ou en tous autres droits indéterminés à la date de la livraison des marchandises ou de celle, si elle est antérieure, où le droit de propriété des marchandises est transféré à leur acheteur, il est réputé être égal à celui qui aurait été raisonnable dans les circonstances si le total des droits avait été déterminé à cette date.

(5) **Disposition de cosmétiques par un fabricant titulaire de licence** — Lorsque des cosmétiques sont fabriqués ou produits au Canada par un fabricant titulaire de licence pour le compte d'un non-résident qui est une personne visée par l'alinéa d) de la définition de « fabricant ou producteur » au paragraphe 2(1) et qui a omis de demander une licence ainsi que l'exige l'article 54, le fabricant titulaire de licence est réputé avoir vendu les cosmétiques pour un prix de vente égal à celui qui aurait été raisonnable dans les circonstances si les cosmétiques avaient été vendus au Canada par le non-résident à une tierce personne avec laquelle il n'avait pas de lien de dépendance, dès la date où ils ont été livrés ou dès celle, si elle est antérieure, où le droit de propriété sur ceux-ci a été transféré au non-résident.

(6) **Disposition de vidéocassettes par un fabricant titulaire de licence** — Lorsque des vidéocassettes préenregistrées neuves ou non utilisées au Canada sont fabriquées ou produites au Canada par un fabricant titulaire de licence pour le compte d'un non-résident qui est une personne visée à l'alinéa j) de la définition de « fabricant ou producteur » au paragraphe 2(1) et qui a omis de demander une licence ainsi que l'exige l'article 54, le fabricant ou producteur est réputé avoir vendu les cassettes pour un prix de vente égal à celui qui aurait été raisonnable dans les circonstances si les cassettes avaient été vendues au Canada par le non-résident à une tierce personne avec laquelle il n'avait pas de lien de dépendance, dès la date où elles ont été livrées ou dès celle, si elle est antérieure, où le droit de propriété sur celles-ci a été transféré au non-résident.

L.R. (1985), c. E-15, art. 52; L.R. (1985), c. 15 (1er suppl.), art. 20; c. 7 (2e suppl.), art. 19; c. 12 (4e suppl.), art. 18

53. [*Abrogé*].

L.R. (1985), c. 15 (1er suppl.), art. 21

Licences

54. (1) Licences des fabricants — Sous réserve des autres dispositions du présent article, tout fabricant ou producteur doit demander une licence pour l'application de la présente partie.

(2) **Exemption** — Le ministre peut octroyer une licence à quiconque en fait la demande selon le paragraphe (1), mais le gouverneur en conseil, sur recommandation conjointe du ministre des Finances et du ministre du Revenu national, peut prendre des

règlements exemptant toute classe de petits fabricants ou producteurs du paiement de la taxe de consommation ou de vente sur les marchandises fabriquées ou produites par une personne faisant partie de la classe, et les personnes ainsi exemptées ne sont pas tenues de demander une licence.

(3) **Retrait de l'exemption** — Le gouverneur en conseil peut, sur recommandation conjointe du ministre des Finances et du ministre du Revenu national, retirer une exemption octroyée aux termes du paragraphe (2).

(4) **Annulation** — Le ministre peut annuler une licence délivrée aux termes de la présente partie, s'il est d'avis qu'elle n'est plus requise pour l'application de cette partie.

S.R., c. E-13, art. 31; 1976–77, c. 15, art. 9; 1980–81–82–83, c. 68, art. 13

55. (1) **Marchand en gros ou intermédiaire titulaire de licence** — Une licence peut être accordée à un marchand en gros ou intermédiaire authentique. Toutefois, si un marchand en gros n'était pas titulaire d'une licence le 1er septembre 1938, aucune licence ne peut lui être délivrée à moins qu'il ne se livre exclusivement ou principalement à l'achat et la vente du bois d'oeuvre ou que la moitié de ses ventes pour les trois mois qui précèdent immédiatement sa demande n'ait été exempte de la taxe de vente en vertu de la présente loi.

(2) **Magasin de vente en franchise** — Quiconque se propose d'exploiter un magasin de vente en franchise et de vendre des marchandises uniquement dans un magasin de vente en franchise agréé comme boutique hors taxes en vertu de la *Loi sur les douanes* ou agit de la sorte est réputé, pour l'application du présent article, être un marchand en gros ou intermédiaire authentique et le ministre peut lui accorder une licence même s'il ne remplit pas les exigences du paragraphe (1).

(3) **Le titulaire de licence doit fournir garantie** — Le marchand en gros ou intermédiaire qui demande une licence aux termes du présent article doit fournir une garantie que lui et toute autre personne qui acquiert de lui ou contre lui le droit de vendre des marchandises, comme résultat de l'application de la loi ou d'une opération non imposable en vertu de la présente loi, tiendront des livres ou comptes suffisants pour l'application de la présente loi et produiront des rapports fidèles des ventes, ainsi que le requièrent la présente loi ou les règlements pris sous son régime, et paieront toute taxe imposée par la présente loi sur les ventes de cette nature.

(4) **Montant de la garantie** — Le montant de cette garantie est de deux mille à vingt-cinq mille dollars.

(5) **Cautionnement** — La garantie est donnée par une banque ou au moyen d'un cautionnement d'une compagnie de garantie constituée en personne morale, autorisée à exercer des opérations au Canada et agréée par le ministre, ou au moyen du dépôt d'obligations ou autres titres du gouvernement du Canada, ou garantis par ce dernier.

(6) **Forme du cautionnement** — Si la garantie est donnée par cautionnement d'une compagnie de garantie, ce cautionnement est en la forme agréée par le ministre.

L.R. (1985), c. E-15, art. 55; L.R. (1985), c. 1 (2e suppl.), art. 191

Formulaires [55]: E447, *Cautionnement de grossiste — Taxe d'accise*; E448, *Avenant — Cautionnement de grossiste pour la taxe de vente*; L15, *Demande de licence sous le régime de Loi sur la taxe d'accise*.

56. (1) **Annulation des licences** — La licence de tout marchand en gros ou intermédiaire qui enfreint la présente partie est immédiatement annulée et il n'est pas octroyé de licence au marchand en gros ou intermédiaire pendant une période de deux années qui suivent la date de cette annulation.

(2) **Idem** — La licence de toute personne réputée, en vertu du paragraphe 55(2), être un marchand en gros ou un intermédiaire authentique est annulée dès qu'elle cesse d'exploiter un magasin de vente en franchise et qu'elle cesse de vendre des marchandises uniquement dans un magasin de vente en franchise agréé comme boutique hors taxes en vertu de la *Loi sur les douanes*; dès l'annulation d'une telle licence en vertu du présent article, toutes les taxes imposées par la présente loi deviennent exigibles au titre de toutes les marchandises alors en la possession du détenteur que ce dernier a achetées franches de taxe en vertu de cette licence.

(3) **Taxe exigible sur annulation** — Dès l'annulation visée par le paragraphe (1) de la licence accordée à un marchand en gros titulaire de licence, ou si cette licence est annulée à la demande du titulaire, ou si elle expire et n'est pas renouvelée par le titulaire, toutes les taxes imposées par la présente loi sont immédiatement exigibles sur toutes les marchandises alors en la possession du titulaire, lesquelles ont été achetées franches de taxe en vertu de la licence; les taxes sont payées au taux en vigueur lorsque la licence est annulée ou prend fin et n'est pas renouvelée, et elles sont calculées conformément à l'alinéa 50(1)c) et à la partie III.

(4) **Annulation du cautionnement** — Bien qu'un cautionnement fourni par une compagnie de garantie selon l'article 55 ait été annulé, le cautionnement est censé demeurer en vigueur à l'égard de toutes les marchandises en possession du marchand en gros titulaire de licence, au moment de l'annulation.

L.R. (1985), c. E-15, art. 56; L.R. (1985), c. 1 (2e suppl.), art. 192; 1990, c. 45, art. 8; 2002, c. 22, art. 373

Dissimulation de la matière imposable

57. (1) **Pouvoirs du ministre** — Par dérogation aux autres dispositions de la présente partie, s'il apparaît au ministre que le paiement de la taxe de consommation ou de vente est éludé par un fabricant ou marchand en gros titulaire de licence, le ministre peut exiger que la taxe de consommation ou de vente soit imposée, prélevée et perçue sur toute matière indiquée par le ministre, vendue à tout fabricant ou marchand en gros titulaire de licence ou à une catégorie quelconque de fabricants ou marchands en gros titulaires de licence, désignés par le ministre, au moment de la vente de cette matière, lorsqu'elle est produite ou fabriquée au Canada ou avant dédouanement conformément à la *Loi sur les douanes* lorsqu'elle est importée par le fabricant ou le marchand en gros titulaire de licence.

(2) **Déduction** — Il peut subséquemment être fait une déduction, si le fabricant ou marchand en gros titulaire de licence établit que cette matière a été utilisée dans la fabrication d'un article qui est assujetti à la taxe de consommation ou de vente et sur lequel la taxe a été acquittée.

L.R. (1985), c. E-15, art. 57; L.R. (1985), c. 1 (2e suppl.), art. 193

58. (1) **Prix de vente réputé** — Malgré toute autre disposition de la présente loi, à l'exception des paragraphes 52(5) et (6), et pour l'application de la présente partie et de la partie III, lorsque des marchandises fabriquées ou produites au Canada, ou réputées l'être, sont vendues ou sont réputées l'avoir été, ou que le droit de propriété sur ces marchandises est autrement transféré par leur fabricant ou producteur à une personne avec laquelle il a un lien de dépendance, dès la date où elles ont été livrées ou dès celle, si elle est antérieure, où le droit de propriété sur celles-ci lui a été transféré, gratuitement ou pour un prix moindre que celui qui aurait été raisonnable dans les circonstances s'ils n'avaient pas eu de lien de dépendance à cette date, le fabricant ou producteur est réputé avoir vendu les marchandises à cette date pour un prix de vente raisonnable.

(2) **Idem** — Malgré toute autre disposition de la présente loi et pour l'application de la présente partie et de la partie III, lorsqu'un marchand en gros titulaire de licence a acheté des marchandises ou que des droits de propriété sur celles-ci lui ont été autrement transférés d'une personne avec laquelle il avait un lien de dépendance, dès la date où elles ont été livrées ou dès celle, si elle est antérieure, où le droit de propriété sur celles-ci lui a été transféré, gratuitement ou pour un prix moindre que celui qui aurait été raisonnable dans les circonstances s'ils n'avaient pas eu de lien de dépendance à cette date et si le marchand n'avait pas importé les marchandises, il est réputé avoir acheté les marchandises à cette date pour un prix égal au prix raisonnable.

(3) Idem — Malgré toute autre disposition de la présente loi et pour l'application de la présente partie et de la partie III, lorsqu'une personne a acheté ou importé des marchandises servant à l'usage visé par l'exemption de la taxe imposée en vertu de la présente partie ou de la partie III ou dans les conditions décrites au paragraphe 68.19(1) et qu'elle vend les marchandises, dans des circonstances la rendant responsable du paiement de la taxe imposée par la présente partie ou par la partie III, ou est réputée les vendre, ou que le droit de propriété sur celles-ci est transféré à une personne avec laquelle elle a un lien de dépendance à la date de la vente ou du transfert, gratuitement ou pour un prix moindre que celui qui aurait été raisonnable dans les circonstances si elles n'avaient pas eu de lien de dépendance à cette date, cette personne est réputée avoir vendu les marchandises à cette date pour un prix de vente raisonnable.

L.R. (1985), c. E-15, art. 58; L.R. (1985), c. 12 (4e suppl.), art. 19

PARTIE VII — DISPOSITIONS GÉNÉRALES

Définitions

58.1 (1) Définitions — Les définitions qui suivent s'appliquent à la présente partie.

« Commission » [*Abrogée*].

« cotisation » Cotisation établie en vertu du paragraphe 81.1(1), y compris la modification d'une cotisation et une nouvelle cotisation.

« exercice » S'entend, relativement à une personne, de la période qui correspond à son exercice selon la partie IX.

« ministère » [*Abrogée*].

« mois » Période qui commence un quantième donné et prend fin :

a) la veille du même quantième du mois suivant;

b) si le mois suivant n'a pas de quantième correspondant au quantième donné, le dernier jour de ce mois.

« mois d'exercice » Période déterminée en application du paragraphe 78(1).

« période de déclaration » Période de déclaration déterminée en application de l'article 78.1.

« semestre d'exercice » Semestre d'exercice déterminé en application du paragraphe 78(1.1).

« sous-ministre » [*Abrogée*].

« Tribunal » Le Tribunal canadien du commerce extérieur constitué par le paragraphe 3(1) de la *Loi sur le Tribunal canadien du commerce extérieur*.

(2) Même signification — Les termes et expressions utilisés dans la présente partie relativement à une taxe prévue à toute autre partie ont la même signification que celle de cette autre partie, à moins d'indication contraire.

(3) Remise — À moins d'indication contraire, sont assimilés, dans la présente partie, aux termes « payer » ou « paiement » à l'égard des taxes imposées sous le régime de la présente loi, les termes « remettre » ou « remise » à l'égard des taxes imposées sous le régime des parties II ou II.2. Les autres formes grammaticales de ces termes sont assimilées de la même façon.

L.R. (1985), c. 15 (1er suppl.), art. 22; L.R. (1985), c. 47 (4e suppl.), art. 52; c. 7 (2e suppl.), art. 20; c. 12 (4e suppl.), art. 20; c. 47 (4e suppl.), art. 52; 1992, c. 1, art. 65; 1994, c. 13, art. 7; 1999, c. 17, art. 149; 2003, c. 15, art. 95; 2010, c. 25, art. 127

Règlements

59. (1) Règlements — Le ministre des Finances ou le ministre du Revenu national, selon le cas, peut, par règlement, prendre toute mesure d'application de la présente loi.

(2) Délégation de pouvoirs — Le ministre peut autoriser un agent ou un mandataire désigné ou un agent ou un mandataire appartenant à une catégorie d'agents ou de mandataires désignée à exercer les pouvoirs et fonctions, y compris en matière judiciaire ou quasi judiciaire, qui lui sont conférés en vertu de la présente loi.

(3) [*Abrogé*].

(3.1) Règlement prescrivant le taux d'intérêt — Le gouverneur en conseil peut, sur recommandation du ministre des Finances, prescrire par règlement un taux d'intérêt, ou les règles servant à le fixer, pour l'application de la présente loi.

(3.2) Règlements — Le gouverneur en conseil peut, par règlement :

a) désigner certaines catégories de marchandises comme provisions de bord pour usage à bord d'un moyen de transport d'une catégorie prescrite, y compris une catégorie fondée sur les critères suivants appliqués aux moyens de transport :

(i) leurs attributs physiques, leur fonction ou leur description officielle,

(ii) les zones à l'intérieur desquelles ils voyagent,

(iii) les exigences ou restrictions liées à leurs voyages,

(iv) toute combinaison des critères mentionnés aux sous-alinéas (i) à (iii);

b) limiter la quantité de marchandises mentionnées à l'alinéa a) qui peut être utilisée comme le prévoit cet alinéa au cours d'une ou de plusieurs périodes prescrites.

(3.3) Règlements concernant le prix raisonnable — Le gouverneur en conseil peut prendre des règlements afin de fixer le mode de détermination du prix de vente raisonnable ou du prix raisonnable de marchandises, selon le cas, pour l'application des paragraphes 23(10) et 49(2.1), des sous-alinéas 50(7)c)(ii) et d)(ii), du paragraphe 50(8) et des articles 52 et 58.

(3.4) Prise d'effet — Les règlements pris en vertu de la présente loi ont effet à compter de leur publication dans la *Gazette du Canada*, ou après s'ils le prévoient. Un règlement peut toutefois avoir un effet rétroactif, s'il comporte une disposition en ce sens, dans les cas suivants :

a) il a pour seul résultat d'alléger une charge;

b) il corrige une disposition ambiguë ou erronée, non conforme à un objet de la présente loi;

c) il procède d'une modification de la présente loi applicable avant qu'il ne soit publié dans la *Gazette du Canada*;

d) il met en œuvre une mesure — budgétaire ou non — annoncée publiquement, auquel cas, si les alinéas a), b) ou c) ne s'appliquent pas par ailleurs, il ne peut avoir d'effet avant la date où la mesure est ainsi annoncée.

(4) Effet des règlements — Les règlements sont appliqués tout comme les dispositions de la présente loi.

(5) Serments et déclarations — Toute personne désignée par le ministre peut recevoir la déclaration ou faire prêter le serment requis par la présente loi, ou par tout règlement pris sous son autorité, et cette personne possède, à l'égard de ce serment ou de cette déclaration, tous les pouvoirs d'un commissaire aux serments.

L.R. (1985), c. E-15, art. 59; L.R. (1985), c. 15 (1er suppl.), art. 23; c. 7 (2e suppl.), art. 21; c. 12 (4e suppl.), art. 21; 1990, c. 45, art. 9; 1993, c. 25, art. 58; c. 27, art. 1; 2002, c. 22, art. 427; 2003, c. 15, art. 96; 2005, c. 38, art. 100

Timbres

60. Préparation et emploi de timbres — Le ministre peut ordonner la préparation et l'emploi de timbres pour l'application de la présente loi.

S.R., c. E-13, art. 36

61. Oblitération — Lorsqu'il est requis qu'un timbre gommé soit oblitéré et qu'aucun autre mode d'oblitération n'est prescrit, ce timbre est réputé oblitéré si des lignes ou des marques sont tirées en travers ou y sont empreintes de telle façon que le timbre ne puisse effectivement servir pour aucun autre instrument.

S.R., c. E-13, art. 37

62. Responsabilité — Quiconque est tenu, aux termes de la présente loi, d'apposer ou d'oblitérer des timbres et omet de le faire, ainsi qu'il en est requis, est comptable à Sa Majesté du montant de timbres qu'il aurait dû apposer ou oblitérer. Ce même montant est recouvrable devant la Cour fédérale ou tout autre tribunal compétent, à titre de créance de Sa Majesté.

S.R., c. E-13, art. 38; S.R., c. 10 (2e suppl.), art. 64

63. (1) Nomination de préposés à la vente des timbres — Le ministre peut désigner des maîtres de poste ou autres fonctionnaires de la Couronne pour vendre des timbres préparés en vue de l'application de la présente loi, et il peut autoriser comme préposés à la vente d'autres personnes qui peuvent acheter des timbres ainsi préparés pour les revendre.

(2) Prix réduit — Le gouverneur en conseil peut, par règlement, fixer un prix réduit auquel les timbres préparés pour l'application de la présente loi peuvent être vendus aux personnes autorisées par le ministre comme préposés à la vente sous le régime du paragraphe (1).

S.R., c. E-13, art. 39

Licences

64. (1) Demande de licence — Quiconque est tenu, aux termes de la partie III, de payer des taxes doit, conformément aux règlements, demander une licence à l'égard de cette partie.

(2) Le ministre peut accorder une licence ou une exemption — Le ministre peut accorder une licence à toute personne qui en fait la demande sous le régime du paragraphe (1), et il peut, par règlement, exempter toute personne ou catégorie de personnes de l'obligation d'obtenir une licence prévue au présent article à l'égard d'une partie spécifiée et toute personne qui fait partie d'une classe de petits fabricants ou producteurs dont les membres jouissent, en vertu du paragraphe 54(2), d'une exemption de la taxe de consommation ou de vente sur les marchandises qu'ils fabriquent ou produisent est exemptée du paiement de la taxe d'accise sur les marchandises qu'elle fabrique ou produit, qu'elle soit ou non une personne ou un membre d'une catégorie de personnes exemptée de l'obligation d'obtenir une licence prévue au présent article.

(3) Annulation des licences — Le ministre peut annuler une licence délivrée aux termes du présent article, s'il est d'avis qu'elle n'est plus requise pour l'application de la présente loi.

L.R. (1985), c. E-15, art. 64; L.R. (1985), c. 12 (4e suppl.), art. 22; 2002, c. 22, art. 374

65. Infraction et peine — Quiconque omet de demander une licence ainsi que l'exige la présente loi commet une infraction et encourt une amende maximale de mille dollars.

S.R., c. E-13, art. 41

Marchandises exportées

66. Exemption pour marchandises exportées — La taxe imposée en vertu de la présente loi n'est pas exigible s'il est établi, sur preuve agréée par le ministre, que les marchandises :

a) soit ont été exportées du Canada par le fabricant, le producteur ou le marchand en gros titulaire de licence de qui la taxe serait autrement exigible, en conformité avec les règlements applicables pris en vertu de la présente loi;

b) soit ont été vendues par l'exploitant d'une boutique hors taxes puis exportées du Canada par leur acheteur en conformité avec les règlements pris en application de la *Loi sur les douanes*.

L.R. (1985), c. E-15, art. 66; L.R. (1985), c. 1 (2e suppl.), art. 194; c. 7 (2e suppl.), art. 22; 1993, c. 25, art. 59; 1995, c. 46, art. 2; 2000, c. 30, art. 11; 2002, c. 22, art. 375

66.1 [*Abrogé*].

1993, c. 25, art. 59; 2002, c. 22, art. 375

Application des taxes à la Couronne

67. Taxes sur les marchandises importées — La taxe imposée en vertu de la partie III s'applique :

a) aux marchandises importées par Sa Majesté du chef du Canada;

b) aux marchandises importées par Sa Majesté du chef d'une province.

S.R., c. E-13, art. 43; 1976–77, c. 10, art. 49; 2002, c. 22, art. 376

Déductions, remises et drawbacks

68. (1) Remboursement en cas d'erreur — Lorsqu'une personne, sauf à la suite d'une cotisation, a payé relativement à des marchandises, par erreur de fait ou de droit ou autrement, des sommes d'argent qui ont été prises en compte à titre de taxes, de pénalités, d'intérêts ou d'autres sommes en vertu de la présente loi, un montant égal à ces sommes d'argent est versé à la personne, sous réserve des autres dispositions de la présente partie, si elle en fait la demande dans les deux ans suivant le paiement de ces sommes.

(2) Exception — Le paragraphe (1) ne s'applique pas si un paiement relatif aux marchandises peut être demandé en vertu de l'article 68.01.

L.R. (1985), c. E-15, art. 68; L.R. (1985), c. 15 (1er suppl.), art. 24; c. 7 (2e suppl.), art. 23, 34; 2007, c. 29, art. 43

Info TPS/TVH [68]: GI-024, *Harmonisation des dispositions administratives visant la comptabilité normalisée*.

68.01 (1) Paiement à l'utilisateur final — combustible diesel — Le ministre peut verser aux personnes ci-après qui en font la demande une somme égale au montant de toute taxe prévue par la présente loi qui a été payée relativement à du combustible diesel :

a) dans le cas où le combustible est livré à l'acheteur par le vendeur :

(i) le vendeur, si l'acheteur atteste que le combustible est destiné à être utilisé exclusivement comme huile de chauffage et si le vendeur est fondé à croire que l'acheteur l'utilisera exclusivement à ce titre,

(ii) l'acheteur, s'il utilise le combustible comme huile de chauffage et qu'aucune demande relative au combustible ne peut être faite par le vendeur visé au sous-alinéa (i);

b) dans le cas où le combustible est utilisé par l'acheteur pour produire de l'électricité, cet acheteur, sauf si l'électricité ainsi produite est principalement utilisée pour faire fonctionner un véhicule.

(2) Paiement à l'utilisateur final — combustible utilisé comme provisions de bord — Le ministre peut verser une somme égale au montant de toute taxe prévue par la présente loi qui a été payée relativement à du combustible à tout acheteur qui en fait la demande et qui utilise le combustible comme provisions de bord, pourvu qu'aucune demande relative au combustible n'ait été faite en vertu des articles 68.17 ou 70.

(3) Délai — Les versements prévus au présent article ne sont effectués que si, selon le cas :

a) le vendeur visé au sous-alinéa (1)a)(i) en fait la demande dans les deux ans suivant la vente du combustible diesel à l'acheteur visé à l'alinéa (1)a);

b) l'acheteur visé au sous-alinéa (1)a)(ii), à l'alinéa (1)b) ou au paragraphe (2) en fait la demande dans les deux ans suivant l'achat.

(4) Appréciation du ministre — Le ministre n'est pas tenu de faire un versement prévu au présent article tant qu'il n'est pas convaincu que les conditions du versement sont réunies.

(5) Taxe réputée être exigible — Si le ministre verse à une personne, aux termes du présent article, une somme à laquelle elle n'a pas droit ou dont le montant excède celui auquel elle a droit, le montant du versement ou de l'excédent est réputé être une taxe à payer par la personne en vertu de la présente loi à la date du versement de la somme par le ministre.

2007, c. 29, art. 43

68.02 (1) Paiement à l'utilisateur final — fourgonnette adaptée — Le ministre peut verser aux personnes ci-après une somme égale au montant de toute taxe prévue par la présente loi qui a été payée, relativement à une fourgonnette à laquelle s'applique l'article 6 de l'annexe I, au taux fixé à cet article :

a) dans le cas d'une fourgonnette fabriquée ou produite au Canada, la personne qui en est le premier consommateur final si, au moment de son acquisition par la personne ou dans les six mois suivant ce moment, elle est munie d'un appareil conçu exclusivement pour faciliter le chargement d'un fauteuil roulant dans la fourgonnette sans qu'il soit nécessaire de le plier;

b) dans le cas d'une fourgonnette importée, la personne qui en est le premier consommateur final après l'importation si, au moment de l'importation, elle est munie d'un appareil conçu exclusivement pour faciliter le chargement d'un fauteuil roulant dans la fourgonnette sans qu'il soit nécessaire de le plier.

(2) Délai — Le versement prévu au présent article relativement à une fourgonnette n'est effectué que si la personne pouvant le recevoir en fait la demande dans les deux ans suivant le moment où elle acquiert la fourgonnette.

(3) Taxe réputée être exigible — Si le ministre verse à une personne, aux termes du présent article, une somme à laquelle elle n'a pas droit ou dont le montant excède celui auquel elle a droit, le montant du versement ou de l'excédent est réputé être une taxe à payer par la personne en vertu de la présente loi à la date du versement de la somme par le ministre.

2007, c. 29, art. 43

68.1 (1) Paiement en cas d'exportation — Lorsque la taxe prévue par la présente loi a été payée sur des marchandises qu'une personne a exportées du Canada en conformité avec les règlements pris par le ministre, un montant égal à cette taxe est, sous réserve des autres dispositions de la présente partie, payé à la personne si elle en fait la demande dans les deux ans suivant l'exportation des marchandises.

(2) [*Abrogé*].

(3) Exception — Il est entendu qu'aucun montant n'est à payer à une personne aux termes du paragraphe (1) au titre de la taxe payée sur l'essence ou le combustible diesel qui est transporté en dehors du Canada dans le réservoir à combustible du véhicule qui sert à ce transport.

L.R. (1985), c. 7 (2e suppl.), art. 34; 1993, c. 25, art. 60; 1995, c. 46, art. 3; 2000, c. 30, art. 12; 2002, c. 22, art. 377; 2003, c. 15, art. 63, 66

68.11 Paiement dans les cas de redressement — Dans les cas où un transporteur aérien titulaire de licence a remis la taxe en vertu de la partie II et que, conformément au paragraphe 18(1), il a effectué un redressement ou un remboursement à l'égard de la taxe, un montant égal à celui de ce redressement ou de ce remboursement doit, sous réserve des autres dispositions de la présente partie, être payé à ce transporteur, s'il en fait la demande dans les deux ans suivant le redressement ou le remboursement.

L.R. (1985), c. 7 (2e suppl.), art. 34

Info TPS/TVH: GI-024, *Harmonisation des dispositions administratives visant la comptabilité normalisée*.

68.12 Paiement dans les cas de redressement — Dans les cas où un titulaire de licence a payé la taxe en vertu de la partie II.1 à l'égard d'un service taxable et qu'il a effectué un redressement ou un remboursement du montant exigé en raison d'une erreur ou parce que le service n'a pas été fourni ou ne l'a été qu'en partie par lui, un montant égal à la proportion du montant de cette taxe que représente le montant du redressement ou du remboursement par rapport au montant exigé doit, sous réserve des autres dispositions de la présente partie, être payé à ce titulaire, s'il en fait la demande dans les deux ans suivant le redressement ou le remboursement.

L.R. (1985), c. 7 (2e suppl.), art. 34

68.13 Paiement dans les cas de licence subséquemment attribuée — Dans les cas où un titulaire de licence a payé la taxe en vertu de la partie II.1 à l'égard d'un service taxable et que la personne, appelée au présent article l'« acheteur », qui acquiert le service du titulaire :

a) devait, en application de cette partie, présenter une demande de licence à la date où le montant exigé de l'acheteur du service a été payé ou est devenu payable, selon ce qui survient en premier lieu, et s'est vu attribuer cette licence par la suite;

b) a fourni le service étant muni d'une licence, ou à la date où l'acheteur devait, en application de cette partie, présenter une demande de licence, à une autre personne en contrepartie d'un montant exigé qui, à cette date, a été payé ou est devenu payable, selon ce qui survient en premier lieu,

un montant égal à la proportion du montant de cette taxe que représente le montant des ventes taxables du service effectuées par l'acheteur par rapport au montant de ses ventes totales du service doit, sous réserve des autres dispositions de la présente partie, être payé à l'acheteur, s'il en fait la demande dans les deux ans suivant la date du service fourni par lui ou la date à laquelle la licence lui a été attribuée, selon celle de ces deux dates qui survient en dernier lieu.

L.R. (1985), c. 7 (2e suppl.), art. 34

68.14 (1) Paiement dans les cas d'utilisation par une province — Dans les cas où un titulaire de licence a payé la taxe en vertu de la partie II.1 à l'égard d'un service taxable et que Sa Majesté du chef d'une province a acquis le service à une fin autre que :

a) la fourniture de ce service à une autre personne en contrepartie d'un montant exigé;

b) l'utilisation par un conseil, une commission, un chemin de fer, un service public, une université, une usine, une compagnie ou un organisme que le gouvernement de la province possède, contrôle ou exploite, ou se trouvant sous l'autorité de la législature ou du lieutenant-gouverneur en conseil de la province;

c) l'utilisation par Sa Majesté de ce chef, ou par ses mandataires ou préposés, à des fins commerciales ou mercantiles,

un montant égal au montant de cette taxe doit, sous réserve des autres dispositions de la présente partie, être payé soit à ce titulaire de licence ou à Sa Majesté de ce chef, selon le cas, si le titulaire de licence ou Sa Majesté en fait la demande dans les deux ans suivant l'acquisition du service par Sa Majesté.

(2) Exception — Aucun montant n'est payé en vertu du paragraphe (1) au titulaire de licence qui fournit un service taxable à Sa Majesté du chef d'une province liée, à l'époque de la fourniture du service, par un accord de réciprocité fiscale prévu à l'article 32 de la *Loi sur les arrangements fiscaux entre le gouvernement fédéral et les provinces et sur les contributions fédérales en matière d'enseignement postsecondaire et de santé*.

L.R. (1985), c. 7 (2e suppl.), art. 34

68.15 (1) Définitions — Les définitions qui suivent s'appliquent au présent article.

« exercice » L'exercice qui sert à l'application de la *Loi de l'impôt sur le revenu*.

« exercice financier » [*Abrogée*].

1999, c. 31, art. 230

« vente sans lien de dépendance » La fourniture d'un service taxable en contrepartie d'un montant exigé par un titulaire de licence d'une personne avec laquelle il n'a pas de lien de dépendance à la date de la fourniture.

(2) Paiement dans les cas de mauvaises créances — Dans les cas où un titulaire a payé la taxe en vertu de la partie II.1 ou l'a remise en vertu de la partie II.2 à l'égard d'une vente sans lien de dépendance survenue à compter du 16 février 1984 et qu'il a démontré, selon les principes comptables généralement reconnus, qu'une créance lui étant due relativement à la vente est devenue, en totalité ou en partie, une mauvaise créance et a en conséquence été radiée de ses comptes, une fraction du montant de cette taxe d'une proportion égale à celle que représente le montant radié de la créance par rapport à la somme du montant exigé pour le service taxable et du montant de la taxe doit, sous réserve des autres dispositions de la présente partie, être payée à ce titulaire, s'il en fait la demande dans les deux ans suivant la fin de son exercice pendant lequel la créance a été ainsi radiée.

(3) Recouvrement de paiement — Dans les cas où un titulaire de licence recouvre la totalité ou une partie de la créance à l'égard de laquelle il lui a été payé un montant en application du paragraphe (2), appelé dans le présent paragraphe le « montant remboursé », il doit verser sans délai à Sa Majesté une fraction du montant remboursé d'une proportion égale à celle que représente le montant de la créance recouvrée par rapport au montant de la créance radiée ayant donné lieu au remboursement.

L.R. (1985), c. 7 (2e suppl.), art. 34; c. 12 (4e suppl.), art. 23; 1999, c. 31, art. 230(F), 248(F)

68.151 Redressement — Dans les cas où un titulaire a remis la taxe en vertu de la partie II.2 et a effectué un redressement ou un remboursement à l'égard de la taxe, conformément au paragraphe 21.31(1), un montant égal au montant de ce redressement ou remboursement doit, sous réserve des autres dispositions de la présente partie, être payé à ce titulaire, s'il en fait la demande dans les deux ans suivant le redressement ou remboursement.

L.R. (1985), c. 12 (4e suppl.), art. 24

68.152 Paiement dans les cas de licence subséquemment attribuée — Dans les cas où une personne a payé la taxe, en vertu de la partie II.2 à l'égard d'un service taxable qu'elle a acquis et :

a) qu'elle était tenue, en application de cette partie, de présenter une demande de licence à la date où la taxe est devenue payable, et s'est vu attribuer cette licence par la suite;

b) qu'au moment où elle était tenue, en application de cette partie, de présenter une demande de licence ou détenait une telle licence a :

(i) soit fourni le service à une autre personne en contrepartie d'un montant exigé qui, à cette date, a été payé ou est devenu payable, selon ce qui survient en premier lieu,

(ii) soit utilisé le service directement en vue de la fourniture à une autre personne d'un autre service taxable, à l'exception d'un service de liaison par téléavertisseur,

un montant égal à la proportion du montant de cette taxe que représente l'utilisation mentionnée à l'alinéa b) du service taxable par rapport à l'utilisation totale de ce service taxable par elle doit, sous réserve des autres dispositions de la présente partie, lui être payé, si elle en fait la demande dans les deux ans suivant la date du service ainsi fourni ou utilisé par elle ou la date à laquelle la licence lui a été attribuée, soit celle de ces deux dates qui survient en dernier lieu.

L.R. (1985), c. 12 (4e suppl.), art. 24

68.153 Paiement dans les cas de revente — Dans les cas où la taxe en vertu de la partie II.2 a été payée à l'égard d'un service taxable, par une personne autre qu'un exploitant de télécommunication, à la date où la taxe est devenue payable et que cette personne fournissait le service à une autre personne en contrepartie d'un montant exigé pour l'utilisation mentionnée aux paragraphes 21.28(1) ou (2) et qu'elle était titulaire d'une licence en vertu de cette partie ou de la partie II.1 au moment de la fourniture, un montant égal à la proportion du montant de cette taxe que représente la fourniture de ce service à cette autre personne par rapport à l'utilisation totale de ce service par elle doit, sous réserve des autres dispositions de la présente partie, lui être payé, si elle en fait la demande dans les deux ans suivant la fourniture du service.

L.R. (1985), c. 12 (4e suppl.), art. 24

68.16 (1) Paiement dans les cas de certaines utilisations d'essence — Dans les cas où la taxe a été payée en vertu de la partie III à l'égard d'essence et que l'essence a été achetée par :

a) Sa Majesté du chef du Canada ou d'une province ou par un mandataire de Sa Majesté du chef du Canada ou d'une province, avant 1991;

b) une municipalité, avant 1991;

c) une personne à des fins commerciales ou d'affaires, avant 1991;

d) un agriculteur à des fins agricoles, avant 1991;

e) un pêcheur, un chasseur ou un piégeur à des fins de pêche commerciale, de chasse commerciale ou de piégeage commercial, avant 1991;

f) une personne dans des conditions pour lesquelles l'exonération de la taxe de consommation ou de vente est prévue par une disposition de la présente loi, autre que le paragraphe 50(5), avant 1991;

g) une personne faisant partie d'une autre catégorie de personnes que le gouverneur en conseil peut désigner par règlement, avant 1991;

g.1) un organisme de bienfaisance enregistré, au sens de la *Loi de l'impôt sur le revenu*;

g.2) une association canadienne enregistrée de sport amateur, au sens de la *Loi de l'impôt sur le revenu*;

g.3) une personne qui, selon l'attestation d'un médecin, souffre d'un handicap permanent et pour laquelle l'usage des services de transport en commun présente un danger,

pour l'usage exclusif de l'acheteur et non pour la revente, un montant égal à la partie de la taxe égale à un cent et demi le litre doit, sous réserve des autres dispositions de la présente partie, être payé :

h) soit à l'acheteur;

i) soit, selon les modalités et conditions que le gouverneur en conseil peut prévoir par règlement, au fabricant, au producteur, au marchand en gros, à l'intermédiaire ou à un autre commerçant,

si l'acheteur en fait la demande dans les deux ans suivant son achat de l'essence.

Mémorandums [68.16(1)]: TPS 800-1, 25/05/92, *Taxes d'accise*.

(2) Paiement dans le cas de certaines utilisations d'essence d'aviation — Dans les cas où la taxe a été payée en vertu de la partie III à l'égard d'essence d'aviation et que celle-ci a été achetée avant 1991 par :

a) une personne pour le transport aérien en commun de personnes, du fret ou du courrier;

b) une personne pour des services aériens liés directement à :

(i) l'exploration et la mise en valeur des ressources naturelles,

(ii) l'épandage aérien, l'ensemencement aérien et la lutte aérienne contre les insectes,

(iii) la sylviculture,

(iv) la pisciculture,

(v) la construction au moyen d'aéronefs à voilure tournante,

(vi) la surveillance, la protection et la lutte aériennes contre les incendies,

(vii) la cartographie;

c) une personne qui se livre à des essais de moteurs d'aéronefs,

pour l'usage exclusif de l'acheteur afin de fournir un service mentionné à l'alinéa a) ou b) ou afin de se livrer à des essais de moteurs d'aéronefs, selon le cas, et non pour la revente ou tout autre usage, un montant égal à la partie de la taxe égale à un cent et demi le litre doit, sous réserve des autres dispositions de la présente partie, être payé :

d) soit à l'acheteur;

e) soit, selon les modalités et conditions que le gouverneur en conseil peut prévoir par règlement, au fabricant, au producteur, au marchand en gros, à l'intermédiaire ou à un autre commerçant,

si l'acheteur en fait la demande dans les deux ans suivant son achat de l'essence d'aviation.

(3) Présomption — Tout paiement versé à une personne visée à l'alinéa (1)i) ou (2)e) est, pour l'application du paragraphe (4) et des articles 98 à 102, réputé avoir été versé à l'acheteur.

(4) Recouvrement de paiement — Lorsqu'un montant a été payé en vertu du paragraphe (1) ou (2) à une personne qui vend ou utilise l'essence ou l'essence d'aviation à une fin qui ne donne pas à l'acheteur de ces essences le droit au paiement, l'acheteur doit verser sans délai à Sa Majesté une somme égale à celle du paiement.

(5) Fins commerciales ou d'affaires — Pour l'application de l'alinéa (1)c), l'expression « fins commerciales ou d'affaires » a la signification que le gouverneur en conseil peut déterminer par règlement.

(6) Personne ayant droit au paiement — Lorsqu'une personne a acheté de l'essence ou de l'essence d'aviation à l'égard de laquelle la taxe a été payée en vertu de la partie III et qu'elle a recouvré le coût de cette essence ou de cette essence d'aviation, ou une fraction de celui-ci, d'une personne visée à l'un des alinéas (1)a) à g.3), dans le cas d'essence, ou d'une personne visée à l'un des alinéas (2)a) à c) dans le cas d'essence d'aviation, en vue de payer un montant conformément aux paragraphes (1) ou (2), le gouverneur en conseil peut, par règlement, prévoir :

a) la manière dont sera calculé le montant;

b) qui, de la personne qui a acheté l'essence ou l'essence d'aviation ou de la personne de qui le coût a été recouvré en totalité ou en partie, est réputé être l'acheteur de l'essence ou de l'essence d'aviation.

L.R. (1985), c. 7 (2e suppl.), art. 34; 1990, c. 45, art. 10; 1995, c. 36, art. 5; 1999, c. 31, art. 246(F)

68.161-68.169 [*Abrogés*].

1994, c. 29, art. 7; 1997, c. 26, art. 67, 68; 2000, c. 30, art. 13; 2001, c. 16, par. 27(1)

68.17 Paiement en cas d'utilisation comme provisions de bord — Si la taxe prévue à la partie III a été payée sur des marchandises qu'un fabricant, un producteur, un marchand en gros, un intermédiaire ou un autre commerçant a vendues comme provisions de bord, un montant égal à cette taxe est, sous réserve des autres dispositions de la présente partie, payé au commerçant qui en fait la demande dans les deux ans suivant la vente des marchandises.

L.R. (1985), c. 7 (2e suppl.), art. 34; 1991, c. 42, art. 2; 1993, c. 25, art. 61; 2002, c. 22, art. 378; 2002, c. 22, art. 429

68.171-68.172 [*Abrogés*].

2001, c. 16, par. 28(1); 2002, c. 22, art. 378

68.18 (1) Paiement dans les cas de marchandises en stock — Lorsque la taxe a été payée en vertu de la partie III à l'égard de marchandises qu'une personne détient en stock dans un état inutilisé à la date où une licence lui est délivrée conformément aux articles 54 ou 64 et que cette personne aurait pu par la suite obtenir ces marchandises exemptes de taxe en vertu du paragraphe 23(7), une somme égale à la taxe doit, sous réserve des autres dispositions de la présente partie, être versée à cette personne, si elle en fait la demande dans les deux ans qui suivent la délivrance de la licence.

(2) Idem — Lorsque la taxe a été payée en vertu de la partie III à l'égard de marchandises qu'une personne détient en stock dans un état inutilisé à la date où une licence lui est délivrée conformément à l'article 55 et que cette personne aurait pu par la suite obtenir ces marchandises exemptes de taxe en vertu des paragraphes 23(6), (7) ou (8), une somme égale à cette taxe ou, si elle est moins élevée, à la taxe prévue à la partie III qui serait payable si les marchandises étaient acquises par cette personne lors d'une opération taxable à cette même date doit, sous réserve des autres dispositions de la présente partie, être versée à cette personne, si elle en fait la demande dans les deux ans suivant la délivrance de la licence.

(3) Exception — Aucune somme égale à la taxe prévue à la partie III ne peut être versée à une personne conformément au paragraphe (2) à l'égard de marchandises qui ne sont pas assujetties à la taxe en vertu de cette partie à la date de la délivrance d'une licence à cette personne en application de l'article 55.

(3.1) [*Abrogé*].

(4) État inutilisé — Pour l'application du présent article, des marchandises sont dans un état inutilisé si elles sont neuves ou n'ont pas été utilisées au Canada.

L.R. (1985), c. 7 (2e suppl.), art. 34; 2001, c. 16, par. 29(1); 2002, c. 22, art. 379

68.19 (1) Utilisation par une province — Si la taxe a été payée en vertu de la partie III à l'égard de marchandises et si Sa Majesté du chef d'une province a acheté ou importé les marchandises à une fin autre que :

a) la revente;

b) l'utilisation par un conseil, une commission, un chemin de fer, un service public, une université, une usine, une compagnie ou un organisme que le gouvernement de la province possède, contrôle ou exploite, ou sous l'autorité de la législature ou du lieutenant-gouverneur en conseil de la province;

c) l'utilisation par Sa Majesté de ce chef, ou par ses mandataires ou préposés, relativement à la fabrication ou la production de marchandises, ou pour d'autres fins commerciales ou mercantiles,

une somme égale au montant de cette taxe doit, sous réserve des autres dispositions de la présente partie, être versée soit à Sa Majesté de ce chef soit à l'importateur, au cessionnaire, au fabricant, au producteur, au marchand en gros, à l'intermédiaire ou à un autre commerçant, selon le cas, si Sa Majesté ou le commerçant en fait la demande dans les deux ans suivant l'achat ou l'importation des marchandises par Sa Majesté.

(2) Exception — Aucune somme n'est versée en vertu du paragraphe (1) à l'importateur, au cessionnaire, au fabricant, au producteur, au marchand en gros, à l'intermédiaire ou à un autre commerçant qui fournit des marchandises à Sa Majesté du chef d'une province liée, à l'époque de la fourniture, par un accord de réciprocité fiscale prévu à l'article 32 de la *Loi sur les arrangements fiscaux entre le gouvernement fédéral et les provinces et sur les contributions fédérales en matière d'enseignement postsecondaire et de santé*.

L.R. (1985), c. 7 (2e suppl.), art. 34; 1991, c. 42, art. 3; 2002, c. 22, art. 380

68.2 (1) Paiement dans les cas de vente subséquemment exemptée — Lorsque la taxe a été payée en vertu de la partie III ou VI à l'égard de marchandises et que subséquemment les marchandises sont vendues à un acheteur en des circonstances qui, à cause de la nature de cet acheteur ou de l'utilisation qui sera faite de ces marchandises ou de ces deux éléments, auraient rendu la vente à cet acheteur exempte ou exonérée de cette taxe aux termes du paragraphe 23(6), de l'alinéa 23(8)b) ou des paragraphes 50(5) ou 51(1) si les marchandises avaient été fabriquées au Canada et vendues à l'acheteur par leur fabricant ou producteur, une somme égale au montant de cette taxe doit, sous réserve des autres dispositions de la présente partie, être versée à la personne qui a vendu les marchandises à cet acheteur, si la personne qui a vendu les marchandises en fait la demande dans les deux ans qui suivent la vente.

(2) Application de la règle anti-évitement — L'article 274 s'applique, avec les adaptations nécessaires, aux ventes de marchandises effectuées après le 17 décembre 1990 et avant 1991 qui donneraient lieu à l'application du paragraphe (1) ou sont de nature à y donner lieu. À cette fin, la mention à cet article de cotisation, nouvelle cotisation ou cotisation supplémentaire vaut aussi mention de détermination ou nouvelle détermination.

L.R. (1985), c. 7 (2e suppl.), art. 34; 1993, c. 27, art. 2

68.21 (1) Définitions — Les définitions qui suivent s'appliquent au présent article.

« exercice » L'exercice qui sert à l'application de la *Loi de l'impôt sur le revenu.*

« exercice financier » [*Abrogée*].

« vente sans lien de dépendance » Vente de marchandises par un fabricant titulaire de licence à une personne avec laquelle il n'a pas de lien de dépendance à la date de la vente.

(2) Paiement dans les cas de mauvaises créances — Dans les cas où un fabricant titulaire de licence a payé la taxe *ad valorem* en vertu de la partie III ou VI à l'égard d'une vente sans lien de dépendance survenant à compter du 16 février 1984 et qu'il a démontré, selon les pratiques comptables généralement reconnues, qu'une créance lui étant due relativement à la vente est devenue, en totalité ou en partie, une mauvaise créance et a en conséquence été radiée de ses comptes, une fraction du montant de cette taxe d'une proportion égale à celle que représente le montant radié de la créance par rapport au prix pour lequel les marchandises ont été vendues doit, sous réserve des autres dispositions de la présente partie, être payée à ce fabricant, s'il en fait la demande dans les deux ans suivant la fin de son exercice pendant lequel la créance a été ainsi radiée.

(3) Recouvrement de paiement — Dans les cas où un fabricant titulaire de licence recouvre la totalité ou une partie de la créance à l'égard de laquelle il lui a été payé un montant en application du paragraphe (2), appelé dans le présent paragraphe le « montant remboursé », il doit verser sans délai à Sa Majesté une fraction du montant remboursé d'une proportion égale à celle que représente le montant de la créance ainsi recouvrée par rapport au montant radié de la créance ayant donné lieu au remboursement.

L.R. (1985), c. 7 (2e suppl.), art. 34; c. 12 (4e suppl.), art. 25; 1999, c. 31, art. 231(F), 248(F)

68.22 Paiement dans les cas de garantie — Lorsque la taxe a été payée en vertu de la partie III ou VI à l'égard de marchandises qu'un fabricant titulaire de licence donne comme pièces de remplacement gratuites aux termes d'une garantie écrite donnée relativement aux marchandises dans lesquelles les pièces doivent être incorporées et que le montant éventuel exigé pour la garantie est compris dans le prix de vente exigé par le fabricant titulaire de licence pour les marchandises dans lesquelles les pièces doivent être incorporées ou, si ces marchandises sont des marchandises importées, dans leur valeur à l'acquitté, une somme égale au montant de cette taxe doit, sous réserve des autres dispositions de la présente partie, être versée à ce fabricant, s'il en fait la demande dans les deux ans suivant l'aliénation des marchandises.

L.R. (1985), c. 7 (2e suppl.), art. 34

68.23 (1) Définition de « marchandises destinées à des réseaux » — Dans le présent article, « marchandises destinées à des réseaux » s'entend, à la fois :

a) des marchandises achetées pour être utilisées directement dans un réseau de distribution d'eau, d'égout ou de drainage;

b) des marchandises utilisées dans la construction d'un bâtiment ou de la partie d'un bâtiment servant exclusivement pour abriter les machines et appareils devant servir directement dans un réseau de distribution d'eau, d'égout ou de drainage.

Sont toutefois exclus les produits chimiques achetés ou utilisés pour le traitement de l'eau ou des eaux d'égout d'un tel réseau.

(2) Paiement dans les cas d'utilisation dans certains réseaux — Lorsque la taxe a été payée en vertu de la partie VI à l'égard de marchandises destinées à des réseaux et que l'acheteur des marchandises a, dans les trois ans qui suivent l'achèvement du réseau pour lequel les marchandises ont été achetées ou dans lequel elles ont été utilisées, selon le cas, cédé gratuitement le réseau à une municipalité conformément à un règlement municipal ou à un accord conclu avec cette municipalité, une somme égale au montant de cette taxe doit, sous réserve des autres dispositions de la présente partie, être versée à cet acheteur, s'il en fait la demande dans les deux ans suivant la cession du réseau.

(3) Désignation — Pour l'application du paragraphe (2), le ministre peut désigner comme municipalité tout organisme exploitant un réseau de distribution d'eau, d'égout ou de drainage pour le compte ou au nom d'une municipalité.

L.R. (1985), c. 7 (2e suppl.), art. 34

68.24 (1) Définitions — Les définitions qui suivent s'appliquent au présent article.

« institution déjà titulaire de certificat » Organisation sans but lucratif ou organisme de bienfaisance détenant un certificat valide délivré au titre du présent article dans sa version antérieure au 11 février 1988.

« institution titulaire de certificat » Organisation sans but lucratif ou organisme de bienfaisance détenant un certificat valide délivré au titre du paragraphe (2).

« jour spécifié »

a) À l'égard d'une institution titulaire de certificat, celui des jours suivants qui survient en dernier lieu :

(i) le jour spécifié dans le certificat conformément au paragraphe (3),

(ii) le premier jour du mois d'avril précédant celui où a été reçue par le ministre la demande de certificat;

b) à l'égard d'une institution déjà titulaire de certificat, celui des jours suivants qui survient en dernier lieu :

(i) le jour spécifié dans le certificat conformément au présent article, dans sa version antérieure au 11 février 1988,

(ii) le premier jour du mois d'avril précédant celui où a été reçue par le ministre la demande de certificat.

« ministre » Le ministre de la Santé nationale et du Bien-être social.

« organisation sans but lucratif » Cercle ou association visés à l'alinéa 149(1)l) de la *Loi de l'impôt sur le revenu.*

« organisme de bienfaisance » S'entend au sens du paragraphe 149.1(1) de la *Loi de l'impôt sur le revenu.*

« organisme de charité » [*Abrogée*].

1999, c. 31, art. 232

(2) Délivrance du certificat — Sur demande établie en la forme, selon la manière et avec les renseignements déterminés par lui, le ministre peut délivrer un certificat au demandeur pour l'application du présent article, s'il est convaincu que ce dernier est une organisation sans but lucratif ou un organisme de bienfaisance :

a) soit dont le but principal est de fournir des soins d'un type déterminé par règlement du gouverneur en conseil sur recommandation du ministre et du ministre des Finances :

(i) aux enfants, aux vieillards, aux infirmes ou aux personnes incapables de subvenir à leurs besoins, qui nécessitent des soins de façon continuelle ou à intervalles réguliers,

(ii) dans ses propres locaux au moyen d'un personnel qualifié en nombre suffisant par rapport aux types de soins prodigués;

b) soit dont le seul but est de fournir des services administratifs uniquement à une ou plusieurs organisations sans but lucratif ou à un ou plusieurs organismes de bienfaisance dont le but principal est celui visé à l'alinéa a) et qui détiennent un certificat au titre du présent paragraphe.

(3) Conditions du certificat — Le certificat visé au paragraphe (2), établi en la forme déterminée par le ministre, certifie que l'organisation sans but lucratif ou l'organisme de bienfaisance auquel il est délivré respecte, au jour qui y est indiqué, les conditions mentionnées à ce paragraphe. Il spécifie également l'emplacement pour lequel il est délivré si l'organisation ou l'organisme opère dans plus d'un endroit.

(4) Révocation d'un nouveau certificat — Lorsqu'il a des motifs raisonnables de croire que le titulaire du certificat visé au paragraphe (2) n'observait pas les conditions mentionnées à ce paragraphe au moment où le certificat a été délivré ou qu'il a cessé depuis de les observer, le ministre peut, par avis au titulaire, révoquer le certificat à compter de la date où il a été délivré ou de celle où celui-ci a cessé d'observer ces conditions, selon le cas.

(5) Révocation d'un ancien certificat — Lorsqu'il a des motifs raisonnables de croire que le titulaire du certificat visé au présent article dans sa version antérieure au 11 février 1988 n'observe plus les conditions mentionnées au paragraphe (2), le ministre peut, par avis au titulaire, révoquer le certificat à compter de la date où celui-ci n'a plus observé ces conditions.

(6) Paiement dans les cas d'utilisation par des institutions titulaires de certificat ou déjà titulaires de certificat — Lorsque la taxe a été payée en vertu de la partie VI à l'égard de marchandises et qu'une institution titulaire de certificat ou une institution déjà titulaire de certificat a acheté les marchandises le jour spécifié, ou après celui-ci, pour l'usage exclusif de l'institution et non pour la revente et observe les conditions mentionnées au paragraphe (2) au moment de l'achat, une somme égale au montant de cette taxe doit, sous réserve des autres dispositions de la présente partie, être versée à cette institution, si elle en fait la demande dans les deux ans suivant l'achat des marchandises.

(7) Paiement dans les cas d'utilisation par des institutions titulaires de certificat ou déjà titulaires de certificat avant la délivrance du certificat — Lorsque la taxe a été payée en vertu de la partie VI à l'égard de marchandises et qu'une organisation sans but lucratif ou un organisme de bienfaisance auxquels un certificat a été ultérieurement délivré au titre du paragraphe (2) ou du présent article dans sa version antérieure au 11 février 1988, ou qu'une personne agissant pour le compte de cette organisation ou de cet organisme ont acheté les marchandises au cours des deux ans précédant le jour spécifié, pour l'usage exclusif de l'organisation ou l'organisme et non pour la revente et que ceux-ci construisaient un bâtiment destiné à leur propre usage au moment de l'achat, une somme égale au montant de cette taxe doit, sous réserve des autres dispositions de la présente partie, leur être versée s'ils en font la demande dans les deux ans suivant la date de délivrance du certificat.

(8) Exception — Lorsqu'un certificat délivré en vertu du paragraphe (2) spécifie l'emplacement pour lequel il est délivré ou, étant délivré en vertu du présent article dans sa version antérieure au 11 février 1988, spécifie l'adresse de son titulaire, nulle somme ne sera versée conformément aux paragraphes (6) ou (7) à une institution titulaire de certificat ou à une institution déjà titulaire de certificat à moins que les marchandises ne soient achetées pour son usage exclusif à cet emplacement ou à cette adresse et non pour la revente.

L.R. (1985), c. 7 (2e suppl.), art. 34; c. 12 (4e suppl.), art. 26, 27; 1999, c. 31, art. 232, 246(F)

68.25 Paiement dans les cas d'utilisation par des établissements fournissant des services de nettoyage à des hôpitaux — Lorsque la taxe a été payée en vertu de la partie VI à l'égard de marchandises et que les marchandises ont été achetées à la seule fin de construire, équiper ou exploiter un établissement :

a) qui est possédé intégralement, directement ou indirectement, par un ou plusieurs hôpitaux publics authentiques, ou pour leur compte, dont chacun a été certifié comme tel par le ministère de la Santé;

b) qui est établi à la seule fin de fournir des services de blanchissage, de nettoyage ou de lingerie à un ou plusieurs hôpitaux visés à l'alinéa a),

une somme égale au montant de cette taxe doit, sous réserve des autres dispositions de la présente partie, être versée à cet établissement, s'il en fait la demande dans les deux ans suivant l'achat des marchandises.

L.R. (1985), c. 7 (2e suppl.), art. 34; 1999, c. 31, art. 85

68.26 Paiement dans les cas d'utilisation par des institutions d'enseignement — Lorsque la taxe a été payée en vertu de la partie VI à l'égard de matériaux et que les matériaux ont été achetés :

a) par une école, une université ou une autre semblable institution d'enseignement, ou pour son compte, et sont destinés exclusivement à la construction d'un bâtiment pour cette institution;

b) par tout organisme, ou pour son compte, et sont destinés exclusivement à la construction d'un bâtiment pour cette organisation, devant servir exclusivement ou principalement de bibliothèque publique non commerciale dirigée par cet organisme ou en son nom;

c) par une société, dont la propriété intégrale et le contrôle appartiennent à Sa Majesté du chef d'une province, constituée à la seule fin de fournir des habitations aux étudiants d'universités ou d'autres maisons d'enseignement semblables, et sont destinés exclusivement à la construction de telles habitations,

une somme égale au montant de cette taxe doit, sous réserve des autres dispositions de la présente partie, être versée à cette institution, organisme ou société, si elle en fait la demande dans les deux ans suivant l'achat des matériaux.

L.R. (1985), c. 7 (2e suppl.), art. 34

68.27 (1) Définition de « marchandises destinées à un incinérateur » — Dans le présent article, « marchandises destinées à un incinérateur » s'entend :

a) des matières devant servir exclusivement à la construction;

b) des machines ou appareils, y compris le matériel devant être installé dans une cheminée et leurs pièces de rechange, destinés directement et exclusivement au fonctionnement,

d'un incinérateur appartenant, ou devant appartenir, à une municipalité, et servant, ou devant servir, principalement à l'incinération des déchets pour cette municipalité, à l'exclusion des véhicules à moteur, de leurs accessoires ou du matériel de bureau.

(2) Paiement dans les cas d'utilisation dans des incinérateurs — Lorsque la taxe a été payée en vertu de la partie VI à l'égard de marchandises destinées à un incinérateur et que les marchandises ont été achetées par une municipalité ou en son nom pour l'usage exclusif de la municipalité et non pour la revente, une somme égale au montant de cette taxe doit, sous réserve des autres dispositions de la présente partie, être versée à cette municipalité, si elle en fait la demande dans les deux ans suivant l'achat des marchandises.

L.R. (1985), c. 7 (2e suppl.), art. 34

68.28 (1) Définition de « marchandises admissibles » — Dans le présent article, « marchandises admissibles » s'entend des marchandises visées à la partie XIII de l'annexe III. Sont toutefois exclus :

a) les photocopieurs et autre matériel de bureau servant à la reproduction et destinés à être utilisés par des personnes dont l'activité principale n'est pas l'imprimerie;

b) les marchandises qui sont expressément exclues ou non incluses dans cette partie.

(2) Paiement au petit fabricant — Lorsque la taxe a été payée en vertu de la partie VI à l'égard de marchandises admissibles et que les marchandises ont été achetées ou importées par une personne d'une catégorie désignée en application du paragraphe (3) pour l'usage exclusif de cette personne et non pour la revente, une somme égale au montant de cette taxe doit, sous réserve des autres dispositions de la présente partie, être versée à cette personne, si elle en fait la demande dans les deux ans suivant l'achat ou l'importation des marchandises.

(3) Règlements — Le gouverneur en conseil peut, sur la recommandation conjointe du ministre des Finances et du ministre du Revenu national, par règlement, désigner une catégorie de petits fabricants ou de producteurs pour l'application du présent article.

L.R. (1985), c. 7 (2e suppl.), art. 34

68.29 Paiement relatif aux imprimés destinés aux touristes — Lorsque la taxe a été payée en vertu de la partie VI sur des imprimés qui ont été produits ou achetés au Canada soit par une chambre de commerce, une association de municipalités ou d'automobilistes, ou un autre organisme semblable, soit par une administration publique ou ses ministères, services, organismes ou représentants, ou sur l'ordre de ceux-ci, et qui sont distribués gratuitement au grand public en vue de la promotion du tourisme, une somme égale au montant de cette taxe doit, sous réserve des autres dispositions de la présente partie, être versée soit à cet organisme, soit à cette administration publique ou à ses ministères, services, organismes ou représentants, si demande en est faite dans les deux ans suivant la date de la production ou de l'achat des imprimés.

L.R. (1985), c. 7 (2e suppl.), art. 34; c. 42 (2e suppl.), art. 7

68.3 (1) Paiement relatif au carburant acheté par les diplomates étrangers — En cas de paiement des taxes imposées en vertu des parties III et VI sur l'essence ou le combustible diesel acheté par un diplomate pour son usage particulier ou officiel, le montant des taxes est, sous réserve des autres dispositions de la présente partie, à rembourser à ce diplomate, s'il en fait la demande dans les deux ans suivant l'achat.

(2) Décrets de classement — Le gouverneur en conseil peut, sur recommandation du ministre des Affaires étrangères constatant que les diplomates canadiens en poste dans un pays étranger y bénéficient de l'exonération des taxes sur l'essence et le combustible diesel, classer, par décret, ce pays parmi ceux dont les diplomates sont visés par le présent article.

(3) Définition de « diplomate » — Dans le présent article, « diplomate » s'entend d'une personne visée à l'article 2 de la partie II de l'annexe III qui représente un pays classé conformément aux décrets d'application du paragraphe (2).

L.R. (1985), c. 42 (2e suppl.), art. 8; 1995, c. 5, art. 25

68.4 (1) Définitions — Les définitions qui suivent s'appliquent au présent article.

« année d'imposition »

a) Dans le cas d'un contribuable au sens de la *Loi de l'impôt sur le revenu*, son année d'imposition pour l'application de cette loi;

b) dans les autres cas, la période qui représenterait l'année d'imposition d'une personne pour l'application de cette loi si elle était une personne morale.

« camionneur » S'entend, pour une année civile, d'une personne dont le revenu brut pour l'année provient principalement d'une entreprise de transport de marchandises par camion et qui n'est, à aucun moment de l'année, exonérée de l'impôt prévu à la partie I de la *Loi de l'impôt sur le revenu* par l'effet de l'article 149 de cette loi.

« carburant aviation » N'est pas du carburant aviation l'essence d'aviation.

« combustible » Combustible diesel et carburant aviation à l'égard desquels la taxe prévue à la partie III a été payée et n'est recouvrable en vertu d'aucun autre article de la présente loi.

« fin inadmissible » Toute utilisation autre que celle qui consiste à fournir, à des fins commerciales, des services de transport admissibles ou, dans le cas où une remise est payée en application du paragraphe (3.1), toute utilisation autre que celle qui consiste à fournir, à des fins commerciales, des services de transport aérien admissibles. Il est entendu que la vente de combustible est une fin inadmissible.

« plafond de la remise aux transporteurs aériens » Quant à un transporteur aérien pour une année civile :

a) dans le cas où aucun autre transporteur aérien ne lui est lié au cours de l'année, 20 000 000 $;

b) dans les autres cas, la somme qui est attribuée au transporteur aérien aux termes d'une convention qu'il a conclue, sur le formulaire prescrit présenté au ministre avec la demande visée à l'alinéa (3.1)b), avec les autres personnes qui, au cours de l'année, sont des transporteurs aériens qui lui sont liés à un moment de cette année, compte tenu des réserves suivantes :

(i) si le total des sommes ainsi attribuées pour l'année au transporteur aérien et aux transporteurs aériens liés dépasse 20 000 000 $, chaque somme ainsi attribuée est réputée nulle,

(ii) si le transporteur aérien et les transporteurs aériens liés ne présentent pas une convention pour l'année aux termes du présent alinéa, le ministre peut attribuer une somme à un ou plusieurs d'entre eux pour l'année, cette somme ou le total de ces sommes ne pouvant dépasser 20 000 000 $; toute somme ainsi attribuée est réputée l'avoir été par le transporteur aérien et les transporteurs aériens liés dans le cadre d'une telle convention.

« remise de taxe sur le combustible » Le montant payable en application des paragraphes (2), (3) ou (3.1).

« revenu brut » S'agissant du revenu brut d'une personne pour une année civile, s'entend :

a) dans le cas d'un contribuable au sens de la *Loi de l'impôt sur le revenu*, de son revenu brut selon cette loi pour ses années d'imposition se terminant au cours de l'année;

b) dans les autres cas, du montant qui correspondrait, pour l'application de cette loi, à son revenu brut pour ses années d'imposition se terminant au cours de l'année si elle était une personne morale.

« service de transport admissible » Service consistant à transporter des passagers ou des marchandises, ou les deux à la fois, par aéronef, bateau, autocar, camion ou train, ou par plusieurs de ces moyens de transport.

« service de transport aérien admissible » Service consistant à transporter par aéronef des passagers ou des marchandises, ou les deux à la fois.

« transporteur » S'entend, pour une année civile, d'une personne dont le revenu brut pour l'année provient principalement d'une entreprise consistant à fournir des services de transport admissibles et qui n'est, à aucun moment de l'année, exonérée de l'impôt prévu à la partie I de la *Loi de l'impôt sur le revenu* par l'effet de l'article 149 de cette loi.

« transporteur aérien » Personne qui est un transporteur au cours d'une année civile et dont le revenu brut pour l'année provient principalement d'une entreprise consistant à fournir des services de transport aérien admissibles.

(1.1) Présomption — Pour l'application du présent article, la personne morale qui est une société privée sous contrôle canadien, au sens du paragraphe 125(7) de la *Loi de l'impôt sur le revenu*, et une autre personne morale à laquelle elle serait liée par ailleurs à un moment donné sont réputées ne pas être liées à ce moment si elles ne sont pas alors associées l'une à l'autre, au sens du paragraphe 127(1) de la présente loi.

(2) Remise aux transporteurs — Sous réserve de la présente partie, une remise de taxe sur le combustible au taux de trois cents le litre de combustible est payée à la personne qui, pour une année civile, est un transporteur et remplit les conditions suivantes :

a) au cours de l'année, elle a acheté du combustible au Canada, ou en a importé, pour utilisation exclusive dans la prestation d'un service de transport admissible;

b) elle présente au ministre avant juillet 1993, sur formulaire prescrit contenant les renseignements prescrits, une demande de remise de taxe pour ce combustible;

c) elle n'a pas présenté de demande de remise de taxe sur le combustible en application du paragraphe (3) pour du combustible acheté ou importé au cours de l'année.

(3) **Remise aux camionneurs** — Une remise de taxe sur le combustible égale au moins élevé du taux d'un cent et demi le litre de combustible et de 500 $ est payée à la personne qui, pour une année civile, est un camionneur et remplit les conditions suivantes :

a) au cours de l'année, elle a acheté du combustible au Canada, ou en a importé, pour utilisation exclusive dans la prestation d'un service de transport admissible;

b) elle présente au ministre avant juillet 1993, sur formulaire prescrit contenant les renseignements prescrits, une demande de remise de taxe pour ce combustible;

c) elle n'a pas présenté de demande de remise de taxe sur le combustible en application du paragraphe (2) pour du combustible acheté ou importé au cours de l'année.

(3.1) **Remise aux transporteurs aériens** — Sous réserve des autres dispositions de la présente partie, le ministre paie une remise de taxe sur le combustible à la personne qui est un transporteur aérien au cours d'une année civile et qui, à la fois :

a) au cours de l'année, a acheté du carburant aviation au Canada, ou en a importé, pour utilisation exclusive dans la prestation d'un service de transport aérien admissible;

b) présente au ministre, avant la fin du sixième mois suivant la fin de l'année, sur formulaire prescrit, une demande de remise de taxe pour ce carburant.

La remise est égale au taux de quatre cents le litre de combustible ou, s'il est inférieur, au plafond de la remise aux transporteurs aériens de la personne pour l'année.

(4) **Restrictions** — Aucune remise de taxe sur le combustible visée au présent article n'est payée dans les cas suivants :

a) elle viserait du combustible utilisé ou à utiliser à une fin inadmissible;

b) en cas d'application des paragraphes (2) ou (3), elle viserait du combustible acheté ou importé par le transporteur ou le camionneur avant 1991 ou après 1992;

c) en cas d'application du paragraphe (3.1), elle viserait du combustible acheté ou importé par le transporteur aérien avant 1996 ou après 1999;

d) elle serait payée à un failli ou au syndic de faillite de celui-ci pour du combustible qu'ils ont acheté ou importé avant la libération du failli.

(5) **Une seule demande** — Une personne ne peut faire plus d'une demande de remise de taxe sur le combustible pour le combustible acheté ou importé au cours d'une année civile.

(6) **Réaffectation à une fin inadmissible** — Lorsqu'une remise de taxe sur le combustible est payée à une personne en application du présent article et que la personne utilise le combustible à une fin inadmissible, le montant de la remise payée est réputé être une taxe qui est payable par la personne en application de la partie III de la présente loi au moment où le combustible est ainsi utilisé.

(7) **Restitution de la remise** — Sous réserve des paragraphes (8) et (9), la personne à qui une remise de taxe sur le combustible est payée en application des paragraphes (2) ou (3.1) peut en restituer tout ou partie au receveur général.

(8) **Délai de restitution** — La remise de taxe sur le combustible payée à une personne pour son année d'imposition est restituée dans la période de quatre-vingt-dix jours commençant le jour de la mise à la poste par le ministre d'un avis de cotisation concernant l'impôt payable par la personne pour l'année en vertu de la partie I de la *Loi de l'impôt sur le revenu*, d'un avis de détermination à l'égard de la personne en vertu du paragraphe 152(1.1) de cette loi pour l'année ou d'un avis portant qu'aucun impôt n'est payable pour l'année en vertu de cette partie.

(9) **Application des paragraphes 79(1) à (1.2)** — Lorsqu'une personne restitue, en application du paragraphe (7), tout ou partie d'une remise de taxe sur le combustible, les paragraphes 79(1) à (1.2) s'appliquent, avec les adaptations nécessaires, comme si :

a) la restitution représentait un paiement de taxe exigible en vertu de la partie III;

b) la personne avait omis de payer la taxe dans le délai prévu au paragraphe 78(4);

c) la taxe devait être payée selon le paragraphe 78(4) au plus tard à la date suivante :

(i) dans le cas de la remise prévue au paragraphe (3.1), le 1er janvier 2000 ou, s'il est postérieur, le dernier jour du mois au cours duquel la personne a reçu la remise,

(ii) dans les autres cas, le dernier jour du mois au cours duquel la personne a reçu la remise;

d) dans l'alinéa 79(1)a), « une pénalité d'un demi pour cent et des intérêts, au taux prescrit, » était remplacé par « une pénalité d'un taux égal au taux d'intérêt prescrit ».

1992, c. 29, art. 1; 1997, c. 26, art. 81

Mémorandums [68.4]: TPS 800-1, 25/05/92, *Taxes d'accise*.

68.5 (1) Définitions — Les définitions qui suivent s'appliquent au présent article.

« eaux internes du Canada » La totalité des fleuves, rivières, lacs et autres eaux douces navigables, à l'intérieur du Canada, y compris le fleuve Saint-Laurent aussi loin vers la mer qu'une ligne droite tirée :

a) de Cap-des-Rosiers à la pointe occidentale de l'île d'Anticosti;

b) de l'île d'Anticosti à la rive nord du fleuve Saint-Laurent le long du méridien de longitude soixante-trois degrés ouest.

« eaux secondaires du Canada » Toutes les eaux internes du Canada, autres que celles des lacs Ontario, Érié, Huron — y compris la baie Georgienne — et Supérieur, et celles du fleuve Saint-Laurent à l'est d'une ligne tirée de Pointe-au-Père à Pointe-Orient. Sont inclus dans la présente définition toutes les baies et anses et tous les havres de ces lacs ou de la baie Georgienne.

« navire admissible » Remorqueur, traversier ou navire de passagers qui fait le commerce pendant un voyage en eaux internes et qui, à la fois :

a) ne se rend pas à l'extérieur du Canada, sauf pour se rendre :

(i) à la partie d'un lac, d'un fleuve ou d'une rivière, compris en partie dans les eaux internes du Canada, qui est située dans les États-Unis,

(ii) au lac Michigan;

b) n'est pas affecté au commerce international.

« période de remise » Période qui, selon le cas :

a) commence le 1er juin 2002 et se termine le 31 décembre 2002;

b) commence le 1er janvier 2003 et se termine le 31 décembre 2003;

c) commence le 1er janvier 2004 et se termine le 31 décembre 2004.

« voyage en eaux internes » À l'exclusion d'un voyage en eaux secondaires, voyage effectué :

a) dans les eaux internes du Canada et dans toute partie d'un lac, d'un fleuve ou d'une rivière, compris dans les eaux internes du Canada, qui est située dans les États-Unis;

b) sur le lac Michigan.

« voyage en eaux secondaires » Voyage effectué dans les eaux secondaires du Canada et dans toute partie d'un lac, d'un fleuve ou d'une rivière, compris dans les eaux secondaires du Canada, qui est située dans les États-Unis.

(2) Remise pour combustible à l'usage d'un navire admissible — Sous réserve de la présente partie, le ministre verse, sur demande, une remise calculée conformément au paragraphe (3) pour une période de remise à la personne qui achète ou a l'intention d'acheter du combustible qu'elle utilise ou doit utiliser pour exploiter ou entretenir un navire admissible au cours de la période.

(3) Calcul de la remise — La remise à verser à une personne pour une période de remise correspond au montant suivant :

a) si la somme demandée est fondée sur une estimation, jugée acceptable par le ministre et effectuée au cours d'une période qu'il précise, de la quantité de combustible que la personne achète ou doit acheter après mai 2002 et qu'elle utilise ou doit utiliser pour exploiter ou entretenir un navire admissible au cours de la période de remise, le montant total de taxe qui serait imposée en vertu de la partie III sur ce combustible;

b) dans les autres cas, le montant total de taxe imposée en vertu de la partie III sur le combustible que la personne achète après mai 2002 et qu'elle utilise pour exploiter ou entretenir un navire admissible au cours de la période de remise.

(4) Une demande par période — Une personne ne peut présenter plus d'une demande en vertu du présent article pour une période de remise. Le présent paragraphe ne s'applique pas à la demande mentionnée à l'alinéa (8)b).

(5) État de rapprochement — La personne à qui est versée, pour une période de remise, une remise fondée sur l'estimation mentionnée à l'alinéa (3)a) doit présenter au ministre, au plus tard soixante jours suivant la fin de la période, en la forme et selon les modalités prescrites, un état de rapprochement indiquant :

a) le montant de la remise qui lui a été versée;

b) le montant de taxe imposée en vertu de la partie III sur le combustible que la personne a acheté après mai 2002 et qu'elle a utilisé pour exploiter ou entretenir un navire admissible au cours de la période de remise.

(6) Prorogation de délai — Le ministre peut, à tout moment, proroger, par écrit, le délai fixé au paragraphe (5) pour la présentation d'un état de rapprochement.

(7) Effet de la prorogation — En cas de prorogation du délai, les règles suivantes s'appliquent :

a) l'état de rapprochement doit être présenté dans le délai ainsi prorogé;

b) tout excédent de remise à payer dans le délai fixé par ailleurs au paragraphe (9) doit l'être dans le délai ainsi prorogé;

c) [*abrogé*].

(8) Montant additionnel au bénéficiaire de la remise — Si une personne présente un état de rapprochement pour une période de remise et que le montant visé à l'alinéa (5)b) excède celui visé à l'alinéa (5)a) pour la période, les règles suivantes s'appliquent :

a) le ministre verse à la personne un montant égal à cet excédent;

b) la présentation de l'état de rapprochement est réputée être une demande de paiement de cet excédent, présentée au ministre.

(9) Paiement de l'excédent de remise et des intérêts — Si la remise versée à une personne pour une période de remise est fondée sur l'estimation mentionnée à l'alinéa (3)a) et que la somme versée excède le montant visé à l'alinéa (5)b) pour la période, la personne doit payer les montants suivants au receveur général :

a) au plus tard à la date fixée pour la présentation de l'état de rapprochement pour la période de remise, un montant (appelé « excédent de remise » au présent article) égal à l'excédent;

b) des intérêts, au taux prescrit, relatifs à l'excédent de remise pour la période commençant le lendemain du versement de la remise et se terminant à la date où l'excédent de remise est payé au receveur général ou, si elle est antérieure, à la date fixée pour la présentation de l'état de rapprochement.

(9.1) Défaut de produire un état de rapprochement — Quiconque omet de produire un état de rapprochement pour une période selon les modalités et dans le délai prévus au présent article est tenu de payer une pénalité égale à la somme des montants suivants :

a) le montant correspondant à 1 % du total des sommes représentant chacune une somme qui doit être versée pour la période, mais qui n'a pas été versée avant le 1er avril 2007;

b) le produit du quart du montant déterminé selon l'alinéa a) par le nombre de mois entiers, jusqu'à concurrence de douze, compris dans la période commençant à cette date et se terminant le jour où l'état de rapprochement est effectivement produit.

(10) Présomption — taxe exigible — La partie du total de l'excédent de remise exigible d'une personne relativement à une période de remise, et des intérêts exigibles de la personne en vertu de l'alinéa (9)b), qui est impayée à la fin du jour qui correspond à la date fixée pour la présentation de l'état de rapprochement pour la période est réputée être une taxe exigible en vertu de la présente loi qui doit être payée par la personne, mais ne l'a pas été, au plus tard à cette date.

(11)-(13) [*Abrogés*].

(14) Restriction — Le ministre ne verse une somme à une personne en vertu du présent article à un moment donné que si celle-ci :

a) d'une part, a présenté au ministre tous les états de rapprochement pour les périodes de remise se terminant avant ce moment pour lesquelles une remise, fondée sur l'estimation mentionnée à l'alinéa (3)a), lui a été versée;

b) d'autre part, a payé les excédents de remise relatifs aux périodes de remise se terminant avant ce moment ainsi que les intérêts courus à ce moment.

(15) Délai — La demande visée au paragraphe (2) doit être faite au plus tard le 31 décembre 2006.

2002, c. 22, art. 428; 2003, c. 15, art. 97; 2006, c. 4, art. 125

69. (1) Définitions — Les définitions qui suivent s'appliquent au présent article.

« admissible » Qualificatif attribuable à un agriculteur, à un pêcheur, à un chasseur, à un piégeur ou à une autre personne titulaire d'un permis d'achat en vrac délivré en application de règlements pris en vertu du paragraphe (10).

« en vrac » Qualificatif applicable à la vente d'essence ou de combustible diesel :

a) d'une quantité d'au moins cinq cents litres livrée à l'acheteur à un point de vente au détail du vendeur;

b) de n'importe quelle quantité en tout autre cas.

« opérations forestières » L'abattage, l'ébranchage, le tronçonnage et le marquage des arbres, la construction de routes forestières, le transport de billes hors des grandes routes jusqu'au bassin de réserve ou à la cour du moulin, la récupération du bois et le reboisement, à l'exclusion des activités de production à partir du bassin de réserve ou de la cour du moulin survenant après le transport.

« opérations minières » L'extraction de minéraux d'une ressource minérale, le traitement, jusqu'au stade du métal primaire ou son équivalent, des minerais, autres que le minerai de fer, provenant d'une ressource minérale, le traitement, jusqu'au stade de la boulette ou son équivalent, du minerai de fer provenant d'une ressource minérale et la récupération, en vue d'autres utilisations, de terrains miniers exploités à ciel ouvert, à l'exclusion des activités relatives à l'exploration en vue de la découverte de ressources minérales ou à la mise en valeur de celles-ci.

« ressource minérale »

a) Gisement de métaux communs ou précieux;

b) gisement de charbon;

c) gisement minéral à l'égard duquel :

(i) le ministre des Ressources naturelles a certifié que le principal minéral extrait est un minéral industriel contenu dans un gisement non stratifié,

(ii) le principal minéral extrait est la sylvine, l'halite ou le gypse,

(iii) le principal minéral extrait est de la silice extraite du grès ou du quartzite.

« vendeur enregistré » La personne enregistrée en vertu de règlements pris en application du paragraphe (10).

(2) Ristourne de taxe sur le carburant au vendeur — Dans les cas où de l'essence ou du combustible diesel a été vendu par un fabricant titulaire de licence ou par un marchand en gros titulaire de licence à :

a) [*abrogé*];

b) un pêcheur admissible à des fins de pêche commerciale;

c) un chasseur admissible à des fins de chasse commerciale;

d) un piégeur admissible à des fins de piégeage commercial;

e) une personne admissible à des fins d'opérations forestières;

f) une personne admissible à des fins d'opérations minières,

pour l'usage exclusif de l'acheteur et non pour la revente, et où les taxes imposées en vertu des parties III et VI sont payables relativement à la vente, le fabricant ou le marchand en gros peut, selon les circonstances et les modalités et conditions que le ministre peut prescrire, déduire, dans les deux ans qui suivent la vente, une ristourne de taxe sur le carburant d'un montant calculé conformément aux paragraphes (8) et (8.01) du montant de tout paiement de taxe, de pénalité, d'intérêts ou d'une autre somme que le fabricant ou le marchand en gros est tenu de verser, ou sur le point de l'être, en application de ces parties ou en vertu de la présente partie à l'égard des taxes prévues à ces parties.

(2.1) Cas où le vendeur vend à un agriculteur — Dans les cas où de l'essence ou du combustible diesel a été vendu par un fabricant titulaire de licence ou par un marchand en gros titulaire de licence à un agriculteur admissible pour son usage exclusif à des fins agricoles et non pour la revente, et où les taxes imposées en vertu des parties III et VI sont payables relativement à la vente, le fabricant ou le marchand en gros peut, selon les circonstances et les modalités et conditions prescrites par le ministre, déduire, dans les deux ans suivant la vente, une ristourne de taxe sur ce carburant, d'un montant calculé conformément aux paragraphes (8.1) et (8.2), du montant de tout paiement de taxe, de pénalité, d'intérêts ou d'une autre somme que le fabricant ou le marchand en gros est tenu de verser, ou est sur le point de l'être, en application de ces parties ou en vertu de la présente partie à l'égard des taxes prévues par ces parties.

(3) Condition — Un fabricant titulaire de licence ou un marchand en gros titulaire de licence ne peut pas effectuer la déduction prévue aux paragraphes (2) ou (2.1) sans réduire le montant exigé de l'acheteur pour l'essence ou le combustible diesel d'un montant égal à celui de la déduction et sans indiquer séparément le montant de la réduction sur la facture remise à l'acheteur à l'occasion de la vente.

(4) Ristourne de taxe sur le carburant au vendeur enregistré — Dans les cas où de l'essence ou du combustible diesel a été vendu en vrac par un vendeur enregistré à :

a) [*abrogé*];

b) un pêcheur admissible à des fins de pêche commerciale;

c) un chasseur admissible à des fins de chasse commerciale;

d) un piégeur admissible à des fins de piégeage commercial;

e) une personne admissible à des fins d'opérations forestières;

f) une personne admissible à des fins d'opérations minières,

pour l'usage exclusif de l'acheteur et non pour la revente, et où les taxes imposées en vertu des parties III et VI ont été payées ou sont payables sur l'essence ou le combustible, une ristourne de taxe sur le carburant d'un montant calculé conformément aux paragraphes (8) et (8.01) doit, sous réserve des autres dispositions de la présente partie, être payée à ce vendeur enregistré, s'il en fait la demande dans les deux ans suivant la vente de l'essence ou du combustible.

(4.1) Cas où le vendeur enregistré vend à un agriculteur — Dans les cas où de l'essence ou du combustible diesel a été vendu en vrac par un vendeur enregistré à un agriculteur admissible pour son usage exclusif à des fins agricoles et non pour la revente, et où les taxes imposées en vertu des parties III et VI ont été payées ou sont payables sur l'essence ou le combustible, une ristourne de taxe sur ce carburant d'un montant calculé conformément aux paragraphes (8.1) et (8.2) doit, sous réserve des autres dispositions de la présente partie, être payée à ce vendeur enregistré, s'il en fait la demande dans les deux ans suivant la vente de l'essence ou du combustible.

(5) Condition — La ristourne de taxe sur le carburant prévue aux paragraphes (4) ou (4.1) ne peut pas être payée au vendeur enregistré si celui-ci n'a pas réduit le montant exigé de l'acheteur pour l'essence ou le combustible diesel d'un montant égal à celui de la ristourne de taxe sur le carburant qui fait l'objet de la demande et si le vendeur enregistré n'a pas indiqué séparément le montant de la réduction sur la facture remise à l'acheteur à l'occasion de la vente.

(6) Ristourne de taxe sur le carburant à l'acheteur ou à l'importateur — Dans les cas où de l'essence ou du combustible diesel a été vendu à une des personnes suivantes, ou importé par l'une d'elles :

a) [*abrogé*];

b) un pêcheur à des fins de pêche commerciale;

c) un chasseur à des fins de chasse commerciale;

d) un piégeur à des fins de piégeage commercial;

e) une personne à des fins d'opérations forestières;

f) une personne à des fins d'opérations minières,

pour l'usage exclusif de l'acheteur ou de l'importateur et non pour la revente, et où les taxes imposées en vertu des parties III et VI ont été payées ou sont payables sur l'essence ou le combustible diesel et, dans le cas d'une vente, le montant exigé n'a pas été réduit conformément aux paragraphes (3) ou (5), une ristourne de taxe sur le carburant d'un montant calculé conformément aux paragraphes (8) et (8.01) doit, sous réserve des autres dispositions de la présente partie, être payée à cet acheteur ou à cet importateur, s'il en fait la demande dans les deux ans suivant l'achat ou l'importation de l'essence ou du combustible.

(6.1) Ristourne à l'agriculteur — Dans les cas où de l'essence ou du combustible diesel a été vendu à un agriculteur, ou importé par lui, pour son usage exclusif à des fins agricoles et non pour la revente, et où les taxes imposées en vertu des parties III et VI ont été payées ou sont payables sur l'essence ou le combustible diesel et, dans le cas d'une vente, le montant exigé n'a pas été réduit conformément aux paragraphes (3) ou (5), une ristourne de taxe sur ce carburant d'un montant calculé conformément aux paragraphes (8.1) et (8.2) doit, sous réserve des autres dispositions de la présente partie, être payée à cet agriculteur, s'il en fait la demande dans les deux ans suivant l'achat ou l'importation de l'essence ou du combustible.

(7) Restriction — Les paragraphes (2), (2.1), (4), (4.1), (6) et (6.1) ne s'appliquent pas à l'essence ni au combustible diesel :

a) soit destiné à servir à la propulsion d'un véhicule sur le chemin public;

b) soit destiné à servir à des fins autres que commerciales;

c) soit vendu ou importé :

(i) à compter du 1er janvier 1990 pour ce qui est de la taxe imposée en vertu de la partie III,

(ii) à compter du 1er janvier 1991 pour ce qui est de la taxe imposée en vertu de la partie VI.

(8) Ristourne de taxe sur le carburant — partie VI — Pour l'application des paragraphes (2), (4) et (6), le montant de la ristourne relative à la taxe imposée en vertu de la partie VI sur le carburant est calculé au taux, non supérieur à cinq cents le litre d'essence ou de combustible diesel vendu ou importé, que le gouverneur en conseil peut, sur recommandation du ministre des Finances, prescrire par décret ou, si aucun taux n'est prescrit, au taux de trois cents le litre d'essence ou de combustible diesel vendu ou importé.

(8.01) Ristourne de taxe sur le carburant — partie III — Pour l'application des paragraphes (2), (4) et (6), le montant de la ristourne relative à la taxe imposée sur le carburant en vertu de la partie III est calculé :

a) dans le cas de l'essence vendue ou importée à compter du 1er janvier 1988 et avant le 1er avril 1988, au taux d'un cent le litre, et à compter du 1er avril 1988 et avant le 1er janvier 1990, au taux de deux cents le litre;

b) dans le cas du combustible diesel vendu ou importé à compter du 1er janvier 1988 et avant le 1er janvier 1990, au taux d'un cent le litre.

(8.1) Taux pour les agriculteurs — partie VI — Pour l'application des paragraphes (2.1), (4.1) et (6.1), le montant de la ristourne relative à la taxe imposée en vertu de la partie VI sur le carburant est calculé au taux, non supérieur à cinq cents le litre d'essence ou de combustible diesel vendu ou importé, que le gouverneur en conseil peut, sur recommandation du ministre des Finances, prescrire par décret ou, si aucun taux n'est prescrit, au taux de trois cents et demi le litre d'essence ou de combustible diesel vendu ou importé.

(8.2) Taux pour les agriculteurs — partie III — Pour l'application des paragraphes (2.1), (4.1) et (6.1), le montant de la ristourne relative à la taxe imposée en vertu de la partie III sur le carburant est calculé :

a) dans le cas d'essence :

(i) vendue ou importée à compter du 1er janvier 1987 et avant le 1er janvier 1988, au taux de trois cents le litre,

(ii) vendue ou importée à compter du 1er janvier 1988 et avant le 1er avril 1988, au taux de quatre cents le litre,

(iii) vendue ou importée à compter du 1er avril 1988 et avant le 1er janvier 1990, au taux de cinq cents le litre;

b) dans le cas de combustible diesel :

(i) vendu ou importé à compter du 1er janvier 1987 et avant le 1er janvier 1988, au taux de trois cents le litre,

(ii) vendu ou importé à compter du 1er janvier 1988 et avant le 1er janvier 1990, au taux de quatre cents le litre.

(9) Détournement — Dans le cas où le montant exigé pour de l'essence ou du combustible diesel d'un acheteur est réduit conformément aux paragraphes (3) ou (5) ou un paiement est effectué en vertu des paragraphes (6) ou (6.1) à un acheteur ou à un importateur d'essence ou de combustible diesel et où cette personne vend l'essence ou le combustible diesel ou l'utilise à une fin qui n'aurait pas pu donner lieu, à la date de l'achat ou de l'importation, à la réduction ou au paiement, le montant de la réduction ou du paiement est réputé être une taxe payable par cette personne en application de la présente loi :

a) lorsqu'elle vend l'essence ou le combustible, à la date de la livraison de celui-ci à celui qui l'achète d'elle;

b) lorsqu'elle utilise l'essence ou le combustible, à la date de l'utilisation.

(10) Règlements — Le gouverneur en conseil peut, par règlement :

a) autoriser la délivrance de permis d'achat en vrac aux agriculteurs, pêcheurs, chasseurs, piégeurs ou autres personnes utilisant de l'essence ou du combustible diesel à une fin visée aux paragraphes (2) ou (2.1) et fixer les modalités et conditions des permis;

b) déterminer les registres que doivent tenir et les déclarations que doivent produire les agriculteurs, pêcheurs, chasseurs, piégeurs ou autres titulaires de permis d'achat en vrac;

c) déterminer les dates auxquelles les déclarations visées à l'alinéa b) doivent être produites;

d) autoriser l'annulation d'un permis d'achat en vrac lorsqu'une de ses modalités n'est pas respectée ou lorsque n'est pas observée une disposition de la présente loi ou de ses règlements applicable au titulaire du permis;

e) établir un système permettant au ministre d'enregistrer les personnes qui vendent régulièrement de l'essence ou du combustible diesel en vrac aux agriculteurs admissibles, aux pêcheurs admissibles, aux chasseurs admissibles, aux piégeurs admissibles ou aux personnes admissibles s'adonnant à des opérations forestières ou minières, notamment :

(i) prévoir les modalités de la demande d'enregistrement et de l'attribution de celui-ci,

(ii) fixer les conditions d'attribution de l'enregistrement,

(iii) autoriser le ministre à annuler l'enregistrement dans les cas où n'est pas observée une condition de celui-ci ou une disposition de la présente loi ou de ses règlements se rapportant à l'enregistrement.

L.R. (1985), c. E-15, art. 69; L.R. (1985), c. 7 (2e suppl.), art. 24, 34; c. 42 (2e suppl.), art. 9; c. 42 (3e suppl.), art. 1; c. 12 (4e suppl.), art. 28; 1989, c. 22, art. 4; 1994, c. 41, art. 37

70. (1) Drawback concernant certaines marchandises — Le ministre peut, sur demande, en application de règlements du gouverneur en conseil, accorder un drawback sur la taxe imposée en vertu de la partie III et payée à l'égard des marchandises :

a) exportées du Canada;

b) fournies comme provisions de bord;

c) utilisées pour l'outillage, la réparation ou la reconstruction de navires ou d'aéronefs;

d) livrées aux navires poseurs de câbles télégraphiques en voyage océanique et devant servir à la pose ou à la réparation de câbles télégraphiques océaniques hors des eaux canadiennes.

(2) Somme spécifique — Le ministre peut, en vertu de règlements du gouverneur en conseil, payer une somme spécifique au lieu d'accorder un drawback en vertu du paragraphe (1) chaque fois que le paiement d'une somme spécifique est effectué au lieu d'un drawback des droits, accordé en vertu de l'article 117 du *Tarif des douanes*.

(2.1) Drawback sur les marchandises importées — Le ministre de la Sécurité publique et de la Protection civile peut, sur demande, en vertu de l'article 113 du *Tarif des douanes*, accorder un drawback sur la taxe imposée par la partie III et payée sur des marchandises importées au Canada ou à l'égard de telles marchandises.

(3) Demande de drawback — La demande de drawback prévue au paragraphe (1) est établie selon les modalités de forme et de contenu prescrites et est présentée au ministre selon la procédure et les modalités de temps prévues par règlement du gouverneur en conseil.

(4) Preuve — L'octroi de drawbacks en application du paragraphe (1) est subordonné à la production, par la personne qui en fait la demande, des éléments de preuve exigés par le ministre.

(5) [*Abrogé*].

L.R. (1985), c. E-15, art. 70; L.R. (1985), c. 7 (2e suppl.), art. 25, 34, 75; 1991, c. 42, art. 4; 1993, c. 25, art. 62; 1995, c. 41, art. 114; 1996, c. 31, art. 81; 2002, c. 22, art. 381, 429; 2005, c. 38, art. 101

70.1 (1) Définitions — Les définitions qui suivent s'appliquent au présent article.

« autre texte »

a) Disposition d'une loi fédérale, exception faite de la présente loi, édictée avant 1991;

b) disposition d'un règlement, d'un décret, d'un arrêté ou d'une ordonnance édictée en application d'une loi fédérale avant 1991.

« inscrit » S'entend au sens du paragraphe 123(1).

« redressement » Le fait d'accorder un rabais, une réfaction, une remise ou un autre montant en réduction du prix de vente de marchandises.

« remboursement »

a) Remboursement de taxe ou autre paiement calculé par rapport à une taxe, prévu à l'un des articles 68, 68.1, 68.17, 68.19, 68.2 ou 68.23 à 68.3;

b) drawback de taxe, ou paiement substitutif, prévu à l'article 70;

c) remboursement, ristourne, drawback ou remise de taxe, ou autre paiement relatif à une taxe ou calculé par rapport à une taxe, prévu par un autre texte.

« taxe » La taxe imposée en vertu de la partie VI.

(2) Redressements après 1990 — Un remboursement de taxe est accordé à un vendeur relativement à un redressement apporté, après 1990, au prix de vente de marchandises qu'il vend à un acheteur si :

a) le vendeur a vendu les marchandises à l'acheteur aux termes d'une convention écrite, a payé, relativement à la vente des marchandises, une taxe calculée sur le prix de vente et a apporté le redressement dans les deux ans suivant le jour où il était tenu de payer la taxe prévue à l'article 78;

b) le redressement est prévu dans la convention et sa réalisation n'est pas conditionnelle à l'exécution d'un service ou d'un autre acte par l'acheteur.

(3) Exportations après 1990 — Un remboursement de taxe, prévu aux articles 68.1 ou 70 ou par un autre texte, relatif à des marchandises exportées du Canada est accordé à une personne relativement aux marchandises qu'elle exporte après 1990 si, selon le cas :

a) la personne était en possession des marchandises au Canada à la fin de 1990 et n'était pas un inscrit le 1er janvier 1991;

b) la personne a importé les marchandises, les avait en sa possession au Canada à la fin de 1990 et n'avait pas droit à un remboursement les concernant aux termes de l'article 120, et les marchandises ont été endommagées ou détériorées avant leur dédouanement, étaient de qualité inférieure à celles pour lesquelles la personne a payé la taxe, étaient défectueuses ou n'étaient pas les marchandises commandées par la personne.

(4) Marchandises vendues après 1990 — Un remboursement de taxe, prévu aux articles 68.17, 68.2 ou 70 ou par un autre texte, relatif à des marchandises vendues ou autrement fournies ou transférées par une personne à un acheteur ou autre cessionnaire est accordé à la personne si elle en a transféré la propriété ou la possession à l'acheteur ou autre cessionnaire avant 1991.

(5) Marchandises à l'usage d'une province — Un remboursement de taxe est accordé, en application de l'article 68.19, relativement à des marchandises fournies, transférées ou livrées à Sa Majesté du chef d'une province, ou achetées par elle, si, selon le cas :

a) Sa Majesté du chef de la province a acquis la propriété ou la possession des marchandises avant 1991;

b) les marchandises ont été fournies ou transférées à Sa Majesté du chef de la province par une personne dans le cadre de l'exécution de services prévus par une convention écrite conclue avec Sa Majesté du chef de la province, et la personne était en possession des marchandises au Canada à la fin de 1990 et n'avait pas droit à un remboursement les concernant aux termes de l'article 120.

(6) Marchandises destinées à des réseaux acquises après 1990 — Un remboursement de taxe est accordé, en application de l'article 68.23, à une personne relativement à des marchandises destinées à des réseaux si la personne a acquis la propriété ou la possession des marchandises avant 1991 et n'avait pas droit à un remboursement les concernant aux termes de l'article 120.

(7) Marchandises acquises par certains organismes après 1990 — Un remboursement de taxe est accordé, en application de l'un des articles 68.24 à 68.27, à un organisme si :

a) dans le cas de marchandises achetées par l'organisme, celui-ci en a acquis la propriété ou la possession avant 1991;

b) dans le cas de marchandises acquises ou utilisées par une autre personne de façon telle que l'organisme obtient un remboursement de taxe en vertu de l'un de ces articles, l'autre personne a acquis la propriété ou la possession des marchandises avant 1991 et n'avait pas droit à un remboursement les concernant aux termes de l'article 120.

(8) Autres marchandises acquises après 1990 — Un remboursement de taxe relatif à des marchandises achetées ou autrement acquises par une personne est accordé, en application de l'un des articles 68.28 à 68.3 ou 70 ou de tout autre texte, à la personne si elle en a acquis la propriété ou la possession avant 1991.

1993, c. 27, art. 3

71. Droits de recouvrement — Sauf cas prévus à la présente loi ou dans toute autre loi fédérale, nul n'a le droit d'intenter une action contre Sa Majesté pour le recouvrement de sommes payées à Sa Majesté, dont elle a tenu compte à titre de taxes, de pénalités, d'intérêts ou d'autres sommes en vertu de la présente loi.

L.R. (1985), c. E-15, art. 71; L.R. (1985), c. 7 (2e suppl.), art. 26, 34

72. (1) Définition de « demande » — Dans le présent article, « demande » s'entend d'une demande faite en vertu des articles 68 à 69.

(2) Forme et contenu de la demande — Une demande doit être faite en la forme prescrite et contenir les renseignements prescrits.

(3) Présentation de la demande — Une demande doit être présentée au ministre de la manière que le gouverneur en conseil peut déterminer par règlement.

(4) Détermination — Le ministre saisi d'une demande doit, avec toute la célérité raisonnable, l'examiner et déterminer le montant éventuel à payer au demandeur.

(5) La demande ne lie pas le ministre — Lors de l'examen d'une demande, le ministre n'est pas lié par une demande présentée ni par un renseignement fourni par une personne ou au nom de celle-ci.

(6) Avis de paiement — Après avoir examiné une demande, le ministre doit :

a) envoyer au demandeur un avis de détermination en la forme prescrite énonçant :

(i) la date de la détermination,

(ii) le montant éventuel à payer au demandeur,

(iii) les raisons concises de la détermination, lorsqu'il rejette la demande en totalité ou en partie,

(iv) la période au cours de laquelle un avis d'opposition à la détermination peut être signifié en vertu de l'article 81.17;

b) verser au demandeur le montant éventuel qui lui est payable.

(7) Intérêts sur le paiement — Le ministre verse au bénéficiaire d'un paiement en application du paragraphe (6) des intérêts, au taux prescrit, sur toute partie impayée, pour la période commençant le trentième jour suivant celui de la réception de la demande par le ministre et se terminant le jour du paiement.

2001, c. 16, art. 30; 2003, c. 15, art. 98

(8) [*Abrogé*].

2003, c. 15, art. 98

(9) Détermination valide et exécutoire — Une détermination en vertu du paragraphe (4), y compris une détermination modifiée en application de l'article 81.17, sous réserve d'une modification ou d'une annulation à la suite d'une opposition ou d'un appel prévu à la présente partie et sous réserve d'une cotisation, est réputée valide et exécutoire même si la détermination, ou une procédure s'y rapportant prévue à la présente loi, est entachée d'une irrégularité, d'un vice de forme, d'une erreur, d'un défaut ou d'une omission.

(10) Irrégularités — L'irrégularité, le vice de forme, l'erreur, le défaut ou l'omission attribuable à une personne lors de l'application d'instructions prévues par la présente loi ne suffit pas pour entraîner la modification ou l'annulation d'une détermination prévue au paragraphe (4) dont il est appelé.

L.R. (1985), c. E-15, art. 72; L.R. (1985), c. 7 (2e suppl.), art. 27, 34; 1994, c. 29, art. 8

Formulaires [72]: N15, *Demande de remboursement/déduction des taxes d'accise.*

73. (1) Déductions de taxe autre que la taxe prévue à la partie I, en l'absence de demande — Toute personne autorisée conformément au paragraphe (4) qui produit une déclaration en vertu des articles 20, 21.32 ou 78 et à qui un montant serait payable aux termes de l'un des articles 68 à 68.153 ou 68.17 à 69 si elle en faisait la demande en bonne et due forme à la date de la production de la déclaration peut, en remplacement, déclarer ce montant dans son rapport et le déduire, en totalité ou en partie, d'un paiement ou d'une remise de taxes, de pénalités, d'intérêts ou d'autres sommes déclarés dans cette déclaration.

(2) Déductions de la taxe prévue à la partie I — Toute personne qui prépare un rapport en vertu du paragraphe 5(1) et à qui un montant serait payable aux termes de l'article 68 si elle en faisait la demande en bonne et due forme à la date de la préparation de son rapport peut, en remplacement, déclarer ce montant dans son rapport et le déduire, en totalité ou en partie, d'un paiement ou d'une remise de taxes, de pénalités, d'intérêts ou d'autres sommes déclarée dans ce rapport.

(3) Déductions ultérieures — Lorsqu'une personne déclare un montant conformément au paragraphe (1) ou (2) et qu'elle ne le déduit pas intégralement dans le rapport où il est déclaré, cette personne peut, dans tout rapport ultérieur, déclarer le montant qui n'a pas été antérieurement déduit aux termes du présent article et le déduire en totalité ou en partie du paiement ou de la remise des taxes, pénalités, intérêts ou autres sommes déclarée dans ce rapport ultérieur.

(4) Autorisations et conditions — Le ministre peut, par écrit :

a) autoriser une personne désignée, une personne d'une catégorie désignée de personnes ou des personnes en général à faire des déductions en vertu des paragraphes (1) et (3), soit d'une manière générale ou à l'égard de toute opération d'une catégorie désignée d'opérations;

b) modifier une autorisation établie conformément à l'alinéa a) ou suspendre ou annuler toute autorisation, soit d'une manière générale ou à l'égard d'une personne désignée ou d'une personne d'une catégorie désignée de personnes;

c) spécifier les conditions et la manière selon lesquelles des déductions peuvent être faites en vertu des paragraphes (1), (2) ou (3).

(5) Présomption — Lorsqu'une personne déduit un montant en vertu du présent article :

a) elle est réputée avoir payé, à la date de la production ou de l'établissement du rapport dans lequel le montant a été déduit, une somme égale à ce montant à valoir sur ses taxes, pénalités, intérêts ou autres sommes payables aux termes de la présente loi à l'égard de la période pour laquelle le rapport a été produit ou préparé;

b) le ministre est réputé avoir versé à cette personne, à la date visée à l'alinéa a), une somme égale à ce montant conformément à l'article 72.

L.R. (1985), c. E-15, art. 73; L.R. (1985), c. 7 (2e suppl.), art. 28, 34; c. 12 (4e suppl.), art. 29

73.1 [*Abrogé*].

L.R. (1985), c. 7 (2e suppl.), art. 34

74. (1) Déductions de la taxe, sauf celle de la partie I, en cas de demande — Au lieu d'effectuer un paiement, sauf un paiement à l'égard de la partie I, conformément à une demande faite en vertu des articles 68 à 68.11 ou 68.17 à 69, le ministre peut, à la demande du demandeur, autoriser ce dernier à déduire, aux conditions et selon les modalités qu'il peut spécifier, le montant qui lui aurait autrement été versé d'un paiement ou d'une remise de taxes, de pénalités, d'intérêts ou d'autres sommes déclarés dans une déclaration préparée par le demandeur en vertu de l'article 78.

(2) Notification au requérant — Lorsque le ministre autorise un demandeur à faire une déduction en vertu du paragraphe (1), il doit l'en notifier dans l'avis de détermination qui lui est envoyé.

(3) Intérêts sur la déduction — Le demandeur ayant droit à une déduction en application du paragraphe (1) peut déduire des intérêts conformément à ce paragraphe, au taux prescrit, calculés sur le montant de la déduction pour la période commençant le trentième jour suivant celui de la réception de la demande par le ministre et se terminant le jour de l'envoi de l'avis de détermination.

(4) [*Abrogé*].

(5) Présomption — Lorsqu'un demandeur déduit un montant en vertu du présent article :

a) il est réputé avoir payé, à la date de la production du rapport dans lequel le montant a été déduit, une somme égale à ce montant à valoir sur ses taxes, pénalités, intérêts ou autres sommes payables aux termes de la présente loi à l'égard de la période pour laquelle le rapport a été produit;

b) le ministre est réputé avoir versé, à la date d'envoi de l'avis de détermination au demandeur, une somme égale à ce montant au demandeur conformément à l'article 72.

L.R. (1985), c. E-15, art. 74; L.R. (1985), c. 7 (2e suppl.), art. 34; c. 12 (4e suppl.), art. 30; 1997, c. 26, art. 69; 2001, c. 16, par. 31(1); 2003, c. 15, par. 99(1)

75. (1) Recouvrement de déduction auprès d'un titulaire de licence — Lorsqu'un titulaire de licence effectue une déduction en vertu de l'article 73 ou 74 au lieu de recevoir un paiement conformément à l'article 68.15, le paragraphe 68.15(3) s'applique, compte tenu des adaptations de circonstance, à l'égard du montant de la déduction tout comme s'il s'agissait d'un montant remboursé au sens de ce paragraphe.

(2) Recouvrement de déduction auprès d'un fabricant titulaire de licence — Lorsqu'un fabricant titulaire de licence effectue une déduction en vertu de l'article 73 ou 74 au lieu de recevoir un paiement conformément à l'article 68.21, le paragraphe 68.21(3) s'applique, compte tenu des adaptations de circonstance, à l'égard du montant de la déduction comme s'il s'agissait d'un montant remboursé au sens de ce paragraphe.

L.R. (1985), c. E-15, art. 75; L.R. (1985), c. 7 (2e suppl.), art. 30, 34

75.1 [*Abrogé*].

L.R. (1985), c. 7 (2e suppl.), art. 34

75.2 [*Abrogé*].

L.R. (1985), c. 7 (2e suppl.), art. 34

76. Calcul du paiement ou de la déduction — Lorsqu'il est difficile, en raison des circonstances, de déterminer le montant exact de tout paiement pouvant être versé conformément à l'un des articles 68 à 68.29 ou de toute déduction pouvant être effectuée en vertu de l'article 73 ou 74, le ministre peut, en remplacement, avec le consentement de la personne à qui le paiement peut être versé ou de celle qui peut effectuer la déduction, verser un paiement ou autoriser une déduction en vertu de cet article, dont le montant déterminé, de la manière que le gouverneur en conseil peut déterminer par règlement, est le montant exact du paiement ou de la déduction.

L.R. (1985), c. E-15, art. 76; L.R. (1985), c. 15 (1er suppl.), art. 25, c. 7 (2e suppl.), art. 34

77. Restriction — Un montant n'est remboursé à une personne, et un crédit ne lui est accordé, en vertu de la présente loi qu'une fois présentés au ministre l'ensemble des déclarations et autres registres dont il a connaissance et qui sont à produire en vertu de la *Loi de 2001 sur l'accise*, de la *Loi sur le droit pour la sécurité des passagers du transport aérien*, de la *Loi de l'impôt sur le revenu* et de la *Loi sur la taxe d'accise*.

L.R. (1985), c. 7 (2e suppl.), art. 34; 2006, c. 4, art. 126

Déclarations et paiement de la taxe

78. (1) Mois d'exercice — Les mois d'exercice d'une personne sont déterminés selon les règles suivantes :

a) s'ils ont été déterminés selon les paragraphes 243(2) ou (4) pour l'application de la partie IX, chacun de ces mois est un mois d'exercice de la personne pour l'application de la présente loi;

b) sinon, la personne peut choisir, pour l'application de la présente loi, des mois d'exercice qui remplissent les exigences énoncées au paragraphe 243(2);

c) en cas d'inapplication des alinéas a) et b), chaque mois civil est un mois d'exercice de la personne pour l'application de la présente loi.

(1.1) Semestres d'exercice — Les semestres d'exercice d'une personne sont déterminés selon les règles suivantes :

a) la période commençant le premier jour du premier mois d'exercice de l'exercice de la personne et se terminant le dernier jour du sixième mois d'exercice ou, s'il est antérieur, le dernier jour de l'exercice est un semestre d'exercice de la personne;

b) la période commençant le premier jour du septième mois d'exercice et se terminant le dernier jour de l'exercice de la personne est un semestre d'exercice de la personne.

(2) Avis au ministre — Quiconque est tenu de produire une déclaration doit aviser le ministre de ses mois d'exercice en la forme et selon les modalités prescrites.

L.R. (1985), c. E-15, art. 78; L.R. (1985), c. 15 (1er suppl.), art. 26; c. 7 (2e suppl.), art. 35; c. 12 (4e suppl.), art. 31; 2001, c. 16, art. 32; 2002, c. 22, art. 382; 2003, c. 15, art. 100, 130; 2010, c. 25, art. 128

78.1 (1) Période de déclaration — général — Sous réserve du présent article, la période de déclaration d'une personne correspond à un mois d'exercice.

(2) Période de déclaration semestrielle — Sur demande d'une personne présentée en la forme et selon les modalités prescrites, le ministre peut donner son autorisation écrite pour que la période de déclaration de la personne corresponde à un semestre d'exercice d'un exercice donné si les conditions suivantes sont réunies :

a) la personne est tenue de payer la taxe prévue par la partie III, ou est titulaire d'une licence délivrée en vertu ou à l'égard de cette partie, depuis plus de douze mois d'exercice consécutifs;

b) le total des taxes payables en vertu de la partie III par la personne et par toute personne qui lui est associée n'excédait pas 120 000 $ au cours de l'exercice s'étant terminé immédiatement avant l'exercice donné;

c) le total des taxes payables en vertu de la partie III par la personne et par toute personne qui lui est associée n'excède pas 120 000 $ au cours de l'exercice donné;

d) la personne agit en conformité avec la présente loi.

(3) Révocation réputée — L'autorisation est réputée être révoquée si le total des taxes payables en vertu de la partie III par la personne et par toute personne qui lui est associée excède 120 000 $ au cours d'un exercice. La révocation prend effet le lendemain de la fin du semestre d'exercice au cours duquel l'excédent se produit.

(4) Révocation — autre — Le ministre peut révoquer l'autorisation si, selon le cas :

a) la personne le lui demande par écrit;

b) la personne n'agit pas en conformité avec la présente loi;

c) le ministre estime que l'autorisation n'est plus nécessaire.

(5) Avis de révocation — S'il révoque l'autorisation en vertu du paragraphe (4), le ministre en avise la personne par écrit et précise dans l'avis le mois d'exercice pour lequel la révocation prend effet.

(6) Période de déclaration réputée en cas de révocation — Si la révocation prévue au paragraphe (4) prend effet avant la fin d'un semestre d'exercice pour lequel une personne a reçu l'autorisation visée au paragraphe (2), la période commençant le premier jour du semestre d'exercice et se terminant immédiatement avant le premier jour du mois d'exercice pour lequel la révocation prend effet est réputée être une période de déclaration de la personne.

2010, c. 25, art. 129

79. (1) Déclaration et paiements — La personne tenue de payer une taxe en vertu de la partie III ou qui est titulaire d'une licence délivrée en vertu ou à l'égard de cette partie doit, au plus tard le dernier jour du premier mois suivant chacune de ses périodes de déclaration :

a) présenter au ministre, en la forme et selon les modalités prescrites, une déclaration pour la période;

b) calculer, dans la déclaration, le total des taxes à payer par elle pour la période;

c) verser ce total au receveur général.

(2) [Abrogé].

(3) [Abrogé].

(4) Mise en demeure de produire une déclaration — Toute personne doit, sur mise en demeure du ministre, produire, dans le délai raisonnable fixé par la mise en demeure, une déclaration aux termes de la présente loi visant la période précisée dans la mise en demeure.

(5) Défaut de donner suite à une mise en demeure — Quiconque ne se conforme pas à une mise en demeure exigeant la production d'une déclaration en application du paragraphe (4) est passible d'une pénalité de 250 $.

L.R. (1985), c. E-15, art. 79; L.R. (1985), c. 15 (1er suppl.), art. 26; c. 7 (2e suppl.), art. 36; c. 12 (4e suppl.), art. 32; 1995, c. 46, art. 4; 2000, c. 30, art. 15; 2002, c. 22, art. 383; 2003, c. 15, art. 100, 130; 2006, c. 4, art. 127; 2010, c. 25, art. 130; 2012, c. 19, art. 19

Info TPS/TVH [79]: GI-024, *Harmonisation des dispositions administratives visant la comptabilité normalisée*.

79.01 [*Abrogé*].

2003, c. 15, art. 100; 2006, c. 4, art. 128

79.02 (1) Sommes dues totalisant 2 $ ou moins — Les sommes dont une personne est redevable à Sa Majesté du chef du Canada en vertu de la présente loi sont réputées nulles si le total de ces sommes, déterminé par le ministre à un moment donné, est égal ou inférieur à deux dollars.

(2) Sommes à payer totalisant 2 $ ou moins — Si, à un moment donné, le total des sommes à payer par le ministre à une personne en vertu de la présente loi est égal ou inférieur à deux dollars, le ministre peut les déduire de toute somme dont la personne est alors redevable à Sa Majesté du chef du Canada. Toutefois, si la personne n'est alors redevable d'aucune somme à Sa Majesté du chef du Canada, les sommes à payer par le ministre sont réputées nulles.

2003, c. 15, art. 100; 2006, c. 4, art. 129

79.03 (1) Intérêts — La personne qui omet de verser une somme au receveur général selon les modalités de temps ou autres prévues par la présente loi est tenue de payer des intérêts, au taux prescrit, calculés et composés quotidiennement sur cette somme pour la période commençant le lendemain de l'expiration du délai de versement et se terminant le jour du versement.

(2) Paiement des intérêts — Pour l'application du paragraphe (1), les intérêts qui sont composés un jour donné sur la somme impayée sont réputés être à payer au receveur général à la fin du jour donné. S'ils ne sont pas payés au plus tard à la fin du jour suivant, ils sont ajoutés à la somme impayée à la fin du jour donné.

(3) Intérêts non exigibles — Malgré les autres dispositions de la présente loi, si le ministre avise une personne qu'elle est tenue de payer, en vertu de la présente loi, une somme déterminée et que la personne verse la totalité de cette somme avant la fin de la période précisée avec l'avis, aucun intérêt n'est à payer sur la somme pour la période.

(4) Intérêts de 25 $ ou moins — Si, à un moment donné, une personne paie une somme égale ou supérieure au total des sommes, sauf les intérêts et les pénalités prévues aux paragraphes 7(1.1) ou 68.5(9.1) ou à l'article 95.1, dont elle est alors débitrice envers Sa Majesté du chef du Canada en vertu de la présente loi pour sa période de déclaration et que le total des intérêts et pénalités à payer par elle en vertu de la présente loi pour cette période n'excède pas 25 $, le ministre peut annuler les intérêts et pénalités.

2003, c. 15, art. 100; 2006, c. 4, art. 130

79.04 Intérêts — sommes à payer par le ministre — Des intérêts composés, au taux prescrit, courent quotidiennement sur les sommes que le ministre doit payer à une personne. Ces intérêts sont calculés pour la période commençant le lendemain du jour où les sommes devaient être payées et se terminant le jour où elles sont payées ou déduites de toute somme dont la personne est redevable à Sa Majesté du chef du Canada, sauf disposition contraire de la présente loi.

2003, c. 15, art. 100

79.05 Modification de la Loi — Il est entendu que, si la présente loi fait l'objet d'une modification qui entre en vigueur un jour antérieur à la date de sanction du texte modificatif, ou s'applique à compter de ce jour, les dispositions de la présente loi qui portent sur le calcul et le paiement d'intérêts s'appliquent à la modification comme si elle avait été sanctionnée ce jour-là.

2003, c. 15, art. 100

79.1 [*Abrogé*].

L.R. (1985), c. 12 (4e suppl.), art. 33; 1999, c. 31, art. 247(F); 2002, c. 22, art. 384; 2003, c. 15, art. 101, 130; 2006, c. 4, art. 131

79.2 (1) Production d'une déclaration par courrier — Pour l'application de la présente loi, lors de la production par la poste d'une déclaration, cette dernière est réputée produite le jour où elle a été postée, la date du cachet en faisant foi.

(2) Paiement ou remise — Pour l'application de la présente loi, une somme n'est considérée payée ou remise que lors de sa réception par le receveur général.

L.R. (1985), c. 12 (4e suppl.), art. 33; 1999, c. 17, art. 150(A), 156; 2003, c. 15, art. 102

80. (1) Rapport des titulaires de licence — Chaque titulaire de licence accordée dans le cadre de la partie III soumet annuellement au ministre, dans les six mois suivant la fin de son exercice, un rapport rédigé en la forme prescrite, contenant les renseignements sur ses ventes, les taxes payées en application de la présente loi et les déductions effectuées en vertu du paragraphe 69(2) au cours de l'exercice et les autres renseignements prescrits.

(2) Autre façon de faire un rapport — Toute personne qui produit une déclaration en vertu de l'article 79 peut, au lieu de soumettre le rapport visé au paragraphe (1), inclure dans la déclaration un rapport rédigé en la forme prescrite, contenant les renseignements sur ses ventes, les taxes payées en application de la présente loi et les déductions effectuées en vertu du paragraphe 69(2) au cours de la période visée par la déclaration et les autres renseignements prescrits.

L.R. (1985), c. E-15, art. 80; L.R. (1985), c. 15 (1er suppl.), art. 27; c. 7 (2e suppl.), art. 37; c. 12 (4e suppl.), art. 34; 1990, c. 45, art. 11; 2002, c. 22, art. 385; 2003, c. 15, art. 103

Garantie

80.1 (1) Garantie en général — Le ministre peut, s'il le juge souhaitable dans un cas particulier, accepter une garantie du paiement de la taxe, de la pénalité, des intérêts ou d'une autre somme qui est, ou peut devenir, exigible en application de la présente loi.

(2) Garantie pour objection ou appel — Lorsqu'une personne s'oppose à une cotisation ou en interjette appel, le ministre doit accepter une garantie appropriée qui lui est fournie par ou au nom de cette personne du paiement de la taxe, de la pénalité, des intérêts ou d'une autre somme qui est contestée.

(3) Renonciation à la garantie — Lorsque la personne qui a fourni une garantie, ou pour qui une garantie a été fournie en vertu du présent article, demande par écrit que le ministre renonce à la totalité ou à une partie de la garantie, le ministre doit renoncer à la garantie dans la mesure où la valeur de la garantie excède le montant, à la date de réception de la demande par le ministre, de taxe, de pénalité, d'intérêts ou d'une autre somme pour le paiement desquels la garantie a été fournie.

(4) Libération de la garantie — Le ministre peut libérer par écrit toute garantie qu'il a acceptée conformément au présent article.

L.R. (1985), c. 7 (2e suppl.), art. 37

Obligations des syndics

81. (1) Certificat avant distribution — Les liquidateurs de succession, exécuteurs testamentaires, administrateurs, cessionnaires, liquidateurs et autres semblables personnes, sauf les syndics de faillite, doivent obtenir du ministre, avant de distribuer les biens sous leur contrôle en cette qualité, un certificat attestant qu'aucune taxe, aucune pénalité, aucun intérêt ni aucune somme prévus à la présente loi, à l'exception de la partie I, imputables à ces personnes ou exigibles d'elles, ou imputables sur ces biens ou payables à leur égard, ne demeurent impayés, ou que la garantie relative à leur paiement a, conformément à l'article 80.1, été acceptée par le ministre.

(2) Responsabilité personnelle — Quiconque distribue des biens sans disposer d'un certificat, tel que l'exige le paragraphe (1), est personnellement tenu de verser à Sa Majesté une somme égale au montant le moins élevé des deux montants suivants :

a) la valeur des biens ainsi distribués;

b) la taxe, la pénalité, les intérêts ou une autre somme demeurant impayés et pour le paiement desquels une garantie n'a pas été fournie au ministre.

L.R. (1985), c. E-15, art. 81; L.R. (1985), c. 15 (1er suppl.), art. 28; c. 7 (2e suppl.), art. 38; 2001, c. 17, art. 234

Cotisations

81.1 (1) Cotisation — Le ministre peut, à l'égard de toute matière, établir une cotisation pour une personne au titre de la taxe, de la pénalité, des intérêts ou d'une autre somme payable par cette personne sous le régime de la présente loi et peut, malgré toute cotisation antérieure portant, en totalité ou en partie, sur la même matière, établir des cotisations supplémentaires, selon les circonstances.

(2) Nouvelle cotisation — Le ministre peut modifier une cotisation ou en établir une nouvelle pour une personne à l'égard de toute matière faisant l'objet d'une cotisation pour cette personne.

(3) Établissement d'une cotisation — Une cotisation doit être établie avec toute la célérité raisonnable et peut être exécutée de la manière et en la forme et selon la procédure que le ministre juge appropriée.

(4) Le présent paragraphe ne lie pas le ministre — Le ministre n'est pas lié par une déclaration, une demande ou des renseignements fournis par ou au nom d'une personne et il peut établir une cotisation, malgré toute déclaration, demande ou renseignements ainsi fournis ou malgré le fait qu'aucune déclaration, demande ni renseignements n'ont été fournis.

(5) Détermination des remboursements — En établissant une cotisation, le ministre peut déterminer si un montant est payable à la personne faisant l'objet de la cotisation conformément aux articles 68 à 68.29.

(6) Présomption — En vue de déterminer, lors de l'établissement d'une cotisation, si un montant est payable à la personne faisant l'objet de la cotisation conformément à l'un des articles 68 à 68.29, la personne est réputée avoir dûment fait une demande en vertu de l'article à la date d'envoi de l'avis de cotisation.

(7) Détermination des crédits — En établissant une cotisation, le ministre peut déterminer si un crédit peut être accordé à la personne faisant l'objet de la cotisation conformément aux paragraphes (8) à (10).

(8) Quand un crédit peut être accordé — Lorsqu'un montant serait payable à la personne faisant l'objet d'une cotisation conformément aux articles 68 à 68.29 :

a) si elle avait dûment fait une demande en vertu de l'article à la date d'envoi de l'avis de cotisation;

b) si la mention de « deux ans » dans l'article était interprétée comme la mention de « quatre ans »,

un crédit de ce montant peut lui être accordé.

(9) Crédits maximaux permissibles — Le total des crédits qui peuvent être accordés à la personne faisant l'objet d'une cotisation ne peut dépasser la somme des taxes, intérêts, pénalités ou autres sommes éventuels demeurant impayés par cette personne pour la période commençant quatre ans avant la date d'envoi de l'avis de cotisation et se terminant immédiatement avant les deux ans qui précèdent cette date.

(10) Restriction — Aucun crédit ne peut être accordé pour tout montant que le ministre, conformément au paragraphe (5), détermine comme payable à la personne faisant l'objet d'une cotisation.

L.R. (1985), c. 7 (2e suppl.), art. 38

81.11 (1) Sommes ne pouvant faire l'objet d'une cotisation — Aucune cotisation ne peut être établie au titre de toute pénalité ou amende imposée conformément à une condamnation pour une infraction prévue à la présente loi.

(2) Prescription des cotisations — Sous réserve des paragraphes (3) à (5), l'établissement des cotisations à l'égard d'une taxe, d'une pénalité, d'intérêts ou d'une autre somme se prescrit par quatre ans après que la taxe, la pénalité, les intérêts ou la somme sont devenus exigibles en application de la présente loi.

(3) Exception en cas d'opposition ou d'appel — Une modification de cotisation ou une nouvelle cotisation peut être effectuée en tout temps en application des paragraphes 81.15(4) ou 81.38(1).

(4) Exception en cas de négligence ou de fraude — Une cotisation à l'égard d'une matière peut être établie à tout moment lorsque la personne devant faire l'objet de la cotisation a, relativement à cette matière :

a) fait une fausse déclaration attribuable à sa négligence, son inattention ou son omission volontaire;

b) commis une fraude en produisant ou omettant de produire ou de faire une déclaration, ou en fournissant ou omettant de fournir toute information, en application de la présente loi.

(5) Exception en cas de renonciation — Une cotisation à l'égard de toute matière spécifiée dans un avis de renonciation déposé conformément au paragraphe (6) peut être établie dans le délai indiqué dans l'avis de renonciation ou, si un avis d'annulation de la renonciation a été déposé conformément au paragraphe (7), pendant la période s'écoulant entre la date du commencement du délai indiqué dans l'avis de renonciation et six mois après la date du dépôt de l'avis.

(6) Dépôt de l'avis de renonciation — Toute personne peut, dans le délai limité par ailleurs par le paragraphe (2) pour l'établissement d'une cotisation à son égard, renoncer à l'application de ce paragraphe en déposant auprès du ministre un avis de renonciation en la forme prescrite dans lequel il est précisé la période et la matière à l'égard desquelles elle renonce à l'application de ce paragraphe.

(7) Annulation de l'avis de renonciation — Toute personne qui a déposé un avis de renonciation conformément au paragraphe (6) peut l'annuler en donnant au ministre un préavis de six mois et en déposant auprès du ministre un avis d'annulation de la renonciation en la forme prescrite.

L.R. (1985), c. 7 (2e suppl.), art. 38

81.12 (1) Responsabilité non diminuée — La responsabilité prévue à la présente loi au titre de la taxe, de la pénalité, des intérêts ou d'une autre somme n'est pas diminuée par un avis de cotisation incorrect ou incomplet ou par le fait qu'aucun avis de cotisation n'ait été établi.

(2) Cotisation valide et exécutoire — Une cotisation, sous réserve d'une modification ou d'une annulation à la suite d'une opposition ou d'un appel prévu à la présente partie et sous réserve d'une nouvelle cotisation, est réputée valide et exécutoire même si l'opposition, ou une procédure s'y rapportant prévue à la présente loi, est entachée d'une irrégularité, d'un vice de forme, d'une erreur, d'un défaut ou d'une omission.

(3) Irrégularités — L'irrégularité, le vice de forme, l'erreur, le défaut ou l'omission attribuable à une personne lors de l'application d'instructions prévues par la présente loi ne suffit pas pour entraîner l'annulation ou la modification d'une cotisation dont il est appelé.

L.R. (1985), c. 7 (2e suppl.), art. 38

81.13 (1) Avis de cotisation — Après l'établissement d'une cotisation, sauf en application des paragraphes 81.15(4) ou 81.38(1), le ministre doit envoyer à la personne faisant l'objet de la cotisation un avis de cotisation en la forme prescrite énonçant :

a) la date de la cotisation;

b) la matière faisant l'objet de la cotisation;

c) le montant dû ou le paiement en trop, s'il y a lieu, par la personne faisant l'objet de la cotisation;

d) les raisons concises de la cotisation;

e) la période au cours de laquelle un avis d'opposition à la cotisation peut être signifié en vertu de l'article 81.15.

(2) Taxe payable — Lorsqu'une cotisation établit que des taxes, pénalités, intérêts ou autres sommes payables en application de la présente loi demeurent impayés par la personne faisant l'objet de la cotisation, l'avis de cotisation doit énoncer séparément le montant des taxes, pénalités, intérêts ou autres sommes payables et la somme de ces montants.

(3) Remboursement payable — Lorsqu'une cotisation établit qu'un montant est payable à la personne faisant l'objet de la cotisation conformément à l'un des articles 68 à 68.29, l'avis de cotisation doit énoncer la somme des montants payables.

(4) Crédit pouvant être accordé — Lorsqu'une cotisation établit qu'un crédit peut être accordé à la personne faisant l'objet de la cotisation conformément à l'article 81.1, l'avis de cotisation doit énoncer la somme des crédits pouvant être accordée.

(5) Aucune taxe, aucun remboursement ni crédit — Lorsqu'une cotisation établit :

a) qu'aucune taxe, aucune pénalité, aucun intérêt ni aucune autre somme payables en application de la présente loi ne demeurent impayés par la personne faisant l'objet de la cotisation;

b) qu'aucun montant n'est payable à la personne faisant l'objet de la cotisation conformément à l'un des articles 68 à 68.29;

c) qu'aucun crédit ne peut être accordé à la personne faisant l'objet de la cotisation conformément à l'article 81.1,

à l'égard de la matière faisant l'objet de la cotisation, l'avis de cotisation doit contenir un énoncé à cet effet.

(6) Montants non pris en considération — Afin de déterminer les sommes, les montants et les crédits visés aux paragraphes (2) à (5) dans les cas où la cotisation est une modification ou une nouvelle cotisation, aucun montant payé par la personne faisant l'objet de la cotisation ou par le ministre à valoir sur le montant dû ou le paiement en trop indiqué dans l'avis de cotisation initiale ou dans toute cotisation postérieure liée à celui-ci, de même qu'aucun montant réputé payé en application du paragraphe 81.14(2), n'est pris en considération.

(7) Définitions — Les définitions qui suivent s'appliquent au présent article et à l'article 81.14.

« **montant dû** » À l'égard d'une personne faisant l'objet d'une cotisation :

a) dans les cas de cotisation originale, l'excédent de :

(i) la somme des taxes, pénalités, intérêts et autres sommes demeurant impayés par cette personne et indiquée dans l'avis de cotisation conformément au paragraphe (2),

sur

(ii) le total des éléments suivants :

(A) tous les montants payables à cette personne et indiqués dans l'avis de cotisation conformément au paragraphe (3),

(B) les crédits pouvant être accordés à cette personne et indiqués dans l'avis de cotisation conformément au paragraphe (4);

b) dans les cas de modification de cotisation ou de nouvelle cotisation, l'excédent du :

(i) résultat de la soustraction :

(A) du montant payé par cette personne à valoir sur le montant dû indiqué dans l'avis de cotisation initiale ou dans toute cotisation postérieure liée à celle-ci

de

(B) la somme des taxes, pénalités, intérêts et autres montants que cette personne n'a pas payés et indiquée dans l'avis de cotisation modifiée ou de nouvelle cotisation en application du paragraphe (2)

sur

(ii) le résultat de la soustraction :

(A) du montant payé à cette personne en application du paragraphe 81.14(1) en ce qui concerne un paiement en trop indiqué dans l'avis de cotisation initiale ou dans toute cotisation postérieure liée à celle-ci

de

(B) la somme des éléments suivants :

(I) les montants payables à cette personne et indiqués dans l'avis de cotisation modifiée ou de nouvelle cotisation en application du paragraphe (3),

(II) les crédits accordés à cette personne et indiqués dans l'avis de cotisation modifiée ou dans la nouvelle cotisation en application du paragraphe (4).

« **paiement en trop** » À l'égard d'une personne faisant l'objet d'une cotisation :

a) dans les cas de cotisation initiale, l'excédent du total visé au sous-alinéa a)(ii) de la définition de « montant dû » au présent paragraphe sur le total visé au sous-alinéa a)(i) de cette définition;

b) dans les cas de modification de cotisation ou de nouvelle cotisation, l'excédent du montant visé au sous-alinéa b)(ii) de cette définition sur le montant visé au sous-alinéa b)(i) de cette définition.

L.R. (1985), c. 7 (2e suppl.), art. 38

81.14 (1) Paiement effectué par le ministre — Lorsqu'un avis de cotisation établit que la personne faisant l'objet de la cotisation a effectué un paiement en trop, le ministre doit verser à cette personne le montant du paiement en trop indiqué dans l'avis de cotisation.

(2) Présomption — Lorsqu'une cotisation établit qu'un montant est payable conformément à l'un des articles 68 à 68.29, ou qu'un crédit peut être accordé conformément à l'article 81.1 à la personne faisant l'objet de la cotisation :

a) cette personne est censée avoir payé, à la date de l'envoi de l'avis de cotisation, un montant égal au montant le moins élevé des montants suivants :

(i) dans les cas de cotisation initiale, les sommes visées aux sous-alinéas a)(i) et (ii) de la définition de « montant dû » au paragraphe 81.13(7),

(ii) dans les cas de modification de cotisation ou de nouvelle cotisation, les montants visés aux sous-alinéas b)(i) et (ii) de cette définition,

à valoir sur ses taxes, pénalités, intérêts ou autres sommes payables en application de la présente loi à l'égard de la matière faisant l'objet de la cotisation;

b) le ministre est réputé avoir payé, à cette date, à la personne faisant l'objet d'une cotisation conformément à l'article 72 l'excédent éventuel du montant réputé avoir été payé en application de l'alinéa a) sur la somme des crédits visés à la division a)(ii)(B) ou à la subdivision b)(ii)(B)(II), selon le cas, de cette définition.

(3) Présomption de paiement unique — Le paragraphe (2) cesse de s'appliquer à une cotisation si celle-ci est annulée ou modifiée par la suite ou si une nouvelle cotisation s'applique à la même matière, mais il est entendu que, sous réserve des autres dispositions du présent paragraphe, si la cotisation est modifiée ou la nouvelle cotisation effectuée autrement qu'en application des paragraphes 81.15(4) ou 81.38(1), le paragraphe (2) s'applique à la cotisation modifiée ou à la nouvelle cotisation, selon le cas.

L.R. (1985), c. 7 (2e suppl.), art. 38

Oppositions

81.15 (1) Opposition à une cotisation — Toute personne qui a fait l'objet d'une cotisation, sauf en application des paragraphes (4) ou 81.38(1), et qui s'oppose à la cotisation peut, dans un délai de quatre-vingt-dix jours suivant la date d'envoi de l'avis de cotisation, signifier au ministre un avis d'opposition en la forme prescrite énonçant les raisons de son opposition et tous les faits pertinents sur lesquels elle se fonde.

(2) Signification — La signification d'un avis d'opposition au ministre doit être effectuée par courrier affranchi au préalable et adressé au ministre à Ottawa.

(3) Acceptation d'une autre signification — Le ministre peut accepter un avis d'opposition nonobstant le fait qu'il n'a pas été signifié conformément au paragraphe (2).

(4) Examen de l'avis d'opposition — Sous réserve de l'article 81.21, le ministre, saisi d'un avis d'opposition, doit, avec toute la célérité raisonnable, réexaminer la cotisation et l'annuler, la modifier ou la ratifier ou établir une nouvelle cotisation, selon le cas.

(5) Avis de décision — Après avoir réexaminé une cotisation, le ministre doit envoyer à l'opposant un avis de décision en la forme prescrite, énonçant :

a) la date de la décision;

b) lorsqu'il modifie la cotisation ou en établit une nouvelle, le montant dû ou le paiement versé en trop par l'opposant;

c) les raisons concises de sa décision;

d) la période au cours de laquelle il peut être interjeté appel de la décision en vertu des articles 81.19 ou 81.2.

(6) Taxe payable — Lorsque la modification d'une cotisation, ou une nouvelle cotisation, à la suite d'une opposition établit que des taxes, pénalités, intérêts ou autres sommes payables en application de la présente loi demeurent impayés par l'opposant, l'avis de décision doit énoncer séparément le montant des taxes, pénalités, intérêts ou autres sommes exigibles et la somme de ces montants.

(7) Remboursement payable — Lorsque la modification d'une cotisation, ou une nouvelle cotisation, à la suite d'une opposition établit qu'un montant est payable à l'opposant conformément à l'un des articles 68 à 68.29, l'avis de décision doit énoncer séparément le total des montants payables.

(8) Crédit pouvant être accordé — Lorsque la modification d'une cotisation, ou une nouvelle cotisation, à la suite d'une opposition établit qu'un crédit peut être accordé à l'opposant conformément à l'article 81.1, l'avis de décision doit énoncer séparément le total des crédits pouvant être accordé.

(9) Aucune taxe, aucun remboursement ni crédit — Lorsque la modification d'une cotisation, ou une nouvelle cotisation, à la suite d'une opposition établit :

a) qu'aucune taxe, aucune pénalité, aucun intérêt ni aucune autre somme payables en application de la présente loi ne demeurent impayés par l'opposant;

b) qu'aucun montant n'est payable à l'opposant conformément à l'un des articles 68 à 68.29;

c) qu'aucun crédit ne peut être accordé à l'opposant conformément à l'article 81.1,

à l'égard de la matière faisant l'objet de la cotisation modifiée ou de la nouvelle cotisation, l'avis de décision doit contenir un énoncé à cet effet.

(10) Montants non pris en considération — Aux fins de la détermination des sommes, montants et crédits visés aux paragraphes (6) à (9), il ne peut être pris en considération aucun montant payé par l'opposant ou le ministre à valoir sur le montant dû ou sur le paiement en trop indiqué dans l'avis de cotisation, ni aucun montant réputé, en application du paragraphe 81.14(2), avoir été payé.

(11) Définitions — Les définitions qui suivent s'appliquent au présent article et à l'article 81.16.

« montant dû » À l'égard de l'opposant, l'excédent :

a) du résultat de la soustraction :

(i) du montant payé par cette personne à valoir sur le montant dû indiqué dans l'avis de cotisation

de

(ii) la somme des taxes, pénalités, intérêts et autres sommes non payés par cette personne et indiqués dans l'avis de décision conformément au paragraphe (6)

sur

b) le résultat de la soustraction :

(i) du montant payé à cette personne en application du paragraphe 81.14(1)

de

(ii) la somme des éléments suivants :

(A) les montants payables à cette personne et indiqués dans l'avis de décision conformément au paragraphe (7),

(B) les crédits pouvant être accordés à cette personne et indiqués dans l'avis de décision conformément au paragraphe (8).

« paiement en trop » À l'égard d'un opposant, l'excédent du total visé à l'alinéa b) de la définition de « montant dû » au présent paragraphe sur la somme visée à l'alinéa a) de cette définition.

L.R. (1985), c. 7 (2e suppl.), art. 38

81.16 (1) Paiement effectué par le ministre — Lorsque la modification d'une cotisation, ou une nouvelle cotisation, à la suite d'une opposition établit que l'opposant a effectué un paiement en trop, le ministre doit verser à cette personne le montant du paiement en trop indiqué dans l'avis de décision.

(2) Présomption — Lorsque la modification d'une cotisation, ou une nouvelle cotisation, à la suite d'une opposition établit qu'un montant est payable à l'opposant conformément à l'un des articles 68 à 68.29 ou qu'un crédit peut lui être accordé conformément à l'article 81.1 :

a) l'opposant est censé avoir payé, à la date de l'envoi de l'avis de décision, un montant égal au montant le moins élevé des sommes visées aux alinéas a) et b) de la définition de « montant dû » au paragraphe 81.15(11) à valoir sur ses taxes, pénalités, intérêts ou autres sommes payables en application de la présente loi à l'égard de la matière faisant l'objet de la cotisation modifiée ou de la nouvelle cotisation;

b) le ministre est censé avoir payé à la personne faisant l'objet de la cotisation conformément à l'article 72, à cette date, l'excédent éventuel du montant réputé avoir été payé en trop en application de l'alinéa a) sur la somme des crédits visés à la division b)(ii)(B) de cette définition.

(3) Aucune duplication de paiements — Sous réserve du paragraphe 81.38(2), le paragraphe (2) cesse de s'appliquer à une cotisation si celle-ci est ultérieurement annulée ou modifiée ou si une nouvelle cotisation est établie à l'égard de toute matière faisant l'objet de la cotisation.

(4) Intérêts sur paiement en trop — Sous réserve du paragraphe (5), le bénéficiaire d'un paiement en application du paragraphe (1) reçoit des intérêts, au taux prescrit, sur toute partie impayée. Ces intérêts sont calculés pour la période commençant le lendemain de la date de l'avis de cotisation faisant l'objet de l'opposition et se terminant à la date de l'envoi du paiement.

(5) Intérêts sur un montant payé — Le bénéficiaire d'un paiement en application du paragraphe (1) qui a versé une somme à valoir sur la somme due indiquée dans un avis de cotisation reçoit des intérêts, au taux prescrit, sur toute partie impayée. Ces intérêts sont calculés pour la période commençant le lendemain de la date du versement fait par le bénéficiaire et se terminant à la date de l'envoi du paiement à celui-ci.

(6) [*Abrogé*].

L.R. (1985), c. 7 (2e suppl.), art. 38; 2003, c. 15, art. 104

81.17 (1) Opposition à la détermination — Toute personne qui a fait une demande en vertu de l'un des articles 68 à 69 et qui s'oppose à la détermination du ministre concernant la demande peut, dans un délai de quatre-vingt-dix jours suivant la date d'envoi de l'avis de détermination, signifier au ministre un avis d'opposition en la forme prescrite, énonçant les raisons de son opposition et tous les faits pertinents sur lesquels il se fonde.

(2) Signification — La signification d'un avis d'opposition au ministre doit être effectuée par courrier affranchi au préalable et adressé au ministre à Ottawa.

(3) Acceptation d'une autre signification — Le ministre peut accepter un avis d'opposition qui n'a pas été signifié conformément au paragraphe (2).

(4) Examen de l'avis d'opposition — Sous réserve de l'article 81.21, le ministre, saisi d'un avis d'opposition, doit, avec toute la célérité raisonnable, réexaminer la détermination et l'annuler, la modifier ou la ratifier.

(5) Avis de décision — Après avoir réexaminé une détermination, le ministre doit envoyer à l'opposant un avis de décision en la forme prescrite, énonçant :

a) la date de la décision;

b) le montant, s'il en est, payable à l'opposant;

c) les raisons concises de sa décision, s'il rejette l'opposition en totalité ou en partie;

d) la période au cours de laquelle il peut être interjeté appel de la décision en vertu des articles 81.19 ou 81.2.

(6) Définition de « montant payable » — Pour l'application du présent article et de l'article 81.18, « montant payable », à l'égard d'un opposant, s'entend de l'excédent de :

a) l'ensemble de tous les montants payables à cette personne conformément aux articles 68 à 69

sur

b) le montant payé à cette personne conformément au paragraphe 72(6) ou dont elle autorise la déduction conformément au paragraphe 74(1).

L.R. (1985), c. 7 (2e suppl.), art. 38

81.18 (1) Paiement effectué par le ministre — Sous réserve du paragraphe (2), lorsque le réexamen d'une détermination à la suite d'une opposition établit qu'un montant est payable à l'opposant, le ministre doit verser à cette personne le montant payable indiqué dans l'avis de décision.

(2) Autorisation de déduction — Lorsque le réexamen d'une détermination à la suite d'une opposition établit qu'un montant est payable à l'opposant et que cette personne, dans la demande qui fait l'objet du réexamen, a demandé au ministre d'autoriser une déduction en vertu du paragraphe 74(1), le ministre peut, dans l'avis de décision, autoriser cette personne à déduire ce montant en conformité avec ce paragraphe.

(3) Intérêts sur le paiement — L'opposant ayant droit à un paiement en application du paragraphe (1) reçoit des intérêts, au taux prescrit, sur toute partie impayée. Ces intérêts sont calculés pour la période commençant le trentième jour suivant celui de la réception par le ministre de la demande qui fait l'objet du réexamen et se terminant le jour de l'envoi du paiement.

(4) Intérêts sur la déduction — L'opposant ayant droit à une déduction en application du paragraphe (2) peut déduire des intérêts conformément au paragraphe 74(1), au taux prescrit, calculés sur le montant de la déduction, pour la période commençant le trentième jour suivant celui de la réception de la demande par le ministre et se terminant le jour de l'envoi de l'avis de décision.

(5) [*Abrogé*].

L.R. (1985), c. 7 (2e suppl.), art. 38; 2003, c. 15, art. 105

Droits d'appel

81.19 Appel au Tribunal d'une cotisation ou d'une détermination du ministre — Toute personne qui a signifié un avis d'opposition en vertu de l'article 81.15 ou 81.17, autre qu'un avis à l'égard de la partie I, peut, dans les quatre-vingt-dix jours suivant la date d'envoi de l'avis de décision concernant l'opposition, appeler de la cotisation ou de la détermination au Tribunal.

L.R. (1985), c. 7 (2e suppl.), art. 38; c. 47 (4e suppl.), art. 52

81.2 (1) Appel à la Cour fédérale d'une cotisation ou d'une détermination du ministre — Toute personne qui a signifié un avis d'opposition en vertu de l'article 81.15 ou 81.17, autre qu'un avis à l'égard de la partie I, peut, au lieu d'en appeler au Tribunal en vertu de l'article 81.19, appeler de la cotisation ou de la détermination à la Cour fédérale pendant la période au cours de laquelle elle aurait pu, en vertu de cet article, en appeler au Tribunal.

(2) Idem — Toute personne qui a signifié un avis d'opposition en vertu de l'article 81.15 ou 81.17 à l'égard de la partie I peut, dans les quatre-vingt-dix jours suivant la date d'envoi de l'avis de décision concernant l'opposition, appeler de la cotisation ou de la détermination à la Cour fédérale.

L.R. (1985), c. 7 (2e suppl.), art. 38; c. 47 (4e suppl.), art. 52; 2002, c. 8, art. 183

81.21 (1) Appel au Tribunal ou à la Cour fédérale d'une détermination ou d'une cotisation du ministre — Toute personne qui a signifié un avis d'opposition en vertu de l'article 81.15 ou 81.17, autre qu'un avis à l'égard de la partie I, et qui spécifie dans l'avis qu'elle renonce au réexamen de la détermination ou de la cotisation visée dans l'avis et désire appeler de la cotisation ou de la détermination directement au Tribunal ou à la Cour fédérale peut ainsi en appeler, si le ministre y consent.

(2) Appel à la Cour d'une détermination ou d'une cotisation du ministre — Toute personne qui a signifié un avis d'opposition en vertu de l'article 81.15 ou 81.17 à l'égard de la partie I et qui spécifie dans l'avis qu'elle renonce au réexamen de la détermination ou de la cotisation visée dans l'avis et désire appeler de la cotisation ou de la détermination directement à la Cour fédérale peut ainsi en appeler, si le ministre y consent.

(3) Copie de l'avis déposée — Lorsque le ministre consent à un appel conformément au paragraphe (1) ou (2), il doit déposer une copie de l'avis d'opposition auprès du Tribunal ou de la Cour fédérale, selon le cas, et envoyer un avis de son action à la personne signifiant l'avis d'opposition.

L.R. (1985), c. 7 (2e suppl.), art. 38; c. 47 (4e suppl.), art. 52; 2002, c. 8, art. 183

81.22 (1) Appel au Tribunal ou à la Cour fédérale en l'absence de décision — Lorsqu'une personne a signifié un avis d'opposition en vertu de l'article 81.15 ou 81.17, autre qu'un avis à l'égard de la partie I, et que le ministre a omis de lui envoyer un avis de sa décision dans un délai de cent quatre-vingts jours suivant la date de signification de l'avis d'opposition, cette personne peut appeler de la cotisation ou de la détermination au Tribunal ou à la Cour fédérale.

(2) Appel à la Cour fédérale en l'absence de décision — Lorsqu'une personne a signifié un avis d'opposition en vertu de l'article 81.15 ou 81.17 à l'égard de la partie I et que le ministre a omis de lui envoyer un avis de sa décision dans les cent quatre-vingts jours suivant la date de signification de l'avis d'opposition, cette personne peut appeler de la cotisation ou de la détermination à la Cour fédérale.

(3) Restriction — Aucun appel ne peut être interjeté conformément au présent article après que le ministre a envoyé un avis de décision à la personne qui a signifié l'avis d'opposition.

L.R. (1985), c. 7 (2e suppl.), art. 38; c. 47 (4e suppl.), art. 52; 2002, c. 8, art. 183

81.23 (1) Appel au Tribunal ou à la Cour fédérale — Lorsqu'une personne a signifié un avis d'opposition en vertu de l'article 81.15 à l'égard d'une cotisation et que, ultérieurement, sauf en vertu des paragraphes 81.15(4) ou 81.38(1), le ministre modifie la cotisation ou établit une nouvelle cotisation à l'égard de toute matière faisant l'objet de la cotisation et envoie à cette personne un avis de cotisation à l'égard de la cotisation modifiée ou de la nouvelle cotisation, cette personne peut, sans signifier un avis d'opposition à la cotisation modifiée ou à la nouvelle cotisation :

a) soit en appeler de la cotisation modifiée ou de la nouvelle cotisation au Tribunal ou à la Cour fédérale en conformité avec les articles 81.19 ou 81.2, selon le cas, comme si l'avis de cotisation était une décision du ministre;

b) soit, si un appel a été interjeté à l'égard de la cotisation, modifier cet appel en y joignant un appel à l'égard de la cotisation modifiée ou de la nouvelle cotisation de la manière et selon les modalités, s'il y a lieu, que le Tribunal ou le tribunal qui entend l'appel, selon le cas, estime indiquées.

(2) Idem — Lorsqu'une personne a appelé d'une cotisation en vertu de l'article 81.22 et que, ultérieurement, le ministre, en application du paragraphe 81.15(4), modifie la cotisation ou en établit une nouvelle à l'égard de toute matière faisant l'objet de la cotisation et envoie à cette personne un avis de décision à l'égard de la cotisation modifiée ou de la nouvelle cotisation, cette personne peut, sans signifier d'avis d'opposition à la cotisation modifiée ou à la nouvelle cotisation, modifier l'appel en y joignant un appel de la cotisation modifiée ou de la nouvelle cotisation selon les modalités, s'il y a lieu, que le Tribunal ou la Cour fédérale, selon le cas, estime indiquées.

L.R. (1985), c. 7 (2e suppl.), art. 38; c. 47 (4e suppl.), art. 52; 2002, c. 8, art. 183

81.24 Appel à la Cour fédérale d'une décision du Tribunal — Toute partie à un appel entendu par le Tribunal en vertu de l'article 81.19, 81.21, 81.22 ou 81.23 peut, dans un délai de cent vingt jours suivant la date d'envoi de la décision du Tribunal, en appeler de cette décision à la Cour fédérale.

L.R. (1985), c. 7 (2e suppl.), art. 38; c. 47 (4e suppl.), art. 52; 2002, c. 8, art. 183

Appels au Tribunal

81.25 (1) Avis au commissaire — Lorsqu'un appel au Tribunal est interjeté autrement qu'en application du paragraphe 81.21(1), le Tribunal envoie un avis de l'appel au commissaire à Ottawa.

(2) Envoi de documents au Tribunal — Dès la réception d'un avis d'appel en vertu du paragraphe (1) ou du dépôt d'un avis d'opposition auprès du Tribunal en vertu du paragraphe 81.21(3), le commissaire doit envoyer au Tribunal des copies des déclarations, demandes, avis de cotisation, avis d'opposition, avis de décision et notifications, s'il y a lieu, qui sont pertinents à l'appel.

Abrogation proposée — 81.25(2)

Application: Le paragraphe 81.25(2) sera abrogé par l'art. 413 du *Projet de loi C-48* (Partie 6 — Dispositions de coordination) (première lecture le 21 novembre 2012) et cette abrogation entrera en vigueur à la date de sanction du *Projet de loi C-48*.

Notes explicatives: Selon le paragraphe 81.25(2), lorsqu'un appel est interjeté devant le Tribunal canadien du commerce extérieur, le commissaire du revenu doit envoyer au Tribunal des copies des déclarations, demandes, avis de cotisation, avis d'opposition, avis de décision et notifications qui sont pertinents à l'appel. Ce paragraphe est analogue au paragraphe 176(1) de la *Loi de l'impôt sur le revenu*.

La modification consiste à abroger le paragraphe 81.25(2) puisque la Cour d'appel fédérale a statué que le paragraphe 176(1) de la *Loi de l'impôt sur le revenu* était inconstitutionnel.

L.R. (1985), c. 7 (2e suppl.), art. 38; c. 47 (4e suppl.), art. 52; 1999, c. 17, art. 155

81.26 Audition d'un appel — Le Tribunal peut entendre à huis clos un appel prévu à la présente partie si, à la demande de toute partie à l'appel, il est convaincu que les circonstances du cas justifient la tenue de l'audition ainsi.

L.R. (1985), c. 7 (2e suppl.), art. 38; c. 47 (4e suppl.), art. 52

81.27 (1) Comment il est statué sur les appels — Après avoir entendu un appel prévu à la présente partie, le Tribunal peut statuer par décision ou déclaration, selon la nature de l'affaire, et en rendant une ordonnance :

a) soit rejetant l'appel;

b) soit faisant droit à l'appel en totalité ou en partie et annulant ou modifiant la décision faisant l'objet de l'appel ou renvoyant l'affaire au ministre pour réexamen.

(2) Frais — Le Tribunal ne peut accorder de dépens en statuant sur un appel.

(3) Décision du Tribunal — La décision du Tribunal sur l'appel doit être consignée par écrit et comprendre les raisons de la décision; une copie de cette décision doit être envoyée sans délai aux parties à l'appel.

(4) Peine en l'absence de motifs raisonnables concernant un appel au Tribunal — Lorsque le Tribunal statue sur un appel à l'égard d'une cotisation ou lorsqu'un tel appel au Tribunal est discontinué ou rejeté sans audition, le Tribunal peut, à la demande du ministre, ordonner à la personne qui a interjeté l'appel de verser au receveur général un montant ne dépassant pas dix pour cent du montant en litige, s'il détermine qu'il n'existait aucun motif raisonnable pour interjeter l'appel et que l'un des principaux motifs de l'introduction ou du maintien de l'appel consistait à retarder le paiement de taxes, pénalités, intérêts ou autres sommes payables en application de la présente loi.

L.R. (1985), c. 7 (2e suppl.), art. 38; c. 47 (4e suppl.), art. 52

Appels à la Cour

81.28 (1) Introduction d'un appel à la Cour fédérale — Un appel à la Cour fédérale en vertu des articles 81.2, 81.22 ou 81.24 doit être interjeté :

a) dans le cas d'un appel interjeté par une personne, autre que le ministre, de la manière énoncée à l'article 48 de la *Loi sur les Cours fédérales*;

b) dans le cas d'un appel interjeté par le ministre, de la manière prévue par les règles établies conformément à cette loi pour l'introduction d'une action.

(2) Demande reconventionnelle — Si le défendeur dans un appel d'une décision du Tribunal en vertu de l'article 81.24 désire interjeter appel de cette décision, il peut le faire, que le délai fixé par cet article soit expiré ou non, en introduisant une demande reconventionnelle sous le régime de la *Loi sur les Cours fédérales* et des règles établies conformément à cette loi.

(3) Procédure — Un appel à la Cour fédérale en vertu de la présente partie est réputé être une action devant celle-ci à laquelle la *Loi sur les Cours fédérales* et les règles établies conformément à cette loi s'appliquent comme pour une action ordinaire, sauf dans la mesure où l'appel est modifié par des règles spéciales établies à l'égard de tels appels, sauf que :

a) les règles concernant la jonction d'instances et de causes d'action ne s'appliquent pas, sauf pour permettre la jonction d'appels en application de la présente partie;

b) la copie d'un avis d'opposition déposée auprès de la Cour fédérale conformément au paragraphe 81.21(3) est réputée être une déclaration déposée auprès du tribunal par la personne signifiant l'avis et avoir été signifiée par elle au ministre à la date où elle a été ainsi déposée par le ministre;

c) la copie d'un avis d'opposition déposée par le ministre conformément au paragraphe 81.21(3) ou un acte introductif d'instance déposé par le ministre conformément au paragraphe (1) est signifié de la manière prévue au paragraphe (4).

(4) Signification — Lorsque la copie d'un avis d'opposition est déposée par le ministre conformément au paragraphe 81.21(3) ou qu'un acte introductif d'instance est déposé par le ministre conformément au paragraphe (1) et que celui-ci en dépose deux copies ou des copies supplémentaires, ainsi qu'un certificat ayant trait à la dernière adresse connue de l'autre partie à l'appel, un fonctionnaire du tribunal doit sans délai au nom du ministre, après avoir vérifié l'exactitude des copies, signifier la copie de l'avis d'opposition ou l'acte introductif d'instance, selon le cas, à cette autre partie en lui envoyant les copies ou les copies supplémentaires par lettre recommandée ou certifiée à l'adresse énoncée dans le certificat.

(5) Certificat — Lorsque des copies ont été signifiées à une partie conformément au paragraphe (4), un certificat signé par un fonctionnaire du tribunal quant à la date du dépôt et la date de la mise à la poste des copies est transmis au bureau du sous-procureur général du Canada et constitue la preuve de la date du dépôt et de la date de la signification des documents qui y sont visés.

L.R. (1985), c. 7 (2e suppl.), art. 38; c. 47 (4e suppl.), art. 52; 2002, c. 8, art. 137

81.29 (1) Avis au Tribunal — Lorsqu'un appel d'une décision du Tribunal est interjeté devant la Cour fédérale, le tribunal doit envoyer un avis de l'appel au Tribunal.

(2) Documents envoyés à la Cour fédérale — Dès la réception d'un avis d'appel en vertu du paragraphe (1), le Tribunal doit envoyer au tribunal tous les documents qui ont été déposés auprès du Tribunal ou qui lui ont été envoyés relativement à l'appel, ainsi qu'une copie conforme du procès-verbal d'audience devant le Tribunal.

(3) Idem — Lorsqu'un appel d'une décision du ministre est interjeté devant la Cour fédérale, le commissaire doit envoyer au tribunal des copies des déclarations, demandes, avis de cotisation, avis d'opposition, avis de décision et notifications, s'il y a lieu, qui sont pertinents à l'appel.

Abrogation proposée — 81.29(3)

Application: Le paragraphe 81.29(3) sera abrogé par l'art. 414 du *Projet de loi C-48* (Partie 6 — Dispositions de coordination) (première lecture le 21 novembre 2012) et cette abrogation entrera en vigueur à la date de sanction du *Projet de loi C-48*.

Notes explicatives: Selon le paragraphe 81.29(3), lorsqu'un appel est interjeté devant la Cour fédérale, le commissaire du revenu doit envoyer à la Cour des copies des déclarations, demandes, avis de cotisation, avis d'opposition, avis de décision et notifications qui sont pertinents à l'appel. Ce paragraphe est analogue au paragraphe 176(1) de la *Loi de l'impôt sur le revenu*.

La modification consiste à abroger le paragraphe 81.29(3) puisque la Cour d'appel fédérale a statué que le paragraphe 176(1) de la *Loi de l'impôt sur le revenu* était inconstitutionnel.

L.R. (1985), c. 7 (2e suppl.), art. 38; c. 47 (4e suppl.), art. 52; 1999, c. 17, art. 155; 2002, c. 8, art. 183

81.3 Audition de l'appel — La Cour fédérale peut entendre à huis clos un appel prévu à la présente partie si, à la demande de toute partie à l'appel, elle est convaincue que les circonstances du cas justifient la tenue de l'audition ainsi.

L.R. (1985), c. 7 (2e suppl.), art. 38; 2002, c. 8, art. 183

81.31 (1) Comment il est statué sur les appels — Après avoir entendu un appel prévu à la présente partie, la Cour fédérale peut statuer en rendant une ordonnance, un jugement, une décision ou une déclaration, selon la nature de l'affaire, y compris, sans préjudice de la portée générale de ce qui précède, une ordonnance :

a) soit rejetant l'appel;

b) soit faisant droit à l'appel en totalité ou en partie et annulant ou modifiant la cotisation ou la détermination faisant l'objet de l'appel ou renvoyant l'affaire au ministre pour réexamen.

(2) Ordonnance — Sous réserve du paragraphe (3), en statuant sur un appel, la Cour fédérale peut ordonner le paiement ou le remboursement de taxes, pénalités, intérêts, sommes ou frais.

(3) Frais — Lorsque le montant en litige dans un appel d'une décision du Tribunal interjeté par le ministre, autrement que par voie de demande reconventionnelle, ne dépasse pas dix mille dollars, le ministre, une fois qu'il a été statué sur l'appel, doit payer à l'autre partie à l'appel tous les frais opportuns et raisonnables qui s'y rapportent.

(4) Peine en l'absence de motifs raisonnables concernant un appel à la Cour fédérale — Lorsque la Cour fédérale statue sur un appel à l'égard d'une cotisation ou lorsqu'un tel appel à ce tribunal est abandonné ou rejeté sans audition, celui-ci peut, à la demande du ministre, qu'il alloue ou non des dépens, ordonner à la personne qui a interjeté l'appel de verser au receveur général un montant ne dépassant pas dix pour cent du montant en litige, s'il détermine qu'il n'existait aucun motif raisonnable pour interjeter l'appel et que l'une des principales raisons de l'introduction ou du maintien de l'appel consistait à retarder le paiement de taxes, pénalités, intérêts ou autres sommes payables en application de la présente loi.

L.R. (1985), c. 7 (2e suppl.), art. 38; c. 47 (4e suppl.), art. 52; 2002, c. 8, art. 183

Prolongation du délai pour opposition ou appel

81.32 (1) Prolongation du délai par le Tribunal — Sous réserve du paragraphe (6), toute personne ayant droit de signifier un avis d'opposition en vertu de l'article 81.15 ou 81.17, autre qu'un avis à l'égard de la partie I, ou d'interjeter appel au Tribunal en vertu de l'article 81.19, peut, avant ou après la fin du délai prévu par cet article pour ainsi s'opposer ou interjeter appel, demander au Tribunal une ordonnance prolongeant ce délai.

(2) Procédure — La demande faite en vertu du paragraphe (1) doit être déposée en trois copies auprès du Tribunal.

(3) Prolongation du délai par la Cour fédérale — Sous réserve du paragraphe (6), toute personne ayant droit de signifier un avis d'opposition en vertu de l'article 81.15 ou 81.17 à l'égard de la partie I, ou d'interjeter appel à la Cour fédérale en vertu de l'article 81.2 ou 81.24, peut, avant ou après la fin du délai prévu par cet article pour ainsi s'opposer ou interjeter appel, demander au tribunal une ordonnance prolongeant ce délai.

(4) Procédure — La demande prévue au paragraphe (3) doit être faite en déposant un avis de la demande auprès du tribunal et en signifiant une copie de l'avis au sous-procureur général du Canada au moins quatorze jours avant que la demande ne soit entendue.

(5) Raisons — La demande prévue aux paragraphes (1) ou (3) doit énoncer les raisons pour lesquelles le requérant ne peut pas ou n'a pas pu observer le délai.

(6) Prescription — Les demandes prévues aux paragraphes (1) ou (3) ne peuvent être présentées plus d'un an après la fin du délai.

(7) Ordonnance — Le Tribunal ou le tribunal, saisi d'une demande conformément aux paragraphes (1) ou (3), peut accorder une ordonnance prolongeant le délai si les conditions suivantes sont remplies :

a) il n'a pas antérieurement rendu une ordonnance prolongeant ce délai;

b) il est convaincu que :

(i) les circonstances sont telles qu'il est juste et équitable de prolonger le délai,

(ii) sauf les circonstances visées au sous-alinéa (i), une opposition aurait été faite ou un appel aurait été interjeté, selon le cas, pendant ce délai,

(iii) la demande a été présentée dès que les circonstances le permettaient,

(iv) des motifs raisonnables existent relativement à l'opposition ou à l'appel.

L.R. (1985), c. 7 (2e suppl.), art. 38; c. 47 (4e suppl.), art. 52; 2002, c. 8, art. 183

Oppositions et appels d'acheteurs

81.33 (1) Droits d'engager des procédures ou de demander des prolongations — Sous réserve des autres dispositions du présent article, lorsque :

a) un vendeur de marchandises a présenté une demande en vertu de l'article 68.2 à l'égard de la vente des marchandises et que la demande a été rejetée en totalité ou en partie par le ministre;

b) un vendeur de marchandises n'a pas payé la taxe à l'égard de la vente des marchandises :

(i) soit sous prétexte que la taxe n'était pas exigible en vertu du paragraphe 23(6), (7), (8) ou (8.1) ou 50(5),

(ii) soit sous prétexte que les marchandises ont été vendues dans des circonstances qui, en raison de la nature de l'acheteur des marchandises ou de l'utilisation qui devait en être faite, ou de ces deux éléments, ont rendu la vente exempte de la taxe aux termes du paragraphe 51(1), et que par la suite le vendeur a fait l'objet d'une cotisation par le ministre au titre de la taxe à l'égard de la vente et qu'il a recouvré le montant de cette taxe, ou une fraction de celle-ci, auprès de l'acheteur des marchandises,

l'acheteur peut, en remplacement du vendeur et en son propre nom comme s'il était le vendeur, engager des procédures en vertu de l'un des articles 81.15, 81.17, 81.19, 81.2, 81.21, 81.22, 81.23 ou 81.24 à l'égard du rejet ou de la cotisation, ou demander une prolongation du délai en vertu de l'article 81.32 en vue d'engager de telles procédures.

(2) Condition suspensive — Un acheteur peut engager des procédures ou demander une prolongation du délai à cette fin conformément au paragraphe (1) seulement si :

a) soit le vendeur a cédé sans condition à l'acheteur en la forme prescrite ses droits, s'il y a lieu :

(i) d'engager des procédures sous le régime des articles 81.15, 81.17, 81.19, 81.2, 81.21, 81.22, 81.23 ou 81.24,

(ii) de présenter une demande en vertu de l'article 81.32,

(iii) de recevoir un paiement conformément à l'article 81.16, 81.18 ou 81.38,

à l'égard de la vente et si une copie authentique de la cession a été signifiée au ministre en conformité avec le paragraphe (3);

b) soit le vendeur, dans le délai prévu pour engager les procédures, n'a pas engagé celles-ci ni demandé une prolongation de ce délai aux termes de l'article 81.32;

c) soit les procédures sont un appel découlant des procédures précédemment engagées par l'acheteur conformément au paragraphe (1).

(3) Signification — La signification au ministre d'une copie authentique d'une cession doit être effectuée par courrier affranchi au préalable et adressée au ministre à Ottawa, dans le délai prévu pour engager les procédures auxquelles se rapporte la cession.

(4) Acceptation d'une autre signification — Le ministre peut accepter une copie authentique d'une cession malgré le fait qu'elle n'a pas été signifiée par courrier affranchi au préalable et adressé au ministre à Ottawa.

(5) Prolongation réputée — Afin de permettre à un acheteur d'engager des procédures ou de demander une prolongation du délai prévu à cette fin conformément au paragraphe (1) dans les circonstances visées à l'alinéa (2)b), le délai prévu pour engager les procédures est réputé être prolongé de trente jours.

(6) L'acheteur en remplacement du vendeur — Les procédures engagées et les demandes présentées en vertu du paragraphe (1) doivent être traitées à tous égards comme si l'acheteur était le vendeur et les montants déclarés payables à la fin des procédures en vertu des paragraphes 81.16(1), 81.18(1) ou 81.38(1) sont payés à l'acheteur et non au vendeur.

(7) Exception — Lorsqu'un vendeur demande une prolongation du délai aux termes de l'article 81.32 en vue d'engager des procédures après la fin du délai, l'acheteur ne peut engager les procédures ni demander une prolongation du délai pour engager les procédures conformément au paragraphe (1).

(8) Exclusion — Lorsqu'un acheteur engage des procédures ou demande une prolongation du délai à cette fin conformément au paragraphe (1), le vendeur ne peut demander une prolongation du délai pour engager les procédures aux termes de l'article 81.32 ni, dans le cas visé à l'alinéa (1)a), présenter ultérieurement une demande en vertu de l'article 68.2 à l'égard de la vente.

(9) Intervention — Par dérogation à l'article 81.34, un vendeur de marchandises peut intervenir dans toutes procédures ou toute demande de prolongation du délai pour engager des procédures engagées par un acheteur des marchandises conformément au paragraphe (1), à titre de partie aux procédures ou à la demande.

L.R. (1985), c. 7 (2e suppl.), art. 38

Interventions

81.34 (1) Interventions — Le Tribunal ou la Cour fédérale peut, sur demande, rendre une ordonnance permettant à toute personne d'intervenir dans un appel ou un renvoi dont il est saisi sous le régime de la présente partie, à titre de partie à l'appel ou au renvoi, s'il est convaincu que le demandeur a un intérêt substantiel et direct dans la matière faisant l'objet de l'appel ou du renvoi.

(2) Aide — Le Tribunal ou la Cour fédérale peut, sur demande, rendre une ordonnance permettant à toute personne de lui prêter main-forte par voie de plaidoyer dans un appel ou un renvoi dont il est saisi sous le régime de la présente partie, mais cette personne ne peut pas constituer une partie à l'appel ou au renvoi.

(3) Modalités et conditions — Le Tribunal ou la Cour fédérale peut imposer les modalités et conditions qu'il juge indiquées relativement à une ordonnance rendue en vertu du présent article.

(4) Procédure — La demande prévue au paragraphe (1) est faite en déposant un avis de la demande auprès du Tribunal ou du tribunal, selon le cas, et en signifiant une copie de l'avis aux parties à l'appel ou au renvoi au moins quatorze jours avant que la demande ne soit entendue.

(5) Matières examinées — Le Tribunal ou le tribunal, dans toute demande faite en vertu du présent article, doit examiner la possibilité de délai ou de préjudice injustifié ou toute autre matière qu'il juge indiquée en exerçant sa discrétion conformément au présent article.

L.R. (1985), c. 7 (2e suppl.), art. 38; c. 47 (4e suppl.), art. 52; 2002, c. 8, art. 183

81.35 [*Abrogé*].

L.R. (1985), c. 47 (4e suppl.), art. 52

Renvois

81.36 (1) Renvoi à la Cour fédérale — Le ministre peut renvoyer à la Cour fédérale toute question de droit, de fait ou mixte de droit et de fait relative à la présente loi pour audition et détermination.

(2) Contenu du renvoi — Un renvoi fait en vertu du paragraphe (1) doit énoncer :

a) la question devant être déterminée;

b) les noms des personnes que le ministre désire voir liées par la détermination;

c) les faits et arguments que le ministre a l'intention d'invoquer lors de l'audition.

(3) Signification — Une copie d'un renvoi en vertu du paragraphe (1) doit être signifiée par le ministre aux personnes, s'il y a lieu, mentionnées dans le renvoi conformément au paragraphe (2) et aux autres personnes qui, de l'avis du tribunal, sont susceptibles d'être touchées par la détermination de la question énoncée dans le renvoi.

(4) Avis — Lorsqu'il est saisi d'un renvoi en vertu du paragraphe (1) et qu'il est d'avis que des personnes, autres que celles mentionnées dans le renvoi conformément au paragraphe (2), sont susceptibles d'être touchées par la détermination de la question énoncée dans le renvoi mais que leur identité n'est pas connue ou facilement vérifiable, le tribunal peut ordonner que l'avis du renvoi soit donné de la manière qu'il juge la plus indiquée pour capter l'attention de ces autres personnes.

(5) Suspension des délais — Il n'est pas tenu compte de la période s'écoulant à compter du jour où le ministre engage des procédures devant le tribunal conformément au paragraphe (1) pour qu'une question soit déterminée jusqu'au jour de la détermination définitive de la question dans le calcul :

a) du délai prévu par le paragraphe 81.15(1) ou 81.17(1) pour la signification d'un avis d'opposition par toute personne à qui une copie du renvoi a été signifiée conformément au paragraphe (3) ou qui comparaît à titre de partie à l'audition visant à déterminer la question;

b) du délai prévu par l'article 81.19, 81.2 ou 81.24 pour l'introduction d'un appel par toute personne visée à l'alinéa a);

c) du délai prévu par l'article 82 pour l'introduction de procédures en vue de recouvrer des taxes, pénalités, intérêts ou autres sommes payables sous le régime de la présente loi par toute personne visée à l'alinéa a).

(6) Détermination finale et exécutoire — Une détermination de la Cour fédérale aux termes du présent article est, sous réserve d'un appel, finale et exécutoire pour toute personne à qui une copie du renvoi a été signifiée conformément au paragraphe (3) ou qui comparaît à titre de partie à l'audition visant à déterminer la question.

L.R. (1985), c. 7 (2e suppl.), art. 38; 2002, c. 8, art. 183

81.37 (1) Renvoi à la section de première instance de la Cour fédérale — Lorsque le ministre et une personne conviennent par écrit qu'une question de droit, de fait ou mixte de droit et de fait relative à la présente loi devrait être déterminée par la Cour fédérale, cette question est déterminée par le tribunal en application du paragraphe 17(3) de la *Loi sur les Cours fédérales*.

(2) Suspension des délais — Il n'est pas tenu compte de la période s'écoulant à compter du jour où des procédures sont engagées devant le tribunal conformément au paragraphe (1) pour qu'une question soit déterminée jusqu'au jour de la détermination définitive de la question dans le calcul :

a) du délai prévu par les paragraphes 81.15(1) ou 81.17(1) pour la signification d'un avis d'opposition par la personne qui a consenti au renvoi de la question ou par une personne qui comparaît à titre de partie à l'audition visant à déterminer la question;

b) du délai prévu aux articles 81.19, 81.2 ou 81.24 pour l'introduction d'un appel par une personne visée à l'alinéa a);

c) du délai prévu par l'article 82 pour l'introduction de procédures en vue de recouvrer des taxes, pénalités, intérêts ou autres sommes payables sous le régime de la présente loi par une personne visée à l'alinéa a).

L.R. (1985), c. 7 (2e suppl.), art. 38; 2002, c. 8, art. 138

Paiements par le ministre à la suite d'appels

81.38 (1) Paiement à la suite d'un appel — Lorsque le Tribunal, la Cour fédérale, la Cour d'appel fédérale ou la Cour suprême du Canada a, en statuant sur un appel sous le régime de la présente partie :

a) annulé ou modifié une cotisation ou une détermination du ministre concernant une demande faite en vertu de l'un ou l'autre des articles 68 à 69;

b) renvoyé au ministre une cotisation ou une détermination visée à l'alinéa a), pour réexamen;

c) ordonné au ministre de payer ou de rembourser les taxes, pénalités, intérêts ou autres sommes,

sauf si la personne à qui l'avis d'opposition a été signifié l'a ordonné autrement par écrit, le ministre doit, avec toute la célérité raisonnable, qu'un appel ultérieur soit interjeté ou non :

d) lorsque la cotisation ou la détermination lui est renvoyée, réexaminer et modifier la cotisation ou la détermination ou en établir une nouvelle conformément à la décision du Tribunal ou du tribunal;

e) payer ou rembourser les taxes, pénalités, intérêts ou autres sommes, ou renoncer à toute garantie acceptée concernant leur paiement, en conformité avec la cotisation ou la détermination modifiée, la nouvelle cotisation ou la nouvelle détermination du ministre ou la décision ou l'ordonnance du Tribunal ou du tribunal.

(2) Dispositions applicables au réexamen de cotisations — Les paragraphes 81.15(5) à (11) et 81.16(2) et (3) s'appliquent, compte tenu des adaptations de circonstance, au réexamen d'une cotisation en vertu du paragraphe (1) comme si :

a) les termes « ou un avis de décision » étaient ajoutés immédiatement après les termes « avis de cotisation » au paragraphe 81.15(10) et à l'alinéa a) de la définition de « montant dû » au paragraphe 81.15(11);

b) la mention, au paragraphe 81.15(10), du « paragraphe 81.14(2) » était celle des « paragraphes 81.14(2) ou 81.16(2) »;

c) la mention, à l'alinéa b) de la définition de « montant dû » au paragraphe 81.15(11), du « paragraphe 81.14(1) » était celle des « paragraphes 81.14(1), 81.16(1) et 81.38(1) ».

(3) Dispositions applicables au réexamen d'une détermination — Les paragraphes 81.17(5) et (6) s'appliquent, compte tenu des adaptations de circonstance, au réexamen d'une détermination en vertu du paragraphe (1) comme si :

a) la mention, à l'alinéa b) de la définition de « montant payable » au paragraphe 81.17(6), du « paragraphe 72(6) » était celle des « paragraphes 72(6), 81.18(1) et 81.38(1) »;

b) la mention à cet alinéa du « paragraphe 74(1) » était celle des « paragraphes 74(1) et 81.18(2) ».

(4) Paiement lors d'autres appels — Lorsque, eu égard aux raisons données à la suite d'une décision rendue sur un appel visé au paragraphe (1), le ministre est convaincu qu'il serait juste et équitable de verser un paiement à toute autre personne qui a signifié un avis d'opposition ou institué un appel, ou de renoncer à toute garantie fournie par ou au nom de cette autre personne, le ministre peut, avec le consentement de cette personne et sous réserve des modalités et conditions qu'il peut prescrire, payer ou rembourser à cette personne les taxes, pénalités, intérêts ou autres sommes ou renoncer à toute garantie acceptée concernant leur paiement.

(5) Maintien du droit d'appel — Le présent article n'a pas pour effet de porter atteinte au droit du ministre d'en appeler d'une décision du Tribunal ou de la Cour fédérale rendue à la suite d'un appel visé au paragraphe (1), et un tel appel d'une décision du Tribunal doit continuer comme s'il s'agissait d'un appel de la cotisation ou de la détermination qui faisait l'objet de la décision.

(6) Intérêts sur cotisation — Sous réserve du paragraphe (7), le bénéficiaire d'un paiement en application des paragraphes (1) ou (4) reçoit des intérêts, au taux prescrit, sur toute partie impayée. Ces intérêts sont calculés pour la période commençant le lendemain de la date de l'avis de cotisation et se terminant à la date de l'envoi du paiement.

(7) Intérêts sur les montants à payer — Le bénéficiaire d'un paiement en application des paragraphes (1) ou (4) qui a versé une somme à valoir sur celle indiquée dans un avis de cotisation ou dans un avis de décision reçoit des intérêts, au taux prescrit, sur la somme versée. Ces intérêts sont calculés pour la période commençant le lendemain de la date du versement du bénéficiaire et se terminant à la date de l'envoi du paiement à celui-ci.

(8) Intérêts sur le remboursement — Le bénéficiaire d'un paiement en application des paragraphes (1) ou (4) à l'égard d'une demande faite en vertu des articles 68 à 69 reçoit des intérêts, au taux prescrit, sur toute partie impayée. Ces intérêts sont calculés pour la période commençant le trentième jour suivant celui de la réception de la demande par le ministre et se terminant le jour de l'envoi du paiement.

(8.1), (9) [*Abrogés*].

L.R. (1985), c. 7 (2e suppl.), art. 38, c. 47 (4e suppl.), art. 52; 1994, c. 29, art. 9; 2001, c. 16, art. 33; 2002, c. 8, art. 139; 2003, c. 15, art. 106

Paiements en trop par le ministre

81.39 (1) Présomption de taxe — Sous réserve du paragraphe (4), sont réputées constituer une taxe à payer par une personne sous le régime de la présente loi, en date du jour où l'opération a été effectuée :

a) toute partie d' un drawback accordé en vertu de l'article 70 à laquelle elle n'avait pas droit;

b) toute partie d' un paiement fait en vertu des paragraphes 68.16(1) ou (2), 72(6) ou (7), 81.14(1), 81.16(1), (4) ou (5), 81.18(1) ou (3) ou 120(7) à laquelle elle n'avait pas droit;

c) toute partie d' une déduction faite en vertu des paragraphes 69(2), 73(1), (2) ou (3), 74(1) ou (3) ou 81.18(2) ou (4) à laquelle elle n'avait pas droit.

(2) Paiement après le règlement d'un appel — Lorsqu'une personne a reçu un paiement en vertu des paragraphes 81.38(1), (6), (7) ou (8) et que, à l'issue définitive d'un appel, par un appel ultérieur ou autrement, il est décidé qu'elle n'avait pas droit au paiement ou que le paiement excédait ce à quoi elle avait droit, le paiement ou l'excédent est réputé être une taxe à payer par cette personne sous le régime de la présente loi le jour où le paiement a été effectué.

(3) Paiement après le règlement d'un appel ultérieur — Lorsqu'une personne a reçu un paiement en vertu des paragraphes 81.38(4), (6), (7) ou (8) et que, à l'issue définitive de l'appel visé au paragraphe 81.38(1) aux termes duquel le paiement a été versé, par un appel ultérieur ou autrement, il est décidé que cette personne n'avait pas droit au paiement ou que le paiement excédait ce à quoi elle avait droit, le paiement ou l'excédent est réputé être une taxe à payer par cette personne sous le régime de la présente loi le jour où le paiement a été effectué.

(4) Paiement après recouvrement — Lorsqu'une personne est tenue de payer une somme en vertu des paragraphes 68.15(3) ou 68.21(3), cette somme est réputée être une taxe à payer par cette personne sous le régime de la présente loi le jour où l'obligation est survenue.

L.R. (1985), c. 7 (2e suppl.), art. 38; 1993, c. 27, art. 4; 2003, c. 15, art. 107

Frais administratifs prévus par la Loi sur la gestion des finances publiques

81.4 Effets refusés — Pour l'application de la présente loi et de l'article 155.1 de la *Loi sur la gestion des finances publiques*, les frais qui deviennent payables par une personne à un moment donné en vertu de la *Loi sur la gestion des finances publiques* relativement à un effet offert en paiement ou en règlement d'une somme à payer en vertu de la présente loi sont réputés être une somme qui devient payable par la personne à ce moment en vertu de la présente loi. En outre, la partie II du *Règlement sur les intérêts et les frais administratifs* ne s'applique pas aux frais, et toute créance relative à ces frais, visée au paragraphe 155.1(3) de la *Loi sur la gestion des finances publiques*, est réputée avoir été éteinte au moment où le total de la somme et des intérêts applicables en vertu de la présente loi est versé.

2006, c. 4, art. 132

Perception

82. (1) Définitions — Les définitions qui suivent s'appliquent au présent article.

« action » Toute action en recouvrement d'une dette fiscale d'une personne, y compris les procédures judiciaires et toute mesure prise par le ministre en vertu d'une disposition de la présente partie.

« dette fiscale » Toute somme exigible d'une personne sous le régime de la présente loi, à l'exception de la partie IX.

« représentant légal » Syndic de faillite, cessionnaire, liquidateur, curateur, séquestre de tout genre, fiduciaire, héritier, administrateur du bien d'autrui, liquidateur de succession, exécuteur testamentaire, conseil ou autre personne semblable, qui administre, liquide ou contrôle, en qualité de représentant ou de fiduciaire, les biens, les affaires, les activités commerciales ou les actifs qui appartiennent ou appartenaient à une personne ou à sa succession, ou qui sont ou étaient détenus pour leur compte, ou qui, en cette qualité, s'en occupe de toute autre façon.

(1.1) Créances de Sa Majesté — La dette fiscale est une créance de Sa Majesté du chef du Canada et est recouvrable à ce titre devant la Cour fédérale ou devant tout autre tribunal compétent ou de toute autre manière prévue par la présente partie.

(2) Procédures judiciaires — Sous réserve du paragraphe (3), une procédure judiciaire en vue du recouvrement de la dette fiscale d'une personne à l'égard d'une somme pouvant faire l'objet d'une cotisation aux termes de la présente partie ne peut être intentée par le ministre que si, au moment où la procédure est intentée, la personne a fait l'objet d'une cotisation pour cette somme ou peut en faire l'objet.

(2.1) Prescription — Une action en recouvrement d'une dette fiscale ne peut être entreprise par le ministre après l'expiration du délai de prescription pour le recouvrement de la dette.

(2.2) Délai de prescription — Le délai de prescription pour le recouvrement d'une dette fiscale d'une personne :

a) commence à courir :

(i) si un avis de cotisation concernant la dette est envoyé ou signifié à la personne après le 3 mars 2004, le quatre-vingt-dixième jour suivant le jour où cet avis est envoyé ou signifié,

(ii) si l'avis visé au sous-alinéa (i) n'a pas été envoyé ou signifié et que le premier jour où le ministre peut entreprendre une action en recouvrement de la dette est postérieur au 3 mars 2004, ce même jour,

(iii) si les sous-alinéas (i) et (ii) ne s'appliquent pas et que la dette était exigible le 4 mars 2004, ou l'aurait été en l'absence d'un délai de prescription qui s'est appliqué par ailleurs au recouvrement de la dette, le 4 mars 2004;

b) prend fin, sous réserve du paragraphe (2.6), dix ans après le jour de son début.

(2.3) Reprise du délai de prescription — Le délai de prescription pour le recouvrement d'une dette fiscale d'une personne recommence à courir — et prend fin, sous réserve du paragraphe (2.6), dix ans plus tard — le jour, antérieur à celui où il prendrait fin par ailleurs, où, selon le cas :

a) la personne reconnaît la dette conformément au paragraphe (2.4);

b) le ministre entreprend une action en recouvrement de la dette;

c) le ministre établit, en vertu de l'article 81.1, une cotisation à l'égard d'une autre personne concernant la dette.

(2.4) Reconnaissance de dette fiscale — Se reconnaît débitrice d'une dette fiscale la personne qui, selon le cas :

a) promet, par écrit, de régler la dette;

b) reconnaît la dette par écrit, que cette reconnaissance soit ou non rédigée en des termes qui permettent de déduire une promesse de règlement et renferme ou non un refus de payer;

c) fait un paiement au titre de la dette, y compris un prétendu paiement fait au moyen d'un titre négociable qui fait l'objet d'un refus de paiement.

(2.5) Mandataire ou représentant légal — Pour l'application du présent article, la reconnaissance faite par le mandataire ou le représentant légal d'une personne a la même valeur que si elle était faite par la personne.

(2.6) Prorogation du délai de prescription — Le nombre de jours où au moins un des faits suivants se vérifie prolonge d'autant la durée du délai de prescription :

a) en raison de l'un des paragraphes 86(5) à (8), le ministre n'est pas en mesure d'exercer les actions visées au paragraphe 86(4) relativement à la dette fiscale;

b) le ministre a accepté et détient une garantie pour le paiement de la dette fiscale;

c) la personne, qui résidait au Canada à la date applicable visée à l'alinéa (2.2)a) relativement à la dette fiscale, est un non-résident;

d) l'une des actions que le ministre peut exercer par ailleurs relativement à la dette fiscale est limitée ou interdite en vertu d'une disposition quelconque de la *Loi sur la faillite et l'insolvabilité*, de la *Loi sur les arrangements avec les créanciers des compagnies* ou de la *Loi sur la médiation en matière d'endettement agricole*.

(2.7) Réclamation contre Sa Majesté — Malgré toute autre règle de droit fédérale ou provinciale, aucune réclamation ne peut être déposée contre Sa Majesté du chef du Canada du fait que le ministre a recouvré une dette fiscale après que tout délai de prescription qui s'est appliqué au recouvrement de la dette a expiré et avant le 4 mars 2004.

(2.8) Ordonnances après le 3 mars 2004 et avant la prise d'effet — Malgré toute ordonnance ou tout jugement rendu après le 3 mars 2004 dans lequel une dette fiscale est déclarée ne pas être exigible, ou selon lequel le ministre est tenu de rembourser à une personne le montant d'une dette fiscale recouvrée, du fait qu'un délai de prescription qui s'appliquait au recouvrement de la dette a pris fin avant la sanction de toute mesure donnant effet au présent article, la dette est réputée être devenue exigible le 4 mars 2004.

(3) Exception pour négligence ou fraude — Des procédures en recouvrement des taxes, pénalités, intérêts ou autres sommes exigibles sous le régime de la présente loi peuvent être intentées à tout moment devant un tribunal si leur paiement a été éludé en raison d'une présentation erronée des faits attribuable à la négligence, à l'inattention ou au retard délibéré, ou en raison de fraude.

(4) Recouvrement des pénalités et amendes auprès d'une personne morale — Lorsqu'une pénalité ou une amende est imposée à une personne morale conformément à une déclaration de culpabilité pour une infraction visée à la présente loi et que la déclaration de culpabilité ou une copie certifiée de cette déclaration est produite à la Cour fédérale, la déclaration est enregistrée auprès de ce tribunal et possède, à compter de la date de cet enregistrement, la même vigueur et le même effet, et toutes procédures peuvent être intentées sur la foi de cette déclaration, comme si elle était un jugement obtenu devant ce tribunal pour une dette au montant de la pénalité ou de l'amende et des frais, s'il y a lieu, spécifiés dans la déclaration.

(5) Pénalités et intérêts à la suite de jugements — Lorsqu'un jugement est obtenu pour une taxe, une pénalité, des intérêts ou une autre somme exigible sous le régime de la présente loi, y compris un certificat enregistré aux termes de l'article 83, les dispositions de la présente loi en vertu desquelles une pénalité ou des intérêts sont exigibles pour défaut de paiement ou défaut de remise de la somme s'appliquent, compte tenu des adaptations de circonstance, au défaut de paiement du jugement, et cette pénalité et ces intérêts sont recouvrables de la même manière que la créance constatée par jugement.

L.R. (1985), c. E-15, art. 82; L.R. (1985), c. 7 (2e suppl.), art. 41; 2004, c. 22, art. 48; 2010, c. 22, art. 131

83. (1) Certificat de défaut — Le ministre peut certifier qu'une taxe, une pénalité, des intérêts ou une autre somme payables en vertu de la présente loi n'ont pas été payés selon les prescriptions de la présente loi.

(2) Jugements — Sur production à la Cour fédérale, un certificat établi aux termes du présent article est enregistré auprès de ce tribunal et possède, à compter de cet enregistrement, la même vigueur et le même effet, et toutes procédures peuvent être intentées sur la foi de ce certificat, comme s'il était un jugement obtenu devant ce tribunal pour une dette au montant spécifié dans le certificat.

(3) Frais — Tous les frais et charges entraînés par l'enregistrement du certificat sont recouvrables de la même manière que s'ils avaient été certifiés et que le certificat avait été enregistré aux termes du présent article.

L.R. (1985), c. E-15, art. 83; L.R. (1985), c. 7 (2e suppl.), art. 41

84. (1) Saisie-arrêt — Lorsque le ministre sait ou soupçonne qu'une personne est tenue ou sur le point d'être tenue de verser un paiement à un débiteur de la taxe, il peut, par un avis signifié à personne ou par courrier recommandé ou certifié, ordonner à cette personne de verser au receveur général, au titre de l'obligation du débiteur de la taxe en vertu de la présente loi, la totalité ou une partie des sommes d'argent qui par ailleurs seront payées ou deviendront payables au débiteur de la taxe dans les quatre-vingt-dix jours suivant la signification de l'avis.

(2) Application de la sommation — Lorsque le ministre a, en vertu du paragraphe (1), ordonné qu'une personne verse au receveur général des sommes d'argent par ailleurs payables à un débiteur de la taxe, l'ordre s'applique à toutes les sommes d'argent que cette personne doit ou devra payer au débiteur de la taxe au cours de la période de quatre-vingt-dix jours visée à ce paragraphe jusqu'à ce qu'il soit satisfait à l'obligation de ce dernier en vertu de la présente loi.

(3) Cession de dettes actives — Lorsque le ministre sait ou soupçonne qu'une personne a reçu, ou est sur le point de recevoir, la cession d'une dette active ou d'un titre négociable de propriété à une dette active d'un débiteur de la taxe, il peut, par un avis signifié à personne ou par courrier recommandé ou certifié, ordonner à cette personne de verser au receveur général, au titre de l'obligation du débiteur de la taxe en vertu de la présente loi, sur les sommes d'argent qu'elle a reçues au titre de la dette dans les quatre-vingt-dix jours suivant la signification de l'avis, un montant égal à celui de la taxe, de la pénalité, des intérêts ou d'une autre somme payables en vertu de la présente loi à l'égard de l'opération donnant lieu à la dette cédée.

(4) Défaut d'observation — Toute personne à qui un ordre est donné en vertu du présent article doit verser au receveur général la somme mentionnée dans l'ordre et, à défaut de paiement, elle est tenue de verser à Sa Majesté un montant égal au moins élevé des montants suivants :

a) dans le cas d'une personne à qui l'ordre a été signifié en vertu du paragraphe (1) :

(i) le montant de l'obligation du débiteur de la taxe en vertu de la présente loi,

(ii) le montant payable au débiteur de la taxe par cette personne;

b) dans le cas d'une personne à qui l'ordre a été signifié en vertu du paragraphe (3) :

(i) le montant de la taxe, de la pénalité, des intérêts ou de l'autre somme payables en vertu de la présente loi à l'égard de l'opération donnant lieu à la dette cédée à cette personne,

(ii) le montant reçu de cette personne au titre de la dette cédée après la réception de l'ordre.

(5) Imputation des paiements — Les sommes payées par une personne en application du paragraphe (4) sont, en outre de leur application aux obligations de cette personne découlant du présent article, appliquées aux obligations du débiteur de la taxe découlant de la présente loi.

(6) Sommes reçues par le receveur général — La réception par le receveur général de sommes versées conformément au présent article constitue une quittance valable et suffisante de l'obligation envers le débiteur de la taxe jusqu'à concurrence de la somme reçue.

(7) Définition de « débiteur de la taxe » — Au présent article, « débiteur de la taxe » s'entend de la personne tenue au paiement des taxe, pénalité, intérêts ou autres sommes sous le régime de la présente loi.

Lois connexes

(8), (9) [*Abrogés*].

L.R. (1985), c. E-15, art. 84; L.R. (1985), c. 15 (1er suppl.), art. 29,; c. 7 (2e suppl.), art. 39, 41,; c. 42 (2e suppl.), art. 10,; c. 12 (4e suppl.), art. 35; 2003, c. 15, art. 108

85. Retenue par déduction ou compensation — Lorsqu'une personne est endettée envers Sa Majesté du chef du Canada sous le régime de la présente loi, le ministre peut exiger la retenue, par voie de déduction ou de compensation, de la somme qu'il spécifie, sur tout montant pouvant être ou devenir payable à cette personne par Sa Majesté du chef du Canada.

L.R. (1985), c. E-15, art. 85; L.R. (1985), c. 15 (1er suppl.), art. 29,; c. 7 (2e suppl.), art. 41

86. (1) Pénalités et amendes exclues — Les paragraphes 82(3) et (5) et les articles 83 à 85 ne s'appliquent pas à l'égard de toute pénalité ou amende imposée conformément à une déclaration de culpabilité pour une infraction prévue à la présente loi.

(2) Restriction au sujet du certificat de défaut — Le ministre ne peut certifier, en vertu de l'article 83, qu'une somme n'a pas été payée, à moins que la personne par qui la somme est payable n'ait fait l'objet d'une cotisation pour cette somme sous le régime de la présente partie.

(3) Restriction au sujet de la saisie-arrêt et de la retenue — Le ministre ne peut :

a) signifier un ordre en vertu de l'article 84 à l'égard d'une somme payable en application de la présente loi;

b) exiger, en vertu de l'article 85, la retenue d'un montant à l'égard d'une somme payable en application de la présente loi,

à moins que la personne par qui la somme est payable ait fait l'objet d'une cotisation pour cette somme sous le régime de la présente partie ou qu'un jugement contre cette personne concernant le paiement de cette somme n'ait été rendu par un tribunal compétent.

(4) Délai dans le cas d'une cotisation — Lorsqu'une personne a fait l'objet d'une cotisation pour toute somme payable en application de la présente loi sauf en application des paragraphes 81.15(4) ou 81.38(1), le ministre ne peut, aux fins de la perception de cette somme :

a) intenter des procédures judiciaires devant un tribunal;

b) établir un certificat en vertu de l'article 83;

c) signifier un avis en vertu de l'article 84;

d) (*paragraphe supprimé*);

avant quatre-vingt-dix jours suivant la date de l'envoi de l'avis de cotisation à cette personne.

(5) Délai dans le cas d'une opposition — Lorsqu'une personne a signifié un avis d'opposition en vertu de l'article 81.15, sauf lorsqu'il s'agit de l'article 81.33, le ministre ne peut, aux fins de la perception de la somme en litige, prendre une des actions visées aux alinéas (4)a) à c) avant quatre-vingt-dix jours suivant la date de l'envoi de l'avis de décision à cette personne.

(6) Délai dans le cas d'un appel — Lorsqu'une personne en a appelé au Tribunal ou à la Cour fédérale en application de la présente partie, sauf en application de l'article 81.33, à l'égard d'une cotisation, le ministre ne peut, aux fins de la perception de la somme en litige, prendre une des actions visées aux alinéas (4)a) à c) :

a) lorsque l'appel est fait au Tribunal, avant la date de l'envoi d'une copie de la décision du Tribunal à cette personne ou de l'abandon de l'appel par cette personne;

b) lorsque l'appel est fait à la Cour fédérale, avant la date du jugement de ce tribunal ou de l'abandon de l'appel par cette personne.

(7) Délai dans le cas de renvoi — Lorsqu'une personne est nommée dans un renvoi en vertu de l'article 81.36, consent à un renvoi en vertu de l'article 81.37 ou comparaît à titre de partie à l'audition d'un de ces renvois, le ministre ne peut, aux fins de la perception d'une somme pour laquelle cette personne a fait l'objet d'une cotisation et dont la responsabilité du paiement sera touchée par la détermination de la question, prendre une des actions visées aux alinéas (4)a) à c) avant la date de la détermination de la question par le tribunal.

(8) Délai en cas d'accord — Malgré les paragraphes (1) à (7), lorsqu'une personne a signifié un avis d'opposition en vertu de l'article 81.15 ou a appelé d'une cotisation au Tribunal ou à la Cour fédérale en application de la présente partie, à l'exclusion de l'article 81.33, et que la personne conclut un accord écrit avec le ministre en vue de retarder les procédures d'opposition ou d'appel jusqu'à ce qu'une décision ou un jugement soient rendus dans une autre instance devant le Tribunal, la Cour fédérale, la Cour d'appel fédérale ou la Cour suprême du Canada où la question en litige est la même, ou essentiellement la même, que celle soulevée par l'opposition ou l'appel de cette personne, le ministre peut prendre action conformément aux alinéas (4)a) à c) en vue de la perception d'une somme pour laquelle la personne a fait l'objet d'une cotisation établie conformément à la décision ou au jugement rendus par le Tribunal ou le tribunal dans l'autre instance, après avoir notifié par écrit cette personne de cette décision ou de ce jugement.

(9) Exception — Les paragraphes (2) et (3) ne s'appliquent pas à un montant censé être une taxe par l'application des paragraphes 81.39(2) ou (3).

L.R. (1985), c. E-15, art. 86; L.R. (1985), c. 15 (1er suppl.), art. 30,; c. 7 (2e suppl.), art. 41; c. 47 (4e suppl.), art. 52; 2002, c. 8, art. 140, 183; 2006, c. 4, art. 133

87. (1) Perception compromise — Malgré l'article 86, s'il est raisonnable d'envisager que la perception de toute somme pour laquelle une personne a fait l'objet d'une cotisation serait compromise par un délai en vertu de cet article et que le ministre a, par un avis signifié à personne ou par courrier recommandé ou certifié, ainsi avisé cette personne et lui a ordonné de payer cette somme ou une partie de celle-ci, le ministre peut sans délai prendre l'une des actions visées aux alinéas 86(4)a) à c) à l'égard de cette somme ou de cette partie.

(2) Demande d'annuler un ordre — Toute personne à qui un ordre a été signifié en vertu du paragraphe (1) peut :

a) sur un préavis de requête de trois jours adressé au sous-procureur général du Canada, demander à un juge d'une cour supérieure ayant compétence dans la province où elle réside ou à un juge de la Cour fédérale une ordonnance fixant un jour, qui n'est pas antérieur à quatorze jours de la date de l'ordonnance ni postérieur à vingt-huit jours de cette date, et un lieu pour la détermination de la question à savoir si l'ordre était justifié dans les circonstances;

b) signifier une copie de l'ordonnance au sous-procureur général du Canada dans un délai de six jours suivant la date à laquelle l'ordonnance a été rendue;

c) si elle a rempli la formalité qui est autorisée par l'alinéa b), demander, à la date et au lieu désignés, une ordonnance déterminant la question.

(3) Délai concernant la demande — La demande à un juge en vertu de l'alinéa (2)a) doit être présentée :

a) dans un délai de trente jours suivant la date de la signification de l'ordre en vertu du paragraphe (1);

b) dans tel délai supplémentaire que le juge, s'il est convaincu que la demande a été faite dès que les circonstances le permettaient, peut allouer.

(4) Audition à huis clos — La demande faite à un juge en vertu de l'alinéa (2)c) peut, à la demande du demandeur, être entendue à huis clos, si le demandeur établit à la satisfaction du juge que les circonstances du cas justifient la tenue des procédures ainsi.

(5) Fardeau de justifier l'ordre — Lors de l'audition d'une demande en vertu de l'alinéa (2)c), le fardeau de justifier l'ordre incombe au ministre.

(6) Disposition de la demande — Le juge saisi d'une demande en vertu de l'alinéa (2)c) détermine la question sommairement et peut ratifier, annuler ou modifier l'ordre et établir tel autre ordre qu'il juge indiqué.

(7) Continuation par un autre juge — Lorsque le juge à qui une demande a été faite en vertu de l'alinéa (2)a) ne peut pour une raison quelconque faire fonction ou continuer de faire fonction de juge dans la demande en vertu de l'alinéa (2)c), la demande en vertu de l'alinéa (2)c) peut être faite à un autre juge.

(8) Frais — Aucuns frais ne peuvent être accordés par un juge lorsqu'il statue sur une demande faite en vertu du paragraphe (2).

L.R. (1985), c. E-15, art. 87; L.R. (1985), c. 15 (1er suppl.), art. 31; c. 7 (2e suppl.), art. 41; 2006, c. 4, art. 133.1

88. (1) Renonciation ou annulation — intérêts ou pénalité — Le ministre peut, au plus tard le jour qui suit de dix années civiles la fin d'une période de déclaration d'une personne ou sur demande de la personne présentée au plus tard ce jour-là, annuler toute somme — intérêts ou pénalité — qui est à payer par ailleurs au receveur général en vertu de la présente loi sur tout montant dont la personne est redevable en vertu de la présente loi relativement à la période de déclaration, ou y renoncer.

(2) Intérêts — sommes annulées — Si une personne a payé une somme — intérêts ou pénalité — que le ministre a annulée en vertu du paragraphe (1), le ministre verse des intérêts sur la somme pour la période commençant le trentième jour suivant le jour où il a reçu, d'une manière qu'il juge acceptable, une demande en vue de l'application de ce paragraphe et se terminant le jour où la somme est remboursée ou déduite de toute somme dont la personne est redevable à Sa Majesté du chef du Canada.

2001, c. 15, par. 3(1); 2003, c. 15, par. 109(1); 2006, c. 4, par. 134; 2007, c. 18, par. 65

Info TPS/TVH [88]: GI-024, *Harmonisation des dispositions administratives visant la comptabilité normalisée.*

Formulaires [88]: RC199, *Acceptation du contribuable — Programme des divulgations volontaires.*

89-94 [*Abrogés*].

L.R. (1985), c. 7 (2e suppl.), art. 41

95. (1) Imputation des pénalités et amendes — Le montant de toutes les pénalités et amendes prévues à la présente loi appartient à Sa Majesté du chef du Canada pour les usages publics et fait partie du Trésor.

(2) Application de la pénalité à compte sur la taxe — Lorsqu'une pénalité calculée par rapport au montant de la taxe qui aurait dû être acquittée ou perçue ou au montant des timbres qui auraient dû être apposés ou oblitérés est imposée et recouvrée aux termes de la présente loi, le ministre peut ordonner que la totalité ou quelque partie du montant visé soit appliquée à compte sur la taxe qui aurait dû être acquittée ou perçue ou la dette découlant du défaut d'apposer ou d'oblitérer les timbres.

L.R. (1985), c. E-15, art. 95; L.R. (1985), c. 7 (2e suppl.), art. 42

95.1 Défaut de produire une déclaration — Quiconque omet de produire une déclaration pour une période de déclaration selon les modalités et dans le délai prévus au paragraphe 79(1) est tenu de payer une pénalité égale à la somme des montants suivants :

a) le montant correspondant à 1 % du total des sommes représentant chacune une somme qui est à verser pour la période de déclaration, mais qui ne l'a pas été au plus tard à la date limite où la déclaration devait être produite;

b) le produit du quart du montant déterminé selon l'alinéa a) par le nombre de mois entiers, jusqu'à concurrence de douze, compris dans la période commençant à la date limite où la déclaration devait être produite et se terminant le jour où elle est effectivement produite.

2006, c. 4, art. 135; 2010, c. 25, art. 132

96. (1) Peines pour défaut de payer ou de percevoir les taxes ou d'apposer des timbres — Quiconque, étant tenu aux termes de la présente loi d'acquitter ou de percevoir des taxes ou autres sommes, ou d'apposer ou d'oblitérer des timbres, omet de le faire ainsi qu'il est prescrit commet une infraction et, en plus de toute autre peine ou responsabilité imposée par la loi pour un tel défaut, encourt, sur déclaration de culpabilité par procédure sommaire, une amende :

a) d'au moins l'ensemble de vingt-cinq dollars;

b) d'au plus l'ensemble de mille dollars,

et d'un montant égal à la taxe ou autre somme qu'il aurait dû acquitter ou percevoir ou au montant de timbres qu'il aurait dû apposer ou oblitérer, selon le cas, et, à défaut de paiement de l'amende, un emprisonnement de trente jours à douze mois.

(2) Amende pour infraction — Quiconque enfreint la présente loi ou un règlement pris par le ministre sous le régime de la présente loi, pour laquelle infraction aucune autre peine n'est prévue, encourt, sur déclaration de culpabilité par procédure sommaire, une amende de cinquante à mille dollars.

(3) Responsabilité pénale des dirigeants, etc. de personnes morales — En cas de perpétration par une personne morale d'une infraction à la présente loi, ceux de ses dirigeants, administrateurs ou mandataires qui l'ont ordonnée ou autorisée, ou qui y ont consenti ou participé, sont considérés comme des coauteurs de l'infraction et encourent, sur déclaration de culpabilité par procédure sommaire, la peine prévue, que la personne morale ait été ou non poursuivie ou déclarée coupable.

L.R. (1985), c. E-15, art. 96; L.R. (1985), c. 7 (2e suppl.), art. 43

97. (1) Défaut de produire un rapport — Quiconque est requis, aux termes de quelque partie de la présente loi, sauf la partie I, de produire un rapport et omet de le faire dans le délai prescrit à cette fin commet une infraction et encourt une amende de dix à cent dollars.

(2) Déclarations fausses ou trompeuses — Lorsque, selon le cas

a) un rapport est produit aux termes de quelque partie de la présente loi, sauf la partie I;

b) une demande est faite en vertu de l'un ou l'autre des articles 68 à 70,

quiconque y fait des déclarations fausses ou trompeuses, ou donne son assentiment ou son acquiescement à leur énonciation, commet une infraction et encourt, sur déclaration de culpabilité par procédure sommaire, une amende :

c) d'au moins l'ensemble de cent dollars et d'un montant égal :

(i) soit au double du montant de la taxe qui aurait dû être acquittée dans la période visée par le rapport, ou à l'égard de cette période,

(ii) soit au double du montant de la taxe ou d'une autre somme qu'il a obtenue et acceptée par suite de la demande;

d) d'au plus l'ensemble de mille dollars et d'un montant égal au double du montant de la taxe ou de l'autre somme,

et, à défaut de paiement de l'amende, un emprisonnement maximal de douze mois.

(3) [*Abrogé*].

L.R. (1985), c. E-15, art. 97; L.R. (1985), c. 15 (1er suppl.), art. 35; c. 7 (2e suppl.), art. 44; c. 12 (4e suppl.), art. 36

97.1-97.5 [*Abrogés*].

1994, c. 29, art. 10; 1997, c. 26, art. 70-73; 2000, c. 30, art. 15-16; 2001, c. 16, art. 34-37; 2002, c. 22, art. 418

98. (1) Tenue de livres et de registres — Quiconque :

a) est tenu par la présente loi, ou conformément à celle-ci, de payer ou de percevoir des taxes ou autres sommes ou d'apposer ou oblitérer des timbres;

b) présente une demande en vertu de l'un ou l'autre des articles 68 à 70,

doit tenir des registres et livres de comptes, en anglais ou en français, à son établissement au Canada selon la forme et renfermant les renseignements qui permettent de déterminer le montant des taxes et les autres sommes qui auraient dû être payées ou perçues, le montant des timbres qui auraient dû être apposés ou oblitérés ou le montant éventuel de tout drawback accordé, de tout paiement effectué ou de toute déduction accordée par lui ou à lui, ou susceptible de l'être.

(2) Conservation — Quiconque est requis, aux termes du paragraphe (1), de tenir des registres et livres de compte doit conserver tous les registres et livres de compte de ce genre, ainsi que tout compte et toute pièce justificative nécessaires à la vérification des renseignements y contenus, pendant six ans suivant la fin de l'année civile à l'égard de laquelle les documents en cause ont été tenus sauf autorisation écrite du ministre de s'en départir avant la fin de cette période.

(2.01) Registres électroniques — Quiconque tient des registres, comme l'en oblige le présent article, par voie électronique doit les conserver sous une forme électronique intelligible pendant la durée de conservation visée au paragraphe (2).

(2.02) Dispense — Le ministre peut, selon des modalités qu'il estime acceptables, dispenser une personne ou une catégorie de personnes de l'exigence visée au paragraphe (2.01).

(2.1) Idem — Nonobstant le paragraphe (2), lorsqu'une personne requise par le paragraphe (1) de tenir des registres et livres de comptes signifie un avis d'opposition en vertu de l'article 81.15 ou 81.17 ou est partie à un appel aux termes de la présente partie, elle doit conserver ces registres et livres de comptes ainsi que chaque compte et pièce justificative nécessaires à la vérification des renseignements qui y sont contenus jusqu'à ce que l'opposition ou l'appel aient été définitivement tranchés, par voie d'appel ou autrement.

(3) Inspection — Quiconque est requis, aux termes du paragraphe (1), de tenir des registres et livres de comptes doit, à toute heure raisonnable, mettre les registres et livres de comptes, ainsi que tout compte et toute pièce justificative nécessaires pour vérifier les renseignements y contenus, à la disposition des fonctionnaires de l'Agence et des autres personnes que le ministre autorise à cette fin, et leur procurer toutes les facilités nécessaires pour inspecter les registres, livres, comptes et pièces justificatives.

L.R. (1985), c. E-15, art. 98; L.R. (1985), c. 15 (1er suppl.), art. 36; c. 7 (2e suppl.), art. 45; 1998, c. 19, art. 278; 1999, c. 17, art. 156

98.1 Inspection — Quiconque est autorisé par une loi d'une des provinces d'Ontario, de Québec, de la Nouvelle-Écosse, du Nouveau-Brunswick ou de l'Île-du-Prince-Édouard à vendre, dans la province, du tabac fabriqué à un acheteur qui est autorisé par une loi de la province à vendre au détail, dans celle-ci, du tabac fabriqué doit, à tout moment raisonnable, mettre ses registres et livres de compte, ainsi que les comptes et pièces justificatives nécessaires à la vérification des renseignements qu'ils contiennent, à la disposition des fonctionnaires de l'Agence et des autres personnes autorisées par le ministre pour l'application du présent article, à toute fin liée à l'application ou à l'exécution de la présente loi, et leur procurer les installations nécessaires à l'inspection à cette fin des registres, livres, comptes et pièces justificatives.

1994, c. 29, art. 11; 1999, c. 17, art. 156

98.2 [*Abrogé*].

1994, c. 29, art. 11; 1999, c. 17, art. 156; 2001, c. 16, par. 38(1)

99. (1) Production — Sous réserve de l'article 102.1, le ministre peut, pour l'application de la présente loi ou d'un accord international désigné, exiger, par avis signifié à personne ou par courrier recommandé ou certifié, la production par quiconque de tout livre, registre, écrit ou autre document ou de renseignements ou renseignements supplémentaires dans le délai raisonnable qui peut être fixé dans l'avis.

(2) Infraction — Quiconque omet de se conformer à l'avis prévu au paragraphe (1) commet une infraction et, en plus de toute autre peine prévue par ailleurs, encourt, sur déclaration de culpabilité par procédure sommaire :

a) soit une amende de deux cents à dix mille dollars;

b) soit l'amende prévue à l'alinéa a) et un emprisonnement maximal de six mois.

L.R. (1985), c. E-15, art. 99; L.R. (1985), c. 15 (1er suppl.), art. 37; c. 7 (2e suppl.), art. 46; 2007, c. 18, art. 66

100. (1) Ordonnance d'observation — Lorsqu'une personne est trouvée coupable d'une infraction prévue au paragraphe 99(2) pour avoir omis de se conformer à un avis, le tribunal peut rendre l'ordonnance qu'il juge indiquée pour faire observer l'avis.

(1.1) Copies — Lorsque des registres ou autres documents sont inspectés ou produits en vertu des articles 98 et 99, la personne qui fait cette inspection ou auprès de qui est faite cette production ou tout fonctionnaire de l'Agence peut en faire ou en faire faire des copies et, s'il s'agit de documents électroniques, les imprimer ou les faire imprimer. Les documents présentés comme documents que le ministre ou une personne autorisée atteste être des copies des documents, ou des imprimés de documents électroniques, faits conformément au présent article font preuve de la nature et du contenu des documents originaux et ont la même force probante qu'auraient ceux-ci si leur authenticité était prouvée de la façon usuelle.

(2) Si les registres ou livres ne sont pas appropriés — Si une personne requise, aux termes du paragraphe 98(1), de tenir des registres ou livres de compte n'a pas, de l'avis du ministre, tenu des registres ou livres de compte appropriés, le ministre peut prescrire la forme des registres ou livres de compte que cette personne doit tenir aux termes de ce paragraphe, ainsi que les renseignements qu'ils doivent contenir.

(3) Si les registres ou livres ne sont pas tenus ainsi qu'il est requis — Lorsque la forme des registres ou livres de compte qu'une personne doit tenir ou les renseignements qu'ils doivent contenir ont été prescrits sous le régime du paragraphe (2), si cette personne omet de tenir ces registres ou livres de compte selon qu'il est requis, elle commet une infraction et encourt, sur déclaration de culpabilité par procédure sommaire, une amende de vingt-cinq à mille dollars et, à défaut du paiement de l'amende, un emprisonnement de deux à douze mois.

(4) Défaut de rendre les registres ou livres disponibles — Quiconque omet de se conformer aux dispositions du paragraphe 98(3) ou de quelque manière empêche ou tente d'empêcher un fonctionnaire de l'Agence ou une personne autorisée d'avoir accès aux registres ou livres de comptes tenus en conformité avec le paragraphe 98(1), ou de les inspecter, commet une infraction et encourt, sur déclaration de culpabilité par procédure sommaire, une amende de deux cents à deux mille dollars et un emprisonnement maximal de six mois, ou l'une de ces peines.

(5) [*Abrogé*].

L.R. (1985), c. E-15, art. 100; L.R. (1985), c. 7 (2e suppl.), art. 47; 1994, c. 29, art. 12; 1998, c. 19, art. 279; 1999, c. 17, art. 156; 2001, c. 16, par. 39(1); 2002, c. 22, art. 386

101. Observation — Quiconque, physiquement ou autrement, entrave, rudoie ou contrecarre, ou tente d'entraver, de rudoyer ou de contrecarrer, un fonctionnaire (cette expression s'entendant, au présent article, au sens de l'article 295) qui fait une chose qu'il est autorisé à faire en vertu de la présente loi ou empêche, ou tente d'empêcher, un fonctionnaire de faire une telle chose commet une infraction et encourt, sur déclaration de culpabilité par procédure sommaire et en plus de toute peine prévue par ailleurs :

a) soit une amende minimale de 1 000 $ et maximale de 25 000 $;

b) soit une telle amende et un emprisonnement maximal de douze mois.

2001, c. 17, art. 257

application ou contrôle d'application — au nom ou sous l'autorité du ministre, du sous-ministre du Revenu national, du commissaire des douanes et du revenu, du commissaire ou d'un fonctionnaire autorisé par le ministre à exercer ses pouvoirs ou à exécuter ses devoirs ou fonctions en vertu de la présente loi, est réputé être un document signé, établi et délivré par le ministre, le sous-ministre, le commissaire des douanes et du revenu, le commissaire ou ce fonctionnaire, sauf s'il est mis en doute par le ministre ou par une personne agissant pour lui ou pour Sa Majesté.

(1.1) Présomption — Tout document paraissant être une ordonnance, un ordre, un avis, un certificat, une sommation, une décision, une détermination, une cotisation, une quittance de créance hypothécaire ou un autre document et paraissant avoir été signé — en vertu de la présente loi ou des règlements ou dans le cadre de leur application ou contrôle d'application — au nom ou sous l'autorité du ministre de la Sécurité publique et de la Protection civile, du président de l'Agence des services frontaliers du Canada ou d'un fonctionnaire autorisé par ce ministre à exercer ses pouvoirs ou à exécuter ses devoirs ou fonctions en vertu de la présente loi, est réputé être un document signé, établi et délivré par ce ministre, le président ou ce fonctionnaire, sauf s'il est mis en doute par ce ministre ou par une personne agissant pour lui ou pour Sa Majesté.

(2) Date d'envoi ou de mise à la poste — Pour l'application de la présente loi, un avis visé au paragraphe 72(6), 81.13(1), 81.15(5) ou 81.17(5) qui est envoyé à une personne est, en l'absence de toute preuve contraire, réputé avoir été envoyé à la date apparaissant sur l'avis comme étant la date d'envoi, sauf si elle est mise en doute par le ministre ou par une personne agissant pour lui ou pour Sa Majesté.

(3) Idem — Lorsqu'un avis visé au paragraphe 72(6), 81.13(1), 81.15(5) ou 81.17(5) est envoyé par le ministre, tel que l'exige la présente loi, la détermination, la cotisation ou la décision à laquelle se rapporte l'avis est réputée avoir été établie à la date d'envoi de l'avis.

(3.1) Date d'envoi d'un avis électronique — Pour l'application de la présente loi, tout avis ou autre communication concernant une personne qui est rendu disponible sous une forme électronique pouvant être lue ou perçue par une personne ou par un système informatique ou un dispositif semblable est réputé être envoyé à la personne, et être reçu par elle, à la date où un message électronique est envoyé — à l'adresse électronique la plus récente que la personne a fournie au ministre pour l'application du présent paragraphe — pour l'informer qu'un avis ou une autre communication nécessitant son attention immédiate se trouve dans son compte électronique sécurisé. Un avis ou une autre communication est considéré comme étant rendu disponible s'il est affiché par le ministre sur le compte électronique sécurisé de la personne et si celle-ci a donné son autorisation pour que des avis ou d'autres communications soient rendus disponibles de cette manière et n'a pas retiré cette autorisation avant cette date selon les modalités fixées par le ministre.

(4) Idem — Tout formulaire paraissant être un formulaire prescrit par le ministre en vertu de la présente loi est réputé être un formulaire prescrit par le ministre en vertu de la présente loi, sauf s'il est mis en doute par le ministre ou par une personne agissant pour lui ou pour Sa Majesté.

L.R. (1985), c. 7 (2e suppl.), art. 50; 1999, c. 17, art. 151; 2001, c. 17, art. 235; 2005, c. 32, art. 103; 2010, c. 25, art. 134

107. (1) Enquêtes — Toute personne désignée par le ministre peut tenir une enquête sur des matières relatives à la présente loi et possède les pouvoirs et l'autorité d'un commissaire nommé en vertu de la partie I de la *Loi sur les enquêtes*.

(2) Assignation de témoins — Quiconque est désigné pour tenir une enquête selon le paragraphe (1) peut, aux fins de cette enquête, émettre une assignation à toute personne, en quelque partie du Canada, lui enjoignant de comparaître aux date, heure et lieu y mentionnés, et de déposer sur tout ce qui est à sa connaissance au sujet de l'enquête, d'apporter avec elle et de produire tout document, livre ou pièce qu'elle a en sa possession ou sous son contrôle quant au sujet de l'enquête.

(3) Frais de déplacement — Des frais de déplacement raisonnables sont payés à toute personne assignée aux termes du paragraphe (2), lors de la signification de la citation.

(4) Peines — Toute personne qui, selon le cas :

a) sans excuse valable, omet d'assister, ainsi que l'exige le présent article, à une enquête;

b) omet de produire, comme elle en est requise par le présent article, un document, un livre ou une pièce en sa possession ou sous son contrôle;

c) à une enquête prévue par le présent article, refuse :

(i) soit de prêter serment ou de faire une déclaration ou une affirmation solennelle, selon le cas,

(ii) soit de répondre à une question pertinente que lui pose celui qui conduit l'enquête,

commet une infraction et encourt, sur déclaration de culpabilité par procédure sommaire, une amende de vingt à quatre cents dollars.

S.R., c. E-13, art. 61

108. Peine pour tentative d'éluder une taxe — Quiconque délibérément tente, de quelque manière, d'éluder une taxe imposée par la présente loi commet une infraction et encourt, sur déclaration de culpabilité par procédure sommaire, une amende maximale de douze mille dollars et un emprisonnement maximal de douze mois, ou l'une de ces peines.

S.R., c. E-13, art. 62; 1980-81-82-83, c. 68, art. 25

109. Peine pour perception de sommes dépassant le montant requis — Toute personne tenue, conformément à la présente loi, de payer à Sa Majesté l'une des taxes imposées par la présente loi, ou de percevoir cette taxe pour le compte de Sa Majesté, qui perçoit, sous le couvert de la présente loi, une somme d'argent dépassant la somme qu'elle est requise de payer à Sa Majesté, doit verser à Sa Majesté tous les deniers ainsi perçus et est, en outre, passible d'une pénalité maximale de cinq cents dollars.

S.R., c. E-13, art. 63

110. Prescription — Une dénonciation ou plainte sous le régime des dispositions du *Code criminel* relatives aux déclarations de culpabilité par procédure sommaire, visant une infraction prévue par la présente loi, peut être faite ou déposée dans un délai maximal de trois ans à compter de la date où la cause de la dénonciation ou de la plainte a pris naissance ou dans un délai d'un an à compter de la date où est venue à la connaissance du ministre une preuve qu'il estime suffisante pour justifier des poursuites concernant l'infraction. Le certificat du ministre, quant à la date où cette preuve est venue à sa connaissance, constitue une preuve concluante à cet égard.

S.R., c. E-13, art. 64

111. (1) Action contre fonctionnaires — Aucun bref ne peut être émis contre un fonctionnaire, et aucun exploit ne peut lui être signifié, au sujet d'une chose qu'il a faite ou est réputé avoir faite dans l'exercice de sa charge, avant l'expiration d'un mois après qu'avis par écrit lui a été signifié. Cet avis énonce clairement et explicitement la cause de l'action, les nom et adresse de la personne qui veut intenter l'action, de même que le nom de son avocat, procureur ou agent.

(2) Preuve — Il ne peut être produit aucune preuve de la cause d'action à part celle que contient l'avis et il ne peut être prononcé de verdict ni de jugement en faveur du demandeur, à moins qu'il ne prouve, lors de l'instruction, que l'avis a été donné. À défaut de cette preuve, le verdict ou jugement avec dépens est rendu en faveur du défendeur.

S.R., c. E-13, art. 65

112. (1) Date et lieu de l'action — L'action visée au paragraphe 111(1) se prescrit par trois mois à compter du fait générateur du litige; elle est portée et instruite à l'endroit ou dans le district où les faits se sont passés.

(2) Plaidoyer — Le défendeur peut opposer une dénégation générale et invoquer des faits spéciaux en preuve.

(3) Frais — Si le demandeur est débouté de son action ou se désiste de son instance, ou si, sur défense en droit ou autrement, jugement est rendu contre le demandeur, le défendeur peut recouvrer les frais et possède, à cet égard, le même recours qu'un défendeur dans les autres causes où des frais sont adjugés.

S.R., c. E-13, art. 66

113. Compensation peut être offerte par le fonctionnaire — Toute personne contre qui une action est intentée relativement à toute chose faite ou réputée faite sous le régime de la présente loi peut, dans le mois suivant l'avis visé au paragraphe 111(1), offrir compensation au demandeur ou à son agent et opposer cette offre de compensation comme fin de non-recevoir ou réponse à l'action, en même temps que les autres exceptions ou moyens de défense. Si le tribunal ou le jury, selon le cas, trouve la compensation suffisante, le jugement ou le verdict doit être rendu en faveur du défendeur; dans ce cas, ou si le demandeur est débouté de son action ou se désiste de son instance, ou si le jugement est rendu en faveur du défendeur sur défense en droit ou autrement, le défendeur a droit aux mêmes dépens que s'il avait opposé une simple dénégation générale. Toutefois, le défendeur peut, avec la permission du tribunal devant lequel l'action est portée, et en tout temps avant contestation liée, consigner les deniers au tribunal comme dans les autres actions.

S.R., c. E-13, art. 67

114. Cause probable — Dans toute action intentée aux termes de la présente loi, si le tribunal ou le juge devant lequel l'action est instruite certifie que le ou les défendeurs ont agi sur cause probable, le demandeur n'a pas droit à plus de vingt cents de dommages-intérêts, ni aux dépens.

S.R., c. E-13, art. 68

115. (1) Peine minimale — Nonobstant toute autre loi fédérale, le tribunal, dans toute action, instance ou poursuite intentée aux termes de la présente loi, n'a pas le pouvoir d'imposer une peine moindre que la peine minimale prescrite par la présente loi, et le tribunal n'a pas le pouvoir de suspendre la condamnation.

(2) Dénonciation — Une dénonciation ou plainte pour infraction à la présente loi peut porter sur une ou plusieurs de ces infractions, et les dénonciations, plaintes, mandats, déclarations de culpabilité ou autres procédures concernant de telles infractions ne sont pas inadmissibles ou insuffisants pour le motif qu'ils se rapportent à plusieurs infractions.

S.R., c. E-13, art. 69

116. (1) Fausses déclarations sur l'usage — Lorsque l'acheteur de marchandises d'un marchand en gros, fabricant, producteur ou importateur a indiqué ou certifié incorrectement que les marchandises étaient destinées à un usage les soustrayant à la taxe prévue par quelque disposition de la présente loi, le marchand en gros, fabricant, producteur ou importateur, selon le cas, a droit de recouvrer de l'acheteur les taxes par lui acquittées aux termes de la présente loi à l'égard de ces marchandises.

(2) Idem — Lorsqu'une personne qui a acheté un titre de transport aérien d'un transporteur aérien a indiqué ou certifié incorrectement que le titre de transport aérien était destiné à un usage le soustrayant à la taxe prévue à la partie II, le transporteur aérien a le droit de recouvrer de cet acheteur les taxes par lui acquittées en vertu de cette partie à l'égard de ce transport aérien.

(3) Idem — Lorsqu'une personne ayant acquis un service taxable d'un titulaire de licence en vertu des parties II.1 ou II.2 a indiqué ou certifié incorrectement que le service était destiné à un usage le rendant exempt de la taxe prévue à cette partie, le titulaire a droit de recouvrer de cette personne les taxes qu'il a payées ou remises en vertu de cette partie sur le montant exigé pour le service.

(4) Responsabilité solidaire — Lorsqu'un fabricant ou marchand en gros titulaire d'une licence délivrée aux termes ou à l'égard de la partie III ou VI a acheté des marchandises d'un autre semblable fabricant ou marchand en gros titulaire de licence et a incorrectement déclaré ou certifié que les marchandises étaient achetées pour un usage ou dans des conditions qui rendent la vente de ces marchandises libre de toute taxe imposée par la partie III ou VI :

a) cet acheteur, et non le fabricant ni le marchand en gros, est responsable du paiement de la taxe et de tous intérêts prévus par le paragraphe 79.03(1) :

(i) si la déclaration ou le certificat est par écrit,

(ii) si le fabricant ou le marchand en gros démontre qu'il a agi avec précaution et diligence lorsqu'il s'est fié à la déclaration ou au certificat de l'acheteur;

b) dans tout autre cas, l'acheteur et le fabricant ou le marchand en gros sont solidairement responsables du paiement de la taxe et des intérêts prévus par le paragraphe 79.03(1).

L.R. (1985), c. E-15, art. 116; L.R. (1985), c. 15 (1er suppl.), art. 40; c. 7 (2e suppl.), art. 51; c. 12 (4e suppl.), art. 37; 2003, c. 15, art. 110

ANNEXE I

(article 23)

2-4 [*Abrogés*].

1990, c. 45, art. 13

5-5.2 [*Abrogés*].

2006, c. 4, par. 89(1); 2005, c. 30, art. 25; c. 55, art. 1

Renvois: 212.1(1) (sens de 'produit commercial'); *Tarif des douanes* 87.03 (liste des dispositions tarifaires).

6. (1) Automobiles, y compris les familiales, les fourgonnettes et les véhicules utilitaires sport, conçues principalement pour le transport de passagers, à l'exclusion des camionnettes, des fourgonnettes conçues pour dix passagers ou plus, des ambulances et des corbillards, aux taux suivants :

a) 1 000 $, s'il s'agit d'une automobile ayant une cote de consommation de carburant pondérée de 13 litres ou plus, mais de moins de 14 litres, aux 100 kilomètres;

b) 2 000 $, s'il s'agit d'une automobile ayant une cote de consommation de carburant pondérée de 14 litres ou plus, mais de moins de 15 litres, aux 100 kilomètres;

c) 3 000 $, s'il s'agit d'une automobile ayant une cote de consommation de carburant pondérée de 15 litres ou plus, mais de moins de 16 litres, aux 100 kilomètres;

d) 4 000 $, s'il s'agit d'une automobile ayant une cote de consommation de carburant pondérée de 16 litres ou plus aux 100 kilomètres.

(2) Pour l'application du paragraphe (1), la cote de consommation de carburant pondérée d'une automobile s'obtient par la formule suivante :

$$0,55A + 0,45B$$

où :

A représente la cote de consommation de carburant en ville (fondée sur le nombre de litres de carburant, sauf le carburant E85, aux 100 kilomètres) des automobiles du même modèle et présentant les mêmes caractéristiques que l'automobile en cause, déterminée d'après les données admissibles ou, en l'absence de cote applicable à l'automobile, d'après les meilleures données disponibles, y compris éventuellement la cote de consommation de carburant en ville des automobiles dont le modèle et les caractéristiques se rapprochent le plus de ceux de l'automobile en cause;

B la cote de consommation de carburant sur la route (fondée sur le nombre de litres de carburant, sauf le carburant E85, aux 100 kilomètres) des automobiles du même modèle et présentant les mêmes caractéristiques que l'automobile en cause, déterminée d'après les données admissibles ou, en l'absence de cote applicable à l'automobile, d'après les meilleures données disponibles, y compris éventuellement la cote de consommation de carburant sur la route des automobiles dont le modèle et les caractéristiques se rapprochent le plus de ceux de l'automobile en cause.

2007, c. 29, art. 44; 2012, c. 19, art. 26

7. Les climatiseurs conçus pour être installés dans les automobiles, les familiales, les fourgonnettes ou les camions, qu'ils soient :

a) ou bien distincts;

b) ou bien inclus à titre d'équipement installé en permanence dans ces véhicules au moment de la vente ou de l'importation par le fabricant ou l'importateur, selon le cas, cent dollars.

Pour l'application du présent article et de l'article 8, une unité d'évaporation destinée à entrer dans la fabrication de climatiseurs conçus pour être installés dans les automobiles est réputée être un climatiseur décrit dans le présent article sauf lorsqu'elle est utilisée pour fins de réparations ou de remplacement.

Renvois: *Loi sur les douanes* 32 (déclaration en détail et paiements des droits).

8. L'article 7 ne s'applique pas dans le cas d'un climatiseur visé à cet article qui, selon le cas :

a) est acheté ou importé pour être installé en permanence dans une ambulance ou un corbillard ou est compris dans l'équipement installé en permanence dans ces véhicules;

b) est vendu dans des conditions qui feraient de la vente une fourniture détaxée pour l'application de la partie IX de la loi ou est acheté, pour son usage personnel ou officiel, par une personne exempte d'impôts et de taxes visée à l'article 34 de la convention figurant à l'annexe I de la *Loi sur les missions étrangères et les organisations internationales* ou à l'article 49 de la convention figurant à l'annexe II de cette loi;

c) est inclus à titre d'équipement installé en permanence dans une automobile, une familiale, une fourgonnette ou un camion, qui est vendu dans des conditions qui feraient de la vente une fourniture détaxée pour l'application de la partie IX de la loi ou est acheté, pour son usage personnel ou officiel, par une personne exempte d'impôts et de taxes visée à l'article 34 de la convention figurant à l'annexe I de la *Loi sur les missions étrangères et les organisations internationales* ou à l'article 49 de la convention figurant à l'annexe II de cette loi.

d) est inclus à titre d'équipement installé en permanence dans un véhicule — automobile, familiale, fourgonnette ou camion — qui, à la fois :

(i) est un véhicule admissible,

(ii) est importé temporairement par un particulier résidant au Canada et n'est pas déclaré à titre de produit commercial en vertu de l'article 32 de la *Loi sur les douanes*,

(iii) a été fourni au particulier la dernière fois, dans le cadre d'une entreprise de location de véhicules, au moyen d'un bail, d'une licence ou d'un accord semblable selon lequel la possession ou l'utilisation continues du véhicule est transférée pendant une période de moins de cent quatre-vingts jours,

(iv) est exporté dans les trente jours suivant l'importation.

L.C. 2012, c. 19, art. 27

9. a) Essence sans plomb et essence d'aviation sans plomb, 0,10 $ le litre;

b) Essence avec plomb et essence d'aviation avec plomb, 0,11 $ le litre.

9.1 Combustible diesel et carburant d'aviation, autre que l'essence d'aviation, 0,04 $ le litre.

Renvois: *Loi sur les douanes* 32 (déclaration en détail et paiements des droits).

10. L'article 6 ne s'applique pas à une automobile visée à cet article qui est, selon le cas :

a) vendue dans des conditions qui feraient de la vente une fourniture détaxée pour l'application de la partie IX de la Loi;

b) achetée ou importée pour servir à la police ou combattre l'incendie;

c) achetée, pour son usage personnel ou officiel, par une personne exempte d'impôts et de taxes visée à l'article 34 de la convention figurant à l'annexe I de la *Loi sur les missions étrangères et les organisations internationales* ou à l'article 49 de la convention figurant à l'annexe II de cette loi;

d) un véhicule admissible, dans le cas où l'automobile, à la fois :

(i) est importée temporairement par un particulier résidant au Canada et n'a pas été déclarée à titre de produit commercial en vertu de l'article 32 de la Loi sur les douanes,

(ii) a été fournie au particulier la dernière fois, dans le cadre d'une entreprise de location de véhicules, au moyen d'un bail, d'une licence ou d'un accord semblable selon lequel la possession ou l'utilisation continues de l'automobile est transférée pendant une période de moins de cent quatre-vingts jours,

(iii) est exportée dans les trente jours suivant l'importation.

L.C. 2012, c. 19, art. 28

11. Le paiement de la taxe imposée en application de l'article 6 peut être différé, dans le cas des automobiles importées par des personnes qui fabriquent des automobiles au Canada, jusqu'au moment où les automobiles importées sont vendues au Canada par ces personnes.

L.R. (1985), c. E-15, ann. I; L.R. (1985), c. 15 (1er suppl.), art. 41; c. 7 (2e suppl.), art. 52; c. 42 (3e suppl.), art. 2; c. 12 (4e suppl.), art. 38; 1989, c. 22, art. 5; 1990, c. 45, art. 13-15; 1993, c. 27, art. 145, 146; 1995, c. 36, art. 8

Annexe II — [Abrogée]

1.-4. [*Abrogés*].

L.R. (1985), c. E-15, ann. II; L.R. (1985), c. 7 (2e suppl.), art. 53; c. 42 (2e suppl.), art. 11; c. 12 (4e suppl.), art. 39; 1989, c. 22, art. 6; 1990, c. 45, art. 16; 1991, c. 42, art. 5; 1993, c. 25, art. 63, 64; 1994, c. 29, art. 14; 1995, c. 36, art. 9-11; 1997, c. 26, art. 74-76; 1998, c. 21, art. 82, 83; 2000, c. 30, art. 107, 108; 2001, c. 16, art. 40(3), par 41(1); 2002, c. 22, art. 390, art. 419

Annexe II.1 — Taux spécifiés pour produits pétroliers

(paragraphe 50(1.1))

1. Essence ordinaire et sans plomb 0,0036 $ le litre.

2. Essence super avec plomb et super sans plomb 0,0037 $ le litre.

3, 4 [*Abrogés*].

L.R. (1985), c. 12 (4e suppl.), art. 40

5. Combustible diesel 0,00302 $ le litre.

L.R. (1985), c. 7 (2e suppl.), art. 54; c. 42 (2e suppl.), art. 12, 40

Annexe III

(articles 15, 23 et 51)

Partie I — Enveloppes ou contenants

1. Enveloppes ordinaires ou contenants ordinaires achetés ou importés par un fabricant ou producteur devant lui servir exclusivement à envelopper ou à contenir des marchandises qu'il a fabriquées ou produites et qui ne sont pas assujetties à la taxe de consommation ou de vente, mais à l'exclusion des enveloppes ou contenants conçus pour la distribution de marchandises lors de la vente ou conçus pour un usage répété.

2. Toutes les enveloppes ordinaires ou les contenants ordinaires suivants devant servir exclusivement à envelopper ou à contenir des marchandises non assujetties à la taxe de consommation ou de vente :

a) des tonneaux et boîtes pour le poisson, des caisses à claire-voie pour le homard, des sacs pour pétoncles;

b) des tonneaux, boîtes, paniers et caisses à claire-voie pour l'emballage des fruits et légumes;

c) des bouteilles et des bidons pour le lait et la crème;

d) des boîtes, caisses et cartons pour oeufs;

e) des boîtes à beurre et à fromage;

f) des boîtes et des sacs isolés, pour crème glacée;

g) des boîtes de papier gaufré pour le pain;

h) des fûts et boîtes métalliques pour le miel;

i) des sacs à farine;

j) des caisses à claire-voie, des cages et des boîtes destinées au transport de la volaille vivante;

k) des bouteilles pour aliments ou boissons.

3. Matières devant servir exclusivement à la fabrication des marchandises exemptes de la taxe mentionnées aux articles 1 et 2 de la présente partie.

Partie II — Service diplomatique

1. Articles à l'usage du gouverneur général.

2. Articles importés pour l'usage personnel ou officiel des chefs de missions diplomatiques, des hauts-commissaires représentant d'autres gouvernements de Sa Majesté, des conseillers, des secrétaires et des attachés d'ambassades, de légations et de bureaux de hauts-commissaires au Canada, des délégués commerciaux et des délégués commerciaux adjoints représentant d'autres gouvernements de Sa Majesté, des consuls généraux, consuls et vice-consuls de nations étrangères, natifs ou citoyens du pays qu'ils représentent et qui n'exercent pas d'autre profession.

3. Automobiles, cigares, cigarettes, tabac fabriqué, ale, bière, stout, vins et spiritueux, achetés au Canada par toute personne mentionnée à l'article 2 de la présente partie pour son usage personnel ou officiel.

Partie III — Éducation, technique, culture, religion et littérature

1. Bibles, missels, livres de prières, psautiers et recueils d'hymnes, tracts religieux, gravures destinées aux écoles du dimanche, livres, reliés ou non, brochures, livrets, feuillets, cartes de citations de l'Écriture, de prières, d'hymnes, et de messes et inscriptions et images religieuses, non encadrées, pour faciliter la pratique religieuse, et matières devant servir exclusivement à la fabrication de ces articles, mais ne comprenant pas les formules, la papeterie ni les calendriers annuels.

2. Tableaux à inscription à la craie, tableaux à affichage par punaises, pupitres, tables et chaises, à l'exclusion des chaises rembourrées, lorsqu'ils sont vendus à des institutions d'enseignement, ou importés par ces dernières, pour leur propre usage et non pour la revente, y compris les articles et les matières destinés exclusivement à la fabrication des marchandises exemptes de la taxe mentionnées au présent article.

3. (1) Les imprimés, articles et matières suivants :

a) annuaires d'écoles et de collèges; documents littéraires non reliés, régulièrement publiés à des intervalles définis, au moins quatre fois par année; musique en feuilles; manuscrits; annuaires nationaux portant sur l'industrie ou le commerce; livres imprimés ne contenant aucune annonce et servant exclusivement à des fins éducatives, techniques, culturelles ou littéraires; articles et matières destinés exclusivement à la fabrication ou production de ce qui précède;

b) revues et leurs parties; journaux et leurs parties; articles et matières destinés exclusivement à la fabrication ou production de ce qui précède; tout ce qui précède à l'exclusion :

(i) des publications culturelles, de divertissement, sportives ou autres publications semblables qui servent de programmes,

(ii) des revues qui ne sont pas régulièrement publiées à des intervalles définis ou qui le sont moins que quatre fois par année,

(iii) d'un numéro d'une revue dont, selon le cas :

(A) plus de quatre-vingt-dix pour cent de la totalité de l'espace imprimé est consacré à la publicité,

(B) plus de soixante-dix pour cent de l'ensemble de l'espace imprimé, dans les quatre derniers numéros qui le précèdent, est consacré à la publicité,

(iv) d'un numéro d'un journal dont plus de quatre-vingt-dix pour cent de la totalité de l'espace imprimé est consacré à la publicité,

(v) de tous les numéros d'un journal dans un trimestre dont plus de quatre-vingts pour cent de la totalité de l'espace imprimé par numéro, dans plus de cinquante pour cent des numéros du journal dans ce trimestre, est consacré à la publicité,

(vi) des programmes, suppléments ou encarts de publicité qui, selon le cas :

(A) étant essentiellement les mêmes, sont pour distribution dans deux ou plusieurs revues ou journaux distincts,

(B) sont fournis par un publicitaire ou en son nom à l'éditeur d'une revue ou d'un journal,

(vii) des programmes, suppléments ou encarts de publicité ou autre matériel publicitaire dans un journal qui, selon le cas :

(A) sont imprimés dans un format qui diffère du reste du journal,

(B) ne sont pas numérotés successivement de façon compatible avec le reste du journal,

(C) sont composés d'un ou de plusieurs feuillets pliés séparément de tout autre cahier du journal,

à l'exclusion des albums, des relevés et rapports biographiques, financiers ou statistiques, des livres servant à écrire ou à dessiner, des catalogues, des livres à colorier, des annuaires de toutes sortes non mentionnés au présent article, des livres de mode, des guides, des rapports périodiques, des bordereaux de prix, des livres de taux, des horaires, des annuaires, des autres imprimés de même nature et des imprimés — en tout ou en partie — ou catégories d'imprimés désignés par le gouverneur en conseil.

(2) Pour l'application des sous-alinéas (1)b)(iii) à (v) :

a) « espace imprimé » :

(i) dans le cas de l'espace imprimé consacré à la publicité, vise tout l'espace dont dispose le publicitaire,

(ii) dans tout autre cas, ne vise pas les marges d'une page;

b) « marge » désigne la partie de la surface d'une page qui se situe entre le haut, le bas, la partie intérieure ou extérieure de la page et le corps principal de l'imprimé, et qui peut contenir la totalité ou une partie du nom, de la date, du numéro de la livraison, du numéro de la page ou du prix de la publication, ou la totalité ou une partie du numéro ou du titre d'une section de la publication, ou peut contenir des marques, notes marginales ou autres formes d'écriture, et peut être colorée, ornée de motifs ou autrement imprimée.

4. Disques de phonographe et bandes magnétiques sonores autorisés par le ministère de l'Éducation d'une province, pour l'enseignement dans les langues anglaise et française, et matières employées exclusivement à leur fabrication.

5. Livres achetés ou importés par les bibliothèques publiques.

6. Annuaires achetés ou importés par des bibliothèques de référence gratuite.

7. Imprimés destinés à l'usage des commissions scolaires, écoles et universités, et non à la vente, et articles et matières devant servir exclusivement à la fabrication ou à la production de ces imprimés.

8. Cloches de toutes sortes et leurs équipements; pièces de ce qui précède; ce qui précède devant servir uniquement dans les églises.

9. Globes géographiques, topographiques et astronomiques.

10. Ustensiles, instruments et autres appareils conçus pour servir à l'enseignement dans les salles de classe et devant servir directement à l'enseignement ou à la recherche dans plus de cinquante pour cent des cas; préparations scientifiques devant servir directement à l'enseignement ou à la recherche; spécimens, préparations anatomiques et squelettes; appareils scientifiques et leurs accessoires; ustensiles et instruments scientifiques; verrerie pour les travaux de laboratoire ou les travaux scientifiques; pièces de ce qui précède; tout ce qui précède devant servir à des bibliothèques publiques, musées publics, ou institutions établies exclusivement à des fins éducatives ou scientifiques et non destiné à la vente ni à la location; articles et matières devant servir exclusivement à la fabrication de ce qui précède.

11. Cartes, graphiques, diagrammes, affiches, films cinématographiques, films fixes d'enseignement, microfilms, diapositives et autres reproductions photographiques et illustrations; reproductions d'œvres d'art; enregistrements sonores et magnétoscopiques; modèles fixes ou mobiles; pièces de ce qui précède; tout ce qui précède devant servir à des bibliothèques publiques, musées publics et institutions établies exclusivement à des fins éducatives, scientifiques ou religieuses et non à la vente ni à la location; articles et matières devant servir exclusivement à la fabrication de ce qui précède.

12. Marchandises pour exposition dans les musées publics, les bibliothèques publiques, les universités, les collèges ou les écoles et non destinées à la vente.

13. Marchandises, autres que spiritueux ou vins, fabriquées ou produites plus de cent ans avant la date d'importation ou de vente.

14. Imprimés importés et destinés à la distribution gratuite au grand public pour la promotion du tourisme, dans les cas où ces imprimés sont :

a) soit importés par une administration publique ou ses ministères, services, organismes ou représentants;

b) soit produits ou achetés hors du Canada par un des organismes suivants :

(i) une chambre de commerce, une association de municipalités ou d'automobilistes, ou un autre organisme semblable,

(ii) une administration publique étrangère ou ses ministères, services, organismes ou représentants, ou sur l'ordre de ceux-ci.

15. Spécimens de botanique et d'entomologie; spécimens de minéralogie; peaux d'oiseaux et d'animaux non indigènes, pour usages taxidermiques, et non autrement préparées que pour la conservation; peaux de poissons; préparations anatomiques, squelettes, ou parties de squelette; tout ce qui précède lors de l'importation au Canada.

Partie IV — Produits de la ferme et de la forêt

1. Animaux vivants; volailles vivantes; abeilles.

2. Fil métallique servant à l'emballage des produits de la ferme, et articles et matières employés ou consommés exclusivement dans sa fabrication.

3. Boîtes pour charrettes agricoles à quatre roues, et articles et matériaux devant servir exclusivement à leur fabrication.

4. Caséine.

5. Fleurs coupées; feuillage coupé; bulbes, tiges souterraines bulbeuses, racines et tubercules dormants de plantes à fleurs; plants de pépinières; plantes empotées, en fleurs ou à repiquer; plants de légumes.

6. Tuiles de drainage à des fins agricoles et matières employées exclusivement à leur fabrication.

7. Produits agricoles vendus par le cultivateur lui-même et provenant de sa propre production.

8. Charrettes agricoles, y compris les charrettes agricoles à quatre roues destinées à être mues par des tracteurs et les traîneaux agricoles, ainsi que leurs pièces et les matières devant servir exclusivement à leur fabrication.

9. Engrais et matières devant servir exclusivement à leur fabrication.

10. Produits de la forêt, lorsqu'ils sont produits et vendus par le colon ou cultivateur lui-même; billes et bois rond non ouvré; sciure de bois; copeaux de bois.

11. Affûteuses de disques.

12. Fourrures, non apprêtées.

13. Machines à nettoyer le grain ou les graines de semence, et leurs pièces achevées; matières destinées exclusivement à la fabrication de ces machines et pièces.

14. Grains et semences à leur état naturel, à l'exception de ceux compris dans tout alinéa de l'article 1 de la partie V de la présente annexe; foin; houblon; paille.

15. Harnais pour chevaux et pièces achevées de ces harnais, et articles et matières devant servir exclusivement à leur fabrication; cuir de harnais.

16. Peaux, vertes ou salées.

17. Armures et protecteurs d'arbres, ne dépassant pas un mètre de hauteur.

18. Tourbe utilisée aux fins agricoles, y compris la litière pour volaille.

19. Préparations, produits chimiques ou poisons pour la lutte contre les parasites dans l'agriculture ou l'horticulture, de même que les matières devant servir exclusivement à leur fabrication.

20. Poisons pour rongeurs, et matières servant exclusivement à leur fabrication.

21. Chalumeaux pour la sève, seaux pour la sève, et évaporateurs et leurs pièces achevées, devant servir exclusivement à la production du sirop d'érable.

22. Fourragères autopropulsées à déchargement automatique, destinées à servir hors des grandes routes à des fins agricoles, et matières utilisées dans leur fabrication.

23. Cages d'acier, stalles d'acier, et leurs pièces achevées pour animaux de ferme, et articles et matières devant servir exclusivement à leur fabrication.

24. Séchoirs à tabac, à l'exclusion des bâtiments, destinés à être utilisés dans la ferme, à des fins agricoles seulement, leurs pièces, ainsi que les articles et matériaux destinés à être utilisés dans leur fabrication.

25. Moteurs de traction utilisés à des fins agricoles et leurs accessoires, à l'exclusion des machines ou outils destinés à être actionnés par ces moteurs, et les pièces achevées de ces moteurs et accessoires, ainsi que les matières devant servir exclusivement à la fabrication de ce qui précède.

26. Laine, simplement lavée; laine en rouleaux ou fil de laine fabriqués pour un producteur de laine avec de la laine qu'il fournit pour son propre usage.

27. Sperme d'animaux.

28. Toitures, couloirs, échelles, sections murales avec ou sans portes incorporées, leurs matières et pièces; tout ce qui précède devant servir à la construction ou à la réparation de silos pour ensiler le fourrage ou de réservoirs ou de récipients pour entreposer les excréta d'animaux ou de volailles.

29. Machines agricoles et leurs pièces.

30. Dispositifs d'aluminium de type vanne pour contrôler l'eau dans les fossés d'irrigation; appareils pour effrayer les oiseaux, à l'exclusion d'enregistrements ou de reproductions; instruments aratoires et outillage de ferme; épandeuses et leurs accessoires; pièces de ce qui précède; tout ce qui précède devant servir sur la ferme à des fins agricoles seulement.

31. Articles et matières devant servir exclusivement à la fabrication des marchandises exemptes de taxe mentionnées aux articles 28 à 30 de la présente partie.

Partie V — Denrées alimentaires

1. Aliments et boissons destinés à la consommation humaine (y compris les édulcorants, assaisonnements et autres ingrédients devant être mélangés à ces aliments et boissons ou être utilisés dans leur préparation), sauf :

a) les vins, spiritueux, bières, liqueurs de malt et autres boissons alcoolisées;

b) les boissons de malt non alcoolisées;

c) les boissons gazeuses et les marchandises devant servir à leur préparation;

d) les boissons de jus de fruits et les boissons à saveur de fruits non gazeuses, autres que les boissons à base de lait, contenant moins de vingt-cinq pour cent par volume :

(i) de jus de fruits naturel ou d'une combinaison de jus de fruits naturels,

(ii) de jus de fruits naturel ou d'une combinaison de jus de fruits naturels qui ont été reconstitués à l'état initial,

et les marchandises qui, lorsqu'elles sont ajoutées à de l'eau, produisent une boisson visée dans le présent alinéa;

e) les bonbons, les confiseries qui peuvent être classées comme bonbons, et toutes les marchandises qui sont vendues au titre de bonbons, telles la barbe à papa, le chewing gum et le chocolat, qu'elles soient naturellement ou artificiellement sucrées, y compris les fruits, les graines, les noix et les maïs soufflés lorsqu'ils sont enduits ou traités avec du sucre candi, du chocolat, du miel, de la mélasse, du sucre, du sirop ou des édulcorants artificiels;

f) les croustilles, spirales et bâtonnets — tels les croustilles de pommes de terre, les croustilles de maïs, les bâtonnets au fromage, les bâtonnets de pommes de terre ou pommes de terre julienne, les croustilles de bacon et les spirales de fromage — et autres grignotines semblables; le maïs soufflé et les bretzels croustillants; à l'exclusion de tout produit vendu principalement comme céréale pour le petit déjeuner ou tout produit fabriqué ou produit dans un point de vente au détail pour y être vendu exclusivement et directement aux consommateurs;

g) les noix et les graines salées;

h) les produits granolas, à l'exclusion de tout produit vendu principalement comme céréale pour le petit déjeuner ou tout produit fabriqué ou produit dans un point de vente au détail pour y être vendu exclusivement et directement aux consommateurs;

i) les mélanges de grignotines contenant des céréales, des noix, des graines, des fruits séchés ou autres produits comestibles, à l'exclusion de tout mélange vendu principalement comme céréale pour le petit déjeuner, ou tout mélange fabriqué ou produit dans un point de vente au détail pour y être vendu exclusivement et directement aux consommateurs;

j) les sucettes glacées et les friandises glacées, aromatisées, colorées ou sucrées, surgelées ou non, à l'exclusion de tout produit fabriqué ou produit dans un point de vente au détail pour y être vendu exclusivement et directement aux consommateurs;

k) la crème glacée, le lait glacé, le sorbet, le yogourt glacé, la crème-dessert (*pouding*) glacée ou tout produit contenant l'un ou l'autre de ces aliments lorsqu'ils sont emballés en portions individuelles, à l'exclusion de tout produit fabriqué ou produit dans un point de vente au détail pour y être vendu exclusivement et directement aux consommateurs;

l) les tablettes, roulés et pastilles aux fruits et autres grignotines semblables à base de fruits, à l'exception de tout produit fabriqué ou produit dans un point de vente au détail pour y être vendu exclusivement et directement aux consommateurs;

m) toute grignotine enveloppée ou emballée en portions individuelles semblables aux tablettes de chocolat, à l'exception de tout produit fabriqué ou produit dans un point de vente au détail pour y être vendu exclusivement et directement aux consommateurs.

2. Aliments, et les suppléments devant être ajoutés à ces aliments, pour animaux, poissons, oiseaux ou abeilles qui sont ordinairement élevés pour produire des aliments destinés à la consommation humaine ou pour être utilisés à ce titre.

3. Articles et matières destinés exclusivement à la fabrication ou à la production des marchandises exemptes de taxe énumérées aux articles 1 et 2 de la présente partie.

Partie VI — Combustibles et électricité

1. Additifs pour huile de pétrole destinée au chauffage et les matières servant à leur fabrication.

2. Électricité.

3. Mazout servant à la production de l'électricité, sauf lorsque l'électricité ainsi produite sert principalement au fonctionnement d'un véhicule.

4. Combustibles pour l'éclairage ou le chauffage, mais à l'exclusion des combustibles destinés aux moteurs à combustion interne; huiles brutes devant servir à la production de combustibles.

5. Gaz fabriqué avec de la houille, du carbure de calcium ou de l'huile aux fins d'éclairage ou de chauffage.

6. Gaz naturel.

Partie VII — Marchandises dénommées aux numéros du Tarif des douanes

1. Marchandises énumérées aux positions 98.01, 98.02, 98.03, 98.04, 98.05, 98.06, 98.07, 98.10, 98.11, 98.16, 98.19 ou 98.21 de l'annexe I du *Tarif des douanes*, à l'exception du numéro tarifaire 9804.30.00.

Partie VIII — Santé

1. Toute drogue visée à l'annexe D de la *Loi sur les aliments et drogues*.

1.1 Toute drogue contenant une drogue visée à l'annexe F du *Règlement sur les aliments et drogues* pris aux termes de la *Loi sur les aliments et drogues*.

1.2 Toute drogue contenant une drogue ou une autre substance comprise dans l'annexe G de la *Loi sur les aliments et drogues*.

1.3 Toute drogue contenant un stupéfiant compris dans l'annexe de la *Loi sur les stupéfiants*, autre qu'une drogue ou un mélange de drogues qui peut être vendu par un pharmacien sans ordonnance conformément à tout règlement pris aux termes de cette loi.

1.4 Les drogues suivantes :

Digoxine
Digitoxine
Deslanoside
Tétranitrate d'érythrol
Dinitrade d'isosorbide
Trinitrate de glycéryle
Prénylamine
Quinidine et ses sels
Aminophylline
Oxtriphylline
Théophylline
Aminoacétate calcique de théophylline
Aminoacétate sodique de théophylline
Oxygène à usage médical
Épinéphrine et ses sels.

2. Articles et matières à l'usage exclusif d'un hôpital public régulier, certifié comme tel par le ministère de la Santé, lorsqu'ils sont achetés de bonne foi pour être utilisés exclusivement par cet hôpital, et non pour être revendus.

3. Appareils de respiration artificielle achetés ou loués sur l'ordonnance écrite d'un médecin reconnu, par un particulier souffrant de troubles respiratoires, pour son propre usage.

4. Percuteurs mécaniques pour drainage postural achetés sur ordonnance écrite d'un médecin reconnu.

5. Yeux artificiels.

6. Dents artificielles.

7. Appareils pour faciliter l'audition aux sourds et pièces de ces appareils, y compris les piles conçues spécialement pour alimenter ces appareils.

8. Les appareils conçus pour transformer les sons en signaux lumineux et devant servir aux sourds, lorsqu'ils sont achetés sur ordonnance écrite d'un médecin reconnu.

9. Larynx artificiels et leurs pièces, y compris les piles conçues spécialement pour alimenter ces appareils.

10-12 [*Abrogés*].

L.R. (1985), c. 7(2[e] suppl.), art. 55

13. Verres et verres de contact pour le traitement ou la correction des troubles visuels, quand ils sont préparés en conformité avec l'ordonnance d'un praticien ou d'un optométriste, et leurs parties composantes.

14. Appareils de communication, devant servir avec un dispositif télégraphique ou téléphonique, achetés ou loués sur l'ordonnance écrite d'un médecin reconnu, à l'intention des sourds et des muets.

15. Chaises d'invalides, chaises percées, marchettes, élévateurs de fauteuils roulants et aides de locomotion semblables, avec ou sans roues; moteurs et assemblages de roues pour ces articles; dispositifs de structuration fonctionnelle; siège de toilette, de baignoire et de douche; tous les articles qui précèdent et qui sont spécialement conçus pour les invalides ainsi que tout ce qui, dans les règlements pris par le gouverneur en conseil, est désigné comme aide au déplacement des invalides; accessoires et équipements complémentaires des articles précédents, y compris les piles conçues spécialement pour alimenter ces articles.

16. Appareils de commande à sélecteur, achetés ou loués sur l'ordonnance écrite d'un médecin reconnu, conçus spécialement à l'intention des personnes handicapées physiquement pour leur permettre de choisir, d'actionner ou de commander divers appareils ménagers et matériels industriels et de bureau.

17. Appareils électroniques de surveillance cardiaque, achetés ou loués sur l'ordonnance écrite d'un médecin reconnu, par un particulier souffrant de troubles cardiaques, pour son propre usage, y compris les piles conçues spécialement pour alimenter ces appareils.

18. Lits d'hôpitaux achetés ou loués sur l'ordonnance écrite d'un médecin reconnu, par une personne invalide pour son propre usage.

19. Pompes à insuline et pièces qui y sont spécialement destinées ainsi que les seringues à insuline.

20. Membres artificiels, mécanisés ou non, et tous leurs accessoires et dispositifs; supports de l'épine dorsale et autres supports orthopédiques; appareils fabriqués sur commande pour une personne souffrant d'une infirmité ou d'une difformité du pied ou de la cheville; pièces de ce qui précède.

21. Articles de prothèse pour l'oreille, le nez, la mastectomie ou autres articles de prothèse médicale ou chirurgicale; appareils d'iléostomie et de colostomie et appareils pour voies urinaires ou autres articles semblables destinés à être portés par un individu; articles et matières, à l'exclusion des cosmétiques, devant servir à l'utilisateur d'une telle prothèse, d'un tel appareil ou d'un tel article semblable et nécessaires à leur bonne application et leur entretien.

22. Cannes et béquilles conçues pour les handicapés, y compris leurs accessoires et pièces.

23. Moniteurs de la glycémie et appareils de mesure de la glycémie et pièces qui y sont spécialement destinées, bandelettes réactives pour l'estimation de la glycémie et bandelettes réactives pour l'estimation du glucose dans l'urine.

24. Articles et matières devant être incorporés dans toutes les marchandises exemptes de taxe mentionnées dans la présente partie, ou en former un élément constitutif ou un composant, lorsqu'ils sont vendus à un fabricant ou producteur, ou importés par l'un ou l'autre, et devant lui servir pour la fabrication ou la production de telles marchandises exemptes de taxe.

Partie IX — Marine et pêche

1. Embarcations achetées par des pêcheurs pour être employées à la pêche, et articles et matières devant servir exclusivement à la fabrication, au gréement ou à la réparation de ces embarcations.

2. Carragheen ou mousse d'Irlande.

3. Toile de coton et fil de coton à voiles pour servir exclusivement à la fabrication de gréements de navires ou vaisseaux.

4. Casiers à homards, à crabes ou à crevettes, trappes à morues ou à anguilles, articles pour attacher ou coincer les pinces des homards, et matières devant servir exclusivement à leur fabrication.

5. Filets de pêche et filets de toutes sortes; aiguilles d'un modèle spécial destinées à la réparation de filets de pêche; dispositifs métalliques à panneaux pour assurer l'ouverture des filets; émerillons en métal, hameçons, leurres, turluttes et appâts artificiels; plombs et flotteurs comprenant les petits barils de lignes flottantes; fils, ficelles, lusins, lignes de pêche, corde et cordage; appareils à mesurer les carapaces; tout ce qui précède devant servir à la pêche commerciale ou à la prise commerciale de plantes aquatiques; rien de ce qui précède ne devant servir à la pêche sportive; articles et matières devant servir à la fabrication, à la préservation ou à la réparation des marchandises exemptes de taxe visées au présent article.

Partie X — Mines et carrières

1. Pierre concassée; gravier concassé.

2. Or et argent en barres, blocs, larmes, lingots, plaques ou feuilles qui ne sont pas plus ouvrés.

3. Minerais de toutes sortes.

4. Sable, gravier, moellons et pierre des champs.

5. Vermiculite; perlite.

6. Les scories de haut fourneau et de chaudière, non plus transformées que broyées et criblées.

Partie XI — Divers

1. Articles et matières soit achetés ou importés par un gouvernement d'un pays désigné par le gouverneur en conseil aux termes de la position 98.10 de l'annexe I du *Tarif des douanes*, soit achetés ou importés par un organisme du gouvernement canadien pour le compte du gouvernement de ce pays, en vue de la construction, de l'entretien ou du fonctionnement d'établissements militaires ou de défense au Canada et non destinés à être revendus, donnés ou autrement aliénés, sauf ainsi que peut l'autoriser le ministre du Revenu national.

2. Ficelle d'emballage et matières servant exclusivement à sa fabrication.

3. Monnaies britanniques et canadiennes; monnaies d'or étrangères.

4. Pièces de monnaie étrangère de quelque métal que ce soit, dont le poids et le dessin sont autorisés, émises sous l'autorité d'un gouvernement étranger pour circulation dans ce pays.

5. Dons de vêtements et de livres pour fins de charité.

6. Brique réfractaire, matériaux réfractaires plastiques, ciment à haute température, argile réfractaire et autres matériaux réfractaires et matériaux devant être employés ou utilisés exclusivement dans la fabrication de matériaux réfractaires.

7. Étiquettes pour désigner les catégories ou la qualité de la viande, de la volaille, du poisson, des oeufs, des fruits et des légumes, et matières servant exclusivement à leur fabrication.

8. Objets commémoratifs ou monuments érigés à la mémoire des membres des Forces armées qui ont perdu la vie au service de leur pays.

9. Radium.

10. Vitraux de verre soufflé, appelé verre antique par les spécialistes, ou de verre laminé à la main, et matières servant exclusivement à la fabrication de ces vitraux.

11. Citernes pour recueillir le lait et matières servant exclusivement à leur fabrication, mais à l'exclusion des châssis et cabines qui les véhiculent.

12. Insignes d'anciens combattants.

13. Chlorure de sodium.

14. Glace (eau congelée).

15. Bicyclettes et tricycles ainsi que les articles et matières devant servir exclusivement à leur fabrication ou production.

16. Manèges d'amusement, matériel, accessoires et pièces détachées y destinées, à l'exclusion des camions et des appareils à sous, spécialement conçus en vue de l'utilisation aux foires ou expositions agricoles ou commerciales et articles et matières devant servir exclusivement à leur fabrication ou production.

17. Les pièces et les trousses destinées à la conversion ou à l'adaptation au système métrique des balances d'une portée maximale de cent kilogrammes conçues spécialement et utilisées pour le pesage de marchandises vendues au détail, pourvu que la vente ou l'importation de ces pièces et trousses ait lieu avant le 1er janvier 1984.

18. Articles et matières devant servir au Canada à la construction de ponts et de tunnels pour la traversée des frontières entre les États-Unis et le Canada.

19. Timbres-poste; médailles, trophées et autres prix, à l'exception des marchandises négociables, gagnés à l'étranger au cours de compétitions officielles ou décernés, reçus ou acceptés à l'étranger, ou donnés par des personnes ou des organisations à l'étranger pour actes héroïques, pour bravoure ou distinction.

19.1 Les gravures, estampes et lithographies originales, tirées directement, en noir ou en couleurs, d'une ou plusieurs planches entièrement exécutées à la main par l'artiste, à l'exception des articles produits par procédé mécanique ou photomécanique.

20. Peintures, dessins et pastels faits par des artistes lorsque évalués à au moins vingt dollars chacun.

21. Sculptures et statues originales; leurs douze premières répliques; assemblages; tout article qui précède lorsque fait par un artiste professionnel et évalué à au moins soixante-quinze dollars.

22. Tapisseries tissées à la main ou applications faites à la main, pouvant servir seulement de tentures, et évaluées à au moins deux cent quinze dollars le mètre carré.

23. Articles conçus spécialement pour les aveugles, devant leur servir à quelque usage que ce soit et achetés ou importés par l'Institut national du Canada pour les aveugles, ou une autre institution ou association d'aveugles reconnue, ou en vertu d'un ordre ou d'un certificat émanant de ces organismes.

24. Serviettes sanitaires, tampons, ceintures de serviettes sanitaires et articles et matières devant servir exclusivement à leur fabrication ou production.

25. Contraceptifs et articles et matières devant servir exclusivement à leur fabrication ou production.

26. Les trophées de guerre, consistant en armes, fournitures militaires, munitions de guerre et autres articles, tant qu'ils sont conservés comme trophées, lorsqu'ils sont importés au Canada.

27. Les ménageries; les voitures pourvues d'équipement destiné à les faire tirer par des animaux et le harnais qui leur est nécessaire.

28. Tout ce qui suit :

a) le matériel de lecture des code barres conçu pour lire les code barres appliqués aux marchandises qu'une personne détient pour vente dans le cours normal d'une entreprise;

b) les caisses enregistreuses conçues pour calculer et enregistrer les taxes de vente imposées par plus d'une administration;

c) le matériel conçu pour convertir les caisses enregistreuses ou appareils semblables d'enregistrement des ventes en appareils pouvant calculer et enregistrer les taxes de vente imposées par plus d'une administration;

d) les appareils d'enregistrement des ventes semblables à des caisses enregistreuses, conçus pour calculer et enregistrer les taxes de vente imposées par plus d'une administration, lorsqu'ils sont vendus à une personne ou importés par elle et doivent lui servir dans un établissement de vente au détail ou en gros principalement pour enregistrer les ventes et contrôler les stocks;

e) le matériel électronique qui est accessoire aux marchandises visées à l'un des alinéas a) à d), lorsqu'il est vendu à une personne ou importé par elle et doit lui servir dans un établissement de vente au détail ou en gros principalement pour enregistrer les ventes et contrôler les stocks;

f) les articles et matières devant être incorporés dans toutes les marchandises visées aux alinéas a) à e), ou en former un élément constitutif ou un composant, lorsqu'ils sont vendus à un fabricant ou producteur, ou importés par l'un ou l'autre, et doivent lui servir pour la fabrication ou la production de telles marchandises.

Partie XII — Municipalités

1. Certains produits vendus aux municipalités ou importés par elles pour leur propre usage et non pour la revente, savoir :

a) ponceaux;

b) fournitures dont le prix dépasse deux mille dollars l'unité et qui sont conçues d'une manière spéciale pour servir directement à la construction ou au nettoyage de routes, ou à la lutte contre les incendies, mais à l'exclusion des automobiles et camions ordinaires;

c) boyaux à incendie, y compris raccords et lances pour ces boyaux;

d) châssis de camions à incendie destinés à être munis en permanence de matériel à incendie devant servir directement à combattre les incendies;

e) marchandises devant servir directement dans un réseau de distribution d'eau, d'égouts ou de drainage; marchandises utilisées dans la construction d'un bâtiment ou de la partie d'un bâtiment servant exclusivement pour abriter les machines et appareils devant servir directement dans un réseau de distribution d'eau, d'égouts ou de drainage; produits chimiques devant servir au traitement de l'eau ou des eaux d'égout dans un réseau de distribution d'eau, d'égouts ou de drainage; et, pour l'application de la présente exemption, le ministre peut désigner comme municipalité tout organisme exploitant un réseau de distribution d'eau, d'égouts ou de drainage pour une municipalité, ou pour le compte de celle-ci;

f) poutres lamellées pour ponts;

g) formes de béton préfabriqué, pour les ponts des réseaux routiers;

h) acier et aluminium de construction, pour ponts;

i) instruments et matières, à l'exclusion des véhicules à moteur, aéronefs, navires ou matériel de bureau, devant servir directement et exclusivement à détecter, mesurer, enregistrer ou échantillonner les polluants de l'eau, du sol ou de l'air;

j) châssis de camions destinés à être munis en permanence de fournitures dont le prix dépasse deux mille dollars l'unité et qui sont conçus d'une manière spéciale pour servir directement à la construction ou au nettoyage des routes;

k) véhicules de transport de passagers et pièces y destinées, à l'exclusion des véhicules conçus pour transporter moins de douze passagers, devant servir directement et principalement à l'exploitation d'un réseau public municipal de transport de passagers qui assure quotidiennement au grand public un service selon un horaire régulier, possédé ou exploité, ou devant être possédé ou exploité, par ou pour le compte d'une municipalité.

2. Articles et matières devant servir exclusivement à la fabrication des articles exempts de la taxe qui sont mentionnés à l'article 1 de la présente partie.

Partie XIII — Matériel de production, matières de conditionnement et plans

1. Tous les articles suivants :

a) les machines et appareils vendus aux fabricants ou producteurs ou importés par eux pour être utilisés par eux principalement et directement :

(i) soit dans la fabrication ou la production de marchandises,

(ii) soit dans la mise au point de procédés de fabrication ou de production devant être utilisés par eux,

(iii) soit dans la mise au point de marchandises devant être fabriquées ou produites par eux;

b) les machines et appareils vendus aux fabricants ou producteurs ou importés par eux et destinés à être directement utilisés par eux pour la détection, la mesure, le traitement, la réduction ou l'élimination des polluants de l'eau, du sol ou de l'air qui sont attribuables à la fabrication ou la production de marchandises, ou pour la prévention de la pollution qu'ils causent;

b.1) les machines et appareils destinés à être principalement et directement utilisés pour le traitement ou la transformation des déchets toxiques dans une usine destinée à ces fins;

c) le matériel vendu aux fabricants ou producteurs ou importé par eux et destiné à être utilisé par eux pour le transport des déchets ou des rebuts des machines et appareils qu'ils utilisent directement pour la fabrication ou la production de marchandises ou destiné à être utilisé par eux pour aspirer la poussière ou les émanations nocives produites par leurs opérations de fabrication ou de production;

d) les dispositifs et matériels de sécurité vendus à des fabricants ou producteurs ou importés par eux et destinés à être utilisés par eux pour la prévention des accidents dans la fabrication ou la production de marchandises;

e) les camions automobiles montés sur roues munies de pneus en caoutchouc pour servir hors du réseau routier public et exclusivement aux mines et aux carrières;

f) les tracteurs à combustion interne, sauf les camions-tracteurs routiers, devant servir exclusivement aux exploitations forestières, lesquelles doivent inclure le transport des billes de la souche à la voie de glissement, au dépôt de billes ou au transporteur public ou autre;

g) les voitures de débardage et traîneaux de débardage;

h) les machines, chariots, grues, ballons captifs ayant un volume d'au moins quatre mille deux cent quarante-huit mètres cubes (4 248 m^3), palans et poulies, cordages métalliques et chaînes d'estacade; tout ce qui précède devant servir exclusivement aux exploitations forestières, lesquelles doivent inclure le transport des billes de la souche à la voie de glissement, au dépôt de billes ou au transporteur public ou autre;

i) les tuyaux ou tubes vulgairement appelés « tubes-pétrole » et consistant en tubage ou cuvelage, en accessoires, en raccords et en manchons et mamelons pour protéger leur filetage; conducteurs tubulaires; tous les articles qui précèdent devant servir pour les puits de gaz naturel ou de pétrole;

j) les machines et appareils, y compris le câble métallique, les trépans et le tubage du trou de tir pour sismographe, utilisés dans les travaux d'exploration, de découverte ou de mise en valeur du pétrole, du gaz naturel ou des minéraux;

k) les outillages de réparation et d'entretien vendus aux fabricants ou producteurs ou importés par eux et devant servir à l'entretien de marchandises visées aux alinéas a) à j) et qu'ils utilisent;

l) les pièces pour des marchandises visées aux alinéas a) à k);

m) la glaise à forage et ses additifs;

n) les instruments et outillage de précision pour levés géophysiques, devant servir exclusivement à la prospection, à l'exploration et à la mise en valeur de gisements de pétrole, de gaz naturel et de minéraux, ainsi qu'à la découverte et à l'exploitation par puits de sources d'eau souterraines, ou à des études géophysiques relativement à des entreprises du génie, y compris les suivants : magnétomètres; gravimètres et autres instruments destinés à mesurer les éléments, les variations et les déviations de la force naturelle de gravitation; potentiomètres de campagne, mégohmmètres (*meggers*), électrodes non polarisatrices et outillage électrique servant à faire des mesurages dans les trous forés; instruments et outillage servant à la prospection séismique, compteurs de Geiger-Müller et autres instruments servant à la prospection géophysique d'après les méthodes de radioactivité; appareils amplificateurs électriques et électroniques et thermostats électriques destinés à servir avec l'un des instruments qui précèdent; pièces de rechange, trépieds et étuis montés pour l'un des articles qui précèdent;

o) les articles et matières devant entrer dans la fabrication de marchandises visées aux alinéas a) à n),

mais à l'exclusion :

p) du matériel de bureau;

q) des véhicules automobiles, sauf ceux visés aux alinéas e) et h);

r) des générateurs et alternateurs électriques portatifs ou mobiles, y compris leurs moteurs à commande, et des groupes de générateurs et d'alternateurs portatifs ou mobiles, autres que ceux achetés pour servir sur la ferme à des fins agricoles seulement; des générateurs et alternateurs électriques de secours, y compris leurs moteurs à commande, et des groupes de générateurs et d'alternateurs de secours pour la production d'électricité devant servir surtout dans un bâtiment où l'on utilise normalement l'électricité fournie par une entreprise de service public ou privé lorsque ce bâtiment sert principalement à des activités autres que la fabrication ou la production de marchandises;

s) des contenants conçus pour servir plusieurs fois vendus à des fabricants ou producteurs, ou importés par eux, qui ne sont pas destinés à être utilisés exclusivement et directement par eux dans la fabrication ou la production de marchandises;

t) les marchandises, y compris les transformateurs, devant servir à la transmission ou à la distribution de l'électricité, autres que les marchandises devant servir à l'intérieur de la centrale où l'électricité est produite, ou à l'intérieur d'une centrale où des marchandises autres que l'électricité sont fabriquées ou produites;

u) les tuyaux, soupapes, appareillages, pompes, compresseurs, régulateurs et leurs accessoires, devant servir au transport ou à la distribution de marchandises mais à l'exclusion de telles marchandises devant être utilisées à l'intérieur d'une usine de fabrication ou de production ou devant servir dans des réseaux collecteurs de gaz naturel, de liquides extraits de gaz naturel ou de pétrole dans des champs gaziers ou pétroliers.

2. Matières, à l'exclusion de la graisse, des huiles de graissage ou du carburant à utiliser dans les moteurs à combustion interne, consommées ou utilisées par les fabricants ou producteurs directement dans, selon le cas :

a) la fabrication ou la production de marchandises;

b) la mise au point de procédés de fabrication ou de production devant être utilisés par eux;

c) la mise au point de marchandises devant être fabriquées ou produites par eux;

d) la détection, la mesure, la prévention, le traitement, la réduction ou l'élimination des polluants visés à l'alinéa 1b) de la présente partie.

3. Plans et dessins, devis connexes et tout ce qui en tient lieu, et reproductions de l'un des articles qui précèdent, lorsqu'ils sont vendus à des fabricants ou producteurs ou importés par eux pour être employés directement par eux :

a) soit à la fabrication ou à la production de marchandises;

b) soit à la mise au point de procédés de fabrication ou de production devant être utilisés par eux;

c) soit à la mise au point de marchandises devant être fabriquées ou produites par eux;

d) soit à la détection, à la mesure, à la prévention, au traitement, à la réduction ou à l'élimination des polluants visés à l'alinéa 1b) de la présente partie,

et les matières devant servir exclusivement à la production de ces plans, dessins, devis ou reproductions, ou de tout ce qui en tient lieu.

4. Composition typographique, planches métalliques, cylindres, matrices, film, œuvres d'art, dessins, photographies, matériel en caoutchouc, matériel en plastique et matériel en papier, lorsqu'ils portent l'empreinte d'une image destinée à la reproduction par impression, ou mettent en vedette ou comportent une telle image, et qu'ils sont fabriqués ou importés par un fabricant ou producteur, ou vendus à un fabricant ou producteur, pour servir exclusivement à la fabrication ou à la production d'imprimés.

Partie XIV — Marchandises fabriquées dans des institutions

1. Toute marchandise fabriquée ou produite au Canada par des personnes qui sont mentalement ou physiquement handicapées sous quelque rapport, lorsqu'une fraction importante du prix de vente de ces marchandises est attribuable au travail exécuté par ces personnes dans une institution agréée ou sous la surveillance et la direction exclusives de cette institution.

2. Pour l'application de l'article 1 de la présente partie, « institution agréée » désigne une institution sise au Canada, dont le principal objet est le soin des personnes visées à cet article, et qui détient un certificat valide délivré par le ministre.

3. Articles et matières devant servir exclusivement à la fabrication des marchandises mentionnées dans la présente partie.

Partie XV — Vêtements et chaussures

1. Vêtements et chaussures, y compris les articles et les matières devant être incorporés dans leur production domestique ou commerciale, que le gouverneur en conseil peut déterminer par règlement.

2. Articles et matières devant servir exclusivement à la fabrication ou à la production des marchandises exemptées de taxe mentionnées à l'article 1 de la présente partie.

Partie XVI — Matériel de construction

1. Les marchandises suivantes, à l'exclusion des camions, autres que les camions conçus spécialement pour être utilisés hors du réseau routier public, lorsque le prix de vente demandé par le fabricant canadien ou la valeur à l'acquitté de l'article importé dépasse deux mille dollars l'unité :

a) matériel de creusage et de terrassement; grues, treuils et derricks; matériel à enfoncer les pieux; matériel à poser les tuyaux, à envelopper les tuyaux et à souder les tuyaux; pompes et compresseurs à air; engins de compactage et rouleaux compresseurs; accessoires des articles précédents; tous conçus pour la construction ou la démolition;

b) matériel conçu pour servir directement à la préparation, à la pose, au répandage ou à la finition du béton, du mortier ou de l'asphalte, et au pavage; accessoires du matériel précédent;

c) pièces détachées et pièces de remplacement conçues pour le matériel mentionné aux alinéas a) et b).

2. Articles et matières devant servir exclusivement à la fabrication ou à la production des marchandises exemptées des taxes mentionnées à l'article 1 de la présente partie.

3. Pièces et dispositifs installés sur les marchandises exemptes de taxe mentionnées aux alinéas 1a) et b) de la présente partie, s'ils sont installés avant la première utilisation de ces marchandises exemptes de taxe.

Partie XVII — Matériel de transport

1. Tracteurs routiers; camions routiers destinés principalement au transport de marchandises et dont la masse en charge, au sens donné à cette expression par un règlement du gouverneur en conseil, est d'au moins sept mille deux cent cinquante kilogrammes (7 250 kg).

2. Remorques de camion, camions-remorques et semi-remorques, conçus pour le transport des marchandises dont la masse en charge, au sens donné à cette expression par un règlement du gouverneur en conseil, est de sept mille deux cent cinquante kilogrammes (7 250 kg) ou plus; les trains de roues auxiliaires de remorquage conçus pour servir à la transformation des camions-remorques et des semi-remorques en remorques pleine longueur aux fins de remorquage sur les routes.

3. Locomotives et matériel ferroviaire roulant y compris le matériel spécialement conçu pour être déplacé sur des rails de chemin de fer; appareils servant à détecter les défauts des voies de chemin de fer.

4. Conteneurs réutilisables ayant une capacité d'au moins quatorze mètres cubes (14 m^3); groupes de réfrigération et de chauffage pour ces conteneurs.

5. Véhicules automobiles et véhicules articulés composés d'un véhicule tracteur et d'une ou de plusieurs remorques conçus et équipés en permanence pour le transport d'au moins douze passagers et devant être utilisés exclusivement pour les catégories de transport de passagers qui peuvent être prescrites, par règlement, par le gouverneur en conseil.

6. Autobus ou fourgonnettes spécialement équipés pour le transport de personnes handicapées lorsque des organismes ou établissements publics les utilisent uniquement à cette fin et qui, équipés normalement, pourraient transporter au moins douze personnes.

7. Autobus scolaires conçus pour transporter douze passagers ou plus.

8. Aéronefs, pièces et matériel pour aéronefs, lorsque achetés ou importés et devant être utilisés exclusivement :

a) soit pour effectuer le transport public aérien des personnes, du fret ou du courrier;

b) soit pour fournir des services aériens directement reliés, selon le cas, à :

(i) l'exploration et la mise en valeur des ressources naturelles,

(ii) l'épandage aérien, l'ensemencement aérien et la lutte aérienne contre les parasites,

(iii) la sylviculture,

(iv) la pisciculture,

(v) la construction au moyen d'aéronefs à voilure tournante,

(vi) la surveillance, la protection et la lutte aériennes contre les incendies,

(vii) la cartographie.

9. Aéroglisseurs et véhicules chenillés conçus spécialement pour transporter au moins douze passagers ou au moins trois mille six cent vingt-neuf kilogrammes (3 629 kg) de marchandises.

10. Pièces et matériel installés sur les marchandises exemptes de taxe mentionnées aux articles 1, 2, 4, 5, 6, 7 et 9 de la présente partie ou conçus pour être installés en permanence sur les marchandises exemptes de taxe mentionnées à l'article 3 de la présente partie lorsque le prix de vente demandé par le fabricant canadien ou la valeur à l'acquitté de l'article importé dépasse deux mille dollars l'unité, ou installés sur de telles marchandises avant la première utilisation de celles-ci; toutefois, les pièces et le matériel conçus pour le montage permanent ou montés sur les marchandises exemptes de taxe visées à l'article 1 de la présente partie ne sont exempts de taxe que s'ils sont conçus pour faciliter le port ou la manutention du fret.

11. Navires et autres vaisseaux, achetés ou importés pour servir exclusivement aux activités maritimes autres que les sports ou les loisirs, que le gouverneur en conseil peut prescrire par règlement; articles et matières devant servir exclusivement à la fabrication, à l'équipement ou aux réparations de ces marchandises exemptes de taxe.

12. Articles et matières devant servir exclusivement à la fabrication ou à la production de marchandises exemptées des taxes mentionnées aux articles 1 à 10 de la présente partie.

Partie XVIII — [*Abrogée*]

XVIII. [*Abrogée*].

L.R. (1985), c. E-15, ann. III; L.R. (1985), c. 15 (1er suppl.), art. 42-46; c. 7 (2e suppl.), art. 55; c. 42 (2e suppl.), art. 13; c. 41 (3e suppl.), art. 123-126; c. 12 (4e suppl.), art. 41-51; 1988, c. 65, art. 115; 1989, c. 22, art. 7; 1990, c. 45, art. 17; 1999, c. 31, art. 87

ANNEXE III.1 — MARCHANDISES VENDUES PAR DES FABRICANTS OU PRODUCTEURS PRÉSUMÉS

1. Aliments, ou suppléments devant y être ajoutés, pour animaux — notamment les poissons et les oiseaux — qui ne sont pas ordinairement élevés pour produire des aliments destinés à la consommation humaine ou pour être utilisés à ce titre.

2. Marchandises relatives à la santé.

3. Aliments destinés à la consommation humaine énumérés aux alinéas 1e) à m) de la partie V de l'annexe III.

4. Téléviseurs — y compris les téléviseurs et écrans de télévision de type projection, les syntonisateurs de télévision et les écrans de contrôle vidéo autres que ceux conçus exclusivement pour les ordinateurs ou les machines à traitement de texte — à l'exclusion des marchandises conçues exclusivement pour usage commercial.

5. Magnétoscopes — y compris ceux servant au visionnement seulement — autres que ceux conçus exclusivement pour usage commercial.

6. Fours à micro-ondes.

7. Produits vendus à titre de litières d'animaux domestiques.

8. Détersifs à lessive.

L.R. (1985), c. 12 (4e suppl.), art. 52; 1989, c. 22, art. 8

ANNEXE IV

(article 50)

Partie I — Matériaux de construction

1. Briques; tuiles et carreaux de construction; blocs de construction courbés ou profilés; pierre à bâtir; dalles pour trottoirs et patios; bordures.

2. Cheminées, capuchons de cheminée et foyers fixés à demeure.

3. Portes, fenêtres et persiennes pour bâtiments, et autres structures et ferrures pour celles-ci, à l'exclusion des cadenas; moustiquaires et auvents pour portes et fenêtres.

4. Fil et câbles électriques et de télécommunications; transformateurs, coupe-circuit et matériel électrique connexe conçus pour être installés en permanence dans un système d'alimentation en électricité.

5. Matériel à combattre et à détecter l'incendie devant être installé dans des bâtiments.

6. Carreaux de carrelage et revêtements composés, non découpés, à surface dure, devant être fixés à demeure aux planchers, et supports de ces articles; matériaux devant être incorporés dans les planchers de terrazzo.

7. Vitres pour bâtiments et autres structures.

8. Matériaux de construction à surface dure en matière plastique stratifiée.

9. Réservoirs à eau chaude et chauffe-eau devant être installés à demeure dans des systèmes d'alimentation en eau pour bâtiments.

10. Armoires de cuisine et de salle de bains et paillasses pour ces armoires, devant être installées à demeure dans des bâtiments.

11. Bois d'œuvre; contre-plaqué; châssis de fenêtres; bardeaux; lattes; revêtements; escaliers; passages; échelles de sauvetage; traverses de chemin de fer; poteaux d'éclairage, tours et éléments de construction semblables; corniches, frises, pilastres et autres éléments de construction semblables, à l'exclusion des meubles, qu'ils soient montés ou non.

12. Matériels d'hydrofugation pour bâtiments, à l'exclusion des :

a) peintures, vernis, teintures, enduits et autres produits ou finitions semblables;

b) huiles de créosote et autres agents de conservation pour le bois;

c) additifs pour les produits mentionnés aux alinéas a) et b).

13. Clous, longues pointes, vis, boulons, écrous et rondelles, rivets et attaches semblables.

14. [*Abrogé*].

L.R. (1985), c. 12 (4e suppl.), art. 54

15. Pilotis pour structures.

16. Tuyaux, conduites et tubes conçus pour servir dans des bâtiments, des égouts, des réseaux d'irrigation ou de drainage, de pipelines et dans d'autres constructions; leurs robinets, soupapes et raccords.

17. Plâtre; chaux; ciment et additifs pour béton; mélanges préparés de béton et de mortier secs.

18. Placoplâtres et autres panneaux muraux, cartons-fibres, papier de construction et autres matériaux pour plafonds et murs ainsi que les matériaux d'isolation thermique ou acoustique, à l'exclusion des :

a) moquettes;

b) papiers peints et revêtements semblables pour murs intérieurs.

19. Fosses septiques et siphons de dépôt de graisse pour ces fosses; pompes de puisard.

20. Bains-douches, baignoires, lavabos, robinets, cabinets, cabinets de toilette, urinoirs, éviers et rebords d'évier et baquets de blanchissage; pièces de ce qui précède.

21. Métal de construction et métal fabriqué pour bâtiments et autres structures.

22. Goudron; asphalte; matériaux et éléments de toiture, y compris les gouttières et les descentes.

23. Ventilateurs et abat-vent.

24. Pompes à chaleur lorsqu'elles sont conçues pour servir dans des systèmes de chauffage installés en permanence pour bâtiments.

25. Appareils et dispositifs récupérateurs de chaleur pour tirer de la chaleur de l'air expulsé ou des eaux usées pour en récupérer l'énergie.

26. Panneaux et tubes solaires conçus pour capter l'énergie solaire et la transformer en énergie calorifique utilisée dans les systèmes de chauffage solaires.

27. Isolants thermiques conçus pour les conduits et tuyaux utilisés dans les immeubles et les dispositifs mécaniques; matières d'emballage conçues exclusivement pour être utilisées avec ces isolants.

28. Poêles à bois et chaufferettes à bois.

29. Dispositifs d'étanchéité et abris de zones de chargement, conçus pour économiser l'air chauffé ou réfrigéré pendant le chargement et le déchargement.

30. Maisons mobiles et bâtiments modulaires.

31. Bâtiments et autres structures fabriqués ou produits par une personne, ailleurs qu'à pied d'œuvre, en concurrence avec des personnes qui construisent ou érigent des bâtiments ou structures analogues non ainsi fabriqués ou produits.

32. Éléments porteurs destinés à être incorporés à des bâtiments ou autres structures, fabriqués ou produits par une personne, ailleurs qu'à pied d'œuvre, en concurrence avec des personnes qui construisent ou érigent des bâtiments ou d'autres structures qui incorporent des éléments analogues non ainsi fabriqués ou produits.

33. Béton malaxé prêt à l'usage.

34. Mélanges d'asphalte pour pavage.

35. Articles et matériaux supplémentaires qui, en vertu d'un règlement du gouverneur en conseil, sont des matériaux de construction.

Partie II — Matériel pour bâtiments

1. Matériel devant être utilisé dans la manutention des cendres et du combustible, ventilateurs, pompes de circulation, réservoirs à combustible, calorifères, chargeurs mécaniques, brûleurs à mazout ou à gaz, radiateurs à eau chaude ou à vapeur, thermostats, régulateurs, tous les articles qui précèdent lorsqu'ils sont conçus pour servir dans des systèmes de chauffage installés en permanence pour bâtiments.

2. Conduites pour systèmes de chauffage à air chaud, de ventilation et de climatisation de bâtiments; matériel conçu pour servir dans un tel système sous une tension d'au moins cinq cent cinquante volts.

3. Matériel de chauffage électrique conçu pour servir dans un système d'une tension d'au moins deux cents volts, devant faire partie en permanence d'un système électrique de chauffage pour bâtiments.

4. Ascenseurs, escaliers mécaniques et leurs pièces.

5. Articles et matériaux supplémentaires qui, en vertu d'un règlement du gouverneur en conseil, sont du matériel conçu principalement pour servir dans des bâtiments.

L.R. (1985), c. E-15, ann. IV; L.R. (1985), c. 7 (2e suppl.), art. 56; c. 12 (4e suppl.), art. 53-55

TABLE DES MATIÈRES DE LA LOI DE 2001 SUR L'ACCISE

Table sommaire

LOI DE 2001 SUR L'ACCISE

Loi visant la taxation des spiritueux, du vin et du tabac et le traitement des provisions de bord

L.C. 2002, ch. 22, telle que modifiée par L.C. 2002, ch. 19; L.C. 2003, ch. 15; L.C. 2004, ch. 22, 25; L.C. 2005, ch. 10, 38; L.C. 2006, ch. 4, L.C. 2007, ch. 2, 18, 35, L.C. 2008, ch. 28; L.C. 2009, ch. 2; L.C. 2010, ch. 12, 25; L.C. 2011, ch. 15; L.C. 2012, ch. 19.

Sa Majesté, sur l'avis et avec le consentement du Sénat et de la Chambre des communes du Canada, édicte :

TITRE ABRÉGÉ

1. Titre abrégé — *Loi de 2001 sur l'accise*.

DÉFINITIONS ET INTERPRÉTATION

2. Définitions — Les définitions qui suivent s'appliquent à la présente loi.

« accord international désigné »

a) La Convention concernant l'assistance administrative mutuelle en matière fiscale, conclue à Strasbourg le 25 janvier 1988 et modifiée par tout protocole ou autre instrument international, tel que ratifié par le Canada;

b) tout accord général d'échange de renseignements fiscaux qui a été conclu par le Canada, et qui est en vigueur, à l'égard d'un autre pays ou territoire.

Notes historiques: La définition de « accord international désigné » à l'article 2 a été remplacée par L.C. 2011, c. 15, art. 9 et cette modification est réputée entrée en vigueur le 26 juin 2011. Antérieurement, elle se lisait ainsi :

> « accord international désigné » La Convention concernant l'assistance administrative mutuelle en matière fiscale, conclue à Strasbourg le 25 janvier 1988, et ses modifications successives.

La définition de « accord international désigné » à l'article 2 a été ajoutée par L.C. 2007, c. 18, par. 67(4) et est réputée être entrée en vigueur le 22 juin 2007.

« administration des alcools » Régie, commission ou organisme public autorisé par les lois d'une province à vendre des boissons enivrantes.

« Agence » L'Agence du revenu du Canada, prorogée par le paragraphe 4(1) de la *Loi sur l'Agence du revenu du Canada*.

Notes historiques: La définition de « Agence » à l'article 2 a été remplacée par L.C. 2005, c. 38, art. 92 et cette modification est entrée en vigueur le 12 décembre 2005 [C.P. 2005-2041 du 21 novembre 2005 (TR/2005-119)]. Antérieurement, elle se lisait ainsi :

> « Agence » L'Agence des douanes et du revenu du Canada, créée par le paragraphe 4(1) de la *Loi sur l'Agence des douanes et du revenu du Canada*.

« agent de la paix » S'entend au sens de l'article 2 du *Code criminel*.

« alcool » Les vins ou les spiritueux.

« alcool dénaturé » Alcool dénaturé de qualité réglementaire fabriqué à partir de spiritueux selon la spécification prévue par règlement pour cette qualité.

« alcool éthylique absolu » La substance dont la composition chimique est C_2H_5OH.

« alcool spécialement dénaturé » Alcool spécialement dénaturé de qualité réglementaire fabriqué à partir de spiritueux selon la spécification prévue par règlement pour cette qualité.

« analyste » Personne désignée à titre d'analyste en vertu de l'article 11.

« bâtonnet de tabac » Rouleau de tabac ou article de tabac de forme tubulaire destiné à être fumé — à l'exclusion des cigares — et nécessitant une certaine préparation avant d'être consommé. Chaque tranche de 60 mm ou de 650 mg d'un bâtonnet de tabac dépassant respectivement 90 mm de longueur ou 800 mg, ainsi que la fraction restante, le cas échéant, compte pour un bâtonnet de tabac.

« bière » Bière ou liqueur de malt, au sens de l'article 4 de la *Loi sur l'accise*.

« boisson enivrante » S'entend au sens de l'article 2 de la *Loi sur l'importation des boissons enivrantes*.

« boutique hors taxes » Établissement agréé à ce titre sous le régime de la *Loi sur les douanes*.

« boutique hors taxes à l'étranger » Magasin de vente au détail situé dans un pays étranger qui est autorisé par les lois du pays à vendre des marchandises en franchise de certains droits et taxes aux particuliers sur le point de quitter le pays.

« centre de remplissage libre-service » Local où, conformément aux lois de la province où il est situé, de l'alcool est fourni à partir d'un contenant spécial marqué, en vue d'être emballé par l'acheteur.

« cigare » Comprend :

a) les cigarillos et manilles;

b) tout rouleau ou article de forme tubulaire destiné à être fumé qui est formé d'une tripe, composée de morceaux de tabac en feuilles naturel ou reconstitué, d'une sous-cape ou première enveloppe faite de tabac en feuilles naturel ou reconstitué enveloppant la tripe et d'une cape ou robe faite de tabac en feuilles naturel ou reconstitué.

« cigarette » Comprend tout rouleau ou article de forme tubulaire destiné à être fumé qui n'est pas un cigare ou un bâtonnet de tabac. Chaque tranche de 76 mm d'une cigarette dépassant 102 mm de longueur, ainsi que la fraction restante, le cas échéant, compte pour une cigarette.

« commerçant de tabac » À l'exclusion du titulaire de licence de tabac, personne qui achète pour revente, vend ou offre en vente du tabac en feuilles sur lequel aucun droit n'est imposé en vertu de la présente loi.

Notes historiques: La définition de « commerçant de tabac » à l'article 2 a été remplacée par L.C. 2007, c. 18, par. 67(1) et cette modification est réputée être entrée en vigueur le 1er avril 2003.

« commerçant de tabac agréé » Titulaire de l'agrément de commerçant de tabac délivré en vertu de l'article 14.

« commissaire » Le commissaire du revenu, nommé en application de l'article 25 de la *Loi sur l'Agence du revenu du Canada*.

Notes historiques: La définition de « commissaire » à l'article 2 a été remplacée par L.C. 2005, c. 38, art. 92 et cette modification est entrée en vigueur le 12 décembre 2005 [C.P. 2005-2041 du 21 novembre 2005 (TR/2005-119)]. Antérieurement, elle se lisait ainsi :

> « commissaire » Le commissaire des douanes et du revenu, nommé au titre de l'article 25 de la *Loi sur l'Agence des douanes et du revenu du Canada*.

« contenant » En ce qui concerne les produits du tabac, enveloppe, paquet, cartouche, boîte, caisse ou autre contenant les renfermant. La présente définition ne s'applique pas aux articles 258 et 260.

« contenant spécial »

a) En ce qui concerne les spiritueux, contenant d'une capacité de plus de 100 L et d'au plus 1 500 L;

b) en ce qui concerne le vin, contenant d'une capacité de plus de 100 L.

« cotisation » Cotisation ou nouvelle cotisation établie en vertu de la présente loi.

« Cour de l'impôt » La Cour canadienne de l'impôt.

« dénaturation » Le fait de transformer des spiritueux, selon les modalités réglementaires, en alcool dénaturé ou en alcool spécialement dénaturé à l'aide de dénaturants visés par règlement.

« détenteur autorisé d'alcool » Titulaire de l'autorisation délivrée en vertu de l'article 17.

« détenteur autorisé d'alcool spécialement dénaturé » Titulaire de l'autorisation délivrée en vertu de l'article 18.

« données » Toute forme de représentation d'informations ou de notions.

« droit » Sauf indication contraire, le droit imposé en vertu de la présente loi et le droit perçu en vertu des articles 21.1 ou 21.2 du *Tarif des douanes*, y compris, sauf aux parties 3 et 4, le droit spécial.

« droit spécial »

a) En ce qui concerne les produits du tabac, le droit spécial imposé en vertu des paragraphes 53(1), 54(2) ou 56(1);

b) en ce qui concerne les spiritueux importés, le droit spécial imposé en vertu du paragraphe 133(1).

« emballé »

a) Se dit du tabac en feuilles ou des produits du tabac qui sont présentés dans un emballage réglementaire;

b) se dit de l'alcool qui est présenté :

(i) soit dans un contenant d'une capacité maximale de 100 L qui est habituellement vendu aux consommateurs sans que l'alcool n'ait à être emballé de nouveau,

(ii) soit dans un contenant spécial marqué.

« entrepôt d'accise » Les locaux d'un exploitant agréé d'entrepôt d'accise que le ministre a désignés à titre d'entrepôt d'accise de l'exploitant.

« entrepôt d'accise spécial » Les locaux d'un exploitant agréé d'entrepôt d'accise spécial que le ministre a désignés à titre d'entrepôt d'accise spécial de l'exploitant.

« entrepôt d'attente » S'entend au sens du paragraphe 2(1) de la *Loi sur les douanes*.

« entrepôt de stockage » Établissement agréé à ce titre sous le régime du *Tarif des douanes*.

« en vrac » Se dit de l'alcool qui n'est pas emballé.

« estampillé » Se dit d'un produit du tabac, ou de son contenant, sur lequel un timbre d'accise ainsi que les mentions prévues par règlement et de présentation réglementaire sont apposés, empreints, imprimés, marqués ou poinçonnés selon les modalités réglementaires pour indiquer que les droits afférents autres que le droit spécial ont été acquittés.

Notes historiques: La définition d' « estampillé » à l'article 2 a été remplacée par L.C. 2010, c. 12, par. 38(1).Cette modification s'applique à compter de la date de mise en œuvre.

L.C. 2010, c. 12, par. 54(1) prévoit qu'aux fins de l'application de la présente modification, « date de mise en œuvre » s'entend du premier jour du mois qui suit le trentième jour après le 12 juillet 2010. Toutefois, pour l'application des articles 34 ou 35 de la *Loi de 2001 sur l'accise*, un produit du tabac peut, à la date de mise en œuvre ou par la suite, mais avant avril 2011, être mis sur le marché des marchandises acquittées ou être dédouané en vue d'être mis sur ce marché, selon le cas, s'il est estampillé de l'une des manières suivantes :

a) conformément aux règles applicables en vertu de cette loi dans leur version en vigueur la veille de la sanction de L.C. 2010, c. 12;

b) conformément aux règles applicables en vertu de cette loi dans leur version en vigueur à la date de mise en œuvre, compte tenu des modifications successives;

c) de la manière prévue aux alinéas a) et b).

Les règles applicables en vertu de la *Loi de 2001 sur l'accise* s'appliquent dans leur version en vigueur la veille du 12 juillet 2010 à tout produit du tabac qui est estampillé de la manière prévue à l'alinéa (2)a).

Les règles applicables en vertu de la *Loi de 2001 sur l'accise* s'appliquent dans leur version en vigueur à la date de mise en œuvre, compte tenu des modifications successives, à tout produit du tabac qui est estampillé de la manière prévue aux alinéas (2)b) ou c).

Antérieurement, la définition d' « estampillé » se lisait ainsi :

« estampillé » Se dit d'un produit du tabac, ou de son contenant, sur lequel les mentions prévues par règlement et de présentation réglementaire sont apposées, empreintes, imprimées, marquées ou poinçonnées selon les modalités réglementaires pour indiquer que les droits afférents autres que le droit spécial ont été acquittés.

« exercice » S'entend, relativement à une personne, de la période qui correspond à son exercice selon la partie IX de la *Loi sur la taxe d'accise*.

Notes historiques: La définition de « exercice » à l'article 2 a été ajoutée par L.C. 2010, c. 25, art. 107 et est réputée être entrée en vigueur le 15 décembre 2010.

« exploitant agréé de boutique hors taxes » Titulaire de l'agrément d'exploitation de boutique hors taxes délivré en vertu de la *Loi sur les douanes*.

« exploitant agréé d'entrepôt d'accise » Titulaire de l'agrément d'exploitant d'entrepôt d'accise délivré en vertu de l'article 19.

« exploitant agréé d'entrepôt d'accise spécial » Titulaire de l'agrément d'exploitant d'entrepôt d'accise spécial délivré en vertu de l'article 20.

« exploitant agréé d'entrepôt d'attente » Titulaire de l'agrément d'exploitation d'un entrepôt d'attente délivré en vertu de la *Loi sur les douanes*.

« exploitant agréé d'entrepôt de stockage » Titulaire de l'agrément d'exploitation d'un entrepôt de stockage délivré en vertu du *Tarif des douanes*.

« exploitant autorisé de vinerie libre-service » Titulaire de l'autorisation délivrée en vertu de l'article 15.

« exportation » Le fait d'exporter du Canada.

« fabrication » Comprend toute étape de la préparation ou de la façon du tabac en feuilles pour en faire un produit du tabac, notamment l'empaquetage, l'écôtage, la reconstitution, la transformation et l'emballage du tabac en feuilles ou du produit du tabac.

« importation » Le fait d'importer au Canada.

« juge » Juge d'une cour supérieure de la province où l'affaire prend naissance ou juge de la Cour fédérale.

« local déterminé » Local d'un utilisateur agréé qui est précisé par le ministre en vertu du paragraphe 23(3).

« marché des marchandises acquittées » Le marché des marchandises relativement auxquelles un droit, sauf le droit spécial, est exigible.

« marquer » Apposer, en la forme et selon les modalités prévues par règlement, une mention portant :

a) dans le cas d'un contenant spécial de spiritueux, qu'il est destiné :

(i) soit à être livré à un utilisateur autorisé et à être utilisé par lui,

(ii) soit à être livré à un centre de remplissage libre-service et à y être utilisé;

b) dans le cas d'un contenant spécial de vin, qu'il est destiné à être livré à un centre de remplissage libre-service et à y être utilisé.

Notes historiques: Le préambule de la définition de « marquer » à l'article 2 a été remplacé par L.C. 2007, c. 18, par. 67(3) et cette modification est réputée être entrée en vigueur le 1er avril 2003. Antérieurement, il se lisait ainsi :

« marquer » Apposer, en la forme et selon les modalités autorisées par le ministre, une mention portant :

« matériel de fabrication du tabac » Toute machine ou tout matériel conçu ou modifié expressément pour la fabrication d'un produit du tabac.

Notes historiques: La définition de « matériel de fabrication du tabac » à l'article 2 a été ajoutée par L.C. 2008, c. 28, art. 50 et est réputée entrée en vigueur le 18 juin 2008.

« mention obligatoire » Mention réglementaire que doit porter, en application de la présente loi, un contenant de produits du tabac qui n'ont pas à être estampillés en vertu de la présente loi.

« ministre » Le ministre du Revenu national.

« mois » Période qui commence à un quantième donné et prend fin :

a) la veille du même quantième du mois suivant;

b) si le mois suivant n'a pas de quantième correspondant au quantième donné, le dernier jour de ce mois.

« mois d'exercice » Mois d'exercice déterminé en application de l'article 159.

« non acquitté » Se dit de l'alcool emballé sur lequel un droit, sauf le droit spécial, n'a pas été acquitté.

« non ciblé » Se dit du tabac fabriqué qui est estampillé, mais qui n'est pas marqué en conformité avec une loi provinciale de façon à indiquer qu'il s'agit de tabac destiné à la vente au détail dans une ou des provinces en particulier.

« période de déclaration » Période de déclaration déterminée en application de l'article 159.1.

Notes historiques: La définition de « période de déclaration » à l'article 2 a été ajoutée par L.C. 2010, c. 25, art. 107 et est réputée être entrée en vigueur le 15 décembre 2010.

« personne » Particulier, société de personnes, personne morale, fiducie, gouvernement ou succession, ainsi que l'organisme qui est un syndicat, un club, une association, une commission ou autre organisation.

« préparation approuvée »

a) Produit à base d'alcool fabriqué par un utilisateur agréé conformément à une formule qu'il a fait approuver par le ministre;

b) produit importé qui, de l'avis du ministre, serait un produit visé à l'alinéa a) s'il était fabriqué au Canada par un utilisateur agréé.

Formulaires [2« préparation approuvée »]: Y15A, *Demande adressée à la direction des travaux scientifiques et de laboratoire — accise.*

« préparation assujettie à des restrictions » Préparation approuvée qui, en raison de la condition ou de la restriction que le ministre a imposée à son égard en vertu de l'article 143, est réservée à l'usage des utilisateurs agréés ou à l'exportation.

Notes historiques: La définition de « préparation assujettie à des restrictions » à l'article 2 a été ajoutée par L.C. 2007, c. 18, par. 67(4) et est réputée être entrée en vigueur le 1er avril 2003.

Formulaires [2« préparation assujettie à des restrictions »]: Y15A, *Demande adressée à la direction des travaux scientifiques et de laboratoire — accise.*

« préposé »

a) Toute personne nommée ou employée relativement à l'exécution ou au contrôle d'application de la présente loi;

b) tout membre de la Gendarmerie royale du Canada ou membre d'un corps de police désigné au titre du paragraphe 10(1);

c) s'agissant de marchandises importées qui n'ont pas été dédouanées en application de la *Loi sur les douanes*, tout agent au sens du paragraphe 2(1) de cette loi.

Notes historiques: La définition de « préposé » à l'article 2 a été remplacée par L.C. 2005, c. 38, art. 92 et cette modification est entrée en vigueur le 12 décembre 2005 [C.P. 2005-2041 du 21 novembre 2005 (TR/2005-119)]. Antérieurement, elle se lisait ainsi :

« préposé » Personne nommée ou employée relativement à l'exécution ou au contrôle d'application de la présente loi, membre de la Gendarmerie royale du Canada ou membre d'un corps de police désigné en vertu du paragraphe 10(1).

« prix de vente » En ce qui concerne les cigares, le total des éléments suivants :

a) la somme demandée au titre du prix des cigares, avant l'adjonction d'une somme exigible au titre d'une taxe prévue par la partie IX de la *Loi sur la taxe d'accise*;

b) la somme demandée au titre du prix du contenant renfermant les cigares;

c) toute somme, s'ajoutant à la somme demandée au titre du prix, que l'acheteur est tenu de payer au vendeur en raison ou à l'égard de la vente des cigares — qu'elle soit exigible au même moment que le prix ou à un autre moment — et notamment toute somme prélevée pour la publicité, le financement, le paiement de commissions ou à quelque autre titre, ou destinée à y pourvoir;

d) le droit imposé sur les cigares en vertu de l'article 42.

« production »

a) En ce qui concerne les spiritueux, le fait de les obtenir par la distillation ou un autre procédé ou de les récupérer;

b) en ce qui concerne le vin, le fait de l'obtenir par la fermentation.

« produit du tabac » Le tabac fabriqué, le tabac en feuilles emballé et les cigares.

« provisions de bord à l'étranger » Produits du tabac pris à bord d'un navire ou d'un aéronef, pendant qu'il se trouve à l'étranger, qui sont destinés à être consommés par les passagers ou les membres d'équipage, ou à leur être vendus, pendant qu'ils sont à bord du navire ou de l'aéronef.

« registre » Tout support sur lequel des données sont enregistrées ou inscrites et qui peut être lu ou compris par une personne ou par un système informatique ou un autre dispositif.

« règlement » Y sont assimilées les règles prévues par règlement.

« représentant accrédité » Personne qui a droit, en vertu de la *Loi sur les missions étrangères et les organisations internationales*, aux exemptions d'impôts et de taxes précisées à l'article 34 de la convention figurant à l'annexe I de cette loi ou à l'article 49 de la convention figurant à l'annexe II de cette loi.

« responsable » Se dit d'une personne qui, conformément aux articles 104 à 121, est responsable d'alcool en vrac.

« Sa Majesté » Sa Majesté du chef du Canada.

« semestre d'exercice » Semestre d'exercice déterminé en application du paragraphe 159(1.1).

Notes historiques: La définition de « semestre d'exercice » à l'article 2 a été ajoutée par L.C. 2010, c. 25, art. 107 et est réputée être entrée en vigueur le 15 décembre 2010.

« spiritueux » Toute matière ou substance contenant plus de 0,5 % d'alcool éthylique absolu par volume, à l'exclusion de ce qui suit :

a) le vin;

b) la bière;

c) le vinaigre;

d) l'alcool dénaturé;

e) l'alcool spécialement dénaturé;

f) l'huile de fusel ou d'autres déchets provenant du processus de distillation;

g) toute préparation approuvée;

h) tout produit fabriqué à partir d'une matière ou d'une substance visée aux alinéas b) à g), ou contenant une telle matière ou substance, qui ne peut être consommé comme boisson.

Notes historiques: L'alinéa f) et g) de la définition de « spiritueux » à l'article 2 ont été remplacés et l'alinéa h) a été ajouté par L.C. 2007, c. 18, par. 67(2). Ces modifications sont réputées être entrées en vigueur le 1er avril 2003. Antérieurement, les alinéas f) et g) se lisaient ainsi :

f) une préparation approuvée;

g) un produit fabriqué à partir d'une matière ou d'une substance visée aux alinéas b) à f), ou contenant une telle matière ou substance, qui ne peut être consommé comme boisson.

« tabac en feuilles » Tabac non fabriqué, ou les feuilles et tiges de la plante.

« tabac fabriqué » Produit réalisé en tout ou en partie avec du tabac en feuilles par quelque procédé que ce soit, à l'exclusion des cigares et du tabac en feuilles emballé.

« tabac partiellement fabriqué » Tabac fabriqué qui est du tabac haché ou du tabac ayant subi moins de transformations que le tabac haché.

« timbre d'accise »Timbre émis par le ministre en vertu du paragraphe 25.1(1) qui n'a pas été annulé en vertu de l'article 25.5.

Notes historiques: La définition de « timbre d'accise » à l'article 2 a été ajoutée par L.C. 2010, c. 12, par. 38(2) et s'applique selon les mêmes modalités que la modification apportée à la définition de « estampillé » à l'article 2.

« titulaire de licence d'alcool » Personne qui est titulaire de licence de spiritueux ou titulaire de licence de vin.

« titulaire de licence de spiritueux » Titulaire de la licence de spiritueux délivrée en vertu de l'article 14.

« titulaire de licence de tabac » Titulaire de la licence de tabac délivrée en vertu de l'article 14.

« titulaire de licence de vin » Titulaire de la licence de vin délivrée en vertu de l'article 14.

« transporteur cautionné » Personne qui transporte ou fait transporter des marchandises en conformité avec l'article 20 de la *Loi sur les douanes*.

« usage personnel » L'usage, à l'exception de la vente ou autre usage commercial, que fait d'un bien un particulier ou d'autres personnes à ses frais.

« utilisateur agréé » Titulaire de l'agrément d'utilisateur délivré en vertu de l'article 14.

« utilisateur autorisé » Titulaire de l'autorisation délivrée en vertu de l'article 16.

« utilisation pour soi » En ce qui concerne l'alcool, le fait d'en consommer, de l'analyser ou de le détruire, ou de l'utiliser de façon à obtenir un produit autre que de l'alcool.

« valeur à l'acquitté »

a) En ce qui concerne les cigares importés, leur valeur telle qu'elle serait déterminée pour le calcul d'un droit *ad valorem* sur les cigares conformément à la *Loi sur les douanes*, qu'ils soient ou non sujets à un tel droit, plus les droits afférents imposés en vertu de l'article 42 de la présente loi et de l'article 20 du *Tarif des douanes*;

b) en ce qui concerne les cigares importés qui, au moment de leur importation, se trouvent dans des contenants ou sont autrement préparés pour la vente, la somme de leur valeur, déterminée selon l'alinéa a), et de la valeur, déterminée de façon analogue, du contenant les renfermant.

« vin »

a) Boisson contenant plus de 0,5 % d'alcool éthylique absolu par volume qui est produite sans procédé de distillation, exception faite de celui ayant pour but de réduire le contenu d'alcool éthylique absolu, par la fermentation alcoolique d'un des produits suivants :

(i) un produit agricole, à l'exclusion du grain,

(ii) une plante ou un produit provenant d'une plante, à l'exclusion du grain, qui n'est pas un produit agricole,

(iii) un produit provenant en totalité ou en partie d'un produit agricole, d'une plante ou d'un produit provenant d'une plante, à l'exclusion du grain;

b) le saké;

c) boisson visée aux alinéas a) ou b) qui est fortifiée jusqu'à concurrence de 22,9 % d'alcool éthylique absolu par volume.

« vinerie libre-service » Local d'un exploitant autorisé de vinerie libre-service que le ministre a désigné à titre de vinerie libre-service de l'exploitant.

Notes historiques: L'article 2 a été ajouté par L.C. 2002, c. 22 et est entré en vigueur le 1er avril 2003 [C.P. 2003-388].

Renvois [art. 2]: 2« préposé »; 2(1) (alcool spécialement dénaturé); 2(1) (produit du tabac); 2(1) (spiritueux); 2(1) (tabac en feuille); 2(1) (titulaire de licence de spiritueux); 2(1) (titulaire de licence de tabac); 2(1) (titulaire de licence de vin); 2(1) (vin); 4« bière »; 21« emballé »; 21« entrepôt d'accise »; 21« en vrac »; 21« exploitant agréé d'entrepôt d'accise »; 21« local déterminé »; 21« spiritueux »; 21« vin »; 123(1)« produits soumis à l'accise ».

3. Renvois à d'autres textes — Le renvoi, dans la présente loi, à un texte abrogé d'une province ou d'un territoire, ou à une partie abrogée d'un tel texte, à propos de faits ultérieurs à l'abrogation, équivaut à un renvoi aux dispositions correspondantes du texte ou de la partie de remplacement. À défaut de telles dispositions ou d'un texte ou d'une partie de remplacement, le texte ou la partie abrogé est considéré comme étant encore en vigueur dans la mesure nécessaire pour donner effet au renvoi.

Notes historiques: L'article 3 a été ajouté par L.C. 2002, c. 22 et est entré en vigueur le 1er juillet 2003 [C.P. 2003-388].

4. Sens de « exécution ou contrôle d'application » — Il est entendu que la mention **« exécution ou contrôle d'application de la présente loi »** dans la présente loi comprend le recouvrement d'une somme exigible en vertu de la présente loi.

Notes historiques: L'article 4 a été ajouté par L.C. 2002, c. 22 et est entré en vigueur le 1er avril 2003 [C.P. 2003-388].

5. (1) Possession réputée — Pour l'application de l'article 25.2, des paragraphes 25.3(1), 30(1), 32(1) et 32.1(1), de l'article61, des paragraphes 70(1) et 88(1), des articles 230 et 231 et du paragraphe 238.1(1), la chose qu'une personne a en sa possession au su et avec le consentement d'autres personnes est réputée être sous la garde et en la possession de toutes ces personnes et de chacune d'elles.

(2) Sens de « possession » — Au présent article, à l'article 25.2, aux paragraphes 25.3(1), 30(1), 32(1) et 32.1(1), à l'article 61 et aux paragraphes 70(1) ,88(1) et 238.1(1), « possession » s'entend du fait pour une personne d'avoir une chose en sa possession personnelle ainsi que du fait, pour elle :

a) de savoir qu'une autre personne l'a en sa possession effective ou sous sa garde effective pour son compte;

b) de savoir qu'elle l'a dans un endroit quelconque, à son usage ou avantage, ou à celui d'une autre personne.

Notes historiques: Le paragraphe 5(1) a été remplacé par L.C. 2010, c. 12, par. 39(1) et cette modification s'applique selon les mêmes modalités que la modification apportée à la définition de « estampillé » à l'article 2. Antérieurement, il se lisait ainsi :

5. (1) Pour l'application des paragraphes 30(1), 32(1) et 32.1(1), de l'article 61, des paragraphes 70(1) et 88(1) et des articles 230 et 231, la chose qu'une personne a en sa possession au su et avec le consentement d'autres personnes est réputée être sous la garde et en la possession de toutes ces personnes et de chacune d'elles.

Le paragraphe 5(1) a été remplacé par L.C. 2008, c. 28, par. 51(1) et cette modification est réputée entrée en vigueur le 18 juin 2008. Antérieurement, il se lisait ainsi :

5. (1) **Possession réputée** — Pour l'application des paragraphes 30(1) et 32(1), de l'article 61, des paragraphes 70(1) et 88(1) et des articles 230 et 231, la chose qu'une personne a en sa possession au su et avec le consentement d'autres personnes est réputée être sous la garde et en la possession de toutes ces personnes et de chacune d'elles.

Le préambule du paragraphe 5(2) a été remplacé par L.C. 2010, c. 12, par. 39(2) et cette modification s'applique selon les mêmes modalités que la modification apportée à la définition de « estampillé » à l'article 2. Antérieurement, il se lisait ainsi :

(2) Au présent article, aux paragraphes 30(1), 32(1) et 32.1(1), à l'article 61 et aux paragraphes 70(1) et 88(1), « possession » s'entend du fait pour une personne d'avoir une chose en sa possession personnelle ainsi que du fait, pour elle :

Le préambule du paragraphe 5(2) a été remplacé par L.C. 2008, c. 28, par. 51(2) et cette modification est réputée entrée en vigueur le 18 juin 2008. Antérieurement, il se lisait ainsi :

(2) Au présent article, aux paragraphes 30(1) et 32(1), à l'article 61 et aux paragraphes 70(1) et 88(1), « possession » s'entend du fait pour une personne d'avoir une chose en sa possession personnelle ainsi que du fait, pour elle :

L'article 5 a été ajouté par L.C. 2002, c. 22 et est entré en vigueur le 1er juillet 2003 [C.P. 2003-388].

6. (1) Lien de dépendance — Pour l'application de la présente loi :

a) des personnes liées sont réputées avoir entre elles un lien de dépendance;

b) la question de savoir si des personnes non liées n'ont pas de lien de dépendance à un moment donné est une question de fait.

(2) Personnes liées — Pour l'application de la présente loi, des personnes sont liées si elles sont des personnes liées au sens des paragraphes 251(2) à (6) de la *Loi de l'impôt sur le revenu*. Cependant, la mention à ces paragraphes de « société » vaut mention de « personne morale ou société de personnes » et les mentions d'« actions » et d'« actionnaires » valent mention respectivement, en ce qui concerne les sociétés de personnes, de « droits » et d'« associés ».

(3) Personnes morales associées — Les paragraphes 256(1) à (6) de la *Loi de l'impôt sur le revenu* s'appliquent aux fins de déterminer si des personnes morales sont associées pour l'application de la présente loi.

(4) Personne associée à une personne morale — Une personne autre qu'une personne morale est associée à une personne morale pour l'application de la présente loi si elle la contrôle, seule ou avec un groupe de personnes associées les unes aux autres dont elle est membre.

(5) Personne associée à une société de personnes ou à une fiducie — Pour l'application de la présente loi, une personne est associée :

a) à une société de personnes si le total des parts sur les bénéfices de celle-ci auxquelles la personne et les personnes qui lui sont associées ont droit représente plus de la moitié des bénéfices totaux de la société ou le représenterait si celle-ci avait des bénéfices;

b) à une fiducie si la valeur globale des participations dans celle-ci qui appartiennent à la personne et aux personnes qui lui sont associées représente plus de la moitié de la valeur globale de l'ensemble des participations dans la fiducie.

(6) Personnes associées à un tiers — Pour l'application de la présente loi, des personnes sont associées si chacune d'elles est associée à un tiers.

Notes historiques: Les paragraphes 6(3) à (6) ont été ajoutés par L.C. 2010, c. 25, art. 108 et sont réputés être entrés en vigueur le 15 décembre 2010.

L'article 6 a été ajouté par L.C. 2002, c. 22 et est entré en vigueur le 1er juillet 2003 [C.P. 2003-388].

PARTIE 1 — APPLICATION ET ADMINISTRATION

Sa Majesté

7. Sa Majesté — La présente loi lie Sa Majesté et Sa Majesté du chef d'une province.

Notes historiques: L'article 7 a été ajouté par L.C. 2002, c. 22 et est entré en vigueur le 1er avril 2003 [C.P. 2003-388].

Personnel assurant l'exécution

8. Fonctions du ministre — Le ministre assure l'exécution et le contrôle d'application de la présente loi, et le commissaire peut exercer les pouvoirs et remplir les fonctions dévolus au ministre en vertu de la présente loi.

Notes historiques: L'article 8 a été ajouté par L.C. 2002, c. 22 et est entré en vigueur le 1er avril 2003 [C.P. 2003-388].

9. (1) Personnel — Sont nommés, employés ou engagés de la manière autorisée par la loi le personnel et les mandataires nécessaires à l'exécution et au contrôle d'application de la présente loi.

(2) Préposé désigné — Le ministre peut autoriser des préposés ou des mandataires, à titre individuel ou collectif, à exercer les pouvoirs et les fonctions que lui confère la présente loi, notamment en matière judiciaire ou quasi judiciaire.

(3) Préposé désigné — Le ministre de la Sécurité publique et de la Protection civile peut autoriser des préposés ou des mandataires, à titre individuel ou collectif, à exercer les pouvoirs et les fonctions que lui confère l'article 68.

Notes historiques: Le paragraphe 9(3) a été modifié par L.C. 2005, c. 38, art. 145 par le remplacement de « solliciteur général du Canada » par les mots « ministre de la Sécurité publique et de la Protection civile ». Cette modification est entrée en vigueur le 12 décembre 2005 [C.P. 2005-2041 du 21 novembre 2005 (TR/2005-119)].

Le paragraphe 9(3) a été ajouté par L.C. 2005, c. 38, art. 93 et est entré en vigueur le 12 décembre 2005 [C.P. 2005-2041 du 21 novembre 2005 (TR/2005-119)].

L'article 9 a été ajouté par L.C. 2002, c. 22 et est entré en vigueur le 1er avril 2003 [C.P. 2003-388].

10. (1) Désignation d'un corps de police — Le ministre et le ministre de la Sécurité publique et de la Protection civile peuvent désigner tout corps de police canadien pour l'application des dispositions de la présente loi qui sont précisées dans le document constatant la désignation, pour la période qui y est prévue et sous réserve des modalités qui y sont précisées.

(2) Pouvoirs et fonctions — Les membres d'un corps de police désigné ont les pouvoirs et fonctions d'un préposé pour l'application des dispositions de la présente loi qui sont précisées dans le document constatant la désignation.

(3) Publication d'un avis de la désignation — Un avis de la désignation, et de sa modification ou de son annulation, est publié dans la *Gazette du Canada*. La désignation, la modification ou l'annulation n'ont d'effet qu'à compter de la publication.

Notes historiques: Le paragraphe 10(1) a été modifié par L.C. 2005, c. 10, par. 34(1)k) par le remplacement des mots « solliciteur général du Canada » par « ministre de la Sécurité publique et de la Protection civile ». Cette modification est entrée en vigueur le 4 avril 2005 [C.P. 2005-482].

L'article 10 a été ajouté par L.C. 2002, c. 22 et est entré en vigueur le 1er avril 2003 [C.P. 2003-388].

11. Désignation des analystes — Le ministre peut désigner des personnes, à titre individuel ou collectif, à titre d'analystes pour l'application de la présente loi.

Notes historiques: L'article 11 a été ajouté par L.C. 2002, c. 22 et est entré en vigueur le 1er avril 2003 [C.P. 2003-388].

12. Déclaration sous serment — Tout préposé peut, si le ministre l'a désigné à cette fin, faire prêter les serments et recevoir les déclarations sous serment, solennelles ou autres, exigés pour l'exécution ou le contrôle d'application de la présente loi, ou qui y sont accessoires. À cet effet, il dispose des pouvoirs d'un commissaire aux serments.

Notes historiques: L'article 12 a été ajouté par L.C. 2002, c. 22 et est entré en vigueur le 1er avril 2003 [C.P. 2003-388].

Enquêtes

13. (1) Enquête — Le ministre peut, pour l'exécution ou le contrôle d'application de la présente loi, autoriser une personne, qu'il s'agisse ou non d'un préposé, à faire toute enquête qu'il estime nécessaire sur toute question se rapportant à l'exécution ou au contrôle d'application de la présente loi.

(2) Nomination d'un président d'enquête — Le ministre qui autorise une personne à faire enquête doit immédiatement demander à la Cour de l'impôt une ordonnance nommant le président d'enquête.

(3) Pouvoirs du président d'enquête — Pour les besoins de l'enquête, le président d'enquête a les pouvoirs conférés à un commissaire en vertu des articles 4 et 5 de la *Loi sur les enquêtes* de même que ceux qui sont susceptibles de l'être en vertu de l'article 11 de cette loi.

(4) Exercice des pouvoirs du président d'enquête — Le président d'enquête exerce les pouvoirs conférés à un commissaire en vertu de l'article 4 de la *Loi sur les enquêtes* à l'égard des personnes que la personne autorisée à faire enquête considère comme appropriées pour la conduite de celle-ci. Toutefois, le président d'enquête ne peut exercer le pouvoir de punir une personne que si, à sa requête, un juge atteste que ce pouvoir peut être exercé dans l'affaire exposée dans la requête et que si le requérant donne à la personne à l'égard de laquelle il est proposé d'exercer ce pouvoir avis de l'audition de la requête vingt-quatre heures avant sa tenue ou dans le délai plus court que le juge estime raisonnable.

(5) Droits des témoins — Le témoin à l'enquête a le droit d'être représenté par avocat et, sur demande faite au ministre, de recevoir transcription de sa déposition.

(6) Droits des personnes visées par une enquête — Toute personne dont les affaires sont examinées dans le cadre d'une enquête a le droit d'être présente et d'être représentée par avocat tout au long de l'enquête. Sur demande du ministre ou d'un témoin, le président d'enquête peut en décider autrement pour tout ou partie de l'enquête, pour le motif que la présence de cette personne ou de son avocat nuirait à la bonne conduite de l'enquête.

Notes historiques: L'article 13 a été ajouté par L.C. 2002, c. 22 et est entré en vigueur le 1er juillet 2003 [C.P. 2003-388].

PARTIE 2 — LICENCES, AGRÉMENTS ET AUTORISATIONS

Licences et agréments

Notes historiques: La partie 2, incluant les articles 14 à 24, a été ajoutée par L.C. 2002, c. 22 et est entrée en vigueur le 1er avril 2003 [C.P. 2003-388].

14. (1) Délivrance — Sous réserve des règlements, le ministre peut délivrer, sur demande :

a) une licence de spiritueux, autorisant son titulaire à produire ou à emballer des spiritueux;

b) une licence de vin, autorisant son titulaire à produire ou à emballer du vin;

c) un agrément d'utilisateur, autorisant son titulaire à utiliser de l'alcool en vrac, de l'alcool emballé non acquitté ou une préparation assujettie à des restrictions;

d) une licence de tabac, autorisant son titulaire à fabriquer des produits du tabac;

e) un agrément de commerçant de tabac, autorisant son titulaire à exercer les activités d'un commerçant de tabac.

Notes historiques: L'alinéa 14(1)c) a été remplacé par L.C. 2007, c. 18, par. 68(1) et cette modification est réputée être entrée en vigueur le 1er avril 2003. Antérieurement, il se lisait ainsi :

> c) un agrément d'utilisateur, autorisant son titulaire à utiliser de l'alcool en vrac ou de l'alcool emballé non acquitté;

(2) Activités exclues — La personne qui est réputée avoir emballé de l'alcool par l'effet des articles 77 ou 82 ne peut, de ce seul fait, obtenir la licence mentionnée aux alinéas (1)a) ou b).

(3) Activité exclue — Nul n'a droit à la licence mentionnée à l'alinéa (1)a) du seul fait, selon le cas :

a) qu'il est réputé avoir produit des spiritueux par l'effet de l'article 131.2;

b) qu'il a produit des spiritueux en vue ou par suite de l'analyse de la composition d'une substance contenant de l'alcool éthylique absolu.

Notes historiques: Le paragraphe 14(3) a été remplacé par L.C. 2007, c. 18, par. 68(2) et cette modification est réputée être entrée en vigueur le 1er avril 2003. Antérieurement, il se lisait ainsi :

> (3) La personne qui est réputée avoir produit des spiritueux par l'effet du paragraphe 131(2) ne peut, de ce seul fait, obtenir la licence mentionnée à l'alinéa (1)a).

(4) Délivrance d'une licence de vin — Sous réserve des règlements, le ministre peut délivrer, à tout titulaire de licence de spiritueux et d'agrément d'utilisateur qui en fait la demande, une licence de vin l'autorisant à fortifier le vin.

Notes historiques: Le paragraphe 14(4) a été ajouté par L.C. 2007, c. 18, par. 68(2) et est réputé être entré en vigueur le 1er avril 2003.

Renvois [art. 14]: 176 (infraction).

Formulaires [14]: B263, *Déclaration des droits d'accise — utilisateur agréé*; B265, *Déclaration des droits d'accise — titulaire de licence de vin*; B266, *Déclaration des droits d'accise — titulaire de licence de spiritueux*; B267, *Déclaration des droits d'accise — titulaire de licence de tabac*; B271, *Déclaration des droits d'accise — commerçant de tabac*; L63, *Demande de licence, d'agrément ou l'autorisation en vertu de la Loi de 2001 sur l'accise*; Y15A, *Demande adressée à la direction des travaux scientifiques et de laboratoire — accise*.

Autorisations

15. Autorisation — vinerie libre-service — Sous réserve des règlements, le ministre peut délivrer à la personne qui en fait la demande l'autorisation de posséder dans sa vinerie libre-service du vin en vrac qu'un particulier y a produit et dont il est propriétaire.

Formulaires [15]: L63, *Demande de licence, d'agrément ou l'autorisation en vertu de la Loi de 2001 sur l'accise*.

16. Autorisation — utilisateur de spiritueux — Sous réserve des règlements, le ministre peut délivrer à ceux des établissements ci-après qui en font la demande l'autorisation d'utiliser des spiritueux emballés non acquittés, aux fins précisées :

a) les laboratoires scientifiques et de recherches qui reçoivent annuellement de l'aide du gouvernement du Canada ou d'une province, à des fins scientifiques;

b) les universités et autres établissements d'enseignement postsecondaire reconnus par une province, à des fins scientifiques;

c) les établissements de soins, à des fins médicinales et scientifiques;

d) les institutions de santé qui reçoivent annuellement de l'aide du gouvernement du Canada ou d'une province, à des fins médicinales et scientifiques.

17. Autorisation — alcool — Sous réserve des règlements, le ministre peut délivrer à la personne qui en fait la demande l'autorisation d'entreposer ou de transporter de l'alcool en vrac, de l'alcool spécialement dénaturé ou une préparation assujettie à des restrictions.

Notes historiques: L'article 17 a été remplacé par L.C. 2007, c. 18, par. 69(1) et cette modification est réputée être entrée en vigueur le 1er avril 2003. Antérieurement, il se lisait ainsi :

> 17. Sous réserve des règlements, le ministre peut délivrer à la personne qui en fait la demande l'autorisation d'entreposer ou de transporter de l'alcool en vrac ou de l'alcool spécialement dénaturé.

18. (1) Autorisation — alcool spécialement dénaturé — Sous réserve des règlements, le ministre peut délivrer à la personne qui en fait la demande l'autorisation de posséder et d'utiliser de l'alcool spécialement dénaturé.

(2) Restrictions — certaines qualités d'alcool spécialement dénaturé — Le ministre peut imposer des restrictions quant à l'utilisation de certaines qualités d'alcool spécialement dénaturé.

Formulaires [15]: L63, *Demande de licence, d'agrément ou l'autorisation en vertu de la Loi de 2001 sur l'accise.*

Entrepôts d'accise

19. (1) Agrément — Sous réserve des règlements, le ministre peut délivrer, sur demande, l'agrément d'exploitant d'entrepôt d'accise à la personne qui n'est pas un vendeur au détail d'alcool l'autorisant à posséder dans son entrepôt d'accise de l'alcool emballé non acquitté ou des cigares ou du tabac fabriqué non estampillés.

(2) Vendeurs au détail d'alcool admissibles — L'agrément d'exploitant d'entrepôt d'accise visé au paragraphe (1) peut être délivré aux personnes ci-après, indépendamment du fait qu'elles soient des vendeurs au détail d'alcool :

a) les titulaires de licence d'alcool;

b) les administrations des alcools;

c) les personnes qui fournissent des marchandises conformément au *Règlement sur les provisions de bord.*

Notes historiques: Le paragraphe 19(1) a été remplacé par L.C. 2007, c. 18, par. 70(1) et cette modification est réputée être entrée en vigueur le 1er avril 2003. Antérieurement, il se lisait ainsi :

> 19. (1) Sous réserve des règlements, le ministre peut délivrer, sur demande, l'agrément d'exploitant d'entrepôt d'accise à la personne qui n'est pas un vendeur au détail d'alcool l'autorisant à posséder dans son entrepôt d'accise de l'alcool emballé non acquitté ou des produits du tabac non estampillés.

Formulaires [19]: B262, *Déclaration des droits d'accise — exploitant agréé d'entrepôt d'accise*; L63, *Demande de licence, d'agrément ou l'autorisation en vertu de la Loi de 2001 sur l'accise.*

Entrepôts d'accise spéciaux

20. (1) Agrément — Sous réserve des règlements, le ministre peut délivrer, sur demande, l'agrément d'exploitant d'entrepôt d'accise spécial à la personne qui est autorisée par un titulaire de licence de tabac à être la seule personne, mis à part le titulaire de licence, à pouvoir distribuer à des représentants accrédités du tabac fabriqué, ou des cigares, fabriqués par le titulaire de licence.

(2) Un agrément par personne — Le ministre ne peut délivrer à une même personne plus d'un agrément d'exploitant d'entrepôt d'accise spécial.

(3) Un local par agrément — Le ministre ne peut désigner plus d'un local d'un exploitant agréé d'entrepôt d'accise spécial à titre d'entrepôt d'accise spécial.

Notes historiques: Le paragraphe 20(1) a été remplacé par L.C. 2007, c. 18, par. 71(1) et cette modification est réputée être entrée en vigueur le 1er avril 2003. Antérieurement, il se lisait ainsi :

> 20. (1) Sous réserve des règlements, le ministre peut délivrer, sur demande, l'agrément d'exploitant d'entrepôt d'accise spécial à la personne qui est autorisée par un titulaire de licence de tabac à être la seule personne, mis à part le titulaire de licence, à pouvoir distribuer à des représentants accrédités des produits du tabac fabriqués par le titulaire de licence.

Formulaires [20]: B264, *Déclaration des droits d'accise — exploitant agréé d'entrepôt d'accise spécial*; L63, *Demande de licence, d'agrément ou l'autorisation en vertu de la Loi de 2001 sur l'accise.*

21. (1) Retour de produits du tabac — Si une personne cesse d'être autorisée par un titulaire de licence de tabac à distribuer à des représentants accrédités du tabac fabriqué, ou des cigares, fabriqués par le titulaire de licence, les règles suivantes s'appliquent :

a) la personne doit aussitôt retourner le tabac ou les cigares entreposés dans son entrepôt d'accise spécial à l'entrepôt d'accise du titulaire de licence;

b) le titulaire de licence doit aussitôt aviser le ministre par écrit que la personne a cessé d'être ainsi autorisée.

(2) Révocation — Le ministre révoque l'agrément d'exploitant d'entrepôt d'accise spécial de la personne si elle n'est plus autorisée par quelque titulaire de licence de tabac que ce soit à distribuer du tabac fabriqué ou des cigares à des représentants accrédités.

Notes historiques: L'article 21 a été remplacé par L.C. 2007, c. 18, par. 72(1) et cette modification est réputée être entrée en vigueur le 1er avril 2003. Antérieurement, il se lisait ainsi :

> 21. (1) Lorsqu'une personne cesse d'être autorisée par un titulaire de licence de tabac à distribuer à des représentants accrédités des produits du tabac fabriqués par le titulaire de licence, les règles suivantes s'appliquent :
>
> a) la personne doit aussitôt retourner les produits du tabac entreposés dans son entrepôt d'accise spécial à l'entrepôt d'accise du titulaire de licence;
>
> b) le titulaire de licence doit aussitôt aviser le ministre par écrit que la personne a cessé d'être ainsi autorisée.
>
> (2) Le ministre révoque l'agrément d'exploitant d'entrepôt d'accise spécial de la personne si elle n'est plus autorisée par quelque titulaire de licence de tabac que ce soit à distribuer des produits du tabac à des représentants accrédités.

Boutiques hors taxes

22. Agrément — Sous réserve des règlements, le ministre peut délivrer, sur demande, à la personne qui est titulaire d'un agrément d'exploitation de boutique hors taxes en vertu de la *Loi sur les douanes* un agrément l'autorisant à posséder et à vendre du tabac fabriqué importé qui est assujetti au droit spécial prévu à l'article 53.

Formulaires [22]: B261, *Déclaration des droits d'accise — boutique hors taxe.*

Dispositions générales

23. (1) Refus de délivrer une licence, un agrément ou une autorisation — Le ministre peut refuser de délivrer une licence, un agrément ou une autorisation à une personne s'il est fondé à croire :

a) soit que l'accès au local de la personne sera refusé ou entravé par une personne quelconque;

b) soit que l'intérêt public le justifie d'une façon générale.

(2) Modification ou renouvellement — Sous réserve des règlements, le ministre peut modifier, suspendre, renouveler, révoquer ou rétablir une licence, un agrément ou une autorisation.

(2.1) Révocation, etc. — accès au local — Le ministre peut modifier, suspendre ou révoquer la licence, l'agrément ou l'autorisation d'une personne si, selon le cas :

a) l'accès au local du titulaire de la licence, de l'agrément ou de l'autorisation est refusé ou entravé par une personne quelconque;

b) d'une façon générale, l'intérêt public le justifie.

(3) Conditions — Lors de la délivrance d'une licence, d'un agrément ou d'une autorisation ou postérieurement, le ministre :

a) peut, sous réserve des règlements, préciser les activités dont la licence, l'agrément ou l'autorisation permet l'exercice ainsi que le local où elles peuvent être exercées;

b) exige, dans le cas d'une licence de spiritueux ou d'une licence de tabac, que soit fournie sous une forme qu'il juge acceptable une caution d'une somme déterminée conformément aux règlements;

c) peut imposer d'autres conditions qu'il estime indiquées relativement à l'exercice des activités visées par la licence, l'agrément ou l'autorisation.

Notes historiques: Le paragraphe 23(1) a été remplacé par L.C. 2008, c. 28, par. 52(1) et cette modification est réputée entrée en vigueur le 18 juin 2008. Antérieurement, il se lisait ainsi :

> 23. (1) Pour une raison qu'il juge suffisante dans l'intérêt public, le ministre peut refuser de délivrer une licence, un agrément ou une autorisation.

Le paragraphe 23(2.1) a été ajouté par L.C. 2008, c. 28, par. 52(2) et est réputé entré en vigueur le 18 juin 2008.

Formulaires [23]: *Cautionnement d'accise (échantillon).*

24. Observation de la loi — Le titulaire de licence, d'agrément ou d'autorisation exerce les activités visées par sa licence, son agrément ou son autorisation conformément à la présente loi.

24.1 *Loi sur les textes réglementaires* — Il est entendu que les licences, agréments et autorisations délivrés en vertu de la présente loi ne sont pas des textes réglementaires pour l'application de la *Loi sur les textes réglementaires*.

Notes historiques: L'article 24.1 a été ajouté par L.C. 2007, c. 18, par. 73(1) et est réputé être entré en vigueur le 1er avril 2003.

PARTIE 3 — TABAC

Réglementation du tabac

Notes historiques: La partie 3, incluant les articles 25 à 58, a été ajoutée par L.C. 2002, c. 22 et est entrée en vigueur le 1er juillet 2003 [C.P. 2003-388].

25. (1) Interdiction — fabrication de produits du tabac — Il est interdit, sauf en conformité avec une licence de tabac, de fabriquer des produits du tabac.

(2) Présomption — fabricant — La personne qui, en échange d'une contrepartie ou autrement, fournit ou offre de fournir à son lieu d'affaires du matériel qu'une autre personne peut utiliser dans ce lieu pour fabriquer un produit du tabac est réputée fabriquer le produit du tabac, et l'autre personne est réputée ne pas le fabriquer.

(3) Exceptions — fabrication à des fins personnelles — Il est permis au particulier non titulaire de licence de tabac de fabriquer du tabac fabriqué ou des cigares :

a) à partir de tabac en feuilles emballé ou de tabac fabriqué emballé sur lesquels le droit afférent a été acquitté, si le tabac ou les cigares sont destinés à son usage personnel;

b) à partir de tabac en feuilles cultivé sur le bien-fonds où il réside, si :

(i) d'une part, le tabac ou les cigares sont destinés à son usage personnel ou à celui des membres de sa famille âgés de dix-huit ans ou plus qui résident avec lui,

(ii) d'autre part, la quantité fabriquée au cours d'une année ne dépasse pas 15 kg pour chaque personne visée au sous-alinéa (i).

Notes historiques: Le paragraphe 25(3) a été remplacé par L.C. 2007, c. 18, par. 74(1) et cette modification est réputée être entrée en vigueur le 1er juillet 2003. Antérieurement, il se lisait ainsi :

(3) Il est permis au particulier non titulaire de licence de tabac de fabriquer des produits du tabac :

a) à partir de tabac en feuilles emballé ou de tabac fabriqué emballé sur lequel le droit afférent a été acquitté, si les produits sont destinés à son usage personnel;

b) à partir de tabac en feuilles cultivé sur le bien-fonds où il réside, si :

(i) d'une part, les produits sont destinés à son usage personnel ou celui des membres de sa famille âgés de dix-huit ans ou plus qui résident avec lui,

(ii) d'autre part, la quantité fabriquée au cours d'une année ne dépasse pas 15 kg pour chaque personne visée au sous-alinéa (i).

25.1 (1) Emissions de timbres d'accise — Sur demande présentée en la forme et selon les modalités qu'il autorise, le ministre peut émettre, aux titulaires de licence de tabac et aux personnes visées par règlement qui importent des produits du tabac, des timbres qui servent à indiquer que les droits autres que le droit spécial ont été acquittés sur un produit du tabac.

(2) Nombre de timbres d'accise — Le ministre peut limiter le nombre de timbres d'accise qui peuvent être émis à une personne en vertu du paragraphe (1).

(3) Caution — Il n'est émis de timbre d'accise qu'aux personnes ayant fourni, sous une forme que le ministre juge acceptable, une caution d'une somme déterminée conformément aux règlements.

(4) Fourniture de timbres d'accise — Le ministre peut autoriser un producteur de timbres d'accise à fournir, sur son ordre, des timbres d'accise à toute personne à qui ces timbres sont émis en application du paragraphe (1).

(5) Conception et fabrication — La conception et la fabrication des timbres d'accise sont sujettes à l'approbation du ministre.

Notes historiques: L'article 25.1 a été ajouté par L.C. 2010, c. 12, art. 40 et s'applique selon les mêmes modalités que la modification apportée à la définition de « estampillé » à l'article 2.

25.2 Contrefaçon — Nul ne peut, sans justification ou excuse légitime dont la preuve lui incombe, produire, posséder, vendre ou autrement fournir, ou offrir de fournir, une chose qui est destinée à ressembler à un timbre d'accise ou à passer pour un tel timbre.

Notes historiques: L'article 25.2 a été ajouté par L.C. 2010, c. 12, art. 40 et s'applique selon les mêmes modalités que la modification apportée à la définition de « estampillé » à l'article 2.

25.3 Possession illégale de timbres d'accise — (1) Nul ne peut avoir en sa possession un timbre d'accise qui n'a pas été apposé sur un produit du tabac ou sur son contenant selon les modalités réglementaires visées à la définition de « estampillé » à l'article 2 pour indiquer que les droits afférents autres que le droit spécial ont été acquittés.

(2) Exceptions — possession — Le paragraphe (1) ne s'applique pas dans le cas où le timbre d'accise est en la possession des personnes suivantes :

a) la personne qui a légalement produit le timbre;

b) la personne à qui le timbre a été émis;

c) l'exploitant agréé d'entrepôt d'attente qui possède le timbre dans son entrepôt d'attente pour le compte de la personne mentionnée à l'alinéa b);

d) toute personne visée par règlement.

Notes historiques: L'article 25.3 a été ajouté par L.C. 2010, c. 12, art. 40 et s'applique selon les mêmes modalités que la modification apportée à la définition de « estampillé » à l'article 2.

25.4 Fourniture illégale de timbres d'accise — Il est interdit de vendre ou de fournir autrement, ou d'offrir de fournir, un timbre d'accise, ou d'en disposer, autrement que conformément à la présente loi.

Notes historiques: L'article 25.4 a été ajouté par L.C. 2010, c. 12, art. 40 et s'applique selon les mêmes modalités que la modification apportée à la définition de « estampillé » à l'article 2.

25.5 Annulation, retour et destruction des timbres d'accise — Le ministre peut :

a) d'une part, annuler un timbre d'accise après son émission;

b) d'autre part, ordonner qu'il soit retourné ou détruit selon ses instructions.

Notes historiques: L'article 25.5 a été ajouté par L.C. 2010, c. 12, art. 40 et s'applique selon les mêmes modalités que la modification apportée à la définition de « estampillé » à l'article 2.

26. Commerçant de tabac — Il est interdit d'exercer l'activité de commerçant de tabac, sauf en conformité avec un agrément de commerçant de tabac.

27. Emballage ou estampillage illégal — Il est interdit d'emballer ou d'estampiller du tabac en feuilles ou un produit du tabac sans être :

a) titulaire de licence de tabac;

b) importateur ou propriétaire du tabac ou du produit, dans le cas où ceux-ci ont été déposés dans un entrepôt d'attente en vue d'être estampillés.

28. (1) Sortie illégale — Sauf exception prévue à l'article 40, il est interdit de sortir des locaux d'un titulaire de licence de tabac du tabac en feuilles ou un produit du tabac qui n'est pas emballé et qui :

a) étant destiné au marché des marchandises acquittées, n'est pas estampillé;

b) n'étant pas destiné à ce marché, ne porte pas les mentions obligatoires qui doivent être imprimées ou apposées sur son contenant conformément à la présente loi.

(2) Exceptions — Le paragraphe (1) ne s'applique pas au titulaire de licence de tabac qui sort de ses locaux :

a) du tabac en feuilles pour :

(i) le retourner au commerçant de tabac agréé ou au tabaculteur,

(ii) le livrer à un autre titulaire de licence de tabac,

(iii) l'exporter;

b) du tabac partiellement fabriqué pour le livrer à un autre titulaire de licence de tabac ou l'exporter.

Notes historiques: L'alinéa 28(2)a) a été remplacé par L.C. 2007, c. 18, par. 75(1) et cette modification est réputée être entrée en vigueur le 1er juillet 2003. Antérieurement, il se lisait ainsi :

a) du tabac en feuilles pour le retourner au tabaculteur, le livrer à un autre titulaire de licence de tabac ou l'exporter;

28.1 (1) Sortie illégale des locaux du commerçant de tabac — Il est interdit de sortir du tabac en feuilles des locaux du commerçant de tabac agréé.

(2) Exception — Le paragraphe (1) ne s'applique pas au commerçant de tabac agréé qui sort du tabac en feuilles de ses locaux pour :

a) le retourner au tabaculteur;

b) le livrer à un autre commerçant de tabac agréé ou à un titulaire de licence de tabac;

c) l'exporter.

Notes historiques: L'article 28.1 a été ajouté par L.C. 2007, c. 18, par. 76(1) et est réputé être entré en vigueur le 1er juillet 2003.

29. Interdiction — certains produits du tabac pour vente — Il est interdit à une personne d'acheter ou de recevoir, pour les vendre :

a) des produits du tabac d'un fabricant dont elle sait ou devrait savoir qu'il n'est pas titulaire de licence de tabac;

b) des produits du tabac qui, en contravention de la présente loi, ne sont ni emballés ni estampillés;

c) des produits du tabac dont elle sait ou devrait savoir qu'ils sont estampillés frauduleusement.

30. (1) Interdiction — tabac en feuilles non estampillé — Il est interdit de vendre, d'offrir en vente, d'acheter ou d'avoir en sa possession du tabac en feuilles qui n'est ni emballé ni estampillé, ou d'en disposer.

(2) Exceptions — Le paragraphe (1) ne s'applique pas :

a) au titulaire de licence de tabac ni au commerçant de tabac agréé;

b) à la possession de tabac en feuilles :

(i) dans un entrepôt de stockage ou un entrepôt d'attente par l'exploitant agréé,

(ii) par un organisme établi par une loi provinciale de commercialisation du tabac en feuilles cultivé dans la province,

(iii) par la personne visée par règlement qui transporte le tabac dans les circonstances et selon les modalités prévues par règlement.

Notes historiques: Les alinéas 30(2)a) et b) ont été remplacés et l'alinéa c) a été supprimé par L.C. 2007, c. 18, par. 77(1) et ces modifications sont réputées être entrées en vigueur le 1er juillet 2003. Antérieurement, ils se lisaient ainsi :

a) au titulaire de licence de tabac;

b) à la possession de tabac en feuilles :

(i) dans un entrepôt de stockage ou un entrepôt d'attente par l'exploitant agréé,

(ii) par un organisme établi par une loi provinciale de commercialisation du tabac en feuilles cultivé dans la province;

c) à la vente, l'offre de vente ou l'achat de tabac en feuilles par un commerçant de tabac agréé.

31. Autres exceptions — art. 26 et 30 — Le tabaculteur ne contrevient pas aux articles 26 ou 30 du seul fait qu'il fait le commerce ou a en sa possession :

a) du tabac en feuilles qu'il cultive sur sa propriété pour le vendre à un titulaire de licence de tabac ou à un commerçant de tabac agréé, ou en disposer autrement au profit d'un titulaire de licence de tabac, si le tabac est soit sur sa propriété, soit en cours de transport par ses soins :

(i) relativement à son séchage,

(ii) pour être livré à un titulaire de licence de tabac ou à un commerçant de tabac agréé, ou retourné par lui,

(iii) pour être livré à un organisme établi par une loi provinciale de commercialisation du tabac en feuilles cultivé dans la province, ou retourné par lui;

b) du tabac en feuilles cultivé par une autre personne, si le tabaculteur exploite sur sa propriété un séchoir à tabac et que le tabac ne soit en sa possession qu'en vue d'être séché et aussitôt retourné à l'autre personne ou exporté en conformité avec l'alinéa c);

c) du tabac en feuilles destiné à l'exportation, si le tabaculteur a l'autorisation écrite du ministre et remplit les conditions que celui-ci estime indiquées.

Notes historiques: Le sous-alinéa 31a)(ii) a été remplacé par L.C. 2007, c. 18, par. 78(1) et cette modification est réputée être entrée en vigueur le 1er juillet 2003. Antérieurement, il se lisait ainsi :

(ii) pour être livré à un titulaire de licence de tabac, ou retourné par lui,

32. (1) Possession ou vente illégale de produits du tabac — Il est interdit de vendre, d'offrir en vente ou d'avoir en sa possession des produits du tabac qui ne sont pas estampillés.

(2) Exceptions — possession — Le paragraphe (1) ne s'applique pas à la possession de produits du tabac dans les cas suivants :

a) ils sont en la possession d'un titulaire de licence de tabac et se trouvent au lieu de leur fabrication;

a.1) s'agissant de tabac fabriqué ou de cigares, ils sont en la possession du titulaire de licence de tabac qui les a fabriqués et se trouvent dans son entrepôt d'accise;

b) s'agissant de cigares ou de tabac fabriqué importé, ils sont en la possession d'un exploitant agréé d'entrepôt d'accise et se trouvent dans son entrepôt;

c) s'agissant de tabac fabriqué ou de cigares, ils sont en la possession d'un exploitant agréé d'entrepôt d'accise spécial — qui est autorisé, en vertu de la présente loi, à les distribuer — et se trouvent dans son entrepôt;

d) s'agissant de produits du tabac importés, ils sont en la possession d'une personne visée par règlement, qui les transporte dans les circonstances et selon les modalités prévues par règlement;

d.1) s'agissant de tabac fabriqué, ou de cigares, fabriqués au Canada, ils sont en la possession d'une personne visée par règlement, qui les transporte dans les circonstances et selon les modalités prévues par règlement;

e) s'agissant de produits du tabac importés, ils sont en la possession d'un exploitant agréé d'entrepôt d'attente et se trouvent dans son entrepôt;

e.1) s'agissant de cigares ou de tabac fabriqué importés, ils sont en la possession d'un exploitant agréé d'entrepôt de stockage et se trouvent dans son entrepôt;

f) s'agissant de cigares, ils sont en la possession d'un exploitant agréé de boutique hors taxes et se trouvent dans sa boutique;

g) s'agissant de tabac fabriqué importé, il est en la possession d'un exploitant agréé de boutique hors taxes qui est titulaire de l'agrément délivré en vertu de l'article 22 et se trouve dans sa boutique;

h) s'agissant de tabac fabriqué ou de cigares, ils sont en la possession d'un représentant accrédité, pour son usage personnel ou officiel;

i) s'agissant de cigares ou de tabac fabriqué importé, ils sont en la possession d'une personne à titre de provisions de bord et leurs acquisition et possession par cette personne sont conformes au *Règlement sur les provisions de bord*;

j) ils sont en la possession d'un particulier qui les a importés pour son usage personnel, en quantités ne dépassant pas les limites fixées par règlement;

k) s'agissant de tabac fabriqué ou de cigares, ils sont en la possession du particulier qui les a fabriqués conformément au paragraphe 25(3).

Notes historiques: L'alinéa 32(2)a) a été remplacé et l'alinéa a.1) a été ajouté par L.C. 2007, c. 18, par. 79(1) et ces modifications sont réputées être entrées en vigueur le 1er juillet 2003. Antérieurement, l'alinéa 32(2)a) se lisait ainsi :

a) ils sont en la possession d'un titulaire de licence de tabac et se trouvent au lieu de leur fabrication ou dans l'entrepôt d'accise du titulaire;

Les alinéas 32(2)c), d) et e) ont été remplacés et les alinéas d.1) et e.1) ont été ajoutés par L.C. 2007, c. 18, par. 79(2) et ces modifications sont réputées être entrées en vigueur le 1er juillet 2003. Antérieurement, les alinéas 32(2)c), d) et e) se lisaient ainsi :

c) ils sont en la possession d'un exploitant agréé d'entrepôt d'accise spécial, se trouvent dans son entrepôt et font partie des produits du tabac qu'il est autorisé, en vertu de la présente loi, à distribuer;

d) ils sont en la possession d'une personne visée par règlement, qui les transportent dans les circonstances et selon les modalités prévues par règlement;

e) s'agissant de produits du tabac importés, ils sont en la possession d'un exploitant agréé d'entrepôt de stockage ou d'un exploitant agréé d'entrepôt d'attente et se trouvent dans leur entrepôt;

L'alinéa 32(2)h) a été remplacé par L.C. 2007, c. 18, par. 79(3) et cette modification est réputée être entrée en vigueur le 1er juillet 2003. Antérieurement, il se lisait ainsi :

h) ils sont en la possession d'un représentant accrédité, pour son usage personnel ou officiel;

L'alinéa 32(2)k) a été remplacé par L.C. 2007, c. 18, par. 79(4) et cette modification est réputée être entrée en vigueur le 1er juillet 2003. Antérieurement, il se lisait ainsi :

k) ils sont en la possession d'un particulier qui les a fabriqués conformément au paragraphe 25(3).

(3) Exceptions — vente ou offre de vente — Le paragraphe (1) ne s'applique pas dans les circonstances suivantes :

a) un titulaire de licence de tabac vend ou offre en vente du tabac fabriqué ou des cigares qu'il exporte conformément à la présente loi;

b) un titulaire de licence de tabac vend ou offre en vente :

(i) du tabac fabriqué ou des cigares à l'exploitant agréé d'entrepôt d'accise spécial qui est autorisé, en vertu de la présente loi, à les distribuer,

(ii) du tabac fabriqué ou des cigares à un représentant accrédité, pour son usage personnel ou officiel,

(iii) des cigares à un exploitant agréé d'entrepôt d'accise, pour qu'ils soient livrés à titre de provisions de bord conformément au *Règlement sur les provisions de bord*,

(iv) des cigares à une boutique hors taxes, pour qu'ils soient vendus ou offerts en vente conformément à la *Loi sur les douanes*,

(v) des cigares à titre de provisions de bord conformément au *Règlement sur les provisions de bord*;

c) un exploitant agréé d'entrepôt d'accise spécial vend ou offre en vente à un représentant accrédité, pour son usage personnel ou officiel, du tabac fabriqué ou des cigares que l'exploitant est autorisé, en vertu de la présente loi, à distribuer;

d) un exploitant agréé d'entrepôt d'accise vend ou offre en vente, selon le cas :

(i) des cigares ou du tabac fabriqué importés qu'il exporte conformément à la présente loi,

(ii) des cigares ou du tabac fabriqué importés à un représentant accrédité, pour son usage personnel ou officiel, ou à une boutique hors taxes,

(iii) des cigares ou du tabac fabriqué importé, à titre de provisions de bord conformément au *Règlement sur les provisions de bord*;

e) un exploitant agréé de boutique hors taxes vend ou offre en vente des cigares conformément à la *Loi sur les douanes*;

f) un exploitant agréé de boutique hors taxes qui est titulaire de l'agrément délivré en vertu de l'article 22 vend ou offre en vente du tabac fabriqué importé conformément à la *Loi sur les douanes*;

g) un exploitant agréé d'entrepôt de stockage vend ou offre en vente des cigares ou du tabac fabriqué importés, qu'il exporte conformément à la présente loi;

h) un exploitant agréé d'entrepôt de stockage vend ou offre en vente des cigares ou du tabac fabriqué importés :

(i) soit à un représentant accrédité, pour son usage personnel ou officiel,

(ii) soit à une boutique hors taxes, pour qu'il soit vendu ou offert en vente conformément à la *Loi sur les douanes*,

(iii) soit à titre de provisions de bord conformément au *Règlement sur les provisions de bord*;

i) une personne vend ou offre en vente des cigares ou du tabac fabriqué importé à titre de provisions de bord conformément au *Règlement sur les provisions de bord*.

Notes historiques: L'alinéa 32(3)a) a été remplacé par L.C. 2007, c. 18, par. 79(5) et cette modification est réputée être entrée en vigueur le 1er juillet 2003. Antérieurement, il se lisait ainsi :

a) un titulaire de licence de tabac vend ou offre en vente un produit du tabac qu'il exporte conformément à la présente loi;

Les sous-alinéas 32(3)b)(i) et (ii) ont été remplacés par L.C. 2007, c. 18, par. 79(6) et cette modification est réputée être entrée en vigueur le 1er juillet 2003. Antérieurement, ils se lisaient ainsi :

(i) un produit du tabac à un exploitant agréé d'entrepôt d'accise spécial, si le produit fait partie des produits du tabac que celui-ci est autorisé, en vertu de la présente loi, à distribuer,

(ii) un produit du tabac à un représentant accrédité, pour son usage personnel ou officiel,

L'alinéa 32(3)c) a été remplacé par L.C. 2007, c. 18, par. 79(7) et cette modification est réputée être entrée en vigueur le 1er juillet 2003. Antérieurement, il se lisait ainsi :

c) un exploitant agréé d'entrepôt d'accise spécial vend ou offre en vente un produit du tabac à un représentant accrédité, pour son usage personnel ou officiel, si le produit fait partie des produits du tabac que l'exploitant est autorisé, en vertu de la présente loi, à distribuer;

Les sous-alinéas 32(3)d)(i) et (ii) ont été remplacés par L.C. 2007, c. 18, par. 79(8) et cette modification est réputée être entrée en vigueur le 1er juillet 2003. Antérieurement, ils se lisaient ainsi :

(i) un produit du tabac importé qu'il exporte conformément à la présente loi,

(ii) un produit du tabac importé à un représentant accrédité, pour son usage personnel ou officiel, ou à une boutique hors taxes,

L'alinéa 32(3)g) a été remplacé par L.C. 2007, c. 18, par. 79(9) et cette modification est réputée être entrée en vigueur le 1er juillet 2003. Antérieurement, il se lisait ainsi :

g) un exploitant agréé d'entrepôt de stockage vend ou offre en vente un produit du tabac importé qu'il exporte conformément à la présente loi;

Le préambule de l'alinéa 32(3)h) a été remplacé par L.C. 2007, c. 18, par. 79(10) et cette modification est réputée être entrée en vigueur le 1er juillet 2003. Antérieurement, il se lisait ainsi :

h) un exploitant agréé d'entrepôt de stockage vend ou offre en vente un produit du tabac importé :

32.1 (1) Interdiction — possession de matériel de fabrication du tabac — Il est interdit de posséder du matériel de fabrication du tabac dans l'intention de fabriquer un produit du tabac, à moins :

a) d'être titulaire de licence de tabac;

b) d'être un particulier qui fabrique du tabac fabriqué ou des cigares pour son usage personnel comme le permet le paragraphe 25(3).

(2) Interdiction — importation de matériel de fabrication du tabac — Il est interdit d'importer du matériel de fabrication du tabac, sauf si l'un des faits suivants se vérifie :

a) l'importateur est titulaire de licence de tabac;

b) le matériel est conçu pour être utilisé par un particulier qui fabrique du tabac fabriqué ou des cigares pour son usage personnel comme le permet le paragraphe 25(3) et n'est pas conçu pour la fabrication commerciale;

c) l'importateur fournit au ministre de la Sécurité publique et de la Protection civile une preuve, agréée par celui-ci, que le matériel est importé, selon le cas :

(i) pour le compte d'un titulaire de licence de tabac,

(ii) dans le seul but d'être entretenu, modifié ou réparé au Canada, si le matériel est destiné à être exporté aussitôt achevé l'entretien, la modification ou la réparation,

(iii) par une personne qui exploite une entreprise qui consiste à fournir le matériel, ou pour son compte,

(iv) en vue de son mouvement en transit au Canada;

d) le matériel est importé dans les circonstances et selon les modalités prévues par règlement.

Notes historiques: L'article 32.1 a été ajouté par L.C. 2008, c. 28, art. 53 et est réputé entré en vigueur le 18 juin 2008.

33. Interdiction de vendre ou de distribuer sauf dans l'emballage d'origine — Il est interdit :

a) de vendre ou d'offrir en vente des cigares autrement que dans l'emballage d'origine ou qu'à partir de cet emballage;

b) de vendre ou d'offrir en vente du tabac fabriqué autrement que dans l'emballage d'origine;

c) de distribuer gratuitement, à des fins publicitaires, des produits du tabac autrement que dans l'emballage d'origine ou qu'à partir de cet emballage.

34. Emballage et estampillage de produits du tabac — Le titulaire de licence de tabac qui fabrique des produits du tabac ne peut les mettre sur le marché des marchandises acquittées que si les conditions suivantes sont réunies :

a) il a emballé les produits;

b) les mentions prévues par règlement ont été imprimées sur l'emballage;

c) les produits sont estampillés au moment de l'emballage.

35. (1) Emballage et estampillage de produits du tabac importés — Les produits du tabac ou le tabac en feuilles qui sont importés doivent, préalablement à leur dédouanement effectué en vertu de la *Loi sur les douanes* en vue de leur entrée dans le marché des marchandises acquittées :

a) être présentés dans un emballage portant les mentions prévues par règlement;

b) être estampillés.

(2) Exceptions — Le paragraphe (1) ne s'applique pas à ce qui suit :

a) le tabac partiellement fabriqué qui est importé par un titulaire de licence de tabac pour une étape ultérieure de fabrication par lui;

b) le tabac fabriqué ou les cigares qu'un titulaire de licence de tabac est autorisé à importer en vertu du paragraphe 41(2);

c) les produits du tabac qui sont importés par un particulier pour son usage personnel, en quantités ne dépassant pas les limites fixées par règlement;

d) le tabac en feuilles qui est importé par un titulaire de licence de tabac ou par un commerçant de tabac agréé.

Notes historiques: L'alinéa 35(2)b) a été remplacé par L.C. 2007, c. 18, par. 80(1) et cette modification est réputée être entrée en vigueur le 1er juillet 2003. Antérieurement, il se lisait ainsi :

> b) les produits du tabac qu'un titulaire de licence de tabac est autorisé à importer en vertu du paragraphe 41(2);

L'alinéa 35(2)d) a été remplacé par L.C. 2007, c. 18, par. 80(2) et cette modification est réputée être entrée en vigueur le 1er juillet 2003. Antérieurement, il se lisait ainsi :

> d) le tabac en feuilles qui est importé par un titulaire de licence de tabac.

36. Absence d'estampille — avis — L'absence d'estampille sur un produit du tabac constitue un avis que les droits afférents n'ont pas été acquittés.

37. Entreposage de produits non estampillés — Le titulaire de licence de tabac qui n'estampille pas du tabac fabriqué, ou des cigares, fabriqués au Canada doit aussitôt les déposer dans son entrepôt d'accise.

Notes historiques: L'article 37 a été remplacé par L.C. 2007, c. 18, par. 81(1) et cette modification est réputée être entrée en vigueur le 1er juillet 2003. Antérieurement, il se lisait ainsi :

> 37. Le titulaire de licence de tabac qui n'estampille pas un produit du tabac fabriqué au Canada doit aussitôt le déposer dans son entrepôt d'accise.

38. (1) Mentions obligatoires — produits entreposés — Sous réserve des paragraphes (3) et (4), les contenants de tabac fabriqué ou de cigares ne peuvent être déposés dans un entrepôt d'accise que si les mentions obligatoires et autres mentions prévues par règlement y ont été imprimées ou apposées.

Notes historiques: Le paragraphe 38(1) a été remplacé par L.C. 2007, c. 18, par. 82(1) et cette modification est réputée être entrée en vigueur le 1er juillet 2003. Antérieurement, il se lisait ainsi :

> 38. (1) Les contenants de produits du tabac ne peuvent être déposés dans un entrepôt d'accise que si les mentions obligatoires et autres mentions prévues par règlement y ont été imprimées ou apposées.

(2) Mentions obligatoires — produits importés — Sous réserve des paragraphes (2.1) et (3), il est interdit de livrer des contenants de cigares ou de tabac fabriqué importés qui ne portent pas les mentions obligatoires et autres mentions prévues par règlement :

a) à une boutique hors taxes pour les vendre ou les offrir en vente conformément à la *Loi sur les douanes*;

b) à un représentant accrédité;

c) à un entrepôt de stockage.

Notes historiques: Le préambule du paragraphe 38(2) a été remplacé par L.C. 2008, c. 28, par. 54(1) et cette modification est réputée être entrée en vigueur le 27 février 2008. Antérieurement, il se lisait ainsi :

> (2) Sous réserve du paragraphe (3), il est interdit de livrer des contenants de cigares ou de tabac fabriqué importés qui ne portent pas les mentions obligatoires et autres mentions prévues par règlement :

Le paragraphe 38(2) a été remplacé par L.C. 2007, c. 18, par. 82(1) et cette modification est réputée être entrée en vigueur le 1er juillet 2003. Antérieurement, il se lisait ainsi :

> (2) Il est interdit de livrer des contenants de produits du tabac importés qui ne portent pas les mentions obligatoires et autres mentions prévues par règlement :
>
> a) à une boutique hors taxes pour les vendre ou les offrir en vente conformément à la *Loi sur les douanes*;
>
> b) à un représentant accrédité;
>
> c) à un entrepôt de stockage.

(2.1) Livraison de tabac estampillé importé — Les contenants de tabac fabriqué importé, fabriqué à l'étranger et estampillé peuvent être livrés :

a) à une boutique hors taxes pour qu'ils soient vendus ou offerts en vente conformément à la *Loi sur les douanes*;

b) à un entrepôt de stockage.

Notes historiques: Le paragraphe 38(2.1) a été ajouté par L.C. 2008, c. 28, par. 54(2) et est réputé être entré en vigueur le 27 février 2008.

(3) Exception — produits du tabac visés par règlement — Les mentions obligatoires n'ont pas à être imprimées ou apposées sur les contenants de tabac fabriqué d'une appellation commerciale qui n'est pas habituellement vendue au Canada et qui est visée par règlement.

Notes historiques: Le paragraphe 38(3) a été remplacé par L.C. 2007, c. 18, par. 82(1) et cette modification est réputée être entrée en vigueur le 1er juillet 2003. Antérieurement, il se lisait ainsi :

> (3) Les paragraphes (1) et (2) ne s'appliquent pas aux produits du tabac d'une appellation commerciale qui n'est pas habituellement vendue au Canada et qui est visée par le règlement.

(4) Exception — cigarettes visées par règlement — Les mentions obligatoires n'ont pas à être imprimées ou apposées sur les contenants de cigarettes d'un type donné ou d'une composition donnée qui sont fabriquées au Canada puis exportées sous une appellation commerciale qui est également celle de cigarettes d'un type différent ou d'une composition différente, fabriquées et vendues au Canada, si les cigarettes du type donné ou de la composition donnée, à la fois :

a) sont visées par règlement lorsqu'elles sont exportées sous l'appellation en question;

b) n'ont jamais été vendues au Canada sous cette appellation ou sous une autre.

Notes historiques: Le paragraphe 38(4) a été remplacé par L.C. 2007, c. 18, par. 82(1) et cette modification est réputée être entrée en vigueur le 1er juillet 2003. Antérieurement, il se lisait ainsi :

> (4) Le paragraphe (1) ne s'applique pas aux cigarettes d'un type donné ou d'une composition donnée qui sont fabriquées au Canada puis exportées sous une appellation commerciale qui est également celle de cigarettes d'un type différent ou d'une composition différente, fabriquées et vendues au Canada, si les cigarettes du type donné ou de la composition donnée, à la fois :
>
> a) sont visées par règlement lorsqu'elles sont exportées sous l'appellation en question;
>
> b) n'ont jamais été vendues au Canada sous cette appellation ou sous une autre.

(5) Distinction entre les cigarettes — Pour l'application du paragraphe (4), la cigarette d'un type donné ou d'une composition donnée vendue sous une appellation commerciale donnée peut être considérée comme différente d'une autre cigarette vendue sous la même appellation s'il est raisonnable de la considérer ainsi compte tenu des propriétés physiques de l'une et l'autre avant et pendant la consommation.

39. Absence d'estampille ou de mention — Les produits du tabac importés ou le tabac en feuilles importé destinés au marché des marchandises acquittées qui ne sont pas estampillés au moment où ils sont déclarés conformément à la *Loi sur les douanes* sont entreposés dans un entrepôt d'attente en vue d'être estampillés.

40. (1) Sortie de tabac en feuilles ou de déchets de tabac — Seul le titulaire de licence de tabac est autorisé à sortir du tabac en feuilles ou des déchets de tabac de ses locaux.

(2) Modalités de sortie — Lorsque du tabac en feuilles ou des déchets de tabac sont sortis des locaux d'un titulaire de licence de tabac, celui-ci s'en occupe de la manière autorisée par le ministre.

41. (1) Tabac façonné de nouveau ou détruit — Le titulaire de licence de tabac peut façonner de nouveau ou détruire, de la manière autorisée par le ministre, tout produit du tabac.

(2) Importation de tabac pour nouvelle façon ou destruction — Le ministre peut autoriser le titulaire de licence de tabac à importer, pour nouvelle façon ou destruction par ce dernier conformément au paragraphe (1), du tabac fabriqué, ou des cigares, qu'il a fabriqués au Canada.

Notes historiques: Le paragraphe 41(2) a été remplacé par L.C. 2007, c. 18, par. 83(1) et cette modification est réputée être entrée en vigueur le 1er juillet 2003. Antérieurement, il se lisait ainsi :

> (2) Importation de tabac pour nouvelle façon ou destruction — Le ministre peut autoriser le titulaire de licence de tabac à importer, pour nouvelle façon ou destruction par ce dernier conformément au paragraphe (1), des produits du tabac qu'il a fabriqués au Canada.

Droit sur le tabac

42. (1) Imposition — Un droit sur les produits du tabac fabriqués au Canada ou importés et sur le tabac en feuilles importé est imposé aux taux figurant à l'annexe 1 et est exigible :

a) dans le cas de produits du tabac fabriqués au Canada, du titulaire de licence de tabac qui les a fabriqués, au moment de leur emballage;

b) dans le cas de produits du tabac ou de tabac en feuilles importés, de l'importateur, du propriétaire ou d'une autre personne qui est tenue, aux termes de la *Loi sur les douanes*, de payer les droits perçus en vertu de l'article 20 du *Tarif des douanes* ou qui serait tenue de payer ces droits sur les produits ou le tabac s'ils y étaient assujettis.

(2) Tabac partiellement fabriqué importé — Les règles suivantes s'appliquent au tabac partiellement fabriqué qu'un titulaire de licence de tabac importe pour une étape ultérieure de fabrication :

a) pour l'application de la présente loi, le tabac est réputé être fabriqué au Canada par le titulaire de licence;

b) l'alinéa (1)a) s'applique au tabac, mais l'alinéa (1)b) et l'article 44 ne s'y appliquent pas.

Formulaires [42]: B267, *Déclaration des droits d'accise — titulaire de licence de tabac*.

43. Droit additionnel sur les cigares — Est imposé aux taux figurant à l'annexe 2, en plus du droit imposé en vertu de l'article 42, un droit sur les cigares qui sont fabriqués et vendus au Canada ou importés. Ce droit est exigible :

a) dans le cas de cigares fabriqués et vendus au Canada, du titulaire de licence de tabac qui les a fabriqués, au moment de leur livraison à l'acheteur;

b) dans le cas de cigares importés, de l'importateur, du propriétaire ou d'une autre personne qui est tenue, aux termes de la *Loi sur les douanes*, de payer les droits perçus en vertu de l'article 20 du *Tarif des douanes* ou qui serait tenue de payer ces droits sur les cigares s'ils y étaient assujettis.

44. Application de la *Loi sur les douanes* — Les droits imposés en vertu des articles 42 et 43 sur les produits du tabac et le tabac en feuilles importés sont payés et perçus aux termes de la *Loi sur les douanes*. Des intérêts et pénalités sont imposés, calculés, payés et perçus aux termes de cette loi comme si les droits étaient des droits perçus en vertu de l'article 20 du *Tarif des douanes*. À ces fins, la *Loi sur les douanes* s'applique, avec les adaptations nécessaires.

45. (1) Exonération — produits du tabac — Sont exonérés des droits imposés en vertu des articles 42 et 43 les produits du tabac qui ne sont pas estampillés.

(2) Tabac importé pour usage personnel — Le paragraphe (1) ne s'applique pas aux produits du tabac qu'un particulier importe pour son usage personnel dans la mesure où la quantité de produits importés dépasse celle qu'il lui est permis d'importer en franchise de droits aux termes du chapitre 98 de la liste des dispositions tarifaires de l'annexe du *Tarif des douanes*. Au présent paragraphe, « droits » s'entend au sens de la note 4 de ce chapitre.

46. Exonération — tabac en feuilles — Le tabac en feuilles qui est importé par un titulaire de licence de tabac ou par un commerçant de tabac agréé est exonéré du droit imposé en vertu de l'article 42.

Notes historiques: L'article 46 a été remplacé par L.C. 2007, c. 18, par. 84(1) et cette modification est réputée être entrée en vigueur le 1er juillet 2003. Antérieurement, il se lisait ainsi :

46. Le tabac en feuilles qui est importé par un titulaire de licence de tabac pour fabrication par lui est exonéré du droit imposé en vertu de l'article 42.

47. Exonération — tabac estampillé importé par un particulier — **(1)** Le tabac fabriqué importé par un particulier pour son usage personnel est exonéré du droit imposé en vertu de l'article 42 s'il a été fabriqué au Canada et est estampillé.

Notes historiques: L'article 47 a été modifié par L.C. 2008, c. 28, par. 55(1) en devenant le paragraphe 47(1) et cette modification est réputée entrée en vigueur le 27 février 2008.

(2) Exonération — réimportation par un particulier de tabac estampillé — Le tabac fabriqué importé par un particulier pour son usage personnel est exonéré du droit imposé en vertu de l'article 42 s'il a été fabriqué à l'étranger, a déjà été importé au Canada et est estampillé.

Notes historiques: Le paragraphe 47(2) a été ajouté par L.C. 2008, c. 28, par. 55(1) et est réputé entré en vigueur le 27 février 2008.

48. Exonération — importation pour destruction — Le tabac fabriqué estampillé qui a été fabriqué au Canada par un titulaire de licence de tabac et importé par celui-ci pour nouvelle façon ou destruction conformément à l'article 41 est exonéré du droit imposé en vertu de l'alinéa 42(1)b).

Entrepôts d'accise

49. Restriction — dépôt dans un entrepôt — Il est interdit de déposer dans un entrepôt d'accise :

a) un produit du tabac qui est estampillé;

b) tout autre produit du tabac, sauf en conformité avec la présente loi.

50. (1) Définitions — Les définitions qui suivent s'appliquent au présent article.

« tabac de marque étrangère » Tabac fabriqué qui, par l'effet de l'article 58, est exonéré du droit spécial imposé en vertu de l'article 56.

« tabac fabriqué canadien » Tabac fabriqué qui est fabriqué au Canada, à l'exclusion du tabac partiellement fabriqué et du tabac de marque étrangère.

(2) Catégories de tabac fabriqué canadien — Pour l'application du paragraphe (5), chacun des éléments ci-après constitue une catégorie de tabac fabriqué canadien :

a) les cigarettes;

b) les bâtonnets de tabac;

c) le tabac fabriqué, à l'exclusion des cigarettes et des bâtonnets de tabac.

(3) Sortie interdite — Il est interdit de sortir d'un entrepôt d'accise ou d'un entrepôt d'accise spécial du tabac fabriqué, ou des cigares, fabriqués au Canada.

Notes historiques: Le paragraphe 50(3) a été remplacé par L.C. 2007, c. 18, par. 85(1) et cette modification est réputée être entrée en vigueur le 1er juillet 2003. Antérieurement, il se lisait ainsi :

(3) Sortie interdite — Il est interdit de sortir d'un entrepôt d'accise ou d'un entrepôt d'accise spécial des produits du tabac fabriqués au Canada.

(4) Exceptions — tabac fabriqué canadien — Sous réserve des règlements, le tabac fabriqué canadien ne peut être sorti de l'entrepôt d'accise du titulaire de licence de tabac qui l'a fabriqué que s'il est destiné, selon le cas :

a) à être exporté par le titulaire de licence conformément au paragraphe (5), mais non à être livré à une boutique hors taxes à l'étranger ou à titre de provisions de bord à l'étranger;

b) à être livré à l'entrepôt d'accise spécial d'un exploitant agréé, à condition que celui-ci soit autorisé, en vertu de la présente loi, à le distribuer;

c) à être livré à un représentant accrédité, pour son usage personnel ou officiel.

(5) Restriction quant à la quantité exportée de l'entrepôt d'accise — Un titulaire de licence de tabac ne peut, à un moment d'une année civile, sortir une quantité donnée de tabac fabriqué canadien d'une catégorie donnée de son entrepôt d'accise en vue de l'exporter si la quantité totale de tabac fabriqué canadien de cette catégorie qu'il a sortie de l'entrepôt au cours de l'année jusqu'à ce moment en vue de l'exporter, majorée de la quantité donnée, dépasse 1,5 % de la quantité totale de tabac fabriqué canadien de cette catégorie qu'il a fabriquée au cours de l'année civile précédente.

(6) Quantités à exclure pour l'application du par. (5) — Au paragraphe (5), la quantité totale de tabac fabriqué canadien d'une catégorie donnée qu'un titulaire de licence a fabriquée au cours de l'année civile précédente ne comprend pas la quantité de tabac de cette catégorie qu'il a exportée pour livraison à une boutique hors taxes à l'étranger ou à titre de provisions de bord à l'étranger.

(7) Exceptions — cigares — Sous réserve des règlements, les cigares fabriqués au Canada ne peuvent être sortis de l'entrepôt d'accise du titulaire de licence de tabac qui les a fabriqués que s'ils sont destinés, selon le cas :

a) à être exportés par le titulaire de licence conformément à la présente loi;

b) à être livrés à l'entrepôt d'accise spécial d'un exploitant agréé, à condition que celui-ci soit autorisé, en vertu de la présente loi, à les distribuer;

c) à être livrés à un représentant accrédité, pour son usage personnel ou officiel;

d) à être livrés à titre de provisions de bord conformément au *Règlement sur les provisions de bord*;

e) à être livrés à un autre entrepôt d'accise, à condition que l'exploitant agréé de l'autre entrepôt déclare au titulaire de licence de tabac, en la forme autorisée par le ministre, que les cigares sont destinés à être livrés à titre de provisions de bord conformément au *Règlement sur les provisions de bord*;

f) à être livrés à une boutique hors taxes pour vente ou offre de vente, conformément à la *Loi sur les douanes*.

(8) Exception — tabac partiellement fabriqué ou tabac de marque étrangère — Sous réserve des règlements, le tabac partiellement fabriqué ou le tabac de marque étrangère ne peut être sorti de l'entrepôt d'accise du titulaire de licence de tabac qui l'a fabriqué que s'il est exporté par celui-ci et n'est pas destiné à être livré à une boutique hors taxes à l'étranger ou à titre de provisions de bord à l'étranger.

(9) Sortie de provisions de bord — Sous réserve des règlements, les cigares fabriqués au Canada peuvent être sortis de l'entrepôt d'accise mentionné à l'alinéa (7)e) en vue d'être livrés à titre de provisions de bord conformément au *Règlement sur les provisions de bord*.

(10) Sortie d'entrepôt pour nouvelle façon ou destruction — Sous réserve des règlements, le tabac fabriqué, ou les cigares, fabriqués au Canada peuvent être sortis de l'entrepôt d'accise du titulaire de licence de tabac qui les a fabriqués en vue d'être façonnés de nouveau ou détruits par lui conformément à l'article 41.

Notes historiques: Le paragraphe 50(10) a été remplacé par L.C. 2007, c. 18, par. 85(2) et cette modification est réputée être entrée en vigueur le 1er juillet 2003. Antérieurement, il se lisait ainsi :

(10) Sortie d'entrepôt pour nouvelle façon ou destruction — Sous réserve des règlements, les produits du tabac fabriqués au Canada peuvent être sortis de l'entrepôt d'accise du titulaire de licence de tabac qui les a fabriqués en vue d'être façonnés de nouveau ou détruits par lui conformément à l'article 41.

(11) Sortie d'un entrepôt d'accise spécial — représentants accrédités — Sous réserve des règlements, le tabac fabriqué canadien et les cigares peuvent être sortis d'un entrepôt d'accise spécial en vue d'être livrés à un représentant accrédité, pour son usage personnel ou officiel, si l'exploitant agréé d'entrepôt d'accise spécial est autorisé, en vertu de la présente loi, à les distribuer.

Formulaires [50]: E60, *Formule d'exportation de produits du tabac.*

51. (1) Sortie de produits du tabac importés — Il est interdit de sortir d'un entrepôt d'accise des cigares ou du tabac fabriqué importés.

Notes historiques: Le paragraphe 51(1) a été remplacé par L.C. 2007, c. 18, par. 86(1) et cette modification est réputée être entrée en vigueur le 1er juillet 2003. Antérieurement, il se lisait ainsi :

51. (1) Il est interdit de sortir d'un entrepôt d'accise des produits du tabac importés.

(2) Exceptions — Sous réserve des règlements, les cigares et le tabac fabriqué importés peuvent être sortis d'un entrepôt d'accise aux fins suivantes :

a) leur livraison à un autre entrepôt d'accise;

b) leur livraison à un représentant accrédité, pour son usage personnel ou officiel;

c) leur livraison à titre de provisions de bord conformément au *Règlement sur les provisions de bord*;

d) leur livraison à une boutique hors taxes pour vente ou offre de vente conformément à la *Loi sur les douanes*;

e) leur exportation par l'exploitant agréé d'entrepôt d'accise conformément à la présente loi.

Notes historiques: Le préambule du paragraphe 51(2) a été remplacé par L.C. 2007, c. 18, par. 86(2) et cette modification est réputée être entrée en vigueur le 1er juillet 2003. Antérieurement, il se lisait ainsi :

(2) Sous réserve des règlements, les produits du tabac importés peuvent être sortis d'un entrepôt d'accise aux fins suivantes :

52. Restriction — entrepôt d'accise spécial — Il est interdit à l'exploitant agréé d'entrepôt d'accise spécial d'entreposer dans son entrepôt, autrement que pour les vendre et les distribuer à un représentant accrédité pour son usage personnel ou officiel, du tabac fabriqué, ou des cigarettes, fabriqués au Canada.

Notes historiques: L'article 52 a été remplacé par L.C. 2007, c. 18, par. 87(1) et cette modification est réputée être entrée en vigueur le 1er juillet 2003. Antérieurement, il se lisait ainsi :

52. Il est interdit à l'exploitant agréé d'entrepôt d'accise spécial d'entreposer dans son entrepôt, autrement que pour les vendre et les distribuer à un représentant accrédité pour son usage personnel ou officiel, des produits du tabac fabriqués au Canada.

Droits spéciaux sur les produits du tabac

53. (1) Droit spécial sur le tabac fabriqué importé livré à une boutique hors taxes — Un droit spécial est imposé, aux taux figurant à l'article 1 de l'annexe 3, sur le tabac fabriqué importé qui est livré à une boutique hors taxes et qui n'est pas estampillé.

Notes historiques: Le paragraphe 53(1) a été remplacé par L.C. 2008, c. 28, par. 56(1) et cette modification s'applique au tabac fabriqué importé qui est livré après le 26 février 2008. Antérieurement, il se lisait ainsi :

53. (1) Un droit spécial est imposé, aux taux figurant à l'article 1 de l'annexe 3, sur le tabac fabriqué importé qui est livré à une boutique hors taxes.

(2) Paiement du droit — Le droit spécial est exigible de l'exploitant agréé de boutique hors taxes au moment de la livraison.

Formulaires [53]: B261, *Déclaration des droits d'accise — boutique hors taxe.*

54. (1) Sens de « tabac du voyageur » — Au présent article, **« tabac du voyageur »** s'entend du tabac fabriqué qu'une personne importe à un moment donné et qui, selon le cas :

a) est classé dans les n[os] tarifaires 9804.10.00, 9804.20.00, 9805.00.00 ou 9807.00.00 de la liste des dispositions tarifaires de l'annexe du *Tarif des douanes*;

b) serait classé dans les n[os] tarifaires 9804.10.00 ou 9804.20.00 de cette liste si ce n'était le fait que la valeur en douane totale, déterminée selon l'article 46 de la *Loi sur les douanes*, des marchandises importées par la personne à ce moment dépasse la valeur maximale spécifiée dans ce numéro tarifaire.

(2) Droit spécial sur le tabac du voyageur — Un droit spécial est imposé, aux taux figurant à l'article 2 de l'annexe 3, sur le tabac du voyageur au moment de son importation.

(3) Paiement du droit — Le droit spécial est payé et perçu en vertu de la *Loi sur les douanes*. Des intérêts et pénalités sont imposés, calculés, payés et perçus aux termes de cette loi comme si le droit spécial était un droit perçu en vertu de l'article 20 du *Tarif des douanes*. À ces fins, la *Loi sur les douanes* s'applique, avec les adaptations nécessaires.

(4) Exception — Le tabac du voyageur qui est importé par un particulier pour son usage personnel n'est pas frappé du droit spécial s'il est estampillé et a déjà été frappé du droit prévu à l'article 42.

Notes historiques: Le paragraphe 54(4) a été remplacé par L.C. 2008, c. 28, par. 57(1) et cette modification s'applique au tabac fabriqué importé qui est livré après le 27 février 2008. Antérieurement, il se lisait ainsi :

(4) Le tabac du voyageur qui est importé par un particulier pour son usage personnel n'est pas frappé du droit spécial s'il a été fabriqué au Canada et est estampillé.

Renvois [art. 54]: 83 (marchandise de la position n° 98.04); 123(1)« produits soumis à l'accise ».

55. Définition de « produit du tabac » — Aux articles 56 à 58, **« produit du tabac »** s'entend du tabac fabriqué, à l'exclusion du tabac partiellement fabriqué.

56. (1) Imposition — Un droit spécial est imposé, aux taux ci-après, sur les produits du tabac qui sont fabriqués au Canada puis exportés :

a) si l'exportation est effectuée conformément à l'alinéa 50(4)a) par le titulaire de licence de tabac qui a fabriqué les produits, les taux figurant à l'article 3 de l'annexe 3;

b) sinon, les taux figurant à l'article 4 de l'annexe 3.

(2) Paiement du droit — Sous réserve des articles 57 et 58, le droit spécial est exigible au moment de l'exportation des produits du tabac :

a) dans le cas visé à l'alinéa (1)a), du titulaire de licence de tabac qui a fabriqué les produits;

b) dans le cas visé à l'alinéa (1)b), de l'exportateur des produits.

Formulaires [56]: E60, *Formule d'exportation de produits du tabac.*

57. Exonération — certains produits du tabac exportés — Les produits du tabac qui sont exportés par le titulaire de licence de tabac qui les a fabriqués en vue d'être livrés à une boutique hors taxes à l'étranger ou à titre de provisions de bord à l'étranger sont exonérés du droit spécial imposé en vertu de l'article 56.

58. (1) Exonération — produits du tabac visés par règlement — Le produit du tabac d'une appellation commerciale donnée est exonéré du droit spécial imposé en vertu de l'article 56 si les conditions suivantes sont réunies :

a) le produit est visé par règlement;

b) au cours de la période de trois ans précédant l'année de son exportation, le produit n'a pas été vendu au Canada autrement que dans une boutique hors taxes, sauf en quantités à peu près équivalentes à la quantité minimale suffisante pour permettre l'enregistrement de la marque de commerce afférente;

c) au cours d'une année antérieure à la période visée à l'alinéa b), les ventes au Canada du produit n'ont jamais dépassé le pourcentage applicable suivant :

(i) 0,5 % du total des ventes au Canada de produits semblables,

(ii) si un pourcentage inférieur de ce total est fixé par règlement pour l'application du présent paragraphe, ce pourcentage.

(2) Exonération — cigarettes visées par règlement — Les cigarettes d'un type donné ou d'une composition donnée qui sont fabriquées au Canada puis exportées sous une appellation commerciale qui est également celle de cigarettes d'un type différent ou d'une composition différente, qui sont fabriquées et vendues au Canada, sont exonérées du droit spécial imposé en vertu de l'article 56 si, à la fois :

a) elles sont visées par règlement lorsqu'elles sont exportées sous l'appellation en question;

b) elles n'ont jamais été vendues au Canada sous l'appellation en question ou sous une autre.

(3) Distinction entre les cigarettes — Pour l'application du paragraphe (2), une cigarette d'un type donné ou d'une composition donnée vendue sous une appellation commerciale peut être considérée comme différente d'une autre cigarette vendue sous la même appellation s'il est raisonnable de la considérer ainsi compte tenu des propriétés physiques de l'une et l'autre avant et pendant la consommation.

PARTIE 3.1 — TAXE SUR LES STOCKS DE PRODUITS DU TABAC

Notes historiques: La Partie 3.1, comprenant les articles 58.1 à 58.6, a été ajoutée par L.C. 2006, c. 4, par. 34(1) et est entrée en vigueur le 1er juillet 2006.

58.1 Définitions — Les définitions qui suivent s'appliquent à la présente partie.

« établissement de détail distinct » Boutique ou magasin qui répond aux conditions suivantes :

a) il est géographiquement distinct des autres établissements commerciaux de l'exploitant;

b) l'exploitant y vend régulièrement dans le cours normal de ses activités, mais autrement que par distributeur automatique, des produits du tabac aux consommateurs, au sens de l'article 123 de la *Loi sur la taxe d'accise*, qui s'y présentent;

c) des registres distincts sont tenus à son égard.

« tabac à cigarettes » Tabac en vrac, manufacturé et haché fin, servant à la confection de cigarettes.

« tabac imposé » Cigarettes, bâtonnets de tabac, tabac à cigarettes et cigares sur lesquels le droit prévu à l'article 42 a été imposé avant le 1er janvier 2008 au taux figurant aux alinéas 1b), 2b) ou 3b) ou à l'article4 de l'annexe 1, dans leur version applicable le 31 décembre 2007, et qui, à zéro heure le 1er janvier 2008, à la fois :

a) étaient offerts en vente dans le cours normal des activités de leur propriétaire;

b) n'étaient pas offerts en vente par distributeur automatique;

c) n'étaient pas exonérés de ce droit en vertu de la loi.

Notes historiques: Le préambule de la définition « tabac imposé » à l'article 58.1 a été remplacé par L.C. 2007, c. 35, par. 197(1) et cette modification est réputée entrée en vigueur le 1er janvier 2008. Antérieurement, il se lisait ainsi :

> « tabac imposé » Cigarettes, bâtonnets de tabac, tabac à cigarettes et cigares sur lesquels le droit prévu à l'article 42 a été imposé avant le 1er juillet 2006 au taux figurant aux alinéas 1b), 2b) ou 3b) ou à l'article 4 de l'annexe 1, dans leur version applicable le 30 juin 2006, et qui, à zéro heure le 1er juillet 2006, à la fois :

« unité » Cigarette, bâtonnet de tabac, gramme de tabac à cigarettes ou cigare.

58.2 Assujettissement — Sous réserve de l'article 58.3, tout propriétaire de tabac imposé est tenu de payer à Sa Majesté une taxe sur ce tabac au taux de :

a) 0,295 cent par cigarette;

b) 0,275 cent par bâtonnet de tabac;

c) 0,195 cent par gramme de tabac à cigarettes;

d) 0,19 cent par cigare.

Notes historiques: Les paragraphe a) à d) de l'article 58.2 ont été remplacés par L.C. 2007, c. 35, par. 198(1) et cette modification est réputée entrée en vigueur le 1er janvier 2008. Antérieurement, ils se lisaient ainsi :

> a) 0,2799 cent par cigarette;
>
> b) 0,2517 cent par bâtonnet de tabac;
>
> c) 0,1919 cent par gramme de tabac à cigarettes;
>
> d) 0,1814 cent par cigare.

58.3 Exemption pour petits détaillants — La taxe prévue par la présente partie n'est pas exigible sur les stocks de tabac imposé qu'un exploitant détient à zéro heure le 1er janvier 2008 dans son établissement de détail distinct si ces stocks n'excèdent pas 30 000 unités.

Notes historiques: L'article 58.3 a été remplacé par L.C. 2007, c. 35, par. 199(1) et cette modification est réputée entrée en vigueur le 1er janvier 2008. Antérieurement, il se lisait ainsi :

> 58.3 La taxe prévue par la présente partie n'est pas exigible sur les stocks de tabac imposé qu'un exploitant détient à zéro heure le 1er juillet 2006 dans son établissement de détail distinct si ces stocks n'excèdent pas 30 000 unités.

58.4 Inventaire — Pour l'application de la présente partie, le redevable de la taxe prévue par cette partie est tenu de faire l'inventaire de son tabac imposé.

58.5 (1) Déclaration — Tout redevable de la taxe prévue par la présente partie est tenu de présenter au ministre, au plus tard le 29 février 2008, une déclaration en la forme et selon les modalités autorisées par celui-ci.

(2) Déclarations distinctes — Toute personne autorisée, en vertu du paragraphe 239(2) de la Loi sur la taxe d'accise, à produire des déclarations distinctes pour des succursales ou divisions peut aussi en produire pour chacune d'elles en application de la présente partie.

Notes historiques: Le paragraphe 58.5(1) a été remplacé par L.C. 2007, c. 35, par. 200(1) et cette modification s'applique à la taxe qu'une personne est tenue de payer en vertu de l'article 58.2 après le 31 décembre 2007. Antérieurement, il se lisait ainsi :

> 58.5 (1) Tout redevable de la taxe prévue par la présente partie est tenu de présenter au ministre, au plus tard le 31 août 2006, une déclaration en la forme et selon les modalités autorisées par celui-ci.

58.6 (1) Paiement — Toute personne est tenue de verser au receveur général, au plus tard le 29 février 2008, le total de la taxe dont elle est redevable en vertu de la présente partie.

(2) Intérêts de moins de 25 $ — Aucun intérêt n'est exigible sur une somme dont une personne est redevable en vertu de la présente partie si, au moment du versement de cette somme, le total des intérêts à payer par ailleurs sur cette somme est inférieur à 25 $.

(3) Prorogation — Le ministre peut, à tout moment, proroger par écrit le délai prévu par la présente partie pour la production d'une déclaration ou le versement de la taxe exigible. Le cas échéant :

a) la déclaration doit être produite ou la taxe exigible, payée dans le délai prorogé;

b) les intérêts sont exigibles aux termes de l'article 170 comme si le délai n'avait pas été prorogé.

Notes historiques: Le paragraphe 58.6(1) a été remplacé par L.C. 2007, c. 35, par. 201(1) et cette modification s'applique à la taxe qu'une personne est tenue de payer en vertu de l'article 58.2 après le 31 décembre 2007. Antérieurement, il se lisait ainsi :

> 58.6 (1) Toute personne est tenue de verser au receveur général, au plus tard le 31 août 2006, le total de la taxe dont elle est redevable en vertu de la présente partie.

PARTIE 4 — ALCOOL

Dispositions générales

Notes historiques: La partie 4, incluant les articles 59 à 158, a été ajoutée par L.C. 2002, c. 22 et est entrée en vigueur le 1er juillet 2003 [C.P. 2003-388].

59. Application de la *Loi sur l'importation des boissons enivrantes* — Il est entendu que la *Loi sur l'importation des boissons enivrantes* continue de s'appliquer à l'importation, à l'envoi, à l'apport et au transport de boissons enivrantes dans une province.

Renvois [art. 59]: Ann. VII:1.1 (« droits »).

59.1 Importation — administration provinciale — L'alcool qui est importé dans les circonstances visées au paragraphe 3(1) de la *Loi sur l'importation des boissons enivrantes* est réputé, pour l'application de la présente loi et du paragraphe 21.2(3) du *Tarif des douanes*, avoir été importé par la personne qui en aurait été l'importateur en l'absence de ce paragraphe 3(1) et non par Sa Majesté du chef d'une province ou une administration des alcools.

Notes historiques: L'article 59.1 a été ajouté par L.C. 2007, c. 18, par. 88(1) et est réputé être entré en vigueur le 1er juillet 2003.

60. (1) Interdiction — production et emballage de spiritueux — Il est interdit, sauf en conformité avec une licence de spiritueux, de produire ou d'emballer des spiritueux.

(2) Exception — Le paragraphe (1) ne s'applique pas :

a) à l'emballage de spiritueux effectué par un acheteur, à partir d'un contenant spécial marqué, dans un centre de remplissage libre-service;

b) à la production de spiritueux en vue ou par suite de l'analyse de la composition d'une substance contenant de l'alcool éthylique absolu.

Notes historiques: Le paragraphe 60(2) a été remplacé par L.C. 2007, c. 18, par. 89(1) et cette modification est réputée être entrée en vigueur le 1er juillet 2003. Antérieurement, il se lisait ainsi :

(2) Le paragraphe (1) ne s'applique pas à l'emballage de spiritueux effectué par un acheteur, à partir d'un contenant spécial marqué, dans un centre de remplissage libre-service.

61. Interdiction — possession d'alambic — Il est interdit de posséder un alambic ou autre matériel pouvant servir à la production de spiritueux dans l'intention de produire des spiritueux, à moins :

a) d'être titulaire d'une licence de spiritueux;

b) d'avoir présenté une demande de licence de spiritueux, qui est pendante.

c) de posséder l'alambic ou le matériel dans le seul but de produire des spiritueux en vue ou par suite de l'analyse de la composition d'une substance contenant de l'alcool éthylique absolu.

Notes historiques: L'alinéa 61c) a été ajouté par L.C. 2007, c. 18, par. 90(1) et est réputé être entré en vigueur le 1er juillet 2003.

62. (1) Interdiction — production et emballage du vin — Il est interdit, sauf en conformité avec une licence de vin, de produire ou d'emballer du vin.

(2) Exceptions — Le paragraphe (1) ne s'applique pas :

a) à la production de vin par un particulier, pour son usage personnel;

b) à l'emballage du vin visé à l'alinéa a) par un particulier, pour son usage personnel;

c) à l'emballage de vin effectué par un acheteur, à partir d'un contenant spécial marqué, dans un centre de remplissage libre-service.

62.1 Interdiction — fortification du vin — Il est interdit d'utiliser des spiritueux en vrac pour fortifier le vin en vrac, sauf dans la mesure permise selon l'article 130.

Notes historiques: L'article 62.1 a été ajouté par L.C. 2007, c. 18, par. 91(1) et est réputé être entré en vigueur le 1er juillet 2003.

63. Interdiction — vente de vin produit pour usage personnel — Il est interdit de vendre ou d'utiliser à une fin commerciale du vin qu'un particulier a produit, ou produit et emballé, pour son usage personnel.

64. Production de vin par un particulier — Pour l'application de la présente loi, le vin produit ou emballé par une personne agissant pour le compte d'un particulier n'est pas considéré comme ayant été produit ou emballé par ce dernier.

65. Interdiction — vinerie libre-service — Il est interdit d'exercer dans une vinerie libre-service une activité précisée dans une licence, un agrément ou une autorisation délivré en vertu de la présente loi qui n'est pas une activité précisée dans l'autorisation d'exploitation de la vinerie.

66. Application — alcool en transit et transbordé — Les articles 67 à 72, 75, 76, 80, 85, 88, 97 à 100 et 102 ne s'appliquent ni à l'alcool importé ni à l'alcool spécialement dénaturé importé qui font l'objet de l'une des opérations suivantes conformément à la *Loi sur les douanes*, au *Tarif des douanes* et à leurs règlements :

a) ils sont transportés entre deux endroits à l'étranger par un transporteur cautionné;

b) ils sont entreposés dans un entrepôt de stockage, ou dans un entrepôt d'attente, en vue d'être livrés à un endroit à l'étranger;

c) ils sont transportés par un transporteur cautionné :

(i) soit d'un endroit à l'étranger à un entrepôt de stockage, ou à un entrepôt d'attente, en vue d'être livrés à un endroit à l'étranger,

(ii) soit d'un entrepôt de stockage ou d'un entrepôt d'attente à un endroit à l'étranger.

Notes historiques: Le préambule de l'article 66 a été remplacé par L.C. 2007, c. 18, par. 92(1) et cette modification est réputée être entrée en vigueur le 1er juillet 2003. Antérieurement, il se lisait ainsi :

66. Les articles 67 à 72, 74, 76, 80, 85, 88, 97 à 100 et 102 ne s'appliquent ni à l'alcool importé ni à l'alcool spécialement dénaturé importé qui font l'objet de l'une des opérations suivantes conformément à la *Loi sur les douanes*, au *Tarif des douanes* et à leurs règlements :

67. Interdiction — vente d'alcool — Il est interdit de vendre :

a) de l'alcool en vrac, sauf s'il a été produit ou importé conformément à la présente loi;

b) de l'alcool emballé, sauf s'il a été, conformément à la présente loi :

(i) produit et emballé au Canada,

(ii) importé et emballé au Canada,

(iii) importé;

c) un contenant spécial d'alcool marqué, sauf s'il a été marqué conformément à la présente loi.

68. (1) Échantillonnage d'alcool dénaturé et d'alcool spécialement dénaturé importés — Quiconque importe un produit déclaré à titre d'alcool dénaturé ou d'alcool spécialement dénaturé en vertu de la *Loi sur les douanes* doit en permettre l'échantillonnage. Le ministre de la Sécurité publique et de la Protection civile doit prélever un échantillon du produit avant le dédouanement de celui-ci.

(2) Analyse — L'échantillon est analysé afin d'établir qu'il s'agit d'alcool dénaturé ou d'alcool spécialement dénaturé.

(3) Renonciation — Le ministre de la Sécurité publique et de la Protection civile peut, à tout moment, renoncer à l'exigence de prélever un échantillon d'un produit importé.

(4) Facturation — Le ministre de la Sécurité publique et de la Protection civile peut fixer le prix à payer par l'importateur du produit pour le prélèvement de l'échantillon et l'analyse, lequel prix ne peut excéder la somme, déterminée par ce ministre, qui représente le coût pour Sa Majesté de ces prélèvement et analyse.

Notes historiques: Le paragraphe 68(1) a été modifié par L.C. 2005, c. 38, art. 145 par le remplacement de « solliciteur général du Canada » par les mots « ministre de la Sécurité publique et de la Protection civile ». Cette modification est entrée en vigueur le 12 décembre 2005 [C.P. 2005-2041 du 21 novembre 2005 (TR/2005-119)].

Le paragraphe 68(1) a été remplacé par L.C. 2005, c. 38, par. 94(1) et cette modification est entrée en vigueur le 12 décembre 2005 [C.P. 2005-2041 du 21 novembre 2005 (TR/2005-119)]. Antérieurement, il se lisait ainsi :

68. (1) Quiconque importe un produit déclaré d'alcool dénaturé ou d'alcool spécialement dénaturé en vertu de la *Loi sur les douanes* doit en permettre l'échantillonnage. Un échantillon du produit peut être prélevé par le ministre préalablement au dédouanement du produit.

Les paragraphes 68(3) et (4) ont été modifiés par L.C. 2005, c. 38, art. 145 par le remplacement de « solliciteur général du Canada » par les mots « ministre de la Sécurité publique et de la Protection civile ». Cette modification est entrée en vigueur le 12 décembre 2005 (TR/2005-119)].

Les paragraphes 68(3) et (4) ont été remplacés par L.C. 2005, c. 38, par. 94(2) et cette modification est entrée en vigueur le 12 décembre 2005 [C.P. 2005-2041 du 21 novembre 2005 (TR/2005-119)]. Antérieurement, ils se lisaient ainsi :

(3) Le ministre peut, à to[illegible] renoncer à l'exigence de prélever un échantillon d'un produit im[illegible] payer par l'importateur du produit pour le[illegible]analyse, lequel prix ne peut excéder la somme, [illegible] représente le coût pour Sa Majesté de ces prélève-

(4) Le ministre peu[illegible] prélèvement de l'é[illegible] déterminée par le[illegible] ment et analys[illegible]

[illegible]cool en vrac

[illegible]priété d'alcool en vrac — Il est interdit [illegible]ol en vrac, sauf s'il a été produit ou importé [illegible]sente loi.

69. Int[illegible] d'être — possession — Il est interdit de posséder con[illegible]

[illegible]— Le paragraphe (1) ne s'applique pas aux per-[illegible] :

[illegible] de licence de spiritueux ou l'utilisateur agréé qui [illegible] spiritueux en vrac qui ont été produits ou importés [illegible]taire de licence de spiritueux;

[illegible]aire de licence de vin ou l'utilisateur agréé qui possède [illegible]n vrac qui a été produit ou importé par un titulaire de [illegible]e de vin;

c) l'utilisateur agréé qui possède de l'alcool en vrac qu'il a importé;

c.1) la personne qui, ayant produit des spiritueux en vrac en vue ou par suite de l'analyse de la composition d'une substance contenant de l'alcool éthylique absolu, possède ces spiritueux pendant la période d'analyse;

d) le détenteur autorisé d'alcool qui possède, en vue de son entreposage ou transport, de l'alcool en vrac qui a été produit ou importé par un titulaire de licence d'alcool ou importé par un utilisateur agréé;

e) l'exploitant agréé d'entrepôt d'attente qui possède dans son entrepôt de l'alcool en vrac qui a été importé par une personne autorisée en vertu de la présente loi;

f) l'exploitant autorisé de vinerie libre-service qui possède du vin en vrac qu'un particulier a produit, pour son usage personnel, dans la vinerie de l'exploitant;

g) le particulier qui possède moins de 500 L de vin en vrac qui a été légalement produit dans une résidence ou une vinerie libre-service pour l'usage personnel d'un particulier.

Notes historiques: L'alinéa 70(2)c.1) a été ajouté par L.C. 2007, c. 18, par. 93(1) et est réputé être entré en vigueur le 1er juillet 2003.

71. Interdiction — fourniture de spiritueux — Il est interdit de mettre en possession de spiritueux en vrac quiconque n'est pas titulaire de licence de spiritueux, utilisateur agréé ou détenteur autorisé d'alcool.

72. (1) Interdiction — fourniture de vin — Il est interdit de mettre en possession de vin en vrac quiconque n'est pas titulaire de licence de vin, utilisateur agréé ou détenteur autorisé d'alcool.

(2) Exception — Le paragraphe (1) ne s'applique pas au particulier qui, dans le cadre de l'usage personnel qu'il en fait, met en la possession de quiconque du vin en vrac qu'un particulier a légalement produit pour son usage personnel.

73. Restriction — utilisateur agréé — L'utilisateur agréé ne peut utiliser de l'alcool ou en disposer, qu'aux fins suivantes :

a) son utilisation dans une préparation approuvée;

b) son utilisation dans un procédé au moyen duquel l'alcool éthylique absolu est détruit dans la mesure approuvée par le ministre;

c) son utilisation dans la production de vinaigre;

d) son utilisation en conformité avec les articles 130, 131 ou 131.1;

e) son retour :

(i) s'il s'agit d'alcool retourné dans les circonstances visées aux alinéas 105(1)a) ou 114(1)a), au titulaire de licence mentionné à ces alinéas,

(ii) sinon, au titulaire de licence d'alcool qui l'a fourni;

f) sous réserve de l'article 76, son exportation;

g) son utilisation à des fins d'analyse de la manière approuvée par le ministre;

h) sa destruction de la manière approuvée par le ministre.

Notes historiques: L'alinéa 73d) a été remplacé par L.C. 2007, c. 18, par. 94(1) et cette modification est réputée être entrée en vigueur le 1er juillet 2003. Antérieurement, il se lisait ainsi :

d) son utilisation en conformité avec les articles 130 ou 131;

74. Disposition — spiritueux en vrac — Quiconque possède des spiritueux en vrac produits en vue ou par suite de l'analyse de la composition d'une substance contenant de l'alcool éthylique absolu est tenu de les détruire ou d'en disposer, aussitôt l'analyse achevée, de la manière approuvée par le ministre.

Notes historiques: L'article 74 a été remplacé par L.C. 2007, c. 18, par. 95(1) et cette modification est réputée être entrée en vigueur le 1er juillet 2003. Antérieurement, il se lisait ainsi :

74. (1) Importation — spiritueux en vrac — Il est interdit d'importer des spiritueux en vrac sans être titulaire de licence de spiritueux, utilisateur agréé ou, si les spiritueux sont dans un contenant spécial, exploitant agréé d'entrepôt d'accise qui agit conformément à l'article 80.

(2) Importation — vin en vrac — Il est interdit d'importer du vin en vrac sans être titulaire de licence de vin, utilisateur agréé ou, si le vin est dans un contenant spécial, exploitant agréé d'entrepôt d'accise qui agit conformément à l'article 85.

75. (1) Disposition — spiritueux en vrac — Il est interdit d'importer des spiritueux en vrac sans être titulaire de licence de spiritueux, utilisateur agréé ou, si les spiritueux sont dans un contenant spécial, exploitant agréé d'entrepôt d'accise qui agit conformément à l'article 80.

(2) Importation — vin en vrac — Il est interdit d'importer du vin en vrac sans être titulaire de licence de vin, utilisateur agréé ou, si le vin est dans un contenant spécial, exploitant agréé d'entrepôt d'accise qui agit conformément à l'article 85.

Notes historiques: L'article 75 a été remplacé par L.C. 2007, c. 18, par. 95(1) et cette modification est réputée être entrée en vigueur le 1er juillet 2003. Antérieurement, il se lisait ainsi :

75. Importations — administration provinciale — L'alcool en vrac qui est importé dans les circonstances visées au paragraphe 3(1) de la *Loi sur l'importation des boissons enivrantes* est réputé, pour l'application de la présente loi, avoir été importé par la personne qui en aurait été l'importateur en l'absence de ce paragraphe et non par Sa Majesté du chef d'une province ou une administration des alcools.

76. Exportation — alcool en vrac — Seules les personnes suivantes sont autorisées à exporter de l'alcool en vrac :

a) le titulaire de licence d'alcool qui est responsable de l'alcool;

b) l'utilisateur agréé qui a importé l'alcool;

c) la personne tenue d'exporter l'alcool en vertu de l'article 101.

Contenants spéciaux de spiritueux

77. Contenant marqué réputé emballé — Les spiritueux contenus dans un contenant spécial marqué sont réputés avoir été emballés au moment où le contenant a été marqué.

78. (1) Marquage — Il est interdit de marquer un contenant spécial de spiritueux, sauf dans les cas suivants :

a) le marquage est effectué par un titulaire de licence de spiritueux;

b) si le contenant est déposé dans un entrepôt d'attente dans les circonstances visées à l'article 80, le marquage est effectué dans l'entrepôt.

(2) Entreposage du contenant — Le titulaire de licence de spiritueux qui marque un contenant spécial de spiritueux doit aussitôt le déposer dans un entrepôt d'accise.

79. Importation — Seul l'exploitant agréé d'entrepôt d'accise est autorisé à importer un contenant spécial de spiritueux marqué.

80. Marquage d'un contenant importé — Le contenant spécial de spiritueux qui est importé par un exploitant agréé d'entrepôt d'accise et qui n'est pas marqué au moment où il est déclaré conformément à la *Loi sur les douanes* est déposé dans un entrepôt d'attente en vue d'être marqué.

81. Entreposage d'un contenant importé — Dès qu'un contenant spécial de spiritueux marqué est dédouané en conformité avec la *Loi sur les douanes*, l'exploitant agréé d'entrepôt d'accise qui l'a importé doit le déposer dans son entrepôt.

Contenants spéciaux de vin

82. Contenant marqué réputé emballé — Le vin contenu dans un contenant spécial marqué est réputé avoir été emballé au moment où le contenant a été marqué.

83. (1) Marquage — Il est interdit de marquer un contenant spécial de vin, sauf dans les cas suivants :

a) le marquage est effectué par un titulaire de licence de vin;

b) si le contenant est déposé dans un entrepôt d'attente dans les circonstances visées à l'article 85, le marquage est effectué dans l'entrepôt.

(2) Entreposage du contenant — Le titulaire de licence de vin qui marque un contenant spécial de vin doit aussitôt le déposer dans un entrepôt d'accise.

84. Importation — Seul l'exploitant agréé d'entrepôt d'accise est autorisé à importer un contenant spécial de vin marqué.

85. Marquage d'un contenant importé — Le contenant spécial de vin qui est importé par un exploitant agréé d'entrepôt d'accise et qui n'est pas marqué au moment où il est déclaré conformément à la *Loi sur les douanes* est déposé dans un entrepôt d'attente en vue d'être marqué.

86. Entreposage d'un contenant importé — Dès qu'un contenant spécial de vin marqué est dédouané en conformité avec la *Loi sur les douanes*, l'exploitant agréé d'entrepôt d'accise qui l'a importé doit aussitôt le déposer dans son entrepôt.

Alcool emballé

87. Mentions sur les contenants — Le titulaire de licence d'alcool qui emballe de l'alcool s'assure que les mentions prévues par règlement figurent sur l[e c]ontenant renfermant l'alcool ainsi que sur tout emballage recouvra[nt l]e contenant :

a) dans le cas du vin [...] aussitôt emballé, est déposé dans un entrepôt d'accise, préal[abl]ement à sa sortie de l'entrepôt;

a.1) dans le cas du vin s[ur le]quel aucun droit n'est imposé par l'effet de l'alinéa 135(2)a) [...]ablement à l'un des événements suivants :

(i) sa sortie des locaux du [...]e de licence,

(ii) sa consommation,

(iii) sa mise en vente dans ce [...]

b) dans les autres cas, aussitôt l'a[...]llé.

Notes historiques: L'alinéa 87a.1) a été ajouté [...] c. 2, par. 55(1) et est réputé être entré en vigueur le 1er juillet 2006.

88. (1) Interdiction — possession — [...] de l'alcool emballé non acquitté.

(2) Exceptions — Les personnes ci-après so[...]e posséder der de l'alcool emballé non acquitté, sauf s'il s[...]vant dans un contenant spécial marqué :

a) si l'alcool est emballé par un titulaire de li[...]ossé- importé par un exploitant agréé d'entrepôt d'ac[...]ou-

(i) un exploitant agréé d'entrepôt d'accise, dan[...]

(ii) un utilisateur agréé, dans son local détermin[...]

(iii) un utilisateur autorisé, pour utilisation conf[...] son autorisation,

(iv) la personne visée par règlement qui transporte [...] dans les circonstances et selon les modalités prév[...] règlement,

(v) un exploitant agréé de boutique hors taxes, dan[...] boutique,

(vi) un représentant accrédité, pour son usage personnel o[...] officiel,

(vii) toute personne, à titre de provisions de bord, à condition que l'acquisition et la possession de l'alcool par la personne soient conformes au *Règlement sur les provisions de bord*;

b) si l'alcool est importé, un exploitant agréé d'entrepôt d'attente, dans son entrepôt;

c) si l'alcool est importé par un utilisateur agréé :

(i) l'utilisateur agréé, dans son local déterminé,

(ii) la personne visée par règlement qui transporte l'alcool dans les circonstances et selon les modalités prévues par règlement;

d) si l'alcool est importé par un représentant accrédité :

(i) le représentant accrédité, pour son usage personnel ou officiel,

(ii) la personne visée par règlement qui transporte l'alcool dans les circonstances et selon les modalités prévues par règlement;

e) si l'alcool est importé pour vente dans une boutique hors taxes ou à des représentants accrédités ou pour utilisation comme provisions de bord :

(i) un exploitant agréé d'entrepôt de stockage, dans son entrepôt,

(ii) un exploitant agréé de boutique hors taxes, dans sa boutique,

(iii) un représentant accrédité, pour son usage personnel ou officiel,

(iv) un transporteur cautionné, conformément à la *Loi sur les douanes*,

(v) toute personne, à titre de provisions de bord, à condition que l'acquisition et la possession de l'alcool par la personne soient conformes au *Règlement sur les provisions de bord*;

f) si l'alcool est importé en vue d'être fourni à un transporteur aérien à qui une licence pour l'exploitation d'un service aérien international a été délivrée conformément aux articles 69 ou 73 de la *Loi sur les transports au Canada*, un exploitant agréé d'entrepôt de stockage, dans son entrepôt;

g) si l'alcool est importé par un particulier conformément à la *Loi sur les douanes* et au *Tarif des douanes* pour son usage personnel, un particulier;

h) si l'alcool consiste en vin qui est produit et emballé par un particulier pour son usage personnel, un particulier.

i) si l'alcool consiste en vin visé aux alinéas 135(2)a) ou b), toute personne;

j) si l'alcool consiste en vin produit ou emballé par un titulaire de licence de vin qui a été sorti de l'entrepôt d'accise de celui-ci en vue d'être offert gratuitement à des particuliers sous forme d'échantillon à consommer là où le titulaire produit ou emballe du vin, le titulaire ou ces particuliers, à cet endroit.

Notes historiques: Les alinéas 88(2)i) et j) ont été ajoutés par L.C. 2007, c. 18, par. 96(1) et 157(1). L'alinéa 88(2)i) s'applique au vin emballé après juin 2006 et l'alinéa 88(2)j) est réputé être entré en vigueur le 1er juillet 2003.

(3) Exceptions — contenants spéciaux — Les personnes ci-après sont autorisées à posséder un contenant spécial d'alcool marqué non acquitté :

a) un exploitant agréé d'entrepôt d'accise, dans son entrepôt;

b) la personne visée par règlement qui transporte l'alcool dans les circonstances et selon les modalités prévues par règlement;

c) si le contenant est importé, un exploitant agréé d'entrepôt d'attente, dans son entrepôt;

d) s'il s'agit d'un contenant spécial de spiritueux qui est marqué de façon à indiquer qu'il est destiné à être livré à un utilisateur autorisé et à être utilisé par lui, un utilisateur autorisé, pour utilisation conformément à son autorisation.

89. Entreposage — Il est interdit à l'exploitant autorisé de vinerie libre-service d'entreposer dans sa vinerie du vin emballé.

90. Restriction — utilisateur agréé — Il est interdit à l'utilisateur agréé d'utiliser de l'alcool emballé non acquitté, ou d'en disposer, sauf aux fins suivantes :

a) son utilisation dans une préparation approuvée;

b) son utilisation dans un procédé au moyen duquel l'alcool éthylique absolu est détruit dans la mesure approuvée par le ministre;

c) son utilisation dans la production de vinaigre;

d) son retour, dans les conditions prévues par règlement, à l'exploitant agréé d'entrepôt d'accise qui l'a fourni;

e) son exportation, s'il a été importé par l'utilisateur agréé;

f) son utilisation à des fins d'analyse de la manière approuvée par le ministre;

g) sa destruction de la manière approuvée par le ministre.

91. Restriction — utilisateur autorisé — Il est interdit à l'utilisateur autorisé d'utiliser des spiritueux emballés non acquittés, ou d'en disposer, sauf aux fins suivantes :

a) leur utilisation conformément à son autorisation;

b) leur utilisation à des fins d'analyse de la manière approuvée par le ministre;

c) leur retour, conformément aux règlements, à l'exploitant agréé d'entrepôt d'accise qui les a fournis;

d) leur destruction de la manière approuvée par le ministre.

92. (1) Retrait de spiritueux — Seules les personnes suivantes sont autorisées à retirer des spiritueux d'un contenant spécial de spiritueux marqué :

a) un utilisateur autorisé, s'il s'agit d'un contenant qui est marqué de façon à indiquer qu'il est destiné à être livré à un tel utilisateur et à être utilisé par lui;

b) un acheteur de spiritueux dans un centre de remplissage libre-service, s'il s'agit d'un contenant qui est marqué de façon à indiquer qu'il est destiné à être livré à un tel centre et à y être utilisé.

(2) Retrait de spiritueux d'un contenant retourné — Si l'exploitant d'un centre de remplissage libre-service retourne un contenant spécial de spiritueux marqué à l'exploitant agréé d'entrepôt d'accise qui le lui a fourni, ce dernier peut retirer les spiritueux du contenant en vue de les détruire de la manière approuvée par le ministre.

93. (1) Retrait de vin — Seul l'acheteur de vin dans un centre de remplissage libre-service est autorisé à retirer le vin d'un contenant spécial de vin marqué.

(2) Retrait de vin d'un contenant retourné — Si l'exploitant d'un centre de remplissage libre-service retourne un contenant spécial de vin marqué à l'exploitant agréé d'entrepôt d'accise qui le lui a fourni, ce dernier peut retirer le vin du contenant en vue de le détruire de la manière approuvée par le ministre.

93.1 Restriction — utilisateur agréé — Il est interdit à l'utilisateur agréé d'utiliser une préparation assujettie à des restrictions, ou d'en disposer, d'une manière non conforme aux conditions ou restrictions imposées par le ministre selon l'article 143.

Notes historiques: L'article 93.1 a été ajouté par L.C. 2007, c. 18, par. 97(1) et est réputé être entré en vigueur le 1er juillet 2003.

93.2 Interdiction — possession d'une préparation assujettie à des restrictions — Il est interdit à quiconque n'est pas utilisateur agréé ou détenteur autorisé d'alcool de posséder une préparation assujettie à des restrictions.

Notes historiques: L'article 93.2 a été ajouté par L.C. 2007, c. 18, par. 97(1) et est réputé être entré en vigueur le 1er juillet 2003.

Alcool dénaturé et alcool spécialement dénaturé

94. Interdiction — dénaturation de spiritueux — Seul le titulaire de licence de spiritueux est autorisé à dénaturer des spiritueux.

95. (1) Interdiction — vente à titre de boisson — Il est interdit de vendre ou de fournir de l'alcool dénaturé ou de l'alcool spécialement dénaturé à titre de boisson ou d'ingrédient entrant dans la préparation d'une boisson.

(2) Interdiction — utilisation à titre de boisson — Il est interdit d'utiliser de l'alcool dénaturé ou de l'alcool spécialement dénaturé à titre de boisson ou d'ingrédient entrant dans la préparation d'une boisson.

96. Interdiction — utilisation d'alcool spécialement dénaturé — Il est interdit, sauf en conformité avec une autorisation d'alcool spécialement dénaturé, d'utiliser de l'alcool spécialement dénaturé.

97. (1) Interdiction — possession d'alcool spécialement dénaturé — Il est interdit de posséder de l'alcool spécialement dénaturé.

(2) Exception — Le paragraphe (1) ne s'applique pas aux personnes suivantes :

a) le titulaire de licence de spiritueux ou le détenteur autorisé d'alcool spécialement dénaturé qui possède de l'alcool spécialement dénaturé produit par un titulaire de licence de spiritueux;

b) le titulaire de licence de spiritueux, le détenteur autorisé d'alcool spécialement dénaturé ou l'exploitant agréé d'entrepôt d'attente qui possède de l'alcool spécialement dénaturé importé par un titulaire de licence de spiritueux;

c) le détenteur autorisé d'alcool spécialement dénaturé qui possède de l'alcool spécialement dénaturé qu'il a importé;

d) l'exploitant agréé d'entrepôt d'attente qui possède de l'alcool spécialement dénaturé importé par un détenteur autorisé d'alcool spécialement dénaturé;

e) le détenteur autorisé d'alcool qui possède de l'alcool spécialement dénaturé dans le seul but de l'entreposer et de le transporter, si l'alcool a été produit ou importé par un titulaire de licence de spiritueux ou importé par un détenteur autorisé d'alcool spécialement dénaturé.

98. Interdiction — fourniture d'alcool spécialement dénaturé — Il est interdit de mettre en possession d'alcool spécialement dénaturé quiconque n'est pas titulaire de licence de spiritueux, détenteur autorisé d'alcool spécialement dénaturé ou détenteur autorisé d'alcool.

99. (1) Interdiction — vente d'alcool spécialement dénaturé — Il est interdit à quiconque de vendre de l'alcool spécialement dénaturé.

(2) Exceptions — Le paragraphe (1) ne s'applique pas dans les cas suivants :

a) un titulaire de licence de spiritueux vend de l'alcool spécialement dénaturé à un autre titulaire de licence de spiritueux ou à un détenteur autorisé d'alcool spécialement dénaturé;

b) un détenteur autorisé d'alcool spécialement dénaturé retourne de l'alcool spécialement dénaturé conformément à l'alinéa 103a) ou l'exporte conformément à l'alinéa 103b).

100. Interdiction — importation d'alcool spécialement dénaturé — Il est interdit à quiconque n'est pas titulaire de licence de spiritueux ou détenteur autorisé d'alcool spécialement dénaturé d'importer de l'alcool spécialement dénaturé.

101. (1) Spiritueux importés par erreur — La personne — sauf le titulaire de licence de spiritueux et l'utilisateur agréé — qui a importé un produit déclaré à titre d'alcool dénaturé ou d'alcool spécialement dénaturé en vertu de la *Loi sur les douanes* et qui apprend qu'il s'agit de spiritueux et non d'alcool dénaturé ou d'alcool spécialement dénaturé doit, sans délai :

a) soit l'exporter afin de le retourner à la personne de qui il a été acquis;

b) soit en disposer ou le détruire de la manière précisée par le ministre.

(2) Produit possédé par erreur — La personne — sauf le titulaire de licence de spiritueux, l'utilisateur agréé et le détenteur autorisé d'alcool — qui possède un produit qu'elle croit être de l'alcool dénaturé ou de l'alcool spécialement dénaturé et qui apprend qu'il s'agit de spiritueux et non d'alcool dénaturé ou d'alcool spécialement dénaturé doit, sans délai :

a) soit le retourner au titulaire de licence de spiritueux qui l'a produit ou fourni;

b) soit en disposer ou le détruire de la manière précisée par le ministre.

(3) Produit utilisé par erreur — La personne qui ne peut se conformer aux paragraphes (1) ou (2) pour ce qui est d'une quantité d'un produit du fait qu'elle l'a utilisée dans la production d'un autre produit avant d'apprendre que le produit n'est pas de l'alcool dénaturé ou de l'alcool spécialement dénaturé doit :

a) d'une part, disposer de l'autre produit, ou le détruire, de la manière précisée par le ministre;

b) d'autre part, payer toute pénalité imposée en vertu de l'article 254 dont elle est redevable aux termes de l'article 244 relativement à la quantité en question.

(4) Exception — Le paragraphe (3) ne s'applique pas si, à la fois :

a) l'autre produit ne constitue pas des spiritueux de l'avis du ministre;

b) le ministre considère que l'autre produit a été produit à partir d'alcool dénaturé ou d'alcool spécialement dénaturé, selon le cas;

c) la personne se conforme aux conditions que le ministre impose.

102. Interdiction — exportation d'alcool spécialement dénaturé — Il est interdit à quiconque d'exporter de l'alcool spécialement dénaturé s'il n'est pas le détenteur autorisé d'alcool spécialement dénaturé qui l'a importé ou un titulaire de licence de spiritueux.

103. Restriction — détenteur autorisé d'alcool spécialement dénaturé — Il est interdit au détenteur autorisé d'alcool spécialement dénaturé de disposer d'alcool spécialement dénaturé, sauf aux fins suivantes :

a) son retour au titulaire de licence de spiritueux qui l'a fourni;

b) son exportation, s'il l'a importé;

c) sa destruction de la manière approuvée par le ministre.

Responsabilité en matière de spiritueux en vrac

104. Responsabilité — Sous réserve des articles 105 à 107, 111 et 112, est responsable de spiritueux en vrac à un moment donné :

a) le titulaire de licence de spiritueux ou l'utilisateur agréé qui est propriétaire des spiritueux à ce moment;

b) si les spiritueux n'appartiennent pas à un titulaire de licence de spiritueux ou à un utilisateur agréé à ce moment, le titulaire de licence de spiritueux ou l'utilisateur agréé qui en a été le dernier propriétaire;

c) si les spiritueux n'ont jamais appartenu à un titulaire de licence de spiritueux ou à un utilisateur agréé, le titulaire de licence de spiritueux qui les a produits ou importés ou l'utilisateur agréé qui les a importés.

105. (1) Retour de spiritueux — Le présent article s'applique si un titulaire de licence de spiritueux ou un utilisateur agréé (appelés « acheteur » au présent article) achète des spiritueux en vrac à une personne qui n'est ni titulaire de licence de spiritueux ni utilisateur agréé (appelée « personne non agréée » au présent article) et si, dans les trente jours suivant la réception des spiritueux par l'acheteur, les conditions suivantes sont réunies :

a) l'acheteur retourne les spiritueux au titulaire de licence de spiritueux qui en était responsable immédiatement avant leur achat par l'acheteur (appelé « responsable antérieur » au présent article) ou au titulaire de licence de spiritueux qui les a fournis (appelé « fournisseur » au présent article);

b) la personne non agréée redevient propriétaire des spiritueux.

(2) Personne responsable des spiritueux retournés — Au moment où le responsable antérieur ou le fournisseur reçoit les spiritueux ou, s'il est postérieur, au moment où la personne non agréée redevient propriétaire des spiritueux :

a) d'une part, le responsable antérieur redevient responsable des spiritueux;

b) d'autre part, l'acheteur des spiritueux cesse d'en être responsable.

106. Exception — propriété d'une province — Si, à un moment donné, le gouvernement d'une province ou une administration des alcools qui est titulaire de licence de spiritueux ou utilisateur agréé est propriétaire de spiritueux en vrac à une fin sans lien avec sa licence ou son agrément, l'article 104 s'applique comme si les spiritueux ne lui appartenaient pas à ce moment.

107. Spiritueux importés par l'utilisateur agréé — L'utilisateur agréé qui importe des spiritueux en vrac en est responsable.

108. (1) Mélange de spiritueux — responsabilité solidaire — Dans le cas où des spiritueux sont obtenus du mélange de spiritueux en vrac avec d'autres spiritueux en vrac ou du mélange de spiritueux en vrac avec du vin en vrac, toute personne qui est responsable des spiritueux ou qui est un utilisateur agréé responsable du vin en vrac est solidairement responsable des spiritueux ainsi obtenus.

(2) Fin de la responsabilité — Le titulaire de licence de vin ou l'utilisateur agréé qui était responsable du vin en vrac avant le mélange visé au paragraphe (1) cesse d'en être responsable au moment du mélange.

109. Fin de la responsabilité — La personne qui est responsable de spiritueux en vrac cesse d'en être responsable dans les cas suivants :

a) les spiritueux sont utilisés pour soi et le droit afférent est acquitté;

b) ils sont utilisés pour soi dans une préparation approuvée;

c) ils sont utilisés pour soi à une fin visée à l'article 145 ou au paragraphe 146(1);

d) ils sont transformés en alcool dénaturé ou en alcool spécialement dénaturé;

e) ils sont exportés conformément à la présente loi;

f) ils sont perdus dans les circonstances prévues par règlement, si la personne remplit toute condition prévue par règlement.

110. Avis de changement de propriétaire — Le titulaire de licence de spiritueux ou l'utilisateur agréé (appelés « acheteur » au présent article) qui achète des spiritueux en vrac à une personne qui n'est pas titulaire de licence de spiritueux ni utilisateur agréé est tenu, sauf si les spiritueux sont destinés à être importés :

a) d'obtenir de la personne, au moment de l'achat, les nom et adresse du titulaire de licence de spiritueux qui était responsable des spiritueux immédiatement avant leur vente à l'acheteur;

b) d'aviser aussitôt ce titulaire de l'achat, par écrit.

111. Sortie d'un contenant spécial d'alcool — Le titulaire de licence de spiritueux qui sort un contenant spécial de spiritueux non marqué de son entrepôt d'accise conformément à l'article 156 est responsable des spiritueux, sauf si un autre titulaire de licence de spiritueux ou un utilisateur agréé en est propriétaire. Dans ce cas, l'autre titulaire ou l'utilisateur en est responsable.

112. Sortie de spiritueux — Le titulaire de licence de spiritueux qui sort des spiritueux de son entrepôt d'accise conformément à l'article 158 est responsable des spiritueux, sauf si un autre titulaire de licence de spiritueux ou un utilisateur agréé en est propriétaire. Dans ce cas, l'autre titulaire ou l'utilisateur en est responsable.

Responsabilité en matière de vin en vrac

113. Responsabilité — Sous réserve des articles 114 à 116, 120 et 121, est responsable de vin en vrac à un moment donné :

a) le titulaire de licence de vin ou l'utilisateur agréé qui est propriétaire du vin à ce moment;

b) si le vin n'appartient pas à un titulaire de licence de vin ou à un utilisateur agréé à ce moment, le titulaire de licence de vin ou l'utilisateur agréé qui en a été le dernier propriétaire;

c) si le vin n'a jamais appartenu à un titulaire de licence de vin ou à un utilisateur agréé, le titulaire de licence de vin qui l'a produit ou importé ou l'utilisateur agréé qui l'a importé.

114. (1) Retour de vin — Le présent article s'applique si un titulaire de licence de vin ou un utilisateur agréé (appelés « acheteur » au présent article) achète du vin en vrac à une personne qui n'est pas titulaire de licence de vin ni utilisateur agréé (appelée « personne non agréée » au présent article) et si, dans les trente jours suivant la réception du vin par l'acheteur, les conditions suivantes sont réunies :

a) l'acheteur retourne le vin au titulaire de licence de vin qui en était responsable immédiatement avant son achat par l'acheteur (appelé « responsable antérieur » au présent article) ou au titulaire de licence de vin qui l'a fourni (appelé « fournisseur » au présent article);

b) la personne non agréée redevient propriétaire du vin.

(2) Personne responsable du vin retourné — Au moment où le responsable antérieur ou le fournisseur reçoit le vin ou, s'il est postérieur, au moment où la personne non agréée redevient propriétaire du vin :

a) d'une part, le responsable antérieur redevient responsable du vin;

b) d'autre part, l'acheteur du vin cesse d'en être responsable.

115. Exception — propriété d'une province — Si, à un moment donné, le gouvernement d'une province ou une administration des alcools qui est titulaire de licence de vin ou utilisateur agréé est propriétaire de vin en vrac à une fin sans lien avec sa licence ou son agrément, l'article 113 s'applique comme si le vin ne lui appartenait pas à ce moment.

116. Vin importé par l'utilisateur agréé — L'utilisateur agréé qui importe du vin en vrac en est responsable.

117. (1) Mélange de vin — responsabilité solidaire — Dans le cas où du vin est obtenu du mélange de vin en vrac avec d'autre vin en vrac ou du mélange de vin en vrac avec des spiritueux en vrac, toute personne qui est responsable du vin ou qui est un utilisateur agréé responsable des spiritueux en vrac est solidairement responsable du vin ainsi obtenu.

(2) Fin de la responsabilité — Le titulaire de licence de spiritueux ou l'utilisateur agréé qui était responsable des spiritueux en vrac avant le mélange visé au paragraphe (1) cesse d'en être responsable au moment du mélange.

117.1 Fin de la responsabilité — Dans le cas où du vin en vrac sert à produire des spiritueux en vrac, le titulaire de licence de vin ou l'utilisateur agréé qui était responsable du vin avant qu'il ne serve à produire les spiritueux cesse d'en être responsable au moment de la production des spiritueux.

Notes historiques: L'article 117.1 a été ajouté par L.C. 2007, c. 18, par. 98(1) et est réputé être entré en vigueur le 1er juillet 2003.

118. Fin de la responsabilité — La personne qui est responsable de vin en vrac cesse d'en être responsable dans les cas suivants :

a) le vin est utilisé pour soi et le droit afférent est acquitté;

b) il est utilisé pour soi dans une préparation approuvée;

c) il est utilisé pour soi à une fin visée à l'article 145 ou au paragraphe 146(1);

d) il est exporté conformément à la présente loi;

e) il est perdu, et la perte est consignée de la manière autorisée par le ministre.

119. Avis de changement de propriétaire — Le titulaire de licence de vin ou l'utilisateur agréé (appelés « acheteur » au présent article) qui achète du vin en vrac à une personne qui n'est ni titulaire de licence de vin ni utilisateur agréé est tenu, sauf si le vin est destiné à être importé :

a) d'obtenir de la personne, au moment de l'achat, les nom et adresse du titulaire de licence de vin qui était responsable du vin immédiatement avant sa vente à l'acheteur;

b) d'aviser aussitôt ce titulaire de l'achat, par écrit.

120. Sortie d'un contenant spécial d'alcool — Le titulaire de licence de vin qui sort un contenant spécial de vin non marqué de son entrepôt d'accise conformément à l'article 156 est responsable du vin, sauf si un autre titulaire de licence de vin ou un utilisateur agréé en est propriétaire. Dans ce cas, l'autre titulaire ou l'utilisateur en est responsable.

121. Sortie de vin — Le titulaire de licence de vin qui sort du vin de son entrepôt d'accise conformément à l'article 157 est responsable du vin, sauf si un autre titulaire de licence de vin ou un utilisateur agréé en est propriétaire. Dans ce cas, l'autre titulaire ou l'utilisateur en est responsable.

Imposition et paiement du droit sur l'alcool

122. (1) Droit — spiritueux produits au Canada — Est imposé sur les spiritueux produits au Canada un droit calculé au taux figurant à l'article 1 de l'annexe 4.

(2) Imposition — Le droit est imposé au moment de la production des spiritueux.

Renvois [art. 122]: 21.1 (droit additionnel sur les spiritueux en vrac); 21.2 (droit additionnel sur les spiritueux emballés).

Formulaires [122]: B262, *Déclaration des droits d'accise — exploitant agréé d'entrepôt d'accise*; B263, *Déclaration des droits d'accise — utilisateur agréé*; B266, *Déclaration des droits d'accise — titulaire de licence de spiritueux.*

123. Imposition — spiritueux à faible teneur en alcool — Dans le cas où des spiritueux ne contiennent pas plus de 7 % d'alcool éthylique absolu par volume au moment de leur emballage, les règles suivantes s'appliquent :

a) les spiritueux sont exonérés du droit imposé en vertu de l'article 122 ou perçu en vertu de l'article 21.1 du *Tarif des douanes*;

b) un droit calculé au taux figurant à l'article 2 de l'annexe 4 est imposé sur les spiritueux.

Renvois [art. 123]: 21.2 (droit additionnel sur les spiritueux emballés).

Formulaires [123]: B262, *Déclaration des droits d'accise — exploitant agréé d'entrepôt d'accise*; B263, *Déclaration des droits d'accise — utilisateur agréé*; B266, *Déclaration des droits d'accise — titulaire de licence de spiritueux.*

124. (1) Droit exigible à l'emballage — Sous réserve des articles 126 et 127, le droit imposé sur les spiritueux est exigible au moment de leur emballage, sauf s'ils sont déposés dans un entrepôt d'accise aussitôt emballés.

(2) Droit exigible de la personne responsable — Le droit est exigible de la personne qui est responsable des spiritueux immédiatement avant leur emballage.

(3) Droit exigible de l'exploitant agréé d'entrepôt d'accise — Dans le cas où un exploitant agréé d'entrepôt d'accise devient redevable, en vertu de l'article 140, du droit sur les spiritueux, la personne tenue de payer ce droit en vertu du paragraphe (2) cesse d'en être redevable.

125. Droit exigible à la sortie — Le droit sur les spiritueux emballés qui sont sortis d'un entrepôt d'accise en vue de leur entrée dans le marché des marchandises acquittées est exigible, au moment de la sortie, de l'exploitant agréé d'entrepôt d'accise.

126. Droit exigible sur les spiritueux en vrac utilisés pour soi — Sous réserve des articles 144 à 146, en cas d'utilisation pour soi de spiritueux en vrac, le droit est exigible, au moment de l'utilisation, de la personne qui est responsable des spiritueux à ce moment.

127. (1) Droit exigible — spiritueux en vrac égarés — Un droit est exigible de la personne responsable de spiritueux en vrac sur toute partie des spiritueux dont elle ne peut rendre compte comme étant en la possession d'un titulaire de licence de spiritueux, d'un utilisateur agréé ou d'un détenteur autorisé d'alcool.

(2) Paiement du droit — Le droit est exigible au moment où il ne peut être rendu compte des spiritueux.

(3) Exception — Le paragraphe (1) ne s'applique pas dans les circonstances où la personne est déclarée coupable de l'infraction visée à l'article 218 ou est passible d'une pénalité en vertu de l'article 241.

128. Droit exigible — utilisation pour soi de spiritueux emballés — Sous réserve des articles 144 à 146, en cas d'utilisation pour soi de spiritueux emballés non acquittés qui sont en la possession d'un exploitant agréé d'entrepôt d'accise ou d'un utilisateur agréé, le droit est exigible, au moment de l'utilisation, de l'exploitant ou de l'utilisateur.

129. (1) Droit exigible — spiritueux emballés égarés — Un droit est exigible sur les spiritueux emballés non acquittés qu'un exploitant agréé d'entrepôt d'accise ou un utilisateur agréé a reçus, mais dont il ne peut rendre compte :

a) comme se trouvant, selon le cas, dans son entrepôt ou son local déterminé;

b) comme ayant été sortis, utilisés ou détruits conformément à la présente loi;

c) comme ayant été perdus dans les circonstances prévues par règlement, si l'exploitant ou l'utilisateur remplit toute condition prévue par règlement.

(2) Paiement du droit — Le droit est exigible de l'exploitant ou de l'utilisateur au moment où il ne peut être rendu compte des spiritueux.

130. (1) Fortification — L'utilisateur agréé qui est également titulaire de licence de vin peut utiliser des spiritueux en vrac pour fortifier le vin jusqu'à un titre alcoométrique n'excédant pas 22,9 % d'alcool éthylique absolu par volume.

(2) Exonération — Les spiritueux ayant servi à fortifier le vin sont exonérés du droit imposé en vertu de l'article 122 ou perçu en vertu de l'article 21.1 du *Tarif des douanes*.

131 Mélange de vin et de spiritueux — L'utilisateur agréé qui est également titulaire de licence de spiritueux peut mélanger du vin en vrac avec des spiritueux pour obtenir des spiritueux.

Notes historiques: L'article 131 a été remplacé par L.C. 2007, c. 18, par. 99(1) et cette modification est réputée être entrée en vigueur le 1er juillet 2003. Antérieurement, il se lisait ainsi :

> 131. (1) L'utilisateur agréé qui est également titulaire de licence de spiritueux peut mélanger du vin en vrac avec des spiritueux pour obtenir des spiritueux.
>
> (2) Les spiritueux obtenus sont réputés être produits au moment du mélange, et les spiritueux ayant été mélangés avec le vin sont exonérés du droit imposé en vertu de l'article 122 ou perçu en vertu de l'article 21.1 du *Tarif des douanes*.

131.1 Production de spiritueux à partir de vin — L'utilisateur agréé qui est également titulaire de licence de spiritueux peut utiliser du vin en vrac pour produire des spiritueux.

Notes historiques: L'article 131.1 a été ajouté par L.C. 2007, c. 18, par. 99(1) et est réputé être entré en vigueur le 1er juillet 2003.

131.2 (1) Production de spiritueux — vin — Dans le cas où des spiritueux sont obtenus du mélange de vin et de spiritueux en vrac :

a) les spiritueux mélangés avec le vin sont exonérés du droit imposé en vertu de l'article 122 ou en vertu de l'article 221.1 du *Tarif des douanes*;

b) les spiritueux obtenus du mélange sont réputés être produits au moment du mélange.

(2) Production de spiritueux — autres substances — Dans le cas où des spiritueux sont obtenus du mélange de spiritueux en vrac ou de vin en vrac et d'une matière ou substance, autre que des spiritueux ou du vin, contenant de l'alcool éthylique absolu :

a) les spiritueux mélangés avec la matière ou substance sont exonérés du droit imposé en vertu de l'article 122 ou en vertu de l'article 221.1 du *Tarif des douanes*;

b) les spiritueux obtenus du mélange sont réputés être produits au moment du mélange.

Notes historiques: L'article 131.2 a été ajouté par L.C. 2007, c. 18, par. 99(1) et est réputé être entré en vigueur le 1er juillet 2003.

132. Exonération — alcool dénaturé et spécialement dénaturé — Les spiritueux en vrac qu'un titulaire de licence de spiritueux transforme en alcool dénaturé ou en alcool spécialement dénaturé sont exonérés du droit imposé en vertu de l'article 122 ou perçu en vertu de l'article 21.1 du *Tarif des douanes*.

133. (1) Imposition du droit spécial — Est imposé, en plus du droit perçu en vertu des articles 21.1 ou 21.2 du *Tarif des douanes*, un droit spécial sur les spiritueux importés livrés à un utilisateur agréé, ou importés par lui. Le taux de ce droit figure à l'annexe 5.

(2) Spiritueux en vrac — En cas de livraison à un utilisateur agréé de spiritueux en vrac importés par un titulaire de licence de spiritueux, le droit spécial est exigible, au moment de la livraison, de la personne suivante :

a) le titulaire de licence de spiritueux qui est responsable des spiritueux à ce moment;

b) si l'utilisateur agréé est responsable des spiritueux à ce moment et qu'un titulaire de licence de spiritueux en était responsable immédiatement avant ce moment, ce dernier;

c) si l'utilisateur agréé est responsable des spiritueux à ce moment et qu'aucun titulaire de licence de spiritueux n'en était responsable immédiatement avant ce moment, le titulaire de licence de spiritueux qui a livré les spiritueux.

(3) Spiritueux emballés — Dans le cas où des spiritueux emballés importés ou des spiritueux importés emballés au Canada sont sortis d'un entrepôt d'accise en vue de leur livraison à un utilisateur agréé, le droit spécial est exigible de l'exploitant agréé d'entrepôt d'accise au moment de la sortie.

(4) Spiritueux importés par l'utilisateur agréé — En cas d'importation par un utilisateur agréé de spiritueux en vrac ou emballés, le droit spécial, à la fois :

a) est exigible de l'utilisateur au moment de l'importation;

b) est payé et perçu en vertu de la *Loi sur les douanes*, et des intérêts et pénalités sont imposés, calculés, payés et perçus aux termes de cette loi comme si le droit était un droit perçu sur les spiritueux en vertu de l'article 20 du *Tarif des douanes*; à ces fins, la *Loi sur les douanes* s'applique, avec les adaptations nécessaires.

134. (1) Imposition — utilisation pour soi de vin en vrac — Un droit est imposé sur le vin en vrac utilisé pour soi, aux taux figurant à l'annexe 6.

(2) Paiement du droit — Sous réserve des articles 144 à 146, le droit est exigible, au moment où le vin est utilisé pour soi, de la personne qui est responsable du vin à ce moment.

(3) Exceptions — Le paragraphe (1) ne s'applique pas :

a) au vin produit au Canada qui est composé entièrement de produits agricoles ou végétaux cultivés au Canada;

b) au vin qu'un particulier produit pour son usage personnel et qui est consommé à cette fin.

Notes historiques: Le paragraphe 134(3) a été remplacé par L.C. 2007, c. 2, par. 56(1) et cette modification s'applique au vin utilisé pour soi après juin 2006. Antérieurement, il se lisait ainsi :

> (3) Vin produit pour usage personnel — Le paragraphe (1) ne s'applique pas au vin qu'un particulier produit pour son usage personnel et qui est consommé à cette fin.

Formulaires [134]: B262, *Déclaration des droits d'accise — exploitant agréé d'entrepôt d'accise*; B263, *Déclaration des droits d'accise — utilisateur agréé*; B265, *Déclaration des droits d'accise — titulaire de licence de vin*.

135. (1) Imposition — vin emballé au Canada — Un droit est imposé sur le vin emballé au Canada, aux taux figurant à l'annexe 6.

(2) Vin produit pour usage personnel ou par de petits producteurs — Le paragraphe (1) ne s'applique pas :

a) au vin produit au Canada qui est composé entièrement de produits agricoles ou végétaux cultivés au Canada;

a.1) au vin produit et emballé par un particulier pour son usage personnel;

b) au vin produit par un titulaire de licence de vin et emballé par ou pour lui au cours d'un mois d'exercice si :

(i) d'une part, ses ventes totales de produits qui ont été assujettis au droit prévu au paragraphe (1), ou qui l'auraient été en l'absence du présent paragraphe, au cours de l'exercice terminé avant le mois en cause n'ont pas dépassé 50 000 $,

(ii) d'autre part, ses ventes totales des mêmes produits pour la partie de l'exercice comprenant le mois en cause qui est antérieure à ce mois n'ont pas dépassé 50 000 $.

(3) Moment de l'imposition — Le droit est imposé au moment où le vin est emballé. Il est également exigible à ce moment, sauf si le vin est déposé dans un entrepôt d'accise aussitôt emballé.

(4) Droit exigible de la personne responsable — Le droit est exigible de la personne qui est responsable du vin immédiatement avant son emballage.

(5) Droit exigible de l'exploitant agréé d'entrepôt d'accise — Dans le cas où un exploitant agréé d'entrepôt d'accise devient redevable, en vertu de l'article 140, du droit sur le vin, la personne tenue de payer ce droit en vertu du paragraphe (4) cesse d'en être redevable.

Notes historiques: L'alinéa 135(2)a) a été remplacé et l'alinéa 135(2)a.1) a été ajouté par L.C. 2007, c. 2, par. 57(1). Ces modifications s'appliquent au vin emballé après juin 2006. Antérieurement, l'alinéa 135(2)a) se lisait ainsi :

> a) au vin produit et emballé par un particulier pour son usage personnel;

L'alinéa 135(2)b) a été remplacé par L.C. 2007, c. 18, par. 100(1) et cette modification est réputée être entrée en vigueur le 1er juillet 2003. Antérieurement, il se lisait ainsi :

> b) au vin produit par un titulaire de licence de vin et emballé par lui au cours d'un de ses mois d'exercice, si ses ventes de produits qui sont assujettis au droit prévu au paragraphe (1), ou qu'il l'auraient été en l'absence du présent paragraphe, au cours des douze mois précédant ce mois n'ont pas dépassé 50 000 $.

Renvois [art. 135]: 21.2 (droit additionnel sur les spiritueux emballés).

Formulaires [135]: B262, *Déclaration des droits d'accise — exploitant agréé d'entrepôt d'accise*; B263, *Déclaration des droits d'accise — utilisateur agréé*; B265, *Déclaration des droits d'accise — titulaire de licence de vin*.

136. (1) Droit exigible à la sortie de l'entrepôt — Sous réserve du paragraphe (2), le droit sur le vin emballé qui est sorti d'un entrepôt d'accise en vue de son entrée dans le marché des marchandises acquittées est exigible au moment de la sortie et est payable par l'exploitant agréé d'entrepôt d'accise.

(2) Sortie pour vente en consignation — Le vin emballé que le petit titulaire de licence de vin a produit ou emballé puis sorti de son entrepôt d'accise pour le livrer, en vue de sa vente en consignation, à un magasin de vente au détail qui est exploité pour le compte de plusieurs petits titulaires de licence de vin et qui n'est pas situé dans les locaux d'un titulaire de licence de vin est réputé être sorti de l'entrepôt en vue de son entrée dans le marché des marchandises acquittées au moment de sa vente.

(3) Sens de « petit titulaire de licence de vin » — Pour l'application du présent article, est un petit titulaire de licence de vin au cours d'un exercice le titulaire de licence de vin qui a vendu au plus 60 000 litres de vin au cours de l'exercice précédent.

Notes historiques: L'article 136 a été remplacé par L.C. 2007, c. 18, par. 101(1) et cette modification est réputée être entrée en vigueur le 1er juillet 2003. Antérieurement, il se lisait ainsi :

> 136. Droit exigible à la sortie de l'entrepôt — Le droit sur le vin emballé qui est sorti d'un entrepôt d'accise en vue de son entrée dans le marché des marchandises acquittées est exigible, au moment de la sortie, de l'exploitant agréé d'entrepôt d'accise.

137. Droit exigible — utilisation pour soi de vin emballé — Sous réserve des articles 144 à 146, en cas d'utilisation pour soi de vin emballé non acquitté qui est en la possession d'un exploitant agréé d'entrepôt d'accise ou d'un utilisateur agréé, le droit afférent est exigible, au moment de l'utilisation, de l'exploitant ou de l'utilisateur.

138. (1) Droit exigible sur le vin emballé égaré — Un droit est exigible sur le vin emballé non acquitté qu'un exploitant agréé d'entrepôt d'accise ou un utilisateur agréé a reçu, mais dont il ne peut rendre compte :

a) comme se trouvant, selon le cas, dans son entrepôt ou son local déterminé;

a.1) comme se trouvant, s'il s'agit de vin emballé visé au paragraphe 136(2), dans le magasin mentionné à ce paragraphe;

b) comme ayant été sorti, utilisé ou détruit conformément à la présente loi;

c) comme ayant été perdu dans les circonstances prévues par règlement, si l'exploitant ou l'utilisateur remplit toute condition prévue par règlement.

(2) Moment du paiement — Le droit est exigible de l'exploitant ou de l'utilisateur au moment où il ne peut être rendu compte du vin.

Notes historiques: L'alinéa 138(1)a.1) a été ajouté par L.C. 2007, c. 18, par. 102(1) et est réputé être entré en vigueur le 1er juillet 2003.

139. (1) Exonération — contenant spécial marqué — Est exonéré du droit imposé en vertu du paragraphe 135(1) le vin contenu dans un contenant spécial marqué dont la marque a été enlevée conformément à l'article 156.

(2) Exonération — vin retourné — Est exonéré du droit imposé en vertu du paragraphe 135(1) ou perçu en vertu du paragraphe 21.2(2) du *Tarif des douanes* le vin qui est réintégré aux stocks de vin en vrac d'un titulaire de licence de vin conformément à l'article 157.

Assujettissement des exploitants agréés d'entrepôt d'accise et des utilisateurs agréés

140. Alcool emballé non acquitté — Dans le cas où de l'alcool emballé non acquitté est déposé dans un entrepôt d'accise aussitôt emballé, l'exploitant agréé d'entrepôt d'accise est redevable du droit afférent au moment du dépôt.

141. Alcool emballé importé — Si, conformément au paragraphe 21.2(3) du *Tarif des douanes*, de l'alcool emballé importé est dédouané en franchise de droits, en vertu de la *Loi sur les douanes*, en faveur de l'exploitant agréé d'entrepôt d'accise, ou de l'utilisateur agréé, qui l'a importé, l'exploitant ou l'utilisateur est redevable du droit afférent.

142. (1) Transfert entre entrepôts d'accise — En cas de transfert d'alcool emballé non acquitté de l'entrepôt d'accise d'un exploitant agréé d'entrepôt d'accise (appelé « expéditeur » au présent paragraphe) à celui d'un autre exploitant agréé d'entrepôt d'accise, au moment du dépôt de l'alcool dans l'entrepôt de ce dernier :

a) l'autre exploitant devient redevable du droit sur l'alcool;

b) l'expéditeur cesse d'être redevable de ce droit.

(2) Transfert à l'utilisateur agréé — En cas de transfert d'alcool emballé non acquitté d'un entrepôt d'accise au local déterminé d'un utilisateur agréé, au moment du dépôt de l'alcool dans ce local :

a) l'utilisateur agréé devient redevable du droit sur l'alcool;

b) l'exploitant agréé d'entrepôt d'accise cesse d'être redevable de ce droit.

(3) Transfert du local de l'utilisateur agréé — En cas de transfert d'alcool emballé non acquitté du local déterminé d'un utilisateur agréé à un entrepôt d'accise, au moment du dépôt de l'alcool dans l'entrepôt :

a) l'exploitant agréé d'entrepôt d'accise devient redevable du droit sur l'alcool;

b) l'utilisateur agréé cesse d'être redevable de ce droit.

Utilisations et sorties d'alcool non assujetties au droit

143. Préparations approuvées — Le ministre peut imposer toute condition ou restriction qu'il estime nécessaire relativement à la réalisation, à l'importation, à l'emballage, à l'utilisation ou à la vente d'une préparation approuvée ou à toute autre opération la touchant.

Formulaires [143]: Y15A, *Demande adressée à la direction des travaux scientifiques et de laboratoire — accise*.

144. Utilisations non assujetties au droit — préparations approuvées — Sont exonérés du droit l'alcool en vrac et l'alcool emballé non acquitté qu'un utilisateur agréé fait entrer dans une préparation approuvée.

Formulaires [144]: Y15A, *Demande adressée à la direction des travaux scientifiques et de laboratoire — accise*.

145. (1) Droit non exigible — alcool en vrac — Le droit n'est pas exigible sur l'alcool en vrac qui est, selon le cas :

a) utilisé à des fins d'analyse par un titulaire de licence d'alcool ou un utilisateur agréé, de la manière approuvée par le ministre;

b) détruit par un titulaire de licence d'alcool ou un utilisateur agréé, de la manière approuvée par le ministre;

c) utilisé par un utilisateur agréé dans un procédé au moyen duquel l'alcool éthylique absolu est détruit dans la mesure approuvée par le ministre.

(2) Droit non exigible — alcool emballé — Le droit n'est pas exigible sur l'alcool emballé non acquitté qui est, selon le cas :

a) utilisé à des fins d'analyse par un exploitant agréé d'entrepôt d'accise ou un utilisateur agréé, de la manière approuvée par le ministre;

b) détruit par un exploitant agréé d'entrepôt d'accise ou un utilisateur agréé, de la manière approuvée par le ministre;

c) utilisé par un utilisateur agréé dans un procédé au moyen duquel l'alcool éthylique absolu est détruit dans la mesure approuvée par le ministre.

d) s'agissant de vin, utilisé pour soi par l'exploitant agréé d'entrepôt d'accise qui est aussi le titulaire de licence de vin ayant produit ou emballé le vin, lequel est offert gratuitement à des particuliers sous forme d'échantillon à consommer là où le titulaire produit ou emballe du vin.

(3) Droit non exigible — analyse ou destruction — Le droit n'est pas exigible sur l'alcool en vrac ou sur l'alcool emballé non acquitté qui est utilisé à des fins d'analyse ou détruit par le ministre.

Notes historiques: L'alinéa 145(2)d) a été ajouté par L.C. 2007, c. 18, par. 103(1) et est réputé être entré en vigueur le 1er juillet 2003.

146. (1) Droit non exigible — vinaigre — Le droit n'est pas exigible sur l'alcool qu'un utilisateur agréé utilise pour produire du vinaigre si au moins 0,5 kg d'acide acétique est obtenu de chaque litre d'alcool éthylique absolu utilisé.

(2) Présomption d'utilisation pour soi en cas d'insuffisance — L'utilisateur agréé qui utilise de l'alcool pour produire du vinaigre et qui obtient moins de 0,5 kg d'acide acétique de chaque litre d'alcool éthylique absolu utilisé est réputé avoir utilisé pour soi, au moment de la production du vinaigre, le nombre de litres d'alcool éthylique absolu qui équivaut au nombre obtenu par la formule suivante :

$$A - (2 \times B)$$

où :

A représente le nombre de litres d'alcool éthylique absolu utilisés;

B le nombre de kilogrammes d'acide acétique obtenus.

147. (1) Droit non exigible — alcool emballé — Le droit n'est pas exigible sur l'alcool emballé non acquitté, sauf s'il s'agit d'alcool se trouvant dans un contenant spécial marqué, qui est sorti d'un entrepôt d'accise aux fins suivantes :

a) sa livraison, selon le cas :

(i) à un représentant accrédité, pour son usage personnel ou officiel,

(ii) à une boutique hors taxes, pour vente conformément à la *Loi sur les douanes*,

(iii) à un utilisateur autorisé, pour utilisation conformément aux modalités de son autorisation,

(iv) à titre de provisions de bord conformément au *Règlement sur les provisions de bord*;

b) son exportation par l'exploitant agréé d'entrepôt d'accise conformément à la présente loi.

(2) Droit non exigible — contenant spécial de spiritueux — Le droit n'est pas exigible sur les spiritueux contenus dans un contenant spécial marqué qui est sorti d'un entrepôt d'accise en vue :

a) d'être livré à un utilisateur autorisé pour utilisation conformément aux modalités de son autorisation, si le contenant est marqué de façon à indiquer qu'il est destiné à être livré à un utilisateur autorisé et à être utilisé par lui;

b) d'être exporté par l'exploitant agréé d'entrepôt d'accise conformément à la présente loi, si le contenant a été importé.

(3) Droit non exigible — contenant spécial de vin — Le droit n'est pas exigible sur le vin importé dans un contenant spécial marqué qui est sorti d'un entrepôt d'accise en vue d'être exporté par l'exploitant agréé d'entrepôt d'accise conformément à la présente loi.

(4) Droit non exigible — échantillons de vin — Le droit n'est pas exigible sur le vin emballé non acquitté, sauf s'il s'agit de vin se trouvant dans un contenant spécial marqué, qui est sorti de l'entrepôt d'accise du titulaire de licence de vin qui l'a produit ou emballé, si le vin est destiné à être offert gratuitement à des particuliers sous forme d'échantillon à consommer là où le titulaire produit ou emballe du vin.

Notes historiques: Le paragraphe 147(4) a été ajouté par L.C. 2007, c. 18, par. 104(1) et est réputé être entré en vigueur le 1er juillet 2003.

Détermination du volume d'alcool

148. (1) Volume d'alcool — Le volume d'alcool et la quantité d'alcool éthylique absolu qu'il contient sont déterminés de la manière précisée par le ministre au moyen d'instruments approuvés.

(2) Approbation de l'instrument — Le ministre peut examiner et approuver un instrument ou une catégorie, un type ou un modèle d'instruments servant à mesurer le volume d'alcool et la quantité d'alcool éthylique absolu qu'il contient.

(3) Nouvel examen — Le ministre peut ordonner par écrit que tout instrument qu'il a déjà examiné et approuvé ou qui appartient à une catégorie, un type ou un modèle qu'il a déjà examiné et approuvé lui soit présenté pour un nouvel examen. Dans ce cas, la personne qui a la garde et le contrôle de l'instrument doit s'exécuter immédiatement.

(4) Retrait d'approbation — Après avoir procédé au nouvel examen de l'instrument, le ministre peut retirer par écrit l'approbation qu'il a accordée à l'égard de l'instrument ou d'instruments de la même catégorie, du même type ou du même modèle.

(5) Indication d'approbation — Tout instrument approuvé dont l'approbation n'a pas été retirée doit porter, de la manière jugée acceptable par le ministre, une mention indiquant qu'il a été approuvé.

Entrepôts d'accise

149. Restriction — dépôt dans un entrepôt — Il est interdit de déposer dans un entrepôt d'accise de l'alcool emballé non acquitté, sauf en conformité avec la présente loi.

150. (1) Importation par l'exploitant agréé d'entrepôt d'accise — Si de l'alcool emballé importé est dédouané en franchise de droits, en vertu de la *Loi sur les douanes*, en faveur de l'exploitant agréé d'entrepôt d'accise qui l'a importé, celui-ci doit aussitôt le déposer dans son entrepôt.

(2) Importation par l'utilisateur agréé — Si de l'alcool emballé importé est dédouané en franchise de droits, en vertu de la *Loi sur les douanes*, en faveur de l'utilisateur agréé qui l'a importé, celui-ci doit aussitôt le déposer dans son local déterminé.

151. (1) Restriction — sortie d'un entrepôt — Il est interdit de sortir de l'alcool emballé non acquitté d'un entrepôt d'accise.

(2) Exceptions — Sous réserve des règlements, il est permis de sortir d'un entrepôt d'accise :

a) de l'alcool emballé non acquitté, sauf s'il s'agit d'alcool se trouvant dans un contenant spécial marqué, aux fins suivantes :

(i) son entrée dans le marché des marchandises acquittées,

(ii) sa livraison à un autre entrepôt d'accise,

(iii) sa livraison à un représentant accrédité, pour son usage personnel ou officiel,

(iv) sa livraison à titre de provisions de bord conformément au *Règlement sur les provisions de bord*,

(v) sa livraison à une boutique hors taxes, pour vente, conformément à la *Loi sur les douanes*, à des personnes qui sont sur le point de quitter le Canada,

(vi) sa livraison à un utilisateur agréé,

(vii) sa livraison à un utilisateur autorisé, pour utilisation conformément aux modalités de son autorisation,

(viii) sa livraison, s'il s'agit de vin emballé visé au paragraphe 136(2), au magasin mentionné à ce paragraphe,

(ix) son exportation;

a.1) du vin emballé non acquitté, sauf s'il s'agit de vin se trouvant dans un contenant spécial marqué, si l'entrepôt est celui du titulaire de licence de vin qui a produit ou emballé le vin et si le vin est destiné à être offert gratuitement à des particuliers à titre d'échantillon à consommer là où le titulaire produit ou emballe du vin;

b) un contenant spécial de vin marqué non acquitté, aux fins suivantes :

(i) sa livraison à un autre entrepôt d'accise,

(ii) son entrée dans le marché des marchandises acquittées, pour livraison à un centre de remplissage libre-service;

c) un contenant spécial de spiritueux marqué non acquitté, aux fins suivantes :

(i) sa livraison à un autre entrepôt d'accise,

(ii) s'il est marqué de façon à indiquer qu'il est destiné à être livré à un utilisateur autorisé et à être utilisé par lui, sa livraison à un tel utilisateur pour utilisation conformément aux modalités de son autorisation,

(iii) s'il est marqué de façon à indiquer qu'il est destiné à être livré à un centre de remplissage libre-service et à y être utilisé, son entrée dans le marché des marchandises acquittées pour livraison à un tel centre;

d) un contenant spécial d'alcool marqué non acquitté importé, pour exportation.

Notes historiques: Le sous-alinéa 151(2)a)(viii) a été remplacé et le sous-alinéa 151(2)a)(ix) a été ajouté par L.C. 2007, c. 18, par. 105(1) et ces modifications sont réputées être entrées en vigueur le 1er juillet 2003. Antérieurement, le sous-alinéa 151(2)a)(viii) se lisait ainsi :

(viii) son exportation;

L'alinéa 151(2)a.1) a été ajouté par L.C. 2007, c. 18, par. 105(2) et cette modification est réputée être entrée en vigueur le 1er juillet 2003.

152. Retour d'alcool acquitté — L'alcool emballé qui a été sorti d'un entrepôt d'accise en vue de son entrée dans le marché des marchandises acquittées et qui est retourné à l'entrepôt dans les conditions prévues par règlement peut être déposé dans l'entrepôt à titre d'alcool emballé non acquitté.

153. Retour d'alcool non acquitté — L'alcool emballé non acquitté qui a été sorti d'un entrepôt d'accise conformément à l'article 147 et qui est retourné à un tel entrepôt dans les conditions prévues par règlement peut être déposé dans l'entrepôt à titre d'alcool emballé non acquitté.

153.1 Retour de vin non acquitté — Le vin emballé non acquitté qui a été sorti d'un entrepôt d'accise en vertu du sousalinéa 151(2)a)(viii) et qui est retourné à cet entrepôt dans les conditions prévues par règlement sans avoir été mis sur le marché des marchandises acquittées peut être déposé dans l'entrepôt à titre de vin emballé non acquitté.

Notes historiques: L'article 153.1 a été ajouté par L.C. 2007, c. 18, par. 106(1) et est réputé être entré en vigueur le 1er juillet 2003.

154. (1) Approvisionnement des magasins de vente au détail — Sous réserve des paragraphes (2) et 155(1), un exploitant agréé d'entrepôt d'accise ne peut fournir au cours d'une année civile, à partir d'un local précisé dans son agrément, à un magasin de vente au détail plus de 30 % du volume total d'alcool emballé fourni au cours de l'année, à partir de ce local, à l'ensemble des magasins de vente au détail.

(2) Exception — L'exploitant agréé d'entrepôt d'accise qui est titulaire de licence d'alcool peut fournir à son magasin de vente au détail, à partir d'un local précisé dans son agrément, plus de 30 % du volume total mentionné au paragraphe (1), si les conditions suivantes sont réunies :

a) le magasin est situé dans un endroit où l'exploitant produit ou emballe de l'alcool;

b) au moins 90 % du volume d'alcool emballé fourni au magasin au cours de l'année, à partir du local, est constitué d'alcool que l'exploitant a emballé ou, s'il était responsable de l'alcool immédiatement avant son emballage, qui a été emballé pour son compte.

155. (1) Exception — magasins éloignés — Sur demande présentée en la forme et selon les modalités qu'il autorise, le ministre peut autoriser l'exploitant agréé d'entrepôt d'accise, qui est une administration des alcools ou une personne autre qu'un vendeur au détail d'alcool, à fournir au cours d'une année civile, à partir d'un local précisé dans son agrément, à un magasin de vente au détail plus de 30 % du volume total d'alcool emballé à être fourni au cours de l'année, à partir de ce local, à l'ensemble des magasins de vente au détail, s'il est convaincu que la livraison d'alcool emballé, par train, camion ou bateau, au magasin n'est pas possible pendant cinq mois consécutifs de chaque année.

(2) Retrait de l'autorisation — Le ministre peut retirer l'autorisation prévue au paragraphe (1) si, selon le cas :

a) l'exploitant lui en fait la demande par écrit;

b) l'exploitant ne se conforme pas à une condition de l'autorisation ou à une disposition de la présente loi;

c) le ministre n'est plus convaincu que les exigences énoncées au paragraphe (1) sont remplies;

d) le ministre estime que l'autorisation n'est plus nécessaire.

(3) Avis de retrait — Le ministre informe l'exploitant du retrait de l'autorisation dans un avis écrit précisant la date d'entrée en vigueur du retrait.

156. Sortie d'un contenant spécial d'alcool — Le titulaire de licence d'alcool qui a marqué un contenant spécial d'alcool peut le sortir de son entrepôt d'accise en vue de le réintégrer à ses stocks d'alcool en vrac s'il en enlève la marque de la manière approuvée par le ministre.

157. Sortie de vin emballé d'un entrepôt d'accise — Le titulaire de licence de vin peut sortir du vin emballé non acquitté de son entrepôt d'accise en vue de le réintégrer à ses stocks de vin en vrac.

158. Sortie de spiritueux emballés d'un entrepôt d'accise — Le titulaire de licence d'alcool peut sortir des spiritueux emballés non acquittés de son entrepôt d'accise en vue de les réintégrer à ses stocks de spiritueux en vrac.

PARTIE 5 — DISPOSITIONS GÉNÉRALES CONCERNANT LES DROITS ET AUTRES SOMMES EXIGIBLES

Périodes d'exercice

Notes historiques: La partie 5, incluant les articles 159 à 213 (sauf les articles 159 et 211, entrés en vigueur le 1er avril 2003 [C.P. 2003-388]), a été ajoutée par L.C. 2002, c. 22 et est entrée en vigueur le 1er juillet 2003 [C.P. 2003-388].

159. (1) Périodes d'exercice — Les mois d'exercice d'une personne sont déterminés selon les règles suivantes :

a) si les mois d'exercice ont été déterminés selon les paragraphes 243(2) ou (4) de la *Loi sur la taxe d'accise* pour l'application de la partie IX de cette loi, chacun de ces mois est un mois d'exercice de la personne pour l'application de la présente loi;

b) sinon, la personne peut choisir, pour l'application de la présente loi, des mois d'exercice qui remplissent les exigences énoncées au paragraphe 243(2) de la *Loi sur la taxe d'accise*;

c) en cas d'inapplication des alinéas a) et b), tout mois civil est un mois d'exercice de la personne pour l'application de la présente loi.

(1.1) Semestres d'exercice — Les semestres d'exercice d'une personne sont déterminés selon les règles suivantes :

a) la période commençant le premier jour du premier mois d'exercice de l'exercice de la personne et se terminant le dernier jour du sixième mois d'exercice ou, s'il est antérieur, le dernier jour de l'exercice est un semestre d'exercice de la personne;

b) la période commençant le premier jour du septième mois d'exercice et se terminant le dernier jour de l'exercice de la personne est un semestre d'exercice de la personne.

(2) Avis au ministre — Quiconque est tenu de produire une déclaration doit aviser le ministre de ses mois d'exercice en la forme et selon les modalités autorisées par celui-ci.

Notes historiques: L'intertitre précédant l'article 159 a été remplacé par L.C. 2010, c. 25, art. 109 et cette modification est réputée être entrée en vigueur le 15 décembre 2010. Antérieurement, il se lisait « Périodes d'exercice »:

L'article 159(1.1) a été ajouté par L.C. 2010, c. 25, art. 110 et est réputé être entré en vigueur le 15 décembre 2010.

L'article 159 a été ajouté par L.C. 2002, c. 22 et est entré en vigueur le 1er avril 2003 [C.P. 2003-388].

Info TPS/TVH [159]: GI-024, *Harmonisation des dispositions administratives visant la comptabilité normalisée.*

Formulaires [159]: B268, *Notification des mois d'exercice.*

Périodes de déclaration

159.1 (1) Période de déclaration — général — Sous réserve du présent article, la période de déclaration d'une personne correspond à un mois d'exercice.

(2) Période de déclaration semestrielle — Sur demande d'une personne présentée en la forme et selon les modalités autorisées par le ministre, le ministre peut donner son autorisation écrite pour que la période de déclaration de la personne corresponde à un semestre d'exercice d'un exercice donné si les conditions suivantes sont réunies :

a) la personne — titulaire de licence ou d'agrément — fait partie de l'une des catégories suivantes :

(i) exploitant agréé d'entrepôt d'accise qui ne détient dans son entrepôt d'accise ni tabac fabriqué ni cigares,

(ii) titulaire de licence de spiritueux,

(iii) titulaire de licence de vin,

(iv) utilisateur agréé;

b) la personne est titulaire d'une licence ou d'un agrément depuis plus de douze mois d'exercice consécutifs;

c) en ce qui concerne une catégorie, le total des droits exigibles en vertu de la partie 4 de la personne et de toute personne qui lui est associée n'excédait pas 120 000 $ au cours de l'exercice s'étant terminé immédiatement avant l'exercice donné;

d) en ce qui concerne une catégorie, le total des droits exigibles en vertu de la partie 4 de la personne et de toute personne qui lui est associée n'excède pas 120 000 $ au cours de l'exercice donné;

e) si la personne est un exploitant agréé d'entrepôt d'accise, les droits dont sont redevables cette personne et tout exploitant agréé d'entrepôt d'accise qui lui est associé sur l'alcool déposé dans un entrepôt d'accise :

(i) n'excédaient pas 120 000 $ au cours de l'exercice s'étant terminé immédiatement avant l'exercice donné,

(ii) n'excèdent pas 120 000 $ au cours de l'exercice donné;

f) si la personne est un utilisateur agréé, les droits dont sont redevables cette personne et tout utilisateur agréé qui lui est associé sur l'alcool déposé dans leur local déterminé :

(i) n'excédaient pas 120 000 $ au cours de l'exercice s'étant terminé immédiatement avant l'exercice donné,

(ii) n'excèdent pas 120 000 $ au cours de l'exercice donné;

g) le volume d'alcool éthylique absolu ajouté aux stocks de spiritueux en vrac de la personne qui est un titulaire de licence de spiritueux et d'un titulaire de licence de spiritueux qui lui est associé n'excédait pas au cours de l'exercice se terminant immédiatement avant l'exercice donné, et n'excède pas au cours de l'exercice donné, la somme obtenue par la formule suivante :

$$A/B$$

où :

A représente 120 000 $,

B le taux de droit applicable aux spiritueux selon l'article 1 de l'annexe 4;

h) le volume de vin ajouté aux stocks de vin en vrac de la personne qui est un titulaire de licence de vin et d'un titulaire de licence de vin qui lui est associé n'excédait pas au cours de l'exercice se terminant immédiatement avant l'exercice donné, et n'excède pas au cours de l'exercice donné, la somme obtenue par la formule suivante :

$$A/B$$

où :

A représente 120 000 $,

B le taux de droit applicable au vin selon l'alinéa c) de l'annexe 6;

i) la personne agit en conformité avec la présente loi.

(3) Révocation réputée — L'autorisation est réputée être révoquée si :

a) l'une des conditions énoncées aux alinéas (2)d) à h) n'est plus remplie relativement à la personne; dans ce cas, la révocation prend effet le lendemain de la fin du semestre d'exercice au cours duquel la condition n'est plus remplie;

b) un exploitant agréé d'entrepôt d'accise détient dans son entrepôt d'accise du tabac fabriqué ou des cigares; dans ce cas, la révocation prend effet le premier jour du mois d'exercice au cours duquel l'exploitant commence à détenir le tabac ou les cigares.

(4) Révocation — autre — Le ministre peut révoquer l'autorisation si, selon le cas :

a) la personne le lui demande par écrit;

b) la personne n'agit pas en conformité avec la présente loi;

c) le ministre estime que l'autorisation n'est plus nécessaire.

(5) Avis de révocation — S'il révoque l'autorisation en vertu du paragraphe (4), le ministre en avise la personne par écrit et précise dans l'avis le mois d'exercice pour lequel la révocation prend effet.

(6) Période de déclaration réputée en cas de révocation — Si la révocation prévue à l'alinéa (3)b) ou au paragraphe (4) prend effet avant la fin d'un semestre d'exercice pour lequel une personne a reçu l'autorisation visée au paragraphe (2), la période commençant le premier jour du semestre d'exercice et se terminant immédiatement avant le premier jour du mois d'exercice pour lequel la révocation prend effet est réputée être une période de déclaration de la personne.

Notes historiques: L'article 159.1 ainsi que l'intertitre le précédant ont été ajoutés par L.C. 2010, c. 25, art. 111 et sont réputés être entrés en vigueur le 15 décembre 2010.

Déclarations et paiement des droits et autres sommes

160. Déclaration — Tout titulaire de licence ou d'agrément aux termes de la présente loi doit, au plus tard le dernier jour du premier mois suivant chacune de ses périodes de déclaration :

a) présenter au ministre, en la forme et selon les modalités autorisées par celui-ci, une déclaration pour la période;

b) calculer, dans la déclaration, le total des droits qu'il doit payer pour la période;

c) verser ce total au receveur général.

Notes historiques: L'article 160 a été remplacé par L.C. 2010, c. 25, art. 112 et cette modification est réputée être entrée en vigueur le 15 décembre 2010. Antérieurement, il se lisait ainsi :

> 160. Tout titulaire de licence ou d'agrément aux termes de la présente loi doit, au plus tard le dernier jour du premier mois suivant chacun de ses mois d'exercice :
>
> a) présenter au ministre, en la forme et selon les modalités autorisées par celui-ci, une déclaration pour ce mois d'exercice;
>
> b) calculer, dans la déclaration, le total des droits qu'il doit payer pour ce mois d'exercice;
>
> c) verser ce total au receveur général.

En vertu de L.C. 2007, c. 18, par. 107(1), le paragraphe 160(1) devient l'article 160 et le paragraphe 160(2) est abrogé. Ces modifications sont réputées être entrées en vigueur le 1er juillet 2003. Antérieurement, ils se lisaient ainsi :

160. (1) Déclaration — Tout titulaire de licence ou d'agrément aux termes de la présente loi doit, au plus tard le dernier jour du premier mois suivant chacun de ses mois d'exercice :

a) présenter au ministre, en la forme et selon les modalités autorisées par celui-ci, une déclaration pour ce mois d'exercice;

b) calculer, dans la déclaration, le total des droits qu'il doit payer pour ce mois d'exercice;

c) verser ce total au receveur général.

(2) Exception — Le paragraphe (1) ne s'applique pas aux commerçants de tabac agréés.

Formulaires [160]: B60, *Déclaration des droits d'accise*; B261, *Déclaration des droits d'accise — boutique hors taxe*; B262, *Déclaration des droits d'accise — exploitant agréé d'entrepôt d'accise*; B263, *Déclaration des droits d'accise — utilisateur agréé*; B264, *Déclaration des droits d'accise — exploitant agréé d'entrepôt d'accise spécial*; B265, *Déclaration des droits d'accise — titulaire de licence de vin*; B266, *Déclaration des droits d'accise — titulaire de licence de spiritueux*; B267, *Déclaration des droits d'accise — titulaire de licence de tabac*; B271, *Déclaration des droits d'accise — commerçant de tabac*; E60, *Formule d'exportation de produits du tabac.*

161. Déclaration — Quiconque n'est pas titulaire de licence ou d'agrément aux termes de la présente loi et est tenu de payer un droit aux termes de cette loi doit, au plus tard le dernier jour du premier mois suivant son mois d'exercice au cours duquel le droit est devenu exigible :

a) présenter au ministre, en la forme et selon les modalités autorisées par celui-ci, une déclaration pour ce mois d'exercice;

b) calculer, dans la déclaration, le total des droits qu'il doit payer pour le mois d'exercice en question;

c) verser ce total au receveur général.

Formulaires [161]: B270, *Déclaration des droits d'accise — personne non titulaire de licence ou d'agrément.*

162. Compensation de remboursement — La personne qui, à un moment donné, produit une déclaration dans laquelle elle indique une somme qu'elle est tenue de verser en application de la présente loi et qui demande dans cette déclaration, ou dans une autre déclaration ou une demande distincte produite conformément à la présente loi avec cette déclaration, un remboursement qui lui est payable à ce moment est réputée avoir payé, et le ministre avoir remboursé, à ce moment la somme en question ou, s'il est inférieur, le montant du remboursement.

163. Paiements importants — Quiconque est tenu en vertu de la présente loi de payer au receveur général des droits, des intérêts ou d'autres sommes s'élevant à 50 000 $ ou plus les verse au compte du receveur général à l'une des institutions suivantes :

a) une banque;

b) une banque étrangère autorisée, au sens de l'article 2 de la *Loi sur les banques*, qui n'est pas assujettie aux restrictions et exigences visées au paragraphe 524(2) de cette loi;

c) une caisse de crédit;

d) une personne morale qui est autorisée par la législation fédérale ou provinciale à exploiter une entreprise d'offre au public de services de fiduciaire;

e) une personne morale qui est autorisée par la législation fédérale ou provinciale à accepter du public des dépôts et qui exploite une entreprise soit de prêts d'argent garantis sur des immeubles ou biens réels, soit de placements par hypothèques sur des immeubles ou biens réels.

Formulaires [163]: B261, *Déclaration des droits d'accise — boutique hors taxe*; B262, *Déclaration des droits d'accise — exploitant agréé d'entrepôt d'accise*; B265, *Déclaration des droits d'accise — titulaire de licence de vin*; B266, *Déclaration des droits d'accise — titulaire de licence de spiritueux*; B267, *Déclaration des droits d'accise — titulaire de licence de tabac.*

164. (1) Déclarations distinctes — Le titulaire de licence ou d'agrément qui exerce une activité dans des succursales ou divisions distinctes peut demander au ministre, en la forme et selon les modalités autorisées par celui-ci, l'autorisation de produire des déclarations et demandes de remboursement distinctes aux termes de la présente loi pour chaque succursale ou division précisée dans la demande.

(2) Autorisation — Sur réception de la demande, le ministre peut, par écrit, autoriser le titulaire de licence ou d'agrément à produire des déclarations et demandes de remboursement distinctes pour chaque succursale ou division précisée, sous réserve de conditions qu'il peut imposer en tout temps, s'il est convaincu de ce qui suit :

a) la succursale ou la division peut être reconnue distinctement par son emplacement ou la nature des activités qui y sont exercées;

b) des registres, livres de compte et systèmes comptables sont tenus séparément pour la succursale ou la division.

(3) Retrait d'autorisation — Le ministre peut retirer l'autorisation si, selon le cas :

a) le titulaire de licence ou d'agrément lui en fait la demande par écrit;

b) le titulaire de licence ou d'agrément ne se conforme pas à une condition de l'autorisation ou à une disposition de la présente loi;

c) le ministre n'est plus convaincu que les exigences du paragraphe (2) relativement au titulaire de licence ou d'agrément sont remplies;

d) le ministre est d'avis que l'autorisation n'est plus nécessaire.

(4) Avis de retrait — Le ministre informe le titulaire de licence ou d'agrément du retrait de l'autorisation dans un avis écrit précisant la date d'entrée en vigueur du retrait.

Formulaires [164]: B269, *Demande ou retrait de l'autorisation pour les succursales ou divisions de produire des déclarations et des demandes de remboursement distinctes pour les droits d'accise.*

165. (1) Sommes dues totalisant 2 $ ou moins — Les sommes dont une personne est redevable à Sa Majesté en vertu de la présente loi sont réputées nulles si le total de ces sommes, déterminé par le ministre à un moment donné, est égal ou inférieur à deux dollars.

(2) Sommes à payer totalisant 2 $ ou moins — Si, à un moment donné, le total des sommes à payer par le ministre à une personne en vertu de la présente loi est égal ou inférieur à deux dollars, le ministre peut les déduire de toute somme dont la personne est alors redevable à Sa Majesté. Toutefois, si la personne n'est alors redevable d'aucune somme à Sa Majesté, les sommes à payer par le ministre sont réputées nulles.

Notes historiques: Le paragraphe 165(2) a été remplacé par L.C. 2006, c. 4, par. 113(1) et cette modification est entrée en vigueur le 1er avril 2007. Antérieurement, il se lisait ainsi :

(2) Si, à un moment donné, le total des sommes à payer par le ministre à une personne en vertu de la présente loi est égal ou inférieur à deux dollars, le ministre les déduit de toute somme dont la personne est redevable à ce moment à Sa Majesté en vertu de la présente loi. Toutefois, si la personne n'est redevable d'aucune somme à Sa Majesté, les sommes à payer par le ministre sont réputées nulles.

L'article 165 a été remplacé par L.C. 2003, c. 15, par. 91(1) et cette modification est réputée entrée en vigueur le 19 juin 2003. Antérieurement, il se lisait ainsi :

165. (1) La somme dont une personne est redevable au receveur général en vertu de la présente loi est réputée nulle si le total des sommes dont elle est ainsi redevable est égal ou inférieur à la somme déterminée par règlement.

(2) Dans le cas où le total des sommes à payer par le ministre à une personne en vertu de la présente loi est égal ou inférieur à la somme déterminée par règlement, le ministre n'est pas tenu de les verser. Il peut toutefois les déduire d'une somme dont la personne est redevable.

Formulaires [165]: B262, *Déclaration des droits d'accise — exploitant agréé d'entrepôt d'accise*; B265, *Déclaration des droits d'accise — titulaire de licence de vin*; B266, *Déclaration des droits d'accise — titulaire de licence de spiritueux*; B267, *Déclaration des droits d'accise — titulaire de licence de tabac.*

166. (1) Transmission électronique — Pour l'application du présent article, la transmission de documents par voie électronique se fait selon les modalités que le ministre établit par écrit.

(2) Production par voie électronique — La personne tenue de présenter une déclaration au ministre aux termes de la présente loi et qui répond aux critères que le ministre établit par écrit pour l'application du présent article peut produire la déclaration par voie électronique.

(3) Présomption — Pour l'application de la présente loi, la déclaration qu'une personne produit par voie électronique est réputée présentée au ministre, en la forme qu'il autorise, le jour où il en accuse réception.

167. Validation des documents — La déclaration, sauf celle produite par voie électronique en application de l'article 166, le certificat ou tout autre document fait en application de la présente loi par une personne autre qu'un particulier doit être signé en son nom par un particulier qui y est régulièrement autorisé par la personne ou son organe directeur. Le président, le vice-président, le secrétaire et le trésorier, ou l'équivalent, d'une personne morale, ou d'une association ou d'un organisme dont les cadres sont régulièrement élus ou nommés, sont réputés être ainsi autorisés.

168. (1) Prorogation — Le ministre peut, en tout temps, par écrit, proroger le délai imparti en vertu de la présente loi pour produire une déclaration ou communiquer des renseignements.

(2) Effet — Les règles suivantes s'appliquent si le ministre proroge le délai :

a) la déclaration doit être produite, ou les renseignements communiqués, dans le délai prorogé;

b) les droits exigibles que la personne est tenue d'indiquer dans la déclaration doivent être acquittés dans le délai prorogé;

c) les intérêts exigibles aux termes de l'article 170 sur toute somme à payer au titre de la déclaration ou de l'obligation de communiquer des renseignements sont calculés comme si la somme devait être payée au plus tard à l'expiration du délai prorogé;

d) la pénalité exigible aux termes de l'article 251.1 au titre de la déclaration est calculée comme si celle-ci devait être produite au plus tard à l'expiration du délai prorogé.

Notes historiques: L'alinéa 168(2)c) a été remplacé et l'alinéa 168(2)d) a été ajouté par L.C. 2006, c. 4, par. 114(1) et ces modifications s'appliquent relativement aux délais prorogés qui expirent le 1er avril 2007 ou par la suite. Antérieurement, l'alinéa 168(2)c) se lisait ainsi :

c) les intérêts sont exigibles aux termes de l'article 170 comme si le délai n'avait pas été prorogé.

Info TPS/TVH [168]: GI-024, *Harmonisation des dispositions administratives visant la comptabilité normalisée*.

169. Mise en demeure de produire une déclaration — Toute personne doit, sur mise en demeure du ministre, produire, dans le délai raisonnable fixé par la mise en demeure, une déclaration aux termes de la présente loi visant la période précisée dans la mise en demeure.

Notes historiques: L'article 169 a été remplacé par L.C. 2012, c. 19, art. 46 et cette modification est entrée en vigueur le 29 juin 2012. Antérieurement, il se lisait ainsi :

169. Toute personne doit, sur mise en demeure du ministre signifiée à personne ou envoyée par courrier recommandé ou certifié, produire, dans le délai raisonnable fixé par la mise en demeure, une déclaration aux termes de la présente loi visant la période précisée dans la mise en demeure.

Intérêts

170. (1) Intérêts — La personne qui ne verse pas une somme au receveur général selon les modalités de temps ou autres prévues par la présente loi est tenue de payer des intérêts, au taux réglementaire, calculés et composés quoti-diennement sur cette somme pour la période commençant le lendemain de l'expiration du délai de versement et se terminant le jour du versement.

(2) Paiement des intérêts composés — Pour l'application du paragraphe (1), les intérêts qui sont composés un jour donné sur la somme impayée d'une personne sont réputés être à payer par elle au receveur général à la fin du jour donné. Si la personne ne paie pas ces intérêts au plus tard à la fin du jour suivant, ils sont ajoutés à la somme impayée à la fin du jour donné.

(3) Intérêts non exigibles — Malgré les autres dispositions de la présente loi, si le ministre avise une personne qu'elle est tenue de payer, en vertu de la présente loi, une somme déterminée et que la personne verse la totalité de cette somme avant la fin de la période précisée avec l'avis, aucun intérêt n'est à payer sur la somme pour la période.

Notes historiques: Le paragraphe 170(3) a été remplacé par L.C. 2003, c. 15, par. 92(1) et cette modification est réputée entrée en vigueur le 19 juin 2003. Antérieurement, il se lisait ainsi :

(3) Avis du ministre — Le ministre peut signifier ou envoyer à la personne tenue, en vertu de la présente loi, de payer une somme constituée éventuellement de principal et d'intérêts un avis faisant état de la somme due et du délai de versement.

(4) Intérêts de 25 $ ou moins — Si, à un moment donné, une personne paie une somme égale ou supérieure au total des sommes, sauf les intérêts et la pénalité exigible aux termes de l'article 251.1, dont elle est alors débitrice envers Sa Majesté en vertu de la présente loi pour sa période de déclaration et que le montant des intérêts et de la pénalité à payer par elle en vertu de la présente loi pour cette période n'excède pas 25 $, le ministre peut renoncer à ce montant.

Notes historiques: Le paragraphe 170(4) a été remplacé par L.C. 2010, c. 25, art. 113 et cette modification est réputée être entrée en vigueur le 15 décembre 2010. Antérieurement, il se lisait ainsi :

(4)
— Intérêts de 25 $ ou moins —

Si, à un moment donné, une personne paie une somme égale ou supérieure au total des sommes, sauf les intérêts et la pénalité exigible aux termes de l'article 251.1, dont elle est alors débitrice envers Sa Majesté en vertu de la présente loi pour son mois d'exercice et que le montant des intérêts et de la pénalité à payer par elle en vertu de la présente loi pour ce mois n'excède pas 25 $, le ministre peut renoncer à ce montant.

Le paragraphe 170(4) a été remplacé par L.C. 2006, c. 4, par. 115(1) et cette modification s'applique relativement aux mois d'exercice d'une personne se terminant le 1er avril 2007 ou par la suite. Antérieurement, il se lisait ainsi :

(4) Intérêts de 25 $ ou moins — Si, à un moment donné, une personne paie une somme égale ou supérieure au total des sommes, sauf les intérêts et la pénalité exigible aux termes de l'article 251.1, dont elle est alors débitrice envers Sa Majesté en vertu de la présente loi pour son mois d'exercice et que le montant des intérêts et de la pénalité à payer par elle en vertu de la présente loi pour ce mois n'excède pas 25 $, le ministre peut renoncer à ce montant.

Le paragraphe 170(4) a été remplacé par L.C. 2003, c. 15, par. 92(1) et cette modification est réputée entrée en vigueur le 19 juin 2003. Antérieurement, il se lisait ainsi :

(4) Effet — Si le destinataire de l'avis verse la totalité de la somme dans le délai accordé, des intérêts ne sont pas à payer sur la somme, malgré le paragraphe (1), pour la période commençant à la date de l'avis et se terminant à la date du versement.

(5) [*Abrogé*].

Notes historiques: Le paragraphe 170(5) a été abrogé par L.C. 2003, c. 15, par. 92(1) et cette abrogation est réputée entrée en vigueur le 19 juin 2003. Antérieurement, il se lisait ainsi :

(5) Intérêts minimes — Lorsque, à un moment donné, une personne s'acquitte des sommes, sauf les intérêts, dont elle est débitrice envers Sa Majesté en vertu de la présente loi et que, immédiatement avant ce moment, les intérêts dont elle est redevable en vertu de la présente loi sont inférieurs à la somme déterminée par règlement, le ministre peut radier et annuler ces intérêts.

171. Intérêts composés sur les sommes à payer par le ministre — Des intérêts composés, au taux réglementaire, courent quotidiennement sur les sommes que le ministre doit payer à une personne. Sauf disposition contraire de la présente loi, ces intérêts sont calculés pour la période commençant le lendemain du jour où les sommes devaient être payées et se terminant le jour où elles sont payées ou déduites de toute somme dont la personne est redevable à Sa Majesté.

Notes historiques: L'article 171 a été remplacé par L.C. 2003, c. 15, par. 93(1) et cette modification est réputée entrée en vigueur le 19 juin 2003. Antérieurement, il se lisait ainsi :

171. Intérêts composés sur les dettes de Sa Majesté — Des intérêts, au taux réglementaire, sont calculés et composés quotidiennement sur les sommes dont Sa

Majesté est débitrice envers une personne, pour la période commençant le lendemain du jour où elles devaient être payées et se terminant le jour où elles sont payées ou déduites d'une somme dont la personne est redevable à Sa Majesté.

172. Modification de la Loi — Il est entendu que, si la présente loi fait l'objet d'une modification qui entre en vigueur un jour antérieur à la date de sanction du texte modificatif, ou s'applique à compter de ce jour, les dispositions de la présente loi qui portent sur le calcul et le paiement d'intérêts s'appliquent à la modification comme si elle avait été sanctionnée ce jour-là.

173. Renonciation ou réduction — intérêts — Le ministre peut, au plus tard le jour donné qui suit de dix années civiles le jour où une somme devait être payée par une personne en application de la présente loi ou sur demande de la personne présentée au plus tard le jour donné, réduire les intérêts à payer sur la somme exigible de la personne aux termes de l'article 170, ou y renoncer.

Notes historiques: L'article 173 a été remplacé par L.C. 2007, c. 18, par. 108(1) et cette modification est réputée être entrée en vigueur le 1er juillet 2003. Antérieurement, il se lisait ainsi :

> 173. Le ministre peut, au plus tard le jour qui suit de dix années civiles le jour où une somme devait être payée par une personne en application de la présente loi, réduire les intérêts à payer sur la somme exigible de la personne aux termes de l'article 170, ou y renoncer.

L'article 173 a été remplacé par L.C. 2006, c. 4, par. 116(1) et cette modification est entrée en vigueur le 1er avril 2007. Antérieurement, il se lisait ainsi :

> 173. Le ministre peut, en tout temps, réduire les intérêts à payer par une personne en application de la présente loi, ou y renoncer.

Info TPS/TVH [173]: GI-024, *Harmonisation des dispositions administratives visant la comptabilité normalisée*.

Formulaires [173]: RC199, *Acceptation du contribuable — Programme des divulgations volontaires (PDV)*.

Remboursements

174. Droits de recouvrement créés par une loi — Nul n'a le droit de recouvrer de l'argent qui a été versé à Sa Majesté au titre de droits, d'intérêts ou d'autres sommes exigibles en vertu de la présente loi ou qu'elle a pris en compte à ce titre, à moins qu'il ne soit expressément permis de le faire en vertu de la présente loi, de la *Loi sur la gestion des finances publiques*, de la *Loi sur les douanes* ou du *Tarif des douanes*.

Formulaires [174]: B256, *Demande générale de remboursement du droit d'accise*.

175. (1) Demande de remboursement — Toute demande visant un remboursement prévu par la présente loi doit être présentée au ministre en la forme et selon les modalités qu'il autorise.

(2) Demande unique — L'objet d'un remboursement ne peut être visé par plus d'une demande présentée en vertu de la présente loi.

Formulaires [175]: B256, *Demande générale de remboursement du droit d'accise*; E664, *Demande de Dépot Direct / Demande de tansfert électronique (paiements plus de $25 millions) pour les ristournes et remboursements d'accise*; E681, *Demande de remboursement de la taxe sur les produits de tabac exportés sur la Loi de 2001 sur l'accise*.

176. (1) Remboursement d'une somme payée par erreur — Si une personne paie une somme au titre des droits, des intérêts ou d'autres sommes exigibles en vertu de la présente loi alors qu'elle n'avait pas à la payer, ou paie une somme qui est prise en compte à ce titre, le ministre lui rembourse la somme, indépendamment du fait qu'elle ait été payée par erreur ou autrement.

(2) Restriction — La somme n'est pas remboursée dans la mesure où :

a) elle a été prise en compte au titre des droits pour une période de déclaration d'une personne et le ministre a établi une cotisation à l'égard de la personne pour cette période selon l'article 188;

b) elle représentait des droits, des intérêts ou une autre somme visés par une cotisation établie selon cet article.

Notes historiques: L'alinéa 176(2)a) a été remplacé par L.C. 2010, c. 25, art. 114 et cette modification est réputée être entrée en vigueur le 15 décembre 2010. Antérieurement, il se lisait ainsi :

> a) elle a été prise en compte au titre des droits pour un mois d'exercice d'une personne et le ministre a établi une cotisation à l'égard de la personne pour ce mois selon l'article 188;

(3) Demande de remboursement — La somme n'est remboursée que si la personne en fait la demande dans les deux ans suivant son paiement.

Formulaires [176]: B256, *Demande générale de remboursement du droit d'accise*.

177. Restriction — Une somme n'est pas remboursée ou payée à une personne en vertu de la présente loi dans la mesure où il est raisonnable de considérer, selon le cas :

a) qu'elle a déjà été remboursée, versée ou payée à la personne, ou déduite d'une somme dont elle est redevable à Sa Majesté, en vertu de la présente loi ou d'une autre loi fédérale;

b) que la personne a demandé le remboursement, le paiement ou la remise de la somme en question en vertu d'une autre loi fédérale.

Notes historiques: L'alinéa 177a) a été remplacé par L.C. 2007, c. 18, art. 109 et cette modification est réputée être entrée en vigueur le 22 juin 2007. Antérieurement, il se lisait ainsi :

> a) qu'elle a déjà été remboursée, versée ou payée à la personne, ou déduite d'une somme dont elle est redevable, en vertu de la présente loi ou d'une autre loi fédérale;

178. Restriction — failli — En cas de nomination, en application de la *Loi sur la faillite et l'insolvabilité*, d'un syndic pour voir à l'administration de l'actif d'un failli, un remboursement ou un autre paiement prévu par la présente loi auquel le failli avait droit avant la nomination n'est effectué après la nomination que si toutes les déclarations à produire en application de la présente loi pour les périodes de déclaration du failli qui ont pris fin avant la nomination ont été produites et que si les sommes à verser par le failli en application de la présente loi relativement à ces périodes ont été versées.

Notes historiques: L'article 178 a été remplacé par L.C. 2010, c. 25, art. 115 et cette modification est réputée être entrée en vigueur le 15 décembre 2010. Antérieurement, il se lisait ainsi :

> 178. En cas de nomination, en application de la *Loi sur la faillite et l'insolvabilité*, d'un syndic pour voir à l'administration de l'actif d'un failli, un remboursement ou un autre paiement prévu par la présente loi auquel le failli avait droit avant la nomination n'est effectué après la nomination que si toutes les déclarations à produire en application de la présente loi pour les mois d'exercice du failli qui ont pris fin avant la nomination ont été produites et que si les sommes à verser par le failli en application de la présente loi relativement à ces mois ont été versées.

179. (1) Somme remboursée en trop — Lorsqu'est payée à une personne, ou déduite d'une somme dont elle est redevable, une somme au titre d'un remboursement ou autre paiement prévu par la présente loi auquel la personne n'a pas droit ou qui excède la somme à laquelle elle a droit, la personne est tenue de verser au receveur général, le jour de ce paiement ou de cette déduction, un montant égal à la somme remboursée ou payée ou à l'excédent.

(2) Conséquence de la réduction du remboursement — Pour l'application du paragraphe (1), si une personne a reçu un remboursement ou autre paiement supérieur à celui auquel elle avait droit et si l'excédent a réduit, par l'effet de l'article 177, tout autre remboursement ou paiement auquel elle aurait droit si ce n'était l'excédent, la personne est réputée avoir versé le montant de la réduction au receveur général.

180. Exportation — droit non remboursé — Sous réserve des autres dispositions de la présente loi, les droits payés sur les produits du tabac ou l'alcool entrés dans le marché des marchandises acquittées ne sont pas remboursés à l'exportation des produits ou de l'alcool.

180.1 (1) Remboursement — tabac non ciblé importé — Le ministre peut rembourser à la personne qui a importé du tabac fabriqué la somme déterminée selon le paragraphe (2) relativement au tabac si, à la fois :

a) la personne fournit au ministre une preuve, agréée par celui-ci, des faits suivants :

(i) le droit imposé sur le tabac en vertu de l'article 42, au taux fixé aux alinéas 1b), 2b) ou 3b) de l'annexe 1, a été acquitté,

(ii) il s'agit de tabac non ciblé qui :

(A) a été livré à une boutique hors taxes ou à un entrepôt de stockage ou à une personne pour utilisation à titre de provisions de bord conformément au *Règlement sur les provisions de bord*,

(B) a été exporté pour livraison à une boutique hors taxes à l'étranger ou à titre de provisions de bord à l'étranger;

b) la personne demande le remboursement au ministre dans les deux ans suivant l'importation du tabac.

(2) Montant du remboursement — Le montant du remboursement est égal à l'excédent du droit visé à l'alinéa a) sur le droit visé à l'alinéa b) :

a) le droit visé au sous-alinéa (1)a)(i);

b) le droit qui aurait été imposé sur le tabac en vertu de l'article 42 si le taux de droit applicable avait été celui fixé aux alinéas 1a), 2a) ou 3a) de l'annexe 1.

Notes historiques: L'article 180.1 a été ajouté par L.C. 2008, c. 28, par. 58(1) et s'applique au tabac fabriqué importé qui est un produit non ciblé et qui, après le 26 février 2008 :

a) est livré à une boutique hors taxes ou à un entrepôt de stockage ou à une personne pour utilisation à titre de provisions de bord conformément au *Règlement sur les provisions de bord*;

b) est exporté pour livraison à une boutique hors taxes à l'étranger ou à titre de provisions de bord à l'étranger.

181. Produits du tabac façonnés de nouveau ou détruits — Le ministre peut rembourser à un titulaire de licence de tabac le droit payé sur un produit du tabac qui est façonné de nouveau ou détruit par le titulaire de licence conformément à l'article 41 si celui-ci en fait la demande dans les deux ans suivant la nouvelle façon ou la destruction du produit.

Formulaires [181]: B256, *Demande générale de remboursement du droit d'accise.*

181.1 Tabac fabriqué importé détruit — Le ministre peut rembourser à l'exploitant agréé de boutique hors taxes le droit spécial imposé en vertu de l'article 53 et payé sur le tabac fabriqué importé que l'exploitant détruit conformément à la *Loi sur les douanes* si celui-ci en fait la demande dans les deux ans suivant la destruction du tabac.

Notes historiques: L'article 181.1 a été ajouté par L.C. 2007, c. 18, par. 110(1) et est réputé être entré en vigueur le 1er juillet 2003.

182. (1) Remboursement de taxe à l'importateur — Le ministre peut rembourser, à la personne qui a importé dans un pays étranger un produit du tabac — au sens de l'article 55 — qui a été fabriqué au Canada et que le titulaire de licence de tabac qui l'a fabriqué a exporté dans le pays étranger conformément à l'alinéa 50(4)a), la somme déterminée selon le paragraphe (2) relativement au produit si les conditions suivantes sont réunies :

a) la personne fournit au ministre une preuve, agréée par celui-ci, des faits suivants :

(i) tous les droits et taxes imposés sur le produit en vertu des lois d'application nationale du pays étranger ont été acquittés,

(ii) le contenant renfermant le produit porte les mentions obligatoires;

b) la personne demande le remboursement au ministre dans les deux ans suivant l'exportation du produit dans le pays étranger.

(2) Montant du remboursement — Le montant du remboursement est égal au moins élevé des montants suivants :

a) la somme des droits et taxes mentionnés au sous-alinéa (1)a)(i) qui sont payés sur le produit du tabac;

b) le montant du droit spécial imposé sur le produit en vertu de l'alinéa 56(1)a), qui est payé par le titulaire de licence de tabac qui l'a fabriqué.

(3) Somme remboursée en trop ou intérêts payés en trop — Lorsqu'une somme est versée à une personne au titre du remboursement relatif à un produit du tabac exporté par le titulaire de licence qui l'a fabriqué ou au titre des intérêts sur le montant de ce remboursement et que le droit spécial prévu à l'alinéa 56(1)b) a été imposé sur le produit, la somme est réputée être un droit à payer par le titulaire de licence en vertu de la présente loi qui est devenu exigible pendant le mois d'exercice au cours duquel la somme a été versée à la personne.

(4) Remboursement du droit spécial au titulaire de licence de tabac — Dans le cas où le remboursement prévu au paragraphe (1) a été payé relativement à un produit du tabac exporté, le ministre peut rembourser au titulaire de licence de tabac qui a fabriqué le produit l'excédent éventuel du droit spécial imposé sur le produit en vertu de l'alinéa 56(1)a), qui est payé par le titulaire de licence, sur le montant du remboursement. Pour recevoir le remboursement, le titulaire de licence doit en faire la demande au ministre dans les deux ans suivant l'exportation du produit.

Formulaires [182]: B256, *Demande générale de remboursement du droit d'accise*; E681, *Demande de remboursement de la taxe sur les produits de tabac exportés sur la Loi de 2001 sur l'accise.*

183. (1) Remboursement du droit spécial à l'exploitant agréé de boutique hors taxes — Dans le cas où l'exploitant agréé de boutique hors taxes titulaire de l'agrément délivré en vertu de l'article 22 vend, en conformité avec la *Loi sur les douanes*, du tabac fabriqué importé à un particulier ne résidant pas au Canada qui est sur le point de quitter le Canada, le ministre peut rembourser à l'exploitant le droit spécial payé en vertu de l'article 53 relativement à la partie de la quantité totale de tabac exportée par le particulier à son départ qui ne dépasse pas, selon le cas :

a) 200 cigarettes;

b) 200 bâtonnets de tabac;

c) 200 g de tabac fabriqué, à l'exclusion des cigarettes et des bâtonnets de tabac.

(2) Demande — Le montant du remboursement n'est versé à l'exploitant agréé d'une boutique hors taxes relativement à une vente de tabac fabriqué importé que s'il en fait la demande au ministre dans les deux ans suivant la vente.

Formulaires [183]: B256, *Demande générale de remboursement du droit d'accise.*

184. (1) Paiement en cas de créance irrécouvrable — Dans le cas où un titulaire de licence de tabac a payé un droit *ad valorem* en vertu de l'article 43 à l'égard d'une vente sans lien de dépendance de cigares et a démontré qu'une créance lui étant due relativement à la vente est devenue irrécouvrable en totalité ou en partie et a en conséquence été radiée de ses comptes en tout ou en partie, une somme égale au produit de la multiplication du montant de ce droit par le rapport entre le montant radié de la créance et le prix auquel les cigares ont été vendus peut, sous réserve des autres dispositions de la présente loi, lui être payée, s'il en demande le remboursement dans les deux ans suivant la fin du mois d'exercice au cours duquel la créance a été ainsi radiée.

(2) Recouvrement de paiement — Le titulaire de licence de tabac qui recouvre la totalité ou une partie de la créance à l'égard de laquelle il lui a été payée une somme en application du paragraphe (1) (appelée « somme remboursée » au présent paragraphe) doit verser sans délai au receveur général une somme égale au produit de la multiplication de la somme remboursée par le rapport entre le montant de la créance ainsi recouvré et le montant radié de la créance ayant donné lieu au remboursement.

(3) Définition de « vente sans lien de dépendance » — Au présent article, **« vente sans lien de dépendance »** s'entend d'une vente de cigares par un titulaire de licence de tabac à une personne avec laquelle il n'a pas de lien de dépendance au moment de la vente.

Formulaires [184]: B256, *Demande générale de remboursement du droit d'accise.*

185. (1) Remboursement — spiritueux en vrac importés — Dans le cas où des spiritueux en vrac importés sur lesquels le droit spécial a été acquitté sont retournés par un utilisateur agréé au titulaire de licence de spiritueux qui les lui a fournis, le ministre peut rembourser le droit au titulaire de licence de spiritueux qui l'a payé sur demande présentée par lui dans les deux ans suivant le retour.

(2) Remboursement — spiritueux importés emballés — Dans le cas où des spiritueux importés emballés sur lesquels le droit spécial a été acquitté sont retournés dans les conditions prévues par règlement par un utilisateur agréé à l'entrepôt de l'exploitant agréé d'entrepôt d'accise qui les lui a fournis, le ministre peut rembourser le droit à ce dernier sur demande présentée par lui dans les deux ans suivant le retour.

Formulaires [185]: B256, *Demande générale de remboursement du droit d'accise.*

186. Remboursement — alcool retourné à l'entrepôt — Dans le cas où de l'alcool emballé, sorti de l'entrepôt d'un exploitant agréé d'entrepôt d'accise en vue de son entrée dans le marché des marchandises acquittées, est retourné à l'entrepôt conformément à l'article 152, le ministre peut rembourser le droit payé sur l'alcool à l'exploitant, sur demande présentée par lui dans les deux ans suivant le retour.

Formulaires [186]: B256, *Demande générale de remboursement du droit d'accise.*

187. Remboursement — contenant spécial d'alcool — Dans le cas où un contenant spécial marqué d'alcool est retourné à l'exploitant agréé d'entrepôt d'accise qui a payé le droit sur l'alcool, le ministre peut lui rembourser le droit sur l'alcool qui reste dans le contenant au moment de son retour, si l'exploitant, à la fois :

a) détruit l'alcool de la manière approuvée par le ministre;

b) demande le remboursement dans les deux ans suivant le retour.

Formulaires [187]: B256, *Demande générale de remboursement du droit d'accise.*

Cotisations

188. (1) Cotisation — Le ministre peut établir une cotisation pour déterminer :

a) les droits exigibles d'une personne pour une période de déclaration;

b) sous réserve de l'article 190, les intérêts et autres sommes exigibles d'une personne en application de la présente loi.

Notes historiques: L'alinéa 188(1)a) a été remplacé par L.C. 2010, c. 25, par. 116(1) et cette modification est réputée être entrée en vigueur le 15 décembre 2010. Antérieurement, il se lisait ainsi :

a) les droits exigibles d'une personne pour une période de déclaration;

(2) Nouvelle cotisation — Le ministre peut établir une nouvelle cotisation ou une cotisation supplémentaire à l'égard des droits, intérêts ou autres sommes visés au paragraphe (1).

(3) Application de sommes non demandées — Le ministre, s'il constate les faits ci-après relativement à un remboursement lors de l'établissement d'une cotisation concernant les droits, intérêts ou autres sommes exigibles d'une personne pour une période de déclaration de celle-ci ou concernant une autre somme exigible d'une personne en vertu de la présente loi, applique tout ou partie du montant de remboursement en réduction des droits, intérêts ou autres sommes exigibles comme si la personne avait versé, à la date visée aux sous-alinéas a)(i) ou (ii), le montant ainsi appliqué au titre de ces droits, intérêts ou autres sommes :

a) le montant de remboursement aurait été à payer à la personne s'il avait fait l'objet d'une demande produite aux termes de la présente loi à celle des dates suivantes qui est applicable :

(i) si la cotisation concerne les droits exigibles pour la période de déclaration, la date où la déclaration pour la période devait être produite,

(ii) si la cotisation concerne des intérêts ou une autre somme, la date à laquelle ils sont devenus exigibles de la personne;

b) le remboursement n'a pas fait l'objet d'une demande produite par la personne avant le jour où l'avis de cotisation lui est envoyé;

c) le montant de remboursement serait à payer à la personne s'il faisait l'objet d'une demande produite aux termes de la présente loi le jour où l'avis de cotisation lui est envoyé, ou serait refusé s'il faisait l'objet d'une telle demande du seul fait que le délai dans lequel il peut être demandé a expiré avant ce jour.

Notes historiques: Le préambule du paragraphe 188(3) a été remplacé par L.C. 2006, c. 4, par. 117(1) et cette modification est entrée en vigueur le 1er avril 2007. Antérieurement, il se lisait ainsi :

(3) Le ministre, s'il constate les faits ci-après relativement à un remboursement lors de l'établissement d'une cotisation concernant les droits, intérêts ou autres sommes exigibles d'une personne pour un mois d'exercice de celle-ci ou concernant une autre somme exigible d'une personne en vertu de la présente loi, applique, sauf demande contraire de la personne, tout ou partie du montant de remboursement en réduction des droits, intérêts ou autres sommes exigibles comme si la personne avait versé, à la date visée aux sous-alinéas a)(i) ou (ii), le montant ainsi appliqué au titre de ces droits, intérêts ou autres sommes :

Le passage précédant le sous-alinéa 188(3)a)(ii) a été remplacé par L.C. 2010, c. 25, par. 116(2) et cette modification est réputée être entrée en vigueur le 15 décembre 2010. Antérieurement, il se lisait ainsi :

(3) Le ministre, s'il constate les faits ci-après relativement à un remboursement lors de l'établissement d'une cotisation concernant les droits, intérêts ou autres sommes exigibles d'une personne pour un mois d'exercice de celle-ci ou concernant une autre somme exigible d'une personne en vertu de la présente loi, applique tout ou partie du montant de remboursement en réduction des droits, intérêts ou autres sommes exigibles comme si la personne avait versé, à la date visée aux sous-alinéas a)(i) ou (ii), le montant ainsi appliqué au titre de ces droits, intérêts ou autres sommes :

a) le montant de remboursement aurait été à payer à la personne s'il avait fait l'objet d'une demande produite aux termes de la présente loi à la date suivante :

(i) si la cotisation concerne les droits exigibles pour le mois d'exercice, la date où la déclaration pour le mois devait être produite,

(4) Application d'un crédit — S'il constate, lors de l'établissement d'une cotisation concernant les droits exigibles d'une personne pour une période de déclaration de celle-ci, que des droits ont été payés en trop pour la période, le ministre, sauf si la cotisation est établie dans les circonstances visées aux alinéas 191(4)a) ou b) après l'expiration du délai imparti à l'alinéa 191(1)a) :

a) applique tout ou partie du paiement en trop en réduction d'une somme (appelée « somme impayée » au présent alinéa) que la personne a omis de verser en application de la présente loi, le jour donné où elle était tenue de produire une déclaration pour la période de déclaration, et qui demeure non versée le jour où l'avis de cotisation lui est envoyé, comme si elle avait versé, le jour donné, le montant ainsi appliqué au titre de la somme impayée;

b) applique la somme visée au sous-alinéa (i) en réduction de la somme visée au sous-alinéa (ii) :

(i) tout ou partie du paiement en trop qui n'a pas été appliqué conformément à l'alinéa a), ainsi que les intérêts y afférents calculés au taux réglementaire pour la période commençant le trentième jour suivant le dernier en date des jours ci-après et se terminant le jour où la personne a omis de verser la somme visée au sous-alinéa (ii) :

(A) le jour donné,

(B) le jour où la déclaration pour la période de déclaration a été produite,

(C) dans le cas d'un paiement en trop qui est imputable à un versement effectué un jour postérieur aux jours visés aux divisions (A) et (B), ce jour postérieur,

(ii) une somme (appelée « somme impayée » au présent alinéa) que la personne a omis de verser en application de la présente loi un jour postérieur au jour donné et qui demeure non versée le jour où l'avis de cotisation lui est envoyé,

comme si la personne avait payé, le jour postérieur visé au sous-alinéa (ii), le montant et les intérêts ainsi appliqués au titre de la somme impayée;

c) rembourse à la personne la partie du paiement en trop qui n'a pas été appliquée conformément aux alinéas a) et b), ainsi que les intérêts y afférents calculés au taux réglementaire pour la période commençant le trentième jour suivant le dernier en date des jours ci-après et se terminant le jour où le remboursement est effectué :

(i) le jour donné,

(ii) le jour où la déclaration pour la période de déclaration a été produite,

(iii) dans le cas d'un paiement en trop qui est imputable à un versement effectué un jour postérieur aux jours visés aux sous-alinéas (i) et (ii), ce jour postérieur.

Notes historiques: Le préambule du paragraphe 188(4) a été remplacé par L.C. 2006, c. 4, par. 117(3) et cette modification est entrée en vigueur le 1er avril 2007. Antérieurement, il se lisait ainsi :

(4) S'il constate, lors de l'établissement d'une cotisation concernant les droits exigibles d'une personne pour un mois d'exercice de celle-ci, que des droits ont été payés en trop pour le mois, le ministre, sauf demande contraire de la personne et sauf si la cotisation est établie dans les circonstances visées aux alinéas 191(4)a) ou b) après l'expiration du délai imparti à l'alinéa 191(1)a) :

Le passage précédant la division 188(4)b)(i)(C) a été remplacé par L.C. 2010, c. 25 par. 116(3) et cette modification est réputée être entrée en vigueur le 15 décembre 2010. Antérieurement, il se lisait ainsi :

(4) S'il constate, lors de l'établissement d'une cotisation concernant les droits exigibles d'une personne pour un mois d'exercice de celle-ci, que des droits ont été payés en trop pour le mois, le ministre, sauf si la cotisation est établie dans les circonstances visées aux alinéas 191(4)a) ou b) après l'expiration du délai imparti à l'alinéa 191(1)a) :

a) applique tout ou partie du paiement en trop en réduction d'une somme (appelée « somme impayée » au présent alinéa) que la personne a omis de verser en application de la présente loi, le jour donné où elle était tenue de produire une déclaration pour le mois, et qui demeure non versée le jour où l'avis de cotisation lui est envoyé, comme si elle avait versé, le jour donné, le montant ainsi appliqué au titre de la somme impayée;

b) applique la somme visée au sous-alinéa (i) en réduction de la somme visée au sous-alinéa (ii) :

(i) tout ou partie du paiement en trop qui n'a pas été appliqué conformément à l'alinéa a), ainsi que les intérêts y afférents calculés au taux réglementaire pour la période commençant le trentième jour suivant le dernier en date des jours ci-après et se terminant le jour où la personne a omis de verser la somme visée au sous-alinéa (ii) :

(A) le jour donné,

(B) le jour où la déclaration pour le mois a été produite,

L'alinéa 188(4)c)(ii) a été remplacé par L.C. 2010, c. 25, par. 116(4) et cette modification est réputée être entrée en vigueur le 15 décembre. Antérieurement, il se lisait ainsi :

(ii) le jour où la déclaration pour le mois a été produite,

(5) Application d'un paiement — Dans le cas où, lors de l'établissement d'une cotisation concernant les droits exigibles d'une personne pour une période de déclaration de celle-ci ou concernant une somme (appelée « arriéré » au présent paragraphe) exigible d'une personne en vertu de la présente loi, tout ou partie d'un montant de remboursement n'est pas appliqué conformément au paragraphe (3) en réduction de ces droits ou de l'arriéré, le ministre, sauf si la cotisation est établie dans les circonstances visées aux alinéas 191(4)a) ou b) après l'expiration du délai imparti à l'alinéa 191(1)a) :

a) applique la somme visée au sous-alinéa (i) en réduction de la somme visée au sous-alinéa (ii) :

(i) tout ou partie du montant de remboursement qui n'a pas été appliqué conformément au paragraphe (3),

(ii) une autre somme (appelée « somme impayée » au présent alinéa) que la personne a omis de verser en application de la présente loi, à la date ci-après (appelée « date donnée » au présent paragraphe), et qui demeure non versée le jour où l'avis de cotisation lui est envoyé :

(A) si la cotisation concerne les droits exigibles pour la période de déclaration, la date où la déclaration pour la période devait être produite,

(B) si la cotisation concerne un arriéré, la date où il est devenu exigible de la personne,

comme si la personne avait versé, à la date donnée, le montant ainsi appliqué au titre de la somme impayée;

b) applique la somme visée au sous-alinéa (i) en réduction de la somme visée au sous-alinéa (ii) :

(i) tout ou partie du montant de remboursement qui n'a pas été appliqué conformément au paragraphe (3) ou à l'alinéa a), ainsi que les intérêts y afférents calculés au taux réglementaire pour la période commençant le trentième jour suivant le dernier en date des jours ci-après et se terminant le jour où la personne a omis de verser la somme visée au sous-alinéa (ii) :

(A) la date donnée,

(B) si la cotisation concerne les droits exigibles pour la période de déclaration, le jour où la déclaration pour la période a été produite,

(ii) une somme (appelée « somme impayée » au présent alinéa) que la personne a omis de verser en application de la présente loi un jour postérieur au jour donné et qui demeure non versée le jour où l'avis de cotisation lui est envoyé,

comme si la personne avait versé, le jour postérieur visé au sous-alinéa (ii), le montant et les intérêts ainsi appliqués au titre de la somme impayée;

c) rembourse à la personne la partie du montant de remboursement qui n'a pas été appliquée conformément au paragraphe (3) ou aux alinéas a) ou b), ainsi que les intérêts y afférents calculés au taux réglementaire pour la période commençant le trentième jour suivant le dernier en date des jours ci-après et se terminant le jour où le remboursement est effectué :

(i) la date donnée,

(ii) si la cotisation concerne les droits exigibles pour la période de déclaration, le jour où la déclaration pour la période a été produite.

Notes historiques: Le préambule du paragraphe 188(5) a été remplacé par L.C. 2006, c. 4, par. 117(4) et cette modification est entrée en vigueur le 1er avril 2007. Antérieurement, il se lisait ainsi :

(5) Dans le cas où, lors de l'établissement d'une cotisation concernant les droits exigibles d'une personne pour un mois d'exercice de celle-ci ou concernant une somme (appelée « arriéré » au présent paragraphe) exigible d'une personne en vertu de la présente loi, tout ou partie d'un montant de remboursement n'est pas appliqué conformément au paragraphe (3) en réduction de ces droits ou de l'arriéré, le ministre, sauf demande contraire de la personne et sauf si la cotisation est établie dans les circonstances visées aux alinéas 191(4)a) ou b) après l'expiration du délai imparti à l'alinéa 191(1)a) :

Le passage pécédant la division 188(5)a)(ii)(B) a été remplacé par L.C. 2010, c. 25, par. 116(5) et cette modification est réputée être entrée en vigueur le 15 décembre 2010. Antérieurement, il se lisait ainsi :

(5) Dans le cas où, lors de l'établissement d'une cotisation concernant les droits exigibles d'une personne pour un mois d'exercice de celle-ci ou concernant une somme (appelée « arriéré » au présent paragraphe) exigible d'une personne en vertu de la présente loi, tout ou partie d'un montant de remboursement n'est pas appliqué conformément au paragraphe (3) en réduction de ces droits ou de l'arriéré, le ministre, sauf si la cotisation est établie dans les circonstances visées aux alinéas 191(4)a) ou b) après l'expiration du délai imparti à l'alinéa 191(1)a) :

a) applique la somme visée au sous-alinéa (i) en réduction de la somme visée au sous-alinéa (ii) :

(i) tout ou partie du montant de remboursement qui n'a pas été appliqué conformément au paragraphe (3),

(ii) une autre somme (appelée « somme impayée » au présent alinéa) que la personne a omis de verser en application de la présente loi, à la date ci-après (appelée « date donnée » au présent paragraphe), et qui demeure non versée le jour où l'avis de cotisation lui est envoyé :

(A) si la cotisation concerne les droits exigibles pour le mois, la date où la déclaration pour le mois devait être produite,

La division 188(5)b)(i)(B) a été remplacé par L.C. 2010, c. 25, par. 116(6) et cette modification est réputée être entrée en vigueur le 15 décembre 2010. Antérieurement, elle se lisait ainsi :

(B) si la cotisation concerne les droits exigibles pour le mois, le jour où la déclaration pour le mois a été produite,

Le sous-alinéa 188(5)c)(ii) a été remplacé par L.C. 2010, c. 25, par. 116(7) et cette modification est réputée être entrée en vigueur le 15 décembre 2010. Antérieurement, il se lisait ainsi :

(ii) si la cotisation concerne les droits exigibles pour le mois, le jour où la déclaration pour le mois a été produite.

(6) Restriction — paiements en trop — Un paiement en trop de droits exigibles pour la période de déclaration d'une personne et les intérêts afférents ne sont appliqués conformément à l'alinéa (4)b) ou remboursés conformément à l'alinéa (4)c) que si la personne a produit, avant le jour où l'avis de cotisation lui est envoyé, l'ensemble des déclarations et autres registres dont le ministre a connaissance et que la personne était tenue de présenter :

a) soit au ministre en vertu de la présente loi, de la *Loi sur le droit pour la sécurité des passagers du transport aérien*, de la *Loi sur l'accise*, de la *Loi sur la taxe d'accise* et de la *Loi de l'impôt sur le revenu*;

b) soit au ministre de la Sécurité publique et de la Protection civile en vertu de la *Loi sur les douanes*.

Notes historiques: Le préambule du paragraphe 188(6) a été remplacé par L.C. 2010, c. 25, par. 116(8) et cette modification est réputée être entrée en vigueur le 15 décembre 2010. Antérieurement, il se lisait ainsi :

(6) Un paiement en trop de droits exigibles pour le mois d'exercice d'une personne et les intérêts afférents ne sont appliqués conformément à l'alinéa (4)b) ou remboursés conformément à l'alinéa (4)c) que si la personne a produit, avant le jour où l'avis de cotisation lui est envoyé, l'ensemble des déclarations et autres registres dont le ministre a connaissance et que la personne était tenue de présenter :

Le paragraphe 188(6) a été remplacé par L.C. 2007, c. 18, par. 111(1) et cette modification est réputée être entrée en vigueur le 1er avril 2007. Antérieurement, il se lisait ainsi :

(6) Un paiement en trop de droits exigibles pour le mois d'exercice d'une personne et les intérêts afférents ne sont appliqués conformément à l'alinéa (4)b) ou remboursés conformément à l'alinéa (4)c) que si la personne a produit, avant le jour où l'avis de cotisation lui est envoyé, l'ensemble des déclarations et autres registres dont le ministre a connaissance et que la personne était tenue de lui présenter en vertu de la présente loi, de la *Loi sur le droit pour la sécurité des passagers du transport aérien*, de la *Loi sur les douanes*, de la *Loi sur l'accise*, de la *Loi sur la taxe d'accise* et de la *Loi de l'impôt sur le revenu*.

Le paragraphe 188(6) a été remplacé par L.C. 2006, c. 4, par. 117(5) et cette modification est entrée en vigueur le 1er avril 2007. Antérieurement, il se lisait ainsi :

(6) Un paiement en trop de droits exigibles pour le mois d'exercice d'une personne et les intérêts afférents ne sont appliqués conformément à l'alinéa (4)b) ou remboursés conformément à l'alinéa (4)c) que si la personne a produit, avant le jour où l'avis de cotisation lui est envoyé, l'ensemble des déclarations et autres registres qu'elle était tenue de présenter soit au ministre en vertu de la présente loi, de la *Loi sur l'accise*, de la *Loi sur la taxe d'accise* et de la *Loi de l'impôt sur le revenu*, soit au ministre de la Sécurité publique et de la Protection civile en vertu de la *Loi sur les douanes*.

Le paragraphe 188(6) a été modifié par L.C. 2005, c. 38, art. 145 par le remplacement de « solliciteur général du Canada » par les mots « ministre de la Sécurité publique et de la Protection civile ». Cette modification est entrée en vigueur le 12 décembre 2005 [C.P. 2005-2041 du 21 novembre 2005 (TR/2005-119)].

Le paragraphe 188(6) a été remplacé par L.C. 2005, c. 38, par. 95(1) et cette modification est entrée en vigueur le 12 décembre 2005 [C.P. 2005-2041 du 21 novembre 2005 (TR/2005-119)]. Antérieurement, il se lisait ainsi :

(6) Un paiement en trop de droits exigibles pour le mois d'exercice d'une personne et les intérêts y afférents ne sont appliqués conformément à l'alinéa (4)b) ou remboursés conformément à l'alinéa (4)c) que si la personne a produit, avant le jour où l'avis de cotisation lui est envoyé, l'ensemble des déclarations et autres registres qu'elle était tenue de présenter au ministre en vertu de la présente loi, de la *Loi sur les douanes*, de la *Loi sur l'accise*, de la *Loi sur la taxe d'accise* et de la *Loi de l'impôt sur le revenu*.

(7) Restriction — Le montant de remboursement, ou toute partie de celui-ci, qui n'a pas été appliqué conformément au paragraphe (3) et les intérêts y afférents prévus aux alinéas (5)b) et c) :

a) d'une part, ne sont appliqués conformément à l'alinéa (5)b) en réduction d'une somme (appelée « somme impayée » au présent alinéa) qui est exigible d'une personne que dans le cas où le montant de remboursement aurait été payable à la personne à titre de remboursement si celle-ci en avait fait la demande aux termes de la présente loi le jour où elle a omis de verser la somme impayée et, dans le cas d'un paiement prévu à l'article 176, si cet article lui avait permis de demander le paiement dans les quatre ans suivant le jour où elle a versé la somme relativement à laquelle le paiement serait ainsi exigible;

b) d'autre part, ne sont remboursés en application de l'alinéa (5)c) que dans le cas où, à la fois :

(i) le montant de remboursement aurait été payable à la personne à titre de remboursement si celle-ci en avait fait la demande aux termes de la présente loi le jour où l'avis de cotisation lui est envoyé,

(ii) avant le jour où l'avis de cotisation lui est envoyé, la personne a produit l'ensemble des déclarations et autres registres dont le ministre a connaissance et qu'elle était tenue de présenter :

(A) soit au ministre en vertu de la présente loi, de la *Loi sur le droit pour la sécurité des passagers du transport aérien*, de la *Loi sur l'accise*, de la *Loi sur la taxe d'accise* et de la *Loi de l'impôt sur le revenu*,

(B) soit au ministre de la Sécurité publique et de la Protection civile en vertu de la *Loi sur les douanes*.

Notes historiques: Le sous-alinéa 188(7)b)(ii) a été remplacé par L.C. 2007, c. 18, par. 111(2) et cette modification est réputée être entrée en vigueur le 1er avril 2007. Antérieurement, il se lisait ainsi :

(ii) la personne a produit l'ensemble des déclarations et autres registres dont le ministre a connaissance et qu'elle était tenue de lui présenter en vertu de la présente loi, de la *Loi sur le droit pour la sécurité des passagers du transport aérien*, de la *Loi sur les douanes*, de la *Loi sur l'accise*, de la *Loi sur la taxe d'accise* et de la *Loi de l'impôt sur le revenu* avant le jour où l'avis de cotisation lui est envoyé.

Le sous-alinéa 188(7)b)(ii) a été remplacé par L.C. 2006, c. 4, par. 117(6) et cette modification est entrée en vigueur le 1er avril 2007. Antérieurement, il se lisait ainsi :

(ii) la personne a produit, avant le jour où l'avis de cotisation lui est envoyé, l'ensemble des déclarations et autres registres qu'elle était tenue de présenter soit au ministre en vertu de la présente loi, de la *Loi sur l'accise*, de la *Loi sur la taxe d'accise* et de la *Loi de l'impôt sur le revenu*, soit au ministre de la Sécurité publique et de la Protection civile en vertu de la *Loi sur les douanes*.

Le sous-alinéa 188(7)b)(ii) a été modifié par L.C. 2005, c. 38, art. 145 par le remplacement de « solliciteur général du Canada » par les mots « ministre de la Sécurité publique et de la Protection civile ». Cette modification est entrée en vigueur le 12 décembre 2005 [C.P. 2005-2041 du 21 novembre 2005 (TR/2005-119)].

Le sous-alinéa 188(7)b)(ii) a été remplacé par L.C. 2005, c. 38, par. 95(2) et cette modification est entrée en vigueur le 12 décembre 2005 [C.P. 2005-2041 du 21 novembre 2005 (TR/2005-119)]. Antérieurement, il se lisait ainsi :

(ii) la personne a produit l'ensemble des déclarations et autres registres qu'elle était tenue de présenter au ministre en vertu de la présente loi, de la *Loi sur les douanes*, de la *Loi sur l'accise*, de la *Loi sur la taxe d'accise* et de la *Loi de l'impôt sur le revenu* avant le jour où l'avis de cotisation lui est envoyé.

(8) Présomption de déduction ou d'application — Si le ministre, lors de l'établissement d'une cotisation concernant des droits, intérêts ou autres sommes exigibles d'une personne en vertu de la présente loi, applique ou rembourse une somme conformément aux paragraphes (3), (4) ou (5), les présomptions suivantes s'appliquent :

a) la personne est réputée avoir demandé la somme dans une déclaration ou une demande produite aux termes de la présente loi;

b) dans la mesure où une somme est appliquée en réduction de droits, d'intérêts ou d'autres sommes exigibles de la personne, le ministre est réputé avoir remboursé ou payé la somme à la personne et celle-ci, avoir payé les droits, intérêts ou autres sommes exigibles en réduction desquelles elle a été appliquée.

(9) Remboursement sur nouvelle cotisation — Si une personne a payé une somme au titre de droits, d'intérêts ou d'autres

Opposition aux cotisations

195. (1) Opposition à la cotisation — La personne qui fait opposition à la cotisation établie à son égard peut, dans les quatre-vingt-dix jours suivant la date de l'avis de cotisation, présenter au ministre un avis d'opposition, en la forme et selon les modalités autorisées par celui-ci, exposant les motifs de son opposition et tous les faits pertinents.

(2) Question à trancher — L'avis d'opposition que produit une personne doit contenir les éléments suivants pour chaque question à trancher :

a) une description suffisante;

b) le redressement demandé, sous la forme de la somme qui représente le changement apporté à une somme à prendre en compte aux fins de cotisation;

c) les motifs et les faits sur lesquels se fonde la personne.

(3) Observation tardive — Malgré le paragraphe (2), dans le cas où un avis d'opposition produit par une personne ne contient pas les renseignements requis selon les alinéas (2)b) ou c) relativement à une question à trancher qui est décrite dans l'avis, le ministre peut demander par écrit à la personne de fournir ces renseignements. La personne est réputée s'être conformée à l'alinéa applicable relativement à la question à trancher si, dans les soixante jours suivant la date de la demande par le ministre, elle communique par écrit les renseignements requis au ministre.

(4) Restrictions touchant les oppositions — Malgré le paragraphe (1), lorsqu'une personne a produit un avis d'opposition à une cotisation (appelée « cotisation antérieure » au présent paragraphe) et que le ministre établit, en application du paragraphe (8), une cotisation donnée par suite de l'avis, sauf si la cotisation antérieure a été établie en conformité avec l'ordonnance d'un tribunal qui annule, modifie ou rétablit une cotisation ou renvoie une cotisation au ministre pour nouvel examen et nouvelle cotisation, la personne peut faire opposition à la cotisation donnée relativement à une question à trancher :

a) seulement si, relativement à cette question, elle s'est conformée au paragraphe (2) dans l'avis;

b) seulement à l'égard du redressement, tel qu'il est exposé dans l'avis, qu'elle demande relativement à cette question.

(5) Application du par. (4) — Lorsqu'une personne a produit un avis d'opposition à une cotisation (appelée « cotisation antérieure » au présent paragraphe) et que le ministre établit, en application du paragraphe (8), une cotisation donnée par suite de l'avis, le paragraphe (4) n'a pas pour effet de limiter le droit de la personne de s'opposer à la cotisation donnée relativement à une question sur laquelle porte cette cotisation mais non la cotisation antérieure.

(6) Restriction — Malgré le paragraphe (1), aucune opposition ne peut être faite par une personne relativement à une question pour laquelle elle a renoncé par écrit à son droit d'opposition.

(7) Acceptation de l'opposition — Le ministre peut accepter l'avis d'opposition qui n'a pas été produit dans la forme et selon les modalités qu'il autorise.

(8) Examen de l'opposition — Sur réception d'un avis d'opposition, le ministre doit, sans délai, examiner la cotisation de nouveau et l'annuler ou la confirmer ou établir une nouvelle cotisation.

(9) Renonciation au nouvel examen — Le ministre peut confirmer une cotisation sans l'examiner de nouveau sur demande de la personne qui lui fait part, dans son avis d'opposition, de son intention d'en appeler directement à la Cour de l'impôt.

(10) Avis de décision — Le ministre fait part à la personne qui a fait opposition à la cotisation de la décision prise en application des paragraphes (8) ou (9) en lui envoyant un avis par courrier recommandé ou certifié.

Formulaires [195]: E680, *Avis d'opposition, (Loi de 2001 sur l'accise)*.

196. (1) Prorogation du délai par le ministre — Le ministre peut proroger le délai pour produire un avis d'opposition dans le cas où la personne qui n'a pas fait opposition à une cotisation en application de l'article 195 dans le délai imparti en vertu de la présente loi lui présente une demande à cet effet.

(2) Contenu de la demande — La demande doit indiquer les raisons pour lesquelles l'avis d'opposition n'a pas été produit dans le délai imparti.

(3) Modalités — La demande, accompagnée d'un exemplaire de l'avis d'opposition, est livrée ou envoyée au chef des Appels d'un bureau des services fiscaux ou d'un centre fiscal de l'Agence.

(4) Demande non conforme — Le ministre peut recevoir la demande qui n'a pas été faite en conformité avec le paragraphe (3).

Notes historiques: Le paragraphe 196(4) a été remplacé par L.C. 2007, c. 18, par. 113(1) et cette modification est réputée être entrée en vigueur le 22 juin 2007. Antérieurement, il se lisait ainsi :

> (4) Acceptation — Le ministre peut faire droit à la demande qui n'a pas été faite en conformité avec le paragraphe (3).

(5) Obligations du ministre — Sur réception de la demande, le ministre doit, sans délai, l'examiner et y faire droit ou la rejeter. Dès lors, il avise la personne de sa décision par courrier recommandé ou certifié.

(6) Date de production de l'avis d'opposition — S'il est fait droit à la demande, l'avis d'opposition est réputé produit à la date de la décision du ministre.

(7) Conditions d'acceptation de la demande — Il n'est fait droit à la demande que si les conditions suivantes sont réunies :

a) la demande est présentée dans l'année suivant l'expiration du délai imparti pour faire opposition;

b) la personne démontre ce qui suit :

(i) dans le délai d'opposition imparti, elle n'a pu ni agir ni mandater quelqu'un pour agir en son nom, ou elle avait véritablement l'intention de faire opposition à la cotisation,

(ii) compte tenu des raisons indiquées dans la demande et des circonstances en l'espèce, il est juste et équitable de faire droit à la demande,

(iii) la demande a été présentée dès que les circonstances l'ont permis.

Notes historiques: Le sous-alinéa 196(7)b)(i) a été remplacé par L.C. 2007, c. 18, par. 113(2) et cette modification est réputée être entrée en vigueur le 22 juin 2007. Antérieurement, il se lisait ainsi :

> (i) dans le délai d'opposition imparti, elle n'a pu ni agir ni mandater quelqu'un pour agir en son nom, et avait véritablement l'intention de faire opposition à la cotisation,

Appel

197. (1) Prorogation du délai par la Cour de l'impôt — La personne qui a présenté une demande en application de l'article 196 peut demander à la Cour de l'impôt d'y faire droit après :

a) le rejet de la demande par le ministre;

b) l'expiration d'un délai de quatre-vingt-dix jours suivant la présentation de la demande, si le ministre n'a pas avisé la personne de sa décision dans ce délai.

(2) Irrecevabilité — La demande est toutefois irrecevable une fois expiré un délai de trente jours suivant l'envoi à la personne de la décision mentionnée au paragraphe 196(5).

(3) Modalités — La demande se fait par dépôt auprès du greffe de la Cour de l'impôt, conformément à la *Loi sur la Cour canadienne de l'impôt*, de trois exemplaires des documents livrés ou envoyés aux termes du paragraphe 196(3).

(4) Copie au commissaire — La Cour de l'impôt envoie copie de la demande au commissaire.

(5) Pouvoirs de la Cour — La Cour de l'impôt peut rejeter la demande ou y faire droit. Dans ce dernier cas, elle peut imposer les conditions qu'elle estime justes ou ordonner que l'avis d'opposition soit réputé valide à compter de la date de l'ordonnance.

(6) Acceptation de la demande — Il n'est fait droit à la demande que si les conditions suivantes sont réunies :

a) la demande prévue au paragraphe 196(1) a été présentée dans l'année suivant l'expiration du délai imparti pour faire opposition;

b) la personne démontre ce qui suit :

(i) dans le délai d'opposition imparti, elle n'a pu ni agir ni mandater quelqu'un pour agir en son nom, ou elle avait véritablement l'intention de faire opposition à la cotisation,

(ii) compte tenu des raisons indiquées dans la demande prévue au présent article et des circonstances en l'espèce, il est juste et équitable de faire droit à la demande,

(iii) la demande prévue au paragraphe 196(1) a été présentée dès que les circonstances l'ont permis.

Notes historiques: Le sous-alinéa 197(6)b)(i) a été remplacé par L.C. 2007, c. 18, art. 114 et cette modification est réputée être entrée en vigueur le 22 juin 2007. Antérieurement, il se lisait ainsi :

(i) dans le délai d'opposition imparti, elle n'a pu ni agir ni mandater quelqu'un pour agir en son nom, et avait véritablement l'intention de faire opposition à la cotisation,

Renvois [art. 197]: 12 (compétance de la CCI); 18.19 (dispositions applicables).

198. (1) Appel — Sous réserve du paragraphe (2), la personne qui a produit un avis d'opposition à une cotisation peut interjeter appel à la Cour de l'impôt pour faire annuler la cotisation ou en faire établir une nouvelle lorsque, selon le cas :

a) la cotisation est confirmée par le ministre ou une nouvelle cotisation est établie;

b) un délai de cent quatre-vingts jours suivant la production de l'avis a expiré sans que le ministre ait notifié la personne du fait qu'il a annulé ou confirmé la cotisation ou procédé à une nouvelle cotisation.

(2) Aucun appel — Nul appel ne peut être interjeté après l'expiration d'un délai de quatre-vingt-dix jours suivant l'envoi à la personne, aux termes du paragraphe 195(10), d'un avis portant que le ministre a confirmé la cotisation ou procédé à une nouvelle cotisation.

(3) Modification de l'appel — La Cour de l'impôt peut, de la manière qu'elle estime indiquée, autoriser une personne ayant interjeté appel sur une question à modifier l'appel de façon à ce qu'il porte sur toute cotisation ultérieure concernant la question qui peut faire l'objet d'un appel en vertu du présent article.

199. (1) Prorogation du délai d'appel — La personne qui n'a pas interjeté appel en application de l'article 198 dans le délai imparti peut présenter à la Cour de l'impôt une demande de prorogation du délai pour interjeter appel. La Cour peut faire droit à la demande et imposer les conditions qu'elle estime justes.

(2) Contenu de la demande — La demande doit indiquer les raisons pour lesquelles l'appel n'a pas été interjeté dans le délai imparti.

(3) Modalités — La demande, accompagnée de trois exemplaires de l'avis d'appel, doit être déposée en trois exemplaires auprès du greffe de la Cour de l'impôt conformément à la *Loi sur la Cour canadienne de l'impôt*.

(4) Copie au sous-procureur général du Canada — La Cour de l'impôt envoie copie de la demande au bureau du sous-procureur général du Canada.

(5) Acception de la demande — Il n'est fait droit à la demande que si les conditions suivantes sont réunies :

a) la demande a été présentée dans l'année suivant l'expiration du délai d'appel imparti;

b) la personne démontre ce qui suit :

(i) dans le délai d'appel imparti, elle n'a pu ni agir ni mandater quelqu'un pour agir en son nom, ou elle avait véritablement l'intention d'interjeter appel,

(ii) compte tenu des raisons indiquées dans la demande et des circonstances en l'espèce, il est juste et équitable de faire droit à la demande,

(iii) la demande a été présentée dès que les circonstances l'ont permis,

(iv) l'appel est raisonnablement fondé.

Notes historiques: Le sous-alinéa 199(5)b)(i) a été remplacé par L.C. 2007, c. 18, art. 115 et cette modification est réputée être entrée le 22 juin 2007. Antérieurement, il se lisait ainsi :

(i) dans le délai d'appel imparti, elle n'a pu ni agir ni mandater quelqu'un pour agir en son nom, et avait véritablement l'intention d'interjeter appel,

Renvois [art. 199]: 12 (compétance de la CCI); 18.19 (dispositions applicables).

200. (1) Restriction touchant les appels à la Cour de l'impôt — Malgré l'article 198, la personne qui produit un avis d'opposition à une cotisation ne peut interjeter appel devant la Cour de l'impôt pour faire annuler la cotisation, ou en faire établir une nouvelle, qu'à l'égard des questions suivantes :

a) une question relativement à laquelle elle s'est conformée au paragraphe 195(2) dans l'avis, mais seulement à l'égard du redressement, tel qu'il est exposé dans l'avis, qu'elle demande relativement à cette question;

b) une question visée au paragraphe 195(5), si elle n'était pas tenue de produire un avis d'opposition à la cotisation qui a donné lieu à la question.

(2) Restriction — Malgré l'article 198, aucun appel ne peut être interjeté par une personne devant la Cour de l'impôt pour faire annuler ou modifier une cotisation visant une question pour laquelle elle a renoncé par écrit à son droit d'opposition ou d'appel.

201. Modalités de l'appel — Un appel à la Cour de l'impôt est interjeté conformément à la *Loi sur la Cour canadienne de l'impôt*.

202. Avis au commissaire — Dans le cas où un appel est interjeté devant la Cour de l'impôt aux termes de l'article 18.3001 de la *Loi sur la Cour canadienne de l'impôt*, la Cour adresse immédiatement copie de l'avis d'appel au bureau du commissaire.

203. Règlement d'appel — La Cour de l'impôt peut statuer sur un appel concernant une cotisation en le rejetant ou en l'accueillant. Dans ce dernier cas, elle peut annuler la cotisation ou la renvoyer au ministre pour nouvel examen et nouvelle cotisation.

204. (1) Renvoi à la Cour de l'impôt — La Cour de l'impôt doit statuer sur toute question portant sur une cotisation, réelle ou projetée, découlant de l'application de la présente loi, que le ministre et une autre personne conviennent, par écrit, de lui soumettre.

(2) Suspension du délai d'examen — La période comprise entre la date à laquelle une question est soumise à la Cour de l'impôt et la date à laquelle il est définitivement statué sur la question est exclue du calcul des délais ci-après en vue, selon le cas, d'établir une cotisation à l'égard de la personne qui a accepté de soumettre la question, de produire un avis d'opposition à cette cotisation ou d'en appeler de celle-ci :

a) tout délai de quatre ans visé à l'article 191;

b) le délai de production d'un avis d'opposition à une cotisation selon l'article 195;

c) le délai d'appel selon l'article 198.

Renvois [art. 204]: 3 (application des Règles); 12 (compétance de la CCI); 18.31 (procédure générale); 21 (dépôt d'un acte introductif d'instance); 29 (transfert ou transmission d'intérêt); Ann. 1 (formule 21(1)b)); Ann. 1 (formule 65); Ann. 2 (tarif A — frais judiciaires).

205. (1) Renvoi à la Cour de l'impôt de questions communes — Si le ministre est d'avis qu'une même opération, un même événement ou une même série d'opérations ou d'événements soulève une question qui se rapporte à des cotisations, réelles ou projetées, relatives à plusieurs personnes, il peut demander à la Cour de l'impôt de statuer sur la question.

(2) Contenu de la demande — La demande doit comporter les renseignements suivants :

a) la question sur laquelle le ministre demande une décision;

b) le nom des personnes qu'il souhaite voir liées par la décision;

c) les faits et motifs sur lesquels il s'appuie et sur lesquels il fonde ou a l'intention de fonder la cotisation de chaque personne nommée dans la demande.

(3) Signification — Le ministre signifie un exemplaire de la demande à chacune des personnes qui y sont nommées et à toute autre personne qui, de l'avis de la Cour de l'impôt, est susceptible d'être touchée par la décision.

(4) Décision de la Cour de l'impôt — Dans le cas où la Cour de l'impôt est convaincue que la décision rendue sur la question exposée dans une demande a un effet sur les cotisations, réelles ou projetées, concernant plusieurs personnes à qui une copie de la demande a été signifiée et qui sont nommées dans une ordonnance de la Cour rendue en application du présent paragraphe, elle peut :

a) si aucune des personnes ainsi nommées n'en a appelé d'une de ces cotisations, entreprendre de statuer sur la question selon les modalités qu'elle juge indiquées;

b) si une ou plusieurs des personnes ainsi nommées ont interjeté appel, rendre une ordonnance groupant dans cet ou ces appels les parties appelantes comme elle le juge à-propos et entreprendre de statuer sur la question.

(5) Décision définitive — Sous réserve du paragraphe (6), la décision rendue par la Cour de l'impôt sur une question soumise dans une demande dont elle a été saisie est définitive et sans appel aux fins d'établissement de toute cotisation à l'égard des personnes qui y sont nommées.

(6) Appel — Dans le cas où la Cour de l'impôt statue sur une question soumise dans une demande dont elle a été saisie, le ministre ou l'une des personnes à qui une copie de la demande a été signifiée et qui est nommée dans une ordonnance de la Cour peut interjeter appel de la décision conformément aux dispositions de la présente loi, de la *Loi sur la Cour canadienne de l'impôt* ou de la *Loi sur les Cours fédérales* concernant les appels de décisions de la Cour de l'impôt et les demandes de contrôle judiciaire de ces décisions.

Notes historiques: Le paragraphe 205(6) a été remplacé par L.C. 2002, c. 22, al. 410a) et cette modification est entrée en vigueur le 2 juillet 2003 (TR/2003-109). Antérieurement, il se lisait ainsi :

> (6) Dans le cas où la Cour de l'impôt statue sur une question soumise dans une demande dont elle a été saisie, le ministre ou l'une des personnes à qui une copie de la demande a été signifiée et qui est nommée dans une ordonnance de la Cour peut interjeter appel de la décision conformément aux dispositions de la présente loi, de la *Loi sur la Cour canadienne de l'impôt* ou de la *Loi sur la Cour fédérale* concernant les appels de décisions de la Cour de l'impôt et les demandes de contrôle judiciaire de ces décisions.

(7) Parties à un appel — Les parties liées par une décision sont parties à un appel de cette décision.

(8) Exclusion du délai d'examen — La période visée au paragraphe (9) est exclue du calcul des délais ci-après lorsqu'ils ont trait à l'établissement d'une cotisation à l'égard de la personne, à la production d'un avis d'opposition à cette cotisation ou à l'interjection d'un appel de celle-ci :

a) tout délai de quatre ans visé à l'article 191;

b) le délai de production d'un avis d'opposition à une cotisation selon l'article 195;

c) le délai d'appel selon l'article 198.

(9) Période exclue — Est exclue du calcul des délais visés aux alinéas (8)a) à c) la période comprise entre la date à laquelle une demande présentée aux termes du présent article est signifiée à une personne en application du paragraphe (3) et la date applicable suivante :

a) dans le cas d'une personne nommée dans une ordonnance rendue par la Cour de l'impôt en application du paragraphe (4), la date où la décision devient définitive et sans appel;

b) dans le cas d'une autre personne, la date où il lui est signifié un avis portant qu'elle n'a pas été nommée dans une telle ordonnance.

Renvois [art. 205]: 3 (application des Règles); 12 (compétance de la CCI); 18.32 (disposition applicable à la détermination d'une question); 21 (dépôt d'un acte introductif d'instance); 24 (signification au contribuable); 29 (transfert ou transmission d'intérêt); Ann. 1 (formule 21(1)c)); Ann. 1 (formule 65); Ann. 2 (tarif A — frais judiciaires).

Registres et renseignements

206. (1) Obligation de tenir des registres — règle générale — Les personnes ci-après doivent tenir tous les registres nécessaires pour déterminer si elles se sont conformées à la présente loi :

a) les titulaires de licence, d'agrément ou d'autorisation;

b) les personnes tenues de produire une déclaration en vertu de la présente loi;

c) les personnes qui présentent une demande en vue d'obtenir un remboursement en vertu de la présente loi;

d) les personnes qui transportent de l'alcool emballé non acquitté ou des produits du tabac non estampillés.

(2) Obligation de tenir des registres — tabaculteurs et offices provinciaux de commercialisation du tabac — Tout tabaculteur et tout organisme établi en vertu d'une loi provinciale sur la commercialisation du tabac en feuilles cultivé dans la province doit tenir des registres permettant d'établir la quantité de tabac en feuilles qu'il cultive ou reçoit, ou dont il dispose.

(2.1) Obligation de tenir des registres — matériel de fabrication du tabac — Quiconque possède du matériel de fabrication du tabac (sauf s'il s'agit de matériel qui est conçu pour être utilisé par un particulier qui fabrique du tabac fabriqué ou des cigares pour son usage personnel comme le permet le paragraphe 25(3) mais qui n'est pas conçu pour la fabrication commerciale) doit tenir des registres permettant d'établir le type de matériel, sa source ainsi que la disposition dont il a fait l'objet.

Notes historiques: Le paragraphe 206(2.1) a été ajouté par L.C. 2008, c. 28, art. 59 et est réputé entré en vigueur le 18 juin 2008.

(2.2) Obligation de tenir des registres — timbres d'accise — Toute personne à qui un timbre d'accise a été émis doit tenir tous les registres nécessaires pour confirmer la réception, la garde, l'emplacement ou l'utilisation du timbre ou la disposition dont il a fait l'objet.

Notes historiques: Le paragraphe 206(2.2) a été ajouté par L.C. 2010, c. 12, art. 41 et s'applique selon les mêmes modalités que la modification apportée à la définition de « estampillé » à l'article 2.

(3) Forme et contenu — Le ministre peut préciser par écrit la forme d'un registre ainsi que les renseignements qu'il doit contenir.

(4) Langue et lieu de conservation — Sauf autorisation contraire du ministre, les registres sont tenus au Canada, en français ou en anglais.

(5) Registres électroniques — Quiconque tient des registres, comme l'y oblige la présente loi, par voie électronique doit s'assurer que le matériel et les logiciels nécessaires à leur intelligibilité soient accessibles pendant la durée de conservation.

Lois connexes

(6) **Registres insuffisants** — Le ministre peut exiger par écrit que la personne qui ne tient pas les registres nécessaires à l'application de la présente loi tiennent ceux qu'il précise. Dès lors, la personne est tenue d'obtempérer.

(7) **Durée de conservation** — La personne obligée de tenir des registres doit les conserver pendant la période de six ans suivant la fin de l'année qu'ils visent ou pendant toute autre période fixée par règlement.

Formulaires [206]: B261, *Déclaration des droits d'accise — boutique hors taxe*; B262, *Déclaration des droits d'accise — exploitant agréé d'entrepôt d'accise*; B263, *Déclaration des droits d'accise — utilisateur agréé*; B264, *Déclaration des droits d'accise — exploitant agréé d'entrepôt d'accise spécial*; B265, *Déclaration des droits d'accise — titulaire de licence de vin*; B266, *Déclaration des droits d'accise — titulaire de licence de spiritueux*; B267, *Déclaration des droits d'accise — titulaire de licence de tabac*; B271, *Déclaration des droits d'accise — commerçant de tabac*.

207. (1) Opposition ou appel — La personne obligée de tenir des registres qui signifie un avis d'opposition ou est partie à un appel ou à un renvoi aux termes de la présente loi doit conserver les registres concernant l'objet de ceux-ci jusqu'à ce qu'il en soit décidé de façon définitive.

(2) **Demande du ministre** — Le ministre peut exiger, par demande signifiée à la personne obligée de tenir des registres ou par lettre envoyée par courrier recommandé ou certifié, la conservation des registres pour la période précisée dans la demande ou la lettre, lorsqu'il est d'avis que cela est nécessaire pour l'exécution ou le contrôle d'application de la présente loi. Dès lors, la personne est tenue d'obtempérer.

(3) **Autorisation de se départir des registres** — Le ministre peut autoriser par écrit une personne à se départir des registres qu'elle doit conserver avant la fin de la période déterminée pour leur conservation.

208. (1) Présentation de registres ou de renseignements — Malgré les autres dispositions de la présente loi, le ministre peut, sous réserve du paragraphe (2) et pour l'exécution ou le contrôle d'application d'un accord international désigné ou de la présente loi, par avis signifié à personne ou envoyé par courrier recommandé ou certifié, exiger d'une personne qu'elle lui livre, dans le délai raisonnable que précise l'avis :

a) tout renseignement ou tout renseignement supplémentaire, y compris une déclaration selon la présente loi;

b) des registres.

Notes historiques: Le préambule du paragraphe 208(1) a été remplacé par L.C. 2007, c. 18, art. 116 et cette modification est réputée être entrée en vigueur le 22 juin 2007. Antérieurement, il se lisait ainsi :

> 208. (1) Malgré les autres dispositions de la présente loi, le ministre peut, sous réserve du paragraphe (2) et pour l'exécution ou le contrôle d'application de la présente loi, par avis signifié à personne ou envoyé par courrier recommandé ou certifié, exiger d'une personne qu'elle lui livre, dans le délai raisonnable que précise l'avis :

(2) **Personnes non désignées nommément** — Le ministre ne peut exiger de quiconque (appelé « tiers » au présent article) la livraison de renseignements ou de registres concernant une ou plusieurs personnes non désignées nommément, sans y être au préalable autorisé par un juge en vertu du paragraphe (3).

(3) **Autorisation judiciaire** — Sur requête *ex parte* du ministre, un juge peut, aux conditions qu'il estime indiquées, autoriser le ministre à exiger d'un tiers la livraison de renseignements ou de registres concernant une personne non désignée nommément ou plus d'une personne non désignée nommément (appelée « groupe » au présent article) s'il est convaincu, sur dénonciation sous serment, de ce qui suit :

Modification proposée — 208(3) préambule

(3) **Autorisation judiciaire** — Sur requête du ministre, un juge de la Cour fédérale peut, aux conditions qu'il estime indiquées, autoriser le ministre à exiger d'un tiers la livraison de renseignements ou de registres concernant une personne non désignée nommément ou plus d'une personne non désignée nommément (appelée « groupe » au présent article) s'il est convaincu, sur dénonciation sous serment, de ce qui suit :

Application: Le préambule du paragraphe 208(3) sera remplacé par le par. 1(1) de l'*Avis de motion de voies et moyens accompagnant le budget fédéral* du 21 mars 2013 et cette modification s'appliquera aux requêtes du ministre du Revenu national faites après la date de sanction de tout texte législatif donnant effet à ces paragraphes.

a) cette personne ou ce groupe est identifiable;

b) la livraison est exigée pour vérifier si cette personne ou les personnes de ce groupe ont respecté quelque devoir ou obligation prévu par la présente loi.

(4) **Signification ou envoi de l'autorisation** — L'autorisation accordée en application du paragraphe (3) doit être jointe à l'avis visé au paragraphe (1).

(5) **Révision de l'autorisation** — Le tiers à qui un avis est signifié ou envoyé peut, dans les quinze jours suivant la date de signification ou d'envoi, demander au juge qui a accordé l'autorisation, ou, en cas d'incapacité de ce juge, à un autre juge du même tribunal de réviser l'autorisation.

(6) **Pouvoir de révision** — À l'audition de la requête, le juge peut annuler l'autorisation accordée antérieurement s'il n'est pas convaincu de l'existence des conditions prévues aux alinéas (3)a) et b). Il peut la confirmer ou la modifier s'il est convaincu de leur existence.

Abrogation proposée — 208(4)-(6)

Application: Les paragraphes 208(4) à (6) seront abrogés par le par. 1(2) de l'*Avis de motion de voies et moyens accompagnant le budget fédéral* du 21 mars 2013 et cette abrogation s'appliquera aux requêtes du ministre du Revenu national faites après la date de sanction de tout texte législatif donnant effet à ces paragraphes.

209. (1) Ordonnance — Sur demande sommaire du ministre, un juge peut, malgré l'article 224, ordonner à une personne de fournir l'accès, l'aide, les renseignements ou les registres que le ministre cherche à obtenir en vertu des articles 208 ou 260 s'il est convaincu de ce qui suit :

a) la personne n'a pas fourni l'accès, l'aide, les renseignements ou les registres bien qu'elle y soit tenue par les articles 208 ou 260;

b) dans le cas de renseignements ou de registres, le privilège des communications entre client et avocat ne peut être invoqué à leur égard.

(2) **Avis** — La demande n'est entendue qu'une fois écoulés cinq jours francs après signification d'un avis de la demande à la personne à l'égard de laquelle l'ordonnance est demandée.

(3) **Conditions** — Le juge peut imposer, à l'égard de l'ordonnance, les conditions qu'il estime indiquées.

(4) **Outrage** — Quiconque refuse ou fait défaut de se conformer à l'ordonnance peut être reconnu coupable d'outrage au tribunal; il est alors sujet aux procédures et sanctions du tribunal l'ayant ainsi reconnu coupable.

(5) **Appel** — L'ordonnance visée au paragraphe (1) est susceptible d'appel devant le tribunal ayant compétence pour entendre les appels des décisions du tribunal ayant rendu l'ordonnance. Toutefois, l'appel n'a pas pour effet de suspendre l'exécution de l'ordonnance, sauf ordonnance contraire d'un juge du tribunal saisi de l'appel.

(6) **Secret professionnel — non application** — Pour l'application de l'alinéa (1)b), le relevé comptable d'un avocat, ainsi que toute facture ou pièce justificative ou tout chèque s'y rapportant, n'est pas considéré comme une communication à l'égard de laquelle le privilège des communications entre client et avocat peut être invoqué.

210. (1) Renseignement ou registre étranger — Pour l'application du présent article, un renseignement ou registre étranger s'entend d'un renseignement ou d'un registre qui est accessible ou situé en dehors du Canada et qui peut être pris en compte pour l'exécution ou le contrôle d'application de la présente loi.

(2) **Obligation de présenter des renseignements et registres étrangers** — Malgré les autres dispositions de la présente loi, le ministre peut, par avis signifié à personne ou envoyé par courrier recommandé ou certifié, mettre en demeure une personne résidant au Canada ou une personne n'y résidant pas mais y exploitant une entreprise de livrer des renseignements ou registres étrangers.

(3) **Contenu de l'avis** — L'avis doit :

a) indiquer le délai raisonnable, d'au moins quatre-vingt-dix jours, dans lequel les renseignements ou registres étrangers doivent être livrés;

b) décrire les renseignements ou registres étrangers recherchés;

c) préciser les conséquences, prévues au paragraphe (8), du non-respect de la mise en demeure.

(4) **Révision par un juge** — La personne à qui l'avis est signifié ou envoyé peut contester, par requête à un juge, la mise en demeure dans les quatre-vingt-dix jours suivant la date de signification ou d'envoi.

(5) **Pouvoir de révision** — À l'audition de la requête, le juge peut confirmer la mise en demeure, la modifier de la façon qu'il estime indiquée dans les circonstances ou la déclarer sans effet s'il est convaincu qu'elle est déraisonnable.

(6) **Précision** — Pour l'application du paragraphe (5), la mise en demeure de livrer des renseignements ou registres étrangers qui sont accessibles ou situés chez une personne non-résidente qui n'est pas contrôlée par la personne à qui l'avis est signifié ou envoyé, ou qui sont sous la garde de la personne non-résidente, n'est pas de ce seul fait déraisonnable si les deux personnes sont liées.

(7) **Suspension du délai** — Le délai qui court entre le jour où une requête est présentée et le jour où il est décidé de la requête ne compte pas dans le calcul des délais suivants :

a) le délai indiqué dans la mise en demeure qui a donné lieu à la requête;

b) le délai dans lequel une cotisation peut être établie en application des articles 188 ou 189.

(8) **Conséquence du défaut** — Tout tribunal saisi d'une affaire civile portant sur l'exécution ou le contrôle d'application de la présente loi doit, sur requête du ministre, refuser le dépôt en preuve par une personne de tout renseignement ou registre étranger visé par une mise en demeure qui n'est pas déclarée sans effet dans le cas où la personne ne s'est pas conformée, en substance, à la mise en demeure.

211. (1) Définitions applicables aux dispositions sur le caractère confidentiel des renseignements — Les définitions qui suivent s'appliquent au présent article.

« coordonnées » En ce qui concerne le détenteur d'un numéro d'entreprise, ses nom, adresse, numéro de téléphone, numéro de télécopieur et langue de communication préférée, ou tous renseignements semblables le concernant déterminés par le ministre, y compris les renseignements de cet ordre concernant l'une ou plusieurs des entités suivantes :

a) ses fiduciaires, si le détenteur est une fiducie;

b) ses associés, s'il est une société de personnes;

c) ses cadres, s'il est une personne morale;

d) ses cadres ou membres, dans les autres cas.

Notes historiques: La définition de « coordonnées » au paragraphe 211(1) a été ajoutée par L.C. 2009, c. 2, par. 120(2) et est réputée être entrée en vigueur le 12 mars 2009.

« cour d'appel » S'entend au sens de l'article 2 du *Code criminel*.

« entité gouvernementale »

a) Ministère ou agence du gouvernement du Canada ou d'une province;

b) municipalité;

c) gouvernement autochtone;

d) personne morale dont l'ensemble des actions du capital-actions, à l'exception des actions conférant l'admissibilité aux postes d'administrateurs, appartiennent à un ou plusieurs des personnes suivantes :

(i) Sa Majesté,

(ii) Sa Majesté du chef d'une province,

(iii) une municipalité,

(iv) une personne morale visée au présent alinéa;

e) conseil ou commission, établi par Sa Majesté ou Sa Majesté du chef d'une province ou par une municipalité, qui exerce une fonction gouvernementale ou municipale, selon le cas, d'ordre administratif ou réglementaire.

Notes historiques: La définition de « entité gouvernementale » au paragraphe 211(1) a été ajoutée par L.C. 2009, c. 2, par. 120(2) et est réputée être entrée en vigueur le 12 mars 2009.

« fonctionnaire » Personne qui est ou a été employée par Sa Majesté ou Sa Majesté du chef d'une province, qui occupe ou a occupé une fonction de responsabilité à son service ou qui est ou a été engagée par elle ou en son nom.

« gouvernement autochtone » S'entend au sens du paragraphe 2(1) de la *Loi sur les arrangements fiscaux entre le gouvernement fédéral et les provinces*.

Notes historiques: La définition de « gouvernement autochtone » au paragraphe 211(1) a été ajoutée par L.C. 2009, c. 2, par. 120(2) et est réputée être entrée en vigueur le 12 mars 2009.

« municipalité » Administration métropolitaine, ville, village, canton, district, comté ou municipalité rurale constitués en personne morale ou autre organisme municipal ainsi constitué quelle qu'en soit la désignation.

Notes historiques: La définition de « municipalité » au paragraphe 211(1) a été ajoutée par L.C. 2009, c. 2, par. 120(2) et est réputée être entrée en vigueur le 12 mars 2009.

« numéro d'entreprise » Le numéro, sauf le numéro d'assurance sociale, utilisé par le ministre pour identifier :

a) un titulaire de licence, d'agrément ou d'autorisation pour l'application de la présente loi;

b) une personne qui demande un remboursement en vertu de la présente loi.

« personne autorisée » Personne engagée ou employée, ou précédemment engagée ou employée, par Sa Majesté ou en son nom pour aider à l'application des dispositions de la présente loi.

« renseignement confidentiel » Renseignement de toute nature et sous toute forme concernant une ou plusieurs personnes et qui, selon le cas :

a) est obtenu par le ministre ou en son nom pour l'application de la présente loi;

a.1) est obtenu par le ministre de la Sécurité publique et de la Protection civile ou en son nom pour l'application de l'article 68;

b) est tiré d'un renseignement visé à l'alinéa a) ou a.1).

N'est pas un renseignement confidentiel le renseignement qui ne révèle pas, même indirectement, l'identité de la personne en cause. Par ailleurs, pour l'application des paragraphes (3), (8) et (9) au représentant d'une entité gouvernementale qui n'est pas un fonctionnaire, le terme ne vise que les renseignements mentionnés à l'alinéa (6)j).

Notes historiques: L'alinéa a.1) de la définition de « renseignement confidentiel » au paragraphe 211(1) a été modifié par L.C. 2005, c. 38, s.-al 145(4)f)(vii) par le remplacement de « solliciteur général du Canada » par les mots « ministre de la Sécurité publique et de la Protection civile ». Cette modification est entrée en vigueur le 12 décembre 2005 [C.P. 2005-2041 du 21 novembre 2005 (TR/2005-119)].

L'alinéa a.1) de la définition de « renseignement confidentiel » au paragraphe 211(1) a été ajouté par L.C. 2005, c. 38, art. 97 et est entré en vigueur le 12 décembre 2005 [C.P. 2005-2041 du 21 novembre 2005 (TR/2005-119)].

L'alinéa b) de la définition de « renseignement confidentiel » au paragraphe 211(1) a été remplacé par L.C. 2005, c. 38, art. 97 et cette modification est entrée en vigueur le 12 décembre 2005 [C.P. 2005-2041 du 21 novembre 2005 (TR/2005-119)]. Antérieurement, il se lisait ainsi :

b) est tiré d'un renseignement visé à l'alinéa a).

Le passage de la définition de « renseignement confidentiel » suivant l'alinéa b) au paragraphe 211(1) a été remplacé par L.C. 2009, c. 2, par. 120(1) et cette modification est réputée être entrée en vigueur le 12 mars 2009. Antérieurement, il se lisait ainsi :

N'est pas un renseignement confidentiel le renseignement qui ne révèle pas, même indirectement, l'identité de la personne en cause.

« renseignements d'entreprise » En ce qui concerne le détenteur d'un numéro d'entreprise qui est une personne morale, sa dénomination sociale (y compris le numéro attribué par l'autorité constitutive), la date et le lieu de sa constitution ainsi que tout renseignement concernant sa dissolution, réorganisation, fusion, liquidation ou reconstitution.

Notes historiques: La définition de « renseignements d'entreprise » au paragraphe 211(1) a été ajoutée par L.C. 2009, c. 2, par. 120(2) et est réputée être entrée en vigueur le 12 mars 2009.

« renseignements relatifs à l'inscription » En ce qui concerne le détenteur d'un numéro d'entreprise :

a) tout renseignement concernant sa forme juridique;

b) le type d'activités qu'il exerce ou se propose d'exercer;

c) la date de chacun des événements suivants :

(i) l'attribution de son numéro d'entreprise,

(ii) le début de ses activités,

(iii) la cessation ou la reprise de ses activités,

(iv) le remplacement de son numéro d'entreprise;

d) la raison de la cessation, de la reprise ou du remplacement visés aux sous-alinéas c)(iii) ou (iv).

Notes historiques: La définition de « renseignements relatifs à l'inscription » au paragraphe 211(1) a été ajoutée par L.C. 2009, c. 2, par. 120(2) et est réputée être entrée en vigueur le 12 mars 2009.

« représentant » Est représentant d'une entité gouvernementale toute personne qui est employée par l'entité, qui occupe une fonction de responsabilité à son service ou qui est engagée par elle ou en son nom, y compris, pour l'application des paragraphes (2), (3), (8) et (9), toute personne qui a déjà été ainsi employée, a déjà occupé une telle fonction ou a déjà été ainsi engagée.

Notes historiques: La définition de « renseignements relatifs à l'inscription » au paragraphe 211(1) a été ajoutée par L.C. 2009, c. 2, par. 120(2) et est réputée être entrée en vigueur le 12 mars 2009.

(2) Communication de renseignements — Sauf autorisation prévue au présent article, il est interdit à un fonctionnaire ou autre représentant d'une entité gouvernementale :

a) de fournir sciemment à quiconque un renseignement confidentiel ou d'en permettre sciemment la fourniture;

b) de permettre sciemment à quiconque d'avoir accès à un renseignement confidentiel;

c) d'utiliser sciemment un renseignement confidentiel en dehors du cadre de l'exécution ou du contrôle d'application de la présente loi.

Notes historiques: Le préambule du paragraphe 211(2) a été remplacé par L.C. 2009, c. 2, par. 120(3) et cette modification est réputée être entrée en vigueur le 12 mars 2009. Antérieurement, il se lisait ainsi :

(2) Sauf autorisation prévue au présent article, il est interdit à un fonctionnaire :

(3) Communication de renseignements dans le cadre d'une procédure judiciaire — Malgré toute autre loi fédérale et toute règle de droit, nul fonctionnaire ou autre représentant d'une entité gouvernementale ne peut être requis, dans le cadre d'une procédure judiciaire, de témoigner, ou de produire quoi que ce soit, relativement à un renseignement confidentiel.

Notes historiques: Le paragraphe 211(3) a été remplacé par L.C. 2009, c. 2, par. 120(4) et cette modification est réputée être entrée en vigueur le 12 mars 2009. Antérieurement, il se lisait ainsi :

(3) Malgré toute autre loi fédérale et toute règle de droit, nul fonctionnaire ne peut être requis, dans le cadre d'une procédure judiciaire, de témoigner, ou de produire quoi que ce soit, relativement à un renseignement confidentiel.

(4) Communication de renseignements en cours de procédures — Les paragraphes (2) et (3) ne s'appliquent :

a) ni aux poursuites criminelles, sur acte d'accusation ou sur déclaration de culpabilité par procédure sommaire, engagées par le dépôt d'une dénonciation ou d'un acte d'accusation, en vertu d'une loi fédérale;

b) ni aux procédures judiciaires ayant trait à l'exécution ou au contrôle d'application de la présente loi, de la *Loi sur l'assurance-chômage*, du *Régime de pensions du Canada*, de la *Loi sur l'assurance-emploi* ou de toute loi fédérale ou provinciale qui prévoit l'imposition ou la perception d'un impôt, d'une taxe ou d'un droit.

(5) Fourniture autorisée d'un renseignement confidentiel — Le ministre peut fournir aux personnes compétentes tout renseignement confidentiel qui peut raisonnablement être considéré comme nécessaire uniquement à une fin reliée à la vie, à la santé ou à la sécurité d'une personne physique ou à l'environnement au Canada ou dans tout autre pays.

(6) Divulgation d'un renseignement confidentiel — Un fonctionnaire peut :

a) fournir à une personne un renseignement confidentiel qu'il est raisonnable de considérer comme nécessaire à l'exécution ou au contrôle d'application de la présente loi, mais uniquement à cette fin;

b) fournir à une personne un renseignement confidentiel qu'il est raisonnable de considérer comme nécessaire à la détermination de toute somme dont la personne est redevable ou de tout remboursement ou autre paiement auquel elle a droit, ou pourrait avoir droit, en vertu de la présente loi;

c) fournir, ou permettre que soit fourni, un renseignement confidentiel à toute personne autorisée par le ministre ou faisant partie d'une catégorie de personnes ainsi autorisée, sous réserve de conditions précisées par le ministre, ou lui en permettre l'examen ou l'accès;

d) fournir un renseignement confidentiel à toute personne qui y a légalement droit par l'effet d'une loi fédérale, ou lui en permettre l'examen ou l'accès, mais uniquement aux fins auxquelles elle y a droit;

e) fournir un renseignement confidentiel :

(i) à un fonctionnaire du ministère des Finances, mais uniquement en vue de la formulation ou de l'évaluation de la politique fiscale,

(ii) à un fonctionnaire, mais uniquement en vue de la mise à exécution de la politique fiscale ou en vue de l'exécution ou du contrôle d'application de la *Loi sur l'assurance-chômage*, du *Régime de pensions du Canada*, de la *Loi sur l'assurance-emploi* ou d'une loi fédérale qui prévoit l'imposition ou la perception d'un impôt, d'une taxe ou d'un droit,

(iii) à un fonctionnaire, mais uniquement en vue de l'exécution ou du contrôle d'application d'une loi provinciale qui prévoit l'imposition ou la perception d'un impôt, d'une taxe ou d'un droit,

(iv) à un fonctionnaire provincial, mais uniquement en vue de la formulation ou de l'évaluation de la politique fiscale,

(v) à un fonctionnaire d'un ministère ou organisme fédéral ou provincial, quant aux nom, adresse, numéro de téléphone et profession d'une personne et à la taille et au genre de son entreprise, mais uniquement en vue de permettre à ce ministère ou à cet organisme de recueillir des données statistiques pour la recherche et l'analyse,

(vi) à un fonctionnaire, mais uniquement en vue de procéder, par voie de compensation, à la retenue, sur toute somme due par Sa Majesté, de tout montant égal à une créance :

(A) soit de Sa Majesté,

(B) soit de Sa Majesté du chef d'une province s'il s'agit de taxes ou d'impôts provinciaux visés par une entente entre le Canada et la province aux termes de laquelle le Canada est autorisé à percevoir les impôts ou taxes à payer à la province,

(vii) à un fonctionnaire, mais uniquement pour l'application de l'article 7.1 de la *Loi sur les arrangements fiscaux entre le gouvernement fédéral et les provinces*;

f) fournir un renseignement confidentiel, mais uniquement pour l'application des articles 23 à 25 de la *Loi sur la gestion des finances publiques*;

g) utiliser un renseignement confidentiel en vue de compiler des renseignements sous une forme qui ne révèle pas, même indirectement, l'identité de la personne en cause;

h) utiliser ou fournir un renseignement confidentiel, mais uniquement à une fin liée à la surveillance ou à l'évaluation d'une personne autorisée, ou à des mesures disciplinaires prises à son endroit, par Sa Majesté relativement à une période au cours de laquelle la personne autorisée était soit employée par Sa Majesté, soit engagée par elle ou en son nom, pour aider à l'exécution ou au contrôle d'application de la présente loi, dans la mesure où le renseignement a rapport à cette fin;

i) utiliser un renseignement confidentiel concernant une personne en vue de lui fournir un renseignement;

j) sous réserve du paragraphe (6.1), fournir au représentant d'une entité gouvernementale le numéro d'entreprise d'un détenteur de numéro d'entreprise, le nom de celui-ci (y compris tout nom commercial ou autre nom qu'il utilise) ainsi que les coordonnées, renseignements d'entreprise et renseignements relatifs à l'inscription le concernant, pourvu que les renseignements soient fournis uniquement en vue de l'exécution ou du contrôle d'application :

(i) d'une loi fédérale ou provinciale,

(ii) d'un règlement d'une municipalité ou d'un texte législatif d'un gouvernement autochtone;

k) fournir un renseignement confidentiel à un policier, au sens du paragraphe 462.48(17) du *Code criminel*, mais uniquement en vue de déterminer si une infraction visée à cette loi a été commise ou en vue du dépôt d'une dénonciation ou d'un acte d'accusation, si, à la fois :

(i) il est raisonnable de considérer que le renseignement est nécessaire pour confirmer les circonstances dans lesquelles une infraction au *Code criminel* peut avoir été commise, ou l'identité d'une personne pouvant avoir commis une infraction, à l'égard d'un fonctionnaire ou de toute personne qui lui est liée,

(ii) le fonctionnaire est ou était chargé de l'application ou de l'exécution de la présente loi,

(iii) il est raisonnable de considérer que l'infraction est liée à l'application ou à l'exécution de la présente loi.

l) fournir un renseignement confidentiel, ou en permettre l'examen ou l'accès, mais uniquement pour l'application d'une disposition figurant dans un accord international désigné;

m) fournir un renseignement confidentiel à toute personne, mais uniquement en vue de permettre au statisticien en chef, au sens de l'article 2 de la *Loi sur la statistique*, de fournir à un organisme de la statistique d'une province des données portant sur les activités d'entreprise exercées dans la province, à condition que le renseignement soit utilisé par l'organisme uniquement aux fins de recherche et d'analyse et que l'organisme soit autorisé en vertu des lois de la province à recueillir, pour son propre compte, le même renseignement ou un renseignement semblable relativement à ces activités.

Notes historiques: Le sous-alinéa 211(6)e)(v) a été remplacé par L.C. 2007, c. 18, par. 117(1) et cette modification est réputée être entrée le 22 juin 2007. Antérieurement, il se lisait ainsi :

(v) à un fonctionnaire d'un ministère ou organisme fédéral ou provincial, quant aux nom, adresse et profession d'une personne et à la taille et au genre de son entreprise, mais uniquement en vue de permettre à ce ministère ou à cet organisme de recueillir des données statistiques pour la recherche et l'analyse,

L'alinéa 211(6)j) a été remplacé par L.C. 2009, c. 2, par. 120(5) et cette modification est réputée être entrée en vigueur le 13 mars 2009. Antérieurement, il se lisait ainsi :

j) fournir, à un fonctionnaire d'un ministère ou organisme fédéral ou provincial, le numéro d'entreprise, le nom, l'adresse et les numéros de téléphone et de télécopieur d'un détenteur d'un numéro d'entreprise, mais uniquement en vue de l'exécution ou du contrôle d'application d'une loi fédérale ou provinciale, à condition que le détenteur du numéro d'entreprise soit tenu en vertu de cette loi de fournir l'information, sauf le numéro d'entreprise, au ministère ou à l'organisme;

Les alinéas 211(6)l) et m) ont été ajoutés par L.C. 2007, c. 18, par. 117(2) et sont réputés être entrés en vigueur le 22 juin 2007.

(6.1) Restriction — partage des renseignements — Un renseignement ne peut être fourni au représentant d'une entité gouvernementale en conformité avec l'alinéa (6)j) relativement à un programme, à une activité ou à un service offert ou entrepris par l'entité que si celle-ci utilise le numéro d'entreprise comme identificateur du programme, de l'activité ou du service.

Notes historiques: Le paragraphe 211(6.1) a été ajouté par L.C. 2009, c. 2, par. 120(6) et est réputé être entré en vigueur le 13 mars 2009.

(6.2) Communication au public — Le ministre peut mettre à la disposition du public, relativement à un programme, à une activité ou à un service qu'il offre ou entreprend, le numéro d'entreprise et le nom d'un détenteur de numéro d'entreprise (y compris tout nom commercial ou autre nom qu'il utilise).

Notes historiques: Le paragraphe 211(6.2) a été ajouté par L.C. 2009, c. 2, par. 120(6) et est réputé être entré en vigueur le 13 mars 2009.

(6.3) Communication au public par le représentant d'une entité gouvernementale — Le représentant d'une entité gouvernementale peut mettre à la disposition du public, relativement à un programme, à une activité ou à un service offert ou entrepris par l'entité, le numéro d'entreprise et le nom d'un détenteur de numéro d'entreprise (y compris tout nom commercial ou autre nom qu'il utilise) si, à la fois :

a) ces renseignements ont été fournis à un représentant de l'entité en conformité avec l'alinéa (6)j);

b) l'entité utilise le numéro d'entreprise comme identificateur du programme, de l'activité ou du service.

Notes historiques: Le paragraphe 211(6.3) a été ajouté par L.C. 2009, c. 2, par. 120(6) et est réputé être entré en vigueur le 13 mars 2009.

(7) Mesures visant à prévenir l'utilisation ou la divulgation non autorisées d'un renseignement — La personne qui préside une procédure judiciaire concernant la surveillance ou l'évaluation d'une personne autorisée ou des mesures disciplinaires prises à son endroit peut ordonner la mise en oeuvre des mesures nécessaires pour éviter qu'un renseignement confidentiel soit utilisé ou fourni à une fin étrangère à la procédure, y compris :

a) la tenue d'une audience à huis clos;

b) la non-publication du renseignement;

c) la non-divulgation de l'identité de la personne sur laquelle porte le renseignement;

d) la mise sous scellés du procès-verbal des délibérations.

(8) Divulgation d'un renseignement confidentiel — Un fonctionnaire ou autre représentant d'une entité gouvernementale peut fournir un renseignement confidentiel :

a) à la personne en cause;

b) à toute autre personne, avec le consentement de la personne en cause.

Notes historiques: Le préambule du paragraphe 211(8) a été remplacé par L.C. 2009, c. 2, par. 120(7) et cette modification est réputée être entrée en vigueur le 13 mars 2009. Antérieurement, il se lisait ainsi :

(8) Un fonctionnaire peut fournir un renseignement confidentiel :

Lois connexes

(9) Appel d'une ordonnance ou d'une directive — Le ministre ou la personne contre laquelle une ordonnance est rendue, ou à l'égard de laquelle une directive est donnée, dans le cadre ou à l'occasion d'une procédure judiciaire enjoignant à un fonctionnaire ou autre représentant d'une entité gouvernementale de témoigner, ou de produire quoi que ce soit, relativement à un renseignement confidentiel peut sans délai, par avis signifié aux parties intéressées, interjeter appel de l'ordonnance ou de la directive devant :

a) la cour d'appel de la province dans laquelle l'ordonnance est rendue ou la directive donnée, s'il s'agit d'une ordonnance ou d'une directive émanant d'une cour ou d'un autre tribunal établi en application des lois de la province, que ce tribunal exerce ou non une compétence conférée par les lois fédérales;

b) la Cour d'appel fédérale, s'il s'agit d'une ordonnance ou d'une directive émanant d'une cour ou d'un autre tribunal établi en application des lois fédérales.

Notes historiques: Le préambule du paragraphe 211(9) a été remplacé par L.C. 2009, c. 2, par. 120(8) et cette modification est réputée être entrée en vigueur le 13 mars 2009. Antérieurement, il se lisait ainsi :

(9) Le ministre ou la personne contre laquelle une ordonnance est rendue, ou à l'égard de laquelle une directive est donnée, dans le cadre ou à l'occasion d'une procédure judiciaire enjoignant à un fonctionnaire de témoigner, ou de produire quoi que ce soit, relativement à un renseignement confidentiel peut sans délai, par avis signifié aux parties intéressées, interjeter appel de l'ordonnance ou de la directive devant :

(10) Décision d'appel — La cour saisie d'un appel peut accueillir l'appel et annuler l'ordonnance ou la directive en cause ou rejeter l'appel. Les règles de pratique et de procédure régissant les appels à la cour s'appliquent à l'appel, avec les adaptations nécessaires.

(11) Sursis — L'application de l'ordonnance ou de la directive objet d'un appel est différée jusqu'au prononcé du jugement.

Notes historiques: L'article 211 a été ajouté par L.C. 2002, c. 22 et est entré en vigueur le 1er avril 2003 [C.P. 2003-388].

Faillites et réorganisations

212. (1) Définitions — Les définitions qui suivent s'appliquent au présent article.

« actif pertinent »

a) Si le pouvoir d'un séquestre porte sur l'ensemble des biens, des entreprises, des affaires et des éléments d'actif d'une personne, cet ensemble;

b) si ce pouvoir ne porte que sur une partie des biens, des entreprises, des affaires et des éléments d'actif d'une personne, cette partie.

« entreprise » Est assimilée à une entreprise une partie de l'entreprise.

« failli » S'entend au sens du paragraphe 2(1) de la *Loi sur la faillite et l'insolvabilité*.

« représentant » Personne, autre qu'un syndic de faillite ou un séquestre, qui gère, liquide ou contrôle des biens, affaires ou successions, ou s'en occupe de toute autre façon.

« séquestre » Personne qui, selon le cas :

a) par application d'une obligation ou autre titre de créance, de l'ordonnance d'un tribunal ou d'une loi fédérale ou provinciale, a le pouvoir de gérer ou d'exploiter les entreprises ou les biens d'une autre personne;

b) est nommée par un fiduciaire aux termes d'un acte de fiducie relativement à un titre de créance, pour exercer le pouvoir du fiduciaire de gérer ou d'exploiter les entreprises ou les biens du débiteur du titre;

c) est nommée par une banque ou par une banque étrangère autorisée, au sens de l'article 2 de la *Loi sur les banques*, à titre de mandataire de la banque lors de l'exercice du pouvoir de celle-ci visé au paragraphe 426(3) de cette loi relativement aux biens d'une autre personne;

d) est nommée à titre de liquidateur pour liquider les biens ou les affaires d'une personne morale;

e) est nommée à titre de curateur ou de tuteur ayant le pouvoir de gérer les affaires et les biens d'une personne qui est dans l'impossibilité de les gérer.

Est assimilée au séquestre la personne nommée pour exercer le pouvoir d'un créancier, aux termes d'une obligation ou autre titre de créance, de gérer ou d'exploiter les entreprises ou les biens d'une autre personne, à l'exclusion du créancier.

(2) Obligations du syndic — Les règles suivantes s'appliquent dans le cadre de la présente loi en cas de faillite d'une personne :

a) le syndic de faillite, et non le failli, est tenu au paiement des droits, intérêts ou autres sommes, sauf ceux qui se rapportent uniquement à des activités non visées par la faillite que le failli commence à exercer le jour de celle-ci ou postérieurement, devenus exigibles du failli en vertu de la présente loi pendant la période commençant le lendemain du jour où le syndic est devenu le syndic du failli et se terminant le jour de la libération du syndic en vertu de la *Loi sur la faillite et l'insolvabilité*; toutefois :

(i) la responsabilité du syndic à l'égard du paiement des droits, intérêts ou autres sommes devenus exigibles du failli après le jour de la faillite pour des périodes de déclaration ayant pris fin ce jour-là ou antérieurement, ou des droits, intérêts ou autres sommes devenus exigibles du failli après ce jour, se limite aux biens du failli en la possession du syndic et disponibles pour éteindre l'obligation,

(ii) le syndic n'est pas responsable du paiement des droits, intérêts et autres sommes pour lesquels un séquestre est responsable en vertu du paragraphe (3),

(iii) le paiement d'une somme par le failli au titre de l'obligation éteint d'autant l'obligation du syndic;

b) si le failli est titulaire d'une licence, d'un agrément ou d'une autorisation délivré en vertu de la présente loi, la licence, l'agrément ou l'autorisation continue d'être valable pour ses activités visées par la faillite comme si le syndic était le titulaire relativement à ces activités, mais cesse de l'être pour ce qui est des activités non visées par la faillite que le failli commence à exercer le jour de celle-ci ou postérieurement;

c) la faillite n'a aucune incidence sur le début et la fin des périodes de déclaration du failli; toutefois :

(i) la période de déclaration qui comprend le jour de la faillite prend fin ce jour-là, et une nouvelle période de déclaration concernant les activités visées par la faillite commence le lendemain,

(ii) la période de déclaration, concernant les activités visées par la faillite, qui comprend le jour de la libération du syndic en vertu de la *Loi sur la faillite et l'insolvabilité* prend fin ce jour-là;

d) sous réserve de l'alinéa f), le syndic est tenu de présenter au ministre, en la forme et selon les modalités autorisées par celui-ci, les déclarations — que le failli est tenu de produire aux termes de la présente loi — concernant les activités du failli visées par la faillite, exercées au cours des périodes de déclaration du failli qui ont pris fin pendant la période commençant le lendemain de la faillite et se terminant le jour de la libération du syndic en vertu de la *Loi sur la faillite et l'insolvabilité*, comme si ces activités étaient les seules que le failli exerçait;

e) sous réserve de l'alinéa f), si le failli ne produit pas, au plus tard le jour de la faillite, la déclaration qu'il est tenu de produire en vertu de la présente loi pour une période de déclaration se terminant ce jour-là ou antérieurement, le syndic est tenu de présenter au ministre, en la forme et selon les modalités autorisées par celui-ci, une déclaration pour cette période, sauf si le ministre renonce par écrit à exiger cette déclaration du syndic;

f) lorsqu'un séquestre est investi de pouvoirs relativement à une entreprise, à un bien, aux affaires ou à des éléments d'actif du failli, le syndic n'est pas tenu d'inclure dans une déclaration les renseignements que le séquestre est tenu d'y inclure en vertu du paragraphe (3).

Notes historiques: Le sous-alinéa 212(2)a)(i) a été remplacé par L.C. 2010, c. 25, par. 119(1) et cette modification est réputée être entrée en vigueur le 15 décembre 2010. Antérieurement, il se lisait ainsi :

(i) la responsabilité du syndic à l'égard du paiement des droits, intérêts ou autres sommes devenus exigibles du failli après le jour de la faillite pour des mois d'exercice ayant pris fin ce jour-là ou antérieurement, ou des droits, intérêts ou autres sommes devenus exigibles du failli après ce jour, se limite aux biens du failli en la possession du syndic et disponibles pour éteindre l'obligation,

Les alinéas 212(2)c) à e) ont été remplacés par L.C. 2010, c. 25, par. 119(2) et cette modification est réputée être entrée en vigueur le 15 décembre 2010. Antérieurement, ils se lisaient ainsi :

c) la faillite n'a aucune incidence sur le début et la fin des mois d'exercice du failli; toutefois :

(i) le mois d'exercice qui comprend le jour de la faillite prend fin ce jour-là, et un nouveau mois d'exercice concernant les activités visées par la faillite commence le lendemain,

(ii) le mois d'exercice, concernant les activités visées par la faillite, qui comprend le jour de la libération du syndic en vertu de la *Loi sur la faillite et l'insolvabilité* prend fin ce jour-là;

d) sous réserve de l'alinéa f), le syndic est tenu de présenter au ministre, en la forme et selon les modalités autorisées par celui-ci, les déclarations — que le failli est tenu de produire aux termes de la présente loi — concernant les activités du failli visées par la faillite, exercées au cours des mois d'exercice du failli qui ont pris fin pendant la période commençant le lendemain de la faillite et se terminant le jour de la libération du syndic en vertu de la *Loi sur la faillite et l'insolvabilité*, comme si ces activités étaient les seules que le failli exerçait;

e) sous réserve de l'alinéa f), si le failli ne produit pas, au plus tard le jour de la faillite, la déclaration qu'il est tenu de produire en vertu de la présente loi pour un mois d'exercice se terminant ce jour-là ou antérieurement, le syndic est tenu de présenter au ministre, en la forme et selon les modalités autorisées par celui-ci, une déclaration pour ce mois, sauf si le ministre renonce par écrit à exiger cette déclaration du syndic;

(3) Obligations du séquestre — Dans le cas où un séquestre est investi, à une date donnée, du pouvoir de gérer, d'exploiter ou de liquider l'entreprise ou les biens d'une personne, ou de gérer ses affaires et ses éléments d'actif, les règles suivantes s'appliquent dans le cadre de la présente loi :

a) s'il ne représente qu'une partie des entreprises, des biens, des affaires ou des éléments d'actif de la personne, l'actif pertinent est réputé être distinct du reste des entreprises, des biens, des affaires ou des éléments d'actif de la personne, durant la période où le séquestre agit à ce titre pour la personne, comme si l'actif pertinent représentait les entreprises, les biens, les affaires et les éléments d'actif d'une autre personne;

b) la personne et le séquestre sont solidairement tenus au paiement des droits, intérêts ou autres sommes devenus exigibles de la personne en vertu de la présente loi avant ou pendant la période où le séquestre agit à ce titre pour la personne, dans la mesure où il est raisonnable de considérer que les droits, intérêts ou autres sommes se rapportent à l'actif pertinent ou aux entreprises, aux biens, aux affaires ou aux éléments d'actif de la personne qui auraient constitué l'actif pertinent si le séquestre avait agi à ce titre pour la personne au moment où les droits, intérêts ou autres sommes sont devenus exigibles; toutefois :

(i) le séquestre n'est tenu de payer les droits, intérêts ou autres sommes devenus exigibles avant cette période que jusqu'à concurrence des biens de la personne qui sont en sa possession ou qu'il contrôle et gère après avoir, à la fois :

(A) réglé les réclamations de créanciers qui, à la date donnée, peuvent être réglées par priorité sur les réclamations de Sa Majesté relativement aux droits, intérêts ou autres sommes,

(B) versé les sommes qu'il est tenu de payer au syndic de faillite de la personne,

(ii) la personne n'est pas tenue de verser les droits, intérêts ou autres sommes exigibles du séquestre,

(iii) le paiement d'une somme par le séquestre ou la personne au titre de l'obligation éteint d'autant l'obligation;

c) le fait que le séquestre soit investi du pouvoir relativement à la personne n'a aucune incidence sur le début ou la fin de la période de déclaration de la personne; toutefois :

(i) la période de déclaration de la personne, en ce qui concerne l'actif pertinent, au cours de laquelle le séquestre commence à agir à ce titre pour la personne prend fin à la date donnée, et une nouvelle période de déclaration, en ce qui concerne l'actif pertinent, commence le lendemain,

(ii) la période de déclaration de la personne, en ce qui concerne l'actif pertinent, au cours de laquelle le séquestre cesse d'agir à ce titre pour la personne prend fin le jour où le séquestre cesse d'agir ainsi;

d) le séquestre est tenu de présenter au ministre, en la forme et selon les modalités autorisées par celui-ci, les déclarations — que la personne est tenue de produire aux termes de la présente loi — concernant l'actif pertinent pour les périodes de déclaration de la personne se terminant au cours de la période où le séquestre agit à ce titre, comme si l'actif pertinent représentait les seuls biens, entreprises, affaires ou éléments d'actif de la personne;

e) si la personne ne produit pas, au plus tard à la date donnée, toute déclaration qu'elle est tenue de produire en vertu de la présente loi pour une période de déclaration se terminant à cette date ou antérieurement, le séquestre est tenu de présenter au ministre, en la forme et selon les modalités autorisées par celui-ci, une déclaration pour cette période concernant les entreprises, les biens, les affaires ou les éléments d'actif de la personne qui auraient constitué l'actif pertinent si le séquestre avait agi à ce titre au cours de cette période, sauf si le ministre renonce par écrit à exiger cette déclaration du séquestre.

Notes historiques: Les alinéas 212(3)c) à e) ont été remplacés par L.C. 2010, c. 25, par. 119(3) et cette modification est réputée être entrée en vigueur le 15 décembre 2010. Antérieurement, ils se lisaient ainsi :

c) le fait que le séquestre soit investi du pouvoir relativement à la personne n'a aucune incidence sur le début ou la fin du mois d'exercice de la personne; toutefois :

(i) le mois d'exercice de la personne, en ce qui concerne l'actif pertinent, au cours duquel le séquestre commence à agir à ce titre pour la personne prend fin à la date donnée, et un nouveau mois d'exercice, en ce qui concerne l'actif pertinent, commence le lendemain,

(ii) le mois d'exercice de la personne, en ce qui concerne l'actif pertinent, au cours duquel le séquestre cesse d'agir à ce titre pour la personne prend fin le jour où le séquestre cesse d'agir ainsi;

d) le séquestre est tenu de présenter au ministre, en la forme et selon les modalités autorisées par celui-ci, les déclarations — que la personne est tenue de produire aux termes de la présente loi — concernant l'actif pertinent pour les mois d'exercice de la personne se terminant au cours de la période où le séquestre agit à ce titre, comme si l'actif pertinent représentait les seuls biens, entreprises, affaires ou éléments d'actif de la personne;

e) si la personne ne produit pas, au plus tard à la date donnée, toute déclaration qu'elle est tenue de produire en vertu de la présente loi pour un mois d'exercice se terminant à cette date ou antérieurement, le séquestre est tenu de présenter au ministre, en la forme et selon les modalités autorisées par celui-ci, une déclaration pour ce mois concernant les entreprises, les biens, les affaires ou les éléments d'actif de la personne qui auraient constitué l'actif pertinent si le séquestre avait agi à ce titre au cours de ce mois, sauf si le ministre renonce par écrit à exiger cette déclaration du séquestre.

(4) Obligation d'obtenir un certificat — Le séquestre ou le représentant qui contrôle les biens d'une personne tenue de payer des droits, intérêts ou autres sommes en vertu de la présente loi est tenu d'obtenir du ministre, avant de distribuer les biens à quiconque, un certificat confirmant que les droits, intérêts ou autres sommes ci-après ont été payés ou qu'une garantie pour leur paiement a été acceptée par le ministre conformément à la présente loi :

a) les droits, intérêts et autres sommes qui sont exigibles de la personne aux termes de la présente loi pour la période de déclaration qui comprend le moment de la distribution ou pour une période de déclaration antérieure;

b) les droits, intérêts et autres sommes qui sont exigibles du séquestre ou du représentant à ce titre aux termes de la présente loi, ou dont il est raisonnable de s'attendre à ce qu'ils le deviennent, pour la période de déclaration qui comprend le moment de la distribution ou pour une période de déclaration antérieure.

Notes historiques: Les alinéas 212(4)a) et b) ont été remplacés par L.C. 2010, c. 25, par. 119(4) et cette modification est réputée être entrée en vigueur le 15 décembre 2010. Antérieurement, ils se lisaient ainsi :

a) les droits, intérêts et autres sommes qui sont exigibles de la personne aux termes de la présente loi pour le mois d'exercice qui comprend le moment de la distribution ou pour un mois d'exercice antérieur;

b) les droits, intérêts et autres sommes qui sont exigibles du séquestre ou du représentant à ce titre aux termes de la présente loi, ou dont il est raisonnable de s'attendre à ce qu'ils le deviennent, pour le mois d'exercice qui comprend le moment de la distribution ou pour un mois d'exercice antérieur.

(5) Responsabilité — Le séquestre ou le représentant qui distribue des biens sans obtenir le certificat requis est personnellement tenu au paiement des droits, intérêts ou autres sommes en cause, jusqu'à concurrence de la valeur des biens ainsi distribués.

213. Fusions — La personne morale issue de la fusion de plusieurs personnes morales est réputée être une personne distincte de ces dernières pour l'application de la présente loi. Toutefois, pour les fins précisées par règlement, elle est réputée être la même personne morale que chaque personne morale fusionnante et en être la continuation.

PARTIE 6 — CONTRÔLE D'APPLICATION

Infractions et peines

Notes historiques: La partie 6, incluant les articles 214 à 303 (sauf les articles 219 à 229, entrés en vigueur le 1er avril 2003 [C.P. 2003-388], a été ajoutée par L.C. 2002, c. 22 et est entrée en vigueur le 1er juillet 2003 [C.P. 2003-388].

214. Production, vente, etc., illégales de tabac ou d'alcool — Quiconque contrevient à l'un des articles 25, 25.2 à 25.4, 27 et 29, au paragraphe 32.1(1) ou aux articles 60 ou 62 commet une infraction passible, sur déclaration de culpabilité :

a) par mise en accusation, d'une amende d'au moins 50 000 $, sans dépasser 1 000 000 $, et d'un emprisonnement maximal de cinq ans, ou de l'une de ces peines;

b) par procédure sommaire, d'une amende d'au moins 10 000 $, sans dépasser 500 000 $, et d'un emprisonnement maximal de dix-huit mois, ou de l'une de ces peines.

Notes historiques: Le préambule de l'article 214 a été remplacé par L.C. 2010, c. 12, art. 42 et cette modification s'applique selon les mêmes modalités que la modification apportée à la définition de « estampillé » à l'article 2. Antérieurement, il se lisait ainsi :

214. Quiconque contrevient aux articles 25, 27 ou 29, au paragraphe 32.1(1) ou aux articles 60 ou 62 commet une infraction passible, sur déclaration de culpabilité :

Le préambule de l'article 214 a été remplacé par L.C. 2008, c. 28, art. 60 et cette modification est réputée entrée en vigueur le 18 juin 2008. Antérieurement, il se lisait ainsi :

214. Quiconque contrevient aux articles 25, 27, 29, 60 ou 62 commet une infraction passible, sur déclaration de culpabilité :

215. (1) Peine — art. 30 — Quiconque contrevient à l'article 30 commet une infraction passible, sur déclaration de culpabilité :

a) par mise en accusation, d'une amende au moins égale à la somme déterminée selon le paragraphe (2), sans dépasser la somme déterminée selon le paragraphe (3), et d'un emprisonnement maximal de cinq ans, ou de l'une de ces peines;

b) par procédure sommaire, d'une amende au moins égale à la somme déterminée selon le paragraphe (2), sans dépasser 100 000 $ ou, si elle est moins élevée, la somme déterminée selon le paragraphe (3), et d'un emprisonnement maximal de dix-huit mois, ou de l'une de ces peines.

(2) Amende minimale — La somme déterminée selon le présent paragraphe pour l'infraction visée au paragraphe (1) correspond au plus élevé des montants suivants :

a) le produit de 3,144 $ par le nombre de kilogrammes de tabac en feuilles auxquels l'infraction se rapporte;

b) 1 000 $, s'il s'agit d'un acte criminel, et 500 $, s'il s'agit d'une infraction punissable sur déclaration de culpabilité par procédure sommaire.

(3) Amende maximale — La somme déterminée selon le présent paragraphe pour l'infraction visée au paragraphe (1) correspond au plus élevé des montants suivants :

a) le produit de 4,716 $ par le nombre de kilogrammes de tabac en feuilles auxquels l'infraction se rapporte;

b) 2 000 $, s'il s'agit d'un acte criminel, et 1 000 $, s'il s'agit d'une infraction punissable sur déclaration de culpabilité par procédure sommaire.

216. (1) Peine — art. 32 — Quiconque contrevient à l'article 32 commet une infraction passible, sur déclaration de culpabilité :

a) par mise en accusation, d'une amende au moins égale à la somme déterminée selon le paragraphe (2), sans dépasser la somme déterminée selon le paragraphe (3), et d'un emprisonnement maximal de cinq ans, ou de l'une de ces peines;

b) par procédure sommaire, d'une amende au moins égale à la somme déterminée selon le paragraphe (2), sans dépasser 500 000 $ ou, si elle est moins élevée, la somme déterminée selon le paragraphe (3), et d'un emprisonnement maximal de dix-huit mois, ou de l'une de ces peines.

(2) Amende minimale — La somme déterminée selon le présent paragraphe pour l'infraction visée au paragraphe (1) correspond au plus élevé des montants suivants :

a) la somme des produits suivants :

(i) le produit de 0,17 $ par le nombre de cigarettes auxquelles l'infraction se rapporte,

(ii) le produit de 0,17 $ par le nombre de bâtonnets de tabac auxquels l'infraction se rapporte,

(iii) le produit de 0,116 $ par le nombre de grammes de tabac fabriqué, à l'exclusion des cigarettes et des bâtonnets de tabac, auxquels l'infraction se rapporte,

Modification proposée — 216(2)a)(iii)

(iii) le produit de 0,213 $ par le nombre de grammes de tabac fabriqué, à l'exclusion des cigarettes et des bâtonnets de tabac, auxquels l'infraction se rapporte,

Application: Le sous-alinéa 216(2)a)(iii) sera remplacé par le par. 2(1) de l'*Avis de motion de voies et moyens accompagnant le budget fédéral* du 21 mars 2013 et cette modification entrera en vigueur à la date de sanction de l'*Avis de motion de voies et moyens accompagnant le budget fédéral*.

Budget fédéral, Renseignements supplémentaires, 21 mars 2013: *Taux du droit d'accise sur le tabac fabriqué*

À l'heure actuelle, une cartouche de 200 cigarettes est assujettie à un droit d'accise de 17,00 $, et le tabac fabriqué (par exemple, tabac à mâcher ou tabac haché fin et servant à confectionner ses propres cigarettes) à un droit de 2,8925 $ la quantité de 50 grammes, ou fraction de cette quantité (par exemple, 11,57 $ pour une quantité de 200 grammes). Par ailleurs, il faut en général moins d'un gramme de tabac fabriqué pour produire une cigarette, de sorte que 200 grammes de tabac fabriqué peuvent permettre de produire plus de 200 cigarettes. Cela signifie qu'il existe un avantage fiscal marqué dans le cas du tabac fabriqué par rapport aux cigarettes.

De manière à éliminer cet avantage fiscal, il est proposé dans le budget de 2013 de porter le taux du droit d'accise sur le tabac fabriqué à 5,3125 $ la quantité de 50 grammes, ou fraction de cette quantité (par exemple, 21,25 $ pour une quantité de 200 grammes). Cette modification entrera en vigueur après le 21 mars 2013.

(iv) le produit de 0,29 $ par le nombre de cigares auxquels l'infraction se rapporte;

b) 1 000 $, s'il s'agit d'un acte criminel, et 500 $, s'il s'agit d'une infraction punissable sur déclaration de culpabilité par procédure sommaire.

Notes historiques: Les sous-alinéa (i) à (iv) de l'alinéa 216(2)a) ont été remplacés par L.C. 2007, c. 35, par. 202(1) et cette modification est entrée en vigueur le 1er janvier 2008. Antérieurement, ils se lisaient ainsi :

(i) le produit de 0,165 $ par le nombre de cigarettes auxquelles l'infraction se rapporte,

(ii) le produit de 0,121 $ par le nombre de bâtonnets de tabac auxquels l'infraction se rapporte,

(iii) le produit de 0,112 $ par le nombre de grammes de tabac fabriqué, à l'exclusion des cigarettes et des bâtonnets de tabac, auxquels l'infraction se rapporte,

(iv) le produit de 0,284 $ par le nombre de cigares auxquels l'infraction se rapporte;

Les sous-alinéas 216(2)a)(i) à (iv) ont été remplacés par L.C. 2006, c. 4, par. 35(1) et cette modification est entrée en vigueur le 1er juillet 2006. Antérieurement, ils se lisaient ainsi :

(i) le produit de 0,16 $ par le nombre de cigarettes auxquelles l'infraction se rapporte,

(ii) le produit de 0,11 $ par le nombre de bâtonnets de tabac auxquels l'infraction se rapporte,

(iii) le produit de 0,11 $ par le nombre de grammes de tabac fabriqué, à l'exclusion des cigarettes et des bâtonnets de tabac, auxquels l'infraction se rapporte,

(iv) le produit de 0,21 $ par le nombre de cigares auxquels l'infraction se rapporte;

Le sous-alinéa 216(2)a)(ii) a été remplacé par L.C. 2008, c. 28, par. 61(1) et cette modification est réputée entrée en vigueur le 18 juin 2008. Antérieurement, il se lisait ainsi :

(ii) le produit de 0,127 $ par le nombre de bâtonnets de tabac auxquels l'infraction se rapporte,

(3) Amende maximale — La somme déterminée selon le présent paragraphe pour l'infraction visée au paragraphe (1) correspond au plus élevé des montants suivants :

a) la somme des produits suivants :

(i) le produit de 0,255 $ par le nombre de cigarettes auxquelles l'infraction se rapporte,

(ii) le produit de 0,255 $ par le nombre de bâtonnets de tabac auxquels l'infraction se rapporte,

(iii) le produit de 0,174 $ par le nombre de grammes de tabac fabriqué, à l'exclusion des cigarettes et des bâtonnets de tabac, auxquels l'infraction se rapporte,

Modification proposée — 216(3)a)(iii)

(iii) le produit de 0,319 $ par le nombre de grammes de tabac fabriqué, à l'exclusion des cigarettes et des bâtonnets de tabac, auxquels l'infraction se rapporte,

Application: Le sous-alinéa 216(3)a)(iii) sera remplacé par le par. 2(2) de l'*Avis de motion de voies et moyens accompagnant le budget fédéral* du 21 mars 2013 et cette modification entrera en vigueur à la date de sanction de l'*Avis de motion de voies et moyens accompagnant le budget fédéral*.

(iv) le produit de 0,67 $ par le nombre de cigares auxquels l'infraction se rapporte;

b) 2 000 $, s'il s'agit d'un acte criminel, et 1 000 $, s'il s'agit d'une infraction punissable sur déclaration de culpabilité par procédure sommaire.

Notes historiques: Les sous-alinéa 216(3)a)(i) à (iv) ont été remplacés par L.C. 2007, c. 35, par. 202(2) et cette modification est entrée en vigueur le 1er janvier 2008. Antérieurement, ils se lisaient ainsi :

(i) le produit de 0,246 $ par le nombre de cigarettes auxquelles l'infraction se rapporte,

(ii) le produit de 0,182 $ par le nombre de bâtonnets de tabac auxquels l'infraction se rapporte,

(iii) le produit de 0,168 $ par le nombre de grammes de tabac fabriqué, à l'exclusion des cigarettes et des bâtonnets de tabac, auxquels l'infraction se rapporte,

(iv) le produit de 0,66 $ par le nombre de cigares auxquels l'infraction se rapporte;

Les sous-alinéas 216(3)a)(i) à (iv) ont été remplacés par L.C. 2006, c. 4, par. 35(2) et cette modification est entrée en vigueur le 1er juillet 2006. Antérieurement, ils se lisaient ainsi :

(i) le produit de 0,24 $ par le nombre de cigarettes auxquelles l'infraction se rapporte,

(ii) le produit de 0,16 $ par le nombre de bâtonnets de tabac auxquels l'infraction se rapporte,

(iii) le produit de 0,16 $ par le nombre de grammes de tabac fabriqué, à l'exclusion des cigarettes et des bâtonnets de tabac, auxquels l'infraction se rapporte,

(iv) le produit de 0,65 $ par le nombre de cigares auxquels l'infraction se rapporte;

Le sous-alinéa 216(3)a)(ii) a été remplacé par L.C. 2008, c. 28, par. 61(2) et cette modification est réputée entrée en vigueur le 18 juin 2008. Antérieurement, il se lisait ainsi :

(ii) le produit de 0,19 $ par le nombre de bâtonnets de tabac auxquels l'infraction se rapporte,

217. (1) Peine — alcool — Quiconque contrevient aux articles 63 ou 73, aux paragraphes 78(1) ou 83(1) ou aux articles 90, 93.1, 93.2 ou 96 commet une infraction passible, sur déclaration de culpabilité :

a) par mise en accusation, d'une amende au moins égale à la somme déterminée selon le paragraphe (2), sans dépasser la somme déterminée selon le paragraphe (3), et d'un emprisonnement maximal de cinq ans, ou de l'une de ces peines;

b) par procédure sommaire, d'une amende au moins égale à la somme déterminée selon le paragraphe (2), sans dépasser 100 000 $ ou, si elle est moins élevée, la somme déterminée selon le paragraphe (3), et d'un emprisonnement maximal de dix-huit mois, ou de l'une de ces peines.

Notes historiques: Le préambule du paragraphe 217(1) a été remplacé par L.C. 2007, c. 18, par. 118(1) et cette modification est réputée être entrée en vigueur le 22 juin 2007. Antérieurement, il se lisait ainsi :

217. (1) Quiconque contrevient aux articles 63 ou 73, aux paragraphes 78(1) ou 83(1) ou aux articles 90 ou 96 commet une infraction passible, sur déclaration de culpabilité :

(2) Amende minimale — La somme déterminée selon le présent paragraphe pour l'infraction visée au paragraphe (1) correspond au plus élevé des montants suivants :

a) la somme des produits suivants :

(i) le produit de 11,696 $ par le nombre de litres d'alcool éthylique absolu dans les spiritueux auxquels l'infraction se rapporte,

(ii) le produit de 0,62 $ par le nombre de litres de vin auxquels l'infraction se rapporte,

(iii) le produit de 10 $ par le nombre de litres d'alcool spécialement dénaturé ou de préparation assujettie à des restrictions auxquels l'infraction se rapporte;

b) 1 000 $, s'il s'agit d'un acte criminel, et 500 $, s'il s'agit d'une infraction punissable sur déclaration de culpabilité par procédure sommaire.

Notes historiques: Les sous-alinéas 217(2)a)(i) et (ii) ont été remplacés par L.C. 2006, c. 4, par. 44(1) et cette modification est entrée en vigueur le 1er juillet 2006. Antérieurement, ils se lisaient ainsi :

(i) le produit de 11,066 $ par le nombre de litres d'alcool éthylique absolu dans les spiritueux auxquels l'infraction se rapporte,

(ii) le produit de 0,5122 $ par le nombre de litres de vin auxquels l'infraction se rapporte,

Le sous-alinéa 217(2)a)(iii) a été remplacé par L.C. 2007, c. 18, par. 118(2) et cette modification est réputée être entrée en vigueur le 22 juin 2007. Antérieurement, il se lisait ainsi :

(iii) le produit de 10 $ par le nombre de litres d'alcool dénaturé ou d'alcool spécialement dénaturé auxquels l'infraction se rapporte;

(3) Amende maximale — La somme déterminée selon le présent paragraphe pour l'infraction visée au paragraphe (1) correspond au plus élevé des montants suivants :

a) la somme des produits suivants :

(i) le produit de 23,392 $ par le nombre de litres d'alcool éthylique absolu dans les spiritueux auxquels l'infraction se rapporte,

(ii) le produit de 1,24 $ par le nombre de litres de vin auxquels l'infraction se rapporte,

(iii) le produit de 20 $ par le nombre de litres d'alcool spécialement dénaturé ou de préparation assujettie à des restrictions auxquels l'infraction se rapporte;

b) 2 000 $, s'il s'agit d'un acte criminel, et 1 000 $, s'il s'agit d'une infraction punissable sur déclaration de culpabilité par procédure sommaire.

Notes historiques: Les sous-alinéas 217(3)a)(i) et (ii) ont été remplacés par L.C. 2006, c. 4, par. 44(2) et cette modification est entrée en vigueur le 1er juillet 2006. Antérieurement, ils se lisaient ainsi :

(i) le produit de 22,132 $ par le nombre de litres d'alcool éthylique absolu dans les spiritueux auxquels l'infraction se rapporte,

(ii) le produit de 1,0244 $ par le nombre de litres de vin auxquels l'infraction se rapporte,

Le sous-alinéa 217(3)a)(iii) a été remplacé par L.C. 2007, c. 18, par. 118(3) et cette modification est réputée être entrée en vigueur le 22 juin 2007. Antérieurement, il se lisait ainsi :

(iii) le produit de 20 $ par le nombre de litres d'alcool dénaturé ou d'alcool spécialement dénaturé auxquels l'infraction se rapporte;

218. (1) Peine pour infraction plus grave relative à l'alcool — Quiconque contrevient à l'un des articles 67, 69 à 72, 75 et 88 ou des paragraphes 101(1) et (2) commet une infraction passible, sur déclaration de culpabilité :

a) par mise en accusation, d'une amende au moins égale à la somme déterminée selon le paragraphe (2), sans dépasser la somme déterminée selon le paragraphe (3), et d'un emprisonnement maximal de cinq ans, ou de l'une de ces peines;

b) par procédure sommaire, d'une amende au moins égale à la somme déterminée selon le paragraphe (2), sans dépasser 500 000 $ ou, si elle est moins élevée, la somme déterminée selon le paragraphe (3), et d'un emprisonnement maximal de dix-huit mois, ou de l'une de ces peines.

Notes historiques: Le préambule du paragraphe 218(1) a été remplacé par L.C. 2007, c. 18, art. 119 et cette modification est réputée être entrée en vigueur le 22 juin 2007. Antérieurement, il se lisait ainsi :

218. (1) Quiconque contrevient à l'un des articles 67, 69 à 72, 74 et 88 ou des paragraphes 101(1) et (2) commet une infraction passible, sur déclaration de culpabilité :

(2) Amende minimale — La somme déterminée selon le présent paragraphe pour l'infraction visée au paragraphe (1) correspond au plus élevé des montants suivants :

a) la somme des produits suivants :

(i) le produit de 23,392 $ par le nombre de litres d'alcool éthylique absolu dans les spiritueux auxquels l'infraction se rapporte,

(ii) le produit de 1,24 $ par le nombre de litres de vin auxquels l'infraction se rapporte;

b) 1 000 $, s'il s'agit d'un acte criminel, et 500 $, s'il s'agit d'une infraction punissable sur déclaration de culpabilité par procédure sommaire.

Notes historiques: Les sous-alinéas 218(2)a)(i) et (ii) ont été remplacés par L.C. 2006, c. 4, par. 45(1) et cette modification est entrée en vigueur le 1er juillet 2006. Antérieurement, ils se lisaient ainsi :

(i) le produit de 22,132 $ par le nombre de litres d'alcool éthylique absolu dans les spiritueux auxquels l'infraction se rapporte,

(ii) le produit de 1,0244 $ par le nombre de litres de vin auxquels l'infraction se rapporte;

(3) Amende maximale — La somme déterminée selon le présent paragraphe pour l'infraction visée au paragraphe (1) correspond au plus élevé des montants suivants :

a) la somme des produits suivants :

(i) le produit de 35,088 $ par le nombre de litres d'alcool éthylique absolu dans les spiritueux auxquels l'infraction se rapporte,

(ii) le produit de 1,86 $ par le nombre de litres de vin auxquels l'infraction se rapporte;

b) 2 000 $, s'il s'agit d'un acte criminel, et 1 000 $, s'il s'agit d'une infraction punissable sur déclaration de culpabilité par procédure sommaire.

Notes historiques: Les sous-alinéas 218(3)a)(i) et (ii) ont été remplacés par L.C. 2006, c. 4, par. 45(2) et cette modification est entrée en vigueur le 1er juillet 2006. Antérieurement, ils se lisaient ainsi :

(i) le produit de 33,198 $ par le nombre de litres d'alcool éthylique absolu dans les spiritueux auxquels l'infraction se rapporte,

(ii) le produit de 1,5366 $ par le nombre de litres de vin auxquels l'infraction se rapporte;

219. (1) Falsification ou destruction de registres — Commet une infraction quiconque :

a) fait des déclarations fausses ou trompeuses, ou participe, consent ou acquiesce à leur énonciation dans une déclaration, une demande, un certificat, un registre ou une réponse produits ou faits en vertu de la présente loi;

b) pour éluder le paiement d'un droit ou pour obtenir un remboursement sans y avoir droit aux termes de la présente loi :

(i) détruit, modifie, mutile ou cache les registres d'une personne, ou en dispose autrement,

(ii) fait des inscriptions fausses ou trompeuses, ou consent ou acquiesce à leur accomplissement, ou omet d'inscrire un détail important dans les registres d'une personne, ou consent ou acquiesce à cette omission;

c) volontairement, de quelque manière que ce soit, élude ou tente d'éluder l'observation de la présente loi ou le paiement d'un droit, des intérêts ou d'une autre somme qu'elle impose;

d) volontairement, de quelque manière que ce soit, obtient ou tente d'obtenir un remboursement sans y avoir droit aux termes de la présente loi;

e) conspire avec une personne pour commettre une infraction visée aux alinéas a) à d).

(2) Peine — Quiconque commet l'infraction visée au paragraphe (1) est, selon le cas :

a) coupable d'un acte criminel et passible :

(i) soit d'une amende au moins égale à la somme de 1 000 $ et du montant représentant 200 % du total des droits, intérêts et autres sommes qu'il a tenté d'éluder, ou du remboursement qu'il a cherché à obtenir, sans dépasser la somme de 10 000 $ et du montant représentant 300 % de ce total ou de ce remboursement, ou, si ce total n'est pas vérifiable, d'une amende d'au moins 10 000 $, sans dépasser 100 000 $,

(ii) soit d'un emprisonnement maximal de cinq ans,

(iii) soit de l'amende mentionnée au sous-alinéa (i) et de l'emprisonnement mentionné au sous-alinéa (ii);

b) coupable d'une infraction punissable sur déclaration de culpabilité par procédure sommaire et passible :

(i) soit d'une amende au moins égale à la somme de 100 $ et du montant représentant 200 % du total des droits, intérêts et autres sommes qu'il a tenté d'éluder, ou du remboursement qu'il a cherché à obtenir, sans dépasser la somme de 1 000 $ et du montant représentant 300 % de ce total ou de ce remboursement, ou, si ce total n'est pas vérifiable, d'une amende d'au moins 1 000 $, sans dépasser 25 000 $,

(ii) soit d'un emprisonnement maximal de dix-huit mois,

(iii) soit de l'amende mentionnée au sous-alinéa (i) et de l'emprisonnement mentionné au sous-alinéa (ii).

(3) Suspension d'appel — Le ministre peut demander la suspension d'un appel interjeté en vertu de la partie 5 devant la Cour de l'impôt lorsque les faits qui y sont débattus sont pour la plupart les mêmes que ceux qui font l'objet de poursuites entamées en vertu du présent article. Dès lors, l'appel est suspendu en attendant le résultat des poursuites.

Notes historiques: L'article 219 a été ajouté par L.C. 2002, c. 22 et est entré en vigueur le 1er avril 2003 [C.P. 2003-388].

220. (1) Entrave — Nul ne peut, physiquement ou autrement, faire ou tenter de faire ce qui suit :

a) entraver, rudoyer ou contrecarrer un préposé qui fait une chose qu'il est autorisé à faire en vertu de la présente loi;

b) empêcher un préposé de faire une telle chose.

(2) Observation — Quiconque est tenu par l'un des articles 208 à 210 et 260 de faire quelque chose doit le faire.

(3) Peine — Quiconque contrevient aux paragraphes (1) ou (2) est coupable d'une infraction punissable sur déclaration de culpabilité par procédure sommaire et est passible d'une amende d'au moins 1 000 $, sans dépasser 25 000 $, et d'un emprisonnement maximal de douze mois, ou de l'une de ces peines.

Notes historiques: L'article 220 a été ajouté par L.C. 2002, c. 22 et est entré en vigueur le 1er avril 2003 [C.P. 2003-388].

221. (1) Communication non autorisée de renseignements — Commet une infraction passible, sur déclaration de culpabilité par procédure sommaire, d'une amende maximale de 5 000 $ et d'un emprisonnement maximal de douze mois, ou de l'une de ces peines, quiconque, selon le cas :

a) contrevient au paragraphe 211(2);

b) contrevient sciemment à une ordonnance rendue en application du paragraphe 211(7).

(2) Communication non autorisée de renseignements — Commet une infraction passible, sur déclaration de culpabilité par procédure sommaire, d'une amende maximale de 5 000 $ et d'un emprisonnement maximal de douze mois, ou de l'une de ces peines :

a) toute personne à qui un renseignement confidentiel est fourni à une fin précise en conformité avec les alinéas 211(6)b), d), h), l) ou m) et qui, sciemment, utilise ce renseignement, le fournit ou en permet la fourniture ou l'accès à une autre fin;

b) tout fonctionnaire à qui un renseignement confidentiel a été fourni à une fin précise en conformité avec les alinéas 211(6)a), e) ou f) et qui, sciemment, utilise ce renseignement, le fournit ou en permet la fourniture ou l'accès à une autre fin.

(3) Définitions — Au présent article, **« fonctionnaire »** et **« renseignement confidentiel »** s'entendent au sens du paragraphe 211(1).

Notes historiques: L'alinéa 221(2)a) a été remplacé par L.C. 2007, c. 18, art. 120 et cette modification est réputée être entrée en vigueur le 22 juin 2007 Antérieurement, il se lisait ainsi :

a) toute personne à qui un renseignement confidentiel est fourni à une fin précise en conformité avec les alinéas 211(6)b), d) ou h) et qui, sciemment, utilise ce renseignement, le fournit ou en permet la fourniture ou l'accès à une autre fin;

L'article 221 a été ajouté par L.C. 2002, c. 22 et est entré en vigueur le 1er avril 2003 [C.P. 2003-388].

222. Autres contraventions — Quiconque contrevient à l'une des dispositions de la présente loi ou des règlements dont la contravention n'est pas expressément sanctionnée par la présente loi commet une infraction et est passible, sur déclaration de culpabilité par procédure sommaire, d'une amende maximale de 100 000 $ et d'un emprisonnement maximal de douze mois, ou de l'une de ces peines.

Notes historiques: L'article 222 a été ajouté par L.C. 2002, c. 22 et est entré en vigueur le 1er avril 2003 [C.P. 2003-388].

223. Disculpation — Nul ne peut être déclaré coupable d'une infraction à la présente loi s'il établit qu'il a fait preuve de toute la diligence voulue pour empêcher la perpétration de l'infraction.

Notes historiques: L'article 223 a été ajouté par L.C. 2002, c. 22 et est entré en vigueur le 1er avril 2003 [C.P. 2003-388].

224. Ordonnance d'exécution — Le tribunal qui déclare une personne coupable d'infraction peut rendre toute ordonnance qu'il estime indiquée pour qu'il soit remédié au défaut visé par l'infraction.

Notes historiques: L'article 224 a été ajouté par L.C. 2002, c. 22 et est entré en vigueur le 1er avril 2003 [C.P. 2003-388].

225. Réserve — La personne déclarée coupable d'une infraction n'est passible d'une pénalité en vertu des articles 233 à 253 relativement à l'infraction que si la pénalité a été imposée en application de l'article 254 avant que la dénonciation ou la plainte qui a donné lieu à la déclaration de culpabilité n'ait été déposée ou faite.

Notes historiques: L'article 225 a été ajouté par L.C. 2002, c. 22 et est entré en vigueur le 1er avril 2003 [C.P. 2003-388].

226. Cadres de personnes morales — Lorsqu'une personne, autre qu'un particulier, commet une infraction prévue à la présente loi, ceux de ses dirigeants, administrateurs ou mandataires qui ont ordonné ou autorisé l'infraction, ou y ont consenti ou participé, sont considérés comme coauteurs de l'infraction et passibles, sur déclaration de culpabilité, de la peine prévue, que la personne ait été ou non poursuivie ou déclarée coupable.

Notes historiques: L'article 226 a été ajouté par L.C. 2002, c. 22 et est entré en vigueur le 1er avril 2003 [C.P. 2003-388].

227. Infraction commise par un employé ou un mandataire — Dans une poursuite pour une infraction à la présente loi, il suffit pour prouver l'infraction d'établir qu'elle a été commise par un employé ou un mandataire de l'accusé, que cet employé ou mandataire ait été ou non identifié ou poursuivi. L'accusé peut se disculper en prouvant que la perpétration a eu lieu à son insu ou sans son consentement et qu'il avait pris les mesures nécessaires pour l'empêcher.

Notes historiques: L'article 227 a été ajouté par L.C. 2002, c. 22 et est entré en vigueur le 1er avril 2003 [C.P. 2003-388].

228. Pouvoir de diminuer les peines — Malgré le *Code criminel* ou toute autre règle de droit, le tribunal ne peut, dans une poursuite ou une procédure en vertu de la présente loi, ni imposer moins que l'amende minimale que fixe la présente loi ni suspendre une sentence.

Notes historiques: L'article 228 a été ajouté par L.C. 2002, c. 22 et est entré en vigueur le 1er avril 2003 [C.P. 2003-388].

229. (1) Dénonciation ou plainte — Une dénonciation ou plainte en vertu de la présente loi peut être déposée ou faite par tout préposé, et seul le ministre ou une personne agissant en son nom ou au nom de Sa Majesté peut la mettre en doute pour défaut de compétence du préposé.

(2) Deux infractions ou plus — La dénonciation ou plainte à l'égard d'une infraction à la présente loi peut viser une ou plusieurs infractions. Aucune dénonciation, aucune plainte, aucun mandat, aucune déclaration de culpabilité ou autre procédure dans une poursuite intentée en vertu de la présente loi n'est susceptible d'opposition ou n'est insuffisante du fait que deux infractions ou plus sont visées.

(3) Prescription des poursuites — Malgré le paragraphe 786(2) du *Code criminel*, la dénonciation ou plainte à l'égard d'une infraction à la présente loi qui est punissable sur déclaration de culpabilité par procédure sommaire peut être déposée ou faite dans les deux ans suivant le jour où l'objet de la dénonciation ou de la plainte a pris naissance.

Notes historiques: L'article 229 a été ajouté par L.C. 2002, c. 22 et est entré en vigueur le 1er avril 2003 [C.P. 2003-388].

Produits de la criminalité

230. (1) Possession de biens d'origine criminelle — Il est interdit à quiconque d'avoir en sa possession un bien, ou son produit, sachant qu'il provient, en tout ou en partie, directement ou indirectement :

a) soit de la perpétration d'une infraction prévue à l'article 214 ou aux paragraphes 216(1), 218(1) ou 231(1);

b) soit du complot en vue de commettre une infraction visée à l'alinéa a), de la tentative de la commettre, de la complicité après le fait à son égard ou du fait de conseiller de la commettre ou du fait d'y participer.

(2) Peine — Quiconque contrevient au paragraphe (1) commet :

a) soit un acte criminel passible d'une amende maximale de 500 000 $ et d'un emprisonnement maximal de cinq ans, ou de l'une de ces peines;

b) soit une infraction punissable sur déclaration de culpabilité par procédure sommaire et passible d'une amende maximale de 100 000 $ et d'un emprisonnement maximal de dix-huit mois, ou de l'une de ces peines.

(3) Exception — N'est pas coupable de l'infraction prévue au présent article l'agent de la paix — ou la personne qui agit sous sa direction — qui a en sa possession le bien, ou son produit, dans le cadre d'une enquête ou dans l'accomplissement de ses autres fonctions.

231. (1) Recyclage des produits de la criminalité — Il est interdit à quiconque — de quelque façon que ce soit — d'utiliser, d'envoyer ou de livrer à une personne ou à un endroit, de transporter, de transmettre ou de modifier un bien ou son produit — ou d'en disposer ou d'en transférer la possession — , ou d'effectuer toute autre opération à son égard, dans l'intention de le cacher ou de le convertir, sachant qu'il provient, en tout ou en partie, directement ou indirectement :

a) soit de la perpétration d'une infraction prévue à l'article 214 ou aux paragraphes 216(1) ou 218(1);

b) soit du complot en vue de commettre une infraction visée à l'alinéa a), de la tentative de la commettre, de la complicité après le fait à son égard ou du fait de conseiller de la commettre ou du fait d'y participer.

(2) Peine — Quiconque contrevient au paragraphe (1) commet :

a) soit un acte criminel passible d'une amende maximale de 500 000 $ et d'un emprisonnement maximal de cinq ans, ou de l'une de ces peines;

b) soit une infraction punissable sur déclaration de culpabilité par procédure sommaire et passible d'une amende maximale de 100 000 $ et d'un emprisonnement maximal de dix-huit mois, ou de l'une de ces peines.

(3) Exception — N'est pas coupable d'une infraction prévue au présent article l'agent de la paix — ou la personne qui agit sous sa direction — qui fait l'un des actes mentionnés au paragraphe (1) dans le cadre d'une enquête ou dans l'accomplissement de ses autres fonctions.

232. (1) Application de la partie XII.2 du *Code criminel* — Les articles 462.3 et 462.32 à 462.5 du *Code criminel* s'appliquent, avec les adaptations nécessaires, aux procédures engagées à l'égard des infractions prévues à l'article , aux paragraphes 216(1) et 218(1) et aux articles 230 et 231.

(2) Mention d'une infraction de criminalité organisée — Pour l'application du paragraphe (1), la mention, aux articles 462.37 et 462.38 et au paragraphe 462.41(2) du *Code criminel*, d'une infraction de criminalité organisée vaut également mention d'une infraction prévue au paragraphe (1).

Pénalités

233. Contravention — art. 34 et 37 — Le titulaire de licence de tabac qui contrevient aux articles 34 ou 37 est passible d'une pénalité égale au montant représentant 200 % des droits imposés sur le produit du tabac auquel l'infraction se rapporte.

234. (1) Contravention — articles 38, 40, 49, 61, 62.1, 99, 149 ou 151 — Quiconque contrevient aux articles 38, 40, 49, 61, 62.1, 99, 149 ou 151 est passible d'une pénalité maximale de 25 000 $.

(2) Défaut de se conformer — Quiconque omet de retourner ou de détruire des timbres selon les instructions du ministre visées à l'alinéa 25.5b), ou omet de façonner de nouveau ou de détruire un produit du tabac de la manière autorisée par le ministre aux termes de l'article 41, est passible d'une pénalité maximale de 25 000 $.

Notes historiques: L'article 234 a été remplacé par L.C. 2010, c. 12, art. 43 et cette modification s'applique selon les mêmes modalités que la modification apportée à la définition de « estampillé » à l'article 2. Antérieurement, il se lisait ainsi :

> 234. Contravention — art. 38, 40, 41, 49, 61, 62.1, 99, 149 ou 151 — Quiconque contrevient aux articles 38, 40, 41, 49, 61, 62.1, 99, 149 ou 151 est passible d'une pénalité maximale de 25 000 $.

L'article 234 a été remplacé par L.C. 2007, c. 18, art. 121 et cette modification est réputée être entrée en vigueur le 22 juin 2007. Antérieurement, il se lisait ainsi :

> 234. Quiconque contrevient aux articles 38, 40, 41, 49, 61, 99, 149 ou 151 est passible d'une pénalité maximale de 25 000 $.

235. Pénalité — exportation non autorisée de tabac en feuilles — Le tabaculteur qui exporte du tabac en feuilles sans l'approbation écrite du ministre ou qui ne se conforme pas à une condition imposée par le ministre relativement à l'exportation est passible d'une pénalité maximale de 25 000 $.

236. (1) Réaffectation de tabac non ciblé — Est passible d'une pénalité le titulaire de licence de tabac ou l'exploitant agréé d'entrepôt de stockage qui, en ce qui concerne le tabac fabriqué sur lequel le droit prévu à l'article 42 a été imposé au taux figurant aux alinéas 1a), 2a) ou 3a) de l'annexe 1 :

a) s'agissant du titulaire de licence de tabac :

(i) soit livre le tabac ailleurs qu'à une boutique hors taxes ou un entrepôt de stockage ou autrement que pour utilisation à titre de provisions de bord conformément au *Règlement sur les provisions de bord*,

(ii) soit exporte le tabac autrement que pour livraison à une boutique hors taxes à l'étranger ou autrement qu'à titre de provisions de bord à l'étranger;

b) s'agissant de l'exploitant agréé d'entrepôt de stockage, livre le tabac autrement que pour utilisation à titre de provisions de bord conformément au *Règlement sur les provisions de bord*.

Notes historiques: Le paragraphe 236(1) a été remplacé par L.C. 2007, c. 18, art. 122 et cette modification est réputée être entrée en vigueur le 22 juin 2007. Antérieurement, il se lisait ainsi :

> 236. (1) Est passible d'une pénalité le titulaire de licence de tabac qui, en ce qui concerne le tabac fabriqué sur lequel le droit prévu à l'article 42 a été imposé au taux figurant aux alinéas 1a), 2a) ou 3a) de l'annexe 1 :
>
> a) soit livre le tabac ailleurs qu'à une boutique hors taxes ou un entrepôt de stockage ou autrement que pour utilisation à titre de provisions de bord conformément au *Règlement sur les provisions de bord*;
>
> b) soit exporte le tabac autrement que pour livraison à une boutique hors taxes à l'étranger ou autrement qu'à titre de provisions de bord à l'étranger.

(2) Pénalité — La pénalité est égale au montant représentant 200 % de la somme des montants suivants :

a) l'excédent du droit visé au sous-alinéa (i) sur le droit visé au sous-alinéa (ii) :

(i) le droit qui aurait été imposé en vertu de l'article 42 sur le tabac si le taux applicable de droit avait été celui qui figure aux alinéas 1b), 2b) ou 3b) de l'annexe 1,

(ii) le droit qui a été imposé en vertu de l'article 42 sur le tabac;

b) le droit spécial qui était exigible en vertu de l'alinéa 56(1)b) sur le tabac.

237. (1) Réaffectation d'alcool non acquitté — L'exploitant agréé d'entrepôt d'accise est passible d'une pénalité égale au montant représentant 200 % des droits imposés sur l'alcool emballé qui a été sorti de son entrepôt à une fin visée à l'article 147, mais qui n'a pas été livré, exporté ou offert, selon le cas, à cette fin.

Notes historiques: Le paragraphe 237(1) a été remplacé par L.C. 2007, c. 18, art. 123 et cette modification est réputée être entrée en vigueur le 22 juin 2007. Antérieurement, il se lisait ainsi :

> 237. (1) L'exploitant agréé d'entrepôt d'accise est passible d'une pénalité égale au montant représentant 200 % des droits imposés sur l'alcool emballé qui a été sorti de son entrepôt à une fin visée à l'article 147, mais qui n'a pas été livré ou exporté, selon le cas, à cette fin.

(2) Réaffectation de tabac exempt de droits — Le titulaire de licence de tabac est passible d'une pénalité égale au montant représentant 200 % des droits qui ont été imposés sur le produit du tabac fabriqué au Canada qui a été sorti de son entrepôt d'accise à une fin visée aux paragraphes 50(4), (7) ou (8), mais qui n'a été pas été livré ou exporté, selon le cas, à cette fin.

(3) Réaffectation de cigares exempts de droits — L'exploitant agréé d'entrepôt d'accise est passible d'une pénalité égale au montant représentant 200 % des droits qui ont été imposés sur les cigares fabriqués au Canada qui ont été sortis de son entrepôt d'accise à une fin visée au paragraphe 50(9), mais qui n'ont pas été livrés à cette fin.

(4) Réaffectation de tabac exempt de droits — L'exploitant agréé d'entrepôt d'accise spécial est passible d'une pénalité égale au montant représentant 200 % des droits qui ont été imposés sur le produit du tabac fabriqué au Canada qui a été sorti de son entrepôt d'accise spécial à une fin visée au paragraphe 50(11), mais qui n'a pas été livré à cette fin.

(5) Réaffectation de tabac importé — L'exploitant agréé d'entrepôt d'accise est passible d'une pénalité égale au montant représentant 200 % des droits qui ont été imposés sur le produit du tabac importé qui a été sorti de son entrepôt d'accise à une fin visée au paragraphe 51(2), mais qui n'a pas été livré ou exporté, selon le cas, à cette fin.

(6) Exception — Le titulaire de licence ou d'agrément qui serait par ailleurs passible d'une pénalité prévue au présent article ne l'est pas s'il établit à la satisfaction du ministre que, après avoir été sorti de son entrepôt d'accise ou de son entrepôt d'accise spécial, l'alcool ou le produit du tabac y a été retourné.

238. Pénalité pour tabac égaré — L'exploitant agréé d'entrepôt d'accise ou l'exploitant agréé d'entrepôt d'accise spécial est passible d'une pénalité égale au montant représentant 200 % du droit qui a été imposé sur un produit du tabac déposé dans son entrepôt s'il ne peut rendre compte du produit :

a) comme se trouvant dans l'entrepôt;

b) comme ayant été sorti de l'entrepôt conformément à la présente loi;

c) comme ayant été détruit par le feu pendant qu'il se trouvait dans l'entrepôt.

238.1 (1) Pénalités pour timbres d'accise égarés — Toute personne à qui des timbres d'accise ont été émis, mais qui ne peut rendre compte des timbres comme étant en sa possession est passible d'une pénalité, sauf si :

a) elle peut démontrer que les timbres ont été apposés sur des produits du tabac ou sur leur contenant selon les modalités réglementaires visées à la définition de « estampillé » à l'article 2 et que les droits afférents autres que le droit spécial ont été acquittés;

b) s'agissant de timbres qui ont été annulés, elle peut démontrer que les timbres ont été retournés ou détruits selon les instructions du ministre.

(2) Pénalité — La pénalité pour chaque timbre d'accise dont il ne peut être rendu compte est égale au droit qui serait imposé sur un produit du tabac pour lequel le timbre a été émis en vertu du paragraphe 25.1(1).

Notes historiques: L'article 238.1 a été ajouté par L.C. 2010, c. 12, art. 44 et s'applique selon les mêmes modalités que la modification apportée à la définition de « estampillé » à l'article 2.

239. Autres réaffectations — Sauf en cas d'application de l'article 237, une personne est passible d'une pénalité égale au montant représentant 200 % des droits imposés sur de l'alcool emballé ou un produit du tabac si les conditions suivantes sont réunies :

a) elle a acquis l'alcool emballé ou le produit du tabac et les droits n'étaient pas exigibles en raison du but dans lequel elle les a acquis ou de leur destination;

b) l'alcool ou le produit est vendu ou utilisé dans un but quelconque, ou est envoyé à une destination, dans des circonstances telles que les droits auraient été exigibles si, à l'origine, il avait été acquis dans ce but ou envoyé à cette destination.

240. Contravention — par. 50(5) — Le titulaire de licence de tabac qui contrevient au paragraphe 50(5) est passible d'une pénalité égale à la somme des montants suivants :

a) 0,361 448 $ par cigarette retirée en contravention avec ce paragraphe;

b) 0,361 448 $ par bâtonnet de tabac retiré en contravention avec ce paragraphe;

c) 207,704 $ par kilogramme de tabac fabriqué, à l'exclusion des cigarettes et des bâtonnets de tabac, retiré en contravention avec ce paragraphe.

Modification proposée — 240c)

c) 451,81 $ par kilogramme de tabac fabriqué, à l'exclusion des cigarettes et des bâtonnets de tabac, retiré en contravention avec ce paragraphe.

Application: L'alinéa 240c) sera remplacé par l'art. 3 de l'*Avis de motion de voies et moyens accompagnant le budget fédéral* du 21 mars 2013 et cette modification entrera en vigueur à la date de sanction de l'*Avis de motion de voies et moyens accompagnant le budget fédéral*.

Budget fédéral, Renseignements supplémentaires, 21 mars 2013: [Voir sous l'art. 216 — n.d.l.r.]

Notes historiques: Les alinéa a) à c) de l'article 240 ont été remplacés par L.C. 2007, c. 35, par. 203(1) et cette modification est entrée en vigueur le 1er janvier 2008. Antérieurement, ils se lisaient ainsi :

a) 0,355 548 $ par cigarette retirée en contravention avec ce paragraphe;

b) 0,205 $ par bâtonnet de tabac retiré en contravention avec ce paragraphe;

c) 203,804 $ par kilogramme de tabac fabriqué, à l'exclusion des cigarettes et des bâtonnets de tabac, retiré en contravention avec ce paragraphe.

Les alinéas 240a) à c) ont été remplacés par L.C. 2006, c. 4, par. 36(1) et cette modification est entrée en vigueur le 1er juillet 2006. Antérieurement, ils se lisaient ainsi :

a) 0,349 95 $ par cigarette retirée en contravention avec ce paragraphe;

b) 0,199 966 $ par bâtonnet de tabac retiré en contravention avec ce paragraphe;

c) 199,966 $ par kilogramme de tabac fabriqué, à l'exclusion des cigarettes et des bâtonnets de tabac, retiré en contravention avec ce paragraphe.

Les alinéas 240a) à c) ont été remplacés par L.C. 2003, c. 15, art. 46 et cette modification est réputée entrée en vigueur le 19 juin 2003. Antérieurement, ils se lisaient ainsi :

a) 0,259 95 $ par cigarette retirée en contravention avec ce paragraphe;

b) 0,159 966 $ par bâtonnet de tabac retiré en contravention avec ce paragraphe;

c) 149,966 $ par kilogramme de tabac fabriqué, à l'exclusion des cigarettes et des bâtonnets de tabac, retiré en contravention avec ce paragraphe.

L'alinéa 240b) a été remplacé par L.C. 2008, c. 28, art. 62 et cette modification est réputée entrée en vigueur le 18 juin 2008. Antérieurement, il se lisait ainsi :

b) 0,2105 $ par bâtonnet de tabac retiré en contravention avec ce paragraphe;

241. Contravention — art. 71 — Quiconque contrevient à l'article 71 est passible d'une pénalité égale au montant représentant 200 % des droits imposés sur les spiritueux en vrac auxquels la contravention se rapporte.

242. Contravention — art. 72 — Quiconque contrevient à l'article 72 est passible d'une pénalité de 1,24 $ le litre sur le vin auquel la contravention se rapporte.

Notes historiques: L'article 242 a été remplacé par L.C. 2006, c. 4, par. 46(1) et cette modification est entrée en vigueur le 1er juillet 2006. Antérieurement, il se lisait ainsi :

242. Quiconque contrevient à l'article 72 est passible d'une pénalité de 1,0244 $ le litre sur le vin auquel la contravention se rapporte.

243. (1) Contravention — art. 73, 74 ou 90 — Sauf en cas d'application des articles 239, 241, 242 ou 243.1 ou du paragraphe (2), quiconque contrevient aux articles 73, 74 ou 90 est passible de la pénalité suivante :

a) si la contravention se rapporte à des spiritueux, le montant représentant 200 % des droits imposés sur les spiritueux;

b) si la contravention se rapporte à du vin, 1,24 $ le litre de vin.

(2) Contravention de l'art. 73 ou 90 par l'utilisateur agréé — Tout utilisateur agréé qui, en contravention des articles 73 ou 90, exporte de l'alcool, l'utilise pour soi ou le met en la possession de quiconque est passible de la pénalité suivante :

a) si la contravention se rapporte à des spiritueux, les droits imposés sur les spiritueux;

b) si la contravention se rapporte à du vin, 0,62 $ le litre de vin.

Notes historiques: L'article 243 a été remplacé par L.C. 2007, c. 18, art. 124 et cette modification est réputée être entrée en vigueur le 22 juin 2007. Antérieurement, il se lisait ainsi :

243. Contravention — art. 73, 76 et 89 à 91 — Quiconque contrevient à l'un des articles 73, 76 et 89 à 91 est passible de la pénalité suivante :

a) si la contravention se rapporte à des spiritueux, les droits imposés sur les spiritueux;

b) si la contravention se rapporte à du vin, 0,62 $ le litre de vin.

L'alinéa 243b) a été remplacé par L.C. 2006, c. 4, par. 47(1) et cette modification est entrée en vigueur le 1er juillet 2006. Antérieurement, il se lisait ainsi :

b) si la contravention se rapporte à du vin, 0,5122 $ le litre de vin.

243.1 Contravention — art. 76, 89 ou 91 — Quiconque contrevient aux articles 76, 89 ou 91 est passible de la pénalité suivante :

a) si la contravention se rapporte à des spiritueux, les droits imposés sur les spiritueux;

b) si la contravention se rapporte à du vin, 0,62 $ le litre de vin.

Notes historiques: L'article 243.1 a été ajouté par L.C. 2007, c. 18, art. 124 et est réputé être entré en vigueur le 22 juin 2007.

244. Spiritueux utilisés à titre d'alcool dénaturé ou spécialement dénaturé — La personne qui est tenue d'exporter, de retourner ou de détruire une quantité de spiritueux, ou d'en disposer, en vertu des alinéas 101(1)a) ou b) ou (2)a) ou b), mais qui n'est pas en mesure de le faire du fait que la quantité a servi à produire un autre produit est passible d'une pénalité égale au droit imposé sur la quantité en vertu de l'article 122 ou perçu sur la quantité en vertu de l'article 21.1 ou du paragraphe 21.2(1) du *Tarif des douanes*.

245. Contravention — art. 78, 83 et 94 — Quiconque contrevient aux articles 78, 83 ou 94 est passible d'une pénalité égale au montant représentant 100 % des droits imposés sur l'alcool auquel l'infraction se rapporte.

246. Contravention — art. 81, 86, 92 et 93 — Quiconque contrevient aux articles 81, 86, 92 ou 93 est passible d'une pénalité égale au montant représentant 50 % des droits imposés sur l'alcool auquel la contravention se rapporte.

247. Possession non autorisée, etc., d'alcool spécialement dénaturé — Quiconque contrevient à l'un des articles 96 à 98, 100, 102 et 103 est passible d'une pénalité de 10 $ le litre sur l'alcool spécialement dénaturé auquel la contravention se rapporte.

247.1 Possession non autorisée d'une préparation assujettie à des restrictions — Quiconque contrevient aux articles 93.1 ou 93.2 est passible d'une pénalité de 10 $ le litre de préparation assujettie à des restrictions à laquelle la contravention se rapporte.

Notes historiques: L'article 247.1 a été ajouté par L.C. 2007, c. 18, art. 125 et est réputé être entré en vigueur le 22 juin 2007.

248. Sortie non autorisée d'un contenant spécial marqué — L'exploitant agréé d'entrepôt d'accise qui sort un contenant spécial marqué d'alcool de son entrepôt en vue de le mettre sur le marché des marchandises acquittées est passible d'une pénalité égale au montant représentant 50 % des droits qui ont été imposés sur l'alcool dans le contenant, sauf si le contenant est marqué de façon à indiquer qu'il est destiné à être livré à un centre de remplissage libre-service et à y être utilisé et est livré à un tel centre.

249. Contravention — art. 154 — L'exploitant agréé d'entrepôt d'accise qui contrevient à l'article 154 est passible d'une pénalité égale à la somme des montants suivants :

a) 1 000 $;

b) le montant représentant 50 % des droits imposés sur l'alcool fourni en contravention de cet article.

250. Inobservation — Est passible d'une pénalité maximale de 25 000 $ quiconque ne se conforme pas :

a) aux articles 206 ou 207;

b) à une exigence de l'avis mentionné aux articles 208 ou 210;

c) à une condition ou une exigence de la licence, de l'agrément ou de l'autorisation qui lui a été délivré en vertu de la présente loi;

d) à une condition ou une restriction imposée en vertu de l'article 143;

e) aux règlements.

251. Défaut de donner suite à une mise en demeure — Quiconque ne se conforme pas à une mise en demeure exigeant la production d'une déclaration en application de l'article 169 est passible d'une pénalité de 250 $.

Notes historiques: L'article 251 a été remplacé par L.C. 2006, c. 4, par. 119(1) et cette modification s'applique relativement aux mises en demeure signifiées par le ministre du Revenu national en vertu de l'article 169 le 1er avril 2007 ou par la suite. Antérieurement, il se lisait ainsi :

251. Quiconque ne se conforme pas à une mise en demeure exigeant la production d'une déclaration en application de l'article 169 est passible d'une pénalité égale au plus élevé des montants suivants :

a) 250 $;

b) le montant représentant 5 % des droits exigibles pour la période indiquée dans la mise en demeure qui étaient impayés à la date d'échéance de production de la déclaration.

Info TPS/TVH [251]: GI-024, *Harmonisation des dispositions administratives visant la comptabilité normalisée*.

251.1 Défaut de produire une déclaration — Quiconque omet de produire une déclaration pour une période de déclaration selon les modalités de temps ou autres prévues par la présente loi est tenu de payer une pénalité égale à la somme des montants suivants :

a) le montant correspondant à 1 % du total des sommes représentant chacune une somme qui est à verser pour la période de déclaration, mais qui ne l'a pas été avant la fin du jour où la déclaration devait être produite;

b) le produit du quart du montant déterminé selon l'alinéa a) par le nombre de mois entiers, jusqu'à concurrence de douze, compris dans la période commençant à la date limite où la déclaration devait être produite et se terminant le jour où elle est effectivement produite.

Notes historiques: Le passage précédant l'alinéa 251.1b) a été remplacé par L.C. 2010, c. 25, art. 120 et cette modification est réputée être entrée en vigueur le 15 décembre 2010. Antérieurement, il se lisait ainsi :

251.1 Quiconque omet de produire une déclaration pour un mois d'exercice selon les modalités de temps ou autres prévues par la présente loi est tenu de payer une pénalité égale à la somme des montants suivants :

a) le montant correspondant à 1 % du total des sommes représentant chacune une somme qui est à verser pour le mois d'exercice, mais qui ne l'a pas été avant la fin du jour où la déclaration devait être produite;

L'article 251.1 a été ajouté par L.C. 2006, c. 4, par. 119(1) et s'applique relativement aux mises en demeure signifiées par le ministre du Revenu national en vertu de l'article 169 le 1er avril 2007 ou par la suite. L'article 251.1 s'applique relativement :

a) à toute déclaration à produire le 1er avril 2007 ou par la suite;

b) à toute déclaration à produire avant cette date, mais qui n'est pas produite au plus tard le 31 mars 2007; dans ce cas, la déclaration est réputée avoir été à produire au plus tard le 31 mars 2007 pour ce qui est du calcul de la pénalité prévue à cet article.

251.2 Effets refusés — Pour l'application de la présente loi et de l'article 155.1 de la *Loi sur la gestion des finances publiques*, les frais qui deviennent payables par une personne à un moment donné en vertu de la *Loi sur la gestion des finances publiques* relativement à un effet offert en paiement ou en règlement d'une somme à payer en vertu de la présente loi sont réputés être une somme qui devient payable par la personne à ce moment en vertu de la présente loi. En outre, la partie II du *Règlement sur les intérêts et les frais administratifs* ne s'applique pas aux frais, et toute créance relative à ces frais, visée au paragraphe 155.1(3) de la *Loi sur la gestion des finances publiques*, est réputée avoir été éteinte au moment où le total de la somme et des intérêts applicables en vertu de la présente loi est versé.

Notes historiques: L'article 251.2 a été ajouté par L.C. 2006, c. 4, par. 119(1) et s'applique relativement aux effets refusés le 1er avril 2007 ou par la suite.

252. Défaut de présenter des renseignements — Quiconque ne fournit pas des renseignements ou des registres selon les modalités de temps ou autres prévues par la présente loi est passible d'une pénalité de 100 $ pour chaque défaut à moins que, s'il s'agit de renseignements concernant une autre personne, il ne se soit raisonnablement appliqué à les obtenir.

253. Faux énoncés ou omissions — Toute personne qui, sciemment ou dans des circonstances équivalant à faute lourde, fait un faux énoncé ou une omission dans une déclaration, une demande, un formulaire, un certificat, un état, une facture ou une réponse (appelés « déclaration » au présent article) concernant une période de déclaration ou une activité, ou y participe ou y consent, est passible d'une pénalité égale à 250 $ ou, s'il est plus élevé, au montant représentant 25 % de l'excédent suivant :

a) si le faux énoncé ou l'omission a trait au calcul de droits exigibles de la personne, l'excédent éventuel de ces droits sur la somme qui correspondrait à ces droits s'ils étaient déterminés d'après les renseignements indiqués dans la déclaration;

b) si le faux énoncé ou l'omission a trait au calcul d'un montant de remboursement ou d'un autre paiement pouvant être obtenu en vertu de la présente loi, l'excédent éventuel du montant de remboursement ou autre paiement qui serait payable à la personne, s'il était déterminé d'après les renseignements indiqués dans la déclaration, sur le montant de remboursement ou autre paiement payable à la personne.

Notes historiques: Le préambule de l'article 253 a été remplacé par L.C. 2010, c. 25, art. 121 et cette modification est réputée être entrée en vigueur le 15 décembre 2010. Antérieurement, il se lisait ainsi :

> 253. Toute personne qui, sciemment ou dans des circonstances équivalant à faute lourde, fait un faux énoncé ou une omission dans une déclaration, une demande, un formulaire, un certificat, un état, une facture ou une réponse (appelés « déclaration » au présent article) concernant un mois d'exercice ou une activité, ou y participe ou y consent, est passible d'une pénalité égale à 250 $ ou, s'il est plus élevé, au montant représentant 25 % de l'excédent suivant :

Imposition des pénalités

254. (1) Avis de pénalités — Les pénalités prévues aux articles 233 à 253, à l'exception de celle prévue à l'article 251.1, sont imposées par le ministre par avis écrit signifié au contrevenant ou posté par courrier recommandé ou certifié à sa dernière adresse connue.

Notes historiques: Le paragraphe 254(1) a remplacé par L.C. 2006, c. 4, par. 120(1) et cette modification est entrée en vigueur le 1er avril 2007. Antérieurement, il se lisait ainsi :

> 254. (1) Les pénalités prévues aux articles 233 à 253 sont imposées par le ministre par avis écrit signifié au contrevenant ou posté par courrier recommandé ou certifié à sa dernière adresse connue.

(2) Pénalité supplémentaire — Une pénalité peut être imposée en sus de la saisie ou de la confiscation d'une chose ou de la suspension ou de la révocation d'une licence ou d'un agrément ou de la suspension ou du retrait d'une autorisation, effectué en vertu de la présente loi, qui découle du même fait que la contravention relativement à laquelle la pénalité est imposée.

255. Paiement de la pénalité — La pénalité imposée à une personne en application de l'article 254 doit être payée au receveur général au moment de son imposition.

255.1 Renonciation ou réduction — pénalité pour défaut de production — Le ministre peut, au plus tard le jour qui suit de dix années civiles la fin d'une période de déclaration d'une personne ou sur demande de la personne présentée au plus tard ce jour-là, réduire toute pénalité exigible de la personne aux termes de l'article 251.1 pour la période de déclaration au titre d'une déclaration, ou y renoncer.

Notes historiques: L'article 255.1 a été remplacé par L.C. 2010, c. 25, art. 122 et cette modification est réputée être entrée en vigueur le 15 décembre 2010. Antérieurement, il se lisait ainsi :

> 255.1 Le ministre peut, au plus tard le jour qui suit de dix années civiles la fin d'un mois d'exercice d'une personne ou sur demande de la personne présentée au plus tard ce jour-là, réduire toute pénalité exigible de la personne aux termes de l'article 251.1 pour le mois au titre d'une déclaration, ou y renoncer.

L'article 255.1 a été remplacé par L.C. 2007, c. 18, par. 126(1) et cette modification est réputée être entrée en vigueur le 1er avril 2007. Antérieurement, il se lisait ainsi :

> 255.1 Le ministre peut, au plus tard le jour qui suit de dix années civiles la fin d'un mois d'exercice d'une personne, réduire toute péna- lité exigible de celle-ci aux termes de l'article 251.1 pour le mois au titre d'une déclaration, ou y renoncer.

L'article 255.1 a été ajouté par L.C. 2006, c. 4, par. 121(1) et est entré en vigueur le 1er avril 2007.

256. Intérêts sur les pénalités pendant la période d'examen — Malgré le paragraphe 170(1), si une demande de décision est présentée au ministre en vertu du paragraphe 271(1) relativement à une pénalité imposée en application de l'article 254, aucun intérêt n'est exigible relativement à la pénalité pour la période commençant le jour de la demande et se terminant soit le jour où le ministre donne avis de la décision en vertu du paragraphe 273(2), soit, si la décision fait l'objet d'un appel devant la Cour fédérale en vertu de l'article 276, le jour du règlement de l'appel.

257. Révision de la pénalité imposée — La créance de Sa Majesté résultant d'une pénalité imposée en application de l'article 254 est définitive et n'est susceptible de révision, de restriction, d'interdiction, d'annulation, de rejet ou de toute autre forme d'intervention que dans la mesure et selon les modalités prévues par la présente loi.

Info TPS/TVH [257]: GI-024, *Harmonisation des dispositions administratives visant la comptabilité normalisée.*

Mandats de perquisition

258. (1) Mandat de perquisition — Le juge saisi peut, à tout moment, signer un mandat autorisant le préposé à perquisitionner et à saisir une chose, s'il est convaincu, sur la foi d'une dénonciation faite sous serment, qu'il existe des motifs raisonnables de croire à la présence, dans un bâtiment, un contenant ou un lieu, de toutes choses dont il y a des motifs raisonnables de croire qu'elles peuvent servir à prouver une infraction à la présente loi.

(2) Forme du mandat — Le mandat doit indiquer la contravention pour laquelle il est décerné et dans quel bâtiment, contenant ou lieu perquisitionner et donner suffisamment de précisions sur les choses à chercher et à saisir.

(3) Visa — Si le bâtiment, le contenant ou le lieu est situé dans une autre circonscription territoriale, le juge peut décerner le mandat, et celui-ci peut être exécuté dans l'autre circonscription territoriale après avoir été visé par un juge ayant juridiction dans cette circonscription.

(4) Effet du visa — Un visa apposé à un mandat conformément au paragraphe (3) constitue une autorisation suffisante pour les préposés à qui il a été d'abord adressé et à tous les préposés qui ressortissent au juge qui l'a visé d'exécuter le mandat et de s'occuper des choses saisies en conformité avec l'article 489.1 du *Code criminel* ou d'une autre façon prévue par la loi.

(5) Extension du pouvoir de saisie — Le préposé qui exécute le mandat peut saisir, outre ce qui y est mentionné :

a) toutes choses dont il a des motifs raisonnables de croire qu'elles ont servi ou donné lieu à une infraction à la présente loi;

b) toutes choses dont il a des motifs raisonnables de croire qu'elles peuvent servir à prouver une infraction à la présente loi.

(6) Exécution d'un mandat de perquisition — Le mandat est exécuté entre six heures et vingt et une heures, à moins que les conditions suivantes ne soient réunies :

a) le juge est convaincu qu'il existe des motifs raisonnables de l'exécuter en dehors de cette période;

b) la dénonciation énonce ces motifs raisonnables;

c) le libellé du mandat en autorise l'exécution en dehors de cette période.

(7) Usage d'un système informatique — Le préposé autorisé à perquisitionner des données contenues dans un ordinateur peut :

a) utiliser ou faire utiliser tout ordinateur se trouvant dans le bâtiment ou le lieu pour vérifier les données que celui-ci contient ou auxquelles il donne accès;

b) utiliser ou faire utiliser le matériel se trouvant dans le bâtiment ou le lieu pour reproduire des données;

c) saisir toute reproduction effectuée en vertu de l'alinéa b) qui peut servir à prouver une contravention à la présente loi.

(8) Obligation du responsable du lieu — Sur présentation du mandat, le responsable du bâtiment ou du lieu qui fait l'objet de la perquisition doit fournir au préposé qui procède à celle-ci toute l'assistance nécessaire à son déroulement.

(9) Application de l'article 490 du *Code criminel* — L'article 490 du *Code criminel* s'applique aux choses saisies en vertu du présent article.

(10) Extension du sens de « juge » — Au présent article et à l'alinéa 262(2)b), « juge » s'entend également du juge qui est autorisé par le *Code criminel* à décerner un mandat de perquisition.

259. Perquisition sans mandat — Le préposé peut exercer sans mandat les pouvoirs visés au paragraphe 258(1) lorsque l'urgence de la situation rend difficilement réalisable l'obtention du mandat, sous réserve que les conditions de délivrance de celui-ci soient réunies.

Inspection

260. (1) Inspection — Le préposé peut, à toute heure convenable, pour l'exécution ou le contrôle d'application de la présente loi, inspecter, vérifier ou examiner les registres, les procédés, les biens ou les locaux d'une personne afin de déterminer si celle-ci ou toute autre personne agit en conformité avec la présente loi.

(2) Pouvoirs du préposé — Afin d'effectuer une inspection, une vérification ou un examen, le préposé peut :

a) sous réserve du paragraphe (3), pénétrer dans tout lieu où il croit, pour des motifs raisonnables, que la personne tient des registres ou exerce une activité auxquels s'applique la présente loi;

b) procéder à l'immobilisation d'un moyen de transport ou le faire conduire en tout lieu où il peut effectuer l'inspection ou l'examen;

c) exiger de toute personne de l'accompagner pendant l'inspection, la vérification ou l'examen, de répondre à toutes les questions pertinentes et de lui prêter toute l'assistance raisonnable;

d) ouvrir ou faire ouvrir tout contenant où il croit, pour des motifs raisonnables, que se trouvent des choses auxquelles s'applique la présente loi;

e) prélever, sans compensation, des échantillons;

f) saisir toute chose dont il a des motifs raisonnables de croire qu'elle a servi ou donné lieu à une contravention à la présente loi.

(3) Autorisation préalable — Si le lieu mentionné à l'alinéa (2)a) est une maison d'habitation, le préposé ne peut y pénétrer sans la permission de l'occupant, à moins d'y être autorisé par un mandat décerné en application du paragraphe (4).

(4) Mandat d'entrée — Sur requête *ex parte* du ministre, le juge saisi peut décerner un mandat qui autorise le préposé à pénétrer dans une maison d'habitation aux conditions précisées dans le mandat, s'il est convaincu, sur la foi d'une dénonciation faite sous serment, que les éléments suivants sont réunies :

a) il existe des motifs raisonnables de croire que la maison d'habitation est un lieu visé à l'alinéa (2)a);

b) il est nécessaire d'y pénétrer pour l'exécution ou le contrôle d'application de la présente loi;

c) un refus d'y pénétrer a été opposé, ou il est raisonnable de croire qu'un tel refus sera opposé.

(5) Ordonnance en cas de refus — Dans la mesure où un refus de pénétrer dans une maison d'habitation a été opposé ou pourrait l'être et où des registres ou biens sont gardés dans la maison d'habitation ou pourraient l'être, le juge qui n'est pas convaincu qu'il est nécessaire de pénétrer dans la maison d'habitation pour l'exécution ou le contrôle d'application de la présente loi peut, à la fois :

a) ordonner à l'occupant de la maison d'habitation de permettre au préposé d'avoir raisonnablement accès à tous registres ou biens qui y sont gardés ou devraient l'être;

b) rendre toute autre ordonnance indiquée en l'espèce pour l'application de la présente loi.

(6) Définition de « maison d'habitation » — Au présent article, **« maison d'habitation »** s'entend de tout ou partie d'un bâtiment ou d'une construction tenu ou occupé comme résidence permanente ou temporaire, y compris :

a) un bâtiment qui se trouve dans la même enceinte qu'une maison d'habitation et qui y est relié par une baie de porte ou par un passage couvert et clos;

b) une unité conçue pour être mobile et pour être utilisée comme résidence permanente ou temporaire et qui est ainsi utilisée.

261. (1) Garde des choses saisies — Le préposé qui saisit une chose en vertu de l'article 260 peut en assurer la garde ou la confier à la personne qu'il désigne.

(2) Rétention des choses saisies — Le préposé peut ordonner qu'une chose saisie en vertu de l'article 260 soit retenue ou entreposée au lieu de la saisie, et nul ne peut utiliser ou enlever la chose, ou en disposer, sans le consentement du préposé ou d'une autre personne autorisée.

262. (1) Reproduction de registres — La personne qui saisit, inspecte, examine, vérifie ou se voit remettre un registre en vertu de l'article 260 peut en faire, ou en faire faire, des copies.

(2) Rétention des registres saisis — Les registres saisis en vertu de l'article 260 comme éléments de preuve ne peuvent être retenus pendant plus de trois mois suivant la saisie que si, avant l'expiration de ce délai :

a) soit le saisi consent à une prolongation d'une durée déterminée;

b) soit le juge, estimant justifiée dans les circonstances une demande présentée à cet effet, ordonne une prolongation d'une durée déterminée;

c) soit sont intentées des procédures judiciaires au cours desquelles les registres saisis peuvent avoir à servir.

263. Avis de saisie — Le préposé qui effectue une saisie en vertu de l'article 260 doit, sans délai :

a) d'une part, faire rapport au commissaire des circonstances de l'affaire;

(2) Conditions de la déclaration — Le ministre ne fait la déclaration mentionnée au paragraphe (1) que si les conditions suivantes sont réunies :

a) la demande visée à l'article 271 n'a pas été faite relativement à la saisie ou, dans le cas contraire, la saisie a été confirmée par le ministre en vertu de l'alinéa 275(2)a);

b) le ministre est convaincu que le demandeur, à la fois :

(i) a acquis de bonne foi le droit dans la chose saisie, avant la contravention,

(ii) est innocent de toute complicité ou collusion dans la contravention,

(iii) s'est assuré de façon raisonnable que toute personne pouvant vraisemblablement avoir la chose en sa possession ne s'en servira vraisemblablement pas dans la perpétration d'une contravention à la présente loi.

(3) Modalités et délai — La demande doit être présentée par écrit :

a) dans le cas d'une saisie, au préposé qui a effectué la saisie, dans les quatre-vingt-dix jours suivant celle-ci;

b) dans les autres cas, au ministre, dans les quatre-vingt-dix jours suivant le moment où le demandeur prend connaissance de la contravention ayant donné lieu à la confiscation de la chose en vertu de l'article 267.

(4) Charge de la preuve — Il incombe à la personne qui prétend que la demande a été présentée de le prouver.

(5) Preuve — Le demandeur dispose de trente jours à compter de la date de la demande pour produire tous éléments de preuve dont il souhaite que le ministre tienne compte.

(6) Forme de la preuve — Les éléments de preuve peuvent être produits par déclaration sous serment devant un commissaire aux serments ou toute autre personne autorisée à recevoir les serments.

(7) Avis de décision — Le ministre avise le demandeur de sa décision concernant la demande visée au paragraphe (1) par courrier recommandé ou certifié.

279. (1) Prorogation de délai — Si aucune demande de déclaration visée à l'article 278 n'est faite dans le délai imparti à cet article, une personne peut demander au ministre, par écrit, de proroger ce délai.

(2) Conditions — Le ministre peut proroger le délai pour présenter une demande en vertu de l'article 278 si une demande en ce sens lui est présentée dans l'année suivant l'expiration du délai et s'il est convaincu de ce qui suit :

a) le demandeur avait véritablement l'intention de présenter la demande avant l'expiration du délai imparti, mais n'a pu ni agir ni mandater quelqu'un pour agir en son nom;

b) la demande a été présentée dès que les circonstances l'ont permis;

c) compte tenu des raisons fournies par le demandeur et des circonstances en l'espèce, il est juste et équitable de proroger le délai.

(3) Avis de décision — Le ministre avise le demandeur de sa décision par courrier recommandé ou certifié.

(4) Acceptation — Si le ministre décide de proroger le délai, la demande prévue à l'article 278 est réputée avoir été présentée le jour où le ministre prend la décision.

(5) Caractère définitif — Malgré toute disposition à l'effet contraire dans une autre loi fédérale, la décision du ministre est définitive et sans appel.

280. (1) Requête — Si le ministre décide de ne pas faire la déclaration prévue au paragraphe 278(1) ou si le demandeur n'est pas satisfait de la déclaration, le demandeur peut, dans les quatre-vingt-dix jours suivant le jour de la décision ou de la déclaration, requérir par avis écrit un tribunal supérieur compétent de rendre l'ordonnance visée à l'article 281.

(2) Date de l'audition — Le juge du tribunal saisi conformément au présent article fixe l'audition de la requête à une date postérieure d'au moins trente jours à celle de son dépôt.

(3) Signification au commissaire — Dans les quinze jours suivant le jour où est fixée la date de l'audition, le requérant signifie au commissaire, ou au préposé que celui-ci désigne pour l'application du présent article, un avis de la requête ainsi que de l'audition.

(4) Signification de l'avis — Il suffit, pour que l'avis soit considéré comme signifié, qu'il soit envoyé par courrier recommandé ou certifié au commissaire.

281. Ordonnance — Lors de l'audition de la requête visée à l'article 280, le requérant est fondé à obtenir une ordonnance disposant que la saisie ou la confiscation ne porte pas atteinte à son droit dans la chose saisie ou confisquée et précisant la nature et l'étendue de ce droit au moment de la contravention ayant donné lieu à la saisie ou à la confiscation, si le tribunal est convaincu des faits suivants :

a) le requérant a acquis son droit de bonne foi avant la contravention;

b) il est innocent de toute complicité ou collusion dans la contravention;

c) il s'est assuré de façon raisonnable que toute personne pouvant vraisemblablement avoir la chose en sa possession ne s'en servirait vraisemblablement pas dans la perpétration d'une contravention à la présente loi.

282. Appel — L'ordonnance visée à l'article 281 est susceptible d'appel, de la part du requérant ou de la Couronne, devant un tribunal compétent pour juger des appels des autres décisions du tribunal ayant rendu l'ordonnance. Le cas échéant, l'affaire est entendue et jugée selon la procédure ordinaire régissant les appels interjetés devant le tribunal d'appel.

283. (1) Restitution de la chose saisie — Si le droit d'un demandeur dans une chose saisie est établi en vertu des articles 278, 281 ou 282, le ministre ordonne, à la demande du demandeur :

a) soit que la chose soit remise au demandeur;

b) soit qu'une somme calculée en fonction du droit du demandeur ainsi établi soit versée à celui-ci.

(2) Limitation du montant du versement — En cas de vente ou d'aliénation sous une autre forme, effectuée en vertu de la présente loi, d'une chose au sujet de laquelle une somme est versée en vertu de l'alinéa (1)b), cette somme ne peut être supérieure à l'excédent du produit éventuel de la vente ou de l'aliénation sur les frais afférents à la chose supportés par Sa Majesté. Dans le cas où aucun produit ne résulte de la vente ou de l'aliénation, malgré cet alinéa, aucune somme n'est versée à la personne.

Recouvrement

284. (1) Définitions — Les définitions qui suivent s'appliquent au présent article.

« action » Toute action en recouvrement d'une dette fiscale d'une personne, y compris les procédures judiciaires et toute mesure prise par le ministre en vertu d'une disposition de la présente partie.

« dette fiscale » Toute somme exigible d'une personne sous le régime de la présente loi.

« représentant légal » Syndic de faillite, cessionnaire, liquidateur, curateur, séquestre de tout genre, fiduciaire, héritier, administrateur du bien d'autrui, liquidateur de succession, exécuteur testamentaire, conseil ou autre personne semblable, qui administre, liquide ou contrôle, en qualité de représentant ou de fiduciaire, les biens, les affaires, les activités commerciales ou les actifs qui appartiennent ou appartenaient à une personne ou à sa succession, ou qui sont ou étaient détenus pour leur compte, ou qui, en cette qualité, s'en occupe de toute autre façon.

Notes historiques: Le paragraphe 284(1) a été remplacé par L.C. 2004, c. 22, art. 47 et cette modification est réputée entrée en vigueur le 14 mai 2004. Antérieurement, le paragraphes 284(1) se lisait ainsi :

284. (1) Créances de Sa Majesté — Les droits, intérêts et autres sommes exigibles en vertu de la présente loi sont des créances de Sa Majesté et sont recouvrables à ce titre devant la Cour fédérale ou devant tout autre tribunal compétent ou de toute autre manière prévue par la présente loi.

(1.1) Créances de Sa Majesté — La dette fiscale est une créance de Sa Majesté et est recouvrable à ce titre devant la Cour fédérale ou devant tout autre tribunal compétent ou de toute autre manière prévue par la présente loi.

Notes historiques: Le paragraphe 284(1.1) a été ajouté par L.C. 2004, c. 22, art. 47 et est réputé entré en vigueur le 14 mai 2004.

(2) Procédures judiciaires — Une procédure judiciaire en vue du recouvrement de la dette fiscale d'une personne à l'égard d'une somme pouvant faire l'objet d'une cotisation aux termes de la présente loi ne peut être intentée par le ministre que si, au moment où la procédure est intentée, la personne a fait l'objet d'une cotisation pour cette somme ou peut en faire l'objet.

Notes historiques: Le paragraphe 284(2) a été remplacé par L.C. 2004, c. 22, art. 47 et cette modification est réputée entrée en vigueur le 14 mai 2004. Antérieurement, le paragraphes 284(2) se lisait ainsi :

(2) Restriction — Une action en recouvrement de droits, d'intérêts ou d'autres sommes exigibles d'une personne en vertu de la présente loi ne peut être intentée :

a) dans le cas de sommes pouvant faire l'objet d'une cotisation aux termes de la présente loi, que si, au moment où l'action est intentée, la personne a fait l'objet d'une cotisation pour ces sommes ou peut en faire l'objet;

b) dans les autres cas, plus de quatre ans après que la personne est devenue redevable des sommes.

(2.1) Prescription — Une action en recouvrement d'une dette fiscale ne peut être entreprise par le ministre après l'expiration du délai de prescription pour le recouvrement de la dette.

Notes historiques: Le paragraphe 284(2.1) a été ajouté par L.C. 2004, c. 22, art. 47 et est réputé entré en vigueur le 14 mai 2004.

(2.2) Délai de prescription — Le délai de prescription pour le recouvrement d'une dette fiscale d'une personne :

a) commence à courir :

(i) si un avis de cotisation, ou un avis visé aux paragraphes 254(1) ou 294(1), concernant la dette est envoyé ou signifié à la personne après le 3 mars 2004, le quatre-vingt-dixième jour suivant le jour où le dernier de ces avis est envoyé ou signifié,

(ii) si aucun des avis visés au sous-alinéa (i) n'a été envoyé ou signifié et que le premier jour où le ministre peut entreprendre une action en recouvrement de la dette est postérieur au 3 mars 2004, ce même jour,

(iii) dans les autres cas, le 4 mars 2004;

b) prend fin, sous réserve du paragraphe (2.6), dix ans après le jour de son début.

Notes historiques: Les sous-alinéas 284(2.2)a)(i) et (ii) ont été remplacés par L.C. 2010, c. 25, art. 123 et cette modification est réputée être entrée en vigueur le 15 décembre 2010. Antérieurement, ils se lisaient ainsi :

(i) si un avis de cotisation, ou un avis visé aux paragraphes 254(1) ou 294(1), concernant la dette est posté ou signifié à la personne après le 3 mars 2004, le quatre-vingt-dixième jour suivant le jour où le dernier de ces avis est posté ou signifié,

(ii) si aucun des avis visés au sous-alinéa (i) n'a été posté ou signifié et que le premier jour où le ministre peut entreprendre une action en recouvrement de la dette est postérieur au 3 mars 2004, ce même jour,

Le paragraphe 284(2.2) a été ajouté par L.C. 2004, c. 22, art. 47 et est réputé entré en vigueur le 14 mai 2004.

(2.3) Reprise du délai de prescription — Le délai de prescription pour le recouvrement d'une dette fiscale d'une personne recommence à courir — et prend fin, sous réserve du paragraphe (2.6), dix ans plus tard — le jour, antérieur à celui où il prendrait fin par ailleurs, où, selon le cas :

a) la personne reconnaît la dette conformément au paragraphe (2.4);

b) le ministre entreprend une action en recouvrement de la dette;

c) le ministre établit, en vertu des paragraphes 188(1), 289(7), 295(4), 296(2) ou 297(3), une cotisation à l'égard d'une autre personne concernant la dette.

Notes historiques: Le paragraphe 284(2.3) a été ajouté par L.C. 2004, c. 22, art. 47 et est réputé entré en vigueur le 14 mai 2004.

(2.4) Reconnaissance de dette fiscale — Se reconnaît débitrice d'une dette fiscale la personne qui, selon le cas :

a) promet, par écrit, de régler la dette;

b) reconnaît la dette par écrit, que cette reconnaissance soit ou non rédigée en des termes qui permettent de déduire une promesse de règlement et renferme ou non un refus de payer;

c) fait un paiement au titre de la dette, y compris un prétendu paiement fait au moyen d'un titre négociable qui fait l'objet d'un refus de paiement.

Notes historiques: Le paragraphe 284(2.4) a été ajouté par L.C. 2004, c. 22, art. 47 et est réputé entré en vigueur le 14 mai 2004.

(2.5) Mandataire ou représentant légal — Pour l'application du présent article, la reconnaissance faite par le mandataire ou le représentant légal d'une personne a la même valeur que si elle était faite par la personne.

Notes historiques: Le paragraphe 284(2.5) a été ajouté par L.C. 2004, c. 22, art. 47 et est réputé entré en vigueur le 14 mai 2004.

(2.6) Prorogation du délai de prescription — Le nombre de jours où au moins un des faits suivants se vérifie prolonge d'autant la durée du délai de prescription :

a) en raison de l'un des paragraphes 286(2) à (7), le ministre n'est pas en mesure d'exercer les actions visées au paragraphe 286(1) relativement à la dette fiscale;

b) le ministre a accepté et détient une garantie pour le paiement de la dette fiscale;

c) la personne, qui résidait au Canada à la date applicable visée à l'alinéa (2.2)a) relativement à la dette fiscale, est un non-résident;

d) l'une des actions que le ministre peut exercer par ailleurs relativement à la dette fiscale est limitée ou interdite en vertu d'une disposition quelconque de la *Loi sur la faillite et l'insolvabilité*, de la *Loi sur les arrangements avec les créanciers des compagnies* ou de la *Loi sur la médiation en matière d'endettement agricole*.

Notes historiques: Le paragraphe 284(2.6) a été ajouté par L.C. 2004, c. 22, art. 47 et est réputé entré en vigueur le 14 mai 2004.

(3) Intérêts à la suite de jugements — Dans le cas où un jugement est obtenu pour des droits, intérêts ou autres sommes exigibles en vertu de la présente loi, y compris un certificat enregistré aux termes de l'article 288, les dispositions de la présente loi en application desquelles des intérêts sont exigibles pour défaut de paiement d'une somme s'appliquent, avec les adaptations nécessaires, au défaut de paiement de la créance constatée par le jugement, et les intérêts sont recouvrables de la même manière que cette créance.

(4) Frais de justice — Dans le cas où une somme est payable par une personne à Sa Majesté en exécution d'une ordonnance, d'un jugement ou d'une décision d'un tribunal concernant l'attribution des frais de justice relatifs à une question régie par la présente loi, les articles 285 et 288 à 294 s'appliquent à la somme comme s'il s'agissait d'une dette de la personne envers Sa Majesté au titre des droits exigibles en vertu de la présente loi.

285. (1) Garantie — Le ministre peut, s'il l'estime souhaitable dans un cas particulier, accepter une garantie, d'un montant et sous une forme acceptables pour lui, du paiement d'une somme qui est exigible, ou peut le devenir, en application de la présente loi.

(2) Remise de la garantie — Sur demande écrite de la personne qui a donné une garantie ou pour laquelle une garantie a été donnée, le ministre doit remettre tout ou partie de la garantie dans la mesure où la valeur de celle-ci dépasse, au moment où il reçoit la demande, les droits, intérêts ou autres sommes pour le paiement objet de la garantie.

286. (1) Restrictions au recouvrement — Lorsqu'une personne est redevable d'une somme en vertu de la présente loi, le ministre, pour recouvrer la somme, ne peut, avant le lendemain du quatre-vingt-dixième jour suivant la date d'un avis de cotisation en vertu de la présente loi, ou d'un avis de pénalité en vertu de l'article 254, délivré relativement à la somme :

a) entamer une poursuite devant un tribunal;

b) attester la somme dans un certificat, conformément à l'article 288;

c) obliger une personne à faire un paiement, conformément au paragraphe 289(1);

d) obliger une institution ou une personne à faire un paiement, conformément au paragraphe 289(2);

e) (*abrogé*);

f) obliger une personne à verser des sommes, conformément au paragraphe 292(1);

g) donner un avis, délivrer un certificat ou donner un ordre, conformément au paragraphe 293(1).

Notes historiques: L'alinéa 286(1)e) a été abrogé par L.C. 2006, c. 4, par. 122(1) et cette abrogation est entrée en vigueur le 1er avril 2007. Antérieurement, il se lisait ainsi :

e) exiger la retenue de la somme par déduction ou compensation, conformément à l'article 290;

(2) Mesures postérieures à la signification d'un avis d'opposition — Lorsqu'une personne signifie en vertu de la présente loi un avis d'opposition à une cotisation pour une somme exigible en vertu de cette loi, le ministre, pour recouvrer la somme en litige, ne peut prendre aucune des mesures visées au paragraphe (1) avant le lendemain du quatre-vingt-dixième jour suivant la date de l'avis à la personne portant qu'il confirme ou modifie la cotisation.

(3) Mesures postérieures à une demande de décision — Lorsqu'une personne a présenté une demande en vue d'obtenir une décision du ministre en vertu de l'article 271 relativement à une pénalité imposée en vertu de l'article 254, le ministre, pour recouvrer la pénalité, ne peut prendre aucune des mesures visées au paragraphe (1) avant le lendemain du quatre-vingt-dixième jour suivant la date de la décision.

(4) Mesures postérieures à un appel devant la Cour de l'impôt — Lorsqu'une personne interjette appel auprès de la Cour de l'impôt d'une cotisation pour une somme exigible en vertu de la présente loi, le ministre, pour recouvrer la somme en litige, ne peut prendre aucune des mesures visées au paragraphe (1) avant la date d'envoi à la personne d'une copie de la décision de la cour ou, si elle est antérieure, la date où la personne se désiste de l'appel.

(5) Mesures postérieures à un appel auprès de la Cour fédérale — Lorsqu'une personne interjette appel auprès de la Cour fédérale d'une décision du ministre prise en application de l'article 273 relativement à une pénalité imposée en vertu de l'article 254, le ministre, pour recouvrer la pénalité, ne peut prendre aucune des mesures visées au paragraphe (1) avant la date d'envoi à la personne d'une copie de la décision de la cour ou, si elle est antérieure, la date où la personne se désiste de l'appel.

(6) Aucune mesure en attendant la décision de la Cour de l'impôt — Lorsqu'une personne convient de faire statuer conformément au paragraphe 204(1) la Cour de l'impôt sur une question ou qu'il est signifié à une personne copie d'une demande présentée conformément au paragraphe 205(1) devant cette cour pour qu'elle statue sur une question, le ministre, pour recouvrer la partie du montant d'une cotisation dont la personne pourrait être redevable selon ce que la cour statuera, ne peut prendre aucune des mesures visées au paragraphe (1) avant que la cour ne statue sur la question.

(7) Mesures postérieures à un jugement — Malgré les autres dispositions du présent article, lorsqu'une personne signifie, conformément à la présente loi, un avis d'opposition à une cotisation ou interjette appel d'une cotisation auprès de la Cour de l'impôt et qu'elle convient par écrit avec le ministre de retarder la procédure d'opposition ou la procédure d'appel jusqu'à ce que la Cour de l'impôt, la Cour d'appel fédérale ou la Cour suprême du Canada rende jugement dans une autre action qui soulève la même question, ou essentiellement la même, que celle soulevée dans l'opposition ou l'appel par la personne, le ministre peut prendre les mesures visées au paragraphe (1) pour recouvrer tout ou partie du montant de la cotisation établi de la façon envisagée par le jugement rendu dans cette autre action, à tout moment après que le ministre a avisé la personne par écrit que le tribunal a rendu jugement dans l'autre action.

(8) Recouvrement de sommes importantes — Malgré les paragraphes (1) à (7), le ministre peut recouvrer jusqu'à 50 % du total des cotisations établies à l'égard d'une personne en vertu de la présente loi si la partie impayée de ces cotisations dépasse 1 000 000 $.

287. (1) Recouvrement compromis — Malgré l'article 286, sur requête *ex parte* du ministre, le juge saisi autorise le ministre à prendre immédiatement des mesures visées au paragraphe 286(1) à l'égard du montant d'une cotisation établie relativement à une personne, aux conditions qu'il estime raisonnables dans les circonstances, s'il est convaincu qu'il existe des motifs raisonnables de croire que l'octroi à cette personne d'un délai pour payer le montant compromettrait le recouvrement de tout ou partie de ce montant.

(2) Recouvrement compromis par la réception d'un avis de cotisation — Le juge saisi peut accorder l'autorisation visée au paragraphe (1), même si un avis de cotisation pour le montant de la cotisation établie à l'égard de la personne n'a pas été envoyé à cette dernière au plus tard à la date de la présentation de la requête, s'il est convaincu que la réception de cet avis par cette dernière compromettrait davantage, selon toute vraisemblance, le recouvrement du montant. Pour l'application des articles 284, 288 à 290, 292 et 293, le montant visé par l'autorisation est réputé être une somme exigible en vertu de la présente loi.

(3) Affidavits — Les déclarations contenues dans un affidavit produit dans le cadre de la requête visée au présent article peuvent être fondées sur une opinion.

(4) Signification de l'autorisation et de l'avis de cotisation — Le ministre signifie à la personne intéressée l'autorisation visée au présent article dans les soixante-douze heures suivant le moment où elle est accordée, sauf si le juge ordonne qu'elle soit signifiée dans un autre délai qui y est précisé. L'avis de cotisation est signifié en même temps que l'autorisation s'il n'a pas été envoyé à la personne au plus tard au moment de la présentation de la requête.

(5) Mode de signification — Pour l'application du paragraphe (4), l'autorisation est signifiée à la personne soit par voie de signification à personne, soit par tout autre mode ordonné par le juge.

(6) Demande d'instructions au juge — Lorsque la signification à la personne ne peut par ailleurs être raisonnablement effectuée conformément au présent article, le ministre peut, dès que matériellement possible, demander d'autres instructions au juge.

(7) Révision de l'autorisation — Si le juge saisi accorde l'autorisation visée au présent article à l'égard d'une personne, celle-ci peut, après avis de six jours francs au sous-procureur général du Canada, demander à un juge de la même cour de réviser l'autorisation.

(8) Délai de présentation de la requête — La requête visée au paragraphe (7) doit être présentée :

a) dans les trente jours suivant la date où l'autorisation a été signifiée à la personne en application du présent article;

b) dans le délai supplémentaire que le juge peut accorder s'il est convaincu que la personne a présenté la requête dès que matériellement possible.

(9) Huis clos — Une requête visée au paragraphe (7) peut, à la demande de la personne, être entendue à huis clos si la personne démontre, à la satisfaction du juge, que les circonstances le justifient.

(10) Ordonnance — Dans le cas d'une requête visée au paragraphe (7), le juge statue sur la question de façon sommaire et peut confirmer, annuler ou modifier l'autorisation et rendre toute autre ordonnance qu'il juge indiquée.

(11) Mesures non prévues — Si aucune mesure n'est prévue au présent article sur une question à résoudre en rapport avec une chose accomplie ou en voie d'accomplissement en application du présent article, un juge peut décider des mesures qu'il estime indiquées.

(12) Ordonnance sans appel — L'ordonnance rendue par un juge en application du paragraphe (10) est sans appel.

288. (1) Certificat — Tout ou partie des droits, intérêts ou autres sommes exigibles d'une personne (appelée « débiteur » au présent article) aux termes de la présente loi qui n'ont pas été payés selon les modalités de temps ou autres prévues par la présente loi peuvent, par certificat du ministre, être déclarés exigibles du débiteur.

(2) Enregistrement à la Cour fédérale — Sur production à la Cour fédérale, le certificat fait à l'égard d'un débiteur y est enregistré. Il a alors le même effet que s'il s'agissait d'un jugement rendu par cette cour contre le débiteur pour une dette de la somme attestée dans le certificat, augmentée des intérêts courus comme le prévoit la présente loi jusqu'au jour du paiement, et toutes les procédures peuvent être engagées à la faveur du certificat comme s'il s'agissait d'un tel jugement. Pour ce qui est de ces procédures, le certificat est réputé être un jugement exécutoire de la cour contre le débiteur pour une créance de Sa Majesté.

(3) Frais et dépens — Les frais et dépens raisonnables engagés ou payés pour l'enregistrement à la Cour fédérale d'un certificat ou pour l'exécution des procédures de recouvrement de la somme qui y est attestée sont recouvrables de la même manière que s'ils avaient été inclus dans cette somme au moment de l'enregistrement du certificat.

(4) Charge sur un bien — Un document délivré par la Cour fédérale et faisant preuve du contenu d'un certificat enregistré à l'égard d'un débiteur, un bref de cette cour délivré au titre du certificat ou toute notification du document ou du bref (ce document, ce bref ou cette notification étant appelé « extrait » au présent article) peut être produit, enregistré ou autrement inscrit en vue de grever d'une sûreté, d'une priorité ou d'une autre charge un bien du débiteur situé dans une province, ou un droit sur un tel bien, de la même manière que peut l'être, en application de la loi provinciale, un document faisant preuve :

a) soit du contenu d'un jugement rendu par la cour supérieure de la province contre une personne pour une dette de celle-ci;

b) soit d'une somme à payer ou à remettre par une personne dans la province au titre d'une créance de Sa Majesté du chef de la province.

(5) Charge sur un bien — Une fois l'extrait produit, enregistré ou autrement inscrit en application du paragraphe (4), une sûreté, une priorité ou une autre charge grève un bien du débiteur situé dans la province, ou un droit sur un tel bien, de la même manière et dans la même mesure que si l'extrait était un document faisant preuve du contenu d'un jugement visé à l'alinéa (4)a) ou d'une somme visée à l'alinéa (4)b). Cette sûreté, priorité ou charge prend rang après toute autre sûreté, priorité ou charge à l'égard de laquelle les mesures requises pour la rendre opposable aux autres créanciers ont été prises avant la production, l'enregistrement ou autre inscription de l'extrait.

(6) Procédures engagées à la faveur d'un extrait — L'extrait produit, enregistré ou autrement inscrit dans une province en application du paragraphe (4) peut, de la même manière et dans la même mesure que s'il s'agissait d'un document faisant preuve du contenu d'un jugement visé à l'alinéa (4)a) ou d'une somme visée à l'alinéa (4)b), faire l'objet dans la province de procédures visant notamment :

a) à exiger le paiement de la somme attestée par l'extrait, des intérêts y afférents et des frais et dépens payés ou engagés en vue de la production, de l'enregistrement ou autre inscription de l'extrait ou en vue de l'exécution des procédures de recouvrement de la somme;

b) à renouveler ou autrement prolonger l'effet de la production, de l'enregistrement ou autre inscription de l'extrait;

c) à annuler ou à retirer l'extrait dans son ensemble ou uniquement en ce qui concerne un ou plusieurs biens ou droits sur lesquels il a une incidence;

d) à différer l'effet de la production, de l'enregistrement ou autre inscription de l'extrait en faveur d'un droit, d'une sûreté, d'une priorité ou d'une autre charge qui a été ou qui sera produit, enregistré ou autrement inscrit à l'égard d'un bien ou d'un droit sur lequel l'extrait a une incidence.

Toutefois, dans le cas où la loi provinciale exige — soit dans le cadre de ces procédures, soit préalablement à leur exécution — l'obtention d'une ordonnance, d'une décision ou d'un consentement de la cour supérieure de la province ou d'un juge ou d'un fonctionnaire de celle-ci, la Cour fédérale ou un juge ou un fonctionnaire de celle-ci peut rendre une telle ordonnance ou décision ou donner un tel consentement. Cette ordonnance, cette décision ou ce consentement a alors le même effet dans le cadre des procédures que s'il était rendu ou donné par la cour supérieure de la province ou par un juge ou un fonctionnaire de celle-ci.

(7) Présentation des documents — L'extrait qui est présenté pour production, enregistrement ou autre inscription en application du paragraphe (4), ou un document concernant l'extrait qui est présenté pour production, enregistrement ou autre inscription dans le cadre des procédures visées au paragraphe (6), à un agent d'un régime d'enregistrement des droits sur des biens d'une province, est accepté pour production, enregistrement ou autre inscription de la même manière et dans la même mesure que s'il s'agissait d'un document faisant preuve du contenu d'un jugement visé à l'alinéa (4)a) ou d'une somme visée à l'alinéa (4)b) dans le cadre de procédures semblables. Pour ce qui est de la production, de l'enregistrement ou autre inscription de cet extrait ou ce document, l'accès à une personne, à un endroit ou à une chose situé dans une province est donné de la même manière et dans la même mesure que si l'extrait ou le document était un document semblable ainsi délivré ou établi. Lorsque l'extrait ou le document est délivré par la Cour fédérale ou porte la signature ou fait l'objet d'un certificat d'un juge ou d'un fonctionnaire de cette cour, tout affidavit, toute déclaration ou tout autre élément de preuve qui doit, selon la loi provinciale, être fourni avec l'extrait ou le document ou l'accompagner dans le cadre des procédures est réputé être ainsi fourni ou accompagner ainsi l'extrait ou le document.

(8) Interdiction de vendre — Malgré les lois fédérales et provinciales, ni le shérif ni une autre personne ne peut, sans le consentement écrit du ministre, vendre un bien ou autrement en disposer ou publier un avis concernant la vente ou la disposition d'un bien ou autrement l'annoncer, par suite de l'émission d'un bref ou de la création d'une sûreté, d'une priorité ou d'une autre charge dans le cadre de procédures de recouvrement d'une somme attestée dans un certificat fait en application du paragraphe (1), des intérêts y afférents et des frais et dépens. Toutefois, si ce consentement est obtenu ultérieurement, tout bien sur lequel un tel bref ou une telle sûreté, priorité ou charge aurait une incidence si ce consentement avait été obtenu au moment de l'émission du bref ou de la création de la sûreté, priorité ou charge, selon le cas, est saisi ou autrement grevé comme si le consentement avait été obtenu à ce moment.

(9) Établissement des avis — Dans le cas où des renseignements qu'un shérif ou une autre personne doit indiquer dans un procès-verbal, un avis ou un document à établir à une fin quelconque ne peuvent, en raison du paragraphe (8), être ainsi indiqués, le shérif ou l'autre personne doit établir le procès-verbal, l'avis ou le document en omettant les renseignements en question. Une fois le consentement du ministre obtenu, un autre procès-verbal, avis ou document indiquant tous les renseignements doit être établi à la même fin. S'il se conforme au présent paragraphe, le shérif ou l'autre personne est réputé se conformer à la loi, à la disposition réglementaire ou à la règle qui exige que les renseignements soient indiqués dans le procès-verbal, l'avis ou le document.

(10) Demande d'ordonnance — S'il ne peut se conformer à une loi ou à une règle de pratique en raison des paragraphes (8) ou (9), le shérif ou l'autre personne est lié par toute ordonnance rendue, sur requête *ex parte* du ministre, par un juge de la Cour fédérale visant à donner effet à des procédures ou à une sûreté, une priorité ou une autre charge.

(11) Présomption de garantie — La sûreté, la priorité ou l'autre charge créée selon le paragraphe (5) par la production, l'enregistrement ou autre inscription d'un extrait en application du paragraphe (4) qui est enregistrée en conformité avec le paragraphe 87(1) de la *Loi sur la faillite et l'insolvabilité* est réputée, à la fois :

a) être une réclamation garantie et, sous réserve du paragraphe 87(2) de cette loi, prendre rang comme réclamation garantie aux termes de cette loi;

b) être une réclamation visée à l'alinéa 86(2)a) de cette loi.

(12) Contenu des certificats et extraits — Malgré les lois fédérales et provinciales, dans le certificat fait à l'égard d'un débiteur, dans l'extrait faisant preuve du contenu d'un tel certificat ou encore dans le bref ou document délivré en vue du recouvrement d'une somme attestée dans un tel certificat, il suffit, à toutes fins utiles :

a) d'indiquer, comme somme exigible du débiteur, le total des sommes exigibles de celui-ci et non les sommes distinctes qui forment ce total;

b) d'indiquer de façon générale le taux d'intérêt réglementaire en application de la présente loi sur les sommes à payer au receveur général comme étant le taux applicable aux sommes distinctes qui forment la somme exigible, sans détailler les taux applicables à chaque somme distincte ou pour une période donnée;

c) d'indiquer de façon générale la pénalité calculée selon l'article 251.1 sur les sommes à payer au receveur général comme étant la pénalité calculée selon cet article sur les sommes distinctes qui forment la somme exigible.

Notes historiques: Les alinéas 288(12)a) et b) ont été remplacés et l'alinéa 288(12)c) a été ajouté par L.C. 2006, c. 4, par. 123(1) et ces modifications s'appliquent relativement aux certificats faits en vertu du paragraphe 288(1) à l'égard de sommes devenues à payer au receveur général le 1er avril 2007 ou par la suite. Antérieurement, les alinéas 288(12)a) et b) se lisaient ainsi :

a) d'une part, d'indiquer, comme somme exigible du débiteur, le total des sommes exigibles de celui-ci et non les sommes distinctes qui forment ce total;

b) d'autre part, d'indiquer de façon générale le taux d'intérêt réglementaire en application de la présente loi sur les sommes à payer au receveur général comme étant le taux applicable aux sommes distinctes qui forment la somme exigible, sans détailler les taux applicables à chaque somme distincte ou pour une période donnée.

289. (1) Saisie-arrêt — S'il sait ou soupçonne qu'une personne est, ou sera dans un délai d'un an, tenue de faire un paiement à une autre personne (appelée « débiteur » au présent article) qui elle-même est redevable d'une somme en vertu de la présente loi, le ministre peut exiger de cette personne, par avis écrit, que tout ou partie des sommes par ailleurs à payer au débiteur soient versées, sans délai si les sommes sont alors à payer, sinon, dès qu'elles le deviennent, au receveur général au titre de la somme dont le débiteur est redevable selon la présente loi.

(2) Saisie-arrêt de prêts ou d'avances — Sans que soit limitée la portée générale du paragraphe (1), si le ministre sait ou soupçonne que, dans un délai de quatre-vingt-dix jours, selon le cas :

a) une banque, une caisse de crédit, une compagnie de fiducie ou une personne semblable (appelée « institution » au présent article) soit prêtera ou avancera une somme à un débiteur qui a une dette envers l'institution et a donné à celle-ci une garantie pour cette dette, soit effectuera un paiement au nom d'un tel débiteur ou au titre d'un effet de commerce émis par un tel débiteur,

b) une personne autre qu'une institution prêtera ou avancera une somme à un débiteur, ou effectuera un paiement au nom d'un débiteur, que le ministre sait ou soupçonne :

(i) être le salarié de cette personne, ou prestataire de biens ou de services à cette personne, ou qu'elle l'a été ou le sera dans un délai de quatre-vingt-dix jours,

(ii) lorsque cette personne est une personne morale, avoir un lien de dépendance avec cette personne,

il peut, par avis écrit, obliger cette institution ou cette personne à verser au receveur général au titre de l'obligation du débiteur en vertu de la présente loi tout ou partie de la somme qui serait autrement ainsi prêtée, avancée ou payée.

(3) Récépissé du ministre — Le récépissé du ministre relatif aux sommes versées, comme l'exige le présent article, constitue une quittance valable et suffisante de l'obligation initiale jusqu'à concurrence du paiement.

(4) Étendue de l'obligation — L'obligation, imposée par le ministre aux termes du présent article, d'une personne de verser au receveur général, au titre d'une somme dont un débiteur est redevable selon la présente loi, des sommes à payer par ailleurs par cette personne au débiteur à titre d'intérêts, de loyer, de rémunération, de dividende, de rente ou autre paiement périodique s'étend à tous les paiements analogues à être effectués par la personne au débiteur tant que la somme dont celui-ci est redevable n'est pas acquittée. De plus, l'obligation exige que des paiements soient faits au receveur général sur chacun de ces versements, selon la somme que le ministre fixe dans un avis écrit.

(5) Défaut de se conformer — Toute personne qui ne se conforme pas à une exigence des paragraphes (1) ou (4) est redevable à Sa Majesté d'une somme égale à celle qu'elle était tenue de verser au receveur général en application d'un de ces paragraphes.

(6) Défaut de se conformer — Toute institution ou personne qui ne se conforme pas à une exigence du paragraphe (2) est redevable à Sa Majesté. à l'égard des sommes à prêter, à avancer ou à payer, d'une somme égale au moins élevé des montants suivants :

a) le total des sommes ainsi prêtées, avancées ou payées;

b) la somme qu'elle était tenue de verser au receveur général en application de ce paragraphe.

(7) Cotisation — Le ministre peut établir une cotisation pour une somme qu'une personne doit payer au receveur général en vertu du présent article. Dès l'envoi de l'avis de cotisation, les articles 188 à 205 s'appliquent, avec les adaptations nécessaires.

(8) Délai — La cotisation ne peut être établie plus de quatre ans suivant le jour de la réception par la personne de l'avis du ministre exigeant le paiement de la somme.

(9) Effet du paiement — La personne qui, conformément à l'avis du ministre envoyé aux termes du présent article ou à une cotisation établie en application du paragraphe (7), paie au receveur général une somme qui aurait par ailleurs été avancée, prêtée ou payée au débiteur, ou pour son compte, est réputée, à toutes fins utiles, avoir avancé, prêté ou payé la somme au débiteur ou pour son compte.

290. Recouvrement par voie de déduction ou de compensation — Le ministre peut exiger la retenue par voie de déduction ou de compensation du montant qu'il précise sur toute somme qui est à payer par Sa Majesté, ou qui peut le devenir, à la personne contre qui elle détient une créance en vertu de la présente loi.

291. Acquisition de biens du débiteur — Pour recouvrer des créances de Sa Majesté contre une personne en vertu de la présente loi, le ministre peut acheter ou autrement acquérir les droits sur les biens de la personne auxquels il a droit par suite de procédures judiciaires ou conformément à l'ordonnance d'un tribunal, ou qui sont offerts en vente ou peuvent être rachetés, et peut disposer de ces droits de la manière qu'il estime raisonnable.

Renvois [art. 219]: 18.18 (exclusion de certaines périodes).

292. (1) Sommes saisies d'un débiteur — S'il sait ou soupçonne qu'une personne détient des sommes qui ont été saisies par un officier de police, pour l'application du droit criminel canadien, d'une autre personne (appelée « débiteur » au présent article) redevable de droits, d'intérêts ou d'autres sommes en vertu de la présente loi et qui doivent être restituées au débiteur, le ministre peut par écrit obliger la personne à verser tout ou partie des sommes autrement restituables au débiteur au receveur général au titre de la somme dont le débiteur est redevable en vertu de la présente loi.

(2) Récépissé du ministre — Le récépissé du ministre relatif aux sommes versées constitue une quittance valable et suffisante de l'obligation de restituer les sommes jusqu'à concurrence du versement.

293. (1) Saisie — non-paiement de droits — Le ministre peut donner à la personne qui n'a pas payé les droits, intérêts ou autres sommes exigibles en vertu de la présente loi un préavis écrit de trente jours, envoyé à la dernière adresse connue de la personne, de son intention d'ordonner la saisie et l'aliénation de choses lui appartenant. Le ministre peut délivrer un certificat de défaut et ordonner la saisie des choses de la personne si, au terme des trente jours, celle-ci est encore en défaut de paiement.

(2) Disposition des choses saisies — Les choses saisies sont gardées pendant dix jours aux frais et risques du propriétaire. Si le propriétaire ne paie pas la somme due ainsi que les dépenses dans les dix jours, le ministre peut aliéner les choses de la manière qu'il estime indiquée dans les circonstances.

(3) Produit de l'aliénation — Le surplus de l'aliénation, déduction faite de la somme due et des dépenses, est payé ou rendu au propriétaire des choses saisies.

(4) Restriction — Le présent article ne s'applique pas aux choses appartenant à une personne en défaut qui seraient insaisissables malgré la délivrance d'un bref d'exécution par une cour supérieure de la province dans laquelle la saisie est opérée.

294. (1) Personnes quittant le Canada ou en défaut — S'il soupçonne qu'une personne a quitté ou s'apprête à quitter le Canada, le ministre peut, avant le jour par ailleurs fixé pour le paiement, par avis signifié à personne ou envoyé par courrier recommandé ou certifié à la dernière adresse connue de la personne, exiger le paiement de toute somme dont celle-ci est redevable en vertu de la présente loi ou serait ainsi redevable si le paiement était échu. Cette somme doit être payée sans délai malgré les autres dispositions de la présente loi.

(2) Saisie — Le ministre peut ordonner la saisie de choses appartenant à la personne qui n'a pas payé une somme exigée aux termes du paragraphe (1); dès lors, les paragraphes 293(2) à (4) s'appliquent, avec les adaptations nécessaires.

295. (1) Responsabilité des administrateurs — Les administrateurs de la personne morale au moment où elle était tenue de verser des droits ou intérêts comme l'exige la présente loi sont, en cas de défaut par la personne morale, solidairement tenus, avec cette dernière, de payer ces droits et intérêts ainsi que les intérêts y afférents.

(2) Restrictions — L'administrateur n'encourt de responsabilité que si :

a) un certificat précisant la somme pour laquelle la personne morale est responsable a été enregistré à la Cour fédérale en application de l'article 288, et il y a eu défaut d'exécution totale ou partielle à l'égard de cette somme;

b) la personne morale a entrepris des procédures de liquidation ou de dissolution, ou elle a fait l'objet d'une dissolution, et une réclamation de la somme pour laquelle elle est responsable a été établie dans les six mois suivant le début des procédures ou, si elle est antérieure, la date de la dissolution;

c) la personne morale a fait une cession ou une ordonnance de faillite a été rendue contre elle en application de la *Loi sur la faillite et l'insolvabilité* et une réclamation de la somme pour laquelle elle est responsable a été établie dans les six mois suivant la cession ou l'ordonnance.

Notes historiques: L'alinéa 295(2)c) a été remplacé par L.C. 2004, c. 25, art. 198 et cette modification est entrée en vigueur le 15 décembre 2004. Antérieurement, il se lisait ainsi :

c) la personne morale a fait une cession ou une ordonnance de séquestre a été rendue contre elle en application de la *Loi sur la faillite et l'insolvabilité* et une réclamation de la somme pour laquelle elle est responsable a été établie dans les six mois suivant la cession ou l'ordonnance.

(3) Diligence — L'administrateur n'encourt pas de responsabilité s'il a agi avec autant de soin, de diligence et de compétence pour prévenir le manquement que ne l'aurait fait une personne raisonnablement prudente dans les mêmes circonstances.

(4) Cotisation — Le ministre peut établir une cotisation pour un montant de droits ou d'intérêts exigible d'une personne aux termes du présent article. Les articles 188 à 205 s'appliquent, avec les adaptations nécessaires, dès l'envoi par le ministre d'un avis de cotisation.

(5) Prescription — L'établissement d'une telle cotisation pour une somme exigible d'un administrateur se prescrit par deux ans après qu'il a cessé d'être administrateur.

(6) Somme recouvrable — Dans le cas du défaut d'exécution visé à l'alinéa (2)a), la somme à recouvrer d'un administrateur est celle qui demeure impayée après le défaut.

(7) Privilège — L'administrateur qui verse une somme, au titre de la responsabilité d'une personne morale, qui est établie lors de procédures de liquidation, de dissolution ou de faillite a droit au privilège auquel Sa Majesté aurait eu droit si cette somme n'avait pas été versée. En cas d'enregistrement d'un certificat relatif à cette somme, l'administrateur a droit à ce que le certificat lui soit cédé par le ministre jusqu'à concurrence de son versement.

(8) Répétition — L'administrateur qui a satisfait à la réclamation peut répéter les parts des administrateurs tenus responsables de la réclamation.

296. (1) Observation par les entités non constituées en personne morale — L'entité — ni particulier, ni personne morale, ni société de personnes — qui est tenue de payer des droits, intérêts ou autres sommes, ou de remplir une autre exigence, en vertu de la présente loi est solidairement tenue, avec les personnes ci-après, au paiement des sommes ou à l'exécution de l'exigence et le fait pour l'une d'elles de payer les sommes ou de remplir l'exigence vaut observation :

a) chaque membre de l'entité qui en est le président, le trésorier, le secrétaire ou un cadre analogue;

b) si l'entité ne comporte pas de tels cadres, chaque membre d'un comité chargé d'administrer ses affaires;

c) si l'entité ne comporte pas de tels cadres ni un tel comité, chaque membre de l'entité.

(2) Cotisation — Le ministre peut établir une cotisation pour toute somme dont une personne est redevable en vertu du présent article.

Les articles 188 à 205 s'appliquent, avec les adaptations nécessaires, dès l'envoi par le ministre d'un avis de cotisation.

(3) Restriction — La cotisation établie à l'égard d'une personne ne peut :

a) inclure de somme dont l'entité est devenue redevable avant que la personne ne contracte l'obligation solidaire;

b) inclure de somme dont l'entité devient redevable après que la personne n'a plus d'obligation solidaire;

c) être établie plus de deux ans après que la personne n'a plus d'obligation solidaire, sauf si cette personne a commis une faute lourde dans l'exercice d'une obligation imposée à l'entité en vertu de la présente loi ou a fait un faux énoncé ou une omission dans une déclaration, une demande, un formulaire, un certificat, un état, une facture ou une réponse de l'entité, ou y a participé, consenti ou acquiescé.

297. (1) Transfert entre personnes ayant un lien de dépendance — La personne qui transfère un bien, directement ou indirectement, par le biais d'une fiducie ou par tout autre moyen, à son époux ou conjoint de fait, ou à un particulier qui l'est devenu depuis, à un particulier de moins de dix-huit ans ou à une personne avec laquelle elle a un lien de dépendance, est solidairement tenue, avec le cessionnaire, de payer le moins élevé des montants suivants :

a) le montant obtenu par la formule suivante :

$$A - B$$

où :

A représente l'excédent éventuel de la juste valeur marchande du bien au moment du transfert sur la juste valeur marchande, à ce moment, de la contrepartie payée par le cessionnaire pour le transfert du bien,

B l'excédent éventuel du total des cotisations établies à l'égard du cessionnaire en application du paragraphe 160(2) de la *Loi de l'impôt sur le revenu* ou du paragraphe 325(2) de la *Loi sur la taxe d'accise* relativement au bien sur la somme payée par le cédant relativement à ces cotisations;

b) le total des sommes représentant chacune :

(i) la somme dont le cédant est redevable en vertu de la présente loi pour la période de déclaration au cours de laquelle le bien a été transféré ou pour des périodes de déclaration antérieures,

(ii) les intérêts dont le cédant est redevable à ce moment.

Toutefois, le présent paragraphe ne limite en rien la responsabilité du cédant découlant d'une autre disposition de la présente loi.

Notes historiques: Le sous-alinéa 297(1)b)(i) a été remplacé par L.C. 2010, c. 25, art. 124 et cette modification est réputée être entrée en vigueur le 15 décembre 2010. Antérieurement, il se lisait ainsi :

(i) la somme dont le cédant est redevable en vertu de la présente loi pour le mois d'exercice au cours duquel le bien a été transféré ou pour les mois d'exercice antérieurs,

(2) Juste valeur marchande d'un droit indivis — Pour l'application du présent article, la juste valeur marchande, à un moment donné, d'un droit indivis sur un bien, exprimé sous forme d'un droit proportionnel sur ce bien, est réputée être égale, sous réserve du paragraphe (5), à la proportion correspondante de la juste valeur marchande du bien à ce moment.

(3) Cotisation — Le ministre peut établir une cotisation à l'égard d'un cessionnaire pour une somme exigible en application du présent article. S'il envoie un avis de cotisation, les articles 188 à 205 s'appliquent, avec les adaptations nécessaires.

(4) Règles applicables — Dans le cas où le cédant et le cessionnaire sont solidairement responsables de tout ou partie d'une obligation du cédant en vertu de la présente loi, les règles suivantes s'appliquent :

a) un paiement fait par le cessionnaire au titre de son obligation éteint d'autant l'obligation solidaire;

b) un paiement fait par le cédant au titre de son obligation n'éteint l'obligation du cessionnaire que dans la mesure où il sert à ramener l'obligation du cédant à un montant inférieur à celui dont le paragraphe (1) a rendu le cessionnaire solidairement responsable.

(5) Transfert à l'époux ou au conjoint de fait — Malgré le paragraphe (1), dans le cas où un particulier transfère un bien à son époux ou conjoint de fait — dont il vit séparé au moment du transfert pour cause d'échec du mariage ou de l'union de fait — en vertu d'un décret, d'une ordonnance ou d'un jugement rendu par un tribunal compétent ou en vertu d'un accord écrit de séparation, la juste valeur marchande du bien au moment du transfert est réputée nulle pour l'application de l'alinéa (1)a). Toutefois, le présent paragraphe ne limite en rien l'obligation du cédant découlant d'une autre disposition de la présente loi.

(6) Définitions — Les définitions qui suivent s'appliquent au présent article.

« conjoint de fait » La personne qui est le conjoint de fait d'un particulier à un moment donné pour l'application de la *Loi de l'impôt sur le revenu*.

Notes historiques: La définition de « conjoint de fait » au paragraphe 297(6) a été remplacée par L.C. 2007, c. 18, art. 129 et cette modification est réputée être entrée en vigueur le 22 juin 2007. Antérieurement, il se lisait ainsi :

« conjoint de fait » La personne qui vit avec la personne en cause dans une relation conjugale depuis au moins un an.

« union de fait » Relation qui existe entre deux conjoints de fait.

Renvois [art. 297]: 97.29(1)a)(B) (cession entre personnes ayant unlien de dépendance).

Procédure et preuve

298. Ressort — La poursuite d'une infraction à la présente loi peut être intentée, entendue et jugée soit au lieu de la perpétration, soit au lieu où a pris naissance l'objet de la poursuite, soit encore au lieu où l'accusé est appréhendé, se trouve ou exerce ses activités.

299. (1) Signification — L'avis ou autre document que le ministre a l'autorisation ou l'obligation de signifier, de délivrer ou d'envoyer :

a) à une société de personnes peut être adressé à la dénomination de la société;

b) à une société, un club, une association ou un autre organisme peut être adressé à la dénomination de l'organisme;

c) à une personne qui exploite une entreprise sous une dénomination ou raison autre que son nom peut être adressé à cette dénomination ou raison.

(2) Signification à personne — L'avis ou autre document que le ministre a l'autorisation ou l'obligation de signifier, de délivrer ou d'envoyer à une personne qui exploite une entreprise est réputé valablement signifié, délivré ou envoyé :

a) dans le cas où la personne est une société de personnes, s'il est signifié à l'un des associés ou laissé à une personne adulte employée à l'établissement de la société;

b) dans les autres cas, s'il est laissé à une personne adulte employée à l'établissement de la personne.

300. (1) Date d'envoi et de réception — Pour l'application de la présente loi, tout envoi en première classe ou par courrier recommandé ou certifié est réputé reçu par le destinataire à la date de sa mise à la poste.

(2) Paiement sur réception — Le paiement qu'une personne est tenue de faire en application de la présente loi n'est réputé effectué que le jour de sa réception par le receveur général.

301. (1) Preuve de signification par la poste — Lorsque la présente loi prévoit l'envoi par la poste d'une demande de renseignements, d'un avis ou d'une mise en demeure, l'affidavit d'un préposé de l'Agence, souscrit en présence d'un commissaire ou d'une autre personne autorisée à le recevoir, constitue la preuve de l'envoi ainsi que de la demande, de l'avis ou de la mise en demeure, s'il indique, à la fois :

a) que le préposé est au courant des faits en l'espèce;

b) que la demande, l'avis ou la mise en demeure a été envoyé par courrier recommandé ou certifié à une date indiquée à une personne dont le nom et l'adresse sont précisés;

c) que le préposé identifie, comme pièces jointes à l'affidavit, le certificat de recommandation remis par le bureau de poste ou une copie conforme de la partie pertinente du certificat et une copie conforme de la demande, de l'avis ou de la mise en demeure.

(2) Preuve de la signification à personne — Lorsque la présente loi prévoit la signification à personne d'une demande de renseignements, d'un avis ou d'une mise en demeure, l'affidavit d'un préposé de l'Agence, souscrit en présence d'un commissaire ou d'une autre personne autorisée à le recevoir, constitue la preuve de la signification à personne, ainsi que de la demande, de l'avis ou de la mise en demeure, s'il indique, à la fois :

a) que le préposé est au courant des faits en l'espèce;

b) que la demande, l'avis ou la mise en demeure a été signifié à l'intéressé à une date indiquée;

c) que le préposé identifie, comme pièce jointe à l'affidavit, une copie conforme de la demande, de l'avis ou de la mise en demeure.

(3) Preuve de non-observation — Lorsque la présente loi oblige une personne à faire une déclaration, une demande, un état, une réponse ou un certificat, l'affidavit d'un préposé de l'Agence, souscrit en présence d'un commissaire ou d'une autre personne autorisée à le recevoir, indiquant qu'il a la charge des registres pertinents et que, après avoir fait un examen attentif de ceux-ci, il lui a été impossible de constater, dans un cas particulier, que la déclaration, la demande, l'état, la réponse ou le certificat a été fait par la personne, constitue la preuve que la personne n'a pas fait de déclaration, de demande, d'état, de réponse ou de certificat.

(4) Preuve du moment de l'observation — Lorsque la présente loi oblige une personne à faire une déclaration, une demande, un état, une réponse ou un certificat, l'affidavit d'un préposé de l'Agence, souscrit en présence d'un commissaire ou d'une autre personne autorisée à le recevoir, indiquant qu'il a la charge des registres pertinents et que, après avoir fait un examen attentif de ceux-ci, il a constaté que la déclaration, la demande, l'état, la réponse ou le certificat a été fait un jour particulier, constitue la preuve que ces documents ont été faits ce jour-là.

(5) Preuve de documents — L'affidavit d'un préposé de l'Agence, souscrit en présence d'un commissaire ou d'une autre personne autorisée à le recevoir, indiquant qu'il a la charge des registres pertinents et qu'un document qui est annexé à l'affidavit est un document ou la copie conforme d'un document fait par le ministre ou une autre personne exerçant les pouvoirs de celui-ci ou pour leur compte, ou par une personne ou pour son compte, constitue la preuve de la nature et du contenu du document.

(6) Preuve de l'absence d'appel — Constitue la preuve des énonciations qui y sont renfermées l'affidavit d'un préposé de l'Agence — souscrit en présence d'un commissaire ou d'une autre personne autorisée à le recevoir — indiquant qu'il a la charge des registres pertinents, qu'il connaît la pratique de l'Agence et qu'un examen des registres démontre qu'un avis de cotisation a été posté ou autrement envoyé à une personne un jour particulier, en application de la présente loi, et que, après avoir fait un examen attentif des registres, il lui a été impossible de constater qu'un avis d'opposition ou d'appel concernant la cotisation a été reçu dans le délai imparti à cette fin.

(7) Présomption — Lorsqu'une preuve est donnée en vertu du présent article par un affidavit d'où il ressort que la personne le souscrivant est un préposé de l'Agence, il n'est pas nécessaire d'attester sa signature ou de prouver qu'il est un tel préposé, ni d'attester la signature ou la qualité de la personne en présence de laquelle l'affidavit a été souscrit.

(8) Preuve de documents — Tout document paraissant avoir été signé en vertu de la présente loi, ou dans le cadre de son exécution ou contrôle d'application, au nom ou sous l'autorité du ministre, du commissaire des douanes et du revenu, du commissaire ou d'un préposé autorisé à exercer les pouvoirs ou les fonctions du ministre en vertu de la présente loi est réputé être un document signé, fait et délivré par le ministre, le commissaire des douanes et du revenu, le commissaire ou le préposé, sauf s'il a été mis en doute par le ministre ou par une autre personne agissant pour lui ou pour Sa Majesté.

(8.1) Preuve de documents — Tout document paraissant avoir été signé en vertu de la présente loi, ou dans le cadre de son exécution ou contrôle d'application, au nom ou sous l'autorité du ministre de la Sécurité publique et de la Protection civile, du président de l'Agence des services frontaliers du Canada ou d'un préposé autorisé à exercer les pouvoirs ou les fonctions de ce ministre en vertu de la présente loi est réputé être un document signé, fait et délivré par ce ministre, le président ou le préposé, sauf s'il a été mis en doute par ce ministre ou par une autre personne agissant pour lui ou pour Sa Majesté.

(9) Date d'envoi ou de mise à la poste — La date d'envoi ou de mise à la poste d'un avis ou d'une mise en demeure que le ministre a l'obligation ou l'autorisation d'envoyer par voie électronique ou de poster à une personne est réputée être la date de l'avis ou de la mise en demeure.

(9.1) Date d'envoi d'un avis électronique — Pour l'application de la présente loi, tout avis ou autre communication concernant une personne qui est rendu disponible sous une forme électronique pouvant être lue ou perçue par une personne ou par un système informatique ou un dispositif semblable est réputé être envoyé à la personne, et être reçu par elle, à la date où un message électronique est envoyé — à l'adresse électronique la plus récente que la personne a fournie au ministre pour l'application du présent paragraphe — pour l'informer qu'un avis ou une autre communication nécessitant son attention immédiate se trouve dans son compte électronique sécurisé. Un avis ou une autre communication est considéré comme étant rendu disponible s'il est affiché par le ministre sur le compte électronique sécurisé de la personne et si celle-ci a donné son autorisation pour que des avis ou d'autres communications soient rendus disponibles de cette manière et n'a pas retiré cette autorisation avant cette date selon les modalités fixées par le ministre.

(10) Date d'établissement de la cotisation — Lorsqu'un avis de cotisation a été envoyé par le ministre de la manière prévue à la présente loi, la cotisation est réputée établie à la date d'envoi de l'avis.

(11) Preuve de déclaration — Dans toute poursuite concernant une infraction à la présente loi, la production d'une déclaration, d'une demande, d'un état, d'une réponse ou d'un certificat, prévu par la présente loi, donné comme ayant été fait par l'accusé ou pour son compte constitue la preuve que la déclaration, la demande, l'état, la réponse ou le certificat a été fait par l'accusé ou pour son compte.

(12) Preuve de production — imprimés — Pour l'application de la présente loi, un document présenté par le ministre comme étant un imprimé des renseignements concernant une personne qu'il a reçu en application de l'article 166 est admissible en preuve et fait foi, sauf preuve contraire, de la déclaration produite par la personne en vertu de cet article.

(13) Preuve de production — déclarations — Dans toute procédure mise en oeuvre en vertu de la présente loi, la production d'une déclaration, d'une demande, d'un état, d'une réponse ou d'un certificat prévu par la présente loi, donné comme ayant été produit, livré, fait ou signé par une personne ou pour son compte constitue la preuve que la déclaration, la demande, l'état, la réponse ou le certificat a été produit, livré, fait ou signé par la personne ou pour son compte.

(14) Preuve — Dans toute poursuite concernant une infraction à la présente loi, l'affidavit d'un préposé de l'Agence, souscrit en présence d'un commissaire ou d'une autre personne autorisée à le recevoir, indiquant qu'il a la charge des registres pertinents et qu'un examen des registres révèle que le receveur général n'a pas reçu la somme au titre des droits, intérêts ou autres sommes dont la présente loi exige le versement constitue la preuve des énonciations qui y sont renfermées.

(15) Force probante des copies — Toute copie faite en vertu de l'article 262 qui est présentée comme registre que le ministre ou un préposé atteste être une copie du registre original fait foi de la nature et du contenu du registre original et a la même force probante qu'aurait celui-ci si son authenticité était prouvée de la façon usuelle.

Notes historiques: Le paragraphe 301(8) a été remplacé par L.C. 2005, c. 38, art. 98 et cette modification est entrée en vigueur le 12 décembre 2005 [C.P. 2005-2041 du 21 novembre 2005 (TR/2005-119)]. Antérieurement, il se lisait ainsi :

> (8) Tout document présenté comme ayant été signé en vertu de la présente loi, ou dans le cadre de son exécution ou contrôle d'application, au nom ou sous l'autorité du ministre, du commissaire ou d'un préposé autorisé à exercer les pouvoirs ou les fonctions du ministre en vertu de la présente loi est réputé être un document signé, fait et délivré par le ministre, le commissaire ou le préposé, sauf s'il a été mis en doute par le ministre ou par une autre personne pour son compte ou celui de Sa Majesté.

Le paragraphe 301(8.1) a été modifié par L.C. 2005, c. 38, art. 145 par le remplacement de « solliciteur général du Canada » par les mots « ministre de la Sécurité publique et de la Protection civile ». Cette modification est entrée en vigueur le 12 décembre 2005 [C.P. 2005-2041 du 21 novembre 2005 (TR/2005-119)].

Le paragraphe 301(8.1) a été ajouté par L.C. 2005, c. 38, art. 98 et est entré en vigueur le 12 décembre 2005 [C.P. 2005-2041 du 21 novembre 2005 (TR/2005-119)].

Les paragraphes 301(9) et (10) ont été remplacés et le paragraphe 301(9.1) a été ajouté par L.C. 2010, c. 25, art. 125, et ces modifications sont réputées être entrées en vigueur le 15 décembre 2010. Antérieurement, les paragraphes 301(9) et (10) se lisaient ainsi :

> (9) La date de mise à la poste d'un avis ou d'une mise en demeure que le ministre a l'obligation ou l'autorisation d'envoyer ou de poster à une personne est réputée être la date qui apparaît sur l'avis ou la mise en demeure.
>
> (10) Lorsqu'un avis de cotisation a été envoyé par le ministre de la manière prévue à la présente loi, la cotisation est réputée établie à la date de mise à la poste de l'avis.

302. Certificat d'analyse — L'analyste peut, après analyse ou examen d'une chose visée par la présente loi, ou d'un échantillon d'une telle chose, délivrer un certificat ou produire un rapport où sont donnés ses résultats.

303. (1) Certificat ou rapport de l'analyste — Sous réserve des paragraphes (2) et (3), le certificat ou le rapport censé signé par l'analyste, où il est déclaré que celui-ci a analysé ou examiné une chose visée par la présente loi et où sont donnés les résultats de l'analyse ou de l'examen, est admissible en preuve dans les poursuites visant une infraction à la présente loi et fait foi de son contenu sans qu'il soit nécessaire de prouver l'authenticité de la signature qui y est apposée ou la qualité officielle du signataire.

(2) Préavis — Le certificat ou le rapport n'est recevable en preuve que si la partie qui entend le produire contre une autre partie donne à celle-ci un préavis suffisant, accompagné d'une copie du certificat ou du rapport.

(3) Présence de l'analyste — La partie contre laquelle est produit le certificat ou le rapport peut, avec l'autorisation du tribunal, exiger la présence de l'analyste pour contre-interrogatoire.

PARTIE 7 — RÈGLEMENTS

Notes historiques: La partie 7, incluant l'article 304, a été ajoutée par L.C. 2002, c. 22 et est entrée en vigueur le 1er juillet 2003 [C.P. 2003-388].

304. (1) Règlements — gouverneur en conseil — Le gouverneur en conseil peut, par règlement :

a) préciser les exigences et conditions à remplir pour obtenir ou détenir une licence, un agrément ou une autorisation;

b) préciser les activités que les titulaires de licence, d'agrément ou d'autorisation sont autorisés à exercer ainsi que les locaux où ces activités peuvent être exercées;

c) prévoir les types de cautions qui sont acceptables pour l'application de l'alinéa 23(3)b) ou du paragraphe 25.1(3) ainsi que le mode de calcul des cautions, dont le montant doit être d'au moins 5 000 $;

d) régir la durée, la modification, la suspension, le renouvellement, la révocation, le retrait et le rétablissement des licences, agréments et autorisations;

e) prévoir les installations, le matériel et le personnel dont un titulaire de licence, d'agrément ou d'autorisation doit doter le local précisé par le ministre en vertu du paragraphe 23(3);

f) préciser les renseignements à indiquer sur les produits du tabac et l'alcool emballé et sur leurs contenants;

f.1) prévoir des règles concernant l'émission de timbres d'accise;

g) désigner certaines catégories de marchandises comme provisions de bord pour usage à bord d'un moyen de transport d'une catégorie réglementaire, y compris une catégorie fondée sur les critères suivants appliqués aux moyens de transport :

(i) leurs attributs physiques, leur fonction ou leur description officielle,

(ii) les zones à l'intérieur desquelles ils voyagent,

(iii) les exigences ou restrictions liées à leurs voyages,

(iv) toute combinaison des critères mentionnés aux sous-alinéas (i) à (iii);

h) limiter la quantité des marchandises mentionnées à l'alinéa g) qui peut être utilisée comme le prévoit cet alinéa au cours d'une ou de plusieurs périodes réglementaires;

i) régir le dépôt de produits du tabac et d'alcool dans un entrepôt d'accise ou un entrepôt d'accise spécial et leur sortie d'un tel entrepôt;

j) prévoir les frais exigibles pour l'examen initial ou répété des instruments effectué conformément à l'article 148, ainsi que pour tout autre service ou chose que le ministre fournit relativement à cet article;

k) prévoir les frais à payer pour obtenir une licence, un agrément ou une autorisation ou la manière de les déterminer;

l) obliger toute catégorie de personnes à produire des déclarations concernant toute catégorie de renseignements nécessaires à l'exécution et au contrôle d'application de la présente loi;

m) obliger toute personne à aviser le ministre de son numéro d'assurance sociale;

n) régir la vente, en vertu de l'article 266, d'alcool, de produits du tabac, de tabac en feuilles, d'alcool spécialement dénaturé ou de préparations assujetties à des restrictions saisis en vertu de l'article 260;

o) prendre toute mesure d'ordre réglementaire prévue par la présente loi;

p) prendre toute autre mesure d'application de la présente loi.

(2) Prise d'effet — Les règlements pris en vertu de la présente loi ont effet à compter de leur publication dans la *Gazette du Canada*, ou après, s'ils le prévoient. Un règlement peut toutefois avoir un effet rétroactif, s'il comporte une disposition en ce sens, dans les cas suivants :

a) il a pour seul résultat d'alléger une charge;

b) il corrige une disposition ambiguë ou erronée, non conforme à un objet de la présente loi;

c) il procède d'une modification de la présente loi applicable avant qu'il ne soit publié dans la *Gazette du Canada*;

d) il met en oeuvre une mesure — budgétaire ou non — annoncée publiquement, auquel cas, si les alinéas a), b) et c) ne s'appliquent pas par ailleurs, il ne peut avoir d'effet avant la date où la mesure est ainsi annoncée.

(3) Incorporation par renvoi — Peut être incorporé par renvoi dans un règlement pris en vertu de la présente loi tout document — quelle que soit sa provenance —, soit dans sa version à une date donnée, soit avec ses modifications successives.

Notes historiques: L'alinéa 304(1)c) a été remplacé par L.C. 2010, c. 12, par. 47(1) et cette modification s'applique selon les mêmes modalités que la modification apportée à la définition de « estampillé » à l'article 2. Antérieurement, il se lisait ainsi :

c) prévoir les types de cautions qui sont acceptables pour l'application de l'alinéa 23(3)b) ainsi que le mode de calcul des cautions, dont le montant doit être d'au moins 5 000 $;

L'alinéa 304(1)d) a été remplacé par L.C. 2010, c. 12, par. 47(2) et cette modification est réputée entrée en vigueur le 12 juillet 2010. Antérieurement, il se lisait ainsi :

d) prévoir la durée, la modification, la suspension, le renouvellement, la révocation, le retrait et le rétablissement des licences, agréments et autorisations;

L'alinéa 304(1)f.1) a été ajouté par L.C. 2010, c. 12, par. 47(3) et s'applique selon les mêmes modalités que la modification apportée à la définition de « estampillé » à l'article 2.

L'alinéa 304(1)i) a été remplacé par L.C. 2010, c. 12, par. 47(4) et cette modification est réputée entrée en vigueur le 12 juillet 2010. Antérieurement, il se lisait ainsi :

i) prévoir le dépôt de produits du tabac et d'alcool dans un entrepôt d'accise ou un entrepôt d'accise spécial et leur sortie d'un tel entrepôt;

L'alinéa 304(1)n) a été remplacé par L.C. 2010, c. 12, par. 47(5) et cette modification est réputée entrée en vigueur le 12 juillet 2010. Antérieurement, il se lisait ainsi :

L'alinéa 304(1)n) a été remplacée par L.C. 2007, c. 18, par. 130(1) et cette modification est réputée être entrée en vigueur le 22 juin 2007. Antérieurement, il se lisait ainsi :

n) prévoir la vente, en vertu de l'article 266, d'alcool, de produits du tabac, de tabac en feuilles, d'alcool spécialement dénaturé ou de préparations assujetties à des restrictions saisis en vertu de l'article 260;

Le paragraphe 304(3) a été ajouté par L.C. 2007, c. 18, par. 130(2) et est réputé être entré en vigueur le 1er juillet 2003.

L'article 304 a été ajouté par L.C. 2002, c. 22 et est entré en vigueur le 1er avril 2003 [C.P. 2003-388].

PARTIE 8 — DISPOSITIONS TRANSITOIRES, MODIFICATIONS CORRÉLATIVES ET CONNEXES ET DISPOSITIONS DE COORDINATION

Dispositions transitoires

Notes historiques: La partie 8, incluant les articles 305 à 411 (sauf les articles 322 et 323, entrés en vigueur le 1er avril 2003 [C.P. 2003-388], et les articles 408 à 411), a été ajoutée par L.C. 2002, c. 22 et est entrée en vigueur le 1er juillet 2003 [C.P. 2003-388].

305. Sens de « date de mise en oeuvre » — Aux articles 306 à 320, « date de mise en oeuvre » s'entend de la date d'entrée en vigueur des parties 3 et 4.

306. Traitement transitoire des droits sur les spiritueux emballés — Les règles ci-après s'appliquent aux spiritueux emballés sur lesquels un droit, calculé à un taux déterminé en application de l'article 1 de la partie I de l'annexe de la *Loi sur l'accise*, a été imposé en vertu de cette loi ou perçu en vertu du *Tarif des douanes*, mais n'est pas devenu exigible avant la date de mise en oeuvre :

a) les spiritueux sont exonérés du droit à compter de cette date;

b) la *Loi sur l'accise* cesse de s'appliquer aux spiritueux à cette date;

c) s'il s'agit de spiritueux emballés importés qui n'ont pas été dédouanés conformément à la *Loi sur les douanes*, la présente loi, la *Loi sur les douanes* et le *Tarif des douanes* s'appliquent à eux comme s'ils avaient été importés à cette date;

d) s'il s'agit d'autres spiritueux emballés, la présente loi s'applique à eux comme si, à la fois :

(i) ils avaient été produits et emballés au Canada à cette date par la personne qui les avait en sa possession immédiatement avant cette date et la personne avait été autorisée en vertu de la présente loi à les produire et à les emballer,

(ii) dans le cas où les spiritueux sont en la possession d'une boutique hors taxes ou d'un représentant accrédité ou sont livrés à titre de provisions de bord conformément au Règlement sur les provisions de bord, ils avaient été déposés dans un entrepôt d'accise puis sortis de l'entrepôt à cette date conformément à l'alinéa 147(1)a).

307. (1) Traitement transitoire des droits sur les spiritueux en vrac — Les règles ci-après s'appliquent aux spiritueux en vrac sur lesquels un droit, calculé à un taux déterminé en application de l'article 1 de la partie I de l'annexe de la *Loi sur l'accise*, a été imposé en vertu de cette loi ou perçu en vertu du *Tarif des douanes*, mais n'est pas devenu exigible avant la date de mise en oeuvre :

a) les spiritueux sont exonérés du droit à compter de cette date;

b) la *Loi sur l'accise* cesse de s'appliquer aux spiritueux à cette date;

c) s'il s'agit de spiritueux en vrac importés qui n'ont pas été dédouanés conformément à la *Loi sur les douanes*, la présente loi, la *Loi sur les douanes* et le *Tarif des douanes* s'appliquent à eux comme s'ils avaient été importés à cette date;

d) s'il s'agit d'autres spiritueux en vrac, la présente loi s'applique à eux comme s'ils avaient été produits au Canada à cette date par la personne qui les avait en sa possession immédiatement avant cette date.

(2) Traitement transitoire des spiritueux en vrac importés pour embouteillage ou mélange — Les règles ci-après s'appliquent aux spiritueux en vrac sur lesquels un droit, calculé à un taux déterminé en application de l'article 1 de la partie I de l'annexe de la *Loi sur l'accise*, a été perçu en vertu du *Tarif des douanes* et remis en vertu du *Décret de remise sur l'eau-de-vie distillée pour embouteillage en entrepôt* ou du *Décret de remise sur l'eau-de-vie importée pour fins de mélange* avant la date de mise en oeuvre :

a) à compter de cette date, les spiritueux sont exonérés du droit imposé en vertu du paragraphe 135(1) de la *Loi sur l'accise* au moment de leur dépôt dans une distillerie;

b) la *Loi sur l'accise* cesse de s'appliquer aux spiritueux à cette date;

c) la présente loi s'applique aux spiritueux comme s'ils avaient été produits au Canada à cette date par la personne qui les avait en sa possession immédiatement avant cette date.

308. Traitement transitoire des taxes d'accise sur le vin — Les règles ci-après s'appliquent au vin sur lequel une taxe a été imposée en vertu de l'article 27 de la *Loi sur la taxe d'accise*, mais n'est pas devenue exigible avant la date de mise en oeuvre :

a) le vin est exonéré de la taxe à compter de cette date;

b) les parties III, VI et VII de la *Loi sur la taxe d'accise* cessent de s'appliquer au vin à cette date;

c) s'il s'agit de vin importé qui n'a pas été dédouané conformément à la *Loi sur les douanes*, la présente loi, la *Loi sur les douanes* et le *Tarif des douanes* s'appliquent au vin comme s'il avait été importé à cette date;

d) s'il s'agit de vin en vrac auquel l'alinéa c) ne s'applique pas, la présente loi s'applique au vin comme s'il avait été produit au Canada à cette date :

(i) par le particulier qui en était propriétaire immédiatement avant cette date, si le vin se trouve dans une vinerie libre-service ou à la résidence d'un particulier,

(ii) par la personne qui l'avait en sa possession immédiatement avant cette date, dans les autres cas;

e) s'il s'agit de vin auquel les alinéas c) et d) ne s'appliquent pas, la présente loi s'applique au vin comme si, à la fois :

(i) il avait été produit et emballé au Canada à cette date par la personne qui l'avait en sa possession immédiatement avant cette date, et la personne avait été autorisée en vertu de la présente loi à le produire et à l'emballer,

(ii) dans le cas où le vin est en la possession d'une boutique hors taxes ou d'un représentant accrédité ou est livré à titre de provisions de bord conformément au *Règlement sur les provisions de bord*, il avait été déposé dans un entrepôt d'accise puis sorti de l'entrepôt à cette date conformément à l'alinéa 147(1)a).

309. (1) Traitement transitoire de vin emballé — stocks des petits fabricants — Le paragraphe 135(1) ne s'applique pas au vin emballé sur lequel la taxe prévue à la partie IV de la *Loi sur la taxe d'accise* n'est pas exigible du fait qu'il a été produit par une personne exemptée du paiement de la taxe d'accise en vertu du *Règlement exemptant certains petits fabricants ou producteurs de la taxe de consommation ou de vente*, s'il a été emballé avant la date de mise en oeuvre.

(2) Détermination des ventes pour l'application des dispositions transitoires — Pour ce qui est de la période commençant à la date de mise en oeuvre et se terminant le jour qui suit d'un an cette date, le passage « produits qui sont assujettis au droit prévu au paragraphe (1), ou qui l'auraient été en l'absence du présent paragraphe » à l'alinéa 135(2)b) est remplacé par « marchandises visées à l'alinéa 2(1)a) du *Règlement exemptant certains petits fabricants ou producteurs de la taxe de consommation ou de vente* ».

310. (1) Application de la Loi — vin emballé acquitté — La présente loi s'applique au vin emballé sur lequel la taxe imposée en vertu de l'article 27 de la *Loi sur la taxe d'accise* est devenue exigible avant la date de mise en oeuvre et qui est déposé dans l'entrepôt d'accise d'un exploitant agréé d'entrepôt d'accise à cette date ou postérieurement, mais au plus tard six mois après cette date, comme si l'exploitant l'avait produit et emballé au Canada et avait été autorisé par la présente loi à le produire et à l'emballer à la date de son dépôt dans l'entrepôt.

(2) Remboursement — Si la taxe visée au paragraphe (1) a été payée, l'exploitant agréé peut en demander le remboursement au ministre.

(3) Modalités — Le remboursement n'est accordé que si la demande est présentée au ministre, en la forme et selon les modalités qu'il autorise, dans l'année suivant la date de mise en oeuvre.

311. (1) Application de la Loi — vin en vrac acquitté — La présente loi s'applique au vin en vrac sur lequel la taxe imposée en vertu de l'article 27 de la *Loi sur la taxe d'accise* est devenue exigible avant la date de mise en oeuvre et qui est déposé dans le local déterminé d'un utilisateur agréé à cette date, comme si l'utilisateur l'avait produit au Canada à cette date et avait été autorisé à le produire.

(2) Remboursement — Si la taxe visée au paragraphe (1) a été payée, l'utilisateur peut en demander le remboursement au ministre.

(3) Modalités — Le remboursement n'est accordé que si la demande est présentée au ministre, en la forme et selon les modalités qu'il autorise, dans l'année suivant la date de mise en oeuvre.

312. (1) Définitions — Les définitions qui suivent s'appliquent au présent article.

« fabricant entrepositaire » Personne qui, avant la date de mise en oeuvre, est titulaire d'une licence délivrée en vertu du paragraphe 182(1) de la *Loi sur l'accise*.

« pharmacien titulaire de licence » Personne qui, avant la date de mise en oeuvre, est titulaire d'une licence délivrée en vertu du paragraphe 136(2) de la *Loi sur l'accise*.

(2) Application de la Loi — spiritueux en la possession d'un fabricant entrepositaire ou d'un pharmacien titulaire de licence — Les règles ci-après s'appliquent si, à la date de mise en oeuvre, un fabricant entrepositaire ou un pharmacien titulaire de licence possède, en conformité avec leur licence, des spiritueux produits avant cette date :

a) la *Loi sur l'accise* cesse de s'appliquer aux spiritueux à cette date;

b) la présente loi s'applique aux spiritueux comme si :

(i) s'agissant de spiritueux en vrac, ils avaient été produits au Canada à cette date par le fabricant ou le pharmacien et ceux-ci, s'ils sont des utilisateurs agréés, avaient été autorisés à les produire,

(ii) s'agissant de spiritueux emballés, ils avaient été produits et emballés au Canada à cette date par le fabricant ou le pharmacien et ceux-ci avaient été autorisés à les produire et à les emballer.

(3) Remboursement des droits payés par le fabricant entrepositaire ou le pharmacien titulaire de licence — Le fabricant entrepositaire ou le pharmacien titulaire de licence qui, à la date de mise en oeuvre, possède des spiritueux sur lesquels le droit, calculé à un taux déterminé en application des paragraphes 1(2) ou (3) de la partie I de l'annexe de la *Loi sur l'accise*, a été payé, peut demander au ministre le remboursement du droit.

(4) Modalités — Le remboursement n'est accordé que si la demande est présentée au ministre, en la forme et selon les modalités qu'il autorise, dans l'année suivant la date de mise en oeuvre.

313. Application de la Loi — spiritueux utilisés à des fins scientifiques — Les règles ci-après s'appliquent si une personne visée à l'un des alinéas 135(2)a) à d) de la *Loi sur l'accise* possède, à la date de mise en oeuvre, des spiritueux sur lesquels un drawback est accordé en vertu du paragraphe 135(2) de cette loi :

a) la *Loi sur l'accise* cesse de s'appliquer aux spiritueux à cette date;

b) la présente loi s'applique aux spiritueux comme si :

(i) s'agissant de spiritueux en vrac, ils avaient été produits au Canada à cette date par la personne et celle-ci, étant un utilisateur autorisé, avait été autorisée à les produire,

(ii) s'agissant de spiritueux emballés :

(A) ils avaient été produits et emballés au Canada à cette date par la personne,

(B) la personne avait été autorisée à les produire et à les emballer,

(C) la personne étant un utilisateur autorisé, les spiritueux, à cette date, avaient été déposés dans un entrepôt d'accise puis sortis de l'entrepôt conformément au sous-alinéa 147(1)a)(iii);

c) si les spiritueux se trouvent dans un contenant spécial et si la personne est un utilisateur autorisé :

(i) la personne doit, malgré le paragraphe 78(1), marquer le contenant à cette date,

(ii) le contenant est réputé avoir été déposé dans un entrepôt d'accise puis en avoir été sorti conformément à l'alinéa 147(2)a) à cette date.

314. Application de la Loi — alcool dans un centre de remplissage libre-service — Les règles ci-après s'appliquent à l'alcool contenu dans un contenant spécial se trouvant dans le centre

Lois connexes

de remplissage libre-service d'une personne à la date de mise en oeuvre :

a) la personne doit, malgré les paragraphes 78(1) et 83(1), marquer le contenant à cette date;

b) dans le cas de spiritueux, la présente loi s'applique aux spiritueux comme si le droit, calculé au taux déterminé par application de l'article 1 de la partie I de l'annexe de la *Loi sur l'accise*, qui était devenu exigible avant cette date relativement aux spiritueux était imposé et, si le droit est payé, payé en vertu de la présente loi;

c) dans le cas de vin :

(i) pour l'application du paragraphe 135(1), l'article 82 ne s'applique pas au marquage du contenant en vertu de l'alinéa a),

(ii) la présente loi s'applique au vin comme si la taxe, prévue à l'article 27 de la *Loi sur la taxe d'accise*, qui était devenue exigible avant cette date relativement au vin était un droit qui a été imposé et, si la taxe est payée, payé en vertu de la présente loi.

315. (1) Sortie d'alcool d'un entrepôt de stockage — Les règles ci-après s'appliquent à l'égard de l'alcool emballé qui se trouve dans un entrepôt de stockage à la date de mise en oeuvre :

a) l'alcool doit être sorti de l'entrepôt;

b) les droits sur l'alcool qui sont imposés en vertu de la présente loi ou perçus en vertu de l'article 21.2 du *Tarif des douanes* par l'application des articles 306 ou 308 sont exigibles à cette date, sauf si l'alcool est immédiatement déposé dans un entrepôt d'accise.

(2) Exceptions — Le paragraphe (1) ne s'applique pas si l'alcool qui se trouve dans l'entrepôt de stockage est destiné :

a) soit à être exporté conformément à la présente loi;

b) soit à être livré, selon le cas :

(i) à un représentant accrédité, pour son usage personnel ou officiel,

(ii) à une boutique hors taxes en vue d'être vendu conformément à la *Loi sur les douanes*,

(iii) à titre de provisions de bord conformément au *Règlement sur les provisions de bord*,

(iv) à un transporteur aérien titulaire d'une licence, délivrée en vertu des articles 69 ou 73 de la *Loi sur les transports au Canada*, pour l'exploitation d'un service aérien international.

315.1 (1) Règlement sur les distilleries — application transitoire — Les articles 7, 8, 9, 12 et 15 du *Règlement sur les distilleries*, C.R.C., ch. 569, s'appliquent, avec les adaptations nécessaires, dans le cas où ils auraient été applicables en toutes circonstances au cours de la période commençant le 1er juillet 2003 et se terminant le 1er juillet 2009 s'ils avaient été en vigueur, dans leur version du 30 juin 2003, et si l'article 1.1 de la *Loi sur l'accise* n'avait pas été édicté.

(2) Règlement ministériel sur les distilleries — application transitoire — Les articles 13 et 14 du *Règlement ministériel sur les distilleries*, C.R.C., ch. 570, s'appliquent, avec les adaptations nécessaires, dans le cas où ils auraient été applicables en toutes circonstances au cours de la période commençant le 1er juillet 2003 et se terminant le 1er juillet 2009 s'ils avaient été en vigueur, dans leur version du 30 juin 2003, et si l'article 1.1 de la *Loi sur l'accise* n'avait pas été édicté.

Notes historiques: L'article 315.1 a été ajouté par L.C. 2007, c. 18, par. 131(1) et est réputé être entré en vigueur le 1er juillet 2003.

316. (1) Traitement transitoire des produits du tabac fabriqués au Canada — Les règles ci-après s'appliquent au produit du tabac fabriqué au Canada avant la date de mise en oeuvre :

a) si la taxe imposée sur le produit en vertu de l'article 23 de la *Loi sur la taxe d'accise* n'est pas devenue exigible avant cette date :

(i) le produit est exonéré de cette taxe,

(ii) si le droit imposé sur le produit en vertu de la *Loi sur l'accise* n'est pas devenu exigible avant cette date, le produit est exonéré de ce droit,

(iii) la présente loi s'applique au produit comme s'il avait été fabriqué au Canada à cette date, dans la même mesure que s'il avait été fabriqué immédiatement avant cette date;

b) si le produit a été estampillé ou marqué conformément à la *Loi sur l'accise*, il est réputé avoir été estampillé ou marqué, selon le cas, conformément à la présente loi;

c) la *Loi sur l'accise* et les parties III, VI et VII de la *Loi sur la taxe d'accise* cessent de s'appliquer au produit.

(2) Remboursement du droit payé — Si le droit imposé en vertu de la *Loi sur l'accise* sur un produit du tabac fabriqué au Canada avant la date de mise en oeuvre est devenu exigible avant cette date, contrairement à la taxe prévue à l'article 23 de la *Loi sur la taxe d'accise*, le fabricant du produit peut demander au ministre le remboursement de ce droit.

(3) Modalités — Le remboursement n'est accordé que si la demande est présentée au ministre, en la forme et selon les modalités qu'il autorise, dans l'année suivant la date de mise en oeuvre.

316.1 Remboursement pour produit du tabac façonné de nouveau ou détruit — Si le droit imposé en vertu de la *Loi sur l'accise* et la taxe imposée en vertu de l'article 23 de la *Loi sur la taxe d'accise* sur un produit du tabac fabriqué au Canada sont devenus exigibles avant la date de mise en œuvre, mais que le titulaire de licence de tabac en vertu de la présente loi — muni, avant cette date, d'une licence de fabrication de ce produit en vertu de ces lois — façonne de nouveau ou détruit le produit, à cette date ou par la suite, d'une manière autorisée par le ministre, l'article 181 s'applique comme si ce droit et cette taxe étaient des droits payés en vertu de la présente loi.

Notes historiques: L'article 316.1 a été ajouté par L.C. 2007, c. 18, par. 132(1) et est réputé être entré en vigueur le 1er juillet 2003.

317. Traitement transitoire des produits du tabac importés — Les règles ci-après s'appliquent au produit du tabac importé :

a) si le droit perçu en vertu de l'article 21 du *Tarif des douanes* et la taxe imposée en vertu de l'article 23 de la *Loi sur la taxe d'accise* sur le produit ne sont pas devenus exigibles avant la date de mise en oeuvre :

(i) le produit est exonéré de ces droit et taxe,

(ii) la présente loi et la *Loi sur les douanes* s'appliquent au produit comme s'il avait été importé au Canada à cette date;

b) si le produit a été estampillé ou marqué conformément à la *Loi sur l'accise*, il est réputé avoir été estampillé ou marqué, selon le cas, conformément à la présente loi;

c) la *Loi sur l'accise* et les parties III, VI et VII de la *Loi sur la taxe d'accise* cessent de s'appliquer au produit.

317.1 Tabac importé livré à une boutique hors taxes avant la date de mise en œuvre — Si l'exploitant agréé de boutique hors taxes possède, à la date de mise en œuvre, du tabac fabriqué importé sur lequel la taxe prévue à l'article 23.12 de la *Loi sur la taxe d'accise* a été payée et qu'aucune demande de remboursement de la taxe n'a été présentée aux termes de cette loi, la présente loi s'applique au tabac comme si la taxe était le droit spécial imposé en vertu de l'article 53.

Notes historiques: L'article 317.1 a été ajouté par L.C. 2007, c. 18, par. 133(1) et est réputé être entré en vigueur le 1er juillet 2003.

318. Traitement transitoire de tabac en feuilles importé — La présente loi s'applique au tabac en feuilles qui est importé avant la date de mise en oeuvre et qu'une personne possède à cette date comme si la personne avait importé le tabac à cette date.

319. Sortie de cigares d'un entrepôt de stockage — Les cigares fabriqués au Canada qui se trouvent dans un entrepôt de stockage à la date de mise en oeuvre doivent être sortis de l'entrepôt et déposés dans un entrepôt d'accise à cette date.

320. (1) Sortie de produits du tabac de l'entrepôt d'un fabricant — Le produit du tabac fabriqué au Canada qui, à la date de mise en oeuvre, se trouve dans l'entrepôt du titulaire de licence visé au paragraphe 196(1) de la *Loi sur l'accise* doit être sorti de l'entrepôt et déposé dans un entrepôt d'accise à cette date.

(2) Sortie de produits du tabac de l'entrepôt d'un distributeur autorisé — Le produit du tabac fabriqué au Canada qui, à la date de mise en oeuvre, se trouve dans l'entrepôt du titulaire de licence visé à l'alinéa 50(1)c) de la *Loi sur l'accise* doit, à cette date, être sorti de l'entrepôt et être :

a) soit déposé dans l'entrepôt d'accise spécial du titulaire, si celui-ci est un exploitant agréé d'entrepôt d'accise spécial et si le produit fait partie des produits qu'il est autorisé à distribuer en vertu de la présente loi;

b) soit retourné dans l'entrepôt d'accise du titulaire de licence de tabac qui a fabriqué le produit.

Modifications corrélatives et connexes

321-325. [Modifications].

326, 327 [*Abrogés, L.C. 2002, ch. 22, al. 409(2)a)*].

328-341. [Modifications].

342-344 [*Abrogés, L.C. 2002, ch. 22, par. 409(8)*].

345-407. [Modifications].

Dispositions de coordination

408-411. [Modifications].

PARTIE 9 — MODIFICATIONS CONCERNANT LA TAXE D'ACCISE SUR LES PRODUITS DU TABAC

412-421. [Modifications].

PARTIE 10 — MODIFICATIONS CONCERNANT LES PROVISIONS DE BORD

422-432. [Modifications].

PARTIE 11 — ENTRÉE EN VIGUEUR

433. [*Omis*].

ANNEXE 1 — TAUX DU DROIT SUR LES PRODUITS DU TABAC

(article 42)

1. Cigarettes :

a) 0,374 875 $ par quantité de cinq cigarettes, ou fraction de cette quantité, contenue dans un paquet, si les cigarettes constituent des produits non ciblés destinés, selon le cas :

(i) à être livrés par le titulaire de licence de tabac qui les a fabriqués à une boutique hors taxes ou à un entrepôt de stockage,

(ii) à être livrés par le titulaire de licence de tabac qui les a fabriqués à une personne pour utilisation à titre de provisions de bord conformément au *Règlement sur les provisions de bord*,

(iii) à être exportés par le titulaire de licence de tabac qui les a fabriqués pour livraison à une boutique hors taxes à l'étranger ou à titre de provisions de bord à l'étranger;

b) 0,425 $ par quantité de cinq cigarettes, ou fraction de cette quantité, contenue dans un paquet, dans les autres cas.

2. Bâtonnets de tabac :

a) 0,074 975 $ le bâtonnet, si les bâtonnets de tabac constituent des produits non ciblés destinés, selon le cas :

(i) à être livrés par le titulaire de licence de tabac qui les a fabriqués à une boutique hors taxes ou à un entrepôt de stockage,

(ii) à être livrés par le titulaire de licence de tabac qui les a fabriqués à une personne pour utilisation à titre de provisions de bord conformément au Règlement sur les provisions de bord,

(iii) à être exportés par le titulaire de licence de tabac qui les a fabriqués pour livraison à une boutique hors taxes à l'étranger ou à titre de provisions de bord à l'étranger;

b) 0,085 $ le bâtonnet, dans les autres cas.

3. Tabac fabriqué, à l'exclusion des cigarettes et des bâtonnets de tabac :

a) 2,499 15 $ la quantité de 50 grammes, ou fraction de cette quantité, contenue dans un emballage, si le tabac fabriqué constitue un produit non ciblé destiné, selon le cas :

Modification proposée — Ann. 1, 3a) préambule

a) 4,685 938 $ la quantité de 50 grammes, ou fraction de cette quantité, contenue dans un emballage, si le tabac fabriqué constitue un produit non ciblé destiné, selon le cas :

Application: Le préambule de l'alinéa 3a) de l'annexe 1 sera remplacé par le par. 4(1) de l'*Avis de motion de voies et moyens accompagnant le budget fédéral* du 21 mars 2013 et cette modification sera réputée être entrée en vigueur le 22 mars 2013.

Pour l'application des dispositions de la *Loi sur les douanes* concernant le paiement d'intérêts, ou l'obligation d'en payer, relativement à un montant donné, ce montant sera déterminé et les intérêts afférents seront calculés comme si les articles 4 à 8 étaient entrés en vigueur le 22 mars 2013.

Budget fédéral, Renseignements supplémentaires, 21 mars 2013: [Voir sous l'art. 216 — n.d.l.r.]

(i) à être livré par le titulaire de licence de tabac qui l'a fabriqué à une boutique hors taxes ou à un entrepôt de stockage,

(ii) à être livré par le titulaire de licence de tabac qui l'a fabriqué à une personne pour utilisation à titre de provisions de bord conformément au Règlement sur les provisions de bord,

(iii) à être exporté par le titulaire de licence de tabac qui l'a fabriqué pour livraison à une boutique hors taxes à l'étranger ou à titre de provisions de bord à l'étranger;

b) 2,8925 $ la quantité de 50 grammes, ou fraction de cette quantité, contenue dans un emballage, dans les autres cas.

Modification proposée — Ann. 1, 3b)

b) 5,3125 $ la quantité de 50 grammes, ou fraction de cette quantité, contenue dans un emballage, dans les autres cas.

Application: L'alinéa 3b) de l'annexe 1 sera remplacé par le par. 4(2) de l'*Avis de motion de voies et moyens accompagnant le budget fédéral* du 21 mars 2013 et cette modification sera réputée être entrée en vigueur le 22 mars 2013.

Pour l'application des dispositions de la *Loi sur les douanes* concernant le paiement d'intérêts, ou l'obligation d'en payer, relativement à un montant donné, ce montant sera déterminé et les intérêts afférents seront calculés comme si les articles 4 à 8 étaient entrés en vigueur le 22 mars 2013.

Budget fédéral, Renseignements supplémentaires, 21 mars 2013: [Voir sous l'art. 216 — n.d.l.r.]

4. Cigares, 18,50 $ le lot de 1 000 cigares.

5. Tabac en feuilles, 1,572 $ le kilogramme.

Notes historiques: Le passage de l'alinéa 1a) de l'annexe 1 précédant le sous-alinéa (i) a été remplacé par L.C. 2003, c. 15, par. 47(1) et cette modification est réputée entrée en vigueur le 19 juin 2003. Antérieurement, il se lisait ainsi :

a) 0,287 375 $ par quantité de cinq cigarettes, ou fraction de cette quantité, contenue dans un paquet, si les cigarettes constituent des produits non ciblés destinés, selon le cas :

L'alinéa 1b) de l'annexe 1 a été remplacé par L.C. 2007, c. 35, par. 204(1) et cette modification est réputée être entrée en vigueur le 1er janvier 2008. Antérieurement, il se lisait ainsi :

b) 0,410 25 $ par quantité de cinq cigarettes, ou fraction de cette quantité, contenue dans un paquet, dans les autres cas.

L'alinéa 1b) de l'annexe 1 a été remplacé par L.C. 2006, c. 4, par. 37(1) et cette modification est entrée en vigueur le 1er juillet 2006. Antérieurement, il se lisait ainsi :

b) 0,396 255 $ par quantité de cinq cigarettes, ou fraction de cette quantité, contenue dans un paquet, dans les autres cas.

L'alinéa 1b) de l'annexe 1 a été remplacé par L.C. 2003, c. 15, par. 47(2) et cette modification est réputée entrée en vigueur le 19 juin 2003. Antérieurement, il se lisait ainsi :

b) 0,308 755 $ par quantité de cinq cigarettes, ou fraction de cette quantité, contenue dans un paquet, dans les autres cas.

Le préambule de l'alinéa 2a) de l'annexe 1 a été remplacé par L.C. 2008, c. 28, par. 63(1) et cette modification est réputée entrée en vigueur le 27 février 2008. Antérieurement, il se lisait ainsi :

a) 0,054 983 $ le bâtonnet, si les bâtonnets de tabac constituent des produits non ciblés destinés, selon le cas :

Pour l'application des dispositions de la *Loi sur les douanes* qui portent sur le paiement d'intérêts sur une somme, ou sur l'obligation d'en payer, la somme est déterminée, et les intérêts calculés, comme si la modification proposée était entrée en vigueur le 27 février 2008.

Le passage de l'alinéa 2a) de l'annexe 1 précédant le sous-alinéa (i) a été remplacé par L.C. 2003, c. 15, par. 48(1) et cette modification est réputée entrée en vigueur le 19 juin 2003. Antérieurement, il se lisait ainsi :

a) 0,042 483 $ le bâtonnet, si les bâtonnets de tabac constituent des produits non ciblés destinés, selon le cas :

L'alinéa 2b) de l'annexe 1 a été remplacé par L.C. 2008, c. 28, par. 63(2) et cette modification est réputée entrée en vigueur le 27 février 2008. Antérieurement, il se lisait ainsi :

b) 0,063 25 $ le bâtonnet, dans les autres cas.

Pour l'application des dispositions de la *Loi sur les douanes* qui portent sur le paiement d'intérêts sur une somme, ou sur l'obligation d'en payer, la somme est déterminée, et les intérêts calculés, comme si la modification proposée était entrée en vigueur le 27 février 2008.

L'alinéa 2b) de l'annexe 1 a été remplacé par L.C. 2007, c. 35, par. 205(1) et cette modification est réputée être entrée en vigueur le 1er janvier 2008. Antérieurement, il se lisait ainsi :

b) 0,0605 $ le bâtonnet, dans les autres cas.

L'alinéa 2b) de l'annexe 1 a été remplacé par L.C. 2006, c. 4, par. 38(1) et cette modification est entrée en vigueur le 1er juillet 2006. Antérieurement, il se lisait ainsi :

b) 0,057 983 $ le bâtonnet, dans les autres cas.

L'alinéa 2b) de l'annexe 1 été remplacé par L.C. 2003, c. 15, par. 48(2) et cette modification est réputée entrée en vigueur le 19 juin 2003. Antérieurement, il se lisait ainsi :

b) 0,045 483 $ le bâtonnet, dans les autres cas.

Le préambule de l'alinéa 3a) de l'annexe 1 a été remplacé par L.C. 2008, c. 28, par. 64(1) et cette modification est réputée être entrée en vigueur le 1er juillet 2008. Antérieurement, il se lisait ainsi :

a) 49,983 $ le kilogramme, si le tabac fabriqué constitue un produit non ciblé destiné, selon le cas :

Le passage de l'alinéa 3a) de l'annexe 1 précédant le sous-alinéa (i) été remplacé par L.C. 2003, c. 15, par. 49(1) et cette modification est réputée entrée en vigueur le 19 juin 2003. Antérieurement, il se lisait ainsi :

a) 37,483 $ le kilogramme, si le tabac fabriqué constitue un produit non ciblé destiné, selon le cas :

L'alinéa 3b) de l'annexe 1 a été remplacé par L.C. 2008, c. 28, par. 64(2) et cette modification est réputée être entrée en vigueur le 1er juillet 2008. Antérieurement, il se lisait ainsi :

b) 57,85 $ le kilogramme, dans les autres cas.

L'alinéa 3b) de l'annexe 1 a été remplacé par L.C. 2007, c. 35, par. 206(1) et cette modification est réputée être entrée en vigueur le 1er janvier 2008. Antérieurement, il se lisait ainsi :

b) 55,90 $ le kilogramme, dans les autres cas.

L'alinéa 3b) de l'annexe 1 a été remplacé par L.C. 2006, c. 4, par. 39(1) et cette modification est entrée en vigueur le 1er juillet 2006. Antérieurement, il se lisait ainsi :

b) 53,981 $ le kilogramme, dans les autres cas.

L'alinéa 3b) de l'annexe 1 été remplacé par L.C. 2003, c. 15, par. 49(2) et cette modification est réputée entrée en vigueur le 19 juin 2003. Antérieurement, il se lisait ainsi :

b) 41,481 $ le kilogramme, dans les autres cas.

L'article 4 de l'annexe 1 a été remplacé par L.C. 2006, c. 4, par. 40(1) et cette modification est entrée en vigueur le 1er juillet 2006. Antérieurement, il se lisait ainsi :

4. Cigares, 14,786 $ le lot de 1 000 cigares.

L'article 4 de l'annexe 1 a été remplacé par L.C. 2007, c. 35, par. 207(1) et cette modification est réputée être entrée en vigueur le 1er janvier 2008. Antérieurement, il se lisait ainsi :

4. Cigares, 16,60 $ le lot de 1 000 cigares.

L'annexe 1 a été ajoutée par L.C. 2002, c. 22 et est entrée en vigueur le 1er juillet 2003 [C.P. 2003-388].

Formulaires [Annexe 1]: B267, *Déclaration des droits d'accise — titulaire de licence de tabac.*

ANNEXE 2 — DROIT ADDITIONNEL SUR LES CIGARES

(article 43)

Cigares — la plus élevée des sommes suivantes :

a) 0,067 $ le cigare;

b) 67 % de la somme applicable suivante :

(i) le prix de vente, dans le cas de cigares fabriqués au Canada,

(ii) la valeur à l'acquitté, dans le cas de cigares importés.

Notes historiques: L'alinéa a) de l'annexe 2 a été remplacé par L.C. 2006, c. 4, par. 41(1) et cette modification est entrée en vigueur le 1er juillet 2006. Antérieurement, il se lisait ainsi :

a) 0,065 $ le cigare;

L'alinéa a) de l'annexe 2 été remplacé par L.C. 2003, c. 15, par. 50(1) et cette modification est réputée entrée en vigueur le 19 juin 2003. Antérieurement, il se lisait ainsi :

a) 0,039 47 $ le cigare;

L'alinéa a) de l'annexe 2 a été remplacé par L.C. 2007, c. 35, par. 208(1) et cette modification est réputée être entrée en vigueur le 1er janvier 2008. Antérieurement, il se lisait ainsi :

a) 0,066 $ le cigare;

Le préambule de l'alinéa b) de l'annexe 2 a été remplacé par L.C. 2007, c. 35, par. 208(2) et cette modification est réputée être entrée en vigueur le 1er janvier 2008. Antérieurement, il se lisait ainsi :

b) 66 % de la somme applicable suivante :

Le préambule de l'alinéa b) de l'annexe 2 a été remplacé par L.C. 2006, c. 4, par. 41(2) et cette modification est entrée en vigueur le 1er juillet 2006. Antérieurement, il se lisait ainsi :

b) 65 % de la somme applicable suivante :

Le préambule de l'alinéa b) de l'annexe 2 été remplacé par L.C. 2003, c. 15, par. 50(2) et cette modification est réputée entrée en vigueur le 19 juin 2003. Antérieurement, il se lisait ainsi :

b) 50 % de la somme applicable suivante :

Pour l'application des dispositions de la *Loi sur les douanes* qui portent sur le paiement d'intérêts sur une somme, ou sur l'obligation d'en payer, la somme est déterminée, et les intérêts calculés, comme si les articles L.C. 2007, c. 35, 204 à 208 étaient entrés en vigueur le 1er janvier 2008.

L'annexe 2 a été ajoutée par L.C. 2002, c. 22 et est entrée en vigueur le 1er juillet 2003 [C.P. 2003-388].

ANNEXE 3 — TAUX DES DROITS SPÉCIAUX SUR CERTAINS PRODUITS DE TABAC FABRIQUÉ

(articles 53, 54 et 56)

1. Droit spécial sur le tabac fabriqué importé :

a) 0,075 $ la cigarette;

b) 0,075 $ le bâtonnet de tabac;

c) 2,50 $ la quantité de 50 grammes, ou fraction de cette quantité, de tabac fabriqué contenue dans un emballage, à l'exclusion des cigarettes et des bâtonnets de tabac.

Modification proposée — Ann. 3, 1c)

c) 4,6875 $ la quantité de 50 grammes, ou fraction de cette quantité, de tabac fabriqué contenue dans un emballage, à l'exclusion des cigarettes et des bâtonnets de tabac.

Application: L'alinéa 1c) de l'annexe 3 sera remplacé par le par. 5(1) de l'*Avis de motion de voies et moyens accompagnant le budget fédéral* du 21 mars 2013 et cette modification sera réputée être entrée en vigueur le 22 mars 2013.

Pour l'application des dispositions de la *Loi sur les douanes* concernant le paiement d'intérêts, ou l'obligation d'en payer, relativement à un montant donné, ce montant sera déterminé et les intérêts afférents seront calculés comme si les articles 4 à 8 étaient entrés en vigueur le 22 mars 2013.

Budget fédéral, Renseignements supplémentaires, 21 mars 2013: [Voir sous l'art. 216 — n.d.l.r.]

2. Droit spécial sur le tabac du voyageur :

a) 0,075 $ la cigarette;

b) 0,075 $ le bâtonnet de tabac;

c) 2,50 $ la quantité de 50 grammes, ou fraction de cette quantité, de tabac fabriqué contenue dans un emballage, à l'exclusion des cigarettes et des bâtonnets de tabac.

Modification proposée — Ann. 3, 2c)

c) 4,6875 $ la quantité de 50 grammes, ou fraction de cette quantité, de tabac fabriqué contenue dans un emballage, à l'exclusion des cigarettes et des bâtonnets de tabac.

Application: L'alinéa 2c) de l'annexe 3 sera remplacé par le par. 6(1) de l'*Avis de motion de voies et moyens accompagnant le budget fédéral* du 21 mars 2013 et cette modification sera réputée être entrée en vigueur le 22 mars 2013.

Pour l'application des dispositions de la *Loi sur les douanes* concernant le paiement d'intérêts, ou l'obligation d'en payer, relativement à un montant donné, ce montant sera déterminé et les intérêts afférents seront calculés comme si les articles 4 à 8 étaient entrés en vigueur le 22 mars 2013.

Budget fédéral, Renseignements supplémentaires, 21 mars 2013: [Voir sous l'art. 216 — n.d.l.r.]

3. Droit spécial sur les produits du tabac non estampillés :

a) 0,075 $ la cigarette;

b) 0,075 $ le bâtonnet de tabac;

c) 50,00 $ le kilogramme de produits du tabac, à l'exclusion des cigarettes et des bâtonnets de tabac.

Modification proposée — Ann. 3, 3c)

c) 93,75 $ le kilogramme de produits du tabac, à l'exclusion des cigarettes et des bâtonnets de tabac.

Application: L'alinéa 3c) de l'annexe 3 sera remplacé par le par. 7(1) de l'*Avis de motion de voies et moyens accompagnant le budget fédéral* du 21 mars 2013 et cette modification sera réputée être entrée en vigueur le 22 mars 2013.

Pour l'application des dispositions de la *Loi sur les douanes* concernant le paiement d'intérêts, ou l'obligation d'en payer, relativement à un montant donné, ce montant sera déterminé et les intérêts afférents seront calculés comme si les articles 4 à 8 étaient entrés en vigueur le 22 mars 2013.

Budget fédéral, Renseignements supplémentaires, 21 mars 2013: [Voir sous l'art. 216 — n.d.l.r.]

4. Droit spécial sur les produits du tabac estampillés :

a) 0,095 724 $ la cigarette;

b) 0,095 724 $ le bâtonnet de tabac;

c) 2,3001 $ la quantité de 50 grammes, ou fraction de cette quantité, de produits du tabac contenue dans un emballage, à l'exclusion des cigarettes et des bâtonnets de tabac.

Modification proposée — Ann. 3, 4c)

c) 5,982 75 $ la quantité de 50 grammes, ou fraction de cette quantité, de produits du tabac contenue dans un emballage, à l'exclusion des cigarettes et des bâtonnets de tabac.

Application: L'alinéa 4c) de l'annexe 3 sera remplacé par le par. 8(1) de l'*Avis de motion de voies et moyens accompagnant le budget fédéral* du 21 mars 2013 et cette modification sera réputée être entrée en vigueur le 22 mars 2013.

Pour l'application des dispositions de la *Loi sur les douanes* concernant le paiement d'intérêts, ou l'obligation d'en payer, relativement à un montant donné, ce montant sera déterminé et les intérêts afférents seront calculés comme si les articles 4 à 8 étaient entrés en vigueur le 22 mars 2013.

Budget fédéral, Renseignements supplémentaires, 21 mars 2013: [Voir sous l'art. 216 — n.d.l.r.]

Notes historiques: Les alinéas 1a) à c) de l'annexe 3 ont été remplacés par L.C. 2003, c. 15, art. 51 et cette modification est réputée entrée en vigueur le 19 juin 2003. Antérieurement, ils se lisaient ainsi :

a) 0,0575 $ la cigarette;

b) 0,0425 $ le bâtonnet de tabac;

c) 0,0375 $ le gramme de tabac fabriqué, à l'exclusion des cigarettes et des bâtonnets de tabac.

L'alinéa 1b) de l'annexe 3 a été remplacé par L.C. 2008, c. 28, par. 65(1) et cette modification est réputée être entrée en vigueur le 27 février 2008. Antérieurement, il se lisait ainsi :

b) 0,055 $ le bâtonnet de tabac;

L'alinéa 1c) de l'annexe 3 a été remplacé par L.C. 2008, c. 28, par. 65(1) et cette modification est réputée être entrée en vigueur le 1er juillet 2008. Antérieurement, il se lisait ainsi :

c) 0,05 $ le gramme de tabac fabriqué, à l'exclusion des cigarettes et des bâtonnets de tabac.

Les alinéas 2a) à c) de l'annexe 3 ont été remplacés par L.C. 2003, c. 15, art. 52 et cette modification est réputée être entrée en vigueur le 19 juin 2003. Antérieurement, ils se lisaient ainsi :

a) 0,0575 $ la cigarette;

b) 0,0425 $ le bâtonnet de tabac;

c) 0,0375 $ le gramme de tabac fabriqué, à l'exclusion des cigarettes et des bâtonnets de tabac.

L'alinéa 2b) de l'annexe 3 a été remplacé par L.C. 2008, c. 28, par. 66(1) et cette modification est réputée être entrée en vigueur le 27 février 2008. Antérieurement, il se lisait ainsi :

b) 0,055 $ le bâtonnet de tabac;

L'alinéa 2c) de l'annexe 3 a été remplacé par L.C. 2008, c. 28, par. 66(1) et cette modification est réputée être entrée en vigueur le 1er juillet 2008. Antérieurement, il se lisait ainsi :

c) 0,05 $ le gramme de tabac fabriqué, à l'exclusion des cigarettes et des bâtonnets de tabac.

Les alinéas 3a) à c) de l'annexe 3 ont été remplacés par L.C. 2003, c. 15, art. 53 et cette modification est réputée entrée en vigueur le 19 juin 2003. Antérieurement, ils se lisaient ainsi :

a) 0,0575 $ la cigarette;

b) 0,0425 $ le bâtonnet de tabac;

c) 37,50 $ le kilogramme de produits du tabac, à l'exclusion des cigarettes et des bâtonnets de tabac.

L'alinéa 3b) de l'annexe 3 a été remplacé par L.C. 2008, c. 28, par. 67(1) et cette modification est réputée être entrée en vigueur le 27 février 2008. Antérieurement, il se lisait ainsi :

b) 0,055 $ le bâtonnet de tabac;

Les alinéas 4a) à c) de l'annexe 3 ont été remplacés par L.C. 2003, c. 15, art. 54 et cette modification est réputée entrée en vigueur le 19 juin 2003. Antérieurement, ils se lisaient ainsi :

a) 0,068 224 $ la cigarette;

b) 0,0345 $ le bâtonnet de tabac;

c) 33,502 $ le kilogramme de produits du tabac, à l'exclusion des cigarettes et des bâtonnets de tabac.

L'alinéa 4b) de l'annexe 3 a été remplacé par L.C. 2008, c. 28, par. 68(1) et cette modification est réputée être entrée en vigueur le 27 février 2008. Antérieurement, il se lisait ainsi :

b) 0,042 $ le bâtonnet de tabac;

L'alinéa 4c) de l'annexe 3 a été remplacé par L.C. 2008, c. 28, par. 68(1) et cette modification est réputée être entrée en vigueur le 1er juillet 2008. Antérieurement, il se lisait ainsi :

c) 46,002 $ le kilogramme de produits du tabac, à l'exclusion des cigarettes et des bâtonnets de tabac.

L'annexe 3 a été ajoutée par L.C. 2002, c. 22 et est entrée en vigueur le 1er juillet 2003 [C.P. 2003-388].

Formulaires [Annexe 3]: B261, *Déclaration des droits d'accise — boutique hors taxe*; B267, *Déclaration des droits d'accise — titulaire de licence de tabac.*

ANNEXE 4 — TAUX DU DROIT SUR LES SPIRITUEUX

(articles 122 et 123)

1. Spiritueux : 11,696 $ le litre d'alcool éthylique absolu contenu dans les spiritueux.

2. Spiritueux contenant au plus 7 % d'alcool éthylique absolu par volume : 0,295 $ le litre de spiritueux.

Notes historiques: Les articles 1 et 2 de l'annexe 4 ont été remplacés par L.C. 2006, c. 4, par. 48(1) et cette modification est entrée en vigueur le 1er juillet 2006. Antérieurement, ils se lisaient ainsi :

1. Spiritueux : 11,066 $ le litre d'alcool éthylique absolu contenu dans les spiritueux.

2. Spiritueux contenant au plus 7 % d'alcool éthylique absolu par volume : 0,2459 $ le litre de spiritueux.

L'annexe 4 a été ajoutée par L.C. 2002, c. 22 et est entrée en vigueur le 1er juillet 2003 [C.P. 2003-388].

Formulaires [Annexe 4]: B262, *Déclaration des droits d'accise — exploitant agréé d'entrepôt d'accise*; B263, *Déclaration des droits d'accise — utilisateur agréé*; B266, *Déclaration des droits d'accise — titulaire de licence de spiritueux.*

ANNEXE 5 — TAUX DU DROIT SPÉCIAL SUR LES SPIRITUEUX

(article 133)

Droit spécial sur les spiritueux : 0,12 $ le litre d'alcool éthylique absolu contenu dans les spiritueux.

Notes historiques: L'annexe 5 a été ajoutée par L.C. 2002, c. 22 et est entrée en vigueur le 1er juillet 2003 [C.P. 2003-388].

Formulaires [Annexe 5]: B262, *Déclaration des droits d'accise — exploitant agréé d'entrepôt d'accise*; B263, *Déclaration des droits d'accise — utilisateur agréé*; B266, *Déclaration des droits d'accise — titulaire de licence de spiritueux.*

ANNEXE 6 — TAUX DU DROIT SUR LE VIN

(articles 134 et 135)

Vin :

a) vin contenant au plus 1,2 % d'alcool éthylique absolu par volume, 0,0205 $ le litre;

b) vin contenant plus de 1,2 % d'alcool éthylique absolu par volume, mais au plus 7 % d'alcool éthylique absolu par volume, 0,295 $ le litre;

c) vin contenant plus de 7 % d'alcool éthylique absolu par volume, 0,62 $ le litre.

Notes historiques: Les alinéas b) et c) de l'annexe 6 ont été remplacés par L.C. 2006, c. 4, par. 49(1) et cette modification est entrée en vigueur le 1er juillet 2006. Antérieurement, il se lisait ainsi :

b) vin contenant plus de 1,2 % d'alcool éthylique absolu par volume, mais au plus 7 % d'alcool éthylique absolu par volume, 0,2459 $ le litre;

c) vin contenant plus de 7 % d'alcool éthylique absolu par volume, 0,5122 $ le litre.

L'annexe 6 a été ajoutée par L.C. 2002, c. 22 et est entrée en vigueur le 1er juillet 2003 [C.P. 2003-388].

Formulaires [Annexe 6]: B262, *Déclaration des droits d'accise — exploitant agréé d'entrepôt d'accise*; B263, *Déclaration des droits d'accise — utilisateur agréé*; B265, *Déclaration des droits d'accise — titulaire de licence de vin.*

Loi sur l'Agence du revenu du Canada

Loi portant prorogation de l'Agence du revenu du Canada, et modifiant et abrogeant certaines lois en conséquence

L.C. 1999, ch. 17, telle que modifiée par 1999, ch. 17; L.C. 2001, ch. 4, 27; L.C. 2002, ch. 22; L.C. 2003, ch. 22 [C.P. 2005-375; C.P. 2005-2044]; L.C. 2004, ch.16; L.C. 2005, ch. 38; L.C. 2006, ch. 9, 13; L.C. 2012, ch.19, ch. 31.

Titre abrégé

Notes historiques: Le titre intégral a été remplacé par L.C. 2005, c. 38, art. 34 et cette modification est entrée en vigueur le 12 décembre 2005 [C.P. 2005-2041 du 21 novembre 2005 (TR/2005-119)]. Antérieurement, il se lisait « Loi portant création de l'Agence des douanes et du revenu du Canada, et modifiant et abrogeant certaines lois en conséquence ».

1. Titre abrégé — *Loi sur l'Agence du revenu du Canada.*

Notes historiques: L'article 1 a été remplacé par L.C. 2005, c. 38, art. 35 et cette modification est entrée en vigueur le 12 décembre 2005 [C.P. 2005-2041 du 21 novembre 2005 (TR/2005-119)]. Antérieurement, il se lisait ainsi :

> 1. *Loi sur l'Agence des douanes et du revenu du Canada.*

Définitions

2. Définitions — Les définitions qui suivent s'appliquent à la présente loi.

« Agence » L'Agence du revenu du Canada, prorogée par le paragraphe 4(1).

Notes historiques: La définition de « Agence » à l'article 2 a été remplacée par L.C. 2005, c. 38, par. 36(2) et cette modification est entrée en vigueur le 12 décembre 2005 [C.P. 2005-2041 du 21 novembre 2005 (TR/2005-119)]. Antérieurement, elle se lisait ainsi :

> « Agence » L'Agence des douanes et du revenu du Canada, créée par le paragraphe 4(1).

« commissaire » Le commissaire du revenu, nommé au titre de l'article 25.

Notes historiques: La définition de « commissaire » à l'article 2 a été modifiée par L.C. 2005, c. 38, s.-al. 140a)(i) par le remplacement de « commissaire des douanes et du revenu » par « commissaire du revenu ». Cette modification est entrée en vigueur le 12 décembre 2005 [C.P. 2005-2041 du 21 novembre 2005 (TR/2005-119)].

« conseil » Le conseil de direction de l'Agence, constitué par l'article 14.

« législation fiscale » Tout ou partie d'une autre loi fédérale ou de ses textes d'application :

a) dont le ministre, l'Agence, le commissaire ou un employé de l'Agence est autorisé par le Parlement ou le gouverneur en conseil à assurer ou contrôler l'application, notamment la *Loi sur le droit pour la sécurité des passagers du transport aérien*, la *Loi sur les douanes*, la *Loi sur l'accise*, la *Loi de 2001 sur l'accise*, la *Loi sur la taxe d'accise*, la *Loi de l'impôt sur le revenu* et la *Loi de 2006 sur les droits d'exportation de produits de bois d'œuvre*;

b) en vertu desquels le ministre ou un autre ministre autorise l'Agence, le commissaire ou un employé de l'Agence à appliquer un programme ou à exercer une activité.

Notes historiques: L'alinéa a) de la définition de « législation fiscale » à l'article 2 a été remplacé par L.C. 2006, c. 13, art. 120 et cette modification est réputée entrée en vigueur le 12 octobre 2006. Antérieurement, il se lisait ainsi :

> a) dont le ministre, l'Agence, le commissaire ou un employé de l'Agence est autorisé par le Parlement ou le gouverneur en conseil à assurer ou contrôler l'application, notamment la *Loi sur le droit pour la sécurité des passagers du transport aérien*, la *Loi sur les douanes*, la *Loi sur l'accise*, la *Loi de 2001 sur l'accise*, la *Loi sur la taxe d'accise* et la *Loi de l'impôt sur le revenu*;

La définition de « législation fiscale » à l'article 2 a été ajoutée par L.C. 2005, c. 38, par. 36(4) et est entrée en vigueur le 12 décembre 2005 [C.P. 2005-2041 du 21 novembre 2005 (TR/2005-119)].

« législation fiscale et douanière » (*définition abrogée*);

Notes historiques: La définition de « législation fiscale et douanière » à l'article 2 a été abrogée par L.C. 2005, c. 38, par. 36(1) et cette abrogation est entrée en vigueur le 12 décembre 2005 [C.P. 2005-2041 du 21 novembre 2005 (TR/2005-119)]. Antérieurement, elle se lisait ainsi :

> « législation fiscale et douanière » Tout ou partie d'une autre loi fédérale ou de ses textes d'application :
>
> a) dont le ministre, l'Agence, le commissaire ou un employé de l'Agence est autorisé par le Parlement ou le gouverneur en conseil à assurer ou contrôler l'application, notamment la *Loi sur l'accise*, la *Loi de 2001 sur l'accise*, la *Loi sur les douanes*, la *Loi de l'impôt sur le revenu*, la *Loi sur les mesures spéciales d'importation*, le *Tarif des douanes* et la *Loi sur la taxe d'accise*;
>
> b) en vertu desquels le ministre ou un autre ministre autorise l'Agence, le commissaire ou un employé de l'Agence à appliquer un programme ou à exercer une activité.

L'alinéa a) de la définition de « législation fiscale et douanière » à l'article 2 a été remplacé par L.C. 2002, c. 22, art. 322 et cette modification est entrée en vigueur le 1er avril 2003. Antérieurement, il se lisait ainsi :

> a) dont le ministre, l'Agence, le commissaire ou un employé de l'Agence est autorisé par le Parlement ou le gouverneur en conseil à assurer ou contrôler l'application, notamment la *Loi sur l'accise*, la *Loi sur les douanes*, la *Loi de l'impôt sur le revenu*, la *Loi sur les mesures spéciales d'importation*, le *Tarif des douanes* et la *Loi sur la taxe d'accise*;

« ministre » Le ministre du Revenu national, nommé à titre amovible par commission sous le grand sceau.

Sa Majesté

3. Obligation de Sa Majesté — La présente loi lie Sa Majesté du chef du Canada ou d'une province.

Prorogation et mission de l'Agence

4. (1) Prorogation de l'Agence — L'Agence des douanes et du revenu du Canada, dotée de la personnalité morale, est prorogée sous le nom d'Agence du revenu du Canada.

(2) Qualité de mandataire de Sa Majesté — L'Agence ne peut exercer ses pouvoirs qu'à titre de mandataire de Sa Majesté du chef du Canada.

(3) Siège — L'Agence a son siège au lieu au Canada fixé par le gouverneur en conseil.

Notes historiques: L'intertitre précédant l'article 4 a été remplacé par L.C. 2005, c. 38, art. 37 et cette modification est entrée en vigueur le 12 décembre 2005 [C.P. 2005-2041 du 21 novembre 2005 (TR/2005-119)]. Antérieurement, il se lisait « Création et mission de l'Agence ».

Le paragraphe 4(1) a été remplacé par L.C. 2005, c. 38, art. 38 et cette modification est entrée en vigueur le 12 décembre 2005 [C.P. 2005-2041 du 21 novembre 2005 (TR/2005-119)]. Antérieurement, il se lisait ainsi :

> 4. (1) Création de l'Agence — Est créée l'Agence des douanes et du revenu du Canada, dotée de la personnalité morale.

5. (1) Mission — L'Agence est chargée :

a) de fournir l'appui nécessaire à l'application et au contrôle d'application de la législation fiscale;

b) de mettre en oeuvre toute entente conclue entre elle ou le gouvernement fédéral et le gouvernement d'une province ou un organisme public remplissant des fonctions gouvernementales au Canada et portant sur l'exercice d'une activité, l'administration d'une taxe ou d'un impôt ou l'application d'un programme;

c) de mettre en oeuvre toute entente ou tout accord conclus entre elle et un ministère ou organisme fédéral et portant sur l'exercice d'une activité ou l'application d'un programme;

d) de mettre en oeuvre toute entente conclue entre le gouvernement fédéral et un gouvernement autochtone et portant sur l'administration d'une taxe ou d'un impôt.

(2) Fonctions auxiliaires — L'Agence peut fournir tout service — d'appui, de consultation ou autre — compatible avec sa mission.

Notes historiques: L'alinéa 5(1)a) a été remplacé par L.C. 2005, c. 38, art. 39 et cette modification est entrée en vigueur le 12 décembre 2005 [C.P. 2005-2041 du 21 novembre 2005 (TR/2005-119)]. Antérieurement, il se lisait ainsi :

a) de fournir l'appui nécessaire à l'application et au contrôle d'application de la législation fiscale et douanière;

MINISTRE

6. (1) Attributions — Les pouvoirs et fonctions du ministre s'étendent d'une façon générale à tous les domaines de compétence du Parlement non attribués de droit aux ministères ou organismes fédéraux, à l'exception de l'Agence, et liés :

a) (*abrogé*);

b) aux droits d'accise;

c) aux droits de timbre, à la préparation et à l'émission de timbres — à l'exclusion des timbres-poste — et de papier timbré, et à la *Loi sur la taxe d'accise*, sauf disposition contraire de celle-ci;

d) sauf disposition contraire, aux impôts intérieurs, notamment l'impôt sur le revenu;

d.1) à la perception des créances de Sa Majesté sous le régime de la partie V.1 de la *Loi sur les douanes*;

e) aux autres secteurs que le Parlement ou le gouverneur en conseil peut lui attribuer.

(2) Ministre responsable — L'Agence est placée sous la responsabilité du ministre.

Notes historiques: L'alinéa 6(1)a) a été abrogé par L.C. 2005, c. 38, par. 40(1) et cette abrogation est entrée en vigueur le 12 décembre 2005 [C.P. 2005-2041 du 21 novembre 2005 (TR/2005-119)]. Antérieurement, il se lisait ainsi :

a) aux droits de douane et aux questions qui s'y rattachent;

L'alinéa 6(1)d.1) a été ajouté par L.C. 2005, c. 38, par. 40(2) et est entré en vigueur le 12 décembre 2005 [C.P. 2005-2041 du 21 novembre 2005 (TR/2005-119)].

7. Désignation par le ministre — Le ministre peut désigner toute personne, nommément ou par catégorie, comme préposé au sens de l'article 2 de la *Loi sur l'accise* ou de l'article 2 de la *Loi de 2001 sur l'accise* en vue de l'exercice des attributions de ces postes que peut préciser le ministre.

Notes historiques: L'article 7 a été remplacé par L.C. 2005, c. 38, art. 41 et cette modification est entrée en vigueur le 12 décembre 2005 [C.P. 2005-2041 du 21 novembre 2005 (TR/2005-119)]. Antérieurement, il se lisait ainsi :

7. Le ministre peut désigner toute personne, nommément ou par catégorie, comme agent au sens du paragraphe 2(1) de la *Loi sur les douanes* ou comme préposé au sens de l'article 2 de la *Loi sur l'accise* ou de l'article 2 de la *Loi de 2001 sur l'accise* en vue de l'exercice des attributions de ces postes que peut préciser le ministre.

L'article 7 a été remplacé par L.C. 2002, c. 22, art. 323 et cette modification est entrée en vigueur le 1er avril 2003. Antérieurement, il se lisait ainsi :

7. Le ministre peut désigner toute personne, nommément ou par catégorie, comme agent au sens du paragraphe 2(1) de la *Loi sur les douanes* ou comme préposé au sens de l'article 2 de la *Loi sur l'accise* en vue de l'exercice des attributions de ces postes que peut préciser le ministre.

8. (1) Autorisation du ministre — Le ministre peut autoriser le commissaire ou toute autre personne employée ou engagée par l'Agence ou occupant une fonction de responsabilité au sein de celle-ci, selon les modalités et dans les limites qu'il fixe, à exercer en son nom les attributions qu'il exerce sous le régime de toute loi fédérale ou provinciale.

(2) Non-application — Le paragraphe (1) ne s'applique pas dans le cas où la loi fédérale, à l'exception de la présente loi, ou la loi provinciale autorise soit le ministre à déléguer les attributions en question, soit une autre personne à les exercer.

(3) Exception — Sont exclus des attributions visées au paragraphe (1):

a) le pouvoir de prendre des règlements;

b) les attributions que confie au ministre la présente loi, à l'exception de celles qui sont prévues au paragraphe 6(1) et à l'article 7.

(4) Autorisation du commissaire — Le commissaire peut autoriser une personne employée ou engagée par l'Agence ou occupant une fonction de responsabilité au sein de celle-ci à exercer au nom du ministre les attributions qu'il est lui-même autorisé à exercer au titre du paragraphe (1).

9. Instructions sur l'exercice des attributions — Le ministre peut donner des instructions au commissaire ou à toute autre personne sur l'exercice de celles de ses attributions qui leur sont confiées soit au titre des paragraphes 8(1) ou (4), soit sous le régime de la législation fiscale.

Notes historiques: L'article 9 a été remplacé par L.C. 2005, c. 38, art. 42 et cette modification est entrée en vigueur le 12 décembre 2005 [C.P. 2005-2041 du 21 novembre 2005 (TR/2005-119)]. Antérieurement, il se lisait ainsi :

9. Le ministre peut donner des instructions au commissaire ou à toute autre personne sur l'exercice de celles de ses attributions qui leur sont confiées soit au titre des paragraphes 8(1) ou (4), soit sous le régime de la législation fiscale et douanière.

10. Autres instructions — Dans le cas où un ministre fédéral confie des attributions au commissaire ou à une autre personne employée ou engagée par l'Agence ou occupant une fonction de responsabilité au sein de celle-ci, le ministre peut, à la demande de ce ministre fédéral, lui donner des instructions sur l'exercice de ces attributions.

11. (1) Instructions sur des questions d'ordre public — Le ministre peut donner à l'Agence, par l'intermédiaire du président du conseil, des instructions écrites sur les matières relevant des attributions du conseil qui, selon lui, touchent des questions d'ordre public ou pourraient toucher notablement les finances publiques.

(2) Caractère non réglementaire — Les instructions visées au paragraphe (1) ne sont pas des textes réglementaires au sens de la *Loi sur les textes réglementaires*.

12. Caractère obligatoire des instructions — Le destinataire des instructions visées aux articles 9 ou 10 ou au paragraphe 11(1) doit s'y conformer.

13. Pouvoir d'enquête — Le ministre peut faire enquête sur toute activité de l'Agence et a accès à tout renseignement qui relève d'elle.

STRUCTURE ORGANISATIONNELLE DE L'AGENCE

Conseil de direction

14. Constitution du conseil — Est constitué le conseil de direction de l'Agence, composé de quinze administrateurs, dont son président, le commissaire, les administrateurs proposés respectivement par chaque province et un administrateur proposé par les territoires.

15. (1) Nomination et mandat des administrateurs — Le gouverneur en conseil nomme à titre amovible les administrateurs, autres que le président du conseil et le commissaire, pour des mandats de trois ans au maximum, ces mandats étant, dans la mesure du possible, échelonnés de manière que leur expiration au cours d'une même année touche au plus la moitié des administrateurs.

(2) **Administrateurs proposés par les provinces et territoires** — Le gouverneur en conseil choisit les administrateurs proposés par les provinces et territoires sur des listes de candidats que lui soumet le ministre responsable de l'administration fiscale — ou tout autre ministre désigné — dans chaque province et un des territoires.

(3) **Absence de nomination** — Par dérogation au paragraphe (2), si une province ou aucun des territoires ne lui soumet de liste de candidats répondant aux conditions de nomination dans les deux mois suivant la date de sanction de la présente loi ou dans les six mois suivant la vacance du poste de l'administrateur proposé par la province ou les territoires, le gouverneur en conseil peut nommer l'administrateur.

16. (1) Conditions de nomination — Le gouverneur en conseil nomme administrateurs les personnes qui, à son avis, possèdent l'expérience et la compétence nécessaires.

(2) **Conditions de nomination et d'exercice** — Pour exercer la charge d'administrateur, il faut remplir les conditions suivantes :

a) être un citoyen canadien ou un résident permanent au sens du paragraphe 2(1) de la *Loi sur l'immigration et la protection des réfugiés*;

b) ne pas être membre du Sénat ou de la Chambre des communes, ni d'une législature provinciale ou territoriale;

c) ne pas occuper un emploi à temps plein au sein d'une administration publique, fédérale, provinciale ou territoriale.

(3) **Réserve** — L'alinéa (2)c) ne s'applique pas au commissaire.

Notes historiques: L'alinéa 16(2)a) a été remplacé par L.C. 2001, c. 27, art. 210 et cette modification est entrée en vigueur le 28 juin 2002 (C.P. 2002-996). Antérieurement, il se lisait ainsi :

a) être citoyen canadien ou résident permanent au sens de la *Loi sur l'immigration*;

17. Renouvellement du mandat — Le gouverneur en conseil peut renouveler deux fois, pour trois ans au maximum, le mandat d'un administrateur, à l'exception du président du conseil et du commissaire, pourvu que, dans le cas où l'administrateur a été nommé sur proposition d'une province ou des territoires, la proposition soit renouvelée.

18. Prolongation du mandat — S'il n'est pas pourvu à sa succession, le mandat de l'administrateur, à l'exception du président du conseil et du commissaire, se prolonge jusqu'à la nomination de son remplaçant.

19. (1) Temps partiel — Les administrateurs, à l'exception du commissaire, assument leur charge à temps partiel.

(2) **Rémunération** — L'Agence verse aux administrateurs, à l'exception du commissaire, pour leur participation aux réunions du conseil ou d'un comité de celui-ci et pour l'exécution de leurs autres fonctions, la rémunération que fixe le gouverneur en conseil.

20. Frais de déplacement et de séjour — Les administrateurs, à l'exception du commissaire, sont indemnisés des frais de déplacement et de séjour entraînés par l'accomplissement de leurs fonctions hors du lieu de leur résidence habituelle.

21. Indemnisation — Les administrateurs et le commissaire délégué nommé en vertu du paragraphe 26(1) sont réputés être des agents de l'État pour l'application de la *Loi sur l'indemnisation des agents de l'État* et appartenir à l'administration publique fédérale pour l'application des règlements pris en vertu de l'article 9 de la *Loi sur l'aéronautique*.

Notes historiques: L'article 21 a été remplacé par L.C. 2004, c. 16, art. 2 et cette modification est réputée être entrée en vigueur le 6 mai 2004. Antérieurement, il se lisait ainsi :

21. Les administrateurs et le commissaire adjoint nommé en vertu du paragraphe 26(1) sont réputés être des agents de l'État pour l'application de la *Loi sur l'indemnisation des agents de l'État* et appartenir à l'administration publique fédérale pour l'application des règlements pris en vertu de l'article 9 de la *Loi sur l'aéronautique*.

Président du conseil

22. Nomination et mandat du président du conseil — Le gouverneur en conseil nomme le président du conseil à titre amovible pour un mandat maximal de cinq ans, renouvelable une fois pour au plus cinq ans.

23. Absence ou empêchement — En cas d'absence ou d'empêchement du président du conseil ou de vacance de son poste, le ministre peut confier à un autre administrateur les attributions du président du conseil; cependant, l'intérim ne peut dépasser soixante jours sans l'approbation du gouverneur en conseil.

24. Attributions — Le président du conseil en dirige les réunions et exerce les autres attributions que lui confèrent les règlements administratifs de l'Agence.

Commissaire et commissaire délégué

Notes historiques: L'intertitre précédant l'article 25 a été remplacé par L.C. 2004, c. 16, art. 3 et cette modification est réputée être entrée en vigueur le 6 mai 2004. Antérieurement, il se lisait ainsi : « Commissaire et commissaire adjoint ».

25. Nomination et mandat du commissaire — Le gouverneur en conseil nomme le commissaire du revenu à titre amovible pour un mandat maximal de cinq ans. Celui-ci peut recevoir un ou plusieurs nouveaux mandats d'au plus cinq ans chacun.

Notes historiques: L'article 25 a été modifié par L.C. 2005, c. 38, s.-al. 140a)(ii) par le remplacement de « commissaire des douanes et du revenu » par « commissaire du revenu ». Cette modification est entrée en vigueur le 12 décembre 2005 [C.P. 2005-2041 du 21 novembre 2005 (TR/2005-119)].

26. Nomination et mandat du commissaire — (1) Le gouverneur en conseil peut nommer un commissaire délégué du revenu à titre amovible pour un mandat maximal de cinq ans. Celui-ci peut recevoir un ou plusieurs nouveaux mandats d'au plus cinq ans chacun.

(2) **Attributions du commissaire délégué** — Le commissaire délégué exerce les attributions que lui confie le commissaire.

(3) **Absence ou empêchement du commissaire** — En cas d'absence ou d'empêchement du commissaire ou de vacance de son poste, sa charge est assumée par le commissaire délégué.

Notes historiques: Le paragraphe 26(1) a été remplacé par L.C. 2005, c. 38, art. 43 et cette modification est entrée en vigueur le 12 décembre 2005 [C.P. 2005-2041 du 21 novembre 2005 (TR/2005-119)]. Antérieurement, il se lisait ainsi :

26. (1) Le gouverneur en conseil peut nommer un commissaire délégué des douanes et du revenu à titre amovible pour un mandat maximal de cinq ans. Celui-ci peut recevoir un ou plusieurs nouveaux mandats d'au plus cinq ans chacun.

L'article 26 a été remplacé par L.C. 2004, c. 16, art. 4 et cette modification est réputée être entrée en vigueur le 6 mai 2004. Antérieurement, il se lisait ainsi :

26. (1) Le gouverneur en conseil nomme le commissaire des douanes et du revenu à titre amovible pour un mandat maximal de cinq ans. Celui-ci peut recevoir un ou plusieurs nouveaux mandats d'au plus cinq ans chacun.

(2) Le commissaire adjoint exerce les attributions que lui confie le commissaire.

(3) En cas d'absence ou d'empêchement du commissaire ou de vacance de son poste, sa charge est assumée par le commissaire adjoint.

27. Absence ou empêchement — En cas d'absence ou d'empêchement du commissaire et du commissaire délégué ou de vacance de leur poste, le ministre peut confier à un employé de l'Agence les attributions du commissaire; cependant, l'intérim ne peut dépasser soixante jours sans l'approbation du gouverneur en conseil.

Notes historiques: L'article 27 a été remplacé par L.C. 2004, c. 16, art. 4 et cette modification est réputée être entrée en vigueur le 6 mai 2004. Antérieurement, il se lisait ainsi :

27. En cas d'absence ou d'empêchement du commissaire et du commissaire adjoint ou de vacance de leur poste, le ministre peut confier à un employé de l'Agence les attributions du commissaire; cependant, l'intérim ne peut dépasser soixante jours sans l'approbation du gouverneur en conseil.

28. (1) Temps plein — Le commissaire et le commissaire délégué assument leur charge à temps plein.

(2) Rémunération — L'Agence verse au commissaire et au commissaire délégué la rémunération que fixe le gouverneur en conseil.

Notes historiques: L'article 28 a été remplacé par L.C. 2004, c. 16, art. 4 et cette modification est réputée être entrée en vigueur le 6 mai 2004. Antérieurement, il se lisait ainsi :

28. (1) Le commissaire et le commissaire adjoint assument leur charge à temps plein.

(2) L'Agence verse au commissaire et au commissaire adjoint la rémunération que fixe le gouverneur en conseil.

29. Frais de déplacement et de séjour — Le commissaire et le commissaire délégué sont indemnisés des frais de déplacement et de séjour entraînés par l'accomplissement de leurs fonctions hors de leur lieu habituel de travail.

Notes historiques: L'article 29 a été remplacé par L.C. 2004, c. 16, art. 4 et cette modification est réputée être entrée en vigueur le 6 mai 2004. Antérieurement, il se lisait ainsi :

29. Le commissaire et le commissaire adjoint sont indemnisés des frais de déplacement et de séjour entraînés par l'accomplissement de leurs fonctions hors de leur lieu habituel de travail.

Compétence générale de l'Agence

30. (1) Compétence générale de l'Agence — L'Agence a compétence dans les domaines suivants :

a) ses grandes orientations administratives;

b) son organisation;

c) les immeubles de l'Agence et les biens réels de l'Agence, au sens de l'article 73;

d) la gestion de ses ressources humaines, notamment la détermination de ses conditions d'emploi.

e) sa vérification interne.

(2) Règlements et exigences non applicables — Par dérogation à la *Loi sur la gestion des finances publiques*, l'Agence n'est pas assujettie aux règlements ou exigences du Conseil du Trésor ayant trait aux questions visées au paragraphe (1), sauf dans la mesure où ils ont trait à la gestion financière.

Notes historiques: L'alinéa 30(1)e) a été ajouté par L.C. 2006, c. 9, art. 237 et est réputé être entré en vigueur le 12 décembre 2006.

L'alinéa 30(1)c) a été remplacé par L.C. 2001, c. 4, art. 129 et cette modification est entrée en vigueur le 1er juin 2001 (TR/2001-71). Antérieurement, il se lisait ainsi :

c) ses immeubles, au sens de l'article 73;

Direction et gestion de l'Agence

Attributions du conseil

31. (1) Attributions — Le conseil est chargé de la supervision de la structure organisationnelle et de l'administration de l'Agence et de la gestion de ses biens, de ses services, de son personnel et des contrats.

(2) Plan d'entreprise — Le conseil est chargé de la préparation du plan d'entreprise visé à l'article 47.

32. (1) Règlements administratifs — Le conseil peut, par règlement administratif, régir ses activités et exercer les attributions qui lui sont conférées par la présente loi.

(2) Exemplaire au ministre — Le conseil envoie au ministre un exemplaire de chaque règlement administratif après sa prise, sa modification ou son abrogation.

33. Fonctions consultatives — Il peut conseiller le ministre sur les questions liées à l'application et au contrôle d'application, en général, de la législation fiscale.

Notes historiques: L'article 33 a été remplacé par L.C. 2005, c. 38, art. 44 et cette modification est entrée en vigueur le 12 décembre 2005 [C.P. 2005-2041 du 21 novembre 2005 (TR/2005-119)]. Antérieurement, il se lisait ainsi :

33. Il peut conseiller le ministre sur les questions liées à l'application et au contrôle d'application, en général, de la législation fiscale et douanière.

34. Restriction — Le conseil ne peut donner au commissaire ou à toute autre personne des instructions relatives:

a) à l'exercice des attributions soit qui leur sont conférées ou déléguées sous le régime de la législation fiscale ou d'une loi provinciale, soit qu'ils sont autorisés à exercer au nom du ministre sous le régime de la présente loi;

b) à l'application ou au contrôle d'application de la législation fiscale.

Notes historiques: Les alinéas 34a) et b) ont été remplacés par L.C. 2005, c. 38, art. 45 et cette modification est entrée en vigueur le 12 décembre 2005 [C.P. 2005-2041 du 21 novembre 2005 (TR/2005-119)]. Antérieurement, ils se lisaient ainsi :

a) à l'exercice des attributions soit qui leur sont conférées ou déléguées sous le régime de la législation fiscale et douanière ou d'une loi provinciale, soit qu'ils sont autorisés à exercer au nom du ministre sous le régime de la présente loi;

b) à l'application ou au contrôle d'application de la législation fiscale et douanière.

35. Confidentialité de certains renseignements — La présente loi n'a pas pour effet d'autoriser la divulgation au conseil de renseignements qui, même indirectement, révèlent l'identité de la personne, de l'organisation ou de l'entreprise commerciale à laquelle ils ont trait et qui ont été soit obtenus sous le régime de la législation fiscale ou d'une loi provinciale, soit préparés à partir de renseignements ainsi obtenus.

Notes historiques: L'article 35 a été remplacé par L.C. 2005, c. 38, art. 46 et cette modification est entrée en vigueur le 12 décembre 2005 [C.P. 2005-2041 du 21 novembre 2005 (TR/2005-119)]. Antérieurement, il se lisait ainsi :

35. La présente loi n'a pas pour effet d'autoriser la divulgation au conseil de renseignements qui, même indirectement, révèlent l'identité de la personne, de l'organisation ou de l'entreprise commerciale à laquelle ils ont trait et ont été soit obtenus sous le régime de la législation fiscale et douanière ou d'une loi provinciale, soit préparés à partir de renseignements ainsi obtenus.

Attributions du commissaire

36. Attributions — Le commissaire est le premier dirigeant de l'Agence; à ce titre, il en assure la direction des affaires courantes et contrôle la gestion de son personnel.

37. (1) Autorisation du commissaire — Le commissaire peut autoriser toute personne à exercer en son nom, selon les modalités et dans les limites qu'il fixe, les attributions qu'il exerce sous le régime de la présente loi ou de toute autre loi.

(2) Exception — Sont exclus des attributions visées au paragraphe (1) :

a) les attributions ministérielles conférées au commissaire sous le régime du paragraphe 8(1);

b) le pouvoir d'autorisation prévu au paragraphe 8(4) et au présent article.

Notes historiques: Le paragraphe 37(1) a été remplacé par L.C. 2005, c. 38, art. 47 et cette modification est entrée en vigueur le 12 décembre 2005 [C.P. 2005-2041 du 21 novembre 2005 (TR/2005-119)]. Antérieurement, il se lisait ainsi :

37. (1) Le commissaire peut autoriser toute personne à exercer en son nom, selon les modalités et dans les limites qu'il fixe, les attributions qu'il exerce sous le régime de la présente loi.

38. (1) Obligation de renseigner le ministre — Le commissaire est tenu de renseigner régulièrement le ministre sur toutes matières qui pourraient toucher les questions d'ordre public ou, de façon notable, celles de finances publiques et de lui donner les autres renseignements que le ministre estime nécessaires.

(2) Assistance au ministre — Le commissaire aide et conseille le ministre dans l'exercice de ses attributions à ce titre, notamment celles qui lui sont conférées sous le régime de toute loi fédérale ou provinciale.

39. (1) Obligation de renseigner les organismes fédéraux — Sous réserve des dispositions de la législation fiscale et de la *Loi sur la protection des renseignements personnels* relatives à la confidentialité, le commissaire est tenu de fournir, aux ministères et organismes fédéraux pour le compte desquels l'Agence applique un programme ou exerce une activité, l'information nécessaire à l'évaluation du programme ou de l'activité et à l'élaboration des orientations correspondantes.

(2) Consultation — Le commissaire est tenu de consulter les ministères et organismes fédéraux visés au paragraphe (1) relativement à toute question susceptible d'avoir un effet notable sur le programme ou l'activité.

Notes historiques: Le paragraphe 39(1) a été remplacé par L.C. 2005, c. 38, art. 48 et cette modification est entrée en vigueur le 12 décembre 2005 [C.P. 2005-2041 du 21 novembre 2005 (TR/2005-119)]. Antérieurement, il se lisait ainsi :

> 39. (1) Sous réserve des dispositions de la législation fiscale et douanière et de la *Loi sur la protection des renseignements personnels* relatives à la confidentialité, le commissaire est tenu de fournir, aux ministères et organismes fédéraux pour le compte desquels l'Agence applique un programme ou exerce une activité, l'information nécessaire à l'évaluation du programme ou de l'activité et à l'élaboration des orientations correspondantes.

40. (1) Obligation de renseigner les gouvernements provinciaux — Sous réserve des dispositions de la législation fiscale et de la *Loi sur la protection des renseignements personnels* relatives à la confidentialité, le commissaire est tenu de fournir, aux gouvernements provinciaux pour le compte desquels l'Agence applique un programme, administre une taxe ou un impôt ou exerce une activité, l'information nécessaire à l'évaluation du programme, de la taxe, de l'impôt ou de l'activité et à l'élaboration des orientations correspondantes.

(2) Consultation — Le commissaire consulte les gouvernements provinciaux visés au paragraphe (1) relativement à toute question susceptible d'avoir un effet notable sur le programme, la taxe, l'impôt ou l'activité.

Notes historiques: Le paragraphe 40(1) a été remplacé par L.C. 2005, c. 38, art. 49 et cette modification est entrée en vigueur le 12 décembre 2005 [C.P. 2005-2041 du 21 novembre 2005 (TR/2005-119)]. Antérieurement, il se lisait ainsi :

> 40. (1) Sous réserve des dispositions de la législation fiscale et douanière et de la *Loi sur la protection des renseignements personnels* relatives à la confidentialité, le commissaire est tenu de fournir, aux gouvernements provinciaux pour le compte desquels l'Agence applique un programme, administre une taxe ou un impôt ou exerce une activité, l'information nécessaire à l'évaluation du programme, de la taxe, de l'impôt ou de l'activité et à l'élaboration des orientations correspondantes.

41. (1) Rapport aux ministres provinciaux — Une fois l'an, le commissaire fait rapport sur l'application du programme, l'administration de la taxe ou de l'impôt ou l'exercice de l'activité visés à l'article 40 soit au ministre provincial responsable, soit à tout autre ministre désigné par la province.

(2) Réunion avec les ministres provinciaux — Une fois l'an, le commissaire offre à ce ministre de le rencontrer en vue de prendre note de son avis et de ses recommandations relativement à l'application du programme, l'administration de la taxe ou de l'impôt ou l'exercice de l'activité.

Obligations des administrateurs et indemnisation

42. (1) Obligation générale — Les administrateurs doivent, dans l'exercice de leurs fonctions, agir :

a) avec intégrité et de bonne foi au mieux des intérêts de l'Agence, compte tenu de la mission de celle-ci;

b) avec le soin, la diligence et la compétence, en pareilles circonstances, d'une personne prudente et avisée.

(2) Limite de responsabilité — Ne contrevient pas aux obligations que lui impose le paragraphe (1) l'administrateur qui s'appuie de bonne foi sur :

a) des états financiers de l'Agence présentant fidèlement la situation de celle-ci d'après le rapport écrit du vérificateur général ou d'un des employés de l'Agence ayant la compétence pour le faire;

b) les rapports de personnes dont la profession permet d'accorder foi à leurs déclarations, notamment les comptables, les avocats et les notaires.

(3) Limite de responsabilité — Les actes ou omissions accomplis par un tiers relativement aux matières à l'égard desquelles l'article 34 interdit au conseil de donner des instructions ne peuvent donner lieu à une contravention par un administrateur aux obligations que lui impose le paragraphe (1).

(4) Meilleur intérêt de l'Agence — Les administrateurs sont réputés agir au mieux des intérêts de l'Agence lorsqu'ils se conforment aux instructions données par le ministre en vertu du paragraphe 11(1).

43. (1) Communication des intérêts — Doit communiquer par écrit à l'Agence, ou demander que soient portées au procès-verbal d'une réunion du conseil, la nature et l'étendue de ses intérêts l'administrateur qui, selon le cas :

a) est partie à un contrat important ou à un projet de contrat important avec l'Agence;

b) est également administrateur ou dirigeant auprès d'une personne partie à un tel contrat ou projet de contrat ou détient un intérêt important auprès de celle-ci.

(2) Moment de la communication — L'administrateur doit effectuer la communication visée au paragraphe (1) lors de la première réunion du conseil, selon le cas :

a) au cours de laquelle le projet de contrat est étudié;

b) suivant le moment où il acquiert un intérêt dans le projet de contrat;

c) suivant le moment où il acquiert un intérêt dans un contrat déjà conclu;

d) suivant le moment où il devient administrateur, s'il a déjà acquis l'intérêt.

(3) Autres contrats — L'administrateur doit communiquer par écrit à l'Agence, ou demander que soient portées au procès-verbal d'une réunion du conseil, la nature et l'étendue de ses intérêts dès qu'il a connaissance d'un contrat important ou d'un projet de contrat important qui, dans le cadre de l'activité normale de l'Agence, ne requiert pas l'approbation du conseil.

(4) Vote — L'administrateur ne peut participer au vote sur la résolution présentée pour faire approuver le contrat.

(5) Communication générale — Pour l'application du présent article, constitue une communication suffisante de ses intérêts l'avis général que donne un administrateur au conseil où il déclare qu'il est administrateur ou dirigeant auprès d'une personne ou détient auprès d'elle un intérêt important et doit être considéré comme ayant un intérêt dans tout contrat conclu avec elle.

ticle 37 de la *Loi sur la gestion des finances publiques*, est annulée à la fin de l'exercice suivant.

(2) Recettes d'exploitation — L'Agence peut, au cours d'un exercice ou, sous réserve du paragraphe (4), de l'exercice suivant, dépenser les recettes d'exploitation perçues pour cet exercice, notamment les sommes reçues :

a) pour la vente, l'échange, la location, le prêt, le transfert ou toute autre disposition de biens, y compris les biens réels de l'Agence, au sens de l'article 73;

a.1) pour la vente, l'échange, le prêt, le transfert ou toute autre disposition — ou pour la location — de biens, y compris les immeubles de l'Agence, au sens de l'article 73;

b) pour la fourniture de services ou de produits, l'utilisation d'installations ou l'attribution de droits ou de privilèges;

c) au titre de contrats;

d) pour le remboursement de dépenses effectuées au cours de l'exercice précédent.

(3) Restriction — Ne constituent pas des recettes d'exploitation les taxes, impôts, droits, pénalités et intérêts perçus sous le régime de la législation fiscale ou d'une loi provinciale, ni les sommes perçues pour le compte d'un ministère, gouvernement ou organisme public.

(4) Loi de crédits — Une loi de crédits peut prévoir que la partie non utilisée à la fin d'un exercice des crédits affectés à l'usage de l'Agence ou de ses recettes d'exploitation est annulée à la fin de celui-ci.

Notes historiques: L'alinéa 60(2)a) a été remplacé par L.C. 2001, c. 4, par. 130(1) et cette modification est entrée en vigueur le 1er juin 2001 [TR/2001-71]. Antérieurement, il se lisait ainsi :

> a) pour la vente, l'échange, la location, le prêt, le transfert ou toute autre disposition de biens, y compris ses immeubles au sens de l'article 73;

L'alinéa 60(2)a.1) a été ajouté par L.C. 2001, c. 4, par. 130(2) et est entré en vigueur le 1er juin 2001 [TR/2001-71].

Le paragraphe 60(3) a été remplacé par L.C. 2005, c. 38, art. 50 et cette modification est entrée en vigueur le 12 décembre 2005 [C.P. 2005-2041 du 21 novembre 2005 (TR/2005-119]. Antérieurement, il se lisait ainsi :

> (3) Ne constituent pas des recettes d'exploitation les taxes, impôts, droits, pénalités et intérêts perçus sous le régime de la législation fiscale et douanière ou d'une loi provinciale, ni les sommes perçues pour le compte d'un ministère, gouvernement et organisme public.

CONTRATS, ENTENTES, ACCORDS ET ACTIONS EN JUSTICE

61. Contrats, ententes et autres accords — Sous réserve des articles 63 et 65, l'Agence peut conclure avec les pouvoirs publics, des organisations ou organismes publics ou privés ou des particuliers des contrats, ententes ou autres accords au nom de Sa Majesté du chef du Canada ou sous le sien.

62. Contrats avec Sa Majesté — L'Agence peut conclure des contrats, ententes ou autres accords avec Sa Majesté comme si elle n'en était pas mandataire.

63. (1) Entente pour l'administration d'une taxe ou d'un impôt — L'Agence peut conclure une entente avec le gouvernement d'une province ou d'un territoire ou un gouvernement autochtone pour l'administration d'une taxe, d'un impôt ou d'une autre mesure fiscale, ou modifier une telle entente, si celle-ci est conforme aux directives établies conjointement par le ministre et le ministre des Finances relativement à ce type d'entente.

(2) *Loi sur les arrangements fiscaux entre le gouvernement fédéral et les provinces* — Les parties III et III.1 de la *Loi sur les arrangements fiscaux entre le gouvernement fédéral et les provinces* ne s'appliquent pas aux ententes conclues ou modifiées conformément au paragraphe (1).

Notes historiques: Le paragraphe 63(1) a été remplacé par L.C. 2005, c. 38, art. 51 et cette modification est entrée en vigueur le 12 décembre 2005 [C.P. 2005-2041 du 21 novembre 2005 (TR/2005-119)]. Antérieurement, il se lisait ainsi :

> 63. (1) L'Agence peut conclure une entente avec le gouvernement d'une province pour l'administration d'une taxe, d'un impôt ou d'une autre mesure fiscale de celle-ci, ou modifier une telle entente, si d'une part, la taxe, l'impôt ou la mesure est conforme aux lignes directrices établies par les ministres fédéral et provinciaux responsables des finances et, d'autre part, l'Agence suit la procédure établie conjointement par le ministre et le ministre des Finances.

64. Réserve — Il est entendu que la présente loi n'a pas pour effet d'autoriser l'Agence à conclure une entente sous le régime des parties III, III.1 ou VII de la *Loi sur les arrangements fiscaux entre le gouvernement fédéral et les provinces*, la *Loi de mise en œuvre de l'Accord Canada — Nouvelle-Écosse sur les hydrocarbures extracôtiers* ou la *Loi de mise en œuvre de l'Accord atlantique Canada — Terre-Neuve* ou à modifier une entente conclue sous le régime d'une de ces lois.

65. Contrats internationaux — L'Agence ne peut conclure de contrats, d'ententes ou d'autres accords, à l'exception de contrats pour l'obtention par elle de biens et services, avec :

a) une organisation internationale;

b) le gouvernement d'un État étranger ou d'une de ses subdivisions politiques;

c) une institution d'une organisation ou d'un gouvernement visés aux alinéas a) ou b);

d) une personne agissant pour le compte ou à la demande d'un gouvernement, d'une organisation ou d'une institution visés aux alinéas a) à c).

66. Choix des fournisseurs de biens et services — Par dérogation à l'article 9 de la *Loi sur le ministère des Travaux publics et des Services gouvernementaux*, l'Agence peut se procurer des biens et services, à l'exception des services juridiques, à l'extérieur de l'administration publique fédérale.

67. (1) Services juridiques — Sous réserve du paragraphe (2), le procureur général du Canada conseille l'Agence sur toute question de droit qui la concerne et est chargé de ses intérêts dans tout litige où elle est partie.

(2) Réserve — L'Agence ne peut engager de conseillers juridiques, d'une part, ou retenir les services de conseillers juridiques de l'extérieur du ministère de la Justice, d'autre part, qu'avec l'agrément du gouverneur en conseil ou du procureur général du Canada.

68. Services de la Commission de la fonction publique — La Commission de la fonction publique peut, à la demande de l'Agence, exercer, à titre de services offerts à celle-ci, toute activité autorisée sous le régime de la *Loi sur l'emploi dans la fonction publique*; la Commission peut recouvrer les frais afférents à la prestation de ces services.

69. Action en justice — À l'égard des droits et obligations qu'elle assume sous le nom de Sa Majesté du chef du Canada ou sous le sien, l'Agence peut ester en justice sous son propre nom.

70. Inopposabilité — L'Agence ne peut opposer à des personnes qui traitent avec elle ou avec ses ayants droit — sauf si elles ont connaissance de la réalité — le fait que :

a) la présente loi ou les règlements administratifs de l'Agence n'ont pas été observés;

b) la personne qu'elle a présentée comme le commissaire ou l'un de ses administrateurs ou employés n'a pas été régulièrement nommée ou n'est pas habilitée à exercer les pouvoirs et fonctions habituels de son poste;

c) un document délivré par le commissaire ou l'un de ses administrateurs ou employés apparemment habilité à ce faire n'est pas valide du fait que l'intéressé n'avait pas réellement le pouvoir de le délivrer.

PROPRIÉTÉ INTELLECTUELLE

71. Propriété intellectuelle — L'Agence peut mettre en circulation et notamment concéder — sous licence ou par vente — des brevets, droits d'auteur, dessins industriels, marques de commerce ou titres de propriété analogues qu'elle détient ou dont elle est à l'origine.

72. Inventions — Par dérogation à l'article 9 de la *Loi sur les inventions des fonctionnaires*, l'administration et le contrôle de toute invention faite par un employé de l'Agence et dévolue à Sa Majesté en application de cette loi, ainsi que tout brevet délivré à cet égard, sont attribués à l'Agence.

IMMEUBLES ET BIENS RÉELS

73. Définitions — Les définitions qui suivent s'appliquent au présent article et aux articles 74 à 84.

« biens réels » S'entend au sens de l'article 2 de la *Loi sur les immeubles fédéraux et les biens réels fédéraux.*

« biens réels de l'Agence » Biens réels dont l'Agence a la gestion.

« gestion » S'entend du droit de gérer mais aussi d'utiliser, de construire, d'entretenir ou de réparer un immeuble ou un bien réel.

« immeuble » S'entend au sens de l'article 2 de la *Loi sur les immeubles fédéraux et les biens réels fédéraux.*

« immeubles de l'Agence » Immeubles dont l'Agence a la gestion.

« permis » S'entend au sens de l'article 2 de la *Loi sur les immeubles fédéraux et les biens réels fédéraux.*

Notes historiques: L'intertitre précédant l'article 73 et l'article 73 ont été remplacés par L.C. 2001, c. 4, art. 131 et cette modification est entrée en vigueur le 1er juin 2001. Antérieurement, ils se lisaient « Immeubles » et :

73. Les définitions suivantes s'appliquent au présent article et aux articles 74 à 84.

« gestion » S'entend du droit de gérer mais aussi d'utiliser, de construire, d'entretenir ou de réparer un immeuble.

« immeuble » S'entend au sens de l'article 2 de la *Loi sur les immeubles fédéraux*.

« immeuble de l'Agence » Immeuble dont l'Agence a la gestion.

« permis » S'entend au sens de l'article 2 de la *Loi sur les immeubles fédéraux*.

74. (1) Gestion des immeubles et biens réels — L'Agence a la gestion :

a) de tous les biens réels qu'elle acquiert, notamment par achat, location, transfert, don ou legs;

b) de tous les immeubles qu'elle acquiert, notamment par achat, transfert, don ou legs, ou qu'elle loue à titre de locataire.

(2) Titres de propriété — Les immeubles de l'Agence et les biens réels de l'Agence sont propriété de l'État; les titres afférents peuvent être au nom de Sa Majesté du chef du Canada ou de l'Agence.

(3) Transfert de la gestion d'immeubles et biens réels — Il est entendu que les immeubles et les biens réels dont la gestion a été transférée à l'Agence sont des immeubles de l'Agence et des biens réels de l'Agence.

Notes historiques: L'article 74 a été modifié par L.C. 2001, c. 4, art. 131 et cette modification est entrée en vigueur le 1er juin 2001. Cet article se lisait antérieurement comme suit :

74. (1) Gestion des immeubles — L'Agence a la gestion de tous les immeubles qu'elle acquiert, notamment par achat, location, transfert, don ou legs.

(2) Titres de propriété — Les immeubles de l'Agence sont propriété de l'État; les titres afférents peuvent être au nom de Sa Majesté du chef du Canada ou de l'Agence.

(3) Transfert de la gestion d'immeubles — Il est entendu que les immeubles dont la gestion a été transférée à l'Agence sont des immeubles de celle-ci.

75. (1) Acquisition — L'Agence peut, en son nom ou celui de Sa Majesté du chef du Canada :

a) acquérir des biens réels, notamment par achat, location, don ou legs;

b) acquérir des immeubles, notamment par achat, don ou legs, ou les louer à titre de locataire.

(2) Disposition — Elle peut :

a) disposer des biens réels de l'Agence, notamment par vente, location ou don;

b) disposer des immeubles de l'Agence, notamment par vente ou don, ou les louer à titre de locateur.

(3) Opérations avec Sa Majesté — Elle peut, comme si elle n'était pas mandataire de Sa Majesté :

a) acquérir des biens réels de Sa Majesté ou disposer en faveur de celle-ci des biens réels de l'Agence, notamment par acte de cession ou location;

b) acquérir des immeubles de Sa Majesté ou disposer en faveur de celle-ci des immeubles de l'Agence, notamment par acte de cession, ou louer des immeubles de Sa Majesté ou louer à celle-ci des immeubles de l'Agence.

Notes historiques: L'article 75 a été modifié par L.C. 2001, c. 4, art. 131 et cette modification est entrée en vigueur le 1er juin 2001. Cet article se lisait antérieurement comme suit :

75. (1) L'Agence peut acquérir des immeubles en son nom ou celui de Sa Majesté du chef du Canada, notamment par achat, location, don ou legs.

(2) Elle peut aliéner ses immeubles, notamment par vente, location ou don.

(3) Elle peut acquérir un immeuble de Sa Majesté ou s'en départir en sa faveur, notamment par acte de cession ou location, comme si elle n'était pas mandataire de Sa Majesté.

76. Permis — L'Agence peut délivrer ou acquérir un permis et renoncer aux droits conférés par un permis ou accepter la renonciation à ceux-ci.

Notes historiques: L'article 76 a été modifié par L.C. 2001, c. 4, art. 131 et cette modification est entrée en vigueur le 1er juin 2001. Cet article se lisait antérieurement comme suit :

76. L'Agence peut délivrer ou acquérir un permis et renoncer aux droits conférés par un permis ou accepter la renonciation à ceux-ci.

77. (1) Transfert d'immeubles ou de biens réels à une province — L'Agence peut transférer à Sa Majesté du chef d'une province la gestion et la maîtrise des immeubles de l'Agence et des biens réels de l'Agence.

(2) Transfert d'immeubles ou de biens réels à l'Agence — Elle peut accepter de Sa Majesté du chef d'une province le transfert de la gestion et de la maîtrise d'un immeuble ou d'un bien réel détenu par celle-ci.

Notes historiques: L'article 77 a été modifié par L.C. 2001, c. 4, art. 131 et cette modification est entrée en vigueur le 1er juin 2001. Cet article se lisait antérieurement comme suit :

77. (1) Transfert d'immeubles à une province — L'Agence peut transférer à Sa Majesté du chef d'une province la gestion et la maîtrise de ses immeubles.

(2) Transfert d'immeubles à l'Agence — Elle peut accepter de Sa Majesté du chef d'une province le transfert de la gestion et de la maîtrise d'un immeuble détenu par celle-ci.

78. (1) Concessions — L'Agence peut concéder les immeubles de l'Agence et les biens réels de l'Agence de l'une des façons suivantes :

a) par lettres patentes revêtues du grand sceau;

b) par un acte de concession présenté expressément comme ayant la même valeur que des lettres patentes;

c) par un plan, lorsque, sous régime juridique fédéral ou provincial, ce plan peut valoir acte de concession, d'affectation, de transfert ou de transport d'immeuble ou de bien réel;

d) par un acte qui, en vertu des lois de la province de situation de l'immeuble ou du bien réel, peut servir à en opérer le transfert par une personne physique;

e) s'il est situé à l'étranger, par tout acte qui, en vertu du droit du lieu, peut servir à en opérer le transfert.

(2) Baux — Le bail d'un immeuble de l'Agence ou d'un bien réel de l'Agence situé au Canada peut aussi être concédé par un acte non visé aux alinéas (1)a) et b), qu'il puisse ou non servir à opérer le transfert d'un immeuble ou d'un bien réel par une personne physique dans la province de situation de l'immeuble ou du bien réel.

(3) Équivalence — Les actes visés à l'alinéa (1)b) ont la même valeur que des lettres patentes revêtues du grand sceau.

Notes historiques: L'article 78 a été modifié par L.C. 2001, c. 4, art. 131 et cette modification est entrée en vigueur le 1er juin 2001. Cet article se lisait antérieurement comme suit :

78. (1) L'Agence peut concéder ses immeubles de l'une des façons suivantes :

a) par lettres patentes revêtues du grand sceau;

b) par un acte de concession ayant expressément la même valeur que des lettres patentes;

c) par un plan, lorsque, sous régime juridique fédéral ou provincial, ce plan peut valoir acte de concession, d'affectation ou de cession d'un immeuble;

d) par un acte qui, en vertu des lois de la province de situation de l'immeuble, peut servir à en opérer la cession entre sujets de droit privé;

e) s'il est situé à l'étranger, par tout acte qui, en vertu du droit du lieu, peut servir à en opérer la cession.

(2) Les droits de locataire sur un immeuble de l'Agence situé au Canada peuvent aussi être concédés par un acte non visé aux alinéas (1)a) et b), qu'il puisse ou non servir à opérer cession d'un immeuble entre sujets de droit privé dans la province de situation de l'immeuble.

(3) Les actes visés à l'alinéa (1)b) ont la même valeur que des lettres patentes revêtues du grand sceau.

79. Signature — L'acte de concession ou de cession d'un immeuble de l'Agence ou d'un bien réel de l'Agence, à l'exception des lettres patentes, de même que le permis relatif à un tel immeuble ou bien réel sont signés par les représentants autorisés de l'Agence.

Notes historiques: L'article 79 a été modifié par L.C. 2001, c. 4, art. 131 et cette modification est entrée en vigueur le 1er juin 2001. Cet article se lisait antérieurement comme suit :

79. L'acte de concession d'un immeuble de l'Agence, à l'exception des lettres patentes, de même que le permis relatif à un tel immeuble sont signés par les représentants autorisés de l'Agence.

80. Concession à l'Agence — L'Agence peut se concéder les immeubles de l'Agence et les biens réels de l'Agence.

Notes historiques: L'article 80 a été modifié par L.C. 2001, c. 4, art. 131 et cette modification est entrée en vigueur le 1er juin 2001. Cet article se lisait antérieurement comme suit :

80. L'Agence peut se concéder ses immeubles.

81. (1) Équipements collectifs — L'Agence peut fournir les équipements collectifs et autres services sur ou par un des immeubles de l'Agence ou des biens réels de l'Agence.

(2) Travaux — Dans le cadre de sa mission, elle peut, avec le consentement du propriétaire, engager des dépenses ou assurer la prestation de services ou la réalisation de travaux sur des immeubles ou des biens réels, ouvrages ou autres biens ne lui appartenant pas.

Notes historiques: L'article 81 a été modifié par L.C. 2001, c. 4, art. 131 et cette modification est entrée en vigueur le 1er juin 2001. Cet article se lisait antérieurement comme suit :

81. (1) L'Agence peut fournir les équipements collectifs et autres services sur ou par un de ses immeubles.

(2) Dans le cadre de sa mission, elle peut, avec le consentement du propriétaire, engager des dépenses ou assurer la prestation de services ou la réalisation de travaux sur des immeubles, ouvrages ou autres biens ne lui appartenant pas.

82. Subventions aux municipalités — L'Agence peut verser aux municipalités locales des subventions n'excédant pas le montant des taxes qui seraient perçues par celles-ci sur les immeubles de l'Agence et les biens réels de l'Agence si elle n'était pas mandataire de Sa Majesté.

Notes historiques: L'article 82 a été modifié par L.C. 2001, c. 4, art. 131 et cette modification est entrée en vigueur le 1er juin 2001. Cet article se lisait antérieurement comme suit :

82. L'Agence peut verser aux municipalités locales des subventions n'excédant pas le montant des taxes qui seraient perçues par celles-ci sur ses immeubles si elle n'était pas mandataire de Sa Majesté.

83. Contrepartie — Par dérogation à la *Loi sur la gestion des finances publiques*, le montant du loyer ou autre contrepartie prévus par un bail, une servitude, ou un permis touchant un immeuble de l'Agence ou un bien réel de l'Agence n'a pas à être équivalent aux coûts supportés par Sa Majesté du chef du Canada relativement au bien.

Notes historiques: L'article 83 a été modifié par L.C. 2001, c. 4, art. 131 et cette modification est entrée en vigueur le 1er juin 2001. Cet article se lisait antérieurement comme suit :

83. Par dérogation à la *Loi sur la gestion des finances publiques*, le montant du loyer ou autre contrepartie prévus par un bail, une servitude ou un permis touchant un immeuble de l'Agence n'a pas à être en rapport avec les coûts supportés par Sa Majesté du chef du Canada relativement à cet immeuble.

84. (1) Non-application de la *Loi sur les immeubles fédéraux et les biens réels fédéraux* — Sous réserve des paragraphes (2) et (3), la *Loi sur les immeubles fédéraux et les biens réels fédéraux* ne s'applique pas à l'Agence.

(2) Application de certaines dispositions — Les articles 8 et 9, le paragraphe 11(2) ainsi que les articles 12, 13 et 14 de la *Loi sur les immeubles fédéraux et les biens réels fédéraux* s'appliquent à l'Agence, la mention dans ces dispositions des immeubles fédéraux valant mention des immeubles de l'Agence, celle des biens réels fédéraux, mention des biens réels de l'Agence et celle de l'acte translatif visé à l'alinéa 5(1)b) de cette loi, mention de l'acte translatif visé à l'alinéa 78(1)b) de la présente loi.

(3) Application de l'al. 16(2)g) de la *Loi sur les immeubles fédéraux et les biens réels fédéraux* — L'alinéa 16(2)g) de la *Loi sur les immeubles fédéraux et les biens réels fédéraux* s'applique à l'Agence comme si elle était une société mandataire au sens de cette loi.

Notes historiques: L'article 84 a été modifié par L.C. 2001, c. 4, art. 131 et cette modification est entrée en vigueur le 1er juin 2001. Cet article se lisait antérieurement comme suit :

84. (1) Non-application de la *Loi sur les immeubles fédéraux* — Sous réserve des paragraphes (2) et (3), la *Loi sur les immeubles fédéraux* ne s'applique pas à l'Agence.

(2) Les articles 8 et 9, le paragraphe 11(2) ainsi que les articles 12, 13 et 14 de la *Loi sur les immeubles fédéraux* s'appliquent à l'Agence, la mention dans ces dispositions des immeubles fédéraux valant mention des immeubles de l'Agence et celle de l'acte translatif visé à l'alinéa 5(1)b) de cette loi, mention de l'acte translatif visé à l'alinéa 78(1)b) de la présente loi.

(3) L'alinéa 16(2)g) de la *Loi sur les immeubles fédéraux* s'applique à l'Agence comme si elle était une société mandataire au sens de cette loi.

85. Non-application d'autres lois — L'article 61 de la *Loi sur la gestion des finances publiques* et la *Loi sur les biens de surplus de la Couronne* ne s'appliquent pas à l'Agence.

86. Expropriation — Pour l'application de la *Loi sur l'expropriation*, le ministre est réputé être le ministre visé à l'alinéa b) de la définition de « ministre » à l'article 2 de cette loi et l'Agence est réputée être un ministère mentionné à l'annexe I de la *Loi sur la gestion des finances publiques*.

Rapports au parlement

87. Vérification et évaluation — Le vérificateur général du Canada est le vérificateur de l'Agence. À ce titre, il s'acquitte des tâches suivantes :

a) il examine chaque année les états financiers de l'Agence et donne à celle-ci et au ministre son avis sur ceux-ci;

b) il présente au ministre, au commissaire et au conseil une copie du rapport portant sur son examen fait en application du présent article.

Notes historiques: L'article 87 a été remplacé par L.C. 2012, c. 19, art. 189 et cette modification est réputée entrée en vigueur le 29 juin 2012. Par contre, les obligations prévues au présent article, dans leur version actuelle, continuent de s'appliquer à l'égard de l'exercice commençant le 1er avril 2012, mais ne s'appliquent à l'égard d'aucun exercice subséquent. Antérieurement, il se lisait ainsi :

87. Vérification et évaluation — Le vérificateur général du Canada est le vérificateur de l'Agence. À ce titre, il s'acquitte des tâches suivantes :

a) il examine chaque année les états financiers de l'Agence et donne à celle-ci et au ministre son avis sur ceux-ci;

b) il prépare périodiquement, selon les modalités qu'il estime raisonnables, une évaluation de la justesse et de la fiabilité des renseignements sur les résultats obtenus figurant dans le rapport d'activités de l'Agence;

c) il présente au ministre, au commissaire et au conseil une copie des rapports portant sur son examen et son évaluation faits en application du présent article.

88. (1) Rapport d'activités — Au plus tard le 31 décembre de chaque année suivant sa première année complète de fonctionnement, l'Agence présente au ministre un rapport d'activités pour l'exercice précédent; celui-ci en fait déposer un exemplaire devant chaque chambre du Parlement dans les quinze premiers jours de séance de celle-ci suivant sa réception.

(2) Contenu du rapport — Le rapport d'activités contient les éléments suivants :

a) les états financiers de l'Agence, calculés en conformité avec des principes comptables compatibles avec ceux qui sont utilisés lors de l'établissement des Comptes publics visés à l'article 64 de la *Loi sur la gestion des finances publiques*, et l'avis du vérificateur général du Canada sur ces états financiers;

b) des renseignements sur les résultats obtenus par rapport aux objectifs fixés dans le plan d'entreprise;

c) un résumé de l'évaluation des recours préparée en application de l'article 59;

d) tout rapport établi par la Commission de la fonction publique en application du paragraphe 56(1);

e) les autres renseignements que peut exiger le ministre.

Notes historiques: L'alinéa 88(2)b) a été remplacé par L.C. 2012, c. 19, art. 190 et cette modification est réputée entrée en vigueur le 29 juin 2012. Par contre, les obligations prévues au présent article, dans leur version actuelle, continuent de s'appliquer à l'égard de l'exercice commençant le 1er avril 2012, mais ne s'appliquent à l'égard d'aucun exercice subséquent. Antérieurement, il se lisait ainsi :

b) des renseignements sur les résultats obtenus par rapport aux objectifs fixés dans le plan d'entreprise ainsi qu'un résumé de toute évaluation du vérificateur général du Canada quant à la justesse et la fiabilité de ces renseignements;

89. (1) Examen de l'application de la loi — Cinq ans après l'entrée en vigueur du présent article, le comité soit de la Chambre des communes, soit du Sénat, soit mixte, désigné ou constitué à cette fin procède à un examen complet et à une évaluation des dispositions et de l'application de la présente loi ainsi que de leur effet.

(2) Rapport : examen — Le comité dépose ensuite, dans un délai raisonnable, son rapport au Parlement.

Application de la Loi sur les langues officielles

89.1 Application de la *Loi sur les langues officielles* — Il demeure entendu que la *Loi sur les langues officielles* s'applique à l'Agence et que, conformément à l'article 25 de cette loi, il incombe à celle-ci de veiller à ce que, tant au Canada qu'à l'étranger, les services offerts au public par des tiers pour son compte le soient, et à ce qu'ils puissent communiquer avec ceux-ci, dans l'une ou l'autre des langues officielles dans le cas où, offrant elle-même les services, elle serait tenue, au titre de la partie IV de la *Loi sur les langues officielles*, à une telle obligation.

Dispositions transitoires

90. Attributions — Les attributions qui, avant l'entrée en vigueur du présent article, étaient conférées en vertu d'une loi fédérale ou de ses textes d'application, ou au titre d'un contrat, bail, permis ou autre document, au sous-ministre du Revenu national ou à un fonctionnaire placé sous son autorité sont transférées, selon le cas, au commissaire ou à l'employé compétent de l'Agence.

91. (1) Maintien du personnel — Sous réserve de l'article 92, à l'entrée en vigueur du présent article, tout fonctionnaire engagé au ministère du Revenu national pour une durée indéterminée est réputé :

a) avoir été avisé par le ministère du Revenu national, conformément à l'article 7.4.1 de la Directive sur le réaménagement des effectifs, au sens du paragraphe 11(1) de la *Loi sur la gestion des finances publiques*, que l'Agence lui offre un emploi conforme à la formule de transition de catégorie 1 prévue à l'article 7.2.2 de cette directive;

b) avoir été licencié au titre de l'alinéa 11(2)g.1) de la *Loi sur la gestion des finances publiques*.

(2) Acceptation — S'il n'avise pas par écrit l'Agence de son refus dans les soixante jours suivant l'entrée en vigueur du présent article, il est réputé avoir accepté l'offre d'emploi conformément à l'article 7.4.2 de la Directive sur le réaménagement des effectifs et être devenu un employé de l'Agence à la date de son licenciement.

(3) Obligations à l'égard de certains employés — Les fonctionnaires qui refusent l'offre d'emploi visée au paragraphe (1) ont droit au traitement accordé, sous le régime de l'alinéa 11(2)g.1) et du paragraphe 11(2.01) de la *Loi sur la gestion des finances publiques* et de la partie VII de la Directive sur le réaménagement des effectifs, aux fonctionnaires qui refusent une offre d'emploi.

(4) Présomption — Les fonctionnaires visés au paragraphe (3) sont réputés être des employés de l'Agence à partir de la date d'entrée en vigueur du présent article jusqu'à celle de leur refus et l'Agence est réputée être leur employeur pendant cette période; elle est aussi réputée l'être après cette période pour les fins de ce paragraphe.

(5) Interprétation — Pour l'application du présent article, sont assimilées aux dispositions de la Directive sur le réaménagement des effectifs les dispositions équivalentes de toute convention collective qui les remplacent.

92. (1) Groupe de la direction — À l'entrée en vigueur du présent article, tout fonctionnaire engagé au ministère du Revenu national pour une durée indéterminée et faisant partie du groupe de la direction est réputé :

a) avoir reçu une offre d'emploi de l'Agence;

b) avoir été licencié au titre de l'alinéa 11(2)g.1) de la *Loi sur la gestion des finances publiques*.

(2) Non-application de la politique de transition — Les employés licenciés au titre du paragraphe (1) ne sont pas admissibles aux avantages prévus à la Politique de transition de carrière pour les cadres de direction du Conseil du Trésor.

(3) Acceptation — Ils sont réputés avoir accepté l'offre d'emploi et être devenus des employés de l'Agence à la date du licenciement s'ils n'avisent pas par écrit l'Agence de leur refus dans les soixante jours suivant l'entrée en vigueur du présent article.

(4) Conditions d'emploi — Les employés visés par le paragraphe (3) demeurent soumis aux mêmes conditions d'emploi tant qu'elles ne sont pas modifiées par l'Agence.

(5) Indemnités de départ — Les fonctionnaires réputés être devenus des employés de l'Agence en vertu du paragraphe (3) n'ont pas droit au versement en argent d'une indemnité de départ, mais l'Agence est réputée accepter leurs années de service accumulées aux fins de l'indemnité de départ prévue par le Conseil du Trésor sous le régime de la *Loi sur la gestion des finances publiques*.

(6) Refus — Les fonctionnaires qui refusent l'offre d'emploi visée au paragraphe (1) sont admissibles au traitement prévu par le paragraphe 11(2.01) de la *Loi sur la gestion des finances publiques* et à l'indemnité de départ prévue sous le régime de cette loi.

(7) Présomption — Les fonctionnaires visés au paragraphe (6) sont réputés être des employés de l'Agence à partir de la date d'entrée en vigueur du présent article jusqu'à celle de leur refus et l'Agence est réputée être leur employeur pendant cette période; elle est aussi réputée l'être après cette période pour les fins de ce paragraphe.

93. Employés engagés pour une durée déterminée et autres — À l'entrée en vigueur du présent article, toute personne engagée au ministère du Revenu national autrement que pour une durée indéterminée devient, aux mêmes conditions d'emploi, un employé de l'Agence.

94. (1) Transfert des postes — Les postes existant au sein du ministère du Revenu national à la date d'entrée en vigueur du présent article, à l'exception des postes prévus par une loi et dont les titulaires sont nommés par le gouverneur en conseil, sont transférés à l'Agence.

(2) Occupation des postes — Les personnes réputées avoir accepté l'offre d'emploi visée aux articles 91 ou 92 et les personnes visées à l'article 93 occupent au sein de l'Agence le poste qu'elles occupaient au sein du ministère du Revenu national.

95. (1) Stagiaires — À l'entrée en vigueur du présent article, les employés visés aux paragraphes 91(1) et 92(1) et à l'article 93 qui sont considérés comme des stagiaires dans le cadre de l'article 28 de la *Loi sur l'emploi dans la fonction publique* conservent ce statut, au sein de l'Agence, pour le reste de la période fixée par règlement de la Commission de la fonction publique individuellement ou pour la catégorie de fonctionnaires à laquelle ils appartiennent.

(2) Stagiaires de l'Agence — À l'entrée en vigueur de l'article 53, les employés de l'Agence qui sont considérés comme des stagiaires dans le cadre de l'article 28 de la *Loi sur l'emploi dans la fonction publique* conservent ce statut, au sein de l'Agence, pour le reste de la période fixée par règlement de la Commission de la fonction publique individuellement ou pour la catégorie de fonctionnaires à laquelle ils appartiennent.

(3) Renvoi — Le paragraphe 28(2) de la *Loi sur l'emploi dans la fonction publique* s'applique, avec les adaptations nécessaires, aux employés visés aux paragraphes (1) et (2), les mentions d'administrateur général et de fonctionnaire valant respectivement celles de commissaire et d'employé.

96. Prorogation des fonctions — Les employés de l'Agence nommés sous le régime de la *Loi sur l'emploi dans la fonction publique* de même que les personnes qui y ont été mutées sous le régime de cette loi, ou transférées en vertu des articles 91 à 93, avant l'entrée en vigueur de l'article 53 sont réputés avoir été nommés par l'Agence et continuent d'occuper leur poste pour la même durée de fonctions.

97. Postes désignés — Tout poste qualifié de poste désigné, au sens de l'article 2 de la *Loi sur les relations de travail dans la fonction publique*, qui, à l'entrée en vigueur du présent article, existait au sein du ministère du Revenu national continue d'être ainsi qualifié au sein de l'Agence jusqu'à la signature de la première convention collective par l'Agence et l'agent négociateur approprié.

98. Concours et nominations — L'entrée en vigueur de l'article 53 est sans effet sur la tenue des concours déjà ouverts ou les nominations en cours sous le régime de la *Loi sur l'emploi dans la fonction publique*.

99. Listes d'admissibilité — Les listes d'admissibilité établies sous le régime de la *Loi sur l'emploi dans la fonction publique* avant l'entrée en vigueur de l'article 53 continuent d'être valides pour la durée fixée sous le régime du paragraphe 17(2) de cette loi, sans que cette durée puisse toutefois être prolongée.

100. (1) Appels — Les appels interjetés dans le délai prévu à l'article 21 de la *Loi sur l'emploi dans la fonction publique* et en instance à la date d'entrée en vigueur de l'article 53 sont entendus et tranchés en conformité avec cette loi comme si cet article n'était pas en vigueur.

(2) Recours — Il en est de même pour les recours intentés sous le régime de la *Loi sur l'emploi dans la fonction publique* et en instance à la date d'entrée en vigueur de l'article 53.

101. (1) Griefs — Les griefs intentés sous le régime de la *Loi sur les relations de travail dans la fonction publique* par les fonctionnaires du ministère du Revenu national et en instance à la date d'entrée en vigueur de l'article 50 sont entendus et tranchés en conformité avec cette loi comme si cet article n'était pas en vigueur.

(2) Réintégration — Quiconque a été licencié au titre des alinéas 11(2)f) ou g) de la *Loi sur la gestion des finances publiques* avant l'entrée en vigueur de l'article 91 et ensuite réintégré dans ses fonctions par la Commission des relations de travail dans la fonction publique devient un employé de l'Agence à compter de la date de réintégration.

102. Transfert de crédits — Les sommes affectées pour l'exercice en cours à l'entrée en vigueur du présent article, par toute loi de crédits consécutive aux prévisions budgétaires de cet exercice, aux frais et dépenses d'administration publique du ministère du Revenu national sont considérées comme ayant été affectées aux frais et dépenses de l'Agence.

103. (1) Transfert des droits et obligations — La gestion des droits et biens de Sa Majesté du chef du Canada qui était confiée au ministère du Revenu national ainsi que les obligations et responsabilités de ce ministère sont transférées à l'Agence.

(2) Immeubles et biens réels — Sont également transférées à l'Agence la gestion des immeubles et des biens réels — et la responsabilité administrative des permis afférents — tels que définis à l'article 73, dont le ministre du Revenu national avait la gestion ou la responsabilité administrative pour les besoins du ministère du Revenu national avant l'entrée en vigueur du présent article.

(3) Validité des permis, licences, etc. — Tous les actes ou documents émanant du ministre ou du sous-ministre du Revenu national — ou d'un fonctionnaire placé sous leur autorité — qui sont en vigueur à la prise d'effet du présent article le demeurent jusqu'à leur expiration, modification, remplacement ou annulation.

(4) Renvois — Sauf indication contraire du contexte, dans tous les contrats, actes et documents établis au nom du ministère du Revenu national ou du ministre ou sous-ministre du Revenu national, la mention de ces derniers ou d'un fonctionnaire placé sous leur autorité vaut mention, selon le cas, de l'Agence, du ministre, du commissaire ou d'un employé de l'Agence.

Notes historiques: Le paragraphe 103(2) a été remplacé par L.C. 2001, c. 4, art. 132 et cette modification est entrée en vigueur le 1er juin 2001 [TR/2001-71]. Antérieurement, il se lisait ainsi :

> (2) Sont également transférées à l'Agence la gestion des immeubles et des biens réels — et la responsabilité administrative des permis afférents — tels que définis à l'article 73, dont le ministre du Revenu national avait la gestion ou la responsabilité administrative pour les besoins du ministère du Revenu national avant l'entrée en vigueur du présent article.

104. (1) Procédures judiciaires nouvelles — Toute procédure judiciaire visant les obligations ou les responsabilités assumées par le ministère du Revenu national peut être intentée contre l'Agence devant tout tribunal qui aurait pu en connaître si elle avait été intentée contre le ministère.

(2) Procédures en cours devant les tribunaux — L'Agence se substitue au ministère, au même titre et dans les mêmes conditions que celui-ci, comme partie aux procédures judiciaires en cours à la date d'entrée en vigueur du présent article et auxquelles le ministère est partie.

105. Valeur probante des documents — Tout affidavit signé ou document paraissant avoir été certifié par un fonctionnaire du ministère du Revenu national avant la date d'entrée en vigueur du présent article a la même valeur probante qu'un affidavit signé ou document paraissant avoir été certifié par un employé de l'Agence à compter de cette date.

MODIFICATIONS CORRÉLATIVES ET CONDITIONNELLES

106-185.1 [*Modifications*].

186. [*Abrogé*].

Notes historiques: L'article 186 et l'intertitre précédant l'article 186 ont été abrogés par L.C. 2005, c. 38, art. 52 et cette abrogation est entrée en vigueur le 12 décembre 2005 [C.P. 2005-2041 du 21 novembre 2005 (TR/2005-119)]. Antérieurement, ils se lisaient « Nouvelle terminologie » et :

> 186. Mentions — Dans les autres dispositions des lois fédérales ainsi que dans les textes d'application de toute loi fédérale et dans tout autre document, les expressions désignant le ministère du Revenu national ou le sous-ministre du Revenu national valent respectivement mention, sauf indication contraire du contexte, de l'Agence des douanes et du revenu du Canada ou du commissaire des douanes et du revenu.

ABROGATION

187. Abrogation — La *Loi sur le ministère du Revenu national* est abrogée.

ENTRÉE EN VIGUEUR

188. [*Omis*].

TAXE SUR LES PRODUITS ET SERVICES DES PREMIÈRES NATIONS, LOI SUR LA

Loi concernant la taxe sur les produits et services des premières nations

L.C. 2003, ch. 15, art. 67, telle que modifiée par DORS/2004-281; L.C. 2005, ch. 19, art. 3–11, 12 (ann.); DORS/2005-363; 2006, ch. 4, art. 91–97; DORS/2006-201; DORS/2006-294; DORS/2007-111; DORS/2007-185; DORS/2008-103; DORS/2008-234; DORS/2008-235; DORS/2009-281; DORS/2009-282; DORS/2009-283; DORS/2010-178 [Corrigé, Gaz. Can. 15/09/10, Vol. 144:19.]; DORS/2010-179 [Corrigé, Gaz. Can. 15/09/10, Vol. 144:19.]; DORS/2010-180 [Corrigé, Gaz. Can. 15/09/10, Vol. 144:19.]; DORS/2010-181 [Corrigé, Gaz. Can. 15/09/10, Vol. 144:19.]; DORS/2011-36; DORS/2011-213; DORS/2011-214; DORS/2011-266; DORS/2012-25; DORS/2012-31.

TITRE ABRÉGÉ

1. Titre abrégé — *Loi sur la taxe sur les produits et services des premières nations.*

DÉFINITIONS ET INTERPRÉTATION

2. (1) Définitions — Les définitions qui suivent s'appliquent à la présente loi.

« accord d'application » S'entend, à la partie 1, de l'accord visé au paragraphe 5(2) et, à la partie 2, de l'accord visé à l'article 22.

« bande » S'entend au sens du paragraphe 2(1) de la *Loi sur les Indiens*.

« corps dirigeant » Le corps d'une première nation dont le nom figure à l'annexe 1 en regard du nom de celle-ci.

« crédit de taxe sur les intrants » S'entend au sens de la partie IX de la *Loi sur la taxe d'accise*.

« fourniture taxable importée » S'entend au sens de l'article 217 de la *Loi sur la taxe d'accise*.

« ministre » Le ministre des Finances.

« organe autorisé » L'organe d'une première nation qui est autorisé à conclure un accord d'application.

« partie IX de la *Loi sur la taxe d'accise* » Comprend les annexes V à X de cette loi.

« réserve » S'entend au sens du paragraphe 2(1) de la *Loi sur les Indiens*.

« taxe nette » S'entend au sens de la partie IX de la *Loi sur la taxe d'accise*.

« terres » Les terres d'une première nation dont la description figure à l'annexe 1 en regard du nom de celle-ci.

(2) Termes définis au par. 123(1) de la *Loi sur la taxe d'accise* — À moins d'indication contraire, les termes de la partie 1 s'entendent au sens du paragraphe 123(1) de la *Loi sur la taxe d'accise*.

(3) Maison mobile ou maison flottante — Une maison mobile ou une maison flottante est réputée être un bien meuble corporel pour l'application des dispositions de la partie 1 et de tout texte législatif autochtone, au sens des paragraphes 11(1) ou 12(1), concernant le transfert de biens meubles corporels sur les terres d'une première nation.

(4) Application des présomptions — Les circonstances ou faits qui sont réputés exister aux termes d'une disposition de la partie IX de la *Loi sur la taxe d'accise* sont réputés exister lorsqu'il s'agit de déterminer les matières relativement auxquelles une première nation peut édicter un texte législatif autochtone, au sens des paragraphes 11(1) ou 12(1).

2005, ch. 19, art. 3

PARTIE 1 — TAXE SUR LES PRODUITS ET SERVICES DES PREMIÈRES NATIONS

Application d'autres lois fédérales

3. (1) Article 87 de la *Loi sur les Indiens* et dispositions semblables — L'obligation d'acquitter une taxe ou une autre somme à payer en vertu d'un texte législatif autochtone, au sens des paragraphes 11(1) ou 12(1), l'emporte sur l'application de l'exemption prévue à l'article 87 de la *Loi sur les Indiens* et de toute autre exemption fiscale, prévue par une autre loi fédérale, qui est semblable à cette exemption.

(1.1) Article 89 de la *Loi sur les Indiens* — Tout texte législatif autochtone, au sens des paragraphes 11(1) ou 12(1), ou toute obligation de payer une somme découlant de l'application de l'article 14 peut être mis en application par Sa Majesté du chef du Canada ou par un mandataire de la première nation malgré l'article 89 de la *Loi sur les Indiens*.

(2) Application prépondérante du par. 4(1) — Le corps dirigeant d'une première nation dont le nom figure à l'annexe 1 peut édicter un texte législatif imposant une taxe en vertu du paragraphe 4(1) malgré toute autre loi fédérale qui limite le pouvoir de la première nation en cette matière.

(3) Obligation de Sa Majesté — Si une disposition de la partie IX de la *Loi sur la taxe d'accise* lie Sa Majesté du chef du Canada ou d'une province, cette disposition, dans la mesure où elle s'applique dans le cadre d'un texte législatif autochtone, au sens des paragraphes 11(1) ou 12(1), ainsi que toute disposition de ce texte qui y correspond, lient Sa Majesté du chef du Canada ou d'une province pour l'application de ce texte.

2005, ch. 19, art. 5

Texte législatif concernant la taxe sur les produits et services d'une première nation

4. (1) Pouvoir d'imposition — Sous réserve du présent article, le corps dirigeant d'une première nation dont le nom figure à l'annexe 1 et qui est soit une bande, soit une première nation dont le pouvoir d'édicter des textes législatifs a été reconnu ou conféré par une autre loi fédérale ou par un accord mis en vigueur par une autre loi fédérale, peut édicter un texte législatif imposant :

a) une taxe relative aux fournitures taxables effectuées sur les terres de la première nation;

b) une taxe relative au transfert de biens meubles corporels sur les terres de la première nation depuis un endroit au Canada;

c) une taxe relative aux fournitures taxables importées effectuées sur les terres de la première nation.

(2) Fournitures sur des terres — Pour l'application du paragraphe (1), une fourniture, sauf une fourniture taxable importée, est effectuée sur les terres d'une première nation seulement si au moins une des conditions suivantes est remplie :

a) à supposer que les terres de la première nation constituent une province participante, la fourniture serait réputée, aux termes d'une disposition de la partie IX de la *Loi sur la taxe d'accise*, être effectuée dans cette province si, à la fois :

(i) les terres de chacune des autres premières nations relativement auxquelles un texte législatif autochtone, au sens des paragraphes 11(1) ou 12(1), est en vigueur au moment de la fourniture constituaient chacune une province participante distincte,

(ii) les provinces participantes dont le nom figure à l'annexe VIII de la *Loi sur la taxe d'accise* constituaient des provinces non participantes;

b) la taxe prévue à la partie IX de la *Loi sur la taxe d'accise* serait exigible relativement à la fourniture si ce n'était l'article 13, le lien entre la fourniture et ces terres et l'application de l'exemption prévue à l'article 87 de la *Loi sur les Indiens* ou de toute autre exemption fiscale, prévue par une autre loi fédérale, qui est semblable à cette exemption.

(3) **Fourniture d'un véhicule à moteur déterminé sur des terres** — Malgré le paragraphe (2), pour l'application de l'alinéa (1)a), la fourniture d'un véhicule à moteur déterminé, par bail, licence ou accord semblable faisant l'objet d'une convention qui prévoit une période de possession ou d'utilisation continues du véhicule de plus de trois mois, est effectuée sur les terres d'une première nation seulement si :

a) dans le cas d'un acquéreur qui est un particulier, il réside habituellement sur ces terres au moment de la fourniture;

b) dans le cas d'un acquéreur qui n'est pas un particulier, l'emplacement habituel du véhicule, déterminé pour l'application de l'annexe IX de la *Loi sur la taxe d'accise* au moment de la fourniture, se trouve sur ces terres.

(4) **Fourniture taxable importée sur des terres** — Pour l'application de l'alinéa (1)c), une fourniture taxable importée est effectuée sur les terres d'une première nation seulement si au moins une des conditions suivantes est remplie :

a) la taxe prévue au paragraphe 218.1(1) de la *Loi sur la taxe d'accise* serait exigible relativement à la fourniture si, à la fois :

(i) les terres de la première nation constituaient la province participante visée à ce paragraphe,

(ii) les terres de chacune des autres premières nations relativement auxquelles un texte législatif autochtone, au sens des paragraphes 11(1) ou 12(1), est en vigueur au moment de la fourniture constituaient chacune une province participante distincte,

(iii) les provinces participantes dont le nom figure à l'annexe VIII de la *Loi sur la taxe d'accise* constituaient des provinces non participantes,

(iv) l'acquéreur de la fourniture n'était pas une institution financière désignée particulière;

b) la taxe prévue à la partie IX de la *Loi sur la taxe d'accise* serait exigible relativement à la fourniture si ce n'était l'article 13, le lien entre la fourniture et ces terres et l'application de l'exemption prévue à l'article 87 de la *Loi sur les Indiens* ou de toute autre exemption fiscale, prévue par une autre loi fédérale, qui est semblable à cette exemption.

(5) **Transfert d'un bien sur des terres** — Sous réserve du paragraphe (6), la taxe relative au transfert d'un bien sur les terres d'une première nation n'est imposée sur le fondement d'un texte législatif de la première nation édicté en vertu du paragraphe (1) que dans le cas où le bien a été fourni, la dernière fois, par vente à l'auteur du transfert alors qu'un accord d'application était en vigueur relativement à ce texte et où une taxe aurait été exigible en vertu de la partie IX de la *Loi sur la taxe d'accise* relativement à la fourniture à un taux autre que nul n'eût été l'application de l'exemption prévue à l'article 87 de la *Loi sur les Indiens* ou de toute autre exemption fiscale, prévue par une autre loi fédérale, qui est semblable à cette exemption.

(6) **Exception** — Pour l'application de l'alinéa (1)b), la taxe relative au transfert d'un bien sur les terres d'une première nation n'est pas imposée dans le cas où :

a) avant le transfert, une taxe est devenue exigible de l'auteur du transfert relativement au bien en vertu d'un texte législatif autochtone, au sens des paragraphes 11(1) ou 12(1), ou en vertu de l'article 212 de la *Loi sur la taxe d'accise*;

b) la taxe prévue au paragraphe 220.05(1) de la *Loi sur la taxe d'accise* ne serait pas exigible relativement au transfert si, à la fois :

(i) les terres de la première nation constituaient la province participante visée à ce paragraphe,

(ii) les terres de chacune des autres premières nations relativement auxquelles un texte législatif autochtone, au sens des paragraphes 11(1) ou 12(1), est en vigueur au moment du transfert constituaient chacune une province participante distincte,

(iii) les provinces participantes dont le nom figure à l'annexe VIII de la *Loi sur la taxe d'accise* constituaient des provinces non participantes,

(iv) les alinéas 220.05(3)a) et b) de la *Loi sur la taxe d'accise*, l'article 18 de la partie I de l'annexe X de cette loi, l'exemption prévue à l'article 87 de la *Loi sur les Indiens* et toute autre exemption fiscale, prévue par une autre loi fédérale, qui est semblable à cette exemption ne s'appliquaient pas relativement au transfert.

(7) **Transporteurs** — Pour l'application de la présente partie, le bien qu'une personne donnée transfère sur les terres d'une première nation pour le compte d'une autre personne est réputé avoir été transféré par cette dernière et non par la personne donnée.

(8) **Montant de taxe — transfert d'un bien sur des terres** — Pour l'application du paragraphe (1), le montant de taxe qui peut être imposé en vertu du texte législatif d'une première nation relativement au transfert d'un bien sur les terres de celle-ci correspond au montant obtenu par la formule suivante :

$$A \times B$$

où :

A représente le taux de taxe établi au paragraphe 165(1) de la *Loi sur la taxe d'accise*;

B :

a) si le bien, que l'auteur du transfert a acquis la dernière fois par vente, a été livré à celui-ci dans les trente jours précédant le transfert, la valeur de la contrepartie sur laquelle la taxe prévue à la partie IX de la *Loi sur la taxe d'accise* aurait été calculée relativement à la vente n'eût été l'application de l'exemption prévue à l'article 87 de la *Loi sur les Indiens* ou de toute autre exemption fiscale, prévue par une autre loi fédérale, qui est semblable à cette exemption;

b) dans les autres cas, la moins élevée des sommes suivantes :

(i) la juste valeur marchande du bien au moment de son transfert,

(ii) la valeur de la contrepartie visée à l'alinéa a).

(9) **Déclaration et paiement de la taxe** — La taxe qui est imposée par un texte législatif d'une première nation, édicté en vertu du paragraphe (1), relativement au transfert d'un bien sur les terres de la première nation devient exigible de l'auteur du transfert au moment du transfert. Au surplus, l'auteur du transfert est tenu :

a) s'il est un inscrit qui a acquis le bien pour le consommer, l'utiliser ou le fournir principalement dans le cadre de ses activités commerciales, de payer la taxe au receveur général au plus tard à la date où sa déclaration concernant la taxe nette est à produire en vertu du texte législatif pour la période de déclaration où la taxe est devenue exigible, et d'indiquer le montant de cette taxe dans cette déclaration;

b) sinon, de payer la taxe au receveur général et de présenter au ministre du Revenu national, en la forme et selon les modalités déterminées par celui-ci, une déclaration la concernant et contenant les renseignements requis, au plus tard le dernier jour du mois suivant le mois civil où la taxe est devenue exigible.

(10) Montant de taxe — fourniture sur des terres — Pour l'application des alinéas (1)a) et c), le montant de taxe qui peut être imposé en vertu du texte législatif d'une première nation relativement à une fourniture correspond à celui qui serait imposé en vertu de la partie IX de la *Loi sur la taxe d'accise* relativement à la fourniture si, à la fois :

a) la *Loi sur la taxe d'accise* s'appliquait relativement à la fourniture, mais non le texte législatif en question, ni l'exemption prévue à l'article 87 de la *Loi sur les Indiens*, ni aucune autre exemption fiscale, prévue par une autre loi fédérale, qui est semblable à cette exemption;

b) le montant était déterminé compte non tenu du sous-alinéa (v) de l'élément A de la première formule figurant à la définition de « teneur en taxe » au paragraphe 123(1) de la *Loi sur la taxe d'accise* ni du sous-alinéa (vi) de l'élément J de la quatrième formule figurant à cette définition;

c) la taxe prévue aux paragraphes 165(2), 212.1(2) ou 218.1(1) ou à la section IV.1 de la partie IX de la *Loi sur la taxe d'accise* n'entrait pas dans le calcul du montant.

(11) Application — Tout texte législatif édicté en vertu du paragraphe (1) par le corps dirigeant d'une première nation est appliqué, et la taxe imposée en vertu de ce texte est perçue, conformément à un accord d'application conclu aux termes du paragraphe 11(2) par l'organe autorisé de la première nation.

2005, ch. 19, art. 6

5. (1) Taxe attribuable à une première nation — L'accord d'application relatif à un texte législatif autochtone, au sens des paragraphes 11(1) ou 12(1), d'une première nation donnée prévoit le versement, par le gouvernement du Canada à la première nation donnée, au titre de ce texte, de sommes fondées sur une estimation pour chaque année civile du total (appelé « taxe attribuable à la première nation » au présent article) des montants suivants :

a) l'excédent du total visé au sous-alinéa (i) sur le total visé au sous-alinéa (ii) :

(i) le total des montants dont chacun représente le montant de taxe (sauf une taxe payable par une institution financière désignée) qui, pendant que le texte en question était en vigueur, est devenu exigible au cours de l'année en vertu d'un texte législatif autochtone, au sens des paragraphes 11(1) ou 12(1), ou de la partie IX de la *Loi sur la taxe d'accise*, à l'exception des paragraphes 165(2), 212.1(2) et 218.1(1) et de la section IV.1, et qui est attribuable à un bien ou à un service destiné à être consommé ou utilisé sur les terres de la première nation donnée,

(ii) le total des montants dont chacun est inclus dans le total déterminé selon le sous-alinéa (i) et, selon le cas :

(A) est inclus dans le calcul soit d'un crédit de taxe sur les intrants, soit d'une déduction pouvant entrer dans le calcul de la taxe nette d'une personne,

(B) peut raisonnablement être considéré comme un montant qu'une personne peut ou pouvait recouvrer au moyen d'un remboursement, d'une remise ou autrement, en vertu d'un texte législatif autochtone, au sens des paragraphes 11(1) ou 12(1), ou d'une loi fédérale,

(C) est un montant de taxe relatif à la fourniture effectuée au profit d'une personne qui est exonérée du paiement de la taxe en vertu d'une loi fédérale ou de tout autre texte législatif;

b) le total des montants dont chacun est déterminé relativement à une institution financière désignée et correspond au montant obtenu par la formule suivante :

$$A \times B$$

où :

A représente l'excédent qui serait déterminé selon l'alinéa a) relativement à l'institution financière s'il n'était pas tenu compte du passage « destiné à être consommé ou utilisé sur les terres de la première nation donnée » au sous-alinéa a)(i) et si les montants visés à ce sous-alinéa comprenaient des montants de taxe exigibles de l'institution financière mais non d'une autre personne,

B le pourcentage qui représenterait, pour l'application de l'élément C de la formule figurant au paragraphe 225.2(2) de la *Loi sur la taxe d'accise*, le pourcentage applicable à l'institution financière quant à la première nation donnée pour la dernière année d'imposition de l'institution financière se terminant dans l'année civile en question (ou, en l'absence d'une telle année d'imposition, pour la période qui correspondrait à cette dernière année d'imposition si l'année d'imposition de l'institution financière qui est comprise en partie dans cette année civile s'était terminée à la fin de cette même année) si l'institution financière était une institution financière désignée particulière et si les terres de la première nation donnée constituaient une province participante.

(2) Accord d'application — Avec l'approbation du gouverneur en conseil, le ministre peut conclure, avec l'organe autorisé d'une première nation et pour le compte du gouvernement du Canada, un accord relatif à un texte législatif autochtone, au sens des paragraphes 11(1) ou 12(1), de la première nation. Cet accord porte notamment sur les points suivants :

a) la méthode pour estimer, d'après les formules, règles, conditions et sources de données indiquées dans l'accord, la taxe attribuable à la première nation;

b) le partage éventuel, entre la première nation et le gouvernement du Canada, de la taxe attribuable à la première nation;

c) la conservation par le gouvernement du Canada, comme ses propres biens, des sommes suivantes :

(i) la partie éventuelle de la taxe totale imposée par la première nation en vertu du texte législatif autochtone qui n'est pas incluse dans la taxe attribuable à la première nation,

(ii) la part éventuelle, revenant au gouvernement du Canada en vertu de l'alinéa b), de la taxe attribuable à la première nation;

d) les versements effectués sur le Trésor par le gouvernement du Canada à la première nation — et auxquels celle-ci a droit aux termes de l'accord — relativement à la taxe attribuable à la première nation, les conditions d'admissibilité à ces versements, le calendrier et les modalités de paiement, et le versement par la première nation au gouvernement du Canada des paiements en trop ou des avances effectués par ce dernier ou le droit du gouvernement du Canada d'appliquer ces paiements en trop ou avances en réduction d'autres sommes à payer à la première nation aux termes de l'accord;

e) l'application du texte législatif autochtone par le gouvernement du Canada, et la perception, par ce dernier, des sommes imposées en vertu de ce texte;

f) la communication à la première nation par le gouvernement du Canada de renseignements obtenus lors de l'application du texte législatif autochtone ou, sous réserve de l'article 295 de la *Loi sur la taxe d'accise*, de la partie IX de cette loi, et la communication au gouvernement du Canada par la première nation de renseignements obtenus lors de l'application du texte législatif autochtone;

g) la façon de rendre compte des sommes perçues en conformité avec l'accord;

h) le paiement par le gouvernement du Canada et ses mandataires et entités subalternes de sommes imposées en vertu du texte législatif autochtone ou de tout autre texte législatif autochtone, au sens des paragraphes 11(1) ou 12(1), et le paiement par la première nation et ses mandataires et entités subalternes de sommes imposées en vertu du texte législatif autochtone, de tout autre texte législatif autochtone, au sens des paragraphes 11(1) ou 12(1), ou de la partie IX de la *Loi sur la taxe d'accise*;

i) la façon de rendre compte des paiements visés à l'alinéa h);

j) l'observation par le gouvernement du Canada et ses mandataires et entités subalternes du texte législatif autochtone et de tout autre texte législatif autochtone, au sens des paragraphes 11(1) ou 12(1), et l'observation par la première nation et ses mandataires et entités subalternes du texte législatif autochtone, de tout autre texte législatif autochtone, au sens des paragraphes 11(1) ou 12(1), et de la partie IX de la *Loi sur la taxe d'accise*;

k) d'autres questions concernant le texte législatif autochtone et dont l'inclusion est indiquée pour la mise en oeuvre ou l'application de ce texte.

(3) Accords modificatifs — Avec l'approbation du gouverneur en conseil, le ministre peut conclure, avec l'organe autorisé d'une première nation et pour le compte du gouvernement du Canada, un accord modifiant un accord d'application conclu avec la première nation ou un accord conclu aux termes du présent paragraphe.

(4) Versements à la première nation — Le ministre, s'il a conclu, pour le compte du gouvernement du Canada, un accord d'application avec l'organe autorisé d'une première nation, peut verser à celle-ci sur le Trésor :

a) des sommes déterminées en conformité avec l'accord, selon le calendrier convenu dans l'accord;

b) des avances sur les sommes visées à l'alinéa a), en conformité avec l'accord.

(5) Versements à d'autres personnes — Sous réserve du paragraphe (6), si un accord d'application a été conclu relativement à un texte législatif autochtone, au sens des paragraphes 11(1) ou 12(1), des sommes peuvent être versées à une personne sur le Trésor au titre d'un montant qui est payable à celle-ci aux termes de ce texte en conformité avec l'accord.

(6) Avance recouvrable sur le Trésor — Si aucun montant sur lequel un versement peut être fait en application du paragraphe (5) en conformité avec un accord d'application n'est détenu pour le compte d'une première nation ou si le versement excède le montant ainsi détenu, un versement peut être fait en application du paragraphe (5) à titre d'avance recouvrable sur le Trésor, à condition que le remboursement du montant ou de l'excédent par la première nation soit prévu dans l'accord.

6. Autorisation d'effectuer des versements — Malgré toute autre loi fédérale, les versements effectués aux termes d'un accord d'application sous le régime des paragraphes 5(4), (5) ou (6) peuvent être effectués sans autre affectation de crédits ou autorisation.

7. (1) Entrée en vigueur — texte législatif édicté en vertu du par. 4(1) — Le texte législatif édicté en vertu du paragraphe 4(1) entre en vigueur, au plus tôt, à la date de la réception par le ministre d'une copie du texte ou, si elle est postérieure, à la date de l'entrée en vigueur de l'accord d'application relatif à ce texte.

(2) Présomption — Le texte législatif édicté en vertu du paragraphe 4(1) est réputé ne pas être en vigueur, à moins que l'accord d'application y afférent ne le soit.

(3) Loi sur les textes réglementaires — Le texte législatif édicté en vertu du paragraphe 4(1) n'est pas assujetti à la *Loi sur les textes réglementaires*.

8. Preuve — La copie d'un texte législatif autochtone, au sens des paragraphes 11(1) ou 12(1), édicté par le corps dirigeant d'une première nation constitue, si elle est certifiée conforme, une preuve que le texte a été régulièrement édicté par le corps dirigeant et, dans le cas d'un texte législatif édicté en vertu du paragraphe 4(1), qu'il a été reçu par le ministre, sans qu'il soit nécessaire de prouver l'authenticité de la signature ou la qualité officielle de la personne l'ayant certifiée conforme, cette personne étant :

a) dans le cas d'un texte législatif autochtone au sens du paragraphe 11(1), le ministre ou la personne qu'il autorise;

b) dans le cas d'un texte législatif autochtone au sens du paragraphe 12(1), la personne autorisée par le corps dirigeant.

9. (1) Texte législatif d'une bande — Le texte législatif qui est édicté en vertu du paragraphe 4(1) par le corps dirigeant d'une bande n'est valide que si le pouvoir du corps dirigeant d'édicter ce texte est exercé en conformité avec l'alinéa 2(3)b) de la *Loi sur les Indiens*. Nul texte législatif de cette nature n'est invalide en raison d'un vice de forme.

(2) Dépenses — Le pouvoir du corps dirigeant d'une bande de faire des dépenses sur les fonds versés par le gouvernement du Canada aux termes d'un accord d'application relatif à un texte législatif édicté en vertu du paragraphe 4(1) par le corps dirigeant n'est validement exercé qu'en conformité avec l'alinéa 2(3)b) de la *Loi sur les Indiens*.

(3) Publication — Le corps dirigeant d'une bande est tenu de fournir, sur demande, une copie de tout texte législatif qu'il a édicté en vertu du paragraphe 4(1); il est aussi tenu de le publier dans un journal à grand tirage au lieu où le texte s'applique ainsi que dans la publication intitulée *First Nations Gazette*. Toutefois, le défaut de publication ne porte pas atteinte à la validité du texte législatif.

(4) Argent des Indiens — Les fonds prélevés par suite de l'imposition d'une taxe prévue par le texte législatif d'une première nation édicté en vertu du paragraphe 4(1) ne constituent pas de l'argent des Indiens au sens du paragraphe 2(1) de la *Loi sur les Indiens*.

10. (1) Première nation — dispositions d'autres lois fédérales — Sous réserve du paragraphe (2), si une autre loi fédérale ou un accord mis en vigueur par une autre loi fédérale reconnaît ou confère, à une première nation autre qu'une bande, le pouvoir d'édicter un texte législatif et que cette loi ou cet accord contienne des dispositions portant sur des questions telles les dépenses à faire sur les fonds prélevés sous le régime d'un texte législatif de la première nation en matière de taxation, la prise de ce texte ou le style, la forme, l'enregistrement, la communication ou la publication de celui-ci, ces dispositions s'appliquent, avec les adaptations nécessaires, dans le cadre d'un texte législatif de la première nation qui est édicté en vertu du paragraphe 4(1).

(2) Exception — Le paragraphe (1) ne s'applique pas dans la mesure où les dispositions portant sur les questions visées à ce paragraphe figurent dans un texte législatif d'une première nation édicté en vertu d'un pouvoir reconnu ou conféré par une autre loi fédérale ou par un accord mis en vigueur par une autre loi fédérale.

11. (1) Définition de « texte législatif autochtone » — Au présent article, « texte législatif autochtone » s'entend d'un texte législatif édicté en vertu du paragraphe 4(1).

(2) Accord d'application — L'organe autorisé d'une première nation peut conclure un accord d'application relatif à un texte législatif autochtone édicté par le corps dirigeant de la première nation.

(3) Règles d'application — Dans le cas où l'organe autorisé d'une première nation et le ministre ont conclu un accord d'application relatif à un texte législatif autochtone, les règles suivantes s'appliquent :

a) chaque disposition de la partie IX de la *Loi sur la taxe d'accise*, à l'exception de toute disposition créant une infraction criminelle, s'applique, avec les adaptations nécessaires, dans le cadre du texte législatif autochtone comme si la taxe visée à chacun des alinéas 4(1)a) et c) qui est imposée en vertu de ce texte était imposée en vertu du paragraphe 165(1) et de l'article 218 de cette loi respectivement et, sous réserve du paragraphe 4(9), comme si la taxe visée à l'alinéa 4(1)b) qui est imposée en vertu de ce texte était imposée en vertu du paragraphe 220.05(1) de cette loi relativement au transfert d'un bien dans une province participante; il n'en demeure pas moins que le texte législatif autochtone n'a pour effet d'imposer une taxe que dans la mesure prévue à l'article 4;

b) le texte législatif autochtone s'applique comme si la taxe imposée en vertu de la partie IX de la *Loi sur la taxe d'accise* était imposée en vertu de ce texte et comme si les dispositions de cette partie concernant cette taxe, à l'exception de toute disposition créant une infraction criminelle, faisaient partie de ce texte; il n'en demeure pas moins que le texte législatif autochtone n'a pour effet d'imposer une taxe que dans la mesure prévue à l'article 4;

c) la partie IX de la *Loi sur la taxe d'accise* s'applique, sauf dans le cadre de l'alinéa a), comme si la taxe imposée en vertu du texte législatif autochtone était imposée en vertu de cette partie et comme si les dispositions de ce texte concernant cette taxe faisaient partie de cette partie; il n'en demeure pas moins que la partie IX de cette loi n'a pour effet d'imposer une taxe que dans la mesure qui y est prévue;

d) les lois fédérales, à l'exception de la présente loi et de la partie IX de la *Loi sur la taxe d'accise*, s'appliquent comme si la taxe visée à chacun des alinéas 4(1)a) et c) qui est imposée en vertu du texte législatif autochtone était imposée en vertu du paragraphe 165(1) et de l'article 218 de la *Loi sur la taxe d'accise* respectivement et, sous réserve du paragraphe 4(9), comme si la taxe visée à l'alinéa 4(1)b) qui est imposée en vertu de ce texte était imposée en vertu du paragraphe 220.05(1) de cette loi relativement au transfert d'un bien dans une province participante;

e) il est entendu que :

(i) tout acte accompli en vue de remplir une exigence du texte législatif autochtone qui remplirait une exigence correspondante de la partie IX de la *Loi sur la taxe d'accise*, si la taxe imposée en vertu de ce texte était imposée en vertu de cette partie, remplit l'exigence du texte,

(ii) tout acte accompli en vue d'exercer un pouvoir, un droit ou un privilège prévu par le texte législatif autochtone qui constituerait l'exercice valide d'un pouvoir, droit ou privilège correspondant prévu par la partie IX de la *Loi sur la taxe d'accise*, si la taxe imposée en vertu de ce texte était imposée en vertu de cette partie, constitue l'exercice valide du pouvoir, droit ou privilège prévu par le texte,

(iii) tout acte accompli en vue de remplir une exigence ou d'exercer un pouvoir, un droit ou un privilège prévu par la partie IX de la *Loi sur la taxe d'accise* est accompli pour l'application à la fois de cette partie et du texte législatif autochtone,

(iv) tout acte accompli en vue de remplir une exigence ou d'exercer un pouvoir, un droit ou un privilège prévu par le texte législatif autochtone est accompli pour l'application à la fois de ce texte et de la partie IX de la *Loi sur la taxe d'accise*,

(v) quiconque est un inscrit pour l'application de la partie IX de la *Loi sur la taxe d'accise* l'est pour l'application à la fois de cette partie et du texte législatif autochtone,

(vi) quiconque est un inscrit pour l'application du texte législatif autochtone l'est pour l'application à la fois de ce texte et de la partie IX de la *Loi sur la taxe d'accise*,

(vii) toute procédure qui pourrait être engagée en application d'une autre loi fédérale relativement à la taxe imposée en vertu de la partie IX de la *Loi sur la taxe d'accise* peut être engagée relativement à la taxe imposée en vertu du texte législatif autochtone,

(viii) la présente partie n'a pas pour effet de conférer à un corps dirigeant le pouvoir d'édicter des textes législatifs en matière de droit criminel.

2005, ch. 19, art. 7

Texte législatif autochtone édicté en vertu d'un pouvoir distinct

12. (1) Définition de « texte législatif autochtone » — Au présent article, « texte législatif autochtone » s'entend d'un texte législatif qui est édicté par le corps dirigeant d'une première nation dont le nom figure à l'annexe 1 en vertu d'un pouvoir reconnu ou conféré par une autre loi fédérale ou par un accord mis en vigueur par une autre loi fédérale. Ce texte et son application doivent toutefois être conformes aux paragraphes 4(1) à (10), aux alinéas 11(3)a) et b) et aux sous-alinéas 11(3)e)(i) à (iii), (v) et (viii).

(2) Règles d'application — Dans le cas où l'organe autorisé d'une première nation et le ministre ont conclu un accord d'application relatif à un texte législatif autochtone, les règles suivantes s'appliquent :

a) la partie IX de la *Loi sur la taxe d'accise* s'applique comme si la taxe imposée en vertu du texte législatif autochtone était imposée en vertu de cette partie et comme si les dispositions de ce texte concernant cette taxe faisaient partie de cette partie; il n'en demeure pas moins que cette partie n'a pour effet d'imposer une taxe que dans la mesure qui y est prévue;

b) les lois fédérales, à l'exception de la présente loi et de la partie IX de la *Loi sur la taxe d'accise*, s'appliquent comme si la taxe visée à chacun des alinéas 4(1)a) et c) qui est imposée en vertu du texte législatif autochtone était imposée en vertu du paragraphe 165(1) et de l'article 218 de la *Loi sur la taxe d'accise* respectivement et, sous réserve du paragraphe 4(9), comme si la taxe visée à l'alinéa 4(1)b) qui est imposée en vertu de ce texte était imposée en vertu du paragraphe 220.05(1) de cette loi relativement au transfert d'un bien dans une province participante;

c) il est entendu que :

(i) tout acte accompli en vue de remplir une exigence ou d'exercer un pouvoir, un droit ou un privilège prévu par le texte législatif autochtone est accompli pour l'application à la fois de ce texte et de la partie IX de la *Loi sur la taxe d'accise*,

(ii) quiconque est un inscrit pour l'application du texte législatif autochtone l'est pour l'application à la fois de ce texte et de la partie IX de la *Loi sur la taxe d'accise*,

(iii) toute procédure qui pourrait être engagée en application d'une autre loi fédérale relativement à la taxe imposée en vertu de la partie IX de la *Loi sur la taxe d'accise* peut être engagée relativement à la taxe imposée en vertu du texte législatif autochtone.

(3) Cessation de l'accord — Dès qu'un accord d'application relatif à un texte législatif autochtone cesse d'avoir effet, la présente partie s'applique comme si ce texte avait été abrogé au même moment.

2005, ch. 19, art. 8

Accord d'application et partie IX de la Loi sur la taxe d'accise

13. Taxe non exigible — Si un accord d'application relatif à un texte législatif autochtone, au sens des paragraphes 11(1) ou 12(1), est en vigueur, aucune taxe, à l'exception de celle imposée selon les paragraphes 165(2), 212.1(2) ou 218.1(1) ou la section IV.1 de la partie IX de la *Loi sur la taxe d'accise*, n'est exigible, ni n'est réputée avoir été payée ou perçue en vertu de cette partie relativement à une fourniture dans la mesure où cette taxe est exigible, ou est réputée avoir été payée ou perçue, selon le cas, relativement à la fourniture en vertu du texte législatif autochtone.

Infractions

14. Infractions — Lorsqu'un accord d'application relatif à un texte législatif autochtone, au sens des paragraphes 11(1) ou 12(1), est en vigueur et qu'une personne commet une action ou omission relative à ce texte qui constituerait une infraction prévue par une disposition de la partie IX de la *Loi sur la taxe d'accise* ou d'un règlement pris sous son régime si elle était commise relativement à cette partie ou à ce règlement :

a) sous réserve de l'alinéa b), la personne est coupable d'une infraction punissable sur déclaration de culpabilité par procédure sommaire;

b) le procureur général du Canada peut choisir de poursuivre la personne par voie de mise en accusation si une infraction prévue par cette disposition peut être poursuivie de cette manière;

c) sur déclaration de culpabilité, la personne est passible de la peine prévue par cette disposition.

Dispositions générales

15. Modification de l'annexe 1 — Le gouverneur en conseil peut, par décret, modifier l'annexe 1 pour y ajouter, en retrancher ou y changer le nom d'une première nation, le nom du corps dirigeant d'une première nation ou la description des terres d'une première nation.

2005, ch. 19, art. 9

16. (1) Rapports d'information — Si un accord d'application conclu par l'organe autorisé d'une première nation est en vigueur, le ministre du Revenu national peut, pour l'application de cet accord, exiger de toute personne ayant un lieu d'affaires sur les terres de la première nation, ou y maintenant des éléments d'actif d'une entreprise, qu'elle produise un rapport concernant les fournitures liées au lieu d'affaires ou à l'entreprise qu'elle a effectuées ou les biens ou services acquis ou importés pour consommation, utilisation ou fourniture relativement à ces terres et à ce lieu d'affaires ou cette entreprise.

(2) Production — Le rapport contient les renseignements déterminés par le ministre du Revenu national et lui est présenté en la forme et selon les modalités qu'il autorise ainsi que dans le délai qu'il précise.

PARTIE 2 — TAXE DE VENTE DES PREMIÈRES NATIONS — PROVINCES VISÉES

Définitions

17. Définitions — Les définitions qui suivent s'appliquent à la présente partie et à l'annexe 2.

« conseil de bande » S'entend au sens de « conseil de la bande », au paragraphe 2(1) de la *Loi sur les Indiens*.

« directe » Pour distinguer une taxe directe d'une taxe indirecte, a le même sens qu'à la catégorie 2 de l'article 92 de la *Loi constitutionnelle de 1867*.

« loi provinciale parallèle » En ce qui concerne un texte législatif de bande, le texte législatif de la province visée dont le nom figure à l'annexe 2 en regard du nom du conseil de bande ayant édicté le texte législatif de bande, ou toute disposition d'un texte législatif de cette province, auquel le texte législatif de bande est similaire.

« loi québécoise parallèle » [Abrogée, 2006, ch. 4, art. 92(1).]

« province visée » Province dont le nom figure à l'annexe 2.

« réserves au Québec » [Abrogée, 2006, ch. 4, art. 92(1).]

« taxe de vente » Toute taxe d'application générale payable par une personne selon le prix, la quantité ou la valeur, relativement à la consommation, à la fourniture, à la location, à l'utilisation ou à la vente d'un bien ou d'un service.

« texte législatif de bande » Texte législatif édicté par un conseil de bande en vertu de l'article 23.

2005, ch. 19, art. 10; 2006, ch. 4, art. 92

Application d'autres lois

[Intertitre ajouté, 2005, ch. 19, art. 10.]

18. (1) Article 87 de la *Loi sur les Indiens* et dispositions semblables — L'obligation d'acquitter une taxe ou une autre somme à payer en vertu d'un texte législatif de bande l'emporte sur l'application de l'exemption prévue à l'article 87 de la *Loi sur les Indiens* et de toute autre exemption fiscale, prévue par une autre loi fédérale, qui est semblable à cette exemption.

(2) Article 89 de la *Loi sur les Indiens* — Tout texte législatif de bande peut être mis en application par un mandataire de la bande malgré l'article 89 de la *Loi sur les Indiens*.

2005, ch. 19, art. 10

19. Loi sur les textes réglementaires — Le texte législatif de bande n'est pas assujetti à la *Loi sur les textes réglementaires*.

2005, ch. 19, art. 10

20. Application prépondérante de l'art. 23 — Le conseil de bande peut édicter un texte législatif de bande malgré toute autre loi fédérale qui limite son pouvoir d'édicter un texte législatif imposant une taxe.

2005, ch. 19, art. 10

21. Application d'autres lois — Si une loi d'une province visée prévoit qu'une ou plusieurs lois de la province s'appliquent comme si la taxe imposée en vertu d'un texte législatif de bande était imposée en vertu d'une loi particulière de la province, les lois fédérales, à l'exception de la présente loi, s'appliquent comme si cette taxe était imposée en vertu de cette loi particulière.

2005, ch. 19, art. 10; 2006, ch. 4, art. 93

Accord d'application

[Intertitre ajouté, 2005, ch. 19, art. 10.]

22. Pouvoir de conclure un accord — Le conseil de bande peut, au nom de la bande, conclure avec le gouvernement de la province visée dont le nom figure à l'annexe 2, en regard du nom du conseil, un accord d'application relatif au texte législatif de bande qu'il a édicté.

2005, ch. 19, art. 10; 2006, ch. 4, art. 93

Délégation

[Intertitre ajouté, 2005, ch. 19, art. 10.]

23. (1) Pouvoir d'imposition — Le conseil de bande dont le nom figure à l'annexe 2 peut édicter un texte législatif qui impose une taxe de vente directe, ainsi que toute autre somme dont le paiement peut être exigé relativement à l'imposition de cette taxe, dans les limites des réserves de la bande — dont le nom ou la description figure à cette annexe en regard du nom du conseil — qui sont situées dans la province visée dont le nom figure à cette annexe en regard du nom du conseil.

(2) Loi provinciale parallèle — Un texte législatif ne peut être édicté en vertu du paragraphe (1) que s'il se rattache à une seule loi provinciale parallèle qui y est nommée expressément.

(3) Force de loi — Le texte législatif édicté en vertu du paragraphe (1) n'a force de loi que si, à la fois :

a) un accord d'application relativement au texte est en vigueur;

b) cet accord a été conclu entre le conseil de bande et le gouvernement de la province visée dont le nom figure à l'annexe 2 en regard du nom du conseil;

c) le texte est appliqué, et la taxe de vente directe qu'il impose est perçue, conformément à cet accord;

d) le nom de la bande, le nom du conseil de bande, le nom ou la description des réserves de la bande dans les limites desquelles le texte s'applique et le nom de la province visée où ces réserves sont situées figurent à l'annexe 2, les uns en regard des autres;

e) la loi provinciale parallèle à laquelle le texte se rattache est en vigueur.

(4) Conformité à la *Loi sur les Indiens* — Le texte législatif édicté en vertu du paragraphe (1) n'est valide que si le pouvoir du conseil de bande d'édicter ce texte est exercé en conformité avec l'alinéa 2(3)b) de la *Loi sur les Indiens*. Nul texte législatif de cette nature n'est invalide en raison d'un vice de forme.

(5) Exclusion — droit criminel — La présente partie n'a pas pour effet de conférer au conseil de bande le pouvoir d'édicter des textes législatifs en matière de droit criminel.

2005, ch. 19, art. 10; 2006, ch. 4, art. 94

24. Entrée en vigueur du texte législatif — Sous réserve du paragraphe 23(3), le texte législatif de bande entre en vigueur à la date prévue dans l'accord d'application conclu en vertu de l'article 22 relativement à ce texte.

2005, ch. 19, art. 10; 2006, ch. 4, art. 95

25. Preuve — La copie d'un texte législatif de bande constitue, si elle est certifiée conforme par le ministre ou une personne qu'il autorise, une preuve que le texte a été régulièrement édicté par le conseil de bande sans qu'il soit nécessaire de prouver l'authenticité de la signature ou la qualité officielle du ministre ou de la personne.

2005, ch. 19, art. 10

26. Publication — Le conseil de bande est tenu de fournir, sur demande, une copie de tout texte législatif de bande qu'il a édicté; il est aussi tenu de le publier dans un journal à grand tirage au lieu où le texte s'applique ainsi que dans la publication intitulée *First Nations Gazette*. Toutefois, le défaut de publication ne porte pas atteinte à la validité du texte législatif.

2005, ch. 19, art. 10

27. Dépenses — Le pouvoir du conseil de bande de faire des dépenses sur les fonds qui lui sont versés aux termes d'un accord d'application n'est validement exercé qu'en conformité avec l'alinéa 2(3)b) de la *Loi sur les Indiens*.

2005, ch. 19, art. 10

28. Argent des Indiens — Les fonds prélevés en application d'un texte législatif de bande ne constituent pas de l'argent des Indiens au sens du paragraphe 2(1) de la *Loi sur les Indiens*.

2005, ch. 19, art. 10

Disposition générale

[Intertitre ajouté, 2005, ch. 19, art. 10.]

29. Modification de l'annexe 2 — Le gouverneur en conseil peut, par décret, modifier l'annexe 2 pour y ajouter, en retrancher ou y changer le nom d'une bande, le nom d'un conseil de bande, le nom ou la description des réserves d'une bande ou le nom d'une province visée.

2005, ch. 19, art. 10; 2006, ch. 4, art. 96

ANNEXE 1 — NOM DES PREMIÈRES NATIONS ET DES CORPS DIRIGEANTS ET DESCRIPTION DES TERRES

(paragraphes 2(1), 3(2), 4(1) et 12(1) et article 15)

Colonne 1 Première nation	Colonne 2 Corps dirigeant	Colonne 3 Terres
Adams Lake	Council of Adams Lake	Réserve de Adams Lake
Blueberry River First Nations	Council of Blueberry River First Nations	Réserves de Blueberry River First Nations
Bonaparte	Council of Bonaparte	Toute réserve de Bonaparte non partagé avec une autre bande
Buffalo Point First Nation	Council of Buffalo Point First Nation	Toute réserve de Buffalo Point First Nation non partagée avec une autre bande
Burrard, aussi connue sous le nom de Tsleil-Waututh Nation	Council of Burrard	Réserve de Burrard
Conseil des Ta'an Kwach'an	Board of Directors and Elders Council of the Ta'an Kwach'an Council	Terres visées par le règlement, au sens de l'accord définitif du conseil des Ta'an Kwach'an, et appelées « terres désignées » dans la *Loi sur le règlement des revendications territoriales des premières nations du Yukon*, L.C. 1994, ch. 34
Conseil des Tlingits de Teslin	General Council of the Teslin Tlingit Council	Terres visées par le règlement, au sens de l'accord définitif du conseil des Tlingits de Teslin, et appelées « terres désignées » dans la *Loi sur le règlement des revendications territoriales des premières nations du Yukon*, L.C. 1994, ch. 34
Cowessess	Council of Cowessess	Toute réserve de Cowessess non partagée avec une autre bande
Cowichan	Council of Cowichan	Réserve de Cowichan
Enoch Cree Nation #440	Council of the Enoch Cree Nation #440	Réserve de l'Enoch Cree Nation #440
Frog Lake	Council of Frog Lake	Toute réserve de Frog Lake non partagée avec une autre bande
Innue Essipit	Conseil de la Première Nation des Innus Essipit	Réserve Innue Essipit
Kahkewistahaw	Council of Kahkewistahaw	Toute réserve de Kahkewistahaw non partagée avec une autre bande
Kamloops	Council of Kamloops	Toute réserve de Kamloops non partagée avec une autre bande

Lois connexes

Colonne 1 Bande	Colonne 2 Conseil de bande	Colonne 3 Réserves	Colonne 4 Province visée
Cowessess	Conseil de Cowessess	Toute réserve de Cowessess non partagée avec une autre bande	Saskatchewan
Dakota Tipi	Conseil de Dakota Tipi	Réserve de Dakota Tipi	Manitoba
Fox Lake	Conseil de Fox Lake	Réserves de Fox Lake	Manitoba
Gamblers	Conseil de Gamblers	Toute réserve de Gamblers non partagée avec une autre bande	Manitoba
Innue Essipit	Conseil de la Première Nation des Innus Essipit	Réserve Innue Essipit	Québec
Kahkewistahaw	Conseil de Kahkewistahaw	Toute réserve de Kahkewistahaw non partagée avec une autre bande	Saskatchewan
Keeseekoowenin	Conseil de Keeseekoowenin	Réserve de Keeseekoowenin	Manitoba
Lake St. Martin	Conseil de Lake St. Martin	Réserves de Lake St. Martin	Manitoba
Nation crie de Chemawawin	Conseil de la Nation crie de Chemawawin	Réserves de la Nation crie de Chemawawin	Manitoba
Nation crie de Manto Sipi	Conseil de la Nation crie de Manto Sipi	Réserves de la Nation crie de Manto Sipi	Manitoba
Nation crie de Mosakahiken	Conseil de la Nation crie de Mosakahiken	Réserves de la Nation crie de Mosakahiken	Manitoba
Nation crie de Nisichawayasihk	Conseil de la Nation crie de Nisichawayasihk	Réserves de la Nation crie de Nisichawayasihk	Manitoba
Nation crie de Sapotaweyak	Conseil de la Nation crie de Sapotaweyak	Toute réserve de la Nation crie de Sapotaweyak non partagée avec une autre bande	Manitoba
Nation crie de Tataskweyak	Conseil de la Nation crie de Tataskweyak	Réserves de la Nation crie de Tataskweyak	Manitoba
Nation crie Peter Ballantyne	Conseil de la Nation crie Peter Ballantyne	Réserves de la Nation crie Peter Ballantyne	Saskatchewan
Nation dakota de Sioux Valley	Conseil de la Nation dakota de Sioux Valley	Toute réserve de la Nation dakota de Sioux Valley non partagée avec une autre bande	Manitoba
Nation ojibway de Brokenhead	Conseil de la Nation ojibway de Brokenhead	Toute réserve de la Nation ojibway de Brokenhead non partagée avec une autre bande	Manitoba
Pine Creek	Conseil de Pine Creek	Toute réserve de Pine Creek non partagée avec une autre bande	Manitoba
Première Nation anishinabe de Roseau River	Conseil de la Première Nation anishinabe de Roseau River	Réserves de la Première Nation anishinabe de Roseau River	Manitoba
Première Nation de Barren Lands	Conseil de la Première Nation de Barren Lands	Réserve de la Première Nation de Barren Lands	Manitoba
Première Nation de Barren Lands	Conseil de la Première Nation de Barren Lands	Réserve de la Première Nation de Barren Lands	Manitoba
Première Nation de Buffalo Point	Conseil de la Première Nation de Buffalo Point	Toute réserve de la Première Nation de Buffalo Point non partagée avec une autre bande	Manitoba
Première Nation de Canupawakpa Dakota	Conseil de la Première Nation de Canupawakpa Dakota	Réserve de la Première Nation de Canupawakpa Dakota	Manitoba
Première Nation de Cross Lake	Conseil de la Première Nation de Cross Lake	Réserves de la Première Nation de Cross Lake	Manitoba
Première Nation de Fisher River	Conseil de la Première Nation de Fisher River	Réserves de la Première Nation de Fisher River	Manitoba
Première Nation de Garden Hill	Conseil de la Première Nation de Garden Hill	Réserves de la Première Nation de Garden Hill	Manitoba
Première Nation de God's Lake	Conseil de la Première Nation de God's Lake	Réserves de la Première Nation de God's Lake	Manitoba
Première Nation de Grand Rapids	Conseil de la Première Nation de Grand Rapids	Réserve de la Première Nation de Grand Rapids	Manitoba
Première Nation de Hollow Water	Conseil de la Première Nation de Hollow Water	Réserve de la Première Nation de Hollow Water	Manitoba
Première Nation de Lake Manitoba	Conseil de la Première Nation de Lake Manitoba	Réserve de la Première Nation de Lake Manitoba	Manitoba

Colonne 1 Bande	Colonne 2 Conseil de bande	Colonne 3 Réserves	Colonne 4 Province visée
Première Nation de Little Black River	Conseil de la Première Nation de Little Black River	Réserve de la Première Nation de Little Black River	Manitoba
Première Nation de Little Grand Rapids	Conseil de la Première Nation de Little Grand Rapids	Réserve de la Première Nation de Little Grand Rapids	Manitoba
Première Nation de Little Saskatchewan	Conseil de la Première Nation de Little Saskatchewan	Réserves de la Première Nation de Little Saskatchewan	Manitoba
Première Nation de Long Plain	Conseil de la Première Nation de Long Plain	Réserve de la Première Nation de Long Plain	Manitoba
Première Nation de Mosquito, Grizzly Bear's Head, Lean Man	Conseil de la Première Nation de Mosquito, Grizzly Bear's Head, Lean Man	Réserves de la Première Nation de Mosquito, Grizzly Bear's Head, Lean Man	Saskatchewan
Première Nation dénée de Northlands	Conseil de la Première Nation dénée de Northlands	Réserve de la Première Nation dénée de Northlands	Manitoba
Première Nation de Pauingassi	Conseil de la Première Nation de Pauingassi	Réserve de la Première Nation de Pauingassi	Manitoba
Première Nation de Poplar River	Conseil de la Première Nation de Poplar River	Réserve de la Première Nation de Poplar River	Manitoba
Première Nation de Red Sucker Lake	Conseil de la Première Nation de Red Sucker Lake	Réserves de la Première Nation de Red Sucker Lake	Manitoba
Première Nation de Rolling River	Conseil de la Première Nation de Rolling River	Toute réserve de la Première Nation de Rolling River non partagée avec une autre bande	Manitoba
Première Nation de Sandy Bay	Conseil de la Première Nation de Sandy Bay	Réserve de la Première Nation de Sandy Bay	Manitoba
Première Nation de Sayisi Dene	Conseil de la Première Nation de Sayisi Dene	Réserve de la Première Nation de Sayisi Dene	Manitoba
Première Nation de Shamattawa	Conseil de la Première Nation de Shamattawa	Réserve de la Première Nation de Shamattawa	Manitoba
Première Nation de Skownan	Conseil de la Première Nation de Skownan	Réserve de la Première Nation de Skownan	Manitoba
Première Nation de St. Theresa Point	Conseil de la Première Nation de St. Theresa Point	Réserves de la Première Nation de St. Theresa Point	Manitoba
Première Nation de Swan Lake	Conseil de la Première Nation de Swan Lake	Réserves de la Première Nation de Swan Lake	Manitoba
Première Nation de War Lake	Conseil de la Première Nation de War Lake	Réserves de la Première Nation de War Lake	Manitoba
Première Nation de Wasagamack	Conseil de la Première Nation de Wasagamack	Réserves de la Première Nation de Wasagamack	Manitoba
Première Nation de Waywayseecappo Treaty Four–1874	Conseil de la Première Nation de Waywayseecappo Treaty Four–1874	Toute réserve de la Première Nation de Waywayseecappo Treaty Four–1874 non partagée avec une autre bande	Manitoba
Première Nation de Wuskwi Sipihk	Conseil de la Première Nation de Wuskwi Sipihk	Toute réserve de la Première Nation de Wuskwi Sipihk non partagée avec une autre bande	Manitoba
Première Nation de York Factory	Conseil de la Première Nation de York Factory	Réserve de la Première Nation de York Factory	Manitoba
Première Nation des Sioux de Birdtail	Conseil de la Première Nation des Sioux de Birdtail	Toute réserve de la Première Nation des Sioux de Birdtail non partagée avec une autre bande	Manitoba
Première Nation d'O-Chi-Chak-Ko-Sipi	Conseil de la Première Nation d'O-Chi-Chak-Ko-Sipi	Réserve de la Première Nation d'O-Chi-Chak-Ko-Sipi	Manitoba
Première Nation Mathias Colomb	Conseil de la Première Nation Mathias Colomb	Réserves de la Première Nation Mathias Colomb	Manitoba
Première Nation Pinaymootang	Conseil de la Première Nation de Pinaymootang	Réserve de la Première Nation de Pinaymootang	Manitoba
Tootinaowaziibeeng Treaty Reserve	Conseil de Tootinaowaziibeeng Treaty Reserve	Réserve de Tootinaowaziibeeng Treaty Reserve	Manitoba
White Bear	Conseil de White Bear	Toute réserve de White Bear non partagée avec une autre bande	Saskatchewan

une intention différente, le texte applicable, au Canada, à l'exploration et à l'exploitation :

a) des ressources minérales et autres ressources naturelles non biologiques des fonds marins et de leur sous-sol;

b) des organismes vivants qui appartiennent aux espèces sédentaires, c'est-à-dire les organismes qui, au stade où ils peuvent être pêchés, sont soit immobiles sur le fond ou au-dessous du fond, soit incapables de se déplacer autrement qu'en restant constamment en contact avec le fond ou le sous-sol.

(3) **Extra-territorialité** — Dans le cas de lois fédérales encore en vigueur, édictées avant le 11 décembre 1931 et dont la portée extra-territoriale était, en tout ou en partie, expressément prévue ou susceptible de se déduire logiquement de leur objet, le Parlement est réputé avoir été investi, à la date de leur édiction, du pouvoir conféré par le *Statut de Westminster de 1931* de faire des lois à portée extra-territoriale.

RÈGLES D'INTERPRÉTATION

Propriété et droits civils

8.1 Tradition bijuridique et application du droit provincial — Le droit civil et la common law font pareillement autorité et sont tous deux sources de droit en matière de propriété et de droits civils au Canada et, s'il est nécessaire de recourir à des règles, principes ou notions appartenant au domaine de la propriété et des droits civils en vue d'assurer l'application d'un texte dans une province, il faut, sauf règle de droit s'y opposant, avoir recours aux règles, principes et notions en vigueur dans cette province au moment de l'application du texte.

8.2 Terminologie — Sauf règle de droit s'y opposant, est entendu dans un sens compatible avec le système juridique de la province d'application le texte qui emploie à la fois des termes propres au droit civil de la province de Québec et des termes propres à la common law des autres provinces, ou qui emploie des termes qui ont un sens différent dans l'un et l'autre de ces systèmes.

Lois d'intérêt privé

9. Effets — Les lois d'intérêt privé n'ont d'effet sur les droits subjectifs que dans la mesure qui y est prévue.

Permanence de la règle de droit

10. Principe général — La règle de droit a vocation permanente; exprimée dans un texte au présent intemporel, elle s'applique à la situation du moment de façon que le texte produise ses effets selon son esprit, son sens et son objet.

Obligation et pouvoirs

11. Expression des notions — L'obligation s'exprime essentiellement par l'indicatif présent du verbe porteur de sens principal et, à l'occasion, par des verbes ou expressions comportant cette notion. L'octroi de pouvoirs, de droits, d'autorisations ou de facultés s'exprime essentiellement par le verbe « pouvoir » et, à l'occasion, par des expressions comportant ces notions.

Solution de droit

12. Principe et interprétation — Tout texte est censé apporter une solution de droit et s'interprète de la manière la plus équitable et la plus large qui soit compatible avec la réalisation de son objet.

Préambules et notes marginales

13. Préambule — Le préambule fait partie du texte et en constitue l'exposé des motifs.

14. Notes marginales — Les notes marginales ainsi que les mentions de textes antérieurs apparaissant à la fin des articles ou autres éléments du texte ne font pas partie de celui-ci, n'y figurant qu'à titre de repère ou d'information.

Dispositions interprétatives

15. (1) Application — Les définitions ou les règles d'interprétation d'un texte s'appliquent tant aux dispositions où elles figurent qu'au reste du texte.

(2) **Restriction** — Les dispositions définitoires ou interprétatives d'un texte :

a) n'ont d'application qu'à défaut d'indication contraire;

b) s'appliquent, sauf indication contraire, aux autres textes portant sur un domaine identique.

16. Terminologie des règlements — Les termes figurant dans les règlements d'application d'un texte ont le même sens que dans celui-ci.

Sa Majesté

17. Non-obligation, sauf indication contraire — Sauf indication contraire y figurant, nul texte ne lie Sa Majesté ni n'a d'effet sur ses droits et prérogatives.

Proclamations

18. (1) Auteur — Les proclamations dont la prise est autorisée par un texte émanent du gouverneur en conseil.

(2) **Prise sur décret** — Les proclamations que le gouverneur général est autorisé à prendre sont considérées comme prises au titre d'un décret du gouverneur en conseil; toutefois il n'est pas obligatoire, dans ces proclamations, de faire état de leur rattachement au décret.

(3) **Date de prise d'effet** — La date de la prise d'une proclamation sur décret du gouverneur en conseil peut être considérée comme celle du décret même ou comme toute date ultérieure; le cas échéant, la proclamation prend effet à la date ainsi considérée.

Serments

19. (1) Prestation — Dans les cas de dépositions sous serment ou de prestations de serment prévues par un texte ou par une règle du Sénat ou de la Chambre des communes, peuvent faire prêter le serment et en donner attestation :

a) les personnes autorisées par le texte ou la règle à recevoir les dépositions;

b) les juges, notaires, juges de paix ou commissaires aux serments compétents dans le ressort où s'effectue la prestation.

(2) **Exercice des pouvoirs d'un juge de paix** — Le pouvoir conféré à un juge de paix de faire prêter serment ou de recevoir des déclarations ou affirmations solennelles, ou des affidavits, peut être exercé par un notaire ou un commissaire aux serments.

Rapports au Parlement

20. Dépôt unique — Une loi imposant le dépôt d'un rapport ou autre document au Parlement n'a pas pour effet d'obliger à ce dépôt au cours de plus d'une session.

Personnes morales

21. (1) Pouvoirs — La disposition constitutive d'une personne morale comporte :

a) l'attribution du pouvoir d'ester en justice, de contracter sous sa dénomination, d'avoir un sceau et de le modifier, d'avoir succession perpétuelle, d'acquérir et de détenir des biens meubles dans l'exercice de ses activités et de les aliéner;

b) l'attribution, dans le cas où sa dénomination comporte un libellé français et un libellé anglais, ou une combinaison des deux, de la faculté de faire usage de l'un ou l'autre, ou des deux, et d'avoir soit un sceau portant l'empreinte des deux, soit un sceau distinct pour chacun d'eux;

c) l'attribution à la majorité de ses membres du pouvoir de lier les autres par leurs actes;

d) l'exonération de toute responsabilité personnelle à l'égard de ses dettes, obligations ou actes pour ceux de ses membres qui ne contreviennent pas à son texte constitutif.

(2) Dénomination bilingue — La dénomination d'une personne morale constituée par un texte se compose de son libellé français et de son libellé anglais même si elle ne figure dans chaque version du texte que selon le libellé correspondant à la langue de celle-ci.

(3) Commerce de banque — Une personne morale ne peut se livrer au commerce de banque que si son texte constitutif le prévoit expressément.

Majorité et quorum

22. (1) Majorité — La majorité d'un groupe de plus de deux personnes peut accomplir les actes ressortissant aux pouvoirs ou obligations du groupe.

(2) Quorum — Les dispositions suivantes s'appliquent à tout organisme — tribunal, office, conseil, commission, bureau ou autre — d'au moins trois membres constitué par un texte :

a) selon que le texte attribue à l'organisme un effectif fixe ou variable, le quorum est constitué par la moitié de l'effectif ou par la moitié du nombre de membres en fonctions, pourvu que celui-ci soit au moins égal au minimum possible de l'effectif;

b) tout acte accompli par la majorité des membres de l'organisme présents à une réunion, pourvu que le quorum soit atteint, vaut acte de l'organisme;

c) une vacance au sein de l'organisme ne fait pas obstacle à son existence ni n'entrave son fonctionnement, pourvu que le nombre de membres en fonctions ne soit pas inférieur au quorum.

Nominations, cessation des fonctions et pouvoirs

23. (1) Amovibilité — Indépendamment de leur mode de nomination et sauf disposition contraire du texte ou autre acte prévoyant celle-ci, les fonctionnaires publics sont réputés avoir été nommés à titre amovible.

(2) Actes de nomination revêtus du grand sceau — La date de la prise d'un acte de nomination revêtu du grand sceau peut être considérée comme celle de l'autorisation de la prise de l'acte ou une date ultérieure, la nomination prenant effet à la date ainsi considérée.

(3) Autres actes de nomination — Les actes portant nomination à un poste ou louage de services et dont un texte prévoit qu'ils n'ont pas à être revêtus du grand sceau peuvent fixer, pour leur date de prise d'effet, celle de l'entrée en fonctions du titulaire du poste ou du début de la prestation des services, ou une date ultérieure; la date ainsi fixée est, sauf si elle précède de plus de soixante jours la date de prise de l'acte, celle de la prise d'effet de la nomination ou du louage.

(4) Rémunération — L'autorité investie du pouvoir de nomination peut fixer ou modifier la rémunération de la personne nommée ou y mettre fin.

(5) Entrée en fonctions ou cessation de fonctions — La nomination ou la cessation de fonctions qui sont prévues pour une date déterminée prennent effet à zéro heure à cette date.

24. (1) Pouvoirs implicites des fonctionnaires publics — Le pouvoir de nomination d'un fonctionnaire public à titre amovible comporte pour l'autorité qui en est investie les autres pouvoirs suivants :

a) celui de mettre fin à ses fonctions, de le révoquer ou de le suspendre;

b) celui de le nommer de nouveau ou de le réintégrer dans ses fonctions;

c) celui de nommer un remplaçant ou une autre personne chargée d'agir à sa place.

(2) Exercice des pouvoirs ministériels — La mention d'un ministre par son titre ou dans le cadre de ses attributions, que celles-ci soient d'ordre administratif, législatif ou judiciaire, vaut mention :

a) de tout ministre agissant en son nom ou, en cas de vacance de la charge, du ministre investi de sa charge en application d'un décret;

b) de ses successeurs à la charge;

c) de son délégué ou de celui des personnes visées aux alinéas *a)* et *b)*;

d) indépendamment de l'alinéa *c)*, de toute personne ayant, dans le ministère ou département d'État en cause, la compétence voulue.

(3) Restriction relative aux fonctionnaires — Les alinéas (2)*c)* ou *d)* n'ont toutefois pas pour effet d'autoriser l'exercice du pouvoir de prendre des règlements au sens de la *Loi sur les textes réglementaires*.

(4) Successeurs et délégué d'un fonctionnaire public — La mention d'un fonctionnaire public par son titre ou dans le cadre de ses attributions vaut mention de ses successeurs à la charge et de son ou leurs délégués ou adjoints.

(5) Pouvoirs du titulaire d'une charge publique — Les attributions attachées à une charge peuvent être exercées par son titulaire effectivement en poste.

Preuve

25. (1) Preuve documentaire — Fait foi de son contenu en justice sauf preuve contraire le document dont un texte prévoit qu'il établit l'existence d'un fait sans toutefois préciser qu'il l'établit de façon concluante.

(2) Imprimeur de la Reine — La mention du nom ou du titre de l'imprimeur de la Reine et contrôleur de la papeterie ou de l'imprimeur de la Reine, portée sur les exemplaires d'un texte, est réputée être la mention de l'imprimeur de la Reine pour le Canada.

Calcul des délais

26. Jours fériés — Tout acte ou formalité peut être accompli le premier jour ouvrable suivant lorsque le délai fixé pour son accomplissement expire un jour férié.

27. (1) Jours francs — Si le délai est exprimé en jours francs ou en un nombre minimal de jours entre deux événements, les jours où les événements surviennent ne comptent pas.

(2) Délais non francs — Si le délai est exprimé en jours entre deux événements, sans qu'il soit précisé qu'il s'agit de jours francs, seul compte le jour où survient le second événement.

« mer territoriale »

a) S'agissant du Canada, la mer territoriale délimitée en conformité avec la *Loi sur les océans*, y compris les fonds marins et leur sous-sol, ainsi que l'espace aérien correspondant;

b) s'agissant de tout autre État, la mer territoriale de cet État, délimitée en conformité avec le droit international et le droit interne de ce même État.

« militaire » S'applique à tout ou partie des Forces canadiennes.

« mois » Mois de l'année civile.

« Parlement » Le Parlement du Canada.

« personne » Personne physique ou morale; l'une et l'autre notions sont visées dans des formulations générales, impersonnelles ou comportant des pronoms ou adjectifs indéfinis.

« personne morale » Entité dotée de la personnalité morale, à l'exclusion d'une société de personnes à laquelle le droit provincial reconnaît cette personnalité.

« plateau continental »

a) S'agissant du Canada, le plateau continental délimité en conformité avec la *Loi sur les océans*;

b) s'agissant de tout autre État, le plateau continental de cet État, délimité en conformité avec le droit international et le droit interne de ce même État.

« proclamation » Proclamation sous le grand sceau.

« province » Province du Canada, ainsi que le Yukon, les Territoires du Nord-Ouest et le territoire du Nunavut.

« radiocommunication » ou **« radio »** Toute transmission, émission ou réception de signes, de signaux, d'écrits, d'images, de sons ou de renseignements de toute nature, au moyen d'ondes électromagnétiques de fréquences inférieures à 3000 GHz transmises dans l'espace sans guide artificiel.

« radiodiffusion » Toute radiocommunication dont les émissions sont destinées à être reçues directement par le public en général.

« royaumes et territoires de Sa Majesté » Tous les royaumes et territoires placés sous la souveraineté de Sa Majesté.

« Royaume-Uni » Le Royaume-Uni de Grande-Bretagne et d'Irlande du Nord.

« Sa Majesté », **« la Reine »**, **« le Roi »** ou **« la Couronne »** Le souverain du Royaume-Uni, du Canada et de Ses autres royaumes et territoires, et chef du Commonwealth.

« Section d'appel de la Cour fédérale » ou **« Cour d'appel fédérale »** [Abrogée]

« Section de première instance de la Cour fédérale » [Abrogée]

« serment » Ont valeur de serment la déclaration ou l'affirmation solennelle dans les cas où il est prévu qu'elles peuvent en tenir lieu et où l'intéressé a la faculté de les y substituer; les formulations comportant les verbes « déclarer » ou « affirmer » équivalent dès lors à celles qui comportent l'expression « sous serment ».

« télécommunication » La transmission, l'émission ou la réception de signes, signaux, écrits, images, sons ou renseignements de toute nature soit par système électromagnétique, notamment par fil, câble ou système radio ou optique, soit par tout procédé technique semblable.

« territoires » S'entend du Yukon, des Territoires du Nord-Ouest et du Nunavut.

« zone contiguë »

a) S'agissant du Canada, la zone contiguë délimitée en conformité avec la *Loi sur les océans*;

b) s'agissant de tout autre État, la zone contiguë de cet État, délimitée en conformité avec le droit international et le droit interne de ce même État.

« zone économique exclusive »

a) S'agissant du Canada, la zone économique exclusive délimitée en conformité avec la *Loi sur les océans*, y compris les fonds marins et leur sous-sol;

b) s'agissant de tout autre État, la zone économique exclusive de cet État, délimitée en conformité avec le droit international et le droit interne de ce même État.

(2) Modification de l'annexe — Le gouverneur en conseil peut, par décret, reconnaître l'acquisition ou la perte, par un pays, de la qualité de membre du Commonwealth et, selon le cas, inscrire ce pays à l'annexe ou l'en radier.

36. Télégraphe et téléphone — Le terme « télégraphe » et ses dérivés employés, à propos d'un domaine ressortissant à la compétence législative du Parlement, dans un texte ou dans des lois provinciales antérieures à l'incorporation de la province au Canada ne sont pas censés s'appliquer au terme « téléphone » ou à ses dérivés.

37. (1) Notion d'année — La notion d'année s'entend de toute période de douze mois, compte tenu des dispositions suivantes :

a) « année civile » s'entend de l'année commençant le 1er janvier;

b) « exercice » s'entend, en ce qui a trait aux crédits votés par le Parlement, au Trésor, aux comptes et aux finances du Canada ou aux impôts fédéraux, de la période commençant le 1er avril et se terminant le 31 mars de l'année suivante;

c) la mention d'un millésime s'applique à l'année civile correspondante.

(2) Précision de la notion — Le gouverneur en conseil peut préciser la notion d'année pour l'application des textes relatifs au Parlement ou au gouvernement fédéral et où figure cette notion sans que le contexte permette de déterminer en toute certitude s'il s'agit de l'année civile, de l'exercice ou d'une période quelconque de douze mois.

38. Langage courant — La désignation courante d'une personne, d'un groupe, d'une fonction, d'un lieu, d'un pays, d'un objet ou autre entité équivaut à la désignation officielle ou intégrale.

39. (1) Résolutions de ratification ou de rejet — Dans les lois, l'emploi des expressions ci-après, à propos d'un règlement, comporte les implications suivantes :

a) « sous réserve de résolution de ratification du Parlement » : le règlement est à déposer devant le Parlement dans les quinze jours suivant sa prise ou, si le Parlement ne siège pas, dans les quinze premiers jours de séance ultérieurs, et son entrée en vigueur est subordonnée à sa ratification par résolution des deux chambres présentée et adoptée conformément aux règles de celles-ci;

b) « sous réserve de résolution de ratification de la Chambre des communes » : le règlement est à déposer devant la Chambre des communes dans les quinze jours suivant sa prise ou, si la chambre ne siège pas, dans les quinze premiers jours de séance ultérieurs, et son entrée en vigueur est subordonnée à sa ratification par résolution de la chambre présentée et adoptée conformément aux règles de celle-ci;

c) « sous réserve de résolution de rejet du Parlement » : le règlement est à déposer devant le Parlement dans les quinze jours suivant sa prise ou, si le Parlement ne siège pas, dans les quinze premiers jours de séance ultérieurs, et son annulation peut être prononcée par résolution des deux chambres présentée et adoptée conformément aux règles de celles-ci;

d) « sous réserve de résolution de rejet de la Chambre des communes » : le règlement est à déposer devant la Chambre des communes dans les quinze jours suivant sa prise ou, si la chambre ne siège pas, dans les quinze premiers jours de séance ultérieurs, et son annulation peut être prononcée par résolution de la chambre présentée et adoptée conformément aux règles de celle-ci.

(2) Effet d'une résolution de rejet — Le règlement annulé par résolution du Parlement ou de la Chambre des communes est réputé abrogé à la date d'adoption de la résolution; dès lors toute règle de droit qu'il abrogeait ou modifiait est réputée rétablie à cette date, sans que s'en trouve toutefois atteinte la validité d'actes ou omissions conformes au règlement.

MENTIONS ET RENVOIS

40. (1) Désignation des textes — Dans les textes ou des documents quelconques :

a) les lois peuvent être désignées par le numéro de chapitre qui leur est donné dans le recueil des lois révisées ou dans le recueil des lois de l'année ou de l'année du règne où elles ont été édictées, ou par leur titre intégral ou abrégé, avec ou sans mention de leur numéro de chapitre;

b) les règlements peuvent être désignés par leur titre intégral ou abrégé, par la mention de leur loi habilitante ou par leur numéro ou autre indication d'enregistrement auprès du greffier du Conseil privé.

(2) Modifications — Les renvois à un texte ou ses mentions sont réputés se rapporter à sa version éventuellement modifiée.

41. (1) Renvois à plusieurs éléments d'un texte — Dans un texte, le renvoi par désignation numérique ou littérale à un passage formé de plusieurs éléments — parties, sections, articles, paragraphes, alinéas, sous-alinéas, divisions, subdivisions, annexes, appendices, formulaires, modèles ou imprimés — vise aussi les premier et dernier de ceux-ci.

(2) Renvoi aux éléments du même texte — Dans un texte, le renvoi à un des éléments suivants : partie, section, article, annexe, appendice, formulaire, modèle ou imprimé constitue un renvoi à un élément du texte même.

(3) Renvoi aux éléments de l'article — Dans un texte, le renvoi à un élément de l'article — paragraphe, alinéa, sous-alinéa, division ou subdivision — constitue, selon le cas, un renvoi à un paragraphe de l'article même ou à une sous-unité de l'élément immédiatement supérieur.

(4) Renvoi aux règlements — Dans un texte, le renvoi aux règlements, ou l'emploi d'un terme de la même famille que le mot « règlement », constitue un renvoi aux règlements d'application du texte.

(5) Renvoi à un autre texte — Dans un texte, le renvoi à un élément — notamment par désignation numérique ou littérale d'un article ou de ses sous-unités ou d'une ligne — d'un autre texte constitue un renvoi à un élément de la version imprimée légale de ce texte.

ABROGATION ET MODIFICATION

42. (1) Pouvoir d'abrogation ou de modification — Il est entendu que le Parlement peut toujours abroger ou modifier toute loi et annuler ou modifier tous pouvoirs, droits ou avantages attribués par cette loi.

(2) Interaction en cours de session — Une loi peut être modifiée ou abrogée par une autre loi adoptée au cours de la même session du Parlement.

(3) Incorporation des modifications — Le texte modificatif, dans la mesure compatible avec sa teneur, fait partie du texte modifié.

43. Effet de l'abrogation — L'abrogation, en tout ou en partie, n'a pas pour conséquence :

a) de rétablir des textes ou autres règles de droit non en vigueur lors de sa prise d'effet;

b) de porter atteinte à l'application antérieure du texte abrogé ou aux mesures régulièrement prises sous son régime;

c) de porter atteinte aux droits ou avantages acquis, aux obligations contractées ou aux responsabilités encourues sous le régime du texte abrogé;

d) d'empêcher la poursuite des infractions au texte abrogé ou l'application des sanctions — peines, pénalités ou confiscations — encourues aux termes de celui-ci;

e) d'influer sur les enquêtes, procédures judiciaires ou recours relatifs aux droits, obligations, avantages, responsabilités ou sanctions mentionnés aux alinéas c) et d).

Les enquêtes, procédures ou recours visés à l'alinéa e) peuvent être engagés et se poursuivre, et les sanctions infligées, comme si le texte n'avait pas été abrogé.

44. Abrogation et remplacement — En cas d'abrogation et de remplacement, les règles suivantes s'appliquent :

a) les titulaires des postes pourvus sous le régime du texte antérieur restent en place comme s'ils avaient été nommés sous celui du nouveau texte, jusqu'à la nomination de leurs successeurs;

b) les cautions ou autres garanties fournies par le titulaire d'un poste pourvu sous le régime du texte antérieur gardent leur validité, l'application des mesures prises et l'utilisation des livres, imprimés ou autres documents employés conformément à ce texte se poursuivant, sauf incompatibilité avec le nouveau texte, comme avant l'abrogation;

c) les procédures engagées sous le régime du texte antérieur se poursuivent conformément au nouveau texte, dans la mesure de leur compatibilité avec celui-ci;

d) la procédure établie par le nouveau texte doit être suivie, dans la mesure où l'adaptation en est possible :

(i) pour le recouvrement des amendes ou pénalités et l'exécution des confiscations imposées sous le régime du texte antérieur,

(ii) pour l'exercice des droits acquis sous le régime du texte antérieur,

(iii) dans toute affaire se rapportant à des faits survenus avant l'abrogation;

e) les sanctions dont l'allégement est prévu par le nouveau texte sont, après l'abrogation, réduites en conséquence;

f) sauf dans la mesure où les deux textes diffèrent au fond, le nouveau texte n'est pas réputé de droit nouveau, sa teneur étant censée constituer une refonte et une clarification des règles de droit du texte antérieur;

g) les règlements d'application du texte antérieur demeurent en vigueur et sont réputés pris en application du nouveau texte, dans la mesure de leur compatibilité avec celui-ci, jusqu'à abrogation ou remplacement;

h) le renvoi, dans un autre texte, au texte abrogé, à propos de faits ultérieurs, équivaut à un renvoi aux dispositions correspondantes du nouveau texte; toutefois, à défaut de telles dispositions, le texte abrogé est considéré comme étant encore en vigueur dans la mesure nécessaire pour donner effet à l'autre texte.

45. (1) Absence de présomption d'entrée en vigueur — L'abrogation, en tout ou en partie, d'un texte ne constitue pas ni n'implique une déclaration portant que le texte était auparavant en vigueur ou que le Parlement, ou toute autre autorité qui l'a édicté, le considérait comme tel.

(2) Absence de présomption de droit nouveau — La modification d'un texte ne constitue pas ni n'implique une déclaration portant que les règles de droit du texte étaient différentes de celles de sa

Index-Canada

Index-Canada

Index-Canada

Index-Canada

Index-Canada

Index-Canada

Index-Canada

Index-Canada

Index-Canada

Index-Canada

Index-Canada

Index-Canada

Index-Canada

Index-Canada

M

N

Index-Canada

O

Index-Canada

P

Index-Canada

Index-Canada

Index-Canada

Index-Canada

Index-Canada

Index-Canada

Index-Canada

S

Index-Canada

Index-Canada

Index-Canada

U

V

Index-Canada

Index-Canada

Z

TABLE DES MATIÈRES DE LA LOI SUR LA TAXE DE VENTE DU QUÉBEC

Table sommaire

Loi sur la taxe de vente du Québec

L.R.Q., c. T-0.1, telle que modifiée par L.Q. 1991, c. 67; L.Q. 1992, c. 17, c. 21, c. 68; L.Q. 1993, c. 19, c. 51, c. 64, c. 79; L.Q. 1994, c. 16, c. 22, c. 23; L.Q. 1995, c. 1, c. 47, c. 49, c. 63, c. 65, c. 68; L.Q. 1996, c. 2; L.Q. 1997, c. 3, c. 14, c. 31, c. 43, c. 85; L.Q. 1998, c. 16, c. 33; L.Q. 1999, c. 14, c. 53, c. 65, c. 83; L.Q. 2000, c. 20, c. 25, D. 941-2000, c. 39, c. 56; L.Q. 2001, c. 7, c. 51, c. 53; L.Q. 2002, c. 6, c. 9, c. 40, c. 45, c. 46, c. 58; L.Q. 2003, c. 2, c. 9; L.Q. 2004, c. 4, c. 8, c. 21, c. 37; L.Q. 2005, c. 1, c. 23, c. 28, c. 38; L.Q. 2006, c. 7, c. 13, c. 31, c. 36; L.Q. 2007, c. 12; L.Q. 2009, c. 5, c. 15; L.Q. 2010, c. 5, c. 12, c. 25, 31[1]; L.Q. 2011, c. 1, c. 6, c. 16, c. 18, c. 34; L.Q. 2012, c. 8, c. 28.

Remarques générales

Dispositions modifiées de la Loi sur la taxe de vente du Québec qui ont effet depuis le 1er juillet 1992

Une disposition de la *Loi sur la taxe de vente du Québec* (L.R.Q., chapitre T-0.1) qui a été modifiée ou ajoutée par une loi subséquente à L.Q. 1991, c. 67 et qui a effet depuis le 1er juillet 1992, s'applique conformément aux articles 618 à 656 et 685 de cette loi, tels que modifiés subséquemment, le cas échéant.

Notes historiques :

Toutes les lois ayant apporté des changements substantiels rétroactifs au 1er juillet 1992 à la *Loi sur la taxe de vente du Québec* prévoyaient une telle clause.

Dans L.Q. 1995, c. 63, art. 513, elle se lisait comme suit :

> Une disposition de cette loi que la présente loi édicte et qui a effet depuis le 1er juillet 1992 s'applique conformément aux articles 618 à 656 et 685 de cette loi, tels que modifiés par la présente loi, le cas échéant.

Dans L.Q. 1995, c. 1, art. 364, elle se lisait comme suit :

> Une disposition de la *Loi sur la taxe de vente du Québec* que la présente loi édicte et qui a effet depuis le 1er juillet 1992 s'applique conformément aux articles 618 à 656 et à l'article 685 de cette loi, tels que modifiés par la présente loi, le cas échéant.

Dans L.Q. 1994, c. 22, art. 644, elle se lisait comme suit :

> L'application à compter du 1er juillet 1992 d'une disposition de la *Loi sur la taxe de vente du Québec* que la présente loi édicte s'effectue conformément aux articles 618 à 656 et à l'article 685 de cette loi, tels que modifiés par la présente loi, le cas échéant.
>
> Pour l'application de l'alinéa précédent à la période du 1er juillet 1992 au 28 février 1994, la référence à la *Loi sur la taxe de vente du Québec* (L.R.Q., chapitre T-0.1) doit être lue comme une référence à la *Loi sur la taxe de vente du Québec et modifiant diverses dispositions législatives d'ordre fiscal* (L.Q. 1991, chapitre 67).

Dans L.Q. 1993, c. 19, art. 258, elle se lisait comme suit :

> Les articles 167 à 247 et 255 s'appliquent à l'égard d'une fourniture ou d'un apport au Québec relativement auquel l'article 685 ou l'un des articles 618 à 656 de la *Loi sur la taxe de vente du Québec et modifiant diverses dispositions législatives d'ordre fiscal* s'applique.

Les autres lois modifiant la *Loi sur la taxe de vente du Québec* ne prévoyaient pas de telle clause, n'ayant aucune disposition rétroactive au 1er juillet 1992.

Notion d'entreprise pour certaines dispositions transitoires

Pour l'application de certaines modifications et ajouts prévus par L.Q. 1995, c. 63, les dispositions transitoires réfèrent à la notion de petite et moyenne entreprise et de grande entreprise. Cette notion est définie aux articles 550 à 552 reproduits ci-dessous.

Petite ou moyenne entreprise

550. Pour l'application des articles 299 à 509, une personne est une petite ou moyenne entreprise pour la période qui se termine immédiatement avant le 26 mars 1997, si le total des montants dont chacun représente la valeur de la contrepartie, autre que la contrepartie visée à l'article 75.2 de la *Loi sur la taxe de vente du Québec* (L.R.Q., chapitre T-0.1) qui est attribuable à l'achalandage d'une entreprise, devenue due au cours du dernier exercice de la personne, d'un associé de la personne ou d'une autre personne dont elle continue l'exploitation de l'entreprise, terminé avant le 1er août 1995, ou payée au cours de cet exercice sans qu'elle soit devenue due, à la personne, à l'associé ou à l'autre personne, pour des fournitures taxables ou non taxables, autres que des fournitures de leurs services financiers et des fournitures par vente d'immeubles qui sont leurs immobilisations, effectuées au Québec ou hors du Québec mais au Canada par la personne, l'associé ou l'autre personne ainsi que pour celles effectuées hors du Canada par l'intermédiaire d'un établissement stable de l'une de ces personnes situé au Canada n'excède pas 6 000 000 $.

De plus, pour l'application du premier alinéa, dans le cas où la personne est une corporation issue d'une fusion de plusieurs corporations et qu'elle n'a pas d'exercice terminé avant le 1er août 1995, doit être inclus dans le calcul du total des montants y visés, le total des montants dont chacun représente la valeur de la contrepartie, autre que la contrepartie visée à l'article 75.2 de la *Loi sur la taxe de vente du Québec* (L.R.Q., chapitre T-0.1) qui est attribuable à l'achalandage d'une entreprise, devenue due au cours du dernier exercice des corporations fusionnées terminé avant le 1er août 1995, ou payée au cours de ce dernier exercice sans qu'elle soit devenue due, aux corporations fusionnées pour chacune des fournitures visées à l'article 550.

Pour l'application du premier alinéa, la valeur de la contrepartie de chaque fourniture y visée doit être déterminée sans tenir compte de l'application de la sous-section 2 de la sous-section III de la sous-section 1 de la section II du chapitre II du titre I et de l'article 52.1 de la *Loi sur la taxe de vente du Québec* (L.R.Q., chapitre T-0.1).

550.1 Pour l'application des articles 299 à 509, une personne est une petite ou moyenne entreprise, pour la période qui commence le 26 mars 1997 et qui se termine le dernier jour de son exercice qui comprend cette date ou tout au long d'un exercice donné de celle-ci qui est un exercice qui commence après le 26 mars 1997, si le total des montants dont chacun représente la valeur de la contrepartie, autre que la contrepartie visée à l'article 75.2 de la *Loi sur la taxe de vente du Québec* (L.R.Q., chapitre T-0.1) qui est attribuable à l'achalandage d'une entreprise, devenue due au cours du dernier exercice de la personne ou d'un associé de celle-ci terminé avant le début de l'exercice de la personne qui comprend le 26 mars 1997 ou de l'exercice donné de la personne, ou payée au cours de ce dernier exercice sans qu'elle soit devenue due, à la personne ou à l'associé de celle-ci pour chacune des fournitures taxables ou non taxables, autres que des fournitures de leurs services financiers et des fournitures par vente d'immeubles qui

[1][La présente loi a été modifiée par L.Q. 2010, c. 31, art. 175, par le remplacement, partout où ils se trouvent, des termes « ministère du Revenu » par « Agence du revenu du Québec »; « sous-ministre du Reven » ou « sous-ministre adjoint du Revenu » par respectivement « président-directeur général de l'Agence du revenu du Québec » ou « vice-président de l'Agence du revenu du Québec »; « fonctionnaire ou employé du ministère du Revenu » par « employé de l'Agence du revenu du Québec » et de « Loi sur le ministère du Revenu » par « Loi sur l'administration fiscale ». Cette modification est entrée en vigueur le 1er avril 2011 — n.d.l.r].

sont leurs immobilisations, effectuées au Québec ou hors du Québec mais au Canada par la personne ou par l'associé de celle-ci ainsi que pour celles effectuées hors du Canada par l'intermédiaire d'un établissement stable de l'une de ces personnes situé au Canada, n'excède pas :

1° dans le cas où l'exercice donné commence après le 1er juillet 1999, 10 000 000 $;

2° dans tout autre cas, 6 000 000 $.

Malgré le premier alinéa, dans le cas où l'exercice donné comprend le 1er juillet 1999 et que le total des montants déterminé conformément au premier alinéa pour l'exercice donné excède 6 000 000 $, la personne est une petite ou moyenne entreprise pour la période qui commence le 1er juillet 1999 et qui se termine le dernier jour de cet exercice donné si ce total n'excède pas 10 000 000 $.

550.2 Pour l'application de l'article 550.1, une autre personne est associée à la personne si :

1° pour la période qui commence le 26 mars 1997 et qui se termine le dernier jour de l'exercice de la personne qui comprend cette date, l'autre personne est associée à la personne à cette date;

2° pour un exercice donné de la personne qui commence après le 26 mars 1997 :

a) dans le cas où l'exercice donné de la personne est son premier exercice, l'autre personne est associée à la personne le premier jour de cet exercice;

b) dans les autres cas, l'autre personne est associée à la personne le dernier jour de l'exercice de la personne terminé avant le début de l'exercice donné de celle-ci.

550.3 Pour l'application de l'article 550.1 dans le cas où le dernier exercice de la personne ou d'un associé de celle-ci terminé avant le début de l'exercice de la personne qui comprend le 26 mars 1997 ou de l'exercice donné de celle-ci est inférieur à 365 jours, le total des montants, pour la personne ou l'associé de celle-ci, dont chacun représente la valeur de la contrepartie, autre que la contrepartie visée à l'article 75.2 de la *Loi sur la taxe de vente du Québec* (L.R.Q., chapitre T-0.1) qui est attribuable à l'achalandage d'une entreprise, devenue due au cours de ce dernier exercice de la personne ou de l'associé de celle-ci ou payée au cours de ce dernier exercice sans qu'elle soit devenue due, à la personne ou à l'associé de celle-ci pour chacune des fournitures visées à l'article 550.1 — appelé « total des montants déterminés » dans le présent article — est réputé correspondre au montant calculé selon la formule suivante :

$$A \times \frac{365}{B}.$$

Pour l'application de cette formule :

1° la lettre A représente le total des montants déterminés pour la personne ou pour l'associé de celle-ci pour ce dernier exercice;

2° la lettre B représente le nombre de jours de ce dernier exercice de la personne ou de l'associé de celle-ci.

550.4 Pour les fins du calcul du total des montants visés à l'article 550.1 :

1° la valeur de la contrepartie de chaque fourniture y visée doit être déterminée sans tenir compte de l'application de la sous-section 2 de la sous-section III de la sous-section 1 de la section II du chapitre II du titre I, de l'article 54.1 et de l'article 334 de la *Loi sur la taxe de vente du Québec* (L.R.Q., chapitre T-0.1);

2° malgré l'article 52 de la *Loi sur la taxe de vente du Québec*, la contrepartie visée à l'article 550.1 ne comprend pas la taxe payée ou payable en vertu de la partie IX de la *Loi sur la taxe d'accise* (Lois révisées du Canada (1985), chapitre E-15).

550.5 Pour l'application de l'article 550.1, dans le cas où la personne est une société issue d'une fusion de plusieurs sociétés et que l'exercice de la personne, qui est soit son exercice qui comprend le 26 mars 1997, soit un exercice qui commence après le 26 mars 1997, est son premier exercice, doit être inclus dans le calcul du total des montants y visés, le total des montants dont chacun représente la valeur de la contrepartie, autre que la contrepartie visée à l'article 75.2 de la *Loi sur la taxe de vente du Québec* (L.R.Q., chapitre T-0.1) qui est attribuable à l'achalandage d'une entreprise, devenue due au cours du dernier exercice des sociétés fusionnées terminé avant le début du premier exercice de la personne, ou payée au cours de ce dernier exercice sans qu'elle soit devenue due, aux sociétés fusionnées pour chacune des fournitures visées à l'article 550.1.

551. Pour l'application des articles 299 à 509, une personne est une grande entreprise :

1° pour la période qui se termine immédiatement avant le 26 mars 1997, si le total des montants déterminé conformément à l'article 550 excède 6 000 000 $;

2° pour la période qui commence le 26 mars 1997 et qui se termine le dernier jour de l'exercice de celle-ci qui comprend cette date, si le total des montants déterminé conformément à l'article 550.1 pour cette période excède 6 000 000 $;

3° tout au long d'un exercice donné de celle-ci qui commence après le 26 mars 1997, si le total des montants déterminé conformément à l'article 550.1 pour l'exercice donné excède :

a) dans le cas où l'exercice donné commence après le 1er juillet 1999, 10 000 000 $;

b) dans les autres cas, 6 000 000 $;

Malgré le paragraphe 3° du premier alinéa, dans le cas où l'exercice donné comprend le 1er juillet 1999 et que le total des montants déterminé conformément à l'article 550.1 pour l'exercice donné n'excède pas 10 000 000 $, la personne n'est pas une grande entreprise pour la période qui commence le 1er juillet 1999 et qui se termine le dernier jour de cet exercice donné, sauf si elle est une grande entreprise en vertu du troisième alinéa.

Malgré l'article 550 ou 550.1, une grande entreprise comprend, en outre d'une personne visée au premier alinéa, les personnes suivantes :

1° une banque;

2° une corporation autorisée en vertu de la législation du Québec, d'une autre province, des Territoires du Nord-Ouest, du territoire du Yukon ou du Canada à exploiter au Canada une entreprise qui consiste à offrir au public ses services à titre de fiduciaire;

3° une caisse de crédit;

4° un assureur [L.Q. 1997, c. 14, par. 381, eff. 15/12/95];

5° le fonds réservé d'un assureur [L.Q. 1997, c. 14, par. 381(1), eff. 15/12/95];

6° l'Autorité des marchés financiers ou la Société d'assurance-dépôts du Canada;

7° un régime de placement;

8° une personne liée à une institution financière visée aux paragraphes 1° à 7°.

551.1 [Abrogé].

551.2 Malgré l'article 550.1, dans le cas où la personne — appelée « entrepreneur » dans le présent article — participe à une co-entreprise, en vertu d'une convention constatée par écrit conclue avec une autre personne — appelée « co-entrepreneur » dans le présent article — et fait un choix conjointement avec le co-entrepreneur en vertu de l'article 346 de la *Loi sur la taxe de vente du Québec* (L.R.Q., chapitre T-0.1), l'entrepreneur est réputé être une grande entreprise à l'égard des biens et des services qu'il acquiert, ou apporte au Québec, durant la période au cours de laquelle le choix est en vigueur, dans le cadre des activités pour lesquelles la convention a été conclue :

1° pour la période qui commence le 26 mars 1997 et qui se termine le dernier jour de l'exercice de l'entrepreneur qui comprend cette date, si le 26 mars 1997 le co-entrepreneur est une grande entreprise;

2° tout au long d'un exercice donné de l'entrepreneur qui commence après le 26 mars 1997, si le dernier jour de l'exercice du co-entrepreneur terminé avant le début de l'exercice donné de l'entrepreneur, le co-entrepreneur est une grande entreprise.

551.3 Dans le cas où une personne qui n'est pas un particulier est un associé d'une société de personnes et qu'elle acquiert, ou apporte au Québec, un bien ou un service pour consommation, utilisation ou fourniture dans le cadre des activités de la société de personnes mais non pour le compte de la société de personnes, la personne est réputée être, à l'égard du bien ou du service, au moment où la taxe relativement à la fourniture, ou à l'apport au Québec, du bien ou du service devient payable par elle alors qu'elle n'est pas payée ou au moment où elle est payée par elle sans qu'elle soit devenue payable :

1° malgré l'article 551, une petite ou moyenne entreprise en vertu de l'article 550.1, si la société de personnes dont elle est un associé en est une à ce moment en vertu de l'article 550.1;

2° malgré le paragraphe l'article 550.1, une grande entreprise, si la société de personnes dont elle est un associé en est une à ce moment en vertu des paragraphes 2° ou 3° du premier alinéa de l'article 551 ou des articles 551.1 à 551.3.

551.4 Pour l'application des articles 550.1 à 551.3, l'exercice d'une personne correspond à son exercice au sens de l'article 458.1 de la *Loi sur la taxe de vente du Québec* (L.R.Q., chapitre T-0.1).

552. La présente loi entre en vigueur le 15 décembre 1995.

Lorsque le gouvernement fixe le moment de prise d'effet d'une disposition contenue dans la présente loi, celui-ci peut prévoir une date autre que celle de la publication dans la Gazette officielle du Québec, laquelle ne peut être antérieure au 15 décembre 1995.

Notes historiques :

Les notions de « petite ou moyenne entreprise » et de « grande entreprise » ont été ajoutées par L.Q. 1995, c. 63, art. 550 et 551 et se limitent à l'application des dispositions transitoires stipulées par L.Q. 1995, c. 63. Les modifications apportées par L.Q. 1997, c. 14 sont indiquées entre crochets, aux endroits appropriés. Les modifications apportées par L.Q. 1997, c. 85, art. 767, 768, 769 et 770 sont intégrées aux articles 550 à 552.

La partie qui suit le premier alinéa de l'article 550 a effet depuis le 1er août 1995. De plus, la mention dans le deuxième alinéa de l'article 550 de « corporation » et de « corporations » est réputée, lorsqu'il s'applique après le 19 mars 1997, la mention de « société » ou de « sociétés ». L'article 1.1 de la *Loi sur la taxe de vente du Québec* (L.R.Q., chapitre T-0.1) s'applique au paragraphe précédent, compte tenu des adaptations nécessaires.

Antérieurement, l'article 550 se lisait ainsi :

550. Une personne est une petite ou moyenne entreprise si le total des montants dont chacun représente la valeur de la contrepartie, autre que la contrepartie visée à l'article 75.2 de la *Loi sur la taxe de vente du Québec* (L.R.Q., chapitre T-0.1) qui est attribuable à l'achalandage d'une entreprise, devenue due au cours du dernier exercice de la personne, d'un associé de la personne ou d'une autre personne dont elle continue l'exploitation de l'entreprise, terminé avant le 1er août 1995, ou payée au cours de cet exercice sans qu'elle soit devenue due, à la personne, à l'associé ou à l'autre personne, pour des fournitures taxables ou non taxables, autres que des fournitures de leurs services financiers et des fournitures par vente d'immeubles qui sont leurs immobilisations, effectuées au Québec ou hors du Québec mais au Canada par la personne, l'associé ou l'autre personne ainsi que pour celles effectuées hors du Canada par l'intermédiaire d'un établissement stable de l'une de ces personnes situé au Canada n'excède pas 6 000 000 $.

Toutefois, si une personne devient un inscrit après le 1er août 1995, le total des montants déterminé en vertu du premier alinéa pour la personne est réputé égal à zéro aux fins du calcul du total des montants déterminé en vertu de cet alinéa sauf si, selon le cas [L.Q. 1997, c. 14, par. 380(1), eff. 15/12/95] :

1° la personne est une corporation issue d'une fusion de plusieurs corporations;

2° la personne qui exploite l'entreprise ne réside pas au Québec.

Dans le cas d'une personne visée aux paragraphes (1) ou (2) du deuxième alinéa, le premier alinéa s'applique en y remplaçant l'expression « personne » soit par :

1° « corporations fusionnées » si la personne est issue d'une fusion de plusieurs corporations;

2° « personne qui ne réside pas au Québec » si la personne qui exploite l'entreprise ne réside pas au Québec.

Dans le cas d'une personne visée au paragraphe (1) du deuxième alinéa qui devient un inscrit le ou avant le 1er août 1995, le premier alinéa s'applique en y remplaçant l'expression « personne » par « corporations fusionnées » si, selon le cas :

1° le dernier exercice de la personne se terminant avant le 1er août 1995 constitue son premier exercice;

2° le premier exercice de la personne se termine le ou après le 1er août 1995 [L.Q. 1997, c. 14, par. 380(1), eff. 15/12/95].

Pour l'application du premier alinéa, une personne continue l'exploitation de l'entreprise d'une autre personne si, à la fois :

1° elle acquiert la totalité ou la presque totalité des actifs de l'entreprise de l'autre personne;

2° il est raisonnable de croire qu'en raison de cette acquisition, elle a continué l'exploitation de l'entreprise de l'autre personne.

L'article 550 a été modifié par L.Q. 2002, c. 9, art. 176 par l'ajout du troisième alinéa.

L'article 550.1, édicté par L.Q. 1997, c. 85, art. 768, a été remplacé par L.Q. 2000, c. 39, art. 298(1) et cette modification est réputée entrée en vigueur le 15 novembre 2000. Antérieurement, il se lisait ainsi :

550.1 Pour l'application des articles 299 à 509, une personne est une petite ou moyenne entreprise, pour la période qui commence le 26 mars 1997 et qui se termine le dernier jour de son exercice qui comprend cette date ou tout au long d'un exercice donné de celle-ci qui est un exercice qui commence après le 26 mars 1997, si le total des montants dont chacun représente la valeur de la contrepartie, autre que la contrepartie visée à l'article 75.2 de la *Loi sur la taxe de vente du Québec* (L.R.Q., chapitre T-0.1) qui est attribuable à l'achalandage d'une entreprise, devenue due au cours du dernier exercice de la personne ou d'un associé de celle-ci terminé avant le début de l'exercice de la personne qui comprend le 26 mars 1997 ou de l'exercice donné de la personne, ou payée au cours de ce dernier exercice sans qu'elle soit devenue due, à la personne ou à l'associé de celle-ci pour chacune des fournitures taxables ou non taxables, autres que des fournitures de leurs services financiers et des fournitures par vente d'immeubles qui sont leurs immobilisations, effectuées au Québec ou hors du Québec mais au Canada par la personne ou par l'associé de celle-ci ainsi que pour celles effectuées hors du Canada par l'intermédiaire d'un établissement stable de l'une de ces personnes situé au Canada, n'excède pas 6 000 000 $.

Le préambule et le paragraphe 1° de l'article 550.4, édictés par L.Q. 1997, c. 85, art. 768, ont été remplacés par L.Q. 2002, c. 9, art. 177 et cette modification a effet depuis le 19 décembre 1997. Antérieurement, ils se lisaient ainsi :

550.4 Pour l'application de l'article 550.1 :

1° doit être incluse dans le calcul du total des montants y visés, la valeur de la contrepartie pour chaque fourniture à l'égard de laquelle l'article 334 de la *Loi sur la taxe de vente du Québec* (L.R.Q., chapitre T-0.1) s'applique;

Antérieurement, la partie précédant le paragraphe 1° du deuxième alinéa de l'article 551 se lisait ainsi :

551 Pour l'application des articles 299 à 509, une personne est une grande entreprise si le total des montants déterminé conformément à l'article 500 excède 6 000 000 $.

Malgré l'article 550, une grande entreprise comprend, en outre d'une personne visée au premier alinéa, les personnes suivantes:

1° une banque;

Le paragraphe 6° du troisième alinéa de l'article 551 a été remplacé par L.Q. 2006, c. 13, art. 241 et a effet depuis le 17 décembre 2004. De plus, pour la période du 1er février 2004 au 16 décembre 2004, le paragraphe 6° du troisième alinéa de l'article 551 doit se lire en y remplaçant les mots « la Régie de l'assurance-dépôts du Québec » par les mots « l'Agence nationale d'encadrement du secteur financier ». Antérieurement, il se lisait ainsi :

6° la Régie de l'assurance-dépôts du Québec ou la Société d'assurance-dépôts du Canada;

L'article 551 a été modifié par L.Q. 2003, c. 2, par. 351(1) par l'insertion, dans le paragraphe 2° du troisième alinéa, après le mot « Yukon », de « , du territoire du Nunavut ». Cette modification a effet depuis le 1er avril 1999.

Le paragraphe 3° du premier alinéa de l'article 551 a été remplacé par L.Q. 2000, c. 39, art. 299(1°) et cette modification est réputée entrée en vigueur le 15 novembre 2000. Antérieurement, il se lisait ainsi :

3° tout au long d'un exercice donné de celle-ci qui commence après le 26 mars 1997, si le total des montants déterminé conformément au paragraphe 2° pour l'exercice donné excède 6 000 000 $.

Le deuxième alinéa de l'article 551 a été ajouté par L.Q. 2000, c. 39, art. 299(2°) et est réputé entré en vigueur le 15 novembre 2000.

L'article 551.1 a été abrogé par. L.Q. 2005, c.1, art. 377(1) et cette abrogation s'applique à l'égard d'une acquisition de contrôle affectuée après le 30 juin 2004. Antérieurement, il se lisait comme suit:

551.1 Malgré l'article 550.1, dans le cas où le contrôle d'une société qui est une petite ou moyenne entreprise est acquis par une grande entreprise à un moment quelconque après le 25 mars 1997, la société ainsi que toute autre société à laquelle elle est associée sont réputées être une grande entreprise à compter du jour qui suit ce moment jusqu'à la fin de leur exercice qui comprend ce moment.

Le troisième alinéa de l'article 552 a été ajouté par L.Q. 1997, c. 85, art. 771.

Chapitre I — Définitions et interprétation

Section I — Définitions

1. Définitions — Pour l'application du présent titre et des règlements adoptés en vertu de celui-ci, à moins que le contexte n'indique un sens différent, l'expression :

« acquéreur » d'une fourniture d'un bien ou d'un service signifie :

1° dans le cas où une contrepartie pour la fourniture est payable en vertu d'une convention relative à la fourniture, la personne qui est tenue de payer cette contrepartie en vertu de la convention;

2° dans le cas où le paragraphe 1° ne s'applique pas et qu'une contrepartie est payable pour la fourniture, la personne qui est tenue de payer cette contrepartie;

3° dans le cas où aucune contrepartie n'est payable pour la fourniture :

a) dans le cas de la fourniture d'un bien par vente, la personne à qui le bien est délivré ou mis à la disposition;

b) dans le cas de la fourniture d'un bien autrement que par vente, la personne à qui la possession ou l'utilisation du bien est accordée ou mise à la disposition;

c) dans le cas de la fourniture d'un service, la personne à qui le service est rendu;

en outre, toute référence à une personne à qui une fourniture est effectuée doit être lue comme une référence à l'acquéreur de la fourniture;

Notes historiques: La définition de « acquéreur » à l'article 1 a été modifiée par L.Q. 1994, c. 22, art. 364(1)(1°) et est réputée entrée en vigueur le 1er juillet 1992. La définition de « acquéreur » à l'article 1, édictée par L.Q. 1991, c. 67, se lisait comme suit :

« acquéreur », à l'égard d'une fourniture, signifie la personne qui paie ou accepte de payer la contrepartie de la fourniture ou, si aucune contrepartie n'est payée ou n'est à payer pour la fourniture, la personne à qui la fourniture est effectuée;

Définitions: « bien », « contrepartie », « fourniture », « personne », « service », « vente » — 1.

Renvois: 16 (assujettissement à la TVQ); 7R78.3 RAF (signature des documents par certains fonctionnaires).

Jurisprudence: *Québec (Sous-ministre du Revenu) c. Cun* (13 novembre 2008), 505-61-074113-069, 2008 CarswellQue 11822; *Vêtements de sport Chapter One inc. c. Québec (Sous-ministre du Revenu)* (2 avril 2008), 500-09-017382-078, 2008 CarswellQue 2455 (C.A. Qué.); *Vêtements de sport Chapter One inc. c. Québec (Sous-ministre du Revenu)* (16 novembre 2006), 500-80-003322-048, 2006 CarswellQue 11456 (C.Q.); *Centrale des syndicats du Québec (CSQ) c. Québec (Sous-ministre du Revenu)* (5 décembre 2005), 200-80-001290-046, 2005 CarswellQue 13325 (C.Q.).

Bulletins d'interprétation: TVQ. 1-5 — La taxe de vente du Québec et les services rendus par un huissier; TVQ. 16-30/R1 — Contrat de prête-nom; TVQ. 124-1/R1 — Administrations scolaires admissibles aux remboursements partiels de la taxe de vente du Québec lorsqu'elles effectuent la fourniture de transport scolaire; TVQ. 124-2/R1 — Service de transport scolaire rendu à des commissions scolaires ou à des établissements d'enseignement privés; TVQ. 165-1/R1 — Réalisation de travaux municipaux.

Lettres d'interprétation: 98-010117 — Interprétation relative à la TPS — Interprétation relative à la TVQ — Exportation de véhicules automobiles; 98-0110019 — Direction générale de la métropole; 98-0110282 — Interprétation relative à la TPS — Interprétation relative à la TVQ — Comités; 98-0110654 — Décision portant sur l'application de la TPS — Interprétation relative à la TVQ — Hébergement pour un service de santé; 98-0111256 — Interprétation relative à la TPS — Interprétation relative à la TVQ — Exportation de véhicules automobiles, CTI et RTI; 99-0106833 — Interprétation relative à la TPS et à la TVQ — Fourniture d'activités de loisir aux citoyens d'une municipalité; 02-0100400 — Interprétation relative à la TPS — Acquisition d'un véhicule par un prête-nom; 04-0101677 — Fourniture de droits d'entrée à un bal de fin d'études effectuée par une commission scolaire; 06-0106861 — Interprétation relative à la TPS et à la TVQ — Détermination d'une relation de mandataire — Droit à des CTI-RTI.

Concordance fédérale: LTA, par. 123(1)« acquéreur ».

« activité commerciale » d'une personne signifie :

1° une entreprise exploitée par la personne, autre qu'une entreprise exploitée sans expectative raisonnable de profit par un particulier, par une fiducie personnelle ou par une société de personnes dont tous les associés sont des particuliers, sauf dans la mesure où l'entreprise implique la réalisation par la personne de fournitures exonérées;

2° un projet comportant un risque ou une affaire de caractère commercial de la personne, autre qu'un projet ou une affaire exercé sans expectative raisonnable de profit par un particulier, par une fiducie personnelle ou par une société de personnes dont tous les associés sont des particuliers, sauf dans la mesure où le projet ou l'affaire implique la réalisation par la personne de fournitures exonérées;

3° la réalisation d'une fourniture, autre qu'une fourniture exonérée, par la personne d'un immeuble de la personne, incluant ce qui est fait par la personne dans le cadre de la réalisation de la fourniture ou en relation avec la réalisation de celle-ci;

Notes historiques: Les paragraphes 1° et 2° de la définition de « activité commerciale » à l'article 1 ont été remplacés par L.Q. 1997, c. 85, art. 418(1)(1°) et cette modification a effet depuis le 24 avril 1996. Antérieurement, les paragraphes 1° et 2° se lisaient ainsi :

1° une entreprise exploitée par la personne, autre qu'une entreprise exploitée sans expectative raisonnable de profit par un particulier ou par une société de personnes dont tous les membres sont des particuliers, sauf dans la mesure où l'entreprise implique la réalisation par la personne de fournitures exonérées;

2° un projet comportant un risque ou une affaire de caractère commercial de la personne, autre qu'un projet ou une affaire exercé sans expectative raisonnable de profit par un particulier ou par une société de personnes dont tous les membres sont des particuliers, sauf dans la mesure où le projet ou l'affaire implique la réalisation par la personne de fournitures exonérées;

La définition de « activité commerciale » à l'article 1 a été modifiée par L.Q. 1997, c. 3, art. 115(9°) pour remplacer le mot « société » par les mots « société de personnes ». Cette modification est réputée entrée en vigueur le 20 mars 1997. Auparavant, cette définition a été modifiée par L.Q. 1994, c. 22, art. 364(1)(1°) et est réputée entrée en vigueur le 1er octobre 1992. La définition de « activité commerciale » à l'article 1, édictée par L.Q. 1991, c. 67, se lisait comme suit :

« activité commerciale » signifie :

1° une entreprise exploitée par une personne;

2° un projet comportant un risque ou une affaire de caractère commercial d'une personne;

3° une activité exercée par une personne qui implique la fourniture par celle-ci d'un immeuble ou d'un droit dans un immeuble;

toutefois, l'expression « activité commerciale » exclut :

4° une activité exercée par une personne dans la mesure où elle implique la réalisation par celle-ci d'une fourniture exonérée;

5° une activité exercée par un particulier sans expectative raisonnable de profit;

6° l'accomplissement d'une activité ou d'une fonction relative à une charge ou à un emploi;

Définitions: « charge », « entreprise », « fourniture », « fourniture exonérée », « fourniture taxable », « particulier », « personne » — 1; « activité commerciale » — 541.48.

Renvois: 42.1–42.6 (présomptions d'activités commerciales); 43 (consommation ou utilisation réputée en totalité dans le cadre d'une activité commerciale); 44 (consommation ou utilisation projetée, réputée en totalité dans le cadre d'une activité commerciale); 47 (immeuble d'habitation dans un immeuble); 48 (fournitures par les gouvernements et municipalités); 93–172.1 (fournitures exonérées).

Jurisprudence: *Québec (Sous-ministre du Revenu) c. Therrien* (2 juin 2009), 235-17-000033-098, 2009 CarswellQue 6340; *Québec (Sous-ministre du Revenu) c. Cun* (13 novembre 2008), 505-61-074113-069, 2008 CarswellQue 11822; *Québec (Sous-ministre du Revenu) c. Parent* (7 août 2008), 200-09-005576-068, 2008 CarswellQue 7562; *Québec (Sous-ministre du Revenu) c. Lemieux* (15 août 2006), 250-17-000332-051 (C.S. Qué.); *Québec (Sous-ministre du Revenu) c. 9128-8449 Québec inc. (Restaurant Metaxta et Jardin grec)* (30 décembre 2004), 200-17-004851-044, 2004 CarswellQue 8746 (C.S. Qué.).

Bulletins d'interprétation: TVQ. 407-1 — Inscription d'un régime de pension agréé; TVQ. 407-3/R2 — Partis politiques; TVQ. 407.3-1 — Inscription au fichier de la TVQ des titulaires de permis de réunion et perception de la taxe.

Lettres d'interprétation: 98-0104954 — Décision portant sur l'application de la TPS — Interprétation relative à la TVQ; 99-0101339 — Interprétation relative à la TPS et à la TVQ — Institution financière aux fins de la taxe compensatoire; 99-0104671 — Interprétation relative à la TPS et à la TVQ / Demande de CTI et de RTI par un dentiste; 00-0108704 — Interprétation relative à la TPS et à la TVQ — Travaux municipaux; 02-0107777 — Interprétation relative à la TPS et à la TVQ — Règles générales, résidences pour personnes âgées; 06-0101847 — Interprétation relative à la TPS à et la TVQ — Gestion du complexe sportif d'une municipalité par un OSBL.

Concordance fédérale: LTA, par. 123(1)« activité commerciale ».

« administration hospitalière » signifie un établissement public, au sens de la *Loi sur les services de santé et les services sociaux* (chapitre S-4.2) ou au sens de la *Loi sur les services de santé et les services sociaux pour les autochtones cris* (chapitre S-5), qui exploite un centre hospitalier, ou une institution qui administre un hôpital public situé au Québec désignée par le ministre du Revenu national comme administration hospitalière;

Notes historiques: La définition de « administration hospitalière » à l'article 1 a été remplacée par L.Q. 1997, c. 85, art. 418(1)(2°) et cette modification a effet depuis le 24 avril 1996. Antérieurement à cette modification, la définition de « administration hospitalière » se lisait ainsi :

> « administration hospitalière » signifie un établissement public, au sens de la *Loi sur les services de santé et les services sociaux* (L.R.Q., chapitre S-4.2) ou au sens de la *Loi sur les services de santé et les services sociaux pour les autochtones cris* (L.R.Q., chapitre S-5), qui exploite un centre hospitalier, ou une institution ou la partie d'une institution qui administre un hôpital public situé au Québec désignée par le ministre du Revenu national comme administration hospitalière;

La définition de « administration hospitalière » à l'article 1 a été modifiée par L.Q. 1994, c. 23, art. 23 et est réputée entrée en vigueur le 1er mai 1995 par D. 587-95. Le titre de la *Loi sur les services de santé et les services sociaux pour les autochtones cris* se lisait *Loi sur les services de santé et les services sociaux pour les autochtones cris et inuit*, tel qu'édicté par L.Q. 1994, c. 22, art. 364(1)(2°) et cette modification était réputée entrée en vigueur le 1er juillet 1992. La définition de « administration hospitalière » à l'article 1, édictée par L.Q. 1991, c. 67, se lisait comme suit :

> « administration hospitalière » signifie un établissement public, au sens de la *Loi sur les services de santé et les services sociaux et modifiant diverses dispositions législatives* (1991, chapitre 42) ou au sens de la *Loi sur les services de santé et les services sociaux pour les autochtones cris et inuit* (L.R.Q., chapitre S-5), qui exploite un centre hospitalier, ou une institution ou la partie d'une institution qui administre un hôpital public situé au Québec certifié par le ministère de la Santé nationale et du Bien-être social;

La définition de « administration hospitalière » à l'article 1 a été modifiée par L.Q. 1992, c. 21, art. 372, applicable à compter du 1er octobre 1992 pour ajouter, après le mot « sociaux », les mots *« et modifiant diverses dispositions législatives* (1991, chapitre 42) ou au sens de la *Loi sur les services de santé et les services sociaux pour autochtones cris et inuit »*.

Définitions: « organisme de services publics » — 1; « organisme déterminé de services publics » — 383.

Bulletins d'interprétation: TVQ. 386-4/R2 — Remboursement partiel de la taxe de vente du Québec aux établissements de santé.

Concordance fédérale: LTA, par. 123(1)« administration hospitalière ».

« administration scolaire » signifie une commission scolaire ou un établissement dispensant des services d'enseignement au primaire ou au secondaire régi par la *Loi sur l'enseignement privé* (chapitre E-9.1);

Notes historiques: La définition de « administration scolaire » à l'article 1 a été ajoutée par L.Q. 1991, c. 67.

Définitions: « organisme de services publics » — 1; « organisme déterminé de services publics » — 383.

Renvois: 120–135 (services d'enseignement exonérés).

Bulletins d'interprétation: TVQ. 127-1/R1 — Fourniture de cours de massothérapie; TVQ. 127-2/R1 — Fourniture d'un service d'enseignement concernant l'opération d'équipement lourd par une école de formation professionnelle; TVQ. 127-3/R1 — Fourniture par une école de formation professionnelle d'un service d'enseignement concernant la conduite de camions.

Concordance fédérale: LTA, par. 123(1)« administration scolaire ».

« amélioration » à l'égard d'un bien d'une personne, signifie un bien ou un service fourni à la personne, ou un bien apporté au Québec par celle-ci, dans le but d'améliorer le bien, dans la mesure où la contrepartie payée ou payable par elle pour le bien ou le service ou la valeur du bien apporté est ou serait, si la personne était un contribuable au sens de la *Loi sur les impôts* (chapitre I-3), incluse dans le calcul du coût ou, dans le cas d'une immobilisation de la personne, du prix de base rajusté pour la personne du bien pour l'application de cette loi;

Notes historiques: La définition de « amélioration » à l'article 1 a été remplacée par L.Q. 1997, c. 85, art. 418(1)(3°) et cette modification a effet depuis le 24 avril 1996.

Antérieurement, elle se lisait comme suit :

> « amélioration » à l'égard d'une immobilisation d'une personne, signifie un bien ou un service fourni à la personne, ou un bien apporté au Québec par celle-ci, dans le but d'améliorer l'immobilisation, dans la mesure où la contrepartie payée ou payable par elle pour la fourniture du bien ou du service ou la valeur du bien apporté est incluse dans le calcul du prix de base rajusté pour la personne de l'immobilisation pour l'application de la *Loi sur les impôts* (L.R.Q., chapitre I-3), ou le serait si elle était un contribuable en vertu de cette loi;

Définitions: « bien », « contrepartie », « fourniture », « immobilisation », « personne », « service » — 1.

Renvois: 93 (« améliorations » sur un immeuble).

Concordance fédérale: LTA, par. 123(1)« améliorations ».

« année d'imposition » d'une personne signifie :

1° dans le cas où la personne est un contribuable au sens de la *Loi sur les impôts*, autre qu'une personne non constituée en société qui est exonérée, conformément au livre VIII de cette loi, de l'impôt en vertu de la partie I de cette loi, son année d'imposition pour l'application de cette loi;

1.1° dans le cas où la personne est une société de personnes visée au sous-paragraphe ii du paragraphe b) du deuxième alinéa de l'article 7 de cette loi, l'exercice financier de son entreprise, déterminé en vertu de l'article 7 de cette loi;

2° dans tout autre cas, la période qui serait son année d'imposition pour l'application de cette loi si elle était une société autre qu'une société professionnelle au sens de l'article 1 de cette loi;

Notes historiques: Le paragraphe 1.1° de la définition de « année d'imposition » à l'article 1 a été ajouté par L.Q. 1997, c. 31, art. 146(1) et s'applique à un exercice financier qui commence après le 31 décembre 1994. Le paragraphe 2° a été modifié par L.Q. 1997, c. 31, art. 146(1) et cette modification s'applique à un exercice financier qui commence après le 31 décembre 1994. Auparavant, il se lisait comme suit :

> 2° dans tout autre cas, la période qui serait son année d'imposition pour l'application de cette loi si elle était une société;

La définition de « année d'imposition » à l'article 1 a été modifiée par L.Q. 1997, c. 3, art. 115(1°) pour remplacer le mot « corporation » par le mot « société ». Cette modification est réputée entrée en vigueur le 20 mars 1997. Auparavant, cette définition a été modifiée par L.Q. 1995, c. 1, art. 247(1)(1°) et a effet depuis le 17 juin 1994. La définition de « année d'imposition » à l'article 1, ajoutée par L.Q. 1991, c. 67, se lisait auparavant comme suit :

> « année d'imposition » d'une personne signifie :
>
> 1° dans le cas où la personne est un contribuable au sens de la *Loi sur les impôts* (L.R.Q., chapitre I-3), son année d'imposition pour l'application de cette loi;

LTVQ (français)

2º dans tout autre cas, la période qui serait son année d'imposition pour l'application de cette loi si elle était une corporation;

Définitions: « année d'imposition », « contribuable » — 1 LI; « personne » — 1.

Renvois: 405 (« exercice »); 452 (« exercice »); 457 (période de déclaration indiquée).

Concordance fédérale: LTA, par. 123(1)« année d'imposition ».

« argent » comprend une monnaie, un chèque, un billet promissoire, une lettre de crédit, une traite, un chèque de voyage, une lettre de change, un bon de poste, un mandat-poste, un titre de versement postal et un autre effet semblable, qu'il soit canadien ou étranger, mais ne comprend pas la monnaie dont la juste valeur marchande excède sa valeur nominale à titre de monnaie légale dans son pays d'origine ou la monnaie qui est fournie ou détenue pour sa valeur numismatique;

Notes historiques: La définition de « argent » à l'article 1 a été ajoutée par L.Q. 1991, c. 67.

Définitions: « bien », « document », « effet financier », « montant », « service », « service financier », « titre de créance » — 1.

Renvois: 15 (JVM); 51 (valeur de la contrepartie).

Concordance fédérale: LTA, par. 123(1)« argent ».

« assureur » signifie une personne autorisée à exploiter une entreprise d'assurance, soit au Canada en vertu de la législation du Québec, d'une autre province, des Territoires du Nord-Ouest, du territoire du Yukon, du territoire du Nunavut ou du Canada, soit dans une autre juridiction en vertu des lois de cette autre juridiction;

Notes historiques: La définition d'« assureur » à l'article 1 a été modifiée par L.Q. 2003, c. 2, s.-par. 307(1)(1º) par l'insertion, après le mot « Yukon », de « , du territoire du Nunavut ». Cette modification a effet depuis le 1er avril 1999.

La définition de « assureur » à l'article 1 a été ajoutée par L.Q. 1991, c. 67.

Définitions: « entreprise », « fonds réservé », « institution financière », « personne », « police d'assurance », « service financier » — 1.

Renvois: 10 (règles applicables au fonds réservé d'un assureur); 298 (fourniture à l'assureur sur règlement de sinistre); 299 (fourniture par l'assureur); 332 (corporations étroitement liées); 506–536 (taxe sur les primes d'assurance).

Bulletins d'interprétation: TVQ. 16-24 — Remboursement de dépenses effectué par un sous-transporteur à un transporteur principal.

Concordance fédérale: LTA, par. 123(1)« assureur ».

« banque » signifie une banque et une banque étrangère autorisée, au sens de l'article 2 de la *Loi sur les banques* (L.R.C. 1985, c. B-1);

Notes historiques: La définition de « banque » à l'article 1 a été ajoutée par L.Q. 2001, c. 53, art. 272(1)(1º) et a effet depuis le 28 juin 1999.

Concordance fédérale: LTA, par. 123(1)« banque ».

« bien » ne comprend pas l'argent;

Notes historiques: La définition de « bien » à l'article 1 a été ajoutée par L.Q. 1991, c. 67.

Définitions: « argent » — 1.

Renvois: 28 (transfert à titre de garantie); 199–206 (remboursement de la taxe sur les intrants — règle générale); 641 (fourniture du droit d'acquérir un droit d'adhésion réputée une fourniture de biens).

Lettres d'interprétation (Québec): 01-0108918 — Promesse bilatérale.

Concordance fédérale: LTA, par. 123(1)« bien ».

« bien meuble corporel » (*définition supprimée*);

Notes historiques: La définition de « bien meuble corporel » à l'article 1 a été supprimée par L.Q. 1995, c. 1, art. 247 (1)(2º) à compter du 13 mai 1994. Elle se lisait auparavant comme suit :

« bien meuble corporel » comprend l'électricité et le gaz;

La définition de « bien meuble corporel » à l'article 1 a été ajoutée par L.Q. 1993, c. 19, art. 167(1º) et s'appliquait à l'égard d'une fourniture ou d'un apport au Québec relativement auquel l'article 685 ou l'un des articles 618 à 656 de L.Q. 1991, c. 67 s'applique [*N.D.L.R.* : les articles 685 et 618 à 656 réfèrent à des dispositions transitoires concernant les transferts avant le 1er juillet 1992].

« bien meuble corporel désigné » signifie l'un des biens suivants ou un droit dans un tel bien :

1º un dessin, une estampe, une gravure, une sculpture, un tableau ou une autre œuvre d'art semblable;

2º un bijou;

3º un in-folio, un livre ou un manuscrit rare;

4º un timbre;

5º une pièce de monnaie;

6º un bien meuble prescrit;

Notes historiques: La définition de « bien meuble corporel désigné » à l'article 1 a été ajoutée par L.Q. 1991, c. 67.

Définitions: « bien », « bien meuble corporel désigné d'occasion » — 1.

Renvois: 218 (acquisition ou apport d'un bien meuble corporel désigné).

Concordance fédérale: LTA, par. 123(1)« bien meuble corporel désigné ».

« bien meuble corporel désigné d'occasion » (*définition supprimée*);

Notes historiques: La définition de « bien meuble corporel désigné d'occasion » à l'article 1 a été supprimée par L.Q. 1997, c. 85, art. 418(1)(4º) et cette modification a effet depuis le 24 avril 1996.

La définition de « bien meuble corporel désigné d'occasion » à l'article 1, édictée par L.Q. 1991, c. 67, se lisait comme suit :

« bien meuble corporel désigné d'occasion » signifie un bien meuble corporel désigné, sauf s'il peut être établi de manière satisfaisante :

1º dans le cas où le bien est un dessin, une estampe, une gravure, une sculpture, un tableau ou une autre œuvre d'art semblable, que ce bien est détenu au Québec uniquement pour être fourni dans le cours normal d'une entreprise par un inscrit depuis le dernier en date des jours suivants :

a) le jour où la personne qui a créé le bien a effectué pour la première fois une fourniture par vente du bien;

b) le 1er juillet 1992;

c) le jour où le bien a été apporté au Québec pour la dernière fois;

2º dans le cas où le bien n'est pas visé au paragraphe 1º, que ce bien est détenu au Québec uniquement pour fourniture dans le cours normal d'une entreprise par un inscrit depuis le dernier en date des jours suivants :

a) le 1er juillet 1992;

b) le jour où le bien a été apporté au Québec pour la dernière fois;

« bien meuble corporel d'occasion » signifie un bien meuble corporel qui a été utilisé au Québec;

Notes historiques: La définition de « bien meuble corporel d'occasion » à l'article 1 a été remplacée par L.Q. 1997, c. 85, art. 418(1)(5º) et cette modification a effet depuis le 24 avril 1996. Antérieurement à cette modification, la définition de « bien meuble corporel d'occasion » se lisait ainsi :

« bien meuble corporel d'occasion » signifie un bien meuble corporel qui a déjà été utilisé au Québec;

La définition de « bien meuble corporel d'occasion » à l'article 1 a été ajoutée par L.Q. 1991, c. 67.

Définitions: « bien » — 1.

Renvois: 213 (acquisition de biens meubles corporels d'occasion); 215 (contenants consignés); 216 (exportation); 659 (biens meubles corporels d'occasion réputés).

Concordance fédérale: LTA, par. 123(1)« bien meuble corporel d'occasion ».

« cadre » signifie une personne qui occupe une charge;

Notes historiques: La définition de « cadre » à l'article 1 a été remplacée par L.Q. 1997, c. 85, art. 418(1)(6º) et cette modification a effet depuis le 1er juillet 1992. Antérieurement à cette modification, la définition de « cadre » se lisait ainsi :

« cadre » comprend :

1º un membre du conseil d'administration, du conseil de gestion ou d'un autre comité de direction d'une association, d'un club, d'un organisme, d'une société, d'une société de personnes, d'un syndicat ou de toute autre organisation;

2º un officier de justice ou un membre d'un tribunal ou d'un organisme judiciaire, quasi-judiciaire ou administratif;

3º un ministre du gouvernement du Québec, d'une autre province, des Territoires du Nord-Ouest, du territoire du Yukon ou du Canada;

4º soit un député du Québec ou d'une autre province, soit un membre ou un conseiller du Conseil des Territoires du Nord-Ouest ou de celui du territoire du Yukon, soit un sénateur ou un député fédéral;

5º le titulaire de toute autre charge qui est élu ou nommé pour agir à titre de représentant d'un groupe de personnes;

Le paragraphe 1º de la définition de « cadre » à l'article 1 a été modifié par L.Q. 1997, c. 3, art. 115(2º) et cette modification est entrée en vigueur le 20 mars 1997. Auparavant, ce paragraphe se lisait comme suit :

1º un membre du conseil d'administration, du conseil de gestion ou d'un autre comité de direction d'une association, d'un club, d'une corporation, d'un organisme, d'une société, d'un syndicat ou de toute autre organisation;

La définition de « cadre » à l'article 1 a été ajoutée par L.Q. 1991, c. 67.

Définitions: « charge », « gouvernement », « personne », « salarié », « service » — 1.

Lettres d'interprétation: 05-0100809 — [Interprétation relative à la TPS et à la TVQ — remboursement d'un compte de dépenses d'un secrétaire non membre d'un conseil d'administration].

Concordance fédérale: LTA, par. 123(1)« cadre ».

« caisse de crédit » a le sens que donne l'article 797 de la *Loi sur les impôts* à l'expression « caisse d'épargne et de crédit » et comprend également une société d'assurance-dépôts visée au paragraphe b) de l'article 804 de cette loi;

Notes historiques: La définition de « caisse de crédit » à l'article 1 a été modifiée par L.Q. 1997, c. 3, art. 115(1°) pour remplacer le mot « corporation » par le mot « société ». Cette modification est réputée entrée en vigueur le 20 mars 1997.

Cette définition a été ajoutée par L.Q. 1991, c. 67.

Définitions: « congrès », « organisateur », « promoteur » — 1.

Renvois: 80.3 (fourniture à un exposant non-résident); 198 (service financier, fourniture pour l'usage du lieutenant-gouverneur du Québec et fourniture d'un droit d'entrée à un congrès); 357.1, 357.2 (remboursement — congrès).

Concordance fédérale: LTA, par. 123(1)« caisse de crédit ».

« centre de congrès » signifie l'immeuble acquis par louage, licence ou accord semblable par le promoteur ou l'organisateur d'un congrès pour utilisation exclusive comme lieu du congrès.

Notes historiques: La définition de « centre de congrès » à l'article 1 a été ajoutée par L.Q. 1994, c. 22, art. 364(1)(3°) et est réputée entrée en vigueur le 1er juillet 1992.

Concordance fédérale: LTA, par. 123(1)« centre de congrès ».

« charge » a le sens que lui donne l'article 1 de la *Loi sur les impôts* mais ne comprend pas :

1° la fonction de syndic de faillite;

2° la fonction de séquestre, y compris la fonction d'un séquestre au sens du deuxième alinéa de l'article 310;

3° la fonction de fiduciaire d'une fiducie ou de représentant personnel d'un particulier décédé, dans le cas où la personne qui agit à ce titre a droit à un montant à cet égard et que ce montant est inclus, pour l'application de cette loi, dans le calcul du revenu de la personne ou, dans le cas où la personne est un particulier, de son revenu provenant d'une entreprise;

Notes historiques: La définition de « charge » à l'article 1 a été ajoutée par L.Q. 1997, c. 85, art. 418(1)(7°) et a effet depuis le 1er juillet 1992.

Définitions: « entreprise », « montant », « personne », « représentant personnel » — 1.

Bulletins d'interprétation: TVQ. 1-9 — Juges des cours municipale; TVQ. 407-3/R2 — Partis politiques.

Lettres d'interprétation: 05-0100809 — Interprétation relative à la TPS et à la TVQ — remboursement d'un compte de dépenses d'un secrétaire non membre d'un conseil d'administration].

Concordance fédérale: LTA, par. 123(1)« charge ».

« collège public » signifie :

1° un collège régi par la *Loi sur les collèges d'enseignement général et professionnel* (chapitre C-29);

2° un établissement agréé aux fins de subventions pour des services d'enseignement au collégial en vertu de la *Loi sur l'enseignement privé*;

3° une institution qui administre un collège d'enseignement postsecondaire ou un institut technique d'enseignement postsecondaire, qui est situé au Québec et qui, à la fois :

a) reçoit d'un gouvernement ou d'une municipalité des subventions en vue de l'aider à offrir, de façon continue, des services d'enseignement au grand public;

b) a pour principal objet d'offrir des programmes de formation professionnelle, technique ou générale;

Notes historiques: Le préambule du paragraphe 3° et le paragraphe a) de la définition de « collège public » à l'article 1 a été remplacée par L.Q. 1997, c. 85, art. 418(1)(8°).

Cette modification s'applique :

a) aux fins du calcul d'un remboursement en vertu des articles 383 à 397 pour lequel une demande est reçue par le ministre du Revenu depuis le 23 avril 1996 et aux fins du calcul d'un montant accordé par le ministre du Revenu après cette date;

b) pour toutes autres fins, après le 31 décembre 1996.

Antérieurement à cette modification, ils se lisaient ainsi :

3° une institution ou la partie d'une institution qui administre un collège d'enseignement postsecondaire ou un institut technique d'enseignement postsecondaire, qui est situé au Québec et qui, à la fois :

a) reçoit des subventions d'un gouvernement ou d'une municipalité;

La définition de « collège public » à l'article 1 a auparavant été modifiée par L.Q. 1997, c. 14, art. 329(1) et cette modification a effet depuis le 1er juillet 1992. Cette définition, édictée par L.Q. 1991, c. 67, se lisait comme suit :

« collège public » signifie un collège régi par la *Loi sur les collèges d'enseignement général et professionnel* (L.R.Q., chapitre C-29) ou une institution déclarée d'intérêt public ou reconnue aux fins de subventions pour des services d'enseignement au collégial en vertu de la *Loi sur l'enseignement privé* (L.R.Q., chapitre E-9);

Définitions: « organisme de services publics », « service » — 1; « organisme déterminé de services publics » — 383.

Renvois: 120–135 (services d'enseignements exonérés).

Bulletins d'interprétation: TVQ. 386-2/R1 — Collèges privés admissibles aux remboursements partiels de la taxe de vente du Québec dans le cadre d'un programme de subvention.

Lettres d'interprétation: 98-0108112 — Décision portant sur l'application de la TPS — Interprétation relative à la TVQ — Collège public; 98-0110266 — Interprétation relative à la TPS — Interprétation relative à la TVQ — Services d'enseignement.

Concordance fédérale: LTA, par. 123(1)« collège public ».

« congrès » signifie une réunion ou une assemblée officielle qui n'est pas ouverte au grand public mais ne comprend pas une réunion ou une assemblée dont l'objet principal consiste, selon le cas :

1° à offrir des attractions, des divertissements ou des distractions de tout genre;

2° à tenir des concours ou à mener des jeux de hasard;

3° à permettre à l'instigateur du congrès ou aux congressistes de réaliser des affaires :

a) soit dans le cadre d'une foire commerciale ouverte au grand public;

b) soit autrement que dans le cadre d'une foire commerciale;

Notes historiques: La définition de « congrès » à l'article 1 a été ajoutée par L.Q. 1994, c. 22, art. 364(1)(4°) et est réputée entrée en vigueur le 1er juillet 1992.

Définitions: « centre de congrès », « congrès », « jeu de hasard » — 1.

Renvois: 80.3 (fourniture à un exposant non-résident); 198 (service financier, fourniture pour l'usage du lieutenant-gouverneur du Québec et fourniture d'un droit d'entrée à un congrès); 357.1–357.5 (remboursement — congrès).

Concordance fédérale: LTA, par. 123(1)« congrès ».

« congrès étranger » signifie un congrès où, à la fois :

1° il est raisonnable de s'attendre, au moment où le promoteur du congrès établit le montant exigé à titre de contrepartie du droit d'entrée au congrès, à ce qu'au moins 75 % de ces droits soient fournis à des personnes qui ne résident pas au Canada;

2° le promoteur du congrès est une organisation dont le siège est situé à l'extérieur du Canada ou, si l'organisation n'a pas de siège, dont le membre ou la majorité des membres, ayant la gestion et le contrôle de l'organisation, ne résident pas au Canada;

Notes historiques: La définition de « congrès étranger » à l'article 1 a été modifiée par L.Q. 1997, c. 3, art. 115(3°) pour supprimer le mot, « social » partout où il se trouvait. Cette modification est réputée entrée en vigueur le 20 mars 1997. Cette définition a été ajoutée par L.Q. 1994, c. 22, art. 364(1)(4°) et est réputée entrée en vigueur le 1er juillet 1992.

Définitions: « congrès », « contrepartie », « droit d'entrée », « membre », « montant », « personne », « promoteur » — 1.

Renvois: 48.1 (fourniture par le promoteur d'un congrès étranger); 357.4 (remboursement — congrès).

Lettres d'interprétation: 02-0104758 — Interprétation relative à la TPS et à la TVQ — Organisation d'un congrès international.

Concordance fédérale: LTA, par. 123(1)« congrès étranger ».

« conjoint » (*définition supprimée*);

LTVQ (français)

Notes historiques: La définition de « conjoint » à l'article 1 a été supprimée par L.Q. 2005, c. 1, art. 347 et cette modification est entrée en vigueur le 17 mars 2005. Antérieurement, cette définition se lisait ainsi :

« conjoint » d'un particulier donné, à un moment quelconque, signifie un particulier qui est le conjoint du particulier donné à ce moment pour l'application de la *Loi sur les impôts*;

La définition de « conjoint » à l'article 1 a été ajoutée par L.Q. 2001, c. 53, art. 272(1)(2º) et est entrée en vigueur le 20 décembre 2001.

Pour l'application de la définition de l'expression « conjoint » à l'article 1, malgré l'article 25 de la *Loi sur le ministère du Revenu* (L.R.Q., chapitre M-31), le ministre peut, à tout moment, déterminer ou déterminer de nouveau tout montant prévu au titre I de la *Loi sur la taxe de vente du Québec* sur le calcul duquel influerait le choix prévu au troisième alinéa de l'article 2.2.1 de la *Loi sur les impôts* (L.R.Q., chapitre I-3).

« consommateur » d'un bien ou d'un service signifie un particulier qui acquiert, ou apporte au Québec, un bien ou un service à ses frais pour sa consommation, son utilisation ou sa jouissance personnelle ou celle de tout autre particulier, mais ne comprend pas un particulier qui acquiert, ou apporte au Québec, un bien ou un service pour consommation, utilisation ou fourniture dans le cadre de ses activités commerciales ou d'autres activités dans le cadre desquelles il effectue des fournitures exonérées;

Notes historiques: La définition de « consommateur » à l'article 1 a été ajoutée par L.Q. 1991, c. 67.

Définitions: « activité commerciale », « bien », « fourniture », « fourniture exonérée », « particulier », « service » — 1.

Concordance fédérale: LTA, par. 123(1)« consommateur ».

« constructeur » d'un immeuble d'habitation ou d'une adjonction à un immeuble d'habitation à logements multiples signifie une personne qui :

1º alors qu'elle a un droit dans l'immeuble sur lequel l'immeuble d'habitation est situé, réalise, elle-même ou par l'intermédiaire d'une personne qu'elle engage :

a) dans le cas d'une adjonction à un immeuble d'habitation à logements multiples, la construction de cette adjonction;

b) dans le cas d'un logement en copropriété, la construction de l'immeuble d'habitation en copropriété dans lequel ce logement est situé;

c) dans tout autre cas, la construction ou la rénovation majeure de l'immeuble d'habitation;

2º acquiert un droit dans l'immeuble d'habitation alors que :

a) dans le cas d'une adjonction à un immeuble d'habitation à logements multiples, l'adjonction est en construction;

b) dans tout autre cas, l'immeuble d'habitation est en construction ou fait l'objet d'une rénovation majeure;

3º dans le cas d'une maison mobile ou d'une maison flottante, effectue la fourniture de la maison avant qu'elle ne soit utilisée ou occupée par un particulier à titre de résidence;

4º acquiert un droit dans l'immeuble d'habitation en vue principalement soit d'effectuer une ou plusieurs fournitures par vente de la totalité ou de parties de cet immeuble ou de droits dans celui-ci, soit d'effectuer une ou plusieurs fournitures par louage, licence ou accord semblable de la totalité ou de parties de cet immeuble à des personnes autres que des particuliers qui acquièrent l'immeuble d'habitation ou une partie de celui-ci autrement que dans le cadre d'une entreprise, d'un projet comportant un risque ou d'une affaire de caractère commercial, alors que :

a) dans le cas d'un immeuble d'habitation en copropriété ou d'un logement en copropriété, la déclaration de copropriété relative à l'immeuble d'habitation n'a pas encore été inscrite au registre foncier;

b) dans tous les cas, l'immeuble d'habitation n'a pas été occupé par un particulier à titre de résidence ou d'hébergement;

5º dans tous les cas, est réputée être un constructeur de l'immeuble d'habitation, en vertu de l'article 220;

toutefois, l'expression « constructeur » exclut :

6º un particulier visé au paragraphe 1º, 2º ou 4º qui autrement que dans le cadre d'une entreprise, d'un projet comportant un risque ou d'une affaire de caractère commercial :

a) soit réalise la construction ou la rénovation majeure de l'immeuble d'habitation;

b) soit engage une autre personne pour réaliser la construction ou la rénovation majeure de l'immeuble d'habitation pour lui-même;

c) soit acquiert l'immeuble d'habitation ou un droit dans celui-ci;

7º un particulier visé au paragraphe 3º qui effectue la fourniture d'une maison mobile ou d'une maison flottante autrement que dans le cadre d'une entreprise, d'un projet comportant un risque ou d'une affaire de caractère commercial;

8º une personne visée à l'un des paragraphes 1º à 3º dont le seul droit dans l'immeuble d'habitation consiste en un droit de l'acheter, ou d'acheter un droit dans celui-ci, d'un constructeur de l'immeuble d'habitation;

Notes historiques: Le sous-paragraphe 4ºa) de la définition de « constructeur » à l'article 1 a été modifié par L.Q. 1997, c. 3, art. 115(4º) pour remplacer le mot « enregistrée » par les mots « inscrite au registre foncier ». Cette modification est réputée entrée en vigueur le 20 mars 1997.

Les paragraphes 3º à 7º de la définition de « constructeur » à l'article 1 ont été modifiés par L.Q. 1994, c. 22, art. 364(1)(5º) et sont réputés entrés en vigueur le 1er janvier 1993. Ils se lisaient auparavant comme suit :

3º dans le cas d'une maison mobile, fabrique celle-ci;

4º acquiert un droit dans l'immeuble d'habitation en vue principalement d'effectuer la fourniture par vente de la totalité ou d'une partie de cet immeuble ou d'un droit dans celui-ci, alors que :

a) dans le cas d'un immeuble d'habitation en copropriété ou d'un logement en copropriété, la déclaration de copropriété relative à l'immeuble d'habitation n'a pas encore été enregistrée;

b) dans tous les cas, l'immeuble d'habitation n'a pas été occupé par un particulier à titre de résidence ou de pension en vertu d'un accord quelconque en ce sens;

5º est réputée être un constructeur de l'immeuble d'habitation, en vertu de l'article 220;

toutefois, l'expression « constructeur » exclut :

6º un particulier visé à l'un des paragraphes 1º à 4º qui réalise la construction ou la rénovation majeure ou acquiert l'immeuble d'habitation ou un droit dans celui-ci autrement que dans le cadre d'une entreprise, d'un projet comportant un risque ou d'une affaire de caractère commercial [*sic*];

7º une personne visée à l'un des paragraphes 1º à 3º dont le droit dans l'immeuble d'habitation consiste en un droit de l'acheter d'un constructeur de l'immeuble d'habitation;

Le paragraphe 8º de la définition de « constructeur » à l'article 1 a été ajouté par L.Q. 1994, c. 22, art. 364(1)(5º) et est réputé entré en vigueur le 1er juillet 1992.

La définition de « constructeur » à l'article 1 a été ajoutée par L.Q. 1991, c. 67.

Guides: IN-261 — La TVQ, la TPS et les immeubles d'habitation (construction ou rénovation).

Définitions: « entreprise », « fourniture », « immeuble d'habitation », « immeuble d'habitation à logements multiples », « immeuble d'habitation en copropriété », « logement en copropriété », « maison flottante », « maison mobile », « particulier », « personne », « rénovation majeure », « vente » — 1.

Renvois: 220 (conversion à un usage résidentiel — personne réputée être constructeur).

Jurisprudence: *9062-8942 Québec inc. c. Québec (Sous-ministre du Revenu)* (24 juillet 2006), 400-80-000224-042, 2006 CarswellQue 7347 (C.Q.); *Fortin c. Québec (Sous-ministre du Revenu)* (22 novembre 2005), 160-80-000018-048, 2005 CarswellQue 12442 (C.Q.).

Bulletins d'interprétation: TVQ. 223-1/R2 — Fourniture à soi-même d'un immeuble d'habitation; TVQ. 362.2-1/R1 — Remboursement pour habitations neuves à l'égard d'un duplex.

Lettres d'interprétation: 99-0113664 — Interprétation relative à la TPS et à la TVQ — Notion de constructeur — Fourniture à soi-même.

Concordance fédérale: LTA, par. 123(1)« constructeur ».

« contrepartie » comprend un montant qui est payable pour une fourniture par effet de la loi;

Notes historiques: La définition de « contrepartie » à l'article 1 a été ajoutée par L.Q. 1994, c. 22, art. 364(1)(6º) et est réputée entrée en vigueur le 1er juillet 1992.

Définitions: « contrepartie » — 42.0.1.1; « fourniture », « montant » — 1.

Renvois: 40 (redevances sur ressources naturelles); 51 (valeur de la contrepartie); 58–58.2 (dons aux organismes de bienfaisance et aux partis autorisés); 350.12 (jeu de hasard).

Jurisprudence: *Québec (Sous-ministre du Revenu) c. Cun* (13 novembre 2008), 505-61-074113-069, 2008 CarswellQue 11822; *Auberge La Calèche 1992 inc. c. Québec (Sous-ministre du Revenu)* (28 janvier 2004), 500-09-011756-012, 2004 CarswellQue 110 (C.A. Qué.); *Construction R.B. Boucher inc. c. Québec (Sous-ministre du Revenu)* (9 décembre 2002), 200-02-024477-004, 2002 CarswellQue 2913 (C.Q.); *Auberge La Calèche 1992 inc. c. S.M.R.Q.* (21 novembre 2001), 500-02-072512-986, 2001 CarswellQue 3334 (C.Q.).

Bulletins d'interprétation: TVQ. 164-1 — Montant réclamé par une municipalité aux propriétaires de systèmes d'alarmes suite à une fausse alarme.

Lettres d'interprétation (Québec): 99-0104929 — Décision portant sur l'application de la TPS — Interprétation relative à la TVQ — Approvisionnement en commun de biens et services pour les établissements de santé; 00-0106351 — Interprétation relative à la TPS et à la TVQ — Subvention vs Contrepartie; Droits d'adhésion à un organisme du secteur public; 00-0106377 — Interprétation relative à la TPS et à la TVQ — Entente entre une municipalité et un organisme de bienfaisance; 01-0102002 — Interprétation relative à la TPS et à la TVQ — Sommes versées par une municipalité: Subvention ou contrepartie d'une fourniture; 01-0105039 — Interprétation relative à la TPS et à la TVQ — Entente intermunicipale à l'égard d'une bibliothèque municipale; 01-0105567 — Interprétation relative à la TPS et à la TVQ — Vente d'un terrain viabilisé par une municipalité à un particulier; 01-0106227 — Somme versée ou terrains cédés par un promoteur à une municipalité en vertu de règlements municipaux; 02-0100673 — Interprétation relative à la TPS et à la TVQ — Sommes versées par des municipalités : Subvention ou contrepartie de fournitures; 02-0104675 — Décision portant sur l'application de la TPS — Interprétation relative à la TVQ — Montants versés par des municipalités; 02-0109989 — Interprétation relative à la TVQ — Frais réclamés lorsqu'un transfert de fonds est refusé ou qu'un chèque est retourné par l'institution financière du locataire d'un véhicule routier; 04-0106643 — Activité commerciale — Réclamation de CTI et de RTI; 05-0105352 — Interprétation relative à la TPS et à la TVQ — Programmes d'achat de produits et de services; 06-0101847 — Interprétation relative à la TPS à et la TVQ — Gestion du complexe sportif d'une municipalité par un OSBL; 12-013796-001 — Interprétation relative à la TVQ — Dépenses engagées par un avocat à l'étranger.

Concordance fédérale: LTA, par. 123(1)« contrepartie ».

« coopérative » signifie une coopérative d'habitation ou une société coopérative au sens du paragraphe 2 de l'article 136 de la *Loi de l'impôt sur le revenu* (L.R.C. 1985, c. 1 (5e suppl.));

Notes historiques: La définition de « coopérative » à l'article 1 a été modifiée par L.Q. 1997, c. 3, art. 115(1°) pour remplacer le mot « corporation » par le mot « société ». Cette modification est réputée entrée en vigueur le 20 mars 1997. Cette définition a été ajoutée par L.Q. 1994, c. 22, art. 364(1)(6°) et est réputée entrée en vigueur le 1er juillet 1992.

Définitions: « coopérative d'habitation » — 1.

Renvois: art. 36 (fourniture d'un droit d'adhésion avec une action).

Concordance fédérale: LTA, par. 123(1)« coopérative ».

« coopérative d'habitation » signifie une société constituée par une loi du Québec, d'une autre province, des Territoires du Nord-Ouest, du territoire du Yukon, du territoire du Nunavut ou du Canada, ou en vertu d'une telle loi, pourvoyant à sa constitution ou ayant trait à la constitution de coopératives, dans le but d'effectuer la fourniture par louage, licence ou accord semblable d'habitations à ses membres en vue de leur occupation à titre de résidence pour des particuliers dans le cas où, à la fois :

1° la loi en vertu de laquelle ou par laquelle elle est constituée, sa charte, ses statuts constitutifs ou ses règlements, ou les contrats avec ses membres exigent que les activités de la société couvrent autant que possible ses frais après la constitution de réserves raisonnables et laissent entrevoir la possibilité que les excédents résultant de ses activités seront distribués entre ses membres en proportion de leur apport;

2° aucun de ses membres, à l'exception d'autres coopératives, n'a plus qu'une voix dans la conduite des affaires de la société;

3° au moins 90 % de ses membres sont des particuliers ou d'autres coopératives et au moins 90 % de ses parts sociales sont détenues par telles personnes;

Notes historiques: La définition de « coopérative d'habitation » à l'article 1 a été modifiée par L.Q. 2003, c. 2, s.-par. 307(1)(2°) par l'insertion, après le mot « Yukon », de « , du territoire du Nunavut ». Cette modification a effet depuis le 1er avril 1999.

La définition de « coopérative d'habitation » à l'article 1 a été modifiée par L.Q. 1997, c. 3, art. 115(1°) pour remplacer le mot « corporation » par le mot « société ». Cette modification est réputée entrée en vigueur le 20 mars 1997. Cette définition a été ajoutée par L.Q. 1994 c. 22, art. 364(1)(6°) et est réputée entrée en vigueur le 1er juillet 1992.

Définitions: « coopérative », « fourniture », « habitation », « particulier », « personne » — 1.

Renvois: 36 (fourniture d'un droit d'adhésion avec une action); 106.1 (fourniture effectuée par une coopérative d'habitation).

Lettres d'interprétation: 98-0109672 — Coopérative d'habitation.

Concordance fédérale: LTA, par. 123(1)« coopérative d'habitation ».

« coût direct » de la fourniture d'un bien meuble corporel ou d'un service, signifie le total des montants dont chacun représente la contrepartie payée ou payable par le fournisseur :

1° soit pour le bien ou le service, s'il l'a acheté afin d'en effectuer la fourniture par vente;

2° soit pour un article ou du matériel, sauf une immobilisation du fournisseur, que ce dernier a acheté, dans la mesure où l'article ou le matériel doit être incorporé au bien ou en être une partie constitutive ou composante ou être consommé ou utilisé directement dans la fabrication, la production, le traitement ou l'emballage du bien;

pour l'application de la présente définition, les règles suivantes s'appliquent :

1° la contrepartie payée ou payable par le fournisseur pour un bien ou un service est déterminée en tenant compte de la taxe imposée en vertu du présent titre qui est payable par le fournisseur à l'égard de l'acquisition, ou de l'apport au Québec, du bien ou du service par le fournisseur, à l'exclusion de la partie de cette taxe, autre que la taxe qui est devenue payable par le fournisseur à un moment où il était un inscrit, qui est recouvrée ou recouvrable par le fournisseur;

2° cette contrepartie est déterminée sans tenir compte de la partie des droits, frais ou taxes visés à l'article 52 qui est recouvrée ou recouvrable par le fournisseur;

3° cette contrepartie est déterminée en tenant compte de la taxe imposée en vertu de la partie IX de la *Loi sur la taxe d'accise* (L.R.C. 1985, c. E-15);

Notes historiques: Le paragraphe 1° du deuxième alinéa de la définition de « coût direct » à l'article 1 a été modifié par L.Q. 2012, c. 28, s.-par. 29(1)(1°) par le remplacement des mots « est réputée comprendre la taxe » par les mots « est déterminée en tenant compte de la taxe ». Cette modification s'applique à l'égard d'une fourniture dont la contrepartie devient due après le 31 décembre 2012 et n'est pas payée avant le 1er janvier 2013.

Le paragraphe 2° du deuxième alinéa de la définition de « coût direct » à l'article 1 a été remplacé par L.Q. 2012, c. 28, s.-par. 29(1)(2°) et cette modification s'applique à l'égard d'une fourniture dont la contrepartie devient due après le 31 décembre 2012 et n'est pas payée avant le 1er janvier 2013. Antérieurement, il se lisait ainsi :

> 2° cette contrepartie est déterminée sans tenir compte de la partie des droits, frais ou taxes visés à l'article 52, autre que la taxe imposée en vertu de la partie IX de la *Loi sur la taxe d'accise* (L.R.C. 1985, c. E-15), qui est recouvrée ou recouvrable par le fournisseur;

Le paragraphe 3° du deuxième alinéa de la définition de « coût direct » à l'article 1 a été ajouté par L.Q. 2012, c. 28, s.-par. 29(1)(3°) et s'applique à l'égard d'une fourniture dont la contrepartie devient due après le 31 décembre 2012 et n'est pas payée avant le 1er janvier 2013.

Le deuxième alinéa de la définition de « coût direct » à l'article 1 a été remplacé par L.Q. 2001, c. 53, art. 272(1)(3°) et cette modification s'applique à l'égard d'une fourniture dont la contrepartie devient due après le 31 décembre 1996 ou est payée après le 31 décembre 1996 sans qu'elle soit devenue due. Toutefois, à l'égard d'une fourniture effectuée avant le 27 novembre 1997, autre qu'une fourniture pour laquelle le fournisseur exige de l'acquéreur un montant au titre de la taxe :

> 1° si la totalité de la contrepartie de la fourniture est devenue due ou a été payée avant le 1er avril 1997, le paragraphe 1° du deuxième alinéa de la définition de l'expression « coût direct » prévue à l'article 1 de cette loi doit se lire comme suit :
>
> > 1° la contrepartie payée ou payable par le fournisseur pour un bien ou un service est réputée comprendre la taxe imposée en vertu du présent titre qui est payable par le fournisseur à l'égard de l'acquisition, ou de l'apport au Québec, du bien ou du service par le fournisseur, à l'exclusion de la partie de cette taxe qui est recouvrée ou recouvrable par le fournisseur;
>
> 2° si une partie de la contrepartie de la fourniture devient due après le 31 mars 1997 ou est payée après le 31 mars 1997 sans qu'elle soit devenue due, le deuxième ali-

LTVQ (français)

néa de la définition de l'expression « coût direct » prévue à l'article 1 de cette loi doit se lire comme suit :

pour l'application de la présente définition, la contrepartie payée ou payable par le fournisseur pour un bien ou un service est réputée comprendre la taxe imposée en vertu du présent titre qui est payable par le fournisseur à l'égard de l'acquisition, ou de l'apport au Québec, du bien ou du service;

Antérieurement, il se lisait ainsi :

Pour l'application de la présente définition, la contrepartie payée ou payable par le fournisseur pour un bien ou un service est réputée comprendre la taxe imposée en vertu du présent titre qui est payable par le fournisseur à l'égard de l'acquisition, ou de l'apport au Québec, du bien ou du service;

La définition de « coût direct » à l'article 1 a été ajoutée par L.Q. 1997, c. 85, art. 418(1)(9°) et a effet depuis le 1er janvier 1997. Toutefois :

a) cette définition s'applique également à l'égard d'une fourniture effectuée avant le 1er janvier 1997 et dont la contrepartie devient due après le 31 décembre 1996 ou est payée après le 31 décembre 1996 sans qu'elle soit devenue due;

b) pour la période du 1er janvier 1997 au 31 mars 1997, le deuxième alinéa de cette définition, doit se lire comme suit :

Pour l'application de la présente définition, la contrepartie payée ou payable par le fournisseur pour un bien ou un service est réputée comprendre la taxe imposée en vertu du présent titre qui est payable par le fournisseur à l'égard de l'acquisition, ou de l'apport au Québec, du bien ou du service, et qui n'est pas recouvrée ni recouvrable par le fournisseur;

Notes explicatives ARQ (PL 5, L.Q. 2012, c. 28): *Résumé* :

L'expression « coût direct » prévue l'article 1 est modifiée pour tenir compte du fait qu'à compter du 1er janvier 2013, la taxe sur les produits et services (TPS) est retirée de l'assiette de la taxe de vente du Québec (TVQ). De plus, l'article 1 de la LTVQ est modifié pour tenir compte des modifications apportées à l'application de la taxe dans le secteur financier, et, plus particulièrement, pour préciser un sens différent à l'expression « exclusif » pour les institutions financières, pour y introduire la notion d'institution financière désignée particulière et pour y apporter des modifications à l'expression « teneur en taxe » applicables à ces institutions financières.

Situation actuelle :

L'article 1 définit certaines expressions pour l'application de cette loi. La définition de l'expression « coût direct » prévoit qu'il en est exclu la partie des droits, frais ou taxes qui est recouvrée ou recouvrable par le fournisseur. Par ailleurs, la partie recouvrée ou recouvrable de la TVQ devenue payable par le fournisseur à un moment où il était un inscrit et la partie recouvrée ou recouvrable de la TPS y est comprise.

L'expression « exclusif » signifie la totalité ou la presque totalité de la consommation, de l'utilisation ou de la fourniture d'un bien ou d'un service.

L'expression « teneur en taxe » ne s'applique qu'aux biens et permet de refléter le contenu en taxe du bien. Plus précisément, elle correspond au total de la taxe qui était payable par la personne à l'égard de sa dernière acquisition, ou de son dernier apport au Québec, du bien ainsi que de la taxe qui était payable par la personne à l'égard d'une amélioration au bien acquise, ou apportée au Québec, après la dernière acquisition, ou le dernier apport au Québec, du bien par la personne. Elle comprend également la taxe qui aurait été payable à l'égard de la dernière acquisition, ou du dernier apport au Québec, du bien ou de l'amélioration mais qui ne l'était pas en raison d'une exception quelconque à l'assujettissement. De ce total, il faut soustraire certains montants que la personne avait le droit de recouvrer par remboursement ou qu'elle aurait eu le droit de recouvrer. Il ne faut toutefois pas soustraire les montants de remboursements de la taxe sur les intrants (RTI) auxquels la personne avait droit. Enfin, il faut réduire en proportion le résultat obtenu afin de prendre en compte toute réduction de la valeur du bien.

Le concept de teneur en taxe est utile lorsque le droit d'une personne à un RTI est modifié et qu'il en résulte soit une récupération du RTI précédemment obtenu à l'égard du bien, soit un montant additionnel au titre d'un tel remboursement.

Ceci peut survenir lorsque l'une des situations suivantes, notamment, se présente :

— la personne cesse ou commence à utiliser un bien meuble principalement dans le cadre de ses activités commerciales ou augmente ou diminue l'usage qu'elle fait d'un bien immeuble, auxquels cas les articles 242, 243, 256 à 259 de la LTVQ peuvent trouver application;

— la personne devient un inscrit (article 207 de la LTVQ), auquel cas le concept de teneur en taxe permet au nouvel inscrit d'obtenir un RTI sur les biens qu'il utilise dans le cadre de ses activités commerciales;

— un inscrit vend un immeuble lors d'une fourniture taxable, auquel cas l'article 233 de la LTVQ lui permet d'obtenir un RTI en fonction de la taxe comprise dans la teneur en taxe de l'immeuble pour laquelle il n'a pu obtenir précédemment un RTI, ou encore un non-inscrit vend un immeuble lors d'une fourniture taxable, auquel cas l'article 379 de la LTVQ lui permet d'obtenir un remboursement égal au moindre de la teneur en taxe de l'immeuble et de la taxe payable sur cette fourniture taxable.

L'expression « régime de placement » est utile pour la définition de l'expression « institution financière désignée » également prévue à l'article 1 de la LTVQ. Un régime de placement comprend, entre autres, une fiducie régie par un régime de pension agréé, un fonds mutuel, un régime enregistré d'épargne-retraite, une société de placements, une société de placements hypothécaires et une société de fonds mutuels.

Modifications proposées :

La définition de l'expression « coût direct » prévue à l'article 1 de la LTVQ est modifiée afin de tenir compte du fait qu'à compter du 1er janvier 2013, la TPS est retirée de l'assiette de la TVQ. La définition de l'expression « exclusif » prévue à l'article 1 de la LTVQ fait l'objet d'une modification de façon à y introduire un sens différent pour les institutions financières.

Pour une institution financière, l'expression « exclusif » désigne dorénavant la totalité, et non la totalité ou presque, de la consommation, de l'utilisation ou de la fourniture d'un bien ou d'un service.

Cette particularité de la définition de l'expression « exclusif » pour un inscrit qui est une institution financière s'avère utile, entre autres, pour les règles relatives au changement d'usage pour elle, puisque les biens meubles d'une institution financière dont le coût excède 50 000 $ sont soumis aux règles relatives aux immeubles en vertu du nouvel article 255.1 de la LTVQ, introduit par le présent projet de loi.

L'article 1 de la LTVQ est également modifié pour y ajouter la définition de l'expression « groupe étroitement lié », laquelle est définie par renvoi à l'article 330 de la LTVQ. Ainsi, cette expression se retrouve définie pour l'application du titre I de la LTVQ, ce qui comprend la nouvelle section III.0.0.1 du chapitre VI du titre I de la LTVQ, introduite par le présent projet de loi, où cette expression est utilisée.

La définition de l'expression « institution financière » fait l'objet d'une modification de structure et d'une modification terminologique.

La définition de l'expression « institution financière désignée » fait l'objet de plusieurs modifications :

— retrait de la mention de l'Autorité des marchés financiers;

— ajout d'une société réputée une institution financière en vertu du nouvel article 297.0.2.6 de la LTVQ, également introduit par le présent projet de loi (soit essentiellement une société qui a fait le choix en vertu du paragraphe 1 de l'article 150 de la *Loi sur la taxe d'accise* (Lois révisées du Canada (1985), chapitre E-15) (LTA) par suite duquel certaines fournitures autrement taxables effectuées entre deux sociétés parties à ce choix sont réputées des fournitures de services financiers).

La définition de l'expression « institution financière désignée particulière » est introduite à l'article 1 de la LTVQ. Les personnes qui sont des institutions financières désignées particulières (IFDP) sont soumises à certaines règles particulières, notamment à celle prévoyant un redressement dans le calcul de leur taxe nette pour une période de déclaration, laquelle est prévue aux nouveaux articles 433.16 à 433.21 de la LTVQ, introduits par le présent projet de loi. Une personne est une IFDP tout au long d'une période de déclaration comprise dans un exercice se terminant dans une année d'imposition donnée si elle remplit les conditions suivantes :

— elle est une institution financière désignée visée à l'un des paragraphes 1° à 10° de la définition de l'expression « institution financière désignée » au cours de l'année d'imposition donnée ainsi qu'au cours de l'année d'imposition précédente. Sommairement, une institution financière désignée est une institution financière traditionnelle, telle une banque ou une caisse de crédit, et comprend les sociétés autorisées à offrir au public des services de fiduciaire, un assureur, et une personne dont l'entreprise principale consiste à faire des prêts ou à acheter des titres de créances. Cette notion comprend également les régimes de placement (tels les régimes de pension agréés et les sociétés de fonds mutuels);

— soit la personne a, en règle générale, un revenu imposable (ou, dans le cas d'un particulier, d'une fiducie ou d'une succession, un revenu) attribuable à la fois à au moins une province participante, au sens du paragraphe 1 de l'article 123 de la LTA, et à une province non participante, au sens également de ce paragraphe 1, au cours de chacune des années d'imposition visées ci-dessus. Ainsi, une institution financière désignée qui fait affaires à la fois en Ontario, laquelle est une province participante, et au Manitoba, laquelle est une province non participante, est une IFDP. La définition d'IFDP vise, en plus des institutions qui sont des IFDP pour l'application de la LTA, les institutions financières désignées qui font affaires au Québec et également dans une autre province non participante au sens du paragraphe 1 de l'article 123 de la LTA. Ainsi, une institution financière désignée qui fait affaires à la fois au Québec et au Manitoba au cours de l'année d'imposition dans laquelle l'exercice prend fin ainsi qu'au cours de l'année d'imposition précédente est une IFDP tout au long de la période de déclaration comprise dans l'exercice;

— soit elle est une société de personnes déterminée au cours de chacune de ces années;

— soit elle est une institution financière prescrite.

Pour ce qui est des années d'imposition pour lesquelles la personne n'avait pas de revenu, la question est alors de savoir si elle est une personne qui aurait été tenue d'attribuer son revenu au Québec ou à une province participante et à une province non participante si elle avait eu un revenu pour l'année.

La définition de l'expression « service financier » prévue à l'article 1 de la LTVQ est modifiée de façon à faire référence à une fourniture réputée celle d'un service financier en vertu du nouvel article 297.0.2.1 de la LTVQ, introduit par le présent projet de loi.

La définition de l'expression « régime de placement » est modifiée pour prévoir qu'elle désigne une personne prescrite ou faisant partie d'une catégorie prescrite, mais seulement dans le cas où cette personne serait une IFDP pour une période de déclaration comprise dans un exercice se terminant dans son année d'imposition si elle était par ailleurs un régime de placement au cours de cette année d'imposition et de son année d'imposition précédente.

Une société de personnes est une société de personnes déterminée si elle compte au moins un membre ayant un revenu imposable (ou un revenu, dans le cas d'un membre qui est un particulier, une succession ou une fiducie) au cours de l'année gagné dans une province participante, au sens du paragraphe 1 de l'article 123 de la LTA, qui provient d'une entreprise exploitée par la société de personnes et au moins un membre (lequel peut être ou non le même) qui a un revenu imposable (ou un revenu, dans le cas d'un membre qui est un particulier, une succession ou une fiducie) au cours de l'année gagné dans une province non participante, également au sens de ce paragraphe 1, qui provient d'une telle entreprise. À l'instar de la définition de l'expression IFDP, la notion de société de personnes déterminée est également élargie, en comparaison avec la définition correspondante que l'on retrouve au paragraphe 8 de l'article 225.2 de la LTA, pour comprendre aussi une société de personnes dont au moins un membre a un revenu imposable (ou un revenu, dans le cas d'un membre qui est un particulier, une succession ou une fiducie) au cours de l'année gagné au Québec qui provient d'une entreprise exploitée par la société de personnes et au moins un membre (lequel peut aussi être ou non le même) qui a un revenu imposable (ou un revenu, dans le cas d'un membre qui est un particulier, une succession ou une fiducie) au cours de l'année gagné dans une province non participante, également au sens de ce paragraphe 1, autre que le Québec. À cet égard, lorsqu'un membre de la société de personnes n'a pas de revenu ou de revenu imposable, selon le cas, au cours de l'année provenant de l'entreprise exploitée par la société de personnes, l'on suppose qu'il avait un tel revenu aux fins de déterminer dans quelles provinces il a été gagné.

L'expression « teneur en taxe » fait l'objet de différentes modifications afin de tenir compte de particularités applicables aux IFDP. La teneur en taxe applicable aux IFDP est déterminée selon des règles spéciales en raison du traitement dont ces entités font l'objet.

Enfin, l'expression « coût direct » est modifiée afin de tenir compte du fait qu'à compter du 1er janvier 2013, la TPS est retirée de l'assiette de la TVQ.

Renvois: 138.6 (vente d'un bien meuble); 148 (vente par organisme de services public).

Bulletins d'interprétation: TVQ. 1-8 — Fourniture de biens ou de services effectuée au coût direct.

Lettres d'interprétation: 98-0103303 — Coût direct; 99-0103475 — Interprétation relative à la TPS et à la TVQ — Fourniture de matériel par un magasin scolaire universitaire.

Concordance fédérale: LTA, par. 123(1)« coût direct ».

« créancier garanti » signifie, selon le cas :

1º une personne donnée qui a un droit en garantie sur le bien d'une autre personne;

2º une personne qui agit pour le compte de la personne donnée relativement au droit en garantie et comprend, selon le cas :

a) un fiduciaire désigné en vertu d'un acte de fiducie relatif à un droit en garantie;

b) un séquestre ou un séquestre-gérant désigné par la personne donnée ou par un tribunal à la demande de cette personne;

c) un administrateur-séquestre;

d) toute autre personne qui exerce une fonction semblable à la fonction d'une personne visée à l'un des sous-paragraphes a) à c);

Notes historiques: La définition de « créancier garanti » à l'article 1 a été ajoutée par L.Q. 2001, c. 53, art. 272(1)(4º) et a effet depuis le 8 octobre 1998.

Concordance fédérale: LTA, par. 123(1)« créancier garanti ».

« document » comprend de l'argent, un titre, un registre et une pièce;

Notes historiques: La définition de « document » à l'article 1 a été modifiée par L.Q. 2000, c. 25, art. 26(1º) par le remplacement des mots « et un registre » par les mots « , un registre et une pièce ». Cette modification est réputée entrée en vigueur le 16 juin 2000.

La définition de « document » à l'article 1 a été ajoutée par L.Q. 1991, c. 67.

Définitions: « argent », « facture » — 1.

Concordance fédérale: LTA, par. 123(1)« document ».

« droit d'adhésion » comprend un droit conféré par une personne donnée qui autorise une autre personne à recevoir des services fournis par la personne donnée ou à utiliser des installations gérées par cette dernière et qui ne sont pas mises à la disposition d'une personne qui n'est pas titulaire d'un tel droit ou, si elles le sont, elles ne le sont pas dans la même mesure ou au même coût; il comprend également un tel droit qui est conditionnel à l'acquisition ou à la propriété d'une action, d'une obligation ou d'un autre titre;

Notes historiques: La définition de « droit d'adhésion » à l'article 1 a été modifiée par L.Q. 1997, c. 3, art. 115(5º) pour supprimer l'expression « , d'une débenture ». Cette modification est réputée entrée en vigueur le 20 mars 1997. Auparavant, cette définition a été modifiée par L.Q. 1994, c. 22, art. 364(1)(7º) et est réputée entrée en vigueur le 1er juillet 1992. La définition de « droit d'adhésion » à l'article 1, édictée par L.Q. 1991, c. 67, se lisait comme suit :

> « droit d'adhésion » comprend un droit conféré par une personne donnée qui autorise une autre personne à recevoir des services fournis par la personne donnée ou à utiliser des installations gérées par cette dernière et qui ne sont pas mises à la disposition d'une personne qui n'est pas titulaire d'un tel droit ou, si elles le sont, elles ne le sont pas dans la même mesure ou au même coût; il comprend également un tel droit prévu en vertu des modalités d'une action, d'une obligation, d'une débenture ou d'un autre titre émis par une personne;

Définitions: « personne », « service » — 1.

Renvois: 36 (fourniture d'un droit d'adhésion avec une action); 641–643 (dispositions transitoires).

Lettres d'interprétation: 02-0104477 — Interprétation relative à la TPS et à la TVQ — Fourniture d'une part sociale.

Concordance fédérale: LTA, par. 123(1)« droit d'adhésion ».

« droit d'entrée » signifie un droit d'accès à un lieu de divertissement, à un colloque, à une activité ou à un événement ou un droit d'y entrer ou d'y assister;

Notes historiques: La définition de « droit d'entrée » à l'article 1 a été ajoutée par L.Q. 1991, c. 67.

Définitions: « lieu de divertissement » — 1.

Renvois: 23 (droit d'entrée non réputé fourni à l'étranger); 469 (production — artistes non résidants); 507 (primes d'assurance); 641 (dispositions transitoires); 643 (dispositions transitoires).

Bulletins d'interprétation: TVQ. 151-1 — Droits de circulation dans une zone d'exploitation contrôlée (ZEC).

Concordance fédérale: LTA, par. 123(1)« droit d'entrée ».

« droit en garantie » signifie tout droit sur un bien qui garantit le paiement ou l'exécution d'une obligation et comprend un droit né ou découlant d'un titre, d'une hypothèque, d'un *mortgage*, d'un privilège, d'un nantissement, d'une sûreté, d'une fiducie réputée ou réelle, d'une cession ou d'une charge, quelle qu'en soit la nature, de quelque façon ou à quelque date qu'elle soit née, réputée exister ou autrement prévue;

Notes historiques: La définition de « droit en garantie » à l'article 1 a été ajoutée par L.Q. 2001, c. 53, art. 272(1)(5º) et a effet depuis le 8 octobre 1998.

Concordance fédérale: LTA, par. 123(1)« droit en garantie ».

« effet financier » signifie :

1º un titre de créance;

2º un titre de participation;

3º une police d'assurance;

4º une participation dans une fiducie ou une société de personnes, un droit à l'égard d'une succession, ou un droit à l'égard d'une telle participation ou d'un tel droit;

5º un métal précieux;

6º un contrat ou une option, négocié à une bourse de commerce reconnue, pour la fourniture à terme d'une marchandise;

7º un effet prescrit;

8º une acceptation, une garantie ou une indemnité à l'égard d'un effet visé au paragraphe 1º, 2º, 4º, 5º ou 7º;

9º un contrat ou une option pour la fourniture à terme d'argent ou d'un effet visé aux paragraphes 1º à 8º;

Notes historiques: La définition de « effet financier » à l'article 1 a été modifiée par L.Q. 1997, c. 85, art. 418(1)(10º) par le remplacement du paragraphe 4º et cette modification a effet depuis le 1er juillet 1992. Auparavant, le paragraphe 4º se lisait ainsi :

> 4º une participation dans une fiducie ou une société ou un droit à l'égard d'une telle participation;

La définition de « effet financier » à l'article 1 a été ajoutée par L.Q. 1991, c. 67.

Définitions: « argent », « fourniture », « métal précieux », « police d'assurance », « service financier », « titre de créance », « titre de participation » — 1.

Renvois: 677 (règlements).

Bulletins d'interprétation: TVQ. 198-3/R1 — Les opérations de troc et les unités d'échange.

LTVQ (français)

Lettres d'interprétation: 97-0108551 — Interprétation relative à la TPS/TVQ — Service financier; 98-0103113 — Interprétation relative à la TVQ — Inscription d'une société de portefeuille; 98-0107809 — Décision portant sur l'application de la TPS — Interprétation relative à la TVQ — Contrats d'assurance relatifs à la vente d'une automobile; 99-0100166 — Interprétation relative à la TPS — Interprétation relative à la TVQ — Cautionnement (frais d'analyse de dossier); 99-0109134 — Interprétation relative à la TPS — Interprétation relative à la TVQ — Vente sous contrôle de justice — certificats d'actions; 06-0103728 — Interprétation relative à la TPS et à la TVQ — Montants payables dans le cadre de programmes de garantie de remplacement de véhicule automobile.

Concordance fédérale: LTA, par. 123(1)« effet financier ».

« employeur », relativement à un cadre, signifie la personne qui lui verse une rémunération;

Notes historiques: La définition de « employeur » à l'article 1 a été ajoutée par L.Q. 1994, c. 22, art. 364(1)(8°) et est réputée entrée en vigueur le 1er juillet 1992.

Définitions: « personne » — 1.

Concordance fédérale: LTA, par. 123(1)« employeur ».

« entreprise » comprend un commerce, une industrie, un métier, une profession ou une activité de quelque genre que ce soit, exercé avec ou sans but lucratif, ainsi qu'une activité exercée sur une base régulière ou continue qui implique la fourniture d'un bien par louage, licence ou accord semblable, mais ne comprend pas une charge ni un emploi;

Notes historiques: La définition de « entreprise » à l'article 1 a été ajoutée par L.Q. 1991, c. 67.

Définitions: « activité commerciale », « assureur », « bien », « bien meuble corporel désigné d'occasion », « charge », « constructeur », « établissement stable », « fourniture » — 1.

Renvois: 23 (fourniture non réputée effectuée hors du Québec); 75 (actif d'une entreprise); 80 (fourniture des biens d'entreprise d'une personne décédée); 346 (choix concernant les co-entreprises); 350 (acquisition d'une entreprise).

Jurisprudence: *Québec (Sous-ministre du Revenu) c. Parent* (7 août 2008), 200-09-005576-068, 2008 CarswellQue 7562.

Bulletins d'interprétation: TVQ. 16-14/R1 — Fournitures effectuées à un régime de pension agréé; TVQ. 407.3-1 — Inscription au fichier de la TVQ des titulaires de permis de réunion et perception de la taxe.

Lettres d'interprétation: 98-0108146 — Interprétation relative à la TPS et à la TVQ — Prix reçus par un athlète professionnel; 98-0109078 — Interprétation relative à la TPS et à la TVQ — Contrepartie symbolique.

Concordance fédérale: LTA, par. 123(1)« entreprise ».

« entreprise de taxis » signifie une entreprise exploitée au Québec qui consiste à transporter des passagers par taxi à des prix réglementés par la *Loi concernant les services de transport par taxi* (chapitre S-6.01);

Notes historiques: La définition de « entreprise de taxis » à l'article 1 a été ajoutée par L.Q. 1994, c. 22, art. 364(1)(9°) et est réputée entrée en vigueur le 1er juillet 1992.

Définitions: « entreprise » — 1.

Renvois: 210.2–210.4 (entreprise de taxis).

Concordance fédérale: LTA, par. 123(1)« entreprise de taxis ».

« établissement domestique autonome » a le sens que lui donne l'article 1 de la *Loi sur les impôts*;

Notes historiques: La définition de « établissement domestique autonome » à l'article 1 a été ajoutée par L.Q. 1997, c. 85, art. 418(1)(11°) et a effet depuis le 1er juillet 1992.

Définitions: « entreprise », « fourniture », « personne » — 1.

Renvois: 25 (fournitures entre établissements stables).

Concordance fédérale: LTA, par. 123(1)« établissement domestique autonome ».

« établissement stable », à l'égard d'une personne donnée, signifie :

1° une place fixe où la personne donnée exploite une entreprise, y compris une place de direction, une succursale, un bureau, une usine, un atelier, une mine, un puits de pétrole ou de gaz, une terre à bois, une carrière ou tout autre lieu d'extraction de ressources naturelles, par l'intermédiaire de laquelle la personne donnée effectue des fournitures;

2° une place fixe où une autre personne, autre qu'un courtier, un agent général à commission ou un autre agent indépendant agissant dans le cours normal d'une entreprise, exploite une entreprise alors qu'elle agit au Québec pour le compte de la personne donnée et par l'intermédiaire de laquelle la personne donnée effectue des fournitures dans le cours normal d'une entreprise;

Notes historiques: La définition de « établissement stable » à l'article 1 a été édictée par L.Q. 1991, c. 67.

Lettres d'interprétation: 06-0103629 — Interprétation relative à la TVQ — Contrat de franchise vendue par un non-résident à un résident du Québec.

Concordance fédérale: LTA, par. 123(1)« établissement stable ».

« exclusif » signifie, dans le cas d'une personne autre qu'une institution financière, la totalité ou la presque totalité de la consommation, de l'utilisation ou de la fourniture d'un bien ou d'un service et, dans le cas d'une institution financière, la totalité d'une telle consommation, utilisation ou fourniture;

Notes historiques: La définition de « exclusif » à l'article 1 a été remplacée par L.Q. 2012, c. 28, s.-par. 29(1)(4°) et cette modification s'applique à compter du 1er janvier 2013. Antérieurement, elle se lisait ainsi :

> « exclusif » signifie la totalité ou la presque totalité de la consommation, de l'utilisation ou de la fourniture d'un bien ou d'un service;

La définition de « exclusif » à l'article 1 a été édictée par L.Q. 1991, c. 67.

Définitions: « bien », « fourniture », « service » — 1.

Renvois: 43 (consommation ou utilisation réputée en totalité dans le cadre d'une activité commerciale).

Concordance fédérale: LTA, par. 123(1)« exclusif ».

« ex-conjoint » (*définition supprimée*);

Notes historiques: La définition de « ex-conjoint » à l'article 1 a été abrogée par L.Q. 2001, c. 53, art. 272(1)(6°) et cette abrogation est entrée en vigueur le 20 décembre 2001. Antérieurement, elle se lisait ainsi :

> « ex-conjoint » d'un particulier donné comprend un particulier de sexe différent ou de même sexe avec lequel le particulier donné a vécu une relation assimilable à une union conjugale;

La définition de « ex-conjoint » à l'article 1 a été modifiée par L.Q. 1999, c. 14, art. 30 par le remplacement des mots « de sexe opposé » par les mots « de sexe différent ou de même sexe ». Cette modification est réputée entrée en vigueur le 16 juin 1999.

La définition de « ex-conjoint » à l'article 1 a été ajoutée par L.Q. 1991, c. 67.

« facture » comprend un état de compte, une note et tout autre registre ou pièce semblables, sans égard à sa forme ou à ses caractéristiques, et un ticket ou un reçu de caisse enregistreuse;

Notes historiques: La définition de « facture » à l'article 1 a été modifiée par L.Q. 2000, c. 25, art. 26(2°) par le remplacement du mot « semblable » par les mots « ou pièce semblables ». Cette modification est réputée entrée en vigueur le 16 juin 2000.

La définition de « facture » à l'article 1 a été ajoutée par L.Q. 1991, c. 67.

Définitions: « document » — 1.

Jurisprudence: *Vêtements de sport Chapter One inc. c. Québec (Sous-ministre du Revenu)* (16 novembre 2006), 500-80-003322-048, 2006 CarswellQue 11456 (C.Q.).

Bulletins d'interprétation: TVQ. 83-1 — La notion de « facture »; TVQ. 425-1 — Indication de la taxe de vente du Québec sur les mémoires de frais produits en matière de faillite.

Lettres d'interprétation: 02-0108031 — Abolition de l'envoie de factures originales.

Concordance fédérale: LTA, par. 123(1)« facture ».

« fédération de sociétés mutuelles d'assurance » signifie une société dont chaque membre est une société d'assurance mutuelle qui en vertu d'une loi du Québec est tenu d'être membre de la société mais ne comprend pas une société dont l'objet principal, selon le cas :

1° est lié à l'assurance automobile;

2° consiste à indemniser les réclamants et les titulaires de polices d'assurance contre des assureurs insolvables;

3° consiste à établir et à gérer un fonds de garantie, un fonds de liquidité, un fonds d'entraide ou un autre fonds semblable pour le bénéfice de ses membres ainsi qu'à procurer une aide financière eu égard aux pertes subies lors de la liquidation ou de la dissolution de ses membres;

Modification proposée — 1« fédération de sociétés mutuelles d'assurance » par. 3°

Application: Le paragraphe 3° de la définition de « fédération de sociétés mutuelles d'assurance » de l'article 1 sera modifiée par le s.-par. 216(1)(1°) du *Projet de loi 18* (présenté le 21 février 2013) par le remplacement des mots « pour le bénéfice » par les mots « au bénéfice ». Cette modification entrera en vigueur à la date de la sanction du *Projet de loi 18*.

Notes historiques: La définition de « fédération de sociétés mutuelles d'assurance » à l'article 1 a été modifiée par L.Q. 1997, c. 3, art. 115(1°) pour remplacer le mot « corporation » par le mot « société ». Cette modification est réputée entrée en vigueur le 20 mars 1997.

Cette définition a été ajoutée par L.Q. 1994, c. 22, art. 364(1)(10°) et est réputée entrée en vigueur le 1er juillet 1992.

Définitions: « regroupement de sociétés mutuelles d'assurance » — 1.

Concordance fédérale: LTA, par. 123(1)« fédération de sociétés mutuelles d'assurance ».

« fiducie non testamentaire » signifie une fiducie autre qu'une fiducie testamentaire;

Notes historiques: La définition de « fiducie non testamentaire » à l'article 1 a été ajoutée par L.Q. 1997, c. 85, art. 418(1)(12°) et a effet depuis le 1er juillet 1992.

Définitions: « fiducie personnelle », « fiducie testamentaire », « fourniture » — 1.

Renvois: 51 (valeur de la contrepartie); 325 (fiducie non testamentaire).

Concordance fédérale: LTA, par. 123(1)« fiducie personnelle », en partie.

« fiducie personnelle » signifie :

1° une fiducie testamentaire;

2° une fiducie non testamentaire qui est une fiducie personnelle, au sens de l'article 1 de la *Loi sur les impôts*, dont tous les bénéficiaires, sauf les bénéficiaires subsidiaires, sont des particuliers et dont tous les bénéficiaires subsidiaires, le cas échéant, sont des particuliers, des organismes de bienfaisance ou des institutions publiques;

Notes historiques: La définition de « fiducie personnelle » à l'article 1 a été ajoutée par L.Q. 1997, c. 85, art. 418(1)(12°) et a effet depuis le 1er juillet 1992. Toutefois, lorsque cette définition s'applique :

i. à l'égard d'une fourniture effectuée avant le 24 avril 1996, elle doit se lire sans tenir compte de « qui est une fiducie personnelle, au sens de l'article 1 de la *Loi sur les impôts*, »

ii. à l'égard d'une fourniture effectuée avant le 1er janvier 1997, elle doit se lire en y remplaçant « des particuliers, des organismes de bienfaisance ou des institutions publiques » par « des particuliers ou des organismes de bienfaisance ».

Définitions: « fiducie non testamentaire », « fiducie personnelle », « fiducie testamentaire », « institution publique », « organisme de bienfaisance » — 1.

Concordance fédérale: LTA, par. 123(1)« fiducie personnelle », 123(1)« fiducie non testamentaire ».

« fiducie testamentaire » a le sens que lui donne l'article 1 de la *Loi sur les impôts*;

Notes historiques: La définition de « fiducie testamentaire » à l'article 1 a été ajoutée par L.Q. 1997, c. 85, art. 418(1)(12°) et a effet depuis le 1er juillet 1992.

Définitions: « fiducie non testamentaire », « fiducie personnelle » — 1.

Renvois: 101.1.1 (auteur d'une fiducie testamentaire); 102 (fourniture exonérée — exception).

Concordance fédérale: LTA, par. 123(1)« fiducie testamentaire ».

« fonds réservé » d'un assureur signifie un groupe déterminé de biens détenus à l'égard de polices d'assurance dont la totalité ou une partie des provisions varie en fonction de la juste valeur marchande des biens;

Notes historiques: La définition de « fonds réservé » à l'article 1 a été modifiée par L.Q. 1994, c. 22, art. 364(1)(11°) et est réputée entrée en vigueur le 1er juillet 1992. La définition de « fonds réservé » à l'article 1, édictée par L.Q. 1991, c. 67, se lisait comme suit :

« fonds réservé d'un assureur signifie un groupe déterminé de biens détenus à l'égard de polices d'assurance sur la vie dont la totalité ou une partie des provisions varie en fonction de la juste valeur marchande des biens;

Définitions: « assureur », « bien », « institution financière désignée », « police d'assurance » — 1.

Renvois: 10 (règles applicables au fonds réservé d'un assureur); 15 (JVM).

Concordance fédérale: LTA, par. 123(1)« fonds réservé ».

« fournisseur », à l'égard d'une fourniture, signifie la personne qui effectue la fourniture;

Notes historiques: La définition de « fournisseur » à l'article 1 a été ajoutée par L.Q. 1991, c. 67.

Définitions: « fourniture », « personne », « petit fournisseur » — 1.

Jurisprudence: *Vêtements de sport Chapter One inc. c. Québec (Sous-ministre du Revenu)* (16 novembre 2006), 500-80-003322-048, 2006 CarswellQue 11456 (C.Q.); *Centrale des syndicats du Québec (CSQ) c. Québec (Sous-ministre du Revenu)* (5 décembre 2005), 200-80-001290-046.

Concordance fédérale: aucune.

« fourniture » signifie la délivrance d'un bien ou la prestation d'un service, de quelque manière que ce soit, y compris par vente, transfert, troc, échange, licence, louage, donation ou aliénation;

Notes historiques: La définition de « fourniture » à l'article 1 a été ajoutée par L.Q. 1991, c. 67.

Définitions: « acquéreur », « activité commerciale », « bien », « bien meuble corporel désigné d'occasion », « consommateur », « effet financier », « entreprise », « établissement stable », « exclusif », « fournisseur », « fourniture détaxée », « fourniture exonérée », « fourniture taxable », « habitation », « immeuble d'habitation », « service », « service financier », « vente » — 1.

Renvois: 15 (JVM); 20.1–32, 35–46, 48 (fourniture et activité commerciale); 76(2) (fusion); 77(3) (liquidation); 209 (cessation de l'inscription); 320–323 (renonciation, saisie et reprise de possession); 325 (fiducie non testamentaire); 326 (distribution par une fiducie); 677:1°, 57°, 58° (règlements).

Jurisprudence: *Lockwood Manufacturing Inc. c. Agence de revenu du Québec* (19 juin 2012), 500-80-013513-099, 2012 CarswellQue 9284; *Québec (Sous-ministre du Revenu) c. Cun* (13 novembre 2008), 505-61-074113-069, 2008 CarswellQue 11822; *Québec (Sous-ministre du Revenu) c. Parent* (7 août 2008), 200-09-005576-068, 2008 CarswellQue 7562; *Québec (Sous-ministre du Revenu) c. Parent* (21 mars 2006), 200-05-018197-058, 2006 CarswellQue 2551 (C.S. Qué.); *Centrale des syndicats du Québec (CSQ) c. Québec (Sous-ministre du Revenu)* (5 décembre 2005), 200-80-001290-046; *Groupe Collège Lasalle inc. c. Québec (Sous-ministre du Revenu)* (10 juin 2005), 500-09-010491-017, 2005 CarswellQue 3853 (C.A. Qué.); *Auberge La Calèche 1992 inc. c. Québec (Sous-ministre du Revenu)* (28 janvier 2004), 500-09-011756-012, 2004 CarswellQue 110 (C.A. Qué.); *Corporation de l'École Polytechnique de Montréal c. Québec (Sous-ministre du Revenu)* (27 juin 2003), 500-02-082980-009, 2003 CarswellQue 2016 (C.Q.); *Auberge La Calèche 1992 inc. c. S.M.R.Q.* (21 novembre 2001), 500-02-072512-986, 2001 CarswellQue 3334 (C.Q.).

Bulletins d'interprétation: TVQ. 1-9 — Juges des cours municipales; TVQ. 198-3/R1 — Les opérations de troc et les unités d'échange; TVQ. 198-4 — Les frais judiciaires et les honoraires extrajudiciaires exigés d'un débiteur et la taxe de vente du Québec (TVQ); TVQ. 350.7.2-1/R1 — Les opérations de troc et la désignation d'un réseau de troc.

Lettres d'interprétation: 98-0101901 — Décision portant sur l'application de la TPS — Interprétation relative à la TVQ — Transferts de quotes-parts indivises d'immeubles ; 98-0103667 — Service financier; 98-0108146 — Interprétation relative à la TPS et à la TVQ — Prix reçus par un athlète professionnel; 99-0111833 — Interprétation relative à la TVQ — Service de répartition des appels d'urgence relatifs à un service de transport par ambulance; 00-0109702 — Interprétation relative à la TPS et à la TVQ — Services de gérance d'artistes; 01-0106094 — Interprétation relative à la TPS et à la TVQ — Montants versés par une municipalité à une corporation de loisirs; 01-0108918 — Promesse bilatérale; 01-0105906 — Interprétation relative à la TPS et à la TVQ — Règlement d'une réclamation d'assurance; 02-0102158 — Décision portant sur l'application de la TPS — Interprétation relative à la TVQ — Contributions versées dans le cadre d'un projet relatif à la création d'emplois; 02-0104675 — Décision portant sur l'application de la TPS — Interprétation relative à la TVQ — Montants versés par des municipalités; 03-0104608 — Interprétation relative à la TPS et à la TVQ — Montants versés à un organisme à but non lucratif; 03-0105936 — Entente services de loisirs; 04-0107872 — Décision portant sur l'application de la TPS — Interprétation relative à la TVQ — Fourniture ou subvention [par l'ARC].

Concordance fédérale: LTA, par. 123(1)« fourniture ».

« fourniture détaxée » signifie une fourniture visée au chapitre quatrième;

Notes historiques: La définition de « fourniture détaxée » à l'article 1 a été ajoutée par L.Q. 1991, c. 67.

Définitions: « fourniture » — 1.

Renvois: 16 (taux de taxe — fournitures taxables et détaxées); 173–198 (fournitures détaxées).

Jurisprudence: *Auberge La Calèche 1992 inc. c. S.M.R.Q.* (21 novembre 2001), 500-02-072512-986, 2001 CarswellQue 3334 (C.Q.); *Auberge La Calèche 1992 inc. c. Québec (Sous-ministre du Revenu)* (28 janvier 2004), 500-09-011756-012, 2004 CarswellQue 110 (C.A. Qué.).

Lettres d'interprétation: 02-0109963 — Interprétation relative à la TVQ — Location de véhicules — Échange de véhicule grevé d'une sûreté.

Concordance fédérale: LTA, par. 123(1)« fourniture détaxée ».

« fourniture exonérée » signifie une fourniture visée au chapitre troisième;

Notes historiques: La définition de « fourniture exonérée » à l'article 1 a été ajoutée par L.Q. 1991, c. 67.

Définitions: « fourniture » — 1.

LTVQ (français)

Renvois: 93–172 (fournitures exonérées).

Jurisprudence: *Corporation de l'École Polytechnique de Montréal c. Québec (Sous-ministre du Revenu)* (27 juin 2003), 500-02-082980-009, 2003 CarswellQue 2016 (C.Q.).

Bulletins d'interprétation: TVQ. 16-27 — Fournitures de photocopies par un organisme de bienfaisance, une institution publique ou un organisme de services publics au sens de l'article 139 de la Loi sur la taxe de vente du Québec.

Concordance fédérale: LTA, par. 123(1)« fourniture exonérée ».

« fournitures liées à un congrès » signifie les biens ou les services acquis, ou apportés au Québec, par une personne exclusivement pour consommation, utilisation ou fourniture par celle-ci dans le cadre d'un congrès, à l'exclusion des biens et des services suivants :

1º les services de transport, autres qu'un service nolisé acquis par la personne uniquement dans le but de transporter les congressistes entre tout centre de congrès, leur lieu d'hébergement ou les terminaux;

2º les divertissements;

3º sauf pour l'application des articles 357.2 à 357.5, les biens ou les services qui sont de la nourriture, des boissons ou fournis à la personne en vertu d'un contrat pour un service de traiteur;

4º les biens ou les services fournis par la personne dans le cadre du congrès pour une contrepartie distincte de la contrepartie du droit d'entrée au congrès, à moins que l'acquéreur de la fourniture acquière le bien ou le service exclusivement pour consommation ou utilisation dans le cadre de la promotion, au congrès, de son entreprise ou de biens ou de services fournis par lui;

Notes historiques: Les paragraphes 2º et 3º de la définition de « fournitures liées à un congrès » à l'article 1 ont été remplacés par L.Q. 2001, c. 53, art. 272(1)(7º) et ces modifications s'appliquent à l'égard des biens et des services acquis, ou apportés au Québec, dans le cadre d'un congrès pour lequel toutes les fournitures de droits d'entrée sont effectuées après le 24 février 1998. Antérieurement, ils se lisaient ainsi :

> 2º la nourriture, les boissons ou les divertissements;
>
> 3º les biens ou les services fournis à la personne en vertu d'un contrat pour un service de traiteur;

Le paragraphe 4º de la définition de « fournitures liées à un congrès » a été remplacé par L.Q. 1999, c. 83, art. 305. Cette modification est réputée entrée en vigueur le 20 décembre 1999. Antérieurement, ce paragraphe se lisait ainsi :

> 4º les biens ou les services fournis par la personne dans le cadre du congrès pour une contrepartie distincte de la contrepartie du droit d'entrée au congrès, à moins que l'acquéreur de la fourniture acquiert le bien ou le service exclusivement pour consommation ou utilisation dans le cadre de la promotion, au congrès, de son entreprise ou de biens ou de services fournis par lui;

La définition de « fournitures liées à un congrès » à l'article 1 a été ajoutée par L.Q. 1994, c. 22, art. 364(1)(12º) et est réputée entrée en vigueur le 1er juillet 1992.

Définitions: « bien », « centre de congrès », « congrès », « contrepartie », « fourniture », « personne », « service » — 1.

Renvois: 357.2–357.5 (remboursement — congrès).

Bulletins d'interprétation: TVQ. 351-1/R1 — Abolition des remboursements aux touristes étrangers.

Concordance fédérale: LTA, par. 123(1)« fournitures liées à un congrès ».

« fourniture non taxable » (*définition supprimée*);

Notes historiques: La définition de l'expression « fourniture non taxable » à l'article 1, telle qu'elle se lisait avant que L.Q. 1999, c. 63, art. 299, qui prévoit son abrogation, n'entre en vigueur, a été modifiée par L.Q. 2002, c. 40, art. 344 par le remplacement de son paragraphe 2º par le suivant :

> 2º la fourniture d'un service à un acquéreur qui le reçoit uniquement afin d'en effectuer à nouveau la fourniture, mais ne comprend pas la fourniture d'un service à un acquéreur qui est un organisme de services publics et qui le reçoit afin de le fournir, ou de fournir un service, à une collectivité;

Cette modification est déclaratoire.

La définition de « fourniture non taxable » à l'article 1 a été abrogée par L.Q. 1995, c. 63, art. 299(1)(1º) et cette abrogation est réputée entrée en vigueur le 15 décembre 1995. Elle s'applique à l'égard de :

> 1º la fourniture d'un bien meuble ou d'un service dont la totalité de la contrepartie devient due après le 31 juillet 1995 et n'est pas payée avant le 1er août 1995;
>
> 2º la fourniture d'un bien meuble ou d'un service dont une partie de la contrepartie devient due après le 31 juillet 1995 et n'est pas payée avant le 1er août 1995; toutefois, aucune taxe n'est payable en vertu du chapitre II du titre I à l'égard de toute partie de la contrepartie qui devient due ou est payée avant le 1er août 1995;
>
> 3º la fourniture d'un immeuble effectuée en vertu d'une convention écrite conclue après le 31 juillet 1995, suivant laquelle la propriété et la possession de l'immeuble sont transférées à l'acquéreur après cette date.

Cette définition a été ajoutée par L.Q. 1991, c. 67 et se lisait auparavant comme suit :

> « fourniture non taxable » signifie :
>
> 1º la fourniture d'un bien meuble à un acquéreur qui le reçoit uniquement afin d'en effectuer à nouveau la fourniture à titre de bien meuble;
>
> 2º la fourniture d'un service à un acquéreur qui le reçoit uniquement afin d'en effectuer à nouveau la fourniture;
>
> 3º la fourniture d'un bien meuble corporel à un acquéreur qui le reçoit uniquement afin qu'il soit composant d'un autre bien meuble corporel dont il effectuera la fourniture;
>
> 4º la fourniture d'un immeuble par vente à un acquéreur qui le reçoit uniquement afin d'en effectuer à nouveau la fourniture par vente;

« fourniture taxable » signifie une fourniture qui est effectuée dans le cadre d'une activité commerciale;

Notes historiques: La définition de « fourniture taxable » a été modifiée par L.Q. 1995, c. 63, art. 299(1)(2º) et est réputée entrée en vigueur le 15 décembre 1995. Cette modification s'applique à l'égard de :

> 1º la fourniture d'un bien meuble ou d'un service dont la totalité de la contrepartie devient due après le 31 juillet 1995 et n'est pas payée avant le 1er août 1995;
>
> 2º la fourniture d'un bien meuble ou d'un service dont une partie de la contrepartie devient due après le 31 juillet 1995 et n'est pas payée avant le 1er août 1995; toutefois, aucune taxe n'est payable en vertu du chapitre II du titre I à l'égard de toute partie de la contrepartie qui devient due ou est payée avant le 1er août 1995;
>
> 3º la fourniture d'un immeuble effectuée en vertu d'une convention écrite conclue après le 31 juillet 1995, suivant laquelle la propriété et la possession de l'immeuble sont transférées à l'acquéreur après cette date.

Auparavant, la définition de « fourniture taxable » à l'article 1 avait été modifiée par L.Q. 1994, c. 22, art. 364(1)(13º) et était réputée entrée en vigueur le 1er octobre 1992. La définition se lisait comme suit :

> « fourniture taxable » signifie une fourniture qui est effectuée dans le cadre d'une activité commerciale, mais ne comprend pas une fourniture non taxable;

La définition de « fourniture taxable » à l'article 1, édictée par L.Q. 1991, c. 67, se lisait comme suit :

> « fourniture taxable » signifie une fourniture qui est effectuée dans le cadre d'une activité commerciale, mais ne comprend pas une fourniture exonérée ni une fourniture non taxable;

Définitions: « activité commerciale », « fourniture », « fourniture exonérée », « fourniture non taxable », « service financier » — 1.

Renvois: 16 (taux de la taxe); 20.1 (véhicule routier); 69 (fractions de montants); 211 (indemnités de déplacement et autres); 221 (début d'utilisation d'immeuble à titre résidentiel ou personnel); 232 (rénovations mineures); 277 (pari et jeu de hasard); 318 (renonciation); 319 (renonciation); 334–337 (choix visant les fournitures sans contrepartie).

Jurisprudence: *Québec (Sous-ministre du Revenu) c. Cun* (13 novembre 2008), 505-61-074113-069, 2008 CarswellQue 11822; *Québec (Sous-ministre du Revenu) c. Parent* (7 août 2008), 200-09-005576-068, 2008 CarswellQue 7562; *Québec (Sous-ministre du Revenu) c. Lemieux* (15 août 2006), 250-17-000332-051; *Québec (Sous-ministre du Revenu) c. Parent* (21 mars 2006), 200-05-018197-058, 2006 CarswellQue 2551 (C.S. Qué.); *Centrale des syndicats du Québec (CSQ) c. Québec (Sous-ministre du Revenu)* (5 décembre 2005), 200-80-001290-046; *Groupe Collège Lasalle inc. c. Québec (Sous-ministre du Revenu)* (10 juin 2005), 500-09-010491-017, 2005 CarswellQue 3853 (C.A. Qué.); *Rebuts de l'Outaouais inc. c. Québec (Sous-ministre du Revenu)* (28 avril 2005), 550-80-000198-032, 2005 CarswellQue 2883 (C.Q.); *Auberge La Calèche 1992 inc. c. Québec (Sous-ministre du Revenu)* (28 janvier 2004), 500-09-011756-012, 2004 CarswellQue 110 (C.A. Qué.); *Transportaction Lease Systems Inc c. Québec (Sous-ministre du Revenu)* (18 septembre 2002), 500-02-078935-991, 2002 CarswellQue 2585 (C.Q.); *Auberge La Calèche 1992 inc. c. S.M.R.Q.* (21 novembre 2001), 500-02-072512-986, 2001 CarswellQue 3334 (C.Q.); *Solunac c. Québec (Sous-ministre du Revenu)* (29 août 1997), 550-32-002032-966, 550-32-002383-963, 1997 CarswellQue 1682.

Bulletins d'interprétation: TVQ. 16-27 — Fournitures de photocopies par un organisme de bienfaisance, une institution publique ou un organisme de services publics au sens de l'article 139 de la *Loi sur la taxe de vente du Québec*; TVQ. 52.1-1 — Les ventes d'accommodation et la taxe de vente du Québec; TVQ. 520-2 — Préséance de la taxe de vente du Québec sur la taxe sur les primes d'assurances.

Lettres d'interprétation: 98-0100079 — Interprétation relative à la TPS — Interprétation relative à la TVQ — Organisme de bienfaisance; 99-0109209 — Décision portant sur l'application de la TPS — Interprétation relative à la TVQ — Indemnisation des frais payés pour la réparation des dommages occasionnés à un véhicule routier loué; 99-0111833 — Interprétation relative à la TVQ — Service de répartition des appels d'urgence relatifs à un service de transport par ambulance; 02-0104477 — Interprétation relative à la TPS et à la TVQ — Fourniture d'une part sociale.

Concordance fédérale: LTA, par. 123(1)« fourniture taxable ».

« fraction de contrepartie » (*définition supprimée*);

Notes historiques: La définition de « fraction de contrepartie » à l'article 1 a été supprimée par L.Q. 1997, c. 85, art. 418(1)(13°) et cette modification a effet depuis le 1er avril 1997. Antérieurement à cette modification, cette définition se lisait ainsi :

« fraction de contrepartie » signifie 100/106,5;

Auparavant, la définition de « fraction de contrepartie » à l'article 1 a été remplacée par L.Q. 1995, c. 1, art. 247(1) et était réputée entrée en vigueur le 13 mai 1994. La définition de « fraction de contrepartie » à l'article 1, modifiée par L.Q. 1993, c. 19, art. 167(2°) s'appliquait à l'égard d'une fourniture ou d'un apport au Québec relativement auquel l'article 685 ou l'un des articles 618 à 656 de L.Q. 1991, c. 67 s'applique [*N.D.L.R.* : les articles 685 et 618 à 656 réfèrent à des dispositions transitoires concernant les transferts avant le 1er juillet 1992]. Elle se lisait auparavant comme suit :

« fraction de contrepartie » signifie :

1° 100/108 dans le cas où elle est relative à une fourniture à l'égard de laquelle le taux de la taxe applicable est de 8 %;

2° 100/104 dans le cas où elle est relative à une fourniture à l'égard de laquelle le taux de la taxe applicable est de 4 %;

Toutefois, la définition de « fraction de contrepartie » s'applique quant aux articles 235, 358, 360.3, 444 et 446 :

a) dans le cas de l'article 235, à la contrepartie de la fourniture d'un immeuble par vente à l'égard de laquelle le taux de la taxe applicable aurait été de 6,5 % si cette fourniture n'avait pas été considérée exonérée;

b) dans le cas de l'article 358 :

i. soit au montant déduit relativement à une fourniture à l'égard de laquelle le taux de la taxe applicable est de 6,5 %, sauf dans la mesure où la taxe a été calculée au taux de 8 % ou de 4 %, auquel cas la fraction de taxe applicable est de 8/108 ou de 4/104;

ii. soit au montant déduit relativement à un apport effectué après le 12 mai 1994;

c) dans le cas de l'article 360.3, au montant remboursé relativement à la fourniture d'un droit d'entrée à un congrès à l'égard de laquelle le taux de la taxe applicable est de 6,5 %, sauf dans la mesure où la taxe a été calculée au taux de 4 %, auquel cas la fraction de taxe applicable est de 4/104;

d) dans le cas des articles 444 et 446, à la mauvaise créance relative à une fourniture à l'égard de laquelle le taux de la taxe applicable est de 6,5 %, sauf dans la mesure où la taxe a été calculée au taux de 8 % ou de 4 %, auquel cas la fraction de taxe applicable est de 8/108 ou de 4/104.

La définition de « fraction de contrepartie » à l'article 1, édictée par L.Q. 1991, c. 67, se lisait comme suit :

« fraction de contrepartie » signifie 100/108;

« fraction de taxe » (*définition supprimée*);

Notes historiques: La définition de « fraction de taxe » à l'article 1 a été supprimée par L.Q. 1997, c. 85, art. 418(1)(13°) et cette modification a effet depuis le 1er avril 1997. Antérieurement à cette modification, cette définition se lisait ainsi :

« fraction de taxe » signifie 6,5/106,5;

Auparavant, la définition de « fraction de taxe » à l'article 1 a été modifiée par L.Q. 1995, c. 1, art. 247(1)(3°) et est réputée entrée en vigueur le 13 mai 1994. La définition de « fraction de taxe » à l'article 1, modifiée par L.Q. 1993, c. 19, art. 167(2°), s'appliquait à l'égard d'une fourniture ou d'un apport au Québec relativement auquel l'article 685 ou l'un des articles 618 à 656 de L.Q. 1991, c. 67 s'applique [*N.D.L.R.* : les articles 685 et 618 à 656 réfèrent à des dispositions transitoires concernant les transferts avant le 1er juillet 1992]. Elle se lisait comme suit :

« fraction de taxe » signifie :

1° 8/108 dans le cas où elle est relative à un bien ou à un service à l'égard duquel le taux de la taxe applicable est de 8 %;

2° 4/104 dans le cas où elle est relative à un bien ou à un service à l'égard duquel le taux de la taxe applicable est de 4 %; »

Toutefois, la définition de « fraction de taxe » s'applique quant aux articles 235, 358, 360.3, 444, 446 :

a) dans le cas de l'article 235, à la contrepartie de la fourniture d'un immeuble par vente à l'égard de laquelle le taux de la taxe applicable aurait été de 6,5 % si cette fourniture n'avait pas été considérée exonérée;

b) dans le cas de l'article 358 :

i. soit au montant déduit relativement à une fourniture à l'égard de laquelle le taux de la taxe applicable est de 6,5 %, sauf dans la mesure où la taxe a été calculée au taux de 8 % ou de 4 %, auquel cas la fraction de taxe applicable est de 8/108 ou de 4/104;

ii. soit au montant déduit relativement à un apport effectué après le 12 mai 1994;

c) dans le cas de l'article 360.3, au montant remboursé relativement à la fourniture d'un droit d'entrée à un congrès à l'égard de laquelle le taux de la taxe applicable est de 6,5 %, sauf dans la mesure où la taxe a été calculée au taux de 4 %, auquel cas la fraction de taxe applicable est de 4/104;

d) dans le cas des articles 444, 446, à la mauvaise créance relative à une fourniture à l'égard de laquelle le taux de la taxe applicable est de 6,5 %, sauf dans la mesure où la taxe a été calculée au taux de 8 % ou de 4 %, auquel cas la fraction de taxe applicable est de 8/108 ou de 4/104.

La définition de « fraction de taxe » à l'article 1, édictée par L.Q. 1991, c. 67, se lisait comme suit :

« fraction de taxe » signifie 8/108

« gouvernement » signifie le gouvernement du Québec, d'une autre province, des Territoires du Nord-Ouest, du territoire du Yukon, du territoire du Nunavut ou du Canada;

Notes historiques: La définition de « gouvernement » à l'article 1 a été modifiée par L.Q. 2003, c. 2, s.-par. 307(1)(3°) par l'insertion, après le mot « Yukon », de « , du territoire du Nunavut ». Cette modification a effet depuis le 1er avril 1999.

La définition de « gouvernement » à l'article 1 a été ajoutée par L.Q. 1991, c. 67.

Renvois: 48 (fournitures par les gouvernements et municipalités); 678 (application de la loi au gouvernement du Québec et à ses mandataires).

Concordance fédérale: LTA, par. 123(1)« gouvernement ».

« groupe étroitement lié » a le sens que lui donne l'article 330;

Notes historiques: La définition de « groupe étroitement lié » à l'article 1 a été ajoutée par L.Q. 2012, c. 28, s.-par. 29(1)(5°) et cette modification s'applique à compter du 1er janvier 2013.

Concordance fédérale: LTA, par. 123(1)« groupe étroitement lié ».

« habitation » signifie la totalité ou une partie d'un logement en copropriété, d'une maison individuelle, jumelée ou en rangée, d'une maison mobile, d'une maison flottante, d'un appartement, d'une chambre ou d'une suite dans une auberge, un hôtel, un motel, une pension, une résidence pour étudiants, pour aînés, pour personnes handicapées ou pour autres particuliers ou la totalité ou une partie de tout autre local semblable, qui :

1° est occupée par un particulier à titre de résidence ou d'hébergement;

2° est fournie par louage, licence ou accord semblable pour être occupée à titre de résidence ou d'hébergement pour des particuliers;

3° est vacante mais dont la dernière occupation ou fourniture était à titre de résidence ou d'hébergement pour des particuliers;

4° n'a jamais été utilisée ou occupée à quelque titre mais est destinée à être utilisée à titre de résidence ou d'hébergement pour des particuliers;

Notes historiques: Le préambule de la définition de « habitation » à l'article 1 a été remplacé par L.Q. 1997, c. 85, art. 418(1)(14°) et cette modification a effet depuis le 20 mars 1997. Antérieurement à cette modification, ce préambule se lisait ainsi :

« habitation » signifie la totalité ou une partie d'un logement en copropriété, d'une maison individuelle, jumelée ou en rangée, d'une maison mobile, d'une maison flottante, d'un appartement, d'une chambre ou d'une suite dans une auberge, un hôtel, un motel, une pension, une résidence pour étudiants, pour personnes âgées, pour personnes handicapées ou pour autres particuliers ou la totalité ou une partie de tout autre local semblable, qui :

La définition de « habitation » à l'article 1 a auparavant été modifiée par L.Q. 1994, c. 22, art. 364(1)(14°) et est réputée entrée en vigueur le 1er juillet 1992.

La définition de « habitation » à l'article 1, édictée par L.Q. 1991, c. 67, se lisait comme suit :

« habitation signifie la totalité ou une partie d'un logement en copropriété, d'une maison individuelle, jumelée ou en rangée, d'une maison mobile, d'un appartement, d'une chambre ou d'une suite dans une auberge, un hôtel, un motel, une pension, une résidence pour étudiants, pour personnes âgées, pour personnes handicapées ou pour autres particuliers ou la totalité ou une partie de tout autre local semblable, qui :

1° est occupée par un particulier à titre de résidence ou de pension;

2° est fournie par louage, licence ou accord semblable pour être occupée à titre de résidence ou de pension pour des particuliers;

3° est vacante mais dont la dernière occupation ou fourniture était à titre de résidence ou de pension pour des particuliers;

4° n'a jamais été utilisée ou occupée à quelque titre mais est destinée à être utilisée à titre de résidence ou de pension pour des particuliers;

Guides: IN-261 — La TVQ, la TPS et les immeubles d'habitation (construction ou rénovation).

Définitions: « fourniture », « immeuble d'habitation », « immeuble d'habitation à logements multiples », « immeuble d'habitation à logement unique », « logement en copropriété », « logement provisoire », « maison flottante », « maison mobile », « particulier » — 1.

Bulletins d'interprétation: TVQ. 16-4/R1 — Plan américain.

Lettres d'interprétation: 98-010493 — Interprétation relative à la TPS — Interprétation relative à la TVQ — Fournitures de chambres dans un ensemble immobilier exploité en partie comme un motel; 98-0104335 — Décision portant sur l'application de la TPS — Interprétation relative à la TVQ — Fourniture par bail en vue d'une occupation à titre d'hébergement; 98-0106306 — Application des taxes dans le cas de location de chambres au mois; 99-0103129 — Demande d'interprétation relative à la TPS et à la TVQ — Fourniture exonérée — Location d'une habitation à prix modique; 00-0101717 — Interprétation relative à la TPS et à la TVQ — Fourniture par une université de chambres dans une résidence d'étudiants à des personnes autres que des étudiants; 03-0111231 — Interprétation relative à la TPS et à la TVQ — fourniture par bail de tentes situées sur un terrain de camping.

Concordance fédérale: LTA, par. 123(1)« habitation ».

« immeuble » comprend :

1º les baux afférents aux immeubles;

2º les maisons mobiles;

3º les maisons flottantes;

4º les tenures à bail ou autres droits de propriété afférents aux maisons mobiles et aux maisons flottantes;

Notes historiques: La définition de « immeuble » a été ajoutée par L.Q. 1995, c. 63, art. 299(1)(3º) et a effet depuis le 1er juillet 1992 [*N.D.L.R.* : Cette définition s'applique conformément aux articles 618 à 656, 685 L.Q. 1991, c. 67, tels que modifiés].

Définitions: « maison flottante », « maison mobile » — 1.

Lettres d'interprétation: 98-010493 — Interprétation relative à la TPS — Interprétation relative à la TVQ — Fournitures de chambres dans un ensemble immobilier exploité en partie comme un motel; 98-0106306 — Application des taxes dans le cas de location de chambres au mois; 04-0106502 — Interprétation relative à la TPS et à la TVQ — droit pour un OSBL de demander des CTI/RTI relativement à des améliorations locatives.

Concordance fédérale: LTA, par. 123(1)« immeuble ».

« immeuble d'habitation » signifie :

1º la partie d'un bâtiment dans laquelle se trouvent une ou plusieurs habitations, ainsi que :

a) la partie des aires communes et des autres dépendances du bâtiment et du fonds de terre contigu au bâtiment qui est raisonnablement nécessaire pour l'utilisation et la jouissance du bâtiment à titre de résidence pour des particuliers;

b) la proportion du fonds de terre sous-jacent au bâtiment correspondant au rapport entre la partie du bâtiment dans laquelle se trouvent une ou plusieurs habitations et le bâtiment;

2º la partie d'un bâtiment, ainsi que la proportion des aires communes et des autres dépendances du bâtiment et du fonds de terre sous-jacent ou contigu au bâtiment qui est attribuable à l'unité et qui est raisonnablement nécessaire pour son utilisation et sa jouissance à titre de résidence pour des particuliers, qui est :

a) d'une part, la totalité ou une partie d'une maison jumelée ou en rangée, d'un logement en copropriété ou d'un local semblable qui est, ou qui est destinée à être, une parcelle séparée ou une autre division d'un immeuble dont le droit de propriété est, ou est destiné à être, distinct de celui de toute autre unité du bâtiment;

b) d'autre part, une habitation;

3º la totalité d'un bâtiment décrit au paragraphe 1º ou d'un local décrit au sous-paragraphe a) du paragraphe 2º, qui est la propriété d'un particulier ou qui lui a été fournie par vente et qui est utilisée principalement à titre de résidence du particulier, d'un particulier auquel il est lié ou d'un ex-conjoint du particulier, ainsi que :

a) dans le cas d'un bâtiment décrit au paragraphe 1º, les dépendances du bâtiment, le fonds de terre sous-jacent au bâtiment et la partie du fonds de terre contiguë au bâtiment, qui sont raisonnablement nécessaires pour l'utilisation et la jouissance du bâtiment;

b) dans le cas d'un local décrit au sous-paragraphe a) du paragraphe 2º, la partie des aires communes et des autres dépendances du bâtiment et du fonds de terre sous-jacent ou contigu au bâtiment, qui est attribuable à l'unité et qui est raisonnablement nécessaire pour l'utilisation et la jouissance de l'unité;

4º une maison mobile ainsi que ses dépendances et, si elle est fixée à un fonds de terre, sauf un emplacement dans un terrain de caravaning résidentiel, en vue de son utilisation et de sa jouissance à titre de résidence pour des particuliers, le fonds de terre sous-jacent ou contigu à la maison qui lui est attribuable et qui est raisonnablement nécessaire à cette fin;

5º une maison flottante;

toutefois, l'expression « immeuble d'habitation » exclut :

6º la totalité ou une partie d'un bâtiment qui est une auberge, un hôtel, un motel, une pension ou un autre local semblable, ou du fonds de terre ou des dépendances relatifs au bâtiment ou à une partie de celui-ci dans le cas où, à la fois :

a) le bâtiment ou une partie de celui-ci n'est pas visé au paragraphe 3º;

b) la totalité ou la presque totalité des contrats de louage, de licences ou d'accords semblables en vertu desquels des habitations dans le bâtiment ou une partie de celui-ci sont fournies, prévoient ou sont censés prévoir des périodes de possession ou d'utilisation continues de moins de 60 jours;

Notes historiques: La définition de « immeuble d'habitation » à l'article 1 a été modifiée par L.Q. 1997, c. 85, art. 418(1)(15º) par le remplacement du sous-paragraphe b) du paragraphe 6º et cette modification a effet depuis le 30 septembre 1992. Toutefois :

a) sous réserve du sous-paragraphe b), pour la période du 30 septembre 1992 au 31 mars 1997, le sous-paragraphe b) du paragraphe 6º doit se lire comme suit :

b) la totalité ou la presque totalité des fournitures par louage, licence ou accord semblable d'habitations dans le bâtiment ou une partie de celui-ci sont effectuées ou sont censées être effectuées pour des périodes de possession ou d'utilisation continues de moins de 60 jours;

b) le sous-paragraphe b) du paragraphe 6º doit se lire comme suit aux fins du calcul d'un montant accordé par le ministre du Revenu avant le 24 avril 1996 et aux fins du calcul d'un montant demandé soit dans une demande présentée en vertu du chapitre VII du titre I et reçue par le ministre du Revenu avant le 23 avril 1996, soit comme déduction, au titre d'un redressement, d'un remboursement ou d'un crédit prévu à l'article 447, dans une déclaration produite en vertu du chapitre VIII du titre I et reçue par le ministre du Revenu avant le 23 avril 1996 :

b) la totalité ou la presque totalité des fournitures par louage, licence ou accord semblable d'habitations dans le bâtiment ou une partie de celui-ci sont effectuées ou sont censées être effectuées pour des périodes de moins de 60 jours;

c) le sous-paragraphe c) du paragraphe 6º [N.D.L.R. : vraisemblablement le sous-paragraphe b) du paragraphe 6º], modifié par L.Q. 1997, c. 85, art. 418(1)(15º), tel qu'il se lisait pour la période du 1er juillet 1992 au 29 septembre 1992, doit se lire comme suit pour son application à l'égard d'une fourniture effectuée en vertu d'une convention conclue après le 14 septembre 1992 mais avant le 30 septembre 1992 :

c) la totalité ou la presque totalité des fournitures par louage, licence ou accord semblable d'habitations dans le bâtiment sont effectuées ou sont censées être effectuées pour des périodes de possession ou d'utilisation continues de moins de 60 jours;

Le préambule du paragraphe 1º et tout ce qui suit le paragraphe 3º de la définition de « immeuble d'habitation » à l'article 1 ont été modifiés par L.Q. 1994, c. 22, art. 364(1)(15º) et ont effet depuis le 1er juillet 1992. Le préambule du paragraphe 1º se lisait comme suit :

« immeuble d'habitation » signifie :

1º la partie d'un bâtiment, y compris une maison mobile, dans laquelle se trouvent une ou plusieurs habitations, ainsi que :

Tout ce qui suit le paragraphe 3º se lisait comme suit :

Toutefois, l'expression « immeuble d'habitation » exclut :

4º toute partie d'un bâtiment ou du terrain ou des dépendances relatifs à un bâtiment dans le cas où, à la fois :

a) le bâtiment comprend une auberge, un hôtel, un motel, une pension ou un autre local semblable;

b) le bâtiment n'est pas visé au paragraphe 3º;

c) la totalité ou la presque totalité des fournitures par louage, licence ou accord semblable d'habitations dans le bâtiment sont effectuées ou sont censées être effectuées pour des périodes de moins de 60 jours;

5º une maison flottante;

Antérieurement à cette modification, le sous-paragraphe b) du paragraphe 6° de cette définition se lisait ainsi :

b) la totalité ou la presque totalité des fournitures par louage, licence ou accord semblable d'habitations dans le bâtiment ou une partie de celui-ci sont effectuées ou sont censées être effectuées pour des périodes de moins de 60 jours;

Toutefois, pour la période du 1er juillet 1992 au 30 septembre 1992, le paragraphe 6° de la définition de l'expression « immeuble d'habitation » doit se lire comme suit :

6° toute partie d'un bâtiment ou du terrain ou des dépendances relatifs à un bâtiment dans le cas où, à la fois :

a) le bâtiment comprend une auberge, un hôtel, un motel, une pension ou un autre local semblable;

b) le bâtiment n'est pas visé au paragraphe 3°;

c) la totalité ou la presque totalité des fournitures par louage, licence ou accord semblable d'habitations dans le bâtiment sont effectuées ou sont censées être effectuées pour des périodes de moins de 60 jours;

La définition de « immeuble d'habitation » à l'article 1 a été édictée par L.Q. 1991, c. 67.

Guides: IN-261 — La TVQ, la TPS et les immeubles d'habitation (construction ou rénovation).

Définitions: « constructeur », « ex-conjoint », « fourniture », « habitation », « immeuble d'habitation à logement unique », « immeuble d'habitation à logements multiples », « immeuble d'habitation en copropriété », « logement en copropriété », « logement provisoire », « maison flottante », « maison mobile », « particulier », « terrain de caravaning », « terrain de caravaning résidentiel », « vente » — 1.

Renvois: 31 (fourniture combinée d'un immeuble et d'un immeuble d'habitation); 47 (immeuble d'habitation dans un immeuble); 93–107 (fournitures exonérées d'immeubles); 220 (conversion à un usage résidentiel); 221 (conversion à un usage résidentiel); 227–231 (fourniture à soi-même); 232 (rénovation mineure).

Bulletins d'interprétation: TVQ. 1-7 — Vente d'un logement en copropriété situé dans un centre de villégiature; TVQ. 31-1 — Fourniture combinée d'immeubles.

Lettres d'interprétation: 98-010493 — Interprétation relative à la TPS — Interprétation relative à la TVQ — Fournitures de chambres dans un ensemble immobilier exploité en partie comme un motel; 98-010777 — Interprétation relative à la TPS — Interprétation relative à la TVQ — Frais de copropriété; 98-0104335 — Décision portant sur l'application de la TPS — Interprétation relative à la TVQ — Fourniture par bail en vue d'une occupation à titre d'hébergement; 98-0106306 — Application des taxes dans le cas de location de chambres au mois; 98-0107213 — Interprétation en TPS et en TVQ — Construction d'un ajout à une résidence; 98-0112627 — Définition d'« immeuble d'habitation »; 99-0103129 — Demande d'interprétation relative à la TPS et à la TVQ — Fourniture exonérée — Location d'une habitation à prix modique; 99-0108003 — Interprétation en TPS et en TVQ — Rénovations majeures; 02-0109674 — Immeuble, changement d'usage.

Concordance fédérale: LTA, par. 123(1)« immeuble d'habitation ».

« immeuble d'habitation à logements multiples » signifie un immeuble d'habitation qui contient plus d'une habitation, à l'exclusion d'un immeuble d'habitation en copropriété;

Notes historiques: La définition de « immeuble d'habitation à logements multiples » à l'article 1 a été ajoutée par L.Q. 1991, c. 67.

Guides: IN-261 — La TVQ, la TPS et les immeubles d'habitation (construction ou rénovation).

Définitions: « constructeur », « habitation », « immeuble d'habitation », « immeuble d'habitation en copropriété » — 1.

Renvois: 225–228 (fourniture à soi-même); 361 (définition d'« immeuble d'habitation à logement unique »); 663 (fourniture donnant droit au remboursement).

Bulletins d'interprétation: TVQ. 223-1/R2 — Fourniture à soi-même d'un immeuble d'habitation.

Concordance fédérale: LTA, par. 123(1)« immeuble d'habitation à logements multiples ».

« immeuble d'habitation à logement unique » signifie un immeuble d'habitation qui ne contient qu'une habitation, à l'exclusion d'un logement en copropriété;

Notes historiques: La définition de « immeuble d'habitation à logement unique » à l'article 1 a été ajoutée par L.Q. 1991, c. 67.

Guides: IN-261 — La TVQ, la TPS et les immeubles d'habitation (construction ou rénovation).

Définitions: « immeuble d'habitation », « habitation », « logement en copropriété » — 1.

Renvois: 96 (vente d'un immeuble d'habitation à logement unique ou d'un logement en copropriété); 223 (fourniture à soi-même); 227 (fourniture à soi-même); 228 (fourniture à soi-même); 361 (définition d'« immeuble d'habitation à logement unique »); 362 (groupe de particuliers); 363 (remboursement — immeuble d'habitation à logement unique ou logement en copropriété); 375 (remboursement — immeuble d'habitation à logement unique construit pour soi-même); 620 (transfert d'un immeuble d'habitation à logement unique après le 30 juin 1992); 663 (fourniture donnant droit au remboursement); 664 (remboursement pour immeuble d'habitation à logement unique déterminé); 665 (remboursement pour immeuble d'habitation à logement unique déterminé).

Jurisprudence: *Chauvette c. Québec (Sous-ministre du Revenu)* (27 janvier 1998), 400-32-002267-974, 1998 CarswellQue 4589 (C.Q.).

Bulletins d'interprétation: TVQ. 223-1/R2 — Fourniture à soi-même d'un immeuble d'habitation.

Concordance fédérale: LTA, par. 123(1)« immeuble d'habitation à logement unique ».

« immeuble d'habitation en copropriété » signifie un immeuble d'habitation qui contient plus d'un logement en copropriété;

Notes historiques: La définition de « immeuble d'habitation en copropriété » à l'article 1 a été ajoutée par L.Q. 1991, c. 67.

Guides: IN-261 — La TVQ, la TPS et les immeubles d'habitation (construction ou rénovation).

Définitions: « constructeur », « immeuble d'habitation », « immeuble d'habitation à logements multiples » — 1.

Renvois: 224 (fourniture à soi-même); 231 (fourniture à soi-même); 621 (transfert d'un logement en copropriété après le 30 juin 1992); 622 (transfert d'un logement en copropriété après le 30 juin 1992); 668 (montant du remboursement).

Concordance fédérale: LTA, par. 123(1)« immeuble d'habitation en copropriété ».

« immobilisation », à l'égard d'une personne, signifie un bien qui est une immobilisation de la personne au sens de la *Loi sur les impôts*, ou qui le serait si la personne était un contribuable en vertu de cette loi, autre qu'un bien visé à la catégorie 12, 14 ou 44 de l'annexe B du *Règlement sur les impôts* (chapitre I-3, r. 1);

Notes historiques: La définition de « immobilisation » à l'article 1 a été remplacée par L.Q. 1997, c. 85, art. 418(1)(16°) et cette modification a effet à l'égard d'un bien acquis après le 26 avril 1993. Antérieurement à cette modification, cette définition se lisait ainsi :

« immobilisation » à l'égard d'une personne, signifie un bien qui est une immobilisation de la personne au sens de la *Loi sur les impôts* (L.R.Q., chapitre I-3), ou qui le serait si la personne était un contribuable en vertu de cette loi, autre qu'un bien visé à la catégorie 12 ou 14 de l'annexe B du *Règlement sur les impôts* (R.R.Q., 1981, chapitre I-3, r. 1) et ses modifications actuelles et futures;

La définition de « immobilisation » à l'article 1 a été ajoutée par L.Q. 1991, c. 67.

Définitions: « amélioration », « bien », « immobilisation », « personne » — 1.

Renvois: 237–276 (immobilisations).

Bulletins d'interprétation: TVQ. 240-1 — Remboursement de la taxe sur les intrants à l'égard d'un ordinateur.

Lettres d'interprétation: 98-0102933 — Décision portant sur l'application de la TPS — Interprétation relative à la TVQ — Amarrage à un ponton et choix de l'article 211; 99-0102311 — Interprétation relative à la TVQ — Demande d'un RTI à l'égard d'un ordinateur; 04-0106502 — Interprétation relative à la TPS et la TVQ — droit pour un OSBL de demander des CTI/RTI relativement à des améliorations locatives; 05-0105980 — Interprétation relative à la TVQ — Inscription d'une société de portefeuille; 07-0101217 — Décision portant sur l'application de la TPS — interprétation relative à la TVQ — application de la méthode de calcul de la taxe nette pour les organismes de bienfaisance.

Concordance fédérale: LTA, par. 123(1)« immobilisation ».

« inscrit » signifie une personne qui est inscrite, ou qui est tenue de l'être, en vertu de la section I du chapitre VIII;

Notes historiques: La définition de « inscrit » à l'article 1 a été modifiée par L.Q. 1994, c. 22, art. 364(1)(16°) et est réputée entrée en vigueur le 1er juillet 1992. La définition de « inscrit » à l'article 1, édictée par L.Q. 1991, c. 67, se lisait comme suit :

« inscrit signifie une personne qui est inscrite, ou qui est tenue de présenter une demande d'inscription, en vertu de la section I du chapitre huitième;

Définitions: « personne » — 1.

Renvois: 207–210 (début et fin de l'inscription); 407–418 (inscription); 459–467 (période de déclaration); 526 (certificat d'inscription); 677:10°, 29°, 30°, 31° (règlements).

Jurisprudence: *3863506 Canada inc. c. Québec (Sous-ministre du Revenu)* (12 mai 2005), 500-80-002087-030, 2005 CarswellQue 2711 (C.Q.); *Maillé c. Québec (Sous-ministre du Revenu)* (2 février 2005), 540-02-013401-022, 2005 CarswellQue 1567 (C.Q.); *Rafla c. Québec (Sous-ministre du Revenu)* (1er décembre 2004), 500-02-088684-001, 2004 CarswellQue 12011 (C.Q.).

Concordance fédérale: LTA, par. 123(1)« inscrit ».

« installation de télécommunication » signifie une installation, un appareil ou toute autre chose, incluant tout fil, câble ou système radio ou optique ou autre système électromagnétique, ou tout procédé technique semblable, ou partie d'un tel système ou d'un tel procédé, qui est utilisé ou peut être utilisé pour la télécommunication;

LTVQ (français)

Notes historiques: La définition de « installation de télécommunication » à l'article 1 a été ajoutée par L.Q. 1997, c. 85, art. 418(1)(17°) et a effet depuis le 1er juillet 1992.

Définitions: « service de télécommunication », « télécommunication » — 1.

Lettres d'interprétation: 99-0104218 — Interprétation relative à la TPS — Interprétation relative à la TVQ — Hébergement / conception d'un site Web; 99-0109159 — Interprétation relative à la TPS / TVH — Interprétation relative à la TVQ — Conception / hébergement d'un site Web; 03-0106892 — Demande d'interprétation de la TPS et de la TVQ — cartes d'appel prépayées; 04-0106379 — Interprétation relative à la TPS/TVH — Interprétation relative à la TVQ — Service de diffusion sur Internet.

Concordance fédérale: LTA, par. 123(1)« installation de télécommunication ».

« installation de traitement secondaire » signifie une installation de traitement de gaz naturel servant principalement à la récupération de liquides de gaz naturel ou d'éthane à partir de gaz naturel qu'un transporteur public de gaz naturel transporte par pipeline jusqu'à l'installation;

Notes historiques: La définition de « installation de traitement secondaire » à l'article 1 a été ajoutée par L.Q. 2001, c. 53, art. 272(1)(8°) et a effet depuis le 7 août 1998.

Concordance fédérale: LTA, par. 123(1)« installation de traitement complémentaire ».

« institution financière » tout au long de son année d'imposition signifie une personne qui est, selon le cas :

1° une institution financière désignée à un moment quelconque de cette année d'imposition;

2° une institution financière :

a) soit au sens de l'alinéa b) du paragraphe 1 de l'article 149 de la *Loi sur la taxe d'accise*;

b) soit au sens de l'alinéa c) du paragraphe 1 de l'article 149 de cette loi;

Notes historiques: Le paragraphe 2° de la définition de « institution financière » à l'article 1 a été remplacé par L.Q. 2012, c. 28, s.-par. 29(1)(6°) et cette modification s'applique à compter du 1er janvier 2013. Antérieurement, il se lisait ainsi :

2° une institution financière, au sens du sous-paragraphe b) ou du sous-paragraphe c) du paragraphe 1 de l'article 149 de la *Loi sur la taxe d'accise* (L.R.C. 1985, c. E-15);

La définition de « institution financière » à l'article 1 a été ajoutée par L.Q. 1997, c. 85, art. 418(1)(17°) et cette modification a effet à l'égard d'une année d'imposition qui commence après le 23 avril 1996.

Définitions: « exclusif », « institution financière désignée », « personne » — 1.

Lettres d'interprétation: 96-0111334 — Interprétation relative à la TPS — Interprétation relative à la TVQ — Définition de « institution financière ».

Concordance fédérale: LTA, par. 123(1)« institution financière ».

« institution financière désignée » tout au long d'une année d'imposition signifie une personne qui est, à un moment de l'année :

1° une banque;

2° une société autorisée en vertu de la législation du Québec, d'une autre province, des Territoires du Nord-Ouest, du territoire du Yukon, du territoire du Nunavut ou du Canada à exploiter au Canada une entreprise qui consiste à offrir au public ses services à titre de fiduciaire;

3° une personne dont l'entreprise principale consiste à agir à titre de courtier ou de négociateur en effets financiers ou en argent, ou à titre de vendeur de tels effets ou d'argent;

4° une caisse de crédit;

5° un assureur ou toute autre personne dont l'entreprise principale consiste à offrir de l'assurance en vertu de polices d'assurance;

6° le fonds réservé d'un assureur;

7° la Société d'assurance-dépôts du Canada;

8° une personne dont l'entreprise principale consiste à prêter de l'argent ou à acheter des titres de créances [*sic*], ou consiste en une combinaison des deux;

9° un régime de placement;

10° une personne qui offre les services visés à l'article 39;

11° une société réputée une institution financière en vertu de l'article 297.0.2.6;

Notes historiques: Le préambule de la définition de « institution financière désignée » à l'article 1 a été remplacé par L.Q. 2012, c. 28, s.-par. 29(1)(7°) et cette modification s'applique à compter du 1er janvier 2013. Antérieurement, il se lisait ainsi :

« institution financière désignée » signifie une personne qui est :

Le paragraphe 3° de la définition de « institution financière désignée » à l'article 1 a été modifié par L.Q. 1997, c. 3, art. 115(1°) pour remplacer le mot « corporation » par le mot « société ». Cette modification est réputée entrée en vigueur le 20 mars 1997. Auparavant, cette définition a été modifiée par L.Q. 1994, c. 22, art. 364(1)(17°) et est réputée entrée en vigueur le 1er juillet 1992. Elle se lisait comme suit :

3° une personne dont l'entreprise principale consiste à agir à titre de courtier ou de négociateur en effets financiers ou à titre de vendeur de tels effets;

Le paragraphe 7° de la définition de « institution financière désignée » à l'article 1 a été remplacé par L.Q. 2012, c. 28, s.-par. 29(1)(8°) et cette modification s'applique à compter du 1er janvier 2013. Antérieurement, il se lisait ainsi :

7° l'Autorité des marchés financiers ou la Société d'assurance-dépôts du Canada;

Le paragraphe 7° de la définition de « institution financière désignée » à l'article 1 a été modifié par L.Q. 2002, c. 45, art. 621 par le remplacement des mots « la Régie de l'assurance-dépôts du Québec » par les mots « l'Agence nationale d'encadrement du secteur financier ». Cette modification est entrée en vigueur le 1er février 2004.

Le paragraphe 11° de la définition de « institution financière désignée » à l'article 1 a été ajouté par L.Q. 2012, c. 28, s.-par. 29(1)(9°) et cette modification s'applique à compter du 1er janvier 2013.

La définition de « institution financière désignée » à l'article 1 a été modifiée par L.Q. 2004, c. 37, par. 90(38°) par le remplacement des mots « l'Agence nationale d'encadrement du secteur financier » par les mots « l'Autorité des marchés financiers ». Cette modification a effet depuis le 11 décembre 2002.

La définition de « institution financière désignée » à l'article 1 a été modifiée par L.Q. 2003, c. 2, s.-par. 307(1)(4°) par l'insertion, après le mot « Yukon », de « , du territoire du Nunavut ». Cette modification a effet depuis le 1er avril 1999.

La définition de « institution financière désignée » à l'article 1 a été édictée par L.Q. 1991, c. 67.

Définitions: « argent », « assureur », « caisse de crédit », « effet financier », « entreprise », « fonds réservé », « personne », « police d'assurance », « régime de placement », « service », « titre de créance » — 1.

Lettres d'interprétation: 01-0108553 — [Syndicat professionnel ne se qualifiant pas à titre d'institution financière désignée]; 05-0100486 — Interprétation relative à la TPS et à la TVQ — remboursement pour fiducie régie par un régime de pension interentreprises.

Concordance fédérale: LTA, par. 123(1)« institution financière désignée » et al. 149(1)a).

« institution financière désignée particulière » tout au long d'une période de déclaration comprise dans un exercice se terminant dans une année d'imposition donnée signifie une institution financière qui est visée à l'un des paragraphes 1° à 10° de la définition de l'expression « institution financière désignée » au cours de l'année d'imposition donnée et de l'année d'imposition précédente si, selon le cas :

1° elle est une société qui, conformément aux règles prévues à l'un des articles 402 à 405 du *Règlement de l'impôt sur le revenu* édicté en vertu de la *Loi de l'impôt sur le revenu*, a un revenu imposable gagné au cours de l'année d'imposition donnée et de l'année d'imposition précédente dans au moins une province participante au sens du paragraphe 1 de l'article 123 de la *Loi sur la taxe d'accise*, et a un revenu imposable gagné au cours de l'année donnée et de l'année d'imposition précédente au Québec ou dans une autre province qui est une province non participante au sens de ce paragraphe 1, ou aurait de tels revenus si elle avait un revenu imposable pour l'année donnée et l'année précédente;

2° elle est une société qui, conformément aux règles prévues à l'un des articles 402 à 405 du *Règlement de l'impôt sur le revenu* (C.R.C., c. 945) édicté en vertu de la *Loi de l'impôt sur le revenu*, a un revenu imposable gagné au cours de l'année d'imposition donnée et de l'année d'imposition précédente au Québec et a un revenu imposable gagné au cours de l'année donnée et de l'année d'imposition précédente dans une autre province qui est une province non participante au sens du paragraphe 1 de l'article 123 de la *Loi sur la taxe d'accise*, ou aurait de tels revenus si elle avait un revenu imposable pour l'année donnée et l'année précédente;

3° elle est un particulier, la succession d'un particulier décédé ou une fiducie qui, conformément aux règles prévues à l'article 2603 du

Règlement de l'impôt sur le revenu édicté en vertu de la *Loi de l'impôt sur le revenu*, a un revenu gagné au cours de l'année d'imposition donnée et de l'année d'imposition précédente dans au moins une province participante au sens du paragraphe 1 de l'article 123 de la *Loi sur la taxe d'accise*, et a un revenu gagné au cours de l'année donnée et de l'année d'imposition précédente au Québec ou dans une autre province qui est une province non participante au sens de ce paragraphe 1, ou aurait de tels revenus si elle avait un revenu pour l'année donnée et l'année précédente;

4° elle est un particulier, la succession d'un particulier décédé ou une fiducie qui, conformément aux règles prévues à l'article 2603 du *Règlement de l'impôt sur le revenu* édicté en vertu de la *Loi de l'impôt sur le revenu*, a un revenu gagné au cours de l'année d'imposition donnée et de l'année d'imposition précédente au Québec et a un revenu gagné au cours de l'année donnée et de l'année d'imposition précédente dans une autre province qui est une province non participante au sens du paragraphe 1 de l'article 123 de la *Loi sur la taxe d'accise*, ou aurait de tels revenus si elle avait un revenu pour l'année donnée et l'année précédente;

5° elle est une société de personnes déterminée au cours de l'année d'imposition donnée et de l'année d'imposition précédente;

6° elle est une institution financière prescrite;

Modification proposée — 1« institution financière désignée particulière »

« institution financière désignée particulière » tout au long d'une période de déclaration comprise dans un exercice se terminant dans une année d'imposition donnée signifie une institution financière qui est visée à l'un des paragraphes 1° à 10° de la définition de l'expression « institution financière désignée » au cours de l'année d'imposition donnée et de l'année d'imposition précédente si, selon le cas :

1° elle est une société qui, conformément aux règles prévues à l'un des articles 402 à 405 du *Règlement de l'impôt sur le revenu* édicté en vertu de la *Loi de l'impôt sur le revenu*, a un revenu imposable gagné au cours de l'année d'imposition donnée et de l'année d'imposition précédente au Québec et a un revenu imposable gagné au cours de l'année donnée et de l'année d'imposition précédente dans une autre province, ou aurait de tels revenus si elle avait un revenu imposable pour l'année donnée et l'année précédente;

2° elle est un particulier, la succession d'un particulier décédé ou une fiducie qui, conformément aux règles prévues à l'article 2603 du *Règlement de l'impôt sur le revenu* édicté en vertu de la *Loi de l'impôt sur le revenu*, a un revenu gagné au cours de l'année d'imposition donnée et de l'année d'imposition précédente au Québec et a un revenu gagné au cours de l'année donnée et de l'année d'imposition précédente dans une autre province, ou aurait de tels revenus si elle avait un revenu pour l'année donnée et l'année précédente;

3° elle est une société de personnes déterminée au cours de l'année d'imposition donnée et de l'année d'imposition précédente;

4° elle est une institution financière prescrite;

Application: La définition de « institution financière désignée particulière » de l'article 1 sera remplacée par le s.-par. 216(1)(2°) du *Projet de loi 18* (présenté le 21 février 2013) et cette modification aura effet depuis le 1er janvier 2013.

Notes historiques: La définition de « institution financière désignée particulière » à l'article 1 a été ajoutée par L.Q. 2012, c. 28, s.-par. 29(1)(10°) et cette adjonction s'applique à compter du 1er janvier 2013.

Concordance fédérale: LTA, par. 123(1)« institution financière désignée particulière » et al. 225.2(1).

« institution publique » signifie un organisme de bienfaisance enregistré au sens de l'article 1 de la *Loi sur les impôts* qui est une administration scolaire, une administration hospitalière, un collège public, une université ou une administration locale qui est une municipalité par application du paragraphe 2° de la définition de l'expression « municipalité » prévue au présent article;

Notes historiques: La définition de « institution publique » à l'article 1 a été ajoutée par L.Q. 1997, c. 85, art. 418(1)(18°) et a effet depuis le 1er janvier 1997. Toutefois, la définition de l'expression « institution publique » s'applique également à l'égard d'une fourniture effectuée avant le 1er janvier 1997 par une personne qui, le 1er janvier 1997, est une institution publique, au sens que donne à cette expression l'article 1 au 1er janvier 1997, et dont la contrepartie devient due après le 31 décembre 1996 ou est payée après le 31 décembre 1996 sans qu'elle soit devenue due.

Définitions: « administration hospitalière », « administration scolaire », « collège public », « université » — 1.

Bulletins d'interprétation: TVQ. 1-8 — Fourniture de biens ou de services effectuée au coût direct; TVQ. 16-27 — Fournitures de photocopies par un organisme de bienfaisance, une institution publique ou un organisme de services publics au sens de l'article 139 de la *Loi sur la taxe de vente du Québec*.

Lettres d'interprétation: 98-0102859 — Achat de droits de propriété intellectuelle.

Concordance fédérale: LTA, par. 123(1)« institution publique ».

« jeu de hasard » signifie une loterie ou un autre procédé en vertu duquel des prix ou des gains sont attribués en fonction soit uniquement du hasard, soit de celui-ci et d'autres facteurs alors que le résultat du jeu dépend davantage du hasard que des autres facteurs;

Notes historiques: La définition de « jeu de hasard » à l'article 1 a été ajoutée par L.Q. 1991, c. 67.

Définitions: « lieu de divertissement » — 1.

Renvois: 60 (présomption d'acquisition); 277-279 (paris et jeux de hasard).

Concordance fédérale: LTA, par. 123(1)« jeu de hasard ».

« lieu de divertissement » signifie un local ou un lieu, extérieur ou intérieur, dans lequel ou dans une partie duquel est présenté ou tenu soit un diaporama, un film, un spectacle son et lumière ou une présentation semblable, soit une exposition, une représentation ou un spectacle artistique, littéraire, musical, théâtral ou autre, soit un cirque, une foire, une ménagerie, un rodéo ou un événement semblable ou soit une course, un jeu de hasard, un concours d'athlétisme ou un autre concours ou jeu et comprend également un musée, un site historique, un parc zoologique, faunique ou autre, un endroit où des paris sont engagés et un endroit, une construction, un dispositif, une machine ou un appareil dont l'objet est de fournir tout genre de divertissement ou de distraction;

Notes historiques: La définition de « lieu de divertissement » à l'article 1 a été ajoutée par L.Q. 1991, c. 67.

Définitions: « jeu de hasard » — 1.

Bulletins d'interprétation: TVQ. 151-1 — Droits de circulation dans une zone d'exploitation contrôlée (ZEC).

Lettres d'interprétation: 00-0111583 — Interprétation relative à la TPS et à la TVQ — Qualification des fournitures de droits de pêche et autres.

Concordance fédérale: LTA, par. 123(1)« lieu de divertissement ».

« logement en copropriété » signifie un immeuble d'habitation qui est, ou qui est destiné à être, un espace délimité, dans un bâtiment, décrit comme une entité distincte dans la déclaration de copropriété inscrite au registre foncier ainsi que tout droit dans le fonds de terre afférent à la propriété de l'entité;

Notes historiques: La définition de « logement en copropriété » à l'article 1 a été modifiée par L.Q. 1997, c. 3, art. 115(6°) et cette modification est réputée entrée en vigueur le 20 mars 1997. Cette définition, ajoutée par L.Q. 1991, c. 67, se lisait auparavant comme suit :

> « logement en copropriété » signifie un immeuble d'habitation qui est, ou qui est destiné à être, un espace délimité, dans un bâtiment, décrit comme une entité distincte dans la déclaration enregistrée de copropriété ainsi que tout droit dans le fonds de terre afférent à la propriété de l'entité;

Définitions: « constructeur », « habitation », « immeuble d'habitation », « immeuble d'habitation à logement unique » — 1; « immeuble d'habitation déterminé » — 663.

Renvois: 223 (fourniture à soi-même); 224 (fourniture à soi-même); 227 (fourniture à soi-même); 228 (fourniture à soi-même); 366-370 (remboursement); 621 (dispositions transitoires); 622 (dispositions transitoires); 668 (montant du remboursement pour immeuble d'habitation déterminé).

Bulletins d'interprétation: TVQ. 82-1/R2 — Moment d'imposition de la fourniture relative à un immeuble par un entrepreneur en construction; TVQ. 223-1/R2 — Fourniture à soi-même d'un immeuble d'habitation.

Lettres d'interprétation: 04-0102766 — Interprétation relative à la TPS et à la TVQ — location de condominiums.

Concordance fédérale: LTA, par. 123(1)« logement en copropriété ».

LTVQ (français)

« logement provisoire » signifie un immeuble d'habitation ou une habitation fourni à un acquéreur par louage, licence ou autre accord semblable pour être occupé à titre de résidence ou d'hébergement par un particulier, dans le cas où la période tout au long de laquelle le particulier occupe de façon continue l'immeuble d'habitation ou l'habitation est de moins d'un mois et, pour l'application des articles 357.2 à 357.5 :

1º comprend un gîte de tout genre — autre qu'un gîte à bord d'un train, d'une remorque, d'un bateau ou d'une construction munie d'un moyen de propulsion ou qui peut facilement en être munie — lorsque fourni dans le cadre d'un voyage organisé, au sens que lui donne l'article 63, qui comprend également des aliments et les services d'un guide;

2º ne comprend pas un immeuble d'habitation ou une habitation lorsqu'il est, selon le cas :

a) fourni à l'acquéreur en vertu d'un accord aux termes duquel l'acquéreur a un droit de jouissance, périodique et successif, de l'immeuble d'habitation ou de l'habitation;

b) inclus dans la partie d'un voyage organisé qui n'en constitue pas la partie taxable au sens que donne l'article 63 à ces expressions;

Notes historiques: Le préambule de la définition « logement provisoire » à l'article 1 a été modifié par L.Q. 2002, c. 9, s.-par. 151(1). Cette modification a effet depuis le 1er novembre 2001. Antérieurement, il se lisait ainsi :

« logement provisoire »signifie un immeuble d'habitation ou une habitation fourni à un acquéreur par louage, licence ou autre accord semblable pour être occupé à titre de résidence ou d'hébergement par un particulier, dans le cas où la période tout au long de laquelle le particulier occupe de façon continue l'immeuble d'habitation ou l'habitation est de moins d'un mois et, pour l'application des articles 353.6 à 357 et 357.2 à 357.5 :

La définition de « logement provisoire » à l'article 1 a été remplacée par L.Q. 1997, c. 85, art. 418(1)(19º) et cette modification a effet depuis le 1er juillet 1992. Toutefois,

a) cette définition doit se lire en faisant abstraction des mots « de façon continue » à l'égard des fournitures effectuées avant le 15 septembre 1992;

b) le sous-paragraphe a) du paragraphe 2º ne s'applique pas aux fins du calcul du remboursement prévu aux articles 353.6 à 356.1 ou 357.2 à 357.5 et payable à une personne à l'égard de la fourniture d'un immeuble d'habitation ou d'une habitation effectuée en vertu d'un accord, conclu par écrit avant le 23 avril 1996, aux termes duquel la personne a un droit de jouissance, périodique et successif, de l'immeuble d'habitation ou de l'habitation.

Antérieurement à cette modification, la définition de « logement provisoire » à l'article 1 se lisait ainsi :

« logement provisoire » signifie un immeuble d'habitation ou une habitation fourni par louage, licence ou accord semblable pour être occupé à titre de résidence ou d'hébergement par un particulier, dans le cas où l'immeuble d'habitation ou l'habitation est occupé par le même particulier pour une période de moins d'un mois;

La définition de « logement provisoire » à l'article 1 a été modifiée par L.Q. 1994, c. 22, art. 364(1)(18º) et est réputée entrée en vigueur le 1er juillet 1992. Elle se lisait ainsi :

« logement provisoire » signifie un immeuble d'habitation ou une habitation fourni par louage, licence ou accord semblable pour être occupé à titre de résidence ou de pension par le même particulier, dans le cas où l'immeuble d'habitation ou l'habitation est occupé par celui-ci pour une période de moins d'un mois;

La définition de « logement provisoire » à l'article 1 a été ajoutée par L.Q. 1991, c. 67.

Définitions: « habitation », « immeuble d'habitation », « particulier » — 1.

Renvois: 357.2-357.5 (remboursement aux non-résidents).

Bulletins d'interprétation: TVQ. 16-4 — Plan américain.

Lettres d'interprétation: 00-0101717 — Interprétation relative à la TPS et à la TVQ — Fourniture par une université de chambres dans une résidence d'étudiants à des personnes autres que des étudiants.

Concordance fédérale: LTA, par. 123(1)« logement provisoire ».

« maison flottante » signifie une construction constituée d'une plate-forme flottante et d'un bâtiment fixé de façon permanente à celle-ci et conçue pour être occupée à titre de résidence pour des particuliers, à l'exclusion d'un appareil ou du mobilier, non intégré et vendu avec celle-ci, ou d'une construction munie d'un moyen de propulsion ou qui peut facilement en être munie;

Notes historiques: La définition de « maison flottante » à l'article 1 a été modifiée par L.Q. 1995, c. 63, art. 299(1)(4º) et est réputée entrée en vigueur le 1er juillet 1992 [*N.D.L.R.* : cette définition s'applique conformément aux articles 618 à 656 et 685 L.Q. 1991, c. 67, tels que modifiés]. Auparavant, elle avait été édictée par L.Q. 1994, c. 22, art. 364(1)(19º) et a effet depuis le 1er juillet 1992. Elle se lisait comme suit :

« maison flottante » signifie une construction constituée d'une plate-forme flottante et d'un bâtiment fixé de façon permanente à celle-ci et conçue pour être occupée à titre de résidence pour des particuliers, à l'exclusion d'un appareil ou du mobilier, non intégré et vendu avec celle-ci, ou d'une construction munie d'un moyen de propulsion ou qui peut facilement en être munie; une maison flottante, une tenure à bail ou un autre droit de propriété dans celle-ci, n'est pas un bien meuble mais un immeuble;

Définitions: « immeuble », « particulier » — 1.

Renvois: 222.4 (construction et rénovation de maison mobile ou flottante); 222.5 (construction et rénovation de maison mobile ou flottante).

Concordance fédérale: LTA, par. 123(1)« maison flottante ».

« maison mobile » signifie un bâtiment, dont la fabrication et l'assemblage sont achevés ou presque achevés, qui est équipé d'installations complètes de chauffage, d'électricité et de plomberie et conçu pour être déplacé jusqu'à un emplacement pour y être placé sur des fondations et raccordé à des installations de service et pour être occupé à titre de résidence, à l'exclusion d'une caravane, d'une autocaravane, d'une tente-caravane ou de tout autre véhicule conçu pour un usage récréatif;

Notes historiques: La définition de « maison mobile » à l'article 1 a été remplacée par L.Q. 1997, c. 85, art. 418(1)(20º) et cette modification a effet depuis le 24 avril 1996. Toutefois :

a) pour l'application de la sous-section II de la sous-section 3 de la section I du chapitre VII du titre I cette modification s'applique également à la fourniture d'une maison mobile effectuée avant le 24 avril 1996 et dont la contrepartie devient due après le 23 avril 1996 ou est payée après le 23 avril 1996 sans qu'elle soit devenue due;

b) dans le cas où une fourniture d'un fonds de terre, incluant un emplacement dans un terrain de caravaning, est effectuée par louage, licence ou accord semblable au propriétaire, au locataire, à l'occupant ou au possesseur d'une maison mobile, au sens que donne à cette expression l'article 1, tel que modifié par L.Q. 1997, c. 85, art. 418(1)(20º), pour une période qui commence avant le 24 avril 1996 et se termine après le 23 avril 1996, la délivrance du fonds pour la partie de la période antérieure au 24 avril 1996, et la délivrance du fonds pour le reste de la période, sont réputées constituer des fournitures distinctes et la fourniture du fonds de terre pour le reste de la période est réputée effectuée le 24 avril 1996.

Antérieurement à cette modification, la définition de « maison mobile » à l'article 1 se lisait ainsi :

« maison mobile » signifie une unité d'au moins trois mètres de largeur et huit mètres de longueur, équipée d'installation complètes de chauffage, d'électricité et de plomberie et conçue pour être remorquée sur son propre châssis sur roues jusqu'à un emplacement pour y être placée sur des fondations et raccordée à des installations de service et pour être occupée à des fins résidentielles, à l'exclusion d'un appareil ou du mobilier, non intégré et vendu avec celle-ci, d'une caravane, d'une autocaravane, d'une tente-caravane ou de tout autre véhicule destiné à un usage récréatif;

La définition de « maison mobile » à l'article 1 a été modifiée par L.Q. 1995, c. 63, art. 299(1)(5º) et est réputée entrée en vigueur le 1er juillet 1992 [*N.D.L.R.* : cette définition s'applique conformément aux articles 618 à 656 et 685 L.Q. 1991, c. 67, tels que modifiés]. Antérieurement, cette définition se lisait ainsi :

« maison mobile » signifie une unité d'au moins trois mètres de largeur et huit mètres de longueur, équipée d'installations complètes de chauffage, d'électricité et de plomberie et conçue pour être remorquée sur son propre châssis sur roues jusqu'à un emplacement pour y être placée sur des fondations et raccordée à des installations de service et pour être occupée à des fins résidentielles, à l'exclusion d'un appareil ou du mobilier, non intégré et vendu avec celle-ci, d'une caravane, d'une autocaravane, d'une tente-caravane ou de tout autre véhicule destiné à un usage récréatif; une maison mobile, une tenure à bail ou un autre droit de propriété dans celle-ci, n'est pas un bien meuble mais un immeuble;

Cette définition a été modifiée auparavant par L.Q. 1994, c. 22 art. 364(20º) et cette modification s'applique à compter du 1er juillet 1992. Antérieurement, elle se lisait comme suit :

« maison mobile » signifie une unité d'au moins trois mètres de largeur et huit mètres de longueur, équipée d'installations complètes de chauffage, d'électricité et de plomberie et conçue pour être remorquée sur son propre châssis sur roues jusqu'à un emplacement pour y être placée sur des fondations et raccordée à des installations de service et être occupée à des fins résidentielles, à l'exclusion d'un appareil ou du mobilier, non intégré et vendu avec celle-ci, d'une caravane, d'une autocaravane, d'une tente-caravane ou de tout autre véhicule destiné à un usage récréatif; une maison mobile n'est pas un bien meuble mais un immeuble;

La définition de « maison mobile » à l'article 1 a été ajoutée par L.Q. 1991, c. 67.

Définitions: « constructeur », « habitation », « immeuble », « immeuble d'habitation » — 1.

Renvois: 222.4 (construction et rénovation de maison mobile ou flottante); 222.5 (construction et rénovation de maison mobile ou flottante).

Bulletins d'interprétation: TVQ. 206.3-2/R1 — Électricité, gaz, combustible ou vapeur utilisés dans le cadre de la production de maisons mobiles; TVQ. 222.2-1 — Installation de maisons mobiles sur des emplacements situés sur un terrain de caravaning résidentiel et aménagement de ces emplacements.

Concordance fédérale: LTA, par. 123(1)« maison mobile » et par. 123(1) « immeuble »c).

« masse nette » signifie :

1º dans le cas d'un véhicule automobile neuf, la masse du véhicule telle qu'indiquée par le fabricant lors de son expédition;

2º dans le cas d'un véhicule automobile usagé, la masse du véhicule indiquée sur le dernier certificat d'immatriculation qui a été délivré à l'égard de celui-ci;

Notes historiques: La définition de « masse nette » à l'article 1 a été ajoutée par L.Q. 2001, c. 51, art. 258(1)(1º) et a effet depuis le 1er mai 1999.

Concordance fédérale: aucune.

« messager » (*définition supprimée*);

Notes historiques: La définition de « messager » à l'article 1 a été supprimée par L.Q. 1997, c. 85, art. 418(1)(21º) et cette modification a effet depuis le 1er juillet 1992. Auparavant, cette définition se lisait ainsi :

> « messager » a le sens que lui donne le paragraphe 1 de l'article 2 de la *Loi sur les douanes* (Statuts du Canada);

La définition de « messager » à l'article 1 a été ajoutée par L.Q. 1994, c. 22, art 364(1)(21º) et est réputée entrée en vigueur le 1er juillet 1992.

« métal précieux » signifie une barre, un lingot, une pièce ou une plaquette composé d'or, d'argent ou de platine dont la pureté est d'au moins 99,5 % dans le cas de l'or ou du platine et d'au moins 99,9 % dans le cas de l'argent;

Notes historiques: La définition de « métal précieux » à l'article 1 a été ajoutée par L.Q. 1991, c. 67.

Définitions: « argent », « effet financier » — 1.

Lettres d'interprétation: 05-0104173 — Commerce d'or.

Concordance fédérale: LTA, par. 123(1)« métal précieux ».

« minéral » comprend le pétrole, le gaz naturel et les hydrocarbures connexes, le sable, le gravier, l'ammonite, les sables bitumineux, le chlorure de calcium, le charbon, le kaolin, les schistes bitumineux et la silice;

Notes historiques: La définition de « minéral » à l'article 1 a été remplacée par L.Q. 2001, c. 53, art. 272(1)(9º) et cette modification a effet depuis le 1er juillet 1992. Antérieurement, elle se lisait ainsi :

> « minéral »comprend le pétrole, le gaz naturel et les hydrocarbures connexes, le sable et le gravier;

La définition de « minéral » à l'article 1 a été ajoutée par L.Q. 1991, c. 67.

Renvois: 40 (redevances sur ressources naturelles); 41 (redevances sur ressources naturelles); 48 (fournitures par les gouvernements et municipalités); 163 (fournitures non exonérées par un gouvernement ou une municipalité); 346 (choix concernant les coentreprises).

Concordance fédérale: LTA, par. 123(1)« minéral ».

« mois » signifie une période commençant un quantième donné d'un mois civil et se terminant, selon le cas :

1º la veille du même quantième du mois civil suivant;

2º dans le cas où le mois civil suivant n'a pas de quantième correspondant au quantième donné, le dernier jour de ce mois suivant;

Notes historiques: La définition de « mois » à l'article 1 a été ajoutée par L.Q. 1995, c. 63, art. 299(1)(6º) et s'applique à compter du 21 juin 1996. [*N.D.L.R.* : la date d'application prévue par L.Q. 1995, c. 63, art. 299 a été modifiée par L.Q. 1997, c. 85, art. 725(1). Antérieurement, elle se lisait ainsi : « est réputée entrée en vigueur à la date fixée par le gouvernement. »]

Définitions: « argent », « bien », « service » — 1.

Renvois: 2 (résultats négatifs); 51 (valeur de la contrepartie); 677:25º-27º et 34º (règlements).

Concordance fédérale: LTA, par. 123(1)« mois ».

« montant » signifie de l'argent, un bien ou un service exprimé sous la forme d'un montant d'argent ou de sa valeur en argent;

Notes historiques: La définition de « montant » à l'article 1 a été ajoutée par L.Q. 1991, c. 67.

Concordance fédérale: LTA, par. 123(1)« montant ».

« municipalité » comprend :

1º une communauté métropolitaine, l'Administration régionale Kativik ou un autre organisme municipal constitué en société quelle que soit sa désignation;

2º une autre administration locale à laquelle le ministre du Revenu confère le statut de municipalité pour l'application du présent titre;

Notes historiques: Le paragraphe 1º de la définition de « municipalité » à l'article 1 a été modifié par L.Q. 2000, c. 56, art. 218(22º) par le remplacement des mots « communauté urbaine » par les mots « communauté métropolitaine ». Cette modification est réputée entrée en vigueur le 20 décembre 2000.

La définition de « municipalité » à l'article 1 a été modifiée par L.Q. 1997, c. 3, art. 115(1º) pour remplacer le mot « corporation » par le mot « société ». Cette modification est réputée entrée en vigueur le 20 mars 1997. Auparavant, cette définition a été ajoutée par L.Q. 1991, c. 67.

Définitions: « municipalité » — 1, 383; « organisme de services publics » — 1.

Renvois: 48 (fournitures par les gouvernements et municipalités); 139–165 (fournitures exonérées par un organisme du secteur public).

Lettres d'interprétation: 00-0108456 — Définition de l'expression « organisme établi par une municipalité ».

Concordance fédérale: LTA, par. 123(1)« municipalité ».

« note de crédit » signifie une note de crédit délivrée en vertu de l'article 449;

Notes historiques: La définition de « note de crédit » à l'article 1 a été modifiée par L.Q. 2009, c. 15, art. 481 par le remplacement du mot « émise » par le mot « délivrée ». Cette modification est entrée en vigueur le 4 juin 2009.

La définition de « note de crédit » à l'article 1 a été modifiée par L.Q. 1994, c. 22, art. 364(1)(22º) et est réputée entrée en vigueur le 1er juillet 1992. La définition de « note de crédit » à l'article 1, édictée par L.Q. 1991, c. 67, se lisait comme suit :

> « note de crédit » signifie une note émise en vertu de l'article 449;

Notes explicatives ARQ (PL 37, L.Q. 2009, c. 15): *Résumé* :

L'article 1 est modifié par le remplacement du mot « émise » par le mot « délivrée » dans les définitions des expressions « note de crédit » et « note de débit ».

Situation actuelle :

L'article 1 de la LTVQ définit certaines expressions pour l'application de la LTVQ.

Modifications proposées :

La définition des expressions « note de crédit » et « note de débit » de l'article 1 de la LTVQ fait l'objet d'une modification terminologique afin de tenir compte du contexte dans lequel les dérivés des mots « émission » et « délivrance » doivent être utilisés. En effet, dans la définition de ces expressions prévues à l'article I de la LTVQ, on fait référence à l'émission d'une note de crédit et d'une note de débit. Or, dans ce contexte, il est plus approprié d'utiliser le dérivé du mot « délivrer ».

Renvois: 449 (note de crédit ou de débit); 653 (remboursement de l'excédent).

Concordance fédérale: LTA, par. 123(1)« note de crédit ».

« note de débit » signifie une note de débit délivrée en vertu de l'article 449;

Notes historiques: La définition de « note de débit » à l'article 1 a été modifiée par L.Q. 2009, c. 15, art. 481 par le remplacement du mot « émise » par le mot « délivrée ». Cette modification est entrée en vigueur le 4 juin 2009.

La définition de « note de débit » à l'article 1 a été ajoutée par L.Q. 1994, c. 22, art. 364(1)(23º) et est réputée entrée en vigueur le 1er juillet 1992.

Notes explicatives ARQ (PL 37, L.Q. 2009, c. 15): [Voir sous la définition 1« note de crédit » — n.d.l.r.]

Notes explicatives ARQ (PL 32, L.Q. 2011, c. 34): *Résumé* :

L'article 1 définit certaines expressions pour l'application de la LTVQ. La définition de l'expression « organisme de bienfaisance » est modifiée afin de ne plus faire référence à une association canadienne de sport amateur prescrite en vertu de *Loi sur les impôts* (L.R.Q., chapitre I-3) (LI), mais plutôt à une association canadienne de sport amateur enregistrée au sens de l'article 1 de la LI.

Situation actuelle :

L'article 1 de la LTVQ prévoit diverses définitions pour l'application de la LTVQ. L'expression « organisme de bienfaisance » signifie un organisme de bienfaisance enregistré au sens de l'article 1 de la LI ou une association canadienne de sport amateur prescrite en vertu de cette loi, à l'exclusion d'une institution publique.

L'article 1 de la LI a été modifié par l'article 30 du chapitre 23 des lois du Québec de 2005, pour y inclure, par renvoi à l'article 21.41 de la LI, la définition de l'expression « association canadienne de sport amateur enregistrée ». De plus, l'article 710 de la LI a

LTVQ (français)

été modifié afin de remplacer la référence à une association canadienne de sport amateur prescrite par une référence à une association canadienne de sport amateur enregistrée. Par conséquent, la notion d'association canadienne de sport prescrite a été remplacée par l'expression « association canadienne de sport amateur enregistrée ».

Modifications proposées :

En raison des modifications apportées par le chapitre 23 des lois du Québec de 2005, la définition de l'expression « organisme de bienfaisance » prévue à l'article 1 de la LTVQ est modifiée. La référence à une association canadienne de sport amateur prescrite est remplacée par une référence à une association canadienne de sport amateur enregistrée.

Renvois: 449 (note de crédit ou de débit); 653 (remboursement de l'excédent).

Concordance fédérale: LTA, par. 123(1)« note de débit ».

« organisateur » d'un congrès signifie la personne qui acquiert un centre de congrès ou des fournitures liées à un congrès et qui organise le congrès pour une autre personne qui en est le promoteur;

Notes historiques: La définition de « organisateur » à l'article a été ajoutée par L.Q. 1994, c. 22, art. 364(1)(23°) et est réputée entrée en vigueur le 1er juillet 1992.

Définitions: « centre de congrès », « congrès », « fournitures liées à un congrès », « promoteur » — 1.

Renvois: 357.2–357.5 (remboursement — congrès).

Lettres d'interprétation: 02-0104758 — Interprétation relative à la TPS et à la TVQ — Organisation d'un congrès international.

Concordance fédérale: LTA, par. 123(1)« organisateur ».

« organisme de bienfaisance » signifie un organisme de bienfaisance enregistré ou une association canadienne de sport amateur enregistrée, au sens de l'article 1 de la *Loi sur les impôts*, à l'exclusion d'une institution publique;

Notes historiques: La définition de « organisme de bienfaisance » à l'article 1 a été remplacée par L.Q. 2011, c. 34, par. 140(1) et cette modification a effet depuis le 31 mars 2004. Antérieurement, elle se lisait ainsi :

> « organisme de bienfaisance » signifie un organisme de bienfaisance enregistré au sens de l'article 1 de la *Loi sur les impôts* ou une association canadienne de sport amateur prescrite en vertu de cette loi, à l'exclusion d'une institution publique;

La définition de « organisme de bienfaisance » à l'article 1 a été remplacée par L.Q. 1997, c. 85, art. 418(1)(22°) et cette modification a effet depuis le 1er janvier 1997. Toutefois cette modification s'applique également à l'égard d'une fourniture effectuée avant le 1er janvier 1997 par une personne qui, le 1er janvier 1997, est une institution publique, au sens que donne à cette expression l'article 1 au 1er janvier 1997, et dont la contrepartie devient due après le 31 décembre 1996 ou est payée après le 31 décembre 1996 sans qu'elle soit devenue due.

Antérieurement à cette modification, la définition de « organisme de bienfaisance » à l'article 1 se lisait ainsi :

> « organisme de bienfaisance » signifie un organisme de bienfaisance enregistré au sens de la *Loi sur les impôts* (L.R.Q., chapitre I-3) ou une association canadienne de sport amateur prescrite en vertu de cette loi;

La définition de « organisme de bienfaisance » à l'article 1 a été modifié par L.Q. 1995, c. 49, art. 246 et a effet depuis le 1er juillet 1992 [*N.D.L.R.* : cette définition s'applique conformément aux articles 618 à 656 et 685 L.Q. 1991, c. 67, tels que modifiés]. Auparavant, cette définition se lisait ainsi :

> « organisme de bienfaisance » signifie un organisme de charité enregistré au sens de la *Loi sur les impôts* (L.R.Q., chapitre I-3) ou une association canadienne de sport amateur prescrite en vertu de cette loi;

La définition de « organisme de bienfaisance » à l'article 1 a été édictée par L.Q. 1991, c. 67.

Définitions: « institution publique », « organisme de charité enregistré », « organisme de services publics », « organisme sans but lucratif », « promoteur » — 1.

Renvois: 386 (remboursement); 387 (remboursement); 389 (remboursement).

Bulletins d'interprétation: TVQ. 1-8 — Fourniture de biens ou de services effectuée au coût direct; TVQ. 16-27 — Fournitures de photocopies par un organisme de bienfaisance, une institution publique ou un organisme de services publics au sens de l'article 139 de la *Loi sur la taxe de vente du Québec*; TVQ. 108-1/R2 — Établissement de santé au sens du paragraphe 2° de la définition de cette expression prévue à l'article 108 de la *Loi sur la taxe de vente du Québec*, et repas acquis ou fournis par un tel établissement; TVQ. 138.1-1/R1 — Fournitures de biens et de services funéraires par un organisme de bienfaisance.

Lettres d'interprétation: 98-0102842 — Fournitures de services d'entretien ménager commercial par un organisme de charité; 99-0100463 — Interprétation relative à la TPS — Interprétation relative à la TVQ — Fournitures exonérées.

Concordance fédérale: LTA, par. 123(1)« organisme de bienfaisance ».

« organisme de services publics » signifie un organisme sans but lucratif, un organisme de bienfaisance, une municipalité, une administration scolaire, une administration hospitalière, un collège public ou une université;

Notes historiques: La définition de « organisme de services publics » à l'article 1 a été ajoutée par L.Q. 1991, c. 67.

Définitions: « administration hospitalière », « administration scolaire », « collège public », « municipalité », « organisme de bienfaisance », « organisme du secteur public », « organisme sans but lucratif », « université » — 1.

Renvois: 338 (divisions d'un organisme de services publics).

Bulletins d'interprétation: TVQ. 1-8 — Fourniture de biens ou de services effectuée au coût direct.

Lettres d'interprétation: 98-0102933 — Décision portant sur l'application de la TPS — Interprétation relative à la TVQ — Amarrage à un ponton et choix de l'article 211; 98-0103188 — Décision portant sur l'application de la TPS — Interprétation relative à la TVQ — Activités parascolaires; 98-0108716 — Décision portant sur l'application de la TPS — Interprétation relative à la TVQ — Activités parascolaires; 01-0103877 — Interprétation relative à la TPS et à la TVQ — Statut d'une bande indienne; 02-0105581 — Fournitures effectuées par un organisme à but non lucratif.

Concordance fédérale: LTA, par. 123(1)« organisme de services publics ».

« organisme du secteur public » signifie un gouvernement ou un organisme de services publics;

Notes historiques: La définition de « organisme du secteur public » à l'article 1 a été ajoutée par L.Q. 1991, c. 67.

Définitions: « gouvernement », « organisme de services publics » — 1.

Renvois: 139–165 (fournitures exonérées par un organisme du secteur public).

Lettres d'interprétation: 02-0103453 — Interprétation relative à la TPS et à la TVQ — Fournitures effectuées par un organisme à but non lucratif; 02-0105581 — Fournitures effectuées par un organisme à but non lucratif.

Concordance fédérale: LTA, par. 123(1)« organisme du secteur public ».

« organisme sans but lucratif » signifie une personne, sauf un particulier, une succession, une fiducie, un organisme de bienfaisance, une institution publique, une municipalité ou un gouvernement qui est constituée et administrée exclusivement à des fins non lucratives et dont aucun revenu n'est payable à un propriétaire, à un membre ou à un actionnaire ou ne peut autrement être disponible pour servir à leur profit personnel, sauf si l'un de ces derniers est un club ou une association ayant comme principal objectif la promotion du sport amateur au Canada;

Notes historiques: La définition de « organisme sans but lucratif » à l'article 1 a été remplacée par L.Q. 1997, c. 85, art. 418(1)(23°) et cette modification a effet depuis le 1er janvier 1997. Antérieurement, cette définition a été modifiée par L.Q. 1994, c. 22, art. 364(1)(24°) et est réputée entrée en vigueur le 1er juillet 1992. Elle se lisait ainsi :

> « organisme sans but lucratif » signifie une personne, sauf un particulier, une succession, une fiducie, un organisme de bienfaisance, une municipalité ou un gouvernement qui est constituée et administrée exclusivement à des fins non lucratives et dont aucun revenu n'est payable à un propriétaire, à un membre ou à un actionnaire ou ne peut autrement être disponible pour servir à leur profit personnel, sauf si l'un de ces derniers est un club ou une association ayant comme principal objectif la promotion du sport amateur au Canada;

La définition de « organisme sans but lucratif » à l'article 1, édictée par L.Q. 1991, c. 67, se lisait comme suit :

> « organisme sans but lucratif » signifie une personne, sauf un particulier, une succession, une fiducie ou un organisme de bienfaisance, qui est constituée et administrée exclusivement à des fins non lucratives et dont aucun revenu n'est payable à un propriétaire, à un membre ou à un actionnaire ou ne peut autrement être disponible pour servir à leur profit personnel, sauf si l'un de ces derniers est un club ou une association ayant comme principal objectif la promotion du sport amateur au Canada;

Définitions: « institution publique », « organisme de bienfaisance », « organisme de services publics », « particulier », « personne » — 1.

Renvois: 383–399 (remboursement à certains organismes).

Lettres d'interprétation: 99-0109001 — Décision portant sur l'application de la TPS — Interprétation relative à la TVQ — Fourniture d'un immeuble par un organisme à but non lucratif pour une contrepartie symbolique; 99-0109779 — Interprétation relative à la TPS et à la TVQ — Qualification à titre d'organisme à but non lucratif; 00-0100610 — Interprétation relative à la TPS et à la TVQ — Qualification à titre d'organisme à but non lucratif et à titre d'organisme à but non lucratif admissible; 01-0103877 — Interprétation relative à la TPS et à la TVQ — Statut d'une bande indienne; 02-0104477 — Interprétation relative à la TPS et à la TVQ — Fourniture d'une part sociale.

Bulletins d'interprétation: TVQ. 119.1-1/R2 — Programme d'exonération financière pour les services d'aide domestique.

Concordance fédérale: LTA, par. 123(1)« organisme à but non lucratif ».

« particulier » signifie une personne physique;

Notes historiques: La définition de « particulier » à l'article 1 a été ajoutée par L.Q. 1991, c. 67.

Définitions: « personne » — 1.

Concordance fédérale: aucune.

« période de déclaration » d'une personne signifie la période de déclaration de la personne déterminée en vertu des articles 458.6 à 467;

Notes historiques: L'application de la définition de « période de déclaration » à l'article 1 a été modifiée par L.Q. 1995, c. 63, par. 512(1) et cette modification a effet depuis le 1er août 1995. Antérieurement, elle se lisait ainsi :

> Pour l'application de cette loi, dans le cas où une personne est un inscrit en vertu de celle-ci et de la partie IX de la *Loi sur la taxe d'accise* (Lois révisées du Canada (1985), chapitre E-15), sa période de déclaration, au sens de l'article 1 de cette loi, qui commence avant le 1er août 1995 et qui se termine après le 31 juillet 1995 est réputée se terminer au même moment que la période de déclaration pour l'application de la partie IX de *Loi sur la taxe d'accise* qui est sa première période à se terminer après le 31 juillet 1995. Dans ce cas, cette période de déclaration est réputée être une période de déclaration distincte de la personne.
>
> Le premier alinéa ne s'applique pas, si selon le cas :
>
> 1° la personne est une institution financière désignée et qu'elle a fait le choix d'une période de déclaration pour l'application de cette loi différente de celle applicable pour les fins de l'application de la partie IX de la *Loi sur la taxe d'accise*;
>
> 2° la période de déclaration de la personne pour l'application de la partie IX de la *Loi sur la taxe d'accise* correspond à son mois d'exercice autre que le mois civil.

La définition de « période de déclaration » à l'article 1 a été modifiée par L.Q. 1994, c. 22, art. 364(1)(25°) et cette modification est réputée entrée en vigueur le 1er juillet 1992. La définition de « période de déclaration » à l'article 1, édictée par L.Q. 1991, c. 67, se lisait comme suit :

> « période de déclaration » d'une personne signifie la période de déclaration de la personne déterminée en vertu des articles 459 à 467;

Définitions: « personne » — 1.

Renvois: 305–308 (période de déclaration du failli); 314–316 (séquestre); 457 (période de déclaration indiquée — location d'une voiture de tourisme).

Concordance fédérale: LTA, par. 123(1)« période de déclaration ».

« personne » signifie une fiducie, un particulier, une société, une société de personnes, une succession ou un organisme qui est une association, un club, une commission, un syndicat ou une autre organisation;

Notes historiques: La définition de « personne » à l'article 1 a été modifiée par L.Q. 1997, c. 3, art. 115(7°) et cette modification est réputée entrée en vigueur le 20 mars 1997. Auparavant, cette définition, ajoutée par L.Q. 1991, c. 67, se lisait comme suit :

> « personne » signifie une corporation, une fiducie, un particulier, une société, une succession ou un organisme qui est une association, un club, une commission, un syndicat ou une autre organisation;

Définitions: « particulier » — 1; « personne » — 541.48.

Renvois: 3 (personnes liées); 4 (personnes liées); 6–9 (personnes associées); 10 (fonds réservé — personne distincte); 11–14 (résidence); 76 (fusion); 77 (liquidation); 338–340, 342–344 (divisions ou succursales d'un organisme de services publics); 407 (inscription obligatoire); 506 (définition de « personne »); 537 (définition de « personne »).

Jurisprudence: *3863506 Canada inc. c. Québec (Sous-ministre du Revenu)* (12 mai 2005), 500-80-002087-030, 2005 CarswellQue 2711 (C.Q.); *Rafla c. Québec (Sous-ministre du Revenu)* (1er décembre 2004), 500-02-088684-011; *Syndicat national des employés de l'aluminium de Baie-Comeau — C.S.N. c. Québec (Sous-ministre du Revenu)* (5 août 2002), 200-09-001588-976; *Québec (Sous-ministre du Revenu) c. Lacasse Lebel, Notaires* (15 juin 2000), 550-02-006436-968, 2000 CarswellQue 1406; *Syndicat national des employés de l'aluminium de Baie-Comeau — C.S.N. c. Québec (Sous-ministre du Revenu)* (16 juillet 1997), 200-02-005338-944.

Bulletins d'interprétation: TVQ. 1-4/R2 — La société de moyens; TVQ. 16-14 — Fournitures effectuées à un régime de pension agréé; TVQ. 407-1 — Inscription d'un régime de pension agréé.

Lettres d'interprétation: 98-0105035 — Interprétation relative à la TPS et à la TVQ — Convention de partage des dépenses d'un groupe de médecins; 98-0110282 — Interprétation relative à la TPS — Interprétation relative à la TVQ — Comités; 00-0107094 — [Embauche d'employés par un représentant des syndicats de copropriétaires et définition de mandat].

Concordance fédérale: LTA, par. 123(1)« personne ».

« petit fournisseur » signifie une personne qui, à un moment quelconque, est un petit fournisseur, selon le cas :

1° en vertu des articles 294 à 297, sauf si, à ce moment, cette personne n'est pas un petit fournisseur en vertu de l'article 148 de la *Loi sur la taxe d'accise*;

2° en vertu des articles 297.0.1 et 297.0.2, sauf si, à ce moment, cette personne n'est pas un petit fournisseur en vertu de l'article 148.1 de la *Loi sur la taxe d'accise*;

Notes historiques: La définition de « petit fournisseur » à l'article 1 a été modifiée par L.Q. 1995, c. 1, art. 247(1)(4°) et a effet depuis le 1er avril 1993. Elle se lisait auparavant comme suit :

> « petit fournisseur » signifie une personne qui, à un moment quelconque, est un petit fournisseur en vertu des articles 294 à 297, sauf si, à ce moment, cette personne n'est pas un petit fournisseur en vertu de l'article 148 de la *Loi sur la taxe d'accise* (Statuts du Canada);

La définition de « petit fournisseur » à l'article 1 a été ajoutée par L.Q. 1991, c. 67.

Définitions: « fournisseur », « personne » — 1.

Renvois: 68 (petit fournisseur); 207 (nouvel inscrit); 407 (inscription obligatoire); 408 (demande d'inscription); 411 (inscription au choix); 417 (annulation d'inscription); 418 (annulation d'inscription); 418 (avis d'annulation); 676 (demande d'inscription).

Jurisprudence: *Québec (Sous-ministre du Revenu) c. 9029-6443 Québec inc.* (30 janvier 2007), 155-05-000014-069.

Bulletins d'interprétation: TVQ. 207-1 — Remboursement de la taxe sur les intrants à un nouvel inscrit; TVQ. 407-3/R2 — Partis politiques.

Concordance fédérale: LTA, par. 123(1)« petit fournisseur ».

« police d'assurance » signifie une police d'assurance délivrée par un assureur ou un contrat d'assurance conclu par un assureur ainsi qu'une police ou un contrat d'assurance contre les accidents ou contre la maladie, que la police soit délivrée ou le contrat conclu par un assureur ou non, et comprend également :

1° une police de réassurance délivrée par un assureur;

2° un contrat de rente conclu par un assureur ou un contrat conclu par un assureur qui serait un contrat de rente sauf que les paiements qui y sont prévus, selon le cas :

a) sont payables sur une base périodique à des intervalles inférieurs ou supérieurs à une année;

b) varient selon la valeur d'un groupe déterminé d'éléments d'actif ou selon les fluctuations des taux d'intérêt;

3° un contrat conclu par un assureur dont la totalité ou une partie des provisions de l'assureur pour le contrat varient selon la valeur d'un groupe déterminé d'éléments d'actif;

toutefois, l'expression « police d'assurance » exclut une garantie à l'égard de la qualité, du bon état ou du bon fonctionnement d'un bien corporel, dans le cas où la garantie est fournie à une personne qui acquiert le bien autrement que pour revente;

4° un cautionnement de soumission, d'exécution, d'entretien ou de paiement, consenti à l'égard d'un contrat de construction;

Notes historiques: Le préambule de la définition de « police d'assurance » à l'article 1 a été modifié par L.Q. 1997, c. 85, art. 418(1)(24°) et cette modification a effet depuis le 1er juillet 1992. Antérieurement à cette modification, ce préambule se lisait ainsi :

> « police d'assurance » signifie une police d'assurance délivrée par un assureur ou un contrat d'assurance conclu par un assureur ainsi qu'une police ou un contrat d'assurance contre les accidents, contre la maladie ou de soins dentaires, que la police soit délivrée ou le contrat conclu par un assureur ou non et comprend également :

Le paragraphe 4° de la définition de « police d'assurance » à l'article 1 a été ajouté par L.Q. 1997, c. 85, art. 418(1)(24°) et a effet depuis le 1er juillet 1992.

Le dernier alinéa de la définition de « police d'assurance » à l'article 1 a été ajouté par L.Q. 1994, c. 22, art. 364(1)(26°) et est réputé entré en vigueur le 1er juillet 1992 pour les garanties fournies à l'égard de biens meubles et à compter du 1er janvier 1993, pour les garanties fournies à l'égard d'immeubles.

La définition de « police d'assurance » à l'article 1 a été édictée par L.Q. 1991, c. 67.

Définitions: « assureur » — 1.

Bulletins d'interprétation: TVQ. 280-2 — Cautionnement d'exécution consenti à l'égard d'un contrat de construction.

Lettres d'interprétation: 98-0107809 — Décision portant sur l'application de la TPS — Interprétation relative à la TVQ — Contrats d'assurance relatifs à la vente d'une automobile; 99-0100166 — Interprétation relative à la TPS — Interprétation relative à la TVQ — Cautionnement (frais d'analyse de dossier); 06-0103728 — Interprétation relative à la TPS et à la TVQ — Montants payables dans le cadre de programmes de garantie de remplacement de véhicule automobile.

Concordance fédérale: LTA, par. 123(1)« police d'assurance ».

LTVQ (français)

« produit soumis à l'accise » signifie la bière ou la liqueur de malt, au sens de l'article 4 de la *Loi sur l'accise* (L.R.C. 1985, c. E-14), ainsi que les spiritueux, le vin et les produits du tabac, au sens de l'article 2 de la *Loi de 2001 sur l'accise* (L.C. 2002, c. 22);

Notes historiques: La définition de « produit soumis à l'accise » de l'article 1 a été ajoutée par L.Q. 2005, c. 38, par. 362(1) et a effet depuis le 1er juillet 2003.

Concordance fédérale: LTA, par. 123(1)« produit soumis à l'accise ».

« produit transporté en continu » signifie de l'électricité, du pétrole brut, du gaz naturel ou tout bien meuble corporel, qui est transportable au moyen d'un fil, d'un pipeline ou d'une autre canalisation;

Notes historiques: La définition de « produit transporté en continu » à l'article 1 a été ajoutée par L.Q. 2001, c. 53, art. 272(1)(10º) et a effet depuis le 7 août 1998.

Concordance fédérale: LTA, par. 123(1)« produit transporté en continu ».

« promoteur » d'un congrès signifie la personne qui en est l'instigatrice et qui fournit les droits d'entrée à celui-ci;

Notes historiques: La définition de « promoteur » à l'article 1 a été ajoutée par L.Q. 1994, c. 22, art. 364(1)(27º) et est réputée entrée en vigueur le 1er juillet 1992.

Définitions: « congrès », « droit d'entrée », « personne » — 1.

Renvois: 80.3 (fourniture à un exposant non-résident); 198 (service financier, fourniture pour l'usage du lieutenant-gouverneur du Québec et fourniture d'un droit d'entrée à un congrès); 357.1–357.5 (remboursement — congrès).

Lettres d'interprétation: 02-0104758 — Interprétation relative à la TPS et à la TVQ — Organisation d'un congrès international.

Concordance fédérale: LTA, par. 123(1)« promoteur ».

« régime de placement » signifie :

1º une fiducie régie par un des régimes, fiducies, convention ou fonds suivants, au sens de la *Loi sur les impôts* ou du *Règlement sur les impôts* :

a) un régime de pension agréé;

b) un régime d'intéressement;

c) un régime enregistré de prestations supplémentaires de chômage;

d) un régime enregistré d'épargne-retraite;

e) un régime d'intéressement différé;

f) un régime enregistré d'épargne-études;

g) un régime de prestations aux employés;

h) une fiducie pour employés;

i) une fiducie de fonds mutuels;

j) une fiducie d'investissement à participation unitaire;

k) une convention de retraite;

l) un fonds enregistré de revenu de retraite;

2º les sociétés suivantes au sens de cette loi :

a) une société de placements;

b) une société de placements hypothécaires;

c) une société de fonds mutuels;

d) une société de placements appartenant à des non-résidents;

3º une société exonérée d'impôt en vertu de cette loi par l'application des paragraphes c.1) et c.2) de l'article 998 et de l'article 998.1 de cette loi;

4º une fiducie de fonds mis en commun au sens de la *Loi sur la taxe d'accise*;

5º une personne prescrite ou faisant partie d'une catégorie prescrite, mais seulement dans le cas où cette personne serait une institution financière désignée particulière pour une période de déclaration comprise dans un exercice se terminant dans son année d'imposition si elle était visée au paragraphe 9° de la définition de l'expression « institution financière désignée » au cours de cette année d'imposition et de son année d'imposition précédente;

Notes historiques: Le paragraphe 5º de la définition de « régime de placement » à l'article 1 a été ajouté par L.Q. 2012, c. 28, s.-par. 29(1)(11º) et cette adjonction s'applique à compter du 1er janvier 2013.

La définition de « régime de placement » à l'article 1 a été modifiée par L.Q. 1997, c. 3, art. 115(1º) pour remplacer le mot « corporation » par le mot « société » et par L.Q. 1997, c. 3, art. 115(8º) pour remplacer le mot « corporations » par le mot « sociétés ». Cette modification est réputée entrée en vigueur le 20 mars 1997. Auparavant, le sous-paragraphe a) du paragraphe 1º de la définition de « régime de placement » à l'article 1 a été modifié par L.Q. 1994, c. 22, art. 364(1)(28º) et est réputé entré en vigueur le 1er juillet 1992. Il se lisait comme suit :

a) un régime enregistré de retraite;

La définition de « régime de placement » à l'article 1 a été ajoutée par L.Q. 1991, c. 67.

Définitions: « convention de retraite », « corporation de fonds mutuels », « corporation de placements », « corporation de placements hypothécaires », « fiducie de fonds mutuels », « fiducie d'investissement à participation unitaire », « fiducie pour employés », « fonds enregistré de revenu de retraite », « régime de prestations aux employés », « régime d'intéressement », « régime enregistré d'épargne-études », « régime enregistré d'épargne-retraite », « régime enregistré de prestations supplémentaires de chômage », « régime enregistré de retraite » — 1.

Renvois: 998; 998.1.

Bulletins d'interprétation: TVQ. 407-1 — Inscription d'un régime de pension agréé.

Concordance fédérale: LTA, par. 149(5).

« regroupement de sociétés mutuelles d'assurance » signifie un groupe qui est constitué, à la fois :

1º d'une fédération de sociétés mutuelles d'assurance et de ses membres;

2º dans le cas où les membres de la fédération de sociétés mutuelles d'assurance sont les seuls investisseurs d'un fonds de placement, de ce fonds;

3º dans le cas où il existe une société de réassurance mutuelle dont chaque membre est un membre de la fédération de sociétés mutuelles d'assurance qui n'a pas le droit d'obtenir de réassurance de toute autre société de réassurance, de cette société de réassurance mutuelle;

Notes historiques: La définition de « regroupement de sociétés mutuelles d'assurance » à l'article 1 a été modifiée par L.Q. 1997, c. 3, art. 115(1º) pour remplacer le mot « corporation » par le mot « société ». Cette modification est réputée entrée en vigueur le 20 mars 1997. Auparavant, cette définition a été ajoutée par L.Q. 1994, c. 22, art. 364(1)(29º) et est réputée entrée en vigueur le 1er juillet 1992.

Définitions: « fédération de sociétés mutuelles d'assurance » — 1.

Renvois: 332–333.1 (corporations étroitement liées); 337.1 (choix visant les fournitures sans contrepartie).

Concordance fédérale: LTA, par. 123(1)« regroupement de sociétés mutuelles d'assurance ».

« rénovation majeure » d'un immeuble d'habitation signifie la rénovation ou la transformation d'un bâtiment au point où la totalité ou la presque totalité du bâtiment qui existait immédiatement avant les travaux a été enlevée ou remplacée à l'exception des fondations, des murs extérieurs, des murs intérieurs de soutien, des planchers, du toit et des escaliers, dans le cas où, une fois les travaux complétés, le bâtiment est un immeuble d'habitation ou fait partie d'un tel immeuble;

Notes historiques: La définition de « rénovation majeure » à l'article 1 a été ajoutée par L.Q. 1991, c. 67.

Guides: IN-261 — La TVQ, la TPS et les immeubles d'habitation (construction ou rénovation).

Définitions: « immeuble d'habitation » — 1.

Renvois: 220 (conversion à un usage résidentiel); 222.5 (rénovations majeures d'une maison mobile ou d'une maison flottante); 232 (rénovation mineure).

Concordance fédérale: LTA, par. 123(1)« rénovations majeures ».

« représentant personnel » d'un particulier décédé ou de la succession d'un particulier décédé signifie le liquidateur de la succession du particulier ou toute personne chargée, en vertu de la législation applicable, de revendiquer la possession des éléments d'actif de la succession, de les administrer, de les aliéner et de les distribuer;

Notes historiques: La définition de « représentant personnel » à l'article 1 a été ajoutée par L.Q. 1997, c. 85, art. 418(1)(25º) et a effet depuis le 1er juillet 1992.

Définitions: « personne » — 1.

Concordance fédérale: LTA, par. 123(1)« représentant personnel ».

« ristourne » signifie un montant déductible en vertu des articles 786 à 2222796 de la *Loi sur les impôts* dans le calcul, pour l'application de cette loi, du revenu de la personne qui paie le montant;

Notes historiques: La définition de « ristourne » à l'article 1 a été ajoutée par L.Q. 1991, c. 67.

Définitions: « montant », « personne », « service financier » — 1.

Renvois: 451–454 (paiement d'une ristourne).

Concordance fédérale: LTA, par. 123(1)« ristourne ».

« salarié » comprend un cadre;

Notes historiques: La définition de « salarié » à l'article 1 a été ajoutée par L.Q. 1994, c. 22, art. 364(1)(30º) et est réputée entrée en vigueur le 1er juillet 1992.

Définitions: « cadre », « personne » — 1.

Lettres d'interprétation: 05-0100809 — Interprétation relative à la TPS et à la TVQ — remboursement d'un compte de dépenses d'un secrétaire non membre d'un conseil d'administration].

Concordance fédérale: LTA, par. 123(1)« salarié ».

« service » signifie tout ce qui n'est pas un bien, ni de l'argent, ni tout ce qui est fourni à un employeur par une personne qui est son salarié, ou qui accepte de le devenir, dans le cadre de la charge ou de l'emploi de la personne ou relativement à cette charge ou à cet emploi;

Notes historiques: La définition de « service » à l'article 1 a été modifiée par L.Q. 1994, c. 22, art. 364(1)(31º) et est réputée entrée en vigueur le 1er juillet 1992. La définition de « service » à l'article 1, édictée par L.Q. 1991, c. 67, se lisait comme suit :

> « service » signifie tout ce qui n'est pas un bien, ni de l'argent, ni tout ce qui est fourni à un employeur par une personne qui est son salarié ou son cadre, ou qui accepte de le devenir, dans le cadre de la charge ou de l'emploi de la personne ou relativement à cette charge ou à cet emploi;

Définitions: « argent », « bien », « cadre », « charge », « personne », « salarié », « service commercial », « service financier » — 1.

Bulletins d'interprétation: TVQ. 1-9/R1 — Juges des cours municipales; TVQ. 34.3-2 — La réparation de biens meubles corporels effectuée en vertu d'une garantie et la taxe de vente du Québec.

Jurisprudence: *Lockwood Manufacturing Inc. c. Agence de revenu du Québec* (19 juin 2012), 500-80-013513-099, 2012 CarswellQue 9284.

Lettres d'interprétation: 98-010278 — Fourniture d'un service; 98-0105134 — Décision portant sur l'application de la TPS — Interprétation relative à la TVQ — Statut fiscal de certains gestes médicaux; 98-0108146 — Interprétation relative à la TPS et à la TVQ — Prix reçus par un athlète professionnel; 99-0100210 — Décision portant sur l'application de la TPS — Interprétation relative à la TVQ — Montants versés par l'association étudiante au CÉGEP — Fourniture ou subvention; 99-0104929 — Décision portant sur l'application de la TPS — Interprétation relative à la TVQ — Approvisionnement en commun de biens et services pour les établissements de santé.

Concordance fédérale: LTA, par. 123(1)« service ».

« service commercial », à l'égard d'un bien meuble corporel, signifie un service à l'égard du bien, autre qu'un service d'expédition du bien fourni par un transporteur et un service financier.

Notes historiques: La définition de « service commercial » a été ajoutée par L.Q. 1995, c. 1, art. 247(1)(5º) a effet depuis le 1er juillet 1992, sous réserve des dispositions transitoires [*N.D.L.R.* : cette définition s'applique conformément aux articles 618 à 656 et 685 L.Q. 1991, c. 67, tels que modifiés].

Définitions: « bien », « service », « service financier » — 1.

Concordance fédérale: LTA, par. 123(1)« service commercial ».

« service de gestion des actifs » signifie un service, sauf un service prescrit, qui est rendu par une personne donnée relativement aux éléments d'actif ou de passif d'une autre personne et qui consiste, selon le cas :

a) à gérer ou à administrer ces éléments d'actif ou de passif, indépendamment du niveau de pouvoir discrétionnaire dont la personne donnée dispose pour la gestion de tout ou partie de ces éléments;

b) à effectuer des recherches ou des analyses, à donner des conseils ou à établir des rapports relativement aux éléments d'actif ou de passif;

c) à prendre des décisions quant à l'acquisition ou à la disposition d'éléments d'actif ou de passif;

d) à agir de façon à atteindre les objectifs de rendement ou d'autres objectifs relatifs aux éléments d'actif ou de passif;

Notes historiques: La définition de « service de gestion des actifs » de l'article 1 a été ajoutée par L.Q. 2011, c. 6, s.-par. 232(1)(4º) et a effet depuis le 1er juillet 1992. Toutefois, pour l'application du titre I , sauf pour l'application de la sous-section 3 de la section I du chapitre II du titre I, elle ne s'applique pas relativement à un service rendu aux termes d'une convention, constatée par écrit, portant sur une fourniture si, à la fois :

> 1° la totalité de la contrepartie de la fourniture est devenue due ou a été payée avant le 15 décembre 2009;
>
> 2° le fournisseur n'a pas exigé, perçu ni versé de montant avant cette date au titre de la taxe prévue par le titre I à l'égard de la fourniture;
>
> 3° le fournisseur n'a pas exigé, perçu ni versé de montant avant cette date au titre de la taxe prévue par le titre I à l'égard de toute autre fourniture, effectuée aux termes de la convention, qui comprend la prestation d'un service visé à l'un des paragraphes 17°, 17.1° et 18.3° à 18.5° de la définition de l'expression « service financier » prévue à l'article 1, modifiée par les sous-paragraphes 1° à 4° du paragraphe 228(1).

Bulletin d'information : 2009-9 — Harmonisation à diverses mesures relatives à la législation et à la règlementation fiscales fédérales et report de l'imposition d'une ristourne admissible.

Concordance fédérale: LTA, par. 123(1)« service de gestion des actifs ».

« service de gestion ou d'administration » comprend le service de gestion des actifs;

Notes historiques: La définition de « service de gestion ou d'administration » de l'article 1 a été ajoutée par L.Q. 2011, c. 6, s.-par. 232(1)(4º) et a effet depuis le 1er juillet 1992. Toutefois, pour l'application du titre I , sauf pour l'application de la sous-section 3 de la section I du chapitre II du titre I, elle ne s'applique pas relativement à un service rendu aux termes d'une convention, constatée par écrit, portant sur une fourniture si, à la fois :

> 1° la totalité de la contrepartie de la fourniture est devenue due ou a été payée avant le 15 décembre 2009;
>
> 2° le fournisseur n'a pas exigé, perçu ni versé de montant avant cette date au titre de la taxe prévue par le titre I à l'égard de la fourniture;
>
> 3° le fournisseur n'a pas exigé, perçu ni versé de montant avant cette date au titre de la taxe prévue par le titre I à l'égard de toute autre fourniture, effectuée aux termes de la convention, qui comprend la prestation d'un service visé à l'un des paragraphes 17°, 17.1° et 18.3° à 18.5° de la définition de l'expression « service financier » prévue à l'article 1, modifiée par les sous-paragraphes 1° à 4° du paragraphe 228(1).

Bulletin d'information : 2009-9 — Harmonisation à diverses mesures relatives à la législation et à la règlementation fiscales fédérales et report de l'imposition d'une ristourne admissible.

Concordance fédérale: LTA, par. 123(1)« service de gestion ou d'administration ».

« service de télécommunication » signifie :

1º le service qui consiste à émettre, à transmettre ou à recevoir des signes, signaux, écrits, images, sons ou renseignements de toute nature par fil, câble, système radio ou optique ou autre système électromagnétique ou par tout procédé technique semblable;

2º le fait de mettre à la disposition pour une telle émission, transmission ou réception des installations de télécommunication d'une personne qui exploite une entreprise qui consiste à fournir des services visés au paragraphe 1º;

Notes historiques: La définition de « service de télécommunication » a été ajoutée par L.Q. 1997, c. 85, art. 418(1)(26º) et a effet depuis le 1er juillet 1992.

Définitions: « entreprise », « installation de télécommunication », « service », « télécommunication » — 1.

Bulletins d'interprétation: TVQ. 22.26-1 — Les services de conception et d'hébergement d'un site Web et la taxe de vente du Québec (TVQ).

Lettres d'interprétation: 98-0112841 — Interprétation relative à la TVQ — Service de télécommunication — Droit au remboursement de la taxe sur les intrants; 99-0104218 — Interprétation relative à la TPS — Interprétation relative à la TVQ — Hébergement / conception d'un site Web; 99-0106247 — Interprétation relative à la TPS — Interprétation relative à la TVQ; 03-0106892 — Demande d'interprétation de la TPS et de la TVQ — cartes d'appel prépayées; 04-0106379 — Interprétation relative à la TPS/TVH — interprétation relative à la TVQ — service de diffusion sur Internet.

Concordance fédérale: LTA, par. 123(1)« service de télécommunication ».

« service financier », en excluant ce qui est décrit aux paragraphes 14º à 20º, signifie :

1º l'échange, l'émission, le paiement, la réception ou le transfert d'argent effectué soit par l'échange de monnaie, soit en créditant ou débitant un compte, soit autrement;

LTVQ (français)

2º la tenue d'un compte d'achats à crédit, de chèques, de dépôts, d'épargne, de prêts ou d'un autre compte;

3º l'emprunt ou le prêt d'un effet financier;

4º l'acceptation, l'attribution, l'émission, l'endossement, la modification, l'octroi, le remboursement, le renouvellement, le traitement ou le transfert de propriété d'un effet financier;

5º la modification, l'offre, la réception ou la remise d'une acceptation, d'une garantie ou d'une indemnité à l'égard d'un effet financier;

6º le paiement ou la réception d'argent à titre d'avantages, de capital, de dividendes, sauf les ristournes, d'intérêts ou de tout paiement ou réception d'argent semblable à l'égard d'un effet financier;

6.1º le paiement ou la réception d'un montant en règlement final ou partiel d'une réclamation effectuée en vertu d'une police d'assurance;

7º l'octroi de toute avance ou de tout crédit ou le prêt d'argent;

8º la souscription d'un effet financier;

9º un service rendu conformément aux modalités d'une convention concernant le paiement de montants pour lesquels une pièce justificative a été émise à l'égard d'une carte de crédit ou de débit;

10º le service d'enquête et de recommandation relatif au versement d'une prestation accordée en règlement d'une réclamation effectuée, selon le cas :

a) en vertu d'une police d'assurance maritime;

b) en vertu d'une police d'assurance, autre qu'une police d'assurance contre les accidents ou contre la maladie ou une police d'assurance-vie, si, selon le cas :

i. le service est fourni par un assureur ou une personne qui est titulaire d'un permis, délivré en vertu de la législation du Québec, d'une autre province, des Territoires du Nord-Ouest, du territoire du Yukon ou du territoire du Nunavut, l'autorisant à rendre un tel service;

ii. le service est fourni à un assureur ou à un groupe d'assureurs par une personne qui serait tenue d'être titulaire d'un tel permis, en faisant abstraction du fait que la personne en est exemptée en vertu de la législation du Québec, d'une autre province, des Territoires du Nord-Ouest, du territoire du Yukon ou du territoire du Nunavut;

10.1º le service qui consiste à remettre à un assureur ou à une personne qui fournit un service visé au paragraphe 10º, une évaluation du dommage causé à un bien ou, dans le cas de la perte du bien, de la valeur de celui-ci, si le fournisseur de l'évaluation examine le bien ou, dans le cas de la perte du bien, le dernier endroit connu où était situé le bien avant la perte;

11º la fourniture réputée, en vertu de l'un des articles 39 et 297.0.2.1, constituer la fourniture d'un service financier; »;

12º le fait de consentir à effectuer, ou de prendre les mesures en vue d'effectuer, un service qui, à la fois :

a) est visé à l'un des paragraphes 1° à 9°;

b) n'est pas visé à l'un des paragraphes 14° à 20°;

13º un service prescrit;

14º le paiement ou la réception d'argent à titre de contrepartie de la fourniture d'un bien autre qu'un effet financier ou d'un service autre qu'un service financier;

15º le paiement ou la réception d'argent en règlement d'une réclamation, autre qu'une réclamation en vertu d'une police d'assurance, en vertu d'une garantie ou d'un autre accord semblable à l'égard d'un bien autre qu'un effet financier ou d'un service autre qu'un service financier;

16º les services de conseil, autres qu'un service visé aux paragraphes 10º ou 10.1º;

17º dans le cas où le fournisseur est une personne qui effectue la prestation d'un service d'administration ou de gestion soit à un régime de placement, soit à une société, à une société de personnes ou à une fiducie dont l'activité principale consiste à investir des fonds, la prestation au régime de placement, à la société, à la société de personnes ou à la fiducie de l'un des services suivants :

a) un service d'administration ou de gestion;

b) tout autre service, à l'exception d'un service prescrit;

17.1º un service de gestion des actifs;

18º un service professionnel rendu par un actuaire, un avocat, un comptable ou un notaire dans le cadre de l'exercice de sa profession;

18.1º le fait de prendre des mesures en vue du transfert de la propriété des parts d'une coopérative d'habitation;

18.2º un service de recouvrement de créances rendu en vertu d'une convention conclue entre la personne qui consent à rendre le service, ou à prendre des mesures en vue de rendre un tel service, et une personne donnée autre que le débiteur, à l'égard de tout ou partie d'une créance, y compris le service qui consiste à tenter de recouvrer la créance, à prendre des mesures en vue de son recouvrement, à en négocier le paiement ou à réaliser ou à tenter de réaliser une garantie donnée à son égard, mais ne comprend pas un service qui consiste uniquement à accepter d'une personne, autre que la personne donnée, le paiement de tout ou partie d'un compte sauf si, selon le cas :

a) la personne qui rend le service peut, aux termes de la convention, tenter de recouvrer tout ou partie du compte ou réaliser ou tenter de réaliser une garantie donnée à son égard;

b) l'entreprise principale de la personne qui rend le service consiste au recouvrement de créances;

18.3º le service, sauf un service prescrit, qui consiste à gérer le crédit relatif à des cartes de crédit ou de paiement, à des comptes de crédit, d'achats à crédit ou de prêts ou à des comptes portant sur une avance, rendu à une personne qui consent ou pourrait consentir un crédit relativement à ces cartes ou comptes, y compris le service rendu à cette personne qui consiste, selon le cas :

a) à vérifier, à évaluer ou à autoriser le crédit;

b) à prendre, en son nom, des décisions relatives à l'octroi de crédit ou à une demande d'octroi de crédit;

c) à créer ou à tenir, pour elle, des dossiers relatifs à l'octroi de crédit ou à une demande d'octroi de crédit ou relatifs aux cartes ou aux comptes;

d) à contrôler le registre des paiements d'une autre personne ou à traiter les paiements faits ou à faire par celle-ci;

18.4º le service, sauf un service prescrit, qui est rendu en préparation de la prestation effective ou éventuelle d'un service visé à l'un des paragraphes 1° à 9° et 12°, ou conjointement avec un service visé à l'un de ces paragraphes, et qui consiste en l'un des services suivants :

a) un service de collecte, de regroupement ou de communication de renseignements;

b) un service d'étude de marché, de conception de produits, d'établissement ou de traitement de documents, d'assistance à la clientèle, de publicité ou de promotion ou un service semblable;

18.5º un bien, sauf un effet financier ou un bien prescrit, qui est livré à une personne, ou mis à sa disposition, conjointement avec la prestation par celle-ci d'un service visé à l'un des paragraphes 1° à 9° et 12°;

19º un service dont la fourniture est réputée, en vertu du présent titre, constituer une fourniture taxable;

20º un service prescrit;

Notes historiques: Les paragraphes 6°, 10° et 16° de la définition de « service financier » à l'article 1 ont été modifiés par L.Q. 1994, c. 22, art. 364(1)(32°). Ils se lisaient comme suit :

6° le paiement ou la réception d'avantages, de capital, de dividendes, sauf les dividendes en nature et les ristournes, d'intérêts, de réclamations ou de tout autre montant à l'égard d'un effet financier;

10° le service d'enquête et de recommandation relatif au versement d'une prestation accordée en règlement d'une réclamation effectuée en vertu d'une police d'assurance délivrée par un assureur ou par une personne titulaire d'un permis, émis en vertu de la législation du Québec, d'une autre province, des Territoires du Nord-Ouest ou du territoire du Yukon, l'autorisant à offrir de tels services;

16° les services de conseil autres qu'un service visé au paragraphe 10°;

Les paragraphes 6° et 6.1° de la définition de « service financier » à l'article 1 sont réputés entrés en vigueur le 15 septembre 1992.

Les paragraphes 6.1°, 10.1° et 18.1° de la définition de « service financier » à l'article 1 ont été ajoutés par L.Q. 1994, c. 22, art. 364(1)(32°).

Les sous-paragraphes i et ii du sous-paragraphe b) du paragraphe 10° de la définition de « service financier » à l'article 1 ont été remplacés par L.Q. 2003, c. 2, s.-par. 307(1)(5°). Cette modification a effet depuis le 1er avril 1999. Antérieurement, ils se lisaient ainsi :

i. le service est fourni par un assureur ou une personne qui est titulaire d'un permis, émis en vertu de la législation du Québec, d'une autre province, des Territoires du Nord-Ouest ou du territoire du Yukon, l'autorisant à rendre un tel service;

ii. le service est fourni à un assureur ou à un groupe d'assureurs par une personne qui serait tenue d'être titulaire d'un tel permis, en faisant abstraction du fait que la personne en est exemptée en vertu de la législation du Québec, d'une autre province, des Territoires du Nord-Ouest ou du territoire du Yukon;

Les paragraphes 10°, 10.1° et 17° de la définition de « service financier » à l'article 1 ont été remplacés par L.Q. 1997, c. 85, art. 418(1)(27°). Antérieurement ils se lisaient ainsi :

10° le service d'enquête et de recommandation relatif au versement d'une prestation accordée en règlement d'une réclamation en vertu d'une police d'assurance dans le cas où le service est fourni par un assureur ou une autre personne qui, sauf dans le cas d'une réclamation en vertu d'une police d'assurance maritime, est titulaire d'un permis, émis en vertu de la législation du Québec, d'une autre province, des Territoires du Nord-Ouest ou du territoire du Yukon, l'autorisant à rendre un tel service;

10.1° le service qui consiste à remettre à une personne qui fournit un service visé au paragraphe 10° à l'égard d'un bien, une évaluation du dommage causé au bien ou, dans le cas de la perte du bien, de la valeur de celui-ci, si le fournisseur de l'évaluation examine le bien ou, dans le cas de la perte du bien, le dernier endroit connu où était situé le bien avant la perte;

17° la prestation de services d'administration ou de gestion à une société, à une fiducie ou à une société de personnes dont l'activité principale consiste à investir des fonds pour le compte d'actionnaires, de membres ou d'autres personnes;

Ces modifications apportées par L.Q. 1997, c. 85, s.-par. 418(1)(27°) ont effet :

a) dans le cas du paragraphe 10°, à l'égard de toute fourniture dont une contrepartie devient due après le 23 avril 1996 ou est payée après cette date sans être devenue due et à l'égard de toute fourniture dont la totalité de la contrepartie est devenue due ou a été payée au plus tard le 23 avril 1996, sauf si, selon le cas :

i. le fournisseur n'a, au plus tard le 23 avril 1996, exigé ou perçu aucun montant au titre de la taxe prévue par le titre I à l'égard de la fourniture;

ii. le fournisseur a exigé ou perçu un montant au titre de la taxe en vertu du titre I à l'égard de la fourniture et, avant le 23 avril 1996, le ministre du Revenu a reçu, soit une demande de remboursement en vertu de l'article 400 à l'égard de ce montant, soit une déclaration dans laquelle le fournisseur demande la déduction de ce montant à l'égard du redressement, du remboursement ou du crédit dont il a fait l'objet en vertu de l'article 447, ou a accordé ce montant, avant le 24 avril 1996;

toutefois, à l'égard d'une fourniture dont la totalité de la contrepartie est devenue due ou a été payée au plus tard le 23 avril 1996, le paragraphe 10° doit se lire en faisant abstraction du sous-paragraphe ii du sous-paragraphe b);

b) dans le cas du paragraphe 10.1°, à l'égard de toute fourniture dont une contrepartie devient due après le 23 avril 1996 ou est payée après cette date sans être devenue due et à l'égard de toute fourniture dont la totalité de la contrepartie est devenue due ou a été payée au plus tard le 23 avril 1996 si, selon le cas :

i. le fournisseur n'a, au plus tard le 23 avril 1996, exigé ou perçu aucun montant au titre de la taxe prévue par le titre I à l'égard de la fourniture;

ii. le fournisseur a exigé ou perçu un montant au titre de la taxe en vertu du titre I à l'égard de la fourniture et, avant le 23 avril 1996, le ministre du Revenu a reçu, soit une demande de remboursement en vertu de l'article 400 à l'égard de ce montant, soit une déclaration dans laquelle le fournisseur demande une déduction à l'égard du redressement, du remboursement ou du crédit dont ce montant a fait l'objet en vertu de l'article 447, ou a accordé ce montant, avant le 24 avril 1996;

toutefois, pour la période qui commence le 1er juillet 1992 et qui se termine le 30 septembre 1992, le paragraphe 10.1° de la définition de l'expression « service financier » doit se lire comme suit :

10.1° le service qui consiste à remettre à un assureur ou à une personne qui fournit un service visé au paragraphe 10°, une évaluation du dommage causé à un bien, sauf une perte;

c) dans le cas du paragraphe 17°, depuis le 1er juillet 1992; toutefois, il ne s'applique pas à l'égard d'une fourniture relativement à laquelle le fournisseur n'a, au plus tard le 7 décembre 1994, exigé ou perçu aucun montant au titre de la taxe prévue par le titre I.

Les paragraphes 10°, 10.1° et 16° de la définition de « service financier » à l'article 1 sont réputés entrés en vigueur le 1er juillet 1992. Toutefois, pour la période du 1er juillet 1992 au 30 septembre 1992, le paragraphe 10.1° doit se lire comme suit :

10.1° le service qui consiste à remettre à une personne qui fournit un service visé au paragraphe 10° à l'égard d'un bien, une évaluation du dommage causé au bien, sauf une perte;

Dans le cas où, dans le cadre de l'exercice d'une profession, un actuaire, un avocat, un comptable ou un notaire fournit, avant le 1er octobre 1992, un service visé à ce paragraphe 10.1°, la taxe est réputée ne pas avoir été payable à l'égard de la fourniture et, dans le cas où aucun montant n'a été exigé ou perçu avant le 1er octobre 1992 par le fournisseur au titre de la taxe à l'égard de la fourniture, celle-ci est réputée être une fourniture exonérée.

Le paragraphe 11° de la définition de « service financier » à l'article 1 a été remplacé par L.Q. 2012, c. 28, s.-par. 29(1)(12°) et cette modification s'applique à compter du 1er janvier 2013. Antérieurement, il se lisait ainsi :

11° la fourniture réputée, en vertu de l'article 39, constituer la fourniture d'un service financier;

Le paragraphe 12° de la définition de « service financier » de l'article 1 a été remplacé par L.Q. 2011, c. 6, s.-par. 232(1)(1°), et cette modification a effet depuis le 1er juillet 1992. Toutefois, pour l'application du titre I , sauf pour l'application de la sous-section 3 de la section I du chapitre II du titre I, il ne s'applique pas relativement à un service rendu aux termes d'une convention, constatée par écrit, portant sur une fourniture si, à la fois :

1° la totalité de la contrepartie de la fourniture est devenue due ou a été payée avant le 15 décembre 2009;

2° le fournisseur n'a pas exigé, perçu ni versé de montant avant cette date au titre de la taxe prévue par le titre I à l'égard de la fourniture;

3° le fournisseur n'a pas exigé, perçu ni versé de montant avant cette date au titre de la taxe prévue par le titre I à l'égard de toute autre fourniture, effectuée aux termes de la convention, qui comprend la prestation d'un service visé à l'un des paragraphes 17°, 17.1° et 18.3° à 18.5° de la définition de l'expression « service financier » prévue à l'article 1, modifiée par les sous-paragraphes 1° à 4° du paragraphe 228(1).

Antérieurement, le paragraphe 12° de la définition de « service financier » de l'article 1 se lisait ainsi :

12° le fait de consentir à effectuer un service visé aux paragraphes 1° à 9° ou de prendre les mesures en vue d'effectuer un tel service;

Le paragraphe 17° de la définition de « service financier » à l'article 1 a été modifié par L.Q. 2001, c. 53, s.-par. 272(1)(11°) et cette modification a effet depuis le 1er juillet 1992. Toutefois, à l'égard d'une fourniture dont la totalité de la contrepartie est devenue due ou a été payée avant le 30 juillet 1998 :

1° dans le cas où la contrepartie, même partielle, de la fourniture est devenue due ou a été payée avant le 8 décembre 1994 et si le fournisseur n'a, avant cette date, exigé ou perçu aucun montant au titre de la taxe prévue par le titre I de cette loi à l'égard de la fourniture, le paragraphe 17° de la définition de l'expression « service financier » prévue à l'article 1 de cette loi doit se lire comme suit :

17° la prestation de services d'administration ou de gestion à une société, à une fiducie ou à une société de personnes dont l'activité principale consiste à investir des fonds pour le compte d'actionnaires, de membres ou d'autres personnes;

2° dans le cas où la contrepartie de la fourniture est devenue due après le 7 décembre 1994 ou a été payée après cette date sans être devenue due et si, selon le cas, soit le fournisseur n'a, avant le 30 juillet 1998, exigé ou perçu aucun montant au titre de la taxe prévue par le titre I de cette loi à l'égard de la fourniture, soit le fournisseur a exigé ou perçu un montant au titre de la taxe prévue par le titre I de cette loi à l'égard de la fourniture et, avant le 29 juillet 1998, le ministre du Revenu a reçu, soit une demande de remboursement en vertu de l'article 400 de cette loi à l'égard de ce montant, soit une déclaration en vertu du chapitre VIII de cette loi dans laquelle le fournisseur demandait une déduction à titre de redressement ou de remboursement de ce montant ou d'un crédit y afférent en vertu de l'article 447 de cette loi, la partie du paragraphe 17° de la définition de l'expression « service financier » prévue à l'article 1 de cette loi qui précède le sous-paragraphe a doit se lire comme suit :

17° dans le cas où le fournisseur est une personne qui effectue la prestation d'un service d'administration ou de gestion à une société, à une société de personnes ou à une fiducie dont l'activité principale consiste à investir des fonds, la prestation à la société, à la société de personnes ou à la fiducie de l'un des services suivants :

Antérieurement, il se lisait ainsi :

17° dans le cas où le fournisseur est une personne qui effectue la prestation d'un service d'administration ou de gestion à une société, à une société de personnes ou à une fiducie dont l'activité principale consiste à investir des fonds, la prestation à la société, à la société de personnes ou à la fiducie de l'un des services suivants :

a) un service d'administration ou de gestion;

b) tout autre service, à l'exception d'un service prescrit;

Le paragraphe 17° de la définition de « service financier » à l'article 1 a été modifié par L.Q. 1997, c. 3, art. 115(9°) pour remplacer le mot « société » par les mots « société de personnes » et par L.Q. 1997, c. 3, art. 115(1°) pour remplacer le mot « corporation » par le mot « société ». Ces modifications sont réputées entrées en vigueur le 20 mars 1997.

Le paragraphe 17.1° de la définition de « service financier » à l'article 1 a été ajouté par L.Q. 2011, c. 6, s.-par. 232(1)(2°) et a effet depuis le 1er juillet 1992. Toutefois, pour l'application du titre I , sauf pour l'application de la sous-section 3 de la section I du chapitre II du titre I, il ne s'applique pas relativement à un service rendu aux termes d'une convention, constatée par écrit, portant sur une fourniture si, à la fois :

1° la totalité de la contrepartie de la fourniture est devenue due ou a été payée avant le 15 décembre 2009;

2° le fournisseur n'a pas exigé, perçu ni versé de montant avant cette date au titre de la taxe prévue par le titre I à l'égard de la fourniture;

3° le fournisseur n'a pas exigé, perçu ni versé de montant avant cette date au titre de la taxe prévue par le titre I à l'égard de toute autre fourniture, effectuée aux termes de la convention, qui comprend la prestation d'un service visé à l'un des paragraphes 17°, 17.1° et 18.3° à 18.5° de la définition de l'expression « service financier » prévue à l'article 1, modifiée par les sous-paragraphes 1° à 4° du paragraphe 228(1).

Malgré le deuxième alinéa de l'article 25 de la *Loi sur l'administration fiscale* (L.R.Q., chapitre A-6.002), le ministre du Revenu peut déterminer ou déterminer de nouveau tout montant dont une personne est redevable en vertu du titre I de la *Loi sur la taxe de vente du Québec* relativement à la fourniture d'un service visé à l'un des paragraphes 17°, 17.1° et 18.3° à 18.5° de la définition de l'expression « service financier » prévue à l'article 1 de cette loi, modifiée par les sous-paragraphes 2° à 4° du paragraphe 1, au plus tard le dernier en date des jours suivants :

1° le 6 juin 2012;

2° le dernier jour de la période où il est permis par ailleurs, aux termes du deuxième alinéa de cet article, d'établir la cotisation ou la nouvelle cotisation.

Les paragraphes 18.3° à 18.5° de la définition de « service financier » de l'article 1 ont été ajoutés par L.Q. 2011, c. 6, s.-par. 232(1)(3°) et ont effet depuis le 1er juillet 1992. Toutefois, pour l'application du titre I , sauf pour l'application de la sous-section 3 de la section I du chapitre II du titre I, ils ne s'appliquent pas relativement à un service rendu aux termes d'une convention, constatée par écrit, portant sur une fourniture si, à la fois :

1° la totalité de la contrepartie de la fourniture est devenue due ou a été payée avant le 15 décembre 2009;

2° le fournisseur n'a pas exigé, perçu ni versé de montant avant cette date au titre de la taxe prévue par le titre I à l'égard de la fourniture;

3° le fournisseur n'a pas exigé, perçu ni versé de montant avant cette date au titre de la taxe prévue par le titre I à l'égard de toute autre fourniture, effectuée aux termes de la convention, qui comprend la prestation d'un service visé à l'un des paragraphes 17°, 17.1° et 18.3° à 18.5° de la définition de l'expression « service financier » prévue à l'article 1, modifiée par les sous-paragraphes 1° à 4° du paragraphe 228(1).

Malgré le deuxième alinéa de l'article 25 de la *Loi sur l'administration fiscale* (L.R.Q., chapitre A-6.002), le ministre du Revenu peut déterminer ou déterminer de nouveau tout montant dont une personne est redevable en vertu du titre I de la *Loi sur la taxe de vente du Québec* relativement à la fourniture d'un service visé à l'un des paragraphes 17°, 17.1° et 18.3° à 18.5° de la définition de l'expression « service financier » prévue à l'article 1 de cette loi, modifiée par les sous-paragraphes 2° à 4° du paragraphe 1, au plus tard le dernier en date des jours suivants :

1° le 6 juin 2012;

2° le dernier jour de la période où il est permis par ailleurs, aux termes du deuxième alinéa de cet article, d'établir la cotisation ou la nouvelle cotisation.

Le paragraphe 18.1° de la définition de « service financier » à l'article 1 est réputé entré en vigueur le 30 septembre 1992 mais il ne s'applique pas aux services relatifs au fait de prendre des mesures en vue du transfert des parts dans le cas où les services sont fournis en vertu d'une convention écrite conclue le ou avant le 30 septembre 1992.

Le paragraphe 18.2° de la définition de « service financier » de l'article 1 a été ajouté par L.Q. 2007, c. 12, par. 317(1) et a effet à l'égard de la fourniture d'un service de recouvrement de créances rendu en vertu d'une convention dans le cas où, selon le cas :

1° tout ou partie de la contrepartie de la fourniture devient due après le 17 novembre 2005 ou est payée après cette date sans être devenue due;

2° la totalité de la contrepartie de la fourniture est devenue due ou a été payée avant le 18 novembre 2005, sauf si le fournisseur n'a pas, avant cette date, exigé, perçu ou versé un montant au titre de la taxe prévue par le titre I de cette loi à l'égard de la fourniture ou de toute autre fourniture qui comprend un service de recouvrement de créances et qui est effectuée en vertu de la convention.

La définition de « service financier » à l'article 1 a été ajoutée par L.Q. 1991, c. 67.

Notes explicatives ARQ (PL 5, L.Q. 2011, c. 6): *Résumé* :

La définition de l'expression « service financier » prévue à l'article 1 est modifiée de façon à prévoir que les services de gestion des actifs, les services visant à faciliter les services financiers et les services de gestion de crédit sont exclus de la définition de l'expression « service financier ». Par ailleurs, les définitions de « service de gestion des actifs » et de « service de gestion ou d'administration » sont ajoutées à l'article 1 de la LTVQ.

Situation actuelle :

L'article 1 définit certaines expressions pour l'application de la LTVQ. La fourniture d'un service financier est détaxée dans le régime de la taxe de vente du Québec (TVQ). Il est donc important de définir quels sont les services qui constituent un service financier. Ainsi, constitue un service financier, un service qui est visé à l'un des paragraphes 1° à 13° de la définition de l'expression « service financier » prévue à l'article 1 de la LTVQ et qui n'est pas ensuite exclu par l'un des paragraphes 14° à 20° de cette même définition.

Modifications proposées :

La modification apportée à la définition de l'expression « service financier » prévue à l'article 1 consiste à exclure de cette définition les services de gestion de placements, les services visant à faciliter les services financiers et les services de gestion de crédit.

La modification apportée au paragraphe 12° de cette définition vise à exclure de son application le fait de consentir à effectuer un service visé à l'un des paragraphes 14° à 20° de cette définition ou de prendre des mesures en vue de l'effectuer.

Le nouveau paragraphe 17.1° de la définition de l'expression « service financier » prévu à l'article 1 de la LTVQ est ajouté afin de préciser que le service de gestion des actifs, tel que défini à cet article, ne constitue pas un service financier. Ainsi, le terme « service de gestion des actifs » comprend la gamme complète des activités de gestion et d'administration des portefeuilles de placements.

Par ailleurs, le nouveau paragraphe 18.3° est ajouté à cette même définition afin de préciser que le service qui consiste à gérer le crédit relatif à des cartes de crédit ou de paiement, à des comptes de crédit, d'achats à crédit ou de prêts ou à des comptes portant sur une avance, rendu à une personne qui consent ou pourrait consentir un crédit relativement à ces cartes ou comptes ne constitue pas un service financier.

Le nouveau paragraphe 18.4° de cette définition prévoit pour sa part que ne sont pas des services financiers, les services rendus en préparation d'un service visé à l'un des paragraphes 1° à 9° et 12° de cette définition, ou conjointement avec un tel service, qui consistent en un service de collecte, de regroupement ou de communication de renseignements ou en un service d'étude de marché, de conception de produits, d'établissement ou de traitement de documents, d'assistance à la clientèle, de publicité ou de promotion ou un service semblable.

Le nouveau paragraphe 18.5° de cette définition précise qu'elle ne comprend pas un bien qui est livré à une personne, ou mis à sa disposition conjointement avec la prestation d'un service visé à l'un des paragraphes 1° à 9° et 12° de cette définition. Par exemple, serait exclue de la définition de l'expression « service financier », la concession par un commerçant d'un espace pour l'installation d'un guichet automatique bancaire au propriétaire de l'appareil, conjointement avec la prestation par ce dernier du service financier détaxé qui consiste à verser de l'argent au moyen de cet appareil.

Enfin, deux nouvelles définitions sont ajoutées à l'article 1 de la LTVQ, soit la définition de l'expression « service de gestion des actifs » et celle de « service de gestion ou d'administration ».

Notes explicatives ARQ (PL 2, L.Q. 2007, c. 12): *Résumé* :

Cette modification vise à ajouter le paragraphe 18.2° à la définition de l'expression « service financier » que l'on retrouve à l'article 1 afin de préciser que le service de recouvrement de créances n'est pas visé par cette définition et que, même s'il était visé à l'un des paragraphes 1° à 13° de cette définition, il en est expressément exclu par le nouveau paragraphe 18.2° de la LTVQ.

Situation actuelle :

La fourniture d'un service financier est détaxée dans le régime de la Taxe de vente du Québec (TVQ). Il est donc important de définir quels sont les services qui constituent un service financier. Ainsi, constitue un service financier, un service qui est visé à l'un des paragraphes 1° à 13° de la définition de l'expression « service financier » et qui n'est pas ensuite exclu par l'un des paragraphes 14° à 20° de cette même définition.

Modifications proposées :

La modification apportée à la définition de l'expression « service financier » prévue à l'article 1 de la LTVQ consiste à exclure de cette définition le service de recouvrement de créances rendu en vertu d'une convention conclue entre la personne qui consent à rendre le service, laquelle peut être ou non la personne qui rend effectivement le service, et une personne autre que le débiteur.

Le nouveau paragraphe 18.2° vise le service de recouvrement de créances comme tel ainsi que toutes les activités qui s'y rapportent, à savoir le fait de tenter de recouvrer la créance, même sans succès, de prendre des mesures en vue de son recouvrement, d'en négocier le paiement ou la remise, en tout ou en partie, et de réaliser ou tenter de réaliser une garantie donnée à son égard. Un service de recouvrement de créances englobe toute mesure prise pour recouvrer un montant échu, même si le débiteur n'est pas en défaut au moment où la mesure est prise.

Toutefois, est exclu d'un service de recouvrement de créances et n'est donc pas touché par cette modification, un service qui consiste au traitement d'un chèque pour provisions insuffisantes. Est exclu également d'un tel service, un service qui consiste uniquement à accepter d'une personne un paiement en règlement de tout ou partie d'un compte, comme par exemple une institution de dépôts qui accepte les paiements des clients d'une entreprise de services publics et qui achemine par la suite ces paiements ainsi que les données qui y sont relatives à l'entreprise. Dans ce cas, pour que le service soit exclu du paragraphe 18.2° de la LTVQ, la personne qui accepte le paiement en règlement d'un compte ne doit pas avoir pour entreprise principale le recouvrement de créances. De plus, la personne ne doit pas être autorisée, en vertu de la convention conclue avec le créancier ou une autre personne, à prendre quelque mesure que ce soit afin de recouvrer la créance.

Définitions: « argent », « assureur », « bien », « coopérative », « contrepartie », « effet financier », « fourniture », « fourniture taxable », « montant », « personne », « police d'assurance », « ristourne », « service » — 1.

Renvois: 35 (services financiers dans une fourniture mixte); 36 (fourniture d'un droit d'adhésion avec une action); 39 (cession du droit au remboursement); 198 (service financier, fourniture pour l'usage du lieutenant-gouverneur du Québec et fourniture d'un droit d'entrée à un congrès); 677:3° (règlements).

Règlements: RTVQ, 1R1–1R3.

Bulletins d'information: 2009-9 — Harmonisation à diverses mesures relatives à la législation et à la règlementation fiscales fédérales et report de l'imposition d'une ristourne admissible.

Bulletins d'interprétation: TVQ. 57-1 — Paiements anticipés; TVQ. 198-1/R1 — Services rendus par un concessionnaire d'automobiles en vue d'obtenir du financement; TVQ. 198-2 — Fourniture par vente de travaux en cours; TVQ. 321-1 — Frais encourus en relation avec une saisie ou une reprise de possession d'un bien par un créancier ayant effectué la fourniture d'un service financier; TVQ. 514-1/R1 — Les frais d'administration relatifs à un régime d'avantages sociaux non assurés.

Lettres d'interprétation: 97-0108551 — Interprétation relative à la TPS/TVQ — Service financier; 98-010106 — Interprétation relative à la TPS — Interprétation relative à la TVQ — Service de gestion ou d'administration; 98-0110084 — Interprétation relative à la TPS et à la TVQ — Rachat anticipé d'unités de participation dans un fonds mutuel; 98-0111272 — Interprétation relative à la TPS et à la TVQ — Contrat de location avec option d'achat; 98-0113419 — Interprétation relative à la TPS — Interprétation relative à la TVQ — Surcommission versée à un gérant de district; 99-0100166 — Interprétation relative à la TPS — Interprétation relative à la TVQ — Cautionnement (frais d'analyse de dossier); 99-0109134 — Interprétation relative à la TPS — Interprétation relative à la TVQ — Vente sous contrôle de justice — certificats d'actions; 00-0106062 — Interprétation relative à la TPS et à la TVQ — Services rendus par un courtier chargé de compte à un courtier remisier; 01-0106029 — Statut fiscal d'un service rendu par un représentant à un courtier en valeurs mobilières; 02-0109989 — Interprétation relative à la TVQ — Frais réclamés lorsqu'un transfert de fonds est refusé ou qu'un chèque est retourné par l'institution financière du locataire d'un véhicule routier; 03-0107403 — Fournitures d'un service d'évaluation en matière de perte d'animaux de ferme; 04-0103368 — Interprétation relative à la TPS — services financiers [conception de formulaires]; 06-0102159 — Interprétation relative à la TPS et à la TVQ — Pénalités et frais d'administration et d'ouverture de dossier; 06-0103082 — Interprétation relative à la TPS et à la TVQ — Jetons de présence et rémunération annuelle versés aux administrateurs d'un fiduciaire corporatif; 06-0103728 — Interprétation relative à la TPS et à la TVQ — Montants payables dans le cadre de programmes de garantie de remplacement de véhicule automobile; 07-0100360 — Décision portant sur l'application de la TPS — interprétation relative à la TVQ — ententes de distribution.

Concordance fédérale: LTA, par. 123(1)« service financier ».

« société de personnes déterminée » au cours d'une année d'imposition donnée signifie une société de personnes à l'égard de laquelle les conditions suivantes sont remplies :

1º au cours de l'année donnée, la société de personnes compte au moins un membre qui, au cours de son année d'imposition qui comprend la fin de l'année donnée :

a) soit est une société qui, conformément aux règles prévues à l'un des articles 402 à 405 du *Règlement de l'impôt sur le revenu* édicté en vertu de la *Loi de l'impôt sur le revenu*, a un revenu imposable gagné au cours de l'année d'imposition, dans au moins une province participante, au sens du paragraphe 1 de l'article 123 de la *Loi sur la taxe d'accise*, ou au Québec, provenant d'une entreprise, au sens de l'article 1 de la *Loi sur les impôts*, exploitée par la société de personnes, ou aurait un tel revenu si la société avait un revenu imposable pour l'année;

b) soit est un particulier, la succession d'un particulier décédé ou une fiducie qui, conformément aux règles prévues à l'article 2603 du *Règlement de l'impôt sur le revenu* édicté en vertu de la *Loi de l'impôt sur le revenu*, a un revenu gagné au cours de l'année d'imposition, dans au moins une province participante, au sens du paragraphe 1 de l'article 123 de la *Loi sur la taxe d'accise*, ou au Québec, provenant d'une entreprise, au sens de l'article 1 de la *Loi sur les impôts*, exploitée par la société de personnes, ou aurait un tel revenu si le particulier, la succession du particulier décédé ou la fiducie avait un revenu imposable pour l'année;

c) soit est une autre société de personnes qui, conformément aux règles prévues à l'article 402 du *Règlement de l'impôt sur le revenu* édicté en vertu de la *Loi de l'impôt sur le revenu*, aurait un revenu imposable gagné au cours de l'année d'imposition, dans au moins une province participante, au sens du paragraphe 1 de l'article 123 de la *Loi sur la taxe d'accise*, ou au Québec, provenant d'une entreprise, au sens de l'article 1 de la *Loi sur les impôts*, exploitée par la société de personnes, si l'autre société de personnes était une société qui est un contribuable pour l'application de cette loi;

Modification proposée — 1« société de personnes déterminée » par. 1º, s.-par. a)-c)

a) soit est une société qui, conformément aux règles prévues à l'un des articles 402 à 405 du *Règlement de l'impôt sur le revenu* édicté en vertu de la *Loi de l'impôt sur le revenu*, a un revenu imposable gagné au cours de l'année d'imposition au Québec provenant d'une entreprise, au sens de l'article 1 de la *Loi sur les impôts*, exploitée par la société de personnes, ou aurait un tel revenu si la société avait un revenu imposable pour l'année;

b) soit est un particulier, la succession d'un particulier décédé ou une fiducie qui, conformément aux règles prévues à l'article 2603 du *Règlement de l'impôt sur le revenu* édicté en vertu de la *Loi de l'impôt sur le revenu*, a un revenu gagné au cours de l'année d'imposition au Québec provenant d'une entreprise, au sens de l'article 1 de la *Loi sur les impôts*, exploitée par la société de personnes, ou aurait un tel revenu si le particulier, la succession du particulier décédé ou la fiducie avait un revenu pour l'année;

c) soit est une autre société de personnes qui, conformément aux règles prévues à l'article 402 du *Règlement de l'impôt sur le revenu* édicté en vertu de la *Loi de l'impôt sur le revenu*, aurait un revenu imposable gagné au cours de l'année d'imposition au Québec provenant d'une entreprise, au sens de l'article 1 de la *Loi sur les impôts*, exploitée par la société de personnes, si l'autre société de personnes était une société qui est un contribuable pour l'application de la *Loi sur les impôts*;

Application: Les sous-paragraphes a) à c) du paragraphe 1° de la définition de « société de personnes déterminée » de l'article 1 seront remplacés par le s.-par. 216(1)(3°) du *Projet de loi 18* (présenté le 21 février 2013) et cette modification aura effet depuis le 1er janvier 2013.

2º au cours de l'année donnée, la société de personnes compte au moins un membre qui, au cours de son année d'imposition qui comprend la fin de l'année donnée :

a) soit est une société qui, conformément aux règles prévues à l'un des articles 402 à 405 du Règlement de l'impôt sur le revenu édicté en vertu de la *Loi de l'impôt sur le revenu*, a un revenu imposable gagné au cours de l'année d'imposition provenant d'une entreprise, au sens de l'article 1 de la *Loi sur les impôts*, exploitée par la société de personnes, ou aurait un tel revenu si la société avait un revenu imposable pour l'année, dans au moins l'une des provinces suivantes :

i. une province non participante, au sens du paragraphe 1 de l'article 123 de la *Loi sur la taxe d'accise*, autre que le Québec, dans le cas où aucun membre de la société de personnes n'a un revenu imposable ou un revenu gagné, selon le cas, au cours de l'année d'imposition dans une province participante, au sens de ce paragraphe 1, conformément à l'un des sous-paragraphes a) à c) du paragraphe 1°;

ii. une province non participante, au sens du paragraphe 1 de l'article 123 de la *Loi sur la taxe d'accise*, dans les autres cas;

b) soit est un particulier, la succession d'un particulier décédé ou une fiducie qui, conformément aux règles prévues à l'article 2603 du *Règlement de l'impôt sur le revenu* édicté en vertu de la *Loi*

LTVQ (français)

de l'impôt sur le revenu, a un revenu gagné au cours de l'année d'imposition provenant d'une entreprise, au sens de l'article 1 de la *Loi sur les impôts*, exploitée par la société de personnes, ou aurait un tel revenu si le particulier, la succession du particulier décédé ou la fiducie avait un revenu imposable pour l'année, dans au moins l'une des provinces suivantes :

i. une province non participante, au sens du paragraphe 1 de l'article 123 de la *Loi sur la taxe d'accise*, autre que le Québec, dans le cas où aucun membre de la société de personnes n'a un revenu imposable ou un revenu gagné, selon le cas, au cours de l'année d'imposition dans une province participante, au sens de ce paragraphe 1, conformément à l'un des sous-paragraphes a) à c) du paragraphe 1°;

ii. une province non participante, au sens du paragraphe 1 de l'article 123 de la *Loi sur la taxe d'accise*, dans les autres cas;

c) soit est une autre société de personnes qui, conformément aux règles prévues à l'article 402 du *Règlement de l'impôt sur le revenu* édicté en vertu de la *Loi de l'impôt sur le revenu*, aurait un revenu imposable gagné au cours de l'année d'imposition provenant d'une entreprise, au sens de l'article 1 de la *Loi sur les impôts*, exploitée par la société de personnes, si l'autre société de personnes était une société qui est un contribuable pour l'application de cette loi, dans au moins l'une des provinces suivantes :

i. une province non participante, au sens du paragraphe 1 de l'article 123 de la *Loi sur la taxe d'accise*, autre que le Québec, dans le cas où aucun membre de la société de personnes n'a un revenu imposable ou un revenu gagné, selon le cas, au cours de l'année d'imposition dans une province participante, au sens de ce paragraphe 1, conformément à l'un des sous-paragraphes a) à c) du paragraphe 1°;

ii. une province non participante, au sens du paragraphe 1 de l'article 123 de la *Loi sur la taxe d'accise*, dans les autres cas;

Modification proposée — 1« société de personnes déterminée » par. 2º, s.-par. a)-c)

a) soit est une société qui, conformément aux règles prévues à l'un des articles 402 à 405 du *Règlement de l'impôt sur le revenu* édicté en vertu de la *Loi de l'impôt sur le revenu*, a un revenu imposable gagné au cours de l'année d'imposition dans une province autre que le Québec provenant d'une entreprise, au sens de l'article 1 de la *Loi sur les impôts*, exploitée par la société de personnes, ou aurait un tel revenu si la société avait un revenu imposable pour l'année;

b) soit est un particulier, la succession d'un particulier décédé ou une fiducie qui, conformément aux règles prévues à l'article 2603 du *Règlement de l'impôt sur le revenu* édicté en vertu de la *Loi de l'impôt sur le revenu*, a un revenu gagné au cours de l'année d'imposition dans une province autre que le Québec provenant d'une entreprise, au sens de l'article 1 de la *Loi sur les impôts*, exploitée par la société de personnes, ou aurait un tel revenu si le particulier, la succession du particulier décédé ou la fiducie avait un revenu pour l'année;

c) soit est une autre société de personnes qui, conformément aux règles prévues à l'article 402 du *Règlement de l'impôt sur le revenu* édicté en vertu de la *Loi de l'impôt sur le revenu*, aurait un revenu imposable gagné au cours de l'année d'imposition dans une province autre que le Québec provenant d'une entreprise, au sens de l'article 1 de la *Loi sur les impôts*, exploitée par la société de personnes, si l'autre société de personnes était une société qui est un contribuable pour l'application de la *Loi sur les impôts*;

Application: Les sous-paragraphes a) à c) du paragraphe 2º de la définition de « société de personnes déterminée » de l'article 1 seront remplacés par le s.-par. 216(1)(4º) du *Projet de loi 18* (présenté le 21 février 2013) et cette modification aura effet depuis le 1er janvier 2013.

Notes historiques: La définition de « société de personnes déterminée » à l'article 1 a été ajoutée par L.Q. 2012, c. 28, s.-par. 29(1)(13º) et s'applique à compter du 1er janvier 2013.

Concordance fédérale: aucune.

« surintendant » signifie le surintendant des institutions financières nommé conformément à la *Loi sur le Bureau du surintendant des institutions financières* (L.R.C. 1985, c. 18 (3e suppl.));

Notes historiques: La définition de « surintendant » à l'article 1 a été ajoutée par L.Q. 2009, c. 5, s.-par. 595(1)(1º) et a effet depuis le 28 juin 1999.

Notes explicatives ARQ (PL 2, L.Q. 2009, c. 5): *Résumé* :

Compte tenu de l'insertion des nouveaux articles 75.3 à 75.9 portant sur les banques étrangères autorisées, la LTVQ est modifiée afin d'y insérer la définition de l'expression « surintendant » et de remplacer le sous-paragraphe f) du paragraphe 1º dans la définition de l'expression « teneur en taxe » prévue à l'article 1 de la LTVQ.

Situation actuelle :

Depuis le 28 juin 1999, les banques étrangères sont autorisées à ouvrir des succursales au Canada pour y exploiter une entreprise bancaire. Auparavant, ces banques ne pouvaient exploiter d'entreprise au Canada que par l'intermédiaire de filiales canadiennes.

Ainsi, certaines d'entre elles restructurent leurs entreprises québécoises en transformant leurs filiales québécoises en succursales québécoises ou en transférant des actifs de ces filiales à ces succursales. En l'absence des règles spéciales prévues aux nouveaux articles 75.3 à 75.9 de la LTVQ, ces réorganisations peuvent donner naissance à des obligations au titre de la taxe de vente du Québec.

Par conséquent, les nouveaux articles 75.3 à 75.9 de la LTVQ prévoient des règles d'une durée d'application limitée, permettant, dans certaines circonstances, de transférer en franchise de taxe, certains biens et services fournis lors de ces réorganisations, si la filiale québécoise et la banque étrangère en font le choix conformément à l'article 75.4 de la LTVQ.

Modifications proposées :

Compte tenu de l'insertion des nouveaux articles 75.3 à 75.9 dans la LTVQ portant sur les banques étrangères autorisées, la LTVQ est modifiée afin d'y insérer la définition de l'expression « surintendant » et de remplacer le sous-paragraphe f du paragraphe 1º dans la définition de l'expression « teneur en taxe » prévue à l'article 1 de la LTVQ.

L'expression « surintendant » signifie le surintendant des institutions financières nommé conformément à la *Loi sur le Bureau du surintendant des institutions financières* (Lois révisées du Canada (1985), chapitre 18, 3e supplément). Le surintendant peut, par arrêté, autoriser une banque étrangère à devenir une banque étrangère autorisée pouvant ouvrir une succursale au Canada pour y exercer des activités bancaires.

Seuls les transferts de biens ou de services, effectués dans le cadre d'une réorganisation de banque étrangère autorisée qui a été approuvée par le surintendant, peuvent faire l'objet du choix prévu au nouvel article 75.4 de la LTVQ qui permet de faire un transfert en franchise de taxe.

L'expression « teneur en taxe » d'un bien d'une personne correspond au total de la taxe qui est payable par la personne à l'égard de sa dernière acquisition, ou de son dernier apport au Québec, du bien et des améliorations qui y sont apportées, déduction faite des sommes, sauf les remboursements de la taxe sur les intrants, qu'elle peut recouvrer par voie de remboursement ou autrement et compte tenu de toute dépréciation du bien.

Le sous-paragraphe f) du paragraphe 1º de la définition de cette expression est donc modifié afin de prévoir que la teneur en taxe d'un bien comprend aussi la taxe qui aurait été payable par ailleurs, n'eût été des nouveaux articles 75.3 à 75.9 de la LTVQ, au moment de la dernière acquisition du bien, de son dernier apport au Québec ou d'améliorations qui lui ont été apportées.

Concordance fédérale: LTA, par. 123(1)« surintendant ».

« taxe » signifie toute taxe payable en vertu du présent titre;

Notes historiques: La définition de « taxe » à l'article 1 a été ajoutée par L.Q. 1991, c. 67.

Renvois: 16–18 (assujettissement); 52 (autres taxes).

Concordance fédérale: LTA, par. 123(1) « taxe ».

« télécommunication » signifie la transmission, l'émission ou la réception de signes, signaux, écrits, images, sons ou renseignements de toute nature soit par système électromagnétique, notamment par fil, câble ou système radio ou optique, soit par tout procédé technique semblable;

Notes historiques: La définition de « télécommunication » à l'article 1 a été ajoutée par L.Q. 1995, c. 63, art. 299(1)(7º) et a effet depuis le 1er juillet 1992 [*N.D.L.R.* : cette définition s'applique conformément aux articles 618 à 656 et 685 L.Q. 1991, c. 67, tels que modifiés].

Définitions: « installation de télécommunication », « service de télécommunication »— 1.

Renvois: 645 (taxe non payable).

Concordance fédérale: aucune.

« teneur en taxe », à un moment donné, d'un bien d'une personne signifie le montant déterminé selon la formule suivante :

$$(A - B) \times C;$$

pour l'application de cette formule :

1° la lettre A représente le total des montants suivants :

a) la taxe qui était payable par la personne à l'égard de sa dernière acquisition, ou de son dernier apport au Québec, du bien;

b) la taxe qui aurait été payable par la personne à l'égard de son dernier apport au Québec du bien si ce n'était du fait que la personne était un inscrit et que le bien a été apporté au Québec par la personne pour consommation ou utilisation exclusive dans le cadre de ses activités commerciales et qu'elle aurait eu le droit de demander un remboursement de la taxe sur les intrants si elle avait payé la taxe à l'égard de cet apport;

c) la taxe qui aurait été payable par la personne à l'égard de son dernier apport au Québec du bien si ce n'était du fait que celui-ci a été apporté au Québec pour fourniture;

d) la taxe qui était payable par la personne à l'égard d'une amélioration au bien acquise, ou apportée au Québec, par la personne après la dernière acquisition, ou le dernier apport au Québec, du bien par la personne;

e) la taxe qui aurait été payable par la personne à l'égard de l'apport au Québec d'une amélioration au bien si ce n'était du fait que la personne était un inscrit et que l'amélioration a été apportée au Québec par la personne pour consommation ou utilisation exclusive dans le cadre de ses activités commerciales et qu'elle aurait eu le droit de demander un remboursement de la taxe sur les intrants si elle avait payé la taxe à l'égard de cet apport après la dernière acquisition, ou le dernier apport au Québec, du bien par la personne;

f) la taxe prévue à l'article 16 qui aurait été payable par la personne à l'égard de sa dernière acquisition du bien ou à l'égard d'une amélioration au bien acquise par la personne après la dernière acquisition, ou le dernier apport au Québec, du bien par la personne, en faisant abstraction des articles 54.1, 75.1, 75.3 à 75.9, dans le cas d'un bien acquis en vertu d'une convention relative à une fourniture admissible qui n'était pas, immédiatement avant cette acquisition, une immobilisation du fournisseur, et 80 ou du fait que le bien ou l'amélioration a été acquis par la personne pour consommation, utilisation ou fourniture exclusive dans le cadre d'activités commerciales;

g) la taxe prévue à l'article 18 ou à l'article 18.0.1 qui aurait été payable par la personne à l'égard de sa dernière acquisition du bien et la taxe prévue à l'article 18 ou à l'article 18.0.1 qui aurait été payable par la personne à l'égard d'une amélioration au bien acquise par la personne après la dernière acquisition, ou le dernier apport au Québec, du bien par la personne si ce n'était du fait que la personne avait acquis le bien ou l'amélioration pour consommation, utilisation ou fourniture exclusive dans le cadre de ses activités commerciales;

h) le total des montants dont chacun est déterminé selon la formule suivante :

$$D \times E \times F / G;$$

pour l'application de cette formule :

i. la lettre D représente un montant de taxe prévue au paragraphe 1 de l'article 165 de la *Loi sur la taxe d'accise* ou à l'un des articles 212 et 218 de cette loi, sauf une taxe que la personne n'avait pas à payer par l'effet d'une autre loi, relativement au bien, visé à l'un des sous-alinéas i à iii de l'élément A de l'alinéa a de la définition de l'expression « teneur en taxe » prévue au paragraphe 1 de l'article 123 de cette loi qui est devenu payable par la personne pendant qu'elle était une institution financière désignée particulière ou pendant qu'elle aurait été une telle institution financière pour l'application de cette loi si le Québec était une province participante, au sens de ce paragraphe 1, ou qui serait devenu ainsi payable dans les circonstances prévues à ce sous-alinéa;

ii. la lettre E représente le pourcentage visé au paragraphe 3° du deuxième alinéa de l'article 433.16 pour son année d'imposition qui comprend le moment auquel le montant visé au sous-paragraphe i est ainsi devenu payable ou serait ainsi devenu payable;

iii. la lettre F représente le taux de la taxe prévu au premier alinéa de l'article 16;

iv. la lettre G représente le taux de la taxe prévu au paragraphe 1 de l'article 165 de la *Loi sur la taxe d'accise*;

2° la lettre B représente le total des montants suivants :

a) les taxes visées à l'un des sous-paragraphes a) à g) du paragraphe 1° que la personne n'avait pas à payer par l'effet d'une autre loi;

a.1) les taxes, sauf celles visées au sous-paragraphe a), prévues au premier alinéa de l'un des articles 16 et 17, visées à l'un des sous-paragraphes a) à g) du paragraphe 1°, qui sont devenues payables par la personne pendant qu'elle était une institution financière désignée particulière, ou qui seraient devenues ainsi payables dans les circonstances prévues à ce sous-paragraphe;

b) les montants, autres que les remboursements de la taxe sur les intrants et les montants visés aux sous-paragraphes a) et a.1), à l'égard de la taxe visée aux sous-paragraphes a) et d) du paragraphe 1° que la personne avait le droit de recouvrer par remboursement ou autrement en vertu de la présente loi ou d'une autre loi ou qu'elle aurait eu le droit de recouvrer si le bien ou l'amélioration avait été acquis pour utilisation exclusive dans le cadre d'activités autres que des activités commerciales;

c) les montants, autres que les remboursements de la taxe sur les intrants et les montants visés aux sous-paragraphes a) et a.1), à l'égard de la taxe visée aux sous-paragraphes b), c) et e) à g) du paragraphe 1° que la personne aurait eu le droit de recouvrer par remboursement ou autrement en vertu de la présente loi ou d'une autre loi ou qu'elle aurait eu le droit de recouvrer si la taxe avait été payable et que le bien ou l'amélioration avait été acquis pour utilisation exclusive dans le cadre d'activités autres que des activités commerciales;

3° la lettre C correspond au moindre de 1 et de la formule suivante :

$$H/I;$$

pour l'application de cette formule :

1° la lettre H représente la juste valeur marchande du bien à ce moment donné;

2° la lettre I représente le total des montants suivants :

a) la valeur de la contrepartie de la dernière fourniture du bien à la personne ou, dans le cas où le bien a été apporté au Québec la dernière fois par la personne, la valeur du bien au sens de l'article 17;

b) dans le cas où la personne acquiert, ou apporte au Québec, après cette dernière acquisition ou ce dernier apport, une amélioration au bien, le total des montants dont chacun représente la valeur de la contrepartie de la fourniture à la personne d'une telle amélioration ou, si l'amélioration est un bien qui était apporté au Québec par la personne, la valeur du bien au sens de l'article 17;

Notes historiques: Le sous-paragraphe f) du paragraphe 1° de la définition « teneur en taxe » de l'article 1 a été remplacé par L.Q. 2009, c. 5, s.-par. 595(1)(2°) et cette modification a effet depuis le 28 juin 1999. Antérieurement, il se lisait ainsi :

f) la taxe prévue à l'article 16 qui aurait été payable par la personne à l'égard de sa dernière acquisition du bien ou à l'égard d'une amélioration au bien acquise par la personne après la dernière acquisition, ou le dernier apport au Québec, du bien par la personne, en faisant abstraction des articles 54.1, 75.1 et 80 ou du fait que le bien ou l'amélioration a été acquis par la personne pour consommation, utilisation ou fourniture exclusive dans le cadre d'activités commerciales;

Le sous-paragraphe h) du paragraphe 1° de la définition de « teneur en taxe » à l'article 1 a été ajouté par L.Q. 2012, c. 28, s.-par. 29(1)(14°) et s'applique à compter du 1er janvier 2013.

Le sous-paragraphe a) du paragraphe 2° de la définition de « teneur en taxe » à l'article 1 a été remplacé par L.Q. 2012, c. 28, s.-par. 29(1)(15°) et cette modification s'applique à compter du 1er janvier 2013. Antérieurement, il se lisait ainsi :

a) les taxes visées au paragraphe 1° que la personne n'avait pas à payer par l'effet d'une autre loi;

Le sous-paragraphe a.1) du paragraphe 2° de la définition de « teneur en taxe » à l'article 1 a été ajouté par L.Q. 2012, c. 28, s.-par. 29(1)(16°) et cette modification s'applique à compter du 1er janvier 2013.

Les sous-paragraphes b) et c) du paragraphe 2° de la définition de « teneur en taxe » à l'article 1 ont été remplacés par L.Q. 2012, c. 28, s.-par. 29(1)(17°) et cette modification s'applique à compter du 1er janvier 2013. Antérieurement, ils se lisaient ainsi :

b) les montants, autres que les remboursements de la taxe sur les intrants et les montants visés au sous-paragraphe a), à l'égard de la taxe visée aux sous-paragraphes a) et d) du paragraphe 1° que la personne avait le droit de recouvrer par remboursement ou autrement en vertu de la présente loi ou d'une autre loi ou qu'elle aurait eu le droit de recouvrer si le bien ou l'amélioration avait été acquis pour utilisation exclusive dans le cadre d'activités autres que des activités commerciales;

c) les montants, autres que les remboursements de la taxe sur les intrants et les montants visés au sous-paragraphe a), à l'égard de la taxe visée aux sous-paragraphes b), c) et e) à g) du paragraphe 1° que la personne aurait eu le droit de recouvrer par remboursement ou autrement en vertu de la présente loi ou d'une autre loi ou qu'elle aurait eu le droit de recouvrer si la taxe avait été payable et que le bien ou l'amélioration avait été acquis pour utilisation exclusive dans le cadre d'activités autres que des activités commerciales;

Le paragraphe 3° de la définition de « teneur en taxe » à l'article 1 a été modifié par L.Q. 2012, c. 28, s.-par. 29(1)(18°) par le remplacement, partout où cela se trouve, de « D » et « E » par, respectivement, « H » et « I ». Cette modification s'applique à compter du 1er janvier 2013.

La définition de « teneur en taxe » à l'article 1 a été ajoutée par L.Q. 1997, c. 85, art. 418(1)(28°) et a effet depuis le 1er avril 1997.

Notes explicatives ARQ (PL 2, L.Q. 2009, c.5): [Voir sous la définition 1« surintendant » — n.d.l.r.]

Définitions: « activité commerciale », « année d'imposition », « bien », « contrepartie », « fourniture », « montant », « personne », « taxe » — 1.

Renvois: 2 (résultats négatifs); 51 (valeur de la contrepartie); 52 (valeur de la contrepartie); 199 (RTI); 237.3 (dernière acquisition ou importation).

Lettres d'interprétation: 98-0111033 [A] — Inscription d'un petit fournisseur et teneur en taxe d'un camion; 99-0103111 — Interprétation relative à la TPS — Interprétation relative à la TVQ — Fusion d'organismes de services publics.

Concordance fédérale: LTA, par. 123(1)« teneur en taxe ».

« terrain de caravaning » d'une personne signifie une parcelle de fonds de terre dont elle est propriétaire ou locataire et qui est constituée exclusivement :

1° d'un ou de plusieurs emplacements dont chacun est fourni ou est destiné à être fourni par la personne par louage, licence ou accord semblable au propriétaire, au locataire, à l'occupant ou au possesseur d'une maison mobile, d'une caravane, d'une autocaravane ou de tout véhicule semblable situé sur l'emplacement ou qui doit y être situé;

2° d'autres fonds de terre qui sont raisonnablement nécessaires :

a) soit à l'utilisation et à la jouissance des emplacements par des particuliers qui :

i. résident dans des maisons mobiles, des caravanes, des autocaravanes ou des véhicules semblables situés sur ces emplacements ou qui doivent y être situés;

ii. occupent des maisons mobiles, des caravanes, des autocaravanes ou des véhicules semblables situés sur ces emplacements ou qui doivent y être situés;

b) soit à l'exploitation de l'entreprise qui consiste à fournir les emplacements par louage, licence ou accord semblable;

Notes historiques: La définition de « terrain de caravaning » à l'article 1 a été ajoutée par L.Q. 1994, c. 22, art. 364(1)(33°) et est réputée entrée en vigueur le 1er juillet 1992.

Définitions: « maison mobile », « terrain de caravaning résidentiel », « personne » — 1.

Concordance fédérale: LTA, par. 123(1)« parc à roulottes ».

« terrain de caravaning résidentiel » d'une personne signifie :

1° le fonds de terre qui est compris dans un terrain de caravaning de la personne ou, dans le cas où celle-ci a deux ou plusieurs terrains de caravaning qui sont immédiatement contigus l'un à l'autre, le fonds de terre qui est compris dans ces terrains de caravaning contigus, ainsi que les bâtiments, les installations fixes et les autres dépendances du fonds de terre qui sont raisonnablement nécessaires :

a) soit à l'utilisation et à la jouissance des emplacements dans les terrains de caravaning par des particuliers qui :

i. résident dans des maisons mobiles, des caravanes, des autocaravanes ou des véhicules semblables situés sur ces emplacements ou qui doivent y être situés;

ii. occupent des maisons mobiles, des caravanes, des autocaravanes ou des véhicules semblables situés sur ces emplacements ou qui doivent y être situés;

b) soit à l'exploitation de l'entreprise qui consiste à fournir ces emplacements par louage, licence ou accord semblable;

toutefois, l'expression « terrain de caravaning résidentiel » exclut un fonds de terre et des dépendances ou toute partie de ceux-ci à moins que le fonds de terre ne compte au moins deux emplacements et à la fois :

2° la totalité ou la presque totalité des emplacements dans les terrains de caravaning sont fournis ou sont destinés à être fournis en vertu d'un contrat de louage, d'une licence ou d'un accord semblable prévoyant la possession ou l'utilisation continues des emplacements, selon le cas :

a) pour une période d'au moins un mois dans le cas d'une maison mobile ou d'une autre habitation;

b) pour une période d'au moins douze mois dans le cas d'une caravane, d'une autocaravane ou de tout véhicule semblable qui n'est pas une habitation;

3° si les emplacements étaient occupés par des maisons mobiles, ils se prêteraient à une utilisation par des particuliers à titre de résidence tout au long de l'année;

Notes historiques: La définition de « terrain de caravaning résidentiel » à l'article 1 a été modifiée par L.Q. 1997, c. 85, art. 418(1)(29°) par le remplacement du préambule du paragraphe 2°. Cette modification a effet depuis le 15 septembre 1992. Toutefois :

a) sous réserve du sous-paragraphe b), pour la période du 15 septembre 1992 au 31 mars 1997, le préambule du paragraphe 2° doit se lire comme suit :

2° la totalité ou la presque totalité des emplacements dans les terrains de caravaning sont fournis ou sont destinés à être fournis par louage, licence ou accord semblable, pour une période de possession ou d'utilisation continues, selon le cas :

b) le préambule du paragraphe 2° doit se lire comme suit aux fins du calcul d'un montant accordé par le ministre du Revenu avant le 24 avril 1996 et aux fins du calcul d'un montant demandé soit dans une demande présentée en vertu du chapitre VII du titre I et reçue par le ministre du Revenu avant le 23 avril 1996, soit comme déduction, au titre d'un redressement, d'un remboursement ou d'un crédit prévu à l'article 447, dans une déclaration produite en vertu du chapitre VIII du titre I et reçue par le ministre du Revenu avant le 23 avril 1996 :

2° la totalité ou la presque totalité des emplacements dans les terrains de caravaning sont fournis ou sont destinés à être fournis par louage, licence ou accord semblable, selon le cas;

L.Q. 1999, c. 85, art. 418(1)(29°) prévoyait le remplacement du paragraphe 2°, plutôt que le remplacement du préambule de ce paragraphe. Cette erreur a été corrigée par L.Q. 1999, c.85, art. 333(1), rétroactivement au 19 décembre 1997.

Antérieurement, le paragraphe 2° de cette définition se lisait ainsi :

2° la totalité ou la presque totalité des emplacements dans les terrains de caravaning sont fournis ou sont destinés à être fournis par louage, licence ou accord semblable, selon le cas :

La définition de « terrain de caravaning résidentiel » à l'article 1 a été ajoutée par L.Q. 1994, c. 22, art. 364(1)(33°) et est réputée entrée en vigueur le 1er juillet 1992.

Définitions: « entreprise », « habitation », « maison mobile », « terrain de caravaning » — 1.

Bulletins d'interprétation: TVQ. 222.2-1 — Taxe à la consommation.

Concordance fédérale: LTA, par. 123(1)« parc à roulottes résidentiel ».

« titre de créance » signifie le droit d'être payé en argent et comprend le dépôt d'argent, mais ne comprend pas un louage, une licence ou un accord semblable relatif à l'utilisation ou au droit d'utilisation d'un bien autre qu'un effet financier;

Notes historiques: La définition de « titre de créance » à l'article 1 a été ajoutée par L.Q. 1991, c. 67.

Définitions: « argent », « bien », « effet financier » — 1.

Concordance fédérale: LTA, par. 123(1)« titre de créance ».

« titre de participation » signifie une action du capital-actions d'une société ou un droit relatif à une telle action;

Notes historiques: La définition de « titre de participation » à l'article 1 a été modifiée par L.Q. 1997, c. 3, art. 115(1º) pour remplacer le mot « corporation » par le mot « société ». Cette modification est réputée entrée en vigueur le 20 mars 1997. Auparavant, cette définition a été ajoutée par L.Q. 1991, c. 67.

Définitions: « effet financier » — 1.

Lettres d'interprétation: 98-0103113 — Interprétation relative à la TVQ — Inscription d'une société de portefeuille.

Concordance fédérale: LTA, par. 123(1)« titre de participation ».

« transporteur » signifie une personne qui fournit un service de transport de marchandises au sens de l'article 193;

Notes historiques: La définition de « transporteur » à l'article 1 a été ajoutée par L.Q. 1994, c. 22, art. 364(1)(34º) et est réputée entrée en vigueur le 1er juillet 1992.

Définitions: « personne » — 1.

Concordance fédérale: LTA, par. 123(1)« transporteur ».

« trimestre civil » signifie une période de trois mois commençant le premier jour de janvier, d'avril, de juillet ou d'octobre, dans chaque année civile;

Notes historiques: La définition de « trimestre civil » à l'article 1 a été ajoutée par L.Q. 1991, c. 67.

Renvois: 120–135 (services d'enseignements exonérés).

Concordance fédérale: LTA, par. 123(1)« trimestre civil ».

« université » signifie :

1º un établissement d'enseignement de niveau universitaire au sens de la *Loi sur les établissements d'enseignement de niveau universitaire* (chapitre E-14.1);

2º une institution reconnue qui est située au Québec et qui décerne un diplôme ou un organisme qui est situé au Québec et qui administre l'institut de recherche d'une telle institution ou un collège qui lui est affilié;

Notes historiques: La définition de « université » à l'article 1 a été remplacée par L.Q. 1997, c. 85, art. 418(1)(30º) et cette modification a effet depuis le 1er juillet 1992. Toutefois, lorsque le paragraphe 2º de cette définition s'applique avant le 24 avril 1996, il doit se lire comme suit :

> 2º une institution reconnue qui est située au Québec et qui décerne un diplôme ou un organisme ou la partie d'un organisme qui est situé au Québec et qui administre l'institut de recherche d'une telle institution ou un collège qui lui est affilié; ».

Auparavant, cette définition se lisait ainsi :

> « université » signifie un établissement d'enseignement de niveau universitaire au sens de la *Loi sur les établissements d'enseignement de niveau universitaire* (L.R.Q., chapitre E-14.1);

La définition de « université » à l'article 1 a été édictée par L.Q. 1991, c. 67.

Bulletins d'interprétation: TVQ. 126-2/R2 — Fourniture d'un bien meuble corporel effectuée conjointement avec un service d'enseignement par une administration scolaire, un collège public ou une université.

Concordance fédérale: LTA, par. 123(1)« université ».

« véhicule automobile » signifie un véhicule routier automoteur d'une masse nette de moins de 4 000 kilogrammes, muni d'au moins quatre roues et conçu essentiellement pour le transport sur la route de personnes ou de biens;

Notes historiques: La définition de « véhicule automobile » à l'article 1 a été ajoutée par L.Q. 2001, c. 51, art. 258(1)(2º) et a effet depuis le 1er mai 1999.

Lettres d'interprétation: 04-0104085 — Interprétation relative à la TVQ — remboursement de la TVQ payée relativement à la fourniture détaxée d'un véhivule automobile; 05-0100841 — Interprétation relative à la TVQ [— transfert de véhicules entre un concessionnaire et un manufacturier inscrits et détermination à titre de grande entreprise].

Concordance fédérale: aucune.

« véhicule de promenade » a le sens que lui donne l'article 1 de la *Loi concernant la taxe sur les carburants* (chapitre T-1);

Notes historiques: La définition de « véhicule de promenade » à l'article 1 a été ajoutée par L.Q. 1993, c. 19, art. 167(3º) et s'applique à l'égard d'une fourniture ou d'un apport au Québec relativement auquel l'article 685 ou l'un des articles 618 à 656 de L.Q. 1991, c. 67 s'applique [*N.D.L.R.* : les articles 685 et 618 à 656 réfèrent à des dispositions transitoires concernant les transferts avant le 1er juillet 1992].

Définitions: « véhicule routier », « voiture de tourisme » — 1.

Concordance fédérale: aucune.

« véhicule routier » a le sens que lui donne l'article 4 du *Code de la sécurité routière* (chapitre C-24.2);

Notes historiques: La définition de « véhicule routier » à l'article 1 a été ajoutée par L.Q. 1993, c. 19, art. 167(3º) et s'applique à l'égard d'une fourniture ou d'un apport au Québec relativement auquel l'article 685 ou l'un des articles 618 à 656 de L.Q. 1991, c. 67 s'applique [*N.D.L.R.* : les articles 685 et 618 à 656 réfèrent à des dispositions transitoires concernant les transferts avant le 1er juillet 1992].

Définitions: « véhicule de promenade », « voiture de tourisme » — 1.

Renvois: 17.1 (apport); 20.1 (fourniture); 79.1 (décès d'un particulier); 80.1 (donation); 241 (amélioration); 246 (immobilisation); 292 (avantages aux salariés et aux actionnaires); 325 (don à une fiducie); 353 (remboursement — carburant); 473.1 (versement de la taxe payable).

Jurisprudence: *Axa Boréal Assurances inc. c. Québec (Sous-ministre du Revenu)* (22 mai 2003), 500-02-058909-974, 2003 CarswellQue 3553.

Bulletins d'interprétation: TVQ. 1-3 — Sens de l'expression « véhicule routier »; TVQ. 206.1-3 — Véhicule routier acquis par un recycleur auprès d'une personne non inscrite au fichier de la TVQ.

Lettres d'interprétation: 02-0100913 — Interprétation relative à la TVQ — Fourniture d'un véhicule automobile usagé; 02-0111324 — Interprétation relative à la TVQ — Frais engagés lors d'une reprise de possession — Location d'un véhicule automobile.

Concordance fédérale: aucune.

« vente » à l'égard d'un bien, comprend, sauf pour l'application du paragraphe 2º du deuxième alinéa de l'article 17, tout transfert de la propriété du bien et tout transfert de la possession du bien en vertu d'une convention visant à transférer la propriété du bien;

Notes historiques: La définition de « vente » à l'article 1 a été ajoutée par L.Q. 1991, c. 67.

Définitions: « bien », « salarié » — 1.

Jurisprudence: *Lockwood Manufacturing Inc. c. Agence de revenu du Québec* (19 juin 2012), 500-80-013513-099, 2012 CarswellQue 9284; *Québec (Sous-ministre du Revenu) c. 3199959 Canada inc.* (6 septembre 2006), 500-09-015494-057, 2007 CarswellQue 8323.

Lettres d'interprétation: 98-0101471 — Interprétation relative à la TPS — Interprétation relative à la TVQ — Vente ou location de lots intramunicipaux; 98-0101901 — Décision portant sur l'application de la TPS — Interprétation relative à la TVQ — Transferts de quotes-parts indivises d'immeubles ; 98-0107452 — Interprétation relative à la TVQ — Location-acquisition; 00-0112086 — Interprétation relative à la TPS et à la TVQ — Fourniture par vente d'un véhicule et « contre-lettre ».

Concordance fédérale: LTA, par. 123(1)« vente ».

« vente au détail » d'un véhicule automobile signifie :

1º la vente d'un véhicule automobile à une personne qui le reçoit pour une autre fin que celle de le fournir à nouveau par vente, autrement que par donation, ou par louage en vertu d'une convention selon laquelle la possession continue ou l'utilisation continue du véhicule est offerte à une personne pour une période d'au moins un an;

2º la vente d'un véhicule automobile neuf à une personne qui le reçoit afin de le fournir à nouveau par vente, autrement que par donation, et qui l'acquiert par l'intermédiaire d'un mandataire dans le but de l'expédier hors du Québec.

Notes historiques: La définition de « vente au détail » à l'article 1 a été ajoutée par L.Q. 2001, c. 51, art. 258(1)(3º) et a effet depuis le 1er mai 1999. Toutefois, pour la période qui commence le 1er mai 1999 et qui se termine le 20 février 2000, la définition de l'expression « vente au détail », doit se lire comme suit :

> « vente au détail » d'un véhicule automobile signifie la vente d'un véhicule automobile neuf à une personne qui le reçoit afin de le fournir à nouveau par vente, autrement que par donation, et qui l'acquiert par l'intermédiaire d'un mandataire dans le but de l'expédier hors du Québec;

Jurisprudence: *Québec (Sous-ministre du Revenu) c. 3199959 Canada inc.* (6 septembre 2006), 500-09-015494-057, 2007 CarswellQue 8323; *Groupe Collège Lasalle inc. c. Québec (Sous-ministre du Revenu)* (10 juin 2005), 500-09-010491-017, 2005 CarswellQue 3853 (C.A. Qué.); *3863506 Canada inc. c. Québec (Sous-ministre du Revenu)* (12 mai 2005), 500-80-002087-030, 2005 CarswellQue 2711 (C.Q.).

Lettres d'interprétation: 04-0102519 — [Entente de consignation de véhicules récréatifs].

Concordance fédérale: aucune.

« voiture de tourisme » a le sens que lui donne l'article 1 de la *Loi sur les impôts*.

LTVQ (français)

Notes historiques: La définition de « voiture de tourisme » à l'article 1 a été modifiée par L.Q. 1995, c. 63, art. 299(1)(8°) et s'applique à l'égard d'un véhicule routier qu'un inscrit acquiert, ou apporte au Québec, après le 31 juillet 1995 dans le cas où l'inscrit aurait le droit de demander un remboursement de la taxe sur les intrants à l'égard du véhicule routier en raison de l'abrogation du paragraphe 1° de l'article 206 s'il en faisait l'acquisition, ou l'apport au Québec, pour utilisation exclusive dans le cadre de ses activités commerciales et, dans tous les autres cas, à l'égard d'un véhicule routier qu'un inscrit acquiert, ou apporte au Québec, après une date de prise d'effet fixée par décret du gouvernement.

[*N.D.L.R.* : le paragraphe d'application prévu par L.Q. 1995, c. 63, art. 299(5) a été remplacé par L.Q. 1997, c. 85, art. 725(1)(2°) et a effet depuis le 15 décembre 1995. Antérieurement, il prévoyait ce qui suit :

> cette modification s'applique à l'égard d'une voiture de tourisme qu'un inscrit acquiert, ou apporte au Québec :
>
> 1° après le 31 juillet 1995 dans le cas où l'inscrit est une petite ou moyenne entreprise;
>
> 2° après le 29 novembre 1996 dans le cas où l'inscrit est une grande entreprise.]

Lorsque la définition de l'expression « voiture de tourisme », que L.Q. 1995, c. 63, art. 299(1)(8°) remplace, s'applique, elle doit se lire comme suit :

> « voiture de tourisme » a le sens que lui donne l'article 1 de la *Loi sur les impôt*, mais ne comprend pas un véhicule routier à l'égard duquel un inscrit, s'il en faisait l'acquisition, ou l'apport au Québec, pour utilisation exclusive dans le cadre de ses activités commerciales, ne pourrait demaner un remboursement de la taxe sur les intrants en raison du paragraphe 1° de l'article 206.1;]

[*N.D.L.R.* : L.Q. 1997, c. 85, art. 725(1)(3°) a remplacé ce paragraphe d'application introduisant la définition. Ce paragraphe, édicté par L.Q. 1995, c. 63, art. 299(6), prévoyait que lorsque la définition s'appliquait pour « la période antérieure à celles visées aux sous-paragraphes 1° et 2°, elle devait se lire comme suit ». Cette modification a effet depuis le 15 décembre 1995.]

Auparavant, la définition de « voiture de tourisme » à l'article 1 avait été modifiée par L.Q. 1993, c. 19, art. 167(4°) et s'appliquait à l'égard d'une fourniture ou d'un apport au Québec relativement auquel l'article 685 ou l'un des articles 618 à 656 de L.Q. 1991, c. 67 s'applique [*N.D.L.R.* : les articles 685 et 618 à 656 réfèrent à des dispositions transitoires concernant les transferts avant le 1er juillet 1992]. Elle se lisait comme suit :

> « voiture de tourisme » a le sens que lui donne l'article 1 de la *Loi sur les impôts* (L.R.Q., chapitre I-3), mais ne comprend pas un véhicule routier à l'égard duquel un inscrit ne peut demander un remboursement de la taxe sur les intrants en raison du paragraphe 1° de l'article 206.1.

Cette définition, édictée par L.Q. 1991, c. 67, se lisait comme suit :

> « voiture de tourisme » a le sens que lui donne l'article 1 de la *Loi sur les impôts* (L.R.Q., chapitre I-3).

Renvois: 246 (champ d'application); 247 (valeur d'une voiture de tourisme); 249 (vente d'une voiture de tourisme); 250 (RTI pour voiture de tourisme ou aéronef); 251 (amélioration à une voiture de tourisme ou à un aéronef); 253 (utilisation non exclusive d'une voiture de tourisme ou d'un aéronef); 254 (présomption d'acquisition); 255 (vente d'une voiture de tourisme ou d'un aéronef); 292 (non-application de l'article 290); 293 (voiture de tourisme ou aéronef); 456 (taxe nette en cas de location de voiture de tourisme).

Concordance fédérale: LTA, par. 123(1)« voiture de tourisme ».

Guides [art. 1]: IN-203 — Renseignements généraux sur la TVQ et la TPS/TVH; IN-228 — La TVQ et la TPS/TVH pour les organismes de bienfaisance; IN-229 — La TVQ, la TPS/TVH pour les organismes sans but lucratif; IN-624 — La TVQ, la TPS/TVH et les véhicules routiers.

Bulletins d'interprétation [art. 1]: TVQ. 1-1/R1 — Fourniture non taxable d'un service; TVQ. 1-2/R1 — Fourniture non taxable et remboursement de la taxe sur les intrants; TVQ. 1-6/R1 — Fourniture non taxable et services de collecte d'ordures et d'enlèvement de la neige; TVQ. 34.3-2/R1 — La réparation de biens meubles corporels effectuée en vertu d'une garantie et la taxe de vente du Québec; TVQ. 198-4 — Les frais judiciaires et les honoraires extrajudiciaires exigés d'un débiteur et la taxe de vente du Québec (TVQ); TVQ. 351-1/R1 — Abolition des remboursements aux touristes étrangers; TVQ. 362.2-1/R2 — Remboursement pour habitations neuves à l'égard d'un duplex; TVQ. 407.3-1 — Inscription au fichier de la TVQ des titulaires de permis de réunion et perception de la taxe; TVQ. 422-1/R1 — Documentation relative aux fournitures non taxables.

Lettres d'interprétation [art. 1]: 99-0102097 — Interprétation relative à la TPS et à la TVQ [Fourniture d'un service de transport scolaire effectuée par une commission scolaire].

SECTION II — INTERPRÉTATION

1.1 Personne morale — Pour l'application du présent titre et des règlements adoptés en vertu de celui-ci, une personne morale, qu'elle soit ou non à but lucratif, est désignée par le mot « société », étant entendu que ce mot ne désigne pas une personne morale lorsqu'il est employé dans l'expression « société de personnes ».

Notes historiques: L'article 1.1 a été ajouté par L.Q. 1997, c. 3, art. 116 et est réputé entré en vigueur le 20 mars 1997.

Définitions: « montant », « teneur en taxe » — 1.

Concordance fédérale: aucune.

1.2 Conjoint et mariage — Pour l'application du présent titre et des règlements adoptés en vertu de celui-ci, toute référence au conjoint d'un particulier ou au mariage doit s'interpréter comme si les règles prévues à l'article 2.2.1 de la *Loi sur les impôts* (chapitre I-3) s'appliquaient, compte tenu des adaptations nécessaires.

Notes historiques: L'article 1.2 a été ajouté par L.Q. 2005, c. 1, art. 348 et est entré en vigueur le 17 mars 2005.

Concordance fédérale: aucune.

2. Montant négatif — Lorsqu'en vertu du présent titre, un montant ou un nombre doit être déterminé ou calculé selon une formule algébrique et qu'une fois qu'il a été ainsi déterminé ou calculé, sans égard au présent article, il est inférieur à zéro, ce montant ou ce nombre est réputé être égal à zéro, sauf disposition contraire du présent titre.

Notes historiques: L'article 2 a été ajouté par L.Q. 1991, c. 67.

Concordance fédérale: LTA, art. 125.

COMMENTAIRES: Compte tenu de la similarité de la rédaction des dispositions législatives et considérant l'engagement spécifique de Revenu Québec de veiller à ce que l'assiette de TVQ modifiée, de même que les paramètres administratifs, structurels et définitionnels, produisent des résultats qui sont similaires à ceux produits sous le régime de la TPS/TVH et soient administrés d'une manière qui produit des résultats similaires, tel que reflété à l'article 14 de l'*Entente intégrée globale de coordination fiscale* signée entre le gouvernement du Canada et le gouvernement du Québec, nous vous référons à nos commentaires en vertu de l'article 125 de la *Loi sur la taxe d'accise (TPS)* qui devraient s'appliquer *mutatis mutandis*, avec les adaptations nécessaires.

3. Lien de dépendance — Des personnes liées sont réputées avoir entre elles un lien de dépendance et la question de savoir si des personnes non liées entre elles ont, à un moment donné, un lien de dépendance en est une de fait.

Personnes liées — Des personnes sont liées entre elles si elles le sont en raison des articles 17 et 19 à 21 de la *Loi sur les impôts* (chapitre I-3) pour l'application de cette loi.

Notes historiques: L'article 3 a été édicté par L.Q. 1991, c. 67.

Définitions: « personne » — 1.

Renvois: 10 (fonds — personne distincte); 25 (fournitures entre établissements stables); 26 (fournitures entre succursales); 55 (fourniture entre personnes liées); 14.4–14.7 LAF (transfert entre personnes ayant un lien de dépendance).

Concordance fédérale: LTA, par. 126(1), 126(2).

COMMENTAIRES: Il est intéressant de souligner que l'article 4 n'a pas d'équivalent en droit de l'impôt étant donné que les sociétés de personnes ne sont pas considérées comme des personnes aux fins de la *Loi sur les impôts*, contrairement au régime de la TVQ qui prévoit expressément leur assujettissement en vertu, notamment, de la définition du terme « personne » à l'article 1.

Compte tenu de la similarité de la rédaction des dispositions législatives et considérant l'engagement spécifique de Revenu Québec de veiller à ce que l'assiette de TVQ modifiée, de même que les paramètres administratifs, structurels et définitionnels, produisent des résultats qui sont similaires à ceux produits sous le régime de la TPS/TVH et soient administrés d'une manière qui produit des résultats similaires, tel que reflété à l'article 14 de l'*Entente intégrée globale de coordination fiscale* signée entre le gouvernement du Canada et le gouvernement du Québec, nous vous référons à nos commentaires en vertu de l'article 126 de la *Loi sur la taxe d'accise (TPS)* qui devraient s'appliquer *mutatis mutandis*, avec les adaptations nécessaires.

4. Société de personnes — Le membre d'une société de personnes est réputé lié à celle-ci.

Notes historiques: L'article 4 a été modifié par L.Q. 1997, c. 3, art. 135(1°) pour remplacer le mot « société » par les mots « société de personnes ». Cette modification est réputée entrée en vigueur le 20 mars 1997. Cet article a été édicté par L.Q. 1991, c. 67.

Renvois: 1.1 (personne morale); 10 (fonds — personne distincte); 25 (fournitures entre établissements stables); 26 (fournitures entre succursales); 55 (fourniture entre personnes liées); 506.1 (société et société de personnes); 14.4–14.7 LAF (transfert entre personnes ayant un lien de dépendance).

Concordance fédérale: LTA, par. 126(3).

COMMENTAIRES: Il est intéressant de souligner que l'article 4 n'a pas d'équivalent en droit de l'impôt étant donné que les sociétés de personnes ne sont pas considérées comme des personnes aux fins de la *Loi sur les impôts*, contrairement au régime de la TVQ qui prévoit expressément leur assujettissement en vertu, notamment, de la définition du terme « personne » à l'article 1.

Compte tenu de la similarité de la rédaction des dispositions législatives et considérant l'engagement spécifique de Revenu Québec de veiller à ce que l'assiette de TVQ modifiée, de même que les paramètres administratifs, structurels et définitionnels, produisent des résultats qui sont similaires à ceux produits sous le régime de la TPS/TVH et soient administrés d'une manière qui produit des résultats similaires, tel que reflété à l'article 14 de l'*Entente intégrée globale de coordination fiscale* signée entre le gouvernement du Canada et le gouvernement du Québec, nous vous référons à nos commentaires en vertu de l'article 126 de la *Loi sur la taxe d'accise (TPS)* qui devraient s'appliquer *mutatis mutandis*, avec les adaptations nécessaires.

5. Sociétés associées — Une société est associée à une autre société si elle est associée à celle-ci en raison des articles 21.4 et 21.20 à 21.25 de la *Loi sur les impôts* (chapitre I-3) pour l'application de cette loi.

Notes historiques: L'article 5 a été modifié par L.Q. 1997, c. 3, art. 135(2º) pour remplacer le mot « corporation » par le mot « société ». Cette modification est réputée entrée en vigueur le 20 mars 1997. Cet article a été édicté par L.Q. 1991, c. 67.

Renvois: 1.1 (personne morale); 6 (personne associée à une société); 7 (personne associée à une société); 8 (personne associée à une fiducie); 9 (personne associée à un tiers); 328–337 (groupe étroitement lié); 338 (choix par les divisions d'un organisme de services publics pour être considérées comme des personnes distinctes); 506.1 (société et société de personnes).

Lettres d'interprétation: 99-0109399 — Demande d'interprétation relative à la TVQ — Règles d'association entre sociétés; 00-0105544 — Interprétation relative à la TVQ — Demande de RTI par des sociétés contrôlées.

Concordance fédérale: LTA, par. 127(1).

COMMENTAIRES: Voir les commentaires sous l'article 9.

6. Personne associée à une société — Une personne autre qu'une société est associée à une société, si celle-ci est contrôlée par la personne ou par un groupe de personnes dont la personne est membre et dont chacun des membres est associé aux autres membres.

Notes historiques: L'article 6 a été modifié par L.Q. 1997, c. 3, art. 135(2º) pour remplacer le mot « corporation » par le mot « société ». Cette modification est réputée entrée en vigueur le 20 mars 1997. Cet article a été édicté par L.Q. 1991, c. 67.

Définitions: « personne » — 1.

Renvois: 1.1 (personne morale); 5 (sociétés associées); 7 (personne associée à une société); 8 (personne associée à une fiducie); 9 (personne associée à un tiers); 328–337 (groupe étroitement lié); 338 (choix par les divisions d'un organisme de services publics pour être considérées comme des personnes distinctes); 506.1 (société et société de personnes).

Concordance fédérale: LTA, par. 127(2).

COMMENTAIRES: Voir les commentaires sous l'article 9.

7. Personne associée à une société de personnes — Une personne est associée à une société de personnes si le total des parts des bénéfices de la société de personnes auquel la personne et toute autre personne associée à la personne ont droit, représente plus de la moitié des bénéfices totaux de la société de personnes, ou le représenterait si celle-ci avait des bénéfices.

Notes historiques: L'article 7 a été modifié par L.Q. 1997, c. 3, art. 135(1º) pour remplacer le mot « société » par les mots « société de personnes ». Cette modification est réputée entrée en vigueur le 20 mars 1997. Cet article a été édicté par L.Q. 1991, c. 67.

Définitions: « personne » — 1.

Renvois: 1.1 (personne morale); 5 (sociétés associées); 6 (personne associée à une société); 8 (personne associée à une fiducie); 9 (personne associée à un tiers); 338 (choix par les divisions d'un organisme de services publics pour être considérées comme des personnes distinctes); 506.1 (société et société de personnes).

Lettres d'interprétation: 98-0110688 — Personne associée à une société de personnes.

Concordance fédérale: LTA, al. 127(3)a).

COMMENTAIRES: Voir les commentaires sous l'article 9.

8. Personne associée à une fiducie — Une personne est associée à une fiducie si le total de la valeur de sa participation dans la fiducie et de celle de toute autre personne associée à la personne, représente plus de la moitié de la valeur totale de l'ensemble des participations dans la fiducie.

Notes historiques: L'article 8 a été édicté par L.Q. 1991, c. 67.

Définitions: « personne » — 1.

Renvois: 5 (sociétés associées); 6 (personne associée à une société); 7 (personne associée à une société); 9 (personne associée à un tiers); 338 (choix par les divisions d'un organisme de services publics pour être considérées comme des personnes distinctes).

Lettres d'interprétation: 98-0110688 — Personne associée à une société de personnes.

Concordance fédérale: LTA, al. 127(3)b).

COMMENTAIRES: Voir les commentaires sous l'article 9.

9. Personne associée à un tiers — Une personne est associée à une autre personne si chacune d'elles est associée à une même tierce personne.

Notes historiques: L'article 9 a été édicté par L.Q. 1991, c. 67.

Définitions: « personne » — 1.

Renvois: 1.1 (personne morale); 5 (sociétés associées); 6 (personne associée à une société); 7 (personne associée à une société); 8 (personne associée à une fiducie); 9 (personne associée à un tiers); 338 (choix par les divisions d'un organisme de services publics pour être considérées comme des personnes distinctes); 506.1 (société et société de personnes).

Concordance fédérale: LTA, par. 127(4).

COMMENTAIRES: Les règles d'association sont pertinentes pour l'application de plusieurs articles de la *Loi sur la taxe de vente du Québec*, notamment l'article 206.1 qui réfère à la restriction du remboursement de la taxe sur les intrants pour les grandes entreprises.

L'article 5 prévoit qu'une société est associée à une autre société si elle est associée à celle-ci en raison des articles 21.4 et 21.20 à 21.25 de la *Loi sur les impôts* pour l'application de cette loi. Selon l'alinéa 21.20 b) de la *Loi sur les impôts*, une corporation est associée à une autre dans une année d'imposition lorsqu'à un moment quelconque dans cette année les deux corporations sont contrôlées directement ou indirectement par la même personne. Selon l'alinéa 21.20.2 c) de la *Loi sur les impôts*, une société est réputée être contrôlée par une personne lorsque cette personne possède plus de 50 % des actions de cette société. Ainsi, Revenu Québec conclut que lorsque les actions de sociétés sont possédées à plus de 50 % par la même personne, ces sociétés doivent être considérées comme associées entre elles pour l'application de l'article 551 de la *Loi modifiant de nouveau la Loi sur les impôts*, la *Loi sur la taxe de vente du Québec et d'autres dispositions législatives* (L.Q. 1997 c. 85). Voir notamment à cet effet : Revenu Québec, Lettres d'interprétation, 00-0105544 — *Interprétation relative à la TVQ — Demande de RTI par des sociétés contrôlées* (22 juin 2000).

La règle générale énoncée à l'article 21.21 de la LI fait en sorte que même si la troisième société fait le choix de ne pas être associée à une des deux autres sociétés pour l'application de certains articles, elle demeure associée à ces deux sociétés pour l'application des autres dispositions de la *Loi sur les impôts*. Par conséquent, Revenu Québec est d'avis que cette société doit, en vertu de l'article 5, être considérée comme une société associée pour l'application de cette loi. Voir notamment à cet effet : Revenu Québec, Lettres d'interprétation, 99-0109399 — *Demande d'interprétation relative à la TVQ — Règles d'association entre sociétés* (3 novembre 1999).

À titre illustratif, dans la situation où deux particuliers (conjoints) ont formé une société en nom collectif où chacun détient 50 % des parts et que les deux mêmes particuliers forment une deuxième société en nom collectif où ils détiennent également chacun 50 % des parts, Revenu Québec est d'avis que les deux sociétés ne sont pas associées puisqu'aucun des deux particuliers ne détient plus de 50 % des parts sur les bénéfices d'une des deux sociétés. Voir notamment à cet effet : Revenu Québec, Lettre d'interprétation, 98-0110688 — *Personne associée à une société de personnes* (19 novembre 1998).

Compte tenu de la similarité de la rédaction des dispositions législatives et considérant l'engagement spécifique de Revenu Québec de veiller à ce que l'assiette de TVQ modifiée, de même que les paramètres administratifs, structurels et définitionnels, produisent des résultats qui sont similaires à ceux produits sous le régime de la TPS/TVH et soient administrés d'une manière qui produit des résultats similaires, tel que reflété par l'article 14 de l'*Entente intégrée globale de coordination fiscale* signée entre le gouvernement du Canada et le gouvernement du Québec, nous vous référons à nos commentaires en vertu de l'article 127 de la *Loi sur la taxe d'accise (TPS)* qui devraient s'appliquer *mutatis mutandis*, avec les adaptations nécessaires.

10. Fonds réservé d'un assureur — Les règles suivantes s'appliquent à l'égard du fonds réservé d'un assureur :

1º le fonds réservé est réputé être une fiducie qui est une personne distincte de l'assureur, ayant un lien de dépendance avec ce dernier;

2º l'assureur est réputé être un fiduciaire de la fiducie;

3º les activités du fonds réservé sont réputées être celles de la fiducie et non celles de l'assureur.

LTVQ (français)

Notes historiques: L'article 10 a été édicté par L.Q. 1991, c. 67.

Définitions: « assureur », « fonds réservé », « personne » — 1.

Concordance fédérale: LTA, art. 131(1).

10.1 Règles applicables au fonds réservé d'un assureur — Dans le cas où, à un moment quelconque, un montant, autre qu'un montant au titre de la taxe prévue au présent titre, est déduit du fonds réservé d'un assureur, les règles suivantes s'appliquent :

1° dans le cas où le montant est relatif à un bien ou à un service que le fonds est considéré, en raison de l'application du présent titre, sauf le présent article, avoir acquis de l'assureur, cette fourniture est réputée être une fourniture taxable, autre qu'une fourniture détaxée, et le montant est réputé constituer la contrepartie de cette fourniture qui devient due à ce moment;

2° dans le cas où le montant n'est pas relatif à un bien ou à un service que le fonds est considéré, en raison de l'application du présent titre, sauf le présent article, avoir acquis soit de l'assureur, soit d'une autre personne, l'assureur est réputé avoir effectué et le fonds avoir reçu, à ce moment, une fourniture taxable, autre qu'une fourniture détaxée, d'un service et le montant est réputé constituer la contrepartie de la fourniture qui devient due à ce moment.

Non-application — Le premier alinéa ne s'applique pas au montant déduit du fonds réservé d'un assureur dans le cas où le montant, selon le cas :

1° représente une répartition de revenu, un paiement d'une prestation ou le montant d'un rachat, relativement à un droit d'une autre personne dans le fonds;

2° est un montant prescrit.

Notes historiques: L'article 10.1 a été ajouté par L.Q. 2001, c. 53, art. 273 et s'applique aux montants suivants :

1° tout montant déduit après le 15 mars 1999 d'un fonds réservé d'un assureur;

2° tout montant qui a été déduit avant le 16 mars 1999 d'un fonds réservé d'un assureur et à l'égard duquel un montant donné a été déduit, avant cette date, du fonds réservé au titre de la taxe prévue par le titre I de cette loi, sauf si, avant cette date, le ministre du Revenu a reçu, soit une demande de remboursement en vertu de l'article 400 de cette loi à l'égard du montant donné, soit une déclaration dans laquelle une déduction a été demandée à titre de redressement ou de remboursement du montant donné ou d'un crédit y afférent en vertu de l'article 447 de cette loi.

Jurisprudence: *Centrale des syndicats du Québec (CSQ) c. Québec (Sous-ministre du Revenu)* (5 décembre 2005), 200-80-001290-046, 2005 CarswellQue 13325 (C.Q.).

Concordance fédérale: LTA, art. 131(1)c), 131(2).

11. Personne qui réside au Québec — Une personne est réputée résider au Québec à un moment quelconque si :

1° dans le cas d'une société, elle est constituée ou continuée au Québec et n'est pas continuée ailleurs;

2° dans le cas d'une association, d'un club, d'un organisme, d'une société de personnes ou d'une succursale de l'un de ceux-ci, le membre, ou la majorité des membres, ayant la gestion et le contrôle de la société de personnes, du club, de l'association, de l'organisme ou de la succursale, résident au Québec à ce moment;

3° dans le cas d'une association de salariés, elle exerce une activité à ce titre au Québec et a une unité ou une section locale au Québec à ce moment;

4° dans le cas d'un particulier, il est réputé résider au Québec en vertu des alinéas b) à f) de l'article 8 de la *Loi sur les impôts* (chapitre I-3) à ce moment.

Notes historiques: L'article 11 a été modifié par L.Q. 1997, c. 85, art. 419(1) par l'ajout du paragraphe 4° et cette modification a effet depuis le 24 avril 1996.

L'article 11 a été modifié par L.Q. 1997, c. 3, art. 135(1°) pour remplacer le mot « société » par les mots « société de personnes » et par L.Q. 1997, c. 3, art. 135(2°) pour remplacer le mot « corporation » par le mot « société » et cette modification est entrée en vigueur le 20 mars 1997. L'article 11 a été édicté par L.Q. 1991, c. 67.

Définitions: « personne », « salarié » — 1.

Renvois: 1.1 (personne morale); 12–14 (présomptions de résidence et de non-résidence au Québec); 506.1 (société et société de personnes).

Bulletins d'interprétation: TVQ. 16-14/R1 — Fournitures effectuées à un régime de pension agréé.

Formulaires: VD-442.S, *Demande de compensation de la TVQ au moyen d'un remboursement de TVQ*.

Lettres d'interprétation: 99-0112518 — Interprétation relative à la TVQ — Lieu de résidence d'une société.

Concordance fédérale: LTA, par. 132(1).

COMMENTAIRES: Voir les commentaires sous l'article 14.1.

11.1 Résidence au Québec — Sauf pour déterminer le lieu de résidence d'un particulier à titre de consommateur et sauf pour l'application de la section V du chapitre IV, une personne est réputée résider au Québec si elle réside au Canada et si elle a un établissement stable au Québec.

Exception — Pour l'application de la section V du chapitre IV, une personne qui ne réside pas au Québec mais qui réside au Canada et qui a un établissement stable au Québec est réputée résider au Québec, mais seulement à l'égard des activités qu'elle exerce par l'intermédiaire de cet établissement.

Notes historiques: L'article 11.1 a été remplacé par L.Q. 2001, c. 51, art. 259 et cette modification a effet depuis le 15 mars 2000. Il s'applique également pour la période du 1er avril 1997 au 14 mars 2000 à l'égard d'une fourniture qui, n'eût été de son application, n'aurait pas été détaxée en vertu de la section V du chapitre IV du titre I de cette loi, sauf si le fournisseur a exigé ou perçu un montant au titre de la taxe prévue au titre I de cette loi. Antérieurement, il se lisait ainsi :

> 11.1 Sauf pour déterminer le lieu de résidence d'un particulier à titre de consommateur, une personne est réputée résider au Québec si elle réside au Canada et si elle a un établissement stable au Québec.

Le deuxième alinéa de l'article 11.1 a été supprimé par L.Q. 1999, c. 83, art. 306(1). Cette modification a effet depuis le 1er avril 1997. Antérieurement, il se lisait comme suit :

> Toutefois, dans le cas où cette personne a un établissement stable hors du Québec mais au Canada, elle est réputée ne pas résider au Québec, mais seulement à l'égard des activités qu'elle exerce par l'intermédiaire de cet établissement.

L'article 11.1 a été ajouté par L.Q. 1997, c. 85, art. 420(1) et a effet depuis le 1er avril 1997.

Définitions: « consommateur », « établissement stable », « personne » — 1.

Renvois: 11.2 (définition de l'expression « établissement stable »).

Bulletins d'interprétation: TVQ. 16-14/R1 — Fournitures effectuées à un régime de pension agréé; TVQ. 11.1-1/R1 — Présomption de résidence au Québec — Résident canadien ayant un établissement stable au Québec; TVQ. 334-1/R1 — Choix visant les fournitures effectuées entre les membres d'un groupe étroitement lié.

Formulaires: VD-442.S, *Demande de compensation de la TVQ au moyen d'un remboursement de TVQ*.

Lettres d'interprétation: 98-0112833 — Interprétation relative à la TVQ — Notion de « résidence » (art. 11.1 LTVQ); 99-0112518 — Interprétation relative à la TVQ — Lieu de résidence d'une société; 00-0110775 — Interprétation relative à la TVQ; 12-014053-001 — Interprétation relative à la TVQ — Choix de l'article 33 de la LTVQ.

Concordance fédérale: LTA, par. 132.1(1).

COMMENTAIRES: Voir les commentaires sous l'article 14.1.

11.1.1 Établissement stable hors du Québec mais au Canada — Une personne qui réside au Québec et qui a un établissement stable hors du Québec mais au Canada est réputée ne pas résider au Québec, mais seulement à l'égard des activités qu'elle exerce par l'intermédiaire de cet établissement.

Notes historiques: L'article 11.1.1 a été ajouté par L.Q. 1999, c. 83, art. 307(1) et a effet depuis le 1er avril 1997.

Renvois: 11.2 (définition de l'expression « établissement stable »).

Bulletins d'interprétation: TVQ. 16-14/R1 — Fournitures effectuées à un régime de pension agréé; TVQ. 11.1-1/R1 — Présomption de résidence au Québec — Résident canadien ayant un établissement stable au Québec.

Lettres d'interprétation: 01-0100279 — Admissibilité à un RTI par un non-résident.

Concordance fédérale: LTA, par. 132(3).

COMMENTAIRES: Voir les commentaires sous l'article 14.1.

11.2 Définition de l'expression « établissement stable » — Pour l'application des articles 11.1, 11.1.1 et 22.2 à 22.30, l'expression « établissement stable » d'une personne signifie :

1º dans le cas d'un particulier, de la succession d'un particulier décédé ou d'une fiducie qui exploite une entreprise, au sens de l'article 1 de la *Loi sur les impôts* (chapitre I-3), un établissement, au sens du premier alinéa de l'article 12 ou des articles 13 ou 15 de la *Loi sur les impôts*, de la personne;

2º dans le cas d'une société qui exploite une entreprise, au sens de l'article 1 de la *Loi sur les impôts*, un établissement, au sens du premier alinéa de l'article 12 ou des articles 13 à 16 de la *Loi sur les impôts*;

Modification proposée — 11.2 par. 2º

Application: Le paragraphe 2º de l'article 11.2 sera modifié par le s.-par. 217(1)(1º) du *Projet de loi 18* (présenté le 21 février 2013) par le remplacement de « 16 » par « 16.0.1 ». Cette modification s'appliquera à compter de l'année d'imposition 2009.

3º dans le cas d'une société de personnes donnée :

a) un établissement, au sens du premier alinéa de l'article 12 ou des articles 13 ou 15 de la *Loi sur les impôts*, d'un associé qui est un particulier, la succession d'un particulier décédé ou une fiducie si l'établissement est lié à une entreprise, au sens de l'article 1 de la *Loi sur les impôts*, exploitée par la société de personnes;

b) un établissement, au sens du premier alinéa de l'article 12 ou des articles 13 à 16 de la *Loi sur les impôts*, d'un associé qui est une société si l'établissement est lié à une entreprise, au sens de l'article 1 de la *Loi sur les impôts*, exploitée par la société de personnes donnée;

Modification proposée — 11.2 par. 3º, s.-par. b)

Application: Le sous-paragraphe b) du paragraphe 3º de l'article 11.2 sera modifié par le s.-par. 217(1)(1º) du *Projet de loi 18* (présenté le 21 février 2013) par le remplacement de « 16 » par « 16.0.1 ». Cette modification s'appliquera à compter de l'année d'imposition 2009.

c) un établissement stable, au sens du présent article, d'un associé qui est une société de personnes si l'établissement est lié à une entreprise, au sens de l'article 1 de la *Loi sur les impôts*, exploitée par la société de personnes donnée;

d) dans tout autre cas, le lieu qui serait un établissement, au sens du premier alinéa de l'article 12 ou des articles 13 à 16 de la *Loi sur les impôts*, de la personne si la personne était une société et que ses activités constituaient une entreprise pour l'application de cette loi.

Modification proposée — 11.2 par. 3º, s.-par. d)

4) [sic] dans tout autre cas, le lieu qui serait un établissement, au sens du premier alinéa de l'article 12 ou des articles 13 à 16.0.1 de la *Loi sur les impôts*, de la personne si la personne était une société et que ses activités constituaient une entreprise pour l'application de cette loi.

Application: Le sous-paragraphe d) du paragraphe 3º de l'article 11.2 sera remplacé par le s.-par. 217(1)(2º) du *Projet de loi 18* (présenté le 21 février 2013) et cette modification s'appliquera à compter de l'année d'imposition 2009.

Notes historiques: Le préambule de l'article 11.2 a été remplacé par L.Q. 1999, art. 308(1). Cette modification a effet depuis le 1er avril 1997. Antérieurement, il se lisait comme suit :

11.2 Pour l'application de l'article 11.1 et des articles 22.2 à 22.30, l'expression « établissement stable » d'une personne signifie :

L'article 11.2 a été ajouté par L.Q. 1997, c. 85, art. 420(1) et a effet depuis le 1er avril 1997.

Définitions: « consommateur », « établissement stable », « personne » — 1.

Renvois: 11 (personne qui réside au Québec); 22.2–22.30 (lieu de la fourniture); 26.1 (définition de l'expression « établissement stable »).

Bulletins d'interprétation: TVQ. 16-14/R1 — Fournitures effectuées à un régime de pension agréé.

Lettres d'interprétation: 99-0112518 — Interprétation relative à la TVQ — Lieu de résidence d'une société; 06-0103629 — Interprétation relative à la TVQ — contrat de franchise vendue par un non-résident à un résident du Québec.

Concordance fédérale: LTA, par. 132.1(2).

COMMENTAIRES: Voir les commentaires sous l'article 14.1.

12. Établissement stable au Québec

12. Établissement stable au Québec — Une personne qui ne réside pas au Canada et qui a un établissement stable au Québec est réputée résider au Québec, mais seulement à l'égard des activités qu'elle exerce par l'intermédiaire de cet établissement.

Notes historiques: L'article 12 a été remplacé par L.Q. 1997, c. 85, art. 421(1) et a effet depuis le 1er avril 1997. Cet article, édicté par L.Q. 1991, c. 67, se lisait ainsi :

12. Une personne qui ne réside pas au Québec et qui y a un établissement stable est réputée résider au Québec, mais seulement à l'égard des activités qu'elle exerce par l'intermédiaire de cet établissement.

Définitions: « établissement stable », « personne » — 1.

Renvois: 423 (exception — fourniture taxable d'un service de transport d'un bien meuble); 423 (perception — vente d'un immeuble).

Jurisprudence: *Québec (Sous-ministre du Revenu) c. Lussier* (22 mai 1997), 500-27-024447-932.

Bulletins d'interprétation: TVQ. 16-14/R1 — Fournitures effectuées à un régime de pension agréé.

Formulaires: VD-442.S, *Demande de compensation de la TVQ au moyen d'un remboursement de TVQ*.

Lettres d'interprétation [art. 12]: 99-0106122 [A] — QST Interpretation National Advertising Campaign; 06-0103629 — Interprétation relative à la TVQ — contrat de franchise vendue par un non-résident à un résident du Québec.

Concordance fédérale: LTA, par. 132(2).

COMMENTAIRES: Voir les commentaires sous l'article 14.1.

12.1 Lieu de résidence de sociétés de transport international — Sous réserve de l'article 12, dans le cas où, en vertu de l'article 11.1.1 de la *Loi sur les impôts* (chapitre I-3), une société est réputée, pour l'application de cette loi, résider dans un pays autre que le Canada pendant toute son année d'imposition et ne résider au Canada à aucun moment de celle-ci, la société est réputée résider dans cet autre pays pendant toute l'année et ne résider au Canada à aucun moment de celle-ci.

Notes historiques: L'article 12.1 a été modifié par L.Q. 1997, c. 3, art. 135(2º) pour remplacer le mot « corporation » par le mot « société ». Cette modification est réputée entrée en vigueur le 20 mars 1997. Cet article a été ajouté par L.Q. 1994, c. 22, art. 365(1) et est réputé entré en vigueur le 1er juillet 1992.

Définitions: « année d'imposition » — 1.

Renvois: 1.1 (personne morale); 12, 13, 14 (présomptions de résidence et de non-résidence au Québec); 26.1 (définition de l'expression « établissement stable »); 506.1 (société et société de personnes).

Bulletins d'interprétation: TVQ. 16-14/R1 — Fournitures effectuées à un régime de pension agréé.

Concordance fédérale: LTA, par. 132(5).

COMMENTAIRES: Voir les commentaires sous l'article 14.1.

13. Établissement stable hors du Canada — Une personne qui réside au Québec et qui a un établissement stable hors du Canada est réputée ne pas résider au Québec, mais seulement à l'égard des activités qu'elle exerce par l'intermédiaire de cet établissement.

Notes historiques: L'article 13 a été remplacé par L.Q. 1997, c. 85, art. 421(1) et cette modification a effet depuis le 1er avril 1997.

Auparavant, cet article se lisait ainsi :

13. Une personne qui réside au Québec et qui a un établissement stable hors du Québec est réputée ne pas résider au Québec, mais seulement à l'égard des activités qu'elle exerce par l'intermédiaire de cet établissement.

L'article 13 a été édicté par L.Q. 1991, c. 67.

Définitions: « établissement stable », « personne » — 1.

Jurisprudence: *Québec (Sous-ministre du Revenu) c. Lussier* (22 mai 1997), 500-27-024447-932.

Bulletins d'interprétation: TVQ. 16-14/R1 — Fournitures effectuées à un régime de pension agréé.

Concordance fédérale: LTA, par. 132(3).

COMMENTAIRES: Voir les commentaires sous l'article 14.1.

14. Établissement stable hors du Canada — Pour l'application de l'article 351, une personne qui réside au Canada et qui a un établissement stable hors du Canada est réputée ne pas résider au

LTVQ (français)

Canada, mais seulement à l'égard des activités qu'elle exerce par l'intermédiaire de cet établissement.

Notes historiques: L'article 14 a été édicté par L.Q. 1991, c. 67.

Définitions: « établissement stable », « personne » — 1.

Concordance fédérale: LTA, par. 132(3).

COMMENTAIRES: Voir les commentaires sous l'article 14.1.

14.1 Personne réputée résidente au Canada — Une personne qui ne réside pas au Québec est réputée résider au Canada à un moment quelconque si elle est réputée y résider à ce moment en vertu de la *Loi sur la taxe d'accise* (Lois révisées du Canada (1985), chapitre E-15).

Notes historiques: L'article 14.1 a été ajouté par L.Q. 1995, c. 63, art. 300 et est réputé entré en vigueur le 1er juillet 1992 [*N.D.L.R.* : cette disposition s'applique conformément aux articles 618 à 656 et 685 L.Q. 1991, c. 67, tels que modifiés].

Définitions: « personne » — 1.

Formulaires: VD-442.S, *Demande de compensation de la TVQ au moyen d'un remboursement de TVQ.*

Lettres d'interprétation: 99-0112518 — Interprétation relative à la TVQ — Lieu de résidence d'une société.

Concordance fédérale: aucune.

COMMENTAIRES: À titre illustratif, prenons la situation où une société qui est constituée à l'étranger fait affaire au Québec et ailleurs au Canada et est inscrite aux fins de la TVQ et de la TPS. La société ne possède pas d'établissement stable au Québec tel que cette expression est définie à l'article 1, mais elle possède toutefois un établissement stable au sens du paragraphe 11.2(2). La société n'est pas résidante du Québec ni du Canada selon la notion jurisprudentielle du concept de résidence. Elle n'est pas non plus réputée résider au Québec en vertu de la présomption du paragraphe 11(1) puisqu'elle n'est pas constituée ou continuée au Québec. Toutefois, selon Revenu Québec, la société a un établissement stable au Canada. Pour cette raison, elle est réputée résider au Canada en vertu du paragraphe 132(2) de la *Loi sur la taxe d'accise*. En vertu de l'article 11.1, une personne est réputée résider au Québec si elle réside au Canada et si elle a au Québec un « établissement stable » tel que cette expression est définie à l'article 11.2. Voir notamment à cet effet : Revenu Québec, Lettre d'interprétation, 99-0112518 — *Interprétation relative à la TVQ — Lieu de résidence d'une société* (7 mars 2000).

En vertu du paragraphe 132(2) de la *Loi sur la taxe d'accise*, une personne non résidante qui a un établissement stable au Canada est réputée y résider, mais seulement en ce qui concerne les activités qu'elle exerce par l'entremise de l'établissement. Bien que le paragraphe 132(2) de la *Loi sur la taxe d'accise* prévoit qu'une partie des activités d'une société en particulier soit exercée en tant que personne résidante du Canada, la société n'est pas en soi résidante du Canada. Il s'ensuit que les sociétés qui sont réputées résider au Canada en vertu du paragraphe 132(2) de la *Loi sur la taxe d'accise* ne sont pas considérées avoir rempli les exigences quant à la résidence au Canada exigée par l'article 11.1. Voir notamment à cet effet : Revenu Québec, Lettre d'interprétation, 98-0112833 — *Interprétation relative à la TVQ — Notion de « résidence »* (art. 11.1 LTVQ) (27 janvier 1999).

Une société peut être divisée en plusieurs succursales. Contrairement à une filiale, la succursale ne jouit pas d'une personnalité juridique distincte. Il convient ici de souligner que l'article 11.1.1 ne crée pas une présomption, à l'effet qu'un établissement stable d'une personne constitue une personne distincte de celle-ci. La société et ses succursales ne constituant qu'une personne, l'inscription est donc valable à l'égard de l'entité juridique, soit la société. Dans la situation qui a été soumise à Revenu Québec, la société peut réclamer des remboursements de la taxe sur les intrants à l'égard de la TVQ payée ou payable pour les dépenses engagées pour le compte de l'établissement situé hors du Québec, pour autant que les autres conditions prévues à l'article 199 sont respectées Voir notamment à cet effet : Revenu Québec, Lettre d'interprétation, 99-0106122 — *QST Interpretation National Advertising Campaign* (2 mars 2000).

La définition de l'expression « établissement stable » prévue à l'article 11.2 réfère à des cas très spécifiques et à ce titre, cette définition diffère de celle qui figure à l'article 1 de la *Loi sur les impôts*.

L'article 12 prévoit qu'une personne qui ne réside pas au Canada et qui a un établissement stable au Québec est réputée résider au Québec, mais uniquement à l'égard des activités qu'elle exerce par l'intermédiaire de cet établissement. Or, pour l'application de l'article 12, l'article 1 définit la notion d'établissement stable. En principe, un contrat de franchise fait référence à une relation commerciale et contractuelle entre deux entreprises juridiquement indépendantes l'une de l'autre et dans le cadre de laquelle le franchisé n'agit pas à titre de mandataire ou de représentant du franchiseur. Généralement, une franchise n'est pas une succursale ni une filiale. Ainsi, un franchisé acquiert habituellement des biens et des services d'un franchiseur, pour ensuite les fournir pour son propre compte et non pour le compte du franchiseur. Dans ces circonstances, un franchiseur qui ne réside pas au Québec, qui n'y exploite pas d'entreprise et qui octroie une franchise à un franchisé établi au Québec ne détient pas, en raison de ce seul fait, un établissement stable au Québec aux fins de la TVQ. Voir notamment à cet effet : Revenu Québec, Lettre d'interprétation, 06-0103629 -- *Interprétation relative à la TVQ Contrat de franchise vendue par un non-résident à un résident du Québec* (9 juillet 2007).

Compte tenu de la similarité de la rédaction des dispositions législatives et considérant l'engagement spécifique de Revenu Québec de veiller à ce que l'assiette de TVQ modifiée, de même que les paramètres administratifs, structurels et définitionnels, produisent des résultats qui sont similaires à ceux produits sous le régime de la TPS/TVH et soient administrés d'une manière qui produit des résultats similaires, tel que reflété par l'article 14 de l'*Entente intégrée globale de coordination fiscale* signée entre le gouvernement du Canada et le gouvernement du Québec, nous vous référons à nos commentaires en vertu des articles 132 et 132.1 de la *Loi sur la taxe d'accise (TPS)* qui devraient s'appliquer *mutatis mutandis*, avec les adaptations nécessaires.

15. Juste valeur marchande — La juste valeur marchande d'un bien ou d'un service fourni à une personne s'établit sans tenir compte de toute taxe exclue par l'article 52 de la contrepartie de la fourniture.

Notes historiques: L'article 15 a été édicté par L.Q. 1991, c. 67.

Guides: IN-203 — Renseignements généraux sur la TVQ et la TPS/TVH.

Définitions: « bien », « contrepartie », « fourniture », « personne », « service », « taxe » — 1.

Renvois: 51 (valeur de la contrepartie).

Bulletins d'interprétation: TVQ. 225-1 — Juste valeur marchande d'un immeuble d'habitation.

Concordance fédérale: LTA, par. 123(1)« juste valeur marchande ».

15.1 Pour l'application de la définition de l'expression « teneur en taxe » prévue à l'article 1 à un moment postérieur au 31 décembre 2012, relativement à un bien d'une personne, tout montant de taxe devenu payable avant le 1er janvier 2013 n'est pas pris en considération, lorsque :

1° soit le bien est visé au cinquième alinéa de l'article 255.1 ou à l'un des articles 259.1 et 262.1;

2° soit le bien était détenu par la personne immédiatement avant le 1er janvier 2013 et l'inscription de celle-ci est annulée, à compter de cette date, conformément à l'article 417.0.1.

2012, c. 28, art. 30.

Notes historiques: L'article 15.1 a été ajouté par L.Q. 2012, c. 28, par. 30(1) et s'applique à compter du 1er janvier 2013.

Notes explicatives ARQ (PL 5, L.Q. 2012, c. 28): *Résumé* :

Le nouvel article 15.1 précise qu'il ne doit pas être tenu compte, pour les fins du calcul de la teneur en taxe d'un bien, de tout montant de taxe devenu payable avant le 1er janvier 2013 lorsque le bien est visé par certaines dispositions de nature transitoire découlant de l'exonération des services financiers à compter du 1er janvier 2013 dans le régime de la taxe de vente du Québec (TVQ).

Contexte :

À compter du 1er janvier 2013, la fourniture d'un service financier cesse, en règle générale, d'être détaxée et devient exonérée dans le régime de la TVQ. Il en découle que l'usage d'un bien comme immobilisation en vue d'effectuer des services financiers cessera, en règle générale, d'être dans le cadre d'activités commerciales. De ce fait, cela se traduira pour les fournisseurs de services financiers par une réduction, ou même une cessation, de l'utilisation de leurs biens dans le cadre de leurs activités commerciales. Or, la réduction ou la cessation de l'usage d'un bien comme immobilisation dans le cadre d'activités commerciales entraîne l'application des règles qui régissent les changements d'utilisation des biens en immobilisation d'un inscrit.

Pour assurer la transition d'un régime prévoyant la détaxation des services financiers vers un régime qui prévoit l'exonération de tels services, différentes dispositions transitoires, dont le présent article 15.1 de la LTVQ, sont mises en place par le présent projet de loi.

Modifications proposées :

Dans le cadre du présent projet de loi, différentes dispositions sont introduites pour, essentiellement, faire en sorte que ne soit pas récupéré le montant de remboursement de la taxe sur les intrants obtenu par un inscrit qui, normalement, le serait par suite de l'application des règles sur les changements d'utilisation d'un bien comme immobilisation, dans la mesure où ce changement d'utilisation découle de l'exonération des services financiers dans le régime de la TVQ à compter du 1er janvier 2013. Pour ce faire, ces dispositions prévoient que, dans ces circonstances et pour les biens meubles d'une institution financière dont le coût pour elle excède 50 000 $ et pour les biens immeubles, l'inscrit :

— est réputé, immédiatement avant le 1er janvier 2013, avoir effectué la fourniture du bien par vente et avoir perçu, à ce moment, la taxe relative à cette fourniture égale à la teneur en taxe du bien à ce moment (voir le cinquième alinéa de l'article 255.1 de la LTVQ et les articles 259.1 et 262.1 de la LTVQ);

— est réputé avoir, le 1er janvier 2013, reçu la fourniture du bien par vente et payé la taxe égale à la teneur en taxe du bien à ce moment (notons que la teneur en taxe du bien le 1er janvier 2013 est nulle en raison du présent article 15.1 de la LTVQ) (voir le cinquième alinéa de l'article 255.1 de la LTVQ et les articles 259.1 et 262.1 de la LTVQ);

— n'a pas à inclure le montant de taxe ainsi réputé perçu dans le calcul de sa taxe nette (voir le deuxième alinéa de l'article 429 de la LTVQ).

En corollaire, le nouvel article 15.1 de la LTVQ précise que la teneur en taxe d'un bien, dans ces circonstances, doit être calculée sans tenir compte de tout montant de taxe devenu payable avant le 1er janvier 2013.

De plus, le nouvel article 417.0.1 de la LTVQ, introduit par le présent projet de loi, prévoit l'obligation d'une personne qui, le 1er janvier 2013, est un fournisseur de services financiers inscrit dans le régime de la TVQde demander auministre du Revenu d'annuler son inscription lorsqu'elle n'est pas à ce moment inscrite dans le régime de la TPS. L'article 209 de la LTVQ ne s'applique pas à l'égard de cette annulation. Ainsi, la personne n'a pas à remettre les remboursements de la taxe sur les intrants obtenus avant 2013. En corollaire, l'article 15.1 de la LTVQ précise que la teneur en taxe d'un bien qu'une personne, dont l'inscription est annulée à compter du 1er janvier 2013 conformément à cet article 417.0.1, détenait, immédiatement avant cette date, ne comprend pas toute taxe devenue payable avant le 1er janvier 2013 relativement à ce bien.

Concordance fédérale: aucune.

Chapitre II — Imposition de la taxe

SECTION I — ASSUJETTISSEMENT

§ 1. — Fourniture taxable effectuée au Québec

Notes historiques: L'intertitre 1 a été ajouté par L.Q. 1994, c. 22, art. 366(1) et est réputé entré en vigueur le 1er juillet 1992.

16. Fourniture taxable effectuée au Québec — Tout acquéreur d'une fourniture taxable effectuée au Québec doit payer au ministre du Revenu une taxe à l'égard de la fourniture calculée au taux de 9,975 % sur la valeur de la contrepartie de la fourniture.

Fourniture détaxée — Toutefois, le taux de la taxe à l'égard d'une fourniture taxable qui est une fourniture détaxée est nul.

Modification proposée — Harmonisation du régime de taxation québécois au régime fédéral

Bulletin d'information 2012–4, 31 mai 2012: Afin d'atteindre une plus grande harmonisation du régime de la taxe de vente du Québec (TVQ) au régime fédéral de la taxe sur les produits et services (TPS) et de la taxe de vente harmonisée (TVH), les gouvernements du Canada et du Québec ont conclu, en mars 2012, une entente intégrée globale de coordination fiscale (EIGCF Canada-Québec) comportant différents engagements à cet égard.

Le présent bulletin d'information vise à préciser les modifications qui seront apportées au régime de la TVQ pour donner suite aux engagements d'harmonisation au régime de la TPS/TVH applicables en 2013.

[...]

Par ailleurs, ce bulletin d'information expose certaines modifications qui seront accessoirement apportées au régime de la TVQ pour assurer une application encore plus uniforme des régimes de taxation fédéral et québécois au Québec.

Retrait de la TPS de l'assiette de taxation québécoise et hausse correspondante du taux de la TVQ

Actuellement, la TVQ au taux de 9,5 % se calcule sur une contrepartie qui comprend la TPS au taux de 5 %, de sorte que le taux effectif de la TVQ est de 9,975 %.

Dans le cadre de l'EIGCF Canada-Québec, le gouvernement québécois s'est engagé à retirer la TPS de l'assiette de taxation sur laquelle s'applique la TVQ, et ce, à compter du 1er janvier 2013. Ainsi, le régime de la TVQ sera modifié pour prévoir l'exclusion de la TPS de la contrepartie d'une fourniture à compter de cette date.

De façon que ce retrait ait un impact neutre sur les finances publiques du Québec, le taux de 9,5 % de la TVQ sera au même moment porté à 9,975 %, soit le taux effectif de la TVQ jusqu'alors applicable.

Il en résulte qu'à compter du 1er janvier 2013, la TVQ au taux de 9,975 % se calculera sur une contrepartie excluant la TPS.

Précisions relatives à l'application de la TVQ de 9,975 % sur une assiette sans TPS

La TVQ au taux de 9,975 % s'appliquera aux fournitures taxables à l'égard desquelles cette taxe deviendra payable à compter du 1er janvier 2013, auquel cas elle se calculera sur la valeur de la contrepartie de la fourniture établie sans tenir compte de la TPS[2].

Or, le régime de la TVQ comporte de nombreuses dispositions pour déterminer le moment où la taxe devient payable par l'acquéreur de la fourniture taxable d'un bien ou d'un service.

En règle générale, la TVQ est payable par l'acquéreur au premier en date du jour où la contrepartie de la fourniture est payée et du jour où cette contrepartie devient due. Cette règle fait en sorte que la TVQ est payable à la date du paiement de la contrepartie par l'acquéreur au fournisseur ou, si elle est antérieure, à la date où ce dernier remet une facture à l'acquéreur. De plus, si la date indiquée sur la facture ou la date du paiement indiquée dans une convention écrite est antérieure à la date où la facture est remise par le fournisseur, la TVQ devient payable à la première de ces deux dates.

Il en découle que le moment où la TVQ devient payable dépend de la manière dont est conclue une transaction portant sur la fourniture d'un bien ou d'un service, laquelle diffère évidemment selon la nature du bien ou du service faisant l'objet de la transaction et le type de fourniture effectuée.

Les règles permettant de déterminer le moment où la TVQ au taux de 9,975 % s'appliquera, selon la nature du bien ou du service fourni et le type de fourniture effectuée, sont décrites ci-après.

Bien meuble et service

La fourniture taxable d'un bien meuble ou d'un service sera assujettie à la TVQ au taux de 9,975 %, si la totalité de sa contrepartie devient due après le 31 décembre 2012 et qu'elle n'est pas payée avant le 1er janvier 2013. De plus, la TVQ au taux de 9,975 % s'appliquera à l'égard de toute partie de la contrepartie d'une telle fourniture qui deviendra due après le 31 décembre 2012 et qui ne sera pas payée avant le 1er janvier 2013. La TVQ se calculera alors, selon le cas, sur la valeur de la contrepartie totale ou partielle établie sans tenir compte de la TPS.

Si l'une des dispositions relatives aux règles de prépondérance prévues par le régime de la TVQ devait s'appliquer à l'égard d'une fourniture et faire en sorte que le moment d'assujettissement corresponde à une date antérieure au 1er janvier 2013, la TVQ au taux de 9,5 % s'appliquera, auquel cas elle se calculera sur la valeur de la contrepartie de la fourniture établie en tenant compte de la TPS.

Immeuble

Fourniture par vente

La TVQ au taux de 9,975 % s'appliquera à la fourniture taxable d'un immeuble par vente effectuée en vertu d'une convention écrite conclue après le 31 décembre 2012, auquel cas elle se calculera sur la valeur de la contrepartie de la fourniture établie sans tenir compte de la TPS.

Fourniture autrement que par vente

Les règles décrites précédemment à l'égard de la fourniture taxable d'un bien meuble ou d'un service s'appliqueront également à l'égard de la fourniture taxable d'un immeuble effectuée autrement que par vente.

Modifications corrélatives

Les modifications corrélatives requises seront apportées au régime de taxation québécois pour refléter, d'une part, le retrait de la TPS de la contrepartie sur laquelle se calcule la TVQ et, d'autre part, la fixation du taux de cette taxe à 9,975 %. C'est le cas, par exemple, des dispositions législatives où sont employés les facteurs mathématiques 100/109,5 ou 9,5/109,5 et de celles relatives aux différents remboursements partiels de la taxe pouvant être accordés à un particulier à l'égard d'une habitation résidentielle neuve ou à un locateur à l'égard d'un immeuble d'habitation résidentiel neuf.

Modification proposée — 16

Protocole d'entente concernant l'harmonisation des taxes de vente en vue de la conclusion d'une entente intégrée globale de coordination fiscale entre le Canada et le Québec, 30 septembre 2011: *Maintien d'une assiette fiscale harmonisée*

8. Sous réserve des exceptions prévues par le présent protocole, le Québec veillera à ce que l'assiette de la TVQ modifiée, de même que les paramètres administratifs, structurels et définitionnels, produisent des résultats qui sont identiques à ceux produits sous le régime de la taxe sur les produits et services (« TPS ») ou de la taxe de vente harmonisée (« TVH ») et soient administrés d'une manière qui produit des résultats identiques. Le Québec, malgré l'alinéa 10d), s'engage donc à retirer la TPS de l'assiette de la TVQ modifiée.

9. Sous réserve des exceptions prévues par le présent protocole, et dans le respect des compétences de l'Assemblée nationale, le Québec s'engage à reproduire le plus tôt possible dans les textes législatifs concernant la TVQ, conformément à l'article 8, toute modification apportée par le Canada aux textes législatifs concernant la TPS/TVH. Toute modification requise apportée aux textes législatifs concernant la TVQ :

a) sera annoncée publiquement par le Québec le plus tôt possible après la date à laquelle le Canada aura annoncé publiquement la modification correspondante apportée à la TPS/TVH, mais au plus tard 90 jours après cette date, sauf accord contraire entre les parties;

b) de façon générale, s'appliquera à compter de la même date que la modification correspondante apportée à la TPS/TVH, mais au plus tard 60 jours après la date de cette modification, sauf s'il s'agit d'une modification imposant des pénalités ou des amendes.

LTVQ (français)

[2] Dans le cas de l'apport d'un bien corporel au Québec, la TVQ au taux de 9,975 % s'appliquera si l'apport est effectué après le 31 décembre 2012 et, lorsque la taxe doit être calculée sur le prix de revient du bien ou la valeur de la contrepartie de sa fourniture, le prix ou la contrepartie sera établi sans tenir compte de la TPS.

Dans le cas d'une modification imposant des pénalités ou des amendes, le Québec s'engage à déposer à l'Assemblée nationale, le plus tôt possible après avoir annoncé publiquement la modification, un projet de loi la mettant en œuvre.

Marge de manœuvre du Québec en matière de politique fiscale

10.La marge de manœuvre du Québec en matière de politique fiscale relative à la TVQ modifiée, qui a été établie compte tenu du fait que la TVQ est en vigueur depuis le 1er juillet 1992, sera confirmée dans l'EIGCF Canada-Québec. En voici la teneur :

a) Le Québec peut augmenter ou réduire le taux de la TVQ modifiée.

b) Les mesures relatives à la TVQ mentionnées à l'annexe A, telles qu'elles s'appliquent et sont administrées à la date de la signature du présent protocole, qui diffèrent de la TPS/TVH peuvent continuer de différer de celle-ci sous le régime de la TVQ modifiée, mais seulement dans la mesure de la différence.

c) Le Québec peut adopter des mesures administratives pour assurer l'intégrité du régime de la TVQ modifiée ou pour en simplifier, en améliorer ou en assouplir l'application, pour autant que les parties s'entendent sur l'adoption de ces mesures selon les principes du présent protocole.

d) L'assiette de la TVQ modifiée peut s'écarter de l'assiette de la TPS/TVH, pour autant que le total de la valeur absolue des écarts n'excède pas 5 % (tel que déterminé par le Canada en consultation avec le Québec) de l'assiette de TPS estimative pour le Québec.

Les parties conviennent que, pour l'application du présent protocole, la valeur totale des écarts ayant trait aux mesures mentionnées à l'annexe B qui ont été mises en place par le Québec avant la signature du présent protocole représente 3 % de l'assiette de TPS estimative pour le Québec.

Les parties conviennent que tout nouvel écart de l'assiette ne se fera que sous réserve de la disponibilité des données et des définitions utilisées dans le Système de comptabilité nationale du Canada ou dans d'autres sources de données, de définitions ou de méthodologies convenues d'un commun accord. Si des données ou des définitions ainsi convenues ne sont pas facilement accessibles, les coûts liés à leur obtention ou à leur établissement seront assumés entièrement par le Québec.

e) Le Québec peut fixer le taux des remboursements de la TVQ modifiée applicables aux municipalités, universités, écoles, collèges, hôpitaux, organismes de bienfaisance et organismes à but non lucratif admissibles ainsi que le taux des remboursements de la TVQ modifiée et les seuils applicables aux habitations neuves, tout en respectant les paramètres administratifs, structurels et définitionnels de la TPS/TVH relativement à ces remboursements. Toutefois, compte tenu de l'existence d'un accord entre le Québec et ses municipalités, le Québec peut conserver sa structure de remboursement relative aux municipalités, telle qu'elle s'applique et est administrée à la date de la signature du présent protocole, mais seulement jusqu'au 31 décembre 2013.

Réduction de l'assiette

Conformément aux dispositions de l'annexe C, si le Canada propose de retirer un bien ou un service de l'assiette de la TPS/TVH et que la reproduction de cette modification dans les textes législatifs concernant la TVQ aurait pour effet de réduire de plus de un pour cent les recettes nettes tirées de la TVQ modifiée, le Canada peut mettre la modification en œuvre si le ministre des Finances du Québec y consent par écrit. Le Canada, s'il met la modification en œuvre sans consulter le Québec ou s'il procède à sa mise en œuvre sans le consentement écrit du ministre des Finances du Québec, s'engage à dédommager le Québec conformément aux dispositions de cette annexe.

Document d'information, 30 septembre 2011: *Harmonisation de la Taxe de vente du Québec*

Le protocole d'entente (PE) qu'ont signé le Canada et le Québec le 30 septembre 2011 engage le Québec à harmoniser la Taxe de vente du Québec (TVQ) avec la Taxe sur les produits et services. Dans le cadre de ce PE, le Québec continuera d'administrer, de manière générale, la TVQ et la Taxe sur les produits et services/taxe de vente harmonisée (TPS/TVH) dans la province, tandis que la TVQ sera toujours régie par le Québec.

Le PE se traduira par l'harmonisation de la TPS et des assiettes et règles fiscales de la TPS et de la TVQ, ce qui allègera le fardeau des entreprises en matière d'observation des règles fiscales.

Une fois pleinement mis en œuvre, le PE éliminera complètement la TVQ sur des intrants clés tels que les télécommunications et l'énergie et permettra de s'assurer que le traitement fiscal des services financiers est conforme aux fins de l'application de la TVQ et de la TPS.

Principales caractéristiques du PE entre le Canada et le Québec

Selon le PE :

Le Canada versera au Québec des paiements totalisant 2,2 milliards de dollars – 733 millions de dollars le 1er janvier 2013, après la mise en œuvre de la TVQ modifiée, et 1,467 milliard de dollars le 1er janvier 2014.

Le Québec veillera à ce que l'assiette fiscale de la TVQ et les paramètres administratifs, structurels et définitionnels connexes produisent des résultats identiques à ceux obtenus dans le cadre du régime de la TPS/TVH et soient administrés de façon à produire des résultats identiques (sous réserve d'exceptions décrites dans le PE et expliquées ci-dessous).

Le Québec entreprendra d'éliminer la TPS de l'assiette fiscale de la TVQ (plus de taxe sur la taxe).

En vertu des dispositions législatives de la TVQ, le Québec s'engage à apporter toute modification que le Canada apportera en vertu des dispositions législatives de la TPS. En général, la modification s'appliquera à la même date que celle de l'entrée en vigueur de la modification à la TPS, mais, en tout état de cause, au plus tard 60 jours à partir de la date d'entrée en vigueur de la modification à la TPS.

Le traitement fiscal des services financiers au Québec sera harmonisé avec celui de la TPS.

Le Québec entreprendra de reproduire, en vertu des dispositions législatives de la TVQ, les règles sur le lieu de fourniture en vertu des dispositions législatives de la TPS/TVH, afin d'éviter les cas de non-taxe et de double taxe (les règles sur le lieu de fourniture précisent si les fournisseurs font payer la TVQ sur leurs produits).

Le Québec entreprendra d'éliminer progressivement ses restrictions actuelles sur les remboursements de taxe sur les intrants au cours d'une période transitoire d'au plus huit ans.

Le Québec adoptera les paramètres administratifs, structurels et définitionnels de la TPS pour les remboursements municipaux à compter du 1er janvier 2014.

Le Canada et le Québec conviennent de payer la TPS/TVH et la TVQ sur les achats gouvernementaux à compter du 1er avril 2013, afin de simplifier le processus d'observation des règles fiscales pour les entreprises. Lorsque les règles de l'exclusivité des compétences s'appliquent, la taxe payée sera récupérée à l'aide d'un mécanisme de rabais.

Le Québec continuera à fixer le taux de la TVQ et pourra conserver un nombre limité de ses mesures actuelles. Cela tient compte de l'existence de la TVQ depuis le 1er juillet 1992.

Comme pour les autres provinces, l'assiette fiscale de la TVQ pourra afficher un écart d'au plus 5 p. cent par rapport à l'assiette fiscale de la TPS.

Le Canada et le Québec feront de leur mieux pour conclure une Entente intégrée globale de coordination fiscale (EIGCF) d'ici le 1er avril 2012. L'EIGCF est un accord détaillé qui décrit les droits et obligations des parties liées par l'entente. Ce processus consistant à conclure un PE qui débouche sur une EIGCF est identique à celui que suit l'Ontario.

Notes historiques: Le premier alinéa de l'article 16 a été modifié par L.Q. 2012, c. 28, par. 31(1) par le remplacement de « 9,5 % » par « 9,975 % ». Cette modification a effet à compter du 1er janvier 2013, sauf à l'égard des fournitures visées aux quatre paragraphes suivants.

Sous réserve des deux paragraphes suivants, cette modification s'appliquera à l'égard :

1° de la fourniture d'un bien ou d'un service dont la totalité de la contrepartie devient due après le 31 décembre 2012 et n'est pas payée avant le 1er janvier 2013;

2° de la fourniture d'un bien ou d'un service dont une partie de la contrepartie devient due après le 31 décembre 2012 et n'est pas payée avant le 1er janvier 2013; toutefois, la taxe doit être calculée sur la valeur de toute partie de la contrepartie qui devient due ou est payée avant le 1er janvier 2013, au taux de 9,5 %.

Dans le cas où, en raison de l'application de l'article 86, la taxe prévue à l'article 16, tel que modifié, à l'égard de la fourniture d'un bien meuble corporel par vente, qui est calculée sur la valeur de la totalité ou d'une partie de la contrepartie de la fourniture est payable avant le 1er janvier 2013, la taxe devra être calculée au taux de 9,5 %, sauf dans la mesure où, en raison de l'application de l'article 89, la taxe calculée sur la valeur de la contrepartie ou d'une partie de la contrepartie est payable après le 31 décembre 2012.

Cette modification s'appliquera à l'égard de la fourniture d'un immeuble par vente effectuée en vertu d'une convention écrite conclue après le 31 décembre 2012.

Malgré le paragraphe ci-dessus, la modification ne s'appliquera pas à l'égard de la fourniture d'un bien ou d'un service lorsque, selon le cas :

1° la fourniture est effectuée en vertu d'une convention écrite, conclue avant le 1er janvier 2012, qui porte sur la construction, la rénovation, la transformation ou la réparation soit d'un immeuble, soit d'un bateau ou d'un autre bâtiment de mer;

2° la fourniture est celle d'un bien ou d'un service qui est délivré, exécuté ou rendu disponible de façon continue au moyen d'un fil, d'un pipeline ou d'une autre canalisation avant le 1er janvier 2012.

Pour l'application du sous-paragraphe 2° du paragraphe ci-dessus, dans le cas où la fourniture d'un bien ou d'un service délivré, exécuté ou rendu disponible de façon continue au moyen d'un fil, d'un pipeline ou d'une autre canalisation est effectuée au cours d'une période pour laquelle le fournisseur émet une facture à l'égard de la fourniture et que, en raison de la méthode d'enregistrement de la délivrance du bien ou de la prestation du service, le moment où la totalité ou une partie du bien ou du service est délivrée ou rendue ne peut être raisonnablement déterminé, la totalité du bien ou du service sera réputée délivrée ou rendue en quantités égales chaque jour de la période.

Le premier alinéa de l'article 16 a été modifié par L.Q. 2011, c. 6, par. 233(1) par le remplacement de « 8,5 % » par « 9,5 % ». Cette modification a effet à compter du 1er janvier 2012, sauf à l'égard des fournitures visées aux paragraphes 1 à 6, ci-dessous.

1. Sous réserve des paragraphes 2 à 6, ci dessous, cette modification s'applique à l'égard :

a) de la fourniture d'un bien ou d'un service dont la totalité de la contrepartie devient due après le 31 décembre 2011 et n'est pas payée avant le 1er janvier 2012;

b) de la fourniture d'un bien ou d'un service dont une partie de la contrepartie devient due après le 31 décembre 2011 et n'est pas payée avant le 1er janvier 2012; toutefois, la taxe doit être calculée sur la valeur de toute partie de la contrepartie qui devient due ou est payée, avant le 1er janvier 2012, au taux de 8,5 %.

2. Dans le cas où, en raison de l'application de l'article 86, la taxe prévue à l'article 16, tel que modifié par le paragraphe 229(1), à l'égard de la fourniture d'un bien meuble corporel par vente, calculée sur la valeur de la totalité ou d'une partie de la contrepartie de la fourniture est payable avant le 1er janvier 2012, la taxe doit être calculée au taux de 8,5 %, sauf si, en raison de l'application de l'article 89 de cette loi, la taxe calculée sur la valeur de la contrepartie ou d'une partie de la contrepartie est payable après le 31 décembre 2011, auquel cas la taxe doit être calculée au taux de 9,5 %.

3. Le paragraphe 229(1) s'applique à l'égard de la fourniture d'un immeuble par vente effectuée en vertu d'une convention écrite, conclue après le 31 décembre 2011, suivant laquelle la propriété et la possession de l'immeuble sont transférées à l'acquéreur après cette date.

4. Le paragraphe 229(1) s'applique à l'égard d'une fourniture effectuée en vertu d'une convention écrite, conclue après le 31 décembre 2011, qui porte sur la construction, la rénovation, la transformation ou la réparation soit d'un immeuble, soit d'un bateau ou d'un autre bâtiment de mer.

5. Le paragraphe 229(1) s'applique à l'égard de la fourniture d'un bien ou d'un service délivré, exécuté ou rendu disponible de façon continue au moyen d'un fil, d'un pipeline ou d'une autre canalisation après le 31 décembre 2011.

6. Dans le cas où la fourniture d'un bien ou d'un service est effectuée et que la contrepartie de la fourniture du bien ou du service délivré, exécuté ou rendu disponible au cours d'une période débutant avant le 1er janvier 2012 et se terminant après le 31 décembre 2011 est payée par l'acquéreur en vertu d'un plan à versements égaux prévoyant une conciliation des paiements qui doit avoir lieu après ou à la fin de la période, les règles suivantes s'appliquent :

a) le fournisseur doit, au moment où il émet une facture pour la conciliation des paiements, déterminer un montant positif ou négatif établi selon la formule suivante :

$$A - B;$$

b) si le montant déterminé en vertu du sous-paragraphe a) à l'égard de la fourniture d'un bien ou d'un service est positif et que le fournisseur est un inscrit, celui-ci doit percevoir de l'acquéreur ce montant à titre de taxe et est réputé l'avoir ainsi perçu le jour où la facture pour la conciliation des paiements est émise;

c) si le montant déterminé en vertu du sous-paragraphe a) à l'égard de la fourniture d'un bien ou d'un service est négatif et que le fournisseur est un inscrit, celui-ci doit rembourser à l'acquéreur ce montant ou le porter à son crédit et émettre une note de crédit pour ce montant, à moins que l'acquéreur n'émette une note de débit pour ce même montant, conformément à l'article 449.

7. Pour l'application de la formule prévue au sous-paragraphe a) du paragraphe qui précède :

a) la lettre A représente le total de la taxe qui serait payable par l'acquéreur à l'égard de la fourniture du bien ou du service délivré, exécuté ou rendu disponible au cours de la période si elle était calculée comme suit :

i. au taux de 8,5 % sur la valeur de la contrepartie attribuable à la partie du bien ou du service fourni qui est délivrée, exécutée ou rendue disponible avant le 1er janvier 2012, si la contrepartie attribuable à cette partie était devenue due ou avait été payée avant le 1er janvier 2012;

ii. au taux de 9,5 % sur la valeur de la contrepartie attribuable à la partie du bien ou du service fourni qui est délivrée, exécutée ou rendue disponible après le 31 décembre 2011, si la contrepartie attribuable à cette partie était devenue due après le 31 décembre 2011 et n'avait pas été payée avant le 1er janvier 2012;

b) la lettre B représente le total de la taxe payable par l'acquéreur à l'égard de la fourniture du bien ou du service délivré, exécuté ou rendu disponible au cours de la période.

8. Pour l'application des paragraphes 5 à 7 ci-dessus, dans le cas où la fourniture d'un bien ou d'un service délivré, exécuté ou rendu disponible de façon continue au moyen d'un fil, d'un pipeline ou d'une autre canalisation est effectuée au cours d'une période pour laquelle le fournisseur émet une facture à l'égard de la fourniture et qu'en raison de la méthode d'enregistrement de la délivrance du bien ou de la prestation du service, le moment où la totalité ou une partie du bien ou du service est délivrée ou rendue ne peut être raisonnablement déterminé, la totalité du bien ou du service est réputée délivrée ou rendue en quantités égales chaque jour de la période.

L'application de l'art. 16 a été modifiée par L.Q. 1997, c. 85, art. 777. Elle se lit comme suit :

La taxe prévue à l'article 16 de la *Loi sur la taxe de vente du Québec* (L.R.Q., chapitre T-0.1) n'est pas payable à l'égard de la partie ou de la totalité de la contrepartie de la fourniture d'un bien ou d'un service effectuée avant le 1er avril 1997 dans la mesure où la taxe prévue au paragraphe 2 de l'article 165 de la *Loi sur la taxe d'accise* (Lois révisées du Canada (1985), chapitre E-15) est payable en raison de l'application des articles 348 à 363 de la *Loi sur la taxe d'accise* à l'égard de cette partie ou de cette totalité de contrepartie.

Le premier alinéa de l'article 16 a été remplacé par L.Q. 1997, c. 85, art. 422(1). Cette modification a effet depuis le 1er avril 1997 sauf lorsque la modification vise à remplacer « 6,5 % » par « 7,5 % ». Dans ce dernier cas, la modification a effet à compter du 1er janvier 1998, sauf à l'égard des fournitures visées aux paragraphes 1 à 6.

1. Sous réserve des paragraphes 2 à 6, lorsque la modification apportée par l'article 422(1), L.Q. 1997, c. 85 vise à remplacer « 6,5 % » par « 7,5 % », cette modification s'applique à l'égard :

a) de la fourniture d'un bien ou d'un service dont la totalité de la contrepartie devient due après le 31 décembre 1997 et n'est pas payée avant le 1er janvier 1998;

b) de la fourniture d'un bien ou d'un service dont une partie de la contrepartie devient due après le 31 décembre 1997 et n'est pas payée avant le 1er janvier 1998; toutefois, la taxe doit être calculée sur la valeur de toute partie de la contrepartie qui devient due ou est payée avant le 1er janvier 1998, au taux de 6,5 %.

2. Dans le cas où en raison de l'application de l'article 86, la taxe prévue à l'article 16, tel que modifié par L.Q. 1997, c. 85, art. 422(1), à l'égard de la fourniture d'un bien meuble corporel par vente, calculée sur la valeur de la totalité ou d'une partie de la contrepartie de la fourniture est payable avant le 1er janvier 1998, la taxe doit être calculée au taux de 6,5 %, sauf si en raison de l'application de l'article 89, la taxe calculée sur la valeur de la contrepartie ou d'une partie de la contrepartie est payable après le 31 décembre 1997, auquel cas la taxe doit être calculée au taux de 7,5 %.

3. Lorsque la modification apportée par l'article 422(1), L.Q. 1997, c. 85, vise à remplacer « 6,5 % » par « 7,5 % », cette modification s'applique à l'égard de la fourniture d'un immeuble par vente effectuée en vertu d'une convention écrite conclue après le 31 décembre 1997, suivant laquelle la propriété et la possession de l'immeuble sont transférées à l'acquéreur après cette date.

4. Lorsque la modification apportée par l'article 422(1), L.Q. 1997, c. 85, vise à remplacer « 6,5 % » par « 7,5 % », cette modification s'applique à l'égard d'une fourniture effectuée en vertu d'une convention écrite conclue après le 31 décembre 1997, qui porte sur la construction, la rénovation, la transformation ou la réparation soit d'un immeuble, soit d'un bateau ou d'un autre bâtiment de mer.

5. Lorsque la modification apportée par l'article 422(1), L.Q. 1997, c. 85, vise à remplacer « 6,5 % » par « 7,5 % », cette modification s'applique à l'égard de la fourniture d'un bien ou d'un service délivré, exécuté ou rendu disponible de façon continue au moyen d'un fil, d'un pipeline ou d'une autre canalisation après le 31 décembre 1997, sauf si la contrepartie a été payée avant le 26 mars 1997.

6. Dans le cas où la fourniture d'un bien ou d'un service est effectuée et que la contrepartie de la fourniture du bien ou du service délivré, exécuté ou rendu disponible au cours d'une période débutant avant le 1er janvier 1998 et se terminant après le 31 décembre 1997, est payée par l'acquéreur en vertu d'un plan à versements égaux prévoyant une conciliation des paiements qui doit avoir lieu après ou à la fin de la période, les règles suivantes s'appliquent :

a) le fournisseur doit, au moment où il émet une facture pour la conciliation des paiements, déterminer un montant positif ou négatif établi selon la formule suivante

$$A - B;$$

b) si le montant déterminé en vertu du sous-paragraphe a) à l'égard de la fourniture d'un bien ou d'un service est positif et que le fournisseur est un inscrit, celui-ci doit percevoir de l'acquéreur ce montant à titre de taxe et est réputé l'avoir ainsi perçu le jour où la facture pour la conciliation des paiements est émise;

c) si le montant déterminé en vertu du sous-paragraphe a) à l'égard de la fourniture d'un bien ou d'un service est négatif et que le fournisseur est un inscrit, celui-ci doit rembourser à l'acquéreur ce montant ou le porter à son crédit et émettre une note de crédit pour ce montant, à moins que l'acquéreur n'émette une note de débit pour ce même montant, conformément à l'article 449.

7. Pour l'application de la formule prévue au sous-paragraphe a) du paragraphe 6 :

a) la lettre A représente le total de la taxe qui serait payable par l'acquéreur à l'égard de la fourniture du bien ou du service délivré, exécuté ou rendu disponible au cours de la période si elle était calculée comme suit :

i. au taux de 6,5 % sur la valeur de la contrepartie attribuable à la partie du bien ou du service fourni qui est délivrée, exécutée ou rendue disponible avant le 1er janvier 1998, si la contrepartie attribuable à cette partie était devenue due ou avait été payée avant le 1er janvier 1998;

ii. au taux de 7,5 % sur la valeur de la contrepartie attribuable à la partie du bien ou du service fourni qui est délivrée, exécutée ou rendue disponible après le 31 décembre 1997, si la contrepartie attribuable à cette partie était devenue due après le 31 décembre 1997 et n'avait pas été payée avant le 1er janvier 1998;

b) la lettre B représente le total de la taxe payable par l'acquéreur à l'égard de la fourniture du bien ou du service délivré, exécuté ou rendu disponible au cours de la période.

8. Pour l'application des paragraphes 5 à 7, dans le cas où la fourniture d'un bien ou d'un service délivré, exécuté ou rendu disponible de façon continue au moyen d'un fil, d'un pipeline ou d'une autre canalisation est effectuée au cours d'une période pour laquelle le fournisseur émet une facture à l'égard de la fourniture et qu'en

raison de la méthode d'enregistrement de la délivrance du bien ou de la prestation du service le moment où la totalité ou une partie du bien ou du service est délivrée ou rendue ne peut être raisonnablement déterminé, la totalité du bien ou du service est réputée délivrée ou rendue en quantités égales chaque jour de la période.

Antérieurement, le premier alinéa de l'article 16 se lisait comme suit :

16. Tout acquéreur d'une fourniture taxable effectuée au Québec doit payer au ministre du Revenu une taxe à l'égard de la fourniture égale à 6,5 % de la valeur de la contrepartie de la fourniture.

Le premier alinéa de l'article 16 a été modifié par L.Q. 2010, c. 5, par. 206(1) par le remplacement de « 7,5 % » par « 8,5 % ». Cette modification a effet à compter du 1er janvier 2011, sauf à l'égard des fournitures visées aux paragraphes 1 à 6 ci-dessous.

1. Sous réserve des paragraphes 4 à 8, le paragraphe 1 s'applique à l'égard :

a) de la fourniture d'un bien ou d'un service dont la totalité de la contrepartie devient due après le 31 décembre 2010 et n'est pas payée avant le 1er janvier 2011;

b) de la fourniture d'un bien ou d'un service dont une partie de la contrepartie devient due après le 31 décembre 2010 et n'est pas payée avant le 1er janvier 2011; toutefois, la taxe doit être calculée sur la valeur de toute partie de la contrepartie qui devient due ou est payée avant le 1er janvier 2011 au taux de 7,5 %.

2. Dans le cas où, en raison de l'application de l'article 86, la taxe prévue à l'article 16, tel que modifié par le paragraphe 1, à l'égard de la fourniture d'un bien meuble corporel par vente, calculée sur la valeur de la totalité ou d'une partie de la contrepartie de la fourniture est payable avant le 1er janvier 2011, la taxe doit être calculée au taux de 7,5 %, sauf si, en raison de l'application de l'article 89, la taxe calculée sur la valeur de la contrepartie ou d'une partie de la contrepartie est payable après le 31 décembre 2010, auquel cas la taxe doit être calculée au taux de 8,5 %.

3. Le paragraphe 1 s'applique à l'égard de la fourniture d'un immeuble par vente effectuée en vertu d'une convention écrite, conclue après le 31 décembre 2010, suivant laquelle la propriété et la possession de l'immeuble sont transférées à l'acquéreur après cette date.

4. Le paragraphe 1 s'applique à l'égard d'une fourniture effectuée en vertu d'une convention écrite, conclue après le 31 décembre 2010, qui porte sur la construction, la rénovation, la transformation ou la réparation soit d'un immeuble, soit d'un bateau ou d'un autre bâtiment de mer.

5. Le paragraphe 1 s'applique à l'égard de la fourniture d'un bien ou d'un service délivré, exécuté ou rendu disponible de façon continue au moyen d'un fil, d'un pipeline ou d'une autre canalisation après le 31 décembre 2010.

6. Dans le cas où la fourniture d'un bien ou d'un service est effectuée et que la contrepartie de la fourniture du bien ou du service délivré, exécuté ou rendu disponible au cours d'une période débutant avant le 1er janvier 2011 et se terminant après le 31 décembre 2010 est payée par l'acquéreur en vertu d'un plan à versements égaux prévoyant une conciliation des paiements qui doit avoir lieu après ou à la fin de la période, les règles suivantes s'appliquent :

a) le fournisseur doit, au moment où il émet une facture pour la conciliation des paiements, déterminer un montant positif ou négatif établi selon la formule suivante :

A B;

b) si le montant déterminé en vertu du sous-paragraphe a à l'égard de la fourniture d'un bien ou d'un service est positif et que le fournisseur est un inscrit, celui-ci doit percevoir de l'acquéreur ce montant à titre de taxe et est réputé l'avoir ainsi perçu le jour où la facture pour la conciliation des paiements est émise

c) si le montant déterminé en vertu du sous-paragraphe a à l'égard de la fourniture d'un bien ou d'un service est négatif et que le fournisseur est un inscrit, celui-ci doit rembourser à l'acquéreur ce montant ou le porter à son crédit et émettre une note de crédit pour ce montant, à moins que l'acquéreur n'émette une note de débit pour ce même montant, conformément à l'article 449.

7. Pour l'application de la formule prévue au sous-paragraphe a du paragraphe 6 :

a) la lettre A représente le total de la taxe qui serait payable par l'acquéreur à l'égard de la fourniture du bien ou du service délivré, exécuté ou rendu disponible au cours de la période si elle était calculée comme suit :

i. au taux de 7,5 % sur la valeur de la contrepartie attribuable à la partie du bien ou du service fourni qui est délivrée, exécutée ou rendue disponible avant le 1er janvier 2011, si la contrepartie attribuable à cette partie était devenue due ou avait été payée avant le 1er janvier 2011;

ii. au taux de 8,5 % sur la valeur de la contrepartie attribuable à la partie du bien ou du service fourni qui est délivrée, exécutée ou rendue disponible après le 31 décembre 2010, si la contrepartie attribuable à cette partie était devenue due après le 31 décembre 2010 et n'avait pas été payée avant le 1er janvier 2011;

b) la lettre B représente le total de la taxe payable par l'acquéreur à l'égard de la fourniture du bien ou du service délivré, exécuté ou rendu disponible au cours de la période.

8. Pour l'application des paragraphes 5 à 7, dans le cas où la fourniture d'un bien ou d'un service délivré, exécuté ou rendu disponible de façon continue au moyen d'un fil, d'un pipeline ou d'une autre canalisation est effectuée au cours d'une période pour laquelle le fournisseur émet une facture à l'égard de la fourniture et qu'en raison de la méthode d'enregistrement de la délivrance du bien ou de la prestation du service, le moment où la totalité ou une partie du bien ou du service est délivrée ou rendue ne peut être raisonnablement déterminé, la totalité du bien ou du service est réputée délivrée ou rendue en quantités égales chaque jour de la période.

Auparavant, le premier alinéa de l'article 16 a été modifié et le deuxième alinéa supprimé par L.Q. 1995, c. 1, art. 248(1). Ces modifications sont réputées entrées en vigueur le 13 mai 1994 sauf à l'égard des fournitures suivantes :

a) la fourniture d'un bien ou d'un service dont la totalité de la contrepartie devient due après le 12 mai 1994 et n'est pas payée avant le 13 mai 1994;

b) la fourniture d'un bien ou d'un service dont une partie de la contrepartie devient due après le 12 mai 1994 et n'est pas payée avant le 13 mai 1994; toutefois, la taxe doit être calculée sur la valeur de toute partie de la contrepartie qui devient due ou est payée avant le 13 mai 1994, au taux qui serait applicable à l'égard de la fourniture en vertu de l'article 16, tel qu'il se lisait immédiatement avant les modifications apportées.

Toutefois, ce qui précède doit être lu sous réserves de ce qui suit :

1. Dans le cas où en raison de l'application de l'article 86, la taxe prévue à l'article 16, tel que modifié, à l'égard de la fourniture d'un bien meuble corporel par vente, calculée sur la valeur de la totalité ou d'une partie de la contrepartie de la fourniture est payable avant le 13 mai 1994, la taxe doit être calculée au taux qui serait applicable à l'égard de la fourniture en vertu de l'article 16, tel qu'il se lisait immédiatement avant les modifications apportées, sauf si en raison de l'application de l'article 89, la taxe calculée sur la valeur de la contrepartie ou d'une partie de la contrepartie est payable après le 12 mai 1994, auquel cas la taxe doit être calculée au taux de 6,5 %.

La modification du premier alinéa et la suppression du deuxième alinéa de l'article 16 s'appliquent à l'égard :

1º de la fourniture d'un immeuble par vente effectuée en vertu d'une convention écrite conclue après le 12 mai 1994, suivant laquelle la propriété et la possession de l'immeuble sont transférées à l'acquéreur après cette date;

2º d'une fourniture effectuée en vertu d'une convention écrite conclue après le 12 mai 1994, qui porte sur la construction, la rénovation, la transformation ou la réparation soit d'un immeuble, soit d'un bateau ou d'un autre bâtiment de mer;

3º de la fourniture d'un bien ou d'un service délivré, exécuté ou rendu disponible de façon continue au moyen d'un fil, d'un pipeline ou d'une autre canalisation après le 12 mai 1994.

2. Dans le cas où la fourniture d'un bien ou d'un service est effectuée et que la contrepartie de la fourniture du bien ou du service délivré, exécuté ou rendu disponible au cours d'une période débutant avant le 13 mai 1994 et se terminant après le 12 mai 1994, est payée par l'acquéreur en vertu d'un plan à versements égaux prévoyant une conciliation des paiements qui doit avoir lieu après ou à la fin de la période, les règles suivantes s'appliquent :

a) le fournisseur doit, au moment où il émet une facture pour la conciliation des paiements, déterminer un montant positif ou négatif établi selon la formule suivante :

A – B;

b) si le montant déterminé en vertu du sous-paragraphe a) à l'égard de la fourniture d'un bien ou d'un service est positif et que le fournisseur est un inscrit, celui-ci doit percevoir de l'acquéreur ce montant à titre de taxe et est réputé l'avoir ainsi perçu le jour où la facture pour la conciliation des paiements est émise;

c) si le montant déterminé en vertu du sous-paragraphe a) à l'égard de la fourniture d'un bien ou d'un service est négatif et que le fournisseur est un inscrit, celui-ci doit rembourser à l'acquéreur ce montant ou le porter à son crédit et émettre une note de crédit pour ce montant, à moins que l'acquéreur n'émette une note de débit pour ce même montant, conformément à l'article 449.

3. Pour l'application de la formule prévue au sous-paragraphe a) qui précède :

a) la lettre A représente le total de la taxe qui serait payable par l'acquéreur à l'égard de la fourniture du bien ou du service délivré, exécuté ou rendu disponible au cours de la période si elle était calculée comme suit :

i. au taux de 8 % ou de 4 %, selon le cas, sur la valeur de la contrepartie attribuable à la partie du bien ou du service fourni qui est délivrée, exécutée ou rendue disponible avant le 13 mai 1994, si la contrepartie attribuable à cette partie était devenue due ou avait été payée avant le 13 mai 1994;

ii. au taux de 6,5 % sur la valeur de la contrepartie attribuable à la partie du bien ou du service fourni qui est délivrée, exécutée ou rendue disponible après le 12 mai 1994, si la contrepartie attribuable à cette partie était devenue due après le 12 mai 1994 et n'avait pas été payée avant le 13 mai 1994;

b) la lettre B représente le total de la taxe payable par l'acquéreur à l'égard de la fourniture du bien ou du service délivré, exécuté ou rendu disponible au cours de la période.

4. Pour l'application du sous-paragraphe 1(3º) et des paragraphes 2 et 3 qui précèdent, dans le cas où la fourniture d'un bien ou d'un service délivré, exécuté ou rendu

disponible de façon continue au moyen d'un fil, d'un pipeline ou d'une autre canalisation est effectuée au cours d'une période pour laquelle le fournisseur émet une facture à l'égard de la fourniture et qu'en raison de la méthode d'enregistrement de la délivrance du bien ou de la prestation du service le moment où la totalité ou une partie du bien ou du service est délivrée ou rendue ne peut être raisonnablement déterminé, la totalité du bien ou du service est réputée délivrée ou rendue en quantités égales chaque jour de la période.

Le premier alinéa de l'article 16, édicté par L.C. 1991, c. 67, se lisait comme suit :

16. Tout acquéreur d'une fourniture taxable effectuée au Québec doit payer au ministre du Revenu une taxe à l'égard de la fourniture égale à 8 % de la valeur de la contrepartie de la fourniture.

Le deuxième alinéa de l'article 16, modifié par L.Q. 1994, c. 22, art. 367(1) et réputé entré en vigueur le 1er juillet 1992, se lisait comme suit :

Malgré le premier alinéa, le taux de la taxe est de 4 % à l'égard de :

1° la fourniture effectuée par le titulaire d'un permis de taxi qui consiste à confier l'exploitation et la garde d'un taxi à l'acquéreur de la fourniture;

2° la fourniture d'un bien meuble incorporel, d'un immeuble ou d'un service, autre que :

a) la fourniture d'un service de téléphone;

b) la fourniture d'une télécommunication ou d'un service de télécommunication à l'égard de laquelle la taxe prévue par la *Loi concernant la taxe sur les télécommunications* (L.R.Q., chapitre T-4) s'appliquerait si ce n'était de l'article 14 de cette loi.

Le deuxième alinéa de l'article 16, édicté par L.Q. 1993, c. 19, art. 168, s'appliquait à l'égard d'une fourniture ou d'un apport au Québec relativement auquel l'article 685 ou l'un des articles 618 à 656 de L.Q. 1991, c. 67 s'applique [*N.D.L.R.* : les articles 685 et 618 à 656 réfèrent à des dispositions transitoires concernant les transferts avant le 1er juillet 1992]. Il se lisait comme suit :

Malgré le premier alinéa, le taux de la taxe est de 4 % à l'égard de la fourniture d'un bien meuble incorporel, d'un immeuble ou d'un service, autre que :

1° la fourniture d'un service de téléphone;

2° la fourniture d'une télécommunication ou d'un service de télécommunication à l'égard de laquelle la taxe prévue par la *Loi concernant la taxe sur les télécommunications* (L.R.Q. chapitre T-4) s'appliquerait si ce n'était de l'article 14 de cette loi.

L'article 16 a été édicté par L.C. 1991, c. 67.

Notes explicatives ARQ (PL 5, L.Q. 2012, c. 28): *Résumé* :

L'article 16 est modifié afin de remplacer le taux de taxation de 9,5 % par 9,975 % afin de tenir compte du fait que la taxe sur les produits et services (TPS) est retirée de l'assiette de la taxe de vente du Québec (TVQ) à compter du 1er janvier 2013.

Situation actuelle :

L'article 16 prévoit l'assujettissement d'une fourniture taxable effectuée au Québec à une taxe de vente calculée au taux de 9,5 % sur la valeur de la contrepartie de la fourniture. En vertu des règles actuelles, la contrepartie de la fourniture comprend la TPS.

Modifications proposées :

Afin de tenir compte du fait que la TPS est retirée de l'assiette de la TVQ à compter du 1er janvier 2013, il y a lieu de modifier l'article 16 de la LTVQ. Cette modification a pour objet de remplacer le taux de taxation de 9,5 % par un taux établi à 9,975 %, soit un taux équivalent au taux effectif dans le régime actuel.

Notes explicatives ARQ (PL 5, L.Q. 2011, c. 6): *Résumé* :

L'article 16 est modifié afin de remplacer le taux de taxation de 8,5 % par 9,5 % à compter du 1er janvier 2012.

Situation actuelle :

Actuellement, l'article 16 prévoit l'assujettissement d'une fourniture taxable effectuée au Québec à une taxe de vente calculée au taux de 8,5 % sur la valeur de la contrepartie de la fourniture.

Modifications proposées :

La modification apportée à l'article 16 vise à remplacer, à compter du 1er janvier 2012, le taux de taxation de 8,5 % par un taux établi à 9,5 %.

Notes explicatives ARQ (PL 64, L.Q. 2010, c. 5): *Résumé* :

L'article 16 est modifié afin de remplacer le taux de taxation de 7,5 % par 8,5 %.

Situation actuelle :

Actuellement, l'article 16 de la LTVQ prévoit l'assujettissement d'une fourniture taxable effectuée au Québec à une taxe de vente calculée au taux de 7,5 % sur la valeur de la contrepartie de la fourniture.

Modifications proposées :

La modification apportée à l'article 16 de la LTVQ vise à remplacer le taux de taxation de 7,5 % par un taux établi à 8,5 %.

Guides: IN-203 — Renseignements généraux sur la TVQ et la TPS/TVH; IN-205 — Remboursement de la TVQ et de la TPS/TVH — Habitations neuves — Immeubles d'habitation locatifs neufs — Rénovations majeures; IN-211 — La TVQ, la TPS/TVH, les appareils médicaux et les médicaments; IN-216 — La TVQ, la TPS/TVH et l'alimentation; IN-218 — La TVQ, la TPS/TVH, la taxe sur les carburants et les transporteurs de marchandises; IN-229 — La TVQ, la TPS/TVH pour les organismes sans but lucratif; IN-263 — Les fabricants de boissons alcooliques et les taxes à la consommation; IN-300 — Vous êtes travailleur autonome? Aide–mémoire concernant la fiscalité; IN-305 — Les organismes sans but lucratif et la fiscalité; IN-307 — Le démarrage d'entreprise et la fiscalité; IN-624 — La TVQ, la TPS/TVH et les véhicules routiers.

Définitions: « acquéreur », « contrepartie », « fourniture », « fourniture détaxée », « fourniture exonérée », « fourniture taxable », « taxe » — 1.

Renvois: 17 (taux de taxe — apport de biens au Québec); 18 (taux de taxe — apport de biens au Québec); 20.1 (véhicule routier); 32.4 (fourniture d'un immeuble situé en partie au Québec); 32.5 (fourniture d'un service de transport de marchandises); 51 (valeur de la contrepartie); 69 (fraction de montant); 69.6 (calcul de la taxe sur plusieurs fournitures); 82.1 (taxe payable); 93–172.1 (fournitures exonérées); 173–198 (fournitures détaxées); 353.0.1 (apport temporaire de bien meuble corporel); 289.2 (définitions); 353.0.3 (bien meuble incorporel ou service); 362.2, 362.3 (remboursement par un particulier pour un immeuble d'habitation à logement unique ou logement en copropriété); 378.7 (montant du remboursement pour fourniture d'un immeuble d'habitation loué à des fins résidentielles); 378.11 (montant du remboursement pour coopérative d'habitation); 378.14 (remboursement JVM d'une habitation); 378.15 (remboursement JVM d'un fonds de terre); 378.15.1(redressement pour remboursement transitoire); 406 (compensation à l'égard d'un livre); 422, 423 (perception); 437 (calcul de la taxe nette); 450.0.6 (montant indiqué de la note de redressement); 473.1 (versement de la taxe payable sur un véhicule routier); 635.8 (échange contre un bien de contrepartie égale); 635.9 (échange contre un bien de contrepartie supérieure); 670.30 (remboursement transitoire — taxe de vente d'un immeuble); 670.33 (montant du remboursement — taxe de vente d'un immeuble); 670.34 (remboursement transitoire — taxe de vente d'un immeuble); 670.39 (montant du remboursement — taxe de vente d'un immeuble); 670.42 (remboursement à l'égard d'un immeuble d'habitation); 670.44 (remboursement transitoire au constructeur d'un immeuble); 670.45 (montant du remboursement au constructeur d'un immeuble); 670.46 (remboursement à l'égard d'un immeuble d'habitation); 670.48 (remboursement transitoire au constructeur d'un immeuble); 670.56 (remboursement transitoire au constructeur d'un immeuble); 670.59 (remboursement à l'égard de la fourniture d'un immeuble d'habitation); 670.61 (remboursement à l'égard de la fourniture d'un immeuble d'habitation); 670.62 (montant du remboursement — fourniture d'un immeuble d'habitation); 670.63 (remboursement à l'égard de la fourniture d'un immeuble d'habitation); 670.67 (remboursement à l'égard de la fourniture d'un immeuble d'habitation); 670.75 (remboursement à l'égard d'un immeuble d'habitation); 670.81 (remboursement à l'égard d'un immeuble d'habitation); 670.86 (montant du remboursement au constructeur d'un immeuble); 678 (non-assujettissement du gouvernement du Québec et de ses mandataires); 685 (application de la TVQ); 59.2 LAF (pénalité).

Jurisprudence: *Agence du revenu du Québec c. 9083-9978 Québec inc.* (15 mars 2012), 500-05-081449-116, 2012 CarswellQue 6497; *Leclaire c. Québec (Sous-ministre du Revenu)* (23 décembre 2010), 500-05-006143-943, 2010 CarswellQue 14397; *Robitaille c. Québec (Sous-ministre du Revenu)* (24 septembre 2010), 200-80-001797-057, 2010 CarswellQue 11493; *Québec (Sous-ministre du Revenu) c. Cun* (13 novembre 2008), 505-61-074113-069, 2008 CarswellQue 11822; *Vêtements de sport Chapter One inc. c. Québec (Sous-ministre du Revenu)* (2 avril 2008), 500-09-017382-078, 2008 CarswellQue 2455 (C.A. Qué.); *Weinstein & Gavino Fabrique et Bar à pâtes compagnie ltée c. Québec (Sous-ministre du Revenu)* (19 décembre 2007), 500-17-015442-034, 2007 CarswellQue 12599; *Québec (Sous-ministre du Revenu) c. 3199959 Canada inc.* (6 septembre 2006), 500-09-015494-057, 2007 CarswellQue 8323; *Rafla c. Québec (Sous-ministre du Revenu)* (17 octobre 2006), 500-09-015241-052, 2006 CarswellQue 8996; *PA Distribution inc. c. Québec (Sous-ministre du Revenu)* (17 octobre 2005), 500-80-002677-046, 2005 CarswellQue 13593; *Groupe Collège Lasalle inc. c. Québec (Sous-ministre du Revenu)* (10 juin 2005), 500-09-010491-017, 2005 CarswellQue 3853 (fournitures visées par un sous-bail emphytéotique) (C.A. Qué.); *3863506 Canada inc. c. Québec (Sous-ministre du Revenu)* (12 mai 2005), 500-80-002087-030, 2005 CarswellQue 2711 (véhicules destinés à la revente) (C.Q.); *Rebuts de l'Outaouais inc. c. Québec (Sous-ministre du Revenu)* (28 avril 2005), 550-80-000198-032, 2005 CarswellQue 2883 (vente d'entreprise *v.* vente d'équipements) (C.Q.); *9019-3434 Québec inc. c. Québec (Sous-ministre du Revenu)* (1 mars 2004), 500-02-108022-026, 2004 CarswellQue 970 (méthode de calcul); *Durand c. Québec (Sous-ministre du Revenu)* (29 janvier 2004), 200-09-003865-026, 2004 CarswellQue 116 (chiffre d'affaires et le pourcentage de fournitures taxables); *Durand c. S.M.R.Q.* (19 novembre 2001), 200-02-009176-969, 2001 CarswellQue 3332 ; *Auberge La Calèche 1992 inc. c. Québec (Sous-ministre du Revenu)* (28 janvier 2004), 500-09-011756-012, 2004 CarswellQue 110 (forfaits tout inclus) (C.A. Qué.); *Auberge La Calèche 1992 inc. c. S.M.R.Q.* (21 novembre 2001), 500-02-072512-986, 2001 CarswellQue 3334 (C.Q.); *Transportaction Lease Systems Inc c. Québec (Sous-ministre du Revenu)* (18 septembre 2002), 500-02-078935-991, 2002 CarswellQue 2585 (transfert des droits locatifs sur des véhicules) (C.Q.); *André c. Québec (Ministère du Revenu)* (10 mai 2001), 550-32-008615-004, 2001 CarswellQue 1949 (matériaux de construction pour maison neuve); *Cigana c. Québec (Sous-ministre du Revenu)* (22 mars 2001), 500-02-029049-967, 2001 CarswellQue 1444 (location d'immeuble).

Bulletins d'interprétation: TVQ. 16-7/R1 — Service de transport d'une matière en vrac; TVQ. 16-2/R3 — La livraison de fleurs par l'entremise d'un service de commande à distance; TVQ. 1-4/R2 — La société de moyens; TVQ. 1-5 — La taxe de vente du Québec et les services rendus par un huissier; TVQ. 1-9/R1 — Juges des cours municipales; TVQ. 16-1/R2 — Le gouvernement du Canada et les taxes à la consommation du Québec; TVQ. 16-2/R2 — La livraison de fleurs par l'entremise d'un service de com-

LTVQ (français)

mande à distance; TVQ. 16-3/R1 — Courtage immobilier; TVQ. 16-4/R1 — Plan américain; TVQ. 16-5/R1 — Les démarcheurs; TVQ. 16-6 — L'industrie de la construction; TVQ. 16-8/R1 — La fourniture et l'installation d'une remontée mécanique; TVQ. 16-9/R1 — Détaxation de certains forfaits hôteliers; TVQ. 16-11/R2 — La taxe de vente du Québec et le Discours sur le budget 1994-1995; TVQ. 16-12/R1 — La règle concernant la valeur estimative et l'option d'achat d'un véhicule routier loué; TVQ. 16-13/R1 — Programme d'aide financière pour la mise en valeur des forêts privées; TVQ. 16-14/R1 — Fournitures effectuées à un régime de pension agréé; TVQ. 16-15/R1 — Détaxation de certains forfaits hôteliers-Application aux séjours dans les camps de vacances; TVQ. 16-16/R1 — Le *Code civil du Québec* et la *Loi sur la taxe de vente du Québec*; TVQ. 16-17/R2 — Règles relatives aux Indiens; TVQ. 16-18/R2 — Matériel de transport routier interprovincial et international; TVQ. 16-19/R1 — La taxe de vente au Québec et les services de télécommunication; TVQ. 16-20/R1 — La taxe de vente du Québec et les fournisseurs de services d'accès au réseau Internet; TVQ. 16-21 — Frais réclamés par les organismes de mise en marché des produits agricoles alimentaires et de la pêche; TVQ. 16-22 — Agences de mise en valeur de la forêt privée; TVQ. 16-23 — La fiducie simple (« Bare trust »); TVQ. 16-24 — Remboursement de dépenses effectué par un sous-transporteur à un transporteur principal; TVQ. 16-25 — Location de véhicules à long terme affectés au transport interprovincial; TVQ. 16-26 — Application de la taxe de vente du Québec dans le cadre du programme « Brancher les familles sur Internet »; TVQ. 16-27 — Fournitures de photocopies par un organisme de bienfaisance, une institution publique ou un organisme de services publics au sens de l'article 139 de la *Loi sur la taxe de vente du Québec*; TVQ. 16-28 — Fourniture de services aux membres d'un organisme à but non lucratif oeuvrant dans le domaine du tourisme; TVQ. 16-29 — Fournitures réalisées par les gestionnaires de salle de bingo; TVQ. 16-30/R1 — Contrat de prête-nom; TVQ. 22.7-1/R1 — Lieu de la fourniture d'un bien meuble corporel par vente; TVQ. 22.15-1/R1 — Les services de conception et d'hébergement d'un site Web et la taxe de vente du Québec; TVQ. 22.26-1/R1 — Les services de conception et d'hébergement d'un site Web et la taxe de vente du Québec; TVQ. 51-1 — Contrepartie sous forme de biens ou de services; TVQ. 51-2 — Fourniture par tirage d'un bien; TVQ. 51-3 — Réduction de la contrepartie d'une fourniture; TVQ. 75-2/R1 — Transfert d'entreprise dont la totalité ou une partie des biens sont situés hors du Québec; TVQ. 82-1/R2 — Moment d'imposition de la fourniture relative à un immeuble par un entrepreneur en construction; TVQ. 82-2 — Moment d'imposition au regard de la fourniture par louage d'une voiture effectuée par l'entremise d'une agence de voyage; TVQ. 82-3 — Contrats d'arrangements préalables de services funéraires; TVQ. 83-1 — La notion de « facture »; TVQ. 92-1/R1 — La notion de dépôt; TVQ. 126-2/R2 — Frais afférents au matériel pédagogique exigés par une université; TVQ. 138.1-1/R1 — Fournitures de biens et de services funéraires par un organisme de bienfaisance; TVQ. 164.1-1/R2 — Réfection par une municipalité de routes dont la gestion incombe au ministère des Transports du Québec; TVQ. 176-2/R2 — La fourniture de lunettes et de lentilles cornéennes; TVQ. 198-3/R1 — Les opérations de troc et les unités d'échange; TVQ. 201-1/R2 — Remboursement de la taxe sur les intrants — renseignements insuffisants — fausse facturation — exigences documentaires en matière de remboursement de la taxe sur les intrants; TVQ. 206.1-1 — Carburant acquis en partie à des fins de consommation et en partie à des fins de revente; TVQ. 223-2/R2 — Mesure d'assouplissement relative à la fourniture à soi-même d'un immeuble d'habitation; TVQ. 350.7.2-1/R1 — Les opérations de troc et la désignation d'un réseau de troc; TVQ. 406-1/R2 — Compensation à l'égard des livres imprimés; TVQ. 407-3/R2 — Partis politiques; TVQ. 415-1/R1 — Utilisation du numéro d'inscription; TVQ. 423-1/R1 — Non-perception de la taxe lors de la fourniture taxable d'un immeuble par vente à un inscrit; TVQ. 514-1/R1 — Les frais d'administration relatifs à un régime d'avantages sociaux non assurés; TVQ. 678-1/R4 — Le gouvernement du Québec et les taxes à la consommation du Québec.

Lettres d'interprétation: 11-011899 — Interprétation relative à la TPS/TVH, Interprétation relative à la TVQ — Trocs entre inscrits; 98-0102800 — Taux de taxe de vente applicable; 98-0105035 — Interprétation relative à la TPS et à la TVQ — Convention de partage des dépenses d'un groupe de médecins; 98-0106306 — Application des taxes dans le cas de location de chambres au mois; 98-0107619 — Interprétation relative à la TVQ — Taxe sur les services professionnels (services juridiques) — Conseil de bande autochtone; 98-0107809 — Décision portant sur l'application de la TPS — Interprétation relative à la TVQ — Contrats d'assurance relatifs à la vente d'une automobile; 98-0110019 — Direction générale de la métropole; 98-0110282 — Interprétation relative à la TPS — Interprétation relative à la TVQ — Comités; 98-0110910 — Interprétation en TPS et en TVQ; 98-0111033 — Inscription d'un petit fournisseur et teneur en taxe d'un camion; 99-0100463 — Interprétation relative à la TPS — Interprétation relative à la TVQ; 99-0100497 — Interprétation relative à la TPS — Interprétation relative à la TVQ — Responsabilité pour paiement des taxes; 99-0103491 — Interprétation relative à la TPS et à la TVQ — Transfert d'achalandage; 99-0104929 — Décision portant sur l'application de la TPS — Interprétation relative à la TVQ — Approvisionnement en commun de biens et services pour les établissements de santé; 99-0108441 — Interprétation en TPS et en TVQ — Installations récréatives; 00-0100784 — Interprétation relative à la TPS — Interprétation relative à la TVQ — Exonération fiscale accordée aux Indiens — Livraison dans une réserve indienne; 00-0104372 — Interprétation relative à la TVQ — Campagne de publicité nationale; 00-0104414 — Interprétation relative à la TVQ — Clinique [de chirurgie] et mandat de gestion; 00-0107599 — Interprétation relative à la TVQ — Location de véhicules routiers à des diplomates et autres personnes spécifiques; 00-0110932 — Interprétation relative à la TPS et à la TVQ — Fourniture d'un service de téléphonie cellulaire à un Indien; 00-0112094 — Contrat de mandat; 00-0112425 — Interprétation relative à la TVQ — Traitement des frais de livraison lors d'une vente — FAB destination; 01-0102473 — Interprétation relative à la TPS et à la TVQ — Indemnité versée en matière d'expropriation; 01-0103042 — Interprétation relative à la TPS et à la TVQ — Acquisition d'un bien conclue par un Indien au moyen d'Internet; 01-0103984 — Interprétation relative à la TPS et à la TVQ — Subvention vs contrepartie pour des services; 01-0105666 — Interprétation relative à la TPS et à la TVQ; 01-0109668 — Interprétation relative à la TVQ — Frais relatifs à la location d'un véhicule automobile; 02-0100160 — Interprétation relative à la TPS et à la TVQ — Qualification d'un service rendu à ses membres par une association (« Asso »); 02-0100913 — Interprétation relative à la TVQ — Fourniture d'un véhicule automobile usagé; 02-0102299 — Décision portant sur l'application se la TPS — Interprétation relative à la TVQ, reprise d'un véhicule routier; 02-0107512 — Application de la taxe sur les primes d'assurances à l'égard des primes d'assurance automobile payables par des Indiens; 02-0108601 — Interprétation relative à la TPS et à la TVQ — Achat d'un véhicule par un Indien et un non-Indien; 03-0101794 — Interprétation relative à la TPS et à la TVH — interprétation relative à la TVQ — [Activités reliées au secteur de l'informatique]; 03-0108310 — Fourniture d'un service de concessionnaire alimentaire dans une résidence pour personnes âgées; 04-0107500 — Demande d'interprétation — service découlant d'une garantie; 05-0101997 — Interprétation relative à la TPS et à la TVQ — Remise accordée par un commerçant; 11-012355-001 — Interprétation relative à la TVQ — Options d'achat sur un immeuble commercial - taux de la TVQ; 12-013796-001 — Interprétation relative à la TVQ — Dépenses engagées par un avocat à l'étranger.

Bulletins d'information [16]: 2012-4 — Modifications au régime de taxation québécois donnant suite aux engagements d'harmonisation au régime de taxation fédéral applicable en 2013.

Concordance fédérale: LTA, par. 165(1), 165(2), 165(3).

COMMENTAIRES: Cet article prévoit l'imposition de la taxe de vente du Québec à un taux de 9,975 % pour les fournitures taxables effectuées au Québec. En vertu de l'article 20 de l'*Entente intégrée globale de coordination fiscale* entre le gouvernement du Canada et le gouvernement du Québec signée le 28 mars 2012 et qui est entrée en vigueur le 1er janvier 2013 (ci-après l'« **Entente** »), la teneur en taxe d'une fourniture taxable en vertu de la *Loi sur la taxe de vente du Québec* ne peut plus inclure un montant incluant la composante de la TPS. Cette Entente prévient également le Québec d'en contourner les termes en créant une nouvelle taxe sur la valeur ajoutée, tel que le reflète l'article 52. Il est à noter que l'Entente prévoit également des règles transitoires déterminent le traitement des fournitures acquises avant le 31 décembre 2012, mais dont le coût a été défrayé suivant le 1er janvier 2013.

La *Loi sur la taxe de vente du Québec* a été jugée valide de même que son harmonisation avec la *Loi sur la taxe d'accise* dans l'arrêt de la Cour suprême du Canada *Renvoi relatif à la taxe de vente du Québec*, [1994] 2 RCS 715. En effet, la Cour était appelée à se pencher sur la constitutionnalité de la loi en vertu de l'article 92(2) de la *Loi constitutionnelle de 1867* permettant à une province de prélever une taxation directe pour des objectifs provinciaux.

Le caractère distinctif de la TVQ a été souligné dans l'affaire *Chibou-Vrac inc. Re*,, [2005] G.S.T.C. 151 (Cour supérieure du Québec) où la Cour supérieure du Québec a indiqué que la TVQ n'est pas un impôt semblable à celui qui prévaut en vertu de la *Loi sur les impôts* (Québec) étant donné que la TVQ est payable par un acquéreur d'une fourniture taxable alors que l'impôt sur le revenu s'applique sur les revenus imposables des résidents du Canada.

Dans l'affaire *Robitaille c. Québec (Sous-ministre du Revenu)*, 2010 QCCQ 9283, (Cour du Québec) la Cour du Québec a expliqué qu'une fourniture taxable doit respecter les trois critères de l'article 16 soit (i) la présence d'un acquéreur, (ii) une fourniture taxable en vertu de la *Loi sur la taxe de vente du Québec*, et (iii) une contrepartie (para 61). Par conséquent, toutes les fournitures qui respectent les critères de l'article 16 sont taxables au taux prescrit par la *Loi sur la taxe de vente du Québec*.

Finalement, il faut noter qu'il est de la responsabilité du fournisseur de remettre les montants perçus suite au paiement de la TVQ par l'acquéreur. Ainsi, dans la mesure où un acquéreur paie à un de ses fournisseurs qui est un inscrit la TVQ payable relativement à une fourniture qu'il acquiert, l'acquéreur ne peut être tenue responsable du défaut éventuel de son fournisseur de faire remise de la somme perçue, pour autant qu'il possède des preuves démontrant que la TVQ a effectivement été payée. Voir notamment à cet égard : Revenu Québec, Lettre d'interprétation, 99-0100497 — *Interprétation relative à la TPS — Interprétation relative à la TVQ — Responsabilité pour paiement des taxes* (3 mars 1999).

Compte tenu de la similarité de la rédaction des dispositions législatives et considérant l'engagement spécifique de Revenu Québec de veiller à ce que l'assiette de TVQ modifiée, de même que les paramètres administratifs, structurels et définitionnels, produisent des résultats qui sont similaires à ceux produits sous le régime de la TPS/TVH et soient administrés d'une manière qui produit des résultats similaires, tel que reflété par l'article 14 de l'*Entente intégrée globale de coordination fiscale* signée entre le gouvernement du Canada et le gouvernement du Québec, nous vous référons à nos commentaires en vertu de l'article 165 de la *Loi sur la taxe d'accise* (TPS) qui devraient s'appliquer *mutatis mutandis*, avec les adaptations nécessaires.

16.1 Utilisation de produits pour la fabrication de vin ou de bière — Toute personne qui a acquis la fourniture détaxée d'un produit mentionné au paragraphe 1.1° de l'article 177 et qui commence, à un moment quelconque, à l'utiliser pour la fabrication de vin ou de bière doit, immédiatement après ce moment, payer au ministre une taxe à l'égard de ce produit calculée au taux de 9,975 % sur la valeur de la contrepartie de cette fourniture.

Exception — Le présent article ne s'applique pas à l'égard d'un produit qu'un inscrit commence à utiliser exclusivement dans le cadre de ses activités commerciales et à l'égard duquel il aurait le droit de demander un remboursement de la taxe sur les intrants s'il avait payé la taxe prévue au premier alinéa à l'égard du produit.

Notes historiques: Le premier alinéa de l'article 16.1 a été modifié par L.Q. 2012, c. 28, par. 32(1) par le remplacement de « 9,5 % » par « 9,975 % ». Cette modification a effet à compter du 1er janvier 2013.

Le premier alinéa de l'article 16.1 a été modifié par L.Q. 2011, c. 6, par. 234(1) par le remplacement de « 8,5 % » par « 9,5 % ». Cette modification a effet à compter du 1er janvier 2012.

Le premier alinéa de l'article 16.1 a été modifié par L.Q. 2010, c. 5, par. 207(1) par le remplacement de « 7,5 % » par « 8,5 % ». Cette modification a effet à compter du 1er janvier 2011.

Le premier alinéa de l'article 16.1 a été remplacé par L.Q. 1997, c. 85, art. 423(1). Cette modification a effet depuis le 1er avril 1997. Toutefois, lorsque le premier alinéa de l'article 16.1 s'applique pour la période du 1er avril 1997 au 31 décembre 1997, il doit se lire en y remplaçant « 7,5 % » par « 6,5 % ».

Auparavant, le premier alinéa de l'article 16.1 se lisait comme suit :

> 16.1 Toute personne qui a acquis la fourniture détaxée d'un produit mentionné au paragraphe 1.1° de l'article 177 et qui commence, à un moment quelconque, à l'utiliser pour la fabrication de vin ou de bière doit, immédiatement après ce moment, payer au ministre une taxe à l'égard de ce produit égale à 6,5 % de la valeur de la contrepartie de cette fourniture.

L'article 16.1 a été ajouté par L.Q. 1997, c. 14, art. 330 et a effet à l'égard d'une fourniture détaxée effectuée après le 15 mai 1996.

Notes explicatives ARQ (PL 5, L.Q. 2012, c. 28): *Résumé* :

La modification apportée à l'article 16.1 vise à remplacer le taux de 9,5 % par 9,975 % afin de tenir compte du fait que la taxe sur les produits et services (TPS) est retirée de l'assiette de la taxe de vente du Québec (TVQ) à compter du 1er janvier 2013.

Situation actuelle :

L'article 16.1 prévoit l'obligation, pour une personne qui a acheté un produit mentionné au paragraphe 1.1° de l'article 177 de la LTVQ dont la fourniture est détaxée, de payer la TVQ sur la valeur de la contrepartie de cette fourniture, laquelle comprend la TPS, au moment où elle commence à l'utiliser pour la fabrication de bière ou de vin.

Le produit dont il est fait mention consiste en des raisins, du jus et du moût de raisins, concentré ou non concentré, du malt, de l'extrait de malt, ainsi que d'autres produits semblables, destinés à la fabrication de vin ou de bière.

Modifications proposées :

Afin de tenir compte du fait que la TPS est retirée de l'assiette de la TVQ à compter du 1er janvier 2013, il y a lieu de modifier l'article 16.1 de la LTVQ.

Cette modification a pour objet de remplacer le taux de taxation de 9,5 % par un taux établi à 9,975 %, soit un taux équivalent au taux effectif dans le régime actuel.

Ce taux permet de déterminer la TVQ que doit payer une personne qui a acheté un produit mentionné au paragraphe 1.1° de l'article 177 de la LTVQ, dont la fourniture est détaxée, et qui commence à l'utiliser pour la fabrication de vin ou de bière.

Notes explicatives ARQ (PL 5, L.Q. 2011, c. 6): *Résumé* :

Une modification est proposée à l'article 16.1.

Cette modification vise à remplacer le taux de 8,5 % par 9,5 %en vue de tenir compte de la hausse du taux de la taxe de vente du Québec (TVQ) à compter du 1er janvier 2012.

Situation actuelle :

L'article 16.1 prévoit l'obligation, pour une personne qui a acheté un produit mentionné au paragraphe 1.1° de l'article 177 de la LTVQ dont la fourniture est détaxée, de payer la TVQ sur la valeur de la contrepartie de cette fourniture au moment où elle commence à l'utiliser pour la fabrication de bière ou de vin.

Le produit dont il est fait mention consiste en des raisins, du jus et du moût de raisins, concentré ou non concentré, du malt, de l'extrait de malt, ainsi que d'autres produits semblables, destinés à la fabrication de vin ou de bière.

Modifications proposées :

En vue de tenir compte de la hausse du taux de un point de pourcentage de la TVQ à compter du 1er janvier 2012, il y a lieu de modifier l'article 16.1 de la LTVQ.

Cette modification a pour objet de remplacer le taux de 8,5 % par 9,5 %. Ce taux permet de déterminer la TVQ que doit payer une personne qui a acheté un produit mentionné au paragraphe 1.1° de l'article 177 de la LTVQ, dont la fourniture est détaxée, et qui commence à l'utiliser pour la fabrication de vin ou de bière.

Notes explicatives ARQ (PL 64, L.Q. 2010, c. 5): *Résumé* :

Les modifications proposées à l'article 16.1, plus particulièrement au premier alinéa, visent à remplacer le taux de « 7,5 % » par « 8,5 %« , et ce, en vue de tenir compte de la hausse du taux de la taxe de vente du Québec (TVQ) à compter du 1er janvier 2011.

Situation actuelle :

L'article 16.1 de la LTVQ prévoit, au premier alinéa, l'obligation pour une personne, qui a acquis la fourniture détaxée d'un produit mentionné au paragraphe 1.1° de l'article 177 de la LTVQ, soit des raisins, du jus et du moût de raisins, concentré ou non concentré, du malt, de l'extrait de malt, ainsi que les autres produits semblables, destinés à la fabrication de vin ou de bière, et qui commence, à un moment quelconque, à l'utiliser pour la fabrication de vin ou de bière, de payer la TVQ à l'égard de ce produit au taux de 7,5 % sur la valeur de la contrepartie de cette fourniture.

Modifications proposées :

En vue de tenir compte de la hausse du taux de un point de pourcentage de la TVQ à compter du 1er janvier 2011, il y aurait lieu de modifier l'article 16.1 de la LTVQ, plus particulièrement le premier alinéa, afin de remplacer le taux de « 7,5 % » par « 8,5 % », lequel permet de déterminer la TVQ que doit payer, sur la valeur de la contrepartie, une personne qui a acquis la fourniture détaxée d'un produit mentionné au paragraphe 1.1° de l'article 177 de la LTVQ et qui commence, à un moment quelconque, à l'utiliser pour la fabrication de vin ou de bière.

Guides: IN-263 — Les fabricants de boissons alcooliques et les taxes à la consommation; IN-307 — Le démarrage d'entreprise et la fiscalité.

Définitions: « activité commerciale », « contrepartie », « fourniture », « fourniture détaxée » — 1.

Bulletins d'interprétation: TVQ. 16-14/R1 — Fournitures effectuées à un régime de pension agréé.

Renvois: 177(1.1) (fourniture d'aliments et de boissons destinés à la consommation humaine).

Bulletins d'interprétation: TVQ. 16-14/R1 — Fournitures effectuées à un régime de pension agréé; TVQ. 406-1/R3 — Compensation à l'égard des livres imprimés.

Concordance fédérale: aucune.

§ 2. — Apport au Québec d'un bien corporel

Notes historiques: L'intertitre 2 a été ajouté par L.Q. 1994, c. 22, art. 368(1) et est réputé entré en vigueur le 1er juillet 1992.

17. Apport au Québec d'un bien corporel — Toute personne qui apporte au Québec un bien corporel, soit pour consommation ou utilisation au Québec par elle-même ou à ses frais par une autre personne, soit pour fourniture au Québec pour une contrepartie dans le cas où la personne est un petit fournisseur qui n'est pas un inscrit ou, dans le cas d'un véhicule routier, une personne qui n'est pas inscrite en vertu de la section I du chapitre VIII, doit, immédiatement après l'apport, payer au ministre une taxe à l'égard de ce bien calculée au taux de 9,975 % sur la valeur de celui-ci.

Valeur d'un bien — Pour l'application du premier alinéa, la valeur d'un bien signifie :

1° dans le cas d'un bien produit par la personne hors du Québec au Canada et apporté au Québec dans les 12 mois de sa production, le prix de revient du bien;

2° dans le cas d'un bien, autre qu'un véhicule routier visé au paragraphe 2.1°, fourni à la personne hors du Québec par vente et consommé ou utilisé au Québec dans les 12 mois de la fourniture, la valeur de la contrepartie de la fourniture;

2.1° dans le cas d'un véhicule routier usagé fourni à la personne hors du Québec par vente et devant être immatriculé en vertu du *Code de la sécurité routière* (chapitre C-24.2) par suite d'une demande de la personne :

a) si le véhicule est utilisé au Québec dans les 12 mois de la fourniture, la valeur de la contrepartie de la fourniture ou, si celle-ci est effectuée sans contrepartie ou pour une contrepartie inférieure à la valeur estimative du véhicule, cette valeur estimative;

b) si le véhicule n'est pas utilisé au Québec dans les 12 mois de la fourniture, la valeur estimative du véhicule;

2.2° dans le cas d'un bien fourni par vente hors du Québec à une personne qui est un petit fournisseur qui n'est pas un inscrit et qui apporte le bien pour fourniture au Québec pour une contrepartie :

a) s'il s'agit d'un bien, autre qu'un véhicule routier usagé visé au sous-paragraphe b), la valeur de la contrepartie;

b) s'il s'agit d'un véhicule routier usagé devant être immatriculé en vertu du *Code de la sécurité routière* par suite d'une demande de la personne, la valeur de la contrepartie de la fourniture à la

LTVQ (français)

personne ou, si celle-ci est effectuée sans contrepartie ou pour une contrepartie inférieure à la valeur estimative du véhicule, cette valeur estimative;

3° dans le cas d'un bien fourni à la personne par louage, licence ou accord semblable hors du Québec, la valeur de la contrepartie de la fourniture qui est raisonnablement attribuable au droit de jouissance du bien au Québec;

4° dans tout autre cas, la juste valeur marchande du bien.

Valeur d'un bien — Malgré le deuxième alinéa, la valeur d'un bien apporté au Québec dans les circonstances prescrites doit être déterminée de la manière prescrite.

Exclusions — Le premier alinéa ne s'applique pas à l'égard, selon le cas :

1° d'un bien corporel, si la taxe prévue à l'article 16 est payable à l'égard de la fourniture du bien;

2° des biens visés à l'article 81;

3° (*paragraphe supprimé*);

4° d'un bien corporel qu'un inscrit apporte au Québec pour consommation ou utilisation exclusive dans le cadre de ses activités commerciales et à l'égard duquel l'inscrit aurait le droit de demander un remboursement de la taxe sur les intrants s'il avait payé la taxe prévue au premier alinéa à l'égard du bien.

5° d'un bien corporel qu'une personne apporte au Québec et qui provient du Canada hors du Québec, si le total des montants, dont chacun représente un montant de taxe qui, en l'absence du présent paragraphe et du paragraphe 8° du troisième alinéa de l'article 18.0.1, deviendrait payable par la personne en vertu du premier alinéa ou du premier alinéa de l'article 18.0.1, est de 35 $ ou moins au cours du mois civil qui comprend le jour où le bien est apporté au Québec.

Bien apporté au Québec — Une personne qui apporte au Québec un bien corporel s'entend aussi d'une personne qui fait apporter au Québec un bien corporel.

Notes historiques: Le premier alinéa de l'article 17 a été modifié par L.Q. 2012, c. 28, s.-par. 33(1)(1°) par le remplacement de « 9,5 % » par « 9,975 % ». Cette modification s'applique à l'égard d'un apport effectué après le 31 décembre 2012.

Le premier alinéa de l'article 17 a été modifié par L.Q. 2011, c. 6, par. 235(1) par le remplacement de « 8,5 % » par « 9,5 % ». Cette modification s'applique à l'égard d'un apport effectué après le 31 décembre 2011.

Le premier alinéa de l'article 17 a été modifié par L.Q. 2010, c. 5, par. 208(1) par le remplacement de « 7,5 % » par « 8,5 % ». Cette modification s'applique à l'égard d'un apport effectué après le 31 décembre 2010.

Le premier alinéa de l'article 17 a été remplacé par L.Q. 2001, c. 51, art. 260 et cette modification s'applique à l'égard d'un apport effectué après le 30 avril 1999. Antérieurement, il se lisait ainsi :

> 17. Toute personne qui apporte au Québec un bien corporel, soit pour consommation ou utilisation au Québec par elle-même ou à ses frais par une autre personne, soit pour fourniture au Québec pour une contrepartie dans le cas où la personne est un petit fournisseur qui n'est pas un inscrit, doit, immédiatement après l'apport, payer au ministre une taxe à l'égard de ce bien calculée au taux de 7,5 % sur la valeur de celui-ci.

Le premier alinéa de l'article 17 a été remplacé par L.Q. 1997, c. 85, art. 424(1). Cette modification a effet depuis le 1er avril 1997 sauf lorsque la modification vise à remplacer « 6,5 % » par « 7,5 % », auquel cas elle s'applique à l'égard d'un apport effectué après le 31 décembre 1997.

Auparavant, le premier alinéa de l'article 17 se lisait comme suit :

> 17. Toute personne qui apporte au Québec un bien corporel, soit pour consommation ou utilisation au Québec par elle-même ou à ses frais par une autre personne, soit pour fourniture au Québec pour une contrepartie dans le cas où la personne est un petit fournisseur qui n'est pas un inscrit, doit, immédiatement après l'apport, payer au ministre une taxe à l'égard de ce bien égale à 6,5 % de la valeur de celui-ci.

Le premier alinéa de l'article 17 a été modifié par L.Q. 1995, c. 63, art. 301(1) et s'applique à l'égard d'un apport effectué après le 31 juillet 1995. Auparavant, il avait été modifié par L.Q. 1995, c. 1, art. 249(1) et s'appliquait à l'égard d'un apport effectué après le 12 mai 1994. Il se lisait comme suit :

> 17. Toute personne qui apporte au Québec un bien corporel, pour consommation ou utilisation au Québec par elle-même ou à ses frais par une autre personne, doit, immédiatement après l'apport, payer au ministre une taxe à l'égard de ce bien égale à 6,5 % de la valeur de celui-ci.

Le premier alinéa de l'article 17, modifié par L.Q. 1993, c. 19, art. 169, s'appliquait à l'égard d'une fourniture ou d'un apport au Québec relativement auquel l'article 685 ou l'un des articles 618 à 656 de L.Q. 1991, c. 67 s'applique [*N.D.L.R.* : les articles 685 et 618 à 656 réfèrent à des dispositions transitoires concernant les transferts avant le 1er juillet 1992]. Il se lisait comme suit :

> 17. Toute personne qui apporte au Québec un bien corporel, pour consommation ou utilisation au Québec par elle-même ou à ses frais par une autre personne, doit, immédiatement après l'apport, payer au ministre une taxe à l'égard de ce bien égale à 8 % de la valeur de celui-ci sauf s'il s'agit d'un immeuble auquel cas la taxe est égale à 4 % de sa valeur.

Le premier alinéa de l'article 17, édicté par L.Q. 1991, c. 67, se lisait comme suit :

> 17. Toute personne qui apporte au Québec un bien corporel, pour consommation ou utilisation au Québec par elle-même ou à ses frais par une autre personne, doit, immédiatement après l'apport, payer au ministre une taxe à l'égard de ce bien égale à 8 % de la valeur de celui-ci.

Le paragraphe 1° du deuxième alinéa de l'article 17 a été remplacé par L.Q. 2012, c. 28, s.-par. 33(1)(2°) et cette modification s'applique à l'égard d'un apport effectué après le 31 décembre 2012. Antérieurement, il se lisait ainsi :

> 1° dans le cas d'un bien produit par la personne hors du Québec au Canada et apporté au Québec dans les 12 mois de sa production, le prix de revient du bien, y compris la taxe payée ou payable par cette personne en vertu de la partie IX de la *Loi sur la taxe d'accise* (L.R.C. 1985, c. E-15) à l'égard des éléments de ce prix de revient;

Le paragraphe 2° du deuxième alinéa de l'article 17 a été modifié par L.Q. 1995, c. 1, art. 249(1) et cette modification s'applique à l'égard d'un apport effectué après le 31 mai 1994. Il se lisait auparavant comme suit :

> 2° dans le cas d'un bien fourni à la personne hors du Québec par vente et consommé ou utilisé au Québec dans les 12 mois de la fourniture, la valeur de la contrepartie de la fourniture;

Le paragraphe 2.1° du deuxième alinéa a été ajouté par L.Q. 1995, c. 1, art. 249(1) et s'applique à l'égard d'un apport effectué après le 31 mai 1994.

Le paragraphe 2.2° du deuxième alinéa a été ajouté par L.Q. 1995, c. 63, art. 301(1) et s'applique à l'égard d'un apport effectué après le 31 juillet 1995.

Le paragraphe 3° du quatrième alinéa a été abrogé par L.Q. 1995, c. 63, art. 301(1), et cette abrogation s'applique à l'égard d'un apport effectué après le 31 juillet 1995. Ce paragraphe, édicté par L.Q. 1991, c. 67, se lisait comme suit :

> 3° d'un bien meuble corporel devant être composant d'un autre bien meuble corporel destiné à faire l'objet d'une fourniture;

Le paragraphe 5° du quatrième alinéa de l'article 17 a été ajouté par L.Q. 2011, c. 34, par. 141(1) et a effet depuis le 1er juillet 2010.

L'article 17 a été édicté par L.Q. 1991, c. 67.

Notes explicatives ARQ (PL 5, L.Q. 2012, c. 28): *Résumé* :

L'article 17 est modifié afin de tenir compte du fait qu'à compter du 1er janvier 2013 la taxe sur les produits et services (TPS) est retirée de l'assiette de la taxe de vente du Québec (TVQ).

Situation actuelle :

Le premier alinéa de l'article 17 prévoit que toute personne qui apporte au Québec un bien corporel, pour consommation ou utilisation au Québec par elle-même ou à ses frais par une autre personne, doit, immédiatement après l'apport, payer une taxe égale à 9,5 % calculée sur la valeur du bien.

Le deuxième alinéa de cet article prévoit que la valeur d'un bien signifie, dans le cas d'un bien produit par la personne hors du Québec au Canada et apporté au Québec dans les 12 mois de sa production, le prix de revient du bien, y compris la taxe payée ou payable par cette personne en vertu de la partie IX de la *Loi sur la taxe d'accise* (Lois révisées du Canada (1985), chapitre E-15), (LTA) à l'égard des éléments de ce prix de revient.

Modifications proposées :

Afin de tenir compte du fait que la TPS est retirée de l'assiette de la TVQ à compter du 1er janvier 2013, il y a lieu de modifier l'article 17 de la LTVQ.

Cette modification a pour objet de remplacer le taux de taxation de 9,5 % par un taux établi à 9,975 %, soit un taux équivalent au taux effectif dans le régime actuel et d'exclure du prix de revient d'un bien la taxe payée ou payable par une personne en vertu de la partie IX de la LTA.

Notes explicatives ARQ (PL 32, L.Q. 2011, c. 34): *Résumé* :

L'article 17 est modifié afin d'ajouter aux exceptions prévues au quatrième alinéa de cet article, un bien corporel qu'une personne apporte au Québec et qui provient du Canada, si le total des montants, dont chacun représente un montant de taxe qui, en l'absence de la présente exception et du paragraphe 8° du troisième alinéa de l'article 18.0.1 de la LTVQ, deviendrait payable par la personne en vertu du premier alinéa de l'article 17 de la LTVQ ou du premier alinéa de cet article 18.0.1, est de 35 $ ou moins au cours du mois civil qui comprend le jour où le bien est apporté au Québec.

Situation actuelle :

L'article 17 prévoit que toute personne qui apporte au Québec un bien corporel, pour consommation ou utilisation au Québec par elle-même ou à ses frais par une autre personne, doit, immédiatement après l'apport, payer au ministre du Revenu une taxe à l'égard de ce bien calculée au taux de 8,5 % sur la valeur de celui-ci.

Toutefois, le quatrième alinéa de cet article prévoit des exceptions à cette règle à l'égard des biens suivants :

— un bien corporel, si la taxe prévue à l'article 16 de la LTVQ est payable à l'égard de la fourniture du bien;

— les biens visés à l'article 81 de la LTVQ;

— un bien corporel qu'un inscrit apporte au Québec pour consommation ou utilisation exclusive dans le cadre de ses activités commerciales et à l'égard duquel l'inscrit aurait le droit de demander un remboursement de la taxe sur les intrants s'il avait payé la taxe prévue au premier alinéa de l'article 17 de la LTVQ à l'égard du bien.

Modifications proposées :

La modification apportée à l'article 17 consiste à ajouter aux exceptions prévues au quatrième alinéa de cet article, un bien corporel qu'une personne apporte au Québec et qui provient du Canada, si le total des montants, dont chacun représente un montant de taxe qui, en l'absence de la présente exception et du paragraphe 8° du troisième alinéa de l'article 18.0.1 de la LTVQ, deviendrait payable par la personne en vertu du premier alinéa de l'article 17 de la LTVQ ou du premier alinéa de cet article 18.0.1, est de 35 $ ou moins au cours du mois civil qui comprend le jour où le bien est apporté au Québec.

Notes explicatives ARQ (PL 5, L.Q. 2011, c. 6): *Résumé* :

L'article 17 est modifié afin que soit remplacé le taux de taxation de 8,5 % par un taux de 9,5 %.

Situation actuelle :

Le premier alinéa de l'article 17 prévoit que toute personne qui apporte au Québec un bien corporel, pour consommation ou utilisation au Québec par elle-même ou à ses frais par une autre personne, doit, immédiatement après l'apport, payer une taxe égale à 8,5 % calculée sur la valeur du bien.

Modifications proposées :

La modification apportée à l'article 17 vise à remplacer le taux de taxation de 8,5 % par un taux de 9,5 %.

Notes explicatives ARQ (PL 64, L.Q. 2010, c. 5): *Résumé* :

L'article 17 est modifié afin que soit remplacé le taux de taxation de 7,5 % par un taux de 8,5 %.

Situation actuelle :

Le premier alinéa de l'article 17 de la LTVQ prévoit que toute personne qui apporte au Québec un bien corporel, pour consommation ou utilisation au Québec par elle-même ou à ses frais par une autre personne, doit, immédiatement après l'apport, payer une taxe égale à 7,5 % calculée sur la valeur du bien.

Modifications proposées :

La modification apportée à l'article 17 de la LTVQ vise à remplacer le taux de taxation de 7,5 % par un taux de 8,5 %.

Guides: IN-203 — Renseignements généraux sur la TVQ et la TPS/TVH.

Définitions: « activité commerciale », « contrepartie », « fourniture », « inscrit », « personne », « petit fournisseur », « taxe », « véhicule routier », « vente » — 1.

Renvois: 15 (JVM); 17.0.1 (valeur estimative d'un véhicule routier); 17.0.2 (réduction de la valeur estimative); 17.1 (apport d'un véhicule routier); 17.4 (apport d'un bien corporel lié à un congrès); 18 (apport de biens meubles incorporels; 51 (valeur de la contrepartie); 199 (RTI); 237.3 (dernière acquisition ou apport — exception); 249 (vente d'une voiture de tourisme — RTI); 473 (production d'une déclaration); 677, al. 1 (4) (règlements); 16.1 LAF (accord de perception avec le gouvernement fédéral); 16.2 LAF (accord de perception avec le gouvernement fédéral).

Règlements: RTVQ, 17R1–17R13.

Jurisprudence: *Mydlarski c. S.M.R.Q.* (13 décembre 2006), 500-32-083306-045; *Samson c. S.M.R.Q.* (10 janvier 1997), 200-32-000295-955.

Bulletins d'interprétation: TVQ. 16-14/R1 — Fournitures effectuées à un régime de pension agréé; TVQ. 16-18/R2 — Matériel de transport routier interprovincial et international; TVQ. 17-1/R1 — Apport au Québec de biens corporels; TVQ. 22.7-1/R1 — Lieu de la fourniture d'un bien meuble corporel par vente; TVQ. 197-2 — Service de transport de marchandises interprovincial et international rendu dans le cadre de la fourniture de biens meubles corporels; TVQ. 406-1/R1 — Compensation à l'égard des livres imprimés; TVQ. 406-1/R2 — Compensation à l'égard des livres imprimés.

Formulaires: FPZ-34.CD, *Calcul détaillé de la TPS/TVH*; VD-442.S, *Demande de compensation de la TVQ au moyen d'un remboursement de TVQ*.

Lettres d'interprétation: 98-0102602 — Remboursement de taxe sur les intrants relatif à l'électricité utilisée pour le pompage de l'eau vendue à une municipalité; 98-0106728 — Interprétation relative à la TVQ — Apport au Québec d'un bien meuble corporel et fourniture d'un service par un non-résident; 98-0110019 — Direction générale de la métropole; 99-010148 — Application de la TVQ aux entrepreneurs en construction ontariens; 99-0105090 — Interprétation relative à la TVQ — Achat de cartes aux États-Unis pour usage au Québec; 99-0109720 — Assujettissement de sommes versées par un employé à un employeur au titre d'un remboursement de frais de formation; 05-0102516 — Interprétation relative à la TPS — fourniture de nourriture destinée à des compagnies aériennes [aliments préparés].

Concordance fédérale: LTA, art. 212, 213, 215.

17.0.1 Valeur estimative d'un véhicule routier usagé — Pour l'application du paragraphe 2.1° et du sous-paragraphe b) du paragraphe 2.2° du deuxième alinéa de l'article 17, la valeur estimative d'un véhicule routier correspond :

1° dans le cas d'un véhicule dont le prix de vente moyen en gros est indiqué dans l'édition la plus récente, le premier jour du mois où le véhicule est apporté au Québec, du *Guide d'Évaluation Hebdo (Automobiles et Camions Légers)* publié par *Hebdo Mag Inc.*, à ce prix diminué d'un montant de 500 $;

1.1° (*paragraphe supprimé*);

2° dans le cas d'un véhicule dont un prix de vente moyen en gros est indiqué dans l'édition la plus récente, le premier jour du mois précédant celui où le véhicule est apporté au Québec, du *Canadian Motorcycle Dealers Blue Book* publié par *All Seasons Publication Ltd.*, à ce prix diminué d'un montant de 500 $;

3° dans le cas d'un véhicule dont un prix de vente moyen en gros est indiqué dans l'édition la plus récente, le premier jour du mois précédant celui où le véhicule est apporté au Québec, du *Canadian ATV, Snowmobile & Watercraft Dealers Blue Book* publié par *All Seasons Publications Ltd.*, à ce prix diminué d'un montant de 500 $;

4° dans tout autre cas, à la valeur du véhicule prescrite par le ministre.

Notes historiques: Le préambule de l'article 17.0.1 a été modifié par L.Q. 1995, c. 63, art. 302(1)(1°) et cette modification s'applique à l'égard d'un apport effectué après le 31 juillet 1995. Il se lisait auparavant comme suit :

> 17.0.1 Pour l'application du paragraphe 2.1° du deuxième alinéa de l'article 17, la valeur estimative d'un véhicule routier correspond :

Le paragraphe 1° de l'article 17.0.1 a été remplacé par L.Q. 2000, c. 39, art. 280(1)(1°) et cette modification a effet depuis le 1er août 1999. Antérieurement, il se lisait ainsi :

> 1° dans le cas d'un véhicule dont un prix de vente moyen en gros est indiqué dans l'édition la plus récente, le premier jour du mois où le véhicule est apporté au Québec, du *Guide d'Évaluation des Automobiles* publié par *Hebdo Mag Inc.*, à ce prix diminué d'un montant de 500 $;

Le paragraphe 1° de l'article 17.0.1 a été modifié par L.Q. 1997, c. 14, art. 331 et cette modification a effet à l'égard d'un apport effectué après le 30 septembre 1996. Auparavant, ce paragraphe se lisait comme suit :

> 1° dans le cas d'un véhicule dont un prix de vente moyen en gros est indiqué dans l'édition la plus récente, le premier jour du mois précédant celui où le véhicule est apporté au Québec, du *Canadian Red Book* publié par *Maclean Hunter Ltd.*, à ce prix diminué d'un montant de 500 $;

Le paragraphe 1.1° de l'article 17.0.1 a été supprimé par L.Q. 2000, c. 39, art. 280(1)(2°) et cette modification a effet depuis le 1er août 1999. Antérieurement, il se lisait ainsi :

> 1.1° dans le cas d'un véhicule dont un prix de vente moyen en gros est indiqué dans l'édition la plus récente, le premier jour du mois où le véhicule est apporté au Québec, du *Guide d'Évaluation des Camions Légers* publié par *Hebdo Mag Inc.*, à ce prix diminué d'un montant de 500 $;

Le paragraphe 1.1° de l'article 17.0.1 a été ajouté par L.Q. 1997, c. 14, art. 331 et cette modification a effet à l'égard d'un apport effectué après le 30 septembre 1996.

Les paragraphes 2°, 3° de l'article 17.0.1 ont été modifiés par L.Q. 1995, c. 63, art. 302(1)(2°) et ces modifications s'appliquent à l'égard d'un apport effectué après le 31 mai 1995. Auparavant, ces paragraphes se lisaient comme suit :

> 2° dans le cas d'un véhicule dont une valeur courante de revente est indiquée dans l'édition la plus récente, le premier jour du mois précédant celui où le véhicule est apporté au Québec, du *Sanford Evans Gold Book of Motorcycle Data and Used Prices* publié par *Sanford Evans Communications Ltd.*, à cette valeur diminuée d'un montant de 500 $;
>
> 3° dans le cas d'un véhicule dont une valeur courante de revente est indiquée dans l'édition la plus récente, le premier jour du mois précédant celui où le véhicule est apporté au Québec, du *Sanford Evans Gold Book of Snowmobile Data and Used Prices* publié par *Sanford Evans Communications Ltd.*, à cette valeur diminuée d'un montant de 500 $;

L'article 17.0.1, ajouté par L.Q. 1995, c. 1, art. 250, s'applique à l'égard d'un apport effectué après le 31 mai 1994.

Guides: IN-624 — La TVQ, la TPS/TVH et les véhicules routiers.

Définitions: « activité commerciale », « contrepartie », « fourniture », « inscrit », « mois », « personne », « petit fournisseur », « taxe », « véhicule routier », « vente » — 1.

Renvois: 15 (JVM); 17.0.1 (valeur estimative d'un véhicule routier); 17.0.2 (réduction de la valeur estimative); 17.1 (apport d'un véhicule routier); 17.4 (apport d'un bien corporel lié à un congrès); 18 (apport de biens meubles incorporels; 51 (valeur de la contrepartie); 199 (RTI); 237.3 (dernière acquisition ou apport — exception); 249 (vente d'une voiture de tourisme — RTI); 402.3 (remboursement lors de l'acquisition hors du Québec d'un vehicule routier usagé); 473 (production d'une déclaration); 677:4° (règlements); 16.1 LAF (accord de perception avec le gouvernement fédéral); 16.2 LAF (accord de perception avec le gouvernement fédéral).

Règlements: RTVQ, 17R1–17R12.

Bulletins d'interprétation: TVQ. 16-14/R1 — Fournitures effectuées à un régime de pension agréé; SPÉCIAL 96 — Faits saillants, par. 1.4.

Concordance fédérale: aucune.

17.0.2 Endommagement ou usure inhabituelle d'un véhicule routier usagé

— Dans le cas où le sous-paragraphe a) du paragraphe 2.1° ou le sous-paragraphe b) du paragraphe 2.2° du deuxième alinéa de l'article 17 s'applique à l'égard d'un véhicule routier qui est endommagé ou qui présente une usure inhabituelle au moment de sa fourniture à une personne, que le véhicule est apporté au Québec par la personne immédiatement après ce moment et qu'immédiatement après l'apport celle-ci remet au ministre ou à une personne prescrite pour l'application de l'article 473, une évaluation écrite du véhicule ou des réparations à réaliser à l'égard de celui-ci , qui respecte les exigences prévues au troisième alinéa de l'article 55.0.3, la valeur du véhicule qui correspond à la valeur estimative de celui-ci prévue à l'article 17.0.1 peut être réduite d'un montant égal :

1° soit à l'excédent de cette valeur sur la valeur du véhicule indiquée sur l'évaluation écrite;

2° soit à l'excédent de la valeur des réparations à réaliser à l'égard du véhicule indiquée sur l'évaluation écrite sur 500 $.

Notes historiques: Le préambule de l'article 17.0.2 a été modifié par L.Q. 2005, c. 23, par. 273(1) par le remplacement des mots « effectuée par la personne visée » par « , qui respecte les exigences prévues ». Cette modification s'applique à l'égard d'un apport pour lequel la taxe prévue par le titre I est payable après le 30 novembre 2004. Toutefois, elle ne s'applique pas lorsque l'évaluation écrite est effectuée avant le 1er décembre 2004 et remise, aux fins du calcul de la taxe payable relativement à un apport, avant le 1er février 2005.

Le préambule de l'article 17.0.2 a été modifié par L.Q. 2004, c. 21, art. 527 par le remplacement de « deuxième alinéa de l'article 55.0.3 » par « troisième alinéa de l'article 55.0.3 ». Cette modification est entrée en vigueur le 3 novembre 2004.

Le préambule de l'article 17.0.2 a été modifié par L.Q. 1995, c. 63, art. 303(1) et cette modification s'applique à l'égard d'un apport effectué après le 31 juillet 1995. Auparavant, il se lisait comme suit :

> 17.0.2 Dans le cas où le sous-paragraphe a) du paragraphe 2.1° du deuxième alinéa de l'article 17 s'applique à l'égard d'un véhicule routier qui est endommagé ou qui présente une usure inhabituelle au moment de sa fourniture à une personne, que le véhicule est apporté au Québec par la personne immédiatement après ce moment et qu'immédiatement après l'apport celle-ci remet au ministre ou à une personne prescrite pour l'application de l'article 473, une évaluation écrite du véhicule ou des réparations à réaliser à l'égard de celui-ci effectuée par la personne visée au deuxième alinéa de l'article 55.0.3, la valeur du véhicule qui correspond à la valeur estimative de celui-ci prévue à l'article 17.0.1 peut être réduite d'un montant égal :

Le paragraphe 2° de l'article 17.0.2 a été modifié par L.Q. 1995, c. 63, art. 303(1) et cette modification s'applique à l'égard d'un apport effectué après le 31 mai 1994. Auparavant, ce paragraphe se lisait comme suit :

> 2° soit à la valeur des réparations à réaliser à l'égard du véhicule indiquée sur l'évaluation écrite.

L'article 17.0.2, ajouté par L.Q. 1995, c. 1, art. 250, s'applique à l'égard d'un apport effectué après le 31 mai 1994.

Guides: IN-624 — La TVQ, la TPS/TVH et les véhicules routiers.

Définitions: « fourniture », « personne », « véhicule routier » — 1.

Bulletins d'interprétation: TVQ. 16-14/R1 — Fournitures effectuées à un régime de pension agréé.

Renvois: 17.0.1 (valeur estimative d'un véhicule routier).

Concordance fédérale: aucune.

17.1 Apport au Québec d'un véhicule routier

— Pour l'application de l'article 17, dans le cas où une personne apporte au Québec un véhicule routier — appelé « véhicule routier apporté » dans le présent article — qui doit être immatriculé en vertu du *Code de la sécurité routière* (chapitre C-24.2) suite à sa demande, qu'elle a acquis par une fourniture effectuée hors du Québec par un fournisseur d'une autre juridiction, la valeur de celui-ci sur laquelle la taxe prévue à cet article doit se calculer doit être diminuée de tout crédit accordé par le fournisseur pour un autre véhicule routier qu'il a accepté en contrepartie partielle ou totale de la fourniture du véhicule routier apporté si les conditions suivantes sont rencontrées :

1° la personne était propriétaire du véhicule routier ainsi donné en échange et elle a payé à l'égard de ce dernier soit la taxe ou celle prévue au chapitre II de la *Loi concernant l'impôt sur la vente en détail* (chapitre I-1), soit un impôt de même nature prélevé par une autre juridiction autre que la taxe payable en vertu de la partie IX de la *Loi sur la taxe d'accise* (Lois révisées du Canada (1985), chapitre E-15);

2° le véhicule routier ainsi donné en échange était usagé et dans le cas où la taxe a été payée à l'égard de ce dernier, la personne n'a pas droit à un remboursement à l'égard de la taxe ainsi payée;

3° la juridiction dans laquelle la fourniture du véhicule routier apporté a été effectuée accorde le même dégrèvement de taxe aux personnes résidant ou faisant affaires dans son territoire;

4° (*paragraphe supprimé*);

5° la personne est une grande entreprise ou n'est pas tenue de percevoir la taxe payable en vertu de la partie IX de la *Loi sur la taxe d'accise* (Lois révisées du Canada (1985), chapitre E-15) à l'égard du véhicule routier ainsi donné en échange.

Interprétation — Pour l'application du présent article, l'expression « grande entreprise » a le sens que lui donnent les articles 551 à 551.4 de la *Loi modifiant la Loi sur les impôts, la Loi sur la taxe de vente du Québec et d'autres dispositions législatives* (1995, chapitre 63).

Notes historiques: Le paragraphe 2° de l'article 17.1 a été modifié par L.Q. 1995, c. 63, art. 304(1) et s'applique à l'égard d'un apport effectué après le 31 juillet 1995. Auparavant, ce paragraphe se lisait comme suit :

> 2° le véhicule routier ainsi donné en échange était usagé et dans le cas où la taxe a été payée à l'égard de ce dernier, il n'était pas visé à l'article 206.2;

Le paragraphe 4° de l'article 17.1 a été supprimé par L.Q. 1999, c. 83, art. 309(1)(1°). Cette modification s'applique à l'égard de l'apport au Québec d'un véhicule routier effectué après le 23 avril 1996 autre que l'apport d'un véhicule acquis par une fourniture pour laquelle le fournisseur accepte, en contrepartie totale ou partielle en vertu d'un accord écrit conclu avant le 1er juillet 1996, un autre véhicule routier si le fournisseur a exigé ou perçu la taxe à l'égard de la fourniture du véhicule routier apporté calculée sans tenir compte du montant porté au crédit de la personne relativement au bien échangé. Antérieurement il se lisait comme suit :

> 4° le fournisseur du véhicule routier apporté est inscrit en vertu de la section I du chapitre huitième;

Le paragraphe 5° du premier alinéa de l'article 17.1 a été remplacé par L.Q. 2002, c. 9, s.-par. 152(1)(1°) et cette modification s'applique à l'égard d'un véhicule donné en échange après le 20 décembre 2001. Antérieurement, il se lisait ainsi :

> 5° la personne n'est pas tenue de percevoir la taxe payable en vertu de la partie IX de la *Loi sur la taxe d'accise* (Lois révisées du Canada (1985), chapitre E-15) à l'égard du véhicule routier ainsi donné en échange.

Le paragraphe 5° de l'article 17.1 a été remplacé par L.Q. 1999, c. 83, art. 309(1)(2°). Cette modification s'applique à l'égard de l'apport au Québec d'un véhicule routier effectué après le 23 avril 1996 autre que l'apport d'un véhicule acquis par une fourniture pour laquelle le fournisseur accepte, en contrepartie totale ou partielle en vertu d'un accord écrit conclu avant le 1er juillet 1996, un autre véhicule routier si le fournisseur a exigé ou perçu la taxe à l'égard de la fourniture du véhicule routier apporté calculée sans tenir compte du montant porté au crédit de la personne relativement au bien échangé. Antérieurement, il se lisait comme suit :

> 5° la personne n'a pas droit à un remboursement de la taxe payable relativement au véhicule routier apporté.

Le paragraphe 5° de l'article 17.1 a été ajouté par L.Q. 1995, c. 63, art. 304(1) et s'applique à l'égard d'un apport effectué après le 31 juillet 1995.

L'article 17.1 a été modifié par L.Q. 2002, c. 9, s.-par. 152(1)(2°) par l'addition du deuxième alinéa et cette modification s'applique à l'égard d'un véhicule donné en échange après le 20 décembre 2001.

L'article 17.1 a été ajouté par L.Q. 1993, c. 19, art. 170 et s'applique à l'égard d'une fourniture ou d'un apport au Québec relativement auquel l'article 685 ou l'un des articles 618 à 656 de L.Q. 1991, c. 67 s'applique [*N.D.L.R.* : les articles 685 et 618 à 656 réfèrent à des dispositions transitoires concernant les transferts avant le 1er juillet 1992].

Guides: IN-203 — Renseignements généraux sur la TVQ et la TPS/TVH; IN-624 — La TVQ, la TPS/TVH et les véhicules routiers.

Définitions: « contrepartie », « fournisseur », « fourniture », « personne », « taxe », « véhicule routier » — 1.

Bulletins d'interprétation: TVQ. 16-14/R1 — Fournitures effectuées à un régime de pension agréé.

Renvois: 22 (fourniture effectuée hors du Québec); 23 (fourniture effectuée hors du Québec); 199 (RTI).

Concordance fédérale: aucune.

17.2 [*Abrogé*]

Notes historiques: L'article 17.2 a été abrogé par L.Q. 1995, c. 63, art. 305 et cette abrogation s'applique à l'égard de l'apport d'un véhicule routier effectué par un inscrit après le 31 juillet 1995 dans le cas où l'inscrit aurait le droit de demander un remboursement de la taxe sur les intrants s'il payait une taxe relativement au véhicule ainsi apporté et, dans tous les autres cas, à l'égard de l'apport d'un véhicule routier effectué après une date de prise d'effet fixée par décret du gouvernement [*N.D.L.R.* : la date du 29 novembre 1996 a été modifiée par L.Q. 1997, c. 85, art. 772(1) pour se lire « après une date de prise d'effet fixée par décret du gouvernement ». Cette modification a effet depuis le 15 décembre 1995.].

Cet article avait été ajouté par L.Q. 1993, c. 19, art. 170 et s'appliquait à l'égard d'une fourniture ou d'un apport au Québec relativement auquel l'article 685 ou l'un des articles 618 à 656 L.Q. 1991, c. 67 s'applique. Il se lisait comme suit :

> 17.2 Malgré l'article 17, une personne prescrite qui apporte temporairement au Québec un véhicule routier prescrit à l'égard duquel un inscrit qui en ferait l'acquisition ne pourrait demander un remboursement de la taxe sur les intrants en raison de l'article 206.1, doit, pour chaque période prescrite au cours de laquelle le véhicule demeure au Québec, payer au ministre, au moment prescrit, une taxe à l'égard du véhicule égale au montant que représente 1/36 de la valeur prescrite de celui-ci.

17.3 [*Abrogé*]

Notes historiques: L'article 17.3 a été abrogé par L.Q. 1995, c. 63, art. 306 et cette abrogation s'applique à l'égard de l'apport d'un carburant effectué par un inscrit après le 31 juillet 1995 dans le cas où l'inscrit aurait le droit de demander un remboursement de la taxe sur les intrants s'il payait une taxe relativement au carburant ainsi apporté et, dans tous les autres cas, à l'égard de l'apport d'un carburant effectué après le 31 décembre 1995.

Le premier alinéa de l'article 17.3 avait été modifié par L.Q. 1995, c. 1, art. 251 et s'appliquait à l'égard d'un apport effectué après le 12 mai 1994. Il se lisait auparavant comme suit :

> 17.3 Malgré l'article 17, une personne visée à l'article 3 de la *Loi concernant la taxe sur les carburants* (L.R.Q., chapitre T-1) tenue d'être titulaire d'un certificat d'enregistrement en vertu de cette loi, qui apporte au Québec du carburant qui lui a été fourni hors du Québec et qui est contenu dans le réservoir alimentant le moteur d'un véhicule routier, autre qu'un véhicule de promenade, à l'égard duquel un inscrit qui en ferait l'acquisition ne pourrait demander un remboursement de la taxe sur les intrants en raison de l'article 206.1, doit payer au ministre une taxe à l'égard de la partie du carburant utilisée au Québec égale à 6,5 % de la valeur de la contrepartie de la fourniture attribuable à cette partie du carburant.

L'article 17.3 avait été ajouté par L.Q. 1993, c. 19, art. 170 et s'appliquait à l'égard d'une fourniture ou d'un apport au Québec relativement auquel l'article 685 ou l'un des articles 618 à 656 L.Q. 1991, c. 67 s'applique [*N.D.L.R.* : les articles 685 et 618 à 656 réfèrent à des dispositions transitoires concernant les transferts avant le 1er juillet 1992]. Auparavant, l'article 17.3 se lisait comme suit :

> 17.3 Malgré l'article 17, une personne visée à l'article 3 de la *Loi concernant la taxe sur les carburants* (L.R.Q., chapitre T-1) tenue d'être titulaire d'un certificat d'enregistrement en vertu de cette loi, qui apportait au Québec du carburant qui lui a été fourni hors du Québec et qui était contenu dans le réservoir alimentant le moteur d'un véhicule routier, autre qu'un véhicule de promenade, à l'égard duquel un inscrit qui en ferait l'acquisition ne pourrait demander un remboursement de la taxe sur les intrants en raison de l'article 206.1, devait payer au ministre une taxe à l'égard de la partie du carburant utilisée au Québec égale à 8 % de la valeur de la contrepartie de la fourniture attribuable à cette partie du carburant.
>
> La personne doit payer la taxe à l'égard du carburant visé au premier alinéa au même moment que celui prévu par la *Loi concernant la taxe sur les carburants* (L.R.Q., chapitre T-1).

17.4 Exception — congrès étranger — Malgré l'article 17, aucune taxe n'est payable à l'égard d'un bien corporel apporté au Québec pour consommation, utilisation ou fourniture à titre de fournitures liées à un congrès dans le cas où le bien est apporté soit par le promoteur d'un congrès étranger, soit par l'organisateur d'un tel congrès qui n'est pas inscrit en vertu de la section I du chapitre VIII.

Notes historiques: L'article 17.4 a été ajouté par L.Q. 1994, c. 22, art. 369(1) et est réputé entré en vigueur le 1er juillet 1992.

Définitions [art. 17.4]: « congrès », « congrès étranger », « fournitures liées à un congrès », « organisateur », « promoteur » — 1.

Bulletins d'interprétation: TVQ. 16-14/R1 — Fournitures effectuées à un régime de pension agréé.

Concordance fédérale: aucune.

17.4.1 La taxe prévue à l'article 17 qui, n'eût été le présent article, deviendrait payable par une personne à l'égard d'un bien corporel qui provient du Canada hors du Québec et qu'elle apporte au Québec à un moment où elle est une institution financière désignée particulière n'est pas payable, sauf s'il s'agit d'un montant de taxe prescrit.

2012, c. 28, art. 34.

Notes historiques: L'article 17.4.1 a été ajouté par L.Q. 2012, c. 28, par. 34(1) et s'applique à compter du 1er janvier 2013

Notes explicatives ARQ (PL 5, L.Q. 2012, c. 28): *Résumé* :

Le nouvel article 17.4.1 prévoit, de façon générale, que les institutions financières désignées particulières, au sens de l'article 1 de cette loi, n'ont pas à établir par autocotisation la taxe imposée en vertu l'article 17 de cette loi relativement à un bien corporel apporté au Québec en provenance d'une autre province.

Contexte :

À compter du 1er janvier 2013, la fourniture d'un service financier cesse d'être détaxée et devient exonérée dans le régime de la taxe de vente du Québec (TVQ).

Il en découle que les institutions financières ne pourront plus obtenir de remboursements de la taxe sur les intrants relativement à la taxe payable ou payée par elles sans être devenue payable à l'égard des fournitures acquises en vue de rendre des services financiers exonérés.

De plus, la notion d'institution financière désignée particulières (IFDP) est introduite dans le régime de la TVQ. De façon générale, les IFDP sont des institutions financières qui opèrent au Canada dans plus d'une province.

Les IFDP doivent apporter, dans le calcul de leur taxe pour une période de déclaration, un redressement, tel que prévu par le nouvel article 433.16 de la LTVQ, lequel est introduit par le présent projet de loi. Ce redressement a pour effet ultimement de pondérer la taxe de vente payable par une telle institution financière en fonction d'un pourcentage représentant, de façon sommaire, l'importance de son revenu de source canadienne qui est attribuable au Québec.

Modifications proposées :

Le nouvel article 17.4.1 prévoit, de façon générale, que les IFDP n'ont pas à établir par autocotisation la taxe imposée en vertu de l'article 17 de la LTVQ à l'égard d'un bien corporel apporté au Québec en provenance d'une autre province. De façon sommaire, le premier alinéa de l'article 17 de la LTVQ prévoit que toute personne qui apporte au Québec un bien corporel, pour consommation ou utilisation au Québec par elle-même ou à ses frais par une autre personne, ou pour en faire la fourniture au Québec doit, immédiatement après l'apport, payer une taxe calculée en fonction de la valeur du bien.

Par ailleurs, de façon sommaire, le nouvel article 433.16 de la LTVQ exige qu'une IFDP apporte un redressement dans le calcul de sa taxe nette. Ce redressement est déterminé à partir du montant de la taxe sur les produits et services (TPS) non recouvrable, lequel montant est ensuite pondéré en fonction du pourcentage applicable à l'IFDP quant au Québec. Ce pourcentage vise essentiellement à refléter la partie du revenu de source canadienne de l'institution qui est attribuable au Québec et a pour effet d'établir l'assujettissement à la TVQ en fonction de l'importance de son revenu de source canadienne qui est attribuable au Québec plutôt qu'en fonction, comme le fait le liminaire de l'article 17 de la LTVQ, du fait que le bien est apporté au Québec.

L'article 17.4.1 prévoit qu'une institution financière n'a pas à s'autocotiser en vertu de l'article 17 de cette loi, lorsque la taxe qui y est prévue devient payable à un moment où elle est une IFDP, sauf lorsque ce montant est un montant de taxe prescrit.

Concordance fédérale: aucune.

17.5 Remboursement pour un bien retourné — Sous réserve de l'article 404, une personne a droit au remboursement de la taxe qu'elle a payée en vertu de l'article 17 à l'égard de l'apport au Québec d'un bien corporel qui provient de l'extérieur du Canada si les conditions suivantes sont satisfaites :

1º la taxe a été payée par la personne à l'égard du bien qu'elle avait acquis en consignation, sur approbation ou selon d'autres modalités semblables;

2º le bien est, dans les 60 jours suivant son dédouanement au sens de la *Loi sur les douanes* (Lois révisées du Canada (1985), chapitre 1,

LTVQ (français)

2e supplément) mais avant qu'il ne soit utilisé ou consommé autrement qu'à l'essai, expédié hors du Québec par la personne afin de le retourner au fournisseur et n'est pas endommagé entre son dédouanement et son expédition;

3° dans les deux ans suivant le jour où la taxe a été payée, la personne produit au ministre, au moyen du formulaire prescrit contenant les renseignements prescrits, une demande de remboursement de la taxe.

Notes historiques: Le paragraphe 3° de l'article 17.5 a été remplacé par L.Q. 1997, c. 85, art. 425(1). Cette modification s'applique à l'égard des remboursements relatifs aux montants payés à titre de taxe après le 30 juin 1996.

Antérieurement, le paragraphe 3° de cet article se lisait ainsi :

> 3° dans les quatre ans suivant le paiement de la taxe, la personne produit au ministre, au moyen du formulaire prescrit contenant les renseignements prescrits, une demande de remboursement de la taxe.

L'article 17.5 a été ajouté par L.Q. 1994, c. 22, art. 369(1) et est réputé entré en vigueur le 1er juillet 1992.

Définitions: « fournisseur », « personne », « taxe » — 1.

Renvois: 17 (taxe sur l'apport de biens corporels); 400 (remboursement d'un montant payé par erreur — restriction); 404 (restriction au remboursement).

Bulletins d'interprétation: TVQ. 16-14/R1 — Fournitures effectuées à un régime de pension agréé.

Formulaires: VD-403, *Demande de remboursement de la taxe de vente du Québec (TVQ)*.

Concordance fédérale: LTA, par. 215.1(1).

17.6 Remboursement pour un bien retourné — Sous réserve de l'article 404, une personne a droit au remboursement de la taxe qu'elle a payée en vertu de l'article 17 à l'égard de l'apport au Québec d'un bien corporel qui provient du Canada hors du Québec si les conditions suivantes sont satisfaites :

1° la taxe a été payée par la personne à l'égard du bien qu'elle avait acquis en consignation, sur approbation ou selon d'autres modalités semblables;

2° le bien est, dans les soixante jours suivant son apport au Québec mais avant qu'il ne soit utilisé ou consommé autrement qu'à l'essai, expédié hors du Québec par la personne afin de le retourner au fournisseur et n'est pas endommagé entre son apport et son expédition;

3° dans les deux ans suivant le jour où la taxe a été payée, la personne produit au ministre, au moyen du formulaire prescrit contenant les renseignements prescrits, une demande de remboursement de la taxe.

Notes historiques: Le paragraphe 3° de l'article 17.6 a été remplacé par L.Q. 1997, c. 85, art. 426(1). Cette modification s'applique à l'égard des remboursements relatifs aux montants payés à titre de taxe après le 30 juin 1996.

Auparavant, le paragraphe 3° de cet article se lisait ainsi :

> 3° dans les quatre ans suivant le paiement de la taxe, la personne produit au ministre, au moyen du formulaire prescrit contenant les renseignements prescrits, une demande de remboursement de la taxe.

L'article 17.6 a été ajouté par L.Q. 1994, c. 22, art. 369(1) et est réputé entré en vigueur le 1er juillet 1992.

Définitions: « fournisseur », « personne », « taxe » — 1.

Renvois: 17 (taxe sur l'apport de biens corporels); 400 (remboursement d'un montant payé par erreur — restriction); 404 (restriction au remboursement).

Bulletins d'interprétation: TVQ. 16-14/R1 — Fournitures effectuées à un régime de pension agréé.

Formulaires: VD-403, *Demande de remboursement de la taxe de vente du Québec (TVQ)*.

Concordance fédérale: LTA, par. 215.1(1).

17.7 Remboursement pour un bateau de plaisance — Sous réserve de l'article 404, un particulier a droit au remboursement de la taxe qu'il a payée en vertu de l'article 17 à l'égard d'un bateau de plaisance qu'il a apporté au Québec dans le but de l'entreposer pendant l'hivernage si les conditions suivantes sont satisfaites :

1° le particulier a payé la taxe à l'égard de l'apport au Québec du bateau de plaisance;

2° le bateau de plaisance est emporté ou expédié hors du Québec dans un délai raisonnable suivant l'hivernage;

3° dans les quatre ans suivant le jour où le bateau de plaisance est expédié ou emporté hors du Québec, le particulier produit au ministre, au moyen du formulaire prescrit contenant les renseignements prescrits, une demande de remboursement de la taxe;

4° la demande de remboursement est accompagnée d'une preuve établissant que le particulier a payé la taxe à l'égard du bateau de plaisance et que celui-ci a été expédié ou emporté hors du Québec suivant l'hivernage.

Notes historiques: L'article 17.7 a été ajouté par L.Q. 1997, c. 14, art. 332 et a effet à l'égard d'un bateau de plaisance apporté au Québec après le 9 mai 1996.

Définitions: « particulier » — 1.

Renvois: 17 (taux de taxe — apport de biens corporels au Québec); 623 (paiements proportionnels).

Bulletins d'interprétation: TVQ. 16-14/R1 — Fournitures effectuées à un régime de pension agréé.

Lettres d'interprétation: 05-0102516 — Interprétation relative à la TPS — fourniture de nourriture destinée à des compagnies aériennes [aliments préparés].

Concordance fédérale: aucune.

§ 3. — Fourniture taxable effectuée hors du Québec ou par une personne non résidante et non inscrite et autres fournitures

Notes historiques: L'intitulé de la sous-section §3 de la section I du chapitre II du titre I a été remplacé par L.Q. 2003, c. 2, par. 308(1) et cette modification a effet depuis le 1er janvier 2001. Antérieurement, il se lisait ainsi : « *Fourniture taxable effectuée hors du Québec ou par une personne non résidente et non inscrite* ».

L'intitulé de la sous-section §3, édicté par L.Q. 1994, c. 22, art 369(1), a été modifié par L.Q. 1995, c. 1, art. 252 et est réputé entré en vigueur le 1er juillet 1992 [*N.D.L.R.* : cette disposition s'applique conformément aux articles 618 à 656 et 685 L.Q. 1991, c. 67, tels que modifiés]. Antérieurement, il se lisait ainsi : « *Fourniture taxable effectuée hors du Québec ou par une personne non résidante et non inscrite* ».

18. Fourniture taxable effectuée hors du Québec ou par une personne non résidente et non inscrite — Tout acquéreur d'une fourniture taxable, à l'exception d'une fourniture détaxée autre que celle visée au paragraphe 2.1° ou à l'un des articles 179.1, 179.2 et 191.3.2 ou d'une fourniture visée à l'article 18.0.1, doit payer au ministre une taxe à l'égard de la fourniture calculée au taux de 9,975 % sur la valeur de la contrepartie de celle-ci si la fourniture est, selon le cas :

1° une fourniture, autre qu'une fourniture prescrite, d'un service effectuée hors du Québec à une personne qui réside au Québec, autre que la fourniture d'un service qui est, selon le cas :

a) acquis pour consommation, utilisation ou fourniture exclusive dans le cadre d'activités commerciales de la personne ou d'activités qui sont exercées par la personne exclusivement hors du Québec et qui ne font pas partie d'une entreprise, d'un projet comportant un risque ou d'une affaire de caractère commercial exercé par elle au Québec;

b) consommé par un particulier exclusivement hors du Québec, autre qu'un service de formation dont la fourniture est effectuée à une personne qui n'est pas un consommateur;

c) à l'égard d'un immeuble situé hors du Québec;

d) un service — autre qu'un service de dépôt et de garde des titres ou des métaux précieux de cette personne ou d'un service qui consiste à agir à titre de prête-nom relativement à ces titres ou à ces métaux précieux — à l'égard d'un bien meuble corporel qui est, selon le cas :

i. situé hors du Québec au moment où le service est exécuté;

ii. expédié hors du Québec dans un délai raisonnable après l'exécution du service, compte tenu des circonstances entourant l'expédition hors du Québec, et qui n'est pas consommé, utilisé ou fourni au Québec entre le moment où le service est exécuté et celui où le bien est expédié hors du Québec;

e) un service de transport, autre qu'un service de transport de marchandises dont la fourniture est visée à l'article 24.2;

f) un service rendu en relation avec une instance criminelle, civile ou administrative tenue hors du Québec, à l'exception d'un service rendu avant le début d'une telle instance;

2º une fourniture, autre qu'une fourniture prescrite, d'un bien meuble incorporel effectuée hors du Québec à une personne qui réside au Québec, autre que la fourniture d'un bien qui, selon le cas :

a) est acquis pour consommation, utilisation ou fourniture exclusive dans le cadre d'activités commerciales de la personne ou d'activités qui sont exercées par la personne exclusivement hors du Québec et qui ne font pas partie d'une entreprise, d'un projet comportant un risque ou d'une affaire de caractère commercial exercé par la personne au Québec;

b) ne peut être utilisé au Québec;

c) se rapporte à un immeuble situé hors du Québec, à un service qui doit être exécuté entièrement hors du Québec ou à un bien meuble corporel situé hors du Québec;

2.1º une fourniture d'un bien meuble incorporel effectuée au Québec qui constitue une fourniture détaxée uniquement en raison du fait qu'elle est visée aux articles 188 ou 188.1, autre que, selon le cas :

a) la fourniture qui est effectuée à un consommateur du bien;

b) la fourniture d'un bien meuble incorporel qui est acquis pour consommation, utilisation ou fourniture exclusive dans le cadre d'activités commerciales de l'acquéreur de la fourniture ou d'activités qui sont exercées par l'acquéreur exclusivement hors du Québec et qui ne font pas partie d'une entreprise, d'un projet comportant un risque ou d'une affaire de caractère commercial exercé par l'acquéreur au Québec;

3º une fourniture, autre qu'une fourniture prescrite, d'un bien meuble corporel effectuée par une personne qui ne réside pas au Québec et qui n'est pas inscrite en vertu de la section I du chapitre VIII à un acquéreur qui est un inscrit dans le cas où, à la fois :

a) la possession matérielle du bien est transférée à l'acquéreur au Québec par un autre inscrit qui a, selon le cas :

i. effectué au Québec à une personne qui ne réside pas au Québec une fourniture par vente du bien ou la fourniture d'un service de fabrication ou de production du bien;

ii. acquis la possession matérielle du bien afin d'effectuer à une personne qui ne réside pas au Québec la fourniture d'un service commercial à l'égard du bien;

b) l'acquéreur remet à l'autre inscrit un certificat de l'acquéreur visé au paragraphe 3º du premier alinéa de l'article 327.2;

c) le bien, selon le cas :

i. n'est pas acquis par l'acquéreur pour consommation, utilisation ou fourniture exclusive dans le cadre de ses activités commerciales;

ii. (*sous-paragraphe supprimé*);

iii. est une voiture de tourisme que l'acquéreur acquiert pour utilisation au Québec comme immobilisation dans le cadre de ses activités commerciales et dont le coût en capital pour l'acquéreur excède le montant réputé en vertu du paragraphe d.3) ou d.4) de l'article 99 de la *Loi sur les impôts* (chapitre I-3) être le coût en capital de la voiture de tourisme pour l'acquéreur pour l'application de cette loi;

4º une fourniture, autre qu'une fourniture prescrite, d'un bien meuble corporel effectuée à un moment donné par une personne qui ne réside pas au Québec et qui n'est pas inscrite en vertu de la section I du chapitre VIII à un acquéreur donné qui réside au Québec dans le cas où, à la fois :

a) le bien est délivré à l'acquéreur donné au Québec, ou y est mis à sa disposition, et l'acquéreur donné n'est pas un inscrit qui acquiert le bien pour consommation, utilisation ou fourniture exclusive dans le cadre de ses activités commerciales;

b) la personne qui ne réside pas au Québec a précédemment effectué une fourniture taxable du bien par louage, licence ou accord semblable à un inscrit avec lequel elle avait un lien de dépendance ou qui était lié à l'acquéreur donné et les conditions suivantes sont satisfaites :

i. le bien a été délivré à l'inscrit au Québec, ou y a été mis à sa disposition;

ii. l'inscrit avait le droit de demander un remboursement de la taxe sur les intrants à l'égard du bien ou n'était pas tenu de payer la taxe prévue au présent article à l'égard de la fourniture seulement parce qu'il avait acquis le bien pour consommation, utilisation ou fourniture exclusive dans le cadre de ses activités commerciales;

iii. cette fourniture a été la dernière fourniture effectuée par la personne qui ne réside pas au Québec à un inscrit avant le moment donné.

5º une fourniture d'un produit transporté en continu, si la fourniture est réputée être effectuée hors du Québec en vertu de l'article 23 à un inscrit par une personne qui était l'acquéreur d'une fourniture du produit qui était une fourniture détaxée visée à l'article 191.3.1 ou qui l'aurait été, en faisant abstraction du sous-paragraphe e) du paragraphe 1º de cet article et si l'inscrit n'acquiert pas le produit pour consommation, utilisation ou fourniture exclusive dans le cadre de ses activités commerciales;

6º une fourniture visée à l'article 191.3.2 d'un produit transporté en continu qui n'est ni expédié hors du Québec par l'acquéreur conformément au paragraphe 1º du premier alinéa de cet article ni fourni par lui conformément au paragraphe 2º du premier alinéa de cet article et l'acquéreur n'acquiert pas le produit pour consommation, utilisation ou fourniture exclusive dans le cadre de ses activités commerciales.

7º une fourniture d'un bien qui constitue une fourniture détaxée uniquement en raison du fait qu'elle est visée à l'article 179.1, si l'acquéreur n'acquiert pas le bien pour consommation, utilisation ou fourniture exclusive dans le cadre de ses activités commerciales et si, selon le cas :

a) l'autorisation accordée à l'acquéreur d'utiliser le certificat visé à cet article n'est pas en vigueur au moment où la fourniture est effectuée;

b) l'acquéreur n'expédie pas le bien hors du Québec dans les circonstances décrites aux paragraphes 2º à 4º de l'article 179;

8º une fourniture d'un bien qui constitue une fourniture détaxée uniquement en raison du fait qu'elle est visée à l'article 179.2, si l'acquéreur n'acquiert pas le bien pour consommation, utilisation ou fourniture exclusive dans le cadre de ses activités commerciales et si, selon le cas :

a) l'autorisation accordée à l'acquéreur d'utiliser le certificat visé à cet article n'est pas en vigueur au moment où la fourniture est effectuée;

b) l'acquéreur n'acquiert pas le bien pour utilisation ou fourniture à titre de stocks intérieurs ou de bien d'appoint, au sens que donne à ces expressions l'article 350.23.1.

9º une fourniture réputée acquise par un contribuable admissible, au sens de l'article 26.2, en vertu de l'un des articles 26.3 et 26.4.

Notes historiques: Le préambule de l'article 18 a été modifié par L.Q. 2012, c. 28, s.-par. 35(1)(1°) par le remplacement de « 9,5 % » par « 9,975 % ». Cette modification a effet à compter du 1er janvier 2013, sauf à l'égard des fournitures visées aux deux paragraphes suivants.

Cette modification s'applique à l'égard de la fourniture d'un bien ou d'un service dont la contrepartie devient due après le 31 décembre 2012 et n'est pas payée avant le 1er janvier 2013.

Malgré le paragraphe ci-dessus, le sous-paragraphe 35(1)(1°) ne s'applique pas à l'égard de la fourniture d'un bien ou d'un service lorsque, selon le cas :

1° la fourniture est effectuée en vertu d'une convention écrite, conclue avant le 1er janvier 2012, qui porte sur la construction, la rénovation, la transformation ou la réparation d'un bateau ou d'un autre bâtiment de mer;

LTVQ (français)

2° la fourniture est celle d'un bien ou d'un service délivré, exécuté ou rendu disponible de façon continue au moyen d'un fil, d'un pipeline ou d'une autre canalisation avant le 1er janvier 2012.

Pour l'application du sous-paragraphe 2° ci-dessus, dans le cas où la fourniture d'un bien ou d'un service délivré, exécuté ou rendu disponible de façon continue au moyen d'un fil, d'un pipeline ou d'une autre canalisation est effectuée au cours d'une période pour laquelle le fournisseur émet une facture à l'égard de la fourniture et que, en raison de la méthode d'enregistrement de la délivrance du bien ou de la prestation du service, le moment où la totalité ou une partie du bien ou du service sera délivrée ou rendue ne peut être raisonnablement déterminé, la totalité du bien ou du service est réputée délivrée ou rendue en quantités égales chaque jour de la période.

Le préambule de l'article 18 a été modifié par L.Q. 2011, c. 6, par. 236(1) par le remplacement de « 8,5 % » par « 9,5 % ». Cette modification a effet à compter du 1er janvier 2012, sauf à l'égard des fournitures visées aux paragraphes 1 à 3 ci-dessous.

1. Sous réserve des paragraphes 2 et 3, cette modification s'applique à l'égard d'une fourniture dont la contrepartie devient due après le 31 décembre 2011 et n'est pas payée avant le 1er janvier 2012.

2. Cette modification s'applique à l'égard d'une fourniture effectuée en vertu d'une convention écrite, conclue après le 31 décembre 2011, qui porte sur la construction, la rénovation, la transformation ou la réparation d'un bateau ou d'un autre bâtiment de mer.

3. Cette modification s'applique à l'égard de la fourniture d'un bien ou d'un service délivré, exécuté ou rendu disponible de façon continue au moyen d'un fil, d'un pipeline ou d'une autre canalisation après le 31 décembre 2011.

4. Pour l'application du paragraphe 3, dans le cas où la fourniture d'un bien ou d'un service délivré, exécuté ou rendu disponible de façon continue au moyen d'un fil, d'un pipeline ou d'une autre canalisation est effectuée au cours d'une période pour laquelle le fournisseur émet une facture à l'égard de la fourniture et qu'en raison de la méthode d'enregistrement de la délivrance du bien ou de la prestation du service, le moment où la totalité ou une partie du bien ou du service est délivrée ou rendue ne peut être raisonnablement déterminé, la totalité du bien ou du service est réputée délivrée ou rendue en quantités égales chaque jour de la période.

Le préambule de l'article 18 a été modifié par L.Q. 2010, c. 5, par. 209(1) par le remplacement de « 7,5 % » par « 8,5 % ». Cette modification a effet à compter du 1er janvier 2011, sauf à l'égard des fournitures visées aux paragraphes 1 à 3 ci-dessous.

1. Sous réserve des paragraphes 2 et 3 ci-dessous, cette modification s'applique à l'égard d'une fourniture dont la contrepartie devient due après le 31 décembre 2010 et n'est pas payée avant le 1er janvier 2011.

2. Cette modification s'applique à l'égard d'une fourniture effectuée en vertu d'une convention écrite, conclue après le 31 décembre 2010, qui porte sur la construction, la rénovation, la transformation ou la réparation d'un bateau ou d'un autre bâtiment de mer.

3. Cette modification s'applique à l'égard de la fourniture d'un bien ou d'un service délivré, exécuté ou rendu disponible de façon continue au moyen d'un fil, d'un pipeline ou d'une autre canalisation après le 31 décembre 2010.

4. Pour l'application du paragraphe 3, dans le cas où la fourniture d'un bien ou d'un service délivré, exécuté ou rendu disponible de façon continue au moyen d'un fil, d'un pipeline ou d'une autre canalisation est effectuée au cours d'une période pour laquelle le fournisseur émet une facture à l'égard de la fourniture et qu'en raison de la méthode d'enregistrement de la délivrance du bien ou de la prestation du service, le moment où la totalité ou une partie du bien ou du service est délivrée ou rendue ne peut être raisonnablement déterminé, la totalité du bien ou du service est réputée délivrée ou rendue en quantités égales chaque jour de la période.

Le préambule de l'article 18 a été remplacé par L.Q. 2009, c. 15, s.-par. 482(1)(1°) et cette modification s'applique à une fourniture effectuée après le 19 mars 2007. Antérieurement, il se lisait ainsi :

> 18. Tout acquéreur d'une fourniture taxable, à l'exception d'une fourniture détaxée autre que celle visée à l'un des articles 179.1, 179.2 et 191.3.2 ou d'une fourniture visée à l'article 18.0.1, doit payer au ministre une taxe à l'égard de la fourniture calculée au taux de 7,5 % sur la valeur de la contrepartie de celle-ci si la fourniture est, selon le cas :

Le préambule de l'article 18 a été remplacé par L.Q. 2003, c. 2, s.-par. 309(1)(1°) et cette modification s'applique à l'égard d'une fourniture effectuée après le 31 décembre 2000. Antérieurement, il se lisait ainsi :

> 18. Tout acquéreur d'une fourniture taxable, à l'exception d'une fourniture détaxée autre que celle visée à l'article 191.3.2 ou d'une fourniture visée à l'article 18.0.1, doit payer au ministre une taxe à l'égard de la fourniture calculée au taux de 7,5 % sur la valeur de la contrepartie de celle-ci si la fourniture est, selon le cas :

Le préambule de l'article 18 a été remplacé par L.Q. 2001, c. 53, art. 274(1)(1°) et cette modification s'applique à l'égard d'une fourniture effectuée après le 31 octobre 1998. Antérieurement, il se lisait ainsi :

> 18. Tout acquéreur d'une fourniture taxable, à l'exception d'une fourniture détaxée ou d'une fourniture visée à l'article 18.0.1, doit payer au ministre une taxe à l'égard de la fourniture calculée au taux de 7,5 % sur la valeur de la contrepartie de celle-ci si la fourniture est, selon le cas :

Le préambule du premier alinéa de l'article 18 a été remplacé par L.Q. 1997, c. 85, art. 427(1)(1°) et a effet depuis le 1er avril 1997 sauf lorsque cette modification vise à remplacer « 6,5 % » par « 7,5 % ». Dans ce dernier cas, la modification a effet à compter du 1er janvier 1998, sauf à l'égard des fournitures visées aux paragraphes 1 à 3.

> 1. Sous réserve des paragraphes 2 et 3, lorsque la modification apportée par L.Q. 1997, c. 85, art. 427(1)(1°) vise à remplacer « 6,5 % » par « 7,5 % », cette modification s'applique à l'égard d'une fourniture dont la contrepartie devient due après le 31 décembre 1997 et n'est pas payée avant le 1er janvier 1998.
>
> 2. Lorsque la modification apportée par L.Q. 1997, c. 85, art. 427(1)(1°) vise à remplacer « 6,5 % » par « 7,5 % », cette modification s'applique à l'égard d'une fourniture effectuée en vertu d'une convention écrite conclue après le 31 décembre 1997, qui porte sur la construction, la rénovation, la transformation ou la réparation d'un bateau ou d'un autre bâtiment de mer.
>
> 3. Lorsque la modification apportée par L.Q. 1997, c. 85, art. 427(1)(1°) vise à remplacer « 6,5 % » par « 7,5 % », cette modification s'applique à l'égard de la fourniture d'un bien ou d'un service délivré, exécuté ou rendu disponible de façon continue au moyen d'un fil, d'un pipeline ou d'une autre canalisation après le 31 décembre 1997.
>
> 4. Pour l'application du paragraphe 3, dans le cas où la fourniture d'un bien ou d'un service délivré, exécuté ou rendu disponible de façon continue au moyen d'un fil, d'un pipeline ou d'une autre canalisation est effectuée au cours d'une période pour laquelle le fournisseur émet une facture à l'égard de la fourniture et qu'en raison de la méthode d'enregistrement de la délivrance du bien ou de la prestation du service le moment où la totalité ou une partie du bien ou du service est délivrée ou rendue ne peut être raisonnablement déterminé, la totalité du bien ou du service est réputée délivrée ou rendue en quantités égales chaque jour de la période.

Antérieurement à cette modification, le préambule du premier alinéa de l'article 18, modifié par L.Q. 1995, c. 1, art. 253(1), se lisait ainsi :

> 18. Tout acquéreur d'une fourniture taxable, à l'exception d'une fourniture détaxée, doit payer au ministre une taxe à l'égard de la fourniture égale à 6,5 % de la valeur de la contrepartie de celle-ci si la fourniture est, selon le cas :

Cette modification est réputée entrée en vigueur le 13 mai 1994, sauf à l'égard des fournitures visées ci-dessous :

> 1. Sous réserve des paragraphes 2 et 3, cette modification s'applique à l'égard d'une fourniture dont la contrepartie devient due après le 12 mai 1994 et n'est pas payée avant le 13 mai 1994.
>
> 2. Cette modification s'applique à l'égard d'une fourniture effectuée en vertu d'une convention écrite conclue après le 12 mai 1994, qui porte sur la construction, la rénovation, la transformation ou la réparation d'un bateau ou d'un autre bâtiment de mer.
>
> 3. Cette modification s'applique à l'égard d'une fourniture d'un bien ou d'un service délivré, exécuté ou rendu disponible de façon continue au moyen d'un fil, d'un pipeline ou d'une autre canalisation après le 12 mai 1994.
>
> 4. Pour l'application du paragraphe 3°, dans le cas où la fourniture d'un bien ou d'un service délivré, exécuté ou rendu disponible de façon continue au moyen d'un fil, d'un pipeline ou d'une autre canalisation est effectuée au cours d'une période pour laquelle le fournisseur émet une facture à l'égard de la fourniture et qu'en raison de la méthode d'enregistrement de la délivrance du bien ou de la prestation du service le moment où la totalité ou une partie du bien ou du service est délivrée ou rendue ne peut être raisonnablement déterminé, la totalité du bien ou du service est réputée délivrée ou rendue en quantités égales chaque jour de la période.

Le préambule du premier alinéa de l'article 18 a été modifié par L.Q. 1994, c. 22, art. 370(1). L.Q. 1995, c. 1, art. 357(1), qui a effet depuis le 17 juin 1994, prévoit que cette modification s'applique à compter du 1er juillet 1992. Toutefois, à l'égard des fournitures dont la totalité ou une partie de la contrepartie est payée ou devient due avant le 1er octobre 1992, L.Q. 1995, c. 1, art. 357(1), qui a effet depuis le 17 juin 1994, stipule que le préambule et le paragraphe 1° de l'article 18 doivent se lire comme suit :

> 18. Tout acquéreur d'une fourniture taxable doit payer au ministre une taxe à l'égard de la fourniture calculée au taux prévu au deuxième alinéa sur la valeur de la contrepartie de la fourniture si la fourniture est, selon le cas :
>
> 1° une fourniture d'un bien meuble incorporel ou d'un service effectuée hors du Québec à un acquéreur qui réside au Québec, s'il est raisonnable de considérer qu'il a reçu le bien ou le service pour utilisation au Québec autrement qu'exclusivement dans le cadre d'une activité commerciale;

Le préambule du premier alinéa de l'article 18 a été modifié par L.Q. 1994, c. 22, art. 370(1) et s'applique aux fournitures dont la contrepartie est payée ou devient due après le 30 septembre 1992, sauf celles dont la contrepartie est payée ou devient due avant le 1er octobre 1992. Il se lisait comme suit :

> 18. Tout acquéreur d'une fourniture taxable, à l'exception d'une fourniture détaxée, doit payer au ministre une taxe à l'égard de la fourniture calculée au taux prévu au deuxième alinéa sur la valeur de la contrepartie de la fourniture si la fourniture est, selon le cas :

Le premier alinéa de l'article 18 a été modifié par L.Q. 1993, c. 19, art. 171(1°) et s'appliquait à l'égard d'une fourniture ou d'un apport au Québec relativement auquel l'article 685 ou l'un des articles 618 à 656 de L.Q. 1991, c. 67 s'applique [*N.D.L.R.* : les articles 685 et 618 à 656 réfèrent à des dispositions transitoires concernant les transferts avant le 1er juillet 1992]. Il se lisait comme suit :

18. Tout acquéreur d'une fourniture taxable d'un bien meuble incorporel ou d'un service effectuée hors du Québec doit payer au ministre une taxe à l'égard de la fourniture calculée au taux prévu au deuxième alinéa sur la valeur de la contrepartie de la fourniture, s'il réside au Québec et s'il est raisonnable de considérer qu'il a reçu le bien ou le service pour utilisation au Québec autrement qu'exclusivement dans le cadre d'une activité commerciale.

Le préambule du premier alinéa de l'article 18, édicté par L.Q. 1991, c. 67, se lisait comme suit :

18. Tout acquéreur d'une fourniture taxable d'un bien meuble incorporel ou d'un service effectuée hors du Québec doit payer au ministre une taxe à l'égard de la fourniture égale à 8 % de la valeur de la contrepartie de la fourniture, s'il réside au Québec et s'il est raisonnable de considérer qu'il a reçu le bien ou le service pour utilisation au Québec autrement qu'exclusivement dans le cadre d'une activité commerciale.

Le paragraphe 1° du premier alinéa de l'article 18 a été modifié par L.Q. 1994, c. 22, art. 370(1) et L.Q. 1995, c. 1, art. 357(1), qui a effet depuis le 17 juin 1994, prévoit qu'il s'applique à compter du 1er juillet 1992 [*N.D.L.R.* : cette disposition s'applique conformément aux articles 618 à 656 et 685 L.Q. 1991, c. 67, tels que modifiés]. Toutefois, à l'égard des fournitures dont la totalité ou une partie de la contrepartie est payée ou devient due avant le 1er octobre 1992, L.Q. 1995, c. 1, art. 357(1), qui a effet depuis le 17 juin 1994, stipule que le préambule et le paragraphe 1° de l'article 18 doivent se lire comme suit :

18. Tout acquéreur d'une fourniture taxable doit payer au ministre une taxe à l'égard de la fourniture calculée au taux prévu au deuxième alinéa sur la valeur de la contrepartie de la fourniture si la fourniture est, selon le cas :

1° une fourniture d'un bien meuble incorporel ou d'un service effectuée hors du Québec à un acquéreur qui réside au Québec, s'il est raisonnable de considérer qu'il a reçu le bien ou le service pour utilisation au Québec autrement qu'exclusivement dans le cadre d'une activité commerciale;

L.Q. 1994, c. 22, art. 370(2) stipulait que le paragraphe 1° du premier alinéa de l'article 18 s'appliquait aux fournitures dont la contrepartie est payée ou devient due après le 30 septembre 1992, sauf celles dont la contrepartie est payée ou devient due avant le 1er octobre 1992.

Le préambule du sous-paragraphe d) du paragraphe 1° du premier alinéa de l'article 18 a été modifiée par L.Q. 1997, c. 85, art. 427(1)(2°) et cette modification a effet depuis le 1er janvier 1997. Antérieurement à cette modification, cette partie du sous-paragraphe d) se lisait ainsi :

d) un service — autre qu'un service de dépôt et de garde des titres de cette personne ou d'un service qui consiste à agir à titre de prête-nom relativement à ces titres — à l'égard d'un bien meuble corporel qui est, selon le cas :

Le sous-paragraphe e) du paragraphe 1° du premier alinéa de l'article 18 a été modifié par L.Q. 1997, c. 85, art. 427(1)(3°) et cette modification a effet depuis le 1er juillet 1992. Antérieurement à cette modification, ce sous-paragraphe, modifié par L.Q. 1995, c. 1, art. 357(1) se lisait ainsi :

e) un service de transport, autre qu'un service de transport de marchandises à l'égard du transport d'un bien meuble corporel d'un endroit au Canada hors du Québec à un endroit au Québec;

Cette modification est réputée avoir effet depuis le 17 juin 1994. Ce sous-paragraphe, ajouté par L.Q. 1994, c. 22, art. 370(1), se lisait comme suit :

e) un service de transport;

Le paragraphe 2° du premier alinéa de l'article 18 a été ajouté par L.Q. 1994, c. 22, art. 370(1) et selon L.Q. 1995, c. 1, art. 357(1), qui a effet depuis le 17 juin 1994, ce paragraphe s'applique aux fournitures dont la contrepartie est payée ou devient due après le 30 septembre 1992, sauf celles dont la contrepartie est payée ou devient due avant le 1er octobre 1992.

Le paragraphe 2.1° du premier alinéa de l'article 18 a été ajouté par L.Q. 2009, c. 15, s.-par. 482(1)(2°) et s'applique à une fourniture effectuée après le 19 mars 2007.

Le paragraphe 3° de l'article 18 a été modifié par L.Q. 2009, c. 5, s.-par. 596(1)(1°) par l'insertion, après les mots « dans le cas où », de « , à la fois ». Cette modification a effet depuis le 1er juillet 1992.

Le paragraphe 3° du premier alinéa de l'article 18 a été ajouté par L.Q. 1995, c. 1, art. 253(1) et s'applique rétroactivement à compter du 1er juillet 1992 [*N.D.L.R.* : cette disposition s'applique conformément aux articles 618 à 656 et 685 L.Q. 1991, c. 67, tels que modifiés]. Toutefois :

a) le préambule du paragraphe 3° du premier alinéa de l'article 18 doit se lire en faisant abstraction de « autre qu'une fourniture prescrite, » à l'égard d'une fourniture dont la totalité ou une partie de la contrepartie est payée ou devient due avant le 1er octobre 1992;

b) le paragraphe 3° du premier alinéa de l'article 18 doit se lire en faisant abstraction du sous-paragraphe b) à l'égard de la fourniture d'un bien dont la possession matérielle est transférée à l'acquéreur avant le 30 octobre 1992.

Les sous-paragraphes i et ii du sous-paragraphe a) du paragraphe 3° de l'article 18 ont été remplacés par L.Q. 2001, c. 53, art. 274(1)(2°) et ces modifications s'appliquent à l'égard d'une fourniture effectuée après le 10 décembre 1998. Antérieurement, ils se lisaient ainsi :

i. effectué au Québec à la personne qui ne réside pas au Québec une fourniture par vente du bien ou la fourniture d'un service de fabrication ou de production du bien;

ii. acquis la possession matérielle du bien afin d'effectuer à la personne qui ne réside pas au Québec la fourniture d'un service commercial à l'égard du bien;

Le sous-paragraphe ii du sous-paragraphe c) du paragraphe 3° du premier alinéa de l'article 18 a été supprimé par L.Q. 1995, c. 63, art. 307(1) et cette modification s'applique à l'égard de la fourniture d'un bien effectuée à un acquéreur après le 31 juillet 1995 dans le cas où l'acquéreur aurait le droit d'inclure dans le calcul de son remboursement de la taxe sur les intrants, en raison de l'abrogation de l'article 206.1, le montant total de la taxe payable relativement à la fourniture du bien et, dans tous les autres cas, à l'égard de la fourniture d'un bien effectuée après une date de prise d'effet fixée par décret du gouvernement.

[*N.D.L.R.* : le paragraphe d'application prévu par L.Q. 1995, c. 63, art. 307 a été modifé par L.Q. 1997, c. 85, art. 726(1), et a effet depuis le 15 décembre 1995. Antérieurement, il se lisait ainsi : « s'applique à l'égard d'une fourniture effectuée à un acquéreur :

a) après le 31 juillet 1995 dans le cas où l'acquéreur est une petite ou moyenne entreprise;

b) après le 29 novembre 1996 dans le cas où l'acquéreur est une grande entreprise. »]

Auparavant, le sous-paragraphe ii du sous-paragraphe c) du paragraphe 3° du premier alinéa de l'article 18 se lisait comme suit :

ii. est un bien à l'égard duquel l'acquéreur n'a pas le droit de demander un remboursement de la taxe sur les intrants en raison de l'article 206.1;

Le paragraphe 3° du premier alinéa de l'article 18 a été ajouté par L.Q. 1995, c. 1, art. 253(1)(2°) et est entré en vigueur le 1er juillet 1992. Toutefois :

a) la partie du paragraphe 3° du premier alinéa de l'article 18 de cette loi qui précède le sous-paragraphe a), que la modification édicte, doit se lire en faisant abstraction de « autre qu'une fourniture prescrite, » à l'égard d'une fourniture dont la totalité ou une partie de la contrepartie est payée ou devient due avant le 1er octobre 1992;

b) le paragraphe 3° du premier alinéa de l'article 18 de cette loi, que la modification édicte, doit se lire en faisant abstraction du sous-paragraphe b) à l'égard de la fourniture d'un bien dont la possession matérielle est transférée à l'acquéreur avant le 30 octobre 1992.

Le sous-paragraphe a) du paragraphe 4° du premier alinéa a été modifié par L.Q. 1995, c. 63, art. 307(1) et cette modification s'applique à l'égard de la fourniture d'un bien effectuée après une date de prise d'effet fixée par décret du gouvernement. [*N.D.L.R.* : L.Q. 1997, c. 85, art. 726(2) modifie L.Q. 1995, c. 63, art. 307 qui se lisait comme suit : « s'applique à l'égard de la fourniture d'un bien effectuée après le 29 novembre 1996. ». Cette modification a effet depuis le 15 décembre 1995.]

Auparavant, ce sous-paragraphe, ajouté par L.Q. 1995, c. 1, art. 253(1), se lisait comme suit :

a) le bien est délivré à l'acquéreur donné au Québec, ou y est mis à sa disposition, et l'acquéreur donné n'est pas un inscrit qui acquiert le bien pour consommation, utilisation ou fourniture exclusive dans le cadre de ses activités commerciales et qui a le droit de demander un remboursement de la taxe sur les intrants à l'égard du bien;

Le sous-paragraphe ii du sous-paragraphe b) du paragraphe 4° du premier alinéa de l'article 18 a été modifié par L.Q. 1995, c. 63, art. 307(1)(3°) et cette modification a effet depuis le 1er août 1995 sauf à l'égard d'un bien relativement auquel un inscrit n'avait pas le droit de demander un remboursement de la taxe sur les intrants en raison de l'article 206.3, auquel cas il ne s'applique pas. Auparavant, il se lisait comme suit :

ii. l'inscrit avait le droit de demander un remboursement de la taxe sur les intrants à l'égard du bien ou n'était pas tenu de payer la taxe prévue au présent article à l'égard de la fourniture seulement parce qu'il avait acquis le bien pour consommation, utilisation ou fourniture exclusive dans le cadre de ses activités commerciales et que le bien était un bien à l'égard duquel l'inscrit avait le droit de demander un remboursement de la taxe sur les intrants;

Le paragraphe 4° du premier alinéa de l'article a été ajouté par L.Q. 1995, c. 1, art. 253(1) et s'applique à l'égard d'une fourniture dont la contrepartie est payée ou devient due après le 31 décembre 1992, autre qu'une fourniture dont la contrepartie est payée ou devient due avant le 1er janvier 1993.

Les paragraphes 5° et 6° de l'article 18 ont été ajoutés par L.Q. 2001, c. 53, art. 274(1)(3°). Le paragraphe 5° s'applique à l'égard d'une fourniture effectuée hors du Québec après le 7 août 1998 et le paragraphe 6° s'applique à l'égard d'une fourniture effectuée après le 31 octobre 1998.

Les paragraphes 7° et 8° de l'article 18 ont été ajoutés par L.Q. 2003, c. 2, s.-par. 309(1)(2°) et s'appliquent à l'égard d'une fourniture effectuée après le 31 décembre 2000.

Le paragraphe 9° de l'article 18 a été ajouté par L.Q. 2012, c. 28, s.-par. 35(1)(2°) et s'applique à compter du 1er janvier 2013.

Le deuxième alinéa de l'article 18 a été supprimé par L.Q. 1997, c. 85, art. 427(1)(4°) et cette modification a effet depuis le 1er avril 1997.

Auparavant, il se lisait ainsi :

LTVQ (français)

La taxe prévue au présent article à l'égard d'une fourniture taxable est payable par l'acquéreur au premier en date du jour où la contrepartie de la fourniture est payée et du jour où cette contrepartie devient due.

Le deuxième alinéa de l'article 18 a été supprimé par L.Q. 1995, c. 1, art. 253(1) à compter du 13 mai 1994, sauf à l'égard des fournitures visées ci-dessous :

1. Sous réserve des paragraphes 2 et 3, cette modification s'appliquera à l'égard d'une fourniture dont la contrepartie devient due après le 12 mai 1994 et n'est pas payée avant le 13 mai 1994.

2. Cette modification s'appliquera à l'égard d'une fourniture effectuée en vertu d'une convention écrite conclue après le 12 mai 1994, qui porte sur la construction, la rénovation, la transformation ou la réparation d'un bateau ou d'un autre bâtiment de mer.

3. Cette modification s'appliquera à l'égard d'une fourniture d'un bien ou d'un service délivré, exécuté ou rendu disponible de façon continue au moyen d'un fil, d'un pipeline ou d'une autre canalisation après le 12 mai 1994.

4. Pour l'application du paragraphe 3, dans le cas où la fourniture d'un bien ou d'un service délivré, exécuté ou rendu disponible de façon continue au moyen d'un fil, d'un pipeline ou d'une autre canalisation est effectuée au cours d'une période pour laquelle le fournisseur émet une facture à l'égard de la fourniture et qu'en raison de la méthode d'enregistrement de la délivrance du bien ou de la prestation du service le moment où la totalité ou une partie du bien ou du service est délivrée ou rendue ne peut être raisonnablement déterminé, la totalité du bien ou du service est réputée délivrée ou rendue en quantités égales chaque jour de la période.

De plus, L.Q. 1995, c. 1, art. 253(1) a modifié le deuxième alinéa de l'article 18 et cette modification s'applique rétroactivement à compter du 1er juillet 1992 [*N.D.L.R.* : cette disposition s'applique conformément aux articles 618 à 656 et 685 L.Q. 1991, c. 67, tels que modifiés]. Cet alinéa se lit comme suit :

Le taux de taxe auquel réfère le premier alinéa est soit celui qui serait applicable à l'égard de la fourniture en vertu de l'article 16 si celle-ci était effectuée au Québec, soit de 8 % dans le cas où il s'agit de la fourniture d'un bien meuble corporel.

Le deuxième alinéa de l'article 18 avait été ajouté par L.Q. 1993, c. 19, art. 171 et s'appliquait à l'égard d'une fourniture ou d'un apport au Québec relativement auquel l'article 685 ou l'un des articles 618 à 656 de L.Q. 1991, c. 67 s'applique [*N.D.L.R.* : les articles 685 et 618 à 656 réfèrent à des dispositions transitoires concernant les transferts avant le 1er juillet 1992]. Il se lisait comme suit :

Le taux de la taxe auquel réfère le premier alinéa est celui qui serait applicable à l'égard de la fourniture en vertu de l'article 16 si celle-ci était effectuée au Québec.

Le troisième alinéa de l'article 18 a été supprimé par L.Q. 1994, c. 22, art. 370(1)(2°) et selon L.Q. 1995, c. 1, art. 357(1), qui a effet depuis le 17 juin 1994, cette modification s'applique aux fournitures dont la contrepartie est payée ou devient due après le 30 septembre 1992, sauf celle dont la contrepartie est payée ou devient due avant le 1er octobre 1992. Cet alinéa, édicté par L.Q. 1991, c. 67, se lisait comme suit :

Le premier alinéa ne s'applique pas à l'égard :

1° d'une fourniture à l'égard de laquelle la taxe prévue à l'article 16 est payable;

2° d'une fourniture détaxée;

3° d'une fourniture prescrite.

Le quatrième alinéa de l'article 18, devenu le deuxième alinéa par la suppression antérieure des deuxième et troisième alinéas, a été supprimé par L.Q. 1995, c. 85, art. 427(1)(4°). Cette modification a effet depuis le 1er avril 1997.

Le quatrième alinéa de l'article 18 a auparavant été modifié par L.Q. 1995, c. 1, art. 253 et cette modification est réputée entrée en vigueur le 30 janvier 1995. Cet alinéa, édicté par L.Q. 1991, c. 67, se lisait comme suit :

La taxe prévue au présent article à l'égard d'une fourniture taxable effectuée hors du Québec est payable par l'acquéreur au premier en date du jour où la contrepartie de la fourniture est payée et du jour où cette contrepartie devient due.

L'article 18 a été édicté par L.Q. 1991, c. 67

Notes explicatives ARQ (PL 5, L.Q. 2012, c. 28): *Résumé* :

L'article 18 est modifié afin que soit remplacé, à compter du 1er janvier 2013, le taux de taxation de 9,5 % par un taux de 9,975 %.

Cet article est également modifié afin d'ajouter, à la liste des fournitures à l'égard desquelles un acquéreur doit payer la taxe par autocotisation, la fourniture taxable réputée découlant de certains frais et dépenses engagés hors du Canada par certaines institutions financières mais se rapportant à leurs activités exercées au Québec.

Situation actuelle :

L'article 18 assujettit certaines fournitures à la taxe de vente du Québec (TVQ). Par exemple, dans certaines circonstances, la fourniture taxable, autre que détaxée, d'un bien meuble ou d'un service effectuée hors du Québec est visée par cet article. L'acquéreur d'une telle fourniture est tenu de payer et de verser la TVQ.

Modifications proposées :

En vue de tenir compte du fait que la taxe sur les produits et services est retirée de l'assiette de la TVQ à compter du 1er janvier 2013, il y a lieu de modifier l'article 18 de la LTVQ. Cette modification a pour objet de remplacer le taux de taxation de 9,5 % par un taux établi à 9,975 %, soit un taux équivalent au taux effectif dans le régime actuel.

De plus, l'article 18 est modifié afin de faire en sorte qu'un contribuable admissible, au sens du nouvel article 26.2 de la LTVQ, introduit par le présent projet de loi, soit tenu de payer et de verser la taxe sur la fourniture qu'il est réputé avoir acquise en vertu de l'un ou l'autre des nouveaux articles 26.3 et 26.4 de cette loi. En effet, ces articles prévoient, de façon sommaire, que les contribuables admissibles (donc des institutions financières) qui résident au Québec sont réputées avoir acquis, dans une année déterminée, une fourniture taxable pour une contrepartie égale à la mesure dans laquelle soit les frais internes et les frais externes que lui attribue une succursale sise hors du Canada, soit le montant d'une dépense engagée hors du Canada, laquelle est déductible dans le calcul de son revenu pour l'application de la *Loi de l'impôt sur le revenu* (Lois révisées du Canada (1985), chapitre 1, 5e supplément), sont engagés ou effectués en vue de consommer, d'utiliser ou de fournir la totalité ou une partie d'un service admissible ou d'un bien dans le cadre d'une activité que le contribuable exerce, pratique ou mène au Québec.

Notes explicatives ARQ (PL 5, L.Q. 2011, c. 6): *Résumé* :

L'article 18 est modifié afin que soit remplacé, à compter du 1er janvier 2012, le taux de taxation de 8,5 % par un taux de 9,5 %.

Situation actuelle :

L'article 18 assujettit certaines fournitures à la taxe de vente du Québec (TVQ). Par exemple, dans certaines circonstances, la fourniture taxable, autre que détaxée, d'un bien meuble ou d'un service effectuée hors du Québec est visée par cet article. L'acquéreur d'une telle fourniture est tenu de payer et de verser la TVQ.

Modifications proposées :

La modification apportée à l'article 18 vise à remplacer, à compter du 1er janvier 2012, le taux de taxation de 8,5 % par un taux de 9,5 %.

Notes explicatives ARQ (PL 64, L.Q. 2010, c. 5): *Résumé* :

L'article 18 est modifié afin que soit remplacé le taux de taxation de 7,5 % par un taux de 8,5 %.

Situation actuelle :

L'article 18 de la LTVQ assujettit certaines fournitures à la taxe de vente du Québec. Par exemple, dans certaines circonstances, la fourniture taxable, autre que détaxée, d'un bien meuble ou d'un service effectuée hors du Québec est visée par cet article. L'acquéreur d'une telle fourniture est tenu de payer et de verser la taxe de vente du Québec.

Modifications proposées :

La modification apportée à l'article 18 de la LTVQ vise à remplacer le taux de taxation de 7,5 % par un taux de 8,5 %.

Notes explicatives ARQ (PL 37, L.Q. 2009, c. 15): *Résumé* :

La modification apportée à l'article 18 fait en sorte que, lorsque certaines conditions sont satisfaites, l'acquéreur de la fourniture d'un bien meuble incorporel est assujetti au paiement et au versement de la taxe de vente du Québec (TVQ).

Situation actuelle :

Actuellement, l'article 18 de la LTVQ prévoit que, dans certaines circonstances, la fourniture d'un bien meuble ou d'un service effectuée hors du Québec constitue une fourniture taxable à l'égard de laquelle l'acquéreur est tenu de payer et de verser, au lieu du fournisseur, la TVQ.

Par ailleurs, les articles 188 et 188.1 de la LTVQ prévoient que, lorsque certaines conditions sont satisfaites, la fourniture au Québec d'un bien meuble incorporel, tel qu'un brevet ou une marque de commerce, est détaxée lorsque l'acquéreur du bien ne réside pas au Québec et qu'il n'estpas inscrit dans le régime de la TVQ au moment de la fourniture.

Modifications proposées :

Il est proposé de modifier l'article 18 de la LTVQ afin de faire en sorte que, lorsque la fourniture au Québec d'un bien meuble incorporel est détaxée en raison du fait que l'acquéreur du bien ne réside pas au Québec et qu'il n'est pas inscrit dans le régime de la TVQ, l'acquéreur soit, dans certaines circonstances, tenu de payer et de verser la TVQ à l'égard de cette fourniture comme s'il s'agissait d'un bien apporté au Québec par l'acquéreur.

Notes explicatives ARQ (PL 2, L.Q. 2009, c. 5): *Résumé* :

Le paragraphe 3 de l'article 18 est modifié afin de préciser que toutes les conditions prévues aux sous-paragraphes a), b) et c) du paragraphe 3 doivent être rencontrées pour que ce paragraphe s'applique.

Situation actuelle :

Actuellement, le paragraphe 3 de l'article 18 de la LTVQ prévoit qu'une personne doit s'autocotiser relativement à l'apport d'un bien meuble corporel à certaines conditions sans spécifier si ces conditions sont cumulatives ou non.

Modifications proposées :

Il y aurait lieu d'apporter une modification technique au paragraphe 3 de l'article 18 de la LTVQ afin que toutes les conditions sous-jacentes à ce paragraphe soient cumulatives pour que ce dernier s'applique. Cette modification technique permettra d'être parfaitement harmonisée au paragraphe 217(b) de la *Loi sur la taxe d'accise* (L.R.C., c. E-15).

Guides [art. 18]: IN-203 — Renseignements généraux sur la TVQ et la TPS/TVH.

Définitions [art. 18]: « acquéreur », « activité commerciale », « bien », « contrepartie », « entreprise », « exclusif », « fourniture », « fourniture détaxée », « fourniture taxable », « inscrit », « personne », « service », « taxe », « voiture de tourisme » — 1.

Renvois [art. 18]: 3 (lien de dépendance réputée); 16 (taux de taxe — fournitures taxables et détaxées); 11–14 (résidence); 17 (apport de biens corporels); 18.0.2 (taxe payable); 21–24 (lieu de la fourniture); 26 (fournitures entre succursales); 26.0.4 (Utilisation interne d'une ressource d'appui d'une personne déterminée); 26.0.5 (Utilisation interne d'une ressource incorporelle d'une personne déterminée); 51 (valeur de la contrepartie); 199 (RTI); 218 (restriction — bien meuble corporel désigné); 327.2 (certificat de transfert de possession); 327.4–327.6 (certificat de transfert de possession); 472 (déclaration — taxe prévue à l'article 18); 677:5° (règlements).

Bulletins d'interprétation [art. 18]: TVQ. 16-14/R1 — Fournitures effectuées à un régime de pension agréé; TVQ. 16-20/R1 — La taxe de vente du Québec et les fournisseurs de services d'accès au réseau Internet; TVQ. 197-2 — Service de transport de marchandises interprovincial et international rendu dans le cadre de la fourniture de biens meubles corporels.

Formulaires [art. 18]: CA-18.R.9, *Demande d'autorisation d'une intervention dans un centre de coloration*; VD-442.S, *Demande de compensation de la TVQ au moyen d'un remboursement de TVQ.*

Lettres d'interprétation: 00-0109900 — Interprétation relative à la TPS et à la TVQ — Fourniture de documents à des destinataires hors Québec ou hors Canada.

Concordance fédérale: LTA, art. 217, 218.

18.0.1 Fourniture taxable effectuée hors du Québec mais au Canada — Toute personne qui réside au Québec et qui est l'acquéreur de la fourniture taxable d'un bien meuble incorporel ou d'un service effectuée hors du Québec autrement qu'en raison de l'article 23 ou 24.2 mais effectuée au Canada qu'elle a acquis pour consommation, utilisation ou fourniture dans la mesure d'au moins 10 % au Québec doit payer au ministre, à chaque moment où la totalité ou une partie de la contrepartie de la fourniture devient due ou est payée sans qu'elle soit devenue due, une taxe à l'égard de la fourniture égale au montant déterminé selon la formule suivante :

$$A \times B \times C.$$

Application — Pour l'application de cette formule :

1° la lettre A représente 9,975 %;

2° la lettre B représente la valeur de la contrepartie ou d'une partie de celle-ci qui est payée ou qui devient due à ce moment;

3° la lettre C représente le pourcentage qui correspond à la mesure dans laquelle la personne a acquis le bien ou le service pour consommation, utilisation ou fourniture au Québec.

Exception — Aucune taxe n'est payable à l'égard des fournitures suivantes :

1° la fourniture d'un bien ou d'un service effectuée à un inscrit, autre qu'un inscrit dont la taxe nette est déterminée en vertu des articles 433.1 à 433.15 ou d'une disposition réglementaire adoptée en vertu de l'article 434, qui a acquis le bien ou le service pour consommation, utilisation ou fourniture exclusive dans le cadre de ses activités commerciales;

2° une fourniture détaxée;

3° la fourniture d'un service, autre qu'un service de dépôt et de garde des titres ou des métaux précieux de cette personne ou d'un service qui consiste à agir à titre de prête-nom relativement à ces titres ou à ces métaux précieux, à l'égard d'un bien meuble corporel qui est expédié hors du Québec dans un délai raisonnable après l'exécution du service, compte tenu des circonstances entourant l'expédition hors du Québec, et qui n'est pas consommé, utilisé ou fourni au Québec entre le moment où le service est exécuté et celui où le bien est expédié hors du Québec;

4° la fourniture d'un service rendu en relation avec une instance criminelle, civile ou administrative tenue hors du Québec, à l'exception d'un service rendu avant le début d'une telle instance;

5° la fourniture d'un service de transport;

6° la fourniture d'un service de télécommunication;

7° la fourniture prescrite d'un bien ou d'un service, dans le cas où le bien ou le service est acquis par l'acquéreur de la fourniture dans les circonstances prescrites, conformément aux modalités prescrites.

8° la fourniture d'un bien ou d'un service, si le total des montants, dont chacun représente un montant de taxe qui, en l'absence du présent paragraphe et du paragraphe 5° du quatrième alinéa de l'article 17, deviendrait payable par la personne en vertu du premier alinéa ou du premier alinéa de l'article 17, est de 35 $ ou moins au cours du mois civil qui comprend le moment où la totalité ou une partie de la contrepartie de la fourniture devient due ou est payée sans qu'elle soit devenue due.

Fourniture effectuée au Canada — Pour l'application du premier alinéa, une fourniture est effectuée au Canada si elle est réputée effectuée au Canada en vertu de la partie IX de la *Loi sur la taxe d'accise* (L.R.C. 1985, c. E-15).

Modification proposée — 18.0.1

Protocole d'entente concernant l'harmonisation des taxes de vente en vue de la conclusion d'une entente intégrée globale de coordination fiscale entre le Canada et le Québec et Document d'information, 30 septembre 2011: [Voir sous l'art. 16 — n.d.l.r.]

Notes historiques: Le paragraphe 1° du deuxième alinéa de l'article 18.0.1 a été modifié par L.Q. 2012, c. 28, par. 36(1) par le remplacement de « 9,5 % » par « 9,975 % ». Cette.modification a effet à compter du 1er janvier 2013, sauf à l'égard des fournitures visées aux deux paragraphes suivants.

Cette modification s'applique à l'égard de la fourniture d'un bien ou d'un service dont la contrepartie devient due après le 31 décembre 2012 et n'est pas payée avant le 1er janvier 2013.

Malgré le paragraphe ci-dessus, le paragraphe 36(1) ne s'applique pas à l'égard de la fourniture d'un bien ou d'un service lorsque, selon le cas :

1° la fourniture est effectuée en vertu d'une convention écrite, conclue avant le 1er janvier 2012, qui porte sur la construction, la rénovation, la transformation ou la réparation d'un bateau ou d'un autre bâtiment de mer;

2° la fourniture est celle d'un bien ou d'un service délivré, exécuté ou rendu disponible de façon continue au moyen d'un fil, d'un pipeline ou d'une autre canalisation avant le 1er janvier 2012.

Pour l'application du sous-paragraphe ci-dessus, dans le cas où la fourniture d'un bien ou d'un service délivré, exécuté ou rendu disponible de façon continue au moyen d'un fil, d'un pipeline ou d'une autre canalisation est effectuée au cours d'une période pour laquelle le fournisseur émet une facture à l'égard de la fourniture et que, en raison de la méthode d'enregistrement de la délivrance du bien ou de la prestation du service, le moment où la totalité ou une partie du bien ou du service est délivrée ou rendue ne peut être raisonnablement déterminé, la totalité du bien ou du service sera réputée délivrée ou rendue en quantités égales chaque jour de la période.

Le paragraphe 1° du deuxième alinéa de l'article 18.0.1 a été modifié par L.Q. 2011, c. 6, par. 237(1) par le remplacement de « 8,5 % » par « 9,5 % ». Cette modification a effet à compter du 1er janvier 2012, sauf à l'égard des fournitures visées aux paragraphes 1 à 3.

1. Sous réserve des paragraphes 2 et 3, le paragraphe 233(1) s'applique à l'égard d'une fourniture dont la contrepartie devient due après le 31 décembre 2011 et n'est pas payée avant le 1er janvier 2012.

2. Cette modification s'applique à l'égard d'une fourniture effectuée en vertu d'une convention écrite, conclue après le 31 décembre 2011, qui porte sur la construction, la rénovation, la transformation ou la réparation d'un bateau ou d'un autre bâtiment de mer.

3. Cette modification s'applique à l'égard de la fourniture d'un bien ou d'un service délivré, exécuté ou rendu disponible de façon continue au moyen d'un fil, d'un pipeline ou d'une autre canalisation après le 31 décembre 2011.

4. Pour l'application du paragraphe 3, dans le cas où la fourniture d'un bien ou d'un service délivré, exécuté ou rendu disponible de façon continue au moyen d'un fil, d'un pipeline ou d'une autre canalisation est effectuée au cours d'une période pour laquelle le fournisseur émet une facture à l'égard de la fourniture et qu'en raison de la méthode d'enregistrement de la délivrance du bien ou de la prestation du service, le moment où la totalité ou une partie du bien ou du service est délivrée ou rendue ne peut être raisonnablement déterminé, la totalité du bien ou du service est réputée délivrée ou rendue en quantités égales chaque jour de la période.

Le paragraphe 1° du deuxième alinéa de l'article 18.0.1 a été modifié par L.Q. 2010, c. 5., par. 210(1) par le remplacement de « 7,5 % » par « 8,5 % ». Cette modification a effet à compter du 1er janvier 2011, sauf à l'égard des fournitures visées aux paragraphes 1 à 3 ci-dessous.

1. Sous réserve des paragraphes 2 et 3 ci-dessous, le paragraphe 1 s'applique à l'égard d'une fourniture dont la contrepartie devient due après le 31 décembre 2010 et n'est pas payée avant le 1er janvier 2011.

2. Cette modification s'applique à l'égard d'une fourniture effectuée en vertu d'une convention écrite, conclue après le 31 décembre 2010, qui porte sur la construction, la rénovation, la transformation ou la réparation d'un bateau ou d'un autre bâtiment de mer.

3. Cette modification s'applique à l'égard de la fourniture d'un bien ou d'un service délivré, exécuté ou rendu disponible de façon continue au moyen d'un fil, d'un pipeline ou d'une autre canalisation après le 31 décembre 2010.

4. Pour l'application du paragraphe 3, dans le cas où la fourniture d'un bien ou d'un service délivré, exécuté ou rendu disponible de façon continue au moyen d'un fil, d'un pipeline ou d'une autre canalisation est effectuée au cours d'une période pour laquelle le fournisseur émet une facture à l'égard de la fourniture et qu'en raison de la méthode d'enregistrement de la délivrance du bien ou de la prestation du service, le moment où la totalité ou une partie du bien ou du service est délivrée ou rendue ne peut être raisonnablement déterminé, la totalité du bien ou du service est réputée délivrée ou rendue en quantités égales chaque jour de la période.

Le premier alinéa de l'article 18.0.1 a été modifié par L.Q. 2011, c. 1, par. 121(1) par le remplacement du mot « principalement » par « dans la mesure d'au moins 10 % ». Cette modification s'applique à l'égard :

1° d'une fourniture effectuée après le 30 juin 2010;

2° de tout ou partie de la contrepartie d'une fourniture qui devient due ou qui est payée sans être devenue due après le 30 juin 2010.

Le paragraphe 1° du troisième alinéa de l'article 18.0.1 a été remplacé par L.Q. 2001, c. 53, art. 275 et cette modification s'applique, aux fins du calcul de la taxe nette d'un organisme de bienfaisance, à l'égard des périodes de déclaration commençant après le 24 février 1998. Antérieurement, il se lisait ainsi :

1° la fourniture d'un bien ou d'un service effectuée à un inscrit, autre qu'un inscrit dont la taxe nette est déterminée en vertu des articles 433.1 à 433.14 ou d'une disposition réglementaire adoptée en vertu de l'article 434, qui a acquis le bien ou le service pour consommation, utilisation ou fourniture exclusive dans le cadre de ses activités commerciales;

Le paragraphe 8° du troisième alinéa de l'article 18.0.1 a été ajouté par L.Q. 2011, c. 34, par. 1142(1) et s'applique à l'égard :

1° d'une fourniture effectuée après le 30 juin 2010;

2° de tout ou partie de la contrepartie d'une fourniture qui devient due ou qui est payée sans être devenue due après le 30 juin 2010.

L'article 18.0.1 a été ajouté par L.Q. 1997, c. 85, art. 428(1) et a effet depuis le 1er avril 1997. Toutefois :

a) pour la période qui débute le 1er avril 1997 et qui se termine le 31 décembre 1997, le paragraphe 1° du deuxième alinéa de l'article 18.0.1 doit se lire en y remplaçant « 7,5 % » par « 6,5 % »;

b) pour la période qui débute le 1er janvier 1998, le paragraphe 1° du deuxième alinéa de l'article 18.0.1 s'applique, sauf à l'égard des fournitures visées aux paragraphes 1 à 3.

1. Sous réserve des paragraphes 2, 3, le paragraphe 1° du deuxième alinéa de l'article 18.0.1 s'applique à l'égard d'une fourniture dont la contrepartie devient due après le 31 décembre 1997 et n'est pas payée avant le 1er janvier 1998.

2. Le paragraphe 1° du deuxième alinéa de l'article 18.0.1 s'applique à l'égard d'une fourniture effectuée en vertu d'une convention écrite conclue après le 31 décembre 1997, qui porte sur la construction, la rénovation, la transformation ou la réparation d'un bateau ou d'un autre bâtiment de mer.

3. Le paragraphe 1° du deuxième alinéa de l'article 18.0.1 s'applique à l'égard de la fourniture d'un bien ou d'un service délivré, exécuté ou rendu disponible de façon continue au moyen d'un fil, d'un pipeline ou d'une autre canalisation après le 31 décembre 1997.

4. Pour l'application du paragraphe 3, dans le cas où la fourniture d'un bien ou d'un service délivré, exécuté ou rendu disponible de façon continue au moyen d'un fil, d'un pipeline ou d'une autre canalisation est effectuée au cours d'une période pour laquelle le fournisseur émet une facture à l'égard de la fourniture et qu'en raison de la méthode d'enregistrement de la délivrance du bien ou de la prestation du service le moment où la totalité ou une partie du bien ou du service est délivrée ou rendue ne peut être raisonnablement déterminé, la totalité du bien ou du service est réputée délivrée ou rendue en quantités égales chaque jour de la période.

Notes explicatives ARQ (PL 5, L.Q. 2012, c. 28): *Résumé* :

L'article 18.0.1 est modifié afin que soit remplacé, à compter du 1er janvier 2013, le taux de taxation de 9,5 % par un taux de 9,975 %.

Situation actuelle :

L'article 18.0.1 assujettit à la taxe de vente du Québec (TVQ) certaines fournitures taxables, autres que détaxées, d'un bien meuble incorporel ou d'un service effectuées hors du Québec mais au Canada, qu'une personne résidant au Québec a acquises pour consommation, utilisation ou fourniture principalement au Québec. L'acquéreur d'une telle fourniture est tenu de payer et de verser la TVQ.

Modifications proposées :

Afin de tenir compte du fait que la taxe sur les produits et services est retirée de l'assiette de la TVQ à compter du 1er janvier 2013, il y a lieu de modifier l'article 18.0.1 de la LTVQ. Cette modification a pour objet de remplacer le taux de taxation de 9,5 % par un taux établi à 9,975 %, soit un taux équivalent au taux effectif dans le régime actuel.

Notes explicatives ARQ (PL 32, L.Q. 2011, c. 34): *Résumé* :

L'article 18.0.1 est modifié afin d'ajouter aux exceptions prévues au troisième alinéa de cet article, la fourniture d'un bien meuble incorporel ou d'un service, si le total des montants, dont chacun représente un montant de taxe qui, en l'absence de la présente exception et du paragraphe 5° du quatrième alinéa de l'article 17 de la LTVQ, deviendrait payable par la personne en vertu du premier alinéa de l'article 18.0.1 de la LTVQ ou du premier alinéa de cet article 17, est de 35 $ ou moins au cours du mois civil qui comprend le moment où la totalité ou une partie de la contrepartie de la fourniture devient due ou est payée sans qu'elle soit devenue due.

Situation actuelle :

L'article 18.0.1 assujettit à la taxe de vente du Québec certaines fournitures taxables, autres que détaxées, d'un bien meuble incorporel ou d'un service effectuées hors du Québec mais au Canada, qu'une personne résidant au Québec a acquises pour consommation, utilisation ou fourniture dans la mesure d'au moins 10 % au Québec. L'acquéreur d'une telle fourniture est tenu de payer et de verser la taxe. Toutefois, le troisième alinéa de cet article prévoit des exceptions à cette règle à l'égard de certaines fournitures.

Modifications proposées :

La modification apportée à l'article 18.0.1 consiste à ajouter aux exceptions prévues au troisième alinéa de cet article, la fourniture d'un bien meuble incorporel ou d'un service, si le total des montants, dont chacun représente un montant de taxe qui, en l'absence de la présente exception et du paragraphe 5° du quatrième alinéa de l'article 17 de la LTVQ, deviendrait payable par la personne en vertu du premier alinéa de l'article 18.0.1 de la LTVQ ou du premier alinéa de cet article 17, est de 35 $ ou moins au cours du mois civil qui comprend le moment où la totalité ou une partie de la contrepartie de la fourniture devient due ou est payée sans qu'elle soit devenue due.

Notes explicatives ARQ (PL 5, L.Q. 2011, c. 6): *Résumé* :

L'article 18.0.1 est modifié afin que soit remplacé, à compter du 1er janvier 2012, le taux de taxation de 8,5 % par un taux de 9,5 %.

Situation actuelle :

L'article 18.0.1 assujettit à la taxe de vente du Québec (TVQ) certaines fournitures taxables, autres que détaxées, d'un bien meuble incorporel ou d'un service effectuées hors du Québec mais au Canada, qu'une personne résidant au Québec a acquises pour consommation, utilisation ou fourniture principalement au Québec. L'acquéreur d'une telle fourniture est tenu de payer et de verser la TVQ.

Modifications proposées :

La modification apportée à l'article 18.0.1 vise à remplacer, à compter du 1er janvier 2012, le taux de taxation de 8,5 % par un taux de 9,5 %.

Notes explicatives du ARQ (PL 117, L.Q. 2010, c. 1): *Résumé* :

La modification apportée à l'article 18.0.1 vise à assujettir à la taxe de vente du Québec (TVQ) la fourniture d'un bien meuble incorporel ou d'un service qu'une personne acquiert pour consommation, utilisation ou fourniture dans une mesure d'au moins 10 % au Québec.

Situation actuelle :

L'article 18.0.1 assujettit à la TVQ la fourniture taxable d'un bien meuble incorporel ou d'un service effectuée hors du Québec mais au Canada. L'article 18.0.1 de la LTVQ s'applique donc à l'égard d'une fourniture effectuée dans un contexte interprovincial. Il ne s'applique toutefois pas à une fourniture réputée effectuée hors du Québec en vertu de l'article 23 ou 24.2 de la LTVQ. Dans cette dernière situation, la fourniture est alors assujettie à l'autocotisation prévue à l'article 18 de la LTVQ.

Pour être assujettie au paiement de la TVQ en vertu de l'article 18.0.1 de la LTVQ, la personne doit résider au Québec et être l'acquéreur d'une fourniture pour consommation, utilisation ou fourniture principalement (plus de 50 %) au Québec. La taxe est calculée en proportion de la consommation, de l'utilisation ou de la fourniture au Québec du bien ou du service acquis.

Modifications proposées :

La modification apportée à l'article 18.0.1 vise à assujettir à la TVQ la fourniture d'un bien meuble incorporel ou d'un service qu'une personne acquiert pour consommation, utilisation ou fourniture dans une mesure d'au moins 10 % au Québec.

Notes explicatives ARQ (PL 64, L.Q. 2010, c. 5): *Résumé* :

L'article 18.0.1 est modifié afin que soit remplacé le taux de taxation de 7,5 % par un taux de 8,5 %.

Situation actuelle :

L'article 18.0.1 de la LTVQ assujettit à la taxe de vente du Québec certaines fournitures taxables, autres que détaxées, d'un bien meuble incorporel ou d'un service effectuées hors du Québec mais effectuées au Canada, qu'une personne, qui réside au Québec, a acquises pour consommation, utilisation ou fourniture principalement au Québec. L'acquéreur d'une telle fourniture est tenu de payer et de verser la taxe de vente du Québec.

Modifications proposées :

La modification apportée à l'article 18.0.1 de la LTVQ vise à remplacer le taux de taxation de 7,5 % par un taux de 8,5 %.

Définitions [art. 18.0.1]: « acquéreur », « activité commerciale », « bien », « bien meuble corporel », « contrepartie », « fourniture », « fourniture détaxée », « fourniture taxable », « inscrit », « métal précieux », « ministre », « personne », « service », « service de télécommunication », « télécommunication », « teneur en taxe » — 1.

Renvois [art. 18.0.1]: 11 (résidence au Québec); 17 (apport de biens corporels au Québec); 18 (taux de taxe — apport de biens meubles incorporels ou de services au Québec); 18.0.2 (taxe payable); 22.2–22.30 (lieu de la fourniture); 26 (fourniture entre succursales); 441 (compensation ou remboursement); 442 (remboursement d'une autre personne); 472 (déclaration de taxe); 677 (règlements).

Formulaires: VD-442.S, *Demande de compensation de la TVQ au moyen d'un remboursement de TVQ.*

Concordance fédérale: LTA, art. 218.1(1).

18.0.2 Moment où la taxe devient payable — Sous réserve du deuxième alinéa, la taxe prévue aux articles 18 et 18.0.1 qui est calculée sur la totalité ou une partie de la contrepartie d'une fourniture qui devient payable à un moment quelconque ou qui est payée à un moment quelconque sans qu'elle soit devenue due devient payable à ce moment.

La taxe prévue à l'article 18, relativement à une fourniture réputée acquise par un contribuable admissible, au sens de l'article 26.2, au cours d'une année déterminée, au sens de cet article 26.2, du contribuable en vertu de l'un des articles 26.3 et 26.4, qui est calculée pour l'année déterminée devient payable par le contribuable :

1° soit, dans le cas où l'année déterminée est une année d'imposition du contribuable pour l'application de la *Loi de l'impôt sur le revenu* (L.R.C. 1985, c. 1 (5e suppl.)) et que le contribuable est tenu, en vertu de la section I de la partie I de cette loi, de présenter au ministre du Revenu national une déclaration de revenu pour l'année déterminée, le jour où le contribuable est tenu de produire sa déclaration de revenu en vertu de la partie I de cette loi pour cette année d'imposition;

2° soit, dans le cas contraire, le jour qui suit de six mois la fin de l'année déterminée.

2012, c. 28, art. 37.

Notes historiques: L'article 18.0.2 a été remplacé par L.Q. 2012, c. 28, par. 37(1) et cette modification s'applique à compter du 1er janvier 2013. Antérieurement, il se lisait ainsi :

> 18.0.2 La taxe prévue aux articles 18 et 18.0.1 qui est calculée sur la totalité ou une partie de la contrepartie d'une fourniture qui devient payable à un moment quelconque ou qui est payée à un moment quelconque sans qu'elle soit devenue due devient payable à ce moment.

L'article 18.0.2 a été ajouté par L.Q. 1997, c. 85, art. 428(1) et a effet depuis le 1er avril 1997.

Notes explicatives ARQ (PL 5, L.Q. 2012, c. 28): *Résumé* :

L'article 18.0.2 précise le moment où la taxe prévue par les dispositions d'autocotisation, soit les articles 18 et 18.0.1 de la LTVQ, devient payable. L'article 18.0.2 de la LTVQ est modifié de façon à y introduire une particularité quant à la taxe relative à une fourniture taxable réputée découlant de dépenses ou de frais engagés hors du Canada par certaines institutions financières, mais qui se rapportent à des activités exercées au Québec.

Situation actuelle :

L'article 18.0.2 prévoit à quel moment la taxe prévue à l'article 18 et à l'article 18.0.1 de cette loi devient payable. Cette taxe, qui est calculée sur la totalité ou une partie de la contrepartie d'une fourniture, devient payable au moment où la totalité ou la partie de la contrepartie devient payable ou est payée sans qu'elle soit devenue due.

Modifications proposées :

L'article 18.0.2 est modifié de façon à prévoir une particularité quant au moment où la taxe prévue à l'article 18 de la LTVQ devient payable relativement à une fourniture taxable réputée découlant de dépenses ou de frais engagés hors du Canada par certaines institutions financières, mais qui se rapportent à des activités exercées au Québec. Plus précisément, le deuxième alinéa de l'article 18.0.2 de la LTVQ prévoit que la taxe prévue à l'article 18 de cette loi, relativement à une fourniture taxable visée à l'un des articles 26.3 et 26.4 de la LTVQ, introduits par le présent projet de loi, devient payable par un contribuable admissible, au sens de l'article 26.2 de cette loi :

— lorsque l'année déterminée, au sens de l'article 26.2 de la LTVQ, du contribuable est également une année d'imposition pour l'application de *Loi de l'impôt sur le revenu* (Lois révisées du Canada (1985), chapitre 1, 5e supplément), le jour qui correspond à la date d'échéance de production de la déclaration de revenu du contribuable pour cette année d'imposition en vertu de la partie I de cette loi (pour la plupart des contribuables admissibles, cette date est alors le dernier jour de la période de six mois qui suit immédiatement la fin de l'année d'imposition);

— dans les autres cas, le dernier jour de la période de six mois qui suit immédiatement la fin de l'année déterminée du contribuable.

Définitions [art. 18.0.2]: « contrepartie », « fourniture », « taxe » — 1.

Renvois [art. 18.0.2]: 83 (contrepartie due).

Concordance fédérale: LTA, art. 218.2.

18.0.3 La taxe prévue à l'article 18 qui, n'eût été le présent alinéa, deviendrait payable par une personne à un moment où elle est une institution financière désignée particulière n'est pas payable, sauf s'il s'agit d'un montant de taxe qui :

1° soit est un montant de taxe prescrit pour l'application du sous-paragraphe a) du paragraphe 6° du deuxième alinéa de l'article 433.16;

2° soit se rapporte à une fourniture relative à un bien ou à un service acquis à une fin autre que pour consommation, utilisation ou fourniture dans le cadre d'une initiative, au sens que donne à cette expression l'article 42.0.1, de la personne;

3° soit est un montant de taxe prescrit.

La taxe prévue à l'article 18.0.1, qui, n'eût été le présent alinéa, deviendrait payable par une personne à un moment où elle est une institution financière désignée particulière n'est pas payable, sauf s'il s'agit d'un montant de taxe prescrit.

2012, c. 28, art. 38.

Notes historiques: L'article 18.0.3 a été ajouté par L.Q. 2012, c. 28, par. 39(1) et s'applique à compter du 1er janvier 2013.

Notes explicatives ARQ (PL 5, L.Q. 2012, c. 28): *Résumé* :

Le nouvel article 18.0.3 prévoit, de façon générale, que les institutions financières désignées particulières, au sens de l'article 1 de cette loi, n'ont pas à établir par autocotisation la taxe imposée en vertu des articles 18 et 18.0.1 de cette loi.

Contexte :

À compter du 1er janvier 2013, la fourniture d'un service financier cesse, en règle générale, d'être détaxée et devient exonérée dans le régime de la taxe de vente du Québec (TVQ). Il en découle que les institutions financières ne pourront plus obtenir de remboursements de la taxe sur les intrants (RTI) relativement à la taxe payable ou payée par elles sans être devenue payable à l'égard des fournitures acquises en vue de rendre des services financiers exonérés.

D'une part, la notion d'institution financière désignée particulière (IFDP) est introduite dans le régime de la TVQ.

De façon générale, les IFDP sont des institutions financières qui opèrent au Canada dans plus d'une province. Les IFDP doivent apporter, dans le calcul de leur taxe pour une période de déclaration, un redressement, tel que prévu par le nouvel article 433.16 de la LTVQ, lequel est introduit par le présent projet de loi. Ce redressement a pour effet ultimement de pondérer la taxe de vente payable par une telle institution financière en fonction d'un pourcentage représentant, de façon sommaire, l'importance de son revenu de source canadienne qui est attribuable au Québec.

D'autre part, les institutions financières sont généralement visées par les nouveaux articles 26.2 à 26.4 de la LTVQ, également introduits par le présent projet de loi. Ces articles précisent dans quelles circonstances la taxe applicable relativement à des dépenses effectuées par certaines institutions financières hors du Canada ou à des frais découlant d'opérations d'une institution financière avec une succursale située hors du Canada doit être établie par autocotisation en vertu de l'article 18 de la LTVQ.

Modifications proposées :

Le premier alinéa du nouvel article 18.0.3 prévoit, de façon générale, que les institutions financières désignées particulières n'ont pas à établir par autocotisation la taxe imposée en vertu de l'article 18 de la LTVQ. De façon sommaire, cet article 18 prévoit qu'une personne doit payer la taxe par autocotisation à l'égard de certaines fournitures de biens meubles incorporels ou de services effectuées hors du Canada. Lorsqu'une telle fourniture est effectuée au Canada mais hors du Québec, l'assujettissement à la taxe est plutôt prévu à l'article 18.0.1 de la LTVQ.

Le premier alinéa de l'article 18.0.3 précise qu'une institution financière n'a pas à s'autocotiser conformément à l'article 18 de cette loi lorsque la taxe qui y est prévue devient payable à un moment où elle est une IFDP, puisque les fournitures visées par ces règles d'autocotisation se trouvent à être prises en compte dans le calcul du redressement que les IFDP doivent apporter dans le calcul de leur taxe nette en vertu du nouvel article 433.16 de la LTVQ.

En effet, de façon sommaire, le redressement à apporter par une IFDP dans le calcul de sa taxe nette est déterminé à partir du montant de la taxe sur les produits et services (TPS) non recouvrable, lequel montant est ensuite pondéré en fonction du pourcentage applicable à l'IFDP quant au Québec. Ce pourcentage a pour but de refléter l'importance de son revenu de source canadienne qui est attribuable au Québec. Or, dans le montant de la TPS non recouvrable, l'on retrouve la TPS payée par l'IFDP en vertu des règles d'autocotisation prévues à l'article 218 de la *Loi sur la taxe d'accise* (Lois révisées du Canada (1985), chapitre E-15) (LTA), relativement à certaines fournitures de biens meubles incorporels ou de services, de même qu'à l'article 218.01 de la LTA, relativement à certains frais ou dépenses engagés hors du Canada ou relativement à des opérations survenues avec une succursale située hors du Canada.

L'article 18.0.3 prévoit des exceptions pour les montants de taxe qui se rapportent à des fournitures qui ne sont pas prises en considération dans le calcul du redressement de la taxe nette prévu à l'article 433.16 de cette loi. Plus précisément, ces exceptions concernent :

— un montant de taxe prescrit pour l'application du sous-paragraphe a du paragraphe 6° du deuxième alinéa de l'article 433.16;

— un montant de taxe qui se rapporte à une fourniture relative à un bien ou un service acquis à une fin autre que pour consommation, utilisation ou fourniture dans le cadre d'une initiative, au sens que donne à cette expression l'article 42.0.1 de la LTVQ;

— un montant de taxe prescrit.

Le deuxième alinéa de l'article 18.0.3 prévoit, de façon générale, que les IFDP n'ont pas à établir par autocotisation la taxe imposée en vertu de l'article 18.0.1 de la LTVQ. De façon sommaire, cet article 18.0.1 assujettit à la taxe de vente du Québec certaines fournitures taxables, autres que détaxées, d'un bien meuble incorporel ou d'un service effectuées hors du Québec mais au Canada, qu'une personne résidant au Québec a acquises pour consommation, utilisation ou fourniture dans la mesure d'au moins 10 % au Québec.

Le deuxième alinéa de l'article 18.0.3 précise qu'une institution financière n'a pas à s'autocotiser, conformément à l'article 18.0.1 de cette loi, lorsque la taxe qui y est prévue devient payable à un moment où elle est une IFDP. Ceci découle du fait que le pourcentage applicable quant au Québec en fonction duquel se calcule le redressement que doivent apporter les IFDP en vertu de l'article 433.16 de la LTVQ dans le calcul de leur taxe nette, vise essentiellement à refléter la partie du revenu de source canadienne de l'institution qui est attribuable au Québec et a pour effet d'établir l'assujettissement à la TVQ en fonction de la notion de revenu gagné au Québec plutôt qu'en fonction, comme le fait le liminaire de l'article 18.0.1 de la LTVQ, de la notion de résidence au Québec de l'acquéreur d'une fourniture.

Concordance fédérale: aucune.

§ 4. — [Abrogée]

Notes historiques [§4]: La sous-section 4 de la section I du chapitre II du titre I a été abrogée par L.Q. 1995, c. 63, art. 308 et cette abrogation s'applique à l'égard d'une fourniture effectuée après le 12 mai 1994 ou d'un apport effectué après cette date.

La sous-section 4 comprenant l'article 18.1 avait été ajouté par L.Q. 1995, c. 1, art. 254 et était réputé entré en vigueur le 1er janvier 1994. Il se lisait « §4. — *Détermination de la taxe applicable — Entrée en vigueur du Code civil du Québec* » et :

> 18.1 Dans le cas où la taxe payable à l'égard de la fourniture taxable, ou de l'apport au Québec, d'un bien ou d'un service devient payable ou est payée sans être devenue payable après le 31 décembre 1993, cette taxe doit être calculée au taux qui serait applicable relativement à la fourniture ou à l'apport si elle devenait payable ou était payée avant le 1er janvier 1994 sauf si, en faisant abstraction du présent article, la taxe payable doit être calculée au taux de 6,5 %.

18.1 [*Abrogé*]

SECTION II — FOURNITURE ET ACTIVITÉ COMMERCIALE

§ 1. — Fourniture

I — Règles relatives à une fourniture

19. [*Abrogé*]

Notes historiques: L'article 19 a été abrogé par L.Q. 1995, c. 63, par. 309(1) et cette abrogation s'applique à l'égard de :

> 1° la fourniture d'un bien dont la totalité ou une partie de la contrepartie devient due après le 31 juillet 1995 et n'est pas payée avant le 1er août 1995;
>
> 2° la fourniture d'un immeuble effectuée en vertu d'une convention écrite conclue après le 31 juillet 1995, suivant laquelle la propriété et la possession de l'immeuble sont transférées à l'acquéreur après cette date.

Cet article avait été édicté par L.Q. 1991, c. 67 et se lisait comme suit :

> 19. La fourniture d'un bien à un acquéreur qui le reçoit uniquement afin d'en effectuer la fourniture par donation ne constitue pas une fourniture non taxable.

20. [*Abrogé*]

Notes historiques: L'article 20 a été abrogé par L.Q. 1995, c. 63, art. 310 et s'applique à l'égard de :

> 1° la fourniture d'un bien meuble ou d'un service dont la totalité ou une partie de la contrepartie devient due après le 31 juillet 1995 et n'est pas payée avant le 1er août 1995;
>
> 2° la fourniture d'un immeuble effectuée en vertu d'une convention écrite conclue après le 31 juillet 1995, suivant laquelle la propriété et la possession de l'immeuble sont transférées à l'acquéreur après cette date.

L'article 20 avait été édicté par L.Q. 1991, c. 67 et se lisait comme suit :

> 20. Dans le cas où une fourniture donnée constitue à la fois une fourniture exonérée et une fourniture non taxable, la fourniture donnée est réputée n'être qu'une fourniture exonérée.

20.1 Fourniture taxable d'un véhicule routier — La fourniture effectuée autrement que dans le cadre d'une activité commerciale d'un véhicule routier qui doit être immatriculé en vertu du *Code de la sécurité routière* (chapitre C-24.2) à la suite d'une demande de son acquéreur est réputée constituer une fourniture taxable.

Notes historiques: L'article 20.1 a été modifié par L.Q. 1995, c. 63, art. 311. Cette modification s'applique à l'égard de la fourniture d'un véhicule routier dont la totalité ou une partie de la contrepartie devient due après le 31 juillet 1995 et n'est pas payée avant le 1er août 1995. Il se lisait auparavant comme suit :

> 20.1 La fourniture, autre que la fourniture non taxable, effectuée autrement que dans le cadre d'une activité commerciale d'un véhicule routier qui doit être immatriculé en vertu du *Code de la sécurité routière* (L.R.Q., chapitre C-24.2) suite à une demande de son acquéreur est réputée constituer une fourniture taxable.

L'article 20.1 a été ajouté par L.Q. 1993, c. 19, art. 172 et s'appliquait à l'égard d'une fourniture ou d'un apport au Québec relativement auquel l'article 685 ou l'un des articles 618 à 656 L.Q. 1991, c. 67 s'applique [*N.D.L.R.* : les articles 685 et 618 à 656 réfèrent à des dispositions transitoires concernant les transferts avant le 1er juillet 1992].

Guides: IN-203 — Renseignements généraux sur la TVQ et la TPS/TVH; IN-307 — Le démarrage d'entreprise et la fiscalité; IN-624 — La TVQ, la TPS/TVH et les véhicules routiers.

Définitions: « activité commerciale », « fourniture », « fourniture taxable », « véhicule routier » — 1.

Renvois: 41.3 (non-application des articles 41.1, 41.2); 51.1 (fourniture pour le compte d'une autre personne); 55.0.3 (fourniture d'un véhicule routier endommagé ou inhabituellement usé); 75.1 (effet du choix); 75.5 (choix conjoint du fournisseur et de l'acquéreur d'une fourniture); 79.1 (transmission d'un véhicule routier au décès); 80.1 (donation d'un véhicule routier); 82.1 (paiement de la taxe); 422 (obligation de percevoir la taxe); 473.1 (versement de la taxe au ministre).

Lettres d'interprétation: 98-010117 — Interprétation relative à la TPS — Interprétation relative à la TVQ — Exportation de véhicules automobiles; 98-0111256 — Interprétation relative à la TPS — Interprétation relative à la TVQ — Exportation de véhicules automobiles, CTI et RTI; 02-0100913 — Interprétation relative à la TVQ — Fourniture d'un véhicule automobile usagé; 02-0102299 — Décision portant sur l'application se la TPS — Interprétation relative à la TVQ, reprise d'un véhicule routier; 05-0102631 — Interprétation relative à la TPS et à la TVQ — transfert d'un véhicule routier entre particuliers liés.

Concordance fédérale: aucune.

II — Présomptions relatives au lieu de la fourniture

21. [*Abrogé*]

Notes historiques: L'article 21 a été abrogé par L.Q. 1997, c. 85, par. 429(1) et cette abrogation s'applique à l'égard de la fourniture d'un bien ou d'un service effectuée après le 31 mars 1997 sauf lorsque cette abrogation vise le paragraphe 5° de l'article 21, auquel cas elle a effet depuis le 1er juillet 1992. De plus,

> a) lorsque le sous-paragraphe a) du paragraphe 3° de l'article 21 s'applique à l'égard d'une fourniture effectuée après le 23 avril 1996 mais avant le 1er avril 1997, il doit se lire comme suit :
>
> a) le bien peut être utilisé en tout ou en partie au Québec;

Antérieurement à cette abrogation, l'article 21 se lisait ainsi :

> 21 Sous réserve des articles 23, 24.2, 327.2,327.3, une fourniture est réputée effectuée au Québec si :
>
> 1° dans le cas de la fourniture d'un bien meuble corporel par vente, celui-ci est délivré au Québec à l'acquéreur de la fourniture ou doit l'être;
>
> 2° dans le cas de la fourniture d'un bien meuble corporel autrement que par vente, la possession ou l'utilisation du bien est accordée au Québec à l'acquéreur de la fourniture ou y est mise à sa disposition;
>
> 3° dans le cas de la fourniture d'un bien meuble incorporel, selon le cas :
>
> a) le bien peut être utilisé en tout ou en partie au Québec et l'acquéreur réside au Québec ou est inscrit en vertu de la section I du chapitre huitième;
>
> b) le bien se rapporte à un immeuble situé au Québec, à un bien meuble corporel habituellement situé au Québec ou à un service qui doit être exécuté au Québec;
>
> 4° dans le cas de la fourniture d'un immeuble ou d'un service relatif à un immeuble, l'immeuble est situé au Québec;

5° dans le cas de la fourniture d'un service de télécommunication, l'appareil ou les installations permettant l'émission, la transmission ou la réception du service à l'égard duquel la facture pour la fourniture est émise et doit l'être, sont habituellement situés au Québec;

6° la fourniture constitue la fourniture d'un service prescrit;

7° dans le cas de la fourniture de tout autre service :

a) celui-ci est exécuté en tout au Québec ou doit l'être;

b) celui-ci est exécuté en partie au Québec ou doit l'être.

Le préambule de l'article 21 a été modifié par L.Q. 1995, c. 1, art. 255 et s'applique rétroactivement à compter du 1er juillet 1992 [*N.D.L.R.* : cette disposition s'applique conformément aux articles 618 à 656, 685 L.Q. 1991, c. 67, tels que modifiés]. Toutefois, lorsque le préambule de l'article 21 s'applique pendant la période qui commence le 1er juillet 1992 et qui se termine le 31 décembre 1992, il doit se lire en remplaçant « 23, » par « 23, 24 ».

Le préambule de l'article 21 a été modifié par L.Q. 1994, c. 22, art. 371(1) et se lisait comme suit :

21. Sous réserve des articles 23, 24.2, une fourniture est réputée effectuée au Québec si :

Toutefois, pour la période du 1er juillet 1992 au 31 décembre 1992 à l'égard d'une fourniture effectuée durant cette période, le renvoi dans l'article 21 qu'il édicte à l'article 23, doit être lu comme un renvoi aux articles 23, 24. Auparavant, le préambule de l'article 21 se lisait comme suit :

21. Sous réserve des articles 23, 24, une fourniture est réputée effectuée au Québec si :

L'article 21 a été édicté par L.Q. 1991, c. 67.

Bulletins d'interprétation [art. 18]: TVQ. 16-20/R1 — La taxe de vente du Québec et les fournisseurs de services d'accès au réseau Internet.

22. [*Abrogé*]

Notes historiques: L'article 22 a été abrogé par L.Q. 1997, c. 85, art. 429(1) et cette abrogation s'applique à l'égard de la fourniture d'un bien ou d'un service effectuée après le 31 mars 1997 sauf lorsque cette abrogation vise le paragraphe 5° de l'article 22, auquel cas elle a effet depuis le 1er juillet 1992.

Antérieurement à cette abrogation, l'article 22 se lisait ainsi :

22. Une fourniture est réputée effectuée hors du Québec si :

1° dans le cas de la fourniture d'un bien meuble corporel par vente, celui-ci est délivré hors du Québec à l'acquéreur de la fourniture ou doit l'être;

2° dans le cas de la fourniture d'un bien meuble corporel autrement que par vente, la possession ou l'utilisation du bien est accordée hors du Québec à l'acquéreur de la fourniture ou est mise à sa disposition hors du Québec;

3° dans le cas de la fourniture d'un bien meuble incorporel, selon le cas :

a) le bien ne peut être utilisé au Québec;

b) le bien se rapporte à un immeuble situé hors du Québec, à un bien meuble corporel habituellement situé hors du Québec ou à un service qui doit être exécuté entièrement hors du Québec;

4° dans le cas de la fourniture d'un immeuble ou d'un service relatif à un immeuble, l'immeuble est situé hors du Québec;

5° dans le cas de la fourniture d'un service de télécommunication, l'appareil ou les installations permettant l'émission, la transmission ou la réception du service à l'égard duquel la facture pour la fourniture est émise et doit l'être, sont habituellement situés hors du Québec;

6° la fourniture constitue la fourniture d'un service prescrit;

7° dans le cas de la fourniture de tout autre service, celui-ci est exécuté entièrement hors du Québec ou doit l'être.

L'article 22 a été édicté par L.Q. 1991, c. 67.

Bulletins d'interprétation [art. 18]: TVQ. 16-20/R1 — La taxe de vente du Québec et les fournisseurs de services d'accès au réseau Internet.

22.0.1 [*Abrogé*]

Notes historiques: L'article 22.0.1 a été ajouté par L.Q. 1997, c. 85, art. 429(3)(b) et a effet depuis le 1er juillet 1992. Il a aussi été abrogé par L.Q. 1997, c. 85, art. 429(3)(b) à l'égard de la fourniture d'un service de télécommunication effectuée après le 31 mars 1997. L'article 22.0.1 se lisait auparavant comme suit :

22.0.1 Pour l'application de l'article 22.0.2, le lieu de facturation d'un service de télécommunication fourni à un acquéreur se trouve au Québec si :

1° dans le cas où la contrepartie payable pour le service est imputée à un compte que l'acquéreur a avec une personne qui exploite une entreprise qui consiste à fournir des services de télécommunication et que le compte se rapporte à une installation de télécommunication qui est utilisée ou mise à la disposition pour utilisation par l'acquéreur pour obtenir des services de télécommunication, cette installation de télécommunication est habituellement située au Québec;

2° dans tout autre cas, l'installation de télécommunication qui sert à engager le service est située au Québec.

22.0.2 [*Abrogé*]

Notes historiques: L'article 22.0.2 a été ajouté par L.Q. 1997, c. 85, art. 429(3)(b) et a effet depuis le 1er juillet 1992. Il a aussi été abrogé par L.Q. 1997, c. 85, art. 429(3)(b) à l'égard de la fourniture d'un service de télécommunication effectuée après le 31 mars 1997. [N.D.L.R. : Voir également les notes historiques sous l'article 21]. L'article 22.0.2 se lisait auparavant comme suit :

22.0.2 Malgré les articles 21, 22 et sous réserve de l'article 23, la fourniture d'un service de télécommunication est réputée effectuée au Québec si :

1° dans le cas d'un service de télécommunication qui consiste à mettre des installations de télécommunication à la disposition d'une personne, les installations ou une partie de celles-ci sont situées au Québec;

2° dans tout autre cas :

a) soit la télécommunication est émise et reçue au Québec;

b) soit la télécommunication est émise ou reçue au Québec et que le lieu de facturation du service se trouve au Québec.

22.1 [*Abrogé*]

Notes historiques: L'article 22.1 a été abrogé par L.Q. 1997, c. 85, art. 429(1) et cette abrogation s'applique à l'égard de la fourniture d'un bien ou d'un service effectuée après le 31 mars 1997. Antérieurement à cette abrogation, l'article 22.1, ajouté par L.Q. 1994, c. 22, art. 372(1) et réputé entré en vigueur le 1er juillet 1992, se lisait ainsi :

22.1 Pour l'application des articles 21, 22, une maison flottante et une maison mobile qui n'est pas fixée à un fonds de terre sont réputées être des biens meubles corporels et ne pas être des immeubles.

1. — Définitions et interprétation

Notes historiques: L'intertitre 1 a été ajouté par L.Q. 1997, c. 85, art. 430(1) et s'applique à l'égard de la fourniture d'un bien ou d'un service effectuée après le 31 mars 1997.

22.2 Définitions — Pour l'application des articles 22.2 à 22.30, l'expression :

« lieu de négociation » (définition supprimée);

Lettres d'interprétation: 99-0109175 — Interprétation relative à la TVQ — Ventes effectuées par un encanteur; 06-0103629 — Interprétation relative à la TVQ — contrat de franchise vendue par un non-résident à un résident du Québec.

Bulletins d'interprétation: TVQ. 22.15-1 — Les services de conceptions et d'hébergement d'un site Web et la taxe de vente du Québec.

Concordance fédérale: LTA, Ann. IX:Partie I:1.

« période de location », à l'égard d'une fourniture par louage, licence ou accord semblable, a le sens que lui donne l'article 32.2;

Définitions: « établissement stable », « fournisseur », « fourniture » — 1.

Renvois: 11.2 (définition de l'expression « établissement stable »); 22.3 (maison flottante et maison mobile non fixées à un fonds de terre); 22.4 (bien non délivré ou service non effectué); 22.5 (emplacement habituel d'un bien).

Concordance fédérale: LTA, Ann. IX:Partie I:1.

« province » signifie une province du Canada et comprend :

1° les Territoires du Nord-Ouest;

2° le territoire du Yukon;

2.1° le territoire du Nunavut;

3° la zone extracôtière de la Nouvelle-Écosse, au sens de la *Loi de mise en oeuvre de l'Accord Canada–Nouvelle-Écosse sur les hydrocarbures extracôtiers* (L.C. 1988, c. 28), dans la mesure où cette zone constitue une province participante au sens que lui donne le paragraphe 1 de l'article 123 de la *Loi sur la taxe d'accise* (L.R.C. 1985, c. E-15);

4° la zone extracôtière de Terre-Neuve, au sens de la *Loi de mise en œuvre de l'Accord atlantique Canada–Terre-Neuve* (L.C. 1987, c. 3), dans la mesure où cette zone constitue une province participante au sens que lui donne le paragraphe 1 de l'article 123 de la *Loi sur la taxe d'accise*.

Notes historiques: Le paragraphe 2.1° de la définition de « province » à l'article 22.2 a été ajouté par L.Q. 2003, c. 2, par. 310(1) et a effet depuis le 1er avril 1999.

LTVQ (français)

Concordance fédérale: LTA, par. 123(1)« province non participante », 123(1)« province participante ».

Notes historiques: La définition de « lieu de négociation » à l'article 22.2 a été supprimée par L.Q. 2011, c. 1, par. 122(1) et cette modification s'applique à l'égard d'une fourniture effectuée :

1° après le 30 avril 2010;

2° après le 25 février 2010 et avant le 1er mai 2010, sauf si une partie de la contrepartie de la fourniture devient due ou est payée avant le 1er mai 2010.

Antérieurement, elle se lisait ainsi :

« lieu de négociation » d'une fourniture signifie l'endroit où est situé l'établissement stable du fournisseur auquel le particulier ayant principalement pris part à la négociation, pour le compte du fournisseur de la convention relative à la fourniture travaille habituellement, ou auquel il se présente habituellement, dans l'accomplissement de ses fonctions relativement aux activités du fournisseur dans le cadre desquelles la fourniture est effectuée et, pour l'application de la présente définition, l'expression « négociation » comprend le fait de faire une offre ou de l'accepter;

L'article 22.2 a été ajouté par L.Q. 1997, c. 85, art. 430(1) et s'applique à l'égard de la fourniture d'un bien ou d'un service effectuée après le 31 mars 1997.

Notes explicatives du ARQ (PL 117, L.Q. 2010, c. 1): *Résumé* :

La définition de l'expression « lieu de négociation » prévue à l'article 22.2 est supprimée. De nouvelles règles sur le lieu de la fourniture sont introduites dans la LTVQ lesquelles mettent désormais l'accent sur le lieu où se trouve l'acquéreur de la fourniture.

Situation actuelle :

Actuellement, l'article 22.2 précise le sens de l'expression « lieu de négociation » laquelle est dans certains cas nécessaire aux fins de la détermination du lieu de la fourniture.

Ainsi, en vertu de la définition de cette expression, le lieu de négociation est l'endroit où est situé l'établissement stable auquel travaille ou se présente habituellement, dans l'exécution de ses tâches relativement aux activités du fournisseur dans le cadre desquelles la fourniture est effectuée, le particulier qui a principalement pris part à la négociation de la convention relative à la fourniture pour le fournisseur.

Modifications proposées :

La définition de l'expression « lieu de négociation » prévue à l'article 22.2 est supprimée. De nouvelles règles sur le lieu de la fourniture sont introduites dans la LTVQ lesquelles mettent désormais l'accent sur le lieu où se trouve l'acquéreur de la fourniture afin de déterminer si une fourniture est réputée effectuée au Québec.

COMMENTAIRES: Voir les commentaires sous l'article 22.6.

COMMENTAIRES: Compte tenu de la similarité de la rédaction des dispositions législatives et considérant l'engagement spécifique de Revenu Québec de veiller à ce que l'assiette de TVQ modifiée, de même que les paramètres administratifs, structurels et définitionnels, produisent des résultats qui sont similaires à ceux produits sous le régime de la TPS/TVH et soient administrés d'une manière qui produit des résultats similaires, tel que reflété par l'article 14 de l'*Entente intégrée globale de coordination fiscale* signée entre le gouvernement du Canada et le gouvernement du Québec, nous vous référons à nos commentaires en vertu de l'article 139 de la *Loi sur la taxe d'accise (TPS)* qui devraient s'appliquer *mutatis mutandis*, avec les adaptations nécessaires.

COMMENTAIRES: De l'avis de Revenu Québec, le troc est un échange. L'article 1795 du *Code civil du Québec* définit l'échange comme étant un contrat par lequel les parties se transfèrent respectivement la propriété d'un bien, autre qu'une somme d'argent. Par conséquent, pour qu'il y ait un échange, toute la contrepartie ou une partie de la contrepartie de la fourniture doit être constituée d'un bien. L'article 54 s'applique à la fourniture d'un véhicule routier si les conditions qui y sont mentionnées sont satisfaites. Une des conditions d'application de l'article 54 est qu'un bien de même catégorie ou type que celui qui est fourni doit constituer toute ou partie de la contrepartie de la fourniture. Si la contrepartie de la fourniture est constituée uniquement d'un montant d'argent, l'article 54 ne s'applique pas. Rappelons que l'argent n'est pas un « bien » au sens donné à ce terme à l'article 1. Lorsque les conditions d'application de l'article 54 sont satisfaites, *c.-à-d.* notamment lorsque tout ou partie de la contrepartie est constituée de biens, la valeur de tout ou partie de la contrepartie de la fourniture est réputée nulle. Cela implique que la partie de la contrepartie constituée d'argent demeure assujettie aux règles habituelles, n'étant pas réputée nulle. Ainsi, lorsque l'acquéreur du véhicule doit payer un montant en argent, à savoir une soulte, en plus de remettre, en paiement partiel, un véhicule routier, le montant en argent demeure assujetti à la TVQ lorsqu'il constitue partie de la contrepartie d'une fourniture taxable autre que détaxée. Pour que l'article 54 s'applique, toute ou partie de la contrepartie doit être constituée d'un bien de la même catégorie ou du même type que le bien fourni. Rien dans les faits soumis ne permet de croire que le prix de vente est constitué, en tout ou en partie d'un véhicule routier. Ainsi, de l'avis de Revenu Québec, le paragraphe 153(3 ne peut donc pas s'appliquer à la fourniture. Voir notamment à cet effet : Revenu Québec, Lettre d'interprétation, 96-0112902[A] — *Troc entre inscrits* (6 novembre 1996).

À titre illustratif, Revenu Québec est d'avis que les billes de bois et les copeaux de bois ne constituent pas des biens d'une « catégorie donnée » ou d'un « type donné » au sens de l'article 54. En effet, bien qu'il s'agisse de produits du bois, ces biens se distinguent aux plans de leur aspect, de leurs dimensions, de leurs qualités et de leur usage et ne pourront, du fait, être d'une même catégorie donnée ou d'un même type donné. Conséquemment, l'article 54 ne peut s'appliquer à l'égard de la fourniture de tels biens effectuée entre la papetière et la scierie dans les circonstances décrites précédemment. Voir notamment à cet effet : Revenu Québec, Lettre d'interprétation, 96-0112902[A] — *Troc entre inscrits* (6 novembre 1996).

Compte tenu de la similarité de la rédaction des dispositions législatives et considérant l'engagement spécifique de Revenu Québec de veiller à ce que l'assiette de TVQ modifiée, de même que les paramètres administratifs, structurels et définitionnels, produisent des résultats qui sont similaires à ceux produits sous le régime de la TPS/TVH et soient administrés d'un manière qui produit des résultats similaires, tel que reflété par l'article 14 de l'*Entente intégrée globale de coordination fiscale* signée entre le gouvernement du Canada et le gouvernement du Québec, nous vous référons à nos commentaires en vertu du paragraphe 153(3) de la *Loi sur la taxe d'accise (TPS)* qui devraient s'appliquer *mutatis mutandis*, avec les adaptations nécessaires.

22.3 Maison flottante et maison mobile — Pour l'application des articles 22.2 à 22.30, une maison flottante et une maison mobile qui n'est pas fixée à un fonds de terre sont réputées être des biens meubles corporels et ne pas être des immeubles.

Notes historiques: L'article 22.3 a été ajouté par L.Q. 1997, c. 85, art. 430(1) et s'applique à l'égard de la fourniture d'un bien ou d'un service effectuée après le 31 mars 1997.

Définitions: « bien meuble corporel », « immeuble », « maison flottante », « maison flottante » — 1.

Renvois: 11.2 (définition de l'expression « établissement stable »); 22.2 (définitions); 22.4 (bien non délivré ou service non effectué); 22.5 (emplacement habituel d'un bien).

Concordance fédérale: LTA, par. 142(3), Ann. VI:Partie V:24 et Ann. IX:Partie I:2.

COMMENTAIRES: Voir les commentaires sous l'article 22.6.

22.4 Bien non délivré ou service non exécuté — Pour l'application des articles 22.2 à 22.30, dans le cas où une convention relative à la fourniture d'un bien ou d'un service est conclue mais que le bien n'est pas délivré à l'acquéreur ou que le service n'est pas exécuté, le bien est réputé avoir été délivré, ou le service est réputé avoir été exécuté, là où le bien doit être délivré ou le service exécuté, selon le cas, aux termes de la convention.

Notes historiques: L'article 22.4 a été ajouté par L.Q. 1997, c. 85, art. 430(1) et s'applique à l'égard de la fourniture d'un bien ou d'un service effectuée après le 31 mars 1997.

Définitions: « bien », « fourniture », « service » — 1.

Renvois: 11.2 (définition de l'expression « établissement stable »); 22.2 (définitions); 22.3 (maison flottante et maison mobile non fixées à un fonds de terre); 22.5 (emplacement habituel d'un bien).

Concordance fédérale: LTA, Ann. IX:Partie I:3.

COMMENTAIRES: Voir les commentaires sous l'article 22.6.

22.5 Accord sur l'emplacement habituel d'un bien — Dans le cas où, pour déterminer en vertu des articles 22.2 à 22.30 si une fourniture est effectuée au Québec, il est fait référence à l'emplacement habituel d'un bien et que, occasionnellement, le fournisseur et l'acquéreur conviennent de ce qui doit être l'emplacement habituel du bien à un moment donné, cet emplacement est réputé, pour l'application des articles 22.2 à 22.30, l'emplacement habituel du bien à ce moment donné.

Notes historiques: L'article 22.5 a été ajouté par L.Q. 1997, c. 85, art. 430(1) et s'applique à l'égard de la fourniture d'un bien ou d'un service effectuée après le 31 mars 1997.

Définitions: « bien », « fournisseur », « fourniture » — 1.

Renvois: 11.2 (définition de l'expression « établissement stable »); 22.2 (définitions); 22.3 (maison flottante et maison mobile non fixées à un fonds de terre); 22.4 (bien non délivré ou service non effectué).

Concordance fédérale: LTA, Ann. IX:Partie I:4.

COMMENTAIRES: Voir les commentaires sous l'article 22.6.

22.6 Dispositions applicables — Les articles 22.7 à 22.30 s'appliquent sous réserve des articles 23, 24.2, 327.2 et 327.3.

Notes historiques: L'article 22.6 a été ajouté par L.Q. 1997, c. 85, art. 430(1) et s'applique à l'égard de la fourniture d'un bien ou d'un service effectuée après le 31 mars 1997.

Renvois: 11.2 (définition de l'expression « établissement stable »); 22.2 (définitions); 22.3 (maison flottante et maison mobile non fixées à un fonds de terre); 22.4 (bien non délivré ou service non effectué); 22.5 (emplacement habituel d'un bien).

Bulletins d'interprétation: TVQ. 75-2/R1 — Transfert d'entreprise dont la totalité ou une partie des biens sont situés hors du Québec.

Lettres d'interprétation: 99-0104192 — Interprétation relative à la TVQ.

Concordance fédérale: aucune.

COMMENTAIRES: Compte tenu de la similarité de la rédaction des dispositions législatives et considérant l'engagement spécifique de Revenu Québec de veiller à ce que l'assiette de TVQ modifiée, de même que les paramètres administratifs, structurels et définitionnels, produisent des résultats qui sont similaires à ceux produits sous le régime de la TPS/TVH et soient administrés d'une manière qui produit des résultats similaires, tel que reflété par l'article 14 de l'*Entente intégrée globale de coordination fiscale* signée entre le gouvernement du Canada et le gouvernement du Québec, nous vous référons à nos commentaires en vertu des alinéas 142(1)(a) et 142(1)(b) et du paragraphe 142(3) de la *Loi sur la taxe d'accise (TPS)* qui devraient s'appliquer *mutatis mutandis*, avec les adaptations nécessaires.

2. — Bien meuble corporel

Notes historiques: L'intertitre 2 a été ajouté par L.Q. 1997, c. 85, art. 430(1) et s'applique à l'égard de la fourniture d'un bien ou d'un service effectuée après le 31 mars 1997.

22.7 Fourniture d'un bien meuble corporel par vente — La fourniture d'un bien meuble corporel par vente est réputée effectuée au Québec si le bien est délivré au Québec à l'acquéreur de la fourniture.

Notes historiques: L'article 22.7 a été ajouté par L.Q. 1997, c. 85, par. 430(1) et s'applique à l'égard de la fourniture d'un bien ou d'un service effectuée après le 31 mars 1997.

Définitions: « acquéreur », « bien meuble corporel », « fourniture », « vente » — 1.

Renvois: 11.2 (définition de l'expression « établissement stable »); 22.2 (définitions); 22.3 (maison flottante et maison mobile non fixées à un fonds de terre); 22.4 (bien non délivré ou service non effectué); 22.5 (emplacement habituel d'un bien); 22.6 (application des articles 22.7 à 22.30); 22.9 (lieu de la délivrance); 22.28 (fourniture réputée effectuée au Québec); 22.29 (fourniture réputée effectuée au Québec); 22.30 (fourniture prescrite d'un bien ou d'un service); 22.32 (fourniture réputée effectuée hors du Québec).

Bulletins d'interprétation: TVQ. 22.7-1/R1 — Lieu de la fourniture d'un bien meuble corporel par vente; TVQ. 22.15-1/R1 — Les services de conception et d'hébergement d'un site Web et la taxe de vente du Québec; TVQ. 75-2/R1 — Transfert d'entreprise dont la totalité ou une partie des biens sont situés hors du Québec.

Lettres d'interprétation: 97-0107868 — Acquisition de cigarettes au Québec destinés à être expédiés à l'extérieur du Québec; 98-0107239 — Demande d'interprétation TPS/TVQ; 98-0110019 — Direction générale de la métropole; 98-0110910 — Interprétation en TPS et en TVQ; 99-0107187 — Interprétation TPS/TVQ — Fourniture d'un catalogue à un non-résident; 99-0111510 — Projet d'investissement à caractère international; 00-0112417 — Interprétation relative à la TVQ — Frais d'emballage-cadeau reliés à la vente d'un bien meuble corporel; 03-0105415 — Interprétation relative à la TVQ — règles concernant le lieu de la fourniture.

Lettres d'interprétation: TVQ. 16-2/R3 — La livraison de fleurs par l'entremise d'un service de commande à distance.

Concordance fédérale: LTA, al. 142(1)a) et Ann. IX:Partie II:1.

COMMENTAIRES: Voir les commentaires sous l'article 22.9.1.

22.8 Fourniture d'un bien meuble corporel autrement que par vente — La fourniture d'un bien meuble corporel autrement que par vente est réputée effectuée au Québec si :

1º dans le cas d'une fourniture effectuée en vertu d'une convention en vertu de laquelle la possession ou l'utilisation continues du bien est offerte pour une période n'excédant pas trois mois, le bien est délivré au Québec à l'acquéreur de la fourniture;

2º dans tout autre cas :

a) si le bien est un véhicule routier, il doit être immatriculé en vertu du *Code de la sécurité routière* (chapitre C-24.2) au moment où la fourniture est effectuée;

b) si le bien n'est pas un véhicule routier, l'emplacement habituel du bien, tel que déterminé au moment où la fourniture est effectuée, se trouve au Québec;

c) si la possession ou l'utilisation du bien est accordée au Québec à l'acquéreur ou y est mise à sa disposition et que le bien n'est pas un bien visé au sous-paragraphe a) ou b) ni, selon le cas :

i. un bien qui est un véhicule à moteur déterminé au sens du paragraphe 1º de l'article 123 de la *Loi sur la taxe d'accise* (Lois révisées du Canada (1985), chapitre E-15) qui doit être immatriculé en vertu d'une loi d'une autre province sur l'immatriculation des véhicules à moteur au moment où la fourniture est effectuée;

ii. un bien, autre qu'un véhicule à moteur déterminé visé au sous-paragraphe i, dont l'emplacement habituel, tel que déterminé au moment où la fourniture est effectuée, se trouve dans une autre province.

Exception — Malgré le premier alinéa, la fourniture d'un bien meuble corporel fourni autrement que par vente est réputée effectuée hors du Québec si la possession ou l'utilisation du bien est accordée hors du Canada à l'acquéreur ou y est mise à sa disposition.

Notes historiques: L'article 22.8 a été ajouté par L.Q. 1997, c. 85, art. 430(1) et s'applique à l'égard de la fourniture d'un bien ou d'un service effectuée après le 31 mars 1997. [*N.D.L.R.* : L.Q. 1997, c. 85, art. 430(1) a été modifié par L.Q. 1998, c. 16, art. 310(1)(1º), rétroactivement au 19 décembre 1997, pour ajouter l'alinéa c) à l'article 22.8.]

Guides: IN-203 — Renseignements généraux sur la TVQ et la TPS/TVH; IN-307 — Le démarrage d'entreprise et la fiscalité; IN-624 — La TVQ, la TPS/TVH et les véhicules routiers.

Définitions: « acquéreur », « bien meuble corporel », « fourniture », « véhicule routier », « vente » — 1.

Renvois: 11.2 (définition de l'expression « établissement stable »); 22.2 (définitions); 22.3 (maison flottante et maison mobile non fixées à un fonds de terre); 22.4 (bien non délivré ou service non effectué); 22.5 (emplacement habituel d'un bien); 22.6 (application des articles 22.7 à 22.30); 22.9 (lieu de la délivrance); 22.28, 22.29 (fourniture réputée effectuée au Québec); 22.30 (fourniture prescrite d'un bien ou d'un service); 22.32 (fourniture réputée effectuée hors du Québec).

Bulletins d'interprétation: TVQ. 22.15-1 — Les services de conceptions et d'hébergement d'un site Web et la taxe de vente du Québec.

Lettres d'interprétation: 98-0109649 — Annulation des permis MRQ et application de l'Entente interprovinciale sur la taxe de vente (ISTA); 99-0111510 — Projet d'investissement à caractère international; 00-0111294 — Interprétation relative à la TVQ — Location de véhicules à moteur hors du Québec.

Concordance fédérale: LTA, al. 142(1)b) et Ann. IX:Partie II:2.

COMMENTAIRES: Voir les commentaires sous l'article 22.9.1.

22.9 Bien réputé délivré — Un bien est réputé délivré :

1º au Québec si le fournisseur, selon le cas :

a) expédie le bien à une destination au Québec qui est précisée dans le contrat de transport visant le bien ou transfère la possession du bien à un transporteur public ou à un consignatairedont le fournisseur a retenu les services pour le compte de l'acquéreur pour expédier le bien à une telle destination;

b) envoie le bien par courrier ou messagerie à une adresse au Québec;

2º hors du Québec si le fournisseur, selon le cas :

a) expédie le bien à une destination dans une autre province qui est précisée dans le contrat de transport visant le bien ou transfère la possession du bien à un transporteur public ou à un consignataire dont le fournisseur a retenu les services pour le compte de l'acquéreur pour expédier le bien à une tell destination;

b) envoie le bien par courrier ou messagerie à une adresse dans une autre province.

Exception — Le premier alinéa ne s'applique pas dans le cas où il s'agit d'un bien meuble corporel fourni par vente et qui est délivré hors du Canada à l'acquéreur, ou doit l'être.

Notes historiques: La partie qui précède le sous-paragraphe a) du paragraphe 1º du premier alinéa de l'article 22.9 a été modifié par L.Q. 2001, c. 51, art. 261(1)(1º) et cette modification a effet depuis le 1er avril 1997. Antérieurement, elle se lisait ainsi :

> Pour l'application des articles 22.7, 22.8, 22.21 à 22.24, les règles suivantes s'appliquent :
>
> 1º un bien est réputé délivré au Québec si le fournisseur, selon le cas :

Le préambule du paragraphe 2º du premier alinéa de l'article 22.9 a été modifié par L.Q. 2001, c. 51, art. 261(1)(2º) et cette modification a effet depuis le 1er avril 1997. Antérieurement, il se lisait ainsi :

> un bien est réputé délivré hors du Québec si le fournisseur, selon le cas :

L'article 22.9 a été ajouté par L.Q. 1997, c. 85, art. 430(1) et s'applique à l'égard de la fourniture d'un bien ou d'un service effectuée après le 31 mars 1997.

LTVQ (français)

Définitions: « bien meuble corporel », « fournisseur », « fourniture », « mois », « transporteur », « vente » — 1.

Renvois: 11.2 (définition de l'expression « établissement stable »); 22.2 (définitions); 22.3 (maison flottante et maison mobile non fixées à un fonds de terre); 22.4 (bien non délivré ou service non effectué); 22.5 (emplacement habituel d'un bien); 22.6 (application des articles 22.7–22.30); 22.28 (fourniture réputée effectuée au Québec); 22.29 (fourniture réputée effectuée au Québec); 22.30 (fourniture prescrite d'un bien ou d'un service); 22.32 (fourniture réputée effectuée hors du Québec); 618 (application des dispositions).

Bulletins d'interprétation: TVQ. 22.7-1/R1 — Lieu de la fourniture d'un bien meuble corporel par vente; TVQ. 22.15-1 — Les services de conceptions et d'hébergement d'un site Web et la taxe de vente du Québec.

Lettres d'interprétation: 97-0107868 — Acquisition de cigarettes au Québec destinés à être expédiés à l'extérieur du Québec; 98-0107239 — Demande d'interprétation TPS/TVQ; 98-0109649 — Annulation des permis MRQ et application de l'Entente interprovinciale sur la taxe de vente (ISTA); 98-0110019 — Direction générale de la métropole; 98-0110910 — Interprétation en TPS et en TVQ; 99-0107187 — Interprétation TPS/TVQ — Fourniture d'un catalogue à un non-résident; 00-0111062 — QST Interpretation — Application of the QST to Customs Brokerage Services — Provided to Non-residents; 00-0112417 — Interprétation relative à la TVQ — Frais d'emballage-cadeau reliés à la vente d'un bien meuble corporel; 03-0105415 — Interprétation relative à la TVQ — règles concernant le lieu de la fourniture; 06-0104502 — Application de l'article 327.1 LTVQ.

Concordance fédérale: LTA, Ann. IX:Partie II:3.

COMMENTAIRES: Voir les commentaires sous l'article 22.9.1.

22.9.1 Fourniture effectuée par louage, licence ou accord semblable — Pour l'application de l'article 22.8, dans le cas où la fourniture d'un bien meuble corporel est effectuée par louage, licence ou accord semblable :

1° si la fourniture est effectuée en vertu d'une convention en vertu de laquelle la possession ou l'utilisation continues du bien est offerte pour une période n'excédant pas trois mois et que le bien est délivré au Québec à l'acquéreur, le bien est réputé délivré au Québec pour chacune des fournitures qui, en raison de l'article 32.2, sont réputées être effectuées;

2° si la fourniture n'est pas visée au paragraphe 1° et que la possession ou l'utilisation du bien est accordée au Québec à l'acquéreur ou y est mise à sa disposition, la possession ou l'utilisation du bien est réputée accordée au Québec à l'acquéreur ou y être mise à sa disposition pour chacune des fournitures qui, en raison de l'article 32.2, sont réputées être effectuées;

3° si la possession ou l'utilisation du bien est accordée hors du Canada à l'acquéreur ou y est mise à sa disposition, la possession ou l'utilisation du bien est réputée accordée hors du Canada à l'acquéreur ou y être mise à sa disposition pour chacune des fournitures qui, en raison de l'article 32.2, sont réputées être effectuées.

Notes historiques: L'article 22.9.1 a été ajouté par L.Q. 2001, c. 53, art. 276 et s'applique à l'égard de toute fourniture visant une période de facturation, effectuée après le 10 décembre 1998.

Bulletins d'interprétation: TVQ. 22.15-1 — Les services de conceptions et d'hébergement d'un site Web et la taxe de vente du Québec.

Concordance fédérale: LTA, Ann. IX:Partie II:4.

COMMENTAIRES: L'article 22.7 prévoit que la fourniture d'un bien meuble corporel par vente est réputée effectuée au Québec si le bien est délivré au Québec à l'acquéreur de la fourniture. Par ailleurs, l'article 22.9 prévoit notamment qu'un bien est réputé délivré au Québec si le fournisseur expédie le bien à une destination au Québec qui est précisée dans le contrat de transport visant le bien ou qu'il envoie le bien par courrier ou messagerie à une adresse au Québec. Enfin, l'article 22.32 prévoit, notamment, qu'une fourniture qui n'est pas réputée effectuée au Québec en vertu de l'article 22.7 est réputée effectuée hors du Québec. Voir notamment à cet effet : Revenu Québec, Lettre d'interprétation, 99-0107187 — *Interprétation TPS/TVQ — Fourniture d'un catalogue à un non-résident* (22 juillet 1999).

Revenu Québec indique que puisque le bien est livré par courrier ou par messagerie à un consommateur dont l'adresse est située au Québec, les articles 22.7 et 22.9 s'appliquent et cette fourniture est réputée effectuée au Québec. Ainsi, la contrepartie de celle-ci composée du prix de vente du bien et des frais d'emballage, lorsqu'exigés, est assujettie à la TVQ. Voir notamment à cet effet : Revenu Québec, Lettre d'interprétation, 00-0112417 — *Interprétation relative à la TVQ — Frais d'emballage-cadeau reliés à la vente d'un bien meuble corporel* (6 mars 2001).

En vertu de l'article 22.7, la fourniture par vente d'un bien meuble corporel est réputée effectuée au Québec si le bien est délivré au Québec à l'acquéreur de la fourniture. Le terme « délivré », employé à cet article, renvoie à la notion de « délivrance », laquelle notion recouvre deux situations distinctes, soit la livraison (remise matérielle du bien par le vendeur à l'acquéreur), soit sa mise à la disposition à l'acquéreur. Voir notamment à ce sujet : Revenu Québec, Lettre d'interprétation, 03-0105415 — *Interprétation relative à la TVQ — Règles concernant le lieu de la fourniture* (6 août 2003).

Selon l'article 16, tout acquéreur d'une fourniture taxable (autre qu'une fourniture détaxée) effectuée au Québec doit payer une taxe à l'égard de celle-ci au taux de 7,5 % [maintenant 9,975 %] sur la valeur de la contrepartie de cette fourniture. L'article 22.8 établit une présomption quant au lieu de la fourniture à l'égard des fournitures d'un bien meuble corporel autrement que par vente (exemple : fourniture par bail). Ainsi, dans le cas où une location continue d'un véhicule routier est effectuée pour une période maximale de trois mois, si le véhicule est délivré au Québec à l'acquéreur de la fourniture, cette fourniture sera réputée effectuée au Québec. Par ailleurs, l'article 22.8 prévoit que, dans le cas où une location continue d'un véhicule routier est effectuée pour une période de plus de trois mois, la fourniture est réputée effectuée au Québec si le véhicule doit être immatriculé en vertu du *Code de la sécurité routière* (L.R.Q., c. C-24.2) au moment où la fourniture est effectuée. Voir notamment à cet effet : Revenu Québec, Lettres d'interprétation, 00-0111294 — *Interprétation relative à la TVQ — Location de véhicules à moteur hors du Québec* (29 mars 2001).

L'article 22.9 précise qu'un bien est réputé délivré au Québec si le fournisseur transfère la possession matérielle du bien à un transporteur public. Dans un tel cas, Revenu Québec est d'avis que, sous réserve de l'article 327.2, la fourniture des catalogues est effectuée au Québec. Voir notamment à cet effet : Revenu Québec, Lettres d'interprétation, 06-0104502 — *Application de l'article 327.1 LTVQ* (20 décembre 2006).

Compte tenu de la similarité de la rédaction des dispositions législatives et considérant l'engagement spécifique de Revenu Québec de veiller à ce que l'assiette de TVQ modifiée, de même que les paramètres administratifs, structurels et définitionnels, produisent des résultats qui sont similaires à ceux produits sous le régime de la TPS/TVH et soient administrés d'une manière qui produit des résultats similaires, tel que reflété par l'article 14 de l'*Entente intégrée globale de coordination fiscale* signée entre le gouvernement du Canada et le gouvernement du Québec, nous vous référons à nos commentaires en vertu des alinéas 142(1)(a) et 142(1)(b) de la *Loi sur la taxe d'accise (TPS)* qui devraient s'appliquer *mutatis mutandis*, avec les adaptations nécessaires.

3. — Bien meuble incorporel

Notes historiques: L'intertitre 3 a été ajouté par L.Q. 1997, c. 85, art. 430(1) et s'applique à l'égard de la fourniture d'un bien ou d'un service effectuée après le 31 mars 1997.

22.10 Définition : « droits canadiens » — Pour l'application des articles 22.11.1 et 22.11.2, l'expression :

« droits canadiens » à l'égard d'un bien meuble incorporel signifie la partie du bien qui peut être utilisée au Canada;

Concordance fédérale: LTA, Ann. IX:Partie III:1.

« emplacement déterminé » d'un fournisseur signifie, selon le cas :

1° son établissement stable;

2° un distributeur automatique.

Concordance fédérale: aucune.

Notes historiques: L'article 22.10 a été remplacé par L.Q. 2011, c. 1, par. 123(1) et cette modification s'applique à l'égard d'une fourniture effectuée :

1° après le 30 avril 2010;

2° après le 25 février 2010 et avant le 1er mai 2010, sauf si une partie de la contrepartie de la fourniture devient due ou est payée avant le 1er mai 2010.

Antérieurement, il se lisait ainsi :

> 22.10 Pour l'application de l'article 22.11, l'expression « droits canadiens » à l'égard d'un bien meuble incorporel signifie la partie du bien qui peut être utilisée au Canada.

L'article 22.10 a été ajouté par L.Q. 1997, c. 85, art. 430(1) et s'applique à l'égard de la fourniture d'un bien ou d'un service effectuée après le 31 mars 1997.

Notes explicatives du ARQ (PL 117, L.Q. 2010, c. 1): *Résumé* :

L'article 22.10 est remplacé afin d'y introduire la définition de l'expression « emplacement déterminé », et ce, pour l'application du nouvel article 22.11.2 de la LTVQ.

De plus, cet article est modifié afin de remplacer la référence à l'article 22.11 par les articles 22.11.1 et 22.11.2 qui prévoient de nouvelles règles relatives au lieu de la fourniture d'un bien meuble incorporel.

Situation actuelle :

Actuellement, l'article 22.10 définit l'expression « droits canadiens » laquelle est essentielle dans le cadre de la détermination du lieu de la fourniture d'un bien meuble incorporel.

Modifications proposées :

L'article 22.10 qui définit l'expression « droits canadiens » est remplacé afin d'y introduire la définition de l'expression « emplacement déterminé », et ce, pour l'application du nouvel article 22.11.2 de la LTVQ.

De plus, cet article est modifié afin de remplacer la référence à l'article 22.11 par les articles 22.11.1 et 22.11.2 qui prévoient de nouvelles règles relatives au lieu de la fourniture d'un bien meuble incorporel.

Définitions: « bien » — 1.

Renvois: 11.2 (définition de l'expression « établissement stable »); 22.2 (définitions); 22.3 (maison flottante et maison mobile non fixées à un fonds de terre); 22.4 (bien non délivré ou service non effectué); 22.5 (emplacement habituel d'un bien); 22.6 (application des articles 22.7–2.30); 22.28 (fourniture réputée effectuée au Québec); 22.29 (fourniture réputée effectuée au Québec); 22.30 (fourniture prescrite d'un bien ou d'un service); 22.32 (fourniture réputée effectuée hors du Québec).

Bulletins d'interprétation: TVQ. 22.15-1 — Les services de conceptions et d'hébergement d'un site Web et la taxe de vente du Québec.

Lettres d'interprétation: 01-0106649 — Vente d'images numérisées par Internet — interprétation relative à la TPS/TVH — interprétation relative à la TVQ.

COMMENTAIRES: Voir les commentaires sous l'article 22.11.4.

22.10.1 [Application] — Les articles 22.11.1 à 22.11.4 ne s'appliquent pas à un bien meuble incorporel auquel s'applique l'un des articles 22.21 à 22.27.

Notes historiques: L'article 22.10.1 a été ajouté par L.Q. 2011, c. 1, par. 124(1) et s'applique à l'égard d'une fourniture effectuée :

1° après le 30 avril 2010;

2° après le 25 février 2010 et avant le 1er mai 2010, sauf si une partie de la contrepartie de la fourniture devient due ou est payée avant le 1er mai 2010.

Notes explicatives du ARQ (PL 117, L.Q. 2010, c. 1): *Résumé* :

Le nouvel article 22.10.1 prévoit que les articles 22.11.1 à 22.11.4 portant sur les nouvelles règles relatives au lieu de la fourniture d'un bien meuble incorporel ne s'appliquent pas à un bien meuble incorporel auquel s'applique l'un des articles 22.21 à 22.27 de la LTVQ.

Contexte :

Actuellement, l'article 22.11 prévoit les règles générales applicables pour déterminer le lieu de la fourniture d'un bien meuble incorporel, la fourniture d'un bien meuble incorporel qui se rapporte à un immeuble, à un bien meuble ou à des services devant être exécutés dans certaines circonstances. Des règles plus spécifiques sont prévues aux articles 22.21 à 22.27 qui traitent de la fourniture de services postaux et de télécommunication.

Modifications proposées :

Il est proposé d'introduire l'article 22.10.1 afin de préciser que les articles 22.11.1 à 22.11.4, qui prévoient de nouvelles règles relatives au lieu de la fourniture d'un bien meuble incorporel, ne s'appliquent pas au bien meuble incorporel auquel s'applique l'un des articles 22.21 à 22.27 de la LTVQ qui traitent de la fourniture de services postaux et de télécommunication.

Concordance fédérale: aucune.

COMMENTAIRES: Voir les commentaires sous l'article 22.11.4.

22.11 [*Abrogé*].

Notes historiques: L'article 22.11 a été abrogé par L.Q. 2011, c. 1 par. 125(1) et cette abrogation s'applique à l'égard d'une fourniture effectuée :

1° après le 30 avril 2010;

2° après le 25 février 2010 et avant le 1er mai 2010, sauf si une partie de la contrepartie de la fourniture devient due ou est payée avant le 1er mai 2010.

Antérieurement, il se lisait ainsi :

22.11 Bien meuble incorporel — La fourniture d'un bien meuble incorporel est réputée effectuée au Québec si :

1° dans le cas où le bien se rapporte à un immeuble, selon le cas :

a) la partie de l'immeuble qui est située au Canada est située en totalité ou en presque totalité au Québec;

b) le lieu de négociation de la fourniture est situé au Québec et l'immeuble n'est pas situé en totalité ou en presque totalité hors du Québec;

c) la partie de l'immeuble qui est située au Canada est située principalement au Québec et :

i. si le lieu de négociation de la fourniture est situé hors du Canada, l'immeuble est situé en totalité ou en presque totalité au Canada;

ii. si le lieu de négociation de la fourniture est situé dans une autre province, l'immeuble est situé en totalité ou en presque totalité hors de cette province;

2° dans le cas où le bien se rapporte à un bien meuble corporel, selon le cas :

a) la partie du bien meuble corporel qui est habituellement située au Canada est habituellement située en totalité ou en presque totalité au Québec;

b) le lieu de négociation de la fourniture est situé au Québec et le bien meuble corporel n'est habituellement pas situé en totalité ou en presque totalité hors du Québec;

c) la partie du bien meuble corporel qui est habituellement située au Canada est habituellement située principalement au Québec et :

i. si le lieu de négociation de la fourniture est situé hors du Canada, le bien meuble est habituellement situé en totalité ou en presque totalité au Canada;

ii. si le lieu de négociation de la fourniture est situé dans une autre province, le bien meuble est habituellement situé en totalité ou en presque totalité hors de cette province;

3° dans le cas où le bien se rapporte à des services qui doivent être exécutés, selon le cas :

a) la totalité ou la presque totalité des services qui doivent être exécutés au Canada doivent l'être au Québec;

b) le lieu de négociation de la fourniture est situé au Québec et les services ne doivent pas être exécutés en totalité ou en presque totalité hors du Québec;

c) les services qui doivent être exécutés au Canada doivent l'être principalement au Québec et :

i. si le lieu de négociation de la fourniture est situé hors du Canada, la totalité ou la presque totalité des services doivent être exécutés au Canada;

ii. si le lieu de négociation de la fourniture est situé dans une autre province, la totalité ou la presque totalité des services doivent être exécutés hors de cette province;

4° dans tout autre cas, selon le cas :

a) la totalité ou la presque totalité des droits canadiens à l'égard du bien ne peuvent être utilisés qu'au Québec;

b) le lieu de négociation de la fourniture est situé au Québec et le bien peut être utilisé autrement qu'exclusivement hors du Québec;

c) les droits canadiens à l'égard du bien meuble incorporel ne peuvent être utilisés autrement que principalement au Québec et :

i. si le lieu de négociation de la fourniture est situé hors du Canada, le bien ne peut être utilisé autrement qu'exclusivement au Canada;

ii. si le lieu de négociation de la fourniture est situé dans une autre province, le bien ne peut être utilisé autrement qu'exclusivement hors de cette province.

L'article 22.11 a été ajouté par L.Q. 1997, c. 85, art. 430(1) et s'applique à l'égard de la fourniture d'un bien ou d'un service effectuée après le 31 mars 1997.

Notes explicatives du ARQ (PL 117, L.Q. 2010, c. 1): *Résumé* :

L'article 22.11 est abrogé. Ainsi, de nouvelles règles sur le lieu de la fourniture d'un bienmeuble incorporel sont introduites dans la LTVQ lesquelles sont prévues aux articles 22.11.1 à 22.11.4 de la LTVQ.

Situation actuelle :

Actuellement, l'article 22.11 énonce les règles permettant de déterminer si la fourniture d'un bien meuble incorporel est effectuée au Québec.

Modifications proposées :

L'article 22.11 est abrogé en raison de l'introduction de nouvelles règles relatives au lieu de la fourniture d'un bien meuble incorporel qui sont prévues aux articles 22.11.1 à 22.11.4 de la LTVQ.

Définitions [art. 22.11]: « bien », « bien meuble corporel », « exclusif », « fourniture », « immeuble », « service » — 1.

Renvois [art. 22.11]: 11.2 (définition de l'expression « établissement stable »); 22.2 (définitions); 22.3 (maison flottante et maison mobile non fixées à un fonds de terre); 22.4 (bien non délivré ou service non effectué); 22.5 (emplacement habituel d'un bien); 22.6 (application des articles 22.7–22.30); 22.10 (définition de l'expression « droits canadiens »); 22.28 (fourniture réputée effectuée au Québec); 22.29 (fourniture réputée effectuée au Québec); 22.30 (fourniture prescrite d'un bien ou d'un service); 22.32 (fourniture réputée effectuée hors du Québec); 618 (application des dispositions).

Bulletins d'interprétation [art. 22.11]: TVQ. 16-20/R1 — La taxe de vente du Québec et les fournisseurs de services d'accès au réseau Internet; TVQ. 22.15-1 — Les services de conceptions et d'hébergement d'un site Web et la taxe de vente du Québec.

Lettres d'interprétation [art. 22.11]: 98-0102065 — Interprétation relative à la TPS — Interprétation relative à la TVQ — Fourniture de droits d'adhésion; 99-0112633 — Interprétation relative à la TVQ; 01-0106649 — Vente d'images numérisées par Internet — interprétation relative à la TPS/TVH — interprétation relative à la TVQ; 03-0101794 — Interprétation relative à la TPS et à la TVH — interprétation relative à la TVQ — [Activités reliées au secteur de l'informatique]; 03-0106520 — Interprétation relative à la TPS/TVH — Interprétation relative à la TVQ — [Fourniture d'un bien meuble incorporel — Internet]; 06-0103629 — Interprétation relative à la TVQ — contrat de franchise vendue par un non-résident à un résident du Québec.

COMMENTAIRES: Voir les commentaires sous l'article 22.11.4.

22.11.1 [Bien meuble incorporel] — La fourniture d'un bien meuble incorporel, autre qu'un bien meuble incorporel qui se rapporte à un immeuble ou à un bien meuble corporel, à l' égard duquel les droits canadiens ne peuvent être utilisés que principalement au Québec est réputée effectuée au Québec.

Notes historiques: L'article 22.11.1 a été ajouté par L.Q. 2011, c. 1, par. 126(1) et s'applique à l'égard d'une fourniture effectuée :

1° après le 30 avril 2010;

2° après le 25 février 2010 et avant le 1er mai 2010, sauf si une partie de la contrepartie de la fourniture devient due ou est payée avant le 1er mai 2010.

Notes explicatives du ARQ (PL 117, L.Q. 2010, c. 1): *Résumé* :

L'article 22.11.1 énonce de nouvelles règles permettant de déterminer si la fourniture d'un bien meuble incorporel, autre qu'un bien meuble incorporel qui se rapporte à un immeuble ou à un bien meuble corporel, est effectuée au Québec. Plus particulièrement, le nouvel article 22.11.1 vise la situation où les droits canadiens à l'égard du bien meuble incorporel ne peuvent être utilisés que principalement au Québec.

Contexte :

Actuellement, la fourniture d'un bien meuble incorporel qui ne se rapporte ni à un immeuble, ni à un bien meuble corporel, ni à des services à exécuter est réputée effectuée au Québec si la totalité ou la presque totalité des droits canadiens à l'égard du bien ne peuvent être utilisés qu'au Québec ou si le lieu de négociation de la fourniture est situé au Québec et que le bien peut être utilisé autrement qu'exclusivement hors du Québec.

De même, la fourniture du bien meuble incorporel est réputée effectuée au Québec si les droits canadiens ne peuvent être utilisés autrement que principalement au Québec et, si le lieu de négociation de la fourniture est situé hors du Canada, le bien ne peut être utilisé autrement qu'exclusivement au Canada ou, si le lieu de négociation est situé dans une autre province, le bien ne peut être utilisé autrement qu'exclusivement hors de cette province.

Modifications proposées :

L'article 22.11.1 énonce de nouvelles règles permettant de déterminer si la fourniture d'un bien meuble incorporel, autre qu'un bien meuble incorporel qui se rapporte à un immeuble ou à un bien meuble corporel, est effectuée au Québec. Plus particulièrement, le nouvel article 22.11.1 vise la situation où les droits canadiens à l'égard du bien meuble incorporel ne peuvent être utilisés que principalement au Québec.

Dans ce cas, la fourniture du bien meuble incorporel est réputée effectuée au Québec si les droits canadiens relatifs à cette fourniture ne peuvent être utilisés que principalement (plus de 50 %) au Québec.

Concordance fédérale: LTA, al. 142(1)c); LTA, Ann. IX:Partie III:2.

COMMENTAIRES: Voir les commentaires sous l'article 22.11.4.

22.11.2 [Bien meuble incorporel] — La fourniture d'un bien meuble incorporel, autre qu'un bien meuble incorporel qui se rapporte à un immeuble ou à un bien meuble corporel, à l' égard duquel les droits canadiens peuvent être utilisés autrement que seulement principalement au Québec et autrement que seulement principalement hors du Québec est réputée effectuée au Québec si :

1° dans le cas d'une fourniture dont la valeur de la contrepartie est de 300 $ ou moins qui est effectuée par l'intermédiaire d'un emplacement déterminé du fournisseur au Québec et en présence d'un particulier qui en est l'acquéreur ou qui agit pour le compte de celui-ci, le bien meuble incorporel peut être utilisé au Québec;

2° dans le cas d'une fourniture qui n'est pas réputée effectuée au Québec en vertu du paragraphe 1°, les conditions suivantes sont satisfaites :

a) dans le cours normal de son entreprise, le fournisseur obtient une adresse - appelée « adresse donnée » dans le présent paragraphe - qui est, selon le cas :

i. si le fournisseur n'obtient qu'une seule adresse qui est une adresse résidentielle ou d'affaires de l' acquéreur au Canada, l' adresse résidentielle ou d'affaires obtenue par le fournisseur;

ii. si le fournisseur obtient plus d'une adresse visée au sous-paragraphe i, l'adresse visée à ce sous-paragraphe qui est la plus étroitement reliée à la fourniture;

iii. dans tout autre cas, l'adresse de l'acquéreur au Canada qui est la plus étroitement reliée à la fourniture;

b) l' adresse donnée se trouve au Québec;

c) le bien meuble incorporel peut être utilisé au Québec.

Notes historiques: L'article 22.11.2 a été ajouté par L.Q. 2011, c. 1, par. 126(1) et s'applique à l'égard d'une fourniture effectuée :

1° après le 30 avril 2010;

2° après le 25 février 2010 et avant le 1er mai 2010, sauf si une partie de la contrepartie de la fourniture devient due ou est payée avant le 1er mai 2010.

Notes explicatives du ARQ (PL 117, L.Q. 2010, c. 1): *Résumé* :

L'article 22.11.2 énonce de nouvelles règles permettant de déterminer si la fourniture d'un bien meuble incorporel, autre qu'un bien meuble incorporel qui se rapporte à un immeuble ou à un bien meuble corporel, est effectuée au Québec. Plus particulièrement, le nouvel article 22.11.2 vise la situation où les droits canadiens à l'égard du bien meuble incorporel ne peuvent être utilisés autrement que seulement principalement au Québec et autrement que seulement principalement hors du Québec.

Contexte :

Actuellement, la fourniture d'un bien meuble incorporel qui ne se rapporte ni à un immeuble, ni à un bien meuble corporel, ni à des services à exécuter est réputée effectuée au Québec si la totalité ou la presque totalité des droits canadiens à l'égard du bien ne peuvent être utilisés qu'au Québec ou si le lieu de négociation de la fourniture est situé au Québec et que le bien peut être utilisé autrement qu'exclusivement hors du Québec.

De même, la fourniture du bien meuble incorporel est réputée effectuée au Québec si les droits canadiens ne peuvent être utilisés autrement que principalement auQuébec et, si le lieu de négociation de la fourniture est situé hors du Canada, le bien ne peut être utilisé autrement qu'exclusivement au Canada ou, si le lieu de négociation est situé dans une autre province, le bien ne peut être utilisé autrement qu'exclusivement hors de cette province.

Modifications proposées :

L'article 22.11.2 énonce deux nouvelles règles permettant de déterminer si la fourniture d'un bien meuble incorporel, autre qu'un bien meuble incorporel qui se rapporte à un immeuble ou à un bien meuble corporel, est effectuée au Québec. Plus particulièrement, il vise la situation où les droits canadiens à l'égard du bien meuble incorporel ne peuvent être utilisés autrement que seulement principalement (50 % ou moins) au Québec et autrement que seulement principalement (50 % ou moins) hors du Québec.

Selon la première règle, si la valeur de la contrepartie pour la fourniture d'un bien meuble incorporel est de 300 $ ou moins, la fourniture du bien est réputée effectuée au Québec si elle est effectuée par l'intermédiaire d'un emplacement déterminé du fournisseur au Québec en présence d'un particulier qui en est l'acquéreur, ou qui agit pour le compte de celui-ci, et que le bien peut être utilisé au Québec.

Cependant, si la fourniture d'un bien meuble incorporel n'est pas réputée effectuée au Québec en vertu de cette première règle, la fourniture du bien est, selon la seconde règle, réputée effectuée au Québec si le fournisseur obtient une adresse de l'acquéreur dans le cours normal de son entreprise, et ce, si les trois conditions suivantes sont satisfaites.

Plus précisément, la fourniture du bien meuble incorporel sera réputée effectuée au Québec si :

— dans le cours normal de son entreprise, le fournisseur obtient une adresse qui est, selon le cas, l'adresse de l'acquéreur au Canada qui est soit son adresse résidentielle ou d'affaires ou s'il obtient plusieurs adresses, l'adresse de l'acquéreur au Canada qui est, soit son adresse résidentielle ou d'affaires au Canada, qui est la plus étroitement reliée à la fourniture, ou à défaut, l'adresse de l'acquéreur au Canada qui est la plus étroitement reliée à la fourniture;

— l'adresse se trouve au Québec;

— le bien meuble incorporel peut être utilisé au Québec.

Lettre d'interprétation (Québec) [par. 165(1)]: 12-014001-001 — Interprétation relative à la TPS/TVH — Interprétation relative à la TVQ (Commerce électronique); 12-014965-001 — Interprétation relative à la TPS/TVH — Interprétation relative à la TVQ — Abonnement à un site de jeu en ligne.

Concordance fédérale: LTA, al. 142(1)c); LTA, Ann. IX:Partie III:2.

COMMENTAIRES: Voir les commentaires sous l'article 22.11.4.

22.11.3 [Fourniture se rapportant à un immeuble] — La fourniture d'un bien meuble incorporel qui se rapporte à un immeuble est réputée effectuée au Québec si l'immeuble qui est situé au Canada est situé principalement au Québec.

Notes historiques: L'article 22.11.3 a été ajouté par L.Q. 2011, c. 1, par. 126(1) et s'applique à l'égard d'une fourniture effectuée :

1° après le 30 avril 2010;

2° après le 25 février 2010 et avant le 1er mai 2010, sauf si une partie de la contrepartie de la fourniture devient due ou est payée avant le 1er mai 2010.

Notes explicatives du ARQ (PL 117, L.Q. 2010, c. 1): *Résumé* :

L'article 22.11.3 énonce de nouvelles règles sur le lieu de la fourniture d'un bien meuble incorporel qui se rapporte à un immeuble.

Contexte :

Actuellement, la fourniture d'un bien meuble incorporel qui se rapporte à un immeuble est réputée effectuée au Québec si l'une des trois situations décrites dans le paragraphe

1° de l'article 22.11 de la LTVQ se réalise. C'est le cas si la partie de l'immeuble qui est située au Canada est située en totalité ou en presque totalité au Québec.

L'autre situation a trait au lieu de négociation de la fourniture qui est défini à l'article 22.2 de la LTVQ.

Si le lieu de négociation de la fourniture est situé au Québec et que la totalité ou la presque totalité de l'immeuble n'est pas située hors du Québec, la fourniture est également réputée effectuée au Québec.

De plus, la fourniture du bien meuble incorporel est réputée effectuée au Québec si la partie de l'immeuble qui est située au Canada est principalement située au Québec et, si le lieu de négociation de la fourniture est situé hors du Canada, l'immeuble est situé en totalité ou en presque totalité au Canada ou, si le lieu de négociation de la fourniture est situé dans une autre province, l'immeuble est situé en totalité ou en presque totalité hors de cette province.

Modifications proposées :

L'article 22.11.3 énonce de nouvelles règles sur le lieu de la fourniture d'un bien meuble incorporel qui se rapporte à un immeuble. En vertu de ces nouvelles règles, la fourniture du bien meuble incorporel qui se rapporte à un immeuble est réputée effectuée au Québec si l'immeuble situé au Canada est situé principalement (plus de 50 %) au Québec.

Concordance fédérale: LTA, al. 142(1)c); LTA, Ann. IX:Partie III:3.

COMMENTAIRES: Voir les commentaires sous l'article 22.11.4.

22.11.4 [Fourniture se rapportant à un bien meuble corporel] — La fourniture d'un bien meuble incorporel qui se rapporte à un bien meuble corporel est réputée effectuée au Québec si le bien meuble corporel qui est habituellement situé au Canada est habituellement situé principalement au Québec.

Notes historiques: L'article 22.11.4 a été ajouté par L.Q. 2011, c. 1, par. 126(1) et s'applique à l'égard d'une fourniture effectuée :

1° après le 30 avril 2010;

2° après le 25 février 2010 et avant le 1er mai 2010, sauf si une partie de la contrepartie de la fourniture devient due ou est payée avant le 1er mai 2010.

Notes explicatives du ARQ (PL 117, L.Q. 2010, c. 1): *Résumé* :

L'article 22.11.4 énonce de nouvelles règles sur le lieu de la fourniture d'un bien meuble incorporel qui se rapporte à un bien meuble corporel.

Contexte :

Actuellement, la fourniture d'un bien meuble incorporel qui se rapporte à un bien meuble corporel est réputée effectuée au Québec si l'une des trois situations décrites dans le paragraphe 2° de l'article 22.11 de la LTVQ se réalise. C'est le cas si la totalité ou la presque totalité du bien meuble corporel qui est habituellement située au Canada est habituellement située au Québec ou si le lieu de négociation de la fourniture est situé au Québec et qu'il ne s'agit pas d'un cas où le bien meuble corporel est habituellement situé en totalité ou en presque totalité hors du Québec.

Également, la fourniture du bien meuble incorporel est réputée effectuée au Québec si la partie du bien meuble corporel qui est habituellement située au Canada est principalement située au Québec et, si le lieu de négociation de la fourniture est situé hors du Canada, le bien meuble corporel est habituellement situé en totalité ou en presque totalité au Canada ou, si le lieu de négociation de la fourniture est situé dans une autre province, le bien meuble corporel est habituellement situé en totalité ou en presque totalité hors de cette province.

Modifications proposées :

L'article 22.11.4 énonce de nouvelles règles sur le lieu de la fourniture d'un bien meuble incorporel qui se rapporte à un bien meuble corporel. En vertu de ces nouvelles règles, la fourniture du bien meuble incorporel qui se rapporte à un bien meuble corporel est réputée effectuée au Québec si le bien meuble corporel qui est habituellement situé au Canada est habituellement situé principalement (plus de 50 %) au Québec.

Concordance fédérale: LTA, al. 142(1)c); LTA, Ann. IX:Partie III:3.

COMMENTAIRES: À titre d'exemple, Revenu Québec a conclu que puisque le droit d'accès au site de jeu en ligne peut être utilisé n'importe où dans le monde, la fourniture de ce droit d'accès constitue la fourniture d'un bien meuble incorporel, à l'égard duquel les droits canadiens peuvent être utilisés autrement que seulement principalement au Québec et autrement que seulement principalement hors du Québec et auquel s'applique l'article 22.11.2. En vertu de cet article, si le droit peut être utilisé au Québec et que le fournisseur obtient, dans le cours normal de son entreprise, une seule adresse qui est l'adresse résidentielle de l'acquéreur, et si cette adresse se trouve au Québec, la fourniture sera réputée effectuée au Québec et la TVQ devra être perçue quant à la fourniture à moins que cette fourniture constitue une fourniture détaxée effectuée à un non-inscrit, non-résident du Québec. Par ailleurs, si l'adresse n'est pas au Québec, la fourniture sera réputée effectuée hors du Québec et la TVQ ne s'appliquera donc pas. Voir notamment à cet effet : Lettres d'interprétation, 12-014965-001 — *Interprétation relative à la TPS/TVH — Interprétation relative à la TVQ — Abonnement à un site de jeu en ligne* (4 juillet 2012).

Compte tenu de la similarité de la rédaction des dispositions législatives et considérant l'engagement spécifique de Revenu Québec de veiller à ce que l'assiette de TVQ modifiée, de même que les paramètres administratifs, structurels et définitionnels, produisent des résultats qui sont similaires à ceux produits sous le régime de la TPS/TVH et soient administrés d'une manière qui produit des résultats similaires, tel que reflété par l'article 14 de l'*Entente intégrée globale de coordination fiscale* signée entre le gouvernement du Canada et le gouvernement du Québec, nous vous référons à nos commentaires en vertu de l'alinéa 142(1)(c) de la *Loi sur la taxe d'accise (TPS)* qui devraient s'appliquer *mutatis mutandis*, avec les adaptations nécessaires.

4. — Immeuble

Notes historiques: L'intertitre 4 a été ajouté par L.Q. 1997, c. 85, art. 430(1) et s'applique à l'égard de la fourniture d'un bien ou d'un service effectuée après le 31 mars 1997.

22.12 Immeuble — La fourniture d'un immeuble est réputée effectuée au Québec si l'immeuble est situé au Québec.

Notes historiques: L'article 22.12 a été ajouté par L.Q. 1997, c. 85, art. 430(1) et s'applique à l'égard de la fourniture d'un bien ou d'un service effectuée après le 31 mars 1997.

Concordance fédérale: LTA, al. 142(1)d) et Ann. IX:Partie IV:1.

COMMENTAIRES: L'article 22.12 mentionne qu'un bien est réputé fourni au Canada si, s'agissant d'un immeuble, l'immeuble est situé au Québec. En l'espèce, comme le terrain est situé au Québec, la fourniture a lieu au Québec et est assujettie à la TVQ. Voir notamment à cet effet : Revenu Québec, Lettre d'interprétation, 00-0108332 — *Importation et exportation* (6 février 2000).

Compte tenu de la similarité de la rédaction des dispositions législatives et considérant l'engagement spécifique de Revenu Québec de veiller à ce que l'assiette de TVQ modifiée, de même que les paramètres administratifs, structurels et définitionnels, produisent des résultats qui sont similaires à ceux produits sous le régime de la TPS/TVH et soient administrés d'une manière qui produit des résultats similaires, tel que reflété par l'article 14 de l'*Entente intégrée globale de coordination fiscale* signée entre le gouvernement du Canada et le gouvernement du Québec, nous vous référons à nos commentaires en vertu de l'alinéa 142(1)(d) de la *Loi sur la taxe d'accise (TPS)* qui devraient s'appliquer *mutatis mutandis*, avec les adaptations nécessaires.

22.13 [*Abrogé*].

Notes historiques: L'article 22.13 a été abrogé par L.Q. 2011, c. 1, par. 127(1) et cette abrogation s'applique à l'égard d'une fourniture effectuée :

1° après le 30 avril 2010;

2° après le 25 février 2010 et avant le 1er mai 2010, sauf si une partie de la contrepartie de la fourniture devient due ou est payée avant le 1er mai 2010.

Antérieurement, il se lisait ainsi :

> 22.13 La fourniture d'un service relatif à un immeuble est réputée effectuée au Québec si, selon le cas :
>
> 1° la partie de l'immeuble qui est située au Canada est située en totalité ou en presque totalité au Québec;
>
> 2° le lieu de négociation de la fourniture est situé au Québec et l'immeuble n'est pas situé en totalité ou en presque totalité hors du Québec;
>
> 3° la partie de l'immeuble qui est située au Canada est située principalement au Québec sauf si :
>
> a) le lieu de négociation de la fourniture est situé hors du Canada et l'immeuble n'est pas situé en totalité ou en presque totalité au Canada;
>
> b) le lieu de négociation de la fourniture est situé dans une autre province et l'immeuble n'est pas situé en totalité ou en presque totalité hors de cette province.

L'article 22.13 a été ajouté par L.Q. 1997, c. 85, art. 430(1) et s'applique à l'égard de la fourniture d'un bien ou d'un service effectuée après le 31 mars 1997.

Notes explicatives du ARQ (PL 117, L.Q. 2010, c. 1): *Résumé* :

L'article 22.13 est abrogé. Une nouvelle règle sur le lieu de la fourniture d'un service relatif à un immeuble est introduite à l'article 22.15.0.3.

Situation actuelle :

L'article 22.13 prévoit les règles relatives à la détermination du lieu de la fourniture d'un service relatif à un immeuble.

Cette fourniture est réputée effectuée au Québec si l'une des trois situations prévues à cet article se réalise.

La première traite du cas où la partie de l'immeuble qui est située au Canada est située en totalité ou en presque totalité au Québec. Ainsi, si 90 % ou plus de la partie canadienne de l'immeuble se trouve au Québec, la fourniture du service est réputée effectuée au Québec.

La fourniture du service relatif à l'immeuble est également réputée effectuée au Québec si le lieu de négociation de la fourniture se trouve au Québec et que l'immeuble n'est pas situé en totalité ou en presque totalité hors du Québec. Ainsi, lorsque le lieu de négociation est situé au Québec et que plus de 10 % de l'immeuble est situé au Québec, la fourniture du service est réputée effectuée au Québec.

Enfin, l'article 22.13 prévoit que la fourniture d'un service relatif à un immeuble est effectuée au Québec si l'immeuble est situé principalement au Québec. Cette dernière

LTVQ (français)

règle n'est toutefois pas applicable si le lieu de négociation de la fourniture se trouve hors du Canada et que l'immeuble n'est pas situé en totalité ou en presque totalité au Canada. Il en est de même si le lieu de négociation se trouve dans une autre province et que plus de 10 % de l'immeuble est situé dans cette autre province.

Modifications proposées :

L'article 22.13 est abrogé en raison de l'introduction d'une nouvelle règle sur le lieu de la fourniture d'un service relatif à un immeuble qui est désormais prévue à l'article 22.15.0.3.

Définitions [art. 22.13]: « fourniture », « immeuble », « service » — 1.

Renvois [art. 22.13]: 11.2 (définition de l'expression « établissement stable »); 22.2 (définitions); 22.3 (maison flottante et maison mobile non fixées à un fonds de terre); 22.4 (bien non délivré ou service non effectué); 22.5 (emplacement habituel d'un bien); 22.6 (application des articles 22.7–22.30); 22.15 (fourniture au Québec); 22.28 (fourniture réputée effectuée au Québec); 22.29 (fourniture réputée effectuée au Québec); 22.30 (fourniture prescrite d'un bien ou d'un service); 22.31 (fourniture d'un service prescrit); 22.32 (fourniture réputée effectuée hors du Québec); 618 (application des dispositions).

Bulletins d'interprétation [art. 22.13]: TVQ. 22.15-1 — Les services de conceptions et d'hébergement d'un site Web et la taxe de vente du Québec.

Lettres d'interprétation [art. 22.13]: 98-0110910 — Interprétation en TPS et en TVQ.

5. — Service

Notes historiques: L'intertitre 5 a été ajouté par L.Q. 1997, c. 85, art. 430(1) et s'applique à l'égard de la fourniture d'un bien ou d'un service effectuée après le 31 mars 1997.

22.14 « élément canadien » — Pour l'application des articles 22.15.0.2 et 22.15.0.4 à 22.15.0.6, l'expression « élément canadien » d'un service signifie la partie du service qui est exécutée au Canada.

Notes historiques: L'article 22.14 a été modifié par L.Q. 2011, c. 1, par. 128(1) par le remplacement de « de l' article 22.15, » par « des articles 22.15.0.2 et 22.15.0.4 à 22.15.0.6, ». Cette modification s'applique à l'égard d'une fourniture effectuée :

1° après le 30 avril 2010;

2° après le 25 février 2010 et avant le 1er mai 2010, sauf si une partie de la contrepartie de la fourniture devient due ou est payée avant le 1er mai 2010.

L'article 22.14 a été ajouté par L.Q. 1997, c. 85, art. 430(1) et s'applique à l'égard de la fourniture d'un bien ou d'un service effectuée après le 31 mars 1997.

Notes explicatives du ARQ (PL 117, L.Q. 2010, c. 1): *Résumé* :

L'article 22.14 définit l'expression « élément canadien » d'un service. Cet article est modifié afin de remplacer la référence à l'article 22.15 par les articles 22.15.0.2 et 22.15.0.4 à 22.15.0.6, qui prévoient de nouvelles règles sur le lieu de la fourniture d'un service, pour que cette expression s'applique désormais à ces articles.

Situation actuelle :

Actuellement, l'article 22.14 prévoit une définition de l'expression « élément canadien » qui est utilisée à l'article 22.15 qui traite du lieu de la fourniture d'un service.

Le lieu de la fourniture d'un service est déterminé soit en fonction du lieu d'exécution du service, soit en fonction du lieu d'exécution de la partie canadienne du service. L'expression « élément canadien« est utilisée pour décrire cette dernière réalité.

Modifications proposées :

L'article 22.14 définit l'expression « élément canadien » d'un service. Cet article est modifié afin de remplacer la référence à l'article 22.15 par les articles 22.15.0.2 et 22.15.0.4 à 22.15.0.6, qui prévoient de nouvelles règles sur le lieu de la fourniture d'un service, pour que cette expression s'applique désormais à ces articles.

Définitions: « service » — 1.

Renvois: 11.2 (définition de l'expression « établissement stable »); 22.2 (définitions); 22.3 (maison flottante et maison mobile non fixées à un fonds de terre); 22.4 (bien non délivré ou service non effectué); 22.5 (emplacement habituel d'un bien); 22.6 (application des articles 22.7–22.30); 22.28 (fourniture réputée effectuée au Québec); 22.29 (fourniture réputée effectuée au Québec); 22.30 (fourniture prescrite d'un bien ou d'un service); 22.31 (fourniture d'un service prescrit); 22.32 (fourniture réputée effectuée hors du Québec).

Bulletins d'interprétation: TVQ. 22.15-1 — Les services de conceptions et d'hébergement d'un site Web et la taxe de vente du Québec.

Lettres d'interprétation: 99-0106247 — Interprétation relative à la TPS — Interprétation relative à la TVQ; 99-0109159 — Interprétation relative à la TPS / TVH — Interprétation relative à la TVQ — Conception / hébergement d'un site Web.

Concordance fédérale: LTA, Ann. IX:Partie V:1.

COMMENTAIRES: Voir les commentaires sous l'article 22.15.1.

22.14.1 [Application] — Les articles 22.15.0.1 à 22.15.0.6 ne s'appliquent pas à un service auquel s'applique l'un des articles 22.18 à 22.27.

Notes historiques: L'article 22.14.1 a été ajouté par L.Q. 2011, c. 1, par. 129(1) et s'applique à l'égard d'une fourniture effectuée :

1° après le 30 avril 2010;

2° après le 25 février 2010 et avant le 1er mai 2010, sauf si une partie de la contrepartie de la fourniture devient due ou est payée avant le 1er mai 2010.

Notes explicatives du ARQ (PL 117, L.Q. 2010, c. 1): *Résumé* :

Le nouvel article 22.14.1 prévoit que les articles 22.15.0.1 à 22.15.0.6 portant sur de nouvelles règles relatives au lieu de la fourniture d'un service ne s'appliquent pas à un service auquel s'applique l'un des articles 22.18 à 22.27 de la LTVQ.

Contexte :

Actuellement, l'article 22.15 prévoit la règle générale pour déterminer le lieu de la fourniture d'un service, autre qu'un service visé aux articles 22.13 et 22.16 à 22.27 de la LTVQ.

Modifications proposées :

Il est proposé d'introduire l'article 22.14.1 afin de préciser que les articles 22.15.0.1 à 22.15.0.6, qui prévoient de nouvelles règles relatives au lieu de la fourniture d'un service, ne s'appliquent pas à un service auquel s'applique l'un des articles 22.18 à 22.27 de la LTVQ qui traitent notamment de la fourniture de certains services de transport, de services postaux et de télécommunication.

Concordance fédérale: aucune.

COMMENTAIRES: Voir les commentaires sous l'article 22.15.1.

22.15 [*Abrogé*].

Notes historiques: L'article 22.15 a été abrogé par L.Q. 2011, c. 1, par. 130(1) et cette abrogation s'applique à l'égard d'une fourniture effectuée :

1° après le 30 avril 2010;

2° après le 25 février 2010 et avant le 1er mai 2010, sauf si une partie de la contrepartie de la fourniture devient due ou est payée avant le 1er mai 2010.

Antérieurement, il se lisait ainsi :

> 22.15 La fourniture d'un service, autre qu'un service visé aux articles 22.13 et 22.16 à 22.27, est réputée effectuée au Québec si, selon le cas :
>
> 1° la totalité ou la presque totalité de l'élément canadien du service est exécutée au Québec;
>
> 2° le lieu de négociation de la fourniture est situé au Québec et la totalité ou la presque totalité du service n'est pas exécutée hors du Québec;
>
> 3° l'élément canadien du service est exécuté principalement au Québec sauf si :
>
> a) le lieu de négociation de la fourniture est situé hors du Canada et la totalité ou la presque totalité du service n'est pas exécutée au Canada;
>
> b) le lieu de négociation de la fourniture est situé dans une autre province et la totalité ou la presque totalité du service n'est pas exécutée hors de cette province.

L'article 22.15 a été ajouté par L.Q. 1997, c. 85, art. 430(1) et s'applique à l'égard de la fourniture d'un bien ou d'un service effectuée après le 31 mars 1997. [*N.D.L.R.* : L.Q. 1997, c. 85, art. 430(1) a été modifié par L.Q. 1998, c. 16, art. 310(1)(2º), rétroactivement au 19 décembre 1997 pour remplacer le préambule de l'article 22.15 qui se lisait auparavant comme suit :

> 22.15 Sous réserve des articles 22.13, 22.16–22.27, la fourniture d'un service est réputée effectuée au Québec si, selon le cas :]

Notes explicatives du ARQ (PL 117, L.Q. 2010, c. 1): *Résumé* :

L'article 22.15 est abrogé. De nouvelles règles sur la détermination du lieu de la fourniture d'un service sont introduites dans la LTVQ lesquelles sont prévues aux articles 22.15.0.1 à 22.15.0.6.

Contexte :

L'article 22.15 prévoit les règles relatives à la détermination du lieu de la fourniture d'un service. Il s'applique sous réserve des articles 22.13 et 22.16 à 22.27 qui traitent des fournitures de services liés à un immeuble, de services de transport, de services postaux et de télécommunication.

La fourniture d'un service est réputée effectuée au Québec si l'une des trois situations prévues dans le présent article se réalise.

La première traite du cas où l'élément canadien du service est exécuté en totalité ou en presque totalité au Québec. Ainsi, si 90 % ou plus de la partie du service qui est exécutée au Canada est exécutée au Québec, la fourniture du service est réputée effectuée au Québec.

La fourniture d'un service est également réputée effectuée au Québec si le lieu de négociation de la fourniture se trouve au Québec et que le service n'est pas exécuté en totalité ou en presque totalité hors du Québec. Ainsi, lorsque le lieu de négociation de la fourniture est situé au Québec et que plus de 10 % du service est exécuté au Québec, la fourniture du service est réputée effectuée au Québec. Enfin, l'article 22.15 de la LTVQ prévoit que la fourniture d'un service est réputée effectuée au Québec si le service est principalement exécuté au Québec. Cette dernière règle n'est toutefois pas applicable si le lieu de négociation de la fourniture se trouve hors du Canada et que le service n'est pas exécuté en totalité ou en presque totalité au Canada.

Il en est de même si le lieu de négociation se trouve dans une autre province et que plus de 10 % du service est exécuté dans cette autre province.

Modifications proposées :

L'article 22.15 est abrogé. De nouvelles règles sur la détermination du lieu de la fourniture d'un service sont introduites dans la LTVQ lesquelles sont prévues aux articles 22.15.0.1 à 22.15.0.6.

Définitions: « fourniture », « service » — 1.

Renvois: 11.2 (définition de l'expression « établissement stable »); 22.2 (définitions); 22.3 (maison flottante et maison mobile non fixées à un fonds de terre); 22.4 (bien non délivré ou service non effectué); 22.5 (emplacement habituel d'un bien); 22.6 (application des articles 22.7–22.30); 22.13 (service lié à un immeuble); 22.14 (définition de l'expression « élément canadien »); 22.28 (fourniture réputée effectuée au Québec); 22.29 (fourniture réputée effectuée au Québec); 22.30 (fourniture prescrite d'un bien ou d'un service); 22.31 (fourniture d'un service prescrit); 618 (application des dispositions); 22.32 (fourniture réputée effectuée hors du Québec).

Bulletins d'interprétation: TVQ. 22.15-1 — Les services de conceptions et d'hébergement d'un site Web et la taxe de vente du Québec; TVQ. 22.26-1/R1 — Les services de conception et d'hébergement d'un site Web et la taxe de vente du Québec.

Lettres d'interprétation: 98-0106736 — QST Interpretation Supply of Software; 98-0107494 — Application de la *Loi sur la taxe d'accise* (L.R.C. 1985, c. E-15 « la LTA ») et de la *Loi sur la taxe de vente du Québec* (L.R.Q., c. T-0.1 « la LTVQ »); 98-0110795 — Interprétation TVQ — Fourniture de services d'administration — lieu de la fourniture; 98-0110910 — Interprétation en TPS et en TVQ; 99-0104218 — Interprétation relative à la TPS — Interprétation relative à la TVQ — Hébergement / conception d'un site Web; 99-0106247 — Interprétation relative à la TPS — Interprétation relative à la TVQ; 99-0109175 — Interprétation relative à la TVQ — ventes effectuées par un encanteur; 99-0109159 — Interprétation relative à la TPS / TVH — Interprétation relative à la TVQ — Conception / hébergement d'un site Web; 99-0106122 [A] — QST Interpretation National Advertising Campaign; 99-0113144 — Interprétation relative à la TVQ — services de courtier en douanes; 00-0104372 — Interprétation relative à la TVQ — campagne de publicité nationale; 00-0108332 — Importation et exportation; 01-0105666 — Interprétation relative à la TPS et à la TVQ; 03-0101794 — Interprétation relative à la TPS et à la TVH — interprétation relative à la TVQ — [Activités reliées au secteur de l'informatique]; 04-0108185 — Interprétation relative à la TPS/TVH — interprétation relative à la TVQ — destruction biologique de produits contaminés.

COMMENTAIRES: Voir les commentaires sous l'article 22.15.1.

22.15.0.1 [Service] — La fourniture d'un service est réputée effectuée au Québec si, dans le cours normal de son entreprise, le fournisseur obtient une adresse au Québec qui est, selon le cas :

1° si le fournisseur n'obtient qu'une seule adresse qui est une adresse résidentielle ou d'affaires de l'acquéreur au Canada, l'adresse résidentielle ou d'affaires obtenue par le fournisseur;

2° si le fournisseur obtient plus d'une adresse visée au paragraphe 1°, l'adresse visée à ce paragraphe qui est la plus étroitement reliée à la fourniture;

3° dans tout autre cas, l'adresse de, l'acquéreur au Canada qui est la plus étroitement reliée à la fourniture.

[Application] — Le premier alinéa ne s'applique pas s'il s'agit de la fourniture, selon le cas :

1° d'un service relatif à un immeuble;

2° d'un service relatif à un bien meuble corporel;

3° d'un service, autre qu'un service de conseil, de consultation ou professionnel, qui est exécuté en totalité ou en presque totalité en présence du particulier à qui il est rendu;

4° d'un service exécute entièrement hors du Canada.

Notes historiques: L'article 22.15.0.1a été ajouté par L.Q. 2011, c. 1, par. 131(1) et s'applique à l'égard d'une fourniture effectuée :

1° après le 30 avril 2010;

2° après le 25 février 2010 et avant le 1er mai 2010, sauf si une partie de la contrepartie de la fourniture devient due ou est payée avant le 1er mai 2010.

Notes explicatives du ARQ (PL 117, L.Q. 2010, c. 1): *Résumé* :

Le nouvel article 22.15.0.1 énonce une règle générale permettant de déterminer si la fourniture d'un service est effectuée au Québec.

Situation actuelle :

L'article 22.15 prévoit les règles relatives à la détermination du lieu de la fourniture d'un service. Il s'applique sous réserve des articles 22.13 et 22.16 à 22.27 qui traitent des fournitures de services liés à un immeuble, de services de transport, de services postaux et de télécommunication.

La fourniture d'un service est réputée effectuée au Québec si l'une des trois situations prévues à l'article 22.15 se réalise.

La première traite du cas où l'élément canadien du service est exécuté en totalité ou en presque totalité au Québec. Ainsi, si 90 % ou plus de la partie du service qui est exécutée au Canada est exécutée au Québec, la fourniture du service est réputée effectuée au Québec.

La fourniture d'un service est également réputée effectuée au Québec si le lieu de négociation de la fourniture se trouve au Québec et que le service n'est pas exécuté en totalité ou en presque totalité hors du Québec. Ainsi, lorsque le lieu de négociation de la fourniture est situé au Québec et que plus de 10 % du service est exécuté au Québec, la fourniture du service est réputée effectuée au Québec.

Enfin, l'article 22.15 prévoit que la fourniture d'un service est réputée effectuée au Québec si le service est principalement exécuté au Québec. Cette dernière règle n'est toutefois pas applicable si le lieu de négociation de la fourniture se trouve hors du Canada et que le service n'est pas exécuté en totalité ou en presque totalité au Canada.

Il en est de même si le lieu de négociation se trouve dans une autre province et que plus de 10 % du service est exécuté dans cette autre province.

Modifications proposées :

Le nouvel article 22.15.0.1 énonce une règle générale permettant de déterminer si la fourniture d'un service est effectuée au Québec. Ainsi, en vertu de ce nouvel article, la fourniture d'un service est réputée effectuée au Québec si, dans le cours normal de son entreprise, le fournisseur obtient une adresse au Québec qui est, selon le cas, l'adresse de l'acquéreur au Canada qui est soit son adresse résidentielle ou d'affaires, ou si plusieurs adresses sont obtenues, l'adresse de l'acquéreur au Canada qui est soit son adresse résidentielle ou d'affaires au Canada qui est la plus étroitement reliée à la fourniture, ou à défaut, l'adresse de l'acquéreur au Canada qui est la plus étroitement reliée à la fourniture.

Cependant, cette règle ne s'applique pas à l'égard de la fourniture d'un service relatif à un immeuble, d'un service relatif à un bien meuble corporel, d'un service personnel et d'un service exécuté entièrement hors du Canada.

Bulletins d'interprétation: TVQ. 16-2/R3 — La livraison de fleurs par l'entremise d'un service de commande à distance.

Concordance fédérale: LTA, al. 142(1)g); LTA, Ann. IX:Partie V:2.

COMMENTAIRES: Voir les commentaires sous l'article 22.15.1.

22.15.0.2 [Élément canadien du service] — La fourniture d'un service est réputée effectuée au Québec si l'élément canadien du service est exécuté principalement au Québec.

Le premier alinéa ne s'applique pas, si, selon le cas :

1° le fournisseur obtient, dans le cours normal de son entreprise, une adresse de l'acquéreur au Canada;

2° il s'agit dela fourniture, selon le cas :

a) d'un service relatif à un immeuble;

b) d'un service relatif à un bien meuble corporel;

c) d'un service, autre qu'un service de conseil, de consultation ou professionnel, qui est exécuté en totalité ou en presque totalité en présence du particulier à qui il est rendu.

Notes historiques: L'article 22.15.0.2 a été ajouté par L.Q. 2011, c. 1, par. 131(1) et s'applique à l'égard d'une fourniture effectuée :

1° après le 30 avril 2010;

2° après le 25 février 2010 et avant le 1er mai 2010, sauf si une partie de la contrepartie de la fourniture devient due ou est payée avant le 1er mai 2010.

Notes explicatives du ARQ (PL 117, L.Q. 2010, c. 1): *Résumé* :

Le nouvel article 22.15.0.2 énonce une règle générale permettant de déterminer si la fourniture d'un service est effectuée au Québec, et ce, dans le cas où aucune adresse n'a été obtenue par le fournisseur en vertu du nouvel article 22.15.0.1 de la LTVQ.

Situation actuelle :

L'article 22.15 prévoit les règles relatives à la détermination du lieu de la fourniture d'un service. Il s'applique sous réserve des articles 22.13 et 22.16 à 22.27 qui traitent des fournitures de services liés à un immeuble, de services de transport, de services postaux et de télécommunication.

La fourniture d'un service est réputée effectuée au Québec si l'une des trois situations prévues à l'article se réalise.

La première traite du cas où l'élément canadien du service est exécuté en totalité ou en presque totalité au Québec. Ainsi, si 90 % ou plus de la partie du service qui est exécutée au Canada est exécutée au Québec, la fourniture du service est réputée effectuée au Québec.

La fourniture d'un service est également réputée effectuée au Québec si le lieu de négociation de la fourniture se trouve au Québec et que le service n'est pas exécuté en totalité ou en presque totalité hors du Québec. Ainsi, lorsque le lieu de négociation de la fourni-

LTVQ (français)

ture est situé au Québec et que plus de 10 % du service est exécuté au Québec, la fourniture du service est réputée effectuée au Québec.

Enfin, l'article 22.15 prévoit que la fourniture d'un service est réputée effectuée au Québec si le service est principalement exécuté au Québec. Cette dernière règle n'est toutefois pas applicable si le lieu de négociation de la fourniture se trouve hors du Canada et que le service n'est pas exécuté en totalité ou en presque totalité au Canada.

Il en est de même si le lieu de négociation se trouve dans une autre province et que plus de 10 % du service est exécuté dans cette autre province.

Modifications proposées :

Le nouvel article 22.15.0.2 énonce une règle générale permettant de déterminer si la fourniture d'un service est effectuée au Québec, et ce, dans le cas où aucune adresse n'a été obtenue par le fournisseur en vertu de l'article 22.15.0.1 de la LTVQ. De plus, la règle générale prévue à cet article ne s'applique pas à l'égard de la fourniture d'un service relatif à un immeuble, d'un service relatif à un bien meuble corporel et d'un service personnel. Ainsi, en vertu de cette nouvelle règle, la fourniture du service est réputée effectuée au Québec si l'élément canadien du service est exécuté principalement (plus de 50 %) au Québec.

Bulletins d'interprétation: TVQ. 16-2/R3 — La livraison de fleurs par l'entremise d'un service de commande à distance.

Concordance fédérale: LTA, al. 142(1)g); LTA, Ann. IX:Partie V:2.

COMMENTAIRES: Voir les commentaires sous l'article 22.15.1.

22.15.0.3 [Service relatif à un immeuble] — La fourniture d'un service relatif à un immeuble est réputée effectuée au Québec si l'immeuble qui est situé au Canada est situé principalement au Québec.

Notes historiques: L'article 22.15.0.3 a été ajouté par L.Q. 2011, c. 1, par. 131(1) et s'applique à l'égard d'une fourniture effectuée :

1° après le 30 avril 2010;

2° après le 25 février 2010 et avant le 1er mai 2010, sauf si une partie de la contrepartie de la fourniture devient due ou est payée avant le 1er mai 2010.

Notes explicatives du ARQ (PL 117, L.Q. 2010, c. 1): *Résumé :*

L'article 22.15.0.3 énonce une nouvelle règle sur le lieu de la fourniture d'un service relatif à un immeuble.

Contexte :

Actuellement, l'article 22.13 prévoit les règles relatives à la détermination du lieu de la fourniture d'un service relatif à un immeuble.

Cette fourniture est réputée effectuée au Québec si l'une des trois situations prévues à cet article se réalise.

La première traite du cas où la partie de l'immeuble qui est située au Canada est située en totalité ou en presque totalité au Québec. Ainsi, si 90 % ou plus de la partie canadienne de l'immeuble se trouve au Québec, la fourniture du service est réputée effectuée au Québec.

La fourniture du service relatif à l'immeuble est également réputée effectuée au Québec si le lieu de négociation de la fourniture se trouve au Québec et que l'immeuble n'est pas situé en totalité ou en presque totalité hors du Québec. Ainsi, lorsque le lieu de négociation est situé au Québec et que plus de 10 % de l'immeuble est situé au Québec, la fourniture du service est réputée effectuée au Québec.

Enfin, l'article 22.13 prévoit que la fourniture d'un service relatif à un immeuble est effectuée au Québec si l'immeuble est situé principalement au Québec. Cette dernière règle n'est toutefois pas applicable si le lieu de négociation de la fourniture se trouve hors du Canada et que l'immeuble n'est pas situé en totalité ou en presque totalité au Canada. Il en est de même si le lieu de négociation se trouve dans une autre province et que plus de 10 % de l'immeuble est situé dans cette autre province.

Modifications proposées :

L'article 22.15.0.3 énonce une nouvelle règle pour déterminer le lieu de la fourniture d'un service relatif à un immeuble.

En vertu de cette nouvelle règle, la fourniture d'un service relatif à un immeuble est réputée effectuée au Québec si l'immeuble situé au Canada est situé principalement (plus de 50 %) au Québec.

Concordance fédérale: LTA, al. 142(1)g); LTA, Ann. IX:Partie IV:2.

COMMENTAIRES: Voir les commentaires sous l'article 22.15.1.

22.15.0.4 [Service relatif à un bien meuble corporel] — Dans le cas où une personne effectue la fourniture d'un service relatif à un bien meuble corporel qui est situé au Québec au moment donné où l' élément canadien du service commence à être exécuté et que, à tout moment où l' élément canadien du service est exécuté, le bien meuble corporel demeure au Québec, la fourniture est réputée effectuée au Québec si le bien meuble corporel est situé principalement au Québec au moment donné.

Notes historiques: L'article 22.15.0.4 a été ajouté par L.Q. 2011, c. 1, par. 131(1) et s'applique à l'égard d'une fourniture effectuée :

1° après le 30 avril 2010;

2° après le 25 février 2010 et avant le 1er mai 2010, sauf si une partie de la contrepartie de la fourniture devient due ou est payée avant le 1er mai 2010.

Notes explicatives du ARQ (PL 117, L.Q. 2010, c. 1): *Résumé :*

L'article 22.15.0.4 énonce de nouvelles règles sur la détermination du lieu de la fourniture d'un service relatif à un bien meuble corporel.

Plus particulièrement, le nouvel article 22.15.0.4 vise la situation où le bien meuble corporel est situé au Québec lorsque l'élément canadien du service commence à être exécuté et demeure situé au Québec pendant que l'élément canadien du service est exécuté.

Situation actuelle :

L'article 22.15 prévoit les règles relatives à la détermination du lieu de la fourniture d'un service. Il s'applique sous réserve des articles 22.13 et 22.16 à 22.27 qui traitent des fournitures de services liés à un immeuble, de services de transport, de services postaux et de télécommunication.

La fourniture d'un service est réputée effectuée au Québec si l'une des trois situations prévues à l'article 22.15 se réalise.

La première traite du cas où l'élément canadien du service est exécuté en totalité ou en presque totalité au Québec. Ainsi, si 90 % ou plus de la partie du service qui est exécutée au Canada est exécutée au Québec, la fourniture du service est réputée effectuée au Québec.

La fourniture d'un service est également réputée effectuée au Québec si le lieu de négociation de la fourniture se trouve au Québec et que le service n'est pas exécuté en totalité ou en presque totalité hors du Québec. Ainsi, lorsque le lieu de négociation de la fourniture est situé au Québec et que plus de 10 % du service est exécuté au Québec, la fourniture du service est réputée effectuée au Québec.

Enfin, l'article 22.15 prévoit que la fourniture d'un service est réputée effectuée au Québec si le service est principalement exécuté au Québec. Cette dernière règle n'est toutefois pas applicable si le lieu de négociation de la fourniture se trouve hors du Canada et que le service n'est pas exécuté en totalité ou en presque totalité au Canada.

Il en est de même si le lieu de négociation se trouve dans une autre province et que plus de 10 % du service est exécuté dans cette autre province.

Modifications proposées :

L'article 22.15.0.4 énonce de nouvelles règles sur la détermination du lieu de la fourniture d'un service relatif à un bien meuble corporel.

Plus particulièrement, le nouvel article 22.15.0.4 vise la situation où le bien meuble corporel est situé au Québec lorsque l'élément canadien du service commence à être exécuté et demeure au Québec pendant que l'élément canadien du service est exécuté.

Dans ce cas, la fourniture du service lié à un bien meuble corporel qui est situé au Québec lorsque l'élément canadien du service commence à être exécuté et qui demeure au Québec pendant que l'élément canadien du service est exécuté, est réputée être effectuée au Québec si le bien meuble corporel est situé principalement (plus de 50 %) au Québec lorsque l'élément canadien du service commence à être exécuté.

Concordance fédérale: LTA, al. 142(1)g); LTA, Ann. IX:Partie V:3.

COMMENTAIRES: Voir les commentaires sous l'article 22.15.1.

22.15.0.5 [Service relatif à un bien meuble corporel] — Dans le cas où une personne effectue la fourniture d'un service relatif à un bien meuble corporel qui est situé au Québec ou dans une autre province au moment donné où l'élément canadien du service commence à être exécuté et que, à un moment quelconque au cours de la période où l'élément canadien du service est exécuté, le bien meuble corporel ne demeure pas au Québec ou dans la province où il était situé au moment donné, la fourniture est réputée effectuée au Québec si le bien meuble corporel est situé principalement au Québec à un moment quelconque où le service est exécuté et si l'élément canadien du service est exécuté principalement au Québec.

Notes historiques: L'article 22.15.0.5 a été ajouté par L.Q. 2011, c. 1, par. 131(1) et s'applique à l'égard d'une fourniture effectuée :

1° après le 30 avril 2010;

2° après le 25 février 2010 et avant le 1er mai 2010, sauf si une partie de la contrepartie de la fourniture devient due ou est payée avant le 1er mai 2010.

Notes explicatives du ARQ (PL 117, L.Q. 2010, c. 1): *Résumé :*

L'article 22.15.0.5 énonce de nouvelles règles sur la détermination du lieu de la fourniture d'un service relatif à un bien meuble corporel. Plus particulièrement, le nouvel article 22.15.0.5 de la LTVQ vise la situation où le bien meuble corporel est situé au Québec ou dans une autre province lorsque l'élément canadien du service commence à être exécuté et ne demeure pas au Québec ou dans la province où il était situé au cours de la période où l'élément du service est exécuté.

Situation actuelle :

L'article 22.15 prévoit les règles relatives à la détermination du lieu de la fourniture d'un service. Il s'applique sous réserve des articles 22.13 et 22.16 à 22.27 qui traitent des fournitures de services liés à un immeuble, de services de transport, de services postaux et de télécommunication.

La fourniture d'un service est réputée effectuée au Québec si l'une des trois situations prévues dans le présent article se réalise.

La première traite du cas où l'élément canadien du service est exécuté en totalité ou en presque totalité au Québec. Ainsi, si 90 % ou plus de la partie du service qui est exécutée au Canada est exécutée au Québec, la fourniture du service est réputée effectuée au Québec.

La fourniture d'un service est également réputée effectuée au Québec si le lieu de négociation de la fourniture se trouve au Québec et que le service n'est pas exécuté en totalité ou en presque totalité hors du Québec. Ainsi, lorsque le lieu de négociation de la fourniture est situé au Québec et que plus de 10 % du service est exécuté au Québec, la fourniture du service est réputée effectuée au Québec.

Enfin, l'article 22.15 prévoit que la fourniture d'un service est réputée effectuée au Québec si le service est principalement exécuté au Québec. Cette dernière règle n'est toutefois pas applicable si le lieu de négociation de la fourniture se trouve hors du Canada et que le service n'est pas exécuté en totalité ou en presque totalité au Canada.

Il en est de même si le lieu de négociation se trouve dans une autre province et que plus de 10 % du service est exécuté dans cette autre province.

Modifications proposées :

L'article 22.15.0.5 énonce de nouvelles règles sur la détermination du lieu de la fourniture d'un service relatif à un bien meuble corporel.

Plus particulièrement, le nouvel article 22.15.0.5 vise la situation où le bien meuble corporel est situé au Québec ou dans une autre province lorsque l'élément canadien du service commence à être exécuté et ne demeure pas au Québec ou dans la province où il était situé au cours de la période où l'élément du service est exécuté.

Dans ce cas, la fourniture du service lié à un bien meuble corporel qui est situé au Québec ou dans une autre province au moment où l'élément canadien du service commence à être exécuté et qui ne demeure pas au Québec ou dans la province où il était situé pendant que l'élément canadien du service est exécuté, est réputée être effectuée au Québec si le bien est situé principalement (plus de 50 %) au Québec à n'importe quel moment où le service est exécuté et que l'élément canadien du service est exécuté principalement (plus de 50 %) au Québec.

Concordance fédérale: LTA, al. 142(1)g); LTA, Ann. IX:Partie V:3.

COMMENTAIRES: Voir les commentaires sous l'article 22.15.1.

22.15.0.6 [Service autre que de conseil, de consultation ou professionnel] — La fourniture d'un service, autre qu'un service de conseil, de consultation ou professionnel, qui est exécuté en totalité ou en presque totalité en présence du particulier à qui il est rendu est réputée effectuée au Québec si l'élément canadien du service est exécuté principalement au Québec.

Notes historiques: L'article 22.15.0.6 a été ajouté par L.Q. 2011, c. 1, par. 131(1) et s'applique à l'égard d'une fourniture effectuée :

1° après le 30 avril 2010;

2° après le 25 février 2010 et avant le 1er mai 2010, sauf si une partie de la contrepartie de la fourniture devient due ou est payée avant le 1er mai 2010.

Notes explicatives du ARQ (PL 117, L.Q. 2010, c. 1): *Résumé* :

Le nouvel article 22.15.0.6 énonce une règle spécifique relative à la détermination du lieu de la fourniture d'un service personnel autre qu'un service de conseil, de consultation ou professionnel.

Contexte :

L'article 22.15 prévoit les règles relatives à la détermination du lieu de la fourniture d'un service. Il s'applique sous réserve des articles 22.13 et 22.16 à 22.27 qui traitent des fournitures de services liés à un immeuble, de services de transport, de services postaux et de télécommunication.

La fourniture d'un service est réputée effectuée au Québec si l'une des trois situations prévues dans le présent article se réalise.

La première traite du cas où l'élément canadien du service est exécuté en totalité ou en presque totalité au Québec. Ainsi, si 90 % ou plus de la partie du service qui est exécutée au Canada est exécutée au Québec, la fourniture du service est réputée effectuée au Québec.

La fourniture d'un service est également réputée effectuée au Québec si le lieu de négociation de la fourniture se trouve au Québec et que le service n'est pas exécuté en totalité ou en presque totalité hors du Québec. Ainsi, lorsque le lieu de négociation de la fourniture est situé au Québec et que plus de 10 % du service est exécuté au Québec, la fourniture du service est réputée effectuée au Québec.

Enfin, l'article 22.15 prévoit que la fourniture d'un service est réputée effectuée au Québec si le service est principalement exécuté au Québec. Cette dernière règle n'est toutefois pas applicable si le lieu de négociation de la fourniture se trouve hors du Canada et que le service n'est pas exécuté en totalité ou en presque totalité au Canada.

Il en est de même si le lieu de négociation se trouve dans une autre province et que plus de 10 % du service est exécuté dans cette autre province.

Modifications proposées :

Le nouvel article 22.15.0.6 énonce une règle spécifique relative à la détermination du lieu de la fourniture d'un service personnel autre qu'un service de conseil, de consultation ou professionnel.

Ainsi, en vertu de cette règle, la fourniture d'un service personnel qui est exécuté en totalité ou en presque totalité (90 % ou plus) en présence du particulier qui le reçoit et dont l'élément canadien du service est exécuté principalement (plus de 50 %) au Québec est réputée effectuée au Québec.

Concordance fédérale: LTA, al. 142(1)g); LTA, Ann. IX:Partie V:3.

COMMENTAIRES: Voir les commentaires sous l'article 22.15.1.

22.15.1 Service exécuté en partie hors du Canada — Pour l'application de la présente sous-section, dans le cas où l'article 32.3 s'applique à l'égard de la fourniture d'un service et que le service est exécuté en partie au Québec et en partie hors du Canada, la partie du service exécutée hors du Canada est réputée exécutée au Québec.

Notes historiques: L'article 22.15.1 a été ajouté par L.Q. 2001, c. 53, art. 277 et s'applique à l'égard de toute fourniture visant une période de facturation, effectuée après le 10 décembre 1998.

Bulletins d'interprétation: TVQ. 22.15-1 — Les services de conceptions et d'hébergement d'un site Web et la taxe de vente du Québec.

Concordance fédérale: aucune.

COMMENTAIRES: Compte tenu de la similarité de la rédaction des dispositions législatives et considérant l'engagement spécifique de Revenu Québec de veiller à ce que l'assiette de TVQ modifiée, de même que les paramètres administratifs, structurels et définitionnels, produisent des résultats qui sont similaires à ceux produits sous le régime de la TPS/TVH et soient administrés d'une manière qui produit des résultats similaires, tel que reflété par l'article 14 de l'*Entente intégrée globale de coordination fiscale* signée entre le gouvernement du Canada et le gouvernement du Québec, nous vous référons à nos commentaires en vertu de l'alinéa 142(1)g) de la *Loi sur la taxe d'accise (TPS)* qui devraient s'appliquer *mutatis mutandis*, avec les adaptations nécessaires.

6. — Service de transport

Notes historiques: L'intertitre 6 a été ajouté par L.Q. 1997, c. 85, art. 430(1) et s'applique à l'égard de la fourniture d'un bien ou d'un service effectuée après le 31 mars 1997.

22.16 Définitions — Pour l'application du présent article et des articles 22.17.1 à 22.20, l'expression :

« **destination** » d'un service de transport de marchandises signifie l'endroit, précisé par l'expéditeur d'un bien, où la possession du bien est transférée au consignataire ou au destinataire désigné par l'expéditeur;

Concordance fédérale: LTA, Ann. IX:Partie VI:1.

« **destination finale** » d'un voyage continu a le sens que lui donne l'article 193;

Concordance fédérale: LTA, Ann. IX:Partie VI:1.

« **escale** » à l'égard d'un voyage continu a le sens que lui donne l'article 193, mais ne comprend pas, dans le cas d'un voyage continu d'un particulier ou d'un groupe de particuliers ne comprenant pas de transport aérien et dont le point d'origine et la destination finale sont situés au Canada, un endroit situé hors du Canada si, au moment où le voyage commence, il n'est pas prévu qu'au cours de celui-ci le particulier ou le groupe soit hors du Canada pour une période ininterrompue d'au moins 24 heures;

Concordance fédérale: LTA, Ann. IX:Partie VI:1.

« **étape** » d'un voyage à bord d'un moyen de transport désigne la partie du voyage qui commence, soit lorsque les passagers montent dans le moyen de transport ou en descendent, soit lorsqu'il est arrêté pour son entretien ou son réapprovisionnement en carburant, et qui se termine au prochain endroit où il est arrêté pour l'une ou l'autre de ces fins;

Concordance fédérale: LTA, Ann. IX:Partie VI:1.

« **point d'origine** » d'un voyage continu a le sens que lui donne l'article 193;

Concordance fédérale: LTA, Ann. IX:Partie VI:1.

LTVQ (français)

« service de transport de marchandises » a le sens que lui donne l'article 193;

Concordance fédérale: LTA, Ann. IX:Partie VI:1.

« voyage continu » a le sens que lui donne l'article 193.

Concordance fédérale: LTA, Ann. IX:Partie VI:1.

Notes historiques: Le préambule de l'article 22.16 a été modifié par L.Q. 2011, c. 1, s.-par. 132(1)(1°) par le remplacement de « 22.17 » par « 22.17.1 ». Cette modification s'applique à l'égard d'une fourniture effectuée :

1° après le 30 avril 2010;

2° après le 25 février 2010 et avant le 1er mai 2010, sauf si une partie de la contrepartie de la fourniture devient due ou est payée avant le 1er mai 2010.

La définition de « étape » à l'article 22.16 a été ajoutée par L.Q. 2011, c. 1, s.-par. 132(1)(2°) et s'applique à l'égard d'une fourniture effectuée :

1° après le 30 avril 2010;

2° après le 25 février 2010 et avant le 1er mai 2010, sauf si une partie de la contrepartie de la fourniture devient due ou est payée avant le 1er mai 2010.

L'article 22.16 a été ajouté par L.Q. 1997, c. 85, art. 430(1) et s'applique à l'égard de la fourniture d'un bien ou d'un service effectuée après le 31 mars 1997.

Notes explicatives du ARQ (PL 117, L.Q. 2010, c. 1): *Résumé* :

L'article 22.16 est modifié afin de remplacer la référence à l'article 22.17 par l'article 22.17.1 compte tenu de l'abrogation de l'article 22.17 et de l'introduction au nouvel article 22.17.1 de nouvelles règles relatives au lieu de la fourniture d'un service de transport de passagers.

De plus, la définition de l'expression « étape » est introduite à l'article 22.16, et ce, pour l'application d'une nouvelle règle relative aux biens ou aux services fournis à bord d'un moyen de transport, laquelle est prévue au nouvel article 22.17.3 de la LTVQ.

Situation actuelle :

Actuellement, l'article 22.16 comprend des définitions qui s'appliquent aux articles traitant du lieu de la fourniture d'un service de transport.

Modifications proposées :

L'article 22.16 est modifié afin de remplacer la référence à l'article 22.17 par l'article 22.17.1 compte tenu de l'abrogation de l'article 22.17 et de l'introduction à l'article 22.17.1 de nouvelles règles relatives au lieu de la fourniture d'un service de transport de passagers.

De plus, la définition de l'expression « étape » est introduite à l'article 22.16, et ce, pour l'application d'une nouvelle règle relative aux biens ou aux services fournis à bord d'un moyen de transport, laquelle est prévue au nouvel article 22.17.3 de la LTVQ.

Définitions [art. 22.16]: « bien », « service » — 1.

Renvois [art. 22.16]: 11.2 (définition de l'expression « établissement stable »); 22.2 (définitions); 22.3 (maison flottante et maison mobile non fixées à un fonds de terre); 22.4 (bien non délivré ou service non effectué); 22.5 (emplacement habituel d'un bien); 22.6 (application des articles 22.7–22.30); 22.15 (fourniture au Québec); 22.28 (fourniture réputée effectuée au Québec); 22.29 (fourniture réputée effectuée au Québec); 22.30 (fourniture prescrite d'un bien ou d'un service); 22.31 (fourniture d'un service prescrit); 22.32 (fourniture réputée effectuée hors du Québec).

Bulletins d'interprétation [art. 22.16]: TVQ. 22.15-1 — Les services de conceptions et d'hébergement d'un site Web et la taxe de vente du Québec.

Lettres d'interprétation [art. 22.16]: 98-0103253 — Interprétation relative à la TPS, à la TVH et à la TVQ — Service de transport de marchandises.

Concordance fédérale [art. 22.16]: LTA, Ann. IX:Partie VI:1.

22.17 [*Abrogé*].

Notes historiques: L'article 22.17 a été abrogé par L.Q. 2011, c. 1, par. 133(1) et cette abrogation s'applique à l'égard d'une fourniture effectuée :

1° après le 30 avril 2010;

2° après le 25 février 2010 et avant le 1er mai 2010, sauf si une partie de la contrepartie de la fourniture devient due ou est payée avant le 1er mai 2010.

Antérieurement, il se lisait ainsi :

> 22.17 La fourniture d'un service de transport de passagers qui fait partie d'un voyage continu est réputée effectuée au Québec si, selon le cas :
>
> 1° dans le cas où le billet ou la pièce justificative délivré à l'égard du premier service de transport de passagers compris dans le voyage continu précise le point d'origine du voyage continu, le point d'origine est situé au Québec et la destination finale, ainsi que toutes les escales, à l'égard du voyage continu sont situées au Canada;
>
> 2° dans tout autre cas, le lieu de négociation de la fourniture est situé au Québec.

L'article 22.17 a été ajouté par L.Q. 1997, c. 85, art. 430(1) et s'applique à l'égard de la fourniture d'un bien ou d'un service effectuée après le 31 mars 1997.

Notes explicatives du ARQ (PL 117, L.Q. 2010, c. 1): *Résumé* :

L'article 22.17 est abrogé. De nouvelles règles sur la détermination du lieu de la fourniture d'un service de transport de passagers sont introduites à l'article 22.17.1 de la LTVQ.

Situation actuelle :

L'article 22.17 établit dans quelles circonstances la fourniture d'un service de transport de passagers qui fait partie d'un voyage continu est effectuée au Québec.

Dans le cas où le billet ou la pièce justificative délivré à l'égard du premier service de transport de passagers compris dans le voyage continu précise le point d'origine, la fourniture du service de transport est effectuée au Québec si le point d'origine est situé au Québec et si la destination finale ainsi que toutes les escales sont situées au Canada.

Dans tout autre cas, la fourniture du service de transport de passagers est effectuée au Québec si le lieu de négociation de la fourniture est situé au Québec.

Modifications proposées :

L'article 22.17 est abrogé. De nouvelles règles sur la détermination du lieu de la fourniture d'un service de transport de passagers sont introduites à l'article 22.17.1 de la LTVQ.

Renvois [art. 22.17]: 11.2 (définition de l'expression « établissement stable »); 22.2 (définitions); 22.3 (maison flottante et maison mobile non fixées à un fonds de terre); 22.4 (bien non délivré ou service non effectué); 22.5 (emplacement habituel d'un bien); 22.6 (application des articles 22.7–22.30); 22.15 (fourniture au Québec); 22.16 (définitions); 22.28 (fourniture réputée effectuée au Québec); 22.29 (fourniture réputée effectuée au Québec); 22.30 (fourniture prescrite d'un bien ou d'un service); 22.31 (fourniture d'un service prescrit); 22.32 (fourniture réputée effectuée hors du Québec).

Bulletins d'interprétation [art. 22.17]: TVQ. 22.15-1 — Les services de conceptions et d'hébergement d'un site Web et la taxe de vente du Québec.

22.17.1 [Service de transport] — La fourniture d'un service de transport de passagers est réputée effectuée au Québec si, selon le cas :

1° le service fait partie d'un voyage continu à l'égard duquel un billet ou une pièce justificative précisant le point d' origine du voyage continu est délivré à l' égard du premier service de transport de passagers compris dans le voyage continu et, à la fois :

a) le point d' origine est situé au Québec;

b) la destination finale ainsi que toutes les escales à l'égard du voyage continu sont situées au Canada;

2° le service fait partie d'un voyage continu à l'égard duquel aucun billet ni pièce justificative précisant le point d'origine du voyage continu n'est délivré à l' égard du premier service de transport de passagers compris dans le voyage continu et, à la fois :

a) a) le premier service compris dans le voyage continu ne peut commencer ailleurs qu' au Québec;

b) a) la destination finale ainsi que toutes les escales à l'égard du voyage continu sont situées au Canada;

3° le service ne fait pas partie d'un voyage continu et, à la fois :

a) a) le service commence au Québec;

b) a) le service se termine au Canada.

Notes historiques: L'article 22.17.1 a été ajouté par L.Q. 2011, c. 1, par. 134(1) et s'applique à l'égard d'une fourniture effectuée :

1° après le 30 avril 2010;

2° après le 25 février 2010 et avant le 1er mai 2010, sauf si une partie de la contrepartie de la fourniture devient due ou est payée avant le 1er mai 2010.

Notes explicatives du ARQ (PL 117, L.Q. 2010, c. 1): *Résumé* :

L'article 22.17.1 énonce de nouvelles règles sur la détermination du lieu de la fourniture d'un service de transport de passagers.

Situation actuelle :

L'article 22.17 établit dans quelles circonstances la fourniture d'un service de transport de passagers qui fait partie d'un voyage continu est effectuée au Québec.

Dans le cas où le billet ou la pièce justificative délivré à l'égard du premier service de transport de passagers compris dans le voyage continu précise le point d'origine, la fourniture du service de transport est effectuée au Québec si le point d'origine est situé au Québec et si la destination finale ainsi que toutes les escales sont situées au Canada.

Dans tout autre cas, la fourniture du service de transport de passagers est effectuée au Québec si le lieu de négociation de la fourniture est situé au Québec.

Modifications proposées :

L'article 22.17.1 énonce de nouvelles règles sur la détermination du lieu de la fourniture d'un service de transport de passagers.

En vertu de ces nouvelles règles, la fourniture d'un service de transport de passagers qui fait partie d'un voyage continu est réputée effectuée au Québec si le billet ou la pièce justificative délivré à l'égard du premier service de transport de passagers compris dans le voyage continu précise le point d'origine et si le point d'origine est situé au Québec et la destination finale ainsi que toutes les escales sont situées au Canada.

De plus, la fourniture d'un service de transport de passagers qui fait partie d'un voyage continu est réputée effectuée au Québec si aucun billet ni pièce justificative précisant le point d'origine du voyage continu n'est délivré relativement au premier service de transport de passagers compris dans le voyage continu et si le premier service compris dans le voyage ne peut débuter ailleurs qu'au Québec et la destination finale et toutes les escales du voyage sont situées au Canada.

Enfin, la fourniture d'un service de transport de passagers qui ne fait pas partie d'un voyage continu est réputée effectuée au Québec si le service débute au Québec et se termine au Canada.

Concordance fédérale: LTA, Ann. IX:Partie VI:2.

22.17.2 [Laissez-passer de transport] — Dans le cas où, au moment où est effectuée la fourniture d'un bien meuble incorporel qui est un laissez-passer de transport de passagers ou un bien semblable permettant à un particulier d' obtenir un ou plusieurs services de transport de passagers, le fournisseur peut déterminer que chaque service de transport de passagers ne pourrait commencer ailleurs qu'au Québec et prendrait fin au Canada, la fourniture du bien meuble incorporel est réputée effectuée au Québec.

Notes historiques: L'article 22.17.2 a été ajouté par L.Q. 2011, c. 1, par. 134(1) et s'applique à l'égard d'une fourniture effectuée :

1° après le 30 avril 2010;

2° après le 25 février 2010 et avant le 1er mai 2010, sauf si une partie de la contrepartie de la fourniture devient due ou est payée avant le 1er mai 2010.

Notes explicatives du ARQ (PL 117, L.Q. 2010, c. 1): *Résumé* :

Le nouvel article 22.17.2 prévoit une règle spécifique concernant la fourniture d'un bien meuble incorporel qui est un laissez-passer de transport de passagers.

Contexte :

Actuellement, la fourniture d'un laissez-passer de transport de passagers est assujettie aux règles générales du lieu de la fourniture des biens meubles incorporels prévues à l'article 22.11 de la LTVQ.

Modifications proposées :

Le nouvel article 22.17.2 prévoit une règle spécifique concernant la fourniture d'un bien meuble incorporel qui est un laissez-passer de transport de passagers.

En vertu de cette règle, la fourniture d'un bien meuble incorporel qui est un laissez-passer de transport de passagers permettant à un particulier d'obtenir un ou plusieurs services de transport de passagers est réputée effectuée au Québec si le fournisseur peut déterminer, au moment où il effectue la fourniture du laissez-passer, que chaque service de transport ne pourrait commencer ailleurs qu'au Québec et prendrait fin au Canada.

Concordance fédérale: aucune.

22.17.3 [Voyage au Québec] — Dans le cas où la fourniture d'un bien ou d'un service, sauf un service de transport de passagers, est effectuée à un particulier à bord d'un moyen de transport dans le cadre de l'exploitation d'une entreprise qui consiste à fournir des services de transport de passagers et que le bien ou le service est délivré, exécuté ou rendu disponible à bord du moyen de transport au cours d'une étape d'un voyage qui commence au Québec et se termine au Québec, la fourniture est réputée effectuée au Québec.

Notes historiques: L'article 22.17.3 a été ajouté par L.Q. 2011, c. 1, par. 134(1) et s'applique à l'égard d'une fourniture effectuée :

1° après le 30 avril 2010;

2° après le 25 février 2010 et avant le 1er mai 2010, sauf si une partie de la contrepartie de la fourniture devient due ou est payée avant le 1er mai 2010.

Notes explicatives du ARQ (PL 117, L.Q. 2010, c. 1): *Résumé* :

Le nouvel article 22.17.3 prévoit une règle spécifique concernant la fourniture d'un bien ou d'un service effectuée à un particulier à bord d'un moyen de transport de passagers.

Contexte :

Actuellement, en vertu de l'article 327.9, la fourniture d'un bien ou d'un service effectuée à un particulier à bord d'un aéronef ou d'un navire est généralement réputée effectuée hors du Québec dans le cas où le bien ou le service est fourni lors de tout vol ou de tout voyage, sauf dans le cas où le vol ou le voyage commence et se termine au Québec.

Modifications proposées :

Le nouvel article 22.17.3 prévoit une règle spécifique concernant la fourniture d'un bien ou d'un service effectuée à un particulier à bord d'un moyen de transport de passagers.

En vertu de cette règle, la fourniture d'un bien ou d'un service effectuée à un particulier à bord d'un moyen de transport dans le cadre de l'exploitation d'une entreprise qui consiste à fournir des services de transport de passagers est réputée effectuée au Québec dans le cas où la possession matérielle du bien est transférée au particulier ou le service entièrement exécuté à bord du moyen de transport au cours d'une étape d'un voyage qui commence et se termine au Québec.

Concordance fédérale: LTA, Ann. IX:Partie VI:3.

22.18 Services connexes à un service de transport de passagers — La fourniture de l'un des services suivants effectuée par une personne dans le cadre de la fourniture par celle-ci d'un service de transport de passagers, est réputée effectuée au Québec si la fourniture du service de transport de passagers est effectuée au Québec :

1° un service qui consiste à transporter les bagages d'un particulier;

2° un service qui consiste à surveiller un enfant non accompagné.

Notes historiques: L'article 22.18 a été remplacé par L.Q. 2001, c. 53, art. 278 et cette modification s'applique à la fourniture d'un service lié à un service de transport de passagers si la totalité de la contrepartie de la fourniture devient due après le 31 décembre 1999 ou est payée après cette date sans être devenue due. Antérieurement, il se lisait ainsi :

> 22.18 La fourniture par une personne d'un service qui consiste à transporter les bagages d'un particulier dans le cadre d'un service de transport de passagers fourni par la personne au particulier est réputée effectuée au Québec si la fourniture du service de transport est effectuée au Québec.

L'article 22.18 a été ajouté par L.Q. 1997, c. 85, art. 430(1) et s'applique à l'égard de la fourniture d'un bien ou d'un service effectuée après le 31 mars 1997.

Définitions [art. 22.18]: « fourniture », « service » — 1.

Renvois [art. 22.18]: 11.2 (définition de l'expression « établissement stable »); 22.2 (définitions); 22.3 (maison flottante et maison mobile non fixées à un fonds de terre); 22.4 (bien non délivré ou service non effectué); 22.5 (emplacement habituel d'un bien); 22.6 (application des articles 22.7 à 22.30); 22.15 (fourniture au Québec); 22.16 (définitions); 22.28 (fourniture réputée effectuée au Québec); 22.29 (fourniture réputée effectuée au Québec); 22.30 (fourniture prescrite d'un bien ou d'un service); 22.31 (fourniture d'un service prescrit); 22.32 (fourniture réputée effectuée hors du Québec).

Bulletins d'interprétation [art. 22.18]: TVQ. 22.15-1 — Les services de conceptions et d'hébergement d'un site Web et la taxe de vente du Québec.

Concordance fédérale: LTA, Ann. IX:Partie VI:4.

22.18.1 Service relatif à un billet pour un service de transport de passagers — La fourniture par une personne d'un service qui consiste à délivrer, à livrer, à modifier, à remplacer ou à annuler un billet, une pièce justificative ou une réservation relatif à la fourniture par cette personne d'un service de transport de passagers, est réputée effectuée au Québec dans le cas où la fourniture du service de transport de passagers y serait effectuée s'il était effectué conformément à la convention relative à cette fourniture.

Notes historiques: L'article 22.18.1 a été ajouté par L.Q. 2001, c. 53, art. 279 et s'applique à la fourniture d'un service lié à un service de transport de passagers si la totalité de la contrepartie de la fourniture devient due après le 31 décembre 1999 ou est payée après cette date sans être devenue due.

Bulletins d'interprétation: TVQ. 22.15-1 — Les services de conceptions et d'hébergement d'un site Web et la taxe de vente du Québec.

Concordance fédérale: LTA, Ann. IX:Partie VI:4.1.

22.19 Service de transport de marchandises — Sous réserve des articles 22.21 à 22.24, la fourniture d'un service de transport de marchandises est réputée effectuée au Québec si la destination du service est située au Québec.

Notes historiques: L'article 22.19 a été ajouté par L.Q. 1997, c. 85, art. 430(1) et s'applique à l'égard de la fourniture d'un bien ou d'un service effectuée après le 31 mars 1997.

Définitions [art. 22.19]: « fourniture », « service » — 1.

Renvois [art. 22.19]: 11.2 (définition de l'expression « établissement stable »); 22.2 (définitions); 22.3 (maison flottante et maison mobile non fixées à un fonds de terre); 22.4 (bien non délivré ou service non effectué); 22.5 (emplacement habituel d'un bien); 22.6 (application des articles 22.7 à 22.30); 22.15 (fourniture au Québec); 22.16 (définitions); 22.28 (fourniture réputée effectuée au Québec); 22.29 (fourniture réputée effectuée au Québec); 22.30 (fourniture prescrite d'un bien ou d'un service); 22.31 (fourniture d'un service prescrit); 22.32 (fourniture réputée effectuée hors du Québec); 34 (fournitures accessoires); 327.8 (vol extérieur, voyage extérieur); 618 (application des dispositions).

Bulletins d'interprétation [art. 22.19]: TVQ. 22.15-1 — Les services de conceptions et d'hébergement d'un site Web et la taxe de vente du Québec.

Lettres d'interprétation [art. 22.19]: 98-0103253 — Interprétation relative à la TPS, à la TVH et à la TVQ — Service de transport de marchandises; 99-0104192 — Interprétation relative à la TVQ.

Concordance fédérale: LTA, Ann. IX:Partie VI:5.

22.20 Service de transport de marchandises — La fourniture d'un service de transport de marchandises effectuée d'un endroit au Québec à un endroit hors du Canada est réputée effectuée au Québec.

Notes historiques: L'article 22.20 a été ajouté par L.Q. 1997, c. 85, art. 430(1) et s'applique à l'égard de la fourniture d'un bien ou d'un service effectuée après le 31 mars 1997.

Définitions: « fourniture », « service » — 1.

Renvois: 11.2 (définition de l'expression « établissement stable »); 22.2 (définitions); 22.3 (maison flottante et maison mobile non fixées à un fonds de terre); 22.4 (bien non délivré ou service non effectué); 22.5 (emplacement habituel d'un bien); 22.6 (application des articles 22.7 à 22.30); 22.15 (fourniture au Québec); 22.16 (définitions); 22.28 (fourniture réputée effectuée au Québec); 22.29 (fourniture réputée effectuée au Québec); 22.30 (fourniture prescrite d'un bien ou d'un service); 22.31 (fourniture d'un service prescrit); 22.32 (fourniture réputée effectuée hors du Québec).

Bulletins d'interprétation: TVQ. 22.15-1 — Les services de conceptions et d'hébergement d'un site Web et la taxe de vente du Québec.

Lettres d'interprétation: 99-0104192 — Interprétation relative à la TVQ.

Concordance fédérale: aucune.

7. — Service postal

Notes historiques: L'intertitre 7 a été ajouté par L.Q. 1997, c. 85, art. 430(1) et s'applique à l'égard de la fourniture d'un bien ou d'un service effectuée après le 31 mars 1997.

22.21 Définitions — Pour l'application du présent article et des articles 22.22 à 22.24, l'expression :

« marque de permis » signifie une inscription qui sert à constater le paiement du port dont l'utilisation exclusive par une personne est autorisée en vertu d'une convention conclue entre la Société canadienne des postes et la personne, mais ne comprend pas une empreinte d'une machine à affranchir, l'inscription « réponse d'affaires » ou tout article portant cette inscription;

Concordance fédérale: LTA, Ann. IX:Partie VII:1.

« timbre-poste » signifie une vignette autorisée par la Société canadienne des postes qui sert à constater le paiement du port, mais ne comprend pas une empreinte d'une machine à affranchir, une marque de permis, l'inscription « réponse d'affaires » ou tout article portant cette inscription.

Concordance fédérale: LTA, Ann. IX:Partie VII:1.

Notes historiques: L'article 22.21 a été ajouté par L.Q. 1997, c. 85, art. 430(1) et s'applique à l'égard de la fourniture d'un bien ou d'un service effectuée après le 31 mars 1997.

Définitions: « exclusif », « personne » — 1.

Renvois: 11.2 (définition de l'expression « établissement stable »); 22.2 (définitions); 22.3 (maison flottante et maison mobile non fixées à un fonds de terre); 22.4 (bien non délivré ou service non effectué); 22.5 (emplacement habituel d'un bien); 22.6 (application des articles 22.7 à 22.30); 22.9 (lieu de la délivrance); 22.15 (fourniture au Québec); 22.19 (fourniture d'un service de transport de marchandises); 22.28 (fourniture réputée effectuée au Québec); 22.29 (fourniture réputée effectuée au Québec); 22.30 (fourniture prescrite d'un bien ou d'un service); 22.31 (fourniture d'un service prescrit); 22.32 (fourniture réputée effectuée hors du Québec).

Bulletins d'interprétation: TVQ. 22.15-1 — Les services de conceptions et d'hébergement d'un site Web et la taxe de vente du Québec.

22.22 Timbre-poste et distribution postale — La fourniture d'un timbre-poste ou d'une carte ou d'un colis affranchi ou d'un article semblable, autre qu'un article portant l'inscription « réponse d'affaires », qui est autorisé par la Société canadienne des postes est réputée effectuée au Québec si le fournisseur délivre le timbre ou l'article au Québec à l'acquéreur de la fourniture et, dans le cas où le timbre ou l'article sert à constater le paiement du port d'un service de distribution postale, la fourniture du service est réputée effectuée au Québec sauf si, selon le cas :

1º la fourniture du service est effectuée conformément à un connaissement;

2º la contrepartie de la fourniture du service est d'au moins 5 $ et l'adresse d'expédition de l'envoi n'est pas au Québec.

2012, c. 28, art. 39.

Notes historiques: Le paragraphe 2° de l'article 22.22 a été remplacé par L.Q. 2012, c. 28, par. 39(1) et cette modification a effet à compter du 1er janvier 2013. Antérieurement, il se lisait ainsi :

> 2º la contrepartie de la fourniture du service est d'au moins 5 $ sans tenir compte de la taxe payée ou payable en vertu de la partie IX de la *Loi sur la taxe d'accise* (Lois révisées du Canada (1985), chapitre E-15) et l'adresse d'expédition de l'envoi n'est pas au Québec.

L'article 22.22 a été ajouté par L.Q. 1997, c. 85, art. 430(1) et s'applique à l'égard de la fourniture d'un bien ou d'un service effectuée après le 31 mars 1997.

Notes explicatives ARQ (PL 5, L.Q. 2012, c. 28): *Résumé* :

L'article 22.22 est modifié afin de tenir compte du fait qu'à compter du 1er janvier 2013 la taxe sur les produits et services (TPS) est retirée de l'assiette de la taxe de vente du Québec (TVQ).

Situation actuelle :

L'article 22.22 prévoit que la fourniture d'un timbre, d'une carte ou d'un colis affranchi ou d'un article semblable, est réputée effectuée au Québec si le timbre ou l'article est délivré au Québec. Dans le cas où le timbre ou l'article sert à constater le paiement du port d'un service de distribution postale, la fourniture du service est réputée effectuée au Québec sauf si la fourniture est effectuée conformément à un connaissement ou si la contrepartie de la fourniture, sans tenir compte de la TPS, est d'au moins 5 $ et que l'adresse d'expédition est située hors du Québec.

Dans ces deux situations, c'est plutôt la règle du lieu de fourniture relative au service de transport de marchandises qui est applicable.

Modifications proposées :

L'article 22.22 est modifié afin de tenir compte du fait qu'à compter du 1er janvier 2013 la TPS est retirée de l'assiette de la TVQ.

Définitions: « contrepartie », « fournisseur », « fourniture », « service » — 1.

Renvois: 11.2 (définition de l'expression « établissement stable »); 22.2 (définitions); 22.3 (maison flottante et maison mobile non fixées à un fonds de terre); 22.4 (bien non délivré ou service non effectué); 22.5 (emplacement habituel d'un bien); 22.6 (application des articles 22.7 à 22.30); 22.9 (lieu de la délivrance); 22.15 (fourniture au Québec); 22.19 (fourniture d'un service de transport de marchandises); 22.21 (définitions); 22.28 (fourniture réputée effectuée au Québec); 22.29 (fourniture réputée effectuée au Québec); 22.30 (fourniture prescrite d'un bien ou d'un service); 22.31 (fourniture d'un service prescrit); 22.32 (fourniture réputée effectuée hors du Québec).

Bulletins d'interprétation: TVQ. 22.15-1 — Les services de conceptions et d'hébergement d'un site Web et la taxe de vente du Québec.

Concordance fédérale: LTA, Ann. IX:Partie VII:2.

22.23 Paiement constaté par l'empreinte d'une machine à affranchir — Dans le cas où le paiement du port d'un service de distribution postale fourni par la Société canadienne des postes est constaté par une empreinte faite au moyen d'une machine à affranchir, la fourniture du service est réputée effectuée au Québec si l'emplacement habituel de la machine, tel que déterminé au moment où l'acquéreur de la fourniture paie un montant à la Société en règlement de ce port, est situé au Québec, à moins que la fourniture ne soit effectuée conformément à un connaissement.

Notes historiques: L'article 22.23 a été ajouté par L.Q. 1997, c. 85, art. 430(1) et s'applique à l'égard de la fourniture d'un bien ou d'un service effectuée après le 31 mars 1997.

Définitions: « acquéreur », « fourniture », « service » — 1.

Renvois: 11.2 (définition de l'expression « établissement stable »); 22.2 (définitions); 22.3 (maison flottante et maison mobile non fixées à un fonds de terre); 22.4 (bien non délivré ou service non effectué); 22.5 (emplacement habituel d'un bien); 22.6 (application des articles 22.7 à 22.30); 22.9 (lieu de la délivrance); 22.15 (fourniture au Québec); 22.19 (fourniture d'un service de transport de marchandises); 22.21 (définitions); 22.28 (fourniture réputée effectuée au Québec); 22.29 (fourniture réputée effectuée au Québec); 22.30 (fourniture prescrite d'un bien ou d'un service); 22.31 (fourniture d'un service prescrit); 22.32 (fourniture réputée effectuée hors du Québec).

Bulletins d'interprétation: TVQ. 22.15-1 — Les services de conceptions et d'hébergement d'un site Web et la taxe de vente du Québec.

Concordance fédérale: LTA, Ann. IX:Partie VII:3.

22.24 Paiement constaté par une marque de permis — Dans le cas où le paiement du port d'un service de distribution postale fourni par la Société canadienne des postes autrement que conformément à un connaissement est constaté par une marque de permis, la fourniture du service est réputée effectuée au Québec si l'acquéreur de la fourniture remet l'envoi au Québec à la Société conformément à la convention conclue entre l'acquéreur et la Société autorisant l'utilisation de la marque de permis.

Notes historiques: L'article 22.24 a été ajouté par L.Q. 1997, c. 85, art. 430(1) et s'applique à l'égard de la fourniture d'un bien ou d'un service effectuée après le 31 mars 1997.

Définitions: « acquéreur », « fourniture », « service » — 1.

Renvois: 11.2 (définition de l'expression « établissement stable »); 22.2 (définitions); 22.3 (maison flottante et maison mobile non fixées à un fonds de terre); 22.4 (bien non délivré ou service non effectué); 22.5 (emplacement habituel d'un bien); 22.6 (application des articles 22.7–22.30); 22.9 (lieu de la délivrance); 22.15 (fourniture au Québec); 22.19 (fourniture d'un service de transport de marchandises); 22.21 (définitions); 22.28 (fourniture réputée effectuée au Québec); 22.29 (fourniture réputée effectuée au Québec); 22.30 (fourniture prescrite d'un bien ou d'un service); 22.31 (fourniture d'un service prescrit); 22.32 (fourniture réputée effectuée hors du Québec).

Bulletins d'interprétation: TVQ. 22.15-1 — Les services de conceptions et d'hébergement d'un site Web et la taxe de vente du Québec.

Concordance fédérale: LTA, Ann. IX:Partie VII:4.

8. — Service de télécommunication

Notes historiques: L'intertitre 8 a été ajouté par L.Q. 1997, c. 85, art. 430(1) et s'applique à l'égard de la fourniture d'un bien ou d'un service effectuée après le 31 mars 1997.

22.25 Lieu de facturation d'un service de télécommunication — Pour l'application de l'article 22.26, le lieu de facturation d'un service de télécommunication fourni à un acquéreur se trouve au Québec si :

1º dans le cas où la contrepartie payée ou payable pour le service est imputée à un compte que l'acquéreur a avec une personne qui exploite une entreprise qui consiste à fournir des services de télécommunication et que le compte se rapporte à une installation de télécommunication qui est utilisée ou mise à la disposition pour utilisation par l'acquéreur pour obtenir des services de télécommunication, cette installation de télécommunication est habituellement située au Québec;

2º dans tout autre cas, l'installation de télécommunication qui sert à engager le service est située au Québec.

Notes historiques: L'article 22.25 a été ajouté par L.Q. 1997, c. 85, art. 430(1) et s'applique à l'égard de la fourniture d'un bien ou d'un service effectuée après le 31 mars 1997.

Définitions: « acquéreur », « contrepartie », « entreprise », « installation de télécommunication », « service », « service de télécommunication », « télécommunication » — 1.

Renvois: 11.2 (définition de l'expression « établissement stable »); 22.2 (définitions); 22.3 (maison flottante et maison mobile non fixées à un fonds de terre); 22.4 (bien non délivré ou service non effectué); 22.5 (emplacement habituel d'un bien); 22.6 (application des articles 22.7–22.30); 22.15 (fourniture au Québec); 22.28 (fourniture réputée effectuée au Québec); 22.29 (fourniture réputée effectuée au Québec); 22.30 (fourniture prescrite d'un bien ou d'un service); 22.31 (fourniture d'un service prescrit).

Bulletins d'interprétation: TVQ. 22.15-1 — Les services de conceptions et d'hébergement d'un site Web et la taxe de vente du Québec.

Lettres d'interprétation: 03-0106892 — Demande d'interprétation de la TPS et de la TVQ — cartes d'appel prépayées; 04-0106379 — Interprétation relative à la TPS/TVH — interprétation relative à la TVQ — service de diffusion sur Internet.

Concordance fédérale: LTA, par. 142.1(1) et Ann. IX:Partie VIII:1.

COMMENTAIRES: Voir les commentaires sous l'article 22.27.

22.26 Lieu de fourniture d'un service de télécommunication — La fourniture d'un service de télécommunication, autre qu'un service visé à l'article 22.27, est réputée effectuée au Québec si, selon le cas :

1º dans le cas d'un service de télécommunication qui consiste à mettre des installations de télécommunication à la disposition d'une personne :

a) toutes les installations sont habituellement situées au Québec;

b) une partie des installations est habituellement située au Québec et l'autre partie de ces installations est habituellement située hors du Canada;

c) dans le cas où toutes les installations de télécommunication ne sont pas habituellement situées au Québec, une partie des installations est habituellement située dans une autre province et, selon le cas :

i. la facture relative à la fourniture du service est envoyée à une adresse au Québec;

ii. dans tout autre cas, aucune taxe de même nature que celle payable en vertu du présent titre n'est imposée à la personne par l'autre province à l'égard de la fourniture du service ou, si une telle taxe est imposée par cette province, la personne a le droit d'en obtenir le remboursement;

2º dans tout autre cas :

a) la télécommunication est émise et reçue au Québec;

b) la télécommunication est émise ou reçue au Québec et le lieu de facturation du service se trouve au Québec;

c) la télécommunication est émise au Québec et est reçue hors du Québec et :

i. dans le cas où la télécommunication est reçue hors du Canada, le lieu de facturation se trouve dans une autre province;

ii. dans le cas où la télécommunication est reçue dans une autre province, le lieu de facturation ne se trouve pas dans cette province.

Notes historiques: Le préambule du paragraphe 1º de l'article 22.26 a été remplacé par L.Q. 2002, c. 9, s.-par. 153(1)(1º) et cette modification s'applique à l'égard d'une fourniture effectuée après le 31 mars 1997. Antérieurement, il se se lisait ainsi :

> 1º dans le cas d'un service de télécommunication qui consiste à mettre des installations de télécommunication à la disposition de quelqu'un :

Le sous-paragraphe c) du paragraphe 1º de l'article 22.26 a été remplacé par L.Q. 2002, c. 9, s.-par. 153(1)(2º) et cette modification s'applique à l'égard d'une fourniture effectuée après le 21 décembre 2000. Antérieurement, il se se lisait ainsi :

> c) dans le cas où toutes les installations de télécommunication ne sont pas habituellement situées au Québec, une partie des installations est habituellement située dans une autre province et la facture relative à la fourniture du service est envoyée à une adresse au Québec;

L'article 22.26 a été ajouté par L.Q. 1997, c. 85, art. 430(1) et s'applique à l'égard de la fourniture d'un bien ou d'un service effectuée après le 31 mars 1997.

Définitions: « installation de télécommunication », « service de télécommunication », « télécommunication » — 1.

Renvois: 11.2 (définition de l'expression « établissement stable »); 22.2 (définitions); 22.3 (maison flottante et maison mobile non fixées à un fonds de terre); 22.4 (bien non délivré ou service non effectué); 22.5 (emplacement habituel d'un bien); 22.6 (application des articles 22.7–22.30); 22.15 (fourniture au Québec); 22.25 (lieu de facturation au Québec); 22.28 (fourniture réputée effectuée au Québec); 22.29 (fourniture réputée effectuée au Québec); 22.30 (fourniture prescrite d'un bien ou d'un service); 22.31 (fourniture d'un service prescrit).

Bulletins d'interprétation: TVQ. 16-20/R1 — La taxe de vente du Québec et les fournisseurs de services d'accès au réseau Internet; TVQ. 22.15-1 — Les services de conceptions et d'hébergement d'un site Web et la taxe de vente du Québec; TVQ. 22.26-1/R1 — Les services de conception et d'hébergement d'un site Web et la taxe de vente du Québec.

Lettres d'interprétation: 99-0104218 — Interprétation relative à la TPS — Interprétation relative à la TVQ — Hébergement / conception d'un site Web; 99-0106247 — Interprétation relative à la TPS — Interprétation relative à la TVQ; 99-0109159 — Interprétation relative à la TPS / TVH — Interprétation relative à la TVQ — Conception / hébergement d'un site Web; 04-0106379 — Interprétation relative à la TPS/TVH — interprétation relative à la TVQ — service de diffusion sur Internet.

Concordance fédérale: LTA, par. 142.1(2) et Ann. IX:Partie VIII:2.

COMMENTAIRES: Voir les commentaires sous l'article 22.27.

22.27 Accès à une voie de télécommunication — La fourniture d'un service de télécommunication qui consiste à accorder à l'acquéreur de la fourniture l'unique accès à une voie de télécommunication au sens de l'article 32.6 pour la transmission de télécommunications entre un endroit situé au Québec et un endroit situé hors du Québec mais au Canada est réputée effectuée au Québec.

Notes historiques: L'article 22.27 a été ajouté par L.Q. 1997, c. 85, art. 430(1) et s'applique à l'égard de la fourniture d'un bien ou d'un service effectuée après le 31 mars 1997.

Définitions: « acquéreur », « service de télécommunication », « télécommunication » — 1.

Renvois: 11.2 (définition de l'expression « établissement stable »); 22.2 (définitions); 22.3 (maison flottante et maison mobile non fixées à un fonds de terre); 22.4 (bien non délivré ou service non effectué); 22.5 (emplacement habituel d'un bien); 22.6 (application des articles 22.7–22.30); 22.15 (fourniture au Québec); 22.26 (fourniture au Québec); 22.28 (fourniture réputée effectuée au Québec); 22.29 (fourniture réputée effectuée au Québec); 22.30 (fourniture prescrite d'un bien ou d'un service); 22.31 (fourniture d'un service prescrit).

Bulletins d'interprétation: TVQ. 22.15-1 — Les services de conceptions et d'hébergement d'un site Web et la taxe de vente du Québec.

Concordance fédérale: LTA, Ann. IX:Partie VIII:3.

COMMENTAIRES: La *Loi sur la taxe de vente du Québec* définit l'expression « installation de télécommunication » à son article 1 comme signifiant une installation, un appareil ou toute autre chose (y compris les fils, câbles, systèmes radio ou optiques et autres systèmes électromagnétiques et les procédés techniques semblables, ou toute partie de tels systèmes ou procédés) servant ou pouvant servir à la télécommunication. Un serveur informatique est généralement visé par cette définition. Ainsi, en l'espèce, il ressort des faits soumis à Revenu Québec que la télécommunication est émise au Québec puisque le serveur à partir duquel la diffusion est effectuée est situé au Québec. De plus, le lieu de facturation est également situé au Québec puisque l'installation de télécommunication qui sert à engager le service, soit le serveur, se trouve au Québec. Il en résulte que la fourniture du service de diffusion en temps réel sur le Web effectuée par l'entreprise constitue une fourniture effectuée au Québec en vertu de l'article 22.26. Dans le cas où une fourniture qui n'est pas détaxée est effectuée au Québec, une analyse supplémentaire doit être faite dans le but de déterminer dans quelle province la fourniture est effectuée, ceci afin d'appliquer le taux approprié de la taxe. Voir notamment à cet effet : Revenu Québec, Lettre d'interprétation, 04-0106379 — *Interprétation relative à la TPS/TVH — Interprétation relative à la TVQ — service de diffusion sur Internet* (19 octobre 2004).

Afin de déterminer si une telle fourniture est effectuée au Québec, il faut recourir à la règle du lieu de fourniture prévue à l'article 22.26. Cette règle connue sous l'appellation « règle 2 de 3 » est à l'effet que la fourniture d'un service de télécommunication est effectuée au Québec si la télécommunication est émise et reçue au Québec ou si la télécommunication est émise ou reçue au Québec et que le lieu de facturation se trouve au Québec. Le lieu de facturation est défini à l'article 22.26 et correspond, dans le cas d'une carte d'appel qui n'est pas reliée à un numéro de téléphone émis à un abonné d'un réseau de télécommunication, à la règle prévue à l'article 22.26. En vertu de cette dernière, un service de télécommunication fourni à un acquéreur est facturé au Québec, dans le cas où l'installation de télécommunication qui sert à engager le service se trouve au Québec. L'expression « installation de télécommunication » est par ailleurs définie à l'article 1 et vise une installation, un appareil ou toute autre chose qui sert ou peut servir à la télécommunication. Est ainsi compris parmi les installations de télécommunication, un appareil comme un téléphone. Selon l'entente intervenue entre le fournisseur et la société, le service de télécommunication vendu par le fournisseur, pour être revendu par la société sous forme de cartes d'appel, permet au client d'effectuer des appels provenant et se terminant aux États-Unis ou des appels interurbains provenant des États-Unis, du Mexique, de Puerto Rico et des îles Vierges et se terminant au Mexique ou à n'importe laquelle destination internationale. D'après les termes de cette entente, un appel téléphonique, fait à l'aide d'une carte d'appel émise par la société, a nécessairement comme point d'origine et comme lieu de facturation les États-Unis (l'appel est engagé au moyen d'un appareil de téléphone situé aux États-Unis). La fourniture du service n'est pas considérée comme étant effectuée au Québec, car une seule des conditions de la règle 2 de 3 peut être éventuellement remplie. En conséquence, la fourniture du service de télécommunication n'est pas assujettie à la TPS. Voir notamment à ce sujet : Revenu Québec, Lettre d'interprétation, 03-0106892 — *Demande d'interprétation de la TPS et de la TVQ — cartes d'appel prépayées* (16 décembre 2003). Voir également au même effet : Agence du revenu du Canada, Lettre de l'Administration centrale sur la TPS, 11975,11960 — *GST/HST Interpretation — Teleconferencing Service* (26 mars 2002).

Les règles permettant de déterminer le lieu de la fourniture d'un service de télécommunication sont prévues au paragraphe 142.1(2) de la *Loi sur la taxe d'accise (TPS)*. Puisque le serveur qui est mis à la disposition du client non-résident se trouve au Canada, il s'ensuit que la fourniture du service de télécommunication que constitue le service d'hébergement d'un site Web est réputée effectuée au Canada, et ce, en application de l'alinéa 142.1(2)a) de la *Loi sur la taxe d'accise (TPS)*. La TPS sur la contrepartie d'une telle fourniture effectuée au profit d'une personne qui réside ou non au Canada doit donc être perçue et remise par votre client, sauf s'il s'agit d'une fourniture détaxée. Ainsi, la fourniture d'un service d'hébergement d'un site Web constitue la fourniture d'un service de télécommunication effectuée au Québec puisque les installations de télécommunication (le serveur) mises à la disposition du client non-résident sont situées au Québec (alinéa 22.26(1)(a)). La TVQ s'applique donc sur la contrepartie de cette fourniture, sauf si la fourniture est effectuée par votre client à une personne qui ne réside pas au Québec, qui n'est pas un inscrit dans le régime de la TVQ et qui exploite une entreprise qui consiste à fournir des services de télécommunication (à l'exclusion de la fourniture d'un service de télécommunication si la télécommunication est émise et reçue au Québec), auquel cas il s'agit d'une fourniture détaxée en vertu de l'article 191.9.l de la Loi. Voir notamment à cet effet : Revenu Québec, Lettre d'interprétation, 99-0104218 — *Interprétation relative à la TPS — Interprétation relative à la TVQ — Hébergement / conception d'un site Web* (10 mai 1999). Voir également au même effet : Revenu Québec, Lettre d'interprétation, 99-0109159 — *Interprétation relative à la TPS / TVH Interprétation relative à la TVQ — Conception / hébergement d'un site Web* (15 octobre 1999).

Compte tenu de la similarité de la rédaction des dispositions législatives et considérant l'engagement spécifique de Revenu Québec de veiller à ce que l'assiette de TVQ modifiée, de même que les paramètres administratifs, structurels et définitionnels, produisent des résultats qui sont similaires à ceux produits sous le régime de la TPS/TVH et soient administrés d'une manière qui produit des résultats similaires, tel que reflété par l'article 14 de l'*Entente intégrée globale de coordination fiscale* signée entre le gouvernement du Canada et le gouvernement du Québec, nous vous référons à nos commentaires en vertu de l'article 142.1 de la *Loi sur la taxe d'accise (TPS)* qui devraient s'appliquer *mutatis mutandis*, avec les adaptations nécessaires.

9. — Fourniture réputée et fourniture prescrite

Notes historiques: L'intertitre 9 a été ajouté par L.Q. 1997, c. 85, art. 430(1) et s'applique à l'égard de la fourniture d'un bien ou d'un service effectuée après le 31 mars 1997.

22.28 Fourniture réputée — Malgré les articles 22.7 à 22.27, la fourniture d'un bien qui est réputée, en vertu de l'un des articles 207 à 210.4, 238.1, 285 à 287.3, 298, 300, 320, 323.1, 325 et 337.2 à 341.9, avoir été effectuée ou reçue à un moment quelconque est réputée effectuée au Québec si le bien y est situé à ce moment.

Notes historiques: L'article 22.28 a été remplacé par L.Q. 2001, c. 51, art. 262 et cette modification a effet depuis le 1er mai 1999. Antérieurement, il se lisait ainsi :

> 22.28 Malgré les articles 22.7 à 22.27, la fourniture d'un bien qui est réputée, en vertu de l'un des articles 207 à 210.4, 238.1, 285 à 287, 298, 300, 320, 323.1, 325 et 337.2 à 341.9, avoir été effectuée ou reçue à un moment quelconque est réputée effectuée au Québec si le bien y est situé à ce moment.

L'article 22.28 a été ajouté par L.Q. 1997, c. 85, art. 430(1) et s'applique à l'égard de la fourniture d'un bien ou d'un service effectuée après le 31 mars 1997.

Définitions: « bien », « fourniture » — 1.

Renvois: 11.2 (définition de l'expression « établissement stable »); 22.2 (définitions); 22.3 (maison flottante et maison mobile non fixées à un fonds de terre); 22.4 (bien non délivré ou service non effectué); 22.5 (emplacement habituel d'un bien); 22.6 (application des articles 22.7–22.30); 22.32 (fourniture réputée effectuée hors du Québec).

Lettre d'interprétation (Québec) [par. 165(1)]: 12-014001-001 — *Interprétation relative à la TPS/TVH — Interprétation relative à la TVQ (Commerce électronique)*.

Concordance fédérale: LTA, Ann. IX:Partie IX:1.

22.29 Fourniture réputée — Malgré les articles 22.7 à 22.27, la fourniture d'un bien ou d'un service est réputée effectuée au Québec si la fourniture est réputée effectuée au Québec en vertu d'une autre disposition du présent titre ou d'une disposition du *Règlement sur la taxe de vente du Québec* (chapitre T-0.1, r. 2).

Notes historiques: L'article 22.29 a été ajouté par L.Q. 1997, c. 85, art. 430(1) et s'applique à l'égard de la fourniture d'un bien ou d'un service effectuée après le 31 mars 1997.

Définitions: « bien », « service » — 1.

Renvois: 11.2 (définition de l'expression « établissement stable »)art. 22.2 (définitions); 22.3 (maison flottante et maison mobile non fixées à un fonds de terre); 22.4 (bien non délivré ou service non effectué); 22.5 (emplacement habituel d'un bien); 22.6 (application des articles 22.7–22.30); 22.32 (fourniture réputée effectuée hors du Québec).

Lettre d'interprétation (Québec) [par. 165(1)]: 12-014001-001 — *Interprétation relative à la TPS/TVH — Interprétation relative à la TVQ (Commerce électronique)*.

Concordance fédérale: LTA, Ann. IX:Partie IX:2.

22.30 Fourniture réputée effectuée au Québec — Malgré les articles 22.7 à 22.27, la fourniture prescrite d'un bien ou d'un service est réputée effectuée au Québec.

Notes historiques: L'article 22.30 a été ajouté par L.Q. 1997, c. 85, art. 430(1) et s'applique à l'égard de la fourniture d'un bien ou d'un service effectuée après le 31 mars 1997.

Définitions: « bien », « fourniture », « service » — 1.

Renvois: 11.2 (définition de l'expression « établissement stable »); 22.2 (définitions); 22.3 (maison flottante et maison mobile non fixées à un fonds de terre); 22.4 (bien non délivré ou service non effectué); 22.5 (emplacement habituel d'un bien); 22.6 (application des articles 22.7–22.30); 22.32 (fourniture réputée effectuée hors du Québec).

Règlements: RTVQ, 22.30R1-22.30R14.

Bulletins d'interprétation: TVQ. 16-20/R1 — La taxe de vente du Québec et les fournisseurs de services d'accès au réseau Internet; TVQ. 22.15-1/R1 — Les services de conception et d'hébergement d'un site Web et la taxe de vente du Québec.

Lettre d'interprétation (Québec) [par. 165(1)]: 12-014001-001 — *Interprétation relative à la TPS/TVH — Interprétation relative à la TVQ (Commerce électronique)*.

Concordance fédérale: LTA, Ann. IX:Partie IX:3.

22.31 Fourniture d'un service prescrit — Malgré les articles 22.14 à 22.27, la fourniture d'un service est réputée effectuée hors du Québec si elle constitue la fourniture d'un service prescrit.

Notes historiques: L'article 22.31 a été modifié par L.Q. 2011, c. 1, par. 135(1) par le remplacement de « 22.13 » par « 22.14 ». Cette modification s'applique à l'égard d'une fourniture effectuée :

1° après le 30 avril 2010;

2° après le 25 février 2010 et avant le 1er mai 2010, sauf si une partie de la contrepartie de la fourniture devient due ou est payée avant le 1er mai 2010.

L'article 22.31 a été ajouté par L.Q. 1997, c. 85, art. 430(1) et s'applique à l'égard de la fourniture d'un bien ou d'un service effectuée après le 31 mars 1997.

Notes explicatives du ARQ (PL 117, L.Q. 2010, c. 1): *Résumé* :

L'article 22.31 est modifié afin de remplacer la référence à l'article 22.13 par l'article 22.14.

Cette modification fait suite à l'abrogation de l'article 22.13 et à l'introduction dans la LTVQ de nouvelles règles relatives au lieu de la fourniture d'un service.

Situation actuelle :

Actuellement, l'article 22.31 prévoit que malgré les articles 22.13 à 22.27, la fourniture d'un service est réputée effectuée hors du Québec si elle constitue la fourniture d'un service prescrit.

Modifications proposées :

L'article 22.31 est modifié afin de remplacer la référence à l'article 22.13 par l'article 22.14. Cette modification fait suite à l'abrogation de l'article 22.13 et à l'introduction dans la LTVQ de nouvelles règles relatives au lieu de la fourniture d'un service.

Définitions: « fourniture », « service » — 1.

Concordance fédérale: LTA, 142(2)f).

10. — Règles particulières

Notes historiques: L'intertitre 10 a été ajouté par L.Q. 1997, c. 85, art. 430(1) et s'applique à l'égard de la fourniture d'un bien ou d'un service effectuée après le 31 mars 1997.

22.32 Fourniture effectuée hors du Québec — Une fourniture qui n'est pas réputée effectuée au Québec en vertu des articles 22.7 à 22.24 et 22.28 à 22.30 est réputée effectuée hors du Québec.

Notes historiques: L'article 22.32 a été ajouté par L.Q. 1997, c. 85, art. 430(1) et s'applique à l'égard de la fourniture d'un bien ou d'un service effectuée après le 31 mars 1997.

Définitions: « fourniture » — 1.

Renvois: 24.1 (fourniture par courrier ou messagerie).

Bulletins d'interprétation: TVQ. 75-2/R1 — Transfert d'entreprise dont la totalité ou une partie des biens sont situés hors du Québec; TVQ. 16-2/R3 — La livraison de fleurs par l'entremise d'un service de commande à distance; TVQ. 16-20/R1 — La taxe de vente du Québec et les fournisseurs de services d'accès au réseau Internet; TVQ. 22.7-1/R1 — Lieu de la fourniture d'un bien meuble corporel par vente.

Lettres d'interprétation: 12-014001-001 — *Interprétation relative à la TPS/TVH — Interprétation relative à la TVQ (Commerce électronique)*; 97-011378 — Interprétation relative à la TVQ — Livraison de fleurs par l'entremise d'un service de commande à distance; 98-0106736 — QST Interpretation Supply of Software; 98-0110795 — Interprétation TVQ — Fournituredе services d'administration — lieu de la fourniture; 99-0106122 [A] — QST Interpretation National Advertising Campaign; 99-0106247 — Interprétation relative à la TPS — Interprétation relative à la TVQ; 99-0107187 — Interprétation TPS/TVQ — Fourniture d'un catalogue à un non-résident; 99-0113144 — Interprétation relative à la TVQ Services de courtier en douanes; 00-0111062 — QST Interpretation — Application of the QST to Customs Brokerage Services — Provided to Non-residents; 00-0111294 — Interprétation relative à la TVQ — Location de véhicules à moteur hors du Québec.

Concordance fédérale: aucune.

23. Fourniture effectuée au Québec par un non-résident — La fourniture d'un bien meuble ou d'un service effectué au Québec par une personne qui n'y réside pas est réputée effectuée hors du Québec, à moins que, selon le cas :

1° la fourniture soit effectuée dans le cadre d'une entreprise exploitée au Québec;

2° la personne soit inscrite en vertu de la section I du chapitre huitième au moment où la fourniture est effectuée;

3° la fourniture soit la fourniture d'un droit d'entrée à l'égard d'une activité, d'un colloque, d'un événement ou d'un lieu de divertissement que la personne n'a pas acquis d'une autre personne.

Notes historiques: L'article 23 a été édicté par L.Q. 1991, c. 67.

Définitions: « bien », « droit d'entrée », « entreprise », « fourniture », « inscrit », « lieu de divertissement », « organisme de services publics », « personne », « service » — 1.

Renvois: 18.0.1 (calcul de la taxe — acquisition d'un bien meuble incorporel ou d'un service hors du Québec); 22.6 (application des articles 22.7–22.30); 24.1 (fourniture par courrier ou messager); 179–191 (fournitures expédiées hors du Québec détaxées); 409 (inscription — fournisseurs non résidants); 469 (fourniture de droits d'entrée par un non-résident).

Jurisprudence: *Mydlarski c. S.M.R.Q.* (13 décembre 2006), 500-32-083306-045.

Bulletins d'interprétation: TVQ. 16-2/R3 — La livraison de fleurs par l'entremise d'un service de commande à distance; TVQ. 17-1/R1 — Apport au Québec de biens corporels; TVQ. 75-2/R1 — Transfert d'entreprise dont la totalité ou une partie des biens sont situés hors du Québec; TVQ. 197-2 — Service de transport de marchandises interprovincial et international rendu dans le cadre de la fourniture de biens meubles corporels.

Lettres d'interprétation: 98-0106728 — Interprétation relative à la TVQ — Apport au Québec d'un bien meuble corporel et fourniture d'un service par un non-résident; 98-0106736 — QST Interpretation Supply of Software; 99-0100463 — Interprétation relative à la TPS — Interprétation relative à la TVQ; 99-0102493 — Règles relatives à l'inscription par une personne non résidente; 99-0103285 [A] — QST Interpretation; 99-0111510 — Projet d'investissement à caractère international; 99-0113144 — Interprétation relative à la TVQ — Services de courtier en douanes; 00-0104281 — Commissions versées par une compagnie américaine; 00-0109900 — Interprétation relative à la TPS et à la TVQ — Fourniture de documents à des destinataires hors Québec ou hors Canada; 04-0103608 — Interprétation relative à la TPS et à la TVQ — exploitation d'un centre de désintoxication [pour des résidents à l'étranger]; 06-0103629 — Interprétation relative à la TVQ — contrat de franchise vendue par un non-résident à un résident du Québec.

Concordance fédérale: LTA, par. 143(1).

Concordance fédérale: aucune.

COMMENTAIRES: Revenu Québec a analysé une situation où la fourniture de l'appareil programmé pour donner accès à Internet est effectuée au Québec par une personne qui ne réside pas au Québec, n'est pas un inscrit pour l'application de la TVQ et n'exploite pas d'entreprise au Québec. Selon l'article 23, une telle fourniture est réputée effectuée hors du Québec. Par conséquent, Revenu Québec est d'avis qu'elle n'est pas assujettie à la taxe prévue à l'article 16. Voir notamment à cet effet : Revenu Québec, Lettres d'interprétation, 99-0100463[A] — *Interprétation relative à la TPS — Interprétation relative à la TVQ [relative à des appareils installés dans des auberges de jeunesse]* (30 mars 1999).

L'article 23 prévoit que la fourniture d'un bien meuble ou d'un service effectuée au Québec, par une personne qui n'y réside pas, est réputée être effectuée hors du Québec, à moins que, selon le cas, la fourniture soit effectuée dans le cadre d'une entreprise exploitée au Québec ou que le fournisseur soit inscrit au régime de la TVQ. Voir notamment à cet effet : Revenu Québec, Lettres d'interprétation, 06-0103629 -- *Interprétation relative à la TVQ Contrat de franchise vendue par un non-résident à un résident du Québec* (9 juillet 2007). Voir également au même effet : Revenu Québec, Lettre d'interprétation, 99-0102493 [A] — *Règles relatives à l'inscription par une personne non résidente* (3 mars 2000).

L'article 23 prévoit que la fourniture d'un bien meuble ou d'un service effectuée au Québec par une personne qui n'y réside pas est réputée effectuée hors du Québec, à moins que, notamment, la fourniture ne soit effectuée dans le cadre d'une entreprise exploitée au Québec ou que la personne soit inscrite en vertu de la section I du chapitre VIII au moment où la fourniture est effectuée. Par conséquent, dans le cas où un courtier ne réside pas au Québec, n'est pas inscrit dans le régime de la TVQ et n'exploite pas d'entreprise au Québec, la fourniture de services qu'il effectue au Québec sera réputée effectuée hors du Québec et le courtier n'aura donc pas à percevoir la TVQ à l'égard de cette fourniture. Voir notamment à cet effet : Revenu Québec, Lettre d'interprétation, 99-0113144 — *Interprétation relative à la TVQ -Services de courtier en douanes* (28 janvier 2000).

L'article 23 prévoit que la fourniture d'un service par un non-résident qui n'est pas inscrit est réputée effectuée hors du Québec et n'est donc pas assujetti à la TVQ pour autant que, notamment, la fourniture ne soit pas effectuée dans le cadre d'une entreprise exploitée au Québec ou que la personne ne soit pas inscrite au fichier de la TVQ. Ainsi, si ces conditions sont remplies, la société n'a pas à percevoir la TVQ sur la contrepartie du service (fourniture et installation des fenêtres) qu'elle fournit à son client québécois. Dans la situation où l'article 23 ne trouve pas application du fait que la société est inscrite ou exploite une entreprise au Québec, celle-ci devra, en vertu de l'article 422, percevoir la TVQ sur la contrepartie de la fourniture de ce service effectuée au Québec. Voir notamment à cet effet : Revenu Québec, Lettre d'interprétation, 98-0106728 — *Interprétation relative à la TVQ — Apport au Québec d'un bien meuble corporel et fourniture d'un service par un non-résident* (8 septembre 1998).

Compte tenu de la similarité de la rédaction des dispositions législatives et considérant l'engagement spécifique de Revenu Québec de veiller à ce que l'assiette de TVQ modifiée, de même que les paramètres administratifs, structurels et définitionnels, produisent des résultats qui sont similaires à ceux produits sous le régime de la TPS/TVH et soient administrés d'une manière qui produit des résultats similaires, tel que reflété par l'article 14 de l'*Entente intégrée globale de coordination fiscale* signée entre le gouvernement du Canada et le gouvernement du Québec, nous vous référons à nos commentaires en vertu de l'article 143 de la *Loi sur la taxe d'accise (TPS)* qui devraient s'appliquer *mutatis mutandis*, avec les adaptations nécessaires.

23.1 La fourniture d'un bien visé à l'article 144 de la *Loi sur la taxe d'accise* (L.R.C. 1985, c. E-15) qui n'a pas été dédouané, au sens de la *Loi sur les douanes* (L.R.C. 1985, c. 1 (2e suppl.)), avant d'être délivré à l'acquéreur au Québec, est réputée effectuée hors du Québec.

Pour l'application de l'article 17, le bien visé au premier alinéa est réputé avoir été apporté au Québec au moment de son dédouanement au sens de la *Loi sur les douanes*.

2012, c. 28, art. 40.

Notes historiques: L'article 23.1 a été ajouté par L.Q. 2012, c. 28, par. 40(1) et s'applique à l'égard d'une fourniture effectuée après le 31 décembre 2012.

Notes explicatives ARQ (PL 5, L.Q. 2012, c. 28): *Résumé* :

Le nouvel article 23.1 prévoit une présomption identique à celle prévue à l'article 144 de la *Loi sur la taxe d'accise* (Lois révisées du Canada (1985), chapitre E-15) (LTA) selon laquelle la fourniture d'un bien, qui n'a pas été dédouané avant d'être délivré à l'acquéreur au Québec, est réputée effectuée hors du Québec.

Contexte :

Dans le régime de taxation fédéral, les produits importés au Canada mais gardés « en douane » par les autorités canadiennes peuvent rester en douane sans paiement des droits de douane et taxes fédérales applicables, jusqu'à leur dédouanement. Si les produits sont vendus alors qu'ils sont encore en douane, la vente est réputée en vertu de l'article 144 de la LTA être effectuée hors du Canada, et, donc, non assujettie à la taxe sur les produits et services (TPS). D'après la section III de la partie IX de la LTA, la TPS est payable par la personne qui fait dédouaner les produits en vue de leur consommation, utilisation ou revente au Canada. Autrement dit, la TPS sur les produits importés au Canada est imposée au moment où les droits de douane s'appliquent (ou s'appliqueraient si les produits étaient passibles de droits).

Le régime de taxation québécois ne comporte pas de présomption au même effet. Ainsi, de façon générale, la fourniture d'un bien vendu et délivré à l'acquéreur avant d'être dédouané donne lieu à l'application de la taxe de vente du Québec (TVQ) de la façon suivante : le fournisseur, s'il est inscrit, doit percevoir la TVQ en vertu de l'article 16 de la LTVQ étant donné que la fourniture est réputée effectuée au Québec; dans le cas contraire, c'est l'acquéreur de la fourniture qui doit, immédiatement après l'apport, s'autocotiser en vertu de l'article 17 de la LTVQ.

Modifications proposées :

Le nouvel article 23.1 prévoit une présomption identique à celle prévue à l'article 144 de la LTA selon laquelle la fourniture d'un bien, qui n'a pas été dédouané avant d'être délivré à l'acquéreur au Québec, est réputée effectuée hors du Québec.

Avec cette présomption, la fourniture de biens vendus et délivrés à l'acquéreur avant d'être dédouanés ne donnera plus lieu à l'application de l'article 16 de la LTVQ.

Désormais, c'est l'acquéreur de la fourniture qui devra généralement s'autocotiser en vertu de l'article 17 de la LTVQ, et ce, peu importe si le fournisseur est inscrit ou non au fichier de la TVQ.

24. [*Abrogé*]

Notes historiques: L'article 24 a été abrogé par L.Q. 1994, c. 22, art. 373(1) à l'égard des fournitures effectuées après 1992. Il se lisait auparavant comme suit :

> 24. La fourniture d'un bien meuble corporel effectuée par une personne qui est un inscrit et qui ne réside pas au Québec est réputée effectuée au Québec si, à la fois :
>
> 1° le bien est un bien prescrit ou est fourni par une personne prescrite;
>
> 2° le bien est envoyé à l'acquéreur de la fourniture à une adresse au Québec par courrier ou messager.

Toutefois, le préambule de l'article 24 doit se lire comme suit pour la période du 1er juillet 1992 au 31 décembre 1992 à l'égard d'une fourniture effectuée durant cette période :

> 24. La fourniture d'un bien meuble corporel effectuée par une personne inscrite en vertu de la section I du chapitre VIII et qui ne réside pas au Québec est réputée effectuée au Québec si, à la fois :

L'article 24 a été édicté par L.Q. 1991, c. 67.

24.1 Fourniture d'un bien meuble corporel prescrit envoyé par courrier ou messager — Malgré les articles 22.32 et 23, la fourniture d'un bien meuble corporel prescrit effectuée par une personne qui est inscrite en vertu de la section I du chapitre VIII est réputée effectuée au Québec si le bien est envoyé, par courrier ou messagerie, à l'acquéreur de la fourniture à une adresse au Québec.

Notes historiques: L'article 24.1 a été modifié par L.Q. 1997, c. 85, art. 431(1) par :

1. le remplacement de « 22 » par « 22.32 » et cette modification s'applique à l'égard de la fourniture d'un bien ou d'un service effectuée après le 31 mars 1997.
2. le remplacement du mot « messager » par le mot « messagerie » et cette modification a effet depuis le 1er juillet 1992.

L'article 24.1 a été ajouté par L.Q. 1994, c. 22, art. 374(1) et s'applique aux fournitures effectuées après le 31 décembre 1992.

Définitions: « acquéreur », « bien meuble corporel », « fourniture », « personne » — 1.

Règlements: RTVQ, 21.1R1.

Renvois: 81 (apports de biens non taxables); 409 (fournisseurs non résidants); 409.1 (commande de fourniture taxable par non-résident); 677:8.1° (règlements).

Lettres d'interprétation: 06-0103629 — Interprétation relative à la TVQ — contrat de franchise vendue par un non-résident à un résident du Québec.

Concordance fédérale: LTA, par. 143.1.

COMMENTAIRES: Compte tenu de la similarité de la rédaction des dispositions législatives et considérant l'engagement spécifique de Revenu Québec de veiller à ce que l'assiette de TVQ modifiée, de même que les paramètres administratifs, structurels et définitionnels, produisent des résultats qui sont similaires à ceux produits sous le régime de la TPS/TVH et soient administrés d'un manière qui produit des résultats similaires, tel que reflété par l'article 14 de l'*Entente intégrée globale de coordination fiscale* signée entre le gouvernement du Canada et le gouvernement du Québec, nous vous référons à nos commentaires en vertu de l'article 143.1 de la *Loi sur la taxe d'accise (TPS)* qui devraient s'appliquer *mutatis mutandis*, avec les adaptations nécessaires.

24.2 Service de transport de marchandises — Est réputée effectuée hors du Québec :

1° la fourniture d'un service de transport de marchandises à l'égard du transport d'un bien meuble corporel d'un endroit au Canada hors du Québec à un endroit au Québec;

2° la fourniture d'un service de transport de marchandises à l'égard du transport d'un bien meuble corporel entre deux endroits au Québec si le service fait partie d'un service continu de transport de marchandises, au sens de l'article 193, d'un endroit au Canada hors du Québec à un endroit au Québec et que le fournisseur du service possède une preuve documentaire, satisfaisante pour le ministre, que le service fait partie d'un service continu de transport de marchandises d'un endroit au Canada hors du Québec à un endroit au Québec.

Notes historiques: L'article 24.2 a été remplacé par L.Q. 1997, c. 85, art. 432(1) et cette modification a effet depuis le 1er juillet 1992. Antérieurement à cette modification, l'article 24.2 se lisait ainsi :

> 24.2 La fourniture d'un service de transport de marchandises à l'égard du transport d'un bien meuble corporel d'un endroit au Canada hors du Québec à un endroit au Québec est réputée effectuée hors du Québec.

L'article 24.2 a été ajouté par L.Q. 1994, c. 22, art. 374(1) et est réputé entré en vigueur le 1er juillet 1992.

Définitions: « bien meuble corporel », « fourniture » — 1.

Renvois: 18.0.1 (calcul de la taxe — acquisition d'un bien meuble incorporel ou d'un service hors du Québec); 22.6 (application des articles 22.7–22.30).

Bulletins d'interprétation: TVQ. 197-2 — Service de transport de marchandises interprovincial et international rendu dans le cadre de la fourniture de biens meubles corporels.

Lettres d'interprétation: 99-0104192 — Interprétation relative à la TVQ; 00-0109900 — Interprétation relative à la TPS et à la TVQ — Fourniture de documents à des destinataires hors Québec ou hors Canada.

Concordance fédérale: aucune.

24.3 Produit transporté en continu — Sauf pour l'application des articles 182, 191.3.3 et 191.3.4, un produit transporté en continu au moyen d'un fil, d'un pipeline ou d'une autre canalisation est réputé ne pas être expédié hors du Québec ou ne pas être apporté au Québec dans le cadre de son transport ou d'un nouveau transport dans le cas où le produit est transporté, selon le cas :

1° hors du Québec dans le cours de sa livraison par ce moyen d'un endroit au Québec à un autre endroit au Québec et à cette fin seulement;

2° au Québec dans le cours de sa livraison par ce moyen d'un endroit hors du Québec à un autre endroit hors du Québec et à cette fin seulement;

3° d'un endroit au Québec à un endroit hors du Québec où il est stocké ou pris à titre d'excédent pendant une période jusqu'à ce qu'il soit transporté de nouveau par ce moyen à un endroit au Québec, en une quantité équivalente et dans le même état, sauf celui résultant d'une consommation ou d'une modification dans une mesure nécessaire ou accessoire à son transport;

4° d'un endroit hors du Québec à un endroit au Québec où il est stocké ou pris à titre d'excédent pendant une période jusqu'à ce qu'il soit transporté de nouveau par ce moyen à un endroit hors du Québec, en une quantité équivalente et dans le même état, sauf celui résultant d'une consommation ou d'une modification dans une mesure nécessaire ou accessoire à son transport.

Notes historiques: L'article 24.3 a été ajouté par L.Q. 2001, c. 53, art. 280(1) et s'applique au transport d'un produit transporté en continu d'un point d'origine à une destination, y compris tout transport intermédiaire à destination ou en provenance d'un endroit où le produit est stocké ou pris à titre d'excédent, si le transport à partir du point d'origine commence après le 7 août 1998.

Concordance fédérale: LTA, art. 144.01.

III. — Autres présomptions

1. — Généralités

Notes historiques: L'intertitre 1 a été ajouté par L.Q. 1994, c. 22, art. 375(1) et est réputé entré en vigueur le 1er juillet 1992.

25. Fournitures entre établissements stables — Dans le cas où une personne exploite une entreprise par l'intermédiaire de son établissement stable au Québec et d'un autre établissement stable de celle-ci hors du Québec, les règles suivantes s'appliquent :

1° tout transfert d'un bien meuble ou toute prestation d'un service par l'établissement stable au Québec à l'établissement stable hors du Québec est réputé constituer une fourniture du bien ou du service;

2° à l'égard de cette fourniture, les établissements stables sont réputés être des personnes distinctes sans lien de dépendance.

Notes historiques: L'article 25 a été édicté par L.Q. 1991, c. 67.

Définitions [art. 25]: « bien », « entreprise », « établissement stable », « fourniture », « personne », « service » — 1.

Renvois [art. 25]: 26 (fournitures entre succursales).

Concordance fédérale: LTA, par. 132(4).

COMMENTAIRES: Compte tenu de la similarité de la rédaction des dispositions législatives et considérant l'engagement spécifique de Revenu Québec de veiller à ce que l'assiette de TVQ modifiée, de même que les paramètres administratifs, structurels et définitionnels, produisent des résultats qui sont similaires à ceux produits sous le régime de la TPS/TVH et soient administrés d'une manière qui produit des résultats similaires, tel que reflété par l'article 14 de l'*Entente intégrée globale de coordination fiscale* signée entre le gouvernement du Canada et le gouvernement du Québec, nous vous référons à nos commentaires en vertu du paragraphe 132(4) de la *Loi sur la taxe d'accise (TPS)* qui devraient s'appliquer *mutatis mutandis*, avec les adaptations nécessaires.

26.0.1 Pour l'application du présent article et des articles 26.0.2 à 26.0.5, l'expression :

« activité de main-d'œuvre » d'une personne déterminée signifie tout ce qui est fait par un salarié de la personne déterminée dans le cadre de la charge ou de l'emploi du salarié ou relativement à cette charge ou à cet emploi;

Concordance fédérale: LTA, art. 220(1)« activité de main-d'œuvre ».

« capital d'appui » d'une personne déterminée signifie la totalité ou une partie d'un bien meuble incorporel qui est consommé ou utilisé par la personne déterminée au cours du processus qui consiste à créer ou à mettre au point un bien, autre qu'un bien meuble incorporel, ou à appuyer, à faciliter ou à favoriser une activité de main-d'œuvre de la personne déterminée;

Concordance fédérale: LTA, art. 220(1)« capital d'appui ».

« capital incorporel » d'une personne déterminée signifie l'un des éléments suivants qui est consommé ou utilisé par la personne déterminée au cours du processus qui consiste à créer ou à mettre au point un bien meuble incorporel :

1° la totalité ou une partie d'une activité de main-d'œuvre de la personne déterminée;

2° la totalité ou une partie d'un bien autre qu'un bien meuble incorporel visé au paragraphe 1° de la définition de l'expression « ressource incorporelle »;

3° la totalité ou une partie d'un service;

Concordance fédérale: LTA, art. 220(1)« capital incorporel ».

« ressource d'appui » d'une personne déterminée signifie :

1° la totalité ou une partie d'un bien, autre qu'un bien meuble incorporel, fourni à la personne déterminée ou créé ou mis au point par elle et qui ne fait pas partie de son capital incorporel;

2° la totalité ou une partie d'un service fourni à la personne déterminée et qui ne fait pas partie de son capital incorporel;

3° la totalité ou une partie de l'activité de main-d'œuvre de la personne déterminée qui ne fait pas partie de son capital incorporel;

4° le capital d'appui de la personne déterminée;

5° toute combinaison des éléments visés aux paragraphes 1° à 4°;

Concordance fédérale: LTA, art. 220(1)« ressource d'appui ».

« ressource incorporelle » d'une personne déterminée signifie :

1° la totalité ou une partie d'un bien meuble incorporel fourni à la personne déterminée ou créé ou mis au point par elle et qui ne fait pas partie de son capital d'appui;

2° le capital incorporel de la personne déterminée;

3° toute combinaison des éléments visés aux paragraphes 1° et 2°.

Concordance fédérale: LTA, art. 220(1)« ressource incorporelle ».

Pour l'application du premier alinéa, un salarié comprend un particulier qui accepte de devenir un salarié.

L.Q. 2012, c. 8, art. 266.

Notes historiques: L'article 26.0.1 a été ajouté par L.Q. 2012, c. 8, par. 266(1) et s'applique, sauf pour le deuxième alinéa de l'article 26.0.1, depuis le 1er juillet 1992. Le deuxième alinéa de l'article 26.0.1 s'applique à l'égard :

1° d'une année d'imposition d'une personne se terminant après le 16 novembre 2005 dans le cas où la personne est visée à l'un des paragraphes 1° et 1.1° de la définition de l'expression « année d'imposition » prévue à l'article 1;

2° d'un exercice d'une personne se terminant après le 16 novembre 2005 dans le cas où la personne, qui est un inscrit, n'est pas visée à l'un des paragraphes 1° et 1.1° de la définition de l'expression « année d'imposition » prévue à l'article 1;

3° d'une année civile postérieure à l'année 2004, dans les autres cas.

Pour l'application du sous-paragraphe 2° ci-dessus, l'expression « exercice » a le sens que lui donne l'article 458.1.

Notes explicatives ARQ (PL 63, L.Q. 2012, c. 8): *Résumé* :

Le nouvel article 26.0.1 de la *Loi sur la taxe de vente du Québec* (LTVQ) comprend des définitions qui s'appliquent aux nouveaux articles 26.0.1 à 26.0.5 de la LTVQ qui traitent des fournitures effectuées entre les établissements stables d'une même personne pour l'application de l'article 18 de la LTVQ.

Contexte :

Les nouveaux articles 26.0.1 à 26.0.5 de la LTVQ sont introduits afin de préciser dans quelles circonstances la taxe applicable à l'égard de la fourniture de biens meubles incorporels ou de services effectuée, hors du Canada, entre les établissements stables d'une même personne doit être établie par autocotisation en vertu de l'article 18 de cette loi.

Modifications proposées :

Le nouvel article 26.0.1 de la LTVQ introduit cinq définitions nécessaires pour l'application des nouveaux articles 26.0.1 à 26.0.5 de la LTVQ.

L'expression « activité de main-d'œuvre » d'une personne déterminée signifie tout ce qui est fait par un salarié de la personne déterminée dans le cadre de la charge ou de l'emploi du salarié ou relativement à cette charge ou à cet emploi. Des précisions sont apportées au nouvel article 26.0.2 de la LTVQ sur le sens de l'expression « personne déterminée ».

L'expression « capital d'appui » d'une personne déterminée signifie la totalité ou une partie d'un bien meuble incorporel qui est consommé ou utilisé par la personne déterminée au cours du processus qui consiste à créer ou àmettre au point un bien (sauf un bienmeuble incorporel) ou à appuyer, à faciliter ou à favoriser une activité de main?d'œuvre de la personne déterminée.

L'expression « capital incorporel » d'une personne déterminée signifie l'un des éléments suivants, s'ils sont consommés ou utilisés en totalité ou en partie par la personne déterminée au cours du processus qui consiste à créer ou à mettre au point un bien meuble incorporel :

LTVQ (français)

— la totalité ou une partie d'une activité de main-d'œuvre de la personne déterminée;

— la totalité ou une partie d'un bien, à l'exception d'un bien meuble incorporel visé au paragraphe 1° de la définition de l'expression « ressource incorporelle » prévue à l'article 26.0.1 de la LTVQ;

— la totalité ou une partie d'un service.

Le capital incorporel d'une personne déterminée fait partie de ses « ressources incorporelles » au sens de l'article 26.0.1 de la LTVQ.

L'expression « ressource d'appui » d'une personne déterminée signifie :

— la totalité ou partie d'un bien (sauf un bien meuble incorporel) fourni à la personne déterminée ou créé ou mis au point par elle et qui ne fait pas partie de son capital incorporel;

— la totalité ou partie d'un service fourni à la personne déterminée et qui ne fait pas partie de son capital incorporel;

— la totalité ou partie de l'activité de main-d'œuvre de la personne déterminée et qui ne fait pas partie de son capital incorporel;

— le capital d'appui de la personne déterminée;

— toute combinaison de l'un des éléments ci-dessus énumérés.

L'expression « ressource incorporelle » d'une personne déterminée signifie la totalité ou partie d'un bien meuble incorporel fourni à la personne déterminée ou créé ou mis au
238 point par elle et qui ne fait pas partie de son capital d'appui, son capital incorporel et toute combinaison de l'un de ces éléments.

Finalement, le deuxième alinéa de l'article 26.0.1 de la LTVQ prévoit qu'un salarié comprend un particulier qui accepte de devenir un salarié.

26.0.2 Pour l'application des articles 26.0.1 et 26.0.3 à 26.0.5, les règles suivantes s'appliquent :

1° une personne, sauf une institution financière, est une personne déterminée tout au long de son année d'imposition si, à la fois :

a) la personne exploite une entreprise au cours de l'année d'imposition par l'intermédiaire de son établissement stable hors du Canada;

b) la personne exploite une entreprise au cours de l'année d'imposition par l'intermédiaire de son établissement stable au Québec;

2° une entreprise d'une personne est une entreprise déterminée de la personne tout au long de son année d'imposition si elle est exploitée au Québec au cours de l'année d'imposition par l'intermédiaire d'un établissement stable de la personne.

L.Q. 2012, c. 8, art. 266; c. 28, art. 41.

Notes historiques: Le préambule du paragraphe 1° de l'article 26.0.2 a été remplacé par L.Q. 2012, c. 28, par. 41(1) et cette modification s'applique à une année déterminée, au sens que donne à cette expression l'article 26.2, qu'édicte l'article 42, d'une personne qui se termine après le 31 décembre 2012. Antérieurement, il se lisait ainsi :

1° une personne est une personne déterminée tout au long de son année d'imposition si, à la fois :

L'article 26.0.2 a été ajouté par L.Q. 2012, c. 8, par. 266(1) et s'applique depuis le 1er juillet 1992.

Notes explicatives ARQ (PL 5, L.Q. 2012, c. 28): *Résumé* :

L'article 26.0.2 précise notamment le sens de l'expression « personne déterminée ». Cet article est modifié pour faire en sorte qu'une institution financière ne puisse être une personne déterminée.

Situation actuelle :

L'article 26.0.2 précise notamment le sens de l'expression « personne déterminée » que l'on retrouve également aux articles 26.0.3 à 26.0.5 de la LTVQ.

En vertu du paragraphe 1° de l'article 26.0,2, une personne est une personne déterminée pendant toute son année d'imposition si, au cours de cette année, elle exploite une entreprise par l'intermédiaire de son établissement stable hors du Canada et elle exploite une entreprise par l'intermédiaire de son établissement stable au Québec.

Modifications proposées :

L'article 26.0.2 est modifié de façon à exclure les institutions financières de la notion de personne déterminée. La notion de personne déterminée se retrouve aux articles 26.0.3 à 26.0.5 de la LTVQ, lesquels prévoient dans quelles circonstances la taxe applicable à l'égard de la fourniture de biens meubles incorporels ou de services effectuée, hors du Canada, entre les établissements stables d'une même personne doit être établie par autocotisation en vertu de l'article 18 de cette loi. Les institutions financières sont plutôt visées par les nouveaux articles 26.2 à 26.5 de la LTVQ, introduits par le présent projet de loi.

Notes explicatives ARQ (PL 63, L.Q. 2012, c. 8): *Résumé* :

Le nouvel article 26.0.2 de la *Loi sur la taxe de vente du Québec* (LTVQ) précise le sens des expressions « personne déterminée » et « entreprise déterminée », et ce, pour l'application des nouveaux articles 26.0.1 et 26.0.3 à 26.0.5 de la LTVQ.

Contexte :

Les nouveaux articles 26.0.1 à 26.0.5 sont introduits à la LTVQ afin de préciser dans quelles circonstances la taxe applicable à l'égard de la fourniture de biens meubles incorporels ou de services effectuée, hors du Canada, entre les établissements stables d'une même personne doit être établie par autocotisation en vertu de l'article 18 de cette loi.

Modifications proposées :

Le nouvel article 26.0.2 de la LTVQ précise le sens des expressions « personne déterminée » et « entreprise déterminée » que l'on retrouve aux nouveaux articles 26.0.1 et 26.0.3 à 26.0.5 de la LTVQ.

En vertu du paragraphe 1° du nouvel article 26.0.2 de la LTVQ, une personne est une personne déterminée pendant toute son année d'imposition si, au cours de cette année, elle exploite une entreprise par l'intermédiaire de son établissement stable hors du Canada et elle exploite une entreprise par l'intermédiaire de son établissement stable au Québec.

De plus, il n'est pas nécessaire que les entreprises au Québec et hors du Canada soient exploitées simultanément pendant l'année pour que la personne soit considérée comme une personne déterminée pour l'application des nouveaux articles 26.0.1 à 26.0.5 de la LTVQ.

Enfin, en vertu du paragraphe 2° du nouvel article 26.0.2 de la LTVQ, une entreprise d'une personne est une entreprise déterminée pendant toute son année d'imposition si elle est exploitée au Québec, au cours de l'année, par l'intermédiaire d'un établissement stable de la personne.

Concordance fédérale: LTA, art. 220(2).

26.0.3 Pour l'application des articles 26.0.4 et 26.0.5, la ressource d'appui ou la ressource incorporelle d'une personne déterminée fait l'objet d'une utilisation interne au cours d'une année d'imposition de la personne déterminée si, selon le cas :

1° la personne déterminée utilise hors du Canada, à un moment de l'année d'imposition, une partie quelconque de la ressource relativement à l'exploitation de son entreprise déterminée;

2° la personne déterminée est autorisée en vertu de la *Loi sur les impôts* (chapitre I-3), ou le serait si cette loi s'appliquait à elle, à attribuer pour l'année d'imposition l'un des montants suivants à titre de montant relatif à son entreprise déterminée :

a) une partie quelconque d'un débours fait ou d'une dépense engagée par la personne déterminée relativement à une partie quelconque de la ressource;

b) une partie quelconque d'une déduction, ou d'une attribution au titre d'une provision, relativement à une partie quelconque d'un débours ou d'une dépense visé au sous-paragraphe a).

L.Q. 2012, c. 8, art. 266.

Notes historiques: L'article 26.0.3 a été ajouté par L.Q. 2012, c. 8, par. 266(1) et s'applique depuis le 1er juillet 1992.

Notes explicatives ARQ (PL 63, L.Q. 2012, c. 8): *Résumé* :

Le nouvel article 26.0.3 de la *Loi sur la taxe de vente du Québec* (LTVQ) prévoit des règles qui permettent de déterminer si la ressource d'appui ou la ressource incorporelle d'une personne déterminée a fait l'objet d'une utilisation interne au cours d'une année d'imposition de la personne. Dans l'affirmative, les présomptions énoncées aux nouveaux articles 26.0.4 et 26.0.5 de la LTVQ s'appliquent.

Contexte :

Les nouveaux articles 26.0.1 à 26.0.5 sont introduits à la LTVQ afin de préciser dans quelles circonstances la taxe applicable à l'égard de la fourniture de biens meubles incorporels ou de services effectuée, hors du Canada, entre les établissements stables d'une même personne doit être établie par autocotisation en vertu de l'article 18 de cette loi.

Modifications proposées :

En vertu du nouvel article 26.0.3 de la LTVQ, la ressource d'appui ou la ressource incorporelle d'une personne déterminée fait l'objet d'une utilisation interne au cours de l'année d'imposition de la personne déterminée si l'une des deux conditions suivantes est remplie.

Il peut y avoir utilisation interne de la ressource au cours de l'année, en vertu du paragraphe 1° de ce nouvel article 26.0.3, si la personne déterminée utilise ou met en service hors du Canada une partie de la ressource dans le cadre de l'exploitation de son entreprise déterminée.

Il peut aussi y avoir utilisation interne, en vertu du paragraphe 2° de ce nouvel article 26.0.3, s'il est permis à la personne déterminée pour l'année, en vertu de la *Loi sur les impôts* (L.R.Q., chapitre I-3), d'attribuer au titre d'un montant relatif à son entreprise déterminée soit une partie d'une dépense qu'elle a engagée ou effectuée relativement à une partie de la ressource, soit une partie d'une déduction, ou d'une attribution au titre d'une provision, relative à une partie de cette dépense.

Pour déterminer si la condition énoncée au paragraphe 2° du nouvel article 26.0.3 est remplie, il faut supposer que la personne déterminée est tenue de calculer son revenu conformément à la *Loi sur les impôts* et que cette détermination est faite dans le contexte d'une attribution par la personne de dépenses au titre de montants relatifs à une entreprise au Québec.

Par conséquent, la question de savoir si la *Loi sur les impôts* s'applique à la personne déterminée n'est pas prise en compte lorsqu'il s'agit d'établir si cette dernière condition est remplie.

Essentiellement, si une personne déterminée utilise une ressource d'appui ou une ressource incorporelle dans le cadre de l'exploitation de son entreprise déterminée ou s'il lui est permis d'attribuer, relativement à cette entreprise, une partie d'une dépense, d'une déduction ou d'une attribution au titre d'une provision relativement à une telle ressource, les présomptions énoncées au nouvel article 26.0.4 s'appliquent à elle pour l'application de l'article 18 de la LTVQ.

Concordance fédérale: LTA, art. 220(3).

26.0.4 Lorsqu'une ressource d'appui d'une personne déterminée fait l'objet d'une utilisation interne au cours d'une année d'imposition de la personne déterminée, les règles suivantes s'appliquent :

1° pour l'application de l'article 18 :

a) la personne déterminée est réputée, à la fois :

i. avoir rendu, au cours de l'année d'imposition, un service qui consiste en l'utilisation interne de la ressource d'appui à son établissement stable hors du Canada dans le cadre de l'exploitation de son entreprise déterminée et être la personne à qui le service a été rendu;

ii. l'acquéreur d'une fourniture du service effectuée hors du Canada;

iii. résider au Québec, dans le cas où elle est une personne déterminée qui ne réside pas au Québec;

b) la fourniture est réputée ne pas être une fourniture d'un service relatif, selon le cas :

i. à un immeuble situé hors du Québec;

ii. à un bien meuble corporel qui est situé hors du Québec au moment où le service est exécuté;

c) la valeur de la contrepartie de la fourniture est réputée correspondre au total des montants dont chacun représente la juste valeur marchande d'une partie de la ressource d'appui visée à l'article 26.0.3 ou de l'utilisation d'une partie de celle-ci, selon le cas, à l'un des moments suivants :

i. si la partie est visée uniquement au paragraphe 1° de l'article 26.0.3, le moment visé à ce paragraphe;

ii. dans les autres cas, le dernier jour de l'année d'imposition de la personne déterminée;

d) la contrepartie de la fourniture est réputée devenue due et avoir été payée par la personne déterminée le dernier jour de l'année d'imposition;

2° aux fins du calcul du remboursement de la taxe sur les intrants de la personne déterminée, celle-ci est réputée avoir acquis le service dans le même but que celui dans lequel elle a acquis, consommé ou utilisé la partie de la ressource d'appui visée à l'article 26.0.3.

L.Q. 2012, c. 8, art. 266.

Notes historiques: L'article 26.0.4 a été ajouté par L.Q. 2012, c. 8, par. 266(1) et s'applique depuis le 1er juillet 1992.

Notes explicatives ARQ (PL 63, L.Q. 2012, c. 8): *Résumé* :

Le nouvel article 26.0.4 de la *Loi sur la taxe de vente du Québec* (LTVQ) prévoit certaines présomptions, et ce, afin de permettre l'application de la taxe prévue à l'article 18 de la LTVQ.

Contexte :

Les nouveaux articles 26.0.1 à 26.0.5 sont introduits à la LTVQ afin de préciser dans quelles circonstances la taxe applicable à l'égard de la fourniture de biens meubles incorporels ou de services effectuée, hors du Canada, entre les établissements stables d'une même personne doit être établie par autocotisation en vertu de l'article 18 de cette loi.

Modifications proposées :

En vertu du nouvel article 26.0.4 de la LTVQ, si une personne déterminée remplit l'une des conditions énoncées au nouvel article 26.0.3 de cette loi, on considère que sa ressource d'appui a fait l'objet d'une utilisation interne au cours de son année d'imposition. Dans ce cas, le nouvel article 26.0.4 de cette loi prévoit certaines présomptions, et ce, afin de permettre l'application de la taxe prévue à l'article 18 de la LTVQ.

Ainsi, la personne déterminée est réputée avoir rendu, au cours de l'année en cause, un service qui consiste en l'utilisation interne de la ressource à son établissement stable hors du Canada dans le cadre de l'exploitation de son entreprise déterminée et réputée la personne à qui ce service a été rendu. De plus, elle est réputée l'acquéreur d'une fourniture du service effectuée hors du Canada et résider au Québec, si elle n'y réside pas. Enfin, la fourniture effectuée hors du Canada est réputée ne pas être la fourniture d'un service qui se rapporte à un immeuble situé hors du Québec ou à un bien meuble corporel qui est situé hors du Québec au moment de l'exécution du service.

Outre les présomptions exposées ci-dessus, le nouvel article 26.0.4 de la LTVQ prévoit que la valeur de la contrepartie de la fourniture est réputée correspondre au total des montants dont chacun représente la juste valeur marchande d'une partie de la ressource d'appui ou la juste valeur marchande de l'utilisation d'une partie de cette ressource. Lorsque cette partie de la ressource est visée au paragraphe 1° du nouvel article 26.0.3 de cette loi et non au paragraphe 2° de cet article, la juste valeur marchande en cause est déterminée au moment mentionné à ce paragraphe, c'est-à-dire le moment de l'année d'imposition de la personne déterminée où la partie de la ressource a été utilisée hors du Canada dans le cadre de l'exploitation d'une entreprise déterminée de la personne. Si la partie de la ressource est visée au paragraphe 2° du nouvel article 26.0.3 de la LTVQ, la juste valeur marchande est déterminée le dernier jour de l'année d'imposition en cause. Dans un cas comme dans l'autre, la personne est réputée avoir payé la contrepartie le dernier jour de cette même année.

Selon le sous-paragraphe a du paragraphe 1° du nouvel article 26.0.4 de la LTVQ, si la ressource d'appui d'une 241 personne déterminée a fait l'objet d'une utilisation interne au cours de l'année d'imposition de la personne déterminée, celle-ci est réputée, d'une part, avoir rendu un service qui consiste en l'utilisation interne de la ressource hors du Canada dans le cadre de l'exploitation d'une entreprise au Québec par l'intermédiaire d'un établissement stable et, d'autre part, la personne à qui ce service a été rendu. Par conséquent, le service que la personne est réputée avoir rendu hors du Canada correspond à une ressource d'appui en particulier. Aussi, pour le calcul du remboursement de la taxe sur les intrants de la personne en vertu du titre I de cette loi, la personne est réputée avoir acquis le service dans le même but que celui dans lequel elle a acquis, consommé ou utilisé la ressource d'appui correspondante.

Dès qu'elle remplit l'une des deux conditions énoncées au nouvel article 26.0.3 de la LTVQ relativement à une ressource d'appui, la personne déterminée est réputée l'acquéreur de la fourniture hors du Canada d'un service à l'égard duquel elle est réputée avoir payé une contrepartie égale à la juste valeur marchande du service le dernier jour de l'année d'imposition pour laquelle la condition est remplie. Si cette fourniture constitue une fourniture taxable, la personne déterminée est tenue de payer par autocotisation la taxe prévue à l'article 18 de cette loi au même titre que si elle avait reçu hors du Canada une fourniture taxable comparable d'un tiers pour consommation, utilisation ou fourniture au Québec.

Concordance fédérale: LTA, art. 220(4).

26.0.5 Lorsqu'une ressource incorporelle d'une personne déterminée fait l'objet d'une utilisation interne au cours d'une année d'imposition de la personne déterminée, les règles suivantes s'appliquent :

1° pour l'application de l'article 18 :

a) la personne déterminée est réputée, à la fois :

i. avoir mis à la disposition, au cours de l'année d'imposition, à son établissement stable hors du Canada, un bien meuble incorporel dans le cadre de l'exploitation de son entreprise déterminée et être la personne à qui le bien meuble incorporel a été mis à la disposition;

ii. l'acquéreur d'une fourniture du bien meuble incorporel effectuée hors du Canada;

iii. résider au Québec, dans le cas où elle est une personne déterminée qui ne réside pas au Québec;

b) la fourniture est réputée ne pas être une fourniture d'un bien qui se rapporte à un immeuble situé hors du Québec, à un service qui doit être exécuté entièrement hors du Québec ou à un bien meuble corporel situé hors du Québec;

c) la valeur de la contrepartie de la fourniture est réputée correspondre au total des montants dont chacun représente la juste valeur marchande d'une partie de la ressource incorporelle visée à l'article 26.0.3 ou de l'utilisation d'une partie de celle-ci, selon le cas, à l'un des moments suivants :

i. si la partie est visée uniquement au paragraphe 1° de l'article 26.0.3, le moment visé à ce paragraphe;

LTVQ (français)

ii. dans les autres cas, le dernier jour de l'année d'imposition de la personne déterminée;

d) la contrepartie de la fourniture est réputée devenue due et avoir été payée par la personne déterminée le dernier jour de l'année d'imposition;

2° aux fins du calcul du remboursement de la taxe sur les intrants de la personne déterminée, celle-ci est réputée avoir acquis le bien dans le même but que celui dans lequel elle a acquis, consommé ou utilisé la partie de la ressource incorporelle visée à l'article 26.0.3.

L.Q. 2012, c. 8, art. 266.

Notes historiques: L'article 26.0.5 a été ajouté par L.Q. 2012, c. 8, par. 266(1) et s'applique depuis le 1er juillet 1992.

Notes explicatives ARQ (PL 63, L.Q. 2012, c. 8): *Résumé* :

Le nouvel article 26.0.5 de la *Loi sur la taxe de vente du Québec* (LTVQ) prévoit certaines présomptions, et ce, afin de permettre l'application de la taxe prévue à l'article 18 de la LTVQ.

Contexte :

Les nouveaux articles 26.0.1 à 26.0.5 sont introduits à la LTVQ afin de préciser dans quelles circonstances la taxe applicable à l'égard de la fourniture de biens meubles incorporels ou de services effectuée, hors du Canada, entre les établissements stables d'une même personne doit être établie par autocotisation en vertu de l'article 18 de cette loi.

Modifications proposées :

En vertu du nouvel article 26.0.5 de la LTVQ, si une personne déterminée remplit l'une des conditions énoncées au nouvel article 26.0.3 de cette loi, on considère que sa ressource incorporelle a fait l'objet d'une utilisation interne au cours de son année d'imposition. Dans ce cas, le nouvel article 26.0.5 de la LTVQ prévoit certaines présomptions, et ce, afin de permettre l'application de la taxe prévue à l'article 18 de cette loi.

Ainsi, la personne déterminée est réputée avoir mis à sa propre disposition, au cours de l'année en cause, à son établissement stable hors du Canada un bien meuble incorporel dans le cadre de l'exploitation de son entreprise déterminée. De plus, elle est réputée l'acquéreur d'une fourniture du bien effectuée hors du Canada et résider au Québec, si elle n'y réside pas. Enfin, la fourniture effectuée hors du Canada est réputée ne pas être la fourniture d'un bien qui se rapporte à un immeuble situé hors du Québec, à un service à exécuter en totalité hors du Québec ou à un bien meuble corporel situé hors du Québec.

Outre les présomptions exposées ci-dessus, le nouvel article 26.0.5 de la LTVQ prévoit que la valeur de la contrepartie de la fourniture est réputée correspondre au total des montants dont chacun représente la juste valeur marchande d'une partie de la ressource incorporelle ou la juste valeur marchande de l'utilisation d'une partie de cette ressource. Lorsque cette partie de la ressource est visée au paragraphe 1° du nouvel article 26.0.3 de la LTVQ et non au paragraphe 2° de ce nouvel article, la juste valeur marchande en cause est déterminée au moment mentionné à ce paragraphe, c'est-à-dire le moment de l'année d'imposition de la personne déterminée où la partie de la ressource a été utilisée hors du Canada dans le cadre de l'exploitation d'une entreprise déterminée de la personne. Si la partie de la ressource est visée au paragraphe 2° du nouvel article 26.0.3 de la LTVQ, la juste valeur marchande est déterminée le dernier jour de l'année d'imposition en cause. Dans un cas comme dans l'autre, la personne est réputée avoir payé la contrepartie le dernier jour de cette même année.

Selon le sous-paragraphe a du paragraphe 1° de l'article 26.0.5 de la LTVQ, si la ressource incorporelle d'une personne déterminée a fait l'objet d'une utilisation interne au cours de l'année d'imposition de la personne, celle-ci est réputée avoir mis à sa propre disposition hors du Canada un bien meuble incorporel dans le cadre de l'exploitation d'une entreprise au Québec par l'intermédiaire d'un établissement stable. Par conséquent, le bien que la personne est réputée avoir mis à sa propre disposition hors du Canada correspond à une ressource incorporelle en particulier. Aussi, pour le calcul du remboursement de la taxe sur les intrants en vertu du titre I de la LTVQ, la personne est réputée avoir acquis le bien dans le même but que celui dans lequel elle a acquis, consommé ou utilisé la ressource incorporelle correspondante.

Dès qu'elle remplit l'une des deux conditions énoncées au nouvel article 26.0.3 de la LTVQ relativement à une ressource incorporelle, la personne déterminée est réputée l'acquéreur de la fourniture hors du Canada d'un bien meuble incorporel à l'égard duquel elle est réputée avoir payé une contrepartie égale à la juste valeur marchande du bien le dernier jour de l'année d'imposition pour laquelle la condition est remplie. Si cette fourniture constitue une fourniture taxable, la personne déterminée est tenue de payer par autocotisation la taxe prévue à l'article 18 de la LTVQ au même titre que si elle avait reçu hors du Canada une fourniture taxable comparable d'un tiers pour consommation, utilisation ou fourniture au Québec.

Concordance fédérale: LTA, art. 220(5).

26. Fournitures entre établissements stables aux fins de l'article 18 — Pour l'application de l'article 18.0.1, dans le cas où une personne exploite une entreprise par l'intermédiaire de son établissement stable au Québec et d'un autre établissement stable hors du Québec, les règles suivantes s'appliquent :

1° tout transfert d'un bien meuble ou toute prestation d'un service par un établissement stable à l'autre établissement stable est réputé constituer une fourniture du bien ou du service;

2° à l'égard de cette fourniture, les établissements stables sont réputés être des personnes distinctes sans lien de dépendance;

3° la valeur de la contrepartie de cette fourniture est réputée égale à la juste valeur marchande de la fourniture au moment du transfert du bien ou de la prestation du service;

4° la contrepartie de cette fourniture est réputée être devenue due et avoir été payée par l'établissement stable auquel le bien a été transféré ou le service a été rendu — appelé « acquéreur » dans le présent paragraphe — à l'autre établissement stable à la fin de l'année d'imposition de l'acquéreur durant laquelle le bien a été transféré ou le service a été rendu.

L.Q. 2012, c. 8, art. 265.

Notes historiques: Le préambule de l'article 26 a été modifié par L.Q. 2012, c. 8, par. 265(1) par le remplacement de « des articles 18 et 18.0.1 » par « de l'article 18.0.1 ». Cette modification aura effet depuis le 1er juillet 1992.

Le préambule de l'article 26 a été remplacé par L.Q. 1997, c. 85, art. 433(1). Cette modification a effet depuis le 1er avril 1997.

Auparavant, ce préambule se lisait comme suit :

> 26. Pour l'application de l'article 18, dans le cas où une personne exploite une entreprise par l'intermédiaire de son établissement stable au Québec et d'un autre établissement stable hors du Québec, les règles suivantes s'appliquent :

Le paragraphe 3° de l'article 26 a été modifié par L.Q. 1994, c. 22, art. 376(1) et s'applique aux biens transférés et aux services rendus après le 14 septembre 1992. Il se lisait auparavant comme suit :

> 3° la valeur de la contrepartie de la fourniture est réputée égale :
>
> a) dans le cas où l'établissement stable qui effectue la fourniture est hors du Québec mais au Canada, à la juste valeur marchande du bien ou du service;
>
> b) dans le cas où l'établissement stable qui effectue la fourniture est hors du Canada, au montant qui est déterminé relativement à la fourniture aux fins du calcul du revenu des établissements stables en vertu de la *Loi sur les impôts* (L.R.Q., chapitre I-3), ou qui le serait si la personne était imposable en vertu de cette loi.

Le paragraphe 4° de l'article 26 a été ajouté par L.Q. 1994, c. 22, art. 376(1) et est réputé entré en vigueur le 1er juillet 1992.

L'article 26 a été édicté par L.Q. 1991, c. 67.

Notes explicatives ARQ (PL 63, L.Q. 2012, c. 8): *Résumé* :

La modification apportée à l'article 26 de la *Loi sur la taxe de vente du Québec* (LTVQ) vise à supprimer la référence à l'article 18 de la LTVQ.

Situation actuelle :

L'article 26 de la LTVQ établit que tout transfert d'un bien meuble ou d'un service entre un établissement stable situé hors du Québec et un établissement stable situé au Québec d'une même personne est réputé constituer une fourniture, et ce, afin de permettre l'application de la taxe prévue aux articles 18 et 18.0.1 de cette loi.

Modifications proposées :

La modification apportée à l'article 26 de la LTVQ vise à supprimer la référence à l'article 18 de la LTVQ compte tenu de l'introduction à la LTVQ des nouveaux articles 26.0.1 à 26.0.5 dans le cadre du présent projet de loi.

Définitions [art. 26]: « année d'imposition », « bien », « contrepartie », « entreprise », « établissement stable », « fourniture », « montant », « personne », « service » — 1.

Renvois [art. 26]: 15 (JVM); 25 (fournitures entre établissements stables); 27 (convention portant sur une fourniture).

Concordance fédérale: LTA, art. 220.

26.1 « établissement stable » — Pour l'application des articles 25 à 26.0.5, l'expression « établissement stable » a le sens que lui donne l'article 11.2 dans le cas où une personne réside au Québec autrement qu'en raison de l'article 12.

L.Q. 2012, c. 8, art. 267.

Notes historiques: L'article 26.1 a été remplacé par L.Q. 2012, c. 8, par. 267(1) et cette modification a effet depuis le 1er avril 1997. Antérieurement, il se lisait ainsi :

> 26.1 Pour l'application des articles 25 et 26, l'expression « établissement stable » a le sens que lui donne l'article 11.2 dans le cas où une personne réside au Québec autrement qu'en raison de l'article 12.

L'article 26.1 a été ajouté par L.Q. 1997, c. 85, art. 434(1) et a effet depuis le 1er avril 1997.

Notes explicatives ARQ (PL 63, L.Q. 2012, c. 8): *Résumé* :

L'article 26.1 de la *Loi sur la taxe de vente du Québec* (LTVQ) est modifié afin d'y ajouter une référence aux nouveaux articles 26.0.1 à 26.0.5 de la LTVQ.

Situation actuelle :

L'article 26.1 de la LTVQ prévoit que dans le cas où une personne réside au Québec autrement qu'en raison de l'article 12 de la LTVQ, l'expression « établissement stable » utilisée dans les articles 25 et 26 de la LTVQ a le sens que lui donne l'article 11.2 de la LTVQ.

Modifications proposées :

L'article 26.1 de la LTVQ est modifié afin d'y ajouter une référence aux nouveaux articles 26.0.1 à 26.0.5 de la LTVQ afin que l'expression « établissement stable » utilisée dans ces nouveaux articles ait le sens que lui donne l'article 11.2 de la LTVQ dans le cas où une personne réside au Québec autrement qu'en raison de l'article 12 de la LTVQ.

Définitions [art. 26.1]: « personne », « établissement stable » — 11.2.

Concordance fédérale: LTA, art. 132.1(2).

26.2 Pour l'application du présent article et des articles 26.3 à 26.5, l'expression :

« année déterminée » d'une personne signifie :

1° dans le cas d'une personne visée à l'un des paragraphes 1° et 1.1° de la définition de l'expression « année d'imposition » prévue à l'article 1, son année d'imposition;

2° dans le cas d'une personne qui est un inscrit, autre qu'une personne visée au paragraphe 1°, son exercice;

3° dans les autres cas, l'année civile;

« contrepartie admissible »

« contrepartie admissible » a le sens que donne à cette expression l'article 217 de la *Loi sur la taxe d'accise* (L.R.C. 1985, c. E-15);

« contribuable admissible »

« contribuable admissible » a le sens que donne à cette expression le paragraphe 1 de l'article 217.1 de la *Loi sur la taxe d'accise*;

« établissement admissible »

« établissement admissible » désigne un établissement stable au sens du paragraphe 1 de l'article 123 de la *Loi sur la taxe d'accise* ou au sens du paragraphe 2 de l'article 132.1 de cette loi;

« frais externes »

« frais externes » a le sens que donne à cette expression l'article 217 de la *Loi sur la taxe d'accise*;

« service admissible »

« service admissible » désigne tout service ou tout acte accompli par un salarié relativement à sa charge ou à son emploi.

Pour l'application de la définition de l'expression « service admissible » prévue au premier alinéa, un salarié comprend un particulier qui accepte de devenir un salarié.

2012, c. 28, art. 42.

Notes historiques: L'article 26.2 a été ajouté par L.Q. 2012, c. 28, par. 42(1) et s'applique à une année déterminée d'une personne qui se termine après le 31 décembre 2012.

Notes explicatives ARQ (PL 5, L.Q. 2012, c. 28): *Résumé* :

Le nouvel article 26.2 comprend des définitions qui s'appliquent également aux articles 26.3 à 26.5 de la LTVQ qui concernent des dépenses engagées ou effectuées hors du Canada par une institution financière ou des frais découlant d'opérations d'une institution financière avec une succursale située hors du Canada.

Contexte :

Les nouveaux articles 26.2 à 26.5 sont introduits afin de préciser dans quelles circonstances la taxe applicable relativement à des dépenses effectuées par une institution financière hors du Canada ou à des frais découlant d'opérations d'une institution financière avec une succursale située hors du Canada doit être établie par autocotisation en vertu de l'article 18 de cette loi.

Modifications proposées :

Le nouvel article 26.2 introduit les définitions nécessaires pour l'application des nouveaux articles 26.2 à 26.5 de la LTVQ, également introduits par le présent projet de loi.

La définition de l'expression « année déterminée » d'une personne varie selon que la personne est un contribuable ou une société de personnes, au sens de la *Loi sur les impôts* (L.Q., chapitre I-3) (LI), et selon qu'elle est un inscrit ou un non-inscrit. Cette expression désigne, dans le cas où la personne est un contribuable au sens de la LI, autre qu'une personne non constituée en société qui est exonérée d'impôt de la partie I de la LI, conformément au livre VIII de cette partie I, son année d'imposition pour l'application de cette loi. L'année déterminée d'une personne désigne, dans le cas d'une société de personnes, généralement son exercice financier, lorsque l'un de ses membres est soit un particulier, autre qu'un particulier exonéré d'impôt ou qu'une fiducie testamentaire, soit une société professionnelle, soit une autre société de personnes dont l'un des membres est un tel particulier ou une telle société. Dans tous les autres cas, l'année déterminée d'une personne correspond à l'année civile.

L'expression « contrepartie admissible » a le sens que lui donne l'article 217 de la *Loi sur la taxe d'accise* (L.R.C. (1985), chapitre E-15) (LTA). Essentiellement, le montant d'une contrepartie admissible est le montant d'une dépense engagée ou effectuée hors du Canada, laquelle dépense donne droit à une déduction, à une allocation ou à une répartition au titre d'une provision en vertu de la *Loi de l'impôt sur le revenu* (L.R.C. (1985), chapitre 1, 5e supplément) (LIR), ou y donnerait droit si le revenu du contribuable admissible était calculé conformément à la LIR, si le contribuable exploitait une entreprise au Canada et si la LIR s'appliquait à lui. De plus, le montant de la dépense engagée ou effectuée hors du Canada doit pouvoir être raisonnablement considéré comme se rapportant à une activité au Canada du contribuable admissible.

L'expression « contribuable admissible » tout au long d'une année déterminée a le sens que donne à cette expression le paragraphe 1 de l'article 217.1 de la LTA. Cette expression désigne donc une personne qui est une institution financière au cours de cette année et qui soit réside au Canada, soit a un établissement admissible au Canada, soit exerce, pratique ou mène des activités au Canada, dans le cas où une majorité de personnes ayant la propriété effective de ses biens au Canada résident au Canada.

L'expression « établissement admissible » désigne un établissement stable soit au sens du paragraphe 1 de l'article 123 de la LTA, soit au sens du paragraphe 2 de l'article 132.1 de la LTA. Cette expression comprend ainsi un lieu fixe d'affaires d'une personne donnée, et, dans certaines circonstances, le lieu fixe d'affaires d'une autre personne, par l'intermédiaire duquel la personne donnée effectue des fournitures. Cette expression désigne également un établissement stable, au sens du paragraphe 2 de l'article 132.1 de la LTA qui fait référence aux définitions du Règlement de l'impôt sur le revenu édicté en vertu de la LIR qui servent à l'attribution du revenu imposable, conformément à la LIR, aux provinces.

L'expression « frais externes » a le sens que lui donne l'article 217 de la LTA. Essentiellement, les frais externes s'entendent d'une dépense qu'un contribuable admissible engage ou effectue en vue d'acquérir un bien ou un service qui est utilisé dans le cadre de ses activités au Canada, au sens que donne à l'expression « activité au Canada » cet article 217. Notons que la détermination des frais externes est utile pour l'application du nouvel article 26.3 de la LTVQ, lequel s'applique lorsqu'un contribuable admissible a fait le choix prévu à l'article 217.2 de la LTA et que ce choix est en vigueur pour l'application de la LTA.

Enfin, l'expression « service admissible » s'entend de tout service ou tout acte accompli par un salarié relativement à sa charge ou à son emploi. Le deuxième alinéa de l'article 26.2 de la LTVQ élargit le sens donné au mot « salarié » pour comprendre un particulier qui accepte de devenir un salarié.

Concordance fédérale: aucune.

26.3 Un contribuable admissible qui réside au Québec et qui a fait le choix visé au paragraphe 1 de l'article 217.2 de la *Loi sur la taxe d'accise* (L.R.C. 1985, c. E-15), est réputé l'acquéreur d'une fourniture taxable, au cours d'une année déterminée du contribuable, pour autant que ce choix soit en vigueur pour l'application de cette loi pour l'année déterminée, dont la valeur de la contrepartie est réputée égale au montant déterminé selon la formule suivante :

$$A + B.$$

Pour l'application de la formule prévue au premier alinéa :

1° la lettre A représente le total des montants dont chacun représente le produit obtenu en multipliant un montant de frais internes pour l'année déterminée qui est supérieur à zéro par le pourcentage qui représente la mesure dans laquelle le montant de frais internes est attribuable à des dépenses qui ont été engagées ou effectuées en vue de la consommation, de l'utilisation ou de la fourniture de tout ou partie d'un service admissible ou d'un bien, relativement auquel le montant de frais internes est attribuable, dans le cadre d'une activité que le contribuable exerce, pratique ou mène au Québec;

2° la lettre B représente le total des montants dont chacun représente le produit obtenu en multipliant un montant de frais externes pour l'année déterminée qui est supérieur à zéro par le pourcentage qui représente la mesure dans laquelle la totalité ou la partie de la dépense qui correspond au montant de frais externes a été engagée ou effectuée en vue de la consommation, de l'utilisation ou de la fourniture de tout ou partie d'un service admissible ou d'un bien, relativement auquel le montant de frais externes est attribuable, dans le cadre d'une activité que le contribuable exerce, pratique ou mène au Québec.

LTVQ (français)

Pour l'application du présent article, est un montant de frais internes un montant à l'égard duquel les conditions prévues au paragraphe 4 de l'article 217.1 de la *Loi sur la taxe d'accise* sont satisfaites.

2012, c. 28, art. 42.

Notes historiques: L'article 26.3 a été ajouté par L.Q. 2012, c. 28, par. 42(1) et s'applique à une année déterminée d'une personne qui se termine après le 31 décembre 2012.

Notes explicatives ARQ (PL 5, L.Q. 2012, c. 28): *Résumé* :

Le nouvel article 26.3 comprend une présomption selon laquelle un contribuable admissible, essentiellement une institution financière, qui réside au Québec est réputé l'acquéreur d'une fourniture taxable à laquelle fait référence le paragraphe 9° de l'article 18 de cette loi, aux fins d'appliquer les dispositions d'autocotisation, dont la valeur de la contrepartie est pondérée en fonction de la consommation, de l'utilisation ou de la fourniture d'un bien ou d'un service dans le cadre d'activités exercées, pratiquées ou menées au Québec par le contribuable.

Contexte :

Voir la rubrique « Contexte » de la note explicative relative au nouvel article 26.2 de la LTVQ.

Modifications proposées :

Le nouvel article 26.3 contient une présomption en vertu de laquelle un contribuable admissible, au sens de l'article 26.2 de cette loi, est réputé l'acquéreur d'une fourniture taxable effectuée au Québec aux fins des règles d'autocotisation prévues à l'article 18 de la LTVQ, et, plus précisément, au paragraphe 9° de cet article 18. L'article 26.3 de la LTVQ s'applique, relativement à une année déterminée d'un contribuable admissible, lorsque le contribuable a fait le choix prévu au paragraphe 1 de l'article 217.2 de la *Loi sur la taxe d'accise* (L.R.C. (1985), chapitre E-15) (LTA), et que ce choix est en vigueur pour l'année déterminée pour l'application de la LTA.

De plus, pour être visé par la présomption prévue à l'article 26.3 de la LTVQ, le contribuable admissible doit résider au Québec. Sommairement, l'article 26.3 de la LTVQ fait alors en sorte qu'un tel contribuable est réputé l'acquéreur d'une fourniture taxable assujettie à l'article 18 de cette loi — soit aux règles d'autocotisation — dont la valeur de la contrepartie est réputée égale au résultat obtenu par la formule A + B.

Ainsi, le contribuable est tenu d'analyser chaque montant relatif à un montant de frais internes ou de frais externes pour l'année qui est supérieur à zéro et, par la suite, de calculer la TVQ sur une certaine proportion de ces montants.

Pour ce faire, le contribuable doit faire le total des montants dont chacun représente le produit obtenu en multipliant un montant de frais internes pour l'année déterminée qui est supérieur à zéro par le pourcentage qui représente la mesure dans laquelle ce montant est attribuable à des dépenses qui ont été engagées ou effectuées en vue de la consommation, de l'utilisation ou de la fourniture de tout ou partie d'un service admissible ou d'un bien, relativement auquel le montant de frais internes est attribuable, dans le cadre d'une activité que le contribuable exerce, pratique ou mène au Québec (lettre A de la formule). Puis, il doit faire un exercice similaire pour les frais externes en faisant le total des montants dont chacun représente le produit obtenu en multipliant un montant de frais externes pour l'année déterminée qui est supérieur à zéro par le pourcentage qui représente la mesure dans laquelle la totalité ou la partie de la dépense qui correspond au montant de frais externes a été engagée ou effectuée en vue de la consommation, de l'utilisation ou de la fourniture de tout ou partie d'un service admissible ou d'un bien, relativement auquel le montant de frais externes est attribuable, dans le cadre d'une activité que le contribuable exerce, pratique ou mène au Québec (lettre B de la formule).

Toutefois, si aucun choix en vertu du paragraphe 1 de l'article 217.2 de la LTA n'a été fait, ou si un tel choix n'est pas en vigueur pour l'application de la LTA pour l'année déterminée, le contribuable est réputé l'acquéreur d'une fourniture taxable visée également au paragraphe 9° de l'article 18 de la LTVQ, mais la valeur de la contrepartie de cette fourniture taxable réputée est calculée conformément à l'article 26.4 de la LTVQ.

Enfin, le troisième alinéa de l'article 26.3 précise qu'un montant de frais internes est un montant déterminé conformément au paragraphe 4 de l'article 217.1 de la LTA. Sommairement, toute partie d'un montant relatif à des opérations ou rapports entre un établissement donné d'un contribuable admissible situé au Canada et un autre de ses établissements situés dans un pays étranger constitue un montant de frais internes, pour autant que ce montant serait déductible, directement ou sous forme d'allocation ou de réserve, en vertu de la *Loi de l'impôt sur le revenu* (Lois révisées du Canada (1985), chapitre 1, 5e supplément), dans le calcul du revenu de l'établissement donné si cette loi s'appliquait à l'établissement donné. Soulignons que les frais internes ne sont pris en considération, pour les fins de l'obligation d'autocotisation d'un contribuable admissible, que s'il a fait le choix prévu à l'article 217.2 de la LTA. La notion de « frais internes » est également pertinente pour l'application du nouvel article 279.3 de la LTVQ, introduit par le présent projet de loi, lequel prévoit des règles pour le calcul du remboursement de la taxe sur les intrants auquel le contribuable peut avoir droit relativement à la taxe payée sur cette fourniture réputée.

Concordance fédérale: aucune.

Concordance fédérale: aucune.

Concordance fédérale: aucune.

26.4 Un contribuable admissible qui réside au Québec et qui n'est pas visé à l'article 26.3 pour une année déterminée du contribuable est réputé l'acquéreur d'une fourniture taxable, au cours de l'année déterminée, dont la valeur de la contrepartie est réputée égale au total des montants dont chacun représente le produit obtenu en multipliant un montant de contrepartie admissible pour l'année déterminée qui est supérieur à zéro par le pourcentage qui représente la mesure dans laquelle la totalité ou une partie de la dépense qui correspond au montant de contrepartie admissible a été engagée ou effectuée en vue de la consommation, de l'utilisation ou de la fourniture de tout ou partie d'un service admissible ou d'un bien, relativement auquel le montant de contrepartie admissible est attribuable, dans le cadre d'une activité que le contribuable exerce, pratique ou mène au Québec.

2012, c. 28, art. 42.

Notes historiques: L'article 26.4 a été ajouté par L.Q. 2012, c. 28, par. 42(1) et s'applique à une année déterminée d'une personne qui se termine après le 31 décembre 2012.

Notes explicatives ARQ (PL 5, L.Q. 2012, c. 28): *Résumé* :

Le nouvel article 26.4 comprend une présomption selon laquelle un contribuable admissible, essentiellement une institution financière, qui réside au Québec est réputé l'acquéreur d'une fourniture taxable à laquelle fait référence le paragraphe 9° de l'article 18 de cette loi, aux fins d'appliquer les dispositions d'autocotisation, dont la valeur de la contrepartie est pondérée en fonction de la consommation, de l'utilisation ou de la fourniture d'un bien ou d'un service dans le cadre d'activités exercées, pratiquées ou menées au Québec par le contribuable.

Contexte :

Voir la rubrique « Contexte » de la note explicative relative au nouvel article 26.2 de la LTVQ.

Modifications proposées :

Le nouvel article 26.4 contient une présomption en vertu de laquelle un contribuable admissible, au sens de l'article 26.2 de cette loi, est réputé l'acquéreur d'une fourniture taxable aux fins des règles d'autocotisation prévues à l'article 18 de la LTVQ, et, plus précisément, au paragraphe 9° de cet article 18. L'article 26.4 de la LTVQ s'applique, relativement à une année déterminée d'un contribuable admissible, lorsqu'aucun choix en vertu du paragraphe 1 de l'article 217.2 de la *Loi sur la taxe d'accise* (L.R.C. (1985), chapitre E-15) (LTA) n'est en vigueur pour l'année déterminée.

De plus, pour être visé par la présomption prévue à l'article 26.4, le contribuable admissible doit résider au Québec. Sommairement, l'article 26.4 de la LTVQ fait alors en sorte qu'un tel contribuable est réputé l'acquéreur d'une fourniture taxable assujettie à l'article 18 de cette loi — soit aux règles d'autocotisation — dont la valeur de la contrepartie est réputée égale au total des montants dont chacun est le produit obtenu en multipliant un montant de contrepartie admissible pour l'année déterminée qui est supérieur à zéro par le pourcentage qui représente la mesure dans laquelle la totalité ou une partie de la dépense qui correspond au montant de contrepartie admissible a été engagée ou effectuée en vue de la consommation, de l'utilisation ou de la fourniture de tout ou partie d'un service admissible ou d'un bien, relativement auquel le montant de contrepartie admissible est attribuable, dans le cadre d'une activité que le contribuable exerce, pratique ou mène au Québec.

Toutefois, si un choix en vertu du paragraphe 1 de l'article 217.2 de la LTA a été fait et que ce choix est en vigueur pour l'application de la LTA pour l'année déterminée, le contribuable est réputé l'acquéreur d'une fourniture taxable visée également au paragraphe 9° de l'article 18 de la LTVQ, mais la valeur de la contrepartie de cette fourniture taxable réputée est calculée conformément à l'article 26.3 de la LTVQ.

26.5 Malgré les articles 11 et 11.1 et pour l'application des articles 26.3 et 26.4, un contribuable admissible est réputé résider au Québec à un moment donné si, à ce moment :

1° soit il a un établissement admissible au Québec;

2° soit il réside au Canada et est l'une des personnes suivantes :

a) une société constituée ou continuée exclusivement en vertu de la législation du Québec;

b) un club, une association, un organisme non constitué en société, une société de personnes, ou une succursale de l'un de ceux-ci, dont la majorité des membres en ayant la gestion et le contrôle résident au Québec;

c) une fiducie qui exerce au Québec des activités à ce titre et qui y a un bureau ou une succursale.

2012, c. 28, art. 42.

Notes historiques: L'article 26.5 a été ajouté par L.Q. 2012, c. 28, par. 42(1) et s'applique à une année déterminée d'une personne qui se termine après le 31 décembre 2012.

Notes explicatives ARQ (PL 5, L.Q. 2012, c. 28): *Résumé* :

Le nouvel article 26.5 comprend une présomption selon laquelle un contribuable admissible, essentiellement une institution financière, est réputé résider au Québec, et ce, en vue de déterminer si le contribuable est réputé l'acquéreur d'une fourniture taxable, par suite de dépenses ou de frais engagés hors du Canada qui se rapportent à ses activités menées au Québec, relativement à laquelle il doit s'autocotiser.

Contexte :

Voir la rubrique « Contexte » de la note explicative relative au nouvel article 26.2 de la LTVQ.

Modifications proposées :

Le nouvel article 26.5 contient une présomption en vertu de laquelle un contribuable admissible, au sens de l'article 26.2 de la LTVQ, est réputé résider au Québec. L'article 26.5 de la LTVQ prévoit des règles qui permettent de déterminer les circonstances dans lesquelles un contribuable admissible est réputé résider au Québec pour l'application des articles 26.3 et 26.4 de cette loi.

Ainsi, un contribuable admissible est réputé résider au Québec s'il remplit les conditions énoncées à l'un des paragraphes 1° et 2° de l'article 26.5 de la LTVQ. En vertu de ce paragraphe 1°, un contribuable admissible est réputé résider au Québec s'il y a un établissement admissible, au sens de l'article 26.2 de la LTVQ, peu importe son lieu de résidence réelle.

Le paragraphe 2° de l'article 26.5 ne s'applique que si le contribuable admissible réside au Canada et s'il est l'une des personnes suivantes :

— une société qui est constituée ou continuée en vertu de la législation du Québec;

— un club, une association, une société de personnes, un organisme non constitué en société, y compris une succursale de l'un de ceux-ci, dont la majorité des membres en ayant le contrôle et la gestion résident au Québec;

— une fiducie qui exerce des activités à ce titre au Québec et qui y a un bureau ou une succursale.

27. Convention visant à procurer un bien ou un service — Dans le cas où une convention relative à la délivrance d'un bien ou à la prestation d'un service est conclue, les règles suivantes s'appliquent :

1° la conclusion de la convention est réputée constituer une fourniture du bien ou du service effectuée au moment où la convention est conclue;

2° la délivrance du bien ou la prestation du service en vertu de la convention est réputée faire partie de la fourniture visée au paragraphe 1° et ne pas constituer une fourniture distincte.

Notes historiques: L'article 27 a été édicté par L.Q. 1991, c. 67.

Définitions [art. 27]: « bien », « fourniture », « service » — 1.

Renvois [art. 27]: 141 (fourniture d'un bien meuble ou d'un service par une institution publique).

Bulletins d'interprétation [art. 27]: TVQ. 51-1 — Contrepartie sous forme de biens ou de services; TVQ. 82-3 — Contrats d'arrangements préalables de services funéraires.

Lettres d'interprétation [art. 27]: 98-0108633 — Interprétation relative à la TPS et à la TVQ — Droit aux CTI et aux RTI à l'égard des coûts de construction d'un immeuble; 00-0112086 — Interprétation relative à la TPS et à la TVQ — Fourniture par vente d'un véhicule et « contre-lettre ».

Concordance fédérale: LTA, art. 133.

COMMENTAIRES: L'article 27 prévoit que la fourniture objet d'une convention est réputée effectuée à la date de conclusion de la convention. La livraison du bien ou la prestation du service aux termes de la convention est réputée faire partie de la fourniture et ne pas constituer une fourniture distincte. Conséquemment, dans la présente situation soumise à Revenu Québec, le constructeur ne peut demander un remboursement de la taxe sur les intrants à l'égard du service d'aménagement paysager de l'immeuble d'habitation pour sa dernière période de déclaration commençant avant le moment où il a cessé d'être un inscrit puisque, bien que la TVQ soit payable relativement à un service qui lui a été fourni avant le moment où il a cessé d'être un inscrit, le service ne lui a pas été fourni pour utilisation dans le cadre de ses activités commerciales. Voir notamment à cet effet : Revenu Québec, Lettre d'interprétation, 98-0108633 — *Interprétation relative à la TPS et à la TVQ — Droit aux CTI et aux RTI à l'égard des coûts de construction d'un immeuble* (23 novembre 1999).

Compte tenu de la similarité de la rédaction des dispositions législatives et considérant l'engagement spécifique de Revenu Québec de veiller à ce que l'assiette de TVQ modifiée, de même que les paramètres administratifs, structurels et définitionnels, produisent des résultats qui sont similaires à ceux produits sous le régime de la TPS/TVH et soient administrés d'une manière qui produit des résultats similaires, tel que reflété par l'article 14 de l'*Entente intégrée globale de coordination fiscale* signée entre le gouvernement du Canada et le gouvernement du Québec, nous vous référons à nos commentaires en vertu de l'article 133 de la *Loi sur la taxe d'accise (TPS)* qui devraient s'appliquer *mutatis mutandis*, avec les adaptations nécessaires.

28. Transfert d'un bien ou d'un droit à titre de garantie — Dans le cas où, en vertu d'une convention conclue à l'égard d'une dette ou d'une obligation, une personne transfère un bien ou un droit dans un bien afin de garantir le paiement de la dette ou l'exécution de l'obligation, le transfert est réputé ne pas constituer une fourniture.

Exécution de l'obligation — Dans le cas où, soit lors du paiement de la dette ou de l'exécution de l'obligation, soit lors de l'extinction de la dette ou de l'obligation, le bien ou le droit est transféré à nouveau, ce nouveau transfert est réputé ne pas constituer une fourniture.

Notes historiques: L'article 28 a été édicté par L.Q. 1991, c. 67.

Définitions [art. 28]: « bien », « fourniture », « personne » — 1.

Renvois [art. 28]: 320 (saisie ou reprise de possession).

Bulletin d'interprétation [art. 28]: TVQ. 198-1/R1 — Services rendus par un concessionnaire d'automobiles en vue d'obtenir du financement.

Concordance fédérale: LTA, art. 134.

COMMENTAIRES: À titre illustratif, dans le cadre d'une vente avec faculté de rachat, un bien est transféré par un consommateur afin de garantir le paiement d'une dette aux termes d'une convention concernant la dette. Ainsi, le transfert du bien effectué par le consommateur à Compagnie A ou Compagnie B ne constitue pas une fourniture de sorte qu'aucune taxe n'est payable par ces dernières. Selon l'article 28, le retour du bien ou du droit, une fois la dette payée ou remise ou l'obligation exécutée ou remise, est réputé ne pas constituer une fourniture. Ainsi, lorsque le consommateur reprend son bien à l'expiration du délai de rachat, le retour du bien ne constitue pas une fourniture. En ce qui concerne le montant payé par le consommateur pour reprendre son bien, il est considéré comme étant le paiement d'un intérêt, lequel constitue la fourniture d'un service financier exonérée. Par conséquent, Compagnie A et Compagnie B n'ont pas de TVQ à percevoir sur le montant payé par le consommateur pour reprendre le bien que ce dernier leur a auparavant transféré. Voir notamment à cet effet: Revenu Québec, Lettre d'interprétation, 96-0101525 — *Fourniture par vente — fourniture par service de prêt sur gage* (16 août 1996).

Compte tenu de la similarité de la rédaction des dispositions législatives et considérant l'engagement spécifique de Revenu Québec de veiller à ce que l'assiette de TVQ modifiée, de même que les paramètres administratifs, structurels et définitionnels, produisent des résultats qui sont similaires à ceux produits sous le régime de la TPS/TVH et soient administrés d'une manière qui produit des résultats similaires, tel que reflété par l'article 14 de l'*Entente intégrée globale de coordination fiscale* signée entre le gouvernement du Canada et le gouvernement du Québec, nous vous référons à nos commentaires en vertu de l'article 134 de la *Loi sur la taxe d'accise (TPS)* qui devraient s'appliquer *mutatis mutandis*, avec les adaptations nécessaires.

29. Parrainage d'un organisme du secteur public — Dans le cas où un organisme du secteur public fournit, à une personne qui parraine une activité de l'organisme, soit un service, soit l'utilisation par licence d'un droit d'auteur, d'une marque de commerce, d'un nom commercial ou d'un autre bien semblable de l'organisme, pour être utilisé par la personne exclusivement pour faire la promotion de l'entreprise de celle-ci, la fourniture par l'organisme du service ou de l'utilisation du bien est réputée ne pas constituer une fourniture.

Exception — Le présent article ne s'applique pas s'il est raisonnable de considérer que la contrepartie de la fourniture est relative principalement soit à un service de publicité à la radio ou à la télévision ou dans un journal, une revue ou un autre périodique, soit à un service prescrit.

Notes historiques: Le premier alinéa de l'article 29 a été remplacé par L.Q. 1997, c. 85, art. 435(1) et cette modification s'applique à l'égard d'une fourniture effectuée après le 30 septembre 1992. Auparavant, il se lisait ainsi :

> 29. Dans le cas où un organisme de services publics fournit, à une personne qui parraine une activité de l'organisme, soit un service, soit l'utilisation par licence d'un droit d'auteur, d'une marque de commerce, d'un nom commercial ou d'un autre bien semblable de l'organisme, pour être utilisé par la personne exclusivement pour faire la promotion de l'entreprise de celle-ci, la fourniture par l'organisme du service ou de l'utilisation du bien est réputée ne pas constituer une fourniture.

L'article 29 a été édicté par L.Q. 1991, c. 67.

Guides [art. 29]: IN-229 — La TVQ, la TPS/TVH pour les organismes sans but lucratif.

Définitions [art. 29]: « bien », « contrepartie », « entreprise », « fourniture », « organisme de services publics »,« personne », « service » — 1.

Renvois [art. 29]: 51 (valeur de la contrepartie); 677:9° (règlements).

Lettres d'interprétation [art. 29]: 95-0112375 — Interprétation relative à la TPS — Interprétation relative à la TVQ — Parrainage d'un organisme du secteur public; 97-0102422 — Interprétation relative à la TPS — Interprétation relative à la TVQ — Parrainage; 97-0102885 — Entente de partage de coûts et de tâches pour la réalisation d'un

LTVQ (français)

projet; 97-0103735 — Fiducie au profit d'un athlète amateur; 00-0102731 — Interprétation relative à la TPS et à la TVQ — Remise d'un véhicule automobile à une corporation pour un tirage; 04-0106254 — Interprétation relative à la TVQ — parrainage de tournois de hockey ou de baseball ôrganisés par OSBL]; 05-0105352 — Interprétation relative à la TPS et à la TVQ — programmes d'achat de produits et de services; 05-0105832 — Interprétation relative à la TPS et à la TVQ — montant versé à titre de parrainage.

Concordance fédérale: LTA, art. 135.

COMMENTAIRES: À titre illustratif, lorsque l'organisme reçoit la somme de 5 000 $ d'une entreprise et lui permet en contrepartie d'installer des banderoles sur le site, lui accorde une page publicitaire dans le programme souvenir, lui octroie le privilège d'effectuer un lancer protocolaire et lui permet de distribuer dans la foule du matériel promotionnel, ces divers services fournis par l'organisme sont réputés ne pas être une fourniture. Par contre, si l'organisme qui reçoit ce montant fournit à l'entreprise, outre le service promotionnel, des billets d'admission, l'organisme doit alors percevoir la TPS sur la portion du montant reçu qui correspond à la contrepartie de la fourniture des droits d'entrée lorsque la fourniture est taxable. S'agissant ici de la fourniture, effectuée par un organisme à but non lucratif, du droit d'être spectateur à un évènement sportif, une telle fourniture est toutefois exonérée, les conditions de l'exonération étant satisfaites. Voir notamment à cet effet : Revenu Québec, Lettre d'interprétation, 04-0106254 — *Interprétation relative à la TVQ — Parrainage de tournois de hockey ou de baseball* (22 décembre 2004). Voir également au même effet : Revenu Québec, Lettre d'interprétation, 05-0105832 — *Interprétation relative à la TPS et à la TVQ — Montant versé à titre de parrainage* (13 février 2006).

Afin de déterminer si la contrepartie vise principalement un service de publicité à la télévision ou à la radio ou dans un journal, un magazine ou un autre périodique, Revenu Québec considère notamment les facteurs suivant : (i) la valeur relative du service de publicité en comparaison de la valeur du véhicule; (ii) la nature (le contenu et le format) et la portée de la publicité qui est fournie; et (iii) les termes et les conditions spécifiques de l'entente conclue entre la personne qui parraine l'activité (fabricant ou concessionnaire) et la société. Cette détermination demeure cependant une question de fait qui doit être analysée à la lumière des circonstances propres à chaque cas. Voir notamment à cet effet : Revenu Québec, Lettre d'interprétation, 00-0102731 — *Interprétation relative à la TPS et à la TVQ — Remise d'un véhicule automobile à une corporation pour un tirage* (2 février 2001).

Revenu Québec souligne qu'il est important que le service rendu par l'organisme serve exclusivement (90 % ou plus) à rendre un service de publicité à la personne qui parraine afin que la fourniture du service de publicité puisse bénéficier de la présomption prévue par l'article 29. Bien qu'aucune TVQ ne soit payable relativement à la fourniture du service de publicité, l'organisme doit cependant percevoir la TVQ à l'égard des autres fournitures qui demeurent taxables. Ainsi, si la considération reçue par l'organisme pour l'ensemble des fournitures correspond à un montant unique, l'organisme doit percevoir la TVQ sur la portion du montant qui correspond aux autres fournitures. Voir notamment à cet effet : Revenu Québec, Lettre d'interprétation, 97-0102422 [B] — *Interprétation relative à la TPS — Interprétation relative à la TVQ — Parrainage* (24 novembre 1999).

Compte tenu de la similarité de la rédaction des dispositions législatives et considérant l'engagement spécifique de Revenu Québec de veiller à ce que l'assiette de TVQ modifiée, de même que les paramètres administratifs, structurels et définitionnels, produisent des résultats qui sont similaires à ceux produits sous le régime de la TPS/TVH et soient administrés d'une manière qui produit des résultats similaires, tel que reflété par l'article 14 de l'*Entente intégrée globale de coordination fiscale* signée entre le gouvernement du Canada et le gouvernement du Québec, nous vous référons à nos commentaires en vertu de l'article 135 de la *Loi sur la taxe d'accise (TPS)* qui devraient s'appliquer *mutatis mutandis*, avec les adaptations nécessaires.

Non en vigueur — 29.1

29.1 Dans le cas où une fourniture est effectuée soit par le gouvernement du Québec ou l'un de ses ministères à un mandataire prescrit, soit par un tel mandataire à ce gouvernement, à l'un de ses ministères ou à un autre mandataire prescrit, la fourniture est réputée ne pas constituer une fourniture.

Application: L'articles 29.1 a été ajouté par L.Q. 2012, c. 28, par. 43(1) et s'appliquera à compter du 1er avril 2013.

30. Convention de louage d'un bien — La fourniture par louage, licence ou accord semblable de l'utilisation ou du droit d'utilisation d'un immeuble ou d'un bien meuble corporel est réputée constituer la fourniture d'un immeuble ou d'un bien meuble corporel, selon le cas.

Notes historiques: L'article 30 a été édicté par L.Q. 1991, c. 67.

Guides [art. 30]: IN-203 — Renseignements généraux sur la TVQ et la TPS/TVH.

Définitions [art. 30]: « bien », « bien meuble corporel », « fourniture » — 1.

Jurisprudence [art. 30]: *Groupe Collège Lasalle inc. c. Québec (Sous-ministre du Revenu)* (10 juin 2005), 500-09-010491-017, 2005 CarswellQue 3853 (C.A. Qué.); *Groupe Collège Lasalle inc. c. Québec (Sous-ministre du Revenu)* (29 novembre 2000), 500-02-060769-978, 2000 CarswellQue 3062.

Bulletins d'interprétation [art. 30]: TVQ. 16-20/R1 — La taxe de vente du Québec et les fournisseurs de services d'accès au réseau Internet.

Lettres d'interprétation [art. 30]: 98-0102933 — Décision portant sur l'application de la TPS — Interprétation relative à la TVQ — Amarrage à un ponton et choix de l'article 211; 98-0109078 — Interprétation relative à la TPS et à la TVQ — Contrepartie symbolique.

Concordance fédérale: LTA, par. 136(1).

COMMENTAIRES: Voir les commentaires sous l'article 32.1.

30.0.1 Fourniture d'un bien meuble par voie électronique — La fourniture d'un bien meuble délivré par voie électronique est réputée constituer la fourniture d'un bien meuble incorporel.

Notes historiques: L'article 30.0.1 a été ajouté par L.Q. 2002, c. 9, par. 154(1) et s'applique à l'égard d'une fourniture effectuée après le 29 mars 2001.

Concordance fédérale: aucune.

COMMENTAIRES: Voir les commentaires sous l'article 32.1.

30.1 [*Abrogé*]

Notes historiques: L'article 30.1 a été abrogé par L.Q. 1995, c. 63, art. 312(1) et s'applique à l'égard d'une fourniture effectuée après une date de prise d'effet fixée par décret du gouvernement [*N.D.L.R.* : la date de prise d'effet du 29 novembre 1996 a été remplacée par L.Q. 1997, c. 85, art. 772(1) pour se lire ainsi : « une date de prise d'effet fixée par décret du gouvernement ». Cette modification a effet depuis le 15 décembre 1995.]. L'article 30.1 avait été ajouté par L.Q. 1993, c. 19, art. 173 et s'appliquait à l'égard d'une fourniture ou d'un apport au Québec relativement auquel l'article 685 ou l'un des articles 618 à 656 de L.Q. 1991, c. 67 s'applique [*N.D.L.R.* : les articles 685 et 618 à 656 réfèrent à des dispositions transitoires concernant les transferts avant le 1er juillet 1992]. Il se lisait comme suit :

> 30.1 La fourniture d'une ligne de télécommunication par louage, licence ou accord semblable est réputée constituer la fourniture d'un service de télécommunication.

Bulletins d'interprétation [art. 30.1]: TVQ. 16-20/R1 — La taxe de vente du Québec et les fournisseurs de services d'accès au réseau Internet.

COMMENTAIRES: Voir les commentaires sous l'article 32.1.

31. Fourniture combinée d'immeubles — Dans le cas où la fourniture d'un immeuble comprend la délivrance d'un bien visé au paragraphe 1º du deuxième alinéa et d'un bien visé au paragraphe 2º de cet alinéa, les règles suivantes s'appliquent :

1º le bien visé au paragraphe 1º du deuxième alinéa et le bien visé au paragraphe 2º de cet alinéa sont réputés être des biens distincts;

2º la délivrance du bien visé au paragraphe 1º du deuxième alinéa et celle du bien visé au paragraphe 2º de cet alinéa sont réputées constituer des fournitures distinctes;

3º aucune des fournitures n'est accessoire à l'autre.

Biens visés — Les biens auxquels réfère le premier alinéa sont :

1º un immeuble qui est, selon le cas :

a) un immeuble d'habitation;

b) un fonds de terre, un bâtiment ou une partie de celui-ci qui fait partie ou qui est raisonnablement censé faire partie d'un immeuble d'habitation;

c) un terrain de caravaning résidentiel;

2º un autre immeuble qui ne fait pas partie d'un immeuble visé au paragraphe 1º.

Notes historiques: Les paragraphes 1º et 2º du deuxième alinéa de l'article 31 ont été remplacés par L.Q. 1997, c. 85, art. 436(1) et cette modification a effet depuis le 1er juillet 1992. Auparavant, les paragraphes 1º et 2º se lisaient ainsi :

> 1º un immeuble d'habitation ou un fonds de terre, un bâtiment ou une partie de celui-ci qui fait partie ou qui est raisonnablement censé faire partie d'un immeuble d'habitation;
>
> 2º un autre immeuble qui ne fait pas partie, et qui n'est pas raisonnablement censé faire partie, d'un immeuble d'habitation.

L'article 31 a été modifié par L.Q. 1994, c. 22, art. 377(1) et est réputé entré en vigueur le 1er janvier 1993.

L'article 31, édicté par L.Q. 1991, c. 67, se lisait comme suit :

31. Dans le cas où la fourniture d'un immeuble comprend la délivrance d'un immeuble d'habitation et d'un autre immeuble qui n'est pas une partie de l'immeuble d'habitation, les règles suivantes s'appliquent :

1° l'immeuble d'habitation et l'autre immeuble sont réputés être des biens distincts;

2° la délivrance de l'immeuble d'habitation et celle de l'autre immeuble sont réputées constituer des fournitures distinctes;

3° aucune des fournitures n'est accessoire à l'autre.

Guides: IN-261 — La TVQ, la TPS et les immeubles d'habitation (construction ou rénovation).

Définitions [art. 31]: « bien », « fourniture », « immeuble d'habitation » — 1.

Renvois [art. 31]: 31.1 (location combinée d'immeuble); 47 (immeuble d'habitation dans un immeuble).

Bulletins d'interprétation [art. 31]: TVQ. 31-1 — Fourniture combinée d'immeubles; TVQ. 176-2/R2 — La fourniture de lunettes et de lentilles cornéennes.

Lettres d'interprétation [art. 31]: 04-0107310 — Interprétation relative à la TVQ — article 99 de la *Loi sur la taxe de vente du Québec*.

Concordance fédérale: LTA, par. 136(2).

COMMENTAIRES: Voir les commentaires sous l'article 32.1.

31.1 [*Abrogé*]

Notes historiques: L'article 31.1 a été abrogé par L.Q. 1997, c. 85, art. 437(1) et cette abrogation a effet depuis le 1er avril 1997. Antérieurement, cet article se lisait ainsi :

31.1 Dans le cas où la fourniture d'un bien donné visé à l'article 99 est effectuée par louage, licence ou accord semblable, les règles prévues au deuxième alinéa s'appliquent si, à la fois :

1° la fourniture est effectuée pour une période durant laquelle le locataire ou tout sous-locataire effectue, ou détient le bien donné dans le but d'effectuer, une ou plusieurs fournitures visées aux paragraphes 1° et 2° de l'article 99;

2° la fourniture est effectuée pour une contrepartie qui comprend deux ou plusieurs paiements périodiques qui sont imputables à des intervalles successifs — appelés « intervalle de location » dans le présent article et dans l'article 99 — de la période pour laquelle la possession ou l'utilisation du bien donné est offerte en vertu de l'accord.

Les règles auxquelles réfère le premier alinéa sont les suivantes :

1° le fournisseur est réputé avoir effectué, et le locataire est réputé avoir reçu, une fourniture distincte du bien donné pour chaque intervalle de location;

2° le paiement périodique qui est imputable à un intervalle de location donné est réputé être une contrepartie payable à l'égard de la fourniture distincte du bien donné pour l'intervalle de location donné ou, dans le cas où l'article 31 s'applique au bien qui comprend le bien donné, la partie du paiement périodique qui peut raisonnablement être imputée au bien donné.

L'article 31.1 a été ajouté par L.Q. 1994, c. 22, art. 378(1) et est réputé entré en vigueur le 1er janvier 1993.

COMMENTAIRES: Voir les commentaires sous l'article 32.1.

32. Fourniture par vente d'un immeuble d'habitation à logements multiples et d'une adjonction — Dans le cas où un constructeur d'une adjonction à un immeuble d'habitation à logements multiples effectue la fourniture par vente de l'immeuble d'habitation ou d'un droit dans celui-ci qui, en faisant abstraction du présent article, serait une fourniture taxable et qui, en faisant abstraction de la construction de l'adjonction, serait une fourniture exonérée visée à l'article 97, les règles suivantes s'appliquent :

1° l'adjonction et le reste de l'immeuble d'habitation sont réputés être des biens distincts;

2° la vente de l'adjonction ou d'un droit dans celle-ci et celle du reste de l'immeuble d'habitation ou d'un droit dans celui-ci sont réputées constituer des fournitures distinctes;

3° aucune des fournitures n'est accessoire à l'autre.

Notes historiques: L'article 32 a été modifié par L.Q. 1994, c. 22, art. 379(1) et est réputé entré en vigueur le 1er juillet 1992. Antérieurement, il se lisait comme suit :

32. Dans le cas où la fourniture par vente d'un immeuble d'habitation à logements multiples par le constructeur d'une adjonction à l'immeuble d'habitation constitue une fourniture exonérée en vertu de l'article 97, mais que la partie de la fourniture qui est la fourniture de l'adjonction ne constitue pas une fourniture exonérée en vertu de cet article, les règles suivantes s'appliquent :

1° l'adjonction et le reste de l'immeuble d'habitation sont réputés être des biens distincts;

2° la vente de l'adjonction et celle du reste de l'immeuble sont réputées constituer des fournitures distinctes;

3° aucune des fournitures n'est accessoire à l'autre.

Guides [art. 32]: IN-203 — Renseignements généraux sur la TVQ et la TPS/TVH; IN-261 — La TVQ, la TPS et les immeubles d'habitation (construction ou rénovation); IN-307 — Le démarrage d'entreprise et la fiscalité.

Définitions [art. 32]: « bien », « constructeur », « fourniture », « fourniture exonérée », « fourniture taxable », « immeuble d'habitation à logements multiples », « vente » — 1.

Renvois [art. 32]: 47 (immeuble d'habitation dans un immeuble).

Bulletin d'interprétation [art. 32]: TVQ. 226-1/R1 — Fourniture à soi-même d'une adjonction à un immeuble d'habitation à logements multiples.

Concordance fédérale: LTA, par. 136(3).

COMMENTAIRES: Voir les commentaires sous l'article 32.1.

32.1 Fourniture d'un terrain de caravaning résidentiel et d'une superficie additionnelle — Dans le cas où une personne qui a augmenté la superficie du fonds de terre comprise dans son terrain de caravaning résidentiel — appelée « superficie additionnelle » dans le présent article — effectue la fourniture du terrain ou d'un droit dans celui-ci qui, en faisant abstraction du présent article, serait une fourniture taxable et qui, en faisant abstraction de la superficie additionnelle, serait une fourniture exonérée visée à l'article 97.3, les règles suivantes s'appliquent :

1° la superficie additionnelle et le reste du terrain sont réputés être des biens distincts;

2° la vente de la superficie additionnelle ou d'un droit dans celle-ci et celle du reste du terrain ou d'un droit dans celui-ci sont réputées constituer des fournitures distinctes;

3° aucune des fournitures n'est accessoire à l'autre.

Notes historiques: L'article 32.1 a été ajouté par L.Q. 1994, c. 22, art. 380(1) et est réputé entré en vigueur le 1er juillet 1992. Toutefois, il ne s'applique pas à la fourniture d'un terrain de caravaning résidentiel ou d'un droit dans celui-ci effectuée en vertu d'une convention écrite conclue avant le 6 novembre 1991.

Définitions [art. 32.1]: « fourniture », « fourniture taxable », « personne », « terrain de caravaning », « terrain de caravaning résidentiel » — 1.

Concordance fédérale: LTA, par. 136(4).

COMMENTAIRES: Dans l'affaire *Groupe Collège Lasalle inc. c. Québec (Sous-ministre du Revenu)*, 2000 CarswellQue 3062 (Cour du Québec), confirmé en appel par la Cour d'appel du Québec, 2005 CarswellQue 3853, 2005 QCCA 629 (Cour d'appel du Québec), il s'agit d'une décision où la requérante plaide que l'expression « fourniture d'un immeuble par louage, licence ou accord semblable » prévue aux articles 30 et 685 n'est pas définie en vertu de la *Loi sur la taxe de vente du Québec* et qu'en conséquence, il convient de lui donner un sens en faisant appel aux dispositions du droit civil québécois. Dans ce contexte, la Cour d'appel du Québec doit donc décider si la fourniture d'un immeuble par voie d'emphytéose peut être considérée comme une fourniture taxable d'immeuble par vente, donc exempte de taxation, selon l'article 619, ou si elle doit l'être comme la fourniture d'un immeuble par bail, licence ou accord semblable, selon l'article 30. À cet effet, la Cour d'appel du Québec a conclu que le sous-bail était visé par le troisième volet de l'article 30 et qui réfère à « un accord semblable de l'utilisation ou du droit d'utilisation d'un immeuble ». De l'avis de la Cour d'appel du Québec, il s'agit d'une définition très large, générale, voire même assez vague, mais il faut reconnaître que c'est celle qui convient le mieux pour qualifier le genre de convention conclue par les parties.

Revenu Québec a indiqué que le droit d'amarrer son bateau à un ponton de mouillage pour la saison constitue la fourniture de l'utilisation ou du droit d'utilisation d'un immeuble. En effet, au sens de l'article 30, la fourniture, par bail, licence ou accord semblable, de l'utilisation ou du droit d'utilisation d'un immeuble est réputée être une fourniture d'un tel bien. Suivant l'article 1851 du *Code civil du Québec*, « le louage, aussi appelé bail, est le contrat par lequel une personne, le locateur, s'engage envers une autre personne, le locataire, à lui procurer, moyennant un loyer, la jouissance d'un bien, meuble ou immeuble, pendant un certain temps. Le bail est à durée fixe ou indéterminée. » En droit civil, contrairement à ce qui prévaut en *common law*, le fait que la jouissance d'un bien soit accordée d'une manière exclusive ou pas ne change rien à la qualification du contrat. Les modalités du contrat peuvent différer, mais le contrat continuera à se qualifier à titre de contrat de louage. D'après les faits soumis, Revenu Québec est d'avis que l'usage saisonnier d'un ponton de mouillage constitue la fourniture par bail d'un immeuble pour une durée de plus d'un mois. Voir notamment à cet effet : Revenu Québec, Lettre d'interprétation, 98-0102933 — *Décision portant sur l'application de la TPS — Interprétation relative à la TVQ — Amarrage à un ponton et choix de l'article 211* (29 septembre 1998).

LTVQ (français)

Finalement, à titre illustratif, dans la situation d'une vente d'un immeuble constitué d'appartements (94 %) et de commerces (6 %), l'article 31 répute qu'il s'agit de deux fournitures séparées. La vente des appartements, est, règle générale, exonérée de la TVQ. La partie du prix de vente alloué à la partie commerciale est assujettie à la TVQ puisqu'il s'agit de la vente d'un immeuble dans le cadre d'activités commerciales. Ces conclusions restent inchangées même si la partie commerciale de l'immeuble est de moins de 10 % de l'utilisation de l'immeuble dans son entièreté, et ce, en vertu des articles 31 et 47.

Compte tenu de la similarité de la rédaction des dispositions législatives et considérant l'engagement spécifique de Revenu Québec de veiller à ce que l'assiette de TVQ modifiée, de même que les paramètres administratifs, structurels et définitionnels, produisent des résultats qui sont similaires à ceux produits sous le régime de la TPS/TVH et soient administrés d'une manière qui produit des résultats similaires, tel que reflété par l'article 14 de l'*Entente intégrée globale de coordination fiscale* signée entre le gouvernement du Canada et le gouvernement du Québec, nous vous référons à nos commentaires en vertu de l'article 136 de la *Loi sur la taxe d'accise (TPS)* qui devraient s'appliquer *mutatis mutandis*, avec les adaptations nécessaires.

32.2 Fourniture par louage, licence ou accord semblable et période de location — Dans le cas où la fourniture d'un bien est effectuée par louage, licence ou accord semblable à une personne pour une contrepartie qui comprend un paiement qui est attribuable à une période — appelée « période de location » dans le présent article — qui représente la totalité ou une partie de la période durant laquelle la possession ou l'utilisation du bien est offerte en vertu de l'accord, les règles suivantes s'appliquent :

1º le fournisseur est réputé avoir effectué, et la personne est réputée avoir reçu, une fourniture distincte du bien pour la période de location;

2º la fourniture du bien pour la période de location est réputée effectuée le premier en date des jours suivants :

a) le premier jour de la période de location;

b) le jour où le paiement qui est attribuable à la période de location devient dû;

c) le jour où le paiement qui est attribuable à la période de location est effectué;

3º le paiement qui est attribuable à la période de location est réputé une contrepartie payable à l'égard de la fourniture du bien pour la période de location.

Notes historiques: L'article 32.2 a été ajouté par L.Q. 1997, c. 85, art. 438(1) et s'applique à l'égard d'une période de location et d'une période de facturation qui commencent après le 31 mars 1997.

Guides [art. 32.2]: IN-203 — Renseignements généraux sur la TVQ et la TPS/TVH.

Définitions [art. 32.2]: « bien », « contrepartie », « fournisseur », « fourniture », « personne » — 1.

Renvois [art. 32.2]: 22.2 (définitions); 99 (louage d'un immeuble); 99.0.1 (fourniture exonérée).

Lettres d'interprétation [art. 32.2]: 98-0103568 — Interprétation relative à la TPS — Interprétation relative à la TVQ — Fourniture de véhicules routiers; 99-0111510 — Projet d'investissement à caractère international; 00-0106674 — Interprétation relative à la TPS et à la TVQ — Fourniture par bail d'un véhicule routier à un Indien, une bande ou une entité mandatée par une bande; 06-0101144 — Interprétation relative à la TPS/TVH — interprétation relative à la TVQ — contrat de location : clause de renouvellement; 06-0103397 — Décision portant sur l'application de la TPS — interprétation relative à la TVQ — acte de propriété superficiaire et de servitudes.

Concordance fédérale: LTA, par. 136.1(1).

COMMENTAIRES: Voir les commentaires sous l'article 32.7.

32.2.1 Moment et endroit réputés quant à la délivrance d'un bien — Dans le cas où l'acquéreur d'une fourniture par louage, licence ou accord semblable d'un bien meuble corporel exerce une option d'achat du bien qui est offerte en vertu de l'accord et qu'il commence à en avoir possession en vertu de la convention d'achat et de vente du bien au même moment et endroit où il cesse d'avoir la possession du bien comme locataire ou licencié en vertu de l'accord, ce moment et cet endroit sont réputés être le moment et l'endroit auxquels le bien est délivré à l'acquéreur à l'égard de la fourniture par vente du bien à l'acquéreur.

Notes historiques: L'article 32.2.1 a été ajouté par L.Q. 2001, c. 53, art. 281 et a effet depuis le 1er avril 1997 et s'applique à toute option d'achat exercée après le 31 mars 1997.

Guides [art. 32.2.1]: IN-203 — Renseignements généraux sur la TVQ et la TPS/TVH.

Concordance fédérale: LTA, par. 136.1(1.1).

COMMENTAIRES: Voir les commentaires sous l'article 32.7.

32.3 Fourniture d'un service et période de facturation — Dans le cas où la fourniture d'un service est effectuée à une personne pour une contrepartie qui comprend un paiement qui est attribuable à une période — appelée « période de facturation » dans le présent article — qui représente la totalité ou une partie de la période durant laquelle le service est rendu en vertu de la convention relative à la fourniture ou doit l'être, les règles suivantes s'appliquent :

1º le fournisseur est réputé avoir effectué, et la personne est réputée avoir reçu, une fourniture distincte du service pour la période de facturation;

2º la fourniture du service pour la période de facturation est réputée effectuée le premier en date des jours suivants :

a) le premier jour de la période de facturation;

b) le jour où le paiement qui est attribuable à la période de facturation devient dû;

c) le jour où le paiement qui est attribuable à la période de facturation est effectué;

3º le paiement qui est attribuable à la période de facturation est réputé une contrepartie payable à l'égard de la fourniture du service pour la période de facturation.

Notes historiques: L'article 32.3 a été ajouté par L.Q. 1997, c. 85, art. 438(1) et s'applique à l'égard d'une période de location et d'une période de facturation qui commencent après le 31 mars 1997.

Guides [art. 32.3]: IN-203 — Renseignements généraux sur la TVQ et la TPS/TVH.

Définitions [art. 32.3]: « bien », « contrepartie », « fournisseur », « fourniture », « personne », « service » — 1.

Renvois [art. 32.3]: 22.2 (période de location); 83(1) (contrepartie due).

Concordance fédérale: LTA, par. 136.1(2).

COMMENTAIRES: Voir les commentaires sous l'article 32.7.

32.4 Fourniture d'un immeuble situé en partie au Québec — Dans le cas où la fourniture taxable d'un immeuble comprend la délivrance d'un immeuble dont une partie est située au Québec et une autre partie hors du Québec mais au Canada, pour déterminer si la fourniture taxable de l'immeuble est effectuée au Québec et la taxe payable en vertu de l'article 16 à l'égard de cette fourniture le cas échéant, les règles suivantes s'appliquent :

1º la délivrance de la partie de l'immeuble située au Québec et la délivrance de la partie de l'immeuble située hors du Québec sont réputées chacune constituer une fourniture taxable distincte effectuée pour une contrepartie distincte;

2º la fourniture de la partie de l'immeuble située au Québec est réputée effectuée pour une contrepartie égale à la partie de la contrepartie totale qu'il est raisonnable d'attribuer à cette partie.

Notes historiques: L'article 32.4 a été ajouté par L.Q. 1997, c. 85, art. 438(1) et a effet depuis le 1er avril 1997.

Définitions [art. 32.4]: « contrepartie », « fourniture », « fourniture taxable », « immeuble » — 1.

Renvois [art. 32.4]: 22.12 (fourniture au Québec).

Concordance fédérale: LTA, art. 136.2.

COMMENTAIRES: Voir les commentaires sous l'article 32.7.

32.5 Fourniture distincte d'un service de transport de marchandises — Afin de déterminer la taxe payable en vertu de l'article 16 à l'égard de la fourniture d'un service de transport de marchandises, au sens de l'article 193, qui comprend la prestation d'un service consistant à transporter un bien meuble corporel donné à une destination située au Québec et un autre bien meuble corporel à une destination située hors du Québec mais au Canada et de déterminer si la fourniture du service est effectuée au Québec, les règles suivantes s'appliquent :

1° la prestation du service consistant à transporter le bien donné et la prestation du service consistant à transporter l'autre bien sont réputées chacune constituer une fourniture distincte effectuée pour une contrepartie distincte;

2° la fourniture du service consistant à transporter le bien donné est réputée effectuée pour une contrepartie égale à la partie de la contrepartie totale qu'il est raisonnable d'attribuer au transport du bien donné.

Notes historiques: L'article 32.5 a été ajouté par L.Q. 1997, c. 85, art. 438(1) et a effet depuis le 1er avril 1997.

Définitions [art. 32.5]: « bien meuble corporel », « contrepartie », « fourniture », « service », « taxe » — 1.

Renvois [art. 32.5]: 22.2 (province); 22.16 (destination, service de transport de marchandises); 22.19 (fourniture d'un service de transport de marchandises).

Concordance fédérale: LTA, art. 136.3.

COMMENTAIRES: Voir les commentaires sous l'article 32.7.

32.6 « voie de télécommunication » — Pour l'application de l'article 32.7, l'expression « voie de télécommunication » signifie un circuit, une ligne, une fréquence, une voie ou une voie partielle de télécommunication ou un autre moyen d'envoyer ou de recevoir une télécommunication mais ne comprend pas une voie de satellite.

Notes historiques: L'article 32.6 a été ajouté par L.Q. 1997, c. 85, art. 438(1) et a effet depuis le 1er avril 1997.

Définitions [art. 32.6]: « télécommunication » — 1.

Renvois [art. 32.6]: 22.27 (accès unique à une voie de télécommunication).

Lettres d'interprétation [art. 32.6]: 97-0109633 — Interprétation relative à la TPS/TVH et à la TVQ — TPS/TVQ à l'égard des commissions versées à un agent de voyages.

Concordance fédérale: LTA, par. 136.4(1).

COMMENTAIRES: Voir les commentaires sous l'article 32.7.

32.7 Fourniture d'une voie de télécommunication — Dans le cas où une personne fournit un service de télécommunication qui consiste à accorder à l'acquéreur de la fourniture l'unique accès à une voie de télécommunication pour la transmission de télécommunications entre un endroit situé au Québec et un endroit situé hors du Québec mais au Canada, la contrepartie de la fourniture du service est réputée égale au montant déterminé selon la formule suivante :

$$\left(\frac{A}{B}\right)\times C$$

Application — Pour l'application de cette formule :

1° la lettre A représente la distance sur laquelle les télécommunications seraient transmises au Québec si les télécommunications étaient transmises uniquement par câble et installations de télécommunication connexes situées au Canada qui relieraient, en ligne directe, les transmetteurs d'émission et de réception des télécommunications;

2° la lettre B représente la distance sur laquelle les télécommunications seraient transmises au Canada si les télécommunications étaient transmises uniquement par ces moyens;

3° la lettre C représente le total de la contrepartie payée ou payable par l'acquéreur pour l'unique accès à la voie de télécommunication.

Notes historiques: L'article 32.7 a été ajouté par L.Q. 1997, c. 85, art. 438(1) et a effet depuis le 1er avril 1997.

Définitions [art. 32.7]: « acquéreur », « contrepartie », « fourniture », « installation de communication », « personne », « service de télécommunication », « télécommunication » — 1.

Renvois [art. 32.7]: 22.2 (province); 22.27 (accès unique à une voie de télé communication); 32.6 (définition de l'expression « voie de télécommunication »).

Lettres d'interprétation [art. 32.7]: 98-0103634 — Interprétation relative à la TVQ — Fourniture d'une voie de télécommunication.

Concordance fédérale: LTA, par. 136.4(2).

COMMENTAIRES: De l'avis de Revenu Québec, l'article 32.2 fait en sorte que le bien fourni par bail, licence ou accord semblable pour une période de paiement prévue par l'accord, soit considéré comme ayant fait l'objet d'une fourniture distincte pour la période. Toutefois, cette règle ne doit pas s'appliquer, selon Revenu Québec, lorsqu'il s'agit de déterminer si la totalité de la fourniture est considérée comme étant effectuée au Canada ou à l'étranger. En effet, l'article 32.2 a pour effet de confirmer que la question de savoir si une fourniture de bien par bail, licence ou accord semblable est effectuée au Canada ou à l'étranger est une question que l'on tranche une fois pour toutes, indépendamment de la règle sur les fournitures distinctes. Par exemple, dans le cas d'un bien meuble corporel, la question sera déterminée, de façon générale, d'après l'endroit où le bien a été légalement livré à l'acquéreur aux termes de l'accord (c'est-à-dire l'endroit où la possession ou l'utilisation a été accordée à l'acquéreur, ou mise à sa disposition, pour la première fois). Une fois cette question déterminée, l'ensemble des fournitures réputées effectuées aux termes de l'accord est considéré comme étant effectué au même endroit (c'est-à-dire au Canada ou à l'étranger), indépendamment du fait que le bien se soit trouvé au Canada pendant certaines périodes de location et à l'étranger pendant d'autres périodes. Ainsi, si le lieu de fourniture du bien, abstraction faite de la présomption énoncée à l'article 32.2, est considéré comme étant au Canada, l'ensemble des fournitures qui, par l'effet de cet alinéa, sont réputées être effectuées aux termes de l'accord sera réputé être effectué au Canada. Dans le même ordre d'idées, si le lieu de fourniture est considéré comme étant à l'étranger, l'ensemble des fournitures sera réputé être effectué à l'étranger. Par ailleurs, l'ajout subséquent d'une clause de renouvellement ou d'un droit d'option a pour effet de modifier fondamentalement le contrat au point de constituer un nouvel accord quant à son objet. De nouveaux droits et responsabilités étant créés, Revenu Québec est d'avis qu'il y a, en pareil cas, novation au sens des articles 1660 à 1666 du *Code civil du Québec*. Il en résulte, aux fins de la TVQ, qu'une nouvelle entente est conclue relativement à une nouvelle fourniture. Voir notamment à cet effet : Revenu Québec, Lettre d'interprétation, 06-0101144 — *Interprétation relative à la TPS/TVH — Interprétation relative à la TVQ — Contrat de location : clause de renouvellement* (4 janvier 2007).

Il est intéressant de souligner que, contrairement à ce qui prévaut dans le régime de la TVH compte tenu du libellé du paragraphe 136.4(2) de la *Loi sur la taxe d'accise* (L.R.C. 1985, c. E-15), telle que modifiée par la *Loi modifiant la Loi sur la taxe d'accise*, la *Loi sur les arrangements fiscaux entre le gouvernement fédéral et les provinces*, la *Loi de l'impôt sur le revenu*, la *Loi sur le compte de service et de réduction de la dette et des lois connexes* (L.C. 1997, c. 10), la fourniture d'une ligne de télécommunication qui ne fait que traverser le Québec demeure non assujettie à la TVQ. Par conséquent, en vertu de l'article 32.6, la fourniture d'une ligne de télécommunication n'est assujettie à la TVQ que s'il existe un accès à cette ligne au Québec. La TVQ s'applique alors en proportion de la longueur de la partie de la ligne située au Québec par rapport à la longueur totale de cette ligne. Voir à cet effet notamment : Revenu Québec, Lettre d'interprétation, 97-0108858 — *Fourniture d'une ligne de télécommunication* (9 septembre 1997).

L'article 32.7 prévoit que dans le cas où une personne fournit un service de télécommunication qui consiste à accorder à l'acquéreur de la fourniture l'unique accès à une voie de télécommunication pour la transmission de télécommunication entre un endroit situé au Québec et un endroit situé hors du Québec, mais au Canada, la contrepartie de la fourniture du service est réputée égale au montant déterminé selon la formule prévue à l'article. Ainsi, l'article 32.7 emploie le concept de « ligne directe » en ce qui a trait à la distance entre le point d'émission et le point de réception des télécommunications, c'est-à-dire la ligne droite, sans détour et donc sans considération des obstacles ou limites physiques. Il s'agit généralement de la distance la plus courte entre deux points, sous réserve que cette distance soit mesurée au Canada. Dans ce contexte, Revenu Québec souligne que le concept de distance étalon, calculée à partir d'un centre situé dans une zone donnée, n'est pas suffisamment précis pour constituer une méthode juste et raisonnable aux fins de l'application de l'article 32.7. L'intention du législateur à cet égard était d'utiliser la distance réelle, tel qu'en témoignent les termes « qui relieraient, en ligne directe, les transmetteurs d'émission et de réception des télécommunications » que l'on retrouve à cet article. Par ailleurs, l'utilisation de cette méthode est susceptible de conduire à des situations inéquitables dans le cas de vastes régions au sein desquelles n'existe qu'une seule zone. En effet, indépendamment de sa localisation dans une telle région, une entreprise paiera le même montant de TVQ à l'égard de la transmission d'une télécommunication lorsque le point de réception de la télécommunication est le même. Voir notamment à cet effet : Revenu Québec, Lettre d'interprétation, 98-0103634 — *Interprétation relative à la TVQ — Fourniture d'une voie de télécommunication* (12 janvier 1999).

Compte tenu de la similarité de la rédaction des dispositions législatives et considérant l'engagement spécifique de Revenu Québec de veiller à ce que l'assiette de TVQ modifiée, de même que les paramètres administratifs, structurels et définitionnels, produisent des résultats qui sont similaires à ceux produits sous le régime de la TPS/TVH et soient administrés d'une manière qui produit des résultats similaires, tel que reflété par l'article 14 de l'*Entente intégrée globale de coordination fiscale* signée entre le gouvernement du Canada et le gouvernement du Québec, nous vous référons à nos commentaires en vertu des articles 136.1 à 136.4 de la *Loi sur la taxe d'accise (TPS)* qui devraient s'appliquer *mutatis mutandis*, avec les adaptations nécessaires.

33. Bien fourni dans une enveloppe ou un contenant — Dans le cas où un bien meuble corporel est fourni dans une enveloppe ou un contenant qui est habituel pour la catégorie à laquelle le bien appartient, l'enveloppe ou le contenant est réputé faire partie du bien.

Notes historiques: L'article 33 a été édicté par L.Q. 1991, c. 67.

Définitions [art. 33]: « bien meuble corporel » — 1.

Renvois [art. 33]: 92 (dépôt); 215 (contenants consignés).

Concordance fédérale: LTA, art. 137.

COMMENTAIRES: À titre illustratif, Revenu Québec considère qu'une caisse de bois ou de plastique servant à la manutention des contenants consignés de boissons gazeuses ne constitue pas une « enveloppe » ou un « contenant » visé à l'article 33. Par conséquent, les dispositions de cet article ne s'appliquent pas à l'égard des caisses de bois ou de plastique utilisées par le fabricant et/ou l'embouteilleur de boissons gazeuses et ce, que les bouteilles consignées soient vides ou pleines. Voir notamment à cet effet : Revenu Québec, Lettre d'interprétation, 96-0107993 — *Demande d'interprétation relative aux contenants retournables* (11 juillet 1996).

Également à titre illustratif, la fourniture d'ingrédients, tels que de l'huile ou du sirop, s'effectue souvent en grande quantité. Ainsi, le baril utilisé à répétition par la corporation pour effectuer la fourniture d'une catégorie de biens peut dans ce contexte être considéré comme un contenant visé par l'article 33. En conséquence, le baril peut recevoir le même traitement fiscal que l'huile ou le sirop qu'il contient et lorsque la fourniture de ces produits alimentaires de base est détaxée, la TPS ne s'appliquera pas sur le montant distinct de 45 $ facturé à l'égard de chacun de ces barils. Par ailleurs, Revenu Québec confirme que lorsqu'un baril est retourné et qu'un montant de 45 $ est alors crédité au client, ce crédit accordé pour le retour du contenant peut être considéré comme un remboursement effectué par le fournisseur au profit de son client. Voir notamment à cet effet : Revenu Québec, Lettre d'interprétation, 95-0113563 — *Contenant habituel — baril* (25 septembre 1996). Voir également : Revenu Québec, Lettre d'interprétation, 95-0110221 — *Demande d'interprétation — Produits alimentaires de base* (26 mars 1996).

Compte tenu de la similarité de la rédaction des dispositions législatives et considérant l'engagement spécifique de Revenu Québec de veiller à ce que l'assiette de TVQ modifiée, de même que les paramètres administratifs, structurels et définitionnels, produisent des résultats qui sont similaires à ceux produits sous le régime de la TPS/TVH et soient administrés d'une manière qui produit des résultats similaires, tel que reflété par l'article 14 de l'*Entente intégrée globale de coordination fiscale* signée entre le gouvernement du Canada et le gouvernement du Québec, nous vous référons à nos commentaires en vertu de l'article 137 de la *Loi sur la taxe d'accise (TPS)* qui devraient s'appliquer *mutatis mutandis*, avec les adaptations nécessaires.

34. Bien ou service accessoire à une fourniture — Dans le cas où un bien ou un service est fourni avec un autre bien ou un autre service pour une contrepartie unique et qu'il est raisonnable de considérer que la délivrance de l'autre bien ou la prestation de l'autre service est accessoire à la délivrance du bien ou à la prestation du service, l'autre bien ou l'autre service est réputé faire partie du bien ou du service ainsi fourni.

Notes historiques: Le deuxième alinéa de l'article 34 a été supprimé par L.Q. 1995, c. 1, art. 256 à l'égard d'une fourniture effectuée après le 12 mai 1994. Il se lisait auparavant comme suit :

> Toutefois, dans le cas où la fourniture du bien ou du service constitue une fourniture taxable à l'égard de laquelle le taux de la taxe applicable est de 4 % et que la fourniture de l'autre bien ou de l'autre service en est une à l'égard de laquelle le taux de la taxe applicable serait de 8 % si le premier alinéa ne s'appliquait pas, le premier alinéa ne s'applique pas afin de déterminer la taxe payable à l'égard de la fourniture du bien ou du service et celle payable à l'égard de la fourniture de l'autre bien ou de l'autre service.

Le deuxième alinéa de l'article 34 a été ajouté par L.Q. 1993, c. 19, art. 174 et s'appliquait à l'égard d'une fourniture ou d'un apport au Québec relativement auquel l'article 685 ou l'un des articles 618 à 656 de L.Q. 1991, c. 67 s'applique [*N.D.L.R.* : les articles 685 et 618 à 656 réfèrent à des dispositions transitoires concernant les transferts avant le 1er juillet 1992].

L'article 34 a été édicté par L.Q. 1991, c. 67.

Définitions [art. 34]: « bien », « contrepartie », « service », « taxe » — 1.

Renvois [art. 34]: 31 (fournitures combinées d'immeubles); 32 (fournitures combinées d'immeubles); 34.4 (droit d'entrée à un congrès) 51 (valeur de la contrepartie); 91 (fourniture combinée).

Jurisprudence [art. 34]: *Aéroports de Montréal c. Québec (Sous-ministre du Revenu)* (16 mars 2006), 500-80-001381-038, 2006 CarswellQue 2693; *Auberge La Calèche 1992 inc. c. Québec (Sous-ministre du Revenu)* (28 janvier 2004), 500-09-011756-012, 2004 CarswellQue 110 (C.A. Qué.); *Goodyear Canada inc. c. Québec (Sous-ministre du Revenu)* (21 mai 2002), 500-09-008763-997, 2002 CarswellQue 855 (C.A.Q.); *Auberge La Calèche 1992 inc. c. S.M.R.Q.* (21 novembre 2001), 500-02-072512-986, 2001 CarswellQue 3334 (C.Q.); *Goodyear Canada inc. c. Québec (Sous-ministre du Revenu)* (29 septembre 1999), 500-02-060974-974, 500-02-061247-974, 500-02-061566-977, 1999 CarswellQue 3291.

Bulletins d'interprétation [art. 34]: TVQ. 16-6 — L'industrie de la construction; TVQ. 126-2/R2 — Frais afférents au matériel pédagogique exigés par une université; TVQ. 138.1-1/R1 — Fournitures de biens et de services funéraires par un organisme de bienfaisance.

Lettres d'interprétation [art. 34]: 98-0109656 — Décision portant sur l'application de la TPS — Interprétation relative à la TVQ — Fourniture unique et fournitures multiples — Droit d'entrée dans un musée accompagné d'un tour de ville; 99-0100984 — Décision portant sur l'application de la TPS — Interprétation relative à la TVQ — Fourniture unique et fournitures multiples; 99-0109076 — Interprétation relative à la TPS et à la TVQ — Fournitures relatives au traitement de matières recyclables; 99-0111338 — Fourniture d'appareil et de service d'orthodontie pour une contrepartie unique.

Concordance fédérale: LTA, art. 138.

COMMENTAIRES: Dans l'affaire *Auberge La Calèche 1992 inc. c. Québec (Sous-ministre du Revenu)*, 2004 CarswellQue 110 (Cour d'appel du Québec), la Cour d'appel du Québec traite notamment de l'application de l'article 34. Dans cette décision, la Cour d'appel du Québec est d'avis, contrairement à l'intimé, que l'article 34 peut s'appliquer à un forfait hôtelier exempté, car rien dans la loi ne s'y oppose. En d'autres mots, un service ou un bien fourni dans le cadre de l'activité commerciale d'un hôtelier qui est un accessoire au logement ou aux repas jouit de l'exemption prévue par les articles 192.1 et 192.2. Une telle interprétation est conforme à l'art. 41.1 de la *Loi d'interprétation*. Le litige porte donc sur la question de savoir si les biens et services en litige constituent des accessoires, au sens de l'art. 34, à la fourniture du logement et des repas. Comme le premier juge, mais pour des motifs différents, la Cour d'appel du Québec est d'avis que tel n'est pas le cas pour l'animation, les randonnées en carriole ou limousine et les croisières. En effet, il s'agit en réalité d'activités qui n'ont rien à voir avec le logement et les repas. En effet, ne peut être accessoire à la fourniture d'un bien ou d'un service qu'un bien ou accessoire qui contribue à en améliorer l'utilité, la commodité ou l'agrément et qui ne représente qu'une partie des coûts par rapport au bien ou service principal. Il en est ainsi de la corbeille de fruits, des chocolats, de l'ensemble à café ou à thé ou des savons, shampoing et autres articles pour les soins du corps que l'hôtelier laisse dans la chambre pour consommation par le client. Ces fournitures, incluses dans le prix de la chambre, peuvent raisonnablement être considérées comme des accessoires du logement provisoire. Il en va de même des collations offertes dans le cadre des forfaits ou de la bouteille de vin remise lors d'un dîner à thème : il s'agit de fournitures qui peuvent raisonnablement être considérées comme des accessoires des repas. Par contre, la fourniture du transport, d'une croisière, d'une randonnée en carriole ou limousine ou d'un spectacle constitue autant de services additionnels, manifestement distincts du logement et des repas. Ils rendent certes l'hôtel plus attrayant pour les clients, mais je ne peux raisonnablement conclure qu'ils améliorent l'agrément des chambres ou des repas. Quant aux t-shirts, vestes ou montres que l'appelante offre aux clients en guise de souvenir, je ne vois pas comment on pourrait les qualifier d'accessoires à la chambre ou aux repas selon la définition que j'ai énoncée plus haut. Je suis cependant d'avis que la preuve indique qu'ils pouvaient être considérés comme des fournitures sans contrepartie et, par conséquent, non taxables, mais à l'égard desquelles l'appelante avait droit à des intrants. En effet, la publicité de l'appelante promettait à chaque personne un cadeau d'une valeur commerciale d'environ 50 $. C'est ainsi que l'appelante organisait ses affaires et ceci correspondait à la réalité de son entreprise puisqu'aucune véritable contrepartie n'était exigée pour ce cadeau. De plus, ce souvenir qui variait selon les saisons et la nature du forfait (t-shirts, vestes ou montres) était acquis pour un montant bien inférieur à 50 $. Dans ces circonstances, je suis d'avis de respecter la désignation que propose l'appelante de cette opération, soit une fourniture gratuite promotionnelle, car cela correspond à la nature véritable de l'opération (*Shell Canada ltée c. Canada*, [1999] 3 R.C.S. 622). L'appelante n'avait donc pas à réclamer de TVQ à l'égard de ces fournitures. La preuve révèle cependant une situation différente pour les randonnées, les croisières et les spectacles. En effet, l'appelante tenait compte du coût de ces services additionnels pour établir le prix des forfaits. En d'autres mots, une considération était reçue par l'appelante pour ces services additionnels, considération établie en fonction de ce qu'elle versait aux fournisseurs de ceux-ci. On peut alors parler quant à ces services additionnels de « fournitures taxables » qui ne sont par ailleurs pas des « fournitures détaxées » en vertu des articles 34 et 192.2, ce qui obligeait l'appelante à percevoir des clients une taxe calculée au taux applicable sur la valeur de la contrepartie. L'intimé avait donc raison, selon la Cour d'appel du Québec, d'exiger de l'appelante la remise de la TVQ à l'égard de ces fournitures. Le fait que l'appelante a de bonne foi omis de percevoir la TVQ, se contentant de percevoir la TPS, ne la relève pas de son obligation.

À titre illustratif, Revenu Québec a indiqué que la livraison d'une carte peut raisonnablement être considérée comme accessoire à la vente de la messe. Puisque la messe et la carte sont fournies ensemble pour un prix unique, l'ensemble de la transaction est exonéré, la vente des messes étant exonérée. Donc, l'organisme concerné n'a pas à percevoir la TPS lorsqu'une carte est fournie en même temps que la messe pour un prix unique. Voir notamment à cet effet : Revenu Québec, Lettre d'interprétation, 99-0100984 — *Décision portant sur l'application de la TPS — Interprétation relative à la TVQ — Fourniture unique et fournitures multiples* (12 mars 1999).

Également, à titre d'exemple, la fourniture par un orthodontiste pour une contrepartie unique d'un appareil d'orthodontie ainsi que de services de pose, d'examens, d'entretien et d'ajustement constitue une fourniture unique exonérée de services d'orthodontie. Revenu Québec a déterminé qu'il s'agit d'une fourniture unique pour les motifs suivants: (i) l'appareil d'orthodontie doit être fabriqué sur mesure, (ii) l'appareil d'orthodontie acquis seul ne serait d'aucune utilité pour l'acquéreur, (iii) le service et l'appareil d'orthodontie doivent être acquis ensemble et ne peuvent être acquis séparément, et (iv) même si l'acquéreur est informé des éléments précis de l'ensemble, ces éléments ne peuvent pas être acquis d'autres fournisseurs et ne seraient pas utiles s'ils étaient acquis seuls. De plus, Revenu Québec a indiqué qu'il s'agit d'une fourniture de services d'orthodontie notamment en raison du fait que le travail de l'orthodontiste ne peut être qualifié d'accessoire. En effet, en l'espèce, le travail occupe une place déterminante dans l'objet de la transaction. On peut donc conclure à un contrat de service. Voir notamment à cet effet : Revenu Québec, Lettre d'interprétation, 99-0111338[A] — *Fourniture d'appareil et de service d'orthodontie pour une contrepartie unique* (6 janvier 2000).

Finalement, Revenu Québec s'est penché sur l'application de l'article 34 dans un contexte où un organisme à but non lucratif et un organisme de bienfaisance exploitent un musée. L'organisme a l'intention d'organiser des tours de ville. Les gens achèteront un billet au coût de 12 $ (taxes incluses) leur donnant accès au musée ainsi que la possibilité de visiter la ville à bord d'un autobus avec le service d'un guide du musée. Les clients pourront donc choisir la visite du musée seule pour 2,50 $ ou 3,50 $ (taxes incluses) ou la visite du musée comprenant un tour de ville pour un coût additionnel de 8,50 $ ou 9,50 $ taxes incluses. Les tours de ville ne sont offerts par l'organisme que dans le cadre d'une visite au musée. L'organisme est inscrit aux fins de la TPS et de la TVQ. Aux termes de l'article 34, le bien ou le service dont la livraison ou la prestation peut raisonnablement être considérée comme accessoire à la livraison ou à la prestation d'un autre bien ou service est réputé faire partie de cet autre bien ou service s'ils sont fournis ensemble pour une contrepartie unique. Toutefois, dans le présent cas, Revenu Québec est d'avis qu'aucune des deux fournitures ne peut être considérée comme étant accessoire à l'autre fourniture. Voir notamment à cet effet : Revenu Québec, Lettre d'interprétation, 98-0109656 — *Décision portant sur l'application de la TPS — Interprétation relative à la TVQ — Fourniture unique et fournitures multiples — Droit d'entrée dans un musée accompagné d'un tour de ville* (26 octobre 1998).

Compte tenu de la similarité de la rédaction des dispositions législatives et considérant l'engagement spécifique de Revenu Québec de veiller à ce que l'assiette de TVQ modifiée, de même que les paramètres administratifs, structurels et définitionnels, produisent des résultats qui sont similaires à ceux produits sous le régime de la TPS/TVH et soient administrés d'une manière qui produit des résultats similaires, tel que reflété par l'article 14 de l'*Entente intégrée globale de coordination fiscale* signée entre le gouvernement du Canada et le gouvernement du Québec, nous vous référons à nos commentaires en vertu de l'article 138 de la *Loi sur la taxe d'accise (TPS)* qui devraient s'appliquer *mutatis mutandis*, avec les adaptations nécessaires.

34.1 [*Abrogé*]

Notes historiques: L'article 34.1 a été abrogé par L.Q. 1995, c. 63, art. 313(1) et cette abrogation s'applique :

> i. à l'égard du bien ou du service ainsi que de l'autre bien ou de l'autre service visés à l'article 34 que l'inscrit acquiert après le 31 juillet 1995 dans le cas où l'inscrit a le droit de demander un remboursement de la taxe sur les intrants relativement à l'autre bien ou à l'autre service en raison de l'abrogation de l'article 206.1;
>
> ii. dans tous les autres cas, à l'égard du bien ou du service ainsi que de l'autre bien ou de l'autre service visés à l'article 34 que l'inscrit acquiert après une date de prise d'effet fixée par décret du gouvernement;

[*N.D.L.R.* : le paragraphe d'application prévu par L.Q. 1995, c. 63, art. 313 a été remplacé par L.Q. 1997, c. 85, art. 727 et a effet depuis le 15 décembre 1995. Antérieurement, il prévoyait ceci :

> Cette abrogation s'applique à l'égard du bien ou du service ainsi que de l'autre bien ou de l'autre service visés à l'article 34 :
>
> 1º que l'inscrit acquiert après le 31 juillet 1995 dans le cas où l'inscrit est une petite ou moyenne entreprise;
>
> 2º que l'inscrit acquiert après le 29 novembre 1996 dans le cas où l'inscrit est une grande entreprise;
>
> 3º que l'organisme acquiert après le 31 juillet 1995.]

L'article 34.1 avait été ajouté par L.Q. 1993, c. 19, art. 175 et s'appliquait à l'égard d'une fourniture ou d'un apport au Québec relativement auquel l'article 685 ou l'un des articles 618 à 656 L.Q. 1991, c. 67 s'applique [*N.D.L.R.* : les articles 685 et 618 à 656 réfèrent à des dispositions transitoires concernant les transferts avant le 1er juillet 1992]. Il se lisait comme suit :

> 34.1 L'article 34 ne s'applique pas afin de déterminer le remboursement de la taxe sur les intrants d'un inscrit à l'égard du bien ou du service ainsi que de l'autre bien ou de l'autre service visés à cet article, dans le cas où, en faisant abstraction de cet article, l'inscrit ne pourrait demander un tel remboursement relativement à l'autre bien ou à l'autre service en raison de l'article 206.1.

34.2 [*Abrogé*]

Notes historiques: L'article 34.2 a été abrogé par L.Q. 1995, c. 63, art. 313(1) et cette abrogation s'applique à l'égard du bien ou du service ainsi que de l'autre bien ou de l'autre service visés à l'article 34 que l'organisme acquiert après le 31 juillet 1995.

[*N.D.L.R.* : le paragraphe d'application prévu par L.Q. 1995, c. 63, art. 313 a été modifié par L.Q. 1997, c. 85, art. 727 et a effet depuis le 15 décembre 1995. Antérieurement, il prévoyait ceci :

> L'abrogation s'applique à l'égard du bien ou du service ainsi que de l'autre bien ou de l'autre service visés à l'article 34 :
>
> 1º que l'inscrit acquiert après le 31 juillet 1995 dans le cas où l'inscrit est une petite ou moyenne entreprise;
>
> 2º que l'inscrit acquiert après le 29 novembre 1996 dans le cas où l'inscrit est une grande entreprise;
>
> 3º que l'organisme acquiert après le 31 juillet 1995.]

L'article 34.2 a été modifié par L.Q. 1994, c. 22, art. 381(1) et est réputé entré en vigueur le 1er juillet 1992. Il se lisait comme suit :

> 34.2 L'article 34 ne s'applique pas afin de déterminer le remboursement auquel a droit un organisme en vertu des articles 386 ou 386.1 à l'égard du bien ou du service ainsi que de l'autre bien ou de l'autre service visés à l'article 34, dans le cas où, en faisant abstraction de cet article, l'organisme s'il était un inscrit ne pourrait demander un remboursement de la taxe sur les intrants relativement à l'autre bien ou à l'autre service en raison de l'article 206.1.

L'article 34.2 a été ajouté par L.Q. 1993, c. 19, art. 175 et s'applique à l'égard d'une fourniture ou d'un apport au Québec relativement auquel l'article 685 ou l'un des articles 618 à 656 de L.Q. 1991, c. 67 s'applique [*N.D.L.R.* : les articles 685 et 618 à 656 réfèrent à des dispositions transitoires concernant les transferts avant le 1er juillet 1992]. Il se lisait comme suit :

> 34.2 L'article 34 ne s'applique pas afin de déterminer le remboursement auquel a droit un organisme en vertu de l'article 386 à l'égard du bien ou du service ainsi que de l'autre bien ou de l'autre service visés à l'article 34, dans le cas où, en faisant abstraction de cet article, l'organisme s'il était un inscrit ne pourrait demander un remboursement de la taxe sur les intrants relativement à l'autre bien ou à l'autre service en raison de l'article 206.1.

34.3 [*Abrogé*]

Notes historiques: L'article 34.3 a été abrogé par L.Q. 1995, c. 1, art. 257(1) et cette abrogation s'applique à l'égard d'une fourniture effectuée après le 12 mai 1994.

L'article 34.3 a été ajouté par L.Q. 1993, c. 19, art. 175 et s'applique à l'égard d'une fourniture ou d'un apport au Québec relativement auquel l'article 685 ou l'un des articles 618 à 656 de L.Q. 1991, c. 67 s'applique. Auparavant, il se lisait comme suit :

> 34.3 Malgré l'article 34, dans le cas où la fourniture d'un bien meuble corporel est effectuée en vertu d'une convention et que conformément à cette convention la fourniture du bien meuble corporel est accompagnée de la fourniture d'un service, les règles suivantes s'appliquent :
>
> 1º la fourniture du service est réputée faire partie de la fourniture du bien meuble corporel;
>
> 2º la valeur de la contrepartie de la fourniture du bien meuble corporel doit comprendre la valeur de la contrepartie de la fourniture du service.
>
> Le premier alinéa ne s'applique pas à l'égard de la fourniture d'un service d'installation qui accompagne la fourniture d'un bien meuble corporel effectuée autrement que par louage, licence ou accord semblable, si la contrepartie de la fourniture du service est indiquée séparément dans une convention écrite ou, en l'absence d'une telle convention, sur une facture de façon à n'être confondue avec aucune autre contrepartie.

34.4 [*Abrogé*]

Notes historiques: L'article 382(1) de L.Q. 1994, c. 22, qui ajoutait l'article 34.4, a été abrogé par L.Q. 1995, c. 1, art. 358(1) et cette abrogation a effet depuis le 17 juin 1994. L'article 34.4 était réputé entré en vigueur le 1er juillet 1992 par L.Q. 1994, c. 22, art. 382(1) et se lisait comme suit :

> 34.4 Malgré l'article 34, le deuxième alinéa s'applique dans le cas où, à la fois :
>
> 1º un droit d'entrée à un congrès est fourni avec de la nourriture, des boissons ou des divertissements pour une contrepartie unique;
>
> 2º il est raisonnable de considérer que la délivrance de la nourriture, des boissons ou des divertissements est accessoire à la délivrance du droit d'entrée;
>
> 3º l'acquéreur du droit d'entrée est tenu d'acquérir la nourriture, les boissons ou les divertissements.
>
> La nourriture, les boissons ou les divertissements sont réputés faire partie du droit d'entrée ainsi fourni.

35. Services financiers dans une fourniture mixte — Dans le cas où un ou plusieurs services financiers sont fournis avec un ou plusieurs services non financiers, ou avec des biens qui ne sont pas des immobilisations du fournisseur, pour une contrepartie unique, la fourniture de chacun des services et des biens est réputée constituer la fourniture d'un service financier si, à la fois :

1º les services financiers sont liés aux autres services ou aux biens, selon le cas;

2º la pratique habituelle du fournisseur est de fournir ces services ou des services semblables, ou ces biens et ces services ou des biens et des services semblables, ensemble dans le cours normal de son entreprise;

3º le total des montants dont chacun représenterait la contrepartie d'un service financier ainsi fourni, s'il avait été fourni séparément, est supérieur à la moitié du total des montants dont chacun représenterait la contrepartie d'un service ou d'un bien ainsi fourni, s'il avait été fourni séparément.

2012, c. 28, art. 44.

Notes historiques: Le premier alinéa de l'article 35 a été modifié par L.Q. 1994, c. 22, art. 383(1) et s'applique aux fournitures effectuées après le 14 septembre 1992. Il se lisait auparavant comme suit :

35. Dans le cas où une institution financière désignée effectue la fourniture d'un service financier avec un bien ou un service non financier pour une contrepartie unique et que le montant qui représenterait la contrepartie du service financier, s'il avait été fourni séparément, est supérieur à la moitié de la contrepartie unique, la fourniture est réputée constituer la fourniture d'un service financier.

L'article 35 a été remplacé par L.Q. 2012, c. 28, par. 44(1) et cette modification s'applique à l'égard d'une fourniture effectuée après le 31 décembre 2012. Antérieurement, il se lisait ainsi :

35. Dans le cas où une institution financière désignée fournit un ou plusieurs services financiers avec un ou plusieurs services non financiers, ou avec des biens qui ne sont pas des immobilisations de celle-ci, pour une contrepartie unique, la fourniture de chacun des services et des biens est réputée constituer la fourniture d'un service financier si, à la fois :

1° les services financiers sont liés aux autres services ou aux autres biens, selon le cas;

2° la pratique habituelle de l'institution financière désignée est de fournir ces services ou des services semblables, ou ces biens et ces services ou des biens et des services semblables, ensemble dans le cours normal de son entreprise;

3° le montant qui représenterait la contrepartie du service financier, s'il avait été fourni séparément, est supérieur à la moitié du montant qui représenterait la contrepartie du service ou du bien, s'il avait été fourni séparément.

Restriction — Le premier alinéa ne s'applique qu'à une fourniture à l'égard de laquelle s'applique l'article 139 de la *Loi sur la taxe d'accise* (Lois révisées du Canada (1985), chapitre E-15).

L'article 35 a été édicté par L.Q. 1991, c. 67.

Notes explicatives ARQ (PL 5, L.Q. 2012, c. 28): *Résumé* :

L'article 35 est modifié par la suppression de son deuxième alinéa, compte tenu du fait que la plupart des services financiers sont dorénavant exonérés.

Situation actuelle :

L'article 35 concerne la situation où un ou plusieurs services financiers sont fournis par une institution financière désignée avec un ou plusieurs services non financiers, ou avec des biens qui ne sont pas des immobilisations de celle-ci, pour une contrepartie unique, la fourniture de chacun des services et des biens est réputée constituer la fourniture d'un service financier si, à la fois :

— les services financiers sont liés aux autres services et biens;
— l'institution financière désignée a l'habitude de fournir ces biens et ces services, ou des biens et services semblables, ensemble dans le cours normal de son entreprise;
— le total des montants dont chacun représenterait la contrepartie d'un service financier, s'il était fourni séparément, est supérieur à la moitié du total des montants représentant la contrepartie d'un bien ou d'un service, s'ils étaient fournis séparément.

En l'absence de l'article 35, chaque fourniture serait considérée comme une fourniture distincte et la contrepartie unique de ces fournitures serait répartie en conséquence.

Modifications proposées :

L'article 35 fait l'objet de différentes modifications d'ordre terminologique et de syntaxe. De plus, son application est étendue à l'ensemble des fournisseurs, et ne se limite plus aux institutions financières désignées.

Le deuxième alinéa de cet article est supprimé. Compte tenu du fait que la fourniture d'un service financier devient, en règle générale, exonérée à compter du 1er janvier 2013, la référence faite à l'article 139 de la *Loi sur la taxe d'accise* (Lois révisées du Canada (1985), chapitre E-15) n'est plus nécessaire.

Définitions [art. 35]: « bien », « contrepartie », « fourniture », « immobilisation », « institution financière désignée », « montant », « service », « service financier » — 1.

Renvois [art. 35]: 39 (cession du droit au remboursement); 51 (valeur de la contrepartie); 281 (bien ou service non financier pour fourniture avec service financier).

Lettres d'interprétation [art. 35]: 97-0106662 — Décision portant sur l'application de la TPS — Interprétation relative à la TVQ — Négociateur autonome.

Concordance fédérale: LTA, art. 139.

36. Fourniture d'un titre conditionnel à l'obtention d'un droit — Dans le cas où une personne effectue la fourniture d'une action, d'une obligation ou d'un autre titre qui fait partie du capital-actions ou de la dette d'un organisme donné et que la propriété de ce titre par l'acquéreur de la fourniture est une condition pour l'obtention, par l'acquéreur ou une autre personne, d'un droit d'adhésion ou d'un droit d'acquérir un droit d'adhésion dans l'organisme donné ou dans un autre organisme qui est lié à l'organisme donné, la fourniture de ce titre est réputée constituer la fourniture d'un droit d'adhésion et ne pas constituer la fourniture d'un service financier.

Part d'une caisse de crédit ou d'une coopérative — Une part d'une caisse de crédit ou d'une coopérative dont l'objet principal n'est pas de fournir des installations pour les loisirs, les sports ou les repas ne constitue pas un titre visé au premier alinéa.

Notes historiques: L'article 36 a été modifié par L.Q. 1997, c. 3, art. 117, pour supprimer le mot « , d'une débenture » dans le premier alinéa. Cette modification est réputée entrée en vigueur le 20 mars 1997. Auparavant, cet article a été modifié par L.Q. 1994, c. 22, art. 384(1) et est réputé entré en vigueur le 1er juillet 1992. L'article 36, édicté par L.Q. 1991, c. 67, se lisait comme suit :

36. Dans le cas où un droit qui est fourni en vertu des modalités d'une action, d'une obligation, d'une débenture ou d'un autre titre émis par une personne, est soit un droit d'adhésion, soit un droit d'acquérir un droit d'adhésion, la fourniture du droit est réputée ne pas constituer la fourniture d'un service financier.

Une part d'une caisse de crédit ne constitue pas un titre visé au premier alinéa.

Définitions [art. 36]: « acquéreur », « caisse de crédit », « coopérative », « droit d'adhésion », « fourniture », « personne », « service financier » — 1.

Renvois [art. 36]: 3 (lien de dépendance réputé).

Lettres d'interprétation (Québec) [art. 36]: 02-0104477 — Interprétation relative à la TPS et à la TVQ — Fourniture d'une part sociale.

Concordance fédérale: LTA, art. 140.

COMMENTAIRES: À titre illustratif, chaque membre du club doit bénéficier d'une part sociale ou d'un droit d'entrée au club avant de pouvoir acquérir la cotisation annuelle leur permettant d'y jouer au golf. Par conséquent, en raison de la présomption prévue à l'article 36, la part sociale ainsi que le droit d'entrée au club constituent des « droits d'adhésion » et non des effets financiers. Voir notamment à cet effet : Revenu Québec, Lettre d'interprétation, 02-0104477 — *Interprétation relative à la TPS et à la TVQ — Fourniture d'une part sociale* (6 juin 2002).

Compte tenu de la similarité de la rédaction des dispositions législatives et considérant l'engagement spécifique de Revenu Québec de veiller à ce que l'assiette de TVQ modifiée, de même que les paramètres administratifs, structurels et définitionnels, produisent des résultats qui sont similaires à ceux produits sous le régime de la TPS/TVH et soient administrés d'un manière qui produit des résultats similaires, tel que reflété par l'article 14 de l'*Entente intégrée globale de coordination fiscale* signée entre le gouvernement du Canada et le gouvernement du Québec, nous vous référons à nos commentaires en vertu de l'article 140 de la *Loi sur la taxe d'accise (TPS)* qui devraient s'appliquer *mutatis mutandis*, avec les adaptations nécessaires.

37. [*Abrogé*]

Notes historiques: L'article 37 a été abrogé par L.Q. 1994, c. 22, art. 385 rétroactivement à compter du 1er juillet 1992. Il se lisait comme suit :

37. Dans le cas où un inscrit, dans le cadre d'une activité commerciale, effectue la fourniture d'un bien meuble pour le compte d'une personne qui n'est pas un inscrit — appelée « vendeur » dans le présent article — à un acquéreur à qui il ne dévoile pas par écrit qu'il agit pour le compte d'une autre personne qui n'est pas un inscrit, les règles suivantes s'appliquent :

1° le vendeur est réputé ne pas avoir effectué la fourniture à l'acquéreur;

2° l'inscrit est réputé avoir effectué la fourniture à l'acquéreur;

3° l'inscrit est réputé ne pas avoir effectué au vendeur la fourniture d'un service relatif à la fourniture à l'acquéreur.

L'article 37 a été édicté par L.Q. 1991, c. 67.

38. [*Abrogé*]

Notes historiques: L'article 38 a été abrogé par L.Q. 1994, c. 22, art. 385(1) rétroactivement à compter du 1er juillet 1992. Il se lisait comme suit :

38. Dans le cas où un inscrit prescrit, dans le cadre d'une activité commerciale, effectue la fourniture d'un bien meuble incorporel pour le compte d'une autre personne relativement à l'œuvre d'un écrivain, d'un exécutant, d'un peintre, d'un sculpteur ou d'un autre artiste, les règles suivantes s'appliquent, sauf en ce qui concerne les articles 294 à 297 :

1° l'autre personne est réputée ne pas avoir effectué la fourniture à l'acquéreur;

2° l'inscrit est réputé avoir effectué la fourniture à l'acquéreur;

3° l'inscrit est réputé ne pas avoir effectué à l'autre personne la fourniture d'un service relatif à la fourniture à l'acquéreur.

L'article 38 a été édicté par L.Q. 1991, c. 67.

39. Escompteur d'impôt — Malgré l'article 35, dans le cas où un escompteur au sens de la *Loi sur la cession du droit au remboursement en matière d'impôt* (Lois révisées du Canada (1985), chapitre T-3) paie un montant à une personne pour acquérir de celle-ci un droit à un remboursement d'impôt, au sens de cette loi, les règles suivantes s'appliquent :

1º l'escompteur est réputé avoir effectué une fourniture taxable d'un service pour une contrepartie égale au moindre de 30 $ et des 2/3 de l'excédent du montant du remboursement sur le montant payé par l'escompteur à la personne pour acquérir le droit;

2º l'escompteur est réputé avoir effectué une fourniture distincte d'un service financier pour une contrepartie égale à l'excédent du montant du remboursement sur le total du montant payé par l'escompteur à la personne pour acquérir le droit et du montant déterminé en vertu du paragraphe 1º.

Notes historiques: L'article 39 a été édicté par L.Q. 1991, c. 67.

Définitions [art. 39]: « contrepartie », « institution financière désignée », « fourniture », « fourniture taxable », « montant », « personne », « service », « service financier » — 1.

Renvois [art. 39]: 35 (services financiers dans une fourniture mixte).

Concordance fédérale: LTA, par. 158.

39.1 « nourriture » — Pour l'application de l'article 39.2, l'expression « nourriture » signifie :

1º des grains, des graines ou des semences visés au paragraphe 2º de l'article 178 et utilisés comme nourriture pour le bétail qui est habituellement élevé ou gardé pour être utilisé comme aliments destinés à la consommation humaine ou pour produire de tels aliments ou de la laine;

2º la nourriture qui constitue un aliment complet, un complément, un macro-prémélange, un micro-prémélange ou un aliment minéral, sauf un complément d'oligo-éléments et de sel, dont la fourniture en vrac en quantité d'au moins 20 kilogrammes constituerait une fourniture détaxée visée à la section IV du chapitre IV;

3º les sous-produits de l'industrie alimentaire et les produits d'origine végétale ou animale dont la fourniture en vrac en quantité d'au moins 20 kilogrammes constituerait une fourniture détaxée visée à la section IV du chapitre IV.

Notes historiques: Le paragraphe 2º de l'article 39.1 a été modifié par L.Q. 1995, c. 1, art. 258 et s'applique à l'égard de la fourniture d'un bien délivré à un acquéreur après le 10 juin 1993. Il se lisait auparavant comme suit :

> 2º la nourriture qui constitue un aliment complet, un complément, un macro-prémélange ou un micro-prémélange dont la fourniture en vrac en quantité d'au moins 20 kilogrammes constituerait une fourniture détaxée.

Le paragraphe 3º de l'article 39.1 a été ajouté par L.Q. 1995, c. 1, art. 258 et s'applique à l'égard de la fourniture d'un bien délivré à un acquéreur après le 10 juin 1993.

L'article 39.1 a été ajouté par L.Q. 1994, c. 22, art. 386(1) et est réputé entré en vigueur le 1er juillet 1992.

Renvois [art. 39.1]: 178 (fourniture de produits de l'agriculture ou de la pêche).

Concordance fédérale: LTA, par. 164.1(1).

39.2 Fourniture dans un parc d'engraissement — Dans le cas où, dans le cadre de l'exploitation d'un parc d'engraissement qui constitue une entreprise agricole au sens de la *Loi sur les impôts* (chapitre I-3), une personne effectue la fourniture d'un service et que la contrepartie de la fourniture — appelée « montant total » dans le présent article — comprend un montant donné qui est identifié sur la facture ou sur la convention écrite relative à la fourniture comme étant attribuable à la nourriture, les règles suivantes s'appliquent :

1º la délivrance de la nourriture est réputée être une fourniture distincte de la fourniture du service et ne pas être accessoire à la délivrance d'un autre bien ou à la prestation d'un autre service;

2º la partie, qui n'excède pas 90 %, du montant total qui est raisonnablement attribuable à la nourriture et qui est incluse dans le montant donné est réputée être la contrepartie de la fourniture de la nourriture;

3º la différence entre le montant total et la contrepartie de la fourniture de la nourriture est réputée être la contrepartie de la fourniture du service.

Notes historiques: L'article 39.2 a été ajouté par L.Q. 1994, c. 22, art. 386(1) et est réputé entré en vigueur le 1er juillet 1992.

Définitions [art. 39.2]: « contrepartie », « fourniture », « montant », « personne », « service » — 1.

Renvois [art. 39.2]: 39.1 (définition de « nourriture »); 178 (fourniture de produits de l'agriculture ou de la pêche).

Lettres d'interprétation [art. 39.2]: 00-0105502 — Interprétation relative à la TPS et à la TVQ — Parc d'engraissement pour animaux.

Concordance fédérale: LTA, par. 164.1(2).

39.3 Définitions — Pour l'application des articles 39.3 à 41, l'expression :

« accord d'amodiation » signifie un accord visé à l'article 39.4;

Concordance fédérale: LTA, 162(1)« accord d'amodiation ».

« bien non prouvé » signifie un immeuble dont les réserves estimées en minéraux n'ont pas été établies;

Concordance fédérale: LTA, 162(1)« bien non prouvé ».

« droit relatif à des ressources naturelles » signifie :

1º un droit d'exploitation de gisements minéraux;

2º un droit d'exploration de gisements minéraux;

3º un droit d'accès ou d'utilisateur relatif à un droit visé au paragraphe 1º ou 2º;

4º un droit à un montant calculé en fonction de la production, incluant les bénéfices, de gisements minéraux ou en fonction de la valeur de leur production;

Concordance fédérale: LTA, 162(1)« droit relatif à des ressources naturelles ».

« matériel minier ou de forage déterminé » relatif à l'exploration ou à la mise en valeur d'un bien non prouvé en vertu d'un accord d'amodiation, signifie :

1º le matériel, les installations et les constructions pour utilisation sur un chantier minier dans la production de minéraux provenant de la mine et non pour broyer, fondre, raffiner ou traiter autrement les minéraux après la production;

2º le matériel, les installations et les constructions pour utilisation sur un chantier de forage dans la production de minéraux provenant du puits, incluant un réchauffeur, un déshydrateur et tout autre équipement du chantier de forage utilisé pour le traitement initial de substances produites à partir du puits en préparation de leur transport, mais ne comprend pas :

a) le matériel, les installations, les constructions et les équipements qui servent ou qui sont destinés à servir dans un puits qui n'a pas été foré dans le cadre de l'exploration ou de la mise en valeur en vertu de l'accord;

b) le matériel, les installations, les constructions et les équipements pour utilisation dans le raffinage du pétrole ou le traitement du gaz naturel, incluant la séparation des hydrocarbures liquides, du soufre ou d'autres co-produits ou sous-produits;

Concordance fédérale: LTA, 162(1)« matériel déterminé ».

« réserves estimées » de minéraux signifie les quantités estimées de minéraux qui, selon les données géologiques et techniques, peuvent être, avec une certitude raisonnable, récupérables compte tenu des conditions économiques et d'exploitation actuelles.

Concordance fédérale: LTA, 162(1)« réserves estimées ».

Notes historiques: L'article 39.3 a été ajouté par L.Q. 2001, c. 53, art. 282 et a effet depuis le 1er juillet 1992.

39.4 Règles applicables à un accord d'amodiation — Dans le cas où, en vertu d'une convention écrite conclue entre une personne — appelée « amodiateur » dans le présent article — et une autre personne — appelée « amodiataire » dans le présent article —, l'amodiateur transfère à l'amodiataire un droit relatif à des ressources naturelles donné ou une partie de tel droit, lié à un bien non prouvé, en contrepartie totale ou partielle par l'amodiataire, de la réalisation de l'exploration du bien pour la recherche de gisements minéraux, de la communication de renseignements recueillis de l'exploration ou d'un droit à de tels renseignements et, sous réserve des conditions prévues à la convention, de la mise en valeur du bien pour la production de minéraux, les règles suivantes s'appliquent :

LTVQ (français)

1º la valeur, à titre de contrepartie, d'un bien ou d'un service donné par l'amodiateur à l'amodiataire en vertu de la convention est réputée nulle dans la mesure où le bien ou le service est donné à titre de contrepartie pour l'un des éléments suivants — chacun étant appelé « apport de l'amodiataire » dans le présent article — :

a) la réalisation de cette exploration ou de cette mise en valeur;

b) la communication de ces renseignements ou le droit à de tels renseignements;

c) un transfert en vertu de la convention par l'amodiataire à l'amodiateur de tout droit sur du matériel minier ou de forage déterminé utilisé par l'amodiataire exclusivement dans cette exploration ou cette mise en valeur;

2º la valeur de l'apport de l'amodiataire à titre de contrepartie de tout bien ou service donné par l'amodiateur à l'amodiataire en vertu de la convention est réputée nulle;

3º dans le cas où une partie de la contrepartie donnée par l'amodiateur pour l'apport de l'amodiataire est un bien ou un service — chacun étant appelé « apport supplémentaire de l'amodiateur » dans le présent paragraphe — qui n'est pas un droit relatif à des ressources naturelles lié à un bien non prouvé, les règles suivantes s'appliquent :

a) l'amodiataire est réputé avoir effectué à l'amodiateur, à l'endroit où le bien non prouvé est situé, la fourniture taxable d'un service qui est distincte de toute fourniture qu'il a effectuée en vertu de la convention et ce service est réputé être la contrepartie de l'apport supplémentaire de l'amodiateur;

b) la valeur de ce service et la valeur de l'apport supplémentaire de l'amodiateur à titre de contrepartie pour la fourniture de ce service sont réputées chacune égales à la juste valeur marchande de l'apport supplémentaire de l'amodiateur déterminée au moment où — appelé « moment du transfert » dans le présent paragraphe — :

i. dans le cas où l'apport supplémentaire de l'amodiateur est un service, l'exécution du service commence;

ii. dans tout autre cas, la propriété de l'apport supplémentaire de l'amodiateur est transférée à l'amodiataire;

c) la totalité de la contrepartie pour l'apport supplémentaire de l'amodiateur et la contrepartie pour le service réputé avoir été fourni par l'amodiataire sont réputées devenir dues au moment du transfert;

d) dans le cas où, en plus de l'apport de l'amodiataire, celui-ci fournit à l'amodiateur d'autres biens ou d'autres services, autres que le service réputé avoir été fourni en vertu du sous-paragraphe a, pour lesquels une partie de la contrepartie est l'apport supplémentaire de l'amodiateur, la valeur de la contrepartie de la fourniture des autres biens ou des autres services est réputée égale à l'excédent de la valeur de cette contrepartie déterminée sans tenir compte du présent sous-paragraphe, sur la juste valeur marchande de l'apport supplémentaire de l'amodiateur.

Notes historiques: L'article 39.4 a été ajouté par L.Q. 2001, c. 53, art. 282 et a effet depuis le 1er juillet 1992. Toutefois, à l'égard des conventions conclues avant le 8 août 1998, l'article 39.4 doit se lire en faisant abstraction du paragraphe 3º.

Concordance fédérale: LTA, par. 162(4).

40. Fourniture de droits relatifs à des ressources naturelles — La fourniture des droits suivants est réputée ne pas constituer une fourniture :

1º un droit d'exploitation de gisements minéraux, de tourbières, de gisements de tourbe, de ressources forestières, de ressources halieutiques ou de ressources en eau;

2º un droit d'exploration relatif aux gisements, aux tourbières ou aux ressources visés au paragraphe 1º;

3º un droit d'accès ou d'utilisateur relatif à un droit visé au paragraphe 1º ou 2º;

4º un droit à un montant calculé en fonction de la production des gisements, des tourbières ou des ressources visés au paragraphe 1º, incluant les bénéfices, ou un droit à un montant calculé en fonction de la valeur de leur production.

5º un droit d'accéder à un fonds, ou de l'utiliser, afin de produire ou d'évaluer la possibilité de produire de l'électricité à partir du soleil ou du vent.

Frais ou redevances — De plus, la contrepartie payée ou due, ou les frais ou les redevances exigés ou réservés, à l'égard d'un droit visé au premier alinéa sont réputés ne pas être une contrepartie pour le droit.

Notes historiques: Le paragraphe 5º du premier alinéa de l'article 40 a été ajouté par L.Q. 2009, c. 15, par. 483(1) et s'applique :

1° à une fourniture effectuée après le 25 février 2008;

2° à une fourniture effectuée avant le 26 février 2008 mais seulement à l'égard de la partie de la contrepartie de cette fourniture qui devient due ou qui est payée sans être devenue due, après le 25 février 2008.

L'article 40 a été modifié par L.Q. 1994, c. 22, art. 387(1) et est réputé entré en vigueur le 1er juillet 1992. L'article 40, édicté par L.Q. 1991, c. 67, se lisait comme suit :

40. La fourniture des droits suivants est réputée ne pas constituer une fourniture :

1º un droit d'exploitation de gisements minéraux, de ressources forestières, de ressources halieutiques ou de ressources en eau;

2º un droit d'exploration, d'accès ou d'utilisateur relatif aux gisements ou aux ressources visés au paragraphe 1º;

3º un droit à un montant calculé en fonction de la production des gisements ou des ressources visés au paragraphe 1º, incluant les bénéfices, ou un droit à un montant calculé en fonction de la valeur de leur production.

De plus, la contrepartie payée ou due, ou les frais ou les redevances exigés ou réservés, à l'égard d'un droit visé au premier alinéa sont réputés ne pas être une contrepartie pour le droit.

Notes explicatives ARQ (PL 37, L.Q. 2009, c. 15): *Résumé* :

L'article 40 est modifié afin d'ajouter à la liste des fournitures qui sont réputées ne pas être assujetties à la taxe de vente du Québec (TVQ), la fourniture du droit d'accéder à un fonds, ou d'utiliser un fonds, afin de produire, ou d'évaluer la possibilité de produire, de l'énergie éolienne ou solaire.

Situation actuelle :

Actuellement, l'article 40 de la LTVQ prévoit que, sous réserve des exceptions prévues à l'article 41 de la LTVQ, la fourniture du droit d'exploitation de ressources naturelles telles que des ressources forestières ou des gisements minéraux est réputée ne pas constituer une fourniture.

Il en est de même de la fourniture du droit d'exploration de ces ressources, du droit d'accéder ou d'utiliser de tels droits d'exploitation ou d'exploration de ces ressources ainsi que du droit à un montant calculé en fonction de la production ou de la valeur de la production de ces ressources. Conséquemment, aucune TVQ n'est applicable à l'égard de ces fournitures.

Modifications proposées :

Il est proposé de modifier l'article 40 de la LTVQ afin d'ajouter à la liste des fournitures qui sont réputées ne pas être assujetties à la TVQ, la fourniture du droit d'accéder à un fonds, ou de l'utiliser, afin de produire, ou d'évaluer la possibilité de produire, de l'énergie éolienne ou solaire.

Définitions [art. 40]: « contrepartie », « fourniture », « minéral », « montant » — 1.

Renvois [art. 40]: 41 (champ d'application); 48 (fournitures par les gouvernements et municipalités); 166 (fourniture par une municipalité d'eau non embouteillée); 346 (choix concernant les co-entreprises).

Concordance fédérale: LTA, par. 162(2).

41. Exception — L'article 40 ne s'applique pas à la fourniture d'un droit de prendre ou d'extraire des produits forestiers, des produits qui poussent dans l'eau, des produits de la pêche, des minéraux ou de la tourbe ni à un droit d'accès ou d'utilisateur relatif à ces produits, à ces minéraux ou à cette tourbe ni à un droit visé au paragraphe 5° du premier alinéa de cet article, si la fourniture est effectuée :

1º soit à un consommateur;

2º soit à une personne qui n'est pas un inscrit et qui acquiert le droit dans le cadre de son entreprise qui consiste à effectuer la fourniture de ces produits, de ces minéraux, de cette tourbe ou de l'électricité à des consommateurs.

Notes historiques: L'article 41 a été remplacé par L.Q. 2009, c. 15, par. 484(1) et cette modification s'applique :

1° à une fourniture effectuée après le 25 février 2008;

2° à une fourniture effectuée avant le 26 février 2008 mais seulement à l'égard de la partie de la contrepartie de cette fourniture qui devient due ou qui est payée sans être devenue due, après le 25 février 2008.

Antérieurement, il se lisait ainsi :

> 41. Exception — L'article 40 ne s'applique pas à la fourniture d'un droit de prendre ou d'extraire des produits forestiers, des produits qui poussent dans l'eau, des produits de la pêche, des minéraux ou de la tourbe ni à un droit d'accès ou d'utilisateur relatif à ces produits, à ces minéraux ou à cette tourbe, si la fourniture est effectuée :
>
> 1° soit à un consommateur;
>
> 2° soit à une personne qui n'est pas un inscrit et qui acquiert le droit dans le cadre de son entreprise qui consiste à effectuer la fourniture de ces produits, de ces minéraux ou de cette tourbe à des consommateurs.

L'article 41 a été modifié par L.Q. 1994, c. 22, art. 387(1) et est réputé entré en vigueur le 1er juillet 1992. L'article 41, édicté par L.Q. 1991, c. 67, se lisait comme suit :

> 41. L'article 40 ne s'applique pas à l'égard d'un droit de prendre ou d'extraire des minéraux, des produits forestiers, des produits de l'eau ou de la pêche ni à l'égard d'un droit d'accès ou d'utilisateur relatif à ces minéraux ou à ces produits, si le droit est fourni :
>
> 1° soit au consommateur de ces minéraux ou de ces produits;
>
> 2° soit à une personne qui n'est pas un inscrit et qui acquiert le droit dans le cadre d'une entreprise qui consiste à effectuer la fourniture de ces minéraux ou de ces produits à des consommateurs.

Notes explicatives ARQ (PL 37, L.Q. 2009, c. 15): *Résumé* :

L'article 41 est modifié afin d'ajouter le droit visé au paragraphe 5° de l'article 40 de la LTVQ de sorte que soit taxable la fourniture du droit d'accéder à un fonds, ou d'utiliser un fonds, afin de produire ou d'évaluer la possibilité de produire, de l'énergie éolienne ou solaire, lorsque certaines conditions sont satisfaites.

Situation actuelle :

L'article 41 de la LTVQ est une disposition d'exception à l'égard de la règle prévue à l'article 40 de la LTVQ. Actuellement, l'article 41 de la LTVQ prévoit que la fourniture de certains droits relatifs à des ressources naturelles peut être taxable, malgré l'article 40 de la LTVQ, lorsque cette fourniture est effectuée à un consommateur ou à une personne qui n'est pas un inscrit et qui acquiert le droit dans le but de fournir des ressources à des consommateurs.

Modifications proposées :

Il est proposé de modifier l'article 41 de la LTVQ afin de faire en sorte que la fourniture d'un droit visé au paragraphe 5° de l'article 40 de la LTVQ soit taxable dans certaines circonstances.

Définitions [art. 41]: « consommateur », « entreprise », « fourniture », « inscrit », « minéral », « personne » — 1.

Renvois [art. 41]: 40 (redevances sur ressources naturelles); 48 (fournitures par les gouvernements et municipalités); 166 (fourniture par une municipalité d'eau non embouteillée); 346 (choix concernant les co-entreprises).

Concordance fédérale: LTA, par. 162(2).

2. — Mandataire

Notes historiques: L'intertitre 2 a été ajouté par L.Q. 1994, c. 22, art. 388(1) et est réputé entré en vigueur le 1er juillet 1992.

41.0.1 Fourniture effectuée par un inscrit pour le compte d'une personne qui est tenue de percevoir la taxe — Dans le cas où un inscrit, dans le cadre d'une de ses activités commerciales, agit à titre de mandataire en effectuant une fourniture, autrement que par vente aux enchères, pour le compte d'une personne qui est tenue de percevoir la taxe à l'égard de la fourniture autrement que par suite de l'application du paragraphe 1° de l'article 41.1 et que l'inscrit et la personne effectuent conjointement un choix au moyen du formulaire prescrit contenant les renseignements prescrits, les règles suivantes s'appliquent :

1° la taxe percevable à l'égard de la fourniture ou tout montant exigé ou perçu par l'inscrit pour le compte de la personne au titre de la taxe relative à la fourniture est réputé être percevable, exigé ou perçu, selon le cas, par l'inscrit et non par la personne aux fins suivantes :

a) du calcul de la taxe nette de l'inscrit et de la personne;

b) de l'application des articles 447 à 450 et de l'article 20 de la *Loi sur l'administration fiscale* (chapitre A-6.002);

2° l'inscrit et la personne sont solidairement responsables des obligations qui découlent de l'application du présent titre :

a) du fait que la taxe devient percevable;

b) en ce qui concerne un montant de taxe nette de l'inscrit, ou un montant qui lui a été payé ou affecté au titre d'un remboursement prévu aux sections II à IV du chapitre VIII auquel il n'avait pas droit ou qui excède celui auquel il avait droit, qu'il est raisonnable d'attribuer à la fourniture, du défaut de verser un tel montant, ou d'en rendre compte, de la manière et dans le délai prévus au présent titre;

c) de la déduction par l'inscrit, en vertu des articles 443.1 à 446.1 ou des articles 447 à 450, à l'égard de la fourniture, d'un montant auquel l'inscrit n'avait pas droit ou qui excède celui auquel il avait droit;

d) du défaut de verser, de la manière et dans le délai prévus au présent titre, un montant de taxe nette que l'inscrit a payé en moins, ou un montant qui lui a été payé ou affecté au titre d'un remboursement prévu aux sections II à IV du chapitre VIII auquel il n'avait pas droit ou qui excède celui auquel il avait droit, et qu'il est raisonnable d'attribuer à une déduction visée au sous-paragraphe c;

e) du recouvrement de la totalité ou d'une partie d'une mauvaise créance qui se rapporte à la fourniture à l'égard de laquelle l'inscrit a déduit un montant en vertu des articles 443.1 à 446.1;

f) en ce qui concerne un montant de taxe nette de l'inscrit, ou un montant qui lui a été payé ou affecté au titre d'un remboursement prévu aux sections II à IV du chapitre VIII auquel il n'avait pas droit ou qui excède celui auquel il avait droit, qu'il est raisonnable d'attribuer à un montant à ajouter, en vertu de l'article 446, à la taxe nette de l'inscrit relativement à une mauvaise créance visée au sous-paragraphe e), du défaut de verser un tel montant, ou d'en rendre compte, de la manière et dans le délai prévus au présent titre;

3° les montants déterminants de l'inscrit et de la personne prévus aux articles 462 et 462.1 doivent être calculés comme si tout ou partie de la contrepartie qui est devenue due à la personne, ou qui lui a été payée sans qu'elle soit devenue due, à l'égard de la fourniture, était devenue due à l'inscrit et non à la personne, ou avait été payée à l'inscrit et non à la personne sans qu'elle soit devenue due, selon le cas.

Notes historiques: Les paragraphes 1° et 2° de l'article 41.0.1 ont été remplacés par L.Q. 2009, c. 5, s.-par. 597(1)(1°). Cette modification, lorsqu'elle modifie le paragraphe 1°, s'applique à une fourniture effectuée après le 20 décembre 2002. Lorsqu'elle modifie le paragraphe 2°, cette modification s'applique à une fourniture effectuée après le 23 avril 1996 à l'égard de laquelle le choix prévu à l'article 41.0.1 est fait à un moment quelconque. Toutefois, lorsque le paragraphe 2° s'applique à une fourniture effectuée avant le 21 décembre 2002 à l'égard de laquelle le choix prévu à l'article 41.0.1 a été fait avant cette date :

1° le sous-paragraphe b) de ce paragraphe 2° doit se lire comme suit :

« b) du défaut de verser la taxe ou d'en rendre compte; »;

2° le sous-paragraphe c) de ce paragraphe 2° doit se lire en y remplaçant « des articles 443.1 à 446.1 ou des articles 447 à 450 » par « des articles 443.1 à 446.1 ».

Antérieurement, ils se lisaient ainsi :

> 1° la taxe percevable à l'égard de la fourniture doit être incluse dans le calcul de la taxe nette de l'inscrit et non dans celui de la personne comme si la taxe était percevable par l'inscrit;
>
> 2° l'inscrit et la personne sont solidairement responsables des obligations qui découlent du fait que la taxe devient percevable, qu'il n'en est pas rendu compte ou qu'elle n'est pas versée.

Le paragraphe 3° de l'article 41.0.1 a été ajouté par L.Q. 2009, c. 5, s.-par. 597(1)(2°) et s'applique à une fourniture effectuée après le 20 décembre 2002.

L'article 41.0.1 a été remplacé par L.Q. 1997, c. 85, art. 439(1) et, sous réserve des paragraphes 1 et 2, cette modification s'applique à l'égard d'une fourniture effectuée après le 23 avril 1996 par un inscrit à un acquéreur pour le compte d'une autre personne et à une fourniture effectuée par l'inscrit à l'autre personne d'un service relatif à la fourniture à l'acquéreur.

> 1. Cette modification ne s'applique pas à l'égard de la fourniture d'un bien meuble corporel effectuée avant le 1er juillet 1996 si, selon le cas :
>
> a) la fourniture est effectuée par un mandataire autrement que par vente aux enchères pour le compte d'un mandant qui n'aurait pas été tenu de percevoir la

LTVQ (français)

taxe à l'égard de la fourniture si le mandant avait effectué la fourniture autrement que par l'intermédiaire d'un mandataire et, selon le cas :

i. si le mandataire a dévoilé par écrit à l'acquéreur de la fourniture qu'il effectuait la fourniture pour le compte d'une autre personne qui n'était pas tenue de percevoir la taxe à l'égard de la fourniture, aucun montant au titre de la taxe n'a été exigé ou perçu à l'égard de la fourniture;

ii. dans tout autre cas, le mandataire paie au mandant, ou porte à son crédit, le montant au titre de la fourniture du bien déterminé en vertu du paragraphe 4º du premier alinéa de l'article 41.1, tel qu'il s'appliquait à l'égard d'une fourniture effectuée avant le 23 avril 1996;

b) la fourniture est effectuée par vente aux enchères pour le compte d'un mandant et l'encanteur paie au mandant, ou porte à son crédit, le montant au titre de la fourniture du bien déterminé en vertu de l'article 41.4 tel qu'abrogé par L.Q. 1997, c. 85, art. 441(1), aux fins de l'article 41.2, tels qu'ils s'appliquaient à une fourniture effectuée avant le 23 avril 1996.

2. À l'égard d'une fourniture par vente aux enchères d'un bien meuble corporel effectuée avant le 1er avril 1997 :

a) les articles 41.0.1 et 41.1 doivent se lire sans tenir compte de « , autrement que par vente aux enchères, »

b) la loi doit se lire sans tenir compte de l'article 41.2.

Antérieurement, cet article se lisait ainsi :

41.0.1 Dans le cas où un inscrit — appelé « mandataire » dans le présent article — agissant à titre de mandataire d'un autre inscrit — appelé « mandant » dans le présent article — dans le cadre d'une activité commerciale du mandataire, effectue la fourniture taxable, autrement que par vente aux enchères, d'un bien ou d'un service à un acquéreur pour le compte du mandant et que le mandataire ne dévoile pas par écrit à l'acquéreur le nom du mandant et le numéro d'inscription attribué à ce dernier en vertu de la section I du chapitre VIII, les règles suivantes s'appliquent :

1º le mandant est réputé ne pas avoir effectué la fourniture à l'acquéreur;

2º le mandataire est réputé avoir effectué la fourniture à l'acquéreur;

3º le mandataire est réputé ne pas avoir effectué au mandant la fourniture d'un service relatif à la fourniture à l'acquéreur;

4º le mandant est réputé avoir effectué une fourniture du bien ou du service au mandataire et le mandataire est réputé avoir reçu cette fourniture du mandant;

5º lorsqu'un montant donné de la contrepartie de la fourniture du bien ou du service à l'acquéreur devient dû ou est payé et que, à un ou plusieurs moments, le mandataire verse au mandant, ou porte à son crédit, un montant au titre de ce montant donné, le mandataire est réputé avoir payé, et le mandant est réputé avoir reçu, au premier en date de ces moments, une contrepartie de la fourniture réputée avoir été effectuée au mandataire en vertu du paragraphe 4º égale au montant déterminé selon la formule suivante :

$$A - B$$

Pour l'application de cette formule :

1º la lettre A représente le montant donné;

2º la lettre B représente la contrepartie qui serait déterminée à l'égard de la fourniture du service relatif à la fourniture à l'acquéreur qui serait effectuée par le mandataire au mandant si ce n'était du présent article et du paragraphe 1 de l'article 177 de la *Loi sur la taxe d'accise* (Lois révisées du Canada (1985), chapitre E-15) et qui est devenue due ou qui a été payée ou, dans le cas où la fourniture à l'acquéreur est effectuée par louage, licence ou accord semblable, la partie de cette contrepartie qui est raisonnablement attribuable à la période à laquelle le montant donné se rapporte et qui n'a pas été attribuée à une période antérieure.

L'article 41.0.1 a été ajouté par L.Q. 1995, c. 63, art. 314(1) et s'applique à l'égard d'une fourniture effectuée par un inscrit pour le compte d'un mandant après le 31 juillet 1995.

Notes explicatives ARQ (PL 2, L.Q. 2009, c. 5): *Résumé* :

L'article 41.0.1 est modifié afin de faire référence aux articles 447 à 450 de la LTVQ. Ainsi, lorsque le mandant et le mandataire effectuent conjointement le choix prévu à cet article, la taxe à l'égard de la fourniture ou tout montant exigé ou perçu à ce titre est réputé être percevable, exigé ou perçu par le mandataire et non par le mandant aux fins de l'application des articles 447 à 450 de la LTVQ.

De plus, cet article est modifié afin de prévoir que le mandant et le mandataire sont solidairement responsables des obligations qui découlent de l'application du titre I de la LTVQ, notamment, celles découlant de la déduction effectuée par le mandataire en application de l'article 446 de la LTVQ (mauvaise créance) ou de l'article 449 de la LTVQ (redressement ou remboursement), à l'égard de la fourniture.

Situation actuelle :

L'article 41.0.1 de la LTVQ prévoit que lorsqu'un inscrit agit à titre de mandataire pour le compte d'une personne qui est tenue de percevoir la taxe, l'inscrit et la personne peuvent faire un choix afin que la taxe à percevoir à l'égard de la fourniture effectuée à l'acquéreur soit incluse dans le calcul de la taxe nette du mandataire plutôt que dans celle de la personne.

Ainsi, la personne qui est tenue de percevoir la taxe et qui donne le mandat à un mandataire d'effectuer une fourniture peut également lui donner le mandat de percevoir la taxe pour son compte et faire un choix conjointement avec lemandataire afin que la taxe soit versée par le mandataire.

Si le mandant et le mandataire effectuent ce choix, ils sont solidairement responsables des obligations qui découlent de l'application de la taxe à l'égard de la fourniture. Ils sont donc solidairement responsables de la perception et du versement de cette taxe.

Modifications proposées :

Le paragraphe 1º de l'article 41.0.1 de la LTVQ est modifié afin de faire référence aux articles 447 à 450 de la LTVQ. Ainsi, lorsque le mandant et le mandataire effectuent conjointement le choix prévu à cet article, la taxe à l'égard de la fourniture ou tout montant exigé ou perçu à ce titre est réputé être percevable, exigé ou perçu par le mandataire et non par le mandant aux fins de l'application des articles 447 à 450 de la LTVQ.

Le renvoi aux articles 447 à 450 de la LTVQ fait donc en sorte qu'un mandataire qui a accordé un remboursement ou un crédit ou qui a opéré un redressement conformément à ces articles du fait qu'il a exigé ou perçu d'un client un montant de taxe excédant celui qu'il pouvait percevoir ou du fait qu'il a réduit la contrepartie et la taxe percevable relativement à une fourniture puisse demander la déduction prévue à l'article 449 de la LTVQ.

De plus, le paragraphe 1º de l'article 41.0.1 de la LTVQ est modifié afin de faire référence à l'article 20 de la *Loi sur le ministère du Revenu* (L.R.Q., chapitre M-31) de sorte que le mandataire qui perçoit des montants au titre de la taxe soit réputé les détenir en fiducie pour l'État, séparés de son patrimoine et de ses propres fonds.

Le paragraphe 2º de l'article 41.0.1 de la LTVQ a fait l'objet de modifications, notamment par l'addition du sous-paragraphe b), en vue de refléter le fait que l'obligation du fournisseur de verser la taxe percevable à l'égard d'une fourniture porte sur un montant positif de taxe nette, ou sur un montant à verser au titre d'un montant de taxe nette remboursé en trop, qu'il est raisonnable d'attribuer à la fourniture.

Le nouveau sous-paragraphe c) du paragraphe 2º de l'article 41.0.1 de la LTVQ prévoit que le mandant et le mandataire sont solidairement responsables des obligations qui découlent de la déduction par le mandataire d'un montant auquel il n'avait pas droit ou qui excède celui auquel il avait droit relativement à la radiation d'une mauvaise créance effectuée en vertu des articles 443.1 à 446.1 de la LTVQ. De même, le mandant et le mandataire sont aussi solidairement responsables des obligations découlant de la déduction par le mandataire d'un montant auquel il n'avait pas droit ou qui excède celui auquel il avait droit à l'égard d'un redressement ou d'un remboursement de taxe effectué en vertu des articles 447 à 450 de la LTVQ.

Le nouveau sous-paragraphe d) du paragraphe 2º de l'article 41.0.1 de la LTVQ prévoit que le mandant et le mandataire sont solidairement responsables des obligations, comme par exemple le paiement des intérêts et des pénalités, découlant du fait qu'un montant de taxe nette a été payé en moins ou a été remboursé ou affecté en trop parce que le mandataire a déduit, en application des articles 443.1 à 446.1 ou des articles 447 à 450 de la LTVQ, un montant auquel il n'avait pas droit ou dépassant celui auquel il avait droit.

Les nouveaux sous-paragraphes e) et f) du paragraphe 2º de l'article 41.0.1 de la LTVQ font en sorte que le mandataire qui demande une déduction pour mauvaise créance en vertu de l'article 444 de la LTVQ soit solidairement responsable avec le mandant d'un montant déterminé, en cas de recouvrement ultérieur de tout ou partie de la créance. Dans ce cas, l'article 446 de la LTVQ exige du mandataire qu'il ajoute, dans le calcul de sa taxe nette, le montant déterminé selon cet article.

Le nouveau paragraphe 3º de l'article 41.0.1 de la LTVQ prévoit que le mandataire doit inclure la contrepartie de la fourniture dans le calcul des montants déterminants qui lui sont applicables selon les articles 462 et 462.1 de la LTVQ. Ces montants entrent en jeu lorsqu'il s'agit de déterminer les périodes de déclaration du mandataire. La contrepartie n'est donc pas incluse dans le calcul des montants déterminants applicables au mandant selon ces articles.

Guides [art. 41.0.1]: IN-203 — Renseignements généraux sur la TVQ et la TPS/TVH.

Définitions [art. 41.0.1]: « acquéreur », « activité commerciale », « bien », « contrepartie », « fourniture », « fourniture taxable », « inscrit », « période de déclaration », « service » — 1.

Renvois [art. 41.0.1]: 346 (choix concernant les co-entreprises); 433.2 (taxe nette d'un organisme de bienfaisance inscrit); 443.1 (déclarant d'une fourniture).

Bulletins d'interprétation [art. 41.0.1]: TVQ. 16-23 — La fiducie simple (« Bare trust »); TVQ. 16-30/R1 — Contrat de prête-nom.

Lettres d'interprétation [art. 41.0.1]: 98-0100382 — Décision portant sur l'application de la TPS — Interprétation relative à la TVQ — Relation de mandataire; 98-0111256 — Interprétation relative à la TPS — Interprétation relative à la TVQ — Exportation de véhicules automobiles, CTI et RTI; 99-0102600 — Syndic de faillite — Interprétation relative à la TPS et Choix concernant une coentreprise; 99-0106833 — Interprétation relative à la TPS et à la TVQ — Fourniture d'activités de loisir aux citoyens d'une municipalité; 00-0108472 — Livres en consignation; 02-0100400 — Interprétation relative à la TPS — Acquisition d'un véhicule par un prête-nom; 03-0107627 — Interprétation relative à la TPS et à la TVQ — fourniture de biens par un mandataire [d'une institution d'enseignement]; 04-0102766 — Interprétation relative à la TPS et à la TVQ — location de condominiums.

Formulaires [art. 41.0.1]: FP-2506, Attestation ou révocation d'un choix fait conjointement par le mandant et le mandataire ou l'encanteur.

Concordance fédérale: LTA, par. 177(1.1).

COMMENTAIRES: Voir les commentaires sous l'article 41.6.

41.0.2 Agent de facturation — Dans le cas où un inscrit agit à titre de mandataire d'un fournisseur lorsqu'il exige et perçoit la contrepartie et la taxe payable à l'égard d'une fourniture effectuée par le fournisseur, mais qu'il n'effectue pas la fourniture à ce titre, l'inscrit est réputé avoir effectué la fourniture à ce titre pour l'application des dispositions suivantes :

1º l'article 41.0.1;

2º si le choix prévu à l'article 41.0.1 est fait à l'égard de la fourniture, toute autre disposition qui fait référence à une fourniture à l'égard de laquelle un tel choix a été fait.

Notes historiques: L'article 41.0.2 a été ajouté par L.Q. 2009, c. 5, par. 598(1) et s'applique à une fourniture effectuée après le 20 décembre 2002.

Notes explicatives ARQ (PL 2, L.Q. 2009, c. 5): *Résumé* :

Le nouvel article 41.0.2 permet à un inscrit qui agit à titre d'agent de facturation pour le compte d'un fournisseur de déclarer et de verser la taxe.

Situation actuelle :

L'article 41.0.1 de la LTVQ prévoit que lorsqu'un inscrit agit à titre de mandataire en effectuant une fourniture pour le compte d'une personne qui est tenue de percevoir la taxe, l'inscrit et la personne peuvent faire un choix afin que la taxe à percevoir à l'égard de la fourniture soit incluse dans le calcul de la taxe nette du mandataire plutôt que dans celle de la personne.

Modifications proposées :

Le nouvel article 41.0.2 de la LTVQ s'applique dans le cas où un fournisseur retient les services d'un inscrit comme agent de facturation relativement aux fournitures qu'il effectue. L'agent de facturation exige et perçoit, à titre de mandataire du fournisseur, la contrepartie et la taxe relatives aux fournitures, mais n'agit pas à ce titre pour la réalisation des fournitures.

Le paragraphe 1° de l'article 41.0.2 de la LTVQ prévoit que l'agent de facturation est réputé agir à titre de mandataire pour la réalisation de la fourniture, mais seulement dans la mesure où cette présomption lui permet de se prévaloir, avec le fournisseur, des dispositions de l'article 41.0.1 de la LTVQ. Si toutes les autres conditions de cet article sont réunies, le fournisseur et son agent de facturation peuvent faire le choix qui y est prévu afin de permettre à l'agent de facturation de rendre compte de la taxe au même titre que le mandataire qui effectue une fourniture pour le compte d'un fournisseur.

Le paragraphe 2° de l'article 41.0.2 de la LTVQ prévoit que, dans l'éventualité où le fournisseur et l'agent de facturation font effectivement le choix prévu à l'article 41.0.1 de la LTVQ, l'agent est réputé avoir effectué la fourniture à titre de mandataire du fournisseur pour l'application de toutes les dispositions qui font mention d'une fourniture à l'égard de laquelle ce choix a été fait. Par exemple, le sous-paragraphe iii du sous-paragraphe b) du paragraphe 1° de l'article 433.2 de la LTVQ tient compte, pour le calcul de la taxe nette d'un organisme de bienfaisance, des fournitures effectuées pour le compte de la personne dont l'organisme de bienfaisance est le mandataire et relativement auxquelles l'organisme a fait le choix prévu à l'article 41.0.1. Ce sous-paragraphe s'appliquera donc également dans le cas où l'organisme de bienfaisance n'a agi qu'à titre d'agent de facturation et a fait le choix prévu à l'article 41.0.1 de la LTVQ.

Concordance fédérale: LTA, par. 177(1.11).

COMMENTAIRES: Voir les commentaires sous l'article 41.6.

41.0.3 Révocation conjointe — Un inscrit et un fournisseur qui ont fait le choix prévu à l'article 41.0.1 peuvent, au moyen du formulaire prescrit contenant les renseignements prescrits, le révoquer conjointement à l'égard d'une fourniture effectuée à la date d'effet précisée dans la révocation ou après cette date et, conséquemment, le choix est réputé, pour l'application du présent titre, ne pas avoir été fait relativement à cette fourniture.

Notes historiques: L'article 41.0.3 a été ajouté par L.Q. 2009, c. 5, par. 598(1) et a effet depuis le 20 décembre 2002.

Notes explicatives ARQ (PL 2, L.Q. 2009, c. 5): *Résumé* :

Le nouvel article 41.0.3 permet la révocation conjointe du choix qu'un mandant et son mandataire ont fait en vertu de l'article 41.0.1 de la LTVQ.

Situation actuelle :

L'article 41.0.1 de la LTVQ prévoit que lorsqu'un inscrit agit à titre de mandataire en effectuant une fourniture pour le compte d'une personne qui est tenue de percevoir la taxe, l'inscrit et la personne peuvent faire un choix afin que la taxe à percevoir à l'égard de la fourniture soit incluse dans le calcul de la taxe nette du mandataire plutôt que dans celle de la personne.

Modifications proposées :

La modification proposée consiste à introduire l'article 41.0.3 à la LTVQ afin de permettre la révocation conjointe du choix qu'un mandant et son mandataire ont fait en vertu de l'article 41.0.1 de la LTVQ.

La révocation doit viser une ou plusieurs fournitures qui sont effectuées à la date d'effet indiquée dans la révocation, ou après cette date. Le mandataire et le mandant peuvent antidater la révocation pour tenir compte, par exemple, de circonstances où le fournisseur a déclaré la taxe relative aux fournitures en question alors que les parties avaient choisi de confier cette tâche au mandataire.

Étant donné qu'un choix révoqué à l'égard d'une fourniture est réputé ne jamais avoir été fait, le mandataire perd le droit de demander la déduction pour mauvaise créance prévue aux articles 443.1 à 446.1 de la LTVQ et la déduction prévue aux articles 447 à 450 de la LTVQ relativement à la fourniture. Le mandant pourra toutefois les demander s'il remplit par ailleurs toutes les conditions applicables.

Concordance fédérale: LTA, par. 177(1.12).

COMMENTAIRES: Voir les commentaires sous l'article 41.6.

41.1 Fourniture effectuée par un inscrit pour le compte d'une personne qui n'est pas tenue de percevoir la taxe — Dans le cas où une personne — appelée « mandant » dans le présent article — effectue, autrement que par vente aux enchères, la fourniture, autre que la fourniture exonérée ou détaxée, d'un bien meuble corporel à un acquéreur, qu'elle n'est pas tenue de percevoir la taxe à l'égard de la fourniture, sauf disposition contraire du présent article, et qu'un inscrit — appelé « mandataire » dans le présent article — , dans le cadre d'une de ses activités commerciales, agit à titre de mandataire en effectuant la fourniture pour le compte du mandant, les règles suivantes s'appliquent :

1º dans le cas où le mandant est un inscrit et que la dernière utilisation du bien, ou la dernière acquisition du bien pour consommation ou utilisation, par le mandant a été effectuée dans le cadre d'une de ses initiatives, au sens de l'article 42.0.1, et que le mandant et le mandataire effectuent conjointement un choix par écrit, la fourniture du bien à l'acquéreur est réputée une fourniture taxable aux fins suivantes :

a) pour l'application du présent titre, sauf pour déterminer si le mandant peut demander un remboursement de la taxe sur les intrants à l'égard des biens ou des services qu'il a acquis, ou apportés au Québec, pour consommation ou utilisation dans le cadre de la fourniture à l'acquéreur;

b) pour déterminer si le mandant peut demander un remboursement de la taxe sur les intrants à l'égard d'un service fourni par le mandataire relativement à la fourniture du bien à l'acquéreur;

2º dans tout autre cas, la fourniture du bien à l'acquéreur est réputée une fourniture taxable effectuée par le mandataire et non par le mandant et le mandataire est réputé, sauf pour l'application de l'article 327.7, ne pas avoir effectué au mandant la fourniture d'un service relatif à la fourniture du bien à l'acquéreur.

Notes historiques: L'article 41.1 a été remplacé par L.Q. 1997, c. 85, art. 439(1). Pour l'application de cette modification, voir les notes historiques sous l'article 41.0.1.

Guides [art. 41.1]: IN-203 — Renseignements généraux sur la TVQ et la TPS/TVH.

Définitions [art. 41.1]: « acquéreur », « activité commerciale », « bien », « contrepartie », « fourniture », « inscrit », « personne », « taxe », « service » — 1.

Renvois [art. 41.1]: 41.4 (application des règles concernant la fourniture par un mandataire); 346(2) (choix concernant les co-entreprises).

Lettres d'interprétation [art. 41.1]: 97-0114013 — Syndic de faillite — inscription et statut de mandataire; 99-0100182 — Relation contractuelle entre des entités (notion de « mandataire »); 99-0112070 — Décision portant sur l'application de la TPS — Interprétation relative à la TVQ; 99-0113102 — Décision portant sur l'application de la TPS — Interprétation relative à la TVQ — Application de la TPS et de la TVQ aux montants facturés [par une Fédération aux clubs membres]; 00-0104414 — Interprétation relative à la TVQ — Clinique [de chirurgie] et mandat de gestion; 00-0107094 — [Embauche d'employés par un représentant des syndicats de copropriétaires et définition de mandat]; 00-0108472 — Livres en consignation; 01-0108900 — Montants transférés dans un compte bancaire en vue de procéder au versement du salaire d'un gardien de sécurité; 03-0108310 — Fourniture d'un service de concessionnaire alimentaire dans une résidence pour personnes âgées; 04-0102519 — [Entente de consignation de véhicules récréatifs]; 04-0102766 — Interprétation relative à la TPS et à la TVQ — location de condominiums.

Concordance fédérale: LTA, par. 177(1).

LTVQ (français)

COMMENTAIRES: Voir les commentaires sous l'article 41.6.

41.2 Fourniture effectuée par un encanteur — Dans le cas où un inscrit — appelé « encanteur » dans le présent article — agissant à titre d'encanteur et de mandataire pour une autre personne — appelée « mandant » dans le présent article — dans le cadre d'une activité commerciale de l'encanteur, effectue pour le compte du mandant la fourniture par vente aux enchères d'un bien meuble corporel à un acquéreur, la fourniture est réputée une fourniture taxable effectuée par l'encanteur et non par le mandant et l'encanteur est réputé, sauf pour l'application de l'article 327.7, ne pas avoir effectué au mandant la fourniture d'un service relatif à la fourniture du bien à l'acquéreur.

Notes historiques: L'article 41.2 a été remplacé par L.Q. 1997, c. 85, art. 439(1). Pour l'application de cette modification, voir les notes historiques sous l'article 41.0.1. Antérieurement à cette modification, l'article 41.2 se lisait ainsi :

> 41.2 Dans le cas où un inscrit — appelé « encanteur » dans le présent article — agissant à titre d'encanteur et de mandataire pour une autre personne — appelée « mandant » dans le présent article — dans le cadre d'une activité commerciale de l'encanteur, effectue pour le compte du mandant soit la fourniture par vente aux enchères d'un bien meuble, soit, dans le cas où; le mandant est un inscrit, la fourniture taxable par vente aux enchères d'un immeuble ou d'un service, les règles suivantes s'appliquent :
>
> 1° la fourniture est réputée avoir été effectuée par l'encanteur et non par le mandant;
>
> 2° dans le cas où à un ou plusieurs moments, l'encanteur verse au mandant, ou porte à son crédit, un montant relativement à la fourniture à l'acquéreur, le mandant est réputé avoir effectué une fourniture du bien ou du service à l'encanteur, et celui-ci est réputé avoir reçu cette fourniture du mandant, pour une contrepartie payée, au premier en date de ces moments, égale :
>
> a) dans le cas où; la taxe n'est pas payable à l'égard de la fourniture réputée avoir été effectuée par le mandant, au total de la contrepartie de la fourniture à l'acquéreur et de la taxe payable par l'acquéreur à l'égard de cette fourniture;
>
> b) dans tout autre cas, à la contrepartie de la fourniture à l'acquéreur.

Le préambule du premier alinéa de l'article 41.2 a été modifié par L.Q. 1995, c. 63, art. 316 et cette modification s'applique à l'égard de la fourniture d'un bien ou d'un service effectuée par un encanteur pour le compte d'une personne après le 31 juillet 1995. Le préambule de l'article 41.2 se lisait auparavant comme suit :

> 41.2 Dans le cas où un inscrit — appelé « encanteur » dans le présent article — agissant à titre d'encanteur et de mandataire pour une autre personne — appelée « mandant » dans le présent article — dans le cadre d'une activité commerciale de l'encanteur, effectue pour le compte du mandant une fourniture par vente aux enchères, autre qu'une fourniture non taxable, d'un bien meuble et que le mandant n'est pas tenu de percevoir la taxe à l'égard de la fourniture, les règles suivantes s'appliquent :

Le paragraphe 2° de l'article 41.2 a été modifié par L.Q. 1995, c. 63, art. 316(1) et cette modification s'applique à l'égard de la fourniture d'un bien ou d'un service effectuée par un encanteur pour le compte d'une personne après le 31 juillet 1995. Ce paragraphe se lisait auparavant comme suit :

> 2° dans le cas où, à un ou plusieurs moments, l'encanteur verse au mandant, ou porte à son crédit, un montant au titre de la fourniture à l'acquéreur, le mandant est réputé avoir effectué la fourniture du bien à l'encanteur, et celui-ci est réputé avoir reçu cette fourniture du mandant, pour une contrepartie payée, au premier en date de ces moments, égale au total de la contrepartie de la fourniture à l'acquéreur et de la taxe payable par l'acquéreur à l'égard de cette fourniture.

L'article 41.2 a été ajouté par L.Q. 1994, c. 22, art. 388(1) et était réputé entré en vigueur le 1er juillet 1992.

Définitions [art. 41.2]: « acquéreur », « activité commerciale », « bien », « contrepartie », « fourniture », « immeuble », « inscrit », « taxe », « service » — 1.

Renvois [art. 41.2]: 41.2.1 (exception); 41.4 (application des règles concernant la fourniture par un mandataire); 346(2) (choix concernant les co-entreprises).

Concordance fédérale: LTA, par. 177(1.2).

COMMENTAIRES: Voir les commentaires sous l'article 41.6.

COMMENTAIRES: Voir les commentaires sous l'article 41.6.

41.2.1 Fourniture de biens prescrits effectuée par un encanteur — Dans le cas où un inscrit — appelé « encanteur » dans le présent article — effectue à un jour donné une fourniture donnée par vente aux enchères de biens prescrits pour le compte d'un autre inscrit — appelé « mandant » dans le présent article — et que, si ce n'était de l'article 41.2, cette fourniture serait une fourniture taxable effectuée par le mandant, l'article 41.2 ne s'applique pas à la fourniture donnée ou à une fourniture effectuée par l'encanteur au mandant d'un service relatif à cette fourniture donnée si, à la fois :

1° l'encanteur et le mandant effectuent conjointement un choix au moyen du formulaire prescrit contenant les renseignements prescrits à l'égard de la fourniture donnée;

2° la totalité ou la presque totalité de la contrepartie des fournitures effectuées par vente aux enchères le jour donné par l'encanteur pour le compte du mandant est imputable à des fournitures de biens prescrits à l'égard desquels l'encanteur et le mandant ont fait le choix prévu au présent article.

Notes historiques: L'article 41.2.1 a été ajouté par L.Q. 1997, c. 85, art. 440(1) et s'applique à l'égard d'une fourniture effectuée après le 31 mars 1997 par un inscrit à un acquéreur pour le compte d'une autre personne.

Définitions [art. 41.2.1]: « contrepartie », « fourniture », « fourniture taxable », « inscrit », « service » — 1.

Renvois [art. 41.2.1]: 677 (règlements).

Règlements [art. 41.2.1]: RTVQ, 41.2.1R1.

Formulaires [art. 41.2.1]: FP-2502, Choix ou révocation du choix d'un encanteur et de son mandant oncernant l'obligation de percevoir, de déclarer et de remettre la TPS/TVH ou la TVQ; FP-2506, Attestation ou révocation d'un choix fait conjointement par le mandant et le mandataire ou l'encanteur.

Lettres d'interprétation [art. 41.2.1]: 05-0102847 — CTI/RTI auxquels ont droit les assureurs dans le cadre de la fourniture d'un véhicule automobile.

Concordance fédérale: LTA, par. 177(1.3).

41.3 [*Abrogé*]

Notes historiques: L'article 41.3 a été abrogé par L.Q. 1997, c. 85, art. 441(1) et cette abrogation s'applique à l'égard d'une fourniture effectuée après le 23 avril 1996 par un inscrit à un acquéreur pour le compte d'une autre personne. Cette abrogation ne s'applique pas à l'égard de la fourniture d'un bien meuble corporel effectuée avant le 1er juillet 1996 si, selon le cas :

> a) la fourniture est effectuée par un mandataire autrement que par vente aux enchères pour le compte d'un mandant qui n'aurait pas été tenu de percevoir la taxe à l'égard de la fourniture si le mandant avait effectué la fourniture autrement que par l'intermédiaire d'un mandataire et, selon le cas :
>
> i. si le mandataire a dévoilé par écrit à l'acquéreur de la fourniture qu'il effectuait la fourniture pour le compte d'une autre personne qui n'était pas tenue de percevoir la taxe à l'égard de la fourniture, aucun montant au titre de la taxe n'a été exigé ou perçu à l'égard de la fourniture;
>
> ii. dans tout autre cas, le mandataire paie au mandant, ou porte à son crédit, le montant au titre de la fourniture du bien déterminé en vertu du paragraphe 4° du premier alinéa de l'article 41.1, que L.Q. 1997, c. 85, art. 439(1) remplace, tel qu'il s'appliquait à l'égard d'une fourniture effectuée avant le 23 avril 1996;
>
> b) la fourniture est effectuée par vente aux enchères pour le compte d'un mandant et l'encanteur paie au mandant, ou porte à son crédit, le montant au titre de la fourniture du bien déterminé en vertu de l'article 41.4, abrogé par L.Q. 1997, c. 85, art. 440(1), aux fins de l'article 41.2, que L.Q. 1997, c. 85, art. 439(1) remplace, tels qu'ils s'appliquaient à une fourniture effectuée avant le 23 avril 1996.

L'article 41.3 se lisait auparavant ainsi :

> 41.3 Les articles 41.1 et 41.2 ne s'appliquent pas dans le cas où la fourniture effectuée par le mandant à l'acquéreur en est une qui est visée à l'article 20.1.

L'article 41.3 a été modifié par L.Q. 1995, c. 63, art. 317(1) et est réputé entré en vigueur le 15 décembre 1995. L'article ainsi modifié s'applique à l'égard de la fourniture d'un bien effectuée par un inscrit pour le compte d'une personne après le 31 juillet 1995. Lorsque l'article 41.3 s'applique à l'égard de la fourniture d'un bien effectuée par un inscrit pour le compte d'une personne avant le 1er août 1995, L.Q. 1995, c. 63, art. 317(3) stipule que l'article doit se lire comme suit :

> 41.3 Les articles 41.1 et 41.2 ne s'appliquent pas dans le cas où :
>
> 1° la fourniture effectuée par le mandant à l'acquéreur en est une qui est visée à l'article 20.1;
>
> 2° le bien est un bien à l'égard duquel un remboursement de la taxe sur les intrants ne peut être demandé en raison de l'article 206.1;

L'article 41.3 avait été ajouté par L.Q. 1994, c. 22, art. 388(1) et était réputé entré en vigueur le 1er juillet 1992. Il se lisait comme suit :

> 41.3 Les articles 41.1 et 41.2 ne s'appliquent pas à l'égard d'une fourniture à l'acquéreur :
>
> 1° d'un bien visé à l'article 20.1;
>
> 2° d'un bien à l'égard duquel un acquéreur ne peut demander un remboursement de la taxe sur les intrants en raison de l'article 206.1.

COMMENTAIRES: Voir les commentaires sous l'article 41.6.

41.4 [*Abrogé*]

Notes historiques: L'article 41.4 a été abrogé par L.Q. 1997, c. 85, art. 441(1). Pour l'application de cette abrogation, voir les notes historiques sous l'article 41.3. Antérieurement à cette abrogation, l'article 41.4 se lisait ainsi :

41.4 Dans le cas où un inscrit effectue la fourniture d'un bien meuble pour le compte d'une personne dans des circonstances où il est réputé, en vertu des articles 41.1 ou 41.2, avoir reçu une fourniture du bien par la personne et avoir payé une contrepartie égale au montant déterminé en vertu du paragraphe 4º du premier alinéa de l'article 41.1 ou en vertu du paragraphe 2º de l'article 41.2, les règles suivantes s'appliquent :

1º pour l'application de la sous-section 3 de la section II du chapitre V, le bien est réputé être un bien meuble corporel d'occasion ;

2º la sous-section 3 de la section II du chapitre V ne s'applique pas à la fourniture réputée avoir été reçue par l'inscrit à moins que l'inscrit ne remette à la personne, ou ne porte à son crédit, un montant au titre de la fourniture du bien effectuée pour le compte de la personne égal à :

a) dans le cas où l'article 41.1 s'applique, le montant déterminé en vertu du paragraphe 4º du premier alinéa de cet article;

b) dans le cas où l'article 41.2 s'applique, l'excédent du montant déterminé en vertu du paragraphe 2º de cet article sur le total de la contrepartie de la fourniture effectuée par l'inscrit à la personne d'un service relatif à la fourniture du bien effectuée pour le compte de la personne et de la taxe payable par la personne à l'égard de la fourniture de ce service.

Le préambule l'article 41.4 a été modifié par L.Q. 1995, c. 63, art. 318(1) et cette modification a effet depuis le 1er juillet 1992 [*N.D.L.R.* : cette disposition s'applique conformément aux articles 618 à 656 et 685 L.Q. 1991, c. 67, tels que modifiés]. Il se lisait auparavant comme suit :

41.4 Dans le cas où un inscrit effectue la fourniture d'un bien meuble pour le compte d'une personne dans des circonstances où il est réputé, en vertu des articles 41.1 ou 41.2, avoir reçu une fourniture du bien par la personne et avoir payé une contrepartie égale au montant déterminé en vertu du paragraphe 4º de l'article 41.1 ou en vertu du paragraphe 2º de l'article 41.2, les règles suivantes s'appliquent :

Le paragraphe 1º l'article 41.4 a été modifié par L.Q. 1995, c. 1, art. 260 et s'applique à l'égard d'une fourniture effectuée par un inscrit pour le compte d'une personne après le 12 mai 1994. Il se lisait auparavant comme suit :

1º pour l'application de la sous-section 3 de la section II du chapitre V :

a) le bien est réputé être un bien meuble corporel d'occasion;

b) dans le cas d'un bien meuble incorporel, les adaptations nécessaires doivent être effectuées quant à la fraction de taxe et au taux de la taxe applicables;

Le sous-paragraphe a) du paragraphe 2º de l'article 41.4 a été modifié par L.Q. 1995, c. 63, art. 318(1) et cette modification s'applique à l'égard d'une fourniture effectuée par un inscrit pour le compte d'une personne après le 12 mai 1994. Le sous-paragraphe a) du paragraphe 2º de l'article 41.4 avait été préalablement modifié par L.Q. 1995, c. 1, art. 260 et s'appliquait à l'égard d'une fourniture effectuée par un inscrit pour le compte d'une personne après le 12 mai 1994. Il se lisait comme suit :

a) dans le cas où l'article 41.1 s'applique, le montant déterminé en vertu du paragraphe 4º de cet article;

Le sous-paragraphe a) du paragraphe 2º de l'article 41.4 se lisait auparavant comme suit :

a) dans le cas où l'article 41.2 s'applique, l'excédent du montant déterminé en vertu du paragraphe 2º de cet article sur le total de la contrepartie pour la fourniture effectuée par l'inscrit à la personne d'un service relatif à la fourniture du bien effectuée pour le compte de la personne et de la taxe payable par la personne à l'égard de la fourniture de ce service;

Le sous-paragraphe b) du paragraphe 2º de l'article 41.4 a été préalablement modifié par L.Q. 1995, c. 1, art. 260 et s'applique à l'égard d'une fourniture effectuée par un inscrit pour le compte d'une personne après le 12 mai 1994. Auparavant, il se lisait comme suit :

b) dans le cas où l'article 41.1 s'applique, le montant déterminé selon la formule suivante :

$$A - (B \times 1{,}04).$$

Le deuxième alinéa de l'article 41.4 a été supprimé par L.Q. 1995, c. 1, art. 260 à l'égard d'une fourniture effectuée par un inscrit pour le compte d'une personne après le 12 mai 1994. Il se lisait auparavant comme suit :

Pour l'application de cette formule :

1º la lettre A représente le total de la contrepartie de la fourniture du bien effectuée à l'acquéreur et de la taxe payable par l'acquéreur;

2º la lettre B représente la contrepartie qui serait déterminée à l'égard de la fourniture du service relatif à la fourniture à l'acquéreur qui serait effectuée par le mandataire au mandant si ce n'était du paragraphe 1.1 de l'article 177 de la *Loi sur la taxe d'accise* (Statuts du Canada).

L'article 41.4 a été ajouté par L.Q. 1994, c. 22, art. 388(1) et est réputé entré en vigueur le 1er juillet 1992.

COMMENTAIRES: Voir les commentaires sous l'article 41.6.

41.5 [*Abrogé*]

Notes historiques: L'article 41.5 a été abrogé par L.Q. 1997, c. 85, art. 441(1). Pour l'application de cette abrogation, voir les notes historiques sous l'article 41.3. Antérieurement à cette abrogation, l'article 41.5 se lisait ainsi :

41.5 Pour l'application de la présente sous-section, dans le cas où un inscrit effectue la fourniture par vente ou par quelque autre manière que ce soit d'un bien ou d'un service pour le compte d'une personne, toute fourniture du bien ou du service qui est, par suite de cette fourniture, réputée en vertu de la présente sous-section avoir été effectuée par la personne à l'inscrit est réputée avoir été effectuée de la même manière.

L'article 41.5 a été modifié par L.Q. 1995, c. 63, art. 319(1) et cette modification s'applique à l'égard d'une fourniture effectuée par un inscrit pour le compte d'une personne après le 31 juillet 1995. Auparavant, il se lisait comme suit :

41.5 Pour l'application de la présente sous-section, dans le cas où un inscrit effectue une fourniture par vente ou par quelque autre manière que ce soit d'un bien pour le compte d'une personne, toute fourniture du bien qui est, par suite de cette fourniture, réputée en vertu de la présente sous-section avoir été effectuée par la personne à l'inscrit est réputée avoir été effectuée de la même manière.

L'article 41.5 a été ajouté par L.Q. 1994, c. 22, art. 388(1) et est réputé entré en vigueur le 1er juillet 1992.

COMMENTAIRES: Voir les commentaires sous l'article 41.6.

41.6 Fourniture d'un bien meuble incorporel pour le compte d'un artiste

41.6 Fourniture d'un bien meuble incorporel pour le compte d'un artiste — Dans le cas où un inscrit prescrit, dans le cadre d'une activité commerciale, effectue la fourniture d'un bien meuble incorporel pour le compte d'une autre personne relativement à l'œuvre d'un écrivain, d'un exécutant, d'un peintre, d'un sculpteur ou d'un autre artiste, les règles suivantes s'appliquent, sauf en ce qui concerne les articles 294 à 297, 462 et 462.1 :

1º l'autre personne est réputée ne pas avoir effectué la fourniture à l'acquéreur;

2º l'inscrit est réputé avoir effectué la fourniture à l'acquéreur;

3º l'inscrit est réputé ne pas avoir effectué à l'autre personne la fourniture d'un service relatif à la fourniture à l'acquéreur.

Notes historiques: Le préambule de l'article 41.6 a été remplacé par L.Q. 1997, c. 85, art. 442(1) et cette modification a effet depuis le 1er juillet 1992. Toutefois, pour la période qui débute le 1er juillet 1992 et qui se termine le 31 décembre 1992, le préambule de l'article 41.6 doit se lire en y remplaçant « , 462 et 462.1 » par « et 462.1 ».

Antérieurement, le préambule de cet article se lisait comme suit :

41.6 Dans le cas où un inscrit prescrit, dans le cadre d'une activité commerciale, effectue la fourniture d'un bien meuble incorporel pour le compte d'une autre personne relativement à l'œuvre d'un écrivain, d'un exécutant, d'un peintre, d'un sculpteur ou d'un autre artiste, les règles suivantes s'appliquent, sauf en ce qui concerne les articles 294 à 297 :

L'article 41.6 a été ajouté par L.Q. 1994, c. 22, art. 388(1) et est réputé entré en vigueur le 1er juillet 1992.

Définitions [art. 41.6]: « acquéreur », « activité commerciale », « bien », « contrepartie », « fourniture », « inscrit », « service » — 1.

Renvois [art. 41.6]: 346(2) (choix concernant les co-entreprises); 677:10.1º (règlements).

Règlements [art. 41.6]: RTVQ, 41.6R1.

Lettres d'interprétation [art. 41.6]: 00-0109702 — Interprétation relative à la TPS et à la TVQ — Services de gérance d'artistes.

Concordance fédérale: LTA, par. 177(2).

COMMENTAIRES: Le « mandat » n'est pas défini dans la *Loi sur la taxe d'accise (TPS)* ni dans la *Loi sur la taxe de vente du Québec*. On doit donc s'en remettre aux principes de droit commun pour déterminer si la relation entre les parties peut se qualifier de mandat. En vertu de l'article 2130 du *Code civil du Québec*, le mandat est défini comme étant le contrat par lequel une personne, le mandant, donne le pouvoir de la représenter dans l'accomplissement d'un acte juridique avec un tiers, à une autre personne, le mandataire qui, par le fait de son acceptation, s'oblige à l'exercer. Ce pouvoir et, le cas échéant, l'écrit qui le constate s'appellent aussi procuration. De plus, la preuve de l'existence d'un mandat incombe à celui qui l'invoque. Or, les éléments portés à l'attention de Revenu Québec ne permettent pas de conclure à l'existence d'une telle relation entre les parties, pour la période du 1er octobre 1994 au 30 septembre 1996. En

LTVQ (français)

effet, il ressort des termes de la convention, que la société s'engage plutôt à poser des gestes matériels et non à « représenter » le syndicat dans le cadre « d'actes juridiques ». En l'absence de l'élément fondamental du mandat, c'est-à-dire le pouvoir de représenter le syndicat dans l'accomplissement d'actes juridiques, on ne peut pas prétendre que la société agit à titre de mandataire du syndicat. Dès lors, Revenu Québec est d'avis que le contrat soumis porte sur la fourniture d'un service autre qu'un service de mandataire. Ainsi, toutes sommes payées par le syndicat à la société, aux termes de la convention, constituent la contrepartie de la fourniture taxable d'un service effectuée par la société. Voir notamment à cet effet : Revenu Québec, Lettre d'interprétation, 99-0100182 — *Relation contractuelle entre des entités (notion de « mandataire »)* (18 juin 1999).

Revenu Québec a indiqué qu'une relation mandant-mandataire peut exister entre une compagnie et son propriétaire. En présence d'une fourniture effectuée par un mandataire, ce sont les règles générales du mandat qui s'appliquent sous réserve d'un choix qui peut être fait en vertu de l'article 41.0.1. Donc, lorsqu'un mandataire (compagnie) effectue une fourniture (autrement que par vente aux enchères) dans le cadre de ses activités commerciales, pour le compte d'un mandant (propriétaire), qui est un inscrit et qui est tenu de percevoir la taxe, ils peuvent exercer le choix conjoint à l'effet que la taxe percevable relativement à la fourniture entre dans le calcul de la taxe nette de l'inscrit agissant à titre de mandataire (compagnie). Le mandataire aura alors l'obligation de percevoir et de remettre la taxe sur la fourniture. Si le choix de l'article 41.0.1 n'a pas été fait, la fourniture effectuée par une personne à titre de mandataire d'une autre personne doit être considérée comme étant effectuée par le mandant (propriétaire) plutôt que par le mandataire (compagnie). Par conséquent, si le mandant (propriétaire) est un inscrit et est tenu de percevoir la taxe, il doit percevoir et rendre compte de la taxe payable à l'égard de la fourniture. Prenez note que le contrat de mandat peut prévoir que ce sera le mandataire qui percevra la taxe pour le compte du mandant qui est un inscrit et qui est tenu de percevoir la taxe. Néanmoins, le mandant conservera toujours l'obligation de remettre la taxe. En effet, la fourniture étant effectuée par le mandant, c'est celui-ci en tant qu'inscrit doit, dans sa déclaration, calculer la taxe nette, laquelle doit comprendre tous les montants de taxes qu'il est dans l'obligation de percevoir. Voir notamment à cet effet : Revenu Québec, Lettre d'interprétation, 04-0102766 — *Interprétation relative à la TPS et à la TVQ — Location de condominiums* (11 février 2005).

À titre illustratif de l'application de cet article, Revenu Québec a analysé une situation où la coentreprise n'était pas admissible au choix prévu à l'article 346. Dans cet exemple, l'inscrit ne peut donc pas se prévaloir de ces règles et continuer à percevoir et à remettre la TVQ sur les fournitures effectuées au nom des coentrepreneurs dans le cadre des activités de la coentreprise. Toutefois, les coentrepreneurs, étant inscrits au fichier de la TVQ, pourraient être éligibles au choix prévu à l'article 41.0.1. Ainsi, si les coentrepreneurs et l'inscrit décident conjointement d'exercer ce choix, et que l'inscrit agisse à titre de mandataire des coentrepreneurs, l'inscrit pourra, en vertu de l'article 41.0.1, percevoir et remettre la taxe au nom des coentrepreneurs. Par ailleurs, à défaut d'exercer ce choix, ce sont les règles générales du droit civil régissant le mandat qui trouveront application. En vertu de ces règles, la fourniture effectuée par une personne, à titre de mandataire d'une autre personne, soit le mandant, doit être considérée comme étant effectuée par le mandant plutôt que le mandataire. En conséquence, si le choix visé à l'article 41.0.1 n'est pas exercé, la fourniture des travaux de géomatique effectuée au nom des coentrepreneurs par l'inscrit au profit des acquéreurs doit être considérée comme ayant été effectuée par chacun des coentrepreneurs, à titre de mandants. Ces derniers devront percevoir et remettre la TPS à l'égard de cette fourniture en considérant le pourcentage de participation de chacun d'eux dans la coentreprise. Voir notamment à cet égard : Revenu Québec, Lettre d'interprétation, 99-0102600 -- *Interprétation relative à la TPS et à la TVQ / Choix concernant une coentreprise* (30 septembre 1999).

Qu'en est-il du prête-nom? La question de l'usage des prête-noms en matière de taxes à la consommation a suscité suffisamment d'intérêt au Québec pour que les autorités fiscales y consacrent un bulletin d'interprétation. Le 29 décembre 2011, Revenu Québec a émis le bulletin d'interprétation TVQ. 16-30/R1 — *Contrat de prête-nom*. Le paragraphe 2 de ce bulletin prévoit que le contrat de prête-nom est un mandat par lequel le mandataire traite pour le compte du mandant, mais en laissant croire qu'il agit en son propre nom. Le prête-nom constitue une forme licite du contrat de mandat. Pour être valide, Revenu Québec indique que le prête-nom doit avoir été conclu lors de l'acquisition des biens ou avant et doit respecter les dispositions du *Code civil du Québec* concernant le mandat. De plus, pour être reconnus sur le plan fiscal, le mandant et le mandataire doivent divulguer le contrat de prête-nom et en exposer la teneur à Revenu Québec. Cette position est similaire à celle qui prévaut en impôt sur le revenu où Revenu Québec a indiqué qu'il reconnait le contrat de prête-nom sur le plan fiscal dans la mesure où le mandant et le mandataire divulguent celui-ci et en exposent la teneur à Revenu Québec lors de la production de leur déclaration fiscale pour l'année au cours de laquelle le contrat de prête-nom a été conclu. Voir à cet effet : question 7, Table ronde provinciale, Congrès annuel de l'Association de planification fiscale et financière (2012) où Revenu Québec réfère, notamment, au paragraphe 3 du bulletin d'information IMP. 80-7/R2 (29 décembre 2011).

Dans un contexte de faillite, en matière de TPS, Revenu Québec a indique que le paragraphe 265(1) de la *Loi sur la taxe d'accise (TPS)* doit avoir préséance sur les dispositions du paragraphe 177(1) de la *Loi sur la taxe d'accise (TPS)* lorsque les conditions d'application de ces deux paragraphes sont rencontrées. L'alinéa 256(1)(a) de la *Loi sur la taxe d'accise (TPS)* mentionne qu'aux fins de la partie IX de la *Loi sur la taxe d'accise (TPS)*, le syndic de faillite est réputé fournir au failli des services de syndic de faillite, et tout montant auquel il a droit à ce titre est réputé être une contrepartie payable pour cette fourniture; par ailleurs, le syndic de faillite est réputé agir à titre de mandataire du failli et tout bien ou service qu'il fournit ou reçoit, et tout acte qu'il accomplit dans le cadre de la gestion des actifs du failli ou de l'exploitation de l'entreprise de celui-ci sont réputés fournis, reçus et accomplis à ce titre. Par conséquent, en application de l'alinéa 265(1)(a) de la *Loi sur la taxe d'accise (TPS)*, le syndic de faillite qui, dans le cadre des activités reliées à la faillite, effectue la vente d'un bien meuble corporel appartenant à un failli qui n'est pas un inscrit et qui n'exerce aucune activité commerciale, n'a pas, à titre de mandataire du failli, à percevoir la TPS à l'égard de cette fourniture. À l'égard de la TVQ, Revenu Québec indique que même si la *Loi sur la taxe de vente du Québec* n'offre pas de concordance à l'alinéa 256(1)(a) de la *Loi sur la taxe d'accise (TPS)* en ce qui à trait au statut de mandataire du syndic, le statut du syndic devrait être identique aux fins de la TVQ à celui qui lui est reconnu sous le régime de la TPS. Voir notamment à cet effet : Revenu Québec, Lettre d'interprétation, 97-0114013 — *Syndic de faillite — inscription et statut de mandataire* (26 février 1999).

L'article 41.2.1 prévoit que le mandant et l'encanteur peuvent faire un choix pour le traitement de la TVQ concernant les biens prescrits au règlement. En date des présentes, nous n'avons identifié aucun règlement en vigueur.

Compte tenu de la similarité de la rédaction des dispositions législatives et considérant l'engagement spécifique de Revenu Québec de veiller à ce que l'assiette de TVQ modifiée, de même que les paramètres administratifs, structurels et définitionnels, produisent des résultats qui sont similaires à ceux produits sous le régime de la TPS/TVH et soient administrés d'une manière qui produit des résultats similaires, tel que reflété par l'article 14 de l'*Entente intégrée globale de coordination fiscale signée* entre le gouvernement du Canada et le gouvernement du Québec, nous vous référons à nos commentaires en vertu de l'article 177 de la *Loi sur la taxe d'accise (TPS)* qui devraient s'appliquer *mutatis mutandis,* avec les adaptations nécessaires.

§ 2. — Activité commerciale

42. [*Abrogé*]

Notes historiques: L'article 42 a été abrogé par L.Q. 1994, c. 22, art. 389(1) à compter du 1er octobre 1992. Il se lisait auparavant comme suit :

> 42. Est réputé faire partie d'une activité commerciale, tout ce qui est fait par une personne, selon le cas :
>
> 1º dans le cadre d'une activité commerciale visée au paragraphe 1º ou 2º de la définition de l'expression « activité commerciale » ou en vue de développer une telle activité;
>
> 2º en relation avec la fourniture d'un bien;
>
> a) soit consommé ou utilisé dans le cadre d'une activité commerciale;
>
> b) soit acquis, ou apporté au Québec, pour consommation ou utilisation dans le cadre d'une activité commerciale;
>
> 3º en relation avec la constitution, l'acquisition, la réorganisation, l'aliénation ou la cessation d'une activité commerciale.

Toutefois, le paragraphe 1º de l'article 42 doit se lire comme suit pour la période du 1er juillet 1992 au 30 septembre 1992, sauf aux fins du calcul d'un montant demandé ou mentionné dans une déclaration en vertu du chapitre VIII du titre I qui a été produite avant le 1er octobre 1992 :

> 1º dans le cadre d'une activité commerciale visée au paragraphe 1º ou 2º de la définition de l'expression « activité commerciale »;

L'article 42 a été édicté par L.Q. 1991, c. 67.

42.0.1 « initiative » — Pour l'application des articles 42.0.2 à 42.0.9, l'expression « initiative », d'une personne signifie :

1º une entreprise de la personne;

2º un projet comportant un risque ou une affaire de caractère commercial de la personne;

3º la réalisation d'une fourniture par la personne d'un immeuble de cette dernière, incluant ce qui est fait par la personne dans le cadre de la réalisation de la fourniture ou en relation avec la réalisation de celle-ci.

Notes historiques: Le paragraphe 1º de l'article 42.0.1 a été remplacé par L.Q. 1997, c. 85, art. 443(1) et cette modification a effet depuis le 24 avril 1996. Antérieurement à cette modification, le paragraphe 1º se lisait ainsi :

> 1º une entreprise de la personne, autre qu'une entreprise dans le cours normal de laquelle cette dernière n'a pas effectué de fournitures et n'a pas l'intention d'en effectuer;

L'article 42.0.1 a été ajouté par L.Q. 1995, c. 1, art. 261 et s'applique rétroactivement à compter du 1er juillet 1992 [*N.D.L.R.* : cette disposition s'applique conformément aux articles 618 à 656 et 685 L.Q. 1991, c. 67, tels que modifiés].

Définitions [art. 42.0.1]: « entreprise », « fourniture », « immeuble », « personne » — 1.

Renvois [art. 42.0.1]: 42.0.9 (non-application de la présomption d'absence de contrepartie).

Jurisprudence [art. 42.0.1]: *Auberge La Calèche 1992 inc. c. Québec (Sous-ministre du Revenu)* (28 janvier 2004), 500-09-011756-012, 2004 CarswellQue 110 (forfaits tout inclus) (C.A. Qué.); *Auberge La Calèche 1992 inc. c. S.M.R.Q.* (21 novembre 2001), 500-02-072512-986, 2001 CarswellQue 3334 (C.Q.).

Lettres d'interprétation [art. 42.0.1]: 00-0102731 — Interprétation relative à la TPS et à la TVQ — Remise d'un véhicule automobile à une corporation pour un tirage.

Concordance fédérale: LTA, par. 141.01(1).

42.0.1.1 « contrepartie » — Pour l'application des articles 42.0.1.2 à 42.0.5, l'expression « contrepartie » exclut une contrepartie symbolique.

Notes historiques: L'article 42.0.1.1 a été ajouté par L.Q. 1997, c. 85, art. 444(1) et a effet depuis le 1er juillet 1992.

Guides [art. 42.0.1.1]: IN-203 — Renseignements généraux sur la TVQ et la TPS/TVH.

Définitions [art. 42.0.1.1]: « contrepartie » — 1.

Lettres d'interprétation [art. 42.0.1.1]: 99-0109001 — Décision portant sur l'application de la TPS — Interprétation relative à la TVQ — Fourniture d'un immeuble par un organisme à but non lucratif pour une contrepartie symbolique; 06-0104114 — Interprétation relative à la TPS et à la TVQ — organisation d'un congrès par un organisme sans but lucratif.

Concordance fédérale: LTA, par. 141.01(1.1).

42.0.1.2 Prime et subvention — Pour l'application des articles 42.0.1 à 42.0.9, le montant — appelé « montant d'aide » dans le présent article — qui ne constitue pas la contrepartie d'une fourniture, qui est une prime, une subvention, un prêt à remboursement conditionnel ou une autre forme d'aide en argent et qui peut raisonnablement être considéré comme étant accordé afin de financer une activité d'un inscrit impliquant que des fournitures taxables soient effectuées à titre gratuit, est réputé constituer la contrepartie de ces fournitures, lorsqu'il est reçu par l'inscrit de l'une des personnes suivantes :

1o un gouvernement, une municipalité ou une bande au sens de l'article 2 de la *Loi sur les Indiens* (Lois révisées du Canada (1985), chapitre I-5);

2o une société contrôlée par une personne mentionnée au paragraphe 1o et dont l'un des principaux objets consiste à accorder de tels montants d'aide;

3o une fiducie, un conseil, une commission ou un autre organisme créé par une personne mentionnée au paragraphe 1o ou au paragraphe 2o et dont l'un des principaux objets consiste à accorder de tels montants d'aide.

Notes historiques: L'article 42.0.1.2 a été ajouté par L.Q. 1997, c. 85, art. 444(1) et a effet depuis le 1er juillet 1992.

Définitions [art. 42.0.1.2]: « contrepartie », « fourniture », « fourniture taxable », « gouvernement », « inscrit », « municipalité », « personne » — 1.

Renvois [art. 42.0.1.2]: 42.0.1.1 (contrepartie).

Lettres d'interprétation [art. 42.0.1.2]: 99-0109001 — Décision portant sur l'application de la TPS — Interprétation relative à la TVQ — Fourniture d'un immeuble par un organisme à but non lucratif pour une contrepartie symbolique; 02-0100673 — Interprétation relative à la TPS et à la TVQ — Sommes versées par des municipalités — Subvention ou contrepartie de fournitures; 06-0104114 — Interprétation relative à la TPS et à la TVQ — organisation d'un congrès par un organisme sans but lucratif.

Concordance fédérale: LTA, par. 141.01(1.2).

42.0.2 Consommation ou utilisation dans le cadre d'une initiative — Dans le cas où une personne acquiert, ou apporte au Québec, un bien ou un service pour consommation ou utilisation dans le cadre de son initiative, elle est réputée avoir acquis ou apporté le bien ou le service pour consommation ou utilisation dans le cadre de ses activités commerciales dans la mesure où le bien ou le service est acquis ou apporté par la personne afin d'effectuer, pour une contrepartie, une fourniture taxable dans le cadre de cette initiative.

Notes historiques: L'article 42.0.2 a été remplacé par L.Q. 1997, c. 85, art. 445(1) par l'ajout des mots « , pour une contrepartie, » avant les mots « une fourniture taxable » et cette modification a effet depuis le 1er juillet 1992. Toutefois, à l'égard d'un bien ou d'un service qu'une personne acquiert, ou apporte au Québec, avant le 1er août 1995, pour consommation ou utilisation dans le cadre de son initiative, l'article 42.0.2 doit se lire comme suit :

> 42.0.2 Dans le cas où une personne acquiert, ou apporte au Québec, un bien ou un service pour consommation ou utilisation dans le cadre de son initiative, elle est réputée avoir acquis ou apporté le bien ou le service pour consommation ou utilisation dans le cadre de ses activités commerciales dans la mesure où le bien ou le service est acquis ou apporté par la personne afin d'effectuer, pour une contrepartie, une fourniture taxable ou non taxable dans le cadre de cette initiative.

Antérieurement, cet article se lisait comme suit :

> 42.0.2 Dans le cas où une personne acquiert, ou apporte au Québec, un bien ou un service pour consommation ou utilisation dans le cadre de son initiative, elle est réputée avoir acquis ou apporté le bien ou le service pour consommation ou utilisation dans le cadre de ses activités commerciales dans la mesure où le bien ou le service est acquis ou apporté par la personne afin d'effectuer une fourniture taxable dans le cadre de cette initiative.

L'article 42.0.2 a auparavant été modifié par L.Q. 1995, c. 63, art. 320(1) et cette modification s'applique à l'égard d'un bien ou d'un service qu'une personne acquiert, ou apporte au Québec, après le 31 juillet 1995 pour consommation ou utilisation dans le cadre de son initiative.

L'article 42.0.2 a été ajouté par L.Q. 1995, c. 1, art. 261 et a effet depuis le 1er juillet 1992, sous réserve des dispositions transitoires [*N.D.L.R.* : cette disposition s'applique conformément aux articles 618 à 656 et 685 L.Q. 1991, c. 67, tels que modifiés]. Il se lisait comme suit :

> 42.0.2 Dans le cas où une personne acquiert, ou apporte au Québec, un bien ou un service pour consommation ou utilisation dans le cadre de son initiative, elle est réputée avoir acquis ou apporté le bien ou le service pour consommation ou utilisation dans le cadre de ses activités commerciales dans la mesure où le bien ou le service est acquis ou apporté par la personne afin d'effectuer une fourniture taxable ou non taxable dans le cadre de cette initiative.

Toutefois pour la période qui commence le 1er juillet 1992 et qui se termine le 30 septembre 1992, il doit se lire comme suit :

> 42.0.2 Malgré l'article 42, dans le cas où une personne acquiert, ou apporte au Québec, un bien ou un service pour consommation ou utilisation dans le cadre de son initiative, elle est réputée avoir acquis ou apporté le bien ou le service pour consommation ou utilisation dans le cadre de ses activités commerciales dans la mesure où le bien ou le service est acquis ou apporté par la personne afin d'effectuer une fourniture taxable ou non taxable dans le cadre de cette initiative.

Définitions [art. 42.0.2]: « activité commerciale », « bien », « fourniture taxable », « personne », « service », « initiative » — 42.0.1.

Renvois [art. 42.0.2]: 42.0.6 (fourniture taxable d'un bien ou d'un service sans contrepartie); 42.0.8 (présomption conditionnelle); 42.0.9 (non-application de la présomption d'absence de contrepartie).

Lettres d'interprétation [art. 42.0.2]: 98-0102057 — Interprétation relative à la TPS et à la TVQ — Amendes — CTI/RTI RTI à l'égard des frais d'avocats, d'huissiers et de sténographes; 98-010324 — Inscription en vertu de la *Loi sur la taxe d'accise* (L.R.C. 1985, c. E-15, ci-après « LTA ») et de la *Loi sur la taxe de vente du Québec* (L.R.Q., c. T-0.1, ci-après « LTVQ ») vs la *Loi sur la faillite et l'insolvabilité*; 98-0109656 — Décision portant sur l'application de la TPS — Interprétation relative à la TVQ — Fourniture unique et fournitures multiples — Droit d'entrée dans un musée accompagné d'un tour de ville; 98-010324 — Inscription en vertu de la *Loi sur la taxe d'accise* (L.R.C. 1985, c. E-15, ci-après « LTA ») et de la *Loi sur la taxe de vente du Québec* (L.R.Q., c. T-0.1, ci-après « LTVQ ») vs la *Loi sur la faillite et l'insolvabilité*; 99-0107617 — Interprétation relative à la TPS et à la TVQ — Droit pour un entrepreneur indépendant d'un démarcheur de demander des CTI/RTI; 99-0109001 — Décision portant sur l'application de la TPS — Interprétation relative à la TVQ — Fourniture d'un immeuble par un organisme à but non lucratif pour une contrepartie symbolique; 99-0111064 — Convention entre une Ville et un inscrit en TPS/TVQ.

Concordance fédérale: LTA, al. 141.01(2)a).

42.0.3 Consommation ou utilisation dans le cadre d'une initiative — Dans le cas où une personne acquiert, ou apporte au Québec, un bien ou un service pour consommation ou utilisation dans le cadre de son initiative, elle est réputée avoir acquis ou apporté le bien ou le service pour consommation ou utilisation autrement que dans le cadre de ses activités commerciales dans la mesure où le bien ou le service est acquis ou apporté par la personne :

1o soit afin d'effectuer, dans le cadre de cette initiative, une fourniture autre qu'une fourniture taxable effectuée pour une contrepartie;

2o soit à une fin autre que celle d'effectuer une fourniture dans le cadre de cette initiative.

Notes historiques: Le paragraphe 1o de l'article 42.0.3 a été remplacé par L.Q. 1997, c. 85, art. 446(1) et cette modification a effet depuis le 1er juillet 1992. Toutefois, à l'égard d'un bien ou d'un service qu'une personne acquiert, ou apporte au Québec, avant

LTVQ (français)

le 1er août 1995, pour consommation ou utilisation dans le cadre de son initiative, le paragraphe 1° de l'article 42.0.3 doit se lire comme suit :

1° soit afin d'effectuer, dans le cadre de cette initiative, une fourniture autre qu'une fourniture taxable ou non taxable effectuée pour une contrepartie;

Antérieurement à cette modification, le paragraphe 1° se lisait ainsi :

1° soit afin d'effectuer une fourniture, autre qu'une fourniture taxable, dans le cadre de cette initiative;

Le paragraphe 1° de l'article 42.0.3 a été modifié par L.Q. 1995, c. 63, art. 321 et s'applique à l'égard d'un bien ou d'un service qu'une personne acquiert, ou apporte au Québec, après le 31 juillet 1995 pour consommation ou utilisation dans le cadre de son initiative. Il se lisait auparavant comme suit :

1° soit afin d'effectuer une fourniture, autre qu'une fourniture taxable ou non taxable, dans le cadre de cette initiative;

L'article 42.0.3 avait été ajouté par L.Q. 1995, c. 1, art. 261 et a effet depuis le 1er juillet 1992 [*N.D.L.R.* : cette disposition s'applique conformément aux articles 618 à 656 et 685 L.Q. 1991, c. 67, tels que modifiés]. Toutefois pour la période qui commence le 1er juillet 1992 et qui se termine le 30 septembre 1992, le préambule doit se lire comme suit :

42.0.3 Malgré l'article 42, dans le cas où une personne acquiert, ou apporte au Québec, un bien ou un service pour consommation ou utilisation dans le cadre de son initiative, elle est réputée avoir acquis ou apporté le bien ou le service pour consommation ou utilisation autrement que dans le cadre de ses activités commerciales dans la mesure où le bien ou le service est acquis ou apporté par la personne.

Définitions [art. 42.0.3]: « activité commerciale », « bien », « fourniture », « fourniture taxable », « personne », « service » — 1; « initiative » — 42.0.1.

Renvois [art. 42.0.3]: 42.0.6 (fourniture taxable d'un bien ou d'un service sans contrepartie); 42.0.8 (présomption conditionnelle); 42.0.9 (non-application de la présomption d'absence de contrepartie).

Lettres d'interprétation [art. 42.0.3]: 98-0102057 — Interprétation relative à la TPS et à la TVQ — Amendes — CTI/RTI RTI à l'égard des frais d'avocats, d'huissiers et de sténographes; 98-0109656 — Décision portant sur l'application de la TPS — Interprétation relative à la TVQ — Fourniture unique et fournitures multiples — Droit d'entrée dans un musée accompagné d'un tour de ville; 98-010324 — Inscription en vertu de la *Loi sur la taxe d'accise* (L.R.C. 1985, c. E-15, ci-après « LTA ») et de la *Loi sur la taxe de vente du Québec* (L.R.Q., c. T-0.1, ci-après « LTVQ ») vs la *Loi sur la faillite et l'insolvabilité*; 99-0107617 — Interprétation relative à la TPS et à la TVQ — Droit pour un entrepreneur indépendant d'un démarcheur de demander des CTI/RTI; 99-0111064 — Convention entre une Ville et un inscrit en TPS/TVQ; 00-0100602 — Admissibilité des CTI et RTI relativement aux frais de préposés aux contraventions pour les aires de stationnement d'une municipalité.

Concordance fédérale: LTA, al. 141.01(2)b).

42.0.4 Consommation ou utilisation dans le cadre d'une initiative

42.0.4 Consommation ou utilisation dans le cadre d'une initiative — Dans le cas où une personne consomme ou utilise un bien ou un service dans le cadre de son initiative, la consommation ou l'utilisation du bien ou du service est réputée faite dans le cadre de ses activités commerciales dans la mesure où cette consommation ou cette utilisation est faite afin d'effectuer, pour une contrepartie, une fourniture taxable dans le cadre de cette initiative.

Notes historiques: L'article 42.0.4 a été remplacé par L.Q. 1997, c. 85, art. 447(1) et cette modification a effet depuis le 1er juillet 1992. Toutefois, à l'égard d'un bien ou d'un service qu'une personne consomme ou utilise avant le 1er août 1995 dans le cadre de son initiative, l'article 42.0.4 doit se lire comme suit :

42.0.4 Dans le cas où une personne consomme ou utilise un bien ou un service dans le cadre de son initiative, la consommation ou l'utilisation du bien ou du service est réputée faite dans le cadre de ses activités commerciales dans la mesure où cette consommation ou cette utilisation est faite afin d'effectuer, pour une contrepartie, une fourniture taxable ou non taxable dans le cadre de cette initiative.

Antérieurement, cet article se lisait ainsi :

42.0.4 Dans le cas où une personne consomme ou utilise un bien ou un service dans le cadre de son initiative, la consommation ou l'utilisation du bien ou du service est réputée faite dans le cadre de ses activités commerciales dans la mesure où cette consommation ou cette utilisation est faite afin d'effectuer une fourniture taxable dans le cadre de cette initiative.

L'article 42.0.4 a été modifié par L.Q. 1995, c. 63, art. 322(1) et cette modification s'applique à l'égard d'un bien ou d'un service qu'une personne consomme ou utilise après le 31 juillet 1995 dans le cadre de son initiative. L'article 42.0.4 a été ajouté par L.Q. 1995, c. 1, art. 261 et a effet depuis le 1er juillet 1992, sous réserve des dispositions transitoires [*N.D.L.R.* : cette disposition s'applique conformément aux articles 618 à 656 et 685 L.Q. 1991, c. 67, tels que modifiés]. Il se lisait comme suit :

42.0.4 Dans le cas où une personne consomme ou utilise un bien ou un service dans le cadre de son initiative, la consommation ou l'utilisation du bien ou du service est réputée faite dans le cadre de ses activités commerciales dans la mesure où cette consommation ou cette utilisation est faite afin d'effectuer une fourniture taxable ou non taxable dans le cadre de cette initiative.

Toutefois pour la période qui commence le 1er juillet 1992 et qui se termine le 30 septembre 1992, l'article 42.0.4 doit se lire comme suit :

42.0.4 Malgré l'article 42, dans le cas où une personne consomme ou utilise un bien ou un service dans le cadre de son initiative, la consommation ou l'utilisation du bien ou du service est réputée faite dans le cadre de ses activités commerciales dans la mesure où cette utilisation est faite afin d'effectuer une fourniture taxable ou non taxable dans le cadre de cette initiative.

Définitions [art. 42.0.4]: « activité commerciale », « bien », « fourniture taxable » — 1; « initiative » — 42.0.1; « personne », « service » — 1.

Renvois [art. 42.0.4]: 42.0.6 (fourniture taxable d'un bien ou d'un service sans contrepartie); 42.0.8 (présomption conditionnelle); 42.0.9 (non-application de la présomption d'absence de contrepartie).

Lettres d'interprétation [art. 42.0.4]: 98-0108633 — Interprétation relative à la TPS et à la TVQ — Droit aux CTI et aux RTI à l'égard des coûts de construction d'un immeuble.

Concordance fédérale: LTA, al. 141.01(3)a).

42.0.5 Consommation ou utilisation dans le cadre d'une initiative

42.0.5 Consommation ou utilisation dans le cadre d'une initiative — Dans le cas où une personne consomme ou utilise un bien ou un service dans le cadre de son initiative, la consommation ou l'utilisation du bien ou du service est réputée faite autrement que dans le cadre de ses activités commerciales dans la mesure où cette consommation ou cette utilisation est faite :

1° soit afin d'effectuer, dans le cadre de cette initiative, une fourniture autre qu'une fourniture taxable effectuée pour une contrepartie;

2° soit à une fin autre que celle d'effectuer une fourniture dans le cadre de cette initiative.

Notes historiques: Le paragraphe 1° de l'article 42.0.5 a été remplacé par L.Q. 1997, c. 85, art. 448(1) et cette modification a effet depuis le 1er juillet 1992. Toutefois, à l'égard d'un bien ou d'un service qu'une personne consomme ou utilise, avant le 1er août 1995, dans le cadre de son initiative, le paragraphe 1° de l'article 42.0.5 doit se lire comme suit :

1° soit afin d'effectuer, dans le cadre de cette initiative, une fourniture autre qu'une fourniture taxable ou non taxable effectuée pour une contrepartie;

Antérieurement à cette modification, le paragraphe 1° se lisait ainsi :

1° soit afin d'effectuer une fourniture, autre qu'une fourniture taxable, dans le cadre de cette initiative;

Le paragraphe 1° de l'article 42.0.5 a été modifié par L.Q. 1995, c. 63, art. 323(1) et cette modification s'applique à l'égard d'un bien ou d'un service qu'une personne consomme ou utilise après le 31 juillet 1995 dans le cadre de son initiative. Ce paragraphe se lisait auparavant comme suit :

1° soit afin d'effectuer une fourniture, autre qu'une fourniture taxable ou non taxable, dans le cadre de cette initiative;

L'article 42.0.5 a été ajouté par L.Q. 1995, c. 1, art. 261 et a effet depuis le 1er juillet 1992, sous réserve des dispositions transitoires [*N.D.L.R.* : cette disposition s'applique conformément aux articles 618 à 656 et 685 L.Q. 1991, c. 67, tels que modifiés]. Toutefois pour la période qui commence le 1er juillet 1992 et qui se termine le 30 septembre 1992, le préambule doit se lire comme suit :

42.0.5 Malgré l'article 42, dans le cas où une personne consomme ou utilise un bien ou un service dans le cadre de son initiative, la consommation ou l'utilisation du bien ou du service est réputée faite autrement que dans le cadre de ses activités commerciales dans la mesure où cette consommation ou cette utilisation est faite :

Définitions [art. 42.0.5]: « activité commerciale », « bien », « fourniture », « fourniture taxable » — 1; « initiative » — 42.0.1; « personne », « service » — 1.

Renvois [art. 42.0.5]: 42.0.6 (fourniture taxable d'un bien ou d'un service sans contrepartie); 42.0.8 (présomption conditionnelle); 42.0.9 (non-application de la présomption d'absence de contrepartie).

Concordance fédérale: LTA, al. 141.01(3)b).

42.0.6 Fourniture taxable sans contrepartie ou pour une contrepartie symbolique

42.0.6 Fourniture taxable sans contrepartie ou pour une contrepartie symbolique — Dans le cas où un fournisseur effectue une fourniture taxable — appelée « fourniture gratuite » dans le présent article — d'un bien ou d'un service sans contrepartie ou pour une contrepartie symbolique dans le cadre d'une initiative donnée de ce dernier et qu'il peut raisonnablement être considéré que l'une ou l'autre des fins — appelées « fins spécifiques » dans le présent article — pour lesquelles la fourniture gratuite est effectuée consiste à faciliter, à favoriser ou à promouvoir soit l'acquisition, la consommation ou l'utilisation d'autres biens ou d'autres services par une autre personne, soit une initiative d'une personne, les règles suivantes s'appliquent :

1º pour l'application des articles 42.0.2 et 42.0.3, le fournisseur est réputé avoir acquis, ou apporté au Québec, un bien ou un service donné pour utilisation dans le cadre de l'initiative donnée et pour les fins spécifiques, et non afin d'effectuer la fourniture gratuite dans la mesure où il a acquis ou apporté le bien ou le service donné soit afin d'effectuer la fourniture gratuite de ce bien ou de ce service, soit pour consommation ou utilisation dans le cadre de la réalisation de la fourniture gratuite;

2º pour l'application des articles 42.0.4 et 42.0.5, le fournisseur est réputé avoir consommé ou utilisé un bien ou un service donné pour les fins spécifiques et non afin d'effectuer la fourniture gratuite dans la mesure où il a consommé ou utilisé le bien ou le service donné afin d'effectuer la fourniture gratuite.

Notes historiques: Le préambule de l'article 42.0.6 a été modifié par L.Q. 1995, c. 63, art. 324(1) et cette modification s'applique à l'égard de :

1º la fourniture d'un bien meuble ou d'un service effectuée après le 31 juillet 1995;

2º la fourniture d'un immeuble effectuée en vertu d'une convention écrite conclue après le 31 juillet 1995, suivant laquelle la propriété et la possession de l'immeuble sont transférées à l'acquéreur après cette date.

Auparavant, le préambule se lisait :

42.0.6 Dans le cas où un fournisseur effectue une fourniture taxable ou non taxable — appelée « fourniture gratuite » dans le présent article — d'un bien ou d'un service sans contrepartie ou pour une contrepartie symbolique dans le cadre d'une initiative donnée de ce dernier et qu'il peut raisonnablement être considéré que l'une ou l'autre des fins — appelées « fins spécifiques », dans le présent article — pour lesquelles la fourniture gratuite est effectuée consiste à faciliter, à favoriser ou à promouvoir soit l'acquisition, la consommation ou l'utilisation d'autres biens ou d'autres services par une autre personne, soit une initiative d'une personne, les règles suivantes s'appliquent :

L'article 42.0.6 a été ajouté par L.Q. 1995, c. 1, art. 261 et a effet depuis le 1er juillet 1992 [*N.D.L.R.* : cette disposition s'applique conformément aux articles 618 à 656 et 685 L.Q. 1991, c. 67, tels que modifiés].

[*N.D.L.R.* : l'application prévue par L.Q. 1995, c. 1, art. 261(2)(e) a été abrogée par L.Q. 1997, c. 85, art. 724 et a effet depuis le 30 janvier 1995. Antérieurement, elle se lisait ainsi :

cette modification ne s'applique pas pour déterminer :

1º un montant demandé dans une demande produite en vertu du chapitre VII ou dans une déclaration produite en vertu du chapitre VIII, au plus tard le 14 février 1994;

2º un changement d'utilisation d'un bien intervenu au plus tard le 14 février 1994.]

Définitions [art. 42.0.6]: « activité commerciale », « bien », « contrepartie », « fourniture taxable » — 1; « initiative » — 42.0.1; « personne », « service » — 1.

Renvois [art. 42.0.6]: 42.0.9 (non-application de la présomption d'absence de contrepartie).

Jurisprudence [art. 42.0.6]: *La Vallée-de-l'Or (MRC de) c. Québec (Sous-ministre du Revenu)* (28 septembre 2010), 615-80-000111-093, 2010 CarswellQue 10380 (activité commerciale, écocentres); *Auberge La Calèche 1992 inc. c. Québec (Sous-ministre du Revenu)* (28 janvier 2004), 500-09-011756-012, 2004 CarswellQue 110 (forfaits tout inclus) (C.A. Qué.); *Auberge La Calèche 1992 inc. c. S.M.R.Q.* (21 novembre 2001), 500-02-072512-986, 2001 CarswellQue 3334 (C.Q.).

Formulaires [art. 42.0.6]: FP-25, *Choix concernant les fournitures sans contrepartie*; FP-25.S, *Formulaire supplémentaire concernant les fournitures sans contrepartie*.

Lettres d'interprétation [art. 42.0.6]: 00-0102731 — Interprétation relative à la TPS et à la TVQ — Remise d'un véhicule automobile à une corporation pour un tirage.

Concordance fédérale: LTA, par. 141.01(4).

42.0.7 Méthodes de détermination de la mesure — Sous réserve des articles 42.0.10 à 42.0.24, les méthodes utilisées par une personne au cours d'un exercice pour déterminer la mesure dans laquelle un bien ou un service est acquis, ou apporté au Québec, par la personne soit afin d'effectuer une fourniture taxable pour une contrepartie, soit à d'autres fins, et la mesure dans laquelle la consommation ou l'utilisation d'un bien ou d'un service est faite soit afin d'effectuer une fourniture taxable pour une contrepartie, soit à d'autres fins, doivent être justes et raisonnables et doivent être utilisées régulièrement par la personne tout au long de l'exercice.

Exercice d'une personne — Pour l'application du présent article, l'exercice d'une personne correspond à son exercice au sens de l'article 458.1.

2012, c. 28, art. 45.

Notes historiques: Le premier alinéa de l'article 42.0.7 a été remplacé par L.Q. 2012, c. 28, par. 45(1) et cette modification s'applique à compter du 1er janvier 2013. Antérieurement, il se lisait ainsi :

42.0.7 Les méthodes utilisées par une personne au cours d'un exercice pour déterminer la mesure dans laquelle un bien ou un service est acquis, ou apporté au Québec, par la personne soit afin d'effectuer une fourniture taxable pour une contrepartie, soit à d'autres fins, et la mesure dans laquelle la consommation ou l'utilisation d'un bien ou d'un service est faite soit afin d'effectuer une fourniture taxable pour une contrepartie, soit à d'autres fins, doivent être justes et raisonnables et doivent être utilisées régulièrement par la personne tout au long de l'exercice.

Le premier alinéa de l'article 42.0.7 a été remplacé par L.Q. 1997, c. 85, art. 449(1) et cette modification a effet depuis le 1er juillet 1992. Toutefois, à l'égard d'un bien ou d'un service qu'une personne acquiert, ou apporte au Québec, ou consomme ou utilise, selon le cas, avant le 1er août 1995, le premier alinéa de l'article 42.0.7 doit se lire comme suit :

42.0.7 Les méthodes utilisées par une personne au cours d'un exercice pour déterminer la mesure dans laquelle un bien ou un service est acquis, ou apporté au Québec, par la personne soit afin d'effectuer une fourniture taxable ou non taxable pour une contrepartie, soit à d'autres fins, et la mesure dans laquelle la consommation ou l'utilisation d'un bien ou d'un service est faite soit afin d'effectuer une fourniture taxable ou non taxable pour une contrepartie, soit à d'autres fins, doivent être justes et raisonnables et doivent être utilisées régulièrement par la personne tout au long de l'exercice.

Antérieurement, le premier alinéa de l'article 42.0.7 se lisait comme suit :

42.0.7 Les méthodes utilisées par une personne au cours d'un exercice pour déterminer la mesure dans laquelle un bien ou un service est acquis, ou apporté au Québec, par la personne soit afin d'effectuer une fourniture taxable, soit à d'autres fins, et la mesure dans laquelle la consommation ou l'utilisation d'un bien ou d'un service est faite soit afin d'effectuer une fourniture taxable, soit à d'autres fins, doivent être justes et raisonnables et doivent être utilisées régulièrement par la personne tout au long de l'exercice.

Le premier alinéa de l'article 42.0.7 a été modifié par L.Q. 1995, c. 63, art. 325(1) et cette modification s'applique à l'égard d'un bien ou d'un service qu'une personne, après le 31 juillet 1995, acquiert, ou apporte au Québec, ou consomme ou utilise, selon le cas. Le premier alinéa se lisait auparavant comme suit :

42.0.7 Les méthodes utilisées par une personne au cours d'un exercice pour déterminer la mesure dans laquelle un bien ou un service est acquis, ou apporté au Québec, par la personne soit afin d'effectuer une fourniture taxable ou non taxable, soit à d'autres fins, et la mesure dans laquelle la consommation ou l'utilisation d'un bien ou d'un service est faite soit afin d'effectuer une fourniture taxable ou non taxable, soit à d'autres fins, doivent être justes et raisonnables et doivent être utilisées régulièrement par la personne tout au long de l'exercice.

L'article 42.0.7 a été ajouté par L.Q. 1995, c. 1, art. 261 et a effet depuis le 1er juillet 1992 [*N.D.L.R.* : cette disposition s'applique conformément aux articles 618 à 656 et 685 L.Q. 1991, c. 67, tels que modifiés].

Notes explicatives ARQ (PL 5, L.Q. 2012, c. 28): *Résumé* :

L'article 42.0.7 prévoit les exigences relatives aux méthodes utilisées pour la répartition des intrants d'une personne. Cet article est modifié pour préciser qu'il s'applique sous réserve des règles particulières applicables aux institutions financières.

Situation actuelle :

L'article 42.0.7 prévoit l'obligation pour une personne d'utiliser des méthodes justes et raisonnables tout au long de son exercice pour déterminer la mesure dans laquelle une acquisition, un apport au Québec, une consommation ou une utilisation est soit afin d'effectuer une fourniture taxable pour contrepartie, soit à une autre fin. Il est de plus prévu que ces méthodes justes et raisonnables doivent être utilisées régulièrement tout au long de l'exercice.

Modifications proposées :

L'article 42.0.7 est modifié pour préciser qu'il s'applique sous réserve des règles particulières applicables aux institutions financières, lesquelles sont introduites dans le cadre du présent projet de loi. Ces règles particulières sont prévues aux nouveaux articles 42.0.10 à 42.0.24 de la LTVQ.

Définitions [art. 42.0.7]: « activité commerciale », « bien », « fourniture taxable » — 1, ; « initiative » — 42.0.1; « personne », « service » — 1.

Jurisprudence [art. 42.0.7]: *La Vallée-de-l'Or (MRC de) c. Québec (Sous-ministre du Revenu)* (28 septembre 2010), 615-80-000111-093, 2010 CarswellQue 10380 (activité commerciale, écocentres).

Lettres d'interprétation [art. 42.0.7]: 98-0105282[A] — Interprétation — Prothèses médicales — Prothèses mammaires; 98-0108898 — Rapports d'expertise médicale; 98-0109656 — Décision portant sur l'application de la TPS — Interprétation relative à la

LTVQ (français)

TVQ — Fournitures unique et fournitures multiples — Droit d'entrée dans un musée accompagné d'un tour de ville.

Concordance fédérale: LTA, par. 141.01(5).

42.0.8 Application des articles 42.0.2 à 42.0.5. — Dans le cas où certains faits ou circonstances sont réputés en vertu d'une disposition donnée du présent titre, autre que les articles 42.0.2 à 42.0.6, et que l'application de cette présomption est conditionnelle, en totalité ou en partie, à ce qu'un bien ou un service soit, ou ait été, acquis, ou apporté au Québec, pour consommation ou utilisation, ou consommé ou utilisé, dans une certaine mesure dans le cadre d'activités commerciales ou d'autres activités, ou autrement que dans ce cadre, les règles suivantes s'appliquent :

1º pour établir si la condition est satisfaite, cette certaine mesure doit être déterminée en vertu des articles 42.0.2 à 42.0.5;

2º dans le cas où il est établi que la condition est satisfaite et que toutes les autres conditions prévues pour l'application de la disposition donnée sont satisfaites, la présomption s'applique en faisant abstraction des articles 42.0.2 à 42.0.5.

Notes historiques: L'article 42.0.8 a été ajouté par L.Q. 1995, c. 1, art. 261 et a effet depuis le 1er juillet 1992 [*N.D.L.R.* : cette disposition s'applique conformément aux articles 618 à 656 et 685 L.Q. 1991, c. 67, tels que modifiés].

Définitions [art. 42.0.8]: « activité commerciale », « bien » — 1; « initiative » — 42.0.1; « service » — 1.

Concordance fédérale: LTA, par. 141.01(6).

42.0.9 Application d'une présomption — Dans le cas où en vertu d'une disposition du présent titre la contrepartie d'une fourniture est réputée ne pas être une contrepartie de celle-ci, une fourniture est réputée avoir été effectuée sans contrepartie ou une fourniture est réputée ne pas avoir été effectuée par une personne, cette présomption ne s'applique pas pour l'application des articles 42.0.1 a 42.0.6.

Notes historiques: L'article 42.0.9 a été ajouté par L.Q. 1995, c. 1, art. 261 et a effet depuis le 1er juillet 1992 [*N.D.L.R.* : cette disposition s'applique conformément aux articles 618 à 656 et 685 L.Q. 1991, c. 67, tels que modifiés].

Définitions [art. 42.0.9]: « contrepartie », « fourniture » — 1; « initiative » — 42.0.1; « personne » — 1.

Lettres d'interprétation [art. 42.0.9]: 98-0108146 — Interprétation relative à la TPS et à la TVQ — Prix reçus par un athlète professionnel; 99-0107617 — Interprétation relative à la TPS et à la TVQ — Droit pour un entrepreneur indépendant d'un démarcheur de demander des CTI/RTI.

Concordance fédérale: LTA, par. 141.01(7).

42.0.10 Pour l'application du présent article et des articles 42.0.11 à 42.0.24, l'expression :

« institution admissible » pour un exercice donné désigne une personne qui remplit les conditions prévues à la définition de l'expression « institution admissible » prévue au paragraphe 1 de l'article 141.02 de la *Loi sur la taxe d'accise* (L.R.C. 1985, c. E-15);

Concordance fédérale: LTA, par. 141.02(1)« institution admissible ».

« intrant d'entreprise » désigne un intrant exclu, un intrant exclusif ou un intrant résiduel;

Concordance fédérale: LTA, par. 141.02(1)« intrant d'entreprise ».

« intrant direct » désigne un bien ou un service autre qu'un intrant exclu, un intrant exclusif ou un intrant non attribuable;

Concordance fédérale: LTA, par. 141.02(1)« intrant direct ».

« intrant exclu » d'une personne désigne l'un ou l'autre des biens et services suivants :

1° un bien qui est destiné à être utilisé par la personne à titre d'immobilisation;

2° un bien ou un service que la personne acquiert ou apporte au Québec et qui est destiné à être utilisé à titre d'amélioration d'un bien visé au paragraphe 1°;

3° un bien ou un service prescrit;

Concordance fédérale: LTA, par. 141.02(1)« intrant exclu ».

« intrant exclusif » d'une personne désigne un bien ou un service, sauf un intrant exclu, que la personne acquiert ou apporte au Québec, en vue de le consommer ou de l'utiliser soit directement et exclusivement dans le but d'effectuer une fourniture taxable pour une contrepartie, soit directement et exclusivement dans un autre but;

Concordance fédérale: LTA, par. 141.02(1)« intrant exclusif ».

« intrant non attribuable » d'une personne désigne un bien ou un service qui remplit les conditions suivantes :

1° il n'est ni un intrant exclu, ni un intrant exclusif de la personne;

2° il est acquis ou apporté au Québec par la personne;

3° il n'est pas attribuable à la réalisation par la personne d'une fourniture en particulier;

Concordance fédérale: LTA, par. 141.02(1)« intrant non attribuable ».

« intrant résiduel » désigne un intrant direct ou un intrant non attribuable;

Concordance fédérale: LTA, par. 141.02(1)« intrant résiduel ».

« mesure d'acquisition » d'un bien ou d'un service désigne la mesure dans laquelle le bien ou le service est acquis ou apporté au Québec dans le but d'effectuer une fourniture taxable pour une contrepartie ou la mesure dans laquelle un bien ou un service est acquis ou apporté au Québec dans un autre but, selon le cas;

Concordance fédérale: LTA, par. 141.02(1)« mesure d'acquisition ».

« mesure d'utilisation » d'un bien ou d'un service désigne la mesure dans laquelle le bien ou le service est consommé ou utilisé dans le but d'effectuer une fourniture taxable pour une contrepartie ou la mesure dans laquelle un bien ou un service est consommé ou utilisé dans un autre but, selon le cas;

Concordance fédérale: LTA, par. 141.02(1)« mesure d'utilisation ».

« méthode d'attribution directe » désigne une méthode, conforme à des critères, des règles et des modalités fixés par le ministre du Revenu national, permettant de déterminer de la manière la plus directe la mesure d'utilisation et la mesure d'acquisition d'un bien ou d'un service;

Concordance fédérale: LTA, par. 141.02(1)« méthode d'attribution directe ».

« méthode déterminée » désigne une méthode, conforme à des critères, des règles et des modalités fixés par le ministre du Revenu national, permettant de déterminer la mesure d'utilisation et la mesure d'acquisition d'un bien ou d'un service.

Concordance fédérale: LTA, par. 141.02(1)« méthode déterminée ».

2012, c. 28, art. 46.

Notes historiques: L'article 42.0.10 a été ajouté par L.Q. 2012, c. 28, par. 46(1) et s'applique à l'égard d'une période de déclaration qui commence après le 31 décembre 2012. Toutefois, lorsque cet articles s'applique à l'égard d'une période de déclaration qui est comprise dans un exercice qui commence avant le 1er janvier 2013 et qui se termine après le 31 décembre 2012, toute référence à un exercice qui y est faite s'entend d'une référence à la partie de cet exercice qui ne comprend pas une période de déclaration qui commence avant le 1er janvier 2013.

Notes explicatives ARQ (PL 5, L.Q. 2012, c. 28): *Résumé* :

Le nouvel article 42.0.10 définit certaines expressions pour l'application des nouveaux articles 42.0.11 à 42.0.24 de la LTVQ, lesquels prévoient des règles concernant la détermination de la mesure d'utilisation et de la mesure d'acquisition des intrants des institutions financières.

Contexte :

À compter du 1er janvier 2013, la fourniture d'un service financier cesse, en règle générale, d'être détaxée et devient exonérée. La principale conséquence de ce changement est que les institutions financières ne pourront plus obtenir de remboursements de la taxe sur les intrants relativement aux fournitures acquises en vue de rendre des services financiers. Les nouveaux articles 42.0.10 à 42.0.24 de la LTVQ prévoient donc des règles concernant la détermination de la mesure d'utilisation et de la mesure d'acquisition des intrants des institutions financières, et ce, en vue de distinguer ce qui est acquis pour effectuer des fournitures taxables de ce qui est acquis pour effectuer des fournitures exonérées.

Modifications proposées :

Le nouvel article 42.0.10 définit certaines expressions pour l'application des nouveaux articles 42.0.11 à 42.0.24 de cette loi. Ces articles prévoient certaines règles particulières, applicables aux institutions financières, qui concernent la répartition des intrants en fonction de leur utilisation ou consommation à des fins commerciales.

Une « institution admissible » pour un exercice donné désigne une personne qui est une telle institution admissible pour l'exercice en vertu du paragraphe 1 de l'article 141.02 de la *Loi sur la taxe d'accise* (Lois révisées du Canada (1985), chapitre E-15) (LTA). Essentiellement, une personne est une institution admissible si, d'une part, elle est une banque, un assureur ou un courtier en valeurs mobilières, et, d'autre part, le montant de ses crédits de taxe sur les intrants auxquels elle a droit en vertu de la LTA pour chacun des deux exercices précédant l'exercice donné est égal ou supérieur à 500 000 $. De plus, pour être une institution admissible, la proportion de la taxe sur les produits et services (TPS) et de la taxe de vente harmonisée (TVH) relatives à des intrants résiduels que récupère la personne au moyen de crédits de taxe sur les intrants sur la TPS/TVH en vertu de la LTA se rapportant à ces intrants résiduels est égal ou supérieur à 12 %, s'il s'agit d'une banque, à 10 %, s'il s'agit d'un assureur, et à 15 %, s'il s'agit d'un courtier en valeurs mobilières. Toutefois, lorsque l'institution financière est une institution financière désignée particulière au cours de l'exercice, seule la TPS est prise en considération aux fins d'établir cette proportion.

L'expression « intrant d'entreprise » englobe les intrants exclus, les intrants exclusifs et les intrants résiduels, lesquels sont également définis au présent article 42.0.10 de la LTVQ.

L'expression « intrant direct » comprend tout intrant autre qu'un intrant exclu, un intrant exclusif ou un intrant non attribuable. Ainsi, de façon générale, les intrants directs sont des intrants (autres que des immobilisations) qui sont attribuables à la production d'extrants en particulier et qui sont consommés ou utilisés dans le but d'effectuer des fournitures taxables pour une contrepartie ainsi que dans d'autres buts.

Les intrants exclus sont, de façon générale, les biens — meubles et immeubles — qu'une personne utilise à titre d'immobilisations et les biens et services qu'elle acquiert ou apporte au Québec en vue de les utiliser à titre d'améliorations d'immobilisations. Sont également compris parmi les intrants exclus les biens et services visés par règlement.

L'expression « intrant non attribuable » d'une personne signifie un bien ou un service qui répond aux conditions suivantes : il est acquis ou apporté au Québec par celle-ci, il n'est pas attribuable à la réalisation par elle d'une fourniture en particulier et il n'est ni un intrant exclu ni un intrant exclusif, au sens du présent article 42.0.10 de la LTVQ.

Les intrants non attribuables sont donc des intrants qui sont acquis ou apportés au Québec en vue d'être consommés ou utilisés à la fois dans le but d'effectuer des fournitures taxables pour une contrepartie et dans d'autres buts. Ils ne sont pas des biens détenus à titre d'immobilisation, ni des améliorations apportées à de tels biens. Les intrants non attribuables ne peuvent être attribués à une fourniture ou à un poste de dépenses — centre de coûts se rapportant à des fournitures en particulier (par exemple, les frais généraux liés aux réunions d'un conseil d'administration). L'expression « intrant résiduel » englobe les intrants directs et les intrants non attribuables. Par conséquent, cette expression vise donc les biens et services d'une personne qui ne sont ni des intrants exclus ni des intrants exclusifs (au sens du présent article 42.0.10 de la LTVQ). Un intrant résiduel est donc un bien (autre qu'un bien meuble en immobilisation ou une immobilisation, ou qu'une amélioration à un tel bien) ou un service acquis ou apporté au Québec en vue d'être consommé ou utilisé à la fois dans le but d'effectuer des fournitures taxables pour une contrepartie et dans d'autres buts.

De façon générale, l'expression « mesure d'acquisition » s'attarde au but pour lequel un bien ou un service a été acquis ou apporté au Québec. Plus précisément, cette expression s'entend de la mesure dans laquelle un bien ou un service est acquis ou apporté au Québec dans le but d'effectuer une fourniture taxable pour une contrepartie, ou celle dans laquelle ce bien ou service est ainsi acquis ou apporté au Québec dans un autre but.

De même, l'expression « mesure d'utilisation » s'attarde au but pour lequel un bien ou un service a été consommé ou utilisé. Plus précisément, cette expression s'entend de la mesure dans laquelle un bien ou un service est consommé ou utilisé dans le but d'effectuer une fourniture taxable pour une contrepartie, ou celle dans laquelle ce bien ou service est consommé ou utilisé dans un autre but.

L'expression « méthode d'attribution directe » s'entend d'une méthode qui permet de déterminer de la manière la plus directe la mesure d'utilisation et la mesure d'acquisition (au sens du présent article 42.0.10 de la LTVQ) d'un bien ou d'un service par une personne. Cette méthode doit être conforme à des critères, des règles et des modalités fixés par le ministre du Revenu national.

L'expression « méthode déterminée » s'entend d'une méthode qui permet de déterminer la mesure d'utilisation et la mesure d'acquisition (au sens du présent article 42.0.10 de la LTVQ) d'un bien ou d'un service par une personne. Cette méthode doit être conforme à des critères, des règles et des modalités fixés par le ministre du Revenu national.

42.0.11 Pour l'application des articles 42.0.10 et 42.0.12 à 42.0.24, les règles suivantes s'appliquent :

1° une contrepartie symbolique n'est pas une contrepartie;

2° une personne qui est une institution financière d'une catégorie prescrite à un moment de son exercice est réputée une telle institution tout au long de cet exercice.

2012, c. 28, art. 46.

Notes historiques: L'article 42.0.11 a été ajouté par L.Q. 2012, c. 28, par. 46(1) et s'applique à l'égard d'une période de déclaration qui commence après le 31 décembre 2012. Toutefois, lorsque cet articles s'applique à l'égard d'une période de déclaration qui est comprise dans un exercice qui commence avant le 1er janvier 2013 et qui se termine après le 31 décembre 2012, toute référence à un exercice qui y est faite s'entend d'une référence à la partie de cet exercice qui ne comprend pas une période de déclaration qui commence avant le 1er janvier 2013.

Notes explicatives ARQ (PL 5, L.Q. 2012, c. 28): *Résumé* :

Le nouvel article 42.0.11 apporte certaines règles pour l'application des nouveaux articles 42.0.10 et 42.0.12 à 42.0.24 de cette loi.

Contexte :

Voir la rubrique « Contexte » de la note explicative relative au nouvel article 42.0.10 de la LTVQ.

Modifications proposées :

Le nouvel article 42.0.11 précise, pour les fins des règles gouvernant la répartition des intrants d'une institution financière, lesquelles sont prévues aux articles 42.0.10 à 42.0.24 de la LTVQ, d'une part, qu'une contrepartie symbolique ne constitue pas une contrepartie, et, d'autre part, qu'une personne qui est une institution financière d'une catégorie prescrite à un moment de son exercice est réputée une telle institution financière tout au long de cet exercice.

Par conséquent, les fournitures effectuées pour une contrepartie symbolique sont donc considérées comme des fournitures effectuées sans contrepartie. La personne qui acquiert ou apporte au Québec un bien ou un service dans le but d'effectuer des fournitures taxables pour une contrepartie symbolique est ainsi réputée avoir acquis ou apporté le bien ou le service dans un autre but que celui d'effectuer des fournitures taxables pour une contrepartie.

Concordance fédérale: aucune.

42.0.12 Les règles suivantes s'appliquent relativement à un intrant exclusif d'une institution financière :

1° lorsque l'intrant exclusif est acquis ou apporté au Québec en vue d'être consommé ou utilisé directement et exclusivement dans le but d'effectuer une fourniture taxable pour une contrepartie, l'institution financière est réputée l'avoir acquis ou ainsi apporté pour le consommer ou l'utiliser exclusivement dans le cadre de ses activités commerciales;

2° lorsque l'intrant exclusif est acquis ou apporté au Québec en vue d'être consommé ou utilisé directement et exclusivement dans un but autre que celui visé au paragraphe 1°, l'institution financière est réputée l'avoir acquis ou ainsi apporté pour le consommer ou l'utiliser exclusivement hors du cadre de ses activités commerciales.

2012, c. 28, art. 46.

Notes historiques: L'article 42.0.12 a été ajouté par L.Q. 2012, c. 28, par. 46(1) et s'applique à l'égard d'une période de déclaration qui commence après le 31 décembre 2012. Toutefois, lorsque cet articles s'applique à l'égard d'une période de déclaration qui est comprise dans un exercice qui commence avant le 1er janvier 2013 et qui se termine après le 31 décembre 2012, toute référence à un exercice qui y est faite s'entend d'une référence à la partie de cet exercice qui ne comprend pas une période de déclaration qui commence avant le 1er janvier 2013.

Notes explicatives ARQ (PL 5, L.Q. 2012, c. 28): *Résumé* :

Le nouvel article 42.0.12 prévoit des règles concernant l'attribution par une institution financière de ses intrants exclusifs, c'est-à-dire des biens ou services, autres que des intrants exclus, qu'elle acquiert ou apporte au Québec en vue de les consommer ou de les utiliser directement et exclusivement soit dans le but d'effectuer une fourniture taxable pour une contrepartie, soit dans un autre but.

Contexte :

Voir la rubrique « Contexte » de la note explicative relative au nouvel article 42.0.10 de la LTVQ.

Modifications proposées :

Le nouvel article 42.0.12 contient des règles sur l'attribution par une institution financière de ses intrants exclusifs, au sens de l'article 42.0.10 de la LTVQ, c'est-à-dire des biens ou services qu'elle acquiert ou apporte au Québec en vue de les consommer ou de les utiliser directement et exclusivement soit dans le but d'effectuer des fournitures taxables pour une contrepartie, soit dans un autre but. Rappelons que le mot « exclusif », au sens de l'article 1 de la LTVQ, s'entend de 100 % dans le cas des institutions financières.

En vertu du paragraphe 1° de l'article 42.0.12, si un intrant exclusif est acquis ou apporté au Québec en vue d'être consommé ou utilisé directement et exclusivement dans le but d'effectuer des fournitures taxables pour une contrepartie, l'institution financière est réputée avoir acquis ou ainsi apporté l'intrant pour le consommer ou l'utiliser exclusivement dans le cadre de ses activités commerciales. Par conséquent, pour le calcul du remboursement de la taxe sur les intrants relatif à l'intrant exclusif conformément à l'article 199 de la LTVQ, la valeur de la lettre B de la formule apparaissant au premier alinéa de cet article 199 sera de 100 %, sous réserve des restrictions ou rajustements ultérieurs prévus par ailleurs par la LTVQ, telle la récupération des remboursements de la taxe sur les intrants au titre des dépenses de repas et de divertissements.

LTVQ (français)

Enfin, en vertu du paragraphe 2° de l'article 42.0.12, si un intrant exclusif est acquis ou apporté au Québec en vue d'être consommé ou utilisé directement et exclusivement dans un but autre que celui d'effectuer des fournitures taxables pour une contrepartie, l'institution financière est réputée avoir acquis ou ainsi apporté l'intrant pour le consommer ou l'utiliser exclusivement hors du cadre de ses activités commerciales. Par conséquent, pour le calcul d'un remboursement de la taxe sur les intrants relatif à l'intrant exclusif conformément à l'article 199 de la LTVQ, la valeur de la lettre B de la formule apparaissant au premier alinéa de cet article 199 sera nulle (0 %).

Concordance fédérale: aucune.

42.0.13 Si une institution financière est une institution admissible pour l'un de ses exercices, les règles suivantes s'appliquent pour l'exercice relativement à un intrant résiduel :

1° la mesure dans laquelle l'intrant résiduel est consommé ou utilisé dans le but d'effectuer une fourniture taxable pour une contrepartie est réputée égale au pourcentage prescrit applicable à la catégorie prescrite dont l'institution financière fait partie;

2° la mesure dans laquelle l'intrant résiduel est consommé ou utilisé dans un but autre que celui visé au paragraphe 1° est réputée égale à l'excédent de 100 % sur le pourcentage prescrit applicable à la catégorie prescrite dont l'institution financière fait partie;

3° la mesure dans laquelle l'institution financière acquiert ou apporte au Québec l'intrant résiduel dans le but d'effectuer une fourniture taxable pour une contrepartie est réputée égale au pourcentage prescrit applicable à la catégorie prescrite dont l'institution financière fait partie;

4° la mesure dans laquelle l'institution financière acquiert ou apporte au Québec l'intrant résiduel dans un but autre que celui visé au paragraphe 3° est réputée égale à l'excédent de 100 % sur le pourcentage prescrit applicable à la catégorie prescrite dont l'institution financière fait partie;

5° aux fins du calcul d'un remboursement de la taxe sur les intrants relatif à l'intrant résiduel, la valeur de la lettre B de la formule prévue au premier alinéa de l'article 199 est réputée correspondre au pourcentage prescrit applicable à la catégorie prescrite dont l'institution financière fait partie.

2012, c. 28, art. 46.

Notes historiques: L'article 42.0.13 a été ajouté par L.Q. 2012, c. 28, par. 46(1) et s'applique à l'égard d'une période de déclaration qui commence après le 31 décembre 2012. Toutefois, lorsque cet articles s'applique à l'égard d'une période de déclaration qui est comprise dans un exercice qui commence avant le 1er janvier 2013 et qui se termine après le 31 décembre 2012, toute référence à un exercice qui y est faite s'entend d'une référence à la partie de cet exercice qui ne comprend pas une période de déclaration qui commence avant le 1er janvier 2013.

Notes explicatives ARQ (PL 5, L.Q. 2012, c. 28): *Résumé* :

Le nouvel article 42.0.13 prévoit des règles présumant l'intention d'une institution financière qui est une institution admissible, au sens de l'article 42.0.10 de la LTVQ, quant à la consommation ou à l'utilisation d'un intrant résiduel, également au sens de cet article 42.0.10, et quant au but de l'acquisition ou de l'apport au Québec d'un intrant résiduel.

Contexte :

Voir la rubrique « Contexte » de la note explicative relative au nouvel article 42.0.10 de la LTVQ.

Modifications proposées :

Le nouvel article 42.0.13 contient des présomptions quant à l'intention d'une institution financière qui est une institution admissible pour un exercice relativement à la consommation ou à l'utilisation d'un intrant résiduel, au sens de l'article 42.0.10 de la LTVQ, et quant au but recherché lors de l'acquisition ou de l'apport au Québec d'un tel intrant. Lorsque l'article 42.0.13 de la LTVQ s'applique aux intrants résiduels d'une institution financière, la mesure dans laquelle chacun de ses intrants résiduels est utilisé dans le but d'effectuer des fournitures taxables pour une contrepartie est réputée correspondre au pourcentage prescrit applicable à la catégorie prescrite dont l'institution financière fait partie. Par conséquent, le pourcentage de taxe qui peut être recouvré à titre de remboursement de la taxe sur les intrants, sous réserve d'autres restrictions prévues par le chapitre V du titre I de la LTVQ, est réputé égal au pourcentage prescrit applicable à la catégorie prescrite dont l'institution financière fait partie. Notons que l'article 42.0.13 de la LTVQ s'applique seulement lorsque l'institution financière est une institution admissible, conformément au sens que donne à cette expression le nouvel article 42.0.10 de la LTVQ, introduit par le présent projet de loi, et que celle-ci n'est pas autorisée, conformément à l'article 42.0.20 de la LTVQ à employer les méthodes qui y sont mentionnées. En vertu du paragraphe 1° de l'article 42.0.13 de la LTVQ, la mesure dans laquelle chacun des intrants résiduels de l'institution admissible est consommé ou utilisé dans le but d'effectuer des fournitures taxables pour une contrepartie est réputée égale au pourcentage prescrit applicable à la catégorie prescrite dont l'institution fait partie. En vertu du paragraphe 2° de l'article 42.0.13 de la LTVQ, la mesure dans laquelle chacun des intrants résiduels de l'institution admissible est consommé ou utilisé dans un but autre que celui d'effectuer des fournitures taxables pour une contrepartie est réputée égale à la différence entre 100 % et le pourcentage prescrit applicable à la catégorie prescrite dont l'institution fait partie.

Le paragraphe 3° de l'article 42.0.13 prévoit que la mesure dans laquelle l'institution admissible acquiert ou apporte au Québec chacun de ses intrants résiduels dans le but d'effectuer des fournitures taxables pour une contrepartie est réputée égale au pourcentage prescrit applicable à la catégorie prescrite dont elle fait partie. Le paragraphe 4° de l'article 42.0.13 de la LTVQ précise que la mesure dans laquelle l'institution admissible acquiert ou apporte au Québec dans un but autre que celui d'effectuer des fournitures taxables pour une contrepartie est réputée égale à la différence entre 100 % et le pourcentage prescrit applicable à la catégorie prescrite dont elle fait partie.

Enfin, le paragraphe 5° de l'article 42.0.13 prévoit que, lorsqu'il s'agit de calculer un remboursement de la taxe sur les intrants relatif à un intrant résiduel, la valeur de la lettre B de la formule prévue au premier alinéa de l'article 199 de la LTVQ est réputée correspondre au pourcentage prescrit applicable à la catégorie prescrite dont l'institution admissible fait partie.

Concordance fédérale: aucune.

42.0.14 Sous réserve du deuxième alinéa, lorsqu'une personne est une institution financière d'une catégorie prescrite tout au long de l'un de ses exercices, qu'elle n'est pas une institution admissible et qu'elle a effectué le choix prévu au paragraphe 9 de l'article 141.02 de la *Loi sur la taxe d'accise* (L.R.C. 1985, c. E-15) pour cet exercice, les règles suivantes s'appliquent pour cet exercice relativement à chacun de ses intrants résiduels :

1° la mesure dans laquelle l'intrant résiduel est consommé ou utilisé dans le but d'effectuer une fourniture taxable pour une contrepartie est réputée égale au pourcentage prescrit applicable à la catégorie prescrite dont l'institution financière fait partie;

2° la mesure dans laquelle l'intrant résiduel est consommé ou utilisé dans un but autre que celui visé au paragraphe 1° est réputée égale à l'excédent de 100 % sur le pourcentage prescrit applicable à la catégorie prescrite dont l'institution financière fait partie;

3° la mesure dans laquelle l'institution financière acquiert ou apporte au Québec l'intrant résiduel dans le but d'effectuer une fourniture taxable pour une contrepartie est réputée égale au pourcentage prescrit applicable à la catégorie prescrite dont l'institution financière fait partie;

4° la mesure dans laquelle l'institution financière acquiert ou apporte au Québec l'intrant résiduel dans un but autre que celui visé au paragraphe 3° est réputée égale à l'excédent de 100 % sur le pourcentage prescrit applicable à la catégorie prescrite dont l'institution financière fait partie;

5° aux fins du calcul d'un remboursement de la taxe sur les intrants relatif à l'intrant résiduel, la valeur de la lettre B de la formule prévue au premier alinéa de l'article 199 est réputée correspondre au pourcentage prescrit applicable à la catégorie prescrite dont l'institution financière fait partie.

Le choix visé au premier alinéa relativement à un exercice de la personne cesse d'être en vigueur au début de l'exercice et est réputé n'avoir jamais été fait pour l'application du présent titre, lorsque, en vertu du paragraphe 30 de l'article 141.02 de la *Loi sur la taxe d'accise*, ce choix cesse d'être en vigueur au début de l'exercice et est réputé n'avoir jamais été fait pour l'application de la partie IX de cette loi.

2012, c. 28, art. 46.

Notes historiques: L'article 42.0.14 a été ajouté par L.Q. 2012, c. 28, par. 46(1) et s'applique à l'égard d'une période de déclaration qui commence après le 31 décembre 2012. Toutefois, lorsque cet articles s'applique à l'égard d'une période de déclaration qui est comprise dans un exercice qui commence avant le 1er janvier 2013 et qui se termine après le 31 décembre 2012, toute référence à un exercice qui y est faite s'entend d'une référence à la partie de cet exercice qui ne comprend pas une période de déclaration qui commence avant le 1er janvier 2013.

Notes explicatives ARQ (PL 5, L.Q. 2012, c. 28): *Résumé* :

Le nouvel article 42.0.14 prévoit des règles présumant l'intention d'une institution financière, autre qu'une institution admissible, au sens de l'article 42.0.10 de la LTVQ, quant à la consommation ou à l'utilisation d'un intrant résiduel, également au sens de cet article 42.0.10, et quant au but de l'acquisition ou de l'apport au Québec d'un intrant résiduel.

Contexte :

Voir la rubrique « Contexte » de la note explicative relative au nouvel article 42.0.10 de la LTVQ.

Modifications proposées :

Le nouvel article 42.0.14 contient des présomptions quant à l'intention d'une institution financière, autre qu'une institution admissible, pour un exercice relativement à la consommation ou à l'utilisation d'un intrant résiduel, au sens de l'article 42.0.10 de la LTVQ, et quant au but recherché lors de l'acquisition ou de l'apport au Québec d'un tel intrant. Contrairement aux institutions admissibles, les règles prévues à l'article 42.0.14 de la LTVQ s'appliquent seulement lorsque l'institution financière en fait le choix en vertu de la *Loi sur la taxe d'accise* (Lois révisées du Canada (1985), chapitre E-15) (LTA). Notons que la LTA offre la possibilité de faire un tel choix à une institution financière qui n'est pas une institution admissible, si la proportion de la taxe sur les produits et services (TPS) ou de la taxe de vente harmonisée (TVH) relative à des intrants résiduels, au sens de l'article 42.0.10 de la LTVQ, que récupère la personne au moyen de crédits de taxe sur les intrants sur la TPS/TVH se rapportant à ces intrants résiduels est égale ou supérieure à 12 %, s'il s'agit d'une banque, à 10 %, s'il s'agit d'un assureur, et à 15 %, s'il s'agit d'un courtier en valeurs mobilières.

Lorsque l'article 42.0.14 s'applique aux intrants résiduels d'une institution financière, la mesure dans laquelle chacun de ses intrants résiduels est utilisé dans le but d'effectuer des fournitures taxables pour une contrepartie est réputée correspondre, en vertu du paragraphe 1° du premier alinéa de cet article, au pourcentage prescrit applicable à la catégorie prescrite dont l'institution financière fait partie. Par conséquent, le pourcentage de taxe qui peut être recouvré à titre de remboursement de la taxe sur les intrants, sous réserve d'autres restrictions prévues par le chapitre V du titre I de la LTVQ, est réputé égal au pourcentage prescrit applicable à la catégorie prescrite dont l'institution financière fait partie.

En vertu du paragraphe 2° du premier alinéa de l'article 42.0.14, la mesure dans laquelle chacun des intrants résiduels de l'institution admissible est consommé ou utilisé dans un but autre que celui d'effectuer des fournitures taxables pour une contrepartie est réputée égale à la différence entre 100 % et le pourcentage prescrit applicable à la catégorie prescrite dont l'institution fait partie.

Le paragraphe 3° du premier alinéa de l'article 42.0.14 prévoit que la mesure dans laquelle l'institution admissible acquiert ou apporte au Québec chacun de ses intrants résiduels dans le but d'effectuer des fournitures taxables pour une contrepartie est réputée égale au pourcentage prescrit applicable à la catégorie prescrite dont elle fait partie. Le paragraphe 4° du premier alinéa de l'article 42.0.14 de la LTVQ précise que la mesure dans laquelle l'institution admissible acquiert ou apporte au Québec dans un but autre que celui d'effectuer des fournitures taxables pour une contrepartie est réputée égale à la différence entre 100 % et le pourcentage prescrit applicable à la catégorie prescrite dont elle fait partie. Enfin le paragraphe 5° du premier alinéa de l'article 42.0.14 de la LTVQ prévoit que, lorsqu'il s'agit de calculer un remboursement de la taxe sur les intrants relatif à un intrant résiduel, la valeur de la lettre B de la formule prévue au premier alinéa de l'article 199 de la LTVQ est réputée correspondre au pourcentage prescrit applicable à la catégorie prescrite dont l'institution fait partie.

Le deuxième alinéa de l'article 42.0.14 vient préciser que le choix fait en vertu du paragraphe 9 de l'article 141.02 de la LTA doit également être en vigueur pour l'application de la partie IX de cette loi. En effet, lorsqu'un tel choix est réputé, pour les fins de la LTA, n'avoir jamais été fait en raison des circonstances prévues au paragraphe 30 de cet article 141.02, le choix est alors également réputé n'avoir jamais été fait pour l'application du titre I de la LTVQ. Notons que l'alinéa a du paragraphe 30 de l'article 141.02 de la LTA permet à une personne de révoquer notamment un choix fait en vertu du paragraphe 9 de cet article. L'alinéa c du paragraphe 30 de l'article 141.02 de la LTA précise que le choix cesse d'avoir effet au début de l'exercice et est réputé ne jamais avoir été fait si certaines exigences ne sont pas remplies, dont celles voulant que la personne soit une institution financière d'une catégorie prescrite tout au long de l'exercice visé par le choix et que le taux de crédit de taxe applicable à chacun des deux exercices précédant l'exercice en cause soit égal ou supérieur au pourcentage prescrit applicable à la catégorie prescrite d'institutions financières dont la personne fait partie pour l'exercice.

Concordance fédérale: aucune.

42.0.15 Une institution financière, sauf une institution admissible, qui n'a pas fait le choix mentionné à l'article 42.0.14 relativement à l'un de ses exercices doit utiliser une méthode déterminée pour déterminer, pour cet exercice, la mesure d'utilisation et la mesure d'acquisition de chacun de ses intrants non attribuables.

Malgré le premier alinéa, une institution financière, sauf une institution admissible, qui n'a pas fait le choix mentionné à l'article 42.0.14 relativement à l'un de ses exercices et dont l'un des intrants non attribuables ne se prête à aucune méthode déterminée au cours de l'exercice doit utiliser une autre méthode d'attribution pour déterminer, pour l'exercice, la mesure d'utilisation et la mesure d'acquisition de l'intrant non attribuable.

La méthode déterminée utilisée conformément au premier alinéa ou l'autre méthode d'attribution utilisée conformément au deuxième alinéa, par une institution financière, pour déterminer la mesure d'utilisation et la mesure d'acquisition d'un intrant non attribuable pour l'un de ses exercices doit être la même que celle utilisée, le cas échéant, par elle pour cet exercice, relativement à l'intrant non attribuable, conformément au paragraphe 10 de l'article 141.02 de la *Loi sur la taxe d'accise* (L.R.C. 1985, c. E-15) ou au paragraphe 11 de cet article, selon le cas.

2012, c. 28, art. 46.

Notes historiques: L'article 42.0.15 a été ajouté par L.Q. 2012, c. 28, par. 46(1) et s'applique à l'égard d'une période de déclaration qui commence après le 31 décembre 2012. Toutefois, lorsque cet articles s'applique à l'égard d'une période de déclaration qui est comprise dans un exercice qui commence avant le 1er janvier 2013 et qui se termine après le 31 décembre 2012, toute référence à un exercice qui y est faite s'entend d'une référence à la partie de cet exercice qui ne comprend pas une période de déclaration qui commence avant le 1er janvier 2013.

Notes explicatives ARQ (PL 5, L.Q. 2012, c. 28): *Résumé* :

Le nouvel article 42.0.15 exige qu'une méthode déterminée soit utilisée, sauf si elle n'est pas appropriée, pour déterminer la mesure d'utilisation et la mesure d'acquisition d'un intrant non attribuable d'une institution financière, lorsque celle-ci n'est pas une institution admissible et n'a pas fait le choix de retenir le pourcentage prescrit pour ce faire.

Contexte :

Voir la rubrique « Contexte » de la note explicative relative au nouvel article 42.0.10 de la LTVQ.

Modifications proposées :

Le nouvel article 42.0.15 porte sur la détermination de la mesure d'utilisation et de la mesure d'acquisition des intrants non attribuables, au sens du nouvel article 42.0.10 de la LTVQ, introduit par le présent projet de loi, de certaines institutions financières. Cet article s'applique à une institution financière qui n'est pas une institution admissible et n'a pas fait le choix mentionné à l'article 42.0.14 de la LTVQ relativement à son exercice. Une telle institution financière doit, sous réserve du deuxième alinéa de l'article 42.0.15 de la LTVQ, utiliser une méthode déterminée, au sens de l'article 42.0.10 de la LTVQ, qui satisfait aux exigences énoncées à l'article 42.0.18 de la LTVQ, introduit par le présent projet de loi, et ce, pour déterminer la mesure d'utilisation et la mesure d'acquisition de chacun de ses intrants non attribuables pour l'exercice.

Notons que la mesure d'utilisation et la mesure d'acquisition servent, par la suite, à déterminer la mesure dans laquelle l'intrant non attribuable est consommé ou utilisé dans le but d'effectuer des fournitures taxables pour une contrepartie. Cette dernière mesure, sous réserve des rajustements ou restrictions prévus au chapitre V du titre I de la LTVQ, peut alors servir à déterminer le montant de tout remboursement de la taxe sur les intrants auquel l'institution financière a droit en vertu de l'article 199 de la LTVQ.

Le deuxième alinéa de l'article 42.0.15 précise que, lorsqu'aucune méthode déterminée ne s'applique pour déterminer la mesure d'utilisation et la mesure d'acquisition d'un intrant non attribuable pour son exercice, l'institution financière doit plutôt utiliser une autreméthode d'attribution, laquelle doit également satisfaire aux exigences énoncées à l'article 42.0.18 de la LTVQ.

Le troisième alinéa de l'article 42.0.15 précise que la méthode déterminée utilisée conformément au premier alinéa de cet article ou l'autre méthode d'attribution utilisée conformément au deuxième alinéa de cet article, selon le cas, relativement à un intrant non attribuable pour un exercice doit être la même que celle suivie relativement à cet intrant non attribuable pour cet exercice conformément à l'un des paragraphes 10 et 11 de l'article 141.02 de la *Loi sur la taxe d'accise* (Lois révisées du Canada (1985), chapitre E-15) (LTA). L'institution financière ne peut donc utiliser, pour répartir ses intrants non attribuables aux fins du régime de la taxe de vente du Québec (TVQ) une méthode différente de celle suivie pour les fins du régime de la taxe sur les produits et services (TPS). Toutefois, il est possible que l'institution financière ait à répartir un intrant non attribuable pour un exercice pour les fins de la TVQ, et qu'elle n'ait pas à le faire pour cet exercice pour les fins de la TPS. Par exemple, si l'institution financière apporte au Québec un bien meuble incorporel en provenance d'une autre province, elle aura possiblement à payer une taxe par autocotisation en vertu de l'article 18.0.1 de la LTVQ. Aucune TPS ne sera alors prélevée sur cet apport au Québec en vertu de la LTA, puisque le bien est transféré d'une province vers une province non participante au sens du paragraphe 1 de l'article 123 de la LTA. Dans ce cas, la précision apportée par le troisième alinéa de l'article 42.0.15 de la LTVQ ne trouve pas application.

Concordance fédérale: aucune.

42.0.16 Une institution financière, sauf une institution admissible, qui n'a pas fait le choix mentionné à l'article 42.0.14 relativement à l'un de ses exercices doit utiliser une méthode d'attribution directe pour déterminer, pour cet exercice, la mesure d'utilisation et la mesure d'acquisition de chacun de ses intrants directs.

Malgré le premier alinéa, une institution financière, sauf une institution admissible, qui n'a pas fait le choix mentionné à l'article 42.0.14 relativement à l'un de ses exercices et dont l'un des intrants directs ne se prête à aucune méthode d'attribution directe au cours de l'exercice doit utiliser une autre méthode d'attribution pour déterminer de la manière la plus directe, pour l'exercice, la mesure d'utilisation et la mesure d'acquisition de l'intrant direct.

La méthode d'attribution directe utilisée conformément au premier alinéa ou l'autre méthode d'attribution utilisée conformément au deuxième alinéa, par une institution financière, pour déterminer la mesure d'utilisation et la mesure d'acquisition d'un intrant direct pour l'un de ses exercices doit être la même que celle utilisée, le cas échéant, par elle pour cet exercice, relativement à l'intrant direct, conformément au paragraphe 12 de l'article 141.02 de la *Loi sur la taxe d'accise* (L.R.C. 1985, c. E-15) ou au paragraphe 13 de cet article, selon le cas.

2012, c. 28, art. 46.

Notes historiques: L'article 42.0.16 a été ajouté par L.Q. 2012, c. 28, par. 46(1) et s'applique à l'égard d'une période de déclaration qui commence après le 31 décembre 2012. Toutefois, lorsque cet articles s'applique à l'égard d'une période de déclaration qui est comprise dans un exercice qui commence avant le 1er janvier 2013 et qui se termine après le 31 décembre 2012, toute référence à un exercice qui y est faite s'entend d'une référence à la partie de cet exercice qui ne comprend pas une période de déclaration qui commence avant le 1er janvier 2013.

Notes explicatives ARQ (PL 5, L.Q. 2012, c. 28): *Résumé* :

Le nouvel article 42.0.16 exige qu'uneméthode d'attribution directe soit utilisée, sauf si elle n'est pas appropriée, pour déterminer la mesure d'utilisation et la mesure d'acquisition d'un intrant direct d'une institution financière, lorsque celle-ci n'est pas une institution admissible et n'a pas fait le choix de retenir le pourcentage prescrit pour ce faire.

Contexte :

Voir la rubrique « Contexte » de la note explicative relative au nouvel article 42.0.10 de la LTVQ.

Modifications proposées :

Le nouvel article 42.0.16 porte sur la détermination de la mesure d'utilisation et de la mesure d'acquisition des intrants directs, au sens du nouvel article 42.0.10 de la LTVQ, introduit dans le cadre du présent projet de loi, de certaines institutions financières. Cet article s'applique à une institution financière qui n'est pas une institution admissible, au sens de l'article 42.0.10 de cette loi, et n'a pas fait le choix mentionné à l'article 42.0.14 de la LTVQ relativement à son exercice. Une telle institution financière doit, sous réserve du deuxième alinéa de l'article 42.0.16 de la LTVQ, utiliser une méthode d'attribution directe, au sens de l'article 42.0.10 de la LTVQ, qui satisfait aux exigences énoncées à l'article 42.0.18 de la LTVQ, introduit dans le cadre du présent projet de loi, et ce, pour déterminer la mesure d'utilisation et la mesure d'acquisition de chacun de ses intrants directs pour l'exercice. Notons que la mesure d'utilisation et la mesure d'acquisition servent, par la suite, à déterminer la mesure dans laquelle l'intrant direct est consommé ou utilisé dans le but d'effectuer des fournitures taxables pour une contrepartie. Cette dernière mesure, sous réserve des rajustements ou restrictions prévus au chapitre V du titre I de la LTVQ, peut alors servir à déterminer le montant de tout remboursement de la taxe sur les intrants auquel l'institution financière a droit en vertu de l'article 199 de la LTVQ.

Le deuxième alinéa de l'article 42.0.16 précise que, lorsqu'aucune méthode d'attribution directe ne s'applique pour déterminer la mesure d'utilisation et la mesure d'acquisition d'un intrant direct pour son exercice, l'institution financière doit plutôt utiliser une autre méthode d'attribution, laquelle doit également satisfaire aux exigences énoncées à l'article 42.0.18 de la LTVQ. Le troisième alinéa de l'article 42.0.16 de la LTVQ précise que la méthode d'attribution directe utilisée conformément au premier alinéa de cet article ou l'autre méthode d'attribution utilisée conformément au deuxième alinéa de cet article, selon le cas, relativement à un intrant direct pour un exercice doit être la même que celle suivie relativement à cet intrant direct pour cet exercice conformément à l'un des paragraphes 12 et 13 de l'article 141.02 de la *Loi sur la taxe d'accise* (Lois révisées du Canada (1985), chapitre E-15) (LTA). L'institution financière ne peut donc utiliser, pour répartir ses intrants directs aux fins du régime de la taxe de vente du Québec (TVQ) une méthode différente de celle suivie pour les fins du régime de la taxe sur les produits et services (TPS). Toutefois, il est possible que l'institution financière ait à répartir un intrant direct pour un exercice pour les fins de la TVQ, et qu'elle n'ait pas à le faire pour cet exercice pour les fins de la TPS. Par exemple, si l'institution financière apporte au Québec un bien meuble incorporel en provenance d'une autre province, elle aura possiblement à payer une taxe par autocotisation en vertu de l'article 18.0.1 de la LTVQ. Aucune TPS ne sera alors prélevée sur cet apport au Québec en vertu de la LTA, puisque le bien est transféré d'une province vers une province non participante au sens du paragraphe 1 de l'article 123 de la LTA. Dans ce cas, la précision apportée par le troisième alinéa de l'article 42.0.16 de la LTVQ ne trouve pas application.

Concordance fédérale: aucune.

Concordance fédérale: aucune.

42.0.17 Une institution financière doit utiliser une méthode déterminée pour déterminer, pour l'un de ses exercices, la mesure d'utilisation et la mesure d'acquisition de chacun de ses intrants exclus.

Malgré le premier alinéa, une institution financière dont l'un des intrants exclus ne se prête à aucune méthode déterminée au cours de l'un de ses exercices doit utiliser une autre méthode d'attribution pour déterminer, pour l'exercice, la mesure d'utilisation et la mesure d'acquisition de l'intrant exclu.

La méthode déterminée utilisée conformément au premier alinéa ou l'autre méthode d'attribution utilisée conformément au deuxième alinéa, par une institution financière, pour déterminer la mesure d'utilisation et la mesure d'acquisition d'un intrant exclu pour l'un de ses exercices doit être la même que celle utilisée, le cas échéant, par elle pour cet exercice, relativement à l'intrant exclu, conformément au paragraphe 14 de l'article 141.02 de la *Loi sur la taxe d'accise* (L.R.C. 1985, c. E-15) ou au paragraphe 15 de cet article, selon le cas.

2012, c. 28, art. 46.

Notes historiques: L'article 42.0.17 a été ajouté par L.Q. 2012, c. 28, par. 46(1) et s'applique à l'égard d'une période de déclaration qui commence après le 31 décembre 2012. Toutefois, lorsque cet articles s'applique à l'égard d'une période de déclaration qui est comprise dans un exercice qui commence avant le 1er janvier 2013 et qui se termine après le 31 décembre 2012, toute référence à un exercice qui y est faite s'entend d'une référence à la partie de cet exercice qui ne comprend pas une période de déclaration qui commence avant le 1er janvier 2013.

Notes explicatives ARQ (PL 5, L.Q. 2012, c. 28): *Résumé* :

Le nouvel article 42.0.17 exige qu'une méthode déterminée soit utilisée, sauf si elle n'est pas appropriée, pour déterminer la mesure d'utilisation et la mesure d'acquisition d'un intrant exclu d'une institution financière.

Contexte :

Voir la rubrique « Contexte » de la note explicative relative au nouvel article 42.0.10 de la LTVQ.

Modifications proposées :

Le nouvel article 42.0.17 porte sur la détermination de la mesure d'utilisation et de la mesure d'acquisition des intrants exclus, au sens du nouvel article 42.0.10 de la LTVQ, introduit dans le cadre du présent projet de loi, des institutions financières. Une institution financière doit, sous réserve du deuxième alinéa de l'article 42.0.17 de la LTVQ, utiliser une méthode déterminée, au sens de l'article 42.0.10 de la LTVQ, qui satisfait aux exigences énoncées à l'article 42.0.18 de la LTVQ, introduit dans le cadre du présent projet de loi, et ce, pour déterminer la mesure d'utilisation et la mesure d'acquisition de chacun de ses intrants exclus pour l'exercice.

Notons que la mesure d'utilisation et la mesure d'acquisition servent, par la suite, à déterminer la mesure dans laquelle l'intrant exclu est consommé ou utilisé dans le but d'effectuer des fournitures taxables pour une contrepartie. Cette dernière mesure, sous réserve des rajustements ou restrictions prévus au chapitre V du titre I de la LTVQ, peut alors servir à déterminer le montant de tout remboursement de la taxe sur les intrants auquel l'institution financière a droit en vertu de l'article 199 de la LTVQ.

Le deuxième alinéa de l'article 42.0.17 précise que, lorsqu'aucune méthode déterminée ne s'applique pour déterminer la mesure d'utilisation et la mesure d'acquisition d'un intrant exclu pour son exercice, l'institution financière doit plutôt utiliser une autre méthode d'attribution, laquelle doit également satisfaire aux exigences énoncées à l'article 42.0.18 de la LTVQ.

Le troisième alinéa de l'article 42.0.17 précise que laméthode déterminée utilisée conformément au premier alinéa de cet article ou l'autre méthode d'attribution utilisée conformément au deuxième alinéa de cet article, selon le cas, relativement à un intrant exclu pour un exercice doit être la même que celle suivie relativement à cet intrant exclu pour cet exercice conformément à l'un des paragraphes 14 et 15 de l'article 141.02 de la *Loi sur la taxe d'accise* (Lois révisées du Canada (1985), chapitre E-15) (LTA). L'institution financière ne peut donc utiliser, pour répartir ses intrants exclus aux fins du régime de la taxe de vente du Québec (TVQ) une méthode différente de celle suivie pour les fins du régime de la taxe sur les produits et services (TPS). Toutefois, il est possible que l'institution financière ait à répartir un intrant exclu pour un exercice pour les fins de la TVQ, et qu'elle n'ait pas à le faire pour cet exercice pour les fins de la TPS.

Par exemple, si l'institution financière apporte au Québec un bien meuble incorporel en provenance d'une autre province, elle aura possiblement à payer une taxe par autocotisation en vertu de l'article 18.0.1 de la LTVQ. Aucune TPS ne sera alors prélevée sur cet apport au Québec en vertu de la LTA, puisque le bien est transféré d'une province vers une province non participante au sens du paragraphe 1 de l'article 123 de la LTA. Dans ce cas, la précision apportée par le troisième alinéa de l'article 42.0.15 de la LTVQ ne trouve pas application.

Concordance fédérale: aucune.

42.0.18 La méthode qu'une institution financière doit utiliser, conformément à l'un des articles 42.0.15 à 42.0.17, relativement à l'un de ses exercices doit satisfaire aux exigences suivantes :

1° elle est juste et raisonnable;

2° elle est suivie par l'institution financière tout au long de l'exercice;

3° sous réserve de l'article 42.0.19, elle est établie par l'institution financière au plus tard le jour où elle est tenue de produire la déclaration prévue à la section IV du chapitre VIII pour la première période de déclaration comprise dans l'exercice.

2012, c. 28, art. 46.

Notes historiques: L'article 42.0.18 a été ajouté par L.Q. 2012, c. 28, par. 46(1) et s'applique à l'égard d'une période de déclaration qui commence après le 31 décembre 2012. Toutefois, lorsque cet articles s'applique à l'égard d'une période de déclaration qui est comprise dans un exercice qui commence avant le 1er janvier 2013 et qui se termine après le 31 décembre 2012, toute référence à un exercice qui y est faite s'entend d'une référence à la partie de cet exercice qui ne comprend pas une période de déclaration qui commence avant le 1er janvier 2013.

Notes explicatives ARQ (PL 5, L.Q. 2012, c. 28): *Résumé* :

Le nouvel article 42.0.18 précise les exigences auxquelles doit satisfaire une méthode d'attribution utilisée par une institution financière pour déterminer la mesure d'utilisation et la mesure d'acquisition de ses intrants.

Contexte :

Voir la rubrique « Contexte » de la note explicative relative au nouvel article 42.0.10 de la LTVQ.

Modifications proposées :

Le nouvel article 42.0.18 prévoit les exigences auxquelles doit satisfaire une méthode d'attribution utilisée par une institution financière conformément à l'un des nouveaux articles 42.0.15 à 42.0.17 de la LTVQ, introduits dans le cadre du présent projet de loi. Les paragraphes 1° et 2° de l'article 42.0.18 de la LTVQ prévoient, respectivement, que la méthode doit être juste et raisonnable et qu'elle doit être suivie tout au long de l'exercice de l'institution financière. Une institution financière ne peut donc changer de méthode en cours d'exercice. Ces conditions sont les mêmes que celles prévues à l'article 42.0.7 de cette loi, lesquelles s'appliquent aux méthodes d'attribution des intrants pour les fins du remboursement de la taxe sur les intrants en général. En vertu du paragraphe 3° de l'article 42.0.18 de la LTVQ, la méthode utilisée pour l'application de l'un des articles 42.0.15 à 42.0.17 de la LTVQ pour un exercice doit être établie par l'institution financière au plus tard le jour où elle est tenue de produire une déclaration, conformément à la section IV du chapitre VIII du titre I de la LTVQ, pour la première période de déclaration comprise dans l'exercice. Ainsi, une institution financière qui produit une déclaration annuelle et dont l'exercice correspond à l'année civile sera tenue d'établir la méthode à utiliser pour l'exercice allant du 1er janvier au 31 décembre 2013 au plus tard le 31mars 2014.

Concordance fédérale: aucune.

42.0.19 Toute méthode utilisée par une institution financière conformément à l'un des articles 42.0.15 à 42.0.17 relativement à l'un de ses exercices ne peut être ni modifiée ni remplacée par une autre méthode pour l'exercice après le jour où l'institution est tenue de produire la déclaration prévue à la section IV du chapitre VIII pour la première période de déclaration comprise dans l'exercice, sauf si le ministre accepte cette modification ou ce remplacement.

Lorsque le ministre du Revenu national accepte, conformément au paragraphe 17 de l'article 141.02 de la *Loi sur la taxe d'accise* (L.R.C. 1985, c. E-15), qu'une méthode utilisée par une institution financière pour l'un de ses exercices soit modifiée ou remplacée par une autre méthode pour l'exercice, le ministre est réputé accepter cette modification ou ce remplacement.

2012, c. 28, art. 46.

Notes historiques: L'article 42.0.19 a été ajouté par L.Q. 2012, c. 28, par. 46(1) et s'applique à l'égard d'une période de déclaration qui commence après le 31 décembre 2012. Toutefois, lorsque cet articles s'applique à l'égard d'une période de déclaration qui est comprise dans un exercice qui commence avant le 1er janvier 2013 et qui se termine après le 31 décembre 2012, toute référence à un exercice qui y est faite s'entend d'une référence à la partie de cet exercice qui ne comprend pas une période de déclaration qui commence avant le 1er janvier 2013.

Notes explicatives ARQ (PL 5, L.Q. 2012, c. 28): *Résumé* :

Le nouvel article 42.0.19 précise les exigences auxquelles doit satisfaire une méthode d'attribution utilisée par une institution financière pour déterminer la mesure d'utilisation et la mesure d'acquisition de ses intrants.

Contexte :

Voir la rubrique « Contexte » de la note explicative relative au nouvel article 42.0.10 de la LTVQ.

Modifications proposées :

Le premier alinéa du nouvel article 42.0.19 prévoit que la méthode d'attribution utilisée par une institution financière pour l'application de l'un des nouveaux articles 42.0.15 à 42.0.17 de la LTVQ, introduits par le présent projet de loi, relativement à un exercice ne peut être ni modifiée ni remplacée par une autre méthode pour l'exercice, après le jour où l'institution est tenue de produire, prévue à la section IV du chapitre VIII du titre I de la LTVQ, une déclaration visant la première période de déclaration comprise dans l'exercice, sauf si le ministre du Revenu y consent.

Toutefois, lorsque le ministre du Revenu national accepte qu'une méthode utilisée pour un exercice par une institution financière pour répartir ses intrants soit modifiée ou remplacée par une autre méthode pour cet exercice, le ministre du Revenu est réputé avoir également accepté cette modification ou ce remplacement pour cet exercice. Cette présomption permet au troisième alinéa des articles 42.0.15 à 42.0.17 de la LTVQ, introduits par le présent projet de loi, d'avoir pleinement effet. Ces alinéas requièrent que l'institution financière répartisse ses intrants non attribuables, ses intrants directs et ses intrants exclus pour un exercice selon la même méthode que celle utilisée relativement à cet intrant pour l'exercice pour l'application de la *Loi sur la taxe d'accise* (Lois révisées du Canada (1985), chapitre E-15), le cas échéant. Ainsi, lorsqu'une méthode déterminée ou une méthode d'attribution directe est modifiée ou remplacée par une autre méthode pour les fins de la LTA, la méthode ainsi modifiée ou la nouvelle méthode doit également être utilisée pour les fins du régime de la TVQ.

Concordance fédérale: aucune.

42.0.20 Lorsque, conformément au paragraphe 20 de l'article 141.02 de la *Loi sur la taxe d'accise* (L.R.C. 1985, c. E-15), le ministre du Revenu national a autorisé l'utilisation de méthodes particulières relativement à l'exercice d'une personne, les règles suivantes s'appliquent :

1° pour déterminer la mesure d'utilisation et la mesure d'acquisition de chacun des intrants d'entreprise de la personne, les méthodes particulières doivent être suivies par celle-ci tout au long de l'exercice et conformément à la demande à cette fin qu'elle a présentée au ministre du Revenu national en vertu du paragraphe 18 de l'article 141.02 de la *Loi sur la taxe d'accise*;

2° les articles 42.0.12 à 42.0.17 ne s'appliquent pas pour l'exercice relativement aux intrants d'entreprise de la personne.

L'autorisation visée au premier alinéa relativement à un exercice de la personne cesse d'avoir effet au début de l'exercice et est réputée n'avoir jamais été accordée pour l'application du présent titre, lorsque, en vertu du paragraphe 23 de l'article 141.02 de la *Loi sur la taxe d'accise*, cette autorisation cesse d'avoir effet au début de l'exercice et est réputée n'avoir jamais été accordée pour l'application de la partie IX de cette loi.

2012, c. 28, art. 46.

Notes historiques: L'article 42.0.20 a été ajouté par L.Q. 2012, c. 28, par. 46(1) et s'applique à l'égard d'une période de déclaration qui commence après le 31 décembre 2012. Toutefois, lorsque cet articles s'applique à l'égard d'une période de déclaration qui est comprise dans un exercice qui commence avant le 1er janvier 2013 et qui se termine après le 31 décembre 2012, toute référence à un exercice qui y est faite s'entend d'une référence à la partie de cet exercice qui ne comprend pas une période de déclaration qui commence avant le 1er janvier 2013.

Notes explicatives ARQ (PL 5, L.Q. 2012, c. 28): *Résumé* :

Le nouvel article 42.0.20 précise les règles applicables lorsqu'une institution financière est autorisée à utiliser certaines méthodes particulières pour déterminer la mesure d'utilisation et la mesure d'acquisition de ses intrants d'entreprise.

Contexte :

Voir la rubrique « Contexte » de la note explicative relative au nouvel article 42.0.10 de la LTVQ.

Modifications proposées :

Le nouvel article 42.0.20 prévoit certaines règles qui s'appliquent lorsque le ministre du Revenu national a autorisé, conformément au paragraphe 20 de l'article 141.02 de la *Loi sur la taxe d'accise* (Lois révisées du Canada (1985), chapitre E-15) (LTA), l'utilisation de méthodes particulières. En fait, une institution admissible peut demander au ministre du Revenu national l'autorisation d'utiliser des méthodes particulières, décrites dans la demande, en vue de déterminer la mesure d'utilisation et la mesure d'acquisition de chacun des intrants d'entreprise. L'article 42.0.20 de la LTVQ fait en sorte que, lorsque des méthodes particulières sont suivies par l'institution financière pour les fins de la LTA, par suite de leur acceptation par le ministre du Revenu national, ces mêmes méthodes particulières doivent être appliquées pour les fins de la LTVQ. Soulignons qu'une personne peut demander au ministre du Revenu national d'être désignée à titre d'institution admissible en vue de pouvoir présenter une telle demande.

L'institution financière doit alors appliquer les méthodes particulières tout au long de son exercice et conformément à la demande qu'elle a présentée au ministre du Revenu national, et ce, pour déterminer la mesure d'utilisation et la mesure d'acquisition de chacun de ses intrants d'entreprise (paragraphe 1° du premier alinéa de l'article 42.0.20 de la LTVQ). Rappelons que la mesure d'utilisation et la mesure d'acquisition représentent la mesure dans laquelle l'intrant d'entreprise est consommé ou utilisé dans le but d'effectuer des fournitures taxables pour une contrepartie.

Cette dernière mesure, sous réserve des rajustements ou restrictions prévus par le chapitre V du titre I de la LTVQ, sert par la suite à déterminer le montant de tout remboursement de la taxe sur les intrants auquel l'institution financière a droit en vertu de l'article 199 de la LTVQ relativement à l'intrant d'entreprise. Le paragraphe 2° du premier alinéa de l'article 42.0.20 de la LTVQ fait en sorte que, lorsque de telles méthodes particulières doivent être suivies, les articles 42.0.15 à 42.0.17 de la LTVQ ne s'appliquent pas relativement aux intrants d'entreprise de l'institution financière pour l'exercice.

Le deuxième alinéa de l'article 42.0.20 précise que, lorsque l'autorisation accordée par le ministre du Revenu national cesse d'avoir effet et est réputée n'avoir jamais été accordée pour l'application de la partie IX de la LTA, et ce, en vertu du paragraphe 23 de l'article 141.02 de cette loi, cette autorisation cesse alors d'avoir effet, et ce, rétroactivement au début de l'exercice et est également réputée n'avoir jamais été accordée pour l'application du titre I de la LTVQ. Ainsi, les méthodes particulières ne peuvent être appliquées pour déterminer la mesure d'utilisation et la mesure d'acquisition des intrants d'entreprise d'une personne pour les fins de la LTVQ que lorsque ces mêmes méthodes particulières sont appliquées pour celles de la LTA.

Concordance fédérale: aucune.

42.0.21 Malgré les articles 42.0.12, 42.0.13 et 42.0.17, lorsqu'une personne a fait le choix prévu au paragraphe 27 de l'article 141.02 de la *Loi sur la taxe d'accise* (L.R.C. 1985, c. E-15) pour un exercice en vue d'utiliser des méthodes particulières décrites dans une demande présentée par elle en vertu du paragraphe 18 de cet article 141.02 pour déterminer la mesure d'utilisation et la mesure d'acquisition de chacun de ses intrants d'entreprise, et que les conditions prévues aux paragraphes 27 et 28 de cet article 141.02 sont satisfaites, ces méthodes particulières doivent être utilisées pour l'exercice.

Le choix visé au premier alinéa relativement à un exercice de la personne cesse d'être en vigueur au début de l'exercice et est réputé n'avoir jamais été fait pour l'application du présent titre, lorsque, en vertu du paragraphe 30 de l'article 141.02 de la *Loi sur la taxe d'accise*, ce choix cesse d'être en vigueur au début de l'exercice et est réputé n'avoir jamais été fait pour l'application de la partie IX de cette loi.

2012, c. 28, art. 46.

Notes historiques: L'article 42.0.21 a été ajouté par L.Q. 2012, c. 28, par. 46(1) et s'applique à l'égard d'une période de déclaration qui commence après le 31 décembre 2012. Toutefois, lorsque cet articles s'applique à l'égard d'une période de déclaration qui est comprise dans un exercice qui commence avant le 1er janvier 2013 et qui se termine après le 31 décembre 2012, toute référence à un exercice qui y est faite s'entend d'une référence à la partie de cet exercice qui ne comprend pas une période de déclaration qui commence avant le 1er janvier 2013.

Notes explicatives ARQ (PL 5, L.Q. 2012, c. 28): *Résumé* :

Le nouvel article 42.0.21 précise les règles applicables lorsqu'une institution financière est autorisée à employer certaines méthodes particulières pour déterminer la mesure d'utilisation et la mesure d'acquisition de ses intrants d'entreprise, lorsque, notamment, le ministre du Revenu national n'a pas donné suite à la demande de l'institution ou n'a pas motivé son refus.

Contexte :

Voir la rubrique « Contexte » de la note explicative relative au nouvel article 42.0.10 de la LTVQ.

Modifications proposées :

Le nouvel article 42.0.21 prévoit certaines règles qui s'appliquent lorsqu'une institution admissible a présenté une demande d'autorisation, au ministre du Revenu national, pour employer desméthodes particulières pour déterminer la mesure d'utilisation et la mesure d'acquisition de ses intrants d'entreprise pour son exercice et que celui-ci soit n'a pas donné suite à cette demande, soit n'a pas motivé son refus, soit a fait part de modifications aux méthodes particulières faisant en sorte que ces méthodes, ainsi modifiées, cesseraient d'être justes et raisonnables.

En vertu du paragraphe 27 de l'article 141.02 de la *Loi sur la taxe d'accise* (Lois révisées du Canada (1985), chapitre E-15) (LTA), une personne qui est une institution admissible pour un exercice et qui a présenté au ministre du Revenu national, conformément au paragraphe 19 de cet article 141.02, une demande à laquelle celui-ci n'a pas accédé peut choisir d'employer les méthodes particulières exposées dans la demande pour déterminer la mesure d'utilisation et la mesure d'acquisition de l'ensemble de ses intrants d'entreprise pour l'exercice si, notamment, toutes les conditions énoncées à ce paragraphe 27 sont satisfaites. Entre autres, le ministre du Revenu national doit soit ne pas avoir avisé la personne de sa décision dans un certain délai, soit ne pas avoir avisé la personne des raisons de son refus dans un certain délai, soit avoir fait part de modifications pouvant être apportées aux méthodes particulières, lesquelles, telles que modifiées, ne seraient pas justes et raisonnables aux fins de l'établissement de la mesure d'utilisation et de la mesure d'acquisition des intrants d'entreprise de la personne pour l'exercice.

L'article 42.0.21 précise que, lorsque les conditions prévues aux paragraphes 27 et 28 de l'article 141.02 de la LTA sont satisfaites relativement à desméthodes particulières, ces méthodes particulières doivent être utilisées pour l'exercice.

Le deuxième alinéa de l'article 42.0.21 vient préciser que le choix fait en vertu du paragraphe 27 de l'article 141.02 de la LTA doit également être en vigueur pour l'application de la partie IX de cette loi. En effet, lorsqu'un tel choix est réputé, pour les fins de la LTA, n'avoir jamais été fait en raison des circonstances prévues au paragraphe 30 de cet article 141.02, le choix est alors également réputé n'avoir jamais été fait pour l'application du titre I de la LTVQ. Ainsi, les méthodes particulières ne peuvent être appliquées pour déterminer la mesure d'utilisation et la mesure d'acquisition des intrants d'entreprise d'une personne pour les fins de la LTVQ que lorsque ces mêmes méthodes particulières sont appliquées en vertu de la LTA.

Concordance fédérale: aucune.

42.0.22 Aux fins d'un appel interjeté, par une institution financière, en vertu de la *Loi sur l'administration fiscale* (chapitre A-6.002) et portant sur une cotisation établie en vertu du présent titre pour une période de déclaration comprise dans un exercice relativement à une question découlant de la détermination, selon l'un des articles42.0.15 à 42.0.17, 42.0.20 et 42.0.21, de la mesure d'utilisation ou de la mesure d'acquisition d'un intrant d'entreprise, le fardeau de prouver les faits suivants incombe à l'institution financière :

1° dans le cas où il s'agit de la détermination de la mesure d'utilisation ou de la mesure d'acquisition de l'intrant d'entreprise conformément au premier alinéa de l'un des articles 42.0.15 et 42.0.17, l'institution financière a suivi une méthode déterminée tout au long de l'exercice;

2° dans le cas où il s'agit de la détermination de la mesure d'utilisation ou de la mesure d'acquisition de l'intrant d'entreprise conformément au deuxième alinéa de l'un des articles 42.0.15 et 42.0.17, aucune méthode déterminée ne s'appliquait à l'intrant d'entreprise et l'autre méthode d'attribution utilisée par l'institution financière était, d'une part, juste et raisonnable, et, d'autre part, a été suivie par elle tout au long de l'exercice;

3° dans le cas où il s'agit de la détermination de la mesure d'utilisation ou de la mesure d'acquisition de l'intrant d'entreprise conformément au premier alinéa de l'article 42.0.16, l'institution financière a suivi une méthode d'attribution directe tout au long de l'exercice;

4° dans le cas où il s'agit de la détermination de la mesure d'utilisation ou de la mesure d'acquisition de l'intrant d'entreprise conformément au deuxième alinéa de l'article 42.0.16, aucune méthode d'attribution directe ne s'appliquait à l'intrant d'entreprise et l'autre méthode d'attribution utilisée par l'institution financière était, d'une part, juste et raisonnable, et, d'autre part, a été suivie par elle tout au long de l'exercice;

5° dans le cas où il s'agit de la détermination de la mesure d'utilisation ou de la mesure d'acquisition de l'intrant d'entreprise conformément à l'article 42.0.20, les méthodes particulières visées par cet article ont été suivies par l'institution financière tout au long de l'exercice et selon ce qui est indiqué dans la demande à laquelle le paragraphe 1° du premier alinéa de l'article 42.0.20 fait référence;

6° dans le cas où il s'agit de la détermination de la mesure d'utilisation ou de la mesure d'acquisition de l'intrant d'entreprise conformément à l'article 42.0.21, les méthodes particulières visées par cet article sont justes et raisonnables, elles ont été suivies par l'institution financière tout au long de l'exercice et selon ce qui est indiqué dans la demande à laquelle le premier alinéa de l'article 42.0.21 fait référence et, lorsque le ministre du Revenu national a fait part de modifications à ces méthodes, en vertu de l'alinéa e) du paragraphe 27 de l'article 141.02 de la *Loi sur la taxe d'accise* (L.R.C. 1985, c. E-15), les méthodes modifiées ne sont pas justes et raisonnables pour les fins de cette détermination.

2012, c. 28, art. 46.

Notes historiques: L'article 42.0.22 a été ajouté par L.Q. 2012, c. 28, par. 46(1) et s'applique à l'égard d'une période de déclaration qui commence après le 31 décembre 2012. Toutefois, lorsque cet articles s'applique à l'égard d'une période de déclaration qui est comprise dans un exercice qui commence avant le 1er janvier 2013 et qui se termine après le 31 décembre 2012, toute référence à un exercice qui y est faite s'entend d'une référence à la partie de cet exercice qui ne comprend pas une période de déclaration qui commence avant le 1er janvier 2013.

Notes explicatives ARQ (PL 5, L.Q. 2012, c. 28): *Résumé* :

Le nouvel article 42.0.22 précise les faits dont la preuve incombe à l'institution financière qui fait appel d'une cotisation concernant une question relative à la détermination de la mesure d'utilisation et de la mesure d'acquisition de ses intrants d'entreprise.

Contexte :

Voir la rubrique « Contexte » de la note explicative relative au nouvel article 42.0.10 de la LTVQ.

Modifications proposées :

Le nouvel article 42.0.22 prévoit des règles sur le fardeau de la preuve relatif à l'appel d'une cotisation établie en vertu du titre I de la LTVQ pour une période de déclaration comprise dans l'exercice d'une institution financière. Ces règles s'appliquent dans le cas où l'appel concerne une question liée à la détermination, selon l'un des nouveaux articles 42.0.15 à 42.0.17, 42.0.20 et 42.0.21 de la LTVQ, introduits dans le cadre du présent projet de loi, de la mesure d'utilisation ou de la mesure d'acquisition d'un intrant d'entreprise de l'institution financière.

En cas d'appel d'une cotisation établie en vertu du titre I de la LTVQ, lequel concerne une telle question, l'institution financière doit établir, selon la prépondérance des probabilités, les faits mentionnés à l'un des paragraphes 1° à 6° de l'article 42.0.22 de la LTVQ, selon le cas. Le paragraphe 1° de l'article 42.0.22 de la LTVQ exige la preuve que l'institution financière a utilisé une méthode déterminée, prévue au premier alinéa de l'un des articles 42.0.15 et 42.0.17 de la LTVQ, tout au long de l'exercice pour déterminer la mesure d'utilisation ou la mesure d'acquisition d'un intrant non attribuable ou d'un intrant exclu qui fait l'objet de l'appel. Le paragraphe 2° de cet article 42.0.22 s'applique dans le cas où l'institution financière a utilisé, comme le lui permet le deuxième alinéa de l'un des articles 42.0.15 et 42.0.17 de cette loi, sa propre méthode, au lieu d'uneméthode déterminée, pour déterminer la mesure d'utilisation ou la mesure d'acquisition d'un intrant non attribuable ou d'un intrant exclu qui fait l'objet de l'appel. Dans ce dernier cas, l'institution financière doit alors établir qu'aucune méthode déterminée ne s'appliquait et que la méthode qu'elle a utilisée pour déterminer la mesure était juste et raisonnable et a été suivie par elle tout au long de l'exercice.

Le paragraphe 3° de l'article 42.0.22 de la LTVQ exige que l'institution financière établisse, selon la prépondérance des probabilités, qu'elle a utilisé une méthode d'attribution directe tout au long de l'exercice pour déterminer la mesure d'utilisation ou la mesure d'acquisition d'un intrant direct qui fait l'objet de l'appel. Le paragraphe 4° de cet article 42.0.22 requiert, lorsque l'institution financière a utilisé, conformément au deuxième alinéa de l'article 42.0.16 de la LTVQ, sa propre méthode, au lieu d'une méthode d'attribution directe, pour déterminer la mesure d'utilisation ou la mesure d'acquisition d'un intrant direct qui fait l'objet de l'appel. L'institution financière doit alors établir qu'aucune méthode d'attribution directe ne s'appliquait dans les circonstances et que la méthode d'attribution qu'elle a utilisée pour déterminer la mesure était juste et raisonnable et a été suivie par elle tout au long de l'exercice.

Le paragraphe 5° de l'article 42.0.22 s'applique dans le cas où l'institution financière est une institution admissible pour son exercice et où le ministre du Revenu national l'a autorisée, en vertu du paragraphe 20 de l'article 141.02 de la *Loi sur la taxe d'accise* (Lois révisées du Canada (1985), chapitre E-15) (LTA) à utiliser les méthodes particulières exposées dans une demande qu'elle a faite pour l'exercice selon le paragraphe 18 de cet article 141.02. L'institution financière doit alors établir que les méthodes en cause ont été suivies tout au long de l'exercice et selon ce qui est indiqué dans la demande.

Enfin, le paragraphe 6° de l'article 42.0.22 s'applique dans le cas où l'institution financière a fait le choix prévu au paragraphe 27 de l'article 141.02 de la LTA d'utiliser les méthodes particulières exposées dans la demande qu'elle a présentée en vertu du paragraphe 18 de cet article 141.02 au ministre du Revenu national et à laquelle ce dernier n'a pas accédé. L'institution financière doit alors établir que les méthodes particulières étaient justes et raisonnables et ont été suivies tout au long de l'exercice, et ce, conformément à ce qui est exposé dans la demande présentée au ministre du Revenu national en vertu de ce paragraphe 18. De plus, dans le cas où le ministre du Revenu national a proposé des modifications aux méthodes particulières, conformément à ce que lui permet l'alinéa e du paragraphe 27 de l'article 141.02 de la LTA, l'institution financière doit établir que les méthodes modifiées ne sont pas justes et raisonnables aux fins de l'établissement de la mesure d'utilisation et de la mesure d'acquisition de ses intrants d'entreprise pour l'exercice.

Concordance fédérale: aucune.

42.0.23 Lorsqu'une institution financière doit utiliser une méthode conformément à l'un des articles 42.0.15 à 42.0.17, relativement à l'un de ses exercices, le ministre peut, malgré cet article, lui ordonner à tout moment, par avis écrit, d'utiliser une autre méthode pour déterminer, pour l'exercice ou pour tout exercice subséquent, la mesure d'utilisation et la mesure d'acquisition de chaque intrant d'entreprise visé par cet article, pour autant que cette autre méthode soit juste et raisonnable.

Lorsque le ministre du Revenu national a ordonné, en vertu du paragraphe 32 de l'article 141.02 de la Loi sur la taxe d'accise (L.R.C. 1985, c. E-15) à une institution financière d'utiliser une autre méthode pour déterminer, pour un exercice, la mesure d'utilisation et la mesure d'acquisition d'un intrant d'entreprise, cette autre méthode doit également être utilisée par l'institution financière relativement à cet intrant d'entreprise, pour l'exercice, malgré les articles 42.0.15 à 42.0.17, sauf si le ministre en décide autrement.

2012, c. 28, art. 46.

Notes historiques: L'article 42.0.23 a été ajouté par L.Q. 2012, c. 28, par. 46(1) et s'applique à l'égard d'une période de déclaration qui commence après le 31 décembre 2012. Toutefois, lorsque cet articles s'applique à l'égard d'une période de déclaration qui est comprise dans un exercice qui commence avant le 1er janvier 2013 et qui se termine après le 31 décembre 2012, toute référence à un exercice qui y est faite s'entend d'une référence à la partie de cet exercice qui ne comprend pas une période de déclaration qui commence avant le 1er janvier 2013.

Notes explicatives ARQ (PL 5, L.Q. 2012, c. 28): *Résumé* :

Le nouvel article 42.0.23 prévoit la possibilité pour le ministre du Revenu d'ordonner à une institution financière l'utilisation d'une méthode donnée pour déterminer la mesure d'utilisation et la mesure d'acquisition de certains de ses intrants d'entreprise. Il prévoit également que, à moins d'avis contraire de la part du ministre du Revenu, lorsque le ministre du Revenu national a exigé l'utilisation d'une méthode donnée pour un exercice, l'institution financière concernée doit également suivre cette méthode donnée.

Contexte :

Voir la rubrique « Contexte » de la note explicative relative au nouvel article 42.0.10 de la LTVQ.

Modifications proposées :

Le premier alinéa du nouvel article 42.0.23 confère au ministre du Revenu le pouvoir d'ordonner à une institution financière d'utiliser une méthode autre que celle qu'elle a choisie d'utiliser.

Ce premier alinéa s'applique dans le cas où l'institution financière a utilisé, pour un exercice, une méthode donnée pour l'application de l'un des articles 42.0.15 à 42.0.17 de la LTVQ, mais où le ministre du Revenu exige qu'elle utilise plutôt une autre méthode. Le ministre du Revenu peut ordonner l'utilisation d'une méthode, relativement à une catégorie d'intrants d'entreprise pour un exercice donné, tout au long de cet exercice donné ou de tout exercice subséquent. La méthode exigée par le ministre du Revenu doit toutefois être juste et raisonnable.

Le deuxième alinéa de l'article 42.0.23 prévoit que, lorsque le ministre du Revenu national a ordonné l'utilisation par une institution financière d'une méthode donnée, relativement à une catégorie d'intrants d'entreprise, pour un exercice donné ou un exercice subséquent, la méthode donnée doit être suivie par l'institution financière pour les fins de la LTVQ, pour les mêmes exercices que ceux relativement auxquels l'ordre du ministre du Revenu national s'applique, et ce, sauf si le ministre du Revenu en décide autrement.

42.0.24 Lorsqu'une institution financière doit utiliser une autre méthode en raison de l'article 42.0.23, relativement à un intrant d'entreprise pour un exercice, que le ministre établit une cotisation à l'égard de la taxe nette de l'institution financière pour une période de déclaration comprise dans l'exercice et que celle-ci interjette appel de la cotisation relativement à une question se rapportant à l'application de cet article, les règles suivantes s'appliquent :

1° le fardeau de prouver que l'autre méthode est juste et raisonnable incombe au ministre;

2° lorsqu'un tribunal statue, en dernière instance, que l'autre méthode n'est pas juste et raisonnable, l'article 42.0.23 ne peut être appliqué pour exiger que l'institution financière utilise une méthode donnée pour l'exercice relativement à l'intrant d'entreprise.

2012, c. 28, art. 46.

Notes historiques: L'article 42.0.24 a été ajouté par L.Q. 2012, c. 28, par. 46(1) et s'applique à l'égard d'une période de déclaration qui commence après le 31 décembre 2012. Toutefois, lorsque cet articles s'applique à l'égard d'une période de déclaration qui est comprise dans un exercice qui commence avant le 1er janvier 2013 et qui se termine après le 31 décembre 2012, toute référence à un exercice qui y est faite s'entend d'une référence à la partie de cet exercice qui ne comprend pas une période de déclaration qui commence avant le 1er janvier 2013.

Notes explicatives ARQ (PL 5, L.Q. 2012, c. 28): *Résumé* :

Le nouvel article 42.0.24 précise les faits dont la preuve incombe au ministre du Revenu en cas d'appel d'une cotisation par une institution financière concernant une question relative à la détermination de la mesure d'utilisation et de la mesure d'acquisition de ses intrants d'entreprise.

Contexte :

Voir la rubrique « Contexte » de la note explicative relative au nouvel article 42.0.10 de la LTVQ.

Modifications proposées :

Le nouvel article 42.0.24 prévoit des règles sur le fardeau de la preuve relatif à l'appel d'une cotisation établie en vertu du titre I de la LTVQ pour une période de déclaration d'une institution financière. Ces règles s'appliquent dans le cas où l'appel concerne une question liée à la détermination, selon l'un des nouveaux articles 42.0.15 à 42.0.17 de la LTVQ, introduits par le présent projet de loi, de la mesure d'utilisation ou de la mesure

LTVQ (français)

d'acquisition d'un intrant d'entreprise de l'institution financière, lorsqu'une autre méthode doit être suivie par celle-ci pour ce faire, conformément à l'article 42.0.23 de la LTVQ, par suite d'un ordre du ministre du Revenu ou du ministre du Revenu national à cet effet. Ainsi, si le ministre du Revenu ordonne l'utilisation d'une autre méthode relativement à un intrant d'entreprise, conformément au premier alinéa de l'article 42.0.23 de la LTVQ, ou qu'une autre méthode doit être suivie par l'institution financière en vertu du deuxième alinéa de cet article 42.0.23 par suite d'un ordre similaire fait par le ministre du Revenu national, il revient auministre du Revenu d'établir que cette autre méthode est juste et raisonnable.

Dans ces circonstances, l'article 42.0.22 ne s'applique pas relativement à l'appel. Par conséquent, lorsque la détermination de la mesure d'utilisation ou de la mesure d'acquisition d'un intrant non attribuable, d'un intrant direct ou d'un intrant exclu est déterminée par une autreméthode, conformément à l'article 42.0.23 de la LTVQ, l'institution financière n'a pas à prouver qu'elle a utilisé une méthode déterminée ou une méthode d'attribution directe pour déterminer la mesure en cause, ni à établir que la méthode qu'elle a utilisée à cette fin était juste et raisonnable. Si les tribunaux décident en dernier ressort que cette autre méthode n'est pas juste et raisonnable, d'une part, le ministre du Revenu ne peut ordonner à l'institution financière d'utiliser une autre méthode pour l'exercice relativement à l'intrant d'entreprise et, d'autre part, aucune autre méthode ordonnée par le ministre du Revenu national n'a à être suivie pour l'exercice relativement à l'intrant d'entreprise.

Concordance fédérale: aucune.

42.1 Fourniture d'un bien meuble réputée être effectuée dans le cadre d'une activité commerciale — Une personne est réputée avoir effectué la fourniture d'un bien meuble dans le cadre d'une activité commerciale de celle-ci si elle effectue la fourniture, à l'exception d'une fourniture exonérée, du bien et que, selon le cas :

1º la personne a acquis, ou apporté au Québec, le bien, lors de la dernière acquisition ou du dernier apport, pour consommation ou utilisation dans le cadre de ses activités commerciales;

2º la personne a consommé ou utilisé le bien dans le cadre d'une activité commerciale de celle-ci après qu'elle ait acquis, ou apporté au Québec, le bien la dernière fois;

3º la personne a fabriqué ou produit le bien dans le cadre d'une activité commerciale de celle-ci ou pour consommation ou utilisation dans le cadre d'une activité commerciale de celle-ci et elle n'était pas réputée avoir acquis le bien;

4º la personne a fabriqué ou produit le bien et a consommé ou utilisé ce bien dans le cadre d'une activité commerciale de celle-ci et elle n'était pas réputée avoir acquis le bien.

Notes historiques: L'article 42.1 a été ajouté par L.Q. 1994, c. 22, art. 390(1) et est réputé entré en vigueur le 1er octobre 1992.

Guides [art. 42.1]: IN-203 — Renseignements généraux sur la TVQ et la TPS/TVH; IN-307 — Le démarrage d'entreprise et la fiscalité.

Définitions [art. 42.1]: « activité commerciale », « bien », « fourniture », « fourniture exonérée », « personne » — 1.

Renvois [art. 42.1]: 244 (vente d'immobilisations); 244.1 (vente d'un bien meuble d'un gouvernement); 255 (vente d'une voiture de tourisme ou d'un aéronef).

Concordance fédérale: LTA, al. 141.1(1)a).

42.2 Fourniture d'un bien meuble réputée être effectuée autrement que dans le cadre d'une activité commerciale — Une personne est réputée avoir effectué la fourniture d'un bien meuble autrement que dans le cadre de ses activités commerciales si elle effectue la fourniture, à l'exception d'une fourniture effectuée par louage, licence ou accord semblable dans le cadre d'une entreprise de la personne, du bien et que, selon le cas :

1º la personne a acquis, ou apporté au Québec, le bien, lors de la dernière acquisition ou du dernier apport, exclusivement pour consommation ou utilisation dans le cadre de ses activités autres que commerciales et la personne n'a pas consommé ou utilisé le bien dans le cadre de ses activités commerciales après qu'elle ait acquis ou apporté le bien la dernière fois;

2º la personne a fabriqué ou produit le bien dans le cadre de ses activités autres que commerciales exclusivement pour consommation ou utilisation dans ce cadre, elle n'a pas consommé ou utilisé le bien dans le cadre d'une activité commerciale de la personne et elle n'était pas réputée avoir acquis le bien.

Notes historiques: L'article 42.2 a été ajouté par L.Q. 1994, c. 22, art. 390(1) et est réputé entré en vigueur le 1er octobre 1992.

Définitions [art. 42.2]: « activité commerciale », « bien », « entreprise », « exclusif », « fourniture », « personne » — 1.

Renvois [art. 42.2]: 244.1 (vente d'un bien meuble d'un gouvernement).

Lettres d'interprétation [art. 42.2]: 98-010324 — Inscription en vertu de la *Loi sur la taxe d'accise* (L.R.C. 1985, c. E-15, ci-après « LTA ») et de la *Loi sur la taxe de vente du Québec* (L.R.Q., c. T-0.1, ci-après « LTVQ ») vs la *Loi sur la faillite et l'insolvabilité*.

Concordance fédérale: LTA, al. 141.1(1)b).

42.3 Fourniture par vente d'un bien meuble ou d'un service réputée être effectuée dans le cadre d'une activité commerciale — Une personne est réputée avoir effectué la fourniture d'un bien meuble ou d'un service dans le cadre de ses activités commerciales si elle effectue par vente la fourniture du bien ou du service qu'elle a acquis, apporté au Québec, produit ou fabriqué exclusivement afin d'effectuer par vente une fourniture de ce bien ou de ce service dans le cadre d'une entreprise de la personne ou dans le cadre d'un projet comportant un risque ou d'une affaire de caractère commercial de celle-ci sauf si, selon le cas :

1º la fourniture est une fourniture exonérée;

2º l'article 42.4 s'applique à l'égard de la fourniture;

3º la personne est un particulier ou une société de personnes dont tous les membres sont des particuliers qui exploite une entreprise ou exerce le projet comportant un risque ou l'affaire sans expectative raisonnable de profit.

Notes historiques: L'article 42.3(3º) a été modifié par L.Q. 1997, c. 3, art. 135(1º) pour remplacer le mot « société » par les mots « société de personnes ». Cette modification est réputée entrée en vigueur le 20 mars 1997. Cet article a été ajouté par L.Q. 1994, c. 22, art. 390(1) et est réputé entré en vigueur le 1er octobre 1992.

Guides [art. 42.3]: IN-203 — Renseignements généraux sur la TVQ et la TPS/TVH; IN-307 — Le démarrage d'entreprise et la fiscalité.

Définitions [art. 42.3]: « activité commerciale », « bien », « entreprise », « exclusif », « fourniture », « fourniture exonérée », « particulier », « personne », « service », « vente » — 1.

Renvois [art. 42.3]: 1.1 (personne morale); 506.1 (société et société de personnes).

Concordance fédérale: LTA, al. 141.1(2)a).

42.4 Fourniture par vente d'un bien meuble ou d'un service — Dans le cas où une personne effectue par vente la fourniture d'un bien meuble ou d'un service qu'elle a acquis, apporté au Québec, fabriqué ou produit exclusivement afin d'effectuer par vente une fourniture exonérée du bien ou du service, la personne est réputée avoir effectué cette fourniture autrement que dans le cadre d'activités commerciales.

Notes historiques: L'article 42.4 a été ajouté par L.Q. 1994, c. 22, art. 390(1) et est réputé entré en vigueur le 1er octobre 1992.

Guides [art. 42.4]: IN-203 — Renseignements généraux sur la TVQ et la TPS/TVH; IN-307 — Le démarrage d'entreprise et la fiscalité.

Définitions [art. 42.4]: « activité commerciale », « bien », « exclusif », « fourniture », « fourniture exonérée », « personne », « service », « vente » — 1.

Renvois [art. 42.4]: 42.3 (fourniture d'un bien meuble figurant à l'inventaire).

Concordance fédérale: LTA, al. 141.1(2)b).

42.5 Activités réputées faire partie d'une activité commerciale — Ce qui est fait par une personne est réputé être effectué dans le cadre de ses activités commerciales dans la mesure où ce qui est fait par la personne, autre que d'effectuer une fourniture, est en relation avec l'acquisition, la constitution, l'aliénation ou la cessation d'une activité commerciale de celle-ci.

Notes historiques: L'article 42.5 a été ajouté par L.Q. 1994, c. 22, art. 390(1) et est réputé entré en vigueur le 1er octobre 1992.

Guides [art. 42.5]: IN-203 — Renseignements généraux sur la TVQ et la TPS/TVH.

Définitions [art. 42.5]: « activité commerciale », « fourniture », « personne » — 1.

Lettres d'interprétation [art. 42.5]: 98-010324 — Inscription en vertu de la *Loi sur la taxe d'accise* (L.R.C. 1985, c. E-15, ci-après « LTA ») et de la *Loi sur la taxe de vente du Québec* (L.R.Q., c. T-0.1, ci-après « LTVQ ») vs la *Loi sur la faillite et l'insolvabilité*; 01-0107910 — Interprétation relative à la TVQ Article 318 de la LTVQ et dédommagement accordé à des inscrits / demande de précision.

Concordance fédérale: LTA, al. 141.1(3)a).

42.6 Activités réputées ne pas faire partie d'une activité commerciale — Ce qui est fait par une personne est réputé être effectué autrement que dans le cadre de ses activités commerciales dans la mesure où ce qui est fait par la personne, autre que d'effectuer une fourniture, est en relation avec l'acquisition, la constitution, l'aliénation ou la cessation d'une activité autre qu'une activité commerciale de celle-ci.

Notes historiques: L'article 42.6 a été ajouté par L.Q. 1994, c. 22, art. 390(1) et est réputé entré en vigueur le 1er octobre 1992.

Définitions [art. 42.6]: « activité commerciale », « fourniture », « personne » — 1.

Lettres d'interprétation [art. 42.6]: 98-010324 — Inscription en vertu de la *Loi sur la taxe d'accise* (L.R.C. 1985, c. E-15, ci-après « LTA ») et de la *Loi sur la taxe de vente du Québec* (L.R.Q., c. T-0.1, ci-après « LTVQ ») vs la *Loi sur la faillite et l'insolvabilité*.

Concordance fédérale: LTA, al. 141.1(3)b).

42.7 [*Abrogé*].

2012, c. 28, art. 47.

Notes historiques: L'article 42.7 a été abrogé par L.Q. 2012, c. 28, par. 47(1) et cette abroagtion s'applique à compter du 1er janvier 2013. Antérieurement, il se lisait ainsi :

> 42.7 **Fourniture d'un service financier autrement que dans le cadre d'une activité commerciale** — Pour l'application de la section I du chapitre VIII et aux fins du calcul du remboursement de la taxe sur les intrants, la fourniture d'un service financier, par une personne, est réputée être effectuée autrement que dans le cadre de ses activités commerciales sauf dans la mesure où une telle fourniture est effectuée dans le cadre de l'exploitation d'une entreprise de cette personne.

L'article 42.7 a été ajouté par L.Q. 1995, c. 63, art. 326(1) et a effet depuis le 10 mai 1995.

Notes explicatives ARQ (PL 5, L.Q. 2012, c. 28): *Résumé* :

L'article 42.7 précise que seules les activités qui consistent à effectuer la fourniture de services financiers dans le cadre de l'exploitation d'une entreprise constituent des activités commerciales. Cet article est abrogé, compte tenu du fait que la fourniture d'un service financier devient exonérée.

Situation actuelle :

La notion de service financier comprend, entre autres, l'achat et la vente d'effets financiers, tels que des actions ou des créances, ainsi que la réception de dividendes ou d'intérêts. L'article 42.7 de la LTVQ vise à limiter l'inscription et la demande d'un remboursement de la taxe sur les intrants dont certaines personnes pourraient autrement se prévaloir. En effet, certaines personnes détenant un portefeuille de valeurs mobilières à des fins personnelles auraient pu vouloir s'inscrire et demander un remboursement de la taxe sur les intrants à l'égard des biens et des services acquis aux fins de la gestion de leur portefeuille.

L'article 42.7 précise que seules les activités qui consistent à effectuer la fourniture de services financiers dans le cadre de l'exploitation d'une entreprise constituent effectivement des activités commerciales.

Modifications proposées :

L'article 42.7 ne trouve plus application, étant donné l'exonération des services financiers. En effet, la nouvelle section VI.1 du chapitre III du titre I de la LTVQ, introduite par le présent projet de loi et comprenant les articles 169.3 et 169.4, prévoit l'exonération des services financiers. La fourniture d'un service financier étant exonérée, elle ne peut être assimilée à une activité commerciale, au sens de l'article 1 de la LTVQ.

Définitions [art. 42.7]: « activité commerciale », « entreprise », « fourniture », « personne », « service financier » — 1.

Lettres d'interprétation [art. 42.7]: 98-0103113 — Interprétation relative à la TVQ — Inscription d'une société de portefeuille.

43. Utilisation dans le cadre d'une activité commerciale — Dans le cas où la presque totalité de la consommation ou de l'utilisation d'un bien ou d'un service par une personne, sauf une institution financière, est faite dans le cadre de ses activités commerciales, cette consommation ou cette utilisation est réputée faite en totalité dans ce cadre.

2012, c. 28, art. 48.

Notes historiques: L'article 43 a été remplacé par L.Q. 2012, c. 28, par. 48(1) et cette modification s'applique à compter du 1er janvier 2013. Antérieurement, il se lisait ainsi :

> 43. Dans le cas où la presque totalité de la consommation ou de l'utilisation d'un bien ou d'un service par une personne est faite dans le cadre de ses activités commerciales, cette consommation ou cette utilisation est réputée faite en totalité dans ce cadre.

L'article 43 a été modifié par L.Q. 1994, c. 22, art. 391(1) et est réputé entré en vigueur le 1er octobre 1992. L'article 43, édicté par L.Q. 1991, c. 67, se lisait comme suit :

> 43. La consommation, l'utilisation ou la fourniture d'un bien ou d'un service par une personne est réputée faite en totalité dans le cadre de ses activités commerciales si la presque totalité de cette consommation, de cette utilisation ou de cette fourniture est faite dans ce cadre.

Notes explicatives ARQ (PL 5, L.Q. 2012, c. 28): *Résumé* :

L'article 43 édicte une présomption en vertu de laquelle, lorsque la presque totalité des activités d'une personne sont faites dans le cadre d'activités commerciales, toutes les activités de cette personne sont considérées faites entièrement dans ce cadre. Cet article est modifié afin de préciser qu'il ne s'applique pas lorsque la personne est une institution financière.

Situation actuelle :

L'article 43 édicte une présomption en vertu de laquelle, lorsque la presque totalité (90 % ou plus) de la consommation ou de l'utilisation d'un bien ou d'un service est faite dans le cadre d'activités commerciales, cette consommation ou utilisation est considérée faite en totalité dans ce cadre. Cette présomption permet d'éviter à un inscrit d'avoir à répartir la taxe payée sur les intrants entre ses activités commerciales et ses activités non commerciales.

Modifications proposées :

L'article 43 est modifié de façon à exclure les institutions financières de la règle qui y prévue. Les institutions financières sont donc tenues de répartir entre leurs activités commerciales et leurs activités non commerciales la taxe payée sur les intrants se rapportant aux fournitures reçues. Les institutions financières doivent donc répartir exactement entre leurs activités commerciales et celles non commerciales la taxe relative aux biens et aux services consommés ou utilisés, en tenant compte des règles prévues aux nouveaux articles 42.0.10 à 42.0.24, introduits par le présent projet de loi.

Guides [art. 43]: IN-203 — Renseignements généraux sur la TVQ et la TPS/TVH; IN-307 — Le démarrage d'entreprise et la fiscalité.

Définitions [art. 43]: « activité commerciale », « bien », « fourniture », « personne », « service » — 1.

Renvois [art. 43]: 42.1 (fourniture d'un bien meuble dans le cadre d'une activité commerciale); 42.3 (fourniture d'un bien meuble figurant à l'inventaire); 42.5 (acquisition, constitution, aliénation ou cessation d'une activité commerciale); 47 (immeuble d'habitation dans un immeuble).

Jurisprudence [art. 43]: *Lockwood Manufacturing Inc. c. Agence de revenu du Québec* (19 juin 2012), 500-80-013513-099, 2012 CarswellQue 9284; *Amos (Ville d') c. Québec (Sous-ministre du Revenu)* (15 mai 2001), 605-02-001009-994, 2001 CarswellQue 1947.

Bulletins d'interprétation [art. 43]: TVQ. 206.3-5 — L'électricité, le gaz, le combustible ou la vapeur utilisés en partie dans le cadre des activités de production d'une grande entreprise.

Lettres d'interprétation [art. 43]: 98-0108898 — Rapports d'expertise médicale; 98-0109656 — Décision portant sur l'application de la TPS — Interprétation relative à la TVQ — Fourniture unique et fournitures multiples — Droit d'entrée dans un musée accompagné d'un tour de ville; 98-0110266 — Interprétation relative à la TPS — Interprétation relative à la TVQ — Services d'enseignement; 00-0104281 — Commissions versées par une compagnie américaine; 02-0112082 — Décision portant sur l'application de la TPS — Interprétation relative à la TVQ — Montants versés dans le cadre de tansactions effectuées au moyen de guichets automatiques privés.

Concordance fédérale: LTA, par. 141(1).

COMMENTAIRES: Voir les commentaires sous l'article 47.

44. Utilisation projetée dans le cadre d'une activité commerciale — Dans le cas où la presque totalité de la consommation ou de l'utilisation pour laquelle une personne, sauf une institution financière, acquiert, ou apporte au Québec, un bien ou un service est faite dans le cadre de ses activités commerciales, la consommation ou l'utilisation pour laquelle la personne a acquis ou apporté le bien ou le service est réputée faite en totalité dans ce cadre.

2012, c. 28, art. 48.

Notes historiques: L'article 44 a été remplacé par L.Q. 2012, c. 28, par. 48(1) et cette modification s'applique à compter du 1er janvier 2013. Antérieurement, il se lisait ainsi :

> 44. Dans le cas où la presque totalité de la consommation ou de l'utilisation pour laquelle une personne acquiert, ou apporte au Québec, un bien ou un service est faite dans le cadre de ses activités commerciales, la consommation ou l'utilisation pour laquelle la personne a acquis ou apporté le bien ou le service est réputée faite en totalité dans ce cadre.

L'article 44 a été modifié par L.Q. 1994, c. 22, art. 391(1) et est réputé entré en vigueur le 1er octobre 1992. L'article 44, édicté par L.Q. 1991, c. 67, se lisait comme suit :

> 44. La consommation, l'utilisation ou la fourniture pour laquelle une personne a acquis un bien ou un service est réputée faite en totalité dans le cadre de ses activités commerciales si la presque totalité de cette consommation, de cette utilisation ou de cette fourniture est faite dans ce cadre.

LTVQ (français)

Notes explicatives ARQ (PL 5, L.Q. 2012, c. 28): *Résumé* :

L'article 44 édicte une présomption en vertu de laquelle, lorsque la presque totalité de la consommation ou de l'utilisation pour laquelle une personne acquiert, ou apporte au Québec, un bien ou un service est faite dans le cadre de ses activités commerciales, la consommation ou l'utilisation pour laquelle ce bien ou ce service a été acquis ou ainsi apporté par la personne est réputée faite entièrement dans ce cadre. Cet article est modifié afin de préciser qu'il ne s'applique pas lorsque la personne est une institution financière.

Situation actuelle :

L'article 44 édicte une présomption en vertu de laquelle, lorsque la presque totalité (90 % ou plus) de la consommation ou de l'utilisation pour laquelle un bien ou un service est acquis, ou apporté au Québec, par une personne est faite dans le cadre de ses activités commerciales, la consommation ou l'utilisation pour laquelle ce bien ou ce service est acquis ou ainsi apporté est considérée faite en totalité dans ce cadre.

L'article 44 crée donc une présomption, en fonction de l'intention au moment de l'acquisition d'un bien ou d'un service, ou de l'apport au Québec de ce bien ou de ce service, qui permet d'éviter à un inscrit d'avoir à répartir la taxe payée sur les intrants entre ses activités commerciales et ses activités non commerciales.

Modifications proposées :

L'article 44 est modifié de façon à exclure les institutions financières de la règle qui y est prévue. Les institutions financières doivent donc répartir exactement entre leurs activités commerciales et celles non commerciales la taxe relative aux biens et aux services acquis ou apportés au Québec, en tenant compte des règles prévues aux nouveaux articles 42.0.10 à 42.0.24 de la LTVQ, introduits par le présent projet de loi.

Guides [art. 44]: IN-203 — Renseignements généraux sur la TVQ et la TPS/TVH; IN-307 — Le démarrage d'entreprise et la fiscalité.

Définitions [art. 44]: « activité commerciale », « bien », « fourniture », « personne », « service » — 1.

Renvois [art. 44]: 42.1 (fourniture d'un bien meuble dans le cadre d'une activité commerciale); 42.3 (fourniture d'un bien meuble figurant à l'inventaire); 42.5 (acquisition, constitution, aliénation ou cessation d'une activité commerciale); 47 (immeuble d'habitation dans un immeuble).

Jurisprudence [art. 44]: *Amos (Ville d') c. Québec (Sous-ministre du Revenu)* (15 mai 2001), 605-02-001009-994, 2001 CarswellQue 1947.

Lettres d'interprétation [art. 44]: 98-0108898 — Rapports d'expertise médicale; 98-0109656 — Décision portant sur l'application de la TPS — Interprétation relative à la TVQ — Fourniture unique et fournitures multiples — Droit d'entrée dans un musée accompagné d'un tour de ville.

Concordance fédérale: LTA, par. 141(2).

COMMENTAIRES: Voir les commentaires sous l'article 47.

45. Utilisation dans le cadre d'autres activités — Dans le cas où la presque totalité de la consommation ou de l'utilisation d'un bien ou d'un service par une personne, sauf une institution financière, est faite dans le cadre de ses activités autres que commerciales, cette consommation ou cette utilisation est réputée faite en totalité dans ce cadre.

2012, c. 28, art. 48.

Notes historiques: L'article 45 a été remplacé par L.Q. 2012, c. 28, par. 48(1) et cette modification s'applique à compter du 1er janvier 2013. Antérieurement, il se lisait ainsi :

> 45. Dans le cas où la presque totalité de la consommation ou de l'utilisation d'un bien ou d'un service par une personne est faite dans le cadre de ses activités autres que commerciales, cette consommation ou cette utilisation est réputée faite en totalité dans ce cadre.

L'article 45 a été modifié par L.Q. 1994, c. 22, art. 391(1) et est réputé entré en vigueur le 1er octobre 1992. L'article 45, édicté par L.Q. 1991, c. 67, se lisait comme suit :

> 45. La consommation, l'utilisation ou la fourniture d'un bien ou d'un service par une personne est réputée faite en totalité dans le cadre de ses activités autres que commerciales si la presque totalité de cette consommation, de cette utilisation ou de cette fourniture est faite dans ce cadre.

Notes explicatives ARQ (PL 5, L.Q. 2012, c. 28): *Résumé* :

L'article 45 édicte une présomption en vertu de laquelle, lorsque la presque totalité des activités d'une personne sont faites dans le cadre de ses activités autres que commerciales, toutes les activités de cette personne sont considérées faites entièrement dans ce cadre. Cet article est modifié afin de préciser qu'il ne s'applique pas lorsque la personne est une institution financière.

Situation actuelle :

L'article 45 édicte une présomption en vertu de laquelle, lorsque la presque totalité de la consommation ou de l'utilisation d'un bien ou d'un service sont faites dans le cadre d'activités autres que commerciales, cette consommation ou utilisation est considérée faite en totalité dans ce cadre. Cette présomption permet d'éviter à un inscrit d'avoir à répartir la taxe payée sur les intrants entre ses activités commerciales et ses activités non commerciales.

Modifications proposées :

L'article 45 est modifié de façon à exclure les institutions financières de la règle qui y est prévue. Les institutions financières sont donc tenues de répartir entre leurs activités commerciales et leurs activités non commerciales la taxe payée sur les intrants se rapportant aux fournitures reçues. Les institutions financières doivent donc répartir exactement entre leurs activités commerciales et celles non commerciales la taxe relative aux biens et aux services consommés ou utilisés, en tenant compte des règles prévues aux nouveaux articles 42.0.10 à 42.0.24 de la LTVQ, introduits par le présent projet de loi.

Définitions [art. 45]: « bien », « fourniture », « personne », « service » — 1.

Jurisprudence [art. 45]: *Lockwood Manufacturing Inc. c. Agence de revenu du Québec* (19 juin 2012), 500-80-013513-099, 2012 CarswellQue 9284.

Renvois [art. 45]: 42.2 (fourniture d'un bien meuble autrement que dans le cadre d'une activité commerciale); 42.6 (acquisition, construction, aliénation, cessation d'une activité non-commerciale); 47 (immeuble d'habitation dans un immeuble).

Lettres d'interprétation [art. 45]: 98-0108898 — Rapports d'expertise médicale; 98-0109656 — Décision portant sur l'application de la TPS — Interprétation relative à la TVQ — Fourniture unique et fournitures multiples — Droit d'entrée dans un musée accompagné d'un tour de ville.

Bulletins d'interprétation [art. 45]: TVQ. 206.3-5 — L'électricité, le gaz, le combustible ou la vapeur utilisés en partie dans le cadre des activités de production d'une grande entreprise.

Concordance fédérale: LTA, par. 141(3).

COMMENTAIRES: Voir les commentaires sous l'article 47.

46. Utilisation projetée dans le cadre d'autres activités — Dans le cas où la presque totalité de la consommation ou de l'utilisation pour laquelle une personne, sauf une institution financière, acquiert, ou apporte au Québec, un bien ou un service est faite dans le cadre de ses activités autres que commerciales, la consommation ou l'utilisation pour laquelle la personne a acquis ou apporté le bien ou le service est réputée faite en totalité dans ce cadre.

2012, c. 28, art. 48.

Notes historiques: L'article 46 a été remplacé par L.Q. 2012, c. 28, par. 48(1) et cette modification s'applique à compter du 1er janvier 2013. Antérieurement, il se lisait ainsi :

> 46. Dans le cas où la presque totalité de la consommation ou de l'utilisation pour laquelle une personne acquiert, ou apporte au Québec, un bien ou un service est faite dans le cadre de ses activités autres que commerciales, la consommation ou l'utilisation pour laquelle la personne a acquis ou apporté le bien ou le service est réputée faite en totalité dans ce cadre.

L'article 46 a été modifié par L.Q. 1994, c. 22, art. 391(1) et est réputé entré en vigueur le 1er octobre 1992. L'article 46, édicté par L.Q. 1991, c. 67, se lisait comme suit :

> 46. La consommation, l'utilisation ou la fourniture pour laquelle une personne a acquis un bien ou un service est réputée faite en totalité dans le cadre de ses activités autres que commerciales si la presque totalité de cette consommation, de cette utilisation ou de cette fourniture est faite dans ce cadre.

Notes explicatives ARQ (PL 5, L.Q. 2012, c. 28): *Résumé* :

L'article 46 édicte une présomption en vertu de laquelle, lorsque la presque totalité de la consommation ou de l'utilisation pour laquelle une personne acquiert, ou apporte au Québec, un bien ou un service est faite dans le cadre de ses activités autres que commerciales, la consommation ou l'utilisation pour laquelle ce bien ou ce service a été acquis ou ainsi apporté est réputée faite par la personne entièrement dans ce cadre. Cet article est modifié afin de préciser qu'il ne s'applique pas lorsque la personne est une institution financière.

Situation actuelle :

L'article 46 édicte une présomption en vertu de laquelle, lorsque la presque totalité (90 % ou plus) de la consommation ou de l'utilisation pour laquelle un bien ou un service est acquis, ou apporté au Québec, par une personne dans le cadre de ses activités autres que commerciales, la consommation ou l'utilisation pour laquelle ce bien ou ce service a été acquis ou ainsi apporté est considérée faite en totalité dans ce cadre.

L'article 46 crée donc une présomption, en fonction de l'intention au moment de l'acquisition d'un bien ou d'un service, ou de l'apport au Québec de ce bien ou de ce service, qui permet d'éviter à un inscrit d'avoir à répartir la taxe payée sur les intrants entre ses activités commerciales et ses activités non commerciales.

Modifications proposées :

L'article 46 est modifié de façon à exclure les institutions financières de la règle qui y est prévue. Les institutions financières doivent donc répartir exactement entre leurs activités commerciales et leurs activités non commerciales la taxe relative aux biens et aux services acquis ou apportés au Québec, en tenant compte des règles prévues aux nouveaux articles 42.0.10 à 42.0.24 de la LTVQ, introduits par le présent projet de loi.

Définitions [art. 46]: « bien », « fourniture », « personne », « service » — 1.

Renvois [art. 46]: 42.2 (fourniture d'un bien meuble autrement que dans le cadre d'une activité commerciale); 42.6 (acquisition, construction, aliénation, cessation d'une activité non-commerciale); 47 (immeuble d'habitation dans un immeuble.

Bulletins d'interprétation [art. 46]: TVQ. 423-1/R2 — Non-perception de la taxe lors de la fourniture taxable d'un immeuble par vente à un inscrit.

Lettres d'interprétation [art. 46]: 98-0108898 — Rapports d'expertise médicale; 98-0109656 — Décision portant sur l'application de la TPS — Interprétation relative à la TVQ — Fourniture unique et fournitures multiples — Droit d'entrée dans un musée accompagné d'un tour de ville.

Concordance fédérale: LTA, par. 141(4).

COMMENTAIRES: Voir les commentaires sous l'article 47.

47. Particularité relative aux immeubles — Pour l'application des articles 43 à 46, dans le cas où un immeuble comprend un immeuble d'habitation et une autre partie qui n'est pas une partie de l'immeuble d'habitation :

1º l'immeuble d'habitation et l'autre partie sont réputés être des biens distincts;

2º les articles 43 à 46 ne s'appliquent à un bien ou à un service acquis, ou apporté au Québec, pour consommation ou utilisation relativement à l'immeuble que dans la mesure où ce bien ou ce service est ainsi acquis ou apporté relativement à la partie qui n'est pas une partie de l'immeuble d'habitation.

Notes historiques: Le paragraphe 2º de l'article 47 a été remplacé par L.Q. 1997, c. 85, art. 450(1) et a effet depuis le 1er avril 1997. Antérieurement, ce paragraphe se lisait ainsi :

> 2º les articles 43 à 46 ne s'appliquent à un bien ou à un service acquis pour consommation ou utilisation relativement à l'immeuble que dans la mesure où ce bien ou ce service est ainsi acquis relativement à la partie qui n'est pas une partie de l'immeuble d'habitation.

L'article 47 a été modifié par L.Q. 1994, c. 22, art. 391(1) et est réputé entré en vigueur le 1er octobre 1992. L'article 47, édicté par L.Q. 1991, c. 67, se lisait comme suit :

> 47. Pour l'application des articles 43 à 46, dans le cas où un immeuble comprend un immeuble d'habitation et une autre partie qui ne fait pas partie de l'immeuble d'habitation :
>
> 1º l'immeuble d'habitation et l'autre partie sont réputés être des biens distincts;
>
> 2º les articles 43 à 46 ne s'appliquent à l'égard d'un bien ou d'un service acquis pour consommation ou utilisation relativement à l'immeuble que dans la mesure où ce bien ou ce service est ainsi acquis relativement à la partie qui n'est pas une partie de l'immeuble d'habitation.

Guides [art. 47]: IN-203 — Renseignements généraux sur la TVQ et la TPS/TVH; IN-261 — La TVQ, la TPS et les immeubles d'habitation (construction ou rénovation); IN-307 — Le démarrage d'entreprise et la fiscalité.

Définitions [art. 47]: « activité commerciale », « bien », « immeuble d'habitation », « service » — 1.

Lettres d'interprétation [art. 47]: 98-0108898 — Rapports d'expertise médicale; 98-0109656 — Décision portant sur l'application de la TPS — Interprétation relative à la TVQ — Fourniture unique et fournitures multiples — Droit d'entrée dans un musée accompagné d'un tour de ville.

Concordance fédérale: LTA, par. 141(5).

COMMENTAIRES: Aux fins des articles 43 à 47, il faut distinguer les dépenses courantes des dépenses en immobilisation de biens meubles. Ainsi, les dépenses courantes (biens et services) et les dépenses effectuées pour l'acquisition des immobilisations qui sont des biens immeubles donneront droit à un remboursement de la taxe sur les intrants suivant un pourcentage que représente la mesure dans laquelle elles sont engagées pour effectuer des fournitures taxables. Les articles 43 à 47 édictent à ce sujet une présomption voulant que si les biens ou les services sont utilisés par une personne, sauf une institution financière, presque en totalité dans le cadre de ses activités commerciales, soit à 90 % et plus, ils sont réputés être utilisés en totalité dans ce cadre. Inversement, lorsqu'ils sont utilisés presque en totalité dans le cadre des activités non commerciales de la personne, soit à 90 % et plus, ces biens ou services sont réputés être utilisés dans ce cadre. Les dépenses effectuées pour l'acquisition d'immobilisations qui sont des biens meubles donneront droit à un remboursement de la taxe sur les intrants de la taxe payée si les immobilisations dont il s'agit sont utilisées principalement, c'est-à-dire à plus de 50 %, dans le cadre des activités commerciales de l'école. Par contre, si l'immobilisation est utilisée principalement, à plus de 50 %, dans le cadre des activités exonérées de l'école, elle n'aura droit à aucun remboursement de la taxe sur les intrants relativement à l'achat du bien et aux améliorations éventuellement apportées à celui-ci, même si une partie de l'immobilisation est utilisée dans le cadre d'activités commerciales. Par exemple, si plus de 90 % des cours offerts constituent des fournitures exonérées, l'école inscrite ne pourrait réclamer de remboursement de la taxe sur les intrants. La consommation et l'utilisation de ses biens et services sont réputées se faire en totalité dans le cadre des activités non commerciales de l'école, puisqu'elles se font presque en totalité dans ce cadre. Il en serait de même pour les immobilisations qui sont des biens meubles et qui ne sont pas utilisés principalement dans le cadre des activités commerciales de l'école. Voir notamment à cet effet : Revenu Québec, Lettre d'interprétation, 98-0110266 — *Interprétation relative à la TPS — Interprétation relative à la TVQ — Services d'enseignement* (19 novembre 1998). Voir également au même effet : Lettre d'interprétation, 98-0109656 — *Décision portant sur l'application de la TPS — Interprétation relative à la TVQ — Fourniture unique et fournitures multiples — Droit d'entrée dans un musée accompagné d'un tour de ville* (26 octobre 1998).

De façon générale, pour les frais d'exploitation généraux, tels fournitures de bureau, téléphone, location d'immeuble commercial, le remboursement de la taxe sur les intrants est accordé jusqu'à concurrence du pourcentage d'utilisation du bien ou service dans le cadre des activités commerciales. De plus, l'article 43 prévoit que la consommation ou l'utilisation d'un bien ou d'un service par une personne est réputée se faire en totalité dans le cadre de ses activités commerciales si elle se fait presque en totalité dans ce cadre. Cette dernière expression signifie « 90 % ou plus ». Inversement, lorsque ces biens ou services sont consommés ou utilisés à un pourcentage inférieur ou égal à 10 % dans le cadre d'activités commerciales, aucun remboursement de la taxe sur les intrants ne peut être demandé. Voir notamment à cet effet : Revenu Québec, Lettre d'interprétation, 00-0104281 -- *Commissions versées par une compagnie américaine* (28 juillet 2000).

Compte tenu de la similarité de la rédaction des dispositions législatives et considérant l'engagement spécifique de Revenu Québec de veiller à ce que l'assiette de TVQ modifiée, de même que les paramètres administratifs, structurels et définitionnels, produisent des résultats qui sont similaires à ceux produits sous le régime de la TPS/TVH et soient administrés d'un manière qui produit des résultats similaires, tel que reflété par l'article 14 de l'*Entente intégrée globale de coordination fiscale* signée entre le gouvernement du Canada et le gouvernement du Québec, nous vous référons à nos commentaires en vertu de l'article 141 de la *Loi sur la taxe d'accise (TPS)* qui devraient s'appliquer *mutatis mutandis*, avec les adaptations nécessaires.

48. Fourniture effectuée par un gouvernement ou une municipalité — Lorsqu'une des fournitures suivantes, à l'exception d'une fourniture exonérée, est effectuée pour une contrepartie par un gouvernement ou une municipalité, ou par une commission ou un autre organisme établi par un gouvernement ou une municipalité, elle est, pour plus de certitude, réputée effectuée dans le cadre d'une activité commerciale :

1º la fourniture d'un service d'essai ou d'inspection d'un bien dans le but de vérifier ou d'attester que le bien satisfait à des normes particulières de qualité ou qu'il se prête à un mode particulier de consommation, d'utilisation ou de fourniture;

2º la fourniture d'un droit de chasse ou de pêche à un consommateur;

3º la fourniture d'un droit de prendre ou d'extraire des produits forestiers, des produits qui poussent dans l'eau, des produits de la pêche, des minéraux ou de la tourbe, si la fourniture est effectuée :

a) soit à un consommateur;

b) soit à une personne qui n'est pas un inscrit et qui acquiert le droit dans le cadre de son entreprise qui consiste à effectuer la fourniture de ces produits, de ces minéraux ou de cette tourbe à des consommateurs;

4º la fourniture d'une licence, d'un permis, d'un quota ou d'un droit semblable relatif à l'apport au Québec de boissons alcooliques;

5º la fourniture d'un droit d'utiliser un bien du gouvernement, de la municipalité ou de l'autre organisme ou d'un droit d'y accéder ou d'y entrer.

Notes historiques: Le paragraphe 3º de l'article 48 a été modifié par L.Q. 1994, c. 22, art. 392(1) et est réputé entré en vigueur le 1er juillet 1992. Il se lisait comme suit :

> 3º la fourniture d'un droit de prendre ou d'extraire des minéraux, des produits forestiers, des produits de l'eau ou de la pêche si le droit est fourni :
>
> a) soit à un consommateur;
>
> b) soit à une personne qui n'est pas un inscrit et qui acquiert le droit dans le cadre d'une entreprise qui consiste à effectuer la fourniture de ces minéraux ou de ces produits à des consommateurs;

L'article 48 a été édicté par L.Q. 1991, c. 67.

Définitions [art. 48]: « activité commerciale », « bien », « consommateur », « contrepartie », « entreprise », « fourniture », « fourniture exonérée », « gouvernement », « inscrit », « minéral », « municipalité », « personne » — 1.

Renvois [art. 48]: 40 (ressources naturelles); 161 (bibliothèque); 162 (fournitures exonérées par gouvernement ou municipalité); 163 (fournitures non exonérées par gouvernement ou municipalité).

Lettres d'interprétation [art. 48]: 96-0103786 — Assujettissement à la TPS ou à la TVQ des sommes versées par une municipalité pour compenser la perte de recettes fiscales.; 98-0103766 — Interprétation relative à la TPS et à la TVQ — Tarification de services fournis par la division d'urbanisme.

Concordance fédérale: LTA, par. 141.2(1), art. 146.

LTVQ (français)

COMMENTAIRES: À titre illustratif, la fourniture du service d'inspection d'un bien pour vérifier s'il est conforme à certaines normes de qualité ou s'il se prête à un certain mode de consommation, d'utilisation ou de fourniture, ou pour le confirmer est réputée effectuée dans le cadre d'une activité commerciale sauf s'il s'agit d'une fourniture exonérée. Puisqu'il ne s'agit pas ici d'un service d'inspection relatif à la demande d'une licence, d'un permis, d'un contingent ou d'un autre droit semblable au sens de l'article 41, une telle fourniture constitue donc une fourniture taxable. Voir notamment à cet effet : Revenu Québec, Lettre d'interprétation, 98-0103766 — *Interprétation relative à la TPS et à la TVQ — Tarification de services fournis par la division d'urbanisme* (25 juin 1998).

Compte tenu de la similarité de la rédaction des dispositions législatives et considérant l'engagement spécifique de Revenu Québec de veiller à ce que l'assiette de TVQ modifiée, de même que les paramètres administratifs, structurels et définitionnels, produisent des résultats qui sont similaires à ceux produits sous le régime de la TPS/TVH et soient administrés d'une manière qui produit des résultats similaires, tel que reflété par l'article 14 de l'*Entente intégrée globale de coordination fiscale* signée entre le gouvernement du Canada et le gouvernement du Québec, nous vous référons à nos commentaires en vertu du paragraphe 142.2(1) et de l'article 146 de la *Loi sur la taxe d'accise (TPS)* qui devraient s'appliquer *mutatis mutandis*, avec les adaptations nécessaires.

48.1 Congrès étranger — Les fournitures suivantes, effectuées par le promoteur d'un congrès étranger, sont réputées avoir été effectuées autrement que dans le cadre d'une activité commerciale du promoteur :

1º la fourniture d'un droit d'entrée au congrès;

2º la fourniture d'un immeuble par louage, licence, ou accord semblable pour utilisation exclusive par l'acquéreur comme lieu de promotion, au congrès, de son entreprise ou de biens ou de services qu'il fournit;

3º la fourniture, effectuée à l'acquéreur de la fourniture visée au paragraphe 2º, de fournitures liées à un congrès.

Notes historiques: L'article 48.1 a été ajouté par L.Q. 1994, c. 22, art. 393(1), et est réputé entré en vigueur le 1er juillet 1992.

Définitions [art. 48.1]: « acquéreur », « activité commerciale », « bien », « congrès », « congrès étranger », « droit d'entrée », « entreprise », « exclusif », « fourniture », « fournitures liées à un congrès », « promoteur », « service » — 1.

Renvois [art. 48.1]: 357.2 (remboursement au promoteur d'un congrès étranger).

Lettres d'interprétation [art. 48.1]: 01-0101616 — Interprétation relative à la TPS et à la TVQ — Organisation d'un congrès international; 02-0104758 — Interprétation relative à la TPS et à la TVQ — Organisation d'un congrès international.

Concordance fédérale: LTA, art. 189.2.

COMMENTAIRES: Revenu Québec est d'avis que la situation qui lui est soumise concerne un congrès étranger en vertu de la *Loi sur la taxe de vente du Québec* puisque le promoteur, en l'occurrence l'organisme, est un non-résident dont le siège social est situé à l'étranger ou, à défaut de siège social, qui est contrôlé et géré par une personne non-résidente ou par des personnes dont la majorité sont des non-résidents et que les droits d'entrée à ce congrès seront fournis à des personnes non-résidentes dans une proportion d'au moins 75 %. Voir notamment à cet effet : Revenu Québec, Lettre d'interprétation, 02-0104758 — *Interprétation relative à la TPS et à la TVQ — Organisation d'un congrès international* (25 juillet 2002). Voir également au même effet : Revenu Québec, Lettre d'interprétation, 01-0101616 — *Interprétation relative à la TPS et à la TVQ — Organisation d'un congrès international* (13 mars 2001).

Compte tenu de la similarité de la rédaction des dispositions législatives et considérant l'engagement spécifique de Revenu Québec de veiller à ce que l'assiette de TVQ modifiée, de même que les paramètres administratifs, structurels et définitionnels, produisent des résultats qui sont similaires à ceux produits sous le régime de la TPS/TVH et soient administrés d'un manière qui produit des résultats similaires, tel que reflété par l'article 14 de l'*Entente intégrée globale de coordination fiscale* signée entre le gouvernement du Canada et le gouvernement du Québec, nous vous référons à nos commentaires en vertu de l'article 189.2 de la *Loi sur la taxe d'accise (TPS)* qui devraient s'appliquer *mutatis mutandis*, avec les adaptations nécessaires.

49. [*Abrogé*]

Notes historiques: L'article 49 a été abrogé par L.Q. 1995, c. 1, art. 262 rétroactivement à compter du 1er juillet 1992 [*N.D.L.R.* : cette disposition s'applique conformément aux articles 618 à 656 et 685 L.Q. 1991, c. 67, tels que modifiés]. L'article 49 a été modifié par L.Q. 1994, c. 22, art. 394(3) et était réputé entré en vigueur le 1er juillet 1992. Il se lisait comme suit :

> 49. Les méthodes utilisées par une personne au cours d'un exercice pour déterminer dans quelle mesure un bien ou un service est consommé, utilisé ou fourni dans le cadre de ses activités commerciales, ou est destiné à l'être, doivent être justes et raisonnables dans les circonstances et doivent être utilisées régulièrement tout au long de l'exercice.
>
> Pour l'application du présent article, l'exercice d'une personne correspond à son exercice au sens de l'article 458.1.

L'article 49, édicté par L.Q. 1991, c. 67, se lisait comme suit :

> 49. Les méthodes utilisées par une personne au cours d'une année civile pour déterminer dans quelle mesure un bien ou un service est consommé, utilisé ou fourni dans le cadre de ses activités commerciales, ou est destiné à l'être, doivent être justes et raisonnables dans les circonstances et doivent être utilisées régulièrement tout au long de l'année.

50. [*Abrogé*]

Notes historiques: L'article 50 a été abrogé par L.Q. 1997, c. 85, art. 451(1) et cette abrogation a effet depuis le 24 avril 1996. Antérieurement, l'article 50 se lisait ainsi :

> 50. Une activité exercée par une personne à titre de membre d'une société de personnes est réputée être une activité de la société de personnes et ne pas être une activité de la personne.

L'article 50 a été modifié par L.Q. 1997, c. 3, art. 135(1º) pour remplacer le mot « société » par les mots « société de personnes ». Cette modification était réputée entrée en vigueur le 20 mars 1997. Cet article a été édicté par L.Q. 1991, c. 67.

SECTION III — CONTREPARTIE

51. Valeur de la contrepartie — règle générale — La valeur de la contrepartie d'une fourniture ou d'une partie de cette contrepartie est réputée égale :

1º dans le cas où la contrepartie ou la partie de celle-ci est exprimée en argent, à ce montant d'argent;

2º dans le cas où la contrepartie ou la partie de celle-ci est exprimée autrement qu'en argent, à la juste valeur marchande de la contrepartie ou de la partie de celle-ci au moment où la fourniture est effectuée.

Notes historiques: L'article 51 a été édicté par L.Q. 1991, c. 67.

Définitions [art. 51]: « acquéreur », « argent », « contrepartie », « fourniture », « inscrit », « montant », « personne », « véhicule routier » — 1.

Renvois [art. 51]: 15 (JVM); 26 (fournitures entre succursales); 39 (cession du droit au remboursement); 40 (redevances sur ressources naturelles); 41 (redevances sur ressources naturelles); 52–65 (cas spéciaux); 71 (appareils automatiques); 92 (dépôt); 213 (bien meuble corporel d'occasion); 298 (fourniture à l'assureur sur règlement de sinistre); 320 (saisie et reprise de possession); 325 (fiducie non testamentaire); 326 (distribution par une fiducie); 334 (choix visant les fournitures sans contrepartie).

Jurisprudence [art. 51]: *Construction R.B. Boucher inc. c. Québec (Sous-ministre du Revenu)* (9 décembre 2002), 200-02-024477-004, 2002 CarswellQue 2913 (C.Q.); *Québec (Sous-ministre du Revenu) c. Lussier* (22 mai 1997), 500-27-024447-932.

Bulletins d'interprétation [art. 51]: TVQ. 51-1 — Contrepartie sous forme de biens ou de services; TVQ. 51-2 — Fourniture par tirage d'un bien; TVQ. 51-3 — Réduction de la contrepartie d'une fourniture; TVQ. 198-3/R1 — Les opérations de troc et les unités d'échange; TVQ. 350.7.2-1/R1 — Les opérations de troc et la désignation d'un réseau de troc.

Lettres d'interprétation [art. 51]: 11-011899 — Interprétation relative à la TPS/TVH, Interprétation relative à la TVQ — Trocs entre inscrits; 98-0111033 [A] — Inscription d'un petit fournisseur et teneur en taxe d'un camion; 00-0104414 — Interprétation relative à la TVQ — Clinique [de chirurgie] et mandat de gestion; 01-0101418 — Interprétation relative à la TPS et à la TVQ — Réduction de la contrepartie d'une fourniture; 01-0102473 — Interprétation relative à la TPS et à la TVQ — Indemnité versée en matière d'expropriation; 01-0106227 — Somme versée ou terrains cédés par un promoteur à une municipalité en vertu de règlements municipaux; 02-0105581 — Fournitures effectuées par un organisme à but non lucratif.

Concordance fédérale: LTA, par. 153(1).

COMMENTAIRES: Dans l'affaire *Construction R.B. Boucher inc. c. Québec (Sous-ministre du Revenu)*, 2002 CarswellQue 2913 (Cour du Québec), la question en litige concernait une réclamation à la requérante d'un montant de taxes qu'elle était tenue de percevoir auprès des acquéreurs, à titre de mandataire du ministre. Quant audit montant des taxes, la Cour du Québec indique qu'il doit être calculé sur la valeur de la contrepartie soit, dans le présent cas, le prix de vente convenu par les parties dans les actes de vente notariés. Le calcul de la taxe n'est pas établi sur la valeur nette des transactions pour le vendeur, mais sur la contrepartie exprimée en argent. Même si la valeur de la contrepartie « est réputée égale » et constitue une présomption réfragable, le montant perçu n'est pas un élément dont il faut tenir compte pour fixer la valeur de la contrepartie exprimée sous forme d'un montant d'argent. Concernant l'immeuble du 1559 Chanteclerc, la somme de 21,141.00 $ est un acompte sur le prix de vente, auquel semble avoir renoncé la requérante sans convenir d'une entente quant au paiement des taxes lors de la signature de l'acte notarié. Cet élément n'affecte pas la valeur de la contrepartie. Enfin, la Cour du Québec souligne que si la requérante a dû payer la taxe sur certains services reçus par des professionnels, tels un notaire, arpenteur et courtier, c'est en tant qu'acquéreur de fournitures taxables de ces services et par conséquent, on ne peut parler de double taxation. Dans ces circonstances, la requête en appel est rejetée par la Cour du Québec. De l'avis de l'auteur, cette décision est juste notamment aux frais encourus par le vendeur pour le notaire et le courtier immobilier. Le vendeur aurait dû réclamer un remboursement de la taxe sur les intrants à cet égard. Dans ce contexte, le prix de vente ne peut diminuer.

Dans le cas de la fourniture d'un terrain par emphytéose, la TVQ doit être calculée sur la juste valeur marchande du bâtiment au moment de la fourniture du terrain par emphytéose, c'est-à-dire au début de l'emphytéose. À l'égard de la fourniture du bâtiment par vente, la TVQ doit être calculée sur la juste valeur marchande du droit d'emphytéose au moment de la fourniture du bâtiment par vente, c'est-à-dire à la fin de l'emphytéose, ajustée en tenant compte des rentes annuelles versées par l'organisme de bienfaisance. Voir notamment à cet effet : Revenu Québec, Lettre d'interprétation, 99-0101388 — *Interprétation relative à la TPS et à la TVQ — Droit aux CTI et aux RTI à l'égard des coûts de construction d'un bâtiment dans le cadre d'un droit d'emphytéose* (25 novembre 1999), Lettre d'interprétation, 99-0103137 -- *Interprétation relative à la TPS et à la TVQ — Droit aux CTI et RTI à l'égard des coûts de construction d'un bâtiment sur un immeuble faisant l'objet d'un droit d'emphytéose* (22 juillet 1999) , *Lettre d'interprétation, 99-0103467 -- Interprétation relative à la TPS et à la TVQ / Droit aux CTI et aux RTI à l'égard des coûts de construction d'un bâtiment* (17 septembre 1999), Lettre d'interprétation, 99-0104002 — *Décision portant sur l'application de la TPS — Interprétation relative à la TVQ — Droit aux CTI et aux RTI à l'égard des coûts de construction d'un bâtiment dans le cadre d'un droit d'emphytéose* (17 septembre 1999).

L'article 51 prévoit que la valeur de tout ou partie de la contrepartie d'une fourniture est réputée correspondre, lorsque la contrepartie est sous forme d'argent, à ce montant. En vertu de l'article 58 de la *Loi sur l'expropriation*, l'indemnité à être payée par un expropriant à l'égard d'un bien qu'il exproprie est fixée d'après la valeur du bien et du préjudice directement causé par l'expropriation. Ainsi, lorsqu'un expropriant exproprie un bien en vertu des dispositions de la *Loi sur l'expropriation*, il doit payer à l'exproprié une indemnité composée de deux éléments : un premier élément qui correspond à la valeur du bien exproprié et un second élément qui correspond aux dommages causés à l'exproprié résultant de l'expropriation. Par conséquent, la somme sur laquelle la remise de TVQ doit être faite par la Ville relativement à l'expropriation, donc relativement à la fourniture du terrain, est celle relative à la valeur de celui-ci, soit le montant payé par la Ville à l'exproprié à l'égard du terrain. Quant à la partie de l'indemnité relative au préjudice causé par l'expropriation, en l'occurrence les frais et déboursés afférents à la réalisation du projet, les troubles et ennuis ainsi que les frais d'experts, elle ne constitue pas la contrepartie d'une fourniture, mais plutôt une compensation pour des dommages causés à l'exproprié résultant de l'expropriation. Voir notamment à cet effet : Revenu Québec, Lettres d'interprétation, 01-0102473 — *Interprétation relative à la TPS et à la TVQ — Indemnité versée en matière d'expropriation* (24 juillet 2002).

En vertu de l'article 51, la valeur de la contrepartie d'une fourniture est réputée correspondre, si la contrepartie est sous forme d'un montant d'argent, à ce montant; sinon, à sa juste valeur marchande au moment de la fourniture. Voir notamment : Revenu Québec, Lettre d'interprétation, 02-0105581 — *Fournitures effectuées par un organisme à but non lucratif* (21 juin 2002).

Compte tenu de la similarité de la rédaction des dispositions législatives et considérant l'engagement spécifique de Revenu Québec de veiller à ce que l'assiette de TVQ modifiée, de même que les paramètres administratifs, structurels et définitionnels, produisent des résultats qui sont similaires à ceux produits sous le régime de la TPS/TVH et soient administrés d'une manière qui produit des résultats similaires, tel que reflété par l'article 14 de l'*Entente intégrée globale de coordination fiscale* signée entre le gouvernement du Canada et le gouvernement du Québec, nous vous référons à nos commentaires en vertu du paragraphe 153(1) de la *Loi sur la taxe d'accise (TPS)* qui devraient s'appliquer *mutatis mutandis*, avec les adaptations nécessaires.

51.1 [*Abrogé*]

Notes historiques: L'article 51.1 a été abrogé par L.Q. 1997, c. 85, art. 452(1) et cette abrogation s'applique à l'égard de la fourniture d'un véhicule routier effectuée après le 23 avril 1996 par un inscrit à un acquéreur pour le compte d'une autre personne mais ne s'applique pas à l'égard de la fourniture d'un véhicule routier effectuée avant le 1er juillet 1996 si, selon le cas :

a) la fourniture est effectuée par un mandataire autrement que par vente aux enchères pour le compte d'un mandant qui n'aurait pas été tenu de percevoir la taxe à l'égard de la fourniture si le mandant avait effectué la fourniture autrement que par l'intermédiaire d'un mandataire et, selon le cas :

i. si le mandataire a dévoilé par écrit à l'acquéreur de la fourniture qu'il effectuait la fourniture pour le compte d'une autre personne qui n'était pas tenue de percevoir la taxe à l'égard de la fourniture, aucun montant au titre de la taxe n'a été exigé ou perçu à l'égard de la fourniture;

ii. dans tout autre cas, le mandataire paie au mandant, ou porte à son crédit, le montant au titre de la fourniture du bien déterminé en vertu du paragraphe 4° du premier alinéa de l'article 41.1 remplacé par L.Q. 1997, c. 85, art. 439(1), tel qu'il s'appliquait à l'égard d'une fourniture effectuée avant le 23 avril 1996;

b) la fourniture est effectuée par vente aux enchères pour le compte d'un mandant et l'encanteur paie au mandant, ou porte à son crédit, le montant au titre de la fourniture du bien déterminé en vertu de l'article 41.4 abrogé par L.Q. 1997, c. 85, art. 441(1), aux fins de l'article 41.4 [N.D.L.R. : vraisemblablement, l'article 41.2] remplacé par L.Q. 1997, c. 85, art. 439(1), tels qu'ils s'appliquaient à une fourniture effectuée avant le 23 avril 1996.

Antérieurement à cette abrogation, l'article 51.1 se lisait ainsi :

> 51.1 Dans le cas où un inscrit effectue la fourniture d'un véhicule routier pour le compte d'une autre personne à un acquéreur, que cette fourniture est visée à l'article 20.1 et que l'article 177 de la *Loi sur la taxe d'accise* (Lois révisées du Canada (1985), chapitre E-15) s'applique à l'égard de cette fourniture, la contrepartie de la fourniture, effectuée par l'inscrit, du service relatif à la fourniture du véhicule routier à l'acquéreur est réputée égale à celle qui serait déterminée si ce n'était de cet article 177.

L'article 51.1 a été modifié par L.Q. 1995, c. 63, art. 327(1) et cette modification s'applique à l'égard de la fourniture d'un bien ou d'un service effectuée par un inscrit pour le compte d'une autre personne après le 31 juillet 1995. L'article 51.1 a été ajouté par L.Q. 1994, c. 22, art. 395(1) et est réputé entré en vigueur le 1er juillet 1992. Il se lisait comme suit :

> 51.1 Dans le cas où un inscrit effectue la fourniture d'un bien ou d'un service pour le compte d'une autre personne à un acquéreur, que l'article 177 de la *Loi sur la taxe d'accise* (Statuts du Canada) s'applique à l'égard de cette fourniture et que les articles 41.1 et 41.2 ne s'appliquent pas à l'égard de cette fourniture, les règles suivantes s'appliquent :
>
> 1° la contrepartie de la fourniture du bien ou du service à l'acquéreur est déterminée en faisant abstraction de cet article 177;
>
> 2° la contrepartie de la fourniture du service relatif à la fourniture à l'acquéreur est déterminée en faisant abstraction de cet article 177.

Toutefois, L.Q. 1995, c. 63, art. 327(3) stipule que lorsque l'article 51.1 s'applique à l'égard d'une fourniture effectuée avant le 1er août, les paragraphes 1° et 2° doivent se lire comme suit :

> 1° la contrepartie de la fourniture du bien ou du service à l'acquéreur est réputée égale à celle qui serait déterminée si ce n'était de cet article 177;
>
> 2° la contrepartie de la fourniture du service relatif à la fourniture à l'acquéreur est réputée égale à celle qui serait déterminée si ce n'était de cet article 177.

52. « prélèvement provincial » — Pour l'application du présent article, l'expression « prélèvement provincial » signifie les droits, les frais ou les taxes qui sont imposés en vertu d'une loi du Québec, d'une autre province, des Territoires du Nord-Ouest, du territoire du Yukon ou du territoire du Nunavut à l'égard de la fourniture, de la consommation ou de l'utilisation d'un bien ou d'un service.

Contrepartie — La contrepartie de la fourniture d'un bien ou d'un service comprend :

1° les droits, les frais ou les taxes qui sont imposés en vertu d'une loi du Canada, à l'exception de la taxe imposée en vertu de la partie IX de la *Loi sur la taxe d'accise* (L.R.C. 1985, c. E-15), et qui sont payables par l'acquéreur, ou payables ou percevables par le fournisseur, à l'égard de cette fourniture ou à l'égard de la production, de l'importation au Canada, de la consommation ou de l'utilisation du bien ou du service;

2° tout prélèvement provincial qui est payable par l'acquéreur, ou payable ou percevable par le fournisseur, à l'égard de cette fourniture ou à l'égard de la consommation ou de l'utilisation du bien ou du service, à l'exception de la taxe payable en vertu du présent titre et des droits, des frais ou des taxes prescrits payables par l'acquéreur;

3° tout autre montant qui est percevable par le fournisseur en vertu d'une loi du Québec, d'une autre province, des Territoires du Nord-Ouest, du territoire du Yukon ou du territoire du Nunavut qui est égal à un prélèvement provincial, ou qui est percevable au titre ou en lieu d'un prélèvement provincial, sauf si le montant est payable par l'acquéreur et que le prélèvement provincial constitue des frais, un droit ou une taxe prescrits.

Interprétation — Dans le cas où, en vertu du titre I, une personne est réputée être l'acquéreur d'une fourniture à l'égard de laquelle une autre personne serait l'acquéreur, si ce n'était de cette présomption, la référence au présent article à l'acquéreur de la fourniture doit être lue comme une référence à cette autre personne.

Notes historiques: Le paragraphe 1° du deuxième alinéa de l'article 52 a été remplacé par L.Q. 2012, c. 28, s.-par. 49(1)(1°) et cette modification a effet à compter du 1er janvier 2013, sauf lorsque la taxe imposée en vertu du titre I de cette loi, à l'égard d'une fourniture, qui est calculée sur la valeur de la totalité ou d'une partie d'une contrepartie visée à l'un des paragraphes 3 à 6 a été payée ou est payable. Toutefois:

a) Sous réserve des deux prochains paragraphes, le paragraphe 1° du deuxième alinéa de l'article 52 s'applique à l'égard de la totalité ou d'une partie de la contrepar-

LTVQ (français)

tie de la fourniture d'un bien ou d'un service qui devient due après le 31 décembre 2012 et n'est pas payée avant le 1er janvier 2013.

b) Le paragraphe 1° du deuxième alinéa de l'article 52 ne s'applique pas à l'égard de la totalité ou d'une partie de la contrepartie de la fourniture d'un bien meuble corporel par vente lorsque, en raison de l'application de l'article, la taxe prévue à l'article 16, tel que modifié par l'article 31de L.Q. 2012, c. 28, à l'égard de cette fourniture, qui est calculée sur la valeur de cette contrepartie ou de cette partie de la contrepartie est payable avant le 1er janvier 2013, sauf dans la mesure où, en raison de l'application de l'article 89, cette taxe calculée sur cette valeur est payable après le 31 décembre 2012.

c) Le paragraphe 1° du deuxième alinéa de l'article 52 s'applique à l'égard de la contrepartie de la fourniture d'un immeuble par vente effectuée en vertu d'une convention écrite conclue après le 31 décembre 2012.

d) Malgré le paragraphe a), le paragraphe 1° du deuxième alinéa de l'article 52 ne s'appliquera pas à l'égard de la totalité ou d'une partie de la contrepartie de la fourniture d'un bien ou d'un service lorsque, selon le cas :

1° la fourniture est effectuée en vertu d'une convention écrite, conclue avant le 1er janvier 2012, qui porte sur la construction, la rénovation, la transformation ou la réparation soit d'un immeuble, soit d'un bateau ou d'un autre bâtiment de mer;

2° la fourniture est celle d'un bien ou d'un service qui est délivré, exécuté ou rendu disponible de façon continue au moyen d'un fil, d'un pipeline ou d'une autre canalisation avant le 1er janvier 2012.

e) Pour l'application du sous-paragraphe 2° du paragraphe d), dans le cas où la fourniture d'un bien ou d'un service délivré, exécuté ou rendu disponible de façon continue au moyen d'un fil, d'un pipeline ou d'une autre canalisation est effectuée au cours d'une période pour laquelle le fournisseur émet une facture à l'égard de la fourniture et que, en raison de la méthode d'enregistrement de la délivrance du bien ou de la prestation du service, le moment où la totalité ou une partie du bien ou du service est délivrée ou rendue ne peut être raisonnablement déterminé, la totalité du bien ou du service sera réputée délivrée ou rendue en quantités égales chaque jour de la période.

Antérieurement, il se lisait ainsi :

1° les droits, les frais ou les taxes qui sont imposés en vertu d'une loi du Canada et qui sont payables par l'acquéreur, ou payables ou percevables par le fournisseur, à l'égard de cette fourniture ou à l'égard de la production, de l'importation au Canada, de la consommation ou de l'utilisation du bien ou du service;

Le premier alinéa de l'article 52 a été remplacé par L.Q. 2003, c. 2, s.-par. 311(1)(1°) et cette modification a effet depuis le 1er avril 1999. Antérieurement, il se lisait ainsi :

52. Pour l'application du présent article, l'expression « prélèvement provincial » signifie les droits, les frais ou les taxes qui sont imposés, en vertu d'une loi du Québec, d'une autre province, des Territoires du Nord-Ouest ou du territoire du Yukon à l'égard de la fourniture, de la consommation ou de l'utilisation d'un bien ou d'un service.

Le paragraphe 3° du deuxième alinéa de l'article 52 a été remplacé par L.Q. 2012, c. 28, s.-par. 49(1)(2°) et cette modification est entrée en vigueur le 7 décembre 2012. Antérieurement, il se lisait ainsi :

3° tout autre montant qui est percevable par le fournisseur en vertu d'une loi du Québec, d'une autre province, des Territoires du Nord-Ouest, du territoire du Yukon ou du territoire du Nunavut qui est égal à un prélèvement provincial, ou qui est percevable au titre ou en lieu d'un prélèvement provincial, sauf si le montant est payable par l'acquéreur et que le prélèvement provincial constitue un droit, un frais ou une taxe prescrit.

Le paragraphe 3° du deuxième alinéa de l'article 52 a été remplacé par L.Q. 2003, c. 2, s.-par. 311(1)(2°) et cette modification a effet depuis le 1er avril 1999. Antérieurement, il se lisait ainsi :

3° tout autre montant qui est percevable par le fournisseur en vertu d'une loi du Québec, d'une autre province, des Territoires du Nord-Ouest ou du territoire du Yukon qui est égal à un prélèvement provincial, ou qui est percevable au titre ou en lieu d'un prélèvement provincial, sauf si le montant est payable par l'acquéreur et que le prélèvement provincial constitue un droit, un frais ou une taxe prescrit.

L'article 52 a été remplacé par L.Q. 2001, c. 53, art. 283 et cette modification a effet depuis le 1er juillet 1992, sauf lorsqu'elle remplace le troisième alinéa. Dans ce cas, elle a effet depuis le 4 juin 1999. Antérieurement, il se lisait ainsi :

52. La contrepartie d'une fourniture comprend les droits, les frais ou les taxes qui sont imposés, en vertu d'une loi du Québec, d'une autre province, des Territoires du Nord-Ouest, du territoire du Yukon ou du Canada, à l'acquéreur ou au fournisseur, à l'égard de la fourniture, de la production, de l'importation au Canada, de la consommation ou de l'utilisation du bien ou du service fourni et qui sont payables par l'acquéreur ou le fournisseur.

Malgré le premier alinéa, la contrepartie d'une fourniture ne comprend pas la taxe payable en vertu du présent titre ni les droits, les frais ou les taxes prescrits.

L'article 52 a été édicté par L.Q. 1991, c. 67.

Notes explicatives ARQ (PL 5, L.Q. 2012, c. 28): *Résumé* :

L'article 52 est modifié principalement afin d'exclure, de la contrepartie de la fourniture d'un bien ou d'un service, la taxe payable en vertu de la partie IX de la *Loi sur la taxe d'accise* (Lois révisées du Canada (1985), chapitre E-15) (LTA).

Situation actuelle :

L'article 52 énonce comme principe que tous les droits, les taxes ou les frais imposés par une loi du Québec, d'une autre province, des Territoires du Nord-Ouest, du territoire du Yukon, du territoire du Nunavut et du Canada à l'acquéreur ou au fournisseur à l'égard notamment de la fourniture d'un bien ou d'un service et qui sont payables par l'acquéreur ou le fournisseur, doivent être inclus dans la contrepartie à l'exception de la taxe imposée en vertu du titre I de la loi et des droits, des taxes ou des frais qui sont expressément exclus par règlement.

Modifications proposées :

Outre une modification d'ordre terminologique dont fait l'objet le paragraphe 3° du deuxième alinéa, la principale modification apportée à l'article 52 de la LTVQconsiste à exclure, de la contrepartie de la fourniture d'un bien ou d'un service, la taxe payable en vertu de la partie IX de la LTA.

Définitions [art. 52]: « acquéreur », « bien », « contrepartie », « coût direct », « fournisseur », « fourniture », « service », « taxe » — 1.

Renvois [art. 52]: 15 (JVM); 232 (rénovation mineure); 290 (avantages aux salariés et aux actionnaires); 296 (petit fournisseur — exclusion de la contrepartie); 350.49 (déclaration à produire — industrie du vêtement); 677:11° (règlements).

Règlements [art. 52]: RTVQ, 52R1.

Jurisprudence [art. 52]: *Samson c. S.M.R.Q.* (10 janvier 1997), 200-32-000295-955.

Bulletins d'interprétation [art. 52]: TVQ. 52.1-2/R1 — Le crédit-bail et les règles concernant l'échange d'un véhicule routier usagé; TVQ. 225-1 — Juste valeur marchande d'un immeuble d'habitation.

Lettres d'interprétation [art. 52]: 98-0103303 — Coût direct; 00-0109595 — Interprétation relative à la TVQ — Frais chargés au locataire d'un véhicule routier.

Concordance fédérale: LTA, art. 154.

52.1 [*Abrogé*]

Notes historiques: L'article 52.1 a été abrogé par L.Q. 1997, c. 85, art. 453(1) et cette abrogation s'applique à l'égard de la fourniture d'un véhicule routier effectuée après le 23 avril 1996. Antérieurement à cette abrogation, l'article 52.1 se lisait ainsi :

52.1 Dans le cas où un inscrit accepte en contrepartie partielle ou totale de la fourniture d'un véhicule routier qui doit être immatriculé en vertu du *Code de la sécurité routière* (L.R.Q., chapitre C-24.2) suite à une demande de son acquéreur un autre véhicule routier — appelé « véhicule routier échangé » dans le présent article — la valeur de la contrepartie de la fourniture doit être diminuée du crédit que l'inscrit accorde à l'acquéreur pour le véhicule routier échangé si les conditions suivantes sont rencontrées :

1° le véhicule routier échangé est usagé, est la propriété de l'acquéreur et est immatriculé en vertu de ce code ou d'une loi d'une autre juridiction;

2° la fourniture à l'inscrit du véhicule routier échangé constitue une fourniture non taxable telle que la définition de cette dernière expression se lirait si ce n'était de sa suppression;

Le présent article ne s'applique pas si, selon le cas :

1° le véhicule routier échangé est, selon le cas :

a) un véhicule visé au paragraphe 10° de l'article 178;

b) un véhicule à l'égard duquel l'acquéreur a droit à un remboursement de la taxe payable relativement au véhicule;

c) un véhicule que l'acquéreur a acquis par une fourniture non taxable telle que la définition de cette dernière expression se lisait avant sa suppression;

2° le véhicule routier fourni par l'inscrit est un véhicule à l'égard duquel l'acquéreur a droit à un remboursement de la taxe payable relativement au véhicule.

Le paragraphe 2° du premier alinéa a été modifié par L.Q. 1995, c. 63, art. 328(1) et cette modification s'applique à l'égard de la fourniture d'un véhicule routier échangé dont la totalité ou une partie de la contrepartie devient due après le 31 juillet 1995 et n'est pas payée avant le 1er août 1995. Auparavant, ce paragraphe se lisait comme suit :

2° la fourniture à l'inscrit du véhicule routier échangé constitue une fourniture non taxable.

Le paragraphe 1° du deuxième alinéa a été modifié par L.Q. 1995, c. 63, art. 328(1) et cette modification s'applique à l'égard de la fourniture d'un véhicule routier, qui n'est pas un véhicule routier échangé, dont la totalité ou une partie de la contrepartie devient due après le 31 juillet 1995 et n'est pas payée avant le 1er août 1995. Auparavant, ce paragraphe se lisait comme suit :

1° le véhicule routier ainsi donné en échange est visé au paragraphe 10° de l'article 178 ou à l'article 206.2;

Le paragraphe 2° du deuxième alinéa a été modifié par L.Q. 1995, c. 63, art. 328(1) et cette modification s'applique à l'égard de la fourniture d'un véhicule routier effectuée après le 31 juillet 1995. Auparavant, ce paragraphe se lisait comme suit :

2° l'acquéreur a acquis par une fourniture non taxable le véhicule routier échangé.

L'article 52.1, ajouté par L.Q. 1993, c. 19, art. 176 s'applique à l'égard d'une fourniture ou d'un apport au Québec relativement auquel l'article 685 ou l'un des articles 618 à 656 de L.Q. 1991, c. 67 s'applique [*N.D.L.R.* : les articles 685 et 618 à 656 réfèrent à des dispositions transitoires concernant les transferts avant le 1er juillet 1992].

53. Contrepartie combinée — Le deuxième alinéa s'applique dans le cas où, à la fois :

1º une contrepartie est payée pour une fourniture et une autre contrepartie est payée pour une ou plusieurs autres fournitures ou choses;

2º une contrepartie pour l'une des fournitures ou des choses excède celle qui serait raisonnable si l'autre fourniture n'était pas effectuée ou l'autre chose n'était pas procurée.

Partie réputée de l'ensemble des contreparties — La contrepartie de chacune des fournitures et des choses est réputée être la partie de l'ensemble de toutes les contreparties des fournitures ou des choses qui peut raisonnablement être attribuée à chacune de ces fournitures et de ces choses.

Notes historiques: L'article 53 a été édicté par L.Q. 1991, c. 67.

Guides [art. 53]: IN-624 — La TVQ, la TPS/TVH et les véhicules routiers.

Définitions [art. 53]: « contrepartie », « fourniture » — 1.

Lettres d'interprétation [art. 53]: 97-0102422 — Interprétation relative à la TPS — Interprétation relative à la TVQ — Parrainage; 00-0112425 — Interprétation relative à la TVQ — Traitement des frais de livraison lors d'une vente — FAB destination.

Concordance fédérale: LTA, par. 153(2).

COMMENTAIRES: L'article 53 dicte une répartition raisonnable du montant qui doit être effectuée entre la fourniture du service de publicité et les autres fournitures, et ce, afin de déterminer la contrepartie attribuable à chacune. Voir notamment à cet effet : Revenu Québec, Lettre d'interprétation, 97-0102422 [B] — *Interprétation relative à la TPS — Interprétation relative à la TVQ — Parrainage* (24 novembre 1999)

Compte tenu de la similarité de la rédaction des dispositions législatives et considérant l'engagement spécifique de Revenu Québec de veiller à ce que l'assiette de TVQ modifiée, de même que les paramètres administratifs, structurels et définitionnels, produisent des résultats qui sont similaires à ceux produits sous le régime de la TPS/TVH et soient administrés d'une manière qui produit des résultats similaires, tel que reflété par l'article 14 de l'*Entente intégrée globale de coordination fiscale* signée entre le gouvernement du Canada et le gouvernement du Québec, nous vous référons à nos commentaires en vertu du paragraphe 153(2) de la *Loi sur la taxe d'accise (TPS)* qui devraient s'appliquer *mutatis mutandis*, avec les adaptations nécessaires.

54. Troc entre inscrits — La valeur de la contrepartie de la fourniture d'un bien d'une catégorie ou d'un type donné, ou d'une partie de cette contrepartie, est réputée nulle si, à la fois :

1º la contrepartie de la fourniture du bien, ou la partie de la contrepartie est un bien de cette catégorie ou de ce type;

2º le fournisseur et l'acquéreur sont des inscrits;

3º le bien est acquis par l'acquéreur et la contrepartie, ou la partie de celle-ci, est acquise par le fournisseur à titre d'inventaire pour utilisation exclusive dans le cadre des activités commerciales de l'acquéreur ou du fournisseur, selon le cas.

Notes historiques: L'article 54 a été édicté par L.Q. 1991, c. 67.

Définitions [art. 54]: « acquéreur », « activité commerciale », « bien », « contrepartie », « fournisseur », « fourniture », « inscrit » — 1.

Lettres d'interprétation [art. 54]: 00-0105411 — Échange de véhicules entre concessionnaires inscrits; 02-0102802 — Interprétation relative à la TPS et à la TVQ — Échange de véhicules routiers entre des concessionnaires; 03-0100911 — Interprétation relative à la TVQ — Échange de véhicules entre concessionnaires et détermination de leur statut de petite, moyenne ou grande entreprise.

Concordance fédérale: LTA, par. 153(3).

54.1 Bien échangé à titre de contrepartie — Dans le cas où un fournisseur accepte, au moment où il effectue la fourniture d'un bien meuble corporel à un acquéreur, en contrepartie totale ou partielle de la fourniture, un autre bien — appelé « bien échangé » dans le présent article et dans l'article 54.2 — qui est un bien meuble corporel d'occasion ou une tenure à bail y afférente et qui est acquis pour consommation, utilisation ou fourniture dans le cadre d'une activité commerciale du fournisseur et que l'acquéreur n'est pas tenu de percevoir la taxe à l'égard de la fourniture du bien échangé autrement qu'en raison de l'application du paragraphe 3° du deuxième alinéa de l'article 422 ou que le bien échangé constitue un véhicule routier à l'égard duquel l'acquéreur n'a pas droit de demander un remboursement de la taxe sur les intrants du fait qu'il est une grande entreprise, la valeur de la contrepartie de la fourniture effectuée par le fournisseur est réputée égale à l'excédent de la valeur de la contrepartie de cette fourniture, telle que déterminée par ailleurs, sur le montant suivant :

1º le montant porté au crédit de l'acquéreur à l'égard du bien échangé, sauf dans le cas où le paragraphe 2º s'applique;

2º dans le cas où le fournisseur et l'acquéreur ont un lien de dépendance au moment où la fourniture est effectuée et que le montant porté au crédit de l'acquéreur à l'égard du bien échangé excède la juste valeur marchande du bien échangé au moment où sa propriété est transférée au fournisseur, cette juste valeur marchande.

Interprétation — Pour l'application du présent article et de l'article 54.2, l'expression « grande entreprise » a le sens que lui donnent les articles 551 à 551.4 de la *Loi modifiant la Loi sur les impôts, la Loi sur la taxe de vente du Québec et d'autres dispositions législatives* (1995, chapitre 63).

Notes historiques: Le préambule de l'article 54.1 a été remplacé par L.Q. 2002, c. 9, s.-par. 155(1)(1º) et cette modification s'applique à l'égard de la fourniture d'un bien échangé effectuée après le 20 décembre 2001. Antérieurement, il se lisait ainsi :

> 54.1 Dans le cas où un fournisseur accepte, au moment où il effectue la fourniture d'un bien meuble corporel à un acquéreur, en contrepartie totale ou partielle de la fourniture, un autre bien — appelé « bien échangé » dans le présent article et dans l'article 54.2 — qui est un bien meuble corporel d'occasion ou une tenure à bail y afférente et qui est acquis pour consommation, utilisation ou fourniture dans le cadre d'une activité commerciale du fournisseur et que l'acquéreur n'est pas tenu de percevoir la taxe à l'égard de la fourniture du bien échangé, la valeur de la contrepartie de la fourniture effectuée par le fournisseur est réputée égale à l'excédent de la valeur de la contrepartie de cette fourniture, telle que déterminée par ailleurs, sur le montant suivant :

L'article 54.1 a été modifié par L.Q. 2002, c. 9, s.-par. 155(1)(2º) par l'addition du deuxième alinéa et s'applique à l'égard de la fourniture d'un bien échangé effectuée après le 20 décembre 2001.

L'article 54.1 a été ajouté par L.Q. 1997, c. 85, art. 454(1) et s'applique à l'égard d'une fourniture effectuée après le 23 avril 1996 autre que la fourniture à un acquéreur d'un bien donné pour laquelle le fournisseur accepte, en contrepartie totale ou partielle en vertu d'un accord écrit conclu avant le 1er juillet 1996, un autre bien meuble corporel si le fournisseur a exigé ou perçu la taxe à l'égard de la fourniture du bien donné calculée sans tenir compte du montant porté au crédit de l'acquéreur par le fournisseur relativement à l'autre bien meuble corporel.

Le paragraphe d'application de l'article 54.1 prévu par L.Q. 1997, c. 85, art. 454(2) a été modifié par L.Q. 1998, c. 16, art. 311(2) et a effet depuis le 19 décembre 1997.

Guides [art. 54.1]: IN-624 — La TVQ, la TPS/TVH et les véhicules routiers.

Définitions [art. 54.1]: « acquéreur », « activité commerciale », « bien meuble corporel », « contrepartie », « fournisseur », « fourniture », « juste valeur marchande », « teneur en taxe » — 1.

Renvois [art. 54.1]: 23 (fourniture à l'étranger); 26 (fournitures entre succursales); 52–57 (cas spéciaux); 39.1 (contrepartie réputé — fourniture dans un parc d'engraissement); 39.2 (contrepartie réputé — fourniture dans un parc d'engraissement); 54.2 (non-application de l'article 54.1); 58.3 (paiements par un syndicat ou une association); 60 (pari); 62 (contributions — compétiteur); 91 (fourniture combinée); 92 (dépôt); 213 (produits d'occasion); 297.2 (démarcheurs); 298 (fourniture à l'assureur sur règlement de sinistre); 320 (saisie et reprise de possession); 325 (fiducie non testamentaire); 326 (distribution par une fiducie); 350.1 (bon); 350.7 (certificat-cadeau).

Bulletins d'interprétation [art. 54.1]: SPÉCIAL 123 — Bonification de la politique fiscale en matière d'avantages sociaux accordés aux employés, instauration d'un crédit d'impôt remboursable pour le rajeunissement du parc véhicules-taxis et autres mesures fiscales; TVQ. 54.1-1 — Échange d'un véhicule routier et remise en argent à l'acquéreur lors de la vente ou de la location d'un autre véhicule routier.

Lettres d'interprétation [art. 54.1]: 96-011289 — Interprétation relative à la TPS — Interprétation relative à la TVQ / Règles d'échange et remise en argent au particulier; 98-0103568 — Interprétation relative à la TPS — Interprétation relative à la TVQ — Fourniture de véhicules routiers; 98-0103964 — Décision portant sur l'application de la TPS — Interprétation relative à la TVQ — Location de véhicules routiers avec valeur d'échange; 98-0111033 [A] — Inscription d'un petit fournisseur et teneur en taxe d'un camion; 00-0112623 — Décision portant sur l'application de la TPS — Interprétation relative à la TVQ — Montant porté au crédit de l'acquéreur à l'égard d'un véhicule routier accidenté échangé et indemnité versée par une compagnie d'assurance; 01-0107258 — Application de la TPS — Interprétation relative à la TVQ — Fin prématurée d'un contrat de location — Exercice de l'option d'achat prévue à ce contrat — « Montant porté au crédit de l'acquéreur »; 02-0101663 — Interprétation relative à la TVQ — Application de la règle d'échange aux transferts de véhicules routiers effectués par les grandes entreprises; 03-0100911 — Interprétation relative à la TVQ — Échange de véhicules entre concessionnaires et détermination de leur statut de petite, moyenne ou

LTVQ (français)

grande entreprise; 04-0106478 — Interprétation relative à la TPS et à la TVQ — Application du paragraphe 153(4) de la LTA et de l'article 54.1 de la LTVQ; 05-0102508 — Interprétation relative à la TVQ — Montant porté au crédit de l'acquéreur à l'égard d'un bien échangé.

Concordance fédérale: LTA, par. 153(4).

COMMENTAIRES: Voir les commentaires sous l'article 54.3.

54.1.1 Contrat de cession-bail — Dans le cas où une personne — appelée « preneur » dans le présent article et dans les articles 54.1.2 à 54.1.5 — effectue une fourniture par vente d'un bien meuble corporel à une autre personne — appelée « bailleur » dans le présent article —, que le preneur n'est pas tenu de percevoir la taxe à l'égard de cette fourniture et que le bailleur effectue immédiatement une fourniture taxable du bien par louage au preneur en vertu d'une convention — appelée « contrat de cession-bail initial » dans le présent article et dans les articles 54.1.2 à 54.1.5 —, la valeur de la contrepartie d'une fourniture du bien par louage qui, à un moment donné, devient due ou est payée sans être devenue due aux termes d'une convention donnée qui est le contrat de cession-bail initial ou un bail subséquent relatif à ce contrat, est réputée égale au montant déterminé selon la formule suivante :

A – B.

Application — Pour l'application de cette formule :

1° la lettre A représente la valeur de cette contrepartie telle que déterminée par ailleurs;

2° la lettre B représente le montant — appelé « crédit à l'achat » dans le présent article — qui correspond au moindre des montants suivants :

a) la valeur de la lettre A;

b) be montant déterminé selon la formule suivante :

C / D;

c) s'il n'y a pas de crédit à l'achat total inutilisé au sens du paragraphe 1° du troisième alinéa, zéro.

Application — Pour l'application de la formule prévue au sous-paragraphe b du paragraphe 2° du deuxième alinéa :

1° la lettre C représente l'excédent — appelé « crédit à l'achat total inutilisé » dans le présent article et dans l'article 54.1.5 — de la contrepartie de la fourniture par vente sur le total des montants dont chacun représente le crédit à l'achat déterminé aux fins du calcul du montant réputé dans le présent article être la valeur d'une contrepartie qui, avant le moment donné, est devenue due ou a été payée sans être devenue due aux termes du contrat de cession-bail initial ou d'un bail subséquent relatif à ce contrat;

2° la lettre D représente le nombre déterminé de paiements de location restants prévus par la convention donnée au moment donné.

Notes historiques: L'article 54.1.1 a été ajouté par L.Q. 2001, c. 53, art. 284(1) et s'applique aux fournitures suivantes :

1° une fourniture d'un bien par louage effectuée par une personne à un acquéreur en vertu d'un contrat de cession-bail initial au sens de l'article 54.1.1 de cette loi conclu à un moment quelconque après le 31 décembre 1998 et à la fourniture du bien par vente par l'acquéreur à la personne immédiatement avant ce moment;

2° une fourniture du bien par louage à l'acquéreur effectuée en vertu d'un bail subséquent relatif au contrat de cession-bail initial, au sens des articles 54.1.3 et 54.1.4 de cette loi;

3° une fourniture du bien par vente suite à l'exercice d'une option d'achat du bien prévu dans le contrat de cession-bail initial ou dans un bail subséquent, au sens des articles 54.1.3 et 54.1.4 de cette loi, relatif à ce contrat.

Guides [art. 54.1.1]: IN-624 — La TVQ, la TPS/TVH et les véhicules routiers.

Concordance fédérale: LTA, par. 153(4.1).

COMMENTAIRES: Voir les commentaires sous l'article 54.3.

54.1.2 « nombre déterminé de paiements de location restants » — Pour l'application de l'article 54.1.1, l'expression « nombre déterminé de paiements de location restants », à un moment donné, à l'égard d'une convention donnée portant sur la fourniture d'un bien par louage qui est un contrat de cession-bail initial ou un bail subséquent relatif à ce contrat, correspond au nombre déterminé selon la formule suivante :

A – B.

Application — Pour l'application de cette formule :

1° la lettre A représente le nombre total de paiements que le preneur était tenu d'effectuer à titre de contrepartie pour les fournitures par louage du bien en vertu de la convention donnée d'après les modalités de cette convention au moment de sa conclusion;

2° la lettre B représente le nombre total de paiements visé au paragraphe 1° qui, avant le moment donné, sont devenus dus ou ont été payés par le preneur.

Notes historiques: L'article 54.1.2 a été ajouté par L.Q. 2001, c. 53, art. 284(1) et s'applique selon les mêmes modalités que l'article 54.1.1.

Guides [art. 54.1.2]: IN-624 — La TVQ, la TPS/TVH et les véhicules routiers.

Concordance fédérale: LTA, par. 153(4.2).

COMMENTAIRES: Voir les commentaires sous l'article 54.3.

54.1.3 « bail subséquent » — Pour l'application des articles 54.1.1 à 54.1.5, l'expression « bail subséquent » relatif à un contrat de cession-bail initial portant sur la fourniture par louage d'un bien à un preneur signifie, selon le cas :

1° une convention portant sur la fourniture par louage du bien qui constitue une nouvelle convention entre le preneur et le cessionnaire des droits et obligations de la personne qui est le fournisseur en vertu du contrat de cession-bail initial ou d'une convention visée au présent paragraphe ou au paragraphe 2°;

2° une convention portant sur la fourniture par louage du bien au preneur qui fait suite, à titre de nouvelle convention, soit au contrat de cession-bail initial, soit à une convention donnée visée au paragraphe 1° ou au présent paragraphe, et qui découle du renouvellement ou de la modification du contrat de cession-bail initial ou de la convention donnée.

Notes historiques: L'article 54.1.3 a été ajouté par L.Q. 2001, c. 53, art. 284(1) et s'applique selon les mêmes modalités que l'article 54.1.1.

Guides [art. 54.1.3]: IN-624 — La TVQ, la TPS/TVH et les véhicules routiers.

Concordance fédérale: LTA, par. 153(4.3).

COMMENTAIRES: Voir les commentaires sous l'article 54.3.

54.1.4 Bail subséquent — présomption — Pour l'application des articles 54.1.1, 54.1.2 et 54.1.5, lorsqu'un fournisseur convient, à un moment quelconque, de renouveler, de modifier, de mettre fin autrement que par suite de l'exercice d'une option d'achat ou de céder une convention donnée portant sur la fourniture par louage d'un bien qui est un contrat de cession-bail initial ou un bail subséquent relatif à ce contrat et que le renouvellement, la modification, la cessation ou la cession n'opère pas novation de la convention donnée mais a pour effet de changer le nombre de paiements que le preneur est tenu d'effectuer pour les fournitures par louage du bien en vertu de la convention donnée, les règles suivantes s'appliquent :

1° le fournisseur et le preneur sont réputés avoir conclu, à ce moment, un bail subséquent relatif au contrat de cession-bail initial;

2° les fournitures par louage dont la contrepartie devient due ou est payée sans être devenue due au moment de l'entrée en vigueur du renouvellement, de la modification, de la cessation ou de la cession ou après ce moment et qui, en faisant abstraction du présent article, seraient effectuées en vertu de la convention donnée, sont réputées être effectuées en vertu de ce bail subséquent et non en vertu de la convention donnée.

Notes historiques: L'article 54.1.4 a été ajouté par L.Q. 2001, c. 53, art. 284(1) et s'applique selon les mêmes modalités que l'article 54.1.1. Dans le cas où le contrat de cession-bail initial fait l'objet d'une modification ou d'un renouvellement qui a pour effet d'augmenter le nombre de paiements que l'acquéreur est tenu d'effectuer relativement à des fournitures par louage du bien en vertu de ce contrat et que cette modification ou ce renouvellement entre en vigueur avant le 1er juillet 1999, l'article 54.1.4 ne s'applique pas à cette modification ou à ce renouvellement.

Guides [art. 54.1.4]: IN-624 — La TVQ, la TPS/TVH et les véhicules routiers.

Concordance fédérale: LTA, par. 153(4.4).

COMMENTAIRES: Voir les commentaires sous l'article 54.3.

54.1.5 Option d'achat — Dans le cas où une fourniture par vente d'un bien est effectuée à un preneur suite à l'exercice par celui-ci d'une option d'achat du bien prévue dans un contrat de cession-bail initial conclu par le preneur à l'égard du bien ou dans un bail subséquent relatif à ce contrat, auquel s'est appliqué l'article 54.1.1 et que, immédiatement avant le premier moment où la contrepartie de la fourniture devient due ou est payée sans être devenue due, il existe un crédit à l'achat total inutilisé à l'égard du bien, les règles suivantes s'appliquent, sauf en ce qui concerne une fin visée au paragraphe 1° de l'article 54.2 :

1° la valeur de la contrepartie de la fourniture est réputée être égale au montant déterminé selon la formule suivante :

$$A - B;$$

2° l'article 54.1.1 ne s'applique pas à toute contrepartie qui, après ce premier moment, devient due ou est payée sans être devenue due relativement à une fourniture par louage du bien qui a été effectuée en vertu du contrat de cession-bail initial ou d'un bail subséquent relatif à ce contrat.

Application — Pour l'application de cette formule :

1° la lettre A représente la valeur de cette contrepartie telle que déterminée par ailleurs;

2° la lettre B représente ce crédit à l'achat total inutilisé.

Notes historiques: L'article 54.1.5 a été ajouté par L.Q. 2001, c. 53, art. 284(1) et s'applique selon les mêmes modalités que l'article 54.1.1.

Guides [art. 54.1.5]: IN-624 — La TVQ, la TPS/TVH et les véhicules routiers.

Concordance fédérale: LTA, par. 153(4.5).

COMMENTAIRES: Voir les commentaires sous l'article 54.3.

54.1.6 Présomption — Pour l'application des articles 54.1.1 à 54.1.5, dans le cas où une personne effectue une fourniture par vente d'un bien à un acquéreur avec lequel elle a un lien de dépendance pour une contrepartie supérieure à la juste valeur marchande du bien au moment où la propriété du bien est transférée à l'acquéreur, la contrepartie de la fourniture est réputée égale à cette juste valeur marchande.

Notes historiques: L'article 54.1.6 a été ajouté par L.Q. 2001, c. 53, art. 284(1) et s'applique aux fournitures suivantes :

1° une fourniture d'un bien par louage effectuée par une personne à un acquéreur en vertu d'un contrat de cession-bail initial au sens de l'article 54.1.1 de cette loi conclu à un moment quelconque après le 31 décembre 1998 et à la fourniture du bien par vente par l'acquéreur à la personne immédiatement avant ce moment;

2° une fourniture du bien par louage à l'acquéreur effectuée en vertu d'un bail subséquent relatif au contrat de cession-bail initial, au sens des articles 54.1.3 et 54.1.4 de cette loi;

3° une fourniture du bien par vente suite à l'exercice d'une option d'achat du bien prévu dans le contrat de cession-bail initial ou dans un bail subséquent, au sens des articles 54.1.3 et 54.1.4 de cette loi, relatif à ce contrat.

Concordance fédérale: LTA, par. 153(4.6).

COMMENTAIRES: Voir les commentaires sous l'article 54.3.

54.2 Exception — Les articles 54.1 et 54.1.1 ne s'appliquent pas :

1° aux fins de déterminer, pour l'application d'une disposition du présent titre, si la valeur de la contrepartie de la fourniture d'un bien est inférieure, égale ou supérieure à un autre montant précisé dans une autre disposition;

2° pour l'application des articles 294, 295, 297, 462 et 462.1;

3° à la fourniture d'un bien échangé qui constitue une fourniture détaxée, autre qu'une fourniture détaxée en vertu de l'article 197.2 effectuée par un petit fournisseur qui n'est pas un inscrit ou par une grande entreprise qui n'a pas droit de demander un remboursement de la taxe sur les intrants à l'égard du bien échangé du fait qu'elle est une grande entreprise, une fourniture effectuée hors du Québec ou une fourniture à l'égard de laquelle aucune taxe n'est payable en raison du paragraphe 1° de l'article 75.1 ou de l'article 334.

4° [*Abrogé*].

Notes historiques: Le préambule de l'article 54.2 a été remplacé par L.Q. 2005, c. 38, par. 363(1). Dans le cas où le contrat de cession-bail initial fait l'objet d'une modification ou d'un renouvellement qui a pour effet d'augmenter le nombre de paiements que l'acquéreur est tenu d'effectuer relativement à des fournitures par louage du bien en vertu de ce contrat et que cette modification ou ce renouvellement entre en vigueur avant le 1er juillet 1999, l'article 54.1.4 ne s'applique pas à cette modification ou à ce renouvellement. Sous réserve de ce qui précède, cette modification s'applique aux fournitures suivantes :

1° une fourniture d'un bien par louage effectuée par une personne à un acquéreur en vertu d'un contrat de cession-bail initial, au sens de l'article 54.1.1, conclu à un moment quelconque après le 31 décembre 1998 et la fourniture du bien par vente par l'acquéreur à la personne immédiatement avant ce moment;

2° une fourniture du bien par louage à l'acquéreur effectuée en vertu d'un bail subséquent relatif au contrat de cession-bail initial, au sens des articles 54.1.3 et 54.1.4;

3° une fourniture du bien par vente à la suite de l'exercice d'une option d'achat prévue dans le contrat de cession-bail initial ou dans un bail subséquent, au sens des articles 54.1.3 et 54.1.4, relatif à ce contrat de cession-bail initial.

Antérieurement, il se lisait ainsi :

54.2 L'article 54.1 ne s'applique pas :

Le paragraphe 3° de l'article 54.2 a été remplacé par L.Q. 2003, c. 9, par. 456(1) et cette modification s'applique à l'égard d'une fourniture dont la totalité ou une partie de la contrepartie deviendra due après le 30 avril 1999 et ne sera pas payée avant le 1er mai 1999. Toutefois :

1° le paragraphe 3° ne s'applique pas à l'égard de toute partie de la contrepartie qui devient due ou est payée avant le 1er mai 1999;

2° lorsque ce paragraphe s'applique à l'égard de la fourniture d'un bien échangé effectuée avant le 21 décembre 2001, il doit se lire en faisant abstraction des mots « ou par une grande entreprise qui n'a pas droit de demander un remboursement de la taxe sur les intrants à l'égard du bien échangé du fait qu'elle est une grande entreprise ».

Antérieurement, il se lisait ainsi :

3° à la fourniture d'un bien échangé qui constitue une fourniture détaxée, autre qu'une fourniture détaxée en vertu de l'article 197.2 effectuée par une grande entreprise qui n'a pas droit de demander un remboursement de la taxe sur les intrants à l'égard du bien échangé du fait qu'elle est une grande entreprise, une fourniture effectuée hors du Québec ou une fourniture à l'égard de laquelle aucune taxe n'est payable en raison du paragraphe 1° de l'article 75.1 ou de l'article 334.

Le paragraphe 3° de l'article 54.2 a été modifié par L.Q. 2002, c. 9, s.-par. 156(1)(1°) et s'applique à l'égard de la fourniture d'un bien échangé effectuée après le 20 décembre 2001. Antérieurement, il se lisait ainsi :

3° à la fourniture d'un bien échangé qui constitue une fourniture détaxée, une fourniture effectuée hors du Québec ou une fourniture à l'égard de laquelle aucune taxe n'est payable en raison du paragraphe 1° de l'article 75.1 ou de l'article 334.

Le paragraphe 4° de l'article 54.2 a été supprimé par L.Q. 2002, c. 9, s.-par. 156(1)(2°) et cette modification s'applique à l'égard de la fourniture d'un bien échangé effectuée après le 20 décembre 2001.Antérieurement, il se lisait ainsi :

4° si l'acquéreur n'est pas tenu de percevoir la taxe à l'égard de la fourniture du bien échangé en raison de l'application du paragraphe 3° du deuxième alinéa de l'article 422.

Le paragraphe 4° de l'article 54.2 a été ajouté par L.Q. 2001, c. 51, art. 263 et a effet depuis le 21 février 2000.

L'article 54.2 a été ajouté par L.Q. 1997, c. 85, art. 454(1) et s'applique à l'égard d'une fourniture effectuée après le 23 avril 1996 autre que la fourniture à un acquéreur d'un bien donné pour laquelle le fournisseur accepte, en contrepartie totale ou partielle en vertu d'un accord écrit conclu avant le 1er juillet 1996, un autre bien meuble corporel si le fournisseur a exigé ou perçu la taxe à l'égard de la fourniture du bien donné calculée sans tenir compte du montant porté au crédit de l'acquéreur par le fournisseur relativement à l'autre bien meuble corporel.

Définitions [art. 54.2]: « acquéreur », « bien », « contrepartie », « fourniture », « fourniture détaxée », « montant », « taxe » — 1.

Lettres d'interprétation [art. 54.2]: 98-0111561 — Inscription d'un petit fournisseur et teneur en taxe d'un camion.

Concordance fédérale: LTA, par. 153(5).

COMMENTAIRES: Voir les commentaires sous l'article 54.3.

54.3 Échange de liquide de gaz naturel contre du gaz d'appoint — Dans le cas où du gaz naturel est transporté par pipeline jusqu'à une installation de traitement secondaire où des liquides de

LTVQ (français)

gaz naturel ou de l'éthane — chacun étant appelé « liquides de gaz naturel » dans le présent article — sont récupérés à partir du gaz naturel, que le gaz résiduaire est retourné au pipeline après la récupération avec d'autre gaz naturel — appelé « gaz d'appoint » dans le présent article — qui est fourni seulement pour compenser la perte de contenu énergétique résultant de la récupération, et que la contrepartie ou une partie de la contrepartie de toute fourniture des liquides de gaz naturel ou du droit de les récupérer ou de toute fourniture de gaz d'appoint est, dans le cas d'une fourniture de liquides de gaz naturel ou du droit de les récupérer, le gaz d'appoint, et dans le cas d'une fourniture du gaz d'appoint, les liquides de gaz naturel ou le droit de les récupérer, la valeur de cette contrepartie ou d'une partie de celle-ci, selon le cas, est réputée nulle.

Notes historiques: L'article 54.3 a été ajouté par L.Q. 2001, c. 53, art. 285(1) et s'applique à tout échange de liquides de gaz naturel, d'éthane ou du droit de récupérer des liquides de gaz naturel ou de l'éthane contre du gaz d'appoint si, après le 7 août 1998 et en vertu de la convention concernant l'échange, soit du gaz d'appoint est donné en contrepartie des liquides de gaz naturel, d'éthane ou du droit de récupérer de tels liquides de gaz naturel ou de l'éthane, soit des liquides de gaz naturel, de l'éthane ou le droit de récupérer des liquides de gaz naturel ou d'éthane sont donnés en contrepartie du gaz d'appoint.

Concordance fédérale: LTA, par. 153(6).

COMMENTAIRES: Revenu Québec souligne qu'un droit de tenure à bail est un ensemble de droits qu'un preneur à bail détient relativement à un bail. En ce qui concerne la plupart des baux, si la valeur convenue du bien loué dépasse le montant qui doit être payé pour terminer le bail, le preneur à bail a accumulé une valeur réelle nette dans le bail. La valeur du droit de tenure à bail est égale au montant de la valeur réelle nette accumulée. Revenu Québec est d'avis que les prêts non remboursés et les sûretés grevant un bien n'ont aucune incidence sur la détermination du montant porté au crédit de l'acquéreur à l'égard de ce bien lorsqu'il est offert à titre de contrepartie totale ou partielle d'un autre bien, conformément à ce que prévoit l'article 54.1.Voir notamment à cet effet : Revenu Québec, Lettre d'interprétation, 05-0102508 — *Interprétation relative à la TVQ, Montant porté au crédit de l'acquéreur à l'égard d'un bien échangé* (30 octobre 2006).

La fourniture par vente du véhicule routier conformément aux termes de l'option d'achat suite à la fin prématurée du contrat de location constitue, de l'avis de Revenu Québec, une nouvelle fourniture différente de celle par location de ce même véhicule. Le régime de la TVQ ne prévoit pas qu'il est possible, aux fins du calcul de la taxe payable, de réduire la contrepartie de la fourniture par vente d'un véhicule effectuée dans de telles circonstances afin de tenir compte des réductions de TVQ perdues en raison de la fin prématurée d'un contrat de location comportant une option d'achat. Aussi, il y a lieu de calculer la TVQ sur la contrepartie payée par le client pour l'acquisition du véhicule loué, et ce, même si la TVQ à l'égard de la fourniture par location de ce véhicule était antérieurement appliquée sur une contrepartie réduite en raison de l'application de l'article 54.1. Voir notamment à cet effet : Revenu Québec, Lettres d'interprétation, 01-0107258 — *Décision portant sur l'application de la TPS — Interprétation relative à la TVQ — Fin prématurée d'un contrat de location, exercice de l'option d'achat prévue à ce contrat et « montant porté au crédit de l'acquéreur »* (31 janvier 2002).

Lorsque l'article 54.1 reçoit application, dans le cas où un fournisseur qui est un inscrit accepte en contrepartie, totale ou partielle, au moment où il fournit un bien meuble corporel, un bien qui est un bien meuble corporel d'occasion, la valeur de la fourniture du bien meuble corporel effectuée par le fournisseur est réputée être égale à l'excédent éventuel de la valeur de la contrepartie de cette fourniture sur le montant porté au crédit de l'acquéreur au titre du bien accepté à titre de contrepartie. Aussi, selon Revenu Québec, le consommateur qui acquiert le véhicule neuf et qui en contrepartie partielle remet son véhicule endommagé, est tenu de payer la TVQ calculée sur un montant de 9 000,00 $ (15 000,00 $ — 6 000,00 $). Par ailleurs, l'indemnisation que le consommateur a obtenue de sa compagnie d'assurance à l'égard du véhicule endommagé, pour un somme de 3 750,00 $, et qu'il cède au concessionnaire, qu'il l'accepte en contrepartie partielle de la fourniture du véhicule neuf, doit être considérée comme un paiement fait en argent. Pour cette raison, de l'avis de Revenu Québec, cette indemnisation ne peut être utilisée afin de réduire la valeur de la contrepartie de la fourniture du véhicule neuf aux fins du calcul de la taxe payable relativement à cette fourniture. Voir notamment à cet effet : Revenu Québec, Lettres d'interprétation, 00-0112623 — *Décision portant sur l'application de la TPS -Interprétation relative à la TVQ — Montant porté au crédit de l'acquéreur à l'égard d'un véhicule routier accidenté échangé et indemnité versée par une compagnie d'assurance* (19 février 2000).

La problématique dans la situation soumise à Revenu Québec découle de l'interprétation à donner à l'expression « montant porté au crédit de l'acquéreur au titre du bien repris » dans le contexte où l'inscrit fait une remise en espèces à la personne qui cède son véhicule d'occasion en contrepartie du nouveau véhicule. Dans ce contexte, Revenu Québec confirme que le montant remis en espèces au locataire est considéré comme un arrangement financier. Un tel arrangement ne réduit pas la valeur d'échange du véhicule d'occasion s'il est clairement identifié sur le contrat de location et sur toute facturation subséquente ou autre état de compte fourni au locataire. En d'autres mots, selon Revenu Québec, le montant de crédit accordé au titre du bien repris correspond à la valeur accordée pour ce bien, et ce, sans que cette valeur ne soit affectée par la remise d'un montant d'argent au locataire dans le cadre de la transaction. À l'inverse, le montant remis en espèces au locataire ne sera pas considéré comme un « montant porté au crédit de l'acquéreur au titre du bien repris » s'il n'est pas clairement identifié dans la documentation visant la transaction. Par exemple, si le locateur n'indique que le montant net, c'est-à-dire la valeur d'échange du véhicule d'occasion moins le montant remis en espèces, seul le montant net sera considéré comme un « montant porté au crédit de l'acquéreur au titre du bien repris » aux fins de l'article 54.1. Toujours selon l'exemple initialement énoncé et prenant pour acquis que le montant est clairement identifié sur le contrat de location, le montant crédité à l'acquéreur relativement au bien repris équivaut à 12 000 $. Par conséquent, la contrepartie de la fourniture est égale à 8 000 $ (*c.-à-d.* 20 000 $ — 12 000 $). Mentionnons que la même approche s'applique dans le cas d'une vente où une personne échange un véhicule d'occasion à l'achat d'un nouveau véhicule et qu'il reçoit une remise en espèces du concessionnaire d'automobiles pour autant que les conditions à l'article 54.1 sont respectées. Voir notamment à cet effet : Revenu Québec, Lettre d'interprétation, 96-011289 — *Interprétation relative à la TPS- Interprétation relative à la TVQ / Règles d'échange et remise en argent au particulier* (23 juin 1999).

Compte tenu de la similarité de la rédaction des dispositions législatives et considérant l'engagement spécifique de Revenu Québec de veiller à ce que l'assiette de TVQ modifiée, de même que les paramètres administratifs, structurels et définitionnels, produisent des résultats qui sont similaires à ceux produits sous le régime de la TPS/TVH et soient administrés d'une manière qui produit des résultats similaires, tel que reflété par l'article 14 de l'*Entente intégrée globale de coordination fiscale* signée entre le gouvernement du Canada et le gouvernement du Québec, nous vous référons à nos commentaires en vertu des paragraphes 153(4) (4.1), (4.2), (4.3), (4.5),(4.6),(5) et (6) de la *Loi sur la taxe d'accise (TPS)* qui devraient s'appliquer *mutatis mutandis*, avec les adaptations nécessaires.

55. Fourniture à une personne liée — Dans le cas où la fourniture d'un bien ou d'un service est effectuée entre des personnes ayant un lien de dépendance, sans contrepartie ou pour une contrepartie inférieure à la juste valeur marchande du bien ou du service au moment de la fourniture et que l'acquéreur de celle-ci n'est pas un inscrit qui acquiert le bien ou le service pour consommation, utilisation ou fourniture exclusive dans le cadre de ses activités commerciales :

1º si aucune contrepartie n'est payée pour la fourniture, celle-ci est réputée être effectuée pour une contrepartie, payée à ce moment, d'une valeur égale à la juste valeur marchande du bien ou du service à ce moment;

2º si une contrepartie est payée pour la fourniture, la valeur de la contrepartie est réputée être égale à la juste valeur marchande du bien ou du service à ce moment.

Exception — Le présent article ne s'applique pas à l'égard des fournitures suivantes :

1º la fourniture d'un bien ou d'un service par une personne si, selon le cas :

a) un montant est réputé en vertu de l'article 290 être la contrepartie totale de la fourniture;

b) en l'absence du premier alinéa, selon le cas :

i. la personne, en raison des articles 203 ou 206, n'aurait pas le droit de demander un remboursement de la taxe sur les intrants à l'égard de son acquisition, ou de son apport au Québec, du bien ou du service;

ii. l'article 286 s'appliquerait à la fourniture;

iii. la fourniture serait une fourniture exonérée visée aux sections V.1 ou VI du chapitre III;

2º la fourniture par vente, autrement que par donation, d'un véhicule routier usagé effectuée entre des particuliers liés.

Notes historiques: Le deuxième alinéa de l'article 55 a été remplacé par L.Q. 2002, c. 9, par. 157(1) et cette modification s'applique à l'égard d'une fourniture effectuée après le 21 décembre 2000. Antérieurement, il se lisait ainsi :

> 55. Le présent article ne s'applique pas à l'égard de la fourniture d'un bien ou d'un service par une personne si, selon le cas :
>
> 1º un montant est réputé en vertu de l'article 290 être la contrepartie totale de la fourniture;
>
> 2º en l'absence du premier alinéa, selon le cas :
>
> a) la personne, en raison des articles 203 ou 206, n'aurait pas le droit de demander un remboursement de la taxe sur les intrants à l'égard de son acquisition, ou de son apport au Québec, du bien ou du service;
>
> b) l'article 286 s'appliquerait à la fourniture;
>
> c) la fourniture serait une fourniture exonérée visée aux sections V.1 ou VI du chapitre III.

Le deuxième alinéa de l'article 55 a été remplacé par L.Q. 1997, c. 85, art. 455(1) et cette modification s'applique à l'égard d'une fourniture effectuée après le 23 avril 1996. Toutefois, lorsque le sous-paragraphe c) du paragraphe 2º du deuxième alinéa de l'article 55 s'applique à l'égard d'une fourniture dont la totalité de la contrepartie devient due ou est payée avant 1997, il doit se lire comme suit :

c) la fourniture serait visée aux articles 148 à 152.

De plus, à l'égard de la fourniture d'un bien ou d'un service relativement auquel le fournisseur n'a pas le droit en raison de l'article 206.1 d'inclure, dans le calcul de son remboursement de la taxe sur les intrants, un montant à l'égard de la taxe payable par lui relativement à l'acquisition du bien ou du service, le sous-paragraphe a) du paragraphe 2º du deuxième alinéa de l'article 55 doit se lire en y remplaçant « 203 ou 206 » par « 203, 206 ou 206.1 ».

Antérieurement, cet alinéa se lisait ainsi :

Le présent article ne s'applique pas dans le cas où la fourniture est visée aux articles 148 à 152.

Auparavant, le deuxième alinéa de l'article 55 a été modifié L.Q. 1995, c. 63, art. 329(1) et cette modification s'applique à l'égard de la fourniture d'un bien ou d'un service relativement auquel le fournisseur a le droit, en raison de l'abrogation de l'article 206.1 d'inclure, dans le calcul de son remboursement de la taxe sur les intrants, un montant à l'égard de la taxe payable par lui relativement à l'acquisition du bien ou du service ou, si le fournisseur est un organisme visé aux articles 386 ou 386.1, aurait le droit de l'inclure s'il était un inscrit qui est une petite ou moyenne entreprise.

Le deuxième alinéa de l'article 55 avait été modifié par L.Q. 1994, c. 22, art. 396(1) et cette modification s'appliquait à compter du 1er juillet 1992. Il se lisait comme suit :

Le présent article ne s'applique pas dans le cas où :

1º le fournisseur du bien ou du service, en raison de l'article 206.1, n'a pas le droit d'inclure, dans le calcul du remboursement de la taxe sur les intrants, un montant à l'égard de la taxe payable par lui relativement au bien ou au service ou, si le fournisseur est un organisme visé aux articles 386 ou 386.1, n'aurait pas le droit de l'inclure s'il était un inscrit;

2º la fourniture est visée aux articles 148 à 152.

Auparavant, le deuxième alinéa se lisait comme suit :

Le présent article ne s'applique pas dans le cas où le fournisseur du bien ou du service, en raison de l'article 206.1, n'a pas le droit d'inclure, dans le calcul du remboursement de la taxe sur les intrants, un montant à l'égard de la taxe payable par lui relativement au bien ou au service ou, si le fournisseur est un organisme visé à l'article 386, n'aurait pas le droit de l'inclure s'il était un inscrit.

Le deuxième alinéa de l'article 55 a été ajouté par L.Q. 1993, c. 19, art. 177 et s'applique à l'égard d'une fourniture ou d'un apport au Québec relativement auquel l'article 685 ou l'un des articles 618 à 656 de L.Q. 1991, c. 67 s'applique [*N.D.L.R.* : les articles 685 et 618 à 656 réfèrent à des dispositions transitoires concernant les transferts avant le 1er juillet 1992].

L'article 55 a été édicté par L.Q. 1991, c. 67.

Définitions [art. 55]: « acquéreur », « activité commerciale », « bien », « contrepartie », « fourniture », « inscrit », « personne », « service » — 1.

Renvois [art. 55]: 3 (personnes liées); 4 (personnes liées); 15 (JVM); 51 (valeur de la contrepartie); 55.1 (détermination de la valeur de la contrepartie par le ministre); 199 (RTI); 213:2º (valeur de la contrepartie — bien meuble corporel d'occasion); 217.1 (valeur de la contrepartie — bien meuble corporel d'occasion); 297.0.23 (particulier fournissant un service d'accueil); 297.15 (démarcheur).

Lettres d'interprétation [art. 55]: 99-0101362 — Décision portant sur l'application de la TPS — Interprétation relative à la TVQ — Transfert d'immeuble par le gouvernement; 05-0102631 — Interprétation relative à la TPS et à la TVQ — Transfert d'un véhicule routier entre particuliers liés.

Concordance fédérale: LTA, art. 155.

COMMENTAIRES: L'article prévoit que la contrepartie de la fourniture d'un bien ou d'un service effectuée entre personnes ayant un lien de dépendance à titre gratuit ou pour une valeur inférieure à la juste valeur marchande du bien ou du service et dont l'acquéreur n'est pas un inscrit qui acquiert le bien ou le service pour le consommer, l'utiliser ou le fournir exclusivement dans le cadre de ses activités commerciales, est réputée égale à la juste valeur marchande du bien ou du service. Toutefois, l'article 55 prévoit que cette règle ne s'applique pas aux fournitures avec lien de dépendance lorsque celles-ci sont autrement exonérées. L'article 55 n'a pas préséance sur les dispositions prévoyant des fournitures exonérées. Voir notamment : Revenu Québec, Lettre d'interprétation, 97-0106464 — *Fourniture de biens entre personnes ayant un lien de dépendance* (9 juillet 1997).

À titre illustratif, lorsque le particulier inscrit donne, à un moment donné, à sa conjointe la voiture de tourisme qu'il utilise exclusivement dans le cadre de ses activités commerciales, il commence à ce moment à l'utiliser autrement. En conséquence, il est réputé, en application de l'article 253, avoir effectué, immédiatement avant ce moment, une fourniture taxable par vente de cette voiture et avoir perçu à ce moment et relativement à la fourniture, une taxe égale à la teneur en taxe de la voiture immédiatement avant ce moment. Conséquemment, ce don, en entraînant une disposition présumée de la voiture de tourisme, donne lieu à une obligation de versement, par le particulier inscrit, d'un montant de TVQ correspondant à la teneur en taxe de la voiture immédiatement avant le moment où est effectué le don. Par la suite, la fourniture de la voiture de tourisme effectuée à titre gratuit entre des personnes ayant un lien de dépendance n'entraîne aucune autre conséquence dans le régime de la TVQ, même si elle est réputée effectuée pour une contrepartie égale à la juste valeur marchande de la voiture en vertu de l'article 55, cette fourniture n'étant pas effectuée dans le cadre d'activités commerciales, conformément à l'article 244. Voir notamment à cet effet : Revenu Québec, Lettre d'interprétation, 05-0102631 — *Interprétation relative à la TPS et à la TVQ — Transfert d'un véhicule routier entre particuliers liés* (16 octobre 2006).

Compte tenu de la similarité de la rédaction des dispositions législatives et considérant l'engagement spécifique de Revenu Québec de veiller à ce que l'assiette de TVQ modifiée, de même que les paramètres administratifs, structurels et définitionnels, produisent des résultats qui sont similaires à ceux produits sous le régime de la TPS/TVH et soient administrés d'une manière qui produit des résultats similaires, tel que reflété par l'article 14 de l'*Entente intégrée globale de coordination fiscale* signée entre le gouvernement du Canada et le gouvernement du Québec, nous vous référons à nos commentaires en vertu de l'article 155 de la *Loi sur la taxe d'accise* (TPS) qui devraient s'appliquer *mutatis mutandis*, avec les adaptations nécessaires.

55.0.1 Fourniture d'un véhicule routier usagé — Dans le cas où la fourniture taxable par vente d'un véhicule routier usagé qui doit être immatriculé en vertu du *Code de la sécurité routière* (chapitre C-24.2) par suite d'une demande de son acquéreur est effectuée sans contrepartie ou pour une contrepartie inférieure à la valeur estimative du véhicule, les règles suivantes s'appliquent :

1º si la fourniture est effectuée sans contrepartie, celle-ci est réputée être effectuée pour une contrepartie, payée au moment de la fourniture, d'une valeur égale à la valeur estimative du véhicule;

2º si la fourniture est effectuée pour une contrepartie inférieure à la valeur estimative du véhicule, la valeur de la contrepartie est réputée être égale à cette valeur estimative.

Exceptions — Le présent article ne s'applique pas à l'égard des fournitures suivantes :

1º la fourniture d'un véhicule routier effectuée par suite de l'exercice par l'acquéreur d'un droit d'acquérir celui-ci qui lui est conféré en vertu d'une convention écrite de louage du véhicule qu'il a conclue avec le fournisseur;

2º la fourniture d'un véhicule routier réputée effectuée ou reçue sans contrepartie ou pour une contrepartie égale à la juste valeur marchande de celui-ci;

3º la fourniture d'un véhicule routier relativement à laquelle la taxe est réputée perçue ou payée.

4º la fourniture d'un véhicule routier effectuée entre des particuliers liés autrement que par donation.

Notes historiques: Le préambule du premier alinéa de l'article 55.0.1 a été remplacé par L.Q. 2002, c. 9, s.-par. 158(1)(1º) par le remplacement, des mots « Malgré l'article 55, dans le cas » par « Dans le cas ». Cette modification s'applique à l'égard d'une fourniture effectuée après le 31 mai 1994.

L'article 55.0.1 a été modifié par L.Q. 2002, c. 9, s.-par. 158(1)(2º) par l'addition du paragraphe 4º et s'applique à l'égard d'une fourniture effectuée après le 21 décembre 2000.

L'article 55.0.1 a été ajouté par L.Q. 1995, c. 1, art. 263 et s'applique à l'égard d'une fourniture effectuée après le 31 mai 1994.

Guides [art. 55.0.1]: IN-624 — La TVQ, la TPS/TVH et les véhicules routiers.

Définitions [art. 55.0.1]: « acquéreur », « contrepartie », « fournisseur », « fourniture », « fourniture taxable », « taxe », « véhicule routier » — 1.

Renvois [art. 55.0.1]: 55.0.2 (valeur estimative d'un véhicule routier); 55.0.3 (fourniture d'un véhicule routier endommagé ou inhabituellement usé).

Jurisprudence [art. 55.0.1]: *Caux c. Québec (Sous-ministre du Revenu)* (27 octobre 2005), 350-32-005981-040.

Bulletins d'interprétation [art. 55.0.1]: TVQ. 16-12/R1 — La règle concernant la valeur estimative et l'option d'achat d'un véhicule routier loué.

Lettres d'interprétation [art. 55.0.1]: 99-0101297 — Interprétation relative à la TVQ.

Concordance fédérale: aucune.

COMMENTAIRES: Voir les commentaires sous l'article 55.0.3.

55.0.2 Valeur estimative — Pour l'application de l'article 55.0.1, la valeur estimative d'un véhicule routier correspond :

1º dans le cas d'un véhicule dont le prix de vente moyen en gros est indiqué dans l'édition la plus récente, le premier jour du mois où la

LTVQ (français)

fourniture du véhicule est effectuée, du *Guide d'Évaluation Hebdo (Automobiles et Camions Légers)* publié par *Hebdo Mag Inc.*, à ce prix diminué d'un montant de 500 $;

1.1º (*paragraphe supprimé*);

2º dans le cas d'un véhicule dont un prix de vente moyen en gros est indiqué dans l'édition la plus récente, le premier jour du mois précédant celui où la fourniture du véhicule est effectuée, du *Canadian Motorcycle Dealers Blue Book* publié par All Seasons Publications Ltd., à ce prix diminué d'un montant de 500 $;

3º dans le cas d'un véhicule dont un prix de vente moyen en gros est indiqué dans l'édition la plus récente, le premier jour du mois précédant celui où la fourniture du véhicule est effectuée, du *Canadian ATV, Snowmobile & Watercraft Dealers Blue Book* publié par All Seasons Publications Ltd, à ce prix diminué d'un montant de 500 $;

4º dans tout autre cas, à la valeur du véhicule prescrite par le ministre.

Notes historiques: Le paragraphe 1º de l'article 55.0.2 a été remplacé par L.Q. 2000, c. 39, art. 281(1)(1º) et cette modification a effet depuis le 1er août 1999. Antérieurement, il se lisait ainsi :

> 1º dans le cas d'un véhicule dont un prix de vente moyen en gros est indiqué dans l'édition la plus récente, le premier jour du mois où la fourniture du véhicule est effectuée, du *Guide d'Évaluation des Automobiles* publié par *Hebdo Mag Inc.*, à ce prix diminué d'un montant de 500 $;

Le paragraphe 1º de l'article 55.0.2 a été modifié par L.Q. 1997, c. 14, art. 333(1) et cette modification a effet à l'égard d'une fourniture effectuée après le 30 septembre 1996. Auparavant, ce paragraphe se lisait comme suit :

> 1º dans le cas d'un véhicule dont un prix de vente moyen en gros est indiqué dans l'édition la plus récente, le premier jour du mois précédant celui où la fourniture du véhicule est effectuée, du *Canadian Red Book* publié par *Maclean Hunter Ltd*, à ce prix diminué d'un montant de 500 $;

Le paragraphe 1.1º de l'article 55.0.2 a été supprimé par L.Q. 2000, c. 39, art. 281(1)(2º) et cette modification a effet depuis le 1er août 1999. Antérieurement, il se lisait ainsi :

> 1.1º dans le cas d'un véhicule dont un prix de vente moyen en gros est indiqué dans l'édition la plus récente, le premier jour du mois où la fourniture du véhicule est effectuée, du *Guide d'Évaluation des Camions Légers* publié par *Hebdo Mag Inc.*, à ce prix diminué d'un montant de 500 $;

Le paragraphe 1.1º de l'article 55.0.2 a été ajouté par L.Q. 1997, c. 14, art. 333(1)(2º) et a effet à l'égard d'une fourniture effectuée après le 30 septembre 1996.

Les paragraphes 2º et 3º de l'article 55.0.2 ont été modifiés par L.Q. 1995, c. 63, art. 330(1) et cette modification s'applique à l'é'gard d'une fourniture effectuée après le 31 mai 1995. Auparavant, ces paragraphes se lisaient comme suit :

> 2º dans le cas d'un véhicule dont une valeur courante de revente est indiquée dans l'édition la plus récente, le premier jour du mois précédant celui où la fourniture du véhicule est effectuée, du *Sanford Evans Gold Book of Motorcycle Data and Used Prices* publié par *Sanford Evans Communications Ltd.*, à cette valeur diminuée d'un montant de 500 $;
>
> 3º dans le cas d'un véhicule dont une valeur courante de revente est indiquée dans l'édition la plus récente, le premier jour du mois précédant celui où la fourniture du véhicule est effectuée, du *Sanford Evans Gold Book of Snowmobile Data and Used Prices* publié par *Sanford Evans Communications Ltd.*, à cette valeur diminuée d'un montant de 500 $;

L'article 55.0.2 a été ajouté par L.Q. 1995, c. 1, art. 263 et s'applique à l'égard d'une fourniture effectuée après le 31 mai 1994.

Guides [art. 55.0.2]: IN-624 — La TVQ, la TPS/TVH et les véhicules routiers.

Définitions [art. 55.0.2]: « fourniture », « mois », « véhicule routier », « vente » — 1.

Renvois [art. 55.0.2]: 55.0.3 (fourniture d'un véhicule routier endommagé ou inhabituellement usé); 402.3 (remboursement lors de l'acquisition hors du Québec d'un véhicule routier).

Jurisprudence [art. 55.0.2]: *Caux c. Québec (Sous-ministre du Revenu)* (27 octobre 2005), 350-32-005981-040.

Bulletins d'interprétation [art. 55.0.2]: TVQ. 16-12/R1 — La règle concernant la valeur estimative et l'option d'achat d'un véhicule routier loué.

Lettres d'interprétation [art. 55.0.2]: 99-0101297 — Interprétation relative à la TVQ; 02-0100913 — Interprétation relative à la TVQ — Fourniture d'un véhicule automobile usagé.

Concordance fédérale: aucune.

COMMENTAIRES: Voir les commentaires sous l'article 55.0.3.

55.0.3 Endommagement ou usure inhabituelle — Dans le cas où l'article 55.0.1 s'applique à la fourniture d'un véhicule routier endommagé ou présentant une usure inhabituelle et qu'au moment de la fourniture l'acquéreur remet à la personne mentionnée au deuxième alinéa une évaluation écrite du véhicule ou des réparations à réaliser à son égard, la valeur estimative du véhicule prévue à l'article 55.0.2 peut être réduite d'un montant égal :

1º soit à l'excédent de cette valeur sur la valeur du véhicule indiquée sur l'évaluation écrite;

2º soit à l'excédent de la valeur des réparations à réaliser à l'égard du véhicule indiquée sur l'évaluation écrite sur 500 $.

Personne à qui doit être remise l'évaluation écrite — La personne visée au premier alinéa est :

1º dans le cas d'une fourniture visée à l'article 20.1, le ministre ou une personne prescrite pour l'application de l'article 473.1;

2º dans le cas d'une fourniture par vente au détail d'un véhicule automobile, le fournisseur du véhicule et, selon le cas, le ministre ou une personne prescrite pour l'application de l'article 473.1.1;

3º dans tout autre cas, le fournisseur du véhicule.

Évaluation écrite — L'évaluation écrite doit être effectuée par une personne possédant une attestation de qualification professionnelle d'estimateur en dommages automobiles délivrée par le Groupement des assureurs automobiles, constitué par la *Loi sur l'assurance automobile* (chapitre A-25), dans le cadre de l'exercice de sa profession au sein d'un centre d'estimation agréé ou d'un établissement accrédité par ce groupement.

Notes historiques: Le préambule du premier alinéa de l'article 55.0.3 a été modifié par L.Q. 2001, c. 51, art. 264 et cette modification a effet depuis le 21 février 2000. Antérieurement, il se lisait ainsi :

> 55.0.3 Dans le cas où l'article 55.0.1 s'applique à l'égard de la fourniture d'un véhicule routier qui est endommagé ou qui présente une usure inhabituelle et qu'au moment de la fourniture l'acquéreur remet au fournisseur du véhicule ou, s'il s'agit d'une fourniture visée à l'article 20.1, au ministre ou à une personne prescrite pour l'application de l'article 473.1, une évaluation écrite du véhicule ou des réparations à réaliser à l'égard de celui-ci, la valeur estimative du véhicule prévue à l'article 55.0.2 peut être réduite d'un montant égal :

Le paragraphe 2º du premier alinéa de l'article 55.0.3 a été modifié par L.Q. 1995, c. 63, art. 331(1) et cette modification s'applique d'une fourniture effectuée après le 31 mai 1994. Auparavant, ce paragraphe se lisait :

> 2º soit à la valeur des réparations à réaliser à l'égard du véhicule indiquée sur l'évaluation écrite.

Le passage précédant le deuxième alinéa [devenu le troisième alinéa] de l'article 55.0.3 a été remplacé par L.Q. 2004, c. 21, art. 528 et cette modification est entrée en vigueur le 3 novembre 2004. Antérieurement, il se lisait ainsi :

> 55.0.3 Dans le cas où l'article 55.0.1 s'applique à l'égard de la fourniture d'un véhicule routier qui est endommagé ou qui présente une usure inhabituelle et qu'au moment de la fourniture l'acquéreur remet au fournisseur du véhicule ou, s'il s'agit d'une fourniture visée à l'article 20.1 ou d'une fourniture par vente au détail d'un véhicule automobile, au ministre ou à une personne prescrite pour l'application de l'article 473.1 ou de l'article 473.1.1, selon le cas, une évaluation écrite du véhicule ou des réparations à réaliser à l'égard de celui-ci, la valeur estimative du véhicule prévue à l'article 55.0.2 peut être réduite d'un montant égal :
>
> 1º soit à l'excédent de cette valeur sur la valeur du véhicule indiquée sur l'évaluation écrite;
>
> 2º soit à l'excédent de la valeur des réparations à réaliser à l'égard du véhicule indiquée sur l'évaluation écrite sur 500 $.

Le troisième alinéa de l'article 55.0.3 a été remplacé par L.Q. 2005, c. 23, par. 274(1) et cette modification s'applique à l'égard d'une fourniture pour laquelle la taxe prévue par le titre I est payable après le 30 novembre 2004. Toutefois, elle ne s'applique pas lorsque l'évaluation écrite est effectuée avant le 1er décembre 2004 et remise, aux fins du calcul de la taxe payable relativement à une fourniture, avant le 1er février 2005. Antérieurement, il se lisait ainsi :

> L'évaluation écrite doit être effectuée par une personne possédant une attestation de qualification professionnelle d'estimateur en dommages automobiles délivrée par le Groupement des assureurs automobiles.

L'article 55.0.3 a été ajouté par L.Q. 1995, c. 1, art. 263 et s'applique à l'égard d'une fourniture effectuée après le 31 mai 1994.

Guides [art. 55.0.3]: IN-624 — La TVQ, la TPS/TVH et les véhicules routiers.

Définitions [art. 55.0.3]: « acquéreur », « fourniture », « personne », « véhicule routier » — 1.

Renvois [art. 55.0.3]: 17.0.2 (réduction de la valeur estimative); 402.3 (remboursement lors de l'acquisition hors du Québec d'un véhicule routier).

Jurisprudence [art. 55.0.3]: *Roy c. Québec (Sous-ministre du Revenu)* (3 février 2011), 300-32-000150-083; *Caux c. Québec (Sous-ministre du Revenu)* (27 octobre 2005), 350-32-005981-040.

Bulletins d'information [art. 55.0.3]: 2004-9 — Ajustements techniques à diverses lois fiscales et mesures d'harmonisation.

Concordance fédérale: aucune.

COMMENTAIRES: L'article 55.0.1 prévoit que, dans le cas où une fourniture taxable, par vente, d'un véhicule routier usagé qui doit être immatriculé au Québec est effectuée sans contrepartie ou pour une contrepartie inférieure à la valeur estimative du véhicule, la valeur de la contrepartie de cette fourniture sera généralement réputée égale à la valeur estimative du véhicule. Selon l'article 55.0.2, la « valeur estimative » d'un véhicule routier correspond, dans le cas d'un véhicule dont le prix de vente moyen en gros est indiqué dans l'édition la plus récente, le premier jour du mois où la fourniture du véhicule est effectuée, du *Guide d'Évaluation Hebdo (Automobiles et Camions Légers)* publié par *Hebdo Mag Inc.*, à ce prix diminué d'un montant de 500 $. Sinon, la valeur estimative correspond à la valeur du véhicule prescrite par le ministre. Par conséquent, lorsque le concessionnaire effectue la fourniture par vente du véhicule usagé à une tierce partie, la taxe doit, sous réserve de l'article 197.2, être calculée sur le montant le plus élevé du prix convenu ou de la valeur estimative du véhicule. Voir notamment à cet effet : Revenu Québec, Lettre d'interprétation, 02-0100913 — *Interprétation relative à la TVQ — Fourniture d'un véhicule automobile usagé* (16 mai 2002). Voir également au même effet : Revenu Québec, Lettre d'interprétation, 99-0101297 — *Interprétation relative à la TVQ* (4 avril 2000).

Dans l'affaire *Caux c. Québec (Sous-ministre du Revenu)*, 2005 CarswellQue 12234 (Cour du Québec), la question en litige était gouvernée par les articles 55.0.1, 55.0.2 et 55.0.3, lesquels comportent des règles qui forcent l'utilisation de la valeur estimative pour calculer la TVQ applicable à l'égard de la fourniture d'un véhicule routier usagé. Ainsi, l'article 55.0.1 établit les conditions d'application des règles et leur mécanisme, l'article 55.0.2 définit la notion de valeur estimative et l'article 55.0.3 énonce certaines exceptions relatives à la valeur estimative dans le cas d'un véhicule routier qui est endommagé ou qui présente une usure inhabituelle. En l'espèce, selon le *Guide d'évaluation hebdo* d'octobre 2003 auquel réfère l'article 55.0.2, la valeur estimative de la Jaguar XJR 1999 usagée acquise par l'appelant était de 51 100 $. Par ailleurs, selon l'article 55.0.3, la valeur estimative du véhicule pouvait être différente de celle apparaissant au *Guide d'évaluation hebdo*, telle que prévue à l'article 55.0.2, dans le cas où le véhicule acheté présentait un endommagement ou une usure inhabituelle. Dans les faits, l'appelant a reconnu que le véhicule usagé acheté ne présentait aucun endommagement ou usure inhabituelle. Toutefois, l'appelant a présenté à l'intimé deux évaluations écrites du véhicule acheté : l'une, émanant de l'entreprise Auto Collection de Québec et l'autre, de Les automobiles Décarie Motors inc. Cependant, tant l'une et l'autre évaluation écrites n'émanaient d'une personne possédant une attestation de qualification professionnelle d'estimateur en dommages automobiles délivrée par le Groupement des assureurs automobiles, tel que le prévoit la législation; d'où la décision de l'intimé de maintenir la cotisation. Cela étant, la Cour du Québec est d'avis que l'appelant n'a pas rencontré son fardeau de preuve afin de contrecarrer la valeur estimative de son véhicule telle qu'établie par l'intimé selon le *Guide d'évaluation hebdo* auquel l'article 55.0.2 de la loi réfère.

55.1 Détermination de la valeur de la contrepartie

— Le ministre peut déterminer la valeur de la contrepartie de la fourniture taxable d'un bien ou d'un service sur laquelle la taxe doit être calculée si, selon le cas :

1° la fourniture n'est pas une fourniture à l'égard de laquelle l'article 55 ou l'article 55.0.1 s'applique, ou s'appliquerait si ce n'était du deuxième alinéa de ces articles, et si, selon le cas :

a) la fourniture est effectuée sans contrepartie;

b) la valeur de la contrepartie de la fourniture du bien ou du service est inférieure à la juste valeur marchande du bien ou du service;

2° la contrepartie de la fourniture du bien ou du service, selon le cas :

a) n'est pas indiquée sur une facture ou sur tout autre document constatant la fourniture;

b) est confondue avec la contrepartie de toute autre fourniture qui n'est pas une fourniture taxable autre qu'une fourniture détaxée.

Notes historiques: Le préambule de l'article 55.1 a été modifié par L.Q. 2002, c. 9, par. 159(1) et cette modification s'applique à l'égard d'une fourniture effectuée après le 31 mai 1994. Antérieurement, il se lisait ainsi :

> 1° la fourniture n'est pas une fourniture à l'égard de laquelle l'article 55 s'applique, ou s'appliquerait si ce n'était de son deuxième alinéa, et si, selon le cas :

L'article 55.1 a été ajouté par L.Q. 1993, c. 19, art. 178 et s'applique à l'égard d'une fourniture ou d'un apport au Québec relativement auquel l'article 685 ou l'un des articles 618 à 656 de L.Q. 1991, c. 67 s'applique [*N.D.L.R.* : les articles 685 et 618 à 656 réfèrent à des dispositions transitoires concernant les transferts avant le 1er juillet 1992].

Définitions [art. 55.1]: « bien », « contrepartie », « document », « facture », « fournisseur », « fourniture », « fourniture détaxée », « fourniture taxable », « service », « taxe » — 1.

Renvois [art. 55.1]: 15 (JVM); 51 (valeur de la contrepartie); 53 (contrepartie combinée); 213:2° (valeur de la contrepartie — bien meuble corporel d'occasion).

Bulletins d'interprétation [art. 55.1]: TVQ. 52.1-1 — Les ventes d'accommodation et la taxe de vente du Québec.

Concordance fédérale: aucune.

56. Devise étrangère

— Dans le cas où la contrepartie d'une fourniture est exprimée en devise étrangère, la valeur de cette contrepartie doit être calculée en fonction de la valeur de cette devise en monnaie canadienne le jour où la taxe est payable ou tout autre jour acceptable pour le ministre.

Notes historiques: L'article 56 a été édicté par L.Q. 1991, c. 67.

Définitions [art. 56]: « contrepartie », « fourniture », « taxe » — 1.

Renvois [art. 56]: 51 (valeur de la contrepartie); 7R78.14 RAF (Signature des documents par certains fonctionnaires).

Concordance fédérale: LTA, art. 159.

COMMENTAIRES: Compte tenu de la similarité de la rédaction des dispositions législatives et considérant l'engagement spécifique de Revenu Québec de veiller à ce que l'assiette de TVQ modifiée, de même que les paramètres administratifs, structurels et définitionnels, produisent des résultats qui sont similaires à ceux produits sous le régime de la TPS/TVH et soient administrés d'une manière qui produit des résultats similaires, tel que reflété par l'article 14 de l'*Entente intégrée globale de coordination fiscale* signée entre le gouvernement du Canada et le gouvernement du Québec, nous vous référons à nos commentaires en vertu de l'article 159 de la *Loi sur la taxe d'accise (TPS)* qui devraient s'appliquer *mutatis mutandis*, avec les adaptations nécessaires.

57. Paiements anticipés ou en retard

— Dans le cas où un bien meuble corporel ou un service est fourni et que le montant de la contrepartie de la fourniture indiqué sur la facture à l'égard de la fourniture peut être réduit s'il est payé à l'intérieur du délai qui y est précisé, ou qu'un montant supplémentaire est exigé de l'acquéreur par le fournisseur si le montant de la contrepartie n'est pas payé à l'intérieur d'une période raisonnable qui y est précisée, la contrepartie due est réputée être le montant indiqué sur la facture.

Notes historiques: L'article 57 a été édicté par L.Q. 1991, c. 67.

Guides [art. 57]: IN-203 — Renseignements généraux sur la TVQ et la TPS/TVH.

Définitions [art. 57]: « acquéreur », « contrepartie », « facture », « fournisseur », « fourniture », « montant », « service » — 1.

Renvois [art. 57]: 51 (valeur de la contrepartie); 318 (renonciation); 319 (renonciation); 450 (non-application des articles 447–449); art.674.5 (remboursement à la suite d'une réduction d'une contrepartie).

Bulletins d'interprétation [art. 57]: TVQ. 57-1 — Paiements anticipés; TVQ. 57-2/R1 — Réduction pour paiement rapide de la contrepartie d'une fourniture.

Lettres d'interprétation [art. 57]: 00-0112359 — Interprétation relative à la TPS et à la TVQ — Escompte pour paiement anticipé.

Concordance fédérale: LTA, art. 161.

COMMENTAIRES: L'article 57 prévoit que, dans le cas de la fourniture de biens meubles corporels ou de services, la TPS est payable sur le plein montant facturé, peu importe les escomptes pour paiement anticipé ou les pénalités pour paiement en retard. De plus, Revenu Québec est d'avis que l'escompte pour paiement anticipé accordé par l'inscrit peut être considéré comme un rabais pour l'application de l'article 305.6. Toutefois, pour que l'article 305.6 puisse s'appliquer, il faut que l'inscrit ait, en conformité avec l'article 57, perçu la taxe sur le plein montant facturé. Voir notamment à cet effet : Revenu Québec, Lettre d'interprétation, 00-0112359 — *Interprétation relative à la TPS et à la TVQ — Escompte pour paiement anticipé* (19 janvier 2001).

Compte tenu de la similarité de la rédaction des dispositions législatives et considérant l'engagement spécifique de Revenu Québec de veiller à ce que l'assiette de TVQ modifiée, de même que les paramètres administratifs, structurels et définitionnels, produisent des résultats qui sont similaires à ceux produits sous le régime de la TPS/TVH et soient administrés d'une manière qui produit des résultats similaires, tel que reflété par l'article 14 de l'*Entente intégrée globale de coordination fiscale* signée entre le gouvernement du Canada et le gouvernement du Québec, nous vous référons à nos commentaires en vertu de l'article 161 de la *Loi sur la taxe d'accise (TPS)* qui devraient s'appliquer *mutatis mutandis*, avec les adaptations nécessaires.

58. [*Abrogé*]

Notes historiques: L'article 58 a été abrogé par L.Q. 1997, c. 85, art. 456(1) et cette abrogation s'applique à l'égard d'une fourniture effectuée après le 31 décembre 1996, sauf à l'égard de la fourniture d'un droit d'entrée à un dîner, bal, concert, spectacle ou autre activité semblable pour lequel le fournisseur a fourni le droit d'entrée avant le 1er janvier 1997.

Antérieurement, cet article se lisait ainsi :

58. Dans le cas où un organisme de bienfaisance ou un parti autorisé effectue la fourniture d'un droit d'entrée à une activité de levée de fonds telle qu'un dîner, bal, concert, spectacle ou autre activité semblable de levée de fonds, la valeur de la contrepartie de la fourniture est réputée être égale au moindre de la valeur réelle de la contrepartie de la fourniture et de la juste valeur marchande de la fourniture.

L'article 58 a été modifié par L.Q. 1994, c. 22, art. 397(1) et est réputé entré en vigueur le 1er juillet 1992.

L'article 58, édicté par L.Q. 1991, c. 67, se lisait comme suit :

58. Cet article s'applique lorsqu'un organisme de bienfaisance, une entité autorisée au sens de la *Loi électorale* (L.R.Q., chapitre E-3.3), un comité national au sens de la *Loi sur la consultation populaire* (L.R.Q., chapitre C-64.1) ou un parti enregistré au sens de la *Loi électorale du Canada* (Statuts du Canada) effectue une fourniture à une personne.

Est réputée ne pas être une contrepartie de la fourniture, la partie de cette contrepartie qui peut raisonnablement être considérée comme :

1° un don à l'organisme de bienfaisance pour lequel un reçu visé à l'article 712 de la *Loi sur les impôts* (L.R.Q., chapitre I-3) peut être délivré ou pourrait l'être si l'acquéreur était un particulier;

2° une contribution, au sens de l'article 776 de cette loi, à l'entité autorisée pour laquelle un reçu peut être délivré;

3° une contribution, au sens de l'article 88 de la *Loi électorale* tel que modifié par l'appendice 2 de la *Loi sur la consultation populaire*, à un comité national pour laquelle un reçu visé à l'article 96 de la *Loi électorale* tel que modifié par cet appendice peut être délivré;

4° une contribution, au sens du paragraphe 4.1 de l'article 127 de la *Loi de l'impôt sur le revenu* (Statuts du Canada), au parti enregistré pour laquelle un reçu visé au paragraphe 3 de cet article peut être délivré.

58.1 [*Abrogé*]

Notes historiques: L'article 58.1 a été abrogé par L.Q. 1997, c. 85, art. 456(1) et cette abrogation s'applique à l'égard d'une fourniture effectuée après le 31 décembre 1996, sauf à l'égard de la fourniture d'un droit d'entrée à un dîner, bal, concert, spectacle ou autre activité semblable pour lequel le fournisseur a fourni le droit d'entrée avant le 1er janvier 1997.

Auparavant, cet article se lisait ainsi :

58.1 Dans le ca où un parti autorisé effectue une fourniture à une personne, qu'une partie de la contrepartie de la fourniture peut raisonnablement être considérée comme un montant — appelé « contribution » dans le présent article — qui est contribué au parti autorisé et que la personne peut demander une déduction ou un crédit dans le calcul de son impôt à payer en vertu de la *Loi sur les impôts* (L.R.Q., chapitre I-3) ou de la *Loi de l'impôt sur le revenu* (Statuts du Canada) à l'égard du total de ces contributions, la contribution est réputée ne pas être la contrepartie de la fourniture.

L'article 58.1 a été ajouté par L.Q. 1994, c. 22, art. 398(1) et est réputé entré en vigueur le 1er juillet 1992.

58.2 [*Abrogé*]

Notes historiques: L'article 58.2 a été abrogé par L.Q. 1997, c. 85, art. 456(1) et cette abrogation s'applique à l'égard d'une fourniture effectuée après le 31 décembre 1996, sauf à l'égard de la fourniture d'un droit d'entrée à un dîner, bal, concert, spectacle ou autre activité semblable pour lequel le fournisseur a fourni le droit d'entrée avant le 1er janvier 1997.

Auparavant, cet article se lisait ainsi :

58.2 Pour l'application des articles 58 et 58.1, l'expression « parti autorisé » signifie un parti, incluant une association régionale ou locale du parti, un candidat ou un comité référendaire régi par une loi du Québec ou du Canada qui impose des exigences relativement aux dépenses électorales ou référendaires.

L'article 58.2 a été ajouté par L.Q. 1994, c. 22, art. 398(1) et est réputé entré en vigueur le 1er juillet 1992.

58.3 Paiement par un syndicat ou une association — Dans le cas où un particulier, en raison de son adhésion à un syndicat ou à une association visé au paragraphe 1° de l'article 172, participe à des activités du syndicat ou de l'association et, en conséquence, ne peut exécuter des tâches, en vertu de son contrat d'emploi, pour son employeur pendant la période durant laquelle le particulier serait, si ce n'était de sa participation à ces activités, obligé de fournir de tels services et que le syndicat ou l'association paie un montant à l'employeur à titre de compensation pour les dépenses engagées par l'employeur en conséquence de la participation du particulier à ces activités ou pour la rémunération ou les avantages versés par l'employeur au particulier à l'égard de cette période, le montant est réputé ne pas constituer une contrepartie pour une fourniture.

Notes historiques: L'article 58.3 a été ajouté par L.Q. 1994, c. 22, art. 398(1) et est réputé entré en vigueur le 1er juillet 1992.

Définitions [art. 58.3]: « contrepartie », « employeur », « fourniture », « montant », « particulier » — 1.

Concordance fédérale: LTA, art. 164.2.

59. [*Abrogé*]

Notes historiques: L'article 59 a été abrogé par L.Q. 1994, c. 22, art. 399(1) rétroactivement à compter du 1er juillet 1992. L'article 59, édicté par L.Q. 1991, c. 67, se lisait comme suit :

59. Dans le cas où un fournisseur accepte, en contrepartie totale ou partielle d'une fourniture, un billet, un bon, un reçu, ou une autre pièce — appelé « bon » dans le présent article —, autre qu'un certificat-cadeau, qui peut être échangé contre un bien ou un service ou qui donne droit à l'acquéreur de la fourniture à une réduction sur le prix d'un bien ou d'un service, la valeur de la contrepartie de la fourniture est réputée égale à l'excédent de la valeur de la contrepartie de la fourniture, telle que déterminée par ailleurs en vertu du présent titre, sur la réduction ou la valeur d'échange du bon.

60. Paris et jeux de hasard — Dans le cas où une personne donnée parie un montant dans un jeu de hasard, une course ou un autre événement, les règles suivantes s'appliquent :

1° la personne auprès de qui la personne donnée parie le montant est réputée avoir effectué une fourniture d'un service à la personne donnée;

2° cette fourniture est réputée avoir été effectuée au Québec si le montant y est parié;

3° la contrepartie de cette fourniture est réputée égale au résultat obtenu en multipliant l'excédent du montant total relatif au montant parié qui est versé à la personne auprès de qui le montant est parié par la personne donnée, incluant tout montant versé au titre de la taxe imposée à la personne donnée en vertu du présent titre, sur la taxe imposée à la personne donnée en vertu de la partie IX de la *Loi sur la taxe d'accise* (L.R.C. 1985, c. E-15) par 100/109,975.

Notes historiques: Le paragraphe 3° de l'article 60 a été remplacé par L.Q. 2012, c. 28, par. 50(1) et cette modification a effet à compter du 1er janvier 2013. Antérieurement, il se lisait ainsi :

3° la contrepartie de cette fourniture est réputée égale au résultat obtenu en multipliant le montant total relatif au montant parié qui est versé à la personne auprès de qui le montant est parié par la personne donnée, incluant tout montant versé au titre de la taxe imposée à la personne donnée en vertu du présent titre, par 100 / 109,5.

Le paragraphe 3° de l'article 60 a été modifié par L.Q. 2011, c. 6, par. 238(1) par le remplacement de « 100 / 108,5 » par « 100 / 109,5 ». Cette modification a effet à compter du 1er janvier 2012.

Le paragraphe 3° de l'article 60 a été modifié par L.Q. 2010, c. 5, par. 211(1) par le remplacement de « 100 / 107,5 » par « 100 / 108,5 ». Cette modification a effet à compter du 1er janvier 2011.

L'article 60 a été remplacé par L.Q. 1997, c. 85, art. 457(1) et a effet depuis le 1er juillet 1992. Toutefois, lorsqu'il s'applique pour la période du 1er juillet 1992 au 31 mars 1997, l'article 60 doit se lire comme suit :

60. La personne auprès de qui une autre personne parie un montant dans un jeu de hasard, une course ou un autre événement est réputée avoir effectué une fourniture d'un service à l'autre personne pour une contrepartie égale à la fraction de contrepartie du montant parié, incluant tout montant versé au titre de la taxe imposée à l'autre personne en vertu du présent titre.

Pour la période du 1er avril 1997 au 31 décembre 1997, le paragraphe 3° de l'article 60 doit se lire en y remplaçant « 100/107,5 » par « 100/106,5 ».

Auparavant, cet article se lisait ainsi :

60. La personne auprès de qui une autre personne parie un montant dans un jeu de hasard, une course ou un autre événement est réputée avoir effectué une fourniture d'un service à l'autre personne pour une contrepartie égale à la fraction de contrepartie du montant parié.

L'article 60 a été édicté par L.Q. 1991, c. 67.

Notes explicatives ARQ (PL 5, L.Q. 2012, c. 28): *Résumé* :

L'article 60 est modifié afin de remplacer la fraction « 100/109,5 » par « 100/109,975 », et ce, afin de tenir compte du fait qu'à compter du 1er janvier 2013 la taxe sur les produits et services (TPS) est retirée de l'assiette de la taxe de vente du Québec (TVQ).

Situation actuelle :

L'article 60 établit les règles applicables dans le cas où une personne parie un montant dans un jeu de hasard, une course ou un autre événement. Ainsi, la personne auprès de qui cette personne parie le montant est réputée avoir effectué la fourniture d'un service dont la contrepartie est réputée égale au résultat obtenu en multipliant le montant parié, incluant tout montant versé au titre de la TVQ, par la fraction « 100/109,5 ».

Modifications proposées :

Afin de tenir compte du fait que la TPS est retirée de l'assiette de la TVQ à compter du 1er janvier 2013, il y a lieu de modifier l'article 60 de la LTVQ.

Cette modification a pour objet de remplacer la fraction « 100/109,5 » par « 100/109,975 ». Cette fraction permet de déterminer la contrepartie de la fourniture du service qui est réputée avoir été effectuée dans le cas où une personne parie un montant dans un jeu de hasard, une course ou un autre événement.

De plus, cette modification a pour objet d'exclure dumontant parié la taxe imposée en vertu de la partie IX de la *Loi sur la taxe d'accise* (Lois révisées du Canada (1985), chapitre E-15) (LTA). Cette modification est nécessaire compte tenu de l'article 187 de la LTA qui stipule que le montant parié comprend la taxe redevable en vertu de la partie IX de la LTA.

Notes explicatives ARQ (PL 5, L.Q. 2011, c. 6): *Résumé* :

Une modification est proposée à l'article 60.

Cette modification vise à remplacer la fraction « 100 / 108,5 » par « 100 / 109,5 », et ce, en vue de tenir compte de la hausse du taux de la taxe de vente du Québec (TVQ) à compter du 1er janvier 2012.

Situation actuelle :

L'article 60 établit les règles applicables dans le cas où une personne parie un montant dans un jeu de hasard, une course ou un autre événement.

Ainsi, la personne auprès de qui cette personne parie le montant est réputée avoir effectué la fourniture d'un service dont la contrepartie est réputée égale au résultat obtenu en multipliant le montant parié, incluant tout montant versé au titre de la TVQ, par la fraction « 100 / 108,5 ».

Modifications proposées :

En vue de tenir compte de la hausse du taux de un point de pourcentage de la TVQ à compter du 1er janvier 2012, il y a lieu de modifier l'article 60 de la LTVQ.

Cette modification a pour objet de remplacer la fraction « 100 / 108,5 » par « 100 / 109,5 ». Cette fraction permet de déterminer la contrepartie de la fourniture du service qui est réputée avoir été effectuée dans le cas où une personne parie un montant dans un jeu de hasard, une course ou un autre événement.

Notes explicatives ARQ (PL 64, L.Q. 2010, c. 5): *Résumé* :

Les modifications proposées à l'article 60, plus particulièrement au paragraphe 3°, visent à remplacer la fraction « 100 / 107,5 » par « 100 / 108,5 », et ce, en vue de tenir compte de la hausse du taux de la taxe de vente du Québec (TVQ) à compter du 1er janvier 2011.

Situation actuelle :

L'article 60 de la LTVQ établit les règles applicables dans le cas où une personne donnée parie un montant dans un jeu de hasard, une course ou un autre événement.

Ainsi, la personne auprès de qui la personne donnée parie le montant est réputée avoir effectué la fourniture d'un service dont la contrepartie est réputée égale au résultat obtenu en multipliant le montant total relatif au montant parié, incluant tout montant versé au titre de la TVQ, par la fraction « 100/107,5 ».

Modifications proposées :

En vue de tenir compte de la hausse du taux de un point de pourcentage de la TVQ à compter du 1er janvier 2011, il y aurait lieu de modifier l'article 60 de la LTVQ, plus particulièrement le paragraphe 3°, afin de remplacer la fraction « 100/107,5 » par « 100/108,5 », laquelle fraction permet de déterminer la contrepartie de la fourniture du service qui est réputée avoir été effectuée dans le cas où une personne donnée parie un montant dans un jeu de hasard, une course ou un autre événement.

Définitions [art. 60]: « contrepartie », « fourniture », « fraction de contrepartie », « jeu de hasard », « montant », « personne », « service » — 1.

Renvois [art. 60]: 62 (contribution par un compétiteur); 138.1 (fourniture par un organisme de bienfaisance); 145 (fourniture d'un droit d'entrée dans un lieu de divertissement par un organisme du secteur public); 146 (fourniture par un organisme de bienfaisance ou sans but lucratif du droit de jouer ou de participer à un jeu de hasard); 147 (service réputé fourni); 294 (petit fournisseur); 277 (RTI); 279 (RTI); 295 (petit fournisseur, 29/12/93, exception).

Concordance fédérale: LTA, art. 187.

COMMENTAIRES: Voir les commentaires sous l'article 62.

61. [*Abrogé*]

Notes historiques: L'article 61 a été abrogé par L.Q. 1997, c. 85, art. 458(1) et cette abrogation a effet depuis le 24 avril 1996. L'article 61, édicté par L.Q. 1991, c. 67, se lisait ainsi :

> 61. Dans le cas où une personne engage une dépense en effectuant la fourniture d'un service et que l'acquéreur de cette fourniture lui rembourse cette dépense, le montant du remboursement est réputé faire partie de la contrepartie de la fourniture, sauf dans la mesure où la dépense est engagée par la personne à titre de mandataire de l'acquéreur.

COMMENTAIRES: Voir les commentaires sous l'article 62.

62. Contribution par un compétiteur — La contribution d'un montant, par un compétiteur, à un prix qui doit être remis à des compétiteurs, dans le cadre d'une compétition à laquelle il participe, est réputée ne pas être la contrepartie d'une fourniture.

Exception — Le présent article ne s'applique pas à l'égard d'une contribution, effectuée à titre de partie du montant payé par le compétiteur pour obtenir le droit ou le privilège de participer à la compétition, qui n'est pas identifiée séparément à titre de contribution au prix.

Notes historiques: L'article 62 a été édicté par L.Q. 1991, c. 67.

Définitions [art. 62]: « contrepartie », « fourniture », « montant » — 1.

Jurisprudence [art. 62]: *9043-0422 Québec inc. c. Québec (Sous-ministre du Revenu)* (23 avril 2008), 500-17-037510-073, 2008 CarswellQue 7565.

Concordance fédérale: LTA, par. 188(3), 188(4).

COMMENTAIRES: Compte tenu de la similarité de la rédaction des dispositions législatives et considérant l'engagement spécifique de Revenu Québec de veiller à ce que l'assiette de TVQ modifiée, de même que les paramètres administratifs, structurels et définitionnels, produisent des résultats qui sont similaires à ceux produits sous le régime de la TPS/TVH et soient administrés d'une manière qui produit des résultats similaires, tel que reflété par l'article 14 de l'*Entente intégrée globale de coordination fiscale* signée entre le gouvernement du Canada et le gouvernement du Québec, nous vous référons à nos commentaires en vertu de l'article 187 et des paragraphes 188(2) et (3) de la *Loi sur la taxe d'accise (TPS)* qui devraient s'appliquer *mutatis mutandis*, avec les adaptations nécessaires.

62.1 Pénalité pour défaut de remettre du matériel roulant — Le montant qui est payé, soit à titre de surestaries ou de droit de stationnement, soit par une compagnie de chemin de fer à une autre compagnie de chemin de fer à titre d'une pénalité pour défaut de remettre du matériel roulant dans le délai imparti, est réputé ne pas être la contrepartie d'une fourniture.

Notes historiques: L'article 62.1 a été ajouté par L.Q. 1994, c. 22, art. 400(1) et est réputé entré en vigueur le 1er juillet 1992.

Définitions [art. 62.1]: « contrepartie », « fourniture », « montant » — 1.

Renvois [art. 62.1]: 318 (renonciation).

Concordance fédérale: LTA, art. 162.1.

63. Définitions — Pour l'application du présent article et des articles 64 à 67, l'expression :

« fraction de référence » d'un voyage organisé, à un moment donné, correspond à la proportion représentée par le rapport entre la partie du montant qui serait exigé par le premier fournisseur du voyage pour la fourniture du voyage à ce moment qui est alors raisonnablement imputable à la partie taxable du voyage et le montant qui serait exigé par le premier fournisseur du voyage pour la fourniture du voyage à ce moment;

Notes historiques: La définition de « fraction de référence » à l'article 63 a été édictée par L.Q. 1991, c. 67.

Concordance fédérale: LTA, par. 163(3)« fraction de référence ».

« partie taxable » d'un voyage organisé signifie tous les biens et les services compris dans le voyage et à l'égard desquels la taxe prévue à l'article 16 serait payable s'ils étaient fournis autrement que dans le cadre d'un voyage organisé;

Notes historiques: La définition de « partie taxable » à l'article 63 a été modifiée par L.Q. 1995, c. 63, art. 333(1) et s'applique retrospectivement depuis le 1er août 1995. Cette définition a été édictée par L.Q. 1991, c. 67. et se lisait comme suit :

> « partie taxable » d'un voyage organisé signifie tous les biens et services compris dans le voyage et à l'égard desquels la taxe prévue à l'article 16 serait payable s'ils étaient fournis autrement que dans le cadre d'un voyage organisé, et comprend la fourniture non taxable d'un bien ou d'un service;

Concordance fédérale: LTA, par. 163(3)« partie taxable ».

« pourcentage taxable » d'un voyage organisé, à un moment donné, signifie :

1° lorsque la différence entre la fraction de référence du voyage à ce moment et le pourcentage taxable initial du voyage ou la fraction de référence du voyage à un moment antérieur est de plus de 10 %, la fraction de référence du voyage au moment donné;

2° dans tout autre cas, le pourcentage taxable initial du voyage;

Notes historiques: La définition de « pourcentage taxable » à l'article 63 a été édictée par L.Q. 1991, c. 67.

Concordance fédérale: LTA, par. 163(3)« pourcentage taxable ».

« pourcentage taxable initial » d'un voyage organisé correspond à la proportion représentée, au moment où le premier fournisseur du voyage détermine le montant qu'il va exiger pour la fourniture du voyage, par le rapport entre la partie de ce montant qui est, à ce moment, raisonnablement imputable à la partie taxable du voyage et ce montant;

Notes historiques: La définition de « pourcentage taxable initial » à l'article 63 a été édictée par L.Q. 1991, c. 67.

Concordance fédérale: LTA, par. 163(3)« pourcentage taxable initial ».

« premier fournisseur » d'un voyage organisé signifie la personne qui, la première, fournit le voyage au Québec;

Notes historiques: La définition de « premier fournisseur » à l'article 63 a été édictée par L.Q. 1991, c. 67.

Concordance fédérale: LTA, par. 163(3)« premier fournisseur ».

« voyage organisé » signifie un ensemble de services, ou de biens et de services, comprenant le service de transport, le logement, le droit d'utiliser un terrain de camping ou de caravaning et les services d'un guide ou d'un interprète dans le cas où les biens et les services sont fournis ensemble pour un prix forfaitaire.

Notes historiques: La définition de « voyage organisé » à l'article 63 a été édictée par L.Q. 1991, c. 67

Concordance fédérale: LTA, par. 163(3)« voyage organisé ».

Définitions [art. 63]: « bien », « fournisseur », « fourniture », « montant », « personne », « service », « taxe » — 1.

Renvois [art. 63]: 51 (valeur de la contrepartie); 64–66 (partie taxable d'un voyage organisé); 192 (fourniture de la partie non taxable d'un voyage organisé); 357.5 (remboursement par le fournisseur).

64. Partie taxable d'un voyage organisé — fournisseur — La contrepartie d'une fourniture de la partie taxable d'un voyage organisé est réputée égale, dans le cas où la fourniture est effectuée par le premier fournisseur du voyage, au montant déterminé selon la formule suivante :

$$A \times B.$$

Application — Pour l'application de cette formule :

1° la lettre A représente le pourcentage taxable du voyage au moment où la fourniture est effectuée;

2° la lettre B représente la contrepartie totale de l'ensemble du voyage.

Notes historiques: L'article 64 a été édicté par L.Q. 1991, c. 67.

Définitions [art. 64]: « contrepartie », « fournisseur », « fourniture », « montant » — 1.

Renvois [art. 64]: 63 (définitions applicables aux voyages organisés); 65 (partie taxable d'un voyage organisé — voyage organisé par personne autre que premier fournisseur); 66 (partie taxable et non taxable); 192 (fourniture de la partie non taxable d'un voyage organisé).

Concordance fédérale: LTA, al. 163(1)a).

65. Partie taxable d'un voyage organisé — autre personne — La contrepartie d'une fourniture de la partie taxable d'un voyage organisé est réputée égale, dans le cas où la fourniture est effectuée par une personne autre que le premier fournisseur, au montant déterminé selon la formule suivante :

$$A \times B.$$

Application — Pour l'application de cette formule :

1° la lettre A représente la proportion représentée par la contrepartie de la fourniture à la personne de la partie taxable du voyage sur la contrepartie totale payée ou payable par la personne pour l'ensemble du voyage;

2° la lettre B représente la contrepartie totale payée ou payable à la personne pour l'ensemble du voyage.

Notes historiques: L'article 65 a été édicté par L.Q. 1991, c. 67.

Définitions [art. 65]: « contrepartie », « fournisseur », « fourniture », « montant », « personne » — 1.

Renvois [art. 65]: 63 (définitions applicables aux voyages organisés); 66 (parties taxable et non taxable).

Concordance fédérale: LTA, al. 163(1)b).

66. Partie taxable et autre que taxable — La partie d'un voyage organisé qui constitue la partie taxable du voyage et l'autre partie du voyage sont réputées chacune être l'objet d'une fourniture distincte et ne pas être accessoire à l'autre.

Notes historiques: L'article 66 a été édicté par L.Q. 1991, c. 67.

Définitions [art. 66]: « fourniture » — 1.

Renvois [art. 66]: 63 (définitions applicables aux voyages organisés); 64 (partie taxable d'un voyage organisé); 65 (partie taxable d'un voyage organisé — voyage organisé par personne autre que premier fournisseur).

Concordance fédérale: LTA, par. 163(2).

67. [*Abrogé*]

Notes historiques: L'article 67 a été abrogé par L.Q. 1995, c. 63, art. 334(1) et cette abrogation s'applique à l'égard de la fourniture d'un voyage organisé dont la totalité de la contrepartie devient due après le 31 juillet 1995 et n'est pas payée avant le 1er août 1995. Cet article avait été édicté par L.Q. 1991, c. 67 et se lisait comme suit :

> 67. Le premier fournisseur d'un voyage organisé doit indiquer à l'acquéreur, au moment où il lui effectue une fourniture non taxable d'un voyage, la part de la contrepartie qui correspond à la partie taxable du voyage.

SECTION IV — RÈGLES PARTICULIÈRES RELATIVES À L'IMPOSITION

§ 1. — Règles de calcul

68. Fourniture par un petit fournisseur — La totalité ou la partie de la contrepartie d'une fourniture taxable qui devient due, ou qui est payée avant qu'elle ne devienne due, à un moment où la personne qui effectue la fourniture est un petit fournisseur qui n'est pas un inscrit, ne doit pas être incluse dans le calcul de la taxe payable à l'égard de la fourniture.

Exception — Le présent article ne s'applique pas à l'égard des fournitures suivantes :

1° la fourniture d'un immeuble par vente;

2° la fourniture d'un véhicule routier qui doit être immatriculé en vertu du *Code de la sécurité routière* (chapitre C-24.2) à la suite d'une demande de son acquéreur.

Notes historiques: Le deuxième alinéa de l'article 68 a été modifié par L.Q. 1995, c. 63, art. 335(1) et cette modification a effet depuis le 1er juillet 1992 [*N.D.L.R.* : cette disposition s'applique conformément aux articles 618 à 656 et 685 L.Q. 1991, c. 67, tels que modifiés]. Auparavant, cet alinéa se lisait comme suit :

> Le présent article ne s'applique pas à l'égard de la fourniture d'un immeuble par vente.

L'article 68 a été édicté par L.Q. 1991, c. 67.

Définitions [art. 68]: « contrepartie », « fourniture », « fourniture taxable », « inscrit », « personne », « petit fournisseur », « taxe », « vente » — 1.

Renvois [art. 68]: 51 (valeur de la contrepartie); 83 (contrepartie due); 294 (petit fournisseur); 297.0.18 (règles applicables — fourniture taxable).

Bulletins d'interprétation [art. 68]: TVQ. 346-1 — Fourniture taxable d'immeubles détenus en copropriété indivise.

Lettres d'interprétation [art. 68]: 06-0103629 — Interprétation relative à la TVQ — contrat de franchise vendue par un non-résident à un résident du Québec.

Concordance fédérale: LTA, art. 166.

COMMENTAIRES: Voir les commentaires sous l'article 74.

69. Facteur d'arrondissement — Dans le cas où la taxe qui est, à un moment quelconque, payable en vertu de l'article 16 à l'égard d'une ou de plusieurs fournitures faisant l'objet d'une même convention, d'une même facture ou d'un même reçu comprend une fraction de cent, les règles suivantes s'appliquent :

1º si la fraction est inférieure à un demi-cent, il peut ne pas être tenu compte de cette fraction;

2º si la fraction est égale ou supérieure à un demi-cent, elle est réputée égale à un cent.

Notes historiques: Le préambule de l'article 69 a été remplacé par L.Q. 1997, c. 85, art. 459(1) et a effet depuis le 1er avril 1997. Antérieurement, le préambule de l'article 69 se lisait ainsi :

> 69. Dans le cas où la taxe déterminée en fonction du total des contreparties des fournitures taxables facturées comprend une fraction de cent, les règles suivantes s'appliquent :

L'article 69 a été édicté par L.Q. 1991, c. 67.

Guides [art. 69]: IN-203 — Renseignements généraux sur la TVQ et la TPS/TVH.

Définitions [art. 69]: « contrepartie », « facture », « fourniture », « fourniture taxable », « immeuble », « montant », « taxe », « véhicule routier » — 1.

Lettres d'interprétation [art. 69]: 98-0105035 — Interprétation relative à la TPS et à la TVQ — Convention de partage des dépenses d'un groupe de médecins.

Concordance fédérale: LTA, par. 165.2(2).

COMMENTAIRES: Voir les commentaires sous l'article 74.

69.1 Facteur d'arrondissement — téléphone — Dans le cas où la contrepartie pour la fourniture d'un service de télécommunication est payée au moyen de pièces de monnaie insérées dans un téléphone et que la taxe payable est égale soit à une fraction de 0,05 $, soit au total d'un multiple de 0,05 $ et d'une fraction de 0,05 $:

1º si la fraction est inférieure à 0,025 $, il peut ne pas être tenu compte de cette fraction;

2º si la fraction est égale ou supérieure à 0,025 $, elle est réputée égale à 0,05 $.

Notes historiques: Le préambule de l'article 69.1 a été remplacé par L.Q. 1997, c. 85, art. 460(1) et cette modification s'applique à l'égard d'une fourniture dont la contrepartie est payée par l'acquéreur après le 23 avril 1996.

Antérieurement, le préambule de cet article se lisait comme suit :

> 69.1 Dans le cas où la contrepartie pour la fourniture d'un service téléphonique est payée au moyen de pièces de monnaie insérées dans un téléphone et que la taxe est égale soit à une fraction de 0,05 $, soit au total d'un multiple de 0,05 $ et d'une fraction de 0,05 $:

L'article 69.1 a été ajouté par L.Q. 1994, c. 22, art. 401(1) et est réputé entré en vigueur le 1er juillet 1992.

Définitions [art. 69.1]: « contrepartie », « fourniture », « taxe » — 1.

Lettres d'interprétation [art. 69.1]: 98-0105035 — Interprétation relative à la TPS et à la TVQ — Convention de partage des dépenses d'un groupe de médecins.

Concordance fédérale: LTA, par. 165.1(1).

COMMENTAIRES: Voir les commentaires sous l'article 74.

69.2 [*Abrogé*]

Notes historiques: L'article 69.2 a été abrogé par L.Q. 1995, c. 63, art. 336(1) et cette abrogation a effet depuis le 1er août 1995. Cet article avait été ajouté par L.Q. 1994, c. 22, art. 401(1) et était réputé entré en vigueur le 1er juillet 1992. Il se lisait comme suit :

> 69.2 Les règles prévues à l'article 69 s'appliquent dans le cas où le montant déterminé en vertu des articles 297.2, 297.3, 350.30 ou 350.40 comprend une fraction de cent.

COMMENTAIRES: Voir les commentaires sous l'article 74.

69.3 [*Abrogé*]

Notes historiques: L'article 69.3 a été abrogé par L.Q. 2007, c. 12, par. 318(1) et cette abrogation s'applique à l'égard :

1° d'une fourniture effectuée après le 30 juin 2006;

2° du calcul de la taxe relative à une fourniture effectuée avant le 1er juillet 2006, mais seulement à l'égard de la partie de cette taxe qui, selon le cas :

a) devient payable après le 30 juin 2006 et n'a pas été payée avant le 1er juillet 2006;

b) est payée après le 30 juin 2006 sans être devenue payable.

Antérieurement, il se lisait ainsi :

> 69.3 Facteur d'arrondissement — caisse enregistreuse — Dans le cas où un inscrit utilise habituellement une caisse enregistreuse pour déterminer la taxe payable par un acquéreur à l'égard d'une fourniture taxable qu'il lui effectue et que la caisse enregistreuse ne permet pas de déterminer cette taxe en multipliant soit la valeur de la contrepartie de la fourniture par le taux de la taxe, soit la valeur de cette contrepartie établie sans tenir compte de la taxe payable par l'acquéreur en vertu de la partie IX de la *Loi sur la taxe d'accise* (Lois révisées du Canada (1985), chapitre E-15) — appelée « valeur de la contrepartie modifiée » dans le présent article — par 8,025 %, ou 15,025 % si l'inscrit détermine un montant total constitué à la fois de la taxe prévue au présent titre et de celle prévue à la partie IX de la *Loi sur la taxe d'accise*, les règles suivantes s'appliquent :
>
> 1º l'inscrit peut, au moyen de la caisse enregistreuse, déterminer la taxe payable en multipliant la valeur de la contrepartie modifiée par 8,02 %;
>
> 2º l'inscrit peut, au moyen de la caisse enregistreuse, déterminer le montant total constitué à la fois de la taxe et de celle prévue à la partie IX de la *Loi sur la taxe d'accise* en multipliant la valeur de la contrepartie modifiée par 15,02 %.

L'article 69.3 a été remplacé par L.Q. 1997, c. 85, art. 461(1) et a effet à compter du 1er janvier 1998. L'article 69.3 a été ajouté par L.Q. 1995, c. 1, art. 264 et a effet depuis le 13 mai 1994. Il se lisait ainsi :

> 69.3 Dans le cas où un inscrit utilise habituellement une caisse enregistreuse pour déterminer la taxe payable par un acquéreur à l'égard d'une fourniture taxable qu'il lui effectue et que la caisse enregistreuse ne permet pas de déterminer cette taxe en multipliant soit la valeur de la contrepartie de la fourniture par le taux de la taxe, soit la valeur de cette contrepartie établie sans tenir compte de la taxe payable par l'acquéreur en vertu de la partie IX de la *Loi sur la taxe d'accise* (Statuts du Canada) — appelée « valeur de la contrepartie modifiée » dans le présent article — par 6,955 %, ou 13,955 % si l'inscrit détermine un montant total constitué à la fois de la taxe et de celle prévue à la partie IX de la *Loi sur la taxe d'accise*, les règles suivantes s'appliquent :
>
> 1º l'inscrit peut, au moyen de la caisse enregistreuse, déterminer la taxe payable en multipliant la valeur de la contrepartie modifiée par 6,95 %;
>
> 2º l'inscrit peut, au moyen de la caisse enregistreuse, déterminer le montant total constitué à la fois de la taxe et de celle prévue à la partie IX de la *Loi sur la taxe d'accise* en multipliant la valeur de la contrepartie modifiée par 13,95 %.

Notes explicatives ARQ (PL 2, L.Q. 2007, c. 12): *Résumé* :

Les articles 69.3 et 69.4 sont abrogés en raison de la modification du taux de la taxe prévue au paragraphe 1 de l'article 165 de la *Loi sur la taxe d'accise* (Lois révisées du Canada (1985), chapitre E-15 (LTA)) qui passe de 7 % à 6 %.

Situation actuelle :

Il existe trois façons pour un inscrit de déterminer les taxes payables par un acquéreur à l'égard d'une fourniture taxable que l'inscrit effectue :

> En trois étapes : la taxe sur les produits et services (TPS) au taux de 7 % est d'abord calculée sur le prix de vente, le montant de la TPS est ensuite ajouté à ce prix de vente et enfin la taxe de vente du Québec (TVQ) au taux de 7,5 % est calculée sur le total du prix de vente et du montant de la TPS payable.
>
> En deux étapes : la TPS au taux de 7 % est calculée sur le prix de vente et la TVQ est calculée selon le facteur mathématique 8,025 % sur ce prix de vente.
>
> En une seule étape : le prix de vente est multiplié par le facteur mathématique 15,025 %.

Toutefois, certains inscrits utilisent des caisses enregistreuses qui ne sont pas assez sophistiquées pour leur permettre de déterminer la TVQ au moyen du taux réel ou d'un facteur mathématique comportant trois décimales. Dans de telles circonstances, l'article 69.3 de la LTVQ permet à ces inscrits d'utiliser, selon le cas, un facteur mathématique arrondi de 8,02 % ou de 15,02 %, leur évitant ainsi d'avoir à supporter le coût d'un nouvel équipement.

Par ailleurs, l'article 69.4 prévoit une pénalité de 1 % de la TVQ perçue à l'égard d'un inscrit qui applique les facteurs mathématiques prévus à l'article 69.3 de la LTVQ dans des circonstances autres que celles prévues à cet article.

Modifications proposées :

L'article 69.3 est abrogé en raison de la modification du taux de la taxe prévue au paragraphe 1 de l'article 165 de la LTA qui passe de 7 % à 6 %. Selon ce nouveau taux, les facteurs mathématiques passeront de 8,025 % à 7,95 % et de 15,025 % à 14,95 %. La nécessité de prévoir un nouveau facteur mathématique arrondi devient donc inutile. Par conséquent, l'article 69.3 de la LTVQ devient caduc. Il en est de même en ce qui a trait à l'article 69.4 de la LTVQ de sorte qu'il est proposé de l'abroger.

LTVQ (français)

COMMENTAIRES: Voir les commentaires sous l'article 74.

69.3.1 Facteur d'arrondissement — caisse enregistreuse — Dans le cas où un inscrit utilise habituellement une caisse enregistreuse pour déterminer la taxe payable par un acquéreur à l'égard d'une fourniture taxable qu'il effectue à son profit et que la caisse enregistreuse ne permet pas de déterminer cette taxe en multipliant la valeur de la contrepartie de la fourniture par 9,975 %, ou 14,975 % si l'inscrit détermine un montant total constitué à la fois de la taxe prévue au présent titre et de celle prévue à la partie IX de la *Loi sur la taxe d'accise* (L.R.C. 1985, c. E-15), les règles suivantes s'appliquent :

1° l'inscrit peut, au moyen de la caisse enregistreuse, déterminer la taxe payable en multipliant la valeur de la contrepartie par 9,97 %;

2° l'inscrit peut, au moyen de la caisse enregistreuse, déterminer le montant total constitué à la fois de la taxe prévue au présent titre et de celle prévue à la partie IX de la *Loi sur la taxe d'accise* en multipliant la valeur de la contrepartie par 14,97 %.

Notes historiques: Le préambule de l'article 69.3.1 a été modifié par L.Q. 2011, c. 6, s.-par. 239(1)(1°) par le remplacement de « 8,925 % » et « 13,925 % » par, respectivement, « 9,975 % » et « 14,975 % ». Cette modification a effet à compter du 1er janvier 2012.

Le préambule de l'article 69.3.1 a été modifié par L.Q. 2010, c. 5, s.-par. 212(1)(1°) par le remplacement de « 7,875 % » et « 12,875 % » par, respectivement, « 8,925 % » et « 13,925 % ». Ces modifications ont effet à compter du 1er janvier 2011.

Le paragraphe 1° de l'article 69.3.1 a été modifié par L.Q. 2011, c. 6, s.-par. 239(1)(2°) par le remplacement de « 8,92 % » par « 9,97 % ». Cette modification a effet à compter du 1er janvier 2012.

Le paragraphe 1° de l'article 69.3.1 a été modifié par L.Q. 2010, c. 5, s.-par. 212(1)(2°) par le remplacement de « 7,87 % » par « 8,92 % ». Cette modification a effet à compter du 1er janvier 2011.

Le paragraphe 2° de l'article 69.3.1 a été modifié par L.Q. 2011, c. 6, s.-par. 239(1)(3°) par le remplacement de « 13,92 % » par « 14,97 % ». Cette modification a effet à compter du 1er janvier 2012.

Le paragraphe 2° de l'article 69.3.1 a été modifié par L.Q. 2010, c. 5, s.-par. 212(1)(3°) par le remplacement de « 12,87 % » par « 13,92 % ». Cette modification a effet à compter du 1er janvier 2011.

L'article 69.3.1 a été remplacé par L.Q. 2012, c. 28, par. 51(1) et cette modification a effet à compter du 1er janvier 2013. Antérieurement, il se lisait ainsi :

> 69.3.1 Dans le cas où un inscrit utilise habituellement une caisse enregistreuse pour déterminer la taxe payable par un acquéreur à l'égard d'une fourniture taxable qu'il lui effectue et que la caisse enregistreuse ne permet pas de déterminer cette taxe en multipliant soit la valeur de la contrepartie de la fourniture par le taux de la taxe, soit la valeur de cette contrepartie établie sans tenir compte de la taxe payable par l'acquéreur en vertu de la partie IX de la *Loi sur la taxe d'accise* (L.R.C. 1985, c. E-15) — appelée « valeur de la contrepartie modifiée » dans le présent article — par 9,975 %, ou 14,975 % si l'inscrit détermine un montant total constitué à la fois de la taxe prévue au présent titre et de celle prévue à la partie IX de la *Loi sur la taxe d'accise*, les règles suivantes s'appliquent :
>
> 1° l'inscrit peut, au moyen de la caisse enregistreuse, déterminer la taxe payable en multipliant la valeur de la contrepartie modifiée par 9,97 %;
>
> 2° l'inscrit peut, au moyen de la caisse enregistreuse, déterminer le montant total constitué à la fois de la taxe et de celle prévue à la partie IX de la *Loi sur la taxe d'accise* en multipliant la valeur de la contrepartie modifiée par 14,97 %.

L'article 69.3.1 a été ajouté par L.Q. 2009, c. 5, par. 599(1) et a effet depuis le 1er janvier 2008.

Notes explicatives ARQ (PL 5, L.Q. 2012, c. 28): *Résumé* :

L'article 69.3.1 est modifié, et ce, afin de tenir compte du fait qu'à compter du 1er janvier 2013 la taxe sur les produits et services (TPS) est retirée de l'assiette de la taxe de vente du Québec (TVQ).

Situation actuelle :

L'article 69.3.1 établit les règles applicables dans le cas où un inscrit utilise habituellement une caisse enregistreuse pour déterminer la taxe payable à l'égard d'une fourniture taxable et que la caisse enregistreuse ne permet pas de déterminer la TVQ en multipliant :

— soit la valeur de la contrepartie de la fourniture par le taux réel de la TVQ;

— soit la valeur de cette contrepartie, établie sans tenir compte de la TPS payable, par le facteur mathématique « 9,975 » ou, si l'inscrit détermine un montant total constitué de la TPS et de la TVQ, par le facteur mathématique « 14,975 % ».

Dans ce cas, les règles prévues à l'article 69.3.1 permettent à l'inscrit de déterminer, au moyen de la caisse enregistreuse :

— la TVQ, en multipliant la valeur de la contrepartie, établie sans tenir compte de la TPS payable, par le facteur mathématique « 9,97 % »;

— le montant total constitué de la TPS et de la TVQ, en multipliant la valeur de la contrepartie, établie sans tenir compte de la TPS payable, par le facteur mathématique « 14,97 % ».

Modifications proposées :

L'article 69.3.1 est modifié, et ce, afin de tenir compte qu'à compter du 1er janvier 2013 la TPS est retirée de l'assiette de la TVQ.

Notes explicatives ARQ (PL 5, L.Q. 2011, c. 6): *Résumé* :

Des modifications sont proposées à l'article 69.3.1.

Ces modifications visent à remplacer les facteurs mathématiques qui permettent à un inscrit, dans certaines circonstances, de déterminer la taxe payable, et ce, en vue de tenir compte de la hausse du taux de la taxe de vente du Québec (TVQ) à compter du 1er janvier 2012.

Situation actuelle :

L'article 69.3.1 établit les règles applicables dans le cas où un inscrit utilise habituellement une caisse enregistreuse pour déterminer la taxe payable à l'égard d'une fourniture taxable et que la caisse enregistreuse ne permet pas de déterminer la TVQ en multipliant :

— soit la valeur de la contrepartie de la fourniture par le taux réel de la TVQ;

— soit la valeur de cette contrepartie, établie sans tenir compte de la taxe sur les produits et services (TPS) payable, par le facteur mathématique « 8,925 % » ou, si l'inscrit détermine un montant total constitué de la TPS et de la TVQ, par le facteur mathématique « 13,925 % ».

Dans ce cas, les règles prévues à l'article 69.3.1 de la LTVQ permettent à l'inscrit de déterminer, au moyen de la caisse enregistreuse :

— la TVQ, enmultipliant la valeur de la contrepartie, établie sans tenir compte de la TPS payable, par le facteur mathématique « 8,92 % »;

— le montant total constitué de la TPS et de la TVQ, en multipliant la valeur de la contrepartie, établie sans tenir compte de la TPS payable, par le facteur mathématique « 13,92 % ».

Modifications proposées :

En vue de tenir compte de la hausse du taux de un point de pourcentage de la TVQ à compter du 1er janvier 2012, il y a lieu de modifier l'article 69.3.1 de la LTVQ.

Ces modifications ont pour objet de remplacer certains facteurs mathématiques qui permettent à un inscrit de déterminer la taxe payable dans le cas où la caisse enregistreuse qu'il utilise ne lui permet pas d'utiliser le taux réel de la TVQ ou des facteurs mathématiques à trois décimales.

Notes explicatives ARQ (PL 2, L.Q. 2009, c. 5): *Résumé* :

L'article 69.3.1 est introduit en raison de la modification du taux de la taxe prévue au paragraphe 1 de l'article 165 de la *Loi sur la taxe d'accise* (Lois révisées du Canada (1985), chapitre E-15 (LTA)) qui passe de 6 % à 5 %.

Situation actuelle :

Il existe trois façons de déterminer le montant de taxe payable à l'égard d'une fourniture taxable :

1. la taxe sur les produits et services (TPS) au taux de 5 % est d'abord calculée sur le prix de vente. Le montant de la TPS est ensuite ajouté à ce prix et enfin la taxe de vente du Québec (TVQ) au taux de 7,5 % est calculée sur le total du prix de vente et de la TPS;
2. la TPS au taux de 5 % est calculée sur le prix de vente et la TVQ est calculée selon le facteur mathématique 7,875 % sur ce même prix de vente;
3. le prix de vente est multiplié par le facteur mathématique 12,875 %.

Or, certains inscrits utilisent des caisses enregistreuses qui ne sont pas assez sophistiquées pour leur permettre de déterminer la TVQ au moyen du taux réel ou d'un facteur mathématique comportant trois décimales.

Modifications proposées :

La modification proposée consiste à introduire l'article 69.3.1 à la LTVQ afin de permettre aux inscrits qui emploient de telles caisses enregistreuses d'utiliser, selon le cas, un facteur mathématique arrondi de 7,87 % ou de 12,87 %, leur évitant ainsi d'avoir à supporter le coût d'un nouvel équipement en raison de la modification du taux de la taxe prévue au paragraphe 1 de l'article 165 de la LTA.

Bulletins d'information: 2007-10 — Bonification du crédit d'impôt pour services de production cinématographique et autres mesures fiscales.

Concordance fédérale: aucune.

COMMENTAIRES: Voir les commentaires sous l'article 74.

69.4 [*Abrogé*]

Notes historiques: L'article 69.4 a été abrogé par L.Q. 2007, c. 12, par. 318(1) et cette abrogation s'applique à l'égard :

1° d'une fourniture effectuée après le 30 juin 2006;

2° du calcul de la taxe relative à une fourniture effectuée avant le 1er juillet 2006, mais seulement à l'égard de la partie de cette taxe qui, selon le cas :

a) devient payable après le 30 juin 2006 et n'a pas été payée avant le 1er juillet 2006;

b) est payée après le 30 juin 2006 sans être devenue payable.

Antérieurement, il se lisait ainsi :

69.4 Pénalité — Tout inscrit qui applique les règles prévues à l'article 69.3 dans des circonstances autres que celles visées à cet article encourt une pénalité de 1 % de la taxe perçue au cours de la période que dure l'irrégularité.

L'article 69.4 a été ajouté par L.Q. 1995, c. 1, art. 264 et a effet depuis le 13 mai 1994.

Notes explicatives ARQ (PL 2, L.Q. 2007, c. 12): [Voir sous l'art. 69.3 — n.d.l.r.]

COMMENTAIRES: Voir les commentaires sous l'article 74.

69.4.1 Pénalité — Tout inscrit qui applique les règles prévues à l'article 69.3.1 dans des circonstances autres que celles visées à cet article encourt une pénalité de 1 % de la taxe perçue au cours de la période que dure l'irrégularité.

Notes historiques: L'article 69.4.1 a été ajouté par L.Q. 2009, c. 5, par. 600(1) et a effet depuis le 1er janvier 2008.

Notes explicatives ARQ (PL 2, L.Q. 2009, c. 5): *Résumé* :

Le nouvel article 69.4.1 impose une pénalité égale à 1 % du total de la taxe de vente du Québec (TVQ) perçue lorsqu'un inscrit applique les règles prévues à l'article 69.3.1 de la LTVQ dans des circonstances autres que celles visées à cet article.

Situation actuelle :

Certains inscrits utilisent des caisses enregistreuses qui ne sont pas assez sophistiquées pour leur permettre de déterminer la TVQ au moyen du taux réel ou d'un facteur mathématique comportant trois décimales. Dans de telles circonstances, le nouvel article 69.3.1 de la LTVQ permet à ces inscrits d'utiliser, selon le cas, un facteur mathématique arrondi de 7,87 % ou de 12,87 % leur évitant ainsi d'avoir à supporter le coût d'un nouvel équipement suite à la modification du taux de la taxe prévue au paragraphe 1 de l'article 165 de la *Loi sur la taxe d'accise* (Lois révisées du Canada (1985), chapitre E-15).

Modifications proposées :

La modification apportée consiste à introduire l'article 69.4.1 à la LTVQ afin d'imposer une pénalité égale à 1 % du total de la TVQ perçue lorsqu'un inscrit applique les règles prévues à l'article 69.3.1 de la LTVQ dans des circonstances autres que celles visées à cet article.

Concordance fédérale: aucune.

COMMENTAIRES: Voir les commentaires sous l'article 74.

69.5 Fourniture au moyen d'un appareil automatique à fonctionnement mécanique — Dans le cas où la contrepartie de la fourniture d'un bien meuble corporel ou d'un service est payée au moyen d'une seule pièce de monnaie insérée dans un appareil automatique à fonctionnement mécanique qui est conçu pour n'accepter qu'une seule pièce de monnaie de 0,25 $ ou moins comme contrepartie totale de la fourniture et que le bien meuble corporel est distribué, ou que le service est rendu, au moyen de l'appareil, la taxe payable à l'égard de la fourniture est égale à zéro.

Application — Pour l'application du premier alinéa, la fourniture du droit d'utiliser l'appareil est réputée constituer la fourniture d'un service rendu au moyen de cet appareil.

Notes historiques: Le deuxième alinéa de l'article 69.5 a été ajouté par L.Q. 2009, c. 5, par. 601(1) et a effet depuis le 1er avril 1997.

L'article 69.5 a été ajouté par L.Q. 1997, c. 85, art. 462(1) et s'applique à l'égard d'une fourniture effectuée après le 23 avril 1996. Toutefois, l'article 69.5 doit se lire comme suit pour la période qui précède le 1er avril 1997 :

69.5 La taxe payable à l'égard de la fourniture d'un bien meuble corporel distribué, ou d'un service rendu, au moyen d'un appareil automatique à fonctionnement mécanique qui est conçu pour n'accepter comme contrepartie totale de la fourniture qu'une seule pièce de monnaie est égale :

1° dans le cas où le montant calculé en application de l'article 16 est inférieur à 0,025 $, à zéro;

2° dans le cas où le montant calculé en application de l'article 16 est égal ou supérieur à 0,025 $ mais inférieur à 0,05 $, à 0,05 $;

3° dans tout autre cas, au montant calculé en application de l'article 16.

L'article 69.5 tel qu'il se lit pour la période qui précède le 1er avril 1997 a été modifié par L.Q. 2009, c. 5, art. 676 par l'ajout du deuxième alinéa :

[Fourniture du droit d'utilisation] — Pour l'application du premier alinéa, la fourniture du droit d'utiliser l'appareil est réputée constituer la fourniture d'un service rendu au moyen de cet appareil.

Cette modification est entrée en vigueur le 15 mai 2009.

Notes explicatives ARQ (PL 2, L.Q. 2009, c. 5): *Résumé* :

L'article 69.5 est modifié afin de préciser que la fourniture du droit d'utiliser un appareil en vertu duquel on obtient une forme d'amusement ou de divertissement est réputée constituer la fourniture d'un service rendu au moyen de cet appareil.

Situation actuelle :

Actuellement, l'article 69.5 de la LTVQ s'applique à l'égard de la fourniture d'un bien meuble corporel distribué, ou d'un service rendu, au moyen d'un appareil automatique à fonctionnement mécanique. Il prévoit que la taxe payable à l'égard de cette fourniture est égale à zéro si la contrepartie de la fourniture n'est payée qu'avec une seule pièce de monnaie et que l'appareil est conçu pour n'accepter qu'une seule pièce de monnaie de 25 cents ou moins.

Modifications proposées :

L'article 69.5 de la LTVQ vise les appareils qui servent à rendre un service, notamment ceux en vertu desquels on obtient une forme d'amusement ou de divertissement, par exemple, le droit de faire un tour de manège. Dans ces circonstances, il est plus précis de décrire la fourniture que l'on obtient au moyen de l'appareil non pas comme la fourniture d'un service, mais comme la fourniture du droit d'utiliser l'appareil. La modification apportée à l'article 69.5 de la LTVQ consiste donc à préciser que la fourniture du droit d'utiliser l'appareil dans de telles circonstances est réputée constituer la fourniture d'un service rendu au moyen de cet appareil.

[. . .]

Résumé :

La disposition transitoire prévue au paragraphe 2 de l'article 462 de la *Loi modifiant de nouveau la Loi sur les impôts, la Loi sur la taxe de vente du Québec et d'autres dispositions législatives* (1997, chapitre 85) est modifiée, afin de préciser, dans le texte de l'article 69.5 pour la période qui précède le 1er avril 1997, que la fourniture du droit d'utiliser un appareil en vertu duquel on obtient une forme d'amusement ou de divertissement est réputée constituer la fourniture d'un service rendu au moyen de cet appareil.

Situation actuelle :

Actuellement, la disposition transitoire s'applique aux biensmeubles corporels ou aux services fournis au moyen de certains appareils automatiques à fonctionnement mécanique conçus pour n'accepter, comme contrepartie totale de la fourniture, qu'une seule pièce de 0,25 $ ou moins. Ces règles prévoient que, dans ces circonstances, la taxe à payer pour la fourniture est égale à zéro.

Modifications proposées :

La disposition transitoire vise les appareils qui servent à rendre un service, notamment ceux en vertu desquels on obtient une forme d'amusement ou de divertissement, par exemple, le droit de faire un tour de manège. Dans ces circonstances, il est plus précis de décrire la fourniture que l'on obtient au moyen de l'appareil non pas comme la fourniture d'un service, mais comme la fourniture du droit d'utiliser l'appareil. La modification apportée consiste donc à préciser que la fourniture du droit d'utiliser l'appareil dans de telles circonstances est réputée constituer la fourniture d'un service rendu au moyen de cet appareil.

Guides [art. 69.5]: IN-203 — Renseignements généraux sur la TVQ et la TPS/TVH.

Définitions [art. 69.5]: « bien meuble corporel », « contrepartie », « fourniture », « service », « taxe » — 1.

Renvois [art. 69.5]: 71 (appareils automatiques).

Jurisprudence [art. 69.5]: *9027-5967 Québec inc c. Québec (Sous-ministre du Revenu)* (9 janvier 2007), 500-09-015153-042, 2007 CarswellQue 4.

Lettres d'interprétation [art. 69.5]: 98-0100630 — Interprétation relative à la TPS — Interprétation relative à la TVQ — Appareils automatiques — Règle d'arrondissement; 98-0109037 — Interprétation relative à la TPS — Interprétation relative à la TVQ — Organisme de bienfaisance; 98-0113724 — Interprétation relative à la TPS (Interprétation relative à la TVQ) — Appareils automatiques; 99-0100158 — Interprétation relative à la TPS — Interprétation relative à la TVQ — Appareils automatiques; 99-0100869 — Appareils automatiques.

Concordance fédérale: LTA, par. 165.1(2).

COMMENTAIRES: Voir les commentaires sous l'article 74.

69.6 Calcul de la taxe — Dans le cas où plusieurs fournitures taxables font l'objet d'une même facture ou convention ou d'un même reçu, la taxe payable en vertu de l'article 16 à l'égard de ces fournitures, calculée sur la contrepartie de ces fournitures qui est indiquée sur la facture, la convention ou le reçu, peut être calculée sur le total de cette contrepartie.

Notes historiques: L'article 69.6 a été ajouté par L.Q. 1997, c. 85, art. 462(1) et a effet depuis le 1er avril 1997.

Définitions [art. 69.6]: « contrepartie », « fourniture taxable », « taxe » — 1.

Concordance fédérale: LTA, par. 165.2(1).

LTVQ (français)

COMMENTAIRES: Voir les commentaires sous l'article 74.

70. [*Abrogé*]

Notes historiques: L'article 70 a été abrogé par L.Q. 1994, c. 22, art. 402(1) rétroactivement à compter du 1er juillet 1992. L'article 70, édicté par L.Q. 1991, c. 67, se lisait comme suit :

> 70. L'émission ou la vente d'un certificat-cadeau pour une contrepartie est réputée ne pas constituer une fourniture.
>
> Toutefois, le certificat-cadeau appliqué au prix d'achat d'un bien ou d'un service est réputé être une contrepartie de la fourniture du bien ou du service.

COMMENTAIRES: Voir les commentaires sous l'article 74.

71. Appareil automatique — Dans le cas où une fourniture est effectuée, et que la contrepartie de celle-ci est payée, le tout au moyen d'un appareil automatique, les règles suivantes s'appliquent :

1º l'acquéreur est réputé, le jour où la contrepartie de la fourniture est insérée dans l'appareil, avoir reçu la fourniture, payé la contrepartie de celle-ci et la taxe payable à l'égard de la fourniture;

2º le fournisseur est réputé, le jour où la contrepartie de la fourniture est retirée de l'appareil, avoir effectué la fourniture, reçu la contrepartie de celle-ci et perçu la taxe payable à l'égard de la fourniture.

Notes historiques: L'article 71 a été édicté par L.Q. 1991, c. 67.

Guides [art. 71]: IN-203 — Renseignements généraux sur la TVQ et la TPS/TVH.

Définitions [art. 71]: « acquéreur », « contrepartie », « fournisseur », « fourniture », « taxe » — 1.

Renvois [art. 71]: 51 (valeur de la contrepartie); 69.5 (appareils automatiques).

Concordance fédérale: LTA, art. 160.

COMMENTAIRES: Voir les commentaires sous l'article 74.

72. [*Abrogé*]

Notes historiques: L'article 72 a été abrogé par L.Q. 1994, c. 22, art. 403(1) rétroactivement à compter du 1er juillet 1992. L'article 72, édicté par L.Q. 1991, c. 67, se lisait comme suit :

> 72. Dans le cas où un fournisseur accepte, en contrepartie totale ou partielle d'une fourniture taxable d'un bien ou d'un service, un bon ou une autre pièce, autre qu'un certificat-cadeau, qui peut être échangé contre le bien ou le service ou qui donne droit à l'acquéreur de la fourniture à une réduction sur le prix du bien ou du service et qu'une autre personne paie, à un moment quelconque, un montant au fournisseur pour le rachat du bon, ou de l'autre pièce, le montant est réputé ne pas être une contrepartie d'une fourniture.

COMMENTAIRES: Voir les commentaires sous l'article 74.

73. [*Abrogé*]

Notes historiques: L'article 73 a été abrogé par L.Q. 1994, c. 22, art. 403(1) rétroactivement à compter du 1er juillet 1992. Il se lisait comme suit :

> 73. Dans le cas où un fournisseur effectue au Québec une fourniture taxable ou une fourniture non taxable, à l'exception d'une fourniture détaxée, d'un bien ou d'un service qu'une personne donnée acquiert soit du fournisseur, soit d'une autre personne et où, à un moment quelconque, un rabais à l'égard du bien ou du service est payé à la personne donnée par le fournisseur, les règles suivantes s'appliquent :
>
> 1º si la fourniture par le fournisseur est effectuée à un moment où ce dernier est un inscrit, aux fins de calculer un remboursement de la taxe sur les intrants, le fournisseur est réputé à la fois :
>
> a) avoir reçu une fourniture taxable d'un service pour utilisation exclusive dans le cadre d'une activité commerciale de celui-ci;
>
> b) avoir payé à ce moment, la taxe à l'égard de la fourniture égale au montant obtenu en multipliant le montant du rabais par la fraction de taxe relative au bien ou au service à l'égard duquel le rabais est payé;
>
> 2º si la personne donnée est un inscrit qui a droit de demander un remboursement de la taxe sur les intrants ou un remboursement de la taxe en vertu de la section I du chapitre septième à l'égard de l'acquisition du bien ou du service, elle est réputée :
>
> a) avoir effectué une fourniture taxable d'un service;
>
> b) avoir perçu à ce moment, la taxe à l'égard de la fourniture égale au montant déterminé selon la formule suivante :
>
> $$\frac{A \times B \times D}{C}$$
>
> Pour l'application de cette formule :
>
> 1º la lettre A représente la fraction de taxe relative au bien ou au service à l'égard duquel le rabais est payé;
>
> 2º la lettre B représente le remboursement de la taxe sur les intrants de la personne donnée ou son remboursement en vertu de la section I du chapitre septième à l'égard de l'acquisition du bien ou du service;
>
> 3º la lettre C représente le total de la taxe payable par la personne donnée à l'égard de l'acquisition du bien ou du service par celle-ci;
>
> 4º la lettre D représente le montant du rabais payé à la personne donnée par le fournisseur.
>
> Toutefois, lorsqu'un rabais est payé à la personne donnée qui est un inscrit à l'égard d'une fourniture non taxable, le paragraphe 1º du premier alinéa ne s'applique pas.

Le sous-paragraphe b) de l'article 73, al. 1 (1º) a été modifié par L.Q. 1993, c. 19, par. 179(1º) et s'applique à l'égard d'une fourniture ou d'un apport au Québec relativement auquel l'article 685 ou l'un des articles 618 à 656 de L.Q. 1991, c. 67 s'applique [*N.D.L.R.* : les articles 685 et 618 à 656 réfèrent à des dispositions transitoires concernant les transferts avant le 1er juillet 1992]. Il se lisait auparavant comme suit :

> b) avoir payé à ce moment, la taxe à l'égard de la fourniture égale à la fraction de taxe du montant du rabais;

Le paragraphe 1º de l'article 73 a été modifié par L.Q. 1993, c. 19, par. 179(2º) et s'applique à l'égard d'une fourniture ou d'un apport au Québec relativement auquel l'article 685 ou l'un des articles 618 à 656 de L.Q. 1991, c. 67 s'applique [*N.D.L.R.* : les articles 685 et 618 à 656 réfèrent à des dispositions transitoires concernant les transferts avant le 1er juillet 1992]. Il se lisait auparavant comme suit :

> 1º la lettre A représente la fraction de taxe;

L'article 73 a été édicté par L.Q. 1991, c. 67

COMMENTAIRES: Voir les commentaires sous l'article 74.

74. [*Abrogé*]

Notes historiques: L'article 74 a été abrogé par L.Q. 1994, c. 22, art. 403(1) rétroactivement à compter du 1er juillet 1992. L'article 74, édicté par L.Q. 1991, c. 67, se lisait comme suit :

> 74. Les articles 72 et 73 ne s'appliquent pas si le montant payé par le fournisseur à l'égard du bon ou de l'autre pièce, ou par l'inscrit à l'égard du bien ou du service, selon le cas, est le montant d'un redressement, d'un remboursement ou d'un crédit à l'égard duquel l'article 449 s'applique.

COMMENTAIRES: L'article 68 prévoit qu'aucune taxe ne sera payable à l'égard d'une fourniture taxable lorsqu'elle est effectuée par une personne qui est un petit fournisseur. Les exceptions qui figurent au paragraphe 2 de l'article 68 diffèrent de celles qui se retrouvent à l'article 166 de la *Loi sur la taxe d'accise (TPS)*. En effet, la *Loi sur la taxe de vente du Québec* prévoit des exceptions pour la fourniture d'immeubles par vente et la fourniture de véhicule routier, exceptions qui ne s'appliquent pas sous le régime de la TPS. Nous n'avons pas identifié de modification législative en vertu du projet de loi nº 5 (2012, chapitre 28) — *Loi modifiant la Loi sur la taxe de vente du Québec et d'autres dispositions législatives*, qui aurait eu pour effet d'abroger ces exceptions distinctes de la TVQ, et ce, dans un but d'harmonisation avec la TPS.

L'article 69.3.1 est une disposition spécifique à la *Loi sur la taxe de vente du Québec* qui n'a pas d'équivalent en TPS. Cet article permet l'arrondissement du taux de taxe payable pour une fourniture taxable quand la caisse enregistreuse ne permet pas d'inscrire trois chiffres après la virgule en permettant d'arrondir le taux de l'article 165 à 9.97 % ou le taux combiné à 14.97 %. L'article 69.4.1 impose une pénalité à ceux qui arrondissent le taux de taxe payable dans des situations où la caisse enregistreuse utilisée pour facturer permet le calcul de la taxe payable sans arrondissement.

L'article 69.5 est une exception de l'article 71 concernant la règle générale des appareils automatiques. L'exception de l'article 69.5 vise exclusivement les appareils automatiques qui ne peuvent accepter, comme contrepartie totale de la fourniture, qu'une seule pièce de monnaie de 25 cents ou moins comme paiement.

Revenu Québec, pour sa part, indique que l'article 69.5 constitue une mesure d'exception à la règle générale applicable aux fournitures effectuées au moyen d'appareils automatiques que prévoit, par ailleurs, l'article 71. Ainsi, l'article 69.5 vise uniquement la fourniture effectuée au moyen d'un appareil automatique à fonctionnement mécanique conçu pour n'accepter, comme contrepartie totale de la fourniture, qu'une seule pièce de monnaie de 0,25 $ ou moins. Par le fait même, cela exclut, entre autres, les appareils automatiques qui peuvent effectuer une fourniture pour une contrepartie totale de plus de 0,25 $ et les appareils automatiques qui acceptent plus d'une pièce de monnaie à titre de contrepartie de la fourniture. Revenu Québec, Lettre d'interprétation, 99-0100158 — *Interprétation relative à la TPS — Interprétation relative à la TVQ — Appareils automatiques* (9 juin 1999). Voir également notamment au même effet : Revenu Québec, Lettre d'interprétation, 98-0100630 -- *Interprétation relative à la TVQ — Appareils automatiques — Règle d'arrondissement* (2 juin 1998), Revenu Québec, Lettre d'interprétation, 97-0102513 — *Appareils automatiques — Règle d'arrondissement* (17 avril 1997).

De plus, Revenu Québec prévoit que les appareils qui acceptent des jetons, des cartes magnétiques ou toute autre chose au lieu des pièces de monnaie ne sont pas des appareils visés par 69.5. Voir notamment à cet effet : Revenu Québec, Lettre d'interprétation, 99-0100869 -- *Appareils automatiques* (9 décembre 1999).

Compte tenu de la similarité de la rédaction des dispositions législatives et considérant l'engagement spécifique de Revenu Québec de veiller à ce que l'assiette de TVQ modifiée, de même que les paramètres administratifs, structurels et définitionnels, produisent des résultats qui sont similaires à ceux produits sous le régime de la TPS/TVH et soient administrés d'un manière qui produit des résultats similaires, tel que reflété par l'article 14 de l'*Entente intégrée globale de coordination fiscale* signée entre le gouvernement du Canada et le gouvernement du Québec, nous vous référons à nos commentaires en vertu des articles 165.1, 165.2 et 166 de la *Loi sur la taxe d'accise (TPS)* qui devraient s'appliquer *mutatis mutandis*, avec les adaptations nécessaires.

§ 2. — Fournitures non sujettes à l'imposition

75. Transfert d'une entreprise — Dans le cas où un fournisseur effectue une fourniture d'une entreprise ou d'une partie d'une entreprise, établie ou exploitée par lui, ou acquise par lui d'une autre personne qui l'a établie ou exploitée, et qu'en vertu d'une convention relative à la fourniture, un acquéreur acquiert la propriété, la possession ou l'utilisation de la totalité ou de la presque totalité des biens qui peuvent raisonnablement être considérés comme nécessaires afin que l'acquéreur soit capable d'exploiter l'entreprise ou la partie de l'entreprise à ce titre, les règles suivantes s'appliquent :

1° le fournisseur est réputé avoir effectué une fourniture distincte de chaque bien fourni et de chaque service fourni en vertu de la convention pour une contrepartie égale à la partie de la contrepartie de la fourniture de l'entreprise ou de la partie de l'entreprise qui peut raisonnablement être attribuée au bien ou au service;

2° le fournisseur et l'acquéreur, sauf si le fournisseur est un inscrit et que l'acquéreur ne l'est pas, peuvent conjointement faire un choix, au moyen du formulaire prescrit contenant les renseignements prescrits, afin que l'article 75.1 s'applique à l'égard de ces fournitures.

Notes historiques: L'article 75 a été modifié par L.Q. 1994, c. 22, art. 404(1) et s'applique à l'égard de toute fourniture d'une entreprise ou d'une partie d'une entreprise en vertu de laquelle la propriété, la possession ou l'utilisation de la totalité ou de la presque totalité des biens de l'entreprise ou de la partie de l'entreprise compris dans la fourniture est transférée à l'acquéreur après le 30 septembre 1992. Toutefois :

a) dans le cas où un fournisseur effectue, pour la période qui commence le 1er octobre 1992 et qui se termine le 31 décembre 1992, une fourniture d'une entreprise ou d'une partie d'une entreprise dans des circonstances visées à l'article 75, les règles suivantes s'appliquent :

i. le fournisseur et l'acquéreur de la fourniture sont réputés, à l'égard de la fourniture, avoir fait conjointement un choix en vertu de cet article 75;

ii. dans le cas où, au plus tard le jour visé au premier alinéa de l'article 75.1 le fournisseur produit au ministre, à l'égard de la fourniture, un avis écrit qui contient la presque totalité des renseignements qui doivent être contenus dans le formulaire prescrit produit en vertu de l'article 75 tel qu'il se lisait avant son remplacement par L.Q. 1994, c. 22, art 404(1), il est réputé avoir produit le choix visé au sous-paragraphe i au plus tard ce jour-là;

b) un fournisseur, qui avant le 1er janvier 1993 effectue une fourniture taxable de biens dont la propriété, la possession ou l'utilisation est transférée à l'acquéreur après le 30 septembre 1992 et qui croyait à tort, mais en toute bonne foi, qu'il effectuait la fourniture d'une entreprise ou d'une partie d'entreprise visée à l'article 75, tel que modifié par L.Q. 1994, c. 22, art. 404(1) dans des circonstances visées à cet article 75, n'est pas tenu de percevoir la taxe à l'égard de la fourniture si, à la fois :

i. au plus tard le jour où il est tenu de produire une déclaration en vertu du chapitre VIII pour sa première période de déclaration durant laquelle une taxe est devenue payable à l'égard de la fourniture de ces biens, il a produit au ministre l'avis visé au sous-paragraphe ii du sous-paragraphe a) à l'égard de cette fourniture;

ii. il a omis de percevoir la taxe, à l'égard de la fourniture, tel que requis par la *Loi sur la taxe de vente du Québec*.

Pour l'application de l'article 75 à l'égard d'une fourniture avant le 1er octobre 1992 de la totalité ou de la presque totalité des biens utilisés dans le cadre d'une activité commerciale qui constitue la totalité ou une partie d'une entreprise exploitée par le fournisseur, la totalité ou presque de ces biens doit être déterminée comme si la fourniture d'un service financier constituait une fourniture exonérée, dans le cas où un choix est effectué en vertu du paragraphe 1 de l'article 167 de la *Loi sur la taxe d'accise* (Statuts du Canada) à l'égard de cette fourniture.

L'article 75 se lisait auparavant comme suit :

75. Dans le cas où une personne qui est un inscrit effectue à un acquéreur qui est un inscrit une fourniture de la totalité ou de la presque totalité des biens utilisés dans le cadre d'une activité commerciale qui constitue la totalité ou une partie d'une entreprise qu'elle exploite et que la personne produit au ministre, avec sa déclaration pour la période de déclaration durant laquelle la fourniture est effectuée, un choix effectué conjointement avec l'acquéreur, afin que le présent article s'applique, au moyen du formulaire prescrit contenant les renseignements prescrits, les règles suivantes s'appliquent :

1° aucune taxe n'est payable à l'égard de la fourniture;

2° l'acquéreur est réputé avoir acquis les biens pour les utiliser exclusivement dans le cadre de ses activités commerciales.

Toutefois, dans le cas où les biens fournis comprennent des biens à l'égard desquels l'acquéreur ne peut demander un remboursement de la taxe sur les intrants en raison de l'article 206.1, le présent article s'applique relativement à ces derniers seulement si l'acquéreur continue l'exploitation de l'entreprise où ils étaient utilisés immédiatement avant la fourniture.

Le deuxième alinéa de l'article 75 a été ajouté par L.Q. 1993, c. 19, art. 180 et s'applique à l'égard d'une fourniture ou d'un apport au Québec relativement auquel l'article 685 ou l'un des articles 618 à 656 de L.Q. 1991, c. 67 s'applique [*N.D.L.R.* : les articles 685 et 618 à 656 réfèrent à des dispositions transitoires concernant les transferts avant le 1er juillet 1992].

L'article 75 a été édicté par L.Q. 1991, c. 67.

Guides [art. 75]: IN-203 — Renseignements généraux sur la TVQ et la TPS/TVH.

Définitions [art. 75]: « acquéreur », « bien », « contrepartie », « entreprise », « fournisseur », « fourniture », « inscrit », « personne », « service » — 1.

Renvois [art. 75]: 75.1 (effet du choix); 75.2 (achalandage); 80 (fournitures des biens d'entreprise d'une personne décédée); 234 (vente par un organisme de services publics); 257 (utilisation accrue d'une immobilisation); 258 (changement d'utilisation d'une immobilisation); 259 (utilisation réduite d'une immobilisation); 261 (particulier — immobilisation); 262 (utilisation réduite d'une immobilisation); 265 (utilisation accrue d'une immobilisation); 273 (présomption de vente en cas de choix); 350 (acquisition d'une entreprise — institution financière désignée).

Jurisprudence [art. 75]: *Rebuts de l'Outaouais inc. c. Québec (Sous-ministre du Revenu)* (28 avril 2005), 550-80-000198-032, 2005 CarswellQue 2883 (C.Q.).

Formulaires [art. 75]: FP-2044, *Choix visant l'acquisition d'une entreprise ou d'une partie d'entreprise*.

Bulletins d'interprétation [art. 75]: TVQ. 75-1 — Transfert de la totalité ou d'une partie d'une entreprise; TVQ. 75-2/R1 — Transfert d'entreprise dont la totalité ou une partie des biens sont situés hors du Québec; TVQ. 75-3 — Transfert d'une entreprise de services de transport par taxi.

Lettres d'interprétation [art. 75]: 98-0101059 — Groupe étroitement lié — Choix visant les fournitures sans contrepartie; 98-0105795 — Décision portant sur l'application de la TPS — Interprétation relative à la TVQ — Choix des paragraphes 167 (1) et (1.1) de la *Loi sur la taxe d'accise*; 98-0111983 — Vente d'entreprise.

Concordance fédérale: LTA, par. 167(1).

COMMENTAIRES: Voir les commentaires sous l'article 80.3.

75.1 Transfert d'une entreprise — effet du choix — Dans le cas où un fournisseur et un acquéreur font un choix en vertu de l'article 75 et que ce dernier, s'il est un inscrit, produit le choix au ministre au plus tard le jour où il est tenu de produire une déclaration en vertu du chapitre VIII pour sa première période de déclaration au cours de laquelle une taxe serait, en faisant abstraction du présent article, devenue payable à l'égard de la fourniture d'un bien ou d'un service effectuée en vertu de la convention relative à la fourniture de l'entreprise ou de la partie de l'entreprise visée par le choix, ou un jour ultérieur que le ministre détermine sur demande de l'acquéreur, les règles suivantes s'appliquent :

1° aucune taxe n'est payable à l'égard de la fourniture d'un bien ou d'un service effectuée en vertu de la convention, sauf si cette fourniture constitue :

a) soit une fourniture taxable d'un service que doit rendre le fournisseur;

b) soit une fourniture taxable d'un bien effectuée par louage, licence ou accord semblable;

c) soit, dans le cas où l'acquéreur n'est pas un inscrit, une fourniture taxable d'un immeuble par vente;

d) [*supprimé*]

2° dans le cas où, en faisant abstraction du présent article, une taxe aurait été payable par l'acquéreur, autrement que par l'application de l'article 20.1, à l'égard d'une fourniture effectuée en vertu de la convention d'un bien qui est une immobilisation du fournisseur que l'acquéreur acquiert pour utiliser comme immobilisation, ce dernier est réputé avoir acquis le bien pour l'utiliser exclusivement dans le cadre de ses activités commerciales;

LTVQ (français)

3º dans le cas où, malgré le présent article, une taxe n'aurait pas été payable par l'acquéreur, ou l'aurait été par l'application de l'article 20.1, à l'égard d'une fourniture effectuée en vertu de la convention d'un bien qui est une immobilisation du fournisseur que l'acquéreur acquiert pour utiliser comme immobilisation, ce dernier est réputé avoir acquis le bien pour l'utiliser exclusivement dans le cadre de ses activités autres que commerciales.

Notes historiques: Le sous-paragraphe d) du paragraphe 1º de l'article 75.1 a été supprimé par L.Q. 1995, c. 63, art. 337(1) :

1º Cette suppression s'applique :

a) à l'égard de la fourniture d'un service de téléphone 1 800 et de la fourniture d'un autre service de télécommunication lié au service de téléphone 1 800 dont la contrepartie devient payable après le 9 mai 1995 et n'est pas payée avant le 10 mai 1995;

b) à l'égard de la fourniture d'un service de téléphone 1 888 et de la fourniture d'un autre service de télécommunication lié au service de téléphone 1 888 dont la contrepartie devient payable après le 1er mars 1996 et n'est pas payée avant le 2 mars 1996.

[*N.D.L.R.* : le paragraphe d'application prévu par L.Q. 1995, c. 63, art. 337(2) a été modifié par L.Q. 1997, c. 85, art. 728(1) et a effet depuis le 15 décembre 1995. Antérieurement, il prévoyait ce qui suit :

1º cette modification s'applique à l'égard de la fourniture d'un service de téléphone 1 800 et de la fourniture d'un autre service de télécommunication lié au service de téléphone 1 800 dont la contrepartie devient payable après le 9 mai 1995 et qui n'est pas payée avant le 10 mai 1995.]

Cette modification s'applique à l'égard de la taxe payable par l'acquéreur relativement à la fourniture d'un bien ou d'un service, autre qu'un service effectué au paragraphe 2º, et qui peut être incluse dans le calcul du remboursement de la taxe sur les intrants de l'acquéreur en raison de l'abrogation de l'article 206.1 s'il payait la taxe.

[*N.D.L.R.* : les paragraphes d'application prévus par L.Q. 1995, c. 63, art 337(3), (4) ont été modifiés par L.Q. 1997, c. 85, art. 728(2) et ont effet depuis le 15 décembre 1995. Antérieurement, ils prévoyaient ceci :

2º sous réserve du paragraphe 3º, cette modification s'applique à l'égard de la fourniture, ou de l'apport au Québec, d'un bien ou d'un service, autre qu'un service visé au paragraphe 2, dont la contrepartie devient payable après le 31 juillet 1995 et n'est pas payée avant le 1er août 1995, ou qui est apporté au Québec après le 31 juillet 1995.

3º Cette modification ne s'applique pas à l'égard de la fourniture, ou de l'apport au Québec, d'un bien ou d'un service, autre qu'un service visé au paragraphe 1, dont la contrepartie est payable par une grande entreprise avant le 30 novembre 1996 ou est payée par celle-ci avant cette date, ou qui est apporté au Québec par une grande entreprise avant cette date.]

L'article 75.1 avait été ajouté par L.Q. 1994, c. 22, art. 405(1) et s'appliquait à l'égard de toute fourniture d'une entreprise ou d'une partie d'une entreprise en vertu de laquelle la propriété, la possession ou l'utilisation de la totalité ou de la presque totalité des biens de l'entreprise ou de la partie de l'entreprise compris dans la fourniture est transférée à l'acquéreur après le 30 septembre 1992. Toutefois :

a) à l'égard de la fourniture en vertu de laquelle la propriété, la possession ou l'utilisation de la totalité ou de la presque totalité des biens est transférée à l'acquéreur pour la période qui commence le 1er octobre 1992 et qui se termine le 31 décembre 1992, la partie de l'article 75.1 qui précède le paragraphe 1º, doit se lire comme suit :

Dans le cas où un fournisseur et un acquéreur font un choix en vertu de l'article 75 et que le fournisseur, s'il est un inscrit, produit le choix au ministre au plus tard le jour où il est tenu de produire une déclaration en vertu du chapitre VIII pour sa première période de déclaration au cours de laquelle une taxe serait, en faisant abstraction du présent article, devenue payable à l'égard de la fourniture d'un bien ou d'un service effectuée en vertu de la convention relative à la fourniture de l'entreprise ou de la partie de l'entreprise visée par le choix, ou un jour ultérieur que le ministre détermine sur demande du fournisseur, les règles suivantes s'appliquent :

b) dans le cas où un fournisseur effectue, pour la période qui commence le 1er octobre 1992 et qui se termine le 31 décembre 1992, une fourniture d'une entreprise ou d'une partie d'une entreprise dans des circonstances visées à l'article 75 tel que modifié par L.Q. 1994, c. 22, art. 404(1), les règles suivantes s'appliquent :

i. le fournisseur et l'acquéreur de la fourniture sont réputés, à l'égard de la fourniture, avoir fait conjointement un choix en vertu de cet article 75;

ii. dans le cas où, au plus tard le jour visé à l'article 75.1, le fournisseur produit au ministre, à l'égard de la fourniture, un avis écrit qui contient la presque totalité des renseignements qui doivent être contenus dans le formulaire prescrit produit en vertu de l'article 75, tel qu'il se lisait avant son remplacement par L.Q. 1994, c. 22, art. 404(1), il est réputé avoir produit le choix visé au sous-paragraphe i au plus tard ce jour-là.

Guides [art. 75.1]: IN-203 — Renseignements généraux sur la TVQ et la TPS/TVH.

Définitions [art. 75.1]: « acquéreur », « activité commerciale », « bien », « entreprise », « exclusif », « fournisseur », « fourniture », « fourniture taxable », « immobilisation », « inscrit », « service », « vente » — 1.

Renvois [art. 75.1]: 54.2 (valeur de la contrepartie — biens échangés); 75 (actif d'une entreprise); 75.2 (achalandage); 213 (acquisition de biens meubles corporels d'occasion); 216 (exportation); 217 (exportation); 233 (vente d'un immeuble); 234 (vente par un organisme de services publics); 234.0.1 (montant maximal); 379.1 (montant maximal du remboursement); 7R78.14 RAF (Signature des documents par certains fonctionnaires).

Bulletins d'interprétation [art. 75.1]: TVQ. 75-2/R1 — Transfert d'entreprise dont la totalité ou une partie des biens sont situés hors du Québec; TVQ. 75-3 — Transfert d'une entreprise de services de transport par taxi.

Formulaires [art. 75.1]: FP-2044, *Choix visant l'acquisition d'une entreprise ou d'une partie d'entreprise.*

Lettres d'interprétation [art. 75.1]: 98-0105795 — Décision portant sur l'application de la TPS — Interprétation relative à la TVQ — Choix des paragraphes 167 (1) et (1.1) de la *Loi sur la taxe d'accise*; 98-0111983 — Vente d'entreprise.

Concordance fédérale: LTA, par. 167(1.1).

COMMENTAIRES: Voir les commentaires sous l'article 80.3.

75.2 Achalandage — Dans le cas où, à la fois, un fournisseur effectue une fourniture d'une entreprise ou d'une partie d'une entreprise, établie ou exploitée par lui, ou acquise par lui d'une autre personne qui l'a établie ou exploitée, un acquéreur acquiert la propriété, la possession ou l'utilisation de la totalité ou de la presque totalité des biens qui peuvent raisonnablement être considérés comme nécessaires afin que l'acquéreur soit capable d'exploiter l'entreprise ou la partie de l'entreprise à ce titre et une partie de la contrepartie de la fourniture peut raisonnablement être attribuée à l'achalandage de l'entreprise ou de la partie de l'entreprise, cette partie de la contrepartie ne doit pas être incluse dans le calcul de la taxe payable à l'égard de la fourniture.

Notes historiques: L'article 75.2 a été ajouté par L.Q. 1994, c. 22, art. 405(1) et est réputé entré en vigueur le 1er juillet 1992. Toutefois, pour la période qui se termine le 30 septembre 1992, il doit se lire comme suit :

Dans le cas où, à la fois, un fournisseur effectue une fourniture d'une entreprise ou d'une partie d'une entreprise, établie ou exploitée par lui au Québec, ou acquise par lui d'une autre personne qui l'a établie ou exploitée, un acquéreur acquiert la propriété, la possession ou l'utilisation de la totalité ou de la presque totalité des biens qui peuvent raisonnablement être considérés comme nécessaires afin que l'acquéreur soit capable d'exploiter l'entreprise ou la partie de l'entreprise à ce titre et une partie de la contrepartie de la fourniture peut raisonnablement être attribuée à l'achalandage de l'entreprise ou de la partie de l'entreprise, les règles suivantes s'appliquent :

1º dans le cas où l'achalandage est principalement imputable à des activités commerciales du fournisseur, cette partie de la contrepartie ne doit pas être incluse dans le calcul de la taxe payable à l'égard de la fourniture, sauf dans la mesure où l'achalandage est imputable à ces activités commerciales;

2º dans tout autre cas, cette partie de la contrepartie ne doit pas être incluse dans le calcul de la taxe payable à l'égard de la fourniture.

Guides [art. 75.2]: IN-203 — Renseignements généraux sur la TVQ et la TPS/TVH.

Définitions [art. 75.2]: « acquéreur », « bien », « contrepartie », « entreprise », « fournisseur », « fourniture », « personne », « taxe », « vente » — 1.

Renvois [art. 75.2]: 294 (petit fournisseur); 462 (montant déterminant).

Lettres d'interprétation [art. 75.2]: 99-0103491 — Interprétation relative à la TPS et à la TVQ — Transfert d'achalandage.

Concordance fédérale: LTA, art. 167.1.

COMMENTAIRES: Voir les commentaires sous l'article 80.3.

75.3 Définitions — Pour l'application du présent article et des articles 75.4 à 75.9, l'expression :

« banque étrangère autorisée » a le sens que lui donne l'article 2 de la *Loi sur les banques* (Lois révisées du Canada (1985), chapitre B-1);

Concordance fédérale: LTA, par. 167.11(1)« banque étrangère autorisée ».

« fourniture admissible » signifie une fourniture d'un bien ou d'un service qui est effectuée au Québec aux termes d'une convention relative à la fourniture, autre qu'une convention entre un fournisseur qui est un inscrit et un acquéreur qui n'est pas un inscrit au moment où la convention est conclue, et qui, à la fois :

1º est effectuée par une société qui réside au Québec et qui est liée à l'acquéreur;

2º est effectuée après le 27 juin 1999 et avant :

a) dans le cas où le surintendant délivre une ordonnance d'agrément en vertu du paragraphe 1 de l'article 534 de la *Loi sur les banques* à l'acquéreur après le 22 juin 2007, mais avant le 22 juin 2008, le jour qui suit d'un an celui où le surintendant délivre l'ordonnance;

b) dans tout autre cas, le 22 juin 2008;

3º est reçue par un acquéreur qui, à la fois :

a) est une personne qui ne réside pas au Canada;

b) est une banque étrangère autorisée ou a produit une demande au surintendant en vue d'obtenir un arrêté, visé au paragraphe 1 de l'article 524 de la *Loi sur les banques*, l'autorisant à devenir une telle banque;

c) a acquis le bien ou le service pour sa consommation, son utilisation ou sa fourniture en vue de la constitution et le lancement d'une entreprise au Québec par lui à titre de banque étrangère autorisée dans une succursale de banque étrangère de celle-ci;

Concordance fédérale: LTA, par. 167.11(1)« fourniture admissible ».

« succursale de banque étrangère » signifie une succursale au sens de l'alinéa b) de la définition de « succursale » prévue à l'article 2 de la *Loi sur les banques*.

Concordance fédérale: LTA, par. 167.11(1)« succursale de banque étrangère ».

Notes historiques: L'article 75.3 a été ajouté par L.Q. 2009, c. 5, par. 602(1) et a effet depuis le 28 juin 1999.

Notes explicatives ARQ (PL 2, L.Q. 2009, c. 5): *Résumé* :

Le nouvel article 75.3 définit certaines expressions nécessaires pour les fins de l'application des nouveaux articles 75.3 à 75.9 de la LTVQ à l'égard du choix d'une banque étrangère autorisée.

Contexte :

Depuis le 28 juin 1999, les banques étrangères sont autorisées à ouvrir des succursales au Canada pour y exploiter une entreprise bancaire. Auparavant, ces banques ne pouvaient exploiter d'entreprise au Canada que par l'intermédiaire de filiales canadiennes. Ainsi, certaines d'entre elles restructurent leurs entreprises québécoises en transformant leurs filiales québécoises en succursales québécoises ou en transférant des actifs de ces filiales à ces succursales. En l'absence des règles spéciales prévues aux nouveaux articles 75.3 à 75.9 de la LTVQ, ces réorganisations peuvent donner naissance à des obligations au titre de la taxe de vente du Québec.

Par conséquent, les nouveaux articles 75.3 à 75.9 de la LTVQ prévoient des règles, d'une durée d'application limitée, permettant, dans certaines circonstances, le transfert en franchise de taxe de certains biens et services fournis lors de ces réorganisations si la filiale québécoise et la banque étrangère en font le choix conformément à l'article 75.4 de la LTVQ.

Modifications proposées :

Le nouvel article 75.3 de la LTVQ introduit trois définitions nécessaires pour l'application des nouveaux articles 75.3 à 75.9 LTVQ.

L'expression « banque étrangère autorisée » renvoie à la définition de l'article 2 de la *Loi sur les banques* (Lois révisées du Canada (1985), chapitre B-1) (*Loi sur les banques*). Il s'agit d'une banque étrangère qui a été autorisée par le surintendant des institutions financières à ouvrir une succursale au Canada et à y exercer des activités bancaires.

L'expression « fourniture admissible » vise une fourniture effectuée lors d'une réorganisation dans le cadre de laquelle une banque étrangère, qui exploitait une entreprise au Canada par l'intermédiaire d'une filiale canadienne, a obtenu l'autorisation du surintendant des institutions financières d'ouvrir une succursale au Canada. La filiale transfère alors à la banque étrangère autorisée des fournitures de biens ou de services qui peuvent faire l'objet du choix prévu à l'article 75.4 de la LTVQ et être effectuées en franchise de taxe si elles se qualifient comme étant chacune une fourniture admissible.

Pour qu'une fourniture se qualifie comme une fourniture admissible, elle doit tout d'abord être effectuée au Québec en vertu d'une convention portant sur celle-ci.

En outre, l'acquéreur de la fourniture doit être une banque étrangère qui est une banque étrangère autorisée ou qui a présenté au surintendant des institutions financières, en vertu du paragraphe 1 de l'article 524 de la *Loi sur les banques*, une demande en vue d'obtenir un arrêté l'autorisant à exercer ses activités au Canada.

De plus, la banque étrangère doit faire l'acquisition du bien ou du service pour consommation, utilisation ou fourniture dans le cadre de l'établissement et du lancement au Québec de son entreprise par l'intermédiaire d'une succursale.

Le fournisseur, quant à lui, doit être une société qui réside au Québec et qui est liée à la banque étrangère. S'il est un inscrit au moment où il conclut la convention portant sur la fourniture avec la banque étrangère, celle-ci doit également être un inscrit à ce moment.

Enfin, la fourniture doit être effectuée après le 27 juin 1999 et avant le 22 juin 2008. Toutefois, si au cours de l'année antérieure au 22 juin 2008, le surintendant des institutions financières délivre une ordonnance d'agrément en vertu du paragraphe 1 de l'article 524 de la *Loi sur les banques*, la fourniture peut être effectuée au plus tard le jour qui suit d'un an le jour où le surintendant délivre l'ordonnance, soit au plus tard le 21 juin 2009.

Il convient de noter que le nouveau paragraphe 3º du premier alinéa de l'article 411 de la LTVQ permet à une banque étrangère, qui a l'intention de conclure une convention en vue de recevoir une fourniture qui pourrait remplir les critères de la définition de « fourniture admissible » si ce n'était le fait qu'elle n'est pas un inscrit, de s'inscrire.

L'expression « succursale de banque étrangère » renvoie à la définition d'une succursale prévue à l'alinéa b) de l'article 2 de la *Loi sur les banques*. Il s'agit d'un bureau de la banque étrangère autorisée où elle exerce ses activités bancaires au Canada, y compris son bureau principal et ses agences.

Définitions [art. 75.3]: « surintendant » — 1.

Renvois [art. 75.3]: 411 (inscription facultative).

COMMENTAIRES: Voir les commentaires sous l'article 80.3.

75.4 Fourniture d'élément d'actif — Dans le cas où un fournisseur et un acquéreur d'une fourniture admissible font conjointement un choix conformément à l'article 75.9 à l'égard de cette fourniture, les règles suivantes s'appliquent :

1º le fournisseur est réputé avoir effectué et l'acquéreur est réputé avoir reçu une fourniture distincte de chaque bien fourni et de chaque service fourni aux termes de la convention relative à la fourniture admissible pour une contrepartie égale à la partie de la contrepartie de la fourniture admissible qui peut raisonnablement être attribuée au bien ou au service;

2º la partie de la contrepartie de la fourniture admissible qui est attribuée à l'achalandage est réputée être attribuée à une fourniture taxable d'un bien meuble incorporel, à moins que l'article 75.2 ne s'applique à la fourniture admissible;

3º les articles 75.5 à 75.8 s'appliquent à la fourniture de chaque bien fourni et de chaque service fourni aux termes de la convention relative à la fourniture admissible.

Notes historiques: L'article 75.4 a été ajouté par L.Q. 2009, c. 5, par. 602(1) et a effet depuis le 28 juin 1999.

Notes explicatives ARQ (PL 2, L.Q. 2009, c. 5): *Résumé* :

Le nouvel article 75.4 permet à une société qui réside au Québec et qui effectue une fourniture admissible au profit d'une banque étrangère qui lui est liée, de faire un choix conjoint avec cette dernière. Ce choix leur permet le transfert en franchise de taxe de certains biens et services fournis lors de la réorganisation de la banque étrangère autorisée.

Contexte :

Depuis le 28 juin 1999, les banques étrangères sont autorisées à ouvrir des succursales au Canada pour y exploiter une entreprise bancaire. Auparavant, ces banques ne pouvaient exploiter d'entreprise au Canada que par l'intermédiaire de filiales canadiennes. Ainsi, certaines d'entre elles restructurent leurs entreprises québécoises en transformant leurs filiales québécoises en succursales québécoises ou en transférant des actifs de ces filiales à ces succursales. En l'absence des règles spéciales prévues aux nouveaux articles 75.3 à 75.9 de la LTVQ, ces réorganisations peuvent donner naissance à des obligations au titre de la taxe de vente du Québec.

Par conséquent, les nouveaux articles 75.3 à 75.9 de la LTVQ prévoient des règles, d'une durée d'application limitée, permettant, dans certaines circonstances, le transfert en franchise de taxe de certains biens et services fournis lors de ces réorganisations si la filiale québécoise et la banque étrangère en font le choix conformément à l'article 75.4 de la LTVQ.

Modifications proposées :

Le nouvel article 75.4 de la LTVQ permet à une banque étrangère, l'acquéreur, et à une société qui réside au Québec et qui lui est liée, le fournisseur, de faire un choix conjoint à l'égard d'une fourniture admissible.

Par suite de ce choix, le fournisseur et l'acquéreur sont réputés avoir respectivement effectué et reçu une fourniture distincte de chaque bien et service fourni, même si ces biens et ces services ont fait l'objet d'une seule fourniture.

De plus, sauf si l'article 75.2 de la LTVQ s'applique à la fourniture admissible, toute somme attribuée à l'achalandage, au moment de l'attribution de la contrepartie de la fourniture admissible à chaque bien ou service, est présumée être attribuée à une fourniture taxable d'un bien meuble incorporel. Dans ce cas, c'est le sous-paragraphe f) du

LTVQ (français)

paragraphe 1° du premier alinéa de l'article 75.5 de la LTVQ qui s'applique à cette fourniture.

Enfin, les articles 75.5 à 75.8 de la LTVQ s'appliquent à chaque fourniture réputée de bien ou de service lorsqu'il s'agit de déterminer la taxe à payer, les redressements de la taxe nette que l'acquéreur peut faire et l'incidence du choix sur la teneur en taxe du bien transféré.

Le choix prévu à cet article n'est valide que si l'acquéreur le produit dans le délai imparti prévu à l'article 75.9 de la LTVQ et remplit les autres conditions qui y sont prévues.

Renvois [art. 75.4]: 411 (inscription facultative).

Concordance fédérale: LTA, par. 167.11(2).

COMMENTAIRES: Voir les commentaires sous l'article 80.3.

75.5 Effet du choix — Dans le cas où un fournisseur et un acquéreur font conjointement un choix visé à l'article 75.4 à l'égard d'une fourniture admissible effectuée à un moment donné, les règles suivantes s'appliquent :

1° aucune taxe n'est payable à l'égard de la fourniture d'un bien ou d'un service effectuée aux termes de la convention relative à la fourniture admissible, sauf si cette fourniture constitue :

a) soit une fourniture taxable d'un service que doit rendre le fournisseur;

b) soit une fourniture taxable d'un service à moins que le paragraphe 1° de l'article 75 ne s'applique à la fourniture admissible;

c) soit une fourniture taxable d'un bien effectuée par louage, licence ou accord semblable;

d) soit, dans le cas où l'acquéreur n'est pas un inscrit, une fourniture taxable d'un immeuble par vente;

e) soit une fourniture taxable d'un bien ou d'un service dans le cas où le bien ou le service a déjà fait l'objet d'une fourniture, aux termes d'une convention relative à une fourniture admissible, à l'égard de laquelle aucune taxe n'était payable par l'effet du présent article;

f) soit une fourniture taxable d'un bien meuble incorporel, autre qu'une immobilisation, dans le cas où le pourcentage déterminé par la formule suivante est supérieur à 10 % :

$$A - B;$$

2° dans le cas où, en faisant abstraction du présent article, une taxe aurait été payable par l'acquéreur, autrement que par l'application de l'article 20.1, à l'égard d'une fourniture d'un bien, effectuée aux termes de la convention relative à la fourniture admissible, qui est une immobilisation du fournisseur que l'acquéreur acquiert pour l'utiliser comme immobilisation, ce dernier est réputé avoir acquis le bien pour l'utiliser exclusivement dans le cadre de ses activités commerciales;

3° dans le cas où, malgré le présent article, une taxe n'aurait pas été payable par l'acquéreur, ou l'aurait été par l'application de l'article 20.1, à l'égard d'une fourniture d'un bien, effectuée aux termes de la convention relative à la fourniture admissible, qui est une immobilisation du fournisseur que l'acquéreur acquiert pour l'utiliser comme immobilisation, ce dernier est réputé avoir acquis le bien pour l'utiliser exclusivement dans le cadre de ses activités autres que commerciales;

4° dans le cas où l'acquéreur acquiert, aux termes de la convention relative à la fourniture admissible, un bien du fournisseur qui était utilisé par ce dernier, immédiatement avant le moment donné, autrement qu'à titre d'immobilisation et où, en faisant abstraction du présent article, une taxe aurait été payable par l'acquéreur, autrement que par l'application de l'article 20.1, à l'égard de la fourniture du bien, l'acquéreur est réputé avoir acquis le bien pour le consommer, l'utiliser ou le fournir dans le cadre de ses activités commerciales et autrement qu'à titre d'immobilisation.

Application — Pour l'application de la formule prévue au sous-paragraphe f) du paragraphe 1° du premier alinéa :

1° la lettre A représente le pourcentage qui correspond à la mesure dans laquelle le fournisseur a utilisé le bien dans le cadre de ses activités commerciales immédiatement avant le moment donné par rapport à l'utilisation totale du bien par le fournisseur;

2° la lettre B représente le pourcentage qui correspond à la mesure dans laquelle l'acquéreur a utilisé le bien dans le cadre de ses activités commerciales immédiatement après le moment donné par rapport à l'utilisation totale du bien par l'acquéreur.

Notes historiques: L'article 75.5 a été ajouté par L.Q. 2009, c. 5, par. 602(1) et a effet depuis le 28 juin 1999.

Notes explicatives ARQ (PL 2, L.Q. 2009, c. 5): *Résumé* :

Le nouvel article 75.5 énonce les conséquences du choix fait en vertu de l'article 75.4 de la LTVQ.

Contexte :

Depuis le 28 juin 1999, les banques étrangères sont autorisées à ouvrir des succursales au Canada pour y exploiter une entreprise bancaire. Auparavant, ces banques ne pouvaient exploiter d'entreprise au Canada que par l'intermédiaire de filiales canadiennes. Ainsi, certaines d'entre elles restructurent leurs entreprises québécoises en transformant leurs filiales québécoises en succursales québécoises ou en transférant des actifs de ces filiales à ces succursales. En l'absence des règles spéciales prévues aux nouveaux articles 75.3 à 75.9 de la LTVQ, ces réorganisations peuvent donner naissance à des obligations au titre de la taxe de vente du Québec.

Par conséquent, les nouveaux articles 75.3 à 75.9 de la LTVQ prévoient des règles, d'une durée d'application limitée, permettant, dans certaines circonstances, le transfert en franchise de taxe de certains biens et services fournis lors de ces réorganisations si la filiale québécoise et la banque étrangère en font le choix conformément à l'article 75.4 de la LTVQ.

Modifications proposées :

Le nouvel article 75.5 de la LTVQ énonce les conséquences du choix fait en vertu de l'article 75.4 de la LTVQ.

Selon le paragraphe 1° du premier alinéa de l'article 75.5 de la LTVQ, nulle taxe n'est payable sur la fourniture distincte réputée d'un bien ou d'un service qui est effectuée aux termes de la convention relative à la fourniture admissible.

Toutefois, cette règle comporte certaines exceptions analogues à celles prévues à l'article 75.1 de la LTVQ qui porte sur le choix d'effectuer une fourniture d'actifs en franchise de taxe en cas de vente d'entreprise.

En effet, les sous-paragraphes a), c) et d) du paragraphe 1° du premier alinéa de l'article 75.5 de la LTVQ sont semblables aux sous-paragraphes a), b) et c) du paragraphe 1° de l'article 75.1 de la LTVQ car ils prévoient que la taxe continue d'être payable sur les fournitures taxables de services à rendre par le fournisseur, c'est-à-dire la filiale québécoise, de biens fournis par louage, licence ou accord semblable par le fournisseur ou d'immeubles fournis par vente dans le cas où l'acquéreur, c'est-à-dire la banque étrangère, n'est pas un inscrit.

De plus, le sous-paragraphe b) du paragraphe 1° du premier alinéa de l'article 75.5 de la LTVQ prévoit que la taxe est payable sur les fournitures taxables de services si le paragraphe 1° de l'article 75 de la LTVQ ne s'applique pas à la fourniture admissible. Ce paragraphe ne s'applique pas si la filiale québécoise qui effectue la fourniture taxable de services n'effectue pas la fourniture d'une entreprise ou d'une partie d'entreprise et si la banque étrangère n'acquiert pas la propriété, la possession ou l'utilisation de la totalité ou de la presque totalité des biens dont elle aurait besoin pour exploiter l'entreprise ou la partie d'entreprise transférée.

Le sous-paragraphe e) du paragraphe 1° du premier alinéa de l'article 75.5 de la LTVQ exclut de la disposition d'allègement, la fourniture taxable d'un bien ou d'un service qui, aux termes d'une convention relative à la fourniture admissible, a déjà fait l'objet d'une fourniture relativement à laquelle aucune taxe n'était payable par l'effet du paragraphe 1° du premier alinéa de l'article 75.5 de la LTVQ. En d'autres termes, un bien ou un service ne peut être transféré en franchise de taxe qu'une seule fois en vertu des dispositions sur le roulement d'actifs.

Le sous-paragraphe f) du paragraphe 1° du premier alinéa de l'article 75.5 de la LTVQ exclut de la disposition d'allègement, la fourniture taxable d'un bien meuble incorporel, sauf une immobilisation, s'il y a un écart de plus de 10 % entre la mesure, exprimée en pourcentage, de l'utilisation totale du bien par la filiale québécoise dans laquelle celle-ci a utilisé le bien dans le cadre d'activités commerciales immédiatement avant la fourniture admissible et la mesure, exprimée en pourcentage, de l'utilisation totale du bien par la banque étrangère dans laquelle celle-ci a utilisé le bien dans ce cadre immédiatement après cette fourniture. En d'autres termes, aucun allègement n'est prévu relativement à la fourniture taxable d'un bien meuble incorporel si l'utilisation du bien dans le cadre d'activités commerciales a diminué de façon importante, soit plus de 10 %, par suite du transfert.

Selon les paragraphes 2° et 3° du premier alinéa de l'article 75.5 de la LTVQ, l'immobilisation de la filiale québécoise qui est fournie aux termes de la convention relative à la fourniture admissible et que la banque étrangère acquiert pour utilisation à titre d'immobilisation, est réputée avoir été acquise par cette dernière pour utilisation exclusive soit dans le cadre de ses activités commerciales, s'il s'agit d'une fourniture qui serait par ailleurs taxable, soit hors de ce cadre, s'il s'agit d'une fourniture qui serait par ailleurs exonérée.

Ces règles sont semblables aux présomptions qui s'appliquent aux immobilisations en vertu des paragraphes 2° et 3° de l'article 75.1 de la LTVQ en cas de fourniture d'entreprise.

Par ailleurs, ces règles ont pour objet de garantir que les règles sur les changements d'usage énoncées aux articles 237 et suivants de la LTVQ s'appliquent de façon que la banque étrangère soit tenue de déterminer la taxe par autocotisation si elle utilise le bien dans le cadre de ses activités commerciales dans une proportion moindre que la filiale québécoise ne l'a fait la dernière fois. À l'inverse, la banque étrangère peut avoir droit à un remboursement de la taxe sur les intrants si elle utilise le bien dans le cadre de ses activités commerciales dans une plus grande proportion que la filiale québécoise ne l'a fait la dernière fois.

Enfin, le paragraphe 4° du premier alinéa de l'article 75.5 de la LTVQ prévoit que si la filiale québécoise a utilisé un bien autrement qu'à titre d'immobilisation avant de le fournir aux termes de la convention portant sur la fourniture admissible, la banque étrangère est réputée avoir acquis le bien pour le consommer, l'utiliser ou le fournir dans le cadre de ses activités commerciales et autrement qu'à titre d'immobilisation. Cette règle ne s'applique que dans le cas où, en l'absence du choix prévu à l'article 75.4 de la LTVQ, une taxe aurait été payable par la banque étrangère relativement à la fourniture du bien. Cette règle vise à déclencher les règles sur les changements d'usage énoncées à l'article 238.1 de la LTVQ dans le cas où, par exemple, la banque étrangère réserve, pour utilisation à titre d'immobilisation, un bien qui faisait antérieurement partie des stocks de la filiale québécoise.

Concordance fédérale: LTA, par. 167.11(3).

COMMENTAIRES: Voir les commentaires sous l'article 80.3.

75.6 Teneur en taxe — Dans le cas où un fournisseur et un acquéreur font conjointement un choix visé à l'article 75.4 à l'égard d'une fourniture admissible, qu'aux termes de la convention relative à la fourniture admissible, le fournisseur effectue la fourniture d'un bien qui est, immédiatement avant le moment où la fourniture admissible est effectuée, l'une de ses immobilisations et qu'en raison de l'article 75.5, aucune taxe n'est payable à l'égard de la fourniture du bien, la teneur en taxe du bien de l'acquéreur à un moment quelconque doit être déterminée selon les règles suivantes :

1° dans le cas où la dernière acquisition du bien par l'acquéreur correspond à l'acquisition du bien par celui-ci au moment où la fourniture admissible est effectuée, toute référence, dans la définition de l'expression « teneur en taxe » prévue à l'article 1, à la dernière acquisition ou au dernier apport au Québec du bien par la personne, doit être lue comme une référence à la dernière acquisition, ou au dernier apport au Québec, du bien par le fournisseur;

2° dans le cas où la dernière fourniture du bien à l'acquéreur correspond à la fourniture du bien à celui-ci au moment où la fourniture admissible est effectuée, la référence, dans la définition de l'expression « teneur en taxe » prévue à l'article 1, à la dernière fourniture du bien à la personne, doit être lue comme une référence à la dernière fourniture du bien au fournisseur.

Notes historiques: L'article 75.6 a été ajouté par L.Q. 2009, c. 5, par. 602(1) et a effet depuis le 28 juin 1999.

Notes explicatives ARQ (PL 2, L.Q. 2009, c. 5): *Résumé* :

Le nouvel article 75.6 énonce les règles qui permettent de déterminer la teneur en taxe d'un bien acquis par une banque étrangère, aux termes d'une convention portant sur une fourniture admissible, qui était, immédiatement avant cette fourniture, une immobilisation de la filiale québécoise qui le lui a fourni.

Contexte :

Depuis le 28 juin 1999, les banques étrangères sont autorisées à ouvrir des succursales au Canada pour y exploiter une entreprise bancaire. Auparavant, ces banques ne pouvaient exploiter d'entreprise au Canada que par l'intermédiaire de filiales canadiennes. Ainsi, certaines d'entre elles restructurent leurs entreprises québécoises en transformant leurs filiales québécoises en succursales québécoises ou en transférant des actifs de ces filiales à ces succursales. En l'absence des règles spéciales prévues aux nouveaux articles 75.3 à 75.9 de la LTVQ, ces réorganisations peuvent donner naissance à des obligations au titre de la taxe de vente du Québec.

Par conséquent, les nouveaux articles 75.3 à 75.9 de la LTVQ prévoient des règles, d'une durée d'application limitée, permettant, dans certaines circonstances, le transfert en franchise de taxe de certains biens et services fournis lors de ces réorganisations si la filiale québécoise et la banque étrangère en font le choix conformément à l'article 75.4 de la LTVQ.

Modifications proposées :

Le nouvel article 75.6 de la LTVQ énonce les règles qui s'appliquent dans le cas où le bien est acquis de la filiale québécoise en franchise de taxe du fait que le choix conjoint prévu à l'article 75.4 de la LTVQ est fait relativement à la fourniture admissible. Leur application peut être déclenchée si la banque étrangère est tenue de payer une taxe, ou peut avoir droit à un remboursement de la taxe sur les intrants, si le bien est une immobilisation et si la proportion dans laquelle il est utilisé dans le cadre d'activités commerciales change à la suite de la fourniture.

Le terme « teneur en taxe » est défini à l'article 1 de la LTVQ. Il s'agit, de façon générale, du montant de taxe prévu par le titre I de la LTVQ que la personne est tenue de payer sur le bien et sur les améliorations qui y sont apportées, déduction faite des sommes (sauf les remboursements de la taxe sur les intrants) qu'elle peut recouvrer par voie de remboursement ou de remise ou par un autre moyen et compte tenu de toute dépréciation du bien.

En l'absence de règles spéciales, la banque étrangère pourrait dans certaines circonstances (notamment en cas de fourniture de biens acquis par la filiale québécoise avant 1992 ou de biens dont la valeur a augmenté) être tenue de déterminer la taxe dont elle est redevable en fonction de la juste valeur marchande du bien, laquelle taxe pourrait être plus élevée que celle payée initialement par la filiale québécoise.

C'est pourquoi, il est proposé d'instaurer des règles spéciales qui permettent de faire abstraction de la fourniture effectuée par la filiale québécoise au profit de la banque étrangère et de veiller à ce que la teneur en taxe du bien transféré soit la même au moment où la banque étrangère acquiert le bien, qu'au moment immédiatement avant la fourniture admissible.

Cependant, pour déterminer la teneur en taxe de ce bien après le moment où la fourniture admissible est effectuée, la banque étrangère doit également tenir compte des montants de taxe payable et d'autres montants de taxe à ajouter (notamment en cas d'améliorations visant le bien qu'elle acquiert) ou à déduire aux termes des règles sur la teneur en taxe après la fourniture.

Ainsi, l'article 75.6 de la LTVQ prévoit des règles qui ont pour effet de transférer, de la filiale québécoise à la banque étrangère, la teneur en taxe du bien fourni aux termes de la convention portant sur la fourniture admissible. À cette fin, la banque étrangère est réputée être dans la même situation que la filiale québécoise au cours de la période allant de la dernière acquisition du bien par cette dernière jusqu'au moment où la fourniture admissible est effectuée.

Concordance fédérale: LTA, par. 167.11(4).

COMMENTAIRES: Voir les commentaires sous l'article 80.3.

75.7 Redressement de la taxe nette — Dans le cas où un fournisseur et un acquéreur font conjointement un choix visé à l'article 75.4 à l'égard d'une fourniture admissible effectuée avant le 17 novembre 2005 aux termes d'une convention relative à la fourniture admissible et que l'acquéreur paie une taxe à l'égard d'un bien ou d'un service fourni aux termes de cette convention malgré qu'aucune taxe ne soit payable à l'égard de cette fourniture par l'effet de l'article 75.5, la taxe est réputée, sauf pour l'application de l'article 75.6 et malgré l'article 75.5, avoir été payable par l'acquéreur à l'égard de la fourniture du bien ou du service et l'acquéreur peut déduire, dans le calcul de sa taxe nette, pour la période de déclaration au cours de laquelle le choix est produit au ministre, le total des montants dont chacun est un montant déterminé selon la formule suivante :

$$A - B.$$

Application — Pour l'application de cette formule :

1° la lettre A représente le montant de la taxe payée par l'acquéreur à l'égard de la fourniture du bien ou du service effectuée aux termes de la convention relative à la fourniture admissible, bien qu'aucune taxe ne soit payable par l'effet de l'article 75.5;

2° la lettre B représente le total des montants suivants :

a) les montants dont chacun représente un remboursement de la taxe sur les intrants que l'acquéreur avait le droit de demander à l'égard du bien ou du service fourni aux termes de la convention relative à la fourniture admissible;

b) les montants dont chacun représente un montant, autre qu'un montant déterminé en vertu du présent article, qui peut être déduit par l'acquéreur en vertu du présent titre dans le calcul de sa taxe nette pour une période de déclaration à l'égard du bien ou du service fourni aux termes de la convention relative à la fourniture admissible;

c) les montants, autres que ceux visés aux sous-paragraphes a) et b), relatifs à la taxe payée qui peuvent être par ailleurs recouvrés par remboursement ou autrement par l'acquéreur à l'égard du bien ou du service fourni aux termes de la convention relative à la fourniture admissible.

Notes historiques: L'article 75.7 a été ajouté par L.Q. 2009, c. 5, par. 602(1) et a effet depuis le 28 juin 1999.

LTVQ (français)

Notes explicatives ARQ (PL 2, L.Q. 2009, c. 5): *Résumé* :

Le nouvel article 75.7 permet de redresser la taxe nette de la banque étrangère lorsqu'une filiale québécoise effectue une fourniture admissible à la banque, mais que les deux parties ne font le choix conjoint prévu à l'article 75.4 de la LTVQ relativement à cette fourniture qu'après le paiement de la taxe afférente par la banque étrangère.

Contexte :

Depuis le 28 juin 1999, les banques étrangères sont autorisées à ouvrir des succursales au Canada pour y exploiter une entreprise bancaire. Auparavant, ces banques ne pouvaient exploiter d'entreprise au Canada que par l'intermédiaire de filiales canadiennes. Ainsi, certaines d'entre elles restructurent leurs entreprises québécoises en transformant leurs filiales québécoises en succursales québécoises ou en transférant des actifs de ces filiales à ces succursales. En l'absence des règles spéciales prévues aux nouveaux articles 75.3 à 75.9 de la LTVQ, ces réorganisations peuvent donner naissance à des obligations au titre de la taxe de vente du Québec.

Par conséquent, les nouveaux articles 75.3 à 75.9 de la LTVQ prévoient des règles, d'une durée d'application limitée, permettant, dans certaines circonstances, le transfert en franchise de taxe de certains biens et services fournis lors de ces réorganisations si la filiale québécoise et la banque étrangère en font le choix conformément à l'article 75.4 de la LTVQ.

Modifications proposées :

Le nouvel article 75.7 de la LTVQ prévoit un mécanisme qui permet à la banque étrangère de faire un redressement de sa taxe nette afin de recouvrer la taxe qu'elle n'aurait pas eu à payer si elle avait fait le choix prévu à l'article 75.4 de la LTVQ au moment de la fourniture. L'article 75.7 de la LTVQ prévoit un redressement de taxe nette relativement à une fourniture de bien ou de service, effectuée aux termes d'une convention portant sur la fourniture admissible, qui n'est pas taxable par l'effet du paragraphe 1° du premier alinéa de l'article 75.5 de la LTVQ si le choix prévu à l'article 75.4 de la LTVQ est fait.

L'article 75.7 de la LTVQ s'applique aux fournitures de biens ou de services effectuées aux termes d'une convention portant sur une fourniture admissible, mais seulement si cette convention est conclue avant le 17 novembre 2005. Il s'applique à chaque fourniture de bien ou de service qui est réputée être une fourniture distincte en vertu de l'article 75.4 de la LTVQ, plutôt qu'à la fourniture admissible dans son ensemble. Le montant du redressement de taxe nette que la banque étrangère peut faire relativement à pareille fourniture correspond au montant de taxe qu'elle a réellement payé sur la fourniture non taxable du bien ou du service, moins les montants de taxe payés, relativement au bien ou au service, qu'elle a recouvrés par voie de remboursement de la taxe sur les intrants, de remboursement ou de remise ou par un autre moyen, ou qu'elle aurait pu recouvrer au moyen d'une déduction de taxe nette, à l'exclusion d'une somme déterminée selon l'article 75.7 de la LTVQ.

Concordance fédérale: LTA, par. 167.11(5).

COMMENTAIRES: Voir les commentaires sous l'article 80.3.

75.8 Prescription en cas de choix — Dans le cas où un fournisseur et un acquéreur font conjointement un choix visé à l'article 75.4 à l'égard d'une fourniture admissible, l'article 25 de la *Loi sur l'administration fiscale* (chapitre A-6.002) s'applique à toute cotisation ou nouvelle cotisation visant un montant payable par l'acquéreur à l'égard de la fourniture d'un bien ou d'un service effectuée aux termes de la convention relative à la fourniture admissible.

Délai — Toutefois, le ministre dispose d'un délai de quatre ans à compter du dernier en date des jours suivants pour établir une cotisation ou une nouvelle cotisation qui doit viser uniquement à tenir compte d'un montant de taxe, de taxe nette ou d'un autre montant payable par l'acquéreur ou à verser par le fournisseur à l'égard de la fourniture d'un bien ou d'un service effectuée aux termes de la convention relative à la fourniture admissible :

1° le jour où le choix visé à l'article 75.4 est produit au ministre;

2° le jour où la fourniture admissible est effectuée.

Notes historiques: L'article 75.8 a été ajouté par L.Q. 2009, c. 5, par. 602(1) et a effet depuis le 28 juin 1999.

Notes explicatives ARQ (PL 2, L.Q. 2009, c. 5): *Résumé* :

Le nouvel article 75.8 permet de modifier le délai habituel pour établir une cotisation.

Contexte :

Depuis le 28 juin 1999, les banques étrangères sont autorisées à ouvrir des succursales au Canada pour y exploiter une entreprise bancaire. Auparavant, ces banques ne pouvaient exploiter d'entreprise au Canada que par l'intermédiaire de filiales canadiennes. Ainsi, certaines d'entre elles restructurent leurs entreprises québécoises en transformant leurs filiales québécoises en succursales québécoises ou en transférant des actifs de ces filiales à ces succursales. En l'absence des règles spéciales prévues aux nouveaux articles 75.3 à 75.9 de la LTVQ, ces réorganisations peuvent donner naissance à des obligations au titre de la taxe de vente du Québec.

Par conséquent, les nouveaux articles 75.3 à 75.9 de la LTVQ prévoient des règles, d'une durée d'application limitée, permettant, dans certaines circonstances, le transfert en franchise de taxe de certains biens et services fournis lors de ces réorganisations si la filiale québécoise et la banque étrangère en font le choix conformément à l'article 75.4 de la LTVQ.

Modifications proposées :

Le nouvel article 75.8 de la LTVQ a pour effet de modifier le délai habituel dans lequel il est permis d'établir une cotisation, une nouvelle cotisation ou une cotisation supplémentaire pour tenir compte d'une somme à payer par une banque étrangère, ou à verser par une filiale québécoise, dans le cas où la banque et la filiale ont fait le choix conjoint prévu à l'article 75.4 de la LTVQ relativement à une fourniture admissible qu'après que celle-ci ait été effectuée et qu'aucune taxe ne fut alors payée.

L'article 75.8 de la LTVQ prévoit que le délai de quatre ans qui s'applique à cette fin commence à courir le jour où la banque étrangère et la filiale québécoise font le choix conjoint prévu à l'article 75.4 de la LTVQ ou, s'il est postérieur, le jour où la fourniture admissible est effectuée. Le délai imparti pour établir une cotisation, une nouvelle cotisation ou une cotisation supplémentaire peut ainsi être prolongé si le choix est fait après la fourniture du bien ou du service.

Concordance fédérale: LTA, par. 167.11(6).

COMMENTAIRES: Voir les commentaires sous l'article 80.3.

75.9 Validité du choix — Le choix conjoint visé à l'article 75.4 effectué par un fournisseur et un acquéreur à l'égard d'une fourniture admissible n'est valide que si, à la fois :

1° l'acquéreur produit le choix au ministre, au moyen du formulaire prescrit contenant les renseignements prescrits, au plus tard le jour donné qui est le dernier en date des jours suivants :

a) dans le cas où l'acquéreur, selon le cas :

i. est un inscrit au moment où la fourniture admissible est effectuée, le jour où il est tenu de produire une déclaration en vertu du chapitre VIII pour sa période de déclaration au cours de laquelle la taxe serait, en faisant abstraction du présent article et des articles 75.3 à 75.8, devenue payable à l'égard de la fourniture du bien ou du service effectuée aux termes de la convention relative à la fourniture admissible;

ii. n'est pas un inscrit au moment où la fourniture admissible est effectuée, le jour qui suit d'un mois la fin de sa période de déclaration au cours de laquelle la taxe serait, en faisant abstraction du présent article et des articles 75.3 à 75.8, devenue payable à l'égard de la fourniture du bien ou du service effectuée aux termes de la convention relative à la fourniture admissible;

b) le 22 juin 2008;

c) le jour que le ministre détermine sur demande de l'acquéreur;

2° la fourniture admissible est effectuée au plus tard le jour qui suit d'un an le jour où l'acquéreur reçoit pour la première fois une fourniture admissible à l'égard de laquelle un choix en vertu de l'article 75.4 a été fait;

3° l'acquéreur n'a pas fait un choix en vertu de l'article 75.1 à l'égard de la fourniture admissible au plus tard le jour où le choix visé à l'article 75.4 est produit au ministre à l'égard de la fourniture admissible.

Notes historiques: L'article 75.9 a été ajouté par L.Q. 2009, c. 5, par. 602(1) et a effet depuis le 28 juin 1999.

Notes explicatives ARQ (PL 2, L.Q. 2009, c. 5): *Résumé* :

Le nouvel article 75.9 énonce les conditions à respecter pour garantir la validité du choix conjoint prévu à l'article 75.4 de la LTVQ que font une banque étrangère et une filiale québécoise relativement à une fourniture admissible.

Contexte :

Depuis le 28 juin 1999, les banques étrangères sont autorisées à ouvrir des succursales au Canada pour y exploiter une entreprise bancaire. Auparavant, ces banques ne pouvaient exploiter d'entreprise au Canada que par l'intermédiaire de filiales canadiennes. Ainsi, certaines d'entre elles restructurent leurs entreprises québécoises en transformant leurs filiales québécoises en succursales québécoises ou en transférant des actifs de ces filiales à ces succursales. En l'absence des règles spéciales prévues aux nouveaux articles 75.3 à 75.9 de la LTVQ, ces réorganisations peuvent donner naissance à des obligations au titre de la taxe de vente du Québec.

Par conséquent, les nouveaux articles 75.3 à 75.9 de la LTVQ prévoient des règles, d'une durée d'application limitée, permettant, dans certaines circonstances, le transfert en franchise de taxe de certains biens et services fournis lors de ces réorganisations si la filiale québécoise et la banque étrangère en font le choix conformément à l'article 75.4 de la LTVQ.

Modifications proposées :

Le nouvel article 75.9 de la LTVQ prévoit tout d'abord comme condition de validité du choix le délai dans lequel il doit être produit.

Ainsi, si la banque étrangère est un inscrit au moment où la fourniture admissible est effectuée, le sous-paragraphe i du sous-paragraphe a) du paragraphe 1° de l'article 75.9 de la LTVQ prévoit que la banque étrangère doit produire le choix conjoint, au moyen du formulaire prescrit contenant les renseignements prescrits, au ministre au plus tard au dernier en date des jours suivants :

a) le jour où la banque étrangère est tenue de produire une déclaration faisant état de la taxe qui, en l'absence des articles 75.3 à 75.9 de la LTVQ, serait payable relativement à la fourniture du bien ou du service effectuée aux termes de la convention portant sur la fourniture admissible qu'elle a reçue;

b) le 22 juin 2008;

c) tout jour postérieur que le ministre fixe à la demande de la banque étrangère.

Si, au contraire, la banque étrangère n'est pas un inscrit au moment où la fourniture admissible est effectuée, le sous-paragraphe ii du sous-paragraphe a du paragraphe 1° de l'article 75.9 de la LTVQ prévoit que le choix conjoint doit être produit au plus tard au dernier en date des jours suivants :

a) le jour qui suit d'un mois la fin de la période de déclaration pour laquelle la taxe serait, en l'absence des articles 75.3 à 75.9 de la LTVQ, devenue payable relativement à la fourniture d'un bien ou d'un service effectuée aux termes de la convention portant sur la fourniture admissible reçue par la banque étrangère;

b) le 22 juin 2008;

c) tout jour postérieur que le ministre fixe à la demande de la banque étrangère.

Par ailleurs, le paragraphe 2° de l'article 75.9 de la LTVQ prévoit que le choix conjoint ne peut être fait qu'à l'égard de fournitures admissibles effectuées dans un délai d'un an. En d'autres termes, le choix n'est valide que si la fourniture admissible est effectuée au plus tard le jour qui suit d'un an la date où la banque étrangère reçoit pour la première fois une fourniture admissible relativement à laquelle le choix conjoint prévu à l'article 75.4 de la LTVQ a été fait.

Enfin, le paragraphe 3° de l'article 75.9 de la LTVQ prévoit que le choix conjoint visé à l'article 75.4 de la LTVQ relativement à une fourniture admissible n'est pas valide si, au plus tard le jour où il est produit, la banque étrangère a fait un choix valide en vertu de l'article 75.1 de la LTVQ relativement à la même fourniture. En d'autres termes, la banque étrangère et la filiale québécoise qui ont déjà décidé de faire le choix prévu à l'article 75.1 de la LTVQ relativement à la fourniture admissible ne peuvent pas aussi se prévaloir du choix prévu à l'article 75.4 de la LTVQ, lequel est réservé aux réorganisations de banques étrangères autorisées.

Renvois [art. 75.9]: 411 (inscription facultative).

Concordance fédérale: LTA, par. 167.11(7).

COMMENTAIRES: Voir les commentaires sous l'article 80.3.

76. Fusion — Dans le cas où plusieurs sociétés fusionnent pour former une nouvelle société autrement que par suite, soit de l'acquisition des biens d'une société par une autre société suivant l'achat des biens par celle-ci, soit de la distribution des biens à l'autre société lors de la liquidation de la société, les règles suivantes s'appliquent :

1° sous réserve du présent titre, la nouvelle société est réputée être une personne distincte de chacune des sociétés fusionnées;

2° pour l'application des articles 444, 446 et 462 à 462.1.1, des dispositions du présent titre à l'égard d'un bien ou d'un service acquis, ou apporté au Québec, par une société fusionnée ainsi que des fins et dispositions prescrites, la nouvelle société est réputée être la même société que chaque société fusionnée et en être la continuation;

3° le transfert d'un bien par une société fusionnée à la nouvelle société par suite de la fusion est réputé ne pas constituer une fourniture.

Notes historiques: Le paragraphe 2° de l'article 76 a été remplacé par L.Q. 2001, c. 53, art. 286 et cette modification s'applique à l'égard d'un compte client acheté à sa valeur nominale, sans possibilité de recours, si la propriété du compte client est transférée à l'acheteur après le 31 décembre 1999. Antérieurement, il se lisait ainsi :

> 2° pour l'application des articles 444 à 446 et 462 à 462.1.1, des dispositions du présent titre à l'égard d'un bien ou d'un service acquis, ou apporté au Québec, par une société fusionnée ainsi que des fins et dispositions prescrites, la nouvelle société est réputée être la même société que chaque société fusionnée et en être la continuation;

L'article 76 a été modifié par L.Q. 1997, c. 3, art. 135(2°) pour remplacer le mot « corporation » par le mot « société ». Cette modification est réputée entrée en vigueur le 20 mars 1997.

Le paragraphe 2° de l'article 76 a été modifié L.Q. 1995, c. 63, art. 338(1) et cette modification a effet depuis le 1er août 1995.

Le paragraphe 2° l'article 76 a été modifié par L.Q. 1994, c. 22, art. 406(1) et est réputé entré en vigueur le 1er juillet 1992. Antérieurement, il se lisait comme suit :

> 2° pour l'application des articles 297.8 et 297.9, 350.36 et 350.37, 444 à 446 et 462 à 462.2, des dispositions du présent titre à l'égard d'un bien ou d'un service acquis, ou apporté au Québec, par une corporation fusionnée ainsi que des fins et dispositions prescrites, la nouvelle corporation est réputée être la même corporation que chaque corporation fusionnée et en être la continuation;

Toutefois, pour la période du 1er juillet 1992 au 31 décembre 1992, la référence aux articles « 462 à 462.2 » doit être lue comme une référence aux articles « 462 et 462.2 ». Le paragraphe 2° de l'article 76 se lisait auparavant comme suit :

> 2° pour l'application des articles 444 à 446, des dispositions du présent titre à l'égard d'un bien ou d'un service acquis, ou apporté au Québec, par une corporation fusionnée ainsi que des fins et dispositions prescrites, la nouvelle corporation est réputée être la même corporation que chaque corporation fusionnée et en être la continuation;

L'article 76 a été édicté par L.Q. 1991, c. 67.

Guides [art. 76]: IN-203 — Renseignements généraux sur la TVQ et la TPS/TVH.

Définitions [art. 76]: « bien », « fourniture », « personne », « service » — 1.

Renvois [art. 76]: 1.1 (personne morale); 349 (fusion d'une institution financière); 506.1 (société et société de personnes); 677:12° (règlements).

Règlements [art. 76]: RTVQ, 76R1 et annexe II.

Lettres d'interprétation [art. 76]: 99-0103111 — Interprétation relative à la TPS — Interprétation relative à la TVQ — Fusion d'organismes de services publics.

Concordance fédérale: LTA, art. 271.

COMMENTAIRES: Cet article énonce certaines présomptions applicables dans un contexte de fusion entre sociétés. Contrairement à l'article 271 de la *Loi sur la taxe d'accise* (TPS), le terme « société » est utilisé plutôt que l'expression « personne morale ». Toutefois, l'article 1.1 vient préciser que le terme « société » inclut une personne morale, qu'elle soit ou non à but lucratif. Il est donc raisonnable de conclure qu'il n'y a aucune différence d'application autant en matière de TPS/TVH que de TVQ.

Il est intéressant de souligner que cet article s'applique uniquement aux sociétés et non aux autres entités, telles qu'une société de personnes. Dans ce dernier cas, l'auteur souligne toutefois l'existence de l'article 345.7 qui prévoit des règles spécifiques quant au remplacement (notamment par le biais d'une fusion) d'une société de personnes.

L'esprit même de la *Loi sur la taxe de vente du Québec* est d'assujettir ses règles d'application à une « personne ». Ce terme est très large d'application aux fins de la *Loi sur la taxe de vente du Québec*, tel qu'il appert de sa définition qui figure à l'article 1. Or, l'article 76 semble être un des seuls articles où l'application est restreinte uniquement à une société.

Le terme « société » n'est pas défini dans la *Loi sur la taxe de vente du Québec*. Dans ce contexte, on doit recourir au droit privé pour définir l'étendue de ce que constitue une société. À titre illustratif, Revenu Québec s'est prononcé dans le sens qu'un organisme de service public est une personne morale (société) aux fins de l'article 271. Voir à cet effet : Revenu Québec, Lettre d'interprétation 99-0103111 — *Interprétation relative à la TPS, Interprétation relative à la TVQ, Fusion d'organismes de services publics* (4 novembre 1999).

Également, il est à noter que l'on ne spécifie pas la résidence de la société. Ainsi, en l'absence d'une disposition législative à cet effet, il est raisonnable de conclure que des sociétés non résidentes du Canada peuvent être assujetties aux présomptions énoncées à cet article.

De surcroît, pour que cet article trouve application, la fusion ne doit pas être le résultat d'une vente d'actifs. À cet effet, nous vous recommandons nos commentaires sous l'article 75 et 75.1. De plus, la fusion ne doit pas être le résultat d'une distribution de biens à une société à la suite de la liquidation d'une autre société, auquel cas c'est l'article 77 qui s'appliquera.

Lorsque l'ensemble des conditions décrites au texte introductif de cet article est rencontré, le paragraphe (1) prévoit que de façon générale, la société issue de la fusion est une personne distincte. À titre illustratif, Revenu Québec, en appliquant cette présomption, a donc conclu que la nouvelle entité issue de la fusion devra elle-même effectuer son choix en vertu de l'article 345.7 et devra elle-même procéder à son inscription en vertu de l'article 407. Voir à cet effet : Revenu Québec, Lettre d'interprétation 99-0103111 — *Interprétation relative à la TPS, Interprétation relative à la TVQ, Fusion d'organismes de services publics* (4 novembre 1999).

Toutefois, la présomption énoncée au paragraphe (1) est souvent renversée par le paragraphe (2) qui prévoit que pour l'application des articles 444, 446 et 462 à 462.1.1 et des dispositions de l'article 76R1 du *Règlement sur la taxe de vente du Québec*, la société issue de la fusion est réputée être la même personne que chaque société fusionnée et en être la continuation. Cette présomption trouve son pendant à l'article 549 de la *Loi sur les impôts*.

L'auteur souligne l'absence de référence à l'article 446.1 au paragraphe (2). De l'avis de l'auteur, cet article devrait être rajouté, et ce, pour s'harmoniser pleinement avec les dispositions concordantes de la *Loi sur la taxe d'accise* (TPS) et faire également à la suite de l'exactitude des notes techniques émises par ces deux paliers de gouvernements. Nous vous recommandons nos commentaires en vertu de l'article 271 de la loi fédérale.

LTVQ (français)

Il est à noter que les dispositions édictées par la *Loi sur l'administration fiscale* (L.R.Q., c. A-6.002) sont visées par l'article 76R1 du *Règlement sur la taxe de vente du Québec*. À ce titre, il est donc possible que la nouvelle société issue de la fusion reçoive un avis de cotisation à l'égard de montants dus et impayés en TVQ par une des sociétés fusionnées. Ainsi, en pratique, il est important d'obtenir l'ensemble des représentations et garanties nécessaires en matière de responsabilité fiscale par les sociétés fusionnées en vertu de la *Loi sur la taxe de vente du Québec* dans les documents de clôture afin d'éviter de mauvaises surprises.

L'obligation d'inscription en vertu de l'article 407 n'est pas visée par le *Règlement sur la taxe de vente du Québec*. Ainsi, la nouvelle société issue de la fusion devrait procéder elle-même à son inscription au registre de la TVQ. En pratique, en ce qui concerne l'inscription des numéros de TVQ émis aux sociétés fusionnées, il est à noter qu'une demande peut être formulée auprès de Revenu Québec pour que la nouvelle société issue de la fusion maintienne les numéros d'une des deux sociétés fusionnées. En effet, souvent une des deux sociétés fusionnées sera dominante et même sa dénomination sociale sera conservée. En pratique, cela permet d'alléger le fardeau administratif pour la nouvelle société, notamment à l'égard de l'inscription du numéro de TVQ sur les factures. À titre illustratif, Revenu Québec a accepté que la nouvelle société issue de la fusion conserve le numéro d'inscription d'une des sociétés fusionnées dans un contexte où : (i) la dénomination sociale est maintenue, (ii) la société a plusieurs clients et employés qui devraient être informés du changement du numéro d'inscription, (iii) la société a plusieurs formulaires et factures sur lesquels figurent le numéro d'inscription d'une des sociétés fusionnées, et (iv) la société devrait encourir des frais importants pour satisfaire le changement de numéro d'inscription. Voir à cet effet la position de Revenu Québec qui confirme la possibilité pour une nouvelle société issue d'une fusion, ordinaire ou simplifiée, de conserver le numéro d'identification d'une des sociétés fusionnées : Revenu Québec, *Table ronde provinciale*, Congrès annuel de l'Association de planification fiscale et financière, 2008, question 19 (à noter que la position de Revenu Québec à l'égard de la fusion ordinaire a été confirmée subséquemment à cette table ronde par téléphone).

Le paragraphe (3) prévoit qu'aucune TVQ ne sera appliquée à la suite de la fusion puisque celle-ci sera réputée ne pas être une fourniture.

Les présomptions énoncées à cet article sont irréfragables.

Compte tenu de la similarité de la rédaction des dispositions législatives et considérant l'engagement spécifique de Revenu Québec de veiller à ce que l'assiette de TVQ modifiée, de même que les paramètres administratifs, structurels et définitionnels, produisent des résultats qui sont identiques à ceux produits sous le régime de la TPS/TVH et soient administrés d'une manière qui produit des résultats identiques, tel que reflété par l'article 14 de l'*Entente intégrée globale de coordination fiscale* signée entre le gouvernement du Canada et le gouvernement du Québec, nous vous recommandons nos commentaires en vertu de la *Loi sur la taxe d'accise (TPS)* qui devraient s'appliquer *mutatis mutandis*, avec les adaptations nécessaires.

77. Liquidation — Dans le cas où une société est liquidée et qu'au moins 90 % de ses actions émises de chaque catégorie du capital-actions étaient, immédiatement avant la liquidation, la propriété d'une autre société, les règles suivantes s'appliquent :

1° pour l'application des articles 444, 446 et 462 à 462.1.1, des dispositions du présent titre à l'égard d'un bien ou d'un service acquis, ou apporté au Québec, par l'autre société par suite de la liquidation ainsi que des fins et dispositions prescrites, l'autre société est réputée être la même société que la société liquidée et en être la continuation;

2° le transfert d'un bien à l'autre société par suite de la liquidation est réputé ne pas constituer une fourniture.

Notes historiques: Le paragraphe 1° de l'article 77 a été remplacé par L.Q. 2001, c. 53, art. 287(1) et cette modification s'applique à l'égard d'un compte client acheté à sa valeur nominale, sans possibilité de recours, si la propriété du compte client est transférée à l'acheteur après le 31 décembre 1999. Antérieurement, il se lisait ainsi :

> 1° pour l'application des articles 444 à 446 et 462 à 462.1.1, des dispositions du présent titre à l'égard d'un bien ou d'un service acquis, ou apporté au Québec, par l'autre société par suite de la liquidation ainsi que des fins et dispositions prescrites, l'autre société est réputée être la même société que la société liquidée et en être la continuation;

L'article 77 a été modifié par L.Q. 1997, c. 3, art. 135(2°) pour remplacer le mot « corporation » par le mot « société ». Cette modification est réputée entrée en vigueur le 20 mars 1997. Auparavant, le paragraphe 1° de l'article 77 a été modifié par L.Q. 1995, c. 63, art. 339(1) et et cette modification a effet depuis le 1er août 1995. Le paragraphe 1° avait été modifié par L.Q. 1994, c. 22, art. 407(1) et était réputé entré en vigueur le 1er juillet 1992. Il se lisait comme suit :

> 1° pour l'application des articles 297.8 et 297.9, 350.36 et 350.37, 444 à 446 et 462 à 462.2, des dispositions du présent titre à l'égard d'un bien ou d'un service acquis, ou apporté au Québec, par l'autre corporation par suite de la liquidation ainsi que des fins et dispositions prescrites, l'autre corporation est réputée être la même corporation que la corporation liquidée et en être la continuation;

Toutefois, pour la période du 1er juillet 1992 au 31 décembre 1992, la référence aux articles « 462 à 462.2 » doit être lue comme une référence aux articles « 462 et 462.2 ». Le paragraphe 1° de l'article 77 se lisait comme suit :

> 1° pour l'application des articles 444 à 446, des dispositions du présent titre à l'égard d'un bien ou d'un service acquis, ou apporté au Québec, par l'autre corporation par suite de la liquidation ainsi que des fins et dispositions prescrites, l'autre corporation est réputée être la même corporation que la corporation liquidée et en être la continuation;

L'article 77 a été édicté par L.Q. 1991, c. 67.

Guides [art. 77]: IN-203 — Renseignements généraux sur la TVQ et la TPS/TVH.

Définitions [art. 77]: « bien », « fourniture », « service » — 1.

Renvois [art. 77]: 1.1 (personne morale); 506.1 (société et société de personnes); 677:13° (règlements).

Règlements [art. 77]: RTVQ, 77R1 et annexe II.

Lettres d'interprétation [art. 77]: 99-0103111 — Interprétation relative à la TPS — Interprétation relative à la TVQ — Fusion d'organismes de services publics.

Concordance fédérale: LTA, art. 272.

COMMENTAIRES: Cet article énonce certaines présomptions applicables dans un contexte de liquidation d'une filiale en faveur de la société mère.

Les présomptions énoncées s'appliquent uniquement aux sociétés. Nous vous recommandons nos commentaires qui figurent à l'article 76 à cet effet.

Le critère établissant la détention de 90 % des actions émises de chaque catégorie du capital-actions limite grandement la possibilité d'utiliser cet article dans le cadre d'une liquidation. En effet, en pratique, à l'exception d'une situation où la société mère est détentrice d'une filiale, il est rare qu'une société soit détentrice de 90 % de l'ensemble des actions émises qui non seulement de catégorie ordinaires, mais également de catégorie privilégiées émises, puisque ces dernières sont fréquemment émises pour répondre à des objectifs très précis au profit de plusieurs actionnaires, tels que des actions de financement ou de roulement.

Une fois les conditions reflétées au texte introductif de cet article remplies, le paragraphe (a) prévoit qu'aux fins de l'application des articles 444, 446 et 462 à 462.1.1 et des dispositions de l'article 77R1 du *Règlement sur la taxe de vente du Québec*, la société qui a reçu le transfert des biens dans le contexte de la liquidation est réputée être la même personne que celle qui a été liquidée.

L'auteur souligne l'absence de référence à l'article 446.1 au paragraphe (1). De l'avis de l'auteur, cet article devrait être rajouté, et ce, pour s'harmoniser pleinement avec les dispositions concordantes de la *Loi sur la taxe d'accise* (TPS) et faire également suite à l'exactitude des notes techniques émises par ces deux paliers de gouvernements. Nous vous recommandons nos commentaires en vertu de l'article 272 de la loi fédérale.

Quant au paragraphe (2), ce dernier prévoit que le transfert des biens dans le contexte de la liquidation n'entraînera pas de TVQ puisque ce transfert sera réputé ne pas constituer une fourniture.

En pratique, avant d'effectuer un transfert des biens, il est important d'obtenir un certificat sous l'article 14 de la *Loi sur l'administration fiscale* (L.R.Q., c. A-6.002) qui est émis par Revenu Québec en faveur du représentant autorisé à l'effet que les obligations fiscales en matière de TVQ ont été respectées. L'émission de ce certificat de décharge permettra d'assurer un certain niveau de tranquillité pour les administrateurs dont la responsabilité quant aux obligations sous la *Loi sur la taxe de vente du Québec* de la société subsiste pour un délai de deux ans en vertu de l'article 24.0.1 de la *Loi sur l'administration fiscale* (L.R.Q., c. A-6.002).

En date du mois de février 2013, nous n'avons répertorié aucune jurisprudence interprétant cet article.

Contrairement à la pratique administrative des autorités fiscales quant au maintien du numéro de TVQ d'une des sociétés fusionnantes pour la nouvelle société issue de la fusion, Revenu Québec ne permet pas à la société dans laquelle une autre société a été liquidée de conserver le numéro de TVQ émis à cette dernière. À tout événement, la société mère est déjà inscrite elle-même au registre de la TVQ.

Compte tenu de la similarité de la rédaction des dispositions législatives et considérant l'engagement spécifique de Revenu Québec de veiller à ce que l'assiette de TVQ modifiée, de même que les paramètres administratifs, structurels et définitionnels, produisent des résultats qui sont identiques à ceux produits sous le régime de la TPS/TVH et soient administrés d'une manière qui produit des résultats identiques, tel que reflété par l'article 14 de l'*Entente intégrée globale de coordination fiscale* signée entre le gouvernement du Canada et le gouvernement du Québec, nous vous recommandons nos commentaires en vertu de la *Loi sur la taxe d'accise (TPS)* qui devraient s'appliquer *mutatis mutandis*, avec les adaptations nécessaires.

78. [*Abrogé*]

Notes historiques: L'article 78 a été abrogé par L.Q. 1997, c. 85, art. 463(1) et cette abrogation a effet depuis le 1er juillet 1992. Auparavant, l'article 78 se lisait ainsi :

> 78. Les règles suivantes s'appliquent dans le cas où un particulier décède :
>
> 1° la transmission et la dévolution des biens du particulier à son liquidateur sont réputées constituer une fourniture de ces biens effectuée sans contrepartie;
>
> 2° pour l'application des dispositions du présent titre et de celles de la *Loi sur le ministère du Revenu* (L.R.Q., chapitre M-31) à l'égard des biens du particulier

dévolus au liquidateur, celui-ci est réputé avoir payé la taxe payée par le particulier et avoir demandé le remboursement de la taxe sur les intrants demandé par le particulier, à l'égard de ces biens;

3° l'exécuteur est réputé utiliser les biens du particulier immédiatement après le décès de celui-ci, de la même façon et pour les mêmes fins que celui-ci les utilisait immédiatement avant son décès;

4° dans le cas où, immédiatement avant son décès, le particulier exerçait une activité commerciale, le liquidateur est réputé exercer cette activité immédiatement après ce décès;

5° dans le cas où, immédiatement avant son décès, le particulier était un inscrit, le liquidateur est réputé être un inscrit immédiatement après ce décès.

L'article 78 a été modifié par L.Q. 1997, c. 3, art. 118 pour remplacer le mot « exécuteur » par le mot « liquidateur » au paragraphe 1°, les mots « à l'exécuteur » par les mots « au liquidateur » au paragraphe 2° et les mots « l'exécuteur » par les mots « le liquidateur » au paragraphes 3° à 5°. Ces modifications sont réputées entrées en vigueur le 20 mars 1997.

L'article 78 a été édicté par L.Q. 1991, c. 67.

79. [*Abrogé*]

Notes historiques: L'article 79 a été abrogé par L.Q. 1997, c. 85, art. 463(1) et cette abrogation a effet depuis le 1er juillet 1992. Auparavant, cet article se lisait ainsi :

79. Pour l'application de l'article 78, l'expression « liquidateur » signifie le liquidateur de la succession du particulier ou toute autre personne chargée, en vertu de la législation applicable, de revendiquer la possession des biens du particulier, d'administrer et d'aliéner ces biens, pour le paiement des dettes du particulier jusqu'à concurrence de leur produit d'aliénation et pour leur distribution entre les bénéficiaires de la succession.

L'article 79 a été modifié par L.Q. 1997, c. 3, art. 119 et cette modification est réputée entrée en vigueur le 20 mars 1997.

Antérieurement, cet article se lisait comme suit :

79. Pour l'application de l'article 78, l'expression « exécuteur » signifie l'exécuteur testamentaire du particulier, l'administrateur de la succession de celui-ci ou toute autre personne chargée en vertu de la législation applicable, de revendiquer la possession des biens du particulier, d'administrer et d'aliéner ces biens, pour le paiement des dettes du particulier jusqu'à concurrence de leur produit d'aliénation et pour leur distribution entre les bénéficiaires de la succession.

L'article 79 a été édicté par L.Q. 1991, c. 67.

79.1 Fourniture d'un véhicule routier suite à un décès — Aucune taxe n'est payable à l'égard de la fourniture d'un véhicule routier, d'un particulier décédé, qui doit être immatriculé en vertu du *Code de la sécurité routière* (chapitre C-24.2) suite à une demande de son acquéreur si elle est effectuée par la succession du particulier conformément à son testament ou à la législation relative à la transmission de biens au décès ou en règlement des droits découlant de son mariage.

Notes historiques: L'article 79.1 a été modifié par L.Q. 2005, c. 1, art. 349 par la suppression des mots « ou de son union civile ». Cette modification est entrée en vigueur le 17 mars 2005.

L'article 79.1 a été modifié par L.Q. 2002, c. 6, art. 214 par l'ajout, à la fin et après les mots « de son mariage », des mots « ou de son union civile ». Cette modification est entrée en vigueur le 24 juin 2002.

L'article 79.1 a été remplacé par L.Q. 1997, c. 85, art. 464(1) et cette modification a effet depuis le 1er juillet 1992.

Antérieurement, cet article se lisait ainsi :

79.1 Aucune taxe n'est payable à l'égard de la fourniture d'un véhicule routier, d'un particulier décédé, qui doit être immatriculé en vertu du *Code de la sécurité routière* (L.R.Q., chapitre C-24.2) suite à une demande de son acquéreur si elle est effectuée par le représentant personnel du particulier décédé conformément à son testament ou à la législation relative à la transmission de biens au décès.

L'article 79.1 a été ajouté par L.Q. 1993, c. 19, art. 181 et s'applique à l'égard d'une fourniture ou d'un apport au Québec relativement auquel l'article 685 ou l'un des articles 618 à 656 L.Q. 1991, c. 67 s'applique [*N.D.L.R.* : les articles 685 et 618 à 656 réfèrent à des dispositions transitoires concernant les transferts avant le 1er juillet 1992].

Guides [art. 79.1]: IN-624 — La TVQ, la TPS/TVH et les véhicules routiers.

Définitions [art. 79.1]: « acquéreur », « bien », « fourniture », « particulier », « représentant personnel », « véhicule routier » — 1.

Renvois [art. 79.1]: 80.1 (donation d'un véhicule routier).

Jurisprudence [art. 79.1]: *Légaré (Succession de) c. Québec (Sous-ministre du Revenu)* (14 novembre 2005), 200-32-032454-034, 2005 CarswellQue 13188.

Concordance fédérale: aucune.

COMMENTAIRES: Voir les commentaires sous l'article 80.3.

80. Fourniture de biens lors d'un décès — Aucune taxe n'est payable à l'égard de la fourniture d'un bien d'un particulier décédé effectuée par sa succession si les conditions suivantes sont rencontrées :

1° le particulier, immédiatement avant son décès, détenait le bien pour consommation, utilisation ou fourniture dans le cadre d'une entreprise qu'il exploitait à ce moment;

2° la succession du particulier effectue la fourniture du bien, conformément au testament du particulier ou à la législation relative à la transmission de biens au décès, à un autre particulier qui est bénéficiaire de la succession du particulier et qui est un inscrit;

3° le bien est reçu pour consommation, utilisation ou fourniture dans le cadre des activités commerciales de l'autre particulier;

4° la succession et l'autre particulier effectuent conjointement un choix afin que le présent article s'applique.

Acquisition des biens — L'autre particulier est réputé avoir acquis le bien pour utilisation exclusive dans le cadre de ses activités commerciales.

Notes historiques: Le préambule du premier alinéa de l'article 80 a été remplacé par L.Q. 1997, c. 85, art. 465(1) et cette modification a effet depuis le 1er juillet 1992. Antérieurement, le préambule du premier alinéa de l'article 80 se lisait ainsi :

80. Aucune taxe n'est payable à l'égard de la fourniture d'un bien d'un particulier décédé effectuée par son représentant personnel si les conditions suivantes sont rencontrées :

Le paragraphe 2° du premier alinéa de l'article 80 a été remplacé par L.Q. 1997, c. 85, art. 465(1) et cette modification a effet depuis le 1er juillet 1992. Antérieurement, ce paragraphe se lisait ainsi :

2° le représentant personnel du particulier décédé effectue la fourniture du bien, conformément au testament du particulier décédé ou à la législation relative à la transmission de biens au décès, à un autre particulier qui est bénéficiaire de la succession du particulier décédé et qui est un inscrit;

Le paragraphe 4° du premier alinéa de l'article 80 a été remplacé par L.Q. 1997, c. 85, art. 465(1) et cette modification a effet depuis le 1er juillet 1992. Antérieurement, ce paragraphe se lisait ainsi :

4° le représentant personnel et l'autre particulier effectuent conjointement un choix afin que le présent article s'applique.

Le paragraphe 4° du premier alinéa de l'article 80 a été modifié par L.Q. 1994, c. 22, art. 408(1) et est réputé entré en vigueur le 1er juillet 1992. Il se lisait comme suit :

4° le représentant personnel produit au ministre, de la manière prescrite par ce dernier, un choix fait conjointement avec l'autre particulier afin que le présent article s'applique, au moyen du formulaire prescrit contenant les renseignements prescrits.

L'article 80 a été édicté par L.Q. 1991, c. 67.

Définitions [art. 80]: « activité commerciale », « bien », « entreprise », « fourniture », « inscrit », « particulier », « taxe » — 1.

Renvois [art. 80]: 75.2 (achalandage); 78 (décès d'un particulier); 213 (acquisition de biens meubles corporels d'occasion); 216 (exportation); 217 (exportation); 233 (vente d'un immeuble); 234 (vente par un organisme de services publics); 234.0.1 (montant maximal); 257 (utilisation accrue d'une immobilisation); 258 (changement d'utilisation d'une immobilisation); 259 (utilisation réduite d'une immobilisation); 261 (inscrit qui est un particulier); 262 (utilisation réduite d'une immobilisation); 265 (utilisation accrue d'une immobilisation); 273 (présomption de vente en cas de choix); 379.1 (montant maximal du remboursement).

Bulletins d'interprétation [art. 80]: TVQ. 80-1/R1 — Fourniture de biens lors d'un décès.

Concordance fédérale: LTA, par. 167(2).

COMMENTAIRES: Voir les commentaires sous l'article 80.3.

80.1 Fourniture par donation d'un véhicule routier — Aucune taxe n'est payable à l'égard de la fourniture par donation d'un véhicule routier qui doit être immatriculé en vertu du *Code de la sécurité routière* (chapitre C-24.2) par suite d'une demande de son acquéreur, si la fourniture est effectuée entre des particuliers liés.

Fourniture en règlement des droits découlant du mariage — De même, aucune taxe n'est payable à l'égard de la fourniture d'un tel véhicule routier effectuée entre particuliers en règlement des droits découlant de leur mariage.

LTVQ (français)

Notes historiques: Le deuxième alinéa de l'article 80.1 a été modifié par L.Q. 2005, c. 1, art. 350 par la suppression des mots « ou de son union civile ». Cette modification est entrée en vigueur le 17 mars 2005.

Le deuxième alinéa de l'article 80.1 a été modifié par L.Q. 2002, c. 6, art. 215 par l'ajout, à la fin et après les mots « de leur mariage », des mots « ou de leur union civile ». Cette modification est entrée en vigueur le 24 juin 2002.

Le deuxième alinéa de l'article 80.1 a été ajouté par L.Q. 1997, c. 85, art. 466(1) et a effet depuis le 1er juillet 1992.

L'article 80.1 a été modifié par L.Q. 1995, c. 1, art. 265 et s'applique à l'égard d'une fourniture effectuée après le 12 mai 1994. Il se lisait auparavant comme suit :

> 80.1 Aucune taxe n'est payable à l'égard de la fourniture par donation d'un véhicule routier qui doit être immatriculé en vertu du *Code de la sécurité routière* (L.R.Q., chapitre C-24.2) suite à une demande de son acquéreur.

L'article 80.1 a été ajouté par L.Q. 1993, c. 19, art. 182 et s'applique à l'égard d'une fourniture ou d'un apport au Québec relativement auquel l'article 685 ou l'un des articles 618 à 656 de L.Q. 1991, c. 67 s'applique [*N.D.L.R.* : les articles 685 et 618 à 656 réfèrent à des dispositions transitoires concernant les transferts avant le 1er juillet 1992].

Guides [art. 80.1]: IN-624 — La TVQ, la TPS/TVH et les véhicules routiers.

Définitions [art. 80.1]: « acquéreur », « fourniture », « taxe », « véhicule routier » — 1.

Renvois [art. 80.1]: 79.1 (véhicule routier d'un particulier décédé).

Jurisprudence [art. 80.1]: *Mydlarski c. S.M.R.Q.* (13 décembre 2006), 500-32-083306-045.

Lettres d'interprétation [art. 80.1]: TVQ. 16-20/R1 — La taxe de vente du Québec et les fournisseurs de services d'accès au réseau Internet; 00-0101436 — Transfert d'un véhicule routier entre des conjoints de fait suite à une séparation; 05-0102631 — Interprétation relative à la TPS et à la TVQ — transfert d'un véhicule routier entre particuliers liés.

Formulaires [art. 80.1]: VD-80.1, Déclaration de transaction d'un véhicule routier immatriculé au Québec entre particuliers liés.

Concordance fédérale: aucune.

COMMENTAIRES: Voir les commentaires sous l'article 80.3.

80.1.1 Fourniture d'un véhicule routier entre municipalités

80.1.1 Fourniture d'un véhicule routier entre municipalités — Aucune taxe n'est payable à l'égard de la fourniture d'un véhicule routier effectuée par une municipalité à une autre municipalité dans le cas où, à la fois :

1º le véhicule est fourni en vertu d'une convention écrite portant sur la prestation de services municipaux par l'acquéreur sur le territoire du fournisseur;

2º le véhicule est fourni pour être utilisé par l'acquéreur aux fins de la prestation de services municipaux de même nature que ceux dans le cadre desquels le véhicule était utilisé par le fournisseur avant le moment de la fourniture de celui-ci;

3º [*supprimé*]

Notes historiques: Le paragraphe 3º de l'article 80.1.1 a été supprimé par L.Q. 1995, c. 63, art. 340(1), rétroactivement au 1er août 1995. Il se lisait auparavant comme suit :

> 3º l'acquéreur ne pourrait, en faisant abstraction du présent article, demander un remboursement de la taxe sur les intrants ou le remboursement prévu aux articles 386 ou 386.1 à l'égard du véhicule.

L'article 80.1.1 a été ajouté par L.Q. 1995, c. 1, art. 266 et a effet depuis le 1er juillet 1992 [*N.D.L.R.* : cette disposition s'applique conformément aux articles 618 à 656 et 685 L.Q. 1991, c. 67, tels que modifiés].

Définitions [art. 80.1.1]: « acquéreur », « fournisseur », « fourniture », « municipalité », « véhicule routier », « taxe » — 1.

Renvois [art. 80.1.1]: 20.1 (fourniture d'un véhicule routier).

Lettres d'interprétation [art. 80.1.1]: 00-0104380 — Interprétation relative à la TPS et à la TVQ — Entente intervenue entre deux municipalités relativement aux services d'entretient des chemins municipaux et d'inspection.

Concordance fédérale: aucune.

COMMENTAIRES: Voir les commentaires sous l'article 80.3.

80.1.2 Fourniture d'un véhicule routier usagé entre deux sociétés

80.1.2 Fourniture d'un véhicule routier usagé entre deux sociétés — Aucune taxe n'est payable à l'égard de la fourniture par vente d'un véhicule routier usagé effectuée entre deux sociétés, autres que des sociétés par actions, dans le cadre d'un transfert, prévu par une loi, de droits et d'obligations.

Notes historiques: L'article 80.1.2 a été ajouté par L.Q. 2002, c. 9, par. 160(1) et s'applique à l'égard d'une fourniture effectuée après le 29 mars 2001.

Lettres d'interprétation [art. 80.1.2]: 05-010274 — Transfert de véhicules routiers — *Loi concernant la consultation des citoyens sur la réorganisation territoriale de certaines municipalités*.

Concordance fédérale: aucune.

COMMENTAIRES: Voir les commentaires sous l'article 80.3.

80.2 [*Abrogé*]

Notes historiques: L'article 80.2 a été abrogé par L.Q. 1995, c. 63, art. 341 et cette abrogation s'applique à l'égard de :

> 1º la fourniture d'un service de télécommunication dont la totalité de la contrepartie devient due après le 31 juillet 1995 et n'est pas payée avant le 1er août 1995;
>
> 2º la fourniture d'un service de télécommunication dont une partie de la contrepartie devient due après le 31 juillet 1995 et n'est pas payée avant le 1er août 1995; toutefois, aucune taxe n'est payable en vertu du chapitre II du titre I à l'égard de toute partie de la contrepartie qui devient due ou est payée avant le 1er août 1995.

De plus, lorsque l'article 80.2 s'applique, il doit se lire comme suit :

> 80.2 Aucune taxe n'est payable à l'égard de la fourniture d'un service de télécommunication effectuée à une personne qui exploite un service de télécommunication si ce service doit servir directement et uniquement à effectuer la fourniture taxable d'un autre service de télécommunication par cette personne.

L'article 80.2 a été ajouté par L.Q. 1993, c. 19, art. 182 et s'applique à l'égard d'une fourniture ou d'un apport au Québec relativement auquel l'article 685 ou l'un des articles 618 à 656 de L.Q. 1991, c. 67 s'applique [*N.D.L.R.* : les articles 685 et 618 à 656 réfèrent à des dispositions transitoires concernant les transferts avant le 1er juillet 1992]. Il se lisait comme suit :

> 80.2 Aucune taxe n'est payable à l'égard de la fourniture d'un service de télécommunication effectuée à une personne qui exploite un service de télécommunication si ce service doit servir directement et uniquement à effectuer la fourniture taxable, autre que la fourniture détaxée, d'un autre service de télécommunication par cette personne.

Bulletins d'interprétation [art. 80.2]: TVQ. 16-20/R1 — La taxe de vente du Québec et les fournisseurs de services d'accès au réseau Internet.

COMMENTAIRES: Voir les commentaires sous l'article 80.3.

80.3 Congrès

80.3 Congrès — Dans le cas où le promoteur d'un congrès effectue une fourniture taxable d'un immeuble par louage, licence ou accord semblable à une personne qui ne réside pas au Québec qui l'acquiert pour utilisation exclusive comme lieu de promotion, au congrès, de son entreprise ou de biens ou de services qu'elle fournit, aucune taxe n'est payable à l'égard de cette fourniture ou d'une fourniture de biens ou de services effectuée par le promoteur à la personne qui les acquiert pour consommation ou utilisation à titre de fournitures liées à un congrès à l'égard du congrès.

Notes historiques: L'article 80.3 a été ajouté par L.Q. 1994, c. 22, art. 409(1) et est réputé entré en vigueur le 1er juillet 1992.

Définitions [art. 80.3]: « bien », « congrès », « entreprise », « exclusif », « fourniture », « fournitures liées à un congrès », « fourniture taxable », « personne », « promoteur », « service », « taxe » — 1.

Concordance fédérale: LTA, par. 167.2(2).

COMMENTAIRES: Les articles 75 et suivants permettent à des personnes réalisant la vente d'actifs d'une entreprise de faire un choix pour que la TVQ ne soit pas applicable à la transaction de vente. Dans le cadre d'une position administrative, Revenu Québec a analysé l'application de l'article 75 à la situation suivante : (i) un inscrit vend son entreprise pour un montant de 150 000 $;(ii) l'entreprise est exploitée dans un immeuble loué; (iii) le vendeur avait signé un bail de cinq ans à raison de 1 000 $ par mois et le bail est en vigueur pour encore trois années; et (iv) l'acquéreur, lui aussi inscrit, a convenu avec le propriétaire de l'immeuble d'assumer le bail, mais seulement pour une période de six mois. De l'avis de Revenu Québec, puisque le vendeur avait fourni à l'acquéreur un bail renégocié de six mois, le test de la totalité, ou presque, doit s'effectuer en tenant compte du bail faisant l'objet de la convention, soit celui ayant un terme de six mois. En ce qui concerne la durée du bail, celle-ci doit être raisonnable en regard de la nature de l'entreprise de même que selon la norme prévalant dans le secteur d'activités dans lequel œuvre l'entreprise. Voir notamment à cet effet : Revenu Québec, Lettre d'interprétation, 98-0111983 — *Vente d'entreprise* (14 juin 2000).

L'article 75 prévoit que le franchiseur et le franchisé peuvent également bénéficier du choix pour que l'article 75.1 de cet article s'applique aux équipements et à la franchise dans la mesure où le franchiseur fournit tout ou partie de l'entreprise qu'il a établie ou exploitée, et que la convention portant sur la fourniture prévoit que le franchisé acquiert la propriété, la possession ou l'utilisation de la totalité, ou presque, des biens qu'il est raisonnable de considérer comme nécessaires à l'exploitation par lui de l'entreprise ou de la partie d'entreprise. Tel qu'énoncé à l'article 75.1, lorsque le choix visé à l'article 75 est effectué, nulle taxe n'est payable relativement à la fourniture d'un bien ou d'un service effectuée aux termes de la convention, sauf, entre autres, s'il s'agit de la fourniture taxable d'un service à rendre par le franchiseur ou de la fourniture taxable d'un bien par bail, licence ou accord semblable. Par conséquent, aucune taxe n'est payable à l'égard de la contrepartie relative à l'équipement et aux contrats d'entretien. Par contre, le choix effectué conformément à l'article 75 n'a pas pour effet de soustraire à l'assujettissement des frais de franchise à la TVQ s'ils sont versés par le franchisé en contrepartie de la fourniture taxable d'un service à rendre par le franchiseur ou de la fourniture taxable d'un bien par bail, licence ou accord semblable. Ainsi, lorsque les frais sont payés pour la formation par le franchiseur des employés, pour une licence visant le droit d'utilisation de la marque de commerce ou d'un logo ou pour le manuel de formation, ces frais demeurent assujettis à la TVQ. Voir notamment à cet effet : Revenu Québec, Lettre d'interprétation, 98-0105795 — *Décision portant sur l'application de la TPS/Interprétation relative à la TVQ/ Choix des paragraphes 167(1) et (1.1) de la Loi sur la taxe d'accise* (24 août 1998).

Finalement, il est à noter que l'article 75 réfère à un seul transfert à un seul acquéreur. En effet, ce choix ne peut s'appliquer s'il y a deux acquéreurs à moins que chacune des transactions puisse être considérée comme un transfert de « tout ou partie d'une entreprise ». Voir notamment à cet effet : Revenu Québec, Lettre d'interprétation, 99-0103491 -- *Interprétation relative à la TPS et à la TVQ — Transfert d'achalandage* (13 septembre 1999).

Dans le cadre d'une table ronde provinciale, Revenu Québec s'est penché sur la situation suivante : (i) un vendeur exploite son entreprise dans un immeuble détenue par une société distincte dont il est propriétaire, (ii) en vertu de la convention de vente de l'entreprise, le vendeur s'engage à ce qu'un nouveau bail soit conclu entre la société dont il est l'actionnaire unique et l'acquéreur, et (iii) un nouveau bail est effectivement conclu entre la société et l'acquéreur. Dans ce contexte, Revenu Québec a indiqué que l'on ne peut pas considérer que le vendeur a transféré l'utilisation de l'immeuble à l'acquéreur aux fins du choix prévu à l'article 75. En effet, le vendeur et la société sont deux entités juridiques distinctes et c'est la société qui est considérée avoir transféré l'utilisation de l'immeuble à l'acquéreur, et non le vendeur. Voir à cet effet : Revenu Québec, *Tribune d'échange sur des questions techniques avec Revenu Québec*, Symposium des taxes à la consommation, Association de planification fiscale et financière, 2009.

Les articles 79.1, 80.1, 80.1.1 et 80.1.2 sont des règles spécifiques relatives à la fourniture d'un véhicule routier et qui ne retrouvent pas d'équivalent en vertu de la *Loi sur la taxe d'accise (TPS)*. De façon générale, ces articles prévoient que la TVQ ne sera pas applicable dans les circonstances décrites à ces articles. L'absence de concordance, notamment de l'article 80.1, en TPS est tributaire du fait qu'aucune TPS n'est payable pour l'achat et la vente d'un véhicule par un particulier.

À titre illustratif, la Cour du Québec, dans l'affaire *Légaré (Succession de)* c. *Québec (Sous-ministre du Revenu)*, 2005 CarswellQue 13188 (Cour du Québec), a indiqué que l'article 79.1 est une exception au paiement de la taxe de l'article 16. En effet, l'article 79 vise l'immatriculation d'un véhicule au bénéfice de l'acquéreur à la suite d'un transfert décrété à la succession du particulier ou en règlement de droits découlant du mariage ou de l'union civile.

Compte tenu de la similarité de la rédaction des dispositions législatives et considérant l'engagement spécifique de Revenu Québec de veiller à ce que l'assiette de TVQ modifiée, de même que les paramètres administratifs, structurels et définitionnels, produisent des résultats qui sont similaires à ceux produits sous le régime de la TPS/TVH et soient administrés d'un manière qui produit des résultats similaires, tel que reflété par l'article 14 de l'*Entente intégrée globale de coordination fiscale* signée entre le gouvernement du Canada et le gouvernement du Québec, nous vous référons à nos commentaires en vertu des articles 167 à 167.2 de la *Loi sur la taxe d'accise (TPS)* qui devraient s'appliquer *mutatis mutandis*, avec les adaptations nécessaires.

§ 3. — Apports de biens au Québec non sujets à l'imposition

81. Biens exclus de l'application de l'article 17 — Les biens auxquels le paragraphe 2° du quatrième alinéa de l'article 17 fait référence sont les suivants :

1º un bien visé à l'article 1 de l'annexe VII de la *Loi sur la taxe d'accise* (L.R.C. 1985, c. E-15);

2º un bien qui provient du Canada hors du Québec et qui serait, compte tenu des adaptations nécessaires, un bien visé au paragraphe 1° s'il provenait de l'extérieur du Canada, à l'exclusion d'un bien qui serait classé sous le numéro tarifaire 9804.10.00, 9804.20.00, 9804.30.00, 9804.40.00, 9805.00.00 ou 9807.00.00 de l'annexe du *Tarif des douanes* (L.C. 1997, c. 36);

2.1º un bien qui provient du Canada hors du Québec et qui est pour l'usage domestique ou personnel d'un particulier qui arrive au Québec pour y établir sa résidence permanente, à l'exclusion d'un bien que le particulier a acquis moins de 31 jours avant son arrivée au Québec et à l'égard duquel soit il n'a pas payé une taxe de même nature que celle payable en vertu du présent titre imposée par une autre province, les Territoires du Nord-Ouest, le territoire du Yukon ou le territoire du Nunavut, soit il a obtenu ou a le droit d'obtenir un remboursement d'une telle taxe;

3º une médaille, un trophée ou un autre prix, à l'exclusion d'un bien qui fait l'objet du commerce ordinaire, qui a été gagné hors du Québec lors d'une compétition, qui a été décerné, reçu ou accepté hors du Québec ou qui a été donné par une personne hors du Québec, pour un acte d'héroïsme, bravoure ou distinction;

4º un imprimé qui doit être mis à la disposition du grand public gratuitement en vue de promouvoir le tourisme s'il est apporté au Québec :

a) par un gouvernement de l'extérieur du Québec, ou sur son ordre, ou par un organisme ou un représentant d'un tel gouvernement;

b) par une chambre de commerce, une association municipale, une association d'automobilistes ou un organisme semblable et si l'imprimé leur a été fourni sans contrepartie autre que les frais d'expédition et de manutention;

5º un bien qu'un organisme de bienfaisance ou une institution publique apporte au Québec et qui a été donné à l'organisme ou à l'institution;

6º un bien qu'une personne apporte au Québec, si le bien lui a été fourni sans contrepartie, autre que les frais d'expédition et de manutention, par une autre personne qui ne réside pas au Québec, à titre de pièce de rechange ou à titre de bien de remplacement conformément à une garantie;

6.1º un bien apporté au Québec dans l'unique but d'exécuter une obligation, en vertu d'une garantie, de réparer ou de remplacer le bien en cas de défectuosité, à condition qu'un bien de remplacement soit fourni sans contrepartie, autre que les frais d'expédition et de manutention, et expédié hors du Québec sans être consommé ou utilisé au Québec, sauf dans la mesure raisonnablement nécessaire ou accessoire à son transport;

7º un bien dont la fourniture est visée à l'une des sections I, II, III ou IV du chapitre IV, à l'exception du paragraphe 3.1º de l'article 178, au paragraphe 2º de l'article 198 ou à l'article 198.1 ou 198.2;

7.1º un véhicule automobile acquis par fourniture effectuée à l'extérieur du Québec dans des circonstances où, s'il avait été acquis par fourniture au Québec dans ces mêmes circonstances, ce véhicule aurait été acquis par fourniture détaxée en vertu de l'article 197.2;

8º un bien, à l'exclusion d'un bien prescrit, qui est envoyé à l'acquéreur de la fourniture du bien par courrier ou messagerie, à une adresse au Québec, qui provient de l'extérieur du Canada et dont la valeur n'est pas supérieure à 20 $;

8.1º un bien prescrit pour l'application de l'article 24.1 qui est envoyé, par courrier ou messagerie, à l'acquéreur de la fourniture du bien à une adresse au Québec dans le cas où le fournisseur est inscrit en vertu de la section I du chapitre VIII au moment où le bien est apporté au Québec;

9º un bien prescrit apporté au Québec dans les circonstances prescrites, conformément aux modalités prescrites;

10º les contenants visés à l'article 9 de l'annexe VII de la *Loi sur la taxe d'accise* ou qui pourraient l'être, si ce n'était du fait que le bien provient du Canada hors du Québec;

11º de l'argent, un certificat ou un autre document attestant un droit qui constitue un effet financier;

12º un bien qui provient du Canada hors du Québec et qui est fourni à la personne par louage, licence ou accord semblable en vertu duquel la possession ou l'utilisation continues du bien est offerte pour une période excédant trois mois et dans des circonstances en vertu desquelles la taxe prévue au paragraphe 1º de l'article 165 de la *Loi sur la taxe d'accise* est payable par la personne à l'égard de la fourniture;

13º une maison mobile ou une maison flottante qui a été utilisée ou occupée au Québec à titre de résidence pour des particuliers.

LTVQ (français)

14º des grains, des graines, des semences ou des tiges matures sans feuilles, fleurs, graines ou branches, de chanvre commun du genre cannabis apportés au Québec et qui proviennent de l'extérieur du Canada si, à la fois :

a) dans le cas de grains, de graines ou de semences, leur traitement ne dépasse pas l'étape de la stérilisation ou l'étape du traitement aux fins d'ensemencement et ils ne sont pas emballés, préparés ou vendus pour servir de nourriture pour les oiseaux sauvages ou les animaux de compagnie;

b) dans le cas de grains, de graines ou de semences viables, ils sont compris dans la définition de l'expression « chanvre industriel » prévue à l'article 1 du *Règlement sur le chanvre industriel* adopté en vertu de la *Loi réglementant certaines drogues et autres substances* (L.C. 1996, c. 19);

c) l'apport est effectué conformément à la *Loi réglementant certaines drogues et autres substances*, le cas échéant;

15º un bien qui provient du Canada hors du Québec et dont la fourniture est visée au paragraphe 3.1° de l'article 178.

Notes historiques: Le passage précédant le paragraphe 2.1° de l'article 81 a été remplacé par L.Q. 2012, c. 28, s.-par. 52(1)(1º) et cette modification est entrée en vigueur le 7 décembre 2012. Antérieurement, il se lisait ainsi :

81. Les biens visés au paragraphe 2º du quatrième alinéa de l'article 17 sont les suivants :

1º un bien qui est classé sous la position 98.01, 98.02, 98.03, 98.04, 98.05, 98.06, 98.07, 98.10, 98.11, 98.12, 98.15, 98.16 ou 98.19 ou sous la sous-position 9823.60, 9823.70, 9823.80 ou 9823.90 à l'annexe I du *Tarif des douanes* (Lois révisées du Canada (1985), chapitre 41, 3e supplément), dans la mesure où le bien n'est pas soumis à des droits en vertu de cette loi, à l'exclusion d'un bien classé sous le numéro tarifaire 9804.30.00 de cette annexe;

2º un bien qui provient du Canada hors du Québec et qui serait, compte tenu des adaptations nécessaires, un bien classé sous l'une des positions ou des sous-positions mentionnées au paragraphe 1º s'il provenait de l'extérieur du Canada, à l'exclusion d'un bien qui serait classé sous le numéro tarifaire 9804.10.00, 9804.20.00, 9804.30.00, 9804.40.00, 9805.00.00 ou 9807.00.00 de l'annexe I du Tarif des douanes;

Les paragraphes 1º et 2º de l'article 81 ont été modifiés par L.Q. 1995, c. 63, art. 342(1) et cette modification s'applique à l'égard de l'apport d'un véhicule routier effectué par une personne après une date de prise d'effet fixée par décret du gouvernement [*N.D.L.R.* : la date du 29 novembre 1996 a été modifiée par L.Q. 1997, c. 85, art. 772(1) par « une date de prise d'effet fixée par décret du gouvernement ». Cette modification a effet depuis le 15 décembre 1995.]. De plus, lorsque les paragraphes 1º et 2º de l'article 81 s'appliquent à l'égard de l'apport d'un véhicule routier effectué après le 31 juillet 1995 mais avant la date de prise d'effet fixée par décret du gouvernement [*N.D.L.R.* : la date du 30 novembre 1996 a été modifiée par L.Q. 1997, c. 85, art. 772(3) pour se lire :« la date de prise d'effet fixée par décret du gouvernement » et a effet depuis le 15 décembre 1995], ils doivent se lire comme suit :

1º un bien qui est classé sous la position 98.01, 98.02, 98.03, 98.04, 98.05, 98.06, 98.07, 98.10, 98.11, 98.12, 98.15, 98.16 ou 98.19 ou sous la sous-position 9823.60, 9823.70, 9823.80 ou 9823.90 à l'annexe I du *Tarif des douanes* (Lois révisées du Canada (1985), chapitre 41, 3e supplément), dans la mesure où le bien n'est pas soumis à des droits en vertu de cette loi, à l'exclusion d'un bien classé sous le numéro tarifaire 9804.30.00 de cette annexe et d'un véhicule routier, autre qu'un véhicule de promenade, classé sous la position 98.01 de cette annexe et apporté par une personne qui n'est pas un inscrit qui aurait le droit de demander un remboursement de la taxe sur les intrants à l'égard du véhicule s'il en faisait l'acquisition, au moment de son apport et qu'il payait la taxe à ce moment [*N.D.L.R.* : la partie « au moment de son apport et qu'il payait la taxe à ce moment » a été ajoutée par L.Q. 1997, c. 85, art. 772(4) et a effet depuis le 15 décembre 1995];

2º un bien qui provient du Canada hors du Québec et qui serait, compte tenu des adaptations nécessaires, un bien classé sous l'une des positions ou des sous-positions mentionnées au paragraphe 1º s'il provenait de l'extérieur du Canada, à l'exclusion d'un bien qui serait classé sous le numéro tarifaire 9804.10.00, 9804.20.00, 9804.30.00, 9804.40.00, 9805.00.00 ou 9807.00.00 de l'annexe I du *Tarif des douanes* et d'un véhicule routier, autre qu'un véhicule de promenade, qui serait classé sous la position 98.01 de cette annexe et qui est apporté par une personne qui n'est pas un inscrit qui aurait le droit de demander un remboursement de la taxe sur les intrants à l'égard du véhicule s'il en faisait l'acquisition, au moment de son apport et qu'il payait la taxe à ce moment [*N.D.L.R.* : la partie « au moment de son apport et qu'il payait la taxe à ce moment » a été ajoutée par L.Q. 1997, c. 85, art. 772(4) et a effet depuis le 15 décembre 1995];

Les paragraphes 1º et 2º de l'article 81 ont été modifiés par L.Q. 1995, c. 1, art. 267 et s'appliquent à l'égard d'un apport effectué après le 31 décembre 1993. Ces paragraphes se lisaient comme suit :

1º un bien qui est classé sous la position 98.01, 98.02, 98.03, 98.04, 98.05, 98.06, 98.07, 98.10, 98.11, 98.12, 98.15, 98.16 ou 98.19 ou sous la sous-position 9823.60, 9823.70, 9823.80 ou 9823.90 à l'annexe I du *Tarif des douanes* (Statuts du Canada), dans la mesure où le bien n'est pas soumis à des droits en vertu de cette loi, à l'exclusion d'un bien classé sous le numéro tarifaire 9804.30.00 de cette annexe et d'un véhicule routier, autre qu'un véhicule de promenade, classé sous la position 98.01 de cette annexe et à l'égard duquel un inscrit qui en ferait l'acquisition ne pourrait demander un remboursement de la taxe sur les intrants en raison de l'article 206.1;

2º un bien qui provient du Canada hors du Québec et qui serait, compte tenu des adaptations nécessaires, un bien classé sous l'une des positions ou des sous-positions mentionnées au paragraphe 1º s'il provenait de l'extérieur du Canada, à l'exclusion d'un bien qui serait classé sous le numéro tarifaire 9804.10.00, 9804.20.00, 9804.30.00, 9804.40.00, 9805.00.00 ou 9807.00.00 de l'annexe I du *Tarif des douanes* et d'un véhicule routier, autre qu'un véhicule de promenade, qui serait classé sous la position 98.01 de cette annexe et à l'égard duquel un inscrit qui en ferait l'acquisition ne pourrait demander un remboursement de la taxe sur les intrants en raison de l'article 206.1;

Toutefois, pour la période qui commence le 1er janvier 1994 et qui se termine le 12 mai 1994, le paragraphe 2º de l'article 81 doit se lire comme suit :

2º un bien qui provient du Canada hors du Québec et qui serait, compte tenu des adaptations nécessaires, un bien classé sous l'une des positions ou des sous-positions mentionnées au paragraphe 1º s'il provenait de l'extérieur du Canada, à l'exclusion d'un bien qui serait classé sous le numéro tarifaire 9804.10.00, 9804.20.00, 9804.30.00 ou 9804.40.00 de l'annexe I du *Tarif des douanes* et d'un véhicule routier, autre qu'un véhicule de promenade, qui serait classé sous la position 98.01 de cette annexe et à l'égard duquel un inscrit qui en ferait l'acquisition ne pourrait demander un remboursement de la taxe sur les intrants en raison de l'article 206.1;

Les paragraphes 1º et 2º de l'article 81 se lisaient auparavant comme suit :

1º un bien qui est classé sous le numéro 98.01, 98.02, 98.03, 98.04, 98.05, 98.06, 98.07, 98.10, 98.11, 98.12, 98.15, 98.16, 98.19 ou 98.21 à l'annexe I du *Tarif des douanes* (Statuts du Canada), dans la mesure où le bien n'est pas soumis à des droits en vertu de cette loi, à l'exclusion d'un bien classé sous le numéro tarifaire 9804.30.00 de cette loi et d'un véhicule routier, autre qu'un véhicule de promenade, classé sous le numéro tarifaire 98.01 de cette loi à l'égard duquel un inscrit qui en ferait l'acquisition ne pourrait demander un remboursement de la taxe sur les intrants en raison de l'article 206.1;

2º un bien qui provient du Canada hors du Québec et qui serait, en faisant les adaptations nécessaires, un bien classé sous l'un des numéros mentionnés au paragraphe 1º s'il provenait de l'extérieur du Canada, à l'exclusion d'un bien qui serait classé sous le numéro tarifaire 9804.10.00, 9804.20.00, 9804.30.00 ou 9804.40.00 et d'un véhicule routier, autre qu'un véhicule de promenade, qui serait classé sous le numéro tarifaire 98.01 à l'égard duquel un inscrit qui en ferait l'acquisition ne pourrait demander un remboursement de la taxe sur les intrants en raison de l'article 206.1;

Les paragraphes 1º et 2º de l'article 81 ont été modifiés par L.Q. 1993, c. 19, art. 183(1º) et s'appliquent à l'égard d'une fourniture ou d'un apport au Québec relativement auquel l'article 685 ou l'un des articles 618 à 656 de L.Q. 1991, c. 67 s'applique [*N.D.L.R.* : les articles 685 et 618 à 656 réfèrent à des dispositions transitoires concernant les transferts avant le 1er juillet 1992]. Ils se lisaient auparavant comme suit :

1º un bien est classé sous le numéro 98.01, 98.02, 98.03, 98.04, 98.05, 98.06, 98.07, 98.10, 98.11, 98.12, 98.13, 98.14, 98.15, 98.16, 98.19 ou 98.21 à l'annexe I du *Tarif des douanes* (Statuts du Canada), dans la mesure où le bien n'est pas soumis à des droits en vertu de cette loi, à l'exclusion d'un bien classé sous le numéro tarifaire 9804.30.00;

2º un bien qui provient du Canada hors du Québec et qui serait, en faisant les adaptations nécessaires, un bien classé sous l'un des numéros mentionnés au paragraphe 1 º s'il provenait de l'extérieur du Canada, à l'exclusion d'un bien qui serait classé sous le numéro tarifaire 9804.10.00, 9804.20.00, 9804.30.00 ou 9804.40.00;

Le paragraphe 1º de l'article 81 a été modifié par L.Q. 1994, c. 22, art. 410(1) et est réputé entré en vigueur le 1er juillet 1992. Antérieurement, il se lisait ainsi :

1º un bien qui est classé sous le numéro 98.01, 98.02, 98.03, 98.04, 98.05, 98.06, 98.07, 98.10, 98.11, 98.12, 98.13, 98.14, 98.15, 98.16, 98.19 ou 98.21 à l'annexe I du *Tarif des douanes* (Statuts du Canada), dans la mesure où le bien n'est pas soumis à des droits en vertu de cette loi, à l'exclusion d'un bien classé sous le numéro tarifaire 9804.30.00 et d'un véhicule routier, autre qu'un véhicule de promenade, classé sous le numéro tarifaire 98.01 à l'égard duquel un inscrit qui en ferait l'acquisition ne pourrait demander un remboursement de la taxe sur les intrants en raison de l'article 206.1;

Le paragraphe 2.1º de l'article 81 a été remplacé par L.Q. 2003, c. 2, s.-par. 312(1)(1º) et cette modification a effet depuis le 1er avril 1999. Antérieurement, il se lisait ainsi :

2.1º un bien qui provient du Canada hors du Québec et qui est pour l'usage domestique ou personnel d'un particulier qui arrive au Québec pour y établir sa résidence permanente, à l'exclusion d'un bien que le particulier a acquis moins de 31 jours avant son arrivée au Québec et à l'égard duquel soit il n'a pas payé une taxe de même nature que celle payable en vertu du présent titre imposée par une autre province, les Territoires du Nord-Ouest ou le territoire du Yukon, soit il a obtenu ou a le droit d'obtenir un remboursement d'une telle taxe;

Le paragraphe 2.1° de l'article 81 a été ajouté par L.Q. 1995, c. 1, art. 267 et s'applique à l'égard d'un apport effectué après le 12 mai 1994.

Le paragraphe 5° de l'article 81 a été remplacé par L.Q. 1997, c. 85, art. 467(1) et a effet depuis le 1er janvier 1997. Antérieurement, ce paragraphe se lisait ainsi :

5° un bien qu'un organisme de bienfaisance apporte au Québec et qui lui a été donné;

Le paragraphe 6° de l'article 81 a été remplacé par L.Q. 2001, c. 53, art. 288(1) et cette modification s'applique à l'égard d'un bien apporté au Québec après le 10 décembre 1998. Antérieurement, il se lisait ainsi :

6° un bien qu'une personne apporte au Québec, si le bien lui a été fourni sans contrepartie, autre que les frais d'expédition et de manutention, par une autre personne qui ne réside pas au Québec, à titre de pièce de rechange conformément à une garantie se rapportant à un bien meuble corporel;

Le paragraphe 6.1° de l'article 81 a été ajouté par L.Q. 2003, c. 2, s.-par. 312(1)(2°) et s'applique à l'égard d'un bien apporté au Québec après le 28 février 2000.

Le paragraphe 7° de l'article 81 a été remplacé par L.Q. 2009, c. 5, s.-par. 603(1)(1°) et cette modification s'applique à l'égard d'un apport au Québec effectué après le 12 avril 2001. Antérieurement, il se lisait ainsi :

7° un bien dont la fourniture est visée à l'une des sections I, II, III ou IV du chapitre IV, au paragraphe 2° de l'article 198 ou à l'article 198.1 ou 198.2;

Le paragraphe 7° de l'article 81 a été modifié par L.Q. 2001, c. 51, art. 265(1)(1°) et cette modification a effet depuis le 23 juin 1998. De plus, pour la période qui commence le 9 mai 1996 et qui se termine le 22 juin 1998, le paragraphe 7° de l'article 81 doit se lire comme suit :

7° un bien dont la fourniture est visée à l'une des sections I, II, III ou IV du chapitre IV, au paragraphe 2° de l'article 198 ou à l'article 198.1;

Antérieurement, le paragraphe 7° se lisait ainsi :

7° un bien dont la fourniture est visée à l'une des sections I, II, III ou IV du chapitre IV ou au paragraphe 2° de l'article 198;

Le paragraphe 7° de l'article 81 a été modifié par L.Q. 1995, c. 1, art 267 et s'applique à l'égard d'un apport effectué après le 30 juin 1992. Il se lisait auparavant comme suit :

7° un bien dont la fourniture est visée au paragraphe 1° de l'article 174, à l'une des sections II, III ou IV du chapitre quatrième ou au paragraphe 2° de l'article 198;

Le paragraphe 7.1° de l'article 81 a été ajouté par L.Q. 2001, c. 51, art. 265(1)(2°) et a effet à l'égard d'un apport effectué après le 30 avril 1999.

Les paragraphes 8° et 8.1° de l'article 81 ont été modifiés par L.Q. 1997, c. 85, art. 467(2) par le remplacement du mot « messager » par le mot « messagerie ». Cette modification a effet depuis le 1er juillet 1992.

Le paragraphe 8° de l'article 81 a été modifié par L.Q. 1994, c. 22, art. 410(1) et est réputé entré en vigueur le 1er juillet 1992. Antérieurement, il se lisait ainsi :

8° un bien, à l'exclusion d'un bien prescrit, qui est envoyé à l'acquéreur de la fourniture du bien par courrier ou messager au sens du paragraphe 1 de l'article 2 de la *Loi sur les douanes* (Statuts du Canada), à une adresse au Québec, qui provient de l'extérieur du Canada et dont la valeur n'est pas supérieure à 20 $;

Le paragraphe 8° de l'article 81 a été modifié par L.Q. 1993, c. 19, art. 183(2°) et s'applique à l'égard d'une fourniture ou d'un apport au Québec relativement auquel l'article 685 ou l'un des articles 618 à 656 de L.Q. 1991, c. 67 s'applique [*N.D.L.R.* : les articles 685 et 618 à 656 réfèrent à des dispositions transitoires concernant les transferts avant le 1er juillet 1992]. Il se lisait auparavant comme suit :

8° un bien, à l'exclusion d'un bien prescrit, qui est envoyé à l'acquéreur de la fourniture du bien par courrier ou messager, à une adresse au Québec, qui provient de l'extérieur du Canada et dont la valeur n'est pas supérieure à 40 $;

Le paragraphe 8.1° de l'article 81 a été ajouté par L.Q. 1994, c. 22, art. 410(1) et est réputé entré en vigueur le 1er juillet 1992. Toutefois, il ne s'applique qu'aux biens apportés au Québec après le 31 décembre 1992.

Le paragraphe 9° de l'article 81 a été modifié par L.Q. 1994, c. 22, art. 410(1) et est réputé entré en vigueur le 1er juillet 1992. Il se lisait comme suit :

9° un bien prescrit apporté au Québec dans les circonstances prescrites.

Le paragraphe 10° de l'article 81 a été remplacé par L.Q. 2012, c. 28, s.-par. 52(1)(2°) et cette modification est entrée en vigueur le 7 décembre 2012. Antérieurement, il se lisait ainsi :

10° les contenants qui peuvent être importés au Canada en franchise des droits de douane conformément à un règlement adopté en vertu du paragraphe c) de la note 11 du chapitre 98 de l'annexe I du *Tarif des douanes*, ou qui pourraient l'être, si ce n'était du fait que le bien provient du Canada hors du Québec;

Les paragraphes 10° et 11° de l'article 81 ont été ajoutés par L.Q. 1994, c. 22, art. 410(1) et sont réputés entrés en vigueur le 1er juillet 1992.

Le paragraphe 10° de l'article 81 a été remplacé par L.Q. 1997, c. 85, art. 467(3) et a effet depuis le 1er juillet 1992. Antérieurement, ce paragraphe se lisait ainsi :

10° les contenants qui peuvent être importés au Canada en franchise des droits de douane conformément à un règlement adopté en vertu du paragraphe c de la note 11 du chapitre 98 de l'annexe I du *Tarif des douanes* (Statuts du Canada);

Les paragraphes 12° et 13° de l'article 81 ont été ajoutés par L.Q. 1997, c. 85, art. 467(4) et ont effet depuis le 1er avril 1997.

Les paragraphes 14° et 15° de l'article 81 ont été ajoutés par L.Q. 2009, c. 5, s.-par. 603(1)(2°) et s'appliquent à l'égard d'un apport au Québec effectué après le 12 avril 2001.

L'article 81 a été édicté par L.Q. 1991, c. 67.

Notes explicatives ARQ (PL 5, L.Q. 2012, c. 28): *Résumé* :

Les modifications apportées aux paragraphes 1°, 2° et 10° de l'article 81 de la *Loi sur la taxe de vente du Québec* (LTVQ) sont des modifications techniques qui consistent à remplacer la référence aux positions, sous-positions ou note prévues à l'annexe I du *Tarif des douanes* (Lois révisées du Canada (1985), chapitre 41, 3e supplément) par une référence aux articles 1 et 9 de l'annexe VII de la *Loi sur la taxe d'accise* (Lois révisées du Canada (1985), chapitre E-15) (LTA).

Situation actuelle :

L'article 81 dresse une liste de biens exclus de l'application de la taxe prévue à l'article 17 de la LTVQ relativement aux biens apportés par une personne au Québec pour consommation ou utilisation au Québec par elle-même ou à ses frais par une autre personne. Le paragraphe 1° de l'article 81 de la LTVQ vise un bien qui est classé sous la position 98.01, 98.02, 98.03, 98.04, 98.05, 98.06, 98.07, 98.10, 98.11, 98.12, 98.15, 98.16 ou 98.19 ou la sous-position 9823.60, 9823.70, 9823.80 ou 9823.90 de l'annexe I du *Tarif des douanes*.

Le paragraphe 2° de l'article 81 vise un bien qui provient du Canada hors du Québec et qui serait, compte tenu des adaptations nécessaires, un bien classé sous l'une des positions ou des sous-positions mentionnées au paragraphe 1° de l'article 81 s'il provenait de l'extérieur du Canada à l'exclusion d'un bien qui serait classé sous le numéro tarifaire 9804.10.00, 9804.20.00, 9804.30.00, 9804.40.00, 9805.00.00 ou 9807.00.00 de l'annexe I du *Tarif des douanes*.

Enfin, le paragraphe 10° de l'article 81 vise les contenants qui peuvent être importés au Canada en franchise des droits de douane conformément à un règlement adopté en vertu du paragraphe c) de la note 11 du chapitre 98 de l'annexe I du *Tarif des douanes*, ou qui pourraient l'être, si ce n'était du fait que le bien provient du Canada hors du Québec.

Modifications proposées :

Les modifications apportées aux paragraphes 1° et 10° de l'article 81 sont des modifications techniques qui consistent à remplacer la référence aux positions, sous-positions ou note prévues à l'annexe I du *Tarif des douanes* par une référence aux articles 1 et 9 de l'annexe VII de la LTA.

Enfin, la référence contenue au paragraphe 2° de l'article 81 de la LTVQ au *Tarif des douanes* (Lois révisées du Canada (1985), chapitre 41, 3e supplément) a été remplacée compte tenu que cette loi a été abrogée.

Notes explicatives ARQ (PL 2, L.Q. 2009, c. 5): *Résumé* :

Les modifications proposées à l'article 81 ont pour objet d'ajouter, à l'ensemble des biens énumérés, les biens suivants :

— des grains, des graines, des semences ou des tiges matures de chanvre commun, apportés au Québec et qui proviennent de l'extérieur du Canada, suivant certaines conditions;

— un bien, soit des grains, des graines, des semences ou des tiges matures de chanvre commun, qui provient du Canada hors du Québec et dont la fourniture est visée au paragraphe 3.1° de l'article 178 de la LTVQ.

Situation actuelle :

L'article 81 de la LTVQénumère l'ensemble des biens visés au paragraphe 2° du quatrième alinéa de l'article 17 de la LTVQ, soit les biens pour lesquels le premier alinéa de l'article 17 de la LTVQ ne s'applique pas.

Suivant le premier alinéa de l'article 17 de la LTVQ, une personne qui apporte au Québec un bien corporel, notamment, pour consommation ou utilisation au Québec par elle-même ou à ses frais par une autre personne, doit payer une taxe calculée au taux de 7,5 % sur la valeur du bien.

Par conséquent, une personne qui apporte au Québec l'un ou l'autre des biens énumérés à l'article 81 de la LTVQ n'est pas tenue de payer la taxe prévue au premier alinéa de l'article 17 de la LTVQ.

Modifications proposées :

En corrélation avec les modifications proposées à l'article 178 de la LTVQ, il y aurait lieu de modifier l'article 81 de la LTVQ de sorte que soient ajoutés, à l'ensemble des biens énumérés, les grains, les graines, les semences ou les tiges matures de chanvre commun dont l'apport est effectué au Québec.

Dans un premier temps, il y aurait lieu de modifier le paragraphe 7° de l'article 81 de la LTVQ afin que soient exclus les grains, les graines, les semences ou les tiges matures de chanvre commun dont la fourniture est visée au paragraphe 3.1° de l'article 178 de la LTVQ.

LTVQ (français)

En effet, bien que le paragraphe 3.1° de l'article 178 de la LTVQ vise expressément ces biens, il est proposé de les ajouter à l'ensemble des biens énumérés à l'article 81 de la LTVQ en y insérant les paragraphes 14° et 15° afin d'identifier, de façon précise, les conditions entourant leur apport.

Ainsi, le paragraphe 14° de l'article 81 de la LTVQ aurait pour objet de viser des grains, des graines, des semences ou des tiges matures de chanvre commun apportés au Québec et qui proviennent de l'extérieur du Canada si, à la fois :

— dans le cas de grains, de graines ou de semences, ils ne sont pas traités au-delà de la stérilisation ou du traitement aux fins d'ensemencement et ils ne sont pas, entre autres, vendus comme nourriture pour les oiseaux sauvages ou les animaux de compagnie;

— dans le cas de grains, de graines ou de semences viables, ils sont compris dans la définition de l'expression « chanvre industriel » au sens du *Règlement sur le chanvre industriel* adopté en vertu de la *Loi réglementant certaines drogues et autres substances* (Lois du Canada, 1996, chapitre 19) et leur apport est effectué conformément à cette loi, le cas échéant.

Par ailleurs, le paragraphe 15° de l'article 81 de la LTVQ aurait pour objet de viser un bien, soit des grains, des graines, des semences ou des tiges matures de chanvre commun, qui provient du Canada hors du Québec et dont la fourniture est visée au paragraphe 3.1° de l'article 178 de la LTVQ si, à la fois :

— dans le cas de grains, de graines ou de semences, ils ne sont pas traités au-delà de la stérilisation ou du traitement aux fins d'ensemencement et ils ne sont pas, entre autres, vendus comme nourriture pour les oiseaux sauvages ou les animaux de compagnie;

— dans le cas de grains, de graines ou de semences viables, ils sont compris dans la définition de l'expression « chanvre industriel » au sens du *Règlement sur le chanvre industriel* adopté en vertu de la Loi réglementant certaines drogues et autres substances et leur fourniture est effectuée conformément à cette loi, le cas échéant.

Guides [art. 81]: IN-203 — Renseignements généraux sur la TVQ et la TPS/TVH.

Définitions [art. 81]: « acquéreur », « argent », « bien », « bien meuble corporel », « contrepartie », « document », « effet financier », « fournisseur », « fourniture », « gouvernement », « inscrit », « institution publique », « messager », « organisme de bienfaisance », « personne », « taxe » — 1.

Renvois [art. 81]: 17 (taux de taxe — apport de biens corporels au Québec); 237.3 (dernière acquisition ou apport — exception); 677:14° (règlements).

Règlements [art. 81]: RTVQ, 81R1; RTVQ, 81R2.

Jurisprudence [art. 81]: *Samson c. S.M.R.Q.* (10 janvier 1997), 200-32-000295-955.

Bulletins d'interprétation [art. 81]: TVQ. 16-18/R2 — Matériel de transport routier interprovincial et international.

Lettres d'interprétation [art. 81]: 05-0102516 — Interprétation relative à la TPS — fourniture de nourriture destinée à des compagnies aériennes [aliments préparés].

Concordance fédérale: LTA, Ann. VII:1–10.

SECTION V — RÈGLES RELATIVES AU MOMENT D'IMPOSITION

82. Moment d'imposition — règle générale — La taxe prévue à l'article 16 à l'égard d'une fourniture taxable est payable par l'acquéreur au premier en date du jour où la contrepartie de la fourniture est payée et du jour où cette contrepartie devient due.

Notes historiques: L'article 82 a été édicté par L.Q. 1991, c. 67.

Définitions [art. 82]: « acquéreur », « contrepartie », « fourniture taxable » — 1.

Renvois [art. 82]: 82.1 (véhicule routier); 83 (contrepartie due); 85 (contrepartie partielle); 86 (fourniture terminée); 88 (vente d'un immeuble); 90 (contrepartie retenue); 91 (fourniture combinée); 92 (dépôt); 624 (vente d'un bien meuble avant juillet 1992).

Bulletins d'interprétation [art. 82]: TVQ. 51-3 — Réduction de la contrepartie d'une fourniture; TVQ. 82-1/R2 — Moment d'imposition de la fourniture relative à un immeuble par un entrepreneur en construction; TVQ. 82-2 — Moment d'imposition au regard de la fourniture par louage d'une voiture effectuée par l'entremise d'une agence de voyage; TVQ. 82-3 — Contrats d'arrangements préalables de services funéraires; TVQ. 83-1 — La notion de « facture »; TVQ. 92-1/R1 — La notion de dépôt; TVQ. 198-3/R1 — Les opérations de troc et les unités d'échange; TVQ. 350.7.2-1/R1 — Les opérations de troc et la désignation d'un réseau de troc.

Jurisprudence [art. 82]: *Québec (Sous-ministre du Revenu) c. 3199959 Canada inc.* (6 septembre 2006), 500-09-015494-057, 2007 CarswellQue 8323; *Rebuts de l'Outaouais inc. c. Québec (Sous-ministre du Revenu)* (28 avril 2005), 550-80-000198-032, 2005 CarswellQue 2883 (C.Q.); *9019-3434 Québec inc. c. Québec (Sous-ministre du Revenu)* (1 mars 2004), 500-02-108022-026, 2004 CarswellQue 970; *3510549 Canada inc. c. 9076-7567 Québec inc.* (25 novembre 2003), 730-32-003884-025, 2003 CarswellQue 3525.

Lettres d'interprétation [art. 82]: 98-010842 — Moment d'imposition des taxes dans le commerce au détail; 99-0101388 — Interprétation relative à la TPS et à la TVQ — Droit aux CTI et aux RTI à l'égard des coûts de construction d'un bâtiment dans le cadre d'un droit d'emphytéose; 99-0103467 — Interprétation relative à la TPS et à la TVQ — Droit aux CTI et aux RTI à l'égard des coûts de construction d'un bâtiment; 99-0104002 — Décision portant sur l'application de la TPS — Interprétation relative à la TVQ — Droit aux CTI et aux RTI à l'égard des coûts de construction d'un bâtiment dans le cadre d'un droit d'emphytéose.

Concordance fédérale: LTA, par. 168(1).

COMMENTAIRES: Voir les commentaires sous l'article 92.

82.1 Exception — Malgré l'article 82, la taxe prévue à l'article 16 à l'égard d'une fourniture visée à l'article 20.1 est payable au moment où la fourniture est effectuée.

Notes historiques: L'article 82.1 a été ajouté par L.Q. 1993, c. 19, art. 184 et s'applique à l'égard d'une fourniture ou d'un apport au Québec relativement auquel l'article 685 ou l'un des articles 618 à 656 de L.Q. 1991, c. 67 s'applique [*N.D.L.R.* : les articles 685 et 618 à 656 réfèrent à des dispositions transitoires concernant les transferts avant le 1er juillet 1992].

Définitions [art. 82.1]: « fourniture », « taxe » — 1.

Renvois [art. 82.1]: 473.1 (versement de la taxe payable sur un véhicule routier).

Concordance fédérale: aucune.

COMMENTAIRES: Voir les commentaires sous l'article 92.

82.2 Exception — Malgré l'article 82, la taxe prévue à l'article 16 à l'égard d'une fourniture par vente au détail d'un véhicule automobile, autre qu'une fourniture visée à l'article 20.1, est payable au moment de l'immatriculation du véhicule en vertu du *Code de la sécurité routière* (chapitre C-24.2) à la suite d'une demande de son acquéreur.

Taxe payable au moment de la délivrance — Malgré le premier alinéa, cette taxe est payable au moment de la délivrance du véhicule automobile à l'acquéreur si le véhicule n'est pas immatriculé dans les 15 jours suivant ce moment.

Notes historiques: L'article 82.2 a été ajouté par L.Q. 2001, c. 51, art. 266 et s'applique à l'égard d'une fourniture dont la totalité ou une partie de la contrepartie devient due après le 20 février 2000 et n'est pas payée avant le 21 février 2000. Toutefois, il ne s'applique pas à l'égard de toute partie de la contrepartie qui devient due ou est payée avant le 21 février 2000.

Guides [art. 82.2]: IN-624 — La TVQ, la TPS/TVH et les véhicules routiers.

Jurisprudence [art. 82.2]: *3510549 Canada inc. c. 9076-7567 Québec inc.* (25 novembre 2003), 730-32-003884-025, 2003 CarswellQue 3525.

Concordance fédérale: aucune.

COMMENTAIRES: Voir les commentaires sous l'article 92.

83. Contrepartie réputée devenir due — La totalité ou une partie de la contrepartie d'une fourniture taxable est réputée devenir due le premier en date des jours suivants :

1° le premier en date du jour où le fournisseur délivre, pour la première fois, une facture pour la totalité ou la partie de la contrepartie et du jour apparaissant sur la facture;

2° le jour où le fournisseur aurait délivré une facture pour la totalité ou la partie de la contrepartie, n'eût été un retard injustifié;

3° le jour où l'acquéreur est tenu de payer la totalité ou la partie de la contrepartie au fournisseur conformément à une convention écrite.

Exception — Malgré le premier alinéa, dans le cas où un bien est fourni par louage, licence ou accord semblable en vertu d'une convention écrite, la totalité ou la partie de la contrepartie de la fourniture est réputée devenir due le jour où l'acquéreur est tenu de payer la totalité ou la partie de la contrepartie au fournisseur conformément à la convention.

Notes historiques: Le paragraphe 1° du premier alinéa de l'article 83 a été modifié par L.Q. 2009, c. 15, par. 485(1°) par le remplacement du mot « émet » par le mot « délivre ». Cette modification est entrée en vigueur le 4 juin 2009.

Le paragraphe 2° du premier alinéa de l'article 83 a été modifié par L.Q. 2009, c. 15, par. 485(2°) par le remplacement du mot « émis » par le mot « délivré ». Cette modification est entrée en vigueur le 4 juin 2009.

L'article 83 a été édicté par L.Q. 1991, c. 67.

Notes explicatives ARQ (PL 37, L.Q. 2009, c. 15): *Résumé* :

L'article 83 est modifié par le remplacement du mot « émet » par le mot « délivre » et par le remplacement du mot « émis « par le mot « délivré ».

Situation actuelle :

L'article 83 de la LTVQ énonce la règle générale à l'égard du moment auquel la contrepartie d'une fourniture taxable devient due.

Modifications proposées :

L'article 83 de la LTVQ fait l'objet d'une modification terminologique afin de tenir compte du contexte dans lequel les dérivés des mots « émission » et « délivrance » doivent être utilisés. En effet, l'article 83 de la LTVQ fait référence à l'émission d'une facture. Or, dans ce contexte, il est plus approprié d'utiliser le dérivé du mot « délivrer ».

Définitions [art. 83]: « acquéreur », « argent », « bien », « contrepartie », « facture », « fournisseur », « fourniture taxable » — 1.

Renvois [art. 83]: 18:3º (apport de biens meubles incorporels au Québec — moment où la taxe est payable); 68 (petit fournisseur); 623 (paiements proportionnels — immeuble ou bateau); 625, 627 (paiement anticipé de loyers ou de redevances avant juillet 1992); 639 (services antérieurs à juillet 1992); 642 (droit d'adhésion à vie); 649 (fourniture continue avant juillet 1992).

Bulletins d'interprétation [art. 83]: TVQ. 51-3 — Réduction de la contrepartie d'une fourniture; TVQ. 82-1/R2 — Moment d'imposition de la fourniture relative à un immeuble par un entrepreneur en construction; TVQ. 82-2 — Moment d'imposition au regard de la fourniture par louage d'une voiture effectuée par l'entremise d'une agence de voyage; TVQ. 82-3 — Contrats d'arrangements préalables de services funéraires; TVQ. 83-1 — La notion de « facture »; TVQ. 198-3/R1 — Les opérations de troc et les unités d'échange; TVQ. 350.7.2-1/R1 — Les opérations de troc et la désignation d'un réseau de troc.

Lettres d'interprétation [art. 83]: 99-0101388 — Interprétation relative à la TPS et à la TVQ — Droit aux CTI et aux RTI à l'égard des coûts de construction d'un bâtiment dans le cadre d'un droit d'emphytéose; 99-0103467 — Interprétation relative à la TPS et à la TVQ — Droit aux CTI et aux RTI à l'égard des coûts de construction d'un bâtiment; 99-0104473 — Interprétation relative à la TVQ — Remboursement de la TVQ relativement à des véhicules vendus avant le 1er mai et livrés après cette date; 01-0108918 — Promesse bilatérale; 01-0109668 — Interprétation relative à la TVQ — Frais relatifs à la location d'un véhicule automobile; 02-0107223 — Interprétation relative à la TPS et à la TVQ — Cotisation annuelle [Application de la loi aux avis de].

Concordance fédérale: LTA, par. 152(1); LTA, par. 152(2).

COMMENTAIRES: À l'égard du crédit-bail, Revenu Québec est d'avis que ce contrat constitue une convention de louage de biens et que c'est l'article 85 qui doit s'appliquer relativement à la détermination du moment où la taxe est payable. La taxe est donc payable à chacun des jours qui est le premier en date du jour où une partie de la contrepartie est payée et du jour où cette partie devient due, calculée sur la valeur de la partie de la contrepartie qui est payée ou qui devient due ce jour-là. À cet égard, l'article 83 précise que tout ou partie de la contrepartie relative à un bien fourni par bail, licence ou accord semblable faisant l'objet d'une convention écrite est réputée devenir due le jour où l'acquéreur est tenu de la payer au fournisseur aux termes de la convention. Voir notamment à cet effet : Revenu Québec, Lettre d'interprétation, 00-0105098 — *Interprétation relative à la TPS et à la TVQ -- Convention de crédit-bail avec option d'achat* (14 mai 2001).

Dans le cadre d'une position administrative, Revenu Québec a indiqué que le fournisseur, inscrit au registre de la TVQ, devrait percevoir la TVQ payable sur les loyers qui seront devenus échus pendant la période de location écoulée entre le 1er janvier 1997 et le 31 décembre 1997, vu la teneur de l'article 422, et des articles 83 et 85, et ce, même s'ils ne sont pas payés par le locataire. En effet, même si impayés, les loyers, lorsqu'échus, seraient réputés être devenus dus vu l'article 83. Ceci étant, la TVQ sur chacun des loyers serait payable et par conséquent percevable à chaque jour où ils deviendraient dus en vertu du contrat de location intervenu entre les parties (article 85). Dans un tel cas, le fournisseur devrait rendre compte à Revenu Québec de la TVQ appliquée sur la valeur des loyers en question, quitte à déduire subséquemment, dans le calcul de sa taxe nette à remettre à Revenu Québec, un montant correspondant à la TVQ qu'il n'aurait pas réussi à recouvrer du locataire, et ce, lorsqu'il serait en mesure d'établir que la totalité ou partie des loyers dus et de la TVQ applicable sur ces loyers, seraient devenus une créance irrécouvrable et que les autres conditions pour ce faire seraient rencontrées. Voir notamment à cet égard : Revenu Québec, Lettre d'interprétation, 97-0105698 — *Assujettissement à la TPS et à la TVQ — Résiliation d'un contrat de location à long terme d'une automobile* (7 juillet 1997).

Revenu Québec indique que dans le cas où il ne s'agit pas d'une fourniture exonérée, la TVQ s'applique à l'égard de la fourniture taxable des terrains par emphytéose quant à la partie de la contrepartie de la fourniture qui est constituée des rentes annuelles, le cas échéant, le premier en date du jour où elles sont payées et du jour où elles sont réputées devenir dues. Quant à la partie de la contrepartie de la fourniture qui est constituée de la fourniture du bâtiment par vente, la TVQ s'applique le premier en date du jour où le bâtiment est remis au Propriétaire et du jour où celui-ci est réputé lui être remis (articles 83 et 85), soit généralement à la fin de l'emphytéose. La TVQ doit être calculée sur la juste valeur marchande du bâtiment au moment de la fourniture des terrains par emphytéose, c'est-à-dire au début de l'emphytéose. Voir notamment à cet effet : Revenu Québec, Lettre d'interprétation, 99-0101388 — *Interprétation relative à la TPS et à la TVQ — Droit aux CTI et aux RTI à l'égard des coûts de construction d'un bâtiment dans le cadre d'un droit d'emphytéose* (25 novembre 1999); Lettre d'interprétation, 99-0103137 — *Interprétation relative à la TPS et à la TVQ — Droit aux CTI et RTI à l'égard des coûts de construction d'un bâtiment sur un immeuble faisant l'objet d'un droit d'emphytéose* (22 juillet 1999); Lettre d'interprétation, 99-0103467 — *Interprétation relative à la TPS et à la TVQ / Droit aux CTI et aux RTI à l'égard des coûts de construction d'un bâtiment* (17 septembre 1999); et Lettre d'interprétation, 99-0104002 — *Décision portant sur l'application de la TPS — Interprétation relative à la TVQ — Droit aux CTI et aux RTI à l'égard des coûts de construction d'un bâtiment dans le cadre d'un droit d'emphytéose* (17 septembre 1999).

À titre illustratif, ainsi, dans le cas où vous effectuez une expédition de matériel au mois de novembre et qu'au moment de sa livraison une facture sur laquelle apparaissent tous les paiements qui devront éventuellement être effectués est délivrée à l'acquéreur, alors la TVQ sur l'ensemble des paiements devient payable dès ce moment, soit le jour où la facture est délivrée pour la première fois à l'acquéreur (ou le jour apparaissant sur la facture s'il est antérieur au jour de la délivrance de la facture) et ce, en application des articles 83 et 85. Voir notamment à cet effet : Revenu Québec, Lettre d'interprétation, 96-0108660 — *Paiement de la TPS et de la TVQ* (15 juillet 1996).

Compte tenu de la similarité de la rédaction des dispositions législatives et considérant l'engagement spécifique de Revenu Québec de veiller à ce que l'assiette de TVQ modifiée, de même que les paramètres administratifs, structurels et définitionnels, produisent des résultats qui sont similaires à ceux produits sous le régime de la TPS/TVH et soient administrés d'une manière qui produit des résultats similaires, tel que reflété par l'article 14 de l'*Entente intégrée globale de coordination fiscale* signée entre le gouvernement du Canada et le gouvernement du Québec, nous vous référons à nos commentaires en vertu des paragraphes 152(1) et 152(2) de la *Loi sur la taxe d'accise (TPS)* qui devraient s'appliquer *mutatis mutandis*, avec les adaptations nécessaires.

84. Contrepartie autre que de l'argent — Dans le cas où une contrepartie qui n'est pas de l'argent est donnée ou doit être donnée, cette contrepartie est réputée être une contrepartie qui est payée ou qui doit être payée, selon le cas.

Notes historiques: L'article 84 a été édicté par L.Q. 1991, c. 67.

Concordance fédérale: LTA, par. 152(3).

COMMENTAIRES: Compte tenu de la similarité de la rédaction des dispositions législatives et considérant l'engagement spécifique de Revenu Québec de veiller à ce que l'assiette de TVQ modifiée, de même que les paramètres administratifs, structurels et définitionnels, produisent des résultats qui sont similaires à ceux produits sous le régime de la TPS/TVH et soient administrés d'une manière qui produit des résultats similaires, tel que reflété par l'article 14 de l'*Entente intégrée globale de coordination fiscale* signée entre le gouvernement du Canada et le gouvernement du Québec, nous vous référons à nos commentaires en vertu du paragraphe 152(3) de la *Loi sur la taxe d'accise (TPS)* qui devraient s'appliquer *mutatis mutandis*, avec les adaptations nécessaires.

85. Contrepartie partielle — Malgré l'article 82, dans le cas où la contrepartie d'une fourniture taxable est payée ou devient due en plusieurs fois, la taxe prévue à l'article 16 à l'égard de la fourniture est payable à chacun des jours qui est le premier en date du jour où une partie de la contrepartie est payée et du jour où cette partie devient due.

Calcul — Cette taxe doit être calculée sur la valeur de la partie de la contrepartie qui est payée ou qui devient due, selon le cas, ce jour-là.

Notes historiques: L'article 85 a été édicté par L.Q. 1991, c. 67.

Définitions [art. 85]: « contrepartie », « fourniture taxable », « taxe » — 1.

Renvois [art. 85]: 83 (contrepartie due); 86 (fourniture terminée); 88 (vente d'un immeuble); 90 (contrepartie retenue); 91 (fourniture combinée); 92 (dépôt).

Bulletins d'interprétation [art. 85]: TVQ. 82-1/R2 — Moment d'imposition de la fourniture relative à un immeuble par un entrepreneur en construction; TVQ. 82-3 — Contrats d'arrangements préalables de services funéraires; TVQ. 92-1/R1 — La notion de dépôt.

Lettres d'interprétation [art. 85]: 98-0103568 — Interprétation relative à la TPS — Interprétation relative à la TVQ — Fourniture de véhicules routiers; 98-010842 — Moment d'imposition des taxes dans le commerce au détail; 99-0106833 — Interprétation relative à la TPS et à la TVQ — Fourniture d'activités de loisir aux citoyens d'une municipalité; 00-0105098 — Interprétation relative à la TPS et à la TVQ — Convention de crédit-bail avec option d'achat.

Concordance fédérale: LTA, par. 168(2).

COMMENTAIRES: Voir les commentaires sous l'article 92.

86. Règle de préséance — Malgré les articles 82 et 85, la taxe prévue à l'article 16 à l'égard d'une fourniture taxable, calculée sur la valeur de la totalité ou d'une partie de la contrepartie de la fourniture, selon le cas, est payable le dernier jour du mois qui suit immédiatement le mois où l'un des faits suivants se réalise si la totalité ou la partie de la contrepartie de la fourniture n'est pas payée ou devenue due au plus tard ce jour-là :

1º s'il s'agit de la fourniture d'un bien meuble corporel par vente, autre qu'une fourniture visée au paragraphe 2º ou 3º, la propriété ou la possession du bien est transférée à l'acquéreur;

LTVQ (français)

2º s'il s'agit de la fourniture d'un bien meuble corporel par vente en vertu de laquelle le fournisseur délivre le bien à l'acquéreur sur approbation, en consignation ou selon d'autres modalités semblables, l'acquéreur acquiert la propriété du bien ou en effectue la fourniture à une personne autre que le fournisseur;

3º s'il s'agit d'une fourniture effectuée en vertu d'une convention écrite qui porte sur la réalisation de travaux de construction, de rénovation, de transformation ou de réparation, soit d'un immeuble, soit d'un bateau ou d'un autre bâtiment de mer à l'égard duquel il est raisonnable de s'attendre à ce que les travaux requièrent plus de trois mois pour être achevés, les travaux relatifs à l'immeuble, au bateau ou à l'autre bâtiment de mer sont presque achevés.

Notes historiques: Le paragraphe 2º de l'article 86 a été modifié par L.Q. 1995, c. 63, art. 343(1) et cette modification est réputée avoir effet depuis le 1er août 1995. Auparavant, le paragraphe se lisait comme suit :

> 2º s'il s'agit de la fourniture d'un bien meuble corporel par vente en vertu de laquelle le fournisseur délivre le bien à l'acquéreur sur approbation, en consignation ou selon d'autres modalités semblables, l'acquéreur acquiert la propriété du bien;

L'article 86 a été édicté par L.Q. 1991, c. 67.

Définitions [art. 86]: « acquéreur », « bien meuble corporel », « contrepartie », « fournisseur », « fourniture taxable », « vente » — 1.

Renvois [art. 86]: 87 (fournitures continues); 89 (contrepartie invérifiable); 90 (contrepartie retenue); 91 (fourniture combinée); 92 (dépôt); 623:3º (paiements proportionnels).

Bulletins d'interprétation [art. 86]: TVQ. 82-1/R2 — Moment d'imposition de la fourniture relative à un immeuble par un entrepreneur en construction.

Lettres d'interprétation [art. 86]: 00-0105098 — Interprétation relative à la TPS et à la TVQ — Convention de crédit-bail avec option d'achat.

Concordance fédérale: LTA, par. 168(3).

COMMENTAIRES: Voir les commentaires sous l'article 92.

87. Fourniture continue — L'article 86 ne s'applique pas à l'égard de la fourniture d'eau, d'électricité, de gaz naturel, de vapeur ou de tout autre bien, si le bien est délivré à l'acquéreur de façon continue, au moyen d'un fil, d'un pipeline ou d'une autre canalisation et que le fournisseur facture l'acquéreur à l'égard de cette fourniture de façon régulière ou périodique.

Notes historiques: L'article 87 a été édicté par L.Q. 1991, c. 67.

Définitions [art. 87]: « acquéreur », « bien », « facture », « fournisseur », « fourniture » — 1.

Renvois [art. 87]: 91 (fourniture combinée); 92 (dépôt); 646–650 (dispositions transitoires); 654 (dispositions transitoires).

Concordance fédérale: LTA, par. 168(4).

COMMENTAIRES: Voir les commentaires sous l'article 92.

88. Fourniture taxable d'un immeuble par vente — La taxe prévue à l'article 16 à l'égard de la fourniture taxable d'un immeuble par vente est payable le premier en date du jour où la propriété du bien est transférée à l'acquéreur et du jour où sa possession est transférée à celui-ci en vertu de la convention relative à la fourniture.

Logement en copropriété — Malgré le premier alinéa, dans le cas de la fourniture d'un logement en copropriété dont la possession est transférée à l'acquéreur en vertu de la convention relative à la fourniture après le 30 juin 1992 et avant que la déclaration de copropriété relative à l'immeuble d'habitation en copropriété dans lequel se trouve le logement n'ait été inscrite au registre foncier, la taxe est payable le premier en date du jour où la propriété du logement est transférée à l'acquéreur et du soixantième jour après le jour où cette déclaration est inscrite au registre foncier.

Règle de préséance — Le présent article s'applique malgré les articles 82 et 85.

Notes historiques: Le deuxième alinéa de l'article 88 a été modifié par L.Q. 1997, c. 3, art. 135(4º) pour remplacer le mot « enregistrée » par les mots « inscrite au registre foncier ». Cette modification est entrée en vigueur le 20 mars 1997.

L'article 88 a été édicté par L.Q. 1991, c. 67.

Guides: IN-261 — La TVQ, la TPS et les immeubles d'habitation (construction ou rénovation).

Définitions [art. 88]: « acquéreur », « immeuble d'habitation en copropriété », « fourniture », « fourniture taxable », « logement en copropriété », « vente » — 1.

Renvois [art. 88]: 89 (contrepartie invérifiable); 90 (contrepartie retenue); 91 (fourniture combinée); 92 (dépôt); 423 (perception de la taxe).

Bulletins d'interprétation [art. 88]: TVQ. 82-1/R2 — Moment d'imposition de la fourniture relative à un immeuble par un entrepreneur en construction; TVQ. 223-1/R2 — Fourniture à soi-même d'un immeuble d'habitation; TVQ. 223-2/R2 — Mesure d'assouplissement relative à la fourniture à soi-même d'un immeuble d'habitation.

Lettres d'interprétation [art. 88]: 98-0101471 — Interprétation relative à la TPS — Interprétation relative à la TVQ — Vente ou location de lots intramunicipaux; 99-0101388 — Interprétation relative à la TPS et à la TVQ — Droit aux CTI et aux RTI à l'égard des coûts de construction d'un bâtiment dans le cadre d'un droit d'emphytéose; 99-0103467 — Interprétation relative à la TPS et à la TVQ — Droit aux CTI et aux RTI à l'égard des coûts de construction d'un bâtiment; 99-0104002 — Décision portant sur l'application de la TPS — Interprétation relative à la TVQ — Droit aux CTI et aux RTI à l'égard des coûts de construction d'un bâtiment dans le cadre d'un droit d'emphytéose.

Concordance fédérale: LTA, par. 168(5).

COMMENTAIRES: Voir les commentaires sous l'article 92.

89. Contrepartie invérifiable — Dans le cas où la taxe est payable un jour donné en vertu des articles 86 ou 88 et que la valeur de la contrepartie de la fourniture taxable ou d'une partie de cette contrepartie n'est pas vérifiable ce jour-là :

1º la taxe calculée sur la valeur vérifiable ce jour-là de la contrepartie ou de la partie de celle-ci, est payable ce jour-là;

2º la taxe, calculée sur la valeur qui n'est pas vérifiable ce jour-là de la contrepartie ou de la partie de celle-ci, est payable le jour où la valeur devient vérifiable.

Notes historiques: L'article 89 a été édicté par L.Q. 1991, c. 67.

Définitions [art. 89]: « contrepartie », « fourniture taxable » — 1.

Renvois [art. 89]: 86 (fourniture terminée); 88 (vente d'un immeuble); 90 (contrepartie retenue); 91 (fourniture combinée); 92 (dépôt).

Concordance fédérale: LTA, par. 168(6).

COMMENTAIRES: Voir les commentaires sous l'article 92.

90. Contrepartie retenue — Malgré les articles 82, 85, 86, 88 et 89, la taxe prévue à l'article 16, calculée sur la valeur d'une partie de la contrepartie d'une fourniture taxable que l'acquéreur retient, conformément à une loi du Québec, d'une autre province, des Territoires du Nord-Ouest, du territoire du Yukon, du territoire du Nunavut ou du Canada ou conformément à une convention écrite pour la construction, la rénovation, la transformation ou la réparation d'un immeuble, d'un bateau ou d'un autre bâtiment de mer, en attendant l'accomplissement complet et satisfaisant de la fourniture ou d'une partie de celle-ci, est payable le premier en date du jour où la partie de la contrepartie est payée et du jour où elle devient payable.

Notes historiques: L'article 90 a été modifié par L.Q. 2003, c. 2, par. 313(1) par l'insertion, après le mot « Yukon », de « , du territoire du Nunavut ». Cette modification a effet depuis le 1er avril 1999.

L'article 90 a été édicté par L.Q. 1991, c. 67.

Définitions [art. 90]: « acquéreur », « contrepartie », « fourniture taxable » — 1.

Renvois [art. 90]: 91 (fourniture combinée); 92 (dépôt).

Bulletins d'interprétation [art. 90]: TVQ. 16-6 — L'industrie de la construction; TVQ. 82-1/R2 — Moment d'imposition de la fourniture relative à un immeuble par un entrepreneur en construction.

Lettres d'interprétation [art. 90]: 12-015140-001 — Interprétation relative à la TVQ — Retenues sur les contrats de construction.

Concordance fédérale: LTA, par. 168(7).

COMMENTAIRES: Voir les commentaires sous l'article 92.

91. Fourniture combinée — Pour l'application des articles 82, 82.2, 85 à 90 et 92, dans le cas où est effectuée la fourniture à la fois d'un service, d'un bien meuble ou d'un immeuble — chacun étant appelé « élément » dans le présent article — ou de l'un et l'autre de ces éléments et que la contrepartie de chaque élément n'est pas identifiée séparément :

1º dans le cas où la valeur d'un élément peut raisonnablement être considérée comme excédant celle de chacun des autres éléments, la fourniture de tous les éléments est réputée constituer uniquement une fourniture de cet élément;

2º dans tout autre cas, la fourniture de tous les éléments est réputée constituer, si un des éléments est un immeuble, uniquement la fourniture d'un immeuble sinon, uniquement la fourniture d'un service.

Notes historiques: Le préambule de l'article 91 a été remplacé par L.Q. 2001, c. 51, art. 267 et cette modification a effet depuis le 21 février 2000. Antérieurement, il se lisait ainsi :

> 91. Pour l'application des articles 82, 85 à 90 et 92, dans le cas où est effectuée la fourniture à la fois d'un service, d'un bien meuble ou d'un immeuble — chacun étant appelé « élément » dans le présent article — ou de l'un et l'autre de ces éléments et que la contrepartie de chaque élément n'est pas identifiée séparément :

L'article 91 a été édicté par L.Q. 1991, c. 67.

Guides [art. 91]: IN-216 — La TVQ, la TPS/TVH et l'alimentation.

Définitions [art. 91]: « bien », « contrepartie », « fourniture », « service » — 1.

Renvois [art. 91]: 34 (fournitures accessoires); 92 (dépôt).

Bulletins d'interprétation [art. 91]: TVQ. 82-1/R2 — Moment d'imposition de la fourniture relative à un immeuble par un entrepreneur en construction.

Lettres d'interprétation [art. 91]: 02-0107694 — Service de l'interprétation relative aux déclarations, au secteur public et aux taxes spécifiques.

Concordance fédérale: LTA, par. 168(8).

COMMENTAIRES: Voir les commentaires sous l'article 92.

92. Dépôt — Pour l'application des articles 82, 82.2 et 85 à 91, un dépôt, qu'il soit remboursable ou non, donné à l'égard d'une fourniture, ne doit être considéré comme une contrepartie payée pour la fourniture que lorsque le fournisseur applique le dépôt à titre de contrepartie de la fourniture.

Exception — Le présent article ne s'applique pas à l'égard d'un dépôt relatif à une enveloppe ou à un contenant auquel l'article 33 s'applique.

Notes historiques: Le premier alinéa de l'article 92 a été remplacé par L.Q. 2001, c. 51, art. 268 et cette modification a effet depuis le 21 février 2000. Antérieurement, il se lisait ainsi :

> 92. Pour l'application des articles 82 et 85 à 91, un dépôt qu'il soit remboursable ou non, donné à l'égard d'une fourniture, ne doit être considéré comme une contrepartie payée pour la fourniture que lorsque le fournisseur applique le dépôt à titre de contrepartie de la fourniture.

L'article 92 a été édicté par L.Q. 1991, c. 67.

Définitions [art. 92]: « contrepartie », « fournisseur », « fourniture » — 1.

Renvois [art. 92]: 91 (fourniture combinée).

Bulletins d'interprétation [art. 92]: TVQ. 82-1/R2 — Moment d'imposition de la fourniture relative à un immeuble par un entrepreneur en construction; TVQ. 92-1/R1 — La notion de dépôt.

Lettres d'interprétation [art. 92]: 98-0108153 — Indemnité provisionnelle versée pour l'expropriation d'un site d'enfouissement; 98-010842 — Moment d'imposition des taxes dans le commerce au détail; 99-0109126 — Interprétation relative à la TPS — Interprétation relative à la TVQ — Notion de dépôt.

Concordance fédérale: LTA, par. 168(9).

COMMENTAIRES: Selon l'article 82, la taxe est payable par l'acquéreur au premier en date du jour où la contrepartie de la fourniture taxable est payée et du jour où cette contrepartie devient due. De façon générale, la contrepartie d'une fourniture devient due lorsque le fournisseur délivre, pour la première fois, une facture pour tout ou partie de la contrepartie et du jour apparaissant sur la facture. Ainsi, lorsqu'un commerçant doit, dans les circonstances ci-dessus mentionnées, remettre gratuitement le bien au consommateur, Revenu Québec est d'avis que la taxe ne doit pas être payée par le consommateur puisqu'il s'agit d'une fourniture sans contrepartie. Dans ce cas, si la taxe est devenue payable, c'est-à-dire qu'une facture a été émise, ou si la taxe a été perçue par le commerçant, celui-ci pourra faire les ajustements conformément à l'article 448. Voir notamment à cet effet : Revenu Québec, Lettre d'interprétation, 01-0101418 — *Interprétation relative à la TPS et à la TVQ — Réduction de la contrepartie d'une fourniture* (15 mars 2001).

La Cour d'appel du Québec, dans l'affaire *3199959 Canada inc.* c. *Québec (Sous-ministre du Revenu)*, 2207 QCCA 1157 (Cour d'appel du Québec), rappelle qu'il peut arriver que l'acquéreur du bien ou du service paye la contrepartie (et la taxe applicable) avant que la taxe ne devienne payable. Dans un tel cas de figure, l'acquéreur peut tout de même obtenir un remboursement de la taxe sur les intrants pour la période correspondante, et donc, pour une taxe payée avant qu'elle ne devienne payable.

Les articles 82.1 et 82.2 sont distinctifs à la *Loi sur la taxe de vente du Québec*. À titre illustratif, la Cour du Québec, dans l'affaire *3510549 Canada inc.* c. *9076-7567 Québec inc.*, 2003 CarswellQue 3525, EYB 2003-61011 (Cour du Québec), a indiqué que dans le cas d'une vente d'un véhicule automobile, l'article 82.2 précise que c'est donc « au moment de l'immatriculation du véhicule » par la Société d'Assurance Automobile du Québec que la taxe, s'il y en a, doit être perçue par cette dernière et non par le vendeur dudit véhicule. Le paragraphe (2) prévoit une exception si le véhicule n'est pas immatriculé dans les 15 jours suivant sa délivrance.

Plus précisément, l'article 86 prévoit le moment où la taxe devient payable dans certains cas de vente. Comme la définition de « vente » est prévue à la *Loi sur la taxe de vente du Québec*, mais que la notion de transfert de propriété sur laquelle elle se base n'y est pas définie, il y a lieu de référer aux dispositions pertinentes du *Code civil du Québec* aux fins d'interprétation. En effet, le droit fiscal étant un droit accessoire, il n'existe qu'au niveau des effets découlant des contrats et ce n'est qu'une fois la nature de ces derniers déterminée par le droit civil que le droit fiscal intervient pour imposer des conséquences fiscales. À cet égard, l'article 947 du *Code civil du Québec* définit la propriété par « l'ensemble des droits d'user, de jouir et de disposer librement et complètement d'un bien ». Plus particulièrement, dans le cas d'un contrat de crédit-bail, il est établi par les articles 1842 et suivant du *Code civil du Québec* et reconnu par la doctrine et la jurisprudence que le crédit-bailleur est le détenteur des droits de propriété de l'objet loué et que cet objet doit lui être remis à la fin du bail, à moins que le crédit-preneur n'ait levé une option permettant d'en faire l'acquisition. Il est de plus établi qu'un crédit-bail n'emporte pas transfert de propriété, sauf dans le cas où le crédit-preneur lève une option d'achat incluse dans le contrat. Dans un tel cas, la propriété n'est toutefois transférée au crédit-preneur qu'à partir du moment où il lève l'option, et ce, sans égard au montant qu'il doit verser pour ce faire. Ainsi, en l'espèce, comme un crédit-bail n'emporte pas transfert de propriété de l'objet loué en faveur du crédit-preneur, tout comme une option d'achat jusqu'à ce qu'elle soit levée, Revenu Québec est d'avis qu'il n'y a pas transfert de propriété au sens du *Code civil du Québec* dans un tel cas et qu'il ne peut donc y avoir eu fourniture par vente au sens de l'article 86. Revenu Québec est plutôt d'avis que ce crédit-bail constitue une convention de louage de biens et que c'est l'article 86 qui doit s'appliquer relativement à la détermination du moment où la taxe est payable. La taxe est donc payable à chacun des jours qui sont le premier en date du jour où une partie de la contrepartie est payée et du jour où cette partie devient due, calculée sur la valeur de la partie de la contrepartie qui est payée ou qui devient due ce jour-là. Voir notamment à cet effet : Revenu Québec, Lettre d'interprétation, 00-0105098 — *Interprétation relative à la TPS et à la TVQ — Convention de crédit-bail avec option d'achat* (14 mai 2001).

Revenu Québec rappelle que dans le cas de la fourniture d'un terrain par emphytéose, la taxe devient payable le premier en date du jour où le bâtiment est remis à l'acquéreur, la Ville en l'espèce, et du jour où celui-ci est réputé lui être remis, conformément à l'article 88. Voir notamment à cet effet : Revenu Québec, Lettre d'interprétation, 99-0101388 — *Interprétation relative à la TPS et à la TVQ — Droit aux CTI et aux RTI à l'égard des coûts de construction d'un bâtiment dans le cadre d'un droit d'emphytéose* (25 novembre 1999), Lettre d'interprétation 99-0103137 — *Interprétation relative à la TPS et à la TVQ — Droit aux CTI et RTI à l'égard des coûts de construction d'un bâtiment sur un immeuble faisant l'objet d'un droit d'emphytéose* (22 juillet 1999), Lettre d'interprétation 99-0103467 — *Interprétation relative à la TPS et à la TVQ / Droit aux CTI et aux RTI à l'égard des coûts de construction d'un bâtiment* (17 septembre 1999), et Lettre d'interprétation, 99-0104002 — *Décision portant sur l'application de la TPS — Interprétation relative à la TVQ — Droit aux CTI et aux RTI à l'égard des coûts de construction d'un bâtiment dans le cadre d'un droit d'emphytéose* (17 septembre 1999).

Revenu Québec s'est prononcé notamment sur l'application de l'article 90. En effet, cet article permet de reporter le moment où la taxe est payable sur un montant retenu, lorsque l'acquéreur d'une fourniture taxable retient, conformément à une convention écrite portant sur la construction d'un immeuble, une partie de la contrepartie en attendant que tout ou partie de la fourniture soit effectuée de façon complète et satisfaisante, au premier en date du jour où le montant retenu est payé et du jour où la retenue devient due conformément à la convention écrite. En l'espèce, l'article 90 prend application étant donné que l'acquéreur a retenu, en application de l'article 6 du Contrat, 10 % de la contrepartie en attendant que la retenue ne devienne due conformément au Contrat. Ainsi, l'acquéreur est tenu de remettre les montants de taxes relatifs à la retenue le premier en date du jour où la taxe est payée et du jour de l'expiration de la période de retenue conformément au Contrat. Voir notamment à cet effet: Revenu Québec, Lettre d'interprétation, 12-015140-001 — *Interprétation relative à la TPS — Interprétation relative à la TVQ — Retenues sur les contrats de construction* (27 septembre 2012).

Finalement, Revenu Québec a indiqué que l'article 92 sur les arrhes, remboursables ou non, versées au titre d'une fourniture, ne sont considérées comme la contrepartie payée à ce titre que lorsque le fournisseur les considère ainsi. Ainsi, il n'y a aucune forme prescrite qui est exigée. Voir notamment à cet effet : Revenu Québec, Lettre d'interprétation, 98-010842 (19 mars 1999).

Récemment, dans l'affaire *Tendances & concepts Inc. c. R.*, 2011 CarswellNat 504 (C.C.I.), la Cour canadienne de l'impôt a fait une étude exhaustive de la notion d'arrhes qui figure au paragraphe 168(9) de la *Loi sur la taxe d'accise (TPS)*, en droit civil et en *common law*, ainsi que la définition qu'elle doit avoir en vertu de la *Loi sur la taxe d'accise (TPS)*. Dans le cadre de cette analyse, le juge Hogan s'est basé sur l'interprétation de l'article 92. Il est intéressant de souligner qu'il s'agit d'une des rares décisions où une disposition du régime de la TVQ est utilisée pour interpréter son pendant fédéral. En effet, au paragraphe 42 de la décision, le juge Hogan s'exprime comme suit : « Évidemment, ce texte ne provient pas du législateur fédéral. Toutefois, comme le législateur provincial a déclaré son intention d'harmoniser cette loi avec la loi fédérale, ces termes nous aident à comprendre l'intention du législateur fédéral comme le comprend le législateur provincial ».

Compte tenu de la similarité de la rédaction des dispositions législatives et considérant l'engagement spécifique de Revenu Québec de veiller à ce que l'assiette de TVQ modifiée, de même que les paramètres administratifs, structurels et définitionnels, produisent des résultats qui sont similaires à ceux produits sous le régime de la TPS/TVH et soient

LTVQ (français)

administrés d'un manière qui produit des résultats similaires, tel que reflété par l'article 14 de l'*Entente intégrée globale de coordination fiscale* signée entre le gouvernement du Canada et le gouvernement du Québec, nous vous référons à nos commentaires en vertu de l'article 168 de la *Loi sur la taxe d'accise (TPS)* qui devraient s'appliquer *mutatis mutandis*, avec les adaptations nécessaires.

Chapitre III — Fourniture exonérée

SECTION I — IMMEUBLE

93. [*Abrogé*]

Notes historiques: L'article 93 a été abrogé par L.Q. 1997, c. 85, art. 468(1) et cette abrogation a effet depuis le 24 avril 1997.

Antérieurement, cet article se lisait ainsi :

> 93. Pour l'application de la présente section, « amélioration », à l'égard d'un immeuble d'une personne, signifie un bien ou un service fourni à la personne, ou un bien apporté au Québec par celle-ci, dans le but d'améliorer l'immeuble, dans la mesure où la contrepartie payée ou payable par elle pour le bien ou le service ou la valeur du bien apporté est ou serait, si la personne était un contribuable au sens de la *Loi sur les impôts* (L.R.Q., chapitre I-3), incluse dans le calcul du coût ou, dans le cas d'un immeuble qui est une immobilisation de la personne, du prix de base rajusté pour la personne de l'immeuble pour l'application de cette loi.

L'article 93 a été édicté par L.Q. 1991, c. 67.

94. Fourniture d'un immeuble d'habitation ou d'une adjonction par une personne qui n'en est pas le constructeur — La fourniture par vente d'un immeuble d'habitation ou d'un droit dans cet immeuble effectuée par une personne qui n'en est pas le constructeur ou, dans le cas où l'immeuble d'habitation est un immeuble d'habitation à logements multiples, d'une adjonction à celui-ci est exonérée, sauf si, selon le cas :

1° la personne a demandé un remboursement de la taxe sur les intrants à l'égard de sa dernière acquisition de l'immeuble d'habitation ou à l'égard de l'acquisition, ou de l'apport au Québec, par la personne, après que l'immeuble d'habitation a été acquis la dernière fois par elle, d'une amélioration à celui-ci;

2° l'acquéreur est un inscrit en vertu de la section I du chapitre VIII et, à la fois :

a) l'acquéreur a effectué une fourniture taxable par vente — appelée « fourniture antérieure » dans le présent article — de l'immeuble d'habitation ou du droit dans cet immeuble à un acquéreur antérieur qui est soit la personne, soit, si elle est une fiducie personnelle autre qu'une fiducie testamentaire, l'auteur de la fiducie, soit, dans le cas d'une fiducie testamentaire découlant du décès d'un particulier, le particulier décédé;

b) la fourniture antérieure est la dernière fourniture par vente de l'immeuble d'habitation ou du droit effectuée à l'acquéreur antérieur;

c) la fourniture n'est pas effectuée plus d'un an après le jour qui est soit le jour où l'acquéreur antérieur a acquis le droit, soit le premier en date du jour où, en vertu de la convention relative à la fourniture antérieure, l'acquéreur antérieur a acquis la propriété de l'immeuble d'habitation et du jour où il en a pris possession;

d) l'immeuble d'habitation n'a pas été occupé à titre de résidence ou d'hébergement après que la construction ou la dernière rénovation majeure soit presque achevée;

e) la fourniture est effectuée conformément à un droit ou à une obligation de l'acquéreur d'acheter l'immeuble d'habitation ou le droit qui est prévu dans la convention relative à la fourniture antérieure;

f) l'acquéreur fait, en vertu du présent article, un choix conjointement avec la personne au moyen du formulaire prescrit contenant les renseignements prescrits qui est produit au ministre avec la déclaration dans laquelle il est tenu de faire rapport de la taxe à l'égard de la fourniture.

Notes historiques: L'article 94 a été remplacé par L.Q. 2003, c. 2, par. 314(1) et cette modification s'applique à l'égard d'une fourniture effectuée après le 4 octobre 2000. Antérieurement, il se lisait ainsi :

> 94. La fourniture par vente d'un immeuble d'habitation ou d'un droit dans celui-ci effectuée par une personne qui n'en est pas un constructeur ou, dans le cas où l'immeuble d'habitation est un immeuble d'habitation à logements multiples, d'une adjonction à celui-ci, est exonérée, sauf si la personne a demandé un remboursement de la taxe sur les intrants à l'égard de sa dernière acquisition de l'immeuble d'habitation ou à l'égard de l'acquisition, ou de l'apport au Québec, par la personne, après que l'immeuble d'habitation a été acquis la dernière fois par elle, d'une amélioration à celui-ci.

L'article 94 a été modifié par L.Q. 1994, c. 22, art. 411(1) et est réputé entré en vigueur le 1er juillet 1992. L'article 94, édicté par L.Q. 1991, c. 67, se lisait comme suit :

> 94. La fourniture par vente d'un immeuble d'habitation ou d'un droit dans un tel immeuble effectuée par une personne qui n'en est pas le constructeur ou qui n'est pas le constructeur d'une adjonction à l'immeuble d'habitation, dans le cas où celui-ci est un immeuble d'habitation à logements multiples, est exonérée, sauf si, à la fois :
>
> 1° la personne a demandé un remboursement de la taxe sur les intrants à l'égard de l'acquisition de l'immeuble d'habitation ou à l'égard d'une amélioration faite à celui-ci;
>
> 2° après que la personne ait demandé le remboursement de la taxe sur les intrants et avant que la propriété de l'immeuble d'habitation ou du droit soit transférée à l'acquéreur de la fourniture, la personne n'est pas réputée avoir effectué une autre fourniture de l'immeuble d'habitation par vente en vertu des articles 258 ou 261, ou en vertu de l'article 243 en raison de l'application de l'article 270.

Guides [art. 94]: IN-203 — Renseignements généraux sur la TVQ et la TPS/TVH; IN-261 — La TVQ, la TPS et les immeubles d'habitation (construction ou rénovation); IN-305 — Les organismes sans but lucratif et la fiscalité; IN-307 — Le démarrage d'entreprise et la fiscalité.

Définitions [art. 94]: « acquéreur », « amélioration », « constructeur », « fourniture », « fourniture exonérée », « immeuble d'habitation », « immeuble d'habitation à logements multiples », « personne », « vente » — 1.

Renvois [art. 94]: 97.2 (vente d'un fonds faisant partie d'un immeuble d'habitation); 101 (aire de stationnement); 101.1 (location d'une aire de stationnement); 235 (déclaration erronée).

Bulletins d'interprétation [art. 94]: TVQ. 1-7 — Vente d'un logement en copropriété situé dans un centre de villégiature.

Lettres d'interprétation [art. 94]: 98-0100614 — Interprétation relative à la TPS et à la TVQ — Vente d'un centre d'hébergement et de soins de longue durée (« CHSLD »); 98-0107213 — Interprétation en TPS et en TVQ — Construction d'un ajout à une résidence; 00-0110916 — Interprétation relative à la TPS et à la TVQ — Vente sous contrôle de justice; 02-0109674 — Immeuble, changement d'usage.

Concordance fédérale: LTA, Ann. V:Partie I:2.

95. Fourniture d'un immeuble d'habitation ou d'une adjonction par un particulier qui est un constructeur — La fourniture par vente d'un immeuble d'habitation ou d'un droit dans celui-ci effectuée par un particulier qui est un constructeur de l'immeuble d'habitation ou, dans le cas où l'immeuble d'habitation est un immeuble d'habitation à logements multiples, d'une adjonction à celui-ci, est exonérée si, à la fois :

1° à un moment quelconque après que la construction ou la rénovation majeure de l'immeuble d'habitation ou de l'adjonction soit presque achevée, l'immeuble d'habitation est utilisé principalement à titre de résidence du particulier, d'un particulier qui lui est lié ou d'un ex-conjoint du particulier;

2° l'immeuble d'habitation n'est pas utilisé principalement à une autre fin après que la construction ou la rénovation majeure soit presque achevée et avant le moment quelconque.

Non-application — Le premier alinéa ne s'applique pas si le particulier a demandé un remboursement de la taxe sur les intrants à l'égard de sa dernière acquisition de l'immeuble compris dans l'immeuble d'habitation ou à l'égard de l'acquisition, ou de l'apport au Québec, par le particulier, après que l'immeuble a été acquis la dernière fois par lui, d'une amélioration à celui-ci.

Notes historiques: L'article 95 a été modifié par L.Q. 1994, c. 22, art. 411(1) et est réputé entré en vigueur le 1er juillet 1992. L'article 95, édicté par L.Q. 1991, c. 67, se lisait comme suit :

> 95. La fourniture par vente d'un immeuble d'habitation ou d'un droit dans un tel immeuble effectuée par le constructeur de l'immeuble d'habitation ou, dans le cas

où l'immeuble d'habitation est un immeuble d'habitation à logements multiples, par le constructeur d'une adjonction à celui-ci, est exonérée si, à la fois :

1° le constructeur est un particulier;

2° à un moment quelconque après que la construction ou la rénovation majeure de l'immeuble d'habitation ou de l'adjonction soit presque achevée, l'immeuble d'habitation est utilisé principalement à titre de résidence du particulier, d'un particulier qui lui est lié ou d'un ex-conjoint du particulier;

3° l'immeuble d'habitation n'est pas utilisé principalement à une autre fin après que la construction ou la rénovation majeure soit presque achevée et avant le moment quelconque.

Le premier alinéa ne s'applique pas si le particulier a demandé un remboursement de la taxe sur les intrants à l'égard de l'acquisition de l'immeuble d'habitation ou d'une amélioration faite à celui-ci et si après que le particulier ait demandé le remboursement de la taxe sur les intrants et avant que la propriété de l'immeuble d'habitation ou du droit soit transférée à l'acquéreur de la fourniture, le particulier n'est pas réputé avoir effectué une autre fourniture de l'immeuble d'habitation par vente en vertu de l'article 261.

Guides: IN-261 — La TVQ, la TPS et les immeubles d'habitation (construction ou rénovation).

Définitions [art. 95]: « amélioration », « constructeur », « ex-conjoint », « fourniture », « fourniture exonérée », « immeuble d'habitation », « immeuble d'habitation à logements multiples », « particulier », « rénovation majeure », « vente » — 1.

Renvois [art. 95]: 3 (lien de dépendance); 32 (fourniture combinée d'un immeuble d'habitation à logements multiples et d'une adjonction); 97.2 (vente d'un fonds faisant partie d'un immeuble d'habitation); 101 (aire de stationnement); 101.1 (location d'une aire de stationnement); 235 (déclaration erronée).

Lettres d'interprétation [art. 95]: 98-0107213 — Interprétation en TPS et en TVQ — Construction d'un ajout à une résidence.

Concordance fédérale: LTA, Ann. V:Partie I:3.

96. Fourniture d'un immeuble d'habitation à logement unique ou d'un logement en copropriété par un constructeur — La fourniture par vente d'un immeuble d'habitation à logement unique — appelé « immeuble d'habitation » dans le présent article — d'un logement en copropriété — appelé « logement » dans le présent article — ou d'un droit dans l'immeuble d'habitation ou dans le logement, effectuée par un constructeur de l'immeuble d'habitation ou du logement est exonérée si :

1° dans le cas d'un logement situé dans un immeuble d'habitation — appelé « local » dans le présent article — qui a été converti, par le constructeur, d'une utilisation comme immeuble d'habitation à logements multiples à une utilisation comme immeuble d'habitation en copropriété, le constructeur a reçu une fourniture exonérée du local par vente ou est réputé avoir reçu une fourniture taxable du local par vente en vertu de l'article 225, et cette fourniture est la dernière fourniture du local effectuée par vente au constructeur;

2° dans tous les cas, le constructeur a reçu une fourniture exonérée de l'immeuble d'habitation ou du logement par vente ou est réputé avoir reçu une fourniture taxable de l'immeuble d'habitation ou du logement par vente en vertu des articles 223 ou 224, et cette fourniture est la dernière fourniture de l'immeuble d'habitation ou du logement effectuée par vente au constructeur.

Non-application — Le premier alinéa ne s'applique pas si, selon le cas :

1° après que l'immeuble d'habitation, le logement ou le local a été acquis la dernière fois par le constructeur, celui-ci a réalisé, lui-même ou par l'intermédiaire d'une personne qu'il a engagée, la rénovation majeure de l'immeuble d'habitation, du logement ou du local;

2° le constructeur a demandé un remboursement de la taxe sur les intrants à l'égard de sa dernière acquisition de l'immeuble d'habitation, du logement ou du local ou à l'égard de l'acquisition, ou de l'apport au Québec, par le constructeur, après que l'immeuble d'habitation, le logement ou le local a été acquis la dernière fois par lui, d'une amélioration à l'un d'eux.

Notes historiques: L'article 96 a été modifié par L.Q. 1994, c. 22, art. 411(1) et est réputé entré en vigueur le 1er juillet 1992. Antérieurement, il se lisait comme suit :

96. La fourniture par vente d'un immeuble d'habitation à logement unique, d'un logement en copropriété, ou d'un droit dans un tel immeuble d'habitation ou dans un tel logement, effectuée par le constructeur de l'immeuble d'habitation ou du logement est exonérée si le constructeur est réputé, en vertu de l'article 223 ou 224, avoir effectué à un moment quelconque une autre fourniture de l'immeuble avant que la propriété de l'immeuble d'habitation, du logement ou du droit soit transférée à l'acquéreur de la fourniture.

Le premier alinéa ne s'applique pas si, après le moment quelconque, à la fois :

1° le constructeur a demandé un remboursement de la taxe sur les intrants à l'égard de l'acquisition de l'immeuble d'habitation ou du logement ou à l'égard d'une amélioration faite à l'un d'eux;

2° après que le constructeur ait demandé le remboursement de la taxe sur les intrants et avant que la propriété de l'immeuble d'habitation ou du droit soit transférée à l'acquéreur de la fourniture, le constructeur n'est pas réputé avoir effectué une autre fourniture de l'immeuble d'habitation ou du logement par vente en vertu des articles 258 ou 261, ou en vertu de l'article 243 en raison de l'application de l'article 270.

L'article 96 a été édicté par L.Q. 1991, c. 67.

Guides: IN-261 — La TVQ, la TPS et les immeubles d'habitation (construction ou rénovation).

Définitions [art. 96]: « amélioration », « constructeur », « fourniture », « fourniture exonérée », « fourniture taxable », « immeuble d'habitation à logement unique », « immeuble d'habitation en copropriété », « logement en copropriété », « personne », « rénovation majeure », « vente » — 1.

Renvois [art. 96]: 97.2 (vente d'un fonds faisant partie d'un immeuble d'habitation); 101 (aire de stationnement); 101.1 (location d'une aire de stationnement); 107 (application); 224.1 (inclusion dans le calcul de la taxe nette perçue à l'égard d'un immeuble d'habitation); 224.2 (vente de l'immeuble d'habitation); 224.3 (application de l'article 224.1); 224.4 (calcul de la taxe nette pour l'application de l'article 224.1); 224.5 (application de l'article 224.1); 235 (déclaration erronée).

Jurisprudence: *Construction MDGG inc. c. Québec (Sous-ministre du Revenu)* (13 mars 2008), 200-80-002119-061, 2008 CarswellQue 2224.

Bulletins d'interprétation [art. 96]: TVQ. 223-1/R2 — Fourniture à soi-même d'un immeuble d'habitation.

Lettres d'interprétation [art. 96]: 98-0101877 — Demande de confirmation.

Concordance fédérale: LTA, Ann. V:Partie I:4.

97. Fourniture d'un immeuble d'habitation à logements multiples ou d'une adjonction par une personne qui est un constructeur — La fourniture par vente d'un immeuble d'habitation à logements multiples ou d'un droit dans celui-ci effectuée par une personne qui est un constructeur de l'immeuble d'habitation ou d'une adjonction à celui-ci est exonérée si :

1° dans le cas d'une personne qui est un constructeur de l'immeuble d'habitation, la personne a reçu une fourniture exonérée de l'immeuble d'habitation par vente ou est réputée avoir reçu une fourniture taxable de l'immeuble d'habitation par vente en vertu de l'article 225, et cette fourniture est la dernière fourniture de l'immeuble d'habitation effectuée par vente à la personne;

2° dans le cas d'une personne qui est un constructeur d'une adjonction à l'immeuble d'habitation, la personne a reçu une fourniture exonérée de l'adjonction par vente ou est réputée avoir reçu une fourniture taxable de l'adjonction par vente en vertu de l'article 226, et cette fourniture est la dernière fourniture de l'adjonction effectuée par vente à la personne.

Non-application — Le premier alinéa ne s'applique pas si, selon le cas :

1° après que l'immeuble d'habitation a été fourni la dernière fois à la personne, celle-ci a réalisé, elle-même ou par l'intermédiaire d'une personne qu'elle a engagée, la rénovation majeure de l'immeuble d'habitation;

2° la personne a demandé un remboursement de la taxe sur les intrants à l'égard de sa dernière acquisition de l'immeuble d'habitation ou d'une adjonction à celui-ci ou à l'égard de l'acquisition, ou de l'apport au Québec, par la personne, après que l'immeuble d'habitation a été acquis la dernière fois par elle, d'une amélioration à celui-ci, sauf un remboursement de la taxe sur les intrants à l'égard de la construction d'une adjonction à l'immeuble d'habitation.

Notes historiques: L'article 97 a été modifié par L.Q. 1994, c. 22, art. 411(1) et est réputé entré en vigueur le 1er juillet 1992. Antérieurement, il se lisait comme suit :

97. La fourniture par vente d'un immeuble d'habitation à logements multiples ou d'un droit dans un tel immeuble d'habitation, est exonérée si, selon le cas :

LTVQ (français)

1° elle est effectuée par une personne qui en est le constructeur et si celui-ci est réputé, en vertu de l'article 225, avoir effectué une autre fourniture de l'immeuble d'habitation avant que la propriété de l'immeuble d'habitation ou du droit soit transférée à l'acquéreur de la fourniture;

2° elle est effectuée par une personne qui n'en est pas le constructeur mais qui est le constructeur d'une adjonction à l'immeuble d'habitation.

Le premier alinéa ne s'applique pas si, à la fois :

1° la personne a demandé un remboursement de la taxe sur les intrants à l'égard de l'acquisition de l'immeuble d'habitation ou à l'égard d'une amélioration faite à celui-ci mais non à l'égard de la construction ou de la rénovation majeure de l'immeuble d'habitation ou de l'adjonction;

2° après que la personne ait demandé le remboursement de la taxe sur les intrants et avant que la propriété de l'immeuble d'habitation ou du droit soit transférée à l'acquéreur de la fourniture, la personne n'est pas réputée avoir effectué une autre fourniture de l'immeuble d'habitation par vente en vertu des articles 258 ou 261, ou en vertu de l'article 244 en raison de l'application de l'article 270.

De plus, le premier alinéa ne s'applique pas à la partie de la fourniture qui peut raisonnablement être considérée comme étant la fourniture d'une adjonction à l'immeuble d'habitation, ou d'un droit dans une adjonction, si la personne en est le constructeur et n'est pas réputée, en vertu de l'article 226, avoir effectué une autre fourniture.

L'article 97 a été édicté par L.Q. 1991, c. 67.

Guides: IN-261 — La TVQ, la TPS et les immeubles d'habitation (construction ou rénovation).

Bulletin d'interprétation [art. 97]: TVQ. 226-1/R1 — Fourniture à soi-même d'une adjonction à un immeuble d'habitation à logements multiples.

Définitions [art. 97]: « amélioration », « constructeur », « fourniture », « fourniture exonérée », « fourniture taxable », « habitation », « immeuble d'habitation », « immeuble d'habitation à logements multiples », « personne », « rénovation majeure », « vente » — 1.

Renvois [art. 97]: 32 (fourniture combinée d'un immeuble d'habitation à logements multiples et d'une adjonction); 97.2 (vente d'un fonds faisant partie d'un immeuble d'habitation); 99 (louage d'un immeuble); 101 (aire de stationnement); 101.1 (location d'une aire de stationnement); 107 (application); 235 (déclaration erronée).

Jurisprudence: *Construction MDGG inc. c. Québec (Sous-ministre du Revenu)* (13 mars 2008), 200-80-002119-061, 2008 CarswellQue 2224.

Concordance fédérale: LTA, Ann. V:Partie I:5.

97.1 Fourniture d'un bâtiment — La fourniture par vente d'un bâtiment, ou d'une partie de celui-ci, dans lequel une ou plusieurs habitations sont situées, ou d'un droit dans un tel bâtiment ou partie de celui-ci est exonérée si, à la fois :

1° immédiatement avant et immédiatement après le premier en date du moment où la propriété du bâtiment, de la partie de celui-ci ou du droit est transférée à l'acquéreur de la fourniture — appelé « acheteur » dans le présent article — et du moment où la possession en est transférée à l'acheteur en vertu de la convention relative à la fourniture, le bâtiment ou la partie de celui-ci fait partie d'un immeuble d'habitation;

2° immédiatement après le premier en date du moment où la propriété du bâtiment, de la partie de celui-ci ou du droit est transférée à l'acheteur et du moment où la possession lui en est transférée en vertu de la convention relative à la fourniture, l'acheteur est un acquéreur visé au sous-paragraphe a) du paragraphe 1° de l'article 100 d'une fourniture exonérée, visée au paragraphe 1° de cet article, du fonds de terre compris dans l'immeuble d'habitation.

Notes historiques: L'article 97.1 a été ajouté par L.Q. 1994, c. 22, art. 412(1) et est réputé entré en vigueur le 1er juillet 1992. Toutefois, il ne s'applique pas à une fourniture effectuée en vertu d'une convention écrite conclue avant le 28 mars 1991.

Guides: IN-261 — La TVQ, la TPS et les immeubles d'habitation (construction ou rénovation).

Définitions [art. 97.1]: « acquéreur », « fourniture », « fourniture exonérée », « habitation », « immeuble d'habitation », « vente » — 1.

Renvois [art. 97.1]: 235 (déclaration erronée).

Concordance fédérale: LTA, Ann. V:Partie I:5.1.

97.2 Fourniture d'un fonds de terre — La fourniture par vente d'un fonds de terre qui fait partie d'un immeuble d'habitation ou d'un droit dans un tel fonds de terre est exonérée dans le cas où, à la fois :

1° immédiatement avant le premier en date du moment où la propriété en est transférée à l'acquéreur de la fourniture et du moment où la possession lui en est transférée en vertu de la convention relative à la fourniture, le fonds de terre est soumis à un contrat de louage, de licence ou à un accord semblable aux termes duquel une fourniture exonérée visée au paragraphe 1° de l'article 100 a été effectuée;

2° si une fourniture par vente de l'immeuble d'habitation était effectuée immédiatement avant le premier en date de ces moments, la fourniture serait une fourniture exonérée visée à l'un des articles 94 à 97.

Notes historiques: L'article 97.2 a été ajouté par L.Q. 1994, c. 22, art. 412(1) et est réputé entré en vigueur le 1er juillet 1992.

Guides: IN-261 — La TVQ, la TPS et les immeubles d'habitation (construction ou rénovation).

Définitions [art. 97.2]: « acquéreur », « fourniture », « fourniture exonérée », « immeuble d'habitation », « vente » — 1.

Renvois [art. 97.2]: 107 (application); 235 (déclaration erronée).

Lettres d'interprétation [art. 97.2]: 98-0110043 — Décision portant sur l'application de la TPS — Interprétation relative à la TVQ — Vente de parcelles de terre; 06-0103397 — Décision portant sur l'application de la TPS — interprétation relative à la TVQ — acte de propriété superficiaire et de servitudes.

Concordance fédérale: LTA, Ann. V:Partie I:5.2.

97.3 Fourniture d'un terrain de caravaning résidentiel — La fourniture d'un terrain de caravaning résidentiel ou d'un droit dans celui-ci effectuée par une personne est exonérée dans le cas où, à la fois :

1° la personne a reçu une fourniture exonérée, visée par le présent article, du terrain ou est réputée, en vertu des articles 222.2, 243, 258 ou 261, avoir reçu une fourniture taxable du fonds de terre compris dans le terrain du fait de son utilisation pour les fins du terrain, et cette fourniture est la dernière fourniture du terrain effectuée par vente à la personne;

2° si la personne a augmenté la superficie du fonds de terre compris dans le terrain — appelé « superficie additionnelle » dans le présent article — la personne a reçu une fourniture exonérée, visée au présent article, de la superficie additionnelle ou est réputée, en vertu des articles 222.3, 243, 258 ou 261, avoir effectué une fourniture taxable de la superficie additionnelle du fait de son utilisation pour les fins du terrain, et cette fourniture est la dernière fourniture de la superficie additionnelle effectuée par vente à la personne.

Non-application — Le premier alinéa ne s'applique pas si la personne a demandé un remboursement de la taxe sur les intrants à l'égard de sa dernière acquisition du terrain ou de la superficie additionnelle à celui-ci ou à l'égard de l'acquisition, ou de l'apport au Québec, par la personne, après que le terrain a été acquis la dernière fois par elle, d'une amélioration à celui-ci, sauf un remboursement de la taxe sur les intrants à l'égard d'une amélioration à une superficie additionnelle qui a été acquise, ou apportée au Québec, par la personne avant que la superficie additionnelle ait été acquise la dernière fois par elle.

Notes historiques: L'article 97.3 a été ajouté par L.Q. 1994, c. 22, art. 412(1) et est réputé entré en vigueur le 1er juillet 1992.

Définitions [art. 97.3]: « amélioration », « fourniture », « fourniture exonérée », « fourniture taxable », « personne », « terrain de caravaning », « terrain de caravaning résidentiel », « vente » — 1.

Renvois [art. 97.3]: 32.1 (fourniture combinée — terrain de caravaning résidentiel); 107 (application); 101.1 (location d'une aire de stationnement); 222.2 (fourniture à soi-même d'un emplacement dans un terrain de caravaning résidentiel); 222.3 (fourniture à soi-même d'une adjonction); 235 (déclaration erronée).

Concordance fédérale: LTA, Ann. V:Partie I:5.3.

98. Fourniture d'un immeuble d'habitation ou d'une habitation loué — Est exonérée la fourniture :

1° soit d'un immeuble d'habitation ou d'une habitation dans un immeuble d'habitation par louage, licence ou autre accord semblable pour être occupé à titre de résidence ou d'hébergement par un particulier, dans le cas où, en vertu de l'accord, la période tout au long de laquelle le même particulier occupe de façon continue l'immeuble d'habitation ou l'habitation dans un immeuble d'habitation est d'au moins un mois;

2° soit d'une habitation par louage, licence ou accord semblable pour être occupée à titre de résidence ou d'hébergement par un particulier, dans le cas où la contrepartie de la fourniture ne dépasse pas 20 $ par jour d'occupation.

Notes historiques: Le paragraphe 1° de l'article 98 a été remplacé par L.Q. 1997, c. 85, art. 469(1) et cette modification s'applique à l'égard d'une fourniture effectuée en vertu d'une convention conclue après le 14 septembre 1992. Toutefois, cette modification ne s'applique pas aux fins du calcul d'un montant accordé par le ministre du Revenu avant le 24 avril 1996 ni aux fins du calcul d'un montant demandé :

i. soit dans une demande présentée aux termes de la section I du chapitre VII du titre I et reçue par le ministre du Revenu avant le 23 avril 1996;

ii. soit comme déduction, au titre d'un redressement, d'un remboursement ou d'un crédit prévu à l'article 447, dans une déclaration présentée aux termes du chapitre VIII du titre I et reçue par le ministre du Revenu avant le 23 avril 1996.

De plus, lorsque le paragraphe 1° de l'article 98 s'applique pour la période du 14 septembre 1992 au 30 mars 1997, il doit se lire comme suit :

1° soit d'un immeuble d'habitation ou d'une habitation dans un immeuble d'habitation par louage, licence ou autre accord semblable pour être occupé à titre de résidence ou d'hébergement par un particulier, dans le cas où la période tout au long de laquelle le même particulier occupe de façon continue l'immeuble d'habitation ou l'habitation dans un immeuble d'habitation est d'au moins un mois;

Antérieurement à cette modification, le paragraphe 1° se lisait ainsi :

1° soit d'un immeuble d'habitation ou d'une habitation dans un immeuble d'habitation par louage, licence ou accord semblable pour être occupé à titre de résidence ou d'hébergement par un particulier, dans le cas où il est occupé par le même particulier pour une période d'au moins un mois;

L'article 98 a été modifié par L.Q. 1994, c. 22, art. 413(1) et est réputé entré en vigueur le 1er juillet 1992. L'article 98, édicté par L.Q. 1991, c. 67, se lisait comme suit :

98. Est exonérée la fourniture :

1° soit d'un immeuble d'habitation ou d'une habitation dans un tel immeuble d'habitation par louage, licence ou accord semblable pour être occupé à titre de résidence ou de pension par le même particulier, dans le cas où il est occupé par le particulier pour une période d'au moins un mois;

2° soit d'une habitation par louage, licence ou accord semblable pour être occupée à titre de résidence ou de pension par le même particulier dans le cas où la contrepartie de la fourniture ne dépasse pas 20 $ par jour d'occupation ou 140 $ par semaine d'occupation.

Guides: IN-261 — La TVQ, la TPS et les immeubles d'habitation (construction ou rénovation).

Définitions [art. 98]: « contrepartie », « fourniture », « fourniture exonérée », « habitation », « immeuble d'habitation », « particulier » — 1.

Renvois [art. 98]: 51 (valeur de la contrepartie); 99 (louage d'un immeuble); 99.1 (fourniture de repas dans un immeuble d'habitation ou une habitation); 101 (aire de stationnement); 231.1 (transfert de possession attribué au constructeur); 378.6 (droit au remboursement pour fourniture d'un immeuble d'habitation loué à des fins résidentielles); 378.10 (remboursement pour coopérative d'habitation).

Lettres d'interprétation [art. 98]: 98-010493 — Interprétation relative à la TPS — Interprétation relative à la TVQ — Fournitures de chambres dans un ensemble immobilier exploité en partie comme un motel; 98-0104335 — Décision portant sur l'application de la TPS — Interprétation relative à la TVQ — Fourniture par bail en vue d'une occupation à titre d'hébergement; 98-0106306 — Application des taxes dans le cas de location de chambres au mois; 98-0109037 — Interprétation relative à la TPS — Interprétation relative à la TVQ — Organisme de bienfaisance; 98-0110654 — Décision portant sur l'application de la TPS — Interprétation relative à la TVQ — Hébergement pour un service de santé; 99-0103129 — Demande d'interprétation relative à la TPS et à la TVQ — Fourniture exonérée — Location d'une habitation à prix modique; 99-0112609 — Interprétation relative à la TPS et à la TVQ — Fourniture d'immeubles d'habitation par bail; 00-0101717 — Interprétation relative à la TPS et à la TVQ — Fourniture par une université de chambres dans une résidence d'étudiants à des personnes autres que des étudiants; 02-0107777 — Interprétation relative à la TPS et à la TVQ — Règles générales, résidences pour personnes âgées; 04-0102766 — Interprétation relative à la TPS et à la TVQ — location de condominiums; 04-0107310 — Interprétation relative à la TVQ — article 99 de la *Loi sur la taxe de vente du Québec*.

Concordance fédérale: LTA, Ann. V:Partie I:6.

99. Fourniture effectuée à un locataire qui effectue des fournitures exonérées — Est exonérée la fourniture par louage, licence ou accord semblable d'un bien, qui est soit un fonds de terre, soit un bâtiment, ou la partie d'un bâtiment, qui est composé uniquement d'habitations, effectuée à un acquéreur — appelé « locataire » dans le présent article — pour une période de location, au sens donné à cette expression à l'article 32.2, pendant laquelle le locataire ou un sous-locataire effectue, ou détient le bien dans le but d'effectuer, une ou plusieurs fournitures du bien, de parties de celui-ci ou de baux, de licences ou d'accords semblables visant le bien ou des parties de celui-ci et la totalité ou la presque totalité de ces fournitures sont soit :

1° des fournitures exonérées visées aux articles 98 ou 100;

2° des fournitures qui sont effectuées, ou qui sont raisonnablement censées être effectuées, à d'autres locataires ou sous-locataires visés dans le présent article.

Notes historiques: Le préambule de l'article 99 a été remplacé par L.Q. 2009, c. 15, par. 486(1) et cette modification s'applique à une fourniture dont la contrepartie devient due après le 26 février 2008 et n'a pas été payée au plus tard à cette date ou est payée après cette date sans être devenue due. Antérieurement, il se lisait ainsi :

99. Est exonérée la fourniture effectuée par louage, licence ou accord semblable d'un bien qui est soit un fonds de terre, soit un bâtiment, ou cette partie d'un bâtiment, qui fait partie d'un immeuble d'habitation ou qui est composé uniquement d'habitations, soit un immeuble d'habitation, pour une période de location, au sens donné à cette expression à l'article 32.2, pendant laquelle le locataire ou tout sous-locataire effectue, ou détient le bien dans le but d'effectuer, une ou plusieurs fournitures du bien, de parties de celui-ci ou de baux, de licences ou d'accords semblables visant le bien ou des parties de celui-ci et la totalité ou la presque totalité de ces fournitures sont soit :

L'article 99 a été remplacé par L.Q. 2001, c. 53, art. 289(1) et cette modification a effet depuis le 1er juillet 1992. Toutefois :

1° pour la période qui commence le 1er juillet 1992 et qui se termine le 31 décembre 1992, l'article 99 de cette loi doit se lire comme suit :

99. Est exonérée la fourniture effectuée à une personne donnée par louage, licence ou accord semblable d'un immeuble qui est soit un fonds de terre, soit un bâtiment ou une partie d'un bâtiment composé uniquement d'habitations, pour une période pendant laquelle la fourniture par cette personne donnée, ou par une autre personne, soit de l'immeuble ou d'un bail, d'une licence ou d'un accord semblable le visant, soit de la totalité ou de la presque totalité des habitations que compte le bâtiment ou des baux, des licences ou des accords semblables visant de telles habitations ou des parties du fonds de terre ou des baux, des licences ou des accords semblables visant de telles parties, selon le cas, est exonérée en vertu des articles 98 ou 100.

2° pour la période qui commence le 1er janvier 1993 et qui se termine le 31 mars 1997, il doit se lire en remplaçant « une période de location » par « un intervalle de location » et « 32.2 » par « 31.1 ».

Antérieurement, il se lisait ainsi :

99. Est exonérée la fourniture effectuée par louage, licence ou autre accord semblable d'un bien qui est soit un fonds de terre, soit un bâtiment, ou cette partie d'un bâtiment, qui fait partie d'un immeuble d'habitation ou qui est composé uniquement d'habitations, soit un immeuble d'habitation, pour une période de location, au sens donné à cette expression à l'article 32.2, pendant lequel le locataire ou tout sous-locataire effectue, ou détient le bien dans le but d'effectuer, une ou plusieurs fournitures du bien ou de parties de celui-ci et a totalité ou la presque totalité de ces fournitures sont :

1° soit des fournitures exonérées visées aux articles 98 ou 100;

2° soit des fournitures qui sont effectuées, ou qui sont raisonnablement censées être effectuées, à d'autres locataires ou sous-locataires visés dans le présent article.

Le préambule de l'article 99 a été remplacé par L.Q. 1997, c. 85, art. 470(1) et cette modification a effet depuis le 1er janvier 1993. Toutefois, pour la période du 1er janvier 1993 au 30 mars 1997, il doit se lire en remplaçant « une période de location » par « un intervalle de location » et « 32.2 » par « 31.1 ».

Antérieurement, le paragraphe 1° se lisait ainsi :

1° Est exonérée la fourniture effectuée par louage, licence ou accord semblable d'un bien qui est soit un fonds de terre, soit un bâtiment, ou cette partie d'un bâtiment, qui fait partie d'un immeuble d'habitation, soit un immeuble d'habitation, pour un intervalle de location, au sens donné à cette expression à l'article 31.1, pendant lequel le locataire ou tout sous-locataire effectue, ou détient le bien dans le but d'effectuer, une ou plusieurs fournitures du bien ou de parties de celui-ci et la totalité ou la presque totalité de ces fournitures sont :

L'article 99 a été modifié par L.Q. 1994, c. 22, art. 413(1) et est réputé entré en vigueur le 1er janvier 1993. Antérieurement, il se lisait comme suit :

99. Est exonérée la fourniture, à une personne donnée, par louage, licence ou accord semblable d'un immeuble qui est soit un fonds de terre, soit un bâtiment ou une partie d'un bâtiment composé uniquement d'habitations, pour une période pendant laquelle la fourniture par cette personne donnée, ou par une autre personne, de l'immeuble d'habitation ou de la totalité ou de la presque totalité des parties du fonds de terre ou des habitations que compte l'immeuble d'habitation, selon le cas, est exonérée en vertu des articles 98 ou 100.

LTVQ (français)

L'article 99 a été édicté par L.Q. 1991, c. 67.

Notes explicatives ARQ (PL 37, L.Q. 2009, c. 15): *Résumé* :

L'article 99 est modifié afin de supprimer l'expression « qui fait partie d'un immeuble d'habitation » ainsi que l'expression « soit un immeuble d'habitation ».

Situation actuelle :

Actuellement, l'article 99 de la LTVQ a pour effet d'exonérer la fourniture, selon le cas, d'un fonds de terre, d'un bâtiment, d'une partie d'un bâtiment qui fait partie d'un immeuble d'habitation, d'un bâtiment qui est composé uniquement d'habitations ou d'un immeuble d'habitation, effectuée par louage au profit d'une personne, si cette dernière détient l'immeuble en vue de le fournir de nouveau dans des circonstances où la nouvelle fourniture est exonérée aux termes des articles 98, 99 ou 100 de la LTVQ.

Modifications proposées :

L'article 99 de la LTVQ est modifié afin de supprimer l'expression « qui fait partie d'un immeuble d'habitation » ainsi que l'expression « soit un immeuble d'habitation ». Cette modification faite suite à l'ajout du nouvel article 99.0.1 à la LTVQ.

Guides: IN-261 — La TVQ, la TPS et les immeubles d'habitation (construction ou rénovation).

Définitions [art. 99]: « fourniture », « fourniture exonérée », « habitation », « immeuble d'habitation » — 1.

Renvois [art. 99]: 101 (aire de stationnement); 222.1 (fourniture à soi-même d'un fonds de terre); 231.1 (transfert de possession attribué au constructeur); 378.6 (droit au remboursement pour fourniture d'un immeuble d'habitation loué à des fins résidentielles).

Lettres d'interprétation [art. 99]: 98-0104335 — Décision portant sur l'application de la TPS — Interprétation relative à la TVQ — Fourniture par bail en vue d'une occupation à titre d'hébergement; 04-0107310 — Interprétation relative à la TVQ — article 99 de la *Loi sur la taxe de vente du Québec*.

Concordance fédérale: LTA, Ann. V:Partie I:6.1; .

99.0.1 Fourniture effectuée à un locataire qui effectue des fournitures exonérées — immeuble d'habitation — Est exonérée la fourniture par louage, licence ou accord semblable d'un bien, qui est soit un immeuble d'habitation ou soit un fonds de terre, un bâtiment ou la partie d'un bâtiment qui fait partie d'un immeuble d'habitation ou qui est raisonnablement censé faire partie d'un immeuble d'habitation, effectuée à un acquéreur — appelé « locataire » dans le présent article — pour une période de location, au sens donné à cette expression à l'article 32.2, pendant laquelle la totalité ou la presque totalité du bien est, selon le cas :

1° fournie par le locataire ou un sous-locataire dans le cadre d'une ou de plusieurs fournitures ou détenue dans le but d'être fournie par l'un d'eux dans un tel cadre, en vue de l'occupation du bien ou de parties du bien par des particuliers à titre de résidence ou d'hébergement et la totalité ou la presque totalité des fournitures du bien ou de parties du bien sont des fournitures exonérées visées à l'article 98;

2° utilisée par le locataire ou un sous-locataire dans le cadre de la réalisation de fournitures exonérées ou détenue dans le but d'être utilisée par l'un d'eux dans un tel cadre et, à l'occasion d'une ou de plusieurs fournitures exonérées, la possession ou l'utilisation de la totalité ou de la presque totalité des habitations situées dans le bien est donnée en vertu d'un contrat de louage, d'une licence ou d'un accord semblable en vue de leur occupation par un particulier à titre de résidence.

Notes historiques: L'article 99.0.1 a été ajouté par L.Q. 2009, c. 15, par. 487(1) et s'applique à la fourniture d'un bien à l'égard de laquelle, selon le cas :

1° la contrepartie devient due après le 26 février 2008 et n'a pas été payée au plus tard à cette date ou est payée après cette date sans être devenue due;

2° la totalité de la contrepartie est devenue due ou a été payée avant le 27 février 2008, dans le cas où le fournisseur n'a pas, avant cette date, exigé, perçu ou versé un montant au titre de la taxe prévue par le titre I à l'égard de la fourniture ou de toute autre fourniture du bien qu'il a effectuée et qui serait visée aux articles 99 ou 99.0.1, si ces articles s'étaient appliqués dans leur version respectivement modifiée et édictée par L.Q. 2009, c. 15.

Aux fins du calcul de la teneur en taxe du fonds de terre de la personne au moment donné ou après, le montant de remboursement doit être inclus dans le calcul du total visé à la lettre B de la formule prévue dans la définition de l'expression « teneur en taxe » prévue à l'article 1.

Le paragraphe qui précède s'applique, dans le cas où, en raison de l'édiction de l'article 99.0.1 :

1° une personne cesse d'utiliser son fonds de terre dans le cadre de ses activités commerciales ou réduit l'utilisation de celui-ci dans ce cadre;

2° la personne est réputée, en vertu de l'un des articles 258, 259, 261 et 262 de cette loi, avoir effectué une fourniture du fonds de terre ou d'une partie de celui-ci;

3° la personne aurait eu droit, à un moment donné avant le 27 février 2008, à un montant de remboursement en vertu de l'article 378.1 à l'égard du fonds de terre, si cet article, dans sa version modifiée par la présente loi, et si les articles 99 et 99.0.1, dans leur version respectivement modifiée et édictée par L.Q. 2009, c. 15, s'étaient appliqués à ce moment;

4° le montant de remboursement aurait été inclus dans le calcul du total visé à la lettre B de la formule prévue dans la définition de l'expression « teneur en taxe » prévue à l'article 1, aux fins du calcul de la teneur en taxe du fonds de terre de la personne au moment donné ou après si celle-ci avait eu droit au remboursement au moment donné.

Aux fins du calcul de la teneur en taxe de l'immeuble d'habitation de la personne au moment donné ou après, le montant de remboursement doit être inclus dans le calcul du total visé à la lettre B de la formule prévue dans la définition de l'expression « teneur en taxe » prévue à l'article 1.

Le paragraphe qui précède s'applique, dans le cas où, en raison de l'édiction de l'article 99.0.1 :

1° une personne cesse d'utiliser son immeuble d'habitation dans le cadre de ses activités commerciales ou réduit l'utilisation de celui-ci dans ce cadre;

2° la personne est réputée, en vertu de l'un des articles 258, 259, 261 et 262, avoir effectué une fourniture de l'immeuble d'habitation ou d'une partie de celui-ci;

3° la personne aurait eu droit, à un moment donné avant le 27 février 2008, à un montant de remboursement en vertu de l'article 378.6 à l'égard de l'immeuble d'habitation, si les articles 378.4 et 378.6, dans leur version modifiée par la présente loi, et si les articles 99 et 99.0.1, dans leur version respectivement modifiée et édictée par le paragraphe 1, s'étaient appliqués à ce moment;

4° le montant de remboursement aurait été inclus dans le calcul du total visé à la lettre B de la formule prévue dans la définition de l'expression « teneur en taxe » prévue à l'article 1, aux fins du calcul de la teneur en taxe de l'immeuble d'habitation de la personne au moment donné ou après si celle-ci avait eu droit au remboursement au moment donné.

Notes explicatives ARQ (PL 37, L.Q. 2009, c. 15): *Résumé* :

Le nouvel article 99.0.1 a pour effet d'exonérer la fourniture d'un immeuble d'habitation ou d'un fonds de terre, d'un bâtiment ou d'une partie d'un bâtiment qui fait partie d'un immeuble d'habitation ou qui est raisonnablement censé faire partie d'un immeuble d'habitation, effectuée par louage au profit d'une personne, si cette dernière détient la totalité ou la presque totalité du bien en vue de le fournir dans le cadre de fournitures exonérées visées à l'article 98 de la LTVQ ou en vue de l'utiliser dans le cadre de d'autres fournitures exonérées.

Contexte :

Actuellement, l'article 99 de la LTVQ exonère la fourniture d'immeubles, y compris les immeubles d'habitation, effectuée par louage au profit d'une personne, si cette dernière détient l'immeuble en vue de le fournir de nouveau dans des circonstances où la nouvelle fourniture est exonérée en vertu des articles 98, 99 ou 100 de la LTVQ.

Modifications proposées :

Le nouvel article 99.0.1 de la LTVQ a pour effet d'exonérer la fourniture d'un immeuble d'habitation ou d'un fonds de terre, d'un bâtiment ou d'une partie d'un bâtiment qui fait partie d'un immeuble d'habitation ou qui est raisonnablement censé faire partie d'un immeuble d'habitation, effectuée par louage au profit d'une personne, si cette dernière détient la totalité ou la presque totalité du bien en vue de le fournir dans le cadre de fournitures exonérées visées à l'article 98 de la LTVQ ou en vue de l'utiliser dans le cadre de d'autres fournitures exonérées.

Dans le cas où la personne détient la totalité ou la presque totalité du bien en vue de l'utiliser dans le cadre de d'autres fournitures exonérées, l'exonération s'applique si, à l'occasion d'une ou de plusieurs de ces fournitures, l'acquéreur transfère la possession ou l'utilisation de la totalité ou de la presque totalité des habitations situées dans le bien aux termes d'un contrat de louage en vue de leur occupation par un particulier à titre de résidence.

Concordance fédérale: LTA, Ann. V:Partie I:6.11.

99.1 Fourniture de repas — La fourniture de repas effectuée par une personne qui effectue une fourniture, visée au paragraphe 1° de l'article 98, d'un immeuble d'habitation ou d'une habitation est exonérée dans le cas où les repas sont offerts à l'occupant de l'immeuble d'habitation ou de l'habitation, dans l'immeuble d'habitation, dans l'habitation ou dans l'immeuble d'habitation dans lequel l'habitation est située, en vertu d'un accord aux termes duquel au moins dix repas par semaine sont fournis pour une contrepartie unique déterminée avant que tout repas soit offert en vertu de l'accord.

Notes historiques: L'article 99.1 a été ajouté par L.Q. 1994, c. 22, art. 414(1) et est réputé entré en vigueur le 1er juillet 1992.

Guides [art. 99.1]: IN-216 — La TVQ, la TPS/TVH et l'alimentation.

Définitions [art. 99.1]: « contrepartie », « fourniture », « fourniture exonérée », « habitation », « immeuble d'habitation », « personne » — 1.

Bulletins d'interprétation [art. 99.1]: TVQ. 108-1/R2 — Établissement de santé au sens du paragraphe 2° de la définition de cette expression prévue à l'article 108 de la *Loi sur la taxe de vente du Québec*, et repas acquis ou fournis par un tel établissement.

Lettres d'interprétation [art. 99.1]: 02-0107777 — Interprétation relative à la TPS et à la TVQ — Règles générales, résidences pour personnes âgées.

Concordance fédérale: LTA, Ann. V:Partie I:6.2.

100. Fourniture d'un fonds de terre ou d'un emplacement dans un terrain de caravaning résidentiel — Est exonérée la fourniture :

1° soit d'un fonds de terre, sauf un emplacement dans un terrain de caravaning résidentiel, par louage, licence ou autre accord semblable en vertu duquel la possession ou l'occupation du fonds de terre est donnée de façon continue pour une période prévue en vertu de l'accord d'au moins un mois, effectuée :

a) soit au propriétaire, au locataire, à l'occupant ou au possesseur d'une habitation fixée ou à être fixée au fonds de terre en vue de son utilisation et de sa jouissance à titre de résidence pour des particuliers;

b) soit à une personne qui acquiert la possession du fonds de terre en vue de construire un immeuble d'habitation sur celui-ci dans le cadre d'une activité commerciale;

2° soit d'un emplacement dans un terrain de caravaning résidentiel par louage, licence ou autre accord semblable en vertu duquel la possession ou l'occupation de l'emplacement est donnée de façon continue pour une période prévue en vertu de l'accord d'au moins un mois, effectuée au propriétaire, au locataire, à l'occupant ou au possesseur :

a) soit d'une maison mobile située sur l'emplacement ou qui doit y être située;

b) soit d'une caravane, d'une autocaravane ou d'un véhicule semblable situé sur l'emplacement ou qui doit y être situé;

3° soit d'un contrat de louage, d'une licence ou d'un accord semblable visé aux paragraphes 1° ou 2°, par cession.

Non-application — Le premier alinéa ne s'applique pas à la fourniture d'un fonds de terre sur lequel est ou doit être fixé ou situé l'habitation, la maison mobile, la caravane, l'autocaravane ou un véhicule semblable, ou un fonds de terre contigu à celui-ci, qui n'est pas raisonnablement nécessaire à l'utilisation et à la jouissance de l'habitation, de la maison, de la caravane, de l'autocaravane ou d'un véhicule semblable à titre de résidence pour des particuliers.

Notes historiques: Le préambule du paragraphe 1° de l'article 100 a été remplacé par L.Q. 1997, c. 85, art. 471(1)(1°) et cette modification a effet à l'égard d'une fourniture effectuée en vertu d'une convention conclue après le 14 septembre 1992. Toutefois, cette modification ne s'applique pas aux fins du calcul d'un montant accordé par le ministre du Revenu avant le 24 avril 1996 ni aux fins du calcul d'un montant demandé :

i. soit dans une demande présentée aux termes de la section I du chapitre VII du titre I et reçue par le ministre du Revenu avant le 23 avril 1996;

ii. soit comme déduction, au titre d'un redressement, d'un remboursement ou d'un crédit prévu à l'article 447, dans une déclaration présentée aux termes du chapitre VIII du titre I et reçue par le ministre du Revenu avant le 23 avril 1996;

De plus, lorsque le préambule du paragraphe 1° de l'article 100 s'applique pour la période du 14 septembre 1992 au 30 mars 1997, il doit se lire comme suit :

1° soit d'un fonds de terre, sauf un emplacement dans un terrain de caravaning résidentiel, par louage, licence ou autre accord semblable en vertu duquel la possession ou l'occupation du fonds de terre est donnée de façon continue pour une période d'au moins un mois, effectuée :

Antérieurement, le préambule du paragraphe 1° se lisait ainsi :

1° soit d'un fonds de terre, sauf un emplacement dans un terrain de caravaning résidentiel, par louage, licence ou accord semblable pour une période d'au moins un mois effectuée :

Le préambule du paragraphe 2° de l'article 100 a été remplacé par L.Q. 1997, c. 85, art. 471(1)(2°) et cette modification a effet à l'égard d'une fourniture effectuée en vertu d'une convention conclue après le 14 septembre 1992. Toutefois, cette modification ne s'applique pas aux fins du calcul d'un montant accordé par le ministre du Revenu avant le 24 avril 1996 ni aux fins du calcul d'un montant demandé :

i. soit dans une demande présentée aux termes de la section I du chapitre VII du titre I et reçue par le ministre du Revenu avant le 23 avril 1996;

ii. soit comme déduction, au titre d'un redressement, d'un remboursement ou d'un crédit prévu à l'article 447, dans une déclaration présentée aux termes du chapitre VIII du titre I et reçue par le ministre du Revenu avant le 23 avril 1996;

De plus, pour la période du 14 septembre 1992 au 30 mars 1997, le préambule du paragraphe 2° doit se lire ainsi :

2° soit d'un emplacement dans un terrain de caravaning résidentiel par louage, licence ou autre accord semblable en vertu duquel la possession ou l'occupation de l'emplacement est donnée de façon continue pour une période d'au moins un mois, effectuée au propriétaire, au locataire, à l'occupant ou au possesseur :

Antérieurement, le préambule du paragraphe 2° se lisait ainsi :

2° soit d'un emplacement dans un terrain de caravaning résidentiel par louage, licence ou accord semblable pour une période d'au moins un mois effectuée au propriétaire, au locataire, à l'occupant ou au possesseur :

L'article 100 a été modifié par L.Q. 1994, c. 22, art. 415(1) et est réputé entré en vigueur le 1er juillet 1992. L'article 100, édicté par L.Q. 1991, c. 67, se lisait comme suit :

100. La fourniture par louage, licence ou accord semblable d'un fonds de terre effectuée au propriétaire ou au locataire d'une maison mobile ou de toute autre habitation, fixée ou à être fixée au fonds de terre, est exonérée dans le cas où la durée de l'accord est d'au moins un mois.

Le premier alinéa ne s'applique pas à la fourniture d'un fonds de terre contigu à celui sur lequel est ou doit être fixée l'habitation, qui n'est pas raisonnablement nécessaire à l'utilisation et à la jouissance de l'habitation à titre de résidence pour des particuliers.

Définitions [art. 100]: « activité commerciale », « fourniture », « fourniture exonérée », « habitation », « immeuble d'habitation », « maison mobile », « particulier », « personne », « terrain de caravaning », « terrain de caravaning résidentiel » — 1.

Renvois [art. 100]: 97.1 (vente d'un bâtiment contenant une habitation); 97.2 (vente d'un fonds faisant partie d'un immeuble d'habitation); 97.3 (fourniture d'un terrain de caravaning résidentiel); 99 (louage d'un immeuble); 101 (aire de stationnement); 222.1 (fourniture à soi-même d'un fonds de terre); 222.2 (fourniture à soi-même d'un emplacement dans un terrain de caravaning résidentiel); 222.3 (fourniture à soi-même d'une adjonction); 378.12 (remboursement pour fonds de terre).

Bulletins d'interprétation [art. 100]: TVQ. 222.2-1 — Installation de maisons mobiles sur des emplacements situés sur un terrain de caravaning résidentiel et aménagement de ces emplacements.

Lettres d'interprétation [art. 100]: 04-0107310 — Interprétation relative à la TVQ — article 99 de la *Loi sur la taxe de vente du Québec*.

Concordance fédérale: LTA, Ann. V:Partie I:7.

101. Fourniture par vente d'une aire de stationnement — La fourniture par vente d'une aire de stationnement faisant l'objet d'une déclaration de copropriété inscrite au registre foncier effectuée par un fournisseur à une personne est exonérée dans le cas où, à la fois :

1° le fournisseur, au même moment ou comme partie de la même fourniture, effectue, à la personne, une fourniture par vente d'un logement en copropriété décrit dans cette déclaration, visée à l'un des articles 94 à 96;

2° à un moment quelconque, l'aire a été fournie par vente au fournisseur et celui-ci n'a pas demandé, après ce moment, un remboursement de la taxe sur les intrants à l'égard d'une amélioration à celle-ci.

Notes historiques: Le préambule et le paragraphe 1° de l'article 101 ont été remplacés par L.Q. 2001, c. 53, art. 290(1) et ces modifications s'appliquent à l'égard d'une fourniture effectuée après le 10 décembre 1998. Antérieurement, ils se lisaient ainsi :

101. La fourniture par vente d'une aire de stationnement dans un immeuble d'habitation en copropriété effectuée par un fournisseur à une personne est exonérée dans le cas où, à la fois :

1° le fournisseur, au même moment ou comme partie de la même fourniture, effectue, à la personne, une fourniture par vente d'un logement en copropriété dans l'immeuble d'habitation en copropriété, visée à l'un des articles 94 à 96;

Le préambule de l'article 101 a été modifié par L.Q. 1995, c. 1, art. 268(1) et a effet depuis le 12 mai 1994. Auparavant, il se lisait comme suit :

101. La fourniture par vente d'un espace de stationnement dans un immeuble d'habitation en copropriété effectuée par un fournisseur à une personne est exonérée dans le cas où, à la fois :

Le paragraphe 2° de l'article 101 a été remplacé par L.Q. 1997, c. 85, art. 472(1) et cette modification a effet depuis le 1er avril 1997. Antérieurement, le paragraphe 2° se lisait ainsi :

2° à un moment quelconque, l'aire a été fournie par vente au fournisseur et celui-ci n'a pas demandé, après ce moment, un remboursement de la taxe sur les in-

LTVQ (français)

trants à l'égard de l'acquisition, ou de l'apport au Québec, d'une amélioration à celle-ci.

Le paragraphe 2° de l'article 101 a été modifié par L.Q. 1995, c. 1, art. 268(1) et est réputé avoir effet depuis le 12 mai 1994. Auparavant, il se lisait comme suit :

> 2° à un moment quelconque, l'espace a été fourni par vente au fournisseur et celui-ci n'a pas demandé, après ce moment, un remboursement de la taxe sur les intrants à l'égard de l'acquisition, ou de l'apport au Québec, d'une amélioration à celui-ci.

Auparavant, l'article 101 avait été modifié par L.Q. 1994, c. 22, art. 415(1) et était réputé entré en vigueur le 1er juillet 1992. L'article 101, édicté par L.Q. 1991, c. 67, se lisait comme suit :

> 101. La fourniture d'un espace de stationnement est exonérée dans le cas où cette fourniture est accessoire à l'utilisation d'un fonds de terre, d'un immeuble d'habitation ou d'une habitation dans un immeuble d'habitation, dont la fourniture est visée à l'un des articles 94 à 100.

Définitions [art. 101]: « amélioration », « fournisseur », « fourniture », « fourniture exonérée », « immeuble d'habitation en copropriété », « logement en copropriété », « vente » — 1.

Renvois [art. 101]: 34 (fournitures accessoires); 235 (déclaration erronée).

Lettres d'interprétation [art. 101]: 02-0109674 — Immeuble, changement d'usage.

Concordance fédérale: LTA, Ann. V:Partie I:8.

101.1 Fourniture par louage, licence ou accord semblable d'une aire de stationnement — La fourniture par louage, licence ou autre accord semblable d'une aire de stationnement en vertu duquel une telle aire est rendue disponible tout au long d'une période prévue en vertu de l'accord d'au moins un mois est exonérée si elle est effectuée :

1° soit à une personne — appelée « occupant » dans le présent paragraphe — qui est un locataire, un occupant ou un possesseur d'un immeuble d'habitation à logement unique, d'une habitation dans un immeuble d'habitation à logements multiples ou d'un emplacement dans un terrain de caravaning résidentiel si, selon le cas :

a) l'aire fait partie de l'immeuble d'habitation ou du terrain de caravaning résidentiel;

b) le fournisseur de l'aire est un propriétaire ou un occupant de l'immeuble d'habitation à logement unique, de l'habitation ou de l'emplacement et l'utilisation de l'aire est accessoire à l'utilisation et à la jouissance de l'immeuble d'habitation, de l'habitation ou de l'emplacement à titre de résidence pour des particuliers;

2° soit au propriétaire, au locataire, à l'occupant ou au possesseur d'un logement en copropriété décrit dans une déclaration de copropriété inscrite au registre foncier dans le cas où l'aire fait l'objet de cette déclaration;

3° soit par un fournisseur au propriétaire, au locataire, à l'occupant ou au possesseur d'une maison flottante dans le cas où celle-ci est amarrée à un poste d'amarrage ou à un quai en vertu d'une convention avec le fournisseur pour une fourniture exonérée visée à l'article 106.2 et que l'utilisation de l'aire est accessoire à l'utilisation et à la jouissance de la maison à titre de résidence pour des particuliers.

Notes historiques: Le préambule de l'article 101.1 a été remplacé par L.Q. 1997, c. 85, art. 473(1) et s'applique à l'égard d'une fourniture effectuée en vertu d'une convention conclue après le 14 septembre 1992. Toutefois, cette modification ne s'applique pas aux fins du calcul d'un montant accordé par le ministre du Revenu avant le 24 avril 1996 ni aux fins du calcul d'un montant demandé :

> i. soit dans une demande présentée aux termes de la section I du chapitre VII du titre I et reçue par le ministre du Revenu avant le 23 avril 1996.
>
> ii. soit comme déduction, au titre d'un redressement, d'un remboursement ou d'un crédit prévu à l'article 447 dans une déclaration présentée aux termes du chapitre VIII du titre I et reçue par le ministre du Revenu avant le 23 avril 1996;

De plus, lorsque le préambule de l'article 101.1 s'applique pour la période qui commence le 15 septembre 1992 et qui se termine le 11 mai 1994, il doit se lire comme suit :

> 101.1 La fourniture par louage, licence ou autre accord semblable d'un espace de stationnement en vertu duquel un tel espace est rendu disponible tout au long d'une période d'au moins un mois est exonérée si elle est effectuée :

Finalement, pour la période qui commence le 12 mai 1994 et qui se termine le 31 mars 1997, le préambule doit se lire comme suit :

> 101.1 La fourniture par louage, licence ou autre accord semblable d'une aire de stationnement en vertu duquel une telle aire est rendue disponible tout au long d'une période d'au moins un mois est exonérée si elle est effectuée :

Antérieurement, le préambule de l'article 101.1 se lisait ainsi :

> 101.1 La fourniture par louage, licence ou accord semblable d'une aire de stationnement pour une période d'au moins un mois est exonérée si elle est effectuée :

Le préambule de l'article 101.1 a été modifié par L.Q. 1995, c. 1, art. 269(1) et a effet depuis le 12 mai 1994. Auparavant, il se lisait comme suit :

> 101.1 La fourniture par louage, licence ou accord semblable d'un espace de stationnement pour une période d'au moins un mois est exonérée si elle est effectuée :

Les sous-paragraphes a) et b) du paragraphe 1° de l'article 101.1 ont été modifiés par L.Q. 1995, c. 1, art. 269(1) et sont réputés avoir effet depuis le 12 mai 1994. Auparavant, ils se lisaient comme suit :

> a) l'espace fait partie de l'immeuble d'habitation ou du terrain de caravaning résidentiel;
>
> b) le fournisseur de l'espace est un propriétaire ou un occupant de l'immeuble d'habitation à logement unique, de l'habitation ou de l'emplacement et l'utilisation de l'espace est accessoire à l'utilisation et à la jouissance de l'immeuble d'habitation, de l'habitation ou de l'emplacement à titre de résidence pour des particuliers;

Le paragraphe 2° de l'article 101.1 a été remplacé par L.Q. 2001, c. 53, art. 291 et cette modification s'applique à l'égard d'une fourniture effectuée après le 10 décembre 1998. Antérieurement, il se lisait ainsi :

> 2° soit au propriétaire, au locataire, à l'occupant ou au possesseur d'un logement en copropriété dans un immeuble d'habitation en copropriété dans le cas où l'aire fait partie de l'immeuble d'habitation;

Les paragraphes 2° et 3° de l'article 101.1 ont été modifiés par L.Q. 1995, c. 1, art. 269(1) et sont réputés avoir effet depuis le 12 mai 1994. Auparavant, ils se lisaient comme suit :

> 2° soit au propriétaire, au locataire, à l'occupant ou au possesseur d'un logement en copropriété dans un immeuble d'habitation en copropriété dans le cas où l'espace fait partie de l'immeuble d'habitation :
>
> 3° soit par un fournisseur au propriétaire, au locataire, à l'occupant ou au possesseur d'une maison flottante dans le cas où celle-ci est amarrée à un poste d'amarrage ou à un quai en vertu d'une convention avec le fournisseur pour une fourniture exonérée visée à l'article 106.2 et que l'utilisation de l'espace est accessoire à l'utilisation et à la jouissance de la maison à titre de résidence pour des particuliers.

L'article 101.1 a été ajouté par L.Q. 1994, c. 22, art. 416(1) et est réputé entré en vigueur le 1er juillet 1992.

Définitions [art. 101.1]: « fournisseur », « fourniture », « fourniture exonérée », « habitation », « immeuble d'habitation à logement multiples », « immeuble d'habitation à logement unique », « logement en copropriété », « maison flottante », « particulier », « personne », « terrain de caravaning résidentiel » — 1.

Concordance fédérale: LTA, Ann. V:Partie I:8.1.

101.1.1 Auteur d'une fiducie testamentaire — Pour l'application de l'article 102, l'auteur d'une fiducie testamentaire constituée en raison du décès d'un particulier signifie ce particulier.

Notes historiques: L'article 101.1.1 a été ajouté par L.Q. 1997, c. 85, art. 474(1) et a effet depuis le 1er juillet 1992. Toutefois, il ne s'applique pas à l'égard d'une fourniture pour laquelle le fournisseur a exigé ou perçu, avant le 24 avril 1996, un montant au titre de la taxe. De plus, l'article 324.7, ajouté par L.Q. 1997, c. 85, art. 614 ne s'applique pas pour l'application de l'article 101.1.1.

Définitions [art. 101.1.1]: « acquéreur », « activité commerciale », « entreprise », « fiducie testamentaire », « fourniture », « fourniture exonérée », « immeuble d'habitation », « immobilisation », « organisme de bienfaisance », « particulier », « vente » — 1.

Renvois [art. 101.1.1]: 101.1.1 (auteur d'une fiducie testamentaire); 235 (déclaration erronée); 298 (fourniture à l'assureur sur règlement de sinistre); 320 (saisie et reprise de possession).

Formulaires [art. 101.1.1]: FP-622, Choix d'un particulier ou d'une fiducie de faire considérer comme taxable la fourniture par vente d'un immeuble.

Lettres d'interprétation [art. 101.1.1]: 99-0108474 — Interprétation relative à la TPS et à la TVQ — Vente d'un immeuble.

Concordance fédérale: LTA, Ann. V:Partie I:9(1).

102. Fourniture exonérée — exception — La fourniture d'un immeuble par vente effectuée par un particulier ou par une fiducie personnelle est exonérée, sauf :

1° la fourniture d'un immeuble qui, immédiatement avant le moment où la propriété ou la possession de l'immeuble est transférée à l'acquéreur de la fourniture en vertu de la convention relative à la fourniture, est une immobilisation utilisée principalement soit :

a) dans une entreprise que le particulier ou la fiducie exploite avec une expectative raisonnable de profit;

b) dans le cas où le particulier ou la fiducie est un inscrit, selon le cas :

i. pour effectuer une fourniture taxable de l'immeuble par louage, licence ou autre accord semblable;

ii. à une ou à plusieurs des fins visées au sous-paragraphe a) et au sous-paragraphe i;

2º la fourniture d'un immeuble effectuée :

a) soit dans le cadre d'une entreprise du particulier ou de la fiducie;

b) soit dans le cadre d'un projet comportant un risque ou d'une affaire de caractère commercial du particulier ou de la fiducie, dans le cas où le particulier ou la fiducie a produit un choix au ministre à cet effet, de la manière prescrite par ce dernier, au moyen du formulaire prescrit contenant les renseignements prescrits;

2.1º une fourniture d'une partie d'une parcelle d'un terrain qui a été subdivisée ou séparée en partie par le particulier, la fiducie ou l'auteur d'une fiducie testamentaire, sauf si, selon le cas :

a) la parcelle a été subdivisée ou séparée en deux parties et le particulier, la fiducie ou l'auteur d'une fiducie testamentaire n'a pas subdivisé ou séparé cette parcelle d'une autre parcelle de terrain;

b) l'acquéreur de la fourniture est un particulier qui est lié au particulier ou à l'auteur d'une fiducie testamentaire, ou est son ex-conjoint, qui acquiert la partie pour son utilisation et sa jouissance personnelles;

3º une fourniture réputée avoir été effectuée en vertu des articles 256 à 262;

4º la fourniture d'un immeuble d'habitation ou d'un droit dans cet immeuble;

5º une fourniture donnée à un acquéreur qui est un inscrit en vertu de la section I du chapitre VIII et qui a fait un choix en vertu du présent paragraphe, conjointement avec le particulier ou la fiducie au moyen du formulaire prescrit contenant les renseignements prescrits qui est produit au ministre avec la déclaration dans laquelle il est tenu de faire rapport de la taxe à l'égard de la fourniture si, à la fois :

a) l'acquéreur a effectué une fourniture taxable par vente — appelée « fourniture antérieure » dans le présent article — de l'immeuble à une personne — appelée « acquéreur antérieur » dans le présent article — qui est le particulier, la fiducie ou l'auteur de la fiducie et cette fourniture est la dernière fourniture par vente de l'immeuble à l'acquéreur antérieur;

b) la fourniture donnée n'est pas effectuée plus d'un an après le jour donné qui est le premier en date du jour où, en vertu de la convention relative à la fourniture antérieure, l'acquéreur antérieur a acquis la propriété de l'immeuble et du jour où il a acquis la possession de l'immeuble;

c) la fourniture donnée est effectuée conformément à un droit ou à une obligation de l'acquéreur d'acheter l'immeuble, qui est prévu en vertu de la convention relative à la fourniture antérieure.

Parcelle de terrain réputée ne pas avoir été subdivisée — Pour l'application du paragraphe 2.1º du premier alinéa, une partie d'une parcelle de terrain qu'un particulier, une fiducie ou l'auteur d'une fiducie testamentaire fournit à une personne qui a le droit d'acquérir cette partie par expropriation et le reste de cette parcelle sont réputés ne pas avoir été subdivisés ou séparés l'une de l'autre par le particulier, la fiducie ou l'auteur d'une fiducie testamentaire, selon le cas.

Notes historiques: Le préambule de l'article 102 et le sous-paragraphe b) du paragraphe 2º de l'article 102 ont été modifiés par L.Q. 1994, c. 22, art. 417(1) et sont réputés entrés en vigueur le 1er juillet 1992. Le préambule de l'article 102 se lisait comme suit :

102. La fourniture d'un immeuble par vente effectuée par un particulier ou par une fiducie dont tous les bénéficiaires sont des particuliers est exonérée, sauf :

Le paragraphe 1º du premier alinéa de l'article 102 a été remplacé par L.Q. 2003, c. 2, s.-par. 315(1)(1º) et cette modification s'applique à l'égard d'une fourniture par vente effectuée après le 4 octobre 2000. Antérieurement, il se lisait ainsi :

1º la fourniture d'un immeuble qui, immédiatement avant le moment où la propriété ou la possession de l'immeuble est transférée à l'acquéreur de la fourniture en vertu de la convention relative à la fourniture, est une immobilisation utilisée principalement dans une entreprise du particulier ou de la fiducie avec une expectative raisonnable de profit;

Le sous-paragraphe b) du paragraphe 2º de l'article 102 se lisait comme suit :

b) soit dans le cadre d'un projet comportant un risque ou d'une affaire de caractère commercial du particulier ou de la fiducie qui n'est pas une entreprise, dans le cas où le particulier a produit un choix au ministre à cet effet, de la manière prescrite par ce dernier, au moyen du formulaire prescrit contenant les renseignements prescrits;

Le paragraphe 4º du premier alinéa de l'article 102 a été remplacé par L.Q. 2003, c. 2, s.-par. 315(1)(2º) et cette modification s'applique à l'égard d'une fourniture par vente effectuée après le 4 octobre 2000. Antérieurement, il se lisait ainsi :

4º la fourniture d'un immeuble d'habitation.

Le paragraphe 5º du premier alinéa de l'article 102 a été ajouté par L.Q. 2003, c. 2, s.-par. 315(1)(3º) et s'applique à l'égard d'une fourniture par vente effectuée après le 4 octobre 2000.

L'article 102 a été remplacé par L.Q. 1997, c. 85, art. 475(1) et cette modification a effet depuis le 1er juillet 1992. Toutefois :

a) elle ne s'applique pas à l'égard d'une fourniture pour laquelle le fournisseur a exigé ou perçu, avant le 24 avril 1996, un montant au titre de la taxe;

b) l'article 324.7 édicté par L.Q. 1997, c. 85, art. 614 ne s'applique pas pour l'application de l'article 102;

c) le paragraphe 2.1º du premier alinéa et le deuxième alinéa de l'article 102 ne s'appliquent pas à la fourniture d'un immeuble effectuée avant le 24 avril 1996.

Antérieurement, l'article 102 se lisait ainsi :

102. La fourniture d'un immeuble par vente effectuée par un particulier ou par une fiducie dont tous les bénéficiaires, sauf les bénéficiaires subsidiaires, sont des particuliers et dont tous les bénéficiaires subsidiaires, le cas échéant, sont des particuliers ou des organismes de bienfaisance, est exonérée, sauf :

1º la fourniture d'un immeuble qui, immédiatement avant le moment où la propriété ou la possession de l'immeuble est transférée à l'acquéreur de la fourniture en vertu de la convention relative à la fourniture, est une immobilisation utilisée principalement dans une entreprise du particulier ou de la fiducie;

2º la fourniture d'un immeuble effectuée :

a) soit dans le cadre d'une entreprise du particulier ou de la fiducie;

b) soit dans le cadre d'un projet comportant un risque ou d'une affaire de caractère commercial du particulier ou de la fiducie, dans le cas où le particulier ou la fiducie a produit un choix au ministre à cet effet, de la manière prescrite par ce dernier, au moyen du formulaire prescrit contenant les renseignements prescrits;

3º la fourniture réputée avoir effectuée en vertu des articles 256 à 262;

4º la fourniture d'un immeuble d'habitation.

L'article 102 a été édicté par L.Q. 1991, c. 67.

Guides [art. 102]: IN-261 — La TVQ, la TPS et les immeubles d'habitation (construction ou rénovation).

Bulletins d'interprétation [art. 102]: TVQ. 16-30/R1 — Contrat de prête-nom; TVQ. 379-1/R1 — Remboursement de TVQ lors de la fourniture par vente d'un immeuble par une personne non inscrite au fichier de la TVQ.

Formulaires [art. 102]: FP-2022, Choix de faire considérer comme taxable la vente d'un immeuble.

Lettres d'interprétation [art. 102]: 98-0101901 — Décision portant sur l'application de la TPS — Interprétation relative à la TVQ — Transferts de quotes-parts indivises d'immeubles ; 99-0108474 — Interprétation relative à la TPS et à la TVQ — Vente d'un immeuble; 01-0106292 — Fourniture par vente d'un immeuble; 02-0109674 — Immeuble, changement d'usage.

Concordance fédérale: LTA, Ann. V:Partie I:9(2).

103. Fourniture d'une terre agricole — La fourniture d'une terre agricole par vente effectuée par un particulier à un autre particulier qui lui est lié ou qui est son ex-conjoint, est exonérée dans le cas où, à la fois :

1º la terre agricole est utilisée, à un moment quelconque, par le particulier dans une activité commerciale qui est une entreprise agricole;

LTVQ (français)

2º la terre agricole n'est pas utilisée, immédiatement avant le moment où la propriété du bien est transférée en vertu de la fourniture, par le particulier dans une activité commerciale autre qu'une entreprise agricole;

3º l'autre particulier acquiert la terre agricole pour son utilisation et sa jouissance personnelles ou celles d'un particulier qui lui est lié.

Notes historiques: L'article 103 a été édicté par L.Q. 1991, c. 67.

Définitions [art. 103]: « activité commerciale », « entreprise », « ex-conjoint », « fourniture », « fourniture exonérée », « particulier », « vente » — 1.

Renvois [art. 103]: 3 (lien de dépendance); 4 (lien de dépendance).

Lettres d'interprétation [art. 103]: 00-0106344 — Interprétation relative à la TPS et à la TVQ — Entreprise agricole et sylviculture.

Concordance fédérale: LTA, Ann. V:Partie I:10.

104. Fourniture d'une terre agricole — La fourniture d'une terre agricole par un particulier, réputée avoir été effectuée en vertu des articles 221 ou 261, est exonérée dans le cas où, à la fois :

1º la terre agricole est utilisée, à un moment quelconque, par le particulier dans une activité commerciale qui est une entreprise agricole;

2º la terre agricole n'est pas utilisée, immédiatement avant le moment où la fourniture est réputée avoir été effectuée, par le particulier dans une activité commerciale autre qu'une entreprise agricole;

3º la terre agricole est, immédiatement après le moment où la fourniture est réputée avoir été effectuée, pour l'utilisation et la jouissance personnelles du particulier ou celles d'un particulier qui lui est lié.

Notes historiques: L'article 104 a été édicté par L.Q. 1991, c. 67.

Définitions [art. 104]: « activité commerciale », « entreprise », « fourniture », « fourniture exonérée », « particulier » — 1.

Renvois [art. 104]: 3 (lien de dépendance); 4 (lien de dépendance).

Concordance fédérale: LTA, Ann. V:Partie I:11.

105. Fourniture d'une terre agricole — La fourniture d'une terre agricole par vente effectuée par une personne qui est une société de personnes, une fiducie ou une société à un particulier donné, à un particulier qui lui est lié ou à un ex-conjoint du particulier donné, est exonérée dans le cas où :

1º d'une part, immédiatement avant le moment où la propriété du bien est transférée en raison de la fourniture, à la fois :

a) la totalité ou la presque totalité des biens de la personne est utilisée dans une activité commerciale qui est une entreprise agricole;

b) le particulier donné est un membre de la société de personnes, un bénéficiaire de la fiducie ou un actionnaire de la société ou est lié à cette dernière, selon le cas;

c) le particulier donné, son conjoint ou un enfant, au sens du paragraphe d) de l'article 451 de la *Loi sur les impôts* (chapitre I-3), du particulier donné participe activement dans l'entreprise de la personne;

2º d'autre part, immédiatement après le moment où la propriété du bien est transférée en raison de la fourniture, la terre agricole est pour l'utilisation et la jouissance personnelles du particulier à qui la fourniture a été effectuée ou celles d'un particulier qui lui est lié.

Notes historiques: L'article 105 a été modifié par L.Q. 1997, c. 3, art. 135(1º) pour remplacer le mot « société » par les mots « société de personnes » et par L.Q. 1997, c. 3, art. 135(2º) pour remplacer le mot « corporation » par le mot « société » et ces modifications sont entrées en vigueur le 20 mars 1997.

L'article 105 a été édicté par L.Q. 1991, c. 67.

Définitions [art. 105]: « activité commerciale », « entreprise », « ex-conjoint », « fourniture », « fourniture exonérée », « particulier », « personne », « vente » — 1.

Renvois [art. 105]: 1.1 (personne morale); 3 (lien de dépendance); 4 (lien de dépendance); 506.1 (société et société de personnes).

Concordance fédérale: LTA, Ann. V:Partie I:12.

106. Fourniture au propriétaire ou au locataire d'un logement en copropriété — La fourniture d'un bien ou d'un service, effectuée par une société ou un syndicat établi par l'inscription au registre foncier d'une déclaration de copropriété, au propriétaire ou au locataire d'un logement en copropriété décrit dans cette déclaration, est exonérée si le bien ou le service est lié à l'occupation ou à l'utilisation du logement.

Notes historiques: L'article 106 a été remplacé par L.Q. 2001, c. 53, art. 292(1) et cette modification a effet à l'égard d'une fourniture dont la contrepartie devient due après le 10 décembre 1998 ou est payée après le 10 décembre 1998 sans qu'elle soit devenue due. Antérieurement, il se lisait ainsi :

> 106. La fourniture, au propriétaire ou au locataire d'un logement en copropriété, d'un bien ou d'un service lié à l'occupation ou à l'utilisation du logement, est exonérée si elle est effectuée par l'administrateur de l'immeuble d'habitation en copropriété dans lequel se trouve le logement.

L'article 106 a été édicté par L.Q. 1991, c. 67.

Définitions [art. 106]: « bien », « fourniture », « fourniture exonérée », « immeuble d'habitation en copropriété », « logement en copropriété », « service » — 1.

Lettres d'interprétation [art. 106]: 98-010777 — Interprétation relative à la TPS — Interprétation relative à la TVQ — Frais de copropriété; 01-0106060 — Frais d'entretien facturés à des propriétaires.

Concordance fédérale: LTA, Ann. V:Partie I:13.

106.1 Fourniture à une personne par une coopérative d'habitation — Est exonérée la fourniture d'un bien ou d'un service effectuée par une coopérative d'habitation à une personne qui, parce qu'elle est membre de la coopérative ou locataire ou sous-locataire d'un membre de la coopérative, a droit d'occuper ou d'utiliser une habitation dans l'immeuble d'habitation administré par la coopérative ou appartenant à celle-ci, dans le cas où la fourniture est liée à l'occupation ou à l'utilisation de l'habitation dans l'immeuble d'habitation.

Notes historiques: L'article 106.1 a été ajouté par L.Q. 1994, c. 22, art. 418(1) et est réputé entré en vigueur le 1er juillet 1992.

Définitions [art. 106.1]: « bien », « coopérative », « coopérative d'habitation », « fourniture », « fourniture exonérée », « habitation », « immeuble d'habitation », « personne », « service » — 1.

Concordance fédérale: LTA, Ann. V:Partie I:13.1.

106.2 Fourniture d'un droit d'utiliser un poste d'amarrage ou un quai — Est exonérée la fourniture, effectuée à une personne qui est le propriétaire, le locataire, l'occupant ou le possesseur d'une maison flottante, d'un droit d'utiliser un poste d'amarrage ou un quai pour une période d'au moins un mois dans le cadre de l'utilisation et de la jouissance de la maison à titre de résidence pour des particuliers.

Notes historiques: L'article 106.2 a été ajouté par L.Q. 1994, c. 22, art. 418(1) et est réputé entré en vigueur le 1er juillet 1992.

Définitions [art. 106.2]: « fourniture », « fourniture exonérée », « maison flottante », « particulier », « personne » — 1.

Renvois [art. 106.2]: 101.1 (location d'une aire de stationnement).

Concordance fédérale: LTA, Ann. V:Partie I:13.2.

106.3 Fourniture d'un droit d'utiliser une machine à laver ou une sécheuse — Est exonérée la fourniture à un consommateur du droit d'utiliser une machine à laver ou une sécheuse qui est située dans une des aires communes d'un immeuble d'habitation.

Notes historiques: L'article 106.3 a été ajouté par L.Q. 1997, c. 85, art. 476(1) et a effet à l'égard d'une fourniture effectuée après le 23 avril 1996.

Guides [art. 106.3]: IN-203 — Renseignements généraux sur la TVQ et la TPS/TVH.

Définitions [art. 106.3]: « consommateur », « immeuble d'habitation » — 1.

Renvois [art. 106.3]: 106.4 (buanderie).

Concordance fédérale: LTA, Ann. V:Partie I:13.3.

106.4 Fourniture d'une partie des aires communes d'un immeuble d'habitation utilisée en tant que buanderie — Est exonérée la fourniture par louage, licence ou autre accord semblable de la partie des aires communes d'un immeuble d'habitation qui est utilisée en tant que buanderie, effectuée à une personne qui obtient ainsi le bien pour l'utiliser dans le cadre de la réalisation d'une fourniture visée à l'article 106.3.

Notes historiques: L'article 106.4 a été ajouté par L.Q. 1997, c. 85, art. 476(1) et a effet à l'égard d'une fourniture de biens par louage, licence ou autre accord semblable effectuée après le 23 avril 1996 et dont la contrepartie devient due après cette date ou est payée après cette date sans qu'elle soit devenue due. Toutefois :

a) aux fins du calcul du remboursement de la taxe sur les intrants, pour la période de déclaration du fournisseur qui comprend le 15 décembre 1996 ou pour une de ses périodes de déclaration antérieures relativement à un bien ou un service qu'il a acquis ou apporté au Québec avant le 16 décembre 1996 pour consommation ou utilisation dans le cadre de la réalisation de la fourniture, la fourniture est réputée être une fourniture taxable;

b) si la fourniture du bien est effectuée durant une période de location commençant avant le 24 avril 1996 et se terminant après cette date, la délivrance du bien pour la partie de la période de location qui précède le 24 avril 1996 et la délivrance du bien pour la partie restante de la période de location sont réputées constituer des fournitures distinctes et la fourniture du bien pour cette partie restante de la période de location est réputée effectuée le 24 avril 1996.

Définitions [art. 106.4]: « fourniture », « immeuble d'habitation », « personne » — 1.

Concordance fédérale: LTA, Ann. V:Partie I:13.4.

107. Articles 222.2, 222.3 et 223 à 231.1 réputés avoir été en vigueur en tout temps — Pour l'application des articles 96, 97, 97.2 et 97.3, les articles 222.2, 222.3 et 223 à 231.1 sont réputés avoir été en vigueur en tout temps.

Notes historiques: L'article 107 a été modifié par L.Q. 1994, c. 22, art. 419(1) et est réputé entré en vigueur le 1er juillet 1992. L'article 107, édicté par L.Q. 1991, c. 67, se lisait comme suit :

107. Pour l'application des articles 96 et 97, les articles 223 à 231 sont réputés être en vigueur avant le 1er juillet 1992.

Renvois [art. 107]: 670 (remboursement de la taxe à l'égard d'un immeuble d'habitation — application des articles 223 à 231.1).

Concordance fédérale: LTA, Ann. V:Partie I:14.

SECTION II — SERVICE DE SANTÉ

108. Définitions — Dans la présente section, l'expression :

« établissement de santé » signifie :

1º un centre exploité par un établissement, au sens de la *Loi sur les services de santé et les services sociaux* (chapitre S-4.2) ou au sens de la *Loi sur les services de santé et les services sociaux pour les autochtones cris* (chapitre S-5), afin de donner des soins médicaux ou hospitaliers, des soins aux personnes souffrant d'une maladie aiguë ou chronique et des soins relatifs à la réadaptation d'une personne, ou tout autre établissement exploité afin de donner de tels soins;

1.1º un centre visé au paragraphe 1º destiné principalement aux personnes ayant des problèmes de santé mentale ou tout autre établissement destiné principalement à ces personnes;

2º tout ou partie d'un établissement administré afin de donner aux résidents de l'établissement dont l'aptitude physique ou mentale est limitée sur le plan de l'autosurveillance ou de l'initiative personnelle en matière de soins, à la fois :

a) des soins infirmiers et personnels sous la direction ou la surveillance d'un personnel de soins médicaux et infirmiers compétent ou d'autres soins personnels et de surveillance, autres que des services ménagers courants, selon les besoins individuels des résidents;

b) de l'aide relativement aux activités quotidiennes, sociales et récréatives ainsi que d'autres services connexes afin de satisfaire aux besoins psychosociaux des résidents;

c) les repas et le logement;

Notes historiques: Le paragraphe 1º de la définition de « établissement de santé » à l'article 108 a été modifié par L.Q. 1995, c. 63, art. 344(1) et a effet depuis le 1er juillet 1992 [*N.D.L.R.* : cette disposition s'applique conformément aux articles 618 à 656 et 685 L.Q. 1991, c. 67, tels que modifiés]. Il se lisait auparavant comme suit :

1º un centre exploité par un établissement, au sens de la *Loi sur les services de santé et les services sociaux et modifiant diverses dispositions législatives* (1991, chapitre 42) ou au sens de la *Loi sur les services de santé et les services sociaux pour autochtones cris* (L.R.Q., chapitre S-5), afin de donner des soins médicaux ou hospitaliers, des soins aux personnes souffrant d'une maladie aiguë ou chronique et des soins relatifs à la réadaptation d'une personne, ou un tel centre destiné principalement aux personnes déficientes intellectuelles;

Le paragraphe 1º de la définition de « établissement de santé » à l'article 108 a été modifié par L.Q. 1994, c. 23, art. 23 et cette modification est réputée entrée en vigueur le 1er mai 1995 par D. 587-95. Le titre de la *Loi sur les services de santé et les services sociaux pour autochtones cris* se lisait *Loi sur les services de santé et les services sociaux pour autochtones cris et inuit*.

Le paragraphe 1.1º de la définition de « établissement de santé » à l'article 108 a été modifié par L.Q. 2005, c. 1, par. 351(1) et cette modification a effet depuis le 20 mars 1997. Antérieurement, il se lisait ainsi :

1.1º un centre visé au paragraphe 1º destiné principalement aux personnes déficientes intellectuelles ou tout autre établissement destiné principalement à ces personnes;

Le paragraphe 1.1º de la définition de « établissement de santé » à l'article 108 a été ajouté par L.Q. 1995, c. 63, art. 344(1).

Le paragraphe 2º de la définition de « établissement de santé » à l'article 108 a été modifié par L.Q. 1994, c. 22, art. 420(1) et est réputé entré en vigueur le 1er juillet 1992. Il se lisait comme suit :

2º tout ou partie d'un établissement administré afin de donner des soins intermédiaires en maison de repos ou des soins en établissement, au sens de la *Loi canadienne sur la santé* (Statuts du Canada), ou des soins comparables pour les enfants;

La définition de « établissement de santé » à l'article 108 a été modifiée par L.Q. 1992, c. 21, art. 373, à compter du 1er octobre 1992 pour ajouter, après le mot « sociaux », les mots « *et modifiant diverses dispositions législatives* (1991, chapitre 42) ou au sens de la *Loi sur les services de santé et les services sociaux pour autochtones cris et inuit*.

La définition de « établissement de santé » à l'article 108 a été édictée par L.Q. 1991, c. 67.

Concordance fédérale: LTA, Ann. V:Partie II:1« établissement de santé ».

« fourniture de services esthétiques » signifie la fourniture d'un bien ou d'un service qui est effectuée à des fins esthétiques et non à des fins médicales ou restauratrices;

Notes historiques: La définition de « fourniture de services esthétiques » à l'article 108 a été ajoutée par L.Q. 2011, c. 6, par. 240(1) et s'applique à l'égard d'une fourniture effectuée, selon le cas :

1º après le 4 mars 2010;

2º avant le 5 mars 2010 si :

a) la totalité de la contrepartie de la fourniture devient due après le 4 mars 2010 ou est payée après cette date sans être devenue due;

b) une partie de la contrepartie de la fourniture devient due ou a été payée avant le 5 mars 2010, sauf si le fournisseur n'a pas, avant cette date, exigé, perçu ou versé unmontant au titre de la taxe prévue par le titre I de cette loi relativement à la fourniture.

Concordance fédérale: LTA, Ann. V:Partie II:1« fourniture de services esthétiques ».

« médecin » signifie un médecin au sens de la *Loi médicale* (chapitre M-9) ou un dentiste au sens de la *Loi sur les dentistes* (chapitre D-3) et comprend une personne habilitée en vertu de la législation d'une autre province, des Territoires du Nord-Ouest, du territoire du Yukon ou du territoire du Nunavut à exercer la profession de médecin ou de dentiste;

Notes historiques: La définition de « médecin » à l'article 108 a été remplacée par L.Q. 2003, c. 2, s.-par. 316(1)(1º) et cette modification a effet depuis le 1er avril 1999. Antérieurement, elle se lisait ainsi :

« médecin » signifie un médecin au sens de la *Loi médicale* (chapitre M-9) ou un dentiste au sens de la *Loi sur les dentistes* (chapitre D-3) et comprend une personne habilitée en vertu de la législation d'une autre province, des Territoires du Nord-Ouest ou du territoire du Yukon à exercer la profession de médecin ou de dentiste;

La définition de « médecin » à l'article 108 a été remplacée par L.Q. 1997, c. 85, art. 477(1)(1º) et cette modification est réputée entrée en vigueur le 19 décembre 1997. Antérieurement, cette définition se lisait comme suit :

« médecin » a le sens que lui donne la *Loi médicale* (L.R.Q., chapitre M-9) et comprend un dentiste au sens de la *Loi sur les dentistes* (L.R.Q., chapitre D-3);

La définition de « médecin » à l'article 108 a été édictée par L.Q. 1991, c. 67.

Concordance fédérale: LTA, Ann. V:Partie II:1« médecin » [sera abrogé par P.L. C-38].

« praticien » signifie une personne qui exerce au Québec l'audiologie, la chiropodie, la chiropratique, la diététique, l'ergothérapie, l'optométrie, l'orthophonie, l'ostéopathie, la physiothérapie, la podiatrie, la psychologie ou la profession de sage-femme et qui :

LTVQ (français)

1º si elle est tenue d'être titulaire d'un permis l'autorisant à exercer cette profession au Québec ou d'être autrement autorisée à l'exercer au Québec, est ainsi titulaire ou autorisée;

2º si elle n'est pas tenue d'être ainsi titulaire ou autorisée, a les qualités équivalentes à celles qui sont requises pour être titulaire d'un permis l'autorisant à exercer cette profession dans une autre province, les Territoires du Nord-Ouest, le territoire du Yukon ou le territoire du Nunavut ou pour être autrement autorisée à l'exercer dans une telle province ou de tels territoires;

3º [*supprimé*]

Notes historiques: Le préambule de la définition de « praticien » à l'article 108 a été remplacé par L.Q. 2009, c. 5, par. 604(1) et cette modification s'applique à l'égard d'une fourniture effectuée après le 31 décembre 2000. Toutefois, à l'égard d'une fourniture effectuée après le 31 décembre 2000 et avant le 29 décembre 2006, le préambule de « praticien » de l'article 108 doit se lire comme suit :

> « praticien » signifie une personne qui exerce au Québec l'audiologie, la chiropodie, la chiropratique, la diététique, l'ergothérapie, l'optométrie, l'orthophonie, l'ostéopathie, la physiothérapie, la podiatrie ou la psychologie et qui :

Antérieurement, il se lisait ainsi :

> « praticien » signifie une personne qui exerce au Québec l'audiologie, la chiropodie, la chiropratique, la diététique, l'ergothérapie, l'optométrie, l'ostéopathie, la physiothérapie, la podiatrie ou la psychologie et qui :

Le préambule de la définition de « praticien » à l'article 108 a été remplacé par L.Q. 2001, c. 53, art. 293(1)(1º) et cette modification a effet depuis le 1er janvier 1997. Toutefois, à l'égard d'une fourniture effectuée après le 31 décembre 1996 et avant le 1er janvier 2001 [remplacé par « 2003 » par L.Q. 2003, c. 2, par. 352(1) — n.d.l.r.] , ce préambule doit se lire comme suit :

> « praticien » signifie une personne qui exerce au Québec l'audiologie, la chiropodie, la chiropratique, la diététique, l'ergothérapie, l'optométrie, l'orthophonie, l'ostéopathie, la physiothérapie, la podiatrie ou la psychologie et qui :

Antérieurement, ce préambule se lisait ainsi :

> « praticien »signifie une personne qui exerce au Québec l'audiologie, la chiropodie, la chiropratique, la diététique, l'ergothérapie, l'optométrie, la physiothérapie, la podiatrie ou la psychologie et qui :

La partie qui précède le paragraphe 2º de la définition de « praticien » à l'article 108 a été remplacée par L.Q. 1997, c. 85, art. 477(1)(2º) et a effet depuis le 1er janvier 1997. Toutefois, à l'égard d'une fourniture effectuée durant l'année 1997, la partie du premier alinéa qui précède le paragraphe 1º de la définition de l'expression « praticien » doit se lire comme suit :

> « praticien » signifie une personne qui exerce au Québec l'audiologie, la chiropodie, la chiropratique, la diététique, l'ergothérapie, l'optométrie, l'orthophonie, l'ostéopathie, la physiothérapie, la podiatrie ou la psychologie et qui :

Antérieurement, la partie de la définition de « praticien » qui précède le paragraphe 2º se lisait ainsi :

> « praticien »signifie une personne qui exerce au Québec l'audiologie, la chiropodie, la chiropratique, l'ergothérapie, l'optométrie, l'orthophonie, l'ostéopathie, la physiothérapie, la podiatrie ou la psychologie et qui :
>
> 1º est titulaire d'un permis l'autorisant à exercer cette profession au Québec ou est autrement autorisée à l'exercer au Québec;

Le paragraphe 2º de la définition de « praticien » de l'article 108 a été remplacé par L.Q. 2003, c. 2, s.-par. 316(1)(2º) et cette modification a effet depuis le 1er avril 1999. Antérieurement, il se lisait ainsi :

> 2º si elle n'est pas tenue d'être ainsi titulaire ou autorisée, a les qualités équivalentes à celles qui sont requises pour être titulaire d'un permis l'autorisant à exercer cette profession dans une autre province, les Territoires du Nord-Ouest ou le territoire du Yukon ou pour être autrement autorisée à l'exercer dans une telle province ou de tels territoires;

Le paragraphe 3º de la définition de « praticien » à l'article 108 a été supprimé par L.Q. 2001, c. 53, art. 293(1)(2º) et cette modification a effet depuis le 1er mai 1999 et s'applique à l'égard d'une fourniture effectuée après le 30 avril 1999. Antérieurement, il se lisait ainsi :

> 3º si elle exerce la psychologie, est inscrite au Répertoire canadien des psychologues offrant des services de santé;

Le paragraphe 3º de la définition de « praticien » a été remplacé par L.Q. 1997, c. 85, art. 477(1)(2º) et a a effet depuis le 1er janvier 1997. Antérieurement, ce paragraphe se lisait ainsi :

> 3º si elle exerce la psychologie, elle est inscrite au Répertoire canadien des psychologues offrant des services de santé;

La définition de « praticien » à l'article 108 a été édictée par L.Q. 1991, c. 67.

Concordance fédérale: LTA, Ann. V:Partie II:1« praticien ».

« service de santé en établissement » signifie l'un des services ou des biens suivants lorsqu'il est procuré dans un établissement de santé :

1º un service de laboratoire ou de radiologie ou un autre service de diagnostic;

2º un médicament, une substance biologique ou une préparation connexe lorsqu'il est administré dans l'établissement ou une prothèse médicale ou chirurgicale lorsqu'elle est installée dans l'établissement, conjointement avec la fourniture d'un service ou d'un bien compris à l'un des paragraphes 1º et 3º à 7º;

3º l'utilisation d'une salle d'opération, d'accouchement ou d'installations d'anesthésie, ainsi que l'équipement ou le matériel nécessaire;

4º l'équipement ou le matériel, médical ou chirurgical :

a) soit utilisé par l'administrateur de l'établissement lorsqu'il fournit un service compris à l'un des paragraphes 1º à 3º ou 5º à 7º;

b) soit fourni à un patient ou à un résident de l'établissement autrement que par vente;

5º l'utilisation d'installations d'ergothérapie, de physiothérapie ou de radiothérapie;

6º l'hébergement;

7º un repas sauf celui servi dans un restaurant, une cafétéria ou un lieu semblable où l'on sert des repas;

8º un service rendu par une personne rémunérée à cette fin par l'administrateur de l'établissement.

Notes historiques: Le paragraphe 2º de la défintion de « service de santé en établissement » a été modifié par L.Q. 1995, c. 1, art. 270(1) et cette modification a effet depuis le 1er juillet 1992 [*N.D.L.R.* : cette disposition s'applique conformément aux articles 618 à 656 et 685 L.Q. 1991, c. 67, tels que modifiés]. Auparavant, le paragraphe 2º se lisait comme suit :

> 2º un médicament, une substance biologique ou une préparation connexe lorsqu'il est administré dans l'établissement conjointement avec la fourniture d'un service ou d'un bien compris à l'un des paragraphes 1º et 3º à 7º;

La définition de « service de santé en établissement » a été édictée par L.Q. 1991, c. 67.

Concordance fédérale: LTA, Ann. V:Partie II:1« services de santé en établissement ».

« service ménager à domicile » signifie un service ménager ou personnel tel que le ménage, la lessive, la préparation des repas et la garde d'un enfant, rendu à un particulier qui, en raison de son âge, d'une infirmité ou d'une invalidité, a besoin d'aide.

Notes historiques: La définition de « service ménager à domicile » à l'article 108 a été ajoutée par L.Q. 1994, c. 22, art. 420(1) et est réputée entrée en vigueur le 1er juillet 1992.

Concordance fédérale: LTA, Ann. V:Partie II:1« service ménager à domicile ».

Notes explicatives ARQ (PL 5, L.Q. 2011, c. 6): *Résumé* :

L'article 108 est modifié pour ajouter la définition de l'expression « fourniture de services esthétiques ».

Situation actuelle :

L'article 108 définit les expressions « établissement de santé », « médecin », « praticien », « service de santé en établissement » et « service ménager à domicile » pour l'application de la section II du chapitre III du titre I de la LTVQ, comprenant les articles 108 à 119.2 relatifs aux exonérations en matière de services de santé.

Modifications proposées :

La définition de l'expression « fourniture de services esthétiques » s'applique au nouvel article 108.1 de la LTVQ lequel a pour effet d'exclure les fournitures de services esthétiques et les fournitures afférentes qui ne sont pas effectuées à des fins médicales ou restauratrices des fournitures exonérées visées à la section II du chapitre III du titre I de la LTVQ.

Notes explicatives ARQ (PL 2, L.Q. 2009, c. 5): *Résumé* :

L'article 108 est modifié de sorte qu'une personne exerçant l'orthophonie ou la profession de sage-femme doit être considérée comme un praticien.

Situation actuelle :

L'article 108 de la LTVQ définit les expressions « établissement de santé », « médecin », « praticien », « service de santé en établissement » et « service ménager à domicile » pour l'application des articles 109 et suivants relatifs aux exonérations en matière de services de santé. La définition de l'expression « praticien » s'inscrit dans le cadre de l'établissement de différents critères en vue de déterminer les services fournis par les professionnels de la santé qui doivent être exonérés. L'exercice de l'orthophonie est visé par la définition du terme « praticien » jusqu'au 31 décembre 2000.

Modifications proposées :

La définition du terme « praticien », prévue à l'article 108, est modifiée de manière à englober, à compter du 1er janvier 2001, une personne qui exerce l'orthophonie et, à partir du 29 décembre 2006, la personne qui exerce la profession de sage-femme.

Définitions [art. 108]: « particulier », « personne », « vente » — 1; « organisme de bienfaisance » — 383.

Renvois [art. 108]: 109 (service de santé en établissement); 119.1 (service ménager à domicile); 141 (fourniture d'un bien meuble ou d'un service par une institution publique); 175.2 (fourniture de services esthétiques).

Bulletins d'interprétation [art. 108]: TVQ. 108-1/R2 — Établissement de santé au sens du paragraphe 2° de la définition de cette expression prévue à l'article 108 de la *Loi sur la taxe de vente du Québec*, et repas acquis ou fournis par un tel établissement; TVQ. 119.1-1/R2 — Programme d'exonération financière pour les services d'aide domestique.

Lettres d'interprétation [art. 108]: 98-0100275 — Décision portant sur l'application de la TPS — Interprétation relative à la TVQ — Fourniture de biens et services effectuée entre établissements du réseau de la santé; 98-0103998 — Décision portant sur l'application de la TPS/Interprétation relative à la TVQ — Soins personnels à domicile; 98-0110654 — Décision portant sur l'application de la TPS — Interprétation relative à la TVQ — Hébergement pour un service de santé; 99-0106825 — Interprétation relative à la TPS Interprétation relative à la TVQ — Taxation de test diagnostique offert par une clinique privée; 99-0111817 — Interprétation relative à la TPS et à la TVQ; 99-0113086 — Interprétation relative à la TPS et à la TVQ — Services rendus par des préposés(es) aux bénéficiaires et des infirmiers(ères); 00-0102509 — Interprétation relative à la TPS et à la TVQ — Services rendus par une ressource intermédiaire; 02-0107777 — Interprétation relative à la TPS et à la TVQ — Règles générales, résidences pour personnes âgées; 03-0105845 — Service de l'interprétation relative aux mesures administratives et aux taxes spécifiques; 03-010842 — Interprétation relative à la TPS et à la TVQ — Service de psychologie; 04-0100323 — Services rendus par une psychologue; 04-0103608 — Interprétation relative à la TPS et à la TVQ — exploitation d'un centre de désintoxication [pour des résidents à l'étranger].

108.1 [Exception pour fourniture de services esthétiques et fourniture afférente]

— Pour l'application de la présente section, à l'exception de l'article 116, la fourniture de services esthétiques et la fourniture afférente à celle-ci qui n'est pas effectuée à des fins médicales ou restauratrices sont réputées ne pas être visées par la présente section.

Notes historiques: L'article 108.1 a été ajouté par L.Q. 2011, c. 6, par. 241(1) et s'applique à l'égard d'une fourniture effectuée, selon le cas :

1° après le 4 mars 2010;

2° avant le 5 mars 2010 si :

a) la totalité de la contrepartie de la fourniture devient due après le 4 mars 2010 ou est payée après cette date sans être devenue due;

b) une partie de la contrepartie de la fourniture devient due ou a été payée avant le 5 mars 2010, sauf si le fournisseur n'a pas, avant cette date, exigé, perçu ou versé unmontant au titre de la taxe prévue par le titre I de cette loi relativement à la fourniture.

Notes explicatives ARQ (PL 5, L.Q. 2011, c. 6): *Résumé* :

Le nouvel article 108.1 est introduit dans la *Loi sur la taxe de vente du Québec* (LTVQ) afin de préciser que la fourniture de services esthétiques et la fourniture afférente à celle-ci qui n'est pas effectuée à des fins médicales ou restauratrices ne sont pas considérées comme des services de santé de base exonérés.

Contexte :

Dans le contexte d'harmonisation générale des régimes de la taxe sur les produits et services et de la taxe de vente du Québec, il est proposé de modifier la LTVQ afin de préciser que les fournitures de services esthétiques et les fournitures afférentes à celles-ci qui ne sont pas effectuées à des fins médicales ou restauratrices ne sont pas considérées comme des services de santé de base et sont exclues des dispositions d'exonération.

Toutefois, demeurent exonérées les fournitures de services esthétiques effectuées à des fins médicales ou restauratrices ainsi que les fournitures de services esthétiques payées ou remboursées par un régime provincial d'assurance maladie.

Modifications proposées :

Le nouvel article 108.1 est introduit dans la LTVQ afin de préciser que la fourniture de services esthétiques et la fourniture afférente à celle-ci non effectuée à des fins médicales ou restauratrices ne sont pas considérées comme des services de santé de base et sont exclues des dispositions d'exonération. Ainsi, par exemple, les injections de toxine botulinique administrées par une infirmière autorisée afin d'atténuer les rides seraient exclues de l'exonération des services infirmiers prévue à l'article 113 de la LTVQ.

Renvois [art. 108.1]: 141 (fourniture d'un bien meuble ou d'un service par une institution publique).

Concordance fédérale: LTA, Ann. V:Partie II:1.1.

109. Service de santé en établissement

— La fourniture, effectuée par l'administrateur d'un établissement de santé, d'un service de santé en établissement rendu à un patient ou à un résident est exonérée.

Notes historiques: Le premier alinéa de l'article 109 a été remplacé par L.Q. 2001, c. 53, art. 294 et cette modification s'applique à l'égard d'une fourniture effectuée après le 10 décembre 1998. Antérieurement, il se lisait ainsi :

109. La fourniture, effectuée par l'administrateur d'un établissement de santé, d'un service de santé en établissement rendu à un patient ou à un résidant est exonérée.

Le deuxième alinéa de l'article 109 a été supprimé par L.Q. 2011, c. 6, par. 242(1) et cette modification s'applique à l'égard d'une fourniture effectuée, selon le cas :

1° après le 4 mars 2010;

2° avant le 5 mars 2010 si :

a) la totalité de la contrepartie de la fourniture devient due après le 4 mars 2010 ou est payée après cette date sans être devenue due;

b) une partie de la contrepartie de la fourniture devient due ou a été payée avant le 5 mars 2010, sauf si le fournisseur n'a pas, avant cette date, exigé, perçu ou versé unmontant au titre de la taxe prévue par le titre I de cette loi relativement à la fourniture.

Antérieurement, il se lisait ainsi :

Exception

Toutefois, cette fourniture ne comprend pas la fourniture du service de santé en établissement lié à la prestation d'un service chirurgical ou dentaire exécuté à des fins esthétiques et non à des fins médicales ou restauratrices.

L'article 109 a été édicté par L.Q. 1991, c. 67.

Notes explicatives ARQ (PL 5, L.Q. 2011, c. 6): *Résumé* :

L'article 109 est modifié de façon à supprimer le deuxième alinéa qui n'est plus requis en raison de l'ajout de l'article 108.1 de la LTVQ qui a pour effet d'exclure des services de santé exonérés la fourniture de services esthétiques et la fourniture afférente à celle-ci qui n'est pas effectuée à des fins médicales ou restauratrices.

Situation actuelle :

L'article 109 a pour effet d'exonérer la fourniture d'un service de santé en établissement rendu à un patient ou à un résident d'un établissement de santé, sauf dans le cas où le service est lié à la prestation d'un service chirurgical ou dentaire exécuté à des fins esthétiques et non à des fins médicales ou restauratrices.

Modifications proposées :

L'article 109 est modifié par la suppression du deuxième alinéa qui n'est plus requis en raison de l'ajout de l'article 108.1 de la LTVQ qui a pour effet d'exclure des services de santé exonérés la fourniture de services esthétiques et la fourniture afférente à celle-ci qui n'est pas effectuée à des fins médicales ou restauratrices.

Guides [art. 109]: IN-132 — Les personnes handicapées et les avantages fiscaux; IN-203 — Renseignements généraux sur la TVQ et la TPS/TVH; IN-305 — Les organismes sans but lucratif et la fiscalité; IN-307 — Le démarrage d'entreprise et la fiscalité.

Définitions [art. 109]: « fourniture », « fourniture exonérée » — 1; « établissement de santé » — 108; « service », « service de santé en établissement » — 1.

Bulletins d'interprétation [art. 109]: TVQ. 108-1/R2 — Établissement de santé au sens du paragraphe 2° de la définition de cette expression prévue à l'article 108 de la *Loi sur la taxe de vente du Québec*, et repas acquis ou fournis par un tel établissement.

Lettres d'interprétation [art. 109]: 99-0106825 — Interprétation relative à la TPS Interprétation relative à la TVQ — Taxation de test diagnostique offert par une clinique privée; 00-0102509 — Interprétation relative à la TPS et à la TVQ — Services rendus par une ressource intermédiaire; 00-0110197 — Interprétation relative à la TPS Interprétation relative à la TVQ — Fourniture de services de santé en établissement effectuée par l'administrateur d'un établissement de santé; 02-0107777 — Interprétation relative à la TPS et à la TVQ — Règles générales, résidences pour personnes âgées; 04-0103608 — Interprétation relative à la TPS et à la TVQ — exploitation d'un centre de désintoxication [pour des résidents à l'étranger]; 04-0107310 — Interprétation relative à la TVQ — article 99 de la *Loi sur la taxe de vente du Québec*.

Concordance fédérale: LTA, Ann. V:Partie II:2.

110. Location de matériel médical

— La fourniture par louage, effectuée par l'administrateur d'un établissement de santé, d'équipement médical ou de matériel médical, à un consommateur sur l'ordre écrit d'un médecin est exonérée.

Notes historiques: L'article 110 a été édicté par L.Q. 1991, c. 67.

Notes explicatives ARQ (PL 37, L.Q. 2009, c. 15): *Résumé* :

LTVQ (français)

L'article 110 est modifié, dans le texte anglais, de façon à uniformiser la traduction du mot « médecin » dans toute la loi.

Situation actuelle :

L'article 110 de la LTVQ exonère la location de matériel médical par un établissement de santé lorsque cette location se fait à un consommateur sur l'ordre écrit d'un médecin.

Modifications proposées :

Il est proposé de modifier le texte anglais de l'article 110 de la LTVQ afin de traduire le mot « médecin » par les mots « medical practitioner » de façon à uniformiser la traduction du mot « médecin » dans toute la loi.

Guides [art. 110]: IN-203 — Renseignements généraux sur la TVQ et la TPS/TVH; IN-307 — Le démarrage d'entreprise et la fiscalité; IN-132 — Les personnes handicapées et les avantages fiscaux.

Définitions [art. 110]: « consommateur » — 1; « établissement de santé » — 108; « fourniture », « fourniture exonérée », « médecin » — 1.

Concordance fédérale: LTA, Ann. V:Partie II:3.

111. Services ambulanciers — La fourniture d'un service ambulancier par une personne dont l'entreprise consiste à fournir de tels services est exonérée.

Exception — Toutefois, cette fourniture ne comprend pas la fourniture d'un service ambulancier aérien visé à l'article 197.1.

Notes historiques: Le deuxième alinéa de l'article 111 a été ajouté par L.Q. 1997, c. 85, art. 478(1) et a effet depuis le 1er juillet 1992.

L'article 111 a été édicté par L.Q. 1991, c. 67.

Guides [art. 111]: IN-132 — Les personnes handicapées et les avantages fiscaux; IN-203 — Renseignements généraux sur la TVQ et la TPS/TVH; IN-307 — Le démarrage d'entreprise et la fiscalité.

Définitions [art. 111]: « entreprise », « fourniture », « fourniture exonérée », « personne », « service » — 1.

Lettres d'interprétation [art. 111]: 96-0111714 — Modification d'une décision antérieure portant sur l'application de la TPS — Interprétation relative à la TVQ — Service de gestion; 98-0106280 — Décision portant sur l'application de la TPS — Interprétation relative à la TVQ — Service de répartition des appels d'urgence relatifs à un service de transport par ambulance — Notion de mandataire; 99-0111833 — Interprétation relative à la TVQ — Service de répartition des appels d'urgence relatifs à un service de transport par ambulance.

Concordance fédérale: LTA, Ann. V:Partie II:4.

112. Service médical — La fourniture d'un service de consultation, de diagnostic ou de traitement ou d'un autre service de santé rendu par un médecin à un particulier est exonérée.

Notes historiques: Le deuxième alinéa de l'article 112 a été supprimé par L.Q. 2011, c. 6, par. 243(1) et cette modification s'applique à l'égard d'une fourniture effectuée, selon le cas :

1° après le 4 mars 2010;

2° avant le 5 mars 2010 si :

a) la totalité de la contrepartie de la fourniture devient due après le 4 mars 2010 ou est payée après cette date sans être devenue due;

b) une partie de la contrepartie de la fourniture devient due ou a été payée avant le 5 mars 2010, sauf si le fournisseur n'a pas, avant cette date, exigé, perçu ou versé unmontant au titre de la taxe prévue par le titre I de cette loi relativement à la fourniture.

Antérieurement, il se lisait ainsi :

Exception

Toutefois, cette fourniture ne comprend pas la fourniture d'un service ambulancier aérien visé à l'article 197.1.

L'article 112 a été remplacé par L.Q. 2009, c. 15, par. 489(1) et cette modification s'applique à l'égard d'une fourniture effectuée après le 26 février 2008. Antérieurement, il se lisait ainsi :

112. La fourniture, effectuée par un médecin, d'un service de consultation, de diagnostic ou de traitement ou d'un autre service de santé rendu à un particulier est exonérée.

Exception — Toutefois, cette fourniture ne comprend pas la fourniture d'un service chirurgical ou dentaire exécuté à des fins esthétiques et non à des fins médicales ou restauratrices.

L'article 112 a été édicté par L.Q. 1991, c. 67.

Notes explicatives ARQ (PL 5, L.Q. 2011, c. 6): *Résumé* :

L'article 112 est modifié de façon à supprimer le deuxième alinéa qui n'est plus requis en raison de l'ajout de l'article 108.1 de la LTVQ qui a pour effet d'exclure des services de santé exonérés la fourniture de services esthétiques et la fourniture afférente à celle-ci qui n'est pas effectuée à des fins médicales ou restauratrices.

Situation actuelle :

L'article 112 exonère la fourniture d'un service de consultation, de diagnostic ou de traitement ou d'un autre service de santé rendu par un médecin à un particulier, sauf s'il s'agit de la fourniture d'un service chirurgical ou dentaire exécuté à des fins esthétiques et non à des fins médicales ou restauratrices.

Modifications proposées :

L'article 112 est modifié de façon à supprimer le deuxième alinéa qui n'est plus requis en raison de l'ajout de l'article 108.1 de la LTVQ qui a pour effet d'exclure des services de santé exonérés la fourniture de services esthétiques et la fourniture afférente à celle-ci qui n'est pas effectuée à des fins médicales ou restauratrices.

Notes explicatives ARQ (PL 37, L.Q. 2009, c. 15): *Résumé* :

L'article 112 est modifié de façon à ce que soit exonérée la fourniture de services médicaux ou dentaires, s'ils sont rendus à un particulier par un médecin ou un dentiste, peu importe qu'elle soit effectuée par l'intermédiaire d'une personne morale ou de toute autre personne distincte du médecin ou du dentiste ou directement par le médecin ou le dentiste.

Situation actuelle :

L'article 112 de la LTVQ exonère la fourniture, effectuée par un médecin ou un dentiste, de services médicaux ou dentaires rendus à un particulier, à l'exclusion de tels services exécutés à des fins esthétiques. Toutefois, la fourniture de services médicaux ou dentaires, effectuée par une personne morale ou par une autre personne distincte du médecin ou du dentiste, n'est pas exonérée.

Modifications proposées :

L'article 112 de la LTVQ est modifié afin que la fourniture de services médicaux ou dentaires rendus à un particulier par un médecin ou un dentiste soit exonérée et ce, qu'elle soit effectuée par l'intermédiaire d'une personne morale ou de toute autre personne distincte du médecin ou du dentiste ou directement par le médecin ou le dentiste.

Guides [art. 112]: IN-132 — Les personnes handicapées et les avantages fiscaux; IN-203 — Renseignements généraux sur la TVQ et la TPS/TVH; IN-307 — Le démarrage d'entreprise et la fiscalité.

Définitions [art. 112]: « fourniture », « fourniture exonérée », « particulier », « service » — 1; « médecin » — 108.

Bulletins d'interprétation [art. 112]: TVQ. 176-4/R2 — Fourniture d'appareils orthodontiques, de dents artificielles et de services de santé.

Lettres d'interprétation [art. 112]: 98-0105134 — Décision portant sur l'application de la TPS — Interprétation relative à la TVQ — Statut fiscal de certains gestes médicaux; 98-0108898 — Rapports d'expertise médicale; 98-0110803 — Interprétation relative à la TPS — Interprétation relative à la TVQ — Chirurgies au laser; 03-0105845 — Service de l'interprétation relative aux mesures administratives et aux taxes spécifiques; 03-0110050 — Interprétation relative à la TPS et à la TVQ — Services de soins de santé; 04-0104929 — Demande d'interprétation relative à la TPS et à la TVQ — traitement fiscal des dents artificielles; 07-000460 — Interprétation relative à la TPS et à la TVQ — services de santé facturés par une société.

Concordance fédérale: LTA, Ann. V:Partie II:5.

113. Services infirmiers — La fourniture de services infirmiers rendus à un particulier par une infirmière ou un infirmier ou par une infirmière ou un infirmier auxiliaire est exonérée si les services sont rendus dans le cadre d'une relation infirmier-patient.

Notes historiques: Le préambule de l'article 113 a été remplacé par L.Q. 1997, c. 85, art. 479(1) et cette modification est réputée entrée en vigueur le 19 décembre 1997. Antérieurement, le préambule de cet article se lisait ainsi :

113. La fourniture de services infirmiers rendus par une infirmière ou un infirmier autorisé, par une infirmière ou un infirmier auxiliaire autorisé ou par une infirmière ou un infirmier titulaire d'un permis exerçant à titre privé est exonérée si, selon le cas :

L'article 113 a été remplacé par L.Q. 2009, c. 15, par. 490(1) et cette modification s'applique à l'égard d'une fourniture effectuée après le 26 février 2008. Antérieurement, il se lisait ainsi :

113. La fourniture de services infirmiers rendus par une infirmière ou un infirmier, ou par une infirmière ou un infirmier auxiliaire est exonérée si, selon le cas :

1° le service est rendu à un particulier dans un établissement de santé ou à son lieu de résidence;

2° le service consiste en des soins privés;

3° la fourniture est effectuée à un organisme du secteur public.

L'article 113 a été modifié par L.Q. 1997, c. 3, art. 120 pour remplacer le mot « domicile » par les mots « lieu de résidence ». Cette modification est réputée entrée en vigueur le 20 mars 1997.

L'article 113 a été édicté par L.Q. 1991, c. 67.

Notes explicatives ARQ (PL 37, L.Q. 2009, c. 15): *Résumé* :

L'article 113 est modifié de façon à ce que soit exonérée la fourniture des services rendus à un particulier par une infirmière ou un infirmier ou par une infirmière ou un infirmier auxiliaire dans le cadre d'une relation infirmier-patient, peu importe l'endroit où ces services sont rendus.

Situation actuelle :

L'article 113 de la LTVQ exonère la fourniture de services infirmiers si, selon le cas, le service est rendu à un particulier dans un établissement de santé ou à son lieu de résidence, le service consiste en des soins privés ou la fourniture est effectuée à un organisme du secteur public.

Modifications proposées :

L'article 113 de la LTVQ est modifié afin que la fourniture de services infirmiers rendus à un particulier par une infirmière ou un infirmier ou par une infirmière ou un infirmier auxiliaire dans le cadre d'une relation infirmier-patient soit exonérée et ce, quel que soit l'endroit où ces services sont rendus.

Guides [art. 113]: IN-132 — Les personnes handicapées et les avantages fiscaux; IN-203 — Renseignements généraux sur la TVQ et la TPS/TVH.

Définitions [art. 113]: « établissement de santé » — 108; « fourniture », « fourniture exonérée », « organisme du secteur public », « particulier », « service » — 1.

Lettres d'interprétation [art. 113]: 98-0103998 — Décision portant sur l'application de la TPS/Interprétation relative à la TVQ — Soins personnels à domicile; 98-0111579 — Décision portant sur l'application de la TPS — Interprétation relative à la TVQ — Services infirmiers; 99-0113086 — Interprétation relative à la TPS et à la TVQ — Services rendus par des préposés(es) aux bénéficiaires et des infirmiers(ères); 02-0107777 — Interprétation relative à la TPS et à la TVQ — Règles générales, résidences pour personnes âgées; 03-0105845 — Service de l'interprétation relative aux mesures administratives et aux taxes spécifiques; 08-002019 — Interprétation relative à la TPS et à la TVQ — soins de pieds rendus par une infirmière.

Concordance fédérale: LTA, Ann. V:Partie II:6.

114. Service de santé rendu par un praticien — La fourniture d'un service d'audiologie, de chiropodie, de chiropratique, d'ergothérapie, d'optométrie, d'orthophonie, d'ostéopathie, de physiothérapie, de podiatrie, de psychologie ou de sage-femme est exonérée si le service est rendu à un particulier par un praticien du service.

Notes historiques: L'article 114 a été remplacé par L.Q. 2009, c. 15, par. 491(1) et cette modification s'applique à l'égard d'une fourniture effectuée après le 26 février 2008. Antérieurement, il se lisait ainsi :

> 114. La fourniture d'un service d'audiologie, de chiropodie, de chiropratique, d'ergothérapie, d'optométrie, d'orthophonie, d'ostéopathie, de physiothérapie, de podiatrie, de psychologie ou de sage-femme, rendu à un particulier est exonérée si elle est effectuée par un praticien.

L'article 114 a été remplacé par L.Q. 2009, c. 5, par. 605(1) et cette modification s'applique à l'égard d'une fourniture effectuée après le 31 décembre 2000. Toutefois, à l'égard d'une fourniture effectuée après le 31 décembre 2000 et avant le 29 décembre 2006, l'article 114 doit se lire comme suit :

> 114. La fourniture d'un service d'audiologie, de chiropodie, de chiropratique, d'ergothérapie, d'optométrie, d'orthophonie, d'ostéopathie, de physiothérapie, de podiatrie ou de psychologie, rendu à un particulier est exonérée si elle est effectuée par un praticien.

Antérieurement, il se lisait ainsi :

> 114. La fourniture d'un service d'audiologie, de chiropodie, de chiropratique, d'ergothérapie, d'optométrie, d'ostéopathie, de physiothérapie, de podiatrie ou de psychologie, rendu à un particulier est exonérée si elle est effectuée par un praticien.

L'article 114 a été remplacé par L.Q. 2001, c. 53, art. 295 et cette modification s'applique à l'égard d'une fourniture effectuée après le 31 décembre 1997. Toutefois, à l'égard d'une fourniture effectuée après le 31 décembre 1997 et avant le 1er janvier 2001 [remplacé par « 1er janvier 2003 » par L.Q. 2003, c. 2, par. 353(1) — n.d.l.r.], l'article 114 de cette loi doit se lire comme suit :

> 114. La fourniture d'un service d'audiologie, de chiropodie, de chiropratique, d'ergothérapie, d'optométrie, d'orthophonie, d'ostéopathie, de physiothérapie, de podiatrie ou de psychologie, rendu à un particulier est exonérée si elle est effectuée par un praticien.

Antérieurement, il se lisait ainsi :

> 114. La fourniture d'un service d'audiologie, de chiropodie, de chiropratique, d'ergothérapie, d'optométrie, de physiothérapie, de podiatrie ou de psychologie, rendu à un particulier est exonérée si elle est effectuée par un praticien.

L'article 114 a été remplacé par L.Q. 1997, c. 85, art. 480(1) et cette modification s'applique à l'égard d'une fourniture effectuée après le 31 décembre 1997.

Auparavant, cet article se lisait comme suit :

> 114. La fourniture d'un service d'audiologie, de chiropodie, de chiropratique, d'ergothérapie, d'optométrie, d'orthophonie, d'ostéopathie, de physiothérapie, de podiatrie ou de psychologie, rendu à un particulier est exonérée si elle est effectuée par un praticien.

L'article 114 a été édicté par L.Q. 1991, c. 67.

Notes explicatives ARQ (PL 37, L.Q. 2009, c. 15): *Résumé* :

L'article 114 est modifié de façon àce que soit exonérée la fourniture de certains services de santé, s'ils sont rendus à un particulier par un praticien du service, peu importe qu'elle soit effectuée par l'intermédiaire d'une personne morale ou de toute autre personne distincte du praticien ou directement par le praticien.

Situation actuelle :

L'article 114 de la LTVQ exonère la fourniture, effectuée par un praticien, de certains services de santé rendus à un particulier. Toutefois, la fourniture de tels services de santé, effectuée par une personne morale ou par une autre personne distincte du praticien, n'est pas exonérée.

Modifications proposées :

L'article 114 de la LTVQ est modifié afin que la fourniture de certains services de santé rendus à un particulier par un praticien du service soit exonérée et ce, qu'elle soit effectuée par l'intermédiaire d'une personne morale ou de toute autre personne distincte du praticien ou directement par le praticien.

Notes explicatives ARQ (PL 2, L.Q. 2009, c. 5): *Résumé* :

L'article 114 est modifié de sorte que la fourniture d'un service d'orthophonie ou de sage-femme rendu à un particulier est exonérée si elle est effectuée par un praticien.

Situation actuelle :

L'article 114 de la LTVQ prévoit que la fourniture de certains services de santé effectuée par un praticien à un particulier est exonérée.

Modifications proposées :

L'article 114 de la LTVQ est modifié afin d'ajouter aux services exonérés les services d'orthophonie pour la période débutant le 1er janvier 2001 et, à partir du 29 décembre 2006, les services de sage-femme.

Guides [art. 114]: IN-132 — Les personnes handicapées et les avantages fiscaux; IN-203 — Renseignements généraux sur la TVQ et la TPS/TVH; IN-307 — Le démarrage d'entreprise et la fiscalité.

Définitions [art. 114]: « fourniture », « fourniture exonérée », « particulier » — 1; « praticien » — 108; « service » — 1.

Bulletins d'interprétation [art. 114]: SPÉCIAL 123 — Bonification de la politique fiscale en matière d'avantages sociaux accordés aux employés, instauration d'un crédit d'impôt remboursable pour le rajeunissement du parc véhicules-taxis et autres mesures fiscales; SPÉCIAL 135 — Plafonds et taux régissant l'usage d'une automobile pour l'année 2003 et exonération permanente de la TVQ pour les services d'orthophonie; SPÉCIAL 173 — Plafonds et taux régissant l'usage d'une automobile pour l'année 2003 et exonération permanente de la TVQ pour les services d'orthophonie.

Lettres d'interprétation [art. 114]: 98-0103998 — Décision portant sur l'application de la TPS/Interprétation relative à la TVQ — Soins personnels à domicile; 02-0102836 — Interprétation relative à la TPS et à laTVQ — Fourniture de rapports d'examen ou d'évaluation par une psychologue dans le cadre du programme d'évaluation des conducteurs aux prises avec un problème de toxicomanie; 02-0104832 — Services d'un chiropraticien facturés par une société; 02-0105599 — Services de psychologues facturés par une société; 03-010842 — Interprétation relative à la TPS et à la TVQ — Service de psychologie; 04-0100323 — Service rendus par une psychologue; 04-0106726 — Interprétation relative à la TPS et à la TVQ — services rendus par un psychologue; 07-000460 — Interprétation relative à la TPS et à la TVQ — services de santé facturés par une société.

Concordance fédérale: LTA, Ann. V:Partie II:7a)–j).

114.1 Service de diététique — La fourniture d'un service de diététique rendu par un praticien du service est exonérée si, selon le cas :

1º le service est rendu à un particulier;

2º la fourniture est effectuée à un organisme du secteur public;

3º la fourniture est effectuée à l'administrateur d'un établissement de santé.

Notes historiques: Le préambule de l'article 114.1 a été remplacé par L.Q. 2009, c. 15, par. 492(1) et cette modification s'applique à l'égard d'une fourniture effectuée après le 26 février 2008. Antérieurement, il se lisait ainsi :

> 114.1 La fourniture d'un service de diététique effectuée par un praticien est exonérée si, selon le cas :

L'article 114.1 a été ajouté par L.Q. 1997, c. 85, art. 481(1) et s'applique à l'égard d'une fourniture effectuée après le 31 décembre 1996.

Notes explicatives ARQ (PL 37, L.Q. 2009, c. 15): *Résumé* :

L'article 114.1 est modifié de façon à ce que soit exonérée la fourniture d'un service de diététique rendu par un praticien de ce service, peu importe qu'elle soit effectuée par l'intermédiaire d'une personne morale ou de toute autre personne distincte du praticien du service ou directement par le praticien du service.

Situation actuelle :

LTVQ (français)

L'article 114.1 de la LTVQ exonère la fourniture d'un service de diététique effectuée par un praticien de ce service si, selon le cas, le service est rendu à un particulier, la fourniture est effectuée à un organisme du secteur public ou la fourniture est effectuée à l'administrateur d'un établissement de santé. Toutefois, la fourniture d'un tel service, effectuée par une personne morale ou par une autre personne distincte du praticien de ce service, n'est pas exonérée.

Modifications proposées :

L'article 114.1 de la LTVQ est modifié afin que la fourniture d'un service de diététique rendu par un praticien de ce service soit exonérée et ce, qu'elle soit effectuée par l'intermédiaire d'une personne morale ou de toute autre personne distincte du praticien du service de diététique ou directement par le praticien de ce service.

Guides [art. 114.1]: IN-132 — Les personnes handicapées et les avantages fiscaux; IN-203 — Renseignements généraux sur la TVQ et la TPS/TVH.

Définitions [art. 114.1]: « fourniture », « organisme du secteur public », « praticien », « service » — 1.

Concordance fédérale: LTA, Ann. V:Partie II:7.1.

114.2 Service de travailleur social — La fourniture d'un service rendu dans le cadre de l'exercice de la profession de travailleur social est exonérée dans le cas où, à la fois :

1° le service est rendu à un particulier dans le cadre d'une relation professionnel-client entre le particulier donné qui rend le service et le particulier et est fourni pour prévenir, évaluer, remédier à ou aider à composer avec un trouble ou un handicap physique, émotif, comportemental ou mental du particulier ou d'un autre particulier auquel le particulier est lié ou dont ce dernier prend soin ou assure la surveillance autrement qu'à titre professionnel;

2° le particulier donné est titulaire d'un permis l'autorisant à exercer la profession de travailleur social au Québec ou est autrement autorisé à l'exercer au Québec.

Notes historiques: Les paragraphes 1° et 2° de l'article 114.2 ont été remplacés par L.Q. 2009, c. 15, par. 493(1) et cette modification s'applique à l'égard d'une fourniture effectuée après le 26 février 2008. Antérieurement, il se lisait ainsi :

> 1° le service est rendu à un particulier dans le cadre d'une relation professionnel-client entre le fournisseur et le particulier et est fourni pour prévenir, évaluer, remédier à ou aider à composer avec un trouble ou un handicap physique, émotif, comportemental ou mental du particulier ou d'une personne à laquelle le particulier est lié ou dont il prend soin ou assure la surveillance autrement qu'à titre professionnel;
>
> 2° le fournisseur est titulaire d'un permis l'autorisant à exercer la profession de travailleur social au Québec ou est autrement autorisé à l'exercer au Québec.

L'article 114.2 a été ajouté par L.Q. 2009, c. 5, par. 606(1) et s'applique à l'égard d'une fourniture effectuée après le 3 octobre 2003. Dans le cas où une personne a droit, ou aurait droit en l'absence de l'article 401, à un remboursement en vertu des articles 400 à 402.0.2 à l'égard d'un montant qui a été payé avant le 22 juin 2007 au titre de la taxe relativement à une fourniture visée à l'article 114.2 qui n'est pas visée par un autre article du chapitre III du titre I, la personne peut, malgré l'article 401, produire une demande de remboursement avant la plus tardive des dates suivantes :

> a) le 23 juin 2008;
>
> b) le jour qui suit de deux ans le jour où le montant a été payé.

Dans le cas où une personne peut, ou pourrait en l'absence de la période de deux ans prévue à l'article 447, redresser, rembourser ou porter au crédit, en vertu des articles 447 à 449, un montant qui a été exigé ou perçu avant le 22 juin 2007 au titre de la taxe relativement à une fourniture visée à l'article 114.2 qui n'est pas visée par un autre article du chapitre III du titre I, la personne peut, malgré la période de deux ans prévue à l'article 447, redresser un montant en vertu du paragraphe 1° de l'article 447 ou rembourser ou porter au crédit un montant en vertu du paragraphe 2° de l'article 447, avant la plus tardive des dates suivantes :

> a) le 23 juin 2008;
>
> b) le jour qui suit de deux ans le jour où le montant a été exigé ou perçu.

Notes explicatives ARQ (PL 37, L.Q. 2009, c. 15): *Résumé* :

L'article 114.2 est modifié de façon à ce que soit exonérée la fourniture d'un service rendu dans le cadre de l'exercice de la profession de travailleur social, peu importe que cette fourniture soit effectuée par l'intermédiaire d'une personne morale ou de toute autre personne distincte du travailleur social ou directement par le travailleur social.

Situation actuelle :

L'article 114.2 de la LTVQ exonère la fourniture d'un service rendu à un particulier dans le cadre de l'exercice de la profession de travailleur social, lorsque certaines conditions sont rencontrées. Toutefois, la fourniture de tels services, effectuée par une personne morale ou par une autre personne distincte du travailleur social, n'est pas exonérée.

Modifications proposées :

L'article 114.2 de la LTVQ est modifié afin que la fourniture d'un service rendu dans le cadre de l'exercice de la profession de travailleur social soit exonérée et ce, que cette fourniture soit effectuée par l'intermédiaire d'une personne morale ou de toute autre personne distincte du travailleur social ou directement par le travailleur social.

Notes explicatives ARQ (PL 2, L.Q. 2009, c. 5): *Résumé* :

L'article 114.2 est ajouté pour exonérer les services rendus par un travailleur social dans certaines circonstances.

Contexte :

Les dispositions des articles 108 et suivants de la LTVQ visent à exonérer divers services de santé : service ambulancier, service médical ou dentaire, service rendu par un praticien, service de diététique, service d'hygiéniste dentaire, etc.

Modifications proposées :

L'article 114.2 de la LTVQ est ajouté afin que soit aussi exonéré le service rendu à un particulier dans l'exercice de la profession de travailleur social pour aider le particulier ou une personne liée au particulier ou dont il prend soin ou assure la surveillance autrement qu'à titre professionnel. L'exonération vise particulièrement la prévention et le traitement des problèmes physiques, émotionnels, comportementaux ou mentaux de la personne visée.

Cette modification s'applique à une fourniture effectuée après le 3 octobre 2003.

Une mesure transitoire accorde à l'acquéreur un délai d'un an suivant le 22 juin 2007 pour demander le remboursement d'une somme payée avant cette date au titre de la taxe relativement à une fourniture qui est exonérée par l'effet de l'article 114.2.

Une autre mesure transitoire accorde au fournisseur jusqu'au jour qui suit d'un an le 22 juin 2007 pour redresser, créditer ou rembourser une somme au titre de la taxe qui a été exigée ou perçue avant cette date relativement à une fourniture qui est exonérée par l'effet de l'article 114.2.

Ces règles ne s'appliquent pas aux sommes exigées, perçues ou payées au titre de la taxe relative à une fourniture qui est déjà exonérée par l'effet d'une autre disposition de la LTVQ.

Lettres d'interprétation [art. 114.2]: 07-000460 — Interprétation relative à la TPS et à la TVQ — services de santé facturés par une société.

Concordance fédérale: LTA, Ann. V:Partie II:7.2.

115. Service d'hygiéniste dentaire — La fourniture d'un service d'hygiéniste dentaire est exonérée.

Notes historiques: L'article 115 a été édicté par L.Q. 1991, c. 67.

Guides [art. 115]: IN-203 — Renseignements généraux sur la TVQ et la TPS/TVH; IN-307 — Le démarrage d'entreprise et la fiscalité.

Définitions [art. 115]: « fourniture », « fourniture exonérée », « service » — 1.

Lettres d'interprétation [art. 115]: 98-0108922 — Décision portant sur l'application de la TPS/Interprétation relative à la TVQ — Services d'hygiéniste dentaire.

Concordance fédérale: LTA, Ann. V:Partie II:8.

116. Services assumés par la province — La fourniture, autre que la fourniture détaxée, d'un bien ou d'un service est exonérée dans la mesure où la contrepartie de la fourniture est payable ou remboursée par le gouvernement du Québec en vertu de la *Loi sur l'assurance maladie* (chapitre A-29) ou de la *Loi sur la Régie de l'assurance maladie du Québec* (chapitre R-5) ou par le gouvernement d'une autre province, des Territoires du Nord-Ouest, du territoire du Yukon ou du territoire du Nunavut en vertu d'un régime de services de santé institué par une loi d'une telle province ou de tels territoires pour ses assurés.

Notes historiques: L'article 116 a été remplacé par L.Q. 2003, c. 2, par. 317(1) et cette modification a effet depuis le 1er avril 1999. Antérieurement, il se lisait ainsi :

> 116. La fourniture, autre que la fourniture détaxée, d'un bien ou d'un service est exonérée dans la mesure où la contrepartie de la fourniture est payable ou remboursée par le gouvernement du Québec en vertu de la *Loi sur l'assurance-maladie* (L.R.Q., chapitre A-29) ou de la *Loi sur la Régie de l'assurance-maladie du Québec* (L.R.Q., chapitre R-5) ou par le gouvernement d'une autre province, des Territoires du Nord-Ouest ou du territoire du Yukon en vertu d'un régime de services de santé institué par une loi d'une telle province ou de tels territoires pour ses assurés.

L'article 116 a été modifié par L.Q. 1995, c. 1, art. 271(1) et cette modification a effet depuis le 1er juillet 1992 [*N.D.L.R.* : cette disposition s'applique conformément aux articles 618 à 656 et 685 L.Q. 1991, c. 67, tels que modifiés]. Toutefois, cette modification ne s'applique pas à la détermination de la taxe nette d'une personne par une méthode prescrite en vertu de l'article 434 pour une période de déclaration se terminant avant le 1er juin 1993. Antérieurement, il se lisait ainsi :

> 116. La fourniture d'un bien ou d'un service est exonérée dans la mesure où la contrepartie de la fourniture est payable ou remboursée par le gouvernement du Québec en vertu de la *Loi sur l'assurance-maladie* (L.R.Q., chapitre A-29) ou de la *Loi sur la Régie de l'assurance-maladie du Québec* (L.R.Q., chapitre R-5) ou

par le gouvernement d'une autre province, des Territoires du Nord-Ouest ou du territoire du Yukon en vertu d'un régime de services de santé institué par une loi d'une telle province ou de tels territoires pour ses assurés.

L'article 116 a été édicté par L.Q. 1991, c. 67.

Guides [art. 116]: IN-132 — Les personnes handicapées et les avantages fiscaux; IN-203 — Renseignements généraux sur la TVQ et la TPS/TVH; IN-307 — Le démarrage d'entreprise et la fiscalité.

Définitions [art. 116]: « bien », « contrepartie », « fourniture », « fourniture détaxée », « fourniture exonérée », « gouvernement », « service » — 1.

Renvois [art. 116]: 108.1 (exception fourniture de services esthétiques et fourniture afférente); 176 (fourniture d'un appareil médical).

Jurisprudence [art. 116]: *3510549 Canada inc. c. 9076-7567 Québec inc.* (25 novembre 2003), 730-32-003884-025, 2003 CarswellQue 3525.

Lettres d'interprétation [art. 116]: 98-0110654 — Décision portant sur l'application de la TPS — Interprétation relative à la TVQ — Hébergement pour un service de santé; 07-000460 — Interprétation relative à la TPS et à la TVQ — services de santé facturés par une société.

Concordance fédérale: LTA, Ann. V:Partie II:9.

117. Service de santé prescrit — La fourniture d'un service de diagnostic, de traitement ou d'un autre service de santé rendu à un particulier est exonérée si le service est un service prescrit et si la fourniture est effectuée sur l'ordre, selon le cas :

1° d'un médecin ou d'un praticien;

2° d'une infirmière ou d'un infirmier qui est autorisé en vertu de la législation du Québec, d'une autre province, des Territoires du Nord-Ouest, du territoire du Yukon ou du territoire du Nunavut à ordonner un tel service si l'ordre est donné dans le cadre d'une relation infirmier-patient.

Notes historiques: L'article 117 a été remplacé par L.Q. 2009, c. 15, par. 494(1) et cette modification s'applique à l'égard d'une fourniture effectuée après le 26 février 2008. Antérieurement, il se lisait ainsi :

> 117. La fourniture d'un service de diagnostic, de traitement ou d'un autre service de santé prescrit, lorsqu'elle est effectuée sur l'ordre d'un médecin ou d'un praticien est exonérée.

L'article 117 a été édicté par L.Q. 1991, c. 67.

Notes explicatives ARQ (PL 37, L.Q. 2009, c. 15): *Résumé* :

L'article 117 est modifié de façon à étendre l'exonération visant certains services de santé prévus par règlement aux services de santé rendus sur l'ordre d'une infirmière ou d'un infirmier autorisé en vertu de la législation du Québec, d'une autre province, des Territoires du Nord-Ouest, du territoire du Yukon ou du territoire du Nunavut à ordonner de tels services si l'ordre est donné dans le cadre d'une relation infirmier-patient.

Cet article est également modifié de façon à ce que cette exonération ne s'applique que si les services de santé sont rendus à un particulier.

Situation actuelle :

L'article 117 de la LTVQ exonère la fourniture de certains services de santé prévus par règlement qui sont rendus sur l'ordre d'un médecin ou d'un praticien. Sont visés, notamment, les services de laboratoire ou de radiologie ou les autres services de diagnostic généralement offerts dans un établissement de santé.

Modifications proposées :

L'article 117 de la LTVQ est modifié de façon à ce que l'exonération visant certains services de santé prévus par règlement soit élargie de manière à comprendre de tels services de santé rendus sur l'ordre d'une infirmière ou d'un infirmier autorisé en vertu de la législation du Québec, d'une autre province, des Territoires du Nord-Ouest, du territoire du Yukon ou du territoire du Nunavut à ordonner de tels services si l'ordre est donné dans le cadre d'une relation infirmier-patient.

Cet article est également modifié afin que cette exonération ne s'applique que si ces services sont rendus à un particulier.

Guides [art. 117]: IN-132 — Les personnes handicapées et les avantages fiscaux; IN-203 — Renseignements généraux sur la TVQ et la TPS/TVH; IN-307 — Le démarrage d'entreprise et la fiscalité.

Définitions [art. 117]: « fourniture », « fourniture exonérée » — 1; « médecin » — 108; « praticien » — 1.

Renvois [art. 117]: 677:15°.

Règlements [art. 117]: RTVQ, 117R1.

Lettres d'interprétation (Québec): 03-0110050 — Interprétation relative à la TPS et à la TVQ — Services de soins de santé.

Concordance fédérale: LTA, Ann. V:Partie II:10.

118. Service relatif aux repas — La fourniture d'aliments ou de boissons, y compris un service de traiteur, effectuée à un administrateur d'un établissement de santé en vertu d'un contrat visant à donner des repas de façon régulière aux patients ou aux résidents de l'établissement est exonérée.

Notes historiques: L'article 118 a été édicté par L.Q. 1991, c. 67.

Guides [art. 118]: IN-132 — Les personnes handicapées et les avantages fiscaux; IN-203 — Renseignements généraux sur la TVQ et la TPS/TVH; IN-216 — La TVQ, la TPS/TVH et l'alimentation; IN-307 — Le démarrage d'entreprise et la fiscalité.

Définitions [art. 118]: « établissement de santé » — 108; « fourniture », « fourniture exonérée » — 1.

Bulletins d'interprétation [art. 118]: TVQ. 108-1/R2 — Établissement de santé au sens du paragraphe 2° de la définition de cette expression prévue à l'article 108 de la *Loi sur la taxe de vente du Québec*, et repas acquis ou fournis par un tel établissement.

Lettres d'interprétation [art. 118]: 98-0100275 — Décision portant sur l'application de la TPS — Interprétation relative à la TVQ — Fourniture de biens et services effectuée entre établissements du réseau de la santé; 02-0107777 — Interprétation relative à la TPS et à la TVQ — Règles générales, résidences pour personnes âgées; 03-0108310 — Fourniture d'un service de concessionnaire alimentaire dans une résidence pour personnes âgées.

Concordance fédérale: LTA, Ann. V:Partie II:11.

119. [*Abrogé*]

Notes historiques: L'article 119 a été abrogé par L.Q. 1997, c. 85, art. 482(1) et cette abrogation s'applique à l'égard d'une fourniture effectuée après le 31 décembre 1997. Antérieurement, cet article se lisait comme suit :

> 119. La fourniture d'un service de psychanalyse effectuée par une personne est exonérée si cette personne, à la fois :
>
> 1° a reçu pour la prestation de services de psychanalyse, la même formation qu'un médecin qui rend de tels services, de la même institution de formation;
>
> 2° est un membre en règle de la société professionnelle à l'égard de la prestation de services de psychanalyse au Canada qui, à la fois :
>
> a) fixe et maintient les mêmes normes de pratique et de conduite pour tous ses membres;
>
> b) compte au moins 300 membres au Canada, dont les deux tiers au moins sont des médecins.

L'article 119 a été édicté par L.Q. 1991, c. 67.

119.1 Service ménager à domicile — La fourniture d'un service ménager à domicile qui est rendu à un particulier à son lieu de résidence et dont l'acquéreur est le particulier ou une autre personne est exonérée si, selon le cas :

1° le fournisseur est un gouvernement;

2° le fournisseur est une municipalité;

3° un gouvernement, une municipalité ou une organisation administrant un programme gouvernemental ou municipal à l'égard de services ménagers à domicile paie un montant :

a) soit au fournisseur à l'égard de la fourniture;

b) soit a une personne pour l'acquisition du service;

4° une autre fourniture de services ménagers à domicile rendus au particulier est effectuée dans les circonstances visées aux paragraphes 1°, 2° ou 3°.

Notes historiques: L'article 119.1 a été modifié par L.Q. 1995, c. 1, art. 272(1) et cette modification s'applique à l'égard d'une fourniture dont la contrepartie devient due ou est payée sans devenir due après le 31 décembre 1992. Auparavant, l'article 116 se lisait comme suit :

> 119.1 La fourniture d'un service ménager à domicile qui est rendu à un particulier à son lieu de résidence est exonérée dans le cas où la fourniture est effectuée à un acquéreur par l'une des personnes suivantes :
>
> 1° un gouvernement;
>
> 2° une municipalité;
>
> 3° une personne qui reçoit d'un gouvernement, d'une municipalité ou d'une organisation administrant un programme municipal ou provincial à l'égard de services ménagers à domicile un montant à l'égard de la fourniture.

L'article 119.1 a été ajouté par L.Q. 1994, c. 22, art. 421(1) et est réputé entré en vigueur le 1er juillet 1992.

Guides [art. 119.1]: IN-132 — Les personnes handicapées et les avantages fiscaux; IN-203 — Renseignements généraux sur la TVQ et la TPS/TVH; IN-307 — Le démarrage d'entreprise et la fiscalité.

LTVQ (français)

Définitions [art. 119.1]: « acquéreur », « fournisseur », « fourniture », « fourniture exonérée », « gouvernement », « montant », « municipalité », « particulier », « personne » — 1; « service ménager à domicile » — 108.

Bulletins d'interprétation [art. 119.1]: TVQ. 119.1-1/R2 — Programme d'exonération financière pour les services d'aide domestique.

Lettres d'interprétation [art. 119.1]: 98-0103998 — Décision portant sur l'application de la TPS/Interprétation relative à la TVQ — Soins personnels à domicile; 99-0102287 — Décision concernant l'application de la TPS — Interprétation relative à la TVQ — Organisme XYZ; 99-0111817 — Interprétation relative à la TPS et à la TVQ; 99-0113086 — Interprétation relative à la TPS et à la TVQ — Services rendus par des préposés(es) aux bénéficiaires et des infirmiers(ères); 00-0110783 — Interprétation relative à la TPS et à la TVQ — Services ménagers à domicile; 02-0107777 — Interprétation relative à la TPS et à la TVQ — Règles générales, résidences pour personnes âgées.

Concordance fédérale: LTA, Ann. V:Partie II:13.

119.2 Service de formation — La fourniture, autre que la fourniture détaxée ou la fourniture prescrite, d'un service de formation est exonérée si, à la fois :

1º la formation est conçue spécialement pour aider des particuliers ayant un trouble ou un handicap à composer avec les effets de ce trouble ou de ce handicap, à atténuer ou à éliminer ces effets et est donnée à un particulier donné ayant ce trouble ou ce handicap ou à un autre particulier qui prend soin ou assure la surveillance du particulier donné autrement qu'à titre de professionnel;

2º l'une des conditions suivantes est remplie :

a) une personne, agissant en qualité de praticien, de médecin, de travailleur social, d'infirmière ou d'infirmier et dans le cadre d'une relation professionnel-client entre la personne et le particulier donné, a attesté par écrit que la formation est un moyen approprié d'aider le particulier donné à composer avec les effets du trouble ou du handicap, à atténuer ou à éliminer ces effets;

b) une personne prescrite ou un membre d'une catégorie prescrite de personnes a, sous réserve des circonstances ou des conditions prescrites, attesté par écrit que la formation est un moyen approprié d'aider le particulier donné à composer avec les effets du trouble ou du handicap, à atténuer ou à éliminer ces effets;

c) le fournisseur, selon le cas :

i. est un gouvernement;

ii. reçoit le paiement d'un montant pour effectuer la fourniture de la part d'un gouvernement ou d'un organisme qui administre un programme gouvernemental ayant pour objet d'aider les particuliers ayant un trouble ou un handicap;

iii. reçoit une preuve, satisfaisante pour le ministre, qu'un montant, pour l'acquisition du service, a été payé ou est payable à une personne par un gouvernement ou un organisme qui administre un programme gouvernemental ayant pour objet d'aider les particuliers ayant un trouble ou un handicap.

Exception — Pour l'application du présent article, un service de formation ne comprend pas une formation qui est semblable à une formation qui est habituellement donnée à des particuliers qui, à la fois :

1º n'ont pas de trouble ou de handicap;

2º ne prennent pas soin et n'assurent pas la surveillance d'un particulier qui a un trouble ou un handicap.

Notes historiques: L'article 119.2 a été ajouté par L.Q. 2009, c. 15, par. 495(1) et s'applique à la fourniture effectuée après le 26 février 2008.

Notes explicatives ARQ (PL 37, L.Q. 2009, c. 15): *Résumé* :

Le nouvel article 119.2 prévoit l'exonération d'un service de formation qui est spécialement conçu pour aider les particuliers ayant un trouble ou un handicap à composer avec les effets de ce trouble ou de ce handicap, à atténuer ou à éliminer ces effets.

Contexte :

Actuellement, le régime de la taxe de vente du Québec prévoit l'exonération de différents services de santé. Cependant, cette exonération ne vise pas la fourniture d'un service de formation qui est conçu pour aider les personnes ayant un trouble ou un handicap à composer avec les effets de ce trouble ou de ce handicap, à atténuer ou à éliminer ces effets.

Modifications proposées :

L'article 119.2 de la LTVQ est ajouté afin que la fourniture d'un service de formation qui est conçu pour aider des particuliers ayant un trouble ou un handicap soit exonérée.

La fourniture d'un tel service de formation sera exonérée lorsqu'un professionnel de la santé ou une personne prescrite atteste, par écrit, que cette formation constitue un moyen approprié d'aider un tel particulier.

Il en sera de même lorsqu'une telle formation est fournie par un gouvernement ou financée, en totalité ou en partie, par un gouvernement ou un organisme qui administre un programme gouvernemental ayant pour objet d'aider les particuliers ayant un trouble ou un handicap.

Définitions [art. 119.2]: « praticien » — 108 — .

Concordance fédérale: LTA, Ann. V:Partie II:14.

SECTION III — SERVICE D'ENSEIGNEMENT

120. Définitions — Dans la présente section, l'expression :

« école de formation professionnelle » signifie une institution établie et administrée principalement afin de donner à un étudiant un cours par correspondance ou un cours de formation qui développe ou améliore ses compétences professionnelles;

Notes historiques: La définition de « école de formation professionnelle » à l'article 120 a été remplacée par L.Q. 1997, c. 85, art. 483(1) et cette modification a effet relativement à une fourniture effectuée après le 1er janvier 1997.

Antérieurement, cette définition se lisait ainsi :

> « école de formation professionnelle » signifie une institution établie et administrée principalement afin de donner à un étudiant un cours par correspondance ou un cours de formation qui développe ou améliore ses compétences professionnelles et comprend un établissement d'enseignement reconnu par le ministre pour l'application du sous-paragraphe iv du paragraphe a de l'article 337 de la *Loi sur les impôts* (L.R.Q., chapitre I-3);

La définition de « école de formation professionnelle » à l'article 120 a été édictée par L.Q. 1991, c. 67.

Bulletins d'interprétation: TVQ. 127-1/R1 — Fourniture de cours de massothérapie; TVQ. 127-2/R1 — Fourniture d'un service d'enseignement concernant l'opération d'équipement lourd par une école de formation professionnelle; TVQ. 127-3/R1 — Fourniture par une école de formation professionnelle d'un service d'enseignement concernant la conduite de camions; TVQ. 127-4/R1 — Fourniture de cours de pilotage.

Lettres d'interprétation: 98-0106330 — Décision portant sur l'application de la TPS — Interprétation relative à la TVQ — Services d'enseignement; 98-0110266 — Interprétation relative à la TPS — Interprétation relative à la TVQ — Services d'enseignement.

Concordance fédérale: LTA, Ann. V:Partie III:1« école de formation professionnelle ».

« élève du primaire ou du secondaire » signifie un particulier inscrit :

1º aux services d'enseignement au primaire dispensés par une administration scolaire;

2º aux services d'enseignement au secondaire dispensés par une administration scolaire, ou à un service d'enseignement équivalent;

Notes historiques: La définition de « élève du primaire ou du secondaire » à l'article 120 a été édictée par L.Q. 1991, c. 67.

Définitions: « administration scolaire », « inscrit », « particulier », « personne » — 1.

Renvois: 141 (fourniture d'un bien meuble ou d'un service par une institution publique).

Concordance fédérale: LTA, Ann. V:Partie III:1« élève du primaire ou du secondaire ».

« organisme de réglementation » signifie un organisme habilité par une loi du Québec à réglementer l'exercice d'une profession ou d'un commerce au Québec, ou constitué à cette fin, qui établit des normes de connaissance et de compétence pour les personnes qui exercent la profession ou le commerce.

Notes historiques: La définition de « organisme de réglementation » a été modifiée par L.Q. 1994, c. 22, art. 422(1) et est réputée entrée en vigueur le 1er juillet 1992. La définition de « organisme de réglementation » à l'article 120, édictée par L.Q. 1991, c. 67, se lisait comme suit :

> « organisme de réglementation » signifie un organisme habilité par une loi du Québec à réglementer l'exercice d'une profession au Québec, ou constitué à cette fin, qui établit des normes de connaissance et de compétence pour les professionnels et qui accorde des permis autorisant l'exercice de la profession au Québec ou qui inscrit les personnes exerçant cette profession au Québec.

Concordance fédérale: LTA, Ann. V:Partie III:1« organisme de réglementation ».

Bulletins d'interprétation [art. 120]: TVQ. 125-1/R1 — Fourniture de cours de pilotage; TVQ. 127-2/R1 — Fourniture d'un service d'enseignement concernant l'opération d'équipement lourd par une école de formation professionnelle; TVQ. 127-3/R1 — Fourniture par une école de formation professionnelle d'un service d'enseignement concernant la conduite de camions; TVQ. 127-4/R1 — Fourniture de cours de pilotage.

121. Cours du primaire et du secondaire — La fourniture, effectuée par une administration scolaire, consistant à donner à des particuliers des services d'enseignement s'adressant principalement aux élèves du primaire ou du secondaire est exonérée.

Notes historiques: L'article 121 a été édicté par L.Q. 1991, c. 67.

Guides [art. 121]: IN-203 — Renseignements généraux sur la TVQ et la TPS/TVH; IN-307 — Le démarrage d'entreprise et la fiscalité.

Définitions [art. 121]: « administration scolaire » — 1; « élève du primaire ou du secondaire » — 120; « fourniture », « fourniture exonérée », « particulier » — 1.

Lettres d'interprétation: 04-0100455 — Interprétation relative à la TPS et à la TVQ — services de supervision des srages.

Concordance fédérale: LTA, Ann. V:Partie III:2.

122. Fourniture dans le cadre d'une activité parascolaire — La fourniture d'aliments, de boissons, d'un service ou d'un droit d'entrée, effectuée par une administration scolaire, principalement à un élève du primaire ou du secondaire dans le cadre d'une activité parascolaire qu'elle a autorisée et dont elle a la responsabilité est exonérée.

Exception — Le présent article ne s'applique pas aux aliments ou aux boissons prescrits pour l'application de l'article 131, ou ceux fournis au moyen d'un distributeur automatique.

Notes historiques: Le deuxième alinéa de l'article 122 a été ajouté par L.Q. 1997, c. 85, art. 484(1) et s'applique à l'égard d'une fourniture effectuée après le 23 avril 1996.

L'article 122 a été édicté par L.Q. 1991, c. 67.

Guides [art. 122]: IN-203 — Renseignements généraux sur la TVQ et la TPS/TVH; IN-216 — La TVQ, la TPS/TVH et l'alimentation; IN-307 — Le démarrage d'entreprise et la fiscalité.

Définitions [art. 122]: « administration scolaire », « droit d'entrée » — 1; « élève du primaire ou du secondaire » — 120; « fourniture », « fourniture exonérée » — 1.

Lettres d'interprétation [art. 122]: 98-0103188 — Décision portant sur l'application de la TPS — Interprétation relative à la TVQ — Activités parascolaires; 98-0108716 — Décision portant sur l'application de la TPS — Interprétation relative à la TVQ — Activités parascolaires; 04-0101677 — Fourniture de droits d'entrée à un bal de fin d'études effectuée par une commission scolaire.

Concordance fédérale: LTA, Ann. V:Partie III:3.

123. Service rendu par un élève — La fourniture, effectuée par une administration scolaire d'un service rendu par un élève du primaire ou du secondaire ou par son enseignant dans le cadre du programme d'études de l'élève est exonérée.

Notes historiques: L'article 123 a été édicté par L.Q. 1991, c. 67.

Guides [art. 123]: IN-203 — Renseignements généraux sur la TVQ et la TPS/TVH; IN-307 — Le démarrage d'entreprise et la fiscalité.

Définitions [art. 123]: « administration scolaire » — 1; « élève du primaire ou du secondaire » — 120; « fourniture », « fourniture exonérée », « service » — 1.

Lettres d'interprétation [art. 123]: 99-0101966 — Interprétation relative à la TPS et à la TVQ — Fourniture de certains biens et services par une administration scolaire.

Concordance fédérale: LTA, Ann. V:Partie III:4.

124. Service de transport scolaire — La fourniture d'un service de transport d'élèves du primaire ou du secondaire entre un point donné et une école d'une administration scolaire est exonérée, si la fourniture est effectuée par une administration scolaire à une personne qui n'est pas une administration scolaire.

Notes historiques: L'article 124 a été remplacé par L.Q. 2002, c. 9, par. 161(1) et cette modification est déclaratoire. Antérieurement, il se lisait ainsi :

> 124. La fourniture, effectuée par une administration scolaire à un élève du primaire ou du secondaire, d'un service qui consiste à assurer le transport de l'élève entre un point donné et une école d'une administration scolaire est exonérée.

L'article 124 a été édicté par L.Q. 1991, c. 67.

Guides [art. 124]: IN-203 — Renseignements généraux sur la TVQ et la TPS/TVH; IN-307 — Le démarrage d'entreprise et la fiscalité.

Renvois [art. 124]: « administration scolaire » — 1; « élève du primaire ou du secondaire » — 120; « fourniture »; « fourniture exonérée » — 1.

Bulletins d'interprétation [art. 124]: SPÉCIAL 123 — Bonification de la politique fiscale en matière d'avantages sociaux accordés aux employés, instauration d'un crédit d'impôt remboursable pour le rajeunissement du parc véhicules-taxis et autres mesures fiscales; TVQ. 124-1/R1 — Administrations scolaires admissibles aux remboursements partiels de la taxe de vente du Québec lorsqu'elles effectuent la fourniture de transport scolaire; TVQ. 124-2/R1 — Service de transport scolaire rendu à des commissions scolaires ou à des établissements d'enseignement privés.

Lettres d'interprétation [art. 124]: 99-0102097 — Interprétation relative à la TPS et à la TVQ — [Fourniture d'un service de transport scolaire effectuée par une commission scolaire]; 00-0104596 — Demande d'interprétation — somme versée par une école privée à une commission scolaire en guise de renflouement du déficit global du transport scolaire.

Concordance fédérale: LTA, Ann. V:Partie III:5.

125. Cours afin d'obtenir une accréditation ou un titre professionnel — Les fournitures suivantes, effectuées par une association professionnelle, un collège public, une école de formation professionnelle, un gouvernement, un organisme de réglementation ou une université sont exonérées :

1° la fourniture consistant à donner à un particulier un service d'enseignement lui permettant d'obtenir, de conserver ou d'améliorer une accréditation ou un titre professionnel reconnu par l'organisme de réglementation;

2° la fourniture consistant à donner un examen ou la fourniture d'un certificat à l'égard d'un service d'enseignement, d'une accréditation ou d'un titre professionnel visé au paragraphe 1°.

Exception — choix — Le présent article ne s'applique pas si le fournisseur a effectué un choix à cet effet en vertu du présent article, au moyen du formulaire prescrit contenant les renseignements prescrits.

Notes historiques: L'article 125 a été modifié par L.Q. 1994, c. 22, art. 423(1) et est réputé entré en vigueur le 1er juillet 1992. L'article 125, édicté par L.Q. 1991, c. 67, se lisait comme suit :

> 125. La fourniture, effectuée par une association professionnelle, un collège public, une école de formation professionnelle, un gouvernement, un organisme de réglementation ou une université, consistant à donner à un particulier un service d'enseignement ou un examen y afférent lui permettant d'obtenir, de conserver ou d'améliorer une accréditation ou un titre professionnel reconnu par l'organisme de réglementation est exonérée.
>
> Le présent article ne s'applique pas si le fournisseur a produit au ministre un choix à cet effet effectué en vertu du présent article, au moyen du formulaire prescrit contenant les renseignements prescrits.

Guides [art. 125]: IN-203 — Renseignements généraux sur la TVQ et la TPS/TVH; IN-307 — Le démarrage d'entreprise et la fiscalité.

Définitions [art. 125]: « collège public » — 1; « école de formation professionnelle » — 120; « fournisseur », « fourniture », « fourniture exonérée », « gouvernement », « organisme de réglementation », « particulier », « université » — 1.

Formulaires [art. 125]: FP-629, Choix exercé par un organisme pour que la fourniture de ses cours, de ses examens ou de ses certificats soit taxable; FP-2029, Choix exercé par un organisme pour que la fourniture de ses cours, de ses examens ou de ses certificats soit taxable.

Bulletins d'interprétation [art. 125]: TVQ. 125-1/R1 — Fourniture de cours de pilotage; TVQ. 127-1/R1 — Fourniture de cours de massothérapie.

Lettres d'interprétation [art. 125]: 98-0102057 — Interprétation relative à la TPS et à la TVQ — Amendes — CTI/RTI RTI à l'égard des frais d'avocats, d'huissiers et de sténographes.

Concordance fédérale: LTA, Ann. V:Partie III:6.

126. Cours menant à un diplôme — La fourniture, effectuée par une administration scolaire, un collège public ou une université, consistant à donner à un particulier un service d'enseignement ou un examen y afférent qui permet d'obtenir des crédits ou des unités menant à l'obtention d'un diplôme est exonérée.

Notes historiques: L'article 126 a été édicté par L.Q. 1991, c. 67.

Guides [art. 126]: IN-203 — Renseignements généraux sur la TVQ et la TPS/TVH.

Définitions [art. 126]: « administration scolaire », « collège public », « fourniture », « fourniture exonérée », « particulier », « université » — 1.

Renvois [art. 126]: 126.1 (service ou droit d'adhésion liés à des cours ou des examens menant à un diplôme).

LTVQ (français)

Bulletins d'interprétation [art. 126]: TVQ. 126-1/R2 — Frais afférents au matériel pédagogique exigés par une université; TVQ. 126-2/R2 — Frais afférents au matériel pédagogique exigés par une université; TVQ. 127-2/R1 — Fourniture d'un service d'enseignement concernant l'opération d'équipement lourd par une école de formation professionnelle; TVQ. 127-3/R1 — Fourniture par une école de formation professionnelle d'un service d'enseignement concernant la conduite de camions.

Formulaires: FP-2029, Choix exercé par un organisme pour que la fourniture de ses cours, de ses examens ou de ses certificats soit taxable.

Lettres d'interprétation: 04-0100455 — Interprétation relative à la TPS et à la TVQ — services de supervision des srages.

Concordance fédérale: LTA, Ann. V:Partie III:7.

126.1 Fourniture à l'égard d'un cours — La fourniture d'un service ou d'un droit d'adhésion dont la contrepartie doit être payée par un acquéreur en raison de l'acquisition par celui-ci d'une fourniture visée à l'article 126 est exonérée.

Notes historiques: L'article 126.1 a été ajouté par L.Q. 1994, c. 22, art. 424(1) et est réputé entré en vigueur le 1er juillet 1992.

Guides [art. 126.1]: IN-203 — Renseignements généraux sur la TVQ et la TPS/TVH; IN-307 — Le démarrage d'entreprise et la fiscalité.

Définitions [art. 126.1]: « acquéreur », « contrepartie », « droit d'adhésion », « fourniture », « fourniture exonérée », « service » — 1.

Bulletins d'interprétation [art. 126.1]: TVQ. 126-2/R2 — Frais afférents au matériel pédagogique exigés par une université; TVQ. 127-2/R1 — Fourniture d'un service d'enseignement concernant l'opération d'équipement lourd par une école de formation professionnelle; TVQ. 127-3/R1 — Fourniture par une école de formation professionnelle d'un service d'enseignement concernant la conduite de camions; TVQ. 127-4/R1 — Fourniture de cours de pilotage.

Formulaires: FP-2029, Choix exercé par un organisme pour que la fourniture de ses cours, de ses examens ou de ses certificats soit taxable.

Concordance fédérale: LTA, Ann. V:Partie III:7.1.

127. Formation professionnelle — La fourniture, autre qu'une fourniture détaxée, effectuée par un gouvernement, une administration scolaire, une école de formation professionnelle, un collège public ou une université, consistant à donner à un particulier un service d'enseignement ou un examen y afférent menant à un certificat, à un diplôme, à un permis ou à un acte semblable ou à une classe ou à un grade conféré par un permis, attestant la compétence d'un particulier à exercer un métier est exonérée.

Exception — choix — Le présent article ne s'applique pas dans le cas où le fournisseur a effectué un choix à cet effet en vertu du présent article, au moyen du formulaire prescrit contenant les renseignements prescrits.

Notes historiques: Le paragraphe 3° de l'article 127 a été remplacé par L.Q. 1997, c. 85, art. 485(1) et cette modification s'applique à l'égard d'une fourniture effectuée après le 31 décembre 1996.

Antérieurement, le paragraphe 3° se lisait comme suit :

> 3° soit le fournisseur est un organisme de bienfaisance ou un organisme sans but lucratif.

L'article 127 a été remplacé par L.Q. 2003, c. 2, par. 318(1) et cette modification s'applique à l'égard d'une fourniture :

> 1° dont la totalité de la contrepartie devient due après le 4 octobre 2000 ou est payée après cette date sans qu'elle soit devenue due;
>
> 2° dont la contrepartie devient due ou est payée avant le 5 octobre 2000 dans le cas où aucun montant n'a été exigé ou perçu au titre de la taxe prévue par le titre I de cette loi avant cette date. Toutefois, à l'égard de cette fourniture, l'article 127 doit se lire comme suit :
>
> > 127. La fourniture, autre qu'une fourniture détaxée, effectuée par un gouvernement, une administration scolaire, une école de formation professionnelle, un collège public ou une université, consistant à donner à un particulier un service d'enseignement ou un examen y afférent menant à un certificat, à un diplôme, à un permis ou à un acte semblable ou à une classe ou à un grade conféré par un permis, attestant la compétence d'un particulier à exercer un métier est exonérée.

Antérieurement, il se lisait ainsi :

> 127. La fourniture, autre qu'une fourniture détaxée, effectuée par une administration scolaire, une école de formation professionnelle, un collège public ou une université, consistant à donner à un particulier un service d'enseignement ou un examen y afférent menant à un certificat, à un diplôme, à un permis ou à un acte semblable ou à une classe ou à un grade conféré par un permis, attestant la compétence d'un particulier à exercer un métier est exonérée dans le cas où :
>
> 1° soit l'acte, la classe ou le grade est visé par un règlement fédéral ou provincial;
>
> 2° soit le fournisseur est régi par la législation fédérale ou provinciale applicable aux écoles de formation professionnelle;
>
> 3° soit le fournisseur est une institution publique ou un organisme sans but lucratif.

L'article 127 a été modifié par L.Q. 1994, c. 22, art. 425(1) et s'applique à compter du 1er juillet 1992. Les dispositions transitoires édictées par L.Q. 1994, c. 22, art. 425(2) ont été modifiées par L.Q. 1995, c. 63, art. 540(1) et, avec cette modification qui a effet depuis le 17 juin 1994, l'article 127 s'applique à compter 1er juillet 1992. Toutefois, pour la période du 2 décembre 1993 au 16 juin 1994, il doit se lire en y remplaçant les mots « ministre de l'Éducation » par les mots « ministre de l'Éducation et de la Science ». Auparavant, l'alinéa 425(2)a) des dispositions transitoires de la modification de l'article 127 édicté par L.Q. 1994, c. 22, art. 425 se lisait comme suit :

> a) pour la période du 1er juillet 1992 au 1er décembre 1993, il doit se lire en y remplaçant les mots « ministre de l'Éducation et de la Science » par les mots « ministre de l'Éducation »;

L'article 127, édicté par L.Q. 1991, c. 67, se lisait comme suit :

> 127. La fourniture, effectuée par une administration scolaire, une école de formation professionnelle, un collège public ou une université, consistant à donner à un particulier un service d'enseignement ou un examen y afférent menant à un certificat, à un diplôme, à un permis ou à un acte semblable ou à une classe ou à un grade conféré par un permis, visé par un règlement fédéral ou provincial et attestant la compétence d'un particulier à exercer un métier est exonérée.

Guides [art. 127]: IN-305 — Les organismes sans but lucratif et la fiscalité; IN-307 — Le démarrage d'entreprise et la fiscalité.

Définitions [art. 127]: « administration scolaire », « collège public » — 1; « école de formation professionnelle » — 120; « fourniture », « fourniture détaxée », « fourniture exonérée », « institution publique », « organisme de bienfaisance », « organisme sans but lucratif », « particulier », « université » — 1.

Bulletins d'interprétation [art. 127]: TVQ. 127-1/R1 — Fourniture de cours de massothérapie; TVQ. 127-2/R1 — Fourniture d'un service d'enseignement concernant l'opération d'équipement lourd par une école de formation professionnelle; TVQ. 127-3/R1 — Fourniture par une école de formation professionnelle d'un service d'enseignement concernant la conduite de camions; TVQ. 127-4/R1 — Fourniture de cours de pilotage.

Formulaires: FP-2029, Choix exercé par un organisme pour que la fourniture de ses cours, de ses examens ou de ses certificats soit taxable.

Lettres d'interprétation [art. 127]: 98-0106330 — Décision portant sur l'application de la TPS Interprétation relative à la TVQ — Services d'enseignement; 98-0113484 — Interprétation relative à la TVQ — Bulletin d'interprétation TVQ. 127-3, Fourniture par une école de formation professionnelle d'un service d'enseignement concernant la conduite d'un camion; 01-0105898 — Interprétation relative à la TPS et à la TVQ — Cours de préposé aux bénéficiaires; 02-0106332 — Interprétation relative à la TPS et à la TVQ — Choix en application de l'article 8 de la partie III de l'annexe V de la LTA.

Concordance fédérale: LTA, Ann. V:Partie III:8.

128. Cours particulier et préalable — Les fournitures suivantes sont exonérées :

1° la fourniture d'un service d'enseignement consistant à donner à un particulier un cours qui est soit conforme à un programme d'études au primaire ou au secondaire établi ou approuvé par le ministre de l'Éducation, du Loisir et du Sport, soit un cours pour lequel ce dernier accorde des crédits ou des unités au primaire ou au secondaire;

2° la fourniture d'un service d'enseignement consistant à donner à un particulier un cours qui est un équivalent prescrit d'un cours visé au paragraphe 1°;

3° la fourniture d'un service d'enseignement consistant à donner à un particulier un cours préalable qu'il est tenu de compléter avec succès afin d'être admis à un cours visé aux paragraphes 1° ou 2°.

Notes historiques: Le préambule de l'article 128 a été modifié par L.Q. 2005, c. 1, s.-par. 352(1)(1°) par la suppression des mots « à un particulier ». Cette modification a effet depuis le 1er juillet 1992.

Le paragraphe 1° de l'article 128 a été modifié par L.Q. 2005, c. 1, s.-par. 352(1)(2°)par le remplacement des mots « à lui donner » par les mots « à donner à un particulier ». Cette modification a effet depuis le 1er juillet 1992.

Le paragraphe 1° de l'article 128 a été remplacé par L.Q. 1999, c. 83, art. 310(1). Cette modification a effet depuis le 1er juillet 1992. Toutefois, pour la période du 2 décembre 1993 au 16 juin 1994, le paragraphe 1 de l'article 128 doit se lire en y remplaçant les mots « ministre de l'Éducation » par les mots « ministre de « l'Éducation et de la Science ». Antérieurement, le paragraphe se lisait comme suit :

> 1° la fourniture d'un service d'enseignement consistant à lui donner un cours qui est soit conforme à un programme d'études établi ou approuvé par le ministre de l'Éducation, soit un cours pour lequel ce dernier accorde des crédits ou des unités;

Le paragraphe 2° de l'article 128 a été modifié par L.Q. 2005, c. 1, s.-par. 352(1)(2°)par le remplacement des mots « à lui donner » par les mots « à donner à un particulier ». Cette modification a effet depuis le 1er juillet 1992.

Le paragraphe 3° de l'article 128 a été modifié par L.Q. 2005, c. 1, s.-par. 352(1)(3°) par le remplacement des mots « au particulier » par les mots « à un particulier ». Cette modification a effet depuis le 1er juillet 1992.

L'article 128 a été modifié par L.Q. 2005, c. 28, art. 195 par le remplacement, partout où ils se trouvent et compte tenu des adapations nécessaires, des mots « ministre de l'Éducation » par les mots « ministre de l'Éducation, du Loisir et du Sport ». Cette modification est entrée en vigueur le 17 juin 2005.

L'article 128 a été modifié par L.Q. 1994, c. 22, art. 425(1) et s'applique à compter du 1er juillet 1992. Les dispositions transitoires édictées par L.Q. 1994, c. 22, art. 425(2) ont été modifiées par L.Q. 1995, c. 63, art. 540(1) et, avec cette modification qui a effet depuis le 17 juin 1994, l'article 128 s'applique à compter du 1er juillet 1992. Toutefois, pour la période du 2 décembre 1993 au 16 juin 1994, il doit se lire en y remplaçant les mots « ministre de l'Éducation » par les mots « ministre de l'Éducation et de la Science ». Auparavant, l'alinéa 425(2)a) des dispositions transitoires de la modification de l'article 128 édicté par L.Q. 1994, c. 22, art. 425 se lisait comme suit :

> a) pour la période du 1er juillet 1992 au 1er décembre 1993, il doit se lire en y remplaçant les mots « ministre de l'Éducation et de la Science » par les mots « ministre de l'Éducation »;

Auparavant, l'article 128 se lisait comme suit :

> 128. La fourniture à un particulier d'un service d'enseignement consistant à lui donner un cours particulier conforme soit à un programme d'études établi ou approuvé par le ministre de l'Éducation, soit un cours équivalent prescrit est exonérée.

L'article 128 a été modifié par L.Q. 1994, c. 16, art. 50(40°), afin de remplacer, à compter du 17 juin 1994, l'expression « ministre de l'Éducation et de la Science » par « ministre de l'Éducation ».

L'article 128 a été modifié par L.Q. 1993 c. 51, art. 72 afin de remplacer, à compter du 2 décembre 1993, l'expression « ministre de l'Éducation ou de l'Enseignement supérieur et de la Science » par « ministre de l'Éducation et de la Science ».

L'article 128 a été édicté par L.Q. 1991, c. 67.

Guides [art. 128]: IN-203 — Renseignements généraux sur la TVQ et la TPS/TVH; IN-307 — Le démarrage d'entreprise et la fiscalité.

Définitions [art. 128]: « fourniture », « fourniture exonérée », « particulier » — 1.

Renvois [art. 128]: 677:16° (règlements)..

Règlements [art. 128]: RTVQ, 128R1.

Lettres d'interprétation [art. 128]: 99-0109167 — Interprétation relative à la TPS et à la TVQ [— programme de formation]; 02-0105110 — Interprétation relative à la TPS et à la TVQ — Fourniture de services de supervision et d'enseignement par un organisme de bienfaisance; 04-0101776 — Interprétation relative à la TPS et à la TVQ — subvention ou contrepartie de fourniture [entre un OSBL et une commission scolaire].

Concordance fédérale: LTA, Ann. V:Partie III:9.

129. [*Abrogé*]

Notes historiques: L'article 129 a été abrogé par L.Q. 1994, c. 22, art. 426(1) rétroactivement au 1er juillet 1992. Antérieurement, il se lisait ainsi :

> 129. La fourniture d'un service d'enseignement consistant à donner à un particulier un cours préalable à un autre cours conforme soit à un programme d'études établi ou approuvé par le ministre de l'Éducation, soit un cours équivalent prescrit est exonérée.

L'article 129 a été modifié par L.Q. 1994, c. 16, art. 50(40°) afin de remplacer, à compter du 17 juin 1994, l'expression « ministre de l'Éducation et de la Science » par « ministre de l'Éducation ».

L'article 129 a été modifié par L.Q. 1993 c. 51, art. 72 afin de remplacer, à compter du 2 décembre 1993, l'expression « ministre de l'Éducation ou de l'Enseignement supérieur et de la Science » par « ministre de l'Éducation et de la Science ».

130. Cours de langue seconde — La fourniture, effectuée par une administration scolaire, une école de formation professionnelle, un collège public, une université ou dans le cadre d'une entreprise établie et administrée principalement afin de donner des cours de langue, d'un service d'enseignement consistant à donner de tels cours ou des examens y afférents dans le cadre d'un programme d'enseignement de langue seconde en anglais ou en français est exonérée.

Notes historiques: L'article 130 a été remplacé par L.Q. 2001, c. 53, art. 296(1) et cette modification s'applique à l'égard d'une fourniture effectuée après le 30 avril 1999. Antérieurement, il se lisait ainsi :

> 130. La fourniture, effectuée par une administration scolaire, un collège public, une université ou un établissement d'enseignement établi et administré principalement afin de donner des cours de langue, d'un service d'enseignement consistant à donner de tels cours ou des examens y afférents dans le cadre d'un programme d'enseignement de langue seconde en anglais ou en français est exonérée.

L'article 130 a été édicté par L.Q. 1991, c. 67.

Guides [art. 130]: IN-203 — Renseignements généraux sur la TVQ et la TPS/TVH; IN-307 — Le démarrage d'entreprise et la fiscalité.

Définitions [art. 130]: « administration scolaire », « collège public », « fourniture », « fourniture exonérée », « université » — 1.

Lettres d'interprétation [art. 130]: 98-0112619 — Décision portant sur l'application de la TPS — Interprétation relative à la TVQ — Cours d'anglais langue seconde.

Concordance fédérale: LTA, Ann. V:Partie III:11.

131. Repas dans une cafétéria scolaire — La fourniture d'aliments ou de boissons effectuée dans la cafétéria d'une école primaire ou secondaire, principalement aux élèves de l'école est exonérée, sauf si elle est effectuée pour une réception, une réunion, une fête ou une activité semblable à caractère privé.

Exception — Le présent article ne s'applique pas aux aliments ou aux boissons prescrits ou ceux fournis au moyen d'un distributeur automatique.

Notes historiques: L'article 131 a été édicté par L.Q. 1991, c. 67.

Guides [art. 131]: IN-203 — Renseignements généraux sur la TVQ et la TPS/TVH; IN-216 — La TVQ, la TPS/TVH et l'alimentation; IN-307 — Le démarrage d'entreprise et la fiscalité.

Définitions [art. 131]: « administration scolaire » — 1; « élève du primaire ou du secondaire » — 120; « fourniture », « fourniture exonérée » — 1.

Renvois [art. 131]: 122 (aliments, boissons, service ou droit d'entrée); 677:18° (règlements).

Règlements [art. 131]: RTVQ, 131R1.

Concordance fédérale: LTA, Ann. V:Partie III:12.

132. Repas dans une université ou un collège public — La fourniture d'un repas à un étudiant inscrit à une université ou un collège public est exonérée si le repas est procuré selon un régime d'une période d'au moins un mois en vertu duquel l'étudiant achète d'un fournisseur pour une contrepartie unique, exclusivement le droit de prendre au moins dix repas par semaine tout au long de la période, dans un restaurant ou une cafétéria situé à l'université ou au collège.

Notes historiques: L'article 132 a été remplacé par L.Q. 1997, c. 85, art. 486(1) et s'applique à l'égard d'une fourniture dont la totalité de la contrepartie devient due après le 30 juin 1996 ou est payée après le 30 juin 1996 sans qu'elle soit devenue due. Antérieurement, cet article se lisait ainsi :

> 132. La fourniture d'un repas dans une université ou un collège public à un étudiant est exonérée si le repas est procuré selon un régime en vertu duquel l'étudiant achète d'un fournisseur pour une contrepartie unique, une fourniture d'au moins dix repas par semaine pour une période d'au moins un mois.

L'article 132 a été édicté par L.Q. 1991, c. 67.

Guides [art. 132]: IN-203 — Renseignements généraux sur la TVQ et la TPS/TVH; IN-307 — Le démarrage d'entreprise et la fiscalité.

Définitions [art. 132]: « collège public », « contrepartie », « fournisseur », « fourniture », « fourniture exonérée », « université » — 1.

Renvois [art. 132]: 133 (fourniture d'aliments ou de boissons en vertu d'un contrat).

Bulletins d'interprétation [art. 132]: TVQ. 133-1/R1 — Fourniture de produits alimentaires à une institution d'enseignement.

Concordance fédérale: LTA, Ann. V:Partie III:13.

133. Service de traiteur — La fourniture d'aliments ou de boissons, y compris un service de traiteur, effectuée à une administration scolaire, à un collège public ou à une université en vertu d'un contrat visant à procurer des aliments ou des boissons, soit à des étudiants selon un régime visé à l'article 132, soit dans la cafétéria d'une école primaire ou secondaire principalement aux élèves de l'école, est exonérée.

LTVQ (français)

Exception — Le présent article ne s'applique pas dans la mesure où les aliments, les boissons ou le service sont procurés pour une réception, une conférence ou une autre occasion ou événement spécial.

Notes historiques: L'article 133 a été édicté par L.Q. 1991, c. 67.

Guides [art. 133]: IN-203 — Renseignements généraux sur la TVQ et la TPS/TVH; IN-216 — La TVQ, la TPS/TVH et l'alimentation; IN-307 — Le démarrage d'entreprise et la fiscalité.

Définitions [art. 133]: « administration scolaire », « collège public », « fourniture », « fourniture exonérée », « université » — 1; « élève du primaire ou du secondaire » — 120.

Bulletins d'interprétation [art. 133]: TVQ. 133-1/R1 — Fourniture de produits alimentaires à une institution d'enseignement.

Concordance fédérale: LTA, Ann. V:Partie III:14.

134. Location d'un bien meuble — La fourniture d'un bien meuble, effectuée par louage, par une administration scolaire à un élève du primaire ou du secondaire est exonérée.

Notes historiques: L'article 134 a été édicté par L.Q. 1991, c. 67.

Guides [art. 134]: IN-203 — Renseignements généraux sur la TVQ et la TPS/TVH; IN-307 — Le démarrage d'entreprise et la fiscalité.

Définitions [art. 134]: « administration scolaire », « bien » — 1; « élève du primaire ou du secondaire » — 120; « fourniture », « fourniture exonérée » — 1.

Concordance fédérale: LTA, Ann. V:Partie III:15.

135. Cours collégial ou universitaire ne menant pas à un diplôme — La fourniture, effectuée par une administration scolaire, un collège public ou une université, d'un service d'enseignement consistant à donner à un particulier un cours ou un examen y afférent est exonérée si le service fait partie d'un programme constitué d'au moins deux cours et est soumis à l'examen et à l'approbation de l'administration scolaire, du collège ou de l'université.

Exception — Le présent article ne s'applique pas à des cours ayant trait à des sports, jeux ou autres loisirs qui sont conçus afin d'être suivis principalement à des fins récréatives.

Notes historiques: L'article 135 a été modifié par L.Q. 1994, c. 22, art. 427(1) et est réputé entré en vigueur le 1er juillet 1992. Antérieurement, il se lisait ainsi :

> 135. La fourniture, effectuée par un collège public ou une université, d'un service d'enseignement consistant à donner à un particulier un cours ou un examen y afférent est exonérée si le service fait partie d'un programme constitué d'au moins deux cours et est soumis à l'examen et à l'approbation du collège ou de l'université.
>
> Le présent article ne s'applique pas à des cours ayant trait à des sports, jeux ou autres loisirs qui sont conçus afin d'être suivis principalement à des fins récréatives.

L'article 135 a été édicté par L.Q. 1991, c. 67.

Guides [art. 135]: IN-203 — Renseignements généraux sur la TVQ et la TPS/TVH; IN-307 — Le démarrage d'entreprise et la fiscalité.

Définitions [art. 135]: « administration scolaire », « collège public », « fourniture », « fourniture exonérée », « particulier », « service », « université » — 1.

Bulletins d'interprétation [art. 135]: TVQ. 127-1/R1 — Fourniture de cours de massothérapie; TVQ. 135-1 — Cours ne menant pas à un diplôme.

Concordance fédérale: LTA, Ann. V:Partie III:16.

SECTION IV — SERVICE DE GARDE D'ENFANTS ET DE SOINS PERSONNELS

136. Service de garde d'enfants — La fourniture d'un service de garde d'enfants qui consiste principalement à assurer la garde et la surveillance d'enfants de quatorze ans ou moins pour des périodes d'une durée normale de moins de vingt-quatre heures par jour est exonérée.

Exception — Toutefois, cette fourniture ne comprend pas la fourniture d'un service qui consiste à surveiller un enfant non accompagné effectuée par une personne dans le cadre de la fourniture taxable par celle-ci d'un service de transport de passagers.

Notes historiques: Le deuxième alinéa de l'article 136 a été ajouté par L.Q. 2001, c. 53, art. 297(1) et s'applique à l'égard d'une fourniture d'un service de garde d'enfants dont la totalité de la contrepartie devient due après le 31 décembre 1999 ou est payée après le 31 décembre 1999 sans qu'elle soit devenue due.

L'article 136 a été édicté par L.Q. 1991, c. 67.

Guides [art. 136]: IN-189 — Les garderies en milieu familial; IN-203 — Renseignements généraux sur la TVQ et la TPS/TVH; IN-305 — Les organismes sans but lucratif et la fiscalité; IN-307 — Le démarrage d'entreprise et la fiscalité.

Définitions [art. 136]: « fourniture », « fourniture exonérée » — 1.

Renvois [art. 136]: 154 (activités de formation pour enfants par organisme du secteur public).

Lettres d'interprétation [art. 136]: 98-0103188 — Décision portant sur l'application de la TPS — Interprétation relative à la TVQ — Activités parascolaires; 98-0108716 — Décision portant sur l'application de la TPS — Interprétation relative à la TVQ — Activités parascolaires.

Concordance fédérale: LTA, Ann. V:Partie IV:1.

137. Service de soins personnels — La fourniture d'un service qui consiste à assurer la garde, la surveillance et à offrir un lieu de résidence à des enfants, ou à des personnes handicapées ou défavorisées dans un établissement exploité par le fournisseur afin d'offrir de tels services, est exonérée.

Notes historiques: L'article 137 a été modifié par L.Q. 1994, c. 22, art. 428(1) et est réputé entré en vigueur le 1er juillet 1992. Antérieurement, il se lisait ainsi :

> 137. La fourniture, effectuée par une personne, d'un service qui consiste à assurer la garde et la surveillance d'un résidant d'un établissement constitué et exploité par cette personne afin d'offrir de tels services, ainsi qu'un lieu de résidence, à des enfants ou à des personnes handicapées ou défavorisées, est exonérée.

L'article 137 a été édicté par L.Q. 1991, c. 67.

Guides [art. 137]: IN-132 — Les personnes handicapées et les avantages fiscaux; IN-189 — Les garderies en milieu familial; IN-203 — Renseignements généraux sur la TVQ et la TPS/TVH; IN-305 — Les organismes sans but lucratif et la fiscalité; IN-307 — Le démarrage d'entreprise et la fiscalité.

Définitions [art. 137]: « fournisseur », « fourniture », « fourniture exonérée », « personne », « service » — 1.

Renvois [art. 137]: 154 (droit d'adhésion à un programme de formation par un organisme du secteur public); 155 (camp d'activités récréatives par organisme du secteur public); 156 (logement provisoire par organisme du secteur public); 168:5° (logement provisoire).

Lettres d'interprétation [art. 137]: 04-0107310 — Interprétation relative à la TVQ — article 99 de la *Loi sur la taxe de vente du Québec*.

Concordance fédérale: LTA, Ann. V:Partie IV:2.

137.1 Service de soins de relève — La fourniture d'un service qui consiste à assurer les soins et la surveillance d'une personne dont l'aptitude physique ou mentale est limitée sur le plan de l'autosurveillance ou de l'initiative personnelle en matière de soin en raison d'une infirmité ou d'un handicap est exonérée si le service est rendu principalement dans un établissement du fournisseur.

Notes historiques: L'article 137.1 a été ajouté par L.Q. 2001, c. 53, art. 298(1) et s'applique à l'égard d'un service rendu après le 24 février 1998. Dans le cas où une fourniture visée à l'article 137.1 comprend la prestation de services durant une période commençant avant le 25 février 1998 et se terminant après le 24 février 1998, pour l'application du titre I, la prestation des services durant la partie de la période antérieure au 25 février 1998 est réputée une fourniture distincte effectuée pour une contrepartie distincte égale à la partie de la contrepartie totale qu'il est raisonnable d'attribuer aux services rendus durant cette partie de la période et la prestation des autres services est réputée une fourniture distincte effectuée pour une contrepartie distincte égale à la partie de la contrepartie totale qu'il est raisonnable d'attribuer à ces autres services. Dans le cas où, en raison de l'entrée en vigueur de l'article 137.1, une personne cesse d'utiliser son immobilisation ou en réduit l'utilisation dans le cadre de ses activités commerciales et qu'elle est réputée, en vertu des articles 243, 253, 258, 259, 261 ou 262, avoir effectué une fourniture du bien ou d'une partie de celui-ci et avoir perçu la taxe à l'égard de la fourniture, les règles suivantes s'appliquent :

> 1° la personne n'est pas tenue d'inclure la taxe dans le calcul de sa taxe nette pour une période de déclaration;
>
> 2° la personne est réputée, aux fins du calcul de la teneur en taxe du bien, avoir eu le droit de recouvrer un montant égal à la taxe au titre d'un remboursement de la taxe visée à la lettre A de la formule prévue à la définition de l'expression « teneur en taxe » prévue à l'article 1.

Guides [art. 137.1]: IN-132 — Les personnes handicapées et les avantages fiscaux; IN-189 — Les garderies en milieu familial; IN-203 — Renseignements généraux sur la TVQ et la TPS/TVH; IN-307 — Le démarrage d'entreprise et la fiscalité.

Concordance fédérale: LTA, Ann. V:Partie IV:3.

SECTION V — SERVICE D'AIDE JURIDIQUE

138. Service professionnel d'aide juridique — La fourniture d'un service professionnel d'aide juridique rendu en vertu d'un programme d'aide juridique autorisé par le gouvernement du Québec et effectuée par une société responsable de l'administration de l'aide juridique en vertu de la *Loi sur l'aide juridique et sur la prestation de certains autres services juridiques* (chapitre A-14) est exonérée.

Notes historiques: L'article 138 a été modifié par L.Q. 2010, c. 12, art. 34 par le remplacement de « *Loi sur l'aide juridique* » par « *Loi sur l'aide juridique et sur la prestation de certains autres services juridiques* ». Cette modification est entrée en vigueur le 7 septembre 2010 (Décret 699-2010).

L'article 138 a été modifié par L.Q. 1997, c. 3, art. 135(2°) pour remplacer le mot « corporation » par le mot « société ». Cette modification est réputée entrée en vigueur le 20 mars 1997.

Cet article a été édicté par L.Q. 1991, c. 67.

Guides [art. 138]: IN-203 — Renseignements généraux sur la TVQ et la TPS/TVH.

Définitions [art. 138]: « fourniture », « fourniture exonérée », « gouvernement » — 1.

Renvois [art. 138]: 381 (remboursement — service professionnel d'aide juridique); 382 (remboursement — service professionnel d'aide juridique).

Bulletins d'interprétation [art. 138]: TVQ. 138-1 — Services professionnels d'aide juridique; TVQ. 678-2 — Achats effectués par un centre d'aide juridique ou dans le cadre de la réalisation d'un mandat d'aide juridique.

Lettres d'interprétation [art. 138]: 98-010117 — Interprétation relative à la TPS — Interprétation relative à la TVQ — Exportation de véhicules automobiles.

Concordance fédérale: LTA, Ann. V:Partie V:1.

SECTION V.1 — ORGANISMES DE BIENFAISANCE

Notes historiques: La section V.1 a été ajoutée par L.Q. 1997, c. 85, art. 487(1) et a effet à l'égard d'une fourniture dont la contrepartie devient due après le 31 décembre 1996 ou est payée après le 31 décembre 1996 sans qu'elle soit devenue due. Toutefois, à l'égard d'une fourniture effectuée par un organisme de bienfaisance d'un droit d'entrée à un dîner, bal, concert, spectacle ou autre activité semblable avant le 1er janvier 1997, le chapitre III du titre I s'applique comme si le chapitre 85 des Lois de 1997 n'était pas adopté.

138.1 Exonération générale — La fourniture d'un bien ou d'un service effectuée par un organisme de bienfaisance est exonérée sauf les fournitures suivantes :

1° la fourniture d'un bien ou d'un service visée au chapitre IV;

2° la fourniture d'un bien ou d'un service, sauf une fourniture qui est réputée effectuée en vertu de l'article 60 ou par le seul effet de l'article 32.2 ou de l'article 32.3, dans le cas où la fourniture est réputée, en vertu du présent titre, avoir été effectuée par l'organisme;

3° la fourniture d'un bien meuble, sauf un bien que l'organisme a acquis, fabriqué ou produit afin d'en effectuer la fourniture par vente et un bien que l'organisme a fourni par louage, licence ou accord semblable conjointement avec la fourniture exonérée d'un immeuble par louage, licence ou accord semblable, dans le cas où, immédiatement avant le moment où la taxe deviendrait payable pour la première fois à l'égard de la fourniture s'il s'agissait d'une fourniture taxable, le bien est utilisé, autrement que dans l'exécution de la fourniture, dans le cadre des activités commerciales de l'organisme ou, si le bien est une immobilisation, principalement dans ce cadre;

4° la fourniture d'un bien meuble corporel, sauf un bien fourni par louage, licence ou accord semblable conjointement avec la fourniture exonérée d'un immeuble par louage, licence ou accord semblable, que l'organisme a acquis, fabriqué ou produit afin d'en effectuer la fourniture, ou d'un service que l'organisme fournit à l'égard d'un tel bien corporel et qui n'a pas été donné à l'organisme ni utilisé par une autre personne avant son acquisition par l'organisme, sauf la fourniture d'un tel bien ou d'un tel service en vertu d'un contrat pour un service de traiteur;

4.1° la fourniture d'un service déterminé tel que défini à l'article 350.17.1 dans le cas où la fourniture est effectuée à un inscrit à un moment où une désignation de l'organisme, en vertu des articles 350.17.1 à 350.17.4, est en vigueur;

5° la fourniture d'un droit d'entrée dans un lieu de divertissement sauf dans le cas où la contrepartie maximale d'une telle fourniture ne dépasse pas un dollar;

6° la fourniture d'un service d'enseignement ou de supervision dans le cadre d'une activité récréative ou sportive ou la fourniture d'un droit d'adhésion ou d'un autre droit permettant à une personne de bénéficier d'un tel service, sauf si, selon le cas :

a) il est raisonnable de s'attendre, compte tenu de la nature de l'activité ou du niveau d'aptitude ou de capacité nécessaire pour y participer, que ces services, droits d'adhésion ou autres droits fournis par l'organisme soient offerts principalement aux enfants de quatorze ans ou moins et qu'ils ne fassent pas partie ni se rapportent à un programme qui comporte une partie importante de surveillance de nuit;

b) ces services, droits d'adhésion ou autres droits fournis par l'organisme s'adressent principalement aux personnes défavorisées ou handicapées;

7° la fourniture d'un droit d'adhésion sauf celui visé aux sous-paragraphes a) et b) du paragraphe 6° si ce dernier :

a) autorise le membre à recevoir la fourniture d'un droit d'entrée dans un lieu de divertissement laquelle serait une fourniture taxable si elle était effectuée séparément de la fourniture du droit d'adhésion, ou l'autorise à recevoir un rabais sur la valeur de la contrepartie de la fourniture du droit d'entrée, sauf si la valeur de cette fourniture ou de ce rabais est négligeable par rapport à la contrepartie du droit d'adhésion;

b) comprend le droit de participer à une activité récréative ou sportive dans un lieu de divertissement ou d'y utiliser les installations, sauf si la valeur de ce droit est négligeable par rapport à la contrepartie du droit d'adhésion;

8° la fourniture d'un service d'artistes exécutants d'un spectacle si l'acquéreur de la fourniture est la personne qui effectue des fournitures taxables de droits d'entrée au spectacle;

9° la fourniture du droit, autre qu'un droit d'entrée, de jouer ou de participer à un jeu de hasard si l'organisme est une personne prescrite ou s'il s'agit d'une fourniture d'un jeu de hasard prescrit;

10° la fourniture d'un immeuble d'habitation ou un droit y afférent effectuée par vente;

11° la fourniture d'un immeuble effectuée par vente à un particulier ou à une fiducie personnelle, sauf la fourniture d'un immeuble sur lequel se trouve une construction qui était utilisée par l'organisme comme bureau ou dans le cadre d'activités commerciales ou pour la réalisation de fournitures exonérées;

12° la fourniture par vente d'un immeuble dans le cas où, immédiatement avant le moment où la taxe deviendrait payable pour la première fois à l'égard de la fourniture s'il s'agissait d'une fourniture taxable, le bien est utilisé, autrement que pour en effectuer la fourniture, principalement dans le cadre des activités commerciales de l'organisme;

13° la fourniture d'un immeuble à l'égard duquel le choix prévu à l'article 272 est en vigueur au moment où la taxe deviendrait payable à l'égard de la fourniture s'il s'agissait d'une fourniture taxable.

Notes historiques: Le paragraphe 2° de l'article 138.1 a été remplacé par L.Q. 2003, c. 2, s.-par. 319(1)(1°) et cette modification s'applique à l'égard d'une fourniture qui est réputée avoir été effectuée en vertu de l'article 32.2 ou de l'article 32.3 pour une période de location ou de facturation commençant après le 31 mars 1997. Antérieurement, il se lisait ainsi :

> 2° la fourniture d'un bien ou d'un service qui est réputée, en vertu du présent titre à l'exclusion de l'article 60, avoir été effectuée par l'organisme;

Le paragraphe 3° de l'article 138.1 a été remplacé par L.Q. 2003, c. 2, s.-par. 319(1)(1°) et cette modification s'applique à l'égard d'une fourniture dont la contrepartie devient due après le 31 décembre 1996 ou est payée après le 31 décembre 1996 sans qu'elle soit devenue due. Toutefois, il ne s'applique pas à l'égard d'une fourniture pour laquelle un montant a été exigé ou perçu au titre de la taxe prévue par le titre I avant le 5 octobre 2000.

Dans le cas où, avant le 1er janvier 1997, un organisme de bienfaisance utilisait son immobilisation pour effectuer la fourniture taxable par louage, licence ou accord sem-

LTVQ (français)

à un dîner, bal, concert, spectacle ou autre activité semblable avant le 1er janvier 1997, le chapitre III du titre I s'applique comme si le chapitre 85 des Lois de 1997 n'était pas adopté.

L.Q. 2009, c. 5, art. 677 prévoit que l'application de l'article 138.5, ajouté par L.Q. 1997, c. 85, par. 487(1), a été modifiée par ce qui suit :

> « Cet ajout a effet à l'égard d'une fourniture dont la contrepartie devient due après le 31 décembre 1996 ou est payée après le 31 décembre 1996 sans qu'elle soit devenue due. Toutefois, à l'égard d'une fourniture effectuée par un organisme de bienfaisance d'un droit d'entrée à un dîner, bal, concert, spectacle ou autre activité semblable avant le 1er janvier 1997, le chapitre III du titre I de cette loi s'applique comme si L.Q. 2009, c. 5 n'était pas entré en vigueur. Cette modification a effet depuis le 19 décembre 1997. »

Guides [art. 138.5]: IN-228 — La TVQ et la TPS/TVH pour les organismes de bienfaisance.

Définitions [art. 138.5]: « bien », « contrepartie », « fourniture », « organisme de bienfaisance », « service » — 1.

Renvois [art. 138.5]: 350.42.6 (exception — fourniture d'un contenant usagé et vide).

Lettres d'interprétation [art. 138.5]: 98-0100275 — Décision portant sur l'application de la TPS — Interprétation relative à la TVQ — Fourniture de biens et services effectuée entre établissements du réseau de la santé.

Concordance fédérale: LTA, Ann. V:Partie V.1:5.

138.6 Fourniture d'un bien meuble corporel ou d'un service — contrepartie symbolique — La fourniture par vente, effectuée par un organisme de bienfaisance au profit d'un acquéreur, d'un bien meuble corporel, sauf une immobilisation de l'organisme, ou d'un service que l'organisme a acheté en vue de le fournir par vente est exonérée si le montant total exigé pour la fourniture est égal au montant habituel que l'organisme demande à un tel acquéreur pour une telle fourniture et si :

1° dans le cas où l'organisme n'exige pas de l'acquéreur un montant au titre de la taxe à l'égard de la fourniture, le montant total exigé pour la fourniture ne dépasse pas son coût direct et il n'est pas raisonnable de s'attendre à ce qu'il le dépasse;

2° dans le cas où l'organisme exige de l'acquéreur un montant au titre de la taxe à l'égard de la fourniture, la contrepartie de la fourniture n'est pas égale à son coût direct ni n'y est supérieure et il n'est pas raisonnable de s'attendre à ce qu'elle le soit, ce coût direct étant déterminé sans tenir compte de la taxe imposée en vertu de la partie IX de la *Loi sur la taxe d'accise* (L.R.C. 1985, c. E-15) et sans tenir compte de la taxe qui est devenue payable en vertu du présent titre à un moment où l'organisme était un inscrit.

Notes historiques: Le paragraphe 2° de l'article 138.6 a été remplacé par L.Q. 2012, c. 28, par. 53(1) et cette modification s'applique à l'égard d'une fourniture dont la contrepartie devient due après le 31 décembre 2012 et ne sera pas payée avant le 1er janvier 2013. Antérieurement, il se lisait ainsi :

> 2° dans le cas où l'organisme exige de l'acquéreur un montant au titre de la taxe à l'égard de la fourniture, la contrepartie de la fourniture, déterminée sans tenir compte de la taxe imposée en vertu de la partie IX de la *Loi sur la taxe d'accise* (Lois révisées du Canada (1985), chapitre E-15), n'est pas égale à son coût direct ni n'y est supérieure et il n'est pas raisonnable de s'attendre à ce qu'elle le soit, ce coût direct étant déterminé sans tenir compte de la taxe imposée en vertu de la partie IX de la *Loi sur la taxe d'accise* et sans tenir compte de la taxe qui est devenue payable en vertu du présent titre à un moment où l'organisme était un inscrit.

Le paragraphe 2° de l'article 138.6 a été remplacé par L.Q. 2001, c. 53, art. 300(1) et cette modification s'applique à l'égard d'une fourniture dont la contrepartie devient due après le 31 décembre 1996 ou est payée après le 31 décembre 1996 sans qu'elle soit devenue due. Antérieurement, il se lisait ainsi :

> 2° dans le cas où l'organisme exige de l'acquéreur un montant au titre de la taxe à l'égard de la fourniture, la contrepartie de la fourniture, déterminée sans tenir compte de la taxe payée ou payable en vertu de la partie IX de la *Loi sur la taxe d'accise* (Lois révisées du Canada (1985), chapitre E-15), n'est pas égale à son coût direct, déterminé sans tenir compte de la taxe payée ou payable en vertu de la partie IX de la *Loi sur la taxe d'accise*, ni n'y est supérieur et il n'est pas raisonnable de s'attendre à ce qu'il le soit.

L'article 138.6 a été ajouté par L.Q. 1997, c. 85, art. 487(1) et a effet à l'égard d'une fourniture dont la contrepartie devient due après le 31 décembre 1996 ou est payée après le 31 décembre 1996 sans qu'elle soit devenue due. Toutefois, à l'égard d'une fourniture effectuée par un organisme de bienfaisance d'un droit d'entrée à un dîner, bal, concert, spectacle ou autre activité semblable avant le 1er janvier 1997, le chapitre III du titre I s'applique comme si le chapitre 85 des Lois de 1997 n'était pas adopté.

L.Q. 2009, c. 5, art. 677 prévoit que l'application de l'article 138.6, ajouté par L.Q. 1997, c. 85, par. 487(1), a été modifiée par ce qui suit :

> « Cet ajout a effet à l'égard d'une fourniture dont la contrepartie devient due après le 31 décembre 1996 ou est payée après le 31 décembre 1996 sans qu'elle soit devenue due. Toutefois :
>
> 1° à l'égard d'une fourniture effectuée par un organisme de bienfaisance d'un droit d'entrée à un dîner, bal, concert, spectacle ou autre activité semblable avant le 1er janvier 1997, le chapitre III du titre I de cette loi s'applique comme si L.Q. 2009, c. 5 n'était pas entré en vigueur;
>
> 2° à l'égard d'une fourniture dont la contrepartie devient due, ou est payée sans être devenue due, après le 31 décembre 1996 mais avant le 1er mai 2002, le préambule de l'article 138.6, édicté par L.Q. 1997, c. 85, par. 487(1), doit se lire comme suit :
>
> « 138.6 La fourniture par vente, effectuée par un organisme de bienfaisance au profit d'un acquéreur, d'un bien meuble corporel, sauf un contenant consigné, tel que défini à l'article 350.24, usagé et vide, la matière résultant du compactage d'un tel contenant ou une immobilisation de l'organisme, ou d'un service que l'organisme a acheté en vue de le fournir par vente est exonérée si le montant total exigé pour la fourniture est égal au montant habituel que l'organisme demande à un tel acquéreur pour une telle fourniture et si : »;
>
> 3° à l'égard d'une fourniture dont la contrepartie devient due, ou est payée sans être devenue due, après le 30 avril 2002 mais avant le 16 juillet 2002, le préambule de l'article 138.6, édicté par L.Q. 1997, c. 85, par. 487(1), doit se lire comme suit :
>
> 138.6 La fourniture par vente, effectuée par un organisme de bienfaisance au profit d'un acquéreur, d'un bien meuble corporel, sauf un contenant consigné, tel que défini à l'article 350.42.3, usagé et vide, la matière résultant du compactage d'un tel contenant ou une immobilisation de l'organisme, ou d'un service que l'organisme a acheté en vue de le fournir par vente est exonérée si le montant total exigé pour la fourniture est égal au montant habituel que l'organisme demande à un tel acquéreur pour une telle fourniture et si :.

Cette modification a effet depuis le 19 décembre 1997.

Notes explicatives ARQ (PL 5, L.Q. 2012, c. 28): *Résumé* :

L'article 138.6 est modifié afin de tenir compte du fait qu'à compter du 1er janvier 2013 la taxe sur les produits et services (TPS) est retirée de l'assiette de la taxe de vente du Québec (TVQ).

Situation actuelle :

L'article 138.6 prévoit une exonération pour les fournitures effectuées au coût direct par un organisme de bienfaisance, laquelle est identique à celle prévue à l'article 148 de la LTVQ pour les autres organismes de services publics.

L'exonération s'applique à l'égard de la fourniture par vente d'un bien meuble corporel ou d'un service qu'un organisme a acheté en vue de le fournir par vente. La règle d'application de l'exonération repose sur deux équations différentes selon que l'organisme exige ou non un montant de taxe à l'égard de la fourniture qu'il effectue.

En vertu du paragraphe 1° de l'article 138.6, une fourniture effectuée par un organisme à l'égard de laquelle il n'exige pas un montant au titre de la TVQ est exonérée si le montant total demandé pour la fourniture ne dépasse pas son « coût direct » au sens que lui donne l'article 1 de la LTVQ (TPS et TVQ incluses).

En vertu du paragraphe 2° de l'article 138.6, une fourniture qu'un organisme a traitée comme une fourniture taxable en exigeant un montant au titre de la taxe est exonérée si la contrepartie de la fourniture, déterminée sans tenir compte de la TPS, est inférieure au coût direct excluant la TPS et, si l'organisme était un inscrit au moment où la TVQ est devenue payable, la TVQ.

Modifications proposées :

L'article 138.6 est modifié afin de tenir compte du fait qu'à compter du 1er janvier 2013 la TPS est retirée de l'assiette de la TVQ.

Notes explicatives ARQ (PL 2, L.Q. 2009, c. 5): *Résumé* :

La disposition transitoire prévue au paragraphe 2 de l'article 487 de la *Loi modifiant de nouveau la Loi sur les impôts, la Loi sur la taxe de vente du Québec et d'autres dispositions législatives* (1997, chapitre 85) est modifiée, afin de préciser que l'article 138.6 de la *Loi sur la taxe de vente* (LTVQ) ne s'applique pas à la fourniture d'un contenant consigné ni à la fourniture de la matière résultant du compactage d'un tel contenant lorsque la contrepartie de la fourniture devient due ou est payée sans être devenue due au cours de la période du 1er janvier 1997 au 15 juillet 2002.

Situation actuelle :

Actuellement, l'article 138.6 de la LTVQ prévoit qu'une fourniture effectuée par un organisme de bienfaisance est exonérée lorsque la contrepartie de cette fourniture ne dépasse pas son coût direct. La disposition transitoire précise que l'article 138.6 de la LTVQ s'applique à l'égard d'une fourniture dont la contrepartie devient due, ou est payée sans être devenue due, après le 31 décembre 1996.

Or, dans le secteur du recyclage des contenants consignés, un recycleur peut acquérir un contenant usagé et vide pour une contrepartie égale à la consigne sur le contenant puis le fournir, pour une contrepartie moindre, à une autre personne qui recyclera la matière de ce contenant. Ainsi, lorsqu'un recycleur est un organisme de bienfaisance, la règle d'exonération relative au coût direct peut empêcher cet organisme de réclamer un remboursement de taxe sur intrants (RTI) à l'égard de ses activités liées au recyclage des contenants consignés, et ce, contrairement à ses compétiteurs qui ne sont pas des organismes de bienfaisance.

Par ailleurs, le nouvel article 350.42.5 de la LTVQ prévoit que la contrepartie de la fourniture d'un contenant consigné vide et usagé ou de la matière résultant du compactage d'un tel contenant est réputée nulle lorsque la contrepartie de la fourniture devient due ou est payée sans être devenue due après le 15 juillet 2002. Par conséquent, ce nouvel article fait en sorte que la règle d'exonération du coût direct, prévue à l'article 138.6 de la LTVQ, n'empêchera plus un organisme de bienfaisance de réclamer des RTI lorsqu'il acquiert un contenant consigné vide et usagé ou la matière résultant du compactage d'un tel contenant.

Modifications proposées :

La modification proposée à la disposition transitoire prévue au paragraphe 2 de l'article 487 de la *Loi modifiant de nouveau la Loi sur les impôts, la Loi sur la taxe de vente du Québec et d'autres dispositions législatives* (1997, chapitre 85) fait en sorte que la règle d'exonération prévue à l'article 138.6 de la LTVQ n'empêchera plus un organisme de bienfaisance de réclamer des RTI lorsqu'il acquiert un contenant consigné vide et usagé ou la matière résultant du compactage d'un tel contenant.

Guides [art. 138.6]: IN-228 — La TVQ et la TPS/TVH pour les organismes de bienfaisance.

Définitions [art. 138.6]: « acquéreur », « bien meuble corporel », « coût direct », « fourniture », « immobilisation », « montant », « organisme de bienfaisance », « vente » — 1.

Bulletins d'interprétation [art. 138.6]: TVQ. 1-8 — Fourniture de biens ou de services effectuée au coût direct; TVQ. 16-27 — Fournitures de photocopies par un organisme de bienfaisance, une institution publique ou un organisme de services publics au sens de l'article 139 de la *Loi sur la taxe de vente du Québec*.

Lettres d'interprétation [art. 138.6]: 98-0100275 — Décision portant sur l'application de la TPS — Interprétation relative à la TVQ — Fourniture de biens et services effectuée entre établissements du réseau de la santé; 98-0103303 — Coût direct; 98-0103576 — Services intégrés d'aide à l'emploi et de formation professionnelle; 98-0112650 — Interprétation relative à la TPS et à la TVQ — Notion de « coût direct »; 99-0100232 — Interprétation relative à la TPS — Interprétation relative à la TVQ — Objets sacramentaux; 99-0106064 — Interprétation relative à la TPS et à la TVQ — Fournitures effectuées par un CHSLD.

Concordance fédérale: LTA, Ann. V:Partie V.1:5.1.

138.6.1 Repas ou logement provisoire — pauvreté ou souffrance — La fourniture, effectuée par un organisme de bienfaisance, d'aliments, de boissons ou d'un logement provisoire est exonérée si la fourniture est effectuée dans le cadre d'une activité dont l'objet consiste à alléger la pauvreté, la souffrance ou la détresse de particuliers et non à lever des fonds.

Notes historiques: L'article 138.6.1 a été ajouté par L.Q. 2001, c. 53, art. 301(1) et s'applique à l'égard d'une fourniture :

1º dont la totalité de la contrepartie devient due après le 31 décembre 1999 ou est payée après le 31 décembre 1999 sans qu'elle soit devenue due;

2º dont la contrepartie est devenue due ou a été payée après le 31 décembre 1996 et avant le 1er janvier 2000, sauf si l'organisme de bienfaisance a exigé ou perçu un montant au titre de la taxe prévue par le titre I à l'égard de cette fourniture.

Guides [art. 138.6.1]: IN-216 — La TVQ, la TPS/TVH et l'alimentation; IN-228 — La TVQ et la TPS/TVH pour les organismes de bienfaisance.

Lettres d'interprétation [art. 138.6.1]: 00-0112250 — Interprétation relative à la TPS et à la TVQ — Fourniture de repas en cafétéria par un organisme de bienfaisance aux locataires d'une résidence à loyer modique pour personnes âgées en perte d'autonomie.

Concordance fédérale: LTA, Ann. V:Partie V.1:5.2.

138.7 Droits d'entrée — jeux d'argent à des fins non commerciales — La fourniture, effectuée par un organisme de bienfaisance, d'un droit d'entrée dans un lieu de divertissement où l'activité principale consiste à engager des paris ou à jouer à un jeu de hasard est exonérée si, à la fois :

1º les tâches administratives et les autres tâches accomplies dans le déroulement du jeu ou la prise des paris le sont exclusivement par des bénévoles;

2º dans le cas d'un bingo ou d'un casino, le jeu n'est pas tenu dans un local ou un lieu, y compris une construction temporaire, qui sert principalement à tenir un jeu d'argent.

Notes historiques: L'article 138.7 a été ajouté par L.Q. 1997, c. 85, art. 487(1) et a effet à l'égard d'une fourniture dont la contrepartie devient due après le 31 décembre 1996 ou est payée après le 31 décembre 1996 sans qu'elle soit devenue due. Toutefois, à l'égard d'une fourniture effectuée par un organisme de bienfaisance d'un droit d'entrée à un dîner, bal, concert, spectacle ou autre activité semblable avant le 1er janvier 1997, le chapitre III du titre I s'applique comme si le chapitre 85 des Lois de 1997 n'était pas adopté.

L.Q. 2009, c. 5, art. 674 prévoit que l'application de l'article 138.7, ajouté par L.Q. 1997, c. 85, par. 487(1), a été modifiée par ce qui suit :

« Cet ajout a effet à l'égard d'une fourniture dont la contrepartie devient due après le 31 décembre 1996 ou est payée après le 31 décembre 1996 sans qu'elle soit devenue due. Toutefois, à l'égard d'une fourniture effectuée par un organisme de bienfaisance d'un droit d'entrée à un dîner, bal, concert, spectacle ou autre activité semblable avant le 1er janvier 1997, le chapitre III du titre I de cette loi s'applique comme si L.Q. 2009, c. 5 n'était pas entré en vigueur. Cette modification a effet depuis le 19 décembre 1997. »

Guides [art. 138.7]: IN-228 — La TVQ et la TPS/TVH pour les organismes de bienfaisance.

Définitions [art. 138.7]: « argent », « droit d'entrée », « fourniture », « jeu de hasard », « lieu de divertissement », « organisme de bienfaisance » — 1.

Concordance fédérale: LTA, Ann. V:Partie V.1:6.

SECTION VI — ORGANISME DU SECTEUR PUBLIC

139. Définitions — Dans la présente section, l'expression :

« activité désignée » d'une organisation signifie une activité à l'égard de laquelle l'organisation est désignée comme municipalité pour l'application des articles 165 ou 166 ou des articles 383 à 397.2;

Notes historiques: La définition de « activité désignée » de l'article 139 a été modifiée par L.Q. 2005, c. 38 par. 364(1) par le remplacement de « 397 » par « 397.2 ». Cette modification s'applique à l'égard du calcul d'un remboursement pour une période de demande se terminant après le 31 décembre 2004. Toutefois, le remboursement d'une personne, pour une période de demande qui inclut le 1er janvier 2005, doit être déterminé comme si cette modification n'était pas entrée en vigueur à l'égard d'un montant qui est, selon le cas :

1º un montant de taxe qui devient payable par la personne avant le 1er janvier 2005;

2º un montant qui est réputé avoir été payé ou perçu par la personne avant le 1er janvier 2005;

3º un montant qui doit être ajouté dans le calcul de la taxe nette de la personne, selon le cas :

a) du fait qu'une division ou une succursale de la personne devient une division de petit fournisseur avant le 1er janvier 2005;

b) du fait que la personne cesse d'être un inscrit avant le 1er janvier 2005.

La définition de « activité désignée » à l'article 139 a été ajoutée par L.Q. 1994, c. 22, art. 429(1) et est réputée entrée en vigueur le 1er juillet 1992.

Concordance fédérale: LTA, Ann. V:Partie VI:1« activité désignée ».

« commission de transport » signifie :

1º une division, un ministère ou un organisme d'un gouvernement, d'une municipalité ou d'une administration scolaire, dont l'objet principal consiste à fournir un service public de transport de passagers;

2º un organisme sans but lucratif qui, selon le cas :

a) est financé par un gouvernement, une municipalité ou une administration scolaire afin de faciliter la fourniture d'un service public de transport de passagers;

b) est établi et administré afin d'offrir un service public de transport de passagers aux personnes handicapées;

Notes historiques: La définition de « commission de transport » à l'article 139 a été édictée par L.Q. 1991, c. 67.

Concordance fédérale: LTA, Ann. V:Partie VI:1« commission de transport ».

« coût direct » (*définition supprimée*);

Notes historiques: La définition de « coût direct » à l'article 139 a été supprimée par L.Q. 1997, c. 85, art. 488(1)(1º) et cette modification a effet depuis le 1er janvier 1997.

La définition de « coût direct » à l'article 139, édictée par L.Q. 1991, c. 67, se lisait ainsi :

« coût direct » d'un film, d'un diaporama ou d'une représentation semblable, ou de la fourniture d'un bien meuble corporel ou d'un service, signifie le total des montants dont chacun représente la valeur de la contrepartie payée ou payable par le fournisseur des droits d'entrée à l'égard de la représentation ou la valeur de celle payée ou payable par le fournisseur du bien ou du service pour un article ou du matériel, sauf une immobilisation du fournisseur, que ce dernier a acheté, dans

LTVQ (français)

la mesure où l'article ou le matériel doit être incorporé au bien ou en être une partie constitutive ou composante ou être consommé ou utilisé directement dans la présentation de la représentation, dans la fourniture du service ou dans la fabrication, la production, le traitement ou l'emballage du bien; ce coût direct comprend :

1° s'il s'agit de la fourniture d'un bien ou d'un service que le fournisseur a acheté antérieurement, la valeur de la contrepartie payée ou payable par le fournisseur pour le bien ou le service;

2° s'il s'agit d'un film, d'un diaporama ou d'une représentation semblable, le total des montants dont chacun représente la valeur de la contrepartie payée ou payable par le fournisseur des droits d'entrée à l'égard de la représentation pour la location d'un film, d'une diapositive ou d'un bien semblable ou d'un projecteur ou d'un équipement semblable, ou pour le droit de les utiliser;

« municipalité locale » d'une municipalité régionale signifie une municipalité dont la compétence s'étend sur un territoire qui fait partie de celui de la municipalité régionale;

Notes historiques: La définition de « municipalité locale » à l'article 139 a été ajoutée par L.Q. 1994, c. 22, art. 429(1) et est réputée entrée en vigueur le 1er juillet 1992.

Concordance fédérale: LTA, Ann. V:Partie VI:1« municipalité locale ».

« municipalité régionale » signifie une municipalité dont la compétence générale s'étend sur le territoire de plus d'une municipalité locale au sens de la *Loi sur l'organisation territoriale municipale* (chapitre O-9);

Notes historiques: La définition de « municipalité régionale » à l'article 139 a été ajoutée par L.Q. 1994, c. 22, art. 429(1) et est réputée entrée en vigueur le 1er juillet 1992.

Concordance fédérale: aucune.

« organisation paramunicipale » d'un organisme municipal signifie une organisation, autre qu'un gouvernement, de l'organisme municipal et qui est :

1° dans le cas où l'organisme municipal est une municipalité :

a) soit une organisation désignée comme municipalité pour l'application des articles 165 ou 166 ou des articles 383 à 397.2;

b) soit une organisation établie par l'organisme et qui est une municipalité par application du paragraphe 2° de la définition de l'expression « municipalité » prévue à l'article 1;

2° dans le cas où l'organisme municipal est un organisme désigné du gouvernement du Québec, une organisation qui est une municipalité par application du paragraphe 2° de la définition de l'expression « municipalité » prévue à l'article 1;

Notes historiques: Le sous-paragraphe a) du paragraphe 1° de la définition de « organisation paramunicipale » de l'article 139 a été modifié par L.Q. 2005, c. 38, par. 364(1) par le remplacement de « 397 » par « 397.2 ». Cette modification s'applique à l'égard du calcul d'un remboursement pour une période de demande se terminant après le 31 décembre 2004. Toutefois, le remboursement d'une personne, pour une période de demande qui inclut le 1er janvier 2005, doit être déterminé comme si cette modification n'était pas entrée en vigueur à l'égard d'un montant qui est, selon le cas :

1° un montant de taxe qui devient payable par la personne avant le 1er janvier 2005;

2° un montant qui est réputé avoir été payé ou perçu par la personne avant le 1er janvier 2005;

3° un montant qui doit être ajouté dans le calcul de la taxe nette de la personne, selon le cas :

a) du fait qu'une division ou une succursale de la personne devient une division de petit fournisseur avant le 1er janvier 2005;

b) du fait que la personne cesse d'être un inscrit avant le 1er janvier 2005.

La définition de « organisation paramunicipale » à l'article 139 a été ajoutée par L.Q. 1994, c. 22, art. 429(1) et est réputée entrée en vigueur le 1er juillet 1992.

Concordance fédérale: LTA, Ann. V:Partie VI:1« organisation paramunicipale ».

« organisme de services publics » ne comprend pas un organisme de bienfaisance;

Notes historiques: La définition de « organisme de services publics » à l'article 139 a été ajoutée par L.Q. 1997, c. 85, art. 488(1)(2°) et a effet depuis le 1er janvier 1997. De plus, cette définition s'applique également à l'égard d'une fourniture effectuée avant le 1er janvier 1997 si à la fois :

a) la fourniture est effectuée par une personne qui, le 1er janvier 1997, est un organisme de bienfaisance, au sens que donne à cette expression l'article 1, le 1er janvier 1997;

b) la contrepartie de la fourniture devient due après le 31 décembre 1996 ou est payée après le 31 décembre 1996 sans qu'elle soit devenue due;

Concordance fédérale: LTA, Ann. V:Partie VI:1« organisme de services publics ».

« organisme désigné du gouvernement du Québec » signifie une organisation établie par le gouvernement du Québec et qui est désignée comme municipalité pour l'application des articles 383 à 397;

Notes historiques: La définition de « organisme désigné du gouvernement du Québec » à l'article 139 a été ajoutée par L.Q. 1994, c. 22, art. 429(1) et est réputée entrée en vigueur le 1er juillet 1992.

Concordance fédérale: LTA, Ann. V:Partie VI:1« organisme désigné de régime provincial ».

« organisme du secteur public » ne comprend pas un organisme de bienfaisance;

Notes historiques: La définition de « organisme du secteur public » à l'article 139 a été ajoutée par L.Q. 1997, c. 85, art. 488(1)(3°) et a effet depuis le 1er janvier 1997. De plus, cette définition s'applique également à l'égard d'une fourniture effectuée avant le 1er janvier 1997 si à la fois :

a) la fourniture est effectuée par une personne qui, le 1er janvier 1997, est un organisme de bienfaisance, au sens que donne à cette expression l'article 1, le 1er janvier 1997;

b) la contrepartie de la fourniture devient due après le 31 décembre 1996 ou est payée après le 31 décembre 1996 sans qu'elle soit devenue due;

Concordance fédérale: LTA, Ann. V:Partie VI:1« organisme du secteur public ».

« organisme municipal » signifie une municipalité ou un organisme désigné du gouvernement du Québec;

Notes historiques: La définition de « organisme municipal » à l'article 139 a été ajoutée par L.Q. 1994, c. 22, art. 429(1) et est réputée entrée en vigueur le 1er juillet 1992.

Concordance fédérale: LTA, Ann. V:Partie VI:1« organisme municipal ».

« service municipal de transport » signifie un service public de transport de passagers, sauf un service d'affrètement ou un service qui fait partie d'un voyage organisé, fourni par une commission de transport et dont la totalité ou la presque totalité des fournitures consistent en des services publics de transport de passagers offerts sur le territoire d'une municipalité et dans les environs de celui-ci.

Notes historiques: La définition de « service municipal de transport » à l'article 139 a été modifiée par L.Q. 1996, c. 2, art. 952 et cette modification est entrée en vigueur le 8 mai 1996. Les mots « dans une municipalité et ses environs » ont été remplacés par les mots « sur le territoire d'une municipalité et dans les environs de celui-ci ».

La définition de « service municipal de transport » à l'article 139 a été ajoutée par L.Q. 1991, c. 67.

Concordance fédérale: LTA, Ann. V:Partie VI:1« service municipal de transport ».

« parti autorisé »[3] signifie un parti, incluant une association régionale ou locale du parti, un candidat ou un comité référendaire régi par une loi du Québec ou du Canada qui impose des exigences relativement aux dépenses électorales ou référendaires.

Notes historiques: La définition de « parti autorisé » à l'article 139 a été ajoutée par L.Q. 1997, c. 85, art. 488(1)(4°) et a effet depuis le 23 avril 1996. De plus, cette définition s'applique également à l'égard d'une fourniture effectuée avant le 23 avril 1996 dont la contrepartie devient due après le 22 avril 1996 ou est payée après le 22 avril 1996 sans qu'elle soit devenue due.

Concordance fédérale: aucune.

« service ménager à domicile » (*définition supprimée*).

Notes historiques: La définition de « service ménager à domicile » à l'article 139 a été supprimée par L.Q. 1994, c. 22, art. 429(1) rétroactivement au 1er juillet 1992. La définition de « service ménager à domicile » à l'article 139, édicté par L.Q. 1991, c. 67, se lisait comme suit :

« service ménager à domicile » signifie un service ménager ou personnel, tel que le ménage, la lessive, la préparation de repas et la garde d'un enfant, rendu à un

[3] L'entorse à l'ordre alphabétique habituel, que l'on note à l'égard des expressions « service municipal de transport » et « parti autorisé », provient de L.Q. 1997, c. 85, art. 488(1)(4°).

particulier qui, en raison de son âge, d'une infirmité ou d'une invalidité, a besoin d'aide;

Guides [art. 139]: IN-203 — Renseignements généraux sur la TVQ et la TPS/TVH.

Définitions [art. 139]: « administration scolaire », « bien », « bien meuble corporel », « contrepartie », « coût direct », « droit d'entrée », « fournisseur », « fourniture », « gouvernement », « immobilisation », « montant », « municipalité », « particulier » — 1.

Renvois [art. 139]: 140.1 (application de la définition de « organisation paramunicipale »).

Bulletins d'interprétation [art. 139]: TVQ. 16-27 — Fournitures de photocopies par un organisme de bienfaisance, une institution publique ou un organisme de services publics au sens de l'article 139 de la *Loi sur la taxe de vente du Québec*; TVQ. 167-1 — Carte d'identité nécessaire à l'obtention d'un service de transport à un tarif réduit; TVQ. 407-3/R2 — Partis politiques.

Lettres d'interprétation [art. 139]: 99-0100851 — Décision portant sur l'application de la TPS — Interprétation relative à la TVQ — Approvisionnement en commun, cotisation.

140. [*Abrogé*]

Notes historiques: L'article 140 a été abrogé par L.Q. 1997, c. 85, art. 489(1) et cette abrogation a effet depuis le 1er janvier 1997.

Antérieurement, cet article se lisait comme suit :

> Pour l'application de la définition de coût direct prévue à l'article 139, la contrepartie payée ou payable par le fournisseur pour un bien ou un service est réputée comprendre l'excédent de la taxe payable par lui à l'égard du bien ou du service sur le total des montants dont chacun représente son remboursement de la taxe sur les intrants ou son remboursement en vertu de la section I du chapitre septième, qu'il a demandé, ou a le droit de demander, à l'égard du bien ou du service.

L'article 140 a été édicté par L.Q. 1991, c. 67.

140.1 Organisation paramunicipale — Pour l'application de la définition de l'expression « organisation paramunicipale » prévue à l'article 139, une telle organisation est l'organisation de l'organisme municipal si, selon le cas :

1º la totalité ou la presque totalité des actions de l'organisation appartiennent à l'organisme ou la totalité ou la presque totalité des éléments de l'actif détenus par l'organisation appartiennent à l'organisme ou constituent des éléments de l'actif dont l'aliénation est sujette au contrôle de l'organisme de façon à ce que, dans le cas d'une liquidation de l'organisation, les éléments de l'actif soient dévolus à l'organisme;

2º l'organisation est tenue de soumettre périodiquement à l'organisme, pour approbation, son budget d'exploitation et, le cas échéant, son budget des immobilisations et la majorité des membres du conseil d'administration de l'organisation sont nommés par l'organisme.

Notes historiques: L'article 140.1 a été ajouté par L.Q. 1994, c. 22, art. 430(1) et est réputé entré en vigueur le 1er juillet 1992.

Guides [art. 140.1]: IN-203 — Renseignements généraux sur la TVQ et la TPS/TVH.

Définitions [art. 140.1]: « immobilisation », « organisme municipal » — 1.

Lettres d'interprétation [art. 140.1]: 99-0100851 — Décision portant sur l'application de la TPS — Interprétation relative à la TVQ — Approvisionnement en commun, cotisation.

Concordance fédérale: LTA, Ann. V:Partie VI:1« organisation paramunicipale ».

141. Exonération générale — institution publique — La fourniture d'un bien meuble ou d'un service effectuée par une institution publique est exonérée sauf les fournitures suivantes :

1º la fourniture d'un bien ou d'un service visée au chapitre IV;

2º la fourniture d'un bien ou d'un service, sauf une fourniture qui est réputée effectuée par le seul effet de l'article 32.2 ou de l'article 32.3, dans le cas où la fourniture est réputée, en vertu du présent titre, avoir été effectuée par l'institution;

3º la fourniture d'un bien, sauf une immobilisation de l'institution ou un bien que l'institution a acquis, fabriqué ou produit afin d'en effectuer la fourniture, dans le cas où immédiatement avant le moment où la taxe serait payable à l'égard de la fourniture s'il s'agissait d'une fourniture taxable, le bien était utilisé, autrement que dans l'exécution de la fourniture, dans le cadre des activités commerciales de l'institution;

4º la fourniture d'une immobilisation de l'institution qui, immédiatement avant le moment où la taxe serait payable à l'égard de la fourniture s'il s'agissait d'une fourniture taxable, était utilisée, autrement que dans l'exécution de la fourniture, principalement dans le cadre des activités commerciales de l'institution;

5º la fourniture d'un bien corporel que l'institution a acquis, fabriqué ou produit afin d'en effectuer la fourniture, ou d'un service que l'institution fournit à l'égard d'un tel bien corporel et qui n'a pas été donné à l'institution ni utilisé par une autre personne avant son acquisition par l'institution, sauf la fourniture d'un tel bien ou d'un tel service fourni par cet institution en vertu d'un contrat pour un service de traiteur;

6º la fourniture d'un bien effectuée par louage, licence ou accord semblable, conjointement avec la fourniture d'un immeuble visé au paragraphe 6º de l'article 168;

7º la fourniture d'un bien ou d'un service effectuée par l'institution en vertu d'un contrat pour un service de traiteur pour un événement commandité ou organisé par l'autre partie contractante;

8º la fourniture d'un droit d'adhésion si ce dernier :

a) autorise le membre à recevoir la fourniture d'un droit d'entrée dans un lieu de divertissement laquelle serait une fourniture taxable si elle était effectuée séparément de la fourniture du droit d'adhésion, ou l'autorise à recevoir un rabais sur la valeur de la contrepartie de la fourniture du droit d'entrée, sauf si la valeur de cette fourniture ou de ce rabais est négligeable par rapport à la contrepartie du droit d'adhésion;

b) comprend le droit de participer à une activité récréative ou sportive dans un lieu de divertissement ou d'y utiliser les installations, sauf si la valeur de ce droit est négligeable par rapport à la contrepartie du droit d'adhésion;

9º la fourniture d'un service d'artistes exécutants d'un spectacle si l'acquéreur de la fourniture est la personne qui effectue des fournitures taxables de droits d'entrée au spectacle;

10º la fourniture d'un service d'enseignement ou de supervision dans le cadre d'une activité récréative ou sportive ou la fourniture d'un droit d'adhésion ou d'un autre droit permettant à une personne de bénéficier d'un tel service;

11º la fourniture d'un droit de jouer ou de participer à un jeu de hasard;

12º la fourniture d'un service consistant à donner à un particulier un cours ou un examen y afférent, si la fourniture est effectuée par une école de formation professionnelle telle que définie à l'article 120, ou par une administration scolaire, un collège public ou une université;

13º la fourniture d'un droit d'entrée :

a) soit dans un lieu de divertissement;

b) soit à un colloque, à une conférence ou à un événement semblable, dans le cas où la fourniture est effectuée par un collège public ou une université;

c) soit à une activité de levée de fonds.

14º la fourniture d'un bien ou d'un service qui, à la fois :

a) constitue soit une fourniture de services esthétiques, au sens de l'article 108, soit une fourniture afférente à celle-ci qui n'est pas effectuée à des fins médicales ou restauratrices;

b) serait visée par la section II du présent chapitre en faisant abstraction de l'article 108.1, ou par la section II du chapitre IV en faisant abstraction de l'article 175.2.

Notes historiques: Le préambule de l'article 141 a été modifié par L.Q. 1997, c. 85, art. 490(1)(1º) par le remplacement des mots « un organisme de bienfaisance » par les mots « une institution publique ». Cette modification a effet à l'égard d'une fourniture dont la contrepartie devient due après le 31 décembre 1996 ou est payée après le 31 décembre 1996 sans qu'elle soit devenue due.

LTVQ (français)

Auparavant, le préambule de l'article 141 se lisait comme suit :

141. La fourniture d'un bien meuble ou d'un service effectuée par un organisme de bienfaisance est exonérée sauf les fournitures suivantes :

Le paragraphe 1° de l'article 141 a été modifié par L.Q. 1994, c. 22, art. 431(1) et est réputé entré en vigueur le 1er juillet 1992. Le paragraphe 1° se lisait comme suit :

1° la fourniture d'un bien ou d'un service visée au chapitre quatrième mais qui n'est pas visée aux articles 148 ou 152;

Le paragraphe 2° de l'article 141 a été remplacé par L.Q. 2003, c. 2, par. 320(1) et cette modification s'applique à l'égard d'une fourniture qui est réputée avoir été effectuée en vertu de l'article 32.2 ou de l'article 32.3 pour une période de location ou de facturation commençant après le 31 mars 1997. Antérieurement, il se lisait ainsi :

2° la fourniture d'un bien ou d'un service qui est réputée, en vertu du présent titre avoir été effectuée par l'institution;

Le paragraphe 2° de l'article 141 a été remplacé par L.Q. 1997, c. 85, art. 490(1)(2°) et cette modification a effet à l'égard d'une fourniture dont la contrepartie devient due après le 31 décembre 1996 ou est payée après le 31 décembre 1996 sans qu'elle soit devenue due. Auparavant, ce paragraphe se lisait ainsi :

2° la fourniture d'un bien ou d'un service qui est réputée, en vertu du présent titre à l'exclusion de l'article 27, avoir été effectuée par l'organisme;

Le paragraphe 2° de l'article 141 a été modifié par L.Q. 1995, c. 1, art. 273(1) et cette modification a effet depuis le 12 mai 1994. Auparavant, le paragraphe 2° se lisait comme suit :

2° la fourniture d'un bien ou d'un service qui est réputée, en vertu du présent titre, avoir été effectuée par l'organisme;

Le paragraphe 3° de l'article 141 a été remplacé par L.Q. 1997, c. 85, art. 490(1)(2°) et cette modification a effet à l'égard d'une fourniture dont la contrepartie devient due après le 31 décembre 1996 ou est payée après le 31 décembre 1996 sans qu'elle soit devenue due.

Antérieurement, le paragraphe 3° se lisait comme suit :

3° la fourniture d'un bien, sauf une immobilisation de l'organisme ou un bien que l'organisme a acquis, fabriqué ou produit afin d'en effectuer la fourniture, dans le cas où immédiatement avant le moment où la taxe serait payable à l'égard de la fourniture s'il s'agissait d'une fourniture taxable, le bien était utilisé, autrement que dans l'exécution de la fourniture, dans le cadre des activités commerciales de l'organisme;

Le paragraphe 4° de l'article 141 a été remplacé par L.Q. 1997, c. 85, art. 490(1)(2°) et cette modification a effet à l'égard d'une fourniture dont la contrepartie devient due après le 31 décembre 1996 ou est payée après le 31 décembre 1996 sans qu'elle soit devenue due.

Antérieurement, ce paragraphe se lisait ainsi :

4° la fourniture d'une immobilisation de l'organisme qui, immédiatement avant le moment où la taxe serait payable à l'égard de la fourniture s'il s'agissait d'une fourniture taxable, était utilisée, autrement que dans l'exécution de la fourniture, principalement dans le cadre des activités commerciales de l'organisme;

Le paragraphe 5° de l'article 141 a été remplacé par L.Q. 1997, c. 85, art. 490(1)(2°) et cette modification a effet à l'égard d'une fourniture dont la contrepartie devient due après le 31 décembre 1996 ou est payée après le 31 décembre 1996 sans qu'elle soit devenue due.

Antérieurement, ce paragraphe se lisait ainsi :

5° la fourniture d'un bien corporel que l'organisme a acquis, fabriqué ou produit afin d'en effectuer la fourniture, ou d'un service que l'organisme fournit à l'égard d'un tel bien corporel et qui n'a pas été donné à l'organisme ni utilisé par une autre personne avant son acquisition par l'organisme, sauf la fourniture d'un tel bien ou d'un tel service fourni par cet organisme en vertu d'un contrat pour un service de traiteur;

Le paragraphe 5° de l'article 141 a été modifié par L.Q. 1995, c. 1, art. 273(1) et cette modification s'applique à l'égard d'une fourniture effectuée après le 12 mai 1994. Le paragraphe 5° se lisait auparavant comme suit :

5° la fourniture d'un bien corporel que l'organisme a acquis, fabriqué ou produit afin d'en effectuer la fourniture, ou d'un service que l'organisme fournit à l'égard d'un tel bien corporel et qui n'a pas été donné à l'organisme ni utilisé par une autre personne avant son acquisition par l'organisme, sauf la fourniture d'un tel bien ou d'un tel service fourni par cet organisme en vertu d'un contrat pour la fourniture d'aliments ou de boissons à titre de traiteur y compris le service de traiteur;

Le paragraphe 5° de l'article 141 avait été modifié par L.Q. 1993, c. 19, art. 185(1) et s'appliquait à l'égard d'une fourniture ou d'un apport au Québec relativement auquel l'article 685 ou l'un des articles 618 à 656 de L.Q. 1991, c. 67 s'applique [*N.D.L.R.* : les articles 685 et 618 à 656 réfèrent à des dispositions transitoires concernant les transferts avant le 1er juillet 1992]. Il se lisait auparavant comme suit :

5° la fourniture d'un bien corporel que l'organisme a acquis, fabriqué ou produit afin d'en effectuer la fourniture, ou d'un service que l'organisme fournit à l'égard d'un tel bien corporel et qui n'a pas été donné à l'organisme ni utilisé par une autre personne avant son acquisition par l'organisme, sauf la fourniture d'un tel bien ou d'un tel service fourni par cet organisme en vertu d'un contrat pour un service de traiteur;

Le paragraphe 7° de l'article 141 a été remplacé par L.Q. 1997, c. 85, art. 490(1)(3°) et cette modification a effet à l'égard d'une fourniture dont la contrepartie devient due après le 31 décembre 1996 ou est payée après le 31 décembre 1996 sans qu'elle soit devenue due.

Auparavant, ce paragraphe se lisait ainsi :

7° la fourniture d'un bien ou d'un service effectuée par l'organisme en vertu d'un contrat pour un service de traiteur pour un événement commandité ou organisé par l'autre partie contractante;

Le paragraphe 7° de l'article 141 a été modifié par L.Q. 1995, c. 1, art. 273(1) et cette modification s'applique à l'égard d'une fourniture effectuée après le 12 mai 1994. Le paragraphe 7° se lisait auparavant comme suit :

7° la fourniture d'un bien ou d'un service effectuée par l'organisme en vertu d'un contrat pour la fourniture d'aliments ou de boissons à titre de traiteur y compris le service de traiteur pour un événement commandité ou organisé par l'autre partie contractante;

Le paragraphe 7° de l'article 141 a été modifié par L.Q. 1993, c. 19, art. 185(2°) et s'applique à l'égard d'une fourniture ou d'un apport au Québec relativement auquel l'article 685 ou l'un des articles 618 à 656 de L.Q. 1991, c. 67 s'applique [*N.D.L.R.* : les articles 685 et 618 à 656 réfèrent à des dispositions transitoires concernant les transferts avant le 1er juillet 1992]. Il se lisait auparavant comme suit :

7° la fourniture d'un bien ou d'un service effectuée par l'organisme en vertu d'un contrat pour un service de traiteur pour un événement commandité ou organisé par l'autre partie contractante;

Le préambule du paragraphe 8° et le paragraphe 13° de l'article 141 ont été modifiés par L.Q. 1994, c. 22, art. 431(1) et sont réputés entrés en vigueur le 1er juillet 1992. Le préambule du paragraphe 8° se lisait comme suit :

8° la fourniture d'un droit d'entrée dans un lieu de divertissement ou celle d'un droit d'adhésion si ce dernier :

Le paragraphe 13° se lisait comme suit :

13° la fourniture d'un droit d'entrée à un colloque, à une conférence ou à un événement semblable, effectuée par un collège public ou une université.

Le paragraphe 14° de l'article 141 a été ajouté par L.Q. 2011, c. 6, par. 244(1) et s'applique à l'égard d'une fourniture effectuée, selon le cas :

1° après le 4 mars 2010;

2° avant le 5 mars 2010 si :

a) la totalité de la contrepartie de la fourniture devient due après le 4 mars 2010 ou est payée après cette date sans être devenue due;

b) une partie de la contrepartie de la fourniture devient due ou a été payée avant le 5 mars 2010, sauf si le fournisseur n'a pas, avant cette date, exigé, perçu ou versé unmontant au titre de la taxe prévue par le titre I de cette loi relativement à la fourniture.

L'article 141 a été édicté par L.Q. 1991, c. 67.

Notes explicatives ARQ (PL 5, L.Q. 2011, c. 6): *Résumé* :

L'article 141 est modifié par l'addition du paragraphe 14° qui a pour effet d'exclure les fournitures de services esthétiques, au sens de l'article 108 de la LTVQ, et les fournitures afférentes à celles-ci qui ne sont pas effectuées à des fins médicales ou restauratrices de l'exonération des fournitures de biens meubles et de services effectuées par les institutions publiques.

Situation actuelle :

L'article 141 prévoit, sous réserve de certaines exceptions mentionnées aux paragraphes 1° à 13° de cet article, l'exonération des fournitures de biens meubles et de services qui sont effectuées par des institutions publiques, au sens de la définition donnée de cette expression à l'article 1 de la LTVQ.

Modifications proposées :

L'article 141 est modifié par l'addition du paragraphe 14° qui a pour effet d'exclure de l'application de l'article les fournitures de services esthétiques, au sens de l'article 108 de la LTVQ, et les fournitures afférentes à celles-ci qui ne sont pas effectuées à des fins médicales ou restauratrices. Cette exclusion ne s'applique que dans le cas où la fourniture serait également visée à la section II du chapitre III (services de santé) ou à la section II du chapitre IV (appareils médicaux et appareils fonctionnels) de la LTVQ si ce n'était du fait qu'elle est exclue de ces sections parce qu'elle est une fourniture de services esthétiques ou une fourniture afférente à celle-ci qui n'est pas effectuée à des fins médicales ou restauratrices.

Guides [art. 141]: IN-203 — Renseignements généraux sur la TVQ et la TPS/TVH.

Définitions [art. 141]: « acquéreur », « activité commerciale », « administration scolaire », « bien », « collège public », « contrepartie », « droit d'adhésion », « droit d'entrée » — 1; « école de formation professionnelle » — 120; « fourniture », « fourniture exonérée », « fourniture taxable », « immobilisation », « institution publique », « jeu de hasard », « lieu de divertissement », « organisme de bienfaisance », « particulier », « personne », « service », « taxe », « université » — 1.

Renvois [art. 141]: 143 (fournitures non exonérées de biens ou de services par un organisme de bienfaisance); 143.2 (vente d'un bien meuble ou d'un service par une institution publique); 148 (fourniture par un organisme de services publics d'un service dans le cadre d'une entreprise consistant à fournir ce service ou un bien meuble corporel); 152 (fourniture par un organisme du secteur public d'un bien ou d'un service sans contrepartie); 168 (fourniture d'un immeuble par un organisme de services publics).

Jurisprudence [art. 141]: *Québec (Sous-ministre du Revenu) c. Corporation de l'École polytechnique de Montréal* (11 novembre 2005), 500-09-013796-032, 2005 CarswellQue 10285.

Bulletins d'interprétation [art. 141]: TVQ. 16-27 — Fournitures de photocopies par un organisme de bienfaisance, une institution publique ou un organisme de services publics au sens de l'article 139 de la *Loi sur la taxe de vente du Québec*; TVQ. 108-1/R2 — Établissement de santé au sens du paragraphe 2º de la définition de cette expression prévue à l'article 108 de la *Loi sur la taxe de vente du Québec*, et repas acquis ou fournis par un tel établissement; TVQ. 124-2/R1 — Service de transport scolaire rendu à des commissions scolaires ou à des établissements d'enseignement privés; TVQ. 126-2/R2 — Frais afférents au matériel pédagogique exigés par une université; TVQ. 162-3/R1 — Fourniture de renseignements délivrés par un organisme public; TVQ. 407.3-1 — Inscription au fichier de la TVQ des titulaires de permis de réunion et perception de la taxe.

Lettres d'interprétation [art. 141]: 98-0102859 — Achat de droits de propriété intellectuelle; 99-0100851 — Décision portant sur l'application de la TPS — Interprétation relative à la TVQ — Approvisionnement en commun, cotisation; 99-0101966 — Interprétation relative à la TPS et à la TVQ — Fourniture de certains biens et services par une administration scolaire; 99-0102097 — Interprétation relative à la TPS et à la TVQ [Fourniture d'un service de transport scolaire effectuée par une commission scolaire]; 99-0103475 — Interprétation relative à la TPS et à la TVQ — Fourniture de matériel par un magasin scolaire universitaire; 99-0113649 — Fournitures de photocopies; 00-0102343 — Interprétation relative à la TPS et à la TVQ — Fourniture de copies de dossiers médicaux par une institution publique.

Concordance fédérale: LTA, Ann. V:Partie VI:2.

142. [*Abrogé*]

Notes historiques: L'article 142 a été abrogé par L.Q. 1997, c. 85, art. 491(1) et cette abrogation a effet à l'égard d'une fourniture dont la contrepartie devient due après le 31 décembre 1996 ou est payée après le 31 décembre 1996 sans qu'elle soit devenue due.

Antérieurement, cet article se lisait comme suit :

142. La fourniture d'un bien ou d'un service effectuée par un organisme de bienfaisance est exonérée si, selon le cas :

1º la fourniture est effectuée dans le cadre d'une entreprise exploitée par l'organisme qui consiste à effectuer la fourniture d'un tel bien ou d'un tel service ou d'un bien ou d'un service semblable et les tâches administratives quotidiennes ainsi que les autres tâches accomplies dans l'exploitation de cette entreprise le sont exclusivement par des bénévoles;

2º la fourniture est effectuée dans le cadre d'une activité que l'organisme exerce autrement que dans le cadre d'une entreprise visée au paragraphe 1º et les tâches administratives quotidiennes ainsi que les autres tâches accomplies dans l'exercice de l'activité, y compris la délivrance d'un bien ou la prestation d'un service dans le cadre de l'activité, sont accomplies exclusivement par des bénévoles;

3º le bien ou le service est fourni et est présenté aux acquéreurs éventuels comme devant être fourni, en tant que partie d'un programme établi par l'organisme qui consiste en une série de cours ou autres activités et les tâches non administratives accomplies dans l'exercice des activités le sont exclusivement par des bénévoles.

L'article 142 a été édicté par L.Q. 1991, c. 67.

143. [*Abrogé*]

Notes historiques: L'article 143 a été abrogé par L.Q. 1997, c. 85, art. 491(1) et cette abrogation a effet à l'égard d'une fourniture dont la contrepartie devient due après le 31 décembre 1996 ou est payée après le 31 décembre 1996 sans qu'elle soit devenue due.

Antérieurement, l'article 143 se lisait ainsi :

143. Malgré l'article 142, les fournitures suivantes ne sont pas exonérées :

1º la fourniture d'un bien ou d'un service visée aux paragraphes 1º à 4º ou 11º de l'article 141;

2º la fourniture d'un droit d'entrée dans un lieu de divertissement où l'activité principale consiste à engager des paris ou à participer à des jeux de hasard;

3º la fourniture d'un immeuble effectuée par vente.

Le paragraphe 2º de l'article 143 a été modifié par L.Q. 1994, c. 22, art. 432(1) et est réputé entré en vigueur le 1er juillet 1992. Il se lisait auparavant comme suit :

2º la fourniture d'un droit d'entrée dans un lieu de divertissement où des paris sont engagés ou un jeu de hasard est organisé;

L'article 143 a été édicté par L.Q. 1991, c. 67.

143.1 Fourniture de droits d'entrée dans le cadre d'une activité de levée de fonds — institution publique — La fourniture, effectuée par une institution publique, d'un droit d'entrée à une activité de levée de fonds telle qu'un dîner, bal, concert, spectacle ou autre activité semblable de levée de fonds, est exonérée dans le cas où il est raisonnable de considérer une partie de la contrepartie comme un don à l'institution relativement auquel un reçu visé aux articles 712 et 752.0.10.3 de la *Loi sur les impôts* (chapitre I-3) peut être délivré, ou pourrait l'être si l'acquéreur de la fourniture était un particulier.

Notes historiques: L'article 143.1 a été ajouté par L.Q. 1997, c. 85, art. 492(1) et a effet à l'égard d'une fourniture dont la contrepartie devient due après le 31 décembre 1996 ou est payée après le 31 décembre 1996 sans qu'elle soit devenue due. Toutefois, cet article ne s'applique pas à la fourniture d'un droit d'entrée à un dîner, bal, concert, spectacle ou autre activité semblable dans le cas où ce droit est fourni avant le 1er janvier 1997.

Guides [art. 143.1]: IN-203 — Renseignements généraux sur la TVQ et la TPS/TVH.

Définitions [art. 143.1]: « acquéreur », « droit d'entrée », « institution publique » — 1.

Renvois [art. 143.1]: 138.2 (fourniture par un organisme de bienfaisance).

Lettres d'interprétation [art. 143.1]: 99-0100851 — Décision portant sur l'application de la TPS — Interprétation relative à la TVQ — Approvisionnement en commun, cotisation.

Concordance fédérale: LTA, Ann. V:Partie VI:3.

143.2 Fourniture d'un bien meuble ou d'un service dans le cadre d'une activité de levée de fonds — institution publique — La fourniture d'un bien meuble ou d'un service effectuée par vente, par une institution publique dans le cadre d'une activité de levée de fonds, est exonérée à l'exclusion des fournitures suivantes :

1º la fourniture d'un bien ou d'un service dans le cas où la fourniture d'un tel bien ou d'un tel service dans le cadre de cette activité est effectuée de façon régulière ou continue tout au long de l'année ou d'une partie importante de l'année par l'institution;

2º la fourniture d'un bien ou d'un service dans le cas où l'acquéreur peut recevoir de l'institution, en vertu de la convention relative à la fourniture, un bien ou un service de façon régulière ou continue tout au long de l'année ou d'une partie importante de l'année;

3º la fourniture d'un bien ou d'un service visée aux paragraphes 1º à 4º ou 11º de l'article 141;

4º la fourniture d'un droit d'entrée dans un lieu de divertissement où l'activité principale consiste à engager des paris ou à participer à des jeux de hasard.

Notes historiques: L'article 143.2 a été ajouté par L.Q. 1997, c. 85, art. 492(1) et a effet à l'égard d'une fourniture dont la contrepartie devient due après le 31 décembre 1996 ou est payée après le 31 décembre 1996 sans qu'elle soit devenue due.

Guides [art. 143.2]: IN-203 — Renseignements généraux sur la TVQ et la TPS/TVH.

Définitions [art. 143.2]: « acquéreur », « bien », « droit d'entrée », fourniture », « institution publique », « lieu de divertissement », « service », « vente » — 1.

Lettres d'interprétation [art. 143.2]: 99-0100851 — Décision portant sur l'application de la TPS — Interprétation relative à la TVQ — Approvisionnement en commun, cotisation.

Concordance fédérale: LTA, Ann. V:Partie VI:3.1.

144. Campagnes de financement — bénévoles — La fourniture d'un bien meuble corporel effectuée par vente par un organisme du secteur public est exonérée si, à la fois :

1º l'organisme n'exploite pas une entreprise dont l'objet consiste à vendre de tels biens;

2º tous les vendeurs sont des bénévoles;

3º la contrepartie de chaque article vendu ne dépasse pas cinq dollars;

4º le bien n'est pas vendu lors d'un événement où la fourniture d'un bien du type ou de la catégorie fourni est effectuée par une personne qui exploite une entreprise dont l'objet consiste à vendre de tels biens.

Exception — Le présent article ne s'applique pas à la fourniture de boissons alcooliques ni à celle des produits du tabac.

coût direct de la fourniture d'un tel service effectuée par l'organisme dans ce cadre.

L'article 149 a été édicté par L.Q. 1991, c. 67.

150. [*Abrogé*]

Notes historiques: L'article 150 a été abrogé par L.Q. 1997, c. 85, art. 496(1) et cette abrogation a effet à l'égard d'une fourniture dont la totalité de la contrepartie devient due après le 31 décembre 1996 ou est payée après le 31 décembre 1996 sans qu'elle soit devenue due. Auparavant, cet article se lisait comme suit :

> 150. La fourniture, effectuée par un organisme du secteur public, d'un droit d'entrée à un film, un diaporama ou à une représentation semblable est exonérée dans le cas où le total des montants dont chacun représente la contrepartie d'un droit d'entrée à l'égard de la représentation ne dépassera vraisemblablement pas le coût direct de la représentation.

L'article 150 a été édicté par L.Q. 1991, c. 67.

151. Fourniture de droits d'entrée dans un lieu de divertissement — contrepartie symbolique — La fourniture, effectuée par un organisme du secteur public, d'un droit d'entrée dans un lieu de divertissement est exonérée dans le cas où la contrepartie maximale d'une telle fourniture ne dépasse pas 1 $.

Notes historiques: L'article 151 a été remplacé par L.Q. 1997, c. 85, art. 497(1) et cette modification a effet à l'égard d'une fourniture effectuée après le 23 avril 1996. Antérieurement, cet article se lisait comme suit :

> 151. La fourniture, effectuée à un moment quelconque par un organisme du secteur public, d'un droit d'entrée dans un lieu de divertissement est exonérée dans le cas où la contrepartie maximale d'une telle fourniture effectuée à ce moment par l'organisme ne dépasse pas un dollar.

L'article 151 a été édicté par L.Q. 1991, c. 67.

Guides [art. 151]: IN-203 — Renseignements généraux sur la TVQ et la TPS/TVH.

Définitions [art. 151]: « contrepartie », « droit d'entrée », « fourniture », « fourniture exonérée », « lieu de divertissement », « organisme du secteur public » — 1.

Renvois [art. 151]: 55 (fourniture entre personnes liées).

Bulletins d'interprétation [art. 151]: TVQ. 151-1 — Droits de circulation dans une zone d'exploitation contrôlée (ZEC).

Lettres d'interprétation [art. 151]: 99-0100851 — Décision portant sur l'application de la TPS — Interprétation relative à la TVQ — Approvisionnement en commun, cotisation; 99-0101388 — Interprétation relative à la TPS et à la TVQ — Droit aux CTI et aux RTI à l'égard des coûts de construction d'un bâtiment dans le cadre d'un droit d'emphytéose; 06-0104114 — Interprétation relative à la TPS et à la TVQ — organisation d'un congrès par un organisme sans but lucratif.

Concordance fédérale: LTA, Ann. V:Partie VI:9.

152. Fourniture d'un bien ou d'un service sans contrepartie — La fourniture effectuée par un organisme du secteur public d'un bien ou d'un service, sauf la fourniture de sang ou de dérivés du sang, est exonérée dans le cas où la totalité ou la presque totalité des fournitures du bien ou du service sont effectuées par l'organisme sans contrepartie.

Notes historiques: L'article 152 a été remplacé par L.Q. 1997, c. 85, art. 497(1) et cette modification a effet depuis le 1er juillet 1992. Toutefois, en ce qui a trait aux fournitures effectuées avant le 24 avril 1996, la référence à « des fournitures du bien ou du service » doit être lue comme une référence à « des fournitures d'un tel bien ou d'un tel service ». Antérieurement, cet article se lisait comme suit :

> 152. La fourniture, effectuée par un organisme du secteur public, d'un bien ou d'un service est exonérée dans le cas où la totalité ou la presque totalité des fournitures d'un tel bien ou d'un tel service sont effectuées par l'organisme sans contrepartie.

L'article 152 a été édicté par L.Q. 1991, c. 67.

Guides [art. 152]: IN-203 — Renseignements généraux sur la TVQ et la TPS/TVH.

Définitions [art. 152]: « bien », « contrepartie », « fourniture », « fourniture exonérée », « organisme du secteur public », « service » — 1.

Renvois [art. 152]: 55 (fourniture entre personnes liées); 141 (fourniture d'un bien meuble ou d'un service par une institution publique); 350.42.6 (exception — fourniture d'un contenant usagé et vide).

Jurisprudence [art. 152]: *La Vallée-de-l'Or (MRC de) c. Québec (Sous-ministre du Revenu)* (28 septembre 2010), 615-80-000111-093, 2010 CarswellQue 10380 (activité commerciale, écocentres).

Lettres d'interprétation [art. 152]: 99-0100851 — Décision portant sur l'application de la TPS — Interprétation relative à la TVQ — Approvisionnement en commun, cotisation; 02-0103453 — Interprétation relative à la TPS et à la TVQ — Fournitures effectuées par un organisme à but non lucratif; 06-0104114 — Interprétation relative à la TPS et à la TVQ — organisation d'un congrès par un organisme sans but lucratif.

Concordance fédérale: LTA, Ann. V:Partie VI:10.

153. Spectacle et événement compétitif — artistes amateurs — La fourniture du droit d'être spectateur à un spectacle, à un événement compétitif ou sportif est exonérée, si la totalité ou la presque totalité des exécutants, des athlètes ou des compétiteurs y prenant part ne reçoivent ni directement ni indirectement une rémunération pour leur participation, sauf un montant raisonnable à titre de prix, de cadeaux ou d'indemnités pour leurs frais de déplacement ou autres frais accessoires à leur participation, ou des subventions qui leur sont accordées par un gouvernement ou une municipalité, et si aucune publicité ou représentation à l'égard du spectacle ou de l'événement ne met en vedette des participants ainsi rémunérés.

Exception — Toutefois, la fourniture du droit d'être spectateur à un événement compétitif où des prix en argent sont décernés et à l'égard duquel tout compétiteur est un professionnel dans tout événement compétitif ne constitue pas une fourniture exonérée.

Notes historiques: L'article 153 a été édicté par L.Q. 1991, c. 67.

Guides [art. 153]: IN-203 — Renseignements généraux sur la TVQ et la TPS/TVH; IN-229 — La TVQ, la TPS/TVH pour les organismes sans but lucratif.

Définitions [art. 153]: « argent », « fourniture », « fourniture exonérée », « gouvernement », « montant », « municipalité » — 1.

Lettres d'interprétation [art. 153]: 99-0100851 — Décision portant sur l'application de la TPS — Interprétation relative à la TVQ — Approvisionnement en commun, cotisation; 04-0106254 — Interprétation relative à la TVQ — parrainage de tournois de hockey ou de baseball organisés par OSBL].

Concordance fédérale: LTA, Ann. V:Partie VI:11.

154. Services récréatifs — Est exonérée la fourniture, effectuée par un organisme du secteur public, d'un droit d'adhésion à un programme, établi et administré par l'organisme, lequel consiste en une série d'activités de formation ou de cours, sous surveillance, tels que les sports, les loisirs en plein air, la musique, la danse, les arts, l'artisanat ou un autre passe-temps ou activité de loisir si, selon le cas :

1° il est raisonnable de s'attendre, compte tenu de la nature des cours ou des activités ou du niveau d'aptitude ou de capacité nécessaire pour y participer, que le programme soit offert principalement aux enfants de quatorze ans ou moins, sauf si une partie substantielle du programme comporte une surveillance de nuit;

2° le programme est offert principalement aux personnes défavorisées ou handicapées.

Inclusion — Le premier alinéa comprend également la fourniture de services offerts dans le cadre d'un programme visé à cet alinéa.

Notes historiques: Le paragraphe 2° du premier alinéa de l'article 154 a été remplacé par L.Q. 1997, c. 85, art. 498(1) et cette modification a effet depuis le 20 mars 1997. Antérieurement, ce paragraphe se lisait comme suit :

> 2° le programme est offert principalement aux personnes défavorisées ou ayant un handicap physique ou mental.

L'article 154 a été édicté par L.Q. 1991, c. 67.

Guides [art. 154]: IN-189 — Les garderies en milieu familial; IN-203 — Renseignements généraux sur la TVQ et la TPS/TVH; IN-229 — La TVQ, la TPS/TVH pour les organismes sans but lucratif.

Définitions [art. 154]: « droit d'adhésion », « fourniture », « fourniture exonérée », « organisme du secteur public » — 1.

Lettres d'interprétation [art. 154]: 97-0108072 — Tarification des non-résidents pour des services de loisirs offerts par la Ville; 99-0100851 — Décision portant sur l'application de la TPS — Interprétation relative à la TVQ — Approvisionnement en commun, cotisation; 99-0109167 — Interprétation relative à la TPS et à la TVQ [— programme de formation]; 04-0101701 — Interprétation relative à la TPS et à la TVQ — terrains de jeux/droit d'adhésion [par un organisme du secteur public].

Bulletins d'interprétation [art. 154]: TVQ. 386-5/R1 — Abolition du remboursement partiel de la taxe de vente du Québec (TVQ) accordé aux organismes sans but lucratif admissibles.

Concordance fédérale: LTA, Ann. V:Partie VI:12.

155. Services récréatifs — La fourniture, effectuée par un organisme du secteur public, d'un service de pension et d'hébergement ou de loisirs dans un camp d'activités récréatives ou un endroit semblable, dans le cadre d'un programme ou d'un accord visant la prestation de tels services, principalement aux personnes défavorisées ou handicapées est exonérée.

Notes historiques: L'article 155 a été remplacé par L.Q. 1997, c. 85, art. 499(1) et cette modification a effet depuis le 20 mars 1997. Antérieurement, cet article se lisait comme suit :

> 155. La fourniture, effectuée par un organisme du secteur public, d'un service de pension et d'hébergement ou de loisirs dans un camp d'activités récréatives ou un endroit semblable, dans le cadre d'un programme ou d'un accord visant la prestation de tels services, principalement aux personnes défavorisées ou ayant un handicap physique ou mental est exonérée.

L'article 155 a été édicté par L.Q. 1991, c. 67.

Guides [art. 155]: IN-203 — Renseignements généraux sur la TVQ et la TPS/TVH; IN-229 — La TVQ, la TPS/TVH pour les organismes sans but lucratif.

Définitions [art. 155]: « fourniture », « fourniture exonérée », « organisme du secteur public » — 1.

Lettres d'interprétation [art. 155]: 93-0113493 — Interprétation relative à la TPS et à la TVQ — Méthode rapide spéciale réservée aux organismes de services publics; 99-0100851 — Décision portant sur l'application de la TPS — Interprétation relative à la TVQ — Approvisionnement en commun, cotisation.

Concordance fédérale: LTA, Ann. V:Partie VI:13.

156. Repas et logement provisoire — pauvreté ou souffrance

156. Repas et logement provisoire — pauvreté ou souffrance — La fourniture, effectuée par un organisme du secteur public, d'aliments, de boissons ou d'un logement provisoire est exonérée dans le cas où la fourniture est effectuée dans le cadre d'une activité dont l'objet consiste à alléger la pauvreté, la souffrance ou la détresse de particuliers et non à lever des fonds.

Notes historiques: L'article 156 a été édicté par L.Q. 1991, c. 67.

Guides [art. 156]: IN-203 — Renseignements généraux sur la TVQ et la TPS/TVH; IN-216 — La TVQ, la TPS/TVH et l'alimentation; IN-229 — La TVQ, la TPS/TVH pour les organismes sans but lucratif.

Définitions [art. 156]: « fourniture », « fourniture exonérée », « logement provisoire », « organisme du secteur public », « particulier » — 1.

Lettres d'interprétation [art. 156]: 99-0100851 — Décision portant sur l'application de la TPS — Interprétation relative à la TVQ — Approvisionnement en commun, cotisation; 00-0112250 — Interprétation relative à la TPS et à la TVQ — Fourniture de repas en cafétéria par un organisme de bienfaisance aux locataires d'une résidence à loyer modique pour personnes âgées en perte d'autonomie.

Concordance fédérale: LTA, Ann. V:Partie VI:14.

157. Repas au lieu de résidence — pauvreté ou souffrance — La fourniture, effectuée par un organisme du secteur public, d'aliments ou de boissons aux aînés ou aux personnes handicapées ou défavorisées dans le cadre d'un programme établi et administré afin de leur offrir à leurs lieux de résidence des aliments préparés ainsi que la fourniture d'aliments ou de boissons effectuée à un organisme du secteur public aux fins du programme sont exonérées.

Notes historiques: L'article 157 a été remplacé par L.Q. 1997, c. 85, art. 500(1) et cette modification a effet depuis le 20 mars 1997. Antérieurement, cet article se lisait ainsi :

> 157. La fourniture, effectuée par un organisme du secteur public, d'aliments ou de boissons aux personnes âgées, infirmes, handicapées ou défavorisées dans le cadre d'un programme établi et administré afin de leur offrir à leurs lieux de résidence des aliments préparés ainsi que la fourniture d'aliments ou de boissons effectuée à un organisme du secteur public aux fins du programme sont exonérées.

L'article 157 a été modifié par L.Q. 1997, c. 3, art. 121 pour remplacer le mot « domicile » par les mots « leurs lieux de résidence ». Cette modification est réputée entrée en vigueur le 20 mars 1997.

Cet article a été édicté par L.Q. 1991, c. 67.

Guides [art. 157]: IN-203 — Renseignements généraux sur la TVQ et la TPS/TVH; IN-216 — La TVQ, la TPS/TVH et l'alimentation; IN-229 — La TVQ, la TPS/TVH pour les organismes sans but lucratif.

Définitions [art. 157]: « fourniture », « fourniture exonérée », « logement provisoire », « organisme du secteur public », « particulier » — 1.

Bulletins d'interprétation [art. 157]: TVQ. 108-1/R2 — Établissement de santé au sens du paragraphe 2º de la définition de cette expression prévue à l'article 108 de la *Loi sur la taxe de vente du Québec*, et repas acquis ou fournis par un tel établissement.

Lettres d'interprétation [art. 157]: 99-0100851 — Décision portant sur l'application de la TPS — Interprétation relative à la TVQ — Approvisionnement en commun, cotisation.

Concordance fédérale: LTA, Ann. V:Partie V.1:4 et Ann. V:Partie VI:15.

158. [*Abrogé*]

Notes historiques: L'article 158 a été abrogé par L.Q. 1994, c. 22, art. 435(1) rétroactivement au 1er juillet 1992. L'article 158, édicté par L.Q. 1991, c. 67, se lisait comme suit :

> 158. La fourniture d'un service ménager à domicile qui est rendu à un particulier à son domicile est exonérée dans le cas où la fourniture est effectuée, selon le cas, par :
>
> 1º un gouvernement ou une municipalité;
>
> 2º un organisme sans but lucratif qui reçoit un montant payé par un gouvernement ou une municipalité à l'égard de la fourniture.

159. Fourniture d'un droit d'adhésion — La fourniture d'un droit d'adhésion à un organisme du secteur public, sauf un droit d'adhésion à un club dont l'objet principal consiste à permettre l'utilisation d'installations pour les repas, les loisirs ou les sports ou à un parti autorisé, qui ne confère aux membres que les avantages suivants est exonérée :

1º un avantage indirect qui est censé profiter à l'ensemble des membres;

2º le droit de recevoir des services d'enquête, de conciliation ou de règlement de plaintes ou de litiges mettant en cause les membres, fournis par l'organisme;

3º le droit de participer ou de voter aux assemblées;

4º le droit de recevoir ou d'acquérir des biens ou des services fournis à un membre pour une contrepartie distincte de celle du droit d'adhésion et qui est égale à la juste valeur marchande des biens ou des services au moment où la fourniture est effectuée;

5º le droit de recevoir un rabais sur la valeur de la contrepartie d'une fourniture à être effectuée par l'organisme dans le cas où la valeur totale de tels rabais auxquels un membre a droit en raison de son droit d'adhésion est négligeable par rapport à la contrepartie du droit d'adhésion;

6º le droit de recevoir des bulletins, des rapports ou des publications périodiques si, selon le cas :

a) la valeur est négligeable par rapport à la contrepartie du droit d'adhésion;

b) ils donnent des renseignements sur les activités ou la situation financière de l'organisme à l'exclusion des bulletins, des rapports ou des publications périodiques dont la valeur est appréciable par rapport à la contrepartie du droit d'adhésion à l'égard duquel un droit est habituellement exigé des non-membres par l'organisme.

Exception — choix — Le présent article ne s'applique pas si l'organisme a effectué un choix à cet effet en vertu du présent article au moyen du formulaire prescrit contenant les renseignements prescrits.

Notes historiques: Le préambule du premier alinéa de l'article 159 a été remplacé par L.Q. 1997, c. 85, art. 501(1). Cette modification a effet à l'égard d'une fourniture effectuée après le 23 avril 1996. Toutefois, elle ne s'applique pas à la fourniture d'un droit d'adhésion à l'égard de laquelle le fournisseur a transmis une offre écrite à l'acquéreur, ou lui a émis une facture, avant le 1er juin 1996. Antérieurement, ce préambule se lisait comme suit :

> 159. La fourniture d'un droit d'adhésion à un organisme du secteur public, sauf un droit d'adhésion à un club dont l'objet principal consiste à permettre l'utilisation d'installations pour les repas, les loisirs ou les sports, qui ne confère aux membres que les avantages suivants est exonérée :

Le deuxième alinéa de l'article 159 a été modifié par L.Q. 1994, c. 22, art. 436(1) et est réputé entré en vigueur le 1er juillet 1992. Il se lisait comme suit :

> 159. Le présent article ne s'applique pas si l'organisme a produit au ministre un choix à cet effet effectué en vertu du présent article au moyen du formulaire prescrit contenant les renseignements prescrits.

L'article 159 a été édicté par L.Q. 1991, c. 67.

Guides [art. 159]: IN-203 — Renseignements généraux sur la TVQ et la TPS/TVH; IN-229 — La TVQ, la TPS/TVH pour les organismes sans but lucratif.

Définitions [art. 159]: « bien », « contrepartie », « droit d'adhésion », « fourniture », « fourniture exonérée », « organisme du secteur public », « service » — 1.

Renvois [art. 159]: 15 (JVM); 159.1 (choix en vertu de la LTA).

LTVQ (français)

Formulaires [art. 159]: FP-623, Choix d'un organisme du secteur public de considérer ses droits d'adhésion exonérés comme des fournitures taxables.

Bulletins d'interprétation [art. 159]: TVQ. 16-28 — Fourniture de services aux membres d'un organisme à but non lucratif oeuvrant dans le domaine du tourisme; TVQ. 407-3/R2 — Partis politiques.

Lettres d'interprétation [art. 159]: 98-0102933 — Décision portant sur l'application de la TPS — Interprétation relative à la TVQ — Amarrage à un ponton et choix de l'article 211; 99-0100851 — Décision portant sur l'application de la TPS — Interprétation relative à la TVQ — Approvisionnement en commun, cotisation; 99-0102253 — Droits d'adhésion; 00-0106351 — Interprétation relative à la TPS et à la TVQ — Subvention vs Contrepartie; Droits d'adhésion à un organisme du secteur public; 02-0104477 — Interprétation relative à la TPS et à la TVQ — Fourniture d'une part sociale; 02-0105581 — Fournitures effectuées par un organisme à but non lucratif; 03-0106207 — Décision portant sur l'application de la TPS — Interprétation relative à la TVQ; 04-0101586 — Interprétation relative à la TPS et la TVQ — fourniture de droits d'adhésion.

Concordance fédérale: LTA, Ann. V:Partie VI:17.

159.1 Présomptions relatives au choix — Malgré l'article 159, dans le cas où un organisme du secteur public a effectué le choix prévu à l'article 17 de la partie VI de l'annexe V de la *Loi sur la taxe d'accise* (Lois révisées du Canada (1985), chapitre E-15), l'organisme est réputé avoir effectué le choix en vertu du deuxième alinéa de l'article 159 et ce choix est réputé entrer en vigueur le jour de l'entrée en vigueur du choix effectué en vertu de l'article 17 de la partie VI de l'annexe V de cette loi.

Notes historiques: L'article 159.1 a été ajouté par L.Q. 1997, c. 85, art. 502(1) et a effet depuis le 1er août 1995.

Guides [art. 159.1]: IN-203 — Renseignements généraux sur la TVQ et la TPS/TVH.

Définitions [art. 159.1]: « organisme du secteur public » — 1.

Lettres d'interprétation [art. 159.1]: 99-0100851 — Décision portant sur l'application de la TPS — Interprétation relative à la TVQ — Approvisionnement en commun, cotisation.

Concordance fédérale: aucune.

160. Cotisations professionnelles — La fourniture d'un droit d'adhésion, effectuée par une organisation, qui est nécessaire pour conserver un statut professionnel reconnu par une loi est exonérée.

Exception — choix — Le présent article ne s'applique pas si le fournisseur a effectué un choix à cet effet en vertu du présent article au moyen du formulaire prescrit contenant les renseignements prescrits.

Notes historiques: Le deuxième alinéa de l'article 160 a été modifié par L.Q. 1994, c. 22, art. 437(1) et est réputé entré en vigueur le 1er juillet 1992. Il se lisait comme suit :

> Le présent article ne s'applique pas si le fournisseur a produit au ministre un choix à cet effet effectué en vertu du présent article au moyen du formulaire prescrit contenant les renseignements prescrits.

L'article 160 a été édicté par L.Q. 1991, c. 67.

Guides [art. 160]: IN-203 — Renseignements généraux sur la TVQ et la TPS/TVH; IN-229 — La TVQ, la TPS/TVH pour les organismes sans but lucratif.

Définitions [art. 160]: « droit d'adhésion », « fournisseur », « fourniture », « fourniture exonérée » — 1.

Formulaires [art. 160]: FP-624, Choix relatif à la fourniture taxable des droits d'adhésion à une organisation professionnelle; FP-2018, Choix relatif aux droits d'adhésion à une organisation professionnelle.

Bulletins d'interprétation [art. 160]: TVQ. 160-1 — Les cotisations payables à un ordre professionnel.

Lettres d'interprétation [art. 160]: 98-0102057 — Interprétation relative à la TPS et à la TVQ — Amendes — CTI/RTI RTI à l'égard des frais d'avocats, d'huissiers et de sténographes; 98-0113450 — Interprétation relative à la TPS et à la TVQ — Fonds d'indemnisation; 99-0100851 — Décision portant sur l'application de la TPS — Interprétation relative à la TVQ — Approvisionnement en commun, cotisation; 02-0107223 — Interprétation relative à la TPS et à la TVQ — Cotisation annuelle [Application de la loi aux avis de].

Concordance fédérale: LTA, Ann. V:Partie VI:18.

160.1 Fourniture d'un droit d'adhésion à un parti autorisé — La fourniture d'un droit d'adhésion à un parti autorisé est exonérée.

Notes historiques: L'article 160.1 a été ajouté par L.Q. 1997, c. 85, art. 503(1) et a effet à l'égard d'une fourniture effectuée après le 23 avril 1996, à l'exception d'une fourniture à l'égard de laquelle le fournisseur a transmis une offre écrite à l'acquéreur, ou lui a émis une facture, avant le 1er juin 1996.

Guides [art. 160.1]: IN-203 — Renseignements généraux sur la TVQ et la TPS/TVH; IN-229 — La TVQ, la TPS/TVH pour les organismes sans but lucratif.

Définitions [art. 160.1]: « fourniture », « droit d'adhésion » — 1.

Lettres d'interprétation [art. 160.1]: 99-0100851 — Décision portant sur l'application de la TPS — Interprétation relative à la TVQ — Approvisionnement en commun, cotisation.

Bulletins d'interprétation [art. 160.1]: TVQ. 407-3/R2 — Partis politiques.

Concordance fédérale: LTA, Ann. V:Partie VI:18.1.

160.2 Contribution politique — Est exonérée la fourniture effectuée par un parti autorisé à une personne, dans le cas où une partie de la contrepartie de la fourniture peut raisonnablement être considérée comme un montant — appelé « contribution » dans le présent article — qui est contribué au parti autorisé et que la personne peut demander une déduction ou un crédit dans le calcul de son impôt à payer en vertu de la *Loi sur les impôts* (chapitre I-3) ou de la *Loi de l'impôt sur le revenu* (Lois révisées du Canada (1985), chapitre 1, 5e supplément) à l'égard du total de ces contributions.

Notes historiques: L'article 160.2 a été ajouté par L.Q. 1997, c. 85, art. 503(1) et a effet à l'égard d'une fourniture effectuée après le 31 décembre 1996, à l'exception d'une fourniture par un parti autorisé d'un droit d'entrée à une activité dans le cas où le parti autorisé a fourni un tel droit avant le 1er janvier 1997.

Guides [art. 160.2]: IN-203 — Renseignements généraux sur la TVQ et la TPS/TVH.

Définitions [art. 160.2]: « contrepartie », « fourniture », « montant », « personne » — 1.

Renvois [art. 160.2]: 139 (parti autorisé).

Lettres d'interprétation [art. 160.2]: 99-0100851 — Décision portant sur l'application de la TPS — Interprétation relative à la TVQ — Approvisionnement en commun, cotisation.

Bulletins d'interprétation [art. 160.2]: TVQ. 407-3/R2 — Partis politiques.

Concordance fédérale: LTA, Ann. V:Partie VI:18.2.

161. Droits d'emprunt dans une bibliothèque — La fourniture, effectuée par un organisme du secteur public, du droit de faire des emprunts dans une bibliothèque publique est exonérée.

Notes historiques: L'article 161 a été édicté par L.Q. 1991, c. 67.

Guides [art. 161]: IN-203 — Renseignements généraux sur la TVQ et la TPS/TVH.

Définitions [art. 161]: « fourniture », « fourniture exonérée », « organisme du secteur public » — 1.

Lettres d'interprétation [art. 161]: 99-0100851 — Décision portant sur l'application de la TPS — Interprétation relative à la TVQ — Approvisionnement en commun, cotisation.

Bulletins d'interprétation [art. 161]: TVQ. 386-5/R1 — Abolition du remboursement partiel de la taxe de vente du Québec (TVQ) accordé aux organismes sans but lucratif admissibles.

Concordance fédérale: LTA, Ann. V:Partie VI:19.

162. Fourniture de services publics — Les fournitures de biens et de services suivants, effectuées par un gouvernement ou une municipalité, ou par une commission ou un autre organisme établi par un gouvernement ou une municipalité sont exonérées :

1º l'une des fournitures suivantes :

a) un service d'enregistrement d'un bien ou de traitement d'une demande d'enregistrement d'un bien à un système d'enregistrement de biens;

b) un service de dépôt d'un document ou de traitement d'une demande de dépôt d'un document à un système d'enregistrement de biens;

c) un droit d'utiliser un système d'enregistrement de biens ou d'y accéder pour enregistrer ou demander l'enregistrement d'un bien ou pour déposer ou demander le dépôt d'un document;

2º l'une des fournitures suivantes :

a) un service de dépôt d'un document ou de traitement d'une demande de dépôt d'un document au système d'enregistrement d'un tribunal ou en vertu d'une loi;

b) un droit d'utiliser le système d'enregistrement d'un tribunal ou un autre système d'enregistrement dans lequel des documents sont déposés en vertu d'une loi ou d'y accéder afin d'y déposer un document;

c) un service de délivrance ou de prestation d'un document ou de traitement d'une demande de délivrance ou de prestation d'un document du système d'enregistrement d'un tribunal;

d) un droit d'utiliser le système d'enregistrement d'un tribunal ou d'y accéder pour délivrer ou obtenir un document;

3º l'une des fournitures suivantes, sauf la fourniture d'un droit ou d'un service à l'égard de l'apport au Québec de boissons alcooliques :

a) un quota, une licence, un permis ou un droit semblable;

b) un service de traitement d'une demande de quota, de licence, de permis ou d'un droit semblable;

c) un droit d'utiliser un système de dépôt ou d'enregistrement ou d'y accéder pour demander un quota, une licence, un permis ou un droit semblable;

4º la fourniture d'un document, d'un service de renseignements ou d'un droit d'utiliser un système de dépôt ou d'enregistrement ou d'y accéder pour obtenir un document ou des renseignements sur :

a) les statistiques démographiques, la résidence, la citoyenneté ou le droit de vote d'une personne;

b) l'inscription d'une personne à un service offert par un gouvernement ou une municipalité, ou par une commission ou un autre organisme établi par un gouvernement ou une municipalité;

c) toute autre donnée concernant une personne;

5º la fourniture d'un document, d'un service de renseignements ou d'un droit d'utiliser un système de dépôt ou d'enregistrement ou d'y accéder pour obtenir un document ou des renseignements concernant :

a) le titre de propriété d'un bien ou un droit sur un bien;

b) une charge sur un bien, ou une évaluation le concernant;

c) le zonage d'un immeuble;

6º un service qui consiste à donner des renseignements en vertu de la *Loi sur l'accès à l'information* (Lois révisées du Canada (1985), chapitre A-1), de la *Loi sur la protection des renseignements personnels* (Lois révisées du Canada (1985), chapitre P-21) ou de la *Loi sur l'accès aux documents des organismes publics et sur la protection des renseignements personnels* (chapitre A-2.1);

7º un service de police ou de sécurité incendie, effectué à un gouvernement ou à une municipalité, ou à une commission ou à un autre organisme établi par ceux-ci;

8º un service de collecte des ordures, y compris les matières recyclables;

9º un droit de déposer des ordures à un lieu destiné à les recevoir.

Modification proposée — Harmonisation du régime de taxation québécois au régime fédéral

Bulletin d'information 2012–4, 31 mai 2012: Afin d'atteindre une plus grande harmonisation du régime de la taxe de vente du Québec (TVQ) au régime fédéral de la taxe sur les produits et services (TPS) et de la taxe de vente harmonisée (TVH), les gouvernements du Canada et du Québec ont conclu, en mars 2012, une entente intégrée globale de coordination fiscale (EIGCF Canada-Québec) comportant différents engagements à cet égard.

Le présent bulletin d'information vise à préciser les modifications qui seront apportées au régime de la TVQ pour donner suite aux engagements d'harmonisation au régime de la TPS/TVH applicables en 2013.

[...]

Par ailleurs, ce bulletin d'information expose certaines modifications qui seront accessoirement apportées au régime de la TVQ pour assurer une application encore plus uniforme des régimes de taxation fédéral et québécois au Québec.

[...]

Remboursement des taxes payées par les gouvernements et certains de leurs mandataires

Dans le cadre de l'EIGCF Canada-Québec, les gouvernements fédéral et québécois ont convenu de remplacer l'actuel mécanisme d'exemption du paiement des taxes dont bénéficient leurs ministères et certains de leurs mandataires par un mécanisme de paiement et de remboursement des taxes, et ce, à compter du 1er avril 2013.

Ainsi, à compter de cette date, le gouvernement fédéral et ses mandataires actuellement exemptés du paiement de la TVQ de même que le gouvernement du Québec et ses mandataires actuellement exemptés du paiement de la TPS/TVH et de la TVQ devront payer ces taxes sur leurs acquisitions de biens et de services taxables, qu'ils pourront par la suite récupérer en présentant une demande de remboursement auprès de l'Agence du revenu du Canada pour la TPS/TVH et de Revenu Québec pour la TVQ.

Cette mesure s'appliquera à la TPS/TVH et à la TVQ qui deviendra payable par une entité gouvernementale après le 31 mars 2013. Pour plus de précision, ce sont les règles des régimes de taxation fédéral et québécois prévoyant le moment où la TPS/TVH et la TVQ deviennent payables qui s'appliqueront pour déterminer si, selon le cas, l'entité gouvernementale peut utiliser un certificat d'exemption ou doit payer les taxes à l'égard de ses acquisitions taxables de biens et de services.

Modification proposée — 162

Protocole d'entente concernant l'harmonisation des taxes de vente en vue de la conclusion d'une entente intégrée globale de coordination fiscale entre le Canada et le Québec, 30 septembre 2011: *Achats de l'état*

14. À compter du 1er avril 2013, les parties conviennent de payer la TPS/TVH et la TVQ modifiée relativement aux fournitures effectuées au profit de leurs gouvernements respectifs ou des mandataires de ceux-ci. En cas d'immunité fiscale entre administrations, les montants de TPS/TVH et de TVQ modifiée seront recouvrables au moyen d'un mécanisme de remboursement.

Document d'information, 30 septembre 2011: [Voir sous l'art. 16 — n.d.l.r.]

Notes historiques: Les paragraphes 1° à 5° de l'article 162 ont été remplacés par L.Q. 2009, c. 5, par. 608(1) et cette modification a effet depuis le 1er juillet 1992. Toutefois :

1° les paragraphes 1°, 2°, 4° et 5° de l'article 162 ne s'appliquent pas à l'égard d'une fourniture pour laquelle le fournisseur a exigé ou perçu un montant au titre de la taxe prévue par le titre I avant le 28 novembre 2006;

2° le paragraphe 3° de l'article 162 ne s'applique pas à l'égard des fournitures suivantes :

a) la fourniture d'un droit d'utiliser un système de dépôt ou d'enregistrement ou d'y accéder pour laquelle le fournisseur a exigé ou perçu un montant au titre de la taxe prévue par le titre I avant le 28 novembre 2006;

b) la fourniture d'un service effectuée avant le 28 novembre 2006, pour laquelle le fournisseur n'a pas, avant cette date, exigé ou perçu un montant au titre de la taxe prévue par le titre I;

c) la fourniture d'un service effectuée avant le 28 novembre 2006, pour laquelle le fournisseur a exigé ou perçu, avant cette date, un montant au titre de la taxe et pour laquelle un montant a été demandé, soit dans une demande de remboursement en vertu de l'article 400 de cette loi reçue par le ministre du Revenu avant cette date, soit à titre de déduction à l'égard d'un redressement, d'un remboursement ou d'un crédit en vertu de l'article 447 dans une déclaration en vertu de la section II du chapitre VIII du titre I reçue par le ministre avant cette date;

3° le paragraphe 5° de l'article 162 doit se lire comme suit à l'égard d'une fourniture pour laquelle une contrepartie devient due avant le 1er janvier 1997 ou est payée avant sans qu'elle soit devenue due :

« 5° la fourniture d'un document, d'un service de renseignements ou d'un droit d'utiliser un système de dépôt ou d'enregistrement ou d'y accéder pour obtenir un document ou des renseignements concernant :

a) le titre de propriété d'un bien ou un droit sur un bien;

b) une charge sur un bien; ».

Antérieurement, ils se lisaient ainsi :

1° le service d'enregistrement d'un bien ou de production d'un document à un système d'enregistrement de biens;

2° le service de production d'un document par un tribunal ou de dépôt d'un document devant celui-ci;

2.1° le service de production d'un document en vertu d'une loi;

3° un quota, une licence, un permis ou un droit semblable, sauf un tel droit fourni à l'égard de l'apport au Québec de boissons alcooliques, et tout service à l'égard d'une demande d'un tel droit;

4° un service de renseignements sur les statistiques démographiques, la résidence, la citoyenneté ou le droit de vote des personnes, l'inscription d'une personne à un service offert par un gouvernement ou toutes autres données les concernant, ou un certificat ou un autre document attestant ces données;

5° un service de renseignements, un certificat ou un autre document concernant :

a) le titre de propriété d'un bien ou un droit sur un bien;

b) une charge sur un bien, ou une évaluation le concernant;

c) le zonage d'un immeuble;

Le paragraphe 2º de l'article 162 a été modifié par L.Q. 1995, c. 63, art. 345(1) et a effet depuis le 1er juillet 1992 [*N.D.L.R.* : Cette disposition s'applique conformément aux ar-

LTVQ (français)

ticles 618 à 656 et 685 de L.Q. 1991, c. 67, tels que modifiés]. Il se lisait auparavant comme suit :

2° le service de production d'un document au tribunal ou de dépôt d'un document devant celui-ci;

Le paragraphe 2.1° de l'article 162 a été ajouté par L.Q. 1994, c. 22, art. 438(1) et est réputé entré en vigueur le 1er juillet 1992.

Le paragraphe 3° de l'article 162 a été modifié par L.Q. 1994, c. 22, art. 438(1) et est réputé entré en vigueur le 1er juillet 1992. Le paragraphe 3° se lisait comme suit :

3° un quota, une licence, un permis ou un droit semblable, sauf un tel droit fourni à l'égard de l'apport au Québec de boissons alcooliques;

Le paragraphe 5° de l'article 162 a été remplacé par L.Q. 1997, c. 85, art. 504(1)(1°) et a effet à l'égard d'une fourniture dont la totalité de la contrepartie devient due après le 31 décembre 1996 ou est payée après le 31 décembre 1996 sans qu'elle soit devenue due. Antérieurement à cette modification, le paragraphe 5° se lisait ainsi :

5° un service de renseignements sur le titre de propriété d'un bien ou un droit ou une charge sur un bien, ou un certificat ou un autre document attestant ce titre, ce droit ou cette charge;

Le paragraphe 6° de l'article 162 a été modifié par L.Q. 1994, c. 22, art. 438(1) et est réputé entré en vigueur le 1er juillet 1992. Le paragraphe 6° se lisait comme suit :

6° un service qui consiste à donner des renseignements en vertu de la *Loi sur l'accès à l'information* (Statuts du Canada) ou de la *Loi sur l'accès aux documents des organismes publics et sur la protection des renseignements personnels* (L.R.Q., chapitre A-2.1);

Le paragraphe 7° de l'article 162 a été modifié par L.Q. 2000, c. 20, art. 175 par le remplacement des mots « d'incendie » par les mots « de sécurité incendie ». Cette modification est réputée entrée en vigueur le 1er septembre 2000 (D. 941-2000).

Le paragraphe 8° de l'article 162 a été remplacé par L.Q. 1997, c. 85, art. 504(1)(2°) et a effet depuis le 1er juillet 1992. Toutefois, à l'égard de la fourniture d'un service rendu avant le 1er janvier 1997, le paragraphe 8° doit se lire comme suit :

8° un service de collecte des ordures, y compris les matières recyclables, sauf la fourniture du service qui ne fait pas partie du service de base fourni par un gouvernement ou une municipalité selon un calendrier régulier;

Antérieurement à cette modification, ce paragraphe se lisait ainsi :

8° un service de collecte des ordures sauf la fourniture du service qui ne fait pas partie du service de base fourni par un gouvernement ou une municipalité selon un calendrier régulier;

L'article 162 a été édicté par L.Q. 1991, c. 67.

Notes explicatives ARQ (PL 2, L.Q. 2009, c. 5): *Résumé* :

L'article 162 est modifié afin d'exonérer aussi la fourniture d'un droit d'accès ou d'utilisation d'un système d'enregistrement et le traitement des demandes.

Situation actuelle :

L'article 162 de la LTVQ dresse la liste de certaines fournitures, notamment la fourniture des services d'enregistrement d'un bien, certains services de renseignements, la fourniture des quotas, des licences, des permis ou des droits semblables (sauf de tels droits à l'égard de l'apport de boissons alcooliques), des services de police ou d'incendie et de collecte des ordures qui sont exonérées lorsqu'elles sont effectuées par un gouvernement, unemunicipalité, une commission ou tout autre organisme constitué par un gouvernement ou une municipalité.

Les paragraphes 1° à 5° de l'article 162 de la LTVQ exonèrent les services d'enregistrement et de dépôt de certains documents et les services de renseignements fournis conformément à des régimes d'enregistrement de biens ou de production de documents auprès d'un tribunal ou en vertu d'une loi.

Modifications proposées :

Les paragraphes 1° à 5° de l'article 162 de la LTVQ sont modifiés afin d'exonérer aussi la fourniture d'un droit d'accès ou d'utilisation d'un système d'enregistrement ou de dépôt et la fourniture qui consiste à traiter des demandes de documents ou de renseignements.

Guides [art. 162]: IN-203 — Renseignements généraux sur la TVQ et la TPS/TVH.

Définitions [art. 162]: « bien », « charge », « document », « fourniture », « fourniture exonérée », « gouvernement », « municipalité » — 1.

Renvois [art. 162]: 163 (fournitures non exonérées par un gouvernement ou une municipalité); 172.1 (frais à verser à un gouvernement).

Bulletins d'interprétation [art. 162]: TVQ. 162-1 — Perception des frais liés à la publication de droits au registre des droits personnels et réels mobiliers du ministère de la Justice et frais de consultation dans le cas de la vente ou de la location à long terme d'un véhicule routier; TVQ. 162-2 — Frais d'analyse de l'admissibilité à une subvention; TVQ. 162-3/R1 — Fourniture de renseignements délivrés par un organisme public; TVQ. 386-5/R1 — Abolition du remboursement partiel de la taxe de vente du Québec (TVQ) accordé aux organismes sans but lucratif admissibles.

Lettres d'interprétation [art. 162]: 98-0103766 — Interprétation relative à la TPS et à la TVQ — Tarification de services fournis par la division d'urbanisme; 98-0109631 — *** [service de transport et de disposition de déchets]; 98-0110100 — Décision portant surl'application de la TPS — Interprétation relative à la TVQ — Frais d'enregistrement de la grande faune; 99-0100851 — Décision portant sur l'application de la TPS — Interprétation relative à la TVQ — Approvisionnement en commun, cotisation; 99-0109076 — Interprétation relative à la TPS et à la TVQ — Fournitures relatives au traitement de matières recyclables; 99-0109225 — Interprétation relative à la TVQ — Contribution versée à une régie intermunicipale par une municipalité membre de cette dernière; 99-0109308 [B] — Perception des frais liés à la publication de droits au registre des droits personnels et réels mobiliers du ministère de la Justice — Précisions additionnelles; 00-0102343 — Interprétation relative à la TPS et à la TVQ — Fourniture de copies de dossiers médicaux par une institution publique; 00-0108456 — Définition de l'expression « organisme établi par une municipalité »; 00-0109595 — Interprétation relative à la TVQ — Frais chargés au locataire d'un véhicule routier; 00-0110817 — Décision portant sur l'application de la TPS — Interprétation relative à la TVQ — Fournitures du droit de laisser des ordures à un lieu destiné à les recevoir; 03-010917 — Décision portant sur l'application de la TPS — Interprétation relative à la TVQ — Entente intermunicipale / service de protection contre l'incendie.

Bulletins d'information [162]: 2012-4 — Modifications au régime de taxation québécois donnant suite aux engagements d'harmonisation au régime de taxation fédéral applicable en 2013.

Concordance fédérale: LTA, Ann. V:Partie VI:20 a)–i).

162.1 Centre d'urgence 9-1-1 — La fourniture, effectuée à un gouvernement ou à une municipalité, ou à une commission ou à un autre organisme établi par un gouvernement ou une municipalité, d'un service dont l'objet consiste à recevoir et traiter les appels téléphoniques au moyen d'un centre d'urgence 9-1-1 est exonérée.

Notes historiques: L'article 162.1 a été remplacé par L.Q. 2005, c. 1, par. 353(1) et cette modification s'applique à l'égard d'une fourniture effectuée après le 30 mars 2004. Antérieurement, il se lisait ainsi :

162.1 La fourniture, effectuée à une municipalité, ou à une commission ou à un autre organisme établi par une municipalité, d'un service dont l'objet consiste à recevoir et traiter les appels téléphoniques au moyen d'un centre d'urgence 9-1-1 est exonérée.

L'article 162.1 a été ajouté par L.Q. 1999, c. 83, art. 311(1). Ce nouvel article a effet depuis le 1er juillet 1992. Toutefois, pour la période du 1er juillet 1992 au 23 juin 1998, l'article 162.1 de cette loi, que le paragraphe 1 édicte, doit se lire comme suit :

162.1 La fourniture, effectuée à une municipalité, ou à une commission ou à un autre organisme établi par une municipalité, par une de ses organisations paramunicipales, une autre municipalité, ou par une commission ou un autre organisme établi par une autre municipalité, d'un service dont l'objet consiste à recevoir et traiter les appels téléphoniques au moyen d'un centre d'urgence 9-1-1 est exonérée.

Guides [art. 162.1]: IN-203 — Renseignements généraux sur la TVQ et la TPS/TVH.

Définitions [art. 162.1]: « bien », « consommateur », « entreprise », « fourniture », « fourniture taxable », « gouvernement », « inscrit », « minéral », « municipalité », « personne » — 1.

Renvois [art. 162.1]: 40 (redevances sur ressources naturelles); 48 (fournitures par les gouvernements et municipalités).

Lettres d'interprétation [art. 162.1]: 98-0103766 — Interprétation relative à la TPS et à la TVQ — Tarification de services fournis par la division d'urbanisme; 99-0100851 — Décision portant sur l'application de la TPS — Interprétation relative à la TVQ — Approvisionnement en commun, cotisation.

Bulletins d'interprétation [art. 162.1]: TVQ. 386-5/R1 — Abolition du remboursement partiel de la taxe de vente du Québec (TVQ) accordé aux organismes sans but lucratif admissibles.

Concordance fédérale: aucune.

163. Exceptions — Malgré l'article 162, les fournitures suivantes ne sont pas exonérées :

1° la fourniture d'un droit de chasse ou de pêche à un consommateur;

2° la fourniture d'un droit de prendre ou d'extraire des produits forestiers, des produits qui poussent dans l'eau, des produits de la pêche, des minéraux ou de la tourbe, si la fourniture est effectuée :

a) soit à un consommateur;

b) soit à une personne qui n'est pas un inscrit et qui acquiert le droit dans le cadre de son entreprise qui consiste à effectuer la fourniture de ces produits, de ces minéraux ou de cette tourbe à des consommateurs;

3° la fourniture d'un droit d'utiliser un bien du gouvernement, d'une municipalité ou d'un autre organisme ou d'un droit d'y accéder ou d'y entrer sauf un droit, visé à l'un des paragraphes 1° à 5° de l'article 162, d'utiliser un système de dépôt ou d'enregistrement ou d'y accéder.

payée après le 23 avril 1996 sans qu'elle soit devenue due. Antérieurement, cet article se lisait comme suit :

> 167. La fourniture d'un service municipal de transport ou d'un service public de transport de passagers désigné par le ministre comme étant un service municipal de transport est exonérée.

L'article 167 a été édicté par L.Q. 1991, c. 67.

Notes explicatives ARQ (PL 5, L.Q. 2012, c. 28): *Résumé* :

L'article 167 exonère la fourniture d'un service municipal de transport effectuée notamment à un organisme ou à un mandataire prescrit pour l'application de l'article 678 de la LTVQ. Le paragraphe 3° de l'article 167 de la LTVQ est modifié de concordance aux modifications apportées à l'article 678 de la LTVQ et fait maintenant référence à un mandataire prescrit pour l'application de l'article 399.1 de la LTVQ. La modification apportée au paragraphe 4° de l'article 167 de la LTVQ a pour but de mentionner de façon plus précise les entités visées à ce paragraphe sans en changer la substance.

Situation actuelle :

L'article 167 exonère la fourniture d'un service municipal de transport effectuée notamment à un gouvernement, à un organisme ou à un mandataire prescrit pour l'application de l'article 678 de la LTVQ ainsi qu'à un organisme d'un gouvernement autre que celui du Québec, sauf si l'organisme est mentionné à l'Annexe I de la *Loi sur les arrangements fiscaux entre le gouvernement fédéral et les provinces* (L.R.C. (1985), chapitre F-8). L'exonération des services municipaux de transport fournis à un gouvernement ou à un tel organisme ou mandataire est liée au fait que ces acquéreurs n'ont pas à payer la taxe de vente du Québec (TVQ).

Dans le cadre du projet de loi donnant suite à l'*Entente intégrée globale de coordination fiscale entre le gouvernement du Canada et le gouvernement du Québec* (Entente), le deuxième alinéa de l'article 678 de la LTVQ est supprimé afin que la LTVQ lie le gouvernement du Québec, ses ministères et ses mandataires prescrits. Ainsi, ils auront l'obligation de payer la TVQ comme tout autre acquéreur d'une fourniture taxable. Également, afin de tenir compte de leur immunité fiscale, l'article 399.1 de la LTVQ est introduit. Il prévoit que le gouvernement du Québec ou l'un de ses ministères ou de ses mandataires prescrits a droit au remboursement de la TVQ qu'il a payée en vertu du titre I de la LTVQ.

Modifications proposées :

Le paragraphe 3° de l'article 167 est modifié de concordance aux modifications apportées à l'article 678 de la LTVQ et fait maintenant référence à un mandataire prescrit pour l'application de l'article 399.1 de la LTVQ. Pour l'application de l'article 399.1 de la LTVQ, un mandataire prescrit est une entité énumérée à l'annexe III du *Règlement sur la taxe de vente du Québec* (R.R.Q., chapitre T-0.1, r.2). La modification apportée au paragraphe 4° de l'article 167 de la LTVQ a pour but de mentionner de façon plus précise les entités visées à ce paragraphe sans en changer la substance.

Guides [art. 167]: IN-203 — Renseignements généraux sur la TVQ et la TPS/TVH.

Définitions [art. 167]: « fourniture », « fourniture exonérée », « service » — 1.

Bulletins d'interprétation [art. 167]: TVQ. 167-1 — Carte d'identité nécessaire à l'obtention d'un service de transport à un tarif réduit; TVQ. 386-5/R1 — Abolition du remboursement partiel de la taxe de vente du Québec (TVQ) accordé aux organismes sans but lucratif admissibles.

Lettres d'interprétation [art. 167]: 98-0108930 — Abolition du remboursement partiel de la TVQ aux OSBL admissibles; 98-0113716 — Interprétation relative à la TPS et à la TVQ — Délivrance d'une carte d'identité par le fournisseur d'un service de transport en commun; 99-0100851 — Décision portant sur l'application de la TPS — Interprétation relative à la TVQ — Approvisionnement en commun, cotisation; 99-0113292 — Décision portant sur l'application de la TPS — Interprétation relative à la TVQ — Fourniture d'un service de transport de passagers.

Bulletins d'information [167]: 2012-4 — Modifications au régime de taxation québécois donnant suite aux engagements d'harmonisation au régime de taxation fédéral applicable en 2013.

Concordance fédérale: LTA, Ann. V:Partie VI:24.

168. Fourniture d'immeubles — La fourniture d'un immeuble effectuée par un organisme de services publics, autre qu'une institution financière ou un gouvernement, est exonérée mais ne comprend pas la fourniture des immeubles suivants :

1° un immeuble d'habitation ou un droit y afférent, dont la fourniture est effectuée par vente;

2° un immeuble, sauf une fourniture qui est réputée effectuée par le seul effet de l'article 32.2, dans le cas où la fourniture est réputée avoir été effectuée en vertu du présent titre;

3° un immeuble dont la fourniture est effectuée par vente à un particulier ou à une fiducie personnelle, sauf la fourniture d'un immeuble sur lequel se trouve une construction qui était utilisée par l'organisme comme bureau ou dans le cadre d'activités commerciales ou pour la réalisation de fournitures exonérées;

4° un immeuble dans le cas où, immédiatement avant le moment où la taxe serait payable à l'égard de la fourniture s'il s'agissait d'une fourniture taxable, le bien était utilisé, autrement que pour en effectuer la fourniture, principalement dans le cadre des activités commerciales de l'organisme;

5° un logement provisoire dont la fourniture est effectuée par un organisme sans but lucratif, une municipalité, une université, un collège public ou une administration scolaire;

6° un immeuble, sauf un logement provisoire, dont la fourniture est effectuée soit par louage, dans le cas où la possession ou l'utilisation continue du bien est fournie, en vertu du contrat de louage, pour une période de moins d'un mois, soit par licence, dans le cas où la fourniture est effectuée dans le cadre de l'exploitation d'une entreprise par l'organisme;

7° un immeuble à l'égard duquel le choix prévu à l'article 272 est en vigueur au moment où la taxe deviendrait payable en vertu du présent titre à l'égard de la fourniture s'il s'agissait d'une fourniture taxable;

8° une aire de stationnement dont la fourniture est effectuée par louage, licence ou accord semblable dans le cadre de l'exploitation d'une entreprise par l'organisme;

9° un immeuble dont la dernière fourniture au profit de l'organisme était réputée effectuée en vertu de l'article 320.

Notes historiques: Le préambule de l'article 168 a été remplacé par L.Q. 2012, c. 28, par. 56(1) et cette modification s'applique à l'égard d'une fourniture effectuée après le 31 décembre 2012. Antérieurement, il se lisait ainsi :

> 168. La fourniture d'un immeuble effectuée par un organisme de services publics, autre qu'un gouvernement, est exonérée mais ne comprend pas la fourniture des immeubles suivants :

Le paragraphe 2° de l'article 168 a été remplacé par L.Q. 2003, c. 2, par. 321(1) et cette modification s'applique à l'égard d'une fourniture qui est réputée avoir été effectuée en vertu de l'article 32.2 pour une période de location commençant après le 31 mars 1997. Antérieurement, il se lisait ainsi :

> 2° un immeuble dans le cas où la fourniture est réputée avoir été effectuée en vertu du présent titre;

Le paragraphe 3° de l'article 168 a été remplacé par L.Q. 1997, c. 85, art. 508(1)(1°) et cette modification a effet à l'égard d'une fourniture effectuée après le 23 avril 1996. Antérieurement, ce paragraphe se lisait ainsi :

> 3° un immeuble dont la fourniture est effectuée par vente à un particulier ou à une fiducie dont tous les bénéficiaires, sauf les bénéficiaires subsidiaires, sont des particuliers et dont tous les bénéficiaires subsidiaires, le cas échéant, sont des particuliers ou des organismes de bienfaisance, sauf la fourniture d'un immeuble sur lequel se trouve une construction qui était utilisée par l'organisme comme bureau ou dans le cadre d'activités commerciales ou pour la réalisation de fournitures exonérées;

Le paragraphe 3° de l'article 168 a été modifié par L.Q. 1994, c. 22, art. 441(1) et est réputé entré en vigueur le 1er juillet 1992, sauf à l'égard d'une fourniture d'un immeuble effectuée en vertu d'une convention écrite conclue avant le 28 mars 1991. Il se lisait comme suit :

> 3° un immeuble dont la fourniture est effectuée par vente à un particulier, sauf la fourniture d'un immeuble sur lequel se trouve une construction qui était utilisée par l'organisme comme bureau ou dans le cadre d'activités commerciales ou pour la réalisation de fournitures exonérées;

Le paragraphe 6° de l'article 168 a été remplacé par L.Q. 1997, c. 85, art. 508(1)(2°) et cette modification a effet à l'égard d'une fourniture effectuée en vertu d'une convention conclue après le 14 septembre 1992. Toutefois, le paragraphe 6° doit se lire comme suit aux fins du calcul d'un montant accordé par le ministre du Revenu avant le 24 avril 1996 et aux fins du calcul d'un montant demandé, soit dans une demande produite en vertu de la section I du chapitre VII du titre I et reçue par le ministre du Revenu avant le 23 avril 1996, soit comme déduction, au titre d'un redressement, d'un remboursement ou d'un crédit prévu à l'article 447, dans une déclaration produite en vertu du chapitre VIII du titre I et reçue par le ministre du Revenu avant le 23 avril 1996 :

> 6° un immeuble, sauf un logement provisoire, dont la fourniture est effectuée soit par louage, dans le cas où la période de location est de moins d'un mois, soit par licence, dans le cas où la fourniture est effectuée dans le cadre de l'exploitation d'une entreprise par l'organisme;

Antérieurement à cette modification, le paragraphe 6° se lisait ainsi :

> 6° un immeuble, sauf un logement provisoire, dont la fourniture est effectuée soit par louage, dans le cas où la période de location est de moins d'un mois, soit par licence, dans le cas où la fourniture est effectuée dans le cadre de l'exploitation d'une entreprise par l'organisme;

Le paragraphe 6° de l'article 168 a été modifié par L.Q. 1994, c. 22, art. 441(1) et s'applique à l'égard d'une fourniture effectuée en vertu d'une convention conclue après le 14 septembre 1992. Il se lisait auparavant comme suit :

> 6° un immeuble, sauf un logement provisoire, dont la fourniture est effectuée par louage, licence ou accord semblable pour une période de moins d'un mois, dans le cas où la fourniture est effectuée dans le cadre de l'exploitation d'une entreprise par l'organisme;

Le paragraphe 8° de l'article 168 a été modifié par L.Q. 1995, c. 1, art. 174 et cette modification a effet depuis le 12 mai 1994. Il se lisait auparavant comme suit :

> 8° un espace de stationnement dont la fourniture est effectuée par louage, licence ou accord semblable dans le cadre de l'exploitation d'une entreprise par l'organisme.

Le paragraphe 9° de l'article 168 a été ajouté par L.Q. 1997, c. 85, art. 508(1)(3°) et a effet à l'égard d'une fourniture effectuée par un organisme de services publics en vertu d'une convention conclue après le 23 avril 1996. De plus, le paragraphe 9° s'applique également à l'égard d'une fourniture effectuée en vertu d'une convention conclue avant le 24 avril 1996 sauf si, selon le cas :

> a) l'organisme n'a pas, au plus tard le 23 avril 1996, exigé ou perçu un montant à titre de taxe en vertu du titre I à l'égard de la fourniture;
>
> b) l'organisme a exigé ou perçu un montant au titre de la taxe en vertu du titre I à l'égard de la fourniture et avant le 23 avril 1996, le ministre du Revenu a reçu, soit une demande de remboursement en vertu de l'article 400 à l'égard de ce montant, soit une déclaration produite en vertu du chapitre VIII du titre I dans laquelle l'organisme demande la déduction de ce montant, à l'égard du redressement, du remboursement ou du crédit dont il a fait l'objet en vertu de l'article 447, ou a accordé ce montant avant le 24 avril 1996.

L'article 168 a été édicté par L.Q. 1991, c. 67.

Notes explicatives ARQ (PL 5, L.Q. 2012, c. 28): *Résumé* :

L'article 168 prévoit l'exonération de la fourniture d'un immeuble par les organismes de services publics autre qu'un gouvernement. Cet article est modifié pour prévoir qu'il ne s'applique pas à la fourniture d'un immeuble faite par une institution financière.

Situation actuelle :

L'article 168 prévoit l'exonération de la majorité des fournitures d'immeubles effectuées par les organismes de services publics et précise les exceptions à cette règle. Toutefois, cet article ne prévoit pas l'exonération de la fourniture d'un immeuble lorsque celle-ci est effectuée par un gouvernement.

Modifications proposées :

L'article 168 est modifié pour préciser qu'il ne s'applique pas à la fourniture d'un immeuble faite par une institution financière.

Guides [art. 168]: IN-203 — Renseignements généraux sur la TVQ et la TPS/TVH.

Définitions [art. 168]: « activité commerciale », « administration scolaire », « activité commerciale », « collège public », « entreprise », « fourniture », « fourniture exonérée », « fourniture taxable », « gouvernement », « logement provisoire », « municipalité », « organisme de services publics », « organisme sans but lucratif », « particulier », « taxe », « université », « vente » — 1.

Renvois [art. 168]: 141 (fourniture d'un bien meuble ou d'un service par une institution publique); 272 (choix visant les immobilisations); 298 (fourniture à l'assureur sur règlement de sinistre); 320 (saisie et reprise de possession).

Bulletins d'interprétation [art. 168]: TVQ. 16-28 — Fourniture de services aux membres d'un organisme à but non lucratif oeuvrant dans le domaine du tourisme; TVQ. 16-29 — Fournitures réalisées par les gestionnaires de salle de bingo; TVQ. 168-1 — Terrain vacant fourni par une municipalité.

Lettres d'interprétation [art. 168]: 98-0101471 — Interprétation relative à la TPS — Interprétation relative à la TVQ — Vente ou location de lots intramunicipaux; 98-0102933 — Décision portant sur l'application de la TPS — Interprétation relative à la TVQ — Amarrage à un ponton et choix de l'article 211; 99-0100851 — Décision portant sur l'application de la TPS — Interprétation relative à la TVQ — Approvisionnement en commun, cotisation; 99-0106064 — Interprétation relative à la TPS et à la TVQ — Fournitures effectuées par un CHSLD; 99-0109001 — Décision portant sur l'application de la TPS — Interprétation relative à la TVQ — Fourniture d'un immeuble par un organisme à but non lucratif pour une contrepartie symbolique; 99-0109423 — Décision portant sur l'application de la TPS — Interprétation relative à la TVQ — Locations d'immeubles, CTI/RTI; 99-0111064 — Convention entre une Ville et un inscrit en TPS/TVQ; 99-0113276 — Interprétation relative à la TPS et à la TVQ — Fourniture de terrains viabilisés par une municipalité; 00-0101717 — Interprétation relative à la TPS et à la TVQ — Fourniture par une université de chambres dans une résidence d'étudiants à des personnes autres que des étudiants; 01-0107092 — Décision portant sur l'application de la TPS — Interprétation relative à la TVQ — Fourniture entre la commission scolaire et la ville; 02-0102588 — Interprétation relative à la TPS et à la TVQ — Vente d'un terrain par une municipalité à un particulier; 02-0107694 — Service de l'interprétation relative aux déclarations, au secteur public et aux taxes spécifiques; 02-0107777 — Interprétation relative à la TPS et à la TVQ — Règles générales, résidences pour personnes âgées.

Concordance fédérale: LTA, Ann. V:Partie VI:25.

169. Organisation syndicale — Une fourniture effectuée par un organisme sans but lucratif donné constitué principalement au profit d'une organisation syndicale est exonérée dans le cas où la fourniture est effectuée à l'une des personnes suivantes ou par une de celles-ci à un tel organisme sans but lucratif :

1° un syndicat, une association ou une organisation visé à l'article 172 qui est un membre de l'organisme sans but lucratif donné ou y est affilié;

2° un autre organisme sans but lucratif constitué principalement au profit d'une organisation syndicale.

Notes historiques: L'article 169 a été édicté par L.Q. 1991, c. 67.

Guides [art. 169]: IN-203 — Renseignements généraux sur la TVQ et la TPS/TVH.

Définitions [art. 169]: « fourniture », « fourniture exonérée », « organisme sans but lucratif », « personne » — 1.

Renvois [art. 169]: 172 (fourniture d'une cotisation).

Lettres d'interprétation [art. 169]: 98-0111256 — Interprétation relative à la TPS — Interprétation relative à la TVQ — Exportation de véhicules automobiles, CTI et RTI; 99-0100851 — Décision portant sur l'application de la TPS — Interprétation relative à la TVQ — Approvisionnement en commun, cotisation.

Concordance fédérale: LTA, Ann. V:Partie VI:26.

169.1 Coquelicot et couronne — Une fourniture d'un coquelicot ou d'une couronne, effectuée par le ministre des Anciens combattants dans le cadre de l'exploitation d'un atelier protégé, par la direction nationale, par une direction provinciale ou par une filiale de la Légion royale canadienne, est exonérée.

Notes historiques: L'article 169.1 a été ajouté par L.Q. 1994, c. 22, art. 442(1) et est réputé entré en vigueur le 1er juillet 1992.

Guides [art. 169.1]: IN-203 — Renseignements généraux sur la TVQ et la TPS/TVH.

Définitions [art. 169.1]: « fourniture », « fourniture exonérée » — 1.

Lettres d'interprétation [art. 169.1]: 99-0100851 — Décision portant sur l'application de la TPS — Interprétation relative à la TVQ — Approvisionnement en commun, cotisation.

Concordance fédérale: LTA, Ann. V:Partie VI:27.

169.2 Fourniture entre organisations municipales — Est exonérée toute fourniture effectuée entre les personnes suivantes :

1° un organisme municipal et une de ses organisations paramunicipales;

2° une organisation paramunicipale d'un organisme municipal et toute autre organisation paramunicipale de l'organisme;

3° une municipalité régionale et une de ses municipalités locales ou toute organisation paramunicipale de ces municipalités locales;

4° une organisation paramunicipale d'une municipalité régionale et une municipalité locale de la municipalité régionale ou toute organisation paramunicipale de la municipalité locale;

5° une municipalité régionale ou une de ses organisations paramunicipales et une autre organisation, sauf un gouvernement, dont les activités désignées comprennent la délivrance d'eau ou la prestation de services municipaux dans un territoire qui relève de la compétence de la municipalité régionale.

Exception — Le présent article ne s'applique pas à la fourniture d'électricité, de gaz, de vapeur ou de services de télécommunication effectuée par un organisme municipal ou une organisation paramunicipale, ou par l'une de leur succursale ou division qui agit à titre d'entreprise de services publics ni à la fourniture effectuée ou reçue par les personnes suivantes autrement que dans le cadre de leurs activités désignées :

1° un organisme désigné du gouvernement du Québec;

2° une organisation paramunicipale qui est désignée comme municipalité pour l'application des articles 165 ou 166 ou des articles 383 à 397.2;

3° l'autre organisation visée au paragraphe 5° du premier alinéa.

Notes historiques: Le paragraphe 2° du deuxième alinéa de l'article 169.2 a été modifié par L.Q. 2005, c. 38, par. 365(1) par le remplacement de « 397 » par « 397.2 ».

Cette modification s'applique à l'égard du calcul d'un remboursement pour une période de demande se terminant après le 31 décembre 2004. Toutefois, le remboursement d'une personne, pour une période de demande qui inclut le 1er janvier 2005, doit être déterminé comme si cette modification n'était pas entrée en vigueur à l'égard d'un montant qui est, selon le cas :

1º un montant de taxe qui devient payable par la personne avant le 1er janvier 2005;

2º un montant qui est réputé avoir été payé ou perçu par la personne avant le 1er janvier 2005;

3º un montant qui doit être ajouté dans le calcul de la taxe nette de la personne, selon le cas :

a) du fait qu'une division ou une succursale de la personne devient une division de petit fournisseur avant le 1er janvier 2005;

b) du fait que la personne cesse d'être un inscrit avant le 1er janvier 2005.

Le deuxième alinéa de l'article 169.2 a été remplacé par L.Q. 1997, c. 85, art. 509(1) et cette modification a effet à l'égard d'une fourniture dont la contrepartie devient due après le 23 avril 1996 ou est payée après le 23 avril 1996 sans qu'elle soit devenue due. Auparavant, cet alinéa se lisait comme suit :

> Le présent article ne s'applique pas à la fourniture effectuée ou reçue par les personnes suivantes autrement que dans le cadre de leurs activités désignées :
>
> 1º un organisme désigné du gouvernement du Québec;
>
> 2º une organisation paramunicipale qui est désignée comme municipalité pour l'application des articles 165 ou 166 ou des articles 383 à 397;
>
> 3º l'autre organisation visée au paragraphe 5º du premier alinéa.

L'article 169.2 a été ajouté par L.Q. 1994, c. 22, art. 442(1) et est réputé entré en vigueur le 1er juillet 1992.

Guides [art. 169.2]: IN-203 — Renseignements généraux sur la TVQ et la TPS/TVH.

Définitions [art. 169.2]: « activité désignée » — 139; « fourniture », « fourniture exonérée », « gouvernement », « personne », « municipalité locale », « municipalité régionale », « organisation paramunicipale », « organisme municipal », « organisme désigné du gouvernement du Québec » — 1.

Jurisprudence [art. 169.2]: *La Vallée-de-l'Or (MRC de) c. Québec (Sous-ministre du Revenu)* (28 septembre 2010), 615-80-000111-093, 2010 CarswellQue 10380 (activité commerciale, écocentres).

Bulletins d'interprétation [art. 169.2]: SPÉCIAL 96 — Faits saillants, par. 1.4.

Lettres d'interprétation [art. 169.2]: 99-0100851 — Décision portant sur l'application de la TPS — Interprétation relative à la TVQ — Approvisionnement en commun, cotisation; 00-0108506 — Interprétation relative à la TPS et à la TVQ — Conséquences fiscales de la désignation à titre de municipalité d'une régie intermunicipale; 01-0101293 — Décision portant sur l'application de la TPS — Interprétation relative à la TVQ — Construction de routes; 01-0107241 — Interprétation relative à la TPS et à la TVQ.

Concordance fédérale: LTA, Ann. V:Partie VI:28.

Concordance fédérale: LTA, Ann. V:Partie VII:1.

SECTION VI.1 — SERVICE FINANCIER

Notes historiques: La section VI.1, comprenant les articles 169.3 et 169.4, a été ajoutée par L.Q. 2012, c. 28, par. 57(1) et s'applique à l'égard d'une fourniture effectuée après le 31 décembre 2012.

169.3 Est exonérée la fourniture d'un service financier, sauf si elle est détaxée en vertu de la section VII.2 du chapitre IV.

2012, c. 28, art. 57.

Notes historiques: L'article 169.3 a été ajouté par L.Q. 2012, c. 28, par. 57(1) et s'applique à l'égard d'une fourniture effectuée après le 31 décembre 2012.

Notes explicatives ARQ (PL 5, L.Q. 2012, c. 28): *Résumé* :

Le nouvel article 169.3 prévoit que la fourniture d'un service financier est exonérée, sauf lorsqu'il s'agit de la fourniture d'un service rendu en faveur d'une personne qui ne réside pas au Canada ou de certaines fournitures de métaux précieux.

Contexte :

À compter du 1er janvier 2013, la fourniture d'un service financier cesse, en règle générale, d'être détaxée et devient exonérée. La principale conséquence de ce changement est que les institutions financières ne pourront plus obtenir de remboursements de la taxe sur les intrants relativement aux fournitures acquises en vue d'effectuer la fourniture d'un service financier. La nouvelle section VI.1 du chapitre III du titre I de la LTVQ prévoit donc l'exonération des services financiers.

Modifications proposées :

Le nouvel article 169.3 prévoit que la fourniture d'un service financier est exonérée, sauf lorsqu'elle est détaxée en vertu de l'un des articles 197.3 à 197.5 de cette loi. Par conséquent, la fourniture de certains services financiers en faveur d'une personne qui ne réside pas au Canada de même que certaines fournitures de métaux précieux demeurent détaxées.

169.4 Est exonérée la fourniture d'un bien ou d'un service qui est réputée une fourniture de service financier en vertu de l'article 297.0.2.1.

2012, c. 28, art. 57.

Notes historiques: L'article 169.4 a été ajouté par L.Q. 2012, c. 28, par. 57(1) et s'applique à l'égard d'une fourniture effectuée après le 31 décembre 2012.

Notes explicatives ARQ (PL 5, L.Q. 2012, c. 28): *Résumé* :

Le nouvel article 169.4 prévoit que la fourniture d'un bien ou d'un service réputée celle d'un service financier par suite d'un choix à cet effet effectué entre deux sociétés membres d'un groupe étroitement lié dont est également membre une institution financière désignée est exonérée.

Contexte :

Voir la rubrique « Contexte » de la note explicative relative au nouvel article 169.3 de la LTVQ.

Modifications proposées :

Le nouvel article 169.4 prévoit qu'est exonérée la fourniture d'un bien ou d'un service qui, en vertu du nouvel article 297.0.2.1 de la LTVQ, également introduit par le présent projet de loi, est réputée la fourniture d'un service financier.

Concordance fédérale: LTA, Ann. V:Partie VII:2.

SECTION VII — TRAVERSIER, ROUTE ET PONT À PÉAGE

170. Service de navette par bateau — La fourniture, autre qu'une fourniture détaxée, d'un service de navette par bateau de passagers ou de biens dont l'objet principal consiste à transporter des véhicules à moteur et des passagers entre les parties d'un réseau routier qui sont séparées par une étendue d'eau est exonérée.

Notes historiques: L'article 170 a été modifié par L.Q. 1994, c. 22, art. 443(1) et est réputé entré en vigueur le 1er juillet 1992. L'article 170, édicté par L.Q. 1991, c. 67, se lisait comme suit :

> 170. La fourniture d'un service de navette par bateau de passagers ou de biens dont l'objet principal consiste à transporter des véhicules à moteur et des passagers entre les parties d'un réseau routier qui sont séparées par une étendue d'eau est exonérée.

Définitions [art. 170]: « bien », « fourniture », « fourniture détaxée », « fourniture exonérée », « service » — 1.

Concordance fédérale: LTA, Ann. V:Partie VIII:1.

171. Route ou pont à péage — La fourniture d'un droit d'utiliser une route ou un pont à péage est exonérée.

Notes historiques: L'article 171 a été édicté par L.Q. 1991, c. 67.

Guides [art. 171]: IN-203 — Renseignements généraux sur la TVQ et la TPS/TVH.

Définitions [art. 171]: « fourniture », « fourniture exonérée » — 1.

Concordance fédérale: LTA, Ann. V:Partie VIII:2.

SECTION VIII — COTISATION

172. Cotisations relatives à l'emploi — Une organisation est réputée avoir effectué une fourniture exonérée à une personne dans le cas où celle-ci lui paie un montant, lequel est réputé être une contrepartie de la fourniture, à titre, selon le cas :

1º de cotisation d'adhésion payée à une association de fonctionnaires dont l'objet principal est de favoriser l'amélioration des conditions d'emploi ou de travail des membres ou payée à un syndicat au sens :

a) soit de l'article 3 du *Code canadien du travail* (Lois révisées du Canada (1985), chapitre L-2);

b) soit d'une loi provinciale édictant des règles d'enquête, de conciliation ou de règlement de conflits de travail;

2º de cotisation qui était, conformément aux dispositions d'une convention collective, retenue par la personne sur la rémunération d'un particulier et payée à une association ou à un syndicat visé au paragraphe 1º dont le particulier n'était pas membre;

3º de cotisation à un comité paritaire ou consultatif ou à une organisation semblable, dont la législation provinciale prévoit le paiement relativement à l'emploi d'un particulier.

Notes historiques: L'article 172 a été édicté par L.Q. 1991, c. 67.

Définitions [art. 172]: « contrepartie », « fourniture exonérée », « montant », « particulier », « personne » — 1.

Renvois [art. 172]: 58.3 (paiements par un syndicat ou une association); 169 (fourniture entre un organisme sans but lucratif et une organisation syndicale).

Jurisprudence [art. 172]: *Vêtements de sport Chapter One inc. c. Québec (Sous-ministre du Revenu)* (2 avril 2008), 500-09-017382-078, 2008 CarswellQue 2455 (C.A. Qué.).

Concordance fédérale: LTA, art. 189.

SECTION IX — FRAIS VERSÉS À UN GOUVERNEMENT

Notes historiques: L'intitulé de la section IX a été ajouté par L.Q. 1994, c. 22, art. 444(1) et est réputé entré en vigueur le 1er juillet 1992.

172.1 Frais à verser à un gouvernement — Dans le cas où un gouvernement, une municipalité, une commission ou un autre organisme établi par un gouvernement ou une municipalité perçoit du titulaire ou du demandeur d'un droit dont la fourniture est visée au paragraphe 3º de l'article 162 un montant afin de recouvrer les coûts de l'application d'un programme de réglementation relatif au droit et que le titulaire ou le demandeur est tenu de payer ce montant, à défaut de quoi le droit est perdu, son exercice est restreint, les pouvoirs qu'il confère sont modifiés ou la demande est rejetée, les règles suivantes s'appliquent :

1º le gouvernement, la municipalité, la commission ou l'autre organisme semblable est réputé avoir effectué une fourniture exonérée à la personne;

2º le montant est réputé constituer la contrepartie de cette fourniture.

Notes historiques: L'article 172.1 a été ajouté par L.Q. 1994, c. 22, art. 444(1) et est réputé entré en vigueur le 1er juillet 1992.

Définitions [art. 172.1]: « contrepartie », « fourniture », « fourniture exonérée », « gouvernement », « montant », « municipalité », « personne » — 1.

Concordance fédérale: LTA, art. 189.1.

Chapitre IV — Fourniture détaxée

SECTION I — MÉDICAMENTS ET SUBSTANCES BIOLOGIQUES

Notes historiques: L'intitulé de la section I a été modifié par L.Q. 1994, c. 22, art. 445(1) et est réputé entré en vigueur le 1er juillet 1992. Il se lisait auparavant « Médicament ».

173. Définitions — Pour l'application de la présente section :

« médecin » signifie un médecin au sens de la *Loi médicale* (chapitre M-9) ou un dentiste au sens de la *Loi sur les dentistes* (chapitre D-3) et comprend une personne habilitée en vertu de la législation d'une autre province, des Territoires du Nord-Ouest, du territoire du Yukon ou du territoire du Nunavut à exercer la profession de médecin ou de dentiste;

Notes historiques: La définition de « médecin » à l'article 173 a été remplacée par L.Q. 2003, c. 2, s.-par. 322(1)(1º) et cette modification a effet depuis le 1er avril 1999. Antérieurement, elle se lisait ainsi :

> « médecin » signifie un médecin au sens de la *Loi médicale* (chapitre M-9) ou un dentiste au sens de la *Loi sur les dentistes* (chapitre D-3) et comprend une personne habilitée en vertu de la législation d'une autre province, des Territoires du Nord-Ouest ou du territoire du Yukon à exercer la profession de médecin ou de dentiste;

La définition de « médecin » à l'article 173 a été ajoutée par L.Q. 1997, c. 85, art. 510(1)(1º) et a effet depuis le 23 avril 1996.

Définitions [art. 173]: « particulier » — 1.

Concordance fédérale: LTA, Ann. VI:Partie I:1« médecin ».

« particulier autorisé » signifie un particulier, autre qu'un médecin, qui est autorisé en vertu de la législation du Québec, d'une autre province, des Territoires du Nord-Ouest, du territoire du Yukon ou du territoire du Nunavut à donner un ordre selon lequel une quantité déterminée d'une drogue ou d'un mélange de drogues, précisé dans l'ordre, doit être remise au particulier nommé dans cet ordre;

Notes historiques: La définition de « particulier autorisé » à l'article 173 a été ajoutée par L.Q. 2009, c. 15, s.-par. 496(1)(1º) et s'applique à l'égard d'une fourniture effectuée, selon le cas :

> 1° après le 26 février 2008;
>
> 2° avant le 27 février 2008 si aucun montant n'a été exigé, perçu ou versé, avant le 27 février 2008, au titre de la taxe prévue par le titre I de cette loi à l'égard de la fourniture.

Concordance fédérale: LTA, Ann. VI:Partie I:1« particulier autorisé ».

« pharmacien » a le sens que lui donne la *Loi sur la pharmacie* (chapitre P-10) et comprend une personne habilitée en vertu de la législation d'une autre province, des Territoires du Nord-Ouest, du territoire du Yukon ou du territoire du Nunavut à exercer la profession de pharmacien;

Notes historiques: La définition de « pharmacien » à l'article 173 a été remplacée par L.Q. 2003, c. 2, s.-par. 322(1)(2º) et cette modification a effet depuis le 1er avril 1999. Antérieurement, elle se lisait ainsi :

> « pharmacien » a le sens que lui donne la *Loi sur la pharmacie* (L.R.Q., chapitre P-10) et comprend une personne habilitée en vertu de la législation d'une autre province, des Territoires du Nord-Ouest ou du territoire du Yukon à exercer la profession de pharmacien;

La définition de « pharmacien » à l'article 173 a été édictée par L.Q. 1991, c. 67.

Concordance fédérale: LTA, Ann. VI:Partie I:1« pharmacien ».

« praticien » (*définition supprimée*);

Notes historiques: La définition de « praticien » à l'article 173 a été supprimée par L.Q. 1997, c. 85, art. 510(1)(2º) et cette modification a effet depuis le 23 avril 1996. Antérieurement, cette définition se lisait comme suit :

> « praticien » signifie un dentiste au sens de la *Loi sur les dentistes* (L.R.Q., chapitre D-3) ou un médecin au sens de la *Loi médicale* (L.R.Q., chapitre M-9) et comprend une personne habilitée en vertu de la législation d'une autre province, des Territoires du Nord-Ouest ou du territoire du Yukon à exercer la profession de dentiste ou de médecin;

La définition de « praticien » à l'article 173 a été édictée par L.Q. 1991, c. 67.

« prescription » signifie un ordre écrit ou verbal, donné à un pharmacien par un médecin ou un particulier autorisé, selon lequel une quantité déterminée d'une drogue ou d'un mélange de drogues, précisé dans l'ordre, doit être remise au particulier nommé dans cet ordre.

Notes historiques: La définition de « prescription » à l'article 173 a été remplacée par L.Q. 2009, c. 15, s.-par. 496(1)(2º) et cette modification s'applique à l'égard d'une fourniture effectuée, selon le cas :

> 1° après le 26 février 2008;
>
> 2° avant le 27 février 2008 si aucun montant n'a été exigé, perçu ou versé, avant le 27 février 2008, au titre de la taxe prévue par le titre I de cette loi à l'égard de la fourniture.

Antérieurement, elle se lisait ainsi :

> « prescription » signifie un ordre écrit ou verbal donné à un pharmacien par un médecin selon lequel une quantité déterminée d'une drogue ou d'un mélange de drogues, précisé dans l'ordre, doit être remise au particulier nommé dans cet ordre.

La définition de « prescription » à l'article 173 a été remplacée par L.Q. 1997, c. 85, art. 510(1)(3º) et cette modification a effet depuis le 23 avril 1996. Antérieurement à cette modification, cette définition se lisait comme suit :

> « prescription » signifie un ordre écrit ou verbal donné à un pharmacien par un praticien selon lequel une quantité déterminée d'une drogue ou d'un mélange de drogues, précisé dans l'ordre, doit être remise au particulier nommé dans cet ordre.

La définition de « prescription » à l'article 173 a été édictée par L.Q. 1991, c. 67.

Concordance fédérale: LTA, Ann. VI:Partie I:1« ordonnance ».

Notes explicatives ARQ (PL 37, L.Q. 2009, c. 15): *Résumé* :

Les modifications proposées à l'article 173 visent à introduire la définition de l'expression « particulier autorisé » et à corriger la définition de l'expression « prescription », et ce, en corrélation avec les modifications proposées à l'article 174 de la LTVQ.

Situation actuelle :

L'article 173 de la LTVQ prévoit la définition des expressions « médecin », « pharmacien » et « prescription » pour l'application de la section I du chapitre IV du titre I de la LTVQ dans laquelle sont énumérés les divers biens dont la fourniture est détaxée à titre de médicament ou de substance biologique.

Modifications proposées :

Il y aurait lieu de modifier l'article 173 de la LTVQ afin d'y introduire la définition de l'expression « particulier autorisé » et de corriger la définition de l'expression « prescription ».

De telles modifications seraient nécessaires en corrélation avec les modifications proposées à l'article 174 de la LTVQ, lesquelles ont pour effet de rendre détaxée la fourniture d'une drogue remise conformément à la prescription d'un particulier, autre qu'un médecin au sens donné à cette expression à l'article 173 de la LTVQ, dûment autorisé en vertu des législations provinciales ou territoriales.

174. Médicaments — Les fournitures suivantes sont détaxées :

1° la fourniture d'une des drogues ou des substances suivantes, sauf si elle est étiquetée ou fournie uniquement pour être utilisée en agriculture ou en médecine vétérinaire :

a) une drogue visée aux annexes C et D de la *Loi sur les aliments et drogues* (L.R.C. 1985, c. F-27);

b) une drogue visée à l'annexe F du *Règlement sur les aliments et drogues* (C.R.C., c. 870) adopté en vertu de la *Loi sur les aliments et drogues*, sauf une drogue ou un mélange de drogues pouvant, conformément à cette loi ou à ce règlement, être vendu à un consommateur sans prescription ni ordre écrit signé par le Directeur au sens de ce règlement;

c) une drogue ou une autre substance visée à l'annexe de la partie G du *Règlement sur les aliments et drogues* adopté en vertu de la *Loi sur les aliments et drogues* ;

d) une drogue contenant une substance visée à l'annexe du *Règlement sur les stupéfiants* (C.R.C., c. 1041) adopté en vertu de la *Loi réglementant certaines drogues et autres substances* (L.C. 1996, c. 19), sauf une drogue ou un mélange de drogues pouvant, conformément à cette loi ou à tout règlement adopté en vertu de cette loi, être vendu à un consommateur sans prescription ni dispense accordée par le ministre de la Santé du Canada à l'égard de la vente;

d.1) une drogue visée à l'annexe 1 du *Règlement sur les benzodiazépines et autres substances ciblées* adopté en vertu de la *Loi réglementant certaines drogues et autres substances*;

e) le deslanoside, la digitoxine, la digoxine, le dinitrate d'isosorbide, l'épinéphrine ou ses sels, la nitroglycérine, l'oxygène à usage médical, le prénylamine, la quinidine ou ses sels ou le tétranitrate d'érythrol;

f) une drogue dont la fourniture est autorisée par le *Règlement sur les aliments et drogues* adopté en vertu de la *Loi sur les aliments et drogues* pour utilisation dans un traitement d'urgence;

g) l'expanseur du volume plasmatique;

2° la fourniture d'une drogue destinée à la consommation humaine et remise :

a) soit par un médecin à un particulier pour la consommation ou l'utilisation personnelle de celui-ci ou d'un particulier qui lui est lié;

b) soit conformément à la prescription d'un médecin ou d'un particulier autorisé pour la consommation ou l'utilisation personnelle d'un particulier qui y est nommé;

3° la fourniture d'un service qui consiste à remettre une drogue dont la fourniture est visée à la présente section;

4° la fourniture de sperme humain.

Notes historiques: Le préambule du paragraphe 1° de l'article 174 a été modifié par L.Q. 2009, c. 5, s.-par. 610(1)(1°) par l'insertion, après les mots « des drogues », des mots « ou des substances ». Cette modification s'applique à l'égard d'une fourniture effectuée après le 12 avril 2001 et d'une fourniture dont la contrepartie devient due après le 12 avril 2001 ou est payée après cette date sans qu'elle soit devenue due.

Le sous-paragraphe a) du paragraphe 1° de l'article 174 a été modifié par L.Q. 1994, c. 22, art. 446(1) et est réputé entré en vigueur le 1er juillet 1992. Il se lisait comme suit :

a) une drogue visée à l'annexe D de la *Loi sur les aliments et drogues* (Statuts du Canada);

Le sous-paragraphe b) du paragraphe 1° de l'article 174 a été remplacé par L.Q. 2009, c. 15, s.-par. 497(1)(1°) et cette modification s'applique à l'égard d'une fourniture effectuée après le 26 février 2008. Antérieurement, il se lisait ainsi :

b) une drogue visée à l'annexe F du *Règlement sur les aliments et drogues* adopté en vertu de la *Loi sur les aliments et drogues*, sauf une drogue ou un mélange de drogues pouvant être vendu à un consommateur sans prescription conformément à cette loi ou à ce règlement;

Les sous-paragraphes c) et d) du paragraphe 1° de l'article 174 ont été remplacés par L.Q. 2001, c. 53, art. 303(1) et ces modifications ont effet depuis le 14 mai 1997. Antérieurement, ils se lisaient ainsi :

c) une drogue ou une autre substance visée à l'annexe G de la *Loi sur les aliments et drogues*;

d) une drogue contenant une substance visée à l'annexe de la *Loi sur les stupéfiants* (Statuts du Canada), sauf une drogue ou un mélange de drogues pouvant être vendu à un consommateur sans prescription conformément à cette loi ou à tout règlement adopté en vertu de cette loi;

Le sous-paragraphe d) du paragraphe 1° de l'article 174 a été remplacé par L.Q. 2009, c. 15, s.-par. 497(1)(2°) et cette modification s'applique à l'égard d'une fourniture effectuée après le 26 février 2008. Antérieurement, il se lisait ainsi :

d) une drogue contenant une substance visée à l'annexe du *Règlement sur les stupéfiants* adopté en vertu de la *Loi réglementant certaines drogues et autres substances* (Lois du Canada, 1996, chapitre 19), sauf une drogue ou un mélange de drogues pouvant être vendu à un consommateur sans prescription conformément à cette loi ou à tout règlement adopté en vertu de cette loi;

Le paragraphe d.1) du paragraphe 1° de l'article 174 a été ajouté par L.Q. 2009, c. 5, s.-par. 610(1)(2°) et a effet depuis le 1er septembre 2000. Toutefois, il ne s'applique pas :

1° à l'égard d'une fourniture effectuée après le 31 août 2000 et avant le 28 novembre 2006, dans le cas où, avant le 28 novembre 2006, le fournisseur a perçu un montant au titre de la taxe prévue par le titre I à l'égard de la fourniture;

2° pour l'application du paragraphe 7° de l'article 81, à l'égard de l'apport au Québec d'une drogue effectué après le 31 août 2000 et avant le 28 novembre 2006, dans le cas où, avant le 28 novembre 2006, un montant a été payé au titre de la taxe prévue par le titre I à l'égard de l'apport.

Le sous-paragraphe f) du paragraphe 1° de l'article 174 a été ajouté par L.Q. 1994, c. 22, art. 446(1) et est réputé entré en vigueur le 1er juillet 1992. Toutefois, le sous-paragraphe f) du paragraphe 1° ne s'applique qu'aux drogues apportées au Québec après le 30 septembre 1992 et aux fournitures de drogues délivrées à l'acquéreur après le 30 septembre 1992.

Le paragraphe g) du paragraphe 1° de l'article 174 a été ajouté par L.Q. 2009, c. 5, s.-par. 610(1)(3°) et s'applique à l'égard d'une fourniture effectuée après le 12 avril 2001 et d'une fourniture dont la contrepartie devient due après le 12 avril 2001 ou est payée après cette date sans qu'elle soit devenue due.

Les sous-paragraphes a) et b) du paragraphe 2° de l'article 174 ont été remplacés par L.Q. 1997, c. 85, art. 511(1) et ces modifications ont effet à l'égard des fournitures effectuées après le 23 avril 1996.

Antérieurement, ces paragraphes se lisaient comme suit :

a) soit par un praticien à un particulier pour la consommation ou l'utilisation personnelle de celui-ci ou d'un particulier qui lui est lié;

b) soit conformément à la prescription d'un praticien pour consommation ou l'utilisation personnelle d'un particulier qui y est nommé;

Le sous-paragraphe b) du paragraphe 2° de l'article 174 a été remplacé par L.Q. 2009, c. 15, s.-par. 497(1)(3°) et cette modification s'applique à l'égard d'une fourniture effectuée, selon le cas :

1° après le 26 février 2008;

2° avant le 27 février 2008 si aucun montant n'a été exigé, perçu ou versé, avant le 27 février 2008, au titre de la taxe prévue par le titre I de cette loi à l'égard de la fourniture.

Antérieurement, il se lisait ainsi :

b) soit conformément à la prescription d'un médecin pour consommation ou l'utilisation personnelle d'un particulier qui y est nommé;

Le paragraphe 4° de l'article 174 a été ajouté par L.Q. 1994, c. 22, art. 446(1) et est réputé entré en vigueur le 1er juillet 1992

L'article 174 a été édicté par L.Q. 1991, c. 67.

Notes explicatives ARQ (PL 37, L.Q. 2009, c. 15): *Résumé* :

Les modifications proposées à l'article 174 ont pour objet, d'une part, de clarifier son libellé afin de préciser quelles sont les drogues dont la fourniture est détaxée et, d'autre part, de rendre détaxée la fourniture d'une drogue remise conformément à la prescription d'un particulier, autre qu'un médecin, dûment autorisé en vertu des législations provinciales ou territoriales.

Situation actuelle :

L'article 174 de la LTVQ énumère, aux sous-paragraphes b) et d) du paragraphe 1°, un ensemble de drogues qui sont visées à l'annexe F du Règlement sur les aliments et drogues ou à l'annexe du Règlement sur les stupéfiants et dont la fourniture est inconditionnellement détaxée à toutes les étapes de la production et de la distribution.

Ces sous-paragraphes connaissent, toutefois, une exception en ce qui concerne la fourniture d'une drogue pouvant, conformément à ces règlements et à la législation afférente, être vendue à un consommateur sans prescription.

Pour sa part, le sous-paragraphe b) du paragraphe 2° de l'article 174 de la LTVQ prévoit le caractère détaxé de la fourniture d'une drogue destinée à la consommation humaine et remise conformément à la prescription d'un médecin pour la consommation ou l'utilisation personnelle d'un particulier.

Modifications proposées :

Il y aurait lieu de modifier le paragraphe 1° de l'article 174 de la LTVQ afin de clarifier son libellé de sorte que :

— conformément au sous-paragraphe b), la fourniture d'une drogue visée à l'annexe F du Règlement sur les aliments et drogues soit, règle générale, détaxée, saufla fourniture d'une drogue vendue à un consommateur sans prescription ou sans ordre écrit signé par le Directeur au sens du Règlement sur les aliments et drogues;

— conformément au sous-paragraphe d), la fourniture d'une drogue visée à l'annexe du Règlement sur les stupéfiants soit, règle générale, détaxée, sauf la fourniture d'une drogue vendue à un consommateur sans prescription ou sans dispense accordée par le ministre de la Santé du Canada quant à la vente à un consommateur.

Par ailleurs, il y aurait lieu de modifier le paragraphe 2° de l'article 174 de la LTVQ, plus particulièrement le sous-paragraphe b), afin de rendre détaxée la fourniture d'une drogue destinée à la consommation humaine et remise conformément à la prescription d'un particulier, autre qu'un médecin au sens donné à cette expression à l'article 173, dûment autorisé en vertu des législations provinciales ou territoriales, pour la consommation ou l'utilisation personnelle d'un particulier nommé dans la prescription.

Notes explicatives ARQ (PL 2, L.Q. 2009, c. 5): *Résumé* :

Les modifications proposées au paragraphe 1° de l'article 174 ont pour objet d'ajouter, à l'ensemble des médicaments ou des substances biologiques dont la fourniture est inconditionnellement détaxée, la fourniture de certains produits.

Situation actuelle :

Le paragraphe 1° de l'article 174 de la LTVQ énumère un ensemble de médicaments ou de substances biologiques dont la fourniture est inconditionnellement détaxée à toutes les étapes de la production et de la distribution.

Ainsi, avant le 1er septembre 2000, la fourniture des drogues regroupées sous l'appellation « benzodiazépines » était détaxée puisque de telles drogues étaient visées à l'annexe F du Règlement sur les aliments et drogues adopté en vertu de la *Loi sur les aliments et drogues* (Lois révisées du Canada (1985), chapitre F-27) et faisaient, à ce titre, l'objet d'une mesure de détaxation prévue au sous-paragraphe b) du paragraphe 1° de l'article 174 de la LTVQ.

Toutefois, le législateur fédéral a apporté des modifications à sa réglementation de sorte que ces drogues sont, depuis le 1er septembre 2000, visées par le *Règlement sur les benzodiazépines et autres substances ciblées* adopté en vertu de la *Loi réglementant certaines drogues et autres substances* (Lois du Canada, 1996, chapitre 19).

Dans ce contexte, la fourniture des drogues regroupées sous l'appellation « benzodiazépines » n'est plus détaxée depuis le 1er septembre 2000.

Par ailleurs, l'article 174 de la LTVQ ne contient, dans son paragraphe 1°, aucune disposition relativement à la fourniture de succédané de sang, appelé « expanseur de volume plasmatique », un tel produit étant acheté par les sociétés du sang pour être distribué aux hôpitaux ainsi qu'aux autres fournisseurs de soins de santé et servant à maintenir le volume sanguin des patients pendant les interventions chirurgicales et les soins traumatologiques.

Modifications proposées :

Il y aurait lieu de modifier le paragraphe 1° de l'article 174 de la LTVQ de sorte que soit ajoutée, à l'ensemble des médicaments ou des substances biologiques dont la fourniture est inconditionnellement détaxée, la fourniture des produits suivants :

— par l'insertion du sous-paragraphe d.1), une drogue visée à l'annexe 1 du *Règlement sur les benzodiazépines et autres substances ciblées* adopté en vertu de la *Loi réglementant certaines drogues et autres substances*;

— par l'addition du paragraphe g), le succédané de sang appelé « expanseur de volume plasmatique ».

Guides [art. 174]: IN-203 — Renseignements généraux sur la TVQ et la TPS/TVH; IN-211 — La TVQ, la TPS/TVH, les appareils médicaux et les médicaments; IN-307 — Le démarrage d'entreprise et la fiscalité.

Définitions [art. 174]: « consommateur », « fourniture », « fourniture détaxée », « particulier » — 1; « praticien », « prescription » — 173; « service » — 1.

Renvois [art. 174]: 3 (lien de dépendance); 81 (apports de biens non taxables).

Jurisprudence [art. 174]: *Robitaille c. Québec (Sous-ministre du Revenu)* (24 septembre 2010), 200-80-001797-057, 2010 CarswellQue 11493.

Lettres d'interprétation [art. 174]: 98-0106090 — Statut fiscal des tisanes thérapeutiques; 99-0101198 — Décision portant sur l'application de la TPS — Interprétation relative à la TVQ — Fourniture de tisane thérapeutique; 00-0103119F — Interprétation relative à la TPS et à la TVQ — Réactifs aux fins de diagnostics; 03-0105845 — Service de l'interprétation relative aux mesures administratives et aux taxes spécifiques; 06-0102175 — Demande d'interprétation relative à la TPS et à la TVQ — statut fiscal de la fourniture d'une magistrale; 07-0103130 — Demande d'interprétation relative à la TPS et à la TVQ — statut fiscal de la fourniture de solutions anesthétiques.

Concordance fédérale: LTA, Ann. VI:Partie I:2–5.

SECTION II — APPAREIL MÉDICAL ET APPAREIL FONCTIONNEL

Notes historiques: L'intitulé de la section II du chapitre IV du titre I a été remplacé par L.Q. 1997, c. 85, art. 512(1) et cette modification a effet depuis le 20 mars 1997. Antérieurement, cet intitulé se lisait « Appareil médical ».

175. « médecin » — Pour l'application de la présente section, « médecin » signifie un médecin au sens de la *Loi médicale* (chapitre M-9) et comprend une personne habilitée en vertu de la législation d'une autre province, des Territoires du Nord-Ouest, du territoire du Yukon ou du territoire du Nunavut à exercer la profession de médecin.

Notes historiques: L'article 175 a été remplacé par L.Q. 2003, c. 2, par. 323(1) et cette modification a effet depuis le 1er avril 1999. Antérieurement, il se lisait ainsi :

> 175. Pour l'application de la présente section, « médecin » signifie un médecin au sens de la *Loi médicale* (L.R.Q., chapitre M-9) et comprend une personne habilitée en vertu de la législation d'une autre province, des Territoires du Nord-Ouest ou du territoire du Yukon à exercer la profession de médecin.

L'article 175 a été remplacé par L.Q. 1997, c. 85, art. 513 et cette modification est réputée entrée en vigueur le 19 décembre 1997. Antérieurement, cet article se lisait comme suit :

> 175. Pour l'application de la présente section, « médecin » a le sens que lui donne la *Loi médicale* (L.R.Q., chapitre M-9) et comprend une personne habilitée en vertu de la législation d'une autre province, des Territoires du Nord-Ouest ou du territoire du Yukon à exercer la profession de médecin.

L'article 175 a été édicté par L.Q. 1991, c. 67.

Définitions [art. 175]: « personne » — 1.

Concordance fédérale: LTA, Ann. VI:Partie II:1.

175.1 Fournitures exclues — Pour l'application de la présente section, à l'exception du paragraphe 32° de l'article 176, la fourniture d'un bien, qui n'est pas conçu pour l'usage humain ou pour aider une personne handicapée ou ayant une déficience, est réputée ne pas être visée par la présente section.

Notes historiques: L'article 175.1 a été ajouté par L.Q. 2009, c. 15, par. 498(1) et s'applique à l'égard d'une fourniture effectuée après le 26 février 2008.

Notes explicatives ARQ (PL 37, L.Q. 2009, c. 15): *Résumé* :

Les modifications proposées ont pour objet d'insérer l'article 175.1, lequel crée une présomption à l'effet que la fourniture d'un bien, qui n'est pas conçu pour l'usage humain ou pour aider une personne handicapée ou ayant une déficience, n'est pas visé par la section II du chapitre IV du titre I de la LTVQ.

Contexte :

La LTVQ prévoit, à la section II du chapitre IV du titre I, un ensemble de biens dont la fourniture est, à titre d'appareil médical ou d'appareil fonctionnel, détaxée et qui s'avèrent, de par leur nature, liés à l'état physique d'un particulier ou d'une personne handicapée ou ayant une déficience.

Modifications proposées :

Il y aurait lieu d'insérer à la LTVQ l'article 175.1 afin de créer une présomption à l'effet que la fourniture d'un bien, qui n'est pas conçu pour l'usage humain ou pour aider une personne handicapée ou ayant une déficience, n'est pas visée par la section II du chapitre IV du titre I de la LTVQ, et ce, à titre d'appareil médical ou d'appareil fonctionnel.

Une telle disposition serait insérée pour l'application de cette section, à l'exception du paragraphe 32° de l'article 176 de la LTVQ, lequel vise, suivant les modifications proposées qui lui sont également apportées, la fourniture sous certaines conditions d'un animal dressé pour aider une personne handicapée ou ayant une déficience.

Concordance fédérale: LTA, Ann. VI:Partie II:1.1.

175.2 [Fourniture de services esthétiques] — Pour l'application de la présente section, la fourniture de services esthétiques, au sens de l'article 108, et la fourniture afférente à cette fourniture qui n'est pas effectuée à des fins médicales ou restauratrices sont réputées ne pas être visées par la présente section.

Notes historiques: L'article 175.2 a été ajouté par L.Q. 2011, c. 6, par. 245(1) et s'applique à l'égard d'une fourniture effectuée, selon le cas :

> 1° après le 4 mars 2010;
>
> 2° avant le 5 mars 2010 si :
>
> a) la totalité de la contrepartie de la fourniture devient due après le 4 mars 2010 ou est payée après cette date sans être devenue due;

b) une partie de la contrepartie de la fourniture devient due ou a été payée avant le 5 mars 2010, sauf si le fournisseur n'a pas, avant cette date, exigé, perçu ou versé un montant au titre de la taxe prévue par le titre I de cette loi relativement à la fourniture.

Notes explicatives ARQ (PL 5, L.Q. 2011, c. 6): *Résumé* :

Le nouvel article 175.2 est introduit dans la *Loi sur la taxe de vente du Québec* (LTVQ) afin de préciser que les fournitures de services esthétiques, au sens de l'article 108 de la LTVQ, et les fournitures afférentes à celles-ci qui ne sont pas effectuées à des fins médicales ou restauratrices ne donnent pas droit à la détaxation.

Contexte :

La section II du chapitre IV du titre I de la LTVQ porte sur les fournitures d'appareils médicaux et d'appareils fonctionnels qui sont détaxées dans le régime de la taxe de vente du Québec.

Modifications proposées :

Le nouvel article 175.2 est introduit dans la LTVQ afin de préciser que les fournitures de services esthétiques, au sens de l'article 108 de la LTVQ, et les fournitures afférentes à celles-ci qui ne sont pas effectuées à des fins médicales ou restauratrices ne donnent pas droit à la détaxation.

Concordance fédérale: LTA, Ann. VI:Partie II:1.2.

176. Appareils médicaux — Les fournitures suivantes sont détaxées :

1º la fourniture d'un appareil de communication, autre qu'un appareil visé au paragraphe 6º, conçu spécialement pour l'usage d'un malentendant ou d'une personne ayant un problème d'élocution ou de vision;

2º la fourniture d'un appareil électronique de surveillance cardiaque, lorsque l'appareil est fourni sur l'ordre écrit d'un médecin pour l'usage du consommateur ayant des troubles cardiaques qui est nommé dans cet ordre;

3º la fourniture d'un lit d'hôpital, lorsque le lit est fourni à l'administrateur d'un établissement de santé, au sens de l'article 108, ou sur l'ordre écrit d'un médecin pour l'usage d'une personne invalide nommée dans cet ordre;

4º la fourniture d'un appareil de respiration artificielle conçu spécialement pour l'usage d'une personne ayant des troubles respiratoires;

4.1º la fourniture d'une aérochambre ou d'un inhalateur doseur utilisé pour le traitement de l'asthme, lorsque l'aérochambre ou l'inhalateur est fourni sur l'ordre écrit d'un médecin pour l'usage du consommateur nommé dans cet ordre;

4.2º la fourniture d'un moniteur respiratoire, d'un nébuliseur respiratoire, d'un nécessaire de trachéostomie, d'une tubulure pour alimentation gastro-intestinale, d'un dialyseur, d'une pompe à perfusion ou du matériel pour intraveineuse, dont une personne peut se servir chez elle;

5º la fourniture d'un percuteur mécanique pour drainage postural ou d'un système d'oscillation de la paroi thoracique pour dégagement des voies aériennes;

6º la fourniture d'un appareil conçu pour transformer les sons en signaux lumineux, lorsque l'appareil est fourni sur l'ordre écrit d'un médecin pour l'usage du consommateur malentendant qui est nommé dans cet ordre;

7º la fourniture d'un appareil de commande à sélecteur conçu spécialement afin de permettre à une personne handicapée d'actionner, de choisir ou de commander un appareil ménager, de l'équipement industriel ou du matériel de bureau;

8º la fourniture de lentilles ophtalmiques avec ou sans monture, lorsque les lentilles sont fournies ou doivent être fournies sur l'ordre écrit d'un professionnel de la vue pour la correction ou le traitement des troubles visuels du consommateur nommé dans cet ordre, dans le cas où le professionnel de la vue est légalement habilité, en vertu de la législation du Québec, d'une autre province, des Territoires du Nord-Ouest, du territoire du Yukon ou du territoire du Nunavut où il exerce sa profession, à prescrire de telles lentilles à ces fins;

9º la fourniture d'un oeil artificiel;

10º la fourniture d'une dent artificielle;

10.1º la fourniture d'un appareil orthodontique;

11º la fourniture d'un appareil auditif;

12º la fourniture d'un larynx artificiel;

13º la fourniture d'une chaise, d'une marchette, d'un élévateur pour fauteuil roulant ou d'une aide de locomotion semblable, avec ou sans roues, y compris leur moteur ou leur assemblage de roues, conçus spécialement pour être manoeuvrés par une personne handicapée pour sa locomotion;

13.1º la fourniture d'une chaise conçue spécialement pour l'usage d'une personne handicapée si la chaise est fournie sur l'ordre écrit d'un médecin pour l'usage du consommateur nommé dans cet ordre;

14º la fourniture d'un élévateur conçu spécialement pour déplacer une personne handicapée;

15º la fourniture d'une rampe pour fauteuil roulant conçue spécialement pour permettre l'accès à un véhicule à moteur;

16º la fourniture d'une rampe portative pour fauteuil roulant;

17º la fourniture d'un dispositif auxiliaire de conduite, conçu pour être installé dans un véhicule à moteur, afin de faciliter la conduite du véhicule par une personne handicapée;

17.1º la fourniture d'un service qui consiste à modifier un véhicule à moteur afin de l'adapter au transport d'une personne utilisant un fauteuil roulant, ainsi que la fourniture d'un bien, autre que le véhicule, effectuée en même temps que la fourniture du service et en raison de cette fourniture;

18º la fourniture d'un dispositif de structuration fonctionnelle conçu spécialement pour l'usage d'une personne handicapée;

19º la fourniture d'un siège de baignoire, de douche ou de toilette ou d'une chaise percée conçus spécialement pour l'usage d'une personne handicapée;

20º la fourniture d'une pompe à perfusion d'insuline ou d'une seringue à insuline;

20.1º la fourniture d'un dispositif de compression des membres, d'une pompe intermittente ou d'un appareil semblable utilisé dans le traitement du lymphoedème, lorsque la pompe ou l'appareil est fourni sur l'ordre écrit d'un médecin pour l'usage du consommateur nommé dans cet ordre;

20.2º la fourniture d'un cathéter pour injection sous-cutanée, lorsque le cathéter est fourni sur l'ordre écrit d'un médecin pour l'usage du consommateur nommé dans cet ordre;

20.3º la fourniture d'une lancette;

21º la fourniture d'un membre artificiel;

22º la fourniture d'une orthèse ou d'un appareil orthopédique qui est fabriqué sur commande pour une personne ou fourni sur l'ordre écrit d'un médecin pour l'usage du consommateur nommé dans cet ordre;

22.1º (*paragraphe supprimé*);

23º la fourniture d'un appareil fabriqué sur commande pour une personne ayant une infirmité ou une difformité du pied ou de la cheville;

23.1º la fourniture d'un article chaussant conçu spécialement pour l'usage d'une personne ayant une infirmité ou une difformité du pied ou un problème semblable, lorsque l'article chaussant est fourni sur l'ordre écrit d'un médecin;

24º la fourniture d'une prothèse chirurgicale ou médicale, d'un appareil de colostomie ou d'iléostomie, d'un appareil pour voies urinaires ou d'un article semblable conçus pour être portés par une personne;

25º la fourniture d'un article ou d'une matière, à l'exclusion d'un cosmétique, devant servir à l'utilisateur d'un bien visé au paragraphe

24º et nécessaire pour la bonne application ou l'entretien de ce bien; un cosmétique désigne un bien avec ou sans effets prophylactiques ou thérapeutiques, commercialement ou communément appelé article de toilette, cosmétique ou préparation, destiné à l'application ou à l'usage aux fins de toilette, ou au soin de tout le corps humain ou d'une de ses parties, soit pour la conservation, la désodorisation, l'embellissement, le nettoyage ou la restauration et, pour plus de certitude comprend un adhésif ou une crème pour prothèses dentaires, un antiseptique, une crème ou une lotion pour la peau, un dentifrice, un dépilatoire, des odeurs, un parfum, une pâte dentifrice, une poudre dentifrice, un produit de décoloration, un rince-bouche, un savon de toilette ou tout article de toilette, cosmétique ou préparation semblable;

26º la fourniture d'une béquille ou d'une canne conçues spécialement pour l'usage d'une personne handicapée;

27º la fourniture d'un appareil de mesure de la glycémie ou d'un moniteur de la glycémie;

28º la fourniture d'une bandelette réactive pour tests de cétonémie, de cétonurie, de glycémie ou de glycosurie ou d'un réactif ou d'un comprimé réactif pour tests de cétonurie ou de glycosurie;

29º la fourniture de tout article conçu spécialement pour l'usage d'une personne aveugle, lorsque l'article est fourni ou acquis par l'Institut national canadien pour les aveugles ou toute autre association ou institution reconnue d'aide aux personnes aveugles, pour l'usage d'une telle personne, ou lorsqu'un tel article est fourni conformément à l'ordre ou au certificat délivré par un médecin;

30º la fourniture d'un bien ou d'un service prescrit;

31º la fourniture d'une pièce ou d'un accessoire conçus spécialement pour un bien visé à la présente section;

32º la fourniture d'un animal dressé ou devant être dressé spécialement pour aider une personne handicapée ou ayant une déficience et éprouvant un problème découlant de son handicap ou de sa déficience, ou la fourniture d'un service qui consiste à apprendre à une personne à se servir de l'animal, si la fourniture est effectuée à une organisation exploitée dans le but de procurer des animaux dressés spécialement aux personnes handicapées ou ayant une déficience ou par une telle organisation;

32.1º (*paragraphe supprimé*);

33º la fourniture d'un service qui consiste à entretenir, à installer, à modifier, à réparer ou à restaurer un bien dont la fourniture est visée à l'un des paragraphes 1° à 31° et 36° à 40° ou toute partie d'un tel bien si elle est fournie en même temps que le service, sauf le service dont la fourniture est visée à la section II du chapitre III, à l'exception de l'article 116;

34º la fourniture de bas de compression graduée, de bas anti-embolie ou d'articles similaires, lorsque les bas ou les articles sont fournis sur l'ordre écrit d'un médecin pour l'usage du consommateur nommé dans cet ordre;

35º la fourniture de vêtements, conçus spécialement pour l'usage d'une personne handicapée, lorsque les vêtements sont fournis sur l'ordre écrit d'un médecin pour l'usage du consommateur nommé dans cet ordre;

36º la fourniture d'un produit pour une personne incontinente conçu spécialement pour l'usage d'une personne handicapée;

37º la fourniture d'un dispositif d'alimentation ou d'un autre appareil de préhension conçus spécialement pour l'usage d'une personne étant dans l'incapacité totale ou partielle de se servir d'une main ou ayant un problème semblable;

38º la fourniture d'une pince à long manche conçue spécialement pour l'usage d'une personne handicapée;

39º la fourniture d'une planche inclinable conçue spécialement pour l'usage d'une personne handicapée.

40º la fourniture d'un appareil conçu spécialement pour la stimulation neuromusculaire ou la verticalisation si l'appareil est fourni sur l'ordre écrit d'un médecin pour l'usage du consommateur ayant une paralysie ou un handicap moteur grave qui est nommé dans cet ordre.

Notes historiques: Le paragraphe 1º de l'article 176 a été remplacé par L.Q. 1997, c. 85, art. 514(1)(1º) et cette modification a effet à l'égard des fournitures pour lesquelles la contrepartie devient due après le 23 avril 1996 ou est payée après le 23 avril 1996 sans qu'elle soit devenue due. Antérieurement à cette modification, ce paragraphe se lisait ainsi :

> 1º la fourniture d'un appareil de communication devant être utilisé avec un dispositif télégraphique ou une téléphonique par un malentendant ou une personne ayant un problème d'élocution, lorsque l'appareil est fourni sur l'ordre écrit d'un médecin;

Le paragraphe 2º de l'article 176 a été remplacé par L.Q. 1997, c. 85, art. 514(1)(1º) et cette modification a effet à l'égard des fournitures pour lesquelles la contrepartie devient due après le 23 avril 1996 ou est payée après le 23 avril 1996 sans qu'elle soit devenue due. Antérieurement à cette modification, ce paragraphe se lisait ainsi :

> 2º la fourniture d'un appareil électronique de surveillance cardiaque, lorsque l'appareil est fourni à un consommateur sur l'ordre écrit d'un médecin pour l'usage d'une personne souffrant de troubles cardiaques;

Le paragraphe 3º de l'article 176 a été remplacé par L.Q. 1997, c. 85, art. 514(1)(1º) et cette modification a effet à l'égard des fournitures pour lesquelles la contrepartie devient due après le 23 avril 1996 ou est payée après le 23 avril 1996 sans qu'elle soit devenue due. Antérieurement à cette modification, ce paragraphe se lisait ainsi :

> 3º la fourniture d'un lit d'hôpital, lorsque le lit est fourni à une administration hospitalière ou sur l'ordre écrit d'un médecin pour l'usage d'une personne invalide;

Le paragraphe 4º de l'article 176 a été remplacé par L.Q. 1997, c. 85, art. 514(1)(2º) et cette modification a effet depuis le 20 mars 1997. Antérieurement à cette modification, ce paragraphe se lisait ainsi :

> 4º la fourniture d'un appareil de respiration artificielle conçu spécialement pour l'usage d'une personne souffrant de troubles respiratoires;

Le paragraphe 4.1º de l'article 176 a été remplacé par L.Q. 1997, c. 85, art. 514(1)(3º) et cette modification a effet à l'égard des fournitures effectuées après le 23 avril 1996. Auparavant, ce paragraphe se lisait ainsi :

> 4.1º la fourniture d'une aérochambre ou d'un inhalateur doseur utilisé pour le traitement de l'asthme, lorsque la fourniture est effectuée à un consommateur sur l'ordre écrit d'un médecin;

Le paragraphe 4.1º de l'article 176 a été ajouté par L.Q. 1994, c. 22, art. 447(1) et est réputé entré en vigueur le 1er juillet 1992.

Le paragraphe 4.2º de l'article 176 a été ajouté par L.Q. 1997, c. 85, art. 514(1)(4º) et a effet à l'égard des fournitures effectuées après le 23 avril 1996.

Le paragraphe 5º de l'article 176 a été remplacé par L.Q. 2009, c. 15, s.-par. 499(1)(1º) et cette modification s'applique à l'égard d'une fourniture effectuée après le 26 février 2008. Antérieurement, il se lisait ainsi :

> 5º la fourniture d'un percuteur mécanique pour drainage postural;

Le paragraphe 6º de l'article 176 a été remplacé par L.Q. 1997, c. 85, art. 514(1)(5º) et cette modification a effet à l'égard des fournitures effectuées après le 23 avril 1996. Antérieurement, ce paragraphe se lisait ainsi :

> 6º la fourniture d'un appareil conçu pour transformer les sons en signaux lumineux, lorsque l'appareil est fourni sur l'ordre écrit d'un médecin pour l'usage d'un malentendant;

Le paragraphe 7º de l'article 176 a été remplacé par L.Q. 1997, c. 85, art. 514(1)(5º) et cette modification a effet depuis le 20 mars 1997. Antérieurement, ce paragraphe se lisait ainsi :

> 7º la fourniture d'un appareil de commande à sélecteur conçu spécialement pour l'usage d'une personne handicapée physiquement afin de lui permettre d'actionner, de choisir ou de commander un appareil ménager, de l'équipement industriel ou du matériel de bureau.

Le paragraphe 8º de l'article 176 a été modifié par L.Q. 2010, c. 5, art. 213 par le remplacement, après les mots « du territoire du Nunavut », des mots « dans lequel » par le mot « où ». Cette modification est entrée en vigueur le 20 avril 2010.

Le paragraphe 8º de l'article 176 a été remplacé par L.Q. 2003, c. 2, par. 324(1) et cette modification a effet depuis le 1er avril 1999. Toutefois, lorsque ce paragraphe s'applique à l'égard d'une fourniture effectuée avant le 9 octobre 1999, il doit se lire en y supprimant les mots « ou doivent être fournies ». Antérieurement, il se lisait ainsi :

> 8º la fourniture de lentilles ophtalmiques avec ou sans monture, lorsque les lentilles sont fournies ou doivent être fournies sur l'ordre écrit d'un professionnel de la vue pour la correction ou le traitement des troubles visuels du consommateur nommé dans cet ordre, dans le cas où le professionnel de la vue est légalement habilité, en vertu de la législation du Québec, d'une autre province, des Territoires du Nord-Ouest ou du territoire du Yukon dans lequel il exerce sa profession, à prescrire de telles lentilles à ces fins;

Le paragraphe 8° de l'article 176 a été remplacé par L.Q. 2001, c. 53, art. 304(1)(1°) et cette modification a effet à l'égard d'une fourniture effectuée après le 8 octobre 1999. Antérieurement, il se lisait ainsi :

> 8° la fourniture de lentilles ophtalmiques avec ou sans monture, lorsque les lentilles sont fournies sur l'ordre écrit d'un professionnel de la vue pour la correction ou le traitement des troubles visuels du consommateur nommé dans cet ordre, dans le cas où le professionnel de la vue est légalement habilité, en vertu de la législation du Québec, d'une autre province, des Territoires du Nord-Ouest ou du territoire du Yukon dans lequel il exerce sa profession, à prescrire de telles lentilles à ces fins;

Le paragraphe 8° de l'article 176 a été remplacé par L.Q. 1997, c. 85, art. 514(1)(5°) et cette modification a effet à l'égard des fournitures effectuées après le 23 avril 1996. Antérieurement, ce paragraphe se lisait ainsi :

> 8° la fourniture de lentilles ophtalmiques avec ou sans monture, lorsque les lentilles sont fournies pour la correction ou le traitement de troubles visuels à un consommateur sur l'ordre écrit d'un professionnel de la vue légalement habilité, en vertu de la législation du Québec, d'une autre province, des Territoires du Nord-Ouest ou du territoire du Yukon dans lequel il exerce sa profession, à prescrire de telles lentilles à cette fin;

Le paragraphe 10.1° de l'article 176 a été ajouté par L.Q. 1997, c. 85, art. 514(1)(6°) et a effet à l'égard des fournitures pour lesquelles la totalité de la contrepartie devient due après le 23 avril 1996 ou est payée après cette date sans qu'elle soit devenue due.

Le paragraphe 13° de l'article 176 a été remplacé par L.Q. 2009, c. 15, s.-par. 499(1)(2°) et cette modification s'applique à l'égard d'une fourniture effectuée après le 26 février 2008. Antérieurement, il se lisait ainsi :

> 13° la fourniture d'une chaise, d'une chaise percée, d'une marchette, d'un élévateur pour fauteuil roulant ou d'une aide de locomotion semblable, avec ou sans roues, y compris leur moteur ou leur assemblage de roues, conçu spécialement pour l'usage d'une personne handicapée;

Le paragraphe 13° de l'article 176 a été remplacé par L.Q. 1997, c. 85, art. 514(1)(7°) et cette modification a effet depuis le 20 mars 1997. Auparavant, ce paragraphe se lisait ainsi :

> 13° la fourniture d'une chaise pour une personne invalide, d'une chaise percée, d'une marchette, d'un élévateur pour fauteuil roulant ou d'une aide de locomotion semblable, avec ou sans roues, y compris leur moteur ou leur assemblage de roues, conçu spécialement pour l'usage d'une personne handicapée;

Le paragraphe 13.1° de l'article 176 a été ajouté par L.Q. 2009, c. 15, s.-par. 499(1)(3°) et s'applique à l'égard d'une fourniture effectuée après le 26 février 2008.

Le paragraphe 17° de l'article 176 a été remplacé par L.Q. 1997, c. 85, art. 514(1)(8°) et cette modification a effet depuis le 20 mars 1997. Auparavant, ce paragraphe se lisait ainsi :

> 17° la fourniture d'un dispositif auxiliaire de conduite, conçu pour être installé dans un véhicule à moteur, afin de faciliter la conduite du véhicule par une personne handicapée physiquement;

Le paragraphe 17.1° de l'article 176 a été remplacé par L.Q. 1997, c. 85, art. 514(1)(8°) et cette modification a effet à l'égard des fournitures pour lesquelles la contrepartie devient due après le 23 avril 1996 ou est payée après le 23 avril 1996 sans qu'elle soit devenue due. Auparavant, ce paragraphe se lisait ainsi :

> 17.1° la fourniture d'un service qui consiste à modifier le véhicule à moteur d'un particulier afin de l'adapter au transport d'une personne utilisant un fauteuil roulant, ainsi que la fourniture d'un bien, autre que le véhicule, effectuée en même temps que la fourniture du service et en raison de cette fourniture;

Le paragraphe 17.1° de l'article 176 a été ajouté par L.Q. 1995, c. 1, art. 275(1) et s'applique à l'égard d'une fourniture dont la contrepartie devient due ou est payée sans devenir due après le 10 décembre 1992.

Le paragraphe 19° de l'article 176 a été remplacé par L.Q. 2009, c. 15, s.-par. 499(1)(4°) et cette modification s'applique à l'égard d'une fourniture effectuée après le 26 février 2008. Antérieurement, il se lisait ainsi :

> 19° la fourniture d'un siège de baignoire, de douche ou de toilette conçu spécialement pour l'usage d'une personne handicapée;

Le paragraphe 20.1° de l'article 176 a été remplacé par L.Q. 1997, c. 85, art. 514(1)(9°) et s'applique aux fournitures effectuées après le 23 avril 1996. Auparavant, ce paragraphe se lisait ainsi :

> 20.1° la fourniture d'un dispositif de compression des membres, d'une pompe intermittente ou d'un appareil semblable utilisé dans le traitement du lymphoedème, lorsque la fourniture est effectuée à un consommateur sur l'ordre écrit d'un médecin;

Le paragraphe 20.1° de l'article 176 a été ajouté par L.Q. 1994, c. 22, art. 447(1) et est réputé entré en vigueur le 1er juillet 1992.

Le paragraphe 20.2° de l'article 176 a été remplacé par L.Q. 1997, c. 85, art. 514(1)(9°) et s'applique aux fournitures effectuées après le 23 avril 1996, sauf qu'à l'égard des fournitures pour lesquelles la totalité de la contrepartie devient due ou est payée avant le 1er janvier 1997, le paragraphe 20.2° doit se lire comme suit :

> 20.2° la fourniture d'un cathéter pour injection sous-cutanée ou d'une lancette, lorsque le cathéter ou la lancette est fourni sur l'ordre écrit d'un médecin pour l'usage du consommateur nommé dans cet ordre;

Auparavant, ce paragraphe se lisait ainsi :

> 20.2° la fourniture d'un cathéter pour injection sous-cutanée ou d'une lancette, lorsque la fourniture est effectuée à un consommateur sur l'ordre écrit d'un médecin;

Le paragraphe 20.2° de l'article 176 a été ajouté par L.Q. 1994, c. 22, art. 447(1) et est réputé entré en vigueur le 1er juillet 1992.

Le paragraphe 20.3° de l'article 176 a été ajouté par L.Q. 1997, c. 85, art. 514(1)(10°) et s'applique aux fournitures effectuées après le 23 avril 1996, sauf qu'à l'égard des fournitures pour lesquelles la totalité de la contrepartie devient due ou est payée avant le 1er janvier 1997, le paragraphe 20.3° ne s'applique pas.

Le paragraphe 22° de l'article 176 a été remplacé par L.Q. 1997, c. 85, art. 514(1)(11°) et cette modification s'applique aux fournitures pour lesquelles la totalité de la contrepartie devient due après le 23 avril 1996 ou est payée après cette date sans qu'elle soit devenue due, sauf qu'à l'égard des fournitures pour lesquelles la contrepartie devient due avant le 14 mai 1996 ou est payée avant le 14 mai 1996 sans qu'elle soit devenue due, le paragraphe 22° doit se lire comme suit :

> 22° la fourniture d'une orthèse, lorsque l'orthèse est fournie sur l'ordre écrit d'un médecin pour l'usage du consommateur nommé dans cet ordre, d'un support pour épine dorsale ou d'un autre support orthopédique;

Antérieurement à cette modification, ce paragraphe se lisait ainsi :

> 22° la fourniture d'un support pour épine dorsale ou d'un autre support orthopédique;

Le paragraphe 22.1° a été supprimé par L.Q. 1997, c. 85, art. 514(1)(12°) et cette modification s'applique aux fournitures pour lesquelles la totalité de la contrepartie devient due après le 23 avril 1996 ou est payée après cette date sans qu'elle soit devenue due.

Auparavant, ce paragraphe se lisait ainsi :

> 22.1° la fourniture d'une orthèse, lorsque la fourniture est effectuée à un consommateur sur l'ordre écrit d'un médecin;

Le paragraphe 22.1° de l'article 176 a été ajouté par L.Q. 1994, c. 22, art. 447(1) et est réputé entré en vigueur le 1er juillet 1992.

Le paragraphe 23° de l'article 176 a été remplacé par L.Q. 1997, c. 85, art. 514(1)(13°) et cette modification a effet depuis le 20 mars 1997.

Auparavant, ce paragraphe se lisait ainsi :

> 23° la fourniture d'un appareil fabriqué sur commande pour une personne souffrant d'une infirmité ou d'une difformité du pied ou de la cheville;

Le paragraphe 23.1° de l'article 176 a été ajouté par L.Q. 1997, c. 85, art. 514(1)(14°) et s'applique aux fournitures pour lesquelles la totalité de la contrepartie devient due après le 31 décembre 1996 ou est payée après cette date sans qu'elle soit devenue due.

Le paragraphe 24° de l'article 176 a été modifié par L.Q. 2009, c. 15, s.-par. 499(1)(5°) par le remplacement des mots « conçu pour être porté » par les mots « conçus pour être portés ». Cette modification est entrée en vigueur le 4 juin 2009.

Le paragraphe 26° de l'article 176 a été modifié par L.Q. 2009, c. 15, s.-par. 499(1)(6°) par le remplacement du mot « conçue » par le mot « conçues ». Cette modification est entrée en vigueur le 4 juin 2009.

Le paragraphe 26° de l'article 176 a été remplacé par L.Q. 1997, c. 85, art. 514(1)(15°) et cette modification a effet depuis le 20 mars 1997.

Auparavant, ce paragraphe se lisait ainsi :

> 26° la fourniture d'une béquille ou d'une canne conçue pour l'usage d'une personne handicapée physiquement;

Le paragraphe 29° de l'article 176 a été modifié par L.Q. 2009, c. 15, s.-par. 499(1)(7°) par le remplacement du mot « émis » par le mot « délivré ». Cette modification est entrée en vigueur le 4 juin 2009.

Le paragraphe 29° de l'article 176 a été remplacé par L.Q. 1997, c. 85, art. 514(1)(16°) et cette modification a effet à l'égard des fournitures effectuées après le 23 avril 1996. Antérieurement, ce paragraphe se lisait ainsi :

> 29° la fourniture de tout article conçu spécialement pour l'usage d'une personne aveugle, lorsque l'article est fourni ou acquis par un médecin, l'Institut national canadien pour les aveugles ou toute autre association ou institution reconnue d'aide aux aveugles, pour l'usage d'une telle personne, ou lorsqu'un tel article est fourni conformément à l'ordre ou au certificat émis par un tel médecin, une telle association ou une telle institution, pour une telle fin;

Le paragraphe 31° de l'article 176 a été modifié par L.Q. 2009, c. 15, s.-par. 499(1)(8°) par le remplacement du mot « conçu » par le mot « conçus ». Cette modification est entrée en vigueur le 4 juin 2009.

Le paragraphe 32° de l'article 176 a été remplacé par L.Q. 2009, c. 15, s.-par. 499(1)(9°) et cette modification s'applique à l'égard d'une fourniture effectuée après le 26 février 2008. Antérieurement, il se lisait ainsi :

> 32° la fourniture d'un chien dressé ou devant être dressé pour servir de guide à une personne aveugle, y compris le service qui consiste à apprendre à la personne à se servir du chien, si la fourniture est effectuée à une organisation exploitée dans le but de procurer un tel chien à une personne aveugle ou par une telle organisation;

LTVQ (français)

Le paragraphe 32.1° de l'article 176 a été supprimé par L.Q. 2009, c. 15, s.-par. 499(1)(10°) et cette modification s'applique à l'égard d'une fourniture effectuée après le 26 février 2008. Antérieurement, il se lisait ainsi :

32.1° la fourniture d'un chien dressé ou devant être dressé pour aider un malentendant à l'égard de problèmes découlant de sa déficience, y compris le service qui consiste à apprendre au malentendant à se servir du chien, si la fourniture est effectuée à une organisation exploitée dans le but de procurer un tel chien à un malentendant ou par une telle organisation;

Le paragraphe 32.1° de l'article 176 a été remplacé par L.Q. 1997, c. 85, art. 514(1)(17°) et cette modification a effet depuis le 20 mars 1997.

Auparavant, ce paragraphe se lisait ainsi :

32.1° la fourniture effectuée à une organisation exploitée dans le but de procurer à des malentendants des chiens dressés ou devant être dressés pour aider un malentendant à l'égard de problèmes découlant de sa déficience ou par une telle organisation :

a) soit d'un tel chien;

b) soit d'un service qui consiste à apprendre au malentendant à se servir d'un tel chien;

Le paragraphe 32.1° de l'article 176 a été ajouté par L.Q. 1994, c. 22, art. 447(1) et est réputé entré en vigueur le 1er juillet 1992.

Le paragraphe 33° de l'article 176 a été remplacé par L.Q. 2011, c. 6, par. 246(1) et cette modification s'applique à l'égard d'une fourniture effectuée, selon le cas :

1° après le 4 mars 2010;

2° avant le 5 mars 2010 si :

a) la totalité de la contrepartie de la fourniture devient due après le 4 mars 2010 ou est payée après cette date sans être devenue due;

b) une partie de la contrepartie de la fourniture devient due ou a été payée avant le 5 mars 2010, sauf si le fournisseur n'a pas, avant cette date, exigé, perçu ou versé un montant au titre de la taxe prévue par le titre I de cette loi relativement à la fourniture.

Antérieurement, il se lisait ainsi :

33° la fourniture d'un service qui consiste à entretenir, à installer, à modifier, à réparer ou à restaurer un bien dont la fourniture est visée à l'un des paragraphes 1° à 31° et 36° à 40° ou toute partie d'un tel bien si elle est fournie en même temps que le service, sauf le service dont la fourniture est visée à la section II du chapitre III, à l'exception de l'article 116, et le service lié à la prestation d'un service chirurgical ou dentaire exécuté à des fins esthétiques et non à des fins médicales ou restauratrices;

Le paragraphe 33° de l'article 176 a été remplacé par L.Q. 2009, c. 15, s.-par. 499(1)(11°) et cette modification s'applique à l'égard d'une fourniture effectuée après le 26 février 2008. Antérieurement, il se lisait ainsi :

33° la fourniture d'un animal dressé ou devant être dressé spécialement pour aider une personne handicapée ou ayant une déficience et éprouvant un problème découlant de son handicap ou de sa déficience, ou la fourniture d'un service qui consiste à apprendre à une personne à se servir de l'animal, si la fourniture est effectuée à une organisation exploitée dans le but de procurer des animaux dressés spécialement aux personnes handicapées ou ayant une déficience ou par une telle organisation;

Le paragraphe 33° de l'article 176 a été remplacé par L.Q. 2001, c. 53, art. 304(1)(2°) et cette modification a effet à l'égard d'une fourniture effectuée après le 23 avril 1996. Antérieurement, il se lisait ainsi :

33° la fourniture d'un service qui consiste à entretenir, à installer, à modifier, à réparer ou à restaurer un bien visé à l'un des paragraphes 1° à 31° et 37° à 39° ou toute partie d'un tel bien si elle est fournie en même temps que le service, sauf le service dont la fourniture est visée à la section II du chapitre III, à l'exception de l'article 116, et le service lié à la prestation d'un service chirurgical ou dentaire exécuté à des fins esthétiques et non à des fins médicales ou restauratrices;

Le paragraphe 33° de l'article 176 a été remplacé par L.Q. 1997, c. 85, art. 514(1)(18°) et cette modification a effet à l'égard des fournitures effectuées après le 23 avril 1996.

Auparavant, ce paragraphe se lisait ainsi :

33° la fourniture d'un service qui consiste à entretenir, à installer, à modifier, à réparer ou à restaurer un bien visé à l'un des paragraphes 1° à 31° ou toute partie d'un tel bien si elle est fournie en même temps que le service, sauf le service dont la fourniture est visée à la section II du chapitre III, à l'exception de l'article 116, ou le service lié à la prestation d'un service chirurgical ou dentaire exécuté à des fins esthétiques et non à des fins médicales ou restauratrices;

Le paragraphe 33° de l'article 176 a été modifié par L.Q. 1995, c. 1, art. 275(1) et a effet depuis le 1er juillet 1992 [*N.D.L.R.* : cette disposition s'applique conformément aux articles 618 à 656, 685 de L.Q. 1991, c. 67, tels que modifiés]. Toutefois, cette modification ne s'applique pas à la détermination de la taxe nette d'une personne par une méthode prescrite en vertu de l'article 434 pour une période de déclaration se terminant avant le 1er juin 1993. Il se lisait auparavant comme suit :

33° la fourniture d'un service, sauf celui dont la fourniture est visée à la section II du chapitre III ou celui lié à la prestation d'un service chirurgical ou dentaire exécuté à des fins esthétiques et non à des fins médicales ou restauratrices, qui consiste à entretenir, à installer, à modifier, à réparer ou à restaurer un bien visé à l'un des paragraphes 1° à 31° ou toute partie d'un tel bien si elle est fournie en même temps que le service;

Le paragraphe 33° a auparavant été modifié par L.Q. 1994, c. 22, art. 447(1) et s'appliquait à l'égard d'une fourniture effectuée après le 14 septembre 1992. Le paragraphe 33° de l'article 176 se lisait auparavant comme suit :

33° la fourniture d'un service, sauf celui dont la fourniture est visée à la section II du chapitre troisième, qui consiste à entretenir, à installer, à modifier, à réparer ou à restaurer un bien visé à l'un des paragraphes 1° à 31° ou toute partie d'un tel bien si elle est fournie en même temps que le service.

Le paragraphe 34° de l'article 176 a été remplacé par L.Q. 1997, c. 85, art. 514(1)(18°) et cette modification a effet à l'égard des fournitures effectuées après le 23 avril 1996.

Auparavant, ce paragraphe se lisait comme suit :

34° la fourniture de bas de compression graduée, de bas anti-embolie ou d'articles similaires, lorsque la fourniture est effectuée à un consommateur sur l'ordre écrit d'un médecin;

Le paragraphe 34° de l'article 176 a été ajouté par L.Q. 1994, c. 22, art. 447(1) et est réputé entré en vigueur le 1er juillet 1992.

Le paragraphe 35° de l'article 176 a été remplacé par L.Q. 1997, c. 85, art. 514(1)(18°) et cette modification a effet à l'égard des fournitures effectuées après le 23 avril 1996.

Auparavant, ce paragraphe se lisait ainsi :

35° la fourniture de vêtements, conçus spécialement pour l'usage d'une personne handicapée, lorsque la fourniture est effectuée à un consommateur sur l'ordre écrit d'un médecin.

Le paragraphe 35° de l'article 176 a été ajouté par L.Q. 1994, c. 22, art. 447(1) et est réputé entré en vigueur le 1er juillet 1992.

Les paragraphes 36°, 37°, 38°, 39° de l'article 176 ont été ajoutés par L.Q. 1997, c. 85, art. 514(1)(19°) et ont effet à l'égard des fournitures effectuées après le 23 avril 1996.

Le paragraphe 37° de l'article 176 a été modifié par L.Q. 2009, c. 15, s.-par. 499(1)(8°) par le remplacement du mot « conçu » par le mot « conçus ». Cette modification est entrée en vigueur le 4 juin 2009.

Le paragraphe 40° de l'article 176 a été ajouté par L.Q. 2009, c. 15, s.-par. 499(1)(12°) et s'applique à l'égard d'une fourniture effectuée après le 26 février 2008.

L'article 176 a été édicté par L.Q. 1991, c. 67.

Notes explicatives ARQ (PL 5, L.Q. 2011, c. 6): *Résumé* :

Le paragraphe 33° de l'article 176 est modifié de façon à supprimer la mention du service lié à la prestation d'un service chirurgical ou dentaire qui est exécuté à des fins esthétiques et non à des fins médicales ou restauratrices qui n'est plus requise en raison de l'ajout de l'article 175.2 de la LTVQ qui a pour effet d'exclure de la détaxation les fournitures de services esthétiques, au sens de l'article 108 de la LTVQ, et les fournitures afférentes à celles-ci qui ne sont pas effectuées à des fins médicales ou restauratrices.

Situation actuelle :

L'article 176 énumère l'ensemble des biens dont la fourniture est détaxée à titre d'appareil médical ou d'appareil fonctionnel.

Plus particulièrement, le paragraphe 33° de cet article a pour effet de détaxer la fourniture d'un service qui consiste à entretenir, à installer, à modifier, à réparer ou à restaurer des appareils médicaux ou des appareils fonctionnels détaxés, sauf si le service est une fourniture exonérée visée à la section II du chapitre III de la LTVQ, à l'exception de l'article 116 de cette loi, ou sauf s'il est lié à la prestation d'un service chirurgical ou dentaire qui est exécuté à des fins esthétiques et non à des fins médicales ou restauratrices.

Modifications proposées :

Le paragraphe 33° de l'article 176 est modifié de façon à supprimer la mention du service lié à la prestation d'un service chirurgical ou dentaire qui est exécuté à des fins esthétiques et non à des fins médicales ou restauratrices. Cette modification fait suite à l'ajout de l'article 175.2 de la LTVQ, lequel a pour effet d'exclure de la détaxation les fournitures de services esthétiques, au sens de l'article 108 de la LTVQ, et les fournitures afférentes à celles-ci qui ne sont pas effectuées à des fins médicales ou restauratrices.

Notes explicatives ARQ (PL 64, L.Q. 2010, c. 5): *Résumé* :

La modification proposée à l'article 176, plus particulièrement au paragraphe 8°, a pour but de se conformer aux règles de la langue française.

Situation actuelle :

L'article 176 de la LTVQ énumère les divers biens dont la fourniture est détaxée à titre d'appareil médical ou d'appareil fonctionnel.

Suivant le paragraphe 8° de cet article, la fourniture de lentilles ophtalmiques avec ou sans monture est détaxée lorsque, notamment, les lentilles sont fournies sur l'ordre écrit d'un professionnel de la vue dans le cas où ce professionnel de la vue est légalement habilité, en vertu de la législation du Québec, d'une autre province, des Territoires du Nord-Ouest, du territoire du Yukon ou du territoire du Nunavut « dans lequel » il exerce sa profession, à prescrire de telles lentilles.

Modifications proposées :

Il y aurait lieu de modifier l'article 176 de la LTVQ, plus particulièrement le paragraphe 8°, afin de remplacer les mots « dans lequel » par le mot « où », ce qui permettrait d'éviter le problème d'accord existant entre le pronom relatif « lequel » et les mots qui le précèdent et, ainsi, se conformer aux règles de la langue française.

Cette modification s'appliquerait à compter de la date de la sanction de la présente loi.

Notes explicatives ARQ (PL 37, L.Q. 2009, c. 15): *Résumé* :

Les modifications proposées ont, principalement, pour objet d'ajouter d'autres biens à l'ensemble des appareils médicaux et des appareils fonctionnels dont la fourniture est détaxée.

Situation actuelle :

L'article 176 de la LTVQ énumère l'ensemble des biens dont la fourniture est détaxée à titre d'appareil médical ou d'appareil fonctionnel.

Modifications proposées :

En premier lieu, il y aurait lieu de modifier l'article 176 de la LTVQ de sorte que soit ajoutée, à l'ensemble des appareils médicaux et des appareils fonctionnels dont la fourniture est détaxée, la fourniture des biens suivants :

— par le remplacement du paragraphe 5°, un système d'oscillation de la paroi thoracique, lequel système permet, comme le percuteur mécanique pour drainage postural, de dégager les voies aériennes d'un patient dans le cadre d'un traitement thérapeutique;

— par l'insertion du paragraphe 13.1°, une chaise conçue spécialement pour l'usage d'une personne handicapée si la chaise est fournie sur l'ordre écrit d'un médecin pour l'usage du consommateur nommé dans cet ordre;

— par le remplacement du paragraphe 32° et la suppression du paragraphe 32.1°, un animal qui est ou doit être dressé spécialement pour aider une personne handicapée ou ayant une déficience et éprouvant un problème découlant de son handicap ou de sa déficience si la fourniture est effectuée à une organisation exploitée dans le but de procurer des animaux dressés spécialement aux personnes handicapées ou ayant une déficience ou par une telle organisation;

— par l'addition duparagraphe 40°, un appareil conçu spécialement pour la stimulation neuromusculaire ou la verticalisation si l'appareil est fourni sur l'ordre écrit d'un médecin pour l'usage du consommateur ayant une paralysie ou un handicap moteur grave nommé dans cet ordre.

En corrélation avec les modifications proposées précédemment au paragraphe 32° de l'article 176 de la LTVQ, il y aurait lieu également de modifier ce paragraphe afin d'accorder, aux mêmes conditions, le statut de fourniture détaxée à la fourniture d'un service consistant à apprendre à une personne à se servir de l'animal spécialement dressé.

En deuxième lieu, il y aurait lieu de modifier le paragraphe 13° de l'article 176 de la LTVQ afin de :

— retirer des biens qui y sont énumérés la chaise percée étant donné que la nature de ce bien correspond mal aux autres biens visés par ce paragraphe;

— qualifier, à titre de fourniture détaxée, la fourniture d'une chaise ou d'une autre aide de locomotion conçues spécialement pour être manœuvrées par une personne handicapée pour sa locomotion.

En corrélation avec les modifications proposées précédemment au paragraphe 13°, il y aurait lieu de modifier le paragraphe 19° de l'article 176 de la LTVQ, lequel établit le caractère détaxé de la fourniture d'un siège de baignoire, de douche ou de toilette, de sorte qu'il y soit ajouté la fourniture d'une chaise percée conçue spécialement pour l'usage d'une personne handicapée.

En troisième lieu, il y aurait lieu d'apporter, aux paragraphes 24°, 26°, 31° et 37° de l'article 176 de la LTVQ, des rectifications d'ordre syntaxique et, au paragraphe 29° du même article, des modifications d'ordre terminologique afin de tenir compte du contexte dans lequel les dérivés des mots « émission » et »délivrance » doivent être utilisés, le terme « délivrance » et ses dérivés étant plus appropriés, pour des raisons de justesse du vocabulaire, dans le contexte de l'article 176 de la LTVQ.

Finalement, il y aurait lieu de modifier le paragraphe 33° de l'article 176 de la LTVQ, en vue d'ajouter, au renvoi prévu à ce paragraphe, la référence au nouveau paragraphe 40° et de préciser que le bien couvert par le service d'entretien, d'installation, de modification, de réparation ou de restauration est celui dont la fourniture est visée à l'un des paragraphes 1° à 31° et 36° à 40°.

Guides [art. 176]: IN-132 — Les personnes handicapées et les avantages fiscaux; IN-203 — Renseignements généraux sur la TVQ et la TPS/TVH; IN-211 — La TVQ, la TPS/TVH, les appareils médicaux et les médicaments; IN-307 — Le démarrage d'entreprise et la fiscalité; IN-624 — La TVQ, la TPS/TVH et les véhicules routiers.

Définitions [art. 176]: « administration hospitalière », « bien », « consommateur », « fourniture », « fourniture détaxée » — 1; « médecin » — 175; « personne », « service » — 1.

Renvois [art. 176]: 677:21° (règlements).

Règlements [art. 176]: RTVQ, 176R1, 176R2.

Formulaires [art. 176]: FP-2518, Remboursement partiel de la taxe payée sur un véhicule adapté au transport d'une personne handicapée.

Bulletins d'interprétation [art. 176]: TVQ. 176-1/R2 — Les contrat de remplacement des lentilles ophtalmiques; TVQ. 176-2/R3 — Lunettes et de lentilles ophtalmiques; TVQ. 176-3/R1 — Fourniture d'un lit d'hôpital; TVQ. 176-4/R2 — Fourniture d'appareils orthodontiques, de dents artificielles et de services de santé; TVQ. 176-5 — Fourniture d'implants mammaires et de prothèses mammaires externes; TVQ. 176-6 — Fourniture de fauteuils triporteurs et quadriporteurs motorisés; TVQ. 176-7 — Fourniture d'un stimulateur cardiaque, d'un défibrillateur cardiaque implantable ou d'une valvule synthétique; SPÉCIAL 96 — Faits saillants, par. 1.4.

Jurisprudence [art. 176]: *Centre hospitalier régional de l'Outaouais. c. Québec (Sous-ministre du Revenu)* (20 septembre 2004), 500-02-024795-952, 2004 CarswellQue 2604.

Lettres d'interprétation [art. 176]: 97-0111274 — Interprétation relative à la TPS — Interprétation relative à la TVQ — Vêtements fournis sur ordonnance; 98-0101190 — Pièces ou accessoires pour des lunettes prescrites; 98-0105282[A] — Interprétation — Prothèses médicales — Prothèses mammaires; 98-0105282[B] — Modification à une interprétation — Implants mammaires; 98-0106090 — Statut fiscal des tisanes thérapeutiques; 98-0108682 — Montures pour lunettes; 98-0109995 — Articles chaussants conçus spécialement pour les personnes souffrant d'une incapacité ou d'une difformité du pied ou d'un problème semblable; 98-0110639 — ; 98-0111975 — Interprétation TPS/TVQ — Statut fiscal de certains biens acquis par une administration hospitalière; 98-0112577 — Interprétation TPS/TVQ; 99-0110306 — Interprétation relative à la TVQ — Décision concernant l'application de la TPS; 99-0111189 — Interprétation relative à la TPS et à la TVQ — [relative à certaines fournitures effectuées par une corporation de gestion en faveur d'audioprothésistes]; 99-0113136 — Décision concernant l'application de la TPS — Interprétation relative à la TVQ [concernant des fournitures de sous-vêtements adaptés]; 99-0113292 — Décision portant sur l'application de la TPS — Interprétation relative à la TVQ — Fourniture d'un service de transport de passagers; 99-0111338 [B] — Fourniture d'appareil et de service d'orthodontie pour un montant forfaitaire global; 99-0113151 — Modification à une interprétation — Fournitures détaxées — Personne handicapées; 00-0102327 — Interprétation relative à la TPS et à la TVQ — Fourniture de draps et autres articles de literie; 01-0101368 — Interprétation relative à la TPS et à la TVQ — Fourniture de produits servant à l'établissement de diagnostics; 01-0105583 — Interprétation relative à la TPS et à la TVQ — Fourniture de matelas à réduction de pression; 02-0109732 — Interprétation en TPS et en TVQ [fourniture de lits ajustables]; 03-0104764 — Précision à une interprétation — fourniture de matelas à réduction de pression; 03-0111025 — Interprétation relative à la TPS et à la TVQ — Fourniture de chaussures effectuées sur l'ordonnance écrite d'un médecin; 04-0100489 — Demande d'interprétation relative à la TPS et à la TVQ — stimulateur cardiaque, défibrilateur implantable et valve synthétique; 04-0104929 — Demande d'interprétation relative à la TPS et à la TVQ — traitement fiscal des dents artificielles; 06-0102258 — Demande d'interprétation de la TPS et à la TVQ — planches de bain et ceintures de contention ou de marche; 06-0102381 — Statut fiscal d'un neurostimulateur transcutané; 06-0105574 — Demande d'interprétation de la TPS et à la TVQ — statut fiscal de la fourniture de vêtements adaptés; 06-0105582 — Demande d'interprétation de la TPS et à la TVQ — statut fiscal de la fourniture [d'une intervention chirurgicale] et de ses accessoires; 06-0106036 — Demande d'interprétation relative à la TPS et à la TVQ — statut fiscal de la fourniture d'un matelas pour un lit d'hôpital; 07-0100045 — Interprétation relative à la TPS et à la TVQ — fourniture par une municipalité de compteurs d'eau et de bacs roulants.

Concordance fédérale: LTA, Ann. VI:Partie II:2-40.

SECTION III — PRODUIT ALIMENTAIRE DE BASE

177. Produits alimentaires — La fourniture d'aliments ou de boissons destinés à la consommation humaine, y compris les assaisonnements, les édulcorants ou les autres ingrédients devant être mélangés à ces aliments ou à ces boissons ou utilisés dans leur préparation, est détaxée, à l'exception de la fourniture des produits suivants :

1º la bière, les boissons de malt, les spiritueux, le vin ou les autres boissons alcooliques;

1.1º les raisins, le jus et le moût de raisins, concentré ou non concentré, le malt, l'extrait de malt, ainsi que les autres produits semblables, destinés à la fabrication de vin ou de bière;

2º (*paragraphe supprimé*);

3º les boissons gazeuses;

4º les boissons non gazeuses de jus de fruits ou à saveur de fruits, sauf celles à base de lait, contenant moins de 25 % par volume :

a) soit de jus de fruits naturel ou d'une combinaison de tels jus;

b) soit de jus de fruits naturel ou d'une combinaison de tels jus, qui ont été reconstitués;

5º les produits qui, lorsqu'ils sont ajoutés à de l'eau, produisent une boisson visée au paragraphe 4º;

6º les bonbons, les confiseries qui peuvent être classées dans les bonbons ou tous les produits vendus à titre de bonbons, tels que la barbe-à-papa, le chocolat, la gomme à mâcher, qu'ils soient sucrés

LTVQ (français)

naturellement ou artificiellement, y compris les fruits, les graines, le maïs soufflé ou les noix lorsqu'ils sont enrobés de chocolat, de mélasse, de miel, de sirop, de sucre, de sucre candi ou d'édulcorants artificiels, ou lorsqu'ils sont traités avec l'un ou l'autre de ces produits;

7º les bâtonnets, les croustilles ou les spirales, tels que les bâtonnets au fromage, les bâtonnets de pommes de terre ou les pommes de terre juliennes, les croustilles de bacon, les croustilles de maïs, les croustilles de pommes de terre ou les spirales au fromage, ainsi que les autres grignotises semblables, les bretzels croustillants ou le maïs soufflé, à l'exclusion de tout produit vendu principalement comme céréale pour le petit déjeuner;

8º les graines salées ou les noix salées;

9º les produits de granola, à l'exclusion de tout produit vendu principalement comme céréale pour le petit déjeuner;

10º les mélanges de grignotises contenant des céréales, des fruits séchés, des graines, des noix ou tout autre produit comestible, à l'exclusion de tout mélange vendu principalement comme céréale pour le petit déjeuner;

11º les bâtonnets glacés, les tablettes glacées au jus, l'eau glacée aromatisée, colorée ou sucrée, ou les produits semblables, congelés ou non;

12º la crème glacée, la crème-dessert glacée, le lait glacé, le sorbet, le yogourt glacé, le succédané d'un de ces produits ou tout produit contenant l'un ou l'autre de ces produits, lorsqu'il est emballé ou vendu en portion individuelle;

13º les pastilles aux fruits, les roulés aux fruits ou les tablettes aux fruits, ainsi que les friandises semblables à base de fruits;

14º les beignes, les biscuits, les croissants avec enrobage, glaçage ou garniture sucré, les gâteaux, les muffins, les pâtisseries, les tartelettes, les tartes ou les produits semblables — à l'exclusion des produits de boulangerie sans enrobage, glaçage ou garniture sucré, tels que les bagels, les croissants, les muffins anglais ou les petits pains — qui, selon le cas :

a) sont pré-emballés pour la vente aux consommateurs en quantités de moins de six articles dont chacun constitue une portion individuelle;

b) ne sont pas pré-emballés pour la vente aux consommateurs et sont vendus en quantités de moins de six portions individuelles;

15º la crème-dessert, incluant les gélatine aromatisée, mousse, dessert fouetté aromatisé ou tout autre produit semblable à la crème-dessert, ou les boissons autres que le lait non aromatisé, sauf s'ils rencontrent l'une des conditions suivantes :

a) ils sont préparés et pré-emballés spécialement pour être consommés par les bébés;

b) ils sont vendus en un ensemble de plusieurs portions individuelles, pré-emballé par le fabricant ou le producteur;

c) ils sont vendus en boîte, bouteille ou autre contenant d'origine dont le contenu dépasse une portion individuelle;

16º les aliments ou les boissons chauffés pour la consommation;

16.1º les salades qui ne sont pas en conserve ou scellées sous vide;

16.2º les sandwichs ou les produits semblables, sauf ceux qui sont congelés;

16.3º les plateaux de fromages, de fruits, de légumes ou de viandes froides, ainsi que les autres arrangements d'aliments préparés;

16.4º les boissons servies au point de vente;

16.5º les aliments ou les boissons vendus en vertu d'un contrat pour les services de traiteur ou conjointement avec ce contrat;

17º les aliments ou les boissons vendus au moyen d'un distributeur automatique;

18º les aliments ou les boissons lorsqu'ils sont vendus dans un établissement où la totalité ou la presque totalité des ventes d'aliments ou de boissons sont des ventes d'aliments ou de boissons visées à l'un des paragraphes 1º à 17º, sauf si :

a) ou bien les aliments ou les boissons sont vendus sous une forme qui n'en permet pas la consommation immédiate, compte tenu de la nature du produit, de la quantité vendue ou de son emballage;

b) ou bien, dans le cas d'un produit visé au paragraphe 14º, le produit n'est pas vendu pour consommation dans l'établissement et, selon le cas :

i. est pré-emballé pour la vente aux consommateurs en quantités de plus de cinq articles dont chacun constitue une portion individuelle;

ii. n'est pas pré-emballé pour la vente aux consommateurs et est vendu en quantités de plus de cinq portions individuelles.

19º l'eau non embouteillée, à l'exception de la glace.

Notes historiques: Le paragraphe 1.1º de l'article 177 a été ajouté par L.Q. 1997, c. 14, art. 334 et a effet à l'égard d'une fourniture effectuée après le 15 mai 1996.

Le paragraphe 2º de l'article 177 a été supprimé par L.Q. 1997, c. 85, art. 515(1)(1º) et cette modification a effet depuis le 20 mars 1997. Antérieurement, ce paragraphe se lisait ainsi :

2º les boissons de malt non alcoolisées;

Le paragraphe 11º de l'article 177 a été remplacé par L.Q. 1997, c. 85, art. 515(1)(2º) et cette modification s'applique aux fournitures pour lesquelles la totalité de la contrepartie devient due après le 13 mai 1996 ou est payée après cette date sans qu'elle soit devenue due. Antérieurement à cette modification, le paragraphe 11º se lisait ainsi :

11º les bâtonnets glacés ou l'eau glacée, congelée ou non, aromatisée, colorée ou sucrée;

Le paragraphe 12º de l'article 177 a été remplacé par L.Q. 1997, c. 85, art. 515(1)(2º) et cette modification s'applique aux fournitures pour lesquelles la totalité de la contrepartie devient due après le 13 mai 1996 ou est payée après cette date sans qu'elle soit devenue due. Antérieurement à cette modification, le paragraphe 12º se lisait ainsi :

12º la crème glacée, la crème-dessert glacée, le lait glacé, le sorbet, le yogourt glacé ou tout produit contenant l'un ou l'autre de ces produits, lorsqu'il est emballé en portion individuelle;

Le paragraphe 15º de l'article 177 a été modifié par L.Q. 1994, c. 22, art. 448(1) et est réputé entré en vigueur le 1er juillet 1992. Il se lisait comme suit :

15º la crème-dessert, le yogourt ou les boissons autres que le lait non aromatisé, sauf lorsqu'ils sont emballés pour la vente aux consommateurs en un ensemble de plusieurs portions individuelles ou en une quantité excédant une portion individuelle, ou sauf lorsqu'ils sont préparés et emballés spécialement pour être consommés par les bébés;

Le paragraphe 16º de l'article 177 a été remplacé par L.Q. 1997, c. 85, art. 515(1)(3º) et cette modification s'applique aux fournitures pour lesquelles la totalité de la contrepartie devient due après le 13 mai 1996 ou est payée après cette date sans qu'elle soit devenue due. Antérieurement à cette modification, le paragraphe 16º se lisait ainsi :

16º les aliments ou les boissons préparés suivants, vendus sous une forme qui en permet la consommation immédiate, au point de vente ou ailleurs :

a) les aliments ou les boissons chauffés pour la consommation;

b) les salades préparées;

c) les sandwichs ou les produits semblables;

d) les plateaux de fromages, de fruits, de légumes ou de viandes froides, ainsi que les autres arrangements d'aliments préparés;

e) la crème glacée, la crème-dessert glacée, le lait glacé, le sorbet, le yogourt glacé ou tout produit contenant l'un ou l'autre de ces produits, lorsqu'il est vendu en portion individuelle et servi au point de vente;

f) les boissons servies au point de vente;

Les paragraphes 16.1º, 16.2º, 16.3º, 16.4º et 16.5º ont été ajoutés par L.Q. 1997, c. 85, art. 515(1)(4º) et s'appliquent aux fournitures pour lesquelles la totalité de la contrepartie devient due après le 13 mai 1996 ou est payée après cette date sans qu'elle soit devenue due.

Le paragraphe 19º de l'article 177 a été ajouté par L.Q. 1994, c. 22, art. 448(1) et est réputé entré en vigueur le 1er juillet 1992.

L'article 177 a été édicté par L.Q. 1991, c. 67.

Guides [art. 177]: IN-203 — Renseignements généraux sur la TVQ et la TPS/TVH; IN-216 — La TVQ, la TPS/TVH et l'alimentation; IN-307 — Le démarrage d'entreprise et la fiscalité.

Définitions [art. 177]: « consommateur », « fourniture », « fourniture détaxée », « fourniture taxable », « vente » — 1.

Renvois [art. 177]: 16.1 (fabrication de bière ou de vin); 677:22º.

Bulletins d'interprétation [art. 177]: TVQ. 177-1/R1 — Fourniture de suppléments alimentaires et d'autres produits semblables — sens des mots « aliments », « boissons » et « ingrédients »; TVQ. 177-2 — La fourniture de produits destinées à la fabrication du vin; TVQ. 177-3/R1 — Produits de pâtisserie et de boulangerie ou de produits semblables; TVQ. 177-4/R2 — Créatine ou produits semblables; TVQ. 177-5/R1 — Tablettes de chocolat vendues lors de campagnes de financement, par un organisme autre qu'un organisme du secteur public ou une institution publique; TVQ. 177-6/R1 — Pizza froide prête à manger; TVQ. 177-7 — Fourniture de canneberges séchées sucrées; TVQ. 407.3-1 — Inscription au fichier de la TVQ des titulaires de permis de réunion et perception de la taxe.

Lettres d'interprétation [art. 177]: 97-0100046 — Un supplément minéral vendu en format liquide; 97-0100566 — Fourniture de supplément alimentaire à l'Aloès; 97-810494 — Boîtes de gâteaux — format économique; 98-0106090 — Statut fiscal des tisanes thérapeutiques; 98-0111975 — Interprétation TPS/TVQ — Statut fiscal de certains biens acquis par une administration hospitalière; 99-0101198 — Décision portant sur l'application de la TPS — Interprétation relative à la TVQ — Fourniture de tisane thérapeutique; 99-0102105 — Interprétation relative à la TPS et à la TVQ; 99-0104580 — Décision portant sur l'application de la TPS / Interprétation relative à la TVQ / Fourniture de glace; 99-0112799 — Décision concernant l'application de la TPS Interprétation relative à la TVQ; 01-0109080 — Interprétation relative à la TPS et à la TVQ — Fourniture de saumon fumé congelé; 06-0101581 — Demande d'interprétation de la TPS et de la TVQ — Préemballage par le fabricant ou le producteur; 06-0105533 — Demande d'interprétation de la TPS et à la TVQ — statut fiscal de la fourniture de sacs de salade emballée sous vide; 07-0103056 — Demande d'interprétation relative à la TPS et à la TVQ — statut fiscal de la fourniture du Sport Shake; 07-0104401 — Fourniture des produits.

Concordance fédérale: LTA, Ann. VI:Partie III:1.

177.1 Eau non embouteillée — Est détaxée, la fourniture d'eau non embouteillée destinée à la consommation humaine effectuée à un consommateur, en une quantité excédant une portion individuelle au moyen d'un distributeur automatique ou à un établissement stable du fournisseur.

Notes historiques: L'article 177.1 a été ajouté par L.Q. 1994, c. 22, art. 449(1) et est réputé entré en vigueur le 1er juillet 1992.

Guides [art. 177.1]: IN-203 — Renseignements généraux sur la TVQ et la TPS/TVH; IN-216 — La TVQ, la TPS/TVH et l'alimentation; IN-307 — Le démarrage d'entreprise et la fiscalité.

Définitions [art. 177.1]: « consommateur », « établissement stable », « fournisseur », « fourniture », « fourniture détaxée » — 1.

Renvois [art. 177.1]: 166 (fourniture par une municipalité d'eau non embouteillée).

Concordance fédérale: LTA, Ann. VI:Partie III:2.

SECTION IV — AGRICULTURE ET PÊCHE

178. Biens et produits de l'agriculture et de la pêche — Les fournitures suivantes sont détaxées :

1° la fourniture d'abeilles, de bétail autre que des lapins ou de volaille habituellement élevés ou gardés pour être utilisés comme aliments destinés à la consommation humaine ou pour produire de tels aliments ou de la laine;

1.1° la fourniture d'un lapin effectuée autrement que dans le cadre d'une entreprise qui consiste à fournir régulièrement des animaux de compagnie à des consommateurs;

2° la fourniture de grains, de graines ou de semences à leur état naturel, traités aux fins d'ensemencement ou irradiés aux fins d'entreposage, de foin ou d'ensilage ou de fourrage, qui sont habituellement utilisés comme aliments destinés à la consommation humaine ou comme nourriture pour le bétail ou la volaille ou pour produire de tels aliments ou une telle nourriture, lorsque fournis en une quantité supérieure à celle qui est habituellement vendue ou offerte pour la vente aux consommateurs, à l'exclusion des grains ou des graines ou des mélanges de ceux-ci qui sont emballés, préparés ou vendus pour servir de nourriture pour les oiseaux sauvages ou les animaux de compagnie;

2.1° la fourniture de nourriture, effectuée par l'exploitant d'un parc d'engraissement, qui est réputée constituer une fourniture distincte en vertue du paragraphe 1° de l'article 39.2;

3° la fourniture de betteraves sucrières, de canne à sucre, de graines de lin, de houblon, d'orge ou de paille;

3.1° la fourniture de grains, de graines, de semences ou de tiges matures sans feuilles, fleurs, graines ou branches, de chanvre commun du genre cannabis si, à la fois :

a) dans le cas de grains, de graines ou de semences, leur traitement ne dépasse pas l'étape de la stérilisation ou l'étape du traitement aux fins d'ensemencement et ils ne sont pas emballés, préparés ou vendus pour servir de nourriture pour les oiseaux sauvages ou les animaux de compagnie;

b) dans le cas de grains, de graines ou de semences viables, ils sont compris dans la définition de l'expression « chanvre industriel » prévue à l'article 1 du *Règlement sur le chanvre industriel* (DORS/98-156) adopté en vertu de la *Loi réglementant certaines drogues et autres substances* (L.C. 1996, c. 19);

c) la fourniture est effectuée conformément à la *Loi réglementant certaines drogues et autres substances*, le cas échéant;

4° la fourniture d'œufs de poissons ou de volaille qui sont produits à des fins d'incubation;

5° la fourniture d'engrais, sauf un produit vendu à titre de terre ou de mélange de terre, qu'il contienne ou non de l'engrais, en vrac ou dans un contenant d'au moins 25 kilogrammes effectuée à un moment quelconque à un acquéreur si la quantité totale d'engrais fournie à ce moment à l'acquéreur est d'au moins 500 kilogrammes;

6° la fourniture de laine dont le traitement ne dépasse pas l'étape du lavage;

7° (*paragraphe supprimé*);

8° la fourniture de poissons ou d'autres animaux d'eau salée ou d'eau douce dont le traitement ne dépasse pas l'étape de la congélation, du découpage en filets, de l'écaillage, de l'éviscération, du fumage, du salage ou du séchage, à l'exception de tels animaux qui ne sont pas habituellement utilisés comme aliments pour la consommation humaine ou qui sont vendus comme appât pour la pêche sportive;

9° la fourniture d'une terre agricole par louage, licence ou accord semblable effectuée à un inscrit, dans la mesure où la contrepartie de la fourniture est constituée d'une part de la production des biens provenant de la terre agricole dont la fourniture constitue une fourniture détaxée;

10° la fourniture d'un bien prescrit.

Notes historiques: Le paragraphe 1° de l'article 178 a été modifié par L.Q. 1995, c. 1, art. 276(1) et a effet depuis le 1er juillet 1992 [*N.D.L.R.* : cette disposition s'applique conformément aux articles 618 à 656 et 685 de L.Q. 1991, c. 67, tels que modifiés]. Auparavant, il se lisait comme suit :

> 1° la fourniture d'abeilles, de bétail ou de volaille habituellement élevés ou gardés pour être utilisés comme aliments destinés à la consommation humaine ou pour produire de tels aliments ou de la laine;

Le paragraphe 1.1° de l'article 178 a été ajouté par L.Q. 1995, c. 1, art. 276(1) et est réputé avoir effet depuis le 1er juillet 1992 [*N.D.L.R.* : cette disposition s'applique conformément aux articles 618 à 656 et 685 de L.Q. 1991, c. 67, tels que modifiés].

Le paragraphe 2° de l'article 178 a été remplacé par L.Q. 1997, c. 85, art. 516(1)(1°) et cette modification s'applique aux fournitures pour lesquelles la contrepartie devient due après le 23 avril 1996 ou est payée après cette date sans qu'elle soit devenue due. Antérieurement à cette modification, ce paragraphe se lisait ainsi :

> 2° la fourniture de grains, de graines ou de semences à leur état naturel, ou traités aux fins d'ensemencement, de foin, d'ensilage ou de fourrage, qui sont habituellement utilisés comme aliments destinés à la consommation humaine ou comme nourriture pour le bétail ou la volaille ou pour produire de tels aliments ou une telle nourriture, lorsque fournis en une quantité supérieure à celle qui est habituellement vendue ou offerte pour la vente aux consommateurs, à l'exclusion des grains, des graines ou des mélanges de ceux-ci qui sont emballés, préparés ou vendus pour servir de nourriture pour les oiseaux sauvages ou les animaux de compagnie;

Le paragraphe 2.1° de l'article 178 a été ajouté par L.Q. 1994, c. 22, art. 450(1) et est réputé entré en vigueur le 1er juillet 1992.

Leparagraphe 3.1° de l'article 178 a été ajouté par L.Q. 2009, c. 5, par. 611(1) et s'applique à l'égard d'une fourniture dont la contrepartie devient due après le 12 avril 2001 ou est payée après cette date sans qu'elle soit devenue due.

LTVQ (français)

Le paragraphe 5° de l'article 178 a été remplacé par L.Q. 1997, c. 85, art. 516(1)(2°) et cette modification s'applique aux fournitures effectuées après le 23 avril 1996. Il se lisait auparavant comme suit :

5° la fourniture d'engrais en vrac ou dans un contenant d'au moins 25 kilogrammes effectuée à un moment quelconque à un acquéreur si la quantité totale d'engrais fournie à ce moment à l'acquéreur est d'au moins 500 kilogrammes;

Auparavant, le paragraphe 5° de l'article 178 a été modifié par L.Q. 1994, c. 22, art. 450(1) et est réputé entré en vigueur le 1er juillet 1992. Il se lisait comme suit :

5° la fourniture d'engrais en vrac lorsqu'ils sont fournis en quantités excédant 500 kilogrammes;

Toutefois, pour son application à l'égard d'une fourniture d'engrais livrée avant le 1er octobre 1992, il doit se lire comme suit :

5° la fourniture d'engrais en vrac ou dans un sac d'au moins 25 kilogrammes effectuée à un moment quelconque à un acquéreur si la quantité totale d'engrais fournie à ce moment à l'acquéreur est d'au moins 500 kilogrammes;

Le paragraphe 7° de l'article 178 a été supprimé par L.Q. 2009, c. 15, art. 500 et cette modification est entrée en vigueur le 4 juin 2009. Antérieurement, il se lisait ainsi :

7° la fourniture de feuilles de tabac dont le traitement ne dépasse pas les étapes du séchage et du tri;

L'article 178 a été édicté par L.Q. 1991, c. 67.

Notes explicatives ARQ (PL 37, L.Q. 2009, c. 15): *Résumé* :

Afin de préserver, sous le régime de la taxe de vente du Québec, la mesure de détaxation relative à la fourniture des produits du tabac, les modifications proposées visent, en concordance avec les modifications proposées à l'article 198.2 de la *Loi sur la taxe de vente du Québec* (L.R.Q., chapitre T-0.1) (LTVQ), à supprimer le paragraphe 7° de l'article 178 de la LTVQ.

Situation actuelle :

Suivant le paragraphe 7° de l'article 178 de la LTVQ, il est prévu que « la fourniture de feuilles de tabac dont le traitement ne dépasse les étapes du séchage et du tri « constitue, en tant que biens et produits de l'agriculture, une fourniture détaxée.

Par ailleurs, l'article 198.2 de la LTVQ qualifie, à titre de fourniture détaxée, la fourniture de tabac au sens de la *Loi concernant l'impôt sur le tabac* (L.R.Q., chapitre I-2) (LIT).

Modifications proposées :

Afin de préserver, sous le régime de la taxe de vente du Québec, la mesure de détaxation relative à la fourniture des produits du tabac, il y aurait lieu, en corrélation avec les modifications proposées à l'article 198.2 de la LTVQ, de modifier l'article 178 de la LTVQ en supprimant le paragraphe 7° de sorte que la qualification, à titre de fourniture détaxée, de la fourniture des produits du tabac soit prévue dans une seule disposition, soit l'article 198.2 de la LTVQ.

Notes explicatives ARQ (PL 2, L.Q. 2009, c. 5): *Résumé* :

Les modifications proposées à l'article 178 ont pour objet d'ajouter, à l'ensemble des biens et des produits de l'agriculture et de la pêche dont la fourniture est détaxée, la fourniture des grains, des graines, des semences ou des tiges matures de chanvre commun effectuée suivant certaines conditions.

Situation actuelle :

L'article 178 de la LTVQ énumère l'ensemble des biens et des produits rattachés au secteur de l'agriculture et de la pêche dont la fourniture est détaxée.

Modifications proposées :

En corrélation avec les modifications proposées à l'article 81 de la LTVQ, il y aurait lieu de modifier l'article 178 de la LTVQ de sorte que soit ajoutée, à l'ensemble des biens et des produits de l'agriculture et de la pêche dont la fourniture est détaxée, la fourniture de grains, de graines, de semences ou de tiges matures de chanvre commun si, à la fois :

— dans le cas de grains, de graines ou de semences, ils ne sont pas traités au-delà de la stérilisation ou du traitement aux fins d'ensemencement et ils ne sont pas, entre autres, vendus comme nourriture pour les oiseaux sauvages ou les animaux de compagnie;

— dans le cas de grains, de graines ou de semences viables, ils sont compris dans la définition de l'expression « chanvre industriel » au sens du *Règlement sur le chanvre industriel* adopté en vertu de la *Loi réglementant certaines drogues et autres substances* (Lois du Canada, 1996, chapitre 19) et leur fourniture est effectuée conformément à cette loi, le cas échéant.

Guides [art. 178]: IN-203 — Renseignements généraux sur la TVQ et la TPS/TVH; IN-307 — Le démarrage d'entreprise et la fiscalité.

Règlements [art. 178]: RTVQ, 178R1-R16.

Bulletins d'interprétation [art. 178]: TVQ. 178-1 — Fourniture de feuilles de tabac; TVQ. 178-2 — Fourniture d'une terre agricole par louage, licence ou accord semblable.

Lettres d'interprétation [art. 178]: 97-0105417 — Décision portant sur l'application de la TPS — Interprétation relative à la TVQ — Fourniture de mini-porcs et de micro-porcs; 98-0113138 — Décision portant sur l'application de la TPS — Interprétation relative à la TVQ moulée pour les chevaux; 04-0107385 — Fourniture d'un tracteur agricole et de certains équipements.

Concordance fédérale: LTA, Ann. VI:Partie IV:1 à 10.

SECTION V — FOURNITURE EXPÉDIÉE HORS DU QUÉBEC

179. Expédition hors du Québec — Est détaxée la fourniture d'un bien meuble corporel, autre qu'un produit soumis à l'accise, effectuée par une personne à un acquéreur, autre qu'un consommateur, qui a l'intention d'expédier le bien hors du Québec si, à la fois :

1° dans le cas où le bien est un produit transporté en continu que l'acquéreur a l'intention d'expédier hors du Québec au moyen d'un fil, d'un pipeline ou d'une autre canalisation, l'acquéreur n'est pas inscrit en vertu de la section I du chapitre VIII;

2° l'acquéreur expédie le bien hors du Québec dans un délai raisonnable après qu'il lui soit délivré par la personne, compte tenu des circonstances entourant l'expédition hors du Québec et, le cas échéant, des pratiques commerciales normales de l'acquéreur;

3° le bien n'est pas acquis par l'acquéreur pour consommation, utilisation ou fourniture au Québec avant son expédition hors du Québec par ce dernier;

4° entre le moment où la fourniture est effectuée et celui où l'acquéreur expédie le bien hors du Québec, le bien n'est pas davantage traité, transformé ou modifié au Québec, sauf dans la mesure raisonnablement nécessaire ou accessoire à son transport;

5° la personne possède une preuve satisfaisante pour le ministre de l'expédition du bien hors du Québec par l'acquéreur.

Notes historiques: Le préambule de l'article 179 a été remplacé par L.Q. 2005, c. 38, par. 366(1) et cette modification a effet depuis le 1er juillet 2003. Antérieurement, il se lisait ainsi :

179. Est détaxée la fourniture d'un bien meuble corporel, autre qu'une marchandise sur laquelle un droit d'accise est imposé en vertu de la *Loi sur l'accise* (Lois révisées du Canada (1985), chapitre E-14) ou sur laquelle un tel droit serait imposé si elle était fabriquée ou produite au Canada, effectuée par une personne à un acquéreur, autre qu'un consommateur, qui a l'intention d'expédier le bien hors du Québec si, à la fois :

Les paragraphes 1° à 4° de l'article 179 ont été remplacés par L.Q. 2001, c. 53, art. 305(1)(1°) et cette modification a effet à l'égard de la fourniture d'un bien effectuée après le 31 octobre 1998. Antérieurement, ils se lisaient ainsi :

1° l'acquéreur expédie le bien hors du Québec dans un délai raisonnable après qu'il lui soit délivré par la personne, compte tenu des circonstances entourant l'expédition hors du Québec et, le cas échéant, des pratiques commerciales normales de l'acquéreur;

2° le bien n'est pas acquis par l'acquéreur pour consommation, utilisation ou fourniture au Québec avant son expédition hors du Québec par ce dernier;

3° entre le moment où la fourniture est effectuée et celui où l'acquéreur expédie le bien hors du Québec, le bien n'est pas davantage traité, transformé ou modifié au Québec, sauf dans la mesure raisonnablement nécessaire ou accessoire à son transport;

4° la personne possède une preuve satisfaisante pour le ministre de l'expédition du bien hors du Québec par l'acquéreur ou, s'il y est autorisé en vertu de l'article 427.3, l'acquéreur remet à la personne un certificat dans lequel il certifie que le bien sera expédié hors du Québec dans les circonstances décrites aux paragraphes 1° à 3°.

Le paragraphe 4° a été modifié par L.Q. 1995, c. 63, art. 346(1) et est réputé avoir effet depuis le 1er août 1995.

Le paragraphe 4° de l'article 179 a été modifié par L.Q. 1994, c. 22, art 451(1) et est réputé entré en vigueur le 1er juillet 1992. Il se lisait comme suit :

4° la personne possède une preuve satisfaisante pour le ministre de l'expédition du bien hors du Québec par l'acquéreur.

Le paragraphe 5° de l'article 179 a été remplacé par L.Q. 2003, c. 2, par. 325(1) et cette modification s'applique à l'égard d'une fourniture effectuée après le 31 décembre 2000. Antérieurement, il se lisait ainsi :

5° la personne possède une preuve satisfaisante pour le ministre de l'expédition du bien hors du Québec par l'acquéreur ou, s'il y est autorisé en vertu de l'article 427.3, l'acquéreur remet à la personne un certificat dans lequel il certifie que le bien sera expédié hors du Québec dans les circonstances décrites aux paragraphes 2° à 4°.

Le paragraphe 5° de l'article 179 a été réédicté par L.Q. 2001, c. 53, art. 305(1)(2°) et a effet à l'égard de la fourniture d'un bien effectuée après le 31 octobre 1998.

Le paragraphe 5° de l'article 179 a été supprimé par L.Q. 1994, c. 22, art 451(1) rétroactivement au 1er juillet 1992. Il se lisait comme suit :

> 5° le bien n'est pas transporté au Québec par l'acquéreur au moyen d'un camion ou d'un autre véhicule à moteur conçu pour la grand-route, autre qu'un camion ou un autre véhicule à moteur exploité par un transporteur public, après que le bien lui soit délivré au Québec.

L'article 179 a été édicté par L.Q. 1991, c. 67.

Guides [art. 179]: IN-203 — Renseignements généraux sur la TVQ et la TPS/TVH; IN-624 — La TVQ, la TPS/TVH et les véhicules routiers.

Définitions [art. 179]: « acquéreur », « bien meuble corporel », « consommateur », « fourniture », « fourniture détaxée », « personne », « transporteur » — 1.

Renvois [art. 179]: 22 (fourniture réputée hors du Québec); 351 (remboursement aux non-résidents); 352 (remboursement à un résident du Canada hors du Québec); 353 (remboursement à non-résident — carburant); 427.3 (autorisation par le ministre d'utiliser un certificat d'expédition); 457.4 (certificat d'expédition dont l'autorisation n'est pas en vigueur); 497 (Exception à l'obligation de perception).

Bulletins d'interprétation [art. 179]: TVQ. 11.1-1/R1 — Présomption de résidence au Québec — Résident canadien ayant un établissement stable au Québec; TVQ. 22.7-1/R1 — Lieu de la fourniture d'un bien meuble corporel par vente; TVQ. 179-1/R1 — Repas fournis à un transporteur aérien; TVQ. 179-2/R1 — Fourniture d'un bien meuble corporel à être expédié hors du Québec; TVQ. 179-3 — Fourniture par vente d'un véhicule routier expédié hors du Québec Preuves satisfaisantes de l'expédition du bien.

Lettres d'interprétation [art. 179]: 97-0107868 — Acquisition de cigarettes au Québec destinés à être expédiés à l'extérieur du Québec; 98-0102834 — Preuve satisfaisante pour le ministre de l'expédition du bien hors du Québec; 98-0105449 — Interprétation relative à la TVQ — Fourniture d'un bien meuble corporel à être expédié hors du Québec mais au Canada par l'acquéreur; 98-0109193 — Interprétation relative à la TPS/TVQ — Fournitures effectuées au profit d'un non-résident; 98-0110910 — Interprétation en TPS et en TVQ; 99-0102733 — Interprétation relative à la TVQ — Détaxation des véhicules automobiles; 99-0108920 — Interprétation en TPS et en TVQ — Certificats d'exportation et preuves de l'exportation d'un bien; 99-0111510 — Projet d'investissement à caractère international; 00-0109900 — Interprétation relative à la TPS et à la TVQ — Fourniture de documents à des destinataires hors Québec ou hors Canada; 04-0106411 — Interprétation relative à la TVQ — bulletin d'interprétation TVQ. 179-2 — déclaration d'acquéreur.

Concordance fédérale: LTA, Ann. VI:Partie V:1.

179.1 Fourniture au détenteur d'un certificat d'expédition

179.1 Fourniture au détenteur d'un certificat d'expédition — Est détaxée la fourniture par vente d'un bien meuble corporel, autre qu'un bien visé au troisième alinéa, effectuée à un acquéreur qui n'est pas un consommateur mais qui est inscrit en vertu de la section I du chapitre VIII, si l'acquéreur remet au fournisseur un certificat d'expédition, au sens de l'article 427.3, attestant que l'autorisation d'utiliser le certificat qui lui a été accordée en vertu de cet article est en vigueur au moment où la fourniture est effectuée et indique au fournisseur le numéro mentionné à l'article 427.5 ainsi que la date d'expiration de l'autorisation.

Condition supplémentaire — Le premier alinéa ne s'applique pas dans le cas où l'autorisation accordée par le ministre d'utiliser le certificat n'est pas en vigueur au moment où la fourniture est effectuée ou dans le cas où l'acquéreur n'expédie pas le bien hors du Québec dans les circonstances décrites aux paragraphes 2° à 4° de l'article 179, sauf si le fournisseur ne savait pas et ne pouvait raisonnablement pas savoir que, au plus tard au dernier moment où la taxe à l'égard de la fourniture aurait été payable si la fourniture n'avait pas été une fourniture détaxée, l'autorisation n'était pas en vigueur au moment où la fourniture a été effectuée ou que l'acquéreur n'expédierait pas ainsi le bien hors du Québec.

Bien exclus — Le bien auquel réfère le premier alinéa est soit :

1° un produit soumis à l'accise;

2° un produit transporté en continu qui doit être transporté par l'acquéreur, ou pour son compte, au moyen d'un fil, d'un pipeline ou d'une autre canalisation.

Notes historiques: Le paragraphe 1° du troisième alinéa de l'article 179.1 a été remplacé par L.Q. 2005, c. 38, par. 367(1) et cette modification a effet depuis le 1er juillet 2003. Antérieurement, il se lisait ainsi :

> 1° une marchandise sur laquelle un droit d'accise est imposé en vertu de la *Loi sur l'accise* (Lois révisées du Canada (1985), chapitre E-14) ou sur laquelle un tel droit serait imposé si elle était fabriquée ou produite au Canada;

L'article 179.1 a été ajouté par L.Q. 2003, c. 2, par. 326(1) et s'applique à l'égard d'une fourniture effectuée après le 31 décembre 2000. Toutefois, en ce qui concerne une fourniture à l'égard de laquelle l'acquéreur remet un certificat d'expédition, au sens de l'article 427.3, dont l'autorisation de l'utiliser est en vigueur au moment où la fourniture est effectuée, mais a été accordée avant le 1er janvier 2001 et non renouvelée avant que la fourniture ne soit effectuée, ou renouvelée pour la dernière fois avant le 1er janvier 2001, cet article doit se lire sans tenir compte, dans le premier alinéa, de « et indique au fournisseur le numéro mentionné à l'article 427.5 ainsi que la date d'expiration de l'autorisation ».

Guides [art. 179.1]: IN-203 — Renseignements généraux sur la TVQ et la TPS/TVH.

Renvois [art. 179.1]: 457.4 (certificat d'expédition dont l'autorisation n'est pas en vigueur); 457.5 (révocation de l'autorisation).

Bulletins d'interprétation [art. 179.1]: TVQ. 179-2/R1 — Fourniture d'un bien meuble corporel à être expédié hors du Québec.

Concordance fédérale: LTA, Ann. VI:Partie V:1.1.

179.2 Fourniture au détenteur d'un certificat de centre de distribution des expéditions

179.2 Fourniture au détenteur d'un certificat de centre de distribution des expéditions — Est détaxée la fourniture par vente d'un bien, autre qu'un bien visé au troisième alinéa, effectuée à un acquéreur qui est inscrit en vertu de la section I du chapitre VIII, si les conditions suivantes sont réunies :

1° l'acquéreur remet au fournisseur un certificat de centre de distribution des expéditions, au sens de l'article 350.23.7, attestant que l'autorisation d'utiliser le certificat qui lui a été accordée en vertu de cet article est en vigueur au moment où la fourniture est effectuée et qu'il acquiert le bien pour utilisation ou fourniture à titre de stocks intérieurs ou de bien d'appoint, au sens que donne à ces expressions l'article 350.23.1, et indique au fournisseur le numéro mentionné à l'article 350.23.9 ainsi que la date d'expiration de l'autorisation;

2° le montant total, indiqué dans une seule facture ou convention, de la contrepartie de cette fourniture et de celles des autres fournitures effectuées à l'acquéreur et visées par ailleurs au présent article est d'au moins 1 000 $.

Condition supplémentaire — Le premier alinéa ne s'applique pas dans le cas où l'autorisation accordée par le ministre d'utiliser le certificat n'est pas en vigueur au moment où la fourniture est effectuée ou dans le cas où l'acquéreur n'acquiert pas le bien pour utilisation ou fourniture à titre de stocks intérieurs ou de bien d'appoint, dans le cadre de ses activités commerciales, sauf si le fournisseur ne savait pas et ne pouvait raisonnablement pas savoir que, au plus tard au dernier moment où la taxe à l'égard de la fourniture aurait été payable si la fourniture n'avait pas été une fourniture détaxée, l'autorisation n'était pas en vigueur au moment où la fourniture a été effectuée ou le bien n'était pas acquis par l'acquéreur à cette fin.

Biens exclus — Le bien auquel réfère le premier alinéa est soit :

1° un produit soumis à l'accise;

2° un produit transporté en continu qui doit être transporté par l'acquéreur, ou pour son compte, au moyen d'un fil, d'un pipeline ou d'une autre canalisation.

Notes historiques: Le paragraphe 1° du troisième alinéa de l'article 179.2 a été remplacé par L.Q. 2005, c. 38, par. 368(1) et cette modification a effet depuis le 1er juillet 2003. Antérieurement, il se lisait ainsi :

> 1° une marchandise sur laquelle un droit d'accise est imposé en vertu de la *Loi sur l'accise* (Lois révisées du Canada (1985), chapitre E-14) ou sur laquelle un tel droit serait imposé si elle était fabriquée ou produite au Canada;

L'article 179.2 a été ajouté par L.Q. 2003, c. 2, par. 326(1) et s'applique à l'égard d'une fourniture effectuée après le 31 décembre 2000.

Renvois [art. 179.2]: 350.23.7 (autorisation par le ministre d'utiliser un certificat de centre de distribution des expéditions); 350.23.9 (renseignements relatifs à l'autorisation); 457.6 (certificat d'un centre de distribution dont l'autorisation n'est pas en vigueur) .

Bulletins d'interprétation [art. 179.2]: TVQ. 179-2/R1 — Fourniture d'un bien meuble corporel à être expédié hors du Québec.

Concordance fédérale: LTA, Ann. VI:Partie V:1.2.

180. Fourniture à un transporteur qui ne réside pas au Québec

180. Fourniture à un transporteur qui ne réside pas au Québec — Est détaxée la fourniture d'un bien ou d'un service, autre que la fourniture d'un immeuble par vente, effectuée à une personne qui ne réside pas au Québec et qui n'est pas inscrite en vertu de la section I du chapitre VIII au moment où la fourniture est effec-

LTVQ (français)

tuée, si le bien ou le service est acquis par la personne pour consommation, utilisation ou fourniture :

1° soit, si la personne exploite une entreprise de transport de biens ou de passagers à destination ou en provenance du Québec ou entre des points hors du Québec par aéronef, chemin de fer ou navire, dans le cadre d'un tel transport;

2° soit dans le cadre de l'exploitation d'un aéronef ou d'un navire par le gouvernement d'une province autre que le Québec, des Territoires du Nord-Ouest, du territoire du Yukon, du territoire du Nunavut ou d'un pays autre que le Canada ou pour le compte d'un tel gouvernement;

3° soit dans le cadre de l'exploitation d'un navire dans le but de recueillir des données scientifiques hors du Québec ou pour la pose ou la réparation de câbles télégraphiques océaniques.

Notes historiques: Le paragraphe 1° de l'article 180 a été remplacé par L.Q. 1997, c. 85, art. 517(1) et cette modification a effet depuis le 1er juillet 1992. Antérieurement, ce paragraphe se lisait ainsi :

> 1° soit, si la personne exploite une entreprise de transport de biens ou de passagers à destination ou en provenance du Québec par aéronef, chemin de fer ou navire, dans le cadre d'un tel transport;

Le paragraphe 2° de l'article 180 a été modifié par L.Q. 2003, c. 2, par. 327(1) par l'insertion, après le mot « Yukon », de « , du territoire du Nunavut ». Cette modification a effet depuis le 1er avril 1999.

L'article 180 a été édicté par L.Q. 1991, c. 67.

Guides [art. 180]: IN-218 — La TVQ, la TPS/TVH, la taxe sur les carburants et les transporteurs de marchandises.

Définitions [art. 180]: « bien », « entreprise », « fourniture détaxée », « gouvernement », « inscrit », « personne », « service », « vente » — 1.

Bulletins d'interprétation [art. 180]: TVQ. 11.1-1/R1 — Présomption de résidence au Québec — Résident canadien ayant un établissement stable au Québec; TVQ. 179-1/R1 — Repas fournis à un transporteur aérien; TVQ. 180-1/R1 — La fourniture de logements provisoires effectuée à des entreprises de transport.

Concordance fédérale: LTA, Ann. VI:Partie V:2.

180.1 Fourniture d'un carburant à un transporteur inscrit — Est détaxée la fourniture d'un carburant effectuée à une personne qui est inscrite en vertu de la section I du chapitre VIII au moment où la fourniture est effectuée, si les conditions suivantes sont satisfaites :

1° la personne exploite une entreprise de transport de biens ou de passagers à destination ou en provenance du Québec ou entre des points hors du Québec par aéronef, chemin de fer ou navire;

2° le carburant est acquis par la personne pour utilisation dans le cadre d'un tel transport.

Notes historiques: Le paragraphe 1° de l'article 180.1 a été remplacé par L.Q. 1997, c. 85, art. 518(1) et cette modification a effet depuis le 1er juillet 1992. Antérieurement, ce paragraphe se lisait ainsi :

> 1° la personne exploite une entreprise de transport de biens ou de passagers à destination ou en provenance du Québec par aéronef, chemin de fer ou navire;

L'article 180.1 a été ajouté par L.Q. 1994, c. 22, art 452(1) et est réputé entré en vigueur le 1er juillet 1992.

Guides [art. 180.1]: IN-218 — La TVQ, la TPS/TVH, la taxe sur les carburants et les transporteurs de marchandises.

Définitions [art. 180.1]: « entreprise », « fourniture », « fourniture détaxée », « inscrit », « personne » — 1.

Renvois [art. 180.1]: 206.1 (restriction au RTI); 350.23.1 (« recettes d'expédition »).

Bulletins d'interprétation [art. 180.1]: TVQ. 11.1-1/R1 — Présomption de résidence au Québec — Résident canadien ayant un établissement stable au Québec.

Concordance fédérale: LTA, Ann. VI:Partie V:2.1.

180.2 [*Abrogé*].

L.Q. 2012, c. 8, art. 268.

Notes historiques: L'article 180.2 a été abrogé par L.Q. 2012, c. 8, art. 268 et cette abrogation est entrée en vigueur le 9 mai 2012. Antérieurement, il se lisait ainsi :

> 180.2 Fourniture d'un service de pilotage de navire — Est détaxée la fourniture d'un service de pilotage de navire effectuée à une personne qui ne réside pas au Québec et qui n'est pas inscrite en vertu de la section I du chapitre VIII au moment où la fourniture est effectuée si, à la fois :
>
> 1° la personne exploite une entreprise de transport de biens ou de passagers par navire à destination et en provenance d'un endroit situé hors du Québec;
>
> 2° le service de pilotage est acquis par la personne pour consommation ou utilisation dans le cadre d'un tel transport.

L'article 180.2 a été ajouté par L.Q. 1995, c. 1, art. 277(1) et a effet depuis le 1er juillet 1992 [*N.D.L.R.* : cette disposition s'applique conformément aux articles 618 à 656 et 685 de L.Q. 1991, c. 67, tels que modifiés].

Notes explicatives ARQ (PL 63, L.Q. 2012, c. 8): *Résumé* :

L'article 180.2 de la *Loi sur la taxe de vente du Québec* (LTVQ) est abrogé en raison du fait que la détaxation de la fourniture d'un service de pilotage de navire est également prévue au paragraphe 1° de l'article 180 de la LTVQ.

Situation actuelle :

L'article 180.2 de la LTVQ vise à détaxer le service de pilotage de navire rendu à une personne qui ne réside pas au Québec et qui n'est pas inscrite en vertu de la section I du chapitre VIII de la LTVQ, si le service est acquis par la personne pour consommation ou utilisation dans le cadre de son entreprise qui consiste à transporter par navire des biens ou des passagers à destination et en provenance d'un endroit situé à l'extérieur du Québec.

Modifications proposées :

L'article 180.2 de la LTVQ est abrogé en raison du fait que la détaxation de la fourniture d'un service de pilotage de navire est également prévue au paragraphe 1° de l'article 180 de la LTVQ.

180.3 Fourniture d'un service de navigation aérienne — Est détaxée la fourniture d'un service de navigation aérienne, au sens du paragraphe 2(1) de la *Loi sur la commercialisation des services de navigation aérienne civile* (Lois du Canada, 1996, chapitre 20), effectuée à une personne qui est inscrite en vertu de la section I du chapitre VIII au moment où la fourniture est effectuée dans le cas où, à la fois :

1° la personne exploite une entreprise de transport aérien de passagers ou de biens à destination ou en provenance du Québec ou entre des points hors du Québec;

2° le service de navigation aérienne est acquis par la personne pour utilisation dans le cadre d'un tel transport.

Notes historiques: L'article 180.3 a été ajouté par L.Q. 2001, c. 53, art. 306(1) et s'applique à l'égard d'un service exécuté après le 31 mars 1997.

Concordance fédérale: LTA, Ann. VI:Partie V:2.2.

181. Produit soumis à l'accise — La fourniture d'un produit soumis à l'accise, si l'acquéreur l'exporte sans payer les droits prévus par la *Loi sur l'accise* (Lois révisées du Canada (1985), chapitre E-14) ou la *Loi de 2001 sur l'accise* (Lois du Canada, 2002, chapitre 22) est détaxée.

Notes historiques: L'article 181 a été remplacé par L.Q. 2005, c. 38, par. 369(1) et cette modification a effet depuis le 1er juillet 2003. Antérieurement, il se lisait ainsi :

> 181. La fourniture d'une marchandise sur laquelle un droit d'accise est imposé en vertu de la *Loi sur l'accise* (Lois révisées du Canada (1985), chapitre E-14) ou sur laquelle un tel droit serait imposé si elle était fabriquée ou produite au Canada, si l'acquéreur l'exporte en douane est détaxée.

L'article 181 a été édicté par L.Q. 1991, c. 67.

Définitions [art. 181]: « acquéreur », « fourniture », « fourniture détaxée » — 1.

Renvois [art. 181]: 350.23.1 (« recettes d'expédition »).

Bulletins d'interprétation [art. 181]: TVQ. 11.1-1/R1 — Présomption de résidence au Québec — Résident canadien ayant un établissement stable au Québec.

Lettres d'interprétation [art. 181]: 98-0107239 — Demande d'interprétation TPS/TVQ [vente de tabac pour exportation].

Concordance fédérale: LTA, Ann. VI:Partie V:3.

182. Service à l'égard d'un bien meuble corporel — La fourniture d'un service, autre qu'un service de transport, à l'égard d'un bien meuble corporel qui est habituellement situé hors du Québec et de tout bien meuble corporel fourni avec le service est détaxée si :

1° dans le cas où le bien est habituellement situé hors du Canada, le bien est apporté temporairement au Québec dans le seul but d'exécuter le service et est emporté ou expédié hors du Canada dans les meilleurs délais après que le service soit exécuté;

2° dans le cas où le bien est habituellement situé hors du Québec mais au Canada, à la fois :

a) le bien est apporté temporairement au Québec dans le seul but d'exécuter le service et est emporté ou expédié hors du Québec mais au Canada dans les meilleurs délais après que le service soit exécuté;

b) l'acquéreur est inscrit en vertu de la sous-section d) de la section V de la partie IX de la *Loi sur la taxe d'accise* (Lois révisées du Canada (1985), chapitre E-15).

Notes historiques: L'article 182 a été remplacé par L.Q. 1999, c. 83, art. 312(1). Cette modification s'applique à l'égard d'une fourniture effectuée après le 31 mars 1998. Antérieurement, il se lisait comme suit :

182. La fourniture d'un service, autre qu'un service de transport, à l'égard d'un bien meuble corporel qui est habituellement situé hors du Canada, temporairement apporté au Québec dans le seul but d'exécuter le service et emporté ou expédié hors du Canada dans les meilleurs délais après que le service soit exécuté et tout bien meuble corporel fourni avec le service est détaxée.

L'article 182 a été remplacé par L.Q. 1997, c. 85, art. 519(1) et cette modification s'applique à l'égard d'une fourniture effectuée après le 23 avril 1996.

Antérieurement, cet article se lisait ainsi :

182. La fourniture d'un service, autre qu'un service de transport, à l'égard d'un bien meuble corporel qui est habituellement situé hors du Canada, temporairement apporté au Québec dans le seul but d'exécuter le service et emporté ou expédié hors du Canada dans les meilleurs délais après que le service soit exécuté est détaxée.

L'article 182 a été édicté par L.Q. 1991, c. 67.

Définitions [art. 182]: « bien meuble corporel », « fourniture », « fourniture détaxée », « service » — 1.

Bulletins d'interprétation [art. 182]: TVQ. 11.1-1/R1 — Présomption de résidence au Québec — Résident canadien ayant un établissement stable au Québec; SPÉCIAL 96 — Faits saillants, par. 1.4.

Lettres d'interprétation [art. 182]: 98-0111330 — Interprétation relative à la TPS — Fourniture d'un service à une personne non résidente.

Concordance fédérale: LTA, Ann. VI:Partie V:4.

183. Service de mandataire ou de représentant

— Est détaxée la fourniture effectuée à une personne qui ne réside pas au Québec d'un service qui consiste à agir à titre de mandataire de la personne ou à faire passer des commandes en vue de fournitures à effectuer par la personne ou à celle-ci, à obtenir de telles commandes ou à faire des démarches pour en obtenir, dans la mesure où ce service est relatif à :

1° une fourniture, à la personne, qui est visée à la présente section;

2° une fourniture effectuée hors du Québec à la personne ou par celle-ci.

Notes historiques: L'article 183 a été remplacé par L.Q. 1997, c. 85, art. 519(1) et cette modification a effet depuis le 1er juillet 1992.

Antérieurement, cet article se lisait ainsi :

183. Est détaxée la fourniture effectuée à une personne qui ne réside pas au Québec d'un service qui consiste à agir à titre de mandataire de cette personne dans la mesure où ce service est relatif à :

1° une fourniture, à cette personne, qui est visée à la présente section;

2° une fourniture effectuée hors du Québec à cette personne ou par celle-ci.

L'article 183 a été édicté par L.Q. 1991, c. 67.

Définitions [art. 183]: « fourniture », « fourniture détaxée », « personne », « service » — 1.

Bulletins d'interprétation [art. 183]: TVQ. 11.1-1/R1 — Présomption de résidence au Québec — Résident canadien ayant un établissement stable au Québec; TVQ. 185-2/R1 — Les commissions versées à un représentant de commerce; TVQ. 185-3/R1 — Services de tenue de registres rendus à un non-résident.

Lettres d'interprétation [art. 183]: 99-0109175 — Interprétation relative à la TVQ — Ventes effectuées par un encanteur; 99-0113144 — Interprétation relative à la TVQ Services de courtier en douanes; 00-0104281 — Commissions versées par une compagnie américaine; 00-0111062 — QST Interpretation — Application of the QST to Customs Brokerage Services — Provided to Non-residents.

Concordance fédérale: LTA, Ann. VI:Partie V:5.

184. Service de réparation d'urgence

— La fourniture effectuée par une personne à un acquéreur qui ne réside pas au Québec d'un service de réparation d'urgence et de tout bien meuble corporel fourni avec ce service à l'égard d'un moyen de transport ou d'un conteneur de cargaison qui est utilisé ou transporté par la personne dans le cadre d'une entreprise de transport de biens ou de passagers est détaxée.

Notes historiques: L'article 184 a été remplacé par L.Q. 1997, c. 85, art. 519(1) et cette modification s'applique à une fourniture effectuée après le 23 avril 1996.

Auparavant, cet article se lisait ainsi :

184. La fourniture effectuée par une personne à un acquéreur qui ne réside pas au Québec d'un service de réparation d'urgence et de tout bien fourni avec un tel service à l'égard d'un conteneur de cargaison ou de tout moyen de transport qui est utilisé par la personne dans une entreprise de transport de marchandises ou de passagers est détaxée.

L'article 184 a été édicté par L.Q. 1991, c. 67.

Guides [art. 184]: IN-218 — La TVQ, la TPS/TVH, la taxe sur les carburants et les transporteurs de marchandises.

Définitions [art. 184]: « acquéreur », « entreprise », « fourniture », « fourniture détaxée », « personne », « service » — 1.

Bulletins d'interprétation [art. 184]: TVQ. 11.1-1/R1 — Présomption de résidence au Québec — Résident canadien ayant un établissement stable au Québec.

Concordance fédérale: LTA, Ann. VI:Partie V:6.

184.1 Service de réparation d'urgence

— La fourniture effectuée à une personne qui ne réside pas au Québec et qui n'est pas inscrite en vertu de la section I du chapitre VIII d'un service de réparation d'urgence et de tout bien meuble corporel fourni avec le service à l'égard de matériel roulant ferroviaire qui est utilisé dans le cadre d'une entreprise de transport de passagers ou de biens est détaxée.

Notes historiques: L'article 184.1 a été ajouté par L.Q. 1997, c. 85, art. 520(1) et s'applique à l'égard d'une fourniture effectuée après le 23 avril 1996.

Définitions [art. 184.1]: « bien meuble corporel », « entreprise », « fourniture », « inscrit », « personne », « service » — 1.

Bulletins d'interprétation [art. 184.1]: TVQ. 11.1-1/R1 — Présomption de résidence au Québec — Résident canadien ayant un établissement stable au Québec.

Concordance fédérale: LTA, Ann. VI:Partie V:6.1.

184.2 Service de réparation d'urgence d'un conteneur de cargaison

— Est détaxée la fourniture effectuée à une personne qui ne réside pas au Québec et qui n'est pas inscrite en vertu de la section I du chapitre VIII d'un service de réparation d'urgence à l'égard d'un conteneur de cargaison vide, autre qu'un conteneur de cargaison d'une longueur de moins de 6,1 mètres ou d'une contenance de moins de 14 m^3, ou d'un service d'entreposage d'un tel conteneur de cargaison et de tout bien meuble corporel fourni avec le service de réparation dans la mesure où le conteneur de cargaison :

1° est utilisé pour le transport de biens à destination ou en provenance du Canada et est visé par le sous-alinéa ii de l'alinéa a) de l'article 6.2 de la partie V de l'annexe VI de la *Loi sur la taxe d'accise* (L.R.C. 1985, c. E-15);

2° est utilisé pour le transport de biens à destination ou en provenance du Québec et serait visé par le sous-alinéa ii de l'alinéa a) de l'article 6.2 de la partie V de l'annexe VI de la *Loi sur la taxe d'accise* si le conteneur de cargaison provenait de l'extérieur du Québec.

2012, c. 28, art. 58

Notes historiques: Les paragraphes 1° et 2° de l'article 184.2 ont été remplacés par L.Q. 2012, c. 28, art. 58 et cette modification est entrée en vigueur le 7 décembre 2012. Antérieurement, ils se lisaient ainsi :

1° est utilisé pour le transport de biens à destination ou en provenance du Canada et est classé sous la position 98.01 ou sous la sous-position 9823.90 à l'annexe I du *Tarif des douanes* (Lois révisées du Canada (1985), chapitre 41, 3e supplément);

2° est utilisé pour le transport de biens à destination ou en provenance du Québec et serait classé sous la position 98.01 ou sous la sous-position 9823.90 à l'annexe I du *Tarif des douanes* si le conteneur de cargaison provenait de l'extérieur du Québec.

L'article 184.2 a été ajouté par L.Q. 1997, c. 85, art. 520(1) et s'applique à l'égard d'une fourniture effectuée après le 23 avril 1996.

Notes explicatives ARQ (PL 5, L.Q. 2012, c. 28): *Résumé* :

Les modifications apportées aux paragraphes 1° et 2° de l'article 184.2 de la *Loi sur la taxe de vente du Québec* (LTVQ) sont des modifications techniques qui consistent à remplacer la référence à la position 98.01 et à la sous position 9823.90 de l'annexe I du *Tarif des douanes* (Lois révisées du Canada (1985), chapitre 41, 3e supplément) par une référence au sous-alinéa ii de l'alinéa a) de l'article 6.2 de la partie V de l'annexe VI de la *Loi sur la taxe d'accise* (Lois révisées du Canada (1985), chapitre E-15), (LTA).

Situation actuelle :

L'article 184.2 prévoit la détaxation d'un service de réparation d'urgence effectuée à l'égard d'un conteneur de cargaison vide ou d'un service d'entreposage d'un tel conteneur. Il prévoit également la détaxation de tout bienmeuble corporel fourni avec le service de réparation d'urgence.

Le conteneur de cargaison doit être utilisé pour le transport de biens à destination ou en provenance du Québec et être classé sous la position 98.01 ou sous la sous position 9823.90 à l'annexe I du *Tarif des douanes*. Dans le cas où il s'agit de transport interprovincial, le conteneur devait pouvoir être classé sous la position 98.01 en faisant les adaptations nécessaires.

Les conteneurs de cargaison d'une longueur de moins de 6,1 mètres ou d'une contenance de moins de 14 mètres cubes sont exclus de cette mesure de détaxation.

Modifications proposées :

Les modifications apportées aux paragraphes 1° et 2° de l'article 184.2 sont des modifications techniques qui consistent à remplacer la référence à la position 98.01 et à la sous position 9823.90 de l'annexe I du *Tarif des douanes* par une référence au sous-alinéa ii de l'alinéa a de l'article 6.2 de la partie V de l'annexe VI de la LTA.

Définitions [art. 184.2]: « bien meuble corporel », « fourniture », « inscrit », « personne » — 1.

Bulletins d'interprétation [art. 184.2]: TVQ. 11.1-1/R1 — Présomption de résidence au Québec — Résident canadien ayant un établissement stable au Québec.

Concordance fédérale: LTA, Ann. VI:Partie V:6.2.

185. Service à une personne qui ne réside pas au Québec — Est détaxée la fourniture d'un service effectuée à une personne qui ne réside pas au Québec, à l'exclusion de la fourniture :

1° d'un service effectuée à un particulier qui est au Québec à un moment quelconque lorsqu'il communique avec le fournisseur relativement à la fourniture;

1.1° d'un service qui est rendu à un particulier pendant qu'il est au Québec;

2° d'un service de conseil, de consultation ou professionnel;

3° d'un service postal;

4° d'un service relatif à un immeuble situé au Québec;

5° d'un service à l'égard d'un bien meuble corporel qui est situé au Québec au moment où le service est exécuté;

6° d'un service qui consiste à agir à titre de mandataire de la personne qui ne réside pas au Québec, sauf un service qui consiste à agir à titre d'agent de transfert dans le cas où la personne est une société qui réside au Canada, ou à faire passer des commandes en vue de fournitures à effectuer par la personne ou à celle-ci, à obtenir de telles commandes ou à faire des démarches pour en obtenir;

7° d'un service de transport;

8° d'un service de télécommunication.

Notes historiques: Le préambule de l'article 185 a été remplacé par L.Q. 1997, c. 85, art. 521(1)(1°) et cette modification s'applique à l'égard d'une fourniture dont la totalité de la contrepartie devient due après le 30 juin 1996 ou est payée après cette date sans qu'elle soit devenue due. Antérieurement à cette modification, ce préambule se lisait ainsi :

> 185. Est détaxée la fourniture d'un service effectuée à une personne qui ne réside pas au Québec, autre qu'un particulier, ou à un particulier qui ne réside pas au Québec et qui est hors du Québec lors de chacune de ses communications avec le fournisseur relativement à la fourniture, à l'exclusion de la fourniture :

Le paragraphe 1° de l'article 185 a été remplacé par L.Q. 1997, c. 85, art. 521(1)(1°) et cette modification s'applique à l'égard d'une fourniture dont la totalité de la contrepartie devient due après le 30 juin 1996 ou est payée après cette date sans qu'elle soit devenue due. Antérieurement à cette modification, ce paragraphe se lisait ainsi :

> 1° d'un service qui est destiné principalement à la consommation, à l'utilisation ou à la jouissance au Québec;

Le paragraphe 1.1° de l'article 185 a été ajouté par L.Q. 1997, c. 85, art. 521(1)(1°) et s'applique à l'égard d'une fourniture dont la totalité de la contrepartie devient due après le 30 juin 1996 ou est payée après cette date sans qu'elle soit devenue due.

Le paragraphe 6° de l'article 185 a été modifié par L.Q. 2002, c. 9, par. 162(1) et cette modification s'applique à l'égard :

> 1° de la fourniture d'un service de mandataire effectuée par un agent de transfert dont la totalité de la contrepartie devient due après le 29 mars 2001 et n'est pas payée avant le 30 mars 2001;
>
> 2° de la fourniture d'un service de mandataire effectuée par un agent de transfert dont une partie de la contrepartie devient due après le 29 mars 2001 et n'est pas payée avant le 30 mars 2001; toutefois, la taxe doit être calculée sur la valeur de toute partie de la contrepartie qui devient due ou est payée avant le 30 mars 2001 au taux de 7,5 %.

Antérieurement, il se lisait ainsi :

> 6° d'un service qui consiste à agir à titre de mandataire de la personne qui ne réside pas au Québec ou à faire passer des commandes en vue de fournitures à effectuer par la personne ou à celle-ci, à obtenir de telles commandes ou à faire des démarches pour en obtenir;

Le paragraphe 6° de l'article 185 a été remplacé par L.Q. 1997, c. 85, art. 521(1)(2°) et cette modification s'applique à l'égard d'une fourniture effectuée après le 23 avril 1996. Antérieurement à cette modification, ce paragraphe se lisait ainsi :

> 6° d'un service qui consiste à agir à titre de mandataire de la personne qui ne réside pas au Québec ou du particulier;

Le paragraphe 8° de l'article 185 a été ajouté par L.Q. 1997, c. 85, art. 521(1)(3°) et s'applique à l'égard d'une fourniture effectuée après le 15 décembre 1996.

Auparavant, l'article 185 a été modifié par L.Q. 1994, c. 22, art. 453(1) et cette modification s'applique à l'égard de la fourniture d'un service dont l'exécution débute après le 9 juin 1993. Antérieurement, il se lisait ainsi :

> 185. Est détaxée la fourniture d'un service effectuée à une personne donnée qui ne réside pas au Québec, autre qu'un particulier, ou à un particulier qui ne réside pas au Québec et qui est hors du Québec pendant que le service est exécuté, à l'exclusion de la fourniture :
>
> 1° d'un service, autre qu'un service de conseil, de consultation ou professionnel, qui est destiné principalement à la consommation, à l'utilisation ou à la jouissance au Québec de toute personne ou qui est un service postal, à l'exception de la fourniture d'un service relatif à un service postal ou de télécommunication si la fourniture est effectuée par un inscrit qui exploite une entreprise qui consiste à fournir des services postaux ou de télécommunication à une personne qui ne réside pas au Québec, qui n'est pas un inscrit et qui exploite une telle entreprise;
>
> 2° d'un service relatif à un immeuble situé au Québec;
>
> 3° d'un service à l'égard d'un bien meuble corporel qui, selon le cas :
>
> a) doit être délivré au Québec;
>
> b) est habituellement situé au Québec dans le cas où la personne donnée ou le particulier ne réside pas au Canada;
>
> c) est situé au Québec dans le cas où la personne donnée ou le particulier ne réside pas au Québec, mais au Canada;
>
> 4° d'un service qui consiste à agir à titre de mandataire du particulier qui ne réside pas au Québec ou de la personne donnée;
>
> 5° d'un service de transport.

L'article 185 a été édicté par L.Q. 1991, c. 67.

Guides [art. 185]: IN-203 — Renseignements généraux sur la TVQ et la TPS/TVH.

Définitions [art. 185]: « bien meuble corporel », « fourniture », « fourniture détaxée », « particulier », « personne », « service », « service de télécommunication » — 1.

Jurisprudence [art. 185]: *Major c. Euro Fashion Ltd* (30 janvier 1997), Montréal 500-02-026596-960.

Bulletins d'interprétation [art. 185]: TVQ. 11.1-1/R1 — Présomption de résidence au Québec — Résident canadien ayant un établissement stable au Québec; TVQ. 16-2/R3 — La livraison de fleurs par l'entremise d'un service de commande à distance; TVQ. 16-16/R1 — Le *Code civil du Québec* et la *Loi sur la taxe de vente du Québec*; TVQ. 185-1/R2 — Service relatif à un immeuble situé au Québec et service à l'égard d'un bien meuble corporel situé au Québec; TVQ. 22.26-1 — Les services de conception et d'hébergement d'un site Web et la taxe de vente du Québec (TVQ); TVQ. 185-1 — Service à l'égard d'un bien meuble corporel situé au Québec et service relatif à un immeuble situé au Québec; TVQ. 185-2/R1 — Les commissions versées à un représentant de commerce; TVQ. 185-3/R1 — Services de tenue de registres rendus à un non-résident; TVQ. 185-4/R2 — Service de traduction rendu à une personne qui ne réside pas au Québec; TVQ. 186-1 — Les services de publicité et la taxe de vente du Québec (TVQ).

Lettres d'interprétation [art. 185]: 97-011378 — Interprétation relative à la TVQ — Livraison de fleurs par l'entremise d'un service de commande à distance; 98-0107494 — Application de la *Loi sur la taxe d'accise* (L.R.C. 1985, c. E-15 « la LTA ») et de la *Loi sur la taxe de vente du Québec* (L.R.Q., c. T-0.1 « la LTVQ »); 98-0110910 — Interprétation en TPS et en TVQ; 99-0104218 — Interprétation relative à la TPS — Interprétation relative à la TVQ — Hébergement / conception d'un site Web; 99-0106122 [A] — QST Interpretation National Advertising Campaign; 00-0103895 — Interprétation relative à la TVQ — Fournitures expédiées hors du Québec et services de publicité; 00-0107052 — Nature des frais administratifs facturés par une agence de voyage; 00-0110775 — Interprétation relative à la TVQ; 00-0110977 — Interprétation concernant l'application de la *Loi sur la taxe d'accise* et de la *Loi sur la taxe de vente du Québec* ; 00-0110981 — Interprétation relative à la TVQ — Fourniture à une personne non-résidente; 00-0112094 — Contrat de mandat; 01-0105666 — Interprétation relative à la TPS et à la TVQ; 02-0100160 — Interprétation relative à la TPS et à la TVQ — Qualification d'un service rendu à ses membres par une association (« Asso »); 03-0101794 — Interprétation relative à la TPS et à la TVH — interprétation relative à la TVQ — [Activités reliées au secteur de l'informatique].

Concordance fédérale: LTA, Ann. VI:Partie V:7.

186. Service de publicité — La fourniture d'un service de publicité effectuée à une personne qui ne réside pas au Québec et qui n'est pas inscrite en vertu de la section I du chapitre huitième au moment où le service est exécuté est détaxée.

Notes historiques: L'article 186 a été édicté par L.Q. 1991, c. 67.

Définitions [art. 186]: « fourniture », « fourniture détaxée », « inscrit », « personne », « service » — 1.

Bulletins d'interprétation [art. 186]: TVQ. 11.1-1/R1 — Présomption de résidence au Québec — Résident canadien ayant un établissement stable au Québec; TVQ. 186-1 — Les services de publicité et la taxe de vente du Québec (TVQ).

Concordance fédérale: LTA, Ann. VI:Partie V:8.

187. Service de conseil, de consultation ou de recherche — La fourniture d'un service de conseil, de consultation ou de recherche, effectuée à une personne qui ne réside pas au Québec en vue de l'aider à établir sa résidence ou une entreprise au Québec est détaxée.

Notes historiques: L'article 187 a été édicté par L.Q. 1991, c. 67.

Définitions [art. 187]: « entreprise », « fourniture », « fourniture détaxée », « personne », « service » — 1.

Bulletins d'interprétation [art. 187]: TVQ. 11.1-1/R1 — Présomption de résidence au Québec — Résident canadien ayant un établissement stable au Québec.

Concordance fédérale: LTA, Ann. VI:Partie V:9.

188. Fourniture d'une propriété intellectuelle — Est détaxée la fourniture d'un brevet, d'une conception industrielle, d'un droit d'auteur, d'une invention, d'une marque de commerce, d'un nom commercial, d'un secret industriel ou d'une autre propriété intellectuelle ou de tout droit, licence ou privilège relatif à l'utilisation de tels biens, si l'acquéreur est une personne qui ne réside pas au Québec et qui n'est pas inscrite en vertu de la section I du chapitre huitième au moment où la fourniture est effectuée.

Notes historiques: L'article 188 a été édicté par L.Q. 1991, c. 67.

Définitions [art. 188]: « acquéreur », « fourniture », « fourniture détaxée », « inscrit », « personne » — 1.

Bulletins d'interprétation [art. 188]: TVQ. 11.1-1/R1 — Présomption de résidence au Québec — Résident canadien ayant un établissement stable au Québec.

Lettres d'interprétation [art. 188]: 01-0106649 — Vente d'images numérisées par Internet — interprétation relative à la TPS/TVH — interprétation relative à la TVQ; 03-0106520 — Interprétation relative à la TPS/TVH — Interprétation relative à la TVQ — [Fourniture d'un bien meuble incorporel — Internet].

Concordance fédérale: LTA, Ann. VI:Partie V:10.

188.1 Fourniture d'un bien meuble incorporel — Est détaxée la fourniture d'un bien meuble incorporel effectuée à une personne qui ne réside pas au Québec et qui n'est pas inscrite en vertu de la section I du chapitre VIII au moment où la fourniture est effectuée, à l'exclusion des fournitures suivantes :

1º la fourniture effectuée à un particulier, sauf s'il se trouve hors du Québec au moment de la fourniture;

2º la fourniture d'un bien meuble incorporel qui se rapporte, selon le cas :

a) à un immeuble situé au Québec;

b) à un bien meuble corporel habituellement situé au Québec;

c) à un service dont la fourniture est effectuée au Québec et qui n'est pas une fourniture détaxée visée à l'un des articles de la présente section, de la section VII ou de la section VII.2;

3º la fourniture qui consiste à mettre à la disposition d'une personne une installation de télécommunication qui est un bien meuble incorporel devant servir à fournir un service visé au paragraphe 1° de la définition de l'expression « service de télécommunication » prévue à l'article 1;

4º la fourniture d'un bien meuble incorporel qui ne peut être utilisé qu'au Québec;

5º une fourniture prescrite.

Modification proposée — Augmentation de la contribution des institutions financières

Renseignements additionnels sur les mesures fiscales, Budget 2013-2014, 20 novembre 2012: [Voir sous l'art. 198 — n.d.l.r.]

Notes historiques: Le sous-paragraphe c) du paragraphe 2° du premier alinéa de l'article 188.1 a été remplacé par L.Q. 2012, c. 28, s.-par. 59(1)(1°) et cette modification s'applique à l'égard d'une fourniture effectuée après le 31 décembre 2012. Antérieurement, il se lisait ainsi :

c) à un service dont la fourniture est effectuée au Québec et qui n'est pas :

i. soit une fourniture détaxée visée à l'un des articles de la présente section ou de la section VII du chapitre IV;

ii. soit une fourniture d'un service financier visée au deuxième alinéa;

Le deuxième alinéa de l'article 188.1 a été supprimé par L.Q. 2012, c. 28, s.-par. 59(1)(2°) et cette modification s'applique à l'égard d'une fourniture effectuée après le 31 décembre 2012. Antérieurement, il se lisait ainsi :

Fourniture d'un service financier

La fourniture à laquelle le sous-paragraphe ii du sous-paragraphe c) du paragraphe 2° du premier alinéa fait référence est :

1° soit la fourniture d'un service financier, à l'exception d'une fourniture visée au paragraphe 2° du présent alinéa, effectuée par une institution financière à une personne qui ne réside pas au Québec, sauf si le service se rapporte, selon le cas :

a) à une dette qui découle :

i. soit d'un dépôt de fonds au Québec, si l'effet constatant le dépôt est un effet négociable;

ii. soit d'un prêt d'argent destiné à être utilisé principalement au Québec;

b) à une dette pour la totalité ou une partie de la contrepartie de la fourniture d'un immeuble qui est situé au Québec;

c) à une dette pour la totalité ou une partie de la contrepartie de la fourniture d'un bien meuble qui doit être utilisé principalement au Québec;

d) à une dette pour la totalité ou une partie de la contrepartie de la fourniture d'un service qui doit être exécuté principalement au Québec;

e) à un effet financier, à l'exception d'une police d'assurance ou d'un métal précieux, acquis, autrement que directement d'un émetteur qui ne réside pas au Québec, par l'institution financière agissant à titre de mandant;

2º soit la fourniture effectuée par une institution financière d'un service financier qui se rapporte à une police d'assurance émise par l'institution, à l'exception d'un service qui se rapporte à des placements effectués par l'institution, dans la mesure où, selon le cas :

a) dans le cas où la police est une police d'assurance sur la vie ou une police d'assurance contre les accidents et la maladie, à l'exception d'une police d'assurance collective, elle est émise à l'égard d'un particulier qui ne réside pas au Québec au moment où la police entre en vigueur;

b) dans le cas où la police est une police d'assurance collective sur la vie ou contre les accidents et la maladie, elle se rapporte à des particuliers qui ne résident pas au Québec et qui sont assurés en vertu de la police;

c) dans le cas où la police est une police d'assurance à l'égard d'un immeuble, elle se rapporte à un immeuble situé hors du Québec;

d) dans le cas où la police d'assurance est une police d'assurance de tout autre type, elle se rapporte à des risques habituellement situés hors du Québec;

3º soit la fourniture d'un service financier qui constitue la fourniture de métaux précieux dans le cas où elle est effectuée par l'affineur ou par la personne pour le compte de laquelle les métaux précieux ont été affinés.

L'article 188.1 a été ajouté par L.Q. 2009, c. 5, par. 612(1) et a effet depuis le 1er juillet 1992. Toutefois, il ne s'appliquera pas à l'égard d'une fourniture pour laquelle le fournisseur a exigé ou perçu, avant le 20 mars 2007, un montant au titre de la taxe prévue par le titre I.

Pour l'application de cet article, les définitions des expressions « installation de télécommunication« et « service de télécommunication », prévues à l'article 1, auront effet depuis le 1er juillet 1992.

Dans le cas où le ministre du Revenu, en déterminant le montant des droits, intérêts et pénalités dont une personne est redevable en vertu de L.Q. 2009, c. 5, a pris en compte dans le calcul de la taxe nette de la personne, pour une de ses périodes de déclaration, un montant au titre de la taxe devenue percevable à l'égard d'une fourniture qu'elle a effectuée avant le 20 mars 2007 et que, en raison de l'application de l'article 188.1, aucune

LTVQ (français)

taxe n'était percevable par la personne à l'égard de la fourniture, les règles suivantes s'appliquent :

1° au plus tard dans les deux ans suivant la date de la sanction de L.Q. 2009, c. 5, la personne peut demander par écrit au ministre du Revenu d'établir une cotisation ou une nouvelle cotisation afin de tenir compte du fait qu'aucune taxe n'était percevable par la personne à l'égard de la fourniture;

2° sur réception d'une demande présentée en vertu du paragraphe 1°, le ministre du Revenu doit, avec diligence :

a) examiner la demande;

b) établir, malgré le deuxième alinéa de l'article 25 de la *Loi sur le ministère du Revenu*, une cotisation ou une nouvelle cotisation relativement à la taxe nette de la personne, pour toute période de déclaration de celle-ci, et aux intérêts, pénalités ou autres obligations de la personne, mais seulement dans la mesure où la cotisation ou la nouvelle cotisation peut raisonnablement être considérée comme se rapportant à la fourniture.

Notes explicatives ARQ (PL 5, L.Q. 2012, c. 28): *Résumé* :

L'article 188.1 fait l'objet d'une modification de structure de façon à faire référence à la nouvelle section VII.2 du chapitre IV du titre I de cette loi, laquelle concerne les services financiers détaxés.

Situation actuelle :

L'article 188.1 a pour effet de détaxer la fourniture d'un bien meuble incorporel effectuée à une personne qui ne réside pas au Québec et qui n'est pas inscrite dans le régime de la taxe de vente du Québec (TVQ) au moment où la fourniture est effectuée, sous réserve de certaines exclusions qui sont mentionnées aux paragraphes 1° à 5° du premier alinéa.

Modifications proposées :

L'article 188.1 fait l'objet d'une modification de façon à faire référence à la nouvelle section VII.2 du chapitre IV du titre I de la LTVQ, laquelle comprend les articles 197.3 à 197.5, introduite par le présent projet de loi.

En effet, les nouveaux articles 197.3 à 197.5, introduits par le présent projet de loi, détaxent la fourniture de certains services financiers, notamment ceux effectués au profit d'une personne qui ne réside pas au Canada. La fourniture d'un bien meuble incorporel qui se rapporte à un service financier visé à ces articles 197.3 à 197.5 est également détaxée, et le deuxième alinéa de l'article 188.1 de cette loi est supprimé étant donné que son contenu se retrouve aux articles 197.3 à 197.5 de la LTVQ.

Notes explicatives ARQ (PL 2, L.Q. 2009, c. 5): *Résumé* :

Le nouvel article 188.1 a pour but de faire en sorte que la fourniture d'un bien meuble incorporel effectuée à une personne qui ne réside pas au Québec et qui n'est pas inscrite dans le régime de la TVQ soit généralement détaxée, sous réserve de certaines exceptions.

Situation actuelle :

Actuellement, seule la fourniture d'un bien meuble incorporel qui constitue la fourniture d'une propriété intellectuelle peut bénéficier de la détaxation dans le cas où la fourniture est effectuée à une personne qui ne réside pas au Québec et qui n'est pas inscrite dans le régime de la TVQ.

Modifications proposées :

Le nouvel article 188.1 de la LTVQ a pour effet de détaxer la fourniture d'un bien meuble incorporel effectuée à une personne qui ne réside pas au Québec et qui n'est pas inscrite dans le régime de la TVQ au moment où la fourniture est effectuée, sous réserve de certaines exclusions qui sontmentionnées aux paragraphes 1° à 5° du premier alinéa.

Ainsi, à titre d'exemple, les fournitures suivantes peuvent généralement bénéficier de la nouvelle détaxation : le droit d'accès à une banque de données, certains types d'abonnement à un site Web, des fichiers audio ou vidéo transmis électroniquement, des livres vendus par téléchargement, etc.

Quant aux exclusions à la nouvelle mesure de détaxation, mentionnons par exemple qu'en vertu du paragraphe 1° du premier alinéa de l'article 188.1 de la LTVQ, la fourniture d'un bien meuble incorporel, telle la vente de fichiers audio ou vidéo transmis par téléchargement et acquis par un particulier non-résident du Québec, mais qui se trouve au Québec au moment de l'achat, ne constitue pas une fourniture détaxée.

En ce qui concerne les services, ne constitue également pas une fourniture détaxée, selon le sous-paragraphe c) du paragraphe 2° du premier alinéa, la fourniture d'un bien meuble incorporel qui se rapporte à un service dont la fourniture est effectuée au Québec, telle la fourniture d'un abonnement à un centre de conditionnement physique qui permet de bénéficier des services d'entraîneurs du centre au Québec.

Par ailleurs, la fourniture d'un bien meuble incorporel qui se rapporte à un service dont la fourniture est détaxée en vertu des sections V et VII du chapitre IV est détaxée.

De même, la fourniture d'un bien meuble incorporel qui se rapporte à un service financier visé au deuxième alinéa est détaxée.

En vertu du paragraphe 4° du premier alinéa, la fourniture d'un bien meuble incorporel qui peut être utilisé à la fois au Québec et hors du Québec est également détaxée.

Finalement, en vertu du paragraphe 5° du premier alinéa, les fournitures prescrites par règlement sont exclues de la mesure de détaxation.

Le nouvel article 188.1 de la LTVQ a effet depuis le 1er juillet 1992. Cependant, il ne s'applique pas aux fournitures à l'égard desquelles le fournisseur a exigé ou perçu, avant le 20 mars 2007, un montant au titre de la TVQ.

De plus, une règle particulière s'applique dans le cas où un fournisseur qui n'a pas exigé ni perçu la TVQ relativement à la fourniture d'un bien meuble incorporel effectuée avant le 20mars 2007 qui est par ailleurs détaxée par l'effet du nouvel article 188.1, se voit émettre un avis de cotisation à son endroit pour avoir omis de percevoir la taxe. Dans ce cas, le fournisseur pourra demander par écrit au ministre du Revenu, au plus tard deux ans après la sanction de la loi édictant l'article 188.1, d'établir une cotisation ou une nouvelle cotisation afin de tenir compte du fait qu'aucune taxe n'était percevable par lui, et ce, même si la période normale pour l'établissement d'une nouvelle cotisation est expirée.

Renvois [art. 188.1]: 677 (règlements).

Bulletins d'interprétation [art. 189]: TVQ. 11.1-1/R1 — Présomption de résidence au Québec — Résident canadien ayant un établissement stable au Québec.

Bulletins d'information [188.1]: 2012-4 — Modifications au régime de taxation québécois donnant suite aux engagements d'harmonisation au régime de taxation fédéral applicable en 2013.

Concordance fédérale: LTA, Ann. VI:Partie V:10.1.

189. Boutique hors taxes — La fourniture d'un bien meuble corporel effectuée à un particulier, par une personne exploitant une boutique hors taxes agréée en vertu de la *Loi sur les douanes* (Lois révisées du Canada (1985), chapitre 1, 2e supplément), dans une telle boutique pour exportation par le particulier est détaxée.

Notes historiques: L'article 189 a été édicté par L.Q. 1991, c. 67.

Guides [art. 189]: IN-203 — Renseignements généraux sur la TVQ et la TPS/TVH.

Définitions [art. 189]: « bien meuble corporel », « fourniture », « fourniture détaxée », « particulier », « personne » — 1.

Renvois [art. 189]: 350.23.1 (« recettes d'expédition »).

Bulletins d'interprétation [art. 189]: TVQ. 11.1-1/R1 — Présomption de résidence au Québec — Résident canadien ayant un établissement stable au Québec.

Concordance fédérale: LTA, Ann. VI:Partie V:11.

189.1 Boutique hors taxes — Est détaxée la fourniture par vente d'un bien meuble corporel effectuée à une personne exploitant une boutique hors taxes agréée en vertu de la *Loi sur les douanes* (Lois révisées du Canada (1985), chapitre 1, 2e supplément), si la personne acquiert le bien à titre de stock afin de le fournir par vente dans la boutique à un particulier qui l'exportera et si la personne remet au fournisseur le numéro d'agrément de la boutique.

Notes historiques: L'article 189.1 a été ajouté L.Q. 1995, c. 63, art. 347(1) et est réputé s'appliquer à l'égard de la fourniture d'un bien meuble corporel dont la totalité ou une partie de la contrepartie devient due après le 31 juillet 1995 et n'est pas payée avant le 1er août 1995.

Définitions [art. 189.1]: « acquéreur », « bien », « fournisseur », « fourniture », « particulier », « personne », « vente » — 1.

Bulletins d'interprétation [art. 189.1]: TVQ. 11.1-1/R1 — Présomption de résidence au Québec — Résident canadien ayant un établissement stable au Québec.

Concordance fédérale: LTA, Ann. VI:Partie V:16.

190. Bien délivré à un transporteur public — La fourniture d'un bien meuble corporel, sauf un produit transporté en continu au moyen d'un fil, d'un pipeline ou d'une autre canalisation, est détaxée si le fournisseur, selon le cas :

1° expédie le bien à une destination hors du Québec qui est précisée dans le contrat de transport visant le bien;

2° transfère la possession du bien à un transporteur public ou à un consignataire dont les services ont été retenus pour expédier le bien à une destination hors du Québec par l'une des personnes suivantes :

a) le fournisseur pour le compte de l'acquéreur;

b) l'employeur de l'acquéreur;

3° envoie le bien par courrier ou messagerie à une adresse hors du Québec.

Notes historiques: L'article 190 a été remplacé par L.Q. 2001, c. 53, art. 307 et cette modification s'applique à toute fourniture effectuée après le 7 août 1998. Toutefois, à l'égard des fournitures effectuées avant le 1er mai 1999, l'article 190 de cette loi doit se lire comme suit :

190. La fourniture d'un bien meuble corporel, sauf un produit transporté en continu au moyen d'un fil, d'un pipeline ou d'une autre canalisation, est détaxée si le

fournisseur délivre le bien à un transporteur public ou le poste, pour expédition hors du Québec.

Antérieurement, il se lisait ainsi :

190. La fourniture d'un bien meuble corporel est détaxée si le fournisseur délivre le bien à un transporteur public ou le poste, pour expédition hors du Québec.

L'article 190 a été remplacé par L.Q. 1997, c. 85, art. 522(1) et cette modification s'applique à l'égard d'une fourniture effectuée après le 23 avril 1996.

Antérieurement, cet article se lisait ainsi :

190. La fourniture d'un bien meuble corporel effectuée par une personne à un acquéreur si la personne délivre le bien à un transporteur public ou le poste, pour expédition et livraison à l'acquéreur à un endroit hors du Québec est détaxée.

L'article 190 a été modifié L.Q. 1995, c. 63, art. 348(1) et cette modification a effet depuis le 1er juillet 1992 [*N.D.L.R.* : cette disposition s'applique conformément aux articles 618 à 656 et 685 de L.Q. 1991, c. 67, tels que modifiés]. Ce paragraphe se lisait ainsi :

L'article 190, édicté par L.Q. 1991, c. 67, se lisait comme suit :

190. La fourniture d'un bien meuble corporel effectuée par une personne à un acquéreur si la personne délivre le bien à un transporteur public ou le poste, pour expédition et délivrance à l'acquéreur à un endroit hors du Québec est détaxée.

Définitions [art. 190]: « acquéreur », « bien meuble corporel », « fourniture », « fourniture détaxée », « personne », « transporteur » — 1.

Bulletins d'interprétation [art. 190]: TVQ. 11.1-1/R1 — Présomption de résidence au Québec — Résident canadien ayant un établissement stable au Québec.

Lettres d'interprétation [art. 190]: 00-0111294 — Interprétation relative à la TVQ — Location de véhicules à moteur hors du Québec.

Concordance fédérale: LTA, Ann. VI:Partie V:12.

191. Bien meuble ou service découlant d'une garantie — Les fournitures suivantes, effectuées à une personne qui ne réside pas au Québec et qui n'est pas inscrite en vertu de la section I du chapitre VIII, sont détaxées :

1º la fourniture d'un bien meuble corporel ou d'un service exécuté à l'égard d'un bien meuble corporel ou d'un immeuble dans le cas où le bien ou le service est acquis par la personne dans le but d'exécuter une obligation de celle-ci en vertu d'une garantie;

2º la fourniture d'un bien meuble corporel si la fourniture est réputée, en vertu de l'article 327.1, avoir été effectuée par suite du transfert de la possession du bien en exécution d'une obligation de la personne en vertu d'une garantie.

Notes historiques: Le paragraphe 1º de l'article 191 a été remplacé par L.Q. 2001, c. 53, art. 308(1) et cette modification s'applique à l'égard d'une fourniture de service effectuée après le 10 décembre 1998. Antérieurement, il se lisait ainsi :

1º la fourniture d'un bien meuble corporel ou d'un service exécuté à l'égard d'un bien meuble corporel si le bien ou le service est acquis par la personne dans le but d'exécuter une obligation de celle-ci en vertu d'une garantie;

L'article 191 a été modifié par L.Q. 1995, c. 1, art. 278(1) et a effet depuis le 1er juillet 1992 [*N.D.L.R.* : cette disposition s'applique conformément aux articles 618 à 656 et 685 de L.Q. 1991, c. 67, tels que modifiés]. Il se lisait auparavant comme suit :

191. Est détaxée la fourniture, effectuée à une personne qui ne réside pas au Québec et qui n'est pas inscrite en vertu de la section I du chapitre VIII, d'un bien meuble corporel ou d'un service exécuté à l'égard d'un bien meuble corporel si le bien ou le service est acquis par la personne dans le but d'exécuter une obligation de celle-ci en vertu d'une garantie.

L'article 191 a auparavant été modifié par L.Q. 1994, c. 22, art. 454(1) et était réputé entré en vigueur le 1er juillet 1992. Il se lisait comme suit :

191. La fourniture à une personne qui ne réside pas au Québec et qui n'est pas inscrite en vertu de la section I du chapitre huitième d'un service exécuté à l'égard d'un bien meuble corporel, conformément à une garantie donnée par la personne est détaxée.

L'article 191 a été édicté par L.Q. 1991, c. 67.

Définitions [art. 191]: « fourniture », « fourniture détaxée », « inscrit », « personne », « service » — 1.

Bulletins d'interprétation [art. 191]: TVQ. 11.1-1/R1 — Présomption de résidence au Québec — Résident canadien ayant un établissement stable au Québec.

Lettres d'interprétation [art. 191]: 98-0103139 — CTI/RTI relatifs à des acquisitions avant la constitution d'une société; 04-0107500 — Demande d'interprétation — service découlant d'une garantie.

Concordance fédérale: LTA, Ann. VI:Partie V:13.

191.1 Définitions — Pour l'application de l'article 191.2, l'expression :

« accessoire fixe » signifie un dispositif utilisé pour tenir les biens en cours de fabrication pendant que les outils de travail sont en marche, mais qui n'est doté d'aucun système spécial pour guider les outils de travail;

Concordance fédérale: LTA, Ann. VI:Partie V:14(1)« accessoire fixe ».

« calibre » signifie un dispositif utilisé pour l'usinage de précision de biens en cours de fabrication, qui sert à retenir les biens solidement en place et à guider les outils à la position exacte;

Concordance fédérale: LTA, Ann. VI:Partie V:14(1)« calibre ».

« matrice » signifie une forme pleine ou creuse utilisée pour façonner des substances par l'estampage, l'emboutissage, le filage, l'étirage ou le filetage;

Concordance fédérale: LTA, Ann. VI:Partie V:14(1)« matrice ».

« moule » signifie une pièce creuse dans laquelle on verse des substances pour produire des biens de formes désirées;

Concordance fédérale: LTA, Ann. VI:Partie V:14(1)« moule ».

« outil » signifie un dispositif destiné aux machines de production ou à leurs dispositifs, qui sert à assembler ou à travailler des substances par tournage, fraisage, meulage, polissage, perçage, poinçonnage, alésage, profilage, cisaillement, emboutissage ou rabotage.

Concordance fédérale: LTA, Ann. VI:Partie V:14(1)« outil ».

Notes historiques: L'article 191.1 a été ajouté par L.Q. 1994, c. 22, art. 455(1) et est réputé entré en vigueur le 1er juillet 1992.

Définitions [art. 191.1]: « acquéreur », « bien », « contrepartie », « fourniture », « logement provisoire », « particulier », « personne » — 1.

Bulletins d'interprétation [art. 191.1]: TVQ. 11.1-1/R1 — Présomption de résidence au Québec — Résident canadien ayant un établissement stable au Québec.

Lettres d'interprétation [art. 191.1]: 99-0102774 — Interprétation en TPS et en TVQ — Fourniture de moules au profit d'un non-résident.

191.2 Accessoire fixe, calibre, matrice, moule et outil — Est détaxée la fourniture d'un bien qui est un accessoire fixe, un calibre, une matrice, un moule ou un outil ou d'un droit dans un tel bien effectuée à une personne qui ne réside pas au Québec et qui n'est pas inscrite en vertu de la section I du chapitre VIII au moment où la fourniture est effectuée, si le bien doit être utilisé directement dans la fabrication ou la production d'un bien meuble corporel pour la personne.

Notes historiques: L'article 191.2 a été ajouté par L.Q. 1994, c. 22, art. 455(1) et est réputé entré en vigueur le 1er juillet 1992.

Définitions [art. 191.2]: « acquéreur », « bien », « contrepartie », « entreprise », « fourniture », « fourniture détaxée », « inscrit », « logement provisoire », « personne », « taxe » — 1.

Renvois [art. 191.2]: 191.1 (définitions); 350.23.1 (« recettes d'expédition »).

Bulletins d'interprétation [art. 191.2]: TVQ. 11.1-1/R1 — Présomption de résidence au Québec — Résident canadien ayant un établissement stable au Québec.

Lettres d'interprétation [art. 191.2]: 99-0102774 — Interprétation en TPS et en TVQ — Fourniture de moules au profit d'un non-résident.

Concordance fédérale: LTA, Ann. VI:Partie V:14(2).

191.3 Gaz naturel — Est détaxée la fourniture de gaz naturel effectuée par une personne à un acquéreur qui n'est pas inscrit en vertu de la section I du chapitre VIII et qui a l'intention d'expédier le gaz hors du Québec par pipeline, si les conditions suivantes sont satisfaites :

1º l'acquéreur, soit expédie le gaz hors du Québec dans un délai raisonnable après qu'il lui soit délivré par le fournisseur du gaz, soit, dans le cas où il reçoit la fourniture d'un service à l'égard du gaz visé à l'article 191.3.3 pour une période, expédie par la suite le gaz hors du Québec dans un délai raisonnable après qu'il lui soit délivré à l'expiration de la période, compte tenu des circonstances entourant l'expédition hors du Québec et, le cas échéant, des pratiques commerciales normales de l'acquéreur;

LTVQ (français)

2º le gaz n'est pas acquis par l'acquéreur pour consommation ou utilisation au Québec, autrement que par un transporteur à titre de combustible ou de gaz de compression pour transporter le gaz par pipeline, ou pour fourniture au Québec, sauf pour fourniture de liquides de gaz naturel ou d'éthane visée à l'article 54.3, avant son expédition hors du Québec par l'acquéreur;

3º entre le moment où la fourniture est effectuée et celui de l'expédition hors du Québec, le gaz n'est pas davantage traité, transformé ou modifié au Québec, sauf dans la mesure raisonnablement nécessaire ou accessoire à son transport et sauf pour récupérer, à partir du gaz, des liquides de gaz naturel ou de l'éthane dans une installation de traitement secondaire;

4º la personne possède une preuve satisfaisante pour le ministre de l'expédition du gaz hors du Québec par l'acquéreur.

Notes historiques: Le passage de l'article 191.3 qui précède le paragraphe 4º a été remplacé par L.Q. 2001, c. 53, art. 309(1) et cette modification a effet à l'égard d'une fourniture de gaz naturel dont la contrepartie devient due après le 7 août 1998 ou est payée après cette date sans être devenue due. Toutefois, lorsque la partie qui précède le paragraphe 1º de l'article 191.3 s'applique à l'égard d'une fourniture effectuée avant le 30 novembre 1998, elle doit se lire sans tenir compte de « qui n'est pas inscrit en vertu de la section I du chapitre VIII et ». Antérieurement, ce passage se lisait ainsi :

> 191.3 Est détaxée la fourniture de gaz naturel effectuée par une personne à un acquéreur qui a l'intention de l'expédier hors du Québec par pipeline, si les conditions suivantes sont satisfaites :
>
> 1º l'acquéreur expédie le gaz hors du Québec dans un délai raisonnable après qu'il lui soit délivré par la personne, compte tenu des circonstances entourant l'expédition hors du Québec et, le cas échéant, des pratiques commerciales normales de l'acquéreur;
>
> 2º le gaz n'est pas acquis par l'acquéreur pour consommation, utilisation ou fourniture au Québec, sauf dans la mesure où il est utilisé par un transporteur à titre de combustible ou de gaz de compression pour transporter le gaz par pipeline, avant son expédition hors du Québec par l'acquéreur;
>
> 3º entre le moment où la fourniture est effectuée et celui où l'acquéreur expédie le gaz hors du Québec, le gaz n'est pas davantage traité, transformé ou modifié au Québec, sauf dans la mesure raisonnablement nécessaire ou accessoire à son transport;

L'article 191.3 a été ajouté par L.Q. 1994, c. 22, art. 455(1) et est réputé entré en vigueur le 1er juillet 1992.

Définitions [art. 191.3]: « acquéreur », « fourniture », « fourniture détaxée », « personne », « transporteur » — 1.

Bulletins d'interprétation [art. 191.3]: TVQ. 11.1-1/R1 — Présomption de résidence au Québec — Résident canadien ayant un établissement stable au Québec.

Concordance fédérale: LTA, Ann. VI:Partie V:15.

191.3.1 Produit transporté en continu — Les fournitures suivantes sont détaxées :

1º la fourniture d'un produit transporté en continu effectuée par un fournisseur — appelé « premier vendeur » dans le présent article — à une personne — appelée « premier acheteur » dans le présent article — qui n'est pas inscrite en vertu de la section I du chapitre VIII dans le cas où, à la fois :

a) le premier acheteur effectue une fourniture du produit à un inscrit et le lui délivre au Québec;

b) la totalité ou une partie de la contrepartie de la fourniture du produit par le premier acheteur à l'inscrit est constituée d'un bien de même catégorie ou de même type délivré au premier acheteur hors du Québec;

c) entre le moment où le produit est délivré au premier acheteur et celui où le produit est délivré par le premier acheteur à l'inscrit :

i. le premier acheteur n'utilise pas le produit sauf, dans le cas du gaz naturel, dans la mesure où il est utilisé par un transporteur à titre de combustible ou de gaz de compression pour transporter le gaz par pipeline;

ii. le produit n'est pas davantage traité, transformé ou modifié, sauf dans la mesure raisonnablement nécessaire ou accessoire à son transport et sauf, dans le cas du gaz naturel, pour récupérer à partir du gaz des liquides de gaz naturel ou de l'éthane dans une installation de traitement secondaire;

d) entre le moment où la fourniture par le premier vendeur est effectuée et celui où l'inscrit prend livraison du produit, le produit n'est pas transporté par un moyen autre que par un fil, un pipeline ou une autre canalisation;

e) le premier vendeur possède une preuve satisfaisante pour le ministre de la fourniture du produit par le premier acheteur à l'inscrit;

2º la fourniture d'un service, fourni par l'inscrit au premier acheteur, qui consiste à prendre les mesures en vue de l'échange du produit contre le bien de même catégorie ou de même type, ou à effectuer cet échange, si le premier acheteur est une personne qui ne réside pas au Québec.

Notes historiques: L'article 191.3.1 a été ajouté par L.Q. 2001, c. 53, art. 310(1) et s'applique à l'égard de la fourniture d'un produit transporté en continu délivré au Québec et à l'égard de la fourniture d'un service, dont la contrepartie devient due après le 7 août 1998 ou est payée après cette date sans être devenue due. Toutefois, en ce qui concerne une fourniture effectuée avant le 30 novembre 1998 :

> 1º le paragraphe 1º de l'article 191.3.1 doit se lire sans tenir compte de « qui n'est pas inscrite en vertu de la section I du chapitre VIII »;
>
> 2º le paragraphe 2º de l'article 191.3.1 doit se lire comme suit :
>
> > 2º la fourniture d'un service, fourni par l'inscrit au premier acheteur, qui consiste à prendre les mesures en vue de l'échange du produit contre le bien de même catégorie ou de même type, ou à effectuer cet échange, si le premier acheteur est une personne qui ne réside pas au Québec et qui n'est pas inscrite en vertu de la section I du chapitre VIII.

Renvois [art. 191.3.1]: 350.23.1 (« recettes d'expédition »).

Concordance fédérale: LTA, Ann. VI:Partie V:15.1.

191.3.2 Fourniture à un inscrit d'un produit transporté en continu — Est détaxée la fourniture donnée d'un produit transporté en continu effectuée par un fournisseur à un acquéreur qui est inscrit en vertu de la section I du chapitre VIII si l'acquéreur remet au fournisseur une déclaration écrite de son intention :

1º soit d'expédier le produit hors du Québec par fil, pipeline ou autre canalisation dans les circonstances décrites aux paragraphes 1º à 3º de l'article 191.3 dans le cas de gaz naturel ou dans celles décrites aux paragraphes 2º à 4º de l'article 179 dans les autres cas;

2º soit de fournir le produit dans les circonstances décrites aux sous-paragraphes a) à d) du paragraphe 1º de l'article 191.3.1.

Condition d'application — Le premier alinéa ne s'applique que si, dans le cas où l'acquéreur n'expédie pas ultérieurement le produit hors du Québec conformément au paragraphe 1º du premier alinéa ou ne le fournit pas ultérieurement conformément au paragraphe 2º du premier alinéa, le fournisseur ne savait pas et ne pouvait raisonnablement pas savoir que, au plus tard au dernier moment où la taxe à l'égard de la fourniture donnée aurait été payable si la fourniture n'avait pas été une fourniture détaxée, l'acquéreur n'expédierait pas ainsi le produit hors du Québec, ni ne le fournirait ainsi.

Notes historiques: Le préambule du premier alinéa de l'article 191.3.2 a été modifié par L.Q. 2011, c. 6, art. 247 par le remplacement des mots « à l'effet qu'il a l'intention » par les mots « de son intention ». Cette modification est entrée en vigueur le 6 juin 2011.

L'article 191.3.2 a été ajouté par L.Q. 2001, c. 53, art. 310(1) et s'applique à une fourniture effectuée après le 31 octobre 1998.

Notes explicatives ARQ (PL 5, L.Q. 2011, c. 6): *Résumé* :

L'article 191.3.2 simplifie l'obligation d'obtention et de conservation d'une preuve documentaire d'expédition hors du Québec à laquelle est soumis le fournisseur d'un « produit transporté en continu ». L'article 191.3.2 de la LTVQ est modifié pour y apporter une modification terminologique.

Situation actuelle :

L'article 191.3.2 simplifie l'obligation d'obtention et de conservation d'une preuve documentaire d'expédition hors du Québec à laquelle est soumis le fournisseur d'un « produit transporté en continu ».

Modifications proposées :

L'article 191.3.2 est modifié afin d'y apporter une modification terminologique.

Concordance fédérale: LTA, Ann. VI:Partie V:15.2.

191.3.3 Service de stockage de gaz naturel — Est détaxée la fourniture effectuée par une personne à un acquéreur qui ne réside pas au Québec et qui n'est pas inscrit en vertu de la section I du chapitre VIII d'un service consistant à stocker du gaz naturel pour une période, ou d'un service consistant à prendre pour une période l'excédent de gaz naturel de l'acquéreur, et à le lui retourner à la fin de la période dans le cas où, à la fois :

1º à la fin de la période, le gaz doit être délivré à l'acquéreur pour être expédié hors du Québec;

2º à la fin de la période, dans le cas où le gaz est exporté hors du Canada, l'acquéreur est titulaire d'une licence ou d'une ordonnance valide émise en vertu de la *Loi sur l'Office national de l'énergie* (L.R.C. 1985, c. N-6), qui l'autorise à exporter le gaz naturel;

3º il ne s'agit pas d'un cas où, au plus tard au dernier moment où la taxe à l'égard de la fourniture aurait été payable si la fourniture n'avait pas été une fourniture détaxée, la personne savait ou pouvait raisonnablement savoir soit :

a) que l'acquéreur n'expédierait pas le gaz hors du Québec dans un délai raisonnable après la fin de la période, compte tenu des circonstances entourant l'expédition hors du Québec et, le cas échéant, des pratiques commerciales normales de l'acquéreur;

b) que le gaz ne serait pas expédié hors du Québec, à la fois :

i. en une quantité équivalente à celle qui a été stockée ou prise, sauf une perte découlant de son utilisation par un transporteur à titre de combustible ou de gaz de compression pour transporter le gaz par pipeline;

ii. dans le même état, sauf celui résultant d'un traitement ou d'une modification dans une mesure raisonnablement nécessaire ou accessoire à son transport ou nécessaire à la récupération à partir du gaz des liquides de gaz naturel ou de l'éthane dans une installation de traitement secondaire.

Notes historiques: Le paragraphe 2º de l'article 191.3.3 a été modifié par L.Q. 2009, c. 15, art. 501 par le remplacement du mot « délivrée » par le mot « émise ». Cette modification est entrée en vigueur le 4 juin 2009.

L'article 191.3.3 a été ajouté par L.Q. 2001, c. 53, art. 310(1) et s'applique à l'égard de la fourniture d'un produit transporté en continu délivré au Québec et à l'égard de la fourniture d'un service, dont la contrepartie devient due après le 7 août 1998 ou est payée après cette date sans être devenue due.

Notes explicatives ARQ (PL 37, L.Q. 2009, c. 15): *Résumé* :

L'article 191.3.3 est modifié par le remplacement du mot « émis » par le mot « délivré ».

Situation actuelle :

L'article 191.3.3 de la LTVQ énumère les divers biens dont la fourniture est détaxée à titre d'appareil médical ou d'appareil fonctionnel.

Modifications proposées :

L'article 191.3.3 de la LTVQ fait l'objet d'une modification terminologique afin de tenir compte du contexte dans lequel les dérivés des mots « émission » et « délivrance » doivent être utilisés. En effet, pour des raisons de justesse du vocabulaire, il est plus approprié d'utiliser le terme « délivrance » et ses dérivés dans le contexte de l'article 191.3.3 de la LTVQ. De plus, cette modification vise à assurer l'uniformité terminologique ayant trait à l'harmonisation des régimes de la taxe de vente du Québec et de la taxe sur les produits et services.

Concordance fédérale: LTA, Ann. VI:Partie V:15.3.

191.3.4 Service de stockage d'électricité — Est détaxée la fourniture effectuée par un fournisseur à un acquéreur qui ne réside pas au Québec et qui n'est pas inscrit en vertu de la section I du chapitre VIII d'un service consistant à prendre pour une période l'excédent d'électricité de l'acquéreur et à le lui retourner à la fin de la période, ou d'un service consistant à reporter la délivrance de l'électricité fournie à l'acquéreur au début d'une période et jusqu'à la fin de celle-ci, dans le cas où, à la fois :

1º l'électricité est expédiée hors du Québec par le fournisseur ou l'acquéreur, à la fois :

a) en une quantité équivalente et dans le même état, sauf dans la mesure d'une consommation ou d'une modification raisonnablement nécessaire ou accessoire à son transport;

b) dans un délai raisonnable après la fin de la période, compte tenu des circonstances entourant l'expédition hors du Québec et, le cas échéant, des pratiques commerciales normales de l'expéditeur;

2º à la fin de la période, dans le cas où l'électricité est exportée hors du Canada, l'exigence prévue dans la *Loi sur l'Office national de l'énergie* (Lois révisées du Canada (1985), chapitre N-6), selon laquelle une licence, une ordonnance ou un permis valide délivré en vertu de cette loi doit être détenu pour l'exportation d'électricité, est satisfaite.

Notes historiques: L'article 191.3.4 a été ajouté par L.Q. 2001, c. 53, art. 310(1) et s'applique à l'égard de la fourniture d'un produit transporté en continu délivré au Québec et à l'égard de la fourniture d'un service, dont la contrepartie devient due après le 7 août 1998 ou est payée après cette date sans être devenue due.

Concordance fédérale: LTA, Ann. VI:Partie V:15.4.

191.4 Service de dépôt et de garde de titres ou de métaux précieux — La fourniture effectuée à une personne qui ne réside pas au Québec d'un service de dépôt et de garde des titres ou des métaux précieux de cette personne ou d'un service qui consiste à agir à titre de prête-nom relativement à ces titres ou à ces métaux précieux est détaxée.

Notes historiques: L'article 191.4 a été remplacé par L.Q. 1997, c. 85, art. 523(1) et cette modification s'applique à l'égard d'une fourniture effectuée après le 31 décembre 1996.

Antérieurement, cet article se lisait ainsi :

> 191.4 La fourniture effectuée à une personne qui ne réside pas au Québec d'un service de dépôt et de garde des titres de cette personne ou d'un service qui consiste à agir à titre de prête-nom relativement à ces titres est détaxée.

L'article 191.4 a été ajouté par L.Q. 1994, c. 22, art. 455(1) et est réputé entré en vigueur le 1er juillet 1992.

Définitions [art. 191.4]: « fourniture », « fourniture détaxée », « métal précieux », « personne » — 1.

Bulletins d'interprétation [art. 191.4]: TVQ. 11.1-1/R1 — Présomption de résidence au Québec — Résident canadien ayant un établissement stable au Québec.

Concordance fédérale: LTA, Ann. VI:Partie V:17.

191.5 Formation professionnelle. — La fourniture, effectuée à une personne qui ne réside pas au Québec, autre qu'un particulier, et qui n'est pas inscrite en vertu de la section I du chapitre VIII, consistant à donner à un particulier qui ne réside pas au Québec un service d'enseignement ou un examen y afférent menant à un certificat, à un diplôme, à un permis ou à un acte semblable ou à une classe ou à un grade conféré par un permis, attestant la compétence de ce particulier à exercer un métier, est détaxée.

Notes historiques: L'article 191.5 a été ajouté par L.Q. 1994, c. 22, art. 455(1) et est réputé entré en vigueur le 1er juillet 1992.

Définitions [art. 191.5]: « fourniture », « fourniture détaxée », « inscrit », « particulier », « personne » — 1.

Bulletins d'interprétation [art. 191.5]: TVQ. 11.1-1/R1 — Présomption de résidence au Québec — Résident canadien ayant un établissement stable au Québec.

Concordance fédérale: LTA, Ann. VI:Partie V:18.

191.6 Destruction ou mise au rebut de biens — La fourniture, effectuée à une personne qui ne réside pas au Québec et qui n'est pas inscrite en vertu de la section I du chapitre VIII, d'un service consistant à détruire ou à mettre au rebut un bien meuble corporel est détaxée.

Notes historiques: L'article 191.6 a été ajouté par L.Q. 1994, c. 22, art. 455(1) et est réputé entré en vigueur le 1er juillet 1992.

Définitions [art. 191.6]: « bien meuble corporel », « fourniture », « fourniture détaxée », « inscrit », « personne » — 1.

Bulletins d'interprétation [art. 191.6]: TVQ. 11.1-1/R1 — Présomption de résidence au Québec — Résident canadien ayant un établissement stable au Québec.

Lettres d'interprétation [art. 191.6]: 04-0108185 — Interprétation relative à la TPS/TVH — interprétation relative à la TVQ — destruction biologique de produits contaminés.

Concordance fédérale: LTA, Ann. VI:Partie V:19.

191.7 Démontage de biens — La fourniture, effectuée à une personne qui ne réside pas au Québec et qui n'est pas inscrite en vertu

LTVQ (français)

de la section I du chapitre VIII, d'un service consistant à démonter un bien dans le but de l'expédier hors du Québec est détaxée.

Notes historiques: L'article 191.7 a été ajouté par L.Q. 1994, c. 22, art. 455(1) et est réputé entré en vigueur le 1er juillet 1992.

Définitions [art. 191.7]: « bien », « fourniture », « fourniture détaxée », « inscrit », « personne », « service » — 1.

Bulletins d'interprétation [art. 191.7]: TVQ. 11.1-1/R1 — Présomption de résidence au Québec — Résident canadien ayant un établissement stable au Québec.

Concordance fédérale: LTA, Ann. VI:Partie V:20.

191.8 Service de mise à l'essai ou d'inspection — Est détaxée la fourniture, effectuée à une personne qui ne réside pas au Québec et qui n'est pas inscrite en vertu de la section I du chapitre VIII, d'un service de mise à l'essai ou d'inspection d'un bien meuble corporel qui est acquis ou apporté au Québec dans le seul but que le service soit exécuté et qui doit être détruit ou mis au rebut en cours d'exécution ou après l'exécution du service.

Notes historiques: L'article 191.8 a été ajouté par L.Q. 1994, c. 22, art. 455(1) et est réputé entré en vigueur le 1er juillet 1992.

Définitions [art. 191.8]: « bien meuble corporel », « fourniture », « fourniture détaxée », « inscrit », « personne », « service » — 1.

Bulletins d'interprétation [art. 191.8]: TVQ. 11.1-1/R1 — Présomption de résidence au Québec — Résident canadien ayant un établissement stable au Québec.

Concordance fédérale: LTA, Ann. VI:Partie V:21.

191.9 Service postal — Est détaxée la fourniture d'un service postal dans le cas où la fourniture est effectuée par un inscrit qui exploite une entreprise qui consiste à fournir des services postaux à une personne qui ne réside pas au Québec, qui n'est pas un inscrit et qui exploite une telle entreprise.

Notes historiques: L'article 191.9 a été remplacé par L.Q. 1997, c. 85, art. 524(1) et cette modification s'applique à l'égard d'une fourniture effectuée après le 23 avril 1996. Auparavant, cet article se lisait ainsi :

> 191.9 Est détaxée la fourniture d'un service à l'égard d'un service postal ou d'un service de télécommunication dans le cas où la fourniture est effectuée par un inscrit qui exploite une entreprise qui consiste à fournir des services postaux ou de télécommunication à une personne qui ne réside pas au Québec, qui n'est pas un inscrit et qui exploite une telle entreprise.

L'article 191.9 a été ajouté par L.Q. 1994, c. 22, art. 455(1) et s'applique à l'égard de la fourniture d'un service dont l'exécution débute après le 9 juin 1993.

Définitions [art. 191.9]: « entreprise », « fourniture », « fourniture détaxée », « inscrit », « personne » — 1.

Renvois [art. 191.9]: 185 (fourniture d'un service à un non-résident du Québec).

Bulletins d'interprétation [art. 191.9]: TVQ. 11.1-1/R1 — Présomption de résidence au Québec — Résident canadien ayant un établissement stable au Québec; TVQ. 16-20/R1 — La taxe de vente du Québec et les fournisseurs de services d'accès au réseau Internet.

Concordance fédérale: LTA, Ann. VI:Partie V:22.

191.9.1 Service de télécommunication — Est détaxée la fourniture d'un service de télécommunication dans le cas où la fourniture est effectuée par un inscrit qui exploite une entreprise qui consiste à fournir des services de télécommunication à une personne qui ne réside pas au Québec, qui n'est pas un inscrit et qui exploite une telle entreprise, à l'exclusion de la fourniture d'un service de télécommunication si la télécommunication est émise et reçue au Québec.

Notes historiques: L'article 191.9.1 a été ajouté par L.Q. 1997, c. 85, art. 525(1) et s'applique à l'égard d'une fourniture effectuée après le 23 avril 1996. L'article 191.9.1 s'applique également à l'égard d'une fourniture effectuée avant le 24 avril 1996 sauf si, selon le cas :

> a) le fournisseur n'a pas exigé ou perçu, avant le 24 avril 1996, un montant au titre de la taxe prévue au titre I à l'égard de la fourniture;
>
> b) le fournisseur a exigé ou perçu un montant au titre de la taxe en vertu du titre I à l'égard de la fourniture et, avant le 23 avril 1996, le ministre du Revenu a reçu une demande en vertu de l'article 401 pour un remboursement à l'égard de ce montant ou une déclaration en vertu du chapitre VIII du titre I dans laquelle le fournisseur a demandé une déduction à l'égard du redressement, du remboursement ou du crédit du montant en vertu de l'article 447.

Définitions [art. 191.9.1]: « entreprise », « fourniture », « inscrit », « personne », « service de télécommunication », « télécommunication » — 1.

Renvois [art. 191.9.1]: 138.4 (aliments et boissons).

Bulletins d'interprétation [art. 191.9.1]: TVQ. 11.1-1/R1 — Présomption de résidence au Québec — Résident canadien ayant un établissement stable au Québec; TVQ. 16-20/R1 — La taxe de vente du Québec et les fournisseurs de services d'accès au réseau Internet; TVQ. 22.26-1 — Les services de conception et d'hébergement d'un site Web et la taxe de vente du Québec (TVQ).

Lettres d'interprétation [art. 191.9.1]: 99-0104218 — Interprétation relative à la TPS — Interprétation relative à la TVQ — Hébergement / conception d'un site Web; 99-0109159 — Interprétation relative à la TPS / TVH — Interprétation relative à la TVQ — Conception / hébergement d'un site Web; 04-0106379 — Interprétation relative à la TPS/TVH — interprétation relative à la TVQ — service de diffusion sur Internet.

Concordance fédérale: LTA, Ann. VI:Partie V:22.1.

191.10 Service de conseil, de consultation ou professionnel — Est détaxée la fourniture d'un service de conseil, de consultation ou professionnel effectuée à une personne qui ne réside pas au Québec, à l'exclusion de la fourniture :

1º d'un service rendu à un particulier en relation avec une instance criminelle, civile ou administrative tenue au Québec à l'exception d'un service rendu avant le début d'une telle instance;

2º d'un service relatif à un immeuble situé au Québec;

3º d'un service à l'égard d'un bien meuble corporel qui est situé au Québec au moment où le service est exécuté;

4º d'un service qui consiste à agir à titre de mandataire de la personne ou à faire passer des commandes en vue de fournitures à effectuer par la personne ou à celle-ci, à obtenir de telles commandes ou à faire des démarches pour en obtenir.

Notes historiques: Le paragraphe 4º de l'article 191.10 a été remplacé par L.Q. 1997, c. 85, art. 526(1) et cette modification s'applique à l'égard d'une fourniture effectuée après le 23 avril 1996. Antérieurement, ce paragraphe se lisait ainsi :

> 4º d'un service qui consiste à agir à titre de mandataire de la personne.

L'article 191.10 a été ajouté par L.Q. 1994, c. 22, art. 455(1) et s'applique à l'égard de la fourniture d'un service dont l'exécution débute après le 9 juin 1993.

Définitions [art. 191.10]: « bien meuble corporel », « fourniture », « fourniture détaxée », « particulier », « personne », « service » — 1.

Bulletins d'interprétation [art. 191.10]: TVQ. 11.1-1/R1 — Présomption de résidence au Québec — Résident canadien ayant un établissement stable au Québec; TVQ. 185-4R2 — Service de traduction rendu à une personne qui ne réside pas au Québec; TVQ. 191.10-1 — Service professionnel de traduction rendu à une personne qui ne réside pas au Québec.

Jurisprudence [art. 191.10]: *Chicoine c. Québec (Sous-ministre du Revenu)* (2 juillet 2003), 200-32-028744-026, 2003 CarswellQue 3429.

Lettres d'interprétation [art. 191.10]: 98-0107668 — Interprétation relative à la TPS — Interprétation relative à la TVQ — Service de recherche médicale; 98-0108880 — Interprétation en TPS et en TVQ — Fourniture de services professionnels au profit de non-résidents; 01-0105666 — Interprétation relative à la TPS et à la TVQ; 01-0106938 — Interprétation en TPS et en TVQ — Services de consultation en informatique.

Concordance fédérale: LTA, Ann. VI:Partie V:23.

191.11 Maison mobile et maison flottante — Pour l'application de la présente section, une maison flottante et une maison mobile qui n'est pas fixée à un fonds de terre sont réputées être des biens meubles corporels et ne pas être des immeubles.

Notes historiques: L'article 191.11 a été ajouté par L.Q. 1994, c. 22 art. 455(1) et est réputé entré en vigueur le 1er juillet 1992.

Définitions [art. 191.11]: « bien meuble corporel », « maison flottante », « maison mobile » — 1.

Bulletins d'interprétation [art. 191.11]: TVQ. 11.1-1/R1 — Présomption de résidence au Québec — Résident canadien ayant un établissement stable au Québec.

Concordance fédérale: LTA, Ann. VI:Partie V:24.

SECTION VI — SERVICE AU VOYAGEUR

192. Partie détaxée d'un voyage organisé — La fourniture de la partie d'un voyage organisé qui n'en constitue pas la partie taxable est détaxée.

Application de l'article 63 — L'article 63 s'applique au présent article.

Notes historiques: L'article 192 a été édicté par L.Q. 1991, c. 67.

Définitions [art. 192]: « fourniture », « fourniture détaxée » — 1.

Renvois [art. 192]: 63–66 (définitions, parties taxable et non taxable d'un voyage organisé).

Bulletins d'interprétation [art. 192]: TVQ. 192.1-2 — Détaxation de certains forfaits hôteliers et abolition de la détaxation de ces forfaits — application aux séjours dans les camps de vacances.

Concordance fédérale: LTA, Ann. VI:Partie VI:1.

SECTION VI.1 — [ABROGÉE]

Notes historiques: La section VI.1 a été abrogée par L.Q. 1997, c. 14, art. 335 et cette abrogation a effet à l'égard d'une fourniture effectuée à compter du 1er avril 1997. Toutefois, elle ne s'applique pas à l'égard de la fourniture d'un forfait hôtelier admissible qui a déjà fait l'objet d'une fourniture détaxée avant cette date. L'intertitre a été ajouté par L.Q. 1995, c. 1, art. 279(1) et il se lisait antérieurement, comme suit : *« Forfait hôtelier »*

192.1 [*Abrogé*]

Notes historiques: L'article 192.1 a été abrogé par L.Q. 1997, c. 14, art. 335 et cette abrogation a effet à l'égard d'une fourniture effectuée à compter du 1er avril 1997. Toutefois, elle ne s'applique pas à l'égard de la fourniture d'un forfait hôtelier admissible qui a déjà fait l'objet d'une fourniture détaxée avant cette date. Antérieurement, il se lisait comme suit :

192.1 Pour l'application de la présente section, l'expression :

« forfait admissible » signifie les biens suivants fournis ensemble par une personne à un acquéreur pour une contrepartie unique :

1° un logement provisoire situé au Québec, autre qu'un logement dont la fourniture est exonérée, qui est mis à la disposition de l'acquéreur au cours d'une période de deux jours ou plus pour chacune des nuits de laquelle un tel logement fourni par la personne est mis à la disposition de l'acquéreur;

2° un repas destiné à être servi au Québec à un particulier occupant le logement provisoire, au cours de la période de deux jours ou plus pour chacun desquels, mais pas nécessairement du premier, deux ou trois repas fournis par la personne sont destinés à être servis à chacun des particuliers occupant le logement provisoire;

3° le cas échéant, un repas destiné à être servi au Québec le jour qui suit le dernier jour de la période de deux jours ou plus à un particulier ayant occupé le logement provisoire au cours de cette période;

« logement provisoire » a le sens que lui donne l'article 353.6;

« repas » signifie le déjeuner, le brunch, le dîner ou le souper;

« voyage organisé » a le sens que lui donne l'article 353.6.

Cet article a été ajouté par L.Q. 1995, c. 1, art. 279 et s'applique à l'égard d'une fourniture effectuée après le 31 janvier 1994.

192.2 [*Abrogé*]

Notes historiques: L'article 192.2 a été abrogé par L.Q. 1997, c. 14, art. 335 et cette abrogation a effet à l'égard d'une fourniture effectuée à compter du 1er avril 1997. Toutefois, elle ne s'applique pas à l'égard de la fourniture d'un forfait hôtelier admissible qui a déjà fait l'objet d'une fourniture détaxée avant cette date. Auparavant, l'article 192.2 a été ajouté par L.Q. 1995, c. 1, art. 279(1) et s'applique à l'égard d'une fourniture effectuée après le 31 janvier 1994. Il se lisait comme suit :

192.2 Est détaxée la fourniture d'un forfait admissible effectuée par un inscrit à un acquéreur si, à la fois :

1° la contrepartie unique de la fourniture du forfait admissible est indiquée séparément, sur toute facture relative à la fourniture de façon à n'être confondue avec aucune autre contrepartie, le cas échéant;

2° dans le cas où l'acquéreur de la fourniture du forfait admissible ne réside pas au Québec, n'est pas inscrit en vertu de la section I du chapitre VIII et acquiert le forfait admissible dans le cours normal de son entreprise qui consiste à effectuer la fourniture de logements provisoires ou de voyages organisés :

a) l'acquéreur remet à l'inscrit une déclaration à l'effet qu'il ne réside pas au Québec, qu'il n'est pas inscrit en vertu de la section I du chapitre VIII et qu'il s'engage à ne fournir les biens compris dans le forfait admissible que sous forme de forfait admissible et qu'à une personne qui ne réside pas au Québec et qui n'exploite pas une entreprise qui consiste à effectuer la fourniture de logements provisoires ou de voyages organisés;

b) toute facture relative à la fourniture du forfait admissible indique que l'acquéreur a remis à l'inscrit la déclaration prévue au sous-paragraphe a);

3° dans le cas où, en faisant abstraction de l'article 356, l'acquéreur aurait eu droit au remboursement prévu aux articles 354 ou 354.1 s'il avait payé la taxe à l'égard du logement provisoire compris dans le forfait admissible et s'il avait satisfait aux conditions prévues à l'article 357, toute facture relative à la fourniture du forfait admissible indique clairement que le logement provisoire est compris dans un forfait admissible dont la fourniture est détaxée en vertu du présent article.

SECTION VII — SERVICE DE TRANSPORT

193. Définitions — Pour l'application de la présente section, l'expression :

« destination », à l'égard d'un service continu de transport de marchandises, signifie un endroit, précisé par l'expéditeur d'un bien, où la possession du bien est transférée au consignataire ou au destinataire désigné par l'expéditeur;

Notes historiques: La définition du mot « destination » à l'article 193 a été édictée par L.Q. 1991, c. 67.

Concordance fédérale: LTA, Ann. VI:Partie VII:1(1)« destination ».

« destination finale » d'un voyage continu signifie l'endroit où se termine le dernier service de transport de passagers compris dans le voyage continu;

Notes historiques: La définition de « destination finale » à l'article 193 a été édictée par L.Q. 1991, c. 67.

Concordance fédérale: LTA, Ann. VI:Partie VII:1(1)« destination finale ».

« escale », à l'égard du voyage continu d'un particulier ou d'un groupe de particuliers, signifie tout endroit où le particulier ou le groupe monte dans un moyen de transport utilisé pour la prestation d'un service de transport de passagers compris dans le voyage continu, ou en descend, pour toute raison autre que le transfert à un autre moyen de transport, l'entretien ou le réapprovisionnement en carburant du moyen de transport;

Notes historiques: La définition du mot « escale » à l'article 193 a été édictée par L.Q. 1991, c. 67.

Concordance fédérale: LTA, Ann. VI:Partie VII:1(1)« escale ».

« expéditeur » d'un bien meuble corporel signifie la personne qui, à l'égard d'un service continu de transport de marchandises ou d'un service continu de transport de marchandises vers l'extérieur, transfère la possession du bien expédié à un transporteur au point d'origine du service mais, pour plus de certitude, ne comprend pas une personne qui est un transporteur du bien faisant l'objet du service;

Notes historiques: La définition du mot « expéditeur » à l'article 193 a été édictée par L.Q. 1991, c. 67.

Concordance fédérale: LTA, Ann. VI:Partie VII:1(1)« expéditeur ».

« point hors du Canada », à l'égard d'un service de transport de marchandises, comprend à un moment donné un endroit au Canada si, à ce moment, le bien transporté a été importé mais n'a pas été dédouané, au sens de la *Loi sur les douanes* (Lois révisées du Canada (1985), chapitre 1, 2e supplément), et que le transport de ce bien est conforme à cette loi ou à toute autre loi fédérale qui interdit, contrôle ou réglemente l'importation de marchandises, au sens de la *Loi sur les douanes*;

Notes historiques: La définition de « point hors Canada » à l'article 193 a été édictée par L.Q. 1991, c. 67.

Concordance fédérale: LTA, Ann. VI:Partie VII:1(1)« point à l'étranger ».

« point d'origine » signifie :

1° à l'égard d'un service continu de transport de marchandises, l'endroit où le premier transporteur prend possession du bien transporté dans le cadre du service;

2° à l'égard d'un voyage continu, l'endroit où commence le premier service de transport de passagers compris dans le voyage continu;

Notes historiques: La définition de « point d'origine » à l'article 193 a été édictée par L.Q. 1991, c. 67.

Concordance fédérale: LTA, Ann. VI:Partie VII:1(1)« point d'origine ».

« service continu de transport de marchandises » signifie le transport d'un bien meuble corporel par un ou plusieurs transporteurs à une destination précisée par l'expéditeur du bien, si tous les services de transport de marchandises fournis par les transporteurs font suite aux instructions données par l'expéditeur;

Notes historiques: La définition de « service continu de transport de marchandises » à l'article 193 a été édictée par L.Q. 1991, c. 67.

Concordance fédérale: LTA, Ann. VI:Partie VII:1(1)« service continu de transport de marchandises ».

LTVQ (français)

« service continu de transport de marchandises vers l'extérieur » signifie le transport d'un bien meuble corporel par un ou plusieurs transporteurs d'un endroit au Québec, soit à un endroit hors du Québec, soit à un autre endroit au Québec d'où le bien doit être emporté hors du Québec, si, entre le moment où l'expéditeur du bien en transfère la possession à un transporteur et celui où il est emporté hors du Québec, le bien n'est pas davantage traité, transformé ou modifié au Québec, sauf dans la mesure raisonnablement nécessaire ou accessoire à son transport et sauf, dans le cas de gaz naturel transporté par pipeline, en vue de récupérer des liquides de gaz naturel ou de l'éthane à partir de gaz naturel dans une installation de traitement secondaire;

Notes historiques: La définition de « service continu de transport de marchandises vers l'extérieur » à l'article 193 a été remplacée par L.Q. 2001, c. 53, art. 311(1) et cette modification a effet depuis le 7 août 1998 et s'applique à l'égard de la fourniture d'un service de transport dont la contrepartie devient due après cette date ou est payée après cette date sans être devenue due. Antérieurement, elle se lisait ainsi :

> « service continu de transport de marchandises vers l'extérieur » signifie le transport d'un bien meuble corporel par un ou plusieurs transporteurs d'un endroit au Québec, soit à un endroit hors du Québec, soit à un autre endroit au Québec d'où le bien doit être emporté hors du Québec, si, entre le moment où l'expéditeur du bien en transfère la possession à un transporteur et celui où il est emporté hors du Québec, le bien n'est pas davantage traité, transformé ou modifié au Québec, sauf dans la mesure raisonnablement nécessaire à son transport;

La définition de « service continu de transport de marchandises vers l'extérieur » à l'article 193 a été édictée par L.Q. 1991, c. 67.

Concordance fédérale: LTA, Ann. VI:Partie VII:1(1)« service continu de transport de marchandises vers l'étranger ».

« service de transport de marchandises » signifie le service de transport d'un bien meuble corporel et, pour plus de certitude, comprend un service de livraison du courrier et tout autre bien ou service fourni à l'acquéreur du service de transport par la personne qui fournit celui-ci, si l'autre bien ou service fait partie du service de transport ou y est accessoire, indépendamment du fait que des frais distincts soient exigés pour ce bien ou ce service, mais ne comprend pas un service offert par le fournisseur d'un service de transport de passagers qui consiste à transporter les bagages d'un particulier dans le cadre du service de transport de passagers;

Notes historiques: La définition de « service de transport de marchandises » à l'article 193 a été édictée par L.Q. 1991, c. 67.

Concordance fédérale: LTA, Ann. VI:Partie VII:1(1)« service de transport de marchandises ».

« transporteur » (*définition supprimée*);

Notes historiques: La définition de « transporteur » à l'article 193 a été supprimée par L.Q. 1994, c. 22, art. 456(1) rétroactivement au 1er juillet 1992. La définition de « transporteur » à l'article 193, édictée par L.Q. 1991, c. 67, se lisait comme suit :

> « transporteur » signifie une personne qui fournit un service de transport de marchandises;

« vol extérieur » (*définition supprimée*);

Notes historiques: La définition de « vol extérieur » à l'article 193 a été supprimée par L.Q. 1997, c. 85, art. 527(1) et cette modification a effet depuis le 24 avril 1996.

La définition de « vol extérieur » à l'article 193, édictée par L.Q. 1991, c. 67, se lisait ainsi :

> « vol extérieur » signifie tout vol d'un aéronef, sauf celui qui commence et se termine au Québec, effectué par une personne dans le cadre de l'exploitation d'une entreprise qui consiste à fournir des services de transport aérien de passagers;

« voyage continu » d'un particulier ou d'un groupe de particuliers signifie l'ensemble des services de transport de passagers offerts au particulier ou au groupe pour lesquels :

1° soit un seul billet ou une seule pièce justificative est délivré;

2° soit plusieurs billets ou pièces justificatives sont délivrés pour plusieurs étapes d'un même voyage, sans escale entre les étapes visées par les billets ou les pièces justificatives distincts délivrés par le même fournisseur ou par plusieurs fournisseurs par l'intermédiaire d'un mandataire agissant en leur nom si, selon le cas :

a) tous les billets ou les pièces justificatives sont délivrés au même moment et que le fournisseur ou le mandataire possède une preuve, satisfaisante pour le ministre, que les étapes du voyage, visées par les billets ou les pièces justificatives distincts, se font sans escale;

b) les billets ou les pièces justificatives sont délivrés à des moments différents et que le fournisseur ou le mandataire présente une preuve, satisfaisante pour le ministre, que les étapes du voyage, visées par les billets ou les pièces justificatives distincts, se font sans escale.

Notes historiques: La définition de « voyage continu » à l'article 193 a été édictée par L.Q. 1991, c. 67.

Concordance fédérale: LTA, Ann. VI:Partie VII:1(1)« voyage continu ».

Guides [art. 193]: IN-218 — La TVQ, la TPS/TVH, la taxe sur les carburants et les transporteurs de marchandises.

Définitions [art. 193]: « acquéreur », « bien », « bien meuble corporel », « entreprise », « fournisseur », « particulier », « personne », « service », « transporteur » — 1.

Renvois [art. 193]: 22.16 (définitions); 24.2 (fourniture d'un service de transport de marchandises); 32.5 (fourniture d'un service de transport de marchandises); 188.1 (fourniture d'un bien meuble incorporel).

Lettres d'interprétation [art. 193]: 01-0109122 — Service d'escorte routière; 07-0104609 — Service continu de transport de marchandises.

194. Services de transport de passagers — Les fournitures suivantes sont détaxées :

1° la fourniture d'un service de transport de passagers qui est offert à un particulier ou à un groupe de particuliers et qui fait partie d'un voyage continu du particulier ou du groupe si, selon le cas :

a) le point d'origine du voyage continu, sa destination finale ou une escale qui en fait partie est situé hors du Canada;

b) (*sous-paragraphe supprimé*);

c) le point d'origine du voyage continu est situé au Québec, sa destination finale est située au Canada hors du Québec et, au moment où le voyage commence, il est prévu que le particulier ou le groupe descende du moyen de transport utilisé pour la prestation du service à un endroit situé hors du Canada, afin d'y effectuer le transfert à un autre moyen de transport utilisé pour la prestation du service;

d) (*sous-paragraphe supprimé*);

2° la fourniture de l'un des services suivants effectuée par une personne dans le cadre de la fourniture par celle-ci d'un service de transport de passagers visé au paragraphe 1° :

a) un service qui consiste à transporter les bagages d'un particulier;

b) un service qui consiste à surveiller un enfant non accompagné;

3° (*paragraphe supprimé*);

4° la fourniture par une personne d'un service qui consiste à délivrer, à livrer, à modifier, à remplacer ou à annuler un billet, une pièce justificative ou une réservation relatif à la fourniture par cette personne d'un service de transport de passagers qui serait visé au paragraphe 1°, s'il était effectué conformément à la convention relative à cette fourniture;

5° la fourniture effectuée à une personne d'un service qui consiste à effectuer à titre de mandataire de la personne et pour son compte une fourniture d'un service qui serait visé au paragraphe 1°, s'il était effectué conformément à la convention relative à cette fourniture.

Notes historiques: Le sous-paragraphe b) du paragraphe 1° de l'article 194 a été suppprimé par L.Q. 1997, c. 85, art. 528(1)(1°) et cette modification s'applique à l'égard de la fourniture d'un service de transport effectuée après le 31 mars 1997. Antérieurement, ce sous-paragraphe se lisait ainsi :

> b) le point d'origine du voyage continu est situé au Canada hors du Québec;

Le sous-paragraphe d) du paragraphe 1° de l'article 194 a été supprimé par L.Q. 2011, c. 1, par. 136(1) et cette modification s'applique à l'égard de la fourniture d'un service de transport effectuée après le 30 juin 2010. Antérieurement, il se lisait ainsi :

> d) le voyage continu commence à l'aéroport de Gatineau par un service de transport aérien et la destination finale du voyage est située au Canada;

Le sous-paragraphe d) du paragraphe 1° de l'article 194 a été ajouté par L.Q. 1993, c. 19, art. 186 et s'applique à l'égard d'une fourniture ou d'un apport au Québec relativement auquel l'article 685 ou l'un des articles 618 à 656 de L.Q. 1991, c. 67 s'applique

[*N.D.L.R.* : les articles 685 et 618 à 656 réfèrent à des dispositions transitoires concernant les transferts avant le 1er juillet 1992].

Le paragraphe 2° de l'article 194 a été remplacé par L.Q. 2001, c. 53, art. 312(1)(1°) et cette modification s'applique s'applique à l'égard de la fourniture d'un service lié à un service de transport de passagers si la totalité de la contrepartie de la fourniture devient due après le 31 décembre 1999 ou est payée après le 31 décembre 1999 sans être devenue due. Antérieurement, il se lisait ainsi :

2° la fourniture, effectuée par le fournisseur d'un service de transport de passagers visé au paragraphe 1°, d'un service qui consiste à transporter les bagages d'un particulier dans le cadre du service de transport de passagers, pour une contrepartie distincte de celle de ce dernier service;

Le paragraphe 3° de l'article 194 a été suppprimé par L.Q. 1997, c. 85, art. 528(1)(2°) et cette modification s'applique à une fourniture effectuée après le 23 avril 1996. Antérieurement, ce paragraphe se lisait ainsi :

3° la fourniture d'un bien meuble corporel ou d'un service effectuée par une personne, dans le cadre d'une entreprise qui consiste à effectuer des fournitures de services de transport de passagers, à un particulier à bord d'un aéronef lors d'un vol extérieur, si le bien est délivré à bord de l'aéronef, ou que le service y est entièrement exécuté.

Les paragraphes 4° et 5° de l'article 194 ont été ajoutés par L.Q. 2001, c. 53, art. 312(1)(2°) et s'appliquent à l'égard de la fourniture d'un service lié à un service de transport de passagers si la totalité de la contrepartie de la fourniture devient due après le 31 décembre 1999 ou est payée après le 31 décembre 1999 sans être devenue due.

L'article 194 a été édicté par L.Q. 1991, c. 67.

Notes explicatives du ARQ (PL 117, L.Q. 2010, c. 1): *Résumé* :

La modification apportée à l'article 194 consiste à supprimer le sous-paragraphe d) du paragraphe 1°.

Situation actuelle :

Le régime de la taxe de vente du Québec (TVQ) prévoit que la fourniture d'un service de transport de passagers qui fait partie d'un voyage continu dont le point d'origine est situé au Québec et la destination finale est située au Canada est généralement taxable.

Toutefois, le sous-paragraphe d) du paragraphe 1° de l'article 194 prévoit la détaxation d'un tel service si le voyage continu commence à l'aéroport de Gatineau par un service de transport aérien et la destination finale du voyage est située au Canada.

Cette mesure a été prévue pour éviter un déplacement des voyageurs de l'aéroport de Gatineau vers celui d'Ottawa en raison de la non-taxation des services de passagers par la province de l'Ontario, avant le 1er juillet 2010.

Modifications proposées :

La modification apportée à l'article 194 consiste à supprimer le sous-paragraphe d du paragraphe 1° compte tenu de l'adhésion de la province de l'Ontario au régime de la taxe de vente harmonisée lequel prévoit, tout comme le régime de la TVQ, que la fourniture d'un service de transport de passagers qui fait partie d'un voyage continu dont le point d'origine est situé dans une province et la destination finale est située au Canada est généralement taxable.

Guides [art. 194]: IN-203 — Renseignements généraux sur la TVQ et la TPS/TVH; IN-307 — Le démarrage d'entreprise et la fiscalité.

Définitions [art. 194]: « bien meuble corporel », « contrepartie » — 1; « destination finale », « escale » — 193; « entreprise », « fournisseur », « fourniture », « fourniture détaxée », « particulier », « personne » — 1; « point d'origine » — 193; « service » — 1; « vol extérieur », « voyage continu » — 193.

Renvois [art. 194]: 188.1 (fourniture d'un bien meuble incorporel); 195 (application).

Lettres d'interprétation [art. 194]: 00-0102525 — Interprétation relative à la TPS et à la TVQ [à l'égard des commissions versées aux agences de voyage]; 02-0109930 — Interprétation relative à la TPS/TVH — interprétation relative à la TVQ — agences de voyage; 03-0109930 — Interprétation relative à la TVQ — Mandataire pour la fourniture d'un service de transport de passagers; 04-0103442 — Interprétation relative à la TPS/TVH — interprétation relative à la TVQ — agences de voyage.

Concordance fédérale: LTA, Ann. VI:Partie VII:2–4.

195. Exception — Le paragraphe 1° de l'article 194 ne s'applique pas à l'égard d'un service de transport de passagers qui fait partie d'un voyage continu ne comprenant pas de transport aérien, si le point d'origine et la destination finale sont situés au Québec et, qu'au moment où le voyage commence, il n'est pas prévu qu'au cours de celui-ci le particulier ou le groupe soit hors du Canada pour une période ininterrompue d'au moins vingt-quatre heures.

Notes historiques: L'article 195 a été édicté par L.Q. 1991, c. 67.

Définitions [art. 195]: « destination finale » — 193; « particulier » — 1; « point d'origine », « voyage continu » — 193.

Renvois [art. 195]: 188.1 (fourniture d'un bien meuble incorporel).

Concordance fédérale: LTA, Ann. VI:Partie VII:2.

196. Services de transport de marchandises — Pour l'application de la présente section, dans le cas où plusieurs transporteurs fournissent des services de transport de marchandises dans le cadre d'un service continu de transport de marchandises et que l'expéditeur ou le consignataire du bien est tenu, en vertu du contrat de factage relatif au service continu, de payer à un de ces transporteurs un montant qui représente la totalité ou une partie de la contrepartie des services de transport de marchandises fournis par l'ensemble de ceux-ci, les règles suivantes s'appliquent :

1° le transporteur auquel le montant doit être payé est réputé avoir effectué la fourniture d'un service de transport de marchandises ayant la même destination que le service continu de transport de marchandises à l'expéditeur ou au consignataire, selon le cas, pour une contrepartie égale à ce montant, indépendamment du fait que celui-ci comprenne un montant payé à ce transporteur à titre de mandataire d'un des autres transporteurs;

2° l'expéditeur ou le consignataire, selon le cas, est réputé avoir reçu la fourniture d'un service de transport de marchandises du transporteur auquel le montant doit être payé pour une contrepartie égale à ce montant et ne pas avoir reçu un service de transport de marchandises d'un des autres transporteurs;

3° dans la mesure où une partie du montant est payée par un des transporteurs — appelé « premier transporteur » dans le présent paragraphe — à un autre des transporteurs, le premier transporteur est réputé être l'acquéreur des services de transport de marchandises fournis par les autres transporteurs relativement au service continu de transport de marchandises et, dans la même mesure, les autres transporteurs sont réputés avoir fourni ces services de transport de marchandises au premier transporteur et non à l'expéditeur ou au consignataire.

Notes historiques: Le paragraphe 1° de l'article 196 a été remplacé par L.Q. 1997, c. 85, art. 529(1) et cette modification a effet depuis le 1er avril 1997.

Antérieurement, ce paragraphe se lisait ainsi :

1° le transporteur auquel le montant doit être payé est réputé avoir effectué la fourniture d'un service de transport de marchandises à l'expéditeur ou au consignataire, selon le cas, pour une contrepartie égale à ce montant, indépendamment du fait que celui-ci comprenne un montant payé à ce transporteur à titre de mandataire d'un des autres transporteurs;

L'article 196 a été édicté par L.Q. 1991, c. 67.

Guides [art. 196]: IN-203 — Renseignements généraux sur la TVQ et la TPS/TVH; IN-218 — La TVQ, la TPS/TVH, la taxe sur les carburants et les transporteurs de marchandises; IN-307 — Le démarrage d'entreprise et la fiscalité.

Définitions [art. 196]: « acquéreur », « bien », « contrepartie » — 1; « expéditeur » — 193; « fourniture », « fourniture détaxée », « montant », « service » — 1; « service continu de transport de marchandises », « service de transport de marchandises » — 193; « transporteur » — 1.

Renvois [art. 196]: 188.1 (fourniture d'un bien meuble incorporel).

Concordance fédérale: LTA, Ann. VI:Partie VII:1(2).

197. Services de transport de marchandises — Les fournitures suivantes sont détaxées :

1° la fourniture d'un service de transport de marchandises à l'égard du transport d'un bien meuble corporel d'un endroit au Québec à un endroit hors du Canada, si la valeur de la contrepartie de la fourniture est d'au moins 5 $;

2° la fourniture d'un service de transport de marchandises effectuée par un transporteur à l'égard du transport d'un bien meuble corporel entre deux endroits au Québec si, à la fois :

a) l'expéditeur du bien remet au transporteur une déclaration, au moyen du formulaire prescrit, l'informant que le bien est destiné à être expédié hors du Québec et que le service de transport de marchandises devant être fourni par le transporteur fait partie d'un service continu de transport de marchandises vers l'extérieur relatif au bien, sauf si celui-ci est destiné à être expédié au Canada;

b) le bien est emporté hors du Québec et le service fait partie d'un service continu de transport de marchandises vers l'extérieur relatif au bien;

LTVQ (français)

c) la valeur de la contrepartie de la fourniture est d'au moins 5 $;

3° (*paragraphe supprimé*);

4° la fourniture d'un service de transport de marchandises à l'égard du transport d'un bien meuble corporel d'un point hors du Canada à un endroit au Québec;

5°, 5.1° (*paragraphes supprimés*);

6° la fourniture d'un service de transport de marchandises, d'un endroit au Canada à un endroit au Québec, qui fait partie d'un service continu de transport de marchandises d'un point d'origine hors du Canada à une destination au Québec, si le fournisseur du service possède une preuve documentaire, satisfaisante pour le ministre, que le service fait partie d'un service continu de transport de marchandises d'un point d'origine hors du Canada à une destination au Québec;

7° la fourniture d'un service de transport de marchandises effectuée par un transporteur du bien transporté à un autre transporteur de ce bien, si le service fait partie d'un service continu de transport de marchandises et que l'autre transporteur n'est ni l'expéditeur ni le consignataire du bien;

8° la fourniture d'un service qui consiste à agir à titre de mandataire d'une personne qui ne réside pas au Québec et qui n'est pas inscrite en vertu de la section I du chapitre huitième au moment où la fourniture est effectuée, dans la mesure où le service est relatif à la fourniture, effectuée à cette personne, d'un service de transport de marchandises visé aux paragraphes 1° à 6°.

9° la fourniture, effectuée par une personne titulaire d'un agrément en vertu du sous-paragraphe a) du paragraphe 1 de l'article 24 de la *Loi sur les douanes* (L.R.C. 1985, c. 1 (2e suppl.)), d'un service consistant à entreposer des biens importés au Canada dans un entrepôt d'attente exploité par la personne, si l'objet du service consiste à permettre l'examen des biens avant leur dédouanement, au sens de cette loi;

10° la fourniture d'un service de navette par bateau de passagers ou de biens, à destination ou en provenance d'un endroit hors du Québec, dont l'objet principal consiste à transporter des véhicules à moteur et des passagers entre les parties d'un réseau routier qui sont séparées par une étendue d'eau.

Modification proposée — Harmonisation du régime de taxation québécois au régime fédéral

Bulletin d'information 2012–4, 31 mai 2012: Afin d'atteindre une plus grande harmonisation du régime de la taxe de vente du Québec (TVQ) au régime fédéral de la taxe sur les produits et services (TPS) et de la taxe de vente harmonisée (TVH), les gouvernements du Canada et du Québec ont conclu, en mars 2012, une entente intégrée globale de coordination fiscale (EIGCF Canada-Québec) comportant différents engagements à cet égard.

Le présent bulletin d'information vise à préciser les modifications qui seront apportées au régime de la TVQ pour donner suite aux engagements d'harmonisation au régime de la TPS/TVH applicables en 2013.

[...]

Par ailleurs, ce bulletin d'information expose certaines modifications qui seront accessoirement apportées au régime de la TVQ pour assurer une application encore plus uniforme des régimes de taxation fédéral et québécois au Québec.

[...]

Autres modifications d'harmonisation

En plus des engagements d'harmonisation du régime de la TVQ à celui de la TPS/TVH applicables en 2013 dont il est question dans les sections précédentes, le gouvernement du Québec a par ailleurs convenu dans le cadre de l'EIGCF Canada-Québec qu'il veillerait à ce que l'assiette de la TVQ de même que les paramètres administratifs, structurels et définitionnels produisent des résultats identiques à ceux produits sous le régime de taxation fédéral. Dans ce contexte, certaines modifications seront accessoirement apportées au régime de taxation québécois.

Fourniture avant dédouanement

Les produits importés au Canada mais gardés dans un entrepôt de douane par les autorités canadiennes ne donnent pas lieu au paiement des droits de douane et des autres taxes fédérales applicables jusqu'à leur dédouanement. Aussi, le régime de la TPS/TVH prévoit que la fourniture de produits importés qui n'ont pas été dédouanés avant d'être livrés ou mis à la disposition de l'acquéreur au Canada est réputée effectuée à l'étranger[4], de sorte que cette fourniture n'est pas taxable. Il en résulte que la TPS et, le cas échéant, la TVH sur les produits importés ne seront payables qu'au moment de leur dédouanement par la personne qui procède à celui-ci.

Le régime de taxation québécois ne comporte pas de présomption au même effet. Par conséquent, la même fourniture de produits importés avant dédouanement donne lieu à l'application de la TVQ, ce qui peut causer de la confusion dans l'application des taxes par le fournisseur de ces produits.

Compte tenu de l'objectif d'obtenir des résultats identiques dans l'application des deux régimes de taxation, le régime de la TVQ sera modifié pour y prévoir la même présomption de fourniture effectuée à l'étranger. Cette modification s'appliquera à l'égard d'une fourniture effectuée après le 31 décembre 2012.

Notes historiques: Le paragraphe 1° de l'article 197 a été remplacé par L.Q. 2012, c. 28, s.-par. 60(1)(1°) et cette modification a effet à compter du 1er janvier 2013. Antérieurement, il se lisait ainsi :

> 1° la fourniture d'un service de transport de marchandises à l'égard du transport d'un bien meuble corporel d'un endroit au Québec à un endroit hors du Canada, si la valeur de la contrepartie de la fourniture est d'au moins 5 $ sans tenir compte de la taxe payée ou payable en vertu de la partie IX de la *Loi sur la taxe d'accise* (L.R.C. 1985, c. E-15);

Le paragraphe 1° de l'article 197 a été remplacé par L.Q. 1997, c. 85, art. 530(1)(1°) et cette modification s'applique à l'égard d'une fourniture effectuée après le 31 mars 1997. Antérieurement à cette modification, ce paragraphe se lisait ainsi :

> 1° la fourniture d'un service de transport de marchandises à l'égard du transport d'un bien meuble corporel d'un endroit au Québec à un endroit hors du Québec, si la valeur de la contrepartie de la fourniture est d'au moins 5,00 $ sans tenir compte de la taxe payée ou payable en vertu de la partie IX de la *Loi sur la taxe d'accise* (Statuts du Canada);

Le paragraphe 1° de l'article 197 a été modifié par L.Q. 1994, c. 22, art. 457(1) et est réputé entré en vigueur le 1er juillet 1992. Le paragraphe 1° se lisait comme suit :

> 1° la fourniture d'un service de transport de marchandises à l'égard du transport d'un bien meuble corporel d'un endroit au Québec à un endroit hors du Québec, si la valeur de la contrepartie de la fourniture est d'au moins 5,35 $;

Le sous-paragraphe a) du paragraphe 2° de l'article 197 a été modifié par L.Q. 2011, c. 6, art. 248 par le remplacement des mots « à l'effet » par les mots « l'informant ». Cette modification est entrée en vigueur le 6 juin 2011.

Le sous-paragraphe c) du paragraphe 2° de l'article 197 a été remplacé par L.Q. 2012, c. 28, s.-par. 60(1)(2°) et cette modification a effet à compter du 1er janvier 2013. Antérieurement, il se lisait ainsi :

> c) la valeur de la contrepartie de la fourniture est d'au moins 5 $ sans tenir compte de la taxe payée ou payable en vertu de la partie IX de la *Loi sur la taxe d'accise*;

Le sous-paragraphe c) du paragraphe 2° de l'article 197 a été modifié par L.Q. 1994, c. 22, art. 457(1) et est réputé entré en vigueur le 1er juillet 1992. Le sous-paragraphe c) du paragraphe 2° se lisait comme suit :

> c) la valeur de la contrepartie de la fourniture est d'au moins 5,35 $;

Le paragraphe 3° de l'article 197 a été supprimé par L.Q. 1994, c. 22, art. 457(1) rétroactivement au 1er juillet 1992. Il se lisait auparavant comme suit :

> 3° la fourniture d'un service de transport de marchandises à l'égard du transport d'un bien meuble corporel d'un endroit au Canada hors du Québec à un endroit au Québec, si la contrepartie de ce service est payée ou payable par l'expéditeur du bien ou par une personne, autre que le destinataire, avec qui l'expéditeur a conclu une entente pour le paiement de cette contrepartie;

Le paragraphe 5° de l'article 197 a été supprimé par L.Q. 1997, c. 85, art. 530(1)(2°) et cette modification s'applique à l'égard d'une fourniture effectuée après le 31 mars 1997. Antérieurement, ce paragraphe se lisait ainsi :

> 5° la fourniture d'un service de transport de marchandises à l'égard du transport d'un bien meuble corporel entre deux points hors du Canada;

Le paragraphe 5.1° de l'article 197 a été supprimé par L.Q. 1997, c. 85, art. 530(1)(2°) et cette modification s'applique à l'égard d'une fourniture effectuée après le 31 mars 1997.

Auparavant, ce paragraphe se lisait ainsi :

> 5.1° la fourniture d'un service de transport de marchandises à l'égard du transport d'un bien meuble corporel entre deux points hors du Québec; un endroit hors du Québec comprend, pour l'application du présent paragraphe, un point hors du Canada;

Le paragraphe 5.1° de l'article 197 a été ajouté par L.Q. 1995, c. 63, art. 349(1) et est réputé avoir effet depuis le 1er juillet 1992 [*N.D.L.R.* : cette disposition s'applique conformément aux articles 618 à 656 et 685 de L.Q. 1991, c. 67, tels que modifiés].

Les paragraphes 9° et 10° ont été ajoutés par L.Q. 1994, c. 22, art. 457(1) et sont réputés entrés en vigueur le 1er juillet 1992.

[4] Article 144 de la *Loi sur la taxe d'accise*.

L'article 197 a été édicté par L.Q. 1991, c. 67.

Notes explicatives ARQ (PL 5, L.Q. 2012, c. 28): *Résumé* :

L'article 197 est modifié afin de tenir compte du fait qu'à compter du 1er janvier 2013 la taxe sur les produits et services (TPS) est retirée de l'assiette de la taxe de vente du Québec (TVQ).

Situation actuelle :

L'article 197 prévoit que certaines fournitures de services dont la plupart constituent des fournitures de services de transport de marchandises en provenance ou à destination d'un endroit situé à l'extérieur du Québec, constituent des fournitures détaxées.

Modifications proposées :

L'article 197 est modifié afin de tenir compte du fait qu'à compter du 1er janvier 2013 la TPS est retirée de l'assiette de la TVQ.

Notes explicatives ARQ (PL 5, L.Q. 2011, c. 6): *Résumé* :

L'article 197 prévoit que certaines fournitures de services dont la plupart constituent des fournitures de services de transport de marchandises en provenance ou à destination d'un endroit situé à l'extérieur du Québec, constituent des fournitures détaxées. L'article 197 de la LTVQ est modifié pour y apporter une modification terminologique.

Situation actuelle :

L'article 197 prévoit que certaines fournitures de services dont la plupart constituent des fournitures de services de transport demarchandises en provenance ou à destination d'un endroit situé à l'extérieur du Québec, constituent des fournitures détaxées.

Modifications proposées :

L'article 197 est modifié afin d'y apporter une modification terminologique.

Guides [art. 197]: IN-218 — La TVQ, la TPS/TVH, la taxe sur les carburants et les transporteurs de marchandises; IN-307 — Le démarrage d'entreprise et la fiscalité.

Définitions [art. 197]: « bien meuble corporel », « contrepartie » — 1; « destination » — 193; « fournisseur », « fourniture », « fourniture taxable », « inscrit », « montant », « personne » — 1; « point d'origine », « point hors du Canada » — 193; « service » — 1; « service continu de transport de marchandises », « service continu de transport de marchandises vers l'extérieur », « service de transport de marchandises » — 193; « transporteur » — 1.

Renvois [art. 197]: 188.1 (fourniture d'un bien meuble incorporel); 424 (perception — fourniture taxable d'un service de transport d'un bien meuble corporel).

Formulaires [art. 197]: VD-197, Déclaration relative au transport d'un bien meuble corporel.

Bulletins d'interprétation [art. 197]: TVQ. 197-1/R1 — Déclaration de l'expéditeur; TVQ. 197-2 — Service de transport de marchandises interprovincial et international rendu dans le cadre de la fourniture de biens meubles corporels.

Lettres d'interprétation [art. 197]: 98-0103253 — Interprétation relative à la TPS, à la TVH et à la TVQ — Service de transport de marchandises; 99-0104192 — Interprétation relative à la TVQ; 00-0109900 — Interprétation relative à la TPS et à la TVQ — Fourniture de documents à des destinataires hors Québec ou hors Canada; 03-0109318 — Interprétation relative à la TPS et à la TVQ — fourniture de services de chauffeurs.

Bulletins d'information [197]: 2012-4 — Modifications au régime de taxation québécois donnant suite aux engagements d'harmonisation au régime de taxation fédéral applicable en 2013.

Concordance fédérale: LTA, Ann. VI:Partie VII:6–14.

197.1 Fourniture d'un service ambulancier aérien — La fourniture d'un service ambulancier aérien à destination ou en provenance d'un endroit situé hors du Québec, effectuée par une personne dont l'entreprise consiste à fournir de tels services, est détaxée.

Notes historiques: L'article 197.1 a été ajouté par L.Q. 1997, c. 85, art. 531(1) et a effet depuis le 1er juillet 1992.

Définitions [art. 197.1]: « entreprise », « fourniture », « service » — 1.

Renvois [art. 197.1]: 111 (service ambulancier exonéré); 138.5 (fourniture effectuée sans contrepartie); 188.1 (fourniture d'un bien meuble incorporel).

Concordance fédérale: LTA, Ann. VI:Partie VII:15.

SECTION VII.1 — VÉHICULE AUTOMOBILE ACQUIS POUR ÊTRE FOURNI DE NOUVEAU

197.2 Fourniture d'un véhicule automobile — Est détaxée la fourniture par vente d'un véhicule automobile effectuée à une personne qui est inscrite en vertu de la section I du chapitre VIII et qui le reçoit uniquement afin d'en effectuer à nouveau la fourniture par vente ou par louage en vertu d'une convention selon laquelle la possession continue ou l'utilisation continue du véhicule est offerte à une personne pour une période d'au moins un an.

Vente — Pour l'application du présent article, l'expression « vente » a le sens que lui donne l'article 1 mais ne comprend pas la donation.

Notes historiques: L'intitulé de la section VII.1 ainsi que l'article 197.2 ont été ajoutés par L.Q. 2001, c. 51, art. 269 et s'appliquent à l'égard d'une fourniture dont la totalité ou une partie de la contrepartie devient due après le 30 avril 1999 et n'est pas payée avant le 1er mai 1999. Toutefois :

a) il ne s'applique pas à l'égard de toute partie de la contrepartie qui devient due ou est payée avant le 1er mai 1999;

b) lorsque le premier alinéa de l'article 197.2 de cette loi, que le paragraphe 1 édicte, s'applique pour la période qui commence le 1er mai 1999 et qui se termine le 20 février 2000, il doit se lire en y remplaçant les mots « une personne qui est inscrite en vertu de la section I du chapitre VIII » par les mots « un acquéreur ».

Guides [art. 197.2]: IN-624 — La TVQ, la TPS/TVH et les véhicules routiers.

Renvois [art. 197.2]: 54.2 (valeur de la contrepartie — biens échangés).

Jurisprudence [art. 197.2]: *Jenner c. Québec (Sous-ministre du Revenu)* (29 juin 2011), 540-80-002884-093, 2011 CarswellQue 6021; *Québec (Sous-ministre du Revenu) c. 3199959 Canada inc.* (6 septembre 2006), 500-09-015494-057, 2007 CarswellQue 8323; *Légaré (Succession de) c. Québec (Sous-ministre du Revenu)* (14 novembre 2005), 200-32-032454-034, 2005 CarswellQue 13188; *PA Distribution inc. c. Québec (Sous-ministre du Revenu)* (17 octobre 2005), 500-80-002677-046, 2005 CarswellQue 13593; *3863506 Canada inc. c. Québec (Sous-ministre du Revenu)* (12 mai 2005), 500-80-002087-030, 2005 CarswellQue 2711 (C.Q.); *3199959 Canada inc. c. Québec (Sous-ministre du Revenu)* (4 mars 2005), 500-80-002091-032, 2005 CarswellQue 734.

Lettres d'interprétation [art. 197.2]: 99-0104473 — Interprétation relative à la TVQ — Remboursement de la TVQ relativement à des véhicules vendus avant le 1er mai et livrés après cette date; 01-0109841 — Application of the Act respecting the Québec sales tax; 02-0100913 — Interprétation relative à la TVQ — Fourniture d'un véhicule automobile usagé; 02-0102802 — Interprétation relative à la TPS et à la TVQ — Échange de véhicules routiers entre des concessionnaires; 03-0105241 — Interprétation relative à la TVQ — paiement de montants en relation avec la cession d'un contrat de location et de la vente de véhicule routier objet de contrat; 04-0104085 — Interprétation relative à la TVQ — remboursement de la TVQ payée relativement à la fourniture détaxée d'un véhivule automobile; 05-0100841 — Interprétation relative à la TVQ [— transfert de véhicules entre un concessionnaire et un manufacturier inscrits et détermination à titre de grande entreprise]; 06-0103132 — Interprétation relative à la TVQ — Application des articles 425.1 et 425.2 de la *Loi sur la taxe de vente du Québec*.

Bulletins d'interprétation [art. 197.2]: TVQ. 57-2/R1 — Réduction pour paiement rapide de la contrepartie d'une fourniture.

Concordance fédérale: aucune.

SECTION VII.2

Notes historiques: La section VII.2, comprenant les articles 197.3 à 197.5, a été ajoutée par L.Q. 2012, c. 28, par. 61(1) et s'applique à l'égard d'une fourniture effectuée après le 31 décembre 2012.

Pour l'application du chapitre V du titre I de la *Loi sur la taxe de vente du Québec* (chapitre T-0.1), à l'exception de l'article 210, relativement à un montant de taxe qui devient payable après le 31 décembre 2012 par une personne à l'égard d'un bien ou d'un service qu'elle a acquis, avant le 1er janvier 2013, pour la réalisation d'une fourniture taxable, le bien ou le service est réputé acquis autrement que dans le cadre des activités commerciales de la personne dans la mesure où il a été acquis pour la réalisation de la fourniture d'un service financier, autre que la fourniture d'un service financier qui serait détaxée en vertu de la section VII.2 du chapitre IV du titre I, édictée par l'article 61 de la présente loi, si elle était effectuée après le 31 décembre 2012.

197.3 Est détaxée la fourniture d'un service financier, autre qu'une fourniture visée à l'article 197.4, effectuée par une institution financière au profit d'une personne qui ne réside pas au Canada, sauf si le service se rapporte, selon le cas :

1° à une dette qui découle :

a) soit d'un dépôt de fonds au Canada, si l'effet constatant le dépôt est un effet négociable;

b) soit d'un prêt d'argent destiné à être utilisé principalement au Canada;

2° à une dette pour la totalité ou une partie de la contrepartie de la fourniture d'un immeuble qui est situé au Canada;

3° à une dette pour la totalité ou une partie de la contrepartie de la fourniture d'un bien meuble destiné à être utilisé principalement au Canada;

4° à une dette pour la totalité ou une partie de la contrepartie de la fourniture d'un service destiné à être exécuté principalement au Canada;

LTVQ (français)

5° à un effet financier, à l'exception d'une police d'assurance ou d'un métal précieux, acquis, autrement que directement d'un émetteur qui ne réside pas au Canada, par l'institution financière agissant à titre de mandant.

2012, c. 28, art. 61.

Notes historiques: L'article 197.3 a été ajouté par L.Q. 2012, c. 28, par. 61(1) et s'applique à l'égard d'une fourniture effectuée après le 31 décembre 2012.

Notes explicatives ARQ (PL 5, L.Q. 2012, c. 28): *Résumé* :

Le nouvel article 197.3 prévoit que, de façon générale, la fourniture d'un service financier effectuée au profit d'une personne qui ne réside pas au Canada est détaxée.

Contexte :

À compter du 1er janvier 2013, les services financiers cessent d'être détaxés et deviennent exonérés. Toutefois, la fourniture de certains services financiers, notamment celles effectuées au profit de personnes ne résidant pas au Canada, demeurent détaxées. La nouvelle section VII.2 du chapitre IV du titre I de la LTVQ prévoit donc la détaxation de certains services financiers.

Modifications proposées :

De façon générale, le nouvel article 197.3 vise à détaxer la fourniture d'un service fourni à une personne qui ne réside pas au Canada. Toutefois, cette détaxation est sujette à certaines exceptions. Les services visés par ces exceptions demeurent donc exonérés, conformément au nouvel article 169.3 de la LTVQ, introduit par le présent projet de loi.

En vertu du paragraphe 1° de l'article 197.3, un service financier qui se rapporte à une dette qui découle du dépôt de fonds au Canada, si l'effet le constatant est négociable, demeure exonéré. Il en est de même d'un service financier se rapportant à une dette qui découle d'un prêt, si les fonds prêtés sont à utiliser principalement au Canada. Les paragraphes 2° et 3° de l'article 197.3 de la LTVQ prévoient qu'un service financier ne peut être détaxé, et demeure donc exonéré, s'il est relatif à une dette qui découle de l'acquisition par vente d'un immeuble situé au Canada, ou d'un bien meuble à utiliser principalement au Canada. Par exemple, les services financiers fournis relativement à une hypothèque contractée par une personne qui ne réside pas au Canada pour un immeuble situé au Canada ne sont pas détaxés.

Le paragraphe 4° de l'article 197.3 prévoit qu'un service financier ne peut être détaxé s'il est lié à une dette qui découle de l'acquisition par vente d'un service à exécuter principalement au Canada. Enfin, le paragraphe 5° de cet article 197.3 prévoit qu'un service financier lié à un titre acquis par une institution financière agissant à titre de mandant, sauf lorsque le titre est acquis directement d'un émetteur qui ne réside pas au Canada, ne peut être détaxé et, de ce fait, demeure exonéré.

Concordance fédérale: aucune.

197.4 Est détaxée la fourniture effectuée par une institution financière d'un service financier qui se rapporte à une police d'assurance émise par l'institution, à l'exception d'un service qui se rapporte à des placements effectués par l'institution, dans la mesure où, selon le cas :

1° dans le cas où la police est une police d'assurance sur la vie ou une police d'assurance contre les accidents et la maladie, à l'exception d'une police d'assurance collective, elle est émise à l'égard d'un particulier qui ne réside pas au Canada au moment où la police entre en vigueur;

2° dans le cas où la police est une police d'assurance collective sur la vie ou contre les accidents et la maladie, elle se rapporte à des particuliers qui ne résident pas au Canada et qui sont assurés en vertu de la police;

3° dans le cas où la police est une police d'assurance à l'égard d'un immeuble, elle se rapporte à un immeuble situé hors du Canada;

4° dans le cas où la police d'assurance est une police d'assurance de tout autre type, elle se rapporte à des risques habituellement situés hors du Canada.

2012, c. 28, art. 61.

Notes historiques: L'article 197.4 a été ajouté par L.Q. 2012, c. 28, par. 61(1) et s'applique à l'égard d'une fourniture effectuée après le 31 décembre 2012.

Notes explicatives ARQ (PL 5, L.Q. 2012, c. 28): *Résumé* :

Le nouvel article 197.4 prévoit qu'est, de façon générale, détaxée la fourniture d'un service financier se rapportant à une police d'assurance concernant des personnes qui ne résident pas au Canada, des immeubles situés hors du Canada ou des risques existant hors du Canada.

Contexte :

Voir la rubrique « Contexte » de la note explicative relative au nouvel article 197.3 de la LTVQ.

Modifications proposées :

De façon générale, le nouvel article 197.4 vise à détaxer la fourniture d'un service financier se rapportant à une police d'assurance émise par une institution financière (à l'exception des services liés aux investissements de cette institution) pour autant qu'il s'agisse des polices qui y sont précisées. La fourniture de services financiers se rapportant à une police d'assurance sur la vie ou contre les accidents et la maladie, autre qu'une police d'assurance collective, émise à l'égard d'un particulier qui ne réside pas au Canada, à une police collective d'assurance sur la vie ou contre les accidents ou la maladie émise à l'égard de particuliers qui ne résident pas au Canada, à une police d'assurance à l'égard d'un immeuble situé hors du Canada ou à une police qui concerne des risques habituellement situés hors du Canada est détaxée. Dans tous les autres cas, la fourniture d'un service financier consistant en une police d'assurance est une fourniture exonérée, conformément au nouvel article 169.3 de la LTVQ, introduit par le présent projet de loi.

Concordance fédérale: aucune.

197.5 Est détaxée la fourniture d'un service financier qui constitue la fourniture de métaux précieux dans le cas où elle est effectuée par l'affineur ou par la personne pour le compte de laquelle les métaux précieux ont été affinés.

2012, c. 28, art. 61.

Notes historiques: L'article 197.5 a été ajouté par L.Q. 2012, c. 28, par. 61(1) et s'applique à l'égard d'une fourniture effectuée après le 31 décembre 2012.

Notes explicatives ARQ (PL 5, L.Q. 2012, c. 28): *Résumé* :

Le nouvel article 197.5 prévoit que la fourniture demétaux précieux par l'affineur ou par la personne pour le compte de laquelle les métaux précieux ont été affinés est détaxée.

Contexte :

Voir la rubrique « Contexte » de la note explicative relative au nouvel article 197.3 de la LTVQ.

Modifications proposées :

Le nouvel article 197.5 prévoit que la fourniture de métaux précieux par un affineur est détaxée. De plus, la fourniture de métaux précieux par une personne pour le compte de laquelle ces métaux ont été affinés est également détaxée. Toutefois, toutes les fournitures subséquentes des métaux précieux sont exonérées, et ce, conformément au nouvel article 169.3 de cette loi, introduit par le présent projet de loi.

Concordance fédérale: aucune.

SECTION VIII — AUTRES FOURNITURES DÉTAXÉES

198. Détaxation de certaines fournitures — Les fournitures suivantes sont détaxées :

1º (*paragraphe supprimé*).

2º la fourniture d'un bien ou d'un service pour l'usage du lieutenant-gouverneur du Québec ou d'une autre province;

3º la fourniture d'un droit d'entrée à un congrès, autre qu'un droit d'entrée à un congrès étranger, effectuée par le promoteur du congrès à une personne qui ne réside pas au Québec.

Modification proposée — Augmentation de la contribution des institutions financières

Renseignements additionnels sur les mesures fiscales, Budget 2013-2014, 20 novembre 2012: La taxe compensatoire des institutions financières est actuellement établie en fonction de trois assiettes d'imposition, soit le capital versé, les salaires versés et les primes d'assurance (incluant les sommes établies à l'égard des fonds d'assurance).

Les taux de la taxe compensatoire applicables aux différentes assiettes d'imposition se composent, d'une part, de taux de base mis en place pour tenir compte du coût pour le gouvernement d'accorder des remboursements de la taxe sur les intrants (RTI) aux fournisseurs de services financiers dans le régime de la taxe de vente du Québec (TVQ) et, d'autre part, d'une hausse temporaire de taux (ci-après appelée « contribution temporaire ») annoncée à l'occasion du discours sur le budget du 30 mars 2010 et applicable à deux des trois composantes de la taxe compensatoire des institutions financières pour la période commençant le 31 mars 2010 et se terminant le 31 mars 2014[5].

Compte tenu de l'exonération des services financiers dans le régime de la TVQ à compter du 1er janvier 2013, il a été annoncé que la partie de la taxe compensatoire des institutions financières qui est attribuable à l'impact sur les finances publiques du fait d'accor-

[5] MINISTÈRE DES FINANCES DU QUÉBEC, *Budget 2010-2011–Renseignements additionnels sur les mesures du budget*, 30 mars 2010, p. A.112-A.114.

der des RTI aux fournisseurs de services financiers serait éliminée à compter de cette date[6].

Ainsi, jusqu'au 31 décembre 2012, les taux applicables à chacune des assiettes d'imposition de la taxe compensatoire des institutions financières sont :

— pour le capital versé, un taux de 0,25 %;

— pour les salaires versés :

- dans le cas d'une banque, d'une société de prêts, d'une société de fiducie ou d'une société faisant le commerce de valeurs mobilières, un taux de 3,9 %, lequel est composé d'un taux de base de 2 % et de la contribution temporaire d'un taux de 1,9 %,
- dans le cas d'une caisse d'épargne et de crédit, un taux de 3,8 %, lequel est composé d'un taux de base de 2,5 % et de la contribution temporaire d'un taux de 1,3 %,
- dans le cas de toute autre personne[7], un taux de 1,5 %, lequel est composé d'un taux de base de 1 % et de la contribution temporaire d'un taux de 0,5 %;

— pour les primes d'assurance et les sommes établies à l'égard des fonds d'assurance, un taux de 0,55 %, lequel est composé d'un taux de base de 0,35 % et de la contribution temporaire d'un taux de 0,2 %.

À compter du 1er janvier 2013, en tenant compte de l'élimination partielle de la taxe compensatoire des institutions financières, il était prévu que les taux applicables aux deux composantes de la contribution temporaire seraient :

— pour les salaires versés :

- dans le cas d'une banque, d'une société de prêts, d'une société de fiducie ou d'une société faisant le commerce de valeurs mobilières, un taux de 1,9 %,
- dans le cas d'une caisse d'épargne et de crédit, un taux de 1,3 %,
- dans le cas de toute autre personne[8], un taux de 0,5 %;

— pour les primes d'assurance et les sommes établies à l'égard des fonds d'assurance, un taux de 0,2 %.

Afin d'assurer l'atteinte et le maintien de l'équilibre budgétaire, les taux applicables aux deux composantes de la contribution temporaire des institutions financières seront augmentés à compter du 1er janvier 2013 et s'appliqueront jusqu'au 31 mars 2019.

Plus précisément, pour la période du 1er janvier 2013 au 31 mars 2019, les taux de la contribution temporaire seront :

— pour les salaires versés :

- dans le cas d'une banque, d'une société de prêts, d'une société de fiducie ou d'une société faisant le commerce de valeurs mobilières, un taux de 2,8 %,
- dans le cas d'une caisse d'épargne et de crédit, un taux de 2,2 %,
- dans le cas de toute autre personne[9], un taux de 0,9 %;

— pour les primes d'assurance et les sommes établies à l'égard des fonds d'assurance, un taux de 0,3 %.

Modalités d'application

Lorsque l'année d'imposition d'une personne qui est une institution financière à un moment quelconque de l'année comprendra le 1er janvier 2013, les règles suivantes s'appliqueront :

— le taux applicable sur le capital versé correspondra au taux de 0,25 %, multiplié par le rapport entre le nombre de jours de l'année d'imposition de la personne précédant le 1er janvier 2013 pendant lesquels elle est une institution financière et le nombre de jours de son année d'imposition pendant lesquels elle est une institution financière;

— les taux applicables sur les salaires versés seront :

- dans le cas d'une banque, d'une société de prêts, d'une société de fiducie ou d'une société faisant le commerce de valeurs mobilières, un taux de 3,9 % à l'égard des salaires versés au cours de la partie ou des parties de l'année d'imposition de la personne précédant le 1er janvier 2013 pendant lesquelles elle est une institution financière et un taux de 2,8 % à l'égard des salaires versés au cours de la partie ou des parties de l'année d'imposition de la personne suivant le 31 décembre 2012 pendant lesquelles elle est une institution financière,
- dans le cas d'une caisse d'épargne et de crédit, un taux de 3,8 % à l'égard des salaires versés au cours de la partie ou des parties de l'année d'imposition de la personne précédant le 1er janvier 2013 pendant lesquelles elle est une institution financière et un taux de 2,2 % à l'égard des salaires versés au cours de la partie ou des parties de l'année d'imposition de la personne suivant le 31 décembre 2012 pendant lesquelles elle est une institution financière,
- dans le cas de toute autre personne[10], un taux de 1,5 % à l'égard des salaires versés au cours de la partie ou des parties de l'année d'imposition de la personne précédant le 1er janvier 2013 pendant lesquelles elle est une institution financière et un taux de 0,9 % à l'égard des salaires versés au cours de la partie ou des parties de l'année d'imposition de la personne suivant le 31 décembre 2012 pendant lesquelles elle est une institution financière;

— le taux applicable sur les primes d'assurance et les sommes établies à l'égard des fonds d'assurance correspondra au total du taux de 0,55 %, multiplié par le rapport entre le nombre de jours de l'année d'imposition de la personne précédant le 1er janvier 2013 pendant lesquels elle est une institution financière et le nombre de jours de son année d'imposition pendant lesquels elle est une institution financière, et du taux de 0,3 %, multiplié par le rapport entre le nombre de jours de l'année d'imposition de la personne suivant le 31 décembre 2012 pendant lesquels elle est une institution financière et le nombre de jours de son année d'imposition pendant lesquels elle est une institution financière.

Ces règles s'appliqueront, avec les adaptations qui s'imposent, pour le calcul de la contribution temporaire lorsque l'année d'imposition d'une personne qui est une institution financière à un moment quelconque de l'année comprendra le 31 mars 2019.

Acomptes provisionnels

Les acomptes provisionnels d'une société pourront être ajustés, selon les règles usuelles, à compter du premier acompte qui suivra le 31 décembre 2012 afin de prendre en considération l'augmentation des taux de la contribution temporaire.

Dans le cas d'une institution financière autre qu'une société, les montants à payer à l'égard de chaque mois relativement aux salaires versés pourront être ajustés à l'égard d'un paiement attribuable à un salaire versé après le 31 décembre 2012.

2012, c. 28, art. 62.

Notes historiques: Le paragraphe 1° de l'article 198 a été supprimé par L.Q. 2012, c. 28, par. 62(1) et cette modification s'applique à l'égard d'une fourniture effectuée après le 31 décembre 2012. Antérieurement, il se lisait ainsi :

1° la fourniture d'un service financier;

Le paragraphe 3° de l'article 198 a été ajouté par L.Q. 1994, c. 22, art. 458(1) et est réputé entré en vigueur le 1er juillet 1992.

L'article 198 a été édicté par L.Q. 1991, c. 67.

Notes explicatives ARQ (PL 5, L.Q. 2012, c. 28): *Résumé* :

L'article 198 est modifié par la suppression de son paragraphe 1°, lequel prévoit la détaxation générale des services financiers.

Contexte :

L'article 198 prévoit la détaxation de certaines fournitures, notamment la fourniture d'un service financier.

Modifications proposées :

À compter du 1er janvier 2013, la fourniture d'un service financier, en règle générale, cesse d'être détaxée et devient exonérée. La principale conséquence de ce changement est que les institutions financières ne pourront plus obtenir de remboursements de la taxe sur les intrants relativement aux fournitures acquises en vue de rendre des services financiers. La nouvelle section VI.1 du chapitre III du titre I de la LTVQ, comprenant les articles 169.3 et 169.4, introduite par le présent projet de loi, prévoit donc l'exonération des services financiers.

Par conséquent, le paragraphe 1° de l'article 198, lequel prévoit la détaxation générale des services financiers, est supprimé. Seuls certains services financiers demeurent détaxés, notamment certains services concernant des personnes qui ne résident pas au Canada. Les services financiers qui demeurent détaxés sont dorénavant prévus par la nouvelle section VII.2 du chapitre IV du titre I de la LTVQ, comprenant les articles 197.3 à 197.5, également introduite par le présent projet de loi.

Guides [art. 198]: IN-203 — Renseignements généraux sur la TVQ et la TPS/TVH; IN-307 — Le démarrage d'entreprise et la fiscalité; IN-624 — La TVQ, la TPS/TVH et les véhicules routiers.

Définitions [art. 198]: « bien », « congrès », « congrès étranger », « droit d'entrée », « fourniture », « fourniture détaxée », « personne », « promoteur », « service », « service financier » — 1.

Bulletins d'interprétation [art. 198]: TVQ. 16-14/R1 — Fournitures effectuées à un régime de pension agréé; TVQ. 198-1/R1 — Services rendus par un concessionnaire d'automobiles en vue d'obtenir du financement; TVQ 198-2 — Fourniture par vente de travaux en cours; TVQ 198-3/R1 — Les opérations de troc et les unités d'échange; TVQ. 198-4 — Les frais judiciaires et les honoraires extrajudiciaires exigés d'un débiteur et la taxe de vente du Québec (TVQ); TVQ. 350.7.2-1/R1 — Les opérations de troc et la désignation d'un réseau de troc; TVQ 321-1 — Frais encourus en relation avec une saisie ou une reprise de possession d'un bien par un créancier ayant effectué la fourniture d'un service financier; TVQ. 514-1/R1 — Les frais d'administration relatifs à un régime d'avantages sociaux non assurés; TVQ 520-2 — Préséance de la taxe de vente du Québec sur la taxe sur les primes d'assurances.

LTVQ (français)

[6] MINISTÈRE DES FINANCES DU QUÉBEC, *Bulletin d'information* 2012-4, 31 mai 2012, p. 13.

[7] À l'exclusion d'une société d'assurance et d'un ordre professionnel qui a créé un fonds d'assurance en vertu de l'article 86.1 du *Code des professions* (L.Q., chapitre C-26).

[8] Voir la note précédente.

[9] Voir la note 70.

[10] Voir la note 70.

Lettres d'interprétation [art. 198]: 98-0110084 — Interprétation relative à la TPS et à la TVQ — Rachat anticipé d'unités de participation dans un fonds mutuel; 98-0113419 — Interprétation relative à la TPS — Interprétation relative à la TVQ — Surcommission versée à un gérant de district; 99-0100166 — Interprétation relative à la TPS — Interprétation relative à la TVQ — Cautionnement (frais d'analyse de dossier); 99-0101339 — Interprétation relative à la TPS et à la TVQ — Institution financière aux fins de la taxe compensatoire; 02-0109963 — Interprétation relative à la TVQ — Location de véhicules — Échange de véhicule grevé d'une sûreté; 02-0109989 — Interprétation relative à la TVQ — Frais réclamés lorsqu'un transfert de fonds est refusé ou qu'un chèque est retourné par l'institution financière du locataire d'un véhicule routier.

Bulletins d'information [198]: 2012-4 — Modifications au régime de taxation québécois donnant suite aux engagements d'harmonisation au régime de taxation fédéral applicable en 2013.

Concordance fédérale: LTA, art. 167.2(1); LTA, Ann. VI:Partie VIII:1; LTA, Ann. VI:Partie IX:1.

198.0.1 [Application] — Pour l'application du paragraphe 1.1° de l'article 198.1, l'expression « support non inscriptible » signifie un support corporel conçu pour le stockage, en lecture seule, d'information et d'autres données sous forme numérique.

2011, c. 34, art. 143

Notes historiques: L'article 198.0.1 a été ajouté par L.Q. 2011, c. 34, par. 143(1) et s'applique à l'égard d'une fourniture effectuée après le 31 octobre 2011.

Notes explicatives ARQ (PL 32, L.Q. 2011, c. 34): *Résumé* :

Le nouvel article 198.0.1 est introduit afin de préciser le sens de l'expression « support non inscriptible », et ce, pour l'application du nouveau paragraphe 1.1° de l'article 198.1 de la LTVQ lequel prévoit la détaxation, à certaines conditions, de la fourniture d'un livre imprimé, ou de sa mise à jour, lorsqu'il est fourni avec un support non inscriptible ou un droit d'accès à un site Internet.

Situation actuelle :

L'article 198.1 prévoit notamment la détaxation de la fourniture d'un livre imprimé, ou de sa mise à jour, identifié par un numéro international normalisé du livre (ISBN) attribué en conformité avec le système de numérotation international du livre.

Modifications proposées :

Le nouvel article 198.0.1 est introduit afin de préciser le sens de l'expression « support non inscriptible », et ce, pour l'application du nouveau paragraphe 1.1° de l'article 198.1 de la LTVQ lequel prévoit la détaxation, à certaines conditions, de la fourniture d'un livre imprimé, ou de sa mise à jour, lorsqu'il est fourni avec un support non inscriptible ou un droit d'accès à un site Internet.

Bulletins d'information [art. 198.0.1]: 2011-3 — Harmonisation à certaines mesures du budget fédéral du 6 juin 2011 et autres mesures fiscales.

Concordance fédérale: aucune.

198.1 Livre imprimé — Les fournitures suivantes sont détaxées :

1° la fourniture d'un livre imprimé, ou de sa mise à jour, identifié par un numéro international normalisé du livre (ISBN) attribué en conformité avec le système de numérotation international du livre;

1.1° la fourniture, pour une contrepartie unique, d'un bien composé d'un livre imprimé, ou de sa mise à jour, identifié par un numéro international normalisé du livre (ISBN) attribué en conformité avec le système de numérotation international du livre et d'un support non inscriptible ou d'un droit d'accès à un site Internet si, à la fois :

a) le livre imprimé, ou sa mise à jour, et le support non inscriptible ou le droit d'accès à un site Internet sont enveloppés, emballés, combinés ou autrement préparés pour être fournis ensemble et sont les seuls éléments de la fourniture;

b) il est raisonnable de considérer que le livre imprimé, ou sa mise à jour, est l'élément principal de la fourniture; ».

2° la fourniture d'un livre parlant ou de son support, qu'une personne acquiert en raison d'un handicap visuel.

2011, c. 34, art. 144

Notes historiques: Le paragraphe 1° de l'article 198.1 a été remplacé par L.Q. 2011, c. 34, s.-par. 144(1)(1°) et cette modification s'applique à l'égard d'une fourniture effectuée après le 31 octobre 2011. Antérieurement, il se lisait ainsi :

> 1° la fourniture d'un livre imprimé ou de sa mise à jour, identifié par un numéro international normalisé du livre (ISBN), attribué en conformité avec le système de numérotation international du livre;

Le paragraphe 1.1° de l'article 198.1 a été ajouté par L.Q. 2011, c. 34, s.-par. 144(1)(2°) et s'applique à l'égard d'une fourniture effectuée après le 31 octobre 2011.

L'article 198.1 a été ajouté par L.Q. 1997, c. 14, art. 336 et a effet à l'égard d'une fourniture effectuée après le 9 mai 1996.

Notes explicatives ARQ (PL 32, L.Q. 2011, c. 34): *Résumé* :

L'article 198.1 est modifié afin de prévoir la détaxation de la fourniture, pour une contrepartie unique, d'un bien composé d'un livre imprimé, ou de sa mise à jour, et d'un support non inscriptible ou d'un droit d'accès à un site Internet.

Situation actuelle :

L'article 198.1 prévoit notamment la détaxation de la fourniture d'un livre imprimé, ou de sa mise à jour, identifié par un numéro international normalisé du livre (ISBN) attribué en conformité avec le système de numérotation international du livre.

Modifications proposées :

L'article 198.1 est modifié afin de prévoir la détaxation de la fourniture, pour une contrepartie unique, d'un bien composé d'un livre imprimé, ou de sa mise à jour, et d'un support non inscriptible ou d'un droit d'accès à un site Internet pour autant que les conditions suivantes soient satisfaites :

- le livre imprimé, ou sa mise à jour, et le support non inscriptible ou le droit d'accès à un site Internet sont enveloppés, emballés, combinés ou autrement préparés pour être fournis ensemble et sont les seuls éléments de la fourniture;
- il est raisonnable de considérer que le livre imprimé, ou sa mise à jour, est l'élément principal de la fourniture.

Guides [art. 198.1]: IN-203 — Renseignements généraux sur la TVQ et la TPS/TVH; IN-307 — Le démarrage d'entreprise et la fiscalité.

Définitions [art. 198.1]: « fourniture » — 1.

Renvois [art. 198.1]: 406 (Compensation à l'égard d'un livre).

Bulletins d'interprétation [art. 198.1]: TVQ 198.1-1/R2 — Livres imprimés.

Bulletins d'information [art. 198.1]: 2011-3 — Harmonisation à certaines mesures du budget fédéral du 6 juin 2011 et autres mesures fiscales.

Lettres d'interprétation [art. 198.1]: 00-0108472 — Livres en consignation.

Concordance fédérale: aucune.

198.2 Fourniture de tabac — La fourniture de tabac ou de tabac brut, au sens de la *Loi concernant l'impôt sur le tabac* (chapitre I-2), est détaxée.

Notes historiques: L'article 198.2 a été remplacé par L.Q. 2009, c. 15, art. 502 et cette modification est entrée en vigueur le 4 juin 2009. Antérieurement, il se lisait ainsi :

> 198.2 La fourniture de tabac au sens de la *Loi concernant l'impôt sur le tabac* (chapitre I-2) est détaxée.

L'article 198.2 a été ajouté par L.Q. 1999, c. 83, art. 313(1). Cet article a effet depuis le 23 juin 1998.

Notes explicatives ARQ (PL 37, L.Q. 2009, c. 15): *Résumé* :

Afin de préserver, sous le régime de la taxe de vente du Québec, la mesure de détaxation relative à la fourniture des produits du tabac, les modifications proposées à l'article 198.2 de la *Loi sur la taxe de vente du Québec* (LTVQ) visent à qualifier à titre de fourniture détaxée, outre la fourniture de tabac, la fourniture de tabac brut au sens de la Loi concernant l'impôt sur le tabac (L.R.Q. chapitre I-2) (LIT).

Situation actuelle :

L'article 198.2 de la LTVQ qualifie, à titre de fourniture détaxée, la fourniture de tabac au sens de la LIT.

Par ailleurs, il est prévu, au paragraphe 7° de l' article 178 de la LTVQ, que « la fourniture de feuilles de tabac dont le traitement ne dépasse les étapes du séchage et du tri « constitue, à titre de bien ou de produit de l'agriculture, une fourniture détaxée.

Parallèlement, l'article 2 de la LIT définit l'expression « tabac » comme étant « le tabac sous quelque forme qu'il soit consommé, y compris le tabac à priser » tout en excluant le tabac brut.

De plus, suivant la définition contenue à l'article 2 de la LIT, l'expression « tabac brut » signifie « les feuilles de tabac dont le traitement ne dépasse pas l'étape du séchage ainsi que les parties brisées de ces feuilles de tabac ».

Modifications proposées :

Afin de préserver, sous le régime de la taxe de vente du Québec, la mesure de détaxation relative à la fourniture des produits du tabac, il y aurait lieu de modifier, en corrélation avec les modifications proposées à l'article 2 de la LIT, l'article 198.2 de la LTVQ.

En effet, des modifications sont proposées à la LIT en vue de bonifier les mesures de lutte à la contrebande de tabac et de faire face à l'apparition sur le marché de nouvelles formes de tabac utilisées dans la fabrication de produits du tabac destinés à la consommation.

En ce sens, il est proposé d'élargir la portée de la définition de l'expression »tabac brut » de sorte qu'elle désigne non seulement « les feuilles de tabac dont le traitement ne dépasse pas l'étape du séchage et les parties brisées de ces feuilles de tabac » mais également « le tabac devant être un composant de tabac destiné à la vente ».

Cet élargissement a, par ricochet, des répercussions sur la définition de l'expression « tabac » de l'article 2 de la LIT ainsi que sur la qualification, à titre de fourniture détaxée, de la fourniture de tabac en vertu de l'article 198.2 de la LTVQ.

Ainsi, une partie des produits du tabac dont la fourniture est, jusqu'à maintenant, détaxée parce qu'ils correspondent à du tabac pourraient, en l'absence de modifications à l'article 198.2 de la LTVQ, faire dorénavant l'objet d'une fourniture taxable étant donné qu'ils seraient considérés comme du « tabac brut » au sens de la LIT.

Par ailleurs, la fourniture de produits du tabac, lorsqu'il s'agit de « feuilles de tabac dont le traitement ne dépasse l'étape du séchage », est qualifiée de fourniture détaxée suivant le paragraphe 7° de l'article 178 de la LTVQ alors que ces produits constituent, pour les fins de l'application de la LIT, du tabac brut.

Dans ce contexte, il y aurait lieu de prévoir dans une seule disposition la mesure de détaxation relative à la fourniture de produits du tabac en supprimant le paragraphe 7° de l'article 178 de la LTVQ et en modifiant l'article 198.2 de la LTVQ de sorte que, outre la fourniture de tabac, la fourniture de tabac brut, au sens de la LIT, soit qualifiée à titre de fourniture détaxée.

Concordance fédérale: aucune.

198.3 Définitions — Pour l'application de l'article 198.4, l'expression :

« article destiné à l'allaitement au biberon » signifie les biberons ou leurs composants, y compris les sacs jetables requis pour certains modèles;

Concordance fédérale: aucune.

« article destiné à l'allaitement maternel » signifie les soutiens-gorge d'allaitement, les tire-lait ou leurs composants, ainsi que les compresses d'allaitement, les téterelles ou les autres objets semblables conçus spécialement pour l'allaitement au sein.

Concordance fédérale: aucune.

Notes historiques: L'article 198.3 a été ajouté par L.Q. 2005, c. 1, art. 355 et s'applique à l'égard d'une fourniture effectuée après le 30 mars 2004.

Lettres d'interprétation [art. 198.3]: 04-0102543 — Interprétation relative à la TVQ — Détaxation des couches pour enfants et des articles d'allaitement.

198.4 Fourniture d'un article destiné à l'allaitement — La fourniture d'un article destiné à l'allaitement au biberon ou d'un article destiné à l'allaitement maternel est détaxée.

Notes historiques: L'article 198.4 a été ajouté par L.Q. 2005, c. 1, art. 355 et s'applique à l'égard d'une fourniture effectuée après le 30 mars 2004.

Lettres d'interprétation [art. 198.4]: 04-0102543 — Interprétation relative à la TVQ — Détaxation des couches pour enfants et des articles d'allaitement.

Concordance fédérale: aucune.

198.5 Fourniture de couches pour enfants et de certains accessoires — Les fournitures suivantes sont détaxées :

1° la fourniture de couches ou de culottes de propreté conçues spécialement pour les enfants;

2° la fourniture de culottes imperméables conçues spécialement pour couvrir les couches visées au paragraphe 1°, lorsque ces couches sont lavables;

3° la fourniture de doublures absorbantes ou de papiers biodégradables conçus spécialement en tant qu'accessoires pour les couches visées au paragraphe 1°, lorsque ces couches sont lavables.

Notes historiques: L'article 198.5 a été ajouté par L.Q. 2005, c. 1, art. 355 et s'applique à l'égard d'une fourniture effectuée après le 30 mars 2004.

Guides [art. 198.5]: IN-189 — Les garderies en milieu familial.

Lettres d'interprétation [art. 198.5]: 04-0102543 — Interprétation relative à la TVQ — Détaxation des couches pour enfants et des articles d'allaitement.

Concordance fédérale: aucune.

Chapitre V — Remboursement de la taxe sur les intrants

SECTION I — PRINCIPES GÉNÉRAUX

199. Règle générale — Le montant déterminé selon la formule suivante correspond à un remboursement de la taxe sur les intrants d'une personne à l'égard d'un bien ou d'un service dont elle reçoit la fourniture, ou qu'elle apporte au Québec, pour une période de déclaration de la personne durant laquelle elle est un inscrit et durant laquelle la taxe à l'égard de la fourniture ou de l'apport devient payable par la personne ou est payée par celle-ci sans qu'elle soit devenue payable :

$$A \times B.$$

Application — Pour l'application de cette formule :

1° la lettre A représente la taxe à l'égard de la fourniture ou de l'apport qui devient payable par la personne durant la période de déclaration ou qu'elle a payée durant la période sans qu'elle soit devenue payable;

2° la lettre B représente le pourcentage qui correspond :

a) dans le cas où, en vertu de l'article 252, la taxe est réputée avoir été payée à l'égard du bien le dernier jour d'une année d'imposition de la personne, à la mesure dans laquelle la personne a utilisé le bien dans le cadre de ses activités commerciales pendant cette année d'imposition par rapport à l'utilisation totale du bien dans le cadre de ses activités commerciales et de ses entreprises durant cette année d'imposition;

b) dans le cas où le bien ou le service est acquis ou apporté par la personne pour utilisation dans le cadre d'améliorations apportées à une de ses immobilisations, à la mesure dans laquelle la personne utilisait son immobilisation dans le cadre de ses activités commerciales immédiatement après qu'elle l'a acquis ou apporté, la dernière fois, en tout ou en partie;

c) dans tout autre cas, à la mesure dans laquelle la personne acquiert ou apporte le bien ou le service pour consommation, utilisation ou fourniture dans le cadre de ses activités commerciales.

Exception — Malgré le premier alinéa, le remboursement de la taxe sur les intrants d'une personne à l'égard d'un véhicule automobile dont elle reçoit la fourniture par vente au détail correspond au montant déterminé en application de l'article 199.0.1.

Notes historiques: Le préambule du premier alinéa de l'article 199 a été remplacé par L.Q. 1997, c. 85, art. 532(1)(1°) et cette modification a effet depuis le 1er avril 1997. Antérieurement, ce préambule se lisait ainsi :

> 199. Le remboursement de la taxe sur les intrants d'une personne à l'égard d'un bien ou d'un service dont elle reçoit la fourniture, ou qu'elle apporte au Québec, correspond, pour une période de déclaration de la personne durant laquelle elle est un inscrit et durant laquelle la taxe à l'égard de la fourniture ou de l'apport devient payable par la personne ou est payée par celle-ci sans qu'elle soit devenue payable, au montant déterminé selon la formule suivante :

Le paragraphe 1° du deuxième alinéa de l'article 199 a été remplacé par L.Q. 1997, c. 85, art. 532(1)(2°) et cette modification a effet depuis le 1er avril 1997. Antérieurement, ce paragraphe se lisait ainsi :

> 1° la lettre A représente le total de la taxe à l'égard de la fourniture ou de l'apport qui devient payable par la personne durant la période de déclaration ou qu'elle a payée durant la période sans qu'elle soit devenue payable;

Le troisième alinéa de l'article 199 a été ajouté par L.Q. 2001, c. 51, art. 270 et cette modification s'applique à l'égard d'une fourniture dont la totalité ou une partie de la contrepartie devient due après le 20 février 2000 et n'est pas payée avant le 21 février 2000. Toutefois, il ne s'applique pas à l'égard de toute partie de la contrepartie qui devient due ou a été payée avant le 21 février 2000. De plus, pour la période qui commence le 1er mai 1999 et qui se termine le 20 février 2000, le troisième alinéa de l'article 199 doit se lire comme suit :

> Malgré le premier alinéa, le remboursement de la taxe sur les intrants d'une personne à l'égard d'un véhicule automobile dont elle reçoit la fourniture par vente au détail visée à la définition de l'expression « vente au détail » prévue à l'article 1 est égal à zéro.

L'article 199 a été modifié par L.Q. 1994, c. 22, art. 459(1) et est réputé entré en vigueur le 1er juillet 1992. Toutefois, s'il s'applique à un bien à l'égard duquel la taxe est réputée en vertu de l'article 252 avoir été payée au cours d'une année d'imposition se terminant avant le 1er octobre 1992, le sous-paragraphe a) du paragraphe 2° de l'article 199, qu'il édicte, doit se lire comme suit :

> a) dans le cas où, en vertu de l'article 252, la taxe est réputée avoir été payée à l'égard du bien le dernier jour d'une année d'imposition de la personne, à la mesure dans laquelle la personne a projeté d'utiliser le bien dans le cadre de ses activités commerciales par rapport à l'utilisation projetée du bien dans le cadre de ses activités commerciales et de ses entreprises;

L'article 199, édicté par L.Q. 1991, c. 67, se lisait comme suit :

> 199. Le remboursement de la taxe sur les intrants d'un inscrit à l'égard d'un bien ou d'un service qu'il acquiert, ou apporte au Québec, pour consommation, utilisation ou fourniture exclusive dans le cadre de ses activités commerciales corres-

pond, pour une période de déclaration de l'inscrit, au montant de la taxe devenue payable ou, si elle n'est pas devenue payable, payée par celui-ci au cours de cette période à l'égard de l'acquisition ou de l'apport du bien ou du service.

Pour l'application du présent article, dans le cas où une facture est émise à un inscrit à l'égard d'une fourniture taxable qui lui est effectuée au Québec, la taxe prévue à l'article 16 calculée sur le montant de la facture est réputée devenue payable à la date apparaissant sur celle-ci.

Guides [art. 199]: IN-203 — Renseignements généraux sur la TVQ et la TPS/TVH; IN-211 — La TVQ, la TPS/TVH, les appareils médicaux et les médicaments; IN-216 — La TVQ, la TPS/TVH et l'alimentation; IN-218 — La TVQ, la TPS/TVH, la taxe sur les carburants et les transporteurs de marchandises; IN-229 — La TVQ, la TPS/TVH pour les organismes sans but lucratif; IN-256 — Aide-mémoire pour les entreprises en démarrage — Les taxes; IN-231 — ALes transporteurs et l'Entente internationale concernant la taxe sur les carburants (IFTA); IN-300 — Vous êtes travailleur autonome? Aide–mémoire concernant la fiscalité; IN-307 — Le démarrage d'entreprise et la fiscalité; IN-624 — La TVQ, la TPS/TVH et les véhicules routiers.

Définitions [art. 199]: « activité commerciale », « année d'imposition », « bien », « entreprise », « facture », « fourniture », « fourniture exonérée », « fourniture non taxable », « fourniture taxable », « immobilisation », « inscrit », « montant », « période de déclaration », « personne », « service », « taxe » — 1.

Renvois [art. 199]: 1.1 (personne morale); 42.1–50 (fourniture dans le cadre d'une activité commerciale); 201 (documents); 202 (documents); 203–206 (restrictions); 210.2 (entreprises de taxis); 248–252 (immobilisations — voitures de tourisme); 282 (corporation membre d'une société); 425 (indication de la taxe); 426 (indication de la taxe); 428–432 (taxe nette); 434–436 (choix pour comptabilité abrégée); 437 (calcul de la taxe nette); 506.1 (société et société de personnes).

Jurisprudence [art. 199]: *Québec (Sous-ministre du Revenu) c. Azar* (25 novembre 2011), 540-61-042474-087 et 540-73-000330-086, 2011 CarswellQue 14358; *Québec (Sous-ministre du Revenu) c. Cun* (13 novembre 2008), 505-61-074113-069, 2008 CarswellQue 11822; *Québec (Sous-ministre du Revenu) c. 3199959 Canada inc.* (6 septembre 2006), 500-09-015494-057, 2007 CarswellQue 8323; *Motter c. Québec (Sous-ministre du Revenu)* (28 septembre 2005), 500-80-001068-031, 2005 CarswellQue 8953; *Axa Boréal Assurances inc. c. Québec (Sous-ministre du Revenu)* (22 mai 2003), 500-02-058909-974, 2003 CarswellQue 3553; *9019-3434 Québec inc. c. Québec (Sous-ministre du Revenu)* (1 mars 2004), 500-02-108022-026, 2004 CarswellQue 970; *Camionnage C.P. c. Québec (Sous-ministre du Revenu)* (10 mai 2002), 500-02-085870-009, 2002 CarswellQue 2083.

Formulaires [art. 199]: FP-116 — Demande, renouvellement ou révocation de l'autorisation pour une institution admissible d'utiliser des méthodes particulières d'attribution de crédit de taxe sur les intrants.

Bulletins d'interprétation [art. 199]: TVQ. 1-2/R1 — Fourniture non taxable et remboursement de la taxe sur les intrants; TVQ. 1-4/R2 — La société de moyens; TVQ. 16-6 — L'industrie de la construction; TVQ. 16-7/R1 — Service de transport d'une matière en vrac; TVQ. 16-14/R1 — Fournitures effectuées à un régime de pension agréé; TVQ. 16-28 — Fourniture de services aux membres d'un organisme à but non lucratif oeuvrant dans le domaine du tourisme; TVQ. 16-30/R1 — Contrat de prête-nom; TVQ. 80.2-2/R1 — La fourniture de services interurbains par certains établissements hôteliers; TVQ. 80.2-3 — Remboursement de la taxe sur les intrants et les fournisseurs de services de télécommunication; TVQ. 179-2/R1 — Fourniture d'un bien meuble corporel à être expédié hors du Québec; TVQ. 186-1 — Les services de publicité et la taxe de vente du Québec (TVQ); TVQ. 201-1/R2 — Remboursement de la taxe sur les intrants — renseignements insuffisants — fausse facturation — exigences documentaires en matière de remboursement de la taxe sur les intrants; TVQ. 201-2 — Exigences documentaires aux fins de la production d'une demande de remboursement de la taxe sur les intrants — Nom d'une société et nom sous lequel une société fait affaire; TVQ. 206.1-1 — Carburant acquis en partie à des fins de consommation et en partie à des fins de revente; TVQ. 206.1-3/R1 — Véhicule routier acquis par un recycleur auprès d'une personne non inscrite au fichier de la TVQ; TVQ. 206.1-7/R1 — Le service de téléphone 1 800, 1 888 ou 1 877 et les remboursements de la taxe sur les intrants; TVQ. 206.1-9 — Qualification de petite ou moyenne entreprise ou de grande entreprise; TVQ. 206.2-1/R1 — Véhicule routier utilisé uniquement hors des chemins publics mais dont l'immatriculation ou le certificat d'immatriculation ne vise pas un tel usage; TVQ. 206.3-8/R2 — Électricité utilisée par le locataire d'un immeuble loué en vertu d'un bail commercial; TVQ. 207-1 — Remboursement de la taxe su les intrants à un nouvel inscrit; TVQ. 211-1/R1 — Allocation de dépenses versée à un élu municipal; TVQ. 211-2/R1 — Caractéristiques d'une allocation de dépenses; TVQ. 212-1/R4 — Méthodes simplifiées de calcul d'un remboursement de la taxe sur les intrants à l'égard d'un remboursement de dépenses; TVQ. 212-2 — Caractéristiques d'un remboursement de dépenses; TVQ. 212-3 — Cotisations professionnelles de salariés; TVQ. 222.2-1 — Installation de maisons mobiles sur des emplacements situés sur un terrain de caravaning résidentiel et aménagement de ces emplacements; TVQ. 223-1/R2 — Fourniture à soi-même d'un immeuble d'habitation; TVQ. 362.2-1/R2 — Remboursement pour habitations neuves à l'égard d'un duplex; TVQ. 407-3/R2 — Partis politiques; TVQ. 678-2 — Achats effectués par un centre d'aide juridique ou dans le cadre de la réalisation d'un mandat d'aide juridique.

Bulletin d'information [art. 199]: 2007-5 — Modifications au congé fiscal pour les PME manufacturières des régions ressources éloignées et autres mesures fiscales.

Lettres d'interprétation [art. 199]: 11-012005 — Interprétation relative à la TPS/TVH, Interprétation relative à la TVQ — Achat d'actifs et crédits de taxe sur les intrants; 97-0109526 — Interprétation relative à la TPS — Interprétation relative à la TVQ — Plan de protection et de mise en valeur des forêts privées; 97-011378 — Interprétation relative à la TVQ — Livraison de fleurs par l'entremise d'un service de commande à distance; 97-0113809 — TVQ / Utilisation personnelle des taxis loués; 98-010117 — Interprétation relative à la TPS — Interprétation relative à la TVQ — Exportation de véhicules automobiles; 98-0102057 — Interprétation relative à la TPS et à la TVQ — Amendes — CTI/RTI RTI à l'égard des frais d'avocats, d'huissiers et de sténographes; 98-0102073 — Interprétation relative à la TPS — Interprétation relative à la TVQ; 98-0102859 — Achat de droits de propriété intellectuelle; 98-0103113 — Interprétation relative à la TVQ — Inscription d'une société de portefeuille; 98-0104954 — Décision portant sur l'application de la TPS — Interprétation relative à la TVQ; 98-0105803 — Interprétation relative à la TVQ — Véhicules routiers de 3000 kilogrammes; 98-0107239 — Demande d'interprétation TPS/TVQ; 98-0108146 — Interprétation relative à la TPS et à la TVQ — Prix reçus par un athlète professionnel; 98-010842 — Moment d'imposition des taxes dans le commerce au détail; 98-010658 — Travailleurs québécois à l'étranger [— paye de vacances]; 98-0108898 — Rapports d'expertise médicale; 98-0109656 — Décision portant sur l'application de la TPS — Interprétation relative à la TVQ — Fourniture unique et fournitures multiples — Droit d'entrée dans un musée accompagné d'un tour de ville; 98-0110266 — Interprétation relative à la TPS — Interprétation relative à laTVQ — Services d'enseignement; 98-0111272 — Interprétation relative à la TPS et à la TVQ — Contrat de location avec option d'achat; 99-0101339 — Interprétation relative à la TPS et à la TVQ — Institution financière aux fins de la taxe compensatoire; 99-0101388 — Interprétation relative à la TPS et à la TVQ — Droit aux CTI et aux RTI à l'égard des coûts de construction d'un bâtiment dans le cadre d'un droit d'emphytéose; 99-0103111 — Interprétation relative à la TPS — Interprétation relative à la TVQ — Fusion d'organismes de services publics; 99-0103467 — Interprétation relative à la TPS et à la TVQ — Droit aux CTI et aux RTI à l'égard des coûts de construction d'un bâtiment; 99-0104002 — Décision portant sur l'application de la TPS — Interprétation relative à la TVQ — Droit aux CTI et aux RTI à l'égard des coûts de construction d'un bâtiment dans le cadre d'un droit d'emphytéose; 99-0104671 — Interprétation relative à la TPS et à la TVQ — Demande de CTI et de RTI par un dentiste; 99-0105637 — Entrepreneurs forestiers — interprétation relative à la TPS/TVH — interprétation relative à la TVQ; 99-0108658 — Régimes de pension agréés regroupant plusieurs employeurs; 99-0108854 — Interprétation relative à la TPS et à la TVQ — Location d'un immeuble; 99-0109076 — Interprétation relative à la TPS et à la TVQ — Fournitures relatives au traitement de matières recyclables; 99-0113144 — Interprétation relative à la TVQ Services de courtier en douanes; 00-0100644 — Interprétation relative à la TVQ — RTI sur services de télécommunication — *Loi sur la taxe de vente du Québec* (L.R.Q., c. T-0.1; « la Loi »); 00-0100693 — Interprétation relative à la TVQ — RTI sur services de télécommunication; 00-0101568 — Interprétation relative à la TPS — Interprétation relative à la TVQ — Admissibilité aux CTI/RTI; 00-0104281 — Commissions versées par une compagnie américaine; 00-0105544 — Interprétation relative à la TVQ — Demande de RTI par des sociétés contrôlées; 01-0105666 — Interprétation relative à la TPS et à la TVQ; 01-0105906 — Interprétation relative à la TPS et à la TVQ — Règlement d'une réclamation d'assurance; 00-0106377 — Interprétation relative à la TPS et à la TVQ — Entente entre une municipalité et une organisme de bienfaisance; 00-0111302 — Interprétation relative à la TPS et à la TVQ — Réclamation de CTI/RTI; 01-0100279 — Admissibilité à un RTI par un non-résident; 01-0107910 — Interprétation relative à la TVQ — Article 318 de la LTVQ — Nature d'un dédomagement accordé à des inscrits; 01-0107092 — Décision portant sur l'application de la TPS — Interprétation relative à la TVQ — Fourniture entre la commission scolaire et la ville ; 02-0102315 — Demande d'interprétation — *Loi sur les impôts* (la « loi ») — CTI/RTI réclamés à titre de dépenses d'opération; 02-0104501 — Interprétation relative à la TPS et à la TVQ — CTI et RTI — Électricité; 02-0112082 — Décision portant sur l'application de la TPS — interprétation relative à la TVQ — montants versés dans le cadre de tansactions effectuées au moyen de guichets automatiques privés; 04-0106643 — Activité commerciale — réclamation de CTI et de RTI; 06-0106861 — Interprétation relative à la TPS et à la TVQ — Détermination d'une relation de mandataire — Droit à des CTI-RTI; 07-0104443 — Interprétation relative à la TPS et à la TVQ — fourniture d'argent.

Concordance fédérale [art. 199]: LTA, par. 169(1).

COMMENTAIRES: Voir les commentaires sous l'article 206.7.

199.0.0.1 Un montant n'est inclus, dans le calcul du remboursement de la taxe sur les intrants d'une personne au titre de la taxe devenue payable par elle en vertu de l'article 16, ou, dans la mesure où la taxe est relative à un bien corporel qu'elle apporte au Québec en provenance de l'extérieur du Canada, en vertu de l'article 17, pendant qu'elle est une institution financière désignée particulière que si l'une des conditions suivantes est remplie :

1° le montant est réputé avoir été payé par la personne en vertu de l'un des articles 207, 210.3, 256, 257, 264 et 265;

2° le montant est un montant de taxe prescrit pour l'application du sous-paragraphe a) du paragraphe 6° du deuxième alinéa de l'article 433.16;

3° la personne peut demander un remboursement de la taxe sur les intrants en vertu de l'un des articles 233 et 234;

4° le montant est un montant de taxe prescrit.

Notes historiques: L'article 199.0.0.1 a été ajouté par L.Q. 2012, c. 28, par. 63(1) et s'applique à compter du 1er janvier 2013.

COMMENTAIRES: Voir les commentaires sous l'article 206.7.

199.0.1 Remboursement de la taxe sur les intrants — fourniture par vente au détail d'un véhicule automobile — Le montant déterminé selon la formule suivante correspond à un remboursement de la taxe sur les intrants d'une personne à l'égard d'un véhicule automobile dont elle reçoit la fourniture par vente au détail pour une période de déclaration de la personne durant laquelle elle est un inscrit et durant laquelle la taxe à l'égard de la fourniture est payée par celle-ci :

$$A \times B.$$

Application — Pour l'application de cette formule :

1º la lettre A représente la taxe à l'égard de la fourniture qui est payée par la personne durant la période de déclaration; cependant, la taxe payée par la personne à l'égard d'une vente au détail visée au paragraphe 2º de la définition de l'expression « vente au détail » prévue à l'article 1 est réputée égale à zéro;

2º la lettre B représente le pourcentage déterminé en vertu du paragraphe 2º du deuxième alinéa de l'article 199.

Notes historiques: L'article 199.0.1 a été ajouté par L.Q. 2001, c. 51, art. 271 et s'applique à l'égard d'une fourniture dont la totalité ou une partie de la contrepartie devient due après le 20 février 2000 et n'est pas payée avant le 21 février 2000. Toutefois, il ne s'applique pas à l'égard de toute partie de la contrepartie qui devient due ou a été payée avant le 21 février 2000.

Notes explicatives ARQ (PL 5, L.Q. 2012, c. 28): *Résumé* :

Le nouvel article 199.0.0.1 prévoit que les institutions financières désignées particulières ne peuvent demander un remboursement de la taxe sur les intrants (RTI) au titre de la taxe devenue payable à l'égard de fournitures acquises au Québec ou d'un bien corporel apporté au Québec en provenance de l'extérieur du Canada, sauf dans certaines situations bien circonscrites.

Contexte :

Voir la rubrique « Contexte » de la note explicative relative au nouvel article 433.16 de la LTVQ.

Modifications proposées :

Le nouvel article 199.0.0.1 prévoit qu'une personne ne peut demander un RTI à l'égard de la taxe qui devient payable à un moment où la personne est une institution financière désignée particulière (IFDP), sauf pour certaines exceptions. Une IFDP est, sommairement, une institution financière (telle une banque, une société de fiducie ou une société d'assurance) qui opère dans plus d'une province. Ainsi, les IFDP ne peuvent demander un RTI, du fait que, conformément aux règles prévues au nouvel article 433.16 de la LTVQ, introduit par le présent projet de loi, elles ont en général droit, dans la détermination du redressement à apporter dans le calcul de leur taxe nette prévu à cet article 433.16, à une déduction au titre de la taxe devenue payable ou payée par elles sans être devenue payable.

Sommairement, le nouvel article 433.16 exige qu'une IFDP apporte un redressement dans le calcul de sa taxe nette. Ce redressement est déterminé à partir du montant de la taxe sur les produits et services (TPS) non recouvrable, lequel montant est ensuite pondéré en fonction du pourcentage applicable à l'IFDP quant au Québec. Ce pourcentage a essentiellement pour but de refléter l'importance de son revenu de source canadienne qui est attribuable au Québec. Le redressement a pour effet ultime d'établir l'assujettissement à la TVQ en fonction de la notion de revenu gagné au Québec plutôt qu'en fonction des notions de fournitures effectuées au Québec ou des biens corporels apportés au Québec. Par conséquent, la taxe devenue payable par l'IFDP conformément à l'article 16 de la LTVQ et, relativement à l'apport d'un bien corporel au Québec en provenance de l'extérieur du Canada, conformément à l'article 17 de cette loi, est donc déduite dans la détermination du montant de ce redressement (voir la lettre F de la formule prévue au premier alinéa de l'article 433.16 de la LTVQ).

Toutefois, certains montants de TPS réputés payés par une IFDP ne sont pas pris en considération dans le calcul du redressement prévu à l'article 433.16 de la LTVQ. Par exemple, tel est le cas de la TPS réputée payée par un petit fournisseur qui devient un inscrit (paragraphe 1 de l'article 171 de la *Loi sur la taxe d'accise* (Lois révisées du Canada (1985), chapitre E-15) (LTA)), de même que de la TPS réputée payée par un inscrit qui commence à utiliser une immobilisation dans le cadre de ses activités commerciales, ou qui accroît l'utilisation qu'il en fait dans ce cadre. En corollaire, le paragraphe 1° de l'article 199.0.0.1 de la LTVQ permet à l'inscrit de demander un RTI à l'égard de la TVQ réputée payée dans ces mêmes circonstances.

Le paragraphe 3° de l'article 199.0.0.1 fait en sorte de permettre à une IFDP qui effectue la fourniture taxable d'un immeuble de demander un RTI au titre d'un montant de taxe antérieurement irrécouvrable qu'elle a payé relativement au bien.

Jurisprudence [art. 199.0.1]: *Québec (Sous-ministre du Revenu) c. 3199959 Canada inc.* (6 septembre 2006), 500-09-015494-057, 2007 CarswellQue 8323.

Lettres d'interprétation [art. 199.0.1]: 11-012005 — Interprétation relative à la TPS/TVH, Interprétation relative à la TVQ — Achat d'actifs et crédits de taxe sur les intrants.

Concordance fédérale: aucune.

COMMENTAIRES: Voir les commentaires sous l'article 206.7.

199.0.2 Définitions — Pour l'application de l'article 199.0.3, l'expression :

« grande entreprise » a le sens que lui donnent les articles 551 à 551.4 de la *Loi modifiant la Loi sur les impôts, la Loi sur la taxe de vente du Québec et d'autres dispositions législatives* (1995, chapitre 63);

Concordance fédérale: aucune.

« louage à long terme » a le sens que lui donne l'article 382.8;

Concordance fédérale: aucune.

« véhicule hybride neuf prescrit » signifie un véhicule hybride neuf prescrit pour l'application de l'article 382.9.

Concordance fédérale: aucune.

Notes historiques: L'article 199.0.2 a été ajouté par L.Q. 2009, c. 5, par. 613(1) et s'applique à l'égard d'une fourniture ou d'un apport effectué après le 26 juin 2007 et avant le 1er janvier 2009.

Notes explicatives ARQ (PL 2, L.Q. 2009, c. 5): *Résumé* :

Les modifications proposées visent à insérer l'article 199.0.2, lequel définit les expressions « grande entreprise », « louage à long terme » et « véhicule hybride neuf prescrit », ces expressions étant nécessaires à l'application de l'article 199.0.3 de la LTVQ.

Contexte :

Le régime de la taxe de vente du Québec (TVQ) prévoit le remboursement des premiers 2 000 $ de cette taxe payée sur l'achat ou la location à long terme, avant le 1er janvier 2009, d'un véhicule hybride neuf prescrit, soit un véhicule dont le ministre du Revenu est convaincu que la consommation de carburant, sur route ou en ville, est de 6 litres ou moins aux 100 kilomètres (« remboursement pour hybrides »).

Ce remboursement ne peut toutefois être demandé par une personne inscrite dans le régime de la TVQ ni par une personne ayant droit à un remboursement de la TVQ payée sur cette vente ou cette location en vertu d'autres dispositions de ce régime.

Ainsi, puisqu'une grande entreprise est une personne inscrite dans le régime de la TVQ, elle ne peut demander le remboursement pour hybrides. Par ailleurs, une telle entreprise ne peut non plus obtenir un RTI à cet égard. En effet, les véhicules visés par la mesure de remboursement pour hybrides constituent également des véhicules routiers de moins de 3 000 kilogrammes devant être immatriculés en vertu du Code de la sécurité routière pour circuler sur les chemins publics. Or, une restriction à l'obtention d'un RTI s'applique relativement à de tels véhicules acquis par les grandes entreprises.

Modifications proposées :

Il est proposé d'insérer l'article 199.0.2 dans la LTVQ afin de définir les expressions « grande entreprise », « louage à long terme » et « véhicule hybride neuf prescrit », nécessaires pour les fins de l'application de la mesure de remboursement de la taxe sur les intrants prévue à l'article 199.0.3 de la LTVQ.

Bulletin d'information [art. 199.0.2]: 2007-5 — Modifications au congé fiscal pour les PME manufacturières des régions ressources éloignées et autres mesures fiscales.

Lettres d'interprétation [art. 199.0.2]: 11-012005 — Interprétation relative à la TPS/TVH, Interprétation relative à la TVQ — Achat d'actifs et crédits de taxe sur les intrants.

COMMENTAIRES: Voir les commentaires sous l'article 206.7.

199.0.3 Remboursement de la taxe sur les intrants — fourniture d'un véhicule hybride — Malgré l'article 206.1, un inscrit qui est une grande entreprise peut inclure, dans le calcul de son remboursement de la taxe sur les intrants, un montant à l'égard de la taxe payable par celui-ci relativement à la fourniture par vente ou par louage à long terme, ou à l'apport au Québec, d'un véhicule hybride neuf prescrit dans le cas où la fourniture ou l'apport est effectué après le 26 juin 2007 et avant le 1er janvier 2009.

Notes historiques: L'article 199.0.3 a été modifié par L.Q. 2010, c. 25, art. 246 par l'addition, à la fin, de « dans le cas où la fourniture ou l'apport est effectué après le 26 juin 2007 et avant le 1er janvier 2009 ». Cette modification est entrée en vigueur le 27 octobre 2010.

L'article 199.0.3 a été ajouté par L.Q. 2009, c. 5, par. 613(1) et s'applique à l'égard d'une fourniture ou d'un apport effectué après le 26 juin 2007 et avant le 1er janvier 2009.

Notes explicatives ARQ (PL 96, L.Q. 2010, c. 25): *Résumé* :

La modification proposée à l'article 199.0.3 s'avère d'ordre technique et a pour objet de préciser, dans le texte même de l'article, la période pendant laquelle la fourniture ou l'apport qui y sont visés doivent être effectués.

Ainsi, un inscrit qui est une grande entreprise peut inclure, dans le calcul de son remboursement de la taxe sur les intrants (RTI), un montant à l'égard de la taxe payable relativement à la fourniture, ou à l'apport au Québec, d'un véhicule hybride neuf dans le cas où la fourniture ou l'apport est effectué après le 26 juin 2007 et avant le 1er janvier 2009.

Situation actuelle :

Conformément à l'article 199.0.3, un inscrit qui est une grande entreprise peut inclure, dans le calcul de son RTI, un montant à l'égard de la taxe payable relativement à la fourniture par vente ou par louage à long terme, ou à l'apport au Québec, d'un véhicule hybride neuf prescrit.

L'article 199.0.3 a été inséré par application du paragraphe 1 de l'article 613 de la *Loi donnant suite au discours sur le budget* du 24 mai 2007, à la déclaration ministérielle du 1er juin 2007 concernant la politique budgétaire 2007-2008 du gouvernement et à certains autres énoncés budgétaires (2009, chapitre 5) (*Loi budgétaire 2007*).

Par ailleurs, suivant le paragraphe 2 de l'article 613 de la *Loi budgétaire 2007*, le paragraphe 1 s'applique à l'égard d'une fourniture ou d'un apport effectué après le 26 juin 2007 et avant le 1er janvier 2009.

Modifications proposées :

Pour des fins de lisibilité et de clarté, il y aurait lieu d'apporter une modification technique à l'article 199.0.3 de la LTVQ de sorte que soit précisée, dans le texte même de l'article, la période pendant laquelle la fourniture ou l'apport qui y sont visés doivent être effectués.

En effet, un inscrit qui est une grande entreprise peut inclure, dans le calcul de son RTI, un montant à l'égard de la taxe payable relativement à la fourniture par vente ou par louage à long terme, ou à l'apport au Québec, d'un véhicule hybride neuf prescrit dans le cas où la fourniture ou l'apport est effectué après le 26 juin 2007 et avant le 1er janvier 2009.

Une telle modification s'appliquerait à compter de la date de la sanction de la présente loi.

Notes explicatives ARQ (PL 2, L.Q. 2009, c. 5): *Résumé* :

L'article 199.0.3 est ajouté pour permettre à une grande entreprise de réclamer un remboursement de la taxe sur les intrants (RTI) à l'égard des véhicules routiers visés par la mesure de remboursement pour les véhicules hybrides, malgré les restrictions aux RTI toujours en vigueur pour les grandes entreprises.

Contexte :

[Voir sous l'article 199.0.2 — n.d.l.r.]

Modifications proposées :

Il est proposé d'ajouter l'article 199.0.3 à la LTVQ afin de lever la restriction à l'obtention d'un RTI par les grandes entreprises à l'égard de certains véhicules routiers visés par la mesure de remboursement pour hybrides prévue aux articles 382.8 et suivants de la LTVQ. Cette mesure s'appliquera à un véhicule hybride neuf acheté ou loué à long terme par une grande entreprise après le 26 juin 2007 et avant le 1er janvier 2009.

Bulletin d'information [art. 199.0.3]: 2007-5 — Modifications au congé fiscal pour les PME manufacturières des régions ressources éloignées et autres mesures fiscales.

Lettres d'interprétation [art. 199.0.3]: 11-012005 — Interprétation relative à la TPS/TVH, Interprétation relative à la TVQ — Achat d'actifs et crédits de taxe sur les intrants.

Concordance fédérale: aucune.

COMMENTAIRES: Voir les commentaires sous l'article 206.7.

199.1 Améliorations — Aux fins de calculer le remboursement de la taxe sur les intrants d'une personne à l'égard d'un bien ou d'un service que la personne acquiert, ou apporte au Québec, en partie pour utilisation dans le cadre d'améliorations apportées à une de ses immobilisations et en partie pour une autre fin, les règles suivantes s'appliquent :

1° malgré l'article 34, cette partie du bien ou du service acquise ou apportée pour utilisation dans le cadre d'améliorations apportées à l'immobilisation et l'autre partie du bien ou du service sont réputées chacune des biens ou des services distincts et ne pas faire partie l'un de l'autre;

2° la taxe payable à l'égard de la fourniture ou de l'apport de cette partie du bien ou de cette partie du service acquise ou apportée pour utilisation dans le cadre d'améliorations apportées à l'immobilisation, est réputée égale au montant déterminé selon la formule suivante :

$$A \times B.$$

3° la taxe payable à l'égard de cette partie du bien ou du service qui n'est pas utilisée dans le cadre d'améliorations apportées à l'immobilisation est réputée égale à la différence entre la taxe payable — appelée « taxe totale payable » dans le présent article — par la personne à l'égard de la fourniture ou de l'apport du bien ou du service, déterminée sans tenir compte du présent article, et le montant déterminé conformément au paragraphe 2°.

Application — Pour l'application de la formule prévue au paragraphe 2° du premier alinéa :

1° la lettre A représente la taxe totale payable;

2° la lettre B représente le pourcentage qui correspond à la mesure dans laquelle la contrepartie totale payée ou payable par la personne pour la fourniture au Québec du bien ou du service ou la valeur du bien, s'il est apporté au Québec, est ou serait, si la personne était un contribuable au sens de la *Loi sur les impôts* (chapitre I-3), incluse dans le calcul du prix de base rajusté, pour la personne, de l'immobilisation pour l'application de cette loi.

Notes historiques: Le paragraphe 1° de l'article 199.1 a été remplacé par L.Q. 1997, c. 85, art. 533(1)(1°) et cette modification a effet depuis le 1er avril 1997. Antérieurement, ce paragraphe se lisait ainsi :

> 1° la délivrance de cette partie du bien ou la prestation de cette partie du service qui est acquise ou apportée pour utilisation dans le cadre d'améliorations apportées à l'immobilisation et la délivrance de l'autre partie du bien ou la prestation de l'autre partie du service sont réputées chacune être des fournitures distinctes qui ne sont pas accessoires l'une à l'autre;

Le préambule du paragraphe 2° de l'article 199.1 a été remplacé par L.Q. 1997, c. 85, art. 533(1)(2°) et cette modification a effet depuis le 1er avril 1997. Antérieurement, ce préambule se lisait ainsi :

> 2° la taxe payable à l'égard de la fourniture de cette partie du bien ou de cette partie du service qui est acquise ou apportée pour utilisation dans le cadre d'améliorations apportées à l'immobilisation, est réputée être égale au montant déterminé selon la formule suivante :

L'article 199.1 a été remplacé par L.Q. 2012, c. 28, art. 64 et cette modification est entrée en vigueur le 7 décembre 2012. Antérieurement, il se lisait ainsi :

> 199.1 Aux fins du calcul du remboursement de la taxe sur les intrants d'une personne à l'égard d'un bien ou d'un service que la personne acquiert, ou apporte au Québec, en partie pour utilisation dans le cadre d'améliorations apportées à une de ses immobilisations et en partie pour une autre fin, les règles suivantes s'appliquent :
>
> 1° malgré l'article 34, cette partie du bien ou du service acquise ou apportée pour utilisation dans le cadre d'améliorations apportées à l'immobilisation et l'autre partie du bien ou du service sont réputées chacune être des biens ou des services distincts et ne pas faire partie l'un de l'autre;
>
> 2° la taxe payable à l'égard de la fourniture ou de l'apport de cette partie du bien ou de cette partie du service acquise ou apportée pour utilisation dans le cadre d'améliorations apportées à l'immobilisation, est réputée être égale au montant déterminé selon la formule suivante :
>
> $$A \times B.$$
>
> Pour l'application de cette formule :
>
> a) la lettre A représente la taxe payable — appelée « taxe totale payable » dans le présent article — par la personne à l'égard de la fourniture ou de l'apport du bien ou du service, déterminée sans tenir compte du présent article;
>
> b) la lettre B représente le pourcentage qui correspond à la mesure dans laquelle la contrepartie totale payée ou payable par la personne pour la fourniture au Québec du bien ou du service ou la valeur du bien, s'il est apporté au Québec, est ou serait, si la personne était un contribuable au sens de la *Loi sur les impôts* (chapitre I-3), incluse dans le calcul du prix de base rajusté, pour la personne, de l'immobilisation pour l'application de cette loi;
>
> 3° la taxe payable à l'égard de cette partie du bien ou du service qui n'est pas utilisée dans le cadre d'améliorations apportées à l'immobilisation est réputée être égale à la différence entre la taxe totale payable et le montant déterminé conformément au paragraphe 2°.

L'article 199.1 a été ajouté par L.Q. 1994, c. 22, art. 460(1) et ne s'applique qu'aux biens et aux services qu'une personne acquiert, ou apporte au Québec, après le 30 septembre 1992 en partie pour utilisation dans le cadre d'améliorations apportées à une de ses immobilisations.

Notes explicatives ARQ (PL 5, L.Q. 2012, c. 28): *Résumé* :

L'article 199.1 prévoit des règles applicables au calcul du remboursement de la taxe sur les intrants d'une personne. Cet article est modifié afin d'y apporter un changement de structure et des modifications terminologiques.

Situation actuelle :

L'article 199.1 prévoit des règles applicables au calcul du remboursement de la taxe sur les intrants d'une personne à l'égard d'un bien ou d'un service qu'elle acquiert, ou apporte au Québec, en partie pour utilisation dans le cadre d'améliorations apportées à une de ses immobilisations et en partie pour une autre fin.

Modifications proposées :

L'article 199.1 est modifié afin d'y apporter des modifications de structure et terminologiques.

Définitions [art. 199.1]: « amélioration », « bien », « contrepartie », « fourniture », « immobilisation », « montant », « personne », « service », « taxe » — 1.

Bulletins d'interprétation [art. 199.1]: TVQ. 407-3/R2 — Partis politiques.

Lettres d'interprétation [art. 199.1]: 11-012005 — Interprétation relative à la TPS/TVH, Interprétation relative à la TVQ — Achat d'actifs et crédits de taxe sur les intrants; 97-0109526 — Interprétation relative à la TPS — Interprétation relative à la TVQ — Plan de protection et de mise en valeur des forêts privées; 98-0102057 — Interprétation relative à la TPS et à la TVQ — Amendes — CTI/RTI RTI à l'égard des frais d'avocats, d'huissiers et de sténographes.

Concordance fédérale: LTA, par. 169(1.1).

COMMENTAIRES: Voir les commentaires sous l'article 206.7.

199.2 [*Abrogé*]

Notes historiques: L'article 199.2 a été abrogé par L.Q. 1997, c. 85, art. 534(1) et cette abrogation a effet depuis le 1er avril 1997.

Antérieurement, cet article se lisait ainsi :

> 199.2 Aux fins du calcul du remboursement de la taxe sur les intrants d'une personne à l'égard d'un bien, dans le cas où le bien est fourni par louage, licence ou accord semblable à la personne pour une contrepartie qui comprend plusieurs paiements périodiques imputables à des intervalles successifs — appelés « intervalle de location » dans le présent article — de la période pour laquelle la possession ou l'utilisation du bien est offerte en vertu de l'accord et que, à un moment donné, la taxe à l'égard de la fourniture, calculée sur un paiement périodique donné, devient payable par la personne ou est payée par celle-ci sans qu'elle soit devenue payable, les règles suivantes s'appliquent :
>
> 1° la personne est réputée avoir reçu, à ce moment, une fourniture distincte du bien pour l'intervalle de location auquel le paiement périodique donné est imputable;
>
> 2° la taxe calculée sur le paiement périodique donné est réputée être la taxe payable à l'égard de la fourniture distincte.

L'article 199.2 a été ajouté par L.Q. 1994, c. 22, art. 460(1) et est réputé entré en vigueur le 1er juillet 1992.

COMMENTAIRES: Voir les commentaires sous l'article 206.7.

199.3 [*Abrogé*]

Notes historiques: L'article 199.3 a été abrogé par L.Q. 1997, c. 85, art. 534(1) et cette abrogation a effet depuis le 1er avril 1997.

Antérieurement, cet article se lisait ainsi :

> 199.3 Aux fins du calcul du remboursement de la taxe sur les intrants d'une personne à l'égard d'un service, dans le cas où le service est fourni à la personne pour une contrepartie qui comprend plusieurs paiements imputables à différents intervalles — appelés « intervalle de facturation » dans le présent article — de la période durant laquelle le service est rendu ou doit l'être en vertu de la convention relative à la fourniture et que, à un moment donné, la taxe à l'égard de la fourniture, calculée sur un paiement donné, devient payable par la personne ou est payée par celle-ci sans qu'elle soit devenue payable, les règles suivantes s'appliquent :
>
> 1° la personne est réputée avoir reçu, à ce moment, une fourniture distincte du service rendu ou qui doit l'être durant l'intervalle de facturation auquel le paiement périodique donné est imputable;
>
> 2° la taxe calculée sur le paiement donné est réputée être la taxe payable à l'égard de la fourniture distincte.

L'article 199.3 a été ajouté par L.Q. 1994, c. 22, art. 460(1) et est réputé entré en vigueur le 1er juillet 1992.

COMMENTAIRES: Voir les commentaires sous l'article 206.7.

199.4 [*Abrogé*]

Notes historiques: L'article 199.4 a été abrogé par L.Q. 1994, c. 22, art. 461(1) à compter du 1er janvier 1993. Ajouté par L.Q. 1994, c. 22, art 460(1), il se lisait comme suit :

> 199.4 Pour l'application des articles 199–199.3, dans le cas où une facture est émise à une personne à l'égard d'une fourniture taxable qui lui est effectuée au Québec, sauf si le deuxième alinéa de l'article 83 s'applique à la fourniture, la taxe prévue à l'article 16 calculée sur le montant de la facture est réputée devenue payable à la date apparaissant sur celle-ci.

Toutefois, il doit être lu sans tenir compte de « sauf si le deuxième alinéa de l'article 83 s'applique à la fourniture, » dans le cas où il s'applique à une facture dont la date est antérieure au 1er octobre 1992.

COMMENTAIRES: Voir les commentaires sous l'article 206.7.

200. [*Abrogé*]

Notes historiques: L'article 200 a été abrogé par L.Q. 1994, c. 22, art. 462(1) rétroactivement au 1er juillet 1992. L'article 200, édicté par L.Q. 1991, c. 67, se lisait comme suit :

> 200. Le remboursement de la taxe sur les intrants d'un inscrit à l'égard d'un bien ou d'un service qu'il acquiert, ou apporte au Québec, pour consommation, utilisation ou fourniture — appelé "usage projeté" dans le présent article — non exclusive dans le cadre de ses activités commerciales correspond, pour une période de déclaration de l'inscrit, au montant déterminé selon la formule suivante :
>
> $A \times B$.
>
> Pour l'application de cette formule :
>
> 1° la lettre A représente le montant qui serait déterminé en vertu du premier alinéa de l'article 199 à l'égard du bien ou du service, si cet article était lu en faisant abstraction du mot « exclusive »;
>
> 2° la lettre B représente :
>
> a) dans le cas où, en vertu de l'article 252, l'inscrit est réputé avoir payé la taxe à l'égard de l'acquisition ou de l'apport du bien, la proportion de l'usage projeté du bien dans le cadre de ces activités commerciales de l'inscrit par rapport à l'usage projeté dans le cadre de ces activités et d'autres activités qu'il exerce en effectuant des fournitures exonérées;
>
> b) dans tout autre cas, la proportion de l'usage projeté du bien ou du service dans le cadre de ces activités commerciales de l'inscrit par rapport à l'usage projeté total du bien ou du service.

COMMENTAIRES: Voir les commentaires sous l'article 206.7.

201. Exigences documentaires — Un inscrit ne peut demander le remboursement de la taxe sur les intrants pour une période de déclaration, à moins qu'avant de produire la déclaration dans laquelle le remboursement est demandé :

1° il obtienne une preuve suffisante dans une forme contenant les renseignements permettant de déterminer le montant de ce remboursement, y compris tout renseignement prescrit;

2° dans le cas où le remboursement de la taxe sur les intrants est relatif à un bien ou à un service qui lui est fourni dans des circonstances telles qu'il est tenu de faire rapport de la taxe payable à l'égard de la fourniture dans une déclaration produite au ministre en vertu du présent titre, il fasse ainsi rapport de cette taxe dans une déclaration ainsi produite.

Remboursement relatif à un véhicule automobile — De plus, dans le cas où le remboursement de la taxe sur les intrants est relatif à un véhicule automobile dont l'inscrit a reçu la fourniture par vente au détail, il doit obtenir un document délivré par la personne tenue de percevoir la taxe payable à l'égard de cette fourniture attestant que cette taxe a été payée par l'inscrit.

Notes historiques: Le préambule de l'article 201 a été modifié par L.Q. 1994, c. 22, art. 463(1) et est réputé entré en vigueur le 30 septembre 1992. Le préambule de l'article 201 se lisait auparavant comme suit :

> 201. Un inscrit ne peut demander le remboursement de la taxe sur les intrants à l'égard d'un bien ou d'un service pour une période de déclaration, à moins qu'avant de produire la déclaration dans laquelle le remboursement est demandé :

Le paragraphe 2° du premier alinéa de l'article 201 a été remplacé par L.Q. 1997, c. 85, art. 535(1) et cette modification a effet depuis le 1er janvier 1997. Toutefois, pour la période qui commence le 1er janvier 1997 et qui se termine le 31 mars 1997, le paragraphe 2° doit se lire comme suit :

> 2° il fasse rapport, dans le cas où le remboursement de la taxe sur les intrants est relatif à un immeuble qui lui est fourni par vente dans des circonstances où l'article 423 s'applique, de la taxe à l'égard de la fourniture dans une déclaration produite en vertu du présent titre.

Antérieurement, ce paragraphe se lisait ainsi :

> 2° il produise, dans le cas où le remboursement de la taxe sur les intrants est relatif à un immeuble qui lui est fourni par vente dans des circonstances où l'article 423 s'applique, la déclaration prévue à l'article 438.

Le paragraphe 2° du premier alinéa de l'article 201 a été modifié par L.Q. 1994, c. 22, art. 463(1) et est réputé entré en vigueur le 30 septembre 1992.

Auparavant, le paragraphe 2° de l'article 201 se lisait comme suit :

> 2° il produise, dans le cas où le bien est un immeuble qui lui est fourni par vente dans des circonstances où l'article 423 s'applique, la déclaration prévue à l'article 438.

Le deuxième alinéa de l'article 201 a été modifié par L.Q. 2009, c. 15, art. 503 par le remplacement du mot « émis » par le mot « délivré ». Cette modification est entrée en vigueur le 4 juin 2009.

Le deuxième alinéa de l'article 201 a été ajouté par L.Q. 2001, c. 51, art. 272 et cette modification s'applique à l'égard d'une fourniture dont la totalité ou une partie de la contrepartie devient due après le 20 février 2000 et n'est pas payée avant le 21 février 2000. Toutefois, il ne s'applique pas à l'égard de toute partie de la contrepartie qui devient due ou a été payée avant le 21 février 2000.

L'article 201 a été édicté par L.Q. 1991, c. 67.

Notes explicatives ARQ (PL 37, L.Q. 2009, c. 15): *Résumé* :

L'article 201 est modifié par le remplacement du mot « émis » par le mot « délivré ».

Situation actuelle :

L'article 201 de la LTVQ prévoit que certaines conditions doivent être respectées pour qu'un inscrit puisse demander un remboursement de la taxe sur les intrants à l'égard d'un bien ou d'un service.

Modifications proposées :

L'article 201 de la LTVQ fait l'objet d'une modification terminologique afin de tenir compte du contexte dans lequel les dérivés des mots « émission » et « délivrance » doivent être utilisés. En effet, l'article 201 de la LTVQ fait référence à l'émission d'un document. Or, dans ce contexte, il est plus approprié d'utiliser le dérivé du mot « délivrer ».

Guides [art. 201]: IN-203 — Renseignements généraux sur la TVQ et la TPS/TVH; IN-229 — La TVQ, la TPS/TVH pour les organismes sans but lucratif; IN-624 — La TVQ, la TPS/TVH et les véhicules routiers.

Définitions [art. 201]: « inscrit », « montant », « période de déclaration », « vente » — 1.

Renvois [art. 201]: 199 (RTI — règle générale); 202 (dispense); 430.1 (taxe nette d'un inscrit — restriction à la lettre B); 433.4 (restriction au calcul de la taxe nette d'un organisme de bienfaisance); 441 (compensation du remboursement); 457.9 (redressement de la taxe nette); 677:24° (règlements)..

Jurisprudence [art. 201]: *Vêtements de sport Chapter One inc. c. Québec (Sous-ministre du Revenu)* (2 avril 2008), 500-09-017382-078, 2008 CarswellQue 2455 (C.A. Qué.); *Québec (Sous-ministre du Revenu) c. 3199959 Canada inc.* (6 septembre 2006), 500-09-015494-057, 2007 CarswellQue 8323; *9027-5967 Québec inc c. Québec (Sous-ministre du Revenu)* (9 janvier 2007), 500-09-015153-042, 2007 CarswellQue 4; *Vêtements de sport Chapter One inc. c. Québec (Sous-ministre du Revenu)* (16 novembre 2006), 500-80-003322-048, 2006 CarswellQue 11456 (C.Q.); *140759 Canada inc. c. Québec (Sous-ministre du Revenu)* (8 juillet 2004), 500-80-000028-028, 2004 CarswellQue 2567; *9019-3434 Québec inc. c. Québec (Sous-ministre du Revenu)* (1 mars 2004), 500-02-108022-026, 2004 CarswellQue 970; *2968-2614 Québec inc. Québec (Sous-ministre du Revenu)* (18 novembre 2002), 500-02-085759-004 , 2002 CarswellQue 2872.

Règlements [art. 201]: RTVQ, 201R1–201R5 [renseignements nécessaires).

Bulletins d'interprétation [art. 201]: TVQ. 16-14/R1 — Fournitures effectuées à un régime de pension agréé; TVQ. 16-7/R1 — Service de transport d'une matière en vrac; TVQ. 16-30/R1 — Contrat de prête-nom; TVQ. 201-1/R2 — Remboursement de la taxe sur les intrants — renseignements insuffisants — fausse facturation — exigences documentaires en matière de remboursement de la taxe sur les intrants; TVQ. 201-2 — Exigences documentaires aux fins de la production d'une demande de remboursement de la taxe sur les intrants — Nom d'une société et nom sous lequel une société fait affaire; TVQ. 201-3/R1 — Exigences documentaires relatives aux demandes de remboursement de la taxe sur les intrants — cartes d'achats; TVQ. 211-5/R1 — Méthode simplifiée de calcul d'un remboursement de la taxe sur les intrants à l'égard d'une allocation de dépenses; TVQ. 212-1/R4 — Méthodes simplifiées de calcul d'un remboursement de la taxe sur les intrants à l'égard d'un remboursement de dépenses; TVQ. 407-3/R2 — Partis politiques; TVQ. 415-1/R1 — Utilisation du numéro d'inscription.

Lettres d'interprétation [art. 201]: 11-012005 — Interprétation relative à la TPS/TVH, Interprétation relative à la TVQ — Achat d'actifs et crédits de taxe sur les intrants; 97-0109526 — Interprétation relative à la TPS — Interprétation relative à la TVQ — Plan de protection et de mise en valeur des forêts privées; 97-011378 — Interprétation relative à la TVQ — Livraison de fleurs par l'entremise d'un service de commande à distance; 98-010117 — Interprétation relative à la TPS — Interprétation relative à la TVQ — Exportation de véhicules automobiles; 98-0102057 — Interprétation relative à la TPS et à la TVQ — Amendes — CTI/RTI RTI à l'égard des frais d'avocats, d'huissiers et de sténographes; 99-0102329 — Interprétation relative à la TVQ — Renseignements requis pour réclamer un RTI; 99-0108854 — Interprétation relative à la TPS et à la TVQ — Location d'un immeuble; 99-0111205 — Interprétation relative à la TVQ — RTI à l'égard des remboursements de dépenses; 00-0101568 — Interprétation relative à la TPS — Interprétation relative à la TVQ — Admissibilité aux CTI/RTI; 02-0108031 — Abolition de l'envoi de factures originales; 03-010035 — [Suffisance des renseignements].

Concordance fédérale: LTA, par. 169(4).

COMMENTAIRES: Voir les commentaires sous l'article 206.7.

202. Dispense

202. Dispense — Dans le cas où il est établi, à la satisfaction du ministre, que des registres ou pièces suffisants sont ou seront disponibles pour déterminer les faits relatifs à une fourniture, ou à un apport au Québec, ou à une fourniture, ou à un apport au Québec, d'une catégorie spécifique, et la taxe payée ou payable à l'égard de la fourniture ou de l'apport, le ministre peut :

1° dispenser un inscrit, une catégorie d'inscrits ou l'ensemble des inscrits d'une ou de plusieurs exigences prévues à l'article 201 à l'égard de cette fourniture ou de cet apport, ou d'une fourniture ou d'un apport de cette catégorie;

2° préciser les modalités de la dispense.

Notes historiques: Le préambule de l'article 202 a été modifié par L.Q. 2000, c. 25, art. 27 par l'insertion, après le mot « registres », des mots « ou pièces ». Cette modification est réputée entrée en vigueur le 16 juin 2000.

Le préambule de l'article 202 a été modifié par L.Q. 1994, c. 22, art. 464(1) et est réputé entré en vigueur le 30 septembre 1992. Il se lisait auparavant comme suit :

> 202. Dans le cas où il est établi, à la satisfaction du ministre, que des registres suffisants sont ou seront disponibles pour déterminer les faits relatifs à une fourniture taxable, ou à une catégorie de telles fournitures, et la taxe y afférente payée ou payable en vertu de l'article 16, le ministre peut :

Le paragraphe 1° de l'article 202 a été modifié par L.Q. 1994, c. 22, art. 464(1) et est réputé entré en vigueur le 30 septembre 1992. Il se lisait auparavant comme suit :

> 1° dispenser un inscrit, une catégorie d'inscrits ou l'ensemble des inscrits d'une ou de plusieurs exigences prévues à l'article 201 à l'égard de cette fourniture ou d'une fourniture de cette catégorie;

L'article 202 a été édicté par L.Q. 1991, c. 67.

Définitions [art. 202]: « fourniture taxable », « inscrit », « vente » — 1.

Renvois [art. 202]: 201 (documents); 7R78.3, 7R78.14 RAF (signature des documents par certains fonctionnaires).

Règlements [art. 202]: Règlement sur l'administration fiscale, 7R14(4), 7R16.1, 7R21.

Bulletins d'interprétation [art. 202]: TVQ. 201-3/R1 — Exigences documentaires relatives aux demandes de remboursement de la taxe sur les intrants — cartes d'achats; TVQ. 211-5/R1 — Méthode simplifiée de calcul d'un remboursement de la taxe sur les intrants à l'égard d'une allocation de dépenses; TVQ. 212-1/R4 — Méthodes simplifiées de calcul d'un remboursement de la taxe sur les intrants à l'égard d'un remboursement de dépenses; TVQ. 407-3/R2 — Partis politiques.

Lettres d'interprétation [art. 202]: 11-012005 — Interprétation relative à la TPS/TVH, Interprétation relative à la TVQ — Achat d'actifs et crédits de taxe sur les intrants; 97-0109526 — Interprétation relative à la TPS — Interprétation relative à la TVQ — Plan de protection et de mise en valeur des forêts privées; 98-0102057 — Interprétation relative à la TPS et à la TVQ — Amendes — CTI/RTI RTI à l'égard des frais d'avocats, d'huissiers et de sténographes.

Concordance fédérale: LTA, par. 169(5).

COMMENTAIRES: Voir les commentaires sous l'article 206.7.

202.1 Fabricant de vêtements

202.1 Fabricant de vêtements — Dans le calcul du remboursement de la taxe sur les intrants d'un inscrit qui est un fabricant de vêtements au sens de l'article 350.48, aucun montant ne doit être inclus à l'égard de la taxe payable par celui-ci relativement à une fourniture visée à l'article 350.49, sauf si l'inscrit produit conformément à cet article la déclaration de renseignements y visée dans laquelle il déclare le montant et tous les autres renseignements exigés relativement à la fourniture.

Notes historiques: L'article 202.1 a été ajouté par L.Q. 2002, c. 9, par 163(1) et a effet depuis le 1er janvier 2002.

Guides [art. 202.1]: IN-262 — Vers une saine concurrence dans l'industrie du vêtement.

Jurisprudence [art. 202.1]: *Vêtements de sport Chapter One inc. c. Québec (Sous-ministre du Revenu)* (2 avril 2008), 500-09-017382-078, 2008 CarswellQue 2455 (C.A. Qué.); *Vêtements de sport Chapter One inc. c. Québec (Sous-ministre du Revenu)* (16 novembre 2006), 500-80-003322-048, 2006 CarswellQue 11456 (C.Q.).

Lettres d'interprétation [art. 202.1]: 11-012005 — Interprétation relative à la TPS/TVH, Interprétation relative à la TVQ — Achat d'actifs et crédits de taxe sur les intrants.

Bulletins d'interprétation: TVQ. 350.48-1 — Mesures relatives à l'industrie de la fabrication du vêtement.

Concordance fédérale: aucune.

COMMENTAIRES: Voir les commentaires sous l'article 206.7.

203. Restriction — Dans le calcul du remboursement de la taxe sur les intrants d'un inscrit, aucun montant ne doit être inclus à l'égard de la taxe payable par celui-ci relativement aux fournitures, ou aux apports au Québec, suivants :

1° la fourniture d'un droit d'adhésion, ou d'un droit d'acquérir un tel droit, à un club dont l'objet principal est d'offrir des installations pour les loisirs, les sports ou les repas, sauf dans le cas où l'inscrit acquiert le droit pour fourniture exclusive dans le cadre de son entreprise qui consiste à fournir de tels droits;

1.1° la fourniture ou l'apport d'un bien ou d'un service que l'inscrit acquiert ou apporte pour consommation ou utilisation par lui ou, dans le cas où l'inscrit est une société de personnes, par un particulier qui est un associé de la société de personnes, relativement à une partie — appelée « espace de travail » dans le présent article et dans l'article 457.2 — d'un établissement domestique autonome dans lequel l'inscrit ou le particulier, selon le cas, habite, à moins que, selon le cas :

a) l'espace de travail ne constitue le principal lieu d'affaire de l'inscrit;

b) l'espace de travail ne soit utilisé exclusivement pour gagner un revenu provenant d'une entreprise et ne soit utilisé de façon régulière et continue pour rencontrer, relativement à l'entreprise, des clients ou des patients de l'inscrit;

2° la fourniture ou l'apport d'un bien ou d'un service que l'inscrit acquiert ou apporte au cours d'une période de déclaration, ou avant, exclusivement pour la consommation, l'utilisation ou la jouissance personnelle — appelée « avantage » dans le présent article et dans l'article 204 —, au cours de cette période, soit d'un particulier qui est le cadre ou le salarié de l'inscrit, ou qui a accepté de le devenir ou cessé de l'être, soit d'un autre particulier lié à un tel particulier;

3° la fourniture d'un bien effectuée par louage, licence ou accord semblable au cours d'une période de déclaration de l'inscrit, ou avant, principalement pour la consommation, l'utilisation ou la jouissance personnelle, au cours de cette période, d'un des particuliers suivants :

a) si l'inscrit est un particulier, celui-ci ou un autre particulier qui lui est lié;

b) si l'inscrit est une société de personnes, un particulier qui est un associé de celle-ci ou un autre particulier qui est un salarié, un cadre ou un actionnaire d'un associé de la société de personnes ou qui est lié à un associé de la société de personnes;

c) si l'inscrit est une société, un particulier qui est actionnaire de celle-ci ou un autre particulier qui est lié à cet actionnaire;

d) si l'inscrit est une fiducie, un particulier qui est bénéficiaire de celle-ci ou un autre particulier qui est lié à ce bénéficiaire.

4° la fourniture ou l'apport au Québec d'un bien ou d'un service que l'inscrit acquiert ou apporte, dans les circonstances prévues à l'article 345.2, à l'égard de la consommation par un particulier de nourriture ou de boissons ou à l'égard de divertissements dont le particulier a joui.

Notes historiques: L'article 203 a été modifié par L.Q. 1997, c. 3, art. 135(1°) pour remplacer le mot « société » par les mots « société de personnes » et le mot « corporation » par le mot « société ». Cette modification est entrée en vigueur le 20 mars 1997.

Le paragraphe 1° de l'article 203 a été modifié par L.Q. 1994, c. 22, art. 465(1) et est réputé entré en vigueur le 1er juillet 1992. Toutefois, il ne s'applique pas à la fourniture d'un droit d'acquérir un droit d'adhésion dans le cas où ce droit est acquis avant le 1er octobre 1992. Il se lisait auparavant comme suit :

> 1° la fourniture d'un droit d'adhésion à un club dont l'objet principal est d'offrir des installations pour les loisirs, les sports ou les repas;

Le paragraphe 1.1° de l'article 203 a été ajouté par L.Q. 1997, c. 85, art. 536(1)(1°) et s'applique à l'égard de la taxe payable relativement à la fourniture, ou à l'apport au Québec, d'un bien ou d'un service, lorsque cette taxe devient payable au cours d'un exercice financier, au sens de la *Loi sur les impôts* (L.R.Q., chapitre I-3), de l'inscrit qui commence après le 9 mai 1996.

Le sous-paragraphe b) du paragraphe 3° de l'article 203 a été remplacé par L.Q. 1997, c. 85, art. 536(1)(2°) et est réputé entré en vigueur le 19 décembre 1997. Antérieurement à cette modification, ce sous-paragraphe se lisait ainsi :

> b) si l'inscrit est une société de personnes, un particulier qui est membre de celle-ci ou un autre particulier qui est un salarié, un cadre ou un actionnaire d'un membre de la société de personnes ou qui est lié à un membre de la société de personnes;

Le paragraphe 4° de l'article 203 a été ajouté par L.Q. 2004, c. 21, par. 529(1) et s'applique à l'égard de la taxe payable relativement à la fourniture de nourriture, de boissons ou de divertissements, lorsque cette taxe devient due ou est payée sans être devenue due après le 12 juin 2003.

L'article 203 a été édicté par L.Q. 1991, c. 67.

Jurisprudence [art. 203]: *Technostructur inc. (175094 Canada inc.) C. Québec (Sous-ministre du Revenu)* (26 avril 2011), 450-02-009095-020, 2011 CarswellQue 4240.

Guides [art. 203]: IN-203 — Renseignements généraux sur la TVQ et la TPS/TVH.

Définitions [art. 203]: « bien », « cadre », « droit d'adhésion », « entreprise », « exclusif », « fourniture », « inscrit », « montant », « particulier », « période de déclaration », « salarié », « service » — 1.

Renvois [art. 203]: 1.1 (personne morale); 3 (lien de dépendance); 199 (RTI — règle générale); 204 (application); 233 (vente d'un immeuble); 234 (vente par un organisme de services publics); 249 (vente d'une voiture de tourisme); 287 (champ d'application); 290 (avantages aux actionnaires et aux salariés); 297.0.21 (biens réservés aux représentants commerciaux); 297.13 (biens réservés aux entrepreneurs indépendants); 456 (taxe nette — location de voiture de tourisme); 506.1 (société et société de personnes).

Bulletins d'interprétation [art. 203]: TVQ. 211-5/R1 — Méthode simplifiée de calcul d'un remboursement de la taxe sur les intrants à l'égard d'une allocation de dépenses; TVQ. 212-1/R4 — Méthodes simplifiées de calcul d'un remboursement de la taxe sur les intrants à l'égard d'un remboursement de dépenses.

Lettres d'interprétation: 11-012005 — Interprétation relative à la TPS/TVH, Interprétation relative à la TVQ — Achat d'actifs et crédits de taxe sur les intrants; 03-0109003 — Dépenses relatives à un bureau à domicile; 05-0105683 — CTI/RTI réclamés par un avocat pour des vêtements.

Concordance fédérale: LTA, par. 170(1).

COMMENTAIRES: Voir les commentaires sous l'article 206.7.

204. Exceptions — Le paragraphe 2° de l'article 203 ne s'applique pas dans les situations suivantes :

1° l'inscrit effectue une fourniture taxable du bien ou du service à l'un des particuliers visés à ce paragraphe, pour une contrepartie qui devient due au cours de la période qui y est visée et qui est égale à la juste valeur marchande du bien ou du service au moment où la contrepartie devient due;

2° si aucun montant n'était payable pour l'avantage par le particulier qui est le cadre ou le salarié de l'inscrit, ou qui a accepté de le devenir ou cessé de l'être, aucun montant ne serait inclus à l'égard de l'avantage dans le calcul du revenu de ce particulier en vertu des articles 34 à 47.17 de la *Loi sur les impôts* (chapitre I-3).

Exception — De même, le paragraphe 3° de l'article 203 ne s'applique pas si l'inscrit effectue une fourniture taxable du bien au cours de la période visée à ce paragraphe à l'un des particuliers qui y est visé, pour une contrepartie qui devient due au cours de cette période et qui est égale à la juste valeur marchande de la fourniture au moment où la contrepartie devient due.

Notes historiques: L'article 204 a été édicté par L.Q. 1991, c. 67.

Jurisprudence [art. 204]: *Technostructur inc. (175094 Canada inc.) C. Québec (Sous-ministre du Revenu)* (26 avril 2011), 450-02-009095-020, 2011 CarswellQue 4240.

Guides [art. 204]: IN-203 — Renseignements généraux sur la TVQ et la TPS/TVH.

Définitions [art. 204]: « bien », « cadre », « contrepartie », « fourniture taxable », « inscrit », « montant », « particulier », « salarié », « service » — 1.

Renvois [art. 204]: 15 (JVM); 203 (RTI — restriction); 233 (vente d'un immeuble); 234 (vente par un organisme de services publics); 249 (vente d'une voiture de tourisme).

Lettres d'interprétation [art. 204]: 11-012005 — Interprétation relative à la TPS/TVH, Interprétation relative à la TVQ — Achat d'actifs et crédits de taxe sur les intrants.

Concordance fédérale: LTA, al. 170(1)b), 170(1)c).

COMMENTAIRES: Voir les commentaires sous l'article 206.7.

205. [*Abrogé*]

LTVQ (français)

Notes historiques: L'article 205 a été abrogé par L.Q. 1997, c. 85, art. 537(1) et cette abrogation a effet à l'égard d'une fourniture ou d'un apport effectué après le 9 mai 1996.

Antérieurement, cet article se lisait ainsi :

> 205. Dans le calcul du remboursement de la taxe sur les intrants d'un inscrit, aucun montant ne doit être inclus à l'égard de la taxe payable par celui-ci relativement à la fourniture, ou à l'apport au Québec, d'un livre pour lequel il a droit à une compensation en vertu de l'article 406.

L'article 205 a été édicté par L.Q. 1991, c. 67.

COMMENTAIRES: Voir les commentaires sous l'article 206.7.

206. Restriction — Dans le calcul du remboursement de la taxe sur les intrants d'un inscrit, aucun montant ne doit être inclus à l'égard de la taxe payable par celui-ci relativement à la fourniture, ou à l'apport au Québec, d'un bien ou d'un service, sauf dans la mesure où, à la fois :

1º la consommation ou l'utilisation du bien ou du service, compte tenu de sa qualité, de sa nature ou de son coût, est raisonnable dans les circonstances, eu égard à la nature des activités commerciales de l'inscrit;

2º la valeur de la contrepartie de la fourniture du bien ou du service ou, s'il s'agit d'un apport, la valeur du bien est raisonnable dans les circonstances.

Notes historiques: L'article 206 a été édicté par L.Q. 1991, c. 67.

Jurisprudence [art. 206]: *Technostructur inc. (175094 Canada inc.) C. Québec (Sous-ministre du Revenu)* (26 avril 2011), 450-02-009095-020, 2011 CarswellQue 4240.

Guides [art. 206]: IN-203 — Renseignements généraux sur la TVQ et la TPS/TVH.

Définitions [art. 206]: « activité commerciale », « bien », « contrepartie », « fourniture », « inscrit », « montant », « service » — 1.

Renvois [art. 206]: 51 (valeur de la contrepartie); 233 (vente d'un immeuble); 234 (vente par un organisme de services publics); 249 (vente d'une voiture de tourisme); 287 (champ d'application); 290 (avantages aux salariés et aux actionnaires); 297.0.21 (biens réservés aux représentants commerciaux); 297.13 (biens réservés aux entrepreneurs indépendants); 456 (taxe nette — location de voiture de tourisme).

Bulletins d'interprétation [art. 206]: TVQ. 211-5/R1 — Méthode simplifiée de calcul d'un remboursement de la taxe sur les intrants à l'égard d'une allocation de dépenses; TVQ. 212-1/R4 — Méthodes simplifiées de calcul d'un remboursement de la taxe sur les intrants à l'égard d'un remboursement de dépenses.

Lettres d'interprétation (Québec) [art. 206]: 11-012005 — Interprétation relative à la TPS/TVH, Interprétation relative à la TVQ — Achat d'actifs et crédits de taxe sur les intrants; 05-0101013 — Interprétation relative à la TPS et à la TVQ — allocations versées aux employés — raisonnabilité.

Concordance fédérale: LTA, par. 170(2).

COMMENTAIRES: Voir les commentaires sous l'article 206.7.

206.0.1 [*Abrogé*].

2011, c. 34, art. 145; 2012, c. 28, art. 65.

Notes historiques: L'article 206.0.1 a été abrogé par L.Q. 2012, c. 28, par. 65(1) et cette abrogation s'applique à l'égard d'un montant de taxe qui devient payable après le 31 décembre 2012. Antérieurement, il se lisait ainsi :

> 206.0.1 Dans le calcul du remboursement de la taxe sur les intrants d'un inscrit qui est une entité de gestion au sens de l'article 289.2, aucun montant ne doit être inclus, pour une période de déclaration, à l'égard de la taxe payable par elle relativement à une fourniture, sauf si l'entité de gestion a inclus un montant quelconque à l'égard de cette fourniture dans le calcul d'un crédit de taxe sur les intrants en vertu de la *Loi sur la taxe d'accise* (L.R.C. 1985, c. E-15).

L'article 206.0.1 a été ajouté par L.Q. 2011, c. 34, par. 145(1) et s'applique à l'égard d'une période de déclaration d'une entité de gestion commençant après le 22 septembre 2009.

Notes explicatives ARQ (PL 5, L.Q. 2012, c. 28): *Résumé* :

L'article 206.0.1 est abrogé, compte tenu de l'exonération générale des services financiers dans le régime de la taxe de vente du Québec (TVQ) à compter du 1er janvier 2013.

Situation actuelle :

L'article 206.0.1 précise qu'aucun montant à l'égard d'une fourniture ne doit être inclus dans le calcul du remboursement de la taxe sur les intrants (RTI) d'un inscrit qui est une entité de gestion, au sens de l'article 289.2 de cette loi, pour une période de déclaration, à l'égard de la taxe payable par une entité de gestion relativement à une fourniture, sauf si un montant quelconque a été inclus à l'égard de cette fourniture dans le calcul d'un crédit de taxe sur les intrants en vertu de la *Loi sur la taxe d'accise* (Lois révisées du Canada, (1985), chapitre E-15).

Modifications proposées :

L'article 206.0.1 est abrogé, compte tenu de l'exonération, en règle générale, des services financiers dans le régime de la taxe de vente du Québec à compter du 1er janvier 2013. Auparavant, la restriction au RTI prévue à l'article 206.0.1 de la LTVQ pour les entités de gestion de régime de pension se trouvait compensée par le taux par lequel était multiplié le montant admissible de l'entité de gestion pour déterminer son montant de remboursement de pension. Ce taux était, en règle générale, de 100 %, tel que le prévoyait la définition de l'expression « montant de remboursement de pension » au premier alinéa de l'article 402.13 de la LTVQ. Or, dans le cadre du présent projet de loi, le pourcentage par lequel est multiplié un montant admissible d'une entité de gestion pour donner lieu au montant de remboursement de pension est modifié pour passer, dans tous les cas, à 33 %, et ce, considérant que la nouvelle section VI.1 du chapitre III du titre I de la LTVQ, introduite par le présent projet de loi, prévoit l'exonération des services financiers, autres que certains services financiers qui demeurent détaxés en vertu des nouveaux articles 197.3 à 197.5 de la LTVQ, également introduits par le présent projet de loi.

Puisque, à l'instar du régime de la taxe sur les produits et services (TPS), les services financiers seront exonérés, il s'ensuit que, selon les règles du régime de la TVQ, un RTI pourra être obtenu dans les mêmes circonstances que sous le régime de la TPS. Dans ce contexte, l'article 206.0.1 de la LTVQ ne trouve plus son utilité et est donc abrogé.

Notes explicatives ARQ (PL 32, L.Q. 2011, c. 34): *Résumé* :

Le nouvel article 206.0.1 précise qu'aucunmontant à l'égard d'une fourniture ne doit être inclus, pour une période de déclaration, dans le calcul du remboursement de la taxe sur les intrants d'une entité de gestion d'un régime de pension, sauf si un montant quelconque est inclus, à l'égard de cette fourniture, dans le calcul d'un crédit de taxe sur les intrants en vertu de la législation fédérale.

Contexte :

Voir la rubrique « Contexte » de la note explicative relative à l'article 289.2 de la LTVQ.

Modifications proposées :

Le nouvel article 206.0.1 précise qu'aucun montant à l'égard d'une fourniture ne doit être inclus dans le calcul du remboursement de la taxe sur les intrants d'un inscrit qui est une entité de gestion, au sens du nouvel article 289.2 de cette loi, introduit dans le cadre du présent projet de loi, pour une période de déclaration, à l'égard de la taxe payable par une entité de gestion relativement à une fourniture, sauf si un montant quelconque a été inclus à l'égard de cette fourniture dans le calcul d'un crédit de taxe sur les intrants en vertu de la *Loi sur la taxe d'accise* (Lois révisées du Canada, (1985), chapitre E-15).

Bulletins d'information [art. 206.0.1]: 2009-9 — Harmonisation à diverses mesures relatives à la législation et à la règlementation fiscales fédérales et report de l'imposition d'une ristourne admissible.

Concordance fédérale: aucune.

COMMENTAIRES: Voir les commentaires sous l'article 206.7.

206.1 [*Abrogé*]

Notes historiques: L'article 206.1 a été abrogé par L.Q. 1995, c. 63, art. 350(1) :

1º Sous réserve des paragraphes 2º et 3º, cette abrogation s'applique à l'égard :

a) de la taxe qui, à un moment donné après le 31 juillet 1995 et avant le 26 mars 1997, devient payable par l'inscrit qui est une petite ou moyenne entreprise [*N.D.L.R.* : quant à la notion de petite ou moyenne entreprise, voir « Remarques générales » précédent art. 1 LTVQ] à ce moment et qui n'est pas payée avant ce moment, ou est payée par l'inscrit qui est une petite ou moyenne entreprise à ce moment sans qu'elle soit devenue payable relativement à la fourniture, ou à l'apport au Québec, d'un bien ou d'un service.

a.1) de la taxe qui, à un moment donné après le 25 mars 1997, devient payable par l'inscrit qui est, selon la notion de petite ou moyenne entreprise [*N.D.L.R.* : quant à la notion de petite ou moyenne entreprise, voir « Remarques générales » précédent art. 1 LTVQ] à ce moment et qui n'est pas payée avant ce moment, ou est payée par l'inscrit qui est une petite ou moyenne entreprise [*N.D.L.R.* : quant à la notion de petite ou moyenne entreprise, voir « Remarques générales » précédent art. 1 LTVQ] à ce moment sans qu'elle soit devenue payable relativement à la fourniture, ou à l'apport au Québec, d'un bien ou d'un service;

b) sous réserve des paragraphes c et d, de la taxe qui, à un moment donné après une date de prise d'effet fixée par décret du gouvernement, devient payable par l'inscrit qui est une grande entreprise à ce moment et qui n'est pas payée avant ce moment, ou est payée par l'inscrit qui est une grande entreprise à ce moment sans qu'elle soit devenue payable relativement à la fourniture, ou à l'apport au Québec, d'un bien ou d'un service;

[*N.D.L.R.* : l'article 350 de L.Q. 1995, c. 63, qui prévoyait l'application de l'abrogation a été modifié par L.Q. 1997, c. 85, s.-par. 729(1)(1º) et a effet depuis le 15 décembre 1995. Auparavant, le sous-paragraphe d'application a) se lisait ainsi :

> a) de la taxe qui devient payable après le 31 juillet 1995 et qui n'est pas payée avant le 1er août 1995 par l'inscrit qui est une petite ou moyenne entreprise relativement à la fourniture, ou à l'apport au Québec, d'un bien ou d'un service;]

[*N.D.L.R.* : le sous-paragraphe d'application a.1) a été ajouté par L.Q. 1997, c. 85, s.-par. 729(1)(2º) et est entré en vigueur le jour de sa sanction, soit le 19 décembre 1997.][*N.D.L.R.* : le paragraphe d'application b) prévu par L.Q. 1995, c. 63, art. 350

a été modifié par L.Q. 1997, c. 85, s.-par. 729(1)(3º) et a effet depuis le 15 décembre 1995. Antérieurement, il se lisait ainsi :

b) de la taxe qui devient payable après le 29 novembre 1996 et qui n'est pas payée avant le 30 novembre 1996 par l'inscrit qui est une grande entreprise relativement à la fourniture, ou à l'apport au Québec, d'un bien ou d'un service.]

c) de la taxe qui, à un moment donné après le 16 mai 1997, devient payable par l'inscrit qui est une grande entreprise à ce moment et qui n'est pas payée avant ce moment, ou est payée par l'inscrit qui est une grande entreprise à ce moment sans qu'elle soit devenue payable relativement à l'acquisition, ou à l'apport au Québec, de carburant mazout au sens du paragraphe g du premier alinéa de l'article 1 de la *Loi concernant la taxe sur les carburants* (L.R.Q., chapitre T-1) servant à alimenter le moteur d'un véhicule routier qui doit être immatriculé en vertu du *Code de la sécurité routière* (L.R.Q., chapitre C-24.2) ou d'une loi d'une autre juridiction; [*N.D.L.R.* : ce paragraphe a été ajouté par L.Q. 1997, c. 85, art. 729(1)(4º). Aucune date d'application n'étant prévue, cet ajout devrait entrer en vigueur le jour de sa sanction, soit le 19 décembre 1997.]

d) de la taxe qui, à un moment donné après le 16 octobre 1997, devient payable par l'inscrit qui est une grande entreprise à ce moment et qui n'est pas payée avant ce moment, ou est payée par l'inscrit qui est une grande entreprise à ce moment sans qu'elle soit devenue payable relativement à la fourniture, ou à l'apport au Québec, d'un véhicule routier de 3 000 kilogrammes et plus qui doit être immatriculé en vertu du *Code de la sécurité routière* (L.R.Q., chapitre C-24.2) ou d'une loi d'une autre juridiction. [*N.D.L.R.* : ce paragraphe d'application a été ajouté par L.Q. 1997, c. 85, art. 729(1)(4º). Aucune date d'application n'étant prévue, il devrait entrer en vigueur le jour de sa sanction soit le 19 décembre 1997.]

2º L'abrogation de l'article 206.1 s'applique à l'égard de la taxe qui devient payable relativement à la fourniture d'un service de télécommunication à l'égard de laquelle aucune taxe ne serait payable en vertu de l'article 80.2 si ce n'était de son abrogation prévue par la présente loi.

3º L'abrogation de l'article 206.1 s'applique à l'égard d'un bien ou d'un service dont l'inscrit qui est une grande entreprise reçoit la fourniture, laquelle serait une fourniture non taxable si la définition de cette expression n'était pas supprimée.

4º De plus :

a) lorsque le paragraphe 6º de l'article 206.1, qui est abrogé, a effet depuis le 1er juillet 1992, il doit se lire comme suit :

6º la nourriture, les boissons ou les divertissements à l'égard desquels l'article 421.1 de la *Loi sur les impôts* (chapitre I-3) s'applique, ou s'appliquerait si l'inscrit était un contribuable en vertu de cette loi, au cours d'une année d'imposition de celui-ci.

a.1) lorsque le paragraphe 6º de l'article 206.1, qui est abrogé, a effet depuis le 19 mars 2007, il doit se lire comme suit :

6º la nourriture, les boissons ou les divertissements à l'égard desquels l'article 421.1 ou l'article 421.1.1 de la *Loi sur les impôts* (chapitre I-3) s'applique, ou s'appliquerait si l'inscrit était un contribuable en vertu de cette loi, au cours d'une année d'imposition de celui-ci.

[*N.D.L.R.* : le sous-paragraphe d'application a.1) a été ajouté par L.Q. 2010, c. 25, art. 253 et est entré en vigueur le 27 août 2010.]

b) sous réserve du paragraphe 5º, lorsque l'article 206.1, qui est abrogé, a effet depuis le 1er juillet 1992, il doit se lire en y additionnant l'alinéa suivant :

Pour l'application du premier alinéa, l'expression « combustible » ne comprend pas le carburant acquis, ou apporté au Québec, pour alimenter un moteur propulsif ou non propulsif.

5º Lorsque le deuxième alinéa de l'article 206.1, que le sous-paragraphe b) du paragraphe 4 édicte, s'applique à l'égard de la taxe qui devient payable après le 9 mai 1995 et qui n'est pas payée avant le 10 mai 1995, il doit se lire comme suit :

Pour l'application du premier alinéa, l'expression « combustible » ne comprend pas le carburant acquis, ou apporté au Québec, pour alimenter un moteur propulsif.

De plus, L.Q. 1995, c. 63, art. 511 stipule que pour l'application de cette loi, malgré l'abrogation de l'article 206.1, aucun remboursement de la taxe sur les intrants ne peut être demandé par une personne relativement à un bien à l'égard duquel la personne, à un moment quelconque antérieur à l'abrogation de l'article 206.1, si elle est un inscrit, ou si elle avait été un inscrit qui acquiert le bien pour consommation, utilisation ou fourniture exclusive dans le cadre de ses activités commerciales, n'a pu, ou n'aurait pu, selon le cas, demander un remboursement de la taxe sur les intrants en raison de l'article 206.1.

Également, sauf disposition expresse à l'effet contraire, aucun montant ne doit être ajouté dans le calcul de la taxe nette d'une personne à l'égard d'un bien dans le cas où, au moment de son acquisition, la personne n'avait pas le droit d'inclure, ou si elle avait été un inscrit à ce moment, n'aurait pas eu le droit d'inclure, dans le calcul du remboursement de la taxe sur les intrants, un montant à son égard en raison de l'article 206.1.

Auparavant, l'article 206.1 se lisait comme suit :

206.1 Dans le calcul du remboursement de la taxe sur les intrants d'un inscrit, aucun montant ne doit être inclus à l'égard de la taxe payable par celui-ci relativement à la fourniture, ou à l'apport au Québec, des biens ou des services suivants :

1º un véhicule routier qui doit être immatriculé en vertu du *Code de la sécurité routière* (L.R.Q., chapitre C-24.2) ou d'une loi d'une autre juridiction;

2º le carburant acquis ou apporté pour alimenter le moteur d'un véhicule routier à l'égard duquel :

a) soit le paragraphe 1º s'applique, ou s'appliquerait si le véhicule était acquis, ou apporté au Québec, après le 30 juin 1992;

b) soit l'article 243.1, le troisième alinéa de l'article 252 ou l'article 253.1 s'est appliqué;

3º l'électricité, le gaz, le combustible ou la vapeur;

4º un service de téléphone;

5º un service de télécommunication ou une télécommunication à l'égard duquel la taxe prévue par la *Loi concernant la taxe sur les télécommunications* (L.R.Q., chapitre T-4) s'appliquerait si ce n'était de l'article 14 de cette loi;

6º la nourriture, les boissons ou les divertissements à l'égard desquels les articles 421.1 à 421.4 de la *Loi sur les impôts* (L.R.Q., chapitre I-3) s'appliquent, ou s'appliqueraient si l'inscrit était un contribuable en vertu de cette loi, au cours d'une année d'imposition de celui-ci.

L'article 206.1, ajouté par L.Q. 1993, c. 19, art. 187, s'appliquait à l'égard d'une fourniture ou d'un apport au Québec relativement auquel l'article 685 ou l'un des articles 618 à 656 de L.Q. 1991, c. 67 s'applique [*N.D.L.R.* : les articles 685 et 618 à 656 réfèrent à des dispositions transitoires concernant les transferts avant le 1er juillet 1992].

COMMENTAIRES: Voir les commentaires sous l'article 206.7.

206.2 [*Abrogé*]

Notes historiques: L'article 206.2 a été abrogé par L.Q. 1995, c. 63, art. 350(1) :

1º Sous réserve du paragraphe 2, cette abrogation s'applique à l'égard :

a) de la taxe qui, à un moment donné après le 31 juillet 1995 et avant le 26 mars 1997, devient payable par l'inscrit qui est, selon l'article 550, une petite ou moyenne entreprise à ce moment et qui n'est pas payée avant ce moment, ou est payée par l'inscrit qui est une petite ou moyenne entreprise [*N.D.L.R.* : quant à la notion de petite ou moyenne entreprise, voir « Remarques générales » précédent l'article 1 LTVQ] à ce moment sans qu'elle soit devenue payable relativement à la fourniture, ou à l'apport au Québec, d'un véhicule routier, de l'électricité,du gaz, du combustible ou de la vapeur;

a.1) de la taxe qui, à un moment donné après le 25 mars 1997, devient payable par l'inscrit qui est, selon l'article 550.1, une petite ou moyenne entreprise à ce moment et qui n'est pas payée avant ce moment, ou est payée par l'inscrit qui est une petite ou moyenne entreprise

[*N.D.L.R.* : le sous-paragraphe d'application a) prévu par L.Q. 1995, c. 63, art. 350, a été modifié par L.Q. 1997, c. 85, s.-par. 729(1)(5º) et a effet depuis le 15 décembre 1995. Antérieurement, il se lisait ainsi :

a) de la taxe qui devient payable après le 31 juillet 1995 et qui n'est pas payée avant le 1er août 1995 par l'inscrit qui est une petite ou moyenne entreprise relativement à la fourniture, ou à l'apport au Québec, d'un véhicule routier, de l'électricité, du gaz, du combustible ou de la vapeur;]

[*N.D.L.R.* : quant à la notion de petite ou moyenne entreprise, voir « Remarques générales » précédent l'article 1 LTVQ] à ce moment sans qu'elle soit devenue payable relativement à la fourniture, ou à l'apport au Québec, d'un véhicule routier, de l'électricité, du gaz, du combustible ou de la vapeur;

[*N.D.L.R.* : le sous-paragraphe d'application a.1) a été ajouté par L.Q. 1997, c. 85, s.-par. 729(1)(6º) et est entré en vigueur le jour de sa sanction, soit le 19 décembre 1997.]

2º L'abrogation de l'article 206.2 s'applique à l'égard d'un bien visé au paragraphe 1 dont l'inscrit qui est une grande entreprise reçoit la fourniture, laquelle serait une fourniture non taxable si la définition de cette expression n'était pas supprimée.

Auparavant, l'article 206.2 se lisait comme suit :

206.2 Le paragraphe 1º de l'article 206.1 ne s'applique pas si, selon le cas :

1º le véhicule routier est acquis, ou apporté au Québec, pour être utilisé uniquement hors des chemins publics au sens du *Code de la sécurité routière* (L.R.Q., chapitre C-24.2) et soit qu'il est immatriculé comme véhicule en usage exclusif sur un terrain ou un chemin privé et non destiné à circuler sur les chemins publics, soit que son certificat d'immatriculation prévoit un tel usage;

2º le véhicule routier est un tracteur de ferme ou de la machinerie agricole acquis, ou apporté au Québec, pour utilisation exclusive dans l'exploitation d'une ferme par un agriculteur ou d'une érablière par un acériculteur.

L'article 206.2, ajouté par L.Q. 1993, c. 19, art. 187, s'appliquait à l'égard d'une fourniture ou d'un apport au Québec relativement auquel l'article 685 ou l'un des articles 618 à 656 de L.Q. 1991, c. 67 s'applique [*N.D.L.R.* : les articles 685 et 618 à 656 réfèrent à des dispositions transitoires concernant les transferts avant le 1er juillet 1992].

COMMENTAIRES: Voir les commentaires sous l'article 206.7.

206.3 [*Abrogé*]

Notes historiques: L'article 206.3, tel qu'il se lisait avant que n'entre en vigueur l'article 350 du chapitre 63 des lois de 1995 et tel que modifié par l'article 345 du chapitre 40 des lois de 2002, a été modifié par L.Q. 2005, c. 23, par. 285(1) par l'insertion, dans le deuxième alinéa et après « la vente d'électricité, de gaz, de combustible ou de vapeur » et « autres que », de « les biens destinés à être incorporés par cette personne à un immeuble, ». Cette modification s'applique à l'égard de la taxe qui devient payable après le 20 octobre 2004 et qui n'est pas payée avant le 21 octobre 2004 relativement à la fourniture ou à l'apport au Québec d'électricité, de gaz, de combustible ou de vapeur. De plus, elle s'applique à l'égard de la taxe qui devient payable ou qui est payée sans qu'elle soit devenue due avant le 21 octobre 2004 relativement à la fourniture ou à l'apport au Québec d'électricité, de gaz, de combustible ou de vapeur, dans le cas où le ministre reçoit, après le 20 octobre 2004, une déclaration ou une demande de remboursement produite par l'acquéreur relativement à cette taxe.

L'article 206.3 se lisait avant que L.Q. 1995, c. 63, art. 350, qui prévoit son abrogation, n'entre en vigueur, a été modifié par L.Q. 2002, c. 40, art. 345 par le remplacement du premier alinéa par le suivant :

206.3 Le paragraphe 3° de l'article 206.1 ne s'applique pas à la partie de l'électricité, du gaz, du combustible ou de la vapeur qui est, sans égard aux articles 43 et 44, utilisée à une fin telle que l'exemption prévue au paragraphe *aa* de l'article 17 de la *Loi concernant l'impôt sur la vente en détail* (chapitre I-1) s'y appliquerait si ce n'était de l'article 49 de cette loi.

Cette modification est déclaratoire.

L'article 206.3 a été abrogé par L.Q. 1995, c. 63, art. 350(1).

1° Sous réserve du paragraphe 2, cette abrogation s'applique à l'égard :

a) de la taxe qui devient payable après le 31 juillet 1995 et qui n'est pas payée avant le 1er août 1995 par l'inscrit qui est une petite ou moyenne entreprise relativement à la fourniture, ou à l'apport au Québec, d'un véhicule routier, de l'électricité, du gaz, du combustible ou de la vapeur;

a.1) de la taxe qui, à un moment donné après le 25 mars 1997, devient payable par l'inscrit qui est, selon l'article 550.1, une petite ou moyenne entreprise à ce moment et qui n'est pas payée avant ce moment, ou est payée par l'inscrit qui est une petite ou moyenne entreprise [*N.D.L.R.* : quant à la notion de petite ou moyenne entreprise, voir « Remarques générales » précédent l'article 1 LTVQ] à ce moment sans qu'elle soit devenue payable relativement à la fourniture, ou à l'apport au Québec, d'un véhicule routier, de l'électricité, du gaz, du combustible ou de la vapeur;

b) de la taxe qui, à moment donné après une date de prise d'effet fixée par décret du gouvernement, devient payable par l'inscrit qui est une grande entreprise à ce moment et qui n'est pas payée avant ce moment, ou est payée par l'inscrit qui est une grande entreprise à ce moment sans qu'elle soit devenue payable relativement à la fourniture, ou à l'apport au Québec, d'un véhicule routier, de l'électricité, du gaz, du combustible ou de la vapeur.

[*N.D.L.R.* : le paragraphe d'application a.1 a été ajouté par L.Q. 1997, c. 85, art. 729(1)(6°) et est entré en vigueur le jour de sa sanction, soit le 19 décembre 1997.]

[*N.D.L.R.* : le paragraphe d'application b) a été modifié par L.Q. 1997, c. 85, art. 729(1)(7°) et a effet depuis le 15 décembre 1995. Antérieurement, il se lisait ainsi :

de la taxe qui devient payable après le 29 novembre 1996 et qui n'est pas payée avant le 30 novembre 1996 par l'inscrit qui est une grande entreprise relativement à la fourniture, ou à l'apport au Québec, d'un véhicule routier, de l'électricité, du gaz, du combustible ou de la vapeur.]

2° L'abrogation de l'article 206.3 s'applique à l'égard d'un bien visé au paragraphe 1 dont l'inscrit qui est une grande entreprise reçoit la fourniture, laquelle serait une fourniture non taxable si la définition de cette expression n'était pas supprimée.

Auparavant, l'article 206.3 se lisait comme suit :

206.3 Le paragraphe 3° de l'article 206.1 ne s'applique pas à l'égard des biens visés à ce paragraphe, dans le cas où l'exemption prévue au paragraphe *aa* de l'article 17 de la *Loi concernant l'impôt sur la vente en détail* (L.R.Q., chapitre I-1) s'appliquerait relativement à ces biens, si ce n'était de l'article 49 de cette loi.

Pour l'application du premier alinéa, les expressions « la vente d'électricité, de gaz ou de combustible » et « autres que les repas et les services dont celui du téléphone » prévues au paragraphe aa de l'article 17 de la *Loi concernant l'impôt sur la vente en détail* (L.R.Q., chapitre I-1) doivent se lire « la vente d'électricité, de gaz, de combustible ou de vapeur » et « autres que les repas, les maisons mobiles et les services dont celui du téléphone ».

L'article 206.3, ajouté par L.Q. 1993, c. 19, art. 187, s'appliquait à l'égard d'une fourniture ou d'un apport au Québec relativement auquel l'article 685 ou l'un des articles 618 à 656 de L.Q. 1991, c. 67 s'applique [*N.D.L.R.* : les articles 685 et 618 à 656 réfèrent à des dispositions transitoires concernant les transferts avant le 1er juillet 1992].

COMMENTAIRES: Voir les commentaires sous l'article 206.7.

206.3.1 [*Abrogé*]

Notes historiques: L'article 206.3.1 a été abrogé par L.Q. 1995, c. 63, art. 350(1) :

1° Sous réserve du paragraphe 2, l'abrogation de l'article 206.3.1 s'applique à l'égard :

a) de la taxe qui, à un moment donné après le 31 juillet 1995 et avant le 26 mars 1997, devient payable par l'organisateur ou le promoteur d'un congrès qui est une petite ou moyenne entreprise [*N.D.L.R.* : quant à la notion de petite ou moyenne entreprise, voir « Remarques générales » précédent l'article 1 LTVQ] à ce moment et qui n'est pas payée avant ce moment, ou est payée par l'organisateur ou le promoteur d'un congrès qui est une petite ou moyenne entreprise [*N.D.L.R.* : quant à la notion de petite ou moyenne entreprise, voir « Remarques générales » précédent l'article 1 LTVQ] à ce moment sans qu'elle soit devenue payable relativement à l'électricité, à un service de téléphone, à un service de télécommunication ou à une télécommunication que l'organisateur ou le promoteur du congrès acquiert à titre de fournitures liées à un congrès;

a.1) de la taxe qui, à un moment donné après le 25 mars 1997, devient payable par l'organisateur ou le promoteur d'un congrès qui est une petite ou moyenne entreprise [*N.D.L.R.* : quant à la notion de petite ou moyenne entreprise, voir « Remarques générales » précédent l'article 1 LTVQ] à ce moment et qui n'est pas payée avant ce moment, ou est payée par l'organisateur ou le promoteur d'un congrès qui est une petite ou moyenne entreprise à ce moment sans qu'elle soit devenue payable relativement à l'électricité, à un service de téléphone, à un service de télécommunication ou à une télécommunication que l'organisateur ou le promoteur du congrès acquiert à titre de fournitures liées à un congrès;

b) de la taxe qui, à un moment donné après une date de prise d'effet fixée par décret du gouvernement, devient payable par l'organisateur ou le promoteur d'un congrès qui est une grande entreprise à ce moment et qui n'est pas payée avant ce moment, ou est payée par l'organisateur ou le promoteur d'un congrès qui est une grande entreprise à ce moment sans qu'elle soit devenue payable relativement à l'électricité, à un service de téléphone, à un service de télécommunication ou à une télécommunication que l'organisateur ou le promoteur du congrès acquiert à titre de fournitures liées à un congrès.

[*N.D.L.R.* : le paragraphe d'application a) a été modifié par L.Q. 1997, c. 85, s.-par. 729(1)(8°) et a effet depuis le 15 décembre 1995. Antérieurement, il se lisait ainsi :

a) de la taxe qui devient payable après le 31 juillet 1995 et qui n'est pas payée avant le 1er août 1995 par l'organisateur ou le promoteur d'un congrès qui est une petite ou moyenne entreprise relativement à l'électricité, à un service de téléphone, à un service de télécommunication ou à une télécommunication que l'organisateur ou le promoteur du congrès acquiert à titre de fournitures liées à un congrès;].

[*N.D.L.R.* : le paragraphe d'application a.1) a été ajouté par L.Q. 1997, c. 85, s.-par. 729(1)(9°) et est entré en vigueur le jour de sa sanction, soit le 19 décembre 1997.]

[*N.D.L.R.* : le paragraphe d'application b) a été modifié par L.Q. 1997, c. 85, art. 729(1)(10°) et a effet depuis le 15 décembre 1995. Antérieurement, il se lisait ainsi :

b) de la taxe qui devient payable après le 29 novembre 1996 et qui n'est pas payée avant le 30 novembre 1996 par l'organisateur ou le promoteur d'un congrès qui est une grande entreprise relativement à l'électricité, à un service de téléphone, à un service de télécommunication ou à une télécommunication que l'organisateur ou le promoteur du congrès acquiert à titre de fournitures liées à un congrès.]

2° L'abrogation de 206.3.1 s'applique à l'égard de l'électricité, d'un service de téléphone, d'un service de télécommunication ou d'une télécommunication dont l'organisateur ou le promoteur d'un congrès qui est une grande entreprise reçoit la fourniture à titre de fournitures liées à un congrès, laquelle serait une fourniture non taxable si la définition de cette expression n'était pas supprimée.

L'article 206.3.1 a été ajouté par L.Q. 1994, c. 22 art. 466(1) et est réputé entré en vigueur le 1er juillet 1992. Il se lisait comme suit :

206.3.1 L'article 206.1 ne s'applique pas à l'égard des biens et des services suivants qui sont acquis par l'organisateur ou le promoteur d'un congrès à titre de fournitures liées à un congrès :

1° l'électricité;

2° un service de téléphone;

3° un service de télécommunication ou une télécommunication à l'égard duquel la taxe prévue par la *Loi concernant la taxe sur les télécommunications* (L.R.Q., chapitre T-4) s'appliquerait si ce n'était de l'article 14 de cette loi.

COMMENTAIRES: Voir les commentaires sous l'article 206.7.

206.4 [*Abrogé*]

Notes historiques: L'article 206.4 a été abrogé par L.Q. 1995, c. 63, art. 350(1), sous réserve des dispositions transitoires suivantes :

1° Sous réserve du paragraphe 2, l'abrogation de l'article 206.4 s'applique à l'égard :

a) de la taxe qui, à un moment donné après le 31 juillet 1995 et avant le 26 mars 1997, devient payable par l'inscrit qui est une petite ou moyenne entreprise au sens de la définition [*N.D.L.R.* : quant à la notion de petite ou moyenne entreprise, voir « Remarques générales » précédent l'article 1 LTVQ] à ce moment et qui n'est pas payée avant ce moment, ou est payée par l'inscrit qui, selon la définition, est une petite ou moyenne entreprise à ce moment sans qu'elle soit devenue payable relativement à la fourniture, ou à l'apport au Québec, d'un bien ou d'un service relatif à un véhicule routier;

a.1) de la taxe qui, à un moment donné après le 25 mars 1997, devient payable par l'inscrit qui est, selon la notion de petite ou moyenne entreprise [*N.D.L.R.* :

quant à la notion de petite ou moyenne entreprise, voir « Remarques générales » précèdent l'article 1 LTVQ] à ce moment et qui n'est pas payée avant ce moment, ou est payée par l'inscrit qui est, selon la notion de petite ou moyenne entreprise à ce moment sans qu'elle soit devenue payable relativement à la fourniture, ou à l'apport au Québec, d'un bien ou d'un service relatif à un véhicule routier;

b) de la taxe qui, à un moment donné après une date de prise d'effet fixée par décret du gouvernement, devient payable par l'inscrit qui est une grande entreprise [*N.D.L.R.* : quant à la notion de grande entreprise, voir « Remarques générales » précèdent l'article 1 LTVQ] à ce moment et qui n'est pas payée avant ce moment, ou est payée par l'inscrit qui est une grande entreprise à ce moment sans qu'elle soit devenue payable relativement à la fourniture, ou à l'apport au Québec, d'un bien ou d'un service relatif à un véhicule routier.

[*N.D.L.R.* : le paragraphe d'application a) a été modifié par L.Q. 1997, c. 85, art. 729(1)(11°) et a effet depuis le 15 décembre 1995. Antérieurement, il se lisait ainsi :

a) de la taxe qui devient payable après le 31 juillet 1995 et qui n'est pas payée avant le 1er août 1995 par l'inscrit qui est une petite ou moyenne entreprise relativement à la fourniture, ou à l'apport au Québec, d'un bien ou d'un service relatif à un véhicule routier;]

[*N.D.L.R.* : le paragraphe d'application a été ajouté par L.Q. 1997, c. 85, art. 729(12) et est entré en vigueur le jour de sa sanction, soit le 19 décembre 1997.]

[*N.D.L.R.* : le paragraphe d'application b) a été modifié par L.Q. 1997, c. 85, art. 729(13) et a effet depuis le 15 décembre 1995. Antérieurement, il se lisait ainsi :

la taxe qui devient payable après le 29 novembre 1996 et qui n'est pas payée avant le 30 novembre 1996 par l'inscrit qui est une grande entreprise relativement à la fourniture, ou à l'apport au Québec, d'un bien ou d'un service relatif à un véhicule routier.]

2° L'abrogation de l'article 206.4 s'applique à l'égard d'un bien ou d'un service relatif à un véhicule routier dont l'inscrit qui est une grande entreprise reçoit la fourniture, laquelle serait une fourniture non taxable si la définition de cette expression n'était pas supprimée.

Auparavant, l'article 206.4 se lisait comme suit :

206.4 Dans le calcul du remboursement de la taxe sur les intrants d'un inscrit, aucun montant ne doit être inclus à l'égard de la taxe payable par celui-ci relativement à la fourniture, ou à l'apport au Québec, d'un bien ou d'un service relatif à un véhicule routier si, à la fois :

1° il s'agit d'un véhicule auquel le paragraphe 1° de l'article 206.1 s'applique, ou s'appliquerait si l'inscrit l'avait acquis, ou apporté au Québec, après le 30 juin 1992;

2° la fourniture ou l'apport du bien ou du service est effectué au cours des douze mois suivant l'acquisition, ou l'apport au Québec, du véhicule par l'inscrit.

L'article 206.4 a été ajouté par L.Q. 1993, c. 19, art. 187 et s'appliquait à l'égard d'une fourniture ou d'un apport au Québec relativement auquel l'article 685 ou l'un des articles 618 à 656 de L.Q. 1991, c. 67 s'applique [*N.D.L.R.* : les articles 685 et 618 à 656 réfèrent à des dispositions transitoires concernant les transferts avant le 1er juillet 1992].

COMMENTAIRES: Voir les commentaires sous l'article 206.7.

206.5 [*Abrogé*]

Notes historiques: L'article 206.5 a été abrogé par L.Q. 1995, c. 63, art. 350(1) :

1° Sous réserve du paragraphe 2°, l'abrogation de l'article 206.5 s'applique à l'égard :

a) de la taxe qui, à un moment donné après le 31 juillet 1995 et avant le 26 mars 1997, devient payable par l'inscrit qui est, selon la notion de petite ou moyenne entreprise [*N.D.L.R.* : quant à la notion de petite ou moyenne entreprise, voir « Remarques générales » précèdent l'article 1 LTVQ] à ce moment et qui n'est pas payée avant ce moment, ou est payée par l'inscrit qui est, selon la notion de petite ou moyenne entreprise à ce moment sans qu'elle soit devenue payable relativement à la fourniture, ou à l'apport au Québec, d'un bien ou d'un service relatif à un véhicule routier;

a.1) de la taxe qui, à un moment donné après le 25 mars 1997, devient payable par l'inscrit qui est, selon la notion de petite ou moyenne entreprise [*N.D.L.R.* : quant à la notion de petite ou moyenne entreprise, voir « Remarques générales » précèdent l'article 1 LTVQ] à ce moment et qui n'est pas payée avant ce moment, ou est payée par l'inscrit qui est, selon la notion de petite ou moyenne entreprise à ce moment sans qu'elle soit devenue payable relativement à la fourniture, ou à l'apport au Québec, d'un bien ou d'un service relatif à un véhicule routier;

b) de la taxe qui, à un moment donné après une date de prise d'effet fixée par décret du gouvernement, devient payable par l'inscrit qui est une grande entreprise à ce moment et qui n'est pas payée avant ce moment, ou est payée par l'inscrit qui est une grande entreprise à ce moment sans qu'elle soit devenue payable relativement à la fourniture, ou à l'apport au Québec, d'un bien ou d'un service relatif à un véhicule routier.

[*N.D.L.R.* : le paragraphe d'application a) a été modifié par L.Q. 1997, c. 85, art. 729(1)(11°) et a effet depuis le 15 décembre 1995. Antérieurement, il se lisait ainsi :

a) de la taxe qui devient payable après le 31 juillet 1995 et qui n'est pas payée avant le 1er août 1995 par l'inscrit qui est une petite ou moyenne entreprise relativement à la fourniture, ou à l'apport au Québec, d'un bien ou d'un service relatif à un véhicule routier;]

[*N.D.L.R.* : le paragraphe d'application a été ajouté par L.Q. 1997, c. 85, art. 729(1)(12°) et est entré en vigueur le jour de sa sanction, soit le 19 décembre 1997.]

[*N.D.L.R.* : le paragraphe d'application b) a été modifié par L.Q. 1997, c. 85, art. 729(1)(13°) et a effet depuis le 15 décembre 1995. Antérieurement, il se lisait ainsi :

b) la taxe qui devient payable après le 29 novembre 1996 et qui n'est pas payée avant le 30 novembre 1996 par l'inscrit qui est une grande entreprise relativement à la fourniture, ou à l'apport au Québec, d'un bien ou d'un service relatif à un véhicule routier.]

2° L'abrogation de l'article 206.5 s'applique à l'égard d'un bien ou d'un service relatif à un véhicule routier dont l'inscrit qui est une grande entreprise reçoit la fourniture, laquelle serait une fourniture non taxable si la définition de cette expression n'était pas supprimée.

Auparavant, l'article 206.5 se lisait comme suit :

206.5 L'article 206.4 ne s'applique pas si, selon le cas :

1° le bien ou le service est relatif à un véhicule routier acquis, ou apporté au Québec, avant le 15 mai 1992;

2° la fourniture, ou l'apport au Québec, du bien ou du service est effectué dans le cadre de l'entretien ou de la réparation du véhicule routier.

L'article 206.5, ajouté par L.Q. 1993, c. 19, art. 187, s'appliquait à l'égard d'une fourniture ou d'un apport au Québec relativement auquel l'article 685 ou l'un des articles 618 à 656 de L.Q. 1991, c. 67 s'applique [*N.D.L.R.* : les articles 685 et 618 à 656 réfèrent à des dispositions transitoires concernant les transferts avant le 1er juillet 1992].

COMMENTAIRES: Voir les commentaires sous l'article 206.7.

206.6 [*Abrogé*]

Notes historiques: L'article 206.6 a été abrogé par L.Q. 1995, c. 63, art. 350(1) et cette abrogation s'applique à l'égard de la taxe qui, à un moment donné après une date de prise d'effet fixée par décret du gouvernement et qui n'est pas payée avant ce moment, devient payable et qui n'est pas payée avant ce moment, par l'inscrit relativement à la fourniture.

[*N.D.L.R* : le paragraphe d'application de l'abrogation de l'article 206.6 a été modifié par L.Q. 1997, c. 85, art. 729(1)(14°) et a effet depuis le 15 décembre 1995. Antérieurement, il se lisait ainsi :

Lorsqu'il abroge l'article 206.6 de cette loi, le paragraphe 1 s'applique à l'égard de la taxe qui devient payable après le 29 novembre 1996 et qui n'est pas payée avant le 30 novembre 1996 par l'inscrit relativement à la fourniture.]

Auparavant, l'article 206.6 se lisait comme suit :

206.6 Malgré l'article 206.1, la taxe payable par un inscrit à l'égard de la fourniture effectuée par le titulaire d'un permis de taxi qui consiste à confier l'exploitation et la garde d'un taxi à l'inscrit peut être incluse dans le calcul du remboursement de la taxe sur les intrants de celui-ci.

L'article 206.6, ajouté par L.Q. 1994, c. 22, art. 467(1), était réputé entré en vigueur le 1er juillet 1992.

COMMENTAIRES: Voir les commentaires sous l'article 206.7.

206.7 [*Abrogé*]

Notes historiques: L.Q. 1995, c. 63, art. 351(1), édictant l'article 206.7, et remplacé par L.C. 1997, c. 14, art. 378, a été modifié par L.Q. 2000, c. 39, art. 297(1)(1°) par le remplacement de l'article 206.7 par ce qui suit :

206.7 Le paragraphe 5° de l'article 206.1 ne s'applique pas à l'égard :

1° de la fourniture d'un service de téléphone 1 800, 1 888 ou d'un service de téléphone dont l'indicatif ne constitue que l'extension d'un tel service de téléphone ni de la fourniture d'un autre service de télécommunication lié au service de téléphone 1 800, 1 888 ou au service de téléphone dont l'indicatif ne constitue que l'extension d'un tel service de téléphone;

2° de la fourniture d'un service d'Internet.

Cette modification a effet depuis le 15 décembre 1995.

L'application de l'article 206.7, prévue par L.Q. 1995 c. 63, art. 351(2), modifié par L.Q. 1997, c. 14, art. 378(2), a été modifiée par L.Q. 2000, c. 39, art. 297(1)(2°), par l'ajout des paragraphes c) et d) :

c) à l'égard de la taxe qui devient payable après le 4 avril 1998 et qui n'est pas payée avant le 5 avril 1998 relativement à la fourniture d'un service de téléphone dont l'indicatif ne constitue que l'extension du service de téléphone 1 800 ou 1 888 ou d'un autre service de télécommunication lié à un tel service de téléphone;

LTVQ (français)

d) à l'égard de la taxe qui devient payable après le 9 mars 1999 et qui n'est pas payée au plus tard à cette même date relativement à la fourniture d'un service d'accès à Internet ou d'un service d'hébergement d'un site Web.

Cette modification a effet depuis le 15 décembre 1995.

L'article 206.7 a été abrogé par L.Q. 1995, c. 63, art. 352(1) et cette abrogation s'applique à l'égard de la taxe qui devient payable après une date de prise d'effet fixée par décret du gouvernement et qui n'est pas payée avant le jour qui suit cette date. [*N.D.L.R.* : l'application « le 29 novembre 1996 et qui n'est pas payée avant le 30 novembre 1996] relativement à une fourniture » a été remplacée par « une date de prise d'effet fixée par décret du gouvernement et qui n'est pas payée avant le jour qui suit cette date » par L.Q. 1997, c. 85, art. 772(2) et a effet depuis le 15 décembre 1995.

L'article 206.7 a été ajouté par L.Q. 1995, c. 63, art. 351(1). Cet article édictant l'article 206.7 a été modifié par L.Q. 1997, c. 14, par. 378(1), pour ajouter les mots « ou 1 888 » à la suite des mots « 1 800 » à l'article 206.7, qui se lisait comme suit :

206.7 Le paragraphe 5° de l'article 206.1 ne s'applique pas à l'égard de la fourniture d'un service de téléphone 1 800 ou 1 888 ni de la fourniture d'un autre service de télécommunication lié au service de téléphone 1 800 ou 1 888.

L'article 206.7, ajouté par L.Q. 1995, c. 63, art. 351(1), s'appliquait à l'égard de la taxe qui était devenue payable après le 9 mai 1995 et qui n'était pas payée avant le 10 mai 1995 relativement à la fourniture d'un service de téléphone 1 800 ou d'un autre service de télécommunication lié au service de téléphone 1 800. L.Q. 1995, c. 63, art. 351(2), prévoyant l'application de l'article 206.7, a été modifié par L.Q. 1997, c. 14, art. 378(2), rétroactivement au 15 décembre 1995. L'article 206.7 ainsi ajouté par L.Q. 1995, c. 63, art. 351(1), tel que modifié par L.Q. 1997, c. 14, art. 378(1), s'applique :

a) à l'égard de la taxe qui était devenue payable après le 9 mai 1995 et qui n'était pas payée avant le 10 mai 1995 relativement à la fourniture d'un service de téléphone 1 800 ou d'un autre service de télécommunication lié au service de téléphone 1 800;

b) à l'égard de la taxe qui payable après le 1er mars 1996 et qui n'était pas payée avant le 2 mars 1996 relativement à la fourniture d'un service de téléphone 1 888 ou d'un autre service de télécommunication lié au service de téléphone 1 888.

COMMENTAIRES: La Cour d'appel du Québec, dans l'affaire *3199959 Canada inc.* c. *Québec (Sous-ministre du Revenu)*, 2007 QCCA 1154, (Cour d'appel du Québec), rappelle qu'il peut arriver que l'acquéreur du bien ou du service paie la contrepartie (et la taxe applicable) avant que la taxe ne devienne payable. Dans un tel cas de figure, l'acquéreur peut tout de même obtenir un remboursement de la taxe sur les intrants pour la période correspondante, et donc, pour une taxe payée avant qu'elle ne devienne payable.

L'article 199.0.0.1 a été introduit suite à l'harmonisation des dispositions de la *Loi sur la taxe d'accise (TPS)* concernant les institutions financières désignées particulières.

Dans l'affaire *3199959 Canada inc.* c. *Québec (Sous-ministre du Revenu)*, 2007 QCCA 1154 (Cour d'appel du Québec), la Cour d'appel du Québec prévoit que le remboursement de la taxe sur les intrants d'une personne à l'égard d'un véhicule automobile dont elle reçoit la fourniture par vente au détail correspond au montant déterminé en application de l'article 199.0.1. Cet article, qui n'a pas d'équivalent en TPS, édicte en effet que la taxe payée est réputée égale à zéro dans le cas de la « vente au détail » d'un véhicule automobile.

Également, la Cour d'appel du Québec, dans l'affaire *Vêtement de sport Chapter One inc.* c. *Québec (Sous-ministre du Revenu)*, 2008 CarswellQue 2455, 2008 QCCA 598 (Cour d'appel du Québec), a dû se prononcer sur le bien-fondé de la décision de la Cour du Québec à l'égard, notamment, de son interprétation de l'article 201. Sur le premier motif, l'article 201 oblige un « inscrit », avant de produire sa déclaration visant le remboursement de la taxe sur les intrants, à obtenir une preuve suffisante dans une forme permettant de déterminer le montant de ce remboursement, « y compris tout renseignement prescrit ». Les renseignements prescrits qui doivent figurer aux pièces justificatives constituant une preuve suffisante sont précisés aux articles 201R1 à 201R5 du *Règlement sur la taxe de vente du Québec*. Contrairement à ce que prétend l'appelant, le premier juge n'a pas rendu inutile et sans objet l'exigence du paragraphe 3 de l'article 201R5 du *Règlement sur la taxe de vente du Québec* requérant que la pièce justificative indique les modalités de paiement. À la lumière des faits de l'espèce, le juge de première instance a interprété cette disposition réglementaire comme n'exigeant l'inscription des modalités de paiement que lorsque de telles modalités sont effectivement prévues par le fournisseur. Lorsque, comme en l'espèce, les fournisseurs choisissent de s'en remettre aux modalités générales de l'article 1590 *Code civil du Québec* qui exige l'exécution de l'obligation « sans retard » à moins d'une entente sur un terme comme le prévoit l'article 1508 *Code civil du Québec*, ils n'ont donc pas à indiquer ces modalités sur leurs factures. Ces dispositions générales du *Code civil du Québec* s'appliquent alors automatiquement sans qu'il soit nécessaire de mentionner sur la facture que le paiement doit être fait en entier et rapidement. Il n'est d'ailleurs pas contesté que tel était le mode de paiement de l'intimée. Ainsi, de l'avis de la Cour d'appel du Québec, l'appelant n'a pas démontré que cette interprétation du premier juge était erronée et que l'intimée avait ainsi fait défaut de fournir des pièces justificatives contenant les renseignements prescrits.

Les articles 203 et 204 prévoient des restrictions sur la possibilité de réclamer un remboursement de la taxe sur les intrants sur les biens ou services acquis exclusivement pour la consommation, l'utilisation ou la jouissance personnelle d'un cade ou salarié d'un inscrit. À titre illustratif, la Cour du Québec, dans l'affaire *Technostructur inc. (175094 Canada inc.)* c. *Québec (Sous-ministre du Revenu)*, 2011 CarswellQue 4240, prévoit que les remboursements de la taxe sur les intrants ne peuvent être accordés à l'égard des dîners puisque, dans ce cas, il s'agit d'un avantage imposable pour les employés ce qui empêche l'inscrit de les réclamer, et ce, en raison des dispositions des articles 203 et 204. En contrepartie, la dépense admissible inclut les taxes payées sur ces repas. Par ailleurs, la société n'a pas droit aux remboursements de la taxe sur les intrants sur certains montants parce que ces biens ont été acquis exclusivement pour la consommation, l'utilisation et la jouissance personnelle de ce dernier et qu'ils constituent un avantage imposable. Les frais de représentation ne constituent pas un avantage imposable et l'entreprise peut donc récupérer ses remboursements de la taxe sur les intrants, la restriction énoncée à l'article 203 ne s'appliquant pas.

À titre d'exemple, Revenu Québec a indiqué que le critère de raisonnabilité prévu aux articles 203 et 204 s'applique lorsque l'employeur réclame un remboursement de la taxe sur les intrants à l'égard de la taxe qu'il est réputé avoir payée en vertu de l'article 211. Revenu Québec prévoit que lorsque l'allocation versée par l'employeur n'est pas une allocation à laquelle le paragraphe 39(e) ou l'article 40 de la *Loi sur les impôts* s'appliqueraient si l'allocation était une allocation raisonnable aux fins de ces dispositions. L'application de l'article 211 fait donc en sorte que l'employeur est réputé avoir reçu la fourniture et avoir payé la taxe sur la fourniture égale à 7/107 (en date des présentes : 9,975/109,975) du montant de l'allocation. L'employeur pourra ainsi, même si c'est son employé qui a acquis les biens et les services, réclamer un remboursement de la taxe sur les intrants. Toutefois, les règles et restrictions générales applicables à un inscrit qui désire réclamer des remboursements de la taxe sur les intrants en vertu de l'article 206 ne sont pas écartées. Voir notamment à cet effet : Revenu Québec, Lettre d'interprétation, 05-0101013 — *Interprétation relative à la TPS et à la TVQ — Allocations versées aux employés-raisonnabilité* (8 avril 2005).

L'article 206 prévoit une restriction visant le caractère raisonnable d'un remboursement de la taxe sur les intrants. En effet, la Cour du Québec, dans l'affaire *Technostructur inc. (175094 Canada inc.)* c. *Québec (Sous-ministre du Revenu)*, 2011 CarswellQue 4240 (Cour du Québec) prévoit que dans les circonstances, les commentaires concernant le caractère raisonnable d'une dépense en vertu de l'article 420 de la *Loi sur les impôts*, *c.-à-d.* l'équivalent provincial de l'article 67 de la *Loi de l'impôt sur le revenu*, s'appliquent tout autant eu égard à la demande d'un remboursement de la taxe sur les intrants.

Compte tenu de la similarité de la rédaction des dispositions législatives et considérant l'engagement spécifique de Revenu Québec de veiller à ce que l'assiette de TVQ modifiée, de même que les paramètres administratifs, structurels et définitionnels, produisent des résultats qui sont similaires à ceux produits sous le régime de la TPS/TVH et soient administrés d'une manière qui produit des résultats similaires, tel que reflété par l'article 14 de l'*Entente intégrée globale de coordination fiscale* signée entre le gouvernement du Canada et le gouvernement du Québec, nous vous référons à nos commentaires en vertu des articles 169 et 170 de la *Loi sur la taxe d'accise (TPS)* qui devraient s'appliquer *mutatis mutandis*, avec les adaptations nécessaires.

Malgré qu'il soit indiqué dans la *Loi sur la taxe de vente du Québec* que l'article 206.1 soit abrogé depuis 1995, cette abrogation à l'égard de la restriction pour les remboursements de taxe sur les intrants pour les grandes entreprises n'a jamais pris effet, tel que le confirme Revenu Québec et les tribunaux. En effet, le 19 décembre 1997, le législateur québécois est venu annuler l'abrogation de l'article 206.1 et lui redonnait ses pleins effets Voir notamment respectivement à cet effet : Revenu Québec, Lettre d'interprétation, 07-0103163 — *Interprétation relative à la TVQ Restrictions aux RTI pour les grandes entreprises* (15 aout 2007), Revenu Québec, Lettre d'interprétation, 00-0102731 -- *Interprétation relative à la TPS et à la TVQ — Remise d'un véhicule automobile à une corporation pour un tirage* (2 février 2001), la décision dans l'affaire *Montréal* c. *Québec (Sous-ministre du Revenu)*, 2006 QCCQ 2265 (Cour du Québec) et l'affaire *C.I.M. Québec inc.* c. *Québec (Sous-ministre du Revenu)*, 2008 QCCA 5, (Cour d'appel du Québec) (appel à la Cour suprême du Canada refusé).

Tel que prévu à l'article 15 du Protocole d'entente concernant l'harmonisation des taxes de vente en vue de la conclusion d'une entente intégrée globale de coordination fiscale entre le Canada et le Québec et tel qu'entériné dans l'*Entente intégrée globale de coordination fiscale* entre le gouvernement du Canada et le gouvernement du Québec (ci-après l'« Entente »), le gouvernement du Québec s'est entendu pour éliminer les restrictions sur les remboursements de la taxe sur les intrants pour les grandes entreprises. En vertu de l'article 14 de l'Entente, le gouvernement du Québec sera dans l'obligation de procéder à l'élimination des restrictions applicables aux remboursements de la taxe sur les intrants tel que prévu aux articles 206.1 et suivants. Au terme d'une période initiale de 5 ans débutant le 1er janvier 2013, le gouvernement du Québec est dans l'obligation d'éliminer graduellement sur une période de 3 ans les restrictions au remboursement en proportion annuelle égale s'achevant le 31 décembre 2020. À compter du 1er janvier 2021, cette section sera entièrement harmonisée avec les dispositions de la *Loi sur la taxe d'accise (TPS)*.

L'article 206.1 établit des restrictions au droit d'une grande entreprise de demander des remboursements de la taxe sur les intrants. De façon générale, une personne est une grande entreprise tout au long d'un exercice donné si son montant déterminant, calculé pour cet exercice, excède 10 000 000 $.

L'expression « montant déterminant » est définie comme suit au paragraphe 1 du Bulletin d'interprétation TVQ. 206.1-9 — *Qualification de petite ou moyenne entreprise ou de grande entreprise* (29 décembre 2005) : « calculé pour un exercice donné d'une personne, désigne le total des montants dont chacun représente la valeur de la contrepartie devenue due au cours de l'exercice de la personne ou de son associé qui précède l'exercice donné de la personne, ou payée au cours de l'exercice de la personne ou de son associé qui précède l'exercice donné de la personne sans qu'elle soit devenue due, pour chacune des fournitures taxables effectuées par la personne ou son associé au Québec ou hors du Québec, mais au Canada, ainsi que celles effectuées par la personne ou son associé hors du Canada par l'intermédiaire d'un établissement stable de la personne ou de son associé situé au Canada ».

Ainsi, dans le calcul de l'établissement du « montant déterminant » d'une personne, celle-ci doit également prendre en considération les fournitures taxables effectuées par les personnes qui lui sont associées. À cet égard, il faut se référer à l'article 7 qui prévoit les règles applicables à la notion d'association.

L'article 206.1 limite les remboursements de la TVQ payés sur les fournitures suivantes : les véhicules à routiers de moins de 3 000 kg et l'essence qu'ils consomment, l'électricité, le gaz, le combustible et la vapeur, sauf s'ils sont utilisés pour produire des biens meubles destinés à la vente, les services de télécommunication, à l'exception des services de type « 1 800 » et des services internet et les repas et les divertissements.

Dans l'affaire *Goodyear Canada inc.* c. *Québec (Sous-ministre du Revenu)*, 1999 CarswellQue 3291 (Cour du Québec), la Cour du Québec devait statuer à l'égard du remboursement demandé par l'appelant de la fourniture de gaz naturel. Le juge, en application du paragraphe (3) de l'article 206.1, a refusé la demande de remboursement de la taxe sur les intrants à l'égard de la fourniture de gaz. De surcroît, la Cour du Québec a indiqué que même si la facture permettait d'identifier séparément le coût du transport de gaz, cela ne changerait pas sa décision voulant qu'aucun remboursement de la taxe sur les intrants ne peut être réclamé, et ce, en raison du fait que la fourniture du gaz est un élément essentiel. Cette position a été suivie dans les affaires *Recochem inc.* c. *Québec (Sous-ministre du Revenu)*, 2002 CarswellQue 854, (Cour d'appel du Québec) et *Bélanger Laminés inc.* c. *Québec (Sous-ministre du Revenu)*, 2002 CarswellQue 858 (Cour d'appel du Québec) qui ont statuées à l'effet que les frais de transport sont réputés faire partie d'un service unique de fourniture du gaz.

Revenu Québec a indiqué que généralement, lorsqu'une entreprise fournit ensemble, ou comme un ensemble, des biens ou services qui, s'ils étaient fournis séparément, auraient un statut fiscal différent, il faut déterminer si la fourniture de ces biens ou services (tels que la location, l'entretien et la réparation des véhicules) constitue une fourniture unique ou des fournitures multiples. À cet effet, l'énoncé de politique P-077R de l'Agence du revenu Canada présente des critères qui peuvent nous guider lors de l'analyse des faits reliés à une transaction donnée. Ces critères, bien qu'édictés pour le régime de la TPS, peuvent toutefois servir dans le régime de la TVQ. En l'espèce, Revenu Québec est d'avis que les éléments suivants, soit la fourniture du service de location des véhicules, la fourniture du service d'entretien des véhicules dont les frais sont établis en fonction du nombre de kilomètres parcourus, la fourniture du service d'entretien des équipements de réfrigération dont les frais sont établis en fonction du nombre d'heures d'utilisation et la fourniture du service de réparation constituent, aux fins de l'application de la *Loi sur la taxe de vente du Québec*, des éléments de la fourniture unique d'un service de location de camions et de remorques. Par conséquent, l'Inscrit ne peut, en vertu de l'article 206.1 de la Loi, demander un remboursement de la taxe sur les intrants à l'égard de la TVQ payée ou payable avant le 17 octobre 1997 relativement à ces services d'entretien et de réparation. Voir notamment à cet effet : Revenu Québec, Lettre d'interprétation, 99-0110744 — *Interprétation relative à la TVQ — Location de camions avec service d'entretien et de réparation* (25 novembre 1999). Récemment, la Cour suprême du Canada s'est prononcée dans l'affaire *Ville de Calgary* c. *R*, 2012 CSC 20 (C.S.C.) et a indiqué que, pour déterminer si une fourniture est unique ou multiple, il appert de la jurisprudence qu'une fourniture sera partie de la fourniture unique globale lorsque celle-ci est préparatoire à une autre fourniture (*c.-à-d.* un « intrant » de cette fourniture). Il sera intéressant de voir dans quelle mesure Revenu Québec appliquera dans le cadre de ses prochaines positions administratives les enseignements de la Cour suprême du Canada aux fins de déterminer une fourniture multiple d'une fourniture simple.

La Cour du Québec a interprété l'article 206.2 dans l'affaire *2434-8625 Québec inc.* c. *Québec (Sous-ministre du Revenu)*, 2002 CarswellQue 2587 (Cour du Québec), et a indiqué que cet article prévoit une exception à la restriction pour remboursement de taxe sur les intrants de l'article 206.1 dans le cas des véhicules uniquement utilisés hors des chemins publics au sens du *Code de la sécurité routière*. Nous désirons souligner que le jugement de la Cour fait référence à l'article 206.2.1 de la *Loi sur la taxe de vente du Québec*, alors que cet article est inexistant. Il s'agit donc, fort probablement, d'une erreur typographique.

Finalement, malgré qu'il soit indiqué que l'article 206.3 est abrogé depuis 1995, l'article s'applique encore à ce jour, tel que confirmé notamment par la Cour du Québec dans l'affaire *Lockwood Manufacturing Inc.* v. *Québec (Agence de revenu)*, 2012 QCCQ 6701 (Cour du Québec). En effet, le 19 décembre 1997 le législateur québécois est venu annuler l'abrogation de l'article 206.3 et lui redonnait ses pleins effets.

SECTION II — RÈGLES PARTICULIÈRES

§ 1. — Début et fin de l'inscription

207. Nouvel inscrit — Dans le cas où à un moment quelconque une personne devient un inscrit et que, immédiatement avant ce moment, elle était un petit fournisseur, les règles suivantes s'appliquent aux fins du calcul de son remboursement de la taxe sur les intrants :

1º la personne est réputée avoir reçu, à ce moment, une fourniture par vente de chacun de ses biens qui, immédiatement avant ce moment, était détenu pour consommation, utilisation ou fourniture dans le cadre de ses activités commerciales;

2º la personne est réputée avoir payé, à ce moment, la taxe à l'égard de la fourniture égale à la teneur en taxe du bien à ce moment.

Notes historiques: Le paragraphe 1º du premier alinéa de l'article 207 a été remplacé par L.Q. 1997, c. 85, art. 538(1)(1º) et cette modification a effet depuis le 1er août 1995.

Antérieurement, ce paragraphe se lisait comme suit :

> 1º la personne est réputée avoir reçu, à ce moment, une fourniture par vente de chacun de ses biens qui, immédiatement avant ce moment, était détenu pour consommation ou utilisation dans le cadre de ses activités commerciales;

Le paragraphe 2º du premier alinéa de l'article 207 a été remplacé par L.Q. 1997, c. 85, art. 538(1)(2º) et cette modification a effet depuis le 1er avril 1997. Antérieurement, il se lisait ainsi :

> 2º la personne est réputée avoir payé, à ce moment, la taxe à l'égard de la fourniture égale au montant déterminé selon la formule suivante :
>
> $A \times B.$

Le deuxième alinéa de l'article 207 a été supprimé par L.Q. 1997, c. 85, art. 538(1)(3º) et est réputé entré en vigueur le 19 décembre 1997. Antérieurement, il se lisait ainsi :

> Pour l'application de cette formule :
>
> 1º la lettre A représente le moindre des montants suivants :
>
> a) le total de la taxe devenue payable ou payée par la personne avant ce moment à l'égard de la dernière acquisition, ou du dernier apport au Québec, du bien par celle-ci et de la taxe devenue payable ou payée par la personne avant ce moment à l'égard d'une amélioration au bien acquise, ou apportée au Québec, par celle-ci après cette dernière acquisition ou ce dernier apport;
>
> b) la taxe calculée sur la juste valeur marchande du bien à ce moment;
>
> 2º la lettre B représente :
>
> a) dans le cas où la personne avait le droit de demander un remboursement en vertu des articles 383 à 397 relativement à toute taxe comprise dans le total visé au sous-paragraphe a) du paragraphe 1º, la différence entre 100 % et le pourcentage prévu aux articles 386 ou 386.1 qui s'applique dans le calcul du montant du remboursement;
>
> b) dans tout autre cas, 100.

L'article 207 a été modifié par L.Q. 1994, c. 22, art. 468(1) et est réputé entré en vigueur le 1er octobre 1992. L'article 207, édicté par L.Q. 1991, c. 67, se lisait auparavant comme suit :

> 207. Dans le cas où à un moment quelconque une personne qui est un petit fournisseur devient un inscrit, les règles suivantes s'appliquent aux fins du calcul de son remboursement de la taxe sur les intrants pour sa première période de déclaration postérieure à ce moment :
>
> 1º la personne est réputée avoir acquis par achat d'un inscrit, immédiatement après ce moment, chacun de ses biens qui, immédiatement avant ce moment, était détenu pour consommation ou utilisation dans le cadre de ses activités commerciales;
>
> 2º la personne est réputée avoir payé, à ce moment, la taxe relative à l'acquisition égale au moindre des montants suivants :
>
> a) le montant qui correspond à l'excédent du total visé au sous-paragraphe i sur le total visé au sous-paragraphe ii :
>
> i. le total de la taxe payable par la personne avant ce moment à l'égard de l'acquisition, de l'apport au Québec ou d'une amélioration au bien et de la taxe qu'elle est réputée, en vertu des articles 209 ou 243, avoir perçue avant ce moment à l'égard du bien;
>
> ii. le total des remboursements que la personne a demandés avant ce moment, en vertu du présent titre à l'égard de l'acquisition, de l'apport au Québec ou de l'amélioration au bien;
>
> b) le montant qui correspond à la taxe qui serait payable par la personne si le bien lui était fourni à ce moment par un inscrit pour une contrepartie égale à la juste valeur marchande du bien à ce moment.

Guides [art. 207]: IN-203 — Renseignements généraux sur la TVQ et la TPS/TVH.

Définitions [art. 207]: « activité commerciale », « amélioration », « bien », « fournisseur », « fourniture », « inscrit », « montant », « personne », « petit fournisseur », « taxe », « vente » — 1.

Renvois [art. 207]: 15 (JVM); 22.28 (fourniture réputée effectuée au Québec); 210.1 (début et fin de l'inscription); 294 (petit fournisseur); 337.2–341.9 (divisions d'un organisme de services publics); 408 (demande d'inscription par un petit fournisseur); 411 (inscription facultative); 466 (période de déclaration).

Bulletins d'interprétation [art. 207]: TVQ. 207-1 — Remboursement de la taxe su les intrants à un nouvel inscrit.

Lettres d'interprétation [art. 207]: 99-0103111 — Interprétation relative à la TPS — Interprétation relative à la TVQ — Fusion d'organismes de services publics.

Concordance fédérale: LTA, par. 171(1).

COMMENTAIRES: Voir les commentaires sous l'article 210.5.

208. Personne qui devient un inscrit — services et biens en location — Dans le cas où à un moment quelconque une personne devient un inscrit, les règles suivantes s'appliquent au calcul de son remboursement de la taxe sur les intrants pour sa première période de déclaration se terminant après ce moment :

1° le total de toute taxe devenue payable par la personne avant ce moment peut être inclus dans le calcul, dans la mesure où cette taxe soit était payable à l'égard d'un service qui lui sera fourni après ce moment pour consommation, utilisation ou fourniture dans le cadre de ses activités commerciales, soit a été calculée sur la valeur de la contrepartie qui constitue un loyer, une redevance ou un paiement semblable imputable à une période postérieure à ce moment à l'égard d'un bien utilisé dans le cadre de ses activités commerciales;

2° toute taxe qui devient payable par la personne après ce moment doit être exclue du calcul, dans la mesure où cette taxe est soit payable à l'égard d'un service qui lui a été fourni avant ce moment, soit calculée sur la valeur de la contrepartie qui constitue un loyer, une redevance ou un paiement semblable imputable à une période antérieure à ce moment.

Notes historiques: Le paragraphe 1° de l'article 208 a été remplacé par L.Q. 1997, c. 85, art. 539(1) et cette modification a effet depuis le 1er août 1995.

Antérieurement, ce paragraphe se lisait ainsi :

> 1° le total de toute taxe devenue payable par la personne avant ce moment peut être inclus dans le calcul, dans la mesure où cette taxe soit était payable à l'égard d'un service qui lui sera fourni après ce moment pour consommation ou utilisation dans le cadre de ses activités commerciales, soit a été calculée sur la valeur de la contrepartie qui constitue un loyer, une redevance ou un paiement semblable imputable à une période postérieure à ce moment à l'égard d'un bien utilisé dans le cadre de ses activités commerciales;

L'article 208 a été édicté par L.Q. 1991, c. 67.

Guides [art. 208]: IN-203 — Renseignements généraux sur la TVQ et la TPS/TVH.

Définitions [art. 208]: « activité commerciale », « bien », « contrepartie », « inscrit », « période de déclaration », « personne », « service », « taxe » — 1.

Renvois [art. 208]: 22.28 (fourniture réputée effectuée au Québec); 51 (valeur de la contrepartie); 210.1 (début et fin de l'inscription); 338–340 (divisions d'un organisme de services publics); 407–411 (inscription).

Concordance fédérale: LTA, par. 171(2).

COMMENTAIRES: Voir les commentaires sous l'article 210.5.

209. Personne qui cesse d'être un inscrit — biens — Dans le cas où à un moment quelconque une personne cesse d'être un inscrit, les règles suivantes s'appliquent :

1° la personne est réputée :

a) avoir effectué, immédiatement avant ce moment, une fourniture de chacun de ses biens, autre qu'une immobilisation, qui, immédiatement avant ce moment, était détenu pour consommation, utilisation ou fourniture dans le cadre de ses activités commerciales et avoir perçu, immédiatement avant ce moment, la taxe relative à la fourniture, calculée sur la juste valeur marchande du bien à ce moment;

b) avoir reçu, à ce moment, une fourniture du bien par vente et avoir payé, à ce moment, la taxe relative à la fourniture, égale au montant déterminé en vertu du sous-paragraphe a);

2° la personne est réputée avoir cessé d'utiliser, immédiatement avant ce moment, dans le cadre de ses activités commerciales les immobilisations qu'elle utilisait alors dans le cadre de ses activités commerciales.

Notes historiques: Les sous-paragraphes a) et b) du paragraphe 1° du premier alinéa de l'article 209 ont été modifiés par L.Q. 1995, c. 63, art. 353(1) et cette modification a effet depuis le 1er août 1995. Auparavant, ils se lisaient comme suit :

> a) avoir effectué, immédiatement avant ce moment, une fourniture de chacun de ses biens, autre qu'une immobilisation, qui, immédiatement avant ce moment, était détenu pour consommation, utilisation ou fourniture dans le cadre de ses activités commerciales et avoir perçu, immédiatement avant ce moment, la taxe relative à la fourniture, sauf s'il s'agit d'une fourniture non taxable, calculée sur la juste valeur marchande du bien à ce moment;
>
> b) avoir reçu, à ce moment, une fourniture du bien par vente et avoir payé, à ce moment, la taxe relative à la fourniture, sauf s'il s'agit d'une fourniture non taxable, égale au montant déterminé en vertu du sous-paragraphe a);

Le premier alinéa de l'article 209 a été modifié par L.Q. 1994, c. 22, art. 469(1) et est réputé entré en vigueur le 1er juillet 1992. Il se lisait comme suit :

> Dans le cas où à un moment quelconque une personne qui exerce des activités commerciales cesse d'être un inscrit, les règles suivantes s'appliquent :
>
> 1° la personne est réputée, dans le cas d'un bien autre que son immobilisation :
>
> a) avoir effectué, immédiatement avant ce moment, une fourniture de chacun de ses biens qui, immédiatement avant ce moment, était détenu pour consommation, utilisation ou fourniture dans le cadre de ses activités commerciales;
>
> b) avoir perçu, immédiatement avant ce moment, la taxe relative à la fourniture, sauf s'il s'agit d'une fourniture exonérée ou non taxable, calculée sur la juste valeur marchande du bien à ce moment;
>
> 2° la personne est réputée, dans le cas de son immobilisation, avoir cessé de l'utiliser, immédiatement avant ce moment, dans le cadre d'activités commerciales.

Le deuxième alinéa de l'article 209 a été supprimé par L.Q. 1995, c. 63, art. 353(1) et cette modification s'applique à l'égard d'un bien relativement auquel un montant de taxe payable après le 31 juillet 1995 ou payé après cette date par un inscrit peut être inclus dans le calcul de son remboursement de la taxe sur les intrants de l'inscrit en raison de l'abrogation.

[*N.D.L.R.* : l'application de la suppression du deuxième alinéa de l'article 209 a été modifiée par L.Q. 1997, c. 85, art. 730 et a effet depuis le 15 décembre 1995. Antérieurement, l'aplication prévoyait ceci :

> La suppression du deuxième alinéa s'applique à l'égard :
>
> a) de la taxe qui devient payable après le 31 juillet 1995 et qui n'est pas payée avant le 1er août 1995 par l'inscrit qui est une petite ou moyenne entreprise relativement à la fourniture, ou à l'apport au Québec, d'un bien, sauf si l'inscrit n'a pas eu le droit d'inclure, dans le calcul de sa taxe nette, un montant de taxe payable par lui relativement au bien en raison de l'article 206.1 de cette loi, que la présente loi abroge, auquel cas il ne s'applique pas;
>
> b) de la taxe qui devient payable après le 29 novembre 1996 et qui n'est pas payée avant le 30 novembre 1996 par l'inscrit qui est une grande entreprise relativement à la fourniture, ou à l'apport au Québec, d'un bien, sauf si l'inscrit n'a pas eu le droit d'inclure, dans le calcul de sa taxe nette, un montant de taxe payable par lui relativement au bien en raison de l'article 206.1 de cette loi, que la présente loi abroge, auquel cas il ne s'applique pas.]

Le second alinéa se lisait comme suit :

> Le présent article ne s'applique pas à un inscrit qui, en raison de l'article 206.1, n'a pas le droit d'inclure, dans le calcul du remboursement de la taxe sur les intrants, un montant à l'égard de la taxe payable par lui relativement au bien.

Le second alinéa a été ajouté par L.Q. 1993, c. 19, art. 188 et s'appliquait à l'égard d'une fourniture ou d'un apport au Québec relativement auquel l'article 685 ou l'un des articles 618 à 656 de L.Q. 1991, c. 67 s'applique [*N.D.L.R.* : les articles 685 et 618 à 656 réfèrent à des dispositions transitoires concernant les transferts avant le 1er juillet 1992].

Définitions [art. 209]: « activité commerciale », « bien », « fourniture », « immobilisation », « inscrit », « personne », « taxe » — 1; « taxe exigée non admissible au remboursement de la taxe sur les intrants » — 383; « vente » — 1.

Renvois [art. 209]: 15 (JVM); 22.28 (fourniture réputée effectuée au Québec); 207 (nouvel inscrit); 210.1 (début et fin de l'inscription); 239.1 (changement d'utilisation); 297.0.22 (représentant commercial du vendeur cessant d'être un inscrit); 297.14 (démarcheur — matériel de promotion); 338–340 (divisions d'un organisme de services publics); 341.7 (changement d'utilisation d'un bien meuble — organisme de services publics); 416–417 (annulation de l'inscription); 418.1 (demande par petit fournisseur avant le 1er avril 1996).

Lettres d'interprétation [art. 209]: 99-0100984 — Décision portant sur l'application de la TPS — Interprétation relative à la TVQ — Fourniture unique et fournitures multiples; 99-0103111 — Interprétation relative à la TPS — Interprétation relative à la TVQ — Fusion d'organismes de services publics.

Concordance fédérale: LTA, par. 171(3).

COMMENTAIRES: Voir les commentaires sous l'article 210.5.

210. Personne qui cesse d'être un inscrit — services et biens en location — Dans le cas où à un moment quelconque une personne qui exerce des activités commerciales cesse d'être un inscrit, les règles suivantes s'appliquent :

1° le total de toute taxe qui devient payable par la personne après ce moment peut être inclus dans le calcul de son remboursement de la taxe sur les intrants pour sa dernière période de déclaration commençant avant ce moment, dans la mesure où cette taxe est soit payable à l'égard d'un service qui lui a été fourni avant ce moment pour consommation, utilisation ou fourniture dans le cadre de ses activités commerciales, soit calculée sur la valeur de la contrepartie qui constitue un loyer, une redevance ou un paiement semblable imputable à une période antérieure à ce moment à l'égard d'un bien utilisé dans le cadre de ses activités commerciales;

2º tout remboursement de la taxe sur les intrants demandé par la personne avant ce moment doit être ajouté au total visé à la lettre A de la formule prévue à l'article 428, aux fins du calcul de sa taxe nette pour sa dernière période de déclaration commençant avant ce moment, dans la mesure où ce remboursement est relatif à un service qui lui sera fourni après ce moment ou à la valeur de la contrepartie qui constitue un loyer, une redevance ou un paiement semblable imputable à une période postérieure à ce moment.

Notes historiques: Le paragraphe 1º de l'article 210 a été remplacé par L.Q. 1997, c. 85, art. 540(1) et cette modification a effet depuis le 1er août 1995.

Antérieurement, ce paragraphe se lisait ainsi :

> 1º le total de toute taxe qui devient payable par la personne après ce moment peut être inclus dans le calcul de son remboursement de la taxe sur les intrants pour sa dernière période de déclaration commençant avant ce moment, dans le mesure où cette taxe est soit payable à l'égard d'un service qui lui a été fourni avant ce moment pour consommation ou utilisation dans le cadre de ses activités commerciales, soit calculée sur la valeur de la contrepartie qui constitue un loyer, une redevance ou un paiement semblable imputable à une période antérieure à ce moment à l'égard d'un bien utilisé dans le cadre de ses activités commerciales;

L'article 210 a été édicté par L.Q. 1991, c. 67.

Guides [art. 210]: IN-256 — Aide-mémoire pour les entreprises en démarrage — Les taxes.

Définitions [art. 210]: « activité commerciale », « bien », « contrepartie », « inscrit », « période de déclaration », « personne », « service », « taxe » — 1; « taxe exigée non admissible au remboursement de la taxe sur les intrants » — 383.

Renvois [art. 210]: 22.28 (fourniture réputée effectuée au Québec); 51 (valeur de la contrepartie); 210.1 (début et fin de l'inscription); 338–340 (divisions d'un organisme de services publics); 416, 417 (annulation de l'inscription).

Lettres d'interprétation [art. 210]: 98-0108633 — Interprétation relative à la TPS et à la TVQ — Droit aux CTI et aux RTI à l'égard des coûts de construction d'un immeuble; 99-0100984 — Décision portant sur l'application de la TPS — Interprétation relative à la TVQ — Fourniture unique et fournitures multiples.

Concordance fédérale: LTA, par. 171(4).

COMMENTAIRES: Voir les commentaires sous l'article 210.5.

210.1 Non-application des articles 207 à 210 — Les articles 207 à 210 ne s'appliquent pas dans le cas où les articles 210.2 à 210.4 s'appliquent.

Non-application de l'article 209 — L'article 209 ne s'applique pas au bien détenu par une personne immédiatement avant qu'elle cesse d'être un inscrit dans le cas où les articles 297.2, 297.7.1, 297.7.5 et 297.7.6 se sont appliqués à l'égard de ce bien.

Notes historiques: Le deuxième alinéa de l'article 210.1 a été modifié par L.Q. 1995, c. 63, art. 354(1) et cette modification a effet depuis le 1er août 1995. Auparavant, cet alinéa se lisait comme suit :

> L'article 209 ne s'applique pas au bien détenu par une personne immédiatement avant qu'elle cesse d'être un inscrit dans le cas où l'article 297.2 s'est appliqué à l'égard de ce bien.

L'article 210.1 a été ajouté par L.Q. 1994, c. 22, art. 470(1) et est réputé entré en vigueur le 1er octobre 1992. Toutefois, le deuxième alinéa est réputé entré en vigueur le 1er juillet 1992.

Définitions [art. 210.1]: « bien », « inscrit », « personne » — 1.

Renvois [art. 210.1]: 22.28 (fourniture réputée effectuée au Québec).

Concordance fédérale: LTA, par. 171(5).

COMMENTAIRES: Voir les commentaires sous l'article 210.5.

§ 1.1 — Entreprise de taxis

Notes historiques: L'intertitre 1.1 a été ajouté par L.Q. 1994, c. 22, art. 470(1) et est réputé entré en vigueur le 1er octobre 1992.

210.2 Petit fournisseur — Dans le cas où, à un moment quelconque, une personne qui est un petit fournisseur exploite une entreprise de taxis et exerce d'autres activités commerciales au Québec, autres que la fourniture par vente d'un immeuble, et que l'inscription de cette personne ne s'applique pas à ces autres activités, les règles suivantes s'appliquent :

1º la personne est réputée ne pas être un inscrit à ce moment sauf à l'égard de l'entreprise de taxis et de tout ce qui est fait par cette personne dans le cadre de cette entreprise ou en relation avec celle-ci;

2º pour l'application des articles 199 à 202 et de la sous-section 5, les autres activités de cette personne sont réputées ne pas constituer des activités commerciales de celle-ci à ce moment.

Notes historiques: L'article 210.2 a été ajouté par L.Q. 1994, c. 22, art. 470(1) et est réputé entré en vigueur le 1er octobre 1992.

Guides [art. 210.2]: IN-263 — Les fabricants de boissons alcooliques et les taxes à la consommation; IN-307 — Le démarrage d'entreprise et la fiscalité.

Définitions [art. 210.2]: « activité commerciale », « entreprise de taxis », « fourniture », « inscrit », « personne », « petit fournisseur », « vente » — 1.

Renvois [art. 210.2]: 22.28 (fourniture réputée effectuée au Québec); 210.1 (début et fin de l'inscription); 210.6, 210.7 (champs d'application des articles 210.2 –210.5); 210.8 (fournisseur de carburant); 210.9 (fournisseur de pneus neufs ou de véhicules routiers); 239.1 (changement d'utilisation); 294 (petit fournisseur); 337.2 (division de petit fournisseur); 338 (division d'un organisme de services publics); 339 (division d'un organisme de services publics); 341.4 (fourniture par une division de petit fournisseur).

Concordance fédérale: LTA, par. 171.1(1).

COMMENTAIRES: Voir les commentaires sous les articles 210.4 et 210.5.

210.3 Début d'inscription à l'égard d'autres activités — Dans le cas où, à un moment quelconque, une personne exploite une entreprise de taxis et exerce d'autres activités commerciales au Québec, autres que la fourniture par vente d'un immeuble, et que l'inscription de cette personne commence, à ce moment, à s'appliquer à ces autres activités, les règles suivantes s'appliquent :

1º aux fins du calcul de son remboursement de la taxe sur les intrants, la personne est réputée avoir reçu, à ce moment, une fourniture par vente de chacun de ses biens, autre qu'une immobilisation, qui était détenu, immédiatement avant ce moment, pour consommation, utilisation ou fourniture dans le cadre de ces autres activités et avoir payé, à ce moment, la taxe relative à la fourniture égale à la teneur en taxe du bien à ce moment;

2º un montant au titre de la taxe devenue payable par la personne avant ce moment peut être inclus dans le calcul de son remboursement de la taxe sur les intrants pour la période de déclaration qui comprend ce moment dans la mesure où la taxe est calculée sur une contrepartie, ou une partie de celle-ci, qui, selon le cas :

a) est raisonnablement attribuable à un service qui doit lui être rendu après ce moment et qu'elle a acquis pour consommation, utilisation ou fourniture dans le cadre de ces autres activités;

b) constitue un loyer, une redevance ou un paiement semblable à l'égard d'un bien et qui est raisonnablement imputable à une période, postérieure à ce moment, au cours de laquelle le bien est utilisé dans le cadre de ces autres activités.

Notes historiques: Le paragraphe 1º de l'article 210.3 a été remplacé par L.Q. 1997, c. 85, art. 541(1) et cette modification a effet depuis le 1er août 1995. Toutefois, lorsque le paragraphe 1º s'applique pour la période du 1er août 1995 au 30 mars 1997, il doit se lire comme suit :

> 1º aux fins du calcul de son remboursement de la taxe sur les intrants, la personne est réputée avoir reçu, à ce moment, une fourniture par vente de chacun de ses biens, autre qu'une immobilisation, qui était détenu, immédiatement avant ce moment, pour consommation, utilisation ou fourniture dans le cadre de ces autres activités et avoir payé, à ce moment, la taxe relative à la fourniture égale au moindre des montants suivants :
>
> a) la taxe devenue payable ou payée par la personne avant ce moment à l'égard de la dernière acquisition, ou du dernier apport au Québec, du bien par celle-ci;
>
> b) la taxe calculée sur la juste valeur marchande du bien à ce moment;

Antérieurement à cette modification, ce paragraphe se lisait ainsi :

> 1º aux fins du calcul de son remboursement de la taxe sur les intrants, la personne est réputée avoir reçu, à ce moment, une fourniture par vente de chacun de ses biens, autre qu'une immobilisation, qui était détenu, immédiatement avant ce moment, pour consommation ou utilisation dans le cadre de ces autres activités et avoir payé, à ce moment, la taxe relative à la fourniture égale au moindre des montants suivants :
>
> a) la taxe devenue payable ou payée par la personne avant ce moment à l'égard de la dernière acquisition, ou du dernier apport au Québec, du bien par celle-ci;

LTVQ (français)

b) la taxe calculée sur la juste valeur marchande du bien à ce moment;

L'article 210.3 a été ajouté par L.Q. 1994, c. 22, art. 470(1) et est réputé entré en vigueur le 1er octobre 1992.

Définitions [art. 210.3]: « activité commerciale », « bien », « contrepartie », « entreprise de taxis », « fourniture », « immobilisation », « montant », « période de déclaration », « personne », « service », « taxe », « vente » — 1.

Renvois [art. 210.3]: 15 (JVM); 22.28 (fourniture réputée effectuée au Québec); 210.6, 210.7 (champs d'application des articles 210.2 –210.5); 210.8 (fournisseur de carburant); 210.9 (fournisseur de pneus neufs ou de véhicules routiers); 411.1 (inscription); 415.1 (validité de l'inscription); 417.1 (modification d'inscription); 466, 467 (période de déclaration).

Concordance fédérale: LTA, par. 171.1(2).

COMMENTAIRES: Voir les commentaires sous les articles 210.4 et 210.5.

210.4 Cessation d'inscription à l'égard d'autres activités — Dans le cas où, à un moment quelconque, une personne exploite une entreprise de taxis et exerce d'autres activités commerciales au Québec, autres que la fourniture par vente d'un immeuble, et que l'inscription de la personne cesse, à ce moment, de s'appliquer à ces autres activités, les règles suivantes s'appliquent :

1º la personne est réputée, à la fois :

a) avoir effectué, immédiatement avant ce moment, une fourniture de chacun de ses biens, autre qu'une immobilisation, qui était détenu, immédiatement avant ce moment, pour consommation, utilisation ou fourniture dans le cadre de ces autres activités et avoir perçu, immédiatement avant ce moment, la taxe relative à la fourniture, calculée sur la juste valeur marchande du bien à ce moment;

b) avoir reçu, à ce moment, une fourniture du bien par vente et avoir payé, à ce moment, la taxe relative à la fourniture, égale au montant déterminé en vertu du sous-paragraphe a);

2º un montant au titre de la taxe qui devient payable par la personne après ce moment peut être inclus dans le calcul de son remboursement de la taxe sur les intrants pour la période de déclaration qui comprend ce moment dans la mesure où la taxe est calculée sur une contrepartie, ou une partie de celle-ci, qui, selon le cas :

a) est raisonnablement attribuable à un service qui lui a été rendu avant ce moment et qu'elle a acquis pour consommation, utilisation ou fourniture dans le cadre de ces autres activités;

b) constitue un loyer, une redevance ou un paiement semblable à l'égard d'un bien et qui est raisonnablement imputable à une période, antérieure à ce moment, au cours de laquelle le bien était utilisé dans le cadre de ces autres activités;

3º un montant doit être ajouté dans le calcul de la taxe nette pour la période de déclaration de la personne qui comprend ce moment dans le cas où, dans le calcul du remboursement de la taxe sur les intrants demandé par celle-ci dans une déclaration produite en vertu de l'article 468 pour une période de déclaration se terminant avant ce moment, un montant a été inclus à l'égard de la taxe calculée sur une contrepartie, ou une partie de celle-ci, qui, selon le cas :

a) est raisonnablement attribuable à des services qui doivent être rendus à la personne après ce moment;

b) constitue un loyer, une redevance ou un paiement semblable à l'égard d'un bien et qui est raisonnablement imputable à une période — appelée « période de location » dans le présent article — postérieure à ce moment.

Application du paragraphe 3º — Pour l'application du paragraphe 3º du premier alinéa, le montant doit être ajouté dans le calcul de la taxe nette dans la mesure dans laquelle soit le bien est utilisé par la personne durant la période de location, soit les services sont acquis par celle-ci pour consommation, utilisation ou fourniture dans le cadre de ces autres activités.

Notes historiques: Les sous-paragraphes a) et b) du paragraphe 1º du premier alinéa de l'article 210.4 ont été modifiés par L.Q. 1995, c. 63, art. 355(1) et cette modification a effet depuis le 1er août 1995. Auparavant, ces sous-paragraphes se lisaient comme suit :

> a) avoir effectué, immédiatement avant ce moment, une fourniture de chacun de ses biens, autre qu'une immobilisation, qui était détenu, immédiatement avant ce moment, pour consommation, utilisation ou fourniture dans le cadre de ces autres activités et avoir perçu, immédiatement avant ce moment, la taxe relative à la fourniture, sauf s'il s'agit d'une fourniture non taxable, calculée sur la juste valeur marchande du bien à ce moment;
>
> b) avoir reçu, à ce moment, une fourniture du bien par vente et avoir payé, à ce moment, la taxe relative à la fourniture, sauf s'il s'agit d'une fourniture non taxable, égale au montant déterminé en vertu du sous-paragraphe a);

L'article 210.4 a été ajouté par L.Q. 1994, c. 22, art. 470(1) et est réputé entré en vigueur le 1er octobre 1992.

Définitions [art. 210.4]: « activité commerciale », « bien », « contrepartie », « entreprise de taxis », « fourniture », « immobilisation », « montant », « période de déclaration », « personne », « service », « taxe », « vente » — 1.

Renvois [art. 210.4]: 15 (JVM); 22.28 (fourniture réputée effectuée au Québec); 210.1 (début, et fin de l'inscription); 210.6, 210.7 (champs d'application des articles 210.2–210.5); 210.8 (fournisseur de carburant); 210.9 (fournisseur de pneus neufs ou de véhicules routiers); 411.1 (inscription); 415.1 (validité de l'inscription); 416.1 (annulation d'inscription par le ministre); 417.1 (modification d'inscription); 418.1 (demande par petit fournisseur avant le 1er avril 1996); 466 (période de déclaration); 467 (période de déclaration).

Concordance fédérale: LTA, par. 171.1(3).

COMMENTAIRES: En date des présentes, nous n'avons répertorié aucune décision administrative de Revenu Québec ou de décision jurisprudentielle interprétant cet article. Compte tenu de la similarité de la rédaction des dispositions législatives et considérant l'engagement spécifique de Revenu Québec de veiller à ce que l'assiette de TVQ modifiée, de même que les paramètres administratifs, structurels et définitionnels, produisent des résultats qui sont similaires à ceux produits sous le régime de la TPS/TVH et soient administrés d'un manière qui produit des résultats similaires, tel que reflété par l'article 14 de l'*Entente intégrée globale de coordination fiscale* signée entre le gouvernement du Canada et le gouvernement du Québec, nous vous référons à nos commentaires en vertu de l'article 171.1 de la *Loi sur la taxe d'accise (TPS)* qui devraient s'appliquer *mutatis mutandis*, avec les adaptations nécessaires.

Voir également le commentaire sous l'article 210.5.

210.5 [*Abrogé*]

Notes historiques: L'article 210.5 a été abrogé par L.Q. 1995, c. 63, art. 356(1) et cette abrogation s'applique à l'égard d'un bien relativement auquel un montant de taxe payable après le 31 juillet 1995 ou payé après cette date par un inscrit peut être inclus dans le calcul de son remboursement de la taxe sur les intrants de l'inscrit en raison de l'abrogation de l'article 206.1.

[*N.D.L.R.* : le paragraphe d'application de l'article 210.5 prévu par L.Q. 1995, c. 63, art. 356(2) a été modifié par L.Q. 1997, c. 85, art. 731 et a effet depuis le 15 décembre 1995. Antérieurement, il prévoyait ceci :

> L'abrogation s'applique à l'égard :
>
> 1º de la taxe qui devient payable après le 31 juillet 1995 et qui n'est pas payée avant le 1er août 1995 par l'inscrit qui est une petite ou moyenne entreprise relativement à la fourniture, ou à l'apport au Québec, d'un bien, sauf si l'inscrit n'a pas eu le droit d'inclure, dans le calcul de sa taxe nette, un montant de taxe payable par lui relativement au bien en raison de l'article 206.1 auquel cas il ne s'applique pas;
>
> 2º de la taxe qui devient payable après le 29 novembre 1996 et qui n'est pas payée avant le 30 novembre 1996 par l'inscrit qui est une grande entreprise relativement à la fourniture, ou à l'apport au Québec, d'un bien, sauf si l'inscrit n'a pas eu le droit d'inclure, dans le calcul de sa taxe nette, un montant de taxe payable par lui relativement au bien en raison de l'article 206.1 auquel cas il ne s'applique pas.]

Auparavant, il se lisait comme suit :

> 210.5 Le paragraphe 1º du premier alinéa de l'article 210.4 ne s'applique pas à une personne qui exploite une entreprise de taxis et qui, en raison de l'article 206.1, n'a pas le droit d'inclure, dans le calcul du remboursement de la taxe sur les intrants, un montant à l'égard de la taxe payable par elle relativement au bien.

L'article 210.5, ajouté par L.Q. 1994, c. 22, art. 470(1), était réputé entré en vigueur le 1er octobre 1992.

COMMENTAIRES: À titre illustratif, prenons la situation où une personne a commencé ses activités commerciales le 15 janvier 2013 et a présenté sa demande d'inscription à cette date pour qu'elle soit en vigueur le 1er janvier 2013. Par la suite, un avis de Revenu Québec daté du 20 janvier 2013 est émis afin de confirmer son statut d'inscrit à compter du 1er janvier 2013. La personne détenait un ordinateur acquis en 2010 qu'elle utilisait à des fins personnelles. Elle décide d'utiliser cet ordinateur, dès le début de ses activités commerciales, soit le 15 janvier 2013, principalement dans le cadre de ses activités commerciales. Sur la base des faits soumis, Revenu Québec est d'avis que la date d'entrée en vigueur de l'inscription ne peut être que le 15 janvier 2013, soit la date du début de ses activités commerciales malgré le fait qu'une autre date ait été inscrite sur l'avis de Revenu Québec. C'est à cette date que le paragraphe (1) peut s'appliquer au nouvel inscrit. Ce dernier peut ainsi réclamer un remboursement de la taxe sur les intrants à l'égard de l'ordinateur qu'il utilise ou entend utiliser au cours de la période pendant laquelle le crédit est réclamé dans le cadre de ses activités commerciales. Ainsi, l'intention de l'inscrit concernant l'usage du bien au moment de l'inscription est le facteur déterminant à considérer pour l'application du paragraphe (1). Il n'y a pas lieu de tenir compte de l'usage du bien au cours de la période antérieure à l'inscription ni de l'intention de l'acquéreur au moment de l'acquisition du bien. Voir notamment à cet effet : Revenu Québec, Lettre d'interprétation, 97-0102984 — *Application des paragraphes 171(1) et 199(3)* (16 juin 1997).

Revenu Québec a également souligné que pour l'application de l'article 207, une personne est nécessairement un petit fournisseur immédiatement avant le moment donné où elle devient un inscrit étant donné qu'elle y exerce déjà à ce moment une activité commerciale. Il n'y a pas lieu de tenir compte de l'usage du bien au cours de la période antérieure à l'inscription ni de l'intention de l'acquéreur au moment de l'acquisition du bien. Voir notamment à cet effet : Revenu Québec, Lettre d'interprétation, 96-0114114 [B] — *CTI/RTI lors de l'inscription* (11 juillet 1997), et Revenu Québec, Lettre d'interprétation 96-0112076 — *Nouvel inscrit et améliorations à un immeuble* (30 octobre 1996).

Finalement, Revenu Québec prévoit que lorsqu'une personne, exerçant des activités commerciales, cesse d'être un inscrit à un moment donné, le calcul de ses remboursements de la taxe sur les intrants pour sa dernière période de déclaration commençant avant ce moment peut inclure toute TVQ qui devient payable par elle après ce moment dans la mesure où cette TVQ est payable relativement, notamment, à des services qui lui ont été fournis avant ce moment pour consommation, utilisation ou fourniture dans le cadre de ses activités commerciales aux termes de l'article 210.Voir notamment à cet effet : Revenu Québec, Lettre d'interprétation, 98-0108633 — *Interprétation relative à la TPS et à la TVQ — Droit aux CTI et aux RTI à l'égard des coûts de construction d'un immeuble* (23 novembre 1999).

Compte tenu de la similarité de la rédaction des dispositions législatives et considérant l'engagement spécifique de Revenu Québec de veiller à ce que l'assiette de TVQ modifiée, de même que les paramètres administratifs, structurels et définitionnels, produisent des résultats qui sont similaires à ceux produits sous le régime de la TPS/TVH et soient administrés d'un manière qui produit des résultats similaires, tel que reflété par l'article 14 de l'*Entente intégrée globale de coordination fiscale* signée entre le gouvernement du Canada et le gouvernement du Québec, nous vous référons à nos commentaires en vertu de l'article 171 de *Loi sur la taxe d'accise (TPS)* qui devraient s'appliquer *mutatis mutandis*, avec les adaptations nécessaires.

§ 1.2 — Vendeur en détail de tabac

Notes historiques: L'intertitre 1.2 a été ajouté par L.Q. 1995 c. 47, art. 8 et est réputé entré en vigueur le 22 juin 1995.

210.6 Petit fournisseur — Les articles 210.2 à 210.5 s'appliquent, compte tenu des adaptations nécessaires, au petit fournisseur qui est tenu de s'inscrire en vertu de l'article 407.2.

Notes historiques: L'article 210.6 a été ajouté par L.Q. 1995 c. 47, art. 8 et est réputé entré en vigueur le 22 juin 1995.

Définitions [art. 210.6]: « petit fournisseur » — 1.

Renvois [art. 210.6]: 294–297.0.2 (petit fournisseur).

Concordance fédérale: aucune.

§ 1.3 — Fournisseur de boissons alcooliques

210.7 Dispositions applicables — Les articles 210.2 à 210.5 s'appliquent, compte tenu des adaptations nécessaires, au petit fournisseur qui est tenu de s'inscrire en vertu de l'article 407.3.

Notes historiques: L'article 210.7 a été ajouté par L.Q. 1995 c. 63, art. 357(1) et a effet depuis le 1er août 1995.

Guides [art. 210.7]: IN-263 — Les fabricants de boissons alcooliques et les taxes à la consommation.

Définitions [art. 210.7]: « petit fournisseur » — 1.

Renvois [art. 210.7]: 294–297.0.2 (petit fournisseur).

Concordance fédérale: aucune.

§ 1.4 — Fournisseur de carburant

Notes historiques: La sous-section §1.4 a été ajoutée par L.Q. 1999, c. 65, art. 49 et est entrée en vigueur le 2 février 2000.

210.8 Petit fournisseur — Les articles 210.2 à 210.5 s'appliquent, compte tenu des adaptations nécessaires, au petit fournisseur qui est tenu de s'inscrire en vertu de l'article 407.4.

Notes historiques: L'article 210.8 a été ajouté par L.Q. 1999, c. 65, art. 49 et est entré en vigueur le 2 février 2000.

Guides [art. 210.8]: IN-218 — La TVQ, la TPS/TVH, la taxe sur les carburants et les transporteurs de marchandises.

Définitions [art. 210.8]: « activité commerciale », « année d'imposition » — 1; « année d'imposition » — 1 LI; « bien » — 1; « contribuable » — 1 LI; « entreprise », « fraction de taxe », « fourniture taxable », « fourniture détaxée », « inscrit », « montant », « organisme de bienfaisance », « personne », « salarié », « service », « taxe » — 1; « taxe exigée non admissible au remboursement de la taxe sur les intrants » — 383.

Renvois [art. 210.8]: 1.1 (personne morale); 51 (valeur de la contrepartie); 506.1 (société et société de personnes).

Bulletins d'interprétation [art. 210.8]: TVQ. 211-1 — Allocation de dépenses versée à un élu municipal.

Lettres d'interprétation [art. 210.8]: 98-0107650 — Interprétation relative à la TPS et à la TVQ — Indemnité versée pour un véhicule à moteur; 99-0102303 — Interprétation relative à la TPS et à la TVQ — Allocations qui couvrent à la fois les dépenses d'hébergement et de repas; 99-0110660 — Remboursement aux salariés et aux associés en vertu de l'article 358 de la *Loi sur la taxe de vente du Québec*.

Concordance fédérale: aucune.

§ 1.5 — Fournisseur de pneus neufs ou de véhicules routiers

Notes historiques: L'intertitre de la sous-section §1.5 a été ajouté par L.Q. 2000, c. 39, art. 282(1) et a effet depuis le 1er octobre 1999.

210.9 Dispositions applicables — Les articles 210.2 à 210.5 s'appliquent, compte tenu des adaptations nécessaires, à la personne qui est tenue de s'inscrire en vertu de l'article 407.5.

Notes historiques: L'article 210.9 a été ajouté par L.Q. 2000, c. 39, art. 282(1) et a effet depuis le 1er octobre 1999.

Concordance fédérale: aucune.

§ 2. — Allocation et remboursement

211. Allocation pour déplacement et autres allocations — fourniture taxable réputée reçue — Une personne est réputée avoir reçu la fourniture d'un bien ou d'un service si, à la fois :

1° la personne paie une allocation à un de ses salariés, à un de ses associés si elle est une société de personnes ou à un bénévole qui lui rend des services si elle est un organisme de bienfaisance ou une institution publique :

a) soit pour des fournitures dont la totalité ou la presque totalité sont des fournitures taxables, autres que des fournitures détaxées, de biens ou de services acquis au Québec par le salarié, l'associé ou le bénévole relativement aux activités exercées par la personne;

b) soit pour l'utilisation au Québec, relativement aux activités exercées par la personne, d'un véhicule à moteur;

2° un montant relatif à l'allocation est déductible dans le calcul du revenu de la personne pour une année d'imposition de celle-ci pour l'application de la *Loi sur les impôts* (chapitre I-3), ou le serait si la personne était un contribuable en vertu de cette loi et que l'activité était une entreprise;

3° dans le cas d'une allocation à l'égard de laquelle le paragraphe e) de l'article 39 ou l'article 40 de la *Loi sur les impôts* s'appliquerait si elle était une allocation raisonnable pour leur application et, dans le cas où la personne est une société de personnes qui a payé l'allocation à un de ses associés, ou un organisme de bienfaisance ou une institution publique qui a payé l'allocation à un bénévole, si l'associé ou le bénévole était un salarié de la société de personnes, de l'organisme ou de l'institution, la personne a considéré, au moment du paiement de l'allocation, que celle-ci serait raisonnable pour l'application du paragraphe e) de l'article 39 ou de l'article 40 de cette loi et il est raisonnable qu'elle l'ait ainsi considérée à ce moment.

Taxe réputée payée au moment du paiement de l'allocation — De plus, toute consommation ou utilisation du bien ou du service par le salarié, l'associé ou le bénévole est réputée une consommation ou utilisation par la personne et non par le salarié, l'associé ou le bénévole et la personne est réputée avoir payé, au moment du paiement de l'allocation, la taxe relative à la fourniture égale au résultat obtenu en multipliant le montant de l'allocation par 9,975/109,975.

Notes historiques: Le préambule du premier alinéa de l'article 211 a auparavant été modifié par L.Q. 1993, c. 19, art. 189(1°) et s'appliquait à l'égard d'une fourniture ou

LTVQ (français)

d'un apport au Québec relativement auquel l'article 685 ou l'un des articles 618 à 656 de L.Q. 1991, c. 67 s'applique [*N.D.L.R.* : les articles 685 et 618 à 656 réfèrent à des dispositions transitoires concernant les transferts avant le 1er juillet 1992]. Il se lisait auparavant comme suit :

211. Une personne est réputée avoir reçu une fourniture taxable et avoir payé, au moment où l'allocation mentionnée au paragraphe 1° est payée, la taxe relative à la fourniture égale à la fraction de taxe de l'allocation si, à la fois :

Le passage précédant le sous-paragraphe b) du premier alinéa de l'article 211 a été remplacé par L.Q. 1997, c. 85, art. 542(1)(1°). Le passage précédant le sous-paragraphe a) du premier alinéa de l'article 211, ainsi modifié, a effet depuis le 1er juillet 1992. Toutefois, pour la période du 1er juillet 1992 au 31 décembre 1996, ce passage doit être lu en ignorant les mots « ou une institution publique ».

Malgré ce qui précède, la modification apportée par L.Q. 1997, c. 85, art. 542(1)(1°) au passage précédant le paragraphe 1° du premier alinéa de l'article 211 ne s'applique pas aux fins du calcul d'un montant demandé dans une déclaration prévue par le chapitre VIII du titre I ou une demande prévue par le chapitre VII du titre I, dans le cas où cette déclaration ou cette demande est reçue par le ministre du Revenu avant le 23 avril 1996, ni aux fins du calcul d'un montant accordé par le ministre du Revenu avant le 24 avril 1996. La modification apportée au sous-paragraphe a) du premier alinéa de l'article 211 est entrée en vigueur à la date de la sanction, soit le 19 décembre 1997.

Antérieurement à cette modification, le passage précédant le sous-paragraphe b) du premier alinéa de l'article 211 se lisait ainsi :

Une personne est réputée avoir reçu la fourniture d'un bien ou d'un service si, à la fois :

1° la personne paie une allocation à un de ses salariés, à un de ses membres si elle est une société de personnes ou à un bénévole qui lui rend des services si elle est un organisme de bienfaisance :

a) soit pour des fournitures dont la totalité ou la presque totalité sont des fournitures taxables, autres que des fournitures détaxées, de biens ou de services acquis au Québec par le salarié, le membre ou le bénévole relativement aux activités exercées par la personne;

Le paragraphe 3° du premier alinéa de l'article 211 a été remplacé par L.Q. 1997, c. 85, art. 542(1)(2°) et cette modification a effet depuis le 1er janvier 1997. Antérieurement, ce paragraphe se lisait ainsi :

3° dans le cas d'une allocation à l'égard de laquelle le paragraphe e) de l'article 39 ou l'article 40 de la *Loi sur les impôts* s'appliquerait si elle était une allocation raisonnable pour leur application et, dans le cas où la personne est une société de personnes qui a payé l'allocation à un de ses membres ou un organisme de bienfaisance qui a payé l'allocation à un bénévole, si le membre ou le bénévole était un salarié de la société de personnes ou de l'organisme, la personne a considéré, au moment du paiement de l'allocation, que celle-ci serait raisonnable pour l'application du paragraphe e de l'article 39 ou de l'article 40 de cette loi et il est raisonnable qu'elle l'ait ainsi considérée à ce moment.

Auparavant, le premier alinéa de l'article 211 a été modifié par L.Q. 1995, c. 1, art. 280(1) et cette modification a effet depuis le 1er juillet 1992 [*N.D.L.R.* : cette disposition s'applique conformément aux articles 618–656, 685 de L.Q. 1991, c. 67, tels que modifiés]. Auparavant, le premier alinéa de l'article 211 se lisait comme suit :

211. Une personne est réputée avoir reçu une fourniture taxable d'un service pour utilisation dans le cadre de ses activités commerciales dans la même mesure qu'un bien ou un service est acquis par un salarié ou, si elle est une société, par un membre de celle-ci pour consommation ou utilisation relativement à une activité commerciale de la personne et avoir payé, au moment où l'allocation mentionnée au paragraphe 1° est payée, la taxe relative à la fourniture égale à la fraction de taxe, déterminée conformément à l'article 211.1 de l'allocation si à la fois :

1° la personne paie une allocation au salarié ou au membre :

a) soit pour des fournitures dont la totalité ou la presque totalité sont des fournitures taxables, autres que des fournitures détaxées, de biens ou de services acquis au Québec par le salarié ou le membre relativement à une activité exercée par la personne;

b) soit pour l'utilisation au Québec, relativement à une activité exercée par la personne, d'un véhicule à moteur;

2° un montant relatif à l'allocation est déductible dans le calcul du revenu de la personne pour une année d'imposition de celle-ci pour l'application de la *Loi sur les impôts* (L. R. Q., chapitre I-3), ou le serait si la personne était un contribuable en vertu de cette loi et que l'activité était une entreprise;

3° la personne a considéré, au moment du versement d'une allocation à l'égard de laquelle le paragraphe e de l'article 39 ou l'article 40 de la *Loi sur les impôts* (L.R.Q., chapitre I-3) s'appliquerait si elle était une allocation raisonnable pour leur application et, dans le cas où la personne est une société qui a payé une allocation à son membre, si celui-ci était un salarié de la société, que l'allocation était raisonnable pour l'application du paragraphe e de l'article 39 ou de l'article 40 et il est raisonnable qu'elle l'ait considérée ainsi à ce moment.

Auparavant, l'article 211 avait été modifié par L.Q. 1994, c. 22, art. 471(1) et était réputé entré en vigueur le 1er juillet 1992. Le premier alinéa se lisait comme suit :

211. Une personne est réputée avoir reçu une fourniture taxable et avoir payé, au moment où l'allocation mentionnée au paragraphe 1° est payée, la taxe relative à la fourniture égale à la fraction de taxe, déterminée conformément à l'article 211.1, de l'allocation si, à la fois :

1° la personne paie une allocation raisonnable à un salarié ou, si elle est une société, à un membre de celle-ci :

a) soit pour des fournitures dont la totalité ou la presque totalité sont des fournitures taxables, autre que des fournitures détaxées, acquises au Québec par le salarié ou le membre relativement à une activité exercée par la personne;

b) soit pour l'utilisation au Québec, relativement à une activité exercée par la personne, d'un véhicule à moteur;

2° un montant relatif à l'allocation est déductible dans le calcul du revenu de la personne pour une année d'imposition de celle-ci pour l'application de la *Loi sur les impôts* (L.R.Q., chapitre I-3), ou le serait si la personne était un contribuable en vertu de cette loi et que l'activité était une entreprise.

Le deuxième alinéa de l'article 211 a été modifié par L.Q. 2012, c. 28, par. 66(1) par le remplacement de « 9,5/109,5 » par « 9,975/109,975 ». Cette modification a effet à compter du 1er janvier 2013.

Le deuxième alinéa de l'article 211 a été modifié par L.Q. 2011, c. 6, par. 249(1) par le remplacement de « 8,5 / 108,5 » par « 9,5 / 109,5 ». Cette modification a effet à compter du 1er janvier 2012.

Le deuxième alinéa de l'article 211 a été remplacé par L.Q. 2010, c. 5, par. 214(1) et cette modification s'applique à l'égard d'une allocation payée par une personne après le 31 décembre 2010. Antérieurement, il se lisait ainsi :

De plus, toute consommation ou utilisation du bien ou du service par le salarié, l'associé ou le bénévole est réputée une consommation ou utilisation par la personne et non par l'employé, l'associé ou le bénévole et la personne est réputée avoir payé, au moment du paiement de l'allocation, la taxe relative à la fourniture égale au résultat obtenu en multipliant le montant de l'allocation par 7,5/107,5.

Le deuxième alinéa de l'article 211 a été remplacé par L.Q. 1997, c. 85, art. 542(1)(3°) et cette modification a effet depuis le 1er juillet 1992. Toutefois :

1° à l'égard d'une allocation payée après le 31 mars 1997 et avant le 1er janvier 1998, le deuxième alinéa de l'article 211 doit se lire comme suit :

De plus, toute consommation ou utilisation du bien ou du service par le salarié, l'associé ou le bénévole est réputée une consommation ou utilisation par la personne et non par l'employé, l'associé ou le bénévole et la personne est réputée avoir payé, au moment du paiement de l'allocation, la taxe relative à la fourniture égale au résultat obtenu en multipliant le montant de l'allocation par 6,5/106,5.

2° pour la période qui commence le 13 mai 1994 et qui se termine le 31 mars 1997, cet alinéa doit se lire comme suit :

De plus, toute consommation ou utilisation du bien ou du service par le salarié, l'associé ou le bénévole est réputée une consommation ou utilisation par la personne et non par l'employé, l'associé ou le bénévole et la personne est réputée avoir payé, au moment du paiement de l'allocation, la taxe relative à la fourniture égale à la fraction de taxe de l'allocation.

3° pour la période qui commence le 1er juillet 1992 et qui se termine le 12 mai 1994, cet alinéa doit se lire comme suit :

De plus, toute consommation ou utilisation du bien ou du service par le salarié, l'associé ou le bénévole est réputée une consommation ou utilisation par la personne et non par l'employé, l'associé ou le bénévole et la personne est réputée avoir payé, au moment du paiement de l'allocation, la taxe relative à la fourniture égale à la fraction de taxe, déterminée conformément à l'article 211.1, de l'allocation.

Malgré ce qui précède, la modification apportée par L.Q. 1997, c. 85, art. 542(1)(3°), au deuxième alinéa de l'article 211, ne s'applique pas aux fins du calcul d'un montant demandé dans une déclaration prévue par le chapitre VIII du titre I ou une demande prévue par le chapitre VII du titre I, dans le cas où cette déclaration ou cette demande est reçue par le ministre du Revenu avant le 23 avril 1996, ni aux fins du calcul d'un montant accordé par le ministre du Revenu avant le 24 avril 1996.

Antérieurement, ce deuxième alinéa se lisait ainsi :

De plus, la personne est réputée avoir payé, au moment du paiement de l'allocation, la taxe relative à la fourniture égale à la fraction de taxe de l'allocation et avoir ainsi acquis le bien ou le service pour utilisation dans le cadre de ses activités commerciales dans la même mesure que celle dans laquelle il a été acquis par le salarié, le membre ou le bénévole pour consommation ou utilisation relativement aux activités commerciales de la personne.

Le deuxième alinéa de l'article 211 a été ajouté par L.Q. 1995, c. 1, art. 283(1) et a effet depuis le 1er juillet 1992 [*N.D.L.R.* : cette disposition s'applique conformément aux articles 618–656, 685 de L.Q. 1991, c. 67, tels que modifiés]. Toutefois, pour la période qui commence le 1er juillet 1992 et qui se termine le 12 mai 1994, le deuxième alinéa de l'article 211 doit se lire comme suit :

De plus, la personne est réputée avoir payé, au moment du paiement de l'allocation, la taxe relative à la fourniture égale à la fraction de taxe, déterminée conformément à l'article 211.1, de l'allocation et avoir ainsi acquis le bien ou le service pour utilisation dans le cadre de ses activités commerciales dans la même mesure que celle dans laquelle il a été acquis par le salarié, le membre ou le bénévole pour consommation ou utilisation relativement aux activités commerciales de la personne.

Le troisième alinéa de l'article 211 a été supprimé par L.Q. 1995, c. 63, art. 358(1) et cette modification s'applique à l'égard d'une allocation payée après le 31 juillet 1995 par une personne sauf si elle est une grande entreprise au moment où l'allocation est payée.

[*N.D.L.R.* : le paragraphe d'application de la suppression du troisième alinéa prévu par L.Q. 1995, c. 63, art. 358(2) a été modifié par L.Q. 1997, c. 85, art. 732 et a effet depuis le 15 décembre 1995. Antérieurement, il prévoyait ceci :

> La suppression s'applique à l'égard d'une allocation relative à :
>
> 1° une fourniture à l'égard de laquelle la taxe devient payable après le 31 juillet 1995 et n'est pas payée avant le 1er août 1995 par l'inscrit qui est une petite ou moyenne entreprise;
>
> 2° une fourniture à l'égard de laquelle la taxe devient payable après le 29 novembre 1996 et n'est pas payée avant le 30 novembre 1996 par l'inscrit qui est une grande entreprise.]

Auparavant, l'article 211 avait été modifié par L.Q. 1994, c. 22, art. 471(1) et était réputé entré en vigueur le 1er juillet 1992. Le troisième alinéa (qui était alors le deuxième alinéa) se lisait comme suit :

> Le présent article ne s'applique pas si l'allocation est relative à un bien ou à un service à l'égard duquel la personne, si elle en faisait l'acquisition, ne pourrait demander un remboursement de la taxe sur les intrants en raison de l'article 206.1.

Le troisième alinéa, ajouté par L.Q. 1993, c. 19, art. 189, se lisait auparavant comme suit :

> Le présent article ne s'applique pas si l'allocation est relative à un bien ou à un service à l'égard duquel la personne, si elle était un inscrit qui acquiert le bien ou le service pour consommation ou utilisation exclusive dans le cadre de ses activités commerciales, ne pourrait demander un remboursement de la taxe sur les intrants en raison de l'article 206.1.

L'article 211 a été modifié par L.Q. 1997, c. 3, art. 135(1°) pour remplacer le mot « société » par les mots « société de personnes ». Cette modification est entrée en vigueur le 20 mars 1997.

L'article 211 a été édicté par L.Q. 1991, c. 67.

Notes explicatives ARQ (PL 5, L.Q. 2012, c. 28): *Résumé* :

L'article 211 est modifié afin de remplacer la fraction « 9,5 / 109,5 » par « 9,975/109,975 », et ce, en vue de tenir compte du fait qu'à compter du 1er janvier 2013 la taxe sur les produits et services (TPS) est retirée de l'assiette de la taxe de vente du Québec (TVQ).

Situation actuelle :

L'article 211 permet à un employeur qui verse une allocation à son salarié pour les frais de déplacement et les autres dépenses taxables que celui-ci engage au Québec dans le cadre des activités de l'employeur de demander un remboursement de la taxe sur les intrants (RTI) égal à 9,5/109,5 de l'allocation, dans la mesure où celle-ci est déductible dans le calcul de son revenu pour l'application de la *Loi sur les impôts* (L.Q., chapitre I-3). Il s'applique également à l'égard d'une société de personnes qui verse une allocation à un de ses associés relativement aux dépenses engagées par celui-ci dans le cadre des activités de la société de personnes.

De même, il permet à un organisme de bienfaisance ou à une institution publique de demander un RTI ou un remboursement partiel de la TVQ à l'égard d'une allocation payée à un de ses bénévoles relativement aux dépenses engagées par celui-ci dans le cadre des activités de l'organisme ou de l'institution publique.

La présomption prévue à cet article vise à placer l'employeur, la société de personnes, l'organisme de bienfaisance ou l'institution publique dans la même position que si les dépenses avaient été engagées directement par une de ces personnes plutôt que par le salarié, l'associé ou le bénévole, selon le cas. Cette présomption prévoit que toute consommation ou utilisation du bien ou du service par le salarié, l'associé ou le bénévole est réputée effectuée directement par l'employeur, la société de personnes, l'organisme ou l'institution, selon le cas.

Modifications proposées :

En vue de tenir compte du fait que la TPS est retirée de l'assiette de la TVQ à compter du 1er janvier 2013, il y a lieu de modifier l'article 211 de la LTVQ.

Cette modification a pour objet de remplacer la fraction « 9,5/109,5 » par « 9,975/109,975 ».

Notes explicatives ARQ (PL 5, L.Q. 2011, c. 6): *Résumé* :

L'article 211 est modifié afin de tenir compte de la hausse du taux de la taxe de vente du Québec (TVQ) à 9,5 % à compter du 1er janvier 2012.

Situation actuelle :

L'article 211 permet à un employeur qui verse une allocation à son salarié pour les frais de déplacement et les autres dépenses taxables que celui-ci engage au Québec dans le cadre des activités de l'employeur de demander un remboursement de la taxe sur les intrants (RTI) égal à 8,5 / 108,5 de l'allocation, dans la mesure où celle-ci est déductible dans le calcul de son revenu pour l'application de la *Loi sur les impôts*. Il s'applique également à l'égard d'une société de personnes qui verse une allocation à un de ses associés relativement aux dépenses engagées par celui-ci dans le cadre des activités de la société de personnes.

De même, il permet à un organisme de bienfaisance ou à une institution publique de demander un RTI ou un remboursement partiel de la TVQ à l'égard d'une allocation payée à un de ses bénévoles relativement aux dépenses engagées par celui-ci dans le cadre des activités de l'organisme ou de l'institution publique.

La présomption prévue à cet article vise à placer l'employeur, la société de personnes, l'organisme de bienfaisance ou l'institution publique dans la même position que si les dépenses avaient été engagées directement par une de ces personnes plutôt que par le salarié, l'associé ou le bénévole, selon le cas. Cette présomption prévoit que toute consommation ou utilisation du bien ou du service par le salarié, l'associé ou le bénévole est réputée effectuée directement par l'employeur, la société de personnes, l'organisme ou l'institution, selon le cas.

Modifications proposées :

L'article 211 est modifié afin de tenir compte de la hausse du taux de la TVQ à 9,5 % à compter du 1er janvier 2012.

Notes explicatives ARQ (PL 64, L.Q. 2010, c. 5): *Résumé* :

L'article 211 est modifié afin de tenir compte de l'établissement du taux de la taxe de vente du Québec (TVQ) à 8,5 % à compter du 1er janvier 2011 et afin d'y apporter une modification d'ordre terminologique.

Situation actuelle :

L'article 211 LTVQ permet à un employeur qui verse une allocation à son salarié pour les frais de déplacement et les autres dépenses taxables que celui-ci engage au Québec de demander un remboursement de la taxe sur les intrants (RTI) égal à 7,5/107,5 de l'allocation, dans la mesure où celle-ci est déductible dans le calcul de son revenu pour l'application de la *Loi sur les impôts*.

Il s'applique également à l'égard d'une société de personnes qui verse une allocation à un de ses associés. De même, il permet à un organisme de bienfaisance ou à une institution publique de demander un RTI ou un remboursement partiel de la TVQ à l'égard d'une allocation payée à un de ses bénévoles relativement aux dépenses engagées par celui-ci dans le cadre des activités de l'organisme ou de l'institution publique.

La présomption prévue par cet article vise à placer l'employeur, la société de personnes, l'organisme de bienfaisance ou l'institution publique dans la même position que si les dépenses avaient été engagées directement par une de ces personnes plutôt que par le salarié, l'associé ou le bénévole, selon le cas. Cette présomption prévoit que toute consommation ou utilisation du bien ou du service par le salarié, l'associé ou le bénévole sera dorénavant réputée effectuée directement par l'employeur, la société, l'organisme ou l'institution, selon le cas.

Modifications proposées :

L'article 211 de la LTVQ est modifié afin de tenir compte du changement du taux de la TVQ à compter du 1er janvier 2011. Une modification d'ordre terminologique est également apportée à cette disposition afin de remplacer le mot « employé » par le mot « salarié ».

Guides [art. 211]: IN-203 — Renseignements généraux sur la TVQ et la TPS/TVH.

Renvois [art. 211]: 457.1.4 (Remboursement — aliments, boissons et divertissement).

Bulletins d'interprétation [art. 211]: TVQ. 211-1/R1 — Allocation de dépenses versée à un élu municipal; TVQ. 211-2/R1 — Caractéristiques d'une allocation de dépenses; TVQ. 211-3/R3 — Remboursement de la taxe sur les intrants à l'égard d'une allocation de dépenses; TVQ. 211-4/R2 — Indemnité pour frais de déplacement versée en vertu du Décret de la construction; TVQ. 211-5/R1 — Méthode simplifiée de calcul d'un remboursement de la taxe sur les intrants à l'égard d'une allocation de dépenses; TVQ. 212-1/R4 — Méthodes simplifiées de calcul d'un remboursement de la taxe sur les intrants à l'égard d'un remboursement de dépenses.

Jurisprudence [art. 211]: *Technostructur inc. (175094 Canada inc.) C. Québec (Sous-ministre du Revenu)* (26 avril 2011), 450-02-009095-020, 2011 CarswellQue 4240; *Productions Rhinoféroce inc. c. Québec (Sous-ministre du Revenu)* (9 juin 2004), 500-02-106132-025, 2004 CarswellQue 1558.

Lettres d'interprétation [art. 211]: 98-0107650 — Interprétation relative à la TPS et à la TVQ — Indemnité versée pour un véhicule à moteur; 98-0108138 — Interprétation relative à la TPS et à la TVQ — CTI/RTI à l'égard de certaines allocations de dépenses; 99-0102303 — Interprétation relative à la TPS et à la TVQ — Allocations qui couvrent à la fois les dépenses d'hébergement et de repas; 99-0110660 — Remboursement aux salariés et aux associés en vertu de l'article 358 de la *Loi sur la taxe de vente du Québec*; 00-0103374 — Interprétation relative à la TVQ — Indemnité pour dépenses engagées au Canada et à l'extérieur du Canada; 00-0109892 — Interprétation relative à la TPS et à la TVQ — Allocations mensuelles de dépenses; 04-0101651 — Interprétation relative à la TPS et à la TVQ — allocations de dépenses pour hébergement; 05-0100809 — Interprétation relative à la TPS et à la TVQ — remboursement d'un compte de dépenses d'un secrétaire non membre d'un conseil d'administration]; 05-0101013 — Interprétation relative à la TPS et à la TVQ — allocations versées aux employés — raisonnabilité; 05-0105428 — Interprétation relative à la TVQ — application de l'article 358 de la LTVQ; 05-0105683 — CTI/RTI réclamés par un avocat pour des vêtements; 07-0101274 — Interprétation relative à la TPS et à la TVQ — allocations versées aux pompiers d'une municipalité.

Concordance fédérale: LTA, art. 174.

COMMENTAIRES: Voir les commentaires sous l'article 212.2.

211.1 [*Abrogé*]

Notes historiques: L'article 211.1 a été abrogé par L.Q. 1995, c. 1, art. 281 et cette abrogation a effet depuis le 13 mai 1994. Il se lisait comme suit :

211.1 Pour l'application du premier alinéa de l'article 211, la fraction de taxe est :

1° dans le cas d'une allocation visée au sous-paragraphe a) du paragraphe 1° du premier alinéa de cet article :

a) de 8/108 si l'allocation est payée pour des fournitures dont la totalité ou la presque totalité sont des fournitures de biens ou de services à l'égard desquelles le taux de la taxe applicable est de 8 %;

b) de 4/104 si l'allocation est payée pour des fournitures dont la totalité ou la presque totalité sont des fournitures de biens ou de services à l'égard desquelles le taux de la taxe applicable est de 4 %;

c) si l'allocation n'est pas visée au sous-paragraphe a) ou b), de :

i. 8/108 pour la partie de l'allocation qui est attribuable à des fournitures de biens ou de services à l'égard desquelles le taux de la taxe applicable est de 8 %;

ii. 4/104 pour la partie de l'allocation qui est attribuable à des fournitures de biens ou de services à l'égard desquelles le taux de la taxe applicable est de 4 %;

2° dans le cas d'une allocation visée au sous-paragraphe b) du paragraphe 1° du premier alinéa de cet article, de 8/108.

L'article 211.1 avait été ajouté par L.Q. 1993, c. 19, art. 190 et s'appliquait à l'égard d'une fourniture ou d'un apport au Québec relativement auquel l'article 685 ou l'un des articles 618–656 de L.Q. 1991, c. 67 s'applique [*N.D.L.R.* : les articles 685 et 618 à 656 réfèrent à des dispositions transitoires concernant les transferts avant le 1er juillet 1992].

COMMENTAIRES: Voir les commentaires sous l'article 212.2

212. Remboursement à un salarié, à un membre d'une société ou à un bénévole

212. Remboursement à un salarié, à un membre d'une société ou à un bénévole — Dans le cas où le salarié d'un employeur, l'associé d'une société de personnes ou le bénévole qui rend des services à un organisme de bienfaisance ou à une institution publique acquiert, ou apporte au Québec, un bien ou un service pour consommation ou utilisation dans le cadre des activités de l'employeur, de la société de personnes, de l'organisme de bienfaisance ou de l'institution publique — chacun étant appelé « personne » dans le présent article — , qu'il paie la taxe payable à l'égard de l'acquisition ou de l'apport et que la personne lui paie un montant à titre de remboursement à l'égard du bien ou du service, les règles suivantes s'appliquent :

1° la personne est réputée avoir reçu une fourniture du bien ou du service;

2° toute consommation ou utilisation du bien ou du service par le salarié, l'associé ou le bénévole dans le cadre des activités de la personne est réputée une consommation ou utilisation par la personne et non par l'employé, l'associé ou le bénévole;

3° la personne est réputée avoir payé, au moment du paiement du remboursement, la taxe à l'égard de la fourniture égale au montant déterminé selon la formule suivante :

$$A \times B.$$

Application — Pour l'application de cette formule :

1° la lettre A représente la taxe payée par le salarié, l'associé ou le bénévole à l'égard de l'acquisition ou de l'apport du bien ou du service;

2° la lettre B représente le moindre des pourcentages suivants :

a) le pourcentage du coût du bien ou du service, pour le salarié, l'associé ou le bénévole, qui lui est remboursé;

b) le pourcentage qui correspond à la mesure dans laquelle le bien ou le service a été acquis ou apporté par le salarié, l'associé ou le bénévole pour consommation ou utilisation dans le cadre des activités de la personne.

Notes historiques: L'article 212 a été remplacé par L.Q. 1997, c. 85, art. 543(1) et cette modification a effet depuis le 1er juillet 1992. Toutefois :

1° cette modification ne s'applique pas aux fins du calcul d'un montant demandé dans une déclaration prévue par le chapitre VIII du titre I ou une demande prévue par le chapitre VII du titre I, dans le cas où cette déclaration ou cette demande est reçue par le ministre du Revenu avant le 23 avril 1996, ni aux fins du calcul d'un montant accordé par le ministre du Revenu avant le 24 avril 1996;

2° pour la période qui commence le 1er juillet 1992 et qui se termine le 31 décembre 1996, le préambule du premier alinéa de l'article 212 doit se lire comme suit :

Dans le cas où le salarié d'un employeur, l'associé d'une société de personnes ou le bénévole qui rend des services à un organisme de bienfaisance acquiert, ou apporte au Québec, un bien ou un service pour consommation ou utilisation dans le cadre des activités de l'employeur, de la société de personnes ou de l'organisme de bienfaisance — chacun étant appelé « personne » dans le présent article — , qu'il paie la taxe payable à l'égard de l'acquisition ou de l'apport et que la personne lui paie un montant à titre de remboursement à l'égard du bien ou du service, les règles suivantes s'appliquent :

Antérieurement à cette modification, cet article se lisait ainsi :

212. Dans le cas où le salarié d'un employeur, le membre d'une société de personnes ou le bénévole qui rend des services à un organisme de bienfaisance acquiert, ou apporte au Québec, un bien ou un service pour consommation ou utilisation dans le cadre des activités de l'employeur, de la société de personnes ou de l'organisme de bienfaisance — chacun étant appelé « personne » dans le présent article — et qu'à un moment quelconque il reçoit, à l'égard du bien ou du service, un remboursement de la personne, celle-ci est réputée, à la fois :

1° avoir reçu une fourniture taxable du bien ou du service;

2° avoir ainsi acquis le bien ou le service pour utilisation dans le cadre de ses activités commerciales dans la même mesure que le bien ou le service a été acquis ou apporté par le salarié, le membre ou le bénévole pour consommation ou utilisation dans le cadre de ses activités commerciales;

3° avoir payé, à ce moment, la taxe à l'égard de la fourniture égale au montant, compris dans le montant remboursé, relatif à la taxe payée ou payable par le salarié, le membre ou le bénévole relativement à l'acquisition ou à l'apport du bien ou du service par celui-ci.

L'article 212 a été modifié par L.Q. 1997, c. 3, art. 135(1°) pour remplacer le mot « société » par les mots « société de personnes ». Cette modification est entrée en vigueur le 20 mars 1997. Auparavant, l'article 212 a été modifié par L.Q. 1995, c. 1, art. 282 et cette modification a effet depuis le 1er juillet 1992 [*N.D.L.R.* : cette disposition s'applique conformément aux articles 618–656, 685 de L.Q. 1991, c. 67, tels que modifiés]. L'article 212, édicté par L.Q. 1991, c. 67, se lisait comme suit :

212. Dans le cas où le salarié d'un employeur ou le membre d'une société engage une dépense pour laquelle il est remboursé par l'employeur ou la société, toute taxe comprise dans le montant remboursé est réputée avoir été payée par l'employeur ou la société et non par le salarié ou le membre.

Guides [art. 212]: IN-203 — Renseignements généraux sur la TVQ et la TPS/TVH.

Définitions [art. 212]: « activité commerciale », « bien », « fourniture taxable », « montant », « organisme de bienfaisance », « salarié », « service », « taxe » — 1; « taxe exigée non admissible au remboursement de la taxe sur les intrants » — 383.

Renvois [art. 212]: 1.1 (personne morale); 212.1 (exception); 345.2 (acquisition par un associé); 457.1.4 (Remboursement — aliments, boissons et divertissement); 506.1 (société et société de personnes).

Bulletins d'interprétation [art. 212]: TVQ. 211-3/R3 — Remboursement de la taxe sur les intrants à l'égard d'une allocation de dépenses; TVQ. 211-5/R1 — Méthode simplifiée de calcul d'un remboursement de la taxe sur les intrants à l'égard d'une allocation de dépenses; TVQ. 212-1/R4 — Méthodes simplifiées de calcul d'un remboursement de la taxe sur les intrants à l'égard d'un remboursement de dépenses; TVQ. 212-2 — Caractéristiques d'un remboursement de dépenses; TVQ. 212-3 — Cotisations professionnelles de salariés.

Jurisprudence [art. 212]: *Productions Rhinoféroce inc. c. Québec (Sous-ministre du Revenu)* (9 juin 2004), 500-02-106132-025, 2004 CarswellQue 1558.

Lettres d'interprétation [art. 212]: 98-0102792 — Interprétation relative à la TPS et à la TVQ — Paiement par un employeur de la cotisation de son salarié à une association professionnelle; 98-0104061 — Cotisations professionnelles de salariés et associés; 98-0110209 — Interprétation relative à la TPS et à la TVQ — Remboursement des frais de déplacement, d'hébergement et de repas aux accompagnateurs des personnes handicapées; 99-0109720 — Assujettissement de sommes versées par un employé à un employeur au titre d'un remboursement de frais de formation; 99-0111205 — Interprétation relative à la TVQ — RTI à l'égard des remboursements de dépenses; 00-0105031 — Interprétation relative à la TPS et à la TVQ — Remboursement de dépenses par une municipalité à des bénévoles ou des salariés; 00-0110288 — Interprétation relative à la TPS et à la TVQ — Dépenses remboursées par un employeur; 05-0100809 — Interprétation relative à la TPS et à la TVQ — remboursement d'un compte de dépenses d'un secrétaire non membre d'un conseil d'administration]; 05-0105683 — CTI/RTI réclamés par un avocat pour des vêtements.

Concordance fédérale: LTA, par. 175(1).

COMMENTAIRES: Voir les commentaires sous l'article 212.2.

212.1 Exception — remboursement à l'associé d'une société de personnes — L'article 212 ne s'applique pas à un remboursement à l'égard d'un bien ou d'un service acquis ou apporté au Québec par un associé d'une société de personnes dans le cas où le paragraphe 2° de l'article 345.2 s'applique à l'acquisition ou à l'apport et que le remboursement est payé à l'associé après qu'il ait produit au ministre une déclaration en vertu de l'article 468 dans laquelle il demande un remboursement de la taxe sur les intrants à l'égard du bien ou du service.

Notes historiques: L'article 212.1 a été ajouté par L.Q. 1997, c. 85, art. 544(1) et a effet depuis le 1er juillet 1992. Toutefois :

1° il ne s'applique pas aux fins du calcul d'un montant demandé dans une déclaration prévue par le chapitre VIII du titre I ou une demande prévue par le chapitre VII du titre I, dans le cas où cette déclaration ou cette demande est reçue par le ministre du Revenu avant le 23 avril 1996;

2° pour la période qui commence le 1er juillet 1992 et qui se termine le 23 avril 1996, l'article 212.1 doit se lire comme suit :

> L'article 212 ne s'applique pas à un remboursement à l'égard d'un bien ou d'un service acquis ou apporté au Québec par un associé d'une société de personnes dans le cas où l'article 282 s'applique à l'acquisition ou à l'apport et que le remboursement est payé à l'associé après qu'il ait produit au ministre une déclaration en vertu de l'article 468 dans laquelle il demande un remboursement de la taxe sur les intrants à l'égard du bien ou du service.

Définitions [art. 212.1]: « bien », « service » — 1.

Concordance fédérale: LTA, par. 175(2).

COMMENTAIRES: Voir les commentaires sous l'article 212.2.

212.2 Remboursement au bénéficiaire d'une garantie — Dans le cas où le bénéficiaire d'une garantie — sauf une police d'assurance — à l'égard de la qualité, du bon état ou du bon fonctionnement d'un bien corporel acquiert ou apporte au Québec un bien ou un service, que la taxe est payable par le bénéficiaire relativement à l'acquisition ou à l'apport et qu'un inscrit paie au bénéficiaire, conformément à la garantie, un montant au titre d'un remboursement relatif au bien ou au service, accompagné d'un écrit indiquant qu'une partie du montant est au titre de la taxe, les règles suivantes s'appliquent :

1° l'inscrit peut demander, pour sa période de déclaration qui comprend le moment du paiement du remboursement, un remboursement de la taxe sur les intrants égal au montant — appelé « taxe remboursée » dans le présent article — déterminé selon la formule suivante :

$$A \times \frac{B}{C};$$

2° si le bénéficiaire est un inscrit qui avait droit de demander un remboursement de la taxe sur les intrants ou un remboursement en vertu de la section I du chapitre VII à l'égard du bien ou du service, il est réputé avoir effectué une fourniture taxable et avoir perçu, au moment du paiement du remboursement, la taxe à l'égard de la fourniture égale au montant déterminé selon la formule suivante :

$$D \times \frac{E}{F}.$$

Application — Pour l'application de ces formules :

1° la lettre A représente la taxe payable par le bénéficiaire;

2° la lettre B représente le montant du remboursement;

3° la lettre C représente le coût du bien ou du service pour le bénéficiaire;

4° la lettre D représente la taxe remboursée;

5° la lettre E représente le total des remboursements de la taxe sur les intrants et des remboursements en vertu de la section I du chapitre VII que le bénéficiaire avait le droit de demander à l'égard du bien ou du service;

6° la lettre F représente la taxe payable par le bénéficiaire à l'égard de la fourniture ou de l'apport du bien ou du service.

Notes historiques: L'article 212.2 a été ajouté par L.Q. 1997, c. 85, art. 544(1) et a effet depuis le 1er juillet 1992. Toutefois :

1° il ne s'applique pas aux fins du calcul d'un montant demandé dans une déclaration prévue par le chapitre VIII du titre I ou une demande prévue par le chapitre VII du titre I, dans le cas où cette déclaration ou cette demande est reçue par le ministre du Revenu avant le 23 avril 1996;

2° il ne s'applique qu'aux montants remboursés après le 23 avril 1996.

Définitions [art. 212.2]: « bien », « inscrit », « montant », « période de déclaration », « police d'assurance », « service », « taxe » — 1.

Renvois [art. 212.2]: 433.1 (fourniture déterminée).

Concordance fédérale: LTA, art. 175.1.

COMMENTAIRES: La Cour du Québec, dans l'affaire *Productions Rhinoféroce inc.* c. *Québec (Sous-ministre du Revenu)*, 2004 CarswellQue 1558 (Cour du Québec), prévoit qu'il faut distinguer entre l'« allocation » (pour frais de voyage ou d'utilisation d'un véhicule à moteur dans l'accomplissement de ses fonctions) au sens des articles 39, 40 et 40.1 de la *Loi sur les impôts* et les « remboursements » au sens de l'article 211 de la *Loi sur la taxe de vente*. La Cour suprême du Canada a précisé la définition du terme « allocation » dans l'arrêt *Gagnon* c. *La Reine*, (1986) 1 R.C.S. 264 comme suit: (1) la somme doit être limitée et déterminée à l'avance; (2) la somme doit être versée afin de permettre à celui qui la reçoit de faire face à un certain type de dépenses; (3) cette somme doit être à l'entière disposition de celui qui la touche sans qu'il ait de comptes à ne rendre à personne. La Cour du Québec conclut que le remboursement vise à rembourser à quelqu'un les dépenses qu'il a réellement engagées alors que pour l'allocation, la somme pourra être limitée ou déterminée à l'avance, sans qu'il soit nécessaire de connaître exactement le montant déboursé effectivement par le salarié.

Lorsque l'inscrit rembourse certaines dépenses ou verse une allocation raisonnable à l'égard de telles dépenses, la *Loi sur la taxe de vente du Québec* crée une présomption lui permettant de réclamer les remboursements de la taxe sur les intrants à l'égard de ces sommes.

Dans l'affaire *Technostructur inc. (175094 Canada inc.)* c. *Québec (Sous-ministre du Revenu)*, 2011 CarswellQue 4240 (C.Q.), la Cour du Québec a indiqué que les montants versés représentent davantage du salaire puisqu'ils n'ont pas été versés pour régler des dépenses. La Cour a considéré ces montants comme des avantages imposables. Dans ce contexte, l'article 211 ne peut s'appliquer, de l'avis de la Cour, car cet article vise les montants qui sont des allocations. Dans un second temps, la Cour du Québec souligne la décision de la Cour d'appel fédérale dans *ExxonMobil Canada Ltd.* c. *Canada*, 2010 CAF 1, où celle-ci a conclu que le fait qu'une indemnité soit imposable en vertu de la *Loi de l'impôt sur le revenu* ne peut en soi exclure l'application de l'article 174 de la *Loi sur la taxe d'accise (TPS)*.

Revenu Québec prévoit que le critère de raisonnabilité prévu aux articles 203 et 204 s'applique lorsque l'employeur réclame un remboursement de la taxe sur les intrants à l'égard de la taxe qu'il est réputé avoir payée en vertu de l'article 211. La lettre prévoit que lorsque l'allocation versée par l'employeur n'est pas une allocation à laquelle le paragraphe 39(e) ou l'article 40 de la *Loi sur les impôts* s'appliqueraient si l'allocation était une allocation raisonnable aux fins de ces sous-alinéas. L'application de l'article 211 fait donc en sorte que l'employeur est réputé avoir reçu la fourniture et avoir payé la taxe sur la fourniture égale à 7/10 (en date des présentes : 9,975/109,975) du montant de l'allocation. L'employeur pourra ainsi, même si c'est son employé qui a acquis les biens et les services, réclamer un remboursement de la taxe sur les intrants. Voir notamment à cet effet : Revenu Québec, Lettre d'interprétation, 05-0101013 — *Interprétation relative à la TPS et à la TVQ Allocations versées aux employés-raisonnabilité* (8 avril 2005).

Revenu Québec a traité d'un cas où une entreprise effectue dans différentes régions du Québec des travaux de construction d'immeubles. La durée de réalisation de ces travaux peut souvent s'étendre sur une période de plusieurs mois. La société verse à ses salariés une allocation pour couvrir les dépenses d'hébergement encourues lors de la réalisation de ces travaux et les travailleurs peuvent utiliser cet argent soit pour louer une chambre dans un hôtel (fourniture taxable) ou un appartement dans un immeuble d'habitation pour une durée d'au moins un mois (fourniture exonérée). Revenu Québec devait trancher si la société pouvait réclamer des remboursements de la taxe sur les intrants à l'égard de l'allocation qu'elle verse à ses salariés pour défrayer le coût de leur hébergement. L'article 211 prévoit que l'allocation doit être versée pour des fournitures dont la totalité, ou presque, sont des fournitures taxables, autres que détaxées, de biens ou de services que le salarié a acquis au Canada relativement aux activités de son employeur. Lorsqu'elle verse une allocation, la société n'a pas à connaître l'utilisation réelle qui est faite de ce montant. Le montant versé doit être à la complète disposition du salarié et celui-ci n'a pas à démontrer que le montant a effectivement été déboursé en soumettant à la société des reçus ou toute autre documentation. Pour savoir si l'allocation est versée pour des fournitures taxables autres que détaxées, il peut être nécessaire pour la société de considérer certains facteurs tels que par exemple, le montant de l'allocation versée, le nombre de chambres d'hôtels ou d'immeubles d'habitation disponibles dans les environs du chantier, le coût de location, la durée moyenne des affectations à ce chantier. Voir notamment à cet effet : Revenu Québec, lettre d'interprétation, 04-0101651 -- *Interprétation relative à la TPS et à la TVQ — Allocations de dépenses pour hébergement* (26 avril 2004).

Aux fins des articles 211 et 212, Revenu Québec est d'avis que le terme « salarié » comprend un « cadre » même lorsque ce cadre ne reçoit pas de rémunération. Les notes explicatives afférentes à la définition de salarié ainsi que la version anglaise de la définition de salarié dans la *Loi sur la taxe de vente du Québec* vont d'ailleurs en ce sens. L'article 1 définit le « cadre » comme étant une personne qui occupe une charge. Le terme « charge » a le sens que lui donne la *Loi sur les impôts*. Une « charge » y est définie comme étant le poste qu'occupe un particulier et qui lui donne droit à un traitement ou à une rémunération fixes ou vérifiables et comprend aussi le poste d'administrateur de société. Ainsi, un membre du conseil d'administration d'une société occupe une « charge » même s'il ne reçoit aucune rémunération. Voir notamment à cet effet :

LTVQ (français)

Revenu Québec, lettre d'interprétation, 05-0100809 — *Interprétation relative à la TPS et à la TVQ* (3 mars 2005).

Revenu Québec souligne également que l'application de l'article 358 doit s'effectuer de concert avec celle de l'article 211, de telle sorte que si l'inscrit a demandé un remboursement de la taxe sur les intrants à l'égard de l'allocation qu'il a versée, le particulier ne peut demander un remboursement à l'égard des dépenses relatives à l'allocation qu'il a reçue pour avoir droit à son remboursement de la taxe sur les intrants en vertu de l'article 211, l'employeur doit avoir considéré, au moment du versement, que l'allocation était raisonnable pour l'application du paragraphe e) de l'article 39 ou de l'article 40 de la *Loi sur les impôts*. Voir notamment à cet effet : Revenu Québec, Lettre d'interprétation, 05-0105428 — *Interprétation relative à la TVQ Application de l'article 358 de la LTVQ* (4 novembre 2005). Voir également au même effet : Revenu Québec, Lettre d'interprétation, 99-0110660 — *Remboursement en vertu de l'article 358 de la Loi sur la taxe de vente du Québec* (20 décembre 2001).

Également, Revenu Québec a conclu que dans la mesure où des pompiers sont bénévoles d'une municipalité, l'article 211 ne peut s'appliquer puisque la municipalité ne se qualifie pas en tant qu'organisme de bienfaisance ou d'institution publique au sens de l'article 1. Toutefois, dans la situation où une municipalité verse une allocation de 500 $ à des pompiers qui sont ses salariés pour l'achat et le nettoyage de vêtements utilisés lors des sinistres, l'article 211 s'appliquera dans la mesure où le montant au titre de l'indemnité est déductible dans le calcul du revenu de la municipalité pour une année d'imposition en application de la *Loi sur les impôts*, ou le serait si elle était un contribuable aux termes de cette législation et l'activité était une entreprise. Voir à cet effet : Revenu Québec, Lettre d'interprétation, 07-0101274 — *Interprétation relative à la TPS et à la TVQ — Allocations versées aux pompiers d'une municipalité* (17 juillet 2007).

Revenu Québec a également analysé le cas où une société verse des allocations de dépenses à ses employés affectés à des projets à l'extérieur de leur lieu de travail habituel. Revenu Québec devait trancher dans la situation qu'un employé n'indique sur son rapport de dépenses qu'un montant unique total pour une « indemnité d'assignation », doit-on considérer que, pour l'application de l'article 211, que la société n'a versé qu'une allocation plutôt que trois allocations distinctes pour les repas, le logement et le transport. Ainsi, Revenu Québec est d'avis que même si le rapport de dépenses produit par un salarié de l'inscrit n'indique qu'un montant global pour une « indemnité d'assignation », on ne peut pas en conclure que, pour l'application de l'article 211, l'employeur n'a versé qu'une allocation. Pour le savoir, il faut d'abord se référer aux documents administratifs de l'Inscrit pour établir si un montant a été déterminé à l'avance pour chacun des trois types de dépenses et si ces montants possèdent les autres caractéristiques d'une allocation. Revenu Québec est d'avis qu'on doit considérer que bien qu'un seul versement ne soit effectué, la société verse trois allocations distinctes pour les repas, l'hébergement et le transport. Ainsi, la société pourrait demander un remboursement de la taxe sur les intrants à l'égard de chacune des allocations qui respecte les conditions prévues à l'article 211. Cependant, s'il est établi que la société n'a versé qu'une seule allocation plutôt que trois, ce dernier n'aurait droit à aucun remboursement de la taxe sur les intrants. Voir notamment à cet effet : Revenu Québec, Lettre d'interprétation, 00-0109892 — *Interprétation relative à la TPS et à la TVQ — Allocations mensuelles de dépenses* (29 mars 2001).

À l'égard de l'article 212, Revenu Québec a analysé la situation d'un employeur qui a comme pratique de rembourser à ses employés certains frais encourus par ceux-ci relativement à des services d'enseignement qui leur sont offerts afin d'acquérir ou de parfaire une formation. À cet égard, en vertu de l'article 212, l'employeur est réputé avoir reçu une fourniture du service d'enseignement et le service consommé ou utilisé par le salarié est réputé l'avoir été par l'employeur. Revenu Québec croit que qu'il s'agit d'un paiement versé en dédommagement, lequel paiement n'est pas un paiement pour une fourniture de biens ou de services. Voir notamment : Revenu Québec, Lettre d'interprétation, 99-0109720 — *Assujettissement de sommes versées par un employé à un employeur au titre d'un remboursement de frais de formation* (29 novembre 1999).

Revenu Québec enseigne que lorsqu'une dépense engagée par le salarié d'un employeur est remboursée par l'employeur, la taxe comprise dans le montant remboursé est réputée avoir été payée par la personne qui effectue le remboursement. Cette disposition permet donc à l'employeur qui est un inscrit de demander un remboursement de la taxe sur les intrants à l'égard de la dépense remboursée. le Ministère permet à un inscrit qui est une grande entreprise de choisir l'une des deux méthodes suivantes pour le calcul des remboursements de la taxe sur les intrants auxquels il a droit à l'égard des dépenses remboursées à ses salariés (méthode de calcul détaillée et la méthode de calcul simplifiée). Voir notamment à cet effet, Revenu Québec, lettre d'interprétation, 99-0111205 — *Interprétation relative à la TVQ-RTI à l'égard des remboursements de dépenses* (17 mars 2000).

À titre illustratif de l'application de cet article, Revenu Québec a conclu que les présomptions prévues à l'article 212 ne s'appliquent pas lorsque la personne qui rembourse un bénévole est une municipalité au sens de l'article 1. En conséquence, la municipalité ne peut pas réclamer au ministre un remboursement de la taxe sur les intrants ou un remboursement partiel de la TVQ à l'égard de la taxe comprise dans le montant du remboursement effectué au bénévole. Cependant, il y a lieu de déterminer si le bénévole peut être considéré comme agissant à titre de mandataire de la municipalité lors de l'acquisition d'articles de quincaillerie. Dans un tel cas, la municipalité, en sa qualité de mandant, pourrait avoir droit à un remboursement de la taxe sur les intrants ou à un remboursement partiel de la TPS à l'égard de la taxe payée au titre des biens acquis par le biais de son mandataire. En vertu l'article 2130 du *Code civil du Québec*, l'établissement d'une relation mandant-mandataire exige que le mandataire détienne le pouvoir de représenter le mandant dans l'accomplissement d'un acte juridique avec un tiers. De plus, il découle de l'un des principaux effets du mandat, prévu à l'article 2157 du CCQ, que le mandant est tenu personnellement envers le tiers avec qui son mandataire a contracté dans les limites de son mandat. L'établissement d'un mandat nécessite une analyse de l'ensemble des faits de l'espèce. Dans le cas soumis, Revenu Québec conclut qu'il n'existe aucune relation de mandant-mandataire entre la municipalité et le bénévole. En effet, Revenu Québec est d'avis que le bénévole a engagé, pour son propre compte, une dépense dans le cadre de la fourniture d'un service de bénévolat rendu à la municipalité. En conséquence, la municipalité ne peut pas obtenir un remboursement de la taxe sur les intrants ou un remboursement partiel de la TVQ à l'égard de la taxe payée au titre des biens acquis par le bénévole. Revenu Québec a indiqué que lorsqu'un employeur rembourse à son salarié une cotisation professionnelle que ce dernier doit payer et qui est en relation avec son travail, l'article 212 prévoit que l'employeur est alors réputé avoir acquis lui-même le bien que représente la cotisation professionnelle. De plus, cette disposition prévoit que l'employeur est réputé utiliser ce bien dans l'exercice de ses activités. Cette présomption permet à l'employeur de réclamer un crédit de taxe sur les intrants à l'égard de la TVQ payée sur le montant remboursé dans la mesure où l'employeur effectue cette dépense dans le cadre de ses activités commerciales, c'est-à-dire dans le but d'effectuer, pour une contrepartie, des fournitures taxables. Voir à cet effet : Revenu Québec, Lettre d'interprétation, 00-0105031 — Interprétation relative à la TPS et à la TVQ — *Remboursement de dépenses par une municipalité à des bénévoles ou des salariés* (26 septembre 2000). Voir notamment également à cet effet : Revenu Québec, Lettre d'interprétation, 99-0103293 — *Interprétation relative à la TPS et à la TVQ* (3 février 2000), et Revenu Québec, Lettre d'interprétation, 98-0104061 — *Cotisations professionnelles de salariés et associés* (29 avril 1998).

Revenu Québec indique également que même si les accompagnateurs familiaux ou sociaux agissaient à titre de bénévoles, l'article 212 ne pourrait s'appliquer, considérant que cet article s'applique à l'égard de bénévoles agissant pour un organisme de bienfaisance ou une institution publique. Dans le cas où les accompagnateurs familiaux ou sociaux agiraient à titre de bénévoles d'un centre hospitalier qui aurait délégué la gestion du programme, ledit centre hospitalier devrait également se qualifier à titre d'organisme de bienfaisance ou à titre d'institution publique afin que l'article 212 puisse s'appliquer. Voir notamment à cet effet : Revenu Québec, Lettre d'interprétation, 98-0110209 — *Interprétation relative à la TPS et à la TVQ — Remboursement des frais de déplacement, d'hébergement et de repas aux accompagnateurs des personnes handicapées* (8 mai 2000).

Finalement, Revenu Québec a souligné que c'est la personne qui rembourse les dépenses ou qui paie l'indemnité à son « salarié » qui peut se prévaloir de l'article 212. Le fait que la personne à qui est effectué le remboursement ou à qui est versée l'indemnité reçoive un traitement ou un salaire d'une autre personne n'autorise pas cette dernière à se prévaloir des dispositions de l'article 212 si ce n'est pas elle qui a payé le remboursement ou l'indemnité. Ainsi, en l'espèce, la société mère ne pouvait se prévaloir de cet article puisque ce n'est pas elle qui paie l'indemnité ou effectue le remboursement. Voir notamment à cet effet : Revenu Québec, Lettre d'interprétation, 05-0100809 — *Interprétation relative à la TPS et à la TVQ* (3 mars 2005).

Compte tenu de la similarité de la rédaction des dispositions législatives et considérant l'engagement spécifique de Revenu Québec de veiller à ce que l'assiette de TVQ modifiée, de même que les paramètres administratifs, structurels et définitionnels, produisent des résultats qui sont similaires à ceux produits sous le régime de la TPS/TVH et soient administrés d'un manière qui produit des résultats similaires, tel que reflété par l'article 14 de l'*Entente intégrée globale de coordination fiscale* signée entre le gouvernement du Canada et le gouvernement du Québec, nous vous référons à nos commentaires en vertu de l'article 174 à 175.1 de la *Loi sur la taxe d'accise (TPS)* qui devraient s'appliquer *mutatis mutandis*, avec les adaptations nécessaires.

§ 3. — Contenant consigné d'occasion

Notes historiques: L'intitulé de la sous-section 3, section II, chapitre V, titre I, a été remplacé par L.Q. 1997, c. 85, art. 545(1). Cette modification a effet depuis le 24 avril 1996. Il se lisait auparavant comme suit : *Bien meuble corporel d'occasion ou désigné*.

213. Acquisition d'une enveloppe ou d'un contenant — Un inscrit est réputé avoir payé, au moment où un montant est payé en contrepartie d'une fourniture, sauf si les articles 75.1 ou 80 s'appliquent à son égard, la taxe relative à la fourniture égale au résultat obtenu en multipliant ce montant par 9,975/109,975, dans le cas où, à la fois :

1º l'inscrit est l'acquéreur de la fourniture par vente au Québec d'un bien meuble corporel d'occasion, autre qu'un contenant consigné, tel que défini à l'article 350.42.3, qui est une enveloppe ou un contenant d'une catégorie donnée dans lequel un bien est habituellement délivré, autre qu'un bien dont la fourniture constitue une fourniture détaxée;

2º la taxe n'est pas payable par l'inscrit à l'égard de la fourniture;

3º le bien est acquis pour consommation, utilisation ou fourniture dans le cadre des activités commerciales de l'inscrit;

4º l'inscrit paie une contrepartie pour cette fourniture qui n'est pas inférieure au total des montants suivants :

a) le montant qui correspond à la contrepartie exigée par l'inscrit à l'égard des fournitures d'enveloppes ou de contenants d'occasion de cette catégorie qu'il effectue;

b) le montant qui correspond à la taxe calculée sur cette contrepartie.

Contrepartie réputée égale à la juste valeur marchande — Pour l'application du présent article, la valeur de la contrepartie de la fourniture d'un bien meuble corporel d'occasion qu'une personne effectue à un inscrit avec lequel elle a un lien de dépendance pour une contrepartie supérieure à la juste valeur marchande du bien au moment où la possession du bien est transférée à l'inscrit est réputée égale à la juste valeur marchande du bien à ce moment.

Notes historiques: Le préambule du premier alinéa de l'article 213 a été modifié par L.Q. 2012, c. 28, par. 67(1) par le remplacement de « 9,5/109,5 » par « 9,975/109,975 ». Cette modification a effet à compter du 1er janvier 2013.

Le préambule du premier alinéa de l'article 213 a été modifié par L.Q. 2011, c. 6, par. 250(1) par le remplacement de « 8,5 / 108,5 » par « 9,5 / 109,5 ». Cette modification a effet à compter du 1er janvier 2012.

Le préambule du premier alinéa de l'article 213 a été modifié par L.Q. 2010, c. 5, par. 215(1) par le remplacement de « 7,5 / 107,5 » par « 8,5 / 108,5 ». Cette modification a effet à compter du 1er janvier 2011.

Le préambule du premier alinéa de l'article 213 a été modifié par L.Q. 1994, c. 22, art. 472(1) et est réputé entré en vigueur le 1er juillet 1992. Toutefois, pour la période qui se termine le 30 septembre 1992, la référence à l'article 75.1 doit être lue comme une référence à l'article 75.

Le préambule du premier alinéa de l'article 213 se lisait auparavant comme suit :

> 213. Aux fins du calcul du remboursement de la taxe sur les intrants d'un inscrit, celui-ci est réputé avoir payé, au moment où un montant est payé en contrepartie d'une fourniture, sauf si celle-ci est détaxée ou si les articles 75 ou 80 s'appliquent à son égard, la taxe relative à la fourniture égale à la fraction de taxe de ce montant, dans le cas où :

Le paragraphe 1º du premier alinéa de l'article 213 a été remplacé par L.Q. 2009, c. 5, s.-par. 614(1)(1º) et cette modification s'applique à l'égard d'une fourniture dont la contrepartie devient due après le 15 juillet 2002 ou est payée après cette date sans qu'elle soit devenue due. Antérieurement, il se lisait ainsi :

> 1º l'inscrit est l'acquéreur de la fourniture par vente au Québec d'un bien meuble corporel d'occasion qui est une enveloppe ou un contenant d'une catégorie donnée dans lequel un bien est habituellement délivré, autre qu'un bien dont la fourniture constitue une fourniture détaxée;

Le préambule du paragraphe 4º du premier alinéa de l'article 213 a été remplacé par L.Q. 2009, c. 5, s.-par. 614(1)(2º) et cette modification s'applique à l'égard d'une fourniture dont la contrepartie devient due après le 15 juillet 2002 ou est payée après cette date sans qu'elle soit devenue due. Antérieurement, il se lisait ainsi :

> 4º à moins que le bien ne soit un contenant consigné au sens de l'article 350.24 d'une catégorie donnée dont l'inscrit n'effectue pas la fourniture lorsque le contenant est rempli et scellé, l'inscrit paie au fournisseur une contrepartie pour cette fourniture qui n'est pas inférieure au total des montants suivants :

Le premier alinéa de l'article 213 a été remplacé par L.Q. 1997, c. 85, art. 546(1) et s'applique à l'égard d'une fourniture effectuée après le 23 avril 1996, sauf les fournitures suivantes :

> a) une fourniture, effectuée à un inscrit par une personne avant le 1er juillet 1996, d'un bien meuble corporel d'occasion qui n'est pas accepté par l'inscrit en contrepartie totale ou partielle d'une fourniture par l'inscrit à la personne d'un autre bien meuble corporel;
>
> b) une fourniture, effectuée par une personne à un inscrit, d'un bien meuble corporel d'occasion donné que, aux termes d'une convention écrite conclue avant le 1er juillet 1996, l'inscrit accepte en contrepartie totale ou partielle de la fourniture par lui à la personne d'un autre bien meuble corporel à l'égard de laquelle l'inscrit a exigé ou perçu la taxe, calculée sans tenir compte du montant du crédit qu'il accorde à la personne à l'égard du bien donné.

Malgré ce qui précède, le préambule du premier alinéa de l'article 213, pour la période qui se termine le 31 mars 1997, doit se lire comme suit :

> 213. Un inscrit est réputé avoir payé, au moment où un montant est payé en contrepartie d'une fourniture, sauf si les articles 75.1 ou 80 s'appliquent à son égard, la taxe relative à la fourniture égale à la fraction de taxe de ce montant, dans le cas où à la fois :

De plus, pour la période qui commence le 1er avril 1997 et qui se termine le 31 décembre 1997, le préambule du premier alinéa de l'article 213 doit se lire comme suit :

> 213. Un inscrit est réputé avoir payé, au moment où un montant est payé en contrepartie d'une fourniture, sauf si le articles 75.1 et 80 s'appliquent à son égard, la taxe relative à la fourniture égale au résultat obtenu en multipliant ce montant par 6,5/106,5, dans le cas où à la fois :

Antérieurement à cette modification, le premier alinéa de l'article 213 se lisait ainsi :

> 213. Un inscrit est réputé avoir payé, au moment où un montant est payé en contrepartie d'une fourniture, sauf si celle-ci est détaxée ou si les articles 75.1 ou 80 s'appliquent à son égard, la taxe relative à la fourniture égale à la fraction de taxe de ce montant, dans le cas où :
>
> 1º un bien meuble corporel d'occasion est fourni à l'inscrit par vente au Québec après le 31 décembre 1993, la taxe n'est pas payable par lui à l'égard de la fourniture et le bien est acquis pour consommation, utilisation ou fourniture dans le cadre de ses activités commerciales;
>
> 2º un bien meuble corporel d'occasion est fourni à l'inscrit par vente au Québec avant le 1er janvier 1994, la taxe n'est pas payable par lui à l'égard de la fourniture et le bien acquis pour fourniture dans le cadre de ses activités commerciales.

Le deuxième alinéa de l'article 213 a été modifié par L.Q. 1994, c. 22, art. 472(1) et s'applique aux fournitures dont la contrepartie est payée ou devient due après le 1er juillet 1992, à l'exception de celles dont la contrepartie est payée ou devient due avant le 1er octobre 1992. Il se lisait auparavant comme suit :

> Pour l'application du présent article, la valeur de la contrepartie de la fourniture d'un bien meuble corporel d'occasion qu'une personne effectue à un inscrit avec lequel elle a un lien de dépendance, pour une contrepartie qui ne correspond pas à la juste valeur marchande du bien au moment où la fourniture est effectuée, est réputée égale à la juste valeur marchande du bien à ce moment.

L'article 213 a été édicté par L.Q. 1991, c. 67.

Notes explicatives ARQ (PL 5, L.Q. 2012, c. 28): *Résumé* :

L'article 213 est modifié afin de remplacer la fraction « 9,5/109,5 » par « 9,975/109,975 », et ce, en vue de tenir compte du fait qu'à compter du 1er janvier 2013 la taxe sur les produits et services (TPS) est retirée de l'assiette de la taxe de vente du Québec (TVQ).

Situation actuelle :

L'article 213 prévoit qu'un inscrit est réputé avoir payé un montant au titre de la taxe lorsqu'il achète, pour consommation, utilisation ou fourniture dans le cadre de ses activités commerciales, un bien meuble corporel d'occasion qui est une enveloppe ou un contenant.

Dans ces circonstances, un inscrit peut réclamer un remboursement de la taxe sur les intrants qui correspond à 9,5/109,5 du montant payé au titre de la contrepartie d'un tel bien.

Modifications proposées :

En vue de tenir compte du fait que la TPS est retirée de l'assiette de la TVQ à compter du 1er janvier 2013, il y a lieu de modifier l'article 213 de la LTVQ.

Cette modification a pour objet de remplacer la fraction « 9,5/109,5 » par « 9,975/109,975 ».

Notes explicatives ARQ (PL 5, L.Q. 2011, c. 6): *Résumé* :

L'article 213 est modifié afin de tenir compte de la hausse du taux de la taxe de vente du Québec (TVQ) à 9,5 % à compter du 1er janvier 2012.

Situation actuelle :

L'article 213 prévoit qu'un inscrit est réputé avoir payé un montant au titre de la taxe lorsqu'il achète, pour consommation, utilisation ou fourniture dans le cadre de ses activités commerciales, un bien meuble corporel d'occasion qui est une enveloppe ou un contenant.

Dans ces circonstances, un inscrit peut réclamer un remboursement de la taxe sur les intrants qui correspond à 8,5 / 108,5 du montant payé au titre de la contrepartie d'un tel bien.

Modifications proposées :

L'article 213 est modifié afin de tenir compte de la hausse du taux de la TVQ à 9,5 % à compter du 1er janvier 2012.

Notes explicatives ARQ (PL 2, L.Q. 2009, c. 5): *Résumé* :

L'article 213 est modifié de telle sorte qu'il ne s'applique plus à un contenant consigné au sens de l'article 350.42.3 de la LTVQ.

Situation actuelle :

Actuellement, l'article 213 de la LTVQ prévoit qu'un inscrit est réputé avoir payé un montant au titre de la taxe lorsqu'il achète, pour consommation, utilisation ou fourniture dans le cadre de ses activités commerciales, un bien meuble corporel d'occasion qui est une enveloppe ou un contenant.

Dans ces circonstances, un inscrit peut réclamer un remboursement de la taxe sur les intrants (RTI) qui correspond à 7,5/107,5 du montant payé au titre de la contrepartie d'un tel bien.

Par exemple, lorsqu'un consommateur retourne un contenant consigné à un inscrit et que l'inscrit rembourse une consigne sur le contenant, l'inscrit est réputé avoir payé une taxe incluse dans cette consigne et il peut réclamer un RTI à l'égard de cette taxe.

Or, dans le cadre du présent projet de loi, les règles relatives aux contenants consignés sont modifiées de telle sorte que la consigne remboursable à l'égard d'un contenant consigné ne sera plus assujettie à la taxe. Dans ces circonstances, il n'y a plus lieu de prévoir une présomption à l'effet qu'un inscrit paie une taxe lorsqu'il rembourse une telle consigne à un consommateur.

Modifications proposées :

Les modifications aux paragraphes 1° et 4° de l'article 213 LTVQ sont proposées en concordance avec les mesures proposées dans le cadre du présent projet de loi qui prévoient que le montant remboursable d'une consigne sur un contenant consigné ne sera plus assujetti à la TVQ.

Guides [art. 213]: IN-203 — Renseignements généraux sur la TVQ et la TPS/TVH.

Définitions [art. 213]: « activité commerciale », « bien meuble corporel d'occasion », « contrepartie », « fourniture », « fraction de taxe », « inscrit », « montant », « personne », « taxe », « vente » — 1.

Renvois [art. 213]: 3 (lien de dépendance); 4 (lien de dépendance); 15 (JVM); 41.4 (mandataire ou encanteur); 214 (application); 215 (contenants consignés); 216 (exportation); 217 (exportation); 323.2 (utilisation d'un bien meuble saisi avant 1994); 450 (non-application des articles 447–449); 659 (biens meubles corporels d'occasion réputés); 674.5 (remboursement à la suite d'une réduction d'une contrepartie).

Bulletins d'interprétation [art. 213]: TVQ. 206.1-3/R1 — Véhicule routier acquis par un recycleur auprès d'une personne non inscrite au fichier de la TVQ.

Concordance fédérale: LTA, par. 176(1), 176(4).

COMMENTAIRES: En date des présentes, nous n'avons répertorié aucune décision administrative de Revenu Québec ou de décisions jurisprudentielles interprétant cet article.

Compte tenu de la similarité de la rédaction des dispositions législatives et considérant l'engagement spécifique de Revenu Québec de veiller à ce que l'assiette de TVQ modifiée, de même que les paramètres administratifs, structurels et définitionnels, produisent des résultats qui sont similaires à ceux produits sous le régime de la TPS/TVH et soient administrés d'un manière qui produit des résultats similaires, tel que reflété par l'article 14 de l'*Entente intégrée globale de coordination fiscale* signée entre le gouvernement du Canada et le gouvernement du Québec, nous vous référons à nos commentaires en vertu de l'article 176 de la *Loi sur la taxe d'accise (TPS)* qui devraient s'appliquer *mutatis mutandis*, avec les adaptations nécessaires.

214. [*Abrogé*]

Notes historiques: L'article 214 a été abrogé par L.Q. 1997, c. 85, art. 547(1). Cette abrogation s'applique à l'égard d'une fourniture effectuée après le 23 avril 1996.

Auparavant, l'article 214 se lisait comme suit :

214. L'article 213 ne s'applique pas à un inscrit qui, selon le cas, acquiert :

1° [*Supprimé*];

2° un véhicule routier exempté de l'immatriculation en vertu des paragraphes 1° ou 2° de l'article 15 du *Code de la sécurité routière* (chapitre C-24.2);

3° [*Supprimé*].

Le paragraphe 1° de l'article 214 a été supprimé par L.Q. 1995, c. 63, art. 359(1) et cette modification s'applique à l'égard d'une fourniture dont la totalité ou une partie de la contrepartie devient due après le 31 juillet 1995 et n'est pas payée avant le 1er août 1995. Auparavant, il se lisait comme suit :

1° un bien par une fourniture non taxable effectuée par un autre inscrit qui soit a demandé ou a le droit de demander un remboursement de la taxe sur les intrants à l'égard du bien, soit aurait pu demander un tel remboursement en faisant abstraction du présent article;

Le paragraphe 2° de l'article 214 a été modifié par L.Q. 1995, c. 63, art. 359(1) et cette modification s'applique à l'égard d'une fourniture dont la totalité ou une partie de la contrepartie devient due après le 31 juillet 1995 et n'est pas payée avant le 1er août 1995. Auparavant, il se lisait comme suit

2° par une fourniture non taxable un véhicule routier exempté de l'immatriculation en vertu des paragraphes 1° ou 2° de l'article 15 du *Code de la sécurité routière* (L.R.Q., chapitre C-24.2).

Le paragraphe 3° de l'article 214 a été ajouté par L.Q. 1995, c. 63, art. 359(1) et a effet depuis le 1er juillet 1992 [*N.D.L.R.* : cette disposition s'applique conformément aux articles 618 à 656 et 685 de L.Q. 1991, c. 67, tels que modifiés]. Toutefois, le paragraphe 3° de l'article 214 a été supprimé par L.Q. 1995, c. 63, art. 359(2) à l'égard de la fourniture dont la totalité ou une partie de la contrepartie devient due après le 31 juillet 1995 et n'est pas payée avant le 1er août 1995. Il se lisait comme suit :

3° un bien par une fourniture non taxable effectuée par un autre inscrit et à l'égard duquel la taxe prévue au chapitre II de la *Loi concernant l'impôt sur la vente en détail* (chapitre I-1) s'est appliquée ou se serait appliquée si ce n'était d'une exemption prévue à la section III de ce chapitre.

L'article 214, modifié par L.Q. 1993, c. 19, art. 191, s'appliquait à l'égard d'une fourniture ou d'un apport au Québec relativement auquel l'article 685 ou l'un des articles 618 à 656 de L.Q. 1991, c. 67 s'applique [*N.D.L.R.* : les articles 685 et 618 à 656 réfèrent à des dispositions transitoires concernant les transferts avant le 1er juillet 1992]. Auparavant, l'article 214, édicté par L.Q. 1991, c. 67, se lisait comme suit :

214. L'article 213 ne s'applique pas à un inscrit qui acquiert un bien par une fourniture non taxable effectuée par un autre inscrit qui soit a demandé ou a le droit de demander un remboursement de la taxe sur les intrants à l'égard du bien, soit aurait pu demander un tel remboursement en faisant abstraction du présent article.

L'article 214 a été édicté par L.Q. 1991, c. 67.

215. [*Abrogé*]

Notes historiques: L'article 215 a été abrogé par L.Q. 1997, c. 85, art. 547(1). Cette abrogation s'applique à l'égard d'une fourniture effectuée après le 23 avril 1996. Antérieurement, l'article 215 se lisait ainsi :

215. Dans le cas où un inscrit est l'acquéreur de la fourniture d'une enveloppe ou d'un contenant d'une catégorie donnée dans lequel un bien est habituellement délivré, autre qu'un bien dont la fourniture constitue une fourniture détaxée, l'article 213 ne s'applique pas sauf si l'inscrit paie au fournisseur une contrepartie pour cette fourniture qui n'est pas inférieure au total des montants suivants :

1° le montant qui correspond à la contrepartie exigée par l'inscrit à l'égard des fournitures d'enveloppes ou de contenants d'occasion de cette catégorie qu'il effectue;

2° le montant qui correspond à la taxe calculée sur cette contrepartie.

Le présent article ne s'applique pas au contenant qui est un contenant consigné au sens de l'article 350.24 d'une catégorie donnée dont l'inscrit n'effectue pas la fourniture lorsque le contenant est rempli et scellé.

L'article 215 a été modifié par L.Q. 1994, c. 22, art. 473(1) et est réputé entré en vigueur le 1er octobre 1992. Il se lisait auparavant comme suit :

215. Dans le cas où un inscrit est l'acquéreur de la fourniture, effectuée par une personne qui n'est pas un inscrit, d'un bien meuble corporel d'occasion qui est l'enveloppe ou le contenant habituel dans lequel un bien est délivré, autre qu'un bien dont la fourniture constitue une fourniture détaxée, l'article 213 ne s'applique pas à moins que l'inscrit paie à la personne un montant égal au total des montants suivants :

1° le montant qui correspond à la contrepartie de la fourniture;

2° le montant qui correspond à la taxe qui serait payable par l'inscrit à l'égard de la fourniture si, à la fois :

a) la personne était un inscrit;

b) la fourniture était effectuée dans le cadre d'une activité commerciale;

c) la fourniture ne constituait pas une fourniture non taxable.

Dans ce cas, pour l'application de l'article 213, la contrepartie de la fourniture est réputée correspondre à ce total.

L'article 215 a été édicté par L.Q. 1991, c. 67.

216. [*Abrogé*]

Notes historiques: L'article 216 a été abrogé par L.Q. 1997, c. 85, art. 547(1). Cette abrogation s'applique à l'égard d'une fourniture effectuée après le 23 avril 1996.

Auparavant, l'article 216 se lisait ainsi :

216. Dans le cas où un inscrit effectue par vente la fourniture détaxée ou la fourniture hors du Québec d'un bien meuble corporel d'occasion avant le 1er janvier 1994 et que l'inscrit, ou toute personne avec laquelle il a un lien de dépendance, est réputé avoir payé la taxe relative à l'acquisition du bien en vertu de l'article 213, les règles suivantes s'appliquent :

1° la fourniture est réputée effectuée au Québec;

2° l'inscrit est réputé avoir perçu, au moment où la fourniture est effectuée, la taxe relative à celle-ci, égale au moindre des montants suivants :

a) le montant qui correspond à la taxe qui serait payable à l'égard de la fourniture s'il s'agissait d'une fourniture effectuée au Québec, autre qu'une fourniture détaxée;

b) le montant qui correspond soit à la taxe que l'inscrit a payée à l'égard de l'acquisition du bien ou est réputé avoir payée en vertu de l'article 213, soit à la taxe qu'il aurait été tenu de payer à l'égard de l'acquisition du bien en faisant abstraction des articles 75.1, 80 et 334.

Le préambule du premier alinéa de l'article 216 a été modifié par L.Q. 1994, c. 22, art. 474(1) et est réputé entré en vigueur le 1er juillet 1992. Il se lisait auparavant comme suit :

216. Dans le cas où un inscrit effectue par vente la fourniture détaxée ou la fourniture hors du Québec d'un bien meuble corporel d'occasion avant le 1er janvier 1994 et que l'inscrit a payé la taxe relative à l'acquisition du bien, est réputé l'avoir payée en vertu de l'article 213 ou aurait été tenu de la payer en faisant abstraction des articles 75 et 80 ou du fait qu'il a acquis le bien par une fourniture non taxable, les règles suivantes s'appliquent :

Les sous-paragraphes a) et b) du paragraphe 2° du premier alinéa de l'article 216 ont été modifiés par L.Q. 1995, c. 63, art. 360(1) et ces modifications ont effet depuis le 1er août 1995. Auparavant, ils se lisaient comme suit :

a) le montant qui correspond à la taxe qui serait payable à l'égard de la fourniture s'il s'agissait d'une fourniture effectuée au Québec, autre qu'une fourniture détaxée ou non taxable;

b) le montant qui correspond soit à la taxe que l'inscrit a payée à l'égard de l'acquisition du bien ou est réputé avoir payée en vertu de l'article 213, soit à la taxe qu'il aurait été tenu de payer à l'égard de l'acquisition du bien en faisant abstraction des articles 75.1, 80 et 334 ou du fait qu'il a acquis le bien par une fourniture non taxable.

Le sous-paragraphe b) du paragraphe 2° du premier alinéa de l'article 216, auparavant modifié par L.Q. 1994, c. 22, art. 474(1), était réputé entré en vigueur le 1er octobre 1992. Il se lisait comme suit :

b) le montant qui correspond soit à la taxe que l'inscrit a payée à l'égard de l'acquisition du bien ou est réputé avoir payée en vertu de l'article 213, soit à la taxe qu'il aurait été tenu de payer à l'égard de l'acquisition du bien en faisant abstraction des articles 75, 80 et 334 ou du fait qu'il a acquis le bien par une fourniture non taxable.

Le deuxième alinéa de l'article 216 a été supprimé par L.Q. 1995, c. 63, art. 360(1) et cette modification s'applique à l'égard d'une fourniture effectuée après le 31 décembre 1993.

[*N.D.L.R.* : le paragraphe d'application prévu par L.Q. 1995, c. 63 a été modifié par L.Q. 1997, c. 85, art. 360(3) et a effet depuis le 15 décembre 1995. Antérieurement, il prévoyait ceci :

La suppression s'applique à l'égard de :

1° la taxe qui devient payable après le 31 juillet 1995 et qui n'est pas payée avant le 1er août 1995 par l'inscrit qui est une petite ou moyenne entreprise;

2° la taxe qui devient payable après le 29 novembre 1996 et qui n'est pas payée avant le 30 novembre 1996 par l'inscrit qui est une grande entreprise.]

Le deuxième alinéa de l'article 216, ajouté par L.Q. 1993, c. 19, art. 192, s'appliquait à l'égard d'une fourniture ou d'un apport au Québec relativement auquel l'article 685 ou l'un des articles 618 à 656 de L.Q. 1991, c. 67 s'applique [*N.D.L.R.* : les articles 685 et 618 à 656 réfèrent à des dispositions transitoires concernant les transferts avant le 1er juillet 1992]. Il se lisait comme suit :

Le présent article ne s'applique pas à un inscrit qui, en raison de l'article 206.1, n'a pas le droit d'inclure, dans le calcul du remboursement de la taxe sur les intrants, un montant à l'égard de la taxe payable par lui relativement au bien.

L'article 216 a été édicté par L.Q. 1991, c. 67.

217. [*Abrogé*]

Notes historiques: L'article 217 a été abrogé par L.Q. 1997, c. 85, art. 547(1). Cette abrogation s'applique à l'égard d'une fourniture effectuée après le 23 avril 1996.

Auparavant, l'article 217 se lisait ainsi :

217. Dans le cas où un inscrit effectue par vente la fourniture détaxée ou la fourniture hors du Québec d'un bien meuble corporel désigné d'occasion qu'il a acquis par achat pour une contrepartie supérieure au montant prescrit à l'égard du bien et que l'inscrit a payé la taxe relative à l'acquisition du bien ou aurait été tenu de la payer en faisant abstraction des articles 75.1, 80 et 334, les règles suivantes s'appliquent :

1° la fourniture est réputée effectuée au Québec;

2° l'inscrit est réputé avoir perçu, au moment où la fourniture est effectuée, la taxe relative à celle-ci, égale au moindre des montants suivants :

a) le montant qui correspond à la taxe qui serait payable à l'égard de la fourniture s'il s'agissait d'une fourniture effectuée au Québec, autre qu'une fourniture détaxée;

b) le montant qui correspond, le cas échéant, à la taxe que l'inscrit est réputé avoir payée à l'égard de l'acquisition du bien en vertu de l'article 213;

c) le montant qui correspond, le cas échéant, au pourcentage prescrit soit de la taxe que l'inscrit a payée à l'égard de l'acquisition du bien, sauf celle qu'il est réputé avoir payée en vertu de l'article 213, soit de la taxe qu'il aurait été tenu de payer à l'égard de l'acquisition du bien en faisant abstraction des articles 75.1, 80 et 334.

Le préambule de l'article 217 a été modifié par L.Q. 1995, c. 63, art. 361(1) et cette modification a effet depuis le 1er août 1995, sauf dans le cas où un inscrit effectue la fourniture d'un bien meuble corporel désigné d'occasion qu'il a acquis par une fourniture non taxable. Auparavant, le préambule de l'article 217 se lisait comme suit :

217. Dans le cas où un inscrit effectue par vente la fourniture détaxée ou la fourniture hors du Québec d'un bien meuble corporel désigné d'occasion qu'il a acquis par achat pour une contrepartie supérieure au montant prescrit à l'égard du bien et que l'inscrit a payé la taxe relative à l'acquisition du bien ou aurait été tenu de la payer en faisant abstraction des articles 75.1, 80 et 334 ou du fait qu'il a acquis le bien par une fourniture non taxable, les règles suivantes s'appliquent :

Le sous-paragraphe a) du paragraphe 2° de l'article 217 a été modifié par L.Q. 1995, c. 63, art. 361(1) et cette modification a effet depuis le 1er août 1995. Auparavant, ce sous-paragraphe se lisait comme suit :

a) le montant qui correspond à la taxe qui serait payable à l'égard de la fourniture s'il s'agissait d'une fourniture effectuée au Québec, autre qu'une fourniture détaxée ou non taxable;

Le sous-paragraphe c) du paragraphe 2° de l'article 217 a été modifié par L.Q. 1995, c. 63, art. 361(1) et cette modification a effet depuis le 1er août 1995, sauf dans le cas où un inscrit effectue la fourniture d'un bien meuble corporel désigné d'occasion qu'il a acquis par une fourniture non taxable. Auparavant, ce sous-paragraphe se lisait comme suit :

c) le montant qui correspond, le cas échéant, au pourcentage prescrit soit de la taxe que l'inscrit a payée à l'égard de l'acquisition du bien, sauf celle qu'il est réputé avoir payée en vertu de l'article 213, soit de la taxe qu'il aurait été tenu de payer à l'égard de l'acquisition du bien en faisant abstraction des articles 75.1, 80 et 334 ou du fait qu'il a acquis le bien par une fourniture non taxable.

L'article 217, auparavant modifié par L.Q. 1994, c. 22, art. 475(1), est réputé entré en vigueur le 15 septembre 1992. Toutefois, pour la période qui se termine le 30 septembre 1992, toute référence à l'article 75.1 dans la version de l'article 217 modifiée par L.Q. 1994, c. 22, art. 475(1) doit être lue comme une référence à l'article 75. De plus, l'article 217, édicté par L.Q. 1991, c. 67, est abrogé rétroactivement au 1er juillet 1992. Il se lisait comme suit :

217. Dans le cas où un inscrit effectue par vente la fourniture détaxée ou la fourniture hors du Québec d'un bien meuble corporel désigné d'occasion qu'il a acquis par achat pour une contrepartie supérieure au montant prescrit à l'égard du bien et que l'inscrit a payé la taxe relative à l'acquisition du bien, est réputé l'avoir payée en vertu de l'article 213 ou aurait été tenu de la payer en faisant abstraction des articles 75 et 80 ou du fait qu'il a acquis le bien par une fourniture non taxable, les règles suivantes s'appliquent :

1° la fourniture est réputée effectuée au Québec;

2° l'inscrit est réputé avoir perçu, au moment où la fourniture est effectuée, la taxe relative à celle-ci, égale au moindre des montants suivants :

a) le montant qui correspond à la taxe qui serait payable à l'égard de la fourniture s'il s'agissait d'une fourniture effectuée au Québec, autre qu'une fourniture détaxée ou non taxable;

b) le montant qui correspond à la taxe que l'inscrit est réputé avoir payée à l'égard de l'acquisition du bien en vertu de l'article 213;

c) le montant qui correspond au pourcentage prescrit soit de la taxe que l'inscrit a payée à l'égard de l'acquisition du bien, sauf celle qu'il est réputé avoir payée en vertu de l'article 213, soit de la taxe qu'il aurait été tenu de payer à l'égard de l'acquisition du bien en faisant abstraction des articles 75, 80 et 334 ou du fait qu'il a acquis le bien par une fourniture non taxable.

L'article 217 a été édicté par L.Q. 1991, c. 67.

217.1 [*Abrogé*]

Notes historiques: L'article 217.1 a été abrogé par L.Q. 1997, c. 85, art. 547(1). Cette abrogation s'applique à l'égard d'une fourniture effectuée après le 23 avril 1996.

Auparavant, cet article se lisait ainsi :

217.1 Pour l'application des articles 216 et 217, dans le cas où un inscrit effectue la fourniture taxable d'un bien meuble corporel d'occasion par vente à un acquéreur avec lequel il a un lien de dépendance, sans contrepartie ou pour une contrepartie inférieure à la juste valeur marchande du bien au moment où la possession du bien est transférée à l'acquéreur, celui-ci est réputé, sauf dans le cas où l'article 55 s'applique, avoir payé la taxe à l'égard de la fourniture, calculée sur la juste valeur marchande.

L'article 217.1 a été ajouté par L.Q. 1994, c. 22, art. 476(1) et est réputé entré en vigueur le 1er juillet 1992.

218. [*Abrogé*]

Notes historiques: L'article 218 a été abrogé par L.Q. 1997, c. 85, art. 547(1). Cette abrogation a effet depuis le 24 avril 1996. L'article 218, édicté par L.Q. 1991, c. 67, se lisait ainsi :

218. Un inscrit qui acquiert, ou apporte au Québec, un bien meuble corporel désigné autrement qu'exclusivement pour fourniture, est réputé avoir acquis ou apporté le bien pour utilisation et l'utiliser en tout temps exclusivement dans le cadre d'activités autres que commerciales, dans le cas où :

1° il acquiert le bien par achat pour une contrepartie supérieure au montant prescrit à son égard;

2° il apporte le bien au Québec et la valeur de celui-ci, au sens de l'article 18, est supérieure au montant prescrit à son égard;

3° il acquiert le bien par louage, licence ou accord semblable et la valeur de celui-ci est supérieure au montant prescrit à son égard.

219. [*Abrogé*]

Notes historiques: L'article 219 a été abrogé par L.Q. 1997, c. 85, art. 547(1). Cette abrogation a effet depuis le 24 avril 1996. Auparavant, il se lisait ainsi :

219. L'article 218 ne s'applique pas et un inscrit est réputé, pour l'application de l'article 213, avoir acquis, ou apporté au Québec, un bien meuble corporel désigné pour fourniture dans le cadre d'activités commerciales, dans le cas où l'inscrit, à la fois :

LTVQ (français)

1º soit acquiert le bien par achat pour une contrepartie supérieure au montant prescrit à son égard, soit apporte au Québec le bien dont la valeur, au sens de l'article 17, est supérieure à ce montant, pour l'exposer dans son musée, sa galerie ou son établissement semblable où il effectue, ou a l'intention d'effectuer, la fourniture taxable de droits d'entrée;

2º effectue un choix à l'égard du bien, afin que le présent article s'applique, au moyen du formulaire prescrit produit avec la déclaration qu'il est tenu de produire en vertu du chapitre huitième pour la période de déclaration au cours de laquelle le bien est acquis ou apporté.

Si un inscrit effectue le choix prévu au premier alinéa à l'égard d'un bien, toute fourniture du bien par l'inscrit est réputée constituer une fourniture taxable.

Le deuxième alinéa de l'article 219 a été modifié par L.Q. 1995, c. 63, art. 362 et cette modification s'applique à l'égard d'une fourniture dont la totalité ou une partie de la contrepartie devient due après le 31 juillet 1995 et n'est pas payée avant le 1er août 1995. Auparavant, il se lisait comme suit :

> Si un inscrit effectue le choix prévu au premier alinéa à l'égard d'un bien, toute fourniture exonérée du bien par l'inscrit, autre qu'une fourniture qui serait non taxable si le présent alinéa était lu en faisant abstraction de l'article 20, est réputée constituer une fourniture taxable.

L'article 219 a été édicté par L.Q. 1991, c. 67.

§ 4. — *Immeuble*

I — Changement d'utilisation

220. Conversion d'un immeuble à un usage résidentiel — Dans le cas où, à un moment quelconque, une personne commence à détenir ou à utiliser un immeuble à titre d'immeuble d'habitation :

1º la personne est réputée avoir fait la rénovation majeure de l'immeuble d'habitation;

2º la rénovation est réputée avoir commencé à ce moment et être presque achevée le premier en date des moments suivants :

a) celui où l'immeuble d'habitation est occupé par un particulier à titre de résidence ou d'hébergement;

b) celui où la personne transfère la propriété de l'immeuble d'habitation à une autre personne;

3º la personne est réputée être un constructeur de l'immeuble d'habitation, sauf si la personne est :

a) soit un particulier donné qui acquiert l'immeuble à ce moment pour le détenir et l'utiliser exclusivement à titre de résidence pour lui-même, un autre particulier qui lui est lié ou un ex-conjoint du particulier donné;

b) soit une fiducie personnelle qui acquiert l'immeuble à ce moment pour le détenir ou l'utiliser exclusivement à titre de résidence d'un particulier qui est un bénéficiaire de la fiducie.

Conditions d'application — Toutefois, le premier alinéa ne s'applique que dans le cas où, à la fois :

1º l'immeuble :

a) soit a été acquis par la personne, lors de sa dernière acquisition, pour être détenu ou utilisé à titre d'immeuble d'habitation;

b) soit, immédiatement avant le moment quelconque, est détenu pour fourniture dans le cadre d'une entreprise ou d'une activité commerciale de la personne ou est utilisé ou détenu pour être utilisé à titre d'immobilisation dans le cadre d'une telle entreprise ou d'une telle activité commerciale;

2º immédiatement avant ce moment quelconque, l'immeuble n'était pas un immeuble d'habitation;

3º la personne n'a pas procédé à la construction ou à la rénovation majeure de l'immeuble d'habitation et n'est pas, autrement que par l'application du présent article, un constructeur de l'immeuble d'habitation.

Notes historiques: Les sous-paragraphes a) et b) du paragraphe 2º du premier alinéa ont été modifiés par L.Q. 1994, c. 22, art. 477(1) et sont réputés entrés en vigueur le 1er juillet 1992. Antérieurement, ils se lisaient ainsi :

> a) celui où l'immeuble d'habitation est occupé par un particulier à titre de résidence ou de pension;
>
> b) celui où la personne transfert [*sic*] la propriété de l'immeuble d'habitation à une autre personne;

Le sous-paragraphe b) du paragraphe 3º du premier alinéa de l'article 220 a été remplacé par L.Q. 1997, c. 85, art. 548(1). Cette modification a effet depuis le 24 avril 1996. Antérieurement à cette modification, ce sous-paragraphe se lisait ainsi :

> b) soit une fiducie dont tous les bénéficiaires, sauf les bénéficiaires subsidiaires, sont des particuliers et dont tous les bénéficiaires subsidiaires, le cas échéant, sont des particuliers ou des organismes de bienfaisance, qui acquiert l'immeuble à ce moment pour le détenir et l'utiliser à titre de résidence d'un particulier qui est un bénéficiaire de la fiducie.

Le paragraphe 3º du premier alinéa de l'article 220 a été modifié par L.Q. 1994, c. 22, art. 477(1) et est réputé entré en vigueur le 1er juillet 1992. Antérieurement, il se lisait ainsi :

> 3º la personne est réputée être un constructeur de l'immeuble d'habitation.

Le sous-paragraphe a) du paragraphe 1º du deuxième alinéa de l'article 220 a été modifié par L.Q. 1994, c. 22, art. 477(1) et est réputé entrés en vigueur le 1er juillet 1992. Il se lisait auparavant comme suit :

> a) soit a été acquis par la personne pour être détenu ou utilisé à titre d'immeuble d'habitation;

L'article 220 a été édicté par L.Q. 1991, c. 67.

Guides: IN-261 — La TVQ, la TPS et les immeubles d'habitation (construction ou rénovation).

Définitions [art. 220]: « activité commerciale », « constructeur », « entreprise », « exclusif », « ex-conjoint », « fourniture », « immeuble d'habitation », « immobilisation », « organisme de bienfaisance », « particulier », « personne », « rénovation majeure » — 1.

Renvois [art. 220]: 3 (lien de dépendance); 234 (vente par un organisme de services publics); 261 (cessation d'utilisation dans le cadre des activités commerciales); 262 (réduction d'utilisation dans le cadre des activités commerciales).

Formulaires [art. 220]: FP-190, Remboursement de la TPS pour une habitation neuve; FP-190.A, Renseignements concernant les travaux de construction.

Lettres d'interprétation [art. 220]: 98-0100614 — Interprétation relative à la TPS et à la TVQ — Vente d'un centre d'hébergement et de soins de longue durée (« CHSLD »).

Concordance fédérale: LTA, par. 190(1).

COMMENTAIRES: Voir les commentaires sous l'article 221.

221. Début d'utilisation d'un immeuble à titre résidentiel ou personnel — Dans le cas où, à un moment quelconque, un particulier réserve un immeuble pour son utilisation ou sa jouissance personnelle, celle d'un autre particulier qui lui est lié ou d'un ex-conjoint du particulier, ce particulier est réputé, à la fois :

1º avoir effectué et reçu une fourniture taxable de l'immeuble par vente immédiatement avant ce moment;

2º avoir payé à titre d'acquéreur et avoir perçu à titre de fournisseur, à ce moment, la taxe à l'égard de la fourniture, calculée sur la juste valeur marchande de l'immeuble à ce moment.

Conditions d'application — Toutefois, le premier alinéa ne s'applique que dans le cas où, immédiatement avant le moment quelconque, l'immeuble, à la fois :

1º est détenu pour fourniture dans le cadre d'une entreprise ou d'une activité commerciale du particulier ou est utilisé ou détenu pour être utilisé à titre d'immobilisation dans le cadre d'une telle entreprise ou d'une telle activité commerciale;

2º n'est pas un immeuble d'habitation.

Notes historiques: L'article 221 a été édicté par L.Q. 1991, c. 67.

Guides: IN-261 — La TVQ, la TPS et les immeubles d'habitation (construction ou rénovation).

Définitions [art. 221]: « acquéreur », « activité commerciale », « entreprise », « ex-conjoint », « fournisseur », « fourniture », « fourniture taxable », « immeuble d'habitation », « immobilisation », « particulier », « taxe », « vente » — 1.

Renvois [art. 221]: 15 (JVM); 104 (fourniture d'une terre agricole exonérée); 234 (vente par un organisme de services publics); 261 (inscrit qui est un particulier); 262 (utilisation réduite d'une immobilisation).

Lettres d'interprétation [art. 221]: 98-0107213 — Interprétation en TPS et en TVQ — Construction d'un ajout à une résidence; 02-0109674 — Immeuble, changement d'usage; 04-0101651 — Interprétation relative à la TPS et à la TVQ — allocations de dépenses pour hébergement.

Concordance fédérale: LTA, par. 190(2).

COMMENTAIRES: L'article 221 prévoit des règles de fourniture à soi-même lorsqu'un particulier réserve pour son usage personnel ou celui d'un particulier qui lui est lié, un immeuble, autre qu'un immeuble d'habitation qui était détenu pour fourniture dans le cadre de son entreprise ou de ses activités commerciales ou était utilisé, ou détenu pour utilisation, à titre d'immobilisation dans ce cadre. Conformément aux règles prévues à l'article 221, le propriétaire de l'unité, lorsqu'il la réserve à son usage personnel, est réputé avoir effectué et reçu une fourniture taxable par vente de l'unité immédiatement avant ce moment. Il est réputé également avoir payé à titre d'acquéreur et perçu à titre de fournisseur, à ce moment, la taxe relative à la fourniture, calculée sur la juste valeur marchande de l'unité à ce moment. De plus, le propriétaire a droit, puisqu'il est réputé avoir effectué la fourniture taxable d'un immeuble et qu'il est non-inscrit, au remboursement prévu à l'article 379. Voir notamment à cet effet : Revenu Québec, Lettre d'interprétation, 02-0109674 — *Immeuble, changement d'usage* (26 novembre 2003).

Compte tenu de la similarité de la rédaction des dispositions législatives et considérant l'engagement spécifique de Revenu Québec de veiller à ce que l'assiette de TVQ modifiée, de même que les paramètres administratifs, structurels et définitionnels, produisent des résultats qui sont similaires à ceux produits sous le régime de la TPS/TVH et soient administrés d'un manière qui produit des résultats similaires, tel que reflété par l'article 14 de l'*Entente intégrée globale de coordination fiscale* signée entre le gouvernement du Canada et le gouvernement du Québec, nous vous référons à nos commentaires en vertu des paragraphes 190(1) et 190(2) de la *Loi sur la taxe d'accise (TPS)* qui devraient s'appliquer *mutatis mutandis*, avec les adaptations nécessaires.

222. [*Abrogé*]

Notes historiques: L'article 222 a été abrogé par L.Q. 1995, c. 63, art. 363(1) et cette abrogation a effet depuis le 1er août 1995, sauf à l'égard d'un immeuble qu'une personne a acquis par fourniture non taxable. Auparavant, il se lisait comme suit :

> 222. Dans le cas où une personne reçoit la fourniture non taxable d'un immeuble et qu'à un moment quelconque la personne commence à détenir ou à utiliser l'immeuble autrement qu'uniquement afin d'en effectuer à nouveau la fourniture par vente, celle-ci est réputée immédiatement avant le moment qui est immédiatement avant ce moment :
>
> 1° d'une part, avoir effectué et reçu une fourniture taxable de l'immeuble par vente;
>
> 2° d'autre part, avoir payé à titre d'acquéreur et avoir perçu à titre de fournisseur la taxe prévue à l'article 16 calculée sur la juste valeur marchande de l'immeuble immédiatement avant le moment qui est immédiatement avant le moment quelconque.

L'article 222 a été édicté par L.Q. 1991, c. 67.

I.1 — Fourniture à soi-même d'un fonds de terre

Notes historiques: L'intertitre I.1 a été ajouté par L.Q. 1994, c. 22, art. 478(1) et est réputé entré en vigueur le 1er juillet 1992.

222.1 Location d'un fonds de terre pour usage résidentiel — Dans le cas où une personne qui a un droit dans un fonds de terre effectue la fourniture du fonds de terre par louage, licence ou accord semblable et, à un moment quelconque, en donne la possession conformément au paragraphe 2° du deuxième alinéa, cette personne est réputée, à la fois :

1° avoir effectué, immédiatement avant ce moment, une fourniture taxable par vente du fonds de terre et avoir perçu, à ce moment, la taxe à l'égard de la fourniture calculée sur la juste valeur marchande du fonds de terre à ce moment;

2° avoir reçu, à ce moment, une fourniture taxable par vente du fonds de terre et avoir payé, à ce moment, la taxe à l'égard de cette fourniture calculée sur la juste valeur marchande du fonds de terre à ce moment.

Exception — Toutefois, le premier alinéa ne s'applique que dans le cas où, à la fois :

1° la fourniture est une fourniture exonérée visée à l'article 99 ou au paragraphe 1° de l'article 100;

2° à un moment quelconque, la personne donne la possession du fonds de terre à l'acquéreur de la fourniture en vertu de l'accord;

3° avant ce moment, la dernière utilisation du fonds de terre par la personne n'est pas régie par un accord pour une fourniture visée au paragraphe 1° du présent alinéa;

4° à ce moment ou immédiatement avant, la personne n'est pas réputée en vertu des articles 243, 258 ou 261 avoir effectué une fourniture du fonds de terre;

5° l'acquéreur de la fourniture n'acquiert pas la possession du fonds de terre dans le but :

a) soit d'y construire un immeuble d'habitation dans le cadre d'une activité commerciale;

b) soit d'effectuer une fourniture exonérée du fonds de terre visée à l'article 99.

Notes historiques: L'article 222.1 a été ajouté par L.Q. 1994, c. 22, art. 478(1) et est réputé entré en vigueur le 1er juillet 1992. Toutefois, il ne s'applique pas à la fourniture du fonds de terre dans le cas où la possession est transférée en vertu d'une convention écrite conclue avant le 28 mars 1991.

Définitions [art. 222.1]: « acquéreur », « activité commerciale », « fourniture », « fourniture exonérée », « fourniture taxable », « immeuble d'habitation », « personne », « taxe », « vente » — 1.

Renvois [art. 222.1]: 15 (JVM); 107 (application); 262 (utilisation réduite d'une immobilisation); 378.1 (remboursement au propriétaire d'un fonds de terre loué pour usage résidentiel); 378.3 (demande de remboursement — article 378.1); 378.12 (remboursement pour fonds de terre).

Lettres d'interprétation [art. 222.1]: 98-0100614 — Interprétation relative à la TPS et à la TVQ — Vente d'un centre d'hébergement et de soins de longue durée (« CHSLD »).

Concordance fédérale: LTA, par. 190(3).

COMMENTAIRES: Compte tenu de la similarité de la rédaction des dispositions législatives et considérant l'engagement spécifique de Revenu Québec de veiller à ce que l'assiette de TVQ modifiée, de même que les paramètres administratifs, structurels et définitionnels, produisent des résultats qui sont similaires à ceux produits sous le régime de la TPS/TVH et soient administrés d'un manière qui produit des résultats similaires, tel que reflété par l'article 14 de l'*Entente intégrée globale de coordination fiscale* signée entre le gouvernement du Canada et le gouvernement du Québec, nous vous référons à nos commentaires en vertu des paragraphes 190(1) et 190(2) de *Loi sur la taxe d'accise (TPS)* qui devraient s'appliquer *mutatis mutandis*, avec les adaptations nécessaires.

I.2 — Fourniture à soi-même d'un emplacement dans un terrain de caravaning résidentiel

Notes historiques: L'intertitre I.2 a été ajouté par L.Q. 1994, c. 22, art. 478(1) et est réputé entré en vigueur le 1er juillet 1992.

222.2 Première utilisation d'un terrain de caravaning résidentiel — Dans le cas où une personne effectue la fourniture d'un emplacement dans son terrain de caravaning résidentiel par louage, licence ou accord semblable et, à un moment quelconque, en donne la possession ou en permet l'occupation conformément au paragraphe 2° du deuxième alinéa, cette personne est réputée, à la fois :

1° avoir effectué, immédiatement avant ce moment, une fourniture taxable par vente du terrain et avoir perçu, à ce moment, la taxe à l'égard de la fourniture calculée sur la juste valeur marchande du terrain à ce moment;

2° avoir reçu, à ce moment, une fourniture taxable par vente du terrain et avoir payé, à ce moment, la taxe à l'égard de la fourniture calculée sur la juste valeur marchande du terrain à ce moment.

Exception — Toutefois, le premier alinéa ne s'applique que dans le cas où, à la fois :

1° la fourniture est une fourniture exonérée visée au paragraphe 2° de l'article 100;

2° à un moment quelconque, la personne donne la possession ou permet l'occupation de l'emplacement à l'acquéreur de la fourniture en vertu de l'accord;

3° immédiatement avant ce moment, aucun des emplacements dans le terrain n'est occupé en vertu d'un accord pour une fourniture visée au paragraphe 1° du présent alinéa;

4° l'une ou l'autre des conditions suivantes est remplie :

a) la dernière acquisition du terrain par la personne n'est pas une fourniture exonérée visée à l'article 97.3 et la personne n'est pas réputée avoir effectué la fourniture du fonds de terre compris dans le terrain du fait de son utilisation pour les fins du terrain, selon le cas :

i. avant ce moment en vertu du présent article;

ii. à ce moment ou immédiatement avant en vertu des articles 243, 258 ou 261;

b) la personne a le droit, après que le terrain ou le fonds de terre a été acquis, lors de la dernière acquisition, ou réputé avoir été fourni par la personne, de demander un remboursement de la taxe sur les intrants à l'égard de l'acquisition de celui-ci ou d'une amélioration qui y a été faite.

Notes historiques: L'article 222.2 a été ajouté par L.Q. 1994, c. 22, art. 478(1) et est réputé entré en vigueur le 1er juillet 1992. Toutefois, il ne s'applique pas à la fourniture d'un emplacement dans un terrain de caravaning résidentiel en vertu d'un contrat de louage, d'une licence ou d'un accord semblable écrit conclu avant le 6 novembre 1991.

Définitions [art. 222.2]: « acquéreur », « amélioration », « fourniture exonérée », « fourniture taxable », « personne », « taxe », « terrain de caravaning », « terrain de caravaning résidentiel », « vente » — 1.

Renvois [art. 222.2]: 15 (JVM); 107 (application); 262 (utilisation réduite d'une immobilisation); 378.1 (remboursement au propriétaire d'un fonds de terre loué pour usage résidentiel); 378.3 (demande de remboursement — article 378.1); 378.12 (remboursement pour fonds de terre).

Bulletins d'interprétation [art. 222.2]: TVQ. 222.2-1 — Installation de maisons mobiles sur des emplacements situés sur un terrain de caravaning résidentiel et aménagement de ces emplacements.

Concordance fédérale: LTA, par. 190(4).

COMMENTAIRES: Voir les commentaires sous l'article 222.3.

222.3 Première utilisation d'une adjonction — Dans le cas où une personne augmente la superficie du fonds de terre comprise dans son terrain de caravaning résidentiel — appelée « superficie additionnelle » dans le présent article — que celle-ci effectue la fourniture d'un emplacement dans la superficie additionnelle par louage, licence ou accord semblable et, à un moment quelconque, en donne la possession ou en permet l'occupation conformément au paragraphe 2° du deuxième alinéa, cette personne est réputée, à la fois :

1° avoir effectué, immédiatement avant ce moment, une fourniture taxable par vente de la superficie additionnelle et avoir perçu, à ce moment, la taxe à l'égard de la fourniture calculée sur la juste valeur marchande de la superficie additionnelle à ce moment;

2° avoir reçu, à ce moment, une fourniture taxable par vente de la superficie additionnelle et avoir payé, à ce moment, la taxe à l'égard de la fourniture calculée sur la juste valeur marchande de la superficie additionnelle à ce moment.

Exception — Toutefois, le premier alinéa ne s'applique que dans le cas où, à la fois :

1° la fourniture est une fourniture exonérée visée au paragraphe 2° de l'article 100;

2° à un moment quelconque, la personne donne la possession ou permet l'occupation de l'emplacement à l'acquéreur de la fourniture en vertu de l'accord;

3° immédiatement avant ce moment, aucun des emplacements dans la superficie additionnelle n'est occupé en vertu d'un accord pour une fourniture visée au paragraphe 1° du présent alinéa;

4° l'une ou l'autre des conditions suivantes est remplie :

a) la dernière acquisition de la superficie additionnelle par la personne n'est pas une fourniture exonérée visée à l'article 97.3 et la personne n'est pas réputée avoir effectué la fourniture de la superficie additionnelle du fait de son utilisation pour les fins du terrain, selon le cas :

i. avant ce moment en vertu de la présente sous-section 4;

ii. à ce moment ou avant en vertu des articles 243, 258 ou 261;

b) la personne a le droit, après que la superficie additionnelle a été acquise, lors de la dernière acquisition, ou réputée avoir été fournie par la personne, de demander un remboursement de la taxe sur les intrants à l'égard de l'acquisition de celle-ci ou d'une amélioration qui y a été faite.

Notes historiques: L'article 222.3 a été ajouté par L.Q. 1994, c. 22, art 478(1) et est réputé entré en vigueur le 1er juillet 1992. Toutefois, il ne s'applique pas à la fourniture d'un emplacement dans un terrain de caravaning résidentiel en vertu d'un contrat de louage, d'une licence ou d'un accord semblable écrit conclu avant le 6 novembre 1991.

Définitions [art. 222.3]: « acquéreur », « amélioration », « fourniture exonérée », « fourniture taxable », « personne », « taxe », « terrain de caravaning », « terrain de caravaning résidentiel », « vente » — 1.

Renvois [art. 222.3]: 15 (JVM); 107 (application); 262 (utilisation réduite d'une immobilisation); 378.1 (remboursement au propriétaire d'un fonds de terre loué pour usage résidentiel); 378.3 (demande de remboursement — article 378.1); 378.12 (remboursement pour fonds de terre).

Bulletins d'interprétation [art. 222.3]: TVQ. 222.2-1 — Installation de maisons mobiles sur des emplacements situés sur un terrain de caravaning résidentiel et aménagement de ces emplacements.

Concordance fédérale: LTA, par. 190(5).

COMMENTAIRES: Compte tenu de la similarité de la rédaction des dispositions législatives et considérant l'engagement spécifique de Revenu Québec de veiller à ce que l'assiette de TVQ modifiée, de même que les paramètres administratifs, structurels et définitionnels, produisent des résultats qui sont similaires à ceux produits sous le régime de la TPS/TVH et soient administrés d'une manière qui produit des résultats similaires, tel que reflété par l'article 14 de l'*Entente intégrée globale de coordination fiscale* signée entre le gouvernement du Canada et le gouvernement du Québec, nous vous référons à nos commentaires en vertu des paragraphes 190(4) et 190(5) de la *Loi sur la taxe d'accise (TPS)* qui devraient s'appliquer *mutatis mutandis*, avec les adaptations nécessaires.

I.3 — Fourniture d'une maison mobile ou d'une maison flottante — Constructeur

Notes historiques: L'intertitre I.3 a été ajouté par L.Q. 1994, c. 22, art. 478(1) et est réputé entré en vigueur le 1er juillet 1992.

222.4 Maison mobile ou maison flottante — Toute personne qui effectue la fourniture d'une maison mobile ou d'une maison flottante avant qu'elle soit utilisée ou occupée par tout particulier à titre de résidence ou d'hébergement est réputée avoir entrepris la construction de la maison et l'avoir presque achevée le premier en date du moment où la propriété de la maison est transférée à l'acquéreur de la fourniture et du moment où la possession de la maison est transférée à l'acquéreur en vertu de la convention relative à la fourniture.

Notes historiques: L'article 222.4 a été ajouté par L.Q. 1994, c. 22, art. 478(1) et est réputé entré en vigueur le 1er juillet 1992.

Définitions [art. 222.4]: « acquéreur », « fourniture », « maison flottante », « maison mobile », « particulier », « personne » — 1.

Renvois [art. 222.4]: 223 (fourniture à soi-même); 366 (demande de remboursement).

Concordance fédérale: LTA, par. 190.1(1).

COMMENTAIRES: Voir les commentaires sous l'article 222.5.

222.5 Rénovation majeure — maison mobile ou maison flottante — Dans le cas où une personne entreprend la rénovation majeure d'une maison mobile ou d'une maison flottante, la maison est réputée ne pas avoir été utilisée ou occupée, à un moment quelconque avant que la personne ait commencé la rénovation majeure de la maison, par tout particulier à titre de résidence ou d'hébergement.

Notes historiques: L'article 222.5 a été ajouté par L.Q. 1994, c. 22, art. 478(1) et est réputé entré en vigueur le 1er juillet 1992. Toutefois, il ne s'applique pas à la rénovation majeure d'une maison mobile ou d'une maison flottante si, selon le cas :

i. la rénovation majeure est presque achevée avant le 1er octobre 1992;

ii. la rénovation majeure est réalisée dans le but d'effectuer la fourniture de la maison mobile ou de la maison flottante en vertu d'une convention écrite conclue avant le 1er octobre 1992.

Définitions [art. 222.5]: « acquéreur », « maison flottante », « maison mobile », « particulier », « personne », « rénovation majeure » — 1.

Concordance fédérale: LTA, par. 190.1(2).

COMMENTAIRES: Compte tenu de la similarité de la rédaction des dispositions législatives et considérant l'engagement spécifique de Revenu Québec de veiller à ce que l'assiette de TVQ modifiée, de même que les paramètres administratifs, structurels et définitionnels, produisent des résultats qui sont similaires à ceux produits sous le régime de la TPS/TVH et soient administrés d'une manière qui produit des résultats similaires, tel que reflété par l'article 14 de l'*Entente intégrée globale de coordination fiscale* signée entre le gouvernement du Canada et le gouvernement du Québec, nous vous référons à nos commentaires en vertu des paragraphes 190.1 de la *Loi sur la taxe d'accise (TPS)* qui devraient s'appliquer *mutatis mutandis*, avec les adaptations nécessaires.

II — Fourniture à soi-même d'un immeuble d'habitation — Constructeur

222.6 « par louage » — Pour l'application des articles 223 à 231.1, la référence à l'expression « par louage » d'un fonds de terre doit être lue comme une référence à l'expression « par louage, licence ou accord semblable ».

Notes historiques: L'article 222.6 a été ajouté par L.Q. 2001, c. 53, art. 313(1) et a effet depuis le 20 octobre 2000.

Guides: IN-261 — La TVQ, la TPS et les immeubles d'habitation (construction ou rénovation).

Concordance fédérale: LTA, par. 191(4.1).

COMMENTAIRES: Voir les commentaires sous l'article 232.

223. Fourniture à soi-même d'un immeuble d'habitation à logement unique ou d'un logement en copropriété — Sous réserve des articles 224.1 à 224.5, dans le cas où la construction ou la rénovation majeure d'un immeuble d'habitation qui est un immeuble d'habitation à logement unique ou un logement en copropriété est presque achevée, le constructeur de l'immeuble d'habitation est réputé, à la fois :

1° avoir effectué et reçu, le dernier en date du moment où la construction ou la rénovation majeure de l'immeuble d'habitation est presque achevée, du moment où la possession ou l'utilisation de l'immeuble d'habitation est donnée conformément aux sous-paragraphes a) ou b) du paragraphe 1° du deuxième alinéa et du moment où l'immeuble d'habitation est occupé conformément au sous-paragraphe c) de ce paragraphe, une fourniture taxable de l'immeuble d'habitation par vente;

2° avoir payé à titre d'acquéreur et avoir perçu à titre de fournisseur, le dernier en date de ces moments, la taxe à l'égard de la fourniture calculée sur la juste valeur marchande de l'immeuble le dernier en date de ces moments.

Condition d'application — Toutefois, le premier alinéa ne s'applique que dans le cas où, à la fois :

1° le constructeur de l'immeuble d'habitation :

a) soit, en donne la possession ou l'utilisation à une personne donnée en vertu d'un contrat de louage, d'une licence ou d'un accord semblable conclu en vue de l'occupation de l'immeuble d'habitation par un particulier à titre de résidence, sauf un accord résultant d'une convention d'achat et de vente de l'immeuble d'habitation pour la possession ou l'occupation de l'immeuble d'habitation jusqu'à ce que la propriété de celui-ci soit transférée à l'acheteur en vertu de la convention;

b) soit, en donne la possession ou l'utilisation à une personne donnée en vertu d'une convention, sauf une convention pour la fourniture d'une maison mobile et d'un emplacement pour celle-ci dans un terrain de caravaning résidentiel, pour la fourniture, à la fois :

i. par vente de la totalité ou d'une partie du bâtiment dans lequel l'habitation qui fait partie de l'immeuble d'habitation est située;

ii. par louage du fonds de terre qui fait partie de l'immeuble d'habitation ou la fourniture d'un tel contrat par cession;

c) soit, étant un particulier, occupe l'immeuble d'habitation à titre de résidence;

2° le constructeur, la personne donnée ou un particulier qui a conclu avec celle-ci un contrat de louage, une licence ou un accord semblable à l'égard de l'immeuble d'habitation, est le premier particulier à occuper l'immeuble d'habitation à titre de résidence après que la construction ou la rénovation soit presque achevée.

Notes historiques: Le préambule de l'article 223 a été modifié par L.Q. 1997, c. 14, art. 337 et cette modification a effet relativement à :

a) la fourniture d'un immeuble d'habitation réputée effectuée en vertu de l'article 223 après le 9 mai 1996;

b) la fourniture d'un immeuble d'habitation réputée effectuée en vertu de l'article 223 pendant la période débutant le 9 mai 1995 et se terminant le 9 mai 1996 si un choix est effectué en vertu de l'article 224.1 au moyen du formulaire prescrit contenant les renseignements prescrits et produit au plus tard le 1er septembre 1996, sauf s'il y a fourniture par vente de l'immeuble d'habitation le ou avant le 9 mai 1996.

Auparavant, le préambule de l'article 223 se lisait comme suit :

223. Dans le cas où la construction ou la rénovation majeure d'un immeuble d'habitation qui est un immeuble d'habitation à logement unique ou un logement en copropriété est presque achevée, le constructeur de l'immeuble d'habitation est réputé, à la fois :

Le paragraphe 1° du premier alinéa de l'article 223 a été modifié par L.Q. 2009, c. 15, s.-par. 504(1)(1°) par l'insertion, après les mots « la possession », des mots « ou l'utilisation ». Cette modification s'applique à l'égard d'un immeuble d'habitation si le moment donné est :

1° après le 26 février 2008;

2° avant le 27 février 2008, dans le cas où le constructeur de l'immeuble d'habitation, à la fois :

a) aurait été réputé en vertu de l'article 223 avoir effectué, au moment donné, une fourniture taxable par vente de l'immeuble d'habitation si cet article, s'était appliqué à ce moment;

b) a fait rapport, du fait qu'il a appliqué l'article 223 à l'égard de l'immeuble d'habitation, d'un montant au titre de la taxe dans sa déclaration produite en vertu du chapitre VIII du titre I pour une période de déclaration pour laquelle une déclaration est produite avant le 27 février 2008 ou doit être produite en vertu de ce chapitre au plus tard avant cette date.

Pour l'application de ce qui précède, le moment donné à l'égard d'un immeuble d'habitation est le dernier en date des moments suivants :

1° le moment où la construction ou la rénovation majeure de l'immeuble d'habitation est presque achevée;

2° le moment où le constructeur de l'immeuble d'habitation donne, pour la première fois, la possession ou l'utilisation de l'immeuble d'habitation à une personne en vue de l'occupation de l'immeuble par un particulier à titre de résidence ou, s'il est antérieur, le moment où l'immeuble d'habitation est occupé par le constructeur à titre de résidence.

De plus, le remboursement non demandé visé au sous-paragraphe 3° ci-dessous, est réputé être un remboursement de la taxe sur les intrants d'une personne pour sa période de déclaration qui comprend le 26 février 2008 et ne pas l'être pour toute autre période de déclaration, dans le cas où, à la fois :

1° la personne est le constructeur d'un immeuble d'habitation;

2° la personne est réputée en vertu de l'article 223 avoir effectué et reçu, à un moment donné après le 26 février 2008, une fourniture taxable par vente de l'immeuble d'habitation, avoir payé à titre d'acquéreur et avoir perçu à titre de fournisseur un montant de taxe donné à l'égard de cette fourniture;

3° la personne n'a pas demandé ou déduit un montant — appelé « remboursement non demandé » dans le présent paragraphe — relatif à un bien ou à un service aux fins du calcul de sa taxe nette pour toute période de déclaration pour laquelle une déclaration est produite avant le 27 février 2008 ou doit être produite en vertu du chapitre VIII du titre I au plus tard avant cette date et, à la fois :

a) le bien ou le service, au cours d'une période de déclaration donnée se terminant avant le 27 février 2008, selon le cas :

i. a été acquis ou apporté au Québec, pour consommation ou utilisation dans le cadre de la fourniture taxable;

ii. a été acquis ou apporté au Québec relativement à l'immeuble d'habitation et aurait été acquis ou apporté au Québec, pour consommation ou utilisation dans le cadre de la fourniture taxable, si l'article 223, s'était appliqué;

b) le remboursement non demandé est un remboursement de la taxe sur les intrants de la personne ou le serait, si l'article 223, s'était appliqué.

Les sous-paragraphes a) et b) du paragraphe 1° du deuxième alinéa de l'article 223 ont été modifiés par L.Q. 2009, c. 15, s.-par. 504(1)(2°) par l'insertion, après « soit, en donne la possession », des mots « ou l'utilisation ». Cette modification s'applique selon les mêmes modalités que la modification du paragraphe 1° du premier alinéa de l'article 223.

Le sous-paragraphe ii du sous-paragraphe b) du paragraphe 1° du deuxième alinéa de l'article 223 a été remplacé par L.Q. 2001, c. 53, par. 314(1) et cette modification a effet depuis le 20 octobre 2000. Antérieurement, il se lisait ainsi :

ii. par contrat de louage du fonds de terre qui fait partie de l'immeuble d'habitation ou la fourniture d'un tel contrat par cession;

Le paragraphe 2° du deuxième alinéa de l'article 223 a été remplacé par L.Q. 2009, c. 15, s.-par. 504(1)(3°) et cette modification s'applique selon les mêmes modalités que la modification du paragraphe 1° du premier alinéa de l'article 223. Antérieurement, il se lisait ainsi :

2° le constructeur, la personne donnée ou un particulier qui est le locataire ou le licencié de celle-ci, est le premier particulier à occuper l'immeuble d'habitation à titre de résidence après que la construction ou la rénovation soit presque achevée.

Auparavant, l'article 223 a été modifié par L.Q. 1994, c. 22, par. 479(1) et est réputé entré en vigueur le 1er juillet 1992. Toutefois, à l'égard de la fourniture d'un immeuble d'habitation en vertu d'une convention écrite conclue avant le 28 mars 1991 :

1° les paragraphes 1° et 2° du premier alinéa de l'article 223 doivent se lire comme suit :

1° avoir effectué et reçu, le dernier en date du moment où la construction ou la rénovation majeure de l'immeuble d'habitation est presque achevée, du moment où la possession de l'immeuble d'habitation est donnée conformément au sous-paragraphe a) du paragraphe 1° du deuxième alinéa et du moment où l'immeuble d'habitation est occupé conformément au sous-paragraphe b) de ce paragraphe, une fourniture taxable de l'immeuble d'habitation par vente;

2° avoir payé à titre d'acquéreur et avoir perçu à titre de fournisseur, le dernier en date de ces moments, la taxe à l'égard de la fourniture calculée sur la juste valeur marchande de l'immeuble le dernier en date de ces moments.

2° les sous-paragraphes a) et b) du paragraphe 1° du deuxième alinéa de l'article 223 doivent se lire comme suit :

a) soit, en donne la possession à une personne donnée en vertu d'un contrat de louage, d'une licence ou d'un accord semblable conclu en vue de l'occupation de l'immeuble d'habitation par un particulier à titre de résidence et que cette personne donnée n'en est pas un acheteur en vertu d'une convention d'achat et de vente;

b) soit, étant un particulier, occupe l'immeuble d'habitation à titre de résidence;

Antérieurement, l'article 223 se lisait comme suit :

223. Dans le cas où la construction ou la rénovation majeure d'un immeuble d'habitation qui est un immeuble d'habitation à logement unique ou un logement en copropriété est presque achevée, le constructeur de l'immeuble d'habitation est réputé, à la fois :

1° avoir effectué et reçu une fourniture taxable de l'immeuble d'habitation par vente;

2° avoir payé à titre d'acquéreur et avoir perçu à titre de fournisseur, le dernier en date soit du moment où la construction ou la rénovation majeure de l'immeuble d'habitation est presque achevée, soit du moment où la possession de l'immeuble d'habitation est donnée conformément au sous-paragraphe a) du paragraphe 1° du deuxième alinéa ou du moment où l'immeuble d'habitation est occupé conformément au sous-paragraphe b) de ce paragraphe, la taxe prévue à l'article 17 à l'égard de la fourniture calculée sur la juste valeur marchande de l'immeuble à ce moment.

Toutefois, le premier alinéa ne s'applique que dans le cas où, à la fois :

1° le constructeur de l'immeuble d'habitation :

a) soit, en donne la possession à une personne donnée en vertu d'un contrat de louage, d'une licence ou d'un accord semblable conclu en vue de l'occupation de l'immeuble d'habitation par un particulier à titre de résidence et que cette personne donnée n'en est pas un acheteur en vertu d'une convention d'achat et de vente;

b) soit, étant un particulier, occupe l'immeuble d'habitation à titre de résidence;

2° le constructeur, la personne donnée ou un particulier qui est le locataire ou le licencié de celle-ci, est le premier particulier à occuper l'immeuble d'habitation à titre de résidence après que la construction ou la rénovation soit presque achevée.

L'article 223 a été édicté par L.Q. 1991, c. 67.

Notes explicatives ARQ (PL 37, L.Q. 2009, c. 15): *Résumé* :

L'article 223 est modifié afin d'ajouter l'expression « ou l'utilisation » de sorte que la règle relative à la fourniture à soi-même prévue à cet article s'applique également dans le cas où le constructeur d'un immeuble d'habitation transfère l'utilisation de l'immeuble à une personne en vertu d'un contrat de louage.

Situation actuelle :

Actuellement, l'article 223 de la LTVQ établit la règle relative à la fourniture à soi-même d'un immeuble d'habitation lorsqu'un constructeur construit un tel immeuble.

Pour que cette règle s'applique, le constructeur doit transférer la possession de l'immeuble à une personne ou l'occuper lui-même à titre de résidence. Dans un tel cas, il est réputé se fournir l'immeuble et il doit alors payer la taxe.

Modifications proposées :

La modification apportée à l'article 223 de la LTVQ consiste à ajouter l'expression « ou l'utilisation » afin que la règle relative à la fourniture à soi-même prévue à cet article s'applique également dans le cas où le constructeur d'un immeuble d'habitation transfère l'utilisation de l'immeuble à une personne aux termes d'un contrat de louage.

Guides: IN-261 — La TVQ, la TPS et les immeubles d'habitation (construction ou rénovation).

Définitions [art. 223]: « acquéreur », « constructeur », « fournisseur », « fourniture taxable », « habitation », « immeuble d'habitation à logement unique » — 1; « immeuble d'habitation déterminé » — 663; « logement en copropriété », « maison mobile », « particulier », « personne », « rénovation majeure », « taxe » — 1; « taxe exigée non admissible au remboursement de la taxe sur les intrants » — 383; « terrain de caravaning », « terrain de caravaning résidentiel », « vente » — 1.

Renvois [art. 223]: 15 (JVM); 96 (vente d'un immeuble d'habitation à logement unique ou d'un logement en copropriété); 97 (vente d'un immeuble d'habitation à logements multiples); 107 (application — fourniture exonérée); 199 (RTI); 222.4 (construction de maison mobile ou flottante); 224.1 (inclusion dans le calcul de la taxe nette perçue à l'égard d'un immeuble d'habitation); 224.2 (vente de l'immeuble d'habitation); 224.3 (application de l'article 224.1); 224.4 (calcul de la taxe nette pour l'application de l'article 224.1); 224.5 (application de l'article 224.1); 226 (fourniture à soi-même d'une adjonction à un immeuble d'habitation à logements multiples); 227 (exception — utilisation personnelle); 228.1 (exception — organismes communautaires); 231 (achèvement des travaux); 231.3 (immeubles d'habitation subventionnés); 233 (vente d'un immeuble); 237.1 (immeuble d'habitation réputé immobilisation); 370.0.1 (droit au remboursement de l'article 370.0.2); 370.8 (droit au remboursement); 378.1 (remboursement au propriétaire d'un fonds de terre loué pour usage résidentiel); 378.3 (demande de remboursement — article 378.1); 378.6 (droit au remboursement pour fourniture d'un immeuble d'habitation loué à des fins résidentielles); 378.10 (remboursement pour coopérative d'habitation); 457.8 (choix à l'égard d'un immeuble d'habitation); 457.10 (choix et présomptions); 620(2) (transfert d'un immeuble d'habitation à logement unique après le 30 juin 1992); 621(2) (transfert d'un logement en copropriété après le 30 juin 1992); 622(2) (transfert d'un immeuble d'habitation en copropriété après le 30 juin 1992); 664(1) (remboursement pour immeuble d'habitation à logement unique déterminé); 667 (remboursement pour immeuble d'habitation déterminé); 670 (RTV); 670.13 (remboursement transitoire de la taxe de vente à l'égard d'un immeuble d'habitation); 670.17 (remboursement transitoire de la taxe de vente à l'égard d'un immeuble d'habitation à un constructeur); 670.42 (remboursement à l'égard d'un immeuble d'habitation); 670.44 (remboursement transitoire au constructeur d'un immeuble); 670.45 (montant du remboursement au constructeur d'un immeuble); 670.46 (remboursement à l'égard d'un immeuble d'habitation); 670.48 (remboursement transitoire au constructeur d'un immeuble); 670.71 (remboursement à l'égard d'un immeuble d'habitation); 670.75 (remboursement à l'égard d'un immeuble d'habitation).

Jurisprudence [art. 223]: *Coutu c. Québec (Sous-ministre du Revenu)* (20 novembre 2008), 705-80-001269-071, 2008 CarswellQue 12958; *Construction MDGG inc. c. Québec (Sous-ministre du Revenu)* (13 mars 2008), 200-80-002119-061, 2008 CarswellQue 2224; *Construction Daniel Provencher inc. c. Québec (Sous-ministre du Revenu)* (12 janvier 2006), 400-02-005420-037, 2006 CarswellQue 5754; *Fortin c. Québec (Sous-ministre du Revenu)* (22 novembre 2005), 160-80-000018-048, 2005 CarswellQue 12442 (C.Q.); *Construction Jacques (1977) Inc. c. Canada (Sous-ministre du Revenu national)* (5 juillet 1999), 500-05-042457-984, 1999 CarswellQue 4149.

Bulletins d'interprétation [art. 223]: TVQ. 223-1/R2 — Fourniture à soi-même d'un immeuble d'habitation; TVQ. 223-2/R2 — Mesure d'assouplissement relative à la fourniture à soi-même d'un immeuble d'habitation; TVQ. 225-1 — Juste valeur marchande d'un immeuble d'habitation.

Lettres d'interprétation [art. 223]: 98-0103659 — Remboursement de la TPS et de la TVQ pour habitations neuves; 98-0108633 — Interprétation relative à la TPS et à la TVQ — Droit aux CTI et aux RTI à l'égard des coûts de construction d'un immeuble; 99-0113078 — Interprétation relative à la TPS et à la TVQ — Promesse d'achat-vente et bail relatifs à un immeuble d'habitation à logement unique; 00-0110916 — Interprétation relative à la TPS et à la TVQ — Vente sous contrôle de justice.

Concordance fédérale: LTA, par. 191(1).

COMMENTAIRES: Voir les commentaires sous l'article 232.

224. Fourniture à soi-même d'un logement en copropriété — Sous réserve des articles 224.1 à 224.5, dans le cas où la construction ou la rénovation majeure d'un logement en copropriété est presque achevée, le constructeur du logement est réputé, à la fois :

1° avoir effectué et reçu, au moment quelconque visé au paragraphe 3° du deuxième alinéa, une fourniture taxable du logement par vente;

2° avoir payé à titre d'acquéreur et avoir perçu à titre de fournisseur, à ce moment, la taxe à l'égard de la fourniture calculée sur la juste valeur marchande du logement à ce moment, sauf lorsque la possession du logement est donnée à la personne donnée visée au paragraphe 1° du deuxième alinéa avant le 1er juillet 1992.

Conditions d'application — Toutefois, le premier alinéa ne s'applique que dans le cas où, à la fois :

1° le constructeur du logement en donne la possession à une personne donnée qui en est l'acheteur en vertu d'une convention d'achat et de vente, alors que la déclaration de copropriété relative à l'immeuble d'habitation dans lequel se trouve le logement n'est pas encore inscrite au registre foncier;

2° la personne donnée ou un particulier qui est le locataire ou le licencié de celle-ci est le premier particulier à occuper le logement à titre de résidence après que la construction ou la rénovation soit presque achevée;

3º il est mis fin, à un moment quelconque, à la convention d'achat et de vente, autrement que par son exécution, et qu'aucune autre convention d'achat et de vente du logement n'est conclue, à ce moment, entre le constructeur et la personne donnée.

Notes historiques: Le préambule de l'article 224 a été modifié par L.Q. 1997, c. 14, art. 337 et cette modification a effet relativement à :

a) la fourniture d'un immeuble d'habitation réputée effectuée en vertu de l'article 223 après le 9 mai 1996;

b) la fourniture d'un immeuble d'habitation réputée effectuée en vertu de l'article 223 pendant la période débutant le 9 mai 1995 et se terminant le 9 mai 1996 si un choix est effectué en vertu de l'article 224.1 au moyen du formulaire prescrit contenant les renseignements prescrits et produit au plus tard le 1er septembre 1996, sauf s'il y a fourniture par vente de l'immeuble d'habitation le ou avant le 9 mai 1996.

Auparavant, le préambule de l'article 224 se lisait comme suit :

224. Dans le cas où la construction ou la rénovation majeure d'un logement en copropriété est presque achevée, le constructeur du logement est réputé, à la fois :

Les paragraphes 1º et 2º du premier alinéa de l'article 224 ont été modifiés par L.Q. 1994, c. 22, art. 480(1) et sont réputés entrés en vigueur le 1er juillet 1992. Ils se lisaient auparavant comme suit :

1º avoir effectué et reçu une fourniture taxable du logement par vente;

2º avoir payé à titre d'acquéreur et avoir perçu à titre de fournisseur, au moment quelconque visé au paragraphe 3º du deuxième alinéa, la taxe prévue à l'article 16 à l'égard de la fourniture calculée sur la juste valeur marchande du logement à ce moment, sauf lorsque la possession du logement est donnée à la personne donnée visée au paragraphe 1º du deuxième alinéa avant le 1er juillet 1992.

Le paragraphe 1º du deuxième alinéa de l'article 224 a été modifié par L.Q. 1997, c. 3, art. 135(4º) pour remplacer le mot « enregistrée » par les mots « inscrite au registre foncier ». Cette modification est entrée en vigueur le 20 mars 1997.

L'article 224 a été édicté par L.Q. 1991, c. 67.

Guides: IN-261 — La TVQ, la TPS et les immeubles d'habitation (construction ou rénovation).

Définitions [art. 224]: « acquéreur », « constructeur », « fournisseur », « fourniture taxable » — 1; « immeuble d'habitation déterminé » — 663; « immeuble d'habitation en copropriété », « logement en copropriété », « particulier », « personne », « rénovation majeure », « taxe » — 1; « taxe exigée non admissible au remboursement de la taxe sur les intrants » — 383; « vente » — 1.

Renvois [art. 224]: 15 (JVM); 96 (vente d'un immeuble d'habitation à logement unique ou d'un logement en copropriété); 107 (application — fourniture exonérée); 227 (exception — utilisation personnelle); 224.1 (inclusion dans le calcul de la taxe nette perçue à l'égard d'un immeuble d'habitation); 224.2 (vente de l'immeuble d'habitation); 224.3 (application de l'article 224.1); 224.4 (calcul de la taxe nette pour l'application de l'article 224.1); 224.5 (application de l'article 224.1); 228 (exception — résidence étudiante); 228.1 (immeubles d'habitation subventionnés); 231 (achèvement des travaux); 231.3 (immeubles d'habitation subventionnés); 233 (vente d'un immeuble); 237.1 (immeuble d'habitation réputé immobilisation); 378.1 (remboursement au propriétaire d'un fonds de terre loué pour usage résidentiel); 378.3 (demande de remboursement — article 378.1); 378.6 (droit au remboursement pour fourniture d'un immeuble d'habitation loué à des fins résidentielles); 378.10 (remboursement pour coopérative d'habitation); 667 (remboursement pour immeuble d'habitation déterminé); 670 (RTV).

Jurisprudence [art. 224]: *Construction MDGG inc. c. Québec (Sous-ministre du Revenu)* (13 mars 2008), 200-80-002119-061, 2008 CarswellQue 2224; *Fortin c. Québec (Sous-ministre du Revenu)* (22 novembre 2005), 160-80-000018-048, 2005 CarswellQue 12442 (C.Q.).

Bulletins d'interprétation [art. 224]: TVQ. 223-1/R2 — Fourniture à soi-même d'un immeuble d'habitation; TVQ. 223-2/R2 — Mesure d'assouplissement relative à la fourniture à soi-même d'un immeuble d'habitation.

Lettres d'interprétation [art. 224]: 99-0113078 — Interprétation relative à la TPS et à la TVQ — Promesse d'achat-vente et bail relatifs à un immeuble d'habitation à logement unique.

Concordance fédérale: LTA, par. 191(2).

COMMENTAIRES: Voir les commentaires sous l'article 232.

224.1 Calcul de la taxe nette — Malgré l'article 428, le constructeur d'un immeuble d'habitation qui est inscrit en vertu de la section I du chapitre VIII peut faire un choix afin de ne pas inclure dans le calcul de sa taxe nette pour une période de déclaration donnée la taxe qu'il est réputé, en vertu des sous-paragraphes a) et c) du paragraphe 1º et du paragraphe 2º du deuxième alinéa de l'article 223 ou de l'article 224, avoir perçue, au cours de la période donnée, à l'égard de l'immeuble d'habitation.

Non-application — Toutefois, le premier alinéa ne s'applique que dans le cas où le constructeur réalise la construction de l'immeuble d'habitation dans l'intention de l'utiliser dans le cadre de son entreprise qui consiste à fournir des immeubles par vente autrement que par la seule application des articles 223 ou 224.

Notes historiques: L'article 224.1 a été ajouté par L.Q. 1997, c. 14, art. 339 et a effet relativement à :

a) la fourniture d'un immeuble d'habitation réputée effectuée en vertu de l'article 223 ou 224 après le 9 mai 1996;

b) la fourniture d'un immeuble d'habitation réputée effectuée en vertu de l'article 223 ou 224 pendant la période débutant le 9 mai 1995 et se terminant le 9 mai 1996 si un choix est effectué en vertu de l'article 224.1 au moyen du formulaire prescrit contenant les renseignements prescrits et produit au plus tard le 1er septembre 1996, sauf s'il y a fourniture par vente de l'immeuble d'habitation le ou avant le 9 mai 1996.

Guides: IN-261 — La TVQ, la TPS et les immeubles d'habitation (construction ou rénovation).

Définitions [art. 224.1]: « constructeur », « fournisseur », « fourniture taxable », « immeuble d'habitation en copropriété », « logement en copropriété », « taxe », « vente » — 1; « immeuble d'habitation déterminé » — 663.

Renvois [art. 224.1]: 96 (vente d'un immeuble d'habitation à logement unique ou d'un logement en copropriété); 223 (fourniture à soi-même d'un immeuble d'habitation à logement unique ou d'un logement en copropriété); 224 (fourniture à soi-même d'un logement en copropriété); 228.1 (immeubles d'habitation subventionnés); 231.3 (immeubles d'habitation subventionnés); 233 (vente d'un immeuble); 237.1 (immeuble d'habitation réputé immobilisation); 378.6 (droit au remboursement pour fourniture d'un immeuble d'habitation loué à des fins résidentielles); 378.10 (remboursement pour coopérative d'habitation); 428 (taxe nette d'un inscrit); 667 (remboursement pour immeuble d'habitation déterminé); 670 (RTV).

Jurisprudence [art. 224.1]: *Fortin c. Québec (Sous-ministre du Revenu)* (22 novembre 2005), 160-80-000018-048, 2005 CarswellQue 12442 (C.Q.).

Bulletins d'interprétation [art. 224.1]: TVQ. 223-1/R2 — Fourniture à soi-même d'un immeuble d'habitation; TVQ. 223-2/R2 — Mesure d'assouplissement relative à la fourniture à soi-même d'un immeuble d'habitation.

Formulaires [art. 224.1]: VD-224.1, Choix de reporter le paiement de la taxe sur un immeuble d'habitation fourni à soi-même.

Concordance fédérale: aucune.

COMMENTAIRES: Voir les commentaires sous l'article 232.

224.2 Disposition réputée ne pas s'être appliquée — Dans le cas où un constructeur ayant fait un choix prévu à l'article 224.1 à l'égard d'un immeuble d'habitation effectue, dans les 12 mois suivant la fourniture réputée effectuée en vertu de l'article 223 ou 224, la fourniture par vente de l'immeuble d'habitation, autre qu'une fourniture réputée effectuée en vertu des dispositions du présent titre, l'article 223 ou 224, selon le cas, est réputé ne pas s'être appliqué, sauf aux fins du calcul de l'intérêt payable par le constructeur en vertu du premier alinéa de l'article 224.4.

Non-application — calcul de la taxe nette — Toutefois, si aucune fourniture par vente de l'immeuble d'habitation n'est effectuée par le constructeur dans les 12 mois suivant la fourniture réputée effectuée en vertu de l'article 223 ou 224, la présomption établie au premier alinéa ne s'applique pas et le constructeur doit inclure dans le calcul de sa taxe nette, au plus tard, pour sa période de déclaration qui comprend le jour qui suit les 12 mois de la fourniture réputée effectuée en vertu de l'article 223 ou 224, la taxe qu'il est réputé avoir perçue à l'égard de l'immeuble d'habitation.

Notes historiques: Le deuxième alinéa de l'article 224.2 a été remplacé par L.Q. 1997, c. 85, art. 549(1). Cette modification s'applique relativement à :

a) la fourniture d'un immeuble d'habitation réputée effectuée en vertu de l'article 223 ou 224 après le 9 mai 1996;

b) la fourniture d'un immeuble d'habitation réputée effectuée en vertu de l'article 223 ou 224 pendant la période débutant le 9 mai 1995 et se terminant le 9 mai 1996 si un choix est effectué en vertu de l'article 224.1 au moyen du formulaire prescrit contenant les renseignements prescrits et produit au plus tard le 1er septembre 1996, sauf s'il y a fourniture par vente de l'immeuble d'habitation au plus tard le 9 mai 1996.

Antérieurement, cet alinéa se lisait ainsi :

Toutefois, si aucune fourniture par vente de l'immeuble d'habitation n'est effectuée par le constructeur dans les 12 mois suivant la fourniture réputée effectuée en vertu de l'article 223 ou 224, la présomption établie au premier alinéa ne s'applique pas et le constructeur doit inclure dans le calcul de sa taxe nette pour une période de déclaration qui se termine au plus tard le jour qui suit les 12 mois de la

LTVQ (français)

fourniture réputée effectuée en vertu de l'article 223 ou 224, la taxe qu'il est réputé avoir perçue à l'égard de l'immeuble d'habitation.

L'article 224.2 a été ajouté par L.Q. 1997, c. 14, art. 339 et a effet relativement à :

a) la fourniture d'un immeuble d'habitation réputée effectuée en vertu de l'article 223 ou 224 après le 9 mai 1996;

b) la fourniture d'un immeuble d'habitation réputée effectuée en vertu de l'article 223 ou 224 pendant la période débutant le 9 mai 1995 et se terminant le 9 mai 1996 si un choix est effectué en vertu de l'article 224.1 au moyen du formulaire prescrit contenant les renseignements prescrits et produit au plus tard le 1er septembre 1996, sauf s'il y a fourniture par vente de l'immeuble d'habitation le ou avant le 9 mai 1996.

Guides: IN-261 — La TVQ, la TPS et les immeubles d'habitation (construction ou rénovation).

Définitions [art. 224.2]: « constructeur », « fournisseur », « fourniture taxable », « immeuble d'habitation en copropriété », « logement en copropriété », « taxe », « vente » — 1; « immeuble d'habitation déterminé » — 663.

Renvois [art. 224.2]: 96 (vente d'un immeuble d'habitation à logement unique ou d'un logement en copropriété); 223 (fourniture à soi-même d'un immeuble d'habitation à logement unique ou d'un logement en copropriété); 224 (fourniture à soi-même d'un logement en copropriété); 224.4 (calcul de la taxe nette pour l'application de l'article 224.1); 228.1 (immeubles d'habitation subventionnés); 231.3 (immeubles d'habitation subventionnés); 233 (vente d'un immeuble); 237.1 (immeuble d'habitation réputé immobilisation); 378.6 (droit au remboursement pour fourniture d'un immeuble d'habitation loué à des fins résidentielles); 378.10 (remboursement pour coopérative d'habitation); 428 (taxe nette d'un inscrit); 667 (remboursement pour immeuble d'habitation déterminé); 670 (RTV).

Jurisprudence [art. 224.2]: *Fortin c. Québec (Sous-ministre du Revenu)* (22 novembre 2005), 160-80-000018-048, 2005 CarswellQue 12442 (C.Q.).

Bulletins d'interprétation [art. 224.2]: TVQ. 223-1/R2 — Fourniture à soi-même d'un immeuble d'habitation; TVQ. 223-2/R2 — Mesure d'assouplissement relative à la fourniture à soi-même d'un immeuble d'habitation.

Concordance fédérale: aucune.

COMMENTAIRES: Voir les commentaires sous l'article 232.

224.3 Forme et contenu du choix — Le constructeur qui fait un choix prévu à l'article 224.1 à l'égard d'un immeuble d'habitation doit :

1º effectuer le choix au moyen du formulaire prescrit contenant les renseignements prescrits;

2º le produire au ministre au plus tard le dernier jour du mois suivant celui où il est réputé avoir effectué la fourniture de l'immeuble d'habitation en vertu de l'article 223 ou 224.

Notes historiques: L'article 224.3 a été ajouté par L.Q. 1997, c. 14, art. 339 et a effet relativement à :

a) la fourniture d'un immeuble d'habitation réputée effectuée en vertu de l'article 223 ou 224 après le 9 mai 1996;

b) la fourniture d'un immeuble d'habitation réputée effectuée en vertu de l'article 223 ou 224 pendant la période débutant le 9 mai 1995 et se terminant le 9 mai 1996 si un choix est effectué en vertu de l'article 224.1 au moyen du formulaire prescrit contenant les renseignements prescrits et produit au plus tard le 1er septembre 1996, sauf s'il y a fourniture par vente de l'immeuble d'habitation le ou avant le 9 mai 1996.

Guides: IN-261 — La TVQ, la TPS et les immeubles d'habitation (construction ou rénovation).

Définitions [art. 224.3]: « constructeur », « fournisseur », « fourniture taxable » — 1; « immeuble d'habitation déterminé » — 663; « immeuble d'habitation en copropriété », « logement en copropriété », « taxe », « vente » — 1.

Renvois [art. 224.3]: 96 (vente d'un immeuble d'habitation à logement unique ou d'un logement en copropriété); 223 (fourniture à soi-même d'un immeuble d'habitation à logement unique ou d'un logement en copropriété); 224 (fourniture à soi-même d'un logement en copropriété); 224.1 (inclusion dans le calcul de la taxe nette perçue à l'égard d'un immeuble d'habitation); 224.4 (calcul de la taxe nette pour l'application de l'article 224.1); 228.1 (immeubles d'habitation subventionnés); 231.3 (immeubles d'habitation subventionnés); 233 (vente d'un immeuble); 237.1 (immeuble d'habitation réputé immobilisation); 378.6 (droit au remboursement pour fourniture d'un immeuble d'habitation loué à des fins résidentielles); 378.10 (remboursement pour coopérative d'habitation); 428 (taxe nette d'un inscrit); 667 (remboursement pour immeuble d'habitation déterminé); 670 (RTV).

Jurisprudence [art. 224.3]: *Fortin c. Québec (Sous-ministre du Revenu)* (22 novembre 2005), 160-80-000018-048, 2005 CarswellQue 12442 (C.Q.).

Bulletins d'interprétation [art. 224.3]: TVQ. 223-1/R2 — Fourniture à soi-même d'un immeuble d'habitation; TVQ. 223-2/R2 — Mesure d'assouplissement relative à la fourniture à soi-même d'un immeuble d'habitation.

Concordance fédérale: aucune.

COMMENTAIRES: Voir les commentaires sous l'article 232.

224.4 Intérêt — Le constructeur qui fait un choix prévu à l'article 224.1 à l'égard d'un immeuble d'habitation doit payer un intérêt au taux prévu à l'article 28 de la *Loi sur l'administration fiscale* (chapitre A-6.002) sur la taxe payable à l'égard de la fourniture réputée effectuée en vertu de l'article 223 ou 224, pour la période commençant le jour où il est réputé avoir effectué la fourniture de l'immeuble d'habitation et se terminant le premier en date des jours suivants :

1º le jour suivant les 12 mois de la fourniture réputée effectuée en vertu de l'article 223 ou 224;

2º le jour où la taxe prévue à l'article 16 est payable à l'égard de la fourniture par vente de l'immeuble d'habitation dans les circonstances visées au premier alinéa de l'article 224.2;

3º le jour où il verse la taxe qu'il est réputé, en vertu des articles 223 ou 224, avoir perçue à l'égard de l'immeuble d'habitation.

Versement de l'intérêt — Le constructeur doit ajouter, dans le calcul de sa taxe nette pour sa période de déclaration au cours de laquelle il doit inclure, dans le calcul de sa taxe nette, la taxe devenue percevable, perçue ou réputée perçue par celui-ci à l'égard de l'immeuble d'habitation, le montant représentant l'intérêt payable en vertu du premier alinéa.

Exception — Toutefois, le premier alinéa ne s'applique pas dans le cas où le constructeur verse au ministre la taxe qu'il est réputé, en vertu des articles 223 ou 224, avoir perçue à l'égard de l'immeuble d'habitation, au plus tard le jour où il est tenu de produire un choix en vertu de l'article 224.3.

Notes historiques: L'article 224.4 a été ajouté par L.Q. 1997, c. 14, art. 339 et a effet relativement à :

a) la fourniture d'un immeuble d'habitation réputée effectuée en vertu de l'article 223 ou 224 après le 9 mai 1996;

b) la fourniture d'un immeuble d'habitation réputée effectuée en vertu de l'article 223 ou 224 pendant la période débutant le 9 mai 1995 et se terminant le 9 mai 1996 si un choix est effectué en vertu de l'article 224.1 au moyen du formulaire prescrit contenant les renseignements prescrits et produit au plus tard le 1er septembre 1996, sauf s'il y a fourniture par vente de l'immeuble d'habitation le ou avant le 9 mai 1996.

Guides: IN-261 — La TVQ, la TPS et les immeubles d'habitation (construction ou rénovation).

Définitions [art. 224.4]: « constructeur », « fournisseur », « fourniture taxable » — 1; « immeuble d'habitation déterminé » — 663; « immeuble d'habitation en copropriété », « logement en copropriété », « taxe », « vente » — 1.

Renvois [art. 224.4]: 96 (vente d'un immeuble d'habitation à logement unique ou d'un logement en copropriété); 223 (fourniture à soi-même d'un immeuble d'habitation à logement unique ou d'un logement en copropriété); 224 (fourniture à soi-même d'un logement en copropriété); 224.1 (inclusion dans le calcul de la taxe nette perçue à l'égard d'un immeuble d'habitation); 224.3 (application de l'article 224.1); 224.4 (calcul de la taxe nette pour l'application de l'article 224.1); 228.1 (immeubles d'habitation subventionnés); 231.3 (immeubles d'habitation subventionnés); 233 (vente d'un immeuble); 237.1 (immeuble d'habitation réputé immobilisation); 378.6 (droit au remboursement pour fourniture d'un immeuble d'habitation loué à des fins résidentielles); 378.10 (remboursement pour coopérative d'habitation); 428 (taxe nette d'un inscrit); 667 (remboursement pour immeuble d'habitation déterminé); 670 (RTV).

Jurisprudence [art. 224.4]: *Fortin c. Québec (Sous-ministre du Revenu)* (22 novembre 2005), 160-80-000018-048, 2005 CarswellQue 12442 (C.Q.).

Bulletins d'interprétation [art. 224.4]: TVQ. 223-1/R2 — Fourniture à soi-même d'un immeuble d'habitation; TVQ. 223-2/R2 — Mesure d'assouplissement relative à la fourniture à soi-même d'un immeuble d'habitation.

Concordance fédérale: aucune.

COMMENTAIRES: Voir les commentaires sous l'article 232.

224.5 Règles applicables — Dans le cas où un constructeur fait un choix prévu à l'article 224.1 à l'égard d'un immeuble d'habitation, les règles suivantes s'appliquent, compte tenu des adaptations nécessaires :

1º dans le cas où l'article 75.1 s'applique, l'acquéreur de la fourniture est réputé le constructeur de l'immeuble d'habitation depuis la fourniture réputée effectuée en vertu de l'article 223 ou 224;

2º dans le cas où l'article 76 s'applique, la nouvelle société est réputée le constructeur de l'immeuble d'habitation depuis la fourniture réputée effectuée en vertu de l'article 223 ou 224;

3º dans le cas où l'article 77 s'applique, l'autre société est réputée le constructeur de l'immeuble d'habitation depuis la fourniture réputée effectuée en vertu de l'article 223 ou 224;

4º dans le cas où l'article 326 s'applique, la succession est réputée le constructeur de l'immeuble d'habitation depuis la fourniture réputée effectuée en vertu de l'article 223 ou 224; de même, si l'article 80 s'applique, l'autre particulier est réputé le constructeur de l'immeuble d'habitation depuis la fourniture réputée effectuée en vertu de l'article 223 ou 224;

5º dans le cas où une fourniture est réputée effectuée en vertu de l'article 320, le créancier est réputé le constructeur de l'immeuble d'habitation depuis la fourniture réputée effectuée en vertu de l'article 223 ou 224;

6º dans le cas où une fourniture est réputée effectuée en vertu d'une disposition du présent titre, autre qu'une fourniture réputée effectuée en vertu de l'article 320, le deuxième alinéa de l'article 224.2 s'applique immédiatement avant le moment de la fourniture et le constructeur doit inclure dans le calcul de sa taxe nette pour sa période de déclaration au cours de laquelle il est réputé avoir effectué la fourniture, la taxe qu'il est réputé avoir perçue à l'égard de l'immeuble d'habitation en vertu de l'article 223 ou 224.

Notes historiques: L'article 224.5 a été ajouté par L.Q. 1997, c. 14, art. 339 et a effet relativement à :

a) la fourniture d'un immeuble d'habitation réputée effectuée en vertu de l'article 223 ou 224 après le 9 mai 1996;

b) la fourniture d'un immeuble d'habitation réputée effectuée en vertu de l'article 223 ou 224 pendant la période débutant le 9 mai 1995 et se terminant le 9 mai 1996 si un choix est effectué en vertu de l'article 224.1 au moyen du formulaire prescrit contenant les renseignements prescrits et produit au plus tard le 1er septembre 1996, sauf s'il y a fourniture par vente de l'immeuble d'habitation le ou avant le 9 mai 1996.

Renvois [art. 224.5]: 1.1 (personne morale); 228.1 (immeubles d'habitation subventionnés); 231.3 (immeubles d'habitation subventionnés); 378.6 (droit au remboursement pour fourniture d'un immeuble d'habitation loué à des fins résidentielles); 506.1 (société et société de personnes).

Guides: IN-261 — La TVQ, la TPS et les immeubles d'habitation (construction ou rénovation).

Jurisprudence [art. 224.5]: *Fortin c. Québec (Sous-ministre du Revenu)* (22 novembre 2005), 160-80-000018-048, 2005 CarswellQue 12442 (C.Q.).

Bulletins d'interprétation [art. 224.5]: TVQ. 223-1/R2 — Fourniture à soi-même d'un immeuble d'habitation; TVQ. 223-2/R2 — Mesure d'assouplissement relative à la fourniture à soi-même d'un immeuble d'habitation.

Concordance fédérale: aucune.

COMMENTAIRES: Voir les commentaires sous l'article 232.

225. Fourniture à soi-même d'un immeuble d'habitation à logements multiples — Dans le cas où la construction ou la rénovation majeure d'un immeuble d'habitation à logements multiples est presque achevée, le constructeur de l'immeuble d'habitation est réputé, à la fois :

1º avoir effectué et reçu, le dernier en date du moment où la construction ou la rénovation majeure est presque achevée, du moment où la possession ou l'utilisation de l'habitation visée aux sous-paragraphes a) et a.1) du paragraphe 1º du deuxième alinéa est donnée conformément à ces sous-paragraphes et du moment où l'habitation visée au sous-paragraphe b) de ce paragraphe est occupée conformément à ce sous-paragraphe, une fourniture taxable de l'immeuble d'habitation par vente;

2º avoir payé à titre d'acquéreur et avoir perçu à titre de fournisseur, le dernier en date de ces moments, la taxe à l'égard de la fourniture calculée sur la juste valeur marchande de l'immeuble d'habitation le dernier en date de ces moments.

Conditions d'application — Toutefois, le premier alinéa ne s'applique que dans le cas où, à la fois :

1º le constructeur de l'immeuble d'habitation :

a) soit, donne la possession ou l'utilisation d'une habitation située dans l'immeuble d'habitation à une personne donnée en vertu d'un contrat de louage, d'une licence ou d'un accord semblable conclu en vue de l'occupation de l'habitation par un particulier à titre de résidence et que cette personne donnée n'est pas un acheteur de l'immeuble d'habitation en vertu d'une convention d'achat et de vente;

a.1) soit, donne la possession ou l'utilisation d'une habitation située dans l'immeuble d'habitation à une personne donnée en vertu d'une convention pour la fourniture, à la fois :

i. par vente de la totalité ou d'une partie du bâtiment qui fait partie de l'immeuble d'habitation;

ii. par louage du fonds de terre qui fait partie de l'immeuble d'habitation ou la fourniture d'un tel contrat par cession;

b) soit, étant un particulier, occupe une habitation située dans l'immeuble d'habitation à titre de résidence;

2º le constructeur, la personne donnée ou un particulier qui a conclu avec celle-ci un contrat de louage, une licence ou un accord semblable à l'égard d'une habitation située dans l'immeuble d'habitation, est le premier particulier à occuper une habitation située dans l'immeuble d'habitation à titre de résidence après que la construction ou la rénovation soit presque achevée.

Notes historiques: Le paragraphe 1º du premier alinéa de l'article 225 a été modifié par L.Q. 2009, c. 15, s.-par. 505(1)(1º) par l'insertion, après les mots « la possession », des mots « ou l'utilisation ». Cette modification s'applique à l'égard d'un immeuble d'habitation si le moment donné est :

1º après le 26 février 2008;

2º avant le 27 février 2008, dans le cas où le constructeur de l'immeuble d'habitation, à la fois :

a) aurait été réputé en vertu de l'article 225 avoir effectué, au moment donné, une fourniture taxable par vente de l'immeuble d'habitation si cet article, s'était appliqué à ce moment;

b) a fait rapport, du fait qu'il a appliqué l'article 225 à l'égard de l'immeuble d'habitation, d'un montant au titre de la taxe dans sa déclaration produite en vertu du chapitre VIII du titre I pour une période de déclaration pour laquelle une déclaration est produite avant le 27 février 2008 ou doit être produite en vertu de ce chapitre au plus tard avant cette date.

Pour l'application de ce qui précède, le moment donné à l'égard d'un immeuble d'habitation est le dernier en date des moments suivants :

1º le moment où la construction ou la rénovation majeure de l'immeuble d'habitation est presque achevée;

2º le moment où le constructeur de l'immeuble d'habitation donne, pour la première fois, la possession ou l'utilisation de l'immeuble d'habitation à une personne en vue de l'occupation de l'immeuble par un particulier à titre de résidence ou, s'il est antérieur, lemoment où l'immeuble d'habitation est occupé par le constructeur à titre de résidence.

De plus, le remboursement non demandé visé au sous-paragraphe 3º ci-dessous, est réputé être un remboursement de la taxe sur les intrants d'une personne pour sa période de déclaration qui comprend le 26 février 2008 et ne pas l'être pour toute autre période de déclaration, dans le cas où, à la fois :

1º la personne est le constructeur d'un immeuble d'habitation;

2º la personne est réputée en vertu de l'article 225 avoir effectué et reçu, à un moment donné après le 26 février 2008, une fourniture taxable par vente de l'immeuble d'habitation, avoir payé à titre d'acquéreur et avoir perçu à titre de fournisseur un montant de taxe donné à l'égard de cette fourniture;

3º la personne n'a pas demandé ou déduit un montant — appelé « remboursement non demandé » dans le présent paragraphe — relatif à un bien ou à un service aux fins du calcul de sa taxe nette pour toute période de déclaration pour laquelle une déclaration est produite avant le 27 février 2008 ou doit être produite en vertu du chapitre VIII du titre I au plus tard avant cette date et, à la fois :

a) le bien ou le service, au cours d'une période de déclaration donnée se terminant avant le 27 février 2008, selon le cas :

i. a été acquis ou apporté au Québec, pour consommation ou utilisation dans le cadre de la fourniture taxable;

ii. a été acquis ou apporté au Québec relativement à l'immeuble d'habitation et aurait été acquis ou apporté au Québec, pour consommation ou utilisation dans le cadre de la fourniture taxable, si l'article 225, s'était appliqué;

b) le remboursement non demandé est un remboursement de la taxe sur les intrants de la personne ou le serait, si l'article 225, s'était appliqué.

Le paragraphe 1° du premier alinéa de l'article 225 a été remplacé par L.Q. 2001, c. 53, art. 315(1)(1°) et cette modification a effet depuis le 26 novembre 1997 et s'applique dans tous les cas où un constructeur d'un immeuble d'habitation donne la possession d'une habitation située dans l'immeuble d'habitation après le 25 novembre 1997, sauf si la possession de l'habitation est donnée en vertu d'une convention écrite conclue avant le 26 novembre 1997 pour la fourniture par vente de la totalité ou d'une partie du bâtiment faisant partie de l'immeuble d'habitation. Antérieurement, il se lisait ainsi :

> 1° avoir effectué et reçu, le dernier en date du moment où la construction ou la rénovation majeure est presque achevée, du moment où la possession de l'habitation visée au sous-paragraphe a du paragraphe 1° du deuxième alinéa est donnée conformément à ce sous-paragraphe et du moment où l'habitation visée au sous-paragraphe b) de ce paragraphe est occupée conformément à ce sous-paragraphe, une fourniture taxable de l'immeuble d'habitation par vente;

Les paragraphes 1° et 2° du premier alinéa de l'article 225 ont été modifiés par L.Q. 1994, c. 22, art. 481(1) et sont réputés entrés en vigueur le 1er juillet 1992. Ils se lisaient comme suit :

> 1° avoir effectué et reçu une fourniture taxable de l'immeuble d'habitation par vente;
>
> 2° avoir payé à titre d'acquéreur et avoir perçu à titre de fournisseur, le dernier en date soit du moment où la construction ou la rénovation majeure est presque achevée, soit du moment où la possession de l'habitation visée au sous-paragraphe a) du paragraphe 1° du deuxième alinéa est donnée conformément à ce sous-paragraphe ou du moment où l'habitation visée au sous-paragraphe b) de ce paragraphe est occupée conformément à ce sous-paragraphe, la taxe prévue à l'article 16 à l'égard de la fourniture calculée sur la juste valeur marchande de l'immeuble d'habitation à ce moment.

Les sous-paragraphes a) et a.1) du paragraphe 1° du deuxième alinéa de l'article 225 ont été modifiés par L.Q. 2009, c. 15, s.-par. 505(1)(2°) par l'insertion, après les mots « la possession », des mots « ou l'utilisation ». Cette modification s'applique selon les mêmes modalités que la modification du paragraphe 1° du premier alinéa de l'article 225.

Le sous-paragraphe a.1) du paragraphe 1° du deuxième alinéa de l'article 225 a été ajouté par L.Q. 2001, c. 53, art. 315(1)(2°) et a effet depuis le 26 novembre 1997 et s'applique dans tous les cas où un constructeur d'un immeuble d'habitation donne la possession d'une habitation située dans l'immeuble d'habitation après le 25 novembre 1997, sauf si la possession de l'habitation est donnée en vertu d'une convention écrite conclue avant le 26 novembre 1997 pour la fourniture par vente de la totalité ou d'une partie du bâtiment faisant partie de l'immeuble d'habitation.

Le paragraphe 2° du deuxième alinéa de l'article 225 a été remplacé par L.Q. 2009, c. 15, s.-par. 505(1)(3°) et cette modification s'applique selon les mêmes modalités que la modification du paragraphe 1° du premier alinéa de l'article 225. Antérieurement, il se lisait ainsi :

> 2° le constructeur, la personne donnée ou un particulier qui est le locataire ou le licencié de celle-ci, est le premier particulier à occuper une habitation située dans l'immeuble d'habitation à titre de résidence après que la construction ou la rénovation soit presque achevée.

L'article 225 a été édicté par L.Q. 1991, c. 67.

Notes explicatives ARQ (PL 37, L.Q. 2009, c. 15): *Résumé* :

L'article 225 est modifié afin d'aj outer l'expression « ou l'utilisation » de sorte que la règle relative à la fourniture à soi-même prévue à cet article s'applique également dans le cas où le constructeur d'un immeuble d'habitation à logements multiples transfère l'utilisation d'une habitation située dans l'immeuble à une personne aux termes d'un contrat de louage.

Situation actuelle :

Actuellement, l'article 225 de la LTVQ établit la règle relative à la fourniture à soi-même d'un immeuble d'habitation à logements multiples lorsqu'un constructeur construit un tel immeuble.

Pour que cette règle s'applique, le constructeur doit transférer la possession d'une habitation située dans l'immeuble à une personne ou l'occuper lui-même à titre de résidence. Dans un tel cas, il est réputé se fournir l'immeuble et il doit alors payer la taxe.

Modifications proposées :

La modification apportée à l'article 225 de la LTVQ consiste à ajouter l'expression « ou l'utilisation » afin que la règle relative à la fourniture à soi-même prévue à cet article s'applique également dans le cas où le constructeur d'un immeuble d'habitation à logements multiples transfère l'utilisation d'une habitation située dans l'immeuble à une personne en vertu d'un contrat de louage.

Guides: IN-261 — La TVQ, la TPS et les immeubles d'habitation (construction ou rénovation).

Définitions [art. 225]: « acquéreur », « constructeur », « fournisseur », « fourniture taxable », « habitation », « immeuble d'habitation à logements multiples » — 1; « immeuble d'habitation déterminé » — 663; « particulier », « personne », « rénovation majeure », « taxe » — 1; « taxe exigée non admissible au remboursement de la taxe sur les intrants » — 383; « vente » — 1.

Renvois [art. 225]: 15 (JVM); 97 (vente d'un immeuble d'habitation à logements multiples); 107 (application — fourniture exonérée); 227 (exception — utilisation personnelle); 228 (exception — résidence étudiante); 228 (exception — résidence étudiante); 228.1 (immeubles d'habitation subventionnés); 231 (achèvement des travaux); 231.3 (immeubles d'habitation subventionnés); 233 (vente d'un immeuble); 237.1 (immeuble d'habitation réputé immobilisation); 378.1 (remboursement au propriétaire d'un fonds de terre loué pour usage résidentiel); 378.3 (demande de remboursement — article 378.1); 378.6 (droit au remboursement pour fourniture d'un immeuble d'habitation loué à des fins résidentielles); 378.10 (remboursement pour coopérative d'habitation); 457.8 (choix à l'égard d'un immeuble d'habitation); 457.10 (choix et présomptions); 664 (remboursement pour immeuble d'habitation à logement unique déterminé); 667 (remboursement pour immeuble d'habitation déterminé); 670 (RTV); 670.27 (remboursement transitoire au constructeur); 670.52 (remboursement à l'égard d'un immeuble d'habitation); 670.56 (remboursement transitoire au constructeur d'un immeuble); 670.57 (montant du remboursement au constructeur d'un immeuble); 670.81 (remboursement à l'égard d'un immeuble d'habitation); 670.85 (remboursement transitoire au constructeur d'un immeuble); 670.86 (montant du remboursement au constructeur d'un immeuble).

Jurisprudence [art. 225]: *Coutu c. Québec (Sous-ministre du Revenu)* (20 novembre 2008), 705-80-001269-071, 2008 CarswellQue 12958; *Construction MDGG inc. c. Québec (Sous-ministre du Revenu)* (13 mars 2008), 200-80-002119-061, 2008 CarswellQue 2224; *9062-8942 Québec inc. c. Québec (Sous-ministre du Revenu)* (24 juillet 2006), 400-80-000224-042, 2006 CarswellQue 7347 (C.Q.); *Fortin c. Québec (Sous-ministre du Revenu)* (22 novembre 2005), 160-80-000018-048, 2005 CarswellQue 12442 (C.Q.); *Construction Jacques (1977) Inc. c. Canada (Sous-ministre du Revenu national)* (5 juillet 1999), 500-05-042457-984, 1999 CarswellQue 4149.

Bulletins d'interprétation [art. 225]: TVQ. 223-1/R2 — Fourniture à soi-même d'un immeuble d'habitation; TVQ. 223-2/R2 — Mesure d'assouplissement relative à la fourniture à soi-même d'un immeuble d'habitation; TVQ. 225-1 — Juste valeur marchande d'un immeuble d'habitation; TVQ. 226-1/R1 — Fourniture à soi-même d'une adjonction à un immeuble d'habitation à logements multiples; TVQ. 362.2-1/R2 — Remboursement pour habitations neuves à l'égard d'un duplex.

Lettres d'interprétation [art. 225]: 98-0103659 — Remboursement de la TPS et de la TVQ pour habitations neuves; 99-0109423 — Décision portant sur l'application de la TPS — Interprétation relative à la TVQ — Locations d'immeubles, CTI/RTI; 99-0113664 — Interprétation relative à la TPS et à la TVQ — Notion de constructeur — Fourniture à soi-même; 01-0101970 — Interprétation relative à la TPS et à la TVQ — Remboursement pour immeubles d'habitation locatifs neufs.

Concordance fédérale: LTA, par. 191(3).

COMMENTAIRES: Voir les commentaires sous l'article 232.

226. Fourniture à soi-même d'une adjonction à un immeuble d'habitation à logements multiples — Dans le cas où la construction d'une adjonction à un immeuble d'habitation à logements multiples est presque achevée, le constructeur de l'adjonction est réputé, à la fois :

1° avoir effectué et reçu, le dernier en date du moment où la construction de l'adjonction est presque achevée, du moment où la possession ou l'utilisation de l'habitation visée aux sous-paragraphes a) et a.1) du paragraphe 1° du deuxième alinéa est donnée conformément à ces sous-paragraphes et du moment où l'habitation visée au sous-paragraphe b) de ce paragraphe est occupée conformément à ce sous-paragraphe, une fourniture taxable de l'adjonction par vente;

2° avoir payé à titre d'acquéreur et avoir perçu à titre de fournisseur, le dernier en date de ces moments, la taxe à l'égard de la fourniture calculée sur la juste valeur marchande de l'adjonction le dernier en date de ces moments.

Conditions d'application — Toutefois, le premier alinéa ne s'applique que dans le cas où, à la fois :

1° le constructeur de l'adjonction :

a) soit, donne la possession ou l'utilisation d'une habitation située dans l'adjonction à une personne donnée en vertu d'un contrat de louage, d'une licence ou d'un accord semblable conclu en vue de l'occupation de l'habitation par un particulier à titre de résidence et que cette personne donnée n'est pas un acheteur de l'immeuble d'habitation en vertu d'une convention d'achat et de vente;

a.1) soit, donne la possession ou l'utilisation d'une habitation située dans l'adjonction à une personne donnée en vertu d'une convention pour la fourniture, à la fois :

i. par vente de la totalité ou d'une partie du bâtiment qui fait partie de l'immeuble d'habitation;

ii. par louage du fonds de terre qui fait partie de l'immeuble d'habitation ou la fourniture d'un tel contrat par cession;

b) soit, étant un particulier, occupe une habitation située dans l'adjonction à titre de résidence;

2° le constructeur, la personne donnée ou un particulier qui a conclu avec celle-ci un contrat de louage, une licence ou un accord semblable à l'égard d'une habitation située dans l'adjonction, est le premier particulier à occuper une habitation située dans l'adjonction à titre de résidence après que la construction de l'adjonction soit presque achevée.

Notes historiques: Le paragraphe 1° du premier alinéa de l'article 226 a été modifié par L.Q. 2009, c. 15, s.-par. 506(1)(1°) par l'insertion, après les mots « la possession », des mots « ou l'utilisation ». Cette modification s'applique à l'égard d'un immeuble d'habitation si le moment donné est :

1° après le 26 février 2008;

2° avant le 27 février 2008, dans le cas où le constructeur de l'immeuble d'habitation, à la fois :

a) aurait été réputé en vertu de l'article 226 avoir effectué, au moment donné, une fourniture taxable par vente de l'immeuble d'habitation si cet article, s'était appliqué à ce moment;

b) a fait rapport, du fait qu'il a appliqué l'article 226 à l'égard de l'immeuble d'habitation, d'un montant au titre de la taxe dans sa déclaration produite en vertu du chapitre VIII du titre I de cette loi pour une période de déclaration pour laquelle une déclaration est produite avant le 27 février 2008 ou doit être produite en vertu de ce chapitre au plus tard avant cette date.

Pour l'application de ce qui précède, le moment donné à l'égard d'un immeuble d'habitation est le dernier en date des moments suivants :

1° le moment où la construction ou la rénovation majeure de l'immeuble d'habitation est presque achevée;

2° le moment où le constructeur de l'immeuble d'habitation donne, pour la première fois, la possession ou l'utilisation de l'immeuble d'habitation à une personne en vue de l'occupation de l'immeuble par un particulier à titre de résidence ou, s'il est antérieur, lemoment où l'immeuble d'habitation est occupé par le constructeur à titre de résidence.

De plus, le remboursement non demandé visé au sous-paragraphe 3° ci-dessous, est réputé être un remboursement de la taxe sur les intrants d'une personne pour sa période de déclaration qui comprend le 26 février 2008 et ne pas l'être pour toute autre période de déclaration, dans le cas où, à la fois :

1° la personne est le constructeur d'un immeuble d'habitation;

2° la personne est réputée en vertu de l'article 226 avoir effectué et reçu, à un moment donné après le 26 février 2008, une fourniture taxable par vente de l'immeuble d'habitation, avoir payé à titre d'acquéreur et avoir perçu à titre de fournisseur un montant de taxe donné à l'égard de cette fourniture;

3° la personne n'a pas demandé ou déduit un montant — appelé « remboursement non demandé » dans le présent paragraphe — relatif à un bien ou à un service aux fins du calcul de sa taxe nette pour toute période de déclaration pour laquelle une déclaration est produite avant le 27 février 2008 ou doit être produite en vertu du chapitre VIII du titre I au plus tard avant cette date et, à la fois :

a) le bien ou le service, au cours d'une période de déclaration donnée se terminant avant le 27 février 2008, selon le cas :

i. a été acquis ou apporté au Québec, pour consommation ou utilisation dans le cadre de la fourniture taxable;

ii. a été acquis ou apporté au Québec relativement à l'immeuble d'habitation et aurait été acquis ou apporté au Québec, pour consommation ou utilisation dans le cadre de la fourniture taxable, si l'article 226, s'était appliqué;

b) le remboursement non demandé est un remboursement de la taxe sur les intrants de la personne ou le serait, si l'article 226, s'était appliqué.

Le paragraphe 1° du premier alinéa de l'article 226 a été remplacé par L.Q. 2001, c. 53, art. 316(1)(1°) et cette modification a effet depuis le 26 novembre 1997 et s'applique dans tous les cas où un constructeur d'une adjonction à un immeuble d'habitation donne la possession d'une habitation située dans l'adjonction après le 25 novembre 1997, sauf si la possession de l'habitation est donnée en vertu d'une convention écrite conclue avant le 26 novembre 1997 pour la fourniture par vente de la totalité ou d'une partie du bâtiment faisant partie de l'immeuble d'habitation. Antérieurement, il se lisait ainsi :

1° avoir effectué et reçu, le dernier en date du moment où la construction de l'adjonction est presque achevée, du moment où la possession de l'habitation visée au sous-paragraphe a du paragraphe 1° du deuxième alinéa est donnée conformément à ce sous-paragraphe et du moment où l'habitation visée au sous-paragraphe b de ce paragraphe est occupée conformément à ce sous-paragraphe, une fourniture taxable de l'adjonction par vente;

Les paragraphes 1° et 2° du premier alinéa de l'article 226 ont été modifiés par L.Q. 1994, c. 22, art. 482(1) et sont réputés entrés en vigueur le 1er juillet 1992. Ils se lisaient comme suit :

1° avoir effectué et reçu une fourniture taxable de l'adjonction par vente;

2° avoir payé à titre d'acquéreur et avoir perçu à titre de fournisseur, le dernier en date soit du moment où la construction de l'adjonction est presque achevée, soit du moment où la possession de l'habitation visée au sous-paragraphe a) du paragraphe 1° du deuxième alinéa est donnée conformément à ce sous-paragraphe ou du moment où l'habitation visée au sous-paragraphe b) de ce paragraphe est occupée conformément à ce sous-paragraphe, la taxe prévue à l'article 16 à l'égard de la fourniture calculée sur la juste valeur marchande de l'adjonction à ce moment.

Les sous-paragraphes a) et a.1) du paragraphe 1° du deuxième alinéa de l'article 226 ont été modifiés par L.Q. 2009, c. 15, s.-par. 506(1)(2°) par l'insertion, après les mots « la possession », des mots « ou l'utilisation ». Cette modification s'applique selon les mêmes modalités que la modification du paragraphe 1° du premier alinéa de l'article 226.

Le sous-paragraphe a.1) du paragraphe 1° du deuxième alinéa de l'article 226 a été ajouté par L.Q. 2001, c. 53, art. 316(1)(2°) et a effet depuis le 26 novembre 1997 et s'applique dans tous les cas où un constructeur d'une adjonction à un immeuble d'habitation donne la possession d'une habitation située dans l'adjonction après le 25 novembre 1997, sauf si la possession de l'habitation est donnée en vertu d'une convention écrite conclue avant le 26 novembre 1997 pour la fourniture par vente de la totalité ou d'une partie du bâtiment faisant partie de l'immeuble d'habitation.

Le paragraphe 2° du deuxième alinéa de l'article 226 a été remplacé par L.Q. 2009, c. 15, s.-par. 506(1)(3°) et cette modification s'applique selon les mêmes modalités que la modification du paragraphe 1° du premier alinéa de l'article 226. Antérieurement, il se lisait ainsi :

2° le constructeur, la personne donnée ou un particulier qui est le locataire ou le licencié de celle-ci, est le premier particulier à occuper une habitation située dans l'adjonction à titre de résidence après que la construction de l'adjonction soit presque achevée.

L'article 226 a été édicté par L.Q. 1991, c. 67.

Notes explicatives ARQ (PL 37, L.Q. 2009, c. 15): *Résumé* :

L'article 226 est modifié afin d'ajouter l'expression « ou l'utilisation » de sorte que la règle relative à la fourniture à soi-même prévue à cet article s'applique également dans le cas où le constructeur d'une adjonction à un immeuble d'habitation à logements multiples transfère l'utilisation d'une habitation située dans l'adjonction à une personne en vertu d'un contrat de louage.

Situation actuelle :

Actuellement, l'article 226 de la LTVQ établit la règle relative à la fourniture à soi-même d'une adjonction à un immeuble d'habitation à logements multiples lorsqu'un constructeur construit un tel immeuble.

Pour que cette règle s'applique, le constructeur doit transférer la possession d'une habitation située dans l'adjonction à une personne ou l'occuper lui-même à titre de résidence. Dans un tel cas, il est réputé se fournir l'adjonction et il doit alors payer la taxe.

Modifications proposées :

La modification apportée à l'article 226 de la LTVQ consiste à ajouter l'expression « ou l'utilisation » afin que la règle relative à la fourniture à soi-même prévue à cet article s'applique également dans le cas où le constructeur d'une adjonction à un immeuble d'habitation à logements multiples transfère l'utilisation d'une habitation située dans l'adjonction à une personne aux termes d'un contrat de louage.

Guides: IN-261 — La TVQ, la TPS et les immeubles d'habitation (construction ou rénovation).

Définitions [art. 226]: « acquéreur », « constructeur », « fournisseur », « fourniture taxable », « habitation », « immeuble d'habitation à logements multiples », « particulier », « personne », « taxe » — 1; « taxe exigée non admissible au remboursement de la taxe sur les intrants » — 383; « vente » — 1.

Renvois [art. 226]: 15 (JVM); 97 (vente d'un immeuble d'habitation à logements multiples); 107 (application — fourniture exonérée); 227 (exception — utilisation personnelle); 228 (exception — résidence étudiante); 228.1 (immeubles d'habitation subventionnés); 231 (achèvement des travaux); 231.3 (immeubles d'habitation subventionnés); 233 (vente d'un immeuble); 237.2 (adjonction réputée immobilisation); 378.1 (remboursement au propriétaire d'un fonds de terre loué pour usage résidentiel); 378.3 (demande de remboursement — article 378.1); 378.6 (droit au remboursement pour fourniture d'un immeuble d'habitation loué à des fins résidentielles); 378.10 (remboursement pour coopérative d'habitation); 457.8 (choix à l'égard d'un immeuble d'habitation); 457.10 (choix et présomptions); 667 (remboursement pour immeuble d'habitation déterminé); 670 (RTV); 670.27 (remboursement transitoire au constructeur); 670.52 (remboursement à l'égard d'un immeuble d'habitation); 670.56 (remboursement transitoire au constructeur d'un immeuble); 670.57 (montant du remboursement au constructeur d'un immeuble); 670.81 (remboursement à l'égard d'un immeuble d'habitation); 670.85 (remboursement transitoire au constructeur d'un immeuble); 670.86 (montant du remboursement au constructeur d'un immeuble).

Jurisprudence [art. 226]: *Fortin c. Québec (Sous-ministre du Revenu)* (22 novembre 2005), 160-80-000018-048, 2005 CarswellQue 12442 (C.Q.).

Bulletins d'interprétation [art. 226]: TVQ. 223-1/R2 — Fourniture à soi-même d'un immeuble d'habitation; TVQ. 225-1 — Juste valeur marchande d'un immeuble d'habitation; TVQ. 226-1/R1 — Fourniture à soi-même d'une adjonction à un immeuble d'habitation à logements multiples.

Concordance fédérale: LTA, par. 191(4).

LTVQ (français)

COMMENTAIRES: Voir les commentaires sous l'article 232.

227. Non-application des articles 223 à 226 — Les articles 223 à 226 ne s'appliquent pas au constructeur d'un immeuble d'habitation ou d'une adjonction à un immeuble d'habitation, dans le cas où, à la fois :

1º le constructeur est un particulier;

2º à un moment quelconque après que la construction ou la rénovation de l'immeuble d'habitation ou de l'adjonction est presque achevée, l'immeuble d'habitation est utilisé principalement à titre de résidence du particulier, d'un particulier qui lui est lié ou d'un ex-conjoint du particulier;

3º l'immeuble d'habitation n'est pas utilisé principalement à une autre fin entre le moment où la construction ou la rénovation est presque achevée et ce moment;

4º le particulier n'a pas demandé un remboursement de la taxe sur les intrants à l'égard de l'acquisition de l'immeuble d'habitation ou d'une amélioration qui lui est apportée.

Notes historiques: L'article 227 a été édicté par L.Q. 1991, c. 67.

Guides: IN-261 — La TVQ, la TPS et les immeubles d'habitation (construction ou rénovation).

Définitions [art. 227]: « amélioration », « constructeur », « ex-conjoint », « immeuble d'habitation », « immeuble d'habitation à logements multiples », « immeuble d'habitation à logement unique », « logement en copropriété », « particulier », « rénovation majeure » — 1; « taxe exigée non admissible au remboursement de la taxe sur les intrants » — 383.

Renvois [art. 227]: 3 (lien de dépendance); 107 (application — fourniture exonérée); 231 (achèvement des travaux); 233 (vente d'un immeuble); 378.1 (remboursement au propriétaire d'un fonds de terre loué pour usage résidentiel); 378.3 (demande de remboursement — article 378.1); 378.6 (droit au remboursement pour fourniture d'un immeuble d'habitation loué à des fins résidentielles); 378.10 (remboursement pour coopérative d'habitation); 667 (remboursement pour immeuble d'habitation déterminé); 670 (RTV).

Jurisprudence [art. 227]: *Coutu c. Québec (Sous-ministre du Revenu)* (20 novembre 2008), 705-80-001269-071, 2008 CarswellQue 12958; *Fortin c. Québec (Sous-ministre du Revenu)* (22 novembre 2005), 160-80-000018-048, 2005 CarswellQue 12442 (C.Q.).

Bulletins d'interprétation [art. 227]: TVQ. 223-1/R2 — Fourniture à soi-même d'un immeuble d'habitation; TVQ. 362.2-1/R2 — Remboursement pour habitations neuves à l'égard d'un duplex.

Lettres d'interprétation [art. 227]: 99-0113664 — Interprétation relative à la TPS et à la TVQ — Notion de constructeur — Fourniture à soi-même.

Concordance fédérale: LTA, par. 191(5).

COMMENTAIRES: Voir les commentaires sous l'article 232.

228. Non-application des articles 223 à 226 — Les articles 223 à 226 ne s'applique [*sic*] pas au constructeur d'un immeuble d'habitation ou d'une adjonction à un immeuble d'habitation, dans le cas où, à la fois :

1º le constructeur est une université, un collège public ou une administration scolaire;

2º la construction ou la rénovation de l'immeuble d'habitation ou de l'adjonction est réalisée, ou l'immeuble d'habitation est acquis, principalement dans le but de procurer une résidence aux étudiants de l'université, du collège ou d'une école de l'administration scolaire.

Notes historiques: L'article 228 a été édicté par L.Q. 1991, c. 67.

Guides: IN-261 — La TVQ, la TPS et les immeubles d'habitation (construction ou rénovation).

Définitions [art. 228]: « administration scolaire », « collège public », « constructeur », « immeuble d'habitation », « immeuble d'habitation à logements multiples », « immeuble d'habitation à logement unique » — 1; « immeuble d'habitation déterminé » — 663; « logement en copropriété » — 1; « taxe exigée non admissible au remboursement de la taxe sur les intrants » — 383; « université » — 1.

Renvois [art. 228]: 107 (application); 231 (achèvement des travaux); 233 (vente d'un immeuble); 378.1 (remboursement au propriétaire d'un fonds de terre loué pour usage résidentiel); 378.3 (demande de remboursement — article 378.1); 378.6 (droit au remboursement pour fourniture d'un immeuble d'habitation loué à des fins résidentielles); 378.10 (remboursement pour coopérative d'habitation); 667 (remboursement pour immeuble d'habitation déterminé); 670 (RTV).

Jurisprudence [art. 228]: *Weinstein & Gavino Fabrique et Bar à pâtes compagnie ltée c. Québec (Sous-ministre du Revenu)* (19 décembre 2007), 500-17-015442-034, 2007 CarswellQue 12599.

Bulletins d'interprétation [art. 228]: TVQ. 223-1/R2 — Fourniture à soi-même d'un immeuble d'habitation.

Concordance fédérale: LTA, par. 191(6).

COMMENTAIRES: Voir les commentaires sous l'article 232.

228.1 Non-application des articles 223 à 226 — Les articles 223 à 226 ne s'appliquent pas au constructeur d'un immeuble d'habitation ou d'une adjonction à un immeuble d'habitation, dans le cas où à la fois :

1º le constructeur est un groupe de particuliers à l'égard duquel s'applique les articles 851.23 à 851.33 de la *Loi sur les impôts* (chapitre I-3);

2º la construction ou la rénovation majeure de l'immeuble d'habitation ou de l'adjonction est réalisée exclusivement dans le but de procurer une résidence aux membres du groupe.

Notes historiques: L'article 228.1 a été ajouté par L.Q. 1997, c. 85, art. 550(1) et a effet depuis le 1er juillet 1992.

Guides: IN-261 — La TVQ, la TPS et les immeubles d'habitation (construction ou rénovation).

Définitions [art. 228.1]: « constructeur », « immeuble d'habitation », « rénovation majeure » — 1.

Concordance fédérale: LTA, par. 191(6.1).

COMMENTAIRES: Voir les commentaires sous l'article 232.

229. Lieu de travail éloigné — La fourniture d'un immeuble d'habitation ou d'une habitation dans celui-ci, à titre de résidence ou d'hébergement, est réputée ne pas être une fourniture et l'occupation de l'immeuble d'habitation ou de l'habitation, à titre de résidence ou d'hébergement, est réputée ne pas être une telle occupation, dans le cas où, à la fois :

1º le constructeur de l'immeuble d'habitation ou d'une adjonction à l'immeuble d'habitation est un inscrit;

2º la construction ou la rénovation majeure de l'immeuble d'habitation ou de l'adjonction est réalisée, ou l'immeuble d'habitation est acquis, dans le but de procurer une résidence ou un hébergement à un particulier à un endroit où l'on ne peut raisonnablement s'attendre à ce que le particulier établisse et tienne un établissement domestique autonome étant donné son éloignement de toute agglomération et où le particulier est tenu d'être :

a) pour exercer ses fonctions à titre de salarié de l'inscrit;

b) pour y rendre, à titre d'entrepreneur dont les services ont été retenus par l'inscrit, ou à titre de salarié d'un tel entrepreneur, un service à l'inscrit;

c) pour y rendre, à titre de sous-entrepreneur dont les services ont été retenus par l'entrepreneur visé au sous-paragraphe b), ou à titre de salarié d'un tel sous-entrepreneur, un service acquis par l'entrepreneur aux fins de fournir un service à l'inscrit;

3º l'inscrit fait un choix au moyen du formulaire prescrit contenant les renseignements prescrits à l'égard de l'immeuble d'habitation ou de l'adjonction afin que le présent article s'applique.

Durée — Les présomptions établies au premier alinéa s'appliquent jusqu'à ce que l'immeuble d'habitation soit fourni par vente ou soit fourni par louage, licence ou accord semblable principalement à des personnes qui ne sont pas des salariés, des entrepreneurs ou des sous-entrepreneurs visés aux sous-paragraphes a), b) et c) du paragraphe 2º du premier alinéa qui acquièrent l'immeuble ou les habitations dans celui-ci dans les circonstances visées à ces sous-paragraphes, ou à des particuliers liés à ceux-ci.

Notes historiques: Le préambule de l'article 229 a été modifié par L.Q. 1994, c. 22, art. 483(1) et est réputé entré en vigueur le 1er juillet 1992. Il se lisait comme suit :

> 229. La fourniture d'un immeuble d'habitation ou d'une habitation qui s'y trouve, à titre de résidence ou de pension, est réputée ne pas être une fourniture et l'occupation de l'immeuble d'habitation ou de l'habitation, à titre de résidence ou de pension, est réputée ne pas être une telle occupation, dans le cas où, à la fois :

Le paragraphe 2° du premier alinéa de l'article 229 a été remplacé par L.Q. 1997, c. 85, art. 551(1)(1°) et a effet depuis le 1er juillet 1992. Antérieurement, il se lisait ainsi :

> 2° la construction ou la rénovation majeure de l'immeuble d'habitation ou de l'adjonction est réalisée, ou l'immeuble d'habitation est acquis, dans le but de procurer une résidence ou un hébergement à un salarié de l'inscrit à l'endroit où le salarié est tenu d'être dans l'accomplissement de sa charge ou de son emploi et que, étant donné l'éloignement de cet endroit de toute agglomération, l'on ne peut raisonnablement s'attendre à ce que le salarié y établisse et y tienne un établissement domestique autonome;

Les paragraphes 2° et 3° du premier alinéa ont été modifiés par L.Q. 1994, c. 22, art. 483(1) et sont réputés entrés en vigueur le 1er juillet 1992. Auparavant, ils se lisaient comme suit :

> 2° la construction ou la rénovation majeure de l'immeuble d'habitation ou de l'adjonction est réalisée, ou l'immeuble d'habitation est acquis, dans le but de procurer une résidence ou une pension à un cadre ou à un salarié de l'inscrit à l'endroit où le cadre ou le salarié est tenu d'être dans l'accomplissement de sa charge ou de son emploi et que, étant donné l'éloignement de cet endroit, l'on ne peut raisonnablement s'attendre à ce que le cadre ou le salarié y établisse et y tienne un établissement domestique autonome;
>
> 3° l'inscrit fait le choix à l'égard de l'immeuble d'habitation ou de l'adjonction afin que le présent article s'applique.

Le deuxième alinéa de l'article 229 a été remplacé par L.Q. 1997, c. 85, art. 551(1)(2°) et a effet depuis le 1er juillet 1992. Antérieurement, il se lisait ainsi :

> Les présomptions établies au premier alinéa s'appliquent jusqu'à ce que l'immeuble d'habitation soit fourni par vente ou soit fourni par louage, licence ou accord semblable principalement à des personnes qui ne sont pas des salariés de l'inscrit ou à des particuliers liés à ceux-ci.

Le deuxième alinéa de l'article 229 a été modifié par L.Q. 1994, c. 22, art. 483(1) et est réputé entré en vigueur le 1er juillet 1992. Il se lisait antérieurement comme suit :

> Les présomptions établies au premier alinéa s'appliquent jusqu'à ce que l'immeuble d'habitation soit fourni par vente ou soit fourni par louage, licence ou accord semblable principalement à des personnes qui ne sont pas des cadres ou des salariés de l'inscrit ou à des particuliers liés à ceux-ci.

L'article 229 a été édicté par L.Q. 1991, c. 67.

Guides [art. 229]: IN-203 — Renseignements généraux sur la TVQ et la TPS/TVH; IN-261 — La TVQ, la TPS et les immeubles d'habitation (construction ou rénovation).

Définitions [art. 229]: « constructeur », « fourniture », « habitation », « immeuble d'habitation » — 1; « immeuble d'habitation déterminé » — 663; « inscrit », « particulier », « personne », « rénovation majeure », « salarié » — 1; « taxe exigée non admissible au remboursement de la taxe sur les intrants » — 383; « vente » — 1.

Renvois [art. 229]: 3 (lien de dépendance); 107 (application); 230 (forme et contenu du choix); 231 (achèvement des travaux); 233 (vente d'un immeuble); 378.1 (remboursement au propriétaire d'un fonds de terre loué pour usage résidentiel); 378.3 (demande de remboursement — article 378.1); 378.6 (droit au remboursement pour fourniture d'un immeuble d'habitation loué à des fins résidentielles); 378.10 (remboursement pour coopérative d'habitation); 670 (RTV).

Bulletins d'interprétation [art. 229]: TVQ. 223-1/R2 — Fourniture à soi-même d'un immeuble d'habitation.

Concordance fédérale: LTA, par. 191(7).

COMMENTAIRES: Voir les commentaires sous l'article 232.

230. Choix réputé — Dans le cas où l'inscrit fait le choix prévu au paragraphe 7 de l'article 191 de la *Loi sur la taxe d'accise* (Lois révisées du Canada (1985), chapitre E-15) à l'égard de l'immeuble d'habitation ou de l'adjonction visé à l'article 229, il est réputé avoir fait le choix prévu au paragraphe 3° du premier alinéa de l'article 229.

Notes historiques: L'article 230 a été modifié par L.Q. 1994, c. 22, art. 484(1) et est réputé entré en vigueur le 1er juillet 1992. L'article 230, édicté par L.Q. 1991, c. 67, se lisait comme suit :

> 230. Le choix fait en vertu du paragraphe 3° du premier alinéa de l'article 229 doit être effectué au moyen du formulaire prescrit contenant les renseignements prescrits et produit au ministre de la manière prescrite par ce dernier, avant que la construction ou la rénovation majeure de l'immeuble d'habitation ou de l'adjonction soit presque achevée.
>
> De plus, dans le cas où l'inscrit fait le choix prévu au paragraphe 7 de l'article 191 de la *Loi sur la taxe d'accise* (Statuts du Canada) à l'égard de l'immeuble d'habitation ou de l'adjonction visé à l'article 229, il est réputé avoir fait le choix prévu au paragraphe 3° du premier alinéa de l'article 229 et ce, conformément au premier alinéa.

Guides: IN-261 — La TVQ, la TPS et les immeubles d'habitation (construction ou rénovation).

Définitions [art. 230]: « immeuble d'habitation », « inscrit » — 1; « taxe exigée non admissible au remboursement de la taxe sur les intrants » — 383.

Renvois [art. 230]: 107 (application); 231 (achèvement des travaux); 233 (vente d'un immeuble); 378.1 (remboursement au propriétaire d'un fonds de terre loué pour usage résidentiel); 378.3 (demande de remboursement — article 378.1); 378.6 (droit au remboursement pour fourniture d'un immeuble d'habitation loué à des fins résidentielles); 378.10 (remboursement pour coopérative d'habitation); 670 (RTV).

Bulletins d'interprétation [art. 230]: TVQ. 223-1/R2 — Fourniture à soi-même d'un immeuble d'habitation.

Concordance fédérale: aucune.

COMMENTAIRES: Voir les commentaires sous l'article 232.

231. Construction ou rénovation majeure presque achevée — Pour l'application des articles 223 à 229, la construction ou la rénovation majeure d'un immeuble d'habitation à logements multiples ou d'un immeuble d'habitation en copropriété ou la construction d'une adjonction à un immeuble d'habitation à logements multiples est réputée être presque achevée au plus tard le jour où la totalité ou la presque totalité des habitations qui se trouvent dans l'immeuble d'habitation ou dans l'adjonction est occupée après le début des travaux.

Notes historiques: L'article 231 a été remplacé par L.Q. 1994, c. 22, art. 484(1) et est réputé entré en vigueur le 1er juillet 1992. L'article 231, édicté par L.Q. 1991, c. 67, se lisait antérieurement comme suit :

> 231. Pour l'application des articles 223 à 230, la construction ou la rénovation majeure d'un immeuble d'habitation à logements multiples ou d'un immeuble d'habitation en copropriété ou la construction d'une adjonction à un immeuble d'habitation à logements multiples est réputée être presque achevée au plus tard le jour où la totalité ou la presque totalité des habitations qui se trouvent dans l'immeuble d'habitation ou dans l'adjonction est occupée après le début des travaux.

Guides: IN-261 — La TVQ, la TPS et les immeubles d'habitation (construction ou rénovation).

Définitions [art. 231]: « habitation », « immeuble d'habitation », « immeuble d'habitation en copropriété », « rénovation majeure » — 1; « taxe exigée non admissible au remboursement de la taxe sur les intrants » — 383.

Renvois [art. 231]: 107 (application); 233 (vente d'un immeuble); 378.1 (remboursement au propriétaire d'un fonds de terre loué pour usage résidentiel); 378.3 (demande de remboursement — article 378.1); 378.6 (droit au remboursement pour fourniture d'un immeuble d'habitation loué à des fins résidentielles); 378.10 (remboursement pour coopérative d'habitation); 670 (RTV).

Bulletins d'interprétation [art. 231]: TVQ. 223-1/R2 — Fourniture à soi-même d'un immeuble d'habitation; TVQ. 226-1/R1 — Fourniture à soi-même d'une adjonction à un immeuble d'habitation à logements multiples.

Concordance fédérale: LTA, par. 191(9).

COMMENTAIRES: Voir les commentaires sous l'article 232.

231.1 Transfert de possession attribué au constructeur — Dans le cas où un constructeur d'un immeuble d'habitation ou d'une adjonction à un immeuble d'habitation à logements multiples effectue une fourniture de l'immeuble d'habitation ou d'une habitation située dans celui-ci ou dans l'adjonction par louage, licence ou accord semblable et que la fourniture est une fourniture exonérée visée aux articles 99 ou 99.0.1, le constructeur est réputé, au moment quelconque visé au paragraphe 2°, avoir donné la possession de l'immeuble d'habitation ou de l'habitation à un particulier en vertu d'un contrat de louage, d'une licence ou d'un accord semblable conclu en vue de son occupation par un particulier à titre de résidence si, à la fois :

1° l'acquéreur de la fourniture acquiert l'immeuble d'habitation ou l'habitation dans le but de l'utiliser ou de le fournir dans le cadre de la réalisation de fournitures exonérées et, à l'occasion d'une fourniture exonérée, la possession ou l'utilisation de l'immeuble d'habitation, de l'habitation ou d'habitations situées dans celui-ci est donnée par l'acquéreur en vertu d'un contrat de louage, d'une licence ou d'un accord semblable en vertu duquel l'occupation de l'immeuble d'habitation ou de l'habitation est donnée à un particulier à titre de résidence ou d'hébergement;

2° à un moment quelconque, le constructeur donne la possession de l'immeuble d'habitation ou de l'habitation à l'acquéreur en vertu de l'accord.

Notes historiques: Le passage précédant le paragraphe 2° de l'article 231.1 a été remplacé par L.Q. 2009, c. 15, par. 507(1) et cette modification s'applique à l'égard d'un immeuble d'habitation ou d'une adjonction à celui-ci si le moment donné est :

1° après le 26 février 2008;

2° avant le 27 février 2008, dans le cas où le constructeur de l'immeuble d'habitation ou de l'adjonction, à la fois :

a) aurait été réputé en vertu des articles 223 à 231 avoir effectué, au moment donné, une fourniture taxable par vente de l'immeuble d'habitation ou de l'adjonction, si l'article 231.1, et les articles 223, 225 ou 226, s'étaient appliqués à ce moment;

b) a fait rapport, du fait qu'il a appliqué les articles 223 à 231.1 à l'égard de l'immeuble d'habitation ou de l'adjonction, d'un montant au titre de la taxe dans sa déclaration produite en vertu du chapitre VIII du titre I pour une période de déclaration pour laquelle une déclaration est produite avant le 27 février 2008 ou doit être produite en vertu de ce chapitre au plus tard avant cette date.

Pour l'application de ce qui précède, le moment donné à l'égard d'un immeuble d'habitation ou d'une adjonction à celui-ci est le dernier en date des moments suivants :

1° le moment où la construction ou la rénovation majeure de l'immeuble d'habitation ou de l'adjonction est presque achevée;

2° le moment où le constructeur de l'immeuble d'habitation ou de l'adjonction donne, pour la première fois, la possession de l'immeuble d'habitation ou d'une habitation située dans l'immeuble d'habitation ou dans l'adjonction à une personne qui acquiert l'immeuble d'habitation ou l'habitation dans le but de l'utiliser ou de le fournir dans le cadre de la réalisation de fournitures exonérées si, à l'occasion d'une fourniture exonérée, la possession ou l'utilisation de l'immeuble d'habitation, de l'habitation ou d'habitations situées dans celui-ci est donnée par la personne en vertu d'un contrat de louage, d'une licence ou d'un accord semblable en vertu duquel l'occupation de l'immeuble d'habitation ou de l'habitation est donnée à un particulier à titre de résidence ou d'hébergement.

Antérieurement, il se lisait ainsi :

231.1 Dans le cas où un constructeur d'un immeuble d'habitation ou d'une adjonction à un immeuble d'habitation à logements multiples effectue une fourniture de l'immeuble d'habitation, d'une habitation dans celui-ci ou de l'adjonction par louage, licence ou accord semblable et que la fourniture est une fourniture exonérée visée à l'article 99, le constructeur est réputé, au moment quelconque visé au paragraphe 2°, avoir donné la possession de l'immeuble d'habitation ou de l'habitation à un particulier en vertu d'un contrat de louage, d'une licence ou d'un accord semblable conclu en vue de son occupation par un particulier à titre de résidence si, à la fois :

1° l'acquéreur de la fourniture acquiert l'immeuble d'habitation ou l'habitation dans le but d'effectuer une ou plusieurs fournitures de l'immeuble d'habitation, d'une habitation ou des habitations dans celui-ci et ces fournitures sont visées à l'article 98;

L'article 231.1 a été ajouté par L.Q. 1994, c. 22, art. 485(1) et est réputé entré en vigueur le 1er janvier 1993.

Notes explicatives ARQ (PL 37, L.Q. 2009, c. 15): *Résumé* :

L'article 231.1 est modifié afin de faire en sorte qu'il s'applique dans le cas où le constructeur d'un immeuble d'habitation fournit l'immeuble à un acquéreur dans le cadre d'une fourniture exonérée visée au nouvel article 99.0.1 de la LTVQ.

Situation actuelle :

Actuellement, l'article 231.1 de la LTVQ prévoit que la règle de la fourniture à soi-même prévue aux articles 223 à 231 de la LTVQ s'applique au constructeur d'un immeuble d'habitation qui fournit l'immeuble ou une habitation située dans celui-ci, dans le cadre d'une fourniture exonérée visée à l'article 99 de la LTVQ, à une personne qui l'acquiert en vue d'effectuer des fournitures exonérées visées à l'article 98 de la LTVQ.

Dans ce cas, le constructeur est réputé avoir transféré la possession de l'immeuble ou d'une habitation située dans celui-ci à une personne aux termes d'un contrat de louage en vue de son occupation à titre de résidence par un particulier et il doit alors payer la taxe calculée sur la juste valeur marchande de l'immeuble.

Modifications proposées :

L'article 231.1 de la LTVQ est modifié afin de faire en sorte qu'il s'applique dans le cas où le constructeur d'un immeuble d'habitation fournit l'immeuble à un acquéreur dans le cadre d'une fourniture exonérée visée au nouvel article 99.0.1 de la LTVQ.

De plus, l'article 231.1 de la LTVQ est modifié afin qu'il s'applique dans le cas où l'immeuble acquis dans le cadre d'une fourniture exonérée visée au nouvel article 99.0.1 de la LTVQ, est utilisé par l'acquéreur dans le but d'effectuer des fournitures exonérées qui comprennent le transfert de la possession ou de l'utilisation d'habitations conformément au paragraphe 2° du nouvel article 99.0.1 de la LTVQ.

Guides: IN-261 — La TVQ, la TPS et les immeubles d'habitation (construction ou rénovation).

Définitions [art. 231.1]: « acquéreur », « constructeur », « fourniture », « fourniture exonérée », « habitation », « immeuble d'habitation », « immeuble d'habitation à logements multiples », « particulier » — 1; « taxe exigée non admissible au remboursement de la taxe sur les intrants » — 383.

Renvois [art. 231.1]: 107 (application); 370.8 (Demande de remboursement); 378.1 (remboursement au propriétaire d'un fonds de terre loué pour usage résidentiel); 378.3 (demande de remboursement — article 378.1); 378.6 (droit au remboursement pour fourniture d'un immeuble d'habitation loué à des fins résidentielles); 378.10 (remboursement pour coopérative d'habitation); 670 (RTV).

Bulletins d'interprétation [art. 231.1]: TVQ. 223-1/R2 — Fourniture à soi-même d'un immeuble d'habitation.

Concordance fédérale: LTA, par. 191(10).

COMMENTAIRES: Voir les commentaires sous l'article 232.

231.2 Définitions — Pour l'application de l'article 231.3, l'expression :

« montant de financement public » à l'égard d'un immeuble d'habitation, signifie :

1° une somme d'argent, y compris un prêt à remboursement conditionnel, mais ne comprend pas un autre prêt, ou un remboursement ou un crédit de frais, droits ou taxes imposés en vertu d'une loi, qui est payée ou payable par l'une des personnes suivantes au constructeur de l'immeuble d'habitation ou d'une adjonction à l'immeuble d'habitation en vue de réaliser des habitations dans l'immeuble pour des personnes visées au deuxième alinéa de l'article 231.3 :

a) un subventionnaire;

b) un organisme qui a reçu le montant soit d'un subventionnaire, soit d'un autre organisme qui a reçu le montant d'un subventionnaire;

Notes historiques: La définition de « montant de financement public » à l'article 231.2 a été ajoutée par L.Q. 1997, c. 85, art. 552(1) et a effet à compter du 24 avril 1996. Toutefois, cette définition ne s'applique pas à l'égard d'un immeuble d'habitation ou d'une adjonction à celui-ci si, à la fois :

a) le constructeur de l'immeuble ou de l'adjonction selon le cas :

i. a reçu un montant de financement public d'un subventionnaire relativement à l'immeuble avant le 24 avril 1996 :

ii. ayant reçu une lettre d'intention, un protocole d'entente ou un autre document d'un subventionnaire avant le 24 avril 1996, peut raisonnablement s'attendre à recevoir un montant de financement public du subventionnaire relativement à l'immeuble;

b) la construction ou la rénovation majeure de l'immeuble ou de l'adjonction a commencé avant le 24 avril 1996 et est presque achevée avant le 24 avril 1998.

Concordance fédérale: LTA, par. 191.1(1)« subvention ».

« subventionnaire » signifie :

1° un gouvernement ou une municipalité, autre qu'une corporation dont la totalité ou la presque totalité des activités sont des activités commerciales ou des activités consistant à fournir des services financiers, ou les deux;

2° une bande au sens de l'article 2 de la *Loi sur les Indiens* (Lois révisées du Canada (1985), chapitre I-5);

3° une corporation qui est contrôlée par un gouvernement, une municipalité ou une bande visée au paragraphe 2° dont l'un des principaux objectifs consiste à financer des activités de bienfaisance ou des activités sans but lucratif;

4° une fiducie, un conseil, une commission ou un autre organisme créé par un gouvernement, une municipalité, une bande visée au paragraphe 2° ou une corporation visée au paragraphe 3° dont l'un des principaux objectifs consiste à financer des activités de bienfaisance ou des activités sans but lucratif.

Notes historiques: La définition de « subventionnaire » à l'article 231.2 a été ajoutée par L.Q. 1997, c. 85, art. 552(1) et a effet à compter du 24 avril 1996. Toutefois, cette définition ne s'applique pas à l'égard d'un immeuble d'habitation ou d'une adjonction à celui-ci si, à la fois :

a) le constructeur de l'immeuble ou de l'adjonction selon le cas :

i. a reçu un montant de financement public d'un subventionnaire relativement à l'immeuble avant le 24 avril 1996 :

ii. ayant reçu une lettre d'intention, un protocole d'entente ou un autre document d'un subventionnaire avant le 24 avril 1996, peut raisonnablement s'attendre à recevoir un montant de financement public du subventionnaire relativement à l'immeuble;

b) la construction ou la rénovation majeure de l'immeuble ou de l'adjonction a commencé avant le 24 avril 1996 et est presque achevée avant le 24 avril 1998.

Concordance fédérale: LTA, par. 191.1(1)« subventionneur ».

Guides: IN-261 — La TVQ, la TPS et les immeubles d'habitation (construction ou rénovation).

Définitions: « activité commerciale », « argent », « constructeur », « gouvernement », « habitation », « immeuble d'habitation », « montant », « municipalité » — 1.

COMMENTAIRES: Voir les commentaires sous l'article 232.

231.3 Fourniture à soi-même d'un immeuble d'habitation subventionné — Dans le cas où le constructeur d'un immeuble d'habitation ou d'une adjonction à celui-ci est réputé en vertu des articles 223 à 226, avoir effectué et reçu une fourniture de l'immeuble d'habitation ou de l'adjonction à un moment donné et que le constructeur, à l'exception d'un gouvernement ou d'une municipalité, a reçu ou peut raisonnablement s'attendre à recevoir au moment donné ou avant ce moment, un montant de financement public relativement à l'immeuble d'habitation, la taxe à l'égard de la fourniture, calculée sur la juste valeur marchande de l'immeuble d'habitation ou de l'adjonction, est réputée, être égale au plus élevé des montants suivants pour l'application des articles 223 à 226 :

1º le montant qui, en faisant abstraction du présent article, correspondrait à la taxe calculée sur cette juste valeur marchande;

2º le total des montants dont chacun représente la taxe payable par le constructeur soit à l'égard d'un immeuble qui fait partie de l'immeuble d'habitation ou de l'adjonction, soit à l'égard d'une amélioration qui lui est apportée.

Exception — Le premier alinéa ne s'applique que dans le cas où la possession ou l'utilisation d'au moins 10 % des habitations de l'immeuble est destinée à être donnée en vue de leur occupation à titre de résidence ou d'hébergement par une ou plusieurs des personnes suivantes :

1º les aînés;

2º les jeunes gens;

3º les étudiants;

4º les personnes handicapées;

5º les personnes en détresse ou autres personnes démunies;

6º les particuliers dont l'admissibilité pour occuper les habitations à titre de résidence ou d'hébergement ou l'admissibilité à une réduction de paiements relatifs à cette occupation dépend des ressources ou du revenu;

7º les particuliers pour le compte desquels seul un organisme du secteur public paie une contrepartie pour des fournitures qui comprennent le transfert de la possession ou de l'utilisation des habitations pour occupation à titre de résidence ou d'hébergement, et qui soit ne paient aucune contrepartie pour ces fournitures, soit en paient une qui est considérablement moindre que celle qu'il serait raisonnable de s'attendre qu'ils paieraient pour des fournitures comparables effectuées par une personne dont l'entreprise consiste à effectuer de telles fournitures à des fins lucratives.

Notes historiques: Le deuxième alinéa de l'article 231.3 a été remplacé par L.Q. 2009, c. 15, par. 508(1) et cette modification s'applique à l'égard d'un immeuble d'habitation ou d'une adjonction à celui-ci si le moment donné est :

1° après le 26 février 2008;

avant le 27 février 2008, dans le cas où le constructeur de l'immeuble d'habitation ou de l'adjonction, à la fois :

a) aurait été réputé en vertu des articles 223 à 231.1 avoir effectué, au moment donné, une fourniture taxable par vente de l'immeuble d'habitation ou de l'adjonction, si les articles 223, 225, 226 ou 231.1, s'étaient appliqués à ce moment;

b) a fait rapport, du fait qu'il a appliqué les articles 223 à 231.1 à l'égard de l'immeuble d'habitation ou de l'adjonction, d'un montant au titre de la taxe dans sa déclaration produite en vertu du chapitre VIII du titre I pour une période de déclaration pour laquelle une déclaration est produite avant le 27 février 2008 ou doit être produite en vertu de ce chapitre au plus tard avant cette date.

Pour l'application de ce qui précède, le moment donné à l'égard d'un immeuble d'habitation ou d'une adjonction à celui-ci est le dernier en date des moments suivants :

1° le moment où la construction ou la rénovation majeure de l'immeuble d'habitation ou de l'adjonction est presque achevée;

2° le moment où le constructeur de l'immeuble d'habitation ou de l'adjonction donne, pour la première fois, la possession ou l'utilisation de l'immeuble d'habitation ou d'une habitation située dans l'immeuble d'habitation ou dans l'adjonction à une personne en vue de l'occupation de l'immeuble d'habitation ou de l'habitation par un particulier à titre de résidence ou, s'il est antérieur, le moment où l'immeuble d'habitation ou une habitation située dans l'immeuble d'habitation ou dans l'adjonction est occupé par le constructeur à titre de résidence.

Antérieurement, il se lisait ainsi :

Le premier alinéa ne s'applique que dans le cas où au moins 10 % des habitations de l'immeuble sont destinées à être fournies aux personnes suivantes :

a) les aînés;

b) les jeunes gens;

c) les étudiants;

d) les personnes handicapées;

e) les personnes en détresse ou autres personnes démunies;

f) les particuliers dont les ressources ou le revenu sont tels qu'ils sont admissibles à titre de locataires ou ont droit à une réduction de loyer;

g) les particuliers pour le compte desquels seul un organisme du secteur public paie une contrepartie pour les fournitures de logement, et qui soit ne paient aucune contrepartie pour ces fournitures, soit en paient une qui est considérablement moindre que celle qu'il serait raisonnable de s'attendre qu'ils paieraient pour des fournitures comparables effectuées par une personne dont l'entreprise consiste à effectuer de telles fournitures à des fins lucratives;

h) une ou plusieurs des personnes visées aux sous-paragraphes a) à g).

L'article 231.3 a été ajouté par L.Q. 1997, c. 85, art. 552(1) et a effet à compter du 24 avril 1996. Toutefois, il ne s'applique pas à l'égard d'un immeuble d'habitation ou d'une adjonction à celui-ci si, à la fois :

a) le constructeur de l'immeuble ou de l'adjonction selon le cas :

i. a reçu un montant de financement public d'un subventionnaire relativement à l'immeuble avant le 24 avril 1996;

ii. ayant reçu une lettre d'intention, un protocole d'entente ou un autre document d'un subventionnaire avant le 24 avril 1996, peut raisonnablement s'attendre à recevoir un montant de financement public du subventionnaire relativement à l'immeuble;

b) la construction ou la rénovation majeure de l'immeuble ou de l'adjonction a commencé avant le 24 avril 1996 et est presque achevée avant le 24 avril 1998.

Notes explicatives ARQ (PL 37, L.Q. 2009, c. 15): *Résumé* :

L'article 231.3 fait l'objet de modifications en concordance avec celles apportées aux articles 223 à 231.1 de la LTVQ. Ces modifications consistent notamment à ajouter l'expression « la possession ou l'utilisation » et à remplacer le terme « loyer » par celui de « paiements ».

Situation actuelle :

Actuellement, l'article 231.3 de la LTVQ édicte une règle spéciale de fourniture à soi-même à l'égard d'un immeuble subventionné. Cette règle s'applique au constructeur d'un immeuble d'habitation qui a reçu une subvention relativement à la construction ou à la rénovation de logements destinés aux personnes ayant des besoins particuliers ou des ressources financières limitées et tient compte de la difficulté de déterminer la juste valeur marchande d'un immeuble d'habitation subventionné pour se conformer aux articles 223 à 231.1 de la LTVQ.

Cette règle fait en sorte que le montant de taxe payable dont doit rendre compte un constructeur d'un immeuble subventionné tenu de se conformer à la règle sur la fourniture à soi-même est au moins égal au montant de taxe qui était payable à l'égard de la construction de l'immeuble ou de l'adjonction à celui-ci ou à l'égard des améliorations qui y sont apportées.

Modifications proposées :

L'article 231.3 de la LTVQ fait l'objet de modifications en concordance avec celles apportées aux articles 223 à 231.1 de la LTVQ. Ces modifications consistent notamment à ajouter l'expression « la possession ou l'utilisation » et à remplacer le terme « loyer » par celui de « paiements ».

Définitions [art. 231.3]: « améliorations », « argent », « constructeur », « contrepartie », « entreprise », « fourniture », « gouvernement », « habitation », « immeuble », « immeuble d'habitation », « juste valeur marchande », « montant », « municipalité », « organisme du secteur public », « personne », « service financier », « taxe » — 1.

Renvois [art. 231.3]: 199 (RTI).

Concordance fédérale: LTA, par. 191.1(2).

COMMENTAIRES: Voir les commentaires sous l'article 232.

232. Rénovation mineure — Dans le cas où, dans le cadre d'une entreprise qui consiste à effectuer des fournitures d'immeubles, une personne rénove ou modifie son immeuble d'habitation et que cette rénovation ou cette modification n'est pas une rénovation majeure, cette personne est réputée, à la fois :

LTVQ (français)

1º avoir effectué et reçu une fourniture taxable, le premier en date du moment où la rénovation est presque achevée et du moment où la propriété de l'immeuble d'habitation est transférée, pour une contrepartie égale au montant établi conformément au deuxième alinéa;

2º avoir payé à titre d'acquéreur et avoir perçu à titre de fournisseur, à ce moment, la taxe à l'égard de la fourniture calculée sur la contrepartie mentionnée au paragraphe 1º.

Établissement de la contrepartie — Sous réserve de l'article 52, la contrepartie mentionnée au paragraphe 1º du premier alinéa est égale au total des montants dont chacun représente un montant relatif à la rénovation ou à la modification, sauf le montant de la contrepartie qui est payé ou payable par la personne pour un service financier ou pour un bien ou un service à l'égard duquel la personne doit payer la taxe, qui serait inclus dans le calcul du prix de base rajusté, pour la personne, de l'immeuble d'habitation pour l'application de la *Loi sur les impôts* (chapitre I-3) si l'immeuble d'habitation était une immobilisation de la personne et que celle-ci était un contribuable en vertu de cette loi.

Notes historiques: L'article 232 a été édicté par L.Q. 1991, c. 67.

Guides [art. 232]: IN-261 — La TVQ, la TPS et les immeubles d'habitation (construction ou rénovation); IN-624 — La TVQ, la TPS/TVH et les véhicules routiers.

Définitions [art. 232]: « acquéreur », « contrepartie », « entreprise », « fournisseur », « fourniture taxable », « immeuble d'habitation », « immobilisation », « personne », « rénovation majeure », « service », « service financier », « taxe » — 1.

Renvois [art. 232]: 255 LI (prix de base rajusté).

Concordance fédérale: LTA, art. 192.

COMMENTAIRES: Concernant le droit de demander un remboursement de la taxe sur les intrants pour des travaux d'aménagement paysager exécutés à un immeuble d'habitation qui a fait l'objet d'une fourniture à soi-même en vertu de l'un des articles 223 et suivants, Revenu Québec a indiqué que le service d'aménagement paysager de l'immeuble d'habitation pourra être considéré comme ayant été acquis par le constructeur pour utilisation dans le cadre de ses activités commerciales si, dans l'établissement de la juste valeur marchande de l'immeuble d'habitation au moment prévu à l'un des articles 223 et suivants, le constructeur peut démontrer que les travaux d'aménagement paysager à être exécutés à l'immeuble ont été considérés. Voir notamment à cet effet : Revenu Québec, Lettres d'interprétation, 98-0108633 — *Interprétation relative à la TPS et à la TVQ — Droit aux CTI et aux RTI à l'égard des coûts de construction d'un immeuble* (23 novembre 1999).

Afin d'être en mesure de bénéficier de la mesure d'assouplissement de prévue dans le régime de la TVQ à l'article 224.1, soit celle permettant à un constructeur inscrit d'inclure la TVQ qu'il est réputé avoir perçue à l'égard de l'immeuble d'habitation seulement que pour sa période de déclaration qui comprend le jour qui suit les douze (12) mois de la fourniture réputée effectuée en vertu de l'article 223. En effet, pour bénéficier de cette mesure d'assouplissement, la société devait faire un choix à cet égard et le produire au ministre au plus tard le dernier jour du mois suivant celui où elle a été réputée avoir effectué la fourniture de l'immeuble d'habitation en vertu de l'article 223. Voir notamment à cet effet : Revenu Québec, Lettre d'interprétation, 99-0113078 — *Interprétation relative à la TPS et à la TVQ — Promesse d'achat-vente et bail relatifs à un immeuble d'habitation à logement unique* (15 février 2000).

L'article 225 prévoit la règle de l'autocotisation du constructeur d'un immeuble d'habitation à logements multiples. À ce titre, la Cour du Québec, dans l'affaire *9062-8942 Québec inc.* c. *Québec (Sous-ministre du Revenu)*, 2006 CarswellQue 7347 (Cour du Québec) confirmé par la Cour d'appel du Québec 2008 CarswellQue 3259 souligne que c'est l'article 225 qui prévoit le cas où le constructeur d'un immeuble d'habitation à logements multiples est présumé se l'être vendu, sur la base de la juste valeur marchande, s'il ne le vend pas, mais le loue. Selon la preuve, l'appelante est propriétaire des terrains sur lesquels la résidence pour personnes âgées a été construite, à sa demande, par une société, laquelle l'a facturée. L'appelante est donc le constructeur au sens de l'article 225. De l'avis de la Cour, il y a donc eu fourniture à soi-même.

L'article 227 crée pour sa part l'une des exceptions à la règle de l'autocotisation du constructeur d'un immeuble d'habitation à logements multiples de l'article 225.

Dans l'affaire *Coutu* c. *Québec (Sous-ministre du Revenu)*, 2008 CarswellQue 12958, EYB 2008-152395, 2008 QCCQ 12188 (Cour du Québec), le Ministère plaide que les demandeurs n'ont pas droit aux remboursements demandés en raison des dispositions des articles 227, 378.6 et 378.7. La principale question soulevée par la présente affaire porte sur l'interprétation à donner à l'article 227 et, notamment, le sens à donner au mot « ou » que l'on retrouve au second paragraphe de cet article (conjonctif ou alternatif). De l'avis de la Cour du Québec, l'intention du législateur est de faire en sorte que, lorsque l'immeuble d'habitation est utilisé à plus de 50 % à des fins personnelles, le particulier/constructeur est exonéré, peu importe le pourcentage d'occupation individuel de chacune des catégories de personnes énumérées à l'article 227. En conséquence de ce qui précède, le soussigné considère que, dans la mesure où le particulier constructeur et/ou une personne qui lui est liée (un parent, un ex-conjoint, etc.) occupe(nt), individuellement ou ensemble, plus de 50 % de l'immeuble locatif, la condition prévue à ce deuxième paragraphe de l'article 227 s'applique.

Une autre décision de la Cour du Québec est celle dans l'affaire *Fortin* c. *Québec (Sous-ministre du Revenu)*, 2005 CarswellQue 12442 (Cour du Québec) où la question en litige traitait de l'exception qui est prévue à l'article 227. La Cour du Québec a conclut que l'utilisation du terme « ou » qui est reflété au paragraphe 227(2) dénote une alternative par opposition à une conjonction. Toutes les conditions de l'article 227 étant remplies en l'espèce, les contribuables n'étaient pas tenus à l'autocotisation et pouvaient demander le remboursement.

Finalement, Revenu Québec a indiqué que malgré la qualification des deux particuliers à titre de « constructeur » selon le sens donné à ce terme à l'article 1, la règle de la fourniture à soi-même prévue à l'article 225 ne s'applique pas compte tenu de l'exonération prévue à l'article 227. En effet, cette exonération s'applique puisque, le duplex est utilisé principalement (plus de 50 %) à titre résidentiel par l'un des particuliers. Toutefois, les particuliers ne doivent pas avoir demandé de crédit de taxe sur les intrants relativement à l'acquisition du terrain ou des améliorations qui y ont été apportées. Voir notamment à cet effet : Revenu Québec, Lettre d'interprétation, 98-0103659 — *Remboursement de la TPS et de la TVQ pour habitations neuves* (5 juin 1998).

Compte tenu de la similarité de la rédaction des dispositions législatives et considérant l'engagement spécifique de Revenu Québec de veiller à ce que l'assiette de TVQ modifiée, de même que les paramètres administratifs, structurels et définitionnels, produisent des résultats qui sont similaires à ceux produits sous le régime de la TPS/TVH et soient administrés d'un manière qui produit des résultats similaires, tel que reflété par l'article 14 de l'*Entente intégrée globale de coordination fiscale* signée entre le gouvernement du Canada et le gouvernement du Québec, nous vous référons à nos commentaires en vertu des articles 191 à 192 de la *Loi sur la taxe d'accise (TPS)* qui devraient s'appliquer *mutatis mutandis*, avec les adaptations nécessaires.

III — Vente d'un immeuble

233. Vente d'un immeuble — Sous réserve de l'article 234.0.1, l'inscrit qui effectue à un moment donné la fourniture taxable d'un immeuble par vente peut, malgré les articles 203 à 206 et la sous-section 5, demander un remboursement de la taxe sur les intrants pour la période de déclaration au cours de laquelle la taxe relative à la fourniture taxable devient payable ou est réputée perçue, selon le cas, égal au montant déterminé selon la formule suivante :

$$A \times B;$$

Application — Pour l'application de cette formule :

1º la lettre A représente le moindre des montants suivants :

a) la teneur en taxe de l'immeuble au moment donné;

b) le montant qui correspond à la taxe payable, ou qui le serait en faisant abstraction des articles 75.1, 75.3 à 75.9 et 80, à l'égard de la fourniture taxable de l'immeuble;

2º la lettre B représente la proportion immédiatement avant le moment donné, de l'utilisation de l'immeuble autrement que dans les activités commerciales de l'inscrit par rapport à l'utilisation totale de l immeuble;

3º (*paragraphe supprimé*).

Exception — Le présent article ne s'applique pas :

1º soit à une fourniture réputée effectuée en vertu de l'un des articles 259, 259.1, 262 et 262.1;

2º soit à une fourniture effectuée par un organisme du secteur public, autre qu'une institution financière, d'un immeuble à l'égard duquel un choix de l'organisme en vertu des articles 272 à 276 n'est pas en vigueur au moment donné.

Notes historiques: Le premier alinéa de l'article 233 a été remplacé par L.Q. 2007, c. 12, par. 320(1) et cette modification s'applique à une fourniture à l'égard de laquelle la taxe devient payable ou serait devenue payable, en faisant abstraction des articles 75.1 et 80, après le 30 juin 2006. Antérieurement, il se lisait ainsi :

> 233. L'inscrit qui effectue à un moment donné la fourniture taxable d'un immeuble par vente peut, malgré les articles 203 à 206 et la sous-section 5, demander un remboursement de la taxe sur les intrants pour la période de déclaration au cours de laquelle la taxe relative à la fourniture taxable devient payable ou est réputée perçue, selon le cas, égal au montant déterminé selon la formule suivante :
>
> $$A \times B;$$

La formule du premier alinéa de l'article 233 a été modifiée par L.Q. 1997, c. 85, art. 553(1)(1º) et s'applique à l'égard d'une fourniture effectuée après le 31 mars 1997. Antérieurement, elle se lisait ainsi :

$$A \times B \times C.$$

Le sous-paragraphe a) du paragraphe 1° du deuxième alinéa de l'article 233 a été modifié par L.Q. 1997, c. 85, art. 553(1)(2°) et s'applique à l'égard d'une fourniture effectuée après le 31 mars 1997. Antérieurement, il se lisait ainsi :

a) le montant qui correspond au total — appelé « total de la taxe exigée à l'égard de l'immeuble » dans le présent article — de la taxe payable par l'inscrit à l'égard de la dernière acquisition de l'immeuble par celui-ci et de la taxe payable par lui à l'égard d'une amélioration à l'immeuble acquise, ou apportée au Québec, par l'inscrit après que l'immeuble a été ainsi acquis la dernière fois;

Le sous-paragraphe b) du paragraphe 1° du deuxième alinéa de l'article 233 a été remplacé par L.Q. 2009, c. 5, par. 615(1) et cette modification a effet depuis le 28 juin 1999. Antérieurement, il se lisait ainsi :

b) le montant qui correspond à la taxe payable, ou qui le serait en faisant abstraction des articles 75.1 et 80, à l'égard de la fourniture taxable de l'immeuble;

Le paragraphe 3° du deuxième alinéa a été supprimé par L.Q. 1997, c. 85, art. 553(1)(3°) et s'applique à l'égard d'une fourniture effectuée après le 31 mars 1997. Antérieurement, il se lisait ainsi :

3° la lettre C représente :

a) dans le cas où l'inscrit avait le droit de demander un remboursement en vertu des articles 383 à 397 à l'égard de toute taxe comprise dans le total de la taxe exigée à l'égard de l'immeuble et que la fourniture taxable n'est pas réputée effectuée en vertu de l'article 258, la différence entre 100 % et le pourcentage prévu aux articles 386 ou 386.1 qui est applicable aux fins du calcul du montant de ce remboursement;

b) dans tous les autres cas, 100 %.

Les paragraphes 1° et 2° du troisième alinéa de l'article 233 ont été remplacés par L.Q. 2012, c. 28, par. 68(1) et cette modification s'applique à compter du 1er janvier 2013. Antérieurement, ils se lisaient ainsi :

1° soit à une fourniture réputée effectuée en vertu des articles 259 ou 262;

2° soit à une fourniture effectuée par un organisme du secteur public d'un immeuble à l'égard duquel un choix de l'organisme en vertu des articles 272 à 276 n'est pas en vigueur au moment donné.

L'article 233 a été modifié par L.Q. 1994, c. 22, art. 486(1), et cette modification a effet depuis le 1er août 1995 selon les dispositions transitoires modifiées par L.Q. 1995, c. 63, art. 541, lesquelles ont effet depuis le 17 juin 1994. De plus, lorsque l'article 233 s'applique, L.Q. 1995, c. 63, art. 541 stipule que :

1° pour la période du 1er juillet 1992 au 30 septembre 1992, le premier alinéa et le sous-paragraphe b) du paragraphe 1° du deuxième alinéa de l'article 233 doivent se lire respectivement comme suit :

L'inscrit qui effectue à un moment donné la fourniture taxable ou non taxable d'un immeuble par vente, autre qu'une fourniture qui est réputée effectuée en vertu des articles 259 ou 262, peut demander un remboursement de la taxe sur les intrants pour la période de déclaration au cours de laquelle la taxe relative à la fourniture taxable devient payable ou au cours de laquelle la fourniture non taxable est effectuée, égal au montant déterminé selon la formule suivante :

$$A \times B.$$

b) le montant qui correspond à la taxe payable ou réputée perçue, selon le cas, ou qui le serait en faisant abstraction du fait qu'il s'agit de la fourniture non taxable de l'immeuble, à l'égard de la fourniture taxable ou non taxable de l'immeuble au moment donné;

2° pour la période du 1er octobre 1992 au 31 juillet 1995, l'article 233 doit se lire comme suit :

233. L'inscrit qui effectue à un moment donné la fourniture taxable ou non taxable d'un immeuble par vente peut, malgré les articles 203 à 206 et la sous-section 5, demander un remboursement de la taxe sur les intrants pour la période de déclaration au cours de laquelle la taxe relative à la fourniture taxable devient payable ou est réputée perçue, selon le cas, ou au cours de laquelle la fourniture non taxable est effectuée, égal au montant déterminé selon la formule suivante :

$$A \times B \times C.$$

Pour l'application de cette formule :

1° la lettre A représente le moindre des montants suivants :

a) le montant qui correspond au total — appelé « total de la taxe exigée à l'égard de l'immeuble » dans le présent article — de la taxe payable par l'inscrit à l'égard de la dernière acquisition de l'immeuble par celui-ci et de la taxe payable par lui à l'égard d'une amélioration à l'immeuble acquise, ou apportée au Québec, par l'inscrit après que l'immeuble a été ainsi acquis la dernière fois;

b) le montant qui correspond à la taxe payable, ou qui le serait en faisant abstraction des articles 75.1 et 80 ou du fait qu'il s'agit de la fourniture non taxable de l'immeuble, à l'égard de la fourniture taxable ou non taxable de l'immeuble;

2° la lettre B représente la proportion immédiatement avant le moment donné, de l'utilisation de l'immeuble autrement que dans les activités commerciales de l'inscrit par rapport à l'utilisation totale de l'immeuble

3° la lettre C représente :

a) dans le cas où l'inscrit avait le droit de demander un remboursement en vertu des articles 383 à 397 à l'égard de toute taxe comprise dans le total de la taxe exigée à l'égard de l'immeuble et que la fourniture taxable n'est pas réputée effectuée en vertu de l'article 258, la différence entre 100 % et le pourcentage prévu aux articles 386 ou 386.1 qui est applicable aux fins du calcul du montant de ce remboursement;

b) dans tous les autres cas, 100 %.

Le présent article ne s'applique pas :

1° soit à une fourniture réputée effectuée en vertu des articles 259 ou 262;

2° soit à une fourniture effectuée par un organisme du secteur public d'un immeuble à l'égard duquel un choix de l'organisme en vertu des articles 272 à 276 n'est pas en vigueur au moment donné.

Selon les dispositions transitoires stipulées par L.Q. 1994, c. 22, art. 486(1), l'article 233 ainsi modifié était réputé entré en vigueur le 1er octobre 1992. Toutefois, pour son application du 1er juillet 1992 au 30 septembre 1992, L.Q. 1994, c. 22, art. 486(1) stipule que toute référence à un moment quelconque, doit être lue comme une référence à un moment donné et le sous-paragraphe b) du paragraphe 1° du deuxième alinéa doit se lire comme suit :

b) le moment qui correspond à la taxe payable ou réputée perçue, selon le cas, à l'égard de la fourniture taxable de l'immeuble au moment donné;

L'article 233, édicté par L.Q. 1991, c. 67, se lisait auparavant comme suit :

233. L'inscrit qui effectue à un moment quelconque la fourniture taxable d'un immeuble par vente, autre qu'une fourniture qui est réputée effectuée en vertu des articles 259 ou 262, peut demander un remboursement de la taxe sur les intrants pour la période de déclaration au cours de laquelle la taxe relative à la fourniture devient payable, égal au montant déterminé selon la formule suivante :

$$A \times B.$$

Pour l'application de cette formule :

1° la lettre A représente le moindre des montants suivants :

a) le montant qui correspond à l'excédent du total visé au sous-paragraphe i sur le total visé au sous-paragraphe ii :

i. le total de la taxe payable par l'inscrit à l'égard de l'acquisition de l'immeuble et de la taxe payable par lui à l'égard d'une amélioration à l'immeuble ou, s'il est réputé en vertu de l'un des articles 223 à 231, 258, 261 et 273 en avoir effectué une fourniture à un moment antérieur, le total de la taxe que l'inscrit est réputé avoir perçue à ce moment antérieur en vertu de cet article et de la taxe payable par lui après ce moment antérieur à l'égard d'une amélioration à l'immeuble;

ii. le total des remboursements à l'égard d'une taxe visée au sous-paragraphe i que l'inscrit a demandés ou qu'il a le droit de demander en vertu de la section I du chapitre septième;

b) le montant qui correspond à la taxe percevable par l'inscrit à l'égard de la fourniture taxable de l'immeuble qu'il effectue;

2° la lettre B représente la proportion immédiatement avant le moment quelconque, de l'utilisation de l'immeuble autrement que dans les activités commerciales de l'inscrit par rapport à l'utilisation totale de l'immeuble.

Le présent article ne s'applique pas à un organisme du secteur public, sauf si l'organisme a fait un choix en vertu des articles 272 à 276.

Notes explicatives ARQ (PL 5, L.Q. 2012, c. 28): *Résumé* :

L'article 233 permet, dans certaines circonstances, à un inscrit qui effectue la fourniture taxable d'un immeuble de demander un remboursement de la taxe sur les intrants au titre d'un montant de taxe antérieurement irrécouvrable qu'il a payé relativement à l'immeuble. Cet article est modifié notamment pour faire en sorte qu'il s'applique également à un organisme du secteur public qui est une institution financière.

Situation actuelle :

L'article 233 permet, dans certaines circonstances, à un inscrit qui effectue la fourniture taxable d'un immeuble de demander un remboursement de la taxe sur les intrants au titre d'un montant de taxe antérieurement irrécouvrable qu'il a payé relativement à l'immeuble. Le montant du remboursement est déterminé selon la formule A x B, où la lettre A représente la teneur en taxe de l'immeuble au moment de la fourniture ou, s'il est moins élevé, le montant de taxe qui est payable relativement à la fourniture taxable de l'immeuble, ou qui le serait en l'absence des articles 75.1, 75.3 à 75.9 et 80 de la LTVQ, et la lettre B, le pourcentage que représente, immédiatement avant la vente, l'utilisation que l'inscrit fait de l'immeuble hors du cadre de ses activité commerciales par rapport à son utilisation totale.

En règle générale, le remboursement de la taxe sur les intrants auquel a droit un inscrit sur la fourniture taxable par vente d'un immeuble est égal à la proportion dans laquelle l'immeuble est utilisé autrement que dans le cadre de ses activités commerciales immédiatement avant la vente multipliée par le moins élevé soit de la taxe payable sur la

LTVQ (français)

vente, soit de la taxe qui était payable par l'inscrit relativement à la dernière acquisition de l'immeuble (et des améliorations qui y ont été apportées).

Le troisième alinéa de l'article 233 exclut de son application la fourniture d'un immeuble faite par un organisme du secteur public. Un immeuble acquis par un organisme du secteur public est, en règle générale, assujetti aux règles sur le changement d'utilisation comme s'il était un bien meuble en vertu de l'article 267 de cette loi. Les règles régissant un changement d'utilisation d'un tel immeuble ne s'appliquent que lorsque l'utilisation principalement commerciale d'un immeuble change pour devenir principalement non commerciale, et vice versa.

Or, conformément à l'article 272, un organisme du secteur public peut faire un choix pour être soumis aux règles habituelles applicables aux immeubles. En fait, le choix fait en vertu de l'article 272 de la LTVQ fait en sorte que l'immeuble demeure assujetti aux règles habituelles relatives au changement d'utilisation qui sont applicables aux immeubles, donc sans référence au concept de « principalement utilisé dans le cadre d'activités commerciales ou principalement utilisé à d'autres fins ». L'exercice du choix de l'article 272 de la LTVQ fait en sorte que l'article 233 de cette loi s'applique à l'égard de l'immeuble.

Par ailleurs, le paragraphe 1° du troisième alinéa de l'article 233 exclut de l'application de cet article une fourniture effectuée en vertu des articles 259 ou 262 de cette loi, soit les fournitures réputées par suite de l'application des règles sur le changement d'utilisation d'un immeuble.

Modifications proposées :

L'article 233 est modifié de façon à faire en sorte qu'il s'applique dans tous les cas à la fourniture par vente d'un immeuble par un inscrit, et ce, même dans les cas où l'inscrit est un organisme du secteur public, lorsque l'inscrit est une institution financière. Les règles relatives au changement d'utilisation d'un immeuble acquis par une institution financière demeure, dans tous les cas, celles applicables généralement aux immeubles, et ce, par suite de la modification apportée à l'article 267 de la LTVQ par le présent projet de loi. Les règles relatives au changement d'utilisation d'un immeuble acquis par une institution financière ne font donc pas appel au concept de « principalement utilisé dans le cadre d'activités commerciales ou principalement utilisé à d'autres fins », contrairement aux règles relatives au changement d'utilisation des biens meubles.

Plus précisément, le troisième alinéa de l'article 233 est modifié pour retirer des exceptions à l'application de cet article qui y sont prévues, toute fourniture par vente d'un immeuble lorsque celle-ci est faite par une institution financière.

Enfin, le troisième alinéa de l'article 233 est également modifié pour exclure de son application une fourniture réputée effectuée de l'un des nouveaux articles 259.1 et 262.1 de la LTVQ, tous introduits par le présent projet de loi, lesquels sont des dispositions de nature transitoire découlant de l'exonération des services financiers dans le régime de la taxe de vente du Québec à compter du 1er janvier 2013.

Notes explicatives ARQ (PL 2, L.Q. 2009, c. 5): *Résumé* :

L'article 233 est modifié afin d'ajouter à la lettre A de la formule un renvoi aux nouveaux articles 75.3 à 75.9 de la LTVQ, afin qu'il soit tenu compte de la taxe qui aurait été payable en l'absence de ces articles.

Situation actuelle :

Actuellement, l'article 233 de la LTVQ permet, dans certaines circonstances, à l'inscrit qui effectue la fourniture taxable d'un immeuble de demander un remboursement de la taxe sur les intrants au titre d'un montant de taxe antérieurement irrécouvrable qu'il a payé relativement au bien. Le montant du remboursement est déterminé selon la formule A x B, où la lettre A représente la teneur en taxe du bien au moment de la fourniture ou, s'il est moins élevé, le montant de taxe qui est payable relativement à la fourniture, ou qui le serait en l'absence des articles 75.1 et 80 de la LTVQ, et la lettre B, le pourcentage que représente, immédiatement avant la vente, l'utilisation que l'inscrit fait de l'immeuble hors du cadre de ses activité commerciales par rapport à son utilisation totale.

Modifications proposées :

La modification apportée à l'article 233 de la LTVQ vise à ajouter à la lettre A de la formule un renvoi aux nouveaux articles 75.3 à 75.9 de la LTVQ, afin qu'il soit tenu compte de la taxe qui aurait été payable en l'absence de ces articles.

Notes explicatives ARQ (PL 2, L.Q. 2007, c. 12): *Résumé* :

L'article 233 est modifié de façon à tenir compte de l'addition du nouvel article 234.0.1 de la LTVQ qui s'applique si la fourniture taxable d'un immeuble par vente, en vertu de laquelle un remboursement de la taxe sur les intrants (RTI) est demandé, est effectuée par un organisme du secteur public à une personne avec laquelle l'organisme a un lien de dépendance. Dans ce cas, le remboursement accordé par l'article 233 de la LTVQ est restreint dans la mesure prévue au nouvel article 234.0.1 de la LTVQ.

Situation actuelle :

L'article 233, qui a pour but d'éviter la double imposition, prévoit qu'un RTI peut être demandé par un inscrit qui effectue la fourniture taxable d'un immeuble par vente. Ce RTI est relatif à la taxe que l'inscrit a payée antérieurement et à l'égard de laquelle il n'a pas eu le droit de demander un remboursement total ou partiel, l'immeuble n'étant pas utilisé dans le cadre d'activités commerciales.

Le montant du RTI auquel l'inscrit a droit est établi en fonction du moindre de la teneur en taxe de l'immeuble au moment de sa fourniture taxable par l'inscrit ou de la taxe payable, ou qui serait payable en faisant abstraction des articles 75.1 et 80 de la LTVQ, à l'égard de cette fourniture et ce, selon la proportion que représente l'utilisation de l'immeuble autrement que dans le cadre des activités commerciales de l'inscrit par rapport à son utilisation totale.

Modifications proposées :

L'article 233 est modifié de façon à ce qu'il tienne compte de l'addition du nouvel article 234.0.1 de la LTVQ qui s'applique si la vente d'un immeuble, en vertu de laquelle un RTI est demandé, est effectuée par un organisme du secteur public à une personne avec laquelle l'organisme a un lien de dépendance. Dans ce cas, le remboursement accordé par l'article 233 de la LTVQ est restreint dans la mesure prévue au nouvel article 234.0.1 de la LTVQ.

Guides [art. 233]: IN-203 — Renseignements généraux sur la TVQ et la TPS/TVH.

Définitions [art. 233]: « activité commerciale », « amélioration », « fourniture taxable », « inscrit », « montant », « organisme du secteur public », « période de déclaration », « taxe », « teneur en taxe », « vente » — 1.

Renvois [art. 233]: 199 (RTI); 234 (vente par un organisme de services publics); 224.1 (inclusion dans le calcul de la taxe nette perçue à l'égard d'un immeuble d'habitation); 224.2 (vente de l'immeuble d'habitation); 224.3 (application de l'article 224.1); 224.4 (calcul de la taxe nette pour l'application de l'article 224.1); 224.5 (application de l'article 224.1); 234.1 (rachat d'un immeuble); 272 (choix visant les immobilisations d'un organisme de services publics); 298 (fourniture à l'assureur sur règlement de sinistre); 320 (saisie et reprise de possession); 378.1 (remboursement au propriétaire d'un fonds de terre loué pour usage résidentiel); 379 (vente d'un immeuble par un non inscrit).

Lettres d'interprétation [art. 233]: 98-0102933 — Décision portant sur l'application de la TPS — Interprétation relative à la TVQ — Amarrage à un ponton et choix de l'article 211.

Formulaires [art. 233]: FP-2022, Choix de faire considérer comme taxable la vente d'un immeuble.

Concordance fédérale: LTA, par. 193(1).

COMMENTAIRES: Voir les commentaires sous l'article 234.1.

234. Vente d'un immeuble par un organisme de services publics — Sous réserve de l'article 234.0.1, l'inscrit qui est un organisme du secteur public, autre qu'une institution financière, qui effectue à un moment donné la fourniture taxable d'un immeuble par vente, autre qu'une fourniture réputée effectuée en vertu de l'un des articles 243, 259 et 259.1 et qui, immédiatement avant le moment où la taxe devient payable à l'égard de la fourniture taxable, n'utilise pas l'immeuble principalement dans le cadre de ses activités commerciales, peut, malgré les articles 203 à 206 et la sous-section 5, sauf dans le cas où l'article 233 s'applique, demander un remboursement de la taxe sur les intrants pour la période de déclaration au cours de laquelle la taxe à l'égard de la fourniture taxable devient payable ou est réputée perçue, selon le cas, égal au moindre des montants suivants :

1º la teneur en taxe de l'immeuble au moment donné;

2º le montant qui correspond à la taxe payable, ou qui le serait en faisant abstraction des articles 75.1 et 80, à l'égard de la fourniture taxable de l'immeuble.

Notes historiques: Le préambule de l'article 234 a été remplacé par L.Q. 2012, c. 28, par. 69(1) et cette modification s'applique à compter du 1er janvier 2013. Antérieurement, il se lisait ainsi :

> 234. Sous réserve de l'article 234.0.1, l'inscrit qui est un organisme du secteur public, autre qu'une institution financière, qui effectue à un moment donné la fourniture taxable d'un immeuble par vente, autre qu'une fourniture réputée effectuée en vertu de l'article 243 ou de l'article 259, et qui, immédiatement avant le moment où la taxe devient payable à l'égard de la fourniture taxable, n'utilise pas l'immeuble principalement dans le cadre de ses activités commerciales, peut, malgré les articles 203 à 206 et la sous-section 5, sauf dans le cas où l'article 233 s'applique, demander un remboursement de la taxe sur les intrants pour la période de déclaration au cours de laquelle la taxe à l'égard de la fourniture taxable devient payable ou est réputée perçue, selon le cas, égal au moindre des montants suivants :

Le préambule de l'article 234 a été remplacé par L.Q. 2007, c. 12, par. 321(1) et cette modification s'applique à une fourniture à l'égard de laquelle la taxe devient payable ou serait devenue payable, en faisant abstraction des articles 75.1 et 80, après le 30 juin 2006. Antérieurement, il se lisait ainsi :

> 234. Sauf dans le cas où l'article 233 s'applique, l'inscrit qui est un organisme du secteur public, autre qu'une institution financière, qui effectue à un moment donné la fourniture taxable d'un immeuble par vente, autre qu'une fourniture réputée effectuée en vertu de l'article 243 ou de l'article 259, et qui, immédiatement avant le moment où la taxe devient payable à l'égard de la fourniture taxable, n'utilise pas l'immeuble principalement dans le cadre de ses activités commerciales, peut, malgré les articles 203 à 206 et la sous-section 5, demander un rem-

boursement de la taxe sur les intrants pour la période de déclaration au cours de laquelle la taxe à l'égard de la fourniture taxable devient payable ou est réputée perçue, selon le cas, égal au moindre des montants suivants :

L'article 234 a été remplacé par L.Q. 1997, c. 85, art. 554(1) et cette modification s'applique à l'égard d'une fourniture effectuée après le 31 mars 1997. Antérieurement, l'article 234 se lisait ainsi :

234. Sauf dans le cas où l'article 233 s'applique, l'inscrit qui est un organisme de services publics qui effectue à un moment donné la fourniture taxable d'un immeuble par vente, autre qu'une fourniture réputée effectuée en vertu de l'article 243, et qui, immédiatement avant le moment où la taxe devient payable à l'égard de la fourniture taxable, n'utilise pas l'immeuble principalement dans le cadre de ses activités commerciales, peut, malgré les articles 203 à 206 et la sous-section 5, demander un remboursement de la taxe sur les intrants pour la période de déclaration au cours de laquelle la taxe à l'égard de la fourniture taxable devient payable ou est réputée perçue, selon le cas, égal au montant déterminé selon la formule suivante :

$$A \times B.$$

Pour l'application de cette formule :

1º la lettre A représente le moindre des montants suivants :

a) le montant qui correspond au total — appelé « total de la taxe exigée à l'égard de l'immeuble » dans le présent article — de la taxe payable par l'inscrit à l'égard de la dernière acquisition de l'immeuble par celui-ci et de la taxe payable par lui à l'égard d'une amélioration à l'immeuble acquise, ou apportée au Québec, par l'inscrit après que l'immeuble a été ainsi acquis la dernière fois;

b) le montant qui correspond à la taxe payable, ou qui le serait en faisant abstraction des articles 75.1, 80, à l'égard de la fourniture taxable de l'immeuble;

2º la lettre B représente :

a) dans le cas où l'inscrit avait le droit de demander un remboursement en vertu des articles 383 à 397 à l'égard de toute taxe comprise dans le total de la taxe exigée à l'égard de l'immeuble, la différence entre 100 % et le pourcentage prévu aux articles 386 ou 386.1 qui est applicable aux fins du calcul du montant de ce remboursement;

b) dans tous les autres cas, 100 %.

L'article 234 a été modifié par L.Q. 1994, c. 22, art. 486(1) et cette modification a effet depuis le 1er août 1995 selon les dispositions transitoires modifiées par L.Q. 1995, c. 63, art. 541, lesquelles ont effet depuis le 17 juin 1994. De plus, lorsque l'article 234 s'applique, L.Q. 1995, c. 63, art. 541 stipule que :

1º pour la période du 1er juillet 1992 au 30 septembre 1992, la partie qui précède le paragraphe 1º et le paragraphe 2º de l'article 234 doivent se lire respectivement comme suit :

L'inscrit qui est soit un gouvernement qui effectue à un moment donné la fourniture taxable ou non taxable d'un immeuble par vente, autre qu'une fourniture qui est réputée effectuée en vertu de l'article 243, soit un organisme de services publics qui est réputé en vertu des articles 220, 221 ou de l'article 273 avoir effectué à un moment donné une fourniture taxable d'un immeuble, et qui, immédiatement avant le moment où la taxe est payable à l'égard de la fourniture ou à celui où la fourniture non taxable est effectuée, utilise l'immeuble autrement que principalement dans le cadre de ses activités commerciales, peut demander un remboursement de la taxe sur les intrants pour la période de déclaration au cours de laquelle la taxe à l'égard de la fourniture devient payable ou au cours de laquelle la fourniture non taxable est effectuée, égal au moindre des montants suivants :

2º le montant qui correspond à la taxe percevable par l'inscrit à l'égard de la fourniture taxable de l'immeuble qu'il effectue ou le montant qui correspond à la taxe qui serait payable en faisant abstraction du fait qu'il s'agit de la fourniture non taxable de l'immeuble;

2º pour la période du 1er octobre 1992 au 31 juillet 1995, l'article 234 doit se lire comme suit :

Sauf dans le cas où l'article 233 s'applique, l'inscrit qui est un organisme de services publics qui effectue à un moment donné la fourniture taxable ou non taxable d'un immeuble par vente, autre qu'une fourniture réputée effectuée en vertu de l'article 243, et qui, immédiatement avant le moment où la taxe devient payable à l'égard de la fourniture taxable ou à celui où la fourniture non taxable est effectuée, n'utilise pas l'immeuble principalement dans le cadre de ses activités commerciales, peut, malgré les articles 203 à 206 et la sous-section 5, demander un remboursement de la taxe sur les intrants pour la période de déclaration au cours de laquelle la taxe à l'égard de la fourniture taxable devient payable ou est réputée perçue, selon le cas, ou au cours de laquelle la fourniture non taxable est effectuée, égal au montant déterminé selon la formule suivante :

$$A \times B.$$

Pour l'application de cette formule :

1º la lettre A représente le moindre des montants suivants :

a) le montant qui correspond au total — appelé « total de la taxe exigée à l'égard de l'immeuble » dans le présent article — de la taxe payable par l'inscrit à l'égard de la dernière acquisition de l'immeuble par celui-ci et de la taxe payable par lui à l'égard d'une amélioration à l'immeuble acquise, ou apportée au Québec, par l'inscrit après que l'immeuble a été ainsi acquis la dernière fois;

b) le montant qui correspond à la taxe payable, ou qui le serait en faisant abstraction des articles 75.1 et 80 ou du fait qu'il s'agit de la fourniture non taxable de l'immeuble, à l'égard de la fourniture taxable ou non taxable de l'immeuble;

2º la lettre B représente :

a) dans le cas où l'inscrit avait le droit de demander un remboursement en vertu des articles 383 à 397 à l'égard de toute taxe comprise dans le total de la taxe exigée à l'égard de l'immeuble, la différence entre 100 % et le pourcentage prévu aux articles 386 ou 386.1 qui est applicable aux fins du calcul du montant de ce remboursement;

b) dans tous les autres cas, 100 %.

Selon les dispositions transitoires stipulées par L.Q. 1994, c. 22, art. 486(1), l'article 234 ainsi modifié était réputé entré en vigueur le 1er octobre 1992. Toutefois, pour son application du 1er juillet 1992 au 30 septembre 1992, L.Q. 1994, c. 22, art. 486(1) stipule que le préambule de l'article 234 doit se lire comme suit :

234. L'inscrit qui est soit un gouvernement qui effectue à un moment donné la fourniture taxable d'un immeuble par vente, autre qu'une fourniture qui est réputée effectuée en vertu de l'article 243, soit un organisme de services publics qui est réputé en vertu des articles 220 et 221 ou de l'article 273 avoir effectué à un moment donné une fourniture taxable d'un immeuble, et qui, immédiatement avant le moment où la taxe est payable à l'égard de la fourniture, utilise l'immeuble autrement que principalement dans le cadre de ses activités commerciales, peut demander un remboursement de la taxe sur les intrants pour la période de déclaration au cours de laquelle la taxe à l'égard de la fourniture devient payable, égal au moindre des montants suivants :

L'article 234, édicté par L.Q. 1991, c. 67 se lisait auparavant comme suit :

234. L'inscrit qui est soit un gouvernement qui effectue la fourniture taxable d'un immeuble par vente, autre qu'une fourniture qu'il est, en raison de l'application de l'article 270, réputé en vertu de l'article 243 avoir effectuée, soit un organisme de services publics qui est réputé en vertu des articles 220, 221 ou de l'article 273 avoir effectué une fourniture taxable d'un immeuble, et qui, immédiatement avant le moment où la taxe est payable à l'égard de la fourniture, utilise l'immeuble autrement que principalement dans le cadre de ses activités commerciales, peut demander un remboursement de la taxe sur les intrants pour la période de déclaration au cours de laquelle la taxe à l'égard de la fourniture devient payable, égal au moindre des montants suivants :

1º le montant qui correspond à l'excédent du total visé au sous-paragraphe a) sur le total visé au sous-paragraphe b) :

a) le total de la taxe qui est payable par l'inscrit, ou qui le serait en faisant abstraction des articles 75 et 80, à l'égard de l'acquisition de l'immeuble et de la taxe payable par lui à l'égard d'une amélioration à l'immeuble ou, s'il est réputé en vertu de l'article 243 en avoir effectué une fourniture à un moment antérieur, le total de la taxe que l'inscrit est réputé avoir perçue à ce moment antérieur en vertu de cet article et de la taxe payable par lui après ce moment antérieur à l'égard d'une amélioration à l'immeuble;

b) le total des remboursements à l'égard d'une taxe visée au sous-paragraphe a) que l'inscrit a demandés ou qu'il a le droit de demander en vertu de la section I du chapitre septième;

2º le montant qui correspond à la taxe percevable par l'inscrit à l'égard de la fourniture taxable de l'immeuble qu'il effectue.

Notes explicatives ARQ (PL 5, L.Q. 2012, c. 28): *Résumé* :

L'article 234 est modifié de façon à tenir compte de l'addition du nouvel article 259.1 de la LTVQ, lequel est une disposition de nature transitoire découlant de l'exonération des services financiers à compter du 1er janvier 2013.

Situation actuelle :

L'article 234 de la LTVQ, qui est au même effet que l'article 233 en ce qu'il évite la double imposition, prévoit qu'un remboursement de la taxe sur les intrants (RTI) peut être demandé par un inscrit qui est un organisme de services publics, autre qu'une institution financière, lorsque cet inscrit effectue la fourniture taxable d'un immeuble par vente. Ce RTI est relatif à la taxe que l'organisme a payée antérieurement et à l'égard de laquelle il n'a pas eu le droit de demander un remboursement total ou partiel.

Le montant du RTI auquel l'organisme a droit correspond au moindre de la teneur en taxe de l'immeuble au moment de sa fourniture taxable par l'inscrit ou de la taxe payable, ou qui serait payable en faisant abstraction des articles 75.1 et 80 de la LTVQ, à l'égard de cette fourniture. Lorsque la vente de l'immeuble s'effectue en faveur d'une personne avec laquelle l'organisme de services publics a un lien de dépendance, le remboursement accordé par l'article 234 de la LTVQ est restreint dans la mesure prévue à l'article 234.0.1 de la LTVQ.

LTVQ (français)

Une fourniture réputée effectuée en vertu de l'article 243 ou 259, soit les fournitures réputées par suite de l'application des règles sur le changement d'usage d'un meuble ou d'un immeuble, est exclue de l'application de l'article 234 de la LTVQ. Rappelons que, en vertu de l'article 267 de la LTVQ, tel que modifié par le présent projet de loi, les règles relatives aux biens meubles en immobilisation s'appliquent, pour un organisme de services publics autre qu'une institution financière, à ses immeubles en immobilisation, sauf si l'organisme en fait un choix à l'effet contraire en vertu de l'article 272 de cette loi. Pour ce faire, l'article 267 de la LTVQ rend applicables les articles 240 à 244 de la LTVQ.

Modifications proposées :

L'article 234 est modifié de façon à exclure de son application une fourniture réputée effectuée en vertu du nouvel article 259.1 de la LTVQ, introduit par le présent projet de loi.

Notes explicatives ARQ (PL 2, L.Q. 2007, c. 12): *Résumé :*

L'article 234 est modifié de façon à tenir compte de l'addition du nouvel article 234.0.1 de la LTVQ qui s'applique dans le cas où la fourniture taxable d'un immeuble par vente, en vertu de laquelle un remboursement de la taxe sur les intrants (RTI) est demandé, est effectuée par un organisme du secteur public à une personne avec laquelle l'organisme a un lien de dépendance. Dans ce cas, le remboursement accordé par l'article 234 de la LTVQ est restreint dans la mesure prévue au nouvel article 234.0.1 de la LTVQ.

Situation actuelle :

L'article 234, qui est au même effet que l'article 233 de la LTVQ en ce qu'il évite la double imposition, prévoit qu'un RTI peut être demandé par un inscrit qui est un organisme de services publics, autre qu'une institution financière, lorsque cet inscrit effectue la fourniture taxable d'un immeuble par vente. Ce RTI est relatif à la taxe que l'organisme a payée antérieurement et à l'égard de laquelle il n'a pas eu le droit de demander un remboursement total ou partiel.

Le montant du RTI auquel l'organisme a droit correspond au moindre de la teneur en taxe de l'immeuble au moment de sa fourniture taxable par l'inscrit ou de la taxe payable, ou qui serait payable en faisant abstraction des articles 75.1 et 80 de la LTVQ, à l'égard de cette fourniture.

Modifications proposées :

L'article 234 est modifié de façon à ce qu'il tienne compte de l'addition du nouvel article 234.0.1 de la LTVQ qui s'applique si la vente d'un immeuble, en vertu de laquelle un RTI est demandé, est effectuée par un organisme du secteur public à une personne avec laquelle l'organisme a un lien de dépendance. Dans ce cas, le remboursement accordé par l'article 234 de la LTVQ est restreint dans la mesure prévue au nouvel article 234.0.1 de la LTVQ.

Définitions [art. 234]: « activité commerciale », « amélioration », « fourniture taxable », « inscrit », « montant », « organisme de services publics », « période de déclaration », « taxe », « teneur en taxe », « vente » — 1.

Renvois [art. 234]: 234.1 (rachat d'un immeuble); 298 (fourniture à l'assureur sur règlement de sinistre); 320 (saisie et reprise de possession).

Bulletins d'information: 2006-2 — Harmonisation à certaines mesures du Budget fédéral du 2 mai 2006 et autres mesures fiscales.

Lettres d'interprétation [art. 234]: 99-0103111 — Interprétation relative à la TPS — Interprétation relative à la TVQ — Fusion d'organismes de services publics.

Concordance fédérale: LTA, par. 193(2).

COMMENTAIRES: Voir les commentaires sous l'article 234.1.

234.0.1 Restriction — Dans le cas où la fourniture taxable visée à l'article 233 ou à l'article 234 est effectuée à un moment donné par un organisme du secteur public à une personne avec laquelle il a un lien de dépendance, la valeur de la lettre A de la formule prévue à l'article 233 et le remboursement de la taxe sur les intrants déterminé en vertu de l'article 234 ne doivent pas excéder le moindre des montants suivants :

1° la teneur en taxe de l'immeuble à ce moment;

2° le montant déterminé selon la formule suivante :

$$(A / B) \times C.$$

Application — Pour l'application de cette formule :

1° la lettre A représente la teneur en taxe de l'immeuble à ce moment;

2° la lettre B représente le montant qui correspondrait à la teneur en taxe de l'immeuble à ce moment si ce montant était déterminé sans tenir compte du total des montants que représente la lettre B visée au paragraphe 2° de la définition de l'expression « teneur en taxe » prévue à l'article 1;

3° la lettre C représente le montant qui correspond à la taxe payable, ou qui le serait en faisant abstraction des articles 75.1 et 80, à l'égard de la fourniture taxable.

Notes historiques: L'article 234.0.1 a été ajouté par L.Q. 2007, c. 12, par. 322(1) et s'applique à une fourniture à l'égard de laquelle la taxe devient payable ou serait devenue payable, en faisant abstraction des articles 75.1 et 80, après le 30 juin 2006.

Notes explicatives ARQ (PL 2, L.Q. 2007, c. 12): *Résumé :*

Le nouvel article 234.0.1 introduit une restriction à l'égard du remboursement de la taxe sur les intrants (RTI) qui peut être accordé en vertu des articles 233 et 234 de la LTVQ dans les cas où la fourniture taxable d'un immeuble par vente est effectuée par un organisme de services publics à une autre personne avec laquelle l'organisme a un lien de dépendance. Selon cet article, le montant déterminé en vertu de la lettre A de la formule prévue à l'article 233 de la LTVQ et le montant du RTI prévu à l'article 234 de la LTVQ ne peuvent excéder le moindre de la teneur en taxe de l'immeuble au moment donné et du montant déterminé selon la formule prévue à cet article.

Situation actuelle :

Les articles 233 et 234, dans le but d'éviter une double imposition, prévoient actuellement qu'un RTI peut être accordé à un organisme de services publics qui effectue la fourniture taxable d'un immeuble par vente. Cependant, aucune restriction n'est prévue dans les cas où la fourniture taxable d'un immeuble par vente est effectuée par un organisme de services publics à une autre personne avec laquelle l'organisme a un lien de dépendance.

Modifications proposées :

Le nouvel article 234.0.1 introduit une restriction à l'égard du RTI qui peut être accordé en vertu des articles 233 et 234 de la LTVQ dans les cas où la fourniture taxable d'un immeuble par vente est effectuée par un organisme de services publics à une autre personne avec laquelle l'organisme a un lien de dépendance. Selon cet article, le montant déterminé en vertu de la lettre A de la formule prévue à l'article 233 de la LTVQ et le montant du RTI prévu à l'article 234 de la LTVQ ne peuvent excéder le moindre de la teneur en taxe de l'immeuble au moment donné et du montant déterminé selon la formule prévue à cet article.

Concordance fédérale: LTA, par. 193(2.1).

COMMENTAIRES: Voir les commentaires sous l'article 234.1.

234.1 Saisie et reprise de possession — rachat d'un immeuble par un débiteur inscrit — Dans le cas où un créancier exerce, soit en vertu d'une loi du Québec, d'une autre province, des Territoires du Nord-Ouest, du territoire du Yukon, du territoire du Nunavut ou du Canada, soit en vertu d'une convention concernant un titre de créance, un droit de faire effectuer la fourniture d'un immeuble pour le paiement de la totalité ou d'une partie d'une dette ou d'une autre obligation due par une personne — appelée « débiteur » dans le présent article — et que la loi ou la convention confère au débiteur le droit de racheter l'immeuble, les règles suivantes s'appliquent :

1° le débiteur a le droit de demander un remboursement de la taxe sur les intrants en vertu des articles 233 et 234 à l'égard de l'immeuble seulement si, à l'expiration du délai pour racheter l'immeuble, le débiteur n'a pas exercé son droit de rachat;

2° dans le cas où le débiteur a le droit de demander un remboursement de la taxe sur les intrants, le remboursement est applicable à la période de déclaration au cours de laquelle le délai prévu pour racheter l'immeuble prend fin.

Notes historiques: L'article 234.1 a été modifié par L.Q. 2003, c. 2, par. 328(1) par l'insertion, après le mot « Yukon », de « , du territoire du Nunavut ». Cette modification a effet depuis le 1er avril 1999.

L'article 234.1 a été ajouté par L.Q. 1997, c. 85, art. 555 et a effet depuis le 24 avril 1996.

Définitions [art. 234.1]: « fourniture », « immeuble » — 1.

Renvois [art. 234.1]: 199 (RTI); 320 (saisie ou reprise de possession).

Concordance fédérale: LTA, par. 193(3).

COMMENTAIRES: Conformément à l'article 272, la société peut faire un choix relativement aux immeubles qui sont ses « immobilisations » au sens où l'entend l'article 1 pour que les articles 233 et 256, mais non l'article 267, s'appliquent aux immeubles tout au long de la période au cours de laquelle le choix est en vigueur. La société peut aussi faire le choix prévu à l'article 272 relativement à un immeuble qu'elle acquiert par bail, licence ou accord semblable en vue de le fournir par le même moyen ou de fournir l'accord par cession. Dans ce cas toutefois, l'article 273 ne s'applique pas. Conformément à l'article 276, le choix doit être produit dans un délai d'un mois suivant la fin de la période de déclaration au cours de laquelle le choix est entré en vigueur. Lorsqu'un choix établi en vertu de l'article 272 est en vigueur, les fournitures de l'immeuble visé par le choix constituent des fournitures taxables. Voir notamment à cet effet : Revenu

Québec, Lettres d'interprétation, 98-0102933 — *Décision portant sur l'application de la TPS — Interprétation relative à la TVQ — Amarrage à un ponton et choix de l'article 211* (29 septembre 1998).

Compte tenu de la similarité de la rédaction des dispositions législatives et considérant l'engagement spécifique de Revenu Québec de veiller à ce que l'assiette de TVQ modifiée, de même que les paramètres administratifs, structurels et définitionnels, produisent des résultats qui sont similaires à ceux produits sous le régime de la TPS/TVH et soient administrés d'un manière qui produit des résultats similaires, tel que reflété par l'article 14 de l'*Entente intégrée globale de coordination fiscale*signée entre le gouvernement du Canada et le gouvernement du Québec, nous vous référons à nos commentaires en vertu de l'article 193 de la *Loi sur la taxe d'accise (TPS)* qui devraient s'appliquer *mutatis mutandis*, avec les adaptations nécessaires.

IV — Déclaration concernant l'utilisation d'un immeuble

235. Déclaration erronée — Dans le cas où un fournisseur effectue une fourniture taxable d'un immeuble par vente et qu'erronément il déclare ou certifie par écrit à l'acquéreur de la fourniture qu'elle est une fourniture exonérée visée à l'un des articles 94 à 97.3, 101 et 102, sauf dans le cas où l'acquéreur sait ou devrait savoir qu'il ne s'agit pas d'une fourniture exonérée :

1° d'une part, la taxe payable à l'égard de la fourniture est réputée égale au montant obtenu en multipliant la contrepartie de la fourniture par 9,975/109,975;

2° d'autre part, le fournisseur est réputé avoir perçu cette taxe et l'acquéreur l'avoir payée le premier en date des jours suivants :

a) celui où la propriété de l'immeuble est transférée à l'acquéreur;

b) celui où la possession de l'immeuble est transférée à l'acquéreur en vertu de la convention relative à la fourniture.

Notes historiques: Le préambule de l'article 235 a été modifié par L.Q. 1994, c. 22, art. 487(1) et est réputé entré en vigueur le 1er juillet 1992. Il se lisait comme suit :

> 235. Dans le cas où un fournisseur effectue une fourniture taxable d'un immeuble par vente et qu'erronément il déclare ou certifie par écrit à l'acquéreur de la fourniture qu'elle est exonérée en vertu de l'un des articles 94 à 97, 101 et 102, sauf dans le cas où l'acquéreur sait ou devrait savoir qu'il ne s'agit pas d'une fourniture ainsi exonérée :

Le paragraphe 1° de l'article 235 a été remplacé par L.Q. 2012, c. 28, par. 70(1) par le remplacement de « 9,5/109,5 » par « 9,975/109,975 ». Cette modification s'applique à l'égard de la fourniture d'un immeuble par vente effectuée en vertu d'une convention écrite conclue après le 31 décembre 2012.

Le paragraphe 1° de l'article 235 a été modifié par L.Q. 2011, c. 6, par. 251(1) par le remplacement de « 7,5 / 107,5 » par « 9,5 / 109,5 ». Cette modification s'applique à l'égard de la fourniture d'un immeuble dont la propriété et la possession sont transférées à l'acquéreur après le 31 décembre 2011. De plus, lorsque l'article 235 s'applique après le 31 décembre 2010 et avant le 1er janvier 2012, il doit se lire en y remplaçant, dans le paragraphe 1°, « 7,5 / 107,5 » par « 8,5 / 108,5 ».

Le paragraphe 1° de l'article 235 a été remplacé par L.Q. 1997, c. 85, art. 556(1). Cette modification a effet à l'égard de la fourniture d'un immeuble dont la propriété et la possession sont transférées à l'acquéreur après le 31 mars 1997. Toutefois, pour la période débutant le 1er avril 1997 et se terminant le 31 décembre 1997, on doit remplacer « 7,5/107,5 » par « 6,5/106,5 ».

Antérieurement, ce paragraphe se lisait ainsi :

> 1° d'une part, la taxe payable à l'égard de la fourniture est réputée égale à la fraction de taxe de la contrepartie de la fourniture;

L'article 235 a été édicté par L.Q. 1991, c. 67.

Notes explicatives ARQ (PL 5, L.Q. 2012, c. 28): *Résumé* :

L'article 235 est modifié afin de remplacer la fraction « 9,5/109,5 » par « 9,975/109,975 », et ce, en vue de tenir compte du fait qu'à compter du 1er janvier 2013 la taxe sur les produits et services (TPS) est retirée de l'assiette de la taxe de vente du Québec (TVQ).

Situation actuelle :

Actuellement, l'article 235 prévoit que lorsqu'un fournisseur déclare que la fourniture d'un immeuble est une fourniture exonérée et que tel n'est pas le cas, le fournisseur est responsable de payer un montant de taxe égal à 9,5/109,5 de la contrepartie de la fourniture, sauf si l'acheteur savait qu'il s'agissait d'une fourniture taxable.

Modifications proposées :

En vue de tenir compte du fait que la TPS est retirée de l'assiette de la TVQ à compter du 1er janvier 2013, il y a lieu de modifier l'article 235 de la LTVQ.

Cette modification a pour objet de remplacer la fraction « 9,5/109,5 » par « 9,975/109,975 ».

Notes explicatives ARQ (PL 5, L.Q. 2011, c. 6): *Résumé* :

L'article 235 est modifié de façon à ce qu'il soit tenu compte de la hausse du taux de la taxe de vente du Québec (TVQ).

Situation actuelle :

Actuellement, l'article 235 prévoit que lorsqu'un fournisseur déclare que la fourniture d'un immeuble est une fourniture exonérée et que tel n'est pas le cas, le fournisseur est responsable de la remise de la taxe calculée conformément au présent article, sauf si l'acheteur savait qu'il s'agissait d'une fourniture taxable.

Modifications proposées :

L'article 235 est modifié afin de tenir compte du nouveau taux de la TVQ.

Définitions [art. 235]: « acquéreur », « contrepartie », « fournisseur », « fourniture », « fourniture exonérée », « fourniture taxable », « fraction de taxe », « taxe », « vente » — 1.

Concordance fédérale: LTA, art. 194.

COMMENTAIRES: En date des présentes, nous n'avons répertorié aucune décision administrative de Revenu Québec ou de décisions jurisprudentielles interprétant cet article.

Compte tenu de la similarité de la rédaction des dispositions législatives et considérant l'engagement spécifique de Revenu Québec de veiller à ce que l'assiette de TVQ modifiée, de même que les paramètres administratifs, structurels et définitionnels, produisent des résultats qui sont similaires à ceux produits sous le régime de la TPS/TVH et soient administrés d'un manière qui produit des résultats similaires, tel que reflété par l'article 14 de l'*Entente intégrée globale de coordination fiscale* signée entre le gouvernement du Canada et le gouvernement du Québec, nous vous référons à nos commentaires en vertu de l'article 194 de la *Loi sur la taxe d'accise (TPS)* qui devraient s'appliquer *mutatis mutandis*, avec les adaptations nécessaires.

236. [*Abrogé*]

Notes historiques: L'article 236 a été abrogé par L.Q. 1995, c. 63, art. 364 et cette abrogation a effet depuis le 1er août 1995 à l'égard de la fourniture par vente d'un immeuble si, à la fois :

1° la convention écrite relative à son acquisition est conclue après le 31 juillet 1995;

2° le transfert de propriété et de possession a lieu après le 31 juillet 1995 aux termes de la convention.

Auparavant, il se lisait comme suit :

> 236. L'acquéreur de la fourniture non taxable d'un immeuble doit remettre au fournisseur, lors de la fourniture, une déclaration, à l'effet qu'il s'agit d'une fourniture non taxable, au moyen du formulaire prescrit contenant les renseignements prescrits.
>
> Le fournisseur doit produire au ministre, de la manière prescrite par ce dernier, le formulaire dans les 30 jours qui suivent la fourniture.

L'article 236 a été édicté par L.Q. 1991, c. 67.

§ 5. — Immobilisation

I — Interprétation

237. Biens prescrits — Dans le cas où une personne acquiert, ou apporte au Québec, des biens prescrits pour les utiliser comme immobilisation, ces biens sont réputés être des biens meubles.

Notes historiques: L'article 237 a été modifié par L.Q. 1994, c. 22, art. 488(1) et est réputé entré en vigueur le 1er juillet 1992. L'article 237, édicté par L.Q. 1991, c. 67, se lisait comme suit :

> 237. Pour l'application de la sous-section 5, les biens prescrits sont réputés être des biens meubles.

Définitions [art. 237]: « bien », « immobilisation », « personne » — 1.

Renvois [art. 237]: 677:28° (règlements).

Concordance fédérale: LTA, art. 195.

COMMENTAIRES: Voir les commentaires sous l'article 239.

237.1 Immeuble d'habitation réputé ne pas être une immobilisation — Sauf pour l'application des articles 294 à 297 et 462 à 462.1.1, un immeuble d'habitation est réputé ne pas être une immobilisation du constructeur de celui-ci à un moment donné sauf si, à la fois :

1° au moment donné ou avant ce moment, la construction ou la rénovation majeure de l'immeuble d'habitation est presque achevée;

2° entre le moment où la construction ou la rénovation majeure de l'immeuble d'habitation est presque achevée et le moment donné, le constructeur a reçu une fourniture exonérée de l'immeuble d'habita-

LTVQ (français)

tion ou est réputé avoir reçu une fourniture taxable de celui-ci en vertu des articles 223 à 225.

Notes historiques: Le préambule de l'article 237.1 a été modifié par L.Q. 1995, c. 63, art. 365(1) et cette modification a effet depuis le 1er août 1995. Auparavant, il se lisait comme suit :

237.1 Sauf pour l'application des articles 294 à 297 et 462 à 462.2, un immeuble d'habitation est réputé ne pas être une immobilisation du constructeur de celui-ci à un moment donné sauf si, à la fois :

L'article 237.1 a été ajouté par L.Q. 1994, c. 22, art. 489(1) et est réputé entré en vigueur le 1er juillet 1992.

Guides: IN-261 — La TVQ, la TPS et les immeubles d'habitation (construction ou rénovation).

Définitions [art. 237.1]: « constructeur », « fourniture exonérée », « fourniture taxable », « immeuble d'habitation », « immobilisation », « rénovation majeure » — 1.

Renvois [art. 237.1]: 256–260 (immobilisations — immeubles).

Concordance fédérale: LTA, par. 195.1(1).

COMMENTAIRES: Voir les commentaires sous l'article 239.

237.2 Adjonction réputée ne pas être une immobilisation — Sauf pour l'application des articles 294 à 297 et 462 à 62.1.1, une adjonction à un immeuble d'habitation à logements multiples est réputée ne pas être une immobilisation du constructeur de celle-ci à un moment donné sauf si, à la fois :

1º au moment donné ou avant ce moment, la construction de l'adjonction est presque achevée;

2º entre le moment où la construction de l'adjonction est presque achevée et le moment donné, le constructeur a reçu une fourniture exonérée de l'immeuble d'habitation ou est réputé avoir reçu une fourniture taxable de l'adjonction en vertu de l'article 226.

Notes historiques: Le préambule de l'article 237.2 a été modifié par L.Q. 1995, c. 63, art. 366(1) et cette modification a effet depuis le 1er août 1995. Auparavant, il se lisait comme suit :

237.2 Sauf pour l'application des articles 294 à 297 et 462 à 462.2, une adjonction à un immeuble d'habitation à logements multiples est réputée ne pas être une immobilisation du constructeur de celle-ci à un moment donné sauf si, à la fois :

L'article 237.2 a été ajouté par L.Q. 1994, c. 22, art. 489(1) et est réputé entré en vigueur le 1er juillet 1992.

Guides: IN-261 — La TVQ, la TPS et les immeubles d'habitation (construction ou rénovation).

Définitions [art. 237.2]: « constructeur », « fourniture exonérée », « fourniture taxable », « immeuble d'habitation à logements multiples », « immobilisation » — 1.

Renvois [art. 237.2]: 256–260 (immobilisations — immeubles).

Concordance fédérale: LTA, par. 195.1(2).

COMMENTAIRES: Voir les commentaires sous l'article 239.

237.3 Dernière acquisition ou apport — Sauf pour l'application des articles 17 et 81, l'apport au Québec d'un bien ne doit pas être considéré dans la détermination de la dernière acquisition ou du dernier apport du bien :

1º dans le cas où la taxe prévue à l'article 17 n'a pas été payée à l'égard du bien relativement à cet apport en raison du fait que le bien était visé au paragraphe 1°, 2° ou 10° de l'article 81 ou du fait qu'il était visé au paragraphe 9° de l'article 81 et classé sous le numéro prévu à l'alinéa a) du paragraphe 1 de l'article 195.2 de la *Loi sur la taxe d'accise* (L.R.C. 1985, c. E-15), ou serait ainsi classé en faisant abstraction du paragraphe a) de la note mentionnée à cet alinéa;

2º dans le cas où la taxe prévue à l'article 17 à l'égard du bien relativement à cet apport a été calculée sur une valeur déterminée en vertu des articles 17R1 à 17R7 et 17R9 à 17R11 du *Règlement sur la taxe de vente du Québec* (chapitre T-0.1, r. 2), à l'exception d'un article prescrit;

3º dans les circonstances prescrites.

Notes historiques: Le paragraphe 1º de l'article 237.3 a été remplacé par L.Q. 2012, c. 28, art. 71 et cette modification est entrée en vigueur le 7 décembre 2012. Antérieurement, il se lisait ainsi :

1º dans le cas où la taxe prévue à l'article 17 n'a pas été payée à l'égard du bien relativement à cet apport en raison du fait que le bien était visé au paragraphe 1°, 2° ou 10° de l'article 81 ou du fait qu'il était visé au paragraphe 9° de l'article 81 et classé sous le numéro 98.13 ou 98.14 à l'annexe I du *Tarif des douanes* (Lois révisées du Canada (1985), chapitre 41, 3e supplément), ou serait ainsi classé en faisant abstraction du paragraphe a) de la note 11 du chapitre 98 de cette annexe;

L'article 237.3 a été ajouté par L.Q. 1994, c. 22, art. 489(1) et est réputé entré en vigueur le 1er octobre 1992.

Notes explicatives ARQ (PL 5, L.Q. 2012, c. 28): *Résumé* :

Les modifications apportées au paragraphe 1° de l'article 237.3 sont des modifications techniques qui consistent à remplacer la référence aux numéros 98.13 et 98.14 de l'annexe I du *Tarif des douanes* (Lois révisées du Canada (1985), chapitre 41, 3e supplément) ainsi que la référence au paragraphe a) de la note 11 du chapitre 98 de cette annexe par une référence à l'alinéa a du paragraphe 1 de l'article 195.2 de la *Loi sur la taxe d'accise* (Lois révisées du Canada (1985), chapitre E-15), (LTA).

Situation actuelle :

L'article 237.3 fait en sorte que le dernier apport d'un bien n'est pas considéré, par exemple dans les cas où les règles de changement d'utilisation des immobilisations s'appliquent, notamment si la taxe n'était pas payable sur la pleine valeur de l'immobilisation.

Modifications proposées :

Les modifications apportées au paragraphe 1° de l'article 237.3 sont des modifications techniques qui consistent à remplacer la référence aux numéros 98.13 et 98.14 de l'annexe I du *Tarif des douanes* ainsi que la référence au paragraphe a) de la note 11 du chapitre 98 de cette annexe par une référence à l'alinéa a) du paragraphe 1 de l'article 195.2 de la LTA.

Définitions [art. 237.3]: « bien », « taxe », « teneur en taxe » — 1.

Renvois [art. 237.3]: 677:28.1° (règlements).

Concordance fédérale: LTA, par. 195.2(1).

COMMENTAIRES: Voir les commentaires sous l'article 239.

237.4 Entrée en vigueur réputée antérieure au 1er juillet 1992 — Le présent titre est réputé, pour déterminer la dernière acquisition, ou le dernier apport au Québec, d'un bien, avoir été en vigueur en tout temps avant le 1er juillet 1992.

Notes historiques: L'article 237.4 a été ajouté par L.Q. 1994, c. 22, art. 489(1) et est réputé entré en vigueur le 1er octobre 1992.

Définitions [art. 237.4]: « bien » — 1.

Concordance fédérale: LTA, par. 195.2(3).

COMMENTAIRES: Voir les commentaires sous l'article 239.

238. Utilisation prévue et réelle — Une personne qui acquiert, apporte au Québec, ou réserve un bien pour l'utiliser comme son immobilisation dans une mesure déterminée à une fin déterminée est réputée l'utiliser ainsi immédiatement après l'avoir acquis, apporté ou réservé.

Notes historiques: L'article 238 a été modifié par L.Q. 1994, c. 22, art. 490(1) et est réputé entré en vigueur le 1er juillet 1992. L'article 238, édicté par L.Q. 1991, c. 67, se lisait comme suit :

238. Pour l'application de la sous-section 5, un inscrit qui acquiert un bien pour l'utiliser dans une mesure déterminée à une fin déterminée est réputé l'utiliser ainsi immédiatement après l'avoir acquis.

Définitions [art. 238]: « bien », « immobilisation », « personne » — 1.

Concordance fédérale: LTA, par. 196(1).

COMMENTAIRES: Voir les commentaires sous l'article 239.

238.0.1 Utilisation d'une immobilisation — Une personne qui apporte au Québec un bien qui est une de ses immobilisations et qui utilisait ce bien dans une mesure déterminée à une fin déterminée immédiatement après la dernière acquisition, ou de la dernière importation au Canada, du bien ou d'une partie de celui-ci, est réputée apporter le bien au Québec pour l'utiliser ainsi.

Notes historiques: L'article 238.0.1 a été ajouté par L.Q. 1997, c. 85, art. 557(1) et a effet depuis le 1er avril 1997.

Définitions [art. 238.0.1]: « bien », « immobilisation », « inscrit », « personne » — 1.

Renvois [art. 238.0.1]: 237.1 (immeuble d'habitation réputée immobilisation); 237.3 (dernière acquisition ou dernier apport).

Concordance fédérale: LTA, par. 196(2).

COMMENTAIRES: Voir les commentaires sous l'article 239.

238.1 Utilisation comme immobilisation — Dans le cas où un inscrit, à un moment donné, réserve un de ses biens pour l'utiliser comme son immobilisation ou dans le cadre d'améliorations apportées à son immobilisation et qu'immédiatement avant ce moment le bien ne constituait pas son immobilisation ni une amélioration pouvant être apportée à son immobilisation, les règles suivantes s'appliquent :

1º l'inscrit est réputé :

a) avoir effectué, immédiatement avant ce moment, une fourniture du bien par vente;

b) avoir perçu, à ce moment, la taxe à l'égard de la fourniture calculée sur la juste valeur marchande du bien à ce moment si, avant ce moment, lors de la dernière acquisition, ou du dernier apport au Québec, du bien, l'inscrit l'a acquis ou l'a apporté pour consommation, utilisation ou fourniture dans le cadre de ses activités commerciales ou si le bien est consommé ou utilisé, avant ce moment, dans le cadre de celles-ci;

2º l'inscrit est réputé à ce moment avoir reçu une fourniture du bien par vente et avoir payé la taxe à l'égard de la fourniture égale, selon le cas :

a) dans le cas où la fourniture du bien ne constitue pas une fourniture exonérée et que, avant ce moment, lors de la dernière acquisition, ou du dernier apport au Québec, du bien, l'inscrit l'a acquis ou l'a apporté pour consommation, utilisation ou fourniture dans le cadre de ses activités commerciales ou que le bien est consommé ou utilisé, avant ce moment, dans le cadre de celles-ci, à la taxe calculée sur la juste valeur marchande du bien à ce moment;

b) dans tout autre cas, à la teneur en taxe du bien à ce moment.

Le premier alinéa ne s'applique pas à l'égard d'un bien détenu par un inscrit immédiatement avant le 1er janvier 2013 et auquel l'une des dispositions suivantes s'est appliquée :

1º le deuxième alinéa de l'article 243;

2º le deuxième alinéa de l'article 253;

3º le quatrième alinéa de l'article 255.1.

Notes historiques: Le sous-paragraphe b) du paragraphe 2º du premier alinéa de l'article 238.1 a été remplacé par L.Q. 1997, c. 85, s.-par. 558(1)(1º) et a effet depuis le 1er avril 1997. Antérieurement, le sous-paragraphe b) se lisait comme suit :

> b) dans tout autre cas, au montant déterminé selon la formule suivante :
>
> $A \times B$.

Le deuxième alinéa de l'article 238.1 a été ajouté par L.Q. 2012, c. 28, par. 72(1) et s'applique à compter du 1er janvier 2013.

Le deuxième alinéa de l'article 238.1 a été supprimé par L.Q. 1997, c. 85, s.-par. 558(1)(2º) et cette modification a effet depuis le 1er avril 1997. Antérieurement, il prévoyait ce qui suit :

> Pour l'application de cette formule :
>
> 1º la lettre A représente le moindre de la taxe payable par l'inscrit à l'égard de sa dernière acquisition, ou de son dernier apport au Québec, du bien et de la taxe calculée sur la juste valeur marchande du bien à ce moment;
>
> 2º la lettre B représente :
>
> a) dans le cas où l'inscrit a le droit de demander un remboursement en vertu des articles 383 à 397 à l'égard de la taxe qui était payable par lui relativement à la dernière acquisition, ou au dernier apport au Québec, du bien, la différence entre 100 % et le pourcentage prévu aux articles 386 ou 386.1 qui est applicable aux fins calcul du montant de ce remboursement;
>
> b) dans tout autre cas, 100 %.

L'article 238.1 a été ajouté par L.Q. 1994, c. 22, art. 491(1) et est réputé entré en vigueur le 1er juillet 1992.

Notes explicatives ARQ (PL 5, L.Q. 2012, c. 28): *Résumé* :

L'article 238.1 est modifié pour préciser que la règle qui y est édictée ne s'applique pas à l'égard d'un bien meuble dont une personne est réputée en avoir fait la fourniture, immédiatement avant le 1er janvier 2013, par suite de l'application des dispositions visant la transition entre la détaxation des services financiers et leur nouvelle exonération dans le régime de la taxe de vente du Québec (TVQ).

Situation actuelle :

L'article 238.1 prévoit une règle de changement d'utilisation à l'intention d'un inscrit qui réserve l'un de ses biens pour l'utiliser comme son immobilisation ou dans le cadre d'améliorations apportées à son immobilisation alors qu'auparavant ce bien ne constituait ni son immobilisation ni une amélioration pouvant être apportée à son immobilisation. Ainsi, cet article vise à récupérer le remboursement de la taxe sur les intrants dont l'inscrit a pu bénéficier, dans la mesure où ce remboursement de la taxe sur les intrants est supérieur à celui auquel il aurait eu droit compte tenu de la nouvelle utilisation du bien.

Modifications proposées :

L'article 238.1 est modifié de façon à préciser que la règle qui y est édictée ne s'applique pas à l'égard d'un bien meuble dont une personne est réputée en avoir fait la fourniture, immédiatement avant le 1er janvier 2013, par suite de l'application des dispositions visant la transition d'un régime de détaxation des services financiers vers un régime d'exonération de tels services.

Ainsi, la règle prévue au premier alinéa de l'article 238.1 ne s'applique pas à l'égard d'un bien meuble qu'un inscrit, autre qu'une institution financière, utilisait avant le 1er janvier 2013, principalement dans le cadre de ses activités commerciales et qui a commencé, le 1er janvier 2013, à utiliser le bien principalement à d'autres fins, et ce, en raison du fait que la fourniture de services financiers devient exonérée à compter de cette date (voir le deuxième alinéa de l'article 243 de la LTVQ, tel quemodifié par le présent projet de loi). Étant donné l'exonération, en règle générale, des services financiers dans le régime de la TVQ à compter du 1er janvier 2013, l'utilisation d'un bien comme immobilisation en vue d'effectuer la fourniture de services financiers sera considérée à une fin autre que dans le cadre d'activités commerciales.

La règle prévue au premier alinéa de l'article 238.1 ne s'applique pas à l'égard d'une voiture de tourisme ou d'un aéronef qu'un inscrit utilisait avant le 1er janvier 2013 exclusivement dans le cadre de ses activités commerciales et qui commence, à cette date, à utiliser le bien autrement qu'exclusivement dans le cadre de telles activités, et ce, en raison du fait que la fourniture de services financiers devient exonérée, en règle générale, à compter de cette date (voir le deuxième alinéa de l'article 253 de la LTVQ, tel que modifié par le présent projet de loi). De même, cette règle ne s'applique également pas à l'égard d'un bien meuble d'une institution financière dont le coût pour elle n'excède pas 50 000 $, lorsque celle-ci utilisait le bien, avant le 1er janvier 2013, principalement dans le cadre de ses activités commerciales et qu'elle commence, à cette date, à l'utiliser non principalement dans le cadre de telles activités, par suite de l'exonération des services financiers dans le régime de la TVQ.

Définitions [art. 238.1]: « activité commerciale », « amélioration », « bien », « fourniture », « fourniture exonérée », « immobilisation », « inscrit », « taxe », « vente » — 1.

Renvois [art. 238.1]: 15 (JVM); 22.28 (fourniture réputée effectuée au Québec); 237.3 (dernière acquisition ou apport).

Lettres d'interprétation [art. 238.1]: 99-0102733 — Interprétation relative à la TVQ — Détaxation des véhicules automobiles.

Concordance fédérale: LTA, art. 196.1.

COMMENTAIRES: Voir les commentaires sous l'article 239.

239. Changement d'utilisation négligeable — Pour l'application des articles 256, 257, 259, 262, 264 et 265, dans le cas où un inscrit, au cours d'une période commençant le dernier en date des jours suivants et se terminant après ce jour, change la mesure dans laquelle il utilise un bien dans le cadre de ses activités commerciales dans une proportion de moins de 10 % de l'utilisation totale du bien, l'inscrit est réputé avoir utilisé le bien tout au long de la période dans la même mesure et de la même façon qu'au début de celle-ci :

1º le jour où l'inscrit, lors de la dernière acquisition, ou du dernier apport au Québec, du bien, l'acquiert ou l'apporte pour l'utiliser comme son immobilisation;

2º le jour où l'article 257, 259, 262 ou 265 s'est appliqué la dernière fois à l'égard du bien.

Exception — Le premier alinéa ne s'applique pas si l'inscrit est un particulier qui au cours de la période commence à utiliser le bien principalement pour son utilisation personnelle et sa jouissance personnelle ou celle d'un autre particulier qui lui est lié.

Notes historiques: L'article 239 a été modifié par L.Q. 1994, c. 22, art. 492(1) et est réputé entré en vigueur le 1er juillet 1992. Il se lisait antérieurement comme suit :

> 239. Pour l'application de la sous-section 5, à l'exception des articles 243.1, 252, 253.1, dans le cas où l'utilisation d'un bien change de façon négligeable au cours d'une période commençant le dernier en date des jours suivants et se terminant après ce jour, l'utilisation du bien est réputée ne pas avoir changé au cours de cette période :
>
> 1º le jour où un inscrit acquiert le bien pour la dernière fois;
>
> 2º le jour où une disposition de la sous-section 5 applicable à l'égard d'un changement d'utilisation d'un bien s'est appliquée au bien pour la dernière fois à l'égard du bien.
>
> Pour l'application du présent article, le fait de changer l'utilisation d'un bien utilisé principalement à une fin pour l'utiliser principalement à une autre fin ne constitue pas un changement négligeable. Cependant, tout autre changement d'utilisa-

LTVQ (français)

tion d'un bien qui représente moins de 10 % de l'utilisation totale de celui-ci est négligeable.

Le préambule du premier alinéa de l'article 239 a été modifié par L.Q. 1993, c. 19, art. 193 pour ajouter les mots « à l'exception des articles 243.1, 252, 253.1, » après les mots « pour l'application de la sous-section 5, ». Cette modification s'applique à l'égard d'une fourniture ou d'un apport au Québec relativement auquel l'article 685 ou l'un des articles 618 à 656 de L.Q. 1991, c. 67 s'applique [*N.D.L.R.* : les articles 685 et 618 à 656 réfèrent à des dispositions transitoires concernant les transferts avant le 1er juillet 1992].

L'article 239 a été édicté par L.Q. 1991, c. 67.

Définitions [art. 239]: « activité commerciale », « immobilisation », « inscrit », « particulier » — 1.

Renvois [art. 239]: 3 (lien de dépendance); 237.3 (dernière acquisition ou apport).

Concordance fédérale: LTA, art. 197.

COMMENTAIRES: Revenu Québec a analysé la situation où un concessionnaire, ayant acquis un véhicule de son manufacturier afin de le revendre éventuellement à un client, décide, après quelque mois, de transférer ce véhicule dans sa flotte de véhicules de location à court terme. Dans cette situation, l'article 238.1 est applicable à l'égard du changement d'utilisation. En effet, à ce moment, l'inscrit sera réputé avoir effectué une fourniture du bien par vente. Il devra s'autocotiser sur la juste valeur du véhicule au moment du changement d'utilisation et il devra remettre la TVQ perçue. Toutefois, il pourra réclamer un remboursement de taxe sur les intrants à l'égard de cette fourniture. Voir notamment à cet égard : Revenu Québec, Lettre d'interprétation, 99-0102733 — *Interprétation relative à la TVQ -Détaxation des véhicules automobiles* (11 juin 1999).

Compte tenu de la similarité de la rédaction des dispositions législatives et considérant l'engagement spécifique de Revenu Québec de veiller à ce que l'assiette de TVQ modifiée, de même que les paramètres administratifs, structurels et définitionnels, produisent des résultats qui sont similaires à ceux produits sous le régime de la TPS/TVH et soient administrés d'un manière qui produit des résultats similaires, tel que reflété par l'article 14 de l'*Entente intégrée globale de coordination fiscale* signée entre le gouvernement du Canada et le gouvernement du Québec, nous vous référons à nos commentaires en vertu de l'article 195 à 197 de la *Loi sur la taxe d'accise (TPS)* qui devraient s'appliquer *mutatis mutandis*, avec les adaptations nécessaires.

239.0.1 Lorsqu'un inscrit, autre qu'une institution financière désignée ou une personne qui est une institution financière visée au sous-paragraphe a) du paragraphe 2° de la définition de l'expression « institution financière » prévue à l'article 1, utilise un bien comme immobilisation dans le cadre de la fourniture de services financiers liés à ses activités commerciales, l'inscrit est réputé :

1° soit, dans le cas où il est une institution financière visée au sous-paragraphe b) du paragraphe 2° de la définition de l'expression « institution financière » prévue à l'article 1, utiliser le bien dans le cadre de ses activités commerciales dans la mesure où il n'utilise pas le bien dans le cadre de ses activités qui sont liées soit à des cartes de crédit ou de paiement qu'il a émises, soit à l'octroi d'une avance ou d'un crédit ou à un prêt d'argent;

2° soit, dans les autres cas, utiliser le bien dans le cadre de ses activités commerciales.

Modification proposée — 239.0.1 par. 1°, 2°

1° soit, dans le cas où il est une institution financière visée au sous-paragraphe b) du paragraphe 2° de la définition de l'expression « institution financière » prévue à l'article 1, utiliser le bien dans le cadre de ces activités commerciales dans la mesure où il n'utilise pas le bien dans le cadre de ses activités qui sont liées soit à des cartes de crédit ou de paiement qu'il a émises, soit à l'octroi d'une avance ou d'un crédit ou à un prêt d'argent;

2° soit, dans les autres cas, utiliser le bien dans le cadre de ces activités commerciales.

Application: Les paragraphes 1° et 2° de l'article 239.0.1 seront remplacés par l'art. 218 du *Projet de loi 18* (présenté le 21 février 2013) et cette modification entrera en vigueur à la date de la sanction du *Projet de loi 18*.

Notes historiques: L'article 239.0.1 sera ajouté par L.Q. 2012, c. 28, par. 73(1) et s'applique à compter du 1er janvier 2013.

Notes explicatives ARQ (PL 5, L.Q. 2012, c. 28): *Résumé* :

Le nouvel article 239.0.1 prévoit que, dans la mesure où une personne, qui n'est pas une institution financière, utilise un bien comme immobilisation dans le cadre de la prestation de services financiers liés à ses activités commerciales, ce bien est considéré utilisé dans le cadre de ses activités commerciales.

Contexte :

À compter du 1er janvier 2013, la fourniture d'un service financier, en règle générale, cesse d'être détaxée et devient exonérée dans le régime de la taxe de vente du Québec. Il en découle que les institutions financières et les autres inscrits ne pourront plus obtenir de remboursements de la taxe sur les intrants (RTI) relativement à la taxe payable ou payée par elles sans être devenue payable à l'égard des fournitures acquises en vue de rendre des services financiers.

Modifications proposées :

Le nouvel article 239.0.1 prévoit que, dans la mesure où une personne, qui n'est pas une institution financière, utilise un bien comme immobilisation dans le cadre de la prestation de services financiers liés à ses activités commerciales, ce bien est considéré utilisé dans le cadre de ses activités commerciales.

La personne n'est ainsi pas tenue de faire la répartition des intrants et peut donc, sous réserve des restrictions prévues au chapitre V du titre I de la LTVQ, demander un remboursement de la taxe sur les intrants à l'égard de la taxe devenue payable ou payée sans être devenue payable à l'égard de ce bien.

Notons que le nouvel article 239.0.1 s'applique également à une personne qui est une institution financière au sens de l'alinéa c du paragraphe 1 de l'article 149 de la *Loi sur la taxe d'accise* (Lois révisées du Canada (1985), chapitre E-15) et, de ce fait, en vertu du sous-paragraphe b) du paragraphe 2° de la définition de l'expression « institution financière » prévue à l'article 1 de la LTVQ — soit une personne dont le revenu constitué d'intérêts, de droits ou d'autres frais relatifs à des cartes de crédit qu'elle a émises, et de prêts, d'avances ou de crédit qu'elle a consentis, excède 1 000 000 $ au cours de l'année précédente.

Toutefois, si une telle personne utilise un bien comme immobilisation dans le cadre d'activités relatives aux cartes de crédit que cette personne a émises ou à l'octroi d'avances, de prêts ou de crédit, la présomption prévue au nouvel article 239.0.1 de la LTVQ ne s'applique pas. Le bien demeure alors utilisé dans le cadre d'activités exonérées.

Concordance fédérale: LTA, art. 198.

239.1 [*Abrogé*]

Notes historiques: L'article 239.1 a été abrogé par L.Q. 1997, c. 85, art. 559 et cette abrogation a effet depuis le 1er avril 1997. Antérieurement, il se lisait ainsi :

> 239.1 Le troisième alinéa s'applique aux fins du calcul du montant de la taxe qui, en vertu de l'un des articles 243, 253, 258 ou 261, est réputée avoir été perçue ou payée à un moment donné par un inscrit si les présomptions prévues à l'un de ces articles, mentionnées au deuxième alinéa, lui sont applicables en raison :
>
> 1° de l'application du paragraphe 2° de l'article 209;
>
> 2° de l'application du paragraphe 2° de l'article 210.2 au moment où l'inscription de l'inscrit cesse de s'appliquer relativement à certaines de ses activités commerciales;
>
> 3° du fait qu'une division ou une succursale de l'inscrit devient une division de petit fournisseur au sens de l'article 337.2.
>
> Les présomptions visées au premier alinéa sont les suivantes :
>
> 1° l'inscrit est réputé avoir effectué la fourniture d'un bien lui ayant été initialement fourni, ou qu'il a apporté au Québec, avant le 1er juillet 1992 ou d'un bien meuble corporel lui ayant été initialement fourni au Québec avant le 1er janvier 1994 à titre de bien meuble corporel d'occasion dans des circonstances où aucune taxe n'était payable à l'égard de la fourniture;
>
> 2° l'inscrit est réputé avoir perçu la taxe, à ce moment, à l'égard de la fourniture.
>
> Le montant de la taxe calculée sur la juste valeur marchande du bien au moment donné est réputé ne pas dépasser le total de la taxe qui est payable par l'inscrit, ou le serait en faisant abstraction des articles 75.1 ou 80, à l'égard de la dernière acquisition, ou du dernier apport au Québec, du bien par l'inscrit et de la taxe qui est payable par l'inscrit à l'égard d'améliorations apportées au bien qui ont été acquises, ou apportées au Québec, par l'inscrit après cette dernière acquisition ou ce dernier apport du bien.

L'article 239.1 a été ajouté par L.Q. 1994, c. 22, art. 493(1) et est réputé entré en vigueur le 1er juillet 1992. Toutefois, pour la période du 1er juillet 1992 au 30 septembre 1992, la référence à l'article 75.1 doit être lue comme une référence à l'article 75.

239.2 [*Abrogé*]

Notes historiques: L'article 239.2 a été abrogé par L.Q. 1997, c. 85, art. 559 et cette abrogation a effet depuis le 1er avril 1997. Antérieurement, il se lisait ainsi :

> 239.2 Pour l'application des articles 239.1, 257 à 259, 261, 262, 265 et 273, un inscrit qui acquiert la fourniture taxable d'un bien meuble ou d'un service effectuée hors du Québec est réputé avoir payé, au moment visé au paragraphe 1°, la taxe à l'égard de la fourniture égale à 6,5 % de la valeur de la contrepartie de la fourniture telle que déterminée conformément à l'article 18 et avoir demandé, dans la déclaration qu'il est tenu de produire en vertu du chapitre VIII pour sa période de déclaration qui comprend ce moment, un remboursement de la taxe sur les intrants à l'égard du bien ou du service égal à cette taxe si, à la fois :
>
> 1° la taxe à l'égard de la fourniture serait devenue payable par l'inscrit à un moment quelconque en vertu de l'article 18 si l'inscrit n'avait pas acquis le bien ou

le service pour consommation, utilisation ou fourniture exclusive dans le cadre de ses activités commerciales;

2º l'inscrit, dans le cas d'une fourniture d'un bien meuble, a acquis le bien pour l'utiliser comme immobilisation ou, dans tous les cas, a acquis le bien ou le service pour consommation ou utilisation dans le but d'améliorer une de ses immobilisations qu'il utilisait exclusivement dans le cadre de ses activités commerciales à ce moment.

Le préambule du premier alinéa de l'article 239.2 a été modifié par L.Q. 1995, c. 1, art. 283(1) et le deuxième alinéa de l'article 239.2 a été supprimé par L.Q. 1995, c. 1, art. 283(1). Ces modifications ont effet depuis le 13 mai 1994, sauf à l'égard des fournitures visées aux paragraphes suivants :

1º sous réserve des paragraphes 2º et 3º qui suivent, la fourniture dont la contrepartie devient due après le 12 mai 1994 et n'est pas payée avant le 13 mai 1994.

2º une fourniture effectuée en vertu d'une convention écrite conclue après le 12 mai 1994, qui porte sur la construction, la rénovation, la transformation ou la réparation d'un bateau ou d'un autre bâtiment de mer.

3º la fourniture d'un bien ou d'un service délivré, exécuté ou rendu disponible de façon continue au moyen d'un fil, d'un pipeline ou d'une autre canalisation après le 12 mai 1994.

4º Pour l'application du paragraphe 3º qui précède, dans le cas où la fourniture d'un bien ou d'un service délivré, exécuté ou rendu disponible de façon continue au moyen d'un fil, d'un pipeline ou d'une autre canalisation est effectuée au cours d'une période pour laquelle le fournisseur émet une facture à l'égard de la fourniture et qu'en raison de la méthode d'enregistrement de la délivrance du bien ou de la prestation du service le moment où la totalité ou une partie du bien ou du service est délivrée ou rendue ne peut être raisonnablement déterminé, la totalité du bien ou du service est réputée délivrée ou rendue en quantités égales chaque jour de la période.

Le préambule du premier alinéa de l'article 239.2 se lisait auparavant comme suit :

239.2 Pour l'application des articles 239.1, 257 à 259, 261, 262, 265 et 273, un inscrit qui acquiert la fourniture taxable d'un bien meuble ou d'un service effectuée hors du Québec est réputé avoir payé, au moment visé au paragraphe 1º, la taxe à l'égard de la fourniture calculée au taux prévu au deuxième alinéa sur la valeur de la contrepartie de la fourniture telle que déterminée pour l'application de l'article 18 et avoir demandé, dans la déclaration qu'il est tenu de produire en vertu du chapitre VIII pour sa période de déclaration qui comprend ce moment, le remboursement de la taxe sur les intrants à l'égard du bien ou du service égal à cette taxe si, à la fois :

Le deuxième alinéa de l'article 239.2 se lisait comme suit :

Le taux de la taxe auquel réfère le premier alinéa est celui qui serait applicable à l'égard de la fourniture en vertu de l'article 16 si celle-ci était effectuée au Québec.

L'article 239.2 a été ajouté par L.Q. 1994, c. 22, art. 493(1) et est réputé entré en vigueur le 1er juillet 1992. Toutefois, il ne s'applique qu'à l'égard d'une fourniture qui, après le 31 décembre 1992, est réputée avoir été effectuée en vertu des articles 257 à 259, 261, 262, 265 et 273.

II — Bien meuble

1. — Généralités

240. Acquisition ou apport — Dans le cas où un inscrit acquiert, ou apporte au Québec, un bien meuble pour l'utiliser comme immobilisation dans le cadre de ses activités commerciales, les règles suivantes s'appliquent :

1º la taxe payable par l'inscrit à l'égard de l'acquisition, ou de l'apport au Québec, du bien ne doit pas être incluse dans le calcul du remboursement de la taxe sur les intrants de celui-ci pour une période de déclaration, à moins que le bien soit acquis ou apporté pour être utilisé principalement dans le cadre de ses activités commerciales;

2º l'inscrit est réputé avoir acquis ou apporté le bien pour l'utiliser exclusivement dans le cadre de ses activités commerciales, s'il l'a acquis ou apporté pour l'utiliser principalement dans ce cadre.

Notes historiques: Le paragraphe 1º de l'article 240 a été remplacé par L.Q. 1997, c. 85, art. 560(1) et a effet depuis le 1er avril 1997. Antérieurement, ce paragraphe se lisait ainsi :

1º la taxe payable par l'inscrit à l'égard de la fourniture, ou de l'apport au Québec, du bien ne doit pas être incluse dans le calcul du remboursement de la taxe sur les intrants de celui-ci pour une période de déclaration, à moins que le bien soit acquis ou apporté pour être utilisé principalement dans le cadre de ses activités commerciales;

L'article 240 a été édicté par L.Q. 1991, c. 67.

Définitions [art. 240]: « activité commerciale », « bien », « fourniture », « immobilisation », « inscrit », « période de déclaration », « taxe » — 1.

Renvois [art. 240]: 245 (utilisation d'un instrument de musique); 246 (champ d'application); 249 (vente d'une voiture de tourisme); 267 (acquisition d'une immobilisation par un organisme de services publics).

Bulletins d'interprétation [art. 240]: TVQ. 240-1 — Remboursement de la taxe sur les intrants à l'égard d'un ordinateur.

Lettres d'interprétation [art. 240]: 98-0109656 — Décision portant sur l'application de la TPS — Interprétation relative à la TVQ — Fourniture unique et fournitures multiples — Droit d'entrée dans un musée accompagné d'un tour de ville; 99-0102311 — Interprétation relative à la TVQ — Demande d'un RTI à l'égard d'un ordinateur; 99-0108946 — Interprétation relative à la TPS et à la TVQ; 00-0104281 — Commissions versées par une compagnie américaine; 02-0107777 — Interprétation relative à la TPS et à la TVQ — Règles générales, résidences pour personnes âgées.

Concordance fédérale: LTA, par. 199(2).

COMMENTAIRES: Voir les commentaires sous l'article 246.

241. Amélioration — Dans le cas où un inscrit acquiert, ou apporte au Québec, une amélioration à un bien meuble qui est son immobilisation, la taxe payable par l'inscrit à l'égard de l'acquisition ou de l'apport de l'amélioration ne doit pas être incluse dans le calcul du remboursement de la taxe sur les intrants de celui-ci, à moins qu'au moment où la taxe devient payable ou est payée sans être devenue payable, l'immobilisation soit utilisée principalement dans le cadre des activités commerciales de l'inscrit.

Notes historiques: Le premier alinéa de l'article 241 a été modifié par L.Q. 1994, c. 22, art. 494(1) et est réputé entré en vigueur le 1er juillet 1992. Il se lisait comme suit :

241. Dans le cas où un inscrit acquiert, ou apporte au Québec, une amélioration à un bien meuble qui est son immobilisation, les règles suivantes s'appliquent :

1º la taxe payable par l'inscrit à l'égard de l'amélioration ne doit pas être incluse dans le calcul du remboursement de la taxe sur les intrants de celui-ci pour une période de déclaration, à moins que le bien, immédiatement après qu'il soit amélioré, soit utilisé principalement dans le cadre de ses activités commerciales;

2º l'inscrit est réputé avoir acquis ou apporté l'amélioration pour l'utiliser exclusivement dans le cadre de ses activités commerciales, si le bien, immédiatement après qu'il soit amélioré, est utilisé principalement dans ce cadre.

Le deuxième alinéa de l'article 241 a été supprimé L.Q. 1995, c. 63, art. 367(1) et cette modification a effet depuis le 1er août 1995 sauf à l'égard d'une amélioration à un véhicule routier relativement auquel l'article 243.1 s'est appliqué.

[*N.D.L.R.* : le paragraphe d'application prévu par L.Q. 1995, c. 63, art. 367 a été modifié par L.Q. 1997, c. 85, art. 734(1) et a effet depuis le 15 décembre 1995. Antérieurement, il se lisait ainsi :

Cette modification a effet :

1º depuis le 1er août 1995 dans le cas où l'inscrit est une petite ou moyenne entreprise;

2º à compter du 30 novembre 1996 dans le cas où l'inscrit est une grande entreprise.]

Le deuxième alinéa de l'article 241 a été ajouté par L.Q. 1993, c. 19, art. 194 et s'appliquait à l'égard d'une fourniture ou d'un apport au Québec relativement auquel l'article 685 ou l'un des articles 618 à 656 de L.Q. 1991, c. 67 s'applique [*N.D.L.R.* : les articles 685 et 618 à 656 réfèrent à des dispositions transitoires concernant les transferts avant le 1er juillet 1992]. Il se lisait comme suit :

Le présent article ne s'applique pas à l'égard d'une amélioration à un véhicule routier, si l'article 243.1 s'est appliqué relativement au véhicule.

L'article 241 a été édicté par L.Q. 1991, c. 67.

Définitions [art. 241]: « activité commerciale », « amélioration », « bien », « immobilisation », « inscrit », « taxe » — 1.

Renvois [art. 241]: 246 (champ d'application); 249 (vente d'une voiture de tourisme); 267 (acquisition d'une immobilisation par un organisme de services publics).

Lettres d'interprétation [art. 241]: 98-0109656 — Décision portant sur l'application de la TPS — Interprétation relative à la TVQ — Fourniture unique et fournitures multiples — Droit d'entrée dans un musée accompagné d'un tour de ville; 04-0106502 — Interprétation relative à la TPS et la TVQ — droit pour un OSBL de demander des CTI/RTI relativement à des améliorations locatives.

Concordance fédérale: LTA, par. 199(4).

COMMENTAIRES: Voir les commentaires sous l'article 246.

242. Changement d'utilisation — Dans le cas où un inscrit, lors de la dernière acquisition, ou du dernier apport au Québec, d'un bien meuble, l'acquiert, ou l'apporte pour l'utiliser comme son immobilisation mais non principalement dans le cadre de ses activités commerciales et que l'inscrit commence, à un moment quelconque, à uti-

LTVQ (français)

liser le bien comme son immobilisation principalement dans le cadre de ses activités commerciales, les règles suivantes s'appliquent, sauf si l'inscrit devient un inscrit à ce moment :

1º l'inscrit est réputé avoir reçu, à ce moment, une fourniture du bien par vente;

2º l'inscrit est réputé avoir payé, à ce moment, la taxe relative à la fourniture, sauf s'il s'agit d'une fourniture exonérée, égale à la teneur en taxe du bien à ce moment.

Notes historiques: Le paragraphe 2º du premier alinéa de l'article 242 a été remplacé par L.Q. 1997, c. 85, art. 561(1)(1º) et a effet depuis le 1er avril 1997. Antérieurement, il se lisait ainsi :

> 2º l'inscrit est réputé avoir payé, à ce moment, la taxe relative à la fourniture, sauf s'il s'agit d'une fourniture exonérée, égale au montant déterminé selon la formule suivante :
>
> $A \times B$.

Le deuxième alinéa de l'article 242 a été supprimé par L.Q. 1997, c. 85, art. 561(1)(2º) et cette modification a effet depuis le 1er avril 1997. Il se lisait auparavant ainsi :

> Pour l'application de cette formule :
>
> 1º la lettre A représente le moins élevé des montants suivants :
>
> a) le total de la taxe — appelé « taxe totale exigée à l'égard du bien » dans le présent article — qui est payable par l'inscrit, ou le serait en faisant abstraction des articles 75.1 ou 80, à l'égard de sa dernière acquisition, ou de son dernier apport au Québec, du bien et de la taxe qui est payable par lui à l'égard d'une amélioration au bien qui est acquise, ou apportée au Québec, par l'inscrit après cette dernière acquisition ou ce dernier apport;
>
> b) la taxe calculée sur la juste valeur marchande du bien à ce moment;
>
> 2º la lettre B représente :
>
> a) dans le cas où l'inscrit a le droit de demander un remboursement en vertu des articles 383 à 397 à l'égard de toute taxe incluse dans la taxe totale exigée à l'égard du bien, la différence entre 100 % et le pourcentage prévu aux articles 386 ou 386.1 qui est applicable aux fins du calcul du montant de ce remboursement;
>
> b) dans tout autre cas, 100 %.

L'article 242 a été modifié par L.Q. 1994, c. 22, art. 495(1) et est réputé entré en vigueur le 1er octobre 1992. L'article 242, édicté par L.Q. 1991, c. 67, se lisait comme suit :

> 242. Dans le cas où un bien meuble est acquis, ou apporté au Québec, par un inscrit qui n'a pas le droit, en raison de l'utilisation pour laquelle le bien est acquis ou apporté, de demander un remboursement de la taxe sur les intrants à l'égard de celui-ci ou qui est réputé, en vertu de l'article 243, en avoir effectué une fourniture et que l'inscrit commence, à un moment quelconque, à utiliser le bien comme immobilisation principalement dans le cadre de ses activités commerciales, les règles suivantes s'appliquent :
>
> 1º l'inscrit est réputé avoir reçu, immédiatement avant ce moment, une fourniture du bien pour l'utiliser comme immobilisation exclusivement dans le cadre de ses activités commerciales;
>
> 2º l'inscrit est réputé avoir payé, à ce moment, la taxe relative à la fourniture égale au moindre des montants suivants :
>
> a) le montant qui correspond à l'excédent du total visé au sous-paragraphe i sur le total visé au sous-paragraphe ii :
>
> i. le total de la taxe payable par l'inscrit à l'égard de l'acquisition, ou de l'apport au Québec, du bien et de la taxe payable par lui à l'égard d'une amélioration au bien ou, s'il est réputé en vertu de l'article 243 en avoir effectué une fourniture à un moment antérieur, le total de la taxe que l'inscrit est réputé avoir perçue à ce moment antérieur en vertu de cet article et de la taxe payable par lui après ce moment antérieur à l'égard d'une amélioration au bien;
>
> ii. le total des remboursements à l'égard d'un taxe visée au sous-paragraphe i que l'inscrit a demandés ou qu'il a le droit de demander en vertu de la section I du chapitre septième;
>
> b) le montant qui correspond à la taxe qui serait payable par l'inscrit s'il avait acquis le bien, au moment quelconque, par une fourniture taxable effectuée par un autre inscrit pour une contrepartie égale à la juste valeur marchande du bien à ce moment.

Définitions [art. 242]: « activité commerciale », « amélioration », « bien », « fourniture », « fourniture exonérée », « immobilisation », « inscrit », « montant », « taxe », « vente » — 1.

Renvois [art. 242]: 15 (JVM); 199 (RTI); 245 (utilisation d'un instrument de musique); 246 (champ d'application); 247 (valeur d'une voiture de tourisme); 267 (acquisition d'une immobilisation par un organisme de services publics).

Lettres d'interprétation [art. 242]: 98-0109656 — Décision portant sur l'application de la TPS — Interprétation relative à la TVQ — Fourniture unique et fournitures multiples — Droit d'entrée dans un musée accompagné d'un tour de ville.

Concordance fédérale: LTA, par. 199(3).

COMMENTAIRES: Voir les commentaires sous l'article 246.

243. Changement d'utilisation — Dans le cas où un inscrit, lors de la dernière acquisition, ou du dernier apport au Québec, d'un bien meuble, l'acquiert ou l'apporte pour l'utiliser comme immobilisation principalement dans le cadre de ses activités commerciales et que l'inscrit commence, à un moment quelconque, à utiliser le bien principalement à d'autres fins, les règles suivantes s'appliquent :

1º l'inscrit est réputé, immédiatement avant ce moment, avoir effectué une fourniture du bien par vente et avoir perçu, à ce moment, la taxe relative à la fourniture égale à la teneur en taxe du bien à ce moment;

2º l'inscrit est réputé avoir reçu, à ce moment, une fourniture du bien par vente et avoir payé, à ce moment, la taxe relative à la fourniture égale à la teneur en taxe du bien à ce moment.

Malgré le premier alinéa, dans le cas où un inscrit, lors de la dernière acquisition, ou du dernier apport au Québec, d'un bien meuble, l'acquiert ou l'apporte pour l'utiliser comme immobilisation principalement dans le cadre de ses activités commerciales et que l'inscrit commence, le 1er janvier 2013, à utiliser le bien principalement à d'autres fins en raison de la section VI.1 du chapitre III, les règles suivantes s'appliquent :

1º l'inscrit est réputé avoir effectué, immédiatement avant le 1er janvier 2013, une fourniture du bien par vente sans contrepartie;

2º l'inscrit est réputé avoir reçu, le 1er janvier 2013, une fourniture du bien par vente pour l'utiliser autrement qu'à titre d'immobilisation ou d'amélioration apportée à son immobilisation.

Notes historiques: Le préambule de l'article 243 a été modifié par L.Q. 2012, c. 28, s.-par. 74(1)(1º) par le remplacement de « du bien, l'acquiert, » par « d'un bien meuble, l'acquiert ». Cette modification s'applique à compter du 1er janvier 2013.

Les paragraphes 1º et 2º du premier alinéa de l'article 243 ont été remplacés par L.Q. 1997, c. 85, art. 562 et ont effet depuis le 1er avril 1997. Antérieurement, ces paragraphes se lisaient comme suit :

> 1º l'inscrit est réputé, immédiatement avant ce moment, avoir effectué une fourniture du bien par vente et avoir perçu, à ce moment, la taxe relative à la fourniture calculée sur la juste valeur marchande du bien à ce moment;
>
> 2º l'inscrit est réputé avoir reçu, à ce moment, une fourniture du bien par vente et avoir payé, à ce moment, la taxe relative à la fourniture calculée sur la juste valeur marchande du bien à ce moment.

Le deuxième alinéa de l'article 243 a été ajouté par L.Q. 2012, c. 28, s.-par. 74(1)(2º) et s'applique à compter du 1er janvier 2013.

L'article 778 de L.Q. 1997, c. 85 établit une présomption :

> 778. Le montant de taxe calculée sur la juste de valeur marchande du bien au moment donné, est réputée, aux fins du calcul du montant de taxe réputé avoir été perçu ou payé à ce moment en vertu des articles 243, 253, 258 et 259, égale à zéro.

Cette présomption s'applique dans le cas où en raison de l'entrée en vigueur d'une disposition de la *Loi sur la taxe de vente du Québec* (L.R.Q., chapitre T-01) que L.Q. 1997, c. 85 édicte, un organisme de bienfaisance, au sens que donne à cette expression l'article 1 de cette loi, est réputé en vertu des articles 243, 253, 258 et 259 de cette loi avoir effectué la fourniture d'un bien et perçu, à un moment donné, la taxe à l'égard de la fourniture.

Le premier alinéa de l'article 243 a été modifié par L.Q. 1994, c. 22, art. 496(1) et est réputé entré en vigueur le 30 septembre 1992. Il se lisait auparavant comme suit :

> 243. Dans le cas où un inscrit acquiert, ou apporte au Québec, un bien meuble pour l'utiliser comme immobilisation principalement dans le cadre de ses activités commerciales et que l'inscrit commence, à un moment quelconque, à utiliser le bien autrement que principalement dans ce cadre, les règles suivantes s'appliquent :
>
> 1º l'inscrit est réputé avoir effectué une fourniture du bien par vente pour une contrepartie égale à la juste valeur marchande du bien à ce moment;
>
> 2º l'inscrit est réputé avoir perçu, à ce moment, la taxe relative à la fourniture, calculée sur cette contrepartie.

Le deuxième alinéa de l'article 243 a été supprimé par L.Q. 1995, c. 63, art. 368(1) et cette modification a effet depuis le 1er août 1995 sauf si l'article 243.1 s'applique. Il se lisait antérieurement comme suit :

> Le présent article ne s'applique pas si l'article 243.1 s'applique.

[*N.D.L.R.* : le paragraphe d'application prévu par L.Q. 1995, c. 63, art. 368 a été modifié par L.Q. 1997, c. 85, art. 735 et a effet depuis le 15 décembre 1995. Antérieurement, il prévoyait ceci :

La suppression a effet :

1° depuis le 1er août 1995 dans le cas où l'inscrit est une petite ou moyenne entreprise;

2° à compter du 30 novembre 1996 dans le cas où l'inscrit est une grande entreprise.]

Le deuxième alinéa de l'article 243, ajouté par L.Q. 1993, c. 19, art. 195, s'appliquait à l'égard d'une fourniture ou d'un apport au Québec relativement auquel l'article 685 ou l'un des articles 618 à 656 de L.Q. 1991, c. 67 s'applique [*N.D.L.R.* : les articles 685 et 618 à 656 réfèrent à des dispositions transitoires concernant les transferts avant le 1er juillet 1992].

L'article 243 a été édicté par L.Q. 1991, c. 67.

Notes explicatives ARQ (PL 5, L.Q. 2012, c. 28): *Résumé* :

L'article 243 prévoit une règle de changement d'utilisation applicable lorsqu'un inscrit qui détient un bien meuble comme immobilisation cesse de l'utiliser principalement dans le cadre de ses activités commerciales.

Cet article est modifié afin de prévoir une règle particulière en cas de changement d'utilisation en raison de l'exonération des services financiers.

Situation actuelle :

L'article 243 prévoit une règle de changement d'utilisation applicable lorsqu'un inscrit qui détient un bien meuble comme immobilisation cesse de l'utiliser principalement dans le cadre de ses activités commerciales. Dans ce cas, l'inscrit est réputé s'être fourni le bien à lui même à sa juste valeur marchande et avoir perçu la taxe relative à cette fourniture égale à la teneur en taxe du bien, qu'il doit, par conséquent, verser au ministre du Revenu.

Modifications proposées :

À compter du 1er janvier 2013, la fourniture d'un service financier cesse, en règle générale, d'être détaxée et devient exonérée dans le régime de la taxe de vente du Québec (TVQ). La principale conséquence de ce changement est que les institutions financières et les autres inscrits ne pourront plus obtenir de remboursements de la taxe sur les intrants relativement aux fournitures acquises en vue de rendre des services financiers. La nouvelle section VI.1 du chapitre III du titre I de la LTVQ, introduite par le présent projet de loi et comprenant les articles 169.3 et 169.4, prévoit donc l'exonération des services financiers.

L'article 243 est modifié pour y prévoir une règle particulière applicable lorsque l'usage d'un bien par un inscrit change le 1er janvier 2013 en raison de la nouvelle exonération des services financiers dans le régime de la TVQ. Notons que l'article 243 de la LTVQ ne s'appliquera pas à un inscrit qui est une institution financière. En effet, le paragraphe 1° de l'article 246 de la LTVQ, tel que modifié par le présent projet de loi, précise que les règles prévues aux articles 240 à 245 de la LTVQ ne s'appliquent pas à l'égard d'un bien d'une institution financière. Le nouveau deuxième alinéa de l'article 243 de la LTVQ prévoit donc les règles applicables lorsqu'un inscrit, autre qu'une institution financière, utilisait avant le 1er janvier 2013 un bien meuble donné comme immobilisation principalement dans le cadre de ses activités commerciales et commence, à cette date, à utiliser le bien principalement à d'autres fins, et ce, en raison du fait que la fourniture de services financiers devient exonérée à compter de cette date. Étant donné l'exonération des services financiers dans le régime de la TVQ à compter du 1er janvier 2013, l'utilisation d'un bien comme immobilisation en vue d'effectuer la fourniture de services financiers exonérés ne sera pas considérée dans le cadre d'activités commerciales.

Le deuxième alinéa de l'article 243 fait en sorte que, dans ce cas, l'inscrit est réputé avoir effectué une fourniture du bien donné par vente immédiatement avant le 1er janvier 2013, mais sans contrepartie et avoir reçu, le 1er janvier 2013, la fourniture du bien donné pour être utilisé par lui autrement qu'à titre d'immobilisation ou d'amélioration apportée à son immobilisation. Ceci fait donc en sorte que, d'une part, l'inscrit n'a aucun montant de taxe à remettre au ministre du Revenu, et que, d'autre part, tout changement d'utilisation ultérieur du bien donné n'entraînera pas l'application des règles de changement d'utilisation.

Définitions [art. 243]: « activité commerciale », « bien », « fourniture », « fourniture taxable », « immobilisation », « inscrit », « taxe » — 1; « taxe exigée non admissible au remboursement de la taxe sur les intrants » — 383; « vente » — 1.

Renvois [art. 243]: 15 (JVM); 42.2 (fourniture d'un bien meuble); 42.6 (acquisition, construction, aliénation, cessation d'une activité non-commerciale); 94 (vente d'un immeuble d'habitation ou d'une adjonction à un immeuble d'habitation à logements multiples par une personne qui n'en est pas le constructeur); 96 (vente d'un immeuble d'habitation à logement unique ou d'un logement en copropriété); 97.3 (fourniture d'un terrain de caravaning résidentiel); 220 (conversion à un usage résidentiel); 222.1 (fourniture à soi-même d'un fonds de terre); 222.2 (fourniture à soi-même d'un emplacement dans un terrain de caravaning résidentiel); 222.3 (fourniture à soi-même d'une adjonction); 234 (vente par un organisme de services publics); 237.3 (dernière acquisition ou apport); 242 (principale utilisation d'immobilisations); 245 (utilisation d'un instrument de musique); 246 (champ d'application); 267 (acquisition d'une immobilisation par un organisme de services publics); 273 (présomption de vente en cas de choix); 341.4 (fourniture par une division de petit fournisseur); 378.12 (remboursement pour fonds de terre).

Lettres d'interprétation [art. 243]: 98-0109656 — Décision portant sur l'application de la TPS — Interprétation relative à la TVQ — Fourniture unique et fournitures multiples — Droit d'entrée dans un musée accompagné d'un tour de ville.

Concordance fédérale: LTA, par. 200(2).

COMMENTAIRES: Voir les commentaires sous l'article 246.

243.1 [*Abrogé*]

Notes historiques: L'article 243.1 a été abrogé par L.Q. 1995, c. 63, art. 369(1) et cette abrogation s'applique à l'égard d'un véhicule routier relativement auquel l'inscrit pourrait demander un remboursement de la taxe sur les intrants en raison de l'abrogation du paragraphe 1° de l'article 206.1, s'il en faisait l'acquisition au moment visé à l'article 243.1 (abrogé) et s'il payait une taxe à l'égard du véhicule routier à ce moment.

[*N.D.L.R.* : le paragraphe d'application prévu par L.Q. 1995, c. 63, art. 369 a été modifié par L.Q. 1997, c. 85, art. 736 et a effet depuis le 15 décembre 1995. Antérieurement, il prévoyait ceci :

L'abrogation a effet :

1° depuis le 1er août 1995 dans le cas où l'inscrit est une petite ou moyenne entreprise;

2° à compter du 30 novembre 1996 dans le cas où l'inscrit est une grande entreprise.]

L'article 243.1, ajouté par L.Q. 1993, c. 19, art. 196, était réputé entré en vigueur le 15 juin 1993 et s'applique à l'égard d'une fourniture ou d'un apport au Québec relativement auquel l'article 685 ou l'un des articles 618 à 656 de L.Q. 1991, c. 67 s'applique. Il se lisait comme suit :

243.1 Dans le cas où un inscrit acquiert, ou apporte au Québec, un véhicule routier pour l'utiliser comme immobilisation principalement dans le cadre de ses activités commerciales et que l'inscrit commence, à un moment quelconque, à utiliser le véhicule à une fin qui, en raison du paragraphe 1° de l'article 206.1, ne lui permettrait pas de demander un remboursement de la taxe sur les intrants à l'égard de celui-ci s'il en faisait l'acquisition à ce moment, les règles suivantes s'appliquent :

1° l'inscrit est réputé avoir effectué une fourniture du véhicule par vente pour une contrepartie égale à la juste valeur marchande du véhicule à ce moment;

2° l'inscrit est réputé avoir perçu, à ce moment, la taxe relative à la fourniture, calculée sur cette contrepartie.

COMMENTAIRES: Voir les commentaires sous l'article 246.

244. Vente — Malgré l'article 42.1, dans le cas où un inscrit effectue la fourniture par vente d'un bien meuble qui est son immobilisation et que, lors de la dernière utilisation du bien, l'inscrit l'utilisait, avant le premier en date du moment où la propriété du bien est transférée à l'acquéreur de la fourniture et du moment où la possession du bien est transférée à celui-ci en vertu de la convention relative à la fourniture, autrement que principalement dans le cadre de ses activités commerciales, la fourniture est réputée être effectuée dans le cadre de ses activités autres que commerciales.

Notes historiques: L'article 244 a été modifié par L.Q. 1995, c. 63, art. 370(1) et cette modification a effet depuis le 1er août 1995 sauf à l'égard d'un véhicule routier relativement auquel l'article 243.1 s'est appliqué.

[*N.D.L.R.* : le paragraphe d'application prévu par L.Q. 1995, c. 63, art. 370(2) a été modifié par L.Q. 1997, c. 85, art. 737. Antérieurement, il prévoyait ceci :

La modification a effet :

1° depuis le 1er août 1995 dans le cas où l'inscrit est une petite ou moyenne entreprise;

2° à compter du 30 novembre 1996 dans le cas où l'inscrit est une grande entreprise.]

Auparavant, l'article 244 a été modifié par L.Q. 1994, c. 22, art. 497(1) et était réputé entré en vigueur le 30 septembre 1992. Il se lisait comme suit :

244. Malgré l'article 42.1, dans le cas où un inscrit effectue la fourniture par vente d'un bien meuble qui est son immobilisation et que, lors de la dernière utilisation du bien, l'inscrit l'utilisait, avant le premier en date du moment où la propriété du bien est transférée à l'acquéreur de la fourniture et du moment où la possession du bien est transférée à celui-ci en vertu de la convention relative à la fourniture, autrement que principalement dans le cadre de ses activités commerciales, la fourniture est réputée être effectuée dans le cadre de ses activités autres que commerciales, sauf si, dans le cas d'un véhicule routier, l'article 243.1 s'est appliqué à l'égard de celui-ci.

Toutefois, pour son application à la fourniture d'un bien dont la propriété ou la possession est transférée à l'acquéreur de la fourniture au plus tard le 30 septembre 1992, les dispositions transitoires à L.Q. 1994, c. 22, art. 497(2) ont été modifiées par L.Q. 1995,

LTVQ (français)

c. 63, art. 542, qui stipule que l'article 244, modifié par L.Q. 1994, c. 22, art. 497(1), doit se lire comme suit :

> 244. Malgré l'article 42.1, dans le cas où un inscrit effectue la fourniture par vente d'un bien meuble qui est son immobilisation qu'il utilisait, immédiatement avant que la propriété du bien soit transférée à l'acquéreur de la fourniture, autrement que principalement dans le cadre de ses activités commerciales, la fourniture est réputée ne pas constituer une fourniture taxable, sauf si, dans le cas d'un véhicule routier, l'article 243.1 s'est appliqué à l'égard de celui-ci.

Les dispositions transitoires de L.Q. 1994, c. 22, art. 497(2) prévoyaient que, pour l'application de l'article 244 à la fourniture d'un bien dont la propriété ou la possession est transférée à l'acquéreur de la fourniture au plus tard au 30 septembre 1992, il devait se lire comme suit :

> Malgré l'article 42.1, dans le cas où un inscrit effectue la fourniture par vente d'un bien meuble qui est son immobilisation qu'il utilisait, immédiatement avant que la propriété du bien soit transférée à l'acquéreur de la fourniture, autrement que principalement dans le cadre de ses activités commerciales, la fourniture est réputée ne pas constituer une fourniture taxable.

Auparavant, l'article 244 a été modifié par L.Q. 1993, c. 19, art. 197 et s'applique à l'égard d'une fourniture ou d'un apport au Québec relativement auquel l'article 685 ou l'un des articles 618 à 656 de L.Q. 1991, c. 67 s'applique [*N.D.L.R.* : les articles 685 et 618 à 656 réfèrent à des dispositions transitoires concernant les transferts avant le 1er juillet 1992]. L'article 244 se lisait comme suit :

> 244. Dans le cas où un inscrit effectue la fourniture par vente d'un bien meuble qui est une immobilisation qu'il utilisait, immédiatement avant que la propriété du bien soit transférée, autrement que principalement dans le cadre de ses activités commerciales, la fourniture est réputée ne pas constituer une fourniture taxable sauf si, dans le cas d'un véhicule routier, l'article 243.1 s'est appliqué à l'égard de celui-ci.

L'article 244, édicté par L.Q. 1991, c. 67, se lisait auparavant comme suit :

> 244. Dans le cas où un inscrit effectue la fourniture par vente d'un bien meuble qui est une immobilisation qu'il utilisait, immédiatement avant que la propriété du bien soit transférée, autrement que principalement dans le cadre de ses activités commerciales, la fourniture est réputée ne pas constituer une fourniture taxable.

Définitions [art. 244]: « acquéreur », « activité commerciale », « bien », « fourniture », « fourniture taxable », « immobilisation », « inscrit », « vente » — 1.

Renvois [art. 244]: 20.1 (vente d'un véhicule routier); 97 (vente d'un immeuble d'habitation à logements multiples); 244.1 (vente du bien meuble d'un gouvernement); 245 (utilisation d'un instrument de musique); 246 (champ d'application); 267 (acquisition d'une immobilisation par un organisme de services publics); 268 (fourniture par vente d'un immeuble par un organisme de services publics).

Lettres d'interprétation [art. 244]: 98-0109656 — Décision portant sur l'application de la TPS — Interprétation relative à la TVQ — Fourniture unique et fournitures multiples — Droit d'entrée dans un musée accompagné d'un tour de ville; 05-0102631 — Interprétation relative à la TPS et à la TVQ — transfert d'un véhicule routier entre particuliers liés.

Concordance fédérale: LTA, par. 200(3).

COMMENTAIRES: Voir les commentaires sous l'article 246.

244.1 Vente d'une immobilisation par le gouvernement — Malgré les articles 42.2 et 244, dans le cas où un gouvernement, autre qu'un mandataire prescrit du gouvernement, effectue une fourniture d'un bien meuble par vente qui est son immobilisation, la fourniture est réputée avoir été effectuée dans le cadre des activités commerciales du gouvernement.

Notes historiques: L'article 244.1 a été ajouté par L.Q. 1994, c. 22, art. 498(1) et est réputé entré en vigueur le 1er juillet 1992.

Définitions [art. 244.1]: « activité commerciale », « bien », « fourniture », « gouvernement », « immobilisation », « vente » — 1.

Renvois [art. 244.1]: 246 (champ d'application); 267 (acquisition d'une immobilisation par un organisme de services publics); 677:28.2° (règlements).

Règlements [art. 244.1]: RTVQ, 244.1R1(mandataiers prescrits) et annexe III Règ..

Lettres d'interprétation [art. 244.1]: 93-0113493 — Interprétation relative à la TPS et à la TVQ — Méthode rapide spéciale réservée aux organismes de services publics; 98-0109656 — Décision portant sur l'application de la TPS — Interprétation relative à la TVQ — Fourniture unique et fournitures multiples — Droit d'entrée dans un musée accompagné d'un tour de ville.

Concordance fédérale: LTA, par. 200(4).

COMMENTAIRES: Voir les commentaires sous l'article 246.

245. Utilisation d'un instrument de musique — Pour l'application des articles 240 et 242 à 244, un particulier qui est un inscrit et qui utilise comme son immobilisation, dans le cadre de son emploi ou d'une entreprise exploitée par une société de personnes dont il est un associé, un instrument de musique, est réputé l'utiliser dans le cadre de ses activités commerciales.

Notes historiques: L'article 245 a été remplacé par L.Q. 1997, c. 85, art. 563 et a effet depuis le 1er avril 1997. Antérieurement, cet article se lisait ainsi :

> 245. Pour l'application des articles 240 et 242 à 244, un particulier qui est un inscrit et qui utilise, dans le cadre de son emploi ou d'une entreprise exploitée par une société de personnes dont il est membre, un instrument de musique qu'il a acquis, ou apporté au Québec, est réputé l'utiliser dans le cadre de ses activités commerciales.

L'article 245 a été modifié par L.Q. 1997, c. 3, art. 135(1°) pour remplacer le mot « société » par les mots « société de personnes ». Cette modification est entrée en vigueur le 20 mars 1997.

L'article 245 a été édicté par L.Q. 1991, c. 67.

Définitions [art. 245]: « activité commerciale », « entreprise », « inscrit », « particulier » — 1.

Renvois [art. 245]: 1.1 (personne morale); 246 (champ d'application); 506.1 (société et société de personnes).

Lettres d'interprétation [art. 245]: 98-0109656 — Décision portant sur l'application de la TPS — Interprétation relative à la TVQ — Fourniture unique et fournitures multiples — Droit d'entrée dans un musée accompagné d'un tour de ville.

Concordance fédérale: LTA, par. 199(5).

COMMENTAIRES: Voir les commentaires sous l'article 246.

246. Exceptions — Les articles 240 à 245 ne s'appliquent pas à l'égard des biens suivants :

1° un bien d'un inscrit qui est une institution financière ou d'un inscrit prescrit;

2° une voiture de tourisme ou un aéronef d'un inscrit qui est un particulier ou une société de personnes;

3° (*paragraphe supprimé*).

Notes historiques: Le paragraphe 1° de l'article 246 a été remplacé par L.Q. 2012, c. 28, par. 75(1) et cette modification s'applique à compter du 1er janvier 2013. Antérieurement, il se lisait ainsi :

> 1° un bien d'un inscrit prescrit;

L'article 246 a été modifié par L.Q. 1997, c. 3, art. 135(1°) pour remplacer le mot « société » par les mots « société de personnes ». Cette modification est entrée en vigueur le 20 mars 1997.

Auparavant, le paragraphe 3° de l'article 246 a été supprimé par L.Q. 1995, c. 63, art. 371(1) et cette suppression s'applique à l'égard d'un véhicule routier que l'inscrit acquiert, ou apporte au Québec, après le 31 juillet 1995 dans le cas où l'inscrit aurait le droit de demander un remboursement de la taxe sur les intrants à l'égard du véhicule routier en raison de l'abrogation du paragraphe 1 de l'article 206.1 s'il en faisait l'acquisition, ou l'apport au Québec, pour utilisation exclusive dans le cadre de ses activités commerciales et, dans tous les autres cas à l'égard d'un véhicule routier qu'un inscrit acquiert, ou apporte au Québec, après une date de prise d'effet fixée par décret du gouvernement.

[*N.D.L.R* : le paragraphe d'application prévu par L.Q. 1995, c. 63, art. 371(2) a été modifié par L.Q. 1997, c. 85, art. 738 et a effet depuis le 15 décembre 1995. Antérieurement, il prévoyait ce qui suit :

> La suppression du paragraphe 3° s'applique à l'égard d'un véhicule routier que l'inscrit acquiert, ou apporte au Québec et à l'égard d'une amélioration à un véhicule routier que l'inscrit acquiert, ou apporte au Québec :
>
> 1° après le 31 juillet 1995 dans le cas où l'inscrit est une petite ou moyenne entreprise;
>
> 2° après le 29 novembre 1996 dans le cas où l'inscrit est une grande entreprise.
>
> De plus, lorsque le paragraphe 3° de l'article 246 a effet depuis le 1er juillet 1992, il doit se lire comme suit :
>
> 3° un véhicule routier, ou une amélioration à un tel véhicule, à l'égard duquel un inscrit, s'il en faisait l'acquisition, ou l'apport au Québec, pour utilisation exclusive dans le cadre de ses activités commerciales, ne pourrait demander un remboursement de la taxe sur les intrants en raison du paragraphe 1° de l'article 206.1.]

Le paragraphe 3° de l'article 246 a été ajouté par L.Q. 1993, c. 19, art. 198(2°) et s'applique à l'égard d'une fourniture ou d'un apport au Québec relativement auquel l'article 685 ou l'un des articles 618 à 656 de L.Q. 1991, c. 67 s'applique [*N.D.L.R.* : les articles 685 et 618 à 656 réfèrent à des dispositions transitoires concernant les transferts avant le 1er juillet 1992]. Il se lisait comme suit :

> 3° un véhicule routier à l'égard duquel un inscrit ne peut demander un remboursement de la taxe sur les intrants en raison du paragraphe 1° de l'article 206.1 ou une amélioration à un tel véhicule.

L'article 246 a été édicté par L.Q. 1991, c. 67.

Notes explicatives ARQ (PL 5, L.Q. 2012, c. 28): *Résumé* :

L'article 246 précise le champ d'application des règles générales concernant le remboursement de la taxe sur les intrants relatif aux biens meubles qui sont des immobilisations. Cet article est modifié afin de préciser qu'il ne s'applique pas lorsque l'inscrit est une institution financière.

Situation actuelle :

L'article 246 précise le champ d'application des règles générales, prévues aux articles 240 à 245 de cette loi, concernant le remboursement de la taxe sur les intrants relatif aux biens meubles qui sont des immobilisations. Ainsi, ces règles ne s'appliquent ni à l'égard d'un bien d'un inscrit prescrit ni à l'égard d'une voiture de tourisme ou d'un aéronef d'un inscrit qui est un particulier ou une société de personnes. Dans ce dernier cas, des règles particulières sont prévues aux articles 250 à 255 de la LTVQ.

Modifications proposées :

À compter du 1er janvier 2013, la fourniture d'un service financier, en règle générale, cesse d'être détaxée et devient exonérée dans le régime de la taxe de vente du Québec (TVQ). La principale conséquence de ce changement est que les institutions financières et les autres inscrits ne pourront plus obtenir de remboursements de la taxe sur les intrants relativement aux fournitures acquises en vue de rendre des services financiers exonérés. La nouvelle section VI.1 du chapitre III du titre I de la LTVQ, introduite par le présent projet de loi et comprenant les articles 169.3 et 169.4, prévoit donc l'exonération des services financiers. L'article 246 de la LTVQ est modifié de façon à exclure les institutions financières du champ d'application des règles générales concernant les biens meubles qui sont des immobilisations.

Pour les institutions financières, le remboursement de la taxe sur les intrants relatifs à l'acquisition ou à l'apport au Québec de biens meubles sera déterminé en fonction de leur utilisation réelle à des fins commerciales ou à d'autres fins, et non selon le critère de l'utilisation principalement dans le cadre d'activités commerciales ou principalement dans le cadre d'autres activités. Étant donné l'exonération des services financiers dans le régime de la TVQ à compter du 1er janvier 2013, l'utilisation d'un bien comme immobilisation en vue d'effectuer la fourniture de services financiers exonérés sera considérée à une fin autre que dans le cadre d'activités commerciales.

La modification apportée à l'article 246 fait donc en sorte que les règles relatives au changement d'utilisation applicables aux biens meubles ne sont pas applicables aux biens meubles d'une institution financière.

Définitions [art. 246]: « bien », « inscrit », « particulier », « vente », « voiture de tourisme » — 1.

Renvois [art. 246]: 1.1 (personne morale); 506.1 (société et société de personnes); 677:29° (règlements).

Lettres d'interprétation [art. 246]: 98-0109656 — Décision portant sur l'application de la TPS — Interprétation relative à la TVQ — Fourniture unique et fournitures multiples — Droit d'entrée dans un musée accompagné d'un tour de ville.

Concordance fédérale: LTA, par. 199(1); LTA, par. 200(1).

COMMENTAIRES: En vertu des articles 240 et 246, la société peut inclure dans le calcul de son remboursement de la taxe sur les intrants, la taxe payable relativement à l'acquisition d'une « voiture de tourisme » si elle utilise celle-ci comme immobilisation principalement (plus de 50 %) dans le cadre de ses activités commerciales. Si la voiture de tourisme est utilisée par la société principalement dans le cadre d'activités commerciales, elle est considérée utiliser le bien exclusivement dans ce cadre et un remboursement de la taxe sur les intrants intégral peut être réclamé. Toutefois, le remboursement de la taxe sur les intrants est limité à la taxe calculée sur le montant correspondant au coût en capital du véhicule aux fins de l'impôt sur le revenu. Lorsqu'un tel bien n'est pas utilisé principalement dans le cadre d'activités commerciales, aucun remboursement de la taxe sur les intrants ne peut être réclamé. Voir notamment à cet effet : Revenu Québec, Lettre d'interprétation, 99-0108946 -- *Interprétation relative à la TPS et à la TVQ* (3 avril 2000).

Pour ce qui est des immobilisations, l'article 246 prévoit que l'inscrit qui est une société par actions peut demander un remboursement de la taxe sur les intrants pour la taxe payable lors de l'acquisition ou de l'importation de biens meubles uniquement si ces derniers doivent être utilisés à titre d'immobilisation principalement (à plus de 50 %) dans le cadre de ses activités commerciales. Si les biens meubles à utiliser comme immobilisation sont acquis principalement afin de servir dans le cadre d'activités commerciales, l'inscrit est réputé, d'après cet article, utiliser les biens exclusivement dans ce cadre, ce qui lui donne droit à un remboursement de la taxe sur les intrants pour la totalité de la taxe payée. Lorsque ces biens ne sont pas utilisés principalement dans le cadre d'activités commerciales, aucun remboursement de la taxe sur les intrants ne peut être demandé. Pour ce qui est de l'achat d'une voiture de tourisme, l'inscrit qui est une société par actions doit en outre respecter les conditions de l'article 247 qui limite le remboursement de la taxe sur les intrants au moindre de la taxe payable et du montant de taxe calculé sur la somme qui est réputée, aux fins de l'impôt sur le revenu, être le coût en capital de la voiture, *c.-à-d.* 30 000. Voir notamment à cet effet : Revenu Québec, Lettre d'interprétation, 00-0104281 — *Commissions versées par une compagnie américaine* (28 juillet 2000).

Également, un organisme de bienfaisance ou un organisme à but non lucratif a le droit de demander un remboursement de la taxe sur les intrants à l'égard d'un bien ou d'un service qu'il a acquis pour l'utiliser principalement (à plus de 50 %) afin d'effectuer des fournitures taxables. Ainsi, dans la mesure où les baux contractés par l'organisme sont exonérés, il est improbable qu'il y ait utilisation par l'organisme de ses intrants (biens et services) à plus de 50 % afin d'effectuer des fournitures taxables. Dans ce cas, aucun remboursement de la taxe sur les intrants ne peut être accordé. Toutefois, un remboursement partiel de la TVQ pourra être demandé. Voir notamment à cet effet : Revenu Québec, Lettre d'interprétation, 02-0107777 — *Interprétation relative à la TPS et à la TVQ Règles générales, résidences pour personnes âgées* (25 février 2003).

Compte tenu de la similarité de la rédaction des dispositions législatives et considérant l'engagement spécifique de Revenu Québec de veiller à ce que l'assiette de TVQ modifiée, de même que les paramètres administratifs, structurels et définitionnels, produisent des résultats qui sont similaires à ceux produits sous le régime de la TPS/TVH et soient administrés d'un manière qui produit des résultats similaires, tel que reflété par l'article 14 de l'*Entente intégrée globale de coordination fiscale* signée entre le gouvernement du Canada et le gouvernement du Québec, nous vous référons à nos commentaires en vertu des articles 199 et 200 de *Loi sur la taxe d'accise (TPS)* qui devraient s'appliquer *mutatis mutandis*, avec les adaptations nécessaires.

2. — Voiture de tourisme

247. Valeur — acquisition ou apport — Aux fins du calcul du remboursement de la taxe sur les intrants d'un inscrit à l'égard d'une voiture de tourisme qu'il a acquise, ou apportée au Québec, à un moment donné, pour utiliser comme immobilisation dans le cadre de ses activités commerciales, la taxe payable par l'inscrit à l'égard de l'acquisition, ou de l'apport au Québec, de la voiture est réputée égale au moindre des montants suivants :

1° le montant qui correspond à la taxe payable par l'inscrit à l'égard de l'acquisition, ou de l'apport au Québec, de la voiture;

2° le montant déterminé selon la formule suivante :

$$A \times B.$$

Application — Pour l'application de cette formule :

1° la lettre A représente la taxe qui serait payable par l'inscrit à l'égard de la voiture, s'il l'avait acquise à ce moment pour une contrepartie égale au montant qui serait réputé, en vertu de l'un des paragraphes d.3) ou d.4) de l'article 99 de la *Loi sur les impôts* (chapitre I-3), pour l'application de cet article, être le coût en capital pour un contribuable d'une voiture de tourisme, à l'égard de laquelle l'un de ces paragraphes s'applique, si la formule prévue à l'article 99R1 du *Règlement sur les impôts* (R.R.Q., chapitre I-3, r. 1) était lue en faisant abstraction de la lettre B;

2° la lettre B représente :

a) dans le cas où l'inscrit est réputé en vertu des articles 242, 256 ou 257 avoir acquis la voiture ou une partie de celle-ci à ce moment et que l'inscrit a précédemment eu le droit de demander un remboursement en vertu des articles 383 à 397.2 à l'égard de la voiture ou d'une amélioration apportée à celle-ci, la différence entre 100 % et le pourcentage prévu à l'article 386 qui s'applique dans le calcul du montant du remboursement;

b) dans tout autre cas, 100 %.

Notes historiques: La partie du premier alinéa qui précède le paragraphe 2° a été remplacée par L.Q. 1997, c. 85, art. 564(1)(1°) et a effet depuis le 1er avril 1997. Antérieurement, ce passage se lisait ainsi :

> 247. Aux fins du calcul du remboursement de la taxe sur les intrants d'un inscrit à l'égard d'une voiture de tourisme qu'il a acquise, ou apportée au Québec, à un moment donné, pour utiliser comme immobilisation dans le cadre de ses activités commerciales, la taxe payable par l'inscrit à l'égard de l'acquisition, ou de l'apport au Québec, de la voiture à ce moment est réputée être égale au moindre des montants suivants :
>
> 1° le montant qui correspond à la taxe payable par l'inscrit à l'égard de l'acquisition, ou de l'apport au Québec, de la voiture à ce moment;

Le paragraphe 1° du deuxième alinéa de l'article 247 a été modifié par L.Q. 2009, c. 15, par. 509(1) par le remplacement de « 99R2 » par « 99R1 ». Cette modification a effet depuis le 4 mars 2009.

Le paragraphe 1° du deuxième alinéa de l'article 247 a été remplacé par L.Q. 2009, c. 5, par. 616(1) et cette modification s'applique à l'égard d'une voiture de tourisme acquise, ou apportée au Québec, après le 27 novembre 2006 et d'une voiture de tourisme acquise, ou apportée au Québec, avant le 28 novembre 2006, sauf si un remboursement de la taxe sur les intrants à l'égard de l'acquisition, ou de l'apport au Québec, selon le cas, a été à la fois :

> 1° demandé, conformément à l'article 247, dans une déclaration produite en vertu du chapitre VIII du titre I avant le 28 novembre 2006;

LTVQ (français)

2° déterminé en considérant que le coût en capital de la voiture de tourisme pour l'application de la *Loi sur les impôts* (L.R.Q., chapitre I-3) inclut les taxes de vente fédérale et provinciale.

Antérieurement, il se lisait ainsi :

1° la lettre A représente la taxe qui serait payable par l'inscrit à l'égard de la voiture, s'il l'avait acquise à ce moment pour une contrepartie égale au montant réputé en vertu du paragraphe d.3) ou d.4) de l'article 99 de la *Loi sur les impôts* (chapitre I-3), pour l'application de cet article, être le coût en capital pour un contribuable d'une voiture de tourisme à laquelle ce paragraphe s'applique;

Le paragraphe 1° du deuxième alinéa de l'article 247 a été remplacé par L.Q. 1997, c. 85, art. 564(1)(2°) et a effet depuis le 1er avril 1997. Antérieurement, il se lisait ainsi :

1° la lettre A représente la taxe qui serait payable par l'inscrit à l'égard de la voiture, s'il l'avait acquise pour une contrepartie égale au montant réputé en vertu du paragraphe d.3 ou d.4 de l'article 99 de la *Loi sur les impôts* (chapitre I-3), pour l'application de cet article, être le coût en capital pour un contribuable d'une voiture de tourisme à laquelle ce paragraphe s'applique;

Le sous-paragraphe a) du paragraphe 2° du deuxième alinéa de l'article 247 a été modifié par L.Q. 2005, c. 38, par. 370(1) par le remplacement de « 397 » par « 397.2 ». Cette modification s'applique à l'égard du calcul d'un remboursement pour une période de demande se terminant après le 31 décembre 2004. Toutefois, le remboursement d'une personne, pour une période de demande qui inclut le 1er janvier 2005, doit être déterminé comme si cette modification n'était pas entré en vigueur à l'égard d'un montant qui est, selon le cas :

1° un montant de taxe qui devient payable par la personne avant le 1er janvier 2005;

2° un montant qui est réputé avoir été payé ou perçu par la personne avant le 1er janvier 2005;

3° un montant qui doit être ajouté dans le calcul de la taxe nette de la personne, selon le cas :

a) du fait qu'une division ou une succursale de la personne devient une division de petit fournisseur avant le 1er janvier 2005;

b) du fait que la personne cesse d'être un inscrit avant le 1er janvier 2005.

Le sous-paragraphe a) du paragraphe 2° du deuxième alinéa de l'article 247 a été remplacé par L.Q. 1997, c. 85, art. 564(1)(3°) et a effet depuis le 1er avril 1997. Toutefois, lorsque la modification apportée au sous-paragraphe a) a effet à l'égard d'un bien ou d'un service acquis, ou apporté au Québec, en vertu d'une convention conclue après le 31 décembre 1996 ou, dans le cas d'un bien ou d'un service qui est, selon le cas, délivré, exécuté ou rendu disponible de façon continue au moyen d'un fil, d'un pipeline ou d'une autre canalisation, d'un bien ou d'un service facturé pour une période habituelle commençant après le 31 décembre, le sous-paragraphe a) doit alors se lire comme suit :

a) dans le cas où l'inscrit est réputé en vertu des articles 242, 256 ou 257 avoir acquis la voiture ou une partie de celle-ci à ce moment et que l'inscrit a le droit de demander un remboursement en vertu des articles 383 à 397 à l'égard d'une acquisition ou d'un apport de la voiture ou d'une amélioration apportée à celle-ci, la différence entre 100 % et le pourcentage prévu à l'article 386 qui s'applique dans le calcul du montant du remboursement;

Antérieurement, ce paragraphe se lisait ainsi :

a) dans le cas où l'inscrit est réputé en vertu des articles 242, 256 ou 257 avoir acquis la voiture ou une partie de celle-ci à ce moment et que l'inscrit a le droit de demander un remboursement en vertu des articles 383 à 397 à l'égard d'une acquisition ou d'un apport de la voiture ou d'une amélioration apportée à celle-ci, la différence entre 100 % et le pourcentage prévu aux articles 386 ou 386.1 qui s'applique dans le calcul du montant du remboursement;

L'article 247 a été modifié par L.Q. 1994, c. 22, art. 499(1) et est réputé entré en vigueur le 1er octobre 1992. L'article 247, édicté par L.Q. 1991, c. 67, se lisait comme suit :

247. Aux fins du calcul du remboursement de la taxe sur les intrants d'un inscrit à l'égard d'une voiture de tourisme qu'il a acquise, ou apportée au Québec, pour utiliser comme immobilisation dans le cadre de ses activités commerciales, la taxe payable par l'inscrit à l'égard de l'acquisition, ou de l'apport au Québec, de la voiture est réputée être égale au moindre des montants suivants :

1° le montant qui correspond à la taxe payable par l'inscrit à l'égard de l'acquisition, ou de l'apport au Québec, de la voiture;

2° le montant qui correspond à la taxe qui serait payable par l'inscrit à l'égard de la voiture, s'il l'avait acquise pour une contrepartie égale au montant réputé en vertu du paragraphe d.3 ou d.4 de l'article 99 de la *Loi sur les impôts* (L.R.Q., chapitre I-3), pour l'application de cet article, être le coût en capital pour un contribuable d'une voiture de tourisme à l'égard de laquelle ce paragraphe s'applique.

Le présent article ne s'applique pas à l'égard d'un remboursement de la taxe sur les intrants déterminé en vertu de l'article 249.

Notes explicatives ARQ (PL 37, L.Q. 2009, c. 15): *Résumé* :

L'article 247 est modifié afin d'apporter une modification de concordance suite à la renumérotation de l'article 99R2 du *Règlement sur les impôts* (RI) par le décret n° 134-2009 du 18 février 2009 (2009, G.O. 2, 397). L'ancien article 99R2 correspond dorénavant à l'article 99R1.

Situation actuelle :

L'article 247 de la LTVQ impose une limite au remboursement de la taxe sur les intrants (RTI) qu'un inscrit peut demander à l'égard d'une voiture de tourisme qu'il acquiert ou apporte au Québec pour l'utiliser comme immobilisation dans le cadre de ses activités commerciales.

Selon cet article, aucun RTI ne peut être demandé à l'égard d'une taxe payable en vertu de la LTVQ relativement à un montant qui excède le coût en capital maximal d'une voiture de tourisme établi pour les fins de la *Loi sur les impôts* (LI).

Le coût maximal d'une voiture de tourisme pour l'application de la LI est prévu aux paragraphes d.3 et d.4 de l'article 99 de la LI, lequel renvoie, pour la détermination de ce coût, à l'article 99R2 du RI.

Or, pour les fins du calcul prévu à l'article 99R2 du RI, il est tenu compte des taxes de vente fédérale et provinciale qui auraient été payables sur la voiture de tourisme si elle avait été acquise au montant maximum établi, par ailleurs, en vertu de cet article.

Le décret n° 134-2009 modifie le RI notamment pour effectuer une révision de ses divisions et de sa numérotation. Par conséquent, une modification de concordance doit être apportée à l'article 247 de la LTVQ.

Modifications proposées :

Le paragraphe 1° du deuxième alinéa de l'article 247 de la LTVQ est modifié pour apporter une modification de concordance avec le RI. Ainsi, il y a lieu de remplacer la référence à l'article 99R2 du RI par une référence à l'article 99R1 du RI.

Notes explicatives ARQ (PL 2, L.Q. 2009, c. 5): *Résumé* :

Les modifications proposées à l'article 247 ont pour objet de préciser, aux fins du calcul du remboursement de la taxe sur les intrants (RTI) relatif à une voiture de tourisme, que le coût en capital maximal de cette voiture doit être déterminé sans tenir compte des taxes de vente provinciale et fédérale qui peuvent être incluses lors du calcul du coût en capital de cette voiture pour l'application de la *Loi sur les impôts* (L.R.Q., chapitre I-3) (LI).

Situation actuelle :

L'article 247 de la LTVQ crée une présomption, aux fins du calcul du RTI qu'un inscrit peut demander à l'égard d'une voiture de tourisme qu'il acquiert ou apporte au Québec pour l'utiliser comme immobilisation dans le cadre de ses activités commerciales, quant au montant de la taxe payable à l'égard de l'acquisition, ou de l'apport au Québec, de cette voiture.

Par l'effet de cet article, aucun RTI ne peut être demandé à l'égard d'une taxe payable relativement à un montant qui excède le coût en capital maximal d'une voiture de tourisme établi pour l'application de la LI.

Le coût en capital maximal d'une voiture de tourisme, pour l'application de cette loi, est prévu aux paragraphes d).3 et d.4) de l'article 99 de la LI, lequel article renvoie à l'article 99R2 du *Règlement sur les impôts* (R.R.Q., 1981, chapitre I-3, r. 1) (RI).

Or, pour les fins du calcul prévu à l'article 99R2 du RI, il est tenu compte des taxes de vente fédérale et provinciale qui auraient été payables sur la voiture de tourisme si elle avait été acquise au montant maximum établi, par ailleurs, en vertu de cet article.

Modifications proposées :

Afin de confirmer l'intention visée et la pratique utilisée par les autorités fiscales pour le calcul du RTI relatif à une voiture de tourisme, il y aurait lieu de modifier le paragraphe 1° du deuxième alinéa de l'article 247 de la LTVQ afin de préciser que le coût en capital maximal d'une voiture de tourisme doit être déterminé sans tenir compte des taxes de vente fédérale et provinciale.

En effet, de tels éléments, dont il est fait mention à la lettre B de la formule prévue à l'article 99R2 du RI, peuvent être inclus lors du calcul du coût en capital de cette voiture pour l'application de la LI.

Définitions [art. 247]: « activité commerciale », « contrepartie », « immobilisation », « inscrit », « montant », « taxe », « voiture de tourisme » — 1.

Renvois [art. 247]: 51 (valeur de la contrepartie); 199 (RTI); 242 (principale utilisation d'immobilisation); 249 (vente d'une voiture de tourisme); 256 (acquisition d'une immobilisation); 257 (utilisation accrue s'une immobilisation); 456 (taxe nette en cas de location de voiture de tourisme).

Lettres d'interprétation [art. 247]: 00-0104281 — Commissions versées par une compagnie américaine.

Concordance fédérale: LTA, art. 201.

COMMENTAIRES: Voir les commentaires sous l'article 249.

248. Valeur — amélioration — Dans le cas où la contrepartie payée ou payable par un inscrit pour une amélioration à sa voiture de tourisme augmente le coût de la voiture pour lui à un montant excédant le montant qui serait réputé, en vertu de l'un des paragraphes d.3) ou d.4) de l'article 99 de la *Loi sur les impôts* (chapitre I-3), pour l'application de cet article, être le coût en capital pour un contribuable d'une voiture de tourisme, à l'égard de laquelle l'un de ces paragraphes s'applique, si la formule prévue à l'article 99R1 du *Règlement sur les impôts* (R.R.Q., chapitre I-3, r. 1) était lue en faisant abstraction de la lettre B, la taxe calculée sur cet excédent ne

doit pas être incluse dans le calcul du remboursement de la taxe sur les intrants de l'inscrit pour une période de déclaration.

Notes historiques: L'article 248 a été modifié par L.Q. 2009, c. 15, par. 510(1) par le remplacement de « 99R2 » par « 99R1 ». Cette modification a effet depuis le 4 mars 2009.

L'article 248 a été remplacé par L.Q. 2009, c. 5, par. 617(1) et cette modification s'applique à l'égard d'une amélioration à une voiture de tourisme acquise, ou apportée au Québec, après le 27 novembre 2006 et d'une amélioration à une voiture de tourisme acquise, ou apportée au Québec, avant le 28 novembre 2006, sauf si un remboursement de la taxe sur les intrants à l'égard de l'acquisition, ou de l'apport au Québec, selon le cas, a été à la fois :

1° demandé, conformément aux articles 248, 250 à 252 et 254, dans une déclaration produite en vertu du chapitre VIII du titre I avant le 28 novembre 2006;

2° déterminé en considérant que le coût en capital de la voiture de tourisme pour l'application de la *Loi sur les impôts* (L.R.Q., chapitre I-3) inclut les taxes de vente fédérale et provinciale.

Antérieurement, il se lisait ainsi :

248. Dans le cas où la contrepartie payée ou payable par un inscrit pour une amélioration à une voiture de tourisme de celui-ci, augmente le coût de la voiture pour lui à un montant excédant le montant réputé en vertu du paragraphe d.3) ou d.4) de l'article 99 de la *Loi sur les impôts* (L.R.Q., chapitre I-3), pour l'application de cet article, être le coût en capital pour un contribuable d'une voiture de tourisme à l'égard de laquelle ce paragraphe s'applique, la taxe calculée sur cet excédent ne doit pas être incluse dans le calcul du remboursement de la taxe sur les intrants de l'inscrit pour une période de déclaration.

L'article 248 a été édicté par L.Q. 1991, c. 67.

Notes explicatives ARQ (PL 37, L.Q. 2009, c. 15): *Résumé* :

L'article 248 est modifié afin d'apporter une modification de concordance suite à la renumérotation de l'article 99R2 du *Règlement sur les impôts* (RI) par le décret n° 134-2009 du 18 février 2009 (2009, G.O. 2, 397). L'ancien article 99R2 correspond dorénavant à l'article 99R1.

Situation actuelle :

L'article 248 de la LTVQ impose une limite au remboursement de la taxe sur les intrants (RTI) qu'un inscrit peut demander à l'égard d'une voiture de tourisme à laquelle il a été apportée une amélioration.

Ainsi, dans le cas où l'amélioration augmente le coût de la voiture à un montant qui excède le coût en capital maximal d'une voiture de tourisme établi pour les fins de la *Loi sur les impôts* (LI), aucun RTI ne peut être demandé par l'inscrit à l'égard de la taxe payable sur cet excédent.

Le coût maximal d'une voiture de tourisme pour l'application de la LI est prévu aux paragraphes d.3) et d.4) de l'article 99 de la LI, lequel renvoie, pour la détermination de ce coût, à l'article 99R2 du RI.

Or, pour les fins du calcul prévu à l'article 99R2 du RI, il est tenu compte des taxes de vente fédérale et provinciale qui auraient été payables sur la voiture de tourisme si elle avait été acquise au montant maximum établi, par ailleurs, en vertu de cet article.

Le décret n° 134-2009 modifie le RI notamment pour effectuer une révision de ses divisions et de sa numérotation. Par conséquent, une modification de concordance doit être apportée à l'article 247 de la LTVQ.

Modifications proposées :

L'article 248 de la LTVQ est modifié pour apporter une modification de concordance avec le RI. Ainsi, il y a lieu de remplacer la référence à l'article 99R2 du RI par une référence à l'article 99R1 du RI.

Notes explicatives ARQ (PL 2, L.Q. 2009, c. 5): *Résumé* :

Les modifications proposées à l'article 248 ont pour objet de préciser, aux fins du calcul du remboursement de la taxe sur les intrants (RTI) relatif à une voiture de tourisme à laquelle il a été apporté une amélioration, que le coût en capital maximal de cette voiture doit être déterminé sans tenir compte des taxes de vente provinciale et fédérale qui peuvent être incluses lors du calcul du coût en capital de cette voiture pour l'application de la *Loi sur les impôts* (L.R.Q., chapitre I-3) (LI).

Situation actuelle :

L'article 248 de la LTVQ précise lemontant de la taxe aux fins du calcul du RTI qu'un inscrit peut demander à l'égard d'une voiture de tourisme à laquelle il a été apporté une amélioration.

Ainsi, dans le cas où la contrepartie pour cette amélioration augmente le coût de la voiture à un montant qui excède le coût en capital maximal d'une voiture de tourisme établi pour l'application de la LI, aucun RTI ne peut être demandé par l'inscrit à l'égard de la taxe calculée sur cet excédent.

Le coût en capital maximal d'une voiture de tourisme, pour l'application de cette loi, est prévu aux paragraphes d.3) et d.4) de l'article 99 de la LI, lequel article renvoie à l'article 99R2 du *Règlement sur les impôts* (R.R.Q., 1981, chapitre I-3, r. 1) (RI).

Or, pour les fins du calcul prévu à l'article 99R2 du RI, il est tenu compte des taxes de vente fédérale et provinciale qui auraient été payables sur la voiture de tourisme si elle avait été acquise au montant maximum établi, par ailleurs, en vertu de cet article.

Modifications proposées :

Afin de confirmer l'intention visée et la pratique utilisée par les autorités fiscales pour le calcul du RTI relatif à une voiture de tourisme à laquelle il a été apporté une amélioration, il y aurait lieu de modifier l'article 248 de la LTVQ afin de préciser que le coût en capital maximal d'une voiture de tourisme doit être déterminé sans tenir compte des taxes de vente fédérale et provinciale.

En effet, de tels éléments, dont il est fait mention à la lettre B de la formule prévue à l'article 99R2 du RI, peuvent être inclus lors du calcul du coût en capital de cette voiture pour l'application de la LI.

Définitions [art. 248]: « amélioration », « contrepartie », « inscrit », « montant », « période de déclaration », « taxe », « voiture de tourisme » — 1.

Renvois [art. 248]: 199 (RTI); 200 (RTI); 249 (vente d'une voiture de tourisme); 247 (valeur d'une voiture de tourisme).

Concordance fédérale: LTA, par. 202(1).

COMMENTAIRES: Voir les commentaires sous l'article 249.

249. Vente — Un inscrit qui, à un moment quelconque dans une de ses périodes de déclaration, effectue la fourniture taxable par vente d'une voiture de tourisme qui, immédiatement avant ce moment, était utilisée comme immobilisation dans le cadre de ses activités commerciales peut, malgré les articles 203 à 206, le paragraphe 1° de l'article 240 et les articles 241 et 248, demander un remboursement de la taxe sur les intrants pour cette période égal au montant déterminé selon la formule suivante :

$$A \times \frac{(B - C)}{B}.$$

Application — Pour l'application de cette formule :

1° la lettre A représente la teneur en taxe de la voiture à ce moment;

2° la lettre B représente le total de la taxe qui est payable par l'inscrit à l'égard de sa dernière acquisition, ou de son dernier apport au Québec, de la voiture et de la taxe qui est payable par celui-ci à l'égard d'améliorations à la voiture acquises, ou apportées au Québec, par l'inscrit après la dernière acquisition ou le dernier apport du bien;

3° la lettre C représente le total de tous les remboursements de la taxe sur les intrants que l'inscrit a le droit de demander à l'égard de la taxe incluse dans le total visé au paragraphe 2°.

4°, 5° (*paragraphes supprimés*).

Notes historiques: Le préambule du premier alinéa de l'article 249 a été modifié par L.Q. 1995, c. 63, art. 372 et cette modification s'applique à l'égard de la fourniture par vente, effectuée par un inscrit, d'une voiture de tourisme dont la totalité ou une partie de la contrepartie devient due après le 31 juillet 1995 et n'est pas payée avant le 1er août 1995. Auparavant, il se lisait comme suit :

249. Un inscrit qui, à un moment quelconque dans une de ses périodes de déclaration, effectue la fourniture taxable ou non taxable par vente d'une voiture de tourisme qui, immédiatement avant ce moment, était utilisée comme immobilisation dans le cadre de ses activités commerciales peut, malgré les articles 203 à 206, le paragraphe 1° de l'article 240 et les articles 241 et 248, demander un remboursement de la taxe sur les intrants pour cette période égal au moindre des montants suivants :

Le paragraphe 4° du deuxième alinéa de l'article 249 a été modifié par L.Q. 1995, c. 63, art. 372 et cette modification s'applique à l'égard de la fourniture par vente, effectuée par un inscrit, d'une voiture de tourisme dont la totalité ou une partie de la contrepartie devient due après le 31 juillet 1995 et n'est pas payée avant le 1er août 1995. Auparavant, il se lisait comme suit :

4° la lettre D représente le moindre de la valeur de la contrepartie de la fourniture taxable ou non taxable et du montant déterminé en vertu du paragraphe 5°;

Les premier et deuxième alinéas de l'article 249 ont été remplacés par L.Q. 1997, c. 85, art. 565 et ont effet depuis le 1er avril 1997. Antérieurement, ces alinéas se lisaient comme suit :

249. Un inscrit qui, à un moment quelconque dans une de ses périodes de déclaration, effectue la fourniture taxable par vente d'une voiture de tourisme qui, immédiatement avant ce moment, était utilisée comme immobilisation dans le cadre de ses activités commerciales peut, malgré les articles 203 à 206, le paragraphe 1° de l'article 240 et les articles 241 et 248, demander un remboursement de la taxe sur les intrants pour cette période égal au moindre des montants suivants :

1° le montant déterminé selon la formule suivante :

$$A - B.$$

2° le montant déterminé selon la formule suivante :

$$C \times \frac{D}{E}$$

LTVQ (français)

Pour l'application de ces formules :

1° la lettre A représente le total, déterminé sans tenir compte de l'article 247, de la taxe qui est payable, ou le serait en faisant abstraction des articles 75.1 ou 80, par l'inscrit à l'égard de sa dernière acquisition, ou de son dernier apport au Québec, de la voiture et de la taxe qui est payable par celui-ci à l'égard d'améliorations à la voiture acquises, ou apportées au Québec, par l'inscrit après que le bien a été, lors de la dernière acquisition, ainsi acquis ou apporté;

2° la lettre B représente le total de tous les remboursements de la taxe sur les intrants et de tous les remboursements en vertu des articles 383 à 397 que l'inscrit a droit de demander à l'égard de la taxe incluse dans le total visé au paragraphe 1°;

3° la lettre C représente le montant déterminé en vertu du paragraphe 1° du premier alinéa;

4° la lettre D représente le moindre de la valeur de la contrepartie de la fourniture taxable et du montant déterminé en vertu du paragraphe 5°;

5° la lettre E représente le total des montants suivants :

a) la contrepartie qui était payable par l'inscrit relativement à sa dernière acquisition de la voiture ou, s'il l'a apportée au Québec, la valeur de la voiture au sens de l'article 17 relativement à son dernier apport;

b) dans le cas où l'inscrit acquiert, ou apporte au Québec, après cette dernière acquisition ou ce dernier apport, une amélioration à la voiture, la contrepartie qui était payable par l'inscrit à l'égard de l'amélioration ou la valeur de celle-ci au sens de l'article 17, selon le cas.

Le premier et le deuxième alinéas de l'article 249 ont été modifiés par L.Q. 1994, c. 22, art. 500(1) et sont réputés entrés en vigueur le 1er juillet 1992. Toutefois, pour la période du 1er juillet 1992 au 30 septembre 1992, la référence à l'article 75.1 doit être lue comme une référence à l'article 75. De plus, lorsqu'ils s'appliquent à la fourniture d'une voiture de tourisme dont la propriété ou la possession est transférée à l'acquéreur avant le 1er octobre 1992 ils doivent se lire comme suit :

249. Un inscrit qui, à un moment quelconque dans l'une de ses périodes de déclaration, effectue la fourniture taxable ou non taxable par vente d'une voiture de tourisme qui, immédiatement avant ce moment, était utilisée comme immobilisation dans le cadre de ses activités commerciales peut, malgré les articles 203 à 206, le paragraphe 1° de l'article 240 et les articles 241 et 248, demander un remboursement de la taxe sur les intrants pour cette période égal au moindre des montants suivants :

1° le montant déterminé selon la formule suivante :

$$A - B;$$

2° le montant déterminé selon la formule suivante :

$$C \times \frac{D}{E}.$$

Pour l'application de ces formules :

1° la lettre A représente le total, déterminé sans tenir compte de l'article 247, de la taxe qui est payable par l'inscrit à l'égard de sa première acquisition de la voiture, ou de son premier apport au Québec de celle-ci, et de la taxe qui est payable par lui à l'égard d'améliorations à la voiture qu'il acquiert, ou apporte au Québec, après cette acquisition ou cet apport de la voiture;

2° la lettre B représente le total de tous les remboursements de la taxe sur les intrants que l'inscrit a le droit de demander avant ce moment à l'égard de la voiture ou d'une amélioration à celle-ci;

3° la lettre C représente le montant déterminé en vertu du paragraphe 1° du premier alinéa;

4° la lettre D représente le moindre de la valeur de la contrepartie de la fourniture taxable ou non taxable et du montant déterminé en vertu du paragraphe 5°;

5° la lettre E représente le total des montants suivants :

a) la contrepartie qui était payable par l'inscrit relativement à sa première acquisition de la voiture ou, s'il l'a apportée au Québec, la valeur de la voiture au sens de l'article 17 relativement à son premier apport;

b) dans le cas où l'inscrit acquiert, ou apporte au Québec, une amélioration à la voiture, la contrepartie qui était payable par l'inscrit à l'égard de l'amélioration ou la valeur de celle-ci au sens de l'article 17, selon le cas.

Les premier et deuxième alinéas de l'article 249 se lisaient auparavant comme suit :

249. Un inscrit qui, à un moment quelconque dans une période de déclaration, effectue la fourniture taxable ou non taxable par vente d'une voiture de tourisme qui, immédiatement avant ce moment, était utilisée comme immobilisation dans le cadre de ses activités commerciales, peut demander un remboursement de la taxe sur les intrants pour cette période égal au moindre des montants suivants :

1° le montant qui correspond à l'excédent de la taxe payable par l'inscrit à l'égard de l'acquisition, de l'apport au Québec ou d'une amélioration à la voiture sur le remboursement de la taxe sur les intrants qu'il avait le droit de demander à cet égard;

2° le montant déterminé selon la formule suivante :

$$A \times \frac{B}{C}.$$

Pour l'application de cette formule :

1° la lettre A représente le montant déterminé en vertu du paragraphe 1° du premier alinéa;

2° la lettre B représente le moindre de la valeur de la contrepartie de la fourniture taxable ou non taxable et du montant déterminé en vertu du paragraphe 3°;

3° la lettre C représente le total des valeurs suivantes :

a) la valeur de la contrepartie qui était payable par l'inscrit pour la voiture qui lui a été fournie ou, s'il l'a apportée au Québec, la valeur de la voiture au sens de l'article 17;

b) la valeur de la contrepartie de toute amélioration à la voiture.

Le troisième alinéa de l'article 249 a été supprimé par L.Q. 1995, c. 63, art. 372 et cette modification s'applique à l'égard d'une voiture de tourisme qu'un inscrit acquiert, ou apporte au Québec, après le 31 juillet 1995 sauf si l'article 249 s'est déjà appliqué à l'égard d'une voiture de tourisme dont l'inscrit est réputé avoir effectué la fourniture en vertu de l'article 243.1 ou 253.1.

[*N.D.L.R.* : le paragraphe d'application prévu par L.Q. 1995, c. 63, art. 372 a été modifié par L.Q. 1997, c. 85, art. 739 et a effet depuis le 15 décembre 1995. Antérieurement, il prévoyait ceci :

La suppression du troisième alinéa s'applique à l'égard d'une voiture de tourisme qu'un inscrit acquiert, ou apporte au Québec :

1° après le 31 juillet 1995 dans le cas où l'inscrit est une petite ou moyenne entreprise;

2° après le 29 novembre 1996 dans le cas où l'inscrit est une grande entreprise.]

Auparavant, il se lisait comme suit :

Le présent article ne s'applique pas s'il s'est déjà appliqué à l'égard d'une voiture de tourisme dont l'inscrit est réputé avoir effectué la fourniture en vertu des articles 243.1 ou 253.1.

Le troisième alinéa de l'article 249 a été ajouté par L.Q. 1993, c. 19, art. 199 et s'applique à l'égard d'une fourniture ou d'un apport au Québec relativement auquel l'article 685 ou l'un des articles 618 à 656 de L.Q. 1991, c. 67 s'applique [*N.D.L.R.* : les articles 685 et 618 à 656 réfèrent à des dispositions transitoires concernant les transferts avant le 1er juillet 1992].

L'article 249 a été édicté par L.Q. 1991, c. 67.

Définitions [art. 249]: « activité commerciale », « amélioration », « contrepartie », « fourniture taxable », « immobilisation », « inscrit », « montant », « période de déclaration », « taxe », « vente », « voiture de tourisme » — 1.

Renvois [art. 249]: 51 (valeur de la contrepartie); 199 (RTI); 237.3 (dernière acquisition ou apport); 247 (valeur d'une voiture de tourisme).

Concordance fédérale: LTA, par. 203(1).

COMMENTAIRES: Pour ce qui est des immobilisations, l'article 240 prévoit que l'inscrit qui est une société par actions peut demander un remboursement de la taxe sur les intrants pour la taxe payable lors de l'acquisition ou de l'importation de biens meubles uniquement si ces derniers doivent être utilisés à titre d'immobilisation principalement (à plus de 50 %) dans le cadre de ses activités commerciales. Si les biens meubles à utiliser comme immobilisation sont acquis principalement afin de servir dans le cadre d'activités commerciales, l'inscrit est réputé, d'après cet article, utiliser les biens exclusivement dans ce cadre, ce qui lui donne droit à un remboursement de la taxe sur les intrants pour la totalité de la taxe payée. Lorsque ces biens ne sont pas utilisés principalement dans le cadre d'activités commerciales, aucun remboursement de la taxe sur les intrants ne peut être demandé. Pour ce qui est de l'achat d'une voiture de tourisme, l'inscrit qui est une société par actions doit en outre respecter les conditions de l'article 247 qui limite le remboursement au moindre de la taxe payable et du montant de taxe calculé sur la somme qui est réputée par les paragraphes 99(d.3) et (d.4) de la *Loi sur les impôts* être le coût en capital de la voiture, *c.-à-d.* 30 000 $. Voir notamment à cet effet : Revenu Québec, Lettre d'interprétation, 00-0104281 — *Commissions versées par une compagnie américaine* (28 juillet 2000).

Compte tenu de la similarité de la rédaction des dispositions législatives et considérant l'engagement spécifique de Revenu Québec de veiller à ce que l'assiette de TVQ modifiée, de même que les paramètres administratifs, structurels et définitionnels, produisent des résultats qui sont similaires à ceux produits sous le régime de la TPS/TVH et soient administrés d'un manière qui produit des résultats similaires, tel que reflété par l'article 14 de l'*Entente intégrée globale de coordination fiscale* signée entre le gouvernement du Canada et le gouvernement du Québec, nous vous référons à nos commentaires en vertu des articles 201, 203 et du paragraphe 202(1) de *Loi sur la taxe d'accise (TPS)* qui devraient s'appliquer *mutatis mutandis*, avec les adaptations nécessaires.

3. — Voiture de tourisme ou aéronef d'un particulier ou d'une société de personnes

Notes historiques: L'intitulé de la sous-section 3 de la sous-section II de la sous-section 5 de la section II du chapitre V du titre I a été modifié par L.Q. 1997, c. 3, art. 135(1°) pour remplacer le mot « société » par les mots « société de personnes ». Cette modification est entrée en vigueur le 20 mars 1997.

250. Acquisition ou apport — Dans le cas où un inscrit qui est un particulier ou une société de personnes acquiert, ou apporte au Québec, une voiture de tourisme ou un aéronef pour l'utiliser comme son immobilisation, la taxe payable par l'inscrit à l'égard de l'acquisition ou de l'apport de la voiture ou de l'aéronef ne doit pas être incluse dans le calcul du remboursement de la taxe sur les intrants de celui-ci, à moins que la voiture ou l'aéronef soit acquis ou apporté par l'inscrit pour être utilisé exclusivement dans le cadre de ses activités commerciales.

Exception — Le présent article ne s'applique pas à l'égard de la taxe que l'inscrit est réputé avoir payée en vertu de l'article 252.

Notes historiques: Le premier alinéa de l'article 250 a été remplacé par L.Q. 1997, c. 85, art. 566(1) et a effet depuis le 1er avril 1997. Antérieurement, il se lisait comme suit :

250. Dans le cas où un inscrit qui est un particulier ou une société de personnes acquiert, ou apporte au Québec, une voiture de tourisme ou un aéronef pour l'utiliser comme son immobilisation, la taxe payable par l'inscrit à l'égard de l'acquisition ou de l'apport de la voiture ou de l'aéronef ne doit pas être incluse dans le calcul du remboursement de la taxe sur les intrants de celui-ci, à moins que la voiture ou l'aéronef soit acquis ou apporté pour être utilisé exclusivement dans le cadre de ses activités commerciales.

L'article 250 a été modifié par L.Q. 1997, c. 3, art. 135(1°) pour remplacer le mot « société » par les mots « société de personnes ». Cette modification est entrée en vigueur le 20 mars 1997.

Auparavant, l'article 250 a été modifié par L.Q. 1994, c. 22, art. 501(1) et est réputé entré en vigueur le 1er octobre 1992. L'article 250, édicté par L.Q. 1991, c. 67, se lisait comme suit :

250. Dans le cas où un inscrit qui est un particulier ou une société acquiert, ou apporte au Québec, une voiture de tourisme ou un aéronef pour l'utiliser comme immobilisation dans le cadre de ses activités commerciales, la taxe payable par l'inscrit à l'égard de l'acquisition ou de l'apport de la voiture ou de l'aéronef ne doit pas être incluse dans le calcul du remboursement de la taxe sur les intrants de celui-ci pour une période de déclaration, à moins que la voiture ou l'aéronef soit acquis ou apporté pour être utilisé exclusivement dans le cadre de ses activités commerciales.

Le présent article ne s'applique pas à l'égard de la taxe que l'inscrit est réputé avoir payée en vertu de l'article 252.

Définitions [art. 250]: « activité commerciale », « exclusif », « immobilisation », « inscrit », « particulier », « taxe », « voiture de tourisme » — 1.

Renvois [art. 250]: 1.1 (personne morale); 199 (RTI); 252 (utilisation non exclusive d'une voiture de tourisme ou d'un aéronef); 506.1 (société et société de personnes).

Lettres d'interprétation [art. 250]: 94-0110133 — Application des crédits de taxe sur les intrants à l'égard d'une voiture de tourisme faisant l'objet d'un contrat de location-acquisition; 97-0109286 — CTI/RTI: voiture de tourisme.

Concordance fédérale: LTA, par. 202(2).

COMMENTAIRES: Voir les commentaires sous l'article 255.

251. Amélioration — Dans le cas où un inscrit qui est un particulier ou une société de personnes acquiert, ou apporte au Québec, une amélioration à une voiture de tourisme ou à un aéronef qui est son immobilisation, la taxe payable par l'inscrit à l'égard de l'amélioration ne doit pas être incluse dans le calcul du remboursement de la taxe sur les intrants de celui-ci, à moins que tout au long de la période commençant le dernier en date du jour où la voiture ou l'aéronef a été initialement acquis ou apporté par l'inscrit et du jour où le particulier ou la société de personnes devient un inscrit et se terminant le jour où la taxe à l'égard de l'amélioration devient payable ou est payée sans qu'elle soit devenue payable, la voiture ou l'aéronef ait été utilisé exclusivement dans le cadre de ses activités commerciales.

Notes historiques: L'article 251 a été modifié par L.Q. 1997, c. 3, art. 135(1°) pour remplacer le mot « société » par les mots « société de personnes ». Cette modification est entrée en vigueur le 20 mars 1997.

Auparavant, le premier alinéa de l'article 251 a été modifié par L.Q. 1994, c. 22, art. 502(1) et est réputé entré en vigueur le 1er juillet 1992.

Toutefois, dans le cas où il s'applique à une amélioration acquise, ou apportée au Québec avant le 1er octobre 1992, le premier alinéa de l'article 251 doit se lire comme suit :

251. Dans le cas où un inscrit qui est un particulier ou une société acquiert, ou apporte au Québec, une amélioration à une voiture de tourisme ou à un aéronef qui est son immobilisation, la taxe payable par l'inscrit à l'égard de l'amélioration ne doit pas être incluse dans le calcul du remboursement de la taxe sur les intrants de celui-ci, à moins que tout au long de la période commençant le jour où la voiture ou l'aéronef a été acquis ou apporté par l'inscrit et se terminant le jour où la taxe à l'égard de l'amélioration devient payable ou est payée sans qu'elle soit devenue payable, la voiture ou l'aéronef ait été utilisé exclusivement dans le cadre de ses activités commerciales.

Le premier alinéa de l'article 251 se lisait auparavant comme suit :

251. Dans le cas où un inscrit qui est un particulier ou une société acquiert, ou apporte au Québec, une amélioration à une voiture de tourisme ou à un aéronef qui est son immobilisation, la taxe payable par l'inscrit à l'égard de l'amélioration ne doit pas être incluse dans le calcul du remboursement de la taxe sur les intrants de celui-ci pour une période de déclaration, à moins que, à la fois :

1° tout au long de la période commençant le jour où la voiture ou l'aéronef a été acquis ou apporté par l'inscrit et se terminant le jour où l'amélioration a été acquise ou apportée, la voiture ou l'aéronef ait été utilisé exclusivement dans le cadre de ses activités commerciales;

2° la voiture ou l'aéronef, immédiatement après qu'il soit amélioré, soit utilisé exclusivement dans le cadre de ses activités commerciales.

Le deuxième alinéa de l'article 251 a été supprimé par L.Q. 1995, c. 63, art. 373(1) et cette modification a effet depuis le 1er août 1995 sauf à l'égard d'une amélioration à une voiture de tourisme relativement à laquelle l'article 253.1 s'est appliqué.

[*N.D.L.R.* : le paragraphe d'application prévu par L.Q. 1995, c. 63, art. 373 a été modifié par L.Q. 1997, c. 85, art. 740 et a effet depuis le 15 décembre 1995. Antérieurement, il prévoyait ceci :

La suppression s'applique à l'égard d'une amélioration à une voiture de tourisme si l'inscrit acquiert, ou apporte au Québec, la voiture de tourisme :

1° après le 31 juillet 1995 dans le cas où l'inscrit est une petite ou moyenne entreprise;

2° après le 29 novembre 1996 dans le cas où l'inscrit est une grande entreprise.]

Le deuxième alinéa de l'article 251 a été ajouté par L.Q. 1993, c. 19, art. 200 et s'appliquait à l'égard d'une fourniture ou d'un apport au Québec relativement auquel l'article 685 ou l'un des articles 618 à 656 de L.Q. 1991, c. 67 s'applique [*N.D.L.R.* : les articles 685 et 618 à 656 réfèrent à des dispositions transitoires concernant les transferts avant le 1er juillet 1992]. Il se lisait auparavant comme suit :

Le présent article ne s'applique pas à l'égard d'une amélioration à une voiture de tourisme, si l'article 253.1 s'est appliqué relativement à la voiture.

L'article 251 a été édicté par L.Q. 1991, c. 67.

Définitions [art. 251]: « activité commerciale », « amélioration », « exclusif », « immobilisation », « inscrit », « particulier », « période de déclaration », « taxe », « voiture de tourisme » — 1.

Renvois [art. 251]: 1.1 (personne morale); 199 (RTI); 252 (utilisation non exclusive d'une voiture de tourisme ou d'un aéronef); 506.1 (société et société de personnes).

Concordance fédérale: LTA, par. 202(3).

COMMENTAIRES: Voir les commentaires sous l'article 255.

252. Utilisation non exclusive — Malgré les articles 250 et 251, aux fins du calcul du remboursement de la taxe sur les intrants d'un inscrit qui est un particulier ou une société de personnes, dans le cas où il acquiert, ou apporte au Québec, à un moment donné, une voiture de tourisme ou un aéronef pour l'utiliser comme son immobilisation non exclusivement dans le cadre de ses activités commerciales et que la taxe est payable par lui à l'égard de l'acquisition ou de l'apport, les règles suivantes s'appliquent :

1° l'inscrit est réputé avoir acquis la voiture ou l'aéronef le dernier jour de chacune de ses années d'imposition se terminant après ce moment;

2° l'inscrit est réputé avoir payé, à ce moment, la taxe à l'égard de l'acquisition ou de l'apport de la voiture ou de l'aéronef, égale au résultat obtenu en multipliant par 9,975/109,975 le montant suivant :

a) dans le cas où un montant à l'égard de la voiture ou de l'aéronef doit être inclus en vertu des articles 41 ou 111 de la *Loi sur les impôts* (chapitre I-3) dans le calcul du revenu d'un particulier pour son année d'imposition se terminant au cours de l'année d'imposition de l'inscrit, zéro;

b) dans tout autre cas, la partie ou le montant prescrit, en vertu de la *Loi sur les impôts*, du coût en capital de la voiture ou de l'aéronef déduit, en vertu de cette loi, dans le calcul du revenu de l'inscrit provenant de ces activités commerciales pour cette année d'imposition de l'inscrit.

Notes historiques: Le préambule de l'article 252 a été remplacé par L.Q. 1997, c. 85, art. 567(1)(1°) et a effet depuis le 1er avril 1997. Antérieurement, il se lisait ainsi :

252. Malgré les articles 250 et 251, aux fins du calcul du remboursement de la taxe sur les intrants d'un inscrit qui est un particulier ou une société de personnes,

LTVQ (français)

dans le cas où il acquiert, ou apporte au Québec, à un moment donné, une voiture de tourisme ou un aéronef, à l'égard duquel la taxe est payable par lui, pour l'utiliser comme son immobilisation non exclusivement dans le cadre de ses activités commerciales, les règles suivantes s'appliquent :

Le préambule du paragraphe 2° de l'article 252 a été modifié par L.Q. 2012, c. 28, par. 76(1) par le remplacement de « 9,5/109,5 » par « 9,975/109,975 ». Cette modification a effet à compter du 1er janvier 2013.

Le préambule du paragraphe 2° de l'article 252 a été modifié par L.Q. 2011, c. 6, par. 252(1) par le remplacement de « 8,5 / 108,5 » par « 9,5 / 109,5 ». Cette modification a effet à compter du 1er janvier 2012.

Le préambule du paragraphe 2° de l'article 252 a été modifié par L.Q. 2010, c. 5, par. 216(1) par le remplacement de « 7,5 / 107,5 » par « 8,5 / 108,5 ». Cette modification a effet à compter du 1er janvier 2011.

Le paragraphe 2° du premier alinéa, a été remplacé par L.Q. 1997, c. 85, art. 567(1)(2°) et a effet depuis le 1er avril 1997. Toutefois, pour la période du 1er avril 1997 au 31 décembre 1997, le paragraphe 2° doit se lire comme suit :

2° l'inscrit est réputé avoir payé, à ce moment, la taxe à l'égard de l'acquisition ou de l'apport de la voiture ou de l'aéronef, égale au résultat obtenu en multipliant par 6,5/106,5 le montant suivant.

Antérieurement, le paragraphe 2° se lisait ainsi :

2° l'inscrit est réputé avoir payé, à ce moment, la taxe à l'égard de l'acquisition ou de l'apport de la voiture ou de l'aéronef, égale au montant déterminé selon la formule suivante :

$$A \times B.$$

Le deuxième alinéa de l'article 251 a été supprimé par L.Q. 1997, c. 85, art. 567(1)(3°) et cette modification a effet depuis le 1er avril 1997. Antérieurement, il se lisait ainsi :

Pour l'application de cette formule :

1° la lettre A représente la fraction de taxe;

2° la lettre B représente :

a) dans le cas où un montant à l'égard de la voiture ou de l'aéronef doit être inclus en vertu des articles 41 ou 111 de la *Loi sur les impôts* (L.R.Q., chapitre I-3) dans le calcul du revenu d'un particulier pour son année d'imposition se terminant au cours de l'année d'imposition de l'inscrit, zéro;

b) dans tout autre cas, la partie ou le montant prescrit, en vertu de la *Loi sur les impôts* (chapitre I-3), du coût en capital de la voiture ou de l'aéronef déduit, en vertu de cette loi, dans le calcul du revenu de l'inscrit provenant de ses activités commerciales pour cette année d'imposition de l'inscrit.

L'article 252 a été modifié par L.Q. 1997, c. 3, art. 135(1°) pour remplacer le mot « société » par les mots « société de personnes ». Cette modification est entrée en vigueur le 20 mars 1997.

Auparavant, le premier et le deuxième alinéas de l'article 252 ont été modifiés par L.Q. 1994, c. 22, art 503(1) et sont réputés entrés en vigueur le 1er juillet 1992. Ils se lisaient auparavant comme suit :

252. Aux fins du calcul du remboursement de la taxe sur les intrants d'un inscrit qui est un particulier ou une société, dans le cas où, au cours d'une année d'imposition de celui-ci, il acquiert, ou apporte au Québec, une voiture de tourisme ou un aéronef, à l'égard duquel la taxe est payable par lui, pour l'utiliser comme immobilisation non exclusivement dans le cadre de ses activités commerciales, l'inscrit est réputé avoir payé la taxe à l'égard de l'acquisition ou de l'apport de la voiture ou de l'aéronef, devenue payable le dernier jour de la dernière période de déclaration de l'inscrit commençant au cours de cette année d'imposition et de chaque année d'imposition postérieure, et égale au montant déterminé selon la formule suivante :

$$A \times B.$$

Pour l'application de cette formule :

1° la lettre A représente la fraction de taxe;

2° la lettre B représente la partie ou le montant prescrit, en vertu de la *Loi sur les impôts* (L.R.Q., chapitre I-3), du coût en capital de la voiture ou de l'aéronef déduit, en vertu de cette loi, dans le calcul du revenu de l'inscrit provenant de ces activités commerciales pour cette année d'imposition ou l'année d'imposition postérieure, selon le cas.

Le deuxième alinéa de l'article 252 a été ajouté par L.Q. 1993, c. 19, art. 201 et s'appliquait à l'égard d'une fourniture ou d'un apport au Québec relativement auquel l'article 685 ou l'un des articles 618 à 656 de L.Q. 1991, c. 67 s'applique [*N.D.L.R.* : les articles 685 et 618 à 656 réfèrent à des dispositions transitoires concernant les transferts avant le 1er juillet 1992].

Le troisième alinéa de l'article 252 a été supprimé par L.Q. 1995, c. 63, art. 374 et cette modification s'applique à l'égard d'une voiture de tourisme relativement à laquelle l'inscrit pourrait demander un remboursement de la taxe sur les intrants en raison de l'abrogation du paragraphe 1 de l'article 206.1 s'il en faisait l'acquisition au moment visé au deuxième alinéa de l'article 252 et s'il payait une taxe à l'égard de la voiture de tourisme à ce moment.

[*N.D.L.R.* : le paragraphe d'application prévu par L.Q. 1995, c. 63, art. 374(2) a été modifié par L.Q. 1997, c. 85, art. 741 et a effet depuis le 15 décembre 1995. Antérieurement, il prévoyait ceci :

La suppression du troisième alinéa a effet :

1° depuis le 1er août 1995 dans le cas où l'inscrit est une petite ou moyenne entreprise;

2° à compter du 30 novembre 1996 dans le cas où l'inscrit est une grande entreprise.]

Auparavant, le troisième alinéa de l'article 252 se lisait comme suit :

Le présent article cesse de s'appliquer à l'égard d'une voiture de tourisme si l'inscrit commence, à un moment quelconque au cours d'une année d'imposition, à utiliser la voiture à une fin qui, en raison du paragraphe 1° de l'article 206.1, ne lui permettrait pas de demander un remboursement de la taxe sur les intrants à l'égard de celle-ci s'il en faisait l'acquisition à ce moment.

Le troisième alinéa de l'article 252 a été ajouté par L.Q. 1993, c. 19, art. 201 et s'appliquait à l'égard d'une fourniture ou d'un apport au Québec relativement auquel l'article 685 ou l'un des articles 618 à 656 de L.Q. 1991, c. 67 s'applique

L'article 252 a été édicté par L.Q. 1991, c. 67.

Notes explicatives ARQ (PL 5, L.Q. 2012, c. 28): *Résumé* :

L'article 252 est modifié afin de remplacer la fraction « 9,5/109,5 » par « 9,975/109,975 », et ce, en vue de tenir compte du fait qu'à compter du 1er janvier 2013 la taxe sur les produits et services (TPS) est retirée de l'assiette de la taxe de vente du Québec (TVQ).

Situation actuelle :

L'article 252 établit les règles applicables aux fins du calcul du remboursement de la taxe sur les intrants (RTI) que peut demander un inscrit dans le cas où il acquiert, ou apporte au Québec, une voiture de tourisme ou un aéronef pour l'utiliser comme son immobilisation et que la taxe est payable pour cette acquisition ou cet apport.

Ainsi, l'inscrit est réputé avoir payé, à ce moment, la TVQ pour l'acquisition ou l'apport de la voiture ou de l'aéronef égale au résultat obtenu en multipliant par la fraction « 9,5/109,5 » le montant suivant :

— zéro, dans le cas où un montant doit être inclus, en vertu de l'un des articles 41 et 111 de la *Loi sur les impôts* (L.Q., chapitre I-3) (LI), dans le calcul du revenu d'un particulier pour son année d'imposition se terminant au cours de l'année d'imposition de l'inscrit;

— la partie ou le montant prescrit, en vertu de la LI, du coût en capital de la voiture ou de l'aéronef déduit, en vertu de cette loi, dans le calcul du revenu de l'inscrit provenant de ses activités commerciales pour cette année d'imposition de l'inscrit.

Modifications proposées :

En vue de tenir compte du fait que la TPS est retirée de l'assiette de la TVQ à compter du 1er janvier 2013, il y a lieu de modifier l'article 252 de la LTVQ.

Cette modification a pour objet de remplacer la fraction « 9,5/109,5 » par « 9,975/109,975 ». Cette fraction permet de déterminer la taxe que l'inscrit est réputé avoir payée aux fins du calcul du RTI qu'il peut demander lorsqu'il acquiert, ou apporte au Québec, un voiture de tourisme ou un aéronef.

Notes explicatives ARQ (PL 5, L.Q. 2011, c. 6): *Résumé* :

Une modification est proposée à l'article 252.

Cette modification vise à remplacer la fraction « 8,5 / 108,5 » par « 9,5 / 109,5 » et ce, en vue de tenir compte de la hausse du taux de la taxe de vente du Québec (TVQ) à compter du 1er janvier 2012.

Situation actuelle :

L'article 252 établit les règles applicables aux fins du calcul du remboursement de la taxe sur les intrants (RTI) que peut demander un inscrit dans le cas où il acquiert, ou apporte au Québec, une voiture de tourisme ou un aéronef pour l'utiliser comme son immobilisation et que la taxe est payable pour cette acquisition ou cet apport.

Ainsi, l'inscrit est réputé avoir payé, à ce moment, la TVQ pour l'acquisition ou l'apport de la voiture ou de l'aéronef égale au résultat obtenu en multipliant par la fraction « 8,5 / 108,5 » le montant suivant :

— zéro, dans le cas où un montant doit être inclus, en vertu des articles 41 ou 111 de la *Loi sur les impôts* (L.R.Q., chapitre I-3) (LI), dans le calcul du revenu d'un particulier pour son année d'imposition se terminant au cours de l'année d'imposition de l'inscrit;

— la partie ou le montant prescrit, en vertu de la LI, du coût en capital de la voiture ou de l'aéronef déduit, en vertu de cette loi, dans le calcul du revenu de l'inscrit provenant de ses activités commerciales pour cette année d'imposition de l'inscrit.

Modifications proposées :

En vue de tenir compte de la hausse du taux de un point de pourcentage de la TVQ à compter du 1er janvier 2012, il y a lieu de modifier l'article 252 de la LTVQ.

Cette modification a pour objet de remplacer la fraction « 8,5 / 108,5 » par « 9,5 / 109,5 ». Cette fraction permet de déterminer la taxe que l'inscrit est réputé avoir payée aux fins du calcul du RTI qu'il peut demander lorsqu'il acquiert, ou apporte au Québec, un voiture de tourisme ou un aéronef.

Notes explicatives ARQ (PL 64, L.Q. 2010, c. 5): *Résumé* :

Les modifications proposées à l'article 252, plus particulièrement au paragraphe 2°, visent à remplacer la fraction « 7,5/107,5 » par « 8,5/108,5 », et ce, en vue de tenir compte de la hausse du taux de la taxe de vente du Québec (TVQ) à compter du 1er janvier 2011.

Situation actuelle :

L'article 252 de la LTVQ établit les règles applicables, malgré les articles 250 et 251 de la LTVQ, aux fins du calcul du remboursement de la taxe sur les intrants que peut demander un inscrit, qui est un particulier ou une société de personnes, dans le cas où il acquiert, ou apporte au Québec, à un moment donné, une voiture de tourisme ou un aéronef pour l'utiliser comme son immobilisation non exclusivement dans le cadre de ses activités commerciales et que la taxe est payable par lui pour cette acquisition ou cet apport.

Ainsi, l'inscrit est réputé avoir payé, à ce moment, la taxe pour l'acquisition ou l'apport de la voiture ou de l'aéronef égale au résultat obtenu en multipliant par la fraction « 7,5/107,5 » le montant suivant :

— zéro, dans le cas où un montant doit être inclus, en vertu des articles 41 ou 111 de la *Loi sur les impôts* (L.R.Q., chapitre I-3) (LI), dans le calcul du revenu d'un particulier pour son année d'imposition se terminant au cours de l'année d'imposition de l'inscrit;

— la partie ou le montant prescrit, en vertu de la LI, du coût en capital de la voiture ou de l'aéronef déduit, en vertu de cette loi, dans le calcul du revenu de l'inscrit provenant de ces activités commerciales pour cette année d'imposition de l'inscrit.

Modifications proposées :

En vue de tenir compte de la hausse du taux de un point de pourcentage de la TVQ à compter du 1er janvier 2011, il y aurait lieu de modifier l'article 252 de la LTVQ, plus particulièrement le paragraphe 2°, afin de remplacer la fraction « 7,5/107,5 » par « 8,5/108,5 », laquelle fraction permet de déterminer la taxe que l'inscrit est réputé avoir payé aux fins du calcul du remboursement de la taxe sur les intrants qu'il peut demander lorsqu'il acquiert, ou apporte au Québec, une voiture de tourisme ou un aéronef.

Définitions [art. 252]: « activité commerciale », « année d'imposition », « exclusif », « fraction de taxe », « immobilisation », « inscrit », « montant », « particulier », « taxe », « voiture de tourisme » — 1.

Renvois [art. 252]: 1.1 (personne morale); 250 (RTI — voiture de tourisme ou aéronef); 254 (présomption d'acquisition); 358 (remboursement aux salariés et aux associés); 359 (restriction du remboursement à un associé); 130a) (déduction du coût en capital); 506.1 (société et société de personnes); 99d.3), d.4) LI (coût en capital maximum d'une voiture de tourisme).

Concordance fédérale: LTA, par. 202(4).

COMMENTAIRES: Voir les commentaires sous l'article 255.

253. Changement d'utilisation

253. Changement d'utilisation — Dans le cas où un inscrit qui est un particulier ou une société de personnes acquiert, ou apporte au Québec, une voiture de tourisme ou un aéronef pour l'utiliser comme immobilisation exclusivement dans le cadre de ses activités commerciales et que l'inscrit commence, à un moment quelconque, à utiliser la voiture ou l'aéronef autrement qu'exclusivement dans ce cadre, les règles suivantes s'appliquent :

1° l'inscrit est réputé avoir effectué, immédiatement avant ce moment, une fourniture taxable de la voiture ou de l'aéronef par vente;

2° l'inscrit est réputé avoir perçu, à ce moment, la taxe relative à la fourniture, égale à la teneur en taxe de la voiture ou de l'aéronef immédiatement avant ce moment.

Malgré le premier alinéa, dans le cas où un inscrit qui est un particulier ou une société de personnes acquiert, ou apporte au Québec, une voiture de tourisme ou un aéronef pour l'utiliser comme immobilisation exclusivement dans le cadre de ses activités commerciales et que l'inscrit commence, le 1er janvier 2013, à utiliser le bien autrement qu'exclusivement dans le cadre de telles activités en raison de la section VI.1 du chapitre III, les règles suivantes s'appliquent :

1° l'inscrit est réputé avoir effectué, immédiatement avant le 1er janvier 2013, une fourniture de la voiture ou de l'aéronef par vente sans contrepartie;

2° l'inscrit est réputé avoir reçu, le 1er janvier 2013, une fourniture de la voiture ou de l'aéronef par vente pour l'utiliser autrement qu'à titre d'immobilisation ou d'amélioration apportée à son immobilisation.

Notes historiques: Les paragraphes 1° et 2° du premier alinéa de l'article 253 ont été remplacés par L.Q. 1997, c. 85, art. 568(1) et ont effet depuis le 1er avril 1997. Antérieurement, ces paragraphes se lisaient ainsi :

> 1° l'inscrit est réputé avoir effectué, immédiatement avant ce moment, une fourniture taxable de la voiture ou de l'aéronef par vente pour une contrepartie égale à la juste valeur marchande de la voiture ou de l'aéronef à ce moment;
>
> 2° l'inscrit est réputé avoir perçu, à ce moment, la taxe relative à la fourniture, calculée sur cette contrepartie.

L'article 778 de L.Q. 1997, c. 85 établit une présomption :

> 778. Le montant de taxe calculée sur la juste de valeur marchande du bien au moment donné, est réputée, aux fins du calcul du montant de taxe réputé avoir été perçu ou payé à ce moment en vertu des articles 243, 253, 258 et 259, égale à zéro.

La présomption s'applique dans le cas où en raison de l'entrée en vigueur d'une disposition de la *Loi sur la taxe de vente du Québec* (L.R.Q., chapitre T-01) que L.Q. 1997, c. 85 édicte, un organisme de bienfaisance, au sens que donne à cette expression l'article 1 de cette loi, est réputé en vertu des articles 243, 253, 258 et 259 de cette loi avoir effectué la fourniture d'un bien et perçu, à un moment donnée, la taxe à l'égard de la fourniture.

Le deuxième alinéa de l'article 253 a été ajouté par L.Q. 2012, c. 28, par. 77(1) et s'applique à compter du 1er janvier 2013.

L'article 253 a été modifié par L.Q. 1997, c. 3, art. 135(1°) pour remplacer le mot « société » par les mots « société de personnes ». Cette modification est entrée en vigueur le 20 mars 1997.

Auparavant, le paragraphe 2° du premier alinéa de l'article 253 a été modifié par L.Q. 1994, c. 22, art. 504(1) et est réputé entré en vigueur le 1er juillet 1992. Il se lisait comme suit :

> 2° l'inscrit est réputé avoir perçu, immédiatement avant ce moment, la taxe relative à la fourniture, calculée sur cette contrepartie.

Le deuxième alinéa de l'article 253 a été supprimé par L.Q. 1995, c. 63, art. 375(1) et cette modification a effet depuis le 1er août 1995 sauf si l'article 253.1 s'applique.

[*N.D.L.R.* : le paragraphe d'application prévu par L.Q. 1995, c. 63, art. 370(2) a été modifié par L.Q. 1997, c. 85, art. 742 et a effet depuis le 15 décembre 1995. Antérieurement, il prévoyait ce qui suit :

> La suppression a effet :
>
> 1° depuis le 1er août 1995 dans le cas où l'inscrit est une petite ou moyenne entreprise;
>
> 2° à compter du 30 novembre 1996 dans le cas où l'inscrit est une grande entreprise.]

Auparavant, le deuxième alinéa de l'article 253 se lisait comme suit :

> Le présent article ne s'applique pas si l'article 253 s'applique.

Le deuxième alinéa de l'article 253 a été ajouté par L.Q. 1993, c. 19, art. 202 et s'appliquait à l'égard d'une fourniture ou d'un apport au Québec relativement auquel l'article 685 ou l'un des articles 618 à 656 de L.Q. 1991, c. 67 s'applique [*N.D.L.R.* : les articles 685 et 618 à 656 réfèrent à des dispositions transitoires concernant les transferts avant le 1er juillet 1992].

L'article 253 a été édicté par L.Q. 1991, c. 67.

Notes explicatives ARQ (PL 5, L.Q. 2012, c. 28): *Résumé* :

L'article 253 prévoit une règle de changement d'utilisation applicable lorsqu'un inscrit — particulier ou société de personnes — qui détient une voiture de tourisme ou un aéronef comme immobilisation cesse de l'utiliser exclusivement dans le cadre de ses activités commerciales.

Cet article est modifié afin de prévoir une règle particulière en cas de changement d'utilisation en raison de l'exonération des services financiers.

Situation actuelle :

L'article 253 concerne le calcul du remboursement de la taxe sur les intrants lorsque l'utilisation de la voiture de tourisme ou de l'aéronef par un inscrit qui est un particulier ou une société de personnes dans le cadre d'activités commerciales cesse d'être exclusive. Il prévoit que l'inscrit est réputé avoir effectué la fourniture taxable de la voiture ou de l'aéronef, immédiatement avant le moment où il cesse de l'utiliser exclusivement dans le cadre de ses activités commerciales, et avoir perçu la taxe relative à la fourniture égale à la teneur en taxe de la voiture ou de l'aéronef immédiatement avant ce moment.

Modifications proposées :

À compter du 1er janvier 2013, la fourniture d'un service financier cesse, en règle générale, d'être détaxée et devient exonérée dans le régime de la taxe de vente du Québec (TVQ). La principale conséquence de ce changement est que les institutions financières et les autres inscrits ne pourront plus obtenir de remboursements de la taxe sur les intrants relativement aux fournitures acquises en vue de rendre des services financiers. La nouvelle section VI.1 du chapitre III du titre I de la LTVQ, introduite par le présent projet de loi et comprenant les articles 169.3 et 169.4, prévoit donc l'exonération des services financiers.

L'article 253 est modifié pour y prévoir une règle particulière applicable lorsque l'usage d'une voiture de tourisme ou d'un aéronef par un inscrit qui est un particulier ou une

LTVQ (français)

société de personnes change le 1er janvier 2013 en raison de la nouvelle exonération des services financiers dans le régime de la TVQ. Ainsi, le nouveau deuxième alinéa de l'article 253 de la LTVQ précise les règles applicables lorsqu'un tel inscrit utilisait avant le 1er janvier 2013 une voiture de tourisme ou un aéronef exclusivement dans le cadre de ses activités commerciales et commence, à cette date, à utiliser le bien autrement qu'exclusivement dans le cadre de telles activités, et ce, en raison du fait que la fourniture de la majorité des services financiers devient exonérée à compter de cette date. En effet, étant donné l'exonération des services financiers dans le régime de la TVQ à compter du 1er janvier 2013, l'utilisation d'un bien comme immobilisation en vue d'effectuer la fourniture de services financiers exonérés sera considérée à une fin autre que dans le cadre d'activités commerciales.

Le deuxième alinéa de l'article 253 prévoit que, dans ce cas, l'inscrit est réputé avoir effectué une fourniture de la voiture de tourisme ou de l'aéronef par vente immédiatement avant le 1er janvier 2013, mais sans contrepartie, et avoir reçu à cette date la fourniture de ce bien donné pour être utilisé par lui autrement qu'à titre d'immobilisation ou d'amélioration apportée à son immobilisation. Ceci fait donc en sorte que, d'une part, l'inscrit n'a aucun montant de taxe à remettre au ministre du Revenu, et que, d'autre part, tout changement d'utilisation ultérieur du bien donné n'entraînera pas l'application des règles de changement d'utilisation.

Définitions [art. 253]: « activité commerciale », « contrepartie », « exclusif », « immobilisation », « inscrit », « particulier », « taxe », « vente », « voiture de tourisme » — 1.

Renvois [art. 253]: 1.1 (personne morale); 199 (RTI); 254 (présomption d'acquisition); 506.1 (société et société de personnes).

Lettres d'interprétation [art. 253]: 05-0102631 — Interprétation relative à la TPS et à la TVQ — transfert d'un véhicule routier entre particuliers liés.

Concordance fédérale: LTA, par. 203(2).

COMMENTAIRES: Voir les commentaires sous l'article 255.

253.1 [*Abrogé*]

Notes historiques: L'article 253.1 a été abrogé par L.Q. 1995, c. 63, art. 376(1) et cette abrogation s'applique à l'égard d'une voiture de tourisme relativement à laquelle l'inscrit pourrait demander un remboursement de la taxe sur les intrants en raison de l'abrogation du paragraphe 1° de l'article 206.1 s'il en faisait l'acquisition au moment visé à l'article 253.1 que le présent article abroge et s'il payait une taxe à l'égard de la voiture de tourisme à ce moment.

[*N.D.L.R.* : le paragraphe d'application prévu par L.Q. 1995, c, 63, art. 376(2) a été modifié par L.Q. 1997, c. 85, art. 743 et a effet depuis le 15 décembre 1995. Antérieurement il prévoyait ce qui suit :

> Cette abrogation a effet :
>
> 1° depuis le 1er août 1995 dans le cas où l'inscrit est une petite ou moyenne entreprise;
>
> 2° à compter du 30 novembre 1996 dans le cas où l'inscrit est une grande entreprise.]

Auparavant, l'article 253.1 se lisait comme suit :

> 253.1 Dans le cas où un inscrit qui est un particulier ou une société acquiert, ou apporte au Québec, une voiture de tourisme pour l'utiliser comme immobilisation exclusivement dans le cadre de ses activités commerciales et que l'inscrit commence, à un moment quelconque, à utiliser la voiture à une fin qui, en raison du paragraphe 1° de l'article 206.1, ne lui permettrait pas de demander un remboursement de la taxe sur les intrants à l'égard de celle-ci s'il en faisait l'acquisition à ce moment, les règles suivantes s'appliquent :
>
> 1° l'inscrit est réputé avoir effectué une fourniture de la voiture par vente pour une contrepartie égale à la juste valeur marchande de la voiture à ce moment;
>
> 2° l'inscrit est réputé avoir perçu, à ce moment, la taxe relative à la fourniture, calculée sur cette contrepartie.

L'article 253.1, ajouté par L.Q. 1993, c. 19, art. 203, s'appliquait à l'égard d'une fourniture ou d'un apport au Québec relativement auquel l'article 685 ou l'un des articles 618 à 656 de L.Q. 1991, c. 67 s'applique [*N.D.L.R.* : les articles 685 et 618 à 656 réfèrent à des dispositions transitoires concernant les transferts avant le 1er juillet 1992].

COMMENTAIRES: Voir les commentaires sous l'article 255.

254. Présomption d'acquisition

254. Présomption d'acquisition — Pour l'application de l'article 252, dans le cas où à un moment quelconque un inscrit est réputé, en vertu de l'article 253, avoir effectué la fourniture taxable d'une voiture de tourisme ou d'un aéronef, les règles suivantes s'appliquent :

1° l'inscrit est réputé avoir acquis la voiture ou l'aéronef à ce moment;

2° la taxe est réputée payable à ce moment par l'inscrit à l'égard de l'acquisition de la voiture ou de l'aéronef.

Notes historiques: L'article 254 a été édicté par L.Q. 1991, c. 67.

Définitions [art. 254]: « fourniture taxable », « inscrit », « taxe », « voiture de tourisme » — 1.

Lettres d'interprétation [art. 254]: 05-0102631 — Interprétation relative à la TPS et à la TVQ — transfert d'un véhicule routier entre particuliers liés.

Concordance fédérale: LTA, par. 202(5).

COMMENTAIRES: Voir les commentaires sous l'article 255.

255. Vente

255. Vente — Malgré l'article 42.1 et sous réserve de l'article 20.1, dans le cas où un inscrit qui est un particulier ou une société de personnes effectue, à un moment donné, la fourniture par vente d'une voiture de tourisme ou d'un aéronef qui est son immobilisation qu'il n'a pas utilisée en tout temps, après le moment où il est devenu un inscrit et avant le moment donné, exclusivement dans le cadre de ses activités commerciales, la fourniture est réputée ne pas constituer une fourniture taxable.

Notes historiques: L'article 255 a été modifié par L.Q. 2001, c. 51, art. 273 par la suppression, après les mots « la fourniture est réputée ne pas constituer une fourniture taxable », des mots « , sauf si, dans le cas d'une voiture de tourisme, celle-ci constitue un véhicule routier qui doit être immatriculé en vertu du *Code de la sécurité routière* (chapitre C-24.2) à la suite d'une demande de son acquéreur. ». Cette modification a effet depuis le 1er août 1995.

L'article 255 a été modifié par L.Q. 1997, c. 3, art. 135(1°) pour remplacer le mot « société » par les mots « société de personnes ». Cette modification est entrée en vigueur le 20 mars 1997.

L'article 255 a été modifié par L.Q. 1995, c. 63, art. 377(1) et cette modification a effet depuis le 1er août 1995 sauf à l'égard d'une voiture de tourisme relativement à laquelle le troisième alinéa de l'article 252 ou l'article 253.1 s'est appliqué.

[*N.D.L.R.* : le paragraphe d'application prévu par L.Q. 1995, c. 63, art. 377(2) a été modifié par L.Q. 1997, c. 85, art. 744 et a effet depuis le 15 décembre 1995. Antérieurement, il prévoyait ce qui suit :

> Cette modification a effet :
>
> 1° depuis le 1er août 1995 dans le cas où l'inscrit est une petite ou moyenne entreprise;
>
> 2° à compter du 30 novembre 1996 dans le cas où l'inscrit est une grande entreprise.]

Auparavant, l'article 255, modifié par L.Q. 1994, c. 22, art. 505(1), était réputé entré en vigueur le 1er octobre 1992 et se lisait comme suit :

> 255. Malgré l'article 42.1, dans le cas où un inscrit qui est un particulier ou une société effectue, à un moment donné, la fourniture par vente d'une voiture de tourisme ou d'un aéronef qui est son immobilisation qu'il n'a pas utilisée en tout temps, après le moment où il est devenu un inscrit et avant le moment donné, exclusivement dans le cadre de ses activités commerciales, la fourniture est réputée ne pas constituer une fourniture taxable sauf si, dans le cas d'une voiture de tourisme, le troisième alinéa de l'article 252 ou l'article 253.1 s'est appliqué à l'égard de celle-ci.

Toutefois, il s'applique aux fournitures de voitures de tourisme ou d'aéronefs, sauf une fourniture en vertu de laquelle la propriété ou la possession de la voiture ou de l'aéronef est transférée à l'acquéreur avant le 1er octobre 1992.

L'article 255, modifié par L.Q. 1993, c. 19, art. 204, s'appliquait à l'égard d'une fourniture ou d'un apport au Québec relativement auquel l'article 685 ou l'un des articles 618 à 656 de L.Q. 1991, c. 67 s'applique [*N.D.L.R.* : les articles 685 et 618 à 656 réfèrent à des dispositions transitoires concernant les transferts avant le 1er juillet 1992]. Il se lisait auparavant comme suit :

> 255. Dans le cas où un inscrit qui est un particulier ou une société effectue, à un moment quelconque, la fourniture par vente d'une voiture de tourisme ou d'un aéronef qui est une immobilisation qu'il a utilisée, avant ce moment, autrement qu'exclusivement dans le cadre de ses activités commerciales, la fourniture est réputée ne pas constituer une fourniture taxable sauf si, dans le cas d'une voiture de tourisme, le troisième alinéa de l'article 252 ou l'article 253.1 s'est appliqué à l'égard de celle-ci.

L'article 255, édicté par L.Q. 1991, c. 67, se lisait auparavant comme suit :

> 255. Dans le cas où un inscrit qui est un particulier ou une société effectue, à un moment quelconque, la fourniture par vente d'une voiture de tourisme ou d'un aéronef qui est une immobilisation qu'il utilisait, avant ce moment, autrement qu'exclusivement dans le cadre de ses activités commerciales, la fourniture est réputée ne pas constituer une fourniture taxable.

Définitions [art. 255]: « activité commerciale », « exclusif », « fourniture », « fourniture taxable », « immobilisation », « inscrit », « particulier », « véhicule routier », « vente », « voiture de tourisme » — 1.

Renvois [art. 255]: 1.1 (personne morale); 506.1 (société et société de personnes).

Concordance fédérale: LTA, par. 203(3).

COMMENTAIRES: En vertu de l'article 250, seul un inscrit qui est un particulier ou une société de personnes qui acquiert une voiture de tourisme pour utilisation exclusive (90 p. 100 ou plus) comme immobilisation dans le cadre de ses activités commerciales peut inclure la taxe payable dans le calcul de son remboursement de la taxe sur les intrants relativement à l'acquisition (y compris l'amélioration) de la voiture. Toutefois, l'article 252 prévoit qu'un inscrit qui est un particulier ou une société de personnes qui acquiert une voiture de tourisme pour utilisation comme immobilisation, mais non exclusivement dans le cadre de ses activités commerciales (usage commercial inférieur à 90 p. 100), peut demander un remboursement de la taxe sur les intrants annuel égal à 7/107ème (en date des présentes : 9,975/109,975) de l'amortissement déclaré aux fins de l'impôt sur le revenu pour la partie de la voiture utilisée dans le cadre de ses activités commerciales. En somme, le remboursement de la taxe sur les intrants est fondé sur la déduction pour amortissement qui a été déduite aux termes de la *Loi sur les impôts*. Il est réclamé dans la déclaration de la TVQ pour la dernière période de déclaration qui a commencé durant l'année d'imposition de l'inscrit. Ce calcul doit être fait au cours de l'année d'imposition pendant laquelle la voiture est acquise et à chaque année d'imposition. Ainsi, l'inscrit ne peut réclamer en totalité un remboursement de la taxe sur les intrants pour la taxe payée relativement à l'acquisition de la voiture. D'autre part, aux termes de l'article 255, la fourniture par vente d'une voiture de tourisme est réputée ne pas être une fourniture taxable si l'inscrit qui est un particulier ou une société de personnes n'a pas utilisé la voiture exclusivement dans le cadre de ses activités commerciales entre le moment où il est devenu un inscrit et le moment de la fourniture. Enfin, pour ce qui est de la nouvelle voiture, le travailleur peut demander un remboursement de la taxe sur les intrants égal à 7/107ème (en date des présentes : 9,975/109,975) de l'amortissement réclamé aux fins de l'impôt sur le revenu aux termes de l'article 252 à compter de son année d'acquisition. Voir notamment à cet effet : Revenu Québec, Lettre d'interprétation, 97-0109286 — *CTI/RTI: voiture de tourisme* (12 novembre 1997).

Également à titre illustratif, dans le contexte d'une donation d'une voiture de tourisme, Revenu Québec indique que l'article 55 prévoit que la contrepartie d'une fourniture effectuée à titre gratuit entre personnes ayant un lien de dépendance est réputée égale à la juste valeur marchande du bien au moment de la fourniture. Aussi, lorsque le particulier inscrit donne, à un moment donné, à sa conjointe la voiture de tourisme qu'il utilise exclusivement dans le cadre de ses activités commerciales, il commence à ce moment à l'utiliser autrement. En conséquence, il est réputé, en application de l'article 253, avoir effectué, immédiatement avant ce moment, une fourniture taxable par vente de cette voiture et avoir perçu à ce moment, une taxe égale à la teneur en taxe de la voiture immédiatement avant ce moment. Conséquemment, ce don, en entraînant une disposition présumée de la voiture de tourisme, donne lieu à une obligation de versement, par le particulier inscrit, d'un montant de TVQ correspondant à la teneur en taxe de la voiture immédiatement avant le moment où est effectué le don. Par la suite, la fourniture de la voiture de tourisme effectuée à titre gratuit entre des personnes ayant un lien de dépendance n'entraîne aucune autre conséquence au régime de la TVQ, même si elle est réputée effectuée pour une contrepartie égale à la juste valeur marchande de la voiture en vertu de l'article 55, cette fourniture n'étant pas effectuée dans le cadre d'activités commerciales, conformément à l'article 244. Voir notamment à cet effet : Revenu Québec, Lettre d'interprétation, 05-0102631 — *Interprétation relative à la TPS et à la TVQ — Transfert d'un véhicule routier entre particuliers liées* (16 octobre 2006).

Compte tenu de la similarité de la rédaction des dispositions législatives et considérant l'engagement spécifique de Revenu Québec de veiller à ce que l'assiette de TVQ modifiée, de même que les paramètres administratifs, structurels et définitionnels, produisent des résultats qui sont similaires à ceux produits sous le régime de la TPS/TVH et soient administrés d'un manière qui produit des résultats similaires, tel que reflété par l'article 14 de l'*Entente intégrée globale de coordination fiscale* signée entre le gouvernement du Canada et le gouvernement du Québec, nous vous référons à nos commentaires en vertu des paragraphes 202(2), (3) et (4) et de l'article 203 de *Loi sur la taxe d'accise (TPS)* qui devraient s'appliquer *mutatis mutandis*, avec les adaptations nécessaires.

4. — Institution financière

Notes historiques: La sous-section 4, comprenant les articles 255.1 à 255.6, a été ajoutée par L.Q. 2012, c. 28, par. 78(1) et s'applique à compter du 1er janvier 2013.

255.1 Dans le cas où un inscrit est une institution financière, les articles 256 à 259 s'appliquent, compte tenu des adaptations nécessaires, relativement à un bien meuble que l'institution financière acquiert, ou apporte au Québec, pour l'utiliser comme immobilisation, ainsi qu'à une amélioration à un tel bien meuble, comme s'il s'agissait d'un immeuble.

Dans le cas où un inscrit est une institution financière, l'article 233 s'applique, compte tenu des adaptations nécessaires, relativement à un bien meuble autre qu'une voiture de tourisme que l'institution financière acquiert, ou apporte au Québec, pour l'utiliser comme immobilisation comme s'il s'agissait d'un immeuble.

Les premier et deuxième alinéas ne s'appliquent pas à un bien meuble d'une institution financière dont le coût pour celle-ci n'excède pas 50 000 $.

Dans le cas où un inscrit qui est une institution financière commence, le 1er janvier 2013, à utiliser un bien meuble dont le coût pour elle n'excède pas 50 000 $ comme immobilisation autrement que principalement dans le cadre de ses activités commerciales, en raison de la section VI.1 du chapitre III, et que l'inscrit, lors de la dernière acquisition, ou du dernier apport au Québec, du bien, l'a acquis ou l'a apporté pour l'utiliser comme immobilisation principalement dans le cadre de ses activités commerciales, les règles suivantes s'appliquent :

1° l'inscrit est réputé avoir effectué, immédiatement avant le 1er janvier 2013, une fourniture du bien par vente sans contrepartie;

2° l'inscrit est réputé avoir reçu, le 1er janvier 2013, une fourniture du bien par vente pour l'utiliser autrement qu'à titre d'immobilisation ou d'amélioration apportée à son immobilisation.

Malgré le premier alinéa, dans le cas où un inscrit qui est une institution financière réduit ou cesse, le 1er janvier 2013, l'utilisation d'un bien meuble dont le coût pour elle excède 50 000 $ comme immobilisation dans le cadre de ses activités commerciales, en raison de la section VI.1 du chapitre III, et que l'inscrit, lors de la dernière acquisition, ou du dernier apport au Québec, du bien, l'a acquis ou l'a apporté pour l'utiliser comme immobilisation principalement dans le cadre de ses activités commerciales, les règles suivantes s'appliquent :

1° l'inscrit est réputé avoir effectué, immédiatement avant le 1er janvier 2013, une fourniture du bien par vente et avoir perçu, à ce moment, la taxe relative à la fourniture égale à la teneur en taxe du bien à ce moment;

2° l'inscrit est réputé avoir reçu, immédiatement après le 31 décembre 2012, une fourniture du bien par vente et avoir payé, à ce moment, la taxe relative à la fourniture égale à la teneur en taxe du bien à ce moment;

3° le deuxième alinéa ne s'applique pas relativement au bien.

Notes historiques: L'article 255.1 a été ajouté par L.Q. 2012, c. 28, par. 78(1) et s'applique à compter du 1er janvier 2013.

Notes explicatives ARQ (PL 5, L.Q. 2012, c. 28): *Résumé* :

Le nouvel article 255.1 prévoit que les biens meubles d'un inscrit qui est une institution financière et dont le coût pour celle-ci excède 50 000 $ sont considérés comme des immeubles pour l'application des règles relatives au changement d'utilisation énoncées aux articles 256 à 259 de cette loi, de même que pour les fins de la demande d'un remboursement de la taxe sur les intrants conformément à l'article 233 de la LTVQ.

Contexte :

À compter du 1er janvier 2013, la fourniture d'un service financier, en règle générale, cesse d'être détaxée et devient exonérée dans le régime de la taxe de vente du Québec (TVQ). La principale conséquence de ce changement est que les institutions financières ne pourront plus obtenir de remboursements de la taxe sur les intrants relativement aux fournitures acquises en vue de rendre des services financiers. De nouvelles règles sont introduites dans la LTVQ pour le calcul du remboursement de la taxe sur les intrants que pourront demander les institutions financières relativement aux biens et aux services acquis dans le cadre de leurs activités commerciales, ce qui exclura alors les biens et les services acquis en vue d'effectuer la fourniture de services financiers exonérés.

Modifications proposées :

Le nouvel article 255.1 prévoit que les biens meubles d'un inscrit qui est une institution financière et dont le coût pour celle-ci excède 50 000 $ sont considérés comme des immeubles pour l'application des règles relatives au changement d'utilisation énoncées aux articles 256 à 259 de cette loi, de même que pour les fins de la demande d'un remboursement de la taxe sur les intrants conformément à l'article 233 de la LTVQ, sauf, dans ce dernier cas, s'il s'agit d'une voiture de tourisme.

L'article 240 permet à un inscrit d'obtenir un remboursement de la taxe sur les intrants relativement à la taxe payable par l'inscrit à l'égard de l'acquisition, ou de l'apport au Québec, d'un bien meuble, pour autant que ce bien soit utilisé principalement dans le cadre de ses activités commerciales. Dans le cas contraire, aucun montant ne peut être demandé au titre du remboursement de la taxe sur les intrants. De plus, les règles relatives à un changement d'utilisation s'appliquent lorsque le bien meuble qui est une immobilisation commence ou cesse d'être utilisé principalement dans le cadre d'activités commerciales. Or, l'article 246 de la LTVQ, tel que modifié par le présent projet de loi, prévoit que l'article 240 de cette loi ne s'applique pas aux biens meubles d'une institution financière.

Le nouvel article 255.1 fait en sorte que ce sont plutôt les règles générales applicables aux immeubles qui s'appliquent relativement à un bien meuble d'une institution financière dont le coût pour elle excède 50 000 $. Notons que, pour les biens meubles d'une institution financière dont le coût pour elle n'excède pas 50 000 $, aucune règle sur le changement d'utilisation n'est applicable, tel que le prévoit l'article 246 de la LTVQ.

Pour un bien meuble dont le coût excède 50 000 $, l'institution financière pourra, lors de l'acquisition ou de l'apport au Québec du bien meuble, demander un remboursement de la taxe sur les intrants en proportion de l'utilisation faite dans le cadre de ses activités commerciales. De même, l'institution financière devra faire le suivi précis de l'utilisation future de ce bien meuble. Toute diminution ou tout accroissement de l'utilisation qui en est faite dans le cadre de ses activités commerciales donnera lieu, respectivement, à une récupération du remboursement de la taxe sur les intrants auparavant obtenu ou à l'octroi d'un montant accru au titre du remboursement de la taxe sur les intrants.

Enfin, les quatrième et cinquième alinéas de l'article 255.1 prévoient des règles transitoires. Pour les biens meubles d'une institution financière dont le coût pour elle n'excède pas 50 000 $, d'une part, celle-ci est réputée avoir effectué la fourniture du bien par vente sans contrepartie (donc aucune taxe perçue sur cette vente) immédiatement avant le 1er janvier 2013, lorsque, en raison de l'exonération des services financiers, l'institution financière cesse d'utiliser, le 1er janvier 2013, le bien principalement dans le cadre de ses activités commerciales. Notons que, en vertu des règles générales applicables aux biens meubles, un inscrit peut, en règle générale, obtenir un remboursement de la taxe sur les intrants à l'égard de la totalité de la taxe payée relativement à un bien meuble utilisé comme immobilisation principalement dans le cadre d'activités commerciales. En effet, le paragraphe 2° de l'article 240 de la LTVQ prévoit que l'inscrit est alors réputé utilisé le bien meuble exclusivement dans ce cadre.

Or, réitérons que, dès le 1er janvier 2013, l'article 240 ne s'applique plus aux biens d'une institution financière. D'autre part, l'institution financière est alors réputée avoir acquis, le 1er janvier 2013, la fourniture du bien meuble par vente pour l'utiliser autrement qu'à titre d'immobilisation. Le bien sera donc traité de façon permanente comme un bien en inventaire.

Pour les autres biens meubles de l'institution financière dont le coût pour elle excède 50 000 $, d'une part, celle-ci est réputée avoir effectué, immédiatement avant le 1er janvier 2013, la fourniture du bien par vente et avoir perçu, à ce moment, la taxe relative à cette fourniture égale à la teneur en taxe du bien à ce moment, lorsque l'institution financière réduit ou cesse, le 1er janvier 2013, l'utilisation du bien meuble comme immobilisation dans le cadre de ses activités commerciales en raison de l'exonération des services financiers. Notons que, en vertu du nouveau deuxième alinéa de l'article 419 de la LTVQ, tel quemodifié par le présent projet de loi, le montant de taxe réputée perçue n'a pas à être ajouté dans le calcul de la taxe nette de l'institution financière. D'autre part, l'institution financière est réputée avoir acquis, le 1er janvier 2013, à nouveau le bien et avoir payé une taxe égale à la teneur en taxe du bien à ce moment, laquelle est alors nulle. Pour l'application ultérieure des règles sur le changement d'utilisation, tout montant de taxe devenu payable par l'institution financière avant le 1er janvier 2013, relativement à un tel bien meuble, n'est pas pris en considération, de sorte que, au 1er janvier 2013, la teneur en taxe d'un tel bien meuble est nulle, et ce, conformément au paragraphe 1° du nouvel article 15.1 de la LTVQ, introduit par le présent projet de loi.

Concordance fédérale: LTA, par. 205(1).

Concordance fédérale: LTA, par. 205(2).

255.2 Lorsqu'un choix fait par un inscrit en vertu du premier alinéa de l'article 297.0.2.1 entre en vigueur à un moment donné, que l'inscrit était une institution financière immédiatement avant le moment donné et que, par suite de l'entrée en vigueur de ce choix, l'inscrit diminue au moment donné l'utilisation qu'il fait de son bien meuble comme immobilisation dans le cadre de ses activités commerciales, les articles 233, 258 et 259 s'appliquent, compte tenu des adaptations nécessaires, à la diminution de l'utilisation comme si le bien était un immeuble.

Notes historiques: L'article 255.2 a été ajouté par L.Q. 2012, c. 28, par. 78(1) et s'applique à compter du 1er janvier 2013.

Notes explicatives ARQ (PL 5, L.Q. 2012, c. 28): *Résumé* :

Le nouvel article 255.2 prévoit que l'ensemble des biens meubles d'un inscrit qui est une institution financière sont considérés comme des immeubles pour l'application des règles relatives au changement d'utilisation énoncées aux articles 256 à 259 de cette loi, de même que pour les fins de la demande d'un remboursement de la taxe sur les intrants conformément à l'article 233 de la LTVQ, lorsque l'inscrit a fait le choix par suite duquel des fournitures taxables effectuées au sein d'un groupe étroitement lié sont réputées des fournitures de services financiers.

Contexte :

Voir la rubrique « Contexte » de la note explicative relative au nouvel article 255.1 de la LTVQ.

Modifications proposées :

Le nouvel article 255.2 prévoit que l'ensemble des biens meubles, sans égard à leur coût, d'un inscrit qui est une institution financière sont considérés comme des immeubles pour l'application des règles relatives au changement d'utilisation énoncées aux articles 256 à 259 de cette loi, de même que pour les fins de la demande d'un remboursement de la taxe sur les intrants conformément à l'article 233 de la LTVQ, lorsque l'inscrit a fait le choix visé à l'article 297.0.2.1 de la LTVQ, également introduit par le présent projet de loi.

En vertu du paragraphe 1 de l'article 150 de la *Loi sur la taxe d'accise* (Lois révisées du Canada (1985), chapitre E-15) (LTA), deux sociétés membres d'un même groupe étroitement lié dont une institution financière désignée est membre peuvent faire un choix conjoint pour que certaines fournitures effectuées entre elles soient réputées des fournitures de services financiers. Le nouvel article 297.0.2.1 de la LTVQ fait référence à ce choix et exige, lorsque ce choix est fait pour l'application de la partie IX de la LTA, que le choix soit également fait pour que des conséquences identiques en découlent pour l'application du titre I de la LTVQ à l'égard des fournitures également visées par ce paragraphe 1. Ainsi, une fourniture qui survient à un moment où le choix de l'article 297.0.2.1 de la LTVQ est en vigueur est réputée la fourniture d'un service financier pour l'application du titre I de la LTVQ. En vertu du nouvel article 169.4 de la LTVQ, introduit par le présent projet de loi, la fourniture réputée celle d'un service financier en vertu de l'article 297.0.2.1 de la LTVQ est également exonérée.

L'article 255.2 prévoit que, lorsqu'un inscrit réduit l'utilisation faite d'un bien meuble dans le cadre de ses activités commerciales par suite d'un choix requis en vertu de l'article 297.0.2.1 de la LTVQ et que cet inscrit était une institution financière immédiatement avant l'entrée en vigueur de ce choix, les règles relatives au changement d'utilisation prévues aux articles 258 et 259 de la LTVQ et celle relative au remboursement de la taxe sur les intrants prévue à l'article 233 de cette loi s'appliquent à l'ensemble des biens meubles de l'inscrit.

255.3 Lorsque, à un moment donné, un inscrit devient une institution financière et que, immédiatement avant ce moment, il utilisait un bien meuble lui appartenant comme immobilisation, les règles suivantes s'appliquent :

1° dans le cas où, immédiatement avant le moment donné, l'inscrit n'utilisait pas le bien meuble principalement dans le cadre de ses activités commerciales et que, immédiatement après le moment donné, le bien est destiné à être utilisé dans ce cadre, l'inscrit est réputé changer, à ce moment, la mesure dans laquelle le bien est utilisé dans ce cadre et l'article 256 s'applique, compte tenu des adaptations nécessaires, au changement d'utilisation comme si le bien était un immeuble qui n'était pas utilisé, immédiatement avant ce moment, dans le cadre de ses activités commerciales;

2° dans le cas où, immédiatement avant le moment donné, l'inscrit utilisait le bien principalement dans le cadre de ses activités commerciales et que, immédiatement après ce moment, le bien n'est pas destiné à être utilisé exclusivement dans ce cadre, l'inscrit est réputé changer, à ce moment, la mesure dans laquelle le bien est utilisé dans ce cadre et les articles 233, 258 et 259 s'appliquent, compte tenu des adaptations nécessaires, au changement d'utilisation comme si le bien était un immeuble utilisé, immédiatement avant ce moment, exclusivement dans le cadre de ses activités commerciales.

Lorsqu'une société donnée qui n'est pas une institution financière fusionne avec au moins une autre société, dans les circonstances décrites à l'article 76, pour former une nouvelle société qui est, à la fois, une institution financière et un inscrit, et que les biens meubles qui faisaient partie des immobilisations de la société donnée deviennent, à un moment donné, les biens de la nouvelle société par suite de la fusion, le premier alinéa s'applique à ces biens comme si la nouvelle société était devenue une institution financière au moment donné.

Lorsqu'une société donnée qui n'est pas une institution financière est liquidée dans les circonstances décrites à l'article 77, qu'au moins 90 % des actions émises de chaque catégorie de son capital-actions appartenaient, immédiatement avant la liquidation, à une autre société qui est, à la fois, une institution financière et un inscrit et que les biens meubles qui font partie des immobilisations de la société donnée deviennent les biens de l'autre société par suite de la liquidation, le premier alinéa s'applique à ces biens comme si l'autre société était devenue une institution financière au moment de la liquidation.

Notes historiques: L'article 255.3 a été ajouté par L.Q. 2012, c. 28, par. 78(1) et s'applique à compter du 1er janvier 2013.

Notes explicatives ARQ (PL 5, L.Q. 2012, c. 28): *Résumé* :

Le nouvel article 255.3 prévoit certaines règles applicables par suite desquelles une personne qui devient, à un moment donné, une institution financière peut obtenir un montant au titre du remboursement de la taxe sur les intrants relativement à son bien meuble qui est une immobilisation ou encore peut avoir à restituer un montant préalablement obtenu à ce titre.

Contexte :

Voir la rubrique « Contexte » de la note explicative relative au nouvel article 255.1 de la LTVQ.

Modifications proposées :

Le nouvel article 255.3 prévoit que, lorsqu'une personne devient une institution financière à un moment donné, elle est considérée comme ayant augmenté l'utilisation qu'elle fait dans le cadre d'activités commerciales de son bien meuble qui est une immobilisation qui, immédiatement avant ce moment, n'était pas utilisé principalement dans le cadre d'activités commerciales (paragraphe 1° du premier alinéa de l'article 255.3 de la LTVQ). Dans un tel cas, la personne pourra obtenir un montant au titre du remboursement de la taxe sur les intrants en proportion de l'utilisation faite du bien meuble dans le cadre de ses activités commerciales.

En corollaire, lorsqu'une personne devient une institution financière à un moment donné, elle est considérée comme ayant diminué l'utilisation qu'elle fait dans le cadre d'activités commerciales de son bien meuble qui est une immobilisation qui, immédiatement après ce moment, est utilisé principalement, mais non exclusivement, dans le cadre d'activités commerciales (paragraphe 2° du premier alinéa de l'article 255.3 de la LTVQ). Dans un tel cas, la personne devra remettre le montant au titre du remboursement de la taxe sur les intrants préalablement obtenu en proportion de l'utilisation faite du bien meuble autrement que dans le cadre de ses activités commerciales. Notons que cet article 255.3 de la LTVQ s'applique, entre autres, à une personne qui devient une institution financière par suite de la présomption à cet effet prévue au nouvel article 297.0.2.6 de la LTVQ, introduit par le présent projet de loi.

Le deuxième alinéa de l'article 255.3 prévoit que, en cas de fusion d'une institution non financière et d'une ou plusieurs autres sociétés, dans les circonstances décrites à l'article 76 de cette loi, pour former une nouvelle société qui, elle, est un inscrit et une institution financière, les règles relatives aux immobilisations qui s'appliquent à tout bien meuble d'un inscrit qui devient une institution financière prévues au premier alinéa de l'article 255.3 de la LTVQ s'appliquent à un bien meuble de l'institution non financière comme si elle était devenue une institution financière au moment de la fusion.

Le troisième alinéa de l'article 255.3 prévoit que, en cas de liquidation d'une institution non financière dans les circonstances décrites à l'article 77 de cette loi, par suite de laquelle les biens de l'institution non financière deviennent les biens de l'institution financière qui est un inscrit détenant 90 % du capital-actions de l'institution non financière, les règles relatives aux immobilisations qui s'appliquent aux inscrits qui deviennent des institutions financières, conformément au premier alinéa de cet article 255.3, s'appliquent également aux biens de l'institution non financière comme si l'institution financière était devenue une institution financière au moment de la liquidation.

Concordance fédérale: LTA, par. 205(2).

255.4 Lorsque, à un moment donné, un inscrit cesse d'être une institution financière et que, immédiatement avant ce moment, il utilisait un bien meuble lui appartenant comme immobilisation, les règles suivantes s'appliquent :

1° dans le cas où, immédiatement avant le moment donné, l'inscrit utilisait le bien meuble comme immobilisation mais non exclusivement dans le cadre de ses activités commerciales et que, immédiatement après ce moment, le bien est destiné à être utilisé principalement dans ce cadre, l'inscrit est réputé commencer, à ce moment, à utiliser le bien exclusivement dans ce cadre et les articles 256 et 257 s'appliquent, compte tenu des adaptations nécessaires, au changement d'utilisation comme si le bien était un immeuble;

2° dans le cas où, immédiatement avant le moment donné, l'inscrit utilisait le bien comme immobilisation dans le cadre de ses activités commerciales et que, immédiatement après ce moment, le bien n'est pas destiné à être utilisé principalement dans ce cadre, l'inscrit est réputé cesser, à ce moment, d'utiliser le bien dans le cadre de ses activités commerciales et les articles 233 et 258 s'appliquent, compte tenu des adaptations nécessaires, au changement d'utilisation comme si le bien était un immeuble.

Notes historiques: L'article 255.4 a été ajouté par L.Q. 2012, c. 28, par. 78(1) et s'applique à compter du 1er janvier 2013.

Notes explicatives ARQ (PL 5, L.Q. 2012, c. 28): *Résumé* :

Le nouvel article 255.4 prévoit certaines règles applicables par suite desquelles une personne qui cesse, à un moment donné, d'être une institution financière peut obtenir un montant au titre du remboursement de la taxe sur les intrants relativement à son bien meuble qui est une immobilisation ou encore peut avoir à restituer un montant préalablement obtenu à ce titre.

Contexte :

Voir la rubrique « Contexte » de la note explicative relative au nouvel article 255.1 de la LTVQ.

Modifications proposées :

Le nouvel article 255.4 prévoit que, lorsqu'une personne cesse d'être une institution financière à un moment donné, elle est considérée comme ayant augmenté l'utilisation qu'elle fait dans le cadre d'activités commerciales de son bien meuble qui est une immobilisation qui, immédiatement après ce moment, est utilisé principalement dans le cadre de ses activités commerciales (paragraphe 1° de l'article 255.4 de la LTVQ). Dans un tel cas, la personne pourra obtenir un montant additionnel au titre du remboursement de la taxe sur les intrants.

En corollaire, lorsqu'une personne cesse d'être une institution financière à un moment donné, elle est considérée comme ayant cessé l'utilisation qu'elle fait dans le cadre d'activités commerciales de son bien meuble qui est une immobilisation qui, immédiatement après ce moment, n'est pas utilisé principalement dans le cadre de ses activités commerciales (paragraphe 2° de l'article 255.4 de la LTVQ). Dans un tel cas, la personne devra remettre le montant au titre du remboursement de la taxe sur les intrants préalablement obtenu.

Concordance fédérale: LTA, par. 205(3).

255.5 Malgré l'article 239, lorsque, par suite de l'acquisition d'une entreprise, ou d'une partie d'une entreprise, d'un inscrit, une institution financière qui est un inscrit est réputée, en vertu de l'article 75.1, avoir acquis un bien pour l'utiliser exclusivement dans le cadre de ses activités commerciales et que, immédiatement après le transfert de la possession du bien à l'institution financière, conformément à la convention relative à la fourniture de l'entreprise ou de la partie de l'entreprise, le bien est destiné à être utilisé par celle-ci comme immobilisation mais non exclusivement dans le cadre de ses activités commerciales, les articles 233, 258 et 259 s'appliquent, compte tenu des adaptations nécessaires, au changement d'utilisation comme si le bien était un immeuble.

Notes historiques: L'article 255.5 a été ajouté par L.Q. 2012, c. 28, par. 78(1) et s'applique à compter du 1er janvier 2013.

Notes explicatives ARQ (PL 5, L.Q. 2012, c. 28): *Résumé* :

Le nouvel article 255.5 s'applique aux institutions financières qui acquièrent une partie ou la totalité de l'entreprise d'un inscrit. Il prévoit que les règles relatives au changement d'utilisation s'appliquent à l'ensemble des biens meubles acquis de l'inscrit pour être utilisés comme immobilisations.

Contexte :

Voir la rubrique « Contexte » de la note explicative relative au nouvel article 255.1 de la LTVQ.

Modifications proposées :

Le nouvel article 255.5 s'applique aux institutions financières qui acquièrent une partie ou la totalité de l'entreprise d'un inscrit. Il prévoit que les règles relatives au changement d'utilisation prévues aux articles 258 et 259 de la LTVQ s'appliquent à l'ensemble des biens meubles acquis de l'inscrit pour être utilisés comme immobilisations, et que l'article 233 de cette loi s'applique de façon à permettre la demande d'un remboursement de la taxe sur les intrants au titre d'un montant de taxe antérieurement irrécouvrable payé relativement au bien.

Plus précisément, le nouvel article 255.5 fait en sorte que si, à la suite du transfert de la possession d'un bien meuble à l'institution financière, celle-ci n'utilise pas exclusivement le bien dans le cadre de ses activités commerciales, les règles relatives au changement d'utilisation prévues aux articles 233, 258 et 259 de la LTVQ s'appliquent à l'ensemble des biens meubles acquis de l'inscrit pour être utilisés comme immobilisations, pour autant que les conditions suivantes soient satisfaites :

— l'institution financière est un inscrit;
— l'institution financière acquiert le bien meuble comme immobilisation, par suite de l'acquisition d'une entreprise ou d'une partie d'entreprise d'un inscrit;
— en raison du choix visé au paragraphe 2° de l'article 75 de la LTVQ qui a été fait conjointement par l'inscrit et l'institution financière, l'institution financière est réputée avoir acquis le bien meuble pour l'utiliser exclusivement dans le cadre de ses activités commerciales (le paragraphe 2° de l'article 75.1 de la LTVQ fait en sorte de réputer l'utilisation exclusive dans le cadre des activités commerciales, lorsque la fourniture de l'entreprise ou de la partie d'entreprise aurait, n'eût été l'article 75.1 de la LTVQ, autrement été taxable).

Concordance fédérale: LTA, par. 205(4).

Concordance fédérale: LTA, par. 205(5).

255.6 Malgré l'article 239, lorsque, par suite de l'acquisition d'une entreprise, ou d'une partie d'une entreprise, d'un inscrit, une institution financière qui est un inscrit est réputée, en vertu de l'article 75.1, avoir acquis un bien pour l'utiliser exclusivement dans le cadre de ses activités autres que commerciales et que, immédiatement après le transfert de la possession du bien à l'institution financière, conformément à la convention relative à la fourniture de l'entreprise ou de la partie de l'entreprise, le bien est destiné à être utilisé par celle-ci comme immobilisation dans le cadre de ses activités commerciales, l'article 256 s'applique, compte tenu des adaptations nécessaires, au changement d'utilisation comme si le bien était un immeuble.

LTVQ (français)

Notes historiques: L'article 256.1 a été ajouté par L.Q. 2012, c. 28, par. 78(1) et s'applique à compter du 1er janvier 2013.

Notes explicatives ARQ (PL 5, L.Q. 2012, c. 28): *Résumé* :

Le nouvel article 255.6 s'applique aux institutions financières qui acquièrent une partie ou la totalité de l'entreprise d'un inscrit. Il prévoit que les règles relatives au changement d'utilisation s'appliquent à l'ensemble des biens meubles acquis de l'inscrit pour être utilisés comme immobilisations.

Contexte :

Voir la rubrique « Contexte » de la note explicative relative au nouvel article 255.1 de la LTVQ.

Modifications proposées :

Le nouvel article 255.6 s'applique aux institutions financières qui acquièrent une partie ou la totalité de l'entreprise d'un inscrit. Il prévoit que les règles relatives au changement d'utilisation prévues à l'article 256 de la LTVQ s'appliquent à l'ensemble des biens meubles qui sont des immobilisations qui ont été acquis de l'inscrit et pour lesquels ce dernier n'a pas demandé un remboursement de la taxe sur les intrants.

Plus précisément, le nouvel article 255.6 fait en sorte que si, à la suite du transfert de la possession d'un bien meuble à l'institution financière, celle-ci utilise le bien dans le cadre de ses activités commerciales, les règles relatives au changement d'utilisation prévues à l'article 256 de la LTVQ s'appliquent à l'ensemble des biens meubles acquis de l'inscrit pour être utilisés comme immobilisations, pour autant que les conditions suivantes soient satisfaites :

— l'institution financière est un inscrit;

— l'institution financière acquiert le bien meuble comme immobilisation, par suite de l'acquisition d'une entreprise ou d'une partie d'entreprise d'un inscrit;

— en raison du choix visé au paragraphe 2° de l'article 75 de la LTVQ qui a été fait conjointement par l'inscrit et l'institution financière, l'institution financière est réputée avoir acquis le bien meuble pour l'utiliser exclusivement dans le cadre de ses activités autres que commerciales (le paragraphe 3° de l'article 75.1 de la LTVQ fait en sorte de réputer l'utilisation exclusive dans le cadre des activités autres que commerciales, lorsque la fourniture de l'entreprise ou de la partie d'entreprise n'aurait pas été taxable malgré l'article 75.1 de la LTVQ).

III — Immeuble

1. — Généralités

256. Utilisation d'un immeuble comme immobilisation — L'inscrit qui, lors de la dernière acquisition d'un immeuble, a acquis celui-ci pour l'utiliser comme immobilisation mais autrement que dans le cadre de ses activités commerciales et qui commence, à un moment donné, à utiliser l'immeuble comme immobilisation dans ce cadre, est réputé, sauf s'il devient un inscrit au moment donné, à la fois :

1° avoir reçu, au moment donné, une fourniture de l'immeuble par vente;

2° avoir payé, au moment donné, la taxe à l'égard de la fourniture, sauf s'il s'agit d'une fourniture exonérée, égale à la teneur en taxe de l'immeuble à ce moment.

Notes historiques: Le paragraphe 2° du premier alinéa de l'article 256 a été remplacé par L.Q. 1997, c. 85, art. 569(1)(1°) et cette modification a effet depuis le 1er avril 1997. Antérieurement, il se lisait ainsi :

> 2° avoir payé, au moment donné, la taxe à l'égard de la fourniture, sauf s'il s'agit d'une fourniture exonérée, égale au montant déterminé selon la formule suivante :
>
> $$A \times B.$$

Le deuxième alinéa a été supprimé par L.Q. 1997, c. 85, art. 569(1)(2°) et a effet depuis le 1er avril 1997. Antérieurement, il se lisait ainsi :

> Pour l'application de cette formule :
>
> 1° la lettre A représente le moindre des montants suivants :
>
> a) le montant qui correspond au total — appelé « total de la taxe exigée à l'égard de l'immeuble » dans le présent article — de la taxe payable par l'inscrit à l'égard de la dernière acquisition de l'immeuble par celui-ci et de la taxe payable par lui à l'égard d'une amélioration à l'immeuble acquise, ou apportée au Québec, par l'inscrit après que l'immeuble a été ainsi acquis la dernière fois;
>
> b) le montant qui correspond à la taxe calculée sur la juste valeur marchande de l'immeuble au moment donné;
>
> 2° la lettre B représente :
>
> a) dans le cas où l'inscrit avait le droit de demander un remboursement en vertu des articles 383 à 397 à l'égard de toute taxe comprise dans le total de la taxe exigée à l'égard de l'immeuble, la différence entre 100 % et le pourcentage prévu aux articles 386 ou 386.1 qui est applicable aux fins du calcul du montant de ce remboursement;
>
> b) dans tous les autres cas, 100 %.

L'article 256 a été modifié par L.Q. 1994, c. 22, art. 505(1) et est réputé entré en vigueur le 1er octobre 1992.

L'article 256, édicté par L.Q. 1991, c. 67, se lisait comme suit :

> 256. L'inscrit qui acquiert un immeuble à une fin qui ne lui donne pas droit à un remboursement de la taxe sur les intrants ou qui est réputé en vertu de l'article 258 avoir effectué une fourniture de l'immeuble et qui commence, à un moment quelconque, à utiliser l'immeuble comme immobilisation dans le cadre de ses activités commerciales, est réputé, à la fois :
>
> 1° avoir reçu immédiatement avant ce moment, une fourniture de l'immeuble par vente;
>
> 2° avoir payé, à ce moment, la taxe relative à la fourniture, sauf s'il s'agit d'une fourniture exonérée, égale au moindre des montants suivants :
>
> a) le montant qui correspond à l'excédent du total visé au sous-paragraphe i sur le total visé au sous-paragraphe ii :
>
> i. le total de la taxe payable par l'inscrit à l'égard de l'acquisition de l'immeuble et de la taxe payable par lui à l'égard d'une amélioration à l'immeuble ou, s'il est réputé en vertu de l'un des articles 258 et 273 en avoir effectué une fourniture à un moment antérieur, le total de la taxe que l'inscrit est réputé avoir perçue à ce moment antérieur en vertu de cet article et de la taxe payable par lui après ce moment antérieur à l'égard d'une amélioration à l'immeuble;
>
> ii. le total des remboursements à l'égard d'une taxe visée au sous-paragraphe i que l'inscrit a demandés ou qu'il a le droit de demander en vertu de la section I du chapitre septième;
>
> b) le montant qui correspond à la taxe qui serait payable par l'inscrit s'il avait acquis l'immeuble, au moment quelconque, pour une contrepartie égale à sa juste valeur marchande à ce moment.

Guides [art. 256]: IN-228 — La TVQ et la TPS/TVH pour les organismes de bienfaisance; IN-229 — La TVQ, la TPS/TVH pour les organismes sans but lucratif; IN-261 — La TVQ, la TPS et les immeubles d'habitation (construction ou rénovation).

Définitions [art. 256]: « activité commerciale », « amélioration », « fourniture », « fourniture exonérée », « immobilisation », « inscrit », « montant », « taxe », « vente » — 1.

Renvois [art. 256]: 15 (JVM); 102 (vente d'un immeuble par un particulier ou une fiducie); 199 (RTI); 237.3 (dernière acquisition ou apport); 239 (changement d'utilisation négligeable); 247 (valeur d'une voiture de tourisme); 258 (changement d'utilisation d'une immobilisation); 260 (champ d'application); 272 (choix visant les immobilisations).

Lettres d'interprétation [art. 256]: 98-0102933 — Décision portant sur l'application de la TPS — Interprétation relative à la TVQ — Amarrage à un ponton et choix de l'article 211.

Concordance fédérale: LTA, par. 206(2).

COMMENTAIRES: Voir les commentaires sous l'article 260.

257. Augmentation de l'utilisation d'un immeuble comme immobilisation — L'inscrit qui, lors de la dernière acquisition d'un immeuble, a acquis celui-ci pour l'utiliser comme immobilisation dans le cadre de ses activités commerciales et qui augmente, à un moment donné, l'utilisation de l'immeuble dans ce cadre, est réputé, aux fins du calcul de son remboursement de la taxe sur les intrants, à la fois :

1° avoir reçu, immédiatement avant le moment donné, une fourniture d'une partie de l'immeuble pour l'utiliser comme immobilisation exclusivement dans le cadre de ses activités commerciales;

2° avoir payé, au moment donné, la taxe à l'égard de la fourniture, sauf s'il s'agit d'une fourniture exonérée, égale au montant déterminé selon la formule suivante :

$$A \times B.$$

Application — Pour l'application de cette formule :

1° la lettre A représente la teneur en taxe de l'immeuble au moment donné;

2° la lettre B représente l'augmentation de l'utilisation de l'immeuble dans le cadre des activités commerciales de l'inscrit au moment donné, exprimée en pourcentage de l'utilisation totale de l'immeuble par celui-ci au moment donné;

3° (*paragraphe supprimé*).

Notes historiques: Le paragraphe 2° du premier alinéa de l'article 257 a été remplacé par L.Q. 1997, c. 85, art. 570(1)(1°). Antérieurement, le paragraphe 2° se lisait ainsi :

2° avoir payé, au moment donné, la taxe à l'égard de la fourniture, sauf s'il s'agit d'une fourniture exonérée, égale au montant déterminé selon la formule suivante :

$$A \times B \times C.$$

Le paragraphe 1° du deuxième alinéa a été modifié par L.Q. 1997, c. 85, art. 570(1)(2°)a) et a effet depuis le 1er avril 1997.

Le paragraphe 1° du deuxième alinéa se lisait auparavant comme suit :

1° la lettre A représente le moindre des montants suivants :

a) le montant qui correspond au total — appelé « total de la taxe exigée à l'égard de l'immeuble » dans le présent article — de la taxe payable par l'inscrit, ou qui le serait en faisant abstraction des articles 75.1 et 80, à l'égard de la dernière acquisition de l'immeuble par celui-ci et de la taxe payable par lui à l'égard d'une amélioration à l'immeuble acquise, ou apportée au Québec, par l'inscrit après que l'immeuble a été ainsi acquis la dernière fois;

b) le montant qui correspond à la taxe calculée sur la juste valeur marchande de l'immeuble au moment donné;

Le paragraphe 3° du deuxième alinéa de l'article 257 a été supprimé par L.Q. 1997, c. 85, art. 570(1)(2°)b) et cette modification a effet depuis le 1er avril 1997. Antérieurement, il se lisait comme suit :

3° la lettre C représente :

a) dans le cas où l'inscrit avait le droit de demander un remboursement en vertu des articles 383 à 397 à l'égard de toute taxe comprise dans le total de la taxe exigée à l'égard de l'immeuble, la différence entre 100 % et le pourcentage prévu aux articles 386 ou 386.1 qui est applicable aux fins du calcul du montant de ce remboursement;

b) dans tous les autres cas, 100 %.

L'article 257 a été modifié par L.Q. 1994, c. 22, art. 505(1) et est réputé entré en vigueur le 1er octobre 1992. L'article 257, édicté par L.Q. 1991, c. 67, se lisait comme suit :

257. L'inscrit qui acquiert un immeuble pour l'utiliser comme immobilisation dans le cadre de ses activités commerciales et qui augmente, à un moment quelconque, l'utilisation de l'immeuble dans ce cadre, est réputé, à la fois :

1° avoir reçu, immédiatement avant ce moment, une fourniture par vente d'une partie de l'immeuble pour l'utiliser comme immobilisation exclusivement dans le cadre de ses activités commerciales;

2° avoir payé, à ce moment, la taxe relative à la fourniture, sauf s'il s'agit d'une fourniture exonérée, égale au montant déterminé selon la formule suivante :

$$A \times (B - C).$$

Pour l'application de cette formule :

1° la lettre A représente le moindre des montants suivants :

a) le montant qui correspond à l'excédent du total visé au sous-paragraphe i sur le total visé au sous-paragraphe ii :

i. le total de la taxe payable par l'inscrit, ou qui le serait en faisant abstraction des articles 75 et 80, à l'égard de l'acquisition de l'immeuble et de la taxe payable par lui à l'égard d'une amélioration à l'immeuble ou, s'il est réputé en vertu de l'un des articles 258 et 273 en avoir effectué une fourniture à un moment antérieur, le total de la taxe que l'inscrit est réputé avoir perçue à ce moment antérieur en vertu de cet article et de la taxe payable par lui après ce moment antérieur à l'égard d'une amélioration à l'immeuble;

ii. le total des remboursements à l'égard d'une taxe visée au sous-paragraphe i que l'inscrit a demandés ou qu'il a le droit de demander en vertu de la section I du chapitre septième;

b) le montant qui correspond à la taxe qui serait payable par l'inscrit s'il avait acquis l'immeuble, au moment quelconque pour une contrepartie égale à sa juste valeur marchande à ce moment;

2° la lettre B représente 100 % ou, dans le cas où l'immeuble n'est pas utilisé exclusivement dans le cadre des activités commerciales de l'inscrit immédiatement après le moment quelconque, la proportion, immédiatement après ce moment, de l'utilisation de l'immeuble dans ce cadre par rapport à l'utilisation totale de l'immeuble, exprimée en pourcentage;

3° la lettre C représente la proportion, immédiatement avant le moment quelconque, de l'utilisation de l'immeuble dans le cadre des activités commerciales de l'inscrit par rapport à l'utilisation totale de l'immeuble, exprimée en pourcentage.

Guides: IN-261 — La TVQ, la TPS et les immeubles d'habitation (construction ou rénovation).

Définitions [art. 257]: « activité commerciale », « amélioration », « exclusif », « fourniture », « fourniture exonérée », « immobilisation », « inscrit », « montant », « taxe » — 1.

Renvois [art. 257]: 15 (JVM); 102 (vente d'un immeuble par un particulier ou une fiducie); 239 (changement d'utilisation négligeable); 247 (valeur d'une voiture de tourisme); 256 (acquisition d'une immobilisation); 260 (champ d'application); 272 (choix visant les immobilisations).

Lettres d'interprétation [art. 257]: 98-0102933 — Décision portant sur l'application de la TPS — Interprétation relative à la TVQ — Amarrage à un ponton et choix de l'article 211.

Concordance fédérale: LTA, par. 206(3).

COMMENTAIRES: Voir les commentaires sous l'article 260.

258. Changement d'utilisation d'un immeuble — L'inscrit qui, lors de la dernière acquisition d'un immeuble, a acquis celui-ci pour l'utiliser comme immobilisation dans le cadre de ses activités commerciales et qui commence, à un moment donné, à l'utiliser exclusivement à d'autres fins, est réputé, à la fois :

1° avoir effectué, immédiatement avant le moment donné, une fourniture de l'immeuble par vente et avoir perçu, au moment donné, la taxe à l'égard de la fourniture, sauf s'il s'agit d'une fourniture exonérée, égale à la teneur en taxe de l'immeuble à ce moment;

2° avoir reçu, au moment donné, une fourniture de l'immeuble par vente et avoir payé, au moment donné, la taxe à l'égard de la fourniture, sauf s'il s'agit d'une fourniture exonérée, égale au montant déterminé en vertu du paragraphe 1°.

Notes historiques: Le paragraphe 1° du premier alinéa de l'article 258 a été remplacé par L.Q. 1997, c. 85, art. 571(1)(1°) et a effet depuis le 1er avril 1997. Antérieurement, il se lisait ainsi :

1° avoir effectué, immédiatement avant le moment donné, une fourniture de l'immeuble par vente et avoir perçu, au moment donné, la taxe à l'égard de la fourniture, sauf s'il s'agit d'une fourniture exonérée, égale au montant déterminé selon la formule suivante :

$$(A \times B \times C) + [D \times (100 - B) \times E];$$

Le deuxième alinéa de l'article 258 a été supprimé par L.Q. 1997, c. 85, art. 571(1)(2°) et cette modification a effet depuis le 1er avril 1997. Antérieurement, il se lisait ainsi :

Pour l'application de la formule prévue au paragraphe 1° du premier alinéa :

1° la lettre A représente la taxe calculée sur la juste valeur marchande de l'immeuble au moment donné;

2° la lettre B représente l'utilisation de l'immeuble dans le cadre des activités commerciales de l'inscrit immédiatement avant le moment donné, exprimée en pourcentage de l'utilisation totale de l'immeuble par celui-ci immédiatement avant le moment donné;

3° la lettre C représente selon le cas :

a) la différence entre 100 % et le pourcentage prévu aux articles 386 ou 386.1 qui est applicable, ou qui le serait, aux fins du calcul du montant du remboursement en vertu des articles 383 à 397, si l'inscrit, selon le cas :

i. avait le droit de demander un remboursement en vertu de ces articles relatif à toute taxe payable à l'égard de la dernière acquisition de l'immeuble par l'inscrit ou, dans le cas où la dernière acquisition de l'immeuble était réputée effectuée en vertu de l'article 256, l'avant-dernière acquisition de l'immeuble par celui-ci, ou à l'égard d'une amélioration à l'immeuble acquise, ou apportée au Québec, par l'inscrit après la dernière ou l'avant-dernière acquisition de l'immeuble par celui-ci, selon le cas;

ii. aurait eu le droit de demander un remboursement en vertu de ces articles relatif à la taxe payable à l'égard de la dernière acquisition de l'immeuble, son avant-dernière acquisition ou une amélioration, selon le cas, n'eût été que l'immeuble a été acquis par l'inscrit au moment de cette dernière ou avant-dernière acquisition, selon le cas, pour l'utiliser exclusivement dans le cadre de ses activités commerciales;

b) dans tous les autres cas, 100 %;

4° la lettre D représente le moindre des montants suivants :

a) le montant qui correspond au total — appelé « total de la taxe exigée à l'égard de l'immeuble » dans le présent article — de la taxe payable par l'inscrit, ou qui le serait en faisant abstraction des articles 75.1 et 80, à l'égard de la dernière acquisition de l'immeuble par celui-ci et de la taxe payable par lui à l'égard d'une amélioration à l'immeuble acquise, ou apportée au Québec, par l'inscrit après que l'immeuble a été ainsi acquis la dernière fois;

b) le montant qui correspond à la taxe calculée sur la juste valeur marchande de l'immeuble au moment donné;

5° la lettre E représente :

a) dans le cas où l'inscrit avait le droit de demander un remboursement en vertu des articles 383 à 397 à l'égard de toute taxe comprise dans le total de la taxe exigée à l'égard de l'immeuble, ou aurait eu le droit d'ainsi le demander n'eût été que l'inscrit, lors de la dernière acquisition de l'immeuble, a acquis celui-ci pour l'utiliser exclusivement dans le cadre de ses activités commerciales, la différence entre 100 % et le pourcentage prévu aux articles 386 ou 386.1 qui est applicable, ou qui le serait, aux fins du calcul du montant de ce remboursement;

b) dans tous les autres cas, 100 %.

L'article 778 de L.Q. 1997, c. 85 établit une présomption :

> 788. Le montant de taxe calculée sur la juste de valeur marchande du bien au moment donné, est réputée, aux fins du calcul du montant de taxe réputé avoir été perçu ou payé à ce moment en vertu des articles 243, 253, 258 et 259, égale à zéro.

La présomption s'applique dans le cas où en raison de l'entrée en vigueur d'une disposition de la *Loi sur la taxe de vente du Québec* (L.R.Q., chapitre T-01) que L.Q. 1997, c. 85 édicte, un organisme de bienfaisance, au sens que donne à cette expression l'article 1 de cette loi, est réputé en vertu des articles 243, 253, 258 et 259 de cette loi avoir effectué la fourniture d'un bien et perçu, à un moment donnée, la taxe à l'égard de la fourniture.

L'article 258 a été modifié par L.Q. 1994, c. 22, art. 505(1) et est réputé entré en vigueur le 1er octobre 1992. L'article 258, édicté par L.Q. 1991, c. 67, se lisait comme suit :

> 258. L'inscrit qui acquiert un immeuble pour l'utiliser comme immobilisation dans le cadre de ses activités commerciales et qui commence, à un moment quelconque, à l'utiliser exclusivement à d'autres fins, est réputé, à la fois :
>
> 1º avoir effectué une fourniture de l'immeuble par vente immédiatement avant ce moment;
>
> 2º avoir acquis l'immeuble, à ce moment, pour l'utiliser autrement que dans le cadre de ses activités commerciales;
>
> 3º avoir perçu, à ce moment, la taxe relative à la fourniture, sauf s'il s'agit d'une fourniture exonérée, égale au montant déterminé selon la formule suivante :
>
> $$(A \times B) + [C \times (100\ \% - B)].$$
>
> Pour l'application de cette formule :
>
> 1º la lettre A représente la taxe calculée sur la juste valeur marchande de l'immeuble à ce moment;
>
> 2º la lettre B représente la proportion, immédiatement avant cette fourniture, de l'utilisation de l'immeuble dans le cadre des activités commerciales de l'inscrit par rapport à l'utilisation totale de l'immeuble, exprimée en pourcentage;
>
> 3º la lettre C représente le moindre des montants suivants :
>
> a) le montant qui correspond à la taxe calculée sur la juste valeur marchande de l'immeuble à ce moment;
>
> b) le montant qui correspond à l'excédent du total visé au sous-paragraphe i sur le total visé au sous-paragraphe ii :
>
> i. le total de la taxe payable par l'inscrit, ou qui le serait en faisant abstraction des articles 75 et 80, à l'égard de l'acquisition de l'immeuble et de la taxe payable par lui à l'égard d'une amélioration à l'immeuble ou, s'il est réputé en vertu de l'un des articles 256 et 273 en avoir reçu une fourniture à un moment antérieur, le total de la taxe que l'inscrit est réputé avoir payée à ce moment antérieur, en vertu de cet article et de la taxe payable par lui après ce moment antérieur à l'égard d'une amélioration à l'immeuble;
>
> ii. le total des remboursements à l'égard d'une taxe visée au sous-paragraphe i que l'inscrit a demandés ou qu'il a le droit de demander en vertu de la section I du chapitre septième.

Guides [art. 258]: IN-228 — La TVQ et la TPS/TVH pour les organismes de bienfaisance; IN-229 — La TVQ, la TPS/TVH pour les organismes sans but lucratif; IN-261 — La TVQ, la TPS et les immeubles d'habitation (construction ou rénovation).

Définitions [art. 258]: « activité commerciale », « amélioration », « exclusif », « fourniture », « fourniture exonérée », « immobilisation », « inscrit », « montant », « taxe », « vente » — 1.

Renvois [art. 258]: 15 (JVM); 94 (vente d'un immeuble d'habitation ou d'une adjonction à un immeuble d'habitation à logements multiples par une personne qui n'en est pas le constructeur); 96 (vente d'un immeuble d'habitation à logement unique ou d'un logement en copropriété); 97 (vente d'un immeuble d'habitation à logements multiples); 97.3 (vente d'un terrain de caravaning résidentiel); 102 (vente d'un immeuble par un particulier ou une fiducie); 220 (conversion à un usage résidentiel); 222.1 (fourniture à soi-même d'un fonds de terre); 222.2 (fourniture à soi-même d'un emplacement dans un terrain de caravaning résidentiel); 222.3 (fourniture à soi-même d'une adjonction); 233 (vente d'un immeuble); 256 (acquisition d'une immobilisation); 257 (utilisation accrue d'une immobilisation); 259 (utilisation réduite d'une immobilisation); 260 (champ d'application); 272 (choix visant les immobilisations); 378.12 (remboursement pour fonds de terre).

Lettres d'interprétation [art. 258]: 98-0102933 — Décision portant sur l'application de la TPS — Interprétation relative à la TVQ — Amarrage à un ponton et choix de l'article 211; 99-0103111 — Interprétation relative à la TPS — Interprétation relative à la TVQ — Fusion d'organismes de services publics.

Concordance fédérale: LTA, par. 206(4).

COMMENTAIRES: Voir les commentaires sous l'article 260.

259. Réduction de l'utilisation d'un immeuble comme immobilisation — Sauf dans le cas où l'article 258 s'applique, l'inscrit qui, lors de la dernière acquisition d'un immeuble, a acquis celui-ci pour l'utiliser comme immobilisation dans le cadre de ses activités commerciales et qui réduit, à un moment donné, l'utilisation de l'immeuble dans ce cadre, est réputé, aux fins du calcul de sa taxe nette pour sa période de déclaration qui comprend le moment donné, à la fois :

1º avoir effectué, immédiatement avant le moment donné, une fourniture d'une partie de l'immeuble;

2º avoir perçu, au moment donné, la taxe à l'égard de la fourniture, sauf s'il s'agit d'une fourniture exonérée, égale au montant déterminé selon la formule suivante :

$$A \times B.$$

Application — Pour l'application de cette formule :

1º la lettre A représente la teneur en taxe de l'immeuble au moment donné;

2º la lettre B représente la réduction de l'utilisation de l'immeuble dans le cadre des activités commerciales de l'inscrit au moment donné, exprimée en pourcentage de l'utilisation totale de l'immeuble par celui-ci au moment donné;

3º (*paragraphe supprimé*).

Notes historiques: Le paragraphe 2º du premier alinéa de l'article 259 a été remplacé par L.Q. 1997, c. 85, art. 572(1)(1º) et a effet depuis le 1er avril 1997. Antérieurement, il se lisait ainsi :

> 2º avoir perçu, au moment donné, la taxe à l'égard de la fourniture, sauf s'il s'agit d'une fourniture exonérée, égale au montant déterminé selon la formule suivante :
>
> $$A \times B \times C.$$

Le paragraphe 1º du deuxième alinéa de l'article 259 a été remplacé par L.Q. 1997, c. 85, art. 572(1)(2º)a) et a effet depuis le 1er avril 1997. Antérieurement, il se lisait ainsi :

> 1º la lettre A représente le moindre des montants suivants :
>
> a) le montant qui correspond au total — appelé « total de la taxe exigée à l'égard de l'immeuble » dans le présent article — de la taxe payable par l'inscrit, ou qui le serait en faisant abstraction des articles 75.1 et 80, à l'égard de la dernière acquisition de l'immeuble par celui-ci et de la taxe payable par lui à l'égard d'une amélioration à l'immeuble acquise, ou apportée au Québec, par l'inscrit après que l'immeuble a été ainsi acquis la dernière fois;
>
> b) le montant qui correspond à la taxe calculée sur la juste valeur marchande de l'immeuble au moment donné;

Le paragraphe 3º du deuxième alinéa a été supprimé par L.Q. 1997, c. 85, art. 572(1)(2º)b). Cette modification a effet depuis le 1er avril 1997.

Le paragraphe 3º se lisait auparavant ainsi :

> 3º la lettre C représente :
>
> a) dans le cas où l'inscrit avait le droit de demander un remboursement en vertu des articles 383 à 397 à l'égard de toute taxe comprise dans le total de la taxe exigée à l'égard de l'immeuble, ou aurait eu le droit d'ainsi le demander n'eût été que l'inscrit, lors de la dernière acquisition de l'immeuble, a acquis celui-ci pour l'utiliser exclusivement dans le cadre de ses activités commerciales, la différence entre 100 % et le pourcentage prévu aux articles 386 ou 386.1 qui est applicable, ou qui le serait, aux fins du calcul du montant de ce remboursement;
>
> b) dans tous les autres cas, 100 %.

L'article 778 de L.Q. 1997, c. 85 établit une présomption :

> 778. Le montant de taxe calculée sur la juste de valeur marchande du bien au moment donné, est réputée, aux fins du calcul du montant de taxe réputé avoir été perçu ou payé à ce moment en vertu des articles 243, 253, 258 et 259, égale à zéro.

La présomption s'applique dans le cas où en raison de l'entrée en vigueur d'une disposition de la *Loi sur la taxe de vente du Québec* (L.R.Q., chapitre T-01) que L.Q. 1997, c. 85 édicte, un organisme de bienfaisance, au sens que donne à cette expression l'article 1 de cette loi, est réputé en vertu des articles 243, 253, 258 et 259 de cette loi avoir effectué la fourniture d'un bien et perçu, à un moment donnée, la taxe à l'égard de la fourniture.

L'article 259 a été modifié par L.Q. 1994, c. 22, art. 505(1) et est réputé entré en vigueur le 1er octobre 1992. L'article 259, édicté par L.Q. 1991, c. 67, se lisait comme suit :

> 259. Sauf dans le cas où l'article 258 s'applique, l'inscrit qui acquiert un immeuble pour l'utiliser comme immobilisation dans le cadre de ses activités commerciales et qui réduit, à un moment quelconque, l'utilisation de l'immeuble dans ce cadre, est réputé, à la fois :

1° avoir effectué une fourniture d'une partie de l'immeuble par vente immédiatement avant ce moment;

2° avoir perçu, à ce moment, la taxe relative à la fourniture, sauf s'il s'agit d'une fourniture exonérée, égale au montant déterminé selon la formule suivante :

$$A \times (B - C).$$

Pour l'application de cette formule :

1° la lettre A représente le moindre des montants suivants :

a) le montant qui correspond à la taxe calculée sur la juste valeur marchande de l'immeuble à ce moment;

b) le montant qui correspond à l'excédent du total visé au sous-paragraphe i sur le total visé au sous-paragraphe ii :

i. le total de la taxe payable par l'inscrit, ou qui le serait en faisant abstraction des articles 75 et 80, à l'égard de l'acquisition de l'immeuble et de la taxe payable par lui à l'égard d'une amélioration à l'immeuble ou, s'il est réputé en vertu de l'un des articles 256 et 273 en avoir reçu une fourniture à un moment antérieur, le total de la taxe que l'inscrit est réputé avoir payée à ce moment antérieur en vertu de cet article et de la taxe payable par lui après ce moment antérieur à l'égard d'une amélioration à l'immeuble;

ii. le total des remboursements à l'égard d'une taxe visée au sous-paragraphe i que l'inscrit a demandés ou qu'il a le droit de demander en vertu de la section I du chapitre septième;

2° la lettre B représente la proportion, immédiatement avant cette fourniture, de l'utilisation de l'immeuble dans le cadre des activités commerciales de l'inscrit par rapport à l'utilisation totale de l'immeuble;

3° la lettre C représente la proportion que représente, immédiatement après ce moment, de l'utilisation de l'immeuble dans le cadre des activités commerciales de l'inscrit par rapport à l'utilisation totale de l'immeuble.

Définitions [art. 259]: « activité commerciale », « amélioration », « exclusif », « fourniture », « fourniture exonérée », « immobilisation », « inscrit », « montant », « période de déclaration », « taxe » — 1.

Renvois [art. 259]: 15 (JVM); 102 (vente d'un immeuble par un particulier ou une fiducie); 199 (RTI); 233 (vente d'un immeuble); 239 (changement d'utilisation négligeable); 260 (champ d'application); 272 (choix visant les immobilisations).

Lettres d'interprétation [art. 259]: 98-0102933 — Décision portant sur l'application de la TPS — Interprétation relative à la TVQ — Amarrage à un ponton et choix de l'article 211.

Concordance fédérale: LTA, par. 206(5).

COMMENTAIRES: Voir les commentaires sous l'article 260.

259.1 Malgré les articles 258 et 259, dans le cas où un inscrit, le 1er janvier 2013, soit réduit l'utilisation d'un immeuble comme immobilisation dans le cadre de ses activités commerciales, soit en cesse l'utilisation dans ce cadre, en raison de la section VI.1 du chapitre III, les règles suivantes s'appliquent :

1° l'inscrit est réputé avoir effectué, immédiatement avant le 1er janvier 2013, une fourniture de l'immeuble par vente et, sauf s'il s'agit d'une fourniture exonérée, avoir perçu, à ce moment, la taxe relative à la fourniture égale à la teneur en taxe de l'immeuble à ce moment;

2° l'inscrit est réputé avoir reçu, immédiatement après le 31 décembre 2012, une fourniture de l'immeuble par vente et, sauf s'il s'agit d'une fourniture exonérée, avoir payé, à ce moment, la taxe relative à la fourniture égale à la teneur en taxe de l'immeuble à ce moment.

Notes historiques: L'article 259.1 a été ajouté par L.Q. 2012, c. 28, par. 79(1) et s'applique à compter du 1er janvier 2013.

Notes explicatives ARQ (PL 5, L.Q. 2012, c. 28): *Résumé* :

Le nouvel article 259.1 prévoit les règles applicables lorsqu'un inscrit, le 1er janvier 2013, réduit l'utilisation faite d'un immeuble comme immobilisation dans le cadre de ses activités commerciales ou en cesse l'utilisation dans ce cadre en raison de l'exonération des services financiers dans le régime de la taxe de vente du Québec (TVQ).

Contexte :

À compter du 1er janvier 2013, la fourniture d'un service financier, en règle générale, cesse d'être détaxée et devient exonérée. La principale conséquence de ce changement est que les institutions financières ne pourront plus obtenir de remboursements de la taxe sur les intrants relativement aux fournitures acquises en vue de rendre des services financiers. De nouvelles règles sont introduites dans la LTVQ pour le calcul du remboursement de la taxe sur les intrants que pourront demander les institutions financières relativement aux biens et aux services acquis dans le cadre de leurs activités commerciales, ce qui exclura alors les biens et les services acquis en vue d'effectuer la fourniture de services financiers.

Modifications proposées :

Le nouvel article 259.1 prévoit qu'un inscrit, qui utilise un immeuble comme immobilisation dans le cadre de ses activités commerciales immédiatement avant le 1er janvier 2013 et qui, à cette date, en réduit l'utilisation faite dans le cadre de ses activités commerciales ou cesse d'utiliser l'immeuble dans le cadre de telles activités est réputé avoir effectué, immédiatement avant le 1er janvier 2013, une fourniture de l'immeuble par vente et avoir perçu, à ce moment, la taxe relative à la fourniture égale à la teneur en taxe de l'immeuble à ce moment. À noter qu'en vertu du deuxième alinéa de l'article 429 de la LTVQ, tel que modifié par le présent projet de loi, l'inscrit n'a pas à remettre la taxe ainsi réputée perçue.

De plus, l'article 259.1 prévoit que l'inscrit est réputé avoir reçu, le 1er janvier 2013, une fourniture de l'immeuble par vente et avoir payé, à ce moment, la taxe relative à la fourniture égale à la teneur en taxe de l'immeuble à ce moment. Pour les fins du calcul de la teneur en taxe d'un tel immeuble après le 31 décembre 2012, le nouvel article 15.1 de la LTVQ, également introduit par le présent projet de loi, fait en sorte que tout montant de taxe devenu payable avant le 1er janvier 2013 relativement à un tel immeuble ne sera pas pris en considération.

L'article 260, modifié par le présent projet de loi, prévoit que le nouvel article 259.1 de la LTVQ ne s'applique pas à un inscrit qui est un particulier, un organisme du secteur public ou un inscrit prescrit.

Concordance fédérale: aucune.

COMMENTAIRES: Voir les commentaires sous l'article 260.

260. Bien acquis par un particulier ou un organisme du secteur public — Sous réserve de l'article 272, les articles 256 à 259.1 ne s'appliquent pas à l'égard d'un bien acquis par un inscrit qui est un particulier, un organisme du secteur public autre qu'une institution financière ou un inscrit prescrit.

Notes historiques: L'article 260 a été remplacé par L.Q. 2012, c. 28, par. 80(1) et cette modification s'applique à compter du 1er janvier 2013. Antérieurement, il se lisait ainsi :

> 260. Sous réserve de l'article 272, les articles 256 à 259 ne s'appliquent pas à l'égard d'un bien acquis par un inscrit qui est un particulier, un organisme du secteur public ou un inscrit prescrit.

L'article 260 a été édicté par L.Q. 1991, c. 67.

Notes explicatives ARQ (PL 5, L.Q. 2012, c. 28): *Résumé* :

L'article 260 circonscrit le champ d'application des articles 256 à 259 de cette loi, soit les articles concernant les règles relatives au changement d'utilisation d'un immeuble. L'article 260 de la LTVQ est modifié de façon que les règles sur les changements d'utilisation s'appliquent à un organisme du secteur public qui est une institution financière.

Situation actuelle :

L'article 260 circonscrit le champ d'application des articles 256 à 259 de cette loi, soit des articles concernant les règles relatives au changement d'utilisation d'un immeuble. Ces règles ne s'appliquent pas à un particulier ou à un organisme du secteur public. De plus, ces règles ne s'appliquent pas à un inscrit prescrit. Toutefois, lorsqu'un organisme de services publics fait un choix conformément à l'article 272 de la LTVQ afin que la fourniture exonérée d'un immeuble soit considérée comme une fourniture taxable, les règles générales concernant un changement d'utilisation prévues aux articles 256 à 259 de la LTVQ s'appliquent à l'immeuble.

Modifications proposées :

L'article 260 est modifié de façon à faire en sorte que les articles 256 à 259 de cette loi s'appliquent à un organisme du secteur public qui est une institution financière.

De plus, cet article fait l'objet d'une modification corrélative pour tenir compte du nouvel article 259.1 de la LTVQ, introduit par le présent projet de loi.

Guides: IN-261 — La TVQ, la TPS et les immeubles d'habitation (construction ou rénovation).

Définitions [art. 260]: « bien », « immobilisation », « inscrit », « organisme du secteur public », « particulier » — 1.

Renvois [art. 260]: 102 (vente d'un immeuble par un particulier ou une fiducie); 341.4 (fourniture par une division de petit fournisseur); 677:30° (règlements).

Lettres d'interprétation [art. 260]: 98-0102933 — Décision portant sur l'application de la TPS — Interprétation relative à la TVQ — Amarrage à un ponton et choix de l'article 211.

Concordance fédérale: LTA, par. 206(1).

COMMENTAIRES: À titre illustratif, Revenu Québec s'est prononcé à l'égard d'une situation où deux organismes (« A et B ») constitués selon la partie III de la *Loi sur les compagnies du Québec* sont inscrits à la TPS et à la TVQ sont des organismes de services publics. B a effectué un choix en vertu de l'article 272 relativement à un immeuble qu'il possède. Ce choix a eu pour effet de rendre les fournitures de B relatives à l'immeuble taxables. A et B projettent de former par fusion une nouvelle entité (« C »). En vertu de la règle de changement d'utilisation prévue à l'article 258 qui s'applique dans les circonstances, B est réputé avoir fourni l'immeuble par vente immédiatement avant le changement d'utilisation et avoir perçu à ce moment et relativement à la fourniture, une taxe égale à la teneur en taxe de l'immeuble à ce moment. Il est également réputé avoir reçu au moment du changement d'utilisation une fourniture de l'immeuble par vente et avoir payé à ce moment et relativement à la fourniture, une taxe égale à la

LTVQ (français)

teneur en taxe. Il est à noter que C qui, en raison de son inscription, commence à utiliser l'immeuble qui est une immobilisation dans le cadre de ses activités commerciales n'est pas assujetti aux règles de changement d'usage prévues à l'article 256, puisque le début de cette utilisation est visé par les règles relatives à l'inscription prévues à l'article 210.2. Voir notamment à cet effet, Revenu Québec, Lettre d'interprétation, 99-0103111 — *Interprétation relative à la TPS, Interprétation relative à la TVQ, Fusion d'organismes de services publics* (4 novembre 1999).

Compte tenu de la similarité de la rédaction des dispositions législatives et considérant l'engagement spécifique de Revenu Québec de veiller à ce que l'assiette de TVQ modifiée, de même que les paramètres administratifs, structurels et définitionnels, produisent des résultats qui sont similaires à ceux produits sous le régime de la TPS/TVH et soient administrés d'une manière qui produit des résultats similaires, tel que reflété par l'article 14 de l'*Entente intégrée globale de coordination fiscale* signée entre le gouvernement du Canada et le gouvernement du Québec, nous vous référons à nos commentaires en vertu de l'article 206 de la *Loi sur la taxe d'accise (TPS)* qui devraient s'appliquer *mutatis mutandis*, avec les adaptations nécessaires.

2. — Particulier

261. Utilisation d'un immeuble comme immobilisation par un particulier — Le particulier qui est un inscrit qui, lors de la dernière acquisition d'un immeuble, a acquis celui-ci pour l'utiliser comme immobilisation dans le cadre de ses activités commerciales, et non principalement pour son utilisation personnelle et sa jouissance personnelle ou celles d'un particulier qui lui est lié, et qui commence, à un moment donné, à utiliser l'immeuble exclusivement à d'autres fins, ou principalement pour son utilisation personnelle et sa jouissance personnelle ou celles d'un particulier qui lui est lié, est réputé, à la fois :

1º avoir effectué, immédiatement avant le moment donné, une fourniture de l'immeuble par vente et avoir perçu, au moment donné, la taxe à l'égard de la fourniture, sauf s'il s'agit d'une fourniture exonérée, égale au montant déterminé selon la formule suivante :

$$A - B;$$

2º avoir reçu, au moment donné, une fourniture de l'immeuble par vente et avoir payé, au moment donné, la taxe à l'égard de la fourniture, sauf s'il s'agit d'une fourniture exonérée, égale au montant déterminé en vertu du paragraphe 1º.

Application — Pour l'application de la formule prévue au paragraphe 1º du premier alinéa :

1º la lettre A représente la teneur en taxe de l'immeuble au moment donné;

2º la lettre B représente la taxe que le particulier est réputé, en vertu de l'article 221 ou des articles 222.1 à 222.3, avoir perçue au moment donné à l'égard de l'immeuble, le cas échéant;

3º, 4º (*paragraphes supprimés*).

Notes historiques: Le paragraphe 1º du premier alinéa de l'article 261 a été remplacé par L.Q. 1997, c. 85, art. 573(1)(1º) et a effet depuis le 1er avril 1997. Antérieurement, il se lisait ainsi :

> 1º avoir effectué, immédiatement avant le moment donné, une fourniture de l'immeuble par vente et avoir perçu, au moment donné, la taxe à l'égard de la fourniture, sauf s'il s'agit d'une fourniture exonérée, égale au montant déterminé selon la formule suivante :
>
> $$(A \times B) + [C \times (100\ \% - B)] - D;$$

Les paragraphes 1º et 2º du deuxième alinéa de l'article 261 ont été remplacés par L.Q. 1997, c. 85, art. 573(1)(2º)a) et ont effet depuis le 1er avril 1997. Antérieurement, ils se lisaient ainsi :

> 1º la lettre A représente la taxe calculée sur la juste valeur marchande de l'immeuble au moment donné;
>
> 2º la lettre B représente l'utilisation de l'immeuble dans le cadre des activités commerciales du particulier immédiatement avant le moment donné, exprimée en pourcentage de l'utilisation totale de l'immeuble par celui-ci immédiatement avant le moment donné;

Les paragraphes 3º et 4º du troisième alinéa de l'article 261 ont été supprimés par L.Q. 1997, c. 85, art. 573(1)(2º)b). Ces suppressions ont effet depuis le 1er avril 1997. Auparavant ils se lisaient ainsi :

> 3º la lettre C représente le moindre des montants suivants :
>
> a) le montant qui correspond au total de la taxe payable par le particulier, ou qui le serait en faisant abstraction des articles 75.1 et 80, à l'égard de la dernière acquisition de l'immeuble par celui-ci et de la taxe payable par lui à l'égard d'une amélioration à l'immeuble acquise, ou apportée au Québec, par le particulier après que l'immeuble a été ainsi acquis la dernière fois;
>
> b) le montant qui correspond à la taxe calculée sur la juste valeur marchande de l'immeuble au moment donné;
>
> 4º la lettre D représente la taxe que le particulier est réputé, en vertu de l'article 221 ou des articles 222.1 à 222.3, avoir perçue au moment donné à l'égard de l'immeuble, le cas échéant.

L'article 261 a été modifié par L.Q. 1994, c. 22, art. 506(1) et est réputé entré en vigueur le 1er octobre 1992. L'article 261, édicté par L.Q. 1991, c. 67, se lisait comme suit :

> 261. L'inscrit qui est un particulier, qui acquiert un immeuble pour l'utiliser comme immobilisation dans le cadre de ses activités commerciales et non principalement pour son utilisation personnelle et sa jouissance personnelle ou celles d'un autre particulier qui lui est lié et qui commence, à un moment quelconque, à utiliser l'immeuble exclusivement à d'autres fins, ou principalement pour son utilisation personnelle et sa jouissance personnelle ou celles d'un autre particulier qui lui est lié, est réputé, à la fois :
>
> 1º avoir effectué une fourniture de l'immeuble par vente immédiatement avant ce moment;
>
> 2º avoir acquis l'immeuble, à ce moment, pour l'utiliser autrement que dans le cadre de ses activités commerciales;
>
> 3º avoir perçu, à ce moment, la taxe relative à la fourniture, sauf s'il s'agit d'une fourniture exonérée, égale au montant déterminé selon la formule suivante :
>
> $$(A \times B) + [C \times (100\ \% - B)] - D.$$
>
> Pour l'application de cette formule :
>
> 1º la lettre A représente la taxe calculée sur la juste valeur marchande de l'immeuble à ce moment;
>
> 2º la lettre B représente la proportion, immédiatement avant la fourniture, de l'utilisation de l'immeuble dans le cadre des activités commerciales de l'inscrit par rapport à l'utilisation totale de l'immeuble, exprimée en pourcentage;
>
> 3º la lettre C représente le moindre des montants suivants :
>
> a) le montant qui correspond à la taxe calculée sur la juste valeur marchande de l'immeuble à ce moment;
>
> b) le montant qui correspond au total de la taxe payable par l'inscrit, ou qui le serait en faisant abstraction des articles 75 et 80, à l'égard de l'acquisition de l'immeuble et de la taxe payable par lui à l'égard d'une amélioration à l'immeuble ou, s'il est réputé en vertu de l'article 264 en avoir reçu une fourniture à un moment antérieur, au total de la taxe que l'inscrit est réputé avoir payée à ce moment antérieur en vertu de cet article et de la taxe payable par lui après ce moment antérieur à l'égard d'une amélioration à l'immeuble;
>
> 4º la lettre D représente la taxe que l'inscrit est réputé, en vertu de l'article 221, avoir perçue à ce moment à l'égard de l'immeuble, le cas échéant.

Guides [art. 261]: IN-203 — Renseignements généraux sur la TVQ et la TPS/TVH; IN-261 — La TVQ, la TPS et les immeubles d'habitation (construction ou rénovation).

Définitions [art. 261]: « activité commerciale », « amélioration », « exclusif », « fourniture », « fourniture exonérée », « immobilisation », « inscrit », « montant », « particulier », « taxe », « vente » — 1.

Renvois [art. 261]: 3 (lien de dépendance); 15 (JVM); 94 (vente d'un immeuble d'habitation ou d'une adjonction à un immeuble d'habitation à logements multiples par une personne qui n'en est pas le constructeur); 95 (vente d'un immeuble d'habitation ou d'une adjonction à un immeuble d'habitation à logements multiples par le constructeur); 96 (vente d'un immeuble d'habitation à logement unique ou d'un logement en copropriété); 97 (vente d'un immeuble d'habitation à logements multiples); 97.3 (vente d'un terrain de caravaning résidentiel); 102 (vente d'un immeuble par un particulier ou une fiducie); 104 (fourniture d'une terre agricole par un particulier); 222.1 (fourniture à soi-même d'un fonds de terre); 222.2 (fourniture à soi-même d'un emplacement dans un terrain de caravaning résidentiel); 222.3 (fourniture à soi-même d'une adjonction); 233 (vente d'un immeuble); 237.3 (dernière acquisition ou apport); 239 (changement d'utilisation négligeable); 262 (utilisation réduite d'une immobilisation); 263 (acquisition d'une immobilisation par un particulier); 265 (utilisation accrue d'une immobilisation); 378.12 (remboursement pour fonds de terre).

Lettres d'interprétation [art. 261]: 98-0107213 — Interprétation en TPS et en TVQ — Construction d'un ajout à une résidence.

Concordance fédérale: LTA, par. 207(1).

COMMENTAIRES: Voir les commentaires sous l'article 266.

262. Réduction de l'utilisation d'un immeuble comme immobilisation par un particulier — Sauf dans le cas où l'article 261 s'applique, le particulier qui est un inscrit qui, lors de la dernière acquisition d'un immeuble, a acquis celui-ci pour l'utiliser comme immobilisation dans le cadre de ses activités commerciales, et non principalement pour son utilisation personnelle et sa jouissance personnelle ou celles d'un particulier qui lui est lié, et qui réduit, à un moment donné, l'utilisation de l'immeuble dans ce cadre sans commencer à l'utiliser principalement pour son utilisation personnelle et sa jouissance personnelle ou celles d'un particulier qui lui est lié, est réputé, aux fins du calcul de sa taxe nette, à la fois :

1° avoir effectué, immédiatement avant le moment donné, une fourniture par vente d'une partie de l'immeuble;

2° avoir perçu, au moment donné, la taxe à l'égard de la fourniture, sauf s'il s'agit d'une fourniture exonérée, égale au montant déterminé selon la formule suivante :

$$(A \times B) - C.$$

Application — Pour l'application de cette formule :

1° la lettre A représente la teneur en taxe de l'immeuble au moment donné;

2° la lettre B représente la réduction de l'utilisation de l'immeuble dans le cadre des activités commerciales du particulier au moment donné, exprimée en pourcentage de l'utilisation totale de l'immeuble par celui-ci au moment donné;

3° la lettre C représente la taxe que le particulier est réputé, en vertu de l'article 221 ou des articles 222.1 à 222.3, avoir perçue au moment donné à l'égard de l'immeuble, le cas échéant.

Notes historiques: Le paragraphe 1° du deuxième alinéa de l'article 262 a été remplacé par L.Q. 1997, c. 85, art. 574 et a effet depuis le 1er avril 1997. Antérieurement, il se lisait ainsi :

1° la lettre A représente le moindre des montants suivants :

a) le montant qui correspond au total de la taxe payable par le particulier, ou qui le serait en faisant abstraction des articles 75.1 et 80, à l'égard de la dernière acquisition de l'immeuble par celui-ci et de la taxe payable par lui à l'égard d'une amélioration à l'immeuble acquise, ou apportée au Québec, par l'inscrit après que l'immeuble a été ainsi acquis la dernière fois;

b) le montant qui correspond à la taxe calculée sur la juste valeur marchande de l'immeuble au moment donné;

L'article 262 a été modifié par L.Q. 1994, c. 22, art. 506(1) et est réputé entré en vigueur le 1er octobre 1992. L'article 262, édicté par L.Q. 1991, c. 67, se lisait comme suit :

262. Sauf dans le cas où l'article 261 s'applique, l'inscrit qui est un particulier qui acquiert un immeuble pour l'utiliser comme immobilisation dans le cadre de ses activités commerciales et non principalement pour son utilisation personnelle et sa jouissance personnelle ou celles d'un autre particulier qui lui est lié, et qui réduit, à un moment quelconque, l'utilisation de l'immeuble dans ce cadre sans commencer à l'utiliser principalement pour son utilisation personnelle et sa jouissance personnelle ou celles d'un autre particulier qui lui est lié, est réputé, à la fois :

1° avoir effectué une fourniture par vente d'une partie de l'immeuble immédiatement avant ce moment;

2° avoir perçu, à ce moment, la taxe relative à la fourniture, sauf s'il s'agit d'une fourniture exonérée, égale au montant déterminé selon la formule suivante :

$$[A \times (B - C)] - D.$$

Pour l'application de cette formule :

1° la lettre A représente le moindre des montants suivants :

a) le montant qui correspond à la taxe calculée sur la juste valeur marchande de l'immeuble à ce moment;

b) le montant qui correspond au total de la taxe payable par l'inscrit, ou qui le serait en faisant abstraction des articles 75 et 80, à l'égard de l'acquisition de l'immeuble et de la taxe payable par lui à l'égard d'une amélioration à l'immeuble ou, s'il est réputé en vertu de l'article 264 en avoir reçu une fourniture à un moment antérieur, au total de la taxe que l'inscrit est réputé avoir payée à ce moment antérieur en vertu de cet article et de la taxe payable par lui après ce moment antérieur à l'égard d'une amélioration à l'immeuble;

2° la lettre B représente la proportion, immédiatement avant la fourniture, de l'utilisation de l'immeuble dans le cadre des activités commerciales de l'inscrit par rapport à l'utilisation totale de l'immeuble;

3° la lettre C représente la proportion, immédiatement après ce moment, de l'utilisation de l'immeuble dans le cadre des activités commerciales de l'inscrit par rapport à l'utilisation totale de l'immeuble;

4° la lettre D représente la taxe que l'inscrit est réputé, en vertu de l'article 221, avoir perçue à ce moment à l'égard de l'immeuble, le cas échéant.

Guides: IN-261 — La TVQ, la TPS et les immeubles d'habitation (construction ou rénovation).

Définitions [art. 262]: « activité commerciale », « amélioration », « fourniture », « fourniture exonérée », « immobilisation », « inscrit », « montant », « particulier », « taxe », « vente » — 1.

Renvois [art. 262]: 3 (lien de dépendance); 15 (JVM); 102 (vente d'un immeuble par un particulier ou une fiducie); 233 (vente d'un immeuble); 239 (changement d'utilisation négligeable); 261 (inscrit qui est un particulier).

Concordance fédérale: LTA, par. 207(2).

COMMENTAIRES: Voir les commentaires sous l'article 266.

262.1 Malgré les articles 261 et 262, dans le cas où un particulier qui est un inscrit qui, le 1er janvier 2013, soit réduit l'utilisation d'un immeuble comme immobilisation dans le cadre de ses activités commerciales, soit en cesse l'utilisation dans ce cadre, en raison de la section VI.1 du chapitre III, et que l'inscrit, immédiatement avant le 1er janvier 2013, utilisait l'immeuble dans le cadre de ses activités commerciales, et non principalement pour son utilisation personnelle et sa jouissance personnelle ou celles d'un particulier qui lui est lié, les règles suivantes s'appliquent :

1° l'inscrit est réputé avoir effectué, immédiatement avant le 1er janvier 2013, une fourniture de l'immeuble par vente et, sauf s'il s'agit d'une fourniture exonérée, avoir perçu, à ce moment, la taxe relative à la fourniture égale à la teneur en taxe de l'immeuble à ce moment;

2° l'inscrit est réputé avoir reçu, immédiatement après le 31 décembre 2012, une fourniture de l'immeuble par vente et, sauf s'il s'agit d'une fourniture exonérée, avoir payé, à ce moment, la taxe relative à la fourniture égale à la teneur en taxe de l'immeuble à ce moment.

Notes historiques: L'article 262.1 a été ajouté par L.Q. 2012, c. 28, par. 81(1) et s'applique à compter du 1er janvier 2013.

Notes explicatives ARQ (PL 5, L.Q. 2012, c. 28): *Résumé* :

Le nouvel article 262.1 prévoit les règles applicables lorsqu'un particulier qui est un inscrit et qui, le 1er janvier 2013, réduit l'utilisation faite d'un immeuble dans le cadre de ses activités commerciales ou en cesse l'utilisation dans ce cadre en raison de l'exonération des services financiers dans le régime de la taxe de vente du Québec (TVQ). Ces règles font en sorte de cristalliser la teneur en taxe de l'immeuble au 31 décembre 2012.

Contexte :

À compter du 1er janvier 2013, la fourniture d'un service financier, en règle générale, cesse d'être détaxée et devient exonérée. La principale conséquence de ce changement est que les institutions financières ne pourront plus obtenir de remboursements de la taxe sur les intrants relativement aux fournitures acquises en vue de rendre des services financiers. De nouvelles règles sont introduites dans la LTVQ pour le calcul du remboursement de la taxe sur les intrants que pourront demander les institutions financières relativement aux biens et aux services acquis dans le cadre de leurs activités commerciales, ce qui exclura alors les biens et les services acquis en vue d'effectuer la fourniture de services financiers.

Modifications proposées :

Le nouvel article 262.1 prévoit qu'un particulier qui est un inscrit et qui, immédiatement avant le 1er janvier 2013, utilise un immeuble comme immobilisation dans le cadre de ses activités commerciales et non principalement pour son utilisation personnelle et sa jouissance personnelle ou celles d'un particulier qui lui est lié et qui, le 1er janvier 2013, en réduit l'utilisation faite dans le cadre de ses activités commerciales ou cesse d'utiliser l'immeuble dans le cadre de telles activités, par suite de l'exonération des services financiers dans le régime de la taxe de vente du Québec (TVQ) à compter de cette date, est réputé avoir effectué, immédiatement avant le 1er janvier 2013, une fourniture de l'immeuble par vente et, sauf s'il s'agit d'une fourniture exonérée, avoir perçu, à ce moment, la taxe relative à la fourniture égale à la teneur en taxe de l'immeuble à ce moment. À noter qu'en vertu du deuxième alinéa de l'article 429 de la LTVQ, tel que modifié par le présent projet de loi, l'inscrit n'a pas à remettre la taxe ainsi réputée perçue. De plus, l'article 262.1 de la LTVQ prévoit que l'inscrit est réputé avoir reçu, le 1er janvier 2013, une fourniture de l'immeuble par vente et, sauf s'il s'agit d'une fourniture exonérée, avoir payé, à cette date, la taxe relative à la fourniture égale à la teneur en taxe de l'immeuble à ce moment, laquelle est alors nulle en raison du nouvel article 15.1 de la LTVQ, également introduit par le présent projet de loi.

263. Acquisition d'un immeuble principalement pour l'utilisation personnelle d'un particulier — Sous réserve des articles 264 à 266, la taxe payable par un particulier qui est un inscrit à l'égard de l'acquisition d'un immeuble qu'il acquiert pour l'utiliser comme immobilisation, mais principalement pour son utilisation personnelle et sa jouissance personnelle ou celles d'un particulier auquel il est lié, ne doit pas être incluse dans le calcul d'un remboursement de la taxe sur les intrants du particulier.

Notes historiques: L'article 263 a été modifié par L.Q. 1994, c. 22, art. 506(1) et est réputé entré en vigueur le 1er octobre 1992. L'article 263, édicté par L.Q. 1991, c. 67, se lisait comme suit :

263. Sous réserve des articles 264 à 266, la taxe payable par un inscrit qui est un particulier à l'égard de la fourniture d'un immeuble qu'il acquiert pour l'utiliser

LTVQ (français)

comme immobilisation dans le cadre de ses activités commerciales, mais principalement pour son utilisation personnelle et sa jouissance personnelle ou celles d'un autre particulier auquel il est lié, ne doit pas être incluse dans le calcul d'un remboursement de la taxe sur les intrants de l'inscrit pour toute période de déclaration.

Guides: IN-261 — La TVQ, la TPS et les immeubles d'habitation (construction ou rénovation).

Définitions [art. 263]: « immobilisation », « inscrit », « particulier », « taxe » — 1.

Renvois [art. 263]: 3 (lien de dépendance).

Concordance fédérale: LTA, par. 208(1).

COMMENTAIRES: Voir les commentaires sous l'article 266.

264. Utilisation d'un immeuble comme immobilisation par un particulier

264. Utilisation d'un immeuble comme immobilisation par un particulier — Le particulier qui est un inscrit qui, lors de la dernière acquisition d'un immeuble, a acquis celui-ci pour l'utiliser comme immobilisation et soit principalement pour son utilisation personnelle et sa jouissance personnelle ou celles d'un particulier auquel il est lié, soit pour utilisation autrement que dans le cadre de ses activités commerciales, et qui commence, à un moment donné, à utiliser l'immeuble comme immobilisation dans le cadre de ses activités commerciales, et non principalement pour son utilisation personnelle et sa jouissance personnelle ou celles d'un particulier qui lui est lié, est réputé, à la fois :

1° avoir reçu, au moment donné, une fourniture de l'immeuble par vente;

2° avoir payé, au moment donné, la taxe à l'égard de la fourniture, sauf s'il s'agit d'une fourniture exonérée, égale à la teneur en taxe de l'immeuble au moment donné.

Notes historiques: Le préambule de l'article 264 a été remplacé par L.Q. 1997, c. 85, art. 575(1)(1°) a effet depuis le 1er octobre 1992. Antérieurement, il se lisait ainsi :

264. Le particulier qui est un inscrit qui, lors de la dernière acquisition d'un immeuble, a acquis celui-ci pour l'utiliser comme immobilisation, mais principalement pour son utilisation personnelle et sa jouissance personnelle ou celles d'un particulier auquel il est lié, et qui commence, à un moment donné, à utiliser l'immeuble comme immobilisation dans le cadre de ses activités commerciales, et non principalement pour son utilisation personnelle et sa jouissance personnelle ou celles d'un particulier qui lui est lié, est réputé, à la fois :

Le paragraphe 2° de l'article 264 a été remplacé par L.Q. 1997, c. 85, art. 575(1)(2°) et a effet depuis le 1er avril 1997. Antérieurement, il se lisait ainsi :

2° avoir payé, au moment donné, la taxe à l'égard de la fourniture, sauf s'il s'agit d'une fourniture exonérée, égale au moindre des montants suivants :

a) le montant qui correspond au total de la taxe payable par le particulier à l'égard de la dernière acquisition de l'immeuble par celui-ci et de la taxe payable par lui à l'égard d'une amélioration à l'immeuble acquise, ou apportée au Québec, par le particulier après que l'immeuble a été ainsi acquis la dernière fois;

b) le montant qui correspond à la taxe calculée sur la juste valeur marchande de l'immeuble au moment donné.

L'article 264 a été modifié par L.Q. 1994, c. 22, art. 506(1) et est réputé entré en vigueur le 1er octobre 1992. L'article 264, édicté par L.Q. 1991, c. 67, se lisait comme suit :

264. L'inscrit qui est un particulier, qui acquiert un immeuble à une fin qui ne lui donne pas droit à un remboursement de la taxe sur les intrants, ou qui est réputé en vertu de l'article 261 avoir effectué une fourniture de l'immeuble, et qui commence, à un moment quelconque, à utiliser l'immeuble comme immobilisation dans le cadre de ses activités commerciales, et non principalement pour son utilisation personnelle et sa jouissance personnelle ou celles d'un autre particulier qui lui est lié, est réputé, à la fois :

1° avoir reçu, immédiatement avant ce moment, une fourniture de l'immeuble par vente;

2° avoir payé, à ce moment, la taxe relative à la fourniture, sauf s'il s'agit d'une fourniture exonérée, égale au moindre des montants suivants :

a) le montant qui correspond au total de la taxe payable par l'inscrit à l'égard de l'acquisition de l'immeuble et de la taxe payable par lui à l'égard d'une amélioration à l'immeuble ou, s'il est réputé en vertu de l'article 261 en avoir effectué une fourniture à un moment antérieur, au total de la taxe que l'inscrit est réputé avoir perçue à ce moment antérieur en vertu de cet article et de la taxe payable par lui après ce moment antérieur à l'égard d'une amélioration à l'immeuble;

b) le montant qui correspond à la taxe qui serait payable par l'inscrit s'il avait acquis l'immeuble, au moment quelconque, pour une contrepartie égale à la juste valeur marchande de l'immeuble à ce moment.

Guides [art. 264]: IN-261 — La TVQ, la TPS et les immeubles d'habitation (construction ou rénovation).

Définitions [art. 264]: « activité commerciale », « amélioration », « fourniture », « fourniture exonérée », « immobilisation », « inscrit », « montant », « particulier », « taxe », « vente » — 1.

Renvois [art. 264]: 3 (lien de dépendance); 15 (JVM); 237.3 (dernière acquisition ou apport); 239 (changement d'utilisation négligeable); 262 (utilisation réduite d'une immobilisation); 263 (acquisition d'une immobilisation par un particulier).

Lettres d'interprétation [art. 264]: 02-0109674 — Immeuble, changement d'usage.

Concordance fédérale: LTA, par. 208(2).

COMMENTAIRES: Voir les commentaires sous l'article 266.

265. Augmentation de l'utilisation d'un immeuble comme immobilisation par un particulier

265. Augmentation de l'utilisation d'un immeuble comme immobilisation par un particulier — Le particulier qui est un inscrit qui, lors de la dernière acquisition d'un immeuble, a acquis celui-ci pour l'utiliser comme immobilisation dans le cadre de ses activités commerciales, et non principalement pour son utilisation personnelle et sa jouissance personnelle ou celles d'un particulier qui lui est lié, et qui augmente, à un moment donné, l'utilisation de l'immeuble dans ce cadre sans commencer à l'utiliser principalement pour son utilisation personnelle et sa jouissance personnelle ou celles d'un particulier qui lui est lié, est réputé, aux fins du calcul de son remboursement de la taxe sur les intrants, à la fois :

1° avoir reçu, au moment donné, une fourniture d'une partie de l'immeuble par vente pour l'utiliser comme immobilisation exclusivement dans le cadre de ses activités commerciales;

2° avoir payé, au moment donné, la taxe à l'égard de la fourniture, sauf s'il s'agit d'une fourniture exonérée, égale au montant déterminé selon la formule suivante :

$$A \times B.$$

Application — Pour l'application de cette formule :

1° la lettre A représente la teneur en taxe de l'immeuble au moment donné;

2° la lettre B représente l'augmentation de l'utilisation de l'immeuble dans le cadre des activités commerciales du particulier au moment donné, exprimée en pourcentage de l'utilisation totale de l'immeuble par celui-ci au moment donné.

Notes historiques: Le paragraphe 1° du deuxième alinéa de l'article 265 a été remplacé par L.Q. 1997, c. 85, art. 576(1) et a effet depuis le 1er avril 1997. Antérieurement, ce paragraphe se lisait ainsi :

1° la lettre A représente le moindre des montants suivants :

a) le montant qui correspond au total de la taxe payable par le particulier, ou qui le serait en faisant abstraction des articles 75.1 et 80, à l'égard de la dernière acquisition de l'immeuble par celui-ci et de la taxe payable par lui à l'égard d'une amélioration à l'immeuble acquise, ou apportée au Québec, par le particulier après que l'immeuble a été ainsi acquis la dernière fois;

b) le montant qui correspond à la taxe calculée sur la juste valeur marchande de l'immeuble au moment donné;

L'article 265 a été modifié par L.Q. 1994, c. 22, art. 506(1) et est réputé entré en vigueur le 1er octobre 1992. L'article 265, édicté par L.Q. 1991, c. 67, se lisait comme suit :

265. L'inscrit qui est un particulier qui acquiert un immeuble pour l'utiliser comme immobilisation dans le cadre de ses activités commerciales et non principalement pour son utilisation personnelle et sa jouissance personnelle ou celles d'un autre particulier qui lui est lié, et qui augmente, à un moment quelconque, l'utilisation de l'immeuble dans ce cadre, est réputé, à la fois :

1° avoir reçu, immédiatement avant ce moment, une fourniture d'une partie de l'immeuble par vente pour l'utiliser comme immobilisation exclusivement dans le cadre de ses activités commerciales;

2° avoir payé, à ce moment, la taxe relative à la fourniture, sauf s'il s'agit d'une fourniture exonérée, égale au montant déterminé selon la formule suivante :

$$A \times (B - C).$$

Pour l'application de cette formule :

1° la lettre A représente le moindre des montants suivants :

a) le montant qui correspond au total de la taxe payable par l'inscrit, ou qui le serait en faisant abstraction des articles 75 et 80, à l'égard de l'acquisition de l'immeuble et de la taxe payable par lui à l'égard d'une amélioration à l'immeuble ou, s'il est réputé en vertu de l'article 261 en avoir effectué une fourniture à un moment antérieur, le total de la taxe que l'inscrit est réputé avoir perçue à ce moment antérieur en vertu de cet article et de la taxe payable par lui après ce moment antérieur à l'égard d'une amélioration à l'immeuble;

b) le montant qui correspond à la taxe qui serait payable par l'inscrit s'il avait acquis l'immeuble, au moment quelconque, pour une contrepartie égale à la juste valeur marchande de l'immeuble à ce moment;

2° la lettre B représente 100 % ou, dans le cas où l'immeuble n'est pas utilisé exclusivement dans le cadre des activités commerciales de l'inscrit immédiatement après le moment quelconque, de l'utilisation de l'immeuble dans ce cadre par rapport à l'utilisation totale de l'immeuble, exprimée en pourcentage;

3° la lettre C représente la proportion, immédiatement avant le moment quelconque, de l'utilisation de l'immeuble dans le cadre des activités commerciales de l'inscrit par rapport à l'utilisation totale de l'immeuble, exprimée en pourcentage.

Guides [art. 265]: IN-261 — La TVQ, la TPS et les immeubles d'habitation (construction ou rénovation).

Définitions [art. 265]: « activité commerciale », « amélioration », « exclusif », « fourniture », « fourniture exonérée », « immobilisation », « inscrit », « montant », « particulier », « taxe », « vente » — 1.

Renvois [art. 265]: 3 (lien de dépendance); 15 (JVM); 239 (changement d'utilisation négligeable); 263 (acquisition d'une immobilisation par un particulier).

Concordance fédérale: LTA, par. 208(3).

COMMENTAIRES: Voir les commentaires sous l'article 266.

266. Amélioration à un immeuble qui est une immobilisation d'un particulier — Dans le cas où un particulier qui est un inscrit apporte au Québec ou acquiert une amélioration à un immeuble qui est une immobilisation de celui-ci, la taxe payable par le particulier à l'égard de l'amélioration ne doit pas être incluse dans le calcul d'un remboursement de la taxe sur les intrants du particulier si, au moment où la taxe devient payable ou est payée sans être devenue payable, l'immeuble sert principalement à son utilisation personnelle et à sa jouissance personnelle ou à celles d'un particulier auquel il est lié.

Notes historiques: L'article 266 a été modifié par L.Q. 1994, c. 22, art. 506(1) et est réputé entré en vigueur le 1er juillet 1992. L'article 266, édicté par L.Q. 1991, c. 67, se lisait comme suit :

266. Dans le cas où un inscrit, qui est un particulier, apporte au Québec ou acquiert une amélioration à un immeuble qui est une immobilisation de celui-ci, la taxe payable par le particulier à l'égard de l'amélioration ne doit pas être incluse dans le calcul d'un remboursement de la taxe sur les intrants du particulier pour toute période de déclaration si, immédiatement après que l'amélioration à l'immeuble ait été effectuée, il sert principalement à son utilisation personnelle et à sa jouissance personnelle ou à celles d'un autre particulier auquel il est lié.

Guides [art. 266]: IN-261 — La TVQ, la TPS et les immeubles d'habitation (construction ou rénovation).

Définitions [art. 266]: « amélioration », « immobilisation », « inscrit », « particulier », « taxe » — 1.

Renvois [art. 266]: 3 (lien de dépendance); 239 (changement d'utilisation négligeable); 263 (acquisition d'une immobilisation par un particulier)..

Lettres d'interprétation [art. 266]: 98-0107213 — Interprétation en TPS et en TVQ — Construction d'un ajout à une résidence.

Concordance fédérale: LTA, par. 208(4).

COMMENTAIRES: En vertu de l'article 262, le particulier inscrit ayant acquis un immeuble la dernière fois en vue de l'utiliser comme immobilisation, mais principalement pour son utilisation personnelle et qui commence, à un moment donné, à l'utiliser comme immobilisation dans le cadre de ses activités commerciales et non principalement pour son utilisation personnelle est réputé avoir reçu, au moment donné, une fourniture de l'immeuble par vente et avoir payé, au moment donné et relativement à la fourniture, sauf s'il s'agit d'une fourniture exonérée, une taxe égale à la teneur en taxe de l'immeuble à ce moment. Conséquemment, le pourcentage qui représente la mesure dans laquelle la personne a acquis le bien ou le service pour consommation, utilisation ou fourniture dans le cadre de ses activités commerciales au moment de l'application de la présomption de fourniture de l'immeuble par vente doit être considéré, pour le calcul du remboursement de la taxe sur les intrants, en vertu de l'article 199. Voir notamment à cet effet : Revenu Québec, Lettre d'interprétation, 02-0109674 — *Immeuble, changement d'usage* (26 novembre 2003).

En vertu de l'article 266, lorsqu'un particulier apporte des améliorations à un immeuble qui est son immobilisation, la taxe payable par lui relativement aux améliorations ne donne droit à aucun remboursement de la taxe sur les intrants si l'immeuble est destiné principalement (soit plus de 50 %) à son utilisation personnelle ou celle d'un particulier qui lui est lié. Dans le présent cas analysé par Revenu Québec, la résidence a une superficie de 2 350 pieds carrés et l'ajout qui y est construit a une superficie de 880 pieds carrés. L'immeuble est donc destiné principalement à l'utilisation personnelle du particulier à titre de résidence et la taxe payable relativement aux améliorations ne vous donne droit à aucun remboursement de la taxe sur les intrants. D'autre part, si le particulier met fin à ses activités commerciales, il n'aura pas à considérer une vente présumée de votre local commercial à sa juste valeur marchande et payer la taxe réputée perçue sur cette vente présumée. En conséquence, il n'y aura pas d'autocotisation en vertu des articles 221 et 261. De plus, si le particulier vend sa propriété, cette vente sera exonérée. Voir à cet effet : Revenu Québec, Lettre d'interprétation, 98-0107213 — *Interprétation en TPS et en TVQ — Construction d'un ajout à une résidence* (1er février 1999).

Compte tenu de la similarité de la rédaction des dispositions législatives et considérant l'engagement spécifique de Revenu Québec de veiller à ce que l'assiette de TVQ modifiée, de même que les paramètres administratifs, structurels et définitionnels, produisent des résultats qui sont similaires à ceux produits sous le régime de la TPS/TVH et soient administrés d'un manière qui produit des résultats similaires, tel que reflété par l'article 14 de l'*Entente intégrée globale de coordination fiscale* signée entre le gouvernement du Canada et le gouvernement du Québec, nous vous référons à nos commentaires en vertu des articles 207 et 208 de la *Loi sur la taxe d'accise (TPS)* qui devraient s'appliquer *mutatis mutandis*, avec les adaptations nécessaires.

3. — Organisme du secteur public

267. Acquisition et amélioration — Dans le cas où un inscrit est un organisme de services publics, sauf une institution financière et un gouvernement, ou un mandataire prescrit du gouvernement, les articles 240 à 244 s'appliquent, compte tenu des adaptations nécessaires, à un immeuble acquis par l'inscrit pour l'utiliser comme immobilisation de celui-ci ou, dans le cas de l'article 241, à une amélioration à un immeuble qui est une immobilisation de l'inscrit, comme si l'immeuble était un bien meuble.

Notes historiques: L'article 267 a été remplacé par L.Q. 2012, c. 28, par. 82(1) et cette modification s'applique à compter du 1er janvier 2013. Antérieurement, il se lisait ainsi :

267. Dans le cas où un inscrit est un organisme de services publics, sauf un gouvernement, ou un mandataire prescrit du gouvernement, les articles 240 à 244 s'appliquent, compte tenu des adaptations nécessaires, à un immeuble acquis par l'inscrit pour l'utiliser comme immobilisation de celui-ci ou, dans le cas de l'article 241, à une amélioration à un immeuble qui est une immobilisation de l'inscrit, comme si l'immeuble était un bien meuble.

L'article 267 a été remplacé par L.Q. 2001, c. 53, art. 317(1) et cette modification a effet depuis le 29 janvier 1999. Antérieurement, il se lisait ainsi :

267. Dans le cas où un inscrit est un organisme de services publics, sauf un gouvernement, ou un mandataire prescrit du gouvernement, les articles 240 à 244.1 s'appliquent, compte tenu des adaptations nécessaires, à un immeuble acquis par l'inscrit pour l'utiliser comme immobilisation de celui-ci, ainsi qu'à une amélioration à un immeuble qui est une immobilisation de l'inscrit, comme si l'immeuble était un bien meuble.

L'article 267 a été modifié par L.Q. 1997, c. 3, art. 135(5°) pour remplacer les mots « en faisant les adaptations nécessaires » par les mots « compte tenu des adaptations nécessaires ». Cette modification est entrée en vigueur le 20 mars 1997.

Auparavant, l'article 267 a été modifié par L.Q. 1994, c. 22, art. 506(1) et est réputé entré en vigueur le 1er juillet 1992. L'article 267, édicté par L.Q. 1991, c. 67, se lisait comme suit :

267. Dans le cas où un inscrit qui est un organisme du secteur public acquiert un immeuble pour l'utiliser comme immobilisation dans le cadre de ses activités commerciales, les règles suivantes s'appliquent :

1° la taxe payable par l'organisme à l'égard de la fourniture de l'immeuble à celui-ci ne doit pas être incluse dans le calcul du remboursement de la taxe sur les intrants de celui-ci pour une période de déclaration, à moins que l'immeuble soit acquis pour être utilisé principalement dans le cadre de ses activités commerciales;

2° l'organisme est réputé avoir acquis l'immeuble pour l'utiliser exclusivement dans le cadre de ses activités commerciales, s'il l'a acquis pour l'utiliser principalement dans ce cadre.

Notes explicatives ARQ (PL 5, L.Q. 2012, c. 28): *Résumé* :

L'article 267 est modifié afin de préciser qu'il ne s'applique pas à un inscrit qui est une institution financière.

Situation actuelle :

L'article 267 stipule que l'acquisition d'un immeuble et l'acquisition d'une amélioration à un immeuble qui est une immobilisation d'un organisme de services publics ou d'un mandataire prescrit du gouvernement sont régies par les règles prévues aux articles 240 à 244 de la LTVQ.

En règle générale, les règles relatives aux biens meubles en immobilisation s'appliquent, pour un organisme de services publics ou un mandataire prescrit du gouvernement, à ses immeubles en immobilisation. Pour ce faire, l'article 267 de la LTVQ rend applicables les articles 240 à 244 de la LTVQ. Ainsi, un organisme de services publics ou un mandataire prescrit du gouvernement peut demander un remboursement de la taxe sur les intrants relativement à un immeuble ou aux améliorations qui lui sont apportées seulement si l'immeuble est principalement utilisé dans le cadre de ses activités commerciales. Les règles régissant un changement d'utilisation ne s'appliquent que lorsque

LTVQ (français)

l'utilisation principalement commerciale d'un immeuble change pour devenir principalement non commerciale, et vice versa.

Modifications proposées :

L'article 267 est modifié de façon à faire en sorte qu'il ne s'applique pas dans tous les cas où l'inscrit est une institution financière. Par conséquent, les règles relatives au changement d'usage d'un immeuble acquis par une institution financière demeure, dans tous les cas, celles applicables généralement aux immeubles. Les règles relatives au changement d'usage d'un immeuble acquis par une institution financière ne font donc pas appel au concept de « principalement utilisé dans le cadre d'activités commerciales ou principalement utilisé à d'autres fins », contrairement aux règles relatives au changement d'utilisation des biens meubles.

Définitions [art. 267]: « amélioration », « bien », « gouvernement », « immobilisation », « inscrit », « organisme de services publics » — 1.

Renvois [art. 267]: 268 (fourniture par vente d'un immeuble par un organisme de services publics); 272 (choix visant les immobilisations); 677:28.1° (règlements).

Règlements [art. 267]: RTVQ, 267R1 (mandataires prescrits) et annexe III Règ..

Lettres d'interprétation [art. 267]: 98-0109656 — Décision portant sur l'application de la TPS — Interprétation relative à la TVQ — Fourniture unique et fournitures multiples — Droit d'entrée dans un musée accompagné d'un tour de ville; 02-0107777 — Interprétation relative à la TPS et à la TVQ — Règles générales, résidences pour personnes âgées; 04-0106502 — Interprétation relative à la TPS et la TVQ — droit pour un OSBL de demander des CTI/RTI relativement à des améliorations locatives.

Concordance fédérale: LTA, par. 209(1).

COMMENTAIRES: Voir les commentaires sous l'article 270.

268. Exception — Malgré l'article 267, l'article 244 ne s'applique pas à :

1° la fourniture par vente d'un immeuble d'habitation ou d'un droit dans celui-ci;

2° la fourniture par vente d'un immeuble effectuée à un particulier.

Notes historiques: Les paragraphes 1° et 2° de l'article 268 ont été remplacés par L.Q. 2001, c. 53, art. 318(1) et ces modifications ont effet depuis le 29 janvier 1999. Antérieurement, ils se lisaient ainsi :

> 1° la fourniture par vente d'un immeuble d'habitation ou d'un droit dans celui-ci effectuée par un organisme de services publics;
>
> 2° la fourniture par vente d'un immeuble effectuée par un organisme de services publics à un particulier.

L'article 268 a été modifié par L.Q. 1994, c. 22, art. 506(1) et est réputé entré en vigueur le 1er juillet 1992. Toutefois, il ne s'applique pas à la fourniture d'un immeuble effectuée en vertu d'une convention écrite conclue avant le 6 novembre 1991. L'article 268, édicté par L.Q. 1991, c. 67, se lisait comme suit :

> 268. Dans le cas où un inscrit qui est un organisme du secteur public acquiert, ou apporte au Québec, une amélioration à un immeuble qui est son immobilisation, les règles suivantes s'appliquent :
>
> 1° la taxe payable par l'organisme à l'égard de l'amélioration ne doit pas être incluse dans le calcul du remboursement de la taxe sur les intrants de celui-ci pour une période de déclaration, à moins que, à la fois :
>
> a) l'immeuble, immédiatement après qu'il soit amélioré, soit utilisé principalement dans le cadre des activités commerciales de l'organisme;
>
> b) l'immeuble ait été acquis, ou apporté au Québec, par l'organisme pour être utilisé principalement dans le cadre de ses activités commerciales;
>
> 2° l'organisme est réputé avoir acquis, ou apporté au Québec, l'amélioration pour consommation ou utilisation exclusive dans le cadre de ses activités commerciales, si l'immeuble, immédiatement après qu'il soit amélioré, est utilisé principalement dans ce cadre.

Définitions [art. 268]: « fourniture », « immeuble d'habitation », « organisme de services publics », « particulier », « vente » — 1.

Renvois [art. 268]: 272 (choix visant les immobilisations).

Lettres d'interprétation [art. 268]: 98-0109656 — Décision portant sur l'application de la TPS — Interprétation relative à la TVQ — Fourniture unique et fournitures multiples — Droit d'entrée dans un musée accompagné d'un tour de ville.

Concordance fédérale: LTA, par. 209(2).

COMMENTAIRES: Voir les commentaires sous l'article 270.

269. [*Abrogé*]

Notes historiques: L'article 269 a été abrogé par L.Q. 1994, c. 22, art. 507(1) rétroactivement au 1er juillet 1992. L'article 269, édicté par L.Q. 1991, c. 67, se lisait comme suit :

> 269. L'article 242 s'applique, en faisant les adaptations nécessaires, à l'égard d'un immeuble acquis par un inscrit qui est un organisme du secteur public comme si l'immeuble était un bien meuble.

COMMENTAIRES: Voir les commentaires sous l'article 270.

270. [*Abrogé*]

Notes historiques: L'article 270 a été abrogé par L.Q. 1994, c. 22, art. 507(1) à compter du 1er juillet 1992. L'article 270, édicté par L.Q. 1991, c. 67, se lisait comme suit :

> 270. L'article 243 s'applique, en faisant les adaptations nécessaires, à l'égard d'un immeuble acquis par un organisme du secteur public comme si l'immeuble était un bien meuble.

COMMENTAIRES: En vertu de l'article 267, l'article 241 s'applique aux améliorations apportées aux immeubles qui font partie des immobilisations d'un organisme de services publics comme s'il s'agissait de biens meubles. Comme, en l'espèce, l'OSBL A déclare utiliser la tenure à bail à plus de 50 % dans le cadre de ses activités commerciales, il pourra récupérer en totalité les CTI sur les améliorations locatives qui seront effectuées dans l'immeuble appartenant à l'OSBL B. Voir notamment à cet effet : Revenu Québec, Lettre d'interprétation, 04-0106502 — *Interprétation relative à la TPS et la TVQ — Droit pour un OSBL de demander des CTI/RTI relativement à des améliorations locatives* (18 novembre 2004).

À titre illustratif, Revenu Québec a indiqué qu'en ce qui concerne les dépenses en immobilisation, la taxe pour laquelle un crédit peut être demandé est proportionnelle à la mesure dans laquelle un bien est acquis afin de servir dans le cadre d'activités commerciales. La municipalité, en tant qu'organisme de service public, est réputée avoir acquis les immobilisations (meubles et immeubles) pour les utiliser exclusivement dans le cadre de ses activités commerciales lorsqu'elle les a acquises ou importées pour les utiliser principalement (à 50 % ou plus) dans ce cadre. Il s'agit là de l'application combinée de l'article 267 et des articles 246 et suivant. En d'autres termes, la municipalité n'est pas tenue de répartir la taxe payée à l'achat d'un bien meuble ou immeuble qu'elle acquiert pour l'utiliser comme immobilisation ou à l'achat d'améliorations à celui-ci si l'immobilisation est utilisée principalement dans le cadre d'activités commerciales. Elle peut alors réclamer le montant intégral de la TVQ payée à l'égard du bien. Par contre, si le bien est utilisé principalement dans le cadre d'activités exonérées, la municipalité n'aura pas droit à des crédits de taxe sur les intrants relativement à l'achat du bien et aux améliorations éventuellement apportées à celui-ci, même si une partie de l'immobilisation est utilisée dans le cadre d'activités commerciales. Par ailleurs, l'article 272 autorise la municipalité, en tant qu'organisme de services publics, à faire un choix relativement à un immeuble en particulier pour que l'article 233 et l'article 256, et non l'article 267, s'appliquent à l'immeuble. Dans ce cas, le choix a pour effet que la vente ultérieure de l'immeuble ou sa location ultérieure à des fins commerciales ne sont pas exonérées pendant que le choix est en vigueur. Cela signifie également que les crédits de taxe sur les intrants relatifs à l'immeuble sont calculés au prorata selon l'utilisation réelle qui en est faite dans le cadre d'activités commerciales. Voir notamment à cet effet : Revenu Québec, Lettre d'interprétation, 00-0106377 — *Interprétation relative à la TPS et à la TVQ — Entente entre une municipalité et un organisme de bienfaisance* (12 février 2002). Voir également au même effet : Revenu Québec, Lettre d'interprétation, 02-0107777 — *Interprétation relative à la TPS et à la TVQ — Règles générales, résidences pour personnes âgées* (25 février 2003).

Compte tenu de la similarité de la rédaction des dispositions législatives et considérant l'engagement spécifique de Revenu Québec de veiller à ce que l'assiette de TVQ modifiée, de même que les paramètres administratifs, structurels et définitionnels, produisent des résultats qui sont similaires à ceux produits sous le régime de la TPS/TVH et soient administrés d'un manière qui produit des résultats similaires, tel que reflété par l'article 14 de l'*Entente intégrée globale de coordination fiscale* signée entre le gouvernement du Canada et le gouvernement du Québec, nous vous référons à nos commentaires en vertu des articles 209 de la *Loi sur la taxe d'accise (TPS)* qui devraient s'appliquer *mutatis mutandis*, avec les adaptations nécessaires.

4. — Organisme de services publics

271. [*Abrogé*]

Notes historiques: L'article 271 a été abrogé par L.Q. 1994, c. 22, art. 507 à compter du 1er juillet 1992. L'article 271, édicté par L.Q. 1991, c. 67, se lisait comme suit :

> 271. L'article 244 s'applique, en faisant les adaptations nécessaires, à l'égard d'un immeuble acquis par un organisme de services publics comme si l'immeuble était un bien meuble.

272. Choix — Dans le cas où un organisme de services publics produit un choix en vertu du présent article à l'égard d'un immeuble visé au deuxième alinéa, les articles 233 et 256 à 260 s'appliquent et les articles 267 et 268 ne s'appliquent pas tout au long de la période au cours de laquelle le choix est en vigueur.

Immeuble visé par le choix — L'immeuble auquel réfère le premier alinéa est :

1° soit un immeuble qui est une immobilisation de l'organisme;

2° soit un immeuble de l'organisme qui est détenu en inventaire par celui-ci en vue de le fournir;

3º soit un immeuble acquis par l'organisme par louage, licence ou accord semblable en vue d'effectuer la fourniture de l'immeuble par louage, licence ou accord semblable ou d'effectuer la fourniture de l'accord par cession.

Notes historiques: L'article 272 a été modifié par L.Q. 1994, c. 22, art. 508(1) et est réputé entré en vigueur le 1er juillet 1992. L'article 272, édicté par L.Q. 1991, c. 67, se lisait comme suit :

> 272. Dans le cas où une personne qui est un organisme de services publics produit un choix qu'il fait à l'égard d'un immeuble qui est son immobilisation afin que le présent article s'applique, les articles 233 et 256 à 260 s'appliquent et les articles 267 à 271 ne s'appliquent pas, à l'égard de l'immeuble tout au long de la période au cours de laquelle le choix est en vigueur.

Guides [art. 272]: IN-203 — Renseignements généraux sur la TVQ et la TPS/TVH.

Définitions [art. 272]: « fourniture », « immobilisation », « organisme de services publics », « personne » — 1.

Renvois [art. 272]: 138.1 (fourniture par un organisme de bienfaisance); 168 (fourniture d'un immeuble par un organisme de services publics); 233 (vente d'un immeuble); 237.3 (dernière acquisition ou apport); 267 (acquisition d'une immobilisation par un organisme de services publics); 268 (fourniture par vente d'un immeuble par un organisme de services publics); 273 (présomption de vente en cas de choix); 274 (effet du choix); 275 (présomption de vente en cas de révocation); 276 (forme et contenu).

Formulaires [art. 272]: FP-626, Choix exercé par un organisme de services publics afin que la fourniture exonérée d'un immeuble soit considérée comme une fourniture taxable; FP-2626, Choix ou révocation du choix exercé par un organisme de services publics afin que la fourniture exonérée d'un immeuble soit considérée comme une fourniture taxable.

Lettres d'interprétation [art. 272]: 97-0103933 — Interprétation relative à la TPS et à la TVQ — droit pour un emphytéote de demander des CTI/RTI; 98-0102933 — Décision portant sur l'application de la TPS — Interprétation relative à la TVQ — Amarrage à un ponton et choix de l'article 211; 99-0103111 — Interprétation relative à la TPS — Interprétation relative à la TVQ — Fusion d'organismes de services publics; 00-0108506 — Interprétation relative à la TPS et à la TVQ — Conséquences fiscales de la désignation à titre de municipalité d'une régie intermunicipale; 01-0107241 — Interprétation relative à la TPS et à la TVQ; 02-0106571 — Immeubles détenus par des organismes de service publics; 02-0107777 — Interprétation relative à la TPS et à la TVQ — Règles générales, résidences pour personnes âgées; 03-0110936 — Interprétation relative à la TPS et à la TVQ — taux de remboursement partiel des taxes — construction d'un immeuble par une municipalité; 04-0107138 — Demande d'interprétation relative à la TVQ — bulletin d'interprétation TVQ. 179-2 — déclaration d'acquéreur — immeuble et passerelle.

Concordance fédérale: LTA, par. 211(1).

COMMENTAIRES: Voir les commentaires sous l'article 276.

273. Vente réputée en cas de choix — Dans le cas où un organisme de services publics produit un choix en vertu de l'article 272 qui entre en vigueur un jour donné à l'égard d'un immeuble visé aux paragraphes 1º ou 2º du deuxième alinéa de cet article et que l'organisme n'acquiert pas l'immeuble ce jour-là ou ne devient pas un inscrit ce jour-là, il est réputé :

1º avoir effectué, immédiatement avant le jour donné, une fourniture taxable de l'immeuble par vente et avoir perçu, le jour donné, la taxe à l'égard de la fourniture égale à la teneur en taxe de l'immeuble le jour donné;

2º avoir reçu, le jour donné, une fourniture taxable de l'immeuble par vente et avoir payé, le jour donné, la taxe à l'égard de la fourniture égale au montant déterminé en vertu du paragraphe 1º.

Notes historiques: Le paragraphe 1º de l'article 273 a été remplacé par L.Q. 1997, c. 85, art. 577(1) et a effet depuis le 1er avril 1997. Antérieurement, ce paragraphe se lisait ainsi :

> 1º avoir effectué, immédiatement avant le jour donné, une fourniture taxable de l'immeuble par vente et avoir perçu, le jour donné, la taxe à l'égard de la fourniture égale au moindre des montants suivants :
>
> a) le montant qui correspond au total de la taxe payable par l'organisme, ou qui le serait en faisant abstraction des articles 75.1 et 80, à l'égard de la dernière acquisition de l'immeuble par l'organisme et de la taxe payable par lui à l'égard d'une amélioration à l'immeuble acquise, ou apportée au Québec, par l'organisme après que l'immeuble a été ainsi acquis la dernière fois;
>
> b) le montant qui correspond à la taxe calculée sur la juste valeur marchande de l'immeuble le jour donné;

L'article 273 a été modifié par L.Q. 1994, c. 22, art. 508(1) et est réputé entré en vigueur le 1er juillet 1992. Toutefois, pour la période du 1er juillet 1992 au 30 septembre 1992, la référence à l'article 75.1 doit être lue comme une référence à l'article 75.

L'article 273, édicté par L.Q. 1991, c. 67, se lisait comme suit :

> 273. Dans le cas où un organisme de services publics produit un choix en vertu de l'article 272 à l'égard d'un immeuble, il est réputé :
>
> 1º avoir effectué, immédiatement avant le jour où le choix entre en vigueur, et avoir reçu, ce jour-là, une fourniture taxable de l'immeuble par vente;
>
> 2º avoir payé à titre d'acquéreur et avoir perçu à titre de fournisseur, ce jour-là, la taxe à l'égard de la fourniture égale au moindre des montants suivants :
>
> a) le montant qui correspond au total de la taxe payable par l'organisme, ou qui le serait en faisant abstraction des articles 75 et 80, à l'égard de l'acquisition de l'immeuble et de la taxe payable par lui à l'égard d'une amélioration à l'immeuble ou, s'il est réputé en vertu de l'article 243, par application des articles 270 et 271, ou en vertu de l'article 275 en avoir effectué une fourniture à un moment antérieur, au total de la taxe que l'organisme est réputé avoir perçue à ce moment antérieur en vertu de cet article et de la taxe payable par lui après ce moment antérieur à l'égard d'une amélioration à l'immeuble;
>
> b) le montant qui correspond à la taxe qui serait payable par l'organisme s'il avait acquis l'immeuble ce jour-là au moyen d'une fourniture taxable effectuée par un inscrit pour une contrepartie égale à sa juste valeur marchande ce jour-là.

Définitions [art. 273]: « amélioration », « fourniture taxable », « inscrit », « montant », « organisme de services publics », « taxe » — 1; « taxe exigée non admissible au remboursement de la taxe sur les intrants » — 383; « vente » — 1.

Renvois [art. 273]: 15 (JVM); 233 (vente d'un immeuble); 234 (vente par un organisme de services publics); 256 (acquisition d'une immobilisation); 257 (utilisation accrue d'une immobilisation); 258 (changement d'utilisation d'une immobilisation); 259 (utilisation réduite d'une immobilisation); 260 (immobilisation — immeuble).

Lettres d'interprétation [art. 273]: 98-0102933 — Décision portant sur l'application de la TPS — Interprétation relative à la TVQ — Amarrage à un ponton et choix de l'article 211; 99-0103111 — Interprétation relative à la TPS — Interprétation relative à la TVQ — Fusion d'organismes de services publics.

Concordance fédérale: LTA, par. 211(2).

COMMENTAIRES: Voir les commentaires sous l'article 276.

274. Durée du choix — Le choix fait en vertu de l'article 272 à l'égard d'un immeuble d'un organisme de services publics est en vigueur pour la période commençant le jour indiqué dans le choix et se terminant le jour indiqué par l'organisme dans un avis de révocation du choix produit en vertu de l'article 276.

Notes historiques: L'article 274 a été édicté par L.Q. 1991, c. 67.

Définitions [art. 274]: « immobilisation », « organisme de services publics » — 1.

Renvois [art. 274]: 233 (vente d'un immeuble).

Concordance fédérale: LTA, par. 211(3).

COMMENTAIRES: Voir les commentaires sous l'article 276.

275. Vente réputée en cas de révocation — Dans le cas où un choix fait en vertu de l'article 272 par un organisme de services publics est révoqué et cesse d'être en vigueur un jour donné à l'égard d'un immeuble visé aux paragraphes 1º ou 2º du deuxième alinéa de cet article et que l'organisme ne cesse pas d'être un inscrit ce jour-là, il est réputé :

1º avoir effectué, immédiatement avant ce jour-là, une fourniture taxable de l'immeuble par vente et avoir perçu, ce jour-là, la taxe à l'égard de la fourniture égale à la teneur en taxe de l'immeuble ce jour-là;

2º avoir reçu, ce jour-là, une fourniture taxable de l'immeuble par vente et avoir payé, ce jour-là, la taxe à l'égard de la fourniture égale à la teneur en taxe de l'immeuble ce jour-là.

Notes historiques: Les paragraphe 1º et 2º de l'article 275 ont été remplacés par L.Q. 2007, c. 12, par. 323(1) et cette modification s'applique à l'égard d'un choix qui est révoqué et qui cesse d'avoir effet le 1er mai 2006. Antérieurement, ils se lisaient ainsi :

> 1º avoir effectué, immédiatement avant ce jour-là, une fourniture taxable de l'immeuble par vente et avoir perçu, ce jour-là, la taxe à l'égard de la fourniture calculée sur la juste valeur marchande de l'immeuble ce jour-là;
>
> 2º avoir reçu, ce jour-là, une fourniture taxable de l'immeuble par vente et avoir payé, ce jour-là, la taxe à l'égard de la fourniture calculée sur la juste valeur marchande de l'immeuble ce jour-là.

L'article 275 a été modifié par L.Q. 1994, c. 22, art. 509(1) et est réputé entré en vigueur le 1er juillet 1992. L'article 275, édicté par L.Q. 1991, c. 67, se lisait comme suit :

> 275. Dans le cas où un choix fait en vertu de l'article 272 par un organisme de services publics est révoqué à l'égard d'un immeuble, l'organisme est réputé :

LTVQ (français)

1° avoir effectué, immédiatement avant le jour où le choix cesse d'être en vigueur, et avoir reçu, ce jour-là, une fourniture taxable de l'immeuble par vente;

2° avoir payé à titre d'acquéreur et avoir perçu à titre de fournisseur, ce jour-là, la taxe à l'égard de la fourniture, calculée sur la juste valeur marchande de l'immeuble ce jour-là.

Notes explicatives ARQ (PL 2, L.Q. 2007, c. 12): *Résumé* :

L'article 275 est modifié afin que la taxe réputée perçue et payée par un organisme de services publics sur les fournitures réputées qui y sont prévues soit égale à la teneur en taxe de l'immeuble et non plus calculée sur la juste valeur marchande de celui-ci.

Situation actuelle :

Un organisme de services publics peut faire un choix pour chacun des immeubles visés au deuxième alinéa de l'article 272. Pendant que le choix est en vigueur, les articles 233 et 256 à 260 s'appliquent relativement à l'immeuble, tandis que les articles 267 et 268 ne s'y appliquent pas.

Cela a généralement pour effet de permettre à l'organisme de demander des remboursements de la taxe sur les intrants relativement à l'utilisation qu'il fait de l'immeuble dans le cadre de ses activités commerciales même si cette utilisation n'excède pas 50 % de l'utilisation totale qu'il en fait. De plus, les fournitures de l'immeuble, qui seraient par ailleurs exonérées par l'effet de l'article 138.1, ou de l'article 168, ne sont pas exonérées en vertu de ces articles.

L'organisme de services publics peut généralement tirer profit du fait de faire un choix selon l'article 272 relativement à un immeuble lorsque la taxe exigée sur les paiements, pour la fourniture par louage, licence ou accord semblable de l'immeuble, qui deviennent taxables par suite du choix, est recouvrable par le locataire (notamment sous forme de remboursement de la taxe sur les intrants) et que l'organisme lui-même devient en mesure de demander des remboursements de la taxe sur les intrants relativement à l'utilisation qu'il fait de l'immeuble dans le cadre de la réalisation des fournitures taxables.

Selon l'article 275, lorsque le choix fait par l'organisme en vertu de l'article 272 est révoqué et cesse d'être en vigueur à une date donnée alors que l'organisme ne cesse pas d'être un inscrit à cette date, il est réputé avoir effectué une fourniture taxable par vente du bien et avoir reçu une fourniture semblable. À l'égard de la fourniture taxable par vente, l'organisme est réputé avoir perçu la taxe calculée sur la juste valeur marchande du bien à cette date. À l'égard de la fourniture reçue, il est réputé avoir payé la taxe calculée sur cette même valeur. Par suite de ces fournitures réputées, l'organisme est tenu de verser la taxe calculée sur la juste valeur marchande du bien.

Modifications proposées :

Les paragraphes 1° et 2° de l'article 275 sont modifiés de sorte que le montant de taxe qui est réputé avoir été payé et celui qui est réputé avoir été perçu relativement aux fournitures réputées est égal à la « teneur en taxe » du bien à la date où le choix est révoqué et cesse d'être en vigueur, et non à la taxe calculée sur la juste valeur marchande du bien à cette date.

La « teneur en taxe » du bien d'une personne est définie à l'article 1. Il s'agit, de façon générale, du montant de taxe prévu au titre I de la loi que la personne est tenue de payer sur le bien et sur les améliorations qui y sont apportées, déduction faite des sommes (sauf les remboursements de la taxe sur les intrants) qu'elle peut recouvrer par voie de remboursements ou de remises ou par tout autre moyen et compte tenu de toute dépréciation du bien.

Guides [art. 275]: IN-229 — La TVQ, la TPS/TVH pour les organismes sans but lucratif.

Définitions [art. 275]: « fourniture taxable », « inscrit », « organisme de services publics », « taxe » — 1; « taxe exigée non admissible au remboursement de la taxe sur les intrants » — 383; « vente » — 1.

Renvois [art. 275]: 15 (JVM); 233 (vente d'un immeuble); 273 (présomption de vente en cas de choix).

Bulletins d'information: 2006-2 — Harmonisation à certaines mesures du Budget fédéral du 2 mai 2006 et autres mesures fiscales.

Lettres d'interprétation [art. 275]: 99-0103111 — Interprétation relative à la TPS — Interprétation relative à la TVQ — Fusion d'organismes de services publics.

Concordance fédérale: LTA, par. 211(4).

COMMENTAIRES: Voir les commentaires sous l'article 276.

276. Modalités du choix et de la révocation — Un choix effectué par un organisme de services publics en vertu de l'article 272 et l'avis de révocation d'un tel choix doivent :

1° être effectués au moyen du formulaire prescrit contenant les renseignements prescrits;

2° indiquer l'immeuble à l'égard duquel le choix ou l'avis s'applique et le jour où le choix entre en vigueur ou, dans le cas d'un avis de révocation, le jour où il cesse d'avoir effet;

3° être produits au ministre de la manière prescrite par ce dernier dans un délai d'un mois suivant la fin de la période de déclaration de l'organisme au cours de laquelle le choix entre en vigueur ou, dans le cas d'un avis de révocation, cesse de l'être.

Notes historiques: L'article 276 a été édicté par L.Q. 1991, c. 67.

Guides [art. 276]: IN-203 — Renseignements généraux sur la TVQ et la TPS/TVH.

Définitions [art. 276]: « immobilisation », « organisme de services publics », « période de déclaration » — 1.

Renvois [art. 276]: 233 (vente d'un immeuble); 274 (effet du choix).

Formulaires [art. 276]: FP-531, Immeuble d'un organisme de services publics — Avis de révocation du choix exercé par un organisme de services publics afin que la fourniture exonérée d'un immeuble soit considérée comme une fourniture taxable; FP-626, Choix exercé par un organisme de services publics afin que la fourniture exonérée d'un immeuble soit considérée comme une fourniture taxable; FP-2626, Choix ou révocation du choix exercé par un organisme de services publics afin que la fourniture exonérée d'un immeuble soit considérée comme une fourniture taxable.

Lettres d'interprétation [art. 276]: 98-0102933 — Décision portant sur l'application de la TPS — Interprétation relative à la TVQ — Amarrage à un ponton et choix de l'article 211; 99-0109001 — Décision portant sur l'application de la TPS — Interprétation relative à la TVQ — Fourniture d'un immeuble par un organisme à but non lucratif pour une contrepartie symbolique.

Concordance fédérale: LTA, par. 211(5).

COMMENTAIRES: Conformément à l'article 272, la société peut faire un choix relativement aux immeubles qui sont ses « immobilisations » au sens où l'entend l'article 1 pour que l'article 233 et l'article 260, mais non l'article 267, s'appliquent aux immeubles tout au long de la période au cours de laquelle le choix est en vigueur. La société peut aussi faire le choix prévu à l'article 272 relativement à un immeuble qu'elle acquiert par bail, licence ou accord semblable en vue de le fournir par le même moyen ou de fournir l'accord par cession. Dans ce cas toutefois, l'article 273 ne s'applique pas. Conformément à l'article 276, le choix doit être produit dans un délai d'un mois suivant la fin de la période de déclaration au cours de laquelle le choix est entré en vigueur. Voir notamment à cet effet : Revenu Québec, Lettre d'interprétation, 98-0102933 — *Décision portant sur l'application de la TPS — Interprétation relative à la TVQ — Amarrage à un ponton et choix de l'article 211* (29 septembre 1998).

À titre illustratif, Revenu Québec a conclu que puisque la ville n'a pas produit le choix prévu à l'article 272 à l'égard de l'immeuble qu'elle s'est engagée à construire aux termes de la convention d'emphytéose intervenue entre elle et le propriétaire du fonds de terre objet de l'emphytéose, la fourniture par bail de l'immeuble étant donc exonérée, elle n'a pas le droit de demander des crédits de taxe sur les intrants à l'égard des biens et des services qu'elle a acquis pour la construction de celui-ci. Conclure autrement serait contraire au principe sous-jacent à la *Loi sur la taxe de vente du Québec* voulant qu'une personne ne peut avoir droit à des crédits de taxe sur les intrants à l'égard des biens et des services qu'elle a acquis pour effectuer des fournitures exonérées. Voir notamment à cet effet : Revenu Québec, Lettre d'interprétation, 97-0103933 — *Interprétation relative à la TPS et à la TVQ — Droit pour un emphytéote de demander des CTI/RTI* (12 septembre 2003).

Également à titre illustratif, Revenu Québec a indiqué que, de façon générale, la fourniture par vente des infrastructures effectuée par l'organisme serait exonérée en application de l'article 138.1. Ainsi, la fourniture des infrastructures par l'organisme serait taxable si le choix prévu à l'article 272 à l'égard de ces infrastructures est en vigueur au moment où la taxe devient payable. Dans le cas où la fourniture des infrastructures serait exonérée, l'organisme, s'il n'a pas d'autres activités, ne pourrait réclamer de crédit de taxe sur les intrants au titre de la TPS payée ou payable à l'égard des biens et des services acquis dans le but d'effectuer cette fourniture. Cependant, en application, notamment, de l'article 386, il pourrait obtenir un remboursement partiel à hauteur de 50 % de la TVQ payée ou payable à l'égard des biens et des services acquis dans le but d'effectuer cette fourniture. Dans le cas où la fourniture des infrastructures serait taxable, l'organisme ne serait pas éligible, en vertu de l'article 199, à un remboursement de la taxe sur les intrants au titre de la taxe payée ou payable à l'égard des biens et des services acquis dans le but d'effectuer cette fourniture. En effet, la fourniture des infrastructures serait réputée effectuée hors du cadre des activités commerciales de l'organisme puisque ce dernier n'effectuerait pas une fourniture taxable d'immeubles pour une contrepartie. L'organisme pourrait toutefois obtenir, en vertu de l'article 386, un remboursement partiel à hauteur de 50 % de la TVQ payée ou payable à l'égard des biens et des services acquis dans le but d'effectuer cette fourniture. Voir notamment à cet effet : Revenu Québec, Lettre d'interprétation, 99-0113169 — *Interprétation relative à la TPS et à la TVQ — Fourniture d'infrastructures par un organisme de bienfaisance à XXXXX* (25 mai 2000).

Compte tenu de la similarité de la rédaction des dispositions législatives et considérant l'engagement spécifique de Revenu Québec de veiller à ce que l'assiette de TVQ modifiée, de même que les paramètres administratifs, structurels et définitionnels, produisent des résultats qui sont similaires à ceux produits sous le régime de la TPS/TVH et soient administrés d'un manière qui produit des résultats similaires, tel que reflété par l'article 14 de l'*Entente intégrée globale de coordination fiscale* signée entre le gouvernement du Canada et le gouvernement du Québec, nous vous référons à nos commentaires en vertu de l'article 211 de la *Loi sur la taxe d'accise (TPS)* qui devraient s'appliquer *mutatis mutandis*, avec les adaptations nécessaires.

§ 6. — Pari et jeu de hasard

277. Prix ou gains à un parieur — Aux fins du calcul du remboursement de la taxe sur les intrants d'un inscrit, auquel l'article

279 ne s'applique pas, qui dans le cadre d'une activité commerciale de celui-ci consistant à prendre des paris ou à organiser des jeux de hasard, paie au cours d'une période de déclaration un montant d'argent à titre de prix ou de gains à un parieur ou à une personne qui joue ou participe aux jeux, les règles suivantes s'appliquent :

1° l'inscrit est réputé avoir reçu, au cours de la période, la fourniture taxable d'un service pour utilisation exclusive dans le cadre de l'activité;

2° l'inscrit est réputé avoir payé, au cours de cette période, la taxe relative à la fourniture égale à la fraction de taxe du montant d'argent payé à titre de prix ou de gains.

Notes historiques: Le préambule de l'article 277 a été modifié par L.Q. 1995, c. 1, art. 284(1) et cette modification a effet depuis le 1er juillet 1992 [*N.D.L.R.* : cette disposition s'applique conformément aux articles 618 à 656 et 685 de L.Q. 1991, c. 67, tels que modifiés]. Auparavant, ce préambule se lisait comme suit :

> 277. Aux fins du calcul du remboursement de la taxe sur les intrants d'un inscrit, auquel l'article 279 ne s'applique pas, qui dans le cadre d'une activité commerciale consistant à prendre des paris ou à organiser des jeux de hasard, paie au cours d'une période de déclaration un montant d'argent à titre de prix ou de gains à un parieur ou à une personne qui joue ou participe aux jeux, les règles suivantes s'appliquent :

L'article 277 a été édicté par L.Q. 1991, c. 67.

Définitions [art. 277]: « activité commerciale », « argent », « fourniture taxable », « fraction de taxe », « inscrit », « jeu de hasard », « montant », « période de déclaration », « personne », « service », « taxe » — 1.

Renvois [art. 277]: 199 (RTI).

Concordance fédérale: LTA, par. 188(1).

COMMENTAIRES: Voir les commentaires sous l'article 279.

278. Remise d'un prix à un compétiteur — Dans le cas où une personne remet un prix à un compétiteur dans le cadre d'une activité qui comporte l'organisation, la promotion, l'animation ou la présentation d'une compétition, les règles suivantes s'appliquent :

1° la remise du prix est réputée ne pas constituer une fourniture;

2° le prix est réputé ne pas être la contrepartie d'une fourniture par le compétiteur à la personne;

3° la taxe payable par la personne à l'égard du bien remis à titre de prix ne doit pas être incluse dans le calcul de son remboursement de la taxe sur les intrants pour une période de déclaration.

Notes historiques: Le second alinéa de l'article 278 a été supprimé par L.Q. 1995, c. 63, art. 378(1) et cette modification s'applique à la fourniture d'un bien acquis par une personne et remis à un compétiteur dont la contrepartie devient due après le 31 juillet 1995 et n'est pas payée avant le 1er août 1995, sauf dans le cas où une partie de la contrepartie devient due après le 31 juillet 1995 et n'est pas payée avant le 1er août 1995, auquel cas elle n'a effet qu'à l'égard de la portion de la juste valeur marchande du bien qu'il est raisonnable d'attribuer à la partie de la contrepartie devenue due après le 31 juillet 1995 sans être payée avant le 1er août 1995. Auparavant, il se lisait comme suit :

> Malgré le premier alinéa, la personne qui a acquis le bien qu'elle remet à titre de prix, par une fourniture non taxable, est réputée :
>
> 1° avoir effectué une fourniture du bien pour une contrepartie, payée au moment de la remise du prix, égale à la juste valeur marchande du bien à ce moment;
>
> 2° avoir perçu, à ce moment, la taxe relative à la fourniture, sauf s'il s'agit d'une fourniture exonérée, calculée sur cette contrepartie.

L'article 278 a été édicté par L.Q. 1991, c. 67.

Définitions [art. 278]: « bien », « contrepartie », « fourniture », « période de déclaration », « personne », « taxe » — 1.

Renvois [art. 278]: 15 (JVM); 199 (RTI).

Lettres d'interprétation [art. 278]: 98-0108146 — Interprétation relative à la TPS et à la TVQ — Prix reçus par un athlète professionnel.

Concordance fédérale: LTA, par. 188(2).

COMMENTAIRES: Voir les commentaires sous l'article 279.

279. Taxe nette d'un inscrit prescrit — Dans le cas où un inscrit est un inscrit prescrit à un moment quelconque dans une période de déclaration, sa taxe nette pour la période doit être déterminée de la manière prescrite.

Notes historiques: L'article 279 a été modifié par L.Q. 1994, c. 22, art. 510(1) et est réputé entré en vigueur le 1er juillet 1992. Il se lisait comme suit :

> 279. Dans le cas où un inscrit qui est un inscrit prescrit tout au long d'une période de déclaration effectue des fournitures taxables de droits de jouer ou de participer à des jeux de hasard, les règles suivantes s'appliquent :
>
> 1° l'inscrit peut demander un remboursement de la taxe sur les intrants pour la période, égal à l'excédent éventuel du montant déterminé en vertu du sous-paragraphe a) sur le montant déterminé en vertu du sous-paragraphe b) :
>
> a) le montant que représente le total des taxes, autres qu'une taxe que l'inscrit est réputé avoir perçue en vertu du présent titre, à l'égard de toutes les fournitures qu'il a effectuées et qui sont devenues percevables au cours de la période;
>
> b) le montant que représente le pourcentage, déterminé de la manière prescrite, du total des montants suivants dont chacun constitue :
>
> i. une contrepartie, qui devient due au cours de la période ou a été payée au cours de celle-ci sans qu'elle soit devenue due, pour la fourniture d'un bien ou d'un service effectuée à son profit;
>
> ii. un montant, autre qu'une contrepartie incluse en vertu du sous-paragraphe i au cours d'une période, qu'il a payé au cours de la période à une personne ou à son profit, si le montant est à inclure dans le revenu tiré d'une charge ou d'un emploi de celle-ci en vertu des articles 36 à 47.17 de la *Loi sur les impôts* (L.R.Q., chapitre I-3) ou le serait si elle résidait au Québec;
>
> 2° la taxe qui devient payable par l'inscrit ou qu'il a payée sans qu'elle soit devenue payable, au cours de la période, à l'égard de fournitures effectuées à son profit ne doit pas être incluse dans le calcul du remboursement de l'inscrit prévu aux articles 383 à 397 ou de son remboursement de la taxe sur les intrants, autre qu'un tel remboursement calculé en vertu des articles 233 et 234, pour une période de déclaration durant laquelle il est un inscrit prescrit;
>
> 3° le bien ou le service acquis par l'inscrit au cours de la période est réputé avoir été acquis pour utilisation exclusive dans le cadre des activités autres que les activités commerciales de l'inscrit;
>
> 4° l'inscrit est réputé ne pas avoir augmenté, au cours d'une période de déclaration durant laquelle il est un inscrit prescrit, la mesure dans laquelle son immobilisation est utilisée dans le cadre de ses activités commerciales.

Le préambule du sous-paragraphe b) de l'article 279 a été modifié par L.Q. 1993, c. 19, art. 205 et s'applique à l'égard d'une fourniture ou d'un apport au Québec relativement auquel l'article 685 ou l'un des articles 618 à 656 de L.Q. 1991, c. 67 s'applique [*N.D.L.R.* : les articles 685 et 618 à 656 réfèrent à des dispositions transitoires concernant les transferts avant le 1er juillet 1992]. Il se lisait auparavant comme suit :

> b) le montant que représente 8 % du total des montants suivants dont chacun constitue :

L'article 279 a été édicté par L.Q. 1991, c. 67.

Définitions [art. 279]: « inscrit », « période de déclaration » — 1.

Renvois [art. 279]: 199 (RTI); 277 (paris et jeux de hasard); 350.8 (jeu de hasard — définitions); 386 (remboursement — organisme de services publics, organisme de bienfaisance, organisme sans but lucratif admissible); 677:31° (règlements).

Règlements [art. 279]: RTVQ, 279R1-279R29.

Lettres d'interprétation [art. 279]: 98-010081 — Interprétation relative à la TVQ — Remboursement partiel de la TVQ — aux organismes sans but lucratif admissibles.

Concordance fédérale: LTA, par. 188(5).

COMMENTAIRES: Revenu Québec a analysé l'application des articles 277 à 279 dans le contexte d'un sportif professionnel qui participe à des compétitions. En lien avec la prestation que ce sportif offre dans le cadre de ces compétitions, ce dernier reçoit, comme seule source de revenus, certaines bourses. Ce sportif fait aussi du marketing en agissant comme porte-parole d'une société afin de faire la promotion d'articles de sports. Est-ce que la situation change s'il reçoit tous les prix le biais d'une société. La prestation de ce sportif constitue-t-elle une fourniture? Exploite-t-il une entreprise? L'activité de marketing constitue-t-elle une « fourniture » ? La remise d'un prix à la société est-elle visée par l'article 278 ? L'article 278 est silencieux quant à la qualification de la prestation fournie par le compétiteur dans le cadre des circonstances qui y sont prévues. Par conséquent, l'interprétation de ce paragraphe ne permet pas, à elle seule, de déterminer si la prestation fournie par un compétiteur constitue, par ailleurs, une fourniture au sens de la *Loi sur la taxe de vente du Québec*. On doit donc recourir aux règles générales de la *Loi sur la taxe de vente du Québec* pour répondre aux différentes questions soumises. Par ailleurs, l'article 278 prévoit des règles particulières à l'égard de la remise d'un prix à un compétiteur. Dans l'hypothèse où un prix est remis à une société plutôt qu'à un compétiteur, les conditions d'application de ce paragraphe ne semblent pas être remplies. Cependant, seule une lecture de la convention régissant le versement du prix à la société plutôt qu'au compétiteur permettrait d'établir si la remise d'un tel prix bénéficie des mesures prévues à l'article 278. En l'absence de ce document, Revenu Québec ne peut pas émettre d'avis formel sur cette question. Aux fins du calcul du montant servant à déterminer le statut de « petit fournisseur », les « prix » reçus dans le cadre des circonstances prévues à l'article 278 ne sont pas considérés. En effet, le prix est réputé ne pas être la « contrepartie » d'une fourniture effectuée par le compétiteur. Voir notamment à cet effet : Revenu Québec, Lettre d'interprétation, 98-0108146 --

LTVQ (français)

Interprétation relative à la TPS et à la TVQ — Prix reçu par un athlète professionnel (9 juillet 1999).

Compte tenu de la similarité de la rédaction des dispositions législatives et considérant l'engagement spécifique de Revenu Québec de veiller à ce que l'assiette de TVQ modifiée, de même que les paramètres administratifs, structurels et définitionnels, produisent des résultats qui sont similaires à ceux produits sous le régime de la TPS/TVH et soient administrés d'une manière qui produit des résultats similaires, tel que reflété par l'article 14 de l'*Entente intégrée globale de coordination fiscale* signée entre le gouvernement du Canada et le gouvernement du Québec, nous vous référons à nos commentaires en vertu de l'article 188 de la *Loi sur la taxe d'accise (TPS)* qui devraient s'appliquer *mutatis mutandis*, avec les adaptations nécessaires.

§ 6.1 — Fourniture réputée entre succursales d'une institution financière

Notes historiques: La sous-section 6.1, comprenant les articles 279.1 à 279.4, a été ajoutée par L.Q. 2012, c. 28, par. 83(1) et s'applique à compter du 1er janvier 2013.

279.1 Dans la présente sous-section, les règles suivantes s'appliquent :

1° les expressions « contrepartie admissible », « contribuable admissible », « frais externes » et « service admissible » ont le sens que leur donne l'article 26.2;

2° un montant de frais internes est un montant visé au troisième alinéa de l'article 26.3.

Notes historiques: L'article 279.1 a été ajouté par L.Q. 2012, c. 28, par. 83(1) et s'applique à compter du 1er janvier 2013.

Notes explicatives ARQ (PL 5, L.Q. 2012, c. 28): *Résumé* :

Le nouvel article 279.1 définit certaines expressions pour l'application de la nouvelle sous-section 6.1 de la section II du chapitre V du titre I de la LTVQ qui concerne le remboursement de la taxe sur les intrants que peut demander un contribuable admissible relativement à la taxe payée à l'égard de la fourniture qu'il est réputé avoir acquise par suite de certains frais ou dépenses engagés hors du Canada qui se rapportent à ses activités exercées au Québec.

Contexte :

De nouvelles dispositions prévoient l'acquisition d'une fourniture taxable réputée par suite de certains frais et dépenses engagés hors du Canada par un contribuable admissible, soit essentiellement une institution financière. Elles prévoient que la valeur de la contrepartie de cette fourniture est réputée égale au produit obtenu par la multiplication de ces dépenses ou frais par la proportion qui représente la mesure dans laquelle un bien ou un service auxquels ces frais et dépenses se rapportent est consommé, utilisé ou fourni dans le cadre d'activités du contribuable admissible menées au Québec. De nouvelles règles sont également mises en place pour déterminer le droit d'une telle institution financière de demander un remboursement de la taxe sur les intrants à l'égard de la taxe établie par autocotisation en vertu de l'article 18 de la LTVQ relativement à ces frais et dépenses engagés à l'étranger.

Modifications proposées :

L'article 279.1 définit certaines expressions pour l'application de la nouvelle sous-section 6.1 de la section II du chapitre V du titre I de la LTVQ, laquelle prévoit certaines règles en vue de déterminer si un contribuable admissible a droit d'obtenir un remboursement de la taxe sur les intrants à l'égard de la taxe payée en vertu du paragraphe 9° de l'article 18 de la LTVQ, tel que modifié par le présent projet de loi, relativement à une fourniture taxable visée à l'un des nouveaux articles 26.3 et 26.4 de cette loi, introduits par le présent projet de loi.

Ainsi, les expressions « contribuable admissible », « frais externes » et « service admissible » ont le sens que leur donne le nouvel article 26.2 de la LTVQ. De plus, un montant de frais internes, pour l'application de cette nouvelle sous-section 6.1, est déterminé conformément au troisième alinéa du nouvel article 26.3 de la LTVQ.

Concordance fédérale: aucune.

279.2 Toute dépense qui, conformément au paragraphe 2 de l'article 217.1 de la *Loi sur la taxe d'accise* (L.R.C. 1985, c. E-15), est comprise dans les dépenses engagées ou effectuées à l'étranger pour l'application de la section IV de la partie IX de cette loi, est également une dépense engagée ou effectuée hors du Canada pour l'application de la présente sous-section.

Notes historiques: L'article 279.2 a été ajouté par L.Q. 2012, c. 28, par. 83(1) et s'applique à compter du 1er janvier 2013.

Notes explicatives ARQ (PL 5, L.Q. 2012, c. 28): *Résumé* :

Le nouvel article 279.2 indique certaines dépenses qui sont considérées avoir été engagées ou effectuées hors du Canada pour l'application des règles régissant le calcul du remboursement de la taxe sur les intrants (RTI) à l'égard de la taxe payée sur certaines fournitures réputées découlant de frais et de dépenses engagés hors du Canada.

Contexte :

Voir la rubrique « Contexte » de la note explicative relative au nouvel article 279.1 de la LTVQ.

Modifications proposées :

L'article 279.2 précise que certaines dépenses comprises parmi les dépenses engagées ou effectuées à l'étranger, au sens du paragraphe 2 de l'article 217.1 de la *Loi sur la taxe d'accise* (L.R.C. (1985), chapitre E-15) (LTA), sont également considérées des dépenses engagées ou effectuées hors du Canada pour l'application des règles prévues à la nouvelle sous-section 6.1 de la section II du chapitre V du titre I de la LTVQ. Ces règles concernent le calcul du RTI d'un contribuable admissible relativement à la taxe qui devient payable par lui par autocotisation en vertu de l'article 18 de la LTVQ, au cours de sa période de déclaration pendant laquelle il est un inscrit, par suite des présomptions prévues aux nouveaux articles 26.3 et 26.4 de la LTVQ, lesquels sont introduits par le présent projet de loi.

Plus précisément, la question qui consiste à savoir si une dépense est engagée ou effectuée hors du Canada est pertinente pour le calcul du RTI, relativement à la taxe devenue payable par un contribuable admissible, au sens de l'article 279.1 de la LTVQ, à l'égard de l'acquisition réputée d'une fourniture relative à des frais externes, par suite de la présomption prévue à l'article 26.3 de cette loi, ou relative à une contrepartie admissible, par suite de la présomption prévue à l'article 26.4 de cette loi.

Concordance fédérale: aucune.

279.3 Aux fins du calcul du remboursement de la taxe sur les intrants d'un inscrit qui est un contribuable admissible, lorsqu'un montant — appelé « dépense admissible » dans le présent article — de contrepartie admissible ou de frais externes du contribuable relativement à une dépense engagée ou effectuée hors du Canada qui est attribuable à la totalité ou à la partie d'un bien — appelée « bien attribuable » dans le présent article — ou d'un service admissible — appelée « service attribuable » dans le présent article — est supérieur à zéro et que, au cours de la période de déclaration du contribuable pendant laquelle il est un inscrit, la taxe prévue à l'article 18 devient payable par lui ou est payée par lui sans être devenue payable, relativement à la dépense admissible, les règles suivantes s'appliquent :

1° le bien attribuable ou le service attribuable est réputé avoir été acquis par le contribuable au moment où la dépense a été engagée ou effectuée;

2° la taxe est réputée relative à une fourniture du bien attribuable ou du service attribuable;

3° la mesure dans laquelle le contribuable a acquis le bien attribuable ou le service attribuable en vue de le consommer, de l'utiliser ou de le fournir dans le cadre de ses activités commerciales est réputée la même que celle dans laquelle la totalité ou la partie de la dépense qui correspond à la dépense admissible a été engagée ou effectuée en vue de la consommation, de l'utilisation ou de la fourniture du bien attribuable ou du service attribuable dans ce cadre.

Aux fins du calcul du remboursement de la taxe sur les intrants d'un contribuable admissible relativement à un bien attribuable ou à un service attribuable, toute référence, dans les articles 199 et 199.1, à un bien ou à un service doit être lue comme une référence à un bien attribuable ou à un service attribuable.

Notes historiques: L'article 279.3 a été ajouté par L.Q. 2012, c. 28, par. 83(1) et s'applique à compter du 1er janvier 2013.

Notes explicatives ARQ (PL 5, L.Q. 2012, c. 28): *Résumé* :

Le nouvel article 279.3 met en place certaines règles pour le calcul du remboursement de la taxe sur les intrants (RTI) d'un contribuable admissible, soit essentiellement une institution financière, relativement à la taxe devenue payable ou payée sans être devenue payable à l'égard d'une fourniture réputée acquise par suite de certains frais et dépenses engagés hors du Canada.

Contexte :

Voir la rubrique « Contexte » de la note explicative relative au nouvel article 279.1 de la LTVQ.

Modifications proposées :

L'article 279.3 prévoit diverses règles pour les fins du calcul du RTI d'un contribuable admissible relativement à la taxe qui devient payable par lui, ou qui est payée par lui sans être devenue payable, au cours de sa période de déclaration pendant laquelle il est un inscrit, en vertu de l'article 18 de la LTVQ, par suite de la présomption prévue au nouvel article 26.4 de cette loi, ou, relativement à des frais externes, au sens de l'article 279.1 de cette loi, par suite de la présomption prévue au nouvel article 26.3 de cette loi. L'une et l'autre de ces présomptions font en sorte que le contribuable admissible est réputé l'acquéreur d'une fourniture taxable.

Les règles édictées par l'article 279.3 permettent au contribuable admissible d'établir s'il a droit à un RTI au titre de cette taxe.

D'une part, la fourniture taxable « fictive » mentionnée à l'article 26.4 découle d'une dépense engagée ou effectuée hors du Canada, par un contribuable admissible, qui donne lieu à un montant de contrepartie admissible, au sens de l'article 26.2 de cette loi, pour une année déterminée, également au sens de cet article 26.2, du contribuable.

D'autre part, la fourniture taxable « fictive » mentionnée à l'article 26.3 découle, entre autres, des montants de frais externes, au sens de l'article 26.2 de la LTVQ, pour l'année déterminée. En vertu du paragraphe 9° de l'article 18 de la LTVQ, le contribuable est tenu d'établir par autocotisation la taxe sur la valeur réputée de la contrepartie de la fourniture taxable dont, en vertu de ces articles 26.3 et 26.4, le contribuable est réputé l'acquéreur.

Or, la fourniture taxable réputée dont il est fait mention à l'un ou l'autre des articles 26.3 et 26.4 de la LTVQ est fonction d'un ensemble de montants dont chacun est soit un montant de contrepartie admissible relativement à une dépense engagée ou effectuée hors du Canada qui est attribuable à la totalité ou à la partie d'un bien ou d'un service, appelée « bien attribuable » et « service attribuable », soit, entre autres, un montant de frais externes relatif à un tel bien attribuable ou à un tel service attribuable. Par conséquent, aux fins d'établir le RTI auquel peut avoir droit le contribuable, relativement à la taxe se rapportant à une contrepartie admissible ou à des frais externes, le paragraphe 1° du premier alinéa de l'article 279.3 de cette loi prévoit que le contribuable est réputé avoir acquis le bien attribuable ou le service attribuable. De plus, l'article 279.3 de la LTVQ prévoit, au paragraphe 2° de son premier alinéa, que la taxe est réputée une taxe relative à une fourniture du bien attribuable ou du service attribuable.

Le contribuable admissible doit, de façon générale, analyser la mesure dans laquelle la dépense (laquelle correspond au montant de contrepartie admissible ou de frais externes, selon le cas) a été engagée ou effectuée en vue de consommer, d'utiliser ou de fournir la totalité ou une partie du bien attribuable ou du service attribuable (soit le bien ou le service admissible auquel le montant de contrepartie admissible ou de frais externes, selon le cas, est attribuable) dans le cadre d'une activité que le contribuable exerce, pratique ou mène au Québec. Le paragraphe 3° du premier alinéa de l'article 279.3 de la LTVQ précise donc que la mesure dans laquelle le contribuable a acquis le bien attribuable ou le service attribuable en vue de le consommer, l'utiliser ou le fournir dans le cadre de ses activités commerciales est réputée la même que celle dans laquelle la totalité ou la partie de la dépense — qui correspond à la dépense admissible — a été engagée ou effectuée en vue de la consommation, de l'utilisation ou de la fourniture du bien attribuable ou du service attribuable dans ce cadre.

Enfin, le deuxième alinéa de l'article 279.3 prévoit que la référence à un bien ou à un service, dans les articles 199 et 199.1 de la LTVQ, doit être lue comme une référence à un bien attribuable ou à un service attribuable lorsqu'il s'agit de déterminer le RTI d'un contribuable admissible relativement à un bien attribuable ou à un service attribuable.

Concordance fédérale: aucune.

279.4 Aux fins du calcul du remboursement de la taxe sur les intrants d'un inscrit qui est un contribuable admissible, lorsque la taxe — appelée « taxe interne » dans le présent article — prévue à l'article 18 devient payable par lui ou est payée par lui sans être devenue payable, relativement à un montant de frais internes, et que le calcul du montant de frais internes est fondé en tout ou en partie sur l'inclusion d'une dépense que le contribuable a engagée ou effectuée hors du Canada qui est attribuable à la totalité ou à la partie d'un bien — appelée « bien interne » dans le présent article — ou d'un service admissible — appelée « service interne » dans le présent article — , les règles suivantes s'appliquent :

1° le bien interne ou le service interne est réputé avoir été fourni au contribuable au moment où la dépense a été engagée ou effectuée;

2° le montant de la taxe interne qu'il est raisonnable d'attribuer à la dépense est réputé une taxe — appelée « taxe attribuée » dans le présent paragraphe — relative à la fourniture du bien interne ou du service interne et la taxe attribuée est réputée devenue payable au moment où la taxe interne devient payable par le contribuable ou est payée par lui sans être devenue payable;

3° la mesure dans laquelle le contribuable a acquis le bien interne ou le service interne en vue de le consommer, de l'utiliser ou de le fournir dans le cadre de ses activités commerciales est réputée la même que celle dans laquelle la dépense a été engagée ou effectuée en vue de la consommation, de l'utilisation ou de la fourniture du bien interne ou du service interne dans ce cadre.

Aux fins du calcul du remboursement de la taxe sur les intrants d'un contribuable admissible relativement à un bien interne ou à un service interne, toute référence, dans les articles 199 et 199.1, à un bien ou à un service doit être lue comme une référence à un bien interne ou à un service interne.

Notes historiques: L'article 279.4 a été ajouté par L.Q. 2012, c. 28, par. 83(1) et s'applique à compter du 1er janvier 2013.

Notes explicatives ARQ (PL 5, L.Q. 2012, c. 28): *Résumé* :

Le nouvel article 279.4 met en place certaines règles pour le calcul du remboursement de la taxe sur les intrants (RTI) d'un contribuable admissible, soit essentiellement une institution financière, relativement à la taxe devenue payable ou payée sans être devenue payable à l'égard d'une fourniture réputée acquise par suite de certaines opérations survenues avec une succursale du contribuable située hors du Canada.

Contexte :

Voir la rubrique « Contexte » de la note explicative relative au nouvel article 279.1 de la LTVQ.

Modifications proposées :

L'article 279.4 prévoit diverses règles pour les fins du calcul du RTI d'un contribuable admissible relativement à la taxe qui devient payable par lui, ou qui est payée par lui sans être devenue payable, au cours de sa période de déclaration pendant laquelle il est un inscrit, en vertu de l'article 18 de la LTVQ, relativement à des frais internes, au sens de l'article 279.1 de cette loi, par suite de la présomption prévue au nouvel article 26.3 de la LTVQ. Cette présomption fait en sorte que le contribuable admissible est réputé l'acquéreur d'une fourniture taxable effectuée au Québec. Les règles édictées par l'article 279.4 de la LTVQ permettent au contribuable admissible d'établir s'il a droit à un RTI au titre de cette taxe.

La fourniture taxable « fictive » mentionnée à l'article 26.3 découle de montants de frais internes et de frais externes, au sens que donne à ces expressions l'article 279.1 de cette loi. Ainsi, lorsque le contribuable admissible a fait le choix prévu au paragraphe 1 de l'article 217.2 de la *Loi sur la taxe d'accise* (Lois révisées du Canada (1985), chapitre E-15), et que ce choix est en vigueur pour l'application de cette loi, soit le choix du contribuable de déterminer la taxe payable relativement notamment à ses montants de frais internes pour l'année plutôt que relativement à ses montants de contrepartie admissible, le contribuable est tenu d'établir par autocotisation la taxe sur la valeur réputée, en vertu de ce même article 26.3, de la contrepartie de la fourniture taxable dont il est réputé l'acquéreur.

Or, la fourniture taxable réputée dont il est fait mention à l'article 26.3 est fonction de l'ensemble des frais internes et des frais externes engagés par le contribuable dans son année déterminée, lesquels peuvent être attribuables à divers biens et services. Par conséquent, aux fins d'établir le RTI auquel peut avoir droit le contribuable, relativement à la taxe se rapportant à des frais internes, le paragraphe 1° du premier alinéa de l'article 279.4 de la LTVQ prévoit qu'un bien ou un service admissible, appelés respectivement « bien interne » et « service interne », est réputé fourni au contribuable lorsqu'un montant de frais internes visé à l'article 26.3 de la LTVQ est fondé en tout ou en partie sur l'inclusion d'une dépense que le contribuable a engagée ou effectuée hors du Canada qui est attribuable à ce bien interne ou à ce service interne. De plus, le nouvel article 279.4 de la LTVQ prévoit, au paragraphe 2° de son premier alinéa, que le montant de taxe qu'il est raisonnable d'attribuer à la dépense à laquelle sont attribuables les frais internes qui ont été pris en considération à l'article 26.3 de la LTVQ, appelé la « taxe interne », est réputé devenu payable au moment où la taxe interne devient payable par le contribuable admissible ou est payée par lui sans être devenue payable.

Le contribuable admissible doit, de façon générale, analyser la mesure dans laquelle il a acquis un bien interne ou un service interne dans le but d'effectuer une fourniture taxable du bien ou du service, de le consommer ou de l'utiliser dans le cadre de ses activités commerciales. Le paragraphe 3° du premier alinéa de l'article 279.4 de la LTVQ précise donc que la mesure dans laquelle le contribuable admissible a acquis le bien interne ou le service interne en vue de le consommer, de l'utiliser ou de le fournir dans le cadre de ses activités commerciales est réputée la même que celle dans laquelle la dépense a été engagée ou effectuée en vue de la consommation, de l'utilisation ou de la fourniture du bien interne ou du service interne dans le cadre des activités commerciales du contribuable.

Enfin, le deuxième alinéa de l'article 279.4 prévoit que la référence à un bien ou à un service dans les articles 199 et 199.1 de la LTVQ, doit être lue comme une référence à un bien interne ou à un service interne lorsqu'il s'agit de déterminer le RTI d'un contribuable admissible relativement à un bien interne ou à un service interne.

aucune: LTA, par. 188(5).

§ 7. — [Abrogée]

Notes historiques: L'intertitre de la sous-section 7 a été abrogé par L.Q. 2012, c. 28, par. 84(1) et cette abrogation s'applique à compter du 1er janvier 2013. Antérieurement, il se lisait « Service financier ».

280. [*Abrogé*].

Notes historiques: L'article 280 a été abrogé par L.Q. 2012, c. 28, par. 84(1) et cette abrogation s'applique à compter du 1er janvier 2013. Antérieurement, il se lisait ainsi :

> 280. **Règlement non monétaire d'une réclamation d'assurance** — Dans le cas où un assureur qui est un inscrit acquiert, ou apporte au Québec, soit un bien destiné à remplacer un autre bien faisant l'objet d'une réclamation dont il doit effectuer le règlement en vertu d'une police d'assurance, soit un bien ou un service relatif à la réparation de cet autre bien, les règles suivantes s'appliquent :
>
> 1° le règlement de la réclamation est réputé ne pas constituer une fourniture;

2° aucun montant ne doit être inclus dans le calcul du remboursement de la taxe sur les intrants de l'assureur à l'égard de la taxe payable par celui-ci relativement à l'acquisition ou à l'apport du bien ou du service.

L'article 280 a été édicté par L.Q. 1991, c. 67.

Notes explicatives ARQ (PL 5, L.Q. 2012, c. 28): *Résumé* :

L'article 280 concerne l'acquisition d'un bien par un assureur destiné à remplacer ou à réparer un bien faisant l'objet d'une réclamation, alors que l'article 281 de cette loi est une disposition antiévitement qui concerne la situation où un bien ou un service est fourni à un consommateur de façon accessoire à la fourniture d'un service financier. Ces articles sont abrogés, étant donné qu'ils ne sont plus nécessaires du fait que les services financiers cessent, en règle générale, d'être détaxés et deviennent exonérés.

Situation actuelle :

Généralement, les services d'un assureur constituent des services financiers. Ainsi, la fourniture des services d'un assureur est détaxée dans le régime de la taxe de vente du Québec (TVQ). Ces services peuvent consister notamment en l'émission de polices d'assurance et en le paiement de réclamations effectué en vertu de telles polices. Puisque la fourniture de ces services est détaxée, un assureur qui est un inscrit peut demander un remboursement de la taxe sur les intrants (RTI) à l'égard des biens et des services qu'il acquiert ou apporte au Québec, pour consommation, utilisation ou fourniture dans le cadre de ses activités commerciales, sous réserve cependant des restrictions prévues par ailleurs au chapitre V du titre I de la LTVQ.

L'article 280 prévoit qu'un assureur qui acquiert ou apporte au Québec, soit un bien destiné à remplacer un autre bien faisant l'objet d'une réclamation, soit un bien ou un service relatif à la réparation d'un bien dans le cadre du règlement d'une réclamation en vertu d'une police d'assurance, au lieu de verser une indemnité monétaire à l'assuré, ne peut demander un RTI à l'égard de la taxe payable relativement à l'acquisition d'un tel bien ou service.

L'article 281 est essentiellement une règle antiévitement. Cet article prévoit que, dans le cas où un inscrit qui offre des services financiers acquiert, ou apporte au Québec, un bien ou un service non financier destiné à être fourni à un consommateur avec ou en raison de la fourniture à celui-ci d'un service financier et que l'acquisition ou l'apport est effectué par l'inscrit uniquement dans le but d'éviter au consommateur d'avoir à payer la taxe ou une partie de la taxe qui serait payable par lui si le bien ou le service lui était fourni autrement qu'avec ou en raison de la fourniture du service financier, la fourniture du bien ou du service non financier au consommateur est réputée ne pas constituer une fourniture. Par conséquent, l'inscrit ne peut demander un RTI à l'égard de la taxe payable relativement à l'acquisition ou à l'apport de ce bien ou de ce service.

Modifications proposées :

Les articles 280 et 281 ne trouvent plus application, étant donné l'exonération des services financiers dans le régime de la TVQ à compter du 1er janvier 2013. En effet, les services financiers cesseront d'être assimilés à des activités commerciales, de sorte qu'il ne sera plus possible pour un assureur ou un inscrit offrant des services financiers d'obtenir des RTI relativement à la taxe payable sur les biens ou services acquis ou apportés au Québec en vue de rendre des services financiers exonérés. De plus, la situation que visait à empêcher l'article 281 de la LTVQ ne pourra plus se présenter. Par conséquent, les articles 280 et 281 sont abrogés.

Définitions [art. 280]: « assureur », « bien », « fourniture », « inscrit », « montant », « police d'assurance », « taxe » — 1.

Renvois [art. 280]: 199 (RTI); 200 (RTI).

Bulletins d'interprétation [art. 280]: TVQ. 280-1 — Les biens et les services acquis par un assureur dans le cadre du règlement d'un sinistre; TVQ. 280-2 — Cautionnement d'exécution consenti à l'égard d'un contrat de construction.

Lettres d'interprétation [art. 280]: 05-0102847 — CTI/RTI auxquels ont droit les assureurs dans le cadre de la fourniture d'un véhicule automobile.

Concordance fédérale: aucune.

281. [*Abrogé*].

Notes historiques: L'article 281 a été abrogé par L.Q. 2012, c. 28, par. 84(1) et cette abrogation s'applique à compter du 1er janvier 2013. Antérieurement, il se lisait ainsi :

> 281. Règle anti-évitement — Dans le cas où un inscrit qui offre des services financiers acquiert, ou apporte au Québec, un bien ou un service non financier destiné à être fourni à un consommateur avec ou en raison de la fourniture à celui-ci d'un service financier et que l'acquisition ou l'apport est effectué par l'inscrit uniquement dans le but d'éviter au consommateur d'avoir à payer la taxe ou une partie de la taxe qui serait payable par lui si le bien ou le service lui était fourni autrement qu'avec ou en raison de la fourniture du service financier, les règles suivantes s'appliquent :
>
> 1° la fourniture du bien ou du service non financier au consommateur est réputée ne pas constituer une fourniture;
>
> 2° aucun montant ne doit être inclus dans le calcul du remboursement de la taxe sur les intrants de l'inscrit à l'égard de la taxe payable par celui-ci relativement à l'acquisition ou à l'apport du bien ou du service.

L'article 281 a été édicté par L.Q. 1991, c. 67.

Définitions [art. 281]: « bien », « consommateur », « fourniture », « inscrit », « montant », « service », « service financier », « taxe » — 1.

Renvois [art. 281]: 35 (services financiers dans une fourniture mixte).

§ 8. — [Abrogée]

Notes historiques: La sous-section 8 de la section II du chapitre V du titre I a été abrogée par L.Q. 1997, c. 85, art. 578(1) et a effet depuis le 24 avril 1996. Antérieurement cette sous-section s'intitulait : « Société membre d'une société de personnes ».

Le titre de la sous-section 8 de la sous-section II du chapitre V du titre I a été modifié par L.Q. 1997, c. 3, art. 135(1°) pour remplacer le mot « société » par les mots « société de personnes » et le mot « Corporation » par le mot « Société ». Cette modification est entrée en vigueur le 20 mars 1997.

282. [*Abrogé*]

Notes historiques: L'article 282 a été abrogé par L.Q. 1997, c. 85, art. 578(1). Cette abrogation a effet depuis le 24 avril 1996. Antérieurement, cet article se lisait ainsi :

> 282. Malgré l'article 50, dans le cas où une société, membre d'une société de personnes, acquiert, ou apporte au Québec, à un moment où elle est inscrite en vertu de la section I du chapitre huitième, un bien ou un service pour consommation, utilisation ou fourniture dans le cadre d'une activité de la société de personnes, sauf si le bien ou le service a été acquis ou apporté par la société de personnes, les règles suivantes s'appliquent aux fins du calcul du remboursement de la taxe sur les intrants à l'égard de l'acquisition ou de l'apport :
>
> 1° la société est réputée exercer cette activité;
>
> 2° la société de personnes est réputée ne pas avoir acquis ou apporté le bien ou le service à ce moment.

L'article 282 a été modifié par L.Q. 1997, c. 3, art. 135(1°) pour remplacer le mot « société » par les mots « société de personnes » et le mot « corporation » par le mot « Société ». Cette modification est entrée en vigueur le 20 mars 1997. L'article 282 a été édicté par L.Q. 1991, c. 67.

§ 9. — [Abrogée]

Notes historiques: La sous-section 9 de la section II du chapitre V a été abrogée par L.Q. 1995, c. 1, art. 285(1) et cette abrogation a effet depuis le 1er juillet 1992 [*N.D.L.R.* : cette disposition s'applique conformément aux articles 618 à 656 et 685 de L.Q. 1991, c. 67, tels que modifiés]. Auparavant, cette sous-section s'intitulait : « Personne non résidante ».

283. [*Abrogé*]

Notes historiques: L'article 283 a été abrogé par L.Q. 1995, c. 1, art. 285 et cette abrogation a effet depuis le 1er juillet 1992 [*N.D.L.R.* : cette disposition s'applique conformément aux articles 618 à 656 et 685 de L.Q. 1991, c. 67, tels que modifiés]. Auparavant, l'article 283 se lisait comme suit :

> 283. Aux fins du calcul du remboursement de la taxe sur les intrants d'un inscrit, le deuxième alinéa s'applique dans le cas où une personne qui ne réside pas au Québec et qui n'est pas un inscrit, à la fois :
>
> 1° effectue la fourniture d'un bien meuble corporel par vente à l'inscrit;
>
> 2° délivre le bien au Québec à l'inscrit, avant qu'il n'y soit utilisé;
>
> 3° paie la taxe prévue à l'article 17 à l'égard du bien apporté au Québec;
>
> 4° remet à l'inscrit une preuve satisfaisante pour le ministre que la taxe a été payée.
>
> L'inscrit est réputé avoir payé, au moment où la personne qui ne réside pas au Québec paie la taxe prévue à l'article 17, une taxe à l'égard de la fourniture du bien qui lui est effectuée égale à la taxe payée par cette personne.

L'article 283 a été édicté par L.Q. 1991, c. 67.

284. [*Abrogé*]

Notes historiques: L'article 284 a été abrogé par L.Q. 1995, c. 1, art. 285 et cette abrogation a effet depuis le 1er juillet 1992 [*N.D.L.R.* : cette disposition s'applique conformément aux articles 618 à 656 et 685 de L.Q. 1991, c. 67, tels que modifiés]. Auparavant, l'article 284 se lisait comme suit :

> 284. Aux fins du calcul du remboursement de la taxe sur les intrants d'un inscrit donné, le deuxième alinéa s'applique dans le cas où, à la fois :
>
> 1° une personne qui ne réside pas au Québec et qui n'est pas un inscrit effectue à l'inscrit donné une fourniture d'un bien meuble corporel qui a été acquis, fabriqué ou produit par un autre inscrit;
>
> 2° le bien est délivré à l'inscrit donné par l'autre inscrit, au Québec, en exécution de l'obligation de la personne qui ne réside pas au Québec de lui fournir le bien;
>
> 3° la personne qui ne réside pas au Québec a payé la taxe réputée perçue en vertu de l'article 327 par l'autre inscrit à l'égard de la fourniture du bien effectuée à cette personne;
>
> 4° la personne qui ne réside pas au Québec remet à l'inscrit donné une preuve satisfaisante pour le ministre que la taxe a été payée.

L'inscrit donné est réputé avoir payé, au moment où la personne qui ne réside pas au Québec paie la taxe réputée perçue en vertu de l'article 327, une taxe à l'égard de la fourniture du bien qui lui est effectuée égale à cette taxe.

L'article 284 a été édicté par L.Q. 1991, c. 67.

Chapitre VI — Cas spéciaux

SECTION I — CHANGEMENT D'UTILISATION

285. Utilisation personnelle — Dans le cas où un inscrit qui est un particulier et qui dans le cadre de ses activités commerciales a acquis, fabriqué ou produit un bien, autre que son immobilisation, ou a acquis ou exécuté un service, réserve le bien ou le service, à un moment quelconque, pour sa consommation, son utilisation ou sa jouissance personnelle ou celle d'un particulier qui lui est lié, les règles suivantes s'appliquent :

1º l'inscrit est réputé avoir effectué une fourniture du bien ou du service pour une contrepartie, payée à ce moment, égale à la juste valeur marchande du bien ou du service à ce moment;

2º l'inscrit est réputé avoir perçu, à ce moment, la taxe relative à la fourniture, sauf s'il s'agit d'une fourniture exonérée, calculée sur cette contrepartie.

Notes historiques: L'article 285 a été édicté par L.Q. 1991, c. 67.

Définitions [art. 285]: « activité commerciale », « bien », « contrepartie », « fourniture », « fourniture exonérée », « inscrit », « particulier », « service », « taxe » — 1.

Renvois [art. 285]: 3–4 (lien de dépendance); 15 (JVM); 22.28 (fourniture réputée effectuée au Québec); 199 (RTI); 287 (champ d'application).

Concordance fédérale: LTA, par. 172(1).

COMMENTAIRES: Voir les commentaires sous l'article 287.3.

286. Utilisation par un actionnaire, un associé d'une société de personnes ou autres — Dans le cas où un inscrit qui est une société, une fiducie, une société de personnes, un organisme de bienfaisance, une institution publique ou un organisme sans but lucratif et qui dans le cadre de ses activités commerciales a acquis, fabriqué ou produit un bien, autre que son immobilisation, ou a acquis ou exécuté un service, réserve le bien ou le service, à un moment quelconque, au profit de son actionnaire, de son bénéficiaire, de son associé ou de tout particulier lié à l'un de ceux-ci, autrement que par une fourniture effectuée pour une contrepartie égale à la juste valeur marchande du bien ou du service, les règles suivantes s'appliquent :

1º l'inscrit est réputé avoir effectué une fourniture du bien ou du service pour une contrepartie, payée à ce moment, égale à la juste valeur marchande du bien ou du service à ce moment;

2º l'inscrit est réputé avoir perçu, à ce moment, la taxe relative à la fourniture, sauf s'il s'agit d'une fourniture exonérée, calculée sur cette contrepartie.

Notes historiques: Le préambule de l'article 286 a été modifié par L.Q. 1997, c. 85, art. 579(1) et a effet depuis le 1er janvier 1997. Antérieurement, il se lisait ainsi :

> 286. Dans le cas où un inscrit qui est une société, une fiducie, une société de personnes, un organisme de bienfaisance ou un organisme sans but lucratif et qui dans le cadre de ses activités commerciales a acquis, fabriqué ou produit un bien, autre que son immobilisation, ou a acquis ou exécuté un service, réserve le bien ou le service, à un moment quelconque, au profit de son actionnaire, de son bénéficiaire, de son membre ou de tout particulier lié à l'un de ceux-ci, autrement que par une fourniture effectuée pour une contrepartie égale à la juste valeur marchande du bien ou du service, les règles suivantes s'appliquent :

L'article 286 a été modifié par L.Q. 1997, c. 3, art. 135(1º) pour remplacer le mot « société » par les mots « société de personnes » et le mot « corporation » par le mot « société ». Cette modification est entrée en vigueur le 20 mars 1997.

Auparavant, le paragraphe 2º de l'article 286 a été modifié par L.Q. 1995, c. 63, art. 379(1) et cette modification s'applique à l'égard d'un bien ou d'un service réservé après le 31 juillet 1995 par l'inscrit qui est une corporation, une fiducie, une société, un organisme de bienfaisance ou un organisme sans but lucratif au profit de son actionnaire, de son bénéficiaire, de son membre ou de tout particulier lié à l'un de ceux-ci. Auparavant, il se lisait comme suit :

> 2º l'inscrit est réputé avoir perçu, à ce moment, la taxe relative à la fourniture, sauf s'il s'agit d'une fourniture exonérée ou non taxable, calculée sur cette contrepartie.

L'article 286 a été édicté par L.Q. 1991, c. 67.

Définitions [art. 286]: « activité commerciale », « bien », « contrepartie », « fourniture », « fourniture exonérée », « immobilisation », « inscrit », « organisme de bienfaisance », « organisme sans but lucratif », « particulier », « service », « taxe » — 1.

Renvois [art. 286]: 1.1 (personne morale); 3–4 (lien de dépendance); 15 (JVM); 22.28 (fourniture réputée effectuée au Québec); 199 (RTI); 212.1 (présomption de fourniture au profit d'un associé); 287 (champ d'application); 433.1 (fourniture déterminée); 433.2 (taxe nette d'un organisme de bienfaisance inscrit); 506.1 (société et société de personnes).

Concordance fédérale: LTA, par. 172(2).

COMMENTAIRES: Voir les commentaires sous l'article 287.3.

287. Exception — Les articles 285 et 286 ne s'appliquent pas au bien ou au service réservé par un inscrit au profit d'une personne, dans le cas où :

1º l'inscrit, en raison des articles 203, 205 ou 206, n'avait pas le droit de demander un remboursement de la taxe sur les intrants, à l'égard de sa dernière acquisition, ou de son dernier apport au Québec, du bien ou du service;

2º la section II s'applique au bien ou au service réservé dans le but d'être mis à la disposition de la personne.

Notes historiques: Le paragraphe 1º de l'article 287 a été modifié par L.Q. 1995, c. 63, art. 380(1) et cette modification s'applique à l'égard d'un bien ou d'un service relativement auquel l'inscrit a le droit d'inclure dans le calcul du remboursement de la taxe sur les intrants, en raison de l'abrogation de l'article 206.1, un montant à l'égard de la taxe payable par lui après le 31 juillet 1995 ou payée par lui après cette date relativement à sa dernière acquisition, ou à son dernier apport au Québec, du bien ou du service. Le paragraphe 1º se lisait comme suit :

> 1º l'inscrit, en raison des articles 203, 205, 206 ou 206.1, n'avait pas le droit de demander un remboursement de la taxe sur les intrants à l'égard de sa dernière acquisition, ou de son dernier apport au Québec, du bien ou du service;

[*N.D.L.R* : le paragraphe d'application prévu par L.Q. 1995, c. 63, art. 380(2) a été modifé par L.Q. 1997, c. 85, art. 745 et a effet depuis le 15 décembre 1995. Antérieurement, il prévoyait ceci :

> Cette modification s'applique relativement à :
>
> 1º une fourniture d'un bien ou d'un service acquis, ou apporté au Québec, la dernière fois, à l'égard de laquelle la taxe devient payable après le 31 juillet 1995 et n'est pas payée avant le 1er août 1995 par l'inscrit qui est une petite ou moyenne entreprise;
>
> 2º une fourniture d'un bien ou d'un service acquis, ou apporté au Québec, la dernière fois, à l'égard de laquelle la taxe devient payable après le 29 novembre 1996 et n'est pas payée avant le 30 novembre 1996 par l'inscrit qui est une grande entreprise.]

L'article 287 a été auparavant modifié par L.Q. 1994, c. 22, art. 511(1) et est réputé entré en vigueur le 1er juillet 1992. Antérieurement, il se lisait comme suit :

> 287. Les articles 285 et 286 ne s'appliquent pas à un inscrit qui, en raison des articles 203, 205, 206 ou 206.1, n'a pas le droit d'inclure, dans le calcul du remboursement de la taxe sur les intrants, un montant à l'égard de la taxe payable par lui relativement à un bien ou à un service réservé à son profit ou à celui de son actionnaire, de son bénéficiaire, de son membre ou de tout particulier lié à l'un de ceux-ci.

L'article 287 a été modifié par L.Q. 1993, c. 19, art. 206, pour ajouter une référence à l'article 206.1 après celle à l'article 206. Il s'applique à l'égard d'une fourniture ou d'un apport au Québec relativement auquel l'article 685 ou l'un des articles 618 à 656 de L.Q. 1991, c. 67 s'applique [*N.D.L.R.* : les articles 685 et 618 à 656 réfèrent à des dispositions transitoires concernant les transferts avant le 1er juillet 1992].

L'article 287 a été édicté par L.Q. 1991, c. 67.

Définitions [art. 287]: « bien », « inscrit », « personne », « service » — 1.

Renvois [art. 287]: 22.28 (fourniture réputée effectuée au Québec).

Concordance fédérale: LTA, par. 172(3).

COMMENTAIRES: Voir les commentaires sous l'article 287.3.

287.1 Fourniture détaxée d'un véhicule automobile utilisé à une autre fin par un non-inscrit — Dans le cas où une personne qui n'est pas un inscrit reçoit la fourniture détaxée d'un véhicule automobile en vertu de l'article 197.2 et que, à un moment quelconque, elle commence à le consommer ou à l'utiliser, elle le fournit à une

LTVQ (français)

autre fin que celles visées à cet article ou fait en sorte qu'il soit consommé ou utilisé à ses frais par une autre personne, la personne est réputée avoir reçu une fourniture taxable du véhicule automobile pour une contrepartie, payée à ce moment, égale à la plus élevée de sa valeur marchande ou de sa valeur estimative prévue à l'article 55.0.2 à ce moment.

Notes historiques: L'article 287.1 a été ajouté par L.Q. 2001, c. 51, art. 274 et a effet depuis le 1er mai 1999. Toutefois, pour la période qui commence le 1er mai 1999 et qui se termine le 20 février 2000, l'article 287.1 doit se lire comme suit :

> 287.1 Dans le cas où une personne qui n'est pas un inscrit reçoit la fourniture détaxée d'un véhicule automobile en vertu de l'article 197.2 ou apporte au Québec un véhicule automobile acquis par fourniture effectuée à l'extérieur du Québec dans des circonstances où, s'il avait été acquis par fourniture au Québec dans ces mêmes circonstances, ce véhicule aurait été acquis par fourniture détaxée en vertu de l'article 197.2 et que, à un moment quelconque, elle commence à le consommer ou à l'utiliser ou elle le fournit à une autre fin que celles visées à cet article ou fait en sorte qu'il soit consommé ou utilisé à ses frais par une autre personne, la personne est réputée avoir reçu une fourniture taxable du véhicule automobile pour une contrepartie, payée à ce moment, égale à la plus élevée de sa valeur marchande ou de sa valeur estimative prévue à l'article 55.0.2 à ce moment.

Concordance fédérale: aucune.

COMMENTAIRES: Voir les commentaires sous l'article 287.3.

287.2 Fourniture détaxée d'un véhicule automobile utilisé à une autre fin par un inscrit — Dans le cas où un inscrit reçoit la fourniture détaxée d'un véhicule automobile en vertu de l'article 197.2 ou apporte au Québec un véhicule automobile acquis par fourniture effectuée à l'extérieur du Québec dans des circonstances où, s'il avait été acquis par fourniture au Québec dans ces mêmes circonstances, ce véhicule aurait été acquis par fourniture détaxée en vertu de l'article 197.2 et que, à un moment quelconque, il commence à le consommer ou à l'utiliser ou il le fournit à une autre fin que celles visées à l'article 197.2, les règles suivantes s'appliquent :

1º l'inscrit est réputé :

a) avoir effectué, immédiatement avant ce moment, une fourniture du véhicule par vente;

b) avoir perçu, à ce moment, la taxe à l'égard de la fourniture calculée sur la plus élevée de sa valeur marchande ou de sa valeur estimative prévue à l'article 55.0.2 à ce moment;

2º l'inscrit est réputé, à ce moment, avoir reçu une fourniture du véhicule par vente et avoir payé la taxe à l'égard de la fourniture calculée sur la plus élevée de sa valeur marchande ou de sa valeur estimative prévue à l'article 55.0.2 à ce moment.

Application — Le présent article ne s'applique pas dans le cas où l'article 287.3 s'applique.

Notes historiques: L'article 287.2 a été ajouté par L.Q. 2001, c. 51, art. 274 et a effet depuis le 1er mai 1999.

Concordance fédérale: aucune.

COMMENTAIRES: Voir les commentaires sous l'article 287.3.

287.3 Fourniture détaxée d'un véhicule automobile utilisé à une autre fin par un inscrit prescrit — Dans le cas où un inscrit prescrit a reçu la fourniture détaxée d'un véhicule automobile en vertu de l'article 197.2 ou apporte au Québec un véhicule automobile acquis par fourniture effectuée à l'extérieur du Québec dans des circonstances où, s'il avait été acquis par fourniture au Québec dans ces mêmes circonstances, ce véhicule aurait été acquis par fourniture détaxée en vertu de l'article 197.2 et que, à un moment quelconque, il commence à le consommer ou à l'utiliser ou il le fournit à une autre fin que celles visées à l'article 197.2 et qui ne lui permettrait pas de demander un remboursement de la taxe sur les intrants à l'égard du véhicule s'il en faisait l'acquisition à ce moment pour utilisation exclusive dans le cadre de ses activités commerciales, les règles suivantes s'appliquent :

1º l'inscrit est réputé avoir effectué, le dernier jour de chacun des mois se terminant après ce moment, une fourniture du véhicule pour une contrepartie, payée ce dernier jour, égale au montant que représente 2,5 % de la valeur prescrite du véhicule;

2º l'inscrit est réputé avoir perçu, le dernier jour de chacun des mois se terminant après ce moment, la taxe relative à la fourniture calculée sur cette contrepartie.

Utilisation réputée du véhicule — Pour l'application du présent article, dans le cas où l'inscrit prescrit effectue la fourniture sans contrepartie ou pour une contrepartie symbolique d'un véhicule automobile visé au premier alinéa, il est réputé consommer ou utiliser le véhicule.

Notes historiques: L'article 287.3 a été ajouté par L.Q. 2001, c. 51, art. 274 et a effet depuis le 1er mai 1999.

Règlements [art. 287.3]: RTVQ, 287.3R1, 287.3R2.

Concordance fédérale: aucune.

COMMENTAIRES: Compte tenu de la similarité de la rédaction des dispositions législatives et considérant l'engagement spécifique de Revenu Québec de veiller à ce que l'assiette de TVQ modifiée, de même que les paramètres administratifs, structurels et définitionnels, produisent des résultats qui sont similaires à ceux produits sous le régime de la TPS/TVH et soient administrés d'une manière qui produit des résultats similaires, tel que reflété par l'article 14 de l'*Entente intégrée globale de coordination fiscale* signée entre le gouvernement du Canada et le gouvernement du Québec, nous vous référons à nos commentaires en vertu de l'article 172 de la *Loi sur la taxe d'accise (TPS)* qui devraient s'appliquer *mutatis mutandis*, avec les adaptations nécessaires.

288. [*Abrogé*]

Notes historiques: L'article 288 a été abrogé par L.Q. 1994, c. 22, art. 512(1) rétroactivement au 1er juillet 1992. Il se lisait comme suit :

> 288. Dans le cas où un inscrit reçoit la fourniture non taxable d'un bien meuble et qu'il commence, à un moment quelconque, à utiliser le bien comme immobilisation, les règles suivantes s'appliquent :
>
> 1º l'inscrit est réputé avoir effectué et reçu une fourniture du bien par vente pour une contrepartie, payée à ce moment, égale à la juste valeur marchande du bien à ce moment;
>
> 2º l'inscrit est réputé avoir, à ce moment, payé à titre d'acquéreur et perçu à titre de fournisseur la taxe relative à la fourniture, calculée sur cette contrepartie.
>
> Le présent article ne s'applique pas si l'article 288.2 s'applique.

Le deuxième alinéa de l'article 288 a été ajouté par L.Q. 1993, c. 19, art. 207 et s'applique à l'égard d'une fourniture ou d'un apport au Québec relativement auquel l'article 685 ou l'un des articles 618 à 656 de L.Q. 1991, c. 67 s'applique [*N.D.L.R.* : les articles 685 et 618 à 656 réfèrent à des dispositions transitoires concernant les transferts avant le 1er juillet 1992].

L'article 288 a été édicté par L.Q. 1991, c. 67.

288.1 [*Abrogé*]

Notes historiques: L'article 288.1 a été abrogé par L.Q. 1995, c. 63, art. 381 et cette abrogation s'applique à l'égard d'un bien ou d'un service relativement auquel l'inscrit pourrait demander un remboursement de la taxe sur les intrants, en raison de l'abrogation de l'article 206.1 s'il en faisait l'acquisition au moment visé à cet article 288.1 et s'il payait la taxe à ce moment à l'égard du bien ou du service. Antérieurement, l'article 288.1 se lisait comme suit :

> 288.1 Dans le cas où un inscrit a acheté avant le 1er juillet 1992 un bien mobilier au sens de la *Loi concernant l'impôt sur la vente en détail* (L.R.Q., chapitre I-1) autrement que par une vente en détail au sens de cette loi ou a acquis un bien ou un service par une fourniture non taxable et que l'inscrit commence, à un moment quelconque, à consommer ou à utiliser le bien ou le service à une fin qui n'est pas visée à la définition de l'expression « fourniture non taxable » et qui, en raison de l'article 206.1, ne lui permettrait pas de demander un remboursement de la taxe sur les intrants à l'égard du bien ou du service s'il en faisait l'acquisition à ce moment pour consommation ou utilisation exclusive dans le cadre de ses activités commerciales, les règles suivantes s'appliquent :
>
> 1º l'inscrit est réputé avoir effectué une fourniture du bien ou du service pour une contrepartie, payée à ce moment, égale à la juste valeur marchande du bien ou du service à ce moment;
>
> 2º l'inscrit est réputé avoir perçu, à ce moment, la taxe relative à la fourniture calculée sur cette contrepartie.
>
> Le présent article ne s'applique pas si l'article 288.2 s'applique.

[*N.D.L.R.* : le paragraphe d'application prévu par L.Q. 1995, c. 63, art. 381(2) a été remplacé par L.Q. 1997, c. 85, art. 746(1) et a effet depuis le 15 décembre 1995. Antérieurement, il prévoyait ceci :

> L'abrogation s'applique à l'égard :
>
> 1º d'un bien ou d'un service que l'inscrit qui est une petite ou moyenne entreprise commence après le 31 juillet 1995 à consommer ou à utiliser à une fin qui n'est pas visée à la définition de l'expression « fourniture non taxable », telle qu'elle se lisait avant sa suppression;

2° d'un bien ou d'un service que l'inscrit qui est une grande entreprise commence après le 29 novembre 1996 à consommer ou à utiliser à une fin qui n'est pas visée à la définition de l'expression « fourniture non taxable », telle qu'elle se lisait avant sa suppression.]

Toutefois, pour l'application de l'article 288.1, que l'article 381 de L.Q. 1995, c. 63 abroge, le bien ou le service dont l'inscrit qui est une grande entreprise reçoit la fourniture, laquelle serait une fourniture non taxable si la définition de cette expression n'était pas supprimée et à l'égard duquel l'inscrit a le droit de demander, en raison de l'abrogation de l'article 206.1, un remboursement de la taxe sur les intrants, est réputé reçu par une fourniture non taxable, telle que la définition de cette expression se lisait avant sa suppression.

[*N.D.L.R.* : le paragraphe d'application prévu par L.Q 1995, c. 63, art. 381(3) a été modifié par L.Q. 1997, c. 85, art. 746(1) et a effet depuis le 15 décembre 1995. Antérieurement, il prévoyait ceci :

Toutefois, pour l'application de l'article 288.1 à l'égard de l'inscrit qui est une grande entreprise pour la période qui commence le 1er août 1995 et qui se termine le 29 novembre 1996, dans le cas où l'inscrit a le droit de demander un remboursement de la taxe sur les intrants à l'égard d'un bien ou d'un service qui serait visé à l'article 206.1, si ce n'était de son abrogation et si l'inscrit en faisait l'acquisition pour utilisation exclusive dans le cadre de ses activités commerciales, que la fourniture du bien ou du service aurait constitué une fourniture non taxable, si la définition de cette expression n'était pas supprimée et que le bien ou le service est utilisé ou consommé à une fin qui n'est pas visée à la définition de l'expression « fourniture non taxable », telle qu'elle se lisait avant sa suppression, le bien ou le service est réputé reçu par une fourniture non taxable, telle que la définition de cette expression se lisait avant sa suppression.]

Le préambule de l'article 288.1 a auparavant été modifié par L.Q. 1995, c. 1, art. 286(1) et cette modification avait effet depuis le 13 mai 1994. Le préambule se lisait comme suit :

288.1 Dans le cas où un inscrit reçoit la fourniture non taxable d'un bien ou d'un service et qu'il commence, à un moment quelconque, à le consommer ou à l'utiliser à une fin qui n'est pas visée à la définition de l'expression « fourniture non taxable », et qui, en raison de l'article 206.1, ne lui permettrait pas de demander un remboursement de la taxe sur les intrants à l'égard du bien ou du service s'il en faisait l'acquisition à ce moment pour consommation ou utilisation exclusive dans le cadre de ses activités commerciales, les règles suivantes s'appliquent :

L'article 288.1 avait été ajouté par L.Q. 1993, c. 19, art. 208 et s'appliquait à l'égard d'une fourniture ou d'un apport au Québec relativement auquel l'article 685 ou l'un des articles 618 à 656 de L.Q. 1991, c. 67 s'applique [*N.D.L.R.* : les articles 685 et 618 à 656 réfèrent à des dispositions transitoires concernant les transferts avant le 1er juillet 1992].

288.2 [*Abrogé*]

Notes historiques: L'article 288.2 a été abrogé par L.Q. 1995, c. 63, art. 381 et cette abrogation s'applique à l'égard d'un véhicule routier relativement auquel l'inscrit pourrait demander un remboursement de la taxe sur les intrants, en raison de l'abrogation de l'article 206.1 s'il en faisait l'acquisition au moment visé à cet article 288.2 et s'il payait la taxe à ce moment à l'égard du véhicule routier. Antérieurement, l'article 288.2 se lisait comme suit :

288.2 Dans le cas où un inscrit prescrit a acheté avant le 1er juillet 1992 un véhicule routier autrement que par une vente en détail au sens de la *Loi concernant l'impôt sur la vente en détail* (L.R.Q., chapitre I-1) ou a acquis un tel véhicule par une fourniture non taxable et que, à un moment quelconque dans un mois donné, l'inscrit l'utilise à une fin qui n'est pas visée à la définition de l'expression « fourniture non taxable » et qui, en raison de l'article 206.1, ne lui permettrait pas de demander un remboursement de la taxe sur les intrants à l'égard du véhicule s'il en faisait l'acquisition à ce moment pour utilisation exclusive dans le cadre de ses activités commerciales, les règles suivantes s'appliquent :

1° l'inscrit est réputé avoir effectué, le dernier jour du mois donné, une fourniture du véhicule pour une contrepartie, payée ce dernier jour, égale au montant que représente 2,5 % de la valeur prescrite du véhicule;

2° l'inscrit est réputé avoir perçu, le dernier jour du mois donné, la taxe relative à la fourniture calculée sur cette contrepartie.

Toutefois, pour l'application de l'article 288.2 le véhicule routier dont l'inscrit qui est une grande entreprise reçoit la fourniture, laquelle serait une fourniture non taxable si la définition de cette expression n'était pas supprimée et à l'égard duquel l'inscrit a le droit de demander, en raison de l'abrogation de l'article 206.1 un remboursement de la taxe sur les intrants, est réputé reçu par une fourniture non taxable, telle que la définition de cette expression se lisait avant sa suppression.

De plus, lorsque l'article 288.2 a effet depuis le 1er juillet 1992, il doit se lire comme suit :

288.2 Dans le cas où un inscrit prescrit a acheté avant le 1er juillet 1992 un véhicule routier autrement que par une vente en détail au sens de la *Loi concernant l'impôt sur la vente en détail* (L.R.Q., chapitre I-1), a fabriqué ou a acquis un tel véhicule par une fourniture non taxable et que, à un moment quelconque, l'inscrit l'utilise à une fin qui n'est pas visée à la définition de l'expression « fourniture non taxable » et qui, en raison de l'article 206.1, ne lui permettrait pas de demander un remboursement de la taxe sur les intrants à l'égard du véhicule s'il en faisait l'acquisition à ce moment pour utilisation exclusive dans le cadre de ses activités commerciales, les règles suivantes s'appliquent :

1° l'inscrit est réputé avoir effectué, le dernier jour de chacun des mois se terminant après ce moment, une fourniture du véhicule pour une contrepartie, payée ce dernier jour, égale au montant que représente 2,5 % de la valeur prescrite du véhicule;

2° l'inscrit est réputé avoir perçu, le dernier jour de chacun des mois se terminant après ce moment, la taxe relative à la fourniture calculée sur cette contrepartie.

Le paragraphe d'application prévu par L.Q. 1995, c. 63, art. 381(6) a été remplacé par L.Q. 2003, c. 9, art. 459 pour se lire ansi :

459. De plus, lorsque l'article 288.2 de cette loi, que le paragraphe 1 abroge, a effet depuis le 1er juillet 1992, il doit se lire comme suit :

288.2. Dans le cas où un inscrit prescrit a acheté avant le 1er juillet 1992 un véhicule routier autrement que par une vente en détail au sens de la Loi concernant l'impôt sur la vente en détail (L.R.Q., chapitre I-1), a fabriqué ou a acquis un tel véhicule par une fourniture non taxable et que, à un moment quelconque, l'inscrit l'utilise à une fin qui n'est pas visée à la définition de l'expression « fourniture non taxable » et qui, en raison de l'article 206.1, ne lui permettrait pas de demander un remboursement de la taxe sur les intrants à l'égard du véhicule s'il en faisait l'acquisition à ce moment pour utilisation exclusive dans le cadre de ses activités commerciales, les règles suivantes s'appliquent :

1° l'inscrit est réputé avoir effectué, le dernier jour de chacun des mois se terminant après ce moment, une fourniture du véhicule pour une contrepartie, payée ce dernier jour, égale au montant que représente 2,5 % de la valeur du véhicule;

2° l'inscrit est réputé avoir perçu, le dernier jour de chacun des mois se terminant après ce moment, la taxe relative à la fourniture calculée sur cette contrepartie.

Pour l'application du premier alinéa, la valeur d'un véhicule signifie :

1° dans le cas d'un véhicule fabriqué au Canada, le prix de revient du véhicule, y compris la taxe payée ou payable par l'inscrit en vertu de la partie IX de la Loi sur la taxe d'accise (Lois révisées du Canada (1985), chapitre E-15) à l'égard des éléments de ce prix de revient;

2° dans le cas d'un véhicule fabriqué hors du Canada, la juste valeur marchande du véhicule;

3° dans tout autre cas, la valeur prescrite du véhicule.

Pour l'application du présent article, dans le cas où l'inscrit effectue la fourniture sans contrepartie ou pour une contrepartie symbolique d'un véhicule, il est réputé utiliser le véhicule.

Cette modification a effet depuis le 15 décembre 1995.

[*N.D.L.R.* : les paragraphes d'application prévus par L.Q. 1995, c. 63, art. 381(4) à (6) ont été remplacés par L.Q. 1997, c. 85, art. 746(1) et ont effet depuis le 15 décembre 1995. Antérieurement, ils prévoyaient ceci :

L'abrogation s'applique à l'égard :

1° d'un véhicule routier que l'inscrit qui est une petite ou moyenne entreprise utilise après le 31 juillet 1995 à une fin qui n'est pas visée à la définition de l'expression « fourniture non taxable », telle qu'elle se lisait avant sa suppression;

2° d'un véhicule routier que l'inscrit qui est une grande entreprise utilise après le 29 novembre 1996 à une fin qui n'est pas visée à la définition de l'expression « fourniture non taxable », telle qu'elle se lisait avant sa suppression.

Toutefois, pour l'application de l'article 288.2 à l'égard de l'inscrit qui est une grande entreprise pour la période qui commence le 1er août 1995 et qui se termine le 29 novembre 1996, dans le cas où l'inscrit a le droit de demander un remboursement de la taxe sur les intrants à l'égard d'un véhicule routier qui serait visé à l'article 206.1, si ce n'était de son abrogation et si l'inscrit en faisait l'acquisition pour utilisation exclusive dans le cadre de ses activités commerciales, que la fourniture du véhicule routier aurait constitué une fourniture non taxable, si la définition de cette expression n'était pas supprimée et que le véhicule routier est utilisé à une fin qui n'est pas visée à la définition de l'expression « fourniture non taxable », telle qu'elle se lisait avant sa suppression, le véhicule routier est réputé reçu par une fourniture non taxable, telle que la définition de cette expression se lisait avant sa suppression. De plus, lorsque l'article 288.2 qui est abrogé, a effet depuis le 1er juillet 1992, il doit se lire comme suit :

288.2 Dans le cas où un inscrit prescrit a acheté avant le 1er juillet 1992 un véhicule routier autrement que par une vente en détail au sens de la *Loi concernant l'impôt sur la vente en détail* (L.R.Q., chapitre I-1) ou a acquis un tel véhicule par une fourniture non taxable et que, à un moment quelconque, l'inscrit l'utilise à une fin qui n'est pas visée à la définition de l'expression « fourniture non taxable » et qui, en raison de l'article 206.1, ne lui permettrait pas de demander un remboursement de la taxe sur les intrants à l'égard du véhicule s'il en faisait l'acquisition à ce moment pour utilisation exclusive dans le cadre de ses activités commerciales, les règles suivantes s'appliquent :

1° l'inscrit est réputé avoir effectué, le dernier jour de chacun des mois se terminant après ce moment, une fourniture du véhicule pour une contrepartie, payée ce dernier jour, égale au montant que représente 2,5 % de la valeur prescrite du véhicule;

2º l'inscrit est réputé avoir perçu, le dernier jour de chacun des mois se terminant après ce moment, la taxe relative à la fourniture calculée sur cette contrepartie.]

Le préambule de l'article 288.2 a auparavant été modifié par L.Q. 1995, c. 1, art. 287(1) et cette modification avait effet depuis le 13 mai 1994. Auparavant, ce préambule se lisait comme suit :

288.2 Dans le cas où un inscrit prescrit reçoit la fourniture non taxable d'un véhicule routier et, qu'à un moment quelconque dans un mois donné, il l'utilise à une fin qui n'est pas visée à la définition de l'expression « fourniture non taxable » et qui, en raison de l'article 206.1, ne lui permettrait pas de demander un remboursement de la taxe sur les intrants à l'égard du véhicule s'il en faisait l'acquisition à ce moment pour utilisation exclusive dans le cadre de ses activités commerciales, les règles suivantes s'appliquent :

L'article 288.2 a été ajouté par L.Q. 1993, c. 19, art. 208 et s'appliquait à l'égard d'une fourniture ou d'un apport au Québec relativement auquel l'article 685 ou l'un des articles 618 à 656 de L.Q. 1991, c. 67 s'applique [*N.D.L.R.* : les articles 685 et 618 à 656 réfèrent à des dispositions transitoires concernant les transferts avant le 1er juillet 1992].

289. [*Abrogé*]

Notes historiques: L'article 289 a été abrogé par L.Q. 1995, c. 63, art. 381 et cette abrogation s'applique à l'égard d'une fourniture dont la totalité ou une partie de la contrepartie devient due après le 31 juillet 1995 et n'est pas payée avant le 1er août 1995. Auparavant, il se lisait comme suit :

289. Dans la cas où une personne donnée qui n'est pas un inscrit reçoit la fourniture non taxable d'un bien meuble ou d'un service et, qu'à un moment quelconque, elle commence à le consommer ou à l'utiliser à une autre fin que celles visées à la définition de l'expression « fourniture non taxable » ou fait en sorte qu'il soit consommé ou utilisé à ses frais par une autre personne, la personne donnée est réputée avoir reçu une fourniture du bien ou du service pour une contrepartie, payée à ce moment, égale à la juste valeur marchande du bien ou du service à ce moment.

L'article 289 a été édicté par L.Q. 1991, c. 67.

289.1 [*Abrogé*]

Notes historiques: L'article 289.1 a été abrogé par L.Q. 1995, c. 63, art. 381 et cette abrogation s'applique à l'égard d'un véhicule routier relativement auquel la personne aurait le droit d'inclure dans le calcul de son remboursement de la taxe sur les intrants en raison de l'abrogation de l'article 206.1, la taxe qu'elle paierait en raison de l'article 289.1.

[*N.D.L.R.* : le paragraphe d'application prévu par L.Q. 1995, c. 63, art. 381(8) a été remplacé par L.Q. 1997, c. 85, art. 746(2) et a effet depuis le 15 décembre 1995. Antérieurement, il prévoyait ceci :

L'abrogation a effet :

1º depuis le 1er août 1995 dans le cas où la personne est une petite ou moyenne entreprise;

2º à compter du 30 novembre 1996 dans le cas où la personne est une grande entreprise.]

Auparavant, l'article 289.1 se lisait comme suit :

289.1 La personne qui acquiert par une fourniture effectuée autrement que dans le cadre d'une activité commerciale un véhicule routier qui est exempté de l'immatriculation en vertu du *Code de la sécurité routière* (L.R.Q., chapitre C-24.2) en raison de l'utilisation qu'elle en fait et qui commence, à un moment quelconque, à l'utiliser à une fin pour laquelle le véhicule routier doit être immatriculé en vertu de ce code, est réputée avoir reçu une fourniture taxable du véhicule routier pour une contrepartie, payée à ce moment, égale à sa juste valeur marchande à ce moment.

L'article 289.1 a été ajouté par L.Q. 1993, c. 19, art. 209 et s'appliquait à l'égard d'une fourniture ou d'un apport au Québec relativement auquel l'article 685 ou l'un des articles 618 à 656 de L.Q. 1991, c. 67 s'applique [*N.D.L.R.* : les articles 685 et 618 à 656 réfèrent à des dispositions transitoires concernant les transferts avant le 1er juillet 1992].

SECTION I.1 — RÉGIME DE PENSION

Notes historiques: La section I.1, comprenant les articles 289.2 à 289.8, a été ajoutée par L.Q. 2011, c. 34, par. 146(1) et s'applique à l'égard d'un exercice d'une personne commençant après le 22 septembre 2009.

289.2 [Définitions] — Dans la présente section, l'expression :

« activité de main-d'œuvre » d'une personne signifie tout ce qui est fait par un particulier qui est son salarié, ou qui accepte de le devenir, dans le cadre de la charge ou de l'emploi du particulier ou relativement à cette charge ou à cet emploi;

Concordance fédérale: LTA, par. 172.1(1)« activité de main-d'oeuvre ».

« activité de pension » relative à un régime de pension signifie une activité, autre qu'une activité exclue, qui se rapporte, selon le cas :

1º à la constitution, à la gestion ou à l'administration du régime ou d'une entité de gestion du régime;

2º à la gestion ou à l'administration des actifs du régime;

Concordance fédérale: LTA, par. 172.1(1)« activité de pension ».

Concordance fédérale: LTA, par. 172.1(1)« activité exclue ».

« activité exclue » signifie une activité relative à un régime de pension qui est entreprise exclusivement pour l'une des fins suivantes :

1º le respect par un employeur participant au régime, à titre d'émetteur ou d'émetteur éventuel de valeurs mobilières, des exigences en matière de déclaration imposées par une loi du Québec, d'une autre province, des Territoires du Nord-Ouest, du territoire du Yukon, du territoire du Nunavut ou du Canada, à l'égard de la réglementation de valeurs mobilières;

2º l'évaluation de la possibilité d'établir, de modifier ou de liquider le régime ou de l'incidence financière d'un tel projet sur un employeur participant au régime, autre qu'une activité qui se rapporte à la préparation, à l'égard du régime, d'un rapport actuariel requis par une loi du Québec, d'une autre province, des Territoires du Nord-Ouest, du territoire du Yukon, du territoire du Nunavut ou du Canada;

3º l'évaluation de l'incidence financière du régime sur l'actif et le passif d'un employeur participant au régime;

4º la négociation avec un syndicat ou une organisation semblable de salariés de modifications touchant les prestations prévues par le régime;

5º les fins prescrites;

« employeur participant » à un régime de pension signifie un employeur qui a cotisé ou est tenu de cotiser au régime pour ses salariés actuels ou anciens ou qui leur a versé ou est tenu de leur verser des sommes provenant du régime, ainsi que tout employeur prescrit pour l'application de la définition de l'expression « employeur participant » prévue au paragraphe 1 de l'article 147.1 de la *Loi de l'impôt sur le revenu* (L.R.C. 1985, c. 1 (5e suppl.));

Concordance fédérale: LTA, par. 123(1)« employeur participant ».

« entité de gestion » d'un régime de pension signifie une personne qui est, selon le cas :

1º une personne visée au paragraphe 1° de la définition de l'expression « régime de pension »;

2º une société visée au paragraphe 2° de la définition de l'expression « régime de pension »;

3º une personne prescrite;

Concordance fédérale: LTA, par. 123(1)« entité de gestion ».

« exercice » a le sens que lui donne l'article 458.1;

Concordance fédérale: LTA, par. 123(1)« exercice ».

« facteur provincial » à l'égard d'un régime de pension, pour l'exercice d'une personne qui est un employeur participant au régime, signifie un montant, exprimé en pourcentage, déterminé selon la formule suivante :

$$A \times B;$$

Concordance fédérale: LTA, par. 172.1(1)« facteur provincial ».

« participant actif » a le sens que lui donne le paragraphe 1 de l'article 8500 du *Règlement de l'impôt sur le revenu* (C.R.C., c. 945) édicté en vertu de la *Loi de l'impôt sur le revenu*;

« régime de pension » signifie un régime de pension agréé au sens de l'article 1 de la *Loi sur les impôts* (chapitre I-3) qui, selon le cas :

1º régit une personne qui est une fiducie ou qui est réputée l'être pour l'application de cette loi;

2º est un régime à l'égard duquel une société est, à la fois :

a) constituée et exploitée :

i. soit uniquement pour l'administration du régime;

ii. soit pour l'administration du régime et dans l'unique but d'agir à titre de fiduciaire d'une fiducie régie par une convention de retraite, au sens de l'article 1 de la *Loi sur les impôts*, ou d'administrer une telle fiducie, lorsque, selon les termes de cette convention, des prestations ne doivent être versées qu'à des particuliers à l'égard desquels le régime prévoit le versement de prestations;

b) acceptée par le ministre du Revenu du Canada en vertu du sous-alinéa ii de l'alinéa o.1) du paragraphe 1 de l'article 149 de la *Loi de l'impôt sur le revenu* comme agent de financement aux fins d'agrément du régime;

3º est un régime à l'égard duquel une personne est une personne prescrite pour l'application de la définition de l'expression « entité de gestion »;

Concordance fédérale: LTA, par. 172.1(1)« participant actif ».

Concordance fédérale: LTA, par. 123(1)« employeur participant ».

« ressource d'employeur » d'une personne signifie :

1º tout ou partie d'une activité de main-d'œuvre de la personne, à l'exception d'une partie de cette activité qu'elle consomme ou utilise au cours du processus qui consiste à créer ou à mettre au point un bien;

2º tout ou partie d'un bien ou d'un service fourni à la personne, à l'exception d'une partie du bien ou du service qu'elle consomme ou utilise au cours du processus qui consiste à créer ou à mettre au point un bien;

3º tout ou partie d'un bien que la personne a créé ou mis au point;

4º un ou plusieurs des éléments mentionnés aux paragraphes 1° à 3°.

Pour l'application de la formule prévue à la définition de l'expression « facteur provincial » prévue au premier alinéa :

1º la lettre A représente le taux de la taxe applicable, prévu au premier alinéa de l'article 16, le dernier jour de l'exercice;

2º la lettre B représente :

a) dans le cas où la personne a versé au régime au cours de l'exercice des cotisations qui peuvent être déduites en vertu de l'article 137 de la *Loi sur les impôts* — appelées « cotisations patronales » dans le troisième alinéa — dans le calcul de son revenu et que le nombre de participants actifs au régime qui étaient des salariés de la personne le dernier jour de la dernière année civile se terminant au plus tard le dernier jour de l'exercice — appelé « le jour donné » dans le présent alinéa et le troisième alinéa — est supérieur à zéro, le montant déterminé selon la formule suivante :

$$[(C / D) + (E / F)] / 2;$$

b) dans le cas où le sous-paragraphe a ne s'applique pas et que le nombre de participants actifs au régime qui étaient des salariés de la personne le jour donné est supérieur à zéro, le montant déterminé selon la formule suivante :

$$E / F;$$

c) dans les autres cas, zéro.

Pour l'application des formules prévues aux sous-paragraphes a et b du paragraphe 2° du deuxième alinéa :

1º la lettre C représente le total des cotisations patronales versées au régime de pension par la personne au cours de l'exercice à l'égard de ses salariés qui résidaient au Québec le jour donné;

2º la lettre D représente le total des cotisations patronales versées au régime par la personne au cours de l'exercice à l'égard de ses salariés;

3º la lettre E représente le nombre de participants actifs au régime qui, le jour donné, étaient des salariés de la personne et résidaient au Québec;

4º la lettre F représente le nombre de participants actifs au régime qui, le jour donné, étaient des salariés de la personne.

2011, c. 34, art. 146

Notes historiques: L'article 289.2 a été ajoutée par L.Q. 2011, c. 34, par. 146(1) et s'applique à l'égard d'un exercice d'une personne commençant après le 22 septembre 2009.

Notes explicatives ARQ (PL 32, L.Q. 2011, c. 34): *Résumé* :

Le nouvel article 289.2 prévoit la définition de certaines expressions pour l'application de la nouvelle section I.1 du chapitre VI du titre I de cette loi, introduite dans le cadre du présent projet de loi, soit les nouveaux articles 289.2 à 289.8 de cette loi.

Contexte :

En règle générale, le traitement actuel, sous le régime de la taxe de vente du Québec (TVQ), des régimes de pension agréés fait en sorte que la TVQ payée sur les dépenses relatives à un régime de pension est recouvrable, par un employeur participant au régime qui est un inscrit, au moyen du mécanisme de remboursement de la taxe sur les intrants (RTI), lorsque les dépenses se rapportent aux activités commerciales de l'employeur. Ainsi, un employeur qui exerce des activités commerciales peut demander un RTI afin de recouvrer la TVQ payée sur les dépenses relatives au régime de pension qui sont liées à la perception des cotisations, au versement des prestations, à la tenue des registres et à la constitution du régime, soit des dépenses qui, généralement, incombent aux employeurs.

Lorsqu'une dépense relative à un régime de pension se rapporte aux activités qui incombent normalement à une entité de gestion du régime — souvent une fiducie — telles les dépenses engagées pour la gestion des placements du régime, il n'est pas permis à l'employeur de demander un RTI afin de recouvrer la TVQ payée sur cette dépense, même si celle-ci a été payée par l'employeur. Ce traitement se justifie du fait que le service ou le bien à l'égard duquel la dépense est engagée est utilisé en dernier ressort par l'entité de gestion, laquelle est une personne distincte de l'employeur. Par conséquent, pour que la TVQ payée à l'égard d'une dépense puisse être récupérée au moyen d'un RTI, l'acquéreur d'un bien ou d'un service fourni relativement à un régime (l'employeur ou l'entité de gestion du régime) doit effectuer à nouveau à l'autre partie concernée (l'entité de gestion ou l'employeur) la fourniture du bien ou du service, lorsque le bien ou le service est relié aux activités de cette autre partie.

De nouvelles règles seront instaurées afin que seule une entité de gestion d'un régime de pension puisse demander le remboursement de la TVQ payée à l'égard d'une fourniture relative au régime, et ce, même lorsque la dépense inhérente à cette fourniture a été payée par l'employeur. Pour ce faire, une série de présomptions seront mises en place afin que la TVQ payée sur les dépenses relatives à un régime de pension agréé, engagées par des employeurs qui y participent, soit réputée avoir été payée par l'entité de gestion du régime.

Ces différentes présomptions prévoiront des fournitures réputées effectuées à l'entité de gestion par un employeur participant au régime qui est un inscrit, par suite desquelles une taxe sera réputée avoir été perçue par l'employeur et cette taxe sera réputée avoir été payée par l'entité de gestion. La taxe ainsi réputée payée par l'entité de gestion donnera généralement ouverture, pour l'entité de gestion, à un remboursement, appelé remboursement de pension.

Le remboursement de pension visera tant la taxe réputée payée que la taxe réellement payée ou payable par l'entité de gestion relativement à la fourniture de biens et services acquis dans le cadre du régime de pension.

Par ailleurs, un ensemble de dispositions techniques permettra à l'employeur de délivrer une note de redressement de taxe ayant comme conséquences fiscales de rajuster les montants de taxe réputés perçus par l'employeur et réputés payés par l'entité de gestion, lorsque l'employeur effectuera une fourniture réelle à l'entité de gestion qui portera sur les mêmes biens et services que la fourniture réputée. De plus, les nouvelles règles mises en place permettront à une entité de gestion d'un régime de pension et à l'ensemble des employeurs admissibles du régime de faire un choix conjoint par suite duquel la totalité ou une partie du remboursement de pension auquel aurait autrement eu droit l'entité de gestion pourra être transférée en faveur de l'un ou plusieurs de ces employeurs.

Enfin, pour tenir compte du fait que les services financiers sont détaxés dans le régime de taxation québécois, ce sera 100 % de la taxe payée ou réputée payée qui donnera généralement droit au remboursement de pension. Toutefois, le remboursement de pension se fera au taux de 77 ou 88 %, dans certains cas, lorsque des employeurs qui seront des organismes de services publics auront une participation d'une certaine importance dans le régime de pension concerné.

Modifications proposées :

Le nouvel article 289.2 prévoit la définition de certaines expressions pour l'application de la nouvelle section I.1 du chapitre VI du titre I de cette loi, laquelle porte sur les différentes présomptions concernant les entités de gestion de régimes de pension et les employeurs participants à de tels régimes.

Ainsi, l'expression « activité de main-d'œuvre » d'une personne signifie tout ce qui est fait par un particulier qui est son salarié, ou qui accepte de le devenir, dans le cadre de la charge ou de l'emploi du particulier ou relativement à cette charge ou à cet emploi.

Cette expression s'avère utile pour la définition de l'expression « ressource d'employeur » qui est également définie au présent article 289.2.

L'expression « activité de pension » relative à un régime de pension signifie une activité, autre qu'une activité exclue, qui se rapporte, soit à la constitution, à la gestion ou à l'administration du régime ou d'une entité de gestion du régime, soit à la gestion ou à l'administration des actifs du régime. Cette expression est utilisée aux nouveaux articles 289.5 à 289.7 de la LTVQ, introduits dans le cadre du présent projet de loi.

L'expression « activité exclue » signifie une activité relative à un régime de pension qui est entreprise exclusivement pour l'une des fins suivantes : le respect par un employeur participant au régime, à titre d'émetteur ou d'émetteur éventuel de valeurs mobilières, des exigences en matière de déclaration imposées par une loi du Québec, d'une autre province, des Territoires du Nord-Ouest, du territoire du Yukon, du territoire du Nunavut ou du Canada, à l'égard de la réglementation de valeurs mobilières, l'évaluation de la possibilité d'établir, de modifier ou de liquider le régime ou de l'incidence financière d'un tel projet sur un employeur participant au régime, autre qu'une activité qui se rapporte à la préparation, à l'égard du régime, d'un rapport actuariel requis par une telle loi, l'évaluation de l'incidence financière du régime sur l'actif et le passif d'un employeur participant au régime, la négociation avec un syndicat ou une organisation semblable de salariés de modifications touchant les prestations prévues par le régime et les fins prescrites. Les activités exclues sont donc essentiellement des activités généralement exercées par un employeur dans le but de satisfaire à la réglementation applicable en matière de valeurs mobilières ou à la déclaration de ses états financiers. Les activités exclues ne sont pas des activités de pension, de sorte qu'elles ne sont pas assujetties aux diverses présomptions prévues aux nouveaux articles 289.5 à 289.7 de la LTVQ.

L'expression « employeur participant » à un régime de pension désigne un employeur qui a cotisé ou est tenu de cotiser au régime pour ses salariés actuels ou anciens ou qui leur a versé ou est tenu de leur verser des sommes provenant du régime, ainsi que tout employeur prescrit pour l'application de la définition de l'expression « employeur participant » prévue au paragraphe 1 de l'article 147.1 de la *Loi de l'impôt sur le revenu* (Lois révisées du Canada (1985), chapitre 1, 5e supplément) (LIR). Ainsi, un employeur qui a cotisé à un régime de pension par le passé demeure un employeur participant au régime même s'il n'y cotise plus.

L'expression « entité de gestion » d'un régime de pension signifie une personne qui est, selon le cas, une personne visée au paragraphe 1° de la définition de l'expression « régime de pension » prévue au présent article 289.2 (soit une fiducie ou une personne qui est réputée l'être pour l'application de la *Loi sur les impôts* (L.R.Q., chapitre I-3) (LI), une société visée au paragraphe 2° de la définition de cette expression « régime de pension » (soit essentiellement une société qui administre le régime de pension) ou une personne prescrite. L'expression « exercice » a le sens que lui donne l'article 458.1 de la LTVQ.

L'expression « facteur provincial » à l'égard d'un régime de pension, pour l'exercice d'une personne qui est un employeur participant au régime, signifie le produit obtenu par la formule suivante :

$$A \times B.$$

Dans cette formule, la lettre A représente le taux de la taxe applicable, prévu au premier alinéa de l'article 16 de la LTVQ, le dernier jour de l'exercice. La lettre B fait référence à une formule permettant d'obtenir une fraction qui représente le rapport entre la participation de l'employeur dans le régime de pension qui est relative à ses salariés québécois et la participation globale de l'employeur dans ce régime. Cette fraction s'obtient en tenant compte des cotisations versées par l'employeur au régime et du nombre de participants actifs au régime qui sont des salariés de l'employeur, ou, à défaut de cotisations versées au régime par l'employeur, en tenant compte seulement des participants actifs au régime qui sont des salariés de l'employeur. Plus précisément, la lettre B représente l'un des montants suivants :

— dans le cas où la personne (l'employeur participant) a versé au régime au cours de l'exercice des cotisations qui peuvent être déduites en vertu de l'article 137 de la LI — soit des « cotisations patronales » — dans le calcul de son revenu et que le nombre de participants actifs au régime qui étaient des salariés de la personne le dernier jour de la dernière année civile se terminant au plus tard le dernier jour de l'exercice

— appelé « le jour donné » — est supérieur à zéro, le montant déterminé selon la formule suivante :

$$[(C / D) + (E / F)] / 2;$$

— dans le cas où l'employeur participant n'a pas versé de cotisations patronales au régime de pension au cours de l'exercice et que le nombre de participants actifs au régime qui étaient des salariés de la personne le jour donné est supérieur à zéro, le montant déterminé selon la formule suivante :

$$E / F;$$

— dans les autres cas, zéro.

Dans ces dernières formules, la lettre C représente le total des cotisations patronales versées au régime de pension par la personne (l'employeur participant) au cours de l'exercice à l'égard de ses salariés qui résidaient au Québec le jour donné et la lettre D représente le total des cotisations patronales versées au régime par la personne au cours de l'exercice à l'égard de l'ensemble de ses salariés. La lettre E représente le nombre de participants actifs au régime qui, le jour donné, étaient des salariés de la personne et résidaient au Québec et la lettre F représente le nombre de participants actifs au régime qui, le jour donné, étaient des salariés de la personne.

La notion de facteur provincial est utile pour déterminer la taxe réputée payée par une entité de gestion d'un régime de pension et réputée perçue par un employeur participant au régime en vertu des présomptions édictées par les nouveaux articles 289.5 à 289.7 de la LTVQ. Le facteur provincial permet de limiter la taxe réputée en fonction de la participation de l'employeur dans le régime de pension qui est relative à ses salariés québécois. Ainsi, de façon sommaire, si le tiers des cotisations versées au régime de pension par l'employeur participant le sont à l'égard de ses salariés qui résident au Québec et que le tiers des participants actifs au régime qui sont des salariés de l'employeur participant résident également au Québec, la taxe réputée pour l'application de ces articles 289.5 à 289.7 de la LTVQ correspondra au produit obtenu en multipliant le tiers du taux de taxe prévu au premier alinéa de l'article 16 de cette loi par le montant de la fourniture réputée visée à l'un ou l'autre de ces articles. De même, lorsqu'aucune cotisation patronale n'a été versée au régime de pension par l'employeur participant à l'égard de salariés qui résident au Québec et qu'aucun salarié de l'employeur qui était un participant actif au régime ne résidait au Québec, la taxe réputée sera égale à zéro. Ce résultat s'explique par le fait qu'aucune partie de la participation de l'employeur dans le régime de pension n'est attribuable à la présence de salariés québécois.

L'expression « participant actif » a le sens que lui donne le paragraphe 1 de l'article 8500 du Règlement de l'impôt sur le revenu édicté en vertu de la LIR. De façon générale, est un participant actif à un régime de pension le particulier qui acquiert des prestations en vertu du régime ou pour le compte duquel des cotisations sont versées au régime, selon que le régime de pension comporte une disposition à prestations déterminées ou à cotisations déterminées.

L'expression « régime de pension » s'entend d'un régime de pension agréé, au sens de l'article 1 de la LI qui, selon le cas, régit une personne qui est une fiducie ou qui est réputée l'être pour l'application de cette loi, est un régime à l'égard duquel une société acceptée par le ministre du Revenu du Canada en vertu du sous-alinéa ii de l'alinéa o.1) du paragraphe 1 de l'article 149 de la LIR comme agent de financement aux fins d'agrément du régime - est constituée et exploitée soit uniquement pour l'administration du régime, soit pour l'administration du régime et dans l'unique but d'agir à titre de fiduciaire d'une fiducie régie par une convention de retraite, au sens de l'article 1 de la LI, ou d'administrer une telle fiducie, lorsque, selon les termes de cette convention, des prestations ne doivent être versées qu'à des particuliers à l'égard desquels le régime prévoit le versement de prestations, ou est un régime à l'égard duquel une personne est une personne prescrite pour l'application de la définition de l'expression « entité de gestion », prévue également au présent article 289.2.

L'expression « ressource d'employeur » d'une personne désigne tout ou partie d'une activité de main-d'œuvre de la personne — à l'exception d'une partie de cette activité qu'elle consomme ou utilise au cours du processus qui consiste à créer ou à mettre au point un bien — , tout ou partie d'un bien ou d'un service fourni à la personne, à l'exception d'une partie du bien ou du service qu'elle consomme ou utilise au cours du processus qui consiste à créer ou à mettre au point un bien, tout ou partie d'un bien que la personne a créé ou mis au point, ou toute combinaison de ces éléments.

Renvois [art. 289.2]: 206.0.1 (autre restriction); 450.0.1 (définitions); 450.0.2, 450.0.5 (note de redressement de taxe); 450.0.3, 450.0.6 (montant indiqué de la note de redressement).

Bulletins d'information: 2009-9 — Harmonisation à diverses mesures relatives à la législation et à la règlementation fiscales fédérales et report de l'imposition d'une ristourne admissible.

289.3 [Ressource exclue] — Pour l'application de la présente section, le bien ou le service qui est fourni à une personne donnée qui est un employeur participant à un régime de pension par une autre personne est une ressource exclue de la personne donnée relativement au régime dans le cas où, à la fois :

1° pour chaque entité de gestion du régime, aucune taxe ne deviendrait payable en vertu du présent titre à l'égard de la fourniture si, à la fois :

a) la fourniture était effectuée par l'autre personne à l'entité de gestion et non à la personne donnée;

b) l'entité de gestion et l'autre personne n'avaient pas de lien de dépendance entre elles;

2° s'il s'agit de la fourniture d'un bien meuble corporel effectuée hors du Québec, la fourniture ne serait pas une fourniture à l'égard de laquelle l'article 18 s'appliquerait si la personne donnée était un inscrit n'exerçant pas exclusivement des activités commerciales.

2011, c. 34, art. 146

Notes historiques: L'article 289.3 a été ajoutée par L.Q. 2011, c. 34, par. 146(1) et s'applique à l'égard d'un exercice d'une personne commençant après le 22 septembre 2009.

Notes explicatives ARQ (PL 32, L.Q. 2011, c. 34): *Résumé* :

Le nouvel article 289.3 détermine ce qui constitue une ressource exclue pour l'application de la nouvelle section I.1 du chapitre VI du titre I de cette loi, introduite dans le cadre du présent projet de loi, soit les nouveaux articles 289.2 à 289.8 de cette loi.

Contexte :

Voir la rubrique « Contexte » de la note explicative relative au nouvel article 289.2 de la LTVQ.

Modifications proposées :

Le nouvel article 289.3 détermine quel bien ou service fourni à une personne donnée qui est un employeur participant à un régime de pension par une autre personne est une ressource exclue de la personne donnée relativement au régime. Un tel bien ou service est une ressource exclue de la personne donnée, relativement à un régime de pension, lorsque, d'une part, aucune taxe ne deviendrait payable en vertu du titre I de la LTVQ à l'égard de la fourniture pour chaque entité de gestion du régime, si, à la fois, la fourniture était effectuée par l'autre personne à l'entité de gestion et non à la personne donnée et si l'entité de gestion et l'autre personne n'avaient pas de lien de dépendance entre elles et, d'autre part, s'il s'agit de la fourniture d'un bien meuble corporel effectuée hors du Québec, la fourniture ne serait pas une fourniture à l'égard de laquelle l'article 18 de cette loi s'appliquerait si la personne donnée était un inscrit n'exerçant pas exclusivement des activités commerciales. Les ressources exclues relativement à un régime de pension ne sont pas visées par les diverses présomptions prévues aux nouveaux articles 289.5 à 289.7 de la LTVQ, introduits dans le cadre du présent projet de loi, par suite desquelles une fourniture taxable par un employeur participant à un régime de pension est réputée effectuée à une entité de gestion du régime.

Ainsi, conformément au paragraphe 1° de l'article 289.3 de la LTVQ, un bien ou un service fourni à un employeur participant à un régime de pension par une autre personne ne peut être une ressource exclue de l'employeur relativement au régime dès lors qu'une taxe serait payable à l'égard de la fourniture d'un tel bien ou service si, d'une part, cette fourniture était faite en faveur d'une entité de gestion du régime par cette autre personne et, d'autre part, l'entité de gestion et l'autre personne n'avaient aucun lien de dépendance entre elles. En effet, il existe des fournitures à l'égard desquelles une taxe est payable, lorsqu'elles sont faites en faveur d'une entité de gestion d'un régime de pension, alors qu'aucune taxe ne serait payable si ces mêmes fournitures étaient faites en faveur d'un employeur participant au régime.

Par exemple, certains services rendus par une personne, qui offre aussi des services d'administration ou de gestion, sont des services financiers, au sens que donne à cette expression l'article 1 de la LTVQ, lorsqu'ils sont fournis à un employeur participant à un régime de pension. La fourniture de tels services est alors détaxée. Si ces mêmes services étaient fournis par cette personne à une entité de gestion du régime, ils ne pourraient être des services financiers en raison du paragraphe 17° de la définition de l'expression « service financier » prévue à cet article 1. Par conséquent, de tels services ne peuvent alors être une ressource exclue de l'employeur relativement au régime de pension, puisqu'une entité de gestion du régime aurait eu à payer une taxe à l'égard de la fourniture de ces services.

Enfin, le paragraphe 2° de l'article 289.3 concerne la situation où la fourniture d'un bien meuble corporel est effectuée hors du Québec en faveur d'un employeur participant à un régime de pension. Dans un tel cas, le bien meuble corporel n'est une ressource exclue de l'employeur relativement au régime que si la fourniture de ce bien meuble corporel n'est pas visée à l'article 18 de la LTVQ, autrement qu'en raison du fait que, le cas échéant, l'employeur n'est pas un inscrit ou n'exerce pas exclusivement des activités commerciales. Par exemple, un bien meuble corporel fourni hors du Québec en faveur d'un employeur participant à un régime de pension et transféré en vertu d'un certificat de livraison directe n'est pas une ressource exclue de l'employeur relativement au régime notamment si la fourniture de ce bien est visée au paragraphe 3° de cet article 18 ou si cette fourniture n'est pas visée par ce paragraphe 3° du seul fait que l'employeur n'est pas un inscrit ou qu'il n'exerce pas exclusivement des activités commerciales.

Renvois [art. 289.3]: 450.0.2, 450.0.5 (note de redressement de taxe); 450.0.3, 450.0.6 (montant indiqué de la note de redressement).

Bulletins d'information: 2009-9 — Harmonisation à diverses mesures relatives à la législation et à la règlementation fiscales fédérales et report de l'imposition d'une ristourne admissible.

Concordance fédérale: LTA, par. 172.1(2).

289.4 [Entité de gestion déterminée] — Lorsqu'une personne est un employeur participant à un régime de pension qui, selon le cas, compte une seule entité de gestion tout au long d'un exercice de la personne ou en compte plusieurs au cours de l'exercice, les règles suivantes s'appliquent :

1° dans le premier cas, l'entité de gestion est l'entité de gestion déterminée du régime relativement à la personne pour l'exercice;

2° dans le second cas, la personne et l'une des entités de gestion peuvent faire un choix conjoint, au moyen du formulaire prescrit contenant les renseignements prescrits, afin que cette entité de gestion soit l'entité de gestion déterminée du régime relativement à la personne pour l'exercice.

Modification proposée — 289.4 par. 2°

2° dans le second cas, la personne et l'une des entités de gestion peuvent faire un choix conjoint, dans un document établi en la forme et contenant les renseignements déterminés par le ministre, afin que cette entité de gestion soit l'entité de gestion déterminée du régime relativement à la personne pour l'exercice.

Application: Le paragraphe 2° de l'article 289.4 sera remplacé par l'art. 219 du *Projet de loi 18* (présenté le 21 février 2013) et cette modification entrera en vigueur à la date de la sanction du *Projet de loi 18*.

2011, c. 34, art. 146

Notes historiques: L'article 289.4 a été ajoutée par L.Q. 2011, c. 34, par. 146(1) et s'applique à l'égard d'un exercice d'une personne commençant après le 22 septembre 2009.

Notes explicatives ARQ (PL 32, L.Q. 2011, c. 34): *Résumé* :

Le nouvel article 289.4 détermine qui est l'entité de gestion déterminée d'un régime de pension.

Contexte :

Voir la rubrique « Contexte » de la note explicative relative au nouvel article 289.2 de la LTVQ.

Modifications proposées :

Le nouvel article 289.4 détermine qui est l'entité de gestion déterminée d'un régime de pension. Cette notion est utile pour l'application du nouvel article 289.7 de cette loi, introduit dans le cadre du présent projet de loi.

Ainsi, lorsqu'une personne est un employeur participant à un régime de pension qui compte une seule entité de gestion tout au long d'un exercice de la personne, l'entité de gestion est l'entité de gestion déterminée du régime relativement à la personne pour l'exercice. Lorsqu'une personne est un employeur participant à un régime de pension qui compte plusieurs entités de gestion au cours d'un exercice de la personne, la personne et l'une des entités de gestion peuvent faire un choix conjoint, au moyen du formulaire prescrit contenant les renseignements prescrits, afin que cette entité de gestion soit l'entité de gestion déterminée du régime relativement à la personne pour l'exercice.

Renvois [art. 289.4]: 450.0.2, 450.0.5 (note de redressement de taxe); 450.0.3, 450.0.6 (montant indiqué de la note de redressement).

Bulletins d'information: 2009-9 — Harmonisation à diverses mesures relatives à la législation et à la règlementation fiscales fédérales et report de l'imposition d'une ristourne admissible.

Concordance fédérale: LTA, par. 172.1(4).

289.5 [Acquisition d'un bien ou d'un service aux fins de fourniture] — Lorsqu'une personne qui est un inscrit et un employeur participant à un régime de pension acquiert un bien ou un service — appelé « ressource déterminée » dans le présent article — en vue d'effectuer la fourniture de la ressource déterminée ou d'une partie de celle-ci à une entité de gestion du régime pour consommation, utilisation ou fourniture de la ressource déterminée ou de la partie de celle-ci par l'entité de gestion dans le cadre d'activités de pension relatives au régime et que la ressource déterminée n'est pas une ressource exclue de la personne relativement au régime, les règles suivantes s'appliquent :

1° la personne est réputée avoir effectué une fourniture taxable de la ressource déterminée, ou de la partie de celle-ci, le dernier jour de l'exercice au cours duquel elle a acquis cette ressource — appelé « exercice donné » dans le présent article — ;

2° la taxe à l'égard de la fourniture taxable visée au paragraphe 1° est réputée devenue payable le dernier jour de l'exercice donné et la personne est réputée l'avoir perçue ce jour-là;

3° la taxe visée au paragraphe 2° est réputée égale au montant déterminé selon la formule suivante :

$$A \times B;$$

4° pour le calcul d'un remboursement de la taxe sur les intrants de l'entité de gestion et pour l'application de la sous-section 6.6 de la section I du chapitre VII et des articles 450.0.1 à 450.0.12, l'entité de gestion est réputée, à la fois :

a) avoir reçu une fourniture de la ressource déterminée, ou de la partie de celle-ci, le dernier jour de l'exercice donné;

b) sauf lorsque l'entité de gestion est une institution financière désignée particulière le dernier jour de l'exercice donné, avoir payé ce jour-là, à l'égard de la fourniture visée au sous-para-

LTVQ (français)

graphe a), une taxe égale au montant de taxe déterminé conformément au paragraphe 3°;

c) avoir acquis la ressource déterminée, ou la partie de celle-ci, pour consommation, utilisation ou fourniture dans le cadre de ses activités commerciales dans la même mesure que celle dans laquelle la personne l'a acquise afin d'en effectuer la fourniture à l'entité de gestion pour consommation, utilisation ou fourniture par celle-ci dans le cadre d'activités de pension relatives au régime qui font partie de ses activités commerciales.

Pour l'application de la formule prévue au paragraphe 3° du premier alinéa :

1° la lettre A représente la juste valeur marchande de la ressource déterminée, ou de la partie de celle-ci, au moment où elle a été acquise par la personne;

2° la lettre B représente le facteur provincial à l'égard du régime pour l'exercice donné.

2011, c. 34, art. 146; 2012, c. 28, art. 85.

Notes historiques: Le sous-paragraphe b) du paragraphe 4° du premier alinéa de l'article 289.5 a été remplacé par L.Q. 2012, c. 28, par. 85(1) et cette modification s'applique à l'égard d'un exercice d'une personne qui se termine après le 31 décembre 2012. Antérieurement, il se lisait ainsi :

b) avoir payé, le dernier jour de l'exercice donné, à l'égard de la fourniture visée au sous-paragraphe a, une taxe égale au montant de taxe déterminé conformément au paragraphe 3°;

L'article 289.5 a été ajoutée par L.Q. 2011, c. 34, par. 146(1) et s'applique à l'égard d'un exercice d'une personne commençant après le 22 septembre 2009.

Notes explicatives ARQ (PL 5, L.Q. 2012, c. 28): *Résumé* :

L'article 289.5 prévoit différentes présomptions applicables, notamment celle d'une fourniture réputée par un employeur participant à un régime de pension, lorsque l'employeur acquiert un bien ou un service en vue d'en effectuer la fourniture à une entité de gestion du régime pour consommation, utilisation ou fourniture par celle-ci dans le cadre d'activités de pension relatives au régime. Cet article est modifié de façon à prévoir qu'aucun montant de taxe n'est réputé avoir été payé par une entité de gestion à l'égard d'une telle fourniture réputée lorsque cette entité de gestion est une institution financière désignée particulière.

Situation actuelle :

L'article 289.5 s'applique lorsqu'une personne, qui est un inscrit et un employeur participant à un régime de pension, acquiert un bien ou un service — appelé « ressource déterminée » —, en vue d'effectuer la fourniture de cette ressource déterminée ou d'une partie de celle-ci à une entité de gestion du régime pour consommation, utilisation ou fourniture par celle-ci dans le cadre d'activités de pension relatives au régime. Cet article ne s'applique pas lorsqu'il s'agit d'une ressource exclue de la personne relativement au régime.

Ainsi, le paragraphe 1° du premier alinéa de l'article 289.5 prévoit que la personne, soit l'employeur participant au régime de pension, est réputée avoir effectué une fourniture taxable de la ressource déterminée, ou de la partie de celle-ci, le dernier jour de l'exercice, appelé « exercice donné », au cours duquel elle a acquis cette ressource. Cette présomption s'applique malgré la présence d'une fourniture réelle de la ressource déterminée; la fourniture réputée se distingue donc de la fourniture réelle de la ressource déterminée.

En vertu du paragraphe 2° du premier alinéa de cet article 289.5, la taxe à l'égard de la fourniture taxable est réputée devenue payable le dernier jour de l'exercice donné et la personne est réputée l'avoir perçue ce jour-là. Par conséquent, la personne doit prendre en considération la taxe, qu'elle est ainsi réputée avoir perçue, dans le calcul de sa taxe nette pour sa période de déclaration qui comprend ce jour-là.

Le paragraphe 3° du premier alinéa de l'article 289.5 concerne le calcul de cette taxe. Plus précisément, ce paragraphe 3° indique que cette taxe est réputée égale au montant obtenu par la formule A × B, soit le produit de la multiplication de la juste valeur marchande de la ressource déterminée, ou de la partie de celle-ci, au moment où elle a été acquise par la personne (lettre A) par le facteur provincial à l'égard du régime pour l'exercice donné (lettre B).

Enfin, le paragraphe 4° du premier alinéa de l'article 289.5 précise que, pour les fins du remboursement de la taxe sur les intrants d'une entité de gestion, des règles concernant le mécanisme de remboursement relatif aux régimes de pension (soit la sous-section 6.6 de la section I du chapitre VII du titre I de la LTVQ, laquelle comprend les articles 402.13 à 402.22) et des dispositions concernant les notes de redressement de taxe qui découlent de ces règles (les articles 450.0.1 à 450.0.12 de cette loi), l'entité de gestion du régime de pension est réputée, à la fois :

— avoir reçu une fourniture de la ressource déterminée, ou de la partie de celle-ci, le dernier jour de l'exercice donné;

— avoir payé, le dernier jour de l'exercice donné, à l'égard de cette fourniture réputée, une taxe égale au montant de taxe déterminé conformément au paragraphe 3° du premier alinéa de cet article 289.5;

— avoir acquis la ressource déterminée, ou la partie de celle-ci, pour consommation, utilisation ou fourniture dans le cadre de ses activités commerciales dans la même mesure que celle dans laquelle la personne (soit l'employeur participant au régime) l'a acquise afin d'en effectuer la fourniture à l'entité de gestion pour consommation, utilisation ou fourniture par celle-ci dans le cadre d'activités de pension relatives au régime qui font partie de ses activités commerciales.

Ainsi, l'entité de gestion peut, relativement à la taxe réputée payée par elle à l'égard de cette fourniture réputée, obtenir un remboursement de la taxe sur les intrants, lorsque le montant de taxe peut être inclus par ailleurs dans le calcul de ce remboursement en vertu des dispositions du chapitre V du titre I de la LTVQ et que, conformément à l'article 206.0.1 de cette loi, l'entité de gestion a inclus un montant à l'égard de cette fourniture réputée dans le calcul d'un crédit de taxe sur les intrants en vertu de la *Loi sur la taxe d'accise* (Lois révisées du Canada, (1985), chapitre E-15). Dans les autres cas, le montant de cette taxe constitue un montant admissible à l'égard duquel l'entité de gestion peut obtenir un remboursement en vertu de l'article 402.14 de la LTVQ.

Modifications proposées :

Le sous-paragraphe b) du paragraphe 4° du premier alinéa de l'article 289.5 de la LTVQ est modifié de façon à faire en sorte qu'aucun montant de taxe ne soit réputé avoir été payé par une entité de gestion à l'égard d'une fourniture de la ressource déterminée qu'elle est réputée avoir reçue lorsque cette entité de gestion est une institution financière désignée particulière. Ceci découle du fait que, entre autres, les institutions financières désignées particulières ne peuvent généralement demander un remboursement de la taxe sur les intrants, et ce, en raison du nouvel article 199.0.0.1 de la LTVQ, introduit par le présent projet de loi. De plus, les institutions financières désignées particulières ne peuvent obtenir un remboursement en vertu de l'article 402.14 de la LTVQ, étant donné que leur montant admissible, lequel sert de point de départ au calcul du montant de remboursement de pension, est réputé nul, et ce, conformément au deuxième alinéa de l'article 402.13 de cette loi, tel que modifié dans le cadre du présent projet de loi.

Notes explicatives ARQ (PL 32, L.Q. 2011, c. 34): *Résumé* :

Le nouvel article 289.5 prévoit différentes présomptions applicables lorsqu'un employeur participant à un régime de pension acquiert un bien ou un service en vue d'en effectuer la fourniture à une entité de gestion du régime pour consommation, utilisation ou fourniture par celle-ci dans le cadre d'activités de pension relatives au régime.

Contexte :

Voir la rubrique « Contexte » de la note explicative relative au nouvel article 289.2 de la LTVQ.

Modifications proposées :

Le nouvel article 289.5 s'applique lorsqu'une personne, qui est un inscrit et un employeur participant à un régime de pension, acquiert un bien ou un service — appelé « ressource déterminée » —, en vue d'effectuer la fourniture de cette ressource déterminée ou d'une partie de celle-ci à une entité de gestion du régime pour consommation, utilisation ou fourniture par celle-ci dans le cadre d'activités de pension relatives au régime. Cet article ne s'applique pas lorsqu'il s'agit d'une ressource exclue de la personne relativement au régime.

Ainsi, le paragraphe 1° du premier alinéa de ce nouvel article 289.5 prévoit que la personne, soit l'employeur participant au régime de pension, est réputée avoir effectué une fourniture taxable de la ressource déterminée, ou de la partie de celle-ci, le dernier jour de l'exercice appelé « exercice donné », au cours duquel elle a acquis cette ressource. Cette présomption s'applique malgré la présence d'une fourniture réelle de la ressource déterminée; la fourniture réputée se distingue donc de la fourniture réelle de la ressource déterminée.

En vertu du paragraphe 2° du premier alinéa de cet article 289.5, la taxe à l'égard de la fourniture taxable est réputée devenue payable le dernier jour de l'exercice donné et la personne est réputée l'avoir perçue ce jour-là. Par conséquent, la personne doit prendre en considération la taxe, qu'elle est ainsi réputée avoir perçue, dans le calcul de sa taxe nette pour sa période de déclaration qui comprend ce jour-là.

Le paragraphe 3° du premier alinéa du nouvel article 289.5 concerne le calcul de cette taxe. Plus précisément, ce paragraphe 3° indique que cette taxe est réputée égale au montant obtenu par la formule A × B, soit le produit de la multiplication de la juste valeur marchande de la ressource déterminée, ou de la partie de celle-ci, au moment où elle a été acquise par la personne (lettre A) par le facteur provincial à l'égard du régime pour l'exercice donné (lettre B).

Enfin, le paragraphe 4° du premier alinéa de ce nouvel article 289.5 précise que, pour les fins du remboursement de la taxe sur les intrants d'une entité de gestion, des règles concernant le nouveau mécanisme de remboursement relatif aux régimes de pension (soit la sous-section 6.6 de la section I du chapitre VII du titre I de la LTVQ, laquelle comprend les articles 402.13 à 402.22) et des dispositions concernant les notes de redressement de taxe qui découlent de ces règles (les nouveaux articles 405.0.1 à 450.0.12 de cette loi), l'entité de gestion du régime de pension est réputée, à la fois :

— avoir reçu une fourniture de la ressource déterminée, ou de la partie de celle-ci, le dernier jour de l'exercice donné;

— avoir payé, le dernier jour de l'exercice donné, à l'égard de cette fourniture réputée, une taxe égale au montant de taxe déterminé conformément au paragraphe 3° du premier alinéa de cet article 289.5;

— avoir acquis la ressource déterminée, ou la partie de celle-ci, pour consommation, utilisation ou fourniture dans le cadre de ses activités commerciales dans la même mesure que celle dans laquelle la personne (soit l'employeur participant au régime) l'a acquise afin d'en effectuer la fourniture à l'entité de gestion pour consommation, utilisation ou fourniture par celle-ci dans le cadre d'activités de pension relatives au régime qui font partie de ses activités commerciales.

Ainsi, l'entité de gestion peut, relativement à la taxe réputée payée par elle à l'égard de cette fourniture réputée, obtenir un remboursement de la taxe sur les intrants, lorsque le montant de taxe peut être inclus par ailleurs dans le calcul de ce remboursement en vertu des dispositions du chapitre V du titre I de la LTVQ et que, conformément au nouvel article 206.0.1 de cette loi, introduit dans le cadre du présent projet de loi, l'entité de gestion a inclus un montant à l'égard de cette fourniture réputée dans le calcul d'un crédit de taxe sur les intrants en vertu de la *Loi sur la taxe d'accise* (Lois révisées du Canada, (1985), chapitre E-15). Dans les autres cas, le montant de cette taxe constitue un montant admissible, à l'égard duquel l'entité de gestion peut obtenir un remboursement en vertu de l'article 402.14 de la LTVQ, tel que modifié dans le cadre du présent projet de loi.

Renvois [art. 289.5]: 450.0.1 (définitions); 450.0.2, 450.0.5 (note de redressement de taxe); 450.0.3, 450.0.6 (montant indiqué de la note de redressement); 450.0.4 (effet de la note de redressement).

Bulletins d'information: 2009-9 — Harmonisation à diverses mesures relatives à la législation et à la règlementation fiscales fédérales et report de l'imposition d'une ristourne admissible.

Concordance fédérale: LTA, par. 172.1(5).

289.6 [Consommation ou utilisation d'une ressource d'employeur aux fins de fourniture] — Lorsqu'une personne qui est un inscrit et un employeur participant à un régime de pension à un moment de son exercice consomme ou utilise, à ce moment, une de ses ressources d'employeur en vue d'effectuer la fourniture d'un bien ou d'un service — appelée « fourniture de pension » dans le présent article — à une entité de gestion du régime pour consommation, utilisation ou fourniture par l'entité de gestion dans le cadre d'activités de pension relatives au régime et que la ressource d'employeur n'est pas une ressource exclue de la personne relativement au régime, les règles suivantes s'appliquent :

1° la personne est réputée avoir effectué une fourniture taxable de la ressource d'employeur — appelée « fourniture de ressource d'employeur » dans le présent article — le dernier jour de l'exercice;

2° la taxe relative à la fourniture de ressource d'employeur est réputée devenue payable le dernier jour de l'exercice et la personne est réputée l'avoir perçue ce jour-là;

3° la taxe visée au paragraphe 2° est réputée égale au montant déterminé selon la formule suivante :

$$A \times B;$$

4° pour le calcul d'un remboursement de la taxe sur les intrants de l'entité de gestion et pour l'application de la sous-section 6.6 de la section I du chapitre VII et des articles 450.0.1 à 450.0.12, l'entité de gestion est réputée, à la fois :

a) avoir reçu une fourniture de la ressource d'employeur le dernier jour de l'exercice;

b) sauf lorsque l'entité de gestion est une institution financière désignée particulière le dernier jour de l'exercice, avoir payé ce jour-là, à l'égard de la fourniture visée au sous-paragraphe a, une taxe égale au montant de taxe déterminé conformément au paragraphe 3°;

c) avoir acquis la ressource d'employeur pour consommation, utilisation ou fourniture dans le cadre de ses activités commerciales dans la même mesure que celle dans laquelle le bien ou le service qui a fait l'objet de la fourniture de pension a été acquis par l'entité de gestion pour consommation, utilisation ou fourniture par celle-ci dans le cadre d'activités de pension relatives au régime qui font partie de ses activités commerciales.

Pour l'application de la formule prévue au paragraphe 3° du premier alinéa :

1° la lettre A représente :

a) dans le cas où la ressource d'employeur a été consommée par la personne au cours de l'exercice en vue d'effectuer la fourniture de pension, le produit obtenu en multipliant la juste valeur marchande de la ressource d'employeur au moment de l'exercice où la personne a commencé à la consommer par le pourcentage que représente la mesure dans laquelle cette consommation s'est produite pendant que la personne était un inscrit et un employeur participant au régime par rapport à la consommation totale de cette ressource d'employeur par la personne au cours de l'exercice;

b) dans les autres cas, le produit obtenu en multipliant la juste valeur marchande de l'utilisation de la ressource d'employeur au cours de l'exercice, déterminée le dernier jour de l'exercice, par le pourcentage que représente la mesure dans laquelle la ressource d'employeur a été utilisée au cours de l'exercice en vue d'effectuer la fourniture de pension pendant que la personne était un inscrit et un employeur participant au régime par rapport à l'utilisation totale de cette ressource d'employeur par la personne au cours de l'exercice;

2° la lettre B représente le facteur provincial à l'égard du régime pour l'exercice.

2011, c. 34, art. 146; 2012, c. 28, art. 86.

Notes historiques: Le sous-paragraphe b) du paragraphe 4° du premier alinéa de l'article 289.6 a été remplacé par L.Q. 2012, c. 28, par. 86(1) et cette modification s'applique à l'égard d'un exercice d'une personne qui se termine après le 31 décembre 2012. Antérieurement, il se lisait ainsi :

b) avoir payé, le dernier jour de l'exercice, à l'égard de la fourniture visée au sous-paragraphe a, une taxe égale au montant de taxe déterminé conformément au paragraphe 3°;

L'article 289.6 a été ajoutée par L.Q. 2011, c. 34, par. 146(1) et s'applique à l'égard d'un exercice d'une personne commençant après le 22 septembre 2009.

Notes explicatives ARQ (PL 5, L.Q. 2012, c. 28): *Résumé* :

L'article 289.6 prévoit différentes présomptions applicables, notamment celle d'une fourniture réputée par un employeur participant à un régime de pension, lorsque l'employeur consomme ou utilise une de ses ressources d'employeur en vue d'effectuer la fourniture d'un bien ou d'un service à une entité de gestion du régime pour consommation, utilisation ou fourniture par celle-ci dans le cadre d'activités de pension relatives au régime. Cet article est modifié de façon à prévoir qu'aucun montant de taxe n'est réputé avoir été payé par une entité de gestion à l'égard d'une telle fourniture réputée lorsque cette entité de gestion est une institution financière désignée particulière.

Situation actuelle :

L'article 289.6 s'applique lorsqu'une personne qui est un inscrit et un employeur participant à un régime de pension, à un moment de son exercice, consomme ou utilise, à ce moment, une de ses ressources d'employeur en vue d'effectuer la fourniture d'un bien ou d'un service, appelée « fourniture de pension », à une entité de gestion du régime pour consommation, utilisation ou fourniture par celle-ci dans le cadre d'activités de pension relatives au régime. Cet article ne s'applique pas lorsqu'il s'agit d'une ressource exclue de la personne relativement au régime.

Ainsi, le paragraphe 1° du premier alinéa de l'article 289.6 prévoit que la personne, soit l'employeur participant au régime de pension, est réputée avoir effectué une fourniture taxable de la ressource d'employeur, appelée « fourniture de ressource d'employeur », le dernier jour de l'exercice. La fourniture de ressource d'employeur ainsi réputée se distingue de la fourniture de pension qui est réellement effectuée. En vertu du paragraphe 2° du premier alinéa de cet article 289.6, la taxe à l'égard de la fourniture de ressource d'employeur est réputée devenue payable le dernier jour de l'exercice et la personne est réputée l'avoir perçue ce jour-là.

Par conséquent, la personne doit prendre en considération la taxe, qu'elle est ainsi réputée avoir perçue, dans le calcul de sa taxe nette pour sa période de déclaration qui comprend ce jour-là.

Le paragraphe 3° du premier alinéa de l'article 289.6 concerne le calcul de cette taxe. Ce paragraphe 3° indique que cette taxe est réputée égale au montant obtenu par la formule A × B, soit le produit du montant représenté par la lettre A par le facteur provincial à l'égard du régime pour l'exercice (lettre B). Plus précisément, la lettre A représente soit, dans le cas où la ressource d'employeur a été consommée par la personne (l'employeur participant) au cours de l'exercice en vue d'effectuer la fourniture de pension, le produit obtenu en multipliant la juste valeur marchande de la ressource d'employeur au moment de l'exercice où la personne a commencé à la consommer par le pourcentage que représente la mesure dans laquelle cette consommation s'est produite pendant que la personne était un inscrit et un employeur participant au régime par rapport à la consommation totale de cette ressource d'employeur par la personne au cours de l'exercice, soit, dans les autres cas, le produit obtenu en multipliant la juste valeur marchande de l'utilisation de la ressource d'employeur au cours de l'exercice, déterminée le dernier jour de l'exercice, par le pourcentage que représente la mesure dans laquelle la ressource d'employeur a été utilisée au cours de l'exercice en vue d'effectuer la fourniture de pension pendant que la personne était un inscrit et un employeur participant au régime par rapport à l'utilisation totale de cette ressource d'employeur par la personne au cours de l'exercice. Par conséquent, la lettre A permet d'obtenir la juste valeur marchande de la consommation ou de l'utilisation de la ressource d'employeur faite au cours de l'exercice en vue d'effectuer la fourniture de pension.

Enfin, le paragraphe 4° du premier alinéa de l'article 289.6 précise que, pour les fins du remboursement de la taxe sur les intrants d'une entité de gestion, des règles concernant le mécanisme de remboursement relatif aux régimes de pension (soit la sous-section 6.6 de la section I du chapitre VII du titre I de la LTVQ, laquelle comprend les articles 402.13 à 402.22) et des dispositions concernant les notes de redressement de taxe qui découlent de ces règles (les articles 450.0.1 à 450.0.12 de cette loi), l'entité de gestion du régime de pension est réputée, à la fois :

— avoir reçu une fourniture de la ressource d'employeur le dernier jour de l'exercice;

— avoir payé, le dernier jour de l'exercice, à l'égard de la fourniture de la ressource d'employeur qu'elle est réputée avoir reçue, une taxe égale au montant de taxe déterminé conformément au paragraphe 3° du premier alinéa du présent article 289.6;

— avoir acquis la ressource d'employeur pour consommation, utilisation ou fourniture dans le cadre de ses activités commerciales dans la même mesure que celle dans laquelle le bien ou le service qui a fait l'objet de la fourniture de pension a été acquis par l'entité de gestion pour consommation, utilisation ou fourniture par celle-ci dans le cadre d'activités de pension relatives au régime qui font partie de ses activités commerciales.

Ainsi, l'entité de gestion peut, relativement à la taxe réputée payée à l'égard de la fourniture de la ressource d'employeur qu'elle est réputée avoir reçue, obtenir un remboursement de la taxe sur les intrants, lorsque le montant de taxe peut être inclus par ailleurs dans le calcul de ce remboursement en vertu des dispositions du chapitre V du titre I de la LTVQ et que, conformément à l'article 206.0.1 de la LTVQ, l'entité de gestion a inclus un montant à l'égard de cette fourniture réputée dans le calcul d'un crédit de taxe sur les intrants en vertu de la *Loi sur la taxe d'accise* (Lois révisées du Canada, (1985), chapitre E-15). Dans les autres cas, le montant de cette taxe constitue un montant admissible à l'égard duquel l'entité de gestion peut obtenir un remboursement en vertu de l'article 402.14 de la LTVQ.

Modifications proposées :

Le sous-paragraphe b) du paragraphe 4° du premier alinéa de l'article 285.6 est modifié de façon à faire en sorte qu'aucun montant de taxe ne soit réputé payé par une entité de gestion à l'égard d'une fourniture de ressource d'employeur qu'elle est réputée avoir reçue lorsque cette entité de gestion est une institution financière désignée particulière. Ceci découle du fait que, entre autre, les institutions financières désignées particulières ne peuvent généralement demander un remboursement de la taxe sur les intrants, et ce, en raison du nouvel article 199.0.0.1 de la LTVQ, introduit par le présent projet de loi. De plus, les institutions financières désignées particulières ne peuvent obtenir un remboursement en vertu de l'article 402.14 de la LTVQ, étant donné que leur montant admissible, lequel sert de point de départ au calcul du montant de remboursement de pension, est réputé nul, et ce, conformément au deuxième alinéa de l'article 402.13 de cette loi, tel que modifié dans le cadre du présent projet de loi.

Notes explicatives ARQ (PL 32, L.Q. 2011, c. 34): *Résumé* :

Le nouvel article 289.6 prévoit différentes présomptions applicables lorsqu'un employeur participant à un régime de pension consomme ou utilise une de ses ressources d'employeur en vue d'effectuer la fourniture d'un bien ou d'un service à une entité de gestion du régime pour consommation, utilisation ou fourniture par celle-ci dans le cadre d'activités de pension relatives au régime.

Contexte :

Voir la rubrique « Contexte » de la note explicative relative au nouvel article 289.2 de la LTVQ.

Modifications proposées :

Le nouvel article 289.6 s'applique lorsqu'une personne qui est un inscrit et un employeur participant à un régime de pension, à un moment de son exercice, consomme ou utilise, à ce moment, une de ses ressources d'employeur en vue d'effectuer la fourniture d'un bien ou d'un service, appelée « fourniture de pension », à une entité de gestion du régime pour consommation, utilisation ou fourniture par celle-ci dans le cadre d'activités de pension relatives au régime. Cet article ne s'applique pas lorsqu'il s'agit d'une ressource exclue de la personne relativement au régime.

Ainsi, le paragraphe 1° du premier alinéa de ce nouvel article 289.6 prévoit que la personne, soit l'employeur participant au régime de pension, est réputée avoir effectué une fourniture taxable de la ressource d'employeur, appelée « fourniture de ressource d'employeur », le dernier jour de l'exercice. La fourniture de ressource d'employeur ainsi réputée se distingue de la fourniture de pension qui est réellement effectuée.

En vertu du paragraphe 2° du premier alinéa de cet article 289.6, la taxe à l'égard de la fourniture de ressource d'employeur est réputée devenue payable le dernier jour de l'exercice et la personne est réputée l'avoir perçue ce jour-là. Par conséquent, la personne doit prendre en considération la taxe, qu'elle est ainsi réputée avoir perçue, dans le calcul de sa taxe nette pour sa période de déclaration qui comprend ce jour-là.

Le paragraphe 3° du premier alinéa du nouvel article 289.6 de la LTVQ concerne le calcul de cette taxe. Plus précisément, ce paragraphe 3° indique que cette taxe est réputée égale au montant obtenu par la formule $A \times B$, soit le produit du montant représenté par la lettre A par le facteur provincial à l'égard du régime pour l'exercice (lettre B). Plus précisément, la lettre A représente soit, dans le cas où la ressource d'employeur a été consommée par la personne (l'employeur participant) au cours de l'exercice en vue d'effectuer la fourniture de pension, le produit obtenu en multipliant la juste valeur marchande de la ressource d'employeur au moment de l'exercice où la personne a commencé à la consommer par le pourcentage que représente la mesure dans laquelle cette consommation s'est produite pendant que la personne était un inscrit et un employeur participant au régime par rapport à la consommation totale de cette ressource d'employeur par la personne au cours de l'exercice, soit, dans les autres cas, le produit obtenu en multipliant la juste valeur marchande de l'utilisation de la ressource d'employeur au cours de l'exercice, déterminée le dernier jour de l'exercice, par le pourcentage que représente la mesure dans laquelle la ressource d'employeur a été utilisée au cours de l'exercice en vue d'effectuer la fourniture de pension pendant que la personne était un inscrit et un employeur participant au régime par rapport à l'utilisation totale de cette ressource d'employeur par la personne au cours de l'exercice. Par conséquent, la lettre A permet d'obtenir la juste valeur marchande de la consommation ou de l'utilisation de la ressource d'employeur faite au cours de l'exercice en vue d'effectuer la fourniture de pension.

Enfin, le paragraphe 4° du premier alinéa de ce nouvel article 289.6 précise que, pour les fins du remboursement de la taxe sur les intrants d'une entité de gestion, des règles concernant le nouveau mécanisme de remboursement relatif aux régimes de pension (soit la sous-section 6.6 de la section I du chapitre VII du titre I de la LTVQ, laquelle comprend les articles 402.13 à 402.22) et des dispositions concernant les notes de redressement de taxe qui découlent de ces règles (les nouveaux articles 405.0.1 à 450.0.12 de cette loi), l'entité de gestion du régime de pension est réputée, à la fois :

— avoir reçu une fourniture de la ressource d'employeur le dernier jour de l'exercice;

— avoir payé, le dernier jour de l'exercice, à l'égard de la fourniture de la ressource d'employeur qu'elle est réputée avoir reçue, une taxe égale au montant de taxe déterminé conformément au paragraphe 3° du premier alinéa du présent article 289.6;

— avoir acquis la ressource d'employeur pour consommation, utilisation ou fourniture dans le cadre de ses activités commerciales dans la même mesure que celle dans laquelle le bien ou le service qui a fait l'objet de la fourniture de pension a été acquis par l'entité de gestion pour consommation, utilisation ou fourniture par celle-ci dans le cadre d'activités de pension relatives au régime qui font partie de ses activités commerciales.

Ainsi, l'entité de gestion peut, relativement à la taxe réputée payée à l'égard de la fourniture de la ressource d'employeur qu'elle est réputée avoir reçue, obtenir un remboursement de la taxe sur les intrants, lorsque le montant de taxe peut être inclus par ailleurs dans le calcul de ce remboursement en vertu des dispositions du chapitre V du titre I de la LTVQ et que, conformément au nouvel article 206.0.1 de la LTVQ, introduit dans le cadre du présent projet de loi, l'entité de gestion a inclus un montant à l'égard de cette fourniture réputée dans le calcul d'un crédit de taxe sur les intrants en vertu de la *Loi sur la taxe d'accise* (Lois révisées du Canada, (1985), chapitre E-15). Dans les autres cas, le montant de cette taxe constitue un montant admissible, à l'égard duquel l'entité de gestion peut obtenir un remboursement en vertu de l'article 402.14 de la LTVQ, tel que modifié dans le cadre du présent projet de loi.

Renvois [art. 289.6]: 450.0.2, 450.0.5 (note de redressement de taxe); 450.0.3, 450.0.6 (montant indiqué de la note de redressement); 450.0.7 (effet de la note de redressement).

Bulletins d'information: 2009-9 — Harmonisation à diverses mesures relatives à la législation et à la règlementation fiscales fédérales et report de l'imposition d'une ristourne admissible.

Concordance fédérale: LTA, par. 172.1(6).

289.7 [Consommation ou utilisation d'une ressource d'employeur autrement que pour fourniture] — Lorsqu'une personne qui est un inscrit et un employeur participant à un régime de pension à un moment de son exercice consomme ou utilise, à ce moment, une de ses ressources d'employeur dans le cadre d'activités de pension relatives au régime, que la ressource d'employeur n'est pas une ressource exclue de la personne relativement au régime et que l'article 289.6 ne s'applique pas à l'égard de cette consommation ou utilisation, les règles suivantes s'appliquent :

1° la personne est réputée avoir effectué une fourniture taxable de la ressource d'employeur — appelée « fourniture de ressource d'employeur » dans le présent article — le dernier jour de l'exercice;

2° la taxe relative à la fourniture de ressource d'employeur est réputée devenue payable le dernier jour de l'exercice et la personne est réputée l'avoir perçue ce jour-là;

3° la taxe visée au paragraphe 2° est réputée égale au montant déterminé selon la formule suivante :

$$A \times B;$$

4° pour le calcul, conformément à la sous-section 6.6 de la section I du chapitre VII, du montant admissible de l'entité de gestion déterminée du régime relativement à la personne pour l'exercice, l'entité de gestion déterminée est réputée avoir payé, le dernier jour de l'exercice, sauf lorsque l'entité de gestion est une institution financière désignée particulière ce jour-là, une taxe égale au montant de taxe déterminé conformément au paragraphe 3°.

Pour l'application de la formule prévue au paragraphe 3° du premier alinéa :

1° la lettre A représente :

a) dans le cas où la ressource d'employeur a été consommée par la personne au cours de l'exercice dans le cadre d'activités de pension relatives au régime de pension, le produit obtenu en multipliant la juste valeur marchande de la ressource d'employeur au moment de l'exercice où la personne a commencé à la consommer par le pourcentage que représente la mesure dans laquelle cette consommation s'est produite pendant que la personne était un inscrit et un employeur participant au régime par rapport à la consommation totale de cette ressource d'employeur par la personne au cours de l'exercice;

b) dans les autres cas, le produit obtenu en multipliant la juste valeur marchande de l'utilisation de la ressource d'employeur au cours de l'exercice, déterminée le dernier jour de l'exercice, par le pourcentage que représente la mesure dans laquelle la ressource d'employeur a été utilisée au cours de l'exercice dans le cadre d'activités de pension relatives au régime pendant que la personne était un inscrit et un employeur participant au régime par rapport à l'utilisation totale de cette ressource d'employeur par la personne au cours de l'exercice;

2° la lettre B représente le facteur provincial à l'égard du régime pour l'exercice.

2011, c. 34, art. 146; 2012, c. 28, art. 87.

Notes historiques: Le paragraphe 4° du premier alinéa de l'article 289.7 a été remplacé par L.Q. 2012, c. 28, par. 87(1) et cette modification s'applique à l'égard d'un exercice d'une personne qui se termine après le 31 décembre 2012. Antérieurement, il se lisait ainsi :

4° pour le calcul, conformément à la sous-section 6.6 de la section I du chapitre VII, du montant admissible de l'entité de gestion déterminée du régime relativement à la personne pour l'exercice, l'entité de gestion déterminée est réputée avoir payé, le dernier jour de l'exercice, une taxe égale au montant de taxe déterminé conformément au paragraphe 3°.

L'article 289.7 a été ajoutée par L.Q. 2011, c. 34, par. 146(1) et s'applique à l'égard d'un exercice d'une personne commençant après le 22 septembre 2009.

Notes explicatives ARQ (PL 5, L.Q. 2012, c. 28): *Résumé* :

L'article 289.7 prévoit différentes présomptions applicables, notamment celle d'une fourniture réputée par un employeur participant à un régime de pension, lorsque celui-ci consomme ou utilise une de ses ressources d'employeur dans le cadre d'activités de pension relatives au régime, autrement qu'en vue d'effectuer la fourniture d'un bien ou d'un service à une entité de gestion du régime.

Cet article est modifié de façon à prévoir qu'aucun montant de taxe n'est réputé payé par une entité de gestion à l'égard d'une telle fourniture réputée lorsque cette entité de gestion est une institution financière désignée particulière.

Situation actuelle :

L'article 289.7 s'applique lorsqu'une personne qui est un inscrit et un employeur participant à un régime de pension, à un moment de son exercice, consomme ou utilise, à ce moment, une de ses ressources d'employeur dans le cadre d'activités de pension relatives au régime et que l'article 289.6 de cette loi ne s'applique pas à l'égard de cette consommation ou utilisation. L'article 289.7 de la LTVQ peut donc s'appliquer lorsque la consommation ou l'utilisation de la ressource d'employeur n'est pas faite en vue d'effectuer la fourniture réelle d'un bien ou d'un service à une entité de gestion d'un régime de pension. Il ne s'applique toutefois pas lorsqu'il s'agit d'une ressource exclue de la personne, soit l'employeur participant au régime, relativement au régime.

Ainsi, le paragraphe 1° du premier alinéa de l'article 289.7 prévoit que la personne, soit l'employeur participant au régime de pension, est réputée avoir effectué une fourniture taxable de la ressource d'employeur, appelée « fourniture de ressource d'employeur », le dernier jour de l'exercice.

En vertu du paragraphe 2° du premier alinéa de cet article 289.7, la taxe à l'égard de la fourniture de ressource d'employeur est réputée devenue payable le dernier jour de l'exercice et la personne est réputée l'avoir perçue ce jour-là.

Par conséquent, la personne doit prendre en considération la taxe, qu'elle est ainsi réputée avoir perçue, dans le calcul de sa taxe nette pour sa période de déclaration qui comprend ce jour-là.

Le paragraphe 3° du premier alinéa de l'article 289.7 concerne le calcul de cette taxe. Plus précisément, ce paragraphe 3° indique que cette taxe est réputée égale au montant obtenu par la formule A × B, soit le produit du montant représenté par la lettre A par le facteur provincial à l'égard du régime pour l'exercice (lettre B).

Plus précisément, la lettre A représente soit, dans le cas où la ressource d'employeur a été consommée par la personne (l'employeur participant) au cours de l'exercice dans le cadre d'activités de pension relatives au régime de pension, le produit obtenu en multipliant la juste valeur marchande de la ressource d'employeur au moment de l'exercice où la personne a commencé à la consommer par le pourcentage que représente la mesure dans laquelle cette consommation s'est produite pendant que la personne était un inscrit et un employeur participant au régime par rapport à la consommation totale de cette ressource d'employeur par la personne au cours de l'exercice, soit, dans les autres cas, le produit obtenu en multipliant la juste valeur marchande de l'utilisation de la ressource d'employeur au cours de l'exercice, déterminée le dernier jour de l'exercice, par le pourcentage que représente la mesure dans laquelle la ressource d'employeur a été utilisée au cours de l'exercice dans le cadre d'activités de pension relatives au régime pendant que la personne était un inscrit et un employeur participant au régime par rapport à l'utilisation totale de cette ressource d'employeur par la personne au cours de l'exercice. Par conséquent, la lettre A permet d'obtenir la juste valeur marchande de la ressource d'employeur consommée ou utilisée dans le cadre d'activités de pension relatives au régime de pension.

Enfin, le paragraphe 4° du premier alinéa de l'article 289.7 précise que, pour les fins du calcul du montant admissible de l'entité de gestion déterminée du régime conformément aux dispositions de la sous-section 6.6 de la section I du chapitre VII du titre I de la LTVQ, laquelle comprend les articles 402.13 à 402.22, l'entité de gestion déterminée est réputée avoir payé, le dernier jour de l'exercice, une taxe égale au montant de taxe déterminé conformément au paragraphe 3° du premier alinéa de cet article 289.7. Notons que l'article 289.4 de la LTVQ précise quelle est l'entité de gestion déterminée d'un régime de pension.

Modifications proposées :

Le paragraphe 4° du premier alinéa de l'article 289.7 est modifié de façon à faire en sorte qu'aucun montant de taxe ne soit réputé avoir été payé par une entité de gestion à l'égard d'une fourniture de ressource d'employeur qu'elle est réputée avoir reçue lorsque cette entité de gestion est une institution financière désignée particulière. Ceci découle du fait que, entre autre, les institutions financières désignées particulières ne peuvent généralement demander un remboursement de la taxe sur les intrants, et ce, en raison du nouvel article 199.0.0.1 de la LTVQ, introduit par le présent projet de loi. De plus, les institutions financières désignées particulières ne peuvent obtenir un remboursement en vertu de l'article 402.14 de la LTVQ, étant donné que leur montant admissible, lequel sert de point de départ au calcul du montant de remboursement de pension, est réputé nul, et ce, conformément au deuxième alinéa de l'article 402.13 de cette loi, tel que modifié par le présent projet de loi.

Notes explicatives ARQ (PL 32, L.Q. 2011, c. 34): *Résumé* :

Le nouvel article 289.7 prévoit différentes présomptions applicables lorsqu'un employeur participant à un régime de pension consomme ou utilise une de ses ressources d'employeur dans le cadre d'activités de pension relatives au régime, autrement qu'en vue d'effectuer la fourniture d'un bien ou d'un service à une entité de gestion du régime.

Contexte :

Voir la rubrique « Contexte » de la note explicative relative au nouvel article 289.2 de la LTVQ.

Modifications proposées :

Le nouvel article 289.7 s'applique lorsqu'une personne qui est un inscrit et un employeur participant à un régime de pension, à un moment de son exercice, consomme ou utilise, à ce moment, une de ses ressources d'employeur dans le cadre d'activités de pension relatives au régime et que le nouvel article 289.6 de cette loi, introduit dans le cadre du présent projet de loi, ne s'applique pas à l'égard de cette consommation ou utilisation. Ce nouvel article 289.7 peut donc s'appliquer lorsque la consommation ou l'utilisation de la ressource d'employeur n'est pas faite en vue d'effectuer la fourniture réelle d'un bien ou d'un service à une entité de gestion d'un régime de pension. Il ne s'applique toutefois pas lorsqu'il s'agit d'une ressource exclue de la personne, soit l'employeur participant au régime, relativement au régime.

Ainsi, le paragraphe 1° du premier alinéa de ce nouvel article 289.7 prévoit que la personne, soit l'employeur participant au régime de pension, est réputée avoir effectué une fourniture taxable de la ressource d'employeur, appelée « fourniture de ressource d'employeur », le dernier jour de l'exercice.

En vertu du paragraphe 2° du premier alinéa de cet article 289.7, la taxe à l'égard de la fourniture de ressource d'employeur est réputée devenue payable le dernier jour de l'exercice et la personne est réputée l'avoir perçue ce jour-là. Par conséquent, la personne doit prendre en considération la taxe, qu'elle est ainsi réputée avoir perçue, dans le calcul de sa taxe nette pour sa période de déclaration qui comprend ce jour-là.

Le paragraphe 3° du premier alinéa du nouvel article 289.7 concerne le calcul de cette taxe. Plus précisément, ce paragraphe 3° indique que cette taxe est réputée égale au montant obtenu par la formule A × B, soit le produit du montant représenté par la lettre A par le facteur provincial à l'égard du régime pour l'exercice (lettre B). Plus précisément, la lettre A représente soit, dans le cas où la ressource d'employeur a été consommée par la personne (l'employeur participant) au cours de l'exercice dans le cadre d'activités de pension relatives au régime de pension, le produit obtenu en multipliant la juste valeur marchande de la ressource d'employeur au moment de l'exercice où la personne a commencé à la consommer par le pourcentage que représente la mesure dans laquelle cette consommation s'est produite pendant que la personne était un inscrit et un employeur participant au régime par rapport à la consommation totale de cette ressource d'employeur par la personne au cours de l'exercice, soit, dans les autres cas, le produit obtenu en multipliant la juste valeur marchande de l'utilisation de la ressource d'employeur au cours de l'exercice, déterminée le dernier jour de l'exercice, par le pourcentage que représente la mesure dans laquelle la ressource d'employeur a été utilisée au cours de l'exercice dans le cadre d'activités de pension relatives au régime pendant que

LTVQ (français)

la personne était un inscrit et un employeur participant au régime par rapport à l'utilisation totale de cette ressource d'employeur par la personne au cours de l'exercice. Par conséquent, la lettre A permet d'obtenir la juste valeur marchande de la ressource d'employeur consommée ou utilisée dans le cadre d'activités de pension relatives au régime de pension.

Enfin, le paragraphe 4° du premier alinéa de ce nouvel article 289.7 précise que, pour les fins du calcul montant admissible de l'entité de gestion déterminée du régime conformément aux dispositions de la sous-section 6.6 de la section I du chapitre VII du titre I de la LTVQ, laquelle comprend les articles 402.13 à 402.22, l'entité de gestion déterminée est réputée avoir payé, le dernier jour de l'exercice, une taxe égale au montant de taxe déterminé conformément au paragraphe 3° du premier alinéa de cet article 289.7. Notons que le nouvel article 289.4 de la LTVQ, introduit dans le cadre du présent projet de loi, précise quelle est l'entité de gestion déterminée d'un régime de pension.

Renvois [art. 289.7]: 450.0.2, 450.0.5 (note de redressement de taxe); 450.0.3, 450.0.6 (montant indiqué de la note de redressement).

Bulletins d'information: 2009-9 — Harmonisation à diverses mesures relatives à la législation et à la règlementation fiscales fédérales et report de l'imposition d'une ristourne admissible.

Concordance fédérale: LTA, par. 172.1(7).

289.8 [Communication de renseignements] — Lorsque l'un des articles 289.5 à 289.7 s'applique relativement à une personne qui est un employeur participant à un régime de pension, la personne doit fournir, au moyen du formulaire prescrit et selon les modalités déterminées par le ministre, les renseignements prescrits à l'entité de gestion du régime qui est réputée avoir payé une taxe en vertu de cet article.

Modification proposée — 289.8

289.8 [Communication de renseignements] — Lorsque l'un des articles 289.5 à 289.7 s'applique relativement à une personne qui est un employeur participant à un régime de pension, la personne doit fournir, en la forme et selon les modalités déterminées par le ministre, les renseignements déterminés par ce dernier à l'entité de gestion du régime qui est réputée avoir payé une taxe en vertu de cet article.

Application: L'article 289.8 sera remplacé par l'art. 220 du *Projet de loi 18* (présenté le 21 février 2013) et cette modification entrera en vigueur à la date de la sanction du *Projet de loi 18*.

2011, c. 34, art. 146

Notes historiques: L'article 289.8 a été ajoutée par L.Q. 2011, c. 34, par. 146(1) et s'applique à l'égard d'un exercice d'une personne commençant après le 22 septembre 2009.

Notes explicatives ARQ (PL 32, L.Q. 2011, c. 34): *Résumé* :

Le nouvel article 289.8 exige, lorsque l'un des articles 289.5 à 289.7 s'applique relativement à un employeur participant à un régime de pension, que cet employeur communique à l'entité de gestion du régime qui est réputée avoir payé une taxe en vertu de cet article les renseignements prescrits, au moyen du formulaire prescrit et selon les modalités déterminées par le ministre du Revenu.

Résumé :

Voir la rubrique « Contexte » de la note explicative relative au nouvel article 289.2 de la LTVQ.

Modifications proposées :

Lorsque l'un des nouveaux articles 289.5 à 289.7, introduits dans le cadre du présent projet de loi, s'applique relativement à une personne qui est un employeur participant à un régime de pension, la personne doit fournir les renseignements prescrits à l'entité de gestion du régime qui est également réputée avoir payé une taxe en vertu de cet article. Cette communication doit se faire au moyen du formulaire prescrit et selon les modalités déterminées par le ministre du Revenu.

Renvois [art. 289.8]: 450.0.2, 450.0.5 (note de redressement de taxe); 450.0.3, 450.0.6 (montant indiqué de la note de redressement).

Concordance fédérale: LTA, par. 172.1(8).

SECTION II — AVANTAGE

290. Avantage à un salarié ou à un actionnaire — Dans le cas où un inscrit effectue à un particulier ou à une personne liée au particulier une fourniture, autre qu'une fourniture exonérée ou détaxée, d'un bien ou d'un service et qu'un montant — appelé « montant de l'avantage » dans le présent alinéa — à l'égard de la fourniture doit, en vertu des articles 37, 41, 41.1.1, 41.1.2 ou 111 de la *Loi sur les impôts* (chapitre I-3), être inclus dans le calcul du revenu du particulier pour une année d'imposition de celui-ci ou que la fourniture est liée à l'utilisation ou au fonctionnement d'une automobile et qu'un montant — appelé « remboursement » dans le présent alinéa — qui réduit le montant à l'égard de la fourniture qui serait autrement à inclure en vertu des articles 41, 41.1.1, 41.1.2 ou 111 de la *Loi sur les impôts* est payé par le particulier ou une personne liée au particulier, les règles suivantes s'appliquent :

1° dans le cas de la fourniture d'un bien autrement que par vente, l'utilisation du bien par l'inscrit qui le fournit ainsi au particulier ou à la personne qui est liée au particulier est réputée faite dans le cadre des activités commerciales de l'inscrit et ce dernier est réputé, dans la mesure où il a acquis, ou apporté au Québec, le bien pour effectuer cette fourniture, avoir ainsi acquis, ou apporté au Québec, le bien pour utilisation dans le cadre de ses activités commerciales;

2° aux fins du calcul de sa taxe nette, les règles suivantes s'appliquent :

a) le total du montant de l'avantage et des remboursements est réputé la contrepartie totale payable à l'égard de la délivrance du bien ou de la prestation du service durant l'année au particulier ou à la personne qui lui est liée;

b) la taxe calculée sur la contrepartie totale est réputée égale :

i. dans le cas où le montant de l'avantage est un montant qui doit être inclus dans le calcul du revenu du particulier en vertu des articles 41.1.1 ou 41.1.2 de la *Loi sur les impôts*, ou le serait si le particulier était un salarié de l'inscrit et qu'aucun remboursement n'était payé, au pourcentage prescrit de la contrepartie totale;

ii. dans le cas où le montant de l'avantage doit être inclus dans le calcul du revenu du particulier provenant d'une charge ou d'un emploi en vertu des articles 37 ou 41 de la *Loi sur les impôts*, au résultat obtenu en multipliant la contrepartie totale par 9,975 / 109,5 si le dernier établissement de l'employeur auquel le particulier travaillait habituellement ou auquel il se rapportait habituellement dans l'année dans le cadre de sa charge ou de son emploi est situé au Québec;

iii. dans le cas où le montant de l'avantage doit être inclus dans le calcul du revenu du particulier en vertu de l'article 111 de la *Loi sur les impôts*, au résultat obtenu en multipliant la contrepartie totale par 9,975/109,975 si le particulier réside au Québec à la fin de l'année;

c) cette taxe est réputée devenue percevable par l'inscrit et avoir été perçue par lui :

i. sauf si le sous-paragraphe ii s'applique, le dernier jour de février de l'année suivant l'année d'imposition;

ii. dans le cas où le montant de l'avantage est inclus dans le calcul du revenu du particulier en vertu de l'article 111 de la *Loi sur les impôts*, ou le serait si aucun remboursement n'était payé, et est lié à la délivrance du bien ou à la prestation du service dans l'année d'imposition de l'inscrit, le dernier jour de cette année d'imposition.

Exceptions — Le paragraphe 2° du premier alinéa ne s'applique pas dans le cas où l'inscrit, en raison des articles 203 or 206, n'a pas le droit d'inclure, dans le calcul du remboursement de la taxe sur les intrants, unmontant à l'égard de la taxe payable par lui relativement à la dernière acquisition, ou au dernier apport au Québec, du bien ou du service.

Notes historiques: Les sous-paragraphes ii et iii du sous-paragraphe b) du paragraphe 2° du premier alinéa de l'article 290 ont été modifié par L.Q. 2012, c. 28, par. 95(1) par le remplacement de « 9,5/109,5 » par « 9,975/109,975 ». Cette modification s'applique à compter de l'année d'imposition 2013.

Le premier alinéa de l'article 290 a été remplacé par L.Q. 1997, c. 85, par. 580(1) et s'applique à compter de l'année d'imposition 1996. Toutefois, le sous-paragraphe ii du sous-paragraphe b) du paragraphe 2° du premier alinéa doit se lire :

a) pour l'année d'imposition 1996 d'un particulier, comme suit :

ii. dans tout autre cas, à 6,5/106,5 de la contrepartie totale;

b) pour l'année d'imposition 1997 d'un particulier, en y remplaçant 7,5/107,5 par 6,5/106,5.

Antérieurement, le premier alinéa se lisait ainsi :

290. Dans le cas où un inscrit effectue à une personne une fourniture, autre qu'une fourniture exonérée, d'un bien ou d'un service à l'égard duquel un montant — appelé « montant de l'avantage » dans le présent alinéa — doit, en vertu des articles 37, 41, 41.1.1, 41.1.2 ou 111 de la *Loi sur les impôts* (chapitre I-3), être inclus dans le calcul du revenu de la personne pour une année d'imposition de celle-ci, les règles suivantes s'appliquent :

1° dans le cas de la fourniture d'un bien autrement que par vente, l'utilisation du bien par l'inscrit qui le fournit ainsi à la personne est réputée faite dans le cadre des activités commerciales de l'inscrit et ce dernier est réputé, dans la mesure où il a acquis le bien pour effectuer cette fourniture, avoir ainsi acquis le bien pour utilisation dans le cadre de ses activités commerciales;

2° aux fins du calcul de sa taxe nette, les règles suivantes s'appliquent :

a) l'inscrit est réputé avoir effectué cette fourniture à la personne pour une contrepartie égale au total :

i. le cas échéant, de la contrepartie de la fourniture telle que déterminée par ailleurs;

ii. du montant — appelé « avantage modifié » dans le présent paragraphe — qui correspond au total de l'excédent du montant de l'avantage sur la portion de ce montant qu'il est raisonnable d'attribuer à une taxe imposée en vertu d'une loi d'une province autre que le Québec, des Territoires du Nord-Ouest ou du territoire du Yukon qui est visée par règlement pour l'application de l'article 154 de la *Loi sur la taxe d'accise* (Statuts du Canada) et du montant qui doit, en vertu des articles 41.2 ou 112.2 de la *Loi sur les impôts*, être inclus dans le calcul du revenu de la personne pour l'année à l'égard du bien ou du service;

b) la taxe calculée sur l'avantage modifié est réputée devenue percevable par l'inscrit et avoir été perçue par lui, soit :

i. dans le cas de la fourniture d'un bien ou d'un service à l'égard duquel un montant doit, en vertu des articles 37, 41, 41.1.1 ou 41.1.2 de la *Loi sur les impôts*, être inclus dans le calcul du revenu d'une personne pour une année d'imposition de celle-ci, le dernier jour de février de l'année suivant cette année d'imposition;

ii. dans le cas de la fourniture d'un bien ou d'un service à l'égard duquel un montant doit, en vertu de l'article 111 de la *Loi sur les impôts* (L.R.Q., chapitre I-3), être inclus dans le calcul du revenu d'une personne, le dernier jour de l'année d'imposition de l'inscrit au cours de laquelle le bien ou le service est ainsi fourni à la personne.

c) dans le cas où le montant de l'avantage est un montant qui doit être inclus dans le calcul du revenu de la personne en vertu des articles 41.1.1 ou 41.1.2 de la *Loi sur les impôts*, ou le serait si la personne était un salarié de l'inscrit, la taxe calculée sur l'avantage modifié est réputée être égale au pourcentage prescrit de l'avantage modifié.

L'application du paragraphe 580(1) de L.Q. 1997, c. 85 a été remplacé par L.Q. 2001, c. 53, par. 387(1) et a effet depuis le 19 décembre 1997. Il doit maintenant se lire comme suit:

2. Le paragraphe 1 s'applique à compter de l'année d'imposition 1996. Toutefois, dans le sous-paragraphe b) du paragraphe 2° du premier alinéa de l'article 290 :

1° le sous-paragraphe ii doit se lire :

a) pour l'année d'imposition 1996 d'un particulier, comme suit :

ii. dans tout autre cas, à 6,5/106,5 de la contrepartie totale;

b) pour l'année d'imposition 1997 d'un particulier, en y remplaçant « 7,5/107,5 » par « 6,5/106,5 »;

2° le sous-paragraphe iii doit se lire pour les années d'imposition 1996 et 1997 d'un particulier en y remplaçant « 7,5/107,5 » par « 6,5/106,5 ».

Le préambule du premier alinéa et le sous-paragraphe i du sous-paragraphe b) du paragraphe 2° du premier alinéa de l'article 290 ont été modifiés par L.Q. 1995, c. 63, par. 382(1). Le sous-paragraphe c) du paragraphe 2° du premier alinéa a été ajouté par L.Q. 1995, c. 63, par. 382(1). Ces modifications s'appliquent relativement à la fourniture effectuée par un inscrit d'un bien ou d'un service à une personne à l'égard duquel l'article 206.1 s'applique ou s'appliquerait, et à l'égard duquel un montant doit être inclus dans le calcul du revenu de la personne :

a) pour l'année d'imposition 1996 dans le cas où l'inscrit est, selon la notion de petite ou moyenne entreprise [*N.D.L.R.* : quant à la notion de petite ou moyenne entreprise, voir « Remarques générales » précédent l'article 1 LTVQ];

a.1) pour l'année d'imposition 1997 ou une année d'imposition suivante dans le cas où l'inscrit est, selon la notion de petite ou moyenne entreprise [*N.D.L.R.* : quant à la notion de petite ou moyenne entreprise, voir « Remarques générales » précédent l'article 1 LTVQ] tout au long de l'année d'imposition;

b) pour une année d'imposition déterminée par décret du gouvernement dans le cas où l'inscrit est une grande entreprise.

[*N.D.L.R.* : le paragraphe d'application prévu par L.Q. 1995, c. 63, par. 382(2) a été modifié par L.Q. 1997, c. 85, art. 747 et a effet depuis le 15 décembre 1995. Antérieurement, il prévoyait ceci :

Ces modifications s'appliquent relativement à la fourniture effectuée par un inscrit d'un bien ou d'un service à l'égard duquel l'article 206.1 s'applique ou s'appliquerait, si ce n'était de son abrogation, à compter :

1° de l'année d'imposition 1996 dans le cas où l'inscrit est une petite ou moyenne entreprise;

2° de l'année d'imposition 1997 dans le cas où l'inscrit est une grande entreprise.]

Auparavant, le premier alinéa de l'article 290, modifié par L.Q. 1994, c. 22, par. 513(1), était réputé entrer en vigueur le 1er juillet 1992. Il se lisait comme suit :

290. Dans le cas où un inscrit effectue à une personne une fourniture, autre qu'une fourniture exonérée, d'un bien ou d'un service à l'égard duquel un montant — appelé « montant de l'avantage » dans le présent alinéa — doit, en vertu des articles 37, 41 ou 111 de la *Loi sur les impôts* (chapitre I-3), être inclus dans le calcul du revenu de la personne pour une année d'imposition de celle-ci, les règles suivantes s'appliquent :

1° dans le cas de la fourniture d'un bien autrement que par vente, l'utilisation du bien par l'inscrit qui le fournit ainsi à la personne est réputée faite dans le cadre des activités commerciales de l'inscrit et ce dernier est réputé, dans la mesure où il a acquis le bien pour effectuer cette fourniture, avoir ainsi acquis le bien pour utilisation dans le cadre de ses activités commerciales;

2° aux fins du calcul de sa taxe nette, les règles suivantes s'appliquent :

a) l'inscrit est réputé avoir effectué cette fourniture à la personne pour une contrepartie égale au total :

i. le cas échéant, de la contrepartie de la fourniture telle que déterminée par ailleurs;

ii. du montant — appelé « avantage modifié » dans le présent paragraphe — qui correspond au total de l'excédent du montant de l'avantage sur la portion de ce montant qu'il est raisonnable d'attribuer à une taxe imposée en vertu d'une loi d'une province autre que le Québec, des Territoires du Nord-Ouest ou du territoire du Yukon qui est visée par règlement pour l'application de l'article 154 de la *Loi sur la taxe d'accise* (Statuts du Canada) et du montant qui doit, en vertu des articles 41.2 ou 112.2 de la *Loi sur les impôts* (chapitre I-3), être inclus dans le calcul du revenu de la personne pour l'année à l'égard du bien ou du service;

b) la taxe calculée sur l'avantage modifié est réputée devenue percevable par l'inscrit et avoir été perçue par lui, soit :

i. dans le cas de la fourniture d'un bien ou d'un service à l'égard duquel un montant doit, en vertu des articles 37 ou 41 de la *Loi sur les impôts* (L.R.Q., chapitre I-3), être inclus dans le calcul du revenu d'une personne pour une année d'imposition de celle-ci, le dernier jour de février de l'année suivant cette année d'imposition;

ii. dans le cas de la fourniture d'un bien ou d'un service à l'égard duquel un montant doit, en vertu de l'article 111 de la *Loi sur les impôts* (L.R.Q., chapitre I-3), être inclus dans le calcul du revenu d'une personne, le dernier jour de l'année d'imposition de l'inscrit au cours de laquelle le bien ou le service est ainsi fourni à la personne.

Auparavant, le paragraphe 1° du premier alinéa de l'article 290 avait été modifié par L.Q. 1993, c. 19, par. 210(1) et cette modification s'appliquait à l'égard d'une fourniture ou d'un apport au Québec relativement auquel l'article 685 ou l'un des articles 618 à 656 de L.Q. 1991, c. 67 s'applique [*N.D.L.R.* : les articles 685 et 618 à 656 réfèrent à des dispositions transitoires concernant les transferts avant le 1er juillet 1992]. Il se lisait comme suit :

1° le montant qui correspond à l'excédent du montant de l'avantage sur la portion de ce montant qu'il est raisonnable d'attribuer à une taxe imposée en vertu de la *Loi concernant l'impôt sur la vente en détail* (L.R.Q., chapitre I-1) ou à une taxe imposée en vertu d'une loi d'une province autre que le Québec, des Territoires du Nord-Ouest ou du territoire du Yukon et prescrite pour l'application de l'article 52;

Le sous-paragraphe ii du sous-paragraphe b) du paragraphe 2° du premier alinéa de l'article 290 a été modifié par L.Q. 2011, c. 6, s.-par. 253(1)(1°) par le remplacement de « 8,5 / 108,5 » par « 9,5 / 109,5 ». Cette modification a effet à compter du 1er janvier 2012.

Le sous-paragraphe ii du sous-paragraphe b) du paragraphe 2° du premier alinéa de l'article 290 a été modifié par L.Q. 2010, c. 5, s.-par. 217(1)(1°)(a) par le remplacement de « 7,5 / 107,5 » par « 8,5 / 108,5 ». Cette modification a effet à compter du 1er janvier 2011.

Le sous-paragraphe iii du sous-paragraphe b) du paragraphe 2° du premier alinéa de l'article 290 a été modifié par L.Q. 2011, c. 6, s.-par. 253(1)(2°) par le remplacement de « 8,5 / 108,5 » par « 9,5 / 109,5 ». Cette modification a effet à compter du 1er janvier 2012.

Le sous-paragraphe iii du sous-paragraphe b) du paragraphe 2° du premier alinéa de l'article 290 sera modifié par L.Q. 2010, c. 5, s.-par. 217(1)(1°)(b) par le remplacement de « 7,5 / 107,5 » par « 8,5 / 108,5 ». Cette modification a effet à compter du 1er janvier 2011.

Le premier alinéa de l'article 290, tel qu'édicté par L.Q. 1991, c. 67, se lisait comme suit :

290. Un inscrit qui met à la disposition d'une personne un bien ou un service à l'égard duquel un montant — appelé « montant de l'avantage » dans le présent alinéa — doit, en vertu des articles 37, 41 ou 111 de la *Loi sur les impôts* (L.R.Q., chapitre I-3), être inclus dans le calcul du revenu de la personne pour une année d'imposition de celle-ci, est réputé avoir effectué une fourniture du bien ou du service pour une contrepartie égale au total des montants suivants :

1° le montant qui correspond à l'excédent du montant de l'avantage sur la portion de ce montant qu'il est raisonnable d'attribuer à une taxe imposée en vertu d'une loi du Québec, d'une autre province, des Territoires du Nord-Ouest ou du territoire du Yukon et prescrite pour l'application de l'article 52;

2° le montant qui doit, en vertu des articles 41.2 ou 112.2 de la *Loi sur les impôts*, être inclus dans le calcul du revenu de la personne pour l'année à l'égard du bien ou du service.

Le deuxième alinéa de l'article 290 a été remplacé par L.Q. 2010, c. 5, s.-par. 217(1)(2°). Antérieurement, il se lisait comme suit : .

290. Le présent article ne s'applique pas dans le cas où l'inscrit, en raison des articles 203, 205 ou 206, n'a pas le droit d'inclure, dans le calcul du remboursement de la taxe sur les intrants, un montant à l'égard de la taxe payable par lui relativement à la dernière acquisition, ou au dernier apport au Québec, du bien ou du service.

Le deuxième alinéa de l'article 290 a été modifié par L.Q. 1995, c. 63, par. 382(1) et cette modification s'applique relativement à la fourniture effectuée par un inscrit d'un bien ou d'un service à l'égard duquel l'article 206.1 s'applique ou s'appliquerait, si ce n'était de son abrogation, à compter :

1° de l'année d'imposition 1996 dans le cas où l'inscrit est une petite ou moyenne entreprise;

2° de l'année d'imposition 1997 dans le cas où l'inscrit est une grande entreprise.

Auparavant, le deuxième alinéa de l'article 290, modifié par L.Q. 1994, c. 22, par. 513(1), était réputé entrer en vigueur le 1er juillet 1992. Il se lisait comme suit :

Le présent article ne s'applique pas dans les situations suivantes :

1° l'inscrit, en raison des articles 203, 205, 206 ou 206.1, n'a pas le droit d'inclure, dans le calcul du remboursement de la taxe sur les intrants, un montant à l'égard de la taxe payable par lui relativement à la dernière acquisition, ou au dernier apport au Québec, du bien ou du service;

2° le bien ou le service est acquis, ou apporté au Québec, avant le 1er juillet 1992, mais s'il était acquis ou apporté après le 30 juin 1992, l'inscrit ne pourrait demander un remboursement de la taxe sur les intrants à l'égard de celui-ci en raison de l'article 206.1;

3° la taxe prévue au chapitre II de la *Loi concernant l'impôt sur la vente en détail* (L.R.Q., chapitre I-1) s'applique à l'égard du bien ou du service pour l'année d'imposition 1992;

4° la taxe prévue au chapitre II de la *Loi concernant l'impôt sur la vente en détail* (L.R.Q., chapitre I-1) ne s'applique pas à l'égard du bien ou du service pour l'année d'imposition 1992, en raison d'une exemption prévue à la section III de ce chapitre.

Auparavant, le deuxième alinéa de l'article 290 avait été modifié par L.Q. 1993, c. 19, par. 210(2°) et s'appliquait à l'égard d'une fourniture ou d'un apport au Québec relativement auquel l'article 685 ou l'un des articles 618 à 656 de L.Q. 1991, c. 67 s'applique [*N.D.L.R.* : les articles 685 et 618 à 656 réfèrent à des dispositions transitoires concernant les transferts avant le 1er juillet 1992]. Il se lisait comme suit :

Le présent article ne s'applique pas dans les situations suivantes :

1° l'inscrit, en raison des articles 203, 205, 206 ou 206.1, n'a pas le droit d'inclure, dans le calcul du remboursement de la taxe sur les intrants, un montant à l'égard de la taxe payable par lui relativement au bien ou au service;

2° le bien ou le service est acquis, ou apporté au Québec, avant le 1er juillet 1992, mais s'il était acquis ou apporté après le 30 juin 1992, l'inscrit ne pourrait demander un remboursement de la taxe sur les intrants à l'égard de celui-ci en raison de l'article 206.1;

3° la taxe prévue au chapitre II de la *Loi concernant l'impôt sur la vente en détail* (L.R.Q., chapitre I-1) s'applique à l'égard du bien ou du service pour l'année d'imposition 1992;

4° la taxe prévue au chapitre II de la *Loi concernant l'impôt sur la vente en détail* (L.R.Q., chapitre I-1) ne s'applique pas à l'égard du bien ou du service pour l'année d'imposition 1992, en raison d'une exemption prévue à la section III de ce chapitre.

Le deuxième alinéa de l'article 290, édicté par L.Q. 1991, c. 67, se lisait comme suit :

Le présent article ne s'applique pas à un inscrit qui, en raison des articles 203, 205 ou 206, n'a pas le droit d'inclure, dans le calcul du remboursement de la taxe sur les intrants, un montant à l'égard de la taxe payable par lui relativement au bien ou au service.

L'article 290 a été édicté par L.Q. 1991, c. 67.

Notes explicatives ARQ (PL 5, L.Q. 2012, c. 28): *Résumé* :

L'article 290 est modifié afin de remplacer la fraction « 9,5/109,5 » par « 9,975/109,975 », et ce, en vue de tenir compte du fait qu'à compter du 1er janvier 2013 la taxe sur les produits et services (TPS) est retirée de l'assiette de la taxe de vente du Québec (TVQ).

Situation actuelle :

L'article 290 prévoit que lorsqu'un inscrit offre un bien ou un service à son salarié ou à son actionnaire et que la valeur de cet avantage doit être incluse dans le calcul du revenu de ce dernier en vertu de la *Loi sur les impôts* (L.Q., chapitre I-3), l'inscrit est réputé en avoir effectué la fourniture pour une contrepartie égale à la valeur de l'avantage imposable moins certains ajustements. Il en est de même dans le cas où, à l'égard d'un avantage calculé à l'égard de l'utilisation ou du fonctionnement d'une automobile, le particulier qui doit s'imposer sur cet avantage rembourse des sommes à l'inscrit.

En conséquence, l'inscrit doit verser au ministre du Revenu la TVQ relative à cette fourniture comme s'il l'avait véritablement perçue. Toutefois, des exceptions à l'application de cette règle sont prévues à la loi, notamment, lorsque le bien ou le service que l'inscrit fournit au salarié ou à l'actionnaire est visé par les restrictions à l'obtention d'un remboursement de la taxe sur les intrants.

Modifications proposées :

En vue de tenir compte du fait que la TPS est retirée de l'assiette de la TVQ à compter du 1er janvier 2013, il y a lieu de modifier l'article 290 de la LTVQ.

Cette modification a pour objet de remplacer la fraction « 9,5/109,5 » par « 9,975/109,975 ».

Notes explicatives ARQ (PL 5, L.Q. 2011, c. 6): *Résumé* :

L'article 290 est modifié afin de tenir compte de la hausse du taux de la taxe de vente du Québec (TVQ) à 9,5 % à compter du 1er janvier 2012.

Situation actuelle :

L'article 290 prévoit que lorsqu'un inscrit offre un bien ou un service à son salarié ou à son actionnaire et que la valeur de cet avantage doit être incluse dans le calcul du revenu de ce dernier en vertu de la *Loi sur les impôts* (L.R.Q., chapitre I-3), l'inscrit est réputé en avoir effectué la fourniture pour une contrepartie égale à la valeur de l'avantage imposable moins certains ajustements. Il en est de même dans le cas où, à l'égard d'un avantage calculé à l'égard de l'utilisation ou du fonctionnement d'une automobile, le particulier qui doit s'imposer sur cet avantage rembourse des sommes à l'inscrit.

En conséquence, l'inscrit doit verser au ministre du Revenu la TVQ relative à cette fourniture comme s'il l'avait véritablement perçue. Toutefois, des exceptions à l'application de cette règle sont prévues à la loi, notamment, lorsque le bien ou le service que l'inscrit fournit au salarié ou à l'actionnaire est visé par les restrictions à l'obtention d'un remboursement de la taxe sur les intrants.

Modifications proposées :

L'article 290 est modifié afin de tenir compte de la hausse du taux de la TVQ à 9,5 % à compter du 1er janvier 2012.

Définitions [art. 290]: « activité commerciale », « année d'imposition », « bien », « contrepartie », « fourniture », « fourniture exonérée », « inscrit », « montant », « personne », « salarié », « service », « vente », « taxe » — 1.

Renvois [art. 290]: 287 (utilisation non commerciale); 292 (non-application de l'article 290); 293 (voiture de tourisme ou aéronef); 433.1 (fourniture déterminée); 433.2 (taxe nette d'un organisme de bienfaisance inscrit); 677 (règlements).

Bulletins d'information: 2006-2 — Harmonisation à certaines mesures du Budget fédéral du 2 mai 2006 et autres mesures fiscales; 2007-10 — Bonification du crédit d'impôt pour services de production cinématographique et autres mesures fiscales.

Lettres d'interprétation [art. 290]: 98-0102792 — Interprétation relative à la TPS et à la TVQ — Paiement par un employeur de la cotisation de son salarié à une association professionnelle; 98-0112957 — Interprétation relative à la TPS et à la TVQ — Véhicule utilisé par un salarié d'un concessionnaire d'automobiles; 99-0101008 — Interprétation relative à la TVQ — Utilisation d'un véhicule routier — concessionnaire d'automobiles; 02-0103453 — Interprétation relative à la TPS et à la TVQ — Fournitures effectuées par un organisme à but non lucratif.

Concordance fédérale: LTA, par. 173(1).

COMMENTAIRES: Voir les commentaires sous l'article 293.

291. [*Abrogé*]

Notes historiques: L'article 291 a été abrogé par L.Q. 1994, c. 22, par. 514(1) rétroactivement au 1er juillet 1992. L'article 291, édicté par L.Q. 1991, c. 67, se lisait comme suit :

291. Pour l'application de l'article 290, la contrepartie de la fourniture qu'un inscrit est réputé avoir effectuée en vertu de cet article est réputée lui devenir due :

1° dans le cas de la fourniture d'un bien ou d'un service à l'égard duquel un montant doit, en vertu des articles 37 ou 41 de la *Loi sur les impôts* (L.R.Q., chapitre I-3), être inclus dans le calcul du revenu d'une personne pour une année d'imposition de celle-ci, le dernier jour de février de l'année suivant cette année d'imposition;

2° dans le cas de la fourniture d'un bien ou d'un service à l'égard duquel un montant doit, en vertu de l'article 111 de la *Loi sur les impôts* (L.R.Q., chapitre I-3), être inclus dans le calcul du revenu d'une personne pour une année d'imposition de celle-ci, le dernier jour de l'année d'imposition de l'inscrit au cours de laquelle le bien ou le service est mis à la disposition de la personne.

COMMENTAIRES: Voir les commentaires sous l'article 293.

292. Exceptions — Le paragraphe 2° du premier alinéa de l'article 290 ne s'applique pas à l'égard d'un bien dans le cas où :

1° l'inscrit est un particulier ou une société de personnes et le bien qui est une voiture de tourisme ou un aéronef de l'inscrit n'est pas utilisé exclusivement par l'inscrit dans le cadre de ses activités commerciales;

2° l'inscrit n'est pas un particulier ni une société de personnes et le bien qui est une voiture de tourisme ou un aéronef de l'inscrit n'est pas utilisé principalement par l'inscrit dans le cadre de ses activités commerciales;

3° un choix fait par l'inscrit en vertu de l'article 293 relativement au bien est en vigueur au début de l'année d'imposition;

4° (*paragraphe supprimé*);

5° l'article 287.3 s'est appliqué relativement au bien qui est un véhicule automobile.

Notes historiques: Le paragraphe 3° de l'article 292 a été remplacé par L.Q. 1997, c. 85, par. 581(1) et s'applique aux années d'imposition 1996 et suivantes. Antérieurement, ce paragraphe se lisait ainsi :

3° un choix fait par l'inscrit en vertu de l'article 293 relativement au bien est en vigueur à ce moment;

Auparavant, le paragraphe 4° de l'article 292 a été supprimé par L.Q. 1995, c. 63, par. 383(1) et cette modification a effet depuis le 1er août 1995 sauf si l'article 243.1, 253.1 ou 288.2 s'est appliqué relativement au bien qui est un véhicule routier.

[*N.D.L.R.* : le paragraphe d'application prévu par L.Q. 1995, c. 63, art. 383(2) a été modifié par L.Q. 1997, c. 85, art. 748 et a effet depuis le 15 décembre 1995. Antérieurement, il prévoyait ceci :

2. cette modification s'applique relativement à la fourniture effectuée par un inscrit d'un bien ou d'un service à l'égard duquel l'article 206.1 de cette loi s'applique ou s'appliquerait, si ce n'était de son abrogation, à compter :

1° de l'année d'imposition 1996 dans le cas où l'inscrit est une petite ou moyenne entreprise;

2° de l'année d'imposition 1997 dans le cas où l'inscrit est une grande entreprise.]

Le paragraphe 5° de l'article 292 a été ajouté par L.Q. 2004, c. 21, par. 530(1) et a effet depuis le 1er mai 1999.

L'article 292 a été modifié par L.Q. 1997, c. 3, par. 135(1°) pour remplacer le mot « société » par les mots « société de personnes ». Cette modification est entrée en vigueur le 20 mars 1997.

L'article 292 a été modifié par L.Q. 1994, c. 22, par. 515(1) et est réputé entré en vigueur le 1er juillet 1992. Le paragraphe 4° se lisait comme suit :

4° l'article 243.1, 253.1 ou 288.2 s'est appliqué relativement au bien qui est un véhicule routier.

L'article 292 a été modifié par L.Q. 1993, c. 19, art. 211, à l'égard d'une fourniture ou d'un apport au Québec relativement auquel l'article 685 ou l'un des articles 618 à 656 de L.Q. 1991, c. 67 s'applique [*N.D.L.R.* : les articles 685 et 618 à 656 réfèrent à des dispositions transitoires concernant les transferts avant le 1er juillet 1992]. Il se lisait comme suit :

292. L'article 290 ne s'applique pas à l'égard :

1° d'une voiture de tourisme ou d'un aéronef qu'un inscrit qui est un particulier ou une société acquiert par achat et n'utilise pas exclusivement dans le cadre de ses activités commerciales;

2° d'une voiture de tourisme ou d'un aéronef qu'un inscrit autre qu'un particulier ou une société acquiert par achat et n'utilise pas principalement dans le cadre de ses activités commerciales;

3° d'une voiture de tourisme ou d'un aéronef relativement auquel un inscrit fait un choix en vertu de l'article 293;

4° d'un véhicule routier auquel l'article 243.1, 253.1 ou 288.2 s'est appliqué.

L'article 292, édicté par L.Q. 1991, c. 67, se lisait comme suit :

292. L'article 290 ne s'applique pas à l'égard d'une voiture de tourisme ou d'un aéronef :

1° qu'un inscrit qui est un particulier ou une société acquiert par achat et n'utilise pas exclusivement dans le cadre de ses activités commerciales;

2° qu'un inscrit autre qu'un particulier ou une société acquiert par achat et n'utilise pas principalement dans le cadre de ses activités commerciales;

3° relativement auquel un inscrit fait un choix en vertu de l'article 293.

Définitions [art. 292]: « activité commerciale », « bien », « exclusif », « inscrit », « particulier », « véhicule routier », « voiture de tourisme » — 1.

Renvois [art. 292]: 1.1 (personne morale); 506.1 (société et société de personnes).

Lettres d'interprétation [art. 292]: 98-0112957 — Interprétation relative à la TPS et à la TVQ — Véhicule utilisé par un salarié d'un concessionnaire d'automobiles; 02-0103453 — Interprétation relative à la TPS et à la TVQ — Fournitures effectuées par un organisme à but non lucratif.

Concordance fédérale: LTA, par. 173(1).

COMMENTAIRES: Voir les commentaires sous l'article 293.

293. Choix relatif à une voiture de tourisme ou à un aéronef acquis par louage — Un inscrit qui au cours d'une période de déclaration de celui-ci soit n'est pas une institution financière et acquiert par louage une voiture de tourisme ou un aéronef pour l'utiliser autrement que principalement dans le cadre de ses activités commerciales ou utilise autrement que principalement dans ce cadre une voiture de tourisme ou un aéronef dont la dernière acquisition s'est faite par louage, soit est une institution financière qui acquiert un tel bien par achat ou par louage ou utilise un tel bien dont la dernière acquisition s'est faite par achat ou par louage, peut faire un choix qui entre en vigueur le premier jour de cette période de déclaration pour que les règles suivantes s'appliquent :

1° malgré le paragraphe 1° du premier alinéa de l'article 290, l'inscrit est réputé avoir commencé, ce jour-là, à utiliser le bien exclusivement dans le cadre de ses activités autres que commerciales et il est réputé, dès l'entrée en vigueur du choix et jusqu'à ce qu'il aliène ou cesse de louer le bien, l'utiliser exclusivement dans un tel cadre;

2° dans le cas où la dernière fourniture du bien à l'inscrit a été effectuée par louage, les règles suivantes s'appliquent :

a) la taxe calculée sur la totalité ou la partie de la contrepartie de cette fourniture qui est raisonnablement imputable à une période de déclaration postérieure à l'entrée en vigueur du choix ne doit pas être incluse dans le calcul du remboursement de la taxe sur les intrants que l'inscrit demande dans une déclaration produite en vertu de l'article 468 pour cette période ou pour toute autre période de déclaration subséquente;

b) dans le cas où un montant à l'égard de la taxe visée au sous-paragraphe a été inclus dans le calcul du remboursement de la taxe sur les intrants que l'inscrit a demandé dans une déclaration produite en vertu de l'article 468 pour une période de déclaration qui se termine avant cette période, ce montant doit être ajouté dans le calcul de la taxe nette de l'inscrit pour cette période;

2.1 dans le cas où la dernière fourniture du bien à l'inscrit a été effectuée par vente, que l'inscrit est une institution financière et que le coût du bien pour lui n'excède pas 50 000 $, les règles suivantes s'appliquent :

a) la taxe calculée sur la totalité ou la partie de la contrepartie de cette fourniture et la taxe relative à des améliorations apportées au bien, que l'inscrit a acquises ou apportées au Québec après que le bien a été ainsi acquis ou apporté au Québec pour la dernière fois, ne doivent pas être incluses dans le calcul du remboursement de la taxe sur les intrants que l'inscrit demande dans une déclaration produite en vertu de l'article 468 pour cette période ou pour toute autre période de déclaration subséquente;

b) dans le cas où un montant à l'égard de la taxe visée au sous-paragraphe a) a été inclus dans le calcul du remboursement de la taxe sur les intrants que l'inscrit a demandé dans une déclaration produite en vertu de l'article 468 pour une période de déclaration qui se termine avant cette période, ce montant doit être ajouté dans le calcul de la taxe nette de l'inscrit pour cette période;

3° la taxe calculée sur un montant de contrepartie, ou sur une valeur au sens de l'article 17, ne doit pas être incluse dans le calcul du remboursement de la taxe sur les intrants que l'inscrit demande dans une déclaration produite en vertu de l'article 468 pour cette période ou pour toute autre période de déclaration subséquente si cette taxe peut raisonnablement être imputable :

a) à un bien qui est acquis, ou apporté au Québec, pour consommation ou utilisation dans le cadre du fonctionnement de la voi-

LTVQ (français)

ture ou de l'aéronef à l'égard duquel le choix est effectué et qui est, ou doit être, consommé ou utilisé après ce jour;

b) à la partie d'un service lié au fonctionnement de cette voiture ou de cet aéronef qui est, ou doit être, rendue après ce jour;

4° dans le cas où un montant à l'égard de la taxe visée au paragraphe 3° a été inclus dans le calcul du remboursement de la taxe sur les intrants que l'inscrit a demandé dans une déclaration produite en vertu de l'article 468 pour une période de déclaration qui se termine avant cette période, ce montant doit être ajouté dans le calcul de la taxe nette de l'inscrit pour cette période.

Modalités du choix — Le choix prévu au premier alinéa doit être effectué au moyen du formulaire prescrit contenant les renseignements prescrits.

Notes historiques: Le passage précédant le paragraphe 2° du premier alinéa de l'article 293 a été remplacé par L.Q. 2012, c. 28, s.-par. 89(1)(1°) et cette modification s'applique à l'égard d'un bien acquis par achat ou par louage en vertu d'une convention conclue après le 31 décembre 2012. Antérieurement, il se lisait ainsi :

> 293. Un inscrit qui au cours d'une période de déclaration de celui-ci acquiert par louage une voiture de tourisme ou un aéronef pour l'utiliser autrement que principalement dans le cadre de ses activités commerciales ou utilise dans un tel cadre une voiture de tourisme ou un aéronef dont la dernière acquisition s'est faite par louage peut faire un choix qui entre en vigueur le premier jour de cette période de déclaration pour que les règles suivantes s'appliquent :
>
> 1° malgré le paragraphe 1° du premier alinéa de l'article 290, l'inscrit est réputé avoir commencé, ce jour-là, à utiliser le bien exclusivement dans le cadre de ses activités autres que commerciales et il est réputé, dès l'entrée en vigueur du choix et jusqu'à ce qu'il cesse de louer le bien, l'utiliser exclusivement dans un tel cadre;

Le premier alinéa de l'article 293 a été modifié par L.Q. 1997, c. 85, art. 582(1) par l'addition des paragraphes 3° et 4°. Ces ajouts s'appliquent aux fins du calcul de la taxe nette d'un inscrit pour les périodes de déclaration qui se terminent après le 31 décembre 1995. Toutefois, le paragraphe 4° s'applique à l'égard d'un bien ou d'un service acquis, ou apporté au Québec, pour consommation ou utilisation dans le cadre du fonctionnement d'une voiture ou d'un aéronef à l'égard duquel un choix en vertu de cet article entre en vigueur avant le 1er janvier 1996 comme si le choix était entré en vigueur le 1er janvier 1996.

Le paragraphe 2.1° du premier alinéa de l'article 293 a été ajouté par L.Q. 2012, c. 28, s.-par. 89(1)(2°) et s'applique à l'égard d'un bien acquis par achat ou par louage en vertu d'une convention conclue après le 31 décembre 2012.

Auparavant, l'article 293 a été modifié par L.Q. 1994, c. 22, art. 516(1) et est réputé entré en vigueur le 1er juillet 1992. L'article 293, édicté par L.Q. 1991, c. 67, se lisait comme suit :

> 293. Un inscrit qui acquiert par louage une voiture de tourisme ou un aéronef pour l'utiliser principalement dans le cadre de ses activités autres que commerciales peut faire un choix pour que les règles suivantes s'appliquent :
>
> 1° l'inscrit est réputé avoir commencé, le jour de l'entrée en vigueur du choix, à utiliser la voiture ou l'aéronef exclusivement dans le cadre de ses activités autres que commerciales;
>
> 2° l'inscrit est réputé, après l'entrée en vigueur du choix jusqu'à ce qu'il cesse de louer la voiture ou l'aéronef, l'utiliser exclusivement dans le cadre de ses activités autres que commerciales.
>
> Le choix prévu au premier alinéa :
>
> 1° doit être effectué au moyen du formulaire prescrit contenant les renseignements prescrits;
>
> 2° doit être produit au ministre de la manière prescrite par ce dernier avec la déclaration que l'inscrit est tenu de produire en vertu du chapitre huitième pour la période de déclaration au cours de laquelle le choix doit entrer en vigueur;
>
> 3° entre en vigueur le premier jour de la période visée au paragraphe 2°.

Notes explicatives ARQ (PL 5, L.Q. 2012, c. 28): *Résumé* :

L'article 293 permet à un inscrit de faire un choix afin de ne pas assujettir à la taxe un avantage relatif à une voiture de tourisme ou à un aéronef, y compris un avantage découlant des frais de fonctionnement d'une telle voiture ou aéronef. Cet article est modifié de façon à préciser les circonstances dans lesquelles le choix qui y est prévu peut être exercé lorsque l'inscrit est une institution financière.

Situation actuelle :

Les règles prévues à l'article 293 permettent à un inscrit de faire un choix afin de ne pas assujettir à la taxe un avantage relatif à une voiture de tourisme ou à un aéronef, y compris un avantage découlant des frais de fonctionnement d'une telle voiture ou aéronef.

En conséquence, aucun remboursement de la taxe sur les intrants ne peut être demandé à l'égard du bien par l'inscrit et, dans la mesure où un tel remboursement a déjà été demandé pour une période postérieure à l'entrée en vigueur du choix, il fait l'objet d'une récupération.

Lorsque le choix fait par un inscrit en vertu de l'article 293 est en vigueur au début d'une année d'imposition, aucune taxe relative à l'avantage consenti à un particulier ou à une personne qui lui est liée et devant être inclus dans le calcul du revenu du particulier pour cette année d'imposition n'est réputée devenue percevable par l'inscrit (paragraphe 3° de l'article 292 de la LTVQ).

Modifications proposées :

L'article 293 est modifié pour prévoir d'autres circonstances dans lesquelles le choix qui y est prévu peut être exercé lorsque l'inscrit est une institution financière. Pour les institutions financières, le choix peut être fait lorsque le véhicule à moteur ou l'aéronef est acquis tant par contrat d'achat, pour autant que le contrat d'achat soit conclu après le 31 décembre 2012, que par contrat de location. Rappelons qu'une institution financière peut, en règle générale, obtenir un remboursement de la taxe sur les intrants à l'égard de la taxe payable sur un bien meuble utilisé, même en partie seulement, dans le cadre de ses activités commerciales. La notion « d'usage principal à des fins commerciales » est écartée pour ce qui est de déterminer le droit à un remboursement de la taxe sur les intrants pour une institution financière relativement à un bien meuble qui est une immobilisation (voir les modifications apportées à l'article 246 de la LTVQ par le présent projet de loi). Le remboursement de la taxe sur les intrants est alors plutôt pondéré en fonction de la proportion exacte qui représente l'usage du bien dans le cadre d'activités commerciales. Ainsi, même lorsqu'un tel bien meuble n'est pas utilisé principalement dans le cadre des activités commerciales d'une institution financière, celle-ci pourra obtenir, sous réserve des restrictions prévues par ailleurs au chapitre V du titre I de la LTVQ, un remboursement de la taxe sur les intrants pour autant que le bien soit en partie consommé, utilisé ou fourni dans ce cadre.

Ainsi, dans le cas d'une voiture de tourisme ou d'un aéronef qu'un inscrit qui est une institution financière acquiert par contrat de louage ou d'achat, le premier alinéa de l'article 293 de la LTVQ, tel que modifié, fait en sorte que l'institution financière peut choisir que tout avantage relatif à la voiture de tourisme ou à l'aéronef, de même qu'aux frais de fonctionnement d'un tel bien, ne soit pas assujetti à la taxe. Toutefois, aucun montant ne pourra être obtenu par l'institution financière au titre du remboursement de la taxe sur les intrants relativement au bien. De plus, lorsque le coût du véhicule ou de l'aéronef acquis par contrat de vente pour l'institution financière n'excède pas 50 000 $, tout montant obtenu par elle au titre du remboursement de la taxe sur les intrants est récupéré au moyen d'une inclusion dans le calcul de la taxe nette de l'institution financière (paragraphe 4° du premier alinéa de l'article 293 de la LTVQ).

Guides [art. 293]: IN-203 — Renseignements généraux sur la TVQ et la TPS/TVH.

Définitions [art. 293]: « activité commerciale », « argent », « bien », « contrepartie », « exclusif », « fourniture », « inscrit », « montant », « période de déclaration », « taxe », « voiture de tourisme » — 1.

Renvois [art. 293]: 292 (non-application de l'article 290).

Formulaires [art. 293]: VD-293, Choix concernant l'utilisation d'un aéronef dans le cadre d'activités non commerciales.

Lettres d'interprétation [art. 293]: 94-0110133 — Application des crédits de taxe sur les intrants à l'égard d'une voiture de tourisme faisant l'objet d'un contrat de location-acquisition.

Concordance fédérale: LTA, par. 173(2)–(4).

COMMENTAIRES: Revenu Québec a analysé la question des concessionnaires d'automobiles qui fournissent des voitures d'essai à leurs représentants commerciaux. Il en résulte une indemnité aux employés qui est imposable et le concessionnaire doit aussi verser la TPS sur ces voitures d'essai. Est-il nécessaire de verser la TVQ sur ces voitures d'essai et, si tel est le cas, basé sur quelle valeur? L'article 290 prévoit que lorsqu'un inscrit qui est une petite ou moyenne entreprise fournit à son salarié un bien duquel découle un avantage dont la valeur doit être incluse dans le calcul du revenu de ce dernier en vertu de la *Loi sur les impôts*, par exemple des véhicules démonstrateurs, l'inscrit est réputé en avoir effectué la fourniture pour une contrepartie égale à la valeur de l'avantage. En conséquence, l'inscrit doit verser au ministre la taxe relative à cette fourniture comme s'il l'avait véritablement perçue. La TVQ devant être remise sur les frais pour droit d'usage est calculée selon le taux prescrit. L'article 290 ne s'applique pas à un concessionnaire d'automobiles qui est une grande entreprise. Par conséquent, il n'est pas tenu de remettre la TVQ sur les avantages liés à un bien qui est assujetti aux restrictions à l'obtention d'un remboursement de la taxe sur les intrants, tel un véhicule démonstrateur utilisé par un de ses employés. Toutefois, selon l'article 288.2 , lorsqu'un inscrit prescrit, qui est une grande entreprise, acquiert un véhicule routier aux fins de revente et que ce véhicule est ensuite utilisé par lui à un moment quelconque dans un mois donné à une fin qui n'est pas visée à la définition de « fourniture non taxable », par exemple dans le cas où un véhicule acquis aux fins de revente commence à être utilisé comme démonstrateur, cet inscrit est tenu de remettre au Ministère un montant de TVQ selon les modalités prévues à cette disposition. Dans ce cas, l'inscrit est réputé avoir effectué, le dernier jour du mois donné, une fourniture du véhicule pour une contrepartie, payée ce dernier jour, égale au montant que représente 2,5 % de la valeur prescrite du véhicule. Aussi, l'inscrit doit verser au ministre la taxe relative à cette fourniture comme s'il l'avait véritablement perçue. Voir notamment à cet effet : Revenu Québec, Lettre d'interprétation, 99-0101008 — *Interprétation relative à la TVQ — Utilisation d'un véhicule routier — concessionnaire d'automobiles* (2 mars 1999).

Revenu Québec a également indiqué que, malgré le fait que le paiement ou le remboursement par l'employeur de la cotisation professionnelle de son salarié constitue un avantage imposable en vertu des dispositions de la *Loi sur les impôts*, l'acquittement de cette cotisation par l'employeur ne donne pas ouverture à l'application de l'article 290 puisqu'il ne s'agit pas d'une situation où l'employeur effectue à son salarié la fourniture d'un bien ou d'un service. Voir notamment à cet effet : Revenu Québec, Lettre d'interprétation, 98-0102792 — *Interprétation relative à la TPS et à la TVQ — Paiement par un employeur de la cotisation de son salarié à une association professionnelle* (13 mai 1998).

Finalement, Revenu Québec a souligné que l'article 290 prévoit que lorsqu'un inscrit offre un bien à son salarié et que la valeur de cet avantage doit être incluse dans le calcul du revenu de ce dernier en vertu de la *Loi sur les impôts*, l'inscrit est réputé en avoir effectué la fourniture pour une contrepartie égale à la valeur de l'avantage imposable moins certains ajustements. En conséquence, l'inscrit doit verser au ministre la taxe relative à cette fourniture comme s'il l'avait véritablement perçue. Toutefois, l'article 292 prévoit que le paragraphe 2° du premier alinéa de l'article 290 ne s'applique pas dans le cas où l'article 288.2 s'est appliqué relativement à un bien qui est un véhicule routier. Ainsi, Revenu Québec est d'avis que, lorsqu'il met un véhicule démonstrateur à la disposition de son salarié et que la règle du 2,5 % prévue à l'article 288.2 s'applique, l'inscrit n'est pas tenu de verser au ministre la taxe prévue à l'article 290 sur l'avantage imposable qu'il accorde à son salarié. Voir notamment à cet effet : Revenu Québec, Lettre d'interprétation, 98-0112957 — *Interprétation relative à la TPS et à la TVQ — Véhicule utilisé par un salarié d'un concessionnaire d'automobiles* (21 mai 1999).

Compte tenu de la similarité de la rédaction des dispositions législatives et considérant l'engagement spécifique de Revenu Québec de veiller à ce que l'assiette de TVQ modifiée, de même que les paramètres administratifs, structurels et définitionnels, produisent des résultats qui sont similaires à ceux produits sous le régime de la TPS/TVH et soient administrés d'une manière qui produit des résultats similaires, tel que reflété par l'article 14 de l'*Entente intégrée globale de coordination fiscale* signée entre le gouvernement du Canada et le gouvernement du Québec, nous vous référons à nos commentaires en vertu de l'article 173 de la *Loi sur la taxe d'accise (TPS)* qui devraient s'appliquer *mutatis mutandis*, avec les adaptations nécessaires.

SECTION III — PETIT FOURNISSEUR

294. Statut de petit fournisseur — Une personne est un petit fournisseur tout au long d'un trimestre civil donné et le premier mois suivant immédiatement ce trimestre si le total visé au paragraphe 1° n'excède pas la somme du total visé au paragraphe 2° et de 30 000 $ ou, si la personne est un organisme de services publics, de 50 000 $:

1° le total des montants dont chacun représente la valeur de la contrepartie, autre que la contrepartie visée à l'article 75.2 qui est attribuable à l'achalandage d'une entreprise, devenue due au cours des quatre trimestres civils qui précèdent immédiatement le trimestre civil donné, ou payée au cours de ces trimestres sans qu'elle soit devenue due, à la personne ou à un associé de celle-ci au début du trimestre civil donné pour des fournitures taxables, autres que des fournitures de services financiers et des fournitures de leurs immobilisations par vente, effectuées au Québec ou hors du Québec par la personne ou l'associé;

2° dans le cas où au cours des quatre trimestres civils qui précèdent immédiatement le trimestre civil donné, la personne ou un associé de celle-ci au début de ce trimestre effectue la fourniture taxable d'un droit de participer à un jeu de hasard ou est réputé, en vertu de l'article 60, avoir effectué une fourniture à l'égard d'un pari, laquelle constitue une fourniture taxable, le total des montants dont chacun représente, selon le cas :

a) un montant d'argent payé ou payable par la personne ou l'associé à titre de prix ou de gains dans le jeu ou en règlement du pari;

b) la contrepartie payée ou payable par la personne ou l'associé pour un bien ou un service donné à titre de prix ou de gains dans le jeu ou en règlement du pari.

Notes historiques: Le préambule de l'article 294 a été remplacé par L.Q. 1997, c. 85, par. 583(1) et a effet depuis le 23 avril 1996. Antérieurement, il se lisait ainsi :

294. Une personne est un petit fournisseur tout au long d'un trimestre civil donné et le premier mois suivant immédiatement ce trimestre si le total visé au paragraphe 1° n'excède pas la somme du total visé au paragraphe 2° et de 30 000 $:

Le sous-paragraphe a) du paragraphe 1° et le paragraphe 2° de l'article 294 ont auparavant été modifiés par L.Q. 1994, c. 22, par. 517(1) et sont réputés entrés en vigueur le 1er juillet 1992. Le sous-paragraphe a) du paragraphe 1° de l'article 294 se lisait comme suit :

a) le total des montants dont chacun représente la valeur de la contrepartie devenue due au cours des quatre trimestres civils qui précèdent immédiatement le trimestre civil donné, ou payée au cours de ces trimestres sans qu'elle soit devenue due, à la personne ou à un associé de celle-ci au début du trimestre civil donné pour des fournitures taxables ou non taxables, autres que des fournitures de leurs immobilisations par vente, effectuées par la personne ou l'associé dans le cadre d'activités commerciales;

Le paragraphe 1° du premier alinéa de l'article 294 a été remplacé par L.Q. 2012, c. 28, par. 90(1) et cette modification s'applique à compter du 1er janvier 2013. Antérieurement, il se lisait ainsi :

1° le total des montants dont chacun représente la valeur de la contrepartie, autre que la contrepartie visée à l'article 75.2 qui est attribuable à l'achalandage d'une entreprise, devenue due au cours des quatre trimestres civils qui précèdent immédiatement le trimestre civil donné, ou payée au cours de ces trimestres sans qu'elle soit devenue due, à la personne ou à un associé de celle-ci au début du trimestre civil donné pour des fournitures taxables, autres que des fournitures de leurs immobilisations par vente, effectuées au Québec ou hors du Québec par la personne ou l'associé dans le cadre d'activités commerciales;

Le paragraphe 2° de l'article 294 se lisait comme suit :

2° la totalité ou la presque totalité des montants visés au sous-paragraphe a) du paragraphe 1° sont relatifs à la fourniture de services.

Le deuxième alinéa de l'article 294 a été ajouté par L.Q. 1995, c. 1, par. 288(1) et est réputé avoir effet depuis le 24 avril 1993. Toutefois, les montants devenus percevables et les montants perçus au titre de la taxe avant le 24 avril 1993 par l'organisme de bienfaisance doivent être inclus dans le calcul de sa taxe nette.

L'article 294 a été remplacé par L.Q. 1995, c. 63, par. 384(1) et cette modification a effet depuis le 1er août 1995. Toutefois, lorsque l'article 294 s'applique à l'égard d'une personne qui a effectué ou dont l'associé a effectué une fourniture dont la totalité de la contrepartie est devenue due ou est payée avant le 1er août 1995 :

1° le paragraphe 1° de l'article 295 doit se lire en y remplaçant les mots « fournitures taxables » par « fournitures taxables ou non taxables »

2° le paragraphe 2° de l'article 295 doit se lire en y remplaçant les mots « fourniture taxable » par « fourniture taxable ou non taxable »

Antérieurement, il se lisait ainsi :

294. Une personne est un petit fournisseur tout au long d'un trimestre civil donné et le premier mois suivant immédiatement ce trimestre si, à la fois :

1° le total visé au sous-paragraphe a) n'excède pas la somme du total visé au sous-paragraphe b) et de 30 000 $:

a) le total des montants dont chacun représente la valeur de la contrepartie, autre que la contrepartie visée à l'article 75.2 qui est attribuable à l'achalandage d'une entreprise, devenue due au cours des quatre trimestres civils qui précèdent immédiatement le trimestre civil donné, ou payée au cours de ces trimestres sans qu'elle soit devenue due, à la personne ou à un associé de celle-ci au début du trimestre civil donné pour des fournitures taxables ou non taxables, autres que des fournitures de leurs immobilisations par vente, effectuées au Québec ou hors du Québec par la personne ou l'associé dans le cadre d'activités commerciales;

b) dans le cas où, au cours des quatre trimestres civils qui précèdent immédiatement le trimestre civil donné, la personne ou un associé de celle-ci au début de ce trimestre effectue la fourniture taxable ou non taxable d'un droit de participer à un jeu de hasard ou est réputé, en vertu de l'article 60, avoir effectué une fourniture à l'égard d'un pari, laquelle constitue une fourniture taxable ou non taxable, le total des montants dont chacun représente, selon le cas :

i. un montant d'argent payé ou payable par la personne ou l'associé à titre de prix ou de gains dans le jeu ou en règlement du pari;

ii. la contrepartie payée ou payable par la personne ou l'associé pour un bien ou un service donné à titre de prix ou de gains dans le jeu ou en règlement du pari;

2° la totalité ou la presque totalité des montants visés au sous-paragraphe a) du paragraphe 1) sont relatifs à la fourniture de biens meubles incorporels, d'immeubles ou de services.

Toutefois, dans le cas où la personne est un organisme de bienfaisance, le paragraphe 2) du premier alinéa ne s'applique pas.

L'article 294, édicté par L.Q. 1991, c. 67, se lisait comme suit :

294. Une personne est un petit fournisseur tout au long d'un trimestre civil donné et le premier mois suivant immédiatement ce trimestre si, à la fois :

1° le total visé au sous-paragraphe a) n'excède pas la somme du total visé au sous-paragraphe b) et de 30 000 $:

a) le total des montants dont chacun représente la valeur de la contrepartie, autre que la contrepartie visée à l'article 75.2 qui est attribuable à l'achalandage d'une entreprise, devenue due au cours des quatre trimestres civils qui précèdent immédiatement le trimestre civil donné, ou payée au cours de ces trimestres sans qu'elle soit devenue due, à la personne ou à un associé de celle-ci au début du trimestre civil donné pour des fournitures taxables ou non taxables, autres que des fournitures de leurs immobilisations par vente, effectuées au Québec ou hors du Québec par la personne ou l'associé dans le cadre d'activités commerciales;

b) dans le cas où, au cours des quatre trimestres civils qui précèdent immédiatement le trimestre civil donné, la personne ou un associé de celle-ci au

LTVQ (français)

début de ce trimestre effectue la fourniture taxable ou non taxable d'un droit de participer à un jeu de hasard ou est réputé, en vertu de l'article 60, avoir effectué une fourniture à l'égard d'un pari, laquelle constitue une fourniture taxable ou non taxable, le total des montants dont chacun représente, selon le cas :

i. un montant d'argent payé ou payable par la personne ou l'associé à titre de prix ou de gains dans le jeu ou en règlement du pari;

ii. la contrepartie payée ou payable par la personne ou l'associé pour un bien ou un service donné à titre de prix ou de gains dans le jeu ou en règlement du pari;

2° la totalité ou la presque totalité des montants visés au sous-paragraphe a) du paragraphe 1° sont relatifs à la fourniture de biens meubles incorporels, d'immeubles ou de services.

Toutefois, dans le cas où la personne est un organisme de bienfaisance, le paragraphe 2° du premier alinéa ne s'applique pas.

Notes explicatives ARQ (PL 5, L.Q. 2012, c. 28): *Résumé* :

L'article 294 prévoit les règles permettant de déterminer si une personne est un petit fournisseur. Cet article est modifié de façon à exclure des fournitures taxables devant être prises en considération les fournitures de services financiers.

Situation actuelle :

L'article 294 précise les règles qui permettent de déterminer si une personne est un petit fournisseur pour l'application du titre I de cette loi. Un petit fournisseur n'est pas tenu de s'inscrire pour l'application du régime de la taxe de vente du Québec. S'il n'est pas inscrit, il n'est pas tenu de percevoir la taxe sur les fournitures taxables qu'il effectue et n'a pas droit au remboursement de la taxe sur les intrants. Pour qu'une personne soit considérée un petit fournisseur tout au long d'un trimestre civil et du mois qui suit ce trimestre, le total des contreparties des fournitures taxables, effectuées par elle ou un associé au cours des quatre trimestres qui précèdent, ne doit pas excéder 30 000 $ ou, dans le cas d'organismes de services publics, 50 000 $.

Modifications proposées :

L'article 294 est modifié pour prévoir que, aux fins de déterminer si les fournitures taxables n'excèdent pas le seuil de 30 000 $ ou de 50 000 $, selon le cas, il ne doit pas être tenu compte de la fourniture de services financiers.

De plus, à compter du 1er janvier 2013, les services financiers deviennent, en règle générale, exonérés dans le régime de la TVQ, tel que le prévoit la nouvelle section VI.1 du chapitre III du titre I de la LTVQ, comprenant les articles 169.3 et 169.4, introduite par le présent projet de loi.

Cependant, la fourniture de certains services financiers relativement à des personnes résidant hors du Canada ou à des biens ou risques situés hors du Canada demeurera détaxée, à l'instar du régime de la taxe sur les produits et services (TPS), tel que le prévoient les articles 197.3 à 197.5 de la LTVQ, introduits par le présent projet de loi.

Par conséquent, afin d'assurer une pleine harmonisation avec l'alinéa a du paragraphe 1 de l'article 148 de la *Loi sur la taxe d'accise* (Lois révisées du Canada (1985), chapitre E-15), le paragraphe 1° de l'article 294 de la LTVQ est modifié de façon à exclure la fourniture de services financiers des fournitures taxables prises en considération dans la détermination du dépassement ou non des seuils de 30 000 $ et de 50 000 $.

Guides [art. 294]: IN-202 — Dois–je m'inscrire au Ministère?; IN-203 — Renseignements généraux sur la TVQ et la TPS/TVH; IN-211 — La TVQ, la TPS/TVH, les appareils médicaux et les médicaments; IN-216 — La TVQ, la TPS/TVH et l'alimentation; IN-218 — La TVQ, la TPS/TVH, la taxe sur les carburants et les transporteurs de marchandises; IN-229 — La TVQ, la TPS/TVH pour les organismes sans but lucratif; IN-255 — Les marchés aux puces; IN-305 — Les organismes sans but lucratif et la fiscalité.

Définitions [art. 294]: « activité commerciale », « argent », « bien », « contrepartie », « entreprise », « fourniture », « fourniture non taxable », « fourniture taxable », « immobilisation », « jeu de hasard », « montant », « personne », « petit fournisseur », « service », « trimestre civil », « vente » — 1.

Renvois [art. 294]: 41.6 (fourniture pour le compte d'un artiste); 51 (valeur de la contrepartie); 54.2 (valeur de la contrepartie — biens échangés); 68 (petit fournisseur); 83 (contrepartie due); 207 (nouvel inscrit); 209 (cessation de l'inscription); 237.1 (immeuble d'habitation non réputé être une immobilisation); 237.2 (adjonction non réputée être une immobilisation); 295 (exception); 296 (exclusion de la contrepartie); 297 (sens d'associé); 297.0.18 (règles applicables — fourniture taxable); 297.7.5 (approbation à l'égard d'un démarcheur et de son distributeur); 297.7.6 (approbation à l'égard d'un démarcheur et de son distributeur); 337.2–341.9 (divisions d'un organisme de services publics); 350.17 (groupe d'acheteurs); 407 (inscription); 407.1–407.3 (entreprise de taxis, tabac, boissons alcooliques); 410 (artistes non résidants); 411 (inscription au choix); 417 (demande d'annulation par un petit fournisseur); 418.1 (demande par petit fournisseur avant le 1er avril 1996).

Jurisprudence [art. 294]: *Québec (Sous-ministre du Revenu) c. 9029-6443 Québec inc.* (30 janvier 2007), 155-05-000014-069.

Bulletins d'interprétation [art. 294]: TVQ. 16-23 — La fiducie simple (« Bare trust »); TVQ. 207-1 — Remboursement de la taxe su les intrants à un nouvel inscrit; TVQ. 407.3-1 — Inscription au fichier de la TVQ des titulaires de permis de réunion et perception de la taxe; TVQ. 346-1 — Fourniture taxable d'immeubles détenus en copropriété indivise; TVQ. 415-2/R2 — Inscription rétroactive.

Lettres d'interprétation [art. 294]: 98-0104954 — Décision portant sur l'application de la TPS — Interprétation relative à la TVQ; 98-0106728 — Interprétation relative à la TVQ — Apport au Québec d'un bien meuble corporel et fourniture d'un service par un non-résident; 98-0108146 — Interprétation relative à la TPS et à la TVQ — Prix reçus par un athlète professionnel; 99-0100984 — Décision portant sur l'application de la TPS — Interprétation relative à la TVQ — Fourniture unique et fournitures multiples; 01-0107621 — Interprétation relative à la TPS et à la TVQ — Déclarations au secteur public et aux taxes spécifiques; 02-0105581 — Fournitures effectuées par un organisme à but non lucratif; 04-0102766 — Interprétation relative à la TPS et à la TVQ — location de condominiums; 05-0105980 — Interprétation relative à la TVQ — inscription d'une société de portefeuille; 06-0103629 — Interprétation relative à la TVQ — contrat de franchise vendue par un non-résident à un résident du Québec.

Concordance fédérale: LTA, par. 148(1).

COMMENTAIRES: L'article 407 prévoit que toute personne qui effectue une fourniture taxable dans le cadre d'une « activité commerciale » doit s'inscrire. Par contre, une personne ne sera pas tenue de s'inscrire si elle se qualifie à titre de « petit fournisseur ». Comme le précise l'article 294, ce sera le cas, notamment, si la valeur de la « contrepartie » des fournitures taxables de cette personne est de 30 000 $ ou moins. Voir notamment à cet effet : Revenu Québec, Lettre d'interprétation, 98-0108146 — *Interprétation relative à la TPS et à la TVQ — Prix reçus par un athlète professionnel* (9 juillet 1999); et Revenu Québec, Lettre d'interprétation, 04-0102766 — *Interprétation relative à la TPS et à la TVQ — Location de condominiums* (11 février 2005).

Quant à la notion de « petit fournisseur », l'article 294 fait généralement référence à une personne dont l'ensemble des fournitures taxables et détaxées, qu'elle et ses associés effectuent à l'échelle mondiale au cours des quatre derniers trimestres civils, est de 30 000 $ ou moins. En l'espèce, le franchiseur ne fait aucune démarche au Québec pour obtenir des commandes relatives à des fournitures taxables de certains biens meubles destinés à un consommateur. Dans ces circonstances, le franchiseur n'est pas tenu de s'inscrire au régime de la TVQ. Voir notamment à cet effet : Revenu Québec, Lettre d'interprétation, 06-0103629 — *Interprétation relative à la TVQ Contrat de franchise vendue par un non-résident à un résident du Québec* (9 juillet 2007).

Les immobilisations comprennent généralement, tout bien de valeur, y compris les biens amortissables. Les types courants d'immobilisations comprennent les résidences principales, les résidences secondaires, les actions, les obligations, les terrains, les bâtiments et l'équipement utilisés pour une entreprise ou une activité de location. Par conséquent, Revenu Québec confirme que les actions de sociétés publiques cotées en bourse sont des immobilisations puisque lors de leurs aliénations, il en résulte un gain ou une perte en capital. Ainsi, on ne doit pas inclure le produit de l'aliénation de ces immobilisations dans la détermination du statut de petit fournisseur. Voir notamment à cet égard : Revenu Québec, Lettre d'interprétation, 05-0105980 — *Interprétation relative à la TVQ — Inscription d'une société de portefeuille* (8 novembre 2005).

Généralement, un organisme de services publics se qualifie de « petit fournisseur » tout au long d'un trimestre civil donné et du premier mois suivant si la valeur totale de la contrepartie de ses fournitures taxables qui devient due ou qui est payée au cours des quatre trimestres civils précédant le trimestre donné ne dépasse pas le seuil de 50 000 $. Dans le présent dossier, le test du petit fournisseur doit tenir compte de toutes les fournitures taxables de l'organisme à but non lucratif, et ce, qu'il s'agisse de fournitures de droits d'adhésion ou d'activités de financement. Lorsque le seuil de 50 000 $ est atteint en additionnant la contrepartie des fournitures taxables effectuées au cours des quatre trimestres civils précédents, le statut de petit fournisseur se prolonge tout au long du mois qui suit le trimestre au cours duquel le seuil est atteint, sauf si les fournitures effectuées au cours de ce mois excèdent le seuil. Voir notamment à cet effet : Revenu Québec, Lettres d'interprétation, 02-0105581 — *Fournitures effectuées par un organisme à but non lucratif* (21 juin 2002). Voir également au même effet : Revenu Québec, Lettre d'interprétation, 99-0100984 — *Décision portant sur l'application de la TPS — Interprétation relative à la TVQ — Fourniture unique et fournitures multiples* (12 mars 1999).

L'expression qui figure à l'article 295 « tout au long de la période commençant immédiatement avant un moment » indique que la transaction qui fait perdre le statut de petit fournisseur est taxable. Revenu Québec a souligné qu'en vertu de l'article 295, un organisme à but non lucratif cesse de se qualifier à titre de petit fournisseur immédiatement avant le moment où le total des fournitures taxables qu'il a effectuées dans un trimestre civil excède 50 000 $. Comme le montant versé par l'organisme A à l'organisme B est supérieur à 50 000 $ et que ce montant constitue la contrepartie d'une fourniture taxable, l'organisme B est tenu de percevoir la taxe sur ce montant. Voir notamment à ce sujet : Revenu Québec, Lettre d'interprétation, 03-0104608 — *Interprétation relative à la TPS et à la TVQ — Montants versés à un organisme à but non lucratif* (20 octobre 2003).

Compte tenu de la similarité de la rédaction des dispositions législatives et considérant l'engagement spécifique de Revenu Québec de veiller à ce que l'assiette de TVQ modifiée, de même que les paramètres administratifs, structurels et définitionnels, produisent des résultats qui sont similaires à ceux produits sous le régime de la TPS/TVH et soient administrés d'une manière qui produit des résultats similaires, tel que reflété par l'article 14 de l'*Entente intégrée globale de coordination fiscale* signée entre le gouvernement du Canada et le gouvernement du Québec, nous vous référons à nos commentaires en vertu des articles 148 et 148.1 de la *Loi sur la taxe d'accise (TPS)* qui devraient s'appliquer *mutatis mutandis,* avec les adaptations nécessaires.

295. Exception — Malgré l'article 294, une personne n'est pas un petit fournisseur tout au long de la période commençant immédiatement avant un moment d'un trimestre civil et se terminant le dernier jour de ce trimestre si, à ce moment, le total visé au paragraphe 1° excède la somme du total visé au paragraphe 2° et de 30 000 $ ou, si la personne est un organisme de services publics, de 50 000 $:

1° le total des montants dont chacun représente la valeur de la contrepartie, autre que la contrepartie visée à l'article 75.2 qui est attribuable à l'achalandage d'une entreprise, devenue due au cours du trimestre civil, ou payée au cours de ce trimestre sans qu'elle soit devenue due, à la personne ou à un associé de celle-ci au début du trimestre civil pour des fournitures taxables, autres que des fournitures de services financiers et des fournitures de leurs immobilisations par vente, effectuées au Québec ou hors du Québec par la personne ou l'associé;

2° dans le cas où au cours du trimestre civil, la personne ou un associé de celle-ci au début de ce trimestre effectue la fourniture taxable d'un droit de participer à un jeu de hasard ou est réputé, en vertu de l'article 60, avoir effectué une fourniture à l'égard d'un pari, laquelle constitue une fourniture taxable, le total des montants dont chacun représente, selon le cas :

a) un montant d'argent payé ou payable par la personne ou l'associé à titre de prix ou de gains dans le jeu ou en règlement du pari;

b) la contrepartie payée ou payable par la personne ou l'associé pour un bien ou un service donné à titre de prix ou de gains dans le jeu ou en règlement du pari.

Notes historiques: Le préambule de l'article 295 a été remplacé par L.Q. 1997, c. 85, par. 584(1) et a effet depuis le 23 avril 1996. Antérieurement, il se lisait ainsi :

> 295. Malgré l'article 294, une personne n'est pas un petit fournisseur tout au long de la période commençant immédiatement avant un moment d'un trimestre civil et se terminant le dernier jour de ce trimestre si, à ce moment, le total visé au paragraphe 1° excède la somme du total visé au paragraphe 2° et de 30 000 $:

Le paragraphe 1° du premier alinéa de l'article 295 a été remplacé par L.Q. 2012, c. 28, par. 91(1) et cette modification s'applique à compter du 1er janvier 2013. Antérieurement, il se lisait ainsi :

> 1° le total des montants dont chacun représente la valeur de la contrepartie, autre que la contrepartie visée à l'article 75.2 qui est attribuable à l'achalandage d'une entreprise, devenue due au cours du trimestre civil, ou payée au cours de ce trimestre sans qu'elle soit devenue due, à la personne ou à un associé de celle-ci au début du trimestre civil pour des fournitures taxables, autres que des fournitures de leurs immobilisations par vente, effectuées au Québec ou hors du Québec par la personne ou l'associé dans le cadre d'activités commerciales;

L'article 295 a été modifié par L.Q. 1995, c. 63, art. 384 et cette modification a effet depuis le 1er août 1995. Toutefois, lorsque l'article 295 s'applique à l'égard d'une personne qui a effectué ou dont l'associé a effectué une fourniture dont la totalité de la contrepartie est devenue due ou est payée avant le 1er août 1995 :

> 1° le paragraphe 1° de l'article 295 doit se lire en y remplaçant les mots « fournitures taxables » par « fournitures taxables ou non taxables »
>
> 2° le paragraphe 2° de l'article 295 doit se lire en y remplaçant les mots « fourniture taxable » par « fourniture taxable ou non taxable »

Le sous-paragraphe a) du paragraphe 1° et le paragraphe 2° de l'article 295 ont auparavant été modifiés par L.Q. 1994, c. 22, par. 518(1) et sont réputés entrés en vigueur le 1er juillet 1992. Le sous-paragraphe a) du paragraphe 1° de l'article 295 se lisait comme suit :

> a) le total des montants dont chacun représente la valeur de la contrepartie devenue due au cours du trimestre civil, ou payée au cours de ce trimestre sans qu'elle soit devenue due, à la personne ou à un associé de celle-ci au début du trimestre civil pour des fournitures taxables ou non taxables, autres que des fournitures de leurs immobilisations par vente, effectuées par la personne ou l'associé dans le cadre d'activités commerciales;

Le paragraphe 2° de l'article 295 se lisait comme suit :

> 2° soit la totalité ou la presque totalité des montants visés au sous-paragraphe a) du paragraphe 1° ne sont pas relatifs à la fourniture de services.

Le deuxième alinéa de l'article 295 a été ajouté par L.Q. 1995, c. 1, par. 289(1) et est réputé avoir effet depuis le 24 avril 1993. Toutefois, les montants devenus percevables et les montants perçus au titre de la taxe avant le 24 avril 1993 par l'organisme de bienfaisance doivent être inclus dans le calcul de sa taxe nette.

L'article 295, édicté par L.Q. 1991, c. 67, se lisait comme suit :

> 295. Malgré l'article 294, une personne n'est pas un petit fournisseur tout au long de la période commençant immédiatement avant un moment d'un trimestre civil et se terminant le dernier jour de ce trimestre si, à ce moment :
>
> 1° soit le total visé au sous-paragraphe a) excède la somme du total visé au sous-paragraphe b) et de 30 000 $:
>
> a) le total des montants dont chacun représente la valeur de la contrepartie, autre que la contrepartie visée à l'article 75.2 qui est attribuable à l'achalandage d'une entreprise, devenue due au cours du trimestre civil, ou payée au cours de ce trimestre sans qu'elle soit devenue due, à la personne ou à un associé de celle-ci au début du trimestre civil pour des fournitures taxables ou non taxables, autres que des fournitures de leurs immobilisations par vente, effectuées au Québec ou hors du Québec par la personne ou l'associé dans le cadre d'activités commerciales;
>
> b) dans le cas où, au cours du trimestre civil, la personne ou un associé de celle-ci au début de ce trimestre effectue la fourniture taxable ou non taxable d'un droit de participer à un jeu de hasard ou est réputé, en vertu de l'article 60, avoir effectué une fourniture à l'égard d'un pari, laquelle constitue une fourniture taxable ou non taxable, le total des montants dont chacun représente, selon le cas :
>
> i. un montant d'argent payé ou payable par la personne ou l'associé à titre de prix ou de gains dans le jeu ou en règlement du pari;
>
> ii. la contrepartie payée ou payable par la personne ou l'associé pour un bien ou un service donné à titre de prix ou de gains dans le jeu ou en règlement du pari;
>
> 2° soit la totalité ou la presque totalité des montants visés au sous-paragraphe a) du paragraphe 1° ne sont pas relatifs à la fourniture de biens meubles incorporels, d'immeubles ou de services.
>
> Toutefois, dans le cas où la personne est un organisme de bienfaisance, le paragraphe 2° du premier alinéa ne s'applique pas.

Notes explicatives ARQ (PL 5, L.Q. 2012, c. 28): *Résumé* :

L'article 295 précise les cas où une personne n'est pas un petit fournisseur. Cet article est modifié de façon à exclure des fournitures taxables devant être prises en considération les fournitures de services financiers.

Situation actuelle :

L'article 295 précise les cas où une personne n'est pas un petit fournisseur tout au long d'une période commençant immédiatement avant un moment donné d'un trimestre civil et se terminant le dernier jour de ce trimestre. Selon cet article 295, une personne cesse d'être un petit fournisseur au cours d'un trimestre civil donné, si, au moment donné, le total des contreparties des fournitures taxables effectuées par elle, ou par un associé de celle-ci, au cours de ce trimestre, dépasse 30 000 $ ou, si la personne est un organisme de services publics, 50 000 $.

Modifications proposées :

L'article 295 est modifié pour prévoir que, aux fins de déterminer si les fournitures taxables dépassent le seuil de 30 000 $ ou de 50 000 $, selon le cas, il ne doit pas être tenu compte de la fourniture de services financiers.

De plus, à compter du 1er janvier 2013, les services financiers deviennent, en règle générale, exonérés dans le régime de la TVQ, tel que le prévoit la nouvelle section VI.1 du chapitre III du titre I de la LTVQ, comprenant les articles 169.3 et 169.4, introduite par le présent projet de loi.

Cependant, la fourniture de certains services financiers relativement à des personnes résidant hors du Canada ou à des biens ou risques situés hors du Canada demeurera détaxée, à l'instar du régime de la taxe sur les produits et services (TPS), tel que le prévoient les articles 197.3 à 197.5 de la LTVQ, introduits par le présent projet de loi.

Par conséquent, afin d'assurer une pleine harmonisation avec l'alinéa a du paragraphe 2 de l'article 148 de la *Loi sur la taxe d'accise* (Lois révisées du Canada (1985), chapitre E-15), l'article 295 de la LTVQ est modifié de façon à exclure la fourniture de services financiers des fournitures taxables prises en considération dans la détermination du dépassement ou non des seuils de 30 000 $ et de 50 000 $.

Guides [art. 295]: IN-305 — Les organismes sans but lucratif et la fiscalité.

Définitions [art. 295]: « activité commerciale », « argent », « bien », « contrepartie », « entreprise », « fourniture », « fourniture non taxable », « fourniture taxable », « immobilisation », « jeu de hasard », « montant », « personne », « petit fournisseur », « service », « trimestre civil », « vente » — 1.

Renvois [art. 295]: 41.6 (fourniture pour le compte d'un artiste); 54.2 (valeur de la contrepartie — biens échangés); art. 237.1 (immeuble d'habitation non réputé être une immobilisation); 237.2 (adjonction non réputée être une immobilisation); 294 (petit fournisseur); 296 (exclusion de la contrepartie); 297 (sens d'associé); 297.7.5 (approbation à l'égard d'un démarcheur et de son distributeur); 297.7.6 (approbation à l'égard d'un démarcheur et de son distributeur); 337.2–341.9 (divisions d'un organisme de services publics).

Bulletins d'interprétation [art. 295]: TVQ. 415-2/R2 — Inscription rétroactive.

Lettres d'interprétation [art. 295]: 98-0106728 — Interprétation relative à la TVQ — Apport au Québec d'un bien meuble corporel et fourniture d'un service par un non-résident; 99-0100984 — Décision portant sur l'application de la TPS — Interprétation relative à la TVQ — Fourniture unique et fournitures multiples.

Concordance fédérale: LTA, par. 148(2).

COMMENTAIRES: Voir les commentaires sous l'article 297.0.2.

296. [*Abrogé*].

Notes historiques: L'article 296 a été abrogé par L.Q. 2012, c. 28, par. 92(1) et cette abrogation a effet à compter du 1er janvier 2013. Antérieurement, il se lisait ainsi :

> 296. **Taxe sur les produits et services exclue de la contrepartie** — Malgré l'article 52, la contrepartie visée aux articles 294 et 295 ne comprend pas la taxe payée ou payable en vertu de la partie IX de la *Loi sur la taxe d'accise* (Lois révisées du Canada (1985), chapitre E-15).

L'article 296 a été édicté par L.Q. 1991, c. 67.

Notes explicatives ARQ (PL 5, L.Q. 2012, c. 28): *Résumé* :

L'article 296 est abrogé en raison du fait qu'à compter du 1er janvier 2013 la taxe sur les produits et services (TPS) est retirée de l'assiette de la taxe de vente du Québec (TVQ).

Situation actuelle :

L'article 294 fixe les règles qui permettent de déterminer si une personne est un petit fournisseur pour l'application du titre I de la LTVQ. Un petit fournisseur n'est pas tenu de s'inscrire. S'il n'est pas inscrit, il n'est pas tenu de percevoir la taxe sur les fournitures taxables qu'il effectue et n'a pas droit au remboursement de la taxe sur les intrants.

Pour qu'une personne soit considérée un petit fournisseur pour un trimestre civil donné et le mois suivant ce trimestre, le total des contreparties des fournitures taxables, effectuées par elle ou un associé au cours des quatre trimestres qui précèdent, ne doit pas excéder 30 000 $ ou 50 000 $ pour les organismes de services publics.

De plus, l'article 295 prévoit qu'une personne cesse d'être un petit fournisseur au cours d'un trimestre civil donné, si, au cours de ce trimestre, le total des contreparties des fournitures taxables effectuées par elle, ou un associé de celle ci, au cours de ce trimestre, dépasse 30 000 $ ou 50 000 $ pour les organismes de services publics.

Enfin, l'article 296 vient préciser que la contrepartie visée aux articles 294 et 295 de la LTVQ ne comprend pas la taxe payée ou payable en vertu de la partie IX de la *Loi sur la taxe d'accise* (Lois révisées du Canada (1985), chapitre E-15).

Modifications proposées :

L'article 296 est abrogé en raison du fait qu'à compter du 1er janvier 2013 la TPS est retirée de l'assiette de la TVQ.

Définitions [art. 296]: « contrepartie », « petit fournisseur » — 1.

Renvois [art. 296]: 41.6 (fourniture pour le compte d'un artiste); 237.1 (immeuble d'habitation non réputé être une immobilisation); 237.2 (adjonction non réputée être une immobilisation); 337.2–341.9 (divisions d'un organisme de services publics).

Lettres d'interprétation [art. 296]: 98-0106728 — Interprétation relative à la TVQ — Apport au Québec d'un bien meuble corporel et fourniture d'un service par un non-résident.

COMMENTAIRES: Voir les commentaires sous l'article 297.0.2.

296.1 Exception — L'article 294 ne s'applique pas à une personne qui ne réside pas au Québec qui effectue la fourniture au Québec de droits d'entrée à l'égard d'une activité, d'un colloque, d'un événement ou d'un lieu de divertissement et dont la seule entreprise exploitée au Québec consiste à effectuer de telles fournitures.

Notes historiques: L'article 296.1 a été ajouté par L.Q. 1995, c. 63, art. 385(1) et a effet depuis le 1er juillet 1992 [*N.D.L.R.* : cette disposition s'applique conformément aux articles 618 à 656 et 685 de L.Q. 1991, c. 67, tels que modifiés].

Définitions [art. 296.1]: « personne », « petit fournisseur » — 1.

Renvois [art. 296.1]: 41.6 (fourniture pour le compte d'un artiste); 54.2 (valeur de la contrepartie — biens échangés); 237.1 (immeuble d'habitation non réputé être une immobilisation); 237.2 (adjonction non réputée être une immobilisation); 297.7.5 (approbation à l'égard d'un démarcheur et de son distributeur); 297.7.6 (approbation à l'égard d'un démarcheur et de son distributeur); 337.2–341.9 (divisions d'un organisme de services publics).

Concordance fédérale: LTA, par. 148(3).

COMMENTAIRES: Voir les commentaires sous l'article 297.0.2.

297. « associé » — Pour l'application des articles 294 et 295, l'expression « associé » d'une personne à un moment quelconque signifie une autre personne qui lui est associée à ce moment.

Notes historiques: L'article 297 a été édicté par L.Q. 1991, c. 67.

Concordance fédérale: LTA, par. 148(4).

COMMENTAIRES: Voir les commentaires sous l'article 297.0.2.

297.0.1 « recettes brutes » — Pour l'application de l'article 297.0.2, l'expression « recettes brutes » d'une personne pour un exercice de la personne signifie l'excédent du montant déterminé en vertu du paragraphe 1° sur le montant déterminé en vertu du paragraphe 2° :

1° le montant que représente le total des montants suivants qui n'ont pas déjà été inclus dans le calcul du total pour un exercice antérieur de la personne en vertu du présent article et dont chacun constitue :

a) un don qui est reçu ou qui devient à recevoir par la personne durant l'exercice selon la méthode — appelée « méthode comptable » dans le présent article — utilisée par la personne dans le calcul de ses recettes pour l'exercice;

b) une prime, une subvention, un prêt à remboursement conditionnel ou une autre forme d'aide en argent — autre qu'un remboursement ou un crédit à l'égard de droits, de frais ou de taxes qui sont imposés par une loi du Québec, d'une autre province, des Territoires du Nord-Ouest, du territoire du Yukon, du territoire du Nunavut ou du Canada — qui est reçu ou qui devient à recevoir, selon la méthode comptable, par la personne durant son exercice d'un gouvernement, d'une municipalité ou d'un autre organisme public;

c) des recettes qui sont incluses dans le calcul du revenu de la personne pour son exercice pour l'application de la *Loi sur les impôts* (chapitre I-3), ou qui le seraient si la personne était un contribuable en vertu de cette loi, provenant de biens, d'une entreprise, d'un projet comportant un risque ou d'une affaire de caractère commercial ou d'une autre source et qui ne sont pas visées au sous-paragraphe b);

d) un montant qui est un gain en capital pour l'exercice pour l'application de la *Loi sur les impôts*, ou qui le serait si la personne était un contribuable en vertu de cette loi, résultant de l'aliénation d'un bien de la personne;

e) d'autres recettes de toute autre nature — autres qu'un montant qui est inclus dans le calcul d'un gain en capital ou d'une perte en capital de la personne pour l'application de la *Loi sur les impôts*, ou qui le serait si la personne était un contribuable en vertu de cette loi — qui sont reçues ou qui deviennent à recevoir, selon la méthode comptable, par la personne durant l'exercice;

2° le total des montants dont chacun constitue une perte en capital pour l'exercice pour l'application de la *Loi sur les impôts*, ou le constituerait si la personne était un contribuable en vertu de cette loi, résultant de l'aliénation d'un bien de la personne.

Exercice d'une personne — Pour l'application du présent article et de l'article 297.0.2, l'exercice d'une personne correspond à son exercice au sens de l'article 458.1.

Notes historiques: Le sous-paragraphe a) du paragraphe 1° du premier alinéa de l'article 297.0.1 a été modifié par L.Q. 1995, c. 63, par. 386(1) et cette modification a effet depuis le 1er avril 1993. Auparavant, il se lisait comme suit :

> a) un don qui est reçu ou qui devient à recevoir par la personne durant l'exercice selon la méthode — appelée « méthode comptable » dans le présent article — utilisée par la personne dans le calcul de ses recettes pour l'année;

Le sous-paragraphe b) du paragraphe 1° du premier alinéa de l'article 297.0.1 a été modifié par L.Q. 2003, c. 2, par. 329(1) par l'insertion, après le mot « Yukon », de « , du territoire du Nunavut ». Cette modification a effet depuis le 1er avril 1999.

L'article 297.0.1 a été ajouté par L.Q. 1995, c. 1, par. 290(1) et a effet depuis le 1er avril 1993. Toutefois, les montants devenus percevables et les montants perçus au titre de la taxe avant le 24 avril 1993 par l'organisme de bienfaisance qui n'est un petit fournisseur que par l'effet du présent ajout doivent être inclus dans le calcul de sa taxe nette.

Définitions [art. 297.0.1]: « argent », « bien », « entreprise », « gouvernement », « montant », « municipalité », « personne » — 1.

Concordance fédérale: LTA, par. 148.1(1).

COMMENTAIRES: Voir les commentaires sous l'article 297.0.2.

297.0.2 Statut de petit fournisseur — organisme de bienfaisance ou institution publique — Une personne qui est un organisme de bienfaisance ou une institution publique à un moment quelconque dans un exercice donné de celle-ci est un petit fournisseur tout au long de cet exercice si, selon le cas :

1° l'exercice donné est son premier exercice;

2° l'exercice donné est son deuxième exercice et ses recettes brutes pour son premier exercice n'excèdent pas 250 000 $;

3º l'exercice donné n'est pas son premier ni son deuxième exercice et ses recettes brutes pour l'un de ses deux exercices précédant immédiatement l'exercice donné n'excèdent pas 250 000 $.

Notes historiques: Le préambule de l'article 297.0.2 a été remplacé par L.Q. 1997, c. 85, s.-par. 585(1)(1º) et a effet depuis le 1er janvier 1997. Antérieurement, le préambule se lisait ainsi :

> 297.0.2 Une personne qui est un organisme de bienfaisance à un moment quelconque dans un exercice donné de celle-ci est un petit fournisseur tout au long de cet exercice si, selon le cas :

Les paragraphes 2º et 3º ont été remplacés par L.Q. 1997, c. 85, s.-par. 585(1)(2º) et cette modification a effet depuis le 23 avril 1996.

Antérieurement, ces paragraphes se lisait comme suit :

> 2º l'exercice donné est son deuxième exercice et ses recettes brutes pour son premier exercice n'excèdent pas 175 000 $;
>
> 3º l'exercice donné n'est pas son premier ni son deuxième exercice et ses recettes brutes pour l'un de ses deux exercices précédant immédiatement l'exercice donné n'excèdent pas 175 000 $.

L'article 297.0.2 a été ajouté par L.Q. 1995, c. 1, art. 290(1) et a effet depuis le 1er avril 1993. Toutefois, les montants devenus percevables et les montants perçus au titre de la taxe avant le 24 avril 1993 par l'organisme de bienfaisance qui n'est un petit fournisseur que par l'effet du présent ajout doivent être inclus dans le calcul de sa taxe nette.

Définitions [art. 297.0.2]: « organisme de bienfaisance », « petit fournisseur » — 1.

Renvois [art. 297.0.2]: 294 (petit fournisseur); 295 (petit fournisseur); 297.0.1 (application de l'article 297.0.2); 383 (définition).

Jurisprudence [art. 297.0.2]: *Québec (Sous-ministre du Revenu) c. 9029-6443 Québec inc.* (30 janvier 2007), 155-05-000014-069.

Bulletins d'interprétation [art. 297.0.2]: TVQ. 407.3-1 — Inscription au fichier de la TVQ des titulaires de permis de réunion et perception de la taxe.

Concordance fédérale: LTA, par. 148.1(2).

COMMENTAIRES: L'article 407 prévoit que toute personne qui effectue une fourniture taxable dans le cadre d'une « activité commerciale » doit s'inscrire. Par contre, une personne ne sera pas tenue de s'inscrire si elle se qualifie à titre de « petit fournisseur ». Comme le précise l'article 294, ce sera le cas, notamment, si la valeur de la « contrepartie » des fournitures taxables de cette personne est de 30 000 $ ou moins. Voir notamment à cet effet : Revenu Québec, Lettre d'interprétation, 98-0108146 — *Interprétation relative à la TPS et à la TVQ — Prix reçus par un athlète professionnel* (9 juillet 1999); et Revenu Québec, Lettre d'interprétation, 04-0102766 — *Interprétation relative à la TPS et à la TVQ — Location de condominiums* (11 février 2005).

Quant à la notion de « petit fournisseur », l'article 294 fait généralement référence à une personne dont l'ensemble des fournitures taxables et détaxées, qu'elle et ses associés effectuent à l'échelle mondiale au cours des quatre derniers trimestres civils, est de 30 000 $ ou moins. En l'espèce, le franchiseur ne fait aucune démarche au Québec pour obtenir des commandes relatives à des fournitures taxables de certains biens meubles destinés à un consommateur. Dans ces circonstances, le franchiseur n'est pas tenu de s'inscrire au régime de la TVQ. Voir notamment à cet effet : Revenu Québec, Lettre d'interprétation, 06-0103629 — *Interprétation relative à la TVQ Contrat de franchise vendue par un non-résident à un résident du Québec* (9 juillet 2007).

Les immobilisations comprennent généralement, tout bien de valeur, y compris les biens amortissables. Les types courants d'immobilisations comprennent les résidences principales, les résidences secondaires, les actions, les obligations, les terrains, les bâtiments et l'équipement utilisés pour une entreprise ou une activité de location. Par conséquent, Revenu Québec confirme que les actions de sociétés publiques cotées en bourse sont des immobilisations puisque lors de leurs aliénations, il en résulte un gain ou une perte en capital. Ainsi, on ne doit pas inclure le produit de l'aliénation de ces immobilisations dans la détermination du statut de petit fournisseur. Voir notamment à cet égard : Revenu Québec, Lettre d'interprétation, 05-0105980 — *Interprétation relative à la TVQ — Inscription d'une société de portefeuille* (8 novembre 2005).

Généralement, un organisme de services publics se qualifie de « petit fournisseur » tout au long d'un trimestre civil donné et du premier mois suivant si la valeur totale de la contrepartie de ses fournitures taxables qui devient due ou qui est payée au cours des quatre trimestres civils précédant le trimestre donné ne dépasse pas le seuil de 50 000 $. Dans le présent dossier, le test du petit fournisseur doit tenir compte de toutes les fournitures taxables de l'organisme à but non lucratif, et ce, qu'il s'agisse de fournitures de droits d'adhésion ou d'activités de financement. Lorsque le seuil de 50 000 $ est atteint en additionnant la contrepartie des fournitures taxables effectuées au cours des quatre trimestres civils précédents, le statut de petit fournisseur se prolonge tout au long du mois qui suit le trimestre au cours duquel le seuil est atteint, sauf si les fournitures effectuées au cours de ce mois excèdent le seuil. Voir notamment à cet effet : Revenu Québec, Lettres d'interprétation, 02-0105581 — *Fournitures effectuées par un organisme à but non lucratif* (21 juin 2002). Voir également au même effet : Revenu Québec, Lettre d'interprétation, 99-0100984 — *Décision portant sur l'application de la TPS — Interprétation relative à la TVQ — Fourniture unique et fournitures multiples* (12 mars 1999).

L'expression qui figure à l'article 295 « tout au long de la période commençant immédiatement avant un moment » indique que la transaction qui fait perdre le statut de petit fournisseur est taxable. Revenu Québec a souligné qu'en vertu de l'article 295, un organisme à but non lucratif cesse de se qualifier à titre de petit fournisseur immédiatement avant le moment où le total des fournitures taxables qu'il a effectuées dans un trimestre civil excède 50 000 $. Comme le montant versé par l'organisme A à l'organisme B est supérieur à 50 000 $ et que ce montant constitue la contrepartie d'une fourniture taxable, l'organisme B est tenu de percevoir la taxe sur ce montant. Voir notamment à ce sujet : Revenu Québec, Lettre d'interprétation, 03-0104608 — *Interprétation relative à la TPS et à la TVQ -- Montants versés à un organisme à but non lucratif* (20 octobre 2003).

Compte tenu de la similarité de la rédaction des dispositions législatives et considérant l'engagement spécifique de Revenu Québec de veiller à ce que l'assiette de TVQ modifiée, de même que les paramètres administratifs, structurels et définitionnels, produisent des résultats qui sont similaires à ceux produits sous le régime de la TPS/TVH et soient administrés d'une manière qui produit des résultats similaires, tel que reflété par l'article 14 de l'*Entente intégrée globale de coordination fiscale* signée entre le gouvernement du Canada et le gouvernement du Québec, nous vous référons à nos commentaires en vertu des articles 148 et 148.1 de la *Loi sur la taxe d'accise (TPS)* qui devraient s'appliquer *mutatis mutandis*, avec les adaptations nécessaires.

SECTION III.0.0.1 — INSTITUTION FINANCIÈRE

Notes historiques: La section III.0.0.1, comprenant les articles 297.0.2.1 à 297.0.2.6, a été ajoutée par L.Q. 2012, c. 28, par. 93(1) et s'applique à compter du 1er janvier 2013.

297.0.2.1 Lorsqu'une société donnée membre d'un groupe étroitement lié, dont une institution financière désignée est membre, et une autre société qui est membre du groupe font un choix conjoint valide en vertu du paragraphe 1 de l'article 150 de la *Loi sur la taxe d'accise* (L.R.C. 1985, c. E-15), elles doivent faire le choix conjoint que chaque fourniture d'un bien par louage, licence ou accord semblable ou d'un service qui est effectuée entre elles, à un moment où le choix est en vigueur pour l'application de la partie IX de cette loi, qui, n'eût été le présent article, constituerait une fourniture taxable, soit réputée une fourniture d'un service financier.

Le choix requis en vertu du premier alinéa d'une société donnée doit être fait au moyen du formulaire prescrit contenant les renseignements prescrits, préciser le jour de son entrée en vigueur et être présenté au ministre au plus tard le jour où la société donnée est tenue de produire sa déclaration en vertu du chapitre VIII pour sa période de déclaration au cours de laquelle le choix entre en vigueur.

Lorsqu'une société donnée a, avant le 1er janvier 2013, fait un choix conjoint valide, avec une autre société, en vertu du paragraphe 1 de l'article 150 de la *Loi sur la taxe d'accise* et que ce choix est, à cette date, valide pour l'application de la partie IX de cette loi, la société donnée est réputée avoir fait le choix requis en vertu du premier alinéa.

Notes historiques: L'article 297.0.2.1 a été ajouté par L.Q. 2012, c. 28, par. 93(1) et s'applique à compter du 1er janvier 2013.

Notes explicatives ARQ (PL 5, L.Q. 2012, c. 28): *Résumé* :

Le nouvel article 297.0.2.1 prévoit que, quand deux sociétés ont fait un choix conjoint valide en vertu du paragraphe 1 de l'article 150 de la *Loi sur la taxe d'accise* (Lois révisées du Canada (1985), chapitre E-15) (LTA), ces sociétés doivent faire le choix pour que la fourniture de certains biens et services effectuée entre elles soit réputée une fourniture de services financiers, et ce, pour autant que cette fourniture ait lieu à un moment où le choix est en vigueur pour l'application de la LTA.

Contexte :

À compter du 1er janvier 2013, les services financiers cessent, en règle générale, d'être détaxés et deviennent exonérés dans le régime de la taxe de vente du Québec (TVQ). La nouvelle section VI.1 du chapitre III du titre I de la LTVQ prévoit donc l'exonération des services financiers. La principale conséquence de ce changement est que les institutions financières ne pourront plus obtenir de remboursements de la taxe sur les intrants relativement aux fournitures acquises en vue de rendre des services financiers exonérés.

Modifications proposées :

En vertu du paragraphe 1 de l'article 150 de la LTA, deux sociétés membres d'un même groupe étroitement lié dont une institution financière désignée est membre peuvent faire un choix conjoint pour que certaines fournitures effectuées entre elles soient réputées des fournitures de services financiers. Il s'agit des fournitures de biens par louage, licence ou accord semblable et des fournitures de services effectuées entre elles. Le nouvel article 297.0.2.1 de la LTVQ fait référence à ce choix et prévoit que, lorsque ce choix est fait pour l'application de la partie IX de la LTA, un choix à cet effet doit également être fait pour l'application du régime de la taxe de vente du Québec (TVQ). Ainsi, des conséquences identiques en découlent pour l'application du titre I de la LTVQ à l'égard des fournitures également visées par le paragraphe 1 de l'article 150 de la LTA. Une telle fourniture qui survient à un moment où ce choix est en vigueur pour l'application de la LTA est, par conséquent, réputée la fourniture d'un service financier pour l'application du titre I de la LTVQ. Le choix pour l'application du régime de la TVQ doit se faire au moyen du formulaire prescrit contenant les renseignements prescrits.

LTVQ (français)

Le deuxième alinéa de l'article 297.0.2.1 précise que le choix visé au premier alinéa doit indiquer le jour de son entrée en vigueur, lequel doit correspondre à celui de l'entrée en vigueur du choix correspondant fait pour l'application du régime de la taxe sur les produits et services et de la taxe de vente harmonisée (TPS/TVH). Le deuxième alinéa de l'article 297.0.2.1 de la LTVQ précise également que le choix prévu au premier alinéa de cet article doit être présenté au ministre du Revenu au plus tard le jour où la société est tenue de produire sa déclaration en vertu du chapitre VIII du titre I de la LTVQ pour sa période de déclaration au cours de laquelle le choix entre en vigueur.

Enfin, le troisième alinéa prévoit une présomption en vertu de laquelle toute société qui, avant le 1er janvier 2013, aura fait le choix prévu au paragraphe 1 de l'article 150 de la LTA sera réputée avoir fait le choix correspondant pour l'application du régime de la TVQ, à compter du 1er janvier 2013, et ce, pour autant que le choix fait en vertu de la LTA soit valide à cette date.

Concordance fédérale: LTA, par. 150(1).

297.0.2.2 Le choix requis en vertu de l'article 297.0.2.1 ne s'applique pas à l'égard :

1° d'un bien ou d'un service qu'une société partie au choix détient ou rend à titre de participant dans une coentreprise avec une autre personne à un moment où le choix fait conjointement par la société et l'autre personne en vertu de l'article 346 est en vigueur;

2° d'une fourniture visée à l'article 18;

3° d'une fourniture de services liés à la compensation ou au règlement de chèques et d'autres instruments de paiement dans le cadre du système national de paiement de l'Association canadienne des paiements, lorsque l'acquéreur — appelé « acheteur lié » dans le présent paragraphe — acquiert la totalité ou une partie des services en vue d'effectuer une fourniture de services exonérés en faveur :

a) soit d'un tiers non lié;

b) soit d'un fournisseur qui est membre d'un groupe étroitement lié dont l'acheteur lié est membre et qui acquiert la totalité ou une partie des services exonérés en vue d'effectuer une fourniture de services exonérés en faveur d'un tiers non lié ou d'un autre fournisseur visé au présent sous-paragraphe.

Pour l'application du premier alinéa, l'expression :

« services exonérés » désigne les services fournis par l'Association canadienne des paiements ou par l'un de ses membres et liés à la compensation et au règlement de chèques et autres instruments de paiement dans le cadre du système national de paiement de cette association;

« tiers non lié », relativement à une fourniture de services, signifie une personne qui n'est pas membre d'un groupe étroitement lié dont le fournisseur est membre et qui acquiert les services en vue d'effectuer une fourniture de services liés à la compensation ou au règlement de chèques et d'autres instruments de paiement dans le cadre du système national de paiement de l'Association canadienne des paiements.

Notes historiques: L'article 297.0.2.2 a été ajouté par L.Q. 2012, c. 28, par. 93(1) et s'applique à compter du 1er janvier 2013.

Notes explicatives ARQ (PL 5, L.Q. 2012, c. 28): *Résumé* :

Le nouvel article 297.0.2.2 précise les fournitures à l'égard desquelles ne s'applique pas le choix fait en vertu du nouvel article 297.0.2.1 de cette loi, soit le choix faisant en sorte que certaines fournitures autrement taxables sont exonérées.

Contexte :

Voir la rubrique « Contexte » de la note explicative relative au nouvel article 297.0.2.1 de la LTVQ.

Modifications proposées :

Le nouvel article 297.0.2.2 précise les fournitures qui sont exclues de l'application du choix visé au nouvel article 297.0.2.1 de cette loi. Cet article 297.0.2.1 permet que certaines opérations survenant à l'intérieur d'un groupe étroitement lié soient exemptes de taxe de vente du Québec (TVQ).

Le paragraphe 1° du premier alinéa de l'article 297.0.2.2 précise que cette exemption ne s'applique pas à la fourniture d'un bien ou d'un service rendu par un membre du groupe étroitement lié à titre de participant dans une coentreprise à une autre personne, lorsque les deux personnes ont fait le choix en vertu de l'article 346 de la LTVQ, ce dernier choix permettant que les transactions effectuées par la coentreprise soient prises en compte par l'exploitant de la coentreprise.

Le paragraphe 2° du premier alinéa de l'article 297.0.2.2 fait en sorte que l'exemption de TVQ découlant du choix prévu à l'article 297.0.2.1 de cette loi ne s'applique pas à l'égard d'une fourniture visée à l'article 18 de la LTVQ, soit des fournitures généralement effectuées hors du Canada relativement auxquelles la TVQ est payable par autocotisation.

Enfin, le paragraphe 3° du premier alinéa de l'article 297.0.2.2 a pour effet d'exclure certaines fournitures de services liés à la compensation ou au règlement de chèques et d'autres instruments de paiement.

Ainsi, le choix de l'article 297.0.2.1 ne s'applique pas à la fourniture de ce type de services s'ils sont acquis, en totalité ou en partie, afin d'effectuer une fourniture de services exonérés au profit d'un tiers non lié.

Le deuxième alinéa de l'article 297.0.2.2 précise qu'une fourniture de services exonérés est, essentiellement, la fourniture de services liés à la compensation et au règlement de chèques ou d'autres instruments de paiement dans le cadre du système national de paiement de l'Association canadienne des paiements qui sont fournis par cette association et qu'un tiers non lié, relativement à la fourniture d'un service, est une personne qui n'est pas membre d'un groupe étroitement lié dont le fournisseur est membre et qui acquiert le service en vue d'effectuer une fourniture de services liés à la compensation ou au règlement de chèques et d'autres instruments de paiement dans le cadre du système national de paiement de l'Association canadienne des paiements.

Concordance fédérale: LTA, par. 150(2)et (2.1).

297.0.2.3 Le choix requis en vertu de l'article 297.0.2.1 est valide pour la période qui débute le 1er janvier 2013, ou, s'il est postérieur, le jour de l'entrée en vigueur du choix fait en vertu du paragraphe 1 de l'article 150 de la *Loi sur la taxe d'accise* (L.R.C. 1985, c. E-15), et qui se termine le premier en date des jours suivants :

1° le jour où l'une des sociétés ayant fait le choix cesse d'être membre d'un même groupe étroitement lié;

2° le jour à compter duquel le groupe étroitement lié dont sont membres les sociétés ayant fait le choix ne comprend plus une institution financière désignée autre qu'une société qui n'est une institution financière que par l'effet de la présomption prévue à l'article 297.0.2.6;

3° le jour précisé dans un avis de révocation présenté, conjointement par les sociétés ayant fait le choix, au ministre, de la manière et contenant les renseignements qu'il détermine.

Pour l'application du paragraphe 3° du premier alinéa, les règles suivantes s'appliquent :

1° lorsqu'un avis de révocation relativement au choix prévu au paragraphe 1 de l'article 150 de la *Loi sur la taxe d'accise* est présenté par les sociétés ayant fait le choix requis en vertu de l'article 297.0.2.1, conformément à l'alinéa c) du paragraphe 4 de cet article 150, un avis de révocation doit également être présenté au ministre par les sociétés, lequel doit indiquer le jour précisé dans l'avis de révocation présenté conformément à cet alinéa c);

2° un avis de révocation ne peut être présenté au ministre que si les sociétés ayant fait le choix conjoint en vertu de l'article 297.0.2.1 ont présenté un avis de révocation conformément à l'alinéa c) du paragraphe 4 de l'article 150 de la *Loi sur la taxe d'accise*.

Notes historiques: L'article 297.0.2.3 a été ajouté par L.Q. 2012, c. 28, par. 93(1) et s'applique à compter du 1er janvier 2013.

Notes explicatives ARQ (PL 5, L.Q. 2012, c. 28): *Résumé* :

Le nouvel article 297.0.2.3 précise les fournitures à l'égard desquelles ne s'applique pas le choix fait en vertu du nouvel article 297.0.2.1 de cette loi, soit le choix faisant en sorte que certaines fournitures autrement taxables soient exonérées.

Contexte :

Voir la rubrique « Contexte » de la note explicative relative au nouvel article 297.0.2.1 de la LTVQ.

Modifications proposées :

Le nouvel article 297.0.2.3 précise la période pour laquelle le choix fait en vertu de l'article 297.0.2.1 de la LTVQ par deux membres d'un groupe étroitement lié est en vigueur. Plus précisément, le premier alinéa de l'article 297.0.2.3 de la LTVQ précise que ce choix est en vigueur à compter de la date d'entrée en vigueur du choix correspondant fait pour l'application de la *Loi sur la taxe d'accise* (Lois révisées du Canada (1985), chapitre E-15) (LTA). En effet, notons que le choix faisant en sorte que certaines fournitures effectuées entre les sociétés ayant fait le choix conjoint en vertu du nouvel article 297.0.2.1 de la LTVQ ne peut être fait que si ces sociétés ont fait le choix prévu au paragraphe 1 de l'article 150 de la LTA (choix fédéral). Toutefois, lorsque l'entrée en vigueur du choix fédéral est antérieur au 1er janvier 2013, la date d'entrée en vigueur du choix prévu à l'article 297.0.2.1 de la LTVQ est le 1er janvier 2013.

Le choix prévu à l'article 297.0.2.1 cesse d'être en vigueur le premier en date des jours suivants :

— le jour où l'une des sociétés ayant pris part au choix cesse d'être membre du groupe étroitement lié;

— le jour à compter duquel le groupe étroitement lié ne comprend plus d'institution financière désignée autre qu'une personne réputée une institution financière en vertu du nouvel article 297.0.2.6 de la LTVQ;

— le jour que les sociétés précisent dans un avis de révocation présenté conjointement au ministre du Revenu (à cet égard, notons que le deuxième alinéa de l'article 297.0.2.3 de la LTVQ fait en sorte, d'une part, qu'un avis de révocation ne peut être présenté au ministre du Revenu que si un avis de révocation du choix prévu au paragraphe 1 de l'article 150 de la LTA est également présenté au ministre du Revenu national et, d'autre part, qu'un avis de révocation du choix fait en vertu de l'article 297.0.2.1 de la LTVQ doit être présenté au ministre du Revenu dès qu'un avis de révocation est présenté en vertu de l'alinéa c) du paragraphe 4 de l'article 150 de la LTA. De même, la date précisée dans l'avis de révocation doit être la même que celle précisée dans l'avis de révocation du choix fait en vertu de la LTA).

Ainsi, la période de validité du choix prévu à l'article 297.0.2.1 est identique à celle du choix fait en vertu de l'article 150 de la LTA, sauf lorsque le choix fédéral a été fait avant le 1er janvier 2013. Dans ce dernier cas, les sociétés ayant fait ce choix sont réputées, en vertu du troisième alinéa de l'article 297.0.2.1 de la LTVQ, avoir fait le choix prévu à cet article 297.0.2.1, et ce choix entre en vigueur le 1er janvier 2013 et cesse d'avoir effet le jour où le choix fédéral cesse d'être en vigueur.

Concordance fédérale: LTA, par. 150(4).

297.0.2.4 Les règles suivantes s'appliquent aux caisses de crédit :

1° chaque caisse de crédit est réputée en tout temps membre d'un groupe étroitement lié dont chaque autre caisse de crédit est membre;

2° chaque caisse de crédit est réputée avoir fait le choix requis en vertu de l'article 297.0.2.1 avec chaque autre caisse de crédit, lequel choix est en vigueur en tout temps;

3° toute fourniture d'un bien meuble corporel par une caisse de crédit, autre qu'une immobilisation, qui est effectuée en faveur d'une autre caisse de crédit est réputée une fourniture d'un service financier.

Notes historiques: L'article 297.0.2.4 a été ajouté par L.Q. 2012, c. 28, par. 93(1) et s'applique à compter du 1er janvier 2013.

Notes explicatives ARQ (PL 5, L.Q. 2012, c. 28): *Résumé* :

Le nouvel article 297.0.2.4 prévoit des règles applicables aux caisses de crédit, lesquelles font en sorte que la fourniture d'un bien meuble corporel, autre qu'une immobilisation, par une caisse de crédit en faveur d'une autre caisse de crédit est une fourniture exonérée.

Contexte :

Voir la rubrique « Contexte » de la note explicative relative au nouvel article 297.0.2.1 de la LTVQ.

Modifications proposées :

Le nouvel article 297.0.2.4 prévoit que la fourniture d'un bien meuble corporel, sauf une immobilisation, par une caisse de crédit en faveur d'une autre caisse de crédit est réputée la fourniture d'un service financier. Cette règle permet d'exonérer la plupart des frais facturés à l'intérieur d'un réseau de caisses de crédit.

De plus, ce nouvel article prévoit que chaque caisse de crédit est réputée membre d'un groupe étroitement lié dont chaque autre caisse de crédit est membre et que ces caisses de crédit sont réputées avoir fait le choix conjoint prévu au nouvel article 297.0.2.1 de la LTVQ, introduit par le présent projet de loi. L'article 297.0.2.4 de la LTVQ fait donc en sorte que, en règle générale, la plupart des fournitures entre caisses de crédit sont exonérées.

Concordance fédérale: LTA, par. 150(6).

297.0.2.5 Les règles suivantes s'appliquent aux membres d'un regroupement de sociétés mutuelles d'assurance :

1° chaque membre du regroupement de sociétés mutuelles d'assurance est réputé en tout temps membre d'un groupe étroitement lié dont chaque autre membre du regroupement est membre;

2° chaque membre du regroupement de sociétés mutuelles d'assurance est réputé avoir fait le choix requis en vertu de l'article 297.0.2.1 avec chaque autre membre du regroupement, lequel choix est en vigueur en tout temps.

Notes historiques: L'article 297.0.2.5 a été ajouté par L.Q. 2012, c. 28, par. 93(1) et s'applique à compter du 1er janvier 2013.

Notes explicatives ARQ (PL 5, L.Q. 2012, c. 28): *Résumé* :

Le nouvel article 297.0.2.5 prévoit des règles applicables aux membres d'un regroupement de sociétés mutuelles d'assurance, lesquelles font en sorte que la fourniture d'un bien meuble corporel, autre qu'une immobilisation, par une caisse de crédit en faveur d'une autre caisse de crédit est une fourniture exonérée.

Contexte :

Voir la rubrique « Contexte » de la note explicative relative au nouvel article 297.0.2.1 de la LTVQ.

Modifications proposées :

Le nouvel article 297.0.2.5 prévoit que les membres d'un regroupement de sociétés mutuelles d'assurance sont réputés avoir fait un choix en vertu du nouvel article 297.0.2.1 de la LTVQ, introduit par le présent projet de loi, lequel est réputé valide en tout temps, de sorte que toutes les fournitures de biens par bail, licence ou accord semblable ou de services sont réputées des fournitures exonérées.

Concordance fédérale: LTA, par. 150(7).

297.0.2.6 Une société, membre d'un groupe étroitement lié, qui fait le choix requis en vertu de l'article 297.0.2.1 est réputée une institution financière tout au long de la période au cours de laquelle ce choix est en vigueur.

Notes historiques: L'article 297.0.2.6 a été ajouté par L.Q. 2012, c. 28, par. 93(1) et s'applique à compter du 1er janvier 2013.

Notes explicatives ARQ (PL 5, L.Q. 2012, c. 28): *Résumé* :

Le nouvel article 297.0.2.6 prévoit une présomption selon laquelle une société est réputée une institution financière tout au long de la période au cours de laquelle est en vigueur le choix mentionné à l'article 297.0.2.1 de cette loi, par suite duquel la fourniture de certains biens et services effectuées entre les sociétés ayant fait le choix est réputée une fourniture de services financiers.

Contexte :

Voir la rubrique « Contexte » de la note explicative relative au nouvel article 297.0.2.1 de la LTVQ.

Modifications proposées :

Le nouvel article 297.0.2.6 prévoit une présomption selon laquelle une société est réputée une institution financière tout au long de la période au cours de laquelle est en vigueur le choix mentionné au nouvel article 297.0.2.1 de la LTVQ, introduit par le présent projet de loi, soit le choix par suite duquel certaines fournitures autrement taxables effectuées entre deux sociétés membres d'un même groupe étroitement lié dont une institution financière désignée est membre sont réputées des fournitures de services financiers.

Le nouvel article 297.0.2.6 fait référence à ce choix et prévoit que, lorsque ce choix est fait, celle-ci est réputée une institution financière tout au long de la période au cours de laquelle ce choix est en vigueur.

Concordance fédérale: LTA, par. 151.

SECTION III.0.1 — VENDEUR DE RÉSEAU

297.0.3 [Définitions] — Pour l'application de la présente section et des articles 457.0.1 à 457.0.5, l'expression :

« commission de réseau » signifie, à l'égard d'un représentant commercial d'une personne, un montant qui est payable par la personne au représentant commercial en vertu d'une convention conclue entre eux :

1° soit en contrepartie de la fourniture d'un service, effectuée par le représentant commercial, qui consiste à prendre des mesures en vue de vendre un produit déterminé ou du matériel de promotion de la personne;

2° soit uniquement par suite de la fourniture d'un service, effectuée par tout représentant commercial de la personne visée au paragraphe 1° de la définition de l'expression « représentant commercial », qui consiste à prendre des mesures en vue de vendre un produit déterminé ou du matériel de promotion de la personne;

Concordance fédérale: LTA, par. 178(1)« commission de réseau ».

« matériel de promotion » d'une personne donnée qui est un vendeur de réseau ou le représentant commercial d'un tel vendeur, signifie un bien, autre qu'un produit déterminé d'une personne, qui, à la fois :

1° est un imprimé commercial fabriqué sur commande ou un échantillon, une trousse de démonstration, un article promotionnel ou pédagogique, un catalogue ou tout autre bien meuble semblable acquis,

LTVQ (français)

fabriqué ou produit par la personne donnée en vue de le vendre pour faciliter la distribution, la promotion ou la vente des produits déterminés du vendeur;

2º n'est ni vendu ni détenu en vue de sa vente par la personne donnée à un représentant commercial du vendeur qui acquiert le bien pour l'utiliser comme immobilisation;

Concordance fédérale: LTA, par. 178(1)« matériel de promotion ».

« **produit déterminé** » d'une personne signifie un bien meuble corporel qui, à la fois :

1º est acquis, fabriqué ou produit par la personne pour qu'elle le fournisse moyennant contrepartie, autrement qu'à titre de bien meuble corporel d'occasion, dans le cours normal de son entreprise;

2º est habituellement acquis par vente par des consommateurs;

Concordance fédérale: LTA, par. 178(1)« produit déterminé ».

« **représentant commercial** » d'une personne donnée signifie :

1º une personne, autre qu'un salarié de la personne donnée ou une personne agissant, dans le cadre de ses activités commerciales, à titre de mandataire en vue d'effectuer des fournitures de produits déterminés de la personne donnée pour le compte de celle-ci, qui, à la fois :

a) a un droit contractuel en vertu d'une convention conclue avec la personne donnée de prendre des mesures en vue de vendre des produits déterminés de celle-ci;

b) ne prend pas de mesures en vue de vendre les produits déterminés de la personne donnée principalement à une place fixe où elle exploite une entreprise, sauf s'il s'agit d'une résidence privée;

2º une personne, autre qu'un salarié de la personne donnée ou une personne agissant, dans le cadre de ses activités commerciales, à titre de mandataire en vue d'effectuer des fournitures de produits déterminés de la personne donnée pour le compte de celle-ci, qui a un droit contractuel, en vertu d'une convention conclue avec la personne donnée, de recevoir unmontant de celle-ci uniquement par suite de la fourniture d'un service, effectuée par une personne visée au paragraphe 1°, qui consiste à prendre des mesures en vue de vendre un produit déterminé ou du matériel de promotion de la personne donnée;

« **vendeur de réseau** » signifie une personne qui a reçu du ministre un avis d'approbation en vertu de l'article 297.0.7.

Concordance fédérale: LTA, par. 178(1)« vendeur de réseau ».

L.Q. 2011, c. 6, art. 254.

Notes explicatives ARQ (PL 5, L.Q. 2011, c. 6): *Résumé* :

Le nouvel article 297.0.3 définit les expressions nécessaires aux dispositions qui mettent en œuvre la méthode de comptabilité spéciale applicable aux vendeurs de réseau.

Contexte :

Les entreprises du secteur du démarchage vendent habituellement leurs produits soit à des entrepreneurs indépendants qui, à leur tour, les vendent à des acheteurs, soit directement à des consommateurs par l'entremise de représentants commerciaux.

Afin de simplifier l'application de la taxe de vente du Québec (TVQ), les entreprises qui vendent leurs produits à des entrepreneurs indépendants peuvent demander l'approbation au ministre du Revenu pour utiliser la méthode facultative de perception prévue aux articles 297.1 et suivants de la LTVQ.

Lorsque les entreprises vendent leurs produits à des consommateurs par l'entremise de représentants commerciaux, elles versent à ces derniers une commission pour avoir pris des mesures pour vendre les produits. Les représentants commerciaux qui sont inscrits sous le régime de la TVQ doivent facturer la TVQ sur leurs commissions de réseau et la déclarer.

Dans le cadre du présent projet de loi, de nouvelles mesures sont proposées à l'égard de ces entreprises (appelées vendeurs de réseau) afin de leur permettre de demander l'approbation du ministre du Revenu pour utiliser la méthode de comptabilité spéciale dont le but est de simplifier l'application de la TVQ. Ainsi, lorsqu'une approbation est en vigueur, les commissions de réseau qu'un représentant commercial facture à un vendeur de réseau ne sont pas assujetties à la TVQ.

Modifications proposées :

La modification proposée consiste à introduire l'article 297.0.3 à la LTVQ afin de définir certains termes pour l'application des articles 297.0.3 à 297.0.25 et des articles 457.0.1 à 457.0.5 de la LTVQ.

À cet égard, une commission de réseau est un montant qui est payable par un vendeur de réseau à un représentant commercial aux termes d'une convention conclue entre eux. Cette somme est payable soit en contrepartie de la fourniture par le représentant commercial d'un service qui consiste à prendre des mesures en vue de vendre un produit déterminé ou du matériel de promotion du vendeur, soit uniquement par suite de la fourniture par tout autre représentant commercial du vendeur d'un service qui consiste à prendre des mesures en vue de vendre un produit déterminé ou du matériel de promotion du vendeur.

Le terme « matériel de promotion » signifie des biens meubles, autres que des produits déterminés d'un vendeur de réseau, qui sont acquis, fabriqués ou produits par un vendeur de réseau ou l'un de ses représentants commerciaux puis utilisés par ceux-ci pour faciliter la promotion, la vente ou la distribution de produits déterminés. Il s'agit notamment d'échantillons, de trousses de démonstration, de catalogues, d'articles promotionnels ou pédagogiques, d'imprimés commerciaux ou de biens meubles semblables. En sont exclus les biens qui sont utilisés à titre d'immobilisations, comme les véhicules et les ordinateurs.

Le terme « produit déterminé » signifie un bien meuble corporel qui est acquis, fabriqué ou produit par un vendeur de réseau dans le cours normal des activités de son entreprise et qui est destiné à être fourni par vente à des consommateurs. Les biens meubles corporels d'occasion ne sont pas compris parmi les produits déterminés.

Le représentant commercial d'un vendeur de réseau est la personne (sauf un salarié ou un mandataire du vendeur) qui a le droit contractuel, prévu par une convention conclue avec le vendeur, de prendre des mesures en vue de vendre des produits déterminés de celui-ci, lesquelles mesures ne sont pas prises principalement à sa place fixe où elle exploite une entreprise, sauf s'il s'agit d'une résidence privée. Est également un représentant commercial la personne qui a le droit contractuel, prévu par une convention, de recevoir un montant du vendeur uniquement par suite de la fourniture d'un service, effectuée par un autre représentant commercial du vendeur, qui consiste à prendre des mesures en vue de vendre des produits déterminés ou du matériel de promotion de celui-ci.

Enfin, un vendeur de réseau est une personne qui a reçu du ministre un avis d'approbation en vertu de l'article 297.0.7 de la LTVQ en réponse à sa demande d'utilisation de la méthode de comptabilité spéciale.

Renvois [art. 297.0.3]: 417.2.1 (petit fournisseur).

297.0.4 [Vendeur de réseau admissible] — Pour l'application de la présente section, une personne est un vendeur de réseau admissible tout au long de son exercice si, à la fois :

1º la totalité ou la presque totalité des contreparties, incluses dans le calcul du revenu de la personne provenant d'une entreprise pour l'exercice, de fournitures effectuées au Québec par vente vise, selon le cas :

a) les fournitures de produits déterminés de la personne, que celle-ci effectue par vente au terme de mesures prises par ses représentants commerciaux — appelées « fournitures déterminées » dans le présent article — ;

b) dans le cas où la personne est un démarcheur au sens de l'article 297.1, des fournitures par vente de ses produits exclusifs, au sens de cet article, qu'elle effectue au profit de ses entrepreneurs indépendants, au sens du même article, à un moment où une approbation du ministre pour l'application des articles 297.2 à 297.7.0.2 à la personne est en vigueur;

2º la totalité ou la presque totalité des contreparties, incluses dans le calcul du revenu de la personne provenant d'une entreprise pour l'exercice, de fournitures déterminées vise des fournitures déterminées effectuées au profit de consommateurs;

3º la totalité ou la presque totalité des représentants commerciaux de la personne auxquels des commissions de réseau deviennent payables par la personne au cours de l'exercice sont des représentants commerciaux ayant chacun de telles commissions de réseau d'un total n'excédant pas le montant obtenu par la formule suivante :

$$30\,000\ \$ \times A/365$$

4º la personne a fait, conjointement avec chacun de ses représentants commerciaux, le choix prévu à l'article 297.0.6.

[Nombre de jours de l'exercice] — Pour l'application de la formule prévue au paragraphe 3° du premier alinéa, la lettre A représente le nombre de jours de l'exercice.

L.Q. 2011, c. 6, art. 254; 2012, c. 28, art. 94.

Notes historiques: La formule au paragraphe 3° du premier alinéa de l'article 297.0.4 a été remplacée par L.Q. 2012, c. 28, par. 94(1) et cette modification s'applique à l'égard d'un exercice qui se termine après le 31 décembre 2012. Toutefois, lorsque l'article 297.0.4 s'applique à l'égard d'un exercice qui comprend cette date, il doit se lire :

1° en y remplaçant la formule prévue au paragraphe 3° du premier alinéa par la suivante :

« (31 500 $ × A/365) + (30 000 $ × B/365) »

;

2° en y remplaçant le deuxième alinéa par le suivant :

« Pour l'application de la formule prévue au paragraphe 3° du premier alinéa :

1° la lettre A représente le nombre de jours de l'exercice qui sont antérieurs au 1er janvier 2013;

2° la lettre B représente le nombre de jours de l'exercice qui sont postérieurs au 31 décembre 2012.

Antérieurement, elle se lisait ainsi :

31 500 $ × A / 365;

Notes explicatives ARQ (PL 5, L.Q. 2012, c. 28): *Résumé* :

L'article 297.0.4 est modifié par le remplacement de « 31 500 $ » par « 30 000 $ », et ce, afin de tenir compte du fait qu'à compter du 1er janvier 2013 la taxe sur les produits et services (TPS) est retirée de l'assiette de la taxe de vente du Québec (TVQ).

Situation actuelle :

L'article 297.0.4 prévoit qu'une personne est un vendeur de réseau admissible pour son exercice si les conditions suivantes sont réunies :

— la totalité ou la presque totalité de son revenu d'entreprise pour l'exercice tiré de fournitures par vente effectuées au Québec provient de ventes de produits déterminés effectuées par ses représentants commerciaux ou, si elle est également un démarcheur au sens de l'article 297.1 de la LTVQ, de ventes de produits exclusifs à ses entrepreneurs indépendants;

— la totalité ou la presque totalité des ventes de ses produits déterminés, effectuées au terme de mesures prises par ses représentants commerciaux, qui entrent dans le calcul de son revenu d'entreprise pour l'exercice, sont effectuées à des consommateurs;

— la totalité ou la presque totalité de ses représentants commerciaux auxquels des commissions de réseau deviennent payables auraient chacun, au cours de l'exercice, des commissions n'excédant pas au total 31 500 $ incluant la TPS ou une fraction de cette somme établie en proportion du nombre de jours de l'exercice du vendeur;

— elle a fait, conjointement avec chacun de ses représentants commerciaux, le choix prévu à l'article 297.0.6 de la LTVQ afin que la méthode de comptabilité spéciale s'applique dès que l'approbation donnée par le ministre du Revenu est en vigueur.

Modifications proposées :

L'article 297.0.4 est modifié par le remplacement de « 31 500 $ » par « 30 000 $ », et ce, afin de tenir compte du fait qu'à compter du 1er janvier 2013 la TPS est retirée de l'assiette de la TVQ.

Notes explicatives ARQ (PL 5, L.Q. 2011, c. 6): *Résumé* :

Le nouvel article 297.0.4 prévoit les conditions à remplir pour qu'une personne soit un vendeur de réseau admissible pour son exercice.

Contexte :

Les entreprises du secteur du démarchage vendent habituellement leurs produits soit à des entrepreneurs indépendants qui, à leur tour, les vendent à des acheteurs, soit directement à des consommateurs par l'entremise de représentants commerciaux.

Afin de simplifier l'application de la taxe de vente du Québec (TVQ), les entreprises qui vendent leurs produits à des entrepreneurs indépendants peuvent demander l'approbation au ministre du Revenu pour utiliser la méthode facultative de perception prévue aux articles 297.1 et suivants de la LTVQ.

Lorsque les entreprises vendent leurs produits à des consommateurs par l'entremise de représentants commerciaux, elles versent à ces derniers une commission pour avoir pris des mesures pour vendre les produits. Les représentants commerciaux qui sont inscrits sous le régime de la TVQ doivent facturer la TVQ sur leurs commissions de réseau et la déclarer.

Dans le cadre du présent projet de loi, de nouvelles mesures sont proposées à l'égard de ces entreprises (appelées vendeurs de réseau) afin de leur permettre de demander l'approbation du ministre du Revenu pour utiliser la méthode de comptabilité spéciale dont le but est de simplifier l'application de la TVQ. Ainsi, lorsqu'une approbation est en vigueur, les commissions de réseau qu'un représentant commercial facture à un vendeur de réseau ne sont pas assujetties à la TVQ.

Modifications proposées :

La modification proposée consiste à introduire l'article 297.0.4 à la LTVQ afin de prévoir qu'une personne est un vendeur de réseau admissible pour son exercice si les conditions suivantes sont réunies :

— la totalité ou la presque totalité de son revenu d'entreprise pour l'exercice tiré de fournitures par vente effectuées au Québec provient de ventes de produits déterminés effectuées par ses représentants commerciaux ou, si elle est également un démarcheur au sens de l'article 297.1 de la LTVQ, de ventes de produits exclusifs à ses entrepreneurs indépendants;

— la totalité ou la presque totalité des ventes de ses produits déterminés, effectuées au terme de mesures prises par ses représentants commerciaux, qui entrent dans le calcul de son revenu d'entreprise pour l'exercice, sont effectuées à des consommateurs;

— la totalité ou la presque totalité de ses représentants commerciaux auxquels des commissions de réseau deviennent payables auraient chacun, au cours de l'exercice, des commissions n'excédant pas au total 31 500 $ ou une fraction de cette somme établie en proportion du nombre de jours de l'exercice du vendeur;

— elle a fait, conjointement avec chacun de ses représentants commerciaux, le choix prévu à l'article 297.0.6 de la LTVQ afin que la méthode de comptabilité spéciale s'applique dès que l'approbation donnée par le ministre est en vigueur.

Renvois [art. 297.0.4]: 457.0.1 (exercice distinctif d'un vendeur de réseau); 457.0.2 (vendeur de réseau ne satisfaisant pas aux conditions); 457.0.3 (ajout d'un montant dans le calcul de la taxe nette); 457.0.4 (ajout d'un montant dans le calcul de la taxe nette).

Concordance fédérale: LTA, par. 178(2).

297.0.5 [Demande au ministre] — Une personne peut présenter une demande au ministre, au moyen du formulaire prescrit contenant les renseignements prescrits, afin que l'article 297.0.9 s'applique à son égard et à l'égard de chacun de ses représentants commerciaux à compter du premier jour de son exercice, si la personne, à la fois :

1° est inscrite en vertu de la section I du chapitre VIII et qu'il est raisonnable de s'attendre que, tout au long de l'exercice :

a) d'une part, elle exerce exclusivement des activités commerciales;

b) d'autre part, elle soit un vendeur de réseau admissible;

2° présente la demande, de la manière prescrite par le ministre, avant :

a) dans le cas où elle n'a jamais effectué de fournitures de ses produits déterminés, le jour de l'exercice où elle effectue une telle fourniture pour la première fois;

b) dans tout autre cas, le premier jour de l'exercice.

L.Q. 2011, c. 6, art. 254.

Notes explicatives ARQ (PL 5, L.Q. 2011, c. 6): *Résumé* :

Le nouvel article 297.0.5 vise à prévoir les conditions que doit remplir un vendeur de réseau pour présenter au ministre du Revenu une demande pour obtenir l'autorisation d'utiliser la méthode de comptabilité spéciale applicable aux vendeurs de réseau.

Contexte :

Les entreprises du secteur du démarchage vendent habituellement leurs produits soit à des entrepreneurs indépendants qui, à leur tour, les vendent à des acheteurs, soit directement à des consommateurs par l'entremise de représentants commerciaux.

Afin de simplifier l'application de la taxe de vente du Québec (TVQ), les entreprises qui vendent leurs produits à des entrepreneurs indépendants peuvent demander l'approbation au ministre du Revenu pour utiliser la méthode facultative de perception prévue aux articles 297.1 et suivants de la LTVQ.

Lorsque les entreprises vendent leurs produits à des consommateurs par l'entremise de représentants commerciaux, elles versent à ces derniers une commission pour avoir pris des mesures pour vendre les produits. Les représentants commerciaux qui sont inscrits sous le régime de la TVQ doivent facturer la TVQ sur leurs commissions de réseau et la déclarer.

Dans le cadre du présent projet de loi, de nouvelles mesures sont proposées à l'égard de ces entreprises (appelées vendeurs de réseau) afin de leur permettre de demander l'approbation du ministre du Revenu pour utiliser la méthode de comptabilité spéciale dont le but est de simplifier l'application de la TVQ. Ainsi, lorsqu'une approbation est en vigueur, les commissions de réseau qu'un représentant commercial facture à un vendeur de réseau ne sont pas assujetties à la TVQ.

Modifications proposées :

La modification proposée consiste à introduire l'article 297.0.5 à la LTVQ afin de prévoir des règles concernant la demande à présenter pour obtenir l'autorisation d'utiliser la méthode de comptabilité spéciale prévue dans la section III.0.1 du chapitre VI du titre I de la LTVQ. La personne inscrite sous le régime de la TVQ qui s'attend raisonnablement à exercer exclusivement des activités commerciales tout au long d'un exercice et qui est un vendeur de réseau admissible peut demander au ministre d'approuver l'utilisation de cette méthode. La demande doit être présentée au moyen du formulaire prescrit contenant les renseignements prescrits, avant le premier jour de l'exercice de la personne ou, si celle-ci n'a jamais effectué de fournitures de produits déterminés, avant le jour où elle en effectue la fourniture pour la première fois.

Renvois [art. 297.0.5]: 297.0.6 (conditions d'application — commission de réseau); 297.0.7 (décision du ministre par écrit); 297.0.25 (approbation en vertu de la LTA).

Concordance fédérale: LTA, par. 178(3).

LTVQ (français)

297.0.6 [Conditions d'application] — Une personne visée à l'article 297.0.5 ou une personne qui est un vendeur de réseau peut faire, conjointement avec son représentant commercial, un choix, au moyen du formulaire prescrit contenant les renseignements prescrits, afin que l'article 297.0.9 s'applique à leur égard à tout moment où l'approbation donnée en vertu de l'article 297.0.7 est en vigueur.

L.Q. 2011, c. 6, art. 254.

Notes explicatives ARQ (PL 5, L.Q. 2011, c. 6): *Résumé* :

Le nouvel article 297.0.6 prévoit qu'un vendeur de réseau peut faire, conjointement avec ses représentants commerciaux, un choix afin que la méthode de comptabilité spéciale applicable aux vendeurs de réseau s'applique à leur égard à tout moment où l'approbation donnée par le ministre est en vigueur.

Contexte :

Les entreprises du secteur du démarchage vendent habituellement leurs produits soit à des entrepreneurs indépendants qui, à leur tour, les vendent à des acheteurs, soit directement à des consommateurs par l'entremise de représentants commerciaux.

Afin de simplifier l'application de la taxe de vente du Québec (TVQ), les entreprises qui vendent leurs produits à des entrepreneurs indépendants peuvent demander l'approbation au ministre du Revenu pour utiliser la méthode facultative de perception prévue aux articles 297.1 et suivants de la LTVQ.

Lorsque les entreprises vendent leurs produits à des consommateurs par l'entremise de représentants commerciaux, elles versent à ces derniers une commission pour avoir pris des mesures pour vendre les produits. Les représentants commerciaux qui sont inscrits sous le régime de la TVQ doivent facturer la TVQ sur leurs commissions de réseau et la déclarer.

Dans le cadre du présent projet de loi, de nouvelles mesures sont proposées à l'égard de ces entreprises (appelées vendeurs de réseau) afin de leur permettre de demander l'approbation du ministre du Revenu pour utiliser la méthode de comptabilité spéciale dont le but est de simplifier l'application de la TVQ. Ainsi, lorsqu'une approbation est en vigueur, les commissions de réseau qu'un représentant commercial facture à un vendeur de réseau ne sont pas assujetties à la TVQ.

Modifications proposées :

La modification proposée consiste à introduire l'article 297.0.6 à la LTVQ afin de prévoir qu'un vendeur de réseau peut faire, conjointement avec ses représentants commerciaux, un choix afin que la méthode de comptabilité spéciale prévue dans la section III.0.1 du chapitre VI du titre I de la LTVQ s'applique à leur égard à tout moment où l'approbation donnée par le ministre est en vigueur.

Renvois [art. 297.0.6]: 297.0.4 (vendeur de réseau admissible); 297.0.8 (preuve satisfaisante); 297.0.12 (avis de refus).

Concordance fédérale: LTA, par. 178(4).

297.0.7 [Décision du ministre par écrit] — Le ministre peut approuver la demande présentée en vertu de l'article 297.0.5 par une personne ou la refuser et doit aviser par écrit la personne de sa décision, précisant, dans le cas où la demande est approuvée, le jour de son entrée en vigueur.

L.Q. 2011, c. 6, art. 254.

Notes explicatives ARQ (PL 5, L.Q. 2011, c. 6): *Résumé* :

Le nouvel article 297.0.7 prévoit les règles relatives à l'approbation et au refus de la demande d'utilisation de la méthode de comptabilité spéciale pour les vendeurs de réseau.

Contexte :

Les entreprises du secteur du démarchage vendent habituellement leurs produits soit à des entrepreneurs indépendants qui, à leur tour, les vendent à des acheteurs, soit directement à des consommateurs par l'entremise de représentants commerciaux.

Afin de simplifier l'application de la taxe de vente du Québec (TVQ), les entreprises qui vendent leurs produits à des entrepreneurs indépendants peuvent demander l'approbation au ministre du Revenu pour utiliser la méthode facultative de perception prévue aux articles 297.1 et suivants de la LTVQ.

Lorsque les entreprises vendent leurs produits à des consommateurs par l'entremise de représentants commerciaux, elles versent à ces derniers une commission pour avoir pris des mesures pour vendre les produits. Les représentants commerciaux qui sont inscrits sous le régime de la TVQ doivent facturer la TVQ sur leurs commissions de réseau et la déclarer.

Dans le cadre du présent projet de loi, de nouvelles mesures sont proposées à l'égard de ces entreprises (appelées vendeurs de réseau) afin de leur permettre de demander l'approbation du ministre du Revenu pour utiliser la méthode de comptabilité spéciale dont le but est de simplifier l'application de la TVQ. Ainsi, lorsqu'une approbation est en vigueur, les commissions de réseau qu'un représentant commercial facture à un vendeur de réseau ne sont pas assujetties à la TVQ.

Modifications proposées :

La modification proposée consiste à introduire l'article 297.0.7 à la LTVQ afin de prévoir que le ministre doit aviser par écrit le vendeur de réseau de sa décision quant à sa demande d'utilisation de la méthode de comptabilité spéciale prévue dans la section III.0.1 du chapitre VI du titre I de la LTVQ. S'il accorde son approbation, la date d'entrée en vigueur de celle-ci doit être indiquée dans l'avis.

Renvois [art. 297.0.7]: 297.0.3 (définitions — vendeur de réseau); 297.0.6 (conditions d'application — commission de réseau); 297.0.9 (commission de réseau); 297.0.10 (matériel de promotion); 297.0.11 (service d'accueil); 297.0.12 (avis de refus); 297.0.13 (révocation de l'approbation du ministre); 297.0.14 (présomption de révocation de l'approbation du ministre); 297.0.15 (règles applicables en cas de révocation de l'approbation); 297.0.17 (condition d'application de l'article 297.0.18); 297.0.19 (fourniture taxable de matériel de promotion); 297.0.20 (restrictions applicables au crédit de taxe sur les intrants); 297.0.21 (biens réservés aux représentants commerciaux); 297.0.22 (représentant commercial du vendeur cessant d'être un inscrit); 297.0.25 (approbation en vertu de la LTA); 417.2.1 (petit fournisseur); 457.0.1 (exercice distinctif d'un vendeur de réseau); 457.0.2 (vendeur de réseau ne satisfaisant pas aux conditions); 457.0.4 (ajout d'un montant dans le calcul de la taxe nette); 457.0.5 (commission de réseau devenue payable en contrepartie d'une fourniture taxable).

Concordance fédérale: LTA, par. 178(5).

297.0.8 [Preuve satisfaisante] — Un vendeur de réseau doit posséder une preuve satisfaisante pour le ministre établissant qu'il a fait le choix prévu à l'article 297.0.6 conjointement avec chacun de ses représentants commerciaux.

L.Q. 2011, c. 6, art. 254.

Notes explicatives ARQ (PL 5, L.Q. 2011, c. 6): *Résumé* :

Le nouvel article 297.0.8 traite de la preuve du choix conjoint que doit posséder le vendeur de réseau.

Contexte :

Les entreprises du secteur du démarchage vendent habituellement leurs produits soit à des entrepreneurs indépendants qui, à leur tour, les vendent à des acheteurs, soit directement à des consommateurs par l'entremise de représentants commerciaux.

Afin de simplifier l'application de la taxe de vente du Québec (TVQ), les entreprises qui vendent leurs produits à des entrepreneurs indépendants peuvent demander l'approbation au ministre du Revenu pour utiliser la méthode facultative de perception prévue aux articles 297.1 et suivants de la LTVQ.

Lorsque les entreprises vendent leurs produits à des consommateurs par l'entremise de représentants commerciaux, elles versent à ces derniers une commission pour avoir pris des mesures pour vendre les produits. Les représentants commerciaux qui sont inscrits sous le régime de la TVQ doivent facturer la TVQ sur leurs commissions de réseau et la déclarer.

Dans le cadre du présent projet de loi, de nouvelles mesures sont proposées à l'égard de ces entreprises (appelées vendeurs de réseau) afin de leur permettre de demander l'approbation du ministre du Revenu pour utiliser la méthode de comptabilité spéciale dont le but est de simplifier l'application de la TVQ. Ainsi, lorsqu'une approbation est en vigueur, les commissions de réseau qu'un représentant commercial facture à un vendeur de réseau ne sont pas assujetties à la TVQ.

Modifications proposées :

La modification proposée consiste à introduire l'article 297.0.8 à la LTVQ afin de prévoir qu'un vendeur de réseau doit posséder une preuve satisfaisante pour le ministre établissant qu'il a fait le choix prévu à l'article 297.0.6 de la LTVQ conjointement avec chacun de ses représentants commerciaux.

Concordance fédérale: LTA, par. 178(6).

297.0.9 [Commission de réseau] — Dans le cas où l'approbation donnée par le ministre en vertu de l'article 297.0.7 à l'égard d'un vendeur de réseau et de chacun de ses représentants commerciaux est en vigueur et que, à un moment quelconque, une commission de réseau devient payable par le vendeur à l'un de ses représentants commerciaux en contrepartie de la fourniture taxable d'un service, autre qu'une fourniture détaxée, que celui-ci a effectuée au Québec, la fourniture est réputée ne pas constituer une fourniture.

L.Q. 2011, c. 6, art. 254.

Notes explicatives ARQ (PL 5, L.Q. 2011, c. 6): *Résumé* :

Le nouvel article 297.0.9 prévoit les règles qui s'appliquent lorsque l'approbation pour l'utilisation de la méthode de comptabilité spéciale pour les vendeurs de réseau est en vigueur.

Contexte :

Les entreprises du secteur du démarchage vendent habituellement leurs produits soit à des entrepreneurs indépendants qui, à leur tour, les vendent à des acheteurs, soit directement à des consommateurs par l'entremise de représentants commerciaux.

Afin de simplifier l'application de la taxe de vente du Québec (TVQ), les entreprises qui vendent leurs produits à des entrepreneurs indépendants peuvent demander l'approbation au ministre du Revenu pour utiliser la méthode facultative de perception prévue aux articles 297.1 et suivants de la LTVQ.

Lorsque les entreprises vendent leurs produits à des consommateurs par l'entremise de représentants commerciaux, elles versent à ces derniers une commission pour avoir pris des mesures pour vendre les produits. Les représentants commerciaux qui sont inscrits sous le régime de la TVQ doivent facturer la TVQ sur leurs commissions de réseau et la déclarer.

Dans le cadre du présent projet de loi, de nouvelles mesures sont proposées à l'égard de ces entreprises (appelées vendeurs de réseau) afin de leur permettre de demander l'approbation au ministre du Revenu pour utiliser la méthode de comptabilité spéciale dont le but est de simplifier l'application de la TVQ. Ainsi, lorsqu'une approbation est en vigueur, les commissions de réseau qu'un représentant commercial facture à un vendeur de réseau ne sont pas assujetties à la TVQ.

Modifications proposées :

La modification proposée consiste à introduire l'article 297.0.9 à la LTVQ afin de prévoir que, dans le cas où l'approbation donnée par le ministre en vertu de l'article 297.0.7 de la LTVQ à l'égard d'un vendeur de réseau et de chacun de ses représentants commerciaux est en vigueur et qu'une commission de réseau devient payable par le vendeur à l'un de ses représentants commerciaux en contrepartie de la fourniture taxable d'un service, autre qu'une fourniture détaxée, que celui-ci a effectuée au Québec, la fourniture est réputée ne pas constituer une fourniture.

Renvois [art. 297.0.9]: 297.0.5 (demande au ministre — commission de réseau); 297.0.6 (conditions d'application — commission de réseau); 457.0.2 (vendeur de réseau ne satisfaisant pas aux conditions); 457.0.5 (commission de réseau devenue payable en contrepartie d'une fourniture taxable).

Concordance fédérale: LTA, par. 178(7).

297.0.10 [Matériel de promotion] — Dans le cas où une approbation donnée par le ministre en vertu de l'article 297.0.7 à l'égard d'un vendeur de réseau et de chacun de ses représentants commerciaux est en vigueur et que, à un moment quelconque, le vendeur ou un représentant commercial de ce vendeur effectuent au Québec une fourniture taxable par vente de matériel de promotion du vendeur ou de son représentant commercial, selon le cas, à un représentant commercial du vendeur, la fourniture est réputée ne pas constituer une fourniture.

L.Q. 2011, c. 6, art. 254.

Notes explicatives ARQ (PL 5, L.Q. 2011, c. 6): *Résumé* :

Le nouvel article 297.0.10 prévoit que lorsqu'une approbation pour utiliser la méthode de comptabilité spéciale pour les vendeurs de réseau est en vigueur, la taxe de vente du Québec (TVQ) ne s'applique pas au matériel de promotion qu'un vendeur de réseau ou son représentant commercial vend, au Québec, à un autre représentant commercial du même vendeur de réseau.

Contexte :

Les entreprises du secteur du démarchage vendent habituellement leurs produits soit à des entrepreneurs indépendants qui, à leur tour, les vendent à des acheteurs, soit directement à des consommateurs par l'entremise de représentants commerciaux.

Afin de simplifier l'application de la TVQ, les entreprises qui vendent leurs produits à des entrepreneurs indépendants peuvent demander l'approbation au ministre du Revenu pour utiliser la méthode facultative de perception prévue aux articles 297.1 et suivants de la LTVQ.

Lorsque les entreprises vendent leurs produits à des consommateurs par l'entremise de représentants commerciaux, elles versent à ces derniers une commission pour avoir pris des mesures pour vendre les produits. Les représentants commerciaux qui sont inscrits sous le régime de la TVQ doivent facturer la TVQ sur leurs commissions de réseau et la déclarer.

Dans le cadre du présent projet de loi, de nouvelles mesures sont proposées à l'égard de ces entreprises (appelées vendeurs de réseau) afin de leur permettre de demander l'approbation au ministre du Revenu pour utiliser la méthode de comptabilité spéciale dont le but est de simplifier l'application de la TVQ. Ainsi, lorsqu'une approbation est en vigueur, les commissions de réseau qu'un représentant commercial facture à un vendeur de réseau ne sont pas assujetties à la TVQ.

Modifications proposées :

La modification proposée consiste à introduire l'article 297.0.10 à la LTVQ afin de prévoir que dans le cas où une approbation donnée par le ministre en vertu de l'article 297.0.7 de la LTVQ à l'égard d'un vendeur de réseau et de chacun de ses représentants commerciaux est en vigueur et que le vendeur ou un représentant commercial de ce vendeur effectuent au Québec une fourniture taxable par vente de matériel de promotion du vendeur ou de son représentant commercial, selon le cas, à un représentant commercial du vendeur, la fourniture est réputée ne pas constituer une fourniture.

Concordance fédérale: LTA, par. 178(8).

297.0.11 [Service d'accueil] — Dans le cas où une approbation donnée par le ministre en vertu de l'article 297.0.7 à l'égard d'un vendeur de réseau et de chacun de ses représentants commerciaux est en vigueur et que, à un moment quelconque, le vendeur ou un représentant commercial donné de ce vendeur effectuent la fourniture d'un bien au profit d'un particulier en contrepartie de la fourniture par celui-ci d'un service d'accueil lors d'un événement organisé afin de permettre à un représentant commercial du vendeur ou au représentant commercial donné, selon le cas, de promouvoir des produits déterminés du vendeur ou de prendre des mesures en vue de la vente de tels produits, le particulier est réputé ne pas avoir effectué une fourniture du service d'accueil et ce service est réputé ne pas être la contrepartie d'une fourniture.

L.Q. 2011, c. 6, art. 254.

Notes explicatives ARQ (PL 5, L.Q. 2011, c. 6): *Résumé* :

Le nouvel article 297.0.11 prévoit que les récompenses données à un particulier par un vendeur de réseau ou par un représentant commercial de ce dernier ne sont pas assujetties à la taxe de vente du Québec (TVQ) lorsque le particulier agit comme hôte à une présentation qu'il a organisée et qui permet au représentant commercial de promouvoir les produits du vendeur de réseau ou de prendre des mesures pour les vendre.

Contexte :

Les entreprises du secteur du démarchage vendent habituellement leurs produits soit à des entrepreneurs indépendants qui, à leur tour, les vendent à des acheteurs, soit directement à des consommateurs par l'entremise de représentants commerciaux.

Afin de simplifier l'application de la TVQ, les entreprises qui vendent leurs produits à des entrepreneurs indépendants peuvent demander l'approbation au ministre du Revenu pour utiliser la méthode facultative de perception prévue aux articles 297.1 et suivants de la LTVQ.

Lorsque les entreprises vendent leurs produits à des consommateurs par l'entremise de représentants commerciaux, elles versent à ces derniers une commission pour avoir pris des mesures pour vendre les produits. Les représentants commerciaux qui sont inscrits sous le régime de la TVQ doivent facturer la TVQ sur leurs commissions de réseau et la déclarer.

Dans le cadre du présent projet de loi, de nouvelles mesures sont proposées à l'égard de ces entreprises (appelées vendeurs de réseau) afin de leur permettre de demander l'approbation au ministre du Revenu pour utiliser la méthode de comptabilité spéciale dont le but est de simplifier l'application de la TVQ. Ainsi, lorsqu'une approbation est en vigueur, les commissions de réseau qu'un représentant commercial facture à un vendeur de réseau ne sont pas assujetties à la TVQ.

Modifications proposées :

La modification proposée consiste à introduire l'article 297.0.11 à la LTVQ afin de prévoir le cas où un particulier offre au représentant commercial du vendeur de réseau, lors d'un événement au cours duquel le représentant fait la promotion des produits déterminés du vendeur ou prend des mesures en vue de les vendre, un service d'accueil pour lequel il reçoit une récompense du vendeur ou du représentant. Dans ce cas, le particulier est réputé ne pas avoir effectué la fourniture du service d'accueil, et ce dernier est réputé ne pas être la contrepartie de la fourniture de la récompense.

Concordance fédérale: LTA, par. 178(9).

297.0.12 [Avis de refus] — Toute personne qui reçoit du ministre un avis de refus en vertu de l'article 297.0.7 doit, sans délai et d'une manière satisfaisante pour le ministre, en aviser le représentant commercial avec qui elle a fait le choix conjoint prévu à l'article 297.0.6.

L.Q. 2011, c. 6, art. 254.

Notes explicatives ARQ (PL 5, L.Q. 2011, c. 6): *Résumé* :

Le nouvel article 297.0.12 prévoit que toute personne qui reçoit du ministre un avis de refus doit, sans délai et d'une manière satisfaisante pour le ministre, en aviser chacun des représentants commerciaux avec lesquels elle a fait le choix conjoint.

Contexte :

Les entreprises du secteur du démarchage vendent habituellement leurs produits soit à des entrepreneurs indépendants qui, à leur tour, les vendent à des acheteurs, soit directement à des consommateurs par l'entremise de représentants commerciaux.

Afin de simplifier l'application de la taxe de vente du Québec (TVQ), les entreprises qui vendent leurs produits à des entrepreneurs indépendants peuvent demander l'approbation au ministre du Revenu pour utiliser la méthode facultative de perception prévue aux articles 297.1 et suivants de la LTVQ.

Lorsque les entreprises vendent leurs produits à des consommateurs par l'entremise de représentants commerciaux, elles versent à ces derniers une commission pour avoir pris des mesures pour vendre les produits. Les représentants commerciaux qui sont inscrits sous le régime de la TVQ doivent facturer la TVQ sur leurs commissions de réseau et la déclarer.

Dans le cadre du présent projet de loi, de nouvelles mesures sont proposées à l'égard de ces entreprises (appelées vendeurs de réseau) afin de leur permettre de demander l'approbation au ministre du Revenu pour utiliser la méthode de comptabilité spéciale dont le but est de simplifier l'application de la TVQ. Ainsi, lorsqu'une approbation est en vigueur, les commissions de réseau qu'un représentant commercial facture à un vendeur de réseau ne sont pas assujetties à la TVQ.

Modifications proposées :

La modification proposée consiste à introduire l'article 297.0.12 à la LTVQ afin de prévoir que le vendeur de réseau qui a demandé l'autorisation d'utiliser la méthode de comptabilité spéciale prévue dans la section III.0.1 du chapitre VI du titre I de la LTVQ, mais qui s'est vu refuser cette autorisation est tenu d'en aviser aussitôt chacun de ses représentants commerciaux avec lesquels il a fait un choix conjoint.

Concordance fédérale: LTA, par. 178(10).

297.0.13 [Révocation de l'approbation du ministre] — Le ministre peut, à compter du premier jour d'un exercice d'un vendeur de réseau, révoquer une approbation donnée en vertu de l'article 297.0.7 si, avant ce jour, il avise le vendeur du retrait et du jour de son entrée en vigueur et si, selon le cas :

1º le vendeur omet de respecter une disposition du présent titre;

2º il est raisonnable de s'attendre à ce que le vendeur ne soit pas un vendeur de réseau admissible tout au long de l'exercice;

3º le vendeur demande, par écrit, au ministre de révoquer l'approbation;

4º l'avis visé à l'article 416 a été donné au vendeur ou la demande visée au paragraphe 1° du premier alinéa de l'article 417 a été présentée par lui;

5º il est raisonnable de s'attendre à ce que le vendeur n'exerce pas exclusivement des activités commerciales tout au long de l'exercice.

L.Q. 2011, c. 6, art. 254.

Notes explicatives ARQ (PL 5, L.Q. 2011, c. 6): *Résumé* :

Le nouvel article 297.0.13 prévoit les situations dans lesquelles le ministre peut révoquer une approbation visant l'utilisation de la méthode de comptabilité spéciale applicable aux vendeurs de réseau.

Contexte :

Les entreprises du secteur du démarchage vendent habituellement leurs produits soit à des entrepreneurs indépendants qui, à leur tour, les vendent à des acheteurs, soit directement à des consommateurs par l'entremise de représentants commerciaux.

Afin de simplifier l'application de la taxe de vente du Québec (TVQ), les entreprises qui vendent leurs produits à des entrepreneurs indépendants peuvent demander l'approbation au ministre du Revenu pour utiliser la méthode facultative de perception prévue aux articles 297.1 et suivants de la LTVQ.

Lorsque les entreprises vendent leurs produits à des consommateurs par l'entremise de représentants commerciaux, elles versent à ces derniers une commission pour avoir pris des mesures pour vendre les produits. Les représentants commerciaux qui sont inscrits sous le régime de la TVQ doivent facturer la TVQ sur leurs commissions de réseau et la déclarer.

Dans le cadre du présent projet de loi, de nouvelles mesures sont proposées à l'égard de ces entreprises (appelées vendeurs de réseau) afin de leur permettre de demander l'approbation au ministre du Revenu pour utiliser la méthode de comptabilité spéciale dont le but est de simplifier l'application de la TVQ. Ainsi, lorsqu'une approbation est en vigueur, les commissions de réseau qu'un représentant commercial facture à un vendeur de réseau ne sont pas assujetties à la TVQ.

Modifications proposées :

La modification proposée consiste à introduire l'article 297.0.13 à la LTVQ qui permet au ministre de révoquer l'approbation pour l'une des raisons suivantes :

- le vendeur de réseau omet de respecter une disposition du titre I de la LTVQ;
- il est raisonnable de s'attendre à ce que le vendeur ne soit pas un vendeur de réseau admissible tout au long de l'exercice;
- le vendeur demande, par écrit, au ministre de révoquer l'approbation;
- l'avis visé à l'article 416 de la LTVQ a été donné au vendeur ou la demande visée au paragraphe 1º de l'article 417 de la LTVQ a été présentée par lui;
- il est raisonnable de s'attendre à ce que le vendeur n'exerce pas exclusivement des activités commerciales tout au long de l'exercice.

Renvois [art. 297.0.13]: 297.0.15 (règles applicables en cas de révocation de l'approbation); 297.0.16 (fourniture taxable d'un service); 297.0.17 (condition d'application de l'article 297.0.18); 297.0.19 (fourniture taxable de matériel de promotion); 457.0.5 (commission de réseau devenue payable en contrepartie d'une fourniture taxable).

Concordance fédérale: LTA, par. 178(11).

297.0.14 [Présomption de révocation de l'approbation du ministre] — Lorsque l'approbation donnée en vertu de l'article 297.0.7 à l'égard d'un vendeur de réseau et de chacun de ses représentants commerciaux est en vigueur au cours d'un exercice donné du vendeur et que, à un moment quelconque au cours du même exercice, le vendeur cesse d'exercer exclusivement des activités commerciales ou le ministre annule l'inscription du vendeur, l'approbation est réputée être révoquée, à compter du premier jour de l'exercice du vendeur qui suit l'exercice donné, sauf si, ce jour-là, le vendeur est inscrit en vertu de la section I du chapitre VIII et il est raisonnable de s'attendre à ce qu'il exerce exclusivement des activités commerciales tout au long de cet exercice subséquent.

L.Q. 2011, c. 6, art. 254.

Notes explicatives ARQ (PL 5, L.Q. 2011, c. 6): *Résumé* :

Le nouvel article 297.0.14 prévoit que lorsque le vendeur de réseau cesse d'exercer exclusivement des activités commerciales ou que le ministre annule l'inscription du vendeur, l'approbation est réputée être révoquée.

Contexte :

Les entreprises du secteur du démarchage vendent habituellement leurs produits soit à des entrepreneurs indépendants qui, à leur tour, les vendent à des acheteurs, soit directement à des consommateurs par l'entremise de représentants commerciaux.

Afin de simplifier l'application de la taxe de vente du Québec (TVQ), les entreprises qui vendent leurs produits à des entrepreneurs indépendants peuvent demander l'approbation au ministre du Revenu pour utiliser la méthode facultative de perception prévue aux articles 297.1 et suivants de la LTVQ.

Lorsque les entreprises vendent leurs produits à des consommateurs par l'entremise de représentants commerciaux, elles versent à ces derniers une commission pour avoir pris des mesures pour vendre les produits. Les représentants commerciaux qui sont inscrits sous le régime de la TVQ doivent facturer la TVQ sur leurs commissions de réseau et la déclarer.

Dans le cadre du présent projet de loi, de nouvelles mesures sont proposées à l'égard de ces entreprises (appelées vendeurs de réseau) afin de leur permettre de demander l'approbation au ministre du Revenu pour utiliser la méthode de comptabilité spéciale dont le but est de simplifier l'application de la TVQ. Ainsi, lorsqu'une approbation est en vigueur, les commissions de réseau qu'un représentant commercial facture à un vendeur de réseau ne sont pas assujetties à la TVQ.

Modifications proposées :

La modification proposée consiste à introduire l'article 297.0.14 à la LTVQ afin de prévoir que, lorsque l'approbation visant l'utilisation de la méthode de comptabilité spéciale est révoquée parce que l'inscription du vendeur de réseau a été annulée ou que celui-ci n'exerce pas exclusivement des activités commerciales tout au long d'un exercice donné, l'approbation est réputée être révoquée le premier jour de l'exercice subséquent. Toutefois, si le vendeur de réseau est inscrit sous le régime de la TVQ le premier jour de l'exercice subséquent et qu'il est raisonnable de s'attendre à ce qu'il exerce des activités commerciales tout au long de cet exercice, l'approbation ne sera pas réputée révoquée.

Renvois [art. 297.0.14]: 297.0.15 (règles applicables en cas de révocation de l'approbation); 297.0.16 (fourniture taxable d'un service); 297.0.17 (condition d'application de l'article 297.0.18); 297.0.19 (fourniture taxable de matériel de promotion); 457.0.5 (commission de réseau devenue payable en contrepartie d'une fourniture taxable).

Concordance fédérale: LTA, par. 178(12).

297.0.15 [Règles applicables en cas de révocation de l'approbation] — Dans le cas où l'approbation donnée en vertu de l'article 297.0.7 à l'égard d'un vendeur de réseau et de chacun de ses représentants commerciaux est révoquée en vertu de l'un des articles 297.0.13 et 297.0.14, les règles suivantes s'appliquent :

1º l'approbation cesse d'être en vigueur immédiatement avant le jour de l'entrée en vigueur de sa révocation;

2º le vendeur doit, sans délai et d'une manière satisfaisante pour le ministre, aviser chacun de ses représentants commerciaux de la révocation et du jour de son entrée en vigueur;

3º toute approbation subséquente donnée en vertu de l'article 297.0.7 à l'égard du vendeur et de chacun de ses représentants commerciaux ne peut entrer en vigueur avant le premier jour d'un exercice du vendeur qui suit d'au moins deux ans le jour de l'entrée en vigueur de la révocation.

L.Q. 2011, c. 6, art. 254.

Notes explicatives ARQ (PL 5, L.Q. 2011, c. 6): *Résumé* :

Le nouvel article 297.0.15 prévoit les règles applicables en cas de révocation de l'approbation visant l'utilisation de la méthode de comptabilité spéciale.

Contexte :

Les entreprises du secteur du démarchage vendent habituellement leurs produits soit à des entrepreneurs indépendants qui, à leur tour, les vendent à des acheteurs, soit directement à des consommateurs par l'entremise de représentants commerciaux.

Afin de simplifier l'application de la taxe de vente du Québec (TVQ), les entreprises qui vendent leurs produits à des entrepreneurs indépendants peuvent demander l'approbation au ministre du Revenu pour utiliser la méthode facultative de perception prévue aux articles 297.1 et suivants de la LTVQ.

Lorsque les entreprises vendent leurs produits à des consommateurs par l'entremise de représentants commerciaux, elles versent à ces derniers une commission pour avoir pris des mesures pour vendre les produits. Les représentants commerciaux qui sont inscrits sous le régime de la TVQ doivent facturer la TVQ sur leurs commissions de réseau et la déclarer.

Dans le cadre du présent projet de loi, de nouvelles mesures sont proposées à l'égard de ces entreprises (appelées vendeurs de réseau) afin de leur permettre de demander l'approbation au ministre du Revenu pour utiliser la méthode de comptabilité spéciale dont le but est de simplifier l'application de la TVQ. Ainsi, lorsqu'une approbation est en vigueur, les commissions de réseau qu'un représentant commercial facture à un vendeur de réseau ne sont pas assujetties à la TVQ.

Modifications proposées :

La modification proposée consiste à introduire l'article 297.0.15 à la LTVQ qui prévoit qu'en cas de révocation de l'approbation visant l'utilisation de la méthode de comptabilité spéciale, les règles suivantes s'appliquent :

— l'approbation cesse d'être en vigueur immédiatement avant le jour de l'entrée en vigueur de sa révocation;

— le vendeur doit, sans délai et d'une manière satisfaisante pour le ministre, aviser chacun de ses représentants commerciaux de la révocation et du jour de son entrée en vigueur;

— toute approbation subséquente donnée en vertu de l'article 297.0.7 de la LTVQ à l'égard du vendeur et de chacun de ses représentants commerciaux ne peut entrer en vigueur avant le premier jour d'un exercice du vendeur qui suit d'au moins deux ans le jour de l'entrée en vigueur de la révocation.

Renvois [art. 297.0.15]: 297.0.16 (fourniture taxable d'un service); 297.0.17 (condition d'application de l'article 297.0.18); 297.0.19 (fourniture taxable de matériel de promotion).

Concordance fédérale: LTA, par. 178(13).

297.0.16 [Fourniture taxable d'un service] — La fourniture taxable d'un service, autre qu'une fourniture détaxée, effectuée au Québec par le représentant commercial d'un vendeur de réseau est réputée ne pas constituer une fourniture si, à la fois :

1º la contrepartie de la fourniture constitue une commission de réseau qui devient payable par le vendeur au représentant commercial à un moment quelconque après le jour où l'approbation donnée en vertu de l'article 297.0.7 cesse d'être en vigueur du fait qu'elle a été révoquée en vertu de l'un des paragraphes 1° à 3° de l'article 297.0.13;

2º l'approbation n'aurait pas pu être révoquée en vertu de l'un des paragraphes 4° et 5° de l'article 297.0.13 et n'aurait pas été révoquée par ailleurs en vertu de l'article 297.0.14;

3º au moment où la commission de réseau devient payable, le représentant commercial, à la fois :

a) n'a pas été avisé de la révocation par le vendeur conformément au paragraphe 2° de l'article 297.0.15, ou par le ministre;

b) ne sait pas ni ne devrait savoir que l'approbation a cessé d'être en vigueur;

4º aucun montant n'a été exigé ni perçu au titre de la taxe à l'égard de la fourniture.

L.Q. 2011, c. 6, art. 254.

Notes explicatives ARQ (PL 5, L.Q. 2011, c. 6): *Résumé* :

Le nouvel article 297.0.16 prévoit dans quelles circonstances la fourniture taxable d'un service effectué par le représentant commercial d'un vendeur de réseau est réputé ne pas constituer une fourniture malgré la révocation de l'approbation visant l'utilisation de la méthode de comptabilité spéciale.

Contexte :

Les entreprises du secteur du démarchage vendent habituellement leurs produits soit à des entrepreneurs indépendants qui, à leur tour, les vendent à des acheteurs, soit directement à des consommateurs par l'entremise de représentants commerciaux.

Afin de simplifier l'application de la taxe de vente du Québec (TVQ), les entreprises qui vendent leurs produits à des entrepreneurs indépendants peuvent demander l'approbation au ministre du Revenu pour utiliser la méthode facultative de perception prévue aux articles 297.1 et suivants de la LTVQ.

Lorsque les entreprises vendent leurs produits à des consommateurs par l'entremise de représentants commerciaux, elles versent à ces derniers une commission pour avoir pris des mesures pour vendre les produits. Les représentants commerciaux qui sont inscrits sous le régime de la TVQ doivent facturer la TVQ sur leurs commissions de réseau et la déclarer.

Dans le cadre du présent projet de loi, de nouvelles mesures sont proposées à l'égard de ces entreprises (appelées vendeurs de réseau) afin de leur permettre de demander l'approbation au ministre du Revenu pour utiliser la méthode de comptabilité spéciale dont le but est de simplifier l'application de la TVQ. Ainsi, lorsqu'une approbation est en vigueur, les commissions de réseau qu'un représentant commercial facture à un vendeur de réseau ne sont pas assujetties à la TVQ.

Modifications proposées :

La modification proposée consiste à introduire l'article 297.0.16 à la LTVQ qui prévoit que malgré la révocation de l'approbation visant l'utilisation de la méthode de comptabilité spéciale, la fourniture taxable d'un service effectuée par le représentant commercial d'un vendeur de réseau et pour laquelle une commission de réseau devient payable par ce dernier continuera d'être réputée ne pas être une fourniture si certaines conditions sont réunies. Plus précisément :

— le représentant commercial n'a pas été avisé de la révocation;

— la révocation ne peut être due à l'annulation de l'inscription du vendeur de réseau ni au fait que le vendeur n'exerce pas ou n'exercera vraisemblablement pas exclusivement des activités commerciales au cours d'un exercice;

— aucun montant n'a été exigé ou perçu au titre de la taxe relative au service exécuté par le représentant commercial.

Concordance fédérale: LTA, par. 178(14).

297.0.17 [Conditions d'application] — L'article 297.0.18 s'applique si les conditions suivantes sont satisfaites :

1º la contrepartie de la fourniture taxable d'un service, autre qu'une fourniture détaxée, effectuée au Québec par le représentant commercial d'un vendeur de réseau constitue une commission de réseau qui devient payable par le vendeur au représentant commercial à un moment quelconque après le jour où l'approbation donnée en vertu de l'article 297.0.7 cesse d'être en vigueur du fait qu'elle a été révoquée en vertu de l'un des articles 297.0.13 et 297.0.14;

2º l'approbation a été révoquée en vertu de l'un des paragraphes 4° et 5° de l'article 297.0.13 ou aurait pu l'être par ailleurs à tout moment, ou elle a été révoquée en vertu de l'article 297.0.14 ou l'aurait été par ailleurs à tout moment;

3º au moment où la commission de réseau devient payable, le représentant commercial, à la fois :

a) n'a pas été avisé de la révocation par le vendeur conformément au paragraphe 2° de l'article 297.0.15 ou par le ministre;

b) ne sait pas ni ne devrait savoir que l'approbation a cessé d'être en vigueur;

4º aucun montant n'a été exigé ni perçu au titre de la taxe à l'égard de la fourniture.

L.Q. 2011, c. 6, art. 254.

Notes explicatives ARQ (PL 5, L.Q. 2011, c. 6): *Résumé* :

Le nouvel article 297.0.17 prévoit les conditions pour l'application de l'article 297.0.18.

Contexte :

Les entreprises du secteur du démarchage vendent habituellement leurs produits soit à des entrepreneurs indépendants qui, à leur tour, les vendent à des acheteurs, soit directement à des consommateurs par l'entremise de représentants commerciaux.

Afin de simplifier l'application de la taxe de vente du Québec (TVQ), les entreprises qui vendent leurs produits à des entrepreneurs indépendants peuvent demander l'approbation au ministre du Revenu pour utiliser la méthode facultative de perception prévue aux articles 297.1 et suivants de la LTVQ.

Lorsque les entreprises vendent leurs produits à des consommateurs par l'entremise de représentants commerciaux, elles versent à ces derniers une commission pour avoir pris des mesures pour vendre les produits. Les représentants commerciaux qui sont inscrits sous le régime de la TVQ doivent facturer la TVQ sur leurs commissions de réseau et la déclarer.

Dans le cadre du présent projet de loi, de nouvelles mesures sont proposées à l'égard de ces entreprises (appelées vendeurs de réseau) afin de leur permettre de demander l'approbation au ministre du Revenu pour utiliser la méthode de comptabilité spéciale dont le but est de simplifier l'application de la TVQ. Ainsi, lorsqu'une approbation est en vigueur, les commissions de réseau qu'un représentant commercial facture à un vendeur de réseau ne sont pas assujetties à la TVQ.

Modifications proposées :

La modification proposée consiste à introduire l'article 297.0.17 à la LTVQ qui prévoit les conditions suivantes pour l'application de l'article 297.0.18 :

— la contrepartie de la fourniture taxable d'un service, autre qu'une fourniture détaxée, effectuée au Québec par le représentant commercial d'un vendeur de réseau constitue une commission de réseau qui devient payable par le vendeur au représentant commercial à un moment quelconque après le jour où l'approbation cesse d'être en vigueur du fait qu'elle a été révoquée;

LTVQ (français)

— l'approbation a été révoquée ou aurait pu l'être par ailleurs;

— au moment où la commission de réseau devient payable, le représentant commercial n'a pas été avisé de la révocation par le vendeur et ne sait pas ni ne devrait savoir que l'approbation a cessé d'être en vigueur;

— aucun montant n'a été exigé ni perçu au titre de la taxe à l'égard de la fourniture.

Concordance fédérale: LTA, par. 178(15).

297.0.18 [Règles applicables] — Dans le cas où les conditions énoncées à l'article 297.0.17 sont satisfaites, les règles suivantes s'appliquent :

1° l'article 68 ne s'applique pas à l'égard de la fourniture taxable visée au paragraphe 1° de l'article 297.0.17;

2° la taxe qui devient payable relativement à cette fourniture, ou qui le deviendrait en l'absence de l'article 68, n'est pas incluse dans le calcul de la taxe nette du représentant commercial visé au paragraphe 1° de l'article 297.0.17;

3° la contrepartie de cette fourniture n'est pas incluse dans le total visé au paragraphe 1° de l'article 294 ou au paragraphe 1° de l'article 295 lorsqu'il s'agit de déterminer si le représentant commercial est un petit fournisseur.

L.Q. 2011, c. 6, art. 254.

Notes explicatives ARQ (PL 5, L.Q. 2011, c. 6): *Résumé* :

Le nouvel article 297.0.18 prévoit, sous certaines conditions, que les règles sur les petits fournisseurs s'appliquent de façon particulière dans le cas où une commission de réseau devient payable par un vendeur de réseau pour la fourniture taxable d'un service effectuée par l'un de ses représentants commerciaux alors que l'approbation visant l'utilisation de la méthode de comptabilité spéciale prévue à l'article 297.0.7 de la LTVQ a été révoquée et que le représentant commercial n'a pas été avisé de la révocation de l'approbation.

Contexte :

Les entreprises du secteur du démarchage vendent habituellement leurs produits soit à des entrepreneurs indépendants qui, à leur tour, les vendent à des acheteurs, soit directement à des consommateurs par l'entremise de représentants commerciaux.

Afin de simplifier l'application de la taxe de vente du Québec (TVQ), les entreprises qui vendent leurs produits à des entrepreneurs indépendants peuvent demander l'approbation au ministre du Revenu pour utiliser la méthode facultative de perception prévue aux articles 297.1 et suivants de la LTVQ.

Lorsque les entreprises vendent leurs produits à des consommateurs par l'entremise de représentants commerciaux, elles versent à ces derniers une commission pour avoir pris des mesures pour vendre les produits. Les représentants commerciaux qui sont inscrits sous le régime de la TVQ doivent facturer la TVQ sur leurs commissions de réseau et la déclarer.

Dans le cadre du présent projet de loi, de nouvelles mesures sont proposées à l'égard de ces entreprises (appelées vendeurs de réseau) afin de leur permettre de demander l'approbation au ministre du Revenu pour utiliser la méthode de comptabilité spéciale dont le but est de simplifier l'application de la TVQ. Ainsi, lorsqu'une approbation est en vigueur, les commissions de réseau qu'un représentant commercial facture à un vendeur de réseau ne sont pas assujetties à la TVQ.

Modifications proposées :

La modification proposée consiste à introduire l'article 297.0.18 à la LTVQ afin de prévoir que lorsque les conditions prévues à l'articles 297.0.17 de la LTVQ sont remplies, les règles sur les petits fournisseurs énoncées à l'article 68 ainsi qu'au paragraphe 1° de l'article 294 et au paragraphe 1° de l'article 295 de la LTVQ s'appliquent de façon particulière dans le cas où une commission de réseau devient payable par un vendeur de réseau pour la fourniture taxable d'un service effectuée par l'un de ses représentants commerciaux et où l'approbation visant l'utilisation de la méthode de comptabilité spéciale a été révoquée. Plus précisément, la disposition d'allégement applicable aux fournitures taxables effectuées par les petits fournisseurs non inscrits (énoncée à l'article 68 de la LTVQ) cesse de s'appliquer relativement au service; la taxe qui devient payable relativement au service, ou qui le deviendrait en l'absence de l'article 68 de la LTVQ, n'entre pas dans le calcul de la taxe nette du représentant commercial et la commission payable au représentant commercial au titre du service n'est pas prise en compte lorsqu'il s'agit de déterminer si celui-ci est un petit fournisseur en vertu de l'article 294 ou de l'article 295 de la LTVQ.

Renvois [art. 297.0.18]: 297.0.17 (condition d'application de l'article 297.0.18).

Concordance fédérale: LTA, par. 178(16).

297.0.19 [Fourniture taxable de matériel de promotion] — La fourniture taxable de matériel de promotion d'un représentant commercial donné d'un vendeur de réseau effectuée au Québec par vente au profit d'un autre représentant commercial du vendeur est réputée ne pas constituer une fourniture si, à la fois :

1° la contrepartie de la fourniture devient payable à un moment quelconque après le jour où l'approbation donnée en vertu de l'article 297.0.7 cesse d'être en vigueur du fait qu'elle a été révoquée en vertu de l'un des articles 297.0.13 et 297.0.14;

2° au moment où la contrepartie devient payable, le représentant commercial donné, à la fois :

a) n'a pas été avisé de la révocation par le vendeur conformément au paragraphe 2° de l'article 297.0.15, ou par le ministre;

b) ne sait pas ni ne devrait savoir que l'approbation a cessé d'être en vigueur;

3° aucun montant n'a été exigé ni perçu au titre de la taxe à l'égard de la fourniture.

L.Q. 2011, c. 6, art. 254.

Notes explicatives ARQ (PL 5, L.Q. 2011, c. 6): *Résumé* :

Le nouvel article 297.0.19 prévoit dans quelles circonstances la fourniture taxable de matériel de promotion effectuée par vente par un représentant commercial d'un vendeur de réseau à un autre représentant commercial du vendeur continue d'être réputée ne pas constituer une fourniture malgré la révocation de l'approbation visant la méthode de comptabilité spéciale.

Contexte :

Les entreprises du secteur du démarchage vendent habituellement leurs produits soit à des entrepreneurs indépendants qui, à leur tour, les vendent à des acheteurs, soit directement à des consommateurs par l'entremise de représentants commerciaux.

Afin de simplifier l'application de la taxe de vente du Québec (TVQ), les entreprises qui vendent leurs produits à des entrepreneurs indépendants peuvent demander l'approbation au ministre du Revenu pour utiliser la méthode facultative de perception prévue aux articles 297.1 et suivants de la LTVQ.

Lorsque les entreprises vendent leurs produits à des consommateurs par l'entremise de représentants commerciaux, elles versent à ces derniers une commission pour avoir pris des mesures pour vendre les produits. Les représentants commerciaux qui sont inscrits sous le régime de la TVQ doivent facturer la TVQ sur leurs commissions de réseau et la déclarer.

Dans le cadre du présent projet de loi, de nouvelles mesures sont proposées à l'égard de ces entreprises (appelées vendeurs de réseau) afin de leur permettre de demander l'approbation au ministre du Revenu pour utiliser la méthode de comptabilité spéciale dont le but est de simplifier l'application de la TVQ. Ainsi, lorsqu'une approbation est en vigueur, les commissions de réseau qu'un représentant commercial facture à un vendeur de réseau ne sont pas assujetties à la TVQ.

Modifications proposées :

La modification proposée consiste à introduire l'article 297.0.19 à la LTVQ afin de prévoir que, malgré la révocation de l'approbation visant la méthode de comptabilité spéciale, la fourniture taxable de matériel de promotion effectuée par vente par un représentant commercial d'un vendeur de réseau à un autre représentant commercial du vendeur continue d'être réputée ne pas être une fourniture si certaines conditions sont réunies. Plus précisément, outre le fait que le représentant commercial n'a pas été avisé du retrait de l'approbation, aucun montant ne doit avoir été exigé ou perçu au titre de la taxe à l'égard de la fourniture taxable du matériel de promotion.

Concordance fédérale: LTA, par. 178(17).

297.0.20 [Restrictions applicables au crédit de taxe sur les intrants] — Dans le cas où un inscrit qui est un vendeur de réseau à l'égard duquel une approbation donnée en vertu de l'article 297.0.7 est en vigueur acquiert, ou apporte au Québec, un bien, autre qu'un produit déterminé du vendeur, ou un service dans le but d'en effectuer la fourniture à un représentant commercial du vendeur ou à tout particulier lié à ce dernier sans contrepartie ou pour une contrepartie inférieure à la juste valeur marchande du bien ou du service, que la taxe devient payable relativement à l'acquisition ou à l'apport et que le représentant commercial ou le particulier n'acquiert pas le bien ou le service pour consommation, utilisation ou fourniture exclusive dans le cadre de ses activités commerciales, les règles suivantes s'appliquent :

1° aucune taxe n'est payable à l'égard de cette fourniture;

2° dans le calcul du remboursement de la taxe sur les intrants de l'inscrit, aucun montant ne doit être inclus à l'égard de la taxe qui devient payable par l'inscrit ou est payée par celui-ci sans qu'elle soit devenue payable relativement au bien ou au service.

L.Q. 2011, c. 6, art. 254.

Notes explicatives ARQ (PL 5, L.Q. 2011, c. 6): *Résumé* :

Le nouvel article 297.0.20 prévoit les restrictions applicables au remboursement de la taxe sur les intrants que peut demander un vendeur de réseau.

Contexte :

Les entreprises du secteur du démarchage vendent habituellement leurs produits soit à des entrepreneurs indépendants qui, à leur tour, les vendent à des acheteurs, soit directement à des consommateurs par l'entremise de représentants commerciaux.

Afin de simplifier l'application de la taxe de vente du Québec (TVQ), les entreprises qui vendent leurs produits à des entrepreneurs indépendants peuvent demander l'approbation au ministre du Revenu pour utiliser la méthode facultative de perception prévue aux articles 297.1 et suivants de la LTVQ.

Lorsque les entreprises vendent leurs produits à des consommateurs par l'entremise de représentants commerciaux, elles versent à ces derniers une commission pour avoir pris des mesures pour vendre les produits. Les représentants commerciaux qui sont inscrits sous le régime de la TVQ doivent facturer la TVQ sur leurs commissions de réseau et la déclarer.

Dans le cadre du présent projet de loi, de nouvelles mesures sont proposées à l'égard de ces entreprises (appelées vendeurs de réseau) afin de leur permettre de demander l'approbation au ministre du Revenu pour utiliser la méthode de comptabilité spéciale dont le but est de simplifier l'application de la TVQ. Ainsi, lorsqu'une approbation est en vigueur, les commissions de réseau qu'un représentant commercial facture à un vendeur de réseau ne sont pas assujetties à la TVQ.

Modifications proposées :

La modification proposée consiste à introduire l'article 297.0.20 à la LTVQ. Il vise à refuser tout remboursement de la taxe sur les intrants au vendeur de réseau à l'égard d'un bien, autre qu'un produit déterminé, ou d'un service qu'il acquiert ou apporte au Québec dans le but d'en effectuer la fourniture à un représentant commercial du vendeur ou à tout particulier lié à ce représentant sans contrepartie ou pour une contrepartie inférieure à sa juste valeur marchande et que ce représentant ou ce particulier n'acquiert par le bien ou le service pour consommation, utilisation ou fourniture exclusive dans le cadre de ses activités commerciales. Aucun remboursement de la taxe sur les intrants n'est accordé du fait que l'article 297.0.20 de la LTVQ prévoit qu'aucune taxe n'est payable sur la fourniture effectuée par le vendeur à son représentant commercial ou au particulier lié à ce dernier.

Concordance fédérale: LTA, par. 178(18).

297.0.21 [Biens réservés aux représentants commerciaux] — Dans le cas où un inscrit qui est un vendeur de réseau à l'égard duquel une approbation a été donnée en vertu de l'article 297.0.7 est en vigueur, et qui dans le cadre de ses activités commerciales a acquis, fabriqué ou produit un bien, autre qu'un produit déterminé du vendeur, ou a acquis ou exécuté un service, réserve le bien ou le service, à un moment quelconque, au profit de l'un de ses représentants commerciaux, ou d'un particulier qui est lié à celui-ci autrement que par une fourniture effectuée pour une contrepartie égale à la juste valeur marchande du bien ou du service, et que le représentant commercial ou le particulier n'acquiert pas le bien ou le service pour consommation, utilisation ou fourniture exclusive dans le cadre de ses activités commerciales, l'inscrit est réputé, à la fois :

1° avoir effectué la fourniture du bien ou du service pour une contrepartie payée à ce moment, égale à la juste valeur marchande du bien ou du service à ce moment;

2° avoir perçu, à ce moment, la taxe à l'égard de cette fourniture, sauf s'il s'agit d'une fourniture exonérée, calculée sur cette contrepartie.

[Exception] — Le présent article ne s'applique pas à un bien ou à un service réservé par un inscrit qui n'a pas le droit de demander un remboursement de la taxe sur les intrants à l'égard du bien ou du service, en raison des articles 203 ou 206.

L.Q. 2011, c. 6, art. 254.

Notes explicatives ARQ (PL 5, L.Q. 2011, c. 6): *Résumé* :

Le nouvel article 297.0.21 prévoit dans quelles circonstances un vendeur de réseau qui réserve un bien (autre qu'un produit déterminé) ou un service au profit d'un de ses représentants commerciaux ou d'un particulier lié à celui-ci doit calculer la taxe sur la juste valeur marchande du bien ou du service.

Contexte :

Les entreprises du secteur du démarchage vendent habituellement leurs produits soit à des entrepreneurs indépendants qui, à leur tour, les vendent à des acheteurs, soit directement à des consommateurs par l'entremise de représentants commerciaux.

Afin de simplifier l'application de la taxe de vente du Québec (TVQ), les entreprises qui vendent leurs produits à des entrepreneurs indépendants peuvent demander l'approbation au ministre du Revenu pour utiliser la méthode facultative de perception prévue aux articles 297.1 et suivants de la LTVQ.

Lorsque les entreprises vendent leurs produits à des consommateurs par l'entremise de représentants commerciaux, elles versent à ces derniers une commission pour avoir pris des mesures pour vendre les produits. Les représentants commerciaux qui sont inscrits sous le régime de la TVQ doivent facturer la TVQ sur leurs commissions de réseau et la déclarer.

Dans le cadre du présent projet de loi, de nouvelles mesures sont proposées à l'égard de ces entreprises (appelées vendeurs de réseau) afin de leur permettre de demander l'approbation au ministre du Revenu pour utiliser la méthode de comptabilité spéciale dont le but est de simplifier l'application de la TVQ. Ainsi, lorsqu'une approbation est en vigueur, les commissions de réseau qu'un représentant commercial facture à un vendeur de réseau ne sont pas assujetties à la TVQ.

Modifications proposées :

La modification proposée consiste à introduire l'article 297.0.21 à la LTVQ afin de prévoir que le vendeur de réseau qui réserve un bien (sauf un bien qui est l'un de ses produits déterminés) acquis, fabriqué ou produit dans le cadre de ses activités commerciales, ou un service acquis ou exécuté dans ce cadre, à l'usage d'un de ses représentants commerciaux, ou d'un particulier lié à celui-ci, — qui n'acquiert pas le bien ou le service en vue de le consommer, de l'utiliser ou de le fournir exclusivement dans le cadre d'activités commerciales — autrement que par une fourniture effectuée pour une contrepartie égale à la juste valeur marchande du bien ou du service, est réputé avoir effectué une fourniture du bien ou du service et doit calculer la taxe sur leur juste valeur marchande.

L'article 297.0.21 ne s'applique pas toutefois à un bien ou à un service réservé par le vendeur de réseau qui n'a pas le droit de demander un remboursement de la taxe sur les intrants à l'égard du bien ou du service en raison des articles 203 ou 206 de la LTVQ.

Concordance fédérale: LTA, par. 178(19)-(20).

297.0.22 [Représentant commercial du vendeur cessant d'être un inscrit] — Dans le cas où une approbation donnée en vertu de l'article 297.0.7 à l'égard d'un vendeur de réseau et de chacun de ses représentants commerciaux est en vigueur et qu'à un moment quelconque, un représentant commercial du vendeur cesse d'être un inscrit, le paragraphe 1° de l'article 209 ne s'applique pas au matériel de promotion qui lui a été fourni par le vendeur ou par un autre représentant commercial de celui-ci à un moment où l'approbation est en vigueur.

L.Q. 2011, c. 6, art. 254.

Notes explicatives ARQ (PL 5, L.Q. 2011, c. 6): *Résumé* :

Le nouvel article 297.0.22 prévoit qu'aucune taxe n'est payable à l'égard d'une fourniture de matériel de promotion effectuée par le vendeur de réseau ou par un représentant commercial de celui-ci à un représentant commercial du vendeur qui cesse d'être un inscrit pendant que l'approbation visant l'utilisation de la méthode de comptabilité spéciale prévue à l'article 297.0.7 de la LTVQ est en vigueur.

Contexte :

Les entreprises du secteur du démarchage vendent habituellement leurs produits soit à des entrepreneurs indépendants qui, à leur tour, les vendent à des acheteurs, soit directement à des consommateurs par l'entremise de représentants commerciaux.

Afin de simplifier l'application de la taxe de vente du Québec (TVQ), les entreprises qui vendent leurs produits à des entrepreneurs indépendants peuvent demander l'approbation au ministre du Revenu pour utiliser la méthode facultative de perception prévue aux articles 297.1 et suivants de la LTVQ.

Lorsque les entreprises vendent leurs produits à des consommateurs par l'entremise de représentants commerciaux, elles versent à ces derniers une commission pour avoir pris des mesures pour vendre les produits. Les représentants commerciaux qui sont inscrits sous le régime de la TVQ doivent facturer la TVQ sur leurs commissions de réseau et la déclarer.

Dans le cadre du présent projet de loi, de nouvelles mesures sont proposées à l'égard de ces entreprises (appelées vendeurs de réseau) afin de leur permettre de demander l'approbation au ministre du Revenu pour utiliser la méthode de comptabilité spéciale dont le but est de simplifier l'application de la TVQ. Ainsi, lorsqu'une approbation est en vigueur, les commissions de réseau qu'un représentant commercial facture à un vendeur de réseau ne sont pas assujetties à la TVQ.

Modifications proposées :

La modification proposée consiste à introduire l'article 297.0.22 à la LTVQ de façon à prévoir que, lorsqu'un représentant commercial d'un vendeur de réseau cesse d'être un inscrit pendant que l'approbation visant l'utilisation de la méthode de comptabilité spéciale prévue à l'article 297.0.7 de la LTVQ est en vigueur, le paragraphe 1° de l'article 209 de la LTVQ ne s'applique pas à la fourniture de matériel de promotion effectuée par le vendeur ou par un autre représentant commercial de celui-ci à un moment où l'approbation était en vigueur. Selon ce paragraphe, la taxe devient payable sur un bien (sauf une immobilisation) détenu pour consommation, utilisation ou fourniture dans le cadre des activités commerciales d'une personne lorsque celle-ci cesse d'être un inscrit.

Concordance fédérale: LTA, par. 178(21).

297.0.23 [Particulier qui fournit un service d'accueil] — L'article 55 ne s'applique pas à la fourniture visée à l'article 297.0.11 effectuée au profit d'un particulier qui fournit un service d'accueil.

L.Q. 2011, c. 6, art. 254.

Notes explicatives ARQ (PL 5, L.Q. 2011, c. 6): *Résumé* :

Le nouvel article 297.0.23 précise que la présomption prévue à l'article 55 de la LTVQ selon laquelle certaines fournitures effectuées à titre gratuit ou pour une contrepartie inférieure à la juste valeur marchande entre personnes ayant un lien de dépendance sont réputées effectuées pour une contrepartie égale à la juste valeur marchande ne s'applique pas à la fourniture d'un bien effectuée par un vendeur de réseau ou un représentant de celui-ci à un particulier en contrepartie d'un service d'accueil. Une telle fourniture de bien n'est pas assujettie à la taxe de vente du Québec (TVQ) en vertu de l'article 297.0.11 de la LTVQ.

Contexte :

Les entreprises du secteur du démarchage vendent habituellement leurs produits soit à des entrepreneurs indépendants qui, à leur tour, les vendent à des acheteurs, soit directement à des consommateurs par l'entremise de représentants commerciaux.

Afin de simplifier l'application de la TVQ, les entreprises qui vendent leurs produits à des entrepreneurs indépendants peuvent demander l'approbation au ministre du Revenu pour utiliser la méthode facultative de perception prévue aux articles 297.1 et suivants de la LTVQ.

Lorsque les entreprises vendent leurs produits à des consommateurs par l'entremise de représentants commerciaux, elles versent à ces derniers une commission pour avoir pris des mesures pour vendre les produits. Les représentants commerciaux qui sont inscrits sous le régime de la TVQ doivent facturer la TVQ sur leurs commissions de réseau et la déclarer.

Dans le cadre du présent projet de loi, de nouvelles mesures sont proposées à l'égard de ces entreprises (appelées vendeurs de réseau) afin de leur permettre de demander l'approbation au ministre du Revenu pour utiliser la méthode de comptabilité spéciale dont le but est de simplifier l'application de la TVQ. Ainsi, lorsqu'une approbation est en vigueur, les commissions de réseau qu'un représentant commercial facture à un vendeur de réseau ne sont pas assujetties à la TVQ.

Modifications proposées :

La modification proposée consiste à introduire l'article 297.0.23 à la LTVQ afin de prévoir que l'article 55 de la LTVQ ne s'applique pas à la fourniture visée à l'article 297.0.11 de la LTVQ effectuée au profit d'un particulier qui fournit un service d'accueil. Selon l'article 55 de la LTVQ, certaines fournitures effectuées à titre gratuit ou pour une contrepartie inférieure à la juste valeur marchande entre personnes ayant un lien de dépendance sont réputées être effectuées pour une contrepartie égale à la juste valeur marchande.

Concordance fédérale: LTA, par. 178(22).

297.0.24 [Exercice d'une personne] — Pour l'application de la présente section et des articles 457.0.1 à 457.0.4, l'exercice d'une personne correspond à son exercice au sens de l'article 458.1.

L.Q. 2011, c. 6, art. 254.

Notes explicatives ARQ (PL 5, L.Q. 2011, c. 6): *Résumé* :

L'article 297.0.24 est ajouté afin de prévoir la définition de l'expression « exercice » pour l'application de la section III.0.1 et des articles 457.0.1 à 457.0.4 de la LTVQ relativement aux nouvelles règles relatives à la méthode de comptabilité spéciale des vendeurs de réseau.

Contexte :

Les entreprises du secteur du démarchage vendent habituellement leurs produits soit à des entrepreneurs indépendants qui, à leur tour, les vendent à des acheteurs, soit directement à des consommateurs par l'entremise de représentants commerciaux.

Afin de simplifier l'application de la taxe de vente du Québec (TVQ), les entreprises qui vendent leurs produits à des entrepreneurs indépendants peuvent demander l'approbation au ministre du Revenu pour utiliser la méthode facultative de perception prévue aux articles 297.1 et suivants de la LTVQ.

Lorsque les entreprises vendent leurs produits à des consommateurs par l'entremise de représentants commerciaux, elles versent à ces derniers une commission pour avoir pris des mesures pour vendre les produits. Les représentants commerciaux qui sont inscrits sous le régime de la TVQ doivent facturer la TVQ sur leurs commissions de réseau et la déclarer.

Dans le cadre du présent projet de loi, de nouvelles mesures sont proposées à l'égard de ces entreprises (appelées vendeurs de réseau) afin de leur permettre de demander l'approbation au ministre du Revenu pour utiliser la méthode de comptabilité spéciale dont le but est de simplifier l'application de la TVQ. Ainsi, lorsqu'une approbation est en vigueur, les commissions de réseau qu'un représentant commercial facture à un vendeur de réseau ne sont pas assujetties à la TVQ.

Modifications proposées :

La modification proposée consiste à introduire l'article 297.0.24 à la LTVQ afin de prévoir la définition de l'expression « exercice » pour l'application de la section III.0.1 et des articles 457.0.1 à 457.0.4 de la LTVQ relativement aux nouvelles règles relatives à la méthode de comptabilité spéciale des vendeurs de réseau. Puisque la définition de l'expression « exercice » se retrouve à l'article 458.1 de la LTVQ, un renvoi à cet article est donc effectué.

Concordance fédérale: aucune.

297.0.25 [Approbation en vertu de la LTA] — Une personne peut présenter une demande au ministre, au moyen du formulaire prescrit contenant les renseignements prescrits, afin que l'article 297.0.9 s'applique à son égard et à l'égard de chacun de ses représentants commerciaux à compter du premier jour de son exercice, si la personne, à la fois :

1° le vendeur n'a pas à présenter une demande en vertu de l'article 297.0.5;

2° le vendeur est réputé avoir reçu une approbation, en vertu de l'article 297.0.7, dont le moment ou le jour d'entrée en vigueur est le même que celui de l'entrée en vigueur de l'approbation accordée en vertu du paragraphe 5 de l'article 178 de cette loi;

3° l'approbation que le vendeur est réputé avoir reçue en vertu de l'article 297.0.7 est réputée :

a) être révoquée le jour de l'entrée en vigueur du retrait de l'approbation accordée en vertu du paragraphe 5 de l'article 178 de cette loi et la révocation est réputée entrer en vigueur ce même jour;

b) cesser d'être en vigueur le jour où l'approbation visée au sous-paragraphe a cesse d'être en vigueur.

[Avis au ministre] — Le ministre peut exiger du vendeur de réseau qu'il l'informe, de la manière prescrite par le ministre, au moyen du formulaire prescrit contenant les renseignements prescrits et dans le délai qu'il détermine, de l'approbation accordée en vertu du paragraphe 5 de l'article 178 de cette loi, du retrait de cette approbation ou du fait qu'elle a cessé d'être en vigueur ou exiger qu'il lui transmette l'avis d'approbation ou de retrait de cette approbation.

L.Q. 2011, c. 6, art. 254.

Notes explicatives ARQ (PL 5, L.Q. 2011, c. 6): *Résumé* :

Le nouvel article 297.0.25 établit des présomptions pour l'application des règles prévues dans le régime de la taxe de vente du Québec (TVQ) à l'égard des vendeurs de réseau lorsqu'un inscrit a obtenu une approbation du ministre national du Revenu en vertu du paragraphe 5 de l'article 178 de la *Loi sur la taxe d'accise* (Lois révisées du Canada (1985), chapitre E-15) (LTA).

Contexte :

Les entreprises du secteur du démarchage vendent habituellement leurs produits soit à des entrepreneurs indépendants qui, à leur tour, les vendent à des acheteurs, soit directement à des consommateurs par l'entremise de représentants commerciaux.

Afin de simplifier l'application de la TVQ, les entreprises qui vendent leurs produits à des entrepreneurs indépendants peuvent demander l'approbation au ministre du Revenu pour utiliser la méthode facultative de perception prévue aux articles 297.1 et suivants de la LTVQ.

Lorsque les entreprises vendent leurs produits à des consommateurs par l'entremise de représentants commerciaux, elles versent à ces derniers une commission pour avoir pris des mesures pour vendre les produits. Les représentants commerciaux qui sont inscrits sous le régime de la TVQ doivent facturer la TVQ sur leurs commissions de réseau et la déclarer.

Dans le cadre du présent projet de loi, de nouvelles mesures sont proposées à l'égard de ces entreprises (appelées vendeurs de réseau) afin de leur permettre de demander l'approbation au ministre du Revenu pour utiliser la méthode de comptabilité spéciale dont le but est de simplifier l'application de la TVQ. Ainsi, lorsqu'une approbation est en vigueur, les commissions de réseau qu'un représentant commercial facture à un vendeur de réseau ne sont pas assujetties à la TVQ.

Modifications proposées :

La modification proposée consiste à introduire l'article 297.0.25 à la LTVQ afin de prévoir que, lorsqu'un vendeur de réseau obtient une approbation du ministre du Revenu national en vertu du paragraphe 5 de l'article 178 de la LTA, celui-ci n'a pas à présenter une demande au ministre en vertu de l'article 297.0.5 de la LTVQ et qu'il est réputé avoir reçu l'approbation du ministre prévue à l'article 297.0.7 de la LTVQ. De même, il prévoit que l'approbation réputée donnée par le ministre est réputée être révoquée à compter du retrait de l'approbation accordée par le ministre du Revenu national et qu'elle est réputée cesser d'être en vigueur le jour où l'approbation accordée par le ministre du Revenu national cesse d'être en vigueur.

L'ajout de l'article 297.0.25 découle de l'introduction dans le régime de la TVQ de règles semblables à celles prévues dans le régime de la taxe sur les produits et services à l'égard des vendeurs de réseau.

Concordance fédérale: aucune.

Section III.1 — Démarcheur

Notes historiques: L'intertitre de la section III.1 a été ajouté par L.Q. 1994, c. 22, art. 519(1) et est réputé entré en vigueur le 1er juillet 1992.

297.1 Définitions — Pour l'application de la présente section l'expression :

« acheteur » d'un produit exclusif d'un démarcheur signifie une personne qui acquiert le produit exclusif autrement que dans le but d'en effectuer la fourniture pour une contrepartie;

Notes historiques: La définition de « acheteur » à l'article 297.1 a été ajoutée par L.Q. 1994, c. 22, art. 519(1) et est réputée entrée en vigueur le 1er juillet 1992.

Définitions: « contrepartie » — 1.

Renvois: 407 (inscription obligatoire).

Jurisprudence: *Québec (Sous-ministre du Revenu) c. Phyto-Centre Sherbrooke inc.* (12 juin 1997), 450-05-001490-966.

Concordance fédérale: LTA, art. 178.1« acheteur ».

« agent-percepteur » (*définition supprimée*);

Notes historiques: La définition de « agent-percepteur » à l'article 297.1 a été supprimée par L.Q. 1995, c. 63, art. 387(1) et cette modification a effet depuis le 1er août 1995. Antérieurement, elle se lisait comme suit :

> « agent-percepteur » signifie un démarcheur ou son distributeur

De plus :

> 1º pour l'application de la section iii.1 du chapitre VI du titre I après le 31 juillet 1995, tout démarcheur ou distributeur d'un démarcheur auquel cette section s'appliquait avant le 1er août 1995 est réputé avoir présenté une demande au ministre en vertu de l'article 297.1.1 ou 297.1.2, selon le cas, laquelle est réputée approuvée par écrit par le ministre et entrée en vigueur le 1er août 1995 en vertu de l'article 297.1.3 ou 297.1.4, selon le cas;
>
> 2º tout montant perçu, avant le 1er août 1995, en application de cette section est réputé perçu en vertu de celle-ci, telle qu'elle se lit après le 31 juillet 1995.

La définition de « agent-percepteur » à l'article 297.1 a été ajoutée par L.Q. 1994, c. 22, par. 519(1) et était réputée entrée en vigueur le 1er juillet 1992.

« démarcheur » signifie une personne qui vend ses produits exclusifs à ses entrepreneurs indépendants;

Notes historiques: La définition de « démarcheur » à l'article 297.1 a été ajoutée par L.Q. 1994, c. 22, par. 519(1) et est réputée entrée en vigueur le 1er juillet 1992.

Renvois: 407 (inscription obligatoire); 297.0.4 (vendeur de réseau admissible).

Concordance fédérale: LTA, art. 178.1« démarcheur ».

« distributeur » d'un démarcheur signifie une personne qui est l'entrepreneur indépendant du démarcheur et qui, dans le cadre de l'exploitation de son entreprise, vend en tout ou en partie à d'autres entrepreneurs indépendants du démarcheur les produits exclusifs du démarcheur qu'il a acquis;

Notes historiques: La définition de « distributeur » à l'article 297.1 a été ajoutée par L.Q. 1994, c. 22, par. 519(1) et est réputée entrée en vigueur le 1er juillet 1992.

Définitions: « salarié » — 1.

Renvois: 407 (inscription obligatoire).

Concordance fédérale: LTA, art. 178.1« distributeur ».

« entrepreneur indépendant » d'un démarcheur signifie une personne qui n'est pas un mandataire ni un salarié du démarcheur ou du distributeur de celui-ci et qui, à la fois :

1º a un droit contractuel d'acheter du démarcheur ou de son distributeur les produits exclusifs du démarcheur;

2º achète les produits exclusifs du démarcheur afin de les vendre à un autre entrepreneur indépendant du démarcheur ou à un acheteur;

3º n'effectue pas de démarches, de négociations ou la conclusion de contrats en vue de vendre les produits exclusifs du démarcheur à des acheteurs principalement à une place fixe où elle exploite une entreprise sauf s'il s'agit d'une résidence privée;

Notes historiques: La définition de « entrepreneur indépendant » à l'article 297.1 a été ajoutée par L.Q. 1994, c. 22, par. 519(1) et est réputée entrée en vigueur le 1er juillet 1992.

Concordance fédérale: LTA, art. 178.1« entrepreneur indépendant ».

« matériel de promotion » d'une personne qui est un démarcheur ou un distributeur du démarcheur signifie :

1º un bien, autre qu'un produit exclusif du démarcheur, qui est un imprimé commercial fabriqué sur commande, un échantillon, une trousse de démonstration, un article promotionnel ou pédagogique, un catalogue ou tout autre bien meuble acquis, fabriqué ou produit par la personne en vue de le vendre pour faciliter la distribution, la promotion ou la vente des produits exclusifs du démarcheur, mais ne comprend pas un bien que la personne vend, ou tient en vue de vendre, à un entrepreneur indépendant du démarcheur qui acquiert ce bien dans le but de l'utiliser à titre d'immobilisation;

2º le service d'expédition, de manutention ou de traitement des commandes d'un bien visé au paragraphe 1º ou d'un produit exclusif du démarcheur;

Notes historiques: La définition de « matériel de promotion » à l'article 297.1 a été remplacée par L.Q. 2001, c. 53, par. 319(1) et cette modification a effet depuis le 24 février 1998. Toutefois, le paragraphe 2º de la définition de l'expression « matériel de promotion » prévue à l'article 297.1 de cette loi ne s'applique à un service que si aucune contrepartie de la fourniture du service n'est devenue due ou n'a été payée avant le 25 février 1998. Antérieurement, elle se lisait ainsi :

> « matériel de promotion » d'une personne qui est un démarcheur ou un distributeur du démarcheur signifie un imprimé commercial fabriqué sur commande, un échantillon, une trousse de démonstration, un article promotionnel ou pédagogique, un catalogue ou tout autre bien meuble qui est acquis, fabriqué ou produit par la personne en vue de le vendre pour faciliter la distribution, la promotion ou la vente des produits exclusifs du démarcheur, mais ne comprend pas un produit exclusif du démarcheur ni un bien que la personne vend, ou tient en vue de vendre, à un entrepreneur indépendant du démarcheur qui acquiert ce bien dans le but de l'utiliser à titre d'immobilisation;

La définition de « matériel de promotion » à l'article 297.1 a été ajoutée par L.Q. 1994, c. 22, par. 519(1) et est réputée entrée en vigueur le 1er juillet 1992.

Définitions: « bien meuble corporel d'occasion », « contrepartie », « entreprise », « fourniture », « immobilisation », « personne », « salarié », « taxe », « vente » — 1.

Renvois: 297.5 (fourniture par vente effectuée par un entrepreneur indépendant); 297.7.2 (fourniture taxable par un entrepreneur indépendant autre qu'un distributeur); 407 (inscription obligatoire); 417.2 (demande d'annulation de l'inscription).

Concordance fédérale: LTA, art. 178.1« matériel de promotion ».

« prix de vente au détail suggéré » d'un produit exclusif d'un démarcheur à un moment quelconque signifie le prix le plus bas annoncé par le démarcheur et applicable aux fournitures du produit exclusif effectuées aux acheteurs à ce moment et comprend les droits, les frais et les taxes visés à l'article 52 à l'exclusion de la taxe payable en vertu du présent titre et des droits, des frais ou des taxes prescrits pour l'application du deuxième alinéa de cet article;

Notes historiques: La définition de « prix de vente au détail suggéré » à l'article 297.1 a été ajoutée par L.Q. 1994, c. 22, par. 519(1) et est réputée entrée en vigueur le 1er juillet 1992.

Concordance fédérale: LTA, art. 178.1« prix de vente au détail suggéré ».

« produit exclusif » d'un démarcheur signifie un bien meuble que le démarcheur acquiert, fabrique ou produit en vue de le vendre dans le cours normal de son entreprise à un de ses entrepreneurs indépendants dans le but que ce bien soit vendu pour une contrepartie, autrement qu'à titre de bien meuble corporel d'occasion, par un de ses entrepreneurs indépendants dans le cours normal de son entreprise à une personne qui n'est pas un entrepreneur indépendant.

Notes historiques: La définition de « produit exclusif » à l'article 297.1 a été ajoutée par L.Q. 1994, c. 22, par. 519(1) et est réputée entrée en vigueur le 1er juillet 1992.

Concordance fédérale: LTA, art. 178.1« produit exclusif ».

297.1.1 Demande — Un démarcheur qui est un inscrit peut présenter une demande au ministre de la manière prescrite par ce dernier, au moyen du formulaire prescrit contenant les renseignements prescrits, afin que les articles 297.2 à 297.7 s'appliquent à son égard.

Notes historiques: L'article 297.1.1 a été ajouté par L.Q. 1995, c. 63, par. 388(1) et a effet depuis le 1er août 1995.

Définitions [art. 297.1.1]: « démarcheur » — 297.1.

Renvois [art. 297.1.1]: 297.1.3 (approbation par le ministre); 297.1.10 (obtention d'une approbation par un démarcheur).

Concordance fédérale: LTA, par. 178.2(1).

LTVQ (français)

297.1.2 Demande conjointe — Dans le cas où un démarcheur et un distributeur du démarcheur sont des inscrits, ceux-ci peuvent présenter conjointement une demande au ministre de la manière prescrite par ce dernier, au moyen du formulaire prescrit contenant les renseignements prescrits, afin que les articles 297.7.1 à 297.7.4 s'appliquent à l'égard du distributeur.

Notes historiques: L'article 297.1.2 a été ajouté par L.Q. 1995, c. 63, par. 388(1) et a effet depuis le 1er août 1995.

Définitions [art. 297.1.2]: « démarcheur » — 297.1; « distributeur » — 1.

Renvois [art. 297.1.2]: 297.1.4 (approbation par le ministre); 297.1.11 (obtention d'une approbation par un démarcheur).

Concordance fédérale: LTA, par. 178.2(2).

297.1.3 Approbation de la demande — Le ministre peut approuver, par écrit, la demande présentée en vertu de l'article 297.1.1 par un démarcheur et doit aviser, par écrit, le démarcheur de l'approbation ainsi que du jour de son entrée en vigueur.

Notes historiques: L'article 297.1.3 a été ajouté par L.Q. 1995, c. 63, par. 388(1) et a effet depuis le 1er août 1995.

Définitions [art. 297.1.3]: « démarcheur » — 297.1.

Renvois [art. 297.1.3]: 297.1.5 (cas d'une approbation non en vigueur); 297.1.6 (révocation d'une approbation); 297.1.8 (approbation en vertu de l'article 297.1.3); 297.1.10 (obtention d'une approbation par un démarcheur); 297.2 (fourniture par vente effectuée par un démarcheur); 297.5 (fourniture par vente effectuée par un entrepreneur indépendant); 297.7.5–297.14 (démarcheur); 417.2 (demande d'annulation de l'inscription); 7R78.14 RAF (signature des documents par certains fonctionnaires).

Concordance fédérale: LTA, par. 178.2(3).

297.1.4 Approbation de la demande — Le ministre peut approuver, par écrit, la demande conjointe présentée en vertu de l'article 297.1.2 par un démarcheur et un distributeur de ce dernier et doit aviser, par écrit, le démarcheur et le distributeur de l'approbation ainsi que du jour de son entrée en vigueur.

Notes historiques: L'article 297.1.4 a été ajouté par L.Q. 1995, c. 63, par. 388(1) et a effet depuis le 1er août 1995.

Définitions [art. 297.1.4]: « démarcheur », « distributeur » — 297.1.

Renvois [art. 297.1.4]: 297.1.5 (cas d'une approbation non en vigueur); 297.1.6 (révocation d'une approbation); 297.1.7 (révocation d'une approbation); 297.1.8 (approbation en vertu de l'article 297.1.3); 297.1.9 (approbation en vertu de l'article 297.1.4); 297.1.11 (obtention d'une approbation par un démarcheur); 297.2 (fourniture par vente effectuée par un démarcheur); 297.5 (fourniture par vente effectuée par un entrepreneur indépendant); 297.7.1 (fourniture taxable par vente à un entrepreneur qui n'a pas une approbation donnée en vertu de l'article 297.1.4); 297.7.2 (fourniture taxable par un entrepreneur indépendant autre qu'un distributeur); 297.7.5 (entrée en vigeur de l'approbation après le 31 juillet 1995); 7R78.14 RAF (signature des documents par certains fonctionnaires).

Concordance fédérale: LTA, par. 178.2(4).

297.1.5 Approbation réputée reçue — Dans le cas où une approbation donnée en vertu de l'article 297.1.3 à l'égard d'un démarcheur ne serait pas, en faisant abstraction du présent article, en vigueur à un moment où une approbation donnée en vertu de l'article 297.1.4 à l'égard d'un distributeur du démarcheur entre en vigueur et qu'aucune autre approbation donnée en vertu de l'article 297.1.4 à l'égard d'un distributeur du démarcheur n'est en vigueur à ce moment, le démarcheur est réputé, pour l'application de la présente section, avoir reçu une approbation en vertu de l'article 297.1.3 qui entre en vigueur immédiatement avant ce moment.

Notes historiques: L'article 297.1.5 a été remplacé par L.Q. 1999, c. 83, art. 314. Cette modification est réputée entrée en vigueur depuis le 20 décembre 1999. Antérieurement, il se lisait comme suit :

> 297.1.5 Dans le cas où une approbation donnée en vertu de l'article 297.1.3 à l'égard d'un démarcheur ne serait pas, en faisant abstraction du présent article, en vigueur à un moment où une approbation donnée en vertu de l'article 297.1.4 à l'égard d'un distributeur du démarcheur entre en vigueur et qu'aucune autre approbation donnée en vertu de l'article 297.1.4 à l'égard d'un distributeur du démarcheur est en vigueur à ce moment, le démarcheur est réputé, pour l'application de la présente section, avoir reçu une approbation en vertu de l'article 297.1.3 qui entre en vigueur immédiatement avant ce moment.

L'article 297.1.5 a été ajouté par L.Q. 1995, c. 63, par. 388(1) et a effet depuis le 1er août 1995.

Définitions [art. 297.1.5]: « démarcheur », « distributeur » — 297.1.

Renvois [art. 297.1.5]: 297.1.6 (révocation d'une approbation).

Concordance fédérale: LTA, par. 178.2(5).

297.1.6 Révocation de l'approbation à l'égard d'un démarcheur — Le ministre peut révoquer une approbation donnée en vertu de l'article 297.1.3 à l'égard d'un démarcheur dans le cas où une approbation donnée en vertu de l'article 297.1.4 à l'égard d'un distributeur de ce dernier n'est pas en vigueur si, selon le cas :

1º le démarcheur omet de respecter une disposition du présent titre;

2º sauf dans le cas d'une approbation réputée avoir été reçue en vertu de l'article 297.1.5, le démarcheur demande, par écrit, au ministre de révoquer l'approbation.

Avis de révocation — Le ministre doit aviser, par écrit, le démarcheur de la révocation de l'approbation ainsi que du jour de son entrée en vigueur.

Notes historiques: L'article 297.1.6 a été ajouté par L.Q. 1995, c. 63, par. 388(1) et a effet depuis le 1er août 1995.

Définitions [art. 297.1.6]: « démarcheur », « distributeur » — 297.1.

Renvois [art. 297.1.6]: 297.1.8 (approbation en vertu de l'article 297.1.3); 7R78.14 RAF (signature des documents par certains fonctionnaires).

Concordance fédérale: LTA, par. 178.2(6).

297.1.7 Révocation de l'approbation à l'égard d'un distributeur — Le ministre peut révoquer une approbation donnée en vertu de l'article 297.1.4 à l'égard d'un distributeur d'un démarcheur si, selon le cas :

1º le distributeur omet de respecter une disposition du présent titre;

2º le distributeur et le démarcheur demandent conjointement, par écrit, au ministre de révoquer l'approbation.

Avis de révocation — Le ministre doit aviser, par écrit, le distributeur et le démarcheur de la révocation de l'approbation ainsi que du jour de son entrée en vigueur.

Notes historiques: L'article 297.1.7 a été ajouté par L.Q. 1995, c. 63, par. 388(1) et a effet depuis le 1er août 1995.

Définitions [art. 297.1.7]: « démarcheur », « distributeur » — 297.1.

Renvois [art. 297.1.7]: 297.1.9 (approbation en vertu de l'article 297.1.4); 7R78.14 RAF (signature des documents par certains fonctionnaires).

Concordance fédérale: LTA, par. 178.2(7).

297.1.8 Cessation de l'approbation à l'égard d'un démarcheur — Une approbation donnée en vertu de l'article 297.1.3 à l'égard d'un démarcheur cesse d'être en vigueur le premier en date des jours suivants :

1º le jour où le démarcheur cesse d'être un inscrit;

2º le jour où l'approbation donnée en vertu de l'article 297.1.4 à l'égard d'un distributeur du démarcheur cesse d'être en vigueur et qu'aucune autre approbation donnée en vertu de cet article à l'égard d'un distributeur du démarcheur est en vigueur;

3º le jour de l'entrée en vigueur de la révocation de l'approbation prévue à l'article 297.1.6.

Notes historiques: L'article 297.1.8 a été ajouté par L.Q. 1995, c. 63, par. 388(1) et a effet depuis le 1er août 1995.

Définitions [art. 297.1.8]: « démarcheur », « distributeur » — 297.1.

Concordance fédérale: LTA, par. 178.2(8).

297.1.9 Cessation de l'approbation à l'égard d'un distributeur — Une approbation donnée en vertu de l'article 297.1.4 cesse d'être en vigueur le premier en date des jours suivants :

1º le jour où le démarcheur cesse d'être un inscrit;

2º le jour où le distributeur cesse d'être un inscrit;

3º le jour de l'entrée en vigueur de la révocation de l'approbation prévue à l'article 297.1.7.

Notes historiques: L'article 297.1.9 a été ajouté par L.Q. 1995, c. 63, par. 388(1) et a effet depuis le 1er août 1995.

Définitions [art. 297.1.9]: « démarcheur », « distributeur » — 297.1.

Concordance fédérale: LTA, par. 178.2(9).

297.1.10 Présomptions relatives à l'approbation — Dans le cas où un démarcheur, qui est un inscrit, a obtenu une approbation en vertu du paragraphe 3º de l'article 178.2 de la *Loi sur la taxe d'accise* (Lois révisées du Canada (1985), chapitre E-15), les règles suivantes s'appliquent :

1º le démarcheur n'a pas à présenter une demande en vertu de l'article 297.1.1;

2º le démarcheur est réputé avoir reçu une approbation, en vertu de l'article 297.1.3, dont le moment ou le jour d'entrée en vigueur est le même que celui de l'entrée en vigueur de l'approbation accordée en vertu du paragraphe 3º de l'article 178.2 de cette loi;

3º l'approbation que le démarcheur est réputé avoir reçue en vertu de l'article 297.1.3 est réputée :

a) être révoquée le jour de l'entrée en vigueur du retrait de l'approbation accordée en vertu du paragraphe 3º de l'article 178.2 de cette loi et la révocation est réputée entrer en vigueur ce même jour;

b) cesser d'être en vigueur le jour où l'approbation visée au sous-paragraphe a cesse d'être en vigueur.

Demande du ministre — Le ministre peut exiger du démarcheur qu'il l'informe, de la manière prescrite par le ministre, au moyen du formulaire prescrit contenant les renseignements prescrits et dans le délai qu'il détermine, de l'approbation accordée en vertu du paragraphe 3º de l'article 178.2 de cette loi, du retrait de cette approbation ou du fait qu'elle a cessé d'être en vigueur ou exiger qu'il lui transmette l'avis d'approbation ou de retrait de cette approbation.

Notes historiques: L'article 297.1.10 a été ajouté par L.Q. 1997, c. 14, art. 340 et a effet depuis le 1er août 1995.

Définitions [art. 297.1.10]: « démarcheur », « distributeur » — 297.1.

Renvois [art. 297.1.10]: 297.1.1 (demande au ministre par un démarcheur inscrit); 297.1.3 (approbation par le ministre).

Concordance fédérale: aucune.

297.1.11 Règles applicables à un démarcheur et à un distributeur — Dans le cas où un démarcheur et un distributeur du démarcheur, qui sont des inscrits, ont obtenu une approbation en vertu du paragraphe 4º de l'article 178.2 de la *Loi sur la taxe d'accise* (Lois révisées du Canada (1985), chapitre E-15), les règles suivantes s'appliquent :

1º le démarcheur et le distributeur n'ont pas à présenter conjointement une demande en vertu de l'article 297.1.2;

2º le démarcheur et le distributeur sont réputés avoir reçu une approbation en vertu de l'article 297.1.4 qui entre en vigueur le jour où entre en vigueur l'approbation accordée en vertu du paragraphe 4º de l'article 178.2 de cette loi;

3º l'approbation que le démarcheur et le distributeur sont réputés avoir reçue en vertu de l'article 297.1.4 est réputée :

a) être révoquée le jour de l'entrée en vigueur du retrait de l'approbation accordée en vertu du paragraphe 4º de l'article 178.2 de cette loi et la révocation est réputée entrer en vigueur ce même jour;

b) cesser d'être en vigueur le jour où l'approbation visée au sous-paragraphe a) cesse d'être en vigueur.

Demande du ministre — Le ministre peut exiger du démarcheur ou du distributeur qu'il l'informe, de la manière prescrite par le ministre, au moyen du formulaire prescrit contenant les renseignements prescrits et dans le délai qu'il détermine, de l'approbation accordée en vertu du paragraphe 4º de l'article 178.2 de cette loi, du retrait de cette approbation ou du fait qu'elle a cessé d'être en vigueur ou exiger qu'il lui transmette l'avis d'approbation ou de retrait de cette approbation.

Notes historiques: L'article 297.1.11 a été ajouté par L.Q. 1997, c. 14, art. 340 et a effet depuis le 1er août 1995.

Définitions [art. 297.1.11]: « démarcheur », « distributeur » — 297.1.

Renvois [art. 297.1.11]: 297.1.2 (demande conjointe par un démarcheur et un distributeur); 297.1.4 (approbation par le ministre).

Concordance fédérale: aucune.

297.2 Fourniture par un démarcheur à l'entrepreneur indépendant d'un démarcheur — Dans le cas où une approbation donnée par le ministre en vertu de l'article 297.1.3 à l'égard d'un démarcheur est en vigueur et, qu'à un moment quelconque, le démarcheur effectue au Québec une fourniture taxable par vente, autre qu'une fourniture détaxée, de son produit exclusif à son entrepreneur indépendant qui n'est pas un distributeur à l'égard duquel une approbation donnée en vertu de l'article 297.1.4 est en vigueur à ce moment ou entre en vigueur immédiatement après ce moment, les règles suivantes s'appliquent :

1º la fourniture est réputée avoir été effectuée pour une contrepartie qui devient due et est payée à un moment donné qui est le premier en date du moment où une partie de la contrepartie de la fourniture devient due et du moment où une partie de cette contrepartie est payée, égale au prix de vente au détail suggéré du produit exclusif au moment où la fourniture est effectuée;

2º la taxe est réputée ne pas être payable par l'entrepreneur indépendant à l'égard de la fourniture;

3º l'entrepreneur indépendant n'a pas droit à un remboursement en vertu des articles 400 à 402.0.2 à l'égard de la fourniture;

4º un montant égal à la taxe calculée sur le prix de vente au détail suggéré du produit exclusif au moment où la fourniture est effectuée doit être ajouté dans le calcul de la taxe nette du démarcheur pour sa période de déclaration qui comprend le moment donné.

Notes historiques: L'article 297.2 a été modifié par L.Q. 1995, c. 63, par. 389(1) et cette modification a effet depuis le 1er août 1995. Auparavant, il se lisait comme suit :

> 297.2 Dans le cas où un démarcheur effectue au Québec une fourniture par vente, autre qu'une fourniture exonérée, de son produit exclusif à son entrepreneur indépendant, les règles suivantes s'appliquent :
>
> 1º le démarcheur doit, à titre de mandataire du ministre, percevoir de l'entrepreneur indépendant un montant à l'égard de la fourniture égal à la taxe payable par un acheteur en vertu de l'article 16 relativement à la fourniture de ce produit exclusif, calculée sur le prix de vente au détail suggéré du produit exclusif au moment où la fourniture est effectuée à l'entrepreneur indépendant;
>
> 2º le montant prévu au paragraphe 1º doit, à la fois :
>
> a) être perçu par le démarcheur le premier en date du vv moment où une partie de la contrepartie de la fourniture devient due et du moment où une partie de cette contrepartie est payée;
>
> b) être ajouté dans le calcul de la taxe nette du démarcheur pour sa période de déclaration qui comprend le moment visé au sous-paragraphe a).
>
> Pour l'application du sous-paragraphe a) du paragraphe 2º du premier alinéa, l'article 83 s'applique, en faisant les adaptations nécessaires, afin de déterminer le moment où une partie de la contrepartie de la fourniture est réputée devenir due.

L'article 297.2, ajouté par L.Q. 1994, c. 22, par. 519(1), était réputé entré en vigueur le 1er juillet 1992.

Définitions [art. 297.2]: « acheteur » — 297.1; « contrepartie » — 1; « démarcheur », « entrepreneur indépendant » — 297.1; « fourniture », « fourniture détaxée », « montant », « période de déclaration » — 1; « prix de vente au détail suggéré », « produit exclusif » — 297.1; « taxe », « vente » — 1.

Renvois [art. 297.2]: 210.1 (début et fin de l'inscription); 297.0.4 (vendeur de réseau admissible); 297.1.1 (demande au ministre par un démarcheur inscrit); 297.5 (fourniture par vente effectuée par entrepreneur indépendant); 297.6 (déduction — calcul de la taxe nette du démarcheur); 297.7 (déduction — calcul de la taxe nette du démarcheur); 297.10–297.15 (fournitures); 428–432 (taxe nette).

Lettres d'interprétation [art. 297.2]: 05-0104751 — Interprétation relative à la TPS/TVH — interprétation relative à la TVQ.

Concordance fédérale: LTA, par. 178.3(1).

297.3 [*Abrogé*]

Notes historiques: L'article 297.3 a été abrogé par L.Q. 1995, c. 63, art. 390 et cette abrogation a effet depuis le 1er août 1995. Auparavant, il se lisait comme suit :

> 297.3 Dans le cas où le distributeur d'un démarcheur effectue au Québec une fourniture par vente, autre qu'une fourniture exonérée, d'un produit exclusif du démarcheur à un entrepreneur indépendant du démarcheur, les règles suivantes s'appliquent :

1° le distributeur doit, à titre de mandataire du ministre, percevoir de l'entrepreneur indépendant un montant égal à la taxe payable par un acheteur en vertu de l'article 16 relativement à la fourniture de ce produit exclusif, calculée sur le prix de vente au détail suggéré du produit exclusif au moment où le démarcheur en a effectué la fourniture par vente;

2° le montant prévu au paragraphe 1° doit, à la fois :

a) être perçu par le distributeur le premier en date du moment où une partie de la contrepartie de la fourniture devient due et du moment où une partie de cette contrepartie est payée;

b) être ajouté dans le calcul de la taxe nette du distributeur pour sa période de déclaration qui comprend le moment visé au sous-paragraphe a), sauf si le distributeur a versé à un agent-percepteur un montant égal à ce montant à l'égard de l'acquisition de ce produit exclusif.

Pour l'application du sous-paragraphe a) du paragraphe 2° du premier alinéa, l'article 83 s'applique, en faisant les adaptations nécessaires, afin de déterminer le moment où une partie de la contrepartie de la fourniture est réputée devenir due.

Le présent article ne s'applique pas si la fourniture est effectuée par le distributeur d'un démarcheur à un autre distributeur du démarcheur qui acquiert le produit exclusif uniquement afin qu'il soit vendu au démarcheur.

L'article 297.3, ajouté par L.Q. 1994, c. 22, par. 519(1), était réputé entré en vigueur le 1er juillet 1992.

297.4 [*Abrogé*]

Notes historiques: L'article 297.4 a été abrogé par L.Q. 1995, c. 63, art. 390 et cette abrogation a effet depuis le 1er août 1995. Auparavant, il se lisait comme suit :

297.4 Un agent-percepteur qui ne perçoit pas le montant prévu aux articles 297.2 ou 297.3 ou qui n'ajoute pas dans le calcul de sa taxe nette un tel montant qu'il a perçu et qu'il est tenu d'ajouter dans ce calcul en vertu de ces articles devient débiteur de ce montant envers le gouvernement du Québec.

Le montant prévu au premier alinéa est réputé être un droit au sens de la *Loi sur le ministère du Revenu* (L.R.Q., chapitre M-31).

L'article 297.4, ajouté par L.Q. 1994, c. 22, par. 519(1), était réputé entré en vigueur le 1er juillet 1992.

297.5 Fourniture par l'entrepreneur indépendant — Sous réserve du deuxième alinéa, dans le cas où une approbation donnée par le ministre en vertu de l'article 297.1.3 à l'égard d'un démarcheur est en vigueur et, qu'à un moment quelconque, un entrepreneur indépendant donné du démarcheur qui n'est pas un distributeur à l'égard duquel une approbation donnée en vertu de l'article 297.1.4 est en vigueur à ce moment ou entre en vigueur immédiatement après ce moment, effectue au Québec une fourniture taxable donnée par vente, autre qu'une fourniture détaxée, d'un produit exclusif du démarcheur, les règles suivantes s'appliquent :

1° si l'acquéreur de la fourniture taxable donnée est un autre entrepreneur indépendant du démarcheur, sauf pour l'application de l'article 297.1 et des articles 297.2 à 297.7, la fourniture taxable donnée est réputée ne pas avoir été effectuée par l'entrepreneur indépendant donné et ne pas avoir été reçue par l'autre entrepreneur;

2° si l'acquéreur de la fourniture taxable donnée est une personne qui n'est pas le démarcheur ou un autre entrepreneur indépendant de ce dernier :

a) sauf pour l'application des articles 297.1, 297.7 et 297.11, la fourniture taxable donnée est réputée être une fourniture taxable effectuée par le démarcheur, et non par l'entrepreneur indépendant donné, pour une contrepartie égale au moindre de la contrepartie réelle de la fourniture et du prix de vente au détail suggéré du produit exclusif au moment où la fourniture taxable donnée est effectuée;

b) la taxe perçue par l'entrepreneur indépendant donné à l'égard de la fourniture taxable donnée est réputée avoir été perçue pour le compte du démarcheur;

c) la taxe à l'égard de la fourniture taxable donnée ne doit pas être incluse dans le calcul de la taxe nette du démarcheur pour une période de déclaration.

Application — Le présent article s'applique si l'article 297.2 s'est appliqué à l'égard de la fourniture du produit exclusif effectuée avant ce moment ou que l'article 297.7.5 s'est appliqué avant ce moment à l'égard du produit exclusif.

Notes historiques: L'article 297.5 a été modifié par L.Q. 1995, c. 63, par. 391(1) et cette modification a effet depuis le 1er août 1995. Auparavant, il se lisait comme suit :

297.5 Dans le cas où l'entrepreneur indépendant d'un démarcheur effectue au Québec une fourniture taxable par vente, autre qu'une fourniture détaxée, d'un produit exclusif du démarcheur à un acheteur et qu'il a versé à un agent-percepteur le montant prévu aux articles 297.2 ou 297.3 à l'égard de l'acquisition de ce produit exclusif, les règles suivantes s'appliquent :

1° si l'entrepreneur indépendant n'est pas un inscrit, les articles 437 et 470 ne s'appliquent pas;

2° si l'entrepreneur indépendant est un inscrit, la taxe qui est perçue ou qui devient percevable par lui à l'égard de la fourniture ne doit pas être incluse dans le calcul de sa taxe nette.

L'article 297.5 a été ajouté par L.Q. 1994, c. 22, par. 519(1) et est réputé entré en vigueur le 1er juillet 1992.

Définitions [art. 297.5]: « acheteur » — 297.1; « démarcheur », « distributeur », « entrepreneur indépendant », « fourniture détaxée », « fourniture taxable », « inscrit », « montant », « personne », « produit exclusif », « taxe », « vente » — 1.

Renvois [art. 297.5]: 297.1.1 (demande au ministre par un démarcheur inscrit); 297.10–297.15 (fournitures); 428–432 (taxe nette).

Lettres d'interprétation [art. 297.5]: 99-0107617 — Interprétation relative à la TPS et à la TVQ — Droit pour un entrepreneur indépendant d'un démarcheur de demander des CTI/RTI; 05-0104751 — Interprétation relative à la TPS/TVH — interprétation relative à la TVQ.

Concordance fédérale: LTA, par. 178.3(2).

297.6 Fourniture par l'entrepreneur indépendant au démarcheur — Dans le cas où un démarcheur a effectué une fourniture de son produit exclusif dans des circonstances telles qu'un montant a été ajouté en vertu du paragraphe 4° de l'article 297.2 dans le calcul de sa taxe nette et qu'un de ses entrepreneurs indépendants fournit par la suite le produit exclusif au démarcheur au cours d'une période de déclaration donnée de ce dernier, les règles suivantes s'appliquent :

1° l'entrepreneur indépendant est réputé ne pas avoir fourni le produit exclusif;

2° le démarcheur peut déduire ce montant, dans le calcul de sa taxe nette pour la période de déclaration donnée ou pour une période de déclaration postérieure, dans une déclaration qu'il produit en vertu du chapitre VIII dans les quatre ans suivant le jour où la déclaration prévue à ce chapitre pour la période de déclaration donnée doit être produite.

Notes historiques: Le paragraphe 2° de l'article 297.6 a été remplacé par L.Q. 1997, c. 85, par. 586(1) et s'applique à une déduction à l'égard d'une fourniture de produits exclusifs effectuée par un entrepreneur indépendant après le 30 juin 1996. Antérieurement, ce paragraphe se lisait ainsi :

2° le démarcheur peut déduire ce montant dans le calcul de sa taxe nette pour la période de déclaration donnée ou pour une période postérieure qui se termine au plus tard quatre ans après le jour où la période de déclaration donnée se termine.

L'article 297.6 a été modifié par L.Q. 1995, c. 63, par. 392(1) et cette modification a effet depuis le 1er août 1995. Auparavant, il se lisait comme suit :

297.6 Dans le cas où un démarcheur a effectué une fourniture de son produit exclusif dans des circonstances telles qu'un montant a été ajouté en vertu de l'article 297.2 dans le calcul de sa taxe nette et qu'un de ses entrepreneurs indépendants lui fournit par la suite le produit exclusif au cours d'une de ses périodes de déclaration, les règles suivantes s'appliquent :

1° la fourniture par l'entrepreneur indépendant est réputée ne pas constituer une fourniture taxable;

2° le démarcheur peut déduire un montant égal à ce montant dans le calcul de sa taxe nette pour la période de déclaration donnée au cours de laquelle il verse un tel montant à l'entrepreneur indépendant, ou le porte à son crédit, ou pour une période postérieure qui se termine au plus tard quatre ans après le jour où la période donnée se termine.

L'article 297.6 a été ajouté par L.Q. 1994, c. 22, par. 519(1) et est réputé entré en vigueur le 1er juillet 1992.

Définitions [art. 297.6]: « démarcheur », « entrepreneur indépendant » — 297.1; « fourniture », « fourniture taxable », « montant », « période de déclaration » — 1; « produit exclusif » — 297.1.

Renvois [art. 297.6]: 297.1.1 (demande au ministre par un démarcheur inscrit); 297.10–297.15 (fournitures); 428–432 (taxe nette).

Concordance fédérale: LTA, par. 178.3(3).

297.7 Redressement de la taxe nette du démarcheur — Un démarcheur peut déduire le montant déterminé en vertu du paragraphe 3º dans le calcul de la taxe nette pour sa période de déclaration donnée au cours de laquelle il verse ce montant à un de ses entrepreneurs indépendants, ou le porte à son crédit, ou pour une période de déclaration postérieure, dans une déclaration qu'il produit en vertu du chapitre VIII dans les quatre ans suivant le jour où la déclaration prévue à ce chapitre pour la période de déclaration donnée doit être produite si, à la fois :

1º le démarcheur effectue, à un moment donné, la fourniture d'un de ses produits exclusifs dans des circonstances telles qu'un montant a été ajouté dans le calcul de sa taxe nette en vertu du paragraphe 4º de l'article 297.2;

2º l'entrepreneur indépendant, selon le cas :

a) effectue la fourniture du produit exclusif qui est :

i. soit une fourniture détaxée;

ii. soit une fourniture effectuée hors du Québec;

iii. soit une fourniture à l'égard de laquelle l'acquéreur n'est pas tenu, en vertu d'une loi fédérale ou d'une loi provinciale, de payer la taxe;

b) effectue la fourniture du produit exclusif à une personne qui n'est pas un entrepreneur indépendant du démarcheur pour une contrepartie non négligeable mais inférieure au prix de vente au détail suggéré du produit exclusif au moment donné sur laquelle la taxe payée par la personne a été calculée;

c) effectue la fourniture du produit exclusif à une personne qui n'est pas un entrepreneur indépendant du démarcheur à titre gratuit ou pour une contrepartie négligeable ou réserve le produit exclusif pour sa consommation, son utilisation ou sa jouissance personnelle ou celle de tout particulier qui lui est lié;

3º le démarcheur, relativement au produit exclusif, verse à un de ses entrepreneurs indépendants, ou porte à son crédit, le montant suivant :

a) dans le cas où le sous-paragraphe a) du paragraphe 2º s'applique, un montant égal à la taxe calculée sur le prix de vente au détail suggéré du produit exclusif au moment donné;

b) dans le cas où le sous-paragraphe b) ou c) du paragraphe 2º s'applique, un montant déterminé selon la formule suivante :

$$A - B.$$

Application — Pour l'application de cette formule :

1º la lettre A représente la taxe calculée sur le prix de vente au détail suggéré du produit exclusif au moment donné;

2º la lettre B représente :

a) dans le cas où le sous-paragraphe b) du paragraphe 2º du premier alinéa s'applique, la taxe calculée sur la contrepartie de la fourniture du produit exclusif effectuée par l'entrepreneur indépendant;

b) dans le cas où le sous-paragraphe c) du paragraphe 2º du premier alinéa s'applique, la taxe calculée sur la contrepartie de la fourniture du produit exclusif effectuée à l'entrepreneur indépendant, déterminée sans tenir compte du paragraphe 1º de l'article 297.2.

Notes historiques: Le préambule du premier alinéa de l'article 297.7 a été remplacé par L.Q. 1997, c. 85, par. 587(1) et s'applique à une déduction à l'égard d'une fourniture de produits exclusifs effectuée par un entrepreneur indépendant après le 30 juin 1996. Antérieurement, ce préambule se lisait ainsi :

> 297.7 Un démarcheur peut déduire le montant déterminé en vertu du paragraphe 3º dans le calcul de sa taxe nette pour sa période de déclaration donnée au cours de laquelle il verse ce montant à un de ses entrepreneurs indépendants, ou le porte à son crédit, ou pour une période postérieure se terminant au plus tard quatre ans après le jour où la période donnée se termine si, à la fois :

Le paragraphe 1º du premier alinéa de l'article 297.7 a été modifié par L.Q. 1995, c. 63, art. 393(1) et cette modification a effet depuis le 1er août 1995. Auparavant, il se lisait comme suit :

> 1º le démarcheur a effectué, à un moment donné, la fourniture d'un de ses produits exclusifs dans des circonstances telles qu'un montant a été ajouté dans le calcul de sa taxe nette en vertu de l'article 297.2;

Le préambule du paragraphe 2º du premier alinéa a été modifié par L.Q. 1995, c. 63, art. 393(1) et cette modification a effet depuis le 1er août 1995. Auparavant, il se lisait comme suit :

> 2º un de ses entrepreneurs indépendants, selon le cas :

Les sous-paragraphes b) et c) du paragraphe 2º du premier alinéa de l'article 297.7 ont été modifiés par L.Q. 1995, c. 63, art. 393(1) et ces modifications ont effet depuis le 1er août 1995. Auparavant, ils se lisaient comme suit :

> b) effectue la fourniture du produit exclusif à une personne qui n'est pas un entrepreneur indépendant pour une contrepartie non négligeable mais inférieure au prix de vente au détail suggéré du produit exclusif au moment donné sur laquelle la taxe payée par la personne a été calculée;
>
> c) effectue la fourniture du produit exclusif à une personne qui n'est pas un entrepreneur indépendant à titre gratuit ou pour une contrepartie négligeable ou réserve le produit exclusif pour sa consommation, son utilisation ou sa jouissance personnelle ou celle de tout particulier qui lui est lié;

Le sous-paragraphe a) du paragraphe 3º du premier alinéa de l'article 297.7 a été modifié par L.Q. 1995, c. 63, art. 393(1) et cette modification a effet depuis le 1er août 1995. Auparavant, il se lisait comme suit :

> a) dans le cas où le sous-paragraphe a) du paragraphe 2º s'applique, un montant égal au montant perçu par lui en vertu de l'article 297.2 relativement au produit exclusif;

Le paragraphe 1º du deuxième alinéa de l'article 297.7 a été modifié par L.Q. 1995, c. 63, art. 393(1) et cette modification a effet depuis le 1er août 1995. Auparavant, il se lisait comme suit :

> 1º la lettre A représente un montant égal au montant perçu par le démarcheur en vertu de l'article 297.2 relativement au produit exclusif;

Les sous-paragraphes a) et b) du paragraphe 2º du deuxième alinéa de l'article 297.7 ont été modifiés par L.Q. 1995, c. 63, art. 393(1) et ces modifications ont effet depuis le 1er août 1995. Auparavant, ils se lisaient comme suit :

> a) dans le cas où le sous-paragraphe b) du paragraphe 2º du premier alinéa s'applique, un montant égal à la taxe payée par la personne;
>
> b) dans le cas où le sous-paragraphe c) du paragraphe 2º du premier alinéa s'applique, un montant égal à la taxe qui aurait été payable par l'entrepreneur indépendant à l'égard de l'acquisition de ce produit exclusif si la fourniture avait été une fourniture autre qu'une fourniture non taxable.

L'article 297.7 a été ajouté par L.Q. 1994, c. 22, art. 519(1) et est réputé entré en vigueur le 1er juillet 1992.

Définitions [art. 297.7]: « acheteur » — 297.1; « contrepartie », « démarcheur », « entrepreneur indépendant », « fourniture », « fourniture détaxée », « montant », « période de déclaration », « personne », « prix de vente au détail suggéré », « produit exclusif », « taxe » — 1.

Renvois [art. 297.7]: 3 (lien de dépendance); 22 (fourniture à l'étranger); 297.1.1 (demande au ministre par un démarcheur inscrit); 297.5 (fourniture par vente effectuée par un entrepreneur indépendant); 297.10–297.14 (fournitures); 297.15 (fourniture entre personnes liées); 428–432 (taxe nette).

Lettres d'interprétation [art. 297.7]: 05-0104751 — Interprétation relative à la TPS/TVH — interprétation relative à la TVQ.

Concordance fédérale: LTA, par. 178.3(4).

297.7.0.1 Mauvaise créance — Un démarcheur peut déduire le montant déterminé en vertu du paragraphe 4º dans le calcul de sa taxe nette pour sa période de déclaration donnée au cours de laquelle il verse ce montant à un de ses entrepreneurs indépendants, ou le porte à son crédit, ou pour une période de déclaration postérieure, dans une déclaration qu'il produit en vertu du chapitre VIII dans les quatre ans suivant le jour où la déclaration prévue à ce chapitre pour la période de déclaration donnée doit être produite dans le cas où, à la fois :

1º le démarcheur a effectué une fourniture d'un de ses produits exclusifs dans des circonstances telles qu'un montant a été ajouté en vertu du paragraphe 4º de l'article 297.2 dans le calcul de sa taxe nette;

2º un entrepreneur indépendant donné du démarcheur a ou aurait, en faisant abstraction du paragraphe 2º du premier alinéa de l'article 297.5, effectué également une fourniture du produit exclusif à une personne avec laquelle il n'a aucun lien de dépendance et qui n'est

LTVQ (français)

pas le démarcheur ou un autre entrepreneur indépendant de ce dernier;

3º le démarcheur a obtenu une preuve satisfaisante pour le ministre que la contrepartie et la taxe payable à l'égard de la fourniture effectuée par l'entrepreneur indépendant donné sont devenues en totalité ou en partie une mauvaise créance et que le montant de cette mauvaise créance a été radié, à un moment donné, des livres de comptes de l'entrepreneur indépendant donné;

4º le démarcheur verse à l'entrepreneur indépendant donné, ou porte à son crédit, à l'égard du produit exclusif, le montant déterminé selon la formule suivante :

$$A \times B/C.$$

Application — Pour l'application de cette formule :

1º la lettre A représente la taxe payable à l'égard de la fourniture effectuée par l'entrepreneur indépendant donné;

2º la lettre B représente le total de la contrepartie et de la taxe à l'égard de cette fourniture demeurant impayé et qui a été radié, à un moment donné, à titre de mauvaise créance;

3º la lettre C représente le total de la contrepartie et de la taxe payable à l'égard de cette fourniture.

Notes historiques: L'article 297.7.0.1 a été ajouté par L.Q. 2001, c. 53, par. 320(1) et s'applique à l'égard d'une mauvaise créance relative à une fourniture effectuée après le 24 février 1998.

Concordance fédérale: LTA, par. 178.3(7).

297.7.0.2 Recouvrement de la mauvaise créance — Dans le cas où la totalité ou une partie d'une mauvaise créance à l'égard de laquelle un démarcheur a déduit un montant en vertu de l'article 297.7.0.1 est recouvrée, le démarcheur doit, dans le calcul de sa taxe nette pour sa période de déclaration au cours de laquelle la mauvaise créance ou une partie de celle-ci est recouvrée, ajouter le montant déterminé selon la formule suivante :

$$A \times B/C.$$

Application — Pour l'application de cette formule :

1º la lettre A représente le montant recouvré;

2º la lettre B représente la taxe payable à l'égard de la fourniture à laquelle la mauvaise créance se rapporte;

3º la lettre C représente le total de la contrepartie et de la taxe payable à l'égard de la fourniture.

Notes historiques: L'article 297.7.0.2 a été ajouté par L.Q. 2001, c. 53, art. 320(1) et s'applique à l'égard d'une mauvaise créance relative à une fourniture effectuée après le 24 février 1998.

Renvois [art. 297.7.0.2]: 297.0.4 (vendeur de réseau admissible).

Concordance fédérale: LTA, par. 178.3(8).

297.7.1 Fourniture par un distributeur à un entrepreneur indépendant — Dans le cas où une approbation donnée par le ministre en vertu de l'article 297.1.4 à l'égard d'un distributeur d'un démarcheur est en vigueur et, qu'à un moment quelconque, le distributeur effectue au Québec une fourniture taxable par vente, autre qu'une fourniture détaxée, d'un produit exclusif du démarcheur à un entrepreneur indépendant de celui-ci qui n'est pas un distributeur à l'égard duquel une approbation donnée en vertu de l'article 297.1.4 est en vigueur à ce moment ou entre en vigueur immédiatement après ce moment, les règles suivantes s'appliquent :

1º la fourniture est réputée avoir été effectuée pour une contrepartie qui devient due et est payée à un moment donné qui est le premier en date du moment où une partie de la contrepartie de la fourniture devient due et du moment où une partie de cette contrepartie est payée, égale au prix de vente au détail suggéré du produit exclusif au moment où la fourniture est effectuée;

2º la taxe est réputée ne pas être payable par l'entrepreneur indépendant à l'égard de la fourniture;

3º l'entrepreneur indépendant n'a pas droit à un remboursement en vertu des articles 400 à 402.0.2 à l'égard de la fourniture;

4º un montant égal à la taxe calculée sur le prix de vente au détail suggéré du produit exclusif au moment où la fourniture est effectuée doit être ajouté dans le calcul de la taxe nette du distributeur pour sa période de déclaration qui comprend le moment donné.

Notes historiques: L'article 297.7.1 a été ajouté par L.Q. 1995, c. 63, art. 394(1) et a effet depuis le 1er août 1995.

Définitions [art. 297.7.1]: « contrepartie » — 1; « démarcheur », « entrepreneur indépendant » — 297.1; « fourniture », « fourniture détaxée », « fourniture taxable », « montant », « particulier », « période de déclaration », « personne » — 1; « prix de vente au détail suggéré », « produit exclusif » — 297.1; « taxe », « vente » — 1.

Renvois [art. 297.7.1]: 209 (cessation de l'inscription), 210.1 (exeption); 297.1.2 (cas où un démarcheur et un distributeur peuvent présenter une demande conjointement); 297.7.2 (fourniture taxable par un entrepreneur indépendant autre qu'un distributeur); 297.7.3 (fourniture d'un produit exclusif); 297.7.4 (fourniture d'un produit exclusif); 428–432 (taxe nette).

Concordance fédérale: LTA, par. 178.4(1).

297.7.2 Fourniture par l'entrepreneur indépendant — Sous réserve du deuxième alinéa, dans le cas où une approbation donnée par le ministre en vertu de l'article 297.1.4 à l'égard d'un distributeur d'un démarcheur est en vigueur et, qu'à un moment quelconque, un entrepreneur indépendant donné du démarcheur qui n'est pas un distributeur, effectue au Québec une fourniture taxable donnée par vente, autre qu'une fourniture détaxée, d'un produit exclusif du démarcheur, les règles suivantes s'appliquent :

1º si l'acquéreur de la fourniture taxable donnée est une personne qui est un entrepreneur indépendant du démarcheur autre qu'un distributeur, sauf pour l'application de l'article 297.1 et des articles 297.7.1 à 297.7.4, la fourniture taxable donnée est réputée ne pas avoir été effectuée par l'entrepreneur indépendant donné et ne pas avoir été reçue par la personne;

2º si l'acquéreur de la fourniture taxable donnée est une personne qui n'est pas un distributeur ou un autre entrepreneur indépendant du démarcheur :

a) sauf pour l'application des articles 297.1, 297.7.4 et 297.11, la fourniture taxable donnée est réputée être une fourniture taxable effectuée par le distributeur, et non par l'entrepreneur indépendant donné, pour une contrepartie égale au moindre de la contrepartie réelle de la fourniture et du prix de vente au détail suggéré du produit exclusif au moment où la fourniture taxable donnée est effectuée;

b) la taxe perçue par l'entrepreneur indépendant donné à l'égard de la fourniture taxable donnée est réputée avoir été perçue pour le compte du distributeur;

c) la taxe à l'égard de la fourniture taxable donnée ne doit pas être incluse dans le calcul de la taxe nette du distributeur pour une période de déclaration.

Application — Le présent article s'applique si l'article 297.7.1 s'est appliqué à l'égard de la fourniture du produit exclusif effectuée avant ce moment par un entrepreneur indépendant du démarcheur ou que l'article 297.7.6 s'est appliqué avant ce moment à l'égard du produit exclusif.

Notes historiques: L'article 297.7.2 a été ajouté par L.Q. 1995, c. 63, par. 394(1) et a effet depuis le 1er août 1995.

Définitions [art. 297.7.2]: « acquéreur », « contrepartie », « démarcheur », « distributeur », « entrepreneur indépendant » — 297.1; « fourniture », « fourniture détaxée », « fourniture taxable », « montant », « particulier », « période de déclaration », « personne » — 1; « prix de vente au détail suggéré », « produit exclusif » — 297.1; « taxe », « vente » — 1.

Renvois [art. 297.7.2]: 297.1.2 (cas où un démarcheur et un distributeur peuvent présenter une demande conjointement); 428–432 (taxe nette).

Concordance fédérale: LTA, par 178.4(2).

297.7.3 Fourniture par l'entrepreneur indépendant d'un démarcheur à un autre entrepreneur indépendant — Dans le cas où un distributeur d'un démarcheur a effectué une fourniture d'un produit exclusif du démarcheur dans des circonstances telles qu'un montant a été ajouté en vertu du paragraphe 4° de l'article 297.7.1 dans le calcul de sa taxe nette et qu'un autre entrepreneur indépendant du démarcheur fournit par la suite le produit exclusif au distributeur au cours d'une période de déclaration donnée de ce dernier, les règles suivantes s'appliquent :

1° l'autre entrepreneur indépendant est réputé ne pas avoir fourni le produit exclusif;

2° le distributeur peut déduire ce montant, dans le calcul de sa taxe nette pour la période de déclaration donnée ou pour une période de déclaration postérieure, dans une déclaration qu'il produit en vertu du chapitre VIII dans les quatre ans suivant le jour où la déclaration prévue à ce chapitre pour la période de déclaration donnée doit être produite.

Notes historiques: Le paragraphe 2° de l'article 297.7.3 a été remplacé par L.Q. 1997, c. 85, par. 588(1) et s'applique à une déduction à l'égard d'une fourniture de produits exclusifs effectuée par un entrepreneur indépendant après le 30 juin 1996. Antérieurement, ce paragraphe se lisait ainsi :

> 2° le distributeur peut déduire ce montant dans le calcul de sa taxe nette pour la période de déclaration donnée ou pour une période postérieure qui se termine au plus tard quatre ans après le jour où la période de déclaration donnée se termine.

L'article 297.7.3 a été ajouté par L.Q. 1995, c. 63, par. 394(1) et a effet depuis le 1er août 1995.

Définitions [art. 297.7.3]: « démarcheur », « distributeur », « entrepreneur indépendant » — 297.1; « fourniture », « montant », « particulier », « période de déclaration » — 1; « produit exclusif » — 297.1.

Renvois [art. 297.7.3]: 297.1.2 (cas où un démarcheur et un distributeur peuvent présenter une demande conjointement); 428–432 (taxe nette).

Concordance fédérale: LTA, par. 178.4(3).

297.7.4 Redressement de la taxe nette du distributeur d'un démarcheur — Le distributeur d'un démarcheur peut déduire le montant déterminé en vertu du paragraphe 3° dans le calcul de la taxe nette pour sa période de déclaration donnée au cours de laquelle il verse ce montant à un entrepreneur indépendant du démarcheur qui n'est pas un distributeur, ou le porte à son crédit, ou pour une période de déclaration postérieure, dans une déclaration qu'il produit en vertu du chapitre VIII dans les quatre ans suivant le jour où la déclaration prévue à ce chapitre pour la période de déclaration donnée doit être produite si, à la fois :

1° le distributeur effectue, à un moment donné, la fourniture d'un produit exclusif du démarcheur dans des circonstances telles qu'un montant a été ajouté dans le calcul de sa taxe nette en vertu du paragraphe 4° de l'article 297.7.1;

2° l'entrepreneur indépendant, selon le cas :

a) effectue la fourniture du produit exclusif qui est :

i. soit une fourniture détaxée;

ii. soit une fourniture effectuée hors du Québec;

iii. soit une fourniture à l'égard de laquelle l'acquéreur n'est pas tenu, en vertu d'une loi fédérale ou d'une loi provinciale, de payer la taxe;

b) effectue la fourniture du produit exclusif à une personne qui n'est pas un entrepreneur indépendant du démarcheur pour une contrepartie non négligeable mais inférieure au prix de vente au détail suggéré du produit exclusif au moment donné sur laquelle la taxe payée par la personne a été calculée;

c) effectue la fourniture du produit exclusif à une personne qui n'est pas un entrepreneur indépendant du démarcheur à titre gratuit ou pour une contrepartie négligeable ou réserve le produit exclusif pour sa consommation, son utilisation ou sa jouissance personnelle ou celle de tout particulier qui lui est lié;

3° le distributeur, relativement au produit exclusif, verse à l'entrepreneur indépendant, ou porte à son crédit, le montant suivant :

a) dans le cas où le sous-paragraphe a) du paragraphe 2° s'applique, un montant égal à la taxe calculée sur le prix de vente au détail suggéré du produit exclusif au moment donné;

b) dans le cas où le sous-paragraphe b) ou c) du paragraphe 2° s'applique, un montant déterminé selon la formule suivante :

$$A - B.$$

Application — Pour l'application de cette formule :

1° la lettre A représente la taxe calculée sur le prix de vente au détail suggéré du produit exclusif au moment donné;

2° la lettre B représente :

a) dans le cas où le sous-paragraphe b) du paragraphe 2° du premier alinéa s'applique, la taxe calculée sur la contrepartie de la fourniture du produit exclusif effectuée par l'entrepreneur indépendant;

b) dans le cas où le sous-paragraphe c) du paragraphe 2° du premier alinéa s'applique, la taxe calculée sur la contrepartie de la fourniture du produit exclusif effectuée à l'entrepreneur indépendant, déterminée sans tenir compte du paragraphe 1° de l'article 297.7.1.

Notes historiques: Le préambule du premier alinéa de l'article 297.7.4 a été remplacé par L.Q. 1997, c. 85, par. 589(1) et s'applique à une déduction à l'égard d'une fourniture de produits exclusifs effectuée par un entrepreneur indépendant après le 30 juin 1996. Antérieurement, ce préambule se lisait ainsi :

> 297.7.4 Le distributeur d'un démarcheur peut déduire le montant déterminé en vertu du paragraphe 3° dans le calcul de sa taxe nette pour sa période de déclaration donnée au cours de laquelle il verse ce montant à un entrepreneur indépendant du démarcheur qui n'est pas un distributeur, ou le porte à son crédit, ou pour une période postérieure se terminant au plus tard quatre ans après le jour où la période de déclaration donnée se termine si, à la fois :

L'article 297.7.4 a été ajouté par L.Q. 1995, c. 63, par. 394(1) et a effet depuis le 1er août 1995.

Définitions [art. 297.7.4]: « contrepartie » — 1; « démarcheur », « distributeur », « entrepreneur indépendant » — 97.1; « fourniture », « fourniture détaxée », « fourniture taxable », « montant », « période de déclaration », « personne » — 1; « prix de vente au détail suggéré », « produit exclusif » — 97.1; « taxe », « vente » — 1.

Renvois [art. 297.7.4]: 297.1.2 (cas où un démarcheur et un distributeur peuvent présenter une demande conjointement); 297.7.2 (fourniture taxable par un entrepreneur indépendant autre qu'un distributeur); 297.15 (fourniture entre personne liées); 428–432 (taxe nette).

Concordance fédérale: LTA, par. 178.4(4).

297.7.4.1 Mauvaise créance — Le distributeur d'un démarcheur peut déduire le montant déterminé en vertu du paragraphe 4° dans le calcul de sa taxe nette pour sa période de déclaration donnée au cours de laquelle il verse ce montant à un de ses entrepreneurs indépendants, ou le porte à son crédit, ou pour une période de déclaration postérieure, dans une déclaration qu'il produit en vertu du chapitre VIII dans les quatre ans suivant le jour où la déclaration prévue à ce chapitre pour la période de déclaration donnée doit être produite dans le cas où, à la fois :

1° le distributeur a effectué une fourniture d'un produit exclusif du démarcheur dans des circonstances telles qu'un montant a été ajouté en vertu du paragraphe 4° de l'article 297.7.1 dans le calcul de sa taxe nette;

2° un entrepreneur indépendant donné du démarcheur qui n'est pas le distributeur a ou aurait, en faisant abstraction du paragraphe 2° du premier alinéa de l'article 297.7.2, effectué également une fourniture du produit exclusif à une personne avec laquelle il n'a aucun lien de dépendance et qui n'est pas le démarcheur, le distributeur ou un autre entrepreneur indépendant du démarcheur;

3° le distributeur a obtenu une preuve satisfaisante pour le ministre que la contrepartie et la taxe payable à l'égard de la fourniture effectuée par l'entrepreneur indépendant donné sont devenues en totalité ou en partie une mauvaise créance et que le montant de cette mauvaise créance a été radié, à un moment donné, des livres de comptes de l'entrepreneur indépendant donné;

4° le distributeur verse à l'entrepreneur indépendant donné, ou porte à son crédit, à l'égard du produit exclusif, le montant déterminé selon la formule suivante :

$$A \times B/C.$$

Application — Pour l'application de cette formule :

LTVQ (français)

1º la lettre A représente la taxe payable à l'égard de la fourniture effectuée par l'entrepreneur indépendant donné;

2º la lettre B représente le total de la contrepartie et de la taxe à l'égard de cette fourniture demeurant impayé et qui a été radié, à un moment donné, à titre de mauvaise créance;

3º la lettre C représente le total de la contrepartie et de la taxe payable à l'égard de cette fourniture.

Notes historiques: L'article 297.7.4.1 a été ajouté par L.Q. 2001, c. 53, par. 321(1) et s'applique à l'égard d'une mauvaise créance relative à une fourniture effectuée après le 24 février 1998.

Concordance fédérale: LTA, par. 178.4(7).

297.7.4.2 Recouvrement de la mauvaise créance — Dans le cas où la totalité ou une partie d'une mauvaise créance à l'égard de laquelle le distributeur d'un démarcheur a déduit un montant en vertu de l'article 297.7.4.1 est recouvrée, le distributeur doit, dans le calcul de sa taxe nette pour sa période de déclaration au cours de laquelle la mauvaise créance ou une partie de celle-ci est recouvrée, ajouter le montant déterminé selon la formule suivante :

$$A \times B/C.$$

Application — Pour l'application de cette formule :

1º la lettre A représente le montant recouvré;

2º la lettre B représente la taxe payable à l'égard de la fourniture à laquelle la mauvaise créance se rapporte;

3º la lettre C représente le total de la contrepartie et de la taxe payable à l'égard de cette fourniture.

Notes historiques: L'article 297.7.4.2 a été ajouté par L.Q. 2001, c. 53, art. 321(1) et s'applique à l'égard d'une mauvaise créance relative à une fourniture effectuée après le 24 février 1998.

Concordance fédérale: LTA, par. 178.4(8).

297.7.5 Produit exclusif détenu par un entrepreneur indépendant — Dans le cas où une approbation donnée en vertu de l'article 297.1.3 à l'égard d'un démarcheur entre en vigueur à un moment quelconque après le 31 juillet 1995 et qu'un inscrit qui est un entrepreneur indépendant du démarcheur autre qu'un distributeur à l'égard duquel une approbation donnée en vertu de l'article 297.1.4 est en vigueur à ce moment ou entre en vigueur immédiatement après ce moment, a en inventaire, à ce moment, un produit exclusif du démarcheur, l'inscrit est réputé, sauf pour l'application des articles 294, 295, 297, 462 et 462.1 :

1º avoir effectué, immédiatement avant ce moment, une fourniture du produit exclusif pour une contrepartie, qui devient due et est payée immédiatement avant ce moment, égale au prix de vente au détail suggéré du produit exclusif à ce moment;

2º avoir perçu, immédiatement avant ce moment, la taxe à l'égard de la fourniture calculée sur cette contrepartie.

Notes historiques: L'article 297.7.5 a été ajouté par L.Q. 1995, c. 63, par. 394(1) et a effet depuis le 1er août 1995.

Définitions [art. 297.7.5]: « contrepartie » — 1; « démarcheur », « distributeur », « entrepreneur indépendant » — 297.1; « fourniture », « inscrit » — 1; « prix de vente au détail suggéré », « produit exclusif » — 297.1; « taxe » — 1.

Renvois [art. 297.7.5]: 209 (cessation de l'inscription), 210.1 (exception); 297.5 (fourniture par vente effectuée par un entrepreneur indépendant).

Concordance fédérale: LTA, par. 178.5(1).

297.7.6 Produit exclusif détenu en inventaire par un distributeur — Sous réserve du deuxième alinéa, dans le cas où une approbation donnée en vertu de l'article 297.1.4 à l'égard d'un distributeur d'un démarcheur cesse d'être en vigueur et que le distributeur a en inventaire, à ce moment, un produit exclusif du démarcheur, le distributeur est réputé, sauf pour l'application des articles 294, 295, 297, 462 et 462.1 :

1º avoir effectué, immédiatement avant ce moment, une fourniture du produit exclusif pour une contrepartie, qui devient due et est payée immédiatement avant ce moment, égale au prix de vente au détail suggéré du produit exclusif à ce moment;

2º avoir perçu, immédiatement avant ce moment, la taxe à l'égard de la fourniture calculée sur cette contrepartie.

Application — Le présent article s'applique si une approbation donnée en vertu de l'article 297.1.3 à l'égard du démarcheur ne cesse pas d'être en vigueur à ce moment.

Notes historiques: L'article 297.7.6 a été ajouté par L.Q. 1995, c. 63, par. 394(1) et a effet depuis le 1er août 1995.

Définitions [art. 297.7.6]: « contrepartie » — 1; « démarcheur », « distributeur » — 297.1; « fourniture » , « inscrit » — 1; « prix de vente au détail suggéré », « produit exclusif » — 297.1; « taxe » — 1.

Renvois [art. 297.7.6]: 209 (cessation de l'inscription), 210.1 (exception); 297.7.2 (fourniture taxable par un entrepreneur indépendant autre qu'un distributeur).

Concordance fédérale: LTA, par. 178.5(2).

297.7.7 Produit exclusif détenu en inventaire par un entrepreneur indépendant — Dans le cas où une approbation donnée en vertu de l'article 297.1.4 à l'égard d'un distributeur d'un démarcheur cesse d'être en vigueur au moment où une approbation donnée en vertu de l'article 297.1.3 à l'égard du démarcheur cesse d'être en vigueur, chaque entrepreneur indépendant du démarcheur autre qu'un distributeur à l'égard duquel une approbation donnée en vertu de l'article 297.1.4 cesse d'être en vigueur à ce moment est réputé :

1º avoir reçu, immédiatement après ce moment, une fourniture de chaque produit exclusif du démarcheur qu'il a en inventaire, à ce moment, pour une contrepartie qui devient due et est payée immédiatement après ce moment, égale au prix de vente au détail suggéré du produit exclusif à ce moment;

2º avoir payé, immédiatement après ce moment, la taxe à l'égard de la fourniture calculée sur cette contrepartie.

Notes historiques: L'article 297.7.7 a été ajouté par L.Q. 1995, c. 63, par. 394(1) et a effet depuis le 1er août 1995.

Définitions [art. 297.7.7]: « contrepartie » — 1; « démarcheur », « distributeur », « entrepreneur indépendant » — 297.1; « fourniture » — 1; « prix de vente au détail suggéré », « produit exclusif » — 297.1; « taxe » — 1.

Renvois [art. 297.7.7]: 297.7.8 (approbation en vertu de 297.1.4).

Concordance fédérale: LTA, par. 178.5(3).

297.7.8 Produit exclusif détenu en inventaire par un entrepreneur indépendant — Dans le cas où une approbation donnée en vertu de l'article 297.1.3 à l'égard d'un démarcheur cesse d'être en vigueur à un moment quelconque et que l'article 297.7.7 ne s'applique pas, chaque entrepreneur indépendant du démarcheur est réputé :

1º avoir reçu, immédiatement après ce moment, une fourniture de chaque produit exclusif du démarcheur qu'il a en inventaire, à ce moment, pour une contrepartie qui devient due et est payée immédiatement après ce moment, égale au prix de vente au détail suggéré du produit exclusif à ce moment;

2º avoir payé, immédiatement après ce moment, la taxe à l'égard de la fourniture calculée sur cette contrepartie.

Notes historiques: L'article 297.7.8 a été ajouté par L.Q. 1995, c. 63, par. 394(1) et a effet depuis le 1er août 1995.

Définitions [art. 297.7.8]: « contrepartie » — 1; « démarcheur », « entrepreneur indépendant » — 297.1; « fourniture » — 1; « prix de vente au détail suggéré », « produit exclusif » — 297.1; « taxe » — 1.

Concordance fédérale: LTA, par. 178.5(4).

297.8 [*Abrogé*]

Notes historiques: L'article 297.8 a été abrogé par L.Q. 1995, c. 63, art. 395 et cette abrogation a effet depuis le 1er août 1995. Auparavant, il se lisait comme suit :

> 297.8 Un démarcheur qui effectue pour une contrepartie une fourniture dans le cadre d'une activité commerciale à un entrepreneur indépendant avec lequel il n'a aucun lien de dépendance et qui, conformément à la section III du chapitre VIII, produit une déclaration concernant la fourniture et verse le montant prévu à l'article 297.2 à l'égard de celle-ci peut, dans la mesure où il est établi que la contre-

partie et ce montant sont devenus en totalité une mauvaise créance, déduire, dans le calcul de la taxe nette pour sa période de déclaration où la mauvaise créance est radiée de ses livres de comptes ou pour une période de déclaration qui se termine dans les quatre ans suivant la fin de cette période, un montant égal à ce montant.

L'article 297.8, ajouté par L.Q. 1994, c. 22, par. 519(1), était réputé entré en vigueur le 1er juillet 1992.

297.9 [*Abrogé*]

Notes historiques: L'article 297.9 a été abrogé par L.Q. 1995, c. 63, par. 395(1) et cette abrogation a effet depuis le 1er août 1995. Auparavant, il se lisait comme suit :

> 297.9 Un démarcheur qui recouvre la totalité ou une partie d'une mauvaise créance à l'égard de laquelle il a déduit un montant en vertu de l'article 297.8 doit ajouter un montant égal à ce montant dans le calcul de la taxe nette pour sa période de déclaration où la mauvaise créance ou la partie de celle-ci est recouvrée.

L'article 297.9, ajouté par L.Q. 1994, c. 22, par. 519(1), était réputé entré en vigueur le 1er juillet 1992.

297.10 Fourniture de matériel de promotion — Dans le cas où une approbation donnée par le ministre en vertu de l'article 297.1.3 à l'égard d'un démarcheur est en vigueur et que le démarcheur ou son entrepreneur indépendant effectue au Québec une fourniture taxable par vente de matériel de promotion du démarcheur ou de l'entrepreneur indépendant, selon le cas, à un entrepreneur indépendant du démarcheur, la fourniture est réputée ne pas constituer une fourniture.

Notes historiques: L'article 297.10 a été modifié par L.Q. 1995, c. 63, par. 396(1) et cette modification a effet depuis le 1er août 1995. Auparavant, il se lisait comme suit :

> 297.10 Dans le cas où un démarcheur ou son distributeur effectue la fourniture par vente de matériel de promotion à un entrepreneur indépendant du démarcheur, la fourniture est réputée ne pas constituer une fourniture.

L'article 297.10 a été ajouté par L.Q. 1994, c. 22, par. 519(1) et est réputé entré en vigueur le 1er juillet 1992.

Définitions [art. 297.10]: « démarcheur », « distributeur », « entrepreneur indépendant » — 297.1; « fourniture », « fourniture taxable » — 1; « matériel de promotion » — 297.1; « vente » — 1.

Concordance fédérale: LTA, par. 178.5(5).

297.10.1 Prime — Dans le cas où une approbation donnée par le ministre en vertu de l'article 297.1.3 à l'égard d'un démarcheur est en vigueur et qu'un montant est payé ou payable par le démarcheur ou son entrepreneur indépendant à un entrepreneur indépendant du démarcheur en raison du volume de ses achats ou de ses ventes de produits exclusifs du démarcheur ou de matériel de promotion et autrement qu'à titre de contrepartie d'une fourniture de tels produits ou de tel matériel, le montant est réputé ne pas constituer la contrepartie d'une fourniture.

Notes historiques: L'article 297.10.1 a été ajouté par L.Q. 1995, c. 63, par. 397(1) et a effet depuis le 1er août 1995.

Définitions [art. 297.10.1]: « contrepartie » — 1; « démarcheur », « distributeur », « entrepreneur indépendant » — 297.1; « fourniture » — 1; « matériel de promotion », « produit exclusif » — 297.1; « vente » — 1.

Concordance fédérale: LTA, par. 178.5(6).

297.11 Service d'accueil — Dans le cas où une approbation donnée par le ministre en vertu de l'article 297.1.3 à l'égard d'un démarcheur est en vigueur et, qu'à un moment quelconque, un entrepreneur indépendant du démarcheur qui n'est pas un distributeur à l'égard duquel une approbation donnée en vertu de l'article 297.1.4 est en vigueur à ce moment ou entre en vigueur après ce moment, effectue la fourniture d'un bien à une personne en contrepartie d'une fourniture par celle-ci d'un service d'accueil lors d'un événement organisé afin de lui permettre de distribuer, de promouvoir ou de vendre les produits exclusifs du démarcheur, la personne est réputée ne pas avoir effectué la fourniture du service d'accueil et ce service est réputé ne pas être la contrepartie d'une fourniture.

Notes historiques: L'article 297.11 a été modifié par L.Q. 1995, c. 63, par. 398(1) et cette modification a effet depuis le 1er août 1995. Auparavant, il se lisait comme suit :

> 297.11 Dans le cas où l'entrepreneur indépendant d'un démarcheur effectue la fourniture d'un bien à une personne en contrepartie d'une fourniture par celle-ci d'un service d'accueil lors d'un événement organisé afin de lui permettre de distribuer, de promouvoir ou de vendre les produits exclusifs du démarcheur, la personne est réputée ne pas avoir effectué la fourniture du service d'accueil et ce service est réputé ne pas être la contrepartie d'une fourniture.

L'article 297.11 a été ajouté par L.Q. 1994, c. 22, art. 519 et cet ajout a effet à compter du 1er juillet 1992.

Définitions [art. 297.11]: « bien », « contrepartie » — 1; « démarcheur », « entrepreneur indépendant » — 297.1; « personne » — 1; « produit exclusif » — 297.1; « service » — 1.

Renvois [art. 297.11]: 297.5 (fourniture par vente effectuée par un entrepreneur indépendant); 297.7.2 (fourniture taxable par un entrepreneur indépendant autre qu'un distributeur); 297.15 (fourniture entre personnes liées).

Concordance fédérale: LTA, par. 178.5(7).

297.12 Remboursement de la taxe sur les intrants — restrictions — Dans le cas où un inscrit qui est un démarcheur à l'égard duquel une approbation donnée en vertu de l'article 297.1.3 est en vigueur ou un distributeur de celui-ci acquiert, ou apporte au Québec, un bien, autre qu'un produit exclusif du démarcheur, ou un service dans le but d'en effectuer la fourniture à un entrepreneur indépendant du démarcheur ou à tout particulier lié à ce dernier sans contrepartie ou pour une contrepartie inférieure à la juste valeur marchande du bien ou du service et que l'entrepreneur indépendant ou le particulier n'acquiert pas le bien ou le service pour consommation, utilisation ou fourniture exclusive dans le cadre de ses activités commerciales, les règles suivantes s'appliquent :

1° aucune taxe n'est payable à l'égard de cette fourniture;

2° dans le calcul du remboursement de la taxe sur les intrants de l'inscrit, aucun montant ne doit être inclus à l'égard de la taxe qui devient payable par l'inscrit ou est payée par celui-ci sans qu'elle soit devenue payable relativement au bien ou au service;

3° (*paragraphe supprimé*).

Notes historiques: Le préambule de l'article 297.12 a été modifié par L.Q. 1995, c. 63, par. 399(1) et cette modification a effet depuis le 1er août 1995. Auparavant, il se lisait comme suit :

> 297.12 Dans le cas où une personne qui est un démarcheur ou un distributeur de celui-ci acquiert, ou apporte au Québec, un bien autre qu'un produit exclusif du démarcheur ou un service dans le but d'en effectuer la fourniture, à un moment quelconque, à un entrepreneur indépendant du démarcheur ou à tout particulier lié à ce dernier sans contrepartie ou pour une contrepartie inférieure à la juste valeur marchande du bien ou du service et que l'entrepreneur indépendant ou le particulier acquiert le bien ou le service autrement que pour consommation, utilisation ou fourniture exclusive dans le cadre de ses activités commerciales, les règles suivantes s'appliquent :

Le paragraphe 2° de l'article 297.12 a été modifié par L.Q. 1995, c. 63, par. 399(1) et cette modification a effet depuis le 1er août 1995. Auparavant, il se lisait comme suit :

> 2° la personne est réputée avoir effectué la fourniture pour une contrepartie égale à la contrepartie payée ou payable par elle pour la fourniture du bien ou du service ou à la valeur du bien apporté au sens de l'article 17;

Le paragraphe 3° de l'article 297.12 a été supprimé par L.Q. 1995, c. 63, par. 399(1) et cette modification a effet depuis le 1er août 1995. Auparavant, il se lisait comme suit :

> 3° la personne est réputée avoir perçu, à ce moment, la taxe relative à la fourniture, sauf s'il s'agit d'une fourniture exonérée, calculée sur cette contrepartie.

L'article 297.12 a été ajouté par L.Q. 1994, c. 22, par. 519(1) et est réputé entré en vigueur le 1er juillet 1992.

Définitions [art. 297.12]: « activité commerciale », « bien », « contrepartie » — 1; « démarcheur », « distributeur », « entrepreneur indépendant » — 297.1; « exclusif », « fourniture », « inscrit », « particulier », « personne » — 1; « produit exclusif » — 297.1; « service », « taxe » — 1.

Renvois [art. 297.12]: 3 (lien de dépendance); 15 (JVM).

Concordance fédérale: LTA, par. 178.5(8).

297.13 Bien ou service réservé au profit d'un entrepreneur — Dans le cas où un inscrit qui est un démarcheur à l'égard duquel une approbation donnée en vertu de l'article 297.1.3 est en vigueur ou un distributeur de celui-ci, et qui dans le cadre de ses activités commerciales a acquis, fabriqué ou produit un bien, autre qu'un produit exclusif du démarcheur, ou a acquis ou exécuté un service, réserve le bien ou le service, à un moment quelconque, au profit d'un entrepreneur indépendant du démarcheur ou de tout particulier lié à ce dernier autrement que par une fourniture effectuée pour une contrepartie égale à la juste valeur marchande du bien ou du service, et que l'entrepreneur indépendant ou le particulier n'acquiert pas le bien ou le service pour consommation, utilisation ou fourniture exclusive dans le cadre de ses activités commerciales, l'inscrit est réputé, à la fois :

1º avoir effectué une fourniture du bien ou du service pour une contrepartie, payée à ce moment, égale à la juste valeur marchande du bien ou du service à ce moment;

2º avoir perçu, à ce moment, la taxe relative à la fourniture, sauf s'il s'agit d'une fourniture exonérée, calculée sur cette contrepartie.

Exception — Le présent article ne s'applique pas à un bien ou à un service réservé par un inscrit qui n'a pas le droit de demander un remboursement de la taxe sur les intrants à l'égard du bien ou du service, en raison des articles 203, 205 ou 206.

Notes historiques: L'article 297.13 a été modifié par L.Q. 1995, c. 63, par. 400(1) et cette modification s'applique à l'égard d'un bien ou d'un service relativement auquel l'inscrit a le droit d'inclure dans le calcul du remboursement de la taxe sur les intrants, en raison de l'abrogation de l'article 206.1, un montant à l'égard de la taxe payable par lui après le 31 juillet 1995 ou payée par lui après cette date relativement au bien ou au service.

[*N.D.L.R.* : le paragraphe d'application prévu par L.Q. 1995, c. 63, art. 400(2) a été modifié par L.Q. 1997, c. 85, art. 749 et a effet depuis le 15 décembre 1995. Antérieurement, il prévoyait ceci :

> Le paragraphe 1 a effet depuis le 1er août 1995, sauf lorsqu'il édicte le deuxième alinéa de l'article 297.13, auquel cas il s'applique à un bien ou à un service acquis, fabriqué, produit ou exécuté, selon le cas :
>
> 1° à compter du 1er août 1995 par l'inscrit qui est une petite ou moyenne entreprise;
>
> 2° à compter du 30 novembre 1996 par l'inscrit qui est une grande entreprise.]

Auparavant, l'article 297.13 se lisait comme suit :

> 297.13 Dans le cas où une personne qui est un démarcheur ou un distributeur de celui-ci et qui dans le cadre de ses activités commerciales a acquis, fabriqué ou produit un bien, autre qu'un produit exclusif du démarcheur, ou a acquis ou exécuté un service, réserve le bien ou le service, à un moment quelconque, au profit d'un entrepreneur indépendant du démarcheur ou de tout particulier lié à ce dernier sans contrepartie ou pour une contrepartie inférieure à la juste valeur marchande du bien ou du service, et que l'entrepreneur indépendant ou le particulier acquiert le bien ou le service autrement que pour consommation, utilisation ou fourniture exclusive dans le cadre de ses activités commerciales, les règles suivantes s'appliquent :
>
> 1° la personne est réputée avoir effectué une fourniture du bien ou du service pour une contrepartie, payée à ce moment, égale à la juste valeur marchande du bien ou du service à ce moment;
>
> 2° la personne est réputée avoir perçu, à ce moment, la taxe relative à la fourniture, sauf s'il s'agit d'une fourniture exonérée, calculée sur cette contrepartie.
>
> Le présent article ne s'applique pas à une personne qui, en raison des articles 203, 205, 206 ou 206.1, n'a pas le droit d'inclure, dans le calcul du remboursement de la taxe sur les intrants, un montant à l'égard de la taxe payable par elle relativement au bien ou au service réservé au profit d'un entrepreneur indépendant ou de tout particulier lié à ce dernier.

L'article 297.13 a été ajouté par L.Q. 1994, c. 22, par. 519(1) et est réputé entré en vigueur le 1er juillet 1992.

Définitions [art. 297.13]: « activité commerciale », « bien », « contrepartie » — 1; « démarcheur », « distributeur », « entrepreneur indépendant » — 297.1; « exclusif », « fourniture », « fourniture exonérée », « inscrit », « montant », « particulier », « personne » — 1; « produit exclusif » — 297.1; « service », « taxe » — 1.

Renvois [art. 297.13]: 3 (lien de dépendance); 15 (JVM).

Concordance fédérale: LTA, par. 178.5(9), 178.5(10).

297.14 Fin de l'inscription d'un entrepreneur indépendant — matériel de promotion — Dans le cas où une approbation donnée en vertu de l'article 297.1.3 à l'égard d'un démarcheur est en vigueur et, qu'à un moment quelconque, un entrepreneur indépendant de celui-ci cesse d'être un inscrit, le paragraphe 1º de l'article 209 ne s'applique pas au matériel de promotion qui lui a été fourni par le démarcheur ou un autre entrepreneur indépendant de celui-ci à un moment où l'approbation est en vigueur.

Notes historiques: L'article 297.14 a été modifié par L.Q. 1995, c. 63, par. 400(1) et s'applique à l'égard d'un bien ou d'un service relativement auquel l'inscrit a le droit d'inclure dans le calcul du remboursement de la taxe sur les intrants, en raison de l'abrogation de l'article 206.1, un montant à l'égard de la taxe payable par lui après le 31 juillet 1995 ou payée par lui après cette date relativement au bien ou au service.

[*N.D.L.R.* : le paragraphe d'application prévu par L.Q. 1995, c. 63, par. 400(2) a été modifié par L.Q. 1997, c. 85, art. 749 et a effet depuis le 15 décembre 1995. Auparavant, il prévoyait ceci :

> Cette modification a effet depuis le 1er août 1995.]

Auparavant, l'article 297.14 se lisait comme suit :

> 297.14 Dans le cas où l'entrepreneur indépendant d'un démarcheur cesse d'être un inscrit, l'article 209 ne s'applique pas au matériel de promotion qui lui a été fourni par le démarcheur ou le distributeur de celui-ci.

L'article 297.14 a été ajouté par L.Q. 1994, c. 22, art. 519(1) et est réputé entré en vigueur le 1er juillet 1992.

Définitions [art. 297.14]: « démarcheur » — 297.1; « entrepreneur indépendant » — 1.1; « inscrit » — 1; « matériel de promotion » — 1.1.

Renvois [art. 297.14]: 417.2 (demande d'annulation d'inscription).

Concordance fédérale: LTA, par. 178.5(11).

297.15 Fourniture entre personnes liées — L'article 55 ne s'applique pas aux fournitures visées aux sous-paragraphes b) ou c) du paragraphe 2º du premier alinéa des articles 297.7 ou 297.7.4 ou à l'article 297.11.

Notes historiques: L'article 297.15 a été modifié par L.Q. 1995, c. 63, par. 400(1) et cette modification s'applique à l'égard d'un bien ou d'un service relativement auquel l'inscrit a le droit d'inclure dans le calcul du remboursement de la taxe sur les intrants, en raison de l'abrogation de l'article 206.1, un montant à l'égard de la taxe payable par lui après le 31 juillet 1995 ou payée par lui après cette date relativement au bien ou au service.

[*N.D.L.R.* : le paragraphe d'application prévu par L.Q. 1995, c. 63, par. 400(2) a été modifié par L.Q. 1997, c. 85, art. 749 et a effet depuis le 15 décembre 1995. Auparavant, il prévoyait ceci :

> Cette modification a effet depuis le 1er août 1995.]

Auparavant, l'article 297.15 se lisait comme suit :

> 297.15 L'article 55 ne s'applique pas aux fournitures visées aux sous-paragraphes b) ou c) du paragraphe 2° du premier alinéa de l'article 297.7 ou à l'article 297.11.

L'article 297.15 a été ajouté par L.Q. 1994, c. 22, par. 519(1) et est réputé entré en vigueur le 1er juillet 1992.

Définitions [art. 297.15]: « fourniture » — 1.

Concordance fédérale: LTA, par. 178.5(12).

SECTION IV — ASSUREUR

298. Transfert d'un bien — Dans le cas où, à un moment quelconque après le 1er juillet 1992, une personne transfère la propriété d'un bien à un assureur dans le cadre du règlement d'un sinistre, les règles suivantes s'appliquent :

1º la personne est réputée avoir effectué, et l'assureur est réputé avoir reçu, à ce moment, une fourniture par vente du bien;

2º la fourniture est réputée avoir été effectuée sans contrepartie sauf pour l'application des articles 233, 234, 379 et 380;

3º dans le cas où la fourniture est une fourniture taxable d'un immeuble, la taxe payable à l'égard de la fourniture est réputée égale à la taxe calculée sur la juste valeur marchande du bien à ce moment pour l'application des articles 233, 234, 379 et 380;

4º dans le cas où la fourniture est une fourniture d'un immeuble visée à l'article 102, à l'article 138.1 ou à l'article 168, la fourniture est réputée une fourniture taxable et la taxe payable à l'égard de celle-ci est réputée égale à la taxe calculée sur la juste valeur marchande du bien à ce moment pour l'application des articles 233, 234, 379 et 380.

Notes historiques: Le paragraphe 4º de l'article 298 a été remplacé par L.Q. 1997, c. 85, art. 590(1) et s'applique à l'égard d'une fourniture effectuée après le 31 décembre 1996. Antérieurement, ce paragraphe se lisait ainsi :

> 4º dans le cas où la fourniture est visée à l'article 102 ou à l'article 168, la fourniture est réputée être une fourniture taxable et la taxe payable à l'égard de celle-ci est réputée égale à la taxe calculée sur la juste valeur marchande du bien à ce moment pour l'application des articles 233, 234, 379 et 380.

L'article 298 a été modifié par L.Q. 1994, c. 22, art. 520(1) et est réputé entré en vigueur le 1er juillet 1992.

Il se lisait antérieurement comme suit :

> 298. Dans le cas où, à un moment quelconque, une personne transfère la propriété d'un bien à un assureur dans le cadre du règlement d'un sinistre, les règles suivantes s'appliquent :

1º la personne est réputée avoir effectué, à ce moment, une fourniture du bien sans contrepartie;

2º sous réserve de l'article 300, l'assureur est réputé avoir acquis le bien sans contrepartie.

L'article 298 a été édicté par L.Q. 1991, c. 67.

Définitions [art. 298]: « assureur », « bien », « contrepartie », « fourniture », « fourniture taxable », « personne », « taxe », « vente » — 1.

Renvois [art. 298]: 15 (JVM); 22.28 (fourniture réputée effectuée au Québec); 299 (fourniture par l'assureur); 300 (utilisation d'un immeuble); 300.1 (utilisation d'un bien meuble transféré avant le 1er janvier 1994); 300.2 (utilisation d'un bien meuble transféré après le 31 décembre 1991); 301 (vente d'un bien meuble); 378.19 (fourniture par vente d'une habitation).

Jurisprudence [art. 298]: *Axa Boréal Assurances inc. c. Québec (Sous-ministre du Revenu)* (22 mai 2003), 500-02-058909-974, 2003 CarswellQue 3553.

Concordance fédérale: LTA, par. 184(1).

299. Fourniture d'un bien — Dans le cas où, à un moment quelconque, un assureur effectue une fourniture, autre qu'une fourniture exonérée, d'un bien dont la propriété lui a été transférée dans les circonstances pour lesquelles l'article 298 s'applique, les règles suivantes s'appliquent, sauf si l'un des articles 300 à 300.2 s'est appliqué avant ce moment à l'égard de l'utilisation du bien par celui-ci :

1º l'assureur est réputé avoir effectué la fourniture dans le cadre d'une activité commerciale de celui-ci;

2º tout ce qui est fait par l'assureur dans le cadre de la réalisation de la fourniture ou en relation avec celle-ci, et non en relation avec le transfert de la propriété du bien, est réputé avoir été fait dans le cadre de l'activité commerciale.

Notes historiques: L'article 299 a été modifié par L.Q. 1994, c. 22, art. 520(1) et est réputé entré en vigueur le 1er juillet 1992. L'article 299, édicté par L.Q. 1991, c. 67, se lisait comme suit :

> 299. Un assureur qui effectue une fourniture d'un bien dont la propriété lui a été transférée dans le cadre du règlement d'un sinistre est réputé avoir effectué la fourniture dans le cadre de ses activités commerciales, sauf s'il s'agit d'une fourniture exonérée.

Définitions [art. 299]: « activité commerciale », « assureur », « bien », « fourniture », « fourniture exonérée » — 1.

Lettres d'interprétation [art. 299]: 05-0102847 — CTI/RTI auxquels ont droit les assureurs dans le cadre de la fourniture d'un véhicule automoblie.

Concordance fédérale: LTA, par. 184(2).

300. Utilisation d'un bien — Un assureur qui, à un moment quelconque, commence à utiliser un immeuble, autrement que dans le but d'en effectuer la fourniture, dont la propriété lui a été transférée dans les circonstances pour lesquelles l'article 298 s'applique, est réputé avoir effectué la fourniture du bien à ce moment et les règles suivantes s'appliquent, sauf s'il s'agit d'une fourniture exonérée :

1º l'assureur est réputé avoir perçu, à ce moment, la taxe relative à la fourniture égale au résultat obtenu en multipliant la juste valeur marchande du bien à ce moment par 9,975/109,975;

2º l'assureur est réputé avoir acquis le bien et avoir payé cette taxe à ce moment.

Notes historiques: Le préambule de l'article 300 a été modifié par L.Q. 1995, c. 63, art. 401(1) et cette modification s'applique à l'égard d'une fourniture d'immeuble réputée effectuée après le 31 juillet 1995. Auparavant, il se lisait comme suit :

> 300. Un assureur qui, à un moment quelconque, commence à utiliser un immeuble, autrement que dans le but d'en effectuer la fourniture, dont la propriété lui a été transférée dans les circonstances pour lesquelles l'article 298 s'applique, est réputé avoir effectué la fourniture du bien à ce moment et les règles suivantes s'appliquent, sauf s'il s'agit d'une fourniture exonérée ou non taxable :

Le paragraphe 1º de l'article 300 a été modifié par L.Q. 2012, c. 28, par. 95(1) par le remplacement de « 9,5/109,5 » par « 9,975/109,975 ». Cette modification a effet à compter du 1er janvier 2013.

Le paragraphe 1º de l'article 300 a été modifié par L.Q. 2011, c. 6, par. 255(1) par le remplacement, dans le de « 8,5 / 108,5 » par « 9,5 / 109,5 ». Cette modification a effet à compter du 1er janvier 2012.

Le paragraphe 1º de l'article 300 a été modifié par L.Q. 2010, c. 5, par. 218(1) par le remplacement de « 7,5 / 107,5 » par « 8,5 / 108,5 ». Cette modification effet à compter du 1er janvier 2011.

Le paragraphe 1º de l'article 300 a été remplacé par L.Q. 1997, c. 85, art. 591(1) et a effet depuis le 1er avril 1997. Toutefois, pour la période qui commence le 1er avril 1997 et qui se termine le 31 décembre 1997, le paragraphe 1º de l'article 300 doit se lire comme suit :

> 1º l'assureur est réputé avoir perçu, à ce moment, la taxe relative à la fourniture égale au résultat obtenu en multipliant la juste valeur marchande du bien à ce moment par 6,5/106,5;

Antérieurement, le paragraphe 1º se lisait ainsi :

> 1º l'assureur est réputé avoir perçu, à ce moment, la taxe relative à la fourniture égale à la fraction de taxe de la juste valeur marchande du bien à ce moment;

L'article 300 a été modifié par L.Q. 1994, c. 22, art. 520(1) et est réputé entré en vigueur le 1er juillet 1992. L'article 300, édicté par L.Q. 1991, c. 67, se lisait comme suit :

> 300. Un assureur qui, à un moment quelconque, commence à utiliser un bien dont la propriété lui a été transférée dans le cadre du règlement d'un sinistre, autrement que dans le but d'en effectuer la fourniture, est réputé avoir effectué la fourniture du bien et les règles suivantes s'appliquent, sauf s'il s'agit d'une fourniture exonérée, détaxée ou non taxable :
>
> 1º l'assureur est réputé avoir perçu, à ce moment, la taxe relative à la fourniture égale à la fraction de taxe de la juste valeur marchande du bien à ce moment;
>
> 2º l'assureur, s'il est un inscrit, est réputé avoir acquis le bien immédiatement avant ce moment d'un inscrit et avoir payé alors cette taxe.

Notes explicatives ARQ (PL 5, L.Q. 2012, c. 28): *Résumé* :

L'article 300 est modifié afin de remplacer la fraction « 9,5/109,5 » par « 9,975/109,975 », et ce, en vue de tenir compte du fait qu'à compter du 1er janvier 2013 la taxe sur les produits et services (TPS) est retirée de l'assiette de la taxe de vente du Québec (TVQ).

Situation actuelle :

L'article 300 prévoit les règles applicables dans le cas où un assureur commence à utiliser un immeuble autrement que dans le but d'en effectuer la fourniture, lorsque la propriété de l'immeuble lui a été transférée dans le cadre du règlement d'un sinistre et que l'article 298 de la LTVQ a trouvé application à l'égard de ce transfert.

L'assureur est alors réputé avoir effectué la fourniture de cet immeuble et, sauf s'il s'agit d'une fourniture exonérée, avoir perçu un montant de taxe relatif à cette fourniture égal au résultat obtenu en multipliant la juste valeur marchande de l'immeuble par 9,5/109,5. Il est également réputé avoir acquis l'immeuble et avoir payé cette taxe.

Modifications proposées :

En vue de tenir compte du fait que la TPS est retirée de l'assiette de la TVQ à compter du 1er janvier 2013, il y a lieu de modifier l'article 300 de la LTVQ.

Cette modification a pour objet de remplacer la fraction « 9,5/109,5 » par « 9,975/109,975 ».

Notes explicatives ARQ (PL 5, L.Q. 2011, c. 6): *Résumé* :

L'article 300 est modifié de façon à ce qu'il soit tenu compte de la hausse du taux de la taxe de vente du Québec (TVQ) qui passe de 8,5 % à 9,5 %.

Situation actuelle :

L'article 300 prévoit les règles applicables dans le cas où un assureur commence à utiliser un immeuble autrement que dans le but d'en effectuer la fourniture, lorsque la propriété de l'immeuble lui a été transférée dans le cadre du règlement d'un sinistre et que l'article 298 de la LTVQ a trouvé application à l'égard de ce transfert.

L'assureur est alors réputé avoir effectué la fourniture de cet immeuble et, sauf s'il s'agit d'une fourniture exonérée, avoir perçu un montant de taxe relatif à cette fourniture égal au résultat obtenu en multipliant la juste valeur marchande de l'immeuble par 8,5 / 108,5. Il est également réputé avoir acquis l'immeuble et avoir payé cette taxe.

Modifications proposées :

La modification apportée à l'article 300 de la LTVQ consiste à remplacer « 8,5 / 108,5 » par « 9,5 / 109,5 » afin de tenir compte du nouveau taux de la TVQ.

Définitions [art. 300]: « assureur », « bien », « fourniture », « fourniture exonérée », « fraction de taxe », « taxe » — 1.

Renvois [art. 300]: 15 (JVM); 22.28 (fourniture réputée effectuée au Québec); 299 (fourniture par l'assureur); 378.19 (fourniture par vente d'une habitation).

Concordance fédérale: LTA, par. 184(3).

300.1 Utilisation d'un bien meuble transféré avant le 1er janvier 1994 — Dans le cas où un assureur commence, à un moment donné, à utiliser un bien meuble autrement que dans le but d'en effectuer la fourniture, dont la propriété lui a été transférée par une personne avant le 1er janvier 1994 dans les circonstances pour lesquelles l'article 298 s'applique, les règles suivantes s'appliquent :

1º l'assureur est réputé avoir reçu, immédiatement après le moment donné, une fourniture par vente du bien;

LTVQ (français)

2º dans le cas où la taxe aurait été payable si le bien avait été acheté au Québec de la personne pour une contrepartie au moment du transfert de la propriété du bien, l'assureur est réputé :

a) avoir effectué, au moment donné, une fourniture taxable du bien et avoir perçu, à ce moment, la taxe à l'égard de cette fourniture égale au résultat obtenu en multipliant la juste valeur marchande du bien au moment du transfert de la propriété du bien par 9,975/109,975;

b) avoir payé, immédiatement après le moment donné, la taxe à l'égard de la fourniture visée au paragraphe 1º égale au montant déterminé en vertu du sous-paragraphe a).

Notes historiques: Le paragraphe 1º de l'article 300.1 a été remplacé par L.Q. 1997, c. 85, art. 592(1)(1º) et a effet depuis le 24 avril 1996. Antérieurement, il se lisait ainsi :

1º l'assureur est réputé :

a) avoir reçu, immédiatement après le moment donné, une fourniture du bien;

b) dans le cas où le bien était un bien meuble corporel désigné dont la juste valeur marchande excède le montant prescrit à l'égard du bien pour l'application de la sous-section 3 de la section II du chapitre V au moment du transfert de la propriété du bien, avoir acquis le bien pour utilisation exclusive dans le cadre d'activités autres que des activités commerciales et avoir utilisé le bien dans ce cadre après cette acquisition jusqu'à ce que l'assureur aliène le bien;

Le préambule du paragraphe 2º de l'article 300.1 a été modifié par L.Q. 1995, c. 63, art. 402(1) et cette modification a effet depuis le 1er août 1995, sauf dans le cas d'un bien dont la propriété a été transférée à un assureur et qui aurait été acheté par une fourniture non taxable s'il avait été acheté au Québec de la personne, auquel cas il ne s'applique pas. Auparavant, il se lisait comme suit :

2º dans le cas où la taxe aurait été payable si le bien avait été acheté au Québec de la personne pour une contrepartie, autrement que par une fourniture non taxable, au moment du transfert de la propriété du bien, l'assureur est réputé :

Le sous-paragraphe a) du paragraphe 2º de l'article 300.1 a été modifié par L.Q. 2012, c. 28, par. 96(1) par le remplacement de « 9,5/109,5 » par « 9,975/109,975 ». Cette modification a effet à compter du 1er janvier 2013.

Les sous-paragraphes a) et b) du paragraphe 2º ont été remplacés par L.Q. 1997, c. 85, art. 592(1)(2º). Le sous-paragraphe b) a effet depuis le 24 avril 1996. Le sous-paragraphe a) a effet depuis le 1er avril 1997. Toutefois, pour la période du 1er avril 1997 au 31 décembre 1997, le sous-paragraphe a) doit se lire comme suit :

a) avoir effectué au moment donné, une fourniture taxable du bien et avoir perçu, à ce moment, la taxe à l'égard de cette fourniture égale au résultat obtenu en multipliant la juste valeur marchande du bien au moment du transfert de la propriété du bien par 6,5/106,5;

Antérieurement, les sous-paragraphes a) et b) du paragraphe 2º se lisaient ainsi :

a) avoir effectué, au moment donné, une fourniture taxable du bien et avoir perçu, à ce moment, la taxe à l'égard de cette fourniture égale à la fraction de taxe de la juste valeur marchande du bien au moment du transfert de la propriété du bien;

b) avoir payé, immédiatement après le moment donné, la taxe à l'égard de la fourniture visée au sous-paragraphe a) du paragraphe 1º égale au montant déterminé en vertu du sous-paragraphe a).

Le sous-paragraphe a) du paragraphe 2º de l'article 300.1 a été modifié par L.Q. 2011, c. 6, par. 256(1) par le remplacement de « 8,5 / 108,5 » par « 9,5 / 109,5 ». Cette modification a effet à compter du 1er janvier 2012.

Le sous-paragraphe a) du paragraphe 2º de l'article 300.1 a été modifié par L.Q. 2010, c. 5, par. 219(1) par le remplacement de « 7,5 / 107,5 » par « 8,5 / 108,5 ». Cette modification a effet à compter du 1er janvier 2011.

L'article 300.1 a été ajouté par L.Q. 1994, c. 22, art. 521(1) et est réputé entré en vigueur le 1er juillet 1992. Toutefois, dans le cas où un assureur commence, avant le 1er octobre 1992, à utiliser un bien dans les circonstances décrites à cet article, il s'applique à l'assureur en faisant abstraction du sous-paragraphe b) du paragraphe 1º.

Notes explicatives ARQ (PL 5, L.Q. 2012, c. 28): *Résumé* :

L'article 300.1 est modifié afin de remplacer la fraction « 9,5/109,5 » par « 9,975/109,975 », et ce, en vue de tenir compte du fait qu'à compter du 1er janvier 2013 la taxe sur les produits et services (TPS) est retirée de l'assiette de la taxe de vente du Québec (TVQ).

Situation actuelle :

L'article 300.1 prévoit les règles applicables dans le cas où un assureur commence à utiliser un bien meuble, autrement que dans le but d'en effectuer la fourniture, lorsque la propriété du bien meuble lui a été transférée par une personne avant le 1er janvier 1994 dans le cadre du règlement d'un sinistre.

Dans ce cas, l'assureur est réputé avoir reçu une fourniture par vente du bien. Il est également réputé avoir effectué une fourniture taxable du bien et avoir perçu la taxe à l'égard de cette fourniture égale au montant obtenu en multipliant la juste valeur marchande du bien au moment du transfert de la propriété du bien par 9,5/109,5 et avoir payé la taxe à l'égard de la fourniture par vente du bien égale à ce montant, dans le cas où le bien a été transféré d'une personne qui aurait dû percevoir la taxe si le bien avait été acheté pour une contrepartie par l'assureur.

Modifications proposées :

En vue de tenir compte du fait que la TPS est retirée de l'assiette de la TVQ à compter du 1er janvier 2013, il y a lieu de modifier l'article 300.1 de la LTVQ.

Cette modification a pour objet de remplacer la fraction « 9,5/109,5 » par « 9,975/109,975 ».

Notes explicatives ARQ (PL 5, L.Q. 2011, c. 6): *Résumé* :

L'article 300.1 est modifié de façon à ce qu'il soit tenu compte de la hausse du taux de la taxe de vente du Québec (TVQ) qui passe de 8,5 % à 9,5 %.

Situation actuelle :

L'article 300.1 prévoit les règles applicables dans le cas où un assureur commence à utiliser un bien meuble, autrement que dans le but d'en effectuer la fourniture, lorsque la propriété du bien meuble lui a été transférée par une personne avant le 1er janvier 1994 dans le cadre du règlement d'un sinistre.

Dans ce cas, l'assureur est réputé avoir reçu une fourniture par vente du bien. Il est également réputé avoir effectué une fourniture taxable du bien et avoir perçu la taxe à l'égard de cette fourniture égale au montant obtenu en multipliant la juste valeur marchande du bien au moment du transfert de la propriété du bien par 8,5 / 108,5 et avoir payé la taxe à l'égard de la fourniture par vente du bien égale à ce montant, dans le cas où le bien a été transféré d'une personne qui aurait dû percevoir la taxe si le bien avait été acheté pour une contrepartie par l'assureur.

Modifications proposées :

La modification apportée à l'article 300.1 consiste à remplacer « 8,5 / 108,5 » par « 9,5 / 109,5 » afin de tenir compte du nouveau taux de la TVQ.

Définitions [art. 300.1]: « activité commerciale », « assureur », « bien », « bien meuble corporel désigné », « contrepartie », « exclusif », « fourniture », « fourniture taxable », « fraction de taxe », « montant », « personne », « taxe » — 1.

Renvois [art. 300.1]: 15 (JVM); 299 (fourniture par l'assureur); 301 (vente d'un bien meuble); 378.19 (fourniture par vente d'une habitation).

Concordance fédérale: LTA, par. 184(4).

300.2 Utilisation d'un bien meuble transféré après le 31 décembre 1993 — Dans le cas où un assureur commence, à un moment donné, à utiliser un bien meuble autrement que dans le but d'en effectuer la fourniture, dont la propriété lui a été transférée par une personne après le 31 décembre 1993 dans les circonstances pour lesquelles l'article 298 s'applique, les règles suivantes s'appliquent :

1º l'assureur est réputé :

a) avoir reçu, immédiatement après le moment donné, une fourniture par vente du bien;

b) avoir payé, immédiatement après ce moment, le total de la taxe payable à l'égard de cette fourniture, réputé égal au résultat obtenu en multipliant la juste valeur marchande du bien au moment du transfert de la propriété du bien par 9,975/109,975, sauf si, selon le cas :

i. la fourniture est une fourniture détaxée;

ii. dans le cas d'un bien qui était, au moment de son transfert de propriété, un bien meuble corporel désigné dont la juste valeur marchande excède le montant prescrit à l'égard du bien, la taxe n'aurait pas été payable si le bien avait été acheté au Québec de la personne à ce moment;

2º dans le cas où la taxe aurait été payable si le bien avait été acheté au Québec de la personne au moment du transfert de la propriété du bien, l'assureur est réputé :

a) avoir effectué, au moment donné, une fourniture taxable du bien;

b) avoir perçu, à ce moment, le total de la taxe payable à l'égard de cette fourniture, réputé égal au résultat obtenu en multipliant la juste valeur marchande du bien au moment du transfert de la propriété du bien par 9,975/109,975.

Notes historiques: Le préambule du sous-paragraphe b) du paragraphe 1º de l'article 300.2 a été modifié par L.Q. 2012, c. 28, par. 97(1) par le remplacement « 9,5/109,5 » par « 9,975/109,975 ». Cette modification a effet à compter du 1er janvier 2013.

Le préambule de sous-paragraphe b) du paragraphe 1º de l'article 300.2 a été modifié par L.Q. 2010, c. 5, s.-par. 220(1)(1º) par le remplacement de « 7,5 / 107,5 » par « 8,5 / 108,5 ». Cette modification a effet à compter du 1er janvier 2011.

Le sous-paragraphe b) du paragraphe 1º de l'article 300.2 a été remplacé par L.Q. 2001, c. 53, art. 322(1) et cette modification a effet depuis le 1er avril 1997. Toutefois, pour la période qui commence le 1er avril 1997 et qui se termine le 31 décembre 1997, ce sous-paragraphe doit se lire en remplaçant « 7,5/107,5 » par « 6,5/106,5 ». Antérieurement, il se lisait ainsi :

b) avoir payé, immédiatement après ce moment, le total de la taxe payable à l'égard de cette fourniture, réputé égal au résultat obtenu en multipliant la juste valeur marchande du bien au moment du transfert de la propriété du bien par 7,5/107,5, sauf si les conditions suivantes sont réunies :

i. le bien était un bien meuble corporel désigné dont la juste valeur marchande excède le montant prescrit à l'égard du bien au moment du transfert de la propriété du bien;

ii. une taxe n'aurait pas été payable si le bien avait été acheté au Québec de la personne au moment du transfert de la propriété du bien;

Les sous-paragraphes a) et b) du paragraphe 1° de l'article 300.2 ont été remplacés par L.Q. 1997, c. 85, art. 593(1)(1°) et ont effet depuis le 24 avril 1996. Toutefois, le préambule du sous-paragraphe b) du paragraphe 1°, pour la période allant du 24 avril 1996 au 31 mars 1997, doit se lire ainsi :

b) avoir payé, immédiatement après ce moment, la taxe à l'égard de cette fourniture égale à la fraction de taxe de la juste valeur marchande du bien au moment du transfert de la propriété du bien, sauf si les conditions suivantes sont réunies : et

Pour la période allant du 1er avril 1997 au 31 décembre 1997, il doit se lire ainsi :

b) avoir payé, immédiatement après ce moment, le total de la taxe payable à l'égard de cette fourniture, réputé égal au résultat obtenu en multipliant la juste valeur marchande du bien au moment du transfert de la propriété du bien par 6,5/106,5, sauf si les conditions suivantes sont réunies :

Auparavant, les sous-paragraphes a) et b) du paragraphe 1° se lisaient ainsi :

a) avoir reçu, immédiatement après le moment donné, une fourniture du bien et avoir payé, immédiatement après ce moment, la taxe à l'égard de cette fourniture égale à la fraction de taxe de la juste valeur marchande du bien au moment du transfert de la propriété du bien;

b) dans le cas où le bien était un bien meuble corporel désigné dont la juste valeur marchande excède le montant prescrit à l'égard du bien pour l'application de la sous-section 3 de la section II du chapitre V au moment du transfert de la propriété du bien, avoir acquis le bien pour utilisation exclusive dans le cadre d'activités autres que des activités commerciales et avoir utilisé le bien dans ce cadre après cette acquisition jusqu'à ce que l'assureur aliène le bien;

Le préambule de sous-paragraphe b) du paragraphe 1° de l'article 300.2 a été modifié par L.Q. 2011, c. 6, s.-par. 257(1)(1°) par le remplacement de « 8,5 / 108,5 » par « 9,5 / 109,5 ». Cette modification a effet à compter du 1er janvier 2012.

Le préambule du sous-paragraphe b) du paragraphe 2° de l'article 300.2 a été modifié par L.Q. 2012, c. 28, par. 97(1) par le remplacement « 9,5/109,5 » par « 9,975/109,975 ». Cette modification a effet à compter du 1er janvier 2013.

Le préambule du paragraphe 2° l'article 300.2 a été modifié par L.Q. 1995, c. 63, art. 403(1) et cette modification a effet depuis le 1er août 1995, sauf dans le cas d'un bien dont la propriété a été transférée à un assureur et qui aurait été acheté par une fourniture non taxable s'il avait été acheté au Québec de la personne, auquel cas il ne s'applique pas. Auparavant, il se lisait comme suit :

2° dans le cas où la taxe aurait été payable si le bien avait été acheté au Québec de la personne, autrement que par une fourniture non taxable, au moment du transfert de la propriété du bien, l'assureur est réputé :

Le sous-paragraphe b) du paragraphe 2° de l'article 300.2 a été modifié par L.Q. 2011, c. 6, s.-par. 257(1)(2°) par le remplacement de « 8,5 / 108,5 » par « 9,5 / 109,5 ». Cette modification a effet à compter du 1er janvier 2012.

Le sous-paragraphe b) du paragraphe 2° de l'article 300.2 a été modifié par L.Q. 2010, c. 5, s.-par. 220(1)(2°) par le remplacement de « 7,5 / 107,5 » par « 8,5 / 108,5 ». Cette modification a effet à compter du 1er janvier 2011.

Le sous-paragraphe b) du paragraphe 2° de l'article 300.2 a été remplacé par L.Q. 1997, c. 85, art. 593(1)(2°) et a effet depuis le 1er avril 1997. Toutefois, pour la période comprise entre le 1er avril 1997 et le 31 décembre 1997, celui-ci doit se lire ainsi :

b) avoir perçu, à ce moment, le total de la taxe payable à l'égard de cette fourniture, réputé égal au résultat obtenu en multipliant la juste valeur marchande du bien au moment du transfert de la propriété du bien par 6,5/106,5.

Antérieurement, il se lisait comme suit :

b) avoir perçu, à ce moment, la taxe à l'égard de cette fourniture égale à la fraction de taxe de la juste valeur marchande du bien au moment du transfert de la propriété du bien.

L'article 300.2 a été ajouté par L.Q. 1994, c. 22, art. 521(1) et est réputé entré en vigueur le 1er juillet 1992. Toutefois, dans le cas où un assureur commence, avant le 1er octobre 1992, à utiliser un bien dans les circonstances décrites à cet article, il s'applique à l'assureur en faisant abstraction du sous-paragraphe b) du paragraphe 1°.

Notes explicatives ARQ (PL 5, L.Q. 2012, c. 28): *Résumé* :

L'article 300.2 est modifié afin de remplacer la fraction « 9,5/109,5 » par « 9,975/109,975 », et ce, en vue de tenir compte du fait qu'à compter du 1er janvier 2013 la taxe sur les produits et services (TPS) est retirée de l'assiette de la taxe de vente du Québec (TVQ).

Situation actuelle :

L'article 300.2 prévoit les règles applicables dans le cas où un assureur commence à utiliser un bien meuble, autrement que dans le but d'en effectuer la fourniture, lorsque la propriété du bien meuble lui a été transférée par une personne après le 31 décembre 1993 dans le cadre du règlement d'un sinistre.

Dans ce cas, l'assureur est réputé avoir reçu une fourniture par vente du bien et avoir payé, dans certains cas, le total de la taxe payable réputé égal au résultat obtenu en multipliant la juste valeur marchande du bien au moment du transfert de la propriété de celui-ci par 9,5/109,5. Il est également réputé avoir effectué une fourniture taxable du bien et avoir perçu le total de la taxe payable à l'égard de cette fourniture, réputé égal au résultat obtenu en multipliant la juste valeur marchande du bien au moment du transfert de la propriété de celui-ci par 9,5/109,5, dans le cas où le bien a été transféré d'une personne qui aurait dû percevoir la taxe si le bien avait été acheté par l'assureur.

Modifications proposées :

En vue de tenir compte du fait que la TPS est retirée de l'assiette de la TVQ à compter du 1er janvier 2013, il y a lieu de modifier l'article 300.2 de la LTVQ.

Cette modification a pour objet de remplacer la fraction « 9,5/109,5 » par « 9,975/109,975 ».

Notes explicatives ARQ (PL 5, L.Q. 2011, c. 6): *Résumé* :

L'article 300.2 est modifié de façon à ce qu'il soit tenu compte de la hausse du taux de la taxe de vente du Québec (TVQ) qui passe de 8,5 % à 9,5 %.

Situation actuelle :

L'article 300.2 prévoit les règles applicables dans le cas où un assureur commence à utiliser un bien meuble, autrement que dans le but d'en effectuer la fourniture, lorsque la propriété du bien meuble lui a été transférée par une personne après le 31 décembre 1993 dans le cadre du règlement d'un sinistre.

Dans ce cas, l'assureur est réputé avoir reçu une fourniture par vente du bien et avoir payé, dans certains cas, le total de la taxe payable réputé égal au résultat obtenu en multipliant la juste valeur marchande du bien au moment du transfert de la propriété de celui-ci par 8,5 / 108,5. Il est également réputé avoir effectué une fourniture taxable du bien et avoir perçu le total de la taxe payable à l'égard de cette fourniture, réputé égal au résultat obtenu en multipliant la juste valeur marchande du bien au moment du transfert de la propriété de celui-ci par 8,5 / 108,5, dans le cas où le bien a été transféré d'une personne qui aurait dû percevoir la taxe si le bien avait été acheté par l'assureur.

Modifications proposées :

La modification apportée à l'article 300.2 consiste à remplacer « 8,5 / 108,5 » par « 9,5 / 109,5 » afin de tenir compte du nouveau taux de la TVQ.

Définitions [art. 300.2]: « activité commerciale », « assureur », « bien », « bien meuble corporel désigné », « exclusif », « fourniture », « fourniture non taxable », « fraction de taxe », « montant », « personne », « taxe » — 1.

Renvois [art. 300.2]: 15 (JVM); 299 (fourniture par l'assureur); 301 (vente d'un bien meuble); 378.19 (fourniture par vente d'une habitation).

Concordance fédérale: LTA, par. 184(5).

301. Vente d'un bien — Les règles prévues au deuxième alinéa s'appliquent dans le cas où, à la fois :

1° un assureur effectue, à un moment quelconque, une fourniture taxable par vente, autre qu'une fourniture réputée avoir été effectuée en vertu du présent titre, d'un bien meuble dont la propriété lui a été transférée par une personne dans les circonstances pour lesquelles l'article 298 s'applique;

2° l'assureur n'est pas réputé avoir reçu une fourniture du bien en vertu des articles 300.1, 300.2 ou 301.2 avant ce moment;

2.1° le bien n'est pas un véhicule routier au sens du *Code de la sécurité routière* (chapitre C-24.2) autre qu'un véhicule routier exempté de l'immatriculation en vertu de l'article 14 du *Code de la sécurité routière*;

3° aucune taxe n'aurait été payable par l'assureur s'il avait acheté le bien au Québec de la personne au moment du transfert de la propriété du bien;

4° (*paragraphe supprimé*).

Fourniture réputée avoir été reçue — L'assureur est réputé avoir reçu une fourniture par vente du bien, immédiatement avant ce moment, pour une contrepartie égale à celle de la fourniture visée au paragraphe 1° du premier alinéa et, sauf si cette fourniture est une fourniture détaxée, avoir payé, immédiatement avant ce moment, le total de la taxe payable à l'égard de la fourniture réputée avoir été reçue en vertu du présent alinéa, réputé égal au montant déterminé selon la formule suivante :

$$A - B.$$

LTVQ (français)

Application — Pour l'application de cette formule :

1° la lettre A représente la taxe calculée sur cette contrepartie;

2° la lettre B représente le total des montants dont chacun correspond à un remboursement de la taxe sur les intrants ou à un remboursement en vertu de la section i du chapitre VII que l'assureur avait le droit de demander à l'égard du bien ou d'une amélioration à celui-ci.

Notes historiques: Le paragraphe 1° du premier alinéa de l'article 301 a été remplacé par L.Q. 1997, c. 85, art. 594(1)(1°) et a effet a l'égard d'un bien fourni par un assureur après le 23 avril 1996. Antérieurement, il se lisait ainsi :

> 1° un assureur effectue, à un moment quelconque, une fourniture taxable par vente, autre qu'une fourniture réputée avoir été effectuée en vertu des dispositions de la présente loi autres que les articles 41.0.1 à 41.6, d'un bien meuble dont la propriété lui a été transférée par une personne dans les circonstances pour lesquelles l'article 298 s'applique;

Le paragraphe 1° du premier alinéa de l'article 301 a été modifié par L.Q. 1995, c. 63, art. 404(1) et cette modification s'applique à l'égard de la fourniture d'un bien meuble dont la totalité ou une partie de la contrepartie devient due après le 31 juillet 1995 et n'est pas payée avant le 1er août 1995. Auparavant, il se lisait comme suit :

> 1° un assureur effectue, à un moment quelconque, une fourniture taxable ou non taxable par vente, autre qu'une fourniture réputée avoir été effectuée en vertu des dispositions de la présente loi autres que les articles 41.1 à 41.6, d'un bien meuble dont la propriété lui a été transférée par une personne dans les circonstances pour lesquelles l'article 298 s'applique;

Le paragraphe 2.1° du premier alinéa de l'article 301 a été ajouté par L.Q. 2001, c. 51, art. 275 et a effet depuis le 1er mai 1999.

Le paragraphe 3° du premier alinéa de l'article 301 a été modifié par L.Q. 1995, c. 63, art. 404(1) et cette modification a effet depuis le 1er août 1995, sauf dans le cas d'un bien qui aurait été acheté par un assureur par une fourniture non taxable s'il avait été acheté au Québec, auquel cas il ne s'applique pas. Auparavant, il se lisait comme suit :

> 3° aucune taxe n'aurait été payable par l'assureur s'il avait acheté le bien au Québec de la personne, autrement que par une fourniture non taxable, au moment du transfert de la propriété du bien;

Le paragraphe 4° du premier alinéa de l'article 301 a été supprimé par L.Q. 1995, c. 63, art. 404(1) et cette modification a effet depuis le 1er août 1995, sauf à l'égard d'un bien acquis par une personne, lors de sa dernière acquisition du bien avant le 1er août 1995, auquel cas il ne s'applique pas. Auparavant, il se lisait comme suit :

> 4° la personne n'avait pas acquis le bien, lors de la dernière acquisition, par une fourniture non taxable, avant le moment du transfert de la propriété du bien.

Le deuxième alinéa de l'article 301 a été remplacé par L.Q. 2001, c. 53, art. 323(1) et cette modification a effet depuis le 1er avril 1997. Antérieurement, il se lisait ainsi :

> L'assureur est réputé avoir reçu une fourniture du bien, immédiatement avant ce moment, pour une contrepartie égale à celle de la fourniture visée au paragraphe 1° du premier alinéa et avoir payé, immédiatement avant ce moment, le total de la taxe payable à l'égard de la fourniture réputée avoir été reçue en vertu du présent alinéa, réputé égal au montant déterminé selon la formule suivante :
>
> A – B.

Le deuxième alinéa de l'article 301 a été remplacé par L.Q. 1997, c. 85, art. 594(1)(2°) et a effet depuis le 1er avril 1997. Antérieurement, il se lisait ainsi :

> L'assureur est réputé avoir reçu une fourniture du bien, immédiatement avant ce moment, pour une contrepartie égale à celle de la fourniture visée au paragraphe 1° du premier alinéa et avoir payé, immédiatement avant ce moment, la taxe à l'égard de la fourniture réputée avoir été reçue en vertu du présent alinéa égale au montant déterminé selon la formule suivante :
>
> A – B.

Le paragraphe 2° du troisième alinéa de l'article 301 a été modifié par L.Q. 1995, c. 63, art. 404(1) et cette modification a effet depuis le 1er juillet 1992. Auparavant, il se lisait comme suit :

> 2° la lettre B représente le total des montants dont chacun correspond à un remboursement en vertu de la section I du chapitre VII que l'assureur avait le droit de demander à l'égard du bien ou d'une amélioration à celui-ci.

L'article 301 a été modifié auparavant par L.Q. 1994, c. 22, art. 522(1) et est réputé entré en vigueur le 1er juillet 1992. L'article 301, édicté par L.Q. 1991, c. 67, se lisait comme suit :

> 301. Un assureur qui, à un moment quelconque, effectue la fourniture taxable ou non taxable d'un bien dont la propriété lui a été transférée par une personne dans le cadre du règlement d'un sinistre et qui remet une preuve, à la satisfaction du ministre, que la personne n'a pas reçu et n'a pas le droit de demander un remboursement de la taxe sur les intrants ou un remboursement prévu à la section I du chapitre septième à l'égard du bien est réputé avoir, immédiatement avant ce moment :
>
> 1° acquis le bien pour une contrepartie égale à celle de la fourniture;
>
> 2° payé la taxe relative à l'acquisition du bien, calculée sur cette contrepartie.

Définitions [art. 301]: « amélioration », « assureur », « bien », « contrepartie », « fourniture », « fourniture taxable », « montant », « personne », « taxe », « vente » — 1.

Renvois [art. 301]: 301.1 (exception); 378.19 (fourniture par vente d'une habitation).

Jurisprudence [art. 301]: *Axa Boréal Assurances inc. c. Québec (Sous-ministre du Revenu)* (22 mai 2003), 500-02-058909-974, 2003 CarswellQue 3553.

Lettres d'interprétation [art. 301]: 98-0111546 — Interprétation relative à la TPS et à la TVQ — Demande d'un crédit de taxe sur intrant (« CTI ») par un assureur à l'égard d'un bien acquis dans le cadre du règlement d'un sinistre; 05-0102847 — CTI/RTI auxquels ont droit les assureurs dans le cadre de la fourniture d'un véhicule automoblie.

Concordance fédérale: LTA, par. 184(6).

301.1 Exception — L'article 301 ne s'applique pas dans le cas où, à la fois :

1° la fourniture visée au paragraphe 1° du premier alinéa de cet article est effectuée hors du Québec ou est une fourniture détaxée;

2° la propriété du bien a été transférée à l'assureur avant le 1er janvier 1994 ou le bien était, au moment du transfert de la propriété, un bien meuble corporel désigné dont la juste valeur marchande excède le montant prescrit à l'égard du bien.

Notes historiques: Le paragraphe 2° de l'article 301.1 a été remplacé par L.Q. 1997, c. 85, art. 595(1) et a effet à l'égard d'un bien fourni par un assureur après le 23 avril 1996. Antérieurement, ce paragraphe se lisait ainsi :

> 2° la propriété du bien a été transférée à l'assureur avant le 1er janvier 1994 ou le bien était, au moment du transfert de la propriété, un bien meuble corporel désigné d'occasion dont la juste valeur marchande excède le montant prescrit à l'égard du bien pour l'application de la sous-section 3 de la section II du chapitre V.

L'article 301.1 a été ajouté par L.Q. 1994, c. 22, art. 523(1) et est réputé entré en vigueur le 1er juillet 1992.

Définitions [art. 301.1]: « bien meuble corporel désigné d'occasion », « fourniture détaxée », « montant » — 1.

Renvois [art. 301.1]: 15 (JVM); 22 (fourniture effectuée à l'étranger); 378.19 (fourniture par vente d'une habitation).

Lettres d'interprétation [art. 301.1]: 98-0111546 — Interprétation relative à la TPS et à la TVQ — Demande d'un crédit de taxe sur intrant (« CTI ») par un assureur à l'égard d'un bien acquis dans le cadre du règlement d'un sinistre.

Concordance fédérale: LTA, par. 184(6).

301.2 Location d'un bien meuble — Les règles prévues au deuxième alinéa s'appliquent dans le cas où, à la fois :

1° un assureur effectue, à un moment donné, par louage, licence ou accord semblable pour la première période de location, au sens de l'article 32.2, à l'égard de l'accord, la fourniture taxable d'un bien meuble dont la propriété lui a été transférée par une personne dans les circonstances pour lesquelles l'article 298 s'applique;

2° l'assureur n'est pas réputé avoir reçu une fourniture du bien en vertu des articles 300.1 ou 300.2 avant ce moment;

2.1° le bien n'est pas un véhicule routier au sens du *Code de la sécurité routière* (chapitre C-24.2) autre qu'un véhicule routier exempté de l'immatriculation en vertu de l'article 14 du *Code de la sécurité routière*;

3° aucune taxe n'aurait été payable si le bien avait été acheté au Québec de la personne au moment du transfert de la propriété du bien;

4° (*paragraphe supprimé*).

Fourniture réputée avoir été reçue — L'assureur est réputé avoir reçu, immédiatement avant le moment donné, une fourniture par vente du bien et, sauf si cette fourniture est une fourniture détaxée, avoir payé, immédiatement avant le moment donné, le total de la taxe payable à l'égard de cette fourniture, réputé égal à la taxe calculée sur la juste valeur marchande du bien au moment du transfert de la propriété du bien.

Notes historiques: Le passage qui précède le paragraphe 2° du premier alinéa de l'article 301.2 a été remplacé par L.Q. 2001, c. 53, art. 324(1)(1°) et cette modification s'applique aux périodes de location commençant après le 31 mars 1997. Antérieurement, ce passage se lisait ainsi :

> 301.2 Les règles prévues au deuxième alinéa s'appliquent dans le cas où, à la fois :
>
> 1° un assureur effectue, à un moment quelconque, une fourniture taxable par louage, licence ou accord semblable d'un bien meuble dont la propriété lui a été transférée par une personne dans les circonstances pour lesquelles l'article 298 s'applique;

Le paragraphe 1° du premier alinéa de l'article 301.2 a été modifié par L.Q. 1995, c. 63, art. 405(1) et cette modification s'applique à l'égard de la fourniture d'un bien meuble dont la totalité ou une partie de la contrepartie devient due après le 31 juillet 1995 et n'est pas payée avant le 1er août 1995. Auparavant, il se lisait comme suit :

> 1° un assureur effectue, à un moment quelconque, une fourniture taxable ou non taxable par louage, licence ou accord semblable d'un bien meuble dont la propriété lui a été transférée par une personne dans les circonstances pour lesquelles l'article 298 s'applique;

Le paragraphe 2.1° du premier alinéa de l'article 301.2 a été ajouté par L.Q. 2001, c. 51, art. 276 et a effet depuis le 1er mai 1999.

Le paragraphe 3° du premier alinéa de l'article 301.2 a été modifié par L.Q. 1995, c. 63, art. 405(1) et cette modification a effet depuis le 1er août 1995, sauf dans le cas d'un bien qui aurait été acheté par un assureur par une fourniture non taxable s'il avait été acheté au Québec, auquel cas il ne s'applique pas. Auparavant, il se lisait comme suit :

> 3° aucune taxe n'aurait été payable si le bien avait été acheté au Québec de la personne, autrement que par une fourniture non taxable, au moment du transfert de la propriété du bien;

Le paragraphe 4° du premier alinéa de l'article 301.2 a été supprimé par L.Q. 1995, c. 63, art. 405(1) et cette modification a effet depuis le 1er août 1995, sauf à l'égard d'un bien acquis par une personne, lors de sa dernière acquisition du bien avant le 1er août 1995, auquel cas elle ne s'applique pas. Auparavant, il se lisait comme suit :

> 4° la personne n'avait pas acquis le bien, lors de la dernière acquisition, par une fourniture non taxable, avant le moment du transfert de la propriété du bien.

Le deuxième alinéa de l'article 301.2 a été remplacé par L.Q. 2001, c. 53, art. 324(1)(2°) et cette modification a effet depuis le 1er avril 1997. Antérieurement, il se lisait ainsi :

> L'assureur est réputé avoir reçu, immédiatement avant ce moment, une fourniture du bien et avoir payé, immédiatement avant ce moment, le total de la taxe payable à l'égard de cette fourniture, réputé égal à la taxe calculée sur la juste valeur marchande du bien au moment du transfert de la propriété du bien.

Le deuxième alinéa de l'article 301.2 a été remplacé par L.Q. 1997, c. 85, art. 596(1) et a effet depuis le 1er avril 1997. Antérieurement, il se lisait ainsi :

> L'assureur est réputé avoir reçu, immédiatement avant ce moment, une fourniture du bien et avoir payé, immédiatement avant ce moment, la taxe à l'égard de cette fourniture calculée sur la juste valeur marchande du bien au moment du transfert de la propriété du bien.

L'article 301.2 a été ajouté par L.Q. 1994, c. 22, art. 523(1) et est réputé entré en vigueur le 1er juillet 1992.

Définitions [art. 301.2]: « assureur », « bien », « fourniture », « fourniture taxable », « personne », « taxe » — 1.

Renvois [art. 301.2]: 15 (JVM); 301 (vente d'un bien meuble); 301.3 (exception); 378.19 (fourniture par vente d'une habitation).

Concordance fédérale: LTA, par. 184(7).

301.3 Exception — L'article 301.2 ne s'applique pas dans le cas où, à la fois :

1° la fourniture visée au paragraphe 1° du premier alinéa de cet article est effectuée hors du Québec ou est une fourniture détaxée;

2° la propriété du bien a été transférée à l'assureur avant le 1er janvier 1994 ou le bien était, au moment du transfert de la propriété, un bien meuble corporel désigné dont la juste valeur marchande excède le montant prescrit à l'égard du bien.

Notes historiques: Le paragraphe 2° de l'article 301.3 a été remplacé par L.Q. 1997, c. 85, art. 597(1) et a effet à l'égard d'un bien fourni par un assureur après le 23 avril 1996. Antérieurement, il se lisait ainsi :

> 2° la propriété du bien a été transférée à l'assureur avant le 1er janvier 1994 ou le bien était, au moment du transfert de la propriété, un bien meuble corporel désigné d'occasion dont la juste valeur marchande excède le montant prescrit à l'égard du bien pour l'application de la sous-section 3 de la section II du chapitre V.

L'article 301.3 a été ajouté par L.Q. 1994, c. 22, art. 523(1) et est réputé entré en vigueur le 1er juillet 1992.

Définitions [art. 301.3]: « assureur », « bien », « bien meuble corporel désigné d'occasion », « fourniture », « fourniture détaxée », « montant » — 1.

Renvois [art. 301.3]: 15 (JVM); 22 (fourniture effectuée à l'étranger); 378.19 (fourniture par vente d'une habitation).

Concordance fédérale: LTA, par. 184(7).

SECTION IV.1 — CAUTIONNEMENT D'EXÉCUTION

Notes historiques: L'intitulé de la section IV.1 a été ajouté par L.Q. 2001, c. 53, art. 325(1) et s'applique en ce qui concerne une caution si, selon le cas :

1° après le 8 octobre 1998, la caution commence à réaliser la construction donnée ou pour la première fois engage une autre personne pour la réaliser sauf si, avant le 9 octobre 1998, à la fois :

a) un montant qui est un paiement contractuel à l'égard de la construction donnée est devenu dû ou a été payé par le créancier à la caution;

b) la caution n'a exigé ou perçu aucun montant au titre de la taxe prévue par le titre I à l'égard du montant;

2° avant le 9 octobre 1998, la caution commence à réaliser la construction donnée ou pour la première fois engage une autre personne pour la réaliser et, à la fois :

a) la caution a exigé ou perçu un montant au titre de la taxe prévue par le titre I à l'égard de chaque montant, le cas échéant, qui est un paiement contractuel à l'égard de la construction donnée et qui, avant le 9 octobre 1998, est devenu dû ou a été payé par le créancier à la caution;

b) la caution n'a pas redressé, remboursé ou crédité, conformément aux articles 447 à 450, le montant visé au sous-paragraphe a qui a été exigé ou perçu au titre de la taxe.

301.4 Règles applicables — Les articles 301.5 à 301.9 s'appliquent dans le cas où une personne — appelée « caution » dans la présente section — agissant à titre de caution en vertu d'un cautionnement d'exécution à l'égard d'un contrat visant une fourniture taxable donnée de services de construction relatif à un immeuble situé au Québec, réalise une construction — appelée « construction donnée » dans la présente section — qui est entreprise en exécution totale ou partielle de ses obligations en vertu du cautionnement et qu'elle est en droit de recevoir du créancier, à un moment quelconque, en raison de la réalisation de la construction donnée, un montant — appelé « paiement contractuel » dans la présente section.

Interprétation — Pour l'application du premier alinéa :

1° la référence à une personne donnée qui réalise une construction comprend la référence à la personne donnée qui engage une autre personne en acquérant ses services pour réaliser la construction pour elle;

2° ne constitue pas un paiement contractuel un montant à l'égard duquel la taxe était ou sera à inclure dans le calcul de la taxe nette du débiteur en vertu du cautionnement d'exécution, ni un montant payé ou payable au titre soit de la taxe en vertu du présent titre, soit de la taxe en vertu de la partie IX de la *Loi sur la taxe d'accise* (L.R.C. 1985, c. E-15), soit des droits, frais ou taxes payables par le créancier et prescrits pour l'application de l'article 52.

Notes historiques: Le premier alinéa de l'article 301.4 a été remplacé par L.Q. 2012, c. 28, s.-par. 98(1)(1°) et cette modification a effet à compter du 1er janvier 2013. Antérieurement, il se lisait ainsi :

> 301.4 Dans le cas où une personne — appelée « caution » dans le présent article — agissant à titre de caution en vertu d'un cautionnement d'exécution à l'égard d'un contrat visant une fourniture taxable donnée de services de construction relatif à un immeuble situé au Québec, réalise la construction donnée qui est entreprise en exécution totale ou partielle de ses obligations en vertu du cautionnement et qu'elle est en droit de recevoir du créancier, à un moment quelconque, en raison de la réalisation de la construction donnée, un montant — appelé « paiement contractuel » dans le présent article —, les règles suivantes s'appliquent :
>
> 1° en ce qui concerne la réalisation de la construction donnée, la caution est réputée effectuer, à l'endroit où la fourniture donnée a été effectuée, une fourniture taxable autre que détaxée;
>
> 2° les articles 68, 334, 337 et 337.1 ne s'appliquent pas à cette fourniture;
>
> 3° le paiement contractuel est réputé être la contrepartie de cette fourniture.

Le paragraphe 2° du deuxième alinéa de l'article 301.4 a été remplacé par L.Q. 2012, c. 28, s.-par. 98(1)(2°) et cette modification a effet à compter du 1er janvier 2013. Antérieurement, il se lisait ainsi :

> 2° ne constitue pas un paiement contractuel un montant à l'égard duquel la taxe était ou sera à inclure dans le calcul de la taxe nette du débiteur en vertu du cautionnement d'exécution, ni un montant payé ou payable au titre soit de la taxe en vertu du présent titre, soit des droits, frais ou taxes payables par le créancier et prescrits pour l'application de l'article 52.

LTVQ (français)

L'article 301.4 a été ajouté par L.Q. 2001, c. 53, art. 325(1) et s'applique en ce qui concerne une caution si, selon le cas :

1° après le 8 octobre 1998, la caution commence à réaliser la construction donnée ou pour la première fois engage une autre personne pour la réaliser sauf si, avant le 9 octobre 1998, à la fois :

a) un montant qui est un paiement contractuel à l'égard de la construction donnée est devenu dû ou a été payé par le créancier à la caution;

b) la caution n'a exigé ou perçu aucun montant au titre de la taxe prévue par le titre I à l'égard du montant;

2° avant le 9 octobre 1998, la caution commence à réaliser la construction donnée ou pour la première fois engage une autre personne pour la réaliser et, à la fois :

a) la caution a exigé ou perçu un montant au titre de la taxe prévue par le titre I à l'égard de chaque montant, le cas échéant, qui est un paiement contractuel à l'égard de la construction donnée et qui, avant le 9 octobre 1998, est devenu dû ou a été payé par le créancier à la caution;

b) la caution n'a pas redressé, remboursé ou crédité, conformément aux articles 447 à 450, le montant visé au sous-paragraphe a qui a été exigé ou perçu au titre de la taxe.

Notes explicatives ARQ (PL 5, L.Q. 2012, c. 28): *Résumé* :

La section IV.1 du chapitre VI du titre I fait l'objet d'une restructuration. L'article 301.4 de la LTVQ est donc modifié de façon à y retirer les règles qui y sont prévues, lesquelles sont déplacées au nouvel article 301.5 de la LTVQ, de sorte que l'article 301.4 de la LTVQ ne prévoit dorénavant que le champ d'application des nouveaux articles 301.5 à 301.9 de la LTVQ.

Par ailleurs, le paragraphe 2° du deuxième alinéa de cet article 301.4 est modifié afin de tenir compte du fait qu'à compter du 1er janvier 2013, la taxe sur les produits et services (TPS) est retirée de l'assiette de la taxe de vente du Québec (TVQ).

Situation actuelle :

L'article 301.4 prévoit que lorsque la caution, en vertu d'un cautionnement d'exécution, réalise une construction donnée, elle est réputée effectuer une fourniture taxable autre que détaxée. Ainsi, le créancier, acquéreur des services de construction, demeure tenu de payer la taxe une fois que la caution commence à exercer ses activités.

La caution peut réaliser elle-même les travaux de construction ou faire appel aux services d'un entrepreneur afin que celui-ci effectue les travaux pour elle.

La caution comprend toute personne qui agit à ce titre. Elle n'est pas limitée aux détenteurs de permis en vertu de la définition d'assureur.

Par ailleurs, les paiements contractuels qui sont réputés constituer une contrepartie n'incluent pas la TVQ ni les droits, frais et taxes qui seraient par ailleurs exclus de l'assiette de la TVQ.

De plus, afin d'éviter la double comptabilisation si la caution reçoit, notamment en cas de subrogation, un montant se rapportant à des travaux de construction effectués par le débiteur et si la TVQ calculée sur ce montant doit ou devait être incluse dans le calcul de la taxe nette du débiteur, ce montant n'est pas considéré comme la contrepartie de la fourniture effectuée par la caution.

L'article 301.4 s'applique uniquement si la fourniture de services de construction par le débiteur est effectuée au Québec. La fourniture taxable autre que détaxée que la caution est réputée effectuer est également réputée effectuée au Québec.

En outre, l'article 301.4 a priorité sur les articles suivants :

- l'article 68 de cette loi qui traite de la fourniture par un petit fournisseur;
- l'article 334 de cette loi qui traite du choix fait par un membre déterminé d'un groupe étroitement lié et une société, membre de ce groupe, pour qu'une fourniture soit réputée effectuée sans contrepartie;
- les articles 337 et 337.1 de cette loi qui traitent de ce choix lorsqu'il est fait par les caisses de crédit et les membres d'un regroupement de sociétés mutuelles d'assurance.

Modifications proposées :

À compter du 1er janvier 2013, les services financiers cessent, en règle générale, d'être détaxés et deviennent exonérés dans le régime de la taxe de vente du Québec. Un cautionnement d'exécution dans le domaine de la construction sert essentiellement de protection en cas de défaut du débiteur principal. Le cautionnement est d'ailleurs compris dans la notion de « police d'assurance » (voir le paragraphe 4° de la définition de cette expression prévue à l'article 1 de la LTVQ). De nouvelles règles sont ajoutées à la section IV.1 du chapitre VI du titre I de la LTVQ par le présent projet de loi pour tenir compte du fait que le paiement d'un montant à titre de règlement d'un sinistre en vertu d'une police d'assurance est un élément d'un service financier.

Le premier alinéa de l'article 301.4 est donc modifié pour y retirer les règles qui y étaient prévues, lesquelles sont déplacées sous les nouveaux articles 301.5 à 301.9 de cette loi, de sorte que l'article 301.4 de la LTVQ circonscrit dorénavant le champ d'application de ces nouveaux articles.

Par ailleurs, le paragraphe 2° du deuxième alinéa de cet article 301.4 est modifié afin de tenir compte du fait qu'à compter du 1er janvier 2013, la TPS est retirée de l'assiette de la TVQ.

Guides [art. 301.4]: IN-203 — Renseignements généraux sur la TVQ et la TPS/TVH.

Lettres d'interprétation [art. 301.4]: 05-0107333 — Service de l'interprétation relative à l'imposition des taxes.

Concordance fédérale: LTA, par. 184.1(2).

301.5 Sauf pour l'application de l'article 301.6, en ce qui concerne la réalisation de la construction donnée, la caution est réputée effectuer, à l'endroit où la fourniture donnée a été effectuée, une fourniture taxable à laquelle l'article 68 et les sections III.0.0.1 et X ne s'appliquent pas et dont le paiement contractuel est réputé la contrepartie.

Modification proposée — 301.5

Application: L'article 301.5 sera modifié par l'art. 221 du *Projet de loi 18* (présenté le 21 février 2013) par le remplacement de « , à l'endroit où la fourniture donnée a été effectuée, » par les mots « au Québec ». Cette modification entrera en vigueur à la date de la sanction du *Projet de loi 18*.

Notes historiques: L'article 301.5 a été ajouté par L.Q. 2012, c. 28, par. 99(1) et s'applique relativement à une personne qui, après le 31 décembre 2012, commence à réaliser une construction donnée en exécution totale ou partielle de ses obligations en vertu d'un cautionnement d'exécution.

Notes explicatives ARQ (PL 5, L.Q. 2012, c. 28): *Résumé* :

La section IV.1 du chapitre VI du titre I fait l'objet d'une restructuration. Le nouvel article 301.5 de la LTVQ reprend les règles qui étaient auparavant contenues à l'article 301.4 de cette loi.

Contexte :

À compter du 1er janvier 2013, les services financiers deviennent, en règle générale, exonérés dans le régime de la TVQ. Un cautionnement d'exécution dans le domaine de la construction sert essentiellement de protection en cas de défaut du débiteur principal. Le cautionnement est d'ailleurs compris dans la notion de « police d'assurance » (voir le paragraphe 4° de la définition de cette expression prévue à l'article 1 de la LTVQ). De nouvelles règles sont ajoutées à la section IV.1 du chapitre VI du titre I de la LTVQ pour tenir compte du fait que le paiement d'un montant à titre de règlement d'un sinistre en vertu d'une police d'assurance est un élément d'un service financier.

Ainsi, lorsque la fraction du coût des intrants servant à terminer la construction excède les paiements contractuels à verser à la caution, l'écart correspond au coût ou au risque contre lequel le créancier s'est assuré. Pour tenir compte de cette réalité, de nouvelles dispositions sont ajoutées, par le présent projet de loi, à cette section IV.1 de façon à limiter le montant pouvant être obtenu au titre du remboursement de la taxe sur les intrants de la caution à l'égard des intrants directs au montant de la taxe calculée sur les paiements contractuels que la caution devient en droit de recevoir du créancier.

Modifications proposées :

Le nouvel article 301.5 prévoit que, pour ce qui est de la réalisation de la construction en exécution du contrat de cautionnement, la caution est réputée effectuer une fourniture taxable à l'endroit où a été effectuée la fourniture de services de construction visés par le contrat de cautionnement. Le paiement à la caution par le bénéficiaire du cautionnement est réputé constituer la contrepartie de cette fourniture taxable.

Par ailleurs, afin d'éviter la double comptabilisation si la caution reçoit, notamment en cas de subrogation, un montant se rapportant à des travaux de construction effectués par le débiteur et si la taxe calculée sur ce montant doit ou devait être incluse dans le calcul de la taxe nette du débiteur, l'article 301.5 de la LTVQ fait en sorte également que ce montant n'est pas considéré comme la contrepartie de la fourniture effectuée par la caution.

Enfin, l'article 301.5 prévoit que les dispositions de la section IV.1 du chapitre VI du titre I de la LTVQ ont priorité sur les articles suivants :

- l'article 68 de cette loi qui traite de la fourniture par un petit fournisseur;
- la section X du chapitre VI du titre I, comprenant l'article 334 qui traite du choix fait par des membres déterminés d'un groupe admissible pour qu'une fourniture effectuée entre eux soit réputée effectuée sans contrepartie;
- la section III.0.0.1 du chapitre VI du titre I, comprenant les articles 297.0.2.1 à 297.0.2.6, en vertu de laquelle les membres d'un groupe étroitement lié dont une institution financière désignée est membre peuvent faire le choix que chaque fourniture autrement taxable d'un bien par louage, licence ou accord semblable ou d'un service, effectuée entre eux soit réputée la fourniture d'un service financier.

301.6 Pour déterminer la mesure dans laquelle la caution acquiert ou apporte au Québec un bien ou un service pour consommation, utilisation ou fourniture dans le cadre de ses activités commerciales et pour déterminer la mesure dans laquelle elle le consomme, l'utilise ou le fournit dans ce cadre, la réalisation de la construction donnée par la caution est réputée ne pas avoir pour objet la réalisation d'une fourniture taxable et ne pas être une activité commerciale de la caution.

Notes historiques: L'article 301.6 a été ajouté par L.Q. 2012, c. 28, par. 99(1) et s'applique relativement à une personne qui, après le 31 décembre 2012, commence à réaliser une construction donnée en exécution totale ou partielle de ses obligations en vertu d'un cautionnement d'exécution.

Notes explicatives ARQ (PL 5, L.Q. 2012, c. 28): *Résumé* :

Le nouvel article 301.6 stipule que la réalisation d'une construction en exécution, même partielle, des obligations de la caution en vertu d'un contrat de cautionnement n'est pas considérée comme une activité commerciale de celle-ci lorsque l'on détermine la mesure dans laquelle la consommation, l'utilisation ou la fourniture d'un bien ou d'un service, en vue de faire cette réalisation, se fait dans le cadre d'activités commerciales.

Contexte :

Voir la rubrique « Contexte » de la note explicative relative au nouvel article 301.5 de la LTVQ.

Modifications proposées :

Le nouvel article 301.6 stipule que la réalisation d'une construction en exécution, même partielle, des obligations de la caution en vertu d'un contrat de cautionnement n'est pas considérée comme une activité commerciale de celle-ci lorsque l'on détermine la mesure dans laquelle la consommation, l'utilisation ou la fourniture d'un bien ou d'un service, en vue de faire cette réalisation, se fait dans le cadre d'activités commerciales. Par conséquent, la caution ne peut obtenir, sous réserve du nouvel article 301.7 de la LTVQ, également introduit par le présent projet de loi, un montant au titre du remboursement de la taxe sur les intrants relativement à un bien ou un service dans la mesure où ce bien ou service se rapporte à la réalisation de la construction en exécution du contrat de cautionnement.

301.7 Malgré l'article 301.6, lorsque la caution est réputée, en vertu de l'article 301.5, effectuer une fourniture taxable, le bien ou le service — appelé « intrant direct » dans la présente section — qu'elle acquiert ou apporte au Québec pour consommation, utilisation ou fourniture exclusivement et directement dans le cadre de la réalisation de la construction donnée et non pour utilisation à titre d'immobilisation lui appartenant ni en vue d'apporter une amélioration à une telle immobilisation, est réputé, sauf pour l'application des articles 17, 18 à 18.0.3 et 55 et de la section X, avoir été acquis ou apporté au Québec par elle pour consommation, utilisation ou fourniture exclusivement dans le cadre de ses activités commerciales.

Modification proposée — 301.7

Application: L'article 301.7 sera modifié par l'art. 222 du *Projet de loi 18* (présenté le 21 février 2013) par le remplacement des mots « exclusivement » et « directement », partout où ils se trouvent, par, respectivement, les mots « exclusive » et « directe ». Cette modification entrera en vigueur à la date de la sanction du *Projet de loi 18*.

Notes historiques: L'article 301.7 a été ajouté par L.Q. 2012, c. 28, par. 99(1) et s'applique relativement à une personne qui, après le 31 décembre 2012, commence à réaliser une construction donnée en exécution totale ou partielle de ses obligations en vertu d'un cautionnement d'exécution.

Notes explicatives ARQ (PL 5, L.Q. 2012, c. 28): *Résumé* :

Le nouvel article 301.7 prévoit une exception à la règle, plus générale, prévue au nouvel article 301.6 de la LTVQ. En vertu de la règle édictée par l'article 301.7 de cette loi, un intrant, autre qu'une immobilisation, qu'une caution acquiert ou apporte au Québec pour consommation, utilisation ou fourniture exclusivement et directement dans la réalisation de la construction en exécution du contrat de cautionnement est réputé avoir été acquis ou apporté au Québec exclusivement dans le cadre de ses activités commerciales.

Contexte :

Voir la rubrique « Contexte » de la note explicative relative au nouvel article 301.5 de la LTVQ.

Modifications proposées :

Le nouvel article 301.7 prévoit une exception à la règle, plus générale, prévue au nouvel article 301.6 de la LTVQ, introduit par le présent projet de loi. Lorsque la caution est réputée effectuer une fourniture taxable, l'article 301.7 de la LTVQ s'applique généralement au lieu de l'article 301.6 de cette loi à l'égard de tout intrant (autre qu'une immobilisation ou une amélioration apportée à une immobilisation) que la caution acquiert ou apporte au Québec pour consommation, utilisation ou fourniture exclusivement et directement dans la réalisation de la construction en exécution du contrat de cautionnement. Un tel intrant, appelé « intrant direct », est réputé avoir été acquis ou apporté au Québec exclusivement dans le cadre des activités commerciales de la caution, sauf pour l'application des articles 17, 18 à 18.0.3 et 55 de la LTVQ et de la section X du chapitre VI du titre I de cette loi.

Ainsi, étant donné qu'il n'y a pas dérogation à l'application de l'article 55 de la LTVQ ni à celle de la section X du chapitre VI du titre I de cette loi, la caution demeure tenue de payer la taxe sur les fournitures d'intrants directs effectuées par des parties liées et des membres d'un groupe étroitement lié. En effet, le choix de l'article 334 de la LTVQ qui permet à certaines sociétés ou sociétés de personnes étroitement liées de faire un choix pour que certaines fournitures taxables effectuées entre elles soient considérées comme étant effectuées sans contrepartie, ne peut s'appliquer aux fournitures de biens ou de services qui ne sont pas acquis pour consommation, utilisation ou fourniture exclusive dans le cadre d'activités commerciales.

De plus, l'exception aux articles 17 et 18 à 18.0.3 fait également en sorte que la caution doit procéder à l'autocotisation de la taxe à l'égard de la fourniture taxable d'un bien apporté au Québec.

301.8 Le remboursement de la taxe sur les intrants d'une caution à l'égard des intrants directs correspond au moindre des montants suivants :

1° le montant déterminé conformément au chapitre V, n'eût été le présent article, à l'égard de ces intrants;

2° l'un ou l'autre des montants suivants :

a) lorsque le montant obtenu par la formule suivante excède le total des montants dont chacun serait un remboursement de la taxe sur les intrants de la caution relatif à un intrant direct n'eût été le fait que la taxe n'est pas payable par la caution relativement à l'acquisition ou à l'apport au Québec de l'intrant direct en raison de l'article 75 et de la section III.0.0.1 ou le fait que la caution est réputée avoir acquis ou apporté l'intrant direct pour consommation, utilisation ou fourniture exclusive dans le cadre de ses activités commerciales, cet excédent :

Modification proposée — 301.8 al. 1, par. 2°, s.-par. a), préambule

Application: Le préambule du sous-paragraphe a) du paragraphe 2° du premier alinéa de l'article 301.8 sera modifié par le s.-par. 223(1)(1°) du *Projet de loi 18* (présenté le 21 février 2013) par le remplacement des mots « et de la section » par les mots « ou de la section ». Cette modification s'appliquera relativement à une personne qui, après le 31 décembre 2012, commence à réaliser une construction donnée en exécution totale ou partielle de ses obligations en vertu d'un cautionnement d'exécution.

$$A \times B;$$

b) dans les autres cas, zéro.

Pour l'application de la formule prévue au sous-paragraphe a du paragraphe 2° du premier alinéa :

1° la lettre A représente le taux de taxe mentionné au premier alinéa de l'article 16;

Modification proposée — 301.8 al. 2, par. 1°

1° la lettre A représente le taux de la taxe prévu au premier alinéa de l'article 16;

Application: Le paragraphe 1° du deuxième alinéa de l'article 301.8 sera remplacé par le s.-par. 223(1)(2°) du *Projet de loi 18* (présenté le 21 février 2013) et cette modification s'appliquera relativement à une personne qui, après le 31 décembre 2012, commence à réaliser une construction donnée en exécution totale ou partielle de ses obligations en vertu d'un cautionnement d'exécution.

2° la lettre B représente le total des paiements contractuels, sauf ceux qui ne se rapportent pas à la réalisation de la construction donnée.

Notes historiques: L'article 301.8 a été ajouté par L.Q. 2012, c. 28, par. 99(1) et s'applique relativement à une personne qui, après le 31 décembre 2012, commence à réaliser une construction donnée en exécution totale ou partielle de ses obligations en vertu d'un cautionnement d'exécution.

Notes explicatives ARQ (PL 5, L.Q. 2012, c. 28): *Résumé* :

Le nouvel article 301.8 précise que le montant total du remboursement de la taxe sur les intrants que la caution peut demander relativement aux intrants directs ne peut excéder le montant égal à la taxe calculée sur le total des paiements contractuels que la caution devient en droit de recevoir du créancier à l'égard de la réalisation de la construction par elle en exécution de ses obligations en vertu du contrat de cautionnement.

Contexte :

Voir la rubrique « Contexte » de la note explicative relative au nouvel article 301.5 de la LTVQ.

Modifications proposées :

Le nouvel article 301.8 précise que le montant total du remboursement de la taxe sur les intrants que la caution peut demander relativement aux intrants directs ne peut excéder le montant égal à la taxe calculée sur le total des paiements contractuels que la caution devient en droit de recevoir du créancier à l'égard de la réalisation de la construction par elle en exécution de ses obligations en vertu du contrat de cautionnement. L'article 301.8 de la LTVQ précise également que, pour les fins de ce calcul, il doit être tenu compte de la taxe sur les intrants directs qu'aurait été tenue de payer la caution n'eût été l'exercice du choix visé au nouvel article 297.0.2.1 de la LTVQ, introduit par le présent projet de loi, l'article 75 de la LTVQ ou le fait que la caution soit réputée avoir acquis ou apporté au Québec les intrants directs pour utilisation exclusive dans le cadre de ses

LTVQ (français)

activités commerciales (notamment en raison des présomptions prévues aux articles 55 et 334 de la LTVQ).

De plus, pour les fins du calcul du montant total pouvant être obtenu au titre du remboursement de la taxe sur les intrants, il ne doit être tenu compte que des paiements contractuels se rapportant à la réalisation de la construction par la caution. Ainsi, la caution ne peut prendre en considération unmontant ayant été retenu et qui est perçu par elle relativement à des activités de construction exercées par le débiteur principal.

301.9 Lorsqu'une personne acquiert ou apporte au Québec un bien ou un service pour consommation, utilisation ou fourniture exclusive et directe dans le cadre de travaux de construction comprenant la réalisation d'une construction donnée, laquelle est entreprise en exécution, même partielle, des obligations de la personne en tant que caution, et d'autres activités de construction, les règles suivantes s'appliquent pour l'application de la présente section, pour les fins du calcul du remboursement de la taxe sur les intrants et pour le calcul du montant total pouvant être demandé par elle au titre du remboursement de la taxe sur les intrants à l'égard des intrants directs :

Modification proposée — 301.9 al. 1, préambule

301.9 Lorsqu'une personne acquiert ou apporte au Québec un bien ou un service pour consommation, utilisation ou fourniture exclusive et directe dans le cadre de travaux de construction comprenant la réalisation d'une construction donnée, laquelle est entreprise en exécution, totale ou partielle, des obligations de la personne en tant que caution en vertu d'un cautionnement d'exécution, et d'autres activités de construction, les règles suivantes s'appliquent pour l'application de la présente section, pour les fins du calcul du remboursement de la taxe sur les intrants de la personne et pour le calcul du montant total qu'elle est en droit de demander au titre du remboursement de la taxe sur les intrants à l'égard des intrants directs :

Application: Le préambule du premier alinéa de l'article 301.9 sera remplacé par le s.-par. 224(1)(1°) du *Projet de loi 18* (présenté le 21 février 2013) et cette modification s'appliquera relativement à une personne qui, après le 31 décembre 2012, commence à réaliser une construction donnée en exécution totale ou partielle de ses obligations en vertu d'un cautionnement d'exécution.

1° malgré l'article 34, la partie — appelée « intrant donné » dans le présent article — du bien ou du service qui est à consommer, à utiliser ou à fournir dans le cadre de la réalisation de la construction donnée et l'autre partie — appelée « intrant supplémentaire » dans le présent article — du bien ou du service sont réputées des biens ou des services distincts qui sont indépendants l'un de l'autre;

2° l'intrant donné est réputé avoir été acquis ou apporté au Québec, selon le cas, exclusivement et directement dans le cadre de la réalisation de la construction donnée;

Modification proposée — 301.9 al. 1, par. 2°

2° l'intrant donné est réputé avoir été acquis ou apporté au Québec, selon le cas, exclusivement et directement pour utilisation dans le cadre de la réalisation de la construction donnée;

Application: Le paragraphe 2° de l'article 301.9 sera remplacé par le s.-par. 224(1)(2°) du *Projet de loi 18* (présenté le 21 février 2013) et cette modification s'appliquera relativement à une personne qui, après le 31 décembre 2012, commence à réaliser une construction donnée en exécution totale ou partielle de ses obligations en vertu d'un cautionnement d'exécution.

3° l'intrant supplémentaire est réputé ne pas avoir été acquis ou apporté au Québec, selon le cas, pour consommation, utilisation ou fourniture dans le cadre de la réalisation de la construction donnée;

4° la taxe payable relativement à la fourniture ou à l'apport au Québec, selon le cas, de l'intrant donné est réputée égale au montant obtenu par la formule suivante :

$$A \times B;$$

5° la taxe payable relativement à l'intrant supplémentaire est réputée égale à l'excédent du montant déterminé en vertu du paragraphe 1° du deuxième alinéa sur le montant déterminé en vertu du paragraphe 4°.

Pour l'application de la formule prévue au paragraphe 4° du premier alinéa :

1° la lettre A représente la taxe payable par la personne relativement à la fourniture ou à l'apport au Québec, selon le cas, du bien ou du service, calculé sans tenir compte du présent article;

2° la lettre B représente la mesure, exprimée en pourcentage, dans laquelle le bien ou le service a été acquis ou apporté au Québec, selon le cas, pour consommation, utilisation ou fourniture dans le cadre de la réalisation de la construction donnée.

Notes historiques: L'article 301.9 a été ajouté par L.Q. 2012, c. 28, par. 99(1) et s'applique relativement à une personne qui, après le 31 décembre 2012, commence à réaliser une construction donnée en exécution totale ou partielle de ses obligations en vertu d'un cautionnement d'exécution.

Notes explicatives ARQ (PL 5, L.Q. 2012, c. 28): *Résumé* :

Le nouvel article 301.9 prévoit certaines présomptions utiles notamment pour le calcul du remboursement de la taxe sur les intrants lorsqu'une personne acquiert un bien ou un service pour la réalisation d'une construction donnée en exécution de ses obligations en qualité de caution.

Contexte :

Voir la rubrique « Contexte » de la note explicative relative au nouvel article 301.5 de la LTVQ.

Modifications proposées :

Le nouvel article 301.9 concerne la répartition des intrants acquis ou apportés au Québec par une caution en vue d'être consommés, utilisés ou fournis, au moins en partie, dans la réalisation d'une construction donnée en exécution de ses obligations en tant que caution. Cet article 301.9 prévoit, pour ce faire, certaines présomptions utiles pour déterminer le remboursement de la taxe sur les intrants que peut demander la caution.

Ainsi, lorsque des intrants directs sont utilisés à la fois dans le cadre de la réalisation d'une construction donnée en exécution des obligations de la caution en vertu d'un contrat de cautionnement et dans le cadre de travaux supplémentaires, la partie des intrants qui se rapporte à la réalisation de la construction donnée en exécution des obligations à titre de caution et la partie qui se rapporte aux autres travaux sont réputées l'une et l'autre des intrants distincts acquis par la caution.

De plus, pour les fins du calcul du montant total pouvant être obtenu au titre du remboursement de la taxe sur les intrants à l'égard de la partie d'un bien ou d'un service servant à la réalisation de la construction donnée, la taxe payable à l'égard de cette partie est réputée correspondre à la taxe payable à l'égard du bien ou du service multipliée par la proportion qui représente la mesure dans laquelle le bien ou le service a été acquis ou apporté au Québec, selon le cas, pour consommation, utilisation ou fourniture dans le cadre de la réalisation de la construction donnée.

SECTION IV.2 — SERVICE FINANCIER RÉPUTÉ FOURNI DANS LE CADRE D'ACTIVITÉS COMMERCIALES

Notes historiques: La section IV.2, comprenant les articles 301.10 à 301.13, a été ajoutée par L.Q. 2012, c. 28, par. 100(1) et s'applique à compter du 1er janvier 2013.

301.10 Dans le cas où la taxe à l'égard d'un bien ou d'un service acquis, ou apporté au Québec, par un inscrit devient payable par l'inscrit à un moment où il n'est ni une institution financière désignée ni une personne qui est une institution financière visée au sous-paragraphe a du paragraphe 2° de la définition de l'expression « institution financière » prévue à l'article 1, pour l'application de la sous-section 5 de la section II du chapitre V et en vue du calcul du remboursement de la taxe sur les intrants applicable, les règles suivantes s'appliquent dans la mesure, déterminée conformément aux articles 42.0.2, 42.0.3 et 42.0.12, où le bien ou le service a été acquis ou apporté au Québec, selon le cas, pour être consommé, utilisé ou fourni dans le cadre de la fourniture de services financiers liés aux activités commerciales de l'inscrit :

1° dans le cas où l'inscrit est une institution financière visée au sous-paragraphe b) du paragraphe 2° de la définition de l'expression « institution financière » prévue à l'article 1, le bien ou le service est réputé, malgré les articles 42.0.2, 42.0.3 et 42.0.12, avoir été ainsi acquis ou apporté au Québec pour être consommé, utilisé ou fourni dans le cadre de ces activités commerciales, sauf dans la mesure où il a été ainsi acquis ou apporté au Québec pour être consommé, utilisé ou fourni dans le cadre des activités de l'inscrit qui se rapportent :

a) soit à des cartes de crédit ou de paiement que l'inscrit a émises;

b) soit à l'octroi d'une avance ou d'un crédit ou à un prêt d'argent;

2° dans les autres cas, le bien ou le service est réputé, malgré les articles 42.0.2, 42.0.3 et 42.0.12, avoir été ainsi acquis ou apporté au Québec pour être consommé, utilisé ou fourni dans le cadre de ces activités commerciales.

Pour l'application du premier alinéa, un service financier n'est réputé lié aux activités commerciales d'un particulier que dans la mesure où les recettes et dépenses afférentes à ces activités sont prises en considération dans le calcul du revenu du particulier aux fins de la *Loi sur les impôts* (chapitre I-3).

Notes historiques: L'article 301.10 a été ajouté par L.Q. 2012, c. 28, par. 100(1) et s'applique à compter du 1er janvier 2013.

Notes explicatives ARQ (PL 5, L.Q. 2012, c. 28): *Résumé* :

Le nouvel article 301.10 prévoit une présomption selon laquelle les intrants relatifs à des services financiers rendus par une personne, autre qu'une institution financière, sont réputés acquis en vue d'être consommés ou utilisés dans le cadre de ses activités commerciales, dans la mesure où les services financiers sont liés à ses activités commerciales.

Contexte :

À compter du 1er janvier 2013, la fourniture d'un service financier, en règle générale, cesse d'être détaxée et devient exonérée dans le régime de la taxe de vente du Québec. La principale conséquence de ce changement est que les institutions financières ne pourront plus obtenir de remboursements de la taxe sur les intrants relativement aux biens ou services acquis en vue de rendre des services financiers. La nouvelle section IV.2 du chapitre VI du titre I de la LTVQ introduit certaines règles en vue de simplifier l'application de la taxe pour une personne, autre qu'une institution financière, qui rend des services financiers accessoirement à ses activités commerciales de même que pour une société mère qui engage certains frais relatifs à des actions du capital-actions de sa filiale.

Modifications proposées :

Le nouvel article 301.10 vise à simplifier l'application de la taxe pour les personnes qui ne sont pas des institutions financières et qui offrent, dans le cadre de leurs activités commerciales, certains services financiers qui sont liés à leurs activités commerciales. Pour ce faire, l'article 301.10 de la LTVQ établit une présomption, pour l'application de la sous-section 5 de la section II du chapitre V et en vue du calcul du remboursement de la taxe sur intrants, selon laquelle un bien ou un service acquis ou apporté au Québec par une telle personne qui est un inscrit en vue d'être consommé, utilisé ou fourni dans le cadre de la fourniture de services financiers liés à ses activités commerciales est réputé avoir été ainsi acquis ou apporté au Québec pour être consommé, utilisé ou fourni dans le cadre de telles activités commerciales (paragraphe 2° du premier alinéa de l'article 301.10 de la LTVQ). Par conséquent, aucune répartition d'un tel intrant n'est requise et l'inscrit peut, sous réserve des autres restrictions prévues par ailleurs au chapitre V du titre I de la LTVQ, obtenir un remboursement de la taxe sur les intrants à l'égard de l'intrant.

De plus, le nouvel article 301.10 établit une présomption similaire, pour les mêmes fins, pour une personne qui est une institution financière en vertu du sous-paragraphe b) du paragraphe 2° de la définition de l'expression « institution financière » prévue à l'article 1 de la LTVQ de par la référence qui y est faite à l'alinéa c du paragraphe 1 de l'article 149 de la *Loi sur la taxe d'accise* (Lois révisées du Canada (1985), chapitre E-15) (soit, de façon générale, une personne qui est une institution financière en raison du fait que son revenu constitué d'intérêts, de droits ou d'autres frais relatifs à des cartes de crédit qu'elle a émises, et de prêts, d'avances ou de crédit qu'elle a consentis, a dépassé 1 000 000 $ au cours de l'année précédente) (paragraphe 1° du premier alinéa de l'article 301.10 de la LTVQ).

Par ailleurs, le premier alinéa de l'article 301.10 précise que la mesure dans laquelle un bien ou un service est acquis ou apporté au Québec pour être consommé, utilisé ou fourni dans le cadre de la fourniture de certains services financiers est déterminée conformément aux articles 42.0.2, 42.0.3 et 42.0.12 de cette loi.

Enfin, le deuxième alinéa de l'article 301.10 précise que, pour un particulier, un service financier n'est considéré lié aux activités commerciales de celui-ci que dans la mesure où les recettes et dépenses y afférentes sont prises en considération dans le calcul du revenu que le particulier tire d'une entreprise aux fins de la *Loi sur les impôts* (L.Q., chapitre I-3).

301.11 Sous réserve de l'article 301.12 et pour le calcul du remboursement de la taxe sur les intrants, une société — appelée « société mère » dans le présent article — qui acquiert ou apporte au Québec, à un moment donné, un bien ou un service est réputée l'avoir acquis ou apporté au Québec pour utilisation dans le cadre de ses activités commerciales dans la mesure où il est raisonnable de considérer qu'elle l'a ainsi acquis ou apporté au Québec pour consommation ou utilisation relativement à des actions du capital-actions d'une autre société qui lui est liée à ce moment, ou à des créances dont l'autre société est débitrice, lorsque les conditions suivantes sont remplies :

1° la société mère est un inscrit qui réside au Canada;

2° au moment où la taxe relative à l'acquisition ou à l'apport au Québec du bien ou du service devient payable, ou est payée sans être devenue payable par la société mère, la totalité ou la presque totalité des biens de l'autre société sont des biens que celle-ci a acquis ou importés au Canada la dernière fois pour consommation, utilisation ou fourniture par elle exclusivement dans le cadre de ses activités commerciales.

Notes historiques: L'article 301.11 a été ajouté par L.Q. 2012, c. 28, par. 100(1) et s'applique à compter du 1er janvier 2013.

Notes explicatives ARQ (PL 5, L.Q. 2012, c. 28): *Résumé* :

Le nouvel article 310.11 prévoit que des biens ou des services acquis ou apportés au Québec par une société mère relativement à des actions du capital-actions d'une filiale sont réputés avoir été ainsi acquis ou apportés par celle-ci dans le cadre de ses activités commerciales pour autant que la totalité ou la presque totalité des biens de la filiale soient des biens qui ont été acquis ou importés au Canada pour consommation, utilisation ou fourniture dans le cadre de ses activités commerciales.

Contexte :

Voir la rubrique « Contexte » de la note explicative relative au nouvel article 301.10 de la LTVQ.

Modifications proposées :

Le nouvel article 301.11 fait en sorte qu'une société, appelée société mère, qui engage des dépenses relativement aux actions d'une société qui lui est liée, généralement une filiale, dont la totalité ou la presque totalité des biens sont destinés à être consommés, utilisés ou fournis dans le cadre d'activités commerciales est réputée avoir engagé ces dépenses dans le cadre d'une telle activité commerciale. Ainsi, la société mère peut demander un remboursement de la taxe sur les intrants au titre de ces dépenses.

Le paragraphe 2° de l'article 301.11 précise que c'est au moment où la taxe devient payable ou est payée sans être devenue payable, par la société mère relativement au bien ou au service acquis ou apporté en vue de rendre un service financier que la condition selon laquelle la totalité ou la presque totalité des biens de la filiale doivent avoir été acquis ou importés au Canada pour consommation, utilisation ou fourniture dans le cadre d'activités commerciales.

301.12 Le bien ou le service qu'un inscrit qui est une société qui réside au Canada — appelé « acheteur » dans le présent article — acquiert ou apporte au Québec est réputé avoir été acquis ou apporté au Québec, selon le cas, pour utilisation exclusive dans le cadre de ses activités commerciales, lorsque les conditions suivantes sont remplies :

1° le bien ou le service est lié à l'acquisition réelle ou projetée par l'acheteur de la totalité ou de la presque totalité des actions émises et en circulation et comportant plein droit de vote en toutes circonstances, du capital-actions d'une autre société;

2° tout au long de la période commençant soit au début de l'exécution du service, soit au moment où l'acheteur, selon le cas, a acquis ou apporté au Québec le bien et se terminant au dernier en date des jours visés au paragraphe 1° du deuxième alinéa, la totalité ou la presque totalité des biens de l'autre société sont des biens acquis ou importés au Canada pour consommation, utilisation ou fourniture exclusive dans le cadre d'activités commerciales.

Aux fins du calcul du remboursement de la taxe sur les intrants, la taxe à l'égard de la fourniture du bien ou du service à l'acheteur ou de l'apport au Québec du bien par lui est réputée devenue payable et avoir été payée par lui au dernier en date des jours suivants :

1° le jour où l'acheteur a acquis la totalité ou la presque totalité des actions ou, s'il est postérieur, le jour où il a renoncé à les acquérir;

2° le jour où la taxe est devenue payable ou a été payée par lui.

Notes historiques: L'article 301.12 a été ajouté par L.Q. 2012, c. 28, par. 100(1) et s'applique à compter du 1er janvier 2013.

Notes explicatives ARQ (PL 5, L.Q. 2012, c. 28): *Résumé* :

Le nouvel article 301.12 prévoit que des dépenses engagées par une société donnée pour un bien ou un service relativement à l'acquisition réelle ou projetée des actions du capital-actions d'une autre société, appelée « société cible », sont réputées se rapporter à un

LTVQ (français)

bien ou service acquis ou apporté au Québec par la société donnée dans le cadre de ses activités commerciales pour autant que la totalité ou la presque totalité des biens de la société cible soient des biens qui ont été acquis ou importés au Canada pour consommation, utilisation ou fourniture dans le cadre de ses activités commerciales.

Contexte :

Voir la rubrique « Contexte » de la note explicative relative au nouvel article 301.10 de la LTVQ.

Modifications proposées :

Le nouvel article 301.12 s'applique lorsqu'une société acquiert ou projette d'acquérir la totalité ou la presque totalité des actions avec droit de vote du capital-actions d'une autre société, appelée « société cible », exerçant exclusivement des activités commerciales. Cet article fait alors en sorte que la société qui procède à une telle acquisition ou projette une telle acquisition, appelée « acheteur », peut obtenir un montant au titre du remboursement de la taxe sur les intrants à l'égard d'un bien ou d'un service qu'elle acquiert ou apporte au Québec, selon le cas, et qui est lié à la prise de contrôle réelle ou projetée de la société cible.

Le deuxième alinéa de l'article 301.12 fait en sorte que le remboursement de la taxe sur les intrants à l'égard d'un tel bien ou service peut seulement être demandé après que la totalité ou la presque totalité des actions de la société cible aient été acquises ou encore après que l'acheteur ait abandonné le projet de procéder à une telle acquisition.

301.13 Pour l'application des articles 301.11 et 301.12, dans le cas où, à un moment donné, la totalité ou la presque totalité des biens d'une société sont des biens qu'elle a acquis ou importés au Canada pour consommation, utilisation ou fourniture exclusive dans le cadre de ses activités commerciales, toutes les actions du capital-actions de la société qui sont la propriété d'une autre société qui lui est liée ainsi que toutes les dettes qu'elle a envers cette autre société sont réputées, à ce moment, des biens que l'autre société a acquis pour utilisation exclusive dans le cadre de ses activités commerciales.

Notes historiques: L'article 301.13 a été ajouté par L.Q. 2012, c. 28, par. 100(1) et s'applique à compter du 1er janvier 2013.

Notes explicatives ARQ (PL 5, L.Q. 2012, c. 28): *Résumé* :

Le nouvel article 301.13 prévoit une présomption en vertu de laquelle des créances ou des actions dans une autre société sont réputées des biens acquis dans le cadre d'activités commerciales, lorsque la totalité ou la presque totalité des biens de cette autre société sont consommés, utilisés ou fournis dans le cadre d'activités commerciales de l'autre société.

Contexte :

Voir la rubrique « Contexte » de la note explicative relative au nouvel article 301.10 de la LTVQ.

Modifications proposées :

Le nouvel article 301.13 prévoit que, lorsqu'une société donnée détient des actions du capital-actions ou des créances d'une autre société qui lui est liée et que la totalité ou la presque totalité des biens de cette autre société ont été acquis ou importés au Canada pour consommation, utilisation ou fourniture dans le cadre de ses activités commerciales, ces actions ou ces créances sont réputées, pour la société donnée, des biens acquis par celle-ci pour utilisation exclusive dans le cadre d'activités commerciales. Par ricochet, si une autre société, par exemple une deuxième société de portefeuille, détient les actions de la société donnée et que toutes deux sont liées entre elles, les actions détenues dans la société donnée sont également réputées des biens acquis dans le cadre d'activités commerciales pour la société de portefeuille.

Ainsi, les articles 301.11 à 301.13 ont, sous réserve d'autres restrictions prévues par ailleurs dans la LTVQ, pour effet de permettre à une société d'obtenir un montant au titre du remboursement de la taxe sur les intrants relativement aux dépenses qu'elle a engagées qui se rapportent à des actions d'une société de portefeuille, et ce, même en présence d'un organigramme impliquant plusieurs sociétés de portefeuille. Notons que, pour avoir droit à un remboursement de la taxe sur les intrants, une société doit notamment être un inscrit.

L'article 411, modifié par le présent projet de loi, permet à une société de portefeuille, qui ne réalise pas par ailleurs des fournitures taxables, de s'inscrire.

SECTION V — FAILLITE

302. Application — Les articles 302.1 à 309 s'appliquent dans le cas où une personne devient un failli un jour donné.

« failli » et « actif du failli » — De plus, dans le présent article et dans ces articles, les expressions « failli » et « actif du failli » ont le sens que leur donne la *Loi sur la faillite et l'insolvabilité* (Lois révisées du Canada (1985), chapitre B-3).

Notes historiques: Le premier alinéa de l'article 302 a été remplacé par L.Q. 1997, c. 85, art. 598(1) et a effet depuis le 1er juillet 1992. Toutefois, pour la période du 1er juillet 1992 au 31 décembre 1992, il doit se lire ainsi :

> 302. Les articles 302.1 à 309 s'appliquent dans le cas où, à un moment quelconque, appelé dans ces articles, une personne devient un failli.

Antérieurement, cet alinéa se lisait ainsi :

> 302. Les articles 303 à 309 s'appliquent dans le cas où une personne devient un failli un jour donné.

L'article 302 a été modifié par L.Q. 1994, c. 22, art 524(1) et est réputé entré en vigueur le 1er janvier 1993 à l'égard des personnes qui deviennent faillies, et de leur syndic, à compter de cette date.

L'article 302, édicté par L.Q. 1991, c. 67, se lisait comme suit :

> 302. Les articles 303 à 309 s'appliquent dans le cas où, à un moment quelconque, appelé dans ces articles « ce moment », une personne devient un failli.
>
> De plus, dans le présent article et dans ces articles, les expressions « failli » et « actif du failli » ont le sens que leur donne la *Loi sur la faillite* (Statuts du Canada).

Définitions [art. 302]: « personne » — 1.

Renvois [art. 302]: 326 (distribution par une fiducie).

Bulletins d'interprétation [art. 302]: TVQ. 302-1 — Perception des loyers immobiliers par une personne autre que le locateur.

Concordance fédérale: LTA, art. 265(1) (préambule) et par 265(2).

302.1 Service fourni par un syndic de faillite — Le syndic de faillite est réputé fournir au failli un service qui consiste à agir à titre de syndic de faillite et tout montant auquel le syndic de faillite a droit à ce titre est réputé être une contrepartie payable pour cette fourniture.

Notes historiques: L'article 302.1 a été ajouté par L.Q. 1997, c. 85, art. 599(1) et a effet depuis le 1er juillet 1992.

Définitions [art. 302.1]: « contrepartie », « montant », « service » — 1.

Renvois [art. 302.1]: 302 (application).

Bulletins d'interprétation [art. 302.1]: TVQ. 302-1 — Perception des loyers immobiliers par une personne autre que le locateur.

Lettres d'interprétation [art. 302.1]: 97-0114013 — Syndic de faillite — inscription et statut de mandataire.

Concordance fédérale: LTA, al. 265(1)a).

303. Actif du failli — L'actif du failli est réputé ne pas être une fiducie ni une succession.

Notes historiques: L'article 303 a été édicté par L.Q. 1991, c. 67.

Renvois [art. 303]: 302 (application).

Bulletins d'interprétation [art. 303]: TVQ. 302-1 — Perception des loyers immobiliers par une personne autre que le locateur.

Concordance fédérale: LTA, al. 265(1)b).

304. Propriété des biens — Les biens et l'argent de la personne, immédiatement avant le jour donné, sont réputés ne pas être transmis au syndic de faillite ni lui être dévolus au moment où l'ordonnance de faillite est rendue ou au moment où la cession est déposée, mais demeurer la propriété du failli.

Notes historiques: L'article 304 a été modifié par L.Q. 2005, c. 38, par. 371(1) par le remplacement du mot « séquestre » par le mot « faillite ». Cette modification a effet depuis le 15 décembre 2004.

L'article 304 a été modifié par L.Q. 1994, c. 22, art. 525(1) et est réputé entré en vigueur le 1er janvier 1993 à l'égard des personnes qui deviennent faillies, et de leur syndic, à compter de cette date. Toutefois, pour la période antérieure au 1er janvier 1993, il doit se lire comme suit :

> 304. Les biens et l'argent du failli, immédiatement avant ce moment, sont réputés ne pas être transmis au syndic de faillite ni lui être dévolus au moment où l'ordonnance de séquestre est rendue ou au moment où la cession est déposée, mais demeurer la propriété du failli.

L'article 304, édicté par L.Q. 1991, c. 67, se lisait comme suit :

> 304. Les biens du failli, immédiatement avant ce moment, sont réputés ne pas être transmis au syndic de faillite ni lui être dévolus au moment où l'ordonnance de séquestre est rendue ou au moment où la cession est déposée, mais demeurer la propriété du failli.

Définitions [art. 304]: « argent », « bien », « personne » — 1.

Renvois [art. 304]: 302 (application).

Bulletins d'interprétation [art. 304]: TVQ. 302-1 — Perception des loyers immobiliers par une personne autre que le locateur.

Concordance fédérale: LTA, al. 265(1)c).

304.1 Inscription du failli — Dans le cas où la personne est inscrite en vertu de la section I du chapitre VIII le jour donné, l'inscription continue de s'appliquer relativement aux activités de la personne auxquelles la faillite se rapporte comme si le syndic de faillite était l'inscrit à l'égard de ces activités et cesse de s'appliquer aux activités de la personne qu'elle commence à exercer le jour donné ou après ce jour et auxquelles la faillite ne se rapporte pas.

Notes historiques: L'article 304.1 a été ajouté par L.Q. 1994, c. 22, par. 526(1) et est réputé entré en vigueur le 1er janvier 1993 à l'égard des personnes qui deviennent faillies, et de leur syndic, à compter de cette date.

Définitions [art. 304.1]: « inscrit », « personne » — 1.

Renvois [art. 304.1]: 302 (application).

Jurisprudence [art. 304.1]: *Québec (Sous-ministre du Revenu) c. Therrien* (2 juin 2009), 235-17-000033-098, 2009 CarswellQue 6340.

Bulletins d'interprétation [art. 304.1]: TVQ. 302-1 — Perception des loyers immobiliers par une personne autre que le locateur.

Lettres d'interprétation [art. 304.1]: 97-0114013 — Syndic de faillite — inscription et statut de mandataire; 98-010324 — Inscription en vertu de la *Loi sur la taxe d'accise* (L.R.C. 1985, c. E-15, ci-après « LTA ») et de la *Loi sur la taxe de vente du Québec* (L.R.Q., c. T-0.1, ci-après « LTVQ ») vs la *Loi sur la faillite et l'insolvabilité.*

Concordance fédérale: LTA, al. 265(1)e).

304.2 Activités exercées par le failli — Dans le cas où la personne commence à exercer des activités auxquelles la faillite ne se rapporte pas, le jour donné ou après ce jour, les règles suivantes s'appliquent :

1º les activités sont réputées être des activités distinctes des activités de la personne auxquelles la faillite se rapporte comme si les activités étaient celles d'une personne distincte;

2º la personne peut, à l'égard des activités auxquelles la faillite ne se rapporte pas, demander et obtenir l'inscription en vertu de la section I du chapitre VIII, établir des exercices et effectuer des choix relativement à des périodes de déclaration en vertu de la section IV de ce chapitre, comme si ces activités étaient les seules activités de la personne.

Notes historiques: L'article 304.2 a été ajouté par L.Q. 1994, c. 22, par. 526(1) et est réputé entré en vigueur le 1er janvier 1993 à l'égard des personnes qui deviennent faillies, et de leur syndic, à compter de cette date.

Définitions [art. 304.2]: « période de déclaration », « personne » — 1.

Renvois [art. 304.2]: 302 (application).

Jurisprudence [art. 304.2]: *Québec (Sous-ministre du Revenu) c. Therrien* (2 juin 2009), 235-17-000033-098, 2009 CarswellQue 6340.

Bulletins d'interprétation [art. 304.2]: TVQ. 302-1 — Perception des loyers immobiliers par une personne autre que le locateur.

Concordance fédérale: LTA, al. 265(1)f).

305. Début et fin des périodes de déclaration — Sous réserve des articles 306 et 307, les périodes de déclaration de la personne commencent et se terminent les jours auxquels elles auraient commencé et se seraient terminées si la faillite n'avait pas eu lieu.

Notes historiques: L'article 305 a été modifié par L.Q. 1994, c. 22, par. 527(1) et est réputé entré en vigueur le 1er janvier 1993 à l'égard des personnes qui deviennent faillies, et de leur syndic, à compter de cette date. Toutefois, une personne qui a produit une déclaration selon une période de déclaration visée à la section V du chapitre VI du titre I, telle qu'elle se lisait avant le 17 juin 1994 ou telle qu'elle se lit au 17 juin 1994, est considérée avoir produit la déclaration conformément à la *Loi sur la taxe de vente du Québec* (L.R.Q., chapitre T-0.1).

Pour l'application à la période du 1er juillet 1992 au 28 février 1994, la référence à la *Loi sur la taxe de vente du Québec* (L.R.Q., chapitre T-0.1) doit être lue comme une référence à la *Loi sur la taxe de vente du Québec et modifiant diverses dispositions législatives d'ordre fiscal* (1991, chapitre 67).

L'article 305, édicté par L.Q. 1991, c. 67, se lisait comme suit :

> 305. La période de déclaration du failli qui commence avant ce moment et qui, autrement qu'en vertu du présent article, se termine après ce moment, est réputée s'être terminée le jour immédiatement avant le jour qui comprend ce moment.

Définitions [art. 305]: « période de déclaration », « personne » — 1.

Renvois [art. 305]: 302 (application).

Bulletins d'interprétation [art. 305]: TVQ. 302-1 — Perception des loyers immobiliers par une personne autre que le locateur.

Lettres d'interprétation [art. 305]: 99-0100802 — Cotisation de la taxe payable et proposition concordataire.

Concordance fédérale: LTA, s-al. 265(1)g).

306. Période de déclaration de la personne — La période de déclaration de la personne durant laquelle elle devient un failli se termine le jour donné et une nouvelle période de déclaration de la personne, relative aux activités de celle-ci auxquelles la faillite se rapporte, commence le jour qui suit immédiatement le jour donné.

Notes historiques: L'article 306 a été modifié par L.Q. 1994, c. 22, par. 527(1) et est réputé entré en vigueur le 1er janvier 1993 à l'égard des personnes qui deviennent faillies, et de leur syndic, à compter de cette date. Toutefois, une personne qui a produit une déclaration selon une période de déclaration visée à la section V du chapitre VI du titre I, telle qu'elle se lisait avant le 17 juin 1994 ou telle qu'elle se lit au 17 juin 1994, est considérée avoir produit la déclaration conformément à la *Loi sur la taxe de vente du Québec* (L.R.Q., chapitre T-0.1).

Pour l'application à la période du 1er juillet 1992 au 28 février 1994, la référence à la *Loi sur la taxe de vente du Québec* (L.R.Q., chapitre T-0.1) doit être lue comme une référence à la *Loi sur la taxe de vente du Québec et modifiant diverses dispositions législatives d'ordre fiscal* (1991, chapitre 67).

L'article 306, édicté par L.Q. 1991, c. 67, se lisait comme suit :

> 306. Une période de déclaration du failli est réputée commencer le jour qui comprend ce moment.

Définitions [art. 306]: « période de déclaration », « personne » — 1.

Renvois [art. 306]: 302 (application); 305 (période de déclaration du failli).

Bulletins d'interprétation [art. 306]: TVQ. 302-1 — Perception des loyers immobiliers par une personne autre que le locateur.

Concordance fédérale: LTA, s.-al. 265(1)g)(i).

307. Période de déclaration de la personne — La période de déclaration de la personne, relative aux activités de celle-ci auxquelles la faillite se rapporte, durant laquelle le syndic de faillite est libéré en vertu de la *Loi sur la faillite et l'insolvabilité* (Lois révisées du Canada (1985), chapitre B-3) se termine le jour où l'ordonnance de libération est rendue.

Notes historiques: L'article 307 a été modifié par L.Q. 1994, c. 22, par. 527(1) et est réputé entré en vigueur le 1er janvier 1993 à l'égard des personnes qui deviennent faillies, et de leur syndic, à compter de cette date. Toutefois, une personne qui a produit une déclaration selon une période de déclaration visée à la section V du chapitre VI du titre I, telle qu'elle se lisait avant le 17 juin 1994 ou telle qu'elle se lit au 17 juin 1994, est considérée avoir produit la déclaration conformément à la *Loi sur la taxe de vente du Québec* (L.R.Q., chapitre T-0.1).

Pour l'application à la période du 1er juillet 1992 au 28 février 1994, la référence à la *Loi sur la taxe de vente du Québec* (L.R.Q., chapitre T-0.1) doit être lue comme une référence à la *Loi sur la taxe de vente du Québec et modifiant diverses dispositions législatives d'ordre fiscal* (1991, chapitre 67).

L'article 307, édicté par L.Q. 1991, c. 67, se lisait comme suit :

> 307. Dans le cas où une ordonnance de libération absolue du failli est rendue en vertu de la *Loi sur la faillite* (Statuts du Canada), la période de déclaration du failli qui commence pendant la faillite et qui, autrement qu'en vertu du présent article, se termine après ce moment, est réputée s'être terminée immédiatement avant le jour où l'ordonnance est rendue.

Définitions [art. 307]: « période de déclaration », « personne » — 1.

Renvois [art. 307]: 302 (application); 305 (période de déclaration du failli).

Bulletins d'interprétation [art. 307]: TVQ. 302-1 — Perception des loyers immobiliers par une personne autre que le locateur.

Concordance fédérale: LTA, s.-al. 265(1)g)(ii).

308. [*Abrogé*]

Notes historiques: L'article 308 a été abrogé par L.Q. 1994, c. 22, art. 528 à compter du 1er janvier 1993 à l'égard des personnes qui deviennent faillies, et de leur syndic, à compter de cette date. Toutefois, une personne qui a produit une déclaration selon une période de déclaration visée à la section V du chapitre VI du titre I, telle qu'elle se lisait avant le 17 juin 1994 ou telle qu'elle se lit au 17 juin 1994, est considérée avoir produit la déclaration conformément à la *Loi sur la taxe de vente du Québec* (L.R.Q., chapitre T-0.1).

Pour l'application à la période du 1er juillet 1992 au 28 février 1994, la référence à la *Loi sur la taxe de vente du Québec* (L.R.Q., chapitre T-0.1) doit être lue comme une référence à la *Loi sur la taxe de vente du Québec et modifiant diverses dispositions législatives d'ordre fiscal* (1991, chapitre 67).

LTVQ (français)

L'article 308, édicté par L.Q. 1991, c. 67, se lisait comme suit :

308. Une période de déclaration du failli est réputée commencer au début du jour où l'ordonnance est rendue.

309. Effet de l'ordonnance de libération — Les biens et l'argent que le syndic de faillite détient pour la personne le jour où une ordonnance de libération absolue de la personne est rendue en vertu de la *Loi sur la faillite et l'insolvabilité* (Lois révisées du Canada (1985), chapitre B-3) sont réputés ne pas être transmis à la personne au moment où l'ordonnance est rendue, mais ces biens sont réputés avoir été dévolus à la personne et avoir été détenus par celle-ci sans interruption depuis le jour où ils ont été acquis par la personne ou le syndic, selon le cas.

Notes historiques: L'article 309 a été modifié par L.Q. 1994, c. 22, par. 529(1) et est réputé entré en vigueur le 1er janvier 1993 à l'égard des personnes qui deviennent faillies, et de leur syndic, à compter de cette date. Toutefois, pour la période antérieure au 1er janvier 1993, il doit se lire comme suit :

309. Les biens et l'argent que le syndic détient pour le failli immédiatement avant qu'une ordonnance de libération absolue du failli ne soit rendue en vertu de la *Loi sur la faillite et l'insolvabilité* (Statuts du Canada) sont réputés ne pas être transmis au failli au moment où l'ordonnance est rendue, mais ces biens sont réputés avoir été dévolus au failli et avoir été détenus par celui-ci sans interruption depuis le jour où ils ont été acquis par le failli ou le syndic, selon le cas.

L'article 309, édicté par L.Q. 1991, c. 67, se lisait auparavant comme suit :

309. Les biens que le syndic détient pour le failli immédiatement avant qu'une ordonnance de libération absolue du failli ne soit rendue en vertu de la *Loi sur la faillite* (Statuts du Canada) sont réputés ne pas être transmis au failli au moment où l'ordonnance est rendue, mais ces biens sont réputés avoir été dévolus au failli et avoir été détenus par celui-ci sans interruption depuis le jour où ils ont été acquis par le failli ou le syndic, selon le cas.

Définitions [art. 309]: « argent », « bien », « personne » — 1.

Renvois [art. 309]: 302 (application).

Bulletins d'interprétation [art. 309]: TVQ. 302-1 — Perception des loyers immobiliers par une personne autre que le locateur.

Concordance fédérale: LTA, al. 265(1)k).

SECTION VI — SÉQUESTRE

310. Application — La présente section s'applique dans le cas où, un jour donné, un séquestre est investi du pouvoir de gérer, diriger ou liquider une entreprise ou les biens d'une personne ou pour gérer ou s'occuper des affaires ou des éléments de l'actif de celle-ci.

Définitions — De plus, dans la présente section, l'expression :

« actif pertinent » d'un séquestre signifie :

1º dans le cas où le pouvoir du séquestre se rapporte à l'ensemble des entreprises, des affaires, des biens et des éléments de l'actif d'une personne, toutes ces entreprises, ces affaires et tous ces biens et ces éléments de l'actif;

2º dans le cas où le pouvoir du séquestre ne se rapporte qu'à une partie des entreprises, des affaires, des biens ou des éléments de l'actif d'une personne, cette partie des entreprises, des affaires, des biens ou des éléments de l'actif, selon le cas;

Concordance fédérale: LTA, par. 266(1)« actif pertinent ».

« entreprise » comprend une partie d'une entreprise;

Concordance fédérale: LTA, par. 266(1)« entreprise ».

« séquestre » signifie une personne qui, selon le cas :

1º est autorisée en vertu soit d'une obligation ou d'un autre titre de créance, soit d'une ordonnance d'un tribunal, soit d'une loi du Québec, d'une autre province, des Territoires du Nord-Ouest, du territoire du Yukon, du territoire du Nunavut ou du Canada, à gérer ou à diriger une entreprise ou des biens d'une autre personne;

1.1º est nommée par un fiduciaire en vertu d'un acte de fiducie relatif à un titre de créance afin d'exercer le pouvoir du fiduciaire de gérer ou diriger une entreprise ou des biens du débiteur du titre de créance;

1.2º est nommée par une banque afin d'agir à titre de mandataire de celle-ci dans l'exercice du pouvoir de la banque prévu au paragraphe 3 de l'article 426 de la *Loi sur les banques* (Lois révisées du Canada (1985), chapitre B-1) à l'égard du bien d'une autre personne;

2º est nommée à titre de liquidateur pour liquider les éléments de l'actif ou les affaires d'une société;

3º est nommée à titre de tuteur ou de curateur, ou constitue un comité, ayant le pouvoir de gérer et de s'occuper des affaires et des éléments de l'actif d'un particulier qui est incapable de gérer ses affaires et les éléments de son actif;

l'expression « séquestre » comprend également une personne qui est nommée afin d'exercer le pouvoir d'un créancier en vertu d'une obligation ou d'un autre titre de créance de gérer ou diriger une entreprise ou des biens d'une autre personne mais ne comprend pas ce créancier dans le cas où cette personne est nommée.

Concordance fédérale: LTA, par. 266(1)« séquestre », 266(2)« préambule ».

Notes historiques: Le paragraphe 1º de la définition de « séquestre » au deuxième alinéa de l'article 310 a été modifié par L.Q. 2003, c. 2, par. 330(1) par l'insertion, après le mot « Yukon », de « , du territoire du Nunavut ». Cette modification a effet depuis le 1er avril 1999.

La définition de « séquestre » à l'article 310 a été modifiée par L.Q. 1997, c. 3, art. 122 pour supprimer l'expression « d'une débenture, » et pour remplacer le mot « corporation » par le mot « société ». Cette modification est réputée entrée en vigueur le 20 mars 1997.

Auparavant, l'article 310 a été modifié par L.Q. 1994, c. 22, art. 530(1) et s'applique aux séquestres qui sont investis de pouvoirs ou nommés à compter du 1er janvier 1993 et aux personnes dont les entreprises, les affaires, les biens ou les éléments de l'actif sont visés par les pouvoirs ou la nomination de ces séquestres. L'article 310, édicté par L.Q. 1991, c. 67, se lisait comme suit :

310. Les articles 311 à 317 s'appliquent dans le cas où, à un moment quelconque, appelé dans ces articles « ce moment », un séquestre est nommé pour gérer, diriger ou liquider une entreprise ou les biens d'une personne ou pour gérer les affaires de celle-ci.

De plus, dans le présent article et dans ces articles, l'expression « séquestre » signifie :

1º un séquestre ou un séquestre-gérant qui est nommé en vertu soit d'une débenture, d'une obligation ou d'une autre convention concernant un titre de créance, soit d'une ordonnance d'un tribunal pour gérer ou diriger l'entreprise ou les biens d'une personne;

2º un liquidateur qui est nommé pour liquider les actifs ou les affaires d'une corporation;

3º un comité, un tuteur ou un curateur qui est nommé pour gérer et s'occuper des affaires et des actifs d'un particulier qui est incapable de gérer ses affaires et ses actifs.

Définitions [art. 310]: « bien », « entreprise », « particulier », « personne », « titre de créance » — 1.

Renvois [art. 310]: 1.1 (personne morale); 506.1 (société et société de personnes).

Bulletins d'interprétation [art. 310]: TVQ. 302-1 — Perception des loyers immobiliers par une personne autre que le locateur.

Lettres d'interprétation [art. 310]: 98-0100208 — Interprétation relative à la TPS — Interprétation relative à la TVQ — Numéro d'inscription utilisé par un séquestre; 98-0100663 — Interprétation TVQ — Frais encours antérieurement à la saisie ou à la reprise de possession d'un bien; 98-8100129[A] — Vente en justice et vente sous contrôle de justice; 98-8100129[B] — Interprétation relative à la TPS — Interprétation relative à la TVQ — Ventes sous contrôle de justice — perception et remise de la taxe; 99-0108037 — Interprétation relative à la TPS et à la TVQ — Opérations impliquant un séquestre nommé en vertu de la partie XI de la *Loi sur la faillite et l'insolvabilité*; 12-013765-002 — Interprétation relative à la TVQ — Administration d'un hôtel par un créancier - Demande de RTI.

311. Mandataire de la personne — Le séquestre est réputé être un mandataire de la personne et toute fourniture effectuée ou reçue et tout acte accompli par le séquestre à l'égard de l'actif pertinent de celui-ci est :

1º dans le cas de la fourniture, réputée effectuée ou reçue par le séquestre à titre de mandataire de la personne;

2º dans le cas de l'acte, réputé accompli par le séquestre à titre de mandataire de la personne.

Notes historiques: L'article 311 a été modifié par L.Q. 1994, c. 22, art. 530(1) et s'applique aux séquestres qui sont investis de pouvoirs ou nommés à compter du 1er janvier 1993 et aux personnes dont les entreprises, les affaires, les biens ou les éléments de l'actif sont visés par les pouvoirs ou la nomination de ces séquestres. L'article 311 se lisait auparavant comme suit :

311. Le séquestre est réputé être le mandataire de la personne et toute fourniture effectuée ou reçue et tout acte accompli par le séquestre, dans la gérance, la direction ou la liquidation de l'entreprise ou des biens de la personne, ou dans la gérance des affaires de celle-ci, est :

1º dans le cas de la fourniture, réputée effectuée ou reçue par le séquestre à titre de mandataire de la personne;

2º dans le cas de l'acte, réputé accompli par le séquestre à titre de mandataire de la personne.

L'article 311 a été édicté par L.Q. 1991, c. 67.

Définitions [art. 311]: « actif pertinent » — 310; « fourniture », « personne » — 1; « séquestre » — 310.

Bulletins d'interprétation [art. 311]: TVQ. 302-1 — Perception des loyers immobiliers par une personne autre que le locateur.

Lettres d'interprétation [art. 311]: 12-013765-002 — Interprétation relative à la TVQ — Administration d'un hôtel par un créancier - Demande de RTI.

Concordance fédérale: LTA, al. 266(2)a).

312. Actif de la personne — Le séquestre est réputé ne pas être le fiduciaire de l'actif de la personne ou d'une partie de celui-ci.

Notes historiques: L'article 312 a été modifié par L.Q. 1994, c. 22, art. 530(1) et s'applique aux séquestres qui sont investis de pouvoirs ou nommés à compter du 1er janvier 1993 et aux personnes dont les entreprises, les affaires, les biens ou les éléments de l'actif sont visés par les pouvoirs ou la nomination de ces séquestres. L'article 312 se lisait comme suit :

312. Le séquestre est réputé ne pas être le fiduciaire de l'actif de la personne.

L'article 312 a été édicté par L.Q. 1991, c. 67.

Définitions [art. 312]: « personne » — 1; « séquestre » — 310.

Bulletins d'interprétation [art. 312]: TVQ. 302-1 — Perception des loyers immobiliers par une personne autre que le locateur.

Lettres d'interprétation [art. 312]: 99-0108037 — Interprétation relative à la TPS et à la TVQ — Opérations impliquant un séquestre nommé en vertu de la partie XI de la *Loi sur la faillite et l'insolvabilité*.

Concordance fédérale: LTA, al. 266(2)b).

312.1 Actif pertinent distinct — Dans le cas où l'actif pertinent du séquestre n'est constitué que d'une partie des entreprises, des affaires, des biens ou des éléments de l'actif de la personne, l'actif pertinent du séquestre est réputé être, tout au long de la période durant laquelle le séquestre agit à ce titre pour la personne, distinct du reste des entreprises, des affaires, des biens ou des éléments de l'actif de la personne comme si l'actif pertinent était constitué des entreprises, des affaires, des biens ou des éléments de l'actif, selon le cas, d'une personne distincte.

Notes historiques: L'article 312.1 a été ajouté par L.Q. 1994, c. 22, art. 531(1) et s'applique aux séquestres qui sont investis de pouvoirs ou nommés à compter du 1er janvier 1993 et aux personnes dont les entreprises, les affaires, les biens ou les éléments de l'actif sont visés par les pouvoirs ou la nomination de ces séquestres.

Définitions [art. 312.1]: « actif pertinent » — 310; « bien » — 1; « entreprise » — 310; « personne » — 1; « séquestre » — 310.

Bulletins d'interprétation [art. 312.1]: TVQ. 302-1 — Perception des loyers immobiliers par une personne autre que le locateur.

Concordance fédérale: LTA, al. 266(2)c).

313. Responsabilité solidaire — La personne et le séquestre sont solidairement responsables du paiement ou du versement des montants payables ou à verser par la personne avant ou pendant la période durant laquelle le séquestre agit à ce titre pour la personne dans la mesure où il est raisonnable de considérer que les montants se rapportent à l'actif pertinent du séquestre ou aux entreprises, aux affaires, aux biens ou aux éléments de l'actif de la personne qui auraient constitué l'actif pertinent du séquestre s'il avait agi à ce titre pour la personne au moment où les montants sont devenus payables ou à verser, selon le cas.

Limite — Malgré le premier alinéa, les règles suivantes s'appliquent :

1º le séquestre n'est responsable du paiement ou du versement des montants devenus payables ou à verser avant cette période que dans la mesure des biens et de l'argent de la personne qu'il a en sa possession ou qu'il contrôle et gère après qu'il a, à la fois :

a) réglé les réclamations des créanciers dont les créances prennent rang, le jour donné, avant la créance de l'État à l'égard de ces montants;

b) acquitté tout montant qu'il est tenu de payer au syndic de faillite de la personne;

2º la personne n'est pas responsable du versement de toute taxe perçue ou percevable par le séquestre;

3º le paiement ou le versement par la personne ou le séquestre d'un montant à l'égard de cette obligation éteint celle-ci d'autant.

Notes historiques: L'article 313 a été modifié par L.Q. 1994, c. 22, art. 532(1) et s'applique aux séquestres qui sont investis de pouvoirs ou nommés à compter du 1er janvier 1993 et aux personnes dont les entreprises, les affaires, les biens ou les éléments de l'actif sont visés par les pouvoirs ou la nomination de ces séquestres. Toutefois, pour la période du 1er octobre 1992 au 31 décembre 1992, les deux premiers alinéas de l'article 313 doivent se lire comme suit :

313. La personne et le séquestre sont solidairement responsables du paiement ou du versement des montants, autres que ceux qui se rapportent aux activités auxquelles la nomination du séquestre n'est pas rattachée, payables ou à verser par la personne avant ce moment ou pendant la période durant laquelle le séquestre agit à ce titre pour la personne.

Toutefois, le séquestre n'est responsable du paiement ou du versement des montants devenus payables ou à verser avant ce moment que dans la mesure des biens et de l'argent de la personne qu'il a en sa possession ou qu'il contrôle et gère.

De plus, à l'égard des montants payables ou à verser pour la période du 1er juillet 1992 au 30 septembre 1992, les deux premiers alinéas de l'article 313 doivent se lire comme suit :

313. La personne et le séquestre sont solidairement responsables d'une part, du paiement de toute taxe payable par la personne avant ce moment ou pendant la période durant laquelle le séquestre agit à ce titre pour la personne et d'autre part, du versement de toute taxe perçue par la personne avant ce moment ou pendant cette période.

Toutefois, le séquestre n'est responsable du paiement de la taxe payable avant ce moment et du versement de la taxe perçue avant ce moment que dans la mesure des biens et de l'argent de la personne qu'il a en sa possession ou qu'il contrôle et gère.

L'article 313, édicté par L.Q. 1991, c. 67, se lisait comme suit :

313. La personne et le séquestre sont solidairement responsables d'une part, du paiement de toute taxe payable par la personne avant ce moment ou pendant la période durant laquelle le séquestre agit à ce titre pour la personne et d'autre part, du versement de toute taxe perçue par la personne avant ce moment ou pendant cette période.

Toutefois, le séquestre n'est responsable du paiement de la taxe payable avant ce moment et du versement de la taxe perçue avant ce moment, que dans la mesure des biens de la personne qu'il a en sa possession ou qu'il contrôle et gère.

Le paiement par l'un ou l'autre d'un montant à l'égard de cette obligation éteint celle-ci d'autant.

Définitions [art. 313]: « actif pertinent » — 310; « argent », « bien » — 1; « entreprise » — 310; « montant », « personne » — 1; « séquestre » — 310; « taxe » — 1.

Bulletins d'interprétation [art. 313]: TVQ. 302-1 — Perception des loyers immobiliers par une personne autre que le locateur.

Concordance fédérale: LTA, al. 266(2)d).

314. Périodes de déclaration de la personne — Sous réserve des articles 314.1 et 315, les périodes de déclaration de la personne commencent et se terminent les jours auxquels elles auraient commencé et se seraient terminées si le séquestre n'était pas investi de pouvoirs.

Notes historiques: L'article 314 a été modifié par L.Q. 1994, c. 22, art. 532(1) et s'applique aux séquestres qui sont investis de pouvoirs ou nommés à compter du 1er janvier 1993 et aux personnes dont les entreprises, les affaires, les biens ou les éléments de l'actif sont visés par les pouvoirs ou la nomination de ces séquestres. L'article 314, édicté par L.Q. 1991, c. 67, se lisait comme suit :

314. La période de déclaration de la personne qui commence avant ce moment et qui, autrement qu'en vertu du présent article, se termine après ce moment, est réputée s'être terminée le jour immédiatement avant le jour qui comprend ce moment.

De plus, une période de déclaration de la personne est réputée commencer le jour qui comprend ce moment.

Définitions [art. 314]: « période de déclaration », « personne » — 1; « séquestre » — 310.

Bulletins d'interprétation [art. 314]: TVQ. 302-1 — Perception des loyers immobiliers par une personne autre que le locateur.

Lettres d'interprétation [art. 314]: 99-0100802 — Cotisation de la taxe payable et proposition concordataire.

Concordance fédérale: LTA, al. 266(2)e).

314.1 Périodes de déclaration de la personne — La période de déclaration de la personne, relative à l'actif pertinent du séquestre, durant laquelle le séquestre commence à agir à ce titre pour la personne se termine le jour donné et une nouvelle période de déclaration de la personne, relative à l'actif pertinent, commence le jour qui suit immédiatement le jour donné.

Notes historiques: L'article 314.1 a été ajouté par L.Q. 1994, c. 22, art. 533(1) et s'applique aux séquestres qui sont investis de pouvoirs ou nommés à compter du 1er janvier 1993 et aux personnes dont les entreprises, les affaires, les biens ou les éléments de l'actif sont visés par les pouvoirs ou la nomination de ces séquestres.

Définitions [art. 314.1]: « actif pertinent » — 310; « période de déclaration », « personne » — 1; « séquestre » — 310.

Renvois [art. 314.1]: 314 (période de déclaration).

Bulletins d'interprétation [art. 314.1]: TVQ. 302-1 — Perception des loyers immobiliers par une personne autre que le locateur.

Concordance fédérale: LTA, s.-al. 266(2)e)(i).

315. Périodes de déclaration de la personne — La période de déclaration de la personne, relative à l'actif pertinent du séquestre, durant laquelle le séquestre cesse d'agir à ce titre pour la personne se termine le jour où le séquestre cesse d'agir à ce titre.

Notes historiques: L'article 315 a été modifié par L.Q. 1994, c. 22, art. 534(1) et s'applique aux séquestres qui sont investis de pouvoirs ou nommés à compter du 1er janvier 1993 et aux personnes dont les entreprises, les affaires, les biens ou les éléments de l'actif sont visés par les pouvoirs ou la nomination de ces séquestres. L'article 315, édicté par L.Q. 1991, c. 67, se lisait comme suit :

> 315. Dans le cas où la nomination du séquestre se termine, la période de déclaration de la personne qui commence pendant la période durant laquelle le séquestre agit à ce titre et qui, autrement qu'en vertu du présent article, se termine après cette période, est réputée s'être terminée immédiatement avant le jour où la nomination se termine.
>
> De plus, si la personne est vivante après que la nomination se soit terminée, une période de déclaration de la personne est réputée commencer au début du jour où la nomination se termine.

Définitions [art. 315]: « actif pertinent » — 310; « période de déclaration », « personne » — 1; « séquestre » — 310.

Renvois [art. 315]: 314 (période de déclaration).

Bulletins d'interprétation [art. 315]: TVQ. 302-1 — Perception des loyers immobiliers par une personne autre que le locateur.

Concordance fédérale: LTA, s.-al. 266(2)e)(ii).

316. Production des déclarations de la personne — Le séquestre doit produire au ministre au moyen du formulaire prescrit contenant les renseignements prescrits les déclarations que la personne est tenue de produire et qui sont relatives, selon le cas :

1° à l'actif pertinent du séquestre pour les périodes de déclaration se terminant au cours de la période durant laquelle le séquestre agit à ce titre pour la personne;

2° à des fournitures d'immeubles qu'il est raisonnable de considérer comme se rapportant à l'actif pertinent et qui ont été effectuées à la personne au cours de ces périodes.

Actif pertinent distinct — Le séquestre produit les déclarations visées au premier alinéa comme si l'actif pertinent ne constituait que les seuls entreprises, affaires, biens et éléments de l'actif de la personne.

Notes historiques: L'article 316 a été modifié par L.Q. 1994, c. 22, art. 534(1) et s'applique aux séquestres qui sont investis de pouvoirs ou nommés à compter du 1er janvier 1993 et aux personnes dont les entreprises, les affaires, les biens ou les éléments de l'actif sont visés par les pouvoirs ou la nomination de ces séquestres. L'article 316, édicté par L.Q. 1991, c. 67, se lisait comme suit :

> 316. Le séquestre est responsable de la production :
>
> 1° de toutes les déclarations relatives à l'entreprise ou aux biens auxquels la nomination est rattachée pour les périodes de déclaration de la personne qui se terminent avant ce moment, soit à l'égard d'un fait quelconque qui s'est produit avant ce moment, que la personne est tenue de produire en vertu du présent titre ou des règlements et qui n'ont pas été produites avant ce moment;
>
> 2° de toutes les déclarations relatives soit à l'entreprise ou aux biens auxquels la nomination est rattachée pour les périodes de déclaration de la personne qui se terminent pendant la période durant laquelle le séquestre agit à ce titre, soit à l'égard d'un fait quelconque qui se produit pendant cette période.

Définitions [art. 316]: « actif pertinent » — 310; « bien » — 1; « entreprise » — 310; « fourniture », « période de déclaration », « personne » — 1; « séquestre » — 310.

Formulaires [art. 316]: FP-633, Demande présentée par un séquestre, un fiduciaire ou un mandataire en vue de produire des déclarations distinctes.

Bulletins d'interprétation [art. 316]: TVQ. 302-1 — Perception des loyers immobiliers par une personne autre que le locateur.

Lettres d'interprétation [art. 316]: 98-0100208 — Interprétation relative à la TPS — Interprétation relative à la TVQ — Numéro d'inscription utilisé par un séquestre; 98-0100663 — Interprétation TVQ — Frais encourus antérieurement à la saisie ou à la reprise de possession d'un bien; 12-013765-002 — Interprétation relative à la TVQ — Administration d'un hôtel par un créancier - Demande de RTI.

Concordance fédérale: LTA, al. 266(2)f).

317. [*Abrogé*]

Notes historiques: L'article 317 a été abrogé par L.Q. 1994, c. 22, art. 535(1) à l'égard des séquestres qui sont investis de pouvoirs ou nommés à compter du 1er janvier 1993 et aux personnes dont les entreprises, les affaires, les biens ou les éléments de l'actif sont visés par les pouvoirs ou la nomination de ces séquestres. L'article 317, édicté par L.Q. 1991, c. 67, se lisait comme suit :

> 317. Dans le cas où la personne est un inscrit immédiatement avant ce moment, l'inscription continue et ne peut se terminer, pendant la période durant laquelle le séquestre agit à ce titre, sans l'accord du ministre.

317.1 Production d'une déclaration — Le séquestre doit produire au ministre, à moins que celui-ci ne l'en dispense par écrit, une déclaration, au moyen du formulaire prescrit contenant les renseignements prescrits, pour la période de déclaration visée au deuxième alinéa qui se rapporte aux entreprises, aux affaires, aux biens ou aux éléments de l'actif de la personne qui auraient constitué l'actif pertinent du séquestre si celui-ci avait agi à ce titre pour la personne durant cette période de déclaration.

Application — Les règles prévues au premier alinéa s'appliquent si la personne n'a pas, le jour donné ou avant ce jour, produit une déclaration qu'elle est tenue de produire pour une période de déclaration de celle-ci se terminant :

1° le jour donné ou avant ce jour;

2° au cours de l'exercice de la personne qui comprend le jour donné, ou immédiatement avant cet exercice.

Notes historiques: L'article 317.1 a été ajouté par L.Q. 1994, c. 22, art. 536(1) et s'applique aux séquestres qui sont investis de pouvoirs ou nommés à compter du 1er janvier 1993 et aux personnes dont les entreprises, les affaires, les biens ou les éléments de l'actif sont visés par les pouvoirs ou la nomination de ces séquestres.

Définitions [art. 317.1]: « actif pertinent » — 310; « bien » — 1; « entreprise » — 310; « période de déclaration », « personne » — 1; « séquestre » — 310.

Renvois [art. 317.1]: 326 (distribution par une fiducie); 7R78.3, 7R78.14 RAF (signature des documents par certains fonctionnaires).

Concordance fédérale: LTA, al. 266(2)g).

317.2 Production d'une déclaration — immeuble — Le séquestre doit produire au ministre, à moins que celui-ci ne l'en dispense par écrit, une déclaration, au moyen du formulaire prescrit contenant les renseignements prescrits à l'égard de la fourniture visée au deuxième alinéa qu'il est raisonnable de considérer comme se rapportant aux entreprises, aux affaires, aux biens ou aux éléments de l'actif de la personne qui auraient constitué l'actif pertinent du séquestre si celui-ci avait agi à ce titre pour la personne durant la période de déclaration visée au deuxième alinéa.

Application — Les règles prévues au premier alinéa s'appliquent si la personne n'a pas, le jour donné ou avant ce jour, produit une déclaration qu'elle est tenue de produire à l'égard d'une fourniture d'un immeuble effectuée à la personne au cours d'une période de déclaration se terminant :

1° le jour donné ou avant ce jour;

2° au cours de l'exercice de la personne qui comprend le jour donné, ou immédiatement avant cet exercice.

Notes historiques: L'article 317.2 a été ajouté par L.Q. 1994, c. 22, art. 536(1) et s'applique aux séquestres qui sont investis de pouvoirs ou nommés à compter du 1er janvier 1993 et aux personnes dont les entreprises, les affaires, les biens ou les éléments de l'actif sont visés par les pouvoirs ou la nomination de ces séquestres.

Définitions [art. 317.2]: « actif pertinent » — 310; « bien » — 1; « entreprise » — 310; « fourniture », « période de déclaration », « personne » — 1; « séquestre » — 310.

Renvois [art. 317.2]: 326 (distribution par une fiducie); 7R78.3, 7R78.14 RAF (signature des documents par certains fonctionnaires).

Concordance fédérale: LTA, al. 266(2)h).

317.3 Exercice d'une personne — Pour l'application de la présente section, l'exercice d'une personne correspond à son exercice au sens de l'article 458.1.

Notes historiques: L'article 317.3 a été ajouté par L.Q. 1994, c. 22, art. 536(1) et s'applique aux séquestres qui sont investis de pouvoirs ou nommés à compter du 1er janvier 1993 et aux personnes dont les entreprises, les affaires, les biens ou les éléments de l'actif sont visés par les pouvoirs ou la nomination de ces séquestres.

Définitions [art. 317.3]: « personne » — 1.

Renvois [art. 317.3]: 326 (distribution par une fiducie).

Concordance fédérale: aucune.

SECTION VII — RENONCIATION, SAISIE OU REPRISE DE POSSESSION

318. Renonciation à une dette ou réduction d'une dette — Dans le cas où, à un moment quelconque, par suite de l'inexécution, de la modification ou de l'expiration, après le 30 juin 1992, d'une convention relative à une fourniture taxable, autre qu'une fourniture détaxée, d'un bien ou d'un service au Québec qui doit être effectuée par un inscrit à une personne, un montant est payé à l'inscrit ou fait l'objet d'une renonciation en faveur de celui-ci autrement qu'à titre de contrepartie de la fourniture, ou une dette ou autre obligation de l'inscrit est éteinte ou réduite sans qu'un paiement ne soit effectué à l'égard de la dette ou de l'obligation, les règles suivantes s'appliquent :

1° la personne est réputée avoir payée, à ce moment, un montant de contrepartie pour la fourniture égal au résultat obtenu en multipliant le montant payé, ayant fait l'objet d'une renonciation ou par lequel la dette ou l'obligation a été éteinte ou réduite, selon le cas, par 100/109,975;

2° l'inscrit est réputé avoir perçu et la personne est réputée avoir payé, à ce moment, la totalité de la taxe relative à la fourniture qui est calculée sur cette contrepartie, laquelle taxe est réputée égale à la taxe prévue à l'article 16 calculée sur cette contrepartie.

Notes historiques: Le paragraphe 1° de l'article 318 a été modifié par L.Q. 2012, c. 28, par. 101(1) par le remplacement de « 100/109,5 » par « 100/109,975 ». Cette modification a effet à compter du 1er janvier 2013.

Le paragraphe 1° de l'article 318 a été modifié par L.Q. 2011, c. 6, par. 258(1) par le remplacement de « 100 / 108,5 » par « 100 / 109,5 ». Cette modification a effet à compter du 1er janvier 2012.

Le paragraphe 1° de l'article 318 a été modifié par L.Q. 2010, c. 5, par. 221(1) par le remplacement de « 100 / 107,5 » par « 100 / 108,5 ». Cette modification a effet à compter du 1er janvier 2011.

L'article 318 a été remplacé par L.Q. 1997, c. 85, art. 600(1). Le préambule et le paragraphe 1° ont effet depuis le 24 avril 1996 et le paragraphe 2° a effet depuis le 1er avril 1997. Toutefois, le paragraphe 1° doit se lire comme suit pour la période du 24 avril 1996 au 31 mars 1997 :

> 1° la fraction de contrepartie du montant payé, ayant fait l'objet d'une renonciation, éteint ou par lequel la dette ou l'obligation a été réduite, selon le cas, est réputée être la contrepartie de la fourniture payée, à ce moment, par la personne;

Pour la période du 1er avril 1997 au 31 décembre 1997, le paragraphe 1° doit se lire en y remplaçant « 100/107,5 » par « 100/106,5 ».

Antérieurement, l'article 318 se lisait ainsi :

> 318. Dans le cas où, à un moment quelconque, un montant est payé à un inscrit ou fait l'objet d'une renonciation en faveur de celui-ci par une personne autrement qu'à titre de contrepartie pour une fourniture taxable, sauf s'il s'agit d'une fourniture détaxée, d'un bien ou d'un service au Québec par suite de l'inexécution, de la modification ou de l'expiration, après le 30 juin 1992, d'une convention relative à cette fourniture qui doit être effectuée par l'inscrit, les règles suivantes s'appliquent :
>
> 1° l'inscrit est réputé avoir effectué à la personne, et celle-ci est réputée avoir reçu de l'inscrit, une fourniture taxable du bien ou du service pour une contrepartie égale à la fraction de contrepartie du montant payé ou qui a fait l'objet de la renonciation;
>
> 2° l'inscrit est réputé avoir perçu et la personne est réputée avoir payé, à ce moment, la taxe relative à la fourniture calculée sur cette contrepartie.
>
> Toutefois, lorsque la convention a été conclue par écrit avant le 1er juillet 1992, que le montant est payé ou fait l'objet d'une renonciation après 1992 et que la taxe relative au montant n'a pas été prévue dans la convention, le paragraphe 2° du premier alinéa ne s'applique pas.

L'article 318 a été modifié par L.Q. 1994, c. 22, art. 537(1) et est réputé entré en vigueur le 1er juillet 1992. Toutefois, il s'applique aux montants devenus payables par une personne à un moment quelconque avant 1993 comme si ces montants avaient été payés, à ce moment, par la personne. L'article 318, édicté par L.Q. 1991, c. 67, se lisait comme suit :

> 318. Dans le cas où, à un moment quelconque, un montant est payé ou devient payable à un inscrit ou fait l'objet d'une renonciation en faveur de celui-ci par une personne autrement qu'à titre de contrepartie pour une fourniture taxable, sauf s'il s'agit d'une fourniture détaxée, d'un bien ou d'un service au Québec par suite de l'inexécution, de la modification ou de l'expiration d'une convention relative à cette fourniture qui doit être effectuée par l'inscrit ou à celui-ci, les règles suivantes s'appliquent :
>
> 1° l'inscrit est réputé avoir effectué au Québec une fourniture taxable du bien ou du service à la personne;
>
> 2° l'inscrit est réputé avoir perçu de la personne, à ce moment, la taxe égale à la fraction de taxe du montant payé, payable ou qui a fait l'objet de la renonciation;
>
> 3° la personne est réputée avoir reçu cette fourniture et avoir payé, à ce moment, cette taxe.

Notes explicatives ARQ (PL 5, L.Q. 2012, c. 28): *Résumé* :

L'article 318 est modifié afin de remplacer la fraction « 100/109,5 » par « 100/109,975 », et ce, en vue de tenir compte du fait qu'à compter du 1er janvier 2013 la taxe sur les produits et services (TPS) est retirée de l'assiette de la taxe de vente du Québec (TVQ).

Situation actuelle :

L'article 318 vise la situation où, par suite de l'inexécution, de la modification ou de l'expiration d'une convention relative à une fourniture taxable qui doit être effectuée par un inscrit à une personne, un montant est payé à l'inscrit, ou fait l'objet d'une renonciation en sa faveur autrement qu'à titre de contrepartie de la fourniture.

Dans ce cas, l'inscrit est réputé avoir effectué une fourniture taxable au profit de l'autre personne et avoir perçu un montant de taxe calculé sur une contrepartie égale à 100/109,5 du montant payé ou ayant fait l'objet d'une renonciation.

La personne qui renonce au montant, ou qui le paie, est réputée avoir payé cette taxe.

Modifications proposées :

En vue de tenir compte du fait que la TPS est retirée de l'assiette de la TVQ à compter du 1er janvier 2013, il y a lieu de modifier l'article 318 de la LTVQ.

Cette modification a pour objet de remplacer la fraction « 100/109,5 » par « 100/109,975 ».

Notes explicatives ARQ (PL 5, L.Q. 2011, c. 6): *Résumé* :

L'article 318 est modifié afin que soit remplacée la fraction 100 / 108,5 par 100 / 109,5, de façon à tenir compte de la hausse du taux de la taxe de vente du Québec (TVQ) qui passe de 8,5 % à 9,5 %.

Situation actuelle :

L'article 318 vise la situation où, par suite de l'inexécution, de la modification ou de l'expiration d'une convention relative à une fourniture taxable qui doit être effectuée par un inscrit à une personne, un montant est payé à l'inscrit, ou fait l'objet d'une renonciation en sa faveur autrement qu'à titre de contrepartie de la fourniture.

Dans ce cas, l'inscrit est réputé avoir effectué une fourniture taxable au profit de l'autre personne et avoir perçu un montant de taxe calculé sur une contrepartie égale à 100 / 108,5 du montant payé ou ayant fait l'objet d'une renonciation. Dans ce cas, l'inscrit est réputé avoir effectué une fourniture taxable au profit de l'autre personne et avoir perçu un montant de taxe calculé sur une contrepartie égale à 100 / 108,5 du montant payé ou ayant fait l'objet d'une renonciation.

La personne qui renonce au montant, ou qui le paie, est réputée avoir payé cette taxe.

Modifications proposées :

La modification apportée à l'article 318 vise à remplacer la fraction 100 / 108,5 par 100 / 109,5 et découle de la hausse du taux de la TVQ qui passe de 8,5 % à 9,5 %.

Notes explicatives ARQ (PL 64, L.Q. 2010, c. 5): *Résumé* :

L'article 318 est modifié afin que soit remplacée la fraction 100 / 107,5 par 100 / 108,5, de façon à tenir compte du remplacement du taux de taxation de 7,5 % par 8,5 %.

Situation actuelle :

LTVQ (français)

L'article 318 de la LTVQ vise la situation où, par suite de l'inexécution, de la modification ou de l'expiration d'une convention relative à une fourniture taxable qui doit être effectuée par un inscrit à une personne, un montant est payé à l'inscrit, ou fait l'objet d'une renonciation en sa faveur autrement qu'à titre de contrepartie de la fourniture.

Dans ce cas, l'inscrit est réputé avoir effectué une fourniture taxable au profit de l'autre personne et avoir perçu un montant de taxe calculé sur une contrepartie égale à 100/107,5 du montant payé ou ayant fait l'objet d'une renonciation. La personne qui renonce au montant, ou qui le paie, est réputée avoir payé cette taxe.

Modifications proposées :

La modification apportée à l'article 318 de la LTVQ vise à remplacer la fraction 100/107,5 par 100/108,5 et découle du remplacement du taux de taxation de 7,5 % par celui de 8,5 %.

Définitions [art. 318]: « bien », « contrepartie », « fourniture détaxée », « fourniture taxable », « fraction de contrepartie », « inscrit », « montant », « personne », « service », « taxe » — 1.

Renvois [art. 318]: 318.0.1 (convention conclue avant le 1er juillet 1992); 318.1 (exception); 685:10° (application de la taxe de vente à une fourniture effectuée avant le 1er juillet 1992).

Jurisprudence [art. 318]: *General Motors Acceptance Corp. du Canada ltée c. Plante* (6 mars 2002), 500-09-011479-011, 2002 CarswellQue 301 (C.A.Q.).

Bulletins d'interprétation [art. 318]: TVQ. 82-1/R2 — Moment d'imposition de la fourniture relative à un immeuble par un entrepreneur en construction.

Lettres d'interprétation [art. 318]: 98-0101737 — Interprétation relative à la TPS et à la TVQ — Indemnité versée à titre de dommages suite à la résiliation d'un bail commercial; 98-0102594 — Décision portant sur l'application de la TPS — Interprétation relative à la TVQ — Indemnité suite à la modification d'un contrat — Remboursement partiel de la TVQ aux municipalités; 98-0107221 — Application de la TPS/TVQ à un paiement effectué dans le cadre d'un règlement hors cour; 01-0107910 — Interprétation relative à la TVQ — Article 318 de la LTVQ — Nature d'un dédomagement accordé à des inscrits; 02-0111324 — Interprétation relative à la TVQ — Frais engagés lors d'une reprise de possession — Location d'un véhicule automobile; 03-0109193 — Interprétation relative à la TPS et à la TVQ — résiliation de contrats [à l'égard d'une soicété de cimetière]; 04-0100208 — Montant versé par le fabricant au détaillant suite à l'abandon d'une activité — abandon [d'une marque]; 04-0103632 — Renonciation à un droit de poursuite en contrepartie d'une somme d'argent — application de la taxe sur les produits et services (la « TPS ») et de la taxe de vente du Québec (la « TVQ »); 05-0100841 — Interprétation relative à la TVQ [— transfert de véhicules entre un concessionnaire et un manufacturier inscrits et détermination à titre de grande entreprise]; 06-0102159 — Interprétation relative à la TPS et à la TVQ — pénalités et frais d'administration et d'ouverture de dossier.

Concordance fédérale: LTA, par. 182(1).

318.0.1 Exception. — Le paragraphe 2º de l'article 318 ne s'applique pas à l'égard des montants payés ou ayant fait l'objet d'une renonciation et des dettes ou autres obligations réduites ou éteintes par suite de l'inexécution, de la modification ou de l'expiration d'une convention si, à la fois :

1º la convention a été conclue par écrit avant le 1er juillet 1992;

2º le montant est payé ou fait l'objet d'une renonciation ou la dette ou l'obligation est réduite ou éteinte, selon le cas, après 1992;

3º la taxe relative au montant payé, éteint ou ayant fait l'objet d'une renonciation ou par lequel la dette ou l'obligation a été réduite, selon le cas, n'a pas été prévue dans la convention.

Notes historiques: L'article 318.0.1 a été ajouté par L.Q. 1997, c. 85, art. 601(1) et a effet depuis le 24 avril 1996.

Définitions [art. 318.0.1]: « montant » — 1.

Renvois [art. 318.0.1]: 318.0.2 (exception).

Concordance fédérale: LTA, par. 182(2).

318.0.2 Exception — Les chapitres I à V du titre VI ne s'appliquent pas à l'égard de l'article 318.

Notes historiques: L'article 318.0.2 a été ajouté par L.Q. 1997, c. 85, art. 601(1) et a effet depuis le 24 avril 1996.

Définitions [art. 318.0.2]: « contrepartie », « fourniture », « montant », « personne » — 1.

Concordance fédérale: LTA, par. 182(2.1).

318.1 Exception — L'article 318 ne s'applique pas à la partie d'un montant payé ou qui a fait l'objet d'une renonciation à l'égard de l'inexécution, de la modification ou de l'expiration d'une convention relative à une fourniture si cette partie constitue, selon le cas :

1º un montant additionnel qui est exigé d'une personne parce que la contrepartie de la fourniture n'est pas payée dans une période raisonnable et qui est visé à l'article 57;

2º un montant payé par une compagnie de chemin de fer à une autre compagnie de chemin de fer à titre d'une pénalité pour défaut de remettre du matériel roulant dans le délai imparti;

3º un montant payé à titre de surestaries ou de droit de stationnement.

Notes historiques: L'article 318.1 a été ajouté par L.Q. 1994, c. 22, art. 538(1) et est réputé entré en vigueur le 1er juillet 1992.

Concordance fédérale: LTA, par. 182(3).

319. [*Abrogé*]

Notes historiques: L'article 319 a été abrogé par L.Q. 1997, c. 85, art. 602(1) et cette abrogation a effet depuis le 24 avril 1996. Antérieurement, il se lisait ainsi :

> 319. Dans le cas où, à un moment quelconque, une dette ou une autre obligation d'un inscrit envers une personne, autre qu'une contrepartie pour une fourniture taxable, sauf s'il s'agit d'une fourniture détaxée, d'un bien ou d'un service au Québec, est éteinte ou réduite sans paiement à valoir sur la dette ou l'obligation par suite de l'inexécution, de la modification ou de l'expiration, après le 30 juin 1992, d'une convention relative à cette fourniture qui doit être effectuée par l'inscrit ou à celui-ci, les règles suivantes s'appliquent :
>
> 1º l'inscrit est réputé avoir effectué à la personne, et celle-ci est réputée avoir reçu de l'inscrit, une fourniture taxable du bien ou du service pour une contrepartie égale à la fraction de contrepartie du montant par lequel la dette ou l'obligation est éteinte ou réduite;
>
> 2º l'inscrit est réputé avoir perçu et la personne est réputée avoir payé, à ce moment, la taxe relative à la fourniture calculée sur cette contrepartie.
>
> Toutefois, lorsque la convention a été conclue par écrit avant le 1er juillet 1992, que la dette ou l'obligation est réduite ou éteinte après 1992 et que la taxe relative au montant n'a pas été prévue dans la convention, le paragraphe 2º du premier alinéa ne s'applique pas.

L'article 319 a été modifié par L.Q. 1994, c. 22, art. 539(1) et est réputé entré en vigueur le 1er juillet 1992. L'article 319, édicté par L.Q. 1991, c. 67, se lisait comme suit :

> 319. Dans le cas où, à un moment quelconque, une dette ou une autre obligation d'un inscrit envers une personne, autre qu'une contrepartie pour une fourniture taxable, sauf s'il s'agit d'une fourniture détaxée, d'un bien ou d'un service au Québec, est éteinte ou réduite sans paiement à valoir sur la dette ou l'obligation par suite de l'inexécution, de la modification ou de l'expiration d'une convention relative à cette fourniture qui doit être effectuée par l'inscrit ou à celui-ci, les règles suivantes s'appliquent :
>
> 1º l'inscrit est réputé avoir effectué au Québec une fourniture taxable du bien ou du service à la personne;
>
> 2º l'inscrit est réputé avoir perçu de la personne, à ce moment, la taxe égale à la fraction de taxe du montant par lequel la dette ou l'autre obligation est éteinte ou réduite;
>
> 3º la personne est réputée avoir reçu cette fourniture et avoir payé, à ce moment, cette taxe.

320. Saisie ou reprise de possession — Dans le cas où, à un moment quelconque après le 1er juillet 1992, le bien d'une personne est saisi ou fait l'objet d'une reprise de possession par une autre personne — appelée « créancier » dans le présent article et dans les articles 321 à 324.6 — pour le paiement de la totalité ou d'une partie d'une dette ou d'une autre obligation due par la personne au créancier, en vertu d'un droit ou d'un pouvoir que le créancier peut exercer, autre qu'un droit ou un pouvoir qu'il possède conformément à une convention de louage, de licence ou à un accord semblable ou du fait qu'il est partie à une telle convention ou un tel accord en vertu duquel la personne a acquis le bien, les règles suivantes s'appliquent :

1º la personne est réputée avoir effectué, et le créancier est réputé avoir reçu, à ce moment, une fourniture par vente du bien;

2º la fourniture est réputée avoir été effectuée sans contrepartie sauf pour l'application des articles 233, 234, 379 et 380;

3º dans le cas où la fourniture est une fourniture taxable d'un immeuble, la taxe payable à l'égard de la fourniture est réputée égale à la taxe calculée sur la juste valeur marchande du bien à ce moment pour l'application des articles 233, 234, 379 et 380;

4º dans le cas où la fourniture est une fourniture d'un immeuble visée à l'article 102, à l'article 138.1 ou à l'article 168, la fourniture est réputée être une fourniture taxable et la taxe payable à l'égard de celle-ci est réputée égale à la taxe calculée sur la juste valeur marchande du bien à ce moment pour l'application des articles 233, 234, 379 et 380.

Notes historiques: Le paragraphe 4º de l'article 320 a été remplacé par L.Q. 1997, c. 85, art. 603(1) et s'applique à l'égard d'une fourniture effectuée après le 31 décembre 1996. Antérieurement, il se lisait ainsi :

> 4º dans le cas où la fourniture est visée à l'article 102 ou à l'article 168, la fourniture est réputée être une fourniture taxable et la taxe payable à l'égard de celle-ci est réputée égale à la taxe calculée sur la juste valeur marchande du bien à ce moment pour l'application des articles 233, 234, 379 et 380.

L'article 320 a été modifié par L.Q. 1994, c. 22, art. 539(1) et est réputé entré en vigueur le 1er juillet 1992. L'article 320, édicté par L.Q. 1991, c. 67, se lisait comme suit :

> 320. Dans le cas où, à un moment quelconque, le bien d'une personne est saisi ou fait l'objet d'une reprise de possession par une autre personne pour le paiement de la totalité ou d'une partie d'une dette ou d'une autre obligation de la personne, en vertu d'un droit ou d'un pouvoir que l'autre personne peut exercer, les règles suivantes s'appliquent :
>
> 1º la personne est réputée avoir effectué, à ce moment, une fourniture du bien sans contrepartie;
>
> 2º sous réserve des articles 322 et 324, l'autre personne est réputée avoir acquis le bien sans contrepartie.

Définitions [art. 320]: « bien », « contrepartie », « fourniture », « fourniture taxable », « personne », « taxe », « vente » — 1.

Renvois [art. 320]: 15 (JVM); 22.28 (fourniture réputée effectuée au Québec); 28 (transfert à titre de garantie); 168 (fourniture d'un immeuble par un organisme de services publics); 321 (fourniture d'un bien saisi ou dont la possession est reprise); 323.1 (utilisation d'un immeuble); 323.3 (utilisation d'un bien meuble saisi après le 31 décembre 1993); 324 (vente d'un bien meuble); 324.2 (louage d'un bien meuble); 324.4 (transfert volontaire); 324.5 (garantie de dette); 324.5.1 (rachat d'un bien); 378.19 (fourniture par vente d'une habitation).

Bulletins d'interprétation [art. 320]: TVQ. 321-1 — Frais encourus en relation avec une saisie ou une reprise de possession d'un bien par un créancier ayant effectué la fourniture d'un service financier; TVQ. 321-2 — Vente en justice, vente sous contrôle de justice et vente par le créancier d'un bien meuble corporel.

Lettres d'interprétation [art. 320]: 97-3800733 — Interprétation relative à la TPS — Interprétation relative à la TVQ — Ventes sous contrôle de justice — perception et remise de la taxe; 98-8100129[B] — Interprétation relative à la TPS — Interprétation relative à la TVQ — Ventes sous contrôle de justice — perception et remise de la taxe; 00-0106740 — Interprétation relative à la TPS et à la TVQ — Transfert volontaire d'un bien mobilier corporel en paiement d'une obligation; 00-0110916 — Interprétation relative à la TPS et à la TVQ — Vente sous contrôle de justice; 12-013765-002 — Interprétation relative à la TVQ — Administration d'un hôtel par un créancier - Demande de RTI.

Concordance fédérale: LTA, par. 183(1).

321. Fourniture d'un bien saisi — Sous réserve de l'article 323, dans le cas où, à un moment quelconque, un créancier effectue la fourniture, autre que la fourniture exonérée, d'un bien qu'il a saisi ou dont il a repris possession dans les circonstances pour lesquelles l'article 320 s'applique, les règles suivantes s'appliquent, sauf si l'un des articles 323.1 à 323.3 s'est appliqué avant ce moment à l'égard de l'utilisation du bien par celui-ci :

1º le créancier est réputé avoir effectué la fourniture dans le cadre d'une activité commerciale de celui-ci;

2º tout ce qui est fait par le créancier dans le cadre de la réalisation de la fourniture ou en relation avec celle-ci, et non en relation avec la saisie ou la reprise de possession, est réputé avoir été fait dans le cadre de l'activité commerciale.

Notes historiques: L'article 321 a été modifié par L.Q. 1994, c. 22, art. 539(1) et est réputé entré en vigueur le 1er juillet 1992. L'article 321, édicté par L.Q. 1991, c. 67, se lisait comme suit :

> 321. Sous réserve de l'article 323, la personne qui effectue la fourniture d'un bien qu'elle a saisi ou dont elle a repris possession dans les circonstances pour lesquelles l'article 320 s'applique est réputée avoir effectué cette fourniture dans le cadre de ses activités commerciales, sauf s'il s'agit d'une fourniture exonérée.

Définitions [art. 321]: « activité commerciale », « bien », « fourniture », « fourniture exonérée » — 1.

Bulletins d'interprétation [art. 321]: TVQ. 321-1 — Frais encourus en relation avec une saisie ou une reprise de possession d'un bien par un créancier ayant effectué la fourniture d'un service financier; TVQ. 321-2 — Vente en justice, vente sous contrôle de justice et vente par le créancier d'un bien meuble corporel.

Lettres d'interprétation [art. 321]: 97-3800733 — Interprétation relative à la TPS — Interprétation relative à la TVQ — Ventes sous contrôle de justice — perception et remise de la taxe; 98-8100129[B] — Interprétation relative à la TPS — Interprétation relative à la TVQ — Ventes sous contrôle de justice — perception et remise de la taxe; 98-0100663 — Interprétation TVQ — Frais encourus antérieurement à la saisie ou à la reprise de possession d'un bien; 00-0106740 — Interprétation relative à la TPS et à la TVQ — Transfert volontaire d'un bien mobilier corporel en paiement d'une obligation; 12-013765-002 — Interprétation relative à la TVQ — Administration d'un hôtel par un créancier - Demande de RTI.

Concordance fédérale: LTA, par. 183(2).

322. [*Abrogé*]

Notes historiques: L'article 322 a été abrogé par L.Q. 1994, c. 22, art. 540(1) rétroactivement au 1er juillet 1992. L'article 322, édicté par L.Q. 1991, c. 67, se lisait comme suit :

> 322. Une personne qui à un moment quelconque commence à utiliser un bien qu'elle a saisi ou dont elle a repris possession, autrement que dans le but d'en effectuer la fourniture, est réputée avoir effectué la fourniture du bien et les règles suivantes s'appliquent, sauf s'il s'agit d'une fourniture exonérée, détaxée ou non taxable :
>
> 1º la personne est réputée avoir perçu, à ce moment, la taxe relative à la fourniture égale à la fraction de taxe de la juste valeur marchande du bien à ce moment;
>
> 2º la personne, si elle est un inscrit, est réputée avoir acquis le bien immédiatement avant ce moment d'un inscrit et avoir payé alors cette taxe.

323. Fourniture par un tribunal d'un bien saisi — Dans le cas où un tribunal ordonne à un shérif, à un huissier ou à un autre officier du tribunal de saisir un bien d'un débiteur pour le paiement d'un montant dû en vertu d'un jugement du tribunal et que le tribunal effectue par la suite une fourniture du bien, la fourniture est réputée être effectuée autrement que dans le cadre d'une activité commerciale.

Notes historiques: L'article 323 a été modifié par L.Q. 1994, c. 22, art 541(1) et est réputé entré en vigueur le 1er juillet 1992. Toutefois, pour son application aux fournitures effectuées par un tribunal avant le 1er janvier 1993, il doit se lire comme suit :

> 323. La fourniture d'un bien effectuée par un tribunal suite à une saisie pratiquée par un officier en vertu d'une ordonnance de ce tribunal est réputée être effectuée autrement que dans le cadre d'une activité commerciale.

L'article 323, édicté par L.Q. 1991, c. 67, se lisait comme suit :

> 323. La fourniture d'un bien effectuée par un tribunal suite à une saisie pratiquée par un officier en vertu d'une ordonnance de ce tribunal est réputée être effectuée autrement que dans le cadre d'une activité commerciale.

Définitions [art. 323]: « activité commerciale », « bien », « fourniture » — 1.

Renvois [art. 323]: 321 (fourniture d'un bien saisi ou dont la possession est reprise); 378.19 (fourniture par vente d'une habitation).

Bulletins d'interprétation [art. 323]: TVQ. 321-2 — Vente en justice, vente sous contrôle de justice et vente par le créancier d'un bien meuble corporel.

Lettres d'interprétation [art. 323]: 98-8100129[A] — Vente en justice et vente sous contrôle de justice.

Concordance fédérale: LTA, par. 183(3).

323.1 Utilisation d'un bien saisi — Un créancier qui à un moment quelconque commence à utiliser un immeuble, autrement que dans le but d'en effectuer la fourniture, qu'il a saisi ou dont il a repris possession dans les circonstances pour lesquelles l'article 320 s'applique, ou s'appliquerait en faisant abstraction de l'article 324.6, est réputé avoir effectué la fourniture du bien à ce moment et les règles suivantes s'appliquent, sauf s'il s'agit d'une fourniture exonérée :

1º le créancier est réputé avoir perçu, à ce moment, la taxe relative à la fourniture égale au résultat obtenu en multipliant la juste valeur marchande du bien à ce moment par 9,975/109,975;

2º le créancier est réputé avoir acquis le bien et avoir payé cette taxe à ce moment.

Notes historiques: Le préambule de l'article 323.1 a été modifié par L.Q. 1995, c. 63, art. 406 et cette modification s'applique à l'égard d'une fourniture réputée effectuée après le 31 juillet 1995. Auparavant, il se lisait comme suit :

> 323.1 Un créancier qui à un moment quelconque commence à utiliser un immeuble, autrement que dans le but d'en effectuer la fourniture, qu'il a saisi ou dont il a

LTVQ (français)

repris possession dans les circonstances pour lesquelles l'article 320 s'applique, ou s'appliquerait en faisant abstraction de l'article 324.6, est réputé avoir effectué la fourniture du bien à ce moment et les règles suivantes s'appliquent, sauf s'il s'agit d'une fourniture exonérée ou non taxable :

Le paragraphe 1° de l'article 323.1 a été modifié par L.Q. 2012, c. 28, par. 102(1) par le remplacement de « 9,5/109,5 » par « 9,975/109,975 ». Cette modification a effet à compter du 1er janvier 2013.

Le paragraphe 1° de l'article 323.1 a été modifié par L.Q. 2011, c. 6, par. 259(1) par le remplacement de « 8,5 / 108,5 » par « 9,5 / 109,5 ». Cette modification a effet à compter du 1er janvier 2012.

Le paragraphe 1° de l'article 323.1 a été modifié par L.Q. 2010, c. 5, par. 222(1) par le remplacement de « 7,5 / 107,5 » par « 8,5 / 108,5 ». Cette modification a effet à compter du 1er janvier 2011.

Le paragraphe 1° de l'article 323.1 a été remplacé par L.Q. 1997, c. 85, art. 604(1) et a effet depuis le 1er avril 1997. Toutefois, pour la période du 1er avril 1997 au 31 décembre 1997, le paragraphe 1° doit se lire ainsi :

1° le créancier est réputé avoir perçu, à ce moment, la taxe relative à la fourniture égale au résultat obtenu en multipliant la juste valeur marchande du bien à ce moment par 6,5 / 106,5;

Antérieurement, le paragraphe 1° se lisait ainsi :

1° le créancier est réputé avoir perçu, à ce moment, la taxe relative à la fourniture égale à la fraction de taxe de la juste valeur marchande du bien à ce moment;

L'article 323.1 a été ajouté par L.Q. 1994, c. 22, art. 542(1) et est réputé entré en vigueur le 1er juillet 1992.

Notes explicatives ARQ (PL 5, L.Q. 2012, c. 28): *Résumé* :

L'article 323.1 est modifié afin de remplacer la fraction « 9,5/109,5 » par « 9,975/109,975 », et ce, en vue de tenir compte du fait qu'à compter du 1er janvier 2013 la taxe sur les produits et services (TPS) est retirée de l'assiette de la taxe de vente du Québec (TVQ).

Situation actuelle :

L'article 323.1 s'applique à l'égard d'un créancier qui commence à utiliser, autrement que dans le but d'en effectuer la fourniture, un immeuble qu'il a saisi ou dont il a repris possession.

Le créancier est réputé avoir effectué la fourniture de cet immeuble et, sauf s'il s'agit d'une fourniture exonérée, avoir perçu la taxe relative à cette fourniture égale au résultat obtenu en multipliant la juste valeur marchande de l'immeuble par 9,5/109,5. Il est également réputé avoir acquis l'immeuble et avoir payé cette taxe.

Modifications proposées :

En vue de tenir compte du fait que la TPS est retirée de l'assiette de la TVQ à compter du 1er janvier 2013, il y a lieu de modifier l'article 323.1 de la LTVQ.

Cette modification a pour objet de remplacer la fraction « 9,5/109,5 » par « 9,975/109,975 ».

Notes explicatives ARQ (PL 5, L.Q. 2011, c. 6): *Résumé* :

L'article 323.1 est modifié de façon à ce qu'il soit tenu compte de la hausse du taux de la taxe de vente du Québec (TVQ) qui passe de 8,5 % à 9,5 %.

Situation actuelle :

L'article 323.1 s'applique à l'égard d'un créancier qui commence à utiliser, autrement que dans le but d'en effectuer la fourniture, un immeuble qu'il a saisi ou dont il a repris possession.

Le créancier est réputé avoir effectué la fourniture de cet immeuble et, sauf s'il s'agit d'une fourniture exonérée, avoir perçu la taxe relative à cette fourniture égale au résultat obtenu en multipliant la juste valeur marchande de l'immeuble par 8,5 / 108,5. Il est également réputé avoir acquis l'immeuble et avoir payé cette taxe.

Modifications proposées :

La modification apportée à l'article 323.1 consiste à remplacer « 8,5 / 108,5 » par « 9,5 / 109,5 » afin de tenir compte du nouveau taux de la TVQ.

Notes explicatives ARQ (PL 64, L.Q. 2010, c. 5): *Résumé* :

L'article 323.1 est modifié de façon à ce qu'il soit tenu compte de la modification du taux de la taxe de vente du Québec qui passe de 7,5 % à 8,5 %.

Situation actuelle :

L'article 323.1 de la LTVQ s'applique à l'égard d'un créancier qui commence à utiliser, autrement que dans le but d'en effectuer la fourniture, un immeuble qu'il a saisi ou dont il a repris possession.

Le créancier est réputé avoir effectué la fourniture de cet immeuble et, sauf s'il s'agit d'une fourniture exonérée, avoir perçu la taxe relative à cette fourniture égale au résultat obtenu en multipliant la juste valeur marchande de l'immeuble par 7,5 / 107,5. Il est également réputé avoir acquis l'immeuble et avoir payé cette taxe.

Modifications proposées :

La modification apportée à l'article 323.1 de la LTVQ consiste à remplacer 273 7,5/107,5 par 8,5/108,5 afin de tenir compte du nouveau taux de la taxe de vente du Québec.

Définitions [art. 323.1]: « bien », « fourniture », « fourniture exonérée », « fraction de taxe », « taxe » — 1; « taxe exigée non admissible au remboursement de la taxe sur les intrants » — 383.

Renvois [art. 323.1]: 22.28 (fourniture réputée effectuée au Québec); 323.1 (fourniture d'un bien saisi ou dont la possession est reprise); 378.19 (fourniture par vente d'une habitation).

Lettres d'interprétation [art. 323.1]: 98-8100129[A] — Vente en justice et vente sous contrôle de justice.

Concordance fédérale: LTA, par. 183(4).

323.2 Utilisation d'un bien meuble saisi avant le 1er janvier 1994

323.2 Utilisation d'un bien meuble saisi avant le 1er janvier 1994 — Dans le cas où un créancier commence, à un moment donné, à utiliser un bien meuble autrement que dans le but d'en effectuer la fourniture qu'il a obtenu d'une personne avant le 1er janvier 1994 par saisie ou par reprise de possession dans les circonstances pour lesquelles l'article 320 s'applique, ou s'appliquerait en faisant abstraction de l'article 324.6, les règles suivantes s'appliquent :

1° le créancier est réputé avoir reçu, immédiatement après le moment donné, une fourniture par vente du bien;

2° dans le cas où la taxe aurait été payable si le bien avait été acheté au Québec de la personne au moment où il a été saisi ou a fait l'objet d'une reprise de possession, le créancier est réputé :

a) avoir effectué, au moment donné, une fourniture taxable du bien et avoir perçu, à ce moment, la taxe à l'égard de cette fourniture égale au résultat obtenu en multipliant la juste valeur marchande du bien au moment où il a été saisi ou a fait l'objet d'une reprise de possession par 9,975/109,975;

b) avoir payé, immédiatement après le moment donné, la taxe à l'égard de la fourniture visée au paragraphe 1° égale au montant déterminé en vertu du sous-paragraphe a).

Notes historiques: Le paragraphe 1° de l'article 323.2 a été modifié par L.Q. 1997, c. 85, art. 605(1)(1°) et a effet depuis le 24 avril 1996. Antérieurement, le paragraphe 1° se lisait ainsi :

1° le créancier est réputé :

a) avoir reçu, immédiatement après le moment donné, une fourniture par vente du bien;

b) dans le cas où le bien était un bien meuble corporel désigné dont la juste valeur marchande excède le montant prescrit à l'égard du bien pour l'application de la sous-section 3 de la section II du chapitre V au moment où il a été saisi ou a fait l'objet d'une reprise de possession, avoir acquis le bien pour utilisation exclusive dans le cadre d'activités autres que des activités commerciales et avoir utilisé le bien dans ce cadre après cette acquisition jusqu'à ce que le créancier aliène le bien;

Le préambule du paragraphe 2° de l'article 323.2 a été modifié par L.Q. 1995, c. 63, art. 407(1) et cette modification a effet depuis le 1er août 1995, sauf dans le cas d'un bien qu'un créancier a obtenu par saisie ou par reprise de possession et qui aurait été acheté par une fourniture non taxable s'il avait été acheté au Québec, auquel cas il ne s'applique pas. Auparavant, il se lisait comme suit :

2° dans le cas où la taxe aurait été payable si le bien avait été acheté au Québec de la personne, autrement que par une fourniture non taxable, au moment où il a été saisi ou a fait l'objet d'une reprise de possession, le créancier est réputé :

Le sous-paragraphe a) du paragraphe 2° de l'article 323.2 a été modifié par L.Q. 2012, c. 28, par. 103(1) par le remplacement de « 9,5/109,5 » par « 9,975/109,975 ». Cette modification a effet à compter du 1er janvier 2013.

Les sous-paragraphes a) et b) du paragraphe 2° de l'article 323.2 ont été remplacés par L.Q. 1997, c. 85, art. 605(1)(2°). Le sous-paragraphe b) a effet depuis le 24 avril 1996. Le sous-paragraphe a) a effet depuis le 1er avril 1997. Toutefois, pour la période du 1er avril 1997 au 31 décembre 1997, le sous-paragraphe a) doit se lire comme suit :

a) avoir effectué, au moment donné, une fourniture taxable du bien et avoir perçu, à ce moment, la taxe à l'égard de cette fourniture égale au résultat obtenu en multipliant la juste valeur marchande du bien au moment où il a été saisi ou a fait l'objet d'une reprise de possession par 6,5/106,5;

Les sous-paragraphes a) et b) se lisaient antérieurement ainsi :

a) avoir effectué, au moment donné, une fourniture taxable du bien et avoir perçu, à ce moment, la taxe à l'égard de cette fourniture égale à la fraction de taxe de la juste valeur marchande du bien au moment où il a été saisi ou a fait l'objet d'une reprise de possession;

b) avoir payé, immédiatement après le moment donné, la taxe à l'égard de la fourniture visée au sous-paragraphe a) du paragraphe 1° égale au montant déterminé en vertu du sous-paragraphe a).

Le sous-paragraphe a) du paragraphe 2° de l'article 323.2 a été modifié parL.Q. 2011, c. 6, par. 260(1) par le remplacement de « 8,5 / 108,5 » par « 9,5 / 109,5 ». Cette modification a effet à compter du 1er janvier 2012.

Le sous-paragraphe a) du paragraphe 2° de l'article 323.2 a été modifié par L.Q. 2010, c. 5, par. 223(1) par le remplacement de « 7,5 / 107,5 » par « 8,5 / 108,5 ». Cette modification a effet à compter du 1er janvier 2011.

L'article 323.2 a été ajouté par L.Q. 1994, c. 22 art. 542(1) et est réputé entré en vigueur le 1er juillet 1992. Toutefois, dans le cas où un créancier commence, avant le 1er octobre 1992, à utiliser un bien dans les circonstances décrites à cet article, il s'applique au créancier en faisant abstraction du sous-paragraphe b) du paragraphe 1°.

Notes explicatives ARQ (PL 5, L.Q. 2012, c. 28): *Résumé* :

L'article 323.2 est modifié afin de remplacer la fraction « 9,5/109,5 » par « 9,975/109,975 », et ce, en vue de tenir compte du fait qu'à compter du 1er janvier 2013 la taxe sur les produits et services (TPS) est retirée de l'assiette de la taxe de vente du Québec (TVQ).

Situation actuelle :

L'article 323.2 s'applique à l'égard d'un créancier qui commence à utiliser, autrement que dans le but d'en effectuer la fourniture, un bien meuble qu'il a obtenu d'une personne, avant le 1er janvier 1994, par saisie ou reprise de possession.

Dans ce cas, le créancier est réputé avoir reçu une fourniture par vente du bien. Il est également réputé avoir effectué une fourniture taxable du bien et avoir perçu la taxe à l'égard de cette fourniture égale au montant obtenu en multipliant la juste valeur marchande du bien au moment où il a été saisi ou a fait l'objet d'une reprise de possession par 9,5/109,5 et avoir payé la taxe à l'égard de la fourniture par vente du bien égale à ce montant, si le bien a été saisi ou a fait l'objet d'une reprise de possession d'une personne qui aurait été tenue en d'autres circonstances d'exiger la taxe si le bien avait été fourni au créancier.

Modifications proposées :

En vue de tenir compte du fait que la TPS est retirée de l'assiette de la TVQ à compter du 1er janvier 2013, il y a lieu de modifier l'article 323.2 de la LTVQ.

Cette modification a pour objet de remplacer la fraction « 9,5/109,5 » par « 9,975/109,975 ».

Notes explicatives ARQ (PL 5, L.Q. 2011, c. 6): *Résumé* :

L'article 323.2 est modifié de façon à ce qu'il soit tenu compte de la hausse du taux de la taxe de vente du Québec (TVQ) qui passe de 8,5 % à 9,5 %.

Situation actuelle :

L'article 323.2 s'applique à l'égard d'un créancier qui commence à utiliser, autrement que dans le but d'en effectuer la fourniture, un bien meuble qu'il a obtenu d'une personne, avant le 1er janvier 1994, par saisie ou reprise de possession.

Dans ce cas, le créancier est réputé avoir reçu une fourniture par vente du bien. Il est également réputé avoir effectué une fourniture taxable du bien et avoir perçu la taxe à l'égard de cette fourniture égale au montant obtenu en multipliant la juste valeur marchande du bien au moment où il a été saisi ou a fait l'objet d'une reprise de possession par 8,5 / 108,5 et avoir payé la taxe à l'égard de la fourniture par vente du bien égale à ce montant, si le bien a été saisi ou a fait l'objet d'une reprise de possession d'une personne qui aurait été tenue en d'autres circonstances d'exiger la taxe si le bien avait été fourni au créancier.

Modifications proposées :

La modification apportée à l'article 323.2 consiste à remplacer « 8,5 / 108,5 » par « 9,5 / 109,5 » afin de tenir compte du nouveau taux de la TVQ.

Notes explicatives ARQ (PL 64, L.Q. 2010, c. 5): *Résumé* :

L'article 323.2 est modifié de façon à ce qu'il soit tenu compte de la modification du taux de la taxe de vente du Québec qui passe de 7,5 % à 8,5 %.

Situation actuelle :

L'article 323.2 de la LTVQ s'applique à l'égard d'un créancier qui commence à utiliser, autrement que dans le but d'en effectuer la fourniture, un bien meuble qu'il a obtenu d'une personne, avant le 1er janvier 1994, par saisie ou reprise de possession.

Dans ce cas, le créancier est réputé avoir reçu une fourniture par vente du bien. Il est également réputé avoir effectué une fourniture taxable du bien et avoir perçu la taxe à l'égard de cette fourniture égale au montant obtenu en multipliant la juste valeur marchande du bien au moment où il a été saisi ou a fait l'objet d'une reprise de possession par 7,5 / 107,5 et avoir payé la taxe à l'égard de la fourniture par vente du bien égale à ce montant, si le bien a été saisi ou a fait l'objet d'une reprise de possession d'une personne qui aurait été tenue en d'autres circonstances d'exiger la taxe si le bien avait été fourni au créancier.

Modifications proposées :

La modification apportée à l'article 323.2 de la LTVQ consiste à remplacer 7,5 / 107,5 par 8,5/108,5 afin de tenir compte du nouveau taux de la taxe de vente du Québec.

Définitions [art. 323.2]: « activité commerciale », « bien », « bien meuble corporel désigné », « exclusif », « fourniture », « fourniture taxable », « fraction de taxe », « montant », « personne », « taxe » — 1; « taxe exigée non admissible au remboursement de la taxe sur les intrants » — 383; « vente » — 1.

Renvois [art. 323.2]: 323.1 (fourniture d'un bien saisi ou dont la possession est reprise); 324 (vente d'un bien meuble); 324.2 (louage d'un bien meuble); 378.19 (fourniture par vente d'une habitation); 433.1 (fourniture déterminée).

Lettres d'interprétation [art. 323.2]: 98-8100129[A] — Vente en justice et vente sous contrôle de justice.

Concordance fédérale: LTA, par. 183(5).

323.3 Utilisation d'un bien meuble saisi après le 31 décembre 1993 — Dans le cas où un créancier commence, à un moment donné, à utiliser un bien meuble autrement que dans le but d'en effectuer la fourniture qu'il a obtenu d'une personne après le 31 décembre 1993 par saisie ou par reprise de possession dans les circonstances pour lesquelles l'article 320 s'applique, ou s'appliquerait en faisant abstraction de l'article 324.6, les règles suivantes s'appliquent :

1° le créancier est réputé :

a) avoir reçu, immédiatement après le moment donné, une fourniture par vente du bien;

b) avoir payé, immédiatement après ce moment, le total de la taxe payable à l'égard de cette fourniture, réputé égal au résultat obtenu en multipliant la juste valeur marchande du bien au moment où il a été saisi ou a fait l'objet d'une reprise de possession par 9,975/109,975, sauf si, selon le cas :

i. la fourniture est une fourniture détaxée;

ii. dans le cas d'un bien qui était, au moment où il a été saisi ou a fait l'objet d'une reprise de possession, un bien meuble corporel désigné dont la juste valeur marchande excède le montant prescrit à l'égard du bien, la taxe n'aurait pas été payable si le bien avait été acheté au Québec de la personne à ce moment;

2° dans le cas où la taxe aurait été payable si le bien avait été acheté au Québec de la personne au moment où il a été saisi ou a fait l'objet d'une reprise de possession, le créancier est réputé :

a) avoir effectué, au moment donné, une fourniture taxable du bien;

b) avoir perçu, à ce moment, le total de la taxe payable à l'égard de cette fourniture, réputé égal au résultat obtenu en multipliant la juste valeur marchande du bien au moment où il a été saisi ou a fait l'objet d'une reprise de possession par 9,975/109,975.

Notes historiques: Le préambule sous-paragraphe b) du paragraphe 1° de l'article 323.3 a été modifié par L.Q. 2012, c. 28, par. 104(1) par le remplacement de « 9,5/109,5 » par « 9,975/109,975 ». Cette modification a effet à compter du 1er janvier 2013.

Le préambule du sous-paragraphe b) du paragraphe 1° de l'article 323.3 a été modifié par L.Q. 2011, c. 6, s.-par. 261(1)(1°) par le remplacement de « 8,5 / 108,5 » par « 9,5 / 109,5 ». Cette modification a effet à compter du 1er janvier 2012.

Le préambule du sous-paragraphe b) du paragraphe 1° de l'article 323.3 a été modifié par L.Q. 2010, c. 5, s.-par. 224(1)(1°) par le remplacement, de « 7,5 / 107,5 » par « 8,5 / 108,5 ». Cette modification a effet à compter du 1er janvier 2011.

Le sous-paragraphe b) du paragraphe 1° de l'article 323.3 a été remplacé par L.Q. 2001, c. 53, art. 326(1) et cette modification a effet depuis le 1er avril 1997. Toutefois, pour la période qui commence le 1er avril 1997 et qui se termine le 31 décembre 1997, le sous-paragraphe b) du paragraphe 1° de l'article 323.3 de cette loi doit se lire en remplaçant « 7,5/107,5 » par « 6,5/106,5 ». Antérieurement, il se lisait ainsi :

> b) avoir payé, immédiatement après ce moment, le total de la taxe payable à l'égard de cette fourniture, réputé égal au résultat obtenu en multipliant la juste valeur marchande du bien au moment où il a été saisi ou a fait l'objet d'une reprise de possession par 7,5/107,5, sauf si les conditions suivantes sont réunies :
>
> i. le bien était un bien meuble corporel désigné dont la juste valeur marchande excède le montant prescrit à l'égard du bien au moment où il a été saisi ou a fait l'objet d'une reprise de possession;
>
> ii. une taxe n'aurait pas été payable si le bien avait été acheté au Québec de la personne au moment où il a été saisi ou a fait l'objet d'une reprise de possession;

Les sous-paragraphes a) et b) du paragraphe 1° ont été remplacés par L.Q. 1997, c. 85, art. 606(1)(1°) et ont effet depuis le 24 avril 1996. Toutefois, le préambule du sous-paragraphe b) du paragraphe 1° doit se lire comme suit pour la période débutant le 24 avril 1996 et se terminant le 31 mars 1997 :

> b) avoir payé, immédiatement après ce moment, la taxe à l'égard de cette fourniture égale à la fraction de taxe de la juste valeur marchande du bien au moment où

LTVQ (français)

il a été saisi ou a fait l'objet d'une reprise de possession, sauf si les conditions suivantes sont réunies :

Pour la période qui commence le 1er avril 1997 et qui se termine le 31 décembre 1997, il doit se lire comme suit :

b) avoir payé, immédiatement après ce moment, le total de la taxe payable à l'égard de cette fourniture, réputé égal au résultat obtenu en multipliant la juste valeur marchande du bien au moment où il a été saisi ou a fait l'objet d'une reprise de possession par 6,5/106,5, sauf si les conditions suivantes sont réunies :

Antérieurement, les sous-paragraphes a) et b) du paragraphe 1º se lisaient ainsi :

a) avoir reçu, immédiatement après le moment donné, une fourniture du bien et avoir payé, immédiatement après ce moment, la taxe à l'égard de cette fourniture égale à la fraction de taxe de la juste valeur marchande du bien au moment où il a été saisi ou a fait l'objet d'une reprise de possession;

b) dans le cas où le bien était un bien meuble corporel désigné dont la juste valeur marchande excède le montant prescrit à l'égard du bien pour l'application de la sous-section 3 de la section II du chapitre V au moment où il a été saisi ou a fait l'objet d'une reprise de possession, avoir acquis le bien pour utilisation exclusive dans le cadre d'activités autres que des activités commerciales et avoir utilisé le bien dans ce cadre après cette acquisition jusqu'à ce que le créancier aliène le bien;

Le préambule du paragraphe 2º de l'article 323.3 a été modifié par L.Q. 1995, c. 63, art. 408(1) et cette modification a effet depuis le 1er août 1995, sauf dans le cas d'un bien qu'un créancier a obtenu par saisie ou par reprise de possession et qui aurait été acheté par une fourniture non taxable s'il avait été acheté au Québec, auquel cas il ne s'applique pas. Auparavant, il se lisait comme suit :

2º dans le cas où la taxe aurait été payable si le bien avait été acheté au Québec de la personne, autrement que par une fourniture non taxable, au moment où il a été saisi ou a fait l'objet d'une reprise de possession, le créancier est réputé :

Le préambule sous-paragraphe b) du paragraphe 2º de l'article 323.3 a été modifié par L.Q. 2012, c. 28, par. 104(1) par le remplacement de « 9,5/109,5 » par « 9,975/109,975 ». Cette modification a effet à compter du 1er janvier 2013.

Le sous-paragraphe b) du paragraphe 2º de l'article 323.3 a été modifié par L.Q. 2011, c. 6, s.-par. 261(1)(2º) par le remplacement de « 8,5 / 108,5 » par « 9,5 / 109,5 ». Cette modification a effet à compter du 1er janvier 2012.

Le sous-paragraphe b) du paragraphe 2º de l'article 323.3 a été modifié par L.Q. 2010, c. 5, s.-par. 224(1)(2º) par le remplacement de « 7,5 / 107,5 » par « 8,5 / 108,5 ». Cette modification a effet à compter du 1er janvier 2011.

Le sous-paragraphe b) du paragraphe 2º a été modifié par L.Q. 1997, c. 85, art. 606(1)(2º) et a effet depuis le 1er avril 1997. Toutefois, pour la période qui commence le 1er avril 1997 et qui se termine le 31 décembre 1997, il doit se lire comme suit :

b) avoir perçu, à ce moment, le total de la taxe payable à l'égard de cette fourniture, réputé égal au résultat obtenu en multipliant la juste valeur marchande du bien au moment où il a été saisi ou a fait l'objet d'une reprise de possession par 6,5/106,5.

Le sous-paragraphe b) du paragraphe 2º se lisait auparavant ainsi :

b) avoir perçu, à ce moment, la taxe à l'égard de cette fourniture égale à la fraction de taxe de la juste valeur marchande du bien au moment où il a été saisi ou a fait l'objet d'une reprise de possession.

L'article 323.3 a été ajouté par L.Q. 1994, c. 22 art. 542(1) et est réputé entré en vigueur le 1er juillet 1992. Toutefois, dans le cas où un créancier commence, avant le 1er octobre 1992, à utiliser un bien dans les circonstances décrites à cet article, il s'applique au créancier en faisant abstraction du sous-paragraphe b) du paragraphe 1º.

Notes explicatives ARQ (PL 5, L.Q. 2012, c. 28): *Résumé* :

L'article 323.3 est modifié afin de remplacer la fraction « 9,5/109,5 » par « 9,975/109,975 », et ce, en vue de tenir compte du fait qu'à compter du 1er janvier 2013 la taxe sur les produits et services (TPS) est retirée de l'assiette de la taxe de vente du Québec (TVQ).

Situation actuelle :

L'article 323.3 s'applique à l'égard d'un créancier qui commence à utiliser, autrement que dans le but d'en effectuer la fourniture, un bien meuble qu'il a obtenu d'une personne, après le 31 décembre 1993, par saisie ou reprise de possession.

Dans ce cas, le créancier est réputé avoir reçu une fourniture par vente du bien et avoir payé, dans certains cas, le total de la taxe payable à l'égard de cette fourniture réputé égal au résultat obtenu en multipliant la juste valeur marchande du bien au moment où il a été saisi ou fait l'objet d'une reprise de possession par 9,5/109,5. Il est également réputé avoir effectué une fourniture taxable du bien et avoir perçu le total de la taxe payable à l'égard de cette fourniture réputé égal au résultat obtenu en multipliant la juste valeur marchande du bien au moment où il a été saisi ou fait l'objet d'une reprise de possession par 9,5/109,5, si le bien a été saisi ou a fait l'objet d'une reprise de possession d'une personne qui aurait été tenue en d'autres circonstances d'exiger la taxe si le bien avait été fourni au créancier.

Modifications proposées :

En vue de tenir compte du fait que la TPS est retirée de l'assiette de la TVQ à compter du 1er janvier 2013, il y a lieu de modifier l'article 323.3 de la LTVQ.

Cette modification a pour objet de remplacer la fraction « 9,5/109,5 » par « 9,975/109,975 ».

Notes explicatives ARQ (PL 5, L.Q. 2011, c. 6): *Résumé* :

L'article 323.3 est modifié de façon à ce qu'il soit tenu compte de la hausse du taux de la taxe de vente du Québec (TVQ) qui passe de 8,5 % à 9,5 %.

Situation actuelle :

L'article 323.3 s'applique à l'égard d'un créancier qui commence à utiliser, autrement que dans le but d'en effectuer la fourniture, un bien meuble qu'il a obtenu d'une personne, après le 31 décembre 1993, par saisie ou reprise de possession.

Dans ce cas, le créancier est réputé avoir reçu une fourniture par vente du bien et avoir payé, dans certains cas, le total de la taxe payable à l'égard de cette fourniture réputé égal au résultat obtenu en multipliant la juste valeur marchande du bien au moment où il a été saisi ou fait l'objet d'une reprise de possession par 8,5 / 108,5. Il est également réputé avoir effectué une fourniture taxable du bien et avoir perçu le total de la taxe payable à l'égard de cette fourniture réputé égal au résultat obtenu en multipliant la juste valeur marchande du bien au moment où il a été saisi ou fait l'objet d'une reprise de possession par 8,5 / 108,5, si le bien a été saisi ou a fait l'objet d'une reprise de possession d'une personne qui aurait été tenue en d'autres circonstances d'exiger la taxe si le bien avait été fourni au créancier.

Modifications proposées :

La modification apportée à l'article 323.3 consiste à remplacer « 8,5 / 108,5 » par « 9,5 / 109,5 » afin de tenir compte du nouveau taux de la TVQ.

Notes explicatives ARQ (PL 64, L.Q. 2010, c. 5): *Résumé* :

L'article 323.3 est modifié de façon à ce qu'il soit tenu compte de la modification du taux de la taxe de vente du Québec qui passe de 7,5 % à 8,5 %.

Situation actuelle :

L'article 323.3 de la LTVQ s'applique à l'égard d'un créancier qui commence à utiliser, autrement que dans le but d'en effectuer la fourniture, un bien meuble qu'il a obtenu d'une personne, après le 31 décembre 1993, par saisie ou reprise de possession.

Dans ce cas, le créancier est réputé avoir reçu une fourniture par vente du bien et avoir payé, dans certains cas, le total de la taxe payable à l'égard de cette fourniture réputé égal au résultat obtenu en multipliant la juste valeur marchande du bien au moment où il a été saisi ou fait l'objet d'une reprise de possession par 7,5 / 107,5. Il est également réputé avoir effectué une fourniture taxable du bien et avoir perçu le total de la taxe payable à l'égard de cette fourniture réputé égal au résultat obtenu en multipliant la juste valeur marchande du bien au moment où il a été saisi ou fait l'objet d'une reprise de possession par 7,5 / 107,5, si le bien a été saisi ou a fait l'objet d'une reprise de possession d'une personne qui aurait été tenue en d'autres circonstances d'exiger la taxe si le bien avait été fourni au créancier.

Modifications proposées :

La modification apportée à l'article 323.3 de la LTVQ consiste à remplacer 7,5 / 107,5 par 8,5/108,5 afin de tenir compte du nouveau taux de la taxe de vente du Québec.

Définitions [art. 323.3]: « activité commerciale », « bien », « bien meuble corporel désigné », « exclusif », « fourniture », « fourniture taxable », « fraction de taxe », « montant », « personne », « taxe » — 1; « taxe exigée non admissible au remboursement de la taxe sur les intrants » — 383.

Renvois [art. 323.3]: 15 (JVM); 323.1 (fourniture d'un bien saisi ou dont la possession est reprise); 324 (vente d'un bien meuble); 324.2 (louage d'un bien meuble); 378.19 (fourniture par vente d'une habitation); 433.1 (fourniture déterminée).

Lettres d'interprétation [art. 323.3]: 98-8100129[A] — Vente en justice et vente sous contrôle de justice; 00-0106740 — Interprétation relative à la TPS et à la TVQ — Transfert volontaire d'un bien mobilier corporel en paiement d'une obligation.

Concordance fédérale: LTA, par. 183(6).

324. Bien saisi d'un non-inscrit — Les règles prévues au deuxième alinéa s'appliquent dans le cas où, à la fois :

1º un créancier effectue, à un moment quelconque, une fourniture taxable par vente, autre qu'une fourniture réputée avoir été effectuée en vertu du présent titre, d'un bien meuble qu'il a obtenu d'une personne par saisie ou par reprise de possession dans les circonstances pour lesquelles l'article 320 s'applique;

2º le créancier n'est pas réputé avoir reçu une fourniture du bien en vertu des articles 323.2, 323.3 ou 324.2 avant ce moment;

2.1º le bien n'est pas un véhicule routier au sens du *Code de la sécurité routière* (chapitre C-24.2) autre qu'un véhicule routier exempté de l'immatriculation en vertu de l'article 14 du *Code de la sécurité routière*;

3º aucune taxe n'aurait été payable par le créancier s'il avait acheté le bien au Québec de la personne au moment où le bien a été saisi ou a fait l'objet d'une reprise de possession.

4° [*Supprimé*]

Fourniture réputée avoir été reçue — Le créancier est réputé avoir reçu une fourniture par vente du bien, immédiatement avant ce moment, pour une contrepartie égale à celle de la fourniture visée au paragraphe 1° du premier alinéa et, sauf si cette fourniture est une fourniture détaxée, avoir payé, immédiatement avant ce moment, le total de la taxe payable à l'égard de la fourniture réputée avoir été reçue en vertu du présent alinéa, réputé égal au montant déterminé selon la formule suivante :

A – B.

Application — Pour l'application de cette formule :

1° la lettre A représente la taxe calculée sur cette contrepartie;

2° la lettre B représente le total des montants dont chacun correspond à un remboursement de la taxe sur les intrants ou à un remboursement en vertu de la section I du chapitre VII que le créancier avait le droit de demander à l'égard du bien ou d'une amélioration à celui-ci.

Notes historiques: Le paragraphe 1° du premier alinéa de l'article 324 a été remplacé par L.Q. 1997, c. 85, art. 607(1)(1°) à l'égard d'un bien fourni par un créancier après le 23 avril 1996. Antérieurement, le paragraphe 1° se lisait ainsi :

> 1° un créancier effectue, à un moment quelconque, une fourniture taxable par vente, autre qu'une fourniture réputée avoir été effectuée en vertu des dispositions de la présente loi autres que les articles 41.0.1 à 41.6, d'un bien meuble qu'il a obtenu d'une personne par saisie ou par reprise de possession dans les circonstances pour lesquelles l'article 320 s'applique;

Le paragraphe 1° du premier alinéa de l'article 324 a été modifié par L.Q. 1995, c. 63, art. 409(1) et cette modification s'applique à l'égard de la fourniture d'un bien meuble dont la totalité ou une partie de la contrepartie devient due après le 31 juillet 1995 et n'est pas payée avant le 1er août 1995. Auparavant, il se lisait comme suit :

> 1° un créancier effectue, à un moment quelconque, une fourniture taxable ou non taxable par vente, autre qu'une fourniture réputée avoir été effectuée en vertu des dispositions de la présente loi autres que les articles 41.1 à 41.6, d'un bien meuble qu'il a obtenu d'une personne par saisie ou par reprise de possession dans les circonstances pour lesquelles l'article 320 s'applique;

Le paragraphe 2.1° du premier alinéa de l'article 324 a été ajouté par L.Q. 2001, c. 51, art. 277 et a effet depuis le 1er mai 1999.

Le paragraphe 3° du premier alinéa de l'article 324 a été modifié par L.Q. 1995, c. 63, art. 409(1) et cette modification a effet depuis le 1er août 1995, sauf dans le cas d'un bien qu'un créancier a obtenu par saisie ou par reprise de possession et qui aurait été acheté par une fourniture non taxable s'il avait été acheté au Québec, auquel cas il ne s'applique pas. Auparavant, il se lisait comme suit :

> 3° aucune taxe n'aurait été payable par le créancier s'il avait acheté le bien au Québec de la personne, autrement que par une fourniture non taxable, au moment où le bien a été saisi ou a fait l'objet d'une reprise de possession;

Le paragraphe 4° du premier alinéa de l'article 324 a été supprimé par L.Q. 1995, c. 63, art. 409(1) et cette modification a effet depuis le 1er août 1995, sauf à l'égard d'un bien acquis par une personne, lors de sa dernière acquisition du bien avant le 1er août 1995, auquel cas il ne s'applique pas. Auparavant, il se lisait comme suit :

> 4° la personne n'avait pas acquis le bien, lors de la dernière acquisition, par une fourniture non taxable avant le moment où le bien a été saisi ou a fait l'objet d'une reprise de possession.

Le deuxième alinéa de l'article 324 a été remplacé par L.Q. 2001, c. 53, art. 327(1) et cette modification a effet depuis le 1er avril 1997. Antérieurement, il se lisait ainsi :

> Le créancier est réputé avoir reçu une fourniture du bien, immédiatement avant ce moment, pour une contrepartie égale à celle de la fourniture visée au paragraphe 1° du premier alinéa et avoir payé, immédiatement avant ce moment, le total de la taxe payable à l'égard de la fourniture réputée avoir été reçue en vertu du présent alinéa, réputé égal au montant déterminé selon la formule suivante :
>
> A – B.

Le deuxième alinéa de l'article 324 a été remplacé par L.Q. 1997, c. 85, art. 607(1)(2°) et a effet depuis le 1er avril 1997. Antérieurement, cet alinéa se lisait ainsi :

> Le créancier est réputé avoir reçu une fourniture du bien, immédiatement avant ce moment, pour une contrepartie égale à celle de la fourniture visée au paragraphe 1°) du premier alinéa et avoir payé, immédiatement avant ce moment, la taxe à l'égard de la fourniture réputée avoir été reçue en vertu du présent alinéa égale au montant déterminé selon la formule suivante :
>
> A – B.

L'article 324 a auparavant été modifié par L.Q. 1994, c. 22, art. 543(1) et est réputé entré en vigueur le 1er juillet 1992. L'article 324, édicté par L.Q. 1991, c. 67, se lisait comme suit :

> 324. Un inscrit qui effectue, à un moment quelconque, la fourniture taxable ou non taxable d'un bien qu'il a obtenu d'une personne par saisie ou par reprise de possession et qui remet une preuve, à la satisfaction du ministre, que la personne n'a pas reçu et n'a pas le droit de demander un remboursement de la taxe sur les intrants ou un remboursement prévu à la section I du chapitre septième à l'égard du bien est réputé, immédiatement avant ce moment :
>
> 1° avoir acquis le bien pour une contrepartie égale à celle de la fourniture;
>
> 2° avoir payé la taxe relative à l'acquisition du bien, calculée sur cette contrepartie.

Définitions [art. 324]: « amélioration », « bien », « contrepartie », « fourniture taxable », « personne », « taxe », « vente » — 1.

Renvois [art. 324]: 324.1 (exception); 378.19 (fourniture par vente d'une habitation).

Lettres d'interprétation [art. 324]: 12-013765-002 — Interprétation relative à la TVQ — Administration d'un hôtel par un créancier - Demande de RTI.

Concordance fédérale: LTA, par. 183(7).

324.1 Vente d'un bien meuble — L'article 324 ne s'applique pas dans le cas où, à la fois :

1° la fourniture visée au paragraphe 1° du premier alinéa de cet article est effectuée hors du Québec ou est une fourniture détaxée;

2° le bien a été saisi ou a fait l'objet d'une reprise de possession par le créancier avant le 1er janvier 1994 ou était, au moment de la saisie ou de la reprise de possession, un bien meuble corporel désigné dont la juste valeur marchande excède le montant prescrit à l'égard du bien.

Notes historiques: Le paragraphe 2° de l'article 324.1 a été remplacé par L.Q. 1997, c. 85, art. 608(1) et a effet à l'égard d'un bien fourni par un créancier après le 23 avril 1996. Antérieurement, il se lisait ainsi :

> 2° le bien a été saisi ou a fait l'objet d'une reprise de possession par le créancier avant le 1er janvier 1994 ou était, au moment de la saisie ou de la reprise de possession, un bien meuble corporel désigné d'occasion dont la juste valeur marchande excède le montant prescrit à l'égard du bien pour l'application de la sous-section 3 de la section II du chapitre V.

L'article 324.1 a été ajouté par L.Q. 1994, c. 22, art. 544(1) et est réputé entré en vigueur le 1er juillet 1992.

Définitions [art. 324.1]: « bien meuble corporel désigné d'occasion », « fourniture », « fourniture détaxée » — 1.

Renvois [art. 324.1]: 15 (JVM); 22 (fourniture effectuée à l'étranger); 378.19 (fourniture par vente d'une habitation).

Lettres d'interprétation [art. 324.1]: 12-013765-002 — Interprétation relative à la TVQ — Administration d'un hôtel par un créancier - Demande de RTI.

Concordance fédérale: LTA, par. 183(7).

324.2 Location d'un bien meuble — Les règles prévues au deuxième alinéa s'appliquent dans le cas où, à la fois :

1° un créancier effectue, à un moment donné, par louage, licence ou accord semblable pour la première période de location, au sens de l'article 32.2, à l'égard de l'accord, la fourniture taxable d'un bien meuble qu'il a obtenu d'une personne par saisie ou par reprise de possession dans les circonstances pour lesquelles l'article 320 s'applique;

2° le créancier n'est pas réputé avoir reçu une fourniture du bien en vertu des articles 323.2 ou 323.3 avant ce moment;

2.1° le bien n'est pas un véhicule routier au sens du *Code de la sécurité routière* (chapitre C-24.2) autre qu'un véhicule routier exempté de l'immatriculation en vertu de l'article 14 du *Code de la sécurité routière*;

3° aucune taxe n'aurait été payable si le bien avait été acheté au Québec de la personne au moment où le bien a été saisi ou a fait l'objet d'une reprise de possession;

4° [*Supprimé*].

Fourniture réputée avoir été reçue — Le créancier est réputé avoir reçu, immédiatement avant le moment donné, une fourniture par vente du bien et, sauf si cette fourniture est une fourniture détaxée, avoir payé, immédiatement avant le moment donné, le total de la taxe payable à l'égard de cette fourniture, réputé égal à la taxe calculée sur la juste valeur marchande du bien au moment où il a été saisi ou a fait l'objet d'une reprise de possession.

Notes historiques: Le passage qui précède le paragraphe 2º du premier alinéa de l'article 324.2 a été remplacé par L.Q. 2001, c. 53, art. 328(1)(1º) et cette modification s'applique aux périodes de location commençant après le 31 mars 1997. Antérieurement, ce passage se lisait ainsi :

> 324.2 Les règles prévues au deuxième alinéa s'appliquent dans le cas où, à la fois :
>
> 1º un créancier effectue, à un moment quelconque, une fourniture taxable par louage, licence ou accord semblable d'un bien meuble qu'il a obtenu d'une personne par saisie ou par reprise de possession dans les circonstances pour lesquelles l'article 320 s'applique;

Le paragraphe 1º du premier alinéa de l'article 324.2 a été modifié par L.Q. 1995, c. 63, art. 410(1) et cette modification s'applique à l'égard de la fourniture d'un bien meuble dont la totalité ou une partie de la contrepartie devient due après le 31 juillet 1995 et n'est pas payée avant le 1er août 1995. Auparavant, il se lisait comme suit :

> 1º un créancier effectue, à un moment quelconque, une fourniture taxable ou non taxable par louage, licence ou accord semblable d'un bien meuble qu'il a obtenu d'une personne par saisie ou par reprise de possession dans les circonstances pour lesquelles l'article 320 s'applique;

Le paragraphe 2.1º du premier alinéa de l'article 324.2 a été ajouté par L.Q. 2001, c. 51, art. 278 et a effet depuis le 1er mai 1999.

Le paragraphe 3º du premier alinéa de l'article 324.2 a été modifié par L.Q. 1995, c. 63, art. 410(1) et cette modification a effet depuis le 1er août 1995, sauf dans le cas d'un bien qu'un créancier a obtenu par saisie ou par reprise de possession et qui aurait été acheté par une fourniture non taxable s'il avait été acheté au Québec, auquel cas il ne s'applique pas. Auparavant, il se lisait comme suit :

> 3º aucune taxe n'aurait été payable si le bien avait été acheté au Québec de la personne, autrement que par une fourniture non taxable, au moment où le bien a été saisi ou a fait l'objet d'une reprise de possession;

Le paragraphe 4º du premier alinéa de l'article 324.2 a été supprimé par L.Q. 1995, c. 63, art. 410(1) et cette modification a effet depuis le 1er août 1995, sauf à l'égard d'un bien acquis par une personne, lors de sa dernière acquisition du bien avant le 1er août 1995, auquel cas il ne s'applique pas. Auparavant, il se lisait comme suit :

> 4º la personne n'avait pas acquis le bien, lors de la dernière acquisition, par une fourniture non taxable avant le moment où le bien a été saisi ou a fait l'objet d'une reprise de possession.

Le deuxième alinéa de l'article 324.2 a été remplacé par L.Q. 2001, c. 53, art. 328(1)(2º) et cette modification a effet depuis le 1er avril 1997. Antérieurement, il se lisait ainsi :

> Le créancier est réputé avoir reçu, immédiatement avant ce moment, une fourniture du bien et avoir payé, immédiatement avant ce moment, le total de la taxe payable à l'égard de cette fourniture, réputé égal à la taxe calculée sur la juste valeur marchande du bien au moment où il a été saisi ou a fait l'objet d'une reprise de possession.

Le deuxième alinéa de l'article 324.2 a été remplacé par L.Q. 1997, c. 85, art. 609(1) et a effet depuis le 1er avril 1997. Antérieurement, il se lisait ainsi :

> Le créancier est réputé avoir reçu, immédiatement avant ce moment, une fourniture du bien et avoir payé, immédiatement avant ce moment, la taxe à l'égard de cette fourniture calculée sur la juste valeur marchande du bien au moment où il a été saisi ou a fait l'objet d'une reprise de possession.

L'article 324.2 a été ajouté par L.Q. 1994, c. 22, art. 544(1) et est réputé entré en vigueur le 1er juillet 1992.

Définitions [art. 324.2]: « bien », « fourniture », « fourniture taxable », « personne », « taxe » — 1.

Renvois [art. 324.2]: 15 (JVM); 324 (vente d'un bien meuble); 324.2 (exception).

Lettres d'interprétation [art. 324.2]: 12-013765-002 — Interprétation relative à la TVQ — Administration d'un hôtel par un créancier - Demande de RTI.

Concordance fédérale: LTA, par. 183(8).

324.3 Exception — L'article 324.2 ne s'applique pas dans le cas où, à la fois :

1º la fourniture visée au paragraphe 1º du premier alinéa de cet article est effectuée hors du Québec ou est une fourniture détaxée;

2º le bien a été saisi ou a fait l'objet d'une reprise de possession par le créancier avant le 1er janvier 1994 ou était, au moment de la saisie ou de la reprise de possession, un bien meuble corporel désigné dont la juste valeur marchande excède le montant prescrit à l'égard du bien.

Notes historiques: Le paragraphe 2º de l'article 324.3 a été remplacé par L.Q. 1997, c. 85, art. 610(1) et a effet à l'égard d'un bien fourni par un créancier après le 23 avril 1996. Antérieurement, il se lisait ainsi :

> 2º le bien a été saisi ou a fait l'objet d'une reprise de possession par le créancier avant le 1er janvier 1994 ou était, au moment de la saisie ou de la reprise de possession, un bien meuble corporel désigné d'occasion dont la juste valeur marchande excède le montant prescrit à l'égard du bien pour l'application de la sous-section 3 de la section II du chapitre V.

L'article 324.3 a été ajouté par L.Q. 1994, c. 22, art. 544(1) et est réputé entré en vigueur le 1er juillet 1992.

Définitions [art. 324.3]: « bien », « bien meuble corporel désigné d'occasion », « fourniture détaxée » — 1.

Renvois [art. 324.3]: 15 (JVM); 22 (fourniture effectuée à l'étranger); 378.19 (fourniture par vente d'une habitation).

Lettres d'interprétation [art. 324.3]: 12-013765-002 — Interprétation relative à la TVQ — Administration d'un hôtel par un créancier - Demande de RTI.

Concordance fédérale: LTA, par. 183(8).

324.4 Transfert volontaire — Pour l'application des articles 320 à 324.3 et des articles 324.5 et 324.6, dans le cas où une personne, à un moment quelconque, transfère volontairement un bien à une autre personne pour le paiement de la totalité ou d'une partie d'une dette ou d'une autre obligation à l'égard de laquelle la personne est en défaut, l'autre personne est réputée avoir saisi ou avoir repris possession du bien de la personne à ce moment dans les circonstances pour lesquelles l'article 320 s'applique.

Notes historiques: L'article 324.4 a été ajouté par L.Q. 1994, c. 22, art. 544(1) et est réputé entré en vigueur le 1er juillet 1992.

Définitions [art. 324.4]: « bien », « personne » — 1.

Lettres d'interprétation [art. 324.4]: 00-0106740 — Interprétation relative à la TPS et à la TVQ — Transfert volontaire d'un bien mobilier corporel en paiement d'une obligation; 12-013765-002 — Interprétation relative à la TVQ — Administration d'un hôtel par un créancier - Demande de RTI.

Concordance fédérale: LTA, par. 183(9).

324.5 Garantie de dette — Les règles prévues au deuxième alinéa s'appliquent dans le cas où, à la fois :

1º un créancier exerce, soit en vertu d'une loi du Québec, d'une autre province, des Territoires du Nord-Ouest, du territoire du Yukon, du territoire du Nunavut ou du Canada, soit en vertu d'une convention concernant un titre de créance, un droit de faire effectuer la fourniture d'un bien pour le paiement de la totalité ou d'une partie d'une dette ou d'une autre obligation due par une personne;

2º l'article 323 ne s'applique pas à la fourniture;

3º un séquestre, au sens de l'article 310, n'a pas de pouvoir à l'égard du bien.

Bien réputé saisi — Le créancier est réputé avoir saisi le bien immédiatement avant le moment où la fourniture est effectuée et cette fourniture est réputée avoir été effectuée par le créancier et non par la personne.

Notes historiques: Le paragraphe 1º du premier alinéa de l'article 324.5 a été modifié par L.Q. 2003, c. 2, par. 331(1) par l'insertion, après le mot « Yukon », de « , du territoire du Nunavut ». Cette modification a effet depuis le 1er avril 1999.

La partie du premier alinéa qui précède le paragraphe 2º de l'article 324.5 a été remplacée par L.Q. 1997, c. 85, art. 611(1). Cette modification a effet à l'égard :

a) de toute fourniture effectuée après le 23 avril 1996;

b) de toute fourniture effectuée au plus tard le 23 avril 1996, sauf si l'une ou l'autre des conditions suivantes est rencontrée :

> 1º aucun montant n'était, au plus tard le 23 avril 1996, exigé ou perçu au titre de la taxe prévue au titre I de cette loi;
>
> 2º un montant a été exigé ou perçu au titre de la taxe prévue au titre I de cette loi à l'égard de la fourniture et, avant le 23 avril 1996, le ministre du Revenu a reçu une demande visant le remboursement prévu à l'article 400 de cette loi à l'égard de ce montant, ou a accordé ce montant, avant le 24 avril 1996.

Antérieurement, la partie du premier alinéa qui précède le paragraphe 2º se lisait ainsi :

> Pour l'application des articles 320 à 324.4 et de l'article 324.6, les règles prévues au deuxième alinéa s'appliquent dans le cas où, à la fois :
>
> 1º un créancier exerce un droit de faire effectuer la fourniture d'un bien en vertu d'un titre de créance pour le paiement de la totalité ou d'une partie d'une dette ou d'une autre obligation due par une personne;

L'article 324.5 a été ajouté par L.Q. 1994, c. 22, art. 544(1) et est réputé entré en vigueur le 1er octobre 1992.

Définitions [art. 324.5]: « bien », « fourniture », « personne » — 1.

Renvois [art. 324.5]: 324.4 (transfert volontaire); 378.19 (fourniture par vente d'une habitation).

Bulletins d'interprétation [art. 324.5]: TVQ. 321-2 — Vente en justice, vente sous contrôle de justice et vente par le créancier d'un bien meuble corporel.

Lettres d'interprétation [art. 324.5]: 98-8100129[A] — Vente en justice et vente sous contrôle de justice.

Concordance fédérale: LTA, par. 183(10).

324.5.1 Rachat d'un bien — Les règles prévues au deuxième alinéa s'appliquent dans le cas où, à la fois :

1° un créancier exerce, soit en vertu d'une loi du Québec, d'une autre province, des Territoires du Nord-Ouest, du territoire du Yukon, du territoire du Nunavut ou du Canada, soit en vertu d'une convention concernant un titre de créance, un droit de faire effectuer la fourniture d'un bien — appelée « première fourniture » dans le présent article — pour le paiement de la totalité ou d'une partie d'une dette ou d'une autre obligation due par une personne, appelée « débiteur » dans le présent article;

2° l'acquéreur de la première fourniture a payé un montant — appelé « montant de taxe » dans le présent article — au titre de la taxe relativement à cette fourniture;

3° en vertu de la loi ou de la convention, le débiteur a le droit de racheter le bien et il exerce ce droit.

Règles applicables — Les règles auxquelles réfère le premier alinéa sont les suivantes :

1° le rachat du bien est réputé une fourniture par vente du bien, effectuée par l'acquéreur de la première fourniture au débiteur, sans contrepartie;

2° dans le cas où le bien a été racheté de l'acquéreur de la première fourniture et qu'un montant a été remboursé par le débiteur au créancier ou à cet acquéreur au titre du montant de taxe, les règles suivantes s'appliquent :

a) sauf pour l'application des articles 320 à 324.6, le débiteur est réputé ne pas avoir fourni le bien au créancier en vertu de l'article 320 et ne pas avoir reçu une fourniture du bien au moment du rachat;

b) le débiteur est réputé, pour l'application des articles 400 à 402, avoir payé par erreur, au moment du rachat, un montant de taxe égal au montant ainsi remboursé;

c) dans le cas où le montant de taxe a été inclus dans le calcul d'un remboursement ou d'un remboursement de la taxe sur les intrants demandé par cet acquéreur dans une déclaration ou une demande, le montant du remboursement ou du remboursement de la taxe sur les intrants doit être ajouté dans le calcul de la taxe nette de cet acquéreur pour la période de déclaration au cours de laquelle le bien a été racheté;

d) le montant de taxe ne doit pas être inclus dans le calcul d'un remboursement ou d'un remboursement de la taxe sur les intrants demandé par cet acquéreur dans une déclaration ou une demande produite après le rachat du bien.

Notes historiques: Le paragraphe 1° du premier alinéa de l'article 324.5.1 a été modifié par L.Q. 2003, c. 2, par. 332(1) par l'insertion, après le mot « Yukon », de « , du territoire du Nunavut ». Cette modification a effet depuis le 1er avril 1999.

L'article 324.5.1 a été ajouté par L.Q. 1997, c. 85, art. 612(1) et s'applique à l'égard du rachat d'un bien effectué après le 23 avril 1996.

Définitions [art. 324.5.1]: « acquéreur », « bien », « contrepartie », « fourniture », « montant », « taxe », « titre de créance », « vente » — 1.

Renvois [art. 324.5.1]: 320 (saisie et reprise de possession); 378.19 (fourniture par vente d'une habitation).

Concordance fédérale: LTA, par. 183(10.1).

324.6 Application de la section VI — La section VI s'applique et les articles 320, 321 et 324 à 324.4 ne s'appliquent pas dans le cas où un créancier, selon le cas :

1° est un séquestre, au sens de l'article 310, à l'égard d'un bien et exerce un droit ou un pouvoir de saisir ou de reprendre possession du bien pour le paiement de la totalité ou d'une partie d'une dette ou d'une autre obligation due par une personne;

2° nomme un mandataire qui est un séquestre, au sens de l'article 310, à l'égard d'un bien afin qu'il exerce un droit ou un pouvoir de saisir ou de reprendre possession du bien pour le paiement de la totalité ou d'une partie d'une dette ou d'une autre obligation due par une personne.

Notes historiques: L'article 324.6 a été ajouté par L.Q. 1994, c. 22, art. 544(1) et s'applique aux séquestres investis de pouvoirs ou nommés à compter du 1er janvier 1993.

Définitions [art. 324.6]: « bien », « personne » — 1.

Renvois [art. 324.6]: 324.4 (transfert volontaire); 324.5 (garantie de dette); 378.19 (fourniture par vente d'une habitation).

Lettres d'interprétation [art. 324.6]: 12-013765-002 — Interprétation relative à la TVQ – Administration d'un hôtel par un créancier – Demande de RTI.

Concordance fédérale: LTA, par. 183(11).

SECTION VIII — SUCCESSION ET FIDUCIE

Notes historiques: L'intitulé de la section VIII du chapitre VI, du Titre I, a été remplacé par L.Q. 1997, c.85, art. 613(1) et cette modification a effet depuis le 1er juillet 1992. Antérieurement, cette section était intitulée « Fiducie ».

324.7 Période de déclaration d'une succession — Sous réserve des articles 324.8, 324.9 et 326, dans le cas où un particulier décède, le présent titre s'applique comme si la succession du particulier était le particulier et que celui-ci n'était pas décédé sauf que :

1° la période de déclaration du particulier durant laquelle il est décédé se termine le jour de son décès;

2° une période de déclaration de la succession commence le lendemain du jour du décès du particulier et se termine le jour où la période de déclaration du particulier se serait terminé s'il n'était pas décédé.

Notes historiques: L'article 324.7 a été ajouté par L.Q. 1997, c. 85, art. 614(1) et a effet depuis le 1er juillet 1992. Toutefois, les paragraphes 1° et 2° de l'article 324.7 ne s'appliquent pas aux périodes de déclaration d'un particulier ou de la succession du particulier si le particulier est décédé avant le 24 avril 1996.

Définitions [art. 324.7]: « période de déclaration » — 1.

Renvois [art. 324.7]: 459.0.1 (période de déclaration d'un inscrit).

Concordance fédérale: LTA, art. 267.

324.8 Définitions — Pour l'application des articles 324.9 à 326, l'expression :

« fiducie » comprend la succession d'un particulier décédé;

Concordance fédérale: LTA, par. 267.1(1)« fiducie ».

« fiduciaire » comprend le représentant personnel d'un particulier décédé mais ne comprend pas un séquestre au sens du deuxième alinéa de l'article 310.

Concordance fédérale: LTA, par. 267.1(1)« fiduciaire ».

Notes historiques: L'article 324.8 a été ajouté par L.Q. 1997, c. 85, art. 614(1) et a effet depuis le 1er juillet 1992.

Définitions [art. 324.8]: « représentant personnel » — 1.

Renvois [art. 324.8]: 324.7 (succession).

324.9 Responsabilité du fiduciaire de la fiducie — Sous réserve de l'article 324.10, le fiduciaire d'une fiducie est tenu d'exécuter les obligations imposées à la fiducie en vertu du présent titre, sans égard au fait qu'elles aient été imposées avant ou pendant la période au cours de laquelle le fiduciaire agit à titre de fiduciaire de la fiducie.

Notes historiques: L'article 324.9 a été ajouté par L.Q. 1997, c. 85, art. 614(1) et a effet depuis le 1er juillet 1992.

Renvois [art. 324.9]: 324.7 (succession); 324.8 (définitions); 324.11 (dispense).

Concordance fédérale: LTA, par. 267.1(2).

324.10 Responsabilité solidaire — Le fiduciaire d'une fiducie est solidairement responsable avec la fiducie et, le cas échéant, avec

LTVQ (français)

chacun des autres fiduciaires du paiement ou du versement des montants payables ou à verser par la fiducie avant ou pendant la période durant laquelle il agit à ce titre.

Limitation — Malgré le premier alinéa, le fiduciaire n'est responsable du paiement ou du versement des montants devenus payables ou à verser avant cette période que dans la mesure de la valeur des biens et de l'argent de la fiducie qu'il contrôle.

Notes historiques: L'article 324.10 a été ajouté par L.Q. 1997, c. 85, art. 614(1) et a effet depuis le 1er juillet 1992.

Définitions [art. 324.10]: « argent », « bien », « montant » — 1.

Renvois [art. 324.10]: 324.8 (définitions); 324.9 (responsabilité du fiduciaire).

Concordance fédérale: LTA, par. 267.1(3).

324.11 Dispense de produire une déclaration — Malgré l'article 324.9, le ministre peut dispenser par écrit le représentant personnel d'une personne décédée de produire une déclaration, au moyen du formulaire prescrit contenant les renseignements prescrits, pour une période de déclaration de la personne qui se termine au plus tard le jour de son décès.

Notes historiques: L'article 324.11 a été ajouté par L.Q. 1997, c. 85, art. 614(1) et a effet depuis le 1er juillet 1992.

Définitions [art. 324.11]: « ministre », « période de déclaration » — 1.

Renvois [art. 324.11]: 324.8 (définitions).

Concordance fédérale: LTA, par. 267.1(4).

324.12 Activités du fiduciaire de la fiducie — Dans le cas où une personne agit à titre de fiduciaire d'une fiducie, les règles suivantes s'appliquent :

1° tout ce qui est fait par la personne à titre de fiduciaire de la fiducie est réputé fait par la fiducie et non par la personne;

2° malgré le paragraphe 1°, dans le cas où la personne n'est pas un cadre de la fiducie, elle est réputée fournir à la fiducie un service qui consiste à agir à titre de fiduciaire de la fiducie et tout montant auquel elle a droit pour agir à ce titre et qui est inclus, pour l'application de la *Loi sur les impôts* (chapitre I-3), dans le calcul de son revenu ou, dans le cas où la personne est un particulier, dans le calcul de son revenu provenant d'une entreprise est réputé constituer une contrepartie de cette fourniture.

Notes historiques: L'article 324.12 a été ajouté par L.Q. 1997, c. 85, art. 614(1) et a effet depuis le 1er juillet 1992.

Définitions [art. 324.12]: « argent », « bien », « cadre », « contrepartie », « fourniture », « personne », « service » — 1.

Renvois [art. 324.12]: 324.8 (définitions).

Lettres d'interprétation [art. 324.12]: 06-0103082 — Interprétation relative à la TPS et à la TVQ — jetons de présence et rémunération annuelle versés aux administrateurs d'un fiduciaire corporatif.

Concordance fédérale: LTA, par. 267.1(5).

325. Fiducie non testamentaire — Dans le cas où une personne dispose d'un bien en faveur d'une fiducie non testamentaire, les règles suivantes s'appliquent :

1° la personne est réputée avoir effectué une fourniture du bien par vente à la fiducie et celle-ci est réputée avoir reçu cette fourniture;

2° la fourniture est réputée avoir été effectuée pour une contrepartie égale au produit de l'aliénation du bien, déterminé en vertu de la *Loi sur les impôts* (chapitre I-3).

Notes historiques: Le paragraphe 2° de l'article 325 a été modifié par L.Q. 2005, c. 23, art. 275 par le remplacement des mots « produit d'aliénation » par les mots « produit de l'aliénation ». Cette modification est entrée en vigueur le 17 juin 2005.

L'article 325 a été remplacé par L.Q. 1997, c. 85, art. 615(1) et a effet depuis le 1er juillet 1992.

Antérieurement, il se lisait ainsi :

> 325 Dans le cas où une personne dispose d'un bien en faveur d'une fiducie non testamentaire, au sens de la *Loi sur les impôts* (L.R.Q., chapitre I-3), les règles suivantes s'appliquent :
>
> 1° la personne est réputée avoir effectué une fourniture du bien par vente à la fiducie et celle-ci est réputée avoir reçu cette fourniture par achat;
>
> 2° la fourniture est réputée avoir été effectuée pour une contrepartie égale au produit d'aliénation du bien, déterminé en vertu de la *Loi sur les impôts*.
>
> [*Supprimé*]

Le deuxième alinéa de l'article 325 avait été supprimé par L.Q. 1995, c. 1, art. 291(1) et cette modification s'applique à l'égard d'une fourniture effectuée après le 12 mai 1994. Il se lisait comme suit :

> Le présent article ne s'applique pas à l'égard de la fourniture par donation d'un véhicule routier qui doit être immatriculé en vertu du *Code de la sécurité routière* (L.R.Q., chapitre C-24.2) suite à une demande de la fiducie.

Le deuxième alinéa de l'article 325 a été ajouté par L.Q. 1993, c. 19, art. 212 et s'applique à l'égard d'une fourniture ou d'un apport au Québec relativement auquel l'article 685 ou l'un des articles 618 à 656 de L.Q. 1991, c. 67 s'applique [*N.D.L.R.* : les articles 685 et 618 à 656 réfèrent à des dispositions transitoires concernant les transferts avant le 1er juillet 1992].

L'article 325 a été édicté par L.Q. 1991, c. 67.

Définitions [art. 325]: « bien », « contrepartie » — 1; « fiducie » — 646; « fiducie non testamentaire » — 1 LI; « fiducie non testamentaire », « fourniture », « personne », « vente » — 1.

Renvois [art. 325]: 22.28 (fourniture réputée effectuée au Québec); 326 (distribution par une fiducie); 422 (disposition entre personnes liées); 454 (transfert entre vifs).

Concordance fédérale: LTA, art. 268.

326. Distribution par le fiduciaire — Dans le cas où le fiduciaire d'une fiducie distribue des biens de celle-ci à une ou plusieurs personnes, la distribution est réputée constituer une fourniture des biens effectuée par la fiducie à l'endroit où les biens sont délivrés aux personnes, pour une contrepartie égale au produit de l'aliénation des biens, déterminé en vertu de la *Loi sur les impôts* (chapitre I-3).

Notes historiques: L'article 326 a été modifié par L.Q. 2005, c. 23, art. 276 par le remplacement des mots « produit d'aliénation » par les mots « produit de l'aliénation ». Cette modification est entrée en vigueur le 17 juin 2005.

L'article 326 a été remplacé par L.Q. 1997, c. 85, art. 615(1) et a effet depuis le 1er juillet 1992. Toutefois, lorsque l'article 326 s'applique :

> a) à une distribution effectuée avant le 24 avril 1996, il doit se lire en y remplaçant « à une ou plusieurs personnes » par « aux bénéficiaires de la fiducie »;
>
> b) avant le 1er avril 1997, il doit se lire sans tenir compte de « à l'endroit où les biens sont délivrés ».

Antérieurement, cet article se lisait ainsi :

> 326. Sous réserve des articles 78, 79 et 302 à 317.3, dans le cas où le fiduciaire d'une fiducie distribue des biens de celle-ci aux bénéficiaires de la fiducie, la distribution est réputée constituer une fourniture des biens effectuée par la fiducie, pour une contrepartie égale au produit d'aliénation des biens, déterminé en vertu de la *Loi sur les impôts* (chapitre I-3).

L'article 326 a été modifié par L.Q. 1994, c. 22, art. 545(1) et est réputé entré en vigueur le 1er janvier 1993. L'article 326, édicté par L.Q. 1991, c. 67, se lisait comme suit :

> 326. Sous réserve des articles 78, 79 et 302 à 317, dans le cas où le fiduciaire d'une fiducie distribue des biens de celle-ci aux bénéficiaires de la fiducie, la distribution est réputée constituer une fourniture des biens effectuée par la fiducie, pour une contrepartie égale au produit d'aliénation des biens, déterminé en vertu de la *Loi sur les impôts* (L.R.Q., chapitre I-3).

Définitions [art. 326]: « bien », « contrepartie », « fourniture » — 1.

Renvois [art. 326]: 302–309 (faillite); 310–317.3 (séquestre); 324.7 (succession); 688 (transport de biens par une fiducie).

Concordance fédérale: LTA, art. 269.

SECTION IX — PERSONNE NON RÉSIDANTE

327. « non-résident » — Pour l'application de la présente section, l'expression « non-résident » signifie une personne qui ne réside pas au Québec et qui n'est pas inscrite en vertu de la section I du chapitre VIII.

Notes historiques: L'article 327 a été modifié par L.Q. 1995, c. 63, art. 411(1) et cette modification s'applique à l'égard d'une fourniture dont la totalité ou une partie de la contrepartie devient due après le 31 juillet 1995 et n'est pas payée avant le 1er août 1995.

L'article 327 a été modifié par L.Q. 1995, c. 1, art. 292. L'article ainsi modifié, sauf lorsqu'il édicte la définition de l'expression « fourniture taxable », a effet depuis le 1er juillet 1992 et la définition de « fourniture taxable » entre en vigueur le 30 janvier 1995 (L.Q. 1995, c. 1, art. 365). Il se lisait comme suit :

> 327. Pour l'application de la présente section, l'expression :

« fourniture taxable » signifie une fourniture qui est effectuée dans le cadre d'une activité commerciale;

« non-résident » signifie une personne qui ne réside pas au Québec et qui n'est pas inscrite en vertu de la section I du chapitre VIII.

L'article 327, édicté par L.Q. 1991, c. 67, se lisait comme suit :

327. L'inscrit qui a acquis, fabriqué ou produit un bien et qui le délivre à un moment quelconque à une personne donnée au Québec en exécution d'une obligation, d'une personne qui ne réside pas au Québec et qui n'est pas un inscrit, de fournir le bien est réputé :

1º avoir effectué une fourniture du bien au Québec à la personne qui ne réside pas au Québec pour une contrepartie égale, selon le cas :

a) à la plus élevée de la valeur de la contrepartie de la fourniture effectuée par l'inscrit à la personne qui ne réside pas au Québec et de la valeur de la contrepartie de la fourniture effectuée par la personne qui ne réside pas au Québec au profit de la personne donnée;

b) si la personne qui ne réside pas au Québec et la personne donnée ont entre elles un lien de dépendance ou si l'inscrit ne peut déterminer de façon raisonnable la valeur de la contrepartie conformément au sous-paragraphe a), à la valeur de la fourniture du bien effectuée à la personne donnée qui serait raisonnable dans les circonstances si, au moment où le bien a été délivré à la personne donnée, celle-ci et la personne qui ne réside pas au Québec étaient sans lien de dépendance;

2º avoir perçu à ce moment la taxe relative à la fourniture, calculée sur cette contrepartie, sauf s'il s'agit d'une fourniture exonérée ou non taxable.

Définitions [art. 327]: « personne » — 1.

Concordance fédérale: LTA, par. 123(1)« non résidant ».

COMMENTAIRES: Voir les commentaires sous l'article 327.7.

327.1 Fourniture taxable à un non-résident — transfert de la possession matérielle d'un bien au Québec — Dans le cas où un inscrit, en vertu d'une convention conclue entre lui et un non-résident, effectue au Québec au non-résident la fourniture taxable d'un bien meuble corporel par vente ou d'un service de fabrication ou de production d'un tel bien, ou acquiert la possession matérielle d'un bien meuble corporel, autre qu'un bien d'une personne qui réside au Québec ou qui est inscrite en vertu de la section I du chapitre VIII, afin d'effectuer au non-résident la fourniture taxable d'un service commercial à l'égard du bien et que, à un moment quelconque et en vertu de cette convention, l'inscrit fait transférer la possession matérielle du bien à un endroit au Québec à une tierce personne — appelée « consignataire » dans le présent article — ou au non-résident, les règles suivantes s'appliquent :

1º l'inscrit est réputé avoir effectué au non-résident, et celui-ci est réputé avoir reçu de l'inscrit, une fourniture taxable du bien qui est réputée avoir été effectuée pour une contrepartie, qui devient due et est payée à ce moment, égale :

a) dans le cas où l'inscrit a fait transférer la possession matérielle du bien à un consignataire à qui le non-résident a fourni le bien à titre gratuit, à zéro;

b) dans les autres cas, à la juste valeur marchande du bien à ce moment;

2º dans le cas où l'inscrit a effectué au non-résident la fourniture d'un service de fabrication ou de production du bien ou d'un service commercial à l'égard du bien, il est réputé ne pas avoir effectué cette fourniture de service, sauf s'il s'agit de la fourniture d'un service d'entreposage ou d'expédition du bien.

Exceptions — Le présent article ne s'applique pas si le non-résident est un consommateur du bien ou du service fourni par l'inscrit en vertu de la convention.

Notes historiques: Le premier alinéa de l'article 327.1 a été remplacé par L.Q. 1997, c. 85, art. 616(1). Le préambule du premier alinéa s'applique depuis le 1er juillet 1992. Le préambule du paragraphe 1º du premier alinéa s'applique depuis le 1er avril 1997. Les sous-paragraphes a) et b) du paragraphe 1º et le paragraphe 2º du premier alinéa s'appliquent à l'égard d'une fourniture effectuée après le 23 avril 1996. Antérieurement, le premier alinéa de l'article 327.1 se lisait ainsi :

327.1 Dans le cas où un inscrit, en vertu d'une convention conclue entre lui et un non-résident, effectue au Québec au non-résident la fourniture taxable d'un bien meuble corporel par vente ou d'un service de fabrication ou de production d'un tel bien, ou acquiert la possession matérielle d'un bien meuble corporel, autre qu'un bien d'une personne qui réside au Québec, afin d'effectuer au non-résident la fourniture taxable d'un service commercial à l'égard du bien et que, à un moment quelconque et en vertu de cette convention, l'inscrit fait transférer la possession matérielle du bien à un endroit au Québec à une tierce personne — appelée « consignataire » dans le présent article — ou au non-résident, les règles suivantes s'appliquent :

1º l'inscrit est réputé avoir effectué au non-résident, et celui-ci est réputé avoir reçu de l'inscrit, une fourniture taxable du bien pour une contrepartie, qui devient due et est payée à ce moment, égale :

a) dans le cas où l'inscrit a fait transférer la possession matérielle du bien à un consignataire et qu'aucune fourniture du bien n'est effectuée au consignataire pour une contrepartie, à zéro;

b) dans le cas où l'inscrit a fait transférer la possession matérielle du bien à un consignataire et qu'une fourniture du bien est effectuée au consignataire pour une contrepartie, au total des montants suivants :

i. la juste valeur marchande du bien à ce moment;

ii. dans le cas où l'inscrit a fourni au non-résident un service à l'égard du bien et que la contrepartie de la fourniture n'est pas incluse dans la juste valeur marchande du bien déterminée en vertu du sous-paragraphe i., la contrepartie de la fourniture du service à l'égard du bien;

c) dans le cas où l'inscrit a fait transférer la possession matérielle du bien au non-résident ou à un consignataire, au total des montants suivants :

i. la juste valeur marchande du bien à ce moment;

ii. dans le cas où l'inscrit a fourni au non-résident un service à l'égard du bien et que la contrepartie de la fourniture n'est pas incluse dans la juste valeur marchande du bien déterminée en vertu du sous-paragraphe i, cette contrepartie;

2º dans le cas où l'inscrit a effectué au non-résident la fourniture d'un service de fabrication ou de production du bien ou d'un service commercial à l'égard du bien, il est réputé ne pas avoir effectué cette fourniture de service.

Le deuxième alinéa de l'article 327.1 a été modifié par L.Q. 1995, c. 63, art. 412(1) et cette modification s'applique à l'égard d'une fourniture effectuée après une date de prise d'effet fixée par décret du gouvernement. [*N.D.L.R.* : la date du « 29 novembre 1996 » a été remplacé par « une date de prise d'effet fixée par décret du gouvernement », par L.Q. 1997, c. 85, art. 772(1). Cette modification a effet depuis le 15 décembre 1995.] Auparavant, le deuxième alinéa se lisait comme suit :

Le présent article ne s'applique pas si le non-résident est un consommateur du bien ou du service fourni par l'inscrit en vertu de la convention ou si le bien ou le service est un bien ou un service prescrit fourni dans les circonstances prescrites.

L'article 327.1 a été ajouté par L.Q. 1995, c. 1, art. 293(1) et est réputé avoir effet depuis le 1er juillet 1992 [*N.D.L.R.* : cette disposition s'applique conformément aux articles 618 à 656 et 685 de L.Q. 1991, c. 67, tels que modifiés].

Définitions [art. 327.1]: « bien », « contrepartie », « inscrit », « fourniture » — 1; « non-résident » — 327; « personne », « service » — 1.

Renvois [art. 327.1]: 15 (JVM); 191 (fourniture à un non-résident du Québec d'un service à l'égard d'un bien meuble corporel conformément à une garantie); 327.2 (application de l'article 327.1); 327.3 (application de l'article 327.1); 327.7 (calcul du remboursement de la taxe sur les intrants).

Bulletins d'interprétation [art. 327.1]: TVQ. 16-2/R3 — La livraison de fleurs par l'entremise d'un service de commande à distance; TVQ. 327.2-1/R1 — Certificat de livraison directe.

Lettres d'interprétation [art. 327.1]: 97-011378 — Interprétation relative à la TVQ — Livraison de fleurs par l'entremise d'un service de commande à distance; 98-0106728 — Interprétation relative à la TVQ — Apport au Québec d'un bien meuble corporel et fourniture d'un service par un non-résident; 06-0104502 — Application de l'article 327.1 LTVQ.

Concordance fédérale: LTA, par. 179(1).

COMMENTAIRES: Voir les commentaires sous l'article 327.7.

327.2 Transfert de la possession matérielle d'un bien à un inscrit qui remet un certificat — L'article 327.1 ne s'applique pas à une fourniture visée au sous-paragraphe a) du paragraphe 1º si les conditions suivantes sont satisfaites :

1º un inscrit, en vertu d'une convention conclue entre lui et un non-résident, à la fois :

a) effectue au Québec au non-résident la fourniture taxable d'un bien meuble corporel par vente ou d'un service de fabrication ou de production d'un tel bien, ou acquiert la possession matérielle d'un bien meuble corporel, autre qu'un bien d'une personne qui réside au Québec, afin d'effectuer au non-résident la fourniture taxable d'un service commercial à l'égard du bien;

b) fait transférer la possession matérielle du bien à un endroit au Québec à une tierce personne — appelée « consignataire » dans le présent article — qui est inscrite en vertu de la section I du chapitre VIII;

LTVQ (français)

2º le non-résident n'est pas un consommateur du bien ou du service fourni par l'inscrit en vertu de la convention;

3º le consignataire remet à l'inscrit, et l'inscrit conserve, un certificat qui, à la fois :

a) indique le nom du consignataire et le numéro d'inscription qui lui a été attribué en vertu de l'article 415;

b) reconnaît que le consignataire, en prenant possession matérielle du bien, assume l'obligation de payer ou de verser un montant qui est ou peut devenir payable ou à verser par le consignataire en vertu des articles 327.1 ou 18 à l'égard du bien.

Fourniture réputée effectuée hors du Québec — Dans le cas où le premier alinéa s'applique, toute fourniture effectuée par l'inscrit et visée au sous-paragraphe a) du paragraphe 1º de cet alinéa est réputée avoir été effectuée hors du Québec, sauf s'il s'agit de la fourniture d'un service d'expédition du bien.

Notes historiques: Le deuxième alinéa de l'article 327.2 a été remplacé par L.Q. 2003, c. 2, par. 333(1). Cette modification s'applique à l'égard d'une fourniture dont la totalité de la contrepartie devient due après le 28 février 2000 ou est payée après cette date sans être devenue due. Antérieurement, il se lisait ainsi :

> Dans le cas où le premier alinéa s'applique, toute fourniture effectuée par l'inscrit et visée au sous-paragraphe a) du paragraphe 1º de cet alinéa est réputée avoir été effectuée hors du Québec, sauf s'il s'agit de la fourniture d'un service d'entreposage ou d'expédition du bien.

L'article 327.2 a été ajouté par L.Q. 1995, c. 1, art. 293(1) et a effet depuis le 1er juillet 1992 [*N.D.L.R.* : cette disposition s'applique conformément aux articles 618 à 656 et 685 de L.Q. 1991, c. 67, tels que modifiés]. Toutefois, le paragraphe 3º du premier alinéa ne s'applique qu'à l'égard d'un bien donné si l'inscrit, avant le 30 octobre 1992, transfère la possession matérielle du bien donné à une personne qui est inscrite en vertu de la section I du chapitre VIII du titre I.

Définitions [art. 327.2]: « bien », « contrepartie », « inscrit », « fourniture » — 1; « fourniture taxable », « non-résident » — 327; « personne », « service » — 1.

Renvois [art. 327.2]: 18 (taux de la taxe); 21 (fourniture réputée effectuée au Québec); 22.6 (application des articles 22.7–22.30); 327.4 (cas où un inscrit transfère la propriété d'un bien meuble corporel à un non-résident ou à un dépositaire); 327.5 (cas où un inscrit transfère la propriété d'un bien meuble corporel à un non-résident ou à un dépositaire).

Bulletins d'interprétation [art. 327.2]: TVQ. 327.2-1/R1 — Certificat de livraison directe.

Lettres d'interprétation [art. 327.2]: 98-0106728 — Interprétation relative à la TVQ — Apport au Québec d'un bien meuble corporel et fourniture d'un service par un non-résident; 06-0104502 — Application de l'article 327.1 LTVQ.

Concordance fédérale: LTA, par. 179(2).

COMMENTAIRES: Voir les commentaires sous l'article 327.7.

327.3 Transfert de la possession matérielle ou expédition d'un bien hors du Québec — L'article 327.1 ne s'applique pas à une fourniture visée au paragraphe 1º si les conditions suivantes sont satisfaites :

1º un inscrit, en vertu d'une convention conclue entre lui et un non-résident, selon le cas :

a) effectue au Québec au non-résident la fourniture taxable d'un bien meuble corporel par vente;

b) effectue au Québec au non-résident la fourniture taxable d'un service de fabrication ou de production d'un bien meuble corporel;

c) acquiert la possession matérielle d'un bien meuble corporel, autre qu'un bien d'une personne qui réside au Québec, afin d'effectuer au non-résident la fourniture taxable d'un service commercial à l'égard du bien;

2º le non-résident n'est pas un consommateur du bien ou du service fourni par l'inscrit en vertu de la convention;

3º selon le cas :

a) l'inscrit fait transférer la possession matérielle du bien soit à une personne à un endroit hors du Québec, soit à un transporteur, ou l'inscrit poste le bien, pour expédition et délivrance à une personne à un endroit hors du Québec;

b) toutes les conditions suivantes sont satisfaites :

i. l'inscrit fait transférer la possession matérielle du bien à un endroit au Québec au non-résident ou à une autre personne — chacun étant appelé « expéditeur » dans le présent sous-paragraphe — pour que le bien soit expédié hors du Québec;

ii. après que la possession matérielle du bien a été transférée à l'expéditeur, celui-ci expédie le bien hors du Québec dans un délai raisonnable, compte tenu des circonstances entourant l'expédition hors du Québec et, le cas échéant, des pratiques commerciales normales de l'expéditeur et du propriétaire du bien;

iii. le bien n'a pas été acquis par le non-résident ou par un propriétaire du bien pour consommation, utilisation ou fourniture au Québec à un moment quelconque après que la possession matérielle du bien a été transférée à l'expéditeur et avant que le bien soit expédié hors du Québec;

iv. après que la possession matérielle du bien a été transférée à l'expéditeur et avant que le bien soit expédié hors du Québec, le bien n'est pas davantage traité, transformé ou modifié, sauf dans la mesure raisonnablement nécessaire ou accessoire à son transport;

v. l'inscrit possède une preuve satisfaisante pour le ministre de l'expédition du bien hors du Québec ou l'expéditeur, s'il y est autorisé en vertu de l'article 427.3, remet à l'inscrit un certificat dans lequel il certifie que le bien sera expédié hors du Québec dans les circonstances décrites aux sous-paragraphes ii à iv.

Fourniture réputée effectuée hors du Québec — Dans le cas où le premier alinéa s'applique, toute fourniture effectuée par l'inscrit et visée au paragraphe 1º de cet alinéa est réputée avoir été effectuée hors du Québec, sauf s'il s'agit de la fourniture d'un service d'expédition du bien.

Utilisation de matériel roulant ferroviaire — Pour l'application du sous-paragraphe iii du sous-paragraphe b) du paragraphe 3º du premier alinéa, le matériel roulant ferroviaire qui, entre le moment où sa possession matérielle est transférée conformément à ce sous-paragraphe iii et celui où il est expédié hors du Québec, n'est utilisé que pour transporter des biens meubles corporels ou des passagers au cours de son expédition hors du Québec, est réputé utilisé entièrement hors du Québec si l'expédition a lieu dans les 60 jours suivant le transfert.

Notes historiques: Le sous-paragraphe v du sous-paragraphe b) du paragraphe 3º du premier alinéa de l'article 327.3 a été modifié par L.Q. 1995, c. 63, art. 413(1) et cette modification a effet depuis le 1er août 1995. Auparavant, il se lisait comme suit :

> v. l'inscrit possède une preuve satisfaisante pour le ministre de l'expédition du bien hors du Québec.

Le deuxième alinéa de l'article 327.3 a été remplacé par L.Q. 2003, c. 2, s.-par. 334(1)(1º). Cette modification s'applique à l'égard d'une fourniture dont la totalité de la contrepartie devient due après le 28 février 2000 ou est payée après cette date sans être devenue due. Antérieurement, il se lisait ainsi :

> Dans le cas où le premier alinéa s'applique, toute fourniture effectuée par l'inscrit et visée au paragraphe 1º de cet alinéa est réputée avoir été effectuée hors du Québec, sauf s'il s'agit de la fourniture d'un service d'entreposage ou d'expédition du bien.

Le troisième alinéa de l'article 327.3 a été ajouté par L.Q. 2003, c. 2, s.-par. 334(1)(2º) et s'applique au matériel roulant ferroviaire dont le transfert de la possession matérielle est fait par un inscrit et résulte d'une fourniture par vente, effectuée par l'inscrit, dont la totalité de la contrepartie devient due après le 28 février 2000 ou est payée après cette date sans être devenue due.

L'article 327.3 a été ajouté par L.Q. 1995, c. 1, art. 293(1) et a effet depuis le 1er juillet 1992 [*N.D.L.R.* : cette disposition s'applique conformément aux articles 618 à 656 et 685 de L.Q. 1991, c. 67, tels que modifiés].

Définitions [art. 327.3]: « bien », « contrepartie », « inscrit », « fourniture » — 1; « fourniture taxable », « non-résident » — 327; « personne », « service » — 1.

Renvois [art. 327.3]: 21 (fourniture réputée effectuée au Québec); 22.6 (application des articles 22.7–22.30).

Lettres d'interprétation [art. 327.3]: 00-0108332 — Importation et exportation.

Concordance fédérale: LTA, par. 179(3).

COMMENTAIRES: Voir les commentaires sous l'article 327.7.

327.4 Transfert réputé de la possession matérielle d'un bien — Pour l'application de la présente section et du paragraphe 3º du premier alinéa de l'article 18, dans le cas où un inscrit donné transfère, à un moment quelconque, la propriété d'un bien meuble corporel à un non-résident en vertu d'une convention relative à la fourniture du bien et que l'inscrit donné, ou un autre inscrit qui a la possession matérielle du bien à ce moment et qui remet à l'inscrit donné un certificat visé au paragraphe 3º du premier alinéa de l'article 327.2, conserve la possession matérielle du bien après ce moment pour les fins visées au deuxième alinéa, les règles suivantes s'appliquent :

1º dans le cas où l'inscrit donné conserve ainsi la possession matérielle du bien après ce moment, l'inscrit donné est réputé avoir transféré la possession matérielle du bien à ce moment à un autre inscrit, avoir obtenu de ce dernier un certificat visé au paragraphe 3º du premier alinéa de l'article 327.2 et avoir acquis la possession matérielle du bien à ce moment pour les fins visées au deuxième alinéa;

2º dans le cas où un autre inscrit conserve ainsi la possession matérielle du bien après ce moment, l'inscrit donné est réputé avoir transféré la possession matérielle du bien à ce moment à l'autre inscrit et ce dernier est réputé avoir acquis la possession matérielle du bien à ce moment pour les fins visées au deuxième alinéa.

Fins pour lesquelles la possession matérielle est conservée — Les fins pour lesquelles l'inscrit donné ou l'autre inscrit conserve la possession matérielle du bien et auxquelles le premier alinéa réfère sont :

1º soit de transférer la possession matérielle du bien au non-résident, à une personne — appelée « acheteur subséquent » dans le présent alinéa — qui acquiert subséquemment la propriété du bien ou à une personne désignée par le non-résident ou un acheteur subséquent;

2º soit d'effectuer la fourniture d'un service commercial à l'égard du bien au non-résident ou à un acheteur subséquent;

3º soit de consommer, d'utiliser ou de fournir le bien en vertu d'une convention relative à une fourniture du bien effectuée par vente ou louage à cet inscrit par le non-résident, par un acheteur subséquent ou par un locataire ou un sous-locataire du non-résident ou de l'acheteur subséquent.

Notes historiques: L'article 327.4 a été ajouté par L.Q. 1995, c. 1, art. 293(1) et a effet depuis le 1er juillet 1992 [*N.D.L.R.* : cette disposition s'applique conformément aux articles 618 à 656 et 685 de L.Q. 1991, c. 67, tels que modifiés]. Toutefois, lorsqu'il s'applique avant le 30 octobre 1992, le préambule de l'article 327.4 doit se lire comme suit :

> 327.4 Pour l'application de la présente section et du paragraphe 3º du premier alinéa de l'article 18, dans le cas où un inscrit donné transfère, à un moment quelconque, la propriété d'un bien meuble corporel à un non-résident en vertu d'une convention relative à la fourniture du bien et que l'inscrit donné, ou un autre inscrit qui a la possession matérielle du bien à ce moment, conserve la possession matérielle du bien après ce moment pour les fins visées au deuxième alinéa, les règles suivantes s'appliquent :

Définitions [art. 327.4]: « bien », « contrepartie », « inscrit », « fourniture » — 1; « non-résident » — 327; « personne », « service » — 1.

Concordance fédérale: LTA, par. 179(4).

COMMENTAIRES: Voir les commentaires sous l'article 327.7.

327.5 Transfert de la possession matérielle d'un bien par un inscrit à un dépositaire — Pour l'application de la présente section et du paragraphe 3º du premier alinéa de l'article 18, dans le cas ou un inscrit transfère, à un moment quelconque, la possession matérielle d'un bien meuble corporel à un dépositaire dans le seul but d'entreposer ou d'expédier le bien et soit que le dépositaire est un transporteur à qui la possession matérielle du bien a été transférée dans le seul but d'expédier le bien, soit qu'il n'a pas remis à l'inscrit, à ce moment ou avant, un certificat visé au paragraphe 3º du premier alinéa de l'article 327.2, les règles suivantes s'appliquent :

1º dans le cas où, en vertu de la convention conclue avec le dépositaire pour l'entreposage ou l'expédition du bien, le dépositaire est tenu de transférer la possession matérielle du bien à une personne, autre que l'inscrit, qui est nommée à ce moment dans la convention, à la fois :

a) l'inscrit est réputé avoir transféré la possession matérielle du bien à cette personne à ce moment et celle-ci est réputée avoir acquis la possession matérielle du bien à ce moment;

b) l'inscrit est réputé ne pas avoir transféré la possession matérielle du bien au dépositaire et ce dernier est réputé ne pas avoir acquis la possession matérielle du bien;

2º dans le cas où, en vertu de la convention conclue avec le dépositaire pour l'entreposage ou l'expédition du bien, le dépositaire est tenu de transférer la possession matérielle du bien à l'inscrit ou à une autre personne — appelée « consignataire » dans le présent article — qui doit être identifiée à un moment ultérieur :

a) l'inscrit est réputé avoir conservé la possession matérielle du bien et le dépositaire est réputé ne pas avoir acquis la possession matérielle du bien tout au long de la période commençant à ce moment et se terminant au premier en date des moments suivants :

i. le moment où le consignataire est identifié;

ii. le moment où le dépositaire transfère la possession matérielle du bien à l'inscrit;

iii. dans le cas où le dépositaire n'est pas un transporteur à qui la possession matérielle du bien a été transférée dans le seul but d'expédier le bien, le moment où le dépositaire remet à l'inscrit un certificat du dépositaire visé au paragraphe 3º du premier alinéa de l'article 327.2;

b) dans le cas où le dépositaire n'est pas un transporteur à qui la possession matérielle du bien a été transférée dans le seul but d'expédier le bien et que le dépositaire, à un moment donné avant le moment où le consignataire est identifié, remet à l'inscrit un certificat du dépositaire visé au paragraphe 3º du premier alinéa de l'article 327.2, l'inscrit est réputé avoir transféré la possession matérielle du bien au dépositaire à ce moment donnée et le dépositaire est réputé avoir acquis la possession matérielle du bien à ce moment donné dans le but d'effectuer la fourniture d'un service commercial à l'égard du bien au propriétaire du bien en vertu d'une convention conclue avec le propriétaire;

c) dans le cas où le consignataire est identifié à un moment donné avant que le dépositaire remette à l'inscrit un certificat du dépositaire visé au paragraphe 3º du premier alinéa de l'article 327.2 (dans les circonstances décrites au sous-paragraphe b), l'inscrit est réputé avoir transféré la possession matérielle du bien au consignataire à ce moment donné et le consignataire est réputé avoir acquis la possession matérielle du bien à ce moment donné.

Identification du consignataire — Pour l'application du paragraphe 2º du premier alinéa, un consignataire est identifié au premier en date des moments suivants :

1º le moment où l'inscrit remet au consignataire des documents écrits qui sont suffisants pour permettre au consignataire de requérir du dépositaire qu'il lui transfère la possession matérielle du bien;

2º le moment où l'inscrit ordonne par écrit au dépositaire de transférer la possession matérielle du bien au consignataire;

3º le moment où le dépositaire transfère la possession matérielle du bien au consignataire.

Notes historiques: L'article 327.5 a été ajouté par L.Q. 1995, c. 1, art. 293(1) et a effet depuis le 1er juillet 1992 [*N.D.L.R.* : cette disposition s'applique conformément aux articles 618 à 656 et 685 de L.Q. 1991, c. 67, tels que modifiés]. Toutefois, lorsqu'il s'applique avant le 30 octobre 1992, l'article 327.5 doit se lire comme suit :

> 327.5 Pour l'application de la présente section et du paragraphe 3º du premier alinéa de l'article 18, dans le cas où un inscrit transfère, à un moment quelconque, la possession matérielle d'un bien meuble corporel à un transporteur dans le seul but d'expédier le bien, les règles suivantes s'appliquent :

LTVQ (français)

1° dans le cas où, en vertu de la convention conclue avec le transporteur pour l'expédition du bien, le transporteur est tenu de transférer la possession matérielle du bien à une personne autre que l'inscrit :

a) l'inscrit est réputé avoir transféré la possession matérielle du bien à cette personne à ce moment et celle-ci est réputée avoir acquis la possession matérielle du bien à ce moment;

b) l'inscrit est réputé ne pas avoir transféré la possession matérielle du bien au transporteur et ce dernier est réputé ne pas avoir acquis la possession matérielle du bien;

2° dans le cas où, en vertu de la convention conclue avec le transporteur pour l'expédition du bien, le transporteur est tenu de transférer la possession matérielle du bien à l'inscrit, l'inscrit est réputé avoir conservé la possession matérielle du bien et le transporteur est réputé ne pas avoir acquis la possession matérielle du bien tout au long de la période commençant à ce moment et se terminant au moment où le transporteur transfère la possession matérielle du bien à l'inscrit.

Définitions [art. 327.5]: « bien », « inscrit » — 1; « non-résident » — 327; « personne », « service » — 1.

Concordance fédérale: LTA, par. 179(5).

COMMENTAIRES: Voir les commentaires sous l'article 327.7.

327.6 Transfert de la possession matérielle d'un bien par un non-résident à un dépositaire — Pour l'application de la présente section et du paragraphe 3° du premier alinéa de l'article 18, dans le cas où un non-résident transfère la possession matérielle d'un bien meuble corporel à un dépositaire qui est un inscrit dans le seul but d'entreposer ou d'expédier le bien, le dépositaire est réputé ne pas avoir acquis la possession matérielle du bien si, selon le cas :

1° il est un transporteur qui acquiert la possession matérielle du bien dans le seul but d'expédier le bien;

2° il ne demande pas un remboursement de la taxe sur les intrants à l'égard du bien.

Notes historiques: Le paragraphe 2° de l'article 327.6 a été remplacé par L.Q. 1997, c. 85, art. 617(1) et a effet depuis le 1er avril 1997. Ce paragraphe se lisait antérieurement comme suit :

2° il ne demande pas un remboursement de la taxe sur les intrants à l'égard de l'acquisition du bien.

L'article 327.6 a été ajouté par L.Q. 1995, c. 1, art. 293(1) et a effet depuis le 30 octobre 1992.

Définitions [art. 327.6]: « bien », « inscrit » — 1; « non-résident » — 327.

Concordance fédérale: LTA, par. 179(6).

COMMENTAIRES: Voir les commentaires sous l'article 327.7.

327.7 Taxe payée par un non-résident réputée payée par une autre personne — Aux fins du calcul du remboursement de la taxe sur les intrants d'une personne donnée ou du montant d'un remboursement payable à une personne donnée en vertu de la sous-section 5 de la section I du chapitre VII, dans le cas où un non-résident effectue la fourniture d'un bien meuble corporel à la personne donnée ou, si la personne donnée est un inscrit, fait transférer au Québec la possession matérielle d'un bien meuble corporel à la personne donnée, que le non-résident a payé la taxe à l'égard de l'apport au Québec du bien ou a payé la taxe à l'égard d'une fourniture du bien réputée avoir été effectuée par un inscrit en vertu de l'article 327.1 et que le non-résident remet à la personne donnée une preuve satisfaisante pour le ministre que la taxe a été payée, la personne donnée est réputée :

1° avoir payé, au moment où le non-résident a payé cette taxe, une taxe à l'égard d'une fourniture du bien à la personne donnée égale à cette taxe;

2° dans le cas où la personne donnée est un inscrit et que le non-résident fait transférer au Québec la possession matérielle du bien à celle-ci, avoir acquis le bien pour utilisation exclusive dans le cadre de ses activités commerciales.

Conditions d'application — Le présent article ne s'applique que si :

1° dans le cas où le non-résident effectue une fourniture du bien à la personne donnée, il délivre le bien au Québec à la personne donnée, ou le met à sa disposition au Québec, avant qu'il y soit utilisé par le non-résident ou pour son compte;

2° dans le cas où la personne donnée est un inscrit et que le non-résident fait transférer au Québec la possession matérielle du bien à celle-ci, il le fait dans des circonstances où la personne donnée acquiert la possession matérielle du bien afin d'effectuer au non-résident la fourniture taxable d'un service commercial à l'égard du bien.

Notes historiques: L'article 327.7 a été ajouté par L.Q. 1995, c. 1, art. 293(1) et a effet depuis le 1er juillet 1992 [*N.D.L.R.* : cette disposition s'applique conformément aux articles 618 à 656 et 685 de L.Q. 1991, c. 67, tels que modifiés].

Définitions [art. 327.7]: « inscrit » — 1; « non-résident » — 327; « taxe » — 1.

Concordance fédérale: LTA, art. 180.

COMMENTAIRES: Revenu Québec a analysé la question à savoir si un imprimeur du Québec doit réclamer la TVQ sur la contrepartie des catalogues qu'il fournit à une agence qui ne réside pas au Québec et qui n'est pas inscrite au régime de la TVQ. Généralement, la fourniture d'un catalogue constitue la fourniture taxable d'un bien meuble corporel aux fins du régime de la TVQ. Selon l'article 22.7, la vente d'un bien meuble corporel est réputée effectuée au Québec lorsque le bien est délivré, au Québec, à l'acquéreur. L'article 22.9 de précise qu'un bien est réputé délivré au Québec si le fournisseur transfère la possession matérielle du bien à un transporteur public. Nous comprenons que l'imprimeur remet la possession matérielle des catalogues à un transporteur public engagé par l'agence. Si tel est le cas, nous sommes d'avis que, sous réserve de l'article 327.2, la fourniture des catalogues est effectuée au Québec. Dans ces circonstances, Revenu Québec est d'avis que, sous réserve de l'article 327.2, la fourniture des catalogues à l'Agence constitue une fourniture taxable à l'égard de laquelle l'imprimeur du Québec doit réclamer et remettre la TVQ. Selon l'article 16, tout acquéreur d'une fourniture taxable effectuée au Québec doit payer la TVQ calculée sur la valeur de la contrepartie de cette fourniture. Selon la compréhension des faits de Revenu Québec, l'imprimeur remet la possession matérielle des catalogues à un transporteur public engagé par l'agence. Cependant, le transporteur n'acquiert pas les catalogues de l'agence. Dans ces circonstances, la contrepartie des catalogues fournis par l'imprimeur à l'agence est égale, selon l'article 327.1, à la juste valeur marchande de ces catalogues au moment où le transporteur en prend possession. Ainsi, conformément à l'article 16, l'agence doit, sous réserve de l'article 327.2, payer la TVQ calculée sur cette juste valeur marchande des catalogues. Lorsque les conditions prévues à l'article 327.2 sont satisfaites, la fourniture du bien est réputée avoir été effectuée hors du Québec. Ainsi, dans l'hypothèse où un certificat de livraison directe est remis par le transporteur à l'imprimeur, Revenu Québec est d'avis que ce dernier n'est pas tenu de percevoir ni de remettre la TVQ à l'égard de la fourniture de ses catalogues par vente à l'agence. Voir notamment à cet effet : Revenu Québec, Lettre d'interprétation, 06-0104502 — *Application de l'article 327.1 LTVQ* (20 décembre 2006).

À titre illustratif également, Revenu Québec examine la situation d'une société de l'Ontario qui n'est pas inscrite à la TVQ qui importe d'Europe des fenêtres qu'elle fait livrer directement à Montréal. Pour fournir le service d'installation, la Société engage un sous-traitant qui est un résident du Québec inscrit au fichier de la TVQ. Aucune TVQ ne sera à payer si la fourniture n'est pas effectuée dans le cadre d'une entreprise exploitée au Québec ou que la société n'est pas inscrite au fichier de la TVQ. En ce qui concerne l'installation des fenêtres, l'article 327.1 pose la règle générale quant à l'application de la TVQ au regard de la livraison directe d'un bien meuble corporel au Québec par un inscrit au nom d'une personne qui ne réside pas au Québec et qui n'est pas inscrite au fichier de la TVQ. Cet article s'applique notamment dans le cas où un inscrit (le sous-traitant) acquiert la possession matérielle d'un bien meuble corporel (les fenêtres) appartenant à un non- résident (la Société) afin d'effectuer la fourniture taxable d'un service commercial à l'égard du bien. En ce qui a trait à la condition relative à la « possession matérielle » dans le cas qui nous occupe, cette condition pourrait être satisfaite si, par exemple, les fenêtres importées d'Europe étaient livrées chez le sous-traitant. Lorsque les conditions d'application de l'article 327.1 sont satisfaites, l'inscrit est réputé avoir effectué au non-résident la fourniture taxable d'un bien pour une contrepartie égale à la juste valeur marchande du bien au moment du transfert, laquelle contrepartie est réputée devenir due et payée au moment où la possession matérielle du bien est transférée à un endroit au Québec à une tierce personne (le client ultime) par le sous-traitant. Ainsi, dans ces circonstances, en application de l'article 327.1, le sous-traitant doit percevoir la TVQ de la Société sur la juste valeur marchande des fenêtres et du service d'installation. Toutefois, l'article 327.2 prévoit une exception à la règle générale énoncée à l'article 327.1 dans le cas où l'acquéreur ultime qui est un inscrit au fichier de la TVQ remet un certificat de livraison directe à l'inscrit ayant effectué l'installation du bien. Ainsi, si le client ultime remet au sous-traitant un certificat qui remplit les exigences de l'article 327.2, la Société n'aura pas à payer la TVQ à l'égard de la fourniture reçue du sous-traitant. Par ailleurs, dans l'hypothèse où le sous-traitant n'obtient pas la possession matérielle des fenêtres en raison du fait, par exemple, qu'elles sont livrées directement chez le client ultime, il s'ensuit alors que les règles de livraison directe susmentionnées ne peuvent trouver application. La fourniture du service d'installation effectuée par le sous-traitant constitue donc en pareil cas une fourniture taxable effectuée au Québec à l'égard de laquelle la TVQ doit être perçue par celui-ci. Toutefois, la Société peut, en vertu de l'article 357.5.1, avoir droit à un remboursement de la TVQ payée à l'égard du service d'installation des fenêtres. En effet, selon cet article, dans le cas où un bien meuble corporel est fourni avec service d'installation par un fournisseur qui ne réside pas au Québec et qui n'est pas inscrit, à une personne donnée qui est inscrite et que le fournisseur est l'acquéreur d'une fourniture taxable au Québec d'un service qui consiste à installer, dans un immeuble situé au Québec, le bien meuble corporel de sorte qu'il peut être utilisé par la personne donnée, l'acquéreur du service a droit au remboursement de la TVQ qu'il a payé à l'égard de la fourniture du service s'il produit une demande dans un délai d'un an suivant le jour de la cessation du service. Il est à noter que dans le cas où l'article 327.1 s'applique, le remboursement prévu à l'article 357.5.1 ne s'applique pas. Voir notamment à cet effet : Revenu Québec, Lettre d'interprétation, 98-0106728 -- *Interprétation relative à la TVQ -- Apport au Québec d'un bien meuble corporel et fourniture d'un service par un non-résident* (8 septembre 1998).

Également à titre d'exemple, Revenu Québec traite du cas où un contrat de vente de fleurs intervient entre un client et un fleuriste (« fleuriste envoyeur »). Le fleuriste envoyeur transmet la commande de son client à un fleuriste de la localité où les fleurs doivent être livrées (« fleuriste livreur »). Ce fleuriste livreur est choisi à partir d'une liste fournie par une entreprise offrant un service de compensation (« intermédiaire »). Le fleuriste envoyeur paie au fleuriste livreur un montant correspondant à un certain pourcentage du montant de la commande (ex.: 80 %) au moyen d'un télévirement effectué par l'intermédiaire. Le fleuriste livreur paie un certain montant à l'intermédiaire pour les transferts de fonds ainsi effectués par ce dernier correspondant généralement à 7 % de la valeur de la commande. En tenant pour acquis que le fleuriste envoyeur ne réside pas au Québec, qu'il n'effectue pas la fourniture de fleurs dans le cadre d'une entreprise exploitée au Québec et qu'il n'est pas inscrit au fichier de la TVQ, la TVQ n'est pas applicable à l'égard de la fourniture qu'il effectue à son client puisque celle-ci est alors réputée effectuée hors du Québec en vertu de l'article 23. En ce qui concerne toutefois la fourniture effectuée au fleuriste envoyeur par le fleuriste livreur, cette fourniture est sujette à la TVQ du fait de la suppression du concept de « fourniture non taxable ». Plus particulièrement, cette fourniture est sujette à la TVQ en application de l'article 327.1 relatif aux livraisons directes. Selon cet article, un inscrit (fleuriste livreur québécois) qui effectue au Québec à une personne qui ne réside pas au Québec et qui n'est pas inscrite au fichier de la TVQ (fleuriste envoyeur), une fourniture taxable de fleurs conformément à une convention conclue entre les deux fleuristes prévoyant que le fleuriste livreur livre des fleurs à une tierce personne, est réputé avoir effectué au fleuriste non-résident une fourniture taxable du bien pour une contrepartie qui correspond à la juste valeur marchande du bien. Conformément à l'article 422, le fleuriste livreur québécois doit percevoir la TVQ à l'égard de cette fourniture. Dans le cas d'une fourniture effectuée dans un contexte interprovincial, le Ministère accepte que dans le cadre de l'application des règles relatives aux livraisons directes, la TVQ se calcule sur la même contrepartie que celle sur laquelle la taxe sur les produits et services (« TPS ») se calcule laquelle contrepartie correspond au prix exigé du fleuriste envoyeur par le fleuriste livreur pour sa fourniture de fleurs (par exemple, 80 % du montant de la commande plutôt que le prix total de la commande). Dans un contexte international, à savoir une commande de fleurs provenant d'un endroit hors du Canada pour livraison au Québec, Revenu Québec indique que le fleuriste québécois doit, en raison de l'application des règles relatives aux livraisons directes, percevoir la TVQ calculée sur la juste valeur marchande des fleurs soit le prix exigé par le fleuriste envoyeur de son client pour sa fourniture de fleurs (valeur égale au prix total de la commande). Quant aux frais d'adhésion que doit payer le fleuriste à l'intermédiaire, ces derniers constituent la contrepartie d'une fourniture taxable. En conséquence, si la fourniture est effectuée au Québec, la TVQ s'applique. Voir notamment à cet effet : Revenu Québec, Lettre d'interprétation, 97-011378 — *Interprétation relative à la TVQ -- Livraison de fleurs par l'entremise d'un service de commande à distance* (23 juin 1998).

Finalement, Revenu Québec s'est prononcé à l'égard de la situation suivante : (i) un inscrit vend un bien meuble corporel à un non-résident non-inscrit, (ii) un tiers achète le bien meuble corporel du non-résident, (iii) le tiers prend possession du bien meuble corporel qui lui est livré par l'inscrit, et (iv) le tiers émet un certificat de livraison directe. Revenu Québec a indiqué que le tiers ne peut émettre un certificat à l'inscrit qui livre le bien meuble corporel. En effet, les règles de livraison directe visent uniquement les fournitures, au Québec, faites à un non-résident qui n'est pas inscrit. Ainsi, les règles de livraison directe ne visent pas la situation visée. De plus, Revenu Québec a indiqué que l'inscrit demeure tenu de percevoir la taxe lorsqu'il accepte un certificat non valide. En effet, en vertu de l'article 422, l'inscrit est tenu, à titre de mandataire, de percevoir la taxe. Voir à cet effet : Revenu Québec, Tribune d'échange sur des questions techniques avec Revenu Québec, Symposium des taxes à la consommation, Association de planification fiscale et financière, 2009.

Compte tenu de la similarité de la rédaction des dispositions législatives et considérant l'engagement spécifique de Revenu Québec de veiller à ce que l'assiette de TVQ modifiée, de même que les paramètres administratifs, structurels et définitionnels, produisent des résultats qui sont similaires à ceux produits sous le régime de la TPS/TVH et soient administrés d'une manière qui produit des résultats similaires, tel que reflété par l'article 14 de l'*Entente intégrée globale de coordination fiscale* signée entre le gouvernement du Canada et le gouvernement du Québec, nous vous référons à nos commentaires en vertu des articles 179 et 180 de la *Loi sur la taxe d'accise (TPS)* qui devraient s'appliquer *mutatis mutandis*, avec les adaptations nécessaires.

SECTION IX.1 — VOLS ET VOYAGES EXTÉRIEURS

Notes historiques: La section IX.1 du chapitre VI, du Titre I, a été ajoutée par L.Q. 1997, c.85, art. 618(1) et s'applique à l'égard d'une fourniture effectuée après le 23 avril 1996.

327.8 Définitions — Pour l'application de la présente section, l'expression :

« vol extérieur » signifie : tout vol d'un aéronef, sauf un vol qui commence et se termine au Québec, effectué par une personne dans le cadre de l'exploitation d'une entreprise qui consiste à fournir des services de transport de passagers;

Définitions: « entreprise », « personne » — 1.

Concordance fédérale: LTA, par. 180.1(1)« vol international ».

« voyage extérieur » signifie : tout voyage d'un navire, sauf un voyage qui commence et se termine au Québec, effectué par une personne dans le cadre de l'exploitation d'une entreprise qui consiste à fournir des services de transport de passagers.

Concordance fédérale: LTA, par. 180.1(1)« voyage international ».

Notes historiques: L'article 327.8 a été ajouté par L.Q. 1997, c. 85, art. 618(1) et s'applique à l'égard d'une fourniture effectuée après le 23 avril 1996.

COMMENTAIRES: Voir les commentaires sous l'article 327.9.

327.9 Fourniture lors d'un vol ou d'un voyage extérieur — Dans le cas où la fourniture d'un bien meuble corporel ou d'un service, sauf un service de transport de passagers, est effectuée à un particulier à bord d'un aéronef lors d'un vol extérieur ou à bord d'un navire lors d'un voyage extérieur et que la possession matérielle du bien est transférée au particulier à bord de l'aéronef ou du navire, ou que le service y est entièrement exécuté, la fourniture est réputée avoir été effectuée hors du Québec.

Notes historiques: L'article 327.9 a été ajouté par L.Q. 1997, c. 85, art. 618(1) et s'applique à l'égard d'une fourniture effectuée après le 23 avril 1996.

Définitions [art. 327.9]: « bien meuble corporel », « entreprise », « fourniture », « personne », « service » — 1.

Renvois [art. 327.9]: 327.8 (définitions).

Concordance fédérale: LTA, par. 180.1(2).

COMMENTAIRES: En date des présentes, nous n'avons pas répertorié de jurisprudence ou de position administrative émanant de Revenu Québec à l'égard de l'application de ces articles.

Compte tenu de la similarité de la rédaction des dispositions législatives et considérant l'engagement spécifique de Revenu Québec de veiller à ce que l'assiette de TVQ modifiée, de même que les paramètres administratifs, structurels et définitionnels, produisent des résultats qui sont similaires à ceux produits sous le régime de la TPS/TVH et soient administrés d'une manière qui produit des résultats similaires, tel que reflété par l'article 14 de l'*Entente intégrée globale de coordination fiscale* signée entre le gouvernement du Canada et le gouvernement du Québec, nous vous référons à nos commentaires en vertu de l'article 180.1 de la *Loi sur la taxe d'accise (TPS)* qui devraient s'appliquer *mutatis mutandis*, avec les adaptations nécessaires.

SECTION X — GROUPE ÉTROITEMENT LIÉ

327.10 Attribution — Pour l'application de la présente section, l'expression « attribution » a le sens que lui donne l'article 308.0.1 de la *Loi sur les impôts* (chapitre I-3).

Notes historiques: L'article 327.10 a été ajouté par L.Q. 2009, c. 5, par. 618(1) et a effet depuis le 17 novembre 2005.

Notes explicatives ARQ (PL 2, L.Q. 2009, c. 5): *Résumé* :

Cette modification vise à insérer le nouvel article 327.10 qui définit l'expression « attribution » utilisée au nouvel article 331.0.1 de la LTVQ lequel définit l'expression « membre temporaire ».

Contexte :

En vertu de l'article 334 de la LTVQ, des sociétés et des sociétés de personnes qui sont des membres déterminés d'un groupe admissible peuvent faire un choix conjoint qui leur permet d'effectuer au sein du groupe des transactions en franchise de taxe.

Modifications proposées :

La modification apportée a pour but d'insérer la nouvelle définition de l'expression « attribution » à l'article 327.10 de la LTVQ.

Cette expression a le sens que lui donne l'article 308.0.1 de la *Loi sur les impôts* (L.R.Q., chapitre I-3). Il s'agit du transfert direct ou indirect de biens d'une société (la société cédante), effectué en faveur d'un ou de plusieurs de ses actionnaires qui sont eux-mêmes des sociétés (les sociétés cessionnaires), dans le cadre duquel chaque société cessionnaire reçoit sa part proportionnelle de chaque type de bien appartenant à la société cédante immédiatement avant le transfert.

Concordance fédérale: LTA, par. 156(1)« attribution ».

COMMENTAIRES: Voir les commentaires sous l'article 336.

328. « filiale déterminée » — L'expression « filiale déterminée » d'une société donnée signifie une autre société dont au moins 90 %, en valeur et en nombre, des actions de son capital-actions émises et

LTVQ (français)

en circulation, comportant plein droit de vote en toute circonstance, sont la propriété de la société donnée.

Notes historiques: L'article 328 a été modifié par L.Q. 2009, c. 5, par. 619(1) par la suppression des mots « qui réside au Québec » après les mots « signifie une autre société ». Cette modification a effet depuis le 17 novembre 2005.

L'article 328 a été modifié par L.Q. 1997, c. 3, art. 135(2°) pour remplacer le mot « corporation » par le mot « société ». Cette modification est entrée en vigueur le 20 mars 1997.

Auparavant, l'article 328 a été édicté par L.Q. 1991, c. 67.

Notes explicatives ARQ (PL 2, L.Q. 2009, c. 5): *Résumé* :

Cette modification vise à supprimer dans l'article 328 la notion de résidence au Québec en concordance avec celle apportée à la définition de l'expression « groupe étroitement lié » prévue à l'article 330 de la LTVQ.

Situation actuelle :

Actuellement, pour être une filiale déterminée au sens de l'article 328 de la LTVQ, une société doit, entre autres, résider au Québec.

Modifications proposées :

La modification proposée est de concordance avec celle apportée à la définition de l'expression « groupe étroitement lié » prévue à l'article 330 de la LTVQ. Elle a pour but de supprimer l'exigence selon laquelle la filiale déterminée doit résider au Québec, car cette exigence figure désormais dans la nouvelle définition de l'expression « groupe étroitement lié ».

Renvois [art. 328]: 1–14 (résidence); 329 (sociétés incluses dans l'expression filiale déterminée); 332 (sociétés étroitement liées); 506.1 (société et société de personnes).

Formulaires [art. 328]: VD-442.S, *Demande de compensation de la TVQ au moyen d'un remboursement de TVQ*.

Bulletins d'interprétation [art. 332]: TVQ. 334-1/R1 — Choix visant les fournitures effectuées entre les membres d'un groupe étroitement lié.

Concordance fédérale: LTA, par. 123(1)« filiale déterminée »a).

COMMENTAIRES: Voir les commentaires sous l'article 336.

329. Extension de la définition : « filiale déterminée » — L'expression « filiale déterminée » d'une société donnée comprend, en outre de la signification que donne à cette expression l'article 328, les sociétés suivantes :

1° une société qui est une filiale déterminée d'une filiale déterminée de la société donnée;

2° si la société donnée est une caisse de crédit, toute autre caisse de crédit;

3° si la société donnée est un membre d'un regroupement de sociétés mutuelles d'assurance, tout autre membre de ce regroupement.

Notes historiques: L'article 329 a été modifié par L.Q. 1997, c. 3, art. 135(2°) pour remplacer le mot « corporation » par le mot « société ». Cette modification est entrée en vigueur le 20 mars 1997. Auparavant, le paragraphe 3° de l'article 329 a été ajouté par L.Q. 1994, c. 22, art. 546(1) et est réputé entré en vigueur le 1er juillet 1992.

L'article 329 a été édicté par L.Q. 1991, c. 67.

Définitions [art. 329]: « caisse de crédit », « regroupement de sociétés mutuelles d'assurance » — 1.

Renvois [art. 329]: 332 (corporations étroitement liées); 1.1 (personne morale); 506.1 (société et société de personnes).

Formulaires [art. 329]: VD-442.S, *Demande de compensation de la TVQ au moyen d'un remboursement de TVQ*.

Bulletins d'interprétation [art. 332]: TVQ. 334-1/R1 — Choix visant les fournitures effectuées entre les membres d'un groupe étroitement lié.

Concordance fédérale: LTA, par. 123(1)« filiale déterminée »b), c), d).

COMMENTAIRES: Voir les commentaires sous l'article 336.

329.1 « groupe admissible » — Pour l'application de la présente section, l'expression « groupe admissible » signifie :

1° soit un groupe de sociétés dont chaque membre est étroitement lié, au sens des articles 332 et 333, à chacun des autres membres du groupe;

2° soit un groupe de sociétés de personnes admissibles ou de sociétés de personnes admissibles et de sociétés, dont chaque membre est étroitement lié, au sens des articles 331.2 et 331.3, à chacun des autres membres du groupe.

Notes historiques: L'article 329.1 a été remplacé par L.Q. 2009, c. 5, par. 620(1) et cette modification a effet depuis le 17 novembre 2005. Antérieurement, il se lisait ainsi :

329.1 Pour l'application des articles 330 à 331.4 et 334 à 336, l'expression « groupe admissible » signifie soit :

1° un groupe étroitement lié;

2° un groupe de sociétés de personnes admissibles ou de sociétés de personnes admissibles et de sociétés qui résident au Québec, dont chaque membre est étroitement lié, au sens des articles 331.2 et 331.3, à chacun des autres membres du groupe.

L'article 329.1 a été ajouté par L.Q. 2001, c. 53, art. 329(1) et a effet depuis le 8 octobre 1998.

Notes explicatives ARQ (PL 2, L.Q. 2009, c. 5): *Résumé* :

Cette modification vise à supprimer de la définition de l'expression « groupe admissible » de l'article 329.1 les conditions relatives à la résidence au Québec et à l'inscription qui figurent désormais dans la nouvelle définition de l'expression « membre admissible ».

Situation actuelle :

Actuellement, l'expression « groupe admissible » désigne un groupe composé de sociétés, de sociétés de personnes ou de sociétés de personnes et de sociétés dont les membres, s'ils sont des membres déterminés, peuvent faire le choix conjoint prévu à l'article 334 de la LTVQ qui leur permet d'effectuer au sein du groupe des transactions en franchise de taxe.

Un groupe admissible est soit un groupe étroitement lié, visé à l'article 330 de la LTVQ, c'est-à-dire un groupe de sociétés dont lesmembres sont des inscrits qui résident au Québec et qui sont étroitement liés aux autres, selon les articles 332 et 333 de la LTVQ, soit un groupe de sociétés de personnes ou de sociétés de personnes et de sociétés résidant au Québec qui sont des inscrits et qui sont étroitement liées aux autres, au sens des articles 331.2 et 331.3 de la LTVQ.

Modifications proposées :

Les modifications proposées sont de concordance avec celles apportées à la nouvelle définition de l'expression « membre admissible ». Une de ces modifications consiste à supprimer les conditions selon lesquelles une société doit résider au Québec et être inscrite au fichier de la taxe de vente du Québec pour être membre d'un groupe admissible.

Une autre modification proposée vise à supprimer la condition selon laquelle une société de personnes doit être un inscrit pour l'application de la LTVQ afin d'être membre d'un groupe admissible, car ces conditions sont prévues désormais dans la nouvelle définition de l'expression « membre admissible ».

Enfin, une modification technique est apportée pour remplacer la référence aux articles 330 à 331.4 et 334 à 336 de la LTVQ par une référence à la section X du chapitre VI du titre I de la LTVQ qui couvre tous les articles de cette section.

Lettres d'interprétation [art. 329.1]: 02-0102091 — Interprétation relative à la TPS/TVH — Interprétation relative à la TVQ — Choix relatif aux fournitures sans contrepartie.

Bulletins d'interprétation [art. 332]: TVQ. 334-1/R1 — Choix visant les fournitures effectuées entre les membres d'un groupe étroitement lié.

Concordance fédérale: LTA, par. 156(1)« groupe admissible ».

COMMENTAIRES: Voir les commentaires sous l'article 336.

330. « groupe étroitement lié » — L'expression « groupe étroitement lié » signifie un groupe de sociétés dont chaque membre est un inscrit qui réside au Canada et est étroitement lié, au sens des articles 332 et 333, à chaque autre membre du groupe.

Pour l'application du présent article, les règles suivantes s'appliquent :

1° un assureur qui ne réside pas au Canada et qui y a un établissement stable est réputé résider au Canada;

2° une caisse de crédit et un membre d'un regroupement de sociétés mutuelles d'assurance sont réputés des inscrits;

3° un inscrit comprend une personne qui est inscrite, ou qui est tenue de l'être, pour l'application de la partie IX de la *Loi sur la taxe d'accise* (Lois révisées du Canada (1985), chapitre E-15).

Notes historiques: L'article 330 a été remplacé par L.Q. 2012, c. 28, par. 105(1) et cette modification s'applique à compter du 1er janvier 2013. Antérieurement, il se lisait ainsi :

330. L'expression « groupe étroitement lié » signifie un groupe de sociétés dont chaque membre est un inscrit qui réside au Québec et est étroitement lié, au sens des articles 332 et 333, à chaque autre membre du groupe.

Pour l'application de la présente définition, un assureur qui ne réside pas au Québec et qui y a un établissement stable est réputé résider au Québec.

L'article 330 a été remplacé par L.Q. 2009, c. 5, par. 620(1) et cette modification a effet depuis le 17 novembre 2005. Antérieurement, il se lisait ainsi :

330. L'expression « groupe étroitement lié » signifie un groupe de sociétés dont chaque membre est étroitement lié, au sens des articles 332 et 333, à chaque autre membre du groupe.

L'article 330 a été modifié par L.Q. 1997, c. 3, art. 135(3°) par le remplacement du mot « corporations » par le mot « sociétés », partout où il se trouve. Cette modification est entrée en vigueur le 20 mars 1997.

L'article 330 a été édicté par L.Q. 1991, c. 67.

Notes explicatives ARQ (PL 5, L.Q. 2012, c. 28): *Résumé* :

L'article 330 définit l'expression « groupe étroitement lié ». Cet article est modifié pour y apporter des modifications corrélatives découlant de l'exonération des services financiers à compter du 1er janvier 2013 dans le régime de la taxe de vente du Québec (TVQ).

Situation actuelle :

L'expression « groupe étroitement lié » signifie un groupe de sociétés dont chaque membre est un inscrit et est étroitement lié à chaque autre membre du groupe, au sens des articles 332 et 333 de la LTVQ, en raison du fait qu'ils résident au Québec, qu'ils sont des inscrits au fichier de la TVQ et qu'au moins 90 % des actions de leur capital-actions comportant plein droit de vote sont en propriété commune. Le deuxième alinéa de l'article 330 de la LTVQ précise qu'un assureur qui ne réside pas au Québec et qui y a un établissement stable est réputé résider au Québec.

Les membres d'un groupe étroitement lié peuvent faire le choix conjoint prévu à l'article 334 de la LTVQ qui leur permet d'effectuer des transactions entre eux en franchise de TVQ ou ils peuvent produire des demandes conjointes, de sorte que le remboursement de l'un soit appliqué en réduction de la TVQ à payer de l'autre, conformément à l'article 442 de la LTVQ et aux articles 442R1 et suivants du *Règlement sur la taxe de vente du Québec* (R.Q., chapitre T-0.1, r. 2).

Modifications proposées :

L'article 330 est restructuré et est modifié de façon à remplacer la notion de résidence au Québec par celle de résidence au Canada.

De plus, le deuxième alinéa prévoit, d'une part, qu'une caisse de crédit et un membre d'un regroupement de sociétés mutuelles d'assurance sont réputés des inscrits et, d'autre part, qu'un inscrit comprend une personne qui est inscrite, ou qui est tenue de l'être, pour l'application de la partie IX de la *Loi sur la taxe d'accise* (Lois révisées du Canada (1985), chapitre E-15) (LTA).

Par conséquent, les personnes membres d'un groupe étroitement lié pour l'application de la LTA, même si elles ne sont pas inscrites dans le régime de la TVQ, peuvent être membres d'un groupe étroitement lié, au sens du présent article, et être parties au choix prévu au nouvel article 297.0.2.1 de la LTVQ, introduit par le présent projet de loi.

Notes explicatives ARQ (PL 2, L.Q. 2009, c. 5): *Résumé* :

Une des modifications apportées vise à insérer dans la définition de l'expression « groupe étroitement lié » les conditions relatives à l'inscription et à la résidence qui apparaissaient aux articles 328 (filiale déterminée), 332 (sociétés étroitement liées) et 333 (sociétés étroitement liées à un tiers) de la *Loi sur la taxe de vente du Québec* (LTVQ).

L'autre modification apportée a pour objet d'inclure une présomption à l'égard d'un assureur qui figurait à l'article 332 de la LTVQ.

Situation actuelle :

Actuellement, l'expression « groupe étroitement lié » signifie un groupe de sociétés dont chaque membre est étroitement lié à chaque autre membre du groupe, au sens des articles 332 et 333 de la LTVQ, en raison du fait qu'ils résident au Québec, qu'ils sont des inscrits au fichier de la taxe de vente du Québec (TVQ) et dont au moins 90 % des actions comportant plein droit de vote sont en propriété commune.

Les membres de ce groupe peuvent faire le choix conjoint prévu à l'article 334 de la LTVQ qui leur permet d'effectuer des transactions entre eux en franchise de TVQ ou ils peuvent produire des demandes conjointes, de sorte que le remboursement de l'un soit appliqué en réduction de la TVQ à payer de l'autre, conformément à l'article 442 de la LTVQ et aux articles 442R1 et suivants du *Règlement sur la taxe de vente du Québec* (R.R.Q., chapitre T-0.1).

Ainsi, il se pourrait que deux sociétés inscrites dans le régime de la TVQ qui résident au Québec et qui sont membres d'un groupe dont au moins 90 % des actions sont en propriété commune ne fassent pas partie d'un groupe étroitement lié du fait qu'une ou plusieurs sociétés par l'intermédiaire desquelles elles sont liées au sein du groupe, sont soit des non-résidents du Québec, soit des non-inscrits.

Modifications proposées :

La première modification apportée à l'article 330 de la LTVQ consiste à insérer dans la définition de l'expression « groupe étroitement lié » les exigences relatives à l'inscription et à la résidence, lesquelles sont par ailleurs retirées des articles 328, 332 et 333 de la LTVQ.

Ainsi, la question de savoir si une société est une filiale déterminée et si deux sociétés sont étroitement liées l'une à l'autre sera déterminée d'après le degré d'actionnariat des sociétés en cause et des autres sociétés au sein du groupe, sans égard à leur statut au plan de la résidence ou de l'inscription.

Toutefois, même si des sociétés qui ne résident pas au Québec ou qui ne sont pas des inscrits puissent être étroitement liées entre elles, seules les sociétés étroitement liées qui sont à la fois des inscrits dans le régime de la TVQ et des résidents du Québec pourront être membres d'un groupe étroitement lié, au sens du présent article, et être parties aux choix prévus aux articles 334 et 442 de la LTVQ.

La seconde modification apportée au présent article consiste à insérer la présomption que l'on retrouvait au deuxième alinéa de l'article 332 de la LTVQ prévoyant qu'un assureur qui ne réside pas au Québec et qui y a un établissement stable est réputé résider au Québec. Le deuxième alinéa de l'article 332 de la LTVQ est donc supprimé.

Renvois [art. 330]: 331 (définition de « membre déterminé »); 332 (corporations étroitement liées); 334 (choix visant les fournitures sans contrepartie); 337 (présomption de choix par une caisse de crédit); 445 (déduction à l'égard d'une mauvaise créance — institution financière désignée).

Formulaires [art. 330]: VD-442.S, *Demande de compensation de la TVQ au moyen d'un remboursement de TVQ.*

Lettres d'interprétation [art. 330]: 02-0102091 — Interprétation relative à la TPS/TVH — Interprétation relative à la TVQ — Choix relatif aux fournitures sans contrepartie; 12-014053-001 — Interprétation relative à la TVQ — Choix de l'article 33 de la LTVQ.

Bulletins d'interprétation [art. 330]: TVQ. 334-1/R1 — Choix visant les fournitures effectuées entre les membres d'un groupe étroitement lié.

Concordance fédérale: LTA, par. 123(1)« groupe étroitement lié ».

COMMENTAIRES: Voir les commentaires sous l'article 336.

330.1 Membre admissible — Pour l'application de la présente section, l'expression « membre admissible » d'un groupe admissible signifie un inscrit qui est une société qui réside au Québec ou une société de personnes admissible et qui satisfait aux conditions suivantes :

1° il est un membre du groupe admissible;

1.1° il n'est pas partie à un choix en vigueur fait en vertu de l'article 297.0.2.1;

2° il a fabriqué, produit, acquis ou apporté au Québec, la dernière fois, la totalité ou la presque totalité de ses biens pour consommation, utilisation ou fourniture exclusive dans le cadre de ses activités commerciales ou, dans le cas où il n'a pas de biens, la totalité ou la presque totalité de ses fournitures sont des fournitures taxables.

Notes historiques: Le paragraphe 1.1° de l'article 330.1 a été ajouté par L.Q. 2012, c. 28, par. 106(1) et s'applique à compter du 1er janvier 2013.

L'article 330.1 a été ajouté par L.Q. 2009, c. 5, par. 621(1) et a effet depuis le 17 novembre 2005.

Notes explicatives ARQ (PL 5, L.Q. 2012, c. 28): *Résumé* :

L'article 330.1 précise ce qu'est un membre admissible d'un groupe admissible. Cet article est modifié pour y ajouter une condition additionnelle à satisfaire.

Situation actuelle :

En vertu de l'article 334, des sociétés et des sociétés de personnes qui sont des membres déterminés d'un groupe admissible peuvent faire un choix conjoint qui leur permet d'effectuer, au sein du groupe, des transactions en franchise de taxe de vente du Québec (TVQ).

En vertu de l'article 331, un membre déterminé d'un groupe admissible signifie, entre autres, un membre admissible du groupe. L'article 330.1 de cette loi précise qu'un membre admissible d'un groupe admissible est un inscrit qui est une société résidant au Québec ou une société de personnes admissible qui est membre du groupe admissible et qui satisfait à la condition voulant que la totalité ou la presque totalité de ses biens aient été fabriqués, produits, acquis ou importés, la dernière fois, pour consommation, utilisation ou fourniture exclusives dans le cadre de ses activités commerciales ou que la totalité ou la presque totalité de ses fournitures, dans le cas où il n'y a pas de biens, soient des fournitures taxables.

Modifications proposées :

L'article 330.1 est modifié de façon à prévoir une exigence additionnelle pour qu'un inscrit soit considéré comme un membre admissible.

Ainsi, l'inscrit ne doit pas être partie à un choix en vigueur visé à l'article 297.0.2.1 de cette loi. Ce dernier article concerne, plus exactement, le choix en vertu duquel la fourniture de certains biens et services effectuée entre les personnes parties à ce choix est réputée une fourniture de services financiers, pour autant que cette fourniture ait lieu à un moment où le choix fait en vertu du paragraphe 1 de l'article 150 de la *Loi sur la taxe d'accise* (Lois révisées du Canada (1985), chapitre E-15) est en vigueur pour l'application de cette loi.

Notes explicatives ARQ (PL 2, L.Q. 2009, c. 5): *Résumé* :

Cette modification vise à insérer le nouvel article 330.1 qui définit l'expression « membre admissible » laquelle ressemble à celle de « membre déterminé » dans sa version actuelle.

LTVQ (français)

Contexte :

En vertu de l'article 334 de la LTVQ, des sociétés et des sociétés de personnes qui sont des membres déterminés d'un groupe admissible peuvent faire un choix conjoint qui leur permet d'effectuer au sein du groupe des transactions en franchise de taxe de vente du Québec (TVQ). Cette modification est de concordance avec celles apportées à la section X du chapitre VI du titre I de la LTVQ.

Modifications proposées :

La modification apportée à l'article 330.1 de la LTVQ a pour but d'insérer la nouvelle définition de l'expression « membre admissible ».

Un membre admissible est une société ou une société de personnes, membre d'un groupe admissible de sociétés ou de sociétés de personnes admissibles étroitement liées.

Il doit aussi remplir la condition voulant que la totalité ou la presque totalité de ses biens aient été fabriqués, produits, acquis ou importés, la dernière fois, pour consommation, utilisation ou fourniture exclusives dans le cadre de ses activités commerciales ou que la totalité ou la presque totalité de ses fournitures, dans le cas où il n'y a pas de biens, soit des fournitures taxables.

Il est à noter que la définition de l'expression « membre admissible » prévoit des exigences additionnelles à celles prévues dans la définition actuelle de l'expression « membre déterminé ». Ainsi, la société ou la société de personnes doit être un inscrit dans le régime de la TVQ et, selon le cas, résider au Québec ou être une société de personnes admissible. Il est nécessaire d'ajouter ces exigences, puisque celles-ci sont retirées de la définition de l'expression « groupe admissible » et des articles 329.1, 331.2 et 331.3 de la LTVQ.

Par suite de ces modifications, une société ou une société de personnes admissible qui remplit les exigences en matière de propriété (à savoir posséder au moins 90 % des actions de la société comportant plein droit de vote ou détenir la totalité ou la presque totalité des participations dans la société de personnes) peut être membre d'un groupe admissible, malgré son statut sur le plan de la résidence (dans le cas d'une société) ou de l'inscription.

Toutefois, seules les sociétés ou sociétés de personnes membres d'un groupe admissible qui sont à la fois des inscrits dans le régime de la TVQ et, selon le cas, des résidents du Québec ou des sociétés de personnes admissibles peuvent être des membres admissibles. Elles sont alors en mesure de remplir les critères de la définition de l'expression « membre déterminé » prévue à l'article 331 de la LTVQ et de faire le choix conjoint prévu à l'article 334 de la LTVQ.

Ainsi, les sociétés et les sociétés de personnes admissibles qui remplissent les exigences en matière de résidence et d'inscription et qui font partie d'un groupe dont au moins 90 % des actions comportant plein droit de vote ou au moins 90 % des biens (participations dans la société de personnes) sont en propriété commune, mais qui ne sont pas considérées comme des « membres déterminés » du fait qu'une ou plusieurs des sociétés ou des sociétés de personnes au sein de la structure de propriété ne remplissent pas les exigences en question, sont désormais considérées comme des membres admissibles et par conséquent, comme des membres déterminés.

Lettres d'interprétation [art. 330.1]: 12-014053-001 — Interprétation relative à la TVQ — Choix de l'article 33 de la LTVQ.

Concordance fédérale: LTA, par. 156(1)« membre admissible ».

COMMENTAIRES: Voir les commentaires sous l'article 336.

331. « membre déterminé » — Pour l'application de la présente section, l'expression « membre déterminé » d'un groupe admissible signifie :

1º soit un membre admissible du groupe;

2º soit un membre temporaire du groupe pendant la réorganisation visée au paragraphe 5º de l'article 331.0.1.

Notes historiques: L'article 331 a été remplacé par L.Q. 2009, c. 5, par. 622(1) et cette modification a effet depuis le 17 novembre 2005. Antérieurement, il se lisait ainsi :

> 331. Pour l'application des articles 329.1 à 331.4 et 334 à 336, l'expression « membre déterminé » d'un groupe admissible signifie une personne qui est une société ou une société de personnes membre de ce groupe dont la totalité ou la presque totalité de ses biens sont des biens qui, lors de leur dernière fabrication, production, acquisition ou apport au Québec, ont été fabriqués, produits, acquis ou apportés au Québec pour consommation, utilisation ou fourniture exclusive dans le cadre de ses activités commerciales ou, dans le cas où la personne n'a pas de biens, la totalité ou la presque totalité des fournitures qu'elle effectue sont des fournitures taxables.

L'article 331 a été remplacé par L.Q. 2001, c. 53, art. 330(1) et cette modification a effet depuis le 8 octobre 1998. Antérieurement, il se lisait ainsi :

> 331. Pour l'application des articles 334 à 336, l'expression « membre déterminé » d'un groupe étroitement lié signifie une société membre de ce groupe dont la totalité ou la presque totalité de ses biens sont des biens qui, lors de leur dernière fabrication, construction, production, acquisition ou apport au Québec, ont été fabriqués, construits, produits, acquis ou apportés au Québec pour consommation, utilisation ou fourniture exclusive dans le cadre de ses activités commerciales ou, dans le cas où la société n'a pas de biens, la totalité ou la presque totalité des fournitures qu'elle effectue sont des fournitures taxables.

L'article 331 a été remplacé par L.Q. 1999, c. 83, art. 315. Cette modification est réputée entrée en vigueur au 20 décembre 1999. Antérieurement, cet l'article se lisait comme suit :

> 331. Pour l'application des articles 334 à 336, l'expression « membre déterminé » d'un groupe étroitement lié signifie une société membre de ce groupe dont la totalité ou la presque totalité de ses biens sont des biens qui, lors de leur dernière fabrication, construction, production, acquisition ou apport au Québec, ont été fabriqués, construits, produits, acquis ou apportés au Québec pour consommation, utilisation ou fourniture exclusive dans le cadre de ses activités commerciales ou, dans le cas où la société n'a pas de biens, la totalité ou la presque totalité des fournitures qu'elle effectue sont des fournitures taxables ou non taxables.

L'article 331 a été modifié par L.Q. 1997, c. 3, art. 135(2º) pour remplacer le mot « corporation » par le mot « société ». Cette modification est entrée en vigueur le 20 mars 1997. Auparavant, l'article 331 a été modifié par L.Q. 1994, c. 22, art. 547(1) et est réputé entré en vigueur le 1er octobre 1992. L'article 331, édicté par L.Q. 1991, c. 67, se lisait comme suit :

> 331. Pour l'application de l'article 334, l'expression « membre déterminé » d'un groupe étroitement lié signifie une corporation membre de ce groupe dont la totalité ou la presque totalité des fournitures qu'elle effectue sont des fournitures taxables ou non taxables.

Notes explicatives ARQ (PL 2, L.Q. 2009, c. 5): *Résumé* :

Cette modification consiste à élargir la définition de l'expression de « membre déterminé » prévue à l'article 331. Cette expression désigne les personnes qui sont en mesure de faire le choix conjoint prévu à l'article 334 de la LTVQ.

Situation actuelle :

Actuellement, la définition de l'expression « membre déterminé » vise les sociétés et les sociétés de personnes qui sont membres d'un groupe admissible de sociétés et de sociétés de personnes étroitement liées.

De plus, elles doivent remplir la condition voulant que la totalité ou la presque totalité de leurs biens aient été fabriqués, produits, acquis ou importés, la dernière fois, pour consommation, utilisation ou fourniture exclusive dans le cadre de leurs activités commerciales ou, dans le cas où il n'y a pas de biens, que la totalité ou la presque totalité de leurs fournitures, soit des fournitures taxables.

Modifications proposées :

La modification apportée vise à élargir l'expression de « membre déterminé » prévue à l'article 331 de la LTVQ afin que soient compris parmi les membres déterminés d'un groupe admissible (329.1 de la LTVQ), les membres temporaires (331.0.1 de la LTVQ) du groupe de même que les membres admissibles (330.1 de la LTVQ).

Ainsi, la société qui existe en vue de recevoir une fourniture effectuée en prévision d'une attribution faite dans le cadre d'une réorganisation visée au paragraphe a) de l'article 308.3 de la *Loi sur les impôts* (L.R.Q., chapitre I-3), et qui, avant cette fourniture, n'avait jamais exploité d'entreprise ni possédé de biens peut être considérée comme un membre déterminé et faire le choix prévu à l'article 334 de la LTVQ.

Toutefois, un membre temporaire n'est considéré comme un membre déterminé que pendant une réorganisation. Une fois celle-ci achevée, le membre temporaire doit remplir les exigences de la définition de l'expression « membre admissible ». Sinon, il cessera d'être un membre déterminé et tout choix antérieur fait en application de l'article 334 de la LTVQ cessera d'être valide.

Les conditions qui figuraient dans la définition de l'expression « membre déterminé » sont désormais énoncées dans la nouvelle définition de celle de « membre admissible ».

Enfin, une modification technique est apportée pour remplacer la référence aux articles 329.1 à 331.4 et 334 à 336 de la LTVQ par une référence à la section X du chapitre VI du titre I de la LTVQ qui couvre tous les articles de cette section.

Définitions [art. 331]: « activité commerciale », « bien », « exclusif », « fourniture », « fourniture non taxable », « fourniture taxable » — 1.

Renvois [art. 331]: 1.1 (personne morale); 330 (sens de « groupe étroitement lié »); 506.1 (société et société de personnes).

Lettres d'interprétation [art. 331]: 02-0102091 — Interprétation relative à la TPS/TVH — Interprétation relative à la TVQ — Choix relatif aux fournitures sans contrepartie; 12-014053-001 — Interprétation relative à la TVQ — Choix de l'article 33 de la LTVQ.

Bulletins d'interprétation [art. 332]: TVQ. 334-1/R1 — Choix visant les fournitures effectuées entre les membres d'un groupe étroitement lié.

Concordance fédérale: LTA, par. 156(1)« membre déterminé », LTA, par. 156(1)« membre admissible ».

COMMENTAIRES: Voir les commentaires sous l'article 336.

331.0.1 Membre temporaire — Pour l'application de la présente section, l'expression « membre temporaire » d'un groupe admissible signifie une société qui satisfait aux conditions suivantes :

1º elle est un inscrit;

2° elle réside au Québec;

3° elle est un membre du groupe admissible;

4° elle n'est pas un membre admissible du groupe admissible;

Ajout proposé — 331.0.1 par. 4.1°

4.1° elle n'est pas partie à un choix en vigueur fait en vertu de l'article 297.0.2.1;

Application: Le paragraphe 4.1° de l'article 331.0.1 sera ajouté par le par. 225(1) du *Projet de loi 18* (présenté le 21 février 2013) et s'appliquera à compter du 1er janvier 2013.

5° elle reçoit une fourniture d'un bien effectuée en prévision d'une attribution faite dans le cadre d'une réorganisation, visée au paragraphe a) de l'article 308.3 de la *Loi sur les impôts* (chapitre I-3), de la société cédante visée à ce paragraphe qui est un membre admissible du groupe admissible;

6° avant de recevoir la fourniture, elle n'exploite pas d'entreprise ou n'a pas de biens;

7° actions sont transférées au moment de l'attribution.

Notes historiques: L'article 331.0.1 a été ajouté par L.Q. 2009, c. 5, par. 623(1) et a effet depuis le 17 novembre 2005.

Notes explicatives ARQ (PL 2, L.Q. 2009, c. 5): *Résumé* :

Cette modification vise à insérer la nouvelle définition de l'expression « membre temporaire » prévue à l'article 331.0.1 en concordance avec les modifications apportées à la définition de l'expression « membre déterminé » prévue à l'article 331 de la LTVQ.

Contexte :

En vertu de l'article 334 de la LTVQ, des sociétés et des sociétés de personnes qui sont des membres déterminés d'un groupe admissible peuvent faire un choix conjoint qui leur permet d'effectuer au sein du groupe des transactions en franchise de taxe de vente du Québec (TVQ). Cette modification est de concordance avec celles apportées à la section X du chapitre VI du titre I de la LTVQ.

Modifications proposées :

La modification apportée à l'article 331.0.1 de la LTVQ est de concordance avec celles apportées à la définition de l'expression « membre déterminé ».

L'expression « membre temporaire » s'entend de la société qui existe en vue de recevoir un transfert de biens d'une société existante dans le cadre d'une opération effectuée en vue de répondre aux exigences de l'article 308.3 de la *Loi sur les impôts* (L.R.Q., chapitre I-3) (LI), appelée transaction papillon.

Ce type de société n'est pas considéré comme un « membre déterminé » au sens que donne à cette expression l'article 331 de la LTVQ. Elle ne peut donc faire le choix conjoint prévu à l'article 334 de la LTVQ relativement au transfert, puisqu'avant de recevoir les biens, elle n'aurait ni été propriétaire de biens, ni effectué de fournitures taxables.

Lorsque cette société remplit les exigences de la définition de l'expression « membre temporaire », elle est considérée comme un « membre déterminé » au sens de l'article 331 de la LTVQ. Ainsi, elle peut faire le choix relativement à une fourniture qu'elle reçoit et qui est effectuée en prévision d'une attribution faite dans le cadre d'une réorganisation visée au paragraphe a) de l'article 308.3 de la LI.

Pour être considérée comme un membre temporaire, la société doit résider au Québec et être inscrite dans le régime de la TVQ. De plus, elle doit recevoir la fourniture d'une société cédante en prévision d'une attribution et ses actions doivent être transférées dans le cadre de l'attribution. Elle doit aussi être membre du même groupe admissible que la société cédante qui effectue la fourniture.

En outre, la société avant de recevoir la fourniture ne doit pas avoir exercé d'activités commerciales ni avoir été propriétaire de biens.

Enfin, une société qui est considérée comme un « membre admissible » au sens de l'article 330.1 de la LTVQ ne peut au même moment être un « membre temporaire ».

Renvois [art. 331.0.1]: 411 (inscription facultative).

Bulletins d'interprétation [art. 332]: TVQ. 334-1/R1 — Choix visant les fournitures effectuées entre les membres d'un groupe étroitement lié.

Concordance fédérale: LTA, par. 156(1)« membre temporaire ».

COMMENTAIRES: Voir les commentaires sous l'article 336.

331.1 « société de personnes admissible » — Pour l'application de la présente section, l'expression « société de personnes admissible » signifie une société de personnes dont chaque associé est une société ou une société de personnes et réside au Québec.

Notes historiques: L'article 331.1 a été modifié par L.Q. 2009, c. 5, art. 624 par le remplacement des mots « des articles 329.1 à 331.4 et 334 à 336 » par les mots « de la présente section ». Cette modification est entrée en vigueur le 15 mai 2009.

L'article 331.1 a été ajouté par L.Q. 2001, c. 53, art. 331(1) et a effet depuis le 8 octobre 1998.

Notes explicatives ARQ (PL 2, L.Q. 2009, c. 5): *Résumé* :

Cette modification technique vise à remplacer la référence aux articles 329.1 à 331.4 et 334 à 336 par une référence à la section X du chapitre VI du titre I de la LTVQ.

Situation actuelle :

Actuellement, l'article 331.1 de la LTVQ réfère aux articles 329.1 à 331.4 et 334 à 336 de la LTVQ.

Modifications proposées :

La modification apportée vise à remplacer la référence aux articles 329.1 à 331.4 et 334 à 336 de la LTVQ par une référence à la section X du chapitre VI du titre I de la LTVQ qui couvre tous les articles de cette section.

Lettres d'interprétation [art. 331.1]: 02-0102091 — Interprétation relative à la TPS/TVH — Interprétation relative à la TVQ — Choix relatif aux fournitures sans contrepartie; 12-014053-001 — Interprétation relative à la TVQ — Choix de l'article 33 de la LTVQ.

Bulletins d'interprétation [art. 332]: TVQ. 334-1/R1 — Choix visant les fournitures effectuées entre les membres d'un groupe étroitement lié.

Concordance fédérale: LTA, par. 156(1)« société de personnes canadiennes ».

COMMENTAIRES: Voir les commentaires sous l'article 336.

331.2 Personnes étroitement liées — Pour l'application de la présente section, une société de personnes admissible donnée et une autre personne qui est soit une société de personnes admissible, soit une société, sont étroitement liées entre elles à un moment quelconque si, à ce moment :

1° dans le cas où l'autre personne est une société de personnes admissible, selon le cas :

a) la totalité ou la presque totalité des parts dans l'autre personne sont détenues soit par :

i. la société de personnes donnée;

ii. une société ou une société de personnes admissible, qui est membre d'un groupe admissible dont la société de personnes donnée est un membre;

iii. une ou plusieurs des sociétés ou des sociétés de personnes visées aux sous-paragraphes i et ii;

b) la société de personnes donnée soit :

i. est propriétaire d'au moins 90 %, en valeur et en nombre, des actions du capital-actions émises et en circulation, comportant plein droit de vote en toute circonstance, d'une société qui est un membre d'un groupe admissible dont l'autre personne est un membre;

ii. détient la totalité ou la presque totalité des parts dans une société de personnes admissible qui est un membre d'un groupe admissible dont l'autre personne est membre;

2° dans le cas où l'autre personne est une société, selon le cas :

a) au moins 90 %, en valeur et en nombre, des actions du capital-actions de l'autre personne, émises et en circulation, comportant plein droit de vote en toute circonstance, sont la propriété soit :

i. de la société de personnes donnée;

ii. d'une société ou d'une société de personnes admissible, qui est un membre d'un groupe admissible dont la société de personnes donnée est un membre;

iii. d'une ou de plusieurs des sociétés ou des sociétés de personnes visées aux sous-paragraphes i et ii;

b) au moins 90 %, en valeur et en nombre, des actions du capital-actions émises et en circulation, comportant plein droit de vote en toute circonstance, d'une société, sont la propriété :

i. de l'autre personne, si la société est un membre d'un groupe admissible dont la société de personnes donnée est un membre;

ii. de la société de personnes donnée, si la société est un membre d'un groupe admissible dont l'autre personne est un membre;

LTVQ (français)

c) la totalité ou la presque totalité des parts dans la société de personnes donnée sont détenues soit par :

i. l'autre personne;

ii. une société ou une société de personnes admissible, qui est un membre d'un groupe admissible dont l'autre personne est un membre;

iii. une ou plusieurs des sociétés ou des sociétés de personnes visées aux sous-paragraphes i et ii;

d) la totalité ou la presque totalité des parts dans une société de personnes admissible sont détenues soit par :

i. l'autre personne, si la société de personnes admissible est un membre d'un groupe admissible dont la société de personnes donnée est un membre;

ii. la société de personnes donnée, si la société de personnes admissible est un membre d'un groupe admissible dont l'autre personne est un membre.

Notes historiques: Le préambule de l'article 331.2 a été remplacé par L.Q. 2009, c. 5, s.-par. 625(1)(1°) et cette modification a effet depuis le 17 novembre 2005. Antérieurement, il se lisait ainsi :

> 331.2 Pour l'application des articles 329.1 à 331.4 et 334 à 336, une société de personnes admissible donnée et une autre personne qui est soit une société de personnes admissible, soit une société qui réside au Québec, sont étroitement liées entre elles à un moment quelconque si, à ce moment, la société de personnes donnée et l'autre personne sont des inscrits et si :

Le sous-paragraphe ii du sous-paragraphe a) du paragraphe 1° de l'article 331.2 a été remplacé par L.Q. 2009, c. 5, s.-par. 625(1)(3°)a) et cette modification a effet depuis le 17 novembre 2005. Antérieurement, il se lisait ainsi :

> ii. une société qui réside au Québec, ou une société de personnes admissible, qui est membre d'un groupe admissible dont la société de personnes donnée est un membre;

Le sous-paragraphe i du sous-paragraphe b) du paragraphe 1° de l'article 331.2 a été remplacé par L.Q. 2009, c. 5, s.-par. 625(1)(3°)b) et cette modification a effet depuis le 17 novembre 2005. Antérieurement, il se lisait ainsi :

> i. est propriétaire d'au moins 90 %, en valeur et en nombre, des actions du capital-actions émises et en circulation, comportant plein droit de vote en toute circonstance, d'une société qui réside au Québec qui est un membre d'un groupe admissible dont l'autre personne est un membre;

Le sous-paragraphe ii du sous-paragraphe a) du paragraphe 2° de l'article 331.2 a été remplacé par le s.-par. 625(1)(5°)a) et cette modification a effet depuis le 17 novembre 2005. Antérieurement, il se lisait ainsi :

> ii. d'une société qui réside au Québec, ou d'une société de personnes admissible, qui est un membre d'un groupe admissible dont la société de personnes donnée est un membre;

Le préambule du sous-paragraphe b) du paragraphe 2° de l'article 331.2 a été remplacé par L.Q. 2009, c. 5, s.-par. 625(1)(5°)b) et cette modification a effet depuis le 17 novembre 2005. Antérieurement, il se lisait ainsi :

> b) au moins 90 %, en valeur et en nombre, des actions du capital-actions émises et en circulation, comportant plein droit de vote en toute circonstance, d'une société qui réside au Québec, sont la propriété :

Le sous-paragraphe ii du sous-paragraphe c) du paragraphe 2° de l'article 331.2 a été remplacé par L.Q. 2009, c. 5, s.-par. 625(1)(5°)c) et cette modification a effet depuis le 17 novembre 2005. Antérieurement, il se lisait ainsi :

> iii. une ou plusieurs des sociétés ou des sociétés de personnes visées aux sous-paragraphes i et ii;

L'article 331.2 a été ajouté par L.Q. 2001, c. 53, art. 331(1) et a effet depuis le 8 octobre 1998.

Notes explicatives ARQ (PL 2, L.Q. 2009, c. 5): *Résumé* :

Cette modification vise à supprimer à l'article 331.2 les conditions selon lesquelles une personne doit être un inscrit dans le régime de la taxe de vente du Québec (TVQ) et une société, un résident du Québec, pour être considérées comme étant étroitement liées.

Situation actuelle :

Actuellement, l'article 331.2 de la LTVQ permet de déterminer si deux sociétés de personnes admissibles ou une société de personnes admissible et une société résidant au Québec sont étroitement liées entre elles. Dans les deux cas, toutes les personnes doivent être des inscrits.

Modifications proposées :

Une modification apportée à l'article 331.2 de la LTVQ consiste à supprimer les conditions selon lesquelles une personne doit être un inscrit dans le régime de la TVQ et une société, un résident du Québec, pour être considérées comme étant étroitement liées. Ces conditions se trouvent désormais dans la définition de l'expression « membre admissible » prévue à l'article 330.1 de la LTVQ.

Par ailleurs, des modifications terminologiques sont apportées dans le texte anglais.

Enfin, une modification technique est apportée pour remplacer la référence aux articles 329.1 à 331.4 et 334 à 336 de la LTVQ par une référence à la section X du chapitre VI du titre I de la LTVQ qui couvre tous les articles de cette section.

Lettres d'interprétation [art. 331.2]: 02-0102091 — Interprétation relative à la TPS/TVH — Interprétation relative à la TVQ — Choix relatif aux fournitures sans contrepartie.

Bulletins d'interprétation [art. 332]: TVQ. 334-1/R1 — Choix visant les fournitures effectuées entre les membres d'un groupe étroitement lié.

Concordance fédérale: LTA, par. 156(1.1).

COMMENTAIRES: Voir les commentaires sous l'article 336.

331.3 Personnes étroitement liées à une autre personne — Dans le cas où, en vertu de l'article 331.2, deux personnes sont étroitement liées à la même société ou société de personnes, ou le seraient si cette société ou chaque associé de cette société de personnes résidait au Québec, les deux personnes sont étroitement liées entre elles pour l'application de la présente section.

Notes historiques: L'article 331.3 a été modifié par L.Q. 2009, c. 5, art. 626 par le remplacement des mots « des articles 329.1 à 331.4 et 334 à 336 » par les mots « de la présente section ». Cette modification est entrée en vigueur le 15 mai 2009.

L'article 331.3 a été ajouté par L.Q. 2001, c. 53, art. 331(1) et a effet depuis le 8 octobre 1998.

Notes explicatives ARQ (PL 2, L.Q. 2009, c. 5): *Résumé* :

Cette modification technique vise à remplacer la référence aux articles 329.1 à 331.4 et 334 à 336 par une référence à la section X du chapitre VI du titre I de la LTVQ.

Situation actuelle :

Actuellement, l'article 331.3 de la LTVQ réfère aux articles 329.1 à 331.4 et 334 à 336 de la LTVQ.

Modifications proposées :

La modification apportée a pour but de remplacer la référence aux articles 329.1 à 331.4 et 334 à 336 de la LTVQ par une référence à la section X du chapitre VI du titre I de la LTVQ qui couvre tous les articles de cette section.

Concordance fédérale: LTA, par. 156(1.2).

COMMENTAIRES: Voir les commentaires sous l'article 336.

331.4 Participation dans une société de personnes — Pour l'application de la présente section, une personne ou un groupe de personnes ne détient, à un moment quelconque, la totalité ou la presque totalité des parts dans une société de personnes que si, à ce moment, les conditions suivantes sont satisfaites :

1° la personne, ou chaque personne du groupe de personnes, est un associé de la société de personnes;

2° la personne, ou les membres du groupe collectivement, selon le cas, satisfont les conditions suivantes :

a) ils ont le droit de recevoir au moins 90 % du montant suivant :

i. dans le cas où la société de personnes avait un revenu pour son dernier exercice financier au sens de la *Loi sur les impôts* (chapitre I-3) qui s'est terminé avant ce moment, ou si son premier exercice financier comprend ce moment, pour cet exercice financier, le total des montants dont chacun représente la part du revenu provenant de toutes sources que chaque associé a le droit de recevoir;

ii. dans le cas où la société de personnes n'avait pas de revenu pour le dernier exercice financier ou le premier exercice financier visé au sous-paragraphe i, selon le cas, le total des montants dont chacun représente la part du revenu de la société de personnes que chaque associé aurait eu le droit de recevoir, si ce revenu de la société de personnes provenant de chaque source s'établissait à un dollar;

b) ils ont droit de recevoir au moins 90 % du montant total qui serait payé à tous les associés de la société de personnes, autrement qu'à titre de part de tout revenu de la société de personnes, si celle-ci était liquidée à ce moment;

c) ils ont la capacité de diriger les affaires internes et les activités de la société de personnes, ou l'auraient si aucun créancier garanti n'avait de droit en garantie sur une part dans la société de personnes ou sur ses biens.

Notes historiques: Le préambule de l'article 331.4 a été modifié par L.Q. 2009, c. 5, art. 627 par le remplacement des mots « des articles 329.1 à 331.3 et 334 à 336 » par les mots « de la présente section ». Cette modification est entrée en vigueur le 15 mai 2009.

L'article 331.4 a été ajouté par L.Q. 2001, c. 53, art. 331(1) et a effet depuis le 8 octobre 1998.

Notes explicatives ARQ (PL 2, L.Q. 2009, c. 5): *Résumé* :

Cette modification technique vise à remplacer la référence aux articles 329.1 à 331.3 et 334 à 336 par une référence à la section X du chapitre VI du titre I de la LTVQ.

Situation actuelle :

Actuellement, l'article 331.4 de la LTVQ réfère aux articles 329.1 à 331.3 et 334 à 336 de la LTVQ.

Modifications proposées :

La modification apportée a pour objet de remplacer la référence aux articles 329.1 à 331.3 et 334 à 336 de la LTVQ par une référence à la section X du chapitre VI du titre I de la LTVQ qui couvre tous les articles de cette section.

Concordance fédérale: LTA, par. 156(1.3).

COMMENTAIRES: Voir les commentaires sous l'article 336.

332. Sociétés étroitement liées — Une société donnée et une autre société sont étroitement liées entre elles à un moment quelconque si, à ce moment, l'autre société est :

1° soit une société dont au moins 90 %, en valeur et en nombre, des actions de son capital-actions émises et en circulation, comportant plein droit de vote en toute circonstance, sont la propriété :

a) de la société donnée;

b) d'une filiale déterminée de la société donnée;

c) d'une société dont la société donnée est une filiale déterminée;

d) d'une filiale déterminée d'une société dont la société donnée est une filiale déterminée;

e) d'une ou plusieurs des sociétés ou filiales visées aux sous-paragraphes a) à d);

f) (*paragraphe supprimé*);

2° soit une société prescrite relativement à la corporation donnée.

Notes historiques: Le passage précédant le sous-paragraphe a) du paragraphe 1° du premier alinéa de l'article 332 a été remplacé par L.Q. 2009, c. 5, s.-par. 628(1)(1°) et cette modification a effet depuis le 17 novembre 2005. Antérieurement, il se lisait ainsi :

> 332. Une société donnée et une autre société sont étroitement liées entre elles à un moment quelconque si, à ce moment, la société donnée réside au Québec et est un inscrit et si, à ce moment, l'autre société est :
>
> 1° soit une société qui réside au Québec et est un inscrit dont au moins 90 %, en valeur et en nombre, des actions de son capital-actions émises et en circulation, comportant plein droit de vote en toute circonstance, sont la propriété :

Le sous-paragraphe e) du paragraphe 1° du premier alinéa de l'article 332 a été modifié par L.Q. 1997, c. 3, par. 135(3°) par le remplacement du mot « corporations » par le mot « sociétés », partout où il se trouve. Cette modification est entrée en vigueur le 20 mars 1997.

Auparavant, le sous-paragraphe f) du paragraphe 1° de l'article 332 a été supprimé par L.Q. 1994, c. 22, par. 548(1) rétroactivement au 1er juillet 1992. Il se lisait comme suit :

> f) d'une personne ou d'un groupe d'au plus cinq personnes qui sont propriétaires d'au moins 90 %, en valeur et en nombre, des actions du capital-actions émises et en circulation de la corporation donnée, comportant plein droit de vote en toute circonstance;

Le deuxième alinéa de l'article 332 a été supprimé par L.Q. 2009, c. 5, s.-par. 628(1)(2°) et cette modification a effet depuis le 17 novembre 2005. Antérieurement, il se lisait ainsi :

> Assureur — Pour l'application du présent article, un assureur qui ne réside pas au Québec et qui y a un établissement stable est réputé résider au Québec.

L'article 332 a été modifié par L.Q. 1997, c. 3, par. 135(2°) pour remplacer le mot « corporation » par le mot « société ». Cette modification est entrée en vigueur le 20 mars 1997.

L'article 332 a été édicté par L.Q. 1991, c. 67.

Notes explicatives ARQ (PL 2, L.Q. 2009, c. 5): *Résumé* :

Cette modification a pour objet de supprimer dans l'article 332 les notions de résidence au Québec et d'inscription en concordance avec la modification apportée à la définition de l'expression « groupe étroitement lié » prévue à l'article 330 de la LTVQ.

Situation actuelle :

Actuellement, deux sociétés sont étroitement liées au sens du premier alinéa de l'article 332 de la LTVQ si, à la fois, elles résident au Québec, elles sont des inscrits dans le régime de la taxe de vente du Québec et la proportion de propriété commune d'actions comportant plein droit de vote est d'au moins 90 %.

Le deuxième alinéa de l'article 332 de la LTVQ crée une présomption à l'effet qu'un assureur qui ne réside pas au Québec et qui y a un établissement stable est réputé résider au Québec.

Modifications proposées :

Une des modifications proposées est de concordance avec celle apportée à la définition de l'expression « groupe étroitement lié » prévue à l'article 330 de la LTVQ. Elle vise à supprimer la condition de l'inscription et celle de la résidence au Québec, car ces conditions figurent désormais dans la nouvelle définition de l'expression « groupe étroitement lié ».

Par ailleurs, l'autre modification proposée consiste à supprimer la présomption prévue au deuxième alinéa de l'article 332 de la LTVQ, car celle-ci se retrouve désormais au deuxième alinéa de l'article 330 de la LTVQ.

Définitions [art. 332]: « assureur », « établissement stable », « inscrit » — 1.

Renvois [art. 332]: 1.1 (personne morale); 330 (sens de groupe étroitement lié); 333 (sociétés étroitement liées à un tiers); 333.1 (fonds de placement réputé être une corporation); 506.1 (société et société de personnes); 677:32° (règlements).

Règlements [art. 332]: RTVQ, 332R1, 332R2.

Bulletins d'interprétation [art. 332]: TVQ. 334-1/R1 — Choix visant les fournitures effectuées entre les membres d'un groupe étroitement lié.

Formulaires [art. 332]: VD-442.S, *Demande de compensation de la TVQ au moyen d'un remboursement de TVQ.*

Lettres d'interprétation [art. 332]: 00-0107961 — Interprétation relative à la TPS et à la TVQ — Choix visant les fournitures sans contrepartie; 02-0102091 — Interprétation relative à la TPS/TVH — Interprétation relative à la TVQ — Choix relatif aux fournitures sans contrepartie.

Concordance fédérale: LTA, par. 128(1).

COMMENTAIRES: Voir les commentaires sous l'article 336.

333. Sociétés étroitement liées à un tiers — Dans le cas où, en vertu de l'article 332, deux sociétés sont étroitement liées à la même société, elles sont étroitement liées entre elles.

Notes historiques: L'article 333 a été remplacé par L.Q. 2009, c. 5, par. 629(1) et cette modification a effet depuis le 17 novembre 2005. Antérieurement, il se lisait ainsi :

> 333. Dans le cas où en vertu de l'article 332 deux sociétés qui résident au Québec sont étroitement liées à la même société, ou le seraient si celle-ci résidait au Québec, elles sont étroitement liées entre elles.

L'article 333 a été modifié par L.Q. 1997, c. 3, art. 135(2°) pour remplacer le mot « corporation » par le mot « société ». Cette modification est entrée en vigueur le 20 mars 1997.

L'article 333 a été modifié par L.Q. 1997, c. 3, art. 135(3°) par le remplacement du mot « corporations » par le mot « sociétés », partout où il se trouve. Cette modification est entrée en vigueur le 20 mars 1997.

Auparavant, l'article 333 a été édicté par L.Q. 1991, c. 67.

Notes explicatives ARQ (PL 2, L.Q. 2009, c. 5): *Résumé* :

Cette modification a pour objet de supprimer dans l'article 333 la notion de résidence au Québec en concordance avec la modification apportée à la définition de l'expression « groupe étroitement lié » prévue à l'article 330 de la LTVQ.

Situation actuelle :

Actuellement, l'article 333 de la LTVQ prévoit que, dans le cas où en vertu de l'article 332 de la LTVQ, deux sociétés qui résident au Québec sont étroitement liées à la même société ou le seraient si cette dernière résidait au Québec, elles sont étroitement liées entre elles.

Modifications proposées :

La modification proposée est de concordance avec celle apportée à la définition de l'expression « groupe étroitement lié » prévue à l'article 330 de la LTVQ. Elle vise à supprimer la condition de la résidence au Québec, car cette condition figure désormais dans la nouvelle définition de l'expression « groupe étroitement lié ».

Renvois [art. 333]: 1.1 (personne morale); 330 (sens de « groupe étroitement lié »); 333.1 (fonds de placement réputé être une société); 506.1 (société et société de personnes).

Bulletins d'interprétation [art. 332]: TVQ. 334-1/R1 — Choix visant les fournitures effectuées entre les membres d'un groupe étroitement lié.

Concordance fédérale: LTA, par. 128(2).

COMMENTAIRES: Voir les commentaires sous l'article 336.

333.1 Fonds de placement réputé être une société — Pour l'application des articles 332 et 333, un fonds de placement qui est membre d'un regroupement de sociétés mutuelles d'assurance est réputé être une société.

LTVQ (français)

Notes historiques: L'article 333.1 a été modifié par L.Q. 1997, c. 3, art. 135(2°) pour remplacer le mot « corporation » par le mot « société ». Cette modification est entrée en vigueur le 20 mars 1997. Auparavant, l'article 333.1 a été ajouté par L.Q. 1994, c. 22, art. 549(1) et est réputé entré en vigueur le 1er juillet 1992.

Définitions [art. 333.1]: « regroupement de sociétés mutuelles d'assurance » — 1.

Renvois [art. 333.1]: 1.1 (personne morale); 506.1 (société et société de personnes).

Formulaires [art. 333.1]: VD-442.S, *Demande de compensation de la TVQ au moyen d'un remboursement de TVQ*.

Lettres d'interprétation [art. 333.1]: 02-0102091 — Interprétation relative à la TPS/TVH — Interprétation relative à la TVQ — Choix relatif aux fournitures sans contrepartie.

Bulletins d'interprétation [art. 332]: TVQ. 334-1/R1 — Choix visant les fournitures effectuées entre les membres d'un groupe étroitement lié.

Concordance fédérale: LTA, par. 128(3).

COMMENTAIRES: Voir les commentaires sous l'article 336.

334. Choix visant les fournitures sans contrepartie — Dans le cas où un membre déterminé d'un groupe admissible fait un choix conjointement avec un autre membre déterminé du groupe afin que le présent article s'applique, chaque fourniture taxable effectuée entre eux, à un moment où le choix est en vigueur, est réputée effectuée sans contrepartie.

Exception — Le présent article ne s'applique pas à l'égard des fournitures suivantes :

1° la fourniture d'un immeuble par vente;

2° la fourniture d'un bien ou d'un service qui n'est pas acquis par l'acquéreur pour consommation, utilisation ou fourniture exclusive dans le cadre de ses activités commerciales;

3°-5° (*paragraphes supprimés*);

6° la fourniture qui n'est pas la fourniture d'un bien effectuée en prévision d'une attribution faite dans le cadre d'une réorganisation, visée au paragraphe a de l'article 308.3 de la *Loi sur les impôts* (chapitre I-3), si l'acquéreur de la fourniture est un membre temporaire.

Le choix prévu au premier alinéa et sa révocation doivent être effectués au moyen du formulaire prescrit contenant les renseignements prescrits et préciser leur date d'entrée en vigueur.

Notes historiques: Le premier alinéa de l'article 334 a été remplacé par L.Q. 2001, c. 53, art. 332(1) et cette modification a effet depuis le 8 octobre 1998. Antérieurement, il se lisait ainsi :

> 334. Dans le cas où un membre déterminé d'un groupe étroitement lié fait un choix conjointement avec une société qui est aussi un membre déterminé de ce groupe afin que le présent article s'applique, chaque fourniture taxable effectuée entre le membre déterminé et la société, à un moment où le choix est en vigueur, est réputée effectuée sans contrepartie.

Le paragraphe 2° du deuxième alinéa de l'article 334 a été modifié par L.Q. 2009, c. 5, s.-par. 630(1)(1°) par la suppression des mots « de celle-ci » après le mot « l'acquéreur ». Cette modification s'applique à l'égard d'une fourniture effectuée après le 16 novembre 2005.

Les paragraphes 4° et 5° du deuxième alinéa de l'article 334 ont été supprimés par L.Q. 2012, c. 28, s.-par. 107(1)(1°) et cette modification s'applique à compter du 1er janvier 2013. Antérieurement, ils se lisaient ainsi :

> 4° la fourniture d'un bien ou d'un service effectuée à un assureur qui est un inscrit et qui l'acquiert pour l'une des fins visées à l'article 280;
>
> 5° la fourniture d'un bien ou d'un service non financier effectuée à un inscrit qui l'acquiert pour les fins visées à l'article 281.

Le paragraphe 6° du deuxième alinéa de l'article 334 a été ajouté par L.Q. 2009, c. 5, s.-par. 630(1)(2°) et s'applique à l'égard d'une fourniture effectuée après le 16 novembre 2005.

L'article 334 a été modifié par L.Q. 1997, c. 3, art. 135(2°) pour remplacer le mot « corporation » par le mot « société ». Cette modification est entrée en vigueur le 20 mars 1997.

Auparavant, le paragraphe 3° du deuxième alinéa de l'article 334 a été supprimé par L.Q. 1995, c. 63, art. 414(1) et cette modification a effet depuis le 1er août 1995 sauf à l'égard de la fourniture d'un bien ou d'un service à l'égard duquel l'acquéreur ne peut demander un remboursement de la taxe sur les intrants en raison de l'article 206.1.

[*N.D.L.R.* : le paragraphe d'application prévu par L.Q. 1995, c. 63, art. 414(2) a été modifié par L.Q. 1997, c. 85, art. 750 et a effet depuis le 15 décembre 1995. Antérieurement, se lisait ainsi :

> Le paragraphe 1 s'applique relativement à :
>
> 1° une fourniture à l'égard de laquelle la taxe devient payable après le 31 juillet 1995 et n'est pas payée avant le 1er août 1995 par l'inscrit qui est une petite ou moyenne entreprise;
>
> 2° une fourniture à l'égard de laquelle la taxe devient payable après le 29 novembre 1996 et n'est pas payée avant le 30 novembre 1996 par l'inscrit qui est une grande entreprise.]

Auparavant, le paragraphe 3° du deuxième alinéa de l'article 334 se lisait comme suit :

> 3° la fourniture d'un bien ou d'un service à l'égard duquel l'acquéreur ne peut demander un remboursement de la taxe sur les intrants en raison de l'article 206.1 et à l'égard duquel :
>
> a) soit le fournisseur ne devait pas payer la taxe ni celle prévue au chapitre II de la *Loi concernant l'impôt sur la vente en détail* (L.R.Q., chapitre I-1);
>
> b) soit le fournisseur a demandé ou a le droit de demander un remboursement de la taxe ou de celle prévue au chapitre II de la *Loi concernant l'impôt sur la vente en détail* (L.R.Q., chapitre I-1);

Auparavant, l'article 334 avait été modifié par L.Q. 1994, c. 22, art. 550(1) et est réputé entré en vigueur le 1er octobre 1992. Il se lisait auparavant comme suit :

> 334. Dans le cas où un membre déterminé d'un groupe étroitement lié produit un choix fait conjointement avec une corporation qui est aussi un membre déterminé de ce groupe afin que le présent article s'applique, chaque fourniture taxable effectuée entre le membre déterminé et la corporation, à un moment où le choix est en vigueur, est réputée effectuée sans contrepartie.
>
> Le présent article ne s'applique pas à l'égard des fournitures suivantes :
>
> 1° la fourniture taxable d'un immeuble par vente;
>
> 2° la fourniture d'un bien ou d'un service qui n'est pas pour utilisation, consommation ou fourniture exclusive dans le cadre des activités commerciales de l'acquéreur;
>
> 3° la fourniture d'un bien ou d'un service à l'égard duquel l'acquéreur ne peut demander un remboursement de la taxe sur les intrants en raison de l'article 206.1 et à l'égard duquel :
>
> a) soit le fournisseur ne devait pas payer la taxe ni celle prévue au chapitre II de la *Loi concernant l'impôt sur la vente en détail* (L.R.Q., chapitre I-1);
>
> b) soit le fournisseur a demandé ou a le droit de demander un remboursement de la taxe ou de celle prévue au chapitre II de la *Loi concernant l'impôt sur la vente en détail* (L.R.Q., chapitre I-1);
>
> 4° la fourniture d'un bien ou d'un service effectuée à un assureur qui est un inscrit et qui l'acquiert pour l'une des fins visées à l'article 280;
>
> 5° la fourniture d'un bien ou d'un service non financier effectuée à un inscrit qui l'acquiert pour les fins visées à l'article 281.

Le deuxième alinéa de l'article 334 a été modifié par L.Q. 1993, c. 19, art. 213 et s'applique à l'égard d'une fourniture ou d'un apport au Québec relativement auquel l'article 685 ou l'un des articles 618 à 656 de L.Q. 1991, c. 67 s'applique [*N.D.L.R.* : les articles 685 et 618 à 656 réfèrent à des dispositions transitoires concernant les transferts avant le 1er juillet 1992]. Il se lisait auparavant comme suit :

> Le présent article ne s'applique pas à l'égard de la fourniture taxable d'un immeuble par vente ni à l'égard de la fourniture d'un bien ou d'un service qui n'est pas pour utilisation, consommation ou fourniture exclusive dans le cadre des activités commerciales de l'acquéreur.

Le troisième alinéa de l'article 334 a été ajouté par L.Q. 2012, c. 28, s.-par. 107(1)(2°) et s'applique à compter du 1er janvier 2013.

L'article 334 a été édicté par L.Q. 1991, c. 67.

Notes explicatives ARQ (PL 5, L.Q. 2012, c. 28): *Résumé* :

L'article 334 fait l'objet d'une modification corrélative pour tenir compte de l'abrogation des articles 280 et 281 de cette loi. Il est également modifié pour y préciser les modalités du choix qui y est prévu et de sa révocation.

Situation actuelle :

L'article 334 permet à une société et à une société de personnes qui sont des membres déterminés d'un groupe admissible de faire un choix conjoint qui leur permet d'effectuer au sein du groupe des transactions en franchise de taxe de vente du Québec. Toutefois, cet article précise qu'il ne s'applique pas à l'égard de certaines fournitures, notamment celle de certains biens ou services acquis pour les fins visées à l'un des articles 280 et 281 de la LTVQ.

Modifications proposées :

Les paragraphes 4° et 5° du deuxième alinéa de l'article 334 sont supprimés, étant donné l'abrogation des articles 280 et 281 de la LTVQ par le présent projet de loi.

De plus, un troisième alinéa est ajouté à l'article 334. Ce troisième alinéa précise donc que les parties au choix visé au premier alinéa de l'article 334 de la LTVQ doivent compléter le formulaire prescrit à l'égard de ce choix et de sa révocation.

Notes explicatives ARQ (PL 2, L.Q. 2009, c. 5): *Résumé* :

Cette modification vise à insérer à l'article 334 un nouveau cas d'exclusion à l'égard d'une fourniture dont l'acquéreur est un « membre temporaire ».

Situation actuelle :

Actuellement, l'article 334 de la LTVQ permet à une société et à une société de personnes qui sont des membres déterminés d'un groupe admissible de faire un choix conjoint qui leur permet d'effectuer au sein du groupe des transactions en franchise de taxe de vente du Québec. Il contient aussi certaines exclusions.

Modifications proposées :

La modification apportée au paragraphe 6° du deuxième alinéa de l'article 334 de la LTVQ prévoit un nouveau cas d'exclusion à l'égard d'une fourniture dont l'acquéreur est un « membre temporaire » en vertu de la nouvelle définition de cette expression prévue à l'article 331.0.1 de la LTVQ.

Selon ce paragraphe, le choix ne peut être fait que s'il s'agit d'une fourniture, effectuée en prévision d'une attribution faite dans le cadre d'une réorganisation visée au paragraphe a) de l'article 308.3 de la *Loi sur les impôts* (L.R.Q., chapitre I-3), reçue par le « membre temporaire ».

Guides [art. 334]: IN-203 — Renseignements généraux sur la TVQ et la TPS/TVH.

Définitions [art. 334]: « acquéreur », « activité commerciale », « assureur », « bien », « contrepartie », « exclusif », « fourniture taxable », « inscrit », « service », « taxe », « vente » — 1.

Renvois [art. 334]: 1.1 (personne morale); 54.2 (valeur de la contrepartie — biens échangés); 216, 217 (exportation); 330 (sens de groupe étroitement lié); 331 (définition de membre déterminé); 335 (cessation); 337 (présomption de choix par une caisse de crédit); 337.1 (présomption de choix — regroupement de sociétés mutuelles d'assurance); 506.1 (société et société de personnes).

Formulaires [art. 338]: VD-336, Choix concernant les fournitures sans contrepartie; VD-336.S, Formulaire supplémentaire concernant les fournitures sans contrepartie.

Bulletins d'interprétation [art. 334]: TVQ. 80.2-3 — Remboursement de la taxe sur les intrants et les fournisseurs de services de télécommunication; TVQ. 334-1/R1 — Choix visant les fournitures effectuées entre les membres d'un groupe étroitement lié.

Lettres d'interprétation [art. 334]: 98-0101059 — Groupe étroitement lié — Choix visant les fournitures sans contrepartie; 98-0112718 — Interprétation relative à la TPS et à la TVQ — Choix visant les fournitures sans contrepartie; 00-0107961 — Interprétation relative à la TPS et à la TVQ — Choix visant les fournitures sans contrepartie; 02-0102091 — Interprétation relative à la TPS/TVH — Interprétation relative à la TVQ — Choix relatif aux fournitures sans contrepartie; 12-014053-001 — Interprétation relative à la TVQ — Choix de l'article 33 de la LTVQ.

Concordance fédérale: LTA, par. 156(2), 156(2.1).

COMMENTAIRES: Voir les commentaires sous l'article 336.

335. Cessation du choix — Le choix prévu à l'article 334 effectué conjointement par un membre donné d'un groupe admissible et un autre membre du groupe cesse d'être en vigueur le premier en date des jours suivants :

1° le jour où le membre donné cesse d'être un membre déterminé du groupe;

2° le jour où l'autre membre cesse d'être un membre déterminé du groupe;

3° le jour où les membres le révoquent conjointement.

Notes historiques: L'article 335 a été remplacé par L.Q. 2001, c. 53, art. 333(1) et cette modification a effet depuis le 8 octobre 1998. Antérieurement, il se lisait ainsi :

> 335. Le choix prévu à l'article 334 effectué conjointement par une personne qui est un membre déterminé d'un groupe étroitement lié et une société cesse d'être en vigueur le premier en date des jours suivants :
>
> 1° le jour où la personne cesse d'être un membre déterminé du groupe;
>
> 2° le jour où la société cesse d'être un membre déterminé du groupe;
>
> 3° le jour où la révocation du choix effectué conjointement par la personne et la société entre en vigueur.

L'article 335 a été modifié par L.Q. 1997, c. 3, art. 135(2°) pour remplacer le mot « corporation » par le mot « société ». Cette modification est entrée en vigueur le 20 mars 1997.

Auparavant, l'article 335 a été modifié par L.Q. 1994, c. 22, art. 550(1) et est réputé entré en vigueur le 1er octobre 1992. Toutefois, pour la période du 1er juillet 1992 au 30 septembre 1992, il doit se lire comme suit :

> 335. Le choix prévu à l'article 334 effectué conjointement par deux personnes et sa révocation doivent être effectués au moyen du formulaire prescrit contenant les renseignements prescrits et doivent préciser le jour au cours d'un exercice financier donné de l'une ou l'autre des personnes — appelée « déclarant » dans le présent article — où le choix ou la révocation, selon le cas, entre en vigueur, lequel jour doit être :
>
> 1° dans le cas d'un choix :
>
> a) si l'une ou l'autre des personnes devient un membre déterminé du groupe durant une période de déclaration du déclarant au cours de l'exercice financier donné, le premier jour de cette période de déclaration;
>
> b) si le sous-paragraphe a) ne s'applique pas, le premier jour de l'exercice financier donné;
>
> 2° dans le cas de la révocation d'un choix, le premier jour de la période de déclaration du déclarant qui commence au cours de son exercice financier suivant celui au cours duquel le choix est entré en vigueur.

L'article 335, édicté par L.Q. 1991, c. 67, se lisait comme suit :

> 335. Le choix prévu à l'article 334 concernant les fournitures effectuées entre un membre déterminé d'un groupe étroitement lié et une corporation doit être effectué au moyen du formulaire prescrit contenant les renseignements prescrits et produit par le membre au ministre de la manière prescrite par ce dernier :
>
> 1° soit au plus tard le jour où le membre est tenu de produire une déclaration en vertu du chapitre huitième, pour la première période de déclaration de son année civile;
>
> 2° soit, dans le cas où le membre ou la corporation devient membre du groupe pendant une période de déclaration de l'année civile du membre, au plus tard le premier jour où une déclaration pour cette période doit être produite, en vertu du chapitre huitième, par le membre ou la corporation.

Définitions [art. 335]: « personne » — 1.

Renvois [art. 335]: 1.1 (personne morale); 330 (sens de groupe étroitement lié); 331 (définition de membre déterminé); 334 (choix visant les fournitures sans contrepartie); 506.1 (société et société de personnes).

Concordance fédérale: LTA, par. 156(3).

COMMENTAIRES: Voir les commentaires sous l'article 336.

336. [*Abrogé*].

Notes historiques: L'article 336 a été abrogé par L.Q. 2006, c. 13, art. 237 et cette abrogation est entrée en vigueur le 13 juin 2006. Antérieurement, il se lisait ainsi :

> 336. **Modalités du choix** — Le choix prévu à l'article 334 et sa révocation doivent être effectués au moyen du formulaire prescrit contenant les renseignements prescrits et préciser leur date d'effet.

L'article 336 a été modifié par L.Q. 1994, c. 22, art. 550(1) et est réputé entré en vigueur le 1er octobre 1992. L'article 336, édicté par L.Q. 1991, c. 67, se lisait comme suit :

> 336. Le choix prévu à l'article 334 est en vigueur pour la période commençant le premier jour de la période de déclaration visée aux paragraphes 1° ou 2° de l'article 335 et se terminant le premier en date des jours suivants :
>
> 1° le jour où le membre ou la corporation cesse d'être membre du groupe étroitement lié;
>
> 2° le premier jour de l'année civile au cours de laquelle le membre ou la corporation cesse d'être membre déterminé du groupe;
>
> 3° le jour que le membre ou la corporation précise dans un avis de révocation, au moyen du formulaire prescrit contenant les renseignements prescrits et produit par le membre ou la corporation au ministre de la manière prescrite par ce dernier, lequel jour, à la fois :
>
> a) est postérieur à la fin de l'année civile de la personne produisant l'avis dans laquelle le choix devient en vigueur;
>
> b) dans le cas où l'avis est produit au plus tard le jour où la personne qui le produit est tenue de produire une déclaration pour une période de déclaration en vertu du chapitre huitième, le premier jour de cette période.

Toutefois, pour la période du 1er juillet 1992 au 30 septembre 1992, le préambule du paragraphe 1° et le paragraphe 3° de l'article 336 doivent se lire comme suit :

> 1° Le choix prévu à l'article 334 effectué conjointement par un membre déterminé d'un groupe étroitement lié et une corporation cesse d'être en vigueur le premier en date des jours suivants :
>
> 3° le jour où la révocation du choix par le membre ou la corporation entre en vigueur.

Notes explicatives ARQ (PL 15, L.Q. 2006, c. 13): *Résumé* :

L'article 336 est abrogé afin de simplifier l'administration de la taxe pour les membres déterminés d'un même groupe qui font un choix conjoint afin que l'article 334 de la LTVQ s'applique à eux.

Situation actuelle :

Actuellement, l'article 336 prévoit que le choix conjoint que deux membres déterminés d'un même groupe effectuent conformément à l'article 334 de la LTVQ ainsi que sa révocation doivent être faits au moyen du formulaire prescrit contenant les renseignements prescrits et préciser leur date d'effet. Ce choix permet que les fournitures taxables effectuées entre ces deux membres se fassent sans impact de taxe.

Conformément à l'article 336, les personnes qui font conjointement le choix prévu à l'article 334 de la LTVQ n'ont pas à produire le formulaire au ministre du Revenu mais seulement à le compléter. Étant donné que ce choix ne peut être validé qu'*a posteriori* soit lors d'une vérification, le cas échéant, et que les personnes qui peuvent exercer ce choix sont des personnes étroitement liées, le formulaire est à toute fin pratique inutile. Dans ces circonstances, il est opportun d'éliminer cette obligation.

Modifications proposées :

LTVQ (français)

Il y aurait lieu d'abroger l'article 336 afin de simplifier l'administration de la taxe pour les membres déterminés d'un même groupe qui peuvent faire un choix conjoint en vertu de l'article 334 de la LTVQ.

COMMENTAIRES: La définition de « membre déterminé » prévue à l'article 331 prévoit que seul un « membre admissible » ou un « membre temporaire » peut être considéré comme un « membre déterminé ». Pour être un « membre admissible », selon la définition prévue à l'article 330.1, une société de personnes, telle que SC, doit répondre aux exigences suivantes :

- être inscrite;
- être une « société de personnes admissible »;
- être membre du « groupe admissible »;
- avoir fabriqué, produit, acquis ou apporté au Québec, la dernière fois, la totalité ou la presque totalité de ses biens pour consommation, utilisation ou fourniture exclusive dans le cadre de ses activités commerciales ou, dans le cas où elle n'a pas de biens, la totalité ou la presque totalité de ses fournitures sont des fournitures taxables.

Selon l'article 331.1, une « société de personnes admissible » est une société de personnes dont chaque associé est une société ou une société de personnes et réside au Québec.

Ainsi, la société de personnes, qui par ailleurs est réputée résidente du Québec en vertu de l'article 11.1, n'est pas admissible au choix de l'article 334 compte tenu du fait qu'elle n'est pas une « société de personnes admissible » telle que définie à l'article 331.1. En effet, chacun des associés d'une société de personnes qui veut se qualifier à titre de « société de personnes admissible », et être ainsi admissible au choix de l'article 334, doit résider au Québec, ce qui n'est pas le cas des associés de la société de personnes. Voir notamment à cet effet : Revenu Québec, Lettre d'interprétation, 12-014053-001 — *Interprétation relative à la TVQ -- Choix de l'article 334 de la LTVQ* (10 avril 2012).

À titre illustratif, une société en nom collectif (« l'Inscrit ») est propriétaire d'immeubles commerciaux et se propose d'acheter les actions d'une personne morale à but lucratif qui opère des garderies. Ces garderies occupent actuellement des locaux appartenant à l'Inscrit. Plus précisément, la question se pose à savoir si, une fois propriétaire des actions, l'Inscrit pourra éviter de percevoir la taxe sur la contrepartie de la fourniture par bail des locaux effectuée à la personne morale en exerçant un choix en vertu de l'article 334 pour que cette fourniture taxable soit réputée effectuée à titre gratuit.

Cet article permet aux « membres déterminés » d'un groupe étroitement lié de personnes morales d'exercer un choix conjoint pour que chaque fourniture taxable effectuée entre eux, au moment où le choix est en vigueur, soit réputée effectuée à titre gratuit. Cet article ne s'applique cependant pas à l'égard de la fourniture d'un bien ou d'un service qui n'est pas acquis par l'acquéreur de celle-ci pour consommation, utilisation ou fourniture dans le cadre de ses activités commerciales. La définition d'« activités commerciales » selon l'article 1 exclut la réalisation de fournitures exonérées. Par ailleurs, la fourniture de services de garde d'enfants constitue une fourniture exonérée. Ainsi, Revenu Québec est d'avis que l'article 334 ne s'applique pas dans la situation en l'espèce puisque l'inscrit n'est pas une personne morale, mais une société en nom collectif (société de personnes); la personne morale qui opère les garderies acquiert la fourniture des locaux par location afin d'effectuer des fournitures exonérées, elle ne l'acquiert donc pas pour utilisation dans le cadre de ses « activités commerciales » au sens que donne à cette expression l'article 1. Voir notamment à cet effet : Revenu Québec, Lettres d'interprétation, 98-0112718 — *Interprétation relative à la TPS et à la TVQ -- Choix visant les fournitures sans contrepartie* (31 mars 1999)

Revenu Québec s'est penché sur la question de savoir si le transfert des immeubles, camions et équipements constitue la fourniture d'une partie d'une entreprise aux fins du choix prévu à l'article 75. Le cas échéant, Revenu Québec examinera si la société et sa filiale peuvent, en vertu de l'article 334, faire un choix conjoint pour que chaque fourniture taxable effectuée entre eux soit réputée effectuée à titre gratuit. Dans le présent cas, il n'y aura pas fourniture d'une entreprise ou d'une partie d'une entreprise puisque le fournisseur conservera, après le transfert d'une partie de ses actifs à sa filiale, la totalité des activités qu'il exerçait avant le transfert. De son côté, la filiale aura été créée pour effectuer des activités tout à fait différentes de celles de la société, soit la location d'immeubles, de camions et d'équipements. Par ailleurs, l'article 334 prévoit que deux « membres déterminés » d'un groupe étroitement lié dont un est une personne morale peuvent faire un choix conjoint pour que chaque fourniture taxable (sauf la fourniture d'un bien ou d'un service, acquis par l'acquéreur à une fin autre que sa consommation, utilisation ou fourniture exclusive dans le cadre de ses activités commerciales et la fourniture d'un immeuble par vente) effectuée entre eux, au moment où le choix est en vigueur, soit réputée effectuée à titre gratuit. L'article 331 définit un « membre déterminé » d'un groupe étroitement lié, pour l'application de l'article 334. La société et sa filiale constitueront selon Revenu Québec un groupe de personnes morales étroitement liées au sens de l'article 332. De plus, selon Revenu Québec, la société se qualifie à titre de « membre déterminé d'un groupe étroitement lié » puisque la totalité ou presque de ses biens ont été acquis pour utilisation, consommation ou fourniture exclusive dans le cadre de ses activités commerciales. De même, la filiale se qualifiera également à titre de membre déterminé après la date de l'acquisition des immeubles de la société. Par conséquent, après cette date, la société et sa filiale pourront, en vertu de l'article 334, faire un choix conjoint pour que les fournitures effectuées entre elles, incluant la fourniture des camions et des équipements, soient réputées effectuées à titre gratuit. Ce choix conjoint signé par les parties cessera d'être en vigueur au premier en date du jour où l'une des parties au choix cessera d'être membre déterminé du groupe étroitement lié ou du jour où la révocation du choix conjoint par les parties au choix entrera en vigueur. Voir notamment à cet effet : Revenu Québec, Lettre d'interprétation, 98-0101059 -- *Groupe étroitement lié -- Choix visant les fournitures sans contrepartie* (17 avril 1998).

Compte tenu de la similarité de la rédaction des dispositions législatives et considérant l'engagement spécifique de Revenu Québec de veiller à ce que l'assiette de TVQ modifiée, de même que les paramètres administratifs, structurels et définitionnels, produisent des résultats qui sont similaires à ceux produits sous le régime de la TPS/TVH et soient administrés d'un manière qui produit des résultats similaires, tel que reflété par l'article 14 de l'*Entente intégrée globale de coordination fiscale* signée entre le gouvernement du Canada et le gouvernement du Québec, nous vous référons à nos commentaires en vertu des articles 128 et 156 de la *Loi sur la taxe d'accise (TPS)* qui devraient s'appliquer *mutatis mutandis*, avec les adaptations nécessaires.

337. [*Abrogé*].

Notes historiques: L'article 337 a été abrogé par L.Q. 2012, c. 28, par. 108(1) et cette abrogation s'applique à compter du 1er janvier 2013. Antérieurement, il se lisait ainsi :

> 337. Caisse de crédit — Les règles suivantes s'appliquent aux caisses de crédit :
>
> 1° chaque caisse de crédit est réputée en tout temps être un membre d'un groupe étroitement lié dont chaque autre caisse de crédit est membre;
>
> 2° chaque caisse de crédit est réputée avoir fait le choix prévu à l'article 334 avec chaque autre caisse de crédit, lequel choix est en vigueur en tout temps.

L'article 337 a été édicté par L.Q. 1991, c. 67.

Notes explicatives ARQ (PL 5, L.Q. 2012, c. 28): *Résumé* :

Les articles 337 et 337.1 prévoient des présomptions relatives au choix permettant d'effectuer, au sein d'un groupe étroitement lié, des transactions en franchise de taxe de vente du Québec (TVQ), et concernent, respectivement, les caisses de crédit et les membres d'un regroupement de sociétés mutuelles d'assurance. Ces articles sont abrogés, compte tenu du fait qu'ils n'ont plus d'application pour les fins de ce choix.

Situation actuelle :

Les articles 337 et 337.1 prévoient des présomptions relatives au choix permettant d'effectuer, au sein d'un groupe étroitement lié, des transactions en franchise de TVQ, lequel est prévu à l'article 334 de la LTVQ, et concernent, respectivement, les caisses de crédit et les membres d'un regroupement de sociétés mutuelles d'assurance.

L'article 337 prévoit que les caisses de crédit sont réputées membres d'un même groupe étroitement lié auquel chaque autre caisse est membre. Il prévoit également que chaque caisse de crédit est réputée avoir fait le choix prévu à l'article 334 de la LTVQ, lequel choix est réputé en vigueur, de sorte que les opérations entre caisses de crédit peuvent se faire sans qu'elles ne soient assujetties à la taxe.

Enfin, l'article 337.1 est similaire à l'article 337 de la LI, mais concerne les membres d'un regroupement de sociétés mutuelles d'assurance.

Modifications proposées :

Les articles 337 et 337.1 ne trouvent plus application dans le contexte du choix prévu à l'article 334 de cette loi, étant donné l'exonération des services financiers. En effet, l'une des conditions pour l'exercice du choix prévu à l'article 334 de la LTVQ est que le membre d'un groupe admissible qui l'exerce ait fabriqué, produit, acquis ou importé, la dernière fois, la totalité ou la presque totalité de ses biens pour consommation, utilisation ou fourniture exclusives dans le cadre de ses activités commerciales ou que la totalité ou la presque totalité de ses fournitures, dans le cas où il n'y a pas de biens, soient des fournitures taxables.

Guides [art. 337]: IN-203 — Renseignements généraux sur la TVQ et la TPS/TVH.

Définitions [art. 337]: « caisse » — 1.

Renvois [art. 337]: 330 (sens de groupe étroitement lié).

337.1 [*Abrogé*].

Notes historiques: L'article 337.1 a été abrogé par L.Q. 2012, c. 28, par. 108(1) et cette abrogation s'applique à compter du 1er janvier 2013. Antérieurement, il se lisait ainsi :

> 337.1 Regroupement de sociétés mutuelles d'assurance — Les règles suivantes s'appliquent aux membres d'un regroupement de sociétés mutuelles d'assurance :
>
> 1° chaque membre d'un regroupement de sociétés mutuelles d'assurance est réputé en tout temps être un membre d'un groupe étroitement lié dont chaque autre membre d'un regroupement de sociétés mutuelles d'assurance est membre;
>
> 2° chaque membre d'un regroupement de sociétés mutuelles d'assurance est réputé avoir fait le choix prévu à l'article 334 avec chaque autre membre d'un regroupement de sociétés mutuelles d'assurance, lequel choix est en vigueur en tout temps.

L'article 337.1 a été ajouté par L.Q. 1994, c. 22, art. 551(1) et est réputé entré en vigueur le 1er juillet 1992.

Définitions [art. 337.1]: « regroupement de sociétés mutuelles d'assurance » — 1.

Renvois [art. 337.1]: 330 (sens de groupe étroitement lié).

SECTION XI — DIVISIONS OU SUCCURSALES D'UN ORGANISME DE SERVICES PUBLICS

337.2 Division de petit fournisseur d'un organisme de services publics — Pour l'application de la présente section, une division de petit fournisseur d'un organisme de services publics à un moment quelconque signifie la division ou la succursale de l'organisme de services publics qui, à ce moment, à la fois :

1º est une division ou une succursale désignée par le ministre comme une division à laquelle le présent article et les articles 338 à 341.3 s'appliquent;

2º serait un petit fournisseur en vertu du paragraphe 1º de la définition de l'expression « petit fournisseur » prévue à l'article 1 si, à la fois :

a) la division ou la succursale était une personne distincte de l'organisme de services publics et de ses autres divisions ou succursales;

b) la division ou la succursale n'était pas associée à d'autres personnes;

c) chaque fourniture effectuée par l'organisme de services publics par l'intermédiaire de la division ou de la succursale était une fourniture effectuée par la division ou la succursale.

Notes historiques: Le préambule du paragraphe 2º de l'article 337.2 a été modifié par L.Q. 1995, c. 1, art. 294(1) et cette modification est réputée avoir effet depuis le 1er avril 1993. Auparavant, le préambule du paragraphe 2º se lisait comme suit :

> 2º serait un petit fournisseur si, à la fois :

L'article 337.2 a été ajouté par L.Q. 1994, c. 22, art. 552(1) et est réputé entré en vigueur le 1er juillet 1992.

Guides [art. 337.2]: IN-229 — La TVQ, la TPS/TVH pour les organismes sans but lucratif.

Définitions [art. 337.2]: « organisme de services publics », « personne », « petit fournisseur » — 1.

Renvois [art. 337.2]: 5–9 (personnes associées); 22.28 (fourniture réputée effectuée au Québec); 294 (petit fournisseur); 338 (divisions d'un organisme de services publics); 339 (désignation par ministre).

Concordance fédérale: LTA, par. 129(1).

COMMENTAIRES: Voir les commentaires sous l'article 341.9.

338. Demande afin d'être désigné comme division de petit fournisseur — Un organisme de services publics qui exerce une activité dans des divisions ou des succursales distinctes peut présenter une demande au ministre, au moyen du formulaire prescrit contenant les renseignements prescrits, afin que la division ou la succursale visée dans la demande soit désignée par le ministre comme une division à laquelle l'article 337.2, le présent article et les articles 339 à 341.3 s'appliquent.

Notes historiques: L'article 338 a été modifié par L.Q. 1994, c. 22, art. 552(1) et est réputé entré en vigueur le 1er juillet 1992. Toutefois, dans le cas où, avant le 17 juin 1994, une demande est approuvée à l'égard d'une division ou d'une succursale d'un organisme de services publics et que l'approbation n'est pas révoquée avant cette date, la division ou la succursale est réputée avoir été désignée en vertu de l'article 339 comme une division à laquelle les articles 337.2–341.3 s'appliquent.

L'article 338, édicté par L.Q. 1991, c. 67, se lisait comme suit :

> 338. Un organisme de services publics qui exerce une activité dans des divisions ou des succursales distinctes peut présenter une demande au ministre, au moyen du formulaire prescrit contenant les renseignements prescrits, afin que chaque division ou succursale visée dans la demande soit réputée être une personne distincte pour l'application des articles 207 à 210 et 294 à 297.

Guides [art. 338]: IN-229 — La TVQ, la TPS/TVH pour les organismes sans but lucratif.

Définitions [art. 338]: « organisme de services publics » — 1.

Renvois [art. 338]: 22.28 (fourniture réputée effectuée au Québec); 339 (désignation par ministre); 341.0.1 (fourniture par une division); 341.4 (fourniture par une division de petit fournisseur).

Formulaires [art. 338]: FP-631, Demande formulée par un organisme de services publics afin que ses succursales et ses divisions soient réputées être des personnes distinctes pour l'application des règles relatives aux petits fournisseurs.

Concordance fédérale: LTA, par. 129(2).

COMMENTAIRES: Voir les commentaires sous l'article 341.9.

339. Désignation par le ministre — Le ministre peut, par avis écrit, désigner la division ou la succursale visée dans la demande présentée en vertu de l'article 338 comme une division ou succursale à laquelle les articles 337.2, 338, le présent article et les articles 340 à 341.3 s'appliquent à compter du jour indiqué dans l'avis, s'il est établi à sa satisfaction que la division ou la succursale peut être reconnue distinctement par son emplacement ou la nature des activités qu'elle exerce, que des livres de comptes, d'autres registres et des systèmes comptables distincts sont tenus à l'égard de cette division ou de cette succursale et que la demande de révocation présentée en vertu du paragraphe 3º de l'article 340 par l'organisme de services publics à l'égard de la division ou de la succursale n'a pas pris effet au cours de la période de 365 jours se terminant le jour indiqué dans l'avis.

Notes historiques: L'article 339 a été modifié par L.Q. 2000, c. 25, art. 28 par le remplacement des mots « des registres » par les mots « d'autres registres ». Cette modification est réputée entrée en vigueur le 16 juin 2000.

L'article 339 a été modifié par L.Q. 1994, c. 22, art. 552(1) et est réputé entré en vigueur le 1er juillet 1992. Toutefois, dans le cas où, avant le 17 juin 1994, une demande est approuvée à l'égard d'une division ou d'une succursale d'un organisme de services publics et que l'approbation n'est pas révoquée avant cette date, la division ou la succursale est réputée avoir été désignée en vertu de l'article 339 comme une division à laquelle les articles 337.2 à 341.3 s'appliquent.

L'article 339, édicté par L.Q. 1991, c. 67, se lisait comme suit :

> 339. Le ministre peut approuver, par écrit, la demande présentée en vertu de l'article 338 à l'égard d'une division ou d'une succursale d'un organisme de services publics, s'il est établi à sa satisfaction que la division ou la succursale peut être reconnue distinctement par son emplacement ou la nature des activités qu'elle exerce et que des livres de comptes, des registres et des systèmes comptables distincts sont tenus à l'égard de cette division ou de cette succursale.
>
> Dès l'approbation, la division ou la succursale est réputée être une personne distincte et ne pas être associée à aucune autre division ou succursale de l'organisme de services publics pour l'application des articles 207 à 210 et 294 à 297, sauf en ce qui concerne la délivrance d'un bien ou la prestation d'un service par une division ou une succursale à une autre division ou à une autre succursale de l'organisme de services publics.

Définitions [art. 339]: « organisme de services publics » — 1.

Renvois [art. 339]: 22.28 (fourniture réputée effectuée au Québec); 340 (révocation de désignation); 341.0.1 (fourniture par une division); 7R78.3, 7R78.14 RAF (signature des documents par certains fonctionnaires).

Concordance fédérale: LTA, par. 129(3).

COMMENTAIRES: Voir les commentaires sous l'article 341.9.

340. Révocation — Le ministre peut révoquer, par écrit, la désignation effectuée en vertu de l'article 339 si, selon le cas :

1º la division ou la succursale ne peut plus être reconnue distinctement par son emplacement ou la nature des activités qu'elle exerce;

2º des livres de comptes, d'autres registres et des systèmes comptables distincts ne sont plus tenus à l'égard de la division ou de la succursale;

3º l'organisme de services publics présente au ministre, par écrit, une demande de révocation de la désignation.

Notes historiques: Le paragraphe 2º de l'article 340 a été modifié par L.Q. 2000, c. 25, art. 29 par le remplacement des mots « des registres » par les mots « d'autres registres ». Cette modification est réputée entrée en vigueur le 16 juin 2000.

L'article 340 a été modifié par L.Q. 1994, c. 22, art. 552(1) et est réputé entré en vigueur le 1er juillet 1992. Toutefois, dans le cas où, avant le 17 juin 1994, une demande est approuvée à l'égard d'une division ou d'une succursale d'un organisme de services publics et que l'approbation n'est pas révoquée avant cette date, la division ou la succursale est réputée avoir été désignée en vertu de l'article 339 comme une division à laquelle les articles 337.2 à 341.3 s'appliquent. L'article 340, édicté par L.Q. 1991, c. 67, se lisait comme suit :

> 340. Le ministre peut révoquer, par écrit, l'approbation donnée en vertu de l'article 339, si les conditions qui y sont visées ne sont plus rencontrées.
>
> Dès la révocation, la division ou la succursale de l'organisme de services publics est réputée ne pas être une personne distincte pour l'application des articles 207 à 210 et 294 à 297.

Définitions [art. 340]: « organisme de services publics » — 1.

LTVQ (français)

Renvois [art. 340]: 22.28 (fourniture réputée effectuée au Québec); 338 (divisions d'un organisme de services publics); 339 (désignation par ministre); 341 (avis de révocation); 341.0.1 (fourniture par une division); 7R78.3, 7R78.14 RAF (signature des documents par certains fonctionnaires).

Concordance fédérale: LTA, par. 129(4).

COMMENTAIRES: Voir les commentaires sous l'article 341.9.

341. Avis de révocation — Dans le cas où le ministre révoque une désignation en vertu de l'article 340, il doit expédier à l'organisme de services publics un avis écrit de la révocation et y préciser la date d'effet de celle-ci.

Notes historiques: L'article 341 a été modifié par L.Q. 1994, c. 22, art. 552(1) et est réputé entré en vigueur le 1er juillet 1992. Toutefois, dans le cas où, avant le 17 juin 1994, une demande est approuvée à l'égard d'une division ou d'une succursale d'un organisme de services publics et que l'approbation n'est pas révoquée avant cette date, la division ou la succursale est réputée avoir été désignée en vertu de l'article 339 comme une division à laquelle les articles 337.2 à 341.3 s'appliquent. L'article 341, édicté par L.Q. 1991, c. 67, se lisait comme suit :

> 341. Dans le cas où le ministre révoque une approbation en vertu de l'article 340, il doit expédier à l'inscrit un avis écrit de la révocation et y préciser la date d'effet de celle-ci.

Définitions [art. 341]: « organisme de services publics » — 1.

Renvois [art. 341]: 22.28 (fourniture réputée effectuée au Québec); 338 (divisions d'un organisme de services publics); 341 (avis de révocation); 339 (désignation par ministre); 341.0.1 (fourniture par une division); 7R78.3, 7R78.14 RAF (signature des documents par certains fonctionnaires).

Concordance fédérale: LTA, par. 129(5).

COMMENTAIRES: Voir les commentaires sous l'article 341.9.

341.0.1 Règles applicables à une demande de désignation — Malgré les articles 338 à 341, dans le cas où un organisme de services publics présente une demande, en vertu du paragraphe 2° de l'article 129 de la *Loi sur la taxe d'accise* (Lois révisées du Canada (1985), chapitre E-15) afin que la division ou la succursale, visée dans la demande, soit désignée par le ministre du Revenu national comme une division à laquelle l'article 129 de cette loi s'applique, les règles suivantes s'appliquent :

1° l'organisme n'a pas à présenter une demande en vertu de l'article 338;

2° l'organisme est réputé avoir reçu l'avis écrit du ministre, en vertu de l'article 339, désignant la division ou la succursale visée dans la demande comme une division ou succursale à laquelle les articles 337.2 à 341.3 s'appliquent, à compter du jour où la division ou la succursale est désignée, par avis écrit du ministre du Revenu national, comme une division à laquelle l'article 129 de cette loi s'applique;

3° la désignation réputée effectuée en vertu de l'article 339 est réputée être révoquée à compter du jour où la désignation effectuée en vertu du paragraphe 3° de l'article 129 de cette loi est révoquée en vertu du paragraphe 4° de l'article 129 de cette loi;

4° l'avis écrit expédié à l'organisme en vertu du paragraphe 5° de l'article 129 de cette loi est réputé être un avis écrit expédié à l'organisme en vertu de l'article 341 et la date d'effet de cet avis est réputée être la date d'effet de la révocation.

Demande du ministre — Le ministre peut exiger de l'organisme qu'il l'informe, de la manière prescrite par le ministre, au moyen du formulaire prescrit contenant les renseignements prescrits et dans le délai qu'il détermine, de la désignation effectuée en vertu du paragraphe 3° de l'article 129 de cette loi, de la révocation de cette désignation ou exiger qu'il lui transmette l'avis de désignation ou de révocation de cette désignation.

Notes historiques: L'article 341.0.1 a été ajouté par L.Q. 1997, c. 85, art. 619(1) et a effet depuis le 1er août 1995.

Guides [art. 341.0.1]: IN-229 — La TVQ, la TPS/TVH pour les organismes sans but lucratif.

Définitions [art. 341.0.1]: « ministre », « organisme de services publics » — 1.

Renvois [art. 341.0.1]: 22.28 (fourniture réputée effectuée au Québec); 7R78.14 RAF (signature des documents par certains fonctionnaires).

Concordance fédérale: aucune.

COMMENTAIRES: Voir les commentaires sous l'article 341.9.

341.1 Fourniture par une nouvelle division de petit fournisseur — Dans le cas où une division ou une succursale d'un organisme de services publics qui est un inscrit devient, à un moment quelconque, une division de petit fournisseur et que l'organisme de services publics ne cesse pas, à ce moment, d'être un inscrit, l'organisme de services publics est réputé :

1° avoir effectué, immédiatement avant ce moment, une fourniture de chacun de ses biens, autre qu'une immobilisation ou une amélioration à celle-ci, qui était détenu, immédiatement avant ce moment, pour consommation, utilisation ou fourniture dans le cadre de ses activités commerciales et qu'il commence, immédiatement après ce moment, à détenir pour consommation, utilisation ou fourniture principalement dans le cadre de ses activités exercées par l'intermédiaire de ses divisions de petit fournisseur;

2° avoir perçu, immédiatement avant ce moment, la taxe relative à la fourniture, sauf s'il s'agit d'une fourniture exonérée, égale au total des remboursements de la taxe sur les intrants que l'organisme de services publics avait le droit de demander à l'égard du bien jusqu'à ce moment.

Notes historiques: Le paragraphe 2° de l'article 341.1 a été modifié par L.Q. 1995, c. 63, art. 415(1) et cette modification s'applique à l'égard d'une fourniture réputée effectuée après le 31 juillet 1995. Auparavant, il se lisait comme suit :

> 2° avoir perçu, immédiatement avant ce moment, la taxe relative à la fourniture, sauf s'il s'agit d'une fourniture exonérée ou non taxable, égale au total des remboursements de la taxe sur les intrants que l'organisme de services publics avait le droit de demander à l'égard du bien jusqu'à ce moment.

L'article 341.1 a été ajouté par L.Q. 1994, c. 22, art. 552(1) et est réputé entré en vigueur le 1er juillet 1992.

Définitions [art. 341.1]: « activité commerciale », « amélioration », « bien », « fourniture », « fourniture exonérée », « immobilisation », « inscrit », « organisme de services publics », « petit fournisseur », « taxe » — 1; « taxe exigée non admissible au remboursement de la taxe sur les intrants » — 383.

Renvois [art. 341.1]: 22.28 (fourniture réputée effectuée au Québec); 337.2 (définition de « division de petit fournisseur »); 338 (divisions d'un organisme de services publics); 339 (désignation par ministre); 341.4 (fourniture par une division de petit fournisseur); 341.7 (changement d'utilisation d'un bien autre qu'une immobilisation); 341.8 (changement d'utilisation d'un bien autre qu'une immobilisation).

Concordance fédérale: LTA, par. 129(6).

COMMENTAIRES: Voir les commentaires sous l'article 341.9.

341.2 Biens loués et services acquis par une nouvelle division de petit fournisseur — Dans le cas où, à un moment quelconque au cours d'une période de déclaration donnée d'un organisme de services publics qui est un inscrit, une division ou une succursale de celui-ci devient une division de petit fournisseur et qu'il ne cesse pas, à ce moment d'être un inscrit, les règles prévues à l'article 341.3 s'appliquent au calcul du remboursement de la taxe sur les intrants et au calcul de la taxe nette de l'organisme de services publics si, au cours de la période de déclaration donnée, ou avant, la taxe devenue payable par l'organisme de services publics, ou payée par celui-ci sans qu'elle soit devenue payable, est calculée sur une contrepartie, ou une partie de celle-ci, qui, selon le cas :

1° constitue un loyer, une redevance ou un paiement semblable à l'égard d'un bien qui est raisonnablement imputable à une période — appelée « période de location » pour l'application de l'article 341.3 — postérieure à ce moment;

2° est raisonnablement attribuable à des services qui doivent être rendus après ce moment.

Notes historiques: L'article 341.2 a été ajouté par L.Q. 1994, c. 22, art. 552(1) et est réputé entré en vigueur le 1er juillet 1992.

Définitions [art. 341.2]: « bien », « contrepartie », « inscrit », « organisme de services publics », « période de déclaration », « service », « taxe » — 1.

Renvois [art. 341.2]: 22.28 (fourniture réputée effectuée au Québec); 337.2 (définition de « division de petit fournisseur »); 338 (divisions d'un organisme de services publics); 339 (désignation par ministre); 341.3 (restriction visant le remboursement de la taxe sur les intrants); 386.2 (calcul du remboursement — organisme de services publics, organisme de bienfaisance, organisme sans but lucratif admissible).

Concordance fédérale: LTA, par. 129(7).

COMMENTAIRES: Voir les commentaires sous l'article 341.9.

341.3 Remboursement de la taxe sur les intrants à l'égard de biens loués et de services — Dans le calcul du remboursement de la taxe sur les intrants qui est demandé par l'organisme de services publics à l'égard de la taxe visée à l'article 341.2 dans la déclaration produite en vertu de l'article 468 pour la période de déclaration donnée ou une période de déclaration postérieure, il ne doit être inclus aucune partie du montant déterminé selon la formule suivante :

$$A \times B.$$

Application — Pour l'application de cette formule :

1º la lettre A représente la taxe visée à l'article 341.2;

2º la lettre B représente le pourcentage qui correspond à la mesure dans laquelle soit le bien est utilisé par l'organisme de services publics durant la période de location, soit les services sont acquis, ou apportés au Québec, par celui-ci pour consommation, utilisation ou fourniture dans le cadre de ses activités exercées par l'intermédiaire de la division ou de la succursale.

Ajout dans le calcul de la taxe nette — Dans le cas où la totalité ou une partie du montant déterminé en vertu du premier alinéa a été incluse dans le calcul du remboursement de la taxe sur les intrants demandé par l'organisme de services publics dans une déclaration produite en vertu de l'article 468 pour une période de déclaration se terminant avant la période de déclaration donnée, ce montant ou la partie de celui-ci doit être ajouté dans le calcul de la taxe nette pour la période de déclaration donnée.

Notes historiques: L'article 341.3 a été ajouté par L.Q. 1994, c. 22, art. 552(1) et est réputé entré en vigueur le 1er juillet 1992.

Définitions [art. 341.3]: « bien », « fourniture », « montant », « organisme de services publics », « période de déclaration », « service », « taxe » — 1; « taxe exigée non admissible au remboursement de la taxe sur les intrants » — 383.

Renvois [art. 341.3]: 22.28 (fourniture réputée effectuée au Québec); 338 (divisions d'un organisme de services publics); 339 (désignation par ministre); 341.9 (activité réputée ne pas être une activité commerciale); 386.2 (calcul du remboursement — organisme de services publics, organisme de bienfaisance, organisme sans but lucratif admissible).

Concordance fédérale: LTA, par. 129(7).

COMMENTAIRES: Voir les commentaires sous l'article 341.9.

341.4 Fourniture par une division de petit fournisseur — Dans le cas où un organisme de services publics effectue une fourniture taxable, autre qu'une fourniture de boissons alcooliques ou d'immeuble par vente ou autre que la vente en détail de tabac au sens de la *Loi concernant l'impôt sur le tabac* (chapitre I-2), par l'intermédiaire de sa division ou de sa succursale et que la contrepartie de la fourniture ou une partie de celle-ci devient due, ou est payée à l'organisme de services publics sans qu'elle soit devenue due, à un moment où la division ou la succursale est une division de petit fournisseur, les règles suivantes s'appliquent :

1º la contrepartie ou la partie de celle-ci, selon le cas, ne doit pas être incluse dans le calcul de la taxe payable à l'égard de la fourniture ni dans le calcul du montant déterminant de l'organisme prévu aux articles 462 à 462.1.1;

2º (*paragraphe supprimé*);

3º la fourniture est réputée ne pas avoir été effectuée par un inscrit.

Exception — Toutefois, l'exception prévue au premier alinéa à l'égard de la fourniture de boissons alcooliques ne s'applique pas si elle est effectuée par un organisme de services publics qui n'est pas tenu d'être inscrit en vertu du présent titre au moment de la fourniture.

Notes historiques: Le préambule de l'article 341.4 a été modifié par L.Q. 1997, c. 14, art. 341(1)(1º) et cette modification a effet depuis le 22 juin 1995. Toutefois, pour la période du 22 juin 1995 au 31 juillet 1995, le préambule de l'article 341.4 doit se lire comme suit :

> 341.4 Dans le cas où un organisme de services publics effectue une fourniture taxable, autre qu'une fourniture d'immeuble par vente ou que la vente en détail de tabac au sens de la *Loi concernant l'impôt sur le tabac* (chapitre I-2), par l'intermédiaire de sa division ou de sa succursale et que la contrepartie de la fourniture ou une partie de celle-ci devient due, ou est payée à l'organisme de services publics sans qu'elle soit devenue due, à un moment où la division ou la succursale est une division de petit fournisseur, les règles suivantes s'appliquent :

Auparavant, le préambule du paragraphe 341.4 se lisait comme suit :

> 341.4 Dans le cas où un organisme de services publics effectue une fourniture taxable, autre qu'une fourniture d'immeuble par vente, par l'intermédiaire de sa division ou de sa succursale et que la contrepartie de la fourniture ou une partie de celle-ci devient due, ou est payée à l'organisme de services publics sans qu'elle soit devenue due, à un moment où la division ou la succursale est une division de petit fournisseur, les règles suivantes s'appliquent :

Le paragraphe 1º de l'article 341.4 a été modifié par L.Q. 1995, c. 63, art. 416(1) et cette modification a effet depuis le 1er août 1995. Auparavant, il se lisait comme suit :

> 1º la contrepartie ou la partie de celle-ci, selon le cas, ne doit pas être incluse dans le calcul de la taxe payable à l'égard de la fourniture;

Le paragraphe 2º de l'article 341.4 a été supprimé par L.Q. 1995, c. 63, art. 416(1) et cette modification a effet depuis le 1er août 1995. Auparavant, il se lisait comme suit :

> 2º aucun montant devenu percevable ou autre montant perçu, ou partie de ceux-ci, au titre de la taxe prévue à l'article 16 à l'égard de la fourniture ne doit être inclus dans le calcul du montant déterminant prévu aux articles 462 à 462.2;

Le deuxième alinéa de l'article 341.4 a été ajouté par L.Q. 1997, c. 14, art. 341(1)(2º) et a effet depuis le 1er août 1995.

L'article 341.4 a été ajouté par L.Q. 1994, c. 22, art. 552(1) et est réputé entré en vigueur le 1er juillet 1992. Toutefois, pour la période du 1er juillet 1992 au 31 décembre 1992, la référence aux articles « 462 à 462.2 » au paragraphe 2º doit être lue comme une référence aux articles « 462 et 462.2 ».

Définitions [art. 341.4]: « contrepartie », « fourniture », « fourniture taxable », « inscrit », « organisme de services publics », « taxe », « vente » — 1.

Renvois [art. 341.4]: 5–9 (personnes associées); 22.28 (fourniture réputée effectuée au Québec); 294 (petit fournisseur); 337.2 (division de petit fournisseur).

Concordance fédérale: LTA, par. 129.1(1).

COMMENTAIRES: Voir les commentaires sous l'article 341.9.

341.5 Restriction à l'égard d'un remboursement de la taxe sur les intrants — achat — Dans le calcul du remboursement de la taxe sur les intrants d'un organisme de services publics, aucun montant ne doit être inclus à l'égard de la taxe devenue payable par celui-ci à un moment quelconque, ou qu'il a payée sans qu'elle soit devenue payable, dans la mesure où, selon le cas :

1º la taxe est relative à l'acquisition, ou à l'apport au Québec, d'un bien, autre qu'une immobilisation ou une amélioration à celle-ci, de l'organisme de services publics pour consommation, utilisation ou fourniture dans le cadre de ses activités exercées par l'intermédiaire de sa division de petit fournisseur;

2º la taxe est calculée sur une contrepartie, ou une partie de celle-ci, qui est raisonnablement attribuable à des services qui étaient, avant ce moment, consommés, utilisés ou fournis par l'organisme de services publics dans le cadre de ses activités exercées par l'intermédiaire de sa division de petit fournisseur ou qui sont, à ce moment, destinés à être ainsi consommés, utilisés ou fournis.

Notes historiques: L'article 341.5 a été ajouté par L.Q. 1994, c. 22, art. 552(1) et est réputé entré en vigueur le 1er juillet 1992.

Définitions [art. 341.5]: « amélioration », « bien », « contrepartie », « fourniture », « immobilisation » — 1.

Renvois [art. 341.5]: 22.28 (fourniture réputée effectuée au Québec); 337.2 (division de petit fournisseur).

Concordance fédérale: LTA, par. 129.1(2).

COMMENTAIRES: Voir les commentaires sous l'article 341.9.

341.6 Restriction à l'égard d'un remboursement de la taxe sur les intrants — location — Dans le cas où un bien est fourni par louage, licence ou accord semblable à un organisme de services publics pour une contrepartie qui comprend plusieurs paiements périodiques imputables à des intervalles successifs — appelés « intervalle de location » dans le présent article — de la période pour laquelle la possession ou l'utilisation du bien est offerte en vertu de l'accord, aucun montant de la taxe devenue payable par celui-ci, ou qu'il a payée sans qu'elle soit devenue payable, au cours d'une période de déclaration, à l'égard de la fourniture du bien, calculée sur un paiement périodique donné, ne doit être inclus dans le calcul du

LTVQ (français)

remboursement de la taxe sur les intrants de l'organisme de services publics pour la période de déclaration dans la mesure où, au début de l'intervalle de location auquel le paiement périodique est imputable, l'organisme de services publics avait l'intention d'utiliser le bien dans le cadre de ses activités exercées par l'intermédiaire de sa division de petit fournisseur.

Notes historiques: L'article 341.6 a été ajouté par L.Q. 1994, c. 22, art. 552(1) et est réputé entré en vigueur le 1er juillet 1992.

Définitions [art. 341.6]: « bien », « contrepartie », « fourniture », « organisme de services publics », « période de déclaration », « taxe » — 1.

Renvois [art. 341.6]: 22.28 (fourniture réputée effectuée au Québec); 337.2 (division de petit fournisseur).

Concordance fédérale: aucune.

COMMENTAIRES: Voir les commentaires sous l'article 341.9.

341.7 Changement d'utilisation d'un bien — Dans le cas où un organisme de services publics qui est un inscrit commence à détenir, à un moment quelconque, un de ses biens, autre qu'une immobilisation, pour consommation, utilisation ou fourniture principalement dans le cadre de ses activités exercées par l'intermédiaire de ses divisions de petit fournisseur et que, immédiatement avant ce moment, il détenait ce bien pour consommation, utilisation ou fourniture dans le cadre de ses activités commerciales et autrement que principalement dans le cadre de ses activités exercées par l'intermédiaire de ses divisions de petit fournisseur, l'organisme de services publics est réputé, sauf dans le cas où l'article 341.1 ou l'article 209 s'applique, à la fois :

1º avoir effectué, immédiatement avant ce moment, une fourniture du bien;

2º avoir perçu, immédiatement avant ce moment, la taxe relative à la fourniture, sauf s'il s'agit d'une fourniture exonérée, égale au total des remboursements de la taxe sur les intrants que l'organisme de services publics avait le droit de demander à l'égard du bien jusqu'à ce moment.

Notes historiques: Le paragraphe 2º de l'article 341.7 a été modifié par L.Q. 1995, c. 63, art. 417(1) et cette modification s'applique à l'égard d'une fourniture réputée effectuée après le 31 juillet 1995. Auparavant, il se lisait comme suit :

> 2º avoir perçu, immédiatement avant ce moment, la taxe relative à la fourniture, sauf s'il s'agit d'une fourniture exonérée ou non taxable, égale au total des remboursements de la taxe sur les intrants que l'organisme de services publics avait le droit de demander à l'égard du bien jusqu'à ce moment.

L'article 341.7 a été ajouté par L.Q. 1994, c. 22, art. 552(1) et est réputé entré en vigueur le 1er juillet 1992.

Définitions [art. 341.7]: « activité commerciale », « bien », « fourniture », « fourniture exonérée », « immobilisation », « inscrit », « organisme de services publics » — 1; « taxe exigée non admissible au remboursement de la taxe sur les intrants » — 383.

Renvois [art. 341.7]: 22.28 (fourniture réputée effectuée au Québec); 337.2 (division de petit fournisseur).

Concordance fédérale: LTA, par. 129.1(4).

COMMENTAIRES: Voir les commentaires sous l'article 341.9.

341.8 Changement d'utilisation d'un bien — Aux fins du calcul du remboursement de la taxe sur les intrants d'un organisme de services publics, le deuxième alinéa s'applique, sauf si l'article 207 s'applique, dans le cas où, à la fois :

1º l'organisme de services publics commence à détenir, à un moment quelconque, un de ses biens, autre qu'une immobilisation, pour consommation, utilisation ou fourniture principalement dans le cadre de ses activités exercées autrement que par l'intermédiaire de ses divisions de petit fournisseur;

2º l'organisme de services publics détenait le bien, immédiatement avant ce moment, pour consommation, utilisation ou fourniture principalement dans le cadre de ses activités exercées par l'intermédiaire de ses divisions de petit fournisseur;

3º l'organisme de services publics détient le bien, immédiatement après ce moment, pour consommation, utilisation ou fourniture dans le cadre de ses activités commerciales exercées autrement que par l'intermédiaire de ses divisions de petit fournisseur.

Règle applicable — L'organisme de services publics est réputé avoir reçu une fourniture du bien et avoir payé, à ce moment, la taxe relative à la fourniture égale au moindre des montants suivants :

1º le montant qui correspond à l'excédent éventuel du total des montants dont chacun représente la taxe payée ou devenue payable, avant ce moment, par l'organisme de services publics à l'égard de la dernière acquisition, ou du dernier apport au Québec, du bien ou réputée, en vertu de l'article 341.1, avoir été perçue par celui-ci relativement au bien sur le total des remboursements qu'il avait le droit de demander, avant ce moment, en vertu du présent titre à l'égard de cette acquisition ou de cet apport du bien;

2º le montant qui correspond à la taxe calculée sur la juste valeur marchande du bien à ce moment.

Notes historiques: Le préambule du deuxième alinéa de l'article 341.8 a été modifié par L.Q. 1995, c. 63, art. 418(1) et cette modification s'applique à l'égard d'une fourniture du bien réputée reçue après le 31 juillet 1995. Auparavant, il se lisait comme suit :

> L'organisme de services publics est réputé avoir reçu une fourniture du bien et avoir payé, à ce moment, la taxe relative à la fourniture, sauf s'il s'agit d'une fourniture non taxable, égale au moindre des montants suivants :

L'article 341.8 a été ajouté par L.Q. 1994, c. 22, art. 552(1) et est réputé entré en vigueur le 1er juillet 1992.

Définitions [art. 341.8]: « activité commerciale », « bien », « fourniture », « immobilisation », « montant », « organisme de services publics », « taxe » — 1.

Renvois [art. 341.8]: 15 (JVM); 22.28 (fourniture réputée effectuée au Québec); 337.2 (division de petit fournisseur).

Concordance fédérale: LTA, par. 129.1(5).

COMMENTAIRES: Voir les commentaires sous l'article 341.9.

341.9 Utilisation d'une immobilisation — Aux fins du calcul du remboursement de la taxe sur les intrants à l'égard de l'immobilisation d'un organisme de services publics et pour l'application de la sous-section 5 de la section II du chapitre V, une activité exercée par un organisme de services publics est réputée ne pas constituer une activité commerciale de celui-ci dans la mesure où cette activité est exercée par l'intermédiaire de sa division de petit fournisseur.

Notes historiques: L'article 341.8 a été ajouté par L.Q. 1994, c. 22, art. 552(1) et est réputé entré en vigueur le 1er juillet 1992.

Guides [art. 341.9]: IN-229 — La TVQ, la TPS/TVH pour les organismes sans but lucratif.

Définitions [art. 341.9]: « activité commerciale », « immobilisation », « organisme de services publics » — 1.

Renvois [art. 341.9]: 22.28 (fourniture réputée effectuée au Québec); 337.2 (division de petit fournisseur).

Concordance fédérale: LTA, par. 129.1(6).

COMMENTAIRES: Compte tenu de la similarité de la rédaction des dispositions législatives et considérant l'engagement spécifique de Revenu Québec de veiller à ce que l'assiette de TVQ modifiée, de même que les paramètres administratifs, structurels et définitionnels, produisent des résultats qui sont similaires à ceux produits sous le régime de la TPS/TVH et soient administrés d'une manière qui produit des résultats similaires, tel que reflété par l'article 14 de l'*Entente intégrée globale de coordination fiscale* signée entre le gouvernement du Canada et le gouvernement du Québec, nous vous référons à nos commentaires en vertu des articles 129 et 129.1 de la *Loi sur la taxe d'accise (TPS)* qui devraient s'appliquer *mutatis mutandis*, avec les adaptations nécessaires.

SECTION XII — ORGANISME NON CONSTITUÉ EN SOCIÉTÉ

342. Demande afin d'être réputé une succursale — Dans le cas où un organisme non constitué en société donné est membre d'un autre organisme non constitué en société, ces organismes peuvent présenter conjointement une demande au ministre, au moyen du formulaire prescrit contenant les renseignements prescrits, afin que l'organisme donné soit réputé être une succursale de l'autre organisme et ne pas être une personne distincte.

Notes historiques: L'article 342 a été modifié par L.Q. 1997, c. 3, art. 135(6º) pour remplacer le mot « incorporé » par les mots « constitué en société ». Cette modification est entrée en vigueur le 20 mars 1997.

Auparavant, l'article 342 a été édicté par L.Q. 1991, c. 67.

Guides [art. 342]: IN-229 — La TVQ, la TPS/TVH pour les organismes sans but lucratif.

Définitions [art. 342]: « personne » — 1.

Renvois [art. 342]: 339 (désignation par le ministre); 343 (approbation par le ministre); 344 (révocation de l'approbation)..

Formulaires [art. 342]: FP-632, Demande formulée par un organisme non doté de la personnalité morale afin d'être considéré comme une succursale d'un autre organisme semblable.

Concordance fédérale: LTA, par. 130(1).

COMMENTAIRES: Voir les commentaires sous l'article 345.

343. Approbation — Le Ministre peut approuver, par écrit, la demande présentée en vertu de l'article 342 par un organisme non constitué en société donné et un autre organisme non constitué en société, s'il est établi à sa satisfaction qu'il est approprié pour l'application du présent titre d'approuver cette demande.

Effet de l'approbation — Dès l'approbation, l'organisme non constitué en société donné est réputé être une succursale de l'autre organisme et ne pas être une personne distincte, sauf en ce qui concerne :

1º les fins pour lesquelles l'organisme non constitué en société donné est réputé être une personne distincte en vertu de l'article 339;

2º (*paragraphe supprimé*).

Notes historiques: L'article 343 a été modifié par L.Q. 1997, c. 3, art. 135(6º) pour remplacer le mot « incorporé » par les mots « constitué en société ». Cette modification est entrée en vigueur le 20 mars 1997.

Auparavant, le paragraphe 2º du deuxième alinéa de l'article 343 a été supprimé par L.Q. 1995, c. 63, art. 419(1) et cette modification a effet depuis le 1er août 1995 sauf à l'égard de la fourniture d'un bien ou d'un service à l'égard duquel l'acquéreur ne peut demander un remboursement de la taxe sur les intrants en raison de l'article 206.1.

[*N.D.L.R.* : le paragraphe d'application prévu par L.Q. 1995, c. 63, art. 419(2) a été modifié par L.Q. 1997, c. 85, art. 751 et a effet depuis le 15 décembre 1995.

Antérieurement, il prévoyait ceci :

> Le paragraphe 1 s'applique relativement à :
>
> 1º la fourniture à l'égard de laquelle la taxe devient payable après le 31 juillet 1995 et n'est pas payée avant le 1er août 1995 par la personne qui est une petite ou moyenne entreprise;
>
> 2º la fourniture à l'égard de laquelle la taxe devient payable après le 29 novembre 1996 et n'est pas payée avant le 30 novembre 1996 par la personne qui est une grande entreprise.]

Auparavant, le paragraphe 2º du deuxième alinéa de l'article 343 se lisait comme suit :

> 2º la fourniture effectuée entre l'organisme non incorporé donné et l'autre organisme d'un bien ou d'un service à l'égard duquel l'acquéreur ne peut demander un remboursement de la taxe sur les intrants en raison de l'article 206.1 et à l'égard duquel :
>
> a) soit le fournisseur ne devait pas payer la taxe ni celle prévue au chapitre II de la *Loi concernant l'impôt sur la vente en détail* (L.R.Q., chapitre I-1);
>
> b) soit le fournisseur a demandé ou a le droit de demander un remboursement de la taxe ou de celle prévue au chapitre II de la *Loi concernant l'impôt sur la vente en détail* (L.R.Q., chapitre I-1).

Auparavant, le deuxième alinéa de l'article 343, modifié par L.Q. 1993, c. 19, art. 214, s'appliquait à l'égard d'une fourniture ou d'un apport au Québec relativement auquel l'article 685 ou l'un des articles 618 à 656 de L.Q. 1991, c. 67 s'applique [*N.D.L.R.* : les articles 685 et 618 à 656 réfèrent à des dispositions transitoires concernant les transferts avant le 1er juillet 1992]. Il se lisait auparavant comme suit :

> Dès l'approbation, l'organisme non incorporé donné est réputé être une succursale de l'autre organisme et ne pas être une personne distincte, sauf en ce qui concerne les fins pour lesquelles il est réputé être une personne distincte en vertu de l'article 339.

L'article 343 a été édicté par L.Q. 1991, c. 67.

Définitions [art. 343]: « personne » — 1.

Renvois [art. 343]: 344 (révocation de l'approbation); 7R78.3, 7R78.14 RAF (signature des documents par certains fonctionnaires).

Concordance fédérale: LTA, par. 130(2).

COMMENTAIRES: Voir les commentaires sous l'article 345.

344. Révocation — Le ministre peut révoquer l'approbation donnée en vertu de l'article 343 si l'organisme non constitué en société donné ou l'autre organisme non constitué en société visé à l'article 342 lui en fait la demande par écrit.

Effet de la révocation — Dès la révocation, l'organisme non constitué en société donné est réputé être une personne distincte et ne pas être une succursale de l'autre organisme.

Notes historiques: L'article 344 a été modifié par L.Q. 1997, c. 3, art. 135(6º) pour remplacer le mot « incorporé » par les mots « constitué en société ». Cette modification est entrée en vigueur le 20 mars 1997. Auparavant, l'article 344 a été édicté par L.Q. 1991, c. 67.

Définitions [art. 344]: « personne » — 1.

Renvois [art. 344]: 345 (avis de révocation); 7R78.3, 7R78.14 RAF (signature des documents par certains fonctionnaires).

Concordance fédérale: LTA, par. 130(3).

COMMENTAIRES: Voir les commentaires sous l'article 345.

345. Avis de révocation — Dans le cas où le ministre révoque une approbation en vertu de l'article 344, il doit expédier aux organismes concernés un avis écrit de la révocation et y préciser la date d'effet de celle-ci.

Notes historiques: L'article 345 a été édicté par L.Q. 1991, c. 67.

Définitions [art. 345]: « personne » — 1.

Renvois [art. 345]: 345.2 (acquisition par un associé); 358 (salariés et associés); 7R78.3, 7R78.14 RAF (signature des documents par certains fonctionnaires).

Concordance fédérale: LTA, par. 130(4).

COMMENTAIRES: Compte tenu de la similarité de la rédaction des dispositions législatives et considérant l'engagement spécifique de Revenu Québec de veiller à ce que l'assiette de TVQ modifiée, de même que les paramètres administratifs, structurels et définitionnels, produisent des résultats qui sont similaires à ceux produits sous le régime de la TPS/TVH et soient administrés d'une manière qui produit des résultats similaires, tel que reflété par l'article 14 de l'*Entente intégrée globale de coordination fiscale* signée entre le gouvernement du Canada et le gouvernement du Québec, nous vous référons à nos commentaires en vertu de l'article 130 de la *Loi sur la taxe d'accise (TPS)* qui devraient s'appliquer *mutatis mutandis*, avec les adaptations nécessaires.

SECTION XIII — SOCIÉTÉ DE PERSONNES ET CO-ENTREPRISE

Notes historiques: L'intitulé de la section XIII a été modifié par L.Q. 1997, c. 85, art. 620(1) et a effet depuis le 24 avril 1996. Antérieurement, la section XIII était intitulée « Co-entreprise »

345.1 Société de personnes — Tout ce qui est fait par une personne à titre d'associé d'une société de personnes est réputé fait par la société de personnes dans le cadre de ses activités et ne pas être fait par la personne.

Notes historiques: L'article 345.1 a été ajouté par L.Q. 1997, c. 85, art. 621(1) et a effet depuis le 24 avril 1996.

Concordance fédérale: LTA, par. 272.1(1).

COMMENTAIRES: Voir les commentaires sous l'article 345.7.

345.2 Acquisition par un associé — Malgré l'article 345.1, dans le cas où un bien ou un service est acquis ou apporté au Québec par un associé d'une société de personnes pour consommation, utilisation ou fourniture dans le cadre d'activités de la société de personnes mais non pour le compte de la société de personnes, les règles suivantes s'appliquent :

1º sous réserve de l'article 212, la société de personnes est réputée ne pas avoir acquis ou apporté le bien ou le service;

2º dans le cas où l'associé n'est pas un particulier, aux fins du calcul de son remboursement de la taxe sur les intrants ou de son remboursement à l'égard du bien ou du service et, dans le cas où le bien est acquis ou apporté pour être utilisé comme immobilisation de l'associé, pour l'application de la sous-section 5 de la section II du chapitre V à l'égard du bien, les règles suivantes s'appliquent :

a) l'article 345.1 ne s'applique pas pour réputer que l'associé n'a pas acquis ou apporté le bien ou le service;

b) l'associé est réputé exercer ces activités de la société de personnes;

3º dans le cas où l'associé n'est pas un particulier et que, à un moment quelconque, la société de personnes paie un montant à l'associé à titre de remboursement et a le droit de demander un remboursement de la taxe sur les intrants à l'égard du bien ou du service dans

LTVQ (français)

des circonstances où l'article 212 s'applique, un remboursement de la taxe sur les intrants à l'égard du bien ou du service que l'associé aurait, en faisant abstraction du présent article, le droit de demander dans une déclaration de l'associé produite au ministre après ce moment doit être réduit du montant du remboursement de la taxe sur les intrants que la société de personnes a le droit de demander.

Notes historiques: L'article 345.2 a été ajouté par L.Q. 1997, c. 85, art. 621(1) et a effet depuis le 24 avril 1996. Toutefois, il s'applique également aux fins du calcul du remboursement de la taxe sur les intrants pour une période de déclaration commençant avant le 24 avril 1996, lorsque ce remboursement est demandé dans une déclaration reçue par le ministre du Revenu depuis le 23 avril 1996, ou lorsque ce remboursement est accordé par le ministre du Revenu ce jour, ou après ce jour.

Définitions [art. 345.2]: « bien », « immobilisation », « service » — 1.

Renvois [art. 345.2]: 203 (Calcul du RTI — restriction); 345.1 (société de personnes).

Concordance fédérale: LTA, par. 272.1(2).

COMMENTAIRES: Voir les commentaires sous l'article 345.7.

345.3 Fourniture à la société de personnes — Dans le cas où une personne qui est un associé d'une société de personnes ou accepte de le devenir effectue la fourniture d'un bien ou d'un service à la société de personnes autrement que dans le cadre des activités de la société de personnes, les règles suivantes s'appliquent :

1º dans le cas où le bien ou le service est acquis par la société de personnes pour consommation, utilisation ou fourniture exclusive dans le cadre de ses activités commerciales, le montant que la société de personnes accepte de payer ou de porter au crédit de la personne à l'égard du bien ou du service est réputé constituer la contrepartie de la fourniture qui devient due au moment où le montant est payé ou porté au crédit de la personne;

2º dans les autres cas, la fourniture est réputée avoir été effectuée pour une contrepartie qui devient due au moment où la fourniture est effectuée, égale à la juste valeur marchande à ce moment du bien ou du service acquis par la société de personnes, déterminée comme si la personne n'était pas un associé de la société de personnes et n'avait pas de lien de dépendance avec celle-ci.

Notes historiques: L'article 345.3 a été ajouté par L.Q. 1997, c. 85, art. 621(1) et a effet depuis le 24 avril 1996. Toutefois, dans le cas où une fourniture ou une aliénation visée par l'article 345.3 a été effectuée par un inscrit à une autre personne avant le 24 avril 1996 et que le montant demandé ou perçu au titre de la taxe prévue par le titre I de la loi à l'égard de la fourniture ou de l'aliénation est supérieur au montant de taxe en vertu de ce titre qui était payable à l'égard de la fourniture ou de l'aliénation :

a) si le ministre du Revenu reçoit, après le 22 avril 1996 une demande pour un remboursement de l'excédent en vertu de l'article 400 ou a accordé un montant avant le 24 avril 1996, l'article 345.3 s'applique à l'égard de la fourniture ou de l'aliénation pour les fins du calcul du montant du remboursement, le cas échéant;

b) dans tout autre cas, sauf si le ministre du Revenu a reçu, avant le 23 avril 1996, une demande pour un remboursement de l'excédent en vertu de l'article 400, le montant exigé ou perçu au titre de la taxe en vertu du titre I de la loi à l'égard de la fourniture ou de l'aliénation est réputé constituer le montant de la taxe qui était payable en vertu de ce titre à l'égard de la fourniture ou de l'aliénation.

Définitions [art. 345.3]: « activité commerciale », « bien », « fourniture », « juste valeur marchande », « personne », « service » — 1.

Concordance fédérale: LTA, par. 272.1(3).

COMMENTAIRES: Voir les commentaires sous l'article 345.7.

345.4 Fourniture réputée à l'associé — Dans le cas où une société de personnes aliène un de ses biens soit en faveur d'une personne qui, au moment où l'aliénation est convenue ou autrement organisée, est ou a accepté de devenir un associé de la société de personnes, soit en faveur d'une personne par suite du fait que cette personne cesse d'être un associé de la société de personnes, les règles suivantes s'appliquent :

1º la société de personnes est réputée avoir effectué à la personne et la personne est réputée avoir reçu de la société de personnes, une fourniture du bien pour une contrepartie, qui devient due au moment de l'aliénation du bien, égale à la juste valeur marchande totale du bien — incluant la juste valeur marchande du droit de la personne à l'égard du bien — immédiatement avant ce moment;

2º l'article 286 ne s'applique pas à l'égard de la fourniture.

Notes historiques: L'article 345.4 a été ajouté par L.Q. 1997, c. 85, art. 621(1) et a effet depuis le 24 avril 1996. Toutefois, dans le cas où une fourniture ou une aliénation visée par l'article 345.4 a été effectuée par un inscrit à une autre personne avant le 24 avril 1996 et que le montant demandé ou perçu au titre de la taxe prévue par le titre I de la loi à l'égard de la fourniture ou de l'aliénation est supérieur au montant de taxe en vertu de ce titre qui était payable à l'égard de la fourniture ou de l'aliénation :

a) si le ministre du Revenu reçoit, après le 22 avril 1996 une demande pour un remboursement de l'excédent en vertu de l'article 400, ou a accordé un montant avant le 24 avril 1996, l'article 345.4 s'applique à l'égard de la fourniture ou de l'aliénation pour les fins du calcul du montant du remboursement, le cas échéant;

b) dans tout autre cas, sauf si le ministre du Revenu a reçu, avant le 23 avril 1996, une demande pour un remboursement de l'excédent en vertu de l'article 400, le montant exigé ou perçu au titre de la taxe en vertu du titre I de la loi à l'égard de la fourniture ou de l'aliénation est réputé constituer le montant de la taxe qui était payable en vertu de ce titre à l'égard de la fourniture ou de l'aliénation.

Définitions [art. 345.4]: « bien », « contrepartie », « fourniture », « juste valeur marchande », « personne » — 1.

Bulletins d'interprétation [art. 345.4]: TVQ. 75-3 — Transfert d'une entreprise de services de transport par taxi.

Concordance fédérale: LTA, par. 272.1(4).

COMMENTAIRES: Voir les commentaires sous l'article 345.7.

345.5 Responsabilité solidaire — Une société de personnes et chacun de ses associés ou ex-associés — chacun étant appelé « associé » dans le présent article — autre qu'un associé qui est un commanditaire sans être un commandité, sont solidairement responsables de ce qui suit :

1º le paiement ou le versement d'un montant payable ou à verser par la société de personnes avant ou pendant la période donnée durant laquelle l'associé est un associé de la société de personnes ou, dans le cas où l'associé était un associé de la société de personnes au moment où la société de personnes a été dissoute, après la dissolution de la société;

2º toute autre obligation de la société découlant de l'application du présent titre, survenue avant ou pendant la période donnée ou, dans le cas où l'associé était un associé de la société de personnes au moment où la société a été dissoute, toute obligation survenue au moment ou par suite de la dissolution.

Exception — Malgré le paragraphe 1º du premier alinéa, les règles suivantes s'appliquent :

1º l'associé n'est responsable du paiement ou du versement d'un montant devenu payable ou à verser avant la période donnée que dans la mesure de la valeur des biens et de l'argent de la société de personnes;

2º le paiement ou le versement par la société de personnes ou par un associé de celle-ci d'un montant à l'égard de cette obligation éteint celle-ci d'autant.

Notes historiques: L'article 345.5 a été ajouté par L.Q. 1997, c. 85, art. 621(1) et a effet depuis le 24 avril 1996. Toutefois, il s'applique à l'égard d'un montant qui devient payable ou à remettre après le 23 avril 1996 et à tout autre montant ou obligation non réglé après ce jour.

Définitions [art. 345.5]: « argent » — 1.

Jurisprudence [art. 345.5]: *Saucier c. Québec (Sous-ministre du Revenu)* (13 février 2002), 250-02-001364-006, 2002 CarswellQue 1208.

Concordance fédérale: LTA, par. 272.1(5).

COMMENTAIRES: Voir les commentaires sous l'article 345.7.

345.6 Continuation de la société de personnes — Dans le cas où, en faisant abstraction du présent article, une société de personnes serait considérée comme ayant cessé d'exister, elle est réputée ne cesser d'exister que lorsque son inscription est annulée.

Notes historiques: L'article 345.6 a été ajouté par L.Q. 1997, c. 85, art. 621(1) et a effet depuis le 24 avril 1996.

Renvois [art. 345.6]: 416 (annulation d'inscription).

Jurisprudence [art. 345.6]: *Saucier c. Québec (Sous-ministre du Revenu)* (13 février 2002), 250-02-001364-006, 2002 CarswellQue 1208.

Concordance fédérale: LTA, par. 272.1(6).

COMMENTAIRES: Voir les commentaires sous l'article 345.7.

345.7 Continuation par une nouvelle société de personnes — Une société de personnes est réputée être la même personne qu'une société de personnes donnée et en être la continuation dans le cas où, à la fois :

1º la société de personnes donnée serait, en faisant abstraction du présent article et des articles 345.1 à 345.6, considérée comme ayant cessé d'exister à un moment quelconque;

2º la majorité des associés de la société de personnes donnée qui détenaient ensemble, à ce moment ou immédiatement avant, plus de 50 % des parts dans l'actif de la société de personnes donnée deviennent des associés de la société de personnes, dont ils constituent plus de la moitié des associés;

3º l'associé de la société de personnes donnée qui devient un associé de la société de personnes transfère à cette dernière la totalité ou la presque totalité des biens qui lui ont été attribués en règlement de sa part dans l'actif de la société de personnes donnée.

Exception — Le premier alinéa ne s'applique pas dans le cas où la société de personnes est inscrite ou présente une demande d'inscription en vertu de la section I du chapitre VIII.

Notes historiques: L'article 345.7 a été ajouté par L.Q. 1997, c. 85, art. 621(1) et a effet depuis le 24 avril 1996.

Renvois [art. 345.7]: 3 (lien de dépendance); 212.1 (remboursement aux salariés, associés ou bénévoles — exception); 358 (salariés et associés).

Concordance fédérale: LTA, par. 272.1(7).

COMMENTAIRES: La Cour du Québec, dans l'affaire *Saucier c. Québec (Sous-ministre du revenu)*, 2002 CarswellQue 1208 (C.Q.) (paragraphe 100) a défini l'objectif de ces articles comme suit : « l'entrée en vigueur, notamment, des articles 345.1 à 345.7 de la *Loi sur la taxe de vente du Québec* venait combler un vide juridique, dans la relation entre le Ministère du Revenu et les sociétés de personnes, qui n'était pas couvert par les dispositions générales et particulières sur les sociétés et le mandat que nous retrouvons dans le *Code civil du Québec*. ».

L'article 1 définit le mot « personne » comme incluant une société de personnes. Ainsi, contrairement au principe qui prévaut en impôt sur le revenu en vertu de la *Loi sur les impôts*, une société de personnes, dans la mesure où elle est inscrite en TVQ, est soumise aux obligations imposées en vertu de la *Loi sur la taxe de vente du Québec*.

Ces articles prévoient des règles détaillées entourant les activités, les responsabilités, la formation et la dissolution d'une société de personnes.

En premier lieu, il est important de définir ce que constitue une société de personnes. Cette analyse sera différente selon que ce véhicule corporatif est créé dans une des provinces de *common law* ou au Québec. En effet, la Cour du Québec dans l'affaire *Saucier c. Québec (Sous-ministre du revenu)*, 2002 CarswellQue 1208 (C.Q.) (paragraphe 122) indiquait que la cohésion entre la *Loi sur la taxe de vente du Québec* et le *Code civil du Québec* exigeait que le tribunal identifie, dans une situation donnée, la forme juridique d'une entreprise avant d'y attacher une dette. En effet, de l'avis de la Cour du Québec, celle-ci ne peut pas ignorer la réalité factuelle et juridique.

Au Québec, l'article 2186 du *Code civil du Québec* définit la société de personnes comme étant un contrat de société en vertu duquel les parties conviennent, dans un esprit de collaboration, d'exercer une activité, incluant celle d'exploiter une entreprise, d'y contribuer par la mise en commun de biens, de connaissances ou d'activités et de partager entre elles les bénéfices pécuniaires qui en résultent. De plus, l'article 2188 du *Code civil du Québec* précise que la société de personnes peut être en nom collectif, en commandite ou en participation.

Il est à noter que la notion de résidence canadienne n'est pas présente à cet article. Ainsi, il peut parfois être difficile de qualifier une entité étrangère en tant que société de personnes. Toutefois, en pratique, il y a peu de questionnement lors de la demande d'inscription en TVQ auprès de Revenu Québec puisque l'entité s'enregistre en tant que société de personnes dès le moment de l'inscription.

L'article 345.1 établit une présomption voulant que tout acte accompli par une personne, à titre d'associé, soit réputé avoir été accompli par la société de personnes. Ainsi, c'est la société de personnes qui effectue les fournitures taxables et qui doit percevoir et remettre la TVQ. C'est aussi celle-ci qui est considérée avoir fait les achats et qui peut ainsi réclamer les remboursements de la taxe sur les intrants afférents.

La question de savoir si un commandité accomplit un acte à titre d'associé pour le compte de la société de personnes doit se baser sur le droit des affaires applicable à la province et les faits de chaque situation.

L'article 345.3 prévoit les fournitures effectuées par un associé réel ou éventuel à une société de personnes en dehors du cadre des activités de celle-ci. Il est intéressant de noter l'absence de l'expression « activité commerciale », qui nous porte à conclure que ce terme a une étendue plus large que l'expression « activité commerciale » et pourrait donc, à ce titre, inclure des fournitures exonérées. Ainsi, le terme « activité » semble donner une interprétation plus large que celle définie à l'article 1. Dans ce contexte, si la société de personnes ne peut réclamer de remboursement de la taxe sur les intrants, la valeur de la fourniture sera établie à la juste valeur marchande. Le cas échéant, la valeur sera celle du montant payé ou crédité, même si celle-ci est inférieure à la juste valeur marchande.

L'article 345.4 s'applique lorsqu'une société de personnes dispose d'un de ses biens à un ancien ou futur associé. Dans ce contexte, la société de personnes sera réputée avoir disposé du bien pour un montant équivalent à la juste valeur marchande. Ainsi, la société de personnes devra remettre la TVQ perçue sur cette valeur, peu importe si l'associé a effectivement payé ledit montant de TVQ. Lorsque ce paragraphe s'applique, l'article 286 ne s'applique pas afin d'éviter une double imposition. Il est intéressant de noter que cette règle ne s'applique qu'aux biens et non aux services.

L'article 345.5 et l'alinéa 1 de l'article 25 de la *Loi sur l'administration fiscale* (L.R.Q., c. A-6.002) sont clairs à l'effet que les associés peuvent être cotisés aux fins de la responsabilité en matière de TVQ de la société de personnes.

La question se pose selon laquelle le Revenu Québec pourrait émettre un avis de cotisation à l'encontre d'un administrateur d'une société qui agit elle-même à titre d'associé d'une société de personnes et ce, à l'égard du remboursement de la taxe nette qui a erronément été réclamée par celle-ci. De l'avis de l'auteur, un tel avis de cotisation ne serait pas possible, et ce, principalement pour les sept raisons suivantes :

(1) un montant payable par une société de personnes en vertu de l'article 345.5 ne devrait pas inclure un remboursement d'une taxe nette qui est prévue à l'article 32 de la *Loi sur l'administration fiscale*. En effet, l'article 345.5 ne réfère pas spécifiquement à l'article 32 de la *Loi sur l'administration fiscale* alors que l'article 24.0.1 de la *Loi sur l'administration fiscale* y réfère. Ainsi, l'absence de référence à cet article à l'article 345.5 implique que le législateur ne voulait pas qu'il s'applique à l'égard de ces situations;

(2) le paragraphe (1) de l'article 345.5 fait référence au « paiement » ou au « versement » de montants devenus à payer ou à verser. Or, l'article 93.1.2 de la *Loi sur l'administration fiscale*, qui établit le pouvoir d'émettre une cotisation, fait une distinction entre un montant qui est payable et doit être remis et le montant de la taxe nette. Ainsi, il est raisonnable de conclure que l'emploi de termes différents par le législateur est tributaire de sens différents;

(3) seule la créance, par opposition à la taxe nette, de la société de personnes peut être source de cotisation pour les associés en vertu de l'article 345.5;

(4) le concept de la taxe nette, dont le calcul est prévu à l'article 428, ne permet pas d'inclure la taxe nette d'une société de personnes dans le calcul de la taxe nette d'un associé corporatif;

(5) l'émission d'un avis de cotisation pour un remboursement de la taxe nette réclamé par une société de personnes affaiblit le concept qui soutient qu'une société de personnes est une personne aux fins de la *Loi sur la taxe de vente du Québec*;

(6) l'article 24.0.1 de la *Loi sur l'administration fiscale* ne s'applique pas à une société de personnes, tel que la déterminé la Cour du Québec dans l'affaire *Meunier c. Québec*, [2003] R.D.F.Q. 282 (C.Q.); et

(7) il n'y a aucune disposition législative dans la *Loi sur la taxe de vente du Québec* qui permet d'émettre un avis de cotisation à l'encontre d'un administrateur d'un associé corporatif à l'égard d'un remboursement de la taxe nette réclamée par une société de personnes. En effet, l'article 24.0.1 de la *Loi sur l'administration fiscale*, notamment, ne fait référence qu'à une cotisation envers un administrateur à l'égard d'une dette fiscale de la personne morale.

L'article 345.6 prévoit qu'une société de personnes est réputée existée aux fins de la TVQ tant que son inscription n'est pas annulée. De l'avis de l'auteur, une société de personnes, contrairement à une personne morale, prend fin en vertu de clauses contractuelles et son existence ne devrait pas être maintenue en raison du seul fait d'une simple procédure administrative qui se veut l'inscription en TVQ. Plusieurs arguments supportent notre position, notamment : (i) cette présomption ignore les règles de droit privé; (ii) cette présomption crée un impact sur la responsabilité des administrateurs au paragraphe (5) en augmentant l'insécurité des associés, et (iii) l'article 242, qui indique que le ministre peut annuler l'inscription d'une personne, pousserait les sociétés de personnes à attendre que le ministre leur envoi un avis à l'effet qu'il est convaincu que l'inscription n'est pas nécessaire pour la présente partie, venant ainsi indirectement statuer sur l'admissibilité (ou non) à réclamer des remboursements de la taxe sur les intrants (dans le délai normal de réclamation — 4 ans) , (iv) si la déclaration est annulée aux registraires corporatifs provinciaux publics (tels que le Registraire des entreprises du Québec), cela revient à dire que les informations qui y figurent sont opposables aux tiers, sauf les autorités fiscales qui, ne sont pas considérées à titre de tiers à cet effet (nous cous recommandons d'écouter à cet effet les plaidoiries de Me Dominic C. Belley à la Cour suprême du Canada dans l'arrêt *Agence du revenu du Québec c. Services Environnementaux AES Inc et autres*, 2011 CarswellQue 10409, disponible sur le site internet de cette cour). À la lumière de ces arguments, l'auteur est d'avis que le choix de la date de fin d'existence d'une société de personnes ne devrait appartenir qu'à elle-même. De surcroît, sa protection quant à la réclamation de ses remboursements de la taxe sur les intrants sera maintenue dans la mesure où elle obtient les conseils appropriés.

Compte tenu de la similarité de la rédaction des dispositions législatives et considérant l'engagement spécifique de Revenu Québec de veiller à ce que l'assiette de TVQ modifiée, de même que les paramètres administratifs, structurels et définitionnels, produisent des résultats qui sont identiques à ceux produits sous le régime de la TPS/TVH et soient administrés d'une manière qui produit des résultats identiques, tel que reflété par l'article 14 de l'*Entente intégrée globale de coordination fiscale* signée entre le gouvernement du Canada et le gouvernement du Québec, nous vous recommandons nos commentaires en vertu de la *Loi sur la taxe d'accise (TPS)* qui devraient s'appliquer *mutatis mutandis*, avec les adaptations nécessaires.

346. Choix visant une co-entreprise — Dans le cas où un inscrit — appelé « entrepreneur » dans la présente section — participe à une co-entreprise, autre qu'une société de personnes, en vertu d'une convention constatée par écrit conclue avec une autre personne — appelée « co-entrepreneur » dans la présente section — pour l'exploration ou l'exploitation de gisements minéraux ou pour une activité prescrite et que l'entrepreneur effectue, conjointement avec le co-entrepreneur, un choix en vertu du présent article, les règles suivantes s'appliquent :

1° tous les biens et les services fournis, acquis, ou apportés au Québec, durant la période au cours de laquelle le choix est en vigueur, par l'entrepreneur pour le compte du co-entrepreneur en vertu de la convention dans le cadre des activités pour lesquelles celle-ci a été conclue sont réputés être fournis, acquis ou apportés, selon le cas, par l'entrepreneur et non par le co-entrepreneur;

2° les articles 41.0.1 à 41.6 ne s'appliquent pas à l'égard d'une fourniture visée au paragraphe 1°;

3° toutes les fournitures de biens ou de services effectuées au co-entrepreneur par l'entrepreneur en vertu de la convention, durant la période au cours de laquelle le choix est en vigueur, sont réputées ne pas constituer des fournitures dans la mesure où les biens ou les services sont, en faisant abstraction de la présente section, acquis par le co-entrepreneur pour consommation, utilisation ou fourniture dans le cadre des activités commerciales pour lesquelles la convention a été conclue.

Notes historiques: L'article 346 a été modifié par L.Q. 1997, c. 3, art. 135(1°) pour remplacer le mot « société » par les mots « société de personnes ». Cette modification est entrée en vigueur le 20 mars 1997.

Auparavant, le paragraphe 2° de l'article 346 a été modifié par L.Q. 1995, c. 63, art. 420(1) et cette modification s'applique à l'égard d'une fourniture effectuée par un entrepreneur pour le compte d'un co-entrepreneur après le 31 juillet 1995. Auparavant, il se lisait comme suit :

> 2° les articles 41.1 à 41.6 ne s'appliquent pas à l'égard d'une fourniture visée au paragraphe 1°;

L'article 346 a été modifié par L.Q. 1994, c. 22, art. 553(1) et est réputé entré en vigueur le 1er juillet 1992. Toutefois, à l'égard des fournitures effectuées avant le 15 septembre 1992, le paragraphe 3° doit se lire comme suit :

> 3° toutes les fournitures de biens ou de services effectuées au co-entrepreneur par l'entrepreneur en vertu de la convention dans le cadre des activités pour lesquelles celle-ci a été conclue sont réputées ne pas constituer des fournitures.

L'article 346, édicté par L.Q. 1991, c. 67, se lisait comme suit :

> 346. Dans le cas où un inscrit participe à une co-entreprise, autre qu'une société, en vertu d'une convention écrite conclue avec une autre personne, pour l'exploration ou l'exploitation de gisements minéraux ou pour une activité prescrite et que l'inscrit produit au ministre un choix, effectué conjointement avec l'autre personne afin que le présent article s'applique, au moyen du formulaire prescrit contenant les renseignements prescrits, avec la déclaration qu'il est tenu de produire en vertu du présent titre pour la première en date de sa première période de déclaration durant laquelle une taxe est payable à l'égard d'une fourniture qu'il a effectuée dans le cadre des activités pour lesquelles la convention a été conclue et de sa première période de déclaration durant laquelle une taxe serait, en faisant abstraction du présent article, payable à l'égard d'une fourniture visée à l'article 61 effectuée par l'inscrit à l'autre personne, les règles suivantes s'appliquent :
>
> 1° tous les biens et services fournis, acquis, ou apportés au Québec, par l'inscrit pour le compte de l'autre personne en vertu de la convention dans le cadre des activités pour lesquelles celle-ci a été conclue sont réputés être fournis, acquis ou apportés par l'inscrit et non par l'autre personne;
>
> 2° les articles 37 et 38 ne s'appliquent pas à l'égard d'une fourniture visée au paragraphe 1°;
>
> 3° toutes les fournitures de services effectuées à l'autre personne par l'inscrit en vertu de la convention dans le cadre des activités pour lesquelles celle-ci a été conclue sont réputées ne pas constituer des fournitures;
>
> 4° l'inscrit et l'autre personne sont solidairement responsables des obligations prévues au présent titre et de celles prévues par la *Loi sur le ministère du Revenu*. (L.R.Q., chapitre M-31) qui découlent des activités qui, en faisant abstraction du présent article, seraient exercées par l'inscrit pour le compte de l'autre personne.

Définitions [art. 346]: « activité commerciale », « bien », « entreprise », « fourniture », « inscrit », « minéral », « personne », « service » — 1.

Renvois [art. 346]: 40 (redevances sur ressources naturelles); 346.1 (exception); 346.2 (révocation); 346.3 (forme du choix ou de la révocation); 346.4 (obligation solidaire); 347 (co-entreprise commençant avant 1er juillet 1992); 348 (cessionnaire de participation dans une co-entreprise); 677:33° (règlements).

Règlements [art. 346]: RTVQ, 346R1; RTVQ, 346R2.

Formulaires [art. 346]: FP-621, Formulaire de choix concernant une coentreprise — choix relatif à la production de la déclaration par l'inscrit de la coentreprise; FP-621.S, Formulaire abrégé de choix concernant une coentreprise.

Bulletins d'interprétation [art. 346]: TVQ. 346-1 — Fourniture taxable d'immeubles détenus en copropriété indivise.

Lettres d'interprétation [art. 346]: 98-0104012 — Coentreprises; 99-0102600 — Interprétation relative à la TPS et Choix concernant une coentreprise; 03-0106272 — Interprétation relative à la TPS et à la TVQ — Coentreprise impliquant un Indien.

Concordance fédérale: LTA, par. 273(1).

COMMENTAIRES: Voir les commentaires sous l'article 348.

346.1 Restrictions — Le paragraphe 1° de l'article 346 ne s'applique pas à l'acquisition, ou à l'apport au Québec, d'un bien ou d'un service par un entrepreneur pour le compte d'un co-entrepreneur qui est acquis ou apporté pour consommation, utilisation ou fourniture dans le cadre d'activités qui ne sont pas des activités commerciales, et que, selon le cas :

1° l'entrepreneur est un gouvernement autre qu'un mandataire prescrit du gouvernement;

2° l'entrepreneur ne serait pas tenu, par l'effet d'une loi fédérale ou d'une loi du Québec autre que la présente loi, de payer la taxe à l'égard de l'acquisition ou de l'apport du bien ou du service si celui-ci avait acquis ou apporté le bien ou le service à cette fin autrement que pour le compte du co-entrepreneur.

Notes historiques: Le préambule de l'article 346.1 a été modifié par L.Q. 1995, c. 63, art. 421(1), sous réserve des dispositions transitoires suivantes :

> 1° Cette modification s'applique :
>
> a) à l'égard de la fourniture d'un service de téléphone 1 800 et de la fourniture d'un autre service de télécommunication lié au service de téléphone 1 800 dont la contrepartie devient payable après le 9 mai 1995 et n'est pas payée avant le 10 mai 1995;
>
> b) à l'égard de la fourniture d'un service de téléphone 1 888 et de la fourniture d'un autre service de télécommunication lié au service de téléphone 1 888 dont la contrepartie devient payable après le 1er mars 1996 et n'est pas payée avant le 2 mars 1996.
>
> [*N.D.L.R.* : le paragraphe d'application prévu par L.Q. 1995, c. 63, art. 421(2) a été modifié par L.Q. 1997, c. 85, art. 752 et a effet depuis le 15 décembre 1995.
>
> Antérieurement, il se lisait ainsi :
>
> 1° Cette modification s'applique à l'égard de la fourniture d'un service de téléphone 1 800 et de la fourniture d'un autre service de télécommunication lié au service de téléphone 1 800 dont la contrepartie devient payable après le 9 mai 1995 et qui n'est pas payée avant le 10 mai 1995.]
>
> 2° Sous réserve du paragraphe 3, cette modification s'applique à l'égard de la fourniture, ou de l'apport au Québec, d'un bien ou d'un service, autre qu'un service visé au paragraphe 1, dont la contrepartie devient payable après le 31 juillet 1995 et n'est pas payée avant le 1er août 1995, ou qui est apporté au Québec après le 31 juillet 1995.
>
> 3° Cette modification s'applique à l'égard de l'acquisition, ou de l'apport au Québec, d'un bien ou d'un service, autre qu'un service visé au paragraphe 2°, par un entrepreneur pour le compte d'un co-entrepreneur à l'égard duquel le co-entrepreneur, s'il en faisait l'acquisition, ne pourrait demander un remboursement de la taxe sur les intrants en raison de l'article 206.1.

[*N.D.L.R.* : le paragraphe d'application prévu par L.Q. 1995, c. 63, art. 421(4) a été modifié par L.Q. 1997, c. 85, art. 752 et a effet depuis le 15 décembre 1995.

Antérieurement, il se lisait ainsi :

> 3° Cette modification ne s'applique pas à l'égard de la fourniture, ou de l'apport au Québec, d'un bien ou d'un service, autre qu'un service visé au paragraphe 1°, dont la contrepartie est payable par une grande entreprise avant le 30 novembre 1996 ou est payée par celle-ci avant cette date, ou qui est apporté au Québec par une grande entreprise avant cette date.]

Auparavant, le préambule de l'article 346.1 se lisait comme suit :

> 346.1 Le paragraphe 1° de l'article 346 ne s'applique pas à l'acquisition, ou à l'apport au Québec, d'un bien ou d'un service par un entrepreneur pour le compte d'un co-entrepreneur, soit à l'égard duquel le co-entrepreneur, s'il en faisait l'acquisition, ne pourrait demander un remboursement de la taxe sur les intrants en raison de l'article 206.1, soit qui est acquis ou apporté pour consommation, utili-

sation ou fourniture dans le cadre d'activités qui ne sont pas des activités commerciales, et que, selon le cas :

L'article 346.1 a été ajouté par L.Q. 1994, c. 22, art. 554(1) et est réputé entré en vigueur le 1er juillet 1992. Toutefois, il ne s'applique pas aux acquisitions, ou aux apports au Québec, de biens ou de services effectués avant le 12 décembre 1992.

Définitions [art. 346.1]: « activité commerciale », « bien », « fourniture », « gouvernement », « service » — 1.

Renvois [art. 346.1]: 677:33.1° (règlements).

Concordance fédérale: LTA, par. 273(1.1).

COMMENTAIRES: Voir les commentaires sous l'article 348.

346.2 Révocation — L'entrepreneur et le co-entrepreneur qui effectuent un choix en vertu de la présente section peuvent le révoquer conjointement.

Notes historiques: L'article 346.2 a été ajouté par L.Q. 1994, c. 22, art. 554(1) et est réputé entré en vigueur le 1er juillet 1992.

Renvois [art. 346.2]: 346 (choix concernant les co-entreprises).

Concordance fédérale: LTA, par. 273(3).

COMMENTAIRES: Voir les commentaires sous l'article 348.

346.3 Modalités — Le choix ou la révocation en vertu de la présente section est effectué au moyen du formulaire prescrit contenant les renseignements prescrits et indique la date d'entrée en vigueur du choix ou de la révocation.

Notes historiques: L'article 346.3 a été ajouté par L.Q. 1994, c. 22, art. 554(1) et est réputé entré en vigueur le 1er juillet 1992.

Renvois [art. 346.3]: 346 (choix concernant les co-entreprises); 346.2 (révocation); 347 (co-entreprise commençant avant 1er juillet 1992); 348 (cessionnaire de participation dans une co-entreprise).

Concordance fédérale: LTA, par. 273(4).

COMMENTAIRES: Voir les commentaires sous l'article 348.

346.4 Responsabilité solidaire — L'inscrit et l'autre personne qui effectuent le choix visé à l'article 346, ou prétendent l'effectuer, sont solidairement responsables des obligations découlant de l'application du présent titre qui résultent des activités pour lesquelles la convention a été conclue et qui sont exercées ou le seraient, en faisant abstraction de la présente section, par l'inscrit pour le compte de l'autre personne.

Notes historiques: L'article 346.4 a été remplacé par L.Q. 1997, c. 85, art. 622(1) et a effet depuis le 1er juillet 1992.

Antérieurement, il se lisait ainsi :

> 346.4 L'inscrit et l'autre personne qui effectuent le choix visé à l'article 346, ou prétendent l'effectuer, sont solidairement responsables des obligations prévues au présent titre et de celles prévues par la *Loi sur le ministère du Revenu* (L.R.Q., chapitre M-31) qui découlent des activités pour lesquelles la convention a été conclue qui sont exercées ou le seraient, en faisant abstraction de la présente section, par l'inscrit pour le compte de l'autre personne

L'article 346.4 a été ajouté par L.Q. 1994, c. 22, art. 554(1) et est réputé entré en vigueur le 1er juillet 1992.

Définitions [art. 346.4]: « inscrit », « personne » — 1.

Concordance fédérale: LTA, par. 273(5).

COMMENTAIRES: Voir les commentaires sous l'article 348.

347. Co-entreprise antérieure au 1er juillet 1992 — L'entrepreneur qui participe à une co-entreprise, autre qu'une société de personnes, en vertu d'une convention visée à l'article 346 conclue avant le 1er juillet 1992 avec un co-entrepreneur et qui produit une déclaration pour sa première période de déclaration débutant après le 30 juin 1992 selon laquelle tous les biens et les services qu'il a fournis, acquis, ou apportés au Québec, pour le compte du co-entrepreneur dans le cadre des activités pour lesquelles une convention a été conclue ont été fournis, acquis ou apportés, selon le cas, par lui et non par le co-entrepreneur est réputé avoir effectué un choix conjointement avec le co-entrepreneur conformément à l'article 346.3.

Restriction — Le présent article ne s'applique entre l'entrepreneur et le co-entrepreneur que si les conditions suivantes sont satisfaites :

1° l'entrepreneur expédie un avis écrit au co-entrepreneur au plus tard le 30 juin 1992, de son intention de produire la déclaration visée au premier alinéa;

2° le co-entrepreneur n'a pas, au plus tard le premier en date du 1er août 1992 et du trentième jour suivant la réception de l'avis de l'entrepreneur, avisé celui-ci par écrit que tous les biens et les services qu'il a fournis, acquis ou apportés en vertu de la convention pour son compte dans le cadre des activités pour lesquelles la convention a été conclue ne doivent pas être considérés comme ayant été fournis, acquis ou apportés par l'entrepreneur.

Notes historiques: Le premier alinéa de l'article 347 a été modifié par L.Q. 2011, c. 6, par. 262(1°) par le remplacement des mots « à l'effet que » par les mots « selon laquelle ». Cette modification est entrée en vigueur le 6 juin 2011.

Le préambule du deuxième alinéa de l'article 347 a été modifié par L.Q. 2011, c. 6, par. 262(2°) par le remplacement du mot « rencontrées » par le mot « satisfaites ». Cette modification est entrée en vigueur le 6 juin 2011.

L'article 347 a été modifié par L.Q. 1997, c. 3, art. 135(1°) pour remplacer le mot « société » par les mots « société de personnes ». Cette modification est entrée en vigueur le 20 mars 1997.

Auparavant, l'article 347 a été modifié par L.Q. 1994, c. 22, art. 555(1) et est réputé entré en vigueur le 1er juillet 1992. L'article 347, édicté par L.Q. 1991, c. 67, se lisait comme suit :

> 347. L'inscrit qui participe à une coentreprise, autre qu'une société, en vertu d'une convention écrite conclue avant le 1er juillet 1992 avec une autre personne et qui produit une déclaration pour sa première période de déclaration débutant après le 30 juin 1992 à l'effet que tous les biens et les services qu'il a fournis, acquis ou apportés au Québec, pour le compte de l'autre personne ont été fournis, acquis ou apportés par lui et non par l'autre personne est réputé avoir produit au ministre un choix effectué conjointement avec l'autre personne en vertu de l'article 346, au moyen du formulaire prescrit contenant les renseignements prescrits.
>
> Le présent article ne s'applique entre l'inscrit et l'autre personne parties à la convention que si les conditions suivantes sont rencontrées :
>
> 1° l'inscrit expédie un avis écrit à l'autre personne au plus tard le 30 juin 1992, de son intention de produire la déclaration visée au premier alinéa;
>
> 2° l'autre personne n'a pas, au plus tard le premier en date du 1er août 1992 et du trentième jour suivant la réception de l'avis de l'inscrit, avisé celui-ci par écrit que tous les biens et les services qu'il a fournis, acquis ou apportés en vertu de la convention pour son compte ne doivent pas être considérés comme ayant été fournis, acquis ou apportés par l'inscrit.

Notes explicatives ARQ (PL 5, L.Q. 2011, c. 6): *Résumé* :

L'article 347 prévoit la déclaration que peut produire un entrepreneur qui participe à une co-entreprise antérieure au 1er juillet 1992 afin d'être réputé avoir effectué le choix prévu à l'article 346 de la LTVQ. L'article 347 de la LTVQ est modifié pour y apporter des modifications terminologiques.

Situation actuelle :

L'article 347 prévoit la déclaration que peut produire un entrepreneur qui participe à une co-entreprise antérieure au 1er juillet 1992 afin d'être réputé avoir effectué le choix prévu à l'article 346 de la LTVQ conformément à l'article 346.3 de cette loi. L'article 346 de la LTVQ prévoit qu'un entrepreneur et un participant à une co-entreprise peuvent, conjointement, faire un choix en vue de désigner l'entrepreneur comme la personne responsable de déclarer la taxe de vente du Québec au nom des deux parties en ce qui a trait aux achats et aux ventes effectuées dans le cadre des activités de la co-entreprise.

Modifications proposées :

L'article 347 est modifié afin d'y apporter des modifications terminologiques.

Guides [art. 347]: IN-203 — Renseignements généraux sur la TVQ et la TPS/TVH.

Définitions [art. 347]: « bien », « période de déclaration », « service » — 1.

Renvois [art. 347]: 348 (cessionnaire de participation dans une co-entreprise).

Concordance fédérale: LTA, par. 273(6), 273(7).

COMMENTAIRES: Voir les commentaires sous l'article 348.

348. Participation dans une co-entreprise — Pour l'application de la présente section, la personne qui, à un moment quelconque durant la période au cours de laquelle un choix est en vigueur, participe à une co-entreprise par suite de l'acquisition d'une participation dans celle-ci d'une personne ayant effectué le choix à l'égard de cette co-entreprise, est réputée avoir effectué, à ce moment, un choix conjointement avec l'entrepreneur à l'égard de cette co-entreprise conformément à l'article 346.3.

LTVQ (français)

Notes historiques: L'article 348 a été modifié par L.Q. 1994, c. 22, art. 555(1) et est réputé entré en vigueur le 1er juillet 1992. L'article 348, édicté par L.Q. 1991, c. 67, se lisait comme suit :

> 348. Pour l'application des articles 346 et 347, la personne qui acquiert une participation dans une co-entreprise, d'une personne ayant effectué un choix à l'égard de cette co-entreprise, est réputée avoir effectué un choix en vertu de ces articles à l'égard de cette participation.

Définitions [art. 348]: « personne » — 1.

Concordance fédérale: LTA, par. 273(2).

COMMENTAIRES: La définition du terme « personne » à l'article 1 n'inclut pas une coentreprise. Par conséquent, cet article est nécessaire pour permettre un choix ayant pour effet qu'un seul coentrepreneur aura la responsabilité de la perception et de la remise de la TVQ, permettant ainsi à la coentreprise d'être assujettie aux mêmes obligations qu'une personne en vertu de la *Loi sur la taxe de vente du Québec*.

Une coentreprise est orpheline de définition en vertu de la *Loi sur la taxe de vente du Québec*. Elle est toutefois différente d'une société de personnes qui, en général, consiste en l'exploitation d'une entreprise en commun avec l'intention de partager les profits.

L'article 346 permet, sous réserve de certaines conditions, de considérer la coentreprise comme une personne et de permettre à un entrepreneur, qui est dûment inscrit, d'être responsable de la perception et de la remise de la TVQ et de la réclamation de remboursements de la taxe sur les intrants au nom et pour le compte de la coentreprise.

Ce choix est permis dans la mesure où la coentreprise exerce des activités qui sont visées par cet article ou par l'article 346R1 du *Règlement sur la taxe de vente du Québec*. Il est à noter qu'au niveau fédéral, le *Règlement sur les coentreprises (TPS/TVH)* a été amendé le 3 mars 2011 afin d'y rajouter 14 activités admissibles. En date de ce jour, nous n'avons pas répertorié de législation provinciale adoptant les dernières modifications fédérales qui ont été apportées au *Règlement sur les coentreprises (TPS/TVH)*. Il serait toutefois souhaitable d'obtenir une harmonisation complète des activités prescrites qui sont tributaires du choix en vertu de cet article.

À titre illustratif, les travaux de géomatique ne font pas partie des activités admissibles selon Revenu Québec. Voir à ce titre : Revenu Québec, Lettre d'interprétation, 99-0102600 — *Interprétation relative à la TPS et à la TVQ / Choix concernant une coentreprise* (30 septembre 1999). Par ailleurs, Revenu Québec a précisé que les activités relatives à des études de faisabilité portant sur la construction d'un immeuble sont admissibles au choix de la coentreprise. Voir à cet effet : Revenu Québec, Tribune d'échange sur des questions techniques avec Revenu Québec, 2009, Symposium des taxes à la consommation, Association de planification fiscale et financière et Revenu Québec, *Les sujets techniques de l'heure*, Symposium des taxes à la consommation, Association de planification fiscale et financière (2010).

Le paragraphe 346.1 est une règle spécifique d'anti-évitement qui a pour effet d'éviter qu'un entrepreneur, qui est exempt du paiement de la TVQ de par son statut, élargisse cette exemption aux activités de la coentreprise.

L'article 346.2 permet la révocation de la coentreprise, mais celle-ci doit être conjointe avec l'entrepreneur et le coentrepreneur. Le formulaire FP-621 — *Formulaire de choix concernant une coentreprise — Choix relatif à la production de la déclaration par l'inscrit de la coentreprise*, doit être complété, mais n'a pas à être produit aux autorités fiscales. Il suffit que ce document soit conservé par les parties aux fins d'une éventuelle vérification.

Il faut souligner que l'exercice du choix en vertu de l'article 346 peut être exercé rétroactivement à une date où l'on peut prouver l'existence de la coentreprise. Voir notamment à cet effet : Revenu Québec, Lettre d'interprétation, 03-0106272 — *Coentreprise impliquant un Indien* (24 novembre 2003). Par exemple, le choix pourrait être exercé rétroactivement à la date de convention signée par les parties.

À l'égard des présomptions créées par cet article, Revenu Québec a confirmé les interprétations suivantes : (i) l'entrepreneur désigné doit percevoir et remettre les taxes à l'égard de chaque fourniture taxable qu'il effectue pour le compte de ses coentrepreneurs au client de la coentreprise — à ce titre, aucune taxe n'est payable à l'égard de la quote-part du revenu découlant de la réalisation d'une telle fourniture qui est versée par l'entrepreneur désigné à un coentrepreneur; (ii) lorsqu'un entrepreneur désigné effectue une fourniture de biens ou de services à un coentrepreneur, aucune taxe n'est payable à l'égard de la contrepartie d'une telle fourniture dans la mesure où les biens ou les services sont acquis par le coentrepreneur dans le cadre des activités de la coentreprise; et (iii) finalement, un coentrepreneur (autre que l'entrepreneur désigné) qui effectue une fourniture taxable à ses coentrepreneurs doit percevoir les taxes à l'égard de cette fourniture qu'il réalise dans le cadre de la coentreprise — en effet, les présomptions visées à l'article 346 visent uniquement les acquisitions, les fournitures et les apports effectués par l'entrepreneur désigné et à ce titre, l'exercice du choix ne libère pas un coentrepreneur (autre que l'entrepreneur désigné) de son obligation de percevoir les taxes à l'égard des fournitures taxables. Voir à cet effet notamment : Revenu Québec, *Tribune d'échange sur des questions techniques avec Revenu Québec*, 2009, Symposium des taxes à la consommation, Association de planification fiscale et financière et Revenu Québec, *Les sujets techniques de l'heure*, Symposium des taxes à la consommation, Association de planification fiscale et financière (2010).

Dans la mesure où le choix en vertu de cet article n'est pas fait, chaque coentrepreneur doit alors percevoir et remettre la TVQ et réclamer sa portion de remboursement de taxe sur les intrants sur son pourcentage de détention dans la coentreprise. En effet, puisqu'une coentreprise n'est pas une personne aux fins de la *Loi sur la taxe de vente du Québec*, elle ne peut pas s'inscrire et ne peut percevoir ou remettre la TVQ.

Il faut souligner que même si le choix sous l'article 346 n'est pas disponible ou n'est pas valide, les coentrepreneurs devraient analyser la possibilité de faire le choix prévu à l'article 41.0.1 et qui pourrait permettre, sous réserve de certaines conditions, qu'un inscrit perçoive et remettre la TVQ au nom des coentrepreneurs.

Nous n'avons répertorié aucune jurisprudence québécoise traitant de l'application des règles de la coentreprise. Toutefois, compte tenu de la similarité de la rédaction des dispositions législatives et considérant l'engagement spécifique de Revenu Québec de veiller à ce que l'assiette de TVQ modifiée, de même que les paramètres administratifs, structurels et définitionnels, produisent des résultats qui sont identiques à ceux produits sous le régime de la TPS/TVH et soient administrés d'un manière qui produit des résultats identiques, tel que reflété par l'article 14 de l'*Entente intégrée globale de coordination fiscale* signée entre le gouvernement du Canada et le gouvernement du Québec, nous vous recommandons nos commentaires en vertu de la *Loi sur la taxe d'accise (TPS)* qui devraient s'appliquer *mutatis mutandis*, avec les adaptations nécessaires.

SECTION XIV — INSTITUTION FINANCIÈRE

§1. — Règles d'application en cas de fusion ou d'acquisition d'entreprise

Notes historiques: L'intitulé de la section XIV du chapitre VI du titre I a été modifié par L.Q. 2012, c. 28, par. 109(1) par la suppression du mot « désignée ». Cette modification s'applique à compter du 1er janvier 2013.

L'intitulé de la sous-section §1 a été ajouté par L.Q. 2012, c. 28, par. 110(1) et s'applique à compter du 1er janvier 2013.

Notes explicatives ARQ (PL 5, L.Q. 2012, c. 28): *Résumé* :

L'intitulé de la section XIV du chapitre VI du titre I est modifié pour y supprimer la mention du mot « désignée », compte tenu du fait que cette section comprend des dispositions pouvant s'appliquer à des institutions financières au sens général, et non seulement à de telles institutions qui sont également des institutions financières désignées.

Situation actuelle :

La section XIV du chapitre VI du titre I comprend deux dispositions concernant les institutions financières désignées, soit les articles 349 et 350, qui prévoient des règles applicables lors de la fusion de sociétés pour constituer une institution financière désignée demême que lors de l'acquisition d'une institution financière désignée.

Modifications proposées :

L'intitulé de la section XIV du chapitre VI du titre I est modifié afin de tenir compte des modifications apportées aux articles 349 et 350 de cette loi, qui visent dorénavant les institutions financières, et non seulement les institutions financières désignées, de même que de la nouvelle section 2 de cette section XIV, introduite par le présent projet de loi.

349. Fusions — Dans le cas où plusieurs sociétés fusionnent afin de former une société — appelée « nouvelle société » dans le présent article — dont l'entreprise principale, immédiatement après la fusion, est identique ou semblable à celle d'une société fusionnante qui était une institution financière immédiatement avant la fusion, la nouvelle société est une institution financière tout au long de son année d'imposition commençant à la fusion.

Notes historiques: L'article 349 a été remplacé par L.Q. 2012, c. 28, par. 111(1) et cette modification s'applique à compter du 1er janvier 2013. Antérieurement, il se lisait ainsi :

> 349. Dans le cas où plusieurs sociétés fusionnent afin de former une société appelée « nouvelle société » dans le présent article dont l'entreprise principale, immédiatement après la fusion, est identique ou semblable à celle d'une société fusionnante qui était une institution financière désignée immédiatement avant la fusion, la nouvelle société est une institution financière désignée tout au long de son année d'imposition commençant à la fusion.

L'article 349 a été modifié par L.Q. 1997, c. 3, art. 135(2°) pour remplacer le mot « corporation » par le mot « société ». Cette modification est entrée en vigueur le 20 mars 1997. Auparavant, l'article 349 a été édicté par L.Q. 1991, c. 67.

Notes explicatives ARQ (PL 5, L.Q. 2012, c. 28): *Résumé* :

L'article 349 est modifié de façon à ce qu'il concerne l'ensemble des institutions financières, et non seulement les institutions financières désignées.

Situation actuelle :

L'article 349 précise qu'une société issue de la fusion à laquelle une ou plusieurs institutions financières désignées prennent part est également une institution financière désignée. Ainsi, si l'entreprise principale de la nouvelle société issue de la fusion est identique ou semblable à celle d'une institution financière désignée qui a pris part à la fusion, la nouvelle société est alors une institution financière désignée tout au long de l'année d'imposition qui a débuté au moment de la fusion.

Modifications proposées :

L'article 349 est modifié de façon à ce qu'il concerne l'ensemble des institutions financières, et non seulement les institutions financières désignées.

Définitions [art. 349]: « année d'imposition », « entreprise », « institution financière d ésignée » — 1.

Renvois [art. 349]: 76 (fusion).

Concordance fédérale: LTA, par. 149(2).

350. Acquisition d'une entreprise — Dans le cas où une personne donnée acquiert, au cours de son année d'imposition, l'entreprise en exploitation d'une autre personne qui était, immédiatement avant l'acquisition, une institution financière et qui, immédiatement après l'acquisition, a comme entreprise principale celle qu'elle a ainsi acquise, la personne donnée est une institution financière tout au long de la partie de cette année d'imposition qui suit l'acquisition.

Notes historiques: L'article 350 a été remplacé par L.Q. 2012, c. 28, par. 111(1) et cette modification s'applique à compter du 1er janvier 2013. Antérieurement, il se lisait ainsi :

> 350. Dans le cas où une personne donnée acquiert, au cours de son année d'imposition, l'entreprise en exploitation d'une autre personne qui était, immédiatement avant l'acquisition, une institution financière désignée et qui, immédiatement après l'acquisition, a comme entreprise principale celle qu'elle a ainsi acquise, la personne donnée est une institution financière désignée tout au long de la partie de cette année d'imposition qui suit l'acquisition.

L'article 350 a été édicté par L.Q. 1991, c. 67.

Notes explicatives ARQ (PL 5, L.Q. 2012, c. 28): *Résumé* :

L'article 350 précise dans quelles circonstances l'acquéreur d'une entreprise auparavant exploitée par une institution financière désignée est également une institution financière désignée par suite de cette acquisition. Cet article est modifié de façon à ce qu'il concerne l'ensemble des institutions financières, et non seulement les institutions financières désignées.

Situation actuelle :

L'article 350 précise dans quelles circonstances l'acquéreur d'une entreprise auparavant exploitée par une institution financière désignée est également une institution financière désignée par suite de cette acquisition. Ainsi, l'acquéreur est considéré comme une institution financière désignée tout au long de la partie de son année d'imposition qui suit le moment de cette acquisition lorsque l'entreprise acquise était auparavant exploitée par une institution financière désignée et que cette entreprise devient son entreprise principale après l'acquisition.

Modifications proposées :

L'article 350 est modifié de façon à ce qu'il concerne l'ensemble des institutions financières, et non seulement les institutions financières désignées.

Définitions [art. 350]: « année d'imposition », « entreprise », « institution financière désignée », « personne » — 1; IN-255 — Les marchés aux puces.

Concordance fédérale: LTA, par. 149(3).

§2. — Déclaration de renseignements

Notes historiques: Le sous-section §2, comprenant les articles 350.0.1 à 350.0.5, a été ajoutée par L.Q. 2012, c. 28, par. 112(1) et s'applique à l'égard d'un exercice qui commence après le 31 décembre 2012.

350.0.1 Dans la présente sous-section, l'expression :

« montant de taxe » pour l'exercice d'une personne désigne un montant qui est, selon le cas :

1° une taxe payée ou payable par la personne au cours de l'exercice en vertu des articles 17, 18 et 18.0.1, ou une taxe qui est réputée, en vertu d'une disposition du présent titre, avoir été payée ou être devenue payable par elle au cours de l'exercice;

2° un montant devenu à percevoir ou perçu par la personne, ou réputé, en vertu d'une disposition du présent titre, devenu à percevoir ou avoir été perçu par elle, au titre de la taxe prévue au présent titre au cours d'une période de déclaration de la personne comprise dans l'exercice;

3° un remboursement de la taxe sur les intrants pour une période de déclaration de la personne comprise dans l'exercice;

4° un montant devant être ajouté ou pouvant être déduit dans le calcul de la taxe nette pour une période de déclaration de la personne comprise dans l'exercice;

5° un montant devant entrer, en vertu du présent titre, dans le calcul d'un montant visé à l'un des paragraphes 2° et 4°, sauf s'il s'agit d'un montant qui représente la contrepartie d'une fourniture, d'un montant qui représente la valeur d'un bien ou d'un service ou d'un pourcentage;

Concordance fédérale: aucune.

« montant réel » désigne un montant qui est à indiquer dans la déclaration de renseignements qu'une personne est tenue de produire en vertu de l'article 350.0.3 pour son exercice et qui est :

1° soit un montant de taxe pour l'exercice ou pour un exercice antérieur de la personne;

2° soit un montant obtenu uniquement à partir de montants de taxe pour l'exercice ou pour un exercice antérieur de la personne, sauf si tous cesmontants de taxe doivent être indiqués dans la déclaration.

Concordance fédérale: aucune.

Notes historiques: L'article 350.0.1 a été ajouté par L.Q. 2012, c. 28, par. 112(1) et s'applique à l'égard d'un exercice qui commence après le 31 décembre 2012.

Notes explicatives ARQ (PL 5, L.Q. 2012, c. 28): *Résumé* :

Le nouvel article 350.0.1 comprend la définition de certaines expressions pour l'application des dispositions concernant la nouvelle déclaration annuelle que sont tenues de produire certaines institutions financières.

Contexte :

À compter du 1er janvier 2013, la fourniture d'un service financier cesse, en règle générale, d'être détaxée et devient exonérée. La nouvelle sous-section 2 de la section XIV du chapitre VI du titre I de la LTVQ, comprenant les articles 350.0.1 à 350.0.5, concerne la déclaration annuelle que doivent produire certaines institutions financières.

Les institutions financières offrent habituellement un large éventail de services. En plus d'offrir des services financiers exonérés, de nombreuses institutions financières exercent aussi des activités commerciales au Québec et hors du Québec. Une institution financière qui est inscrite aux fins du régime de la taxe de vente du Québec (TVQ) doit produire une déclaration en vertu de l'article 468 de la LTVQ. De même, lorsque l'institution financière est également une institution financière désignée particulière, au sens que donne à cette expression l'article 1 de la LTVQ, et dont la période de déclaration estmensuelle ou trimestrielle, elle doit également produire une autre déclaration de renseignements en vertu cette fois de l'article 470.1 de la LTVQ, introduit par le présent projet de loi.

En vertu du nouvel article 350.0.3, une institution financière est tenue de produire une déclaration de renseignements annuelle, lorsqu'elle est une institution déclarante au sens du nouvel article 350.0.2 de la LTVQ, également introduit par le présent projet de loi. Cette nouvelle déclaration de renseignements doit être produite dans les six mois suivant la fin de l'exercice.

Modifications proposées :

Le nouvel article 350.0.1 définit l'expression « montant de taxe » pour l'application de la nouvelle sous-section 2 de la section XIV du chapitre VI du titre I de la LTVQ. Cette expression s'avère utile pour déterminer si un montant à indiquer dans une déclaration de renseignements est un montant réel.

De façon générale, un montant de taxe est un montant quelconque qui se rapporte à la TVQ. Plus précisément, un montant de taxe est un montant qui représente une taxe payée ou payable en vertu des articles 17, 18 et 18.0.1 de la LTVQ. Ainsi, un montant de taxe comprend le montant de taxe payée ou payable par l'institution financière relativement à un bien corporel qu'elle apporte au Québec pour consommation ou utilisation au Québec par elle-même ou à ses frais par une autre personne (article 17 de la LTVQ), relativement à certaines fournitures d'un bien meuble ou d'un service effectuées hors du Québec (article 18 de la LTVQ) et relativement à certaines fournitures taxables d'un bien meuble incorporel ou d'un service effectuées hors du Québec mais au Canada, que l'institution financière acquiert pour consommation, utilisation ou fourniture dans la mesure d'au moins 10 % au Québec (article 18.0.1 de la LTVQ).

Un montant de taxe comprend également tout montant perçu ou à percevoir par l'institution financière en qualité de mandataire en vertu du titre I de la LTVQ, y compris les montants réputés perçus à ce titre.

Un montant de taxe comprend tout montant qui est à ajouter ou à déduire dans le calcul de la taxe nette de l'institution financière pour toute période de déclaration comprise dans son exercice. Par exemple, le montant du redressement apporté par l'institution financière dans le calcul de sa taxe nette pour une période de déclaration en vertu du nouvel article 433.16 de la LTVQ, introduit par le présent projet de loi, constitue un montant de taxe. Enfin, un montant de taxe comprend les montants qui entrent dans le calcul d'un montant de taxe perçu ou à percevoir par une personne (y compris un montant de taxe qui est réputé avoir été perçu) et les montants ajoutés ou déduits dans le calcul de la taxe nette (comme le montant représenté par la lettre F de la formule prévue au premier alinéa de l'article 433.16 de la LTVQ), sauf s'ils représentent la contrepartie d'une fourniture, la valeur d'un bien ou des montants exprimés en pourcentage.

Le nouvel article 350.0.1 définit également l'expression « montant réel » pour l'application de la sous-section 2 de la section XIV du chapitre VI du titre I de la LTVQ. Un montant réel est un montant qu'une institution financière doit indiquer dans la déclaration de renseignements qu'elle doit produire conformément au nouvel article 350.0.3 de la LTVQ, et qui est soit un montant de taxe, au sens du présent article 350.0.1, pour l'exercice en cours ou un exercice antérieur de l'institution financière, soit un montant obtenu uniquement à partir de montants de taxe pour l'exercice en cours ou un exercice antérieur sauf si tous ces montants de taxe doivent être indiqués dans la déclaration. Cette exception fait donc en sorte que les montants à indiquer dans une déclaration de renseignements qui sont obtenus uniquement à partir de montants de taxe devant également être indiqués dans la déclaration ne sont pas des montants réels.

350.0.2 Dans la présente sous-section, une personne, sauf une personne prescrite ou faisant partie d'une catégorie prescrite, est une institution déclarante tout au long de son exercice lorsque les conditions suivantes sont remplies :

1° la personne est une institution financière au cours de l'exercice;

2° la personne est un inscrit au cours de l'exercice;

3° le total des montants dont chacun représente un montant inclus dans le calcul du revenu de la personne pour l'application de la *Loi sur les impôts* (chapitre I-3) ou, si la personne est un particulier, dans le calcul de son revenu provenant d'une entreprise pour l'application de cette loi, pour sa dernière année d'imposition se terminant dans l'exercice, est supérieur au montant obtenu selon la formule suivante :

$$1\,000\,000\ \$ \times A / 365.$$

Pour l'application de la formule prévue au paragraphe 3° du premier alinéa, la lettre A représente le nombre de jours de l'année d'imposition.

Notes historiques: L'article 350.0.2 a été ajouté par L.Q. 2012, c. 28, par. 112(1) et s'applique à l'égard d'un exercice qui commence après le 31 décembre 2012.

Notes explicatives ARQ (PL 5, L.Q. 2012, c. 28): *Résumé* :

Le nouvel article 350.0.2 indique quelles sont les personnes qui sont les institutions déclarantes devant produire une déclaration de renseignements en vertu de l'article 350.0.3 de cette loi.

Contexte :

Voir la rubrique « Contexte » de la note explicative relative au nouvel article 350.0.1 de la LTVQ.

Modifications proposées :

Le nouvel article 350.0.2 précise quelle personne doit produire la déclaration de renseignements en vertu du nouvel article 350.0.3 de la LTVQ, introduit par le présent projet de loi. Ainsi, pour l'application de la nouvelle sous-section 2 de la section XIV du chapitre VI du titre I de la LTVQ, une personne, sauf une personne prescrite ou faisant partie d'une catégorie prescrite, est une institution déclarante tout au long d'un exercice si les conditions suivantes sont satisfaites :

— la personne est une institution financière au cours de l'exercice;

— la personne est un inscrit au cours de l'exercice;

— le total des montants dont chacun est un montant inclus dans le calcul de son revenu, pour l'application de la *Loi sur les impôts* (L.Q., chapitre I-3) ou, si elle est un particulier, de son revenu tiré d'une entreprise pour l'application de cette loi, pour sa dernière année d'imposition se terminant dans l'exercice, est supérieur à un million de dollars (ce plafond d'un million fait l'objet d'un prorata lorsque l'année d'imposition compte moins de 365 jours).

Concordance fédérale: aucune.

350.0.3 Une institution déclarante doit présenter au ministre pour son exercice, au plus tard le jour qui suit de six mois la fin de l'exercice, une déclaration de renseignements établie en la forme et contenant les renseignements déterminés par le ministre.

Notes historiques: L'article 350.0.3 a été ajouté par L.Q. 2012, c. 28, par. 112(1) et s'applique à l'égard d'un exercice qui commence après le 31 décembre 2012.

Notes explicatives ARQ (PL 5, L.Q. 2012, c. 28): *Résumé* :

Le nouvel article 350.0.3 requiert la production d'une déclaration annuelle de renseignements par toute personne qui est une institution déclarante au sens du nouvel article 350.0.2 de cette loi.

Contexte :

Voir la rubrique « Contexte » de la note explicative relative au nouvel article 350.0.1 de la LTVQ.

Modifications proposées :

Le nouvel article 350.0.3 requiert de toute institution déclarante qu'elle présente au ministre du Revenu pour son exercice une déclaration de renseignements établie en la forme et contenant les renseignements déterminés par celui-ci. Cette déclaration de renseignements doit être produite au plus tard le jour qui suit de six mois la fin de l'exercice.

Concordance fédérale: aucune.

350.0.4 Une institution déclarante tenue d'indiquer, dans la déclaration de renseignements qu'elle doit produire conformément à l'article 350.0.3, un montant, autre qu'un montant réel, qui n'est pas raisonnablement vérifiable au plus tard le jour auquel cette déclaration doit être produite en vertu de cet article doit faire une estimation raisonnable du montant et en indiquer le montant dans la déclaration.

Notes historiques: L'article 350.0.4 a été ajouté par L.Q. 2012, c. 28, par. 112(1) et s'applique à l'égard d'un exercice qui commence après le 31 décembre 2012.

Notes explicatives ARQ (PL 5, L.Q. 2012, c. 28): *Résumé* :

Le nouvel article 350.0.4 requiert qu'une institution déclarante fasse une estimation raisonnable d'un montant, autre qu'un montant réel, qui doit être indiqué dans la nouvelle déclaration de renseignements annuelle qu'elle est tenue de produire, lorsque ce montant ne peut être vérifié le jour le plus tard auquel cette déclaration doit être produite.

Contexte :

Voir la rubrique « Contexte » de la note explicative relative au nouvel article 350.0.1 de la LTVQ.

Modifications proposées :

Le nouvel article 350.0.4 prévoit que toute institution déclarante qui est tenue d'indiquer, dans une déclaration de renseignements qu'elle doit produire, conformément à la nouvelle sous-section 2 de la section XIV du chapitre VI du titre I de la LTVQ, un montant qui n'est pas un montant réel et qui ne peut raisonnablement être vérifié le jour le plus tard auquel cette déclaration doit être produite, doit faire une estimation raisonnable du montant et en indiquer le montant dans la déclaration.

Concordance fédérale: aucune.

350.0.5 Le ministre peut dispenser une institution déclarante ou une catégorie d'institutions déclarantes de l'obligation, prévue à l'article 350.0.3, de présenter tout renseignement déterminé par lui ou peut autoriser une institution déclarante ou une catégorie d'institutions déclarantes à présenter une estimation raisonnable d'un montant réel qui doit être indiqué dans une déclaration de renseignements établie conformément à cet article.

Notes historiques: L'article 350.0.5 a été ajouté par L.Q. 2012, c. 28, par. 112(1) et s'applique à l'égard d'un exercice qui commence après le 31 décembre 2012.

Notes explicatives ARQ (PL 5, L.Q. 2012, c. 28): *Résumé* :

Le nouvel article 350.0.5 permet au ministre du Revenu de dispenser certaines institutions de leur obligation de produire la nouvelle déclaration annuelle de renseignements ou d'autoriser certaines institutions déclarantes à présenter une estimation raisonnable d'un montant réel dans cette déclaration.

Contexte :

Voir la rubrique « Contexte » de la note explicative relative au nouvel article 350.0.1 de la LTVQ.

Modifications proposées :

Le nouvel article 350.0.5 permet au ministre du Revenu de dispenser une institution déclarante ou une catégorie d'institutions déclarantes de l'obligation, prévue à l'article 350.0.3 de la LTVQ, de fournir des renseignements qui doivent être indiqués par ailleurs dans une déclaration de renseignements.

De plus, cet article permet au ministre du Revenu d'autoriser toute institution déclarante ou catégorie d'institutions déclarantes à faire une estimation raisonnable de tout montant réel qui doit être indiqué dans une telle déclaration de renseignements en vertu de l'article 350.0.3 de la LTVQ.

Concordance fédérale: aucune.

SECTION XV — BON, RABAIS ET CERTIFICAT-CADEAU

Notes historiques: L'intertitre de la section XV du chapitre VI du titre I a été ajouté par L.Q. 1994, c. 22, art. 556(1) et est réputé entré en vigueur le 1er juillet 1992.

350.1 Définitions — Pour l'application du présent article et des articles 350.2 à 350.5, l'expression :

« bon » comprend un billet, un reçu ou une autre pièce mais ne comprend pas un certificat-cadeau ou une unité de troc au sens de l'article 350.7.1;

Notes historiques: La définition de « bon » à l'article 350.1 a été remplacée par L.Q. 2001, c. 53, art. 334(1) et cette modification s'applique :

1° aux fins de l'application des articles 350.1 à 350.5, à compter du 10 décembre 1998;

2º aux fins de l'application de ces articles, à tout ce qui est accepté ou racheté avant cette date, dans la détermination des montants suivants :

a) du remboursement en vertu de l'article 400 pour lequel une demande est reçue par le ministre du Revenu après le 9 décembre 1998;

b) du remboursement de la taxe sur les intrants ou d'une déduction demandé dans une déclaration reçue par le ministre après cette date.

Antérieurement, elle se lisait ainsi :

« bon » comprend un billet, un reçu ou une autre pièce mais ne comprend pas un certificat-cadeau;

La définition de « bon » à l'article 350.1 a été remplacée par L.Q. 1997, c. 85, art. 623(1) et a effet depuis le 1er avril 1997. Antérieurement, l'article 350.1 se lisait ainsi :

350.1 Pour l'application des articles 350.2 à 350.5, l'expressions « bon » comprend un billet, un reçu ou une autre pièce mais ne comprend pas un certificat-cadeau.

L'article 350.1 a été ajouté par L.Q. 1994, c. 22, art. 556(1) et est réputé entré en vigueur le 1er juillet 1992.

Renvois: 350.7 (certificat-cadeau).

Concordance fédérale: LTA, par. 181(1)« bon ».

« fraction de taxe » de la valeur d'un bon ou de la valeur de rabais ou d'échange d'un bon signifie 9,975/109,975.

Notes historiques: La définition de « fraction de taxe » à l'article 350.1 a été modifiée par L.Q. 2012, c. 28, par. 113(1) par le remplacement de « 9,5/109,5 » par « 9,975/109,975 ». Cette modification a effet à compter du 1er janvier 2013.

La définition de « fraction de taxe » à l'article 350.1 a été modifiée par L.Q. 2011, c. 6, par. 263(1) par le remplacement de « 8,5 / 108,5 » par « 9,5 / 109,5 ». Cette modification a effet à compter du 1er janvier 2012.

La définition de « fraction de taxe » à l'article 350.1 a été modifiée par L.Q. 2010, c. 5, par. 225(1) par le remplacement de « 7,5 / 107,5 » par « 8,5 / 108,5 ». Cette modification a effet à compter du 1er janvier 2011.

La définition de « fraction de taxe » à l'article 350.1 a été ajoutée par L.Q. 1997, c. 85, art. 623(1) et a effet depuis le 1er avril 1997. Toutefois, lorsque la définition de « fraction de taxe » s'applique pour la période du 1er avril 1997 au 31 décembre 1997, 6,5/106,5 remplace 7,5/107,5.

Renvois: 350.7 (certificat-cadeau).

Concordance fédérale: LTA, par. 181(1)« fraction de taxe ».

Notes explicatives ARQ (PL 5, L.Q. 2012, c. 28): *Résumé* :

L'article 350.1 est modifié afin de remplacer dans la définition de l'expression « fraction de taxe » la fraction « 9,5/109,5 » par « 9,975/109,975 », et ce, en vue de tenir compte du fait qu'à compter du 1er janvier 2013 la taxe sur les produits et services (TPS) est retirée de l'assiette de la taxe de vente du Québec (TVQ).

Situation actuelle :

L'article 350.1 comprend une définition de l'expression « fraction de taxe » qui est utilisée pour l'application des articles 350.2 à 350.5 de la LTVQ. Ces dispositions traitent de l'application de la TVQ aux bons donnant droit à l'acquéreur d'une fourniture à une réduction sur le prix d'un bien ou d'un service.

Modifications proposées :

En vue de tenir compte du fait que la TPS est retirée de l'assiette de la TVQ à compter du 1er janvier 2013, il y a lieu de modifier l'article 350.1 de la LTVQ.

Cette modification a pour objet de remplacer dans la définition de l'expression « fraction de taxe », la fraction « 9,5/109,5 » par « 9,975/109,975 ».

Notes explicatives ARQ (PL 5, L.Q. 2011, c. 6): *Résumé* :

L'article 350.1 est modifié afin de tenir compte de la hausse du taux de la taxe de vente du Québec (TVQ) à 9,5 % à compter du 1er janvier 2012.

Situation actuelle :

L'article 350.1 comprend une définition de l'expression « fraction de taxe » qui est utilisée pour l'application des articles 350.2 à 350.5 de la LTVQ. Ces dispositions traitent de l'application de la TVQ aux bons donnant droit à l'acquéreur d'une fourniture à une réduction sur le prix d'un bien ou d'un service.

Modifications proposées :

L'article 350.1 est modifié afin de tenir compte de la hausse du taux de la TVQ à 9,5 % à compter du 1er janvier 2012.

Notes explicatives ARQ (PL 64, L.Q. 2010, c. 5): *Résumé* :

L'article 350.1 est modifié afin de tenir compte de l'établissement du taux de la taxe de vente du Québec (TVQ) à 8,5 % à compter du 1er janvier 2011.

Situation actuelle :

L'article 350.1 de la LTVQ comprend une définition de l'expression « fraction de taxe » qui est utilisée pour l'application des articles 350.2 à 350.5 de la section XV du chapitre VI du titre I. Ces dispositions traitent de l'application de la TVQ aux bons donnant droit à l'acquéreur d'une fourniture à une réduction sur le prix d'un bien ou d'un service.

Modifications proposées :

L'article 350.1 de la LTVQ est modifié afin de tenir compte de l'établissement du taux de la TVQ à 8,5 % à compter du 1er janvier 2011.

Guides [art. 350.1]: IN-216 — La TVQ, la TPS/TVH et l'alimentation.

350.2 Acceptation d'un bon remboursable — Dans le cas où, à un moment quelconque, un inscrit accepte, en contrepartie totale ou partielle d'une fourniture taxable, à l'exception d'une fourniture détaxée, d'un bien ou d'un service, un bon qui donne droit à l'acquéreur de la fourniture à une réduction sur le prix du bien ou du service égale à un montant fixe précisé sur le bon — appelé « valeur du bon » dans le présent article — et que l'inscrit peut raisonnablement s'attendre à ce qu'un montant lui soit payé par une autre personne pour le rachat du bon, les règles suivantes s'appliquent, sauf en ce qui concerne l'application de l'article 425 :

1º la taxe percevable par l'inscrit à l'égard de la fourniture est réputée égale à celle qui serait percevable si le bon n'était pas accepté;

2º l'inscrit est réputé avoir perçu, à ce moment, une partie de la taxe percevable égale à la fraction de taxe de la valeur du bon;

3º la taxe payable par l'acquéreur à l'égard de la fourniture est réputée égale au montant déterminé selon la formule suivante :

$$A - B.$$

Application — Pour l'application de cette formule :

1º la lettre A représente la taxe percevable par l'inscrit à l'égard de la fourniture;

2º la lettre B représente la fraction de taxe de la valeur du bon.

Notes historiques: Le paragraphe 2º du premier alinéa de l'article 350.2 a été modifié par L.Q. 1995, c. 1, art. 295(1) et cette modification a effet depuis le 13 mai 1994. Auparavant, il se lisait comme suit :

2º l'inscrit est réputé avoir perçu, à ce moment, une partie de la taxe percevable égale au montant obtenu en multipliant la valeur du bon par la fraction de taxe relative au bien ou au service à l'égard duquel le bon est utilisé;

Le paragraphe 2º du deuxième alinéa de l'article 350.2 a été modifié par L.Q. 1995, c. 1, art. 295(1) et cette modification est réputée avoir effet depuis le 13 mai 1994. Auparavant, il se lisait comme suit :

2º la lettre B représente le montant obtenu en multipliant la valeur du bon par la fraction de taxe relative au bien ou au service à l'égard duquel le bon est utilisé.

L'article 350.2 a été ajouté par L.Q. 1994, c. 22, art. 556(1) et est réputé entré en vigueur le 1er juillet 1992.

Guides [art. 350.2]: IN-203 — Renseignements généraux sur la TVQ et la TPS/TVH; IN-216 — La TVQ, la TPS/TVH et l'alimentation.

Définitions [art. 350.2]: « acquéreur », « bien », « contrepartie », « fourniture », « fourniture détaxée », « fourniture taxable », « fraction de taxe », « inscrit », « montant », « personne », « service », « taxe » — 1.

Renvois [art. 350.2]: 350.1 (définition de « bon »); 350.3 (acceptation d'un bon non remboursable).

Lettres d'interprétation [art. 350.2]: 99-0103442 — Interprétation relative à la TPS et à la TVQ — Remboursement partiel d'un coupon-rabais.

Concordance fédérale: LTA, par. 181(2).

350.3 Acceptation d'un bon non remboursable — Dans le cas où, à un moment quelconque, un inscrit accepte, en contrepartie totale ou partielle d'une fourniture taxable, à l'exception d'une fourniture détaxée, d'un bien ou d'un service, un bon qui donne droit à l'acquéreur de la fourniture à une réduction sur le prix du bien ou du service égale à un montant fixe précisé sur le bon ou à un pourcentage fixe, précisé sur le bon, du prix — le montant de la réduction étant appelé, dans chaque cas, « valeur du bon » dans le présent article — et que l'inscrit peut raisonnablement s'attendre à ce qu'aucun montant ne lui soit payé par une autre personne pour le rachat du bon, les règles suivantes s'appliquent :

1º l'inscrit doit considérer que le bon :

a) soit réduit la valeur de la contrepartie de la fourniture de la manière prévue à l'article 350.4, si le paragraphe 4º de l'article 181 de la *Loi sur la taxe d'accise* (Lois révisées du Canada (1985), chapitre E-15) s'applique au bon;

b) soit constitue un paiement partiel en argent qui ne réduit pas la valeur de la contrepartie de la fourniture;

LTVQ (français)

2º si l'inscrit considère que le bon constitue un paiement partiel en argent qui ne réduit pas la valeur de la contrepartie de la fourniture, les paragraphes 1º à 3º du premier alinéa de l'article 350.2 s'appliquent à l'égard de la fourniture et du bon et l'inscrit peut demander, pour sa période de déclaration qui comprend le moment où il a accepté le bon, un remboursement de la taxe sur les intrants égal à la fraction de taxe de la valeur du bon.

Notes historiques: L'article 350.3 a été remplacé par L.Q. 1997, c. 85, art. 624(1) et a effet depuis le 1er avril 1997.

Antérieurement, il se lisait ainsi :

> 350.3 Dans le cas où, à un moment quelconque, un inscrit accepte, en contrepartie totale ou partielle d'une fourniture taxable, à l'exception d'une fourniture détaxée, d'un bien ou d'un service, un bon qui donne droit à l'acquéreur de la fourniture à une réduction sur le prix du bien ou du service égale à un montant fixe précisé sur le bon — appelé « valeur du bon » dans le présent article — et que l'inscrit peut raisonnablement s'attendre à ce qu'aucun montant ne lui soit payé par une autre personne pour le rachat du bon, l'inscrit doit considérer que le bon :
>
> 1º soit réduit la valeur de la contrepartie de la fourniture de la manière prévue à l'article 350.4, si le paragraphe 4 de l'article 181 de la *Loi sur la taxe d'accise* (Statuts du Canada) s'applique au bon;
>
> 2º soit constitué un paiement partiel en argent qui ne réduit pas la valeur de la contrepartie, auquel cas l'article 350.2 s'applique et l'inscrit peut demander, pour sa période de déclaration qui comprend le moment où il a accepté le bon, un remboursement de la taxe sur les intrants égal à la fraction de taxe de la valeur du bon.

Le paragraphe 2º de l'article 350.3 a été modifié par L.Q. 1995, c. 1, art. 296(1) et cette modification est réputée avoir effet depuis le 13 mai 1994. Auparavant, il se lisait comme suit :

> 2º soit constitue un paiement partiel en argent qui ne réduit pas la valeur de la contrepartie, auquel cas l'article 350.2 s'applique et l'inscrit peut demander, pour sa période de déclaration qui comprend le moment où il a accepté le bon, un remboursement de la taxe sur les intrants égal au montant obtenu en multipliant la valeur du bon par la fraction de taxe relative au bien ou au service à l'égard duquel le bon est utilisé.

L'article 350.3 a été ajouté par L.Q. 1994, c. 22, art. 556(1) et est réputé entré en vigueur le 1er juillet 1992.

Guides [art. 350.3]: IN-203 — Renseignements généraux sur la TVQ et la TPS/TVH; IN-216 — La TVQ, la TPS/TVH et l'alimentation.

Définitions [art. 350.3]: « acquéreur », « argent », « bien » — 1; « bon » — 350.1; « contrepartie », « fourniture », « fourniture détaxée », « fourniture taxable », « fraction de taxe », « inscrit », « montant », « période de déclaration », « personne », « service » — 1.

Renvois [art. 350.3]: 51 (valeur de la contrepartie).

Lettres d'interprétation [art. 350.3]: 99-0103442 — Interprétation relative à la TPS et à la TVQ — Remboursement partiel d'un coupon-rabais; 02-0109955 — Interprétation relative à la TPS et à la TVQ — Bon non remboursable accepté; 05-0105238 — Bons de réduction.

Concordance fédérale: LTA, par. 181(3).

350.4 Acceptation d'autres bons — Dans le cas où un inscrit accepte, en contrepartie totale ou partielle de la fourniture d'un bien ou d'un service, un bon qui peut être échangé contre le bien ou le service ou qui donne droit à l'acquéreur de la fourniture à une réduction sur le prix du bien ou du service et que les paragraphes 1º à 3º du premier alinéa de l'article 350.2 ne s'appliquent pas à l'égard du bon, la valeur de la contrepartie de la fourniture est réputée égale à l'excédent de la valeur de la contrepartie de la fourniture, telle que déterminée par ailleurs, sur la réduction ou sur la valeur d'échange du bon.

Notes historiques: L'article 350.4 a été remplacé par L.Q. 2001, c. 53, art. 335(1) et cette modification a effet depuis le 1er août 1997. Antérieurement, il se lisait ainsi :

> 350.4 Dans le cas où un inscrit accepte, en contrepartie totale ou partielle de la fourniture d'un bien ou d'un service, un bon qui peut être échangé contre le bien ou le service ou qui donne droit à l'acquéreur de la fourniture à une réduction sur le prix du bien ou du service et que l'article 350.2 ne s'applique pas à l'égard du bon, la valeur de la contrepartie de la fourniture est réputée égale à l'excédent de la valeur de la contrepartie de la fourniture, telle que déterminée par ailleurs, sur la réduction ou sur la valeur d'échange du bon.

L'article 350.4 a été ajouté par L.Q. 1994, c. 22, art. 556(1) et est réputé entré en vigueur le 1er juillet 1992.

Guides [art. 350.4]: IN-203 — Renseignements généraux sur la TVQ et la TPS/TVH; IN-216 — La TVQ, la TPS/TVH et l'alimentation.

Définitions [art. 350.4]: « acquéreur », « bien » — 1; « bon » — 350.1; « contrepartie », « fourniture », « inscrit », « service » — 1.

Renvois [art. 350.4]: 51 (valeur de la contrepartie); 350.2 (acceptation d'un bon non remboursable).

Lettres d'interprétation [art. 350.4]: 02-0109955 — Interprétation relative à la TPS et à la TVQ — Bon non remboursable accepté; 05-0105238 — Bons de réduction.

Concordance fédérale: LTA, par. 181(4).

350.5 Rachat du bon — Dans le cas où un fournisseur qui est un inscrit accepte, en contrepartie totale ou partielle d'une fourniture taxable d'un bien ou d'un service, un bon qui peut être échangé contre le bien ou le service ou qui donne droit à l'acquéreur de la fourniture à une réduction sur le prix du bien ou du service et qu'une personne donnée paie, à un moment quelconque, dans le cadre d'une activité commerciale de celle-ci, un montant au fournisseur pour le rachat du bon, les règles suivantes s'appliquent :

1º le montant est réputé ne pas être une contrepartie d'une fourniture;

2º dans le cas où la fourniture n'est pas une fourniture détaxée et que le bon a donné droit à l'acquéreur à une réduction sur le prix du bien ou du service égale à un montant fixe précisé sur le bon, — appelé « valeur du bon » dans le présent article — la personne donnée, si elle est un inscrit au moment du paiement, peut demander un remboursement de la taxe sur les intrants pour sa période de déclaration qui comprend ce moment, égal à la fraction de taxe de la valeur du bon.

Exception — Le paragraphe 2º du premier alinéa ne s'applique pas si tout ou partie de la valeur du bon représente le montant d'un redressement, d'un remboursement ou d'un crédit auquel l'article 449 s'applique ou si la personne donnée est, au moment du paiement, un inscrit prescrit visé à l'article 279.

Notes historiques: Le préambule du premier alinéa de l'article 350.5 a été modifié par L.Q. 1995, c. 1, art. 297(1) et cette modification et a effet depuis le 1er juillet 1992 [*N.D.L.R.* : cette disposition s'applique conformément aux articles 618 à 656 et 685 de L.Q. 1991, c. 67, tels que modifiés]. Auparavant, ce préambule, édicté par L.Q. 1994, c. 22, art. 556(1), se lisait comme suit :

> 350.5 Dans le cas où un fournisseur qui est un inscrit accepte, en contrepartie totale ou partielle d'une fourniture taxable, autre qu'une fourniture détaxée, d'un bien ou d'un service, un bon qui peut être échangé contre le bien ou le service ou qui donne droit à l'acquéreur de la fourniture à une réduction sur le prix du bien ou du service et qu'une personne donnée paie, à un moment quelconque, dans le cadre d'une activité commerciale de celle-ci, un montant au fournisseur pour le rachat du bon, les règles suivantes s'appliquent :

Le paragraphe 2º du premier alinéa de l'article 350.5 a été remplacé par L.Q. 2001, c. 53, art. 336(1) et cette modification a effet depuis le 1er août 1997. Toutefois, il ne s'applique pas à un bon si la personne qui paie un montant pour racheter le bon a demandé un remboursement de la taxe sur les intrants à l'égard de ce montant dans une déclaration qui a été reçue par le ministre du Revenu avant le 26 novembre 1996. Antérieurement, il se lisait ainsi :

> 2º dans le cas où la fourniture n'est pas une fourniture détaxée et que le bon a donné droit à l'acquéreur à une réduction sur le prix du bien ou du service égale à un montant fixe précisé sur le bon ou à un pourcentage fixe, précisé sur le bon, du prix — le montant de la réduction étant appelé, dans chaque cas, « valeur du bon » dans le présent article — la personne donnée, si elle est un inscrit au moment du paiement, peut demander un remboursement de la taxe sur les intrants pour sa période de déclaration qui comprend ce moment, égal à la fraction de taxe de la valeur du bon.

Le paragraphe 2º du premier alinéa de l'article 350.5 a été remplacé par L.Q. 1997, c. 85, art. 625(1)(1º) et a effet depuis le 1er avril 1997. Antérieurement, le paragraphe 2º se lisait ainsi :

> 2º dans le cas où la fourniture n'est pas une fourniture détaxée et que le bon a donné droit à l'acquéreur à une réduction sur le prix du bien ou du service égale à un montant fixe précisé sur le bon, la personne donnée, si elle est un inscrit au moment du paiement, peut demander un remboursement de la taxe sur les intrants pour sa période de déclaration qui comprend ce moment, égal à la fraction de taxe de ce montant.

Le paragraphe 2º du premier alinéa de l'article 350.5 a été modifié par L.Q. 1995, c. 1, art. 297(1) et cette modification a effet depuis le 1er juillet 1992 [*N.D.L.R.* : cette disposition s'applique conformément aux articles 618 à 656 et 685 de L.Q. 1991, c. 67, tels que modifiés]. Toutefois, pour la période qui commence le 1er juillet 1992 et qui se termine le 12 mai 1994, le paragraphe 2° du premier alinéa de l'article 350.5 doit se lire comme suit :

2° dans le cas où la fourniture n'est pas une fourniture détaxée et que le bon a donné droit à l'acquéreur à une réduction sur le prix du bien ou du service égale à un montant fixé précisé sur le bon, la personne donnée, si elle est un inscrit au moment du paiement, peut demander un remboursement de la taxe sur les intrants pour sa période de déclaration qui comprend ce moment, égal au montant obtenu en multipliant le montant fixe précisé sur le bon par la fraction de taxe relative au bien ou au service à l'égard duquel le bon est utilisé.

Auparavant, le paragraphe 2° du premier alinéa de l'article 350.5 se lisait comme suit :

2° dans le cas où le bon a donné droit à l'acquéreur à une réduction sur le prix du bien ou du service égale à un montant fixe précisé sur le bon, la personne donnée, si elle est un inscrit au moment du paiement, peut demander un remboursement de la taxe sur les intrants pour sa période de déclaration qui comprend ce moment, égal au montant obtenu en multipliant le montant fixe précisé sur le bon par la fraction de taxe relative au bien ou au service à l'égard duquel le bon est utilisé.

Le deuxième alinéa a été remplacé par L.Q. 1997, c. 85, art. 625(1)(2°) et a effet depuis le 1er avril 1997.

Antérieurement, le deuxième alinéa se lisait comme suit :

Le paragraphe 2° du premier alinéa ne s'applique pas si tout ou partie du montant est le montant d'un redressement, d'un remboursement ou d'un crédit auquel l'article 449 s'applique ou si la personne donnée est, au moment du paiement, un inscrit prescrit visé à l'article 279.

L'article 350.5 a été ajouté par L.Q. 1994, c. 22, art. 556(1) et est réputé entré en vigueur le 1er juillet 1992.

Guides [art. 350.5]: IN-216 — La TVQ, la TPS/TVH et l'alimentation.

Définitions [art. 350.5]: « acquéreur », « activité commerciale », « bien » — 1; « bon » — 350.1; « contrepartie », « fournisseur », « fourniture », « fourniture détaxée », « fourniture taxable », « fraction de taxe », « inscrit », « montant », « période de déclaration », « personne », « service » — 1.

Lettres d'interprétation [art. 350.5]: 93-0113493 — Interprétation relative à la TPS et à la TVQ — Méthode rapide spéciale réservée aux organismes de services publics; 99-0103442 — Interprétation relative à la TPS et à la TVQ — Remboursement partiel d'un coupon-rabais.

Concordance fédérale: LTA, par. 181(5).

350.6 Rabais — Dans le cas où un inscrit effectue au Québec une fourniture taxable, à l'exception d'une fourniture détaxée autre qu'une fourniture détaxée en vertu de l'article 197.2, d'un bien ou d'un service qu'une personne donnée acquiert soit de l'inscrit, soit d'une autre personne et où, à un moment quelconque, l'inscrit paie à la personne donnée, à l'égard du bien ou du service, un rabais auquel l'article 449 ne s'applique pas, accompagné d'un écrit indiquant qu'une partie du rabais est un montant au titre de la taxe, les règles suivantes s'appliquent :

1° l'inscrit peut demander un remboursement de la taxe sur les intrants, pour sa période de déclaration qui comprend ce moment, égal au résultat obtenu en multipliant 9,975/109,975 — appelée « fraction de taxe à l'égard du rabais » dans le présent article — par le montant du rabais;

2° si la personne donnée est un inscrit qui avait droit de demander un remboursement de la taxe sur les intrants ou un remboursement en vertu de la section I du chapitre VII à l'égard de l'acquisition du bien ou du service, elle est réputée :

a) avoir effectué une fourniture taxable;

b) avoir perçu à ce moment, la taxe à l'égard de la fourniture égale au montant déterminé selon la formule suivante :

$$A \times \frac{B}{C} \times D.$$

Application — Pour l'application de cette formule :

1° la lettre A représente la fraction de taxe à l'égard du rabais;

2° la lettre B représente le remboursement de la taxe sur les intrants ou le remboursement en vertu de la section I du chapitre VII que la personne donnée avait droit de demander à l'égard de l'acquisition du bien ou du service;

3° la lettre C représente la taxe payable par la personne donnée à l'égard de l'acquisition du bien ou du service;

4° la lettre D représente le montant du rabais payé à la personne donnée par le fournisseur.

Notes historiques: Le préambule du premier alinéa de l'article 350.6 a été remplacé par L.Q. 2001, c. 51, art. 279 et cette modification s'applique à l'égard d'une fourniture dont la totalité ou une partie de la contrepartie devient due après le 30 avril 1999 et n'est pas payée avant le 1er mai 1999. Toutefois, elle ne s'applique pas à l'égard de toute partie de la contrepartie qui devient due ou est payée avant le 1er mai 1999. Auparavant, il se lisait comme suit :

350.6 Dans le cas où un inscrit effectue au Québec une fourniture taxable, à l'exception d'une fourniture détaxée, d'un bien ou d'un service qu'une personne donnée acquiert soit de l'inscrit, soit d'une autre personne et où, à un moment quelconque, l'inscrit paie à la personne donnée, à l'égard du bien ou du service, un rabais auquel l'article 449 ne s'applique pas, accompagné d'un écrit indiquant qu'une partie du rabais est un montant au titre de la taxe, les règles suivantes s'appliquent :

Le préambule du premier alinéa de l'article 350.6 a été modifié par L.Q. 1995, c. 63, art. 422 et cette modification s'applique à l'égard de la fourniture d'un bien ou d'un service dont la totalité ou une partie de la contrepartie devient due après le 31 juillet 1995 et n'est pas payée avant le 1er août 1995. Auparavant, il se lisait comme suit :

350.6 Dans le cas où un inscrit effectue au Québec une fourniture taxable ou une fourniture non taxable, à l'exception d'une fourniture détaxée, d'un bien ou d'un service qu'une personne donnée acquiert soit de l'inscrit, soit d'une autre personne et où, à un moment quelconque, l'inscrit paie à la personne donnée, à l'égard du bien ou du service, un rabais auquel l'article 449 ne s'applique pas, accompagné d'un écrit indiquant qu'une partie du rabais est un montant au titre de la taxe, les règles suivantes s'appliquent :

Le paragraphe 1° du premier alinéa de l'article 350.6 a été modifiée par L.Q. 2012, c. 28, par. 114(1) par le remplacement de « 9,5/109,5 » par « 9,975/109,975 ». Cette modification s'applique à l'égard de la fourniture d'un bien ou d'un service dont la totalité ou une partie de la contrepartie devient due après le 31 décembre 2012 et n'est pas payée avant le 1er janvier 2013.

Le paragraphe 1° du premier alinéa de l'article 350.6 a été modifié par L.Q. 2011, c. 6, par. 264(1) par le remplacement de « 8,5 / 108,5 » par « 9,5 / 109,5 ». Cette modification a effet à compter du 1er janvier 2012.

Le paragraphe 1° du premier alinéa de l'article 350.6 a été modifié par L.Q. 2010, c. 5, par. 226(1) par le remplacement de « 7,5 / 107,5 » par « 8,5 / 108,5 ». Cette modification a effet à compter du 1er janvier 2011.

Le paragraphe 1° du premier alinéa de l'article 350.6 a été remplacé par L.Q. 1997, c. 85, art. 626(1)(1°) et a effet depuis le 1er avril 1997. Toutefois, lorsque le paragraphe 1° du premier alinéa s'applique pour la période du 1er avril 1997 au 31 décembre 1997, il doit se lire en remplaçant 7,5 / 107,5 par 6,5 / 106,5. Auparavant, le paragraphe 1° du premier alinéa se lisait ainsi :

1° l'inscrit peut demander un remboursement de la taxe sur les intrants, pour sa période de déclaration qui comprend ce moment, égal à la fraction de taxe du montant du rabais;

Auparavant, le paragraphe 1° du premier alinéa de l'article 350.6 a été modifié par L.Q. 1995, c. 1, art. 298(1) et cette modification a effet depuis le 13 mai 1994. Auparavant, il se lisait comme suit :

1° l'inscrit peut demander un remboursement de la taxe sur les intrants, pour sa période de déclaration qui comprend ce moment, égal au montant obtenu en multipliant le montant du rabais par la fraction de taxe relative au bien ou au service à l'égard duquel le rabais est payé;

Le paragraphe 1° du deuxième alinéa de l'article 350.6 a été remplacé par L.Q. 1997, c. 85, art. 626(1)(2°) et a effet depuis le 1er avril 1997. Antérieurement, il se lisait comme suit :

1° la lettre A représente la fraction de taxe;

Le paragraphe 1° du deuxième alinéa de l'article 350.6 a été modifié par L.Q. 1995, c. 1, art. 298(1) et cette modification est réputée avoir effet depuis le 13 mai 1994. Auparavant, il se lisait comme suit :

1° la lettre A représente la fraction de taxe relative au bien ou au service à l'égard duquel le rabais est payé;

Le troisième alinéa de l'article 350.6 a été supprimé par L.Q. 1995, c. 63, art. 422(1) et cette modification s'applique à l'égard de la fourniture d'un bien ou d'un service dont la totalité ou une partie de la contrepartie devient due après le 31 juillet 1995 et n'est pas payée avant le 1er août 1995. Auparavant, il se lisait comme suit :

Toutefois, lorsqu'un rabais est payé à la personne donnée qui est un inscrit à l'égard d'une fourniture non taxable, le paragraphe 1° du premier alinéa ne s'applique pas.

L'article 350.6 a été ajouté par L.Q. 1994, c. 22, art 556(1) et est réputé entré en vigueur le 1er juillet 1992. Toutefois, à l'égard d'un rabais payé après le 30 juin 1992 et avant le 1er janvier 1993 il doit se lire comme suit :

350.6 Dans le cas où un fournisseur effectue au Québec une fourniture taxable ou une fourniture non taxable, à l'exception d'une fourniture détaxée, d'un bien ou d'un service qu'une personne donnée acquiert soit du fournisseur, soit d'une autre personne et où, à un moment donné, à l'égard du bien ou du service, un rabais auquel l'article 449 ne s'applique pas, est payé à la personne donnée par le fournisseur, les règles suivantes s'appliquent :

1° si la fourniture par le fournisseur est effectuée à un moment où ce dernier est un inscrit, aux fins de calculer un remboursement de la taxe sur les intrants, le fournisseur est réputé à la fois :

a) avoir reçu une fourniture taxable d'un service pour utilisation exclusive dans le cadre d'une activité commerciale de celui-ci;

b) avoir payé au moment donné, la taxe à l'égard de la fourniture égale au montant obtenu en multipliant le montant du rabais par la fraction de taxe relative au bien ou au service à l'égard duquel le rabais est payé;

2° si la personne donnée est un inscrit qui avait droit de demander un remboursement de la taxe sur les intrants ou un remboursement en vertu de la section I du chapitre VII à l'égard de l'acquisition du bien ou du service, elle est réputée :

a) avoir effectué une fourniture taxable;

b) avoir perçu au moment donné, la taxe à l'égard de la fourniture égale au montant déterminé selon la formule suivante :

$$A \times \frac{B}{C} \times D.$$

Pour l'application de cette formule :

1° la lettre A représente la fraction de taxe relative au bien ou au service à l'égard duquel le rabais est payé;

2° la lettre B représente le remboursement de la taxe sur les intrants ou le remboursement de la taxe en vertu de la section I du chapitre VII que la personne donnée avait droit de demander à l'égard de l'acquisition du bien ou du service;

3° la lettre C représente la taxe payable par la personne donnée à l'égard de l'acquisition du bien ou du service;

4° la lettre D représente le montant du rabais payé à la personne donnée par le fournisseur.

Toutefois, lorsqu'un rabais est payé à la personne donnée qui est un inscrit à l'égard d'une fourniture non taxable, le paragraphe 1° du premier alinéa ne s'applique pas.

Notes explicatives ARQ (PL 5, L.Q. 2012, c. 28): *Résumé* :

L'article 350.6 est modifié afin de remplacer la fraction « 9,5/109,5 » par « 9,975/109,975 », et ce, en vue de tenir compte du fait qu'à compter du 1er janvier 2013 la taxe sur les produits et services (TPS) est retirée de l'assiette de la taxe de vente du Québec (TVQ).

Situation actuelle :

L'article 350.6 s'applique lorsqu'un rabais est offert directement par un fabricant à l'acquéreur d'un bien ou d'un service qui est fourni soit par le fabricant, soit par un détaillant. Dans ces circonstances, le fabricant peut demander un remboursement de la taxe sur les intrants (RTI) à l'égard de la partie de la taxe incluse dans le rabais qu'il paie à l'acquéreur. Si l'acquéreur est un inscrit qui avait le droit de demander un RTI ou un remboursement partiel de la taxe à l'égard du bien ou du service, il doit remettre la taxe en proportion du remboursement.

Modifications proposées :

En vue de tenir compte du fait que la TPS est retirée de l'assiette de la TVQ à compter du 1er janvier 2013, il y a lieu de modifier l'article 350.6 de la LTVQ.

Cette modification a pour objet de remplacer la fraction « 9,5/109,5 » par « 9,975/109,975 ».

Notes explicatives ARQ (PL 5, L.Q. 2011, c. 6): *Résumé* :

L'article 350.6 est modifié afin de tenir compte de la hausse du taux de la taxe de vente du Québec (TVQ) à 9,5 % à compter du 1er janvier 2012.

Situation actuelle :

L'article 350.6 s'applique lorsqu'un rabais est offert directement par un fabricant à l'acquéreur d'un bien ou d'un service qui est fourni soit par le fabricant, soit par un détaillant. Dans ces circonstances, le fabricant peut demander un remboursement de la taxe sur les intrants (RTI) à l'égard de la partie de la taxe incluse dans le rabais qu'il paie à l'acquéreur. Si l'acquéreur est un inscrit qui avait le droit de demander un RTI ou un remboursement partiel de la taxe à l'égard du bien ou du service, il doit remettre la taxe en proportion du remboursement.

Modifications proposées :

L'article 350.6 est modifié afin de tenir compte de la hausse du taux de la TVQ à 9,5 % à compter du 1er janvier 2012.

Notes explicatives ARQ (PL 64, L.Q. 2010, c. 5): *Résumé* :

L'article 350.6 est modifié afin de tenir compte de l'établissement du taux de la taxe de vente du Québec (TVQ) à 8,5 % à compter du 1er janvier 2011.

Situation actuelle :

L'article 350.6 de la LTVQ s'applique lorsqu'un rabais est offert directement par un fabricant à l'acquéreur d'un bien ou d'un service qui est fourni soit par le fabricant, soit par un détaillant. Dans ces circonstances, le fabricant peut demander un remboursement de la taxe sur les intrants (RTI) à l'égard de la partie de la taxe incluse dans le rabais qu'il paie à l'acquéreur. Si l'acquéreur est un inscrit qui avait le droit de demander un RTI ou un remboursement partiel de la taxe à l'égard du bien ou du service, il doit remettre la taxe en proportion du remboursement.

Modifications proposées :

L'article 350.6 de la LTVQ est modifié afin de tenir compte de l'établissement du taux de la TVQ à 8,5 % à compter du 1er janvier 2011.

Guides [art. 350.6]: IN-203 — Renseignements généraux sur la TVQ et la TPS/TVH.

Définitions [art. 350.6]: « bien », « fourniture », « fourniture détaxée », « fourniture taxable », « fraction de taxe », « inscrit », « montant », « période de déclaration », « personne », « service », « taxe » — 1.

Renvois [art. 350.6]: 21 (fourniture effectuée au Québec); 433.1 (fourniture déterminée).

Bulletins d'interprétation [art. 350.6]: TVQ. 57-2/R1 — Réduction pour paiement rapide de la contrepartie d'une fourniture.

Jurisprudence [art. 370.13]: *Tuiles Olympia international inc. c. Québec (Sous-ministre du Revenu)* (3 février 2010), 500-80-007602-064, 2010 CarswellQue 2296.

Lettres d'interprétation [art. 350.6]: 00-0112359 — Interprétation relative à la TPS et à la TVQ — Escompte pour paiement anticipé.

Concordance fédérale: LTA, art. 181.1.

350.7 Certificat-cadeau — L'émission ou la vente d'un certificat-cadeau pour une contrepartie est réputée ne pas constituer une fourniture.

Présomption — De plus, le certificat-cadeau donné à titre de contrepartie d'une fourniture d'un bien ou d'un service est réputé être de l'argent.

Notes historiques: L'article 350.7 a été ajouté par L.Q. 1994, c. 22, art. 556(1) et est réputé entré en vigueur le 1er juillet 1992.

Guides [art. 350.7]: IN-203 — Renseignements généraux sur la TVQ et la TPS/TVH; IN-216 — La TVQ, la TPS/TVH et l'alimentation.

Définitions [art. 350.7]: « argent », « bien », « contrepartie », « fourniture », « service », « vente » — 1.

Concordance fédérale: LTA, art. 181.2.

SECTION XV.1 — RÉSEAU DE TROC

Notes historiques: L'intitulé de la section XV.1 a été ajouté par L.Q. 2001, c. 53, art. 337(1) et cet ajout a effet depuis le 10 décembre 1998.

350.7.1 Définitions — Pour l'application de la présente section, l'expression :

« administrateur » d'un réseau de troc signifie la personne qui est chargée d'administrer, de tenir ou d'opérer un système de comptes des membres du réseau de troc, auxquels comptes des unités de troc peuvent être créditées;

Concordance fédérale: LTA, par. 181.3(1)« administrateur ».

« réseau de troc » signifie un groupe de personnes dont chaque membre a convenu par écrit d'accepter, en contrepartie totale ou partielle de la fourniture de biens ou de services effectuée par le membre donné à un autre membre de ce groupe, un ou plusieurs crédits — appelé « unités de troc » dans la présente section — portés au compte du membre donné qui est tenu ou opéré par un unique administrateur de tels comptes des membres, lesquels crédits peuvent être utilisés en contrepartie totale ou partielle de la fourniture de biens ou de services entre les membres de ce groupe.

Concordance fédérale: LTA, par. 181.3(1)« réseau de troc ».

Notes historiques: L'article 350.7.1 a été ajouté par L.Q. 2001, c. 53, art. 337(1) et a effet depuis le 10 décembre 1998. Dans le cas où le jour de l'entrée en vigueur de la désignation d'un réseau de troc effectuée en vertu de l'article 350.7.3 est le 20 décembre 2001, les articles 350.7.1 à 350.7.6 s'appliquent à la remise d'un bien, d'un service ou de l'argent, à un moment quelconque avant cette date, par un membre du réseau ou un administrateur du réseau, en échange d'une unité de troc qui pouvait être utilisée en contrepartie totale ou partielle des fournitures de biens ou de services entre les membres du réseau comme si la désignation était en vigueur et ces articles avaient effet à ce moment, pourvu qu'aucun montant n'ait été perçu au titre de la taxe à l'égard de la fourniture de l'unité de troc.

Bulletins d'interprétation [art. 350.7.1]: TVQ. 350.7.2-1/R1 — Les opérations de troc et la désignation d'un réseau de troc.

350.7.2 Demande de désignation — L'administrateur d'un réseau de troc peut demander au ministre, au moyen du formulaire prescrit contenant les renseignements prescrits et présenté de la manière prescrite, de désigner le réseau pour l'application de l'article 350.7.5.

Notes historiques: L'article 350.7.2 a été ajouté par L.Q. 2001, c. 53, art. 337(1) et a effet depuis le 10 décembre 1998. Dans le cas où le jour de l'entrée en vigueur de la désignation d'un réseau de troc effectuée en vertu de l'article 350.7.3 est le 20 décembre 2001, voir l'application sous l'article 350.7.1.

Bulletins d'interprétation [art. 350.7.2]: TVQ. 350.7.2-1/R1 — Les opérations de troc et la désignation d'un réseau de troc.

Concordance fédérale: LTA, par. 181.3(2).

350.7.3 Désignation d'un réseau de troc — Suite à la demande d'un administrateur d'un réseau de troc en vertu de l'article 350.7.2, le ministre peut désigner le réseau de troc pour l'application de l'article 350.7.5, auquel cas le ministre doit aviser l'administrateur par écrit de la désignation et du jour de son entrée en vigueur.

Notes historiques: L'article 350.7.3 a été ajouté par L.Q. 2001, c. 53, art. 337(1) et a effet depuis le 10 décembre 1998. Dans le cas où le jour de l'entrée en vigueur de la désignation d'un réseau de troc effectuée en vertu de l'article 350.7.3 est le 20 décembre 2001, voir l'application sous l'article 350.7.1.

Bulletins d'interprétation [art. 350.7.3]: TVQ. 350.7.2-1/R1 — Les opérations de troc et la désignation d'un réseau de troc.

Concordance fédérale: LTA, par. 181.3(3).

350.7.4 Avis par l'administrateur — Sur réception de l'avis de désignation du réseau de troc du ministre, l'administrateur du réseau doit, dans un délai raisonnable, aviser chaque membre du réseau par écrit de la désignation et du jour de son entrée en vigueur.

Notes historiques: L'article 350.7.4 a été ajouté par L.Q. 2001, c. 53, art. 337(1) et a effet depuis le 10 décembre 1998. Dans le cas où le jour de l'entrée en vigueur de la désignation d'un réseau de troc effectuée en vertu de l'article 350.7.3 est le 20 décembre 2001, voir l'application sous l'article 350.7.1.

Bulletins d'interprétation [art. 350.7.4]: TVQ. 350.7.2-1/R1 — Les opérations de troc et la désignation d'un réseau de troc.

Concordance fédérale: LTA, par. 181.3(4).

350.7.5 Échange d'une unité de troc — Dans le cas où un membre d'un réseau de troc ou un administrateur d'un réseau de troc remet, pendant qu'une désignation du réseau en vertu de l'article 350.7.3 est en vigueur, un bien, un service ou de l'argent en échange d'une unité de troc, la valeur de ce bien, de ce service ou de cet argent à titre de contrepartie de l'unité de troc est, malgré l'article 55, réputée nulle.

Notes historiques: L'article 350.7.5 a été ajouté par L.Q. 2001, c. 53, art. 337(1) et a effet depuis le 10 décembre 1998. Dans le cas où le jour de l'entrée en vigueur de la désignation d'un réseau de troc effectuée en vertu de l'article 350.7.3 est le 20 décembre 2001, voir l'application sous l'article 350.7.1.

Bulletins d'interprétation [art. 350.7.5]: TVQ. 350.7.2-1/R1 — Les opérations de troc et la désignation d'un réseau de troc.

Concordance fédérale: LTA, par. 181.3(5).

350.7.6 Présomption — Est réputé ne pas être un service financier :

1º l'opération, la tenue ou l'administration d'un système de comptes des membres d'un réseau de troc, auxquels comptes des unités de troc peuvent être créditées;

2º le fait de porter une unité de troc au crédit d'un tel compte;

3º la fourniture, la réception ou le rachat d'une unité de troc;

4º le fait de consentir à effectuer un service visé aux paragraphes 1º à 3º ou de prendre des mesures en vue d'effectuer un tel service.

Notes historiques: L'article 350.7.6 a été ajouté par L.Q. 2001, c. 53, art. 337(1) et a effet depuis le 10 décembre 1998. Dans le cas où le jour de l'entrée en vigueur de la désignation d'un réseau de troc effectuée en vertu de l'article 350.7.3 est le 20 décembre 2001, voir l'application sous l'article 350.7.1.

Bulletins d'interprétation [art. 350.7.6]: TVQ. 350.7.2-1/R1 — Les opérations de troc et la désignation d'un réseau de troc.

Concordance fédérale: LTA, par. 181.3(6).

SECTION XVI — JEU DE HASARD

Notes historiques: L'intertitre de la section XVI du chapitre VI du titre I a été ajouté par L.Q. 1994, c. 22, art. 556(1) et est réputé entré en vigueur le 1er juillet 1992.

350.8 Définitions — Pour l'application de la présente section, l'expression :

« appareil de jeu » signifie un appareil par l'opération duquel une personne joue à un jeu de hasard où l'élément de hasard dépend de l'appareil mais ne comprend pas un appareil qui distribue un billet, un jeton ou une autre pièce attestant du droit de jouer ou de participer à un ou plusieurs jeux de hasard ou d'en recevoir un prix ou des gains, sauf si la pièce est, pour chacun de ces jeux, une preuve suffisante pour établir, sans tenir compte d'autres renseignements, que le détenteur de la pièce est en droit de recevoir un prix ou des gains et si, dans le cas d'une pièce imprimée, elle contient des renseignements suffisants pour l'établir;

Concordance fédérale: LTA, par. 188.1(1)« appareil de jeu ».

« distributeur » d'un émetteur signifie une personne qui, selon le cas :

1º fournit un droit de l'émetteur à titre de mandataire de l'émetteur;

2º fournit un droit de l'émetteur pour son propre compte;

3º accepte, pour le compte de l'émetteur, un pari dans un jeu de hasard organisé par l'émetteur;

4º effectue une fourniture reliée aux appareils de jeu à l'émetteur;

Concordance fédérale: LTA, par. 188.1(1)« distributeur ».

« droit » d'un émetteur signifie un droit de jouer ou de participer à un jeu de hasard organisé par l'émetteur;

Concordance fédérale: LTA, par. 188.1(1)« droit ».

« émetteur » signifie un inscrit qui est un inscrit prescrit visé à l'article 279.

Concordance fédérale: LTA, par. 188.1(1)« émetteur ».

« fourniture reliée aux appareils de jeu » signifie une fourniture à l'égard d'un appareil de jeu effectuée à un émetteur si, à la fois :

1º la fourniture est, selon le cas, celle :

a) de l'appareil ou d'un emplacement où l'appareil est exploité, effectuée par louage, licence ou accord semblable;

b) d'un service de réparation ou d'entretien de l'appareil ou d'un service consistant à effectuer des opérations visant à assurer son bon fonctionnement ou à attribuer, payer ou délivrer les prix gagnés dans les jeux de hasard résultant de son fonctionnement;

2º en vertu de la convention pour la fourniture, la totalité ou une partie de la contrepartie de la fourniture représente un pourcentage du produit que l'émetteur tire de ces jeux.

Concordance fédérale: LTA, par. 188.1(1)« fourniture reliée aux appareils de jeu ».

Notes historiques [art. 350.8]: La définition de « appareil de jeu » à l'article 350.8 a été ajoutée par L.Q. 2001, c. 53, art. 338(1)(1º) et a effet depuis le 1er juillet 1992.

La définition de « distributeur » à l'article 350.8 a été remplacée par L.Q. 2001, c. 53, art. 338(1)(2º) et cette modification a effet depuis le 1er juillet 1992. Antérieurement, elle se lisait ainsi :

> « distributeur » d'un émetteur signifie une personne qui fournit un droit d'un émetteur :
>
> 1º soit à titre de mandataire de l'émetteur;
>
> 2º soit pour son propre compte;

La définition de « fourniture reliée aux appareils de jeu » à l'article 350.8 a été ajoutée par L.Q. 2001, c. 53, art. 338(1)(3º) et a effet depuis le 1er juillet 1992.

L'article 350.8 a été ajouté par L.Q. 1994, c. 22, art. 556(1) et est réputé entré en vigueur le 1er juillet 1992.

Définitions [art. 350.8]: « inscrit », « jeu de hasard », « personne » — 1.

COMMENTAIRES: Voir les commentaires sous l'article 350.12.

350.9 Fourniture par l'émetteur — Dans le cas où un émetteur effectue la fourniture d'un droit de celui-ci à son distributeur, les règles suivantes s'appliquent :

LTVQ (français)

1º s'il s'agit d'une fourniture taxable, la taxe est réputée ne pas être payable par le distributeur à l'égard de la fourniture;

2º le distributeur n'a pas droit à un remboursement en vertu des articles 400 à 402.02 à l'égard de la fourniture.

Notes historiques: L'article 350.9 a été ajouté par L.Q. 1994, c. 22, art. 556(1) et est réputé entré en vigueur le 1er juillet 1992.

Définitions [art. 350.9]: « distributeur », « droit », « émetteur » — 350.8; « fourniture », « fourniture taxable », « taxe » — 1.

Concordance fédérale: LTA, par. 188.1(2).

COMMENTAIRES: Voir les commentaires sous l'article 350.12.

350.10 Fourniture par un distributeur — Dans le cas où un distributeur donné d'un émetteur effectue la fourniture d'un droit de l'émetteur, les règles suivantes s'appliquent :

1º si l'acquéreur de la fourniture est un autre distributeur de l'émetteur, sauf pour l'application de la présente section, la fourniture est réputée ne pas avoir été effectuée par le distributeur donné et ne pas avoir été reçue par l'autre distributeur;

2º si l'acquéreur de la fourniture est l'émetteur, sauf pour l'application de la présente section, la fourniture est réputée ne pas avoir été effectuée par le distributeur donné;

3º si l'acquéreur de la fourniture est une autre personne :

a) la fourniture est réputée être une fourniture effectuée par l'émetteur et non par le distributeur donné;

b) la taxe perçue par le distributeur donné à l'égard de la fourniture est réputée avoir été perçue par l'émetteur et non par le distributeur donné.

Notes historiques: L'article 350.10 a été ajouté par L.Q. 1994, c. 22, art. 556(1) et est réputé entré en vigueur le 1er juillet 1992.

Définitions [art. 350.10]: « acquéreur » — 1; « distributeur », « droit », « émetteur » — 350.8; « fourniture », « personne », « taxe » — 1.

Concordance fédérale: LTA, par. 188.1(3).

COMMENTAIRES: Voir les commentaires sous l'article 350.12.

350.11 Exclusion réputée de certaines fournitures — Les fournitures suivantes sont réputées ne pas constituer des fournitures :

1º la fourniture d'un service effectuée à un émetteur par un distributeur de celui-ci à l'égard de :

a) soit la fourniture de droits de l'émetteur;

b) soit l'attribution, le paiement ou la délivrance de prix gagnés dans des jeux de hasard organisés par l'émetteur;

c) soit l'entretien et la réparation de l'équipement utilisé par le distributeur dans le cadre de la fourniture de droits de l'émetteur;

1.1º la fourniture d'un service effectuée à un émetteur par un distributeur de celui-ci à l'égard de l'acceptation, pour le compte de l'émetteur, de paris dans des jeux de hasard organisés par l'émetteur, incluant la fourniture d'un service de gestion, d'administration et d'exploitation des opérations quotidiennes des activités de jeux de l'émetteur qui sont reliées à l'un de ses casinos;

1.2º la fourniture reliée aux appareils de jeu effectuée à un émetteur par un distributeur de celui-ci;

2º la fourniture d'un service effectuée par un émetteur à un distributeur de celui-ci à l'égard de :

a) soit la fourniture de droits de l'émetteur;

b) soit l'attribution, le paiement ou la délivrance de prix gagnés dans des jeux de hasard organisés par l'émetteur.

Notes historiques: Les paragraphes 1.1º et 1.2º de l'article 350.11 ont été ajoutés par L.Q. 2001, c. 53, art. 339(1) et ont effet depuis le 1er juillet 1992.

L'article 350.11 a été ajouté par L.Q. 1994, c. 22, art. 556(1) et est réputé entré en vigueur le 1er juillet 1992.

Définitions [art. 350.11]: « distributeur », « droit », « émetteur » — 350.8; « fourniture », « jeu de hasard », « service » — 1.

Lettres d'interprétation [art. 350.6]: 01-0107621 — Interprétation relative à la TPS et à la TVQ — Déclarations au secteur public et aux taxes spécifiques.

Concordance fédérale: LTA, par. 188.1(4).

COMMENTAIRES: Voir les commentaires sous l'article 350.12.

350.12 Contrepartie d'une fourniture — Sont réputés ne pas constituer la contrepartie d'une fourniture :

1º les primes et prix promotionnels remis par un émetteur à un distributeur de celui-ci pour la fourniture, ou à l'égard de celle-ci, par le distributeur de droits de l'émetteur;

2º les montants payés à un émetteur par un distributeur de celui-ci relativement aux dommages causés à des biens de l'émetteur.

Notes historiques: L'article 350.12 a été modifié par L.Q. 1997, c. 3, art. 123 pour remplacer les mots « un bien » par les mots « des biens ». Cette modification est réputée entrée en vigueur le 20 mars 1997.

Auparavant, l'article 350.12 a été ajouté par L.Q. 1994, c. 22, art. 556(1) et est réputé entré en vigueur le 1er juillet 1992.

Définitions [art. 350.12]: « contrepartie » — 1; « distributeur », « droit », « émetteur » — 350.8; « fourniture », « montant » — 1.

Concordance fédérale: LTA, par. 188.1(5).

COMMENTAIRES: Compte tenu de la similarité de la rédaction des dispositions législatives et considérant l'engagement spécifique de Revenu Québec de veiller à ce que l'assiette de TVQ modifiée, de même que les paramètres administratifs, structurels et définitionnels, produisent des résultats qui sont similaires à ceux produits sous le régime de la TPS/TVH et soient administrés d'une manière qui produit des résultats similaires, tel que reflété par l'article 14 de l'*Entente intégrée globale de coordination fiscale* signée entre le gouvernement du Canada et le gouvernement du Québec, nous vous référons à nos commentaires en vertu de l'article 188.1 de la *Loi sur la taxe d'accise (TPS)* qui devraient s'appliquer *mutatis mutandis*, avec les adaptations nécessaires.

SECTION XVII — GROUPE D'ACHETEURS

Notes historiques: L'intertitre de la section XVII du chapitre VI du titre I a été ajouté par L.Q. 1994, c. 22, art. 556(1) et est réputé entré en vigueur le 1er juillet 1992.

350.13 Définitions — Pour l'application de la présente section, l'expression :

« dernier acquéreur » signifie un acquéreur d'une fourniture intermédiaire;

Notes historiques: La définition de « dernier acquéreur » à l'article 350.13 a été ajoutée par L.Q. 1994, c. 22, art. 556(1) et a effet depuis le 1er juillet 1992.

Définitions: « acquéreur », « bien », « bien meuble corporel », « contrepartie », « fournisseur », « fourniture non taxable », « fourniture taxable », « personne », « service » — 1.

Concordance fédérale: LTA, par. 178.6(1)« dernier acquéreur ».

« fournisseur initial » d'un bien meuble corporel ou d'un service signifie une personne qui effectue une fourniture taxable du bien ou du service à une autre personne qui, à son tour, fournit le bien ou le service par une fourniture intermédiaire;

Notes historiques: La définition de « founisseur initial » à l'article 350.13 a été modifiée par L.Q. 1995, c. 63, art. 423(1) et cette modification s'applique à l'égard d'une fourniture dont la totalité ou une partie de la contrepartie devient due après le 31 juillet 1995 et n'est pas payée avant le 1er août 1995. Auparavant, elle se lisait comme suit :

> « founisseur initial » d'un bien meuble corporel ou d'un service signifie une personne qui effectue une fourniture non taxable du bien ou du service à une autre personne qui, à son tour, fournit le bien ou le service par une fourniture intermédiaire;

La définiton de « fournisseur initial » à l'article 350.13 a été ajoutée par L.Q. 1994, c. 22, art. 556(1) et a effet depuis le 1er juillet 1992.

Concordance fédérale: LTA, par. 178.6(1)« fournisseur initial ».

« fourniture intermédiaire » signifie une fourniture taxable d'un bien meuble corporel ou d'un service effectuée par une personne pour une contrepartie égale à la contrepartie payée ou payable par la personne au fournisseur qui lui a fourni le bien ou le service.

Notes historiques: La définition de « fourniture intermédiaire » à l'article 350.13 a été modifiée par L.Q. 1995, c. 63, art. 423(1) et cette modification s'applique à l'égard d'une fourniture dont la totalité ou une partie de la contrepartie devient due après le 31 juillet 1995 et n'est pas payée avant le 1er août 1995. Auparavant, elle se lisait comme suit :

> « fourniture intermédiaire » signifie une fourniture taxable ou une fourniture non taxable d'un bien meuble corporel ou d'un service effectuée par une personne

pour une contrepartie égale à la contrepartie payée ou payable par la personne au fournisseur qui lui a fourni le bien ou le service.

La définition de « fourniture intermédiaire » à l'article 350.13 a été ajoutée par L.Q. 1994, c. 22, art. 556(1) et a effet depuis le 1er juillet 1992.

Concordance fédérale: LTA, par. 178.6(1)« fourniture intermédiaire ».

350.14 Demande de désignation à titre d'acheteur — Une personne donnée peut demander au ministre, au moyen du formulaire prescrit contenant les renseignements prescrits et présenté de la manière prescrite par le ministre, d'être désignée à titre d'acheteur si les conditions suivantes sont satisfaites :

1° la totalité ou la presque totalité des fournitures de biens et de services effectuées par la personne donnée dans le cours normal de son entreprise sont des fournitures intermédiaires;

2° à l'égard de chaque fourniture intermédiaire d'un bien meuble corporel ou d'un service effectuée par la personne donnée, le fournisseur initial du bien ou du service fait transférer la possession matérielle du bien ou rend le service au dernier acquéreur ou à une autre personne pour le compte du dernier acquéreur et non à la personne donnée;

3° à l'égard de chaque fourniture intermédiaire d'un bien meuble corporel ou d'un service effectuée par la personne donnée, le dernier acquéreur paie, pour le compte de la personne donnée, au fournisseur initial du bien ou du service le montant payable par la personne donnée au fournisseur initial à titre de contrepartie pour le bien ou le service.

Notes historiques: L'article 350.14 a été ajouté par L.Q. 1994, c. 22, art. 556(1) et est réputé entré en vigueur le 1er juillet 1992.

Renvois [art. 350.14]: « bien »; « bien meuble corporel »; « contrepartie » — 1; « dernier acquéreur » — 350.13; « entreprise » — 1; « fournisseur initial » — 350.13; « fourniture » — 1; « fourniture intermédiaire » — 350.13; « montant »; « personne »; « service » — 1.

Renvois [art. 350.14]: 350.15 (désignation à titre d'acheteur).

Concordance fédérale: LTA, par. 178.6(2).

350.15 Désignation à titre d'acheteur — Dans le cas où le ministre reçoit une demande d'une personne en vertu de l'article 350.14, le ministre peut, sous réserve des conditions qu'il peut imposer en tout temps, désigner la personne à titre d'acheteur et l'aviser par écrit de la désignation et du jour de son entrée en vigueur.

Notes historiques: L'article 350.15 a été ajouté par L.Q. 1994, c. 22, art. 556(1) et est réputé entré en vigueur le 1er juillet 1992.

Définitions [art. 350.15]: « personne » — 1.

Renvois [art. 350.15]: 350.16 (révocation de la désignation); 350.17 (groupe d'acheteurs); 7R78.3, 7R78.14 RAF (signature des documents par certains fonctionnaires).

Concordance fédérale: LTA, par. 178.6(3).

350.16 Révocation de la désignation — Le ministre peut révoquer la désignation d'une personne effectuée en vertu de l'article 350.15 à la demande de la personne ou si la personne omet de respecter une condition imposée à l'égard de la désignation.

Avis — Lorsque la désignation est révoquée, le ministre doit aviser par écrit la personne du jour où la désignation cesse d'être en vigueur.

Notes historiques: L'article 350.16 a été ajouté par L.Q. 1994, c. 22, art. 556(1) et est réputé entré en vigueur le 1er juillet 1992.

Définitions [art. 350.16]: « personne » — 1.

Renvois [art. 350.16]: 7R78.3, 7R78.14 RAF (signature des documents par certains fonctionnaires).

Concordance fédérale: LTA, par. 178.6(4).

350.17 Groupe d'acheteurs — Dans le cas où une personne effectue une fourniture intermédiaire d'un bien meuble corporel ou d'un service à un moment où une désignation de la personne à titre d'acheteur en vertu de l'article 350.15 est en vigueur, sauf pour l'application des articles 294, 295 et 297, de la section IV du chapitre VIII et de cette section, les règles suivantes s'appliquent :

1° la fourniture du bien ou du service par le fournisseur initial du bien ou du service est réputée avoir été effectuée au dernier acquéreur et non à la personne;

2° la personne est réputée ne pas avoir reçu une fourniture du bien ou du service du fournisseur initial ni avoir fourni ce bien ou ce service au dernier acquéreur;

3° la contrepartie payable pour la fourniture par le fournisseur initial du bien ou du service et la taxe payable à l'égard de cette fourniture, sont réputées être payables par le dernier acquéreur et tout montant payé à l'égard de la contrepartie ou de la taxe est réputé avoir été payé par le dernier acquéreur;

4° malgré le paragraphe 3°, la personne et le dernier acquéreur sont responsables solidairement du paiement de la taxe à l'égard de la fourniture effectuée par le fournisseur initial;

5° si le montant exigé ou perçu par le fournisseur initial du bien ou du service au titre de la taxe prévue à l'article 16 à l'égard de la fourniture excède la taxe qui était percevable en vertu de cet article à l'égard de la fourniture ou si le montant de la taxe percevable en vertu de cet article à l'égard de la fourniture est réduit par suite d'une réduction de la contrepartie de la fourniture, et que le fournisseur initial délivre à la personne une note de crédit ou reçoit de la personne une note de débit à l'égard de la fourniture, la personne est réputée avoir reçu ou avoir délivré la note pour le compte du dernier acquéreur.

Notes historiques: Le paragraphe 5° de l'article 350.17 a été modifié par L.Q. 2009, c. 15, art. 511 par le remplacement du mot « émet » par le mot « délivre » et du mot « émis » par le mot « délivré ». Cette modification est entrée en vigueur le 4 juin 2009.

Le deuxième alinéa de l'article 350.17 a été supprimé par L.Q. 1995, c. 63, art. 424(1) et cette modification s'applique à l'égard d'une fourniture dont la totalité ou une partie de la contrepartie devient due après le 31 juillet 1995 et n'est pas payée avant le 1er août 1995. Auparavant, il se lisait comme suit :

> Le premier alinéa ne s'applique pas dans le cas où la fourniture intermédiaire du bien ou du service effectuée par la personne au dernier acquéreur constitue une fourniture non taxable.

L'article 350.17 a été ajouté par L.Q. 1994, c. 22, art. 556(1) et est réputé entré en vigueur le 1er juillet 1992.

Définitions [art. 350.17]: « bien », « bien meuble corporel », « contrepartie » — 1; « dernier acquéreur », « fournisseur initial » — 350.13; « fourniture » — 1; « fourniture intermédiaire » — 350.13; « montant », « note de crédit », « note de débit », « personne », « service », « taxe » — 1.

Concordance fédérale: LTA, par. 178.6(5).

SECTION XVII.1 — ORGANISMES DE BIENFAISANCE DÉSIGNÉS

Notes historiques: L'intitulé de la section XVII.1 du chapitre VI du titre I a été ajouté par L.Q. 2001, c. 53, art. 340(1), a effet depuis le 24 février 1998 et s'applique à l'égard des périodes de déclaration commençant après cette date.

350.17.1 « service déterminé » — Pour l'application de la présente section, l'expression « service déterminé » signifie un service autre qu'un service qui, à la fois :

1° consiste à offrir, selon le cas :

a) des soins, de l'emploi ou de la formation professionnelle à des personnes handicapées;

b) un service de placement rendu à de telles personnes;

c) un service d'enseignement pour aider de telles personnes à trouver un emploi;

2° est un service dont l'acquéreur est un organisme du secteur public, un conseil, une commission ou un autre organisme établi par un gouvernement ou une municipalité.

Notes historiques: L'article 350.17.1 a été ajouté par L.Q. 2001, c. 53, art. 340(1) et a effet depuis le 24 février 1998 et s'applique à l'égard des périodes de déclaration commençant après cette date.

Guides [art. 350.17.1]: IN-228 — La TVQ et la TPS/TVH pour les organismes de bienfaisance.

Lettres d'interprétation [art. 350.17.1]: 02-0103784 — Demande d'interprétation — Service déterminé.

LTVQ (français)

Concordance fédérale: LTA, par. 178.7(1).

COMMENTAIRES: Voir les commentaires sous l'article 350.17.4.

350.17.2 Fourniture d'un service déterminé par un organisme de bienfaisance

350.17.2 Fourniture d'un service déterminé par un organisme de bienfaisance — Un organisme de bienfaisance peut présenter une demande au ministre, au moyen du formulaire prescrit contenant les renseignements prescrits, afin d'être désigné pour l'application du paragraphe 4.1° de l'article 138.1 si les conditions suivantes sont satisfaites :

1° l'un des principaux objets de l'organisme consiste à offrir de l'emploi, de la formation professionnelle ou des services de placement pour des personnes handicapées ou à offrir des services d'enseignement pour aider de telles personnes à trouver un emploi;

2° l'organisme fournit, de façon régulière, des services déterminés qui sont exécutés, en totalité ou en partie, par des personnes handicapées.

Notes historiques: L'article 350.17.2 a été ajouté par L.Q. 2001, c. 53, art. 340(1) et a effet depuis le 24 février 1998 et s'applique à l'égard des périodes de déclaration commençant après cette date.

Guides [art. 350.17.2]: IN-228 — La TVQ et la TPS/TVH pour les organismes de bienfaisance.

Concordance fédérale: LTA, par. 178.7(2).

COMMENTAIRES: Voir les commentaires sous l'article 350.17.4.

350.17.3 Désignation par le ministre — Le ministre peut, par avis écrit, désigner l'organisme de bienfaisance visé dans la demande présentée en vertu de l'article 350.17.2 pour l'application du paragraphe 4.1° de l'article 138.1, à compter du premier jour d'une période de déclaration indiquée dans l'avis, s'il est établi à sa satisfaction que les conditions visées à l'article 350.17.2 sont remplies et qu'une demande de révocation présentée en vertu de l'article 350.17.4 par l'organisme n'a pas pris effet au cours de la période de 365 jours se terminant immédiatement avant le jour indiqué dans l'avis.

Notes historiques: L'article 350.17.3 a été ajouté par L.Q. 2001, c. 53, art. 340(1) et a effet depuis le 24 février 1998 et s'applique à l'égard des périodes de déclaration commençant après cette date.

Guides [art. 350.17.3]: IN-228 — La TVQ et la TPS/TVH pour les organismes de bienfaisance.

Concordance fédérale: LTA, par. 178.7(3).

COMMENTAIRES: Voir les commentaires sous l'article 350.17.4.

350.17.4 Révocation de la désignation — Le ministre peut révoquer, par avis écrit, la désignation d'un organisme de bienfaisance, à compter du premier jour d'une période de déclaration indiquée dans l'avis, s'il est établi à sa satisfaction que les conditions visées à l'article 350.17.2 ne sont plus remplies ou si l'organisme lui présente, par écrit, une demande de révocation de la désignation et que la désignation n'a pas pris effet au cours de la période de 365 jours se terminant immédiatement avant ce jour.

Notes historiques: L'article 350.17.4 a été ajouté par L.Q. 2001, c. 53, art. 340(1) et a effet depuis le 24 février 1998 et s'applique à l'égard des périodes de déclaration commençant après cette date.

Guides [art. 350.17.4]: IN-228 — La TVQ et la TPS/TVH pour les organismes de bienfaisance.

Concordance fédérale: LTA, par. 178.7(4).

COMMENTAIRES: Revenu Québec a indiqué que la fourniture de services déterminés est assujettie à la TVQ pour la période qui suit l'entrée en vigueur de la désignation à titre d'organisme de bienfaisance désigné pour autant qu'elle soit effectuée en faveur d'un inscrit. De façon générale, le statut d'organisme de bienfaisance désigné a pour effet de rendre taxable la fourniture de tout service par un tel organisme, à l'exception de ceux exclus de la notion de « service déterminé » que l'on retrouve à l'article 350.17.1, lorsque tel service est fourni de façon régulière à un inscrit au fichier de la TVQ, et dans la mesure où il est fourni en tout ou en partie par des personnes handicapées. Voir notamment à cet effet : Revenu Québec, Lettre d'interprétation, 02-0103784 - - *Demande d'interprétation -- Service déterminé* (23 mai 2002).

Compte tenu de la similarité de la rédaction des dispositions législatives et considérant l'engagement spécifique de Revenu Québec de veiller à ce que l'assiette de TVQ modifiée, de même que les paramètres administratifs, structurels et définitionnels, produisent des résultats qui sont similaires à ceux produits sous le régime de la TPS/TVH et soient administrés d'une manière qui produit des résultats similaires, tel que reflété par l'article 14 de l'*Entente intégrée globale de coordination fiscale* signée entre le gouvernement du Canada et le gouvernement du Québec, nous vous référons à nos commentaires en vertu de l'article 178.7 de la *Loi sur la taxe d'accise (TPS)* qui devraient s'appliquer *mutatis mutandis*, avec les adaptations nécessaires.

SECTION XVIII — [ABROGÉE]

Notes historiques: L'intertitre de la section XVIII du chapitre VI du titre I a été abrogé par L.Q. 2005, c. 1, art. 356 et cette abrogation est entrée en vigueur le 17 mars 2005. Antérieurement, il se lisait « Certificat d'apport ».

L'intertitre de la section XVIII du chapitre VI du titre I a été ajouté par L.Q. 1994, c. 22, art. 556(1) et est réputé entré en vigueur le 1er juillet 1992.

350.18 [*Abrogé*]

Notes historiques: L'article 350.18 a été abrogé par L.Q. 2005, c. 1, art. 356 et cette abrogation est entrée en vigueur le 17 mars 2005. Antérieurement, il se lisait ainsi :

> 350.18 Sûreté — Le ministre peut exiger qu'une personne visée à l'article 17 fournisse une sûreté assurant le paiement d'un montant qui est ou peut devenir payable par la personne en vertu de l'article 17, d'une valeur que le ministre fixe, sous réserve des modalités qu'il peut préciser.

L'article 350.18 a été modifié par L.Q. 1997, c. 3, art. 124 pour remplacer les mots « un cautionnement » par les mots « une sûreté » et pour remplacer les mots « d'un montant que le ministre détermine » par les mots « d'une valeur que le ministre fixe ». Cette modification est réputée entrée en vigueur le 20 mars 1997.

Auparavant, l'article 350.18 a été ajouté par L.Q. 1994, c. 22, art. 556(1) et est réputé entré en vigueur le 1er juillet 1992.

350.19 [*Abrogé*]

Notes historiques: L'article 350.19 a été abrogé par L.Q. 2005, c. 1, art. 356 et cette abrogation est entrée en vigueur le 17 mars 2005. Antérieurement, il se lisait ainsi :

> 350.19 Certificat d'apport — biens provenant de l'extérieur du Canada — Le ministre peut, à la demande d'un inscrit qui apporte au Québec des biens provenant de l'extérieur du Canada, émettre à l'inscrit, sous réserve des conditions que le ministre peut préciser, un certificat d'apport à l'égard des biens d'une catégorie donnée indiquant une date d'entrée en vigueur et un numéro à indiquer lors de la déclaration en détail ou provisoire des biens en vertu de l'article 32 de la *Loi sur les douanes* (Statuts du Canada) s'il est raisonnable de s'attendre à ce que l'inscrit apportera ces biens au Québec dans des circonstances pour lesquelles les biens seraient visés à l'article 81.
>
> Certificat d'apport — biens provenant du Canada hors du Québec — Le ministre peut, à la demande d'un inscrit qui apporte au Québec des biens provenant du Canada hors du Québec, émettre à l'inscrit, sous réserve des conditions que le ministre peut préciser, un certificat d'apport à l'égard des biens d'une catégorie donnée indiquant une date d'entrée en vigueur s'il est raisonnable de s'attendre à ce que l'inscrit apportera ces biens au Québec dans des circonstances pour lesquelles les biens seraient visés à l'article 81.

Le troisième alinéa de l'article 350.19 a été supprimé par L.Q. 1995, c. 63, art. 425(1) et cette modification a effet depuis le 1er juillet 1992. Auparavant, il se lisait comme suit :

> Le présent article ne s'applique pas dans le cas où la taxe prévue à l'article 17 n'est pas payable à l'égard d'un bien en raison de l'application des paragraphes 3° ou 4° du quatrième alinéa de l'article 17.

L'article 350.19 a été ajouté par L.Q. 1994, c. 22, art. 556(1) et est réputé entré en vigueur le 1er juillet 1992.

350.20 [*Abrogé*]

Notes historiques: L'article 350.20 a été abrogé par L.Q. 2005, c. 1, art. 356 et cette abrogation est entrée en vigueur le 17 mars 2005. Antérieurement, il se lisait ainsi :

> 350.20 Modalités d'une demande — La demande d'émission d'un certificat d'apport doit contenir les renseignements prescrits et être présentée au ministre de la manière prescrite par ce dernier.

L'article 350.20 a été ajouté par L.Q. 1994, c. 22, art. 556(1) et est réputé entré en vigueur le 1er juillet 1992.

350.21 [*Abrogé*]

Notes historiques: L'article 350.21 a été abrogé par L.Q. 2005, c. 1, art. 356 et cette abrogation est entrée en vigueur le 17 mars 2005. Antérieurement, il se lisait ainsi :

> 350.21 Annulation d'un certificat d'apport — Le ministre peut révoquer le certificat d'apport d'une personne après lui avoir donné un avis écrit raisonnable si, selon le cas :
>
> 1° la personne omet de respecter une condition de ce certificat ou une disposition de l'article 17 ou de la présente section;
>
> 2° le ministre considère que le certificat n'est plus requis pour les fins pour lesquelles il a été émis ou pour l'application de l'article 17 ou de la présente section;

3° il est raisonnable de s'attendre à ce que la personne n'apporte plus au Québec de biens d'une catégorie à l'égard de laquelle le certificat a été émis dans des circonstances pour lesquelles les biens seraient visés à l'article 81.

Avis écrit — Dans le cas où le ministre révoque le certificat d'apport d'une personne, il doit l'aviser par écrit de la révocation et de la date d'effet de celle-ci.

L'article 350.21 a été modifié par L.Q. 1997, c. 3, art. 125 pour remplacer le mot « annuler » par le mot « révoquer » et pour remplacer les mots « annule » et « l'annulation » par les mots « révoque » et « la révocation » respectivement. Cette modification est réputée entrée en vigueur le 20 mars 1997.

Auparavant, l'article 350.21 a été ajouté par L.Q. 1994, c. 22, art. 556(1) et est réputé entré en vigueur le 1er juillet 1992.

350.22 [*Abrogé*]

Notes historiques: L'article 350.22 a été abrogé par L.Q. 2005, c. 1, art. 356 et cette abrogation est entrée en vigueur le 17 mars 2005. Antérieurement, il se lisait ainsi :

> 350.22 Nouveau certificat d'apport — Dans le cas où le ministre a révoqué le certificat d'apport d'une personne dans des circonstances visées au paragraphe 1° de l'article 350.21, le ministre ne doit pas émettre un nouveau certificat en vertu de l'article 350.19 avant l'expiration d'un délai de deux ans suivant la date d'effet de la révocation.

L'article 350.22 a été modifié par L.Q. 1997, c. 3, art. 126 pour remplacer les mots « annulé » et « l'annulation » par les mots « révoqué » et « la révocation ». Cette modification est réputée entrée en vigueur le 20 mars 1997.

Auparavant, l'article 350.22 a été ajouté par L.Q. 1994, c. 22, art. 556(1) et est réputé entré en vigueur le 1er juillet 1992.

350.23 [*Abrogé*]

Notes historiques: L'article 350.23 a été abrogé par L.Q. 2005, c. 1, art. 356 et cette abrogation est entrée en vigueur le 17 mars 2005. Antérieurement, il se lisait ainsi :

> 350.23 Cessation — Un certificat d'apport émis en vertu de la présente section cesse d'être en vigueur le premier en date du jour qui est trois ans après la date d'effet du certificat et de la date d'effet de l'annulation du certificat en vertu de l'article 350.21.

L'article 350.23 a été modifié par L.Q. 1997, c. 3, art. 127 pour remplacer les mots « l'annulation » par les mots « la révocation ». Cette modification est réputée entrée en vigueur le 20 mars 1997.

Auparavant, l'article 350.23 a été ajouté par L.Q. 1994, c. 22, art. 556(1) et est réputé entré en vigueur le 1er juillet 1992.

SECTION XVIII.1 — CENTRE DE DISTRIBUTION DES EXPÉDITIONS

Notes historiques: L'intertitre de la section XVIII.1 a été ajouté par L.Q. 2003, c. 2, par. 335(1) et a effet depuis le 1er janvier 2001.

350.23.1 Définitions : — Pour l'application de la présente section, l'expression :

« bien d'appoint » signifie un bien meuble corporel ou un logiciel qui est en la possession d'une personne et que celle-ci incorpore, fixe, combine ou réunit à un autre bien, sauf un de ses biens qu'elle détient à une fin autre que celle d'en faire la vente, ou dont elle se sert pour emballer un tel autre bien;

Concordance fédérale: LTA, par. 273.1(1)« bien d'appoint ».

« emballage » comprend le déballage, le remballage, l'empaquetage et le rempaquetage;

Concordance fédérale: LTA, par. 273.1(1)« emballage ».

« étiquetage » comprend le marquage;

Concordance fédérale: LTA, par. 273.1(1)« étiquetage ».

« exercice » d'une personne a le sens que lui donne l'article 458.1;

Concordance fédérale: aucune.

« modification sensible » de biens par une personne au cours d'un exercice de celle-ci signifie l'une des activités suivantes :

1° la fabrication ou la production de biens, sauf des immobilisations de la personne, par cette dernière, ou par l'intermédiaire d'une autre personne qu'elle engage, au cours de l'exercice dans le cadre d'une entreprise qu'elle exploite;

2° le traitement entrepris par la personne ou pour celle-ci au cours de l'exercice en vue d'amener des biens lui appartenant à l'état où ces biens, ou les produits résultant de ce traitement, sont des stocks finis de la personne, si, à la fois :

a) le pourcentage de valeur ajoutée, pour elle, attribuable à des services autres que des services de base à l'égard de ses stocks finis pour l'exercice excède 10 %;

b) le pourcentage de valeur ajoutée totale, pour elle, à l'égard de ses stocks finis pour l'exercice excède 20 %;

Concordance fédérale: LTA, par. 273.1(1)« modification sensible ».

« pourcentage de recettes d'expédition » d'une personne pour un exercice signifie la proportion, exprimée en pourcentage, que représentent ses recettes d'expédition pour l'exercice par rapport à ses recettes totales déterminées pour l'exercice;

Concordance fédérale: LTA, par. 273.1(1)« pourcentage de recettes d'exportation ».

« produit de client », concernant une personne, signifie un bien meuble corporel d'une autre personne que la personne mentionnée en premier lieu apporte au Québec, ou dont elle prend matériellement possession au Québec, en vue de fournir un service ou un bien d'appoint à l'égard de ce bien meuble corporel;

Concordance fédérale: LTA, par. 273.1(1)« produit de client ».

« recettes d'expédition » d'une personne donnée pour un exercice signifie le total des montants dont chacun représente la contrepartie, incluse dans le calcul de ses recettes totales déterminées pour l'exercice, de l'une des fournitures suivantes :

1° la fourniture par vente d'un article faisant partie de ses stocks intérieurs, effectuée hors du Québec ou visée à la section V du chapitre IV, à l'exclusion d'une fourniture visée à l'un des articles 180.1, 181, 189, 191.2 et 191.3.1;

2° la fourniture par vente d'un bien d'appoint qu'elle a acquis en vue du traitement au Québec d'un bien, à condition que ce dernier bien ou le produit résultant de ce traitement, selon le cas, soit expédié hors du Québec, une fois le traitement complété, sans être consommé, utilisé, transformé ou davantage traité, fabriqué ou produit au Québec par une autre personne, sauf dans la mesure raisonnablement nécessaire ou accessoire à son transport;

3° la fourniture d'un service de traitement, d'entreposage ou de distribution de biens meubles corporels d'une autre personne, à condition que les biens ou les produits résultant de ce traitement, selon le cas, soient expédiés hors du Québec, une fois que la personne donnée en a, s'il y a lieu, complété le traitement au Québec, sans être consommés, utilisés, transformés ou davantage traités, fabriqués ou produits au Québec par une autre personne, sauf dans la mesure raisonnablement nécessaire ou accessoire à leur transport;

Concordance fédérale: LTA, par. 273.1(1)« recettes d'exportation ».

« recettes totales déterminées » d'une personne pour un exercice signifie le total des montants dont chacun représente la contrepartie, incluse dans le calcul de son revenu provenant d'une entreprise pour l'exercice, d'une fourniture effectuée par la personne, ou qui serait effectuée par elle si ce n'était une disposition du présent titre prévoyant que la fourniture est réputée effectuée par une autre personne, sauf les fournitures suivantes :

1° la fourniture d'un service à l'égard d'un bien qu'elle n'apporte pas au Québec, ni ne prend matériellement possession au Québec, en vue de fournir le service;

2° la fourniture par vente d'un bien qu'elle a acquis en vue de le vendre, ou de vendre un autre bien auquel il a été ajouté ou combiné, pour une contrepartie, mais qu'elle n'a pas acquis au Québec, ni apporté au Québec;

3° la fourniture par vente d'un bien d'appoint qu'elle a acquis en vue du traitement d'un bien meuble corporel qu'elle n'apporte pas au Québec, ni ne prend matériellement possession au Québec;

4° la fourniture par vente d'une de ses immobilisations;

Concordance fédérale: LTA, par. 273.1(1)« recettes totales déterminées ».

LTVQ (français)

« service de base » signifie l'un des services suivants exécuté à l'égard de biens, dans la mesure où, si les biens étaient détenus dans un entrepôt de stockage lors de l'exécution du service, il serait possible, considérant alors l'étape à laquelle est rendu le traitement des biens, d'exécuter ce service dans l'entrepôt de stockage et il serait permis de le faire conformément au *Règlement sur les entrepôts de stockage des douanes* pris en vertu du *Tarif des douanes* (Lois révisées du Canada (1985), chapitre 41, 3e supplément) :

1o le désassemblage ou le réassemblage, si les biens ont été assemblés ou désassemblés à des fins d'emballage, de manutention ou de transport;

2o l'étalage;

3o l'examen;

4o l'étiquetage;

5o l'emballage;

6o l'enlèvement d'une petite quantité d'une matière, d'une partie, d'une pièce ou d'un objet distinct qui représente les biens, dans le seul but d'obtenir des commandes de biens ou de services;

7o l'entreposage;

8o la mise à l'essai;

9o un service parmi les suivants, dans la mesure où il ne modifie pas substantiellement les propriétés des biens :

a) le nettoyage;

b) tout service nécessaire pour assurer le respect d'une loi du Canada ou du Québec qui s'y applique;

c) la dilution;

d) un service normal d'entretien;

e) la préservation;

f) la séparation des biens défectueux de ceux de première qualité;

g) le tri ou le classement;

h) le rognage, l'appareillage, le découpage ou le coupage;

Concordance fédérale: LTA, par. 273.1(1)« service de base ».

« stocks finis » d'une personne signifie les biens de la personne, sauf ses immobilisations, qui sont dans l'état où elle a l'intention de les vendre, ou de les utiliser à titre de biens d'appoint, dans le cadre d'une entreprise qu'elle exploite;

Concordance fédérale: LTA, par. 273.1(1)« stocks finis ».

« stocks intérieurs » d'une personne signifie les biens meubles corporels qu'elle acquiert au Québec, ou y apporte, en vue de les vendre séparément pour une contrepartie dans le cours normal d'une entreprise qu'elle exploite;

Concordance fédérale: LTA, par. 273.1(1)« stocks intérieurs ».

« traitement » comprend l'ajustement, la modification, l'assemblage et un service de base;

Concordance fédérale: LTA, par. 273.1(1)« traitement ».

« valeur de base » d'un bien qu'une personne apporte au Québec, ou dont elle prend matériellement possession au Québec, signifie :

1o dans le cas où elle apporte le bien au Québec, la valeur du bien au sens du deuxième alinéa de l'article 17, ou au sens que lui donnerait cet alinéa en l'absence du troisième alinéa de cet article;

2o dans les autres cas, la juste valeur marchande du bien au moment où elle en prend matériellement possession au Québec.

Concordance fédérale: LTA, par. 273.1(1)« valeur de base ».

Notes historiques [art. 350.23.1]: L'article 350.23.1 a été ajouté par L.Q. 2003, c. 2, par. 335(1) et a effet depuis le 1er janvier 2001.

Renvois [art. 350.23.1]: 457.6 (certificat d'un centre de distribution dont l'autorisation n'est pas en vigueur).

Bulletins d'interprétation [art. 350.23.1]: TVQ. 179-2/R1 — Fourniture d'un bien meuble corporel à être expédié hors du Québec.

350.23.2 Valeur ajoutée à l'égard de stocks finis — Le pourcentage de valeur ajoutée, pour une personne, attribuable à des services autres que des services de base à l'égard de ses stocks finis pour un exercice de celle-ci, correspond au montant, exprimé en pourcentage, déterminé selon la formule suivante :

$$A/B.$$

Application — Pour l'application de cette formule :

1o la lettre A représente le total des montants dont chacun est un montant qui, à la fois :

a) fait partie du coût total, pour la personne, de biens faisant partie de ses stocks finis qu'elle a fournis, ou utilisés à titre de biens d'appoint, au cours de l'exercice;

b) est raisonnablement attribuable soit :

i. au traitement, salaire ou autre rémunération payé ou payable à des salariés de la personne, à l'exclusion de tout montant qu'il est raisonnable d'attribuer à l'exécution de services de base;

ii. à la contrepartie payée ou payable par la personne pour engager d'autres personnes pour exécuter des activités de traitement, à l'exclusion de toute partie de cette contrepartie qui est raisonnablement attribuée par les autres personnes à des biens meubles corporels fournis à l'occasion de ces activités ou qu'il est raisonnable d'attribuer à l'exécution de services de base;

2o la lettre B représente le coût total des biens pour la personne.

Notes historiques: L'article 350.23.2 a été ajouté par L.Q. 2003, c. 2, par. 335(1) et a effet depuis le 1er janvier 2001.

Concordance fédérale: LTA, par. 273.1(2).

350.23.3 Valeur ajoutée totale à l'égard de stocks finis — Le pourcentage de valeur ajoutée totale, pour une personne, à l'égard de ses stocks finis pour un exercice de celle-ci correspond au montant, exprimé en pourcentage, qui serait déterminé pour l'exercice selon la formule prévue à l'article 350.23.2 si tout montant qu'il est raisonnable d'attribuer à l'exécution de services de base n'était pas exclu du total déterminé en vertu du paragraphe 1o du deuxième alinéa de cet article.

Notes historiques: L'article 350.23.3 a été ajouté par L.Q. 2003, c. 2, par. 335(1) et a effet depuis le 1er janvier 2001.

Concordance fédérale: LTA, par. 273.1(3).

350.23.4 Valeur ajoutée à l'égard de produits de clients — Le pourcentage de valeur ajoutée, pour une personne, attribuable à des services autres que des services de base à l'égard de produits de clients pour un exercice de celle-ci, correspond au montant, exprimé en pourcentage, déterminé selon la formule suivante :

$$A/(A + B).$$

Application — Pour l'application de cette formule :

1o la lettre A représente le total des contreparties, incluses dans le calcul du revenu de la personne provenant d'une entreprise pour l'exercice, des fournitures de services ou de biens d'appoint à l'égard de produits de clients, à l'exclusion de la partie de ces contreparties qu'il est raisonnable d'attribuer à l'exécution de services de base ou à la fourniture de biens d'appoint utilisés dans le cadre de l'exécution de tels services;

2o la lettre B représente le total des valeurs de base des produits de clients.

Notes historiques: L'article 350.23.4 a été ajouté par L.Q. 2003, c. 2, par. 335(1) et a effet depuis le 1er janvier 2001.

Concordance fédérale: LTA, par. 273.1(4).

350.23.5 Valeur ajoutée totale à l'égard de produits de clients — Le pourcentage de valeur ajoutée totale, pour une personne, à l'égard de produits de clients pour un exercice de celle-ci correspond au montant, exprimé en pourcentage, qui serait déterminé pour l'exercice selon la formule prévue à l'article 350.23.4 si tout montant qu'il est raisonnable d'attribuer à l'exécution de services de base ou à la fourniture de biens d'appoint utilisés dans le cadre de l'exécution de tels services n'était pas exclu du total déterminé en vertu du paragraphe 1° du deuxième alinéa de cet article.

Notes historiques: L'article 350.23.5 a été ajouté par L.Q. 2003, c. 2, par. 335(1) et a effet depuis le 1er janvier 2001.

Concordance fédérale: LTA, par. 273.1(5).

350.23.6 Opérations entre personnes ayant un lien de dépendance — Aux fins de déterminer le pourcentage de recettes d'expédition d'une personne ou un montant prévu à l'un des articles 350.23.2 à 350.23.5 à l'égard de ses stocks finis ou de produits de clients qui la concernent, les règles suivantes s'appliquent dans le cas où une fourniture est effectuée, sans contrepartie ou pour une contrepartie inférieure à la juste valeur marchande, entre cette personne et une autre personne avec laquelle elle a un lien de dépendance et qu'une contrepartie de la fourniture serait incluse dans le calcul du revenu de la personne provenant d'une entreprise pour une année :

1° la fourniture est réputée avoir été effectuée pour une contrepartie égale à la juste valeur marchande;

2° cette contrepartie est réputée incluse dans le calcul de ce revenu.

Notes historiques: L'article 350.23.6 a été ajouté par L.Q. 2003, c. 2, par. 335(1) et a effet depuis le 1er janvier 2001.

Concordance fédérale: LTA, par. 273.1(6).

350.23.7 « certificat de centre de distribution des expéditions » — Le ministre peut, à la demande d'une personne qui est inscrite en vertu de la section I du chapitre VIII et qui exerce exclusivement des activités commerciales, autoriser la personne à utiliser, à compter d'un jour d'un exercice de celle-ci et sous réserve des conditions qu'il peut fixer au besoin, un certificat — appelé « certificat de centre de distribution des expéditions » dans la présente section — pour l'application de l'article 179.2, s'il est raisonnable de s'attendre à ce que, à la fois :

1° la personne n'effectue pas la modification sensible de biens au cours de l'exercice;

2° le pourcentage de valeur ajoutée, pour la personne, attribuable à des services autres que des services de base à l'égard de produits de clients pour l'exercice n'excède pas 10 %, ou le pourcentage de valeur ajoutée totale, pour elle, à l'égard de produits de clients pour l'exercice n'excède pas 20 %;

3° le pourcentage de recettes d'expédition de la personne pour l'exercice soit d'au moins 90 %.

Notes historiques: L'article 350.23.7 a été ajouté par L.Q. 2003, c. 2, par. 335(1) et a effet depuis le 1er janvier 2001.

Guides [art. 350.23.7]: IN-203 — Renseignements généraux sur la TVQ et la TPS/TVH.

Renvois [art. 350.23.7]: 179.2 (fourniture à un acquéreur inscrit); 457.6 (certificat d'un centre de distribution dont l'autorisation n'est pas en vigueur).

Bulletins d'interprétation [art. 350.23.7]: TVQ. 179-2/R1 — Fourniture d'un bien meuble corporel à être expédié hors du Québec.

Concordance fédérale: LTA, par. 273.1(7).

350.23.8 Forme et production de la demande — La demande d'autorisation d'utiliser un certificat de centre de distribution des expéditions doit être effectuée au moyen du formulaire prescrit contenant les renseignements prescrits et produite au ministre de la manière prescrite par ce dernier.

Notes historiques: L'article 350.23.8 a été ajouté par L.Q. 2003, c. 2, par. 335(1) et a effet depuis le 1er janvier 2001.

Concordance fédérale: LTA, par. 273.1(8).

350.23.9 Avis d'autorisation — Le ministre doit, dans le cas où il autorise une personne à utiliser un certificat de centre de distribution des expéditions, l'aviser par écrit de l'autorisation, des dates de prise d'effet et d'expiration de celle-ci ainsi que du numéro d'identification attribué à la personne ou à l'autorisation et qui doit être indiqué par la personne lors de la remise du certificat pour l'application de l'article 179.2.

Notes historiques: L'article 350.23.9 a été ajouté par L.Q. 2003, c. 2, par. 335(1) et a effet depuis le 1er janvier 2001.

Renvois [art. 350.23.9]: 179.2 (fourniture à un acquéreur inscrit); 7R78.15, 7R78.19 RAF (signature des documents par certains fonctionnaires).

Bulletins d'interprétation [art. 350.23.9]: TVQ. 179-2/R1 — Fourniture d'un bien meuble corporel à être expédié hors du Québec.

Concordance fédérale: LTA, par. 273.1(9).

350.23.10 Révocation — Le ministre peut révoquer l'autorisation accordée à une personne en vertu de l'article 350.23.7 et ce, à compter d'un jour d'un exercice de celle-ci — appelé « exercice de la révocation » dans le présent article — si, selon le cas :

1° la personne ne respecte pas une condition de l'autorisation ou une disposition du présent titre;

2° il est raisonnable de s'attendre à ce que, selon le cas :

a) les exigences prévues aux paragraphes 1° et 2° de l'article 350.23.7, ou l'une d'elles, ne soient pas respectées en supposant que l'exercice visé à ces paragraphes soit l'exercice de la révocation;

b) le pourcentage de recettes d'expédition de la personne pour l'exercice de la révocation soit inférieur à 80 %;

3° la personne a demandé par écrit que l'autorisation soit révoquée à compter de ce jour.

Notes historiques: L'article 350.23.10 a été ajouté par L.Q. 2003, c. 2, par. 335(1) et a effet depuis le 1er janvier 2001.

Renvois [art. 350.23.10]: 7R78.15, 7R78.19 RAF (signature des documents par certains fonctionnaires).

Concordance fédérale: LTA, par. 273.1(10).

350.23.11 Révocation réputée — Sous réserve de l'article 350.23.10, l'autorisation accordée à une personne en vertu de l'article 350.23.7 est réputée révoquée à compter du jour suivant le dernier jour d'un exercice de la personne si, selon le cas :

1° la personne a effectué la modification sensible de biens au cours de l'exercice;

2° le pourcentage de valeur ajoutée, pour la personne, attribuable à des services autres que des services de base à l'égard de produits de clients pour l'exercice excède 10 % et le pourcentage de valeur ajoutée totale, pour elle, à l'égard de produits de clients pour l'exercice excède 20 %;

3° le pourcentage de recettes d'expédition de la personne pour l'exercice est inférieur à 80 %.

Notes historiques: L'article 350.23.11 a été ajouté par L.Q. 2003, c. 2, par. 335(1) et a effet depuis le 1er janvier 2001.

Concordance fédérale: LTA, par. 273.1(11).

350.23.12 Cessation — L'autorisation accordée à une personne en vertu de l'article 350.23.7 cesse d'avoir effet immédiatement avant le premier en date des jours suivants :

1° le jour de la date de prise d'effet de la révocation de l'autorisation;

2° le jour qui suit de trois ans la date de prise d'effet de l'autorisation.

Notes historiques: L'article 350.23.12 a été ajouté par L.Q. 2003, c. 2, par. 335(1) et a effet depuis le 1er janvier 2001.

Concordance fédérale: LTA, par. 273.1(12).

350.23.13 Autorisation après révocation — Le ministre ne peut pas accorder à une personne, dans le cas où l'autorisation accordée à celle-ci en vertu de l'article 350.23.7 est révoquée à compter d'un jour, une autre autorisation en vertu de cet article qui prenne effet avant :

1º dans le cas où l'autorisation a été révoquée dans les circonstances décrites au paragraphe 1º de l'article 350.23.10, le jour qui suit de deux ans le jour de la révocation;

2º dans les autres cas, le premier jour du deuxième exercice de la personne qui commence après le jour de la révocation.

Notes historiques: L'article 350.23.13 a été ajouté par L.Q. 2003, c. 2, par. 335(1) et a effet depuis le 1er janvier 2001.

Concordance fédérale: LTA, par. 273.1(13).

SECTION XIX — [ABROGÉE]

Notes historiques: L'intitulé de la section XIX a été abrogé par L.Q. 2009, c. 5, par. 631(1) et s'applique à l'égard d'une fourniture dont la contrepartie devient due après le 15 juillet 2002 ou est payée après cette date sans qu'elle soit devenue due.

Pour l'application de la section XIX après le 31 juillet 1995, tout montant égal à la taxe perçu avant le 1er août 1995 en vertu de cette section est réputé perçu en vertu de celle-ci, telle qu'elle se lit après le 31 juillet 1995 (L.Q. 1995, c. 63, art. 427(3)). Antérieurement, il se lisait « Contenant consigné ».

L'intitulé de la section XIX a été ajouté par L.Q. 1994, c. 22, art. 556(1) et cet ajout s'applique à compter du 1er juillet 1992.

Sous-section § 1. — [Abrogée]

Notes historiques: L'intertitre de la sous-section 1 de la section XIX du chapitre VI du titre I a été abrogé par L.Q. 2009, c. 5, par. 631(1) et s'applique à l'égard d'une fourniture dont la contrepartie devient due après le 15 juillet 2002 ou est payée après cette date sans qu'elle soit devenue due. Antérieurement, il se lisait : « Interprétation ».

L'intertitre de la sous-section 1 de la section XIX du chapitre VI du titre I a été ajouté par L.Q. 1994, c. 22, art. 556(1) et est réputé entré en vigueur le 1er juillet 1992.

Notes explicatives ARQ (PL 2, L.Q. 2009, c. 5): *Résumé* :

La section XIX est abrogée.

Situation actuelle :

Actuellement, la section XIX de la LTVQ prévoit des règles particulières à l'égard des contenants consignés. Selon ces règles, la consigne sur un contenant consigné est généralement assujettie à la taxe.

Or, de nouvelles mesures sont proposées, dans la nouvelle section XIX.1 de la LTVQ, à l'égard des contenants consignés. Sommairement, ces nouvelles règles prévoient que la consigne sur un contenant consigné ne sera plus assujettie à la taxe.

Modifications proposées :

Il est proposé d'abroger la section XIX de la *Loi sur la taxe de vente du Québec*.

350.24 [*Abrogé*].

Notes historiques: L'article 350.24 a été abrogé par L.Q. 2009, c. 5, par. 631(1) et cette abrogation a effet depuis le 1er mai 2002 et s'applique aux fournitures pour lesquelles la contrepartie devient due, ou est payée sans être devenue due, après le 30 avril 2002. Antérieurement, il se lisait ainsi :

> 350.24 Définition — Pour l'application de la présente section, l'expression :
>
> « contenant consigné » signifie un contenant à boisson d'une catégorie donnée, autre que le contenant habituel d'une boisson dont la fourniture est visée à la section III du chapitre IV, qui est habituellement, à la fois :
>
> 1º acquis par un consommateur;
>
> 2º rempli et scellé lorsqu'il est acquis par un consommateur;
>
> 3º fourni vide par un consommateur pour une contrepartie;
>
> « inscrit déterminé » [abrogée]

La définition de « inscrit déterminé » à l'article 350.24 a été supprimée par L.Q. 1995, c. 63, art. 426(1) et cette modification a effet depuis le 1er août 1995. Auparavant, elle se lisait comme suit :

> « inscrit déterminé » à l'égard de la fourniture d'un contenant consigné d'une catégorie donnée effectuée par un inscrit ou à celui-ci, signifie l'inscrit dont la pratique habituelle consiste, au moment où la taxe ou le montant prévu à l'article 350.30 à l'égard de la fourniture devient payable :
>
> 1º soit à exiger une contrepartie pour des fournitures de contenants remplis et scellés de cette catégorie qui excède la contrepartie que l'inscrit paie à d'autres inscrits pour des fournitures de contenants remplis et scellés de cette catégorie;
>
> 2º soit à exiger une contrepartie pour des fournitures de contenants vides de cette catégorie effectuées à d'autres inscrits qui excède la contrepartie que l'inscrit paie ou paierait à d'autres inscrits pour des fournitures de contenants vides de cette catégorie;
>
> 3º soit à payer une contrepartie pour des fournitures de contenants vides de cette catégorie reçues de personnes qui ne sont pas des inscrits qui est inférieure au total de la contrepartie que l'inscrit exige pour des fournitures de contenants vides de cette catégorie et de la taxe calculée sur cette contrepartie ou du montant prévu à l'article 350.30 déterminé en fonction de cette contrepartie;
>
> 4º soit à apporter au Québec des contenants remplis et scellés de cette catégorie;
>
> 5º soit à engager d'autres personnes pour remplir et sceller pour lui des contenants de cette catégorie;
>
> 6º soit à fabriquer, à produire ou à remplir et à sceller des contenants consignés d'une catégorie quelconque.

L'article 350.24 a été ajouté par L.Q. 1994, c. 22, art. 556(1) et est réputé entré en vigueur le 1er juillet 1992.

Notes explicatives ARQ (PL 37, L.Q. 2009, c. 15): *Résumé* :

L'article 350.17 est modifié par le remplacement du mot « émet » par le mot « délivre » et du mot « émis » par le mot « délivré ».

Situation actuelle :

L'article 350.17 de la LTVQ permet à un inscrit qui effectue une fourniture taxable d'indiquer que la taxe de vente du Québec est incluse dans le prix de vente ou de l'indiquer de façon séparée.

Modifications proposées :

L'article 350.17 de la LTVQ fait l'objet d'une modification terminologique afin de tenir compte du contexte dans lequel les dérivés des mots « émission » et « délivrance » doivent être utilisés. En effet, l'article 350.17 de la LTVQ fait référence à l'émission d'une note de crédit. Or, dans ce contexte, il est plus approprié d'utiliser le dérivé du mot « délivrer ».

350.25 [*Abrogé*].

Notes historiques: L'article 350.25 a été abrogé par L.Q. 2009, c. 5, par. 631(1) et cette abrogation a effet depuis le 1er mai 2002 et s'applique aux fournitures pour lesquelles la contrepartie devient due, ou est payée sans être devenue due, après le 30 avril 2002. De plus :

> 1º lorsque l'article 350.25 a effet depuis le 1er juillet 1992, la partie qui précède le paragraphe 1° de cet article doit se lire en remplaçant les mots « de la présente section » par « des articles 350.24 à 350.42 »;
>
> 2º lorsque l'article 350.25 s'applique à l'égard de la fourniture d'une boisson dans un contenant consigné qui est effectuée après le 1er janvier 1996, la partie qui précède le paragraphe 1° de cet article doit, sous réserve du paragraphe suivant, se lire comme suit :
>
> > 350.25 Fourniture et contrepartie distincte — Pour l'application des articles 350.24 à 350.42, dans le cas où une personne fournit une boisson dans un contenant consigné dans des circonstances où la personne n'ouvre pas habituellement le contenant, les règles suivantes s'appliquent :

Le sous-paragraphe 2º ci-haut ne s'applique pas dans le cas où, selon le cas :

> 1º le fournisseur a inclus, dans le calcul de sa taxe nette, un montant donné au titre de la taxe qui a été calculée sur le montant total, excluant toute taxe prescrite pour l'application de l'article 52 ou toute gratification, payé ou payable par l'acquéreur à l'égard de la boisson et du contenant et le ministre du Revenu a reçu, avant le 8 février 2002, une demande de remboursement en vertu de l'article 400 pour la portion du montant donné qui est attribuable au contenant;
>
> 2º le fournisseur a inclus, dans le calcul de sa taxe nette indiquée dans une déclaration, produite en vertu du chapitre VIII du titre I de cette loi, qui a été reçue par le ministre du Revenu avant le 8 février 2002, un montant au titre de la taxe à l'égard de la fourniture de la boisson et du contenant qui a été calculée sur un montant inférieur au montant total, excluant toute taxe prescrite pour l'application de l'article 52 ou toute gratification, payé ou payable par l'acquéreur à l'égard de la boisson et du contenant.

Antérieurement, il se lisait ainsi :

> 350.25 Fourniture et contrepartie distincte — Pour l'application de la présente section, dans le cas où une personne fournit une boisson dans un contenant consigné, les règles suivantes s'appliquent :
>
> 1º la délivrance du contenant est réputée constituer une fourniture distincte de la délivrance de la boisson et ne pas y être accessoire;
>
> 2º l'article 33 ne s'applique pas pour réputer que le contenant fait partie de la boisson;
>
> 3º la contrepartie de la fourniture du contenant est réputée être égale à la partie du total de la contrepartie pour la boisson et pour le contenant qui est raisonnablement attribuable au contenant;
>
> 4º [Supprimé].

Le paragraphe 4º de l'article 350.25 a été supprimé par L.Q. 1995, c. 1, art. 299(1) et cette modification s'applique à l'égard d'une fourniture effectuée après le 12 mai 1994. Il se lisait auparavant comme suit :

> 4º l'article 34.3 ne s'applique pas à l'égard de la fourniture d'un service qui accompagne la fourniture du contenant.

L'article 350.25 a été ajouté par L.Q. 1994, c. 22, art. 556(1) et est réputé entré en vigueur le 1er juillet 1992.

§ 2. — [Abrogé]

Notes historiques: L'intertitre de la sous-section 2 de la section XIX du chapitre VI du titre I a été abrogé par L.Q. 2009, c. 5, par. 631(1) et s'applique à l'égard d'une fourniture dont la contrepartie devient due après le 15 juillet 2002 ou est payée après cette date sans qu'elle soit devenue due. Antérieurement, il se lisait : « Détermination de la taxe nette »

L'intertitre de la sous-section 2 de la de la section XIX du chapitre VI du titre I a été ajouté par L.Q. 1994, c. 22, art. 556(1) et est réputé entré en vigueur le 1er juillet 1992.

350.26 [*Abrogé*].

Notes historiques: L'article 350.26 a été abrogé par L.Q. 2009, c. 5, par. 631(1) et cette abrogation a effet depuis le 1er mai 2002 et s'applique aux fournitures pour lesquelles la contrepartie devient due, ou est payée sans être devenue due, après le 30 avril 2002. Antérieurement, il se lisait ainsi :

> 350.26 Taxe percevable — La taxe qui est perçue ou qui devient percevable par un inscrit à l'égard de la fourniture d'un contenant consigné ne doit pas être incluse dans le calcul de la taxe nette de l'inscrit.

L'article 350.26 a été ajouté par L.Q. 1994, c. 22, art. 556(1) et est réputé entré en vigueur le 1er juillet 1992.

350.27 [*Abrogé*].

Notes historiques: L'article 350.27 a été abrogé par L.Q. 2009, c. 5, par. 631(1) et cette abrogation a effet depuis le 1er mai 2002 et s'applique aux fournitures pour lesquelles la contrepartie devient due, ou est payée sans être devenue due, après le 30 avril 2002. Antérieurement, il se lisait ainsi :

> 350.27 Remboursement de la taxe sur les intrants — La taxe qui est payée ou qui devient payable par un inscrit à l'égard de la fourniture d'un contenant consigné ne doit pas être incluse dans le calcul du remboursement de la taxe sur les intrants de l'inscrit, à moins qu'il n'acquière le contenant afin d'en effectuer une fourniture détaxée ou une fourniture hors du Québec.

L'article 350.27 a été ajouté par L.Q. 1994, c. 22, art. 556(1) et est réputé entré en vigueur le 1er juillet 1992.

350.28 [*Abrogé*].

Notes historiques: L'article 350.28 a été abrogé par L.Q. 2009, c. 5, par. 631(1) et cette abrogation a effet depuis le 1er mai 2002 et s'applique aux fournitures pour lesquelles la contrepartie devient due, ou est payée sans être devenue due, après le 30 avril 2002. Antérieurement, il se lisait ainsi :

> 350.28 Application — Les articles 350.26 et 350.27 ne s'appliquent pas à un inscrit à l'égard d'une fourniture d'un contenant consigné d'une catégorie donnée effectuée par l'inscrit ou à celui-ci dans le cas où au moment où la taxe devient payable à l'égard de la fourniture, la pratique habituelle de l'inscrit consiste :
>
> 1° soit à exiger une contrepartie pour des fournitures de contenants remplis et scellés de cette catégorie qui excède la contrepartie que l'inscrit paie à d'autres inscrits pour des fournitures de contenants remplis et scellés de cette catégorie;
>
> 2° soit à exiger une contrepartie pour des fournitures de contenants vides de cette catégorie effectuées à d'autres inscrits qui excède la contrepartie que l'inscrit paie ou paierait à d'autres inscrits pour des fournitures de contenants vides de cette catégorie;
>
> 3° soit à payer une contrepartie pour des fournitures de contenants vides de cette catégorie reçues de personnes qui ne sont pas des inscrits qui est inférieure au total de la contrepartie que l'inscrit exige pour des fournitures de contenants vides de cette catégorie et de la taxe calculée sur cette contrepartie;
>
> 4° soit à apporter au Québec des contenants remplis et scellés de cette catégorie;
>
> 5° soit à engager d'autres personnes pour remplir et sceller pour lui des contenants de cette catégorie;
>
> 6° soit à fabriquer, à produire ou à remplir et à sceller des contenants consignés d'une catégorie quelconque.

L'article 350.28 a été modifié par L.Q. 1995, c. 63, art. 427(1) et cette modification a effet depuis le 1er août 1995.

Auparavant, il se lisait comme suit :

> 350.28 Les articles 350.26 et 350.27 ne s'appliquent pas à un inscrit déterminé.

L'article 350.28 a été ajouté par L.Q. 1994, c. 22, art. 556(1) et est réputé entré en vigueur le 1er juillet 1992.

§ 3. — [Abrogée]

Notes historiques: La sous-section 3 de la section XIX du chapitre VI du titre I a été abrogée par L.Q. 1995, c. 63, art. 428(1) et cette abrogation a effet depuis le 1er août 1995.

L'intertitre de la sous-section 3 de la de la section XIX du chapitre VI du titre I a été ajouté par L.Q. 1994, c. 22, art. 556(1) et est réputé entré en vigueur le 1er juillet 1992. Antérieurement, il se lisait « Perception anticipée ».

350.29 [*Abrogé*]

Notes historiques: L'article 350.29 a été supprimé par L.Q. 1995, c. 63, art. 428(1) et cette modification a effet depuis le 1er août 1995. Auparavant, il se lisait comme suit :

> 350.29 Pour l'application de la présente sous-section, l'expression :
>
> « acheteur » signifie une personne qui acquiert un contenant consigné rempli et scellé par une vente au détail;
>
> « agent-percepteur » signifie un inscrit qui effectue la fourniture d'un contenant consigné autrement que par une vente au détail;
>
> « vente au détail » signifie une vente à des fins autres qu'uniquement la revente.

L'article 350.29 a été ajouté par L.Q. 1994, c. 22, art. 556(1) et est réputé entré en vigueur le 1er juillet 1992.

350.30 [*Abrogé*]

Notes historiques: L'article 350.30 a été supprimé par L.Q. 1995, c. 63, art. 428(1) et cette modification a effet depuis le 1er août 1995. Auparavant, il se lisait comme suit :

> 350.30 Un agent-percepteur qui effectue au Québec une fourniture, autre qu'une fourniture exonérée, d'un contenant consigné doit, à titre de mandataire du ministre, percevoir de l'acquéreur un montant à l'égard de la fourniture égal à la taxe payable par un acheteur en vertu de l'article 16 relativement à la fourniture de ce contenant, calculée sur la valeur de la contrepartie de la fourniture effectuée à l'acquéreur.
>
> Le montant prévu au premier alinéa doit être perçu par l'agent-percepteur le premier en date du jour où la contrepartie de la fourniture qu'il effectue à l'acquéreur est payée et du jour où cette contrepartie devient due.

L'article 350.30 a été ajouté par L.Q. 1994, c. 22, art. 556(1) et est réputé entré en vigueur le 1er juillet 1992.

350.31 [*Abrogé*]

Notes historiques: L'article 350.31 a été supprimé par L.Q. 1995, c. 63, art. 428(1) et cette modification a effet depuis le 1er août 1995. Auparavant, il se lisait comme suit :

> 350.31 Malgré le deuxième alinéa de l'article 350.30, dans le cas où la contrepartie de la fourniture d'un contenant consigné effectuée par un agent-percepteur à un acquéreur est payée ou devient due en plusieurs fois, l'article 85 s'applique, en faisant les adaptations nécessaires, au montant prévu à l'article 350.30 à l'égard de la fourniture.

L'article 350.31 a été ajouté par L.Q. 1994, c. 22, art. 556(1) et est réputé entré en vigueur le 1er juillet 1992.

350.32 [*Abrogé*]

Notes historiques: L'article 350.32 a été supprimé par L.Q. 1995, c. 63, art. 428(1) et cette modification a effet depuis le 1er août 1995. Auparavant, il se lisait comme suit :

> 350.32 Malgré le deuxième alinéa de l'article 350.30 et l'article 350.31, le montant prévu à l'article 350.30 à l'égard de la fourniture d'un contenant consigné, déterminé en fonction de la valeur de la totalité ou d'une partie de la contrepartie de la fourniture, selon le cas, est percevable le dernier jour du mois qui suit immédiatement le mois où l'un des faits suivants se réalise si la totalité ou la partie de la contrepartie de la fourniture n'est pas payée ou devenue due au plus tard ce jour-là :
>
> 1° s'il s'agit de la fourniture d'un contenant consigné par vente, autre qu'une fourniture visée au paragraphe 2°, la propriété ou la possession du contenant est transférée à l'acquéreur;
>
> 2° s'il s'agit de la fourniture d'un contenant consigné par vente en vertu de laquelle l'agent-percepteur délivre le contenant à l'acquéreur sur approbation, en consignation ou selon d'autres modalités semblables, l'acquéreur acquiert la propriété du contenant.
>
> Dans le cas où le montant est percevable un jour donné en vertu du premier alinéa et que la valeur de la contrepartie de la fourniture ou d'une partie de cette contrepartie n'est pas vérifiable ce jour-là, l'article 89 s'applique en faisant les adaptations nécessaires.

L'article 350.32 a été ajouté par L.Q. 1994, c. 22, art. 556(1) et est réputé entré en vigueur le 1er juillet 1992.

350.33 [*Abrogé*]

Notes historiques: L'article 350.33 a été supprimé par L.Q. 1995, c. 63, art. 428(1) et cette modification a effet depuis le 1er août 1995. Auparavant, il se lisait comme suit :

> 350.33 Pour l'application du deuxième alinéa de l'article 350.30 et des articles 350.31 et 350.32, l'article 83 s'applique, en faisant les adaptations nécessaires, afin de déterminer le moment où la totalité ou une partie de la contrepartie de la fourniture est réputée devenir due.

L'article 350.33 a été ajouté par L.Q. 1994, c. 22, art. 556(1) et est réputé entré en vigueur le 1er juillet 1992.

350.34 [*Abrogé*]

Notes historiques: L'article 350.34 a été supprimé par L.Q. 1995, c. 63, art. 428(1) et cette modification a effet depuis le 1er août 1995. Auparavant, il se lisait comme suit :

350.34 Le montant prévu à l'article 350.30 qui est perçu ou qui devient percevable par un agent-percepteur qui est un inscrit déterminé à l'égard de la fourniture d'un contenant consigné, doit être ajouté dans le calcul de la taxe nette de l'agent-percepteur pour sa période de déclaration au cours de laquelle ce montant est perçu ou devient percevable.

L'article 350.34 a été ajouté par L.Q. 1994, c. 22, art. 556(1) et est réputé entré en vigueur le 1er juillet 1992.

350.35 [*Abrogé*]

Notes historiques: L'article 350.35 a été supprimé par L.Q. 1995, c. 63, art. 428(1) et cette modification a effet depuis le 1er août 1995. Auparavant, il se lisait comme suit :

350.35 Le montant prévu à l'article 350.30 ou au sous-paragraphe b) du paragraphe 2º du deuxième alinéa de l'article 350.39 qui est payé ou qui devient payable par un inscrit, peut être déduit dans le calcul de la taxe nette de l'inscrit pour sa période de déclaration au cours de laquelle ce montant est payé ou devient payable ou pour une période de déclaration qui se termine dans les quatre ans suivant la fin de cette période si, selon le cas :

1º l'inscrit acquiert le contenant afin d'en effectuer une fourniture détaxée ou une fourniture hors du Québec;

2º l'inscrit est un inscrit déterminé.

L'article 350.35 a été ajouté par L.Q. 1994, c. 22, art. 556(1) et est réputé entré en vigueur le 1er juillet 1992.

350.36 [*Abrogé*]

Notes historiques: L'article 350.36 a été supprimé par L.Q. 1995, c. 63, art. 428(1) et cette modification a effet depuis le 1er août 1995. Auparavant, il se lisait comme suit :

350.36 Un agent-percepteur qui effectue pour une contrepartie une fourniture dans le cadre d'une activité commerciale à une personne avec laquelle il n'a aucun lien de dépendance et qui, conformément à la section III du chapitre VIII, produit une déclaration concernant la fourniture et verse le montant prévu à l'article 350.30 à l'égard de celle-ci peut, dans la mesure où il est établi que la contrepartie et le montant prévu à l'article 350.30 sont devenus en totalité ou en partie une mauvaise créance, déduire, dans le calcul de la taxe nette pour sa période de déclaration ou la mauvaise créance est radiée de ses livres de comptes ou pour une période de déclaration qui se termine dans les quatre ans suivant la fin de cette période, un montant égal à 6,5/106,5 de la mauvaise créance radiée.

L'article 350.36 a été modifié par L.Q. 1995, c. 1, art. 300(1) et cette modification s'applique à l'égard d'une mauvaise créance relative à une fourniture effectuée après le 12 mai 1994. Il se lisait comme suit :

350.36 Un agent-percepteur qui effectue pour une contrepartie une fourniture dans le cadre d'une activité commerciale à une personne avec laquelle il n'a aucun lien de dépendance et qui, conformément à la section III du chapitre VIII, produit une déclaration concernant la fourniture et verse le montant prévu à l'article 350.30 à l'égard de celle-ci peut, dans la mesure où il est établi que la contrepartie et le montant prévu à l'article 350.30 sont devenus en totalité ou en partie une mauvaise créance, déduire, dans le calcul de la taxe nette pour sa période de déclaration où la mauvaise créance est radiée de ses livres de comptes ou pour une période de déclaration qui se termine dans les quatre ans suivant la fin de cette période, un montant égal à 8/108 de la mauvaise créance radiée.

L'article 350.36 a été ajouté par L.Q. 1994, c. 22, art. 556(1) et est réputé entré en vigueur le 1er juillet 1992.

350.37 [*Abrogé*]

Notes historiques: L'article 350.37 a été supprimé par L.Q. 1995, c. 63, art. 428(1) et cette modification a effet depuis le 1er août 1995. Auparavant, il se lisait comme suit :

350.37 Un agent-percepteur qui recouvre la totalité ou une partie d'une mauvaise créance à l'égard de laquelle il a déduit un montant en vertu de l'article 350.36 doit, dans le calcul de la taxe nette pour sa période de déclaration ou la mauvaise créance ou une partie de celle-ci est recouvrée, ajouter un montant égal à 6,5/106,5 de la mauvaise créance ou de la partie de celle-ci ainsi recouvrée.

L'article 350.37 a été modifié par L.Q. 1995, c. 1, art. 300(1) et cette modification s'applique à l'égard d'une mauvaise créance relative à une fourniture effectuée après le 12 mai 1994. Il se lisait comme suit :

350.37 Un agent-percepteur qui recouvre la totalité ou une partie d'une mauvaise créance à l'égard de laquelle il a déduit un montant en vertu de l'article 350.36 doit, dans le calcul de la taxe nette pour sa période de déclaration où la mauvaise créance ou une partie de celle-ci est recouvrée, ajouter un montant égal à 8/108 de la mauvaise créance ou de la partie de celle-ci ainsi recouvrée.

L'article 350.37 a été ajouté par L.Q. 1994, c. 22, art. 556(1) et est réputé entré en vigueur le 1er juillet 1992.

350.38 [*Abrogé*]

Notes historiques: L'article 350.38 a été supprimé par L.Q. 1995, c. 63, art. 428(1) et cette modification a effet depuis le 1er août 1995. Auparavant, il se lisait comme suit :

350.38 Un agent-percepteur qui ne perçoit pas le montant prévu à l'article 350.30 ou qui n'ajoute pas ce montant conformément à l'article 350.34 ou le montant prévu au sous-paragraphe b) du paragraphe 1º du deuxième alinéa de l'article 350.40 dans le calcul de sa taxe nette, devient débiteur de ce montant envers le gouvernement du Québec.

Un montant prévu au premier alinéa est réputé être un droit au sens de la *Loi sur le ministère du Revenu* (L.R.Q., chapitre M-31).

L'article 350.38 a été ajouté par L.Q. 1994, c. 22, art. 556(1) et est réputé entré en vigueur le 1er juillet 1992.

§ 4. — [Abrogée]

Notes historiques: L'intertitre de la sous-section 4 de la section XIX du chapitre VI du titre I a été abrogé par L.Q. 2009, c. 5, par. 631(1) et cette abrogation a effet depuis le 1er mai 2002 et s'applique aux fournitures pour lesquelles la contrepartie devient due, ou est payée sans être devenue due, après le 30 avril 2002. Antérieurement, il se lisait « Acquisition ou fourniture réputée ».

L'intertitre de la sous-section 4 de la de la section XIX du chapitre VI du titre I a été ajouté par L.Q. 1994, c. 22, art. 556(1) et est réputé entré en vigueur le 1er juillet 1992.

350.39 [*Abrogé*].

Notes historiques: L'article 350.39 a été abrogé par L.Q. 2009, c. 5, par. 631(1). Cette abrogation a effet depuis le 1er mai 2002 et s'applique aux fournitures pour lesquelles la contrepartie devient due, ou est payée sans être devenue due, après le 30 avril 2002. Antérieurement, il se lisait ainsi :

350.39 Acquisition réputée — Les règles prévues au deuxième alinéa s'appliquent dans le cas où, à la fois :

1º à un moment quelconque, l'article 350.26 cesse de s'appliquer à un inscrit à l'égard d'un contenant consigné lui appartenant à ce moment;

2º à l'égard de la dernière acquisition du contenant par l'inscrit, il n'avait pas le droit, en raison de l'article 350.27, de demander un remboursement de la taxe sur les intrants.

Présomption d'acquisition — L'inscrit est réputé au moment quelconque :

1º avoir reçu une fourniture du contenant;

2º avoir payé à l'égard de la fourniture une taxe égale à la teneur en taxe du contenant à ce moment.

Les paragraphes 1º et 2º du premier alinéa de l'article 350.39 ont été modifiés par L.Q. 1995, c. 63, art. 429(1) et ces modifications ont effet depuis le 1er août 1995. Auparavant, ils se lisaient comme suit :

1º à un moment quelconque, l'article 350.26 cesse de s'appliquer à un inscrit à l'égard d'un contenant consigné lui appartenant à ce moment ou l'article 350.34 commence à s'appliquer à un inscrit à l'égard d'un contenant consigné lui appartenant à ce moment;

2º à l'égard de la dernière acquisition du contenant par l'inscrit, il n'avait pas le droit, en raison de l'article 350.27, de demander un remboursement de la taxe sur les intrants ou il n'avait pas le droit de déduire un montant en vertu de l'article 350.35 dans le calcul de sa taxe nette.

Le paragraphe 2º du deuxième alinéa de l'article 350.39 a été remplacé par L.Q. 1997, c. 85, art. 627(1) et a effet depuis le 1er avril 1997. Antérieurement, il se lisait ainsi :

2º avoir payé à l'égard de la fourniture une taxe égale à la taxe qui était payable à l'égard de sa dernière acquisition du contenant.

Le paragraphe 2º du deuxième alinéa de l'article 350.39 a été modifié par L.Q. 1995, c. 63, art. 429(1) et cette modification a effet depuis le 1er août 1995. Auparavant, il se lisait comme suit :

2º avoir payé à l'égard de la fourniture :

a) soit une taxe égale à la taxe qui était payable à l'égard de sa dernière acquisition du contenant;

b) soit un montant égal au montant prévu à l'article 350.30 qui était payable à l'égard de sa dernière acquisition du contenant.

L'article 350.39 a été ajouté par L.Q. 1994, c. 22, art. 556(1) et est réputé entré en vigueur le 1er juillet 1992.

350.40 [*Abrogé*].

Notes historiques: L'article 350.40 a été abrogé par L.Q. 2009, c. 5, par. 631(1) et cette abrogation a effet depuis le 1er mai 2002 et s'applique aux fournitures pour lesquelles la contrepartie devient due, ou est payée sans être devenue due, après le 30 avril 2002. Antérieurement, il se lisait ainsi :

350.40 Présomption de fourniture — Les règles prévues au deuxième alinéa s'appliquent dans le cas où, à la fois :

1° à un moment quelconque, l'article 350.26 commence à s'appliquer à un inscrit à l'égard d'un contenant consigné lui appartenant à ce moment;

2° à l'égard de la dernière acquisition du contenant par l'inscrit, il avait le droit de demander un remboursement de la taxe sur les intrants.

Présomption de fourniture — L'inscrit est réputé :

1° avoir effectué immédiatement avant le moment quelconque une fourniture du contenant et avoir perçu à ce moment à l'égard de la fourniture une taxe égale à la teneur en taxe du contenant à ce moment;

2° avoir reçu à ce moment une fourniture du contenant et avoir payé à ce moment à l'égard de la fourniture une taxe égale à la taxe visée au paragraphe 1°.

Les paragraphes 1° et 2° du premier alinéa de l'article 350.40 ont été modifiés par L.Q. 1995, c. 63, art. 430(1) et ces modifications ont effet depuis le 1er août 1995. Auparavant, ils se lisaient comme suit :

1° à un moment quelconque, l'article 350.26 commence à s'appliquer à un inscrit à l'égard d'un contenant consigné lui appartenant à ce moment ou l'article 350.34 cesse de s'appliquer à un inscrit à l'égard d'un contenant consigné lui appartenant à ce moment;

2° à l'égard de la dernière acquisition du contenant par l'inscrit, il avait le droit de demander un remboursement de la taxe sur les intrants ou il avait le droit de déduire un montant en vertu de l'article 350.35 dans le calcul de sa taxe nette.

Le paragraphe 1° du deuxième alinéa a été remplacé par L.Q. 1997, c. 85, art. 628(1) et a effet depuis le 1er avril 1997. Antérieurement, il se lisait ainsi :

1° avoir effectué immédiatement avant le moment quelconque une fourniture du contenant et avoir perçu à ce moment à l'égard de la fourniture une taxe égale à la taxe qui était payable par lui à l'égard de sa dernière acquisition du contenant;

Les paragraphes 1° et 2° du deuxième alinéa de l'article 350.40 ont été modifiés par L.Q. 1995, c. 63, art. 430(1) et ces modifications ont effet depuis le 1er août 1995. Auparavant, ils se lisaient comme suit :

1° avoir effectué immédiatement avant le moment quelconque une fourniture du contenant et avoir perçu à ce moment à l'égard de la fourniture :

a) soit une taxe égale à la taxe qui était payable par lui à l'égard de sa dernière acquisition du contenant;

b) soit un montant égal au montant prévu à l'article 350.30 qui était payable par lui à l'égard de sa dernière acquisition du contenant;

2° avoir reçu à ce moment une fourniture du contenant et avoir payé à ce moment à l'égard de la fourniture :

a) soit une taxe égale à la taxe visée au sous-paragraphe a) du paragraphe 1°;

b) soit un montant égal au montant visé au sous-paragraphe b) du paragraphe 1°.

Le troisième alinéa de l'article de l'article 350.40 a été supprimé par L.Q. 1995, c. 63, art. 430(1) et cette suppression a effet depuis le 1er août 1995. Auparavant, il se lisait comme suit :

Le montant prévu au sous-paragraphe b) du paragraphe 1° du deuxième alinéa qui est perçu par l'inscrit doit être ajouté dans le calcul de sa taxe nette pour sa période de déclaration au cours de laquelle ce montant est perçu.

L'article 350.40 a été ajouté par L.Q. 1994, c. 22, art. 556(1) et est réputé entré en vigueur le 1er juillet 1992.

350.41 [*Abrogé*].

Notes historiques: L'article 350.41 a été abrogé par L.Q. 2009, c. 5, par. 631(1) et cette abrogation a effet depuis le 1er mai 2002 et s'applique aux fournitures pour lesquelles la contrepartie devient due, ou est payée sans être devenue due, après le 30 avril 2002. Antérieurement, il se lisait ainsi :

350.41 Transfert d'une entreprise et groupe étroitement lié — Dans le cas où, à un moment quelconque, un fournisseur effectue la fourniture d'un contenant consigné à un inscrit dans des circonstances où les articles 75 et 75.1, 80 ou 331 et 334 à 336 s'appliquent et que, si ces articles ne s'étaient pas appliqués, l'article 350.26 ne se serait pas appliqué au fournisseur à l'égard de la fourniture et l'article 350.27 se serait appliqué à l'inscrit à l'égard du contenant, les règles suivantes s'appliquent :

1° l'inscrit est réputé, au moment quelconque, avoir effectué une fourniture du contenant et avoir perçu la taxe à l'égard de la fourniture calculée sur la contrepartie qu'il exigerait s'il effectuait la fourniture à une personne avec laquelle il n'a aucun lien de dépendance, et l'article 350.26 ne s'applique pas à l'inscrit à l'égard de la fourniture;

2° l'inscrit est réputé, immédiatement après ce moment, avoir reçu une fourniture du contenant et avoir payé une taxe à l'égard de la fourniture égale au montant déterminé en vertu du paragraphe 1°.

L'article 350.41 a été ajouté par L.Q. 1994, c. 22, art. 556(1) et est réputé entré en vigueur le 1er juillet 1992. Toutefois, dans le cas où la fourniture d'une entreprise ou d'une partie d'une entreprise en vertu de laquelle la propriété, la possession ou l'utilisation de la totalité ou de la presque totalité des biens de l'entreprise ou de la partie de l'entreprise compris dans la fourniture est transférée à l'acquéreur avant le 1er octobre 1992, l'article 350.41 doit se lire en faisant abstraction de la référence à l'article 75.1.

350.42 [*Abrogé*].

Notes historiques: L'article 350.42 a été abrogé par L.Q. 2009, c. 5, par. 631(1) et cette abrogation a effet depuis le 1er mai 2002 et s'applique aux fournitures pour lesquelles la contrepartie devient due, ou est payée sans être devenue due, après le 30 avril 2002. Antérieurement, il se lisait ainsi :

350.42 Transfert d'une entreprise et groupe étroitement lié — Dans le cas où, à un moment quelconque, un fournisseur effectue la fourniture d'un contenant consigné à un inscrit dans des circonstances où les articles 75 et 75.1, 80 ou 331 et 334 à 336 s'appliquent et que, si ces articles ne s'étaient pas appliqués, l'article 350.26 se serait appliqué au fournisseur à l'égard de la fourniture et l'article 350.27 ne se serait pas appliqué à l'inscrit à l'égard du contenant, l'inscrit est réputé avoir payé à ce moment la taxe à l'égard de la fourniture calculée sur la contrepartie qu'il exigerait s'il effectuait la fourniture à une personne avec laquelle il n'a aucun lien de dépendance.

L'article 350.42 a été ajouté par L.Q. 1994, c. 22, art. 556(1) et est réputé entré en vigueur le 1er juillet 1992. Toutefois, dans le cas où la fourniture d'une entreprise ou d'une partie d'une entreprise en vertu de laquelle la propriété, la possession ou l'utilisation de la totalité ou de la presque totalité des biens de l'entreprise ou de la partie de l'entreprise compris dans la fourniture est transférée à l'acquéreur avant le 1er octobre 1992, l'article 350.42 doit se lire en faisant abstraction de la référence à l'article 75.1.

350.42.1 [*Abrogé*].

Notes historiques: L'article 350.42.1 a été abrogée par L.Q. 2009, c. 5, par. 631(1) et cette abrogation s'applique à l'égard d'une fourniture dont la contrepartie devient due après le 15 juillet 2002 ou est payée après cette date sans qu'elle soit devenue due.

De plus :

1° lorsque l'article 350.42.1 s'applique à la fourniture d'un contenant effectuée par un organisme de bienfaisance après le 31 mars 1998 et avant le 1er mai 2002, la partie qui précède le paragraphe 1° du premier alinéa de cet article doit se lire comme suit :

350.42.1 Déduction pour un organisme de bienfaisance — Un organisme de bienfaisance peut déduire le montant déterminé en vertu du deuxième alinéa dans le calcul de sa taxe nette pour sa période de déclaration, ou pour une période de déclaration postérieure, au cours de laquelle il est l'acquéreur d'une fourniture donnée, autre qu'une fourniture à laquelle les articles 75 et 75.1, 80 ou 334 à 336 s'appliquent, effectuée par vente au Québec d'un contenant consigné d'occasion vide qui est un contenant consigné au sens de l'article 350.24 dans le cas où, à la fois :

2° lorsque l'article 350.42.1 s'applique à la fourniture d'un contenant effectuée par un organisme de bienfaisance après le 30 avril 2002, la partie qui précède le paragraphe 1° du premier alinéa de cet article doit se lire comme suit :

350.42.1 Déduction pour un organisme de bienfaisance — Un organisme de bienfaisance peut déduire le montant déterminé en vertu du deuxième alinéa dans le calcul de sa taxe nette pour sa période de déclaration, ou pour une période de déclaration postérieure, au cours de laquelle il est l'acquéreur d'une fourniture donnée, autre qu'une fourniture à laquelle les articles 75 et 75.1, 80 ou 334 à 336 s'appliquent, effectuée par vente au Québec d'un contenant consigné d'occasion vide qui est un contenant consigné au sens de l'article 350.42.3 dans le cas où, à la fois :

Toutefois, pour l'application de l'article 350.42.1 à des fournitures de contenants consignés dont la contrepartie devient due, ou est payée sans être devenue due, avant le 16 juillet 2002, cette abrogation est réputée ne pas être entrée en vigueur. Antérieurement, il se lisait ainsi :

350.42.1 Déduction pour un organisme de bienfaisance — Un organisme de bienfaisance peut déduire le montant déterminé en vertu du deuxième alinéa dans le calcul de sa taxe nette pour sa période de déclaration au cours de laquelle il est l'acquéreur d'une fourniture donnée, autre qu'une fourniture à laquelle les articles 75 et 75.1, 80 ou 334 à 336 s'appliquent, effectuée par vente au Québec d'un contenant consigné d'occasion vide qui est un contenant consigné au sens de l'article 350.24, dans le cas où à la fois :

1° l'organisme acquiert le contenant en vue de le fournir vide, ou de fournir les sous-produits résultant du recyclage du contenant, dans le cadre de son entreprise;

2° l'organisme n'a pas le droit de demander un remboursement de la taxe sur les intrants à l'égard du contenant;

3° si l'organisme effectue, à un moment quelconque, une fourniture du contenant à l'égard de laquelle la taxe est percevable ou le serait, en faisant abstraction des articles 75 et 75.1, 80 et 334 à 336, l'article 350.26 ne s'applique pas à cette fourniture;

4° l'organisme paie au fournisseur, à l'égard de la fourniture donnée, le total des montants suivants :

a) la partie — appelée « consigne remboursable » dans le présent article — de toute taxe ou frais qui ont été imposés à l'égard du contenant en vertu d'une loi du Québec concernant la réglementation, le contrôle ou la prévention des déchets et qui, conformément à cette loi ou à une convention conclue en vertu de cette loi, est remboursable au fournisseur;

LTVQ (français)

b) dans le cas où la taxe est payable à l'égard de la fourniture donnée, la taxe calculée sur la consigne remboursable;

c) dans les autres cas, la taxe calculée sur la consigne remboursable qui serait payable par l'organisme à l'égard de la fourniture donnée si celle-ci était une fourniture taxable effectuée par un inscrit.

Montant déductible — Le montant qui peut être déduit par l'organisme de bienfaisance est déterminé selon la formule suivante :

$$A \times B.$$

Application — Pour l'application de cette formule :

1º la lettre A représente 7,5 %;

2º la lettre B représente la consigne remboursable.

L'article 350.42.1 a été ajouté par L.Q. 2001, c. 53, art. 341(1) et a effet à l'égard de toute fourniture d'un contenant effectuée à un organisme de bienfaisance après le 31 mars 1998.

350.42.2 [*Abrogé*].

Notes historiques: L'article 350.42.2 a été abrogée par L.Q. 2009, c. 5, par. 631(1) et cette abrogation s'applique à l'égard d'une fourniture dont la contrepartie devient due après le 15 juillet 2002 ou est payée après cette date sans qu'elle soit devenue due.

Toutefois, pour l'application de l'article 350.42.2 à des fournitures de contenants consignés dont la contrepartie devient due, ou est payée sans être devenue due, avant le 16 juillet 2002, cette abrogation est réputée ne pas être entrée en vigueur. Antérieurement, il se lisait ainsi :

350.42.2 Délai pour la déduction — Un organisme de bienfaisance ne peut demander une déduction en vertu de l'article 350.42.1 à l'égard de la fourniture d'un contenant consigné qui lui a été effectuée à moins que la déduction ne soit demandée dans une déclaration produite en vertu du chapitre VIII au plus tard le jour où la déclaration prévue à ce chapitre doit être produite pour la dernière période de déclaration de l'organisme qui se termine dans les quatre ans suivant la fin de la période de déclaration au cours de laquelle la fourniture donnée est effectuée.

L'article 350.42.2 a été ajouté par L.Q. 2001, c. 53, art. 341(1) et a effet à l'égard de toute fourniture d'un contenant effectuée à un organisme de bienfaisance après le 31 mars 1998.

SECTION XIX.1 — CONTENANT CONSIGNÉ

Notes historiques: L'intitulé de la section XIX.1 a été ajouté par L.Q. 2009, c. 5, par. 632(1), a effet depuis le 1er mai 2002 et s'applique aux fournitures pour lesquelles la contrepartie devient due, ou est payée sans être devenue due, après le 30 avril 2002.

Malgré le paragraphe précédent, pour l'application des articles 213, 350.42.1 et 350.42.2 à des fournitures de contenants consignés dont la contrepartie devient due, ou est payée sans être devenue due, avant le 16 juillet 2002, cette section est réputée ne pas être entrée en vigueur.

350.42.3 Définitions — Pour l'application de la présente section, l'expression :

« **contenant consigné** » signifie un contenant à boisson d'une catégorie de contenants qui, à la fois :

1º sont habituellement acquis par des consommateurs;

2º lorsqu'ils sont acquis par des consommateurs, sont habituellement remplis et scellés;

3º sont habituellement fournis, usagés et vides, par des consommateurs pour une contrepartie;

Concordance fédérale: LTA, par. 226(1)« contenant consigné ».

« **distributeur** » d'un contenant consigné d'une catégorie donnée signifie une personne qui fournit des boissons dans des contenants consignés remplis et scellés de cette catégorie et qui exige un droit sur un contenant consigné à l'égard des contenants consignés;

Concordance fédérale: LTA, par. 226(1)« distributeur ».

« **droit sur contenant consigné** » à un moment quelconque, signifie :

1º relativement à un contenant consigné d'une catégorie donnée qui contient une boisson qui est fournie à ce moment, le montant qui est exigé par le fournisseur à titre de montant relatif au recyclage;

2º relativement à un contenant consigné rempli et scellé qui contient une boisson qui est détenue par une personne à ce moment pour consommation, utilisation ou fourniture, le montant à l'égard du montant qui serait déterminé en vertu du paragraphe 1º dans le cas où la boisson était fournie à ce moment par la personne ou à celle-ci;

3º relativement à un contenant consigné d'une catégorie donnée à l'égard duquel un recycleur de contenants consignés de cette catégorie effectue à ce moment la fourniture d'un service à l'égard du recyclage, au profit d'un distributeur ou d'un recycleur, de contenants consignés de cette catégorie, le montant à l'égard du contenant qui serait déterminé en vertu du paragraphe 1º dans le cas où le contenant était rempli et scellé et qu'il contenait la boisson qui serait fournie à ce moment;

Concordance fédérale: LTA, par. 226(1)« droit sur contenant consigné ».

« **montant obligatoire applicable** » à l'égard d'un contenant consigné d'une catégorie donnée signifie le remboursement obligatoire aux consommateurs pour un contenant consigné de cette catégorie;

Concordance fédérale: LTA, par. 226(1)« montant obligatoire applicable ».

« **récupérateur** » à l'égard d'un contenant consigné d'une catégorie donnée, signifie une personne qui, dans le cours normal de son entreprise, acquiert de consommateurs, pour une contrepartie, des contenants consignés usagés et vides de cette catégorie;

Concordance fédérale: LTA, par. 226(1)« récupérateur ».

« **recyclage** » signifie, selon le cas :

1º le retour, le rachat, le réemploi, la destruction ou la disposition, selon le cas :

a) de contenants consignés;

b) de contenants consignés et d'autres produits;

2º le contrôle ou la prévention des déchets ou la protection de l'environnement;

Concordance fédérale: LTA, par. 226(1)« recyclage ».

« **recycleur** » de contenants consignés d'une catégorie donnée signifie, selon le cas :

1º une personne qui, dans le cours normal de son entreprise, acquiert des contenants consignés usagés et vides de cette catégorie, ou la matière résultant de leur compactage, pour une contrepartie;

2º une personne qui, dans le cours normal de son entreprise, paie une contrepartie à une personne visée au paragraphe 1º pour compenser cette personne d'acquérir des contenants consignés usagés et vides et de payer une contrepartie pour ces contenants;

Concordance fédérale: LTA, par. 226(1)« recycleur ».

« **remboursement** » à un moment quelconque, signifie relativement à un contenant consigné d'une catégorie donnée qui est fourni usagé et vide, ou qui est rempli d'une boisson qui est fournie, à ce moment, dans le cas où il y a un montant obligatoire applicable pour un contenant consigné de cette catégorie, ce montant;

Concordance fédérale: LTA, par. 226(1)« montant remboursé ».

« **remboursement obligatoire aux consommateurs** » à l'égard d'un contenant consigné d'une catégorie donnée, signifie un montant qui, à l'égard du recyclage, doit être payé pour un contenant consigné usagé et vide de cette catégorie à une personne d'une catégorie qui inclut les consommateurs;

Concordance fédérale: LTA, par. 226(1)« remboursement obligatoire aux consommateurs ».

« **vendeur au détail déterminé** » à l'égard d'un contenant consigné d'une catégorie donnée, signifie un inscrit qui, à la fois :

1º dans le cours normal de son entreprise, effectue des fournitures — appelées « fournitures déterminées » dans la présente définition — de boissons dans des contenants consignés de cette catégorie à des consommateurs dans des circonstances telles qu'il n'ouvre pas habituellement les contenants;

2º n'est pas dans la situation où la totalité ou la presque totalité des fournitures de contenants consignés usagés et vides de cette catégorie qui sont recueillis par l'inscrit à des établissements où il effectue des fournitures déterminées sont des contenants usagés et vides qu'il a acquis pour une contrepartie.

Concordance fédérale: LTA, par. 226(1)« vendeur au détail déterminé ».

Notes historiques: L'article 350.42.3, ajouté par L.Q. 2009, c. 5, par. 632(1), a effet depuis le 1er mai 2002 et s'applique aux fournitures pour lesquelles la contrepartie devient due, ou est payée sans être devenue due, après le 30 avril 2002.

Malgré le paragraphe précédent, pour l'application des articles 213, 350.42.1 et 350.42.2 à des fournitures de contenants consignés dont la contrepartie devient due, ou est payée sans être devenue due, avant le 16 juillet 2002, cet article est réputé ne pas être entré en vigueur.

Notes explicatives ARQ (PL 2, L.Q. 2009, c. 5): *Résumé* :

Le nouvel article 350.42.3 définit les expressions qui sont utilisées dans la nouvelle section XIX.1 qui porte sur les contenants consignés.

Contexte :

Actuellement, la section XIX de la LTVQ prévoit des règles particulières à l'égard des contenants consignés. Selon ces règles, la consigne sur un contenant consigné est généralement assujettie à la taxe. Or, dans le cadre du présent projet de loi, la section XIX de la LTVQ est abrogée et de nouvelles mesures sont proposées, dans la nouvelle section XIX.1, à l'égard des contenants consignés.

Sommairement, ces nouvelles règles prévoient que la consigne sur un contenant consigné ne sera plus assujettie à la taxe dans la mesure où cette consigne est entièrement remboursable à un consommateur. De plus, de nouvelles définitions sont proposées pour l'application de ces nouvelles règles.

Ainsi, l'expression « contenant consigné » s'entend d'un contenant à boisson d'une catégorie donnée (comme une canette en aluminium de 355 ml) qui est habituellement rempli et scellé au moment d'être acquis par un consommateur et qui est habituellement retourné vide par un consommateur en contrepartie d'une somme d'argent soit le remboursement de la consigne applicable à ce contenant.

Il est à noter que la définition de « contenant consigné » ne se limite pas aux contenants à boisson taxable. Cependant, la règle énoncée au nouvel article 350.42.4 de la LTVQ, qui a pour effet de distinguer la consigne applicable au contenant du montant exigé pour la boisson, ne s'applique pas lorsque la fourniture de la boisson est détaxée. Dans ce cas, l'article 33 de la LTVQ s'applique et fait en sorte que la consigne applicable au contenant de la boisson fait partie de la contrepartie de la boisson détaxée et donne donc droit à la même détaxation.

Par ailleurs, l'expression « distributeur » fait référence à une personne qui fournit des boissons dans des contenants consignés remplis et scellés d'une catégorie donnée et qui exige un « droit sur un contenant consigné » au titre des contenants consignés. Par exemple, un distributeur peut être l'embouteilleur, le grossiste ou le vendeur au détail de boissons vendues dans des contenants consignés remplis et scellés.

L'expression « droit sur un contenant consigné » est définie par rapport à un contenant consigné renfermant une boisson fournie ou détenue en stock par une personne. L'expression est également définie par rapport à un contenant consigné relativement auquel un recycleur effectue la fourniture d'un service de recyclage au profit d'un distributeur ou d'un autre recycleur.

Dans chacune de ces situations, l'expression « droit sur un contenant consigné » correspond au montant que peut exiger un fournisseur au titre du recyclage de contenants consignés d'une catégorie donnée comme, par exemple, le montant imposé par la province de Québec à titre de consigne remboursable à l'égard d'un tel contenant.

L'expression « montant obligatoire applicable » à l'égard d'un contenant consigné d'une catégorie donnée correspond au « remboursement obligatoire aux consommateurs » en matière de recyclage de contenants consignés de cette catégorie, c'est-à-dire, le montant qui doit être payé au consommateur à titre de remboursement pour le retour d'un contenant consigné usagé et vide.

L'expression « récupérateur » s'entend d'une personne qui, dans le cours normal de son entreprise, acquiert des contenants consignés usagés et vides auprès de consommateurs en échange d'une contrepartie, c'est-à-dire, qui rembourse le montant de la consigne applicable au contenant vide retourné par un consommateur. Par exemple, l'expression « récupérateur » comprend une personne qui exploite un comptoir de retour de bouteilles et un vendeur au détail qui accepte les retours de contenants à boisson.

L'expression « recyclage » désigne le retour, le rachat, la réutilisation, la destruction ou l'élimination de contenants consignés, seuls ou avec d'autres produits. Cette expression désigne également, de façon plus générale, le contrôle ou la prévention des déchets ou la protection de l'environnement.

L'expression « recycleur » s'entend d'une personne qui, dans le cours normal de son entreprise, acquiert des contenants consignés usagés et vides d'une catégorie donnée, ou la matière résultant de leur compactage, pour une contrepartie, c'est-à-dire, qui rembourse la consigne applicable à de tels contenants. L'expression « recycleur » fait également référence à une personne qui paie une contrepartie à une autre personne pour l'acquisition par cette autre personne, pour une contrepartie, de contenants consignés usagés et vides de cette catégorie.

Par exemple, l'expression « recycleur » comprend un vendeur au détail qui accepte des contenants vides de consommateurs et paie des remboursements.

Cette expression comprend aussi un embouteilleur qui rachète des contenants consignés usagés, vides et remplissables.

L'expression « remboursement » fait référence au montant de la consigne applicable à un contenant consigné qui est payé au consommateur qui retourne ce contenant usagé et vide à un vendeur au détail ou à une personne qui exploite un comptoir de retour de bouteilles. L'expression « remboursement » est définie par rapport à un contenant d'une catégorie donnée. Par exemple, le montant remboursé pour une canette en aluminium de 355 ml peut être différent du montant remboursé pour un contenant à boisson en plastique.

L'expression « remboursement obligatoire aux consommateurs » comprend un montant qui, aux termes d'une loi de la province en matière de recyclage, doit être payé à un consommateur lors du retour d'un contenant consigné usagé et vide d'une catégorie donnée.

L'expression « vendeur au détail déterminé » fait référence à un inscrit qui, dans le cours normal de son entreprise, vend à des consommateurs des boissons dans des circonstances où il n'ouvre habituellement pas les contenants dans lesquels il sert les boissons et dont la totalité ou la presque totalité des contenants usagés et vides qu'il recueille dans son établissement sont ensuite retournés à un comptoir de retour ou à un autre recycleur, et ce, sans que l'inscrit n'ait remboursé aux consommateurs le montant de la consigne applicable à ces contenants.

Par exemple, l'expression « vendeur au détail » comprend l'exploitant d'un restaurant qui prépare à la fois des repas à manger sur place et des repas à emporter et qui vend des boissons dans des contenants consignés remplis et scellés qui sont laissés sur place par ses clients qui ont choisi de consommer les boissons sur les lieux.

En revanche, la personne qui exploite une épicerie où elle vend des boissons dans des contenants consignés remplis et scellés et qui accepte le retour de ces contenants usagés et vides de la part de consommateurs ne sera vraisemblablement pas un « vendeur au détail déterminé » à l'égard de ces contenants. En effet, il est probable que la totalité ou la presque totalité des contenants usagés et vides que cette personne retourne à un recycleur aient été acquis auprès de consommateurs en échange du remboursement de la consigne applicable à ces contenants.

Modifications proposées :

Il est proposé d'ajouter le nouvel article 350.42.3 de la LTVQ qui définit les expressions qui sont utilisées dans la nouvelle section XIX.1 qui porte sur les contenants consignés.

350.42.4 Fourniture taxable d'une boisson dans un contenant consigné — Dans le cas où un fournisseur effectue une fourniture taxable, autre qu'une fourniture détaxée, d'une boisson dans un contenant consigné d'une catégorie donnée rempli et scellé dans des circonstances telles qu'il n'ouvre pas habituellement le contenant et qu'il exige de l'acquéreur un droit sur un contenant consigné à l'égard du contenant, la contrepartie de la fourniture est réputée être égale au montant déterminé selon la formule suivante :

A – B.

Application — Pour l'application de la formule prévue au premier alinéa :

1º la lettre A représente la contrepartie de la fourniture donnée telle que déterminée par ailleurs pour les fins du présent titre;

2º la lettre B représente le droit sur un contenant consigné.

Exception — vendeur au détail déterminé — Le présent article ne s'applique pas à la fourniture, par un inscrit, d'une boisson dans un contenant consigné à l'égard duquel il est un vendeur au détail déterminé, s'il fait le choix de ne pas déduire le montant du droit sur un contenant consigné à l'égard du contenant pour déterminer la contrepartie de la fourniture pour les fins du présent titre.

Notes historiques: L'article 350.42.4, ajouté par L.Q. 2009, c. 5, par. 632(1), a effet depuis le 1er mai 2002 et s'applique aux fournitures pour lesquelles la contrepartie devient due, ou est payée sans être devenue due, après le 30 avril 2002.

Malgré le paragraphe précédent, pour l'application des articles 213, 350.42.1 et 350.42.2 à des fournitures de contenants consignés dont la contrepartie devient due, ou est payée sans être devenue due, avant le 16 juillet 2002, cet article est réputé ne pas être entré en vigueur.

Notes explicatives ARQ (PL 2, L.Q. 2009, c. 5): *Résumé* :

Le nouvel article 350.42.4 prévoit une formule pour déterminer la valeur de la contrepartie de la fourniture taxable, autre que détaxée, d'une boisson qui est fournie dans un contenant consigné rempli et scellé.

Contexte :

Dans le cadre du présent projet de loi, de nouvelles mesures sont proposées à l'égard des contenants consignés.

Ainsi, le nouvel article 350.42.4 de la LTVQ prévoit que la contrepartie de la fourniture taxable, autre que détaxée, d'une boisson qui est fournie dans un contenant consigné rempli et scellé n'inclut pas le montant de droit sur contenant consigné qui est exigé à l'égard du contenant de la boisson.

Cependant, un inscrit qui est un vendeur au détail déterminé peut faire un choix afin que l'article 350.42.4 de la LTVQ ne s'applique pas à ses fournitures. Ainsi, il ne sera pas tenu d'ajouter un montant dans le calcul de sa taxe en vertu de l'article 350.42.8 de la LTVQ.

Modifications proposées :

Il est proposé d'ajouter le nouvel article 350.42.4 de la LTVQ qui prévoit une formule pour déterminer la valeur de la contrepartie de la fourniture taxable, autre que détaxée, d'une boisson qui est fournie dans un contenant consigné rempli et scellé.

Concordance fédérale: LTA, par. 226(2).

350.42.5 Fourniture d'un contenant usagé et vide — Sous réserve de l'article 350.42.6, dans le cas où une personne effectue la fourniture d'un contenant consigné usagé et vide, ou de la matière résultant de son compactage, la valeur de la contrepartie pour la fourniture est réputée, pour les fins du présent titre à l'exception de la présente section, être nulle.

Notes historiques: L'article 350.42.5, ajouté par L.Q. 2009, c. 5, par. 632(1), a effet depuis le 1er mai 2002 et s'applique aux fournitures pour lesquelles la contrepartie devient due, ou est payée sans être devenue due, après le 30 avril 2002. Toutefois, l'article 350.42.5 ne s'appliquera pas aux fournitures dont la contrepartie, déterminée en faisant abstraction de cet article, est payée ou devient due avant le 16 juillet 2002.

Malgré le paragraphe précédent, pour l'application des articles 213, 350.42.1 et 350.42.2 à des fournitures de contenants consignés dont la contrepartie devient due, ou est payée sans être devenue due, avant le 16 juillet 2002, cet article est réputé ne pas être entré en vigueur.

Notes explicatives ARQ (PL 2, L.Q. 2009, c. 5): *Résumé* :

Le nouvel article 350.42.5 prévoit que la valeur de la contrepartie de la fourniture d'un contenant consigné usagé et vide, ou de la matière résultant de son compactage, est réputée nulle pour les fins du titre premier de la LTVQ à l'exception de la section XIX.1.

Contexte :

Selon le nouvel article 350.42.5 de la LTVQ, la valeur de la contrepartie de la fourniture d'un contenant consigné usagé et vide, ou de la matière résultant de son compactage, est réputé nulle pour les fins du titre premier de la LTVQ à l'exception de la section XIX.1.

Modifications proposées :

Il est proposé d'ajouter le nouvel article 350.42.5 de la LTVQ qui prévoit que la valeur de la contrepartie de la fourniture d'un contenant consigné usagé et vide, ou de la matière résultant de son compactage, est réputée nulle pour les fins du titre premier de la LTVQ à l'exception de la section XIX.1.

Concordance fédérale: LTA, par. 226(3).

350.42.6 Exception — fourniture d'un contenant usagé et vide — L'article 350.42.5 ne s'applique pas :

1° pour l'application des articles 138.5 et 152;

2° à la fourniture d'un contenant consigné usagé et vide d'une catégorie donnée, ou de la matière résultant de son compactage, dans le cas où les pratiques commerciales habituelles de l'acquéreur consistent à payer la contrepartie de fournitures de contenants consignés usagés et vides de cette catégorie, ou de la matière résultant de leur compactage, déterminée selon la valeur de la matière à partir de laquelle les contenants sont faits ou autrement déterminée sans se baser ni sur le montant du remboursement pour les contenants consignés ni sur le montant du droit sur un contenant consigné à l'égard des contenants consignés remplis et scellés de cette catégorie qui contiennent des boissons qui sont fournies.

Notes historiques: L'article 350.42.6, ajouté par L.Q. 2009, c. 5, par. 632(1), a effet depuis le 1er mai 2002 et s'applique aux fournitures pour lesquelles la contrepartie devient due, ou est payée sans être devenue due, après le 30 avril 2002.

Malgré le paragraphe précédent, pour l'application des articles 213, 350.42.1 et 350.42.2 à des fournitures de contenants consignés dont la contrepartie devient due, ou est payée sans être devenue due, avant le 16 juillet 2002, cet article est réputé ne pas être entré en vigueur.

Notes explicatives ARQ (PL 2, L.Q. 2009, c. 5): *Résumé* :

Le nouvel article 350.42.6 prévoit certaines circonstances où le nouvel article 350.42.5 de la LTVQ ne s'applique pas.

Contexte :

Le nouvel article 350.42.5 de la LTVQ prévoit que la valeur de la contrepartie de la fourniture d'un contenant consigné usagé et vide, ou de la matière résultant de son compactage, est réputée nulle pour les fins du titre premier de la LTVQ à l'exception de la section XIX.1.

Cependant, le nouvel article 350.42.6 de la LTVQ précise que la présomption prévue à l'article 350.42.5 de la LTVQ ne s'applique pas à l'égard de la fourniture d'un contenant consigné usagé et vide lorsque la contrepartie de cette fourniture n'est pas déterminée en fonction du montant de la consigne sur ce contenant. De plus, le nouvel article 350.42.6 de la LTVQ prévoit que l'article 350.42.5 de la LTVQ ne s'applique pas dans le cadre des règles relatives aux fournitures exonérées visées aux articles 138.5 et 152 de la LTVQ.

Modifications proposées :

Il est proposé d'ajouter le nouvel article 350.42.6 de la LTVQ qui prévoit certaines circonstances où le nouvel article 350.42.5 de la LTVQ ne s'applique pas.

Concordance fédérale: LTA, par. 226(4), 226(5).

350.42.7 Juste valeur marchande d'une boisson dans un contenant rempli et scellé — Dans le cas où une boisson dans un contenant consigné rempli et scellé à l'égard duquel s'applique un droit sur un contenant consigné est détenue à un moment quelconque par une personne pour consommation, utilisation ou fourniture dans le cadre de ses activités commerciales, la juste valeur marchande de la boisson à ce moment est réputée ne pas inclure le montant qui serait déterminé à titre de remboursement pour le contenant si la boisson était fournie par la personne à ce moment dans un contenant rempli et scellé.

Notes historiques: L'article 350.42.7, ajouté par L.Q. 2009, c. 5, par. 632(1), a effet depuis le 1er mai 2002 et s'applique aux fournitures pour lesquelles la contrepartie devient due, ou est payée sans être devenue due, après le 30 avril 2002.

Malgré le paragraphe précédent, pour l'application des articles 213, 350.42.1 et 350.42.2 à des fournitures de contenants consignés dont la contrepartie devient due, ou est payée sans être devenue due, avant le 16 juillet 2002, cet article est réputé ne pas être entré en vigueur.

Notes explicatives ARQ (PL 2, L.Q. 2009, c. 5): *Résumé* :

Le nouvel article 350.42.7 détermine la juste valeur marchande d'une boisson dans un contenant consigné rempli et scellé lorsque cette boisson est détenue par une personne pour consommation, utilisation ou fourniture dans le cadre de ses activités commerciales.

Contexte :

Le nouvel article 350.42.7 de la LTVQ fait en sorte que la juste valeur marchande d'une boisson qui est détenue dans un contenant consigné rempli et scellé n'inclut pas le montant de la consigne relatif à ce contenant.

Le nouvel article 350.42.7 de la LTVQ s'applique, entre autres, lorsqu'une personne cesse d'être un inscrit et qu'elle est réputée, en vertu de l'article 209 de la LTVQ, avoir perçu et payé la taxe à l'égard de chacun de ses biens, autre qu'une immobilisation, qui était détenu pour consommation, utilisation ou fourniture dans le cadre de ses activités commerciales à ce moment.

Modifications proposées :

Il est proposé d'ajouter le nouvel article 350.42.7 de la LTVQ qui détermine la juste valeur marchande d'une boisson dans un contenant consigné rempli et scellé lorsque cette boisson est détenue par une personne pour consommation, utilisation ou fourniture dans le cadre de ses activités commerciales.

Concordance fédérale: LTA, par. 226(16).

350.42.8 Addition à la taxe nette — Un inscrit doit, dans le calcul de sa taxe nette pour une période de déclaration qui inclut un moment donné, ajouter un montant déterminé selon la formule prévue au deuxième alinéa dans le cas où, à la fois :

1° l'inscrit effectue la fourniture d'une boisson dans un contenant consigné d'une catégorie donnée à l'égard duquel l'inscrit est un vendeur au détail déterminé;

2° les premier et deuxième alinéas de l'article 350.42.4 s'appliquent à la détermination de la valeur de la contrepartie de la fourniture;

3° l'inscrit effectue au moment donné la fourniture du contenant consigné usagé et vide pour une contrepartie sans avoir acquis ce contenant usagé et vide pour une contrepartie.

Formule — Le montant qu'un inscrit doit ajouter dans le calcul de sa taxe nette en vertu du premier alinéa est déterminé selon la formule suivante :

$$A \times B.$$

Application — Pour l'application de cette formule :

1° la lettre A représente le taux de la taxe prévu au premier alinéa de l'article 16;

2° la lettre B représente le remboursement pour un contenant consigné de cette catégorie.

Notes historiques: L'article 350.42.8, ajouté par L.Q. 2009, c. 5, par. 632(1), a effet depuis le 1er mai 2002 et s'applique aux fournitures pour lesquelles la contrepartie devient due, ou est payée sans être devenue due, après le 30 avril 2002.

Malgré le paragraphe précédent, pour l'application des articles 213, 350.42.1 et 350.42.2 à des fournitures de contenants consignés dont la contrepartie devient due, ou est payée sans être devenue due, avant le 16 juillet 2002, cet article est réputé ne pas être entré en vigueur.

Notes explicatives ARQ (PL 2, L.Q. 2009, c. 5): *Résumé* :

Le nouvel article 350.42.8 détermine un montant qui doit être ajouté dans le calcul de la taxe nette d'un vendeur au détail déterminé.

Contexte :

Le nouvel article 350.42.8 de la LTVQ prévoit qu'un vendeur au détail déterminé doit ajouter dans le calcul de sa taxe nette le montant du droit sur contenant consigné qu'il a déduit, en vertu du nouvel article 350.42.4 de la LTVQ, dans le calcul de la contrepartie de la fourniture taxable d'une boisson qu'il a effectuée dans un contenant consigné.

Le nouvel article 350.42.4 de la LTVQ prévoit une formule pour déterminer la valeur la contrepartie de la fourniture taxable, autre que détaxée, d'une boisson qui est fournie dans un contenant consigné rempli et scellé. Cette formule fait en sorte que la valeur de cette contrepartie n'inclut pas le montant de la consigne applicable à un tel contenant. Cela donne le résultat escompté lorsque l'acquéreur de la boisson conserve le contenant afin d'obtenir le remboursement de la consigne applicable à ce contenant. Ce n'est pas le cas lorsque c'est plutôt un vendeur au détail déterminé qui conserve le contenant afin d'obtenir le remboursement de la consigne applicable à ce contenant.

Ainsi, le nouvel article 350.42.4 de la LTVQ permet à un inscrit qui est un vendeur au détail déterminé de faire un choix afin de ne pas réduire la valeur de la contrepartie des contenants consignés qu'il fournit. Cependant, lorsqu'un tel choix n'est pas effectué par l'inscrit, il doit, en vertu du nouvel article 350.42.8 de la LTVQ, ajouter, dans le calcul de sa taxe nette, un montant équivalant à la taxe relatif à la consigne qui a réduit la valeur de la contrepartie des contenants qu'il a fournis.

Modifications proposées :

Il est proposé d'ajouter le nouvel article 350.42.8 de la LTVQ qui détermine un montant qui doit être ajouté dans le calcul de la taxe nette d'un vendeur au détail déterminé.

Concordance fédérale: LTA, par. 226(18).

SECTION XX — MARCHÉ AUX PUCES

Notes historiques: L'intertitre de la section XX du chapitre VI du titre I a été ajouté par L.Q. 1995, c. 1, art. 301(1) et est réputé avoir effet depuis le 1er juin 1994.

350.43 [*Abrogé*]

Notes historiques: L'article 350.43 a été supprimé par L.Q. 1995, c. 63, art. 431(1) et cette modification a effet depuis le 1er août 1995. Auparavant, il se lisait comme suit :

> 350.43 La personne — appelée « occupant » dans la présente section — qui occupe un espace dans un marché aux puces ou un autre commerce semblable plus de cinq jours au cours d'une année civile dans le but d'effectuer une fourniture est présumée exercer une activité commerciale au Québec.

L'article 350.43 a été ajouté par L.Q. 1995, c. 1, art. 301(1) et est réputé avoir effet depuis le 1er juin 1994.

350.44 Exploitant d'un marché aux puces — liste des occupants — Dans le cas où une personne — appelée « exploitant » dans la présente section — met à la disposition d'une personne — appelée « occupant » dans la présente section — un espace dans un marché aux puces ou un autre commerce semblable, les règles suivantes s'appliquent :

1° l'exploitant doit produire au ministre, au moyen du formulaire prescrit contenant les renseignements prescrits, une liste des occupants, au plus tard, pour un mois donné, le quatorzième jour du mois suivant ce mois;

2° l'exploitant doit, au moment où il produit au ministre la liste visée au paragraphe 1°, afficher à la vue du public, une liste ne contenant que le nom des occupants pour les périodes visées au paragraphe 1°, son principal établissement et à un endroit facilement accessible au public sur les lieux où se tient le marché aux puces ou l'autre commerce semblable.

Fac-similé — Pour l'application du paragraphe 1° du premier alinéa, la liste des occupants peut être produite au ministre au moyen d'un fac-similé du formulaire prescrit.

Notes historiques: Le préambule de l'article 350.44 a été remplacé par L.Q. 1997, c. 85, art. 629(1) et a effet depuis le 1er août 1995. Antérieurement, il se lisait ainsi :

> 350.44 Dans le cas où une personne — appelée « exploitant » dans la présente section — met à la disposition d'un occupant un espace dans un marché aux puces ou un autre commerce semblable, les règles suivantes s'appliquent :

Le paragraphe 1° du premier alinéa de l'article 350.44 a été modifié par L.Q. 1995, c. 63, art. 432(1) et cette modification a effet depuis le 1er juin 1995. Auparavant, il se lisait comme suit :

> 1° l'exploitant doit produire au ministre, au moyen du formulaire prescrit contenant les renseignements prescrits, une liste des occupants pour les périodes suivantes, au plus tard :
>
> a) pour la période qui commence le premier jour d'un mois donné et qui se termine le quinzième jour de ce mois, le dernier jour de ce mois;
>
> b) pour la période qui commence le seizième jour d'un mois donné et qui se termine le dernier jour de ce mois, le quatorzième jour du mois suivant ce mois;

Le paragraphe 2° du premier alinéa de l'article 350.44 a été modifié par L.Q. 1997, c. 3, art. 128 pour remplacer les mots « sa principale place d'affaires » par les mots « son principal établisssement ». Cette modification est réputée entrée en vigueur le 20 mars 1997.

L'article 350.44 a été ajouté par L.Q. 1995, c. 1, art. 301(1) et est réputé avoir effet depuis le 1er juin 1994.

Guides [art. 350.44]: IN-255 — Les marchés aux puces.

Définitions [art. 350.44]: « mois » — 1.

Renvois [art. 350.44]: 350.45–350.46 (demande de renseignements et infractions).

Bulletins d'interprétation [art. 350.44]: SPÉCIAL 163 — Assouplissement de certaines mesures concernant l'administration des lois fiscales et le recouvrement; TVQ. 350.43-1/R2 — Mesures concernant les marchés aux puces.

Formulaires [art. 350.44]: VD-350.44, Déclaration concernant les marchés aux puces et autres commerces semblables; VD-350.44.A, Annexe au formulaire VD-350.44.

Concordance fédérale: aucune.

350.45 Renseignements — Pour l'application de la présente section, un occupant doit fournir à un exploitant qui lui en fait la demande les renseignements visés au paragraphe 1° du premier alinéa de l'article 350.44.

Notes historiques: L'article 350.45 a été ajouté par L.Q. 1995, c. 1, art. 301(1) et est réputé avoir effet depuis le 1er juin 1994.

Bulletins d'interprétation [art. 350.45]: TVQ. 350.43-1/R2 — Mesures concernant les marchés aux puces.

Concordance fédérale: aucune.

350.46 Pénalité — exploitant — L'exploitant qui soit omet de produire le formulaire prescrit, ou un fac-similé de celui-ci, contenant les renseignements prescrits, soit omet d'afficher la liste des occupants, conformément à l'article 350.44, encourt une pénalité de 100 $ par jour que dure l'omission.

Notes historiques: L'article 350.46 a été ajouté par L.Q. 1995, c. 1, art. 301(1) et est réputé avoir effet depuis le 1er juin 1994.

Guides [art. 350.46]: IN-255 — Les marchés aux puces.

Bulletins d'interprétation [art. 350.46]: TVQ. 350.43-1/R2 — Mesures concernant les marchés aux puces.

Concordance fédérale: aucune.

350.47 [*Abrogé*]

Notes historiques: L'article 350.47 a été abrogé par L.Q. 2002, c. 46, art. 28 et cette abrogation a effet depuis le 15 mai 2002. Antérieurement, il se lisait ainsi :

> 350.47 Pénalité — Occupant — L'occupant qui omet de fournir à l'exploitant qui lui en fait la demande les renseignements visés au paragraphe 1° du premier alinéa de l'article 350.44 ou qui lui fournit de faux renseignements, encourt une pénalité de 100 $ pour chaque jour où il occupe un espace.

L'article 350.47 a été ajouté par L.Q. 1995, c. 63, art. 433(1) et cet ajout est entré en vigueur le 15 décembre 1995.

Bulletins d'interprétation [art. 350.47]: TVQ. 350.43-1/R2 — Mesures concernant les marchés aux puces.

SECTION XXI — INDUSTRIE DU VÊTEMENT

Notes historiques: La section XXI et l'intertitre du chapitre VI du titre I ont été ajoutés par L.Q. 2002, c. 9, art. 164 et s'appliquent à l'égard de toute période de déclaration commençant après le 31 décembre 2001.

350.48 Définitions — Pour l'application de la présente section, l'expression :

« fabricant de vêtements » signifie un inscrit qui fabrique ou fait fabriquer, en tout ou en partie, des vêtements, à l'exclusion d'un inscrit qui, selon le cas :

1º fabrique uniquement des vêtements sur mesure pour des particuliers;

2º fabrique ou fait fabriquer des vêtements uniquement afin d'en faire la vente à des personnes qui en font l'acquisition à des fins autres que celles d'en effectuer à nouveau la fourniture par vente, autrement que par donation;

3º fabrique ou fait fabriquer des vêtements uniquement afin de les utiliser dans le cadre de ses activités commerciales;

Concordance fédérale: aucune.

« vêtements » ne comprend pas les chaussures ni les bijoux.

Notes historiques: L'article 350.48 a été ajouté par L.Q. 2002, c. 9, art. 164 et s'applique à l'égard de toute période de déclaration commençant après le 31 décembre 2001.

Guides [art. 350.48]: IN-262 — Vers une saine concurrence dans l'industrie du vêtement.

Bulletins d'interprétation: TVQ. 350.48-1 — Mesures relatives à l'industrie de la fabrication du vêtement.

Renvois [art. 350.48]: 202.1 (montant non-inclus dans le calcul du RTI); 458.7 (non application de l'article 458.6); 459.0.1 (période de déclaration d'un inscrit).

Concordance fédérale: aucune.

350.49 Production d'une déclaration de renseignements — Un fabricant de vêtements doit produire au ministre, pour chacune de ses périodes de déclaration, avec la déclaration qu'il doit produire en vertu de l'article 468, une déclaration de renseignements concernant les fournitures portant sur la fabrication, en tout ou en partie, de vêtements effectuées au Canada dont il est l'acquéreur, qui contient tous les renseignements suivants :

1º tout montant exigé pour la réalisation d'une telle fourniture représentant la contrepartie ou une partie de la contrepartie de la fourniture qui, soit :

a) est devenue due au cours de la période de déclaration et qui n'a pas été payée au cours d'une période de déclaration antérieure;

b) a été payée au cours de la période de déclaration avant d'être devenue due;

2º la taxe payable, le cas échéant, à l'égard de la fourniture qui est attribuable à chaque montant visé au paragraphe 1°;

3º le nom du fournisseur ayant exigé chaque montant visé au paragraphe 1°, le nom sous lequel il fait affaire, le cas échéant, son adresse, son numéro de téléphone et, le cas échéant, le numéro d'inscription qui lui est attribué conformément à l'article 415 ou, dans le cas où il est un particulier qui n'est pas inscrit en vertu de la section I du chapitre VIII, son numéro d'assurance sociale.

Fourniture effectuée au Canada — Pour l'application du premier alinéa, une fourniture est effectuée au Canada si elle est réputée effectuée au Canada en vertu de la partie IX de la *Loi sur la taxe d'accise* (L.R.C. 1985, c. E-15).

Formulaire prescrit — La déclaration de renseignements doit être effectuée au moyen du formulaire prescrit et produite au ministre de la manière prescrite par ce dernier pour chacune des périodes de déclaration du fabricant de vêtements, même si aucun montant n'est devenu dû ni n'a été payé par lui au cours de la période de déclaration relativement à une fourniture visée au premier alinéa.

Notes historiques: Le troisième alinéa de l'article 350.49 a été supprimé par L.Q. 2012, c. 28, par. 115(1) et cette modification s'applique à l'égard de la totalité ou d'une partie de la contrepartie d'une fourniture qui devient due après le 31 décembre 2012 et n'est pas payée avant le 1er janvier 2013. Antérieurement, il se lisait ainsi :

> **Contrepartie** — Pour l'application du paragraphe 1° du premier alinéa, mais non de son paragraphe 2°, la contrepartie, malgré l'article 52, ne comprend pas la taxe payée ou payable en vertu de la partie IX de la *Loi sur la taxe d'accise*.

L'article 350.49 a été ajouté par L.Q. 2002, c. 9, art. 164 et s'applique à l'égard de toute période de déclaration commençant après le 31 décembre 2001.

Notes explicatives ARQ (PL 5, L.Q. 2012, c. 28): *Résumé* :

Le troisième alinéa de l'article 350.49 est supprimé, et ce, afin de tenir compte du fait qu'à compter du 1er janvier 2013 la taxe sur les produits et services (TPS) est retirée de l'assiette de la taxe de vente du Québec (TVQ).

Situation actuelle :

En vertu de l'article 350.49, le fabricant de vêtements doit produire une déclaration de renseignements concernant les fournitures relatives à la fabrication de vêtements dont il est acquéreur.

Pour une période de déclaration donnée, les renseignements qui doivent être fournis à l'égard de ces fournitures comprennent :

- tout montant exigé par un fournisseur pour la réalisation d'une telle fourniture qui est payé par le fabricant de vêtements ou qui lui a été facturé au cours de la période de déclaration, sauf le montant payé ou qui a été facturé au cours d'une période de déclaration antérieure;
- la taxe applicable, le cas échéant, à l'égard de chaque montant ainsi déclaré;
- les coordonnées permettant d'identifier le fournisseur ayant exigé chaque montant déclaré et, le cas échéant, son numéro d'inscription TVQ ou, dans le cas où il est un particulier qui n'est pas inscrit, son numéro d'assurance sociale.

Le deuxième alinéa prévoit qu'une fourniture est effectuée au Canada si elle est réputée effectuée au Canada en vertu de la partie IX de la *Loi sur la taxe d'accise* (Lois révisées du Canada (1985), chapitre E-15).

Le troisième alinéa précise que l'expression « contrepartie » utilisée dans le paragraphe 1° du premier alinéa ne comprend pas la TPS. Cette précision ne vaut toutefois qu'à l'égard de ce paragraphe.

Le dernier alinéa précise que la déclaration de renseignements doit être produite par l'inscrit à l'égard de chacune de ses périodes de déclaration, même si aucun montant n'est devenu dû ou n'a été payé par lui au cours de la période. Elle doit également être produite au moyen d'un formulaire prescrit et de la manière prescrite.

Modifications proposées :

Le troisième alinéa de l'article 350.49 est supprimé, et ce, afin de tenir compte du fait qu'à compter du 1er janvier 2013 la TPS est retirée de l'assiette de la TVQ.

Guides [art. 350.49]: IN-262 — Vers une saine concurrence dans l'industrie du vêtement.

Jurisprudence [art. 350.49]: *Québec (Sous-ministre du Revenu) c. Cun* (13 novembre 2008), 505-61-074113-069, 2008 CarswellQue 11822; *Vêtements de sport Chapter One inc. c. Québec (Sous-ministre du Revenu)* (2 avril 2008), 500-09-017382-078, 2008 CarswellQue 2455 (C.A. Qué.); *Vêtements de sport Chapter One inc. c. Québec (Sous-ministre du Revenu)* (16 novembre 2006), 500-80-003322-048, 2006 CarswellQue 11456 (C.Q.).

Bulletins d'interprétation: TVQ. 350.48-1 — Mesures relatives à l'industrie de la fabrication du vêtement.

Renvois [art. 350.49]: 202.1 (montant non-inclus dans le calcul du RTI).

Formulaires [art. 350.49]: VDZ-350.49, Déclaration de renseignements — Industrie de la fabrication du vêtement.

Concordance fédérale: aucune.

SECTION XXII — RESTAURATION

Notes historiques: L'intitulé de la section XXII a été ajouté par L.Q. 2010, c. 5, art. 227 et est entré en vigueur le 7 juillet 2010 (Décret 641-2010 du 7 juillet 2010).

350.50 [Définitions] — Pour l'application de la présente section, l'expression :

« établissement de restauration » signifie, selon le cas, un lieu :

1º aménagé pour offrir habituellement, moyennant une contrepartie, des repas à consommer sur place;

2º où sont offerts, moyennant une contrepartie, des repas à consommer ailleurs que sur place;

3º où un traiteur exploite son entreprise; toutefois, cette expression ne comprend pas, selon le cas, un lieu :

4º exclusivement réservé au personnel d'une entreprise et où lui sont offerts des repas;

5º qui est un véhicule pouvant se déplacer dans lequel sont offerts des repas;

6º où sont effectuées des fournitures de repas qui sont exclusivement des fournitures exonérées;

7º où sont offertes exclusivement des boissons alcooliques;

8º où sont offerts, moyennant une contrepartie, des repas à consommer exclusivement dans les gradins, les estrades ou l'emplacement réservé aux spectateurs ou aux participants d'un cinéma, d'un théâtre, d'un amphithéâtre, d'une piste de course, d'un aréna, d'un stade, d'un centre sportif ou d'un autre lieu semblable;

9º où sont offerts, moyennant une contrepartie, des repas à consommer ailleurs que sur place et qui est une boucherie, une boulangerie, une pâtisserie, une poissonnerie, une épicerie ou une autre entreprise semblable;

10º aménagé pour offrir habituellement, moyennant une contrepartie, des repas à consommer sur place et qui est intégré au lieu d'exploitation d'une autre entreprise de l'exploitant qui n'est pas un établissement de restauration et dont l'aménagement permet uniquement à moins de 20 personnes de consommer simultanément sur place des repas;

Concordance fédérale: aucune.

« repas » signifie un aliment ou une boisson destinés à la consommation humaine mais ne comprend pas :

1º un aliment ou une boisson offerts au moyen d'un distributeur automatique;

2º un aliment ou une boisson qu'un acquéreur reçoit uniquement afin d'en effectuer de nouveau la fourniture.

Concordance fédérale: aucune.

Notes historiques: L'article 350.50 a été ajouté par L.Q. 2010, c. 5, art. 227 et est entré en vigueur le 7 juillet 2010 (Décret 641-2010 du 7 juillet 2010).

Notes explicatives ARQ (PL 64, L.Q. 2010, c. 5): *Résumé* :

De nouvelles dispositions sont introduites afin d'obliger l'exploitant d'un établissement de restauration à préparer une facture lors de la vente d'un repas.

Pour l'application des nouvelles dispositions, les expressions « établissement de restauration » et « repas » sont définies dans le nouvel article 350.50 de la LTVQ.

Contexte :

Afin de contrer des stratagèmes utilisés pour dissimuler des revenus et des taxes dans l'industrie de la restauration, notamment le phénomène des camoufleurs de vente (communément appelés « zappers »), des modifications sont apportées à la LTVQ afin d'obliger l'exploitant d'un établissement de restauration à remettre une facture à ses clients lors de la fourniture d'un repas. Dans le cas d'un exploitant qui est un inscrit, une telle facture devra être préparée au moyen d'un appareil prescrit.

Modifications proposées :

Le nouvel article 350.50 de la LTVQ, tel que proposé, a pour but de définir les expressions « établissement de restauration » et « repas » pour l'application de la section XXII du chapitre VI du titre I de la LTVQ qui est introduite par le présent article.

L'expression « établissement de restauration » signifie un lieu aménagé pour offrir, moyennant une contrepartie, des repas à consommer sur place ou un lieu où sont offerts, moyennant une contrepartie, des repas à consommer ailleurs que sur place (exemple : un comptoir de mets à emporter communément appelé « take-out »), ou un lieu où un traiteur exploite son entreprise. Les restaurants, brasseries, bistros et autres lieux semblables sont ainsi visés.

Cette expression ne comprend pas une cantine d'une entreprise, une cantine mobile, un bar. De plus, cette expression n'inclut pas un lieu où sont offerts des repas qui sont exclusivement des fournitures exonérées. Ainsi, cette expression n'inclut pas notamment une cafétéria d'une école primaire ou secondaire (article 131 de la LTVQ), ou un lieu offrant des repas dans le cadre d'une activité consistant à alléger la pauvreté, la souffrance ou la détresse (articles 138.6.1 et 156 de la LTVQ). Aucune modification n'est apportée relativement à l'assiette de taxation des repas, des aliments et des boissons; les règles actuelles s'appliquant pour déterminer si un repas, un aliment et une boisson sont taxables, exonérés ou détaxés ne sont pas modifiées.

Cette expression ne comprend pas un lieu où sont offerts des repas à consommer exclusivement dans les gradins, les estrades ou l'emplacement réservé aux spectateurs ou aux participants d'un cinéma, d'un théâtre, d'un amphithéâtre, d'une piste de course, d'un aréna, d'un stade, d'un centre sportif ou d'un autre lieu semblable.

De plus, cette expression ne comprend pas un lieu aménagé pour offrir des repas à consommer sur place qui est intégré physiquement à un autre type d'entreprise de l'exploitant et dont l'aménagement permet uniquement à moins de vingt personnes de consommer des repas (exemple : un petit comptoir-lunch de dix places dans un magasin à rayon).

L'expression « repas » signifie un aliment ou une boisson. Cette expression ne comprend pas un aliment ou une boisson offerts au moyen d'un distributeur automatique. De plus, cette expression ne vise pas un aliment ou une boisson acquis pour être revendus.

Guides [art. 350.50]: IN-522 — Bulletin d'information destiné aux restaurateurs du Québec; IN-573 — L'inspection des établissements de restauration; IN-574 — Programme de subvention pour les restaurateurs; IN-574.A — Annexe au programme de subvention pour les restaurateurs — Modalités et conditions relatives au crédit-bail et à la location; IN-575 — Renseignements pour les restaurateurs.

Jurisprudence [art. 350.50]: *Agence du revenu du Québec c. 9240-2023 Québec inc* (18 janvier 2012), 500-61-307619-115, 2012 CarswellQue 5393.

350.51 [Facture] — L'exploitant d'un établissement de restauration doit, lorsqu'il effectue dans le cadre de cette exploitation une fourniture taxable d'un repas, autre qu'une fourniture détaxée, préparer une facture contenant les renseignements prescrits, la remettre, sauf dans les cas et aux conditions prescrits, à l'acquéreur sans délai après l'avoir préparée et en conserver une copie.

Notes historiques: L'article 350.51 a été ajouté par L.Q. 2010, c. 5, art. 227 et est entré en vigueur le 7 juillet 2010 (Décret 641-2010 du 7 juillet 2010).

Notes explicatives ARQ (PL 64, L.Q. 2010, c. 5): *Résumé* :

L'article 350.51 est ajouté afin d'obliger l'exploitant d'un établissement de restauration à préparer une facture et à la remettre à l'acquéreur lors de la vente d'un repas.

Contexte :

[Voir sous l'article 350.50 — n.d.l.r.]

Modifications proposées :

Le nouvel article 350.51 de la LTVQ, tel que proposé, a pour but d'obliger l'exploitant d'un établissement de restauration, lors de la vente d'un repas taxable, à préparer une facture. Seul le repas taxable est visé ici. Aucune modification n'est apportée relativement à l'assiette de taxation des repas, des aliments et des boissons; les règles actuelles s'appliquant pour déterminer si un repas, un aliment et une boisson sont taxables, exonérés ou détaxés ne sont pas modifiées.

De plus, le nouvel article 350.51 de la LTVQ a pour but d'obliger un tel exploitant à remettre la facture à l'acquéreur sans délai après l'avoir préparée et à conserver une copie. Cette facture doit contenir les renseignements qui seront prescrits par un règlement.

Guides [art. 350.51]: IN-522 — Bulletin d'information destiné aux restaurateurs du Québec; IN-573 — L'inspection des établissements de restauration; IN-574 — Programme de subvention pour les restaurateurs; IN-574.A — Annexe au programme de subvention pour les restaurateurs — Modalités et conditions relatives au crédit-bail et à la location; IN-575 — Renseignements pour les restaurateurs.

Renvois [art. 350.51]: 677 (règlements); 425.1.1 (indication de la taxe); 60.4 LAF (infractions et peines).

Jurisprudence [art. 350.50]: *Agence du revenu du Québec c. 9240-2023 Québec inc* (18 janvier 2012), 500-61-307619-115, 2012 CarswellQue 5393.

Concordance fédérale: aucune.

350.52 [Registre] — L'exploitant d'un établissement de restauration qui est un inscrit doit, au moyen d'un appareil prescrit, tenir un registre dans lequel sont contenus les renseignements prévus à l'article 350.51 et émettre la facture visée à cet article.

[Registre] — Il doit aussi tenir dans ce registre, au moyen de cet appareil, les renseignements prescrits concernant les opérations relatives à une facture ou à la fourniture d'un repas. Lorsqu'il s'agit d'un renseignement relatif au paiement d'une telle fourniture, il doit l'inscrire dans ce registre sans délai, sauf dans les cas prescrits, après avoir reçu le paiement.

Notes historiques: L'article 350.52 a été ajouté par L.Q. 2010, c. 5, art. 227 et est entré en vigueur le 1er novembre 2011 (Décret 641-2010 du 7 juillet 2010).

L.Q. 2010, c. 5, art. 250 prévoit que le ministre du Revenu peut établir et mettre en œuvre un programme transitoire de compensation financière pour subventionner les coûts d'acquisition et d'implantation des appareils prescrits visés à l'article 350.52..

Notes explicatives ARQ (PL 64, L.Q. 2010, c. 5): *Résumé* :

L'article 350.52 est ajouté afin d'obliger l'exploitant d'un établissement de restauration, qui est un inscrit, à se servir d'un appareil prescrit afin de tenir un registre et d'émettre une facture.

Contexte :

[Voir sous l'article 350.50 — n.d.l.r.]

Modifications proposées :

Le nouvel article 350.52 de la LTVQ, tel que proposé, a pour but d'obliger l'exploitant d'un établissement de restauration, qui est un inscrit, à utiliser un appareil prescrit. C'est un règlement qui déterminera les appareils prescrits.

Lors de la vente d'un repas dans un établissement de restauration, l'inscrit devra préparer une facture à l'aide de l'appareil prescrit. Il devra remettre ensuite cette facture à l'acquéreur.

Le 1er alinéa de l'article 350.52 de la LTVQ prévoit que l'inscrit devra tenir un registre avec cet appareil. Ce registre conservera tous les renseignements (article 350.51 de la LTVQ) inscrits sur les factures de repas.

Le 2e alinéa de l'article 350.52 de la LTVQ prévoit que l'inscrit doit aussi, au moyen de cet appareil, tenir un registre dans lequel sont contenus les renseignements concernant les opérations relatives à une facture ou à la fourniture d'un repas. Ces renseignements (exemples : duplicata, annulation, modification ou division d'une facture) seront prescrites par un règlement.

Le 2e alinéa de cet article prévoit aussi l'obligation d'inscrire un renseignement relatif au paiement d'un repas.

Guides [art. 350.52]: IN-522 — Bulletin d'information destiné aux restaurateurs du Québec; IN-573 — L'inspection des établissements de restauration; IN-574 — Programme de subvention pour les restaurateurs; IN-574.A — Annexe au programme de subvention pour les restaurateurs — Modalités et conditions relatives au crédit-bail et à la location; IN-575 — Renseignements pour les restaurateurs.

Renvois [art. 350.52]: 677 (règlements); 17.3 LAF (sûreté); 17.5 LAF (suspension, révocation ou non-délivrance d'un certificat d'inscription ou d'un permis); 61.0.0.1 LAF (infractions et peines).

Formulaires [art. 350.52]: VD-350.2.A, Renseignements sur les établissements de restauration situés au Québec; VD-350.52.SM, Demande de subvention pour les restaurateurs.

Jurisprudence [art. 350.50]: *Agence du revenu du Québec c. 9240-2023 Québec inc* (18 janvier 2012), 500-61-307619-115, 2012 CarswellQue 5393.

Concordance fédérale: aucune.

350.53 [Copie, duplicata ou fac-similé de la facture] — Un inscrit visé à l'article 350.52 ou une personne agissant pour son compte ne peut imprimer plus d'une fois la facture contenant les renseignements prévus à l'article 350.51, sauf aux fins de la remettre à l'acquéreur en application de l'article 350.51. Lorsqu'un tel inscrit ou une telle personne fait imprimer à une autre fin une copie, un duplicata, un fac-similé ou tout autre type de reproduction partielle ou totale de cette facture, il doit seulement le faire au moyen de l'appareil visé à l'article 350.52 et inscrire sur un tel document une mention identifiant cette opération relative à la facture.

[Remise de la facture] — Un inscrit ou une personne visé au premier alinéa ne peut remettre à l'acquéreur d'une fourniture visé à l'article 350.51 un document qui indique la contrepartie payée ou payable par ce dernier pour cette fourniture et la taxe payable à l'égard de celle-ci, sauf dans les cas et aux conditions prescrits ou s'il a été fait conformément au premier alinéa ou conformément à l'article 350.52.

Notes historiques: L'article 350.53 a été ajouté par L.Q. 2010, c. 5, art. 227 et est entré en vigueur le 1er novembre 2011 (Décret 641-2010 du 7 juillet 2010).

Notes explicatives ARQ (PL 64, L.Q. 2010, c. 5): *Résumé* :

L'article 350.53 est ajouté afin d'obliger l'exploitant d'un établissement de restauration, qui est un inscrit, à se servir d'un appareil prescrit afin d'imprimer une copie d'une facture.

Contexte :

[Voir sous l'article 350.50 — n.d.l.r.]

Modifications proposées :

Le nouvel article 350.53 de la LTVQ, tel que proposé, prévoit en substance que l'exploitant d'un établissement de restauration, qui est un inscrit, ne peut imprimer plus d'une fois cette facture qui a été préparée au moyen d'un appareil prescrit.

S'il l'imprime à une autre fin que de la remettre à l'acquéreur, il doit le faire au moyen de l'appareil prescrit et inscrire sur un tel document une mention identifiant cette opération (exemple : duplicata) relative à la facture.

Le deuxième alinéa, tel que proposé, vise en substance, à interdire la remise d'une facture à un acquéreur lorsque cette facture n'a pas été faite au moyen de l'appareil prescrit.

Guides [art. 350.53]: IN-522 — Bulletin d'information destiné aux restaurateurs du Québec; IN-573 — L'inspection des établissements de restauration; IN-574 — Programme de subvention pour les restaurateurs; IN-574.A — Annexe au programme de subvention pour les restaurateurs — Modalités et conditions relatives au crédit-bail et à la location; IN-575 — Renseignements pour les restaurateurs.

Renvois [art. 350.53]: 677 (règlements); 60.3 LAF (infractions et peines).

Concordance fédérale: aucune.

350.54 [Rapport au ministre] — Un inscrit visé à l'article 350.52 doit produire au ministre, pour chacune des périodes prescrites, un rapport au moyen du formulaire prescrit contenant les renseignements prescrits, dans les délais prescrits et de la manière prescrite par le ministre.

[Formulaire à produire] — Sauf dans les cas prescrits, ce formulaire doit être produit à l'égard de chacun des appareils visés à l'article 350.52 même si aucune fourniture d'un repas n'a été effectuée au cours de la période.

Notes historiques: L'article 350.54 a été ajouté par L.Q. 2010, c. 5, art. 227 et est entré en vigueur le 1er novembre 2011 (Décret 641-2010 du 7 juillet 2010).

Notes explicatives ARQ (PL 64, L.Q. 2010, c. 5): *Résumé* :

L'article 350.54 est ajouté afin d'obliger l'exploitant d'un établissement de restauration, qui est un inscrit, à produire un rapport à l'égard de chacun de ses appareils prescrits.

Contexte :

[Voir sous l'article 350.50 — n.d.l.r.]

Modifications proposées :

Le nouvel article 350.53 de la LTVQ, tel que proposé, a pour but d'obliger l'exploitant d'un établissement de restauration qui est un inscrit à produire au ministre du Revenu un rapport à l'égard de chacun de ses appareils prescrits même si aucune fourniture d'un repas n'a été effectuée au cours de la période de déclaration. Ce rapport est fait au moyen du formulaire prescrit contenant les renseignements prescrits et de la manière prescrite par le ministre du Revenu. Un règlement précisera les délais prescrits pour présenter au ministre du Revenu ce rapport. Enfin, un règlement précisera les cas prescrits pour lesquels le formulaire n'a pas à être produit.

Guides [art. 350.54]: IN-522 — Bulletin d'information destiné aux restaurateurs du Québec; IN-573 — L'inspection des établissements de restauration; IN-574 — Programme de subvention pour les restaurateurs; IN-574.A — Annexe au programme de subvention pour les restaurateurs — Modalités et conditions relatives au crédit-bail et à la location; IN-575 — Renseignements pour les restaurateurs.

Renvois [art. 350.54]: 677 (règlements).

Concordance fédérale: aucune.

350.55 [Appareil scellé] — Un inscrit visé à l'article 350.52 ne peut avoir dans un établissement de restauration un appareil visé à cet article qui n'est pas scellé en tout temps.

[Scellé brisé] — Lorsqu'un scellé est brisé, l'inscrit doit, sans délai et à ses frais, en faire apposer un nouveau et en aviser le ministre de la manière prescrite.

L.Q. 2010, c. 5, art. 227.

Notes historiques: L'article 350.51 a été ajouté par L.Q. 2010, c. 5, art. 227 et est entré en vigueur le 1er novembre 2011 (Décret 641-2010 du 7 juillet 2010).

Notes explicatives ARQ (PL 64, L.Q. 2010, c. 5): *Résumé* :

L'article 350.55 est ajouté afin d'interdire à un exploitant d'un établissement de restauration, qui est un inscrit, d'avoir un appareil prescrit qui n'est pas scellé.

Contexte :

[Voir sous l'article 350.50 — n.d.l.r.]

Modifications proposées :

Le nouvel article 350.55 de la LTVQ, tel que proposé, a pour but d'interdire à un exploitant d'un établissement de restauration qui est un inscrit à avoir dans son établissement de restauration un appareil prescrit qui n'est pas scellé en tout temps.

De plus, lorsqu'un scellé est brisé, il doit en faire apposer un nouveau et en aviser le ministre du Revenu de la manière prescrite. Un règlement précisera la manière prescrite d'aviser le ministre du Revenu.

Guides [art. 350.55]: IN-522 — Bulletin d'information destiné aux restaurateurs du Québec; IN-573 — L'inspection des établissements de restauration; IN-574 — Programme de subvention pour les restaurateurs; IN-574.A — Annexe au programme de subvention pour les restaurateurs — Modalités et conditions relatives au crédit-bail et à la location; IN-575 — Renseignements pour les restaurateurs.

Renvois [art. 350.55]: 677 (règlements); 60.4 LAF (infractions et peines).

Concordance fédérale: aucune.

350.56 [Ouverture ou réparation d'un appareil] — Nul ne peut ouvrir ou réparer un appareil visé à l'article 350.52, poser ou apposer un scellé à un tel appareil, sauf s'il est autorisé par le ministre.

[Avis au ministre] — Une personne qui active, désactive, initialise, entretient, répare, met à jour un appareil visé à l'article 350.52 ou qui effectue un autre travail à l'égard d'un tel appareil, doit en aviser le ministre, de la manière prescrite, sans délai après avoir effectué un tel travail.

Notes historiques: L'article 350.56 a été ajouté par L.Q. 2010, c. 5, art. 227 et est entré en vigueur le 1er novembre 2011 (Décret 641-2010 du 7 juillet 2010).

Notes explicatives ARQ (PL 64, L.Q. 2010, c. 5): *Résumé* :

L'article 350.56 est ajouté afin d'interdire à une personne de réparer un appareil prescrit ou d'y apposer un scellé sans y être autorisé. Une personne qui répare un tel appareil doit aviser le ministre du Revenu après avoir effectué la réparation.

Situation actuelle :

Afin de contrer des stratagèmes utilisés pour dissimuler des revenus et des taxes dans l'industrie de la restauration, notamment le phénomène des camoufleurs de vente (communément appelés « zappers »), des modifications sont apportées à la LTVQ afin d'obliger l'exploitant d'un établissement de restauration à remettre une facture à ses clients lors de la fourniture d'un repas. Dans le cas d'un exploitant qui est un inscrit, une telle facture devra être préparée au moyen d'un appareil prescrit (appareil visé à l'article 350.52 de la LTVQ).

Modifications proposées :

Le nouvel article 350.56 de la LTVQ, tel que proposé, a pour but d'interdire à une personne d'ouvrir ou de réparer un appareil prescrit ou d'y apposer un scellé sans y être autorisé.

Une personne qui, notamment, active, entretient ou répare un appareil prescrit doit aviser le ministre du Revenu après avoir effectué le travail. Un règlement précisera la manière prescrite d'aviser le ministre du Revenu.

Renvois [art. 350.56]: 677 (règlements); 60.4 LAF (infractions et peines).

Formulaires [art. 350.56]: VD-350.56.IN,Inscription des installateurs.

Concordance fédérale: aucune.

350.57 [Dispense du ministre] — Le ministre peut, selon les modalités qu'il détermine, dispenser une personne ou une catégorie de personnes, d'une exigence prévue aux articles 350.51 à 350.56. Il peut toutefois révoquer sa dispense ou en modifier les modalités.

Notes historiques: L'article 350.57 a été ajouté par L.Q. 2010, c. 5, art. 227 et est entré en vigueur le 20 avril 2010.

Notes explicatives ARQ (PL 64, L.Q. 2010, c. 5): *Résumé* :

L'article 350.57 est ajouté afin de permettre au ministre du Revenu de dispenser une personne, d'une exigence prévue aux articles 350.51 à 350.56 de la LTVQ.

Situation actuelle :

Afin de contrer des stratagèmes utilisés pour dissimuler des revenus et des taxes dans l'industrie de la restauration, notamment le phénomène des camoufleurs de vente (communément appelés « zappers »), des modifications sont apportées à la LTVQ afin d'obliger l'exploitant d'un établissement de restauration à remettre une facture à ses clients lors de la fourniture d'un repas. Dans le cas d'un exploitant qui est un inscrit, une telle facture devra être préparée au moyen d'un appareil prescrit.

Modifications proposées :

Le nouvel article 350.57 de la LTVQ, tel que proposé, a pour but de permettre au ministre du Revenu de dispenser une personne ou une catégorie de personnes, d'une exigence prévue aux articles 350.51 à 350.56 de la LTVQ (articles relatifs à la restauration). Le ministre du Revenu peut toutefois révoquer sa dispense ou en modifier les modalités.

Concordance fédérale: aucune.

350.58 [Pénalités] — Quiconque omet de se conformer aux articles 350.51, 350.55 ou 350.56 encourt une pénalité de 100 $, à l'article 350.52 une pénalité de 300 $ et à l'article 350.53 une pénalité de 200 $.

Notes historiques: L'article 350.58 a été ajouté par L.Q. 2010, c. 5, art. 227 et est entré en vigueur le 20 avril 2010.

Notes explicatives ARQ (PL 64, L.Q. 2010, c. 5): *Résumé* :

L'article 350.58 est ajouté afin de créer des pénalités à l'égard des nouvelles obligations ou interdictions introduites relativement à la restauration.

Situation actuelle :

Afin de contrer des stratagèmes utilisés pour dissimuler des revenus et des taxes dans l'industrie de la restauration, notamment le phénomène des camoufleurs de vente (communément appelés « zappers »), des modifications sont apportées à la LTVQ afin d'obliger l'exploitant d'un établissement de restauration à remettre une facture à ses clients lors de la fourniture d'un repas. Dans le cas d'un exploitant qui est un inscrit, une telle facture devra être préparée au moyen d'un appareil prescrit.

Modifications proposées :

Le nouvel article 350.58 de la LTVQ, tel que proposé, a pour but de créer des pénalités à l'égard des nouvelles obligations ou interdictions introduites relativement à la restauration.

Une pénalité de 100 $ est prévue pour une omission de se conformer à l'un des articles 350.51 (exemple : un exploitant d'un établissement de restauration qui omet, lors de la vente d'un repas, de préparer une facture), 350.55 (exemple : un inscrit qui a un appareil prescrit qui n'est pas scellé) ou 350.56 (exemple : une personne qui répare un appareil prescrit sans y être autorisée).

Concordance fédérale: aucune.

350.59 [Infraction] — Dans toute poursuite concernant une infraction à l'article 60.3 de la *Loi sur l'administration fiscale* (chapitre A-6.002), lorsqu'il réfère à l'article 350.53, une infraction à l'article 60.4 de la *Loi sur l'administration fiscale*, lorsqu'il réfère à l'un des articles 350.51, 350.55 et 350.56, une infraction à l'article 61.0.0.1 de la *Loi sur l'administration fiscale*, lorsqu'il réfère à l'article 350.52, ou une infraction à l'article 485.3, lorsqu'il réfère à l'article 425.1.1, l'affidavit d'un employé de l'Agence du revenu du Québec attestant qu'il a eu connaissance de la remise d'une facture à l'acquéreur par un exploitant d'un établissement de restauration visé à l'article 350.51 ou par une personne agissant pour son compte, fait preuve, en l'absence de toute preuve contraire, que cette facture a été préparée et remise par cet exploitant ou par cette personne agissant pour son compte et que le montant y apparaissant comme étant la contrepartie correspond à la contrepartie qu'il a reçue de l'acquéreur pour la fourniture d'un repas.

Notes historiques: L'article 350.59 a été ajouté par L.Q. 2010, c. 5, art. 227 et est entré en vigueur le 20 avril 2010.

Notes explicatives ARQ (PL 5, L.Q. 2011, c. 6): *Résumé* :

L'article 350.59 a pour but de permettre que, dans une poursuite concernant une infraction relative aux obligations concernant la restauration, l'affidavit d'un employé de l'Agence du revenu du Québec puisse servir de preuve afin de prouver notamment qu'une facture a été préparée par un exploitant d'un établissement de restauration pour la fourniture d'un repas. Le texte anglais de l'article 350.59 de la LTVQ est modifié pour y remplacer le mot « registrant » par le mot « operator ».

Situation actuelle :

L'article 350.59 a pour but de permettre que, dans une poursuite concernant une infraction relative aux obligations concernant la restauration, l'affidavit d'un employé de l'Agence du revenu du Québec attestant qu'il a eu connaissance de la remise d'une facture à l'acquéreur par un exploitant d'un établissement de restauration puisse servir de preuve afin de prouver que cette facture a été préparée et remise par cet exploitant et que le montant y apparaissant comme étant la contrepartie correspond à la contrepartie qu'il a reçue de l'acquéreur pour la fourniture d'un repas.

Modifications proposées :

Le texte anglais de l'article 350.59 est modifié pour y remplacer le mot « registrant » par le mot « operator ». En effet, c'est cette dernière expression qui est utilisée ailleurs dans le texte anglais de l'article 350.59 de la LTVQ pour correspondre à l'expression « exploitant » utilisée dans le texte français de cet article 350.59.

Notes explicatives ARQ (PL 64, L.Q. 2010, c. 5): *Résumé* :

L'article 350.59 est ajouté afin de permettre que, dans une poursuite concernant une infraction relative aux nouvelles obligations concernant la restauration, l'affidavit d'un fonctionnaire du ministère du Revenu puisse servir de preuve afin de prouver notamment qu'une facture a été préparée par un exploitant d'un établissement de restauration pour la fourniture d'un repas.

Contexte :

Afin de contrer des stratagèmes utilisés pour dissimuler des revenus et des taxes dans l'industrie de la restauration, notamment le phénomène des camoufleurs de vente (communément appelés « zappers »), des modifications sont apportées à la LTVQ afin d'obliger l'exploitant d'un établissement de restauration à remettre une facture à ses clients lors de la fourniture d'un repas. Dans le cas d'un exploitant qui est un inscrit, une telle facture devra être préparée au moyen d'un appareil prescrit.

Modifications proposées :

Le nouvel article 350.59 de la LTVQ, tel que proposé, a pour but de permettre que, dans une poursuite concernant une infraction relative aux nouvelles obligations concernant la restauration, l'affidavit d'un fonctionnaire du ministère du Revenu attestant qu'il a eu connaissance de la remise d'une facture à l'acquéreur par un exploitant d'un établissement de restauration puisse servir de preuve afin de prouver que cette facture a été préparée et remise par cet exploitant et que le montant y apparaissant comme étant la contrepartie correspond à la contrepartie qu'il a reçu de l'acquéreur pour la fourniture d'un repas.

Concordance fédérale: aucune.

350.60 [Affidavit d'un fonctionnaire] — Dans une poursuite concernant une infraction mentionnée à l'article 350.59, un affidavit d'un employé de l'Agence du revenu du Québec attestant qu'il a analysé attentivement une facture et qu'il lui a été impossible de constater qu'elle a été émise avec l'appareil visé à l'article 350.52 d'un exploitant, fait preuve, en l'absence de toute preuve contraire, que la facture n'a pas été émise au moyen de l'appareil de cet exploitant.

Notes historiques: L'article 350.60 a été ajouté par L.Q. 2010, c. 5, art. 227 et est entré en vigueur le 20 avril 2010.

LTVQ (français)

Notes explicatives ARQ (PL 64, L.Q. 2010, c. 5): *Résumé* :

L'article 350.60 afin de permettre que, dans une poursuite concernant une infraction relative aux nouvelles obligations concernant la restauration, l'affidavit d'un fonctionnaire du ministère du Revenu puisse servir de preuve afin de prouver qu'une facture n'a pas été émise au moyen de l'appareil prescrit d'un exploitant d'un établissement de restauration.

Contexte :

Afin de contrer des stratagèmes utilisés pour dissimuler des revenus et des taxes dans l'industrie de la restauration, notamment le phénomène des camoufleurs de vente (communément appelés « zappers »), des modifications sont apportées à la LTVQ afin d'obliger l'exploitant d'un établissement de restauration à remettre une facture à ses clients lors de la fourniture d'un repas. Dans le cas d'un exploitant qui est un inscrit, une telle facture devra être préparée au moyen d'un appareil prescrit.

Modifications proposées :

Le nouvel article 350.60 de la LTVQ, tel que proposé, a pour but de permettre que, dans une poursuite concernant une infraction relative aux nouvelles obligations concernant la restauration, l'affidavit d'un fonctionnaire du ministère du Revenu attestant qu'il a analysé attentivement une facture et qu'il lui a été impossible de constater qu'elle a été émise avec l'appareil prescrit d'un exploitant d'un établissement de restauration, puisse servir de preuve afin de prouver que la facture n'a pas été émise au moyen de l'appareil de cet exploitant.

Concordance fédérale: aucune.

Chapitre VII — Remboursement et compensation

SECTION I — REMBOURSEMENT

§ 1. — *Résident hors du Québec ou hors du Canada*

I. — Biens meubles ou services

Notes historiques: L'intertitre de la division I de la sous-section 1 de la section I du chapitre VII du titre I a été ajouté par L.Q. 1994, c. 22, art. 557(1) et est réputé entré en vigueur le 1er juillet 1992.

COMMENTAIRES: Nous vous invitons à consulter notre tableau récapitulatif illustrant les remboursements et compensations disponibles en vertu du présent chapitre. D'emblée, l'auteur désire souligner l'absence de définition des termes « remboursement » et « compensation » à l'article 1. Bien que la section II de ce chapitre intitulé « Compensation » ait été abrogée en 1997, l'utilisation de ce terme demeure d'actualité en vertu d'autres articles qui prévoient toujours la compensation, tels que l'article 388.1 qui réfère à la compensation aux municipalités prescrites. De façon générale, l'étendue du spectre de ces termes est très large puisqu'ils peuvent s'appliquer non seulement à l'égard d'un montant de TVQ payé par une personne qui effectue des fournitures exonérées, mais également à l'égard d'une personne qui a erronément payé de la TVQ.

En pratique, étant donné que Revenu Québec administre la TPS et la TVQ au Québec, la demande de remboursement d'une personne est adressée à Revenu Québec. À la suite de la réception de cette demande, Revenu Québec attribue un numéro DQ à ladite personne (particulier ou entreprise). Selon les informations obtenues par Revenu Québec, le suffixe DQ signifie « dossier non-mandataire de Revenu Québec ». Par la suite, aucun formulaire ne sera émis à la personne pour les périodes de déclaration subséquentes. Il est à noter que le numéro pourra être annulé automatiquement. Le numéro DQ est constitué du numéro d'identification à 10 chiffres, du suffixe DQ et d'un numéro de compte. La première demande de remboursement obtient le numéro de compte 0001. Par exemple : 999 999 9999 DQ 0001. Un numéro de compte est généré pour chaque demande de remboursement pour une raison différente de remboursement. Ainsi, à titre illustratif, la demande de remboursement pour résidence neuve (assumant qu'il s'agit de la première demande de remboursement de la personne) aurait le numéro de compte 0001, la demande subséquente de remboursement pour véhicule hybride obtiendrait le compte 0002 et ainsi de suite. Aucun registre ne permet de vérifier un tel numéro, contrairement aux sites internet de Revenu Québec et de l'Agence du revenu du Canada qui permettent de valider un numéro d'inscription de TVQ et de TPS/TVH, respectivement. Le numéro DQ apparait sur l'avis de cotisation émis par Revenu Québec à l'égard de la demande de remboursement.

351. Résidents hors du Canada — biens meubles corporels — Sous réserve de l'article 357, une personne qui ne réside pas au Canada, autre qu'un consommateur, a droit au remboursement de la taxe qu'elle a payée à l'égard de la fourniture d'un bien meuble corporel dont elle est l'acquéreur et qu'elle a acquis pour être utilisé principalement hors du Québec, si la personne emporte ou expédie ce bien hors du Québec dans les 60 jours suivant sa délivrance à la personne.

Résidents du Canada — entreprise hors du Québec — biens meubles corporels — Sous réserve de l'article 357, une personne qui réside au Canada et qui exploite une entreprise hors du Québec mais au Canada, a droit au remboursement de la taxe qu'elle a payée à l'égard de la fourniture d'un bien meuble corporel dont elle est l'acquéreur et qu'elle a acquis pour être utilisé principalement hors du Québec, dans le cadre de l'exploitation de son entreprise, si la personne emporte ou expédie ce bien hors du Québec dans un délai raisonnable suivant sa délivrance à la personne.

Exclusion — Le présent article ne s'applique pas à l'égard de la fourniture des biens suivants :

1° [supprimé];

2° un produit soumis à l'accise;

3° [supprimé];

4° l'essence, le carburant diesel ou tout autre carburant, sauf si le carburant est transporté dans un véhicule conçu pour transporter de l'essence, du carburant diesel ou tout autre carburant en vrac et est destiné à être utilisé autrement que dans le véhicule dans lequel ou par lequel il est transporté;

5° un bien visé par le paragraphe 60.1° du premier alinéa de l'article 677 et pour lequel une personne prend avantage de la manière de déterminer la taxe prévue aux articles 677R11 à 677R39 du *Règlement sur la taxe de vente du Québec* (chapitre T-0.1, r. 2).

Notes historiques: Le premier alinéa de l'article 351 a été remplacé par L.Q. 2002, c. 9, art. 165 et cette modification s'applique à l'égard d'une fourniture dont la totalité de la contrepartie devient due après le 30 septembre 2000 et n'est pas payée au plus tard à cette même date. Antérieurement, il se lisait ainsi :

> 351. Sous réserve de l'article 357, une personne qui ne réside pas au Canada a droit au remboursement de la taxe qu'elle a payée à l'égard de la fourniture d'un bien meuble corporel dont elle est l'acquéreur et qu'elle a acquis pour être utilisé principalement hors du Québec, si la personne emporte ou expédie ce bien hors du Québec dans les 60 jours suivant sa délivrance à la personne.

Le paragraphe 1° du troisième alinéa de l'article 351 a été supprimé par L.Q. 1997, c. 85, art. 630(1) et cette suppression s'applique à l'égard des biens acquis après le 23 avril 1996. Antérieurement, il se lisait ainsi :

> 1° un bien meuble corporel désigné d'occasion acquis par la personne par achat pour une contrepartie supérieure au montant prescrit à l'égard du bien;

Le paragraphe 2° du troisième alinéa de l'article 351 a été remplacé par L.Q. 2005, c. 38, s.-par. 372(1)(1°) et cette modification a effet depuis le 1er juillet 2003. Antérieurement, il se lisait ainsi :

> 2° une marchandise sur laquelle un droit d'accise est imposé en vertu de la *Loi sur l'accise* (Lois révisées du Canada (1985), chapitre E-14) ou sur laquelle un tel droit serait imposé si elle était fabriquée ou produite au Canada;

Le paragraphe 3° du troisième alinéa de l'article 351 a été supprimé par L.Q. 2005, c. 38, s.-par. 372(1)(2°) et cette modification a effet depuis le 1er juillet 2003. Antérieurement, il se lisait ainsi :

> 3° le vin;

Le paragraphe 5° du troisième alinéa de l'article 351 a été ajouté par L.Q. 1995, c. 63, art. 434(1) et a effet depuis le 1er juillet 1992. Toutefois, le paragraphe 5° du troisième alinéa de l'article 351 est supprimé à l'égard d'un bien relativement auquel la personne peut inclure dans le calcul de son remboursement de la taxe sur les intrants, en raison de l'abrogation de l'article 206.1, le montant de la taxe payée relativement au bien.

[*N.D.L.R.* : le paragraphe d'application prévu par L.Q. 1995, c. 63, art. 434(2) a été modifié par L.Q. 1997, c. 85, art. 753 et a effet depuis le 15 décembre 1995. Antérieurement, l'application prévoyait ce qui suit :

> L'addition du paragraphe 5° est réputé avoir depuis le 1er juillet 1992 [*N.D.L.R.* : cette disposition s'applique conformément aux articles 618 à 656 et 685, tels que modifiés]. Toutefois, le paragraphe 5° du troisième alinéa de l'article 351 est supprimé dans le cas où, après le 31 juillet 1995, un inscrit aurait le droit de demander un remboursement de la taxe sur les intrants s'il payait une taxe relativement au bien visé et, dans tous les autres cas, à l'égard de l'apport d'un bien visé, effectué après le 29 novembre 1996, ou de la fourniture d'un bien visé dont la taxe relativement à ce bien devient payable après le 29 novembre 1996 et qui n'est pas payable avant le 30 novembre 1996.]

L'article 351 a été modifié par L.Q. 1994, c. 22, art. 558(1) et est réputé entré en vigueur le 1er juillet 1992. L'article 351, édicté par L.Q. 1991, c. 67, se lisait comme suit :

> 351. Sous réserve de l'article 357, une personne qui ne réside pas au Canada a droit au remboursement de la taxe qu'elle a payée en vertu de l'article 16 à l'égard de la fourniture d'un bien meuble corporel acquis pour être utilisé princi-

palement hors du Québec, si la personne emporte ou expédie ce bien hors du Québec dans les 60 jours suivant la fourniture.

Sous réserve de l'article 357, une personne qui réside au Canada et qui exploite une entreprise hors du Québec mais au Canada, a droit au remboursement de la taxe qu'elle a payée en vertu de l'article 16 à l'égard de la fourniture d'un bien meuble corporel acquis pour être utilisé principalement hors du Québec, dans le cadre de l'exploitation de son entreprise, si la personne emporte ou expédie ce bien hors du Québec dans un délai raisonnable suivant la fourniture.

Le présent article ne s'applique pas à l'égard de la fourniture des biens suivants :

1º un bien meuble corporel désigné d'occasion acquis par achat pour une contrepartie supérieure au montant prescrit pour le bien;

2º une marchandise sur laquelle un droit d'accise est imposé en vertu de la *Loi sur l'accise* (Statuts du Canada) ou sur laquelle un tel droit serait imposé si elle était fabriquée ou produite au Canada;

3º le vin;

4º l'essence, le carburant diesel ou tout autre carburant, sauf si le carburant est transporté dans un véhicule conçu pour transporter de l'essence, du carburant diesel ou tout autre carburant en vrac et est destiné à être utilisé autrement que dans le véhicule dans lequel ou par lequel il est transporté.

Définitions [art. 351]: « acquéreur », « bien meuble corporel », « bien meuble corporel désigné d'occasion », « contrepartie », « entreprise », « fourniture », « montant », « personne » — 1.

Renvois [art. 351]: 14 (présomption de non-résidence au Canada); 21–23 (fourniture au Québec et à l'étranger); 25 (cotisation par le ministre); 30 (intérêts sur remboursement); 353 (remboursement de la taxe payée à l'égard de la fourniture d'un carburant par une personne exploitant une entreprise hors du Québec); 357 (restriction); 357.6 (obligation solidaire); 403 (demande de remboursement); 404 (demande de remboursement); 677 (règlements).

Règlements [art. 351]: RTVQ, 351R1; RTVQ, 677R11–677R39.

Bulletins d'interprétation [art. 351]: TVQ. 179-2/R1 — Fourniture d'un bien meuble corporel à être expédié hors du Québec; TVQ. 351-1/R1 — Abolition des remboursements aux touristes étrangers.

Formulaires [art. 351]: FP-189, Formulaire de demande générale de remboursement de la TPS/TVH; FP-189.G, Guide relatif au formulaire de demande générale de remboursement de la TPS/TVH; LMZ-120, Demande de remboursement de taxes et de droits (par une mission diplomatique, un poste consulaire, une organisation internationale ou un membre d'un de ces organismes); VD-403, *Demande de remboursement de la taxe de vente du Québec (TVQ)*; FP-498, Demande de remboursement de la TPS/TVH par un représentant étranger, une mission diplomatique, un poste consulaire, une organisation internationale ou une unité de forces étrangères présentes au Canada .

Lettres d'interprétation [art. 351]: 98-0105449 — Interprétation relative à la TVQ — Fourniture d'un bien meuble corporel à être expédié hors du Québec mais au Canada par l'acquéreur; 98-0109193 — Interprétation relative à la TPS/TVQ — Fournitures effectuées au profit d'un non-résident; 98-0112114 — Droit pour un résident de demander le remboursement des taxes payées relativement à l'acquisition au Québec d'un véhicule routier au nom d'un non-résident.

Concordance fédérale: LTA, par. 252(1).

COMMENTAIRES: Voir les commentaires sous l'article 356.1

352. Résidents du Canada hors du Québec — biens meubles corporels — Une personne qui ne réside pas au Québec mais qui réside au Canada a droit au remboursement, dans la mesure prescrite, de la taxe qu'elle a payée en vertu de l'article 16 à l'égard de la fourniture d'un bien meuble corporel, autre qu'un bien meuble corporel prescrit, qui n'est pas acquis dans le cadre de l'exploitation de son entreprise si, après l'acquisition du bien, à la fois :

1º le bien, dans le cas d'un véhicule routier, constitue un tel véhicule adapté essentiellement pour le transport d'une personne ou d'un bien et n'a pas été immatriculé au Québec au nom de la personne ou ne l'a été que pour une période maximale de 10 jours en vertu d'un certificat d'immatriculation temporaire et dans les autres cas, n'a pas été utilisé au Québec;

2º la personne a emporté ou expédié définitivement le bien hors du Québec;

3º la demande de remboursement est effectuée au moyen du formulaire prescrit contenant les renseignements prescrits et produite au ministre de la manière prescrite par ce dernier.

Délai de la demande — Une personne a droit au remboursement prévu au premier alinéa seulement si elle produit une demande de remboursement :

1º dans le cas où le bien constitue un véhicule routier qui est adapté essentiellement pour le transport d'une personne ou d'un bien, dans les quatre ans suivant le jour où la taxe a été payée;

2º dans les autres cas, dans les 60 jours suivant le jour où la taxe est devenue payable.

Notes historiques: Le paragraphe 1º du premier alinéa de l'article 352 a été modifié par L.Q. 1995, c. 63, art. 435(1) et cette modification a effet depuis le 1er juillet 1992. Auparavant, le paragraphe 1º du premier alinéa se lisait comme suit :

1º le bien n'a pas été utilisé au Québec;

Le deuxième alinéa de l'article 352 a été ajouté par L.Q. 1995, c. 63, art. 435(1) et a effet depuis le 1er juillet 1992.

Le paragraphe 2º du deuxième alinéa de l'article 352 a été modifié par L.Q. 1997, c. 14, art. 342 et cette modification a effet depuis le 1er juillet 1992. Auparavant, ce paragraphe se lisait comme suit :

2º dans les autres cas, dans les 60 jours suivant le jour où la taxe a été payée.

L'article 352 a été édicté par L.Q. 1991, c. 67.

Définitions [art. 352]: « bien meuble corporel », « entreprise », « fourniture », « personne », « taxe », « véhicule routier » — 1.

Renvois [art. 352]: 11–13 (résidence); 30 (intérêts sur remboursement); 352.1 (remboursement à un résident du Québec); 403 (demande de remboursement); 404 (demande de remboursement); 677 (règlements); 25 LAF (cotisation par le ministre).

Règlements [art. 352]: RTVQ, 352R1–352R3.

Formulaires [art. 352]: FP-189, Formulaire de demande générale de remboursement de la TPS/TVH; FP-189.G, Guide relatif au formulaire de demande générale de remboursement de la TPS/TVH; VD-352, Remboursement de la taxe de vente du Québec (TVQ) payée par un visiteur canadien sur des biens achetés au Québec.

Concordance fédérale: aucune.

COMMENTAIRES: Voir les commentaires sous l'article 356.1.

352.1 Anciens résidents du Québec — biens personnels — Malgré l'article 352, un particulier a droit au remboursement de la taxe qu'il a payée en vertu de l'article 16 à l'égard de la fourniture d'un bien corporel, autre qu'une boisson alcoolique, effectuée pendant qu'il résidait au Québec si, à la fois :

1º le bien a été acquis par le particulier pour son usage domestique ou personnel moins de 31 jours avant son départ du Québec pour établir sa résidence permanente dans une autre province, les Territoires du Nord-Ouest, le territoire du Yukon ou le territoire du Nunavut;

2º le particulier a emporté ou expédié le bien dans l'autre province ou le territoire pour l'y utiliser de façon permanente;

3º le particulier a payé à l'égard du bien une taxe de même nature que celle payable en vertu du présent titre imposée par l'autre province ou le territoire et n'a pas obtenu ou n'a pas le droit d'obtenir un remboursement d'une telle taxe.

Notes historiques: Le préambule de l'article 352.1 a été modifié par L.Q. 2004, c. 21, par. 531(1) par la suppression des mots « ou un produit du tabac ». Cette modification a effet depuis le 23 juin 1998.

Le paragraphe 1º de l'article 352.1 a été remplacé par L.Q. 2003, c. 2, par. 336(1) et cette modification a effet depuis le 1er avril 1999. Antérieurement, il se lisait ainsi :

1º le bien, dans le cas d'un véhicule routier, constitue un tel véhicule adapté essentiellement pour le transport d'une personne ou d'un bien et n'a pas été immatriculé au Québec au nom de la personne ou ne l'a été que pour une période maximale de 10 jours en vertu d'un certificat d'immatriculation temporaire et dans les autres cas, n'a pas été utilisé au Québec;

Le paragraphe 3º de l'article 402.3 a été modifié par L.Q. 2004, c. 21, art. 532 par le remplacement du mot « deuxième » par le mot « troisième ». Cette modification est entrée en vigueur le 3 novembre 2004.

L'article 352.1 a été ajouté par L.Q. 1995, c. 1, par. 302(1) et s'applique à l'égard d'un particulier qui quitte le Québec pour établir sa résidence au Canada hors du Québec après le 12 mai 1994.

Définitions [art. 352.1]: « bien », « fourniture », « particulier », « taxe » — 1.

Renvois [art. 352.1]: 352.2 (application du droit au remboursement de l'article 352.1).

Formulaires [art. 352.1]: VD-403, *Demande de remboursement de la taxe de vente du Québec (TVQ)*.

Concordance fédérale: aucune.

COMMENTAIRES: Voir les commentaires sous l'article 356.1.

352.2 Modalités d'application — Un particulier n'a droit au remboursement prévu à l'article 352.1 à l'égard de la taxe qu'il a payée relativement à la fourniture d'un bien que si, à la fois :

1º le particulier produit une demande de remboursement dans les quatre ans suivant le jour où la taxe a été payée;

2º le total de tous les remboursements pour lesquels la demande est effectuée est d'un montant minimum de 50 $;

3º la demande de remboursement est accompagnée d'une preuve établissant que le particulier a payé à l'égard du bien une taxe de même nature que celle payable en vertu du présent titre imposée par la province ou le territoire où le bien a été emporté ou expédié.

Notes historiques: L'article 352.2 a été ajouté par L.Q. 1995, c. 1, par. 302(1) et s'applique à l'égard d'un particulier qui quitte le Québec pour établir sa résidence au Canada hors du Québec après le 12 mai 1994.

Guides [art. 352.2]: IN-229 — La TVQ, la TPS/TVH pour les organismes sans but lucratif.

Définitions [art. 352.2]: « bien », « particulier », « taxe » — 1.

Concordance fédérale: aucune.

COMMENTAIRES: Voir les commentaires sous l'article 356.1.

353. Résidents et entreprises hors du Québec — carburant — Malgré le paragraphe 4º du troisième alinéa de l'article 351, une personne qui ne réside pas au Québec et qui exploite une entreprise hors du Québec, a droit au remboursement de la taxe qu'elle a payée en vertu de l'article 16 à l'égard de la fourniture d'un carburant utilisé au Québec à l'alimentation d'un moteur propulsif, si elle a droit à un remboursement en vertu de la *Loi concernant la taxe sur les carburants* (chapitre T-1) à l'égard de ce carburant, ou aurait droit à un remboursement si ce carburant était assujetti à cette loi, pourvu qu'elle en fasse la demande, dans le même délai et selon les mêmes modalités que ceux prévus par cette loi.

Calcul — Le remboursement prévu au premier alinéa se calcule en utilisant la même proportion que celle utilisée pour calculer le remboursement auquel la personne a droit, ou aurait droit, en vertu de la *Loi concernant la taxe sur les carburants*.

Notes historiques: Le premier alinéa de l'article 353 a été modifié par L.Q. 1993, c. 19, art. 215(1º) et s'applique à l'égard d'une fourniture ou d'un apport au Québec relativement auquel l'article 685 ou l'un des articles 618 à 656 de L.Q. 1991, c. 67 s'applique [*N.D.L.R.* : les articles 685 et 618 à 656 réfèrent à des dispositions transitoires concernant les transferts avant le 1er juillet 1992]. Il se lisait auparavant comme suit :

> 353. Malgré le paragraphe 4º du troisième alinéa de l'article 351, une personne qui ne réside pas au Québec et qui exploite une entreprise hors du Québec, a droit au remboursement de la taxe qu'elle a payée en vertu de l'article 16 à l'égard de la fourniture d'un carburant utilisé à l'alimentation d'un moteur propulsif, si elle a droit à un remboursement en vertu de la *Loi concernant la taxe sur les carburants* (L.R.Q., chapitre T-1) à l'égard de ce carburant, ou aurait droit à un remboursement si ce carburant était assujetti à cette loi, pourvu qu'elle en fasse la demande, dans le même délai et selon les mêmes modalités que ceux prévus par cette loi, au moyen du formulaire prescrit.

Le troisième alinéa de l'article 353 a été supprimé par L.Q. 1995, c. 63, art. 436(1) et cette modification s'applique à l'égard du carburant acquis à un moment quelconque après le 31 juillet 1995 et utilisé à l'alimentation du moteur propulsif d'un véhicule routier relativement auquel la personne pourrait demander un remboursement de la taxe sur les intrants en raison de l'abrogation de l'article 206.1 si elle était un inscrit qui en faisait l'acquisition à ce moment et qu'elle payait la taxe y relative à ce moment.

[*N.D.L.R.* : le paragraphe d'application prévu par L.Q. 1995, c. 63, art. 436(2) a été modifié par L.Q. 1997, c. 85, art. 754(1) et a effet depuis le 15 décembre 1995. Antérieurement, ce paragraphe prévoyait ce qui suit :

> La suppression s'applique à l'égard :
>
> 1º de la taxe qui devient payable après le 31 juillet 1995 et qui n'est pas payée avant le 1er août 1995 par la personne qui est une petite ou moyenne entreprise relativement à la fourniture du carburant;
>
> 2º de la taxe qui devient payable après le 29 novembre 1996 et qui n'est pas payée avant le 30 novembre 1996 par la personne qui est une grande entreprise relativement à la fourniture du carburant.

Le troisième alinéa se lisait auparavant comme suit :

> Le présent article ne s'applique pas à l'égard d'un carburant utilisé à l'alimentation du moteur propulsif d'un véhicule routier relativement auquel un inscrit qui en ferait l'acquisition ne pourrait demander un remboursement de la taxe sur les intrants en raison de l'article 206.1.

Le troisième alinéa de l'article 353 a été ajouté par L.Q. 1993, c. 19, art. 215(2º) et s'applique à l'égard d'une fourniture ou d'un apport au Québec relativement auquel l'article 685 ou l'un des articles 618 à 656 de L.Q. 1991, c. 67 s'applique [*N.D.L.R.* : les articles 685 et 618 à 656 réfèrent à des dispositions transitoires concernant les transferts avant le 1er juillet 1992].

L'article 353 a été édicté par L.Q. 1991, c. 67.

Définitions [art. 353]: « entreprise », « fourniture », « personne » — 1.

Renvois [art. 353]: 11–13 (résidence); 30 (intérêts sur remboursement); 403 (demande de remboursement); 404 (demande de remboursement); 25 LAF (cotisation par le ministre).

Concordance fédérale: aucune.

COMMENTAIRES: Voir les commentaires sous l'article 356.1.

353.0.1 Service à l'égard d'un bien meuble corporel apporté temporairement au Québec — Une personne a droit au remboursement de la taxe qu'elle a payée en vertu de l'article 16 à l'égard de la fourniture d'un service, autre qu'un service de transport, relativement à un bien meuble corporel qui est habituellement situé hors du Québec mais au Canada et apporté temporairement au Québec dans le seul but d'exécuter le service, si le bien est emporté ou expédié hors du Québec mais au Canada dans les meilleurs délais après que le service soit exécuté.

Biens meubles corporels — La personne a également droit au remboursement de la taxe qu'elle a payée en vertu de l'article 16 à l'égard de tout bien meuble corporel fourni avec le service.

Notes historiques: L'article 353.0.1 a été ajouté par L.Q. 1997, c. 85, art. 631(1) et a effet à l'égard de la fourniture d'un service effectuée après le 22 novembre 1996.

Définitions [art. 353.0.1]: « bien », « fourniture », « personne », « service », « taxe » — 1.

Renvois [art. 353.0.1]: 353.0.2 (demande de remboursement); 353.0.3 (bien meuble incorporel ou service).

Formulaires [art. 353.0.1]: VD-403, *Demande de remboursement de la taxe de vente du Québec (TVQ)*.

Concordance fédérale: LTA, par. 261.1(1), 261.3(1).

COMMENTAIRES: Voir les commentaires sous l'article 356.1.

353.0.2 Modalités d'application — Une personne n'a droit au remboursement prévu à l'article 353.0.1 que si, à la fois :

1º la personne produit une demande de remboursement dans les quatre ans suivant le jour où la taxe a été payée;

2º la demande de remboursement est accompagnée d'une preuve établissant que la personne a payé à l'égard du service et de tout bien meuble corporel fourni avec le service, une taxe de même nature que celle payable en vertu du présent titre imposée par la province ou le territoire où le bien a été emporté ou expédié.

Notes historiques: L'article 353.0.2 a été ajouté par L.Q. 1997, c. 85, art. 631(1) et a effet à l'égard de la fourniture d'un service effectuée après le 22 novembre 1996.

Définitions [art. 353.0.2]: « bien », « personne », « services », « taxe » — 1.

Concordance fédérale: LTA, par. 261.4(1).

COMMENTAIRES: Voir les commentaires sous l'article 356.1.

353.0.3 Bien meuble incorporel et service — Sous réserve des articles 353.0.1 et 353.0.4, une personne qui réside au Canada a droit au remboursement de la taxe qu'elle a payée en vertu de l'article 16 à l'égard de la fourniture d'un bien meuble incorporel ou d'un service dont elle est l'acquéreur et qu'elle a acquis pour consommation, utilisation ou fourniture dans la mesure d'au moins 10% hors du Québec égal au montant déterminé selon la formule suivante :

$$A \times B.$$

Application — Pour l'application de cette formule :

1º la lettre A représente le montant de cette taxe;

2º la lettre B représente le pourcentage qui correspond à la mesure dans laquelle le bien meuble incorporel ou le service est acquis par la personne pour consommation, utilisation ou fourniture hors du Québec.

Notes historiques: Le passage du premier alinéa de l'article 353.0.3 précédent la formule a été modifié par L.Q. 1999, c. 83, art. 316(1). Cette modification a effet depuis le 1er avril 1997. Antérieurement, ce passage se lisait comme suit :

353.0.3 Sous réserve des articles 353.0.1 et 353.0.4, une personne qui ne réside pas au Québec mais qui réside au Canada a droit au remboursement de la taxe qu'elle a payée en vertu de l'article 16 à l'égard de la fourniture d'un bien meuble incorporel ou d'un service dont elle est l'acquéreur et qu'elle a acquis pour consommation, utilisation ou fourniture principalement hors du Québec égal au montant déterminé selon la formule suivante :

Le premier alinéa de l'article 353.0.3 a été modifié par L.Q. 2011, c. 1, par. 137(1) par le remplacement du mot « principalement » par « dans la mesure d' au moins 10 % ». Cette modification s'applique à l'égard :

1° d'une fourniture effectuée après le 30 juin 2010;

2° de tout ou partie de la contrepartie d'une fourniture qui devient due ou qui est payée sans être devenue due après le 30 juin 2010.

Le troisième alinéa de l'article 353.0.3 a été supprimé par L.Q. 2011, c. 34, art. 147 et cette modification est entrée en vigueur le 9 décembre 2011. Antérieurement, il se lisait ainsi :

Exception — Le présent article ne s'applique pas à une personne qui est une institution financière désignée visée au paragraphe 6° ou 9° de la définition de l'expression « institution financière désignée » prévue à l'article 1, à l'égard d'une fourniture d'un service d'administration ou de gestion et de tout autre service fourni à l'acquéreur d'une fourniture d'un service d'administration ou de gestion, par le fournisseur de ce service d'administration ou de gestion.

L'article 353.0.3 a été ajouté par L.Q. 1997, c. 85, art. 631(1) et a effet depuis le 1er avril 1997.

Notes explicatives ARQ (PL 32, L.Q. 2011, c. 34): *Résumé* :

L'article 353.0.3 est modifié afin de supprimer l'exception prévue au troisième alinéa. Situation actuelle : L'article 353.0.3 de la LTVQ accorde à une personne qui réside au Canada le droit à un remboursement de la taxe de vente du Québec (TVQ) payée à l'égard de la fourniture d'un bien meuble incorporel ou d'un service selon le pourcentage qui correspond à la mesure dans laquelle le bien meuble incorporel ou le service est acquis pour consommation, utilisation ou fourniture hors du Québec.

Résumé :

Pour avoir droit à ce remboursement, le bien meuble incorporel ou le service doit être acquis pour consommation, utilisation ou fourniture dans la mesure d'au moins 10 % hors du Québec. La taxe est calculée en proportion de la consommation, de l'utilisation ou de la fourniture au Québec du bien ou du service acquis.

La modification apportée à l'article 350.0.3 consiste à supprimer l'exception prévue au troisième alinéa afin de permettre à un fonds réservé d'un assureur ou à un régime de placement d'obtenir le remboursement de la TVQ prévu à cet article.

Modifications proposées :

La modification apportée à l'article 350.0.3 consiste à supprimer l'exception prévue au troisième alinéa afin de permettre à un fonds réservé d'un assureur ou à un régime de placement d'obtenir le remboursement de la TVQ prévu à cet article.

Notes explicatives ARQ (PL 117, L.Q. 2011, c. 1): *Résumé* :

La modification apportée à l'article 353.0.3 fait en sorte qu'une personne qui réside au Canada ait droit à un remboursement de la taxe de vente du Québec (TVQ) dans le cas où elle acquiert au Québec un bien meuble incorporel ou un service pour consommation, utilisation ou fourniture hors du Québec dans une mesure d'au moins 10 %.

Situation actuelle :

Le nouvel article 353.0.3 accorde à une personne qui réside au Canada le droit à un remboursement de la TVQ payée à l'égard de la fourniture d'un bien meuble incorporel ou d'un service selon le pourcentage qui correspond à la mesure dans laquelle le bien meuble incorporel ou le service est acquis pour consommation, utilisation ou fourniture hors du Québec.

Pour avoir droit à ce remboursement, le bien meuble incorporel ou le service doit être acquis pour consommation, utilisation ou fourniture principalement (plus de 50 %) hors du Québec. La taxe est calculée en proportion de la consommation, de l'utilisation ou de la fourniture au Québec du bien ou du service acquis.

Modifications proposées :

La modification apportée à l'article 353.0.3 fait en sorte qu'une personne qui réside au Canada ait droit à un remboursement de la TVQ dans le cas où elle acquiert au Québec un bien meuble incorporel ou un service pour consommation, utilisation ou fourniture hors du Québec dans une mesure d'au moins 10 %.

Guides [art. 353.0.3]: IN-203 — Renseignements généraux sur la TVQ et la TPS/TVH.

Définitions [art. 353.0.3]: « acquéreur », « bien », « fournisseur », « fourniture », « institution financière », « insitution financière désignée », « personne », « service », « taxe » — 1.

Renvois [art. 353.0.3]: 353.0.4 (restriction); 403 (forme et production de la demande); 404 (restriction au remboursement); 25 LAF (cotisation et versement).

Lettres d'interprétation [art. 353.0.3]: 02-0100160 — Interprétation relative à la TPS et à la TVQ — Qualification d'un service rendu à ses membres par une association (« Asso »).

Formulaires [art. 353.0.3]: VD-403, *Demande de remboursement de la taxe de vente du Québec (TVQ)*.

Concordance fédérale: LTA, art. 261.3.

COMMENTAIRES: Voir les commentaires sous l'article 356.1

353.0.4 Modalités d'application. — Une personne n'a droit au remboursement prévu à l'article 353.0.3 que si, à la fois :

1° la personne produit une demande de remboursement dans un délai d'un an suivant le jour où la taxe devient payable;

2° la personne, si elle est un particulier, n'effectue pas plus d'une demande de remboursement par trimestre civil en vertu du présent article, sauf s'il s'agit d'une demande prescrite;

3° la personne, si elle n'est pas un particulier, n'effectue pas plus d'une demande de remboursement par mois en vertu du présent article;

4° les circonstances prescrites, le cas échéant, existent;

5° (*paragraphe supprimé*).

Malgré le premier alinéa, aucun remboursement prévu à l'article 353.0.3 n'est effectué en faveur d'une personne qui est une institution financière désignée visée à l'un des paragraphes 6° et 9° de la définition de l'expression « institution financière désignée » prévue à l'article 1, à l'égard de la fourniture d'un service déterminé, au sens du deuxième alinéa de l'article 402.23.

Notes historiques: Le paragraphe 4° de l'article 353.0.4 a été remplacé par L.Q. 2011, c. 1, s.-par. 138(1)(1°) et cette modification a effet depuis le 1er juillet 2010. Antérieurement, il se lisait ainsi :

4° le remboursement est établi par un reçu pour un montant qui comprend la contrepartie, excluant la taxe payable en vertu du paragraphe 1 de l'article 165 de la *Loi sur la taxe d'accise* (Lois révisées du Canada (1985), chapitre E-15), totalisant au moins 50 $, pour des fournitures taxables, autres que des fournitures détaxées, à l'égard desquelles la personne a droit par ailleurs à un remboursement en vertu de l'article 353.0.3;

Les paragraphes 4° et 5° de l'article 353.0.4 ont été remplacés par L.Q. 2009, c. 5, par. 633(1) et cette modification s'applique à l'égard d'une demande de remboursement produite après le 30 juin 2006. Antérieurement, ils se lisaient ainsi :

4° le remboursement est établi par un reçu pour un montant qui comprend la contrepartie, totalisant au moins 53,50 $, pour des fournitures taxables, autres que des fournitures détaxées, à l'égard desquelles la personne a droit par ailleurs à un remboursement en vertu de cet article;

5° la demande de remboursement est relative à des fournitures taxables, autres que des fournitures détaxées, dont le total des contreparties est d'un montant minimum de 214 $.

Le paragraphe 5° de l'article 353.0.4 a été supprimé par L.Q. 2011, c. 1, s.-par. 138(1)(2°) et cette modification a effet depuis le 1er juillet 2010. Antérieurement, il se lisait ainsi :

5° la demande de remboursement est relative à des fournitures taxables, autres que des fournitures détaxées, dont le total des contreparties, excluant la taxe payable en vertu du paragraphe 1 de l'article 165 de la *Loi sur la taxe d'accise*, est d'un montant minimum de 200 $.

Le deuxième alinéa de l'article 353.0.4 a été ajouté par L.Q. 2012, c. 28, par. 116(1) et s'applique à l'égard d'un montant de taxe qui est devenu payable après le 31 décembre 2012 ou qui a été payé après cette date sans être devenu payable.

L'article 353.0.4 a été ajouté par L.Q. 1997, c. 85, art. 631(1) et a effet depuis le 1er avril 1997.

Notes explicatives ARQ (PL 5, L.Q. 2012, c. 28): *Résumé* :

L'article 353.0.4 est modifié afin de préciser qu'il ne s'applique pas à un fonds réservé d'un assureur et à un régime de placement relativement à la taxe payable à l'égard de services déterminés.

Situation actuelle :

L'article 353.0.3 accorde à une personne qui réside au Canada le droit à un remboursement de la taxe de vente du Québec (TVQ) payée à l'égard de la fourniture d'un bien meuble incorporel ou d'un service selon le pourcentage qui correspond à la mesure dans laquelle le bien meuble incorporel ou le service est acquis pour consommation, utilisation ou fourniture hors du Québec. L'article 353.0.4 de la LTVQ énonce certaines exigences relatives au droit au remboursement accordé en vertu de l'article 353.0.3 de la LTVQ.

Modifications proposées :

LTVQ (français)

Le nouveau deuxième alinéa de l'article 353.0.4 consiste essentiellement à prévoir que le remboursement prévu à l'article 353.0.3 de la LTVQ n'est pas accordé à un fonds réservé d'un assureur ou à un régime de placement, relativement à la taxe payable à l'égard de services déterminés au sens du deuxième alinéa de l'article 402.23 de la LTVQ, soit, essentiellement, à l'égard de la taxe payable relativement à des services de gestion ou d'administration.

En effet, un fonds réservé d'un assureur et un régime de placement peuvent obtenir le remboursement de la taxe payable à l'égard de services déterminés dans la mesure où ils détiennent ou investissent des sommes pour le compte de personnes résidant hors du Québec, et ce, conformément aux dispositions de la nouvelle sous-section 6.7 de la section I du chapitre VII du titre I de la LTVQ, introduite par le présent projet de loi, laquelle comprend les articles 402.23 à 402.27.

Notes explicatives ARQ (PL 117, L.Q. 2011, c. 1): *Résumé* :

La modification apportée au paragraphe 4° de l'article 353.0.4 vise à prévoir le pouvoir réglementaire de déterminer, pour l'application de l'article 353.0.4 de la LTVQ, si les circonstances prescrites existent.

Par ailleurs, la suppression du paragraphe 5° de l'article 353.0.4 est de concordance avec la modification apportée au paragraphe 4° de l'article 353.0.4 de la LTVQ.

Situation actuelle :

Actuellement, l'article 353.0.4 énonce certaines exigences relatives au droit au remboursement accordé en vertu de l'article 353.0.3 de la LTVQ. Parmi ces exigences, on retrouve celle qui prévoit qu'une demande de remboursement doit viser au moins 200 $ d'achats taxables, autres que détaxés, et que chaque reçu présenté à l'appui de cette demande doit viser des achats taxables, autres que détaxés, d'au moins 50 $.

Modifications proposées :

L'article 677 prévoit les pouvoirs qu'a le gouvernement d'édicter des dispositions réglementaires nécessaires à l'application de certaines dispositions de la LTVQ.

La modification apportée au paragraphe 4° de l'article 353.0.4 vise à prévoir le pouvoir réglementaire de déterminer, pour l'application de l'article 353.0.4 de la LTVQ, si les circonstances prescrites existent.

Par ailleurs, la suppression du paragraphe 5° de l'article 353.0.4 est de concordance avec la modification apportée au paragraphe 4° de l'article 353.0.4 de la LTVQ.

Notes explicatives ARQ (PL 2, L.Q. 2009, c. 5): *Résumé* :

L'article 353.0.4 est modifié en raison de la modification du taux de la taxe prévue au paragraphe 1 de l'article 165 de la *Loi sur la taxe d'accise* (Lois révisées du Canada (1985), chapitre E-15) (LTA).

Situation actuelle :

Actuellement, l'article 353.0.4 de la LTVQ énonce certaines exigences relatives au droit au remboursement accordé en vertu de l'article 353.0.3 de la LTVQ. Parmi ces exigences, on retrouve celle qui prévoit qu'une demande de remboursement doit viser au moins 214 $ d'achats taxables, autres que détaxés, et que chaque reçu présenté à l'appui de cette demande doit viser des achats taxables, autre que détaxés, d'au moins 53,50 $. Selon le libellé actuel de la loi, ces montants incluent la taxe sur les produits et services (TPS).

Modifications proposées :

La modification proposée consiste à modifier l'article 353.0.4 de la LTVQ afin de remplacer les montants de « 53,50 $ » et « 214 $ » par « 50 $ » et « 200 $ » et de préciser que ces montants excluent la taxe payable en vertu du paragraphe 1 de l'article 165 de la LTA. Cette modification est devenue nécessaire en raison de la baisse du taux de la TPS. Elle est aussi d'ordre rédactionnel puisqu'il n'est pas nécessaire pour les fins des paragraphes 4° et 5° de l'article 353.0.4 de la LTVQ de faire état du montant de TPS incluse dans la contrepartie des fournitures taxables.

Définitions [art. 353.0.4]: « acquéreur », « bien », « contrepartie », « fourniture », « fourniture détaxée », « fourniture taxable », « mois », « particulier », « personne », « service », « taxe », « trimestre civil » — 1.

Renvois [art. 353.0.4]: 353.0.3 (bien meuble incorporel ou service); 403 (forme et production de la demande); 404 (restriction au remboursement); 677 (règlements); 25 LAF (cotisation et versement).

Lettres d'interprétation [art. 353.0.4]: 02-0100160 — Interprétation relative à la TPS et à la TVQ — Qualification d'un service rendu à ses membres par une association (« Asso »).

Concordance fédérale: LTA, par. 261.4(2).

COMMENTAIRES: Voir les commentaires sous l'article 356.1.

353.1 Œuvre protégée par un droit d'auteur — Sous réserve des articles 353.2 et 357, une personne qui ne réside pas au Québec et qui n'est pas un inscrit a droit au remboursement de la taxe qu'elle a payée à l'égard de l'acquisition d'un bien ou d'un service, autre qu'un service d'entreposage ou d'expédition d'un bien, si la personne, à la fois :

1° acquiert le bien ou le service pour consommation ou utilisation exclusive dans la fabrication ou la production d'une œuvre littéraire, musicale, artistique, cinématographique ou autre œuvre originale protégée par le droit d'auteur et, le cas échéant, les reproductions de cette œuvre;

2° n'est pas un consommateur du bien ou du service;

3° fabrique ou produit l'œuvre et toutes les reproductions de celle-ci pour expédition hors du Québec par la personne qui ne réside pas au Québec.

Notes historiques: L'article 353.1 a été ajouté par L.Q. 1994, c. 22, art. 559(1) et est réputé entré en vigueur le 1er juillet 1992. Toutefois, pour la période du 1er juillet 1992 au 30 septembre 1992, la référence à l'article 353.2 doit être lue comme une référence à l'article 353.5.

Définitions [art. 353.1]: « bien », « consommateur », « exclusif », « inscrit », « personne », « service » — 1.

Renvois [art. 353.1]: 11–13 (résidence); 353.2 (cession de droit au remboursement); 357 (restriction); 357.6 (obligation solidaire).

Concordance fédérale: LTA, par. 252(2).

COMMENTAIRES: Voir les commentaires sous l'article 356.1.

353.2 Cession du droit au remboursement — Malgré l'article 33 de la *Loi sur l'administration fiscale* (chapitre A-6.002), dans le cas où l'acquéreur d'une fourniture cède au fournisseur, au moyen du formulaire prescrit contenant les renseignements prescrits, le droit au remboursement en vertu de l'article 353.1 auquel l'acquéreur aurait droit à l'égard de la fourniture s'il avait payé la taxe à l'égard de la fourniture et s'il avait satisfait aux conditions prévues à l'article 357 et que le fournisseur paie à l'acquéreur, ou porte à son crédit, le montant de cette taxe, les règles suivantes s'appliquent :

1° le fournisseur peut demander une déduction en vertu de l'article 455.1 à l'égard de la fourniture égale à ce montant;

2° l'acquéreur n'a pas droit à un remboursement, à une remise ou à une compensation de la taxe à l'égard de la fourniture.

Notes historiques: L'article 353.2 a été ajouté par L.Q. 1994, c. 22, art. 559(1) et est réputé entré en vigueur le 1er octobre 1992.

Définitions [art. 353.2]: « acquéreur », « fournisseur », « fourniture », « montant », « taxe » — 1.

Renvois [art. 353.2]: 353.1 (remboursement pour œuvres artistiques d'exportation); 357.6 (obligation solidaire); 455.1 (déduction pour remboursement).

Concordance fédérale: LTA, par. 252(3).

COMMENTAIRES: Voir les commentaires sous l'article 356.1.

353.3 [*Abrogé*]

Notes historiques: L'article 353.3 a été abrogé par L.Q. 1994, c. 22, art. 560(1) à compter du 1er octobre 1992. Il se lisait comme suit :

> 353.3 Sous réserve des articles 353.5 et 357, une personne qui ne réside pas au Québec et qui n'est pas un inscrit a droit au remboursement d'un montant payé à titre de taxe à l'égard de l'acquisition d'un service de traitement donné à l'égard d'un bien meuble corporel ou de l'acquisition d'un bien donné ou d'un service donné autre qu'un service d'entreposage ou d'expédition d'un bien si la personne, à la fois :
>
> 1° acquiert le service de traitement donné à l'égard d'un bien meuble corporel ou acquiert le bien donné ou le service donné pour consommation ou utilisation exclusive dans la fabrication ou la production d'un bien meuble corporel;
>
> 2° n'est pas un consommateur du bien donné ou du service;
>
> 3° fabrique ou produit le bien meuble corporel exclusivement pour qu'elle l'expédie hors du Québec ou pour fourniture à une autre personne qui n'est pas un inscrit et qui acquiert le bien meuble corporel pour expédition hors du Québec;
>
> 4° a payé un montant à titre de taxe à l'égard de l'acquisition du bien donné ou du service, que ce montant ait été payable par elle ou non à l'égard de cette acquisition.

L'article 353.3 a été ajouté par L.Q. 1994, c. 22, art. 559(1) et est applicable à compter du 1er juillet 1992.

COMMENTAIRES: Voir les commentaires sous l'article 356.1.

353.3.1 [*Abrogé*]

Notes historiques: L'article 353.3.1 a été abrogé par L.Q. 1994, c. 22, art. 560(1) à compter du 1er octobre 1992. L'article 353.3.1 se lisait comme suit :

> 353.3.1 Sous réserve des articles 353.5 et 357, une personne qui ne réside pas au Québec et qui n'est pas un inscrit a droit au remboursement d'un montant qu'elle a payé à titre de taxe relativement à l'acquisition d'un bien meuble corporel ou d'un service de traitement à l'égard d'un bien meuble corporel qu'elle acquiert,

que ce montant ait été payable par elle ou non à l'égard de l'acquisition, si les conditions suivantes sont satisfaites :

1º les articles 327 à 327.5 s'appliquent à la fourniture du bien ou du service effectuée à la personne qui ne réside pas au Québec;

2º le bien ou le service acquis par la personne qui ne réside pas au Québec est un bien ou un service à l'égard duquel un inscrit peut demander un remboursement de la taxe sur les intrants;

3º la personne qui ne réside pas au Québec effectue une fourniture du bien meuble corporel à un inscrit qui n'est pas réputé, en vertu de l'article 327.7, avoir payé la taxe à l'égard d'une fourniture du bien meuble corporel.

L'article 353.3.1 a été inséré à L.Q. 1995, c. 1, art. 559(1) [en modifiant l'article 559 de L.Q. 1994, c. 22] et cet ajout a effet depuis le 17 juin 1994.

COMMENTAIRES: Voir les commentaires sous l'article 356.1.

353.4 [*Abrogé*]

Notes historiques: L'article 353.4 a été abrogé par L.Q. 1994, c. 22, art. 560(1) à compter du 1er octobre 1992. Le préambule de la version abrogée a été modifié par L.Q. 1995, c. 1, art. 359(1) pour ajouter les mots « et 353.3.1 » et cette modification a effet depuis le 17 juin 1994. Avec le préambule ainsi modifié, l'article 353.4 se lisait comme suit :

353.4 Pour l'application des articles 353.3, 353.3.1, l'expression « service de traitement », à l'égard d'un bien corporel, signifie :

1º l'exécution d'une opération de fabrication, de production ou de traitement relativement au bien;

2º l'assemblage, le mélange, la réduction, la dilution, la mise en bouteille, l'emballage ou le réemballage du bien ou l'application d'enduits ou d'apprêts sur le bien;

3º l'inspection, la mise à l'essai, l'évaluation, la réparation ou l'entretien du bien :

4º l'enregistrement ou le stockage d'instructions ou de données sur le bien d'une manière et sous une forme qui en permettent la lecture ou le traitement au moyen de matériel de traitement de l'information.

L'article 353.4 a été ajouté par L.Q. 1994, c. 22, art. 559(1) et est applicable à compter du 1er juillet 1992.

COMMENTAIRES: Voir les commentaires sous l'article 356.1.

353.5 [*Abrogé*]

Notes historiques: L'article 353.5 a été abrogé par L.Q. 1994, c. 22, art. 560(1) à compter du 1er octobre 1992. Il se lisait comme suit :

353.5 Malgré l'article 33 de la *Loi sur le ministère du Revenu* (L.R.Q., chapitre M-31), dans le cas où l'acquéreur d'une fourniture cède au fournisseur, au moyen du formulaire prescrit contenant les renseignements prescrits, le droit à un remboursement en vertu des articles 353.1, 353.3 auquel l'acquéreur aurait droit à l'égard de la fourniture s'il avait payé la taxe à l'égard de la fourniture et s'il avait satisfait aux conditions prévues à l'article 357 et que le fournisseur paie à l'acquéreur, ou porte à son crédit, le montant de cette taxe, les règles suivantes s'appliquent :

1º le fournisseur peut demander une déduction en vertu de l'article 455.1 à l'égard de la fourniture égale à ce montant;

2º l'acquéreur n'a pas droit à un remboursement, à une remise ou à une compensation de la taxe à l'égard de la fourniture.

L'article 353.5 a été ajouté par L.Q. 1994, c. 22, art. 559(1) et est applicable à compter du 1er juillet 1992.

COMMENTAIRES: Voir les commentaires sous l'article 356.1.

II. — [*Abrogée*]

Notes historiques: L'intertitre de la sous-section II de la section 1 de la section I du chapitre VII du titre I a été abrogé par L.Q. 2002, c. 9, art. 166. Cette abrogation s'applique à l'égard de la fourniture d'un logement provisoire, d'un emplacement de camping ou d'un voyage organisé comprenant un tel logement provisoire ou un tel emplacement de camping :

a) dont la totalité de la contrepartie devient due après le 31 octobre 2001 et n'est pas payée au plus tard à cette même date;

b) dont la totalité ou une partie de la contrepartie devient due avant le 1er novembre 2001 ou est payée avant cette même date, lorsque la totalité des logements provisoires rendus disponibles dans le cadre de telles fournitures sont destinés à être occupés après le 31 octobre 2001;

Antérieurement, cet intertitre se lisait « Logement provisoire ».

L'intertitre de la sous-section II de la sous-section 1 de la section I du chapitre VII du titre I a été ajouté par L.Q. 1994, c. 22, art. 559(1) et est réputé entré en vigueur le 1er juillet 1992.

353.6 [*Abrogé*]

Notes historiques: L'article 353.6 a été abrogé par L.Q. 2002, c. 9, art. 166 et cette abrogation s'applique à l'égard de la fourniture d'un logement provisoire, d'un emplacement de camping ou d'un voyage organisé comprenant un tel logement provisoire ou un tel emplacement de camping :

a) dont la totalité de la contrepartie devient due après le 31 octobre 2001 et n'est pas payée au plus tard à cette même date;

b) dont la totalité ou une partie de la contrepartie devient due avant le 1er novembre 2001 ou est payée avant cette même date, lorsque la totalité des logements provisoires rendus disponibles dans le cadre de telles fournitures sont destinés à être occupés après le 31 octobre 2001;

Toutefois, lorsqu'elle abroge la définition de l'expression « emplacement de camping », cette modification, pour l'application des articles 357.2 à 357.5, a effet depuis le 24 février 1998. Antérieurement, l'article 353.6 se lisait ainsi :

353.6 Pour l'application de la présente sous-section et des articles 357 et 357.2 à 357.5, l'expression :

« emplacement de camping » signifie un emplacement dans un parc à roulottes récréatif ou terrain de camping, sauf un emplacement compris dans la définition de l'expression « logement provisoire » prévue à l'article 1 ou compris dans la partie d'un voyage organisé qui n'est pas la partie taxable du voyage, au sens de l'article 63, qui est fourni par louage, licence ou accord semblable, en vue de son occupation par un particulier à titre de résidence ou d'hébergement, dans le cas où la période tout au long de laquelle le particulier peut occuper de façon continue l'emplacement est de moins d'un mois; et comprend les services d'alimentation en eau, en électricité et d'élimination des déchets, ou le droit d'utiliser ces services dans le cas où l'accès à ceux-ci se fait au moyen d'un raccordement ou d'une sortie situé sur l'emplacement et s'ils sont fournis avec celui-ci;

« voyage organisé » a le sens que lui donne l'article 63 mais ne comprend pas un voyage organisé qui comprend un centre de congrès ou des fournitures liées à un congrès.

L'article 353.6 a été remplacé par L.Q. 2001, c. 53, art. 342 et cette modification a effet depuis le 24 février 1998. Antérieurement, il se lisait ainsi :

353.6 Pour l'application de la présente sous-section et de l'article 357, l'expression « voyage organisé » a le sens que lui donne l'article 63 mais ne comprend pas un voyage organisé qui comprend un centre de congrès ou des fournitures liées à un congrès.

L.Q. 1997, c. 85, par. 632(2), qui prévoyait l'application de la modification apportée à l'article 353.6, a été remplacé par L.Q. 2001, c. 7, art. 180(1) :

Le paragraphe 1 a effet depuis le 1er juillet 1992 sauf pour l'application de l'article 192.1 de cette loi tel qu'il se lisait avant son abrogation. De plus, lorsque la définition de l'expression « logement provisoire » s'applique pour la période débutant le 23 avril 1996 et se terminant avant le 1er avril 1997 à l'égard d'une fourniture effectuée durant cette période, elle doit se lire comme suit :

« logement provisoire » comprend un gîte de tout genre — autre qu'un gîte à bord d'un train, d'une remorque, d'un bateau ou d'une construction munie d'un moyen de propulsion ou qui peut facilement en être munie — lorsque fourni dans le cadre d'un voyage organisé qui comprend également les repas, ou les aliments pour les préparer, et les services d'un guide mais ne comprend pas un immeuble d'habitation ou une habitation lorsqu'il est, selon le cas :

a) fourni à un acquéreur en vertu d'un accord aux termes duquel l'acquéreur a un droit de jouissance, périodique et successif, de l'immeuble d'habitation ou de l'habitation;

b) inclus dans la partie d'un voyage organisé qui n'en constitue pas la partie taxable au sens que donne l'article 63 à ces expressions; ».

Cette modification a effet depuis le 19 décembre 1997.

L'article 353.6 a été remplacé par L.Q. 1997, c. 85, art. 632(1) et a effet depuis le 1er juillet 1992. Antérieurement, il se lisait ainsi :

353.6 Pour l'application de la présente sous-section et de l'article 357, l'expression :

« logement provisoire » comprend un gîte de tout genre — autre qu'un gîte à bord d'un train, d'une remorque, d'un bateau ou d'une construction munie d'un moyen de propulsion ou qui peut facilement en être munie — lorsque fourni dans le cadre d'un voyage organisé qui comprend également les repas, ou les aliments pour les préparer, et les services d'un guide mais ne comprend pas un logement provisoire qui est inclus dans la partie d'un voyage organisé qui n'en constitue pas la partie taxable au sens de l'article 63;

« voyage organisé » a le sens que lui donne l'article 63 mais ne comprend pas un voyage organisé qui comprend un centre de congrès ou des fournitures liées à un congrès.

L'article 353.6 a été ajouté par L.Q. 1994, c. 22, art. 559(1) et est réputé entré en vigueur le 1er juillet 1992.

COMMENTAIRES: Voir les commentaires sous l'article 356.1.

354. [*Abrogé*]

Notes historiques: L'article 354 a été abrogé par L.Q. 2002, c. 9, art. 166 et cette abrogation s'applique à l'égard de la fourniture d'un logement provisoire, d'un emplacement de camping ou d'un voyage organisé comprenant un tel logement provisoire ou un tel emplacement de camping :

a) dont la totalité de la contrepartie devient due après le 31 octobre 2001 et n'est pas payée au plus tard à cette même date;

b) dont la totalité ou une partie de la contrepartie devient due avant le 1er novembre 2001 ou est payée avant cette même date, lorsque la totalité des logements provisoires rendus disponibles dans le cadre de telles fournitures sont destinés à être occupés après le 31 octobre 2001.

Antérieurement, l'article 354 se lisait ainsi :

354. Logement provisoire — Sous réserve des articles 356 et 357, une personne qui ne réside pas au Canada a droit au remboursement de la taxe qu'elle a payée à l'égard d'un logement provisoire ou d'un emplacement de camping dans le cas où, à la fois :

1° la personne est l'acquéreur de la fourniture, effectuée par un inscrit, du logement provisoire, de l'emplacement de camping ou d'un voyage organisé qui comprend le logement provisoire ou l'emplacement de camping;

2° le logement provisoire, l'emplacement de camping ou le voyage organisé est acquis par la personne autrement que pour fourniture dans le cours normal de son entreprise qui consiste à effectuer de telles fournitures;

3° le logement provisoire ou l'emplacement de camping est mis à la disposition d'un particulier qui ne réside pas au Canada.

L'article 354 a été remplacé par L.Q. 2001, c. 53, art. 343 et cette modification s'applique aux fins de la détermination d'un remboursement en vertu des articles 353.6 à 356.1 de cette loi à l'égard

1° d'un logement provisoire ou d'un emplacement de camping qui n'est pas compris dans un voyage organisé, si le logement ou l'emplacement est rendu disponible, pour la première fois, en vertu de la convention relative à la fourniture, après le 30 juin 1998;

2° d'un logement provisoire ou d'un emplacement de camping compris dans un voyage organisé, si la première nuit au Québec et pour laquelle le logement ou l'emplacement compris dans le voyage est mis à la disposition d'un particulier qui ne réside pas au Canada, est postérieure au 30 juin 1998.

Antérieurement, il se lisait ainsi :

354. Sous réserve des articles 356 et 357, une personne qui ne réside pas au Canada a droit au remboursement de la taxe qu'elle a payée à l'égard d'un logement provisoire si, à la fois :

1° la personne est l'acquéreur de la fourniture, effectuée par un inscrit, du logement provisoire ou d'un voyage organisé qui comprend le logement provisoire;

2° le logement ou le voyage organisé est acquis par la personne autrement que pour fourniture dans le cours normal de son entreprise qui consiste à effectuer de telles fournitures;

3° le logement est mis à la disposition d'un particulier qui ne réside pas au Canada.

L'article 354 a été remplacé par L.Q. 1997, c. 85, art. 633(1) et cette modification s'applique à l'égard d'un remboursement en vertu des articles 353.6–356.1 pour lequel une demande est reçue par le ministre du Revenu après le 23 avril 1996. Antérieurement, il se lisait ainsi :

354. Sous réserve des articles 356 et 357, une personne qui ne réside pas au Canada a droit au remboursement de la taxe qu'elle a payée à l'égard d'un logement provisoire si, à la fois :

1° la personne est l'acquéreur de la fourniture, effectuée par un inscrit, du logement provisoire ou d'un voyage organisé qui comprend le logement provisoire;

2° le logement ou le voyage organisé est acquis par la personne autrement que pour utilisation dans le cadre de son entreprise et autrement que pour fourniture dans le cours normal de son entreprise qui consiste à effectuer de telles fournitures;

3° le logement est mis à la disposition d'un particulier qui ne réside pas au Canada et qui en est le consommateur.

L'article 354 a été modifié par L.Q. 1994, c. 22, art. 561(1) et est réputé entré en vigueur le 1er juillet 1992. L'article 354, édicté par L.Q. 1991, c. 67, se lisait comme suit :

354. Sous réserve des articles 356 et 357, un particulier qui ne réside pas au Canada et qui reçoit la fourniture taxable d'un logement provisoire effectuée au Québec a droit :

1° au remboursement de la taxe qu'il a payée à l'égard du logement;

2° au remboursement de la taxe qu'une autre personne a payée à l'égard du logement, si le particulier n'était pas tenu de payer la taxe à l'égard du logement et s'il joint à sa demande de remboursement une preuve établissant que la taxe à l'égard du logement a été payée par cette autre personne qui a acquis le logement et le lui a fourni;

3° au remboursement du montant prescrit à l'égard du logement, dans tout autre cas.

COMMENTAIRES: Voir les commentaires sous l'article 356.1.

354.1 [*Abrogé*]

Notes historiques: L'article 354.1 a été abrogé par L.Q. 2002, c. 9, art. 166 et cette abrogation s'applique à l'égard de la fourniture d'un logement provisoire, d'un emplacement de camping ou d'un voyage organisé comprenant un tel logement provisoire ou un tel emplacement de camping :

a) dont la totalité de la contrepartie devient due après le 31 octobre 2001 et n'est pas payée au plus tard à cette même date;

b) dont la totalité ou une partie de la contrepartie devient due avant le 1er novembre 2001 ou est payée avant cette même date, lorsque la totalité des logements provisoires rendus disponibles dans le cadre de telles fournitures sont destinés à être occupés après le 31 octobre 2001.

Antérieurement, l'article 354.1 se lisait ainsi :

354.1 Logement provisoire — Sous réserve des articles 356 et 357, une personne donnée qui ne réside pas au Canada a droit au remboursement de la taxe qu'elle a payée à l'égard d'un logement provisoire ou d'un emplacement de camping dans le cas où, à la fois :

1° la personne donnée n'est pas inscrite en vertu de la section I du chapitre VIII et est l'acquéreur de la fourniture du logement provisoire, de l'emplacement de camping ou d'un voyage organisé qui comprend le logement provisoire ou l'emplacement de camping;

2° le logement provisoire, l'emplacement de camping ou le voyage organisé est acquis par la personne pour fourniture dans le cours normal de son entreprise qui consiste à effectuer de telles fournitures;

3° une fourniture du logement provisoire, de l'emplacement de camping ou du voyage organisé est effectuée à une autre personne qui ne réside pas au Canada et le paiement de la contrepartie de cette fourniture est effectué à un endroit hors du Canada où le fournisseur, ou son mandataire, mène ses affaires;

4° le logement provisoire ou l'emplacement de camping est mis à la disposition d'un particulier qui ne réside pas au Canada.

L'article 354.1 a été remplacé par L.Q. 2001, c. 53, art. 344 et cette modification s'applique aux fins de la détermination d'un remboursement en vertu des articles 353.6 à 356.1 de cette loi à l'égard :

1° d'un logement provisoire ou d'un emplacement de camping qui n'est pas compris dans un voyage organisé, si le logement ou l'emplacement est rendu disponible, pour la première fois, en vertu de la convention relative à la fourniture, après le 30 juin 1998;

2° d'un logement provisoire ou d'un emplacement de camping compris dans un voyage organisé, si la première nuit au Québec pour laquelle le logement ou l'emplacement compris dans le voyage est mis à la disposition d'un particulier qui ne réside pas au Canada, est postérieure au 30 juin 1998.

Antérieurement, il se lisait ainsi :

354.1 Sous réserve des articles 356 et 357, une personne donnée qui ne réside pas au Canada a droit au remboursement de la taxe qu'elle a payée à l'égard d'un logement provisoire si, à la fois :

1° la personne donnée n'est pas inscrite en vertu de la section I du chapitre VIII et est l'acquéreur de la fourniture du logement ou d'un voyage organisé qui comprend le logement;

2° le logement ou le voyage organisé est acquis par la personne pour fourniture dans le cours normal de son entreprise qui consiste à effectuer de telles fournitures;

3° une fourniture du logement ou du voyage organisé est effectuée à une autre personne qui ne réside pas au Canada et le paiement de la contrepartie de cette fourniture est effectué à un endroit hors du Canada où le fournisseur, ou son mandataire, mène ses affaires;

4° le logement est mis à la disposition d'un particulier qui ne réside pas au Canada.

Le paragraphe 4° de l'article 354.1 a été remplacé par L.Q. 1997, c. 85, art. 634(1) et il s'applique à l'égard d'un remboursement en vertu des art. 353.6–353.6.1 pour lequel une demande est reçue par le ministre du Revenu après le 23 avril 1996. Antérieurement, il se lisait ainsi :

4° le logement est mis à la disposition d'un particulier qui ne réside pas au Canada et qui en est le consommateur.

L'article 354.1 a été ajouté par L.Q. 1994, c. 22, art. 562(1) et est réputé entré en vigueur le 1er juillet 1992.

COMMENTAIRES: Voir les commentaires sous l'article 356.1.

355. [*Abrogé*]

Notes historiques: L'article 355 a été abrogé par L.Q. 2002, c. 9, art. 166 et cette abrogation s'applique à l'égard de la fourniture d'un logement provisoire, d'un emplacement de camping ou d'un voyage organisé comprenant un tel logement provisoire ou un tel emplacement de camping :

a) dont la totalité de la contrepartie devient due après le 31 octobre 2001 et n'est pas payée au plus tard à cette même date;

b) dont la totalité ou une partie de la contrepartie devient due avant le 1er novembre 2001 ou est payée avant cette même date, lorsque la totalité des logements provisoires rendus disponibles dans le cadre de telles fournitures sont destinés à être occupés après le 31 octobre 2001.

Antérieurement, l'article 355 se lisait ainsi :

355. Taxe à l'égard d'un logement provisoire — Dans le cas où une personne fait un choix, dans une demande qu'elle produit afin d'obtenir des remboursements en vertu de l'article 354 à l'égard d'une ou de plusieurs fournitures d'un logement provisoire ou d'un emplacement de camping qui n'est ni acquis par la personne pour utilisation dans le cours de son entreprise, ni compris dans un voyage organisé et à l'égard de laquelle la taxe a été payée par la personne, pour que l'un de ces remboursements soit calculé conformément à la formule suivante, le montant de la taxe payée à l'égard de chacune de ces fournitures de logement provisoire ou d'emplacement de camping, selon le cas, est réputé égal à :

$$A \times B$$

Application — Pour l'application de cette formule :

1° la lettre A représente le nombre total de nuits pour lesquelles ce logement provisoire ou cet emplacement de camping, selon le cas, est rendu disponible en vertu de la convention relative à la fourniture;

2° la lettre B représente :

a) dans le cas d'un logement provisoire, 6 $;

b) dans le cas d'un emplacement de camping, 1 $.

L'article 355 a été remplacé par L.Q. 2001, c. 53, art. 345 et cette modification s'applique aux fins de la détermination d'un remboursement en vertu des articles 353.6 à 356.1 de cette loi à l'égard :

1° d'un logement provisoire ou d'un emplacement de camping qui n'est pas compris dans un voyage organisé, si le logement ou l'emplacement est rendu disponible, pour la première fois, en vertu de la convention relative à la fourniture, après le 30 juin 1998;

2° d'un logement provisoire ou d'un emplacement de camping compris dans un voyage organisé, si la première nuit au Québec pour laquelle le logement ou l'emplacement est mis à la disposition d'un particulier qui ne réside pas au Canada, est postérieure au 30 juin 1998.

Antérieurement, il se lisait ainsi :

355. Dans le cas où une personne fait un choix, dans une demande qu'elle produit afin d'obtenir des remboursements en vertu de l'article 354 à l'égard d'au moins une fourniture d'un logement provisoire qui n'est ni acquis par la personne pour utilisation dans le cours de son entreprise, ni compris dans un voyage organisé et à l'égard de laquelle la taxe a été payée par la personne, pour que l'un de ces remboursements soit calculé conformément à la formule suivante, le montant de la taxe payée à l'égard de la fourniture ou de chacune des fournitures, selon le cas, est réputé égal à :

$$A \times 6\ \$$$

Pour l'application de cette formule, la lettre A représente le nombre total de nuits pour lesquelles ce logement provisoire est rendu disponible en vertu de la convention relative à la fourniture.

Le premier alinéa de l'article 355 a été remplacé par L.Q. 1997, c. 85, art. 635(1) et s'applique à l'égard d'un remboursement en vertu des articles 353.6 à 356.1 pour lequel une demande est reçue par le ministre du Revenu après le 23 avril 1996. Toutefois, pour la période du 23 avril 1996 au 31 décembre 1997, il doit se lire en y remplaçant « 6 $ » par « 5 $ ».

Antérieurement, il se lisait ainsi :

355. Dans le cas où une personne fait un choix, dans une demande qu'elle produit afin d'obtenir des remboursements en vertu de l'article 354 à l'égard d'au moins une fourniture d'un logement provisoire qui n'est pas compris dans un voyage organisé et à l'égard de laquelle la taxe a été payée par la personne, pour que l'un de ces remboursements soit calculé conformément à la formule suivante, le montant de la taxe payée à l'égard de la fourniture ou de chacune des fournitures, selon le cas, est réputé être égal à :

$$A \times 5\ \$.$$

Le premier alinéa de l'article 355 a été modifié par L.Q. 1995, c. 1, art. 303(1) et cette modification s'applique à l'égard d'une demande de remboursement produite après le 30 juin 1994. Auparavant, il se lisait comme suit :

355. Dans le cas où une personne fait un choix, dans une demande qu'elle produit afin d'obtenir des remboursements en vertu de l'article 354 à l'égard d'au moins une fourniture d'un logement provisoire qui n'est pas compris dans un voyage organisé et à l'égard de laquelle la taxe a été payée par la personne, pour que l'un de ces remboursements soit calculé conformément à la formule suivante, le montant de la taxe payée à l'égard de la fourniture ou de chacune des fournitures, selon le cas, est réputé être égal à :

$$A \times 3{,}00\ \$;$$

L'article 355 a été modifié par L.Q. 1994, c. 22, art. 563(1) et est réputé entré en vigueur le 1er juillet 1992. L'article 355, édicté par L.Q. 1991, c. 67, se lisait comme suit :

355. Pour l'application des paragraphes 1° et 2° de l'article 354, dans le cas où une personne a payé la taxe à l'égard de la fourniture combinée d'un logement provisoire et d'autres biens ou de services, le montant de la taxe payée à l'égard de la fourniture du logement est réputé être égal :

1° dans le cas où le montant de la taxe payée à l'égard de la fourniture du logement peut être établi de la manière prescrite, au montant ainsi établi;

2° dans tout autre cas, au montant calculé conformément aux règles prescrites.

COMMENTAIRES: Voir les commentaires sous l'article 356.1.

355.1 [*Abrogé*]

Notes historiques: L'article 355.1 a été abrogé par L.Q. 2002, c. 9, art. 166 et cette abrogation s'applique à l'égard de la fourniture d'un logement provisoire, d'un emplacement de camping ou d'un voyage organisé comprenant un tel logement provisoire ou un tel emplacement de camping :

a) dont la totalité de la contrepartie devient due après le 31 octobre 2001 et n'est pas payée au plus tard à cette même date;

b) dont la totalité ou une partie de la contrepartie devient due avant le 1er novembre 2001 ou est payée avant cette même date, lorsque la totalité des logements provisoires rendus disponibles dans le cadre de telles fournitures sont destinés à être occupés après le 31 octobre 2001.

Antérieurement, l'article 355.1 se lisait ainsi :

355.1 Taxe à l'égard d'un logement provisoire — Dans le cas où une personne produit une demande dans laquelle un remboursement en vertu de l'article 354 ou de l'article 354.1 est demandé à l'égard d'une ou plusieurs fournitures de voyages organisés qui comprennent un logement provisoire ou un emplacement de camping et à l'égard de laquelle la taxe a été payée par la personne, le montant de la taxe payée à l'égard du logement provisoire ou de l'emplacement de camping est réputé, pour chaque voyage organisé, être égal à :

1° dans le cas où l'article 354 s'applique et que la personne fait le choix dans cette demande afin qu'un remboursement soit calculé conformément à la formule suivante :

$$(A \times 6\ \$) + (B \times 1\ \$)$$

2° dans tout autre cas :

$$C/D \times E/2$$

Application — Pour l'application de ces formules :

1° la lettre A représente le nombre total de nuits pour lesquelles le logement provisoire compris dans ce voyage organisé est rendu disponible en vertu de la convention relative à la fourniture;

1.1° la lettre B représente le nombre total de nuits pour lesquelles l'emplacement de camping compris dans ce voyage organisé est rendu disponible en vertu de la convention relative à la fourniture;

2° la lettre C représente le nombre total de nuits pour lesquelles le logement provisoire ou l'emplacement de camping compris dans ce voyage organisé est rendu disponible en vertu de la convention relative à la fourniture de ce voyage organisé;

3° la lettre D représente le nombre de nuits passées au Québec par le particulier qui ne réside pas au Canada pour qui le logement provisoire ou l'emplacement de camping est rendu disponible durant la période commençant le premier en date du premier jour où un gîte compris dans le voyage organisé est mis à sa disposition, du premier jour où un emplacement de camping compris dans le voyage organisé est mis à sa disposition et du premier jour où un service de transport de nuit compris dans le voyage organisé lui est rendu et se terminant le dernier en date du dernier jour où un tel gîte est mis à sa disposition, du dernier jour où un tel emplacement de camping est mis à sa disposition et du dernier jour où un tel service de transport lui est rendu;

4° la lettre E représente la taxe payée par la personne à l'égard de la fourniture de ce voyage organisé.

Le préambule du premier alinéa de l'article 355.1 a été remplacé par L.Q. 2001, c. 53, art. 346(1)(1°) et cette modification s'applique aux fins de la détermination d'un remboursement en vertu des articles 353.6 à 356.1 de cette loi à l'égard :

1° d'un logement provisoire ou d'un emplacement de camping qui n'est pas compris dans un voyage organisé, si le logement ou l'emplacement est rendu disponible, pour la première fois, en vertu de la convention relative à la fourniture, après le 30 juin 1998;

2° d'un logement provisoire ou d'un emplacement de camping, compris dans un voyage organisé, si la première nuit au Québec pour laquelle le logement ou l'em-

LTVQ (français)

placement est mis à la disposition d'un particulier qui ne réside pas au Canada, est postérieure au 30 juin 1998.

Antérieurement, il se lisait ainsi :

355.1 Dans le cas où une personne produit une demande dans laquelle un remboursement en vertu de l'article 354 ou de l'article 354.1 est demandé à l'égard d'au moins une fourniture de voyages organisés qui comprennent un logement provisoire et à l'égard de laquelle la taxe a été payée par la personne, le montant de la taxe payée à l'égard du logement provisoire est réputé, pour chaque voyage organisé, être égal à :

La formule au paragraphe 1° du premier alinéa de l'article 355.1 a été remplacée par L.Q. 2001, c. 53, art. 346(1)(2°) et cette modification s'applique aux fins de la détermination d'un remboursement en vertu des articles 353.6 à 356.1 de cette loi à l'égard :

1° d'un logement provisoire ou d'un emplacement de camping qui n'est pas compris dans un voyage organisé, si le logement ou l'emplacement est rendu disponible, pour la première fois, en vertu de la convention relative à la fourniture, après le 30 juin 1998;

2° d'un logement provisoire ou d'un emplacement de camping, compris dans un voyage organisé, si la première nuit au Québec pour laquelle le logement ou l'emplacement est mis à la disposition d'un particulier qui ne réside pas au Canada, est postérieure au 30 juin 1998.

Antérieurement, elle se lisait ainsi :

$$A \times 6\ \$;$$

La formule au paragraphe 1° du premier alinéa de l'article 355.1 a été remplacée par L.Q. 1997, c. 85, art. 636(1)(1°) pour remplacer « 5 $ » par « 6 $ ». Cette modification s'applique à l'égard d'un remboursement pour lequel une demande est effectuée après le 31 décembre 1997.

Le paragraphe 1° du premier alinéa de l'article 355.1 a été modifié par L.Q. 1995, c. 1, art. 304(1) et cette modification s'applique à l'égard d'une demande de remboursement produite après le 30 juin 1994. Auparavant, il se lisait comme suit :

1° dans le cas où l'article 354 s'applique et que la personne fait le choix dans cette demande afin qu'un remboursement soit calculé conformément à la formule suivante :

$$A \times 3{,}00\ \$.$$

Le paragraphe 1.1° du deuxième alinéa de l'article 355.1 a été ajouté par L.Q. 2001, c. 53, art. 346(1)(4°) et s'applique aux fins de la détermination d'un remboursement en vertu des articles 353.6 à 356.1 de cette loi à l'égard :

1° d'un logement provisoire ou d'un emplacement de camping qui n'est pas compris dans un voyage organisé, si le logement ou l'emplacement est rendu disponible, pour la première fois, en vertu de la convention relative à la fourniture, après le 30 juin 1998;

2° d'un logement provisoire ou d'un emplacement de camping, compris dans un voyage organisé, si la première nuit au Québec pour laquelle le logement ou l'emplacement est mis à la disposition d'un particulier qui ne réside pas au Canada, est postérieure au 30 juin 1998.

La formule au paragraphe 2° du premier alinéa de l'article 355.1 a été remplacée par L.Q. 2001, c. 53, art. 346(1)(3°) et cette modification s'applique aux fins de la détermination d'un remboursement en vertu des articles 353.6 à 356.1 de cette loi à l'égard :

1° d'un logement provisoire ou d'un emplacement de camping qui n'est pas compris dans un voyage organisé, si le logement ou l'emplacement est rendu disponible, pour la première fois, en vertu de la convention relative à la fourniture, après le 30 juin 1998;

2° d'un logement provisoire ou d'un emplacement de camping, compris dans un voyage organisé, si la première nuit au Québec pour laquelle le logement ou l'emplacement est mis à la disposition d'un particulier qui ne réside pas au Canada, est postérieure au 30 juin 1998.

Antérieurement, elle se lisait ainsi :

$$B/C \times D/2.$$

Les paragraphes 2°, 3° et 4° du deuxième alinéa de l'article 355.1 ont été remplacés par L.Q. 2001, c. 53, art. 346(1)(5°) et ces modifications s'appliquent aux fins de la détermination d'un remboursement en vertu des articles 353.6 à 356.1 de cette loi à l'égard :

1° d'un logement provisoire ou d'un emplacement de camping qui n'est pas compris dans un voyage organisé, si le logement ou l'emplacement est rendu disponible, pour la première fois, en vertu de la convention relative à la fourniture, après le 30 juin 1998

2° d'un logement provisoire ou d'un emplacement de camping, compris dans un voyage organisé, si la première nuit au Québec pour laquelle le logement ou l'emplacement est mis à la disposition d'un particulier qui ne réside pas au Canada, est postérieure au 30 juin 1998.

Antérieurement, ils se lisaient ainsi :

2° la lettre B représente le nombre total de nuits pour lesquelles le logement provisoire compris dans ce voyage organisé est rendu disponible en vertu de la convention relative à la fourniture de ce voyage organisé;

3° la lettre C représente le nombre de nuits passées au Québec par le particulier qui ne réside pas au Canada pour qui le logement est rendu disponible durant la période commençant le premier en date du premier jour où un gîte compris dans le voyage organisé est mis à sa disposition et du premier jour où un service de transport de nuit compris dans le voyage organisé lui est rendu et se terminant le dernier en date du dernier jour où un tel gîte est mis à sa disposition et du dernier jour où un tel service de transport lui est rendu;

4° la lettre D représente la taxe payée par la personne à l'égard de la fourniture de ce voyage organisé.

Le paragraphe 3° du deuxième alinéa a été remplacé par L.Q. 1997, c. 85, art. 636(1)(2°) et s'applique à l'égard d'un remboursement en vertu des articles 353.6 à 356.1 pour lequel une demande est reçue par le ministre du Revenu après le 23 avril 1996. Antérieurement, il se lisait ainsi :

3° la lettre C représente le nombre de nuits passées au Québec par le consommateur de ce voyage organisé durant la période commençant le premier en date du premier jour où un gîte compris dans le voyage organisé est mis à sa disposition et du premier jour où un service de transport de nuit compris dans le voyage organisé lui est rendu et se terminant le dernier en date du dernier jour où un tel gîte est mis à sa disposition et du dernier jour où un tel service de transport lui est rendu;

L'article 355.1 a été ajouté par L.Q. 1994, c. 22, art 564(1) et est réputé entré en vigueur le 1er juillet 1992.

COMMENTAIRES: Voir les commentaires sous l'article 356.1.

355.2 [*Abrogé*]

Notes historiques: L'article 355.2 a été abrogé par L.Q. 2002, c. 9, art. 166 et cette abrogation s'applique à l'égard de la fourniture d'un logement provisoire, d'un emplacement de camping ou d'un voyage organisé comprenant un tel logement provisoire ou un tel emplacement de camping :

a) dont la totalité de la contrepartie devient due après le 31 octobre 2001 et n'est pas payée au plus tard à cette même date;

b) dont la totalité ou une partie de la contrepartie devient due avant le 1er novembre 2001 ou est payée avant cette même date, lorsque la totalité des logements provisoires rendus disponibles dans le cadre de telles fournitures sont destinés à être occupés après le 31 octobre 2001.

Antérieurement, l'article 355.2 se lisait ainsi :

355.2 Plus d'un logement provisoire pour la même nuit — Aux fins du calcul, conformément à la formule prévue à l'article 355, du remboursement payable, en vertu de l'article 354, à un consommateur d'un logement provisoire ou d'un emplacement de camping, dans le cas où un inscrit effectue une fourniture donnée au consommateur d'un logement provisoire ou d'un emplacement de camping qui est mis à sa disposition pour une nuit, toute autre fourniture par l'inscrit au consommateur d'un logement provisoire ou d'un emplacement de camping, selon le cas, qui est mis à sa disposition pour la même nuit est réputée ne pas être une fourniture distincte de la fourniture donnée.

L'article 355.2 a été remplacé par L.Q. 2001, c. 53, art. 347 et cette modification s'applique aux fins de la détermination d'un remboursement en vertu des articles 353.6 à 356.1 de cette loi, à l'égard :

1° d'un logement provisoire ou d'un emplacement de camping qui n'est pas compris dans un voyage organisé, si le logement ou l'emplacement est rendu disponible, pour la première fois, en vertu de la convention relative à la fourniture, après le 30 juin 1998;

2° d'un logement provisoire ou d'un emplacement de camping compris dans un voyage organisé, si la première nuit au Québec pour laquelle le logement ou l'emplacement est mis à la disposition d'un particulier qui ne réside pas au Canada, est postérieure au 30 juin 1998.

Antérieurement, il se lisait ainsi :

355.2 Aux fins du calcul, conformément à la formule prévue à l'article 355, du remboursement payable, en vertu de l'article 354, à un consommateur d'un logement provisoire, dans le cas où un inscrit effectue une fourniture donnée au consommateur d'un logement provisoire qui est mis à sa disposition pour une nuit, toute autre fourniture par l'inscrit au consommateur d'un logement provisoire qui est mis à sa disposition pour la même nuit est réputée ne pas être une fourniture distincte de la fourniture donnée.

L'article 355.2 a été remplacé par L.Q. 1997, c. 85, art. 637(1) et s'applique à l'égard d'un remboursement en vertu des articles 353.6 à 356.1 pour lequel une demande est reçue par le ministre du Revenu après le 23 avril 1996. Antérieurement, il se lisait ainsi :

355.2 Aux fins du calcul d'un remboursement auquel une personne a droit en vertu de l'article 354, conformément à la formule prévue à l'article 355, dans le cas où un inscrit effectue une fourniture donnée à la personne d'un logement provisoire qui est mis à sa disposition pour une nuit, toute autre fourniture effectuée par l'inscrit à la personne d'un logement provisoire qui est mis à sa disposition pour la même nuit est réputée ne pas être une fourniture distincte de la fourniture donnée.

L'article 355.2 a été ajouté par L.Q. 1994, c. 22, art. 564(1) et est réputé entré en vigueur le 1er juillet 1992.

COMMENTAIRES: Voir les commentaires sous l'article 356.1.

355.3 [*Abrogé*]

Notes historiques: L'article 355.3 a été abrogé par L.Q. 2002, c. 9, art. 166 et cette abrogation s'applique à l'égard de la fourniture d'un logement provisoire, d'un emplacement de camping ou d'un voyage organisé comprenant un tel logement provisoire ou un tel emplacement de camping :

a) dont la totalité de la contrepartie devient due après le 31 octobre 2001 et n'est pas payée au plus tard à cette même date;

b) dont la totalité ou une partie de la contrepartie devient due avant le 1er novembre 2001 ou est payée avant cette même date, lorsque la totalité des logements provisoires rendus disponibles dans le cadre de telles fournitures sont destinés à être occupés après le 31 octobre 2001.

Antérieurement, l'article 355.3 se lisait ainsi :

355.3 Plus d'un logement provisoire pour la même nuit — Aux fins du calcul, conformément à la formule prévue au paragraphe 1° du premier alinéa de l'article 355.1, du montant du remboursement payable, en vertu de l'article 354, à un consommateur d'un voyage organisé comprenant un logement provisoire ou un emplacement de camping, dans le cas où un inscrit effectue une fourniture au consommateur d'un voyage organisé donné comprenant un logement provisoire ou un emplacement de camping qui est mis à sa disposition pour une nuit, tout autre logement provisoire ou emplacement de camping, selon le cas, compris dans un autre voyage organisé fourni par l'inscrit au consommateur et mis à sa disposition pour la même nuit est réputé compris dans le voyage organisé donné et non dans un autre voyage organisé.

L'article 355.3 a été remplacé par L.Q. 2001, c. 53, art. 348 et cette modification s'applique aux fins de la détermination d'un remboursement en vertu des articles 353.6 à 356.1 de cette loi à l'égard :

1° d'un logement provisoire ou d'un emplacement de camping qui n'est pas compris dans un voyage organisé, si le logement ou l'emplacement est rendu disponible, pour la première fois, en vertu de la convention relative à la fourniture, après le 30 juin 1998;

2° d'un logement provisoire ou d'un emplacement de camping compris dans un voyage organisé, si la première nuit au Québec pour laquelle le logement ou l'emplacement est mis à la disposition d'un particulier qui ne réside pas au Canada, est postérieure au 30 juin 1998.

Antérieurement, il se lisait ainsi :

355.3 Aux fins du calcul, conformément à la formule prévue au paragraphe 1° du premier alinéa de l'article 355.1, du montant du remboursement payable, en vertu de l'article 354, à un consommateur d'un voyage organisé comprenant un logement provisoire, dans le cas où un inscrit effectue une fourniture au consommateur d'un voyage organisé donné comprenant un logement provisoire qui est mis à sa disposition pour une nuit, tout autre logement provisoire compris dans un autre voyage organisé fourni par l'inscrit au consommateur et mis à sa disposition pour la même nuit est réputé compris dans le voyage organisé donné et non dans un autre voyage organisé.

L'article 355.3 a été remplacé par L.Q. 1997, c. 85, art. 637(1) et s'applique à l'égard d'un remboursement en vertu des articles 353.6 à 356.1 pour lequel une demande est reçue par le ministre du Revenu après le 23 avril 1996. Antérieurement, il se lisait ainsi :

355.3 Aux fins du calcul d'un remboursement auquel une personne a droit en vertu de l'article 354, conformément à la formule prévue au paragraphe 1° du premier alinéa de l'article 355.1, dans le cas où un inscrit effectue une fourniture à la personne d'un voyage organisé donné comprenant un logement provisoire qui est mis à sa disposition pour la même nuit que celle pour laquelle un logement provisoire compris dans un autre voyage organisé fourni par l'inscrit à la personne est mis à sa disposition, tous les logements mis à la disposition de la personne pour cette nuit sont réputés être compris dans le voyage organisé donné et non dans un autre voyage organisé.

L'article 355.3 a été ajouté par L.Q 1994, c. 22, art. 564(1) et est réputé entré en vigueur le 1er juillet 1992.

COMMENTAIRES: Voir les commentaires sous l'article 356.1.

356. [*Abrogé*]

Notes historiques: L'article 356 a été abrogé par L.Q. 2002, c. 9, art. 166 et cette abrogation s'applique à l'égard de la fourniture d'un logement provisoire, d'un emplacement de camping ou d'un voyage organisé comprenant un tel logement provisoire ou un tel emplacement de camping :

a) dont la totalité de la contrepartie devient due après le 31 octobre 2001 et n'est pas payée au plus tard à cette même date;

b) dont la totalité ou une partie de la contrepartie devient due avant le 1er novembre 2001 ou est payée avant cette même date, lorsque la totalité des logements provisoires rendus disponibles dans le cadre de telles fournitures sont destinés à être occupés après le 31 octobre 2001.

Antérieurement, l'article 356 se lisait ainsi :

356. Remboursement par l'inscrit — Le deuxième alinéa s'applique dans le cas où, à la fois :

1° un inscrit effectue une fourniture d'un logement provisoire, d'un emplacement de camping ou d'un voyage organisé qui comprend un logement provisoire ou un emplacement de camping, à un acquéreur qui ne réside pas au Canada et qui soit est un particulier, soit acquiert le logement provisoire, l'emplacement de camping ou le voyage organisé pour utilisation dans le cadre de son entreprise ou pour fourniture dans le cours normal de son entreprise qui consiste à effectuer de telles fournitures;

2° l'inscrit paie à l'acquéreur, ou porte à son crédit, un montant au titre d'un remboursement en vertu des articles 354 ou 354.1 auquel l'acquéreur aurait droit à l'égard du logement provisoire ou de l'emplacement de camping si celui-ci avait payé la taxe à l'égard de la fourniture et avait satisfait aux conditions prévues à l'article 357;

3° le montant payé à l'acquéreur, ou porté à son crédit, est égal :

a) dans le cas de la fourniture d'un voyage organisé, au montant qui serait calculé à l'égard de la fourniture en vertu du paragraphe 2° du premier alinéa de l'article 355.1;

b) dans le cas d'un logement provisoire ou d'un emplacement de camping qui n'est pas fourni dans le cadre d'un voyage organisé, à la taxe payée par l'acquéreur à l'égard de la fourniture;

4° dans le cas d'un remboursement en vertu de l'article 354, soit :

a) le paiement de la contrepartie de la fourniture est effectué à un endroit hors du Canada où l'inscrit, ou son mandataire, mène ses affaires;

b) dans le cas où le logement provisoire ou l'emplacement de camping est fourni dans le cadre d'un voyage organisé qui comprend d'autres biens ou d'autres services - sauf des repas, des biens ou des services fournis ou rendus par la personne qui fournit le logement provisoire ou l'emplacement de camping et dans le cadre de ceux-ci - un dépôt d'au moins 20 % de la contrepartie totale pour le voyage organisé, en excluant la taxe payée ou payable en vertu de la partie IX de la *Loi sur la taxe d'accise* (Lois révisées du Canada (1985), chapitre E-15), est payé, à la fois :

i. par l'acquéreur à l'inscrit au moins 14 jours avant le premier jour où un logement provisoire ou un emplacement de camping compris dans le voyage organisé est rendu disponible en vertu de la convention relative à la fourniture du voyage organisé;

ii. au moyen d'une carte de crédit ou de paiement émise par une institution qui ne réside pas au Canada et qui est une association coopérative de crédit, une banque, une compagnie de fiducie ou une institution semblable ou au moyen d'un chèque, d'une traite bancaire ou d'une autre lettre de change tiré sur un compte à l'extérieur du Canada auprès d'une telle institution.

Déduction — L'inscrit peut demander une déduction en vertu de l'article 455.1 à l'égard du montant payé à l'acquéreur, ou porté à son crédit, et celui-ci n'a pas droit à un remboursement ou à une remise de la taxe à l'égard du logement provisoire ou de l'emplacement de camping.

Les paragraphes 1° et 2° du premier alinéa de l'article 356 ont été remplacés par L.Q. 2001, c. 53, art 349(1)(1°) et cette modification a effet aux fins de la détermination d'un remboursement en vertu des articles 353.6 à 356.1 de cette loi à l'égard :

1° d'un logement provisoire ou d'un emplacement de camping qui n'est pas compris dans un voyage organisé, si le logement ou l'emplacement est rendu disponible, pour la première fois, en vertu de la convention relative à la fourniture, après le 30 juin 1998;

2° d'un logement provisoire ou d'un emplacement de camping compris dans un voyage organisé, si la première nuit au Québec pour laquelle le logement ou l'emplacement compris dans le voyage organisé est mis à la disposition d'un particulier qui ne réside pas au Canada, est postérieure au 30 juin 1998.

Antérieurement, ils se lisaient ainsi :

1° un inscrit effectue une fourniture d'un logement provisoire ou d'un voyage organisé qui comprend un logement provisoire, à un acquéreur qui ne réside pas au Canada et qui soit est un particulier, soit acquiert le logement ou le voyage organisé pour utilisation dans le cadre de son entreprise ou pour fourniture dans le cours normal de son entreprise qui consiste à effectuer de telles fournitures;

2° l'inscrit paie à l'acquéreur, ou porte à son crédit, un montant au titre d'un remboursement en vertu des articles 354 ou 354.1 auquel l'acquéreur aurait droit à l'égard du logement si celui-ci avait payé la taxe à l'égard de la fourniture et avait satisfait aux conditions prévues à l'article 357;

Le paragraphe 1° du premier alinéa de l'article 356 a été remplacé par L.Q. 1997, c. 85, art. 638(1) et s'applique à l'égard d'un remboursement en vertu des articles 353.6 à 356.1 pour lequel une demande est reçue par le ministre du Revenu après le 23 avril 1996. Antérieurement, il se lisait ainsi :

1° un inscrit effectue la fourniture d'un logement provisoire ou d'un voyage organisé qui comprend un logement provisoire, à un acquéreur qui ne réside pas au Canada et qui en est le consommateur ou qui acquiert le logement ou le voyage

LTVQ (français)

organisé pour fourniture dans le cours normal de son entreprise qui consiste à effectuer de telles fournitures;

Le sous-paragraphe b) du paragraphe 3° du premier alinéa de l'article 356 a été remplacé par L.Q. 2001, c. 53, art. 349(1)(2°) et cette modification a effet aux fins de la détermination d'un remboursement en vertu des articles 353.6 à 356.1 de cette loi à l'égard :

1° d'un logement provisoire ou d'un emplacement de camping qui n'est pas compris dans un voyage organisé, si le logement ou l'emplacement est rendu disponible, pour la première fois, en vertu de la convention relative à la fourniture, après le 30 juin 1998;

2° d'un logement provisoire ou d'un emplacement de camping compris dans un voyage organisé, si la première nuit au Québec pour laquelle le logement ou l'emplacement compris dans le voyage organisé est mis à la disposition d'un particulier qui ne réside pas au Canada, est postérieure au 30 juin 1998.

Antérieurement, il se lisait ainsi :

b) dans le cas d'un logement provisoire qui n'est pas fourni dans le cadre d'un voyage organisé, à la taxe payée par l'acquéreur à l'égard de la fourniture;

Le préambule et le sous-paragraphe i du sous-paragraphe b) du paragraphe 4° du premier alinéa de l'article 356 ont été remplacés par L.Q. 2001, c. 53, art. 349(1)(3°) et cette modification a effet aux fins de la détermination d'un remboursement en vertu des articles 353.6 à 356.1 de cette loi à l'égard :

1° d'un logement provisoire ou d'un emplacement de camping qui n'est pas compris dans un voyage organisé, si le logement ou l'emplacement est rendu disponible, pour la première fois, en vertu de la convention relative à la fourniture, après le 30 juin 1998;

2° d'un logement provisoire ou d'un emplacement de camping compris dans un voyage organisé, si la première nuit au Québec pour laquelle le logement ou l'emplacement compris dans le voyage organisé est mis à la disposition d'un particulier qui ne réside pas au Canada, est postérieure au 30 juin 1998.

Antérieurement, ils se lisaient ainsi :

b) dans le cas où le logement est fourni dans le cadre d'un voyage organisé qui comprend d'autres biens ou d'autres services — sauf des repas, des biens ou des services fournis ou rendus par la personne qui fournit le logement et dans le cadre de celui-ci un dépôt d'au moins 20 % de la contrepartie totale pour le voyage organisé, en excluant la taxe payée ou payable en vertu de la partie IX de la *Loi sur la taxe d'accise* (Lois révisées du Canada (1985), chapitre E-15), est payé, à la fois :

i. par l'acquéreur à l'inscrit au moins 14 jours avant le premier jour où un logement provisoire compris dans le voyage organisé est rendu disponible en vertu de la convention relative à la fourniture du voyage organisé;

Le deuxième alinéa de l'article 356 a été remplacé par L.Q. 2001, c. 53, art. 349(1)(4°) et cette modification a effet aux fins de la détermination d'un remboursement en vertu des articles 353.6 à 356.1 de cette loi à l'égard :

1° d'un logement provisoire ou d'un emplacement de camping qui n'est pas compris dans un voyage organisé, si le logement ou l'emplacement est rendu disponible, pour la première fois, en vertu de la convention relative à la fourniture, après le 30 juin 1998;

2° d'un logement provisoire ou d'un emplacement de camping compris dans un voyage organisé, si la première nuit au Québec pour laquelle le logement ou l'emplacement compris dans le voyage organisé est mis à la disposition d'un particulier qui ne réside pas au Canada, est postérieure au 30 juin 1998.

Antérieurement, il se lisait ainsi :

L'inscrit peut demander une déduction en vertu de l'article 455.1 à l'égard du montant payé à l'acquéreur, ou porté à son crédit, et celui-ci n'a pas droit à un remboursement ou à une remise de la taxe à l'égard du logement.

L'article 356 a été modifié par L.Q. 1994, c. 22, art. 565(1) et est réputé entré en vigueur le 1er juillet 1992. L'article 356, édicté par L.Q. 1991, c. 67, se lisait comme suit :

356. Malgré l'article 33 de la *Loi sur le ministère du Revenu* (L.R.Q., chapitre M-31), dans le cas où une personne qui reçoit la fourniture d'un logement provisoire et qui le fournit à un particulier qui ne réside pas au Canada et que le particulier cède à la personne, au moyen du formulaire prescrit contenant les renseignements prescrits, le droit à tout remboursement auquel il aurait droit en vertu de l'article 354 à l'égard de la fourniture si les conditions prévues à l'article 357 étaient satisfaites, la personne peut demander au ministre qu'il lui paie, conformément à la cession, le remboursement auquel le particulier a droit à l'égard de la fourniture si, à la fois :

1° la personne produit une demande de remboursement avec la cession du droit au remboursement dans un délai d'un an suivant la fourniture au particulier;

2° la preuve établissant que la taxe a été payée est jointe à la demande de remboursement dans le cas où le particulier était tenu de payer la taxe à l'égard du logement.

Dans le cas où le présent article s'applique, le particulier n'a droit à aucun remboursement ou remise de la taxe à l'égard de la fourniture qu'il a reçue.

COMMENTAIRES: Voir les commentaires sous l'article 356.1.

356.1 [*Abrogé*]

Notes historiques: L'article 356.1 a été abrogé par L.Q. 2002, c. 9, art. 166 et cette abrogation s'applique à l'égard de la fourniture d'un logement provisoire, d'un emplacement de camping ou d'un voyage organisé comprenant un tel logement provisoire ou un tel emplacement de camping :

a) dont la totalité de la contrepartie devient due après le 31 octobre 2001 et n'est pas payée au plus tard à cette même date;

b) dont la totalité ou une partie de la contrepartie devient due avant le 1er novembre 2001 ou est payée avant cette même date, lorsque la totalité des logements provisoires rendus disponibles dans le cadre de telles fournitures sont destinés à être occupés après le 31 octobre 2001.

Antérieurement, l'article 356.1 se lisait ainsi :

356.1 Dépôt payé par carte de crédit — Pour l'application de l'article 356, dans le cas où le paiement d'un dépôt à l'égard d'une fourniture est effectué en créditant un compte du fournisseur par l'émetteur de la carte de crédit ou de paiement de l'acquéreur, le dépôt est réputé ne pas avoir été payé tant que le compte n'est pas ainsi crédité.

L'article 356.1 a été ajouté par L.Q. 1994, c. 22, art. 566(1) et est réputé entré en vigueur le 1er juillet 1992.

COMMENTAIRES: Les critères permettant de qualifier l'admissibilité au remboursement en vertu de l'article 351 ont été analysés par Revenu Québec dans le cadre, notamment, de sa position administrative suivante : Lettre d'interprétation 96-0113272 [B] — *Échange et exportation de véhicules routiers* (13 février 1997) De façon générale, Revenu Québec indique que l'intention d'utiliser le bien hors du Québec doit exister avant d'en faire l'acquisition. De plus, pour obtenir le remboursement, il est nécessaire de fournir une preuve que le bien a effectivement été exporté ou emporté hors du Québec. À titre illustratif, en ce qui concerne une automobile, la preuve d'immatriculation dans une autre province est nécessaire. Finalement, en ce qui concerne l'interprétation à donner à l'expression « délai raisonnable », Revenu Québec est d'avis que pour respecter le critère de l'exportation ou d'emporter le bien hors du Québec, seule une immatriculation temporaire serait raisonnable, mais ce critère est déterminé à la lumière de chaque cas précis.

Revenu Québec confirme que le délai de production d'une demande de remboursement prévu à l'article 351 est d'un an suivant le jour où la personne expédie le bien auquel se rapporte le remboursement hors du Québec et ce, conformément à l'article 357. Voir notamment à cet effet : Revenu Québec, Lettre d'interprétation 98-0109193 — *Interprétation relative à la TPS/TVQ — Fournitures effectuées au profit d'un non-résident* (24 février 2000).

Nous vous référons à nos commentaires en vertu de la sous-section 6 — *Montant payé par erreur* pour une discussion sur la présence d'un délai de rigueur et, le cas échéant, sur la possibilité de bénéficier d'un recours alternatif lorsque le délai prescrit est expiré.

Revenu Québec a accepté qu'un non-résident puisse confier à un résident le mandat d'acquérir et d'exporter pour lui un véhicule routier donné ainsi que celui d'effectuer les formalités relatives à la demande de remboursement de la taxe auquel lui donne droit cette acquisition. Toutefois, le chèque de remboursement devra être libellé au nom du non-résident et lui être expédié, et ce, en application de l'article 67 de la *Loi sur la gestion des finances publiques*, L.R.C., (1985) ch. F-11. Néanmoins, ce chèque pourrait être expédié au mandataire, soit au résident du Québec, si le Ministère recevait une autorisation écrite du mandant précisant que le mandataire est autorisé à recevoir ce chèque de remboursement. Voir notamment à cet effet : Revenu Québec, Lettre d'interprétation, 98-0112114 — *Droit pour un résident de demander le remboursement des taxes payées relativement à l'acquisition au Québec d'un véhicule routier au nom d'un non-résident* (18 décembre 1998).

Le remboursement n'est pas toujours nécessaire. En effet, des biens envoyés directement à un non-résident ne devraient pas être assujettis à la TVQ en vertu, notamment, de l'article 179. Bien entendu, si la fourniture est détaxée, il n'y a aucun montant de TVQ à recouvrir par le biais d'un remboursement, tel que l'enseigne l'article 404.

Finalement, dans la mesure où le non-résident ne remplit pas les conditions énoncées au présent article, ce dernier pourrait penser à s'enregistrer pour récupérer ses remboursements de la taxe sur les intrants. Nous vous invitons à consulter nos commentaires en vertu de l'article 411.

Également, Revenu Québec a indiqué qu'un membre non-résident d'un organisme sans but lucratif peut obtenir un remboursement en vertu des articles 353.0.3 ou 353.0.4 pour les services fournis par l'organisme si le membre acquiert ce service pour consommation, utilisation ou fourniture principalement à l'extérieur du Québec. Voir notamment à cet effet : Revenu Québec, Lettre d'interprétation, 02-0100160 -- *Interprétation relative à la TPS/TVQ — Qualification d'un service rendu à ses membres par une association* (9 mai 2002).

Compte tenu de la similarité de la rédaction des dispositions législatives et considérant l'engagement spécifique de Revenu Québec de veiller à ce que l'assiette de TVQ modifiée, de même que les paramètres administratifs, structurels et définitionnels, produisent des résultats qui sont identiques à ceux produits sous le régime de la TPS/TVH et soient administrés d'une manière qui produit des résultats identiques, tel que reflété par l'article 14 de l'*Entente intégrée globale de coordination fiscale* signée entre le gouvernement du Canada et le gouvernement du Québec, nous vous invitons à consulter nos commentaires en vertu des articles 252, 261.1, 261.3, 261.31, 261.4 de *Loi sur la taxe d'accise (TPS)* qui devraient s'appliquer *mutatis mutandis*, avec les adaptations nécessaires.

III. — Restrictions

Notes historiques: L'intertitre de la division III de la sous-section 1 de la section I du chapitre VII du titre I a été ajouté par L.Q. 1994, c. 22, art. 566(1) et est réputé entré en vigueur le 1er juillet 1992.

357. Modalités d'application — Une personne n'a droit au remboursement prévu aux articles 351 ou 353.1 que si, à la fois :

1º la personne produit une demande de remboursement dans un délai d'un an suivant :

a) dans le cas d'un remboursement en vertu de l'article 351, le jour où la personne expédie le bien auquel se rapporte le remboursement hors du Québec;

a.1) malgré le sous-paragraphe a), dans le cas d'un remboursement en vertu du deuxième alinéa de l'article 351 qui est à l'égard d'un bien fourni à la personne par un fournisseur qui n'a pas, avant la fin de l'année suivant le jour où la personne expédie le bien auquel se rapporte le remboursement hors du Québec, exigé la taxe payable à l'égard de la fourniture et qui dévoile par écrit à la personne que le ministre lui a émis un avis de cotisation à l'égard de cette taxe, le jour où elle paie cette taxe;

b) dans le cas d'un remboursement en vertu de l'article 353.1, le jour où la taxe à laquelle se rapporte le remboursement devient payable;

c) (*sous-paragraphe supprimé*);

2º, 3º (*paragraphes supprimés*);

4º au moment où la demande de remboursement est effectuée :

a) s'il s'agit d'une demande de remboursement prévue au premier alinéa de l'article 351, la personne ne réside pas au Canada;

b) s'il s'agit d'une demande de remboursement prévue au deuxième alinéa de l'article 351, la personne réside au Canada et exploite une entreprise hors du Québec mais au Canada;

4.1º dans le cas d'un remboursement en vertu de l'article 351, le remboursement est établi par un reçu pour un montant qui comprend la contrepartie totalisant au moins 50 $, pour des fournitures taxables, autres que des fournitures détaxées, à l'égard desquelles la personne a droit par ailleurs à un remboursement en vertu de cet article;

5º la demande de remboursement est relative à des fournitures taxables, autres que des fournitures détaxées, dont le total des contreparties est d'un montant minimum de 200 $;

6º, 7º (*paragraphes supprimés*).

Notes historiques: Le préambule du paragraphe 1º de l'article 357 a été remplacé par L.Q. 2002, c. 9, par. 167(1º) et cette modification a effet depuis le 1er novembre 2001. Antérieurement, il se lisait ainsi :

> Une personne n'a droit au remboursement prévu aux articles 351, 353.1, 354 ou 354.1 que si, à la fois :

Le sous-paragraphe a.1) du paragraphe 1º de l'article 357 a été ajouté par L.Q. 2001, c. 7, art. 178(1) et a effet à l'égard d'un remboursement qui est demandé dans les circonstances décrites au sous-paragraphe a.1) du paragraphe 1º de l'article 357.

Le sous-paragraphe c) du paragraphe 1º de l'article 357 a été supprimé par L.Q. 2002, c. 9, par. 167(2º) et cette modification a effet depuis le 1er novembre 2001. Antérieurement, il se lisait ainsi :

> c) dans tout autre cas, le dernier jour où une taxe à laquelle se rapporte le remboursement devient payable;

Les paragraphes 2º et 3º de l'article 357 ont été supprimés par L.Q. 2001, c. 53, art. 350(1)(1º) et cette modification s'applique aux fins de la détermination d'un remboursement en vertu des articles 351, 353.1, 353.2 et 353.6 à 356.1 de cette loi pour lequel une demande est reçue par le ministre du Revenu après le 24 février 1998. Antérieurement, ils se lisaient ainsi :

> 2º la personne, si elle est un particulier, n'effectue pas plus d'une demande de remboursement par trimestre civil en vertu du présent article, sauf s'il s'agit d'une demande prescrite;
>
> 3º la personne, si elle n'est pas un particulier, n'effectue pas plus d'une demande de remboursement par mois en vertu du présent article;

Le sous-paragraphe a) du paragraphe 4º de l'article 357 a été remplacé par L.Q. 2002, c. 9, par. 167(3º) et cette modification a effet depuis le 1er novembre 2001. Antérieurement, il se lisait ainsi :

> a) s'il s'agit d'une demande de remboursement prévue au premier alinéa de l'article 351, à l'article 354 ou à l'article 354.1, la personne ne réside pas au Canada;

Les paragraphes 4.1º et 5º de l'article 357 ont été remplacés par L.Q. 2012, c. 28, par. 117(1) et cette modification s'applique à l'égard de fournitures dont la totalité ou une partie de la contrepartie devient due après le 31 décembre 2012 et n'est pas payée avant le 1er janvier 2013. Toutefois, la partie de la contrepartie qui est due ou payée avant le 1er janvier 2013 doit être déterminée en excluant la taxe payable en vertu du paragraphe 1 de l'article 165 de la *Loi sur la taxe d'accise* (Lois révisées du Canada (1985), chapitre E-15). Antérieurement, ils se lisaient ainsi :

> 4.1º dans le cas d'un remboursement en vertu de l'article 351, le remboursement est établi par un reçu pour un montant qui comprend la contrepartie, excluant la taxe payable en vertu du paragraphe 1 de l'article 165 de la *Loi sur la taxe d'accise* (Lois révisées du Canada (1985), chapitre E-15), totalisant au moins 50 $, pour des fournitures taxables, autres que des fournitures détaxées, à l'égard desquelles la personne a droit par ailleurs à un remboursement en vertu de cet article;
>
> 5º la demande de remboursement est relative à des fournitures taxables, autres que des fournitures détaxées, dont le total des contreparties, excluant la taxe payable en vertu du paragraphe 1 de l'article 165 de la *Loi sur la taxe d'accise*, est d'un montant minimum de 200 $;

Les paragraphes 4.1º et 5º de l'article 357 ont été remplacés par L.Q. 2009, c. 5, par. 634(1) et cette modification s'applique à l'égard d'une demande de remboursement produite après le 30 juin 2006. Antérieurement, ils se lisaient ainsi :

> 4.1º dans le cas d'un remboursement en vertu de l'article 351, le remboursement est établi par un reçu pour un montant qui comprend la contrepartie, totalisant au moins 53,50 $, pour des fournitures taxables, autres que des fournitures détaxées, à l'égard desquelles la personne a droit par ailleurs à un remboursement en vertu de cet article;
>
> 5º la demande de remboursement est relative à des fournitures taxables, autres que des fournitures détaxées, dont le total des contreparties est d'un montant minimum de 214 $;

Le paragraphe 4.1º de l'article 357 a été ajouté par L.Q. 1997, c. 85, art. 639(1)(1º) et s'applique à l'égard d'un remboursement pour lequel une demande est reçue par le ministre du Revenu après le 30 juin 1996.

Le paragraphe 5º de l'article 357 a été remplacé par L.Q. 1997, c. 85, art. 639(1)(2º) et s'applique à l'égard d'un remboursement pour lequel une demande est reçue par le ministre du Revenu après le 30 juin 1996.

Antérieurement, le paragraphe 5º se lisait ainsi :

> 5º la demande de remboursement est relative à des fournitures dont le total des contreparties est d'un montant minimum de 107,00 $;

Les paragraphe 6º et 7º ont été supprimés par L.Q. 2002, c. 9, par. 167(4º) et cette modification a effet depuis le 1er novembre 2001. Antérieurement, ils se lisaient ainsi :

> 6º le total de tous les remboursements pour lesquels la demande est effectuée, à l'égard de logements provisoires ou d'emplacements de camping qui ne sont pas compris dans le voyage organisé et qui sont calculés conformément à la formule prévue à l'article 355, n'excède pas 90 $;
>
> 7º le total de tous les remboursements pour lesquels la demande est effectuée, à l'égard de logements provisoires ou d'emplacements de camping qui sont compris dans des voyages organisés et qui sont calculés conformément à la formule prévue au paragraphe 1º du premier alinéa de l'article 355.1, n'excède pas :
>
> a) dans le cas où la personne est un consommateur de voyages organisés, 90 $;
>
> b) dans tout autre cas, 90 $ pour chaque particulier pour qui le logement provisoire ou l'emplacement de camping est rendu disponible.

Le paragraphe 6º de l'article 357 a été remplacé par L.Q. 2001, c. 53, art. 350(1)(2º) et cette modification s'applique aux fins de la détermination d'un remboursement en vertu des articles 351, 353.1, 353.2 et 353.6 à 356.1 de cette loi pour lequel une demande est reçue par le ministre du Revenu après le 30 juin 1998. Antérieurement, il se lisait ainsi :

> 6º le total de tous les remboursements pour lesquels la demande est effectuée, à l'égard de logements provisoires qui ne sont pas compris dans le voyage organisé et qui sont calculés conformément à la formule prévue à l'article 355, n'excède pas 90 $;

Le préambule du paragraphe 7º de l'article 357 a été remplacé par L.Q. 2001, c. 53, art. 350(1)(3º) et cette modification s'applique aux fins de la détermination d'un remboursement en vertu des articles 351, 353.1, 353.2 et 353.6 à 356.1 de cette loi pour lequel une demande est reçue par le ministre du Revenu après le 30 juin 1998. Antérieurement, il se lisait ainsi :

> 7º le total de tous les remboursements pour lesquels la demande est effectuée, à l'égard de logements provisoires qui sont compris dans des voyages organisés et qui sont calculés conformément à la formule prévue au paragraphe 1º de l'article 355.1, n'excède pas :

Le sous-paragraphe b) du paragraphe 7º de l'article 357 a été remplacé par L.Q. 2001, c. 53, art. 350(1)(4º) et cette modification s'applique aux fins de la détermination d'un remboursement en vertu des articles 351, 353.1, 353.2 et 353.6 à 356.1 de cette loi pour lequel une demande est reçue par le ministre du Revenu après le 30 juin 1998. Antérieurement, il se lisait ainsi :

b) dans tout autre cas, 90 $ pour chaque particulier pour qui le logement est rendu disponible.

Les paragraphes 6° et 7° de l'article 357 ont été remplacés par L.Q. 1997, c. 85, art. 639(1)(3°) et s'appliquent à l'égard d'un remboursement en vertu des articles 353.6 à 356.1 pour lequel une demande est reçue par le ministre du Revenu après le 23 avril 1996. Toutefois, pour la période du 23 avril 1996 au 31 décembre 1997, les paragraphes 6° et 7° doivent se lire en y remplaçant « 90 $ » par « 75 $ ». [*N.D.L.R.* : L.Q. 1998, c. 16, art. 312(1) a modifié L.Q. 1997, c. 85, art. 639(1)(3°) pour remplacer le paragraphe 6°, rétroactivement au 19 décembre 1997.]

Antérieurement, les paragraphes 6° et 7° se lisaient ainsi :

6° le total de tous les remboursements pour lesquels la demande est effectuée, à l'égard de logements provisoires qui ne sont pas compris dans le voyage organisé et qui sont calculés conformément à la formule prévue à l'article 355, n'excède pas 75 $;

7° le total de tous les remboursements pour lesquels la demande est effectuée, à l'égard de voyages organisés qui sont calculés conformément à la formule prévue au paragraphe (1) de l'article 355.1, n'excède pas 75 $.

Le paragraphe 6° de l'article 357 a été modifié par L.Q. 1995, c. 1, art. 305(1) et s'applique à l'égard d'une demande de remboursement produite après le 30 juin 1994. Auparavant, il se lisait ainsi :

6° le total de tous les remboursements pour lesquels la demande est effectuée, à l'égard de logements provisoires qui ne sont pas compris dans le voyage organisé et qui sont calculés conformément à la formule prévue à l'article 355, n'excède pas 45,00 $;

Le paragraphe 7° de l'article 357 a été modifié par L.Q. 1995, c. 1, art. 305(1) et s'applique à l'égard d'une demande de remboursement produite après le 30 juin 1994. Auparavant, il se lisait comme suit :

7° le total de tous les remboursements pour lesquels la demande est effectuée, à l'égard de voyages organisés qui sont calculés conformément à la formule prévue au paragraphe 1° de l'article 355.1, n'excède pas 45,00 $.

L'article 357, auparavant modifié par L.Q. 1994, c. 22, art. 567(1), est réputé entré en vigueur le 1er juillet 1992. Toutefois, pour la période du 1er juillet 1992 au 30 septembre 1992, la référence à l'article 353.1 doit être lue comme une référence aux articles 353.1, 353.3 et 353.3.1. Cette référence à 353.3 et à 353.3.1 a été rajoutée aux dispositions transitoires par L.Q. 1995, c. 1, art. 360(1). L'article 357, édicté par L.Q. 1991, c. 67, se lisait comme suit :

357. Une personne n'a droit au remboursement, prévu aux articles 351 et 354, à l'égard d'une fourniture que si, à la fois :

1° la personne produit une demande de remboursement dans un délai d'un an suivant la fourniture;

2° la demande de remboursement est d'un montant minimum de 24,46 $;

3° la personne, si elle est un particulier, n'effectue pas plus d'une demande de remboursement par trimestre civil en vertu du présent article, sauf s'il s'agit d'une demande prescrite;

4° la personne, si elle n'est pas un particulier, n'effectue pas plus d'une demande de remboursement par mois en vertu du présent article;

5° au moment où la demande de remboursement est effectuée :

a) s'il s'agit d'une demande de remboursement prévue au premier alinéa de l'article 351 ou à l'article 354, la personne ne réside pas au Canada;

b) s'il s'agit d'une demande de remboursement prévue au deuxième alinéa de l'article 351, la personne réside au Canada et exploite une entreprise hors du Québec mais au Canada;

6° la preuve établissant que la taxe a été payée à l'égard de la fourniture est jointe à la demande de remboursement;

7° la demande de remboursement est accompagnée de la preuve établissant que le bien a été emporté par la personne hors du Québec ou a été expédié hors du Québec :

a) s'il s'agit d'une demande de remboursement prévue au premier alinéa de l'article 351, dans un délai de 60 jours suivant la fourniture;

b) s'il s'agit d'une demande de remboursement prévue au deuxième alinéa de l'article 351, dans un délai raisonnable suivant la fourniture.

Notes explicatives ARQ (PL 5, L.Q. 2012, c. 28): *Résumé* :

L'article 357 est modifié afin de tenir compte du fait qu'à compter du 1er janvier 2013 la taxe sur les produits et services (TPS) est retirée de l'assiette de la taxe de vente du Québec (TVQ).

Situation actuelle :

L'article 357 énonce certaines exigences relatives au droit au remboursement accordé en vertu de l'un des articles 351 et 353.1 de la LTVQ.

Parmi ces exigences, on retrouve celle qui prévoit que dans le cas d'un remboursement en vertu de l'article 351 de la LTVQ, chaque reçu présenté à l'appui de la demande doit viser des achats taxables, autres que détaxés, d'au moins 50 $ excluant la taxe payable en vertu du paragraphe 1 de l'article 165 de la *Loi sur la taxe d'accise* (Lois révisées du Canada (1985), chapitre E-15) (LTA).

De plus, on retrouve celle qui prévoit que dans le cas d'une demande de remboursement en vertu de l'un des articles 351 et 353.1 de la LTVQ, la demande doit viser au moins 200 $ d'achats taxables, autres que détaxés, excluant la taxe payable en vertu du paragraphe 1 de l'article 165 de la LTA.

Modifications proposées :

L'article 357 est modifié afin de tenir compte du fait qu'à compter du 1er janvier 2013 la TPS est retirée de l'assiette de la TVQ.

Notes explicatives ARQ (PL 2, L.Q. 2009, c. 5): *Résumé* :

L'article 357 est modifié en raison de la modification du taux de la taxe prévue au paragraphe 1 de l'article 165 de la *Loi sur la taxe d'accise* (Lois révisées du Canada (1985), chapitre E-15) (LTA).

Situation actuelle :

Actuellement, l'article 357 de la LTVQ énonce certaines exigences relatives au droit au remboursement accordé en vertu des articles 351 ou 353.1 de la LTVQ.

Parmi ces exigences, on retrouve celle qui prévoit que dans le cas d'un remboursement en vertu de l'article 351 de la LTVQ, chaque reçu présenté à l'appui de la demande doit viser des achats taxables, autres que détaxés, d'au moins 53,50 $.

De plus, on retrouve celle qui prévoit que dans le cas d'une demande de remboursement en vertu des articles 351 ou 353.1 de la LTVQ, la demande doit viser au moins 214 $ d'achats taxables, autres que détaxés.

Selon le libellé actuel de la loi, ces montants incluent la taxe sur les produits et services (TPS).

Modifications proposées :

La modification proposée consiste à modifier l'article 357 de la LTVQ afin de remplacer les montants de « 53,50 $ » et « 214 $ » par « 50 $ » et « 200 $ » et de préciser que ces montants excluent la taxe payable en vertu du paragraphe 1 de l'article 165 de la LTA. Cette modification est devenue nécessaire en raison de la baisse du taux de la TPS. Elle est aussi d'ordre rédactionnel puisqu'il n'est pas nécessaire pour les fins des paragraphes 4.1° et 5° de l'article 357 de la LTVQ de faire état du montant de TPS incluse dans la contrepartie des fournitures taxables.

Définitions [art. 357]: « bien », « contrepartie », « entreprise », « fourniture », « fourniture taxable », « logement provisoire » — 1; « montant », « particulier », « personne », « taxe », « trimestre civil » — 1.

Renvois [art. 357]: 192.2 (fourniture d'un forfait admissible effectuée par un inscrit à un acquéreur); 351 (remboursement aux non-résidents — biens meubles corporels emportés ou expédiés hors du Québec dans les 60 jours); 353.1 (remboursement pour œuvres artistiques d'exportation); 353.2 (cession de droit au remboursement); 357.6 (obligation solidaire); 403, 404 (demande de remboursement); 677 (règlements).

Règlements [art. 357]: RTVQ, 357R1.

Bulletins d'interprétation [art. 357]: TVQ. 179-2/R1 — Fourniture d'un bien meuble corporel à être expédié hors du Québec; TVQ. 351-1/R1 — Abolition des remboursements aux touristes étrangers.

Lettres d'interprétation [art. 357]: 98-0105449 — Interprétation relative à la TVQ — Fourniture d'un bien meuble corporel à être expédié hors du Québec mais au Canada par l'acquéreur; 98-0106124 — Remboursement pour logement provisoire accordé à une personne non résidente; 98-0109193 — Interprétation relative à la TPS/TVQ — Fournitures effectuées au profit d'un non-résident.

Concordance fédérale: LTA, art. 252.2.

COMMENTAIRES: En date des présentes, nous n'avons répertorié aucune jurisprudence interprétant cet article.

Le projet de loi n° 5 (2012, chapitre 28) — *Loi modifiant la Loi sur la taxe de vente du Québec et d'autres dispositions législatives*, sanctionné le 7 décembre 2012, prévoit des amendements à l'effet, notamment, que le paragraphe (1) s'appliquera pour les fournitures dont la totalité ou une partie de la contrepartie devient due après le 31 décembre 2012 et n'est pas payée avant le 1er janvier 2013.

Toutefois, la partie de la contrepartie qui est due ou payée avant le 1er janvier 2013 devra être déterminée en excluant la taxe payable en vertu du paragraphe 1 de l'article 165 de la *Loi sur la taxe d'accise (TPS)*.

Compte tenu de la similarité de la rédaction des dispositions législatives et considérant l'engagement spécifique de Revenu Québec de veiller à ce que l'assiette de TVQ modifiée, de même que les paramètres administratifs, structurels et définitionnels, produisent des résultats qui sont identiques à ceux produits sous le régime de la TPS/TVH et soient administrés d'une manière qui produit des résultats identiques, tel que reflété par l'article 14 de l'*Entente intégrée globale de coordination fiscale* signée entre le gouvernement du Canada et le gouvernement du Québec, nous vous invitons à consulter nos commentaires en vertu de l'article 252.2 de *Loi sur la taxe d'accise (TPS)* qui devraient s'appliquer *mutatis mutandis*, avec les adaptations nécessaires.

IV. — Congrès

Notes historiques: L'intertitre de la division IV de la sous-section I de la section I du chapitre VII du titre I a été ajouté par L.Q. 1994, c. 22, art. 568(1) et est réputé entré en vigueur le 1er juillet 1992.

357.1 Remboursement aux exposants qui ne résident pas au Québec — Dans le cas où une personne qui ne réside pas au Québec et n'est pas inscrite en vertu de la section I du chapitre VIII est l'acquéreur de la fourniture d'un immeuble par louage, licence ou accord semblable qu'elle acquiert pour utilisation exclusive comme lieu de promotion, à un congrès, de son entreprise ou de biens ou de services qu'elle fournit, la personne a droit, si elle produit une demande dans un délai d'un an suivant le jour où le congrès se termine :

1º au remboursement de la taxe qu'elle a payée à l'égard de cette fourniture;

2º au remboursement de la taxe qu'elle a payée à l'égard d'une fourniture effectuée à son profit de fournitures liées à un congrès à l'égard du congrès.

Notes historiques: L'article 357.1 a été ajouté par L.Q. 1994, c. 22, art. 568(1) et est réputé entré en vigueur le 1er juillet 1992.

Définitions [art. 357.1]: « acquéreur », « bien », « congrès », « entreprise », « fourniture », « fournitures liées à un congrès », « immeuble », « personne », « service », « taxe » — 1.

Renvois [art. 357.1]: 403 (demande de remboursement); 404 (demande de remboursement).

Formulaires [art. 357.1]: FP-106 — Déclaration de renseignements — Remboursement payés ou crédités pour les congrès étrangers et les voyages organisés.

Concordance fédérale: LTA, art. 252.3.

COMMENTAIRES: Voir les commentaires sous l'article 357.5.0.1.

357.2 Remboursement au promoteur d'un congrès étranger — Les règles prévues au deuxième alinéa s'appliquent dans le cas où le promoteur d'un congrès étranger paie la taxe à l'égard, selon le cas :

1º de la fourniture de biens ou de services relatifs au congrès qui est effectuée par un inscrit qui en est l'organisateur;

2º de la fourniture effectuée par un inscrit qui n'est pas l'organisateur du congrès du centre de congrès, ou de biens ou de services que le promoteur acquiert pour consommation, utilisation ou fourniture à titre de fournitures liées à un congrès;

3º de biens ou de services qu'il apporte au Québec pour consommation, utilisation ou fourniture par lui à titre de fournitures liées à un congrès.

Règles applicables — Sous réserve de l'article 357.3, le promoteur a droit, s'il produit une demande dans un délai d'un an suivant le jour où le congrès se termine :

1º dans le cas d'une fourniture effectuée par l'organisateur, au remboursement du total des montants suivants :

a) la taxe qu'il a payée calculée sur la partie de la contrepartie de la fourniture qui est raisonnablement attribuable au centre de congrès ou à des fournitures liées à un congrès sauf des biens ou des services qui sont de la nourriture, des boissons ou fournis en vertu d'un contrat pour un service de traiteur;

b) 50 % de la taxe qu'il a payée calculée sur la partie de la contrepartie de la fourniture qui est raisonnablement attribuable à des fournitures liées à un congrès qui sont de la nourriture, des boissons ou fournies en vertu d'un contrat pour un service de traiteur;

2º dans tout autre cas, au remboursement des montants suivants :

a) si les biens ou les services sont de la nourriture, des boissons ou fournis en vertu d'un contrat pour un service de traiteur, 50 % de la taxe qu'il a payée à l'égard de la fourniture ou de l'apport au Québec des biens ou des services;

b) dans tout autre cas, la taxe qu'il a payée à l'égard de la fourniture ou de l'apport au Québec des biens ou des services.

Notes historiques: Le paragraphe 1º du premier alinéa de l'article 357.2 a été modifié par L.Q. 2009, c. 5, par. 635(1º) par le remplacement du mot « liés » par le mot « relatifs ». Cette modification est entrée en vigueur le 15 mai 2009.

Le sous-paragrapge b) du paragraphe 1º du deuxième alinéa de l'article 357.2 a été modifié par L.Q. 2009, c. 5, par. 635(2º) par la supression des mots « au centre de congrès ou ». Cette modification est entrée en vigueur le 15 mai 2009.

Les paragraphes 1º et 2º du deuxième alinéa de l'article 357.2 ont été remplacés par L.Q. 2001, c. 53, art. 351 et cette modification s'applique à l'égard des biens ou des services acquis ou apportés au Québec pour consommation, utilisation ou fourniture dans le cadre d'un congrès pour lequel toutes les fournitures de droits d'entrée sont effectuées après le 24 février 1998. Antérieurement, ils se lisaient ainsi :

1º dans le cas d'une fourniture effectuée par l'organisateur, au remboursement de la taxe qu'il a payée calculée sur la partie de la contrepartie de la fourniture qui est raisonnablement attribuable au centre de congrès ou à des fournitures liées à un congrès;

2º dans tout autre cas, au remboursement de la taxe qu'il a payée à l'égard de la fourniture ou de l'apport au Québec.

L'article 357.2 a été ajouté par L.Q. 1994, c. 22, art. 568(1) et est réputé entré en vigueur le 1er juillet 1992.

Notes explicatives ARQ (PL 2, L.Q. 2009, c. 5): *Résumé* :

L'article 357.2 est modifié de façon à remplacer un terme et à supprimer une expression.

Situation actuelle :

L'article 357.2 de la LTVQ prévoit, pour le promoteur d'un congrès étranger, un remboursement qui correspond, si la fourniture est effectuée par un inscrit qui est l'organisateur du congrès, au total de la taxe payée par le promoteur, sur la partie de la contrepartie de la fourniture attribuable au centre de congrès ou aux fournitures liées au congrès et de 50 % de la taxe payée calculée sur la partie de la contrepartie de la fourniture attribuable à des fournitures liées à un congrès qui sont de la nourriture, des boissons ou qui sont fournies en vertu d'un contrat pour un service de traiteur.

Cet article prévoit également certains remboursements de taxe pour le promoteur d'un congrès étranger à l'égard de fournitures effectuées par un inscrit qui n'est pas l'organisateur du congrès ou à l'égard de l'apport au Québec de biens ou de services.

Modifications proposées :

L'article 357.2 de la LTVQ est modifié afin que, dans le premier alinéa, le mot « liés » soit remplacé par le mot « relatifs ». Ce changement de terme est nécessaire afin que, dans cet article, l'expression « fourniture de biens ou de services relatifs au congrès » soit distinguée de l'expression « fournitures liées au congrès » qui est spécifiquement définie à l'article 1 de la LTVQ. De plus, l'article 357.2 de la LTVQ est modifié, dans le deuxième alinéa, afin de supprimer les mots « au centre de congrès ou » car cette expression n'est pas appropriée dans un contexte de fournitures de nourriture et de boissons.

Définitions [art. 357.2]: « bien », « centre de congrès », « congrès », « congrès étranger », « contrepartie », « fourniture », « fournitures liées à un congrès », « inscrit », « organisateur », « promoteur », « service », « taxe » — 1.

Renvois [art. 357.2]: 48.1 (fourniture par le promoteur d'un congrès étranger); 357.3 (remboursement par l'organisateur); 357.5 (remboursement par le fournisseur); 357.6 (obligation solidaire); 403 (demande de remboursement); 404 (demande de remboursement).

Formulaires [art. 357.2]: FP-106 — Déclaration de renseignements — Remboursement payés ou crédités pour les congrès étrangers et les voyages organisés.

Bulletins d'interprétation [art. 357.2]: TVQ. 351-1/R1 — Abolition des remboursements aux touristes étrangers.

Lettres d'interprétation [art. 252.4]: 01-0101616 — Interprétation relative à la TPS et à la TVQ — Organisation d'un congrès international; 02-0104758 — Interprétation relative à la TPS et à la TVQ — Organisation d'un congrès international.

Concordance fédérale: LTA, par. 252.4(1).

COMMENTAIRES: Voir les commentaires sous l'article 357.5.0.1.

357.3 Remboursement par l'organisateur — Dans le cas où un inscrit, organisateur d'un congrès étranger, paie au promoteur du congrès, ou porte à son crédit, un montant au titre d'un remboursement en vertu de l'article 357.2 auquel le promoteur aurait droit à l'égard d'une fourniture effectuée par l'inscrit à son profit, s'il avait payé la taxe à l'égard de la fourniture et s'il avait demandé le remboursement conformément à cet article, les règles suivantes s'appliquent :

1º l'inscrit peut demander une déduction en vertu de l'article 455.1 à l'égard du montant payé au promoteur ou porté à son crédit;

2º le promoteur n'a pas droit à un remboursement ou à une remise à l'égard de la taxe à laquelle le montant se rapporte.

Notes historiques: L'article 357.3 a été ajouté par L.Q. 1994, c. 22, art. 568(1) et est réputé entré en vigueur le 1er juillet 1992.

Définitions [art. 357.3]: « congrès », « congrès étranger », « fourniture », « inscrit », « montant », « organisateur », « promoteur », « taxe » — 1.

Renvois [art. 357.3]: 357.2 (remboursement au promoteur d'un congrès étranger); 357.6 (obligation solidaire); 455.1 (déduction pour remboursement).

Formulaires [art. 357.2]: FP-106 — Déclaration de renseignements — Remboursement payés ou crédités pour les congrès étrangers et les voyages organisés.

Bulletins d'interprétation [art. 357.3]: TVQ. 351-1/R1 — Abolition des remboursements aux touristes étrangers.

Concordance fédérale: LTA, par. 252.4(2).

COMMENTAIRES: Voir les commentaires sous l'article 357.5.0.1.

357.4 Remboursement à l'organisateur d'un congrès étranger qui n'est pas un inscrit — Dans le cas où un organisateur d'un congrès étranger qui n'est pas inscrit en vertu de la section I du chapitre VIII paie la taxe à l'égard d'une fourniture du centre de congrès ou d'une fourniture, ou d'un apport au Québec, de fournitures liées à un congrès, l'organisateur a droit, s'il produit une demande dans un délai d'un an suivant le jour où le congrès se termine, à un remboursement du total des montants suivants :

1º la taxe qu'il a payée calculée sur la partie de la contrepartie de la fourniture ou sur la partie de la valeur des biens qui est raisonnablement attribuable au centre de congrès ou à des fournitures liées à un congrès sauf des biens ou des services qui sont de la nourriture, des boissons ou fournis en vertu d'un contrat pour un service de traiteur;

2º 50 % de la taxe qu'il a payée calculée sur la partie de la contrepartie de la fourniture ou sur la partie de la valeur des biens qui est raisonnablement attribuable à des fournitures liées à un congrès qui sont de la nourriture, des boissons ou fournies en vertu d'un contrat pour un service de traiteur.

Notes historiques: Les paragraphes 1º et 2º de l'article 357.4 ont été remplacés par L.Q. 2009, c. 5, art. 636 et cette modification est entrée en vigueur le 15 mai 2009. Antérieurement, ils se lisaient ainsi :

> 1º la taxe qu'il a payée calculée sur la partie de la contrepartie de la fourniture qui est raisonnablement attribuable au centre de congrès ou à des fournitures liées à un congrès sauf des biens ou des services qui sont de la nourriture, des boissons ou fournis en vertu d'un contrat pour un service de traiteur;
>
> 2º 50 % de la taxe qu'il a payée calculée sur la partie de la contrepartie de la fourniture qui est raisonnablement attribuable au centre de congrès ou à des fournitures liées à un congrès qui sont de la nourriture, des boissons ou fournies en vertu d'un contrat pour un service de traiteur.

L'article 357.4 a été remplacé par L.Q. 2001, c. 53, art. 352 et cette modification s'applique à l'égard des biens ou des services acquis ou apportés au Québec pour consommation, utilisation ou fourniture dans le cadre d'un congrès pour lequel toutes les fournitures de droits d'entrée sont effectuées après le 24 février 1998. Antérieurement, il se lisait ainsi :

> 357.4 Dans le cas où un organisateur d'un congrès étranger qui n'est pas inscrit en vertu de la section I du chapitre VIII paie la taxe à l'égard d'une fourniture du centre de congrès ou d'une fourniture, ou d'un apport au Québec, de fournitures liées à un congrès, l'organisateur a droit, s'il produit une demande dans un délai d'un an suivant le jour où le congrès se termine, à un remboursement de la taxe qu'il a payée à l'égard de la fourniture ou de l'apport au Québec.

L'article 357.4 a été ajouté par L.Q. 1994, c. 22, art. 568(1) et est réputé entré en vigueur le 1er juillet 1992.

Notes explicatives ARQ (PL 2, L.Q. 2009, c. 5): *Résumé* :

L'article 357.4 est modifié afin que soit précisé que dans le cas de l'apport de biens, la taxe payée par l'organisateur d'un congrès est calculée sur la partie de la valeur des biens apportés.

Situation actuelle :

Actuellement, l'article 357.4 de la LTVQ prévoit un remboursement qui correspond au total de la taxe payée par l'organisateur d'un congrès étranger non inscrit sur la partie de la contrepartie de la fourniture attribuable au centre de congrès ou aux fournitures liées au congrès sauf des biens ou des services qui sont de la nourriture, des boissons ou qui sont fournis en vertu d'un contrat pour un service de traiteur et de 50 % de la taxe payée calculée sur la partie de la contrepartie de la fourniture attribuable à des fournitures liées à un congrès qui sont de la nourriture, des boissons ou qui sont fournies en vertu d'un contrat pour un service de traiteur.

Modifications proposées :

L'article 357.4 de la LTVQ est modifié afin de préciser que le remboursement que peut demander un organisateur de congrès non-inscrit correspond au total de la taxe payée par celui-ci sur la partie de la contrepartie de la fourniture ou sur la partie de la valeur des biens lorsque cette fourniture ou cet apport est relatif au centre de congrès ou aux fournitures liées au congrès et de 50 % de la taxe payée calculée sur la partie de la contrepartie de la fourniture attribuable à des fournitures liées à un congrès qui sont de la nourriture, des boissons ou qui sont fournies en vertu d'un contrat pour un service de traiteur.

Définitions [art. 357.4]: « centre de congrès », « congrès », « congrès étranger », « fourniture », « fournitures liées à un congrès », « inscrit », « organisateur », « taxe » — 1.

Renvois [art. 357.4]: 357.5 (remboursement par le fournisseur); 357.6 (obligation solidaire).

Formulaires [art. 357.2]: FP-106 — Déclaration de renseignements — Remboursement payés ou crédités pour les congrès étrangers et les voyages organisés.

Bulletins d'interprétation [art. 357.4]: TVQ. 351-1/R1 — Abolition des remboursements aux touristes étrangers.

Concordance fédérale: LTA, par. 252.4(3).

COMMENTAIRES: Voir les commentaires sous l'article 357.5.0.1.

357.5 Remboursement par le fournisseur — Le deuxième alinéa s'applique dans le cas où, à la fois :

1º une personne, organisateur d'un congrès étranger qui n'est pas inscrit en vertu de la section I du chapitre VIII ou promoteur d'un tel congrès, acquiert :

a) soit une fourniture taxable du centre de congrès ou des fournitures liées à un congrès effectuées par l'exploitant du centre qui n'est pas l'organisateur du congrès;

b) soit une fourniture taxable effectuée par un inscrit, autre que l'organisateur du congrès, d'un logement provisoire ou d'un emplacement de camping que la personne acquiert exclusivement pour fourniture dans le cadre du congrès;

2º l'exploitant du centre ou le fournisseur du logement provisoire ou de l'emplacement de camping paie à la personne, ou porte à son crédit, un montant au titre d'un remboursement auquel la personne aurait droit en vertu de l'article 357.2 ou de l'article 357.4 à l'égard de la fourniture du centre, du logement provisoire ou de l'emplacement de camping, selon le cas, si elle avait payé la taxe à l'égard de la fourniture et si elle avait demandé le remboursement conformément à cet article.

Règles applicables — L'exploitant ou le fournisseur du logement provisoire ou de l'emplacement de camping, selon le cas, peut demander une déduction en vertu de l'article 455.1 à l'égard du montant payé à la personne ou porté à son crédit et celle-ci n'a pas droit à un remboursement ou à une remise à l'égard de la taxe à laquelle se rapporte le montant.

Emplacement de camping — Pour l'application du présent article, l'expression « emplacement de camping » signifie un emplacement dans un parc à roulottes récréatif ou terrain de camping, sauf un emplacement compris dans la définition de l'expression « logement provisoire » prévue à l'article 1 ou compris dans la partie d'un voyage organisé qui n'est pas la partie taxable du voyage au sens de l'article 63, qui est fourni par louage, licence ou accord semblable, en vue de son occupation par un particulier à titre de résidence ou d'hébergement, dans le cas où la période tout au long de laquelle le particulier peut occuper de façon continue l'emplacement est de moins d'un mois et comprend les services d'alimentation en eau et en électricité et ceux d'élimination des déchets, ou le droit d'utiliser ces services dans le cas où l'accès à ceux-ci se fait au moyen d'un raccordement ou d'une sortie situé sur l'emplacement et s'ils sont fournis avec celui-ci

Notes historiques: Le sous-paragraphe b) du paragraphe 1º du premier alinéa de l'article 357.5 a été remplacé par L.Q. 2001, c. 53, art. 353(1)(1º) et cette modification s'applique à l'égard de la fourniture à une personne d'un emplacement de camping qui est acquis par celle-ci pour fourniture dans le cadre d'un congrès, si le congrès commence après le 30 juin 1998 et si toutes les fournitures de droits d'entrée au congrès sont effectuées après le 24 février 1998. Antérieurement, il se lisait ainsi :

> b) soit une fourniture taxable effectuée par un inscrit, autre que l'organisateur du congrès, d'un logement provisoire que la personne acquiert exclusivement pour fourniture dans le cadre du congrès

Le paragraphe 2º du premier alinéa de l'article 357.5 a été remplacé par L.Q. 2001, c. 53, art. 353(1)(2º) et cette modification s'applique à l'égard de la fourniture à une personne d'un emplacement de camping qui est acquis par celle-ci pour fourniture dans le cadre d'un congrès, si le congrès commence après le 30 juin 1998 et si toutes les fournitures de droits d'entrée au congrès sont effectuées après le 24 février 1998. Antérieurement, il se lisait ainsi :

> 2º l'exploitant du centre ou le fournisseur du logement paie à la personne, ou porte à son crédit, un montant au titre d'un remboursement auquel la personne aurait droit en vertu de l'article 357.2 ou de l'article 357.4 à l'égard de la fourniture du centre ou du logement, selon le cas, si elle avait payé la taxe à l'égard de la fourniture et si elle avait demandé le remboursement conformément à cet article.

Le deuxième alinéa de l'article 357.5 a été remplacé par L.Q. 2001, c. 53, art. 353(1)(3°) et cette modification s'applique à l'égard de la fourniture à une personne d'un emplacement de camping qui est acquis par celle-ci pour fourniture dans le cadre d'un congrès, si le congrès commence après le 30 juin 1998 et si toutes les fournitures de droits d'entrée au congrès sont effectuées après le 24 février 1998. Antérieurement, il se lisait ainsi :

> L'exploitant ou le fournisseur du logement, selon le cas, peut demander une déduction en vertu de l'article 455.1 à l'égard du montant payé à la personne ou porté à son crédit et celle-ci n'a pas droit à un remboursement ou à une remise à l'égard de la taxe à laquelle se rapporte le montant.

Le troisième alinéa de l'article 357.5 a été ajouté par L.Q. 2002, c. 9, art. 168 et a effet depuis le 24 février 1998.

L'article 357.5 a été ajouté par L.Q. 1994, c. 22, art. 568(1) et est réputé entré en vigueur le 1er juillet 1992.

Définitions [art. 357.5]: « centre de congrès », « congrès », « congrès étranger », « fournisseur », « fournitures liées à un congrès », « fourniture taxable », « inscrit », « logement provisoire », « montant », « personne », « organisateur », « promoteur », « taxe » — 1.

Renvois [art. 357.5]: 357.6 (obligation solidaire); 455.1 (déduction pour remboursement).

Formulaires [art. 357.2]: FP-106 — Déclaration de renseignements — Remboursement payés ou crédités pour les congrès étrangers et les voyages organisés.

Bulletins d'interprétation [art. 357.5]: TVQ. 351-1/R1 — Abolition des remboursements aux touristes étrangers.

Concordance fédérale: LTA, par. 252.4(4).

COMMENTAIRES: Voir les commentaires sous l'article 357.5.0.1.

357.5.0.1 Production de renseignements — Dans le cas où, conformément aux articles 357.3 ou 357.5, un inscrit paie à une personne, ou porte à son crédit, un montant au titre d'un remboursement et, dans le calcul de sa taxe nette pour une période de déclaration, demande une déduction en vertu de l'article 455.1 à l'égard du montant payé ou crédité, l'inscrit doit produire au ministre les renseignements prescrits à l'égard du montant au moyen du formulaire prescrit et de la manière prescrite par ce dernier au plus tard le jour où sa déclaration doit être produite en vertu du chapitre VIII pour la période de déclaration au cours de laquelle le montant est déduit.

Notes historiques: L'article 357.5.0.1 a été ajouté par L.Q. 2009, c. 5, par. 637(1) et s'applique à l'égard d'une fourniture relative à un congrès étranger à l'égard de laquelle la taxe prévue au titre I devient payable après le 31 mars 2007 et pour laquelle le fournisseur a demandé un montant à titre de déduction en vertu de l'article 455.1 à l'égard d'un montant qu'il a payé à une personne, ou porté à son crédit, après le 31 mars 2007.

Notes explicatives ARQ (PL 2, L.Q. 2009, c. 5): *Résumé* :

Le nouvel article 357.5.0.1 introduit l'obligation de produire certains renseignements lorsqu'un inscrit demande une déduction dans le calcul de sa taxe nette au titre d'un remboursement qu'il a payé à une autre personne ou porté à son crédit, dans un contexte de congrès étranger.

Contexte :

Actuellement, le régime de la TVQ ne prévoit pas la production de renseignements lorsqu'un inscrit demande une déduction dans le calcul de sa taxe nette au titre d'un remboursement versé ou crédité à une autre personne dans un contexte de congrès étranger.

Modifications proposées :

Il y a lieu d'insérer l'article 357.5.0.1 de la LTVQ afin de prévoir que l'inscrit qui demande une déduction dans le calcul de sa taxe nette au titre d'un remboursement qu'il a payé à une autre personne ou porté à son crédit doit produire certains renseignements.

Renvois [art. 357.5.0.1]: 455.2 (production tardive de renseignements — défaut de produire).

Formulaires [art. 357.5.0.1]: FP-106 — Déclaration de renseignements — Remboursement payés ou crédités pour les congrès étrangers et les voyages organisés.

Concordance fédérale: LTA, par. 252.4(5).

COMMENTAIRES: Dans le cadre d'une position administrative, Revenu Québec s'est prononcé sur l'application de ce remboursement et a conclu à la présence d'un congrès étranger puisque le promoteur, en l'occurrence l'organisme, est un non-résident dont le siège social est situé à l'étranger ou, à défaut de siège social, qui est contrôlé et géré par une personne non-résidente ou par des personnes dont la majorité sont des non-résidents et que les droits d'entrée à ce congrès seront fournis à des personnes non-résidentes dans une proportion d'au moins 75 %. Toutefois, Revenu Québec souligne que l'article 357.2 prévoit qu'un promoteur d'un congrès étranger peut demander un remboursement de la TVQ qu'il a payée relativement à un centre de congrès ou à des fournitures liées à un congrès qui sont acquises au Canada ou importées pour être utilisées au congrès. À cet effet, le promoteur doit produire la demande de remboursement au cours de l'année suivant le jour de la fin du congrès. Voir notamment à cet effet : Revenu Québec, Lettre d'interprétation, 02-0104758 — *Interprétation relative à la TPS et à la TVQ — Organisation d'un congrès international* (25 juillet 2002).

En vertu du paragraphe (1), le promoteur doit produire la demande de remboursement au cours de l'année suivant le jour de la fin du congrès. Toutefois, il est à remarquer qu'en vertu du paragraphe (2), lorsque lesdites fournitures sont effectuées par un organisateur inscrit, ce dernier peut porter au crédit du promoteur un montant égal au remboursement auquel le promoteur a par ailleurs droit en vertu du paragraphe (1). Dans ce cas, l'organisateur peut alors déduire de sa taxe nette un montant égal au montant porté au crédit du promoteur. Voir notamment à cet effet : Revenu Québec, Lettre d'interprétation, 01-0101616 — *Interprétation relative à la TPS et à la TVQ — Organisation d'un congrès international* (13 mars 2001).

Nous vous invitons à consulter nos commentaires en vertu de la sous-section 6 - *Montant payé par erreur* pour une discussion sur la présence d'un délai de rigueur et, le cas échéant, sur la possibilité de bénéficier d'un recours alternatif lorsque le délai prescrit est expiré.

Compte tenu de la similarité de la rédaction des dispositions législatives et considérant l'engagement spécifique de Revenu Québec de veiller à ce que l'assiette de TVQ modifiée, de même que les paramètres administratifs, structurels et définitionnels, produisent des résultats qui sont identiques à ceux produits sous le régime de la TPS/TVH et soient administrés d'une manière qui produit des résultats identiques, tel que reflété par l'article 14 de l'*Entente intégrée globale de coordination fiscale* signée entre le gouvernement du Canada et le gouvernement du Québec, nous vous invitons à consulter nos commentaires en vertu des articles 252.3 et 252.4 de *Loi sur la taxe d'accise (TPS)* qui devraient s'appliquer *mutatis mutandis*, avec les adaptations nécessaires.

IV.1. — Service d'installation

Notes historiques: L'intertitre de la division IV.1 de la sous-section 1 de la section I du chapitre VII du titre I a été ajouté par L.Q. 1997, c. 85, art. 640(1) et s'applique à l'égard des fournitures de services effectuées après le 23 avril 1996.

357.5.1 Remboursement aux résidents hors du Québec — service d'installation — Dans le cas où un bien meuble corporel est fourni, avec service d'installation, par un fournisseur qui ne réside pas au Québec et qui n'est pas inscrit en vertu de la section I du chapitre VIII à une personne donnée qui est ainsi inscrite et que le fournisseur ou une autre personne qui ne réside pas au Québec et qui n'est pas ainsi inscrite est l'acquéreur d'une fourniture taxable au Québec d'un service qui consiste à installer, dans un immeuble situé au Québec, le bien meuble corporel de sorte qu'il peut être utilisé par la personne donnée, les règles suivantes s'appliquent :

1° l'acquéreur du service a droit au remboursement de la taxe qu'il a payée à l'égard de la fourniture du service s'il produit une demande dans un délai d'un an suivant le jour de la cessation du service;

2° la personne donnée est réputée avoir reçu du fournisseur du bien meuble corporel une fourniture taxable du service, qui est distincte de la fourniture du bien et qui n'y est pas accessoire, pour une contrepartie égale à la partie de la contrepartie totale payée ou payable par la personne donnée pour le bien et son installation, qu'il peut être raisonnable d'attribuer à l'installation.

Notes historiques: L'article 357.5.1 a été ajouté par L.Q. 1997, c. 85, art. 640(1) et s'applique à l'égard des fournitures de services effectuées après le 23 avril 1996.

Définitions [art. 357.5.1]: « acquéreur », « bien », « contrepartie », « fournisseur », « fourniture taxable », « inscrit », « personne », « service » — 1.

Renvois [art. 357.5.1]: 357.5.2 (demande présentée au fournisseur).

Lettres d'interprétation [art. 357.5.1]: 98-0106728 — Interprétation relative à la TVQ — Apport au Québec d'un bien meuble corporel et fourniture d'un service par un non-résident.

Formulaires [art. 357.5.1]: VD-403, *Demande de remboursement de la taxe de vente du Québec (TVQ)*.

Concordance fédérale: LTA, par. 252.41(1).

COMMENTAIRES: Voir les commentaires sous l'article 357.5.3.

357.5.2 Demande au fournisseur — Dans le cas où une personne qui ne réside pas au Québec soumet à un fournisseur une demande pour un remboursement en vertu de l'article 357.5.1 auquel cette personne aurait droit à l'égard d'une fourniture effectuée par le fournisseur à son profit, si elle avait payée la taxe à l'égard de la fourniture et si elle avait demandé le remboursement conformément à cet article, le fournisseur peut lui payer, ou porter à son crédit, le montant du remboursement, auquel cas il doit transmettre la demande au ministre avec sa déclaration produite en vertu du chapitre VIII pour la période de déclaration au cours de laquelle le remboursement est payé ou porté au crédit de la personne et, malgré l'article 28 de la *Loi sur l'administration fiscale* (chapitre A-6.002), aucun intérêt n'est payable à l'égard du remboursement.

Notes historiques: L'article 357.5.2 a été ajouté par L.Q. 1997, c. 85, art. 640(1) et s'applique à l'égard des fournitures de services effectuées après le 23 avril 1996.

Définitions [art. 357.5.2]: « fournisseur », « fourniture », « ministre », « montant », « personne », « période de déclaration », « taxe » — 1.

Renvois [art. 357.5.2]: 357.5.3 (obligation solidaire); 455 (déduction pour paiement du remboursement — inscrit).

Lettres d'interprétation [art. 357.5.2]: 98-0106728 — Interprétation relative à la TVQ — Apport au Québec d'un bien meuble corporel et fourniture d'un service par un non-résident.

Formulaires [art. 357.5.2]: VD-403, *Demande de remboursement de la taxe de vente du Québec (TVQ)*.

Concordance fédérale: LTA, par. 252.41(2).

COMMENTAIRES: Voir les commentaires sous l'article 357.5.3.

357.5.3 Responsabilité solidaire — Dans le cas où, en vertu de l'article 357.5.2, un fournisseur paie à une personne, ou porte à son crédit, un montant au titre d'un remboursement et que le fournisseur sait ou devrait savoir que la personne n'a pas droit au remboursement ou que le montant payé ou porté au crédit de la personne excède le remboursement auquel elle a droit, le fournisseur et la personne sont tenus solidairement de payer au ministre le montant payé à la personne, ou porté à son crédit, au titre d'un remboursement ou de l'excédent, selon le cas.

Notes historiques: L'article 357.5.3 a été ajouté par L.Q. 1997, c. 85, art. 640(1) et s'applique à l'égard des fournitures de services effectuées après le 23 avril 1996.

Définitions [art. 357.5.3]: « fournisseur », « montant », « personne » — 1.

Renvois [art. 357.5.3]: 455 (déduction pour remboursement).

Concordance fédérale: LTA, par. 252.41(3).

COMMENTAIRES: Dans le but d'être conséquent avec les règles de fournitures détaxées pour l'exportation des services, cet article s'applique à l'égard de services d'installation dans le cadre de la fourniture d'un bien meuble corporel. En pratique, puisque le remboursement peut être crédité par le fournisseur, l'effet de ce remboursement s'apparente à une fourniture détaxée. Voir notamment à cet effet : Revenu Québec, Lettre d'interprétation, 98-0106728 — *Interprétation relative à la TVQ — Apport au Québec d'un bien meuble corporel et fourniture d'un service par un non-résident* (8 septembre 1998).

Revenu Québec a également indiqué que la demande de remboursement doit être produite dans un délai d'un an suivant la cessation du service. Voir notamment à cet effet : Revenu Québec, Lettre d'interprétation, 98-0106728 — *Interprétation relative à la TVQ — Apport au Québec d'un bien meuble corporel et fourniture d'un service par un non-résident* (8 septembre 1998).

Nous vous invitons à consulter nos commentaires en vertu de la sous-section 6 — *Montant payé par erreur* pour une discussion sur la présence d'un délai de rigueur et, le cas échéant, sur la possibilité de bénéficier d'un recours alternatif lorsque le délai prescrit est expiré.

Compte tenu de la similarité de la rédaction des dispositions législatives et considérant l'engagement spécifique de Revenu Québec de veiller à ce que l'assiette de TVQ modifiée, de même que les paramètres administratifs, structurels et définitionnels, produisent des résultats qui sont identiques à ceux produits sous le régime de la TPS/TVH et soient administrés d'une manière qui produit des résultats identiques, tel que reflété par l'article 14 de l'*Entente intégrée globale de coordination fiscale* signée entre le gouvernement du Canada et le gouvernement du Québec, nous vous invitons à consulter nos commentaires en vertu de l'article 252.41 de *Loi sur la taxe d'accise (TPS)* qui devraient s'appliquer *mutatis mutandis*, avec les adaptations nécessaires.

V. — Obligation solidaire

Notes historiques: L'intertitre de la division V de la sous-section 1 de la section I du chapitre VII du titre I a été ajouté par L.Q. 1994, c. 22, art. 568(1) et est réputé entré en vigueur le 1er juillet 1992.

357.6 Cas d'application — Le présent article s'applique dans le cas où, en vertu des articles 351, 353.1, 353.2 et 357.2 à 357.5, un inscrit, à un moment donné, paie à une personne, ou porte à son crédit, un montant au titre d'un remboursement et que, selon le cas :

1° la personne ne satisfait pas à la condition — appelée « condition d'admissibilité » dans le présent article — selon laquelle la personne aurait eu droit au remboursement si elle avait payé la taxe à laquelle le montant se rapporte et si elle avait satisfait aux conditions de l'article 357 ou, dans le cas d'un remboursement en vertu de l'article 357.2, si elle avait demandé le remboursement dans le délai prévu à cet article pour produire une demande à cet égard;

2° le montant payé ou porté au crédit de la personne excède le remboursement auquel elle aurait ainsi eu droit, d'un montant donné.

Responsabilité — Sous réserve du troisième alinéa, la personne est responsable du paiement au ministre du montant ou du montant donné, selon le cas, comme s'il avait été payé au moment donné à la personne au titre d'un remboursement en vertu de la présente section.

Responsabilité solidaire — Dans le cas où, au moment donné, l'inscrit sait ou devrait savoir que la personne ne satisfait pas à la condition d'admissibilité ou que le montant payé ou porté au crédit de la personne excède le remboursement auquel elle a droit, l'inscrit et la personne sont responsables solidairement du paiement au ministre du montant ou du montant donné, selon le cas, comme s'il avait été payé au moment donné au titre d'un remboursement en vertu de la présente section à l'inscrit et à la personne.

Notes historiques: Le préambule du paragraphe 1° du premier alinéa de l'article 357.6 a été remplacé par L.Q. 2002, c. 9, art. 169 et cette modification a effet depuis le 1er novembre 2001. Antérieurement, il se lisait ainsi :

> 1° Le présent article s'applique dans le cas où en vertu des articles 351, 353.1, 353.2, 353.6 à 356.1 et 357.2 à 357.5, un inscrit, à un moment donné, paie à une personne, ou porte à son crédit, un montant au titre d'un remboursement et que, selon le cas :

L'article 357.6 a été ajouté par L.Q. 1994, c. 22, art. 568(1) et est réputé entré en vigueur le 1er juillet 1992. Toutefois, pour la période du 1er juillet 1992 au 30 septembre 1992, la référence à l'article 353.2 doit être lue comme une référence aux articles 353.3 à 353.5.

Définitions [art. 357.6]: « inscrit », « montant », « personne », « taxe » — 1.

Concordance fédérale: LTA, art. 252.5.

COMMENTAIRES: En date des présentes, nous n'avons identifié aucune position administrative de Revenu Québec ou de décision jurisprudentielle interprétant cet article.

Compte tenu de la similarité de la rédaction des dispositions législatives et considérant l'engagement spécifique de Revenu Québec de veiller à ce que l'assiette de TVQ modifiée, de même que les paramètres administratifs, structurels et définitionnels, produisent des résultats qui sont identiques à ceux produits sous le régime de la TPS/TVH et soient administrés d'une manière qui produit des résultats identiques, tel que reflété par l'article 14 de l'*Entente intégrée globale de coordination fiscale* signée entre le gouvernement du Canada et le gouvernement du Québec, nous vous invitons à consulter nos commentaires en vertu de l'article 252.5 de *Loi sur la taxe d'accise (TPS)* qui devraient s'appliquer *mutatis mutandis*, avec les adaptations nécessaires.

§ 2. — Salarié et membre d'une société de personnes

Notes historiques: L'intertitre de la sous-section 2 de la section I du chapitre VII du titre I a été modifié par L.Q. 1997, c. 3, art. 135(1°) pour remplacer le mot « société » par les mots « société de personnes ». Cette modification est réputée entrée en vigueur le 20 mars 1997.

358. Salariés et associés d'une société de personnes — Dans le cas où un instrument de musique, un véhicule à moteur, un aéronef ou tout autre bien ou un service est ou devrait être considéré, en faisant abstraction de l'article 345.1, comme acquis, ou apporté au Québec, par un particulier qui est soit un associé d'une société de personnes qui est un inscrit, soit un salarié d'un inscrit autre qu'une institution financière désignée, que l'acquisition ou l'apport, dans le cas d'un particulier qui est un associé d'une société de personnes, n'est pas effectué pour le compte de la société de personnes, que le particulier a payé la taxe payable à l'égard de l'acquisition ou de l'apport et que celui-ci, dans le cas de l'acquisition ou de l'apport d'un instrument de musique, n'a pas le droit de demander un remboursement de la taxe sur les intrants à l'égard de l'instrument, ce particulier a droit, sous réserve des articles 359 et 360, à un remboursement pour chaque année civile à l'égard du bien ou du service égal au montant déterminé selon la formule suivante :

$$A \times (B + C - D).$$

Application — Pour l'application de cette formule :

1° la lettre A représente 9,975/109,975;

2º la lettre B représente le montant déduit, en vertu de la *Loi sur les impôts* (chapitre I-3), dans le calcul du revenu du particulier pour l'année provenant, selon le cas, de la société de personnes, d'une charge ou d'un emploi, et qui est :

a) soit la partie ou le montant prescrit, en vertu de cette loi, du coût en capital de l'aéronef, de l'instrument de musique ou du véhicule à moteur;

b) soit un montant, à l'égard de l'acquisition et de l'apport de l'autre bien apporté au Québec par le particulier, qui n'excède pas le total de la valeur de ce bien au sens de l'article 17 et de la taxe calculée sur cette valeur;

c) soit le montant relatif à la fourniture par louage, licence ou accord semblable de l'aéronef, de l'instrument de musique ou du véhicule à moteur, à la fourniture au Québec de l'autre bien ou à la fourniture du service;

3º la lettre C représente le montant que le particulier paie dans l'année et qui peut ou pourrait, en l'absence des articles 752.0.18.7 et 752.0.18.9 de la *Loi sur les impôts*, être inclus dans l'ensemble visé à l'un des articles 752.0.18.3 et 752.0.18.8 de cette loi et qui est relatif à la fourniture au Québec de l'autre bien ou à la fourniture du service, incluant la taxe payée ou à payer en vertu du présent titre et de la partie IX de la *Loi sur la taxe d'accise* (L.R.C. 1985, c. E-15);

4º la lettre D représente le total de tous les montants que le particulier a reçus ou a le droit de recevoir de son employeur ou de la société de personnes, selon le cas, au titre d'un remboursement à l'égard du montant visé à la lettre B ou C de la formule prévue au présent article.

Exception — Le présent article ne s'applique pas dans le cas où le particulier a reçu à l'égard du montant visé à la lettre B ou C de la formule prévue au présent article une allocation d'une personne à l'exception d'une allocation que la personne a considérée au moment de son versement comme une allocation qui n'était pas raisonnable pour l'application du paragraphe e) de l'article 39 ou de l'article 40 de la *Loi sur les impôts* et, dans le cas où la personne est une société de personnes dont le particulier est un associé, comme une allocation qui n'aurait pas été raisonnable pour l'application du paragraphe e) de l'article 39 ou de l'article 40 si l'associé avait été un salarié de la société de personnes à ce moment.

Notes historiques: Le préambule du premier alinéa de l'article 358 a été remplacé par L.Q. 2012, c. 28, s.-par. 118(1)(1º) et cette modification a effet à compter de l'année civile 2013. Antérieurement, il se lisait ainsi :

358. Dans le cas où un instrument de musique, un véhicule à moteur, un aéronef ou tout autre bien ou un service est ou devrait être considéré, en faisant abstraction de l'article 345.1, comme acquis, ou apporté au Québec, par un particulier qui est soit un associé d'une société de personnes qui est un inscrit, soit un salarié d'un inscrit, que l'acquisition ou l'apport, dans le cas d'un particulier qui est un associé d'une société de personnes, n'est pas effectué pour le compte de la société de personnes, que le particulier a payé la taxe payable à l'égard de l'acquisition ou de l'apport et que celui-ci, dans le cas de l'acquisition ou de l'apport d'un instrument de musique, n'a pas le droit de demander un remboursement de la taxe sur les intrants à l'égard de l'instrument, ce particulier a droit, sous réserve des articles 359 et 360, à un remboursement pour chaque année civile à l'égard du bien ou du service égal au montant déterminé selon la formule suivante :

Le premier alinéa de l'article 358 a été remplacé par L.Q. 1997, c. 85, art. 641(1)(1º) et a effet depuis le 1er juillet 1992. Toutefois :

a) il ne s'applique pas aux fins du calcul d'un remboursement en vertu de l'article 358 qui a été demandé dans une demande reçue par le ministre du Revenu avant le 23 avril 1996 ni aux fins du calcul d'un montant accordé par le ministre du Revenu avant le 24 avril 1996;

b) lorsque la formule prévue au premier alinéa de l'article 358 s'applique à une année d'imposition antérieure à 1997, elle doit se lire comme suit :

$$A \times (B - D).$$

Antérieurement, le premier alinéa se lisait ainsi :

358. Dans le cas où la taxe est payable à l'égard de l'acquisition, ou de l'apport au Québec, d'un aéronef, d'un instrument de musique, d'un véhicule à moteur ou de tout autre bien ou d'un service, par un particulier, qui est soit membre d'une société de personnes qui est un inscrit, soit un salarié d'un inscrit, et que celui-ci, dans le cas de l'acquisition ou de l'apport d'un instrument de musique, n'a pas le droit de demander un remboursement de la taxe sur les intrants à l'égard de l'instrument, ce particulier a droit, sous réserve des articles 359 et 360, à un remboursement pour chaque année civile à l'égard du bien ou du service égal au montant déterminé selon la formule suivante :

$$A \times (B + C).$$

La formule à l'article 358 a été modifiée par L.Q. 1997, c. 14, art. 343 et cette modification a effet à compter de l'année d'imposition 1997. Auparavant, cette formule se lisait comme suit :

$$A \times B.$$

Le paragraphe 1º du deuxième alinéa de l'article 358 a été modifié par L.Q. 2012, c. 28, s.-par. 118(1)(2º) par le remplacement de « 9,5/109,5 » par « 9,975/109,975 ». Cette modification a effet à compter de l'année civile 2013.

Le paragraphe 1º du deuxième alinéa de l'article 358 a été modifié par L.Q. 2011, c. 6, par. 266(1) par le remplacement de « 8,5 / 108,5 » par « 9,5 / 109,5 ». Cette modification a effet à compter du 1er janvier 2012.

Le paragraphe 1º du deuxième alinéa de l'article 358 a été remplacé par L.Q. 1997, c. 85, art. 641(1)(2º)a) et a effet depuis le 1er avril 1997. Toutefois, pour la période du 1er avril 1997 au 31 décembre 1997, il doit se lire en y remplaçant « 7,5 / 107,5 » par « 6,5 / 106,5 ».

Antérieurement, le paragraphe 1º du deuxième alinéa se lisait ainsi :

1º la lettre A représente la fraction de taxe applicable le dernier jour de l'année civile;

Le paragraphe 1º du deuxième alinéa de l'article 358 a été modifié par L.Q. 1995, c. 1, art. 306(1) et cette modification s'applique à l'égard d'un remboursement relatif à une fourniture effectuée après le 12 mai 1994 ou à un apport effectué après cette date. Auparavant, il se lisait comme suit :

1º la lettre A représente la fraction de taxe relative au bien ou au service applicable le dernier jour de l'année civile;

Le paragraphe 3º du deuxième alinéa de l'article 358 a été modifié par la suppression des mots « et du livre V.2.1 de la Partie I de cette loi » par L.Q. 2005, c. 1, par. 357(1) et cette modification a effet à compter de l'année d'imposition 2005.

Le paragraphe 3º du deuxième alinéa de l'article 358 a été remplacé par L.Q. 1997, c. 85, art. 641(1)(2º)b) et s'applique à compter de l'année d'imposition 1998.

Auparavant, le paragraphe 3º du deuxième alinéa de l'article 358 se lisait ainsi :

3º la lettre C représente le montant que le particulier paie dans l'année et qui peut ou pourrait, en l'absence des articles 752.0.18.7 et 752.0.18.9 de la *Loi sur les impôts*, être inclus dans l'ensemble visé à l'un des articles 752.0.18.3 et 752.0.18.8 de cette loi et qui est relatif à la fourniture au Québec de l'autre bien ou à la fourniture du service, incluant la taxe payée ou à payer en vertu du présent titre et de la partie IX de la *Loi sur la taxe d'accise* (Lois révisées du Canada (1985), chapitre E-15);

Le paragraphe 3º du deuxième alinéa de l'article 358 a été ajouté par L.Q. 1997, c. 14, art. 343 et cette modification a effet à compter de l'année d'imposition 1997.

Les paragraphes 1º, 2º, 3º du deuxième alinéa de l'article 358 ont été modifiés par L.Q. 1993, c. 19, art. 216(1º), (2º), (3º) et s'appliquent à l'égard d'une fourniture ou d'un apport au Québec relativement auquel l'article 685 ou l'un des articles 618 à 656 de L.Q. 1991, c. 67 s'applique [*N.D.L.R.* : les articles 685 et 618 à 656 réfèrent à des dispositions transitoires concernant les transferts avant le 1er juillet 1992]. Ils se lisaient auparavant comme suit :

1º la lettre A représente la fraction de taxe applicable le dernier jour de l'année civile;

2º la lettre B représente le total de chaque montant déduit, en vertu de la *Loi sur les impôts* (L.R.Q., chapitre I-3), dans le calcul du revenu du particulier pour l'année provenant, selon le cas, de la société ou d'un emploi, et qui est :

a) la partie ou le montant prescrit, en vertu de cette loi, du coût en capital de l'automobile, de l'aéronef ou de l'instrument de musique;

b) la totalité ou une partie de la contrepartie de la fourniture de l'autre bien ou du service;

3º la lettre C représente le total de chaque montant inclus dans le total déterminé au paragraphe 2º à l'égard duquel le particulier a reçu une allocation ou un remboursement de toute autre personne.

Le paragraphe 1º du deuxième alinéa de l'article 358 a été modifié par L.Q. 2010, c. 5, par. 228(1) par le remplacement de « 7,5 / 107,5 » par « 8,5 / 108,5 ». Cette modification a effet à compter du 1er janvier 2011.

Le paragraphe 4º du deuxième alinéa de l'article 358 a été ajouté par L.Q. 1997, c. 85, art. 641(1)(2º)c) et a effet depuis le 1er juillet 1992. Toutefois, il ne s'applique pas aux fins du calcul d'un remboursement en vertu de l'article 358 qui a été demandé dans une demande reçue par le ministre du Revenu avant le 23 avril 1996 ni aux fins du calcul d'un montant accordé par le ministre du Revenu avant le 24 avril 1996.

Le troisième alinéa de l'article 358 a été modifié par L.Q. 1997, c. 85, art. 641(1)(3º) et est entré en vigueur le jour de sa sanction soit le 19 décembre 1997. Antérieurement, il se lisait ainsi :

Le présent article ne s'applique pas dans le cas où le particulier a reçu à l'égard du montant visé à la lettre B ou C de la formule prévue au présent article une allocation d'une personne à l'exception d'une allocation que la personne a considéré au

LTVQ (français)

moment de son versement comme une allocation qui n'était pas raisonnable pour l'application du paragraphe e de l'article 39 ou de l'article 40 de la *Loi sur les impôts* et, dans le cas où la personne est une société de personnes dont le particulier est membre, comme une allocation qui n'aurait pas été raisonnable pour l'application du paragraphe e de l'article 39 ou de l'article 40 si le membre avait été un salarié de la société de personnes à ce moment.

Le troisième alinéa de l'article 358 a été modifié par L.Q. 1997, c. 14, art. 343 et cette modification a effet à compter de l'année d'imposition 1997. Auparavant, il se lisait comme suit :

Le présent article ne s'applique pas dans le cas où :

1° le particulier a reçu à l'égard du montant visé à la lettre B de la formule prévue au présent article une allocation d'une personne à l'exception d'une allocation que la personne a considéré au moment de son versement comme une allocation qui n'était pas raisonnable pour l'application du paragraphe e de l'article 39 ou de l'article 40 de la *Loi sur les impôts* (L.R.Q., chapitre I-3) et, dans le cas où la personne est une société de personnes dont le particulier est membre, comme une allocation qui n'aurait pas été raisonnable pour l'application du paragraphe e de l'article 39 ou de l'article 40 si le membre avait été un salarié de la société de personnes à ce moment;

2° [*Supprimé*]

Le paragraphe 2° du troisième alinéa est supprimé par L.Q. 1995, c. 63, art. 437(1) et cette modification s'applique à l'égard d'un remboursement relatif :

1° à une fourniture par vente d'un véhicule à moteur acquis après le 31 juillet 1995 ou à un apport d'un tel véhicule effectué après cette date;

2° à un bien, autre qu'un bien visé au sous-paragraphe a), ou à un service acquis, ou apporté au Québec, à l'égard duquel la taxe devient payable après le 31 juillet 1995 et n'est pas payée avant le 1er août 1995.

Auparavant, il se lisait comme suit :

2° le particulier s'il était un inscrit qui acquiert, ou apporte au Québec, le bien ou le service pour consommation ou utilisation exclusive dans le cadre de ses activités commerciales, ne pourrait demander un remboursement de la taxe sur les intrants à l'égard de ce bien ou de ce service en raison de l'article 206.1.

Le troisième alinéa de l'article 358 a été ajouté par L.Q. 1993, c. 19, art. 216(4°) et s'applique à l'égard d'une fourniture ou d'un apport au Québec relativement auquel l'article 685 ou l'un des articles 618 à 656 de L.Q. 1991, c. 67 s'applique.

L'article 358 a été modifié par L.Q. 1997, c. 3, art. 135(1°) pour remplacer le mot « société » par les mots « société de personnes ». Cette modification est réputée entrée en vigueur le 20 mars 1997.

L'article 358 a été modifié par L.Q. 1994, c. 22, art. 569(1) et est réputé entré en vigueur le 1er juillet 1992. Il se lisait comme suit :

358. Dans le cas où la taxe est payable à l'égard de l'acquisition, ou de l'apport au Québec, d'une automobile, d'un aéronef ou d'un instrument de musique ou à l'égard de la fourniture de tout autre bien ou d'un service, par un particulier,qui est soit membre d'une société qui est un inscrit, soit un salarié d'un inscrit, et que celui-ci n'a pas droit de demander un remboursement de la taxe sur les intrants à l'égard d'un tel bien ou d'un tel service, ce particulier a droit, sous réserve des articles 359 et 360, à un remboursement pour chaque année civile égal au montant déterminé selon la formule suivante :

$$A \times (B - C).$$

Pour l'application de cette formule :

1° la lettre A représente la fraction de taxe relative au bien ou au service applicable le dernier jour de l'année civile;

2° la lettre B représente le montant déduit, en vertu de la *Loi sur les impôts* (L.R.Q., chapitre I-3), dans le calcul du revenu du particulier pour l'année provenant, selon le cas, de la société ou d'un emploi, et qui est :

a) soit la partie ou le montant prescrit, en vertu de cette loi, du coût en capital de l'automobile, de l'aéronef ou de l'instrument de musique;

b) soit la totalité ou une partie de la contrepartie de la fourniture de l'autre bien ou du service;

3° la lettre C représente le total de chaque montant inclus dans le montant déterminé au paragraphe 2° à l'égard duquel le particulier a reçu une allocation ou un remboursement de toute autre personne.

Le présent article ne s'applique pas à un particulier qui, s'il était un inscrit qui acquiert, ou apporte au Québec, un tel bien ou un tel service pour consommation ou utilisation exclusive dans le cadre de ses activités commerciales, ne pourrait demander un remboursement de la taxe sur les intrants à l'égard de ce bien ou de ce service en raison de l'article 206.1.

L'article 358 a été édicté par L.Q. 1991, c. 67.

Notes explicatives ARQ (PL 5, L.Q. 2012, c. 28): *Résumé* :

L'article 358 est modifié de façon à ne plus permettre au salarié d'une institution financière désignée d'obtenir le remboursement qui y est prévu.

Cet article est égalementmodifié afin de remplacer la fraction « 9,5/109,5 » par « 9,975/109,975 », et ce, en vue de tenir compte du fait qu'à compter du 1er janvier 2013 la taxe sur les produits et services (TPS) est retirée de l'assiette de la taxe de vente du Québec (TVQ).

Situation actuelle :

L'article 358 accorde à un particulier, qui est associé d'une société de personnes inscrite ou qui est un salarié d'un inscrit, un droit de remboursement de la taxe payée à l'égard des dépenses qui, en vertu de la *Loi sur les impôts* (L.R.Q., chapitre I-3), sont déductibles dans le calcul soit de son revenu tiré de la société de personnes, soit de son revenu de charge ou d'emploi et pour lesquelles il n'a pas reçu d'allocation.

Modifications proposées :

À compter du 1er janvier 2013, les services financiers cessent, en règle générale, d'être détaxés et deviennent exonérés. La principale conséquence de ce changement est que les institutions financières ne pourront plus obtenir de remboursements de la taxe sur les intrants relativement aux fournitures acquises en vue de rendre des services financiers. Par conséquent, le premier alinéa de l'article 358 de la LTVQ est modifié de façon que, à l'instar du régime fédéral de la TPS, les salariés d'une institution financière désignée ne puissent obtenir le remboursement de la TVQ payée à l'égard de certaines dépenses qui sont déductibles dans le calcul de leur revenu tiré d'une charge ou d'un emploi en vertu de la LI.

Par ailleurs, en vue de tenir compte du fait que la TPS est retirée de l'assiette de la TVQ à compter du 1er janvier 2013, le paragraphe 1° du deuxième alinéa de cet article 358 est modifié pour y remplacer le ratio de 9,5/109,5 qui y est prévu par un ratio de 9,975/109,975.

Notes explicatives ARQ (PL 5, L.Q. 2011, c. 6): *Résumé* :

L'article 358 est modifié afin de tenir compte de la hausse du taux de la taxe de vente du Québec (TVQ) à 9,5 % à compter du 1er janvier 2012.

Situation actuelle :

L'article 358 accorde à un particulier, qui est associé d'une société de personnes inscrite ou qui est un salarié d'un inscrit, un droit de remboursement de la taxe payée à l'égard des dépenses qui sont déductibles dans le calcul de son revenu tiré de la société de personnes, d'une charge ou d'un emploi en vertu de la *Loi sur les impôts* (L.R.Q., chapitre I-3) pour lesquelles il n'a pas reçu d'allocation.

Modifications proposées :

L'article 358 est modifié afin de tenir compte de la hausse du taux de la TVQ à 9,5 % à compter du 1er janvier 2012.

Guides [art. 358]: IN-118 — Les dépenses d'emploi.

Définitions [art. 358]: « bien », « charge », « contrepartie », « fourniture », « fraction de taxe », « inscrit », « montant », « particulier », « personne », « salarié », « service », « taxe » — 1.

Renvois [art. 358]: 1.1 (personne morale); 5–9 (personnes associées); 21–22 (fourniture effectuée au Québec et à l'étranger); 245 (utilisation d'un instrument de musique); 252 (utilisation non exclusive d'une voiture de tourisme ou d'un aéronef); 359 (restriction du remboursement à un membre d'une société); 360 (demande de remboursement); 362 (groupe de particuliers); 403 (demande de remboursement); 404 (demande de remboursement); 506.1 (société et société de personnes); 25 LAF (cotisation par le ministre); 27.0.1 LAF (paiement au ministre); 30 LAF (intérêts sur remboursement); 62–67 LI (dépenses de vendeurs et frais de voyage); 78.4 LI (déduction pour instrument de musique); 130 LI (coût en capital de biens); 64R1, 130R118, 130R119, 130R119.1 RI.

Formulaires [art. 358]: VD-358, Demande de remboursement de la taxe de vente du Québec à l'intention des salariés et des membres d'une société.

Lettres d'interprétation [art. 358]: 98-0107650 — Interprétation relative à la TPS et à la TVQ — Indemnité versée pour un véhicule à moteur; 99-0110660 — Remboursement aux salariés et aux associés en vertu de l'article 358 de la *Loi sur la taxe de vente du Québec*; 99-0110660 — Direction des lois sur les taxes, le recouvrement et l'administration — Direction générale de la législation et des conquêtes; 99-0112443 — Interprétation relative à la TPS et à la TVQ — Remboursements aux salariés; 05-0105428 — Interprétation relative à la TVQ — application de l'article 358 de la LTVQ.

Concordance fédérale: LTA, par. 253(1).

COMMENTAIRES: Voir les commentaires sous l'article 360.1.

359. Restriction au membre d'une société de personnes —

Le remboursement à l'égard d'un bien ou d'un service prévu à l'article 358 payable pour une année civile à un particulier qui est un associé d'une société de personnes, ne doit pas excéder le montant qui serait un remboursement de la taxe sur les intrants de la société de personnes à l'égard du bien ou du service pour la dernière période de déclaration de la société de personnes au cours de son dernier exercice se terminant dans cette année civile si :

1° dans le cas d'un instrument de musique qui est une immobilisation du particulier, la société de personnes avait, au cours de cette période de déclaration, à la fois :

a) acquis l'instrument par louage pour utilisation exclusive dans le cadre de ses activités et pour utilisation dans le cadre de ses activités commerciales dans la même mesure que la consommation ou l'utilisation de l'instrument par le particulier dans le cadre des activités de la société de personnes au cours de l'année civile se faisait dans le cadre des activités commerciales de la société de personnes;

b) payé la taxe, à l'égard de l'instrument, égale au résultat obtenu en multipliant la partie ou le montant prescrit du coût en capital déductible à l'égard de cet instrument, en vertu de la *Loi sur les impôts* (chapitre I-3), dans le calcul du revenu du particulier pour cette année civile provenant de la société de personnes, par 9,975/109,975;

2° dans le cas d'un aéronef ou d'un véhicule à moteur qui est une immobilisation du particulier, à la fois :

a) la société de personnes avait acquis l'aéronef ou le véhicule au cours de cette période de déclaration dans des circonstances où l'article 252 s'applique et avait utilisé cet aéronef ou ce véhicule au cours de ce dernier exercice de la société de personnes dans le cadre des activités commerciales de la société de personnes dans la même mesure que l'utilisation de l'aéronef ou du véhicule par le particulier dans le cadre des activités de la société de personnes au cours de l'année civile se faisait dans le cadre des activités commerciales de la société de personnes;

b) la partie ou le montant prescrit du coût en capital déductible à l'égard de l'aéronef ou du véhicule, en vertu de la *Loi sur les impôts*, dans le calcul du revenu du particulier pour l'année civile provenant de la société de personnes était la partie ou le montant prescrit du coût en capital ainsi déductible dans le calcul du revenu de la société de personnes pour ce dernier exercice de la société de personnes;

3° dans tout autre cas, la société de personnes avait, à la fois :

a) acquis le bien ou le service pour utilisation exclusive dans le cadre de ses activités et pour utilisation dans le cadre de ses activités commerciales dans la même mesure que la consommation ou l'utilisation du bien ou du service par le particulier dans le cadre des activités de la société de personnes au cours de l'année civile se faisait dans le cadre des activités commerciales de la société de personnes;

b) payé à l'égard de cette acquisition, au cours de cette période de déclaration, la taxe égale au résultat obtenu en multipliant par 9,975/109,975 le montant suivant :

i. dans le cas d'un bien apporté au Québec par le particulier, le montant, à l'égard de l'acquisition et de l'apport de ce bien, n'excédant pas le total de la valeur du bien au sens de l'article 17 et de la taxe prévue à cet article, qui était déductible en vertu de la *Loi sur les impôts*, dans le calcul du revenu du particulier pour cette année provenant de la société de personnes;

ii. dans tout autre cas, le montant à l'égard de l'acquisition du bien ou du service par le particulier qui était ainsi déductible dans le calcul de ce revenu.

Notes historiques: Le préambule de l'article 359 a été modifié par L.Q. 2010, c. 5, s.-par. 229(1)(1°) par le remplacement du mot « membre » par les mots « un associé ». Cette modification a effet à compter du 1er janvier 2011.

Le préambule du sous-paragraphe b) du paragraphe 1° de l'article 359 a été modifié par L.Q. 2011, c. 6, s.-par. 267(1)(1°) par le remplacement de « 8,5 / 108,5 » par « 9,5 / 109,5 ». Cette modification a effet à compter du 1er janvier 2012.

Le sous-paragraphe b) du paragraphe 1° de l'article 359 a été modifié par L.Q. 2012, c. 28, par. 119(1) par le remplacement de « 9,5/109,5 » par « 9,975/109,975 ». Cette modification a effet à compter de l'année civile 2013.

Le sous-paragraphe b) du paragraphe 1° de l'article 359 a été modifié par L.Q. 2010, c. 5, s.-par. 229(1)(2°) par le remplacement de « 7,5 / 107,5 » par « 8,5 / 108,5 ». Cette modification a effet à compter du 1er janvier 2011.

Le sous-paragraphe b) du paragraphe 1° de l'article 359 a été remplacé par L.Q. 2007, c. 12, par. 324(1°) et cette modification est entrée en vigueur le 7 novembre 2007. Antérieurement, il se lisait ainsi :

> b) payé la taxe, à l'égard de l'instrument, égale à la fraction de taxe de la partie ou du montant prescrit du coût en capital déductible à l'égard de cet instrument, en vertu de la *Loi sur les impôts* (L.R.Q., chapitre I-3), dans le calcul du revenu du particulier pour cette année civile provenant de la société de personnes;

Le préambule du sous-paragraphe b) du paragraphe 3° de l'article 359 a été modifié par L.Q. 2011, c. 6, s.-par. 267(1)(2°) par le remplacement de « 8,5 / 108,5 » par « 9,5 / 109,5 ». Cette modification a effet à compter du 1er janvier 2012.

Le préambule du sous-paragraphe b) du paragraphe 3° de l'article 359 a été remplacé par L.Q. 2007, c. 12, par. 324(2°) et cette modification est entrée en vigueur le 7 novembre 2007. Antérieurement, il se lisait ainsi :

> b) payé à l'égard de cette acquisition, au cours de cette période de déclaration, la taxe égale à la fraction de taxe du montant suivant :

Le sous-paragraphe b) du paragraphe 3° de l'article 359 a été modifié par L.Q. 2012, c. 28, par. 119(1) par le remplacement de « 9,5/109,5 » par « 9,975/109,975 ». Cette modification a effet à compter de l'année civile 2013.

Le sous-paragraphe b) du paragraphe 3° de l'article 359 a été modifié par L.Q. 2010, c. 5, s.-par. 229(1)(3°) par le remplacement de « 7,5 / 107,5 » par « 8,5 / 108,5 ». Cette modification a effet à compter du 1er janvier 2011.

L'article 359 a été modifié par L.Q. 1997, c. 3, art. 135(1°) pour remplacer le mot « société » par les mots « société de personnes ». Cette modification est réputée entrée en vigueur le 20 mars 1997. Auparavant, l'article 359 a été modifié par L.Q. 1994, c. 22, art. 569(1) et est réputé entré en vigueur le 1er juillet 1992. Il se lisait comme suit :

> 359. Le remboursement prévu à l'article 358 payable pour une année civile à un particulier qui est membre d'une société, ne doit pas excéder le montant qui serait un remboursement de la taxe sur les intrants de la société pour son dernier exercice se terminant dans cette année civile si, à la fois :
>
> 1° l'automobile, l'aéronef ou l'instrument de musique visé à l'article 358 était un bien de la société et la partie ou le montant prescrit du coût en capital déductible à l'égard du bien, en vertu de la *Loi sur les impôts* (L.R.Q., chapitre I-3), dans le calcul du revenu du particulier pour l'année civile provenant de la société était la partie ou le montant prescrit du coût en capital ainsi déductible dans le calcul du revenu de la société pour ce dernier exercice;
>
> 2° la contrepartie de la fourniture de l'autre bien ou du service visé à l'article 358 qui était déductible en vertu de la *Loi sur les impôts*, dans le calcul du revenu du particulier pour l'année civile provenant de la société était la contrepartie payable par la société pour cette fourniture à celle-ci et le montant de taxe payable par la société au cours de ce dernier exercice à l'égard de cette fourniture était déterminé selon la formule suivante :
>
> $$A \times (B - C).$$
>
> Pour l'application de cette formule :
>
> 1° la lettre A représente la fraction de taxe relative au bien ou au service applicable le dernier jour de l'année civile;
>
> 2° la lettre B représente la contrepartie visée au paragraphe 2° à l'égard de cette fourniture;
>
> 3° la lettre C représente le total de tous les montants reçus dans l'année civile par le particulier à titre d'allocation ou de remboursement de toute autre personne relativement à cette fourniture.

Le paragraphe 1° du deuxième alinéa de l'article 359 a été modifié par L.Q. 1993, c. 19, art. 217 et s'applique à l'égard d'une fourniture ou d'un apport au Québec relativement auquel l'article 685 ou l'un des articles 618 à 656 de L.Q. 1991, c. 67 s'applique [*N.D.L.R.* : les articles 685 et 618 à 656 réfèrent à des dispositions transitoires concernant les transferts avant le 1er juillet 1992]. Il se lisait auparavant comme suit :

> 1° la lettre A représente la fraction de taxe applicable le dernier jour de l'année civile;

L'article 359 a été édicté par L.Q. 1991, c. 67.

Notes explicatives ARQ (PL 5, L.Q. 2012, c. 28): *Résumé* :

L'article 359 est modifié afin de remplacer la fraction « 9,5/109,5 » par « 9,975/109,975 », et ce, en vue de tenir compte du fait qu'à compter du 1er janvier 2013 la taxe sur les produits et services (TPS) est retirée de l'assiette de la taxe de vente du Québec (TVQ).

Situation actuelle :

L'article 359 restreint le remboursement prévu à l'article 358 de cette loi au particulier qui est associé d'une société de personnes, en le limitant au montant qui serait admissible au remboursement de la taxe sur les intrants si les dépenses avaient été engagées et si la taxe avait été payée par la société de personnes.

Modifications proposées :

En vue de tenir compte du fait que la TPS est retirée de l'assiette de la TVQ à compter du 1er janvier 2013, il y a lieu de modifier l'article 359 de la LTVQ.

Cette modification a pour objet de remplacer la fraction « 9,5/109,5 » par « 9,975/109,975 ».

Notes explicatives ARQ (PL 5, L.Q. 2011, c. 6): *Résumé* :

L'article 359 est modifié afin de tenir compte de la hausse du taux de la taxe de vente du Québec (TVQ) à 9,5 % à compter du 1er janvier 2012.

Situation actuelle :

L'article 359 restreint le remboursement prévu à l'article 358 de cette loi au particulier qui est associé d'une société de personnes, en le limitant au montant qui serait admissible au remboursement de la taxe sur les intrants si les dépenses avaient été engagées et si la taxe avait été payée par la société de personnes.

Modifications proposées :

L'article 359 est modifié afin de tenir compte de la hausse du taux de la TVQ à 9,5 % à compter du 1er janvier 2012.

Notes explicatives ARQ (PL 2, L.Q. 2007, c. 12): *Résumé* :

L'article 359 est modifié afin de remplacer l'expression « fraction de taxe » par une règle de calcul qui permet, à l'instar de l'expression remplacée, de déterminer la taxe payée relativement à une fourniture donnée.

Situation actuelle :

La loi permet, à l'article 358, de verser aux salariés et aux associés, un remboursement au titre de la taxe qu'ils ont payée sur certains biens et services acquis ou apportés au Québec pour leur propre compte et relativement auxquels ils peuvent déduire un montant aux fins de l'impôt sur le revenu.

Cependant, dans le cas du particulier qui est l'associé d'une société de personnes, l'article 359 prévoit que ce remboursement ne peut dépasser le montant qui constituerait un remboursement de la taxe sur les intrants de la société de personnes si les dépenses avaient été engagées et les taxes payées par celle-ci. Pour le calcul du montant de ce remboursement, il est précisé, au sous-paragraphe b) du paragraphe 1° et au sous-paragraphe b) du paragraphe 3°, que la taxe payée par la société de personnes correspond à la « fraction de taxe » de la dépense qui est déductible du revenu du particulier aux fins de l'impôt sur le revenu.

Modifications proposées :

Les modifications apportées au sous-paragraphe b) du paragraphe 1° et au sous-paragraphe b) du paragraphe 3° consistent à remplacer la mention de « fraction de taxe » par une règle de calcul déjà présente dans plusieurs dispositions de la loi. Cette modification permet de déterminer la taxe payée relativement à une fourniture donnée, tout comme le faisait la règle prévue à la définition de l'expression « fraction de taxe » qui était prévue à l'article 1 avant la suppression de cette définition.

Définitions [art. 359]: « activité commerciale », « bien », « contrepartie », « fourniture », « fraction de taxe », « immobilisation », « inscrit », « montant », « particulier », « période de déclaration », « personne », « service », « taxe » — 1.

Renvois [art. 359]: 1.1 (personne morale); 5–9 (personnes associées); 245 (utilisation d'un instrument de musique); 252 (utilisation non exclusive d'une voiture de tourisme ou d'un aéronef); 405 (exercice); 506.1 (société et société de personnes); 80m), 128, 130, 600f) LI (coût en capital déductible); 27.0.1 LAF (paiement au ministre); 130R3 RI.

Lettres d'interprétation [art. 359]: 98-0107650 — Interprétation relative à la TPS et à la TVQ — Indemnité versée pour un véhicule à moteur.

Concordance fédérale: LTA, par. 253(2).

COMMENTAIRES: Voir les commentaires sous l'article 360.1.

360. Délai de la demande — Un particulier a droit au remboursement prévu à l'article 358 pour une année civile seulement s'il produit au ministre, dans les quatre ans qui suivent la fin de l'année ou au plus tard un jour ultérieur que le ministre détermine, une demande de remboursement au moyen du formulaire prescrit contenant les renseignements prescrits en même temps que la déclaration fiscale visée à l'article 1000 de la *Loi sur les impôts* (chapitre I-3) qu'il doit produire ou devrait produire s'il avait un impôt à payer en vertu de la partie I de cette loi.

Disposition applicable — L'article 1052 de la *Loi sur les impôts* s'applique, compte tenu des adaptations nécessaires, à ce remboursement.

Notes historiques: Le premier alinéa de l'article 360 a été remplacé par L.Q. 2001, c. 53, art. 354 et cette modification a effet depuis le 20 octobre 2000. Antérieurement, il se lisait ainsi :

> 360. Un particulier a droit au remboursement prévu à l'article 358 pour une année civile seulement s'il produit au ministre, dans les quatre ans qui suivent la fin de l'année, une demande de remboursement au moyen du formulaire prescrit contenant les renseignements prescrits en même temps que la déclaration fiscale visée à l'article 1000 de la *Loi sur les impôts* (L.R.Q., chapitre I-3) qu'il doit produire ou devrait produire s'il avait un impôt à payer en vertu de la partie I de cette loi.

L'article 360 a été modifié par L.Q. 1994, c. 22, art. 569(1) et est réputé entré en vigueur le 1er juillet 1992. L'article 360, édicté par L.Q. 1991, c. 67, se lisait comme suit :

> 360. Un particulier a droit au remboursement prévu à l'article 358 seulement s'il produit une demande de remboursement dans les quatre ans suivant la fin de l'année à laquelle le remboursement se rapporte.

Définitions [art. 360]: « bien », « inscrit », « particulier » — 1.

Renvois [art. 360]: 1.1 (personne morale); 360.1 (demande annuelle); 403 (demande de remboursement); 404 (demande de remboursement); 506.1 (société et société de personnes); 25 LAF (cotisation par le ministre), art. 30 (intérêts sur remboursement); 27.0.1 LAF (paiement au ministre).

Lettres d'interprétation [art. 360]: 98-0107650 — Interprétation relative à la TPS et à la TVQ — Indemnité versée pour un véhicule à moteur.

Concordance fédérale: LTA, par. 253(3).

COMMENTAIRES: Voir les commentaires sous l'article 360.1.

360.1 Demande annuelle — Un particulier ne peut effectuer plus d'une demande de remboursement en vertu de l'article 360 par année civile.

Notes historiques: L'article 360.1 a été ajouté par L.Q. 1994, c. 22, art. 570(1) et est réputé entré en vigueur le 1er juillet 1992.

Définitions [art. 360.1]: « particulier » — 1.

Renvois [art. 360.1]: 1.1 (personne morale); 506.1 (société et société de personnes).

Lettres d'interprétation [art. 360.1]: 98-0107650 — Interprétation relative à la TPS et à la TVQ — Indemnité versée pour un véhicule à moteur.

Concordance fédérale: LTA, par. 253(4).

COMMENTAIRES: Cet article ne s'applique qu'aux particuliers et non aux associés de société. À ce titre, les associés de société ne bénéficient pas de ce remboursement. Nous vous invitons à consulter nos commentaires qui figurent sous l'article 345.2.

Il est à noter que les dépenses en capital sont limitées par cet article. Les autres dépenses, telles que le mobilier, ne donnent pas droit à un remboursement en vertu de cet article. Il serait donc préférable, pour les dépenses qui ne sont pas visées par l'article 358, qu'elles soient encourues directement par l'employeur ou la société de personnes, afin d'être en mesure de réclamer la TVQ payée.

Revenu Québec a indiqué, à plusieurs reprises, que le remboursement prévu à l'article 358 doit être interprété de concert avec l'article 211 en ce sens que l'inscrit qui demande un remboursement de la taxe sur les intrants à l'égard de l'allocation versée relative à l'utilisation d'un véhicule à moteur ne peut déposer en plus une demande de remboursement à l'égard de ses dépenses reliées à l'essence. Voir notamment à cet effet : Revenu Québec, Lettre d'interprétation, 05-0105428 — *Interprétation relative à la TVQ application de l'article 358 de la LTVQ* (4 novembre 2005) et Lettre d'interprétation, 98-0107650 — *Interprétation relative à la TPS et à la TVQ — Indemnité versée pour un véhicule à moteur* (3 décembre 1998).

Aux fins de l'application de l'article 358, Revenu Québec confirme qu'un professionnel peut demander sur le formulaire prescrit et selon les modalités prévues à l'article 360 le remboursement de la TVQ à l'égard des dépenses relatives à l'utilisation de son véhicule à l'intérieur du lieu d'affaires de la société de personnes et dont il n'a pas reçu d'allocation pour autant qu'elles soient déductibles dans le calcul de son revenu. Il faudra toutefois exclure la totalité des dépenses qui sont liées aux déplacements à l'extérieur du lieu d'affaires de la société de personnes dont une allocation raisonnable a été versée pour l'application de l'article 40 de la *Loi sur les impôts* comme si le professionnel était un salarié de la société. Revenu Québec souligne également que le test de raisonnabilité d'une allocation doit être déterminé au moment du versement par la société de personnes et peut être établi associé par associé selon divers critères raisonnables. Voir notamment à cet effet : Revenu Québec, Lettre d'interprétation, 97-0105094 — *Remboursement de la TPS/TVQ à l'intention des associés* (26 juin 1997).

L'article 360 prévoit que la demande de remboursement doit être produite dans un délai de quatre ans suivant la fin de l'année ou à une date ultérieure qui est déterminée par le ministre. Nous vous invitons à consulter nos commentaires en vertu de la sous-section 6 — *Montant payé par erreur* pour une discussion sur la présence d'un délai de rigueur et, le cas échéant, sur la possibilité de bénéficier d'un recours alternatif lorsque le délai prescrit est expiré.

Compte tenu de la similarité de la rédaction des dispositions législatives et considérant l'engagement spécifique de Revenu Québec de veiller à ce que l'assiette de TVQ modifiée, de même que les paramètres administratifs, structurels et définitionnels, produisent des résultats qui sont identiques à ceux produits sous le régime de la TPS/TVH et soient administrés d'une manière qui produit des résultats identiques, tel que reflété par l'article 14 de l'*Entente intégrée globale de coordination fiscale* signée entre le gouvernement du Canada et le gouvernement du Québec, nous vous invitons à consulter nos commentaires en vertu de l'article 253 de la *Loi sur la taxe d'accise (TPS)* qui devraient s'appliquer *mutatis mutandis*, avec les adaptations nécessaires.

§ 2.1 — [Abrogée]

Notes historiques: La sous-section 2.1 de la section I du chapitre VII du titre I a été abrogée par L.Q. 1995, c. 63, art. 438(1) et cette abrogation s'applique à l'égard de la totalité ou d'une partie de la contrepartie d'un droit d'entrée à un congrès qui est payable après le 31 juillet 1995 et qui n'est pas payée avant le 1er août 1995 qu'un particulier ou un organisme de services publics acquiert d'une personne et qui se rapporte à de la nourriture ou des boissons à l'égard desquels la taxe payable pour la personne n'est pas visée par le par. 6° de l'article 206.1 de cette loi. L'intertitre « Droit d'entrée à un congrès » de la sous-section 2.1 de la section I du chapitre VII du titre I avait été ajouté par L.Q. 1994, c. 22, art. 570(1) et était réputé entré en vigueur le 1er juillet 1992.

360.2 [*Abrogé*]

Notes historiques: L'article 360.2 a été abrogé par L.Q. 1995, c. 63, art. 438(1) et cette abrogation s'applique à l'égard de la totalité ou d'une partie de la contrepartie d'un droit d'entrée à un congrès qui est payable après le 31 juillet 1995 et qui n'est pas payée avant le 1er août 1995 qu'un particulier ou un organisme de services publics acquiert d'une personne et qui se rapporte à de la nourriture ou des boissons à l'égard desquels la taxe payable par la personne n'est pas visée par le paragraphe 6º de l'article 206.1. L'article 360.2, ajouté par L.Q. 1994, c. 22, art. 570(1), était était réputé entré en vigueur le 1er juillet 1992. Il se lisait comme suit :

360.2 Sous réserve de l'article 360.4, un particulier qui réside au Québec et qui acquiert un droit d'entrée à un congrès qui est fourni avec de la nourriture ou des boissons pour une seule contrepartie, a droit au remboursement de la taxe payée à l'égard de la fourniture du droit d'entrée dans la mesure où, à la fois :

1º la contrepartie de la fourniture se rapporte à de la nourriture ou à des boissons que le particulier est tenu d'acquérir avec le droit d'entrée;

2º la contrepartie de la fourniture constitue un montant déductible, en vertu de la *Loi sur les impôts* (L.R.Q., chapitre I-3), dans le calcul du revenu du particulier.

Malgré le premier alinéa, le particulier n'a pas droit au remboursement de la taxe payée à l'égard d'une fourniture dont la contrepartie est visée au paragraphe 2º de cet alinéa à l'égard de laquelle il a reçu une allocation ou un remboursement de toute autre personne.

360.2.1 [*Abrogé*]

Notes historiques: L'article 360.2.1 a été abrogé par L.Q. 1995, c. 63, art. 438(1) et cette abrogation s'applique à l'égard de la totalité ou d'une partie de la contrepartie d'un droit d'entrée à un congrès qui est payable après le 31 juillet 1995 et qui n'est pas payée avant le 1er août 1995 qu'un particulier ou un organisme de services publics acquiert d'une personne et qui se rapporte à de la nourriture ou des boissons à l'égard desquels la taxe payable par la personne n'est pas visée par le paragraphe 6º de l'article 206.1. L'article 360.2.1, ajouté par L.Q. 1995, c. 1, art. 307(1), s'appliquait à l'égard d'un remboursement relatif à une fourniture effectuée après le 12 mai 1994. Il se lisait comme suit :

360.2.1 Un particulier qui a droit au remboursement prévu à l'article 360.2 peut faire un choix, dans la demande qu'il produit afin d'obtenir ce remboursement, pour que celui-ci soit déterminé selon la formule suivante :

$$A \times 4\ \$.$$

Pour l'application de cette formule, la lettre A représente le nombre total de jours que dure le congrès.

360.3 [*Abrogé*]

Notes historiques: L'article 360.3 a été abrogé par L.Q. 1995, c. 63, art. 438(1) et cette abrogation s'applique à l'égard de la totalité ou d'une partie de la contrepartie d'un droit d'entrée à un congrès qui est payable après le 31 juillet 1995 et qui n'est pas payée avant le 1er août 1995 qu'un particulier ou un organisme de services publics acquiert d'une personne et qui se rapporte à de la nourriture ou des boissons à l'égard desquels la taxe payable par la personne n'est pas visée par le paragraphe 6º de l'article 206.1. L'article 360.3, ajouté par L.Q. 1994, c. 22, art. 570(1), était réputé entré en vigueur le 1er juillet 1992. Il se lisait comme suit :

360.3 Sous réserve de l'article 360.4, un organisme de services publics qui acquiert un droit d'entrée à un congrès qui est fourni avec de la nourriture ou des boissons pour une seule contrepartie ou qui rembourse à un particulier un montant relatif à un tel droit d'entrée que le particulier acquiert, a droit au remboursement de la taxe payée à l'égard de la fourniture du droit d'entrée ou de la fraction de taxe du montant remboursé, selon le cas, dans la mesure où la contrepartie de la fourniture ou le montant, selon le cas, se rapporte à de la nourriture ou à des boissons que l'organisme ou le particulier, selon le cas, est tenu d'acquérir avec le droit d'entrée.

360.3.1 [*Abrogé*]

Notes historiques: L'article 360.3.1 a été abrogé par L.Q. 1995, c. 63, art. 438(1) et cette abrogation s'applique à l'égard de la totalité ou d'une partie de la contrepartie d'un droit d'entrée à un congrès qui est payable après le 31 juillet 1995 et qui n'est pas payée avant le 1er août 1995 qu'un particulier ou un organisme de services publics acquiert d'une personne et qui se rapporte à de la nourriture ou des boissons à l'égard desquels la taxe payable par la personne n'est pas visée par le paragraphe 6º de l'article 206.1. L'article 360.3.1, ajouté par L.Q. 1995, c. 1, art. 308(1), s'appliquait à l'égard d'un remboursement relatif à une fourniture effectuée après le 12 mai 1994. Il se lisait comme suit :

360.3.1 Un organisme de services publics qui a droit au remboursement prévu à l'article 360.3 peut faire un choix, dans la demande qu'il produit afin d'obtenir ce remboursement, pour que celui-ci soit déterminé selon la formule suivante :

$$A \times 4\ \$.$$

Pour l'application de cette formule, la lettre A représente le nombre total de jours que dure le congrès.

360.4 [*Abrogé*]

Notes historiques: L'article 360.4 a été abrogé par L.Q. 1995, c. 63, art. 438(1) et cette abrogation s'applique à l'égard de la totalité ou d'une partie de la contrepartie d'un droit d'entrée à un congrès qui est payable après le 31 juillet 1995 et qui n'est pas payée avant le 1er août 1995 qu'un particulier ou un organisme de services publics acquiert d'une personne et qui se rapporte à de la nourriture ou des boissons à l'égard desquels la taxe payable par la personne n'est pas visée par le paragraphe 6º de l'article 206.1. L'article 360.4, ajouté par L.Q. 1994, c. 22, art. 570(1), était réputé entré en vigueur le 1er juillet 1992. Il se lisait comme suit :

360.4 Un particulier ou un organisme de services publics n'a droit au remboursement prévu aux articles 360.2 ou 360.3 à l'égard de la fourniture d'un droit d'entrée à un congrès que si, à la fois :

1º le particulier ou l'organisme produit une demande de remboursement dans les quatre ans suivant le jour où le congrès se termine;

2º dans le cas où la demande de remboursement est produite par un organisme de services publics, la demande est d'un montant minimum de 4 $;

3º dans le cas où la demande de remboursement est produite par un particulier, la demande est d'un montant minimum égal à 4 $ par jour que dure le congrès.

Les paragraphes 2º et 3º de l'article 360.4 ont été modifié par L.Q. 1995, c. 1, art. 309(1) et ces modifications s'appliquent à l'égard d'un remboursement relatif à une fourniture effectuée après le 12 mai 1994. Auparavant, ils se lisaient comme suit :

2º dans le cas où la demande de remboursement est produite par un organisme de services publics, la demande est d'un montant minimum de 5,00 $;

3º dans le cas où la demande de remboursement est produite par un particulier, la demande est d'un montant minimum égal à 5,00 $ par jour que dure le congrès.

L'article 360.4 a été ajouté par L.Q. 1994, c. 22, art. 570(1) et cet ajout s'applique à compter du 1er juillet 1992.

§ 3. — Immeuble

I — Interprétation

360.5 Définition : « immeuble d'habitation à logement unique » — Pour l'application de l'article 362 et des sous-sections II, II.1 et II.3, l'expression « immeuble d'habitation à logement unique » comprend :

1º un immeuble d'habitation à logements multiples qui contient au plus deux habitations;

2º tout autre immeuble d'habitation à logements multiples, s'il est visé au paragraphe 3° de la définition de l'expression « immeuble d'habitation » prévue à l'article 1 et contient une ou plusieurs habitations qui sont fournies comme chambre dans une auberge, un hôtel, un motel, une pension ou un local semblable et qui ne seraient pas considérées comme faisant partie de l'immeuble d'habitation si celui-ci n'était pas visé par ce paragraphe.

Notes historiques: L'article 360.5 a été remplacé par L.Q. 2003, c. 2, par. 337(1) et cette modification a effet depuis le 1er juin 1997 et s'applique, aux fins du calcul du remboursement d'un particulier :

1º en vertu des articles 362.2 à 367 et de l'article 370, à l'égard d'un immeuble d'habitation dont la propriété lui est transférée après le 31 mai 1997;

2º en vertu des articles 370.0.1 à 370.2 et de l'article 370.4, à l'égard d'un immeuble d'habitation dont la possession lui est transférée après le 31 mai 1997;

3º en vertu des articles 370.9 à 370.12, à l'égard d'un immeuble d'habitation dont la construction ou la rénovation majeure a été effectuée par le particulier ou par l'intermédiaire d'une personne qu'il a engagée et qui est presque achevée après le 31 mai 1997.

Dans le cas où, d'une part, un particulier aurait droit à un remboursement en vertu des articles 362.2 à 367, 370, 370.0.1 à 370.2, 370.4 et 370.9 à 370.12, à l'égard d'un immeuble d'habitation à logement unique visé au paragraphe 2º de la définition de cette expression prévue à l'article 360.5, si la période pour produire une demande de remboursement ou le nombre de demandes que le particulier peut faire à l'égard d'un même remboursement n'étaient pas limités et, d'autre part, le jour au plus tard où le particulier serait tenu, sans égard au présent paragraphe, de produire une demande de remboursement est antérieur au 31 mars 2003, les règles suivantes s'appliquent :

1º le particulier a, malgré les articles 362.4, 370.0.3 et 370.12, jusqu'au 31 mars 2003 pour produire une demande de remboursement au ministre du Revenu;

2º cette demande peut, malgré le deuxième alinéa de l'article 403, être la deuxième demande du particulier visant le remboursement, dans le cas où avant le 1er mars 2001, le particulier a fait une demande de remboursement à l'égard duquel une cotisation aura été établie.

Antérieurement, il se lisait ainsi :

360.5 Pour l'application de l'article 362 et des sous-sections II, II.1 et II.3, l'expression « immeuble d'habitation à logement unique » comprend un immeuble d'habitation à logements multiples qui contient au plus deux habitations.

LTVQ (français)

L'article 360.5 a été ajouté par L.Q. 1995, c. 1, art. 310(1) et s'applique à l'égard de :

1° la fourniture taxable d'un immeuble d'habitation à logement unique ou d'un logement en copropriété par vente si la convention écrite relative à la fourniture est conclue après le 12 mai 1994 et si le transfert de propriété et de possession en vertu de la convention a lieu après cette date;

2° la fourniture d'un immeuble d'habitation à logement unique dans le cadre de laquelle l'habitation fait l'objet d'une vente et le fonds de terre d'un bail à long terme si la convention écrite relative à la fourniture est conclue après le 12 mai 1994 et si le transfert de possession en vertu de la convention a lieu après cette date;

3° la fourniture taxable effectuée en vertu d'une convention écrite relative à la construction ou à la rénovation majeure d'un immeuble d'habitation à logement unique si la convention est conclue après le 12 mai 1994;

4° l'acquisition d'un bien ou d'un service effectuée par un particulier dans le cadre de la construction ou de la rénovation majeure d'un immeuble d'habitation à logement unique qu'il réalise lui-même si cette acquisition a lieu après le 12 mai 1994.

Guides [art. 360.5]: IN-261 — La TVQ, la TPS et les immeubles d'habitation (construction ou rénovation).

Définitions [art. 360.5]: « immeuble d'habitation à logements multiples », « immeuble d'habitation à logement unique » — 1.

Renvois [art. 360.5]: 670.69 (fourniture effectuée à un groupe de particuliers).

Bulletins d'interprétation [art. 360.5]: TVQ. 362.2-1/R2 — Remboursement pour habitations neuves à l'égard d'un duplex.

Concordance fédérale: LTA, par. 254(1), 254.1(1), 256(1).

COMMENTAIRES: Voir les commentaires sous l'article 362.

360.6 Définition : « bail à long terme » — Pour l'application de la sous-section II.1, l'expression « bail à long terme » à l'égard d'un fonds de terre signifie un bail, une licence ou un accord semblable du fonds de terre qui prévoit la possession continue du fonds pour une période d'au moins 20 ans ou qui prévoit une option d'achat du fonds.

Notes historiques: L'article 360.6 a été remplacé par L.Q. 2001, c. 53, art. 355 et cette modification a effet depuis le 20 octobre 2000. Antérieurement, il se lisait ainsi :

360.6 L'expression « bail à long terme » à l'égard d'un fonds de terre signifie un bail du fonds de terre qui prévoit la possession continue du fonds pour une période d'au moins 20 ans ou qui prévoit une option d'achat du fonds.

L'article 360.6 a été remplacé par L.Q. 1997, c. 85, art. 642(1) et a effet depuis le 15 septembre 1992. Toutefois, il doit se lire comme suit aux fins du calcul d'un montant accordé par le ministre du Revenu avant le 24 avril 1996 et aux fins du calcul d'un montant demandé, soit dans une demande présentée en vertu de la section I du chapitre VII du titre I et reçue par le ministre du Revenu avant le 23 avril 1996, soit comme déduction, au titre d'un redressement, d'un remboursement ou d'un crédit prévu à l'article 447, dans une déclaration produite en vertu du chapitre VIII du titre I et reçue par le ministre du Revenu avant le 23 avril 1996 :

360.6 Pour l'application de la sous-section II.1, l'expression « bail à long terme » à l'égard d'un fonds de terre signifie un bail du fonds de terre qui a une durée d'au moins 20 ans ou qui prévoit une option d'achat du fonds.

Antérieurement, l'article 360.6 se lisait ainsi :

360.6 Pour l'application de la sous-section II.1, l'expression « bail à long terme » à l'égard d'un fonds de terre signifie un bail du fonds de terre qui prévoit la possession continue du fonds pour une période d'au moins 20 ans ou qui prévoit une option d'achat du fonds.

L'article 360.6 a été ajouté par L.Q. 1995, c. 1, art. 310(1) et s'applique à l'égard de :

1° la fourniture taxable d'un immeuble d'habitation à logement unique ou d'un logement en copropriété par vente si la convention écrite relative à la fourniture est conclue après le 12 mai 1994 et si le transfert de propriété et de possession en vertu de la convention a lieu après cette date;

2° la fourniture d'un immeuble d'habitation à logement unique dans le cadre de laquelle l'habitation fait l'objet d'une vente et le fonds de terre d'un bail à long terme si la convention écrite relative à la fourniture est conclue après le 12 mai 1994 et si le transfert de possession en vertu de la convention a lieu après cette date;

3° la fourniture taxable effectuée en vertu d'une convention écrite relative à la construction ou à la rénovation majeure d'un immeuble d'habitation à logement unique si la convention est conclue après le 12 mai 1994;

4° l'acquisition d'un bien ou d'un service effectuée par un particulier dans le cadre de la construction ou de la rénovation majeure d'un immeuble d'habitation à logement unique qu'il réalise lui-même si cette acquisition a lieu après le 12 mai 1994.

Guides [art. 360.6]: IN-261 — La TVQ, la TPS et les immeubles d'habitation (construction ou rénovation).

Définitions [art. 360.6]: « immeuble d'habitation à logement unique » — 360.5; « particulier » — 1.

Concordance fédérale: LTA, par. 254.1(1).

COMMENTAIRES: Voir les commentaires sous l'article 362.

361. [*Abrogé*]

Notes historiques: L'article 361 a été abrogé par L.Q. 1993, c. 19, art. 218 et cette abrogation s'applique à l'égard d'une fourniture ou d'un apport au Québec relativement auquel l'article 685 ou l'un des articles 618 à 656 de L.Q. 1991, c. 67 s'applique [*N.D.L.R.* : les articles 685 et 618 à 656 réfèrent à des dispositions transitoires concernant les transferts avant le 1er juillet 1992]. L'article 361, édicté par L.Q. 1991, c. 67, se lisait auparavant comme suit :

361. Pour l'application des articles 363, 366 et 370, l'expression « immeuble d'habitation à logement unique » comprend un immeuble d'habitation à logements multiples qui contient au plus deux habitations.

COMMENTAIRES: Voir les commentaires sous l'article 362.

362. Ensemble de particuliers — Dans le cas où la fourniture d'un immeuble d'habitation ou d'une part du capital social d'une coopérative d'habitation est effectuée à plusieurs particuliers ou dans le cas où plusieurs particuliers, eux-mêmes ou par l'intermédiaire d'une personne qu'ils engagent, construisent ou font la rénovation majeure d'un immeuble d'habitation, la référence dans les sous-sections II à II.3 à un particulier donné doit être lue comme une référence à l'ensemble de ces particuliers en tant que groupe, mais seulement l'un d'entre eux peut effectuer la demande de remboursement en vertu de l'une de ces sous-sections à l'égard de l'immeuble d'habitation ou de la part.

Notes historiques: L'article 362 a été remplacé par L.Q. 2003, c. 2, par. 338(1) et cette modification a effet depuis le 1er juin 1997. Antérieurement, il se lisait ainsi :

362. Dans le cas où la fourniture d'un immeuble d'habitation à logement unique, d'un logement en copropriété ou d'une part dans une coopérative d'habitation est effectuée à plusieurs particuliers ou dans le cas où plusieurs particuliers, eux-mêmes ou par l'intermédiaire d'une personne qu'ils engagent, construisent ou font la rénovation majeure d'un immeuble d'habitation à logement unique, la référence dans les sous-sections II à II.3 à un particulier donné doit être lue comme une référence à l'ensemble de ces particuliers en tant que groupe, mais seulement l'un d'entre eux peut effectuer la demande de remboursement en vertu de l'une de ces sous-sections à l'égard de l'immeuble d'habitation, du logement ou de la part.

L'article 362 a été modifié par L.Q. 1995, c. 1, art. 311(1) et cette modification s'applique à l'égard de :

1° la fourniture taxable d'un immeuble d'habitation à logement unique ou d'un logement en copropriété par vente si la convention écrite relative à la fourniture est conclue après le 12 mai 1994 et si le transfert de propriété et de possession en vertu de la convention a lieu après cette date;

2° la fourniture d'un immeuble d'habitation à logement unique dans le cadre de laquelle l'habitation fait l'objet d'une vente et le fonds de terre d'un bail à long terme si la convention écrite relative à la fourniture est conclue après le 12 mai 1994 et si le transfert de possession en vertu de la convention a lieu après cette date;

3° la fourniture taxable effectuée en vertu d'une convention écrite relative à la construction ou à la rénovation majeure d'un immeuble d'habitation à logement unique si la convention est conclue après le 12 mai 1994;

4° l'acquisition d'un bien ou d'un service effectuée par un particulier dans le cadre de la construction ou de la rénovation majeure d'un immeuble d'habitation à logement unique qu'il réalise lui-même si cette acquisition a lieu après le 12 mai 1994;

5° la fourniture d'une part du capital social d'une coopérative d'habitation si cette dernière a payé la taxe au taux de 6,5 % à l'égard de la fourniture taxable de l'immeuble d'habitation qui fait l'objet de la fourniture de la part.

Auparavant, il se lisait comme suit :

362. Pour l'application des articles 362.1, 366 à 368 et 370 à 370.4, un particulier s'entend d'un ou de plusieurs particuliers qui ont droit à un remboursement en vertu du paragraphe 2 des articles 254, 254.1, 255 ou 256 de la *Loi sur la taxe d'accise* (Statuts du Canada) et seulement l'un d'entre eux peut effectuer la demande de remboursement en vertu de l'un de ces articles.

L'article 362 a été modifié par L.Q. 1994, c. 22, art. 571(1) et est réputé entré en vigueur le 1er juillet 1992. Il se lisait comme suit :

362. Pour l'application des articles 362.1, 366 à 368 et 370, un particulier s'entend d'un ou de plusieurs particuliers qui ont droit à un remboursement en vertu du paragraphe 2 des articles 254, 255 ou 256 de la *Loi sur la taxe d'accise* (Statuts du Canada) et seulement l'un d'entre eux peut effectuer la demande de remboursement en vertu de l'un de ces articles.

L'article 362 a été modifié par L.Q. 1993, c. 19, art. 219 et s'applique à l'égard d'une fourniture ou d'un apport au Québec relativement auquel l'article 685 ou l'un des articles 618 à 656 de L.Q. 1991, c. 67 s'applique [*N.D.L.R.* : les articles 685 et 618 à 656 réfèrent à des dispositions transitoires concernant les transferts avant le 1er juillet 1992]. L'article 362, édicté par L.Q. 1991, c. 67, se lisait auparavant comme suit :

362. Dans le cas où la fourniture d'un immeuble d'habitation à logement unique, d'un logement en copropriété ou d'une part dans une coopérative d'habitation est effectuée à plusieurs particuliers ou, dans le cas où plusieurs particuliers, eux-mêmes ou par l'intermédiaire d'une personne qu'ils engagent, construisent ou font la rénovation majeure d'un immeuble d'habitation à logement unique, la référence dans les sous-sections II à IV à un particulier donné doit être lue comme une référence à l'ensemble de ces particuliers en tant que groupe, mais seulement l'un d'entre eux peut effectuer la demande de remboursement en vertu de l'un de ces articles à l'égard de l'immeuble d'habitation, du logement ou de la part.

Guides [art. 362]: IN-261 — La TVQ, la TPS et les immeubles d'habitation (construction ou rénovation).

Définitions [art. 362]: « coopérative d'habitation », « immeuble d'habitation » — 1.

Concordance fédérale: LTA, par. 262(3).

COMMENTAIRES: Revenu Québec a confirmé que l'expression « immeuble d'habitation à logement unique » qui se retrouve à l'Article 365.1 est identique à celle qui figure sous le paragraphe 256(1). Voir notamment à cet effet, Revenu Québec, Lettre d'interprétation, 97-0109807 — *Nature et traitement des montants indiqués à titre de taxe* (12 novembre 1997).

À l'égard de l'article 362, Revenu Québec confirme que dans une situation où plusieurs particuliers sont en droit de recevoir un remboursement, une seule demande par immeuble d'habitation à logement unique peut être produite selon le formulaire prescrit soit au constructeur, soit à Revenu Québec. Voir notamment à cet effet : Revenu Québec, Lettre d'interprétation, 94-0107402 — *Demande de remboursement pour habitation neuve / copropriété divise et indivise* (26 janvier 1995).

Compte tenu de la similarité de la rédaction des dispositions législatives et considérant l'engagement spécifique de Revenu Québec de veiller à ce que l'assiette de TVQ modifiée, de même que les paramètres administratifs, structurels et définitionnels, produisent des résultats qui sont identiques à ceux produits sous le régime de la TPS/TVH et soient administrés d'une manière qui produit des résultats identiques, tel que reflété par l'article 14 de l'*Entente intégrée globale de coordination fiscale* signée entre le gouvernement du Canada et le gouvernement du Québec, nous vous invitons à consulter nos commentaires en vertu des paragraphes 254.1 (1), 256(1) et 262(3) de la *Loi sur la taxe d'accise (TPS)* qui devraient s'appliquer *mutatis mutandis*, avec les adaptations nécessaires.

I.1 — *[Abrogée]*

Notes historiques: L'intertitre « Règle générale » de la sous-section I.1 de la sous-section 3 de la section I du chapitre VII du titre I a été abrogé par L.Q. 1995, c. 1, art. 312 et cette abrogation a effet depuis le 13 mai 1994. Toutefois, cette abrogation ne s'applique pas à l'égard de :

1º la fourniture taxable d'un immeuble d'habitation à logement unique ou d'un logement en copropriété par vente si la convention écrite relative à la fourniture est conclue avant le 13 mai 1994 ou si le transfert de propriété ou de possession en vertu de la convention a lieu avant cette date;

2º la fourniture d'un immeuble d'habitation à logement unique dans le cadre de laquelle l'habitation fait l'objet d'une vente et le fonds de terre d'un bail à long terme si la convention écrite relative à la fourniture est conclue avant le 13 mai 1994 ou si le transfert de possession en vertu de la convention a lieu avant cette date;

3º la fourniture taxable effectuée en vertu d'une convention écrite relative à la construction ou à la rénovation majeure d'un immeuble d'habitation à logement unique si la convention est conclue avant le 13 mai 1994;

4º l'acquisition d'un bien ou d'un service effectuée par un particulier avant le 13 mai 1994 dans le cadre de la construction ou de la rénovation majeure d'un immeuble d'habitation à logement unique qu'il réalise lui-même;

5º la fourniture d'une part du capital social d'une coopérative d'habitation si cette dernière a payé la taxe au taux de 4 % à l'égard de la fourniture taxable de l'immeuble d'habitation qui fait l'objet de la fourniture de la part.

362.1 [*Abrogé*]

Notes historiques: L'article 362.1 a été abrogé par L.Q. 1995, c. 1, art. 312 et cette abrogation a effet depuis le 13 mai 1994. Toutefois, cette abrogation ne s'applique pas à l'égard de :

1º la fourniture taxable d'un immeuble d'habitation à logement unique ou d'un logement en copropriété par vente si la convention écrite relative à la fourniture est conclue avant le 13 mai 1994 ou si le transfert de propriété ou de possession en vertu de la convention a lieu avant cette date;

2º la fourniture d'un immeuble d'habitation à logement unique dans le cadre de laquelle l'habitation fait l'objet d'une vente et le fonds de terre d'un bail à long terme si la convention écrite relative à la fourniture est conclue avant le 13 mai 1994 ou si le transfert de possession en vertu de la convention a lieu avant cette date;

3º la fourniture taxable effectuée en vertu d'une convention écrite relative à la construction ou à la rénovation majeure d'un immeuble d'habitation à logement unique si la convention est conclue avant le 13 mai 1994;

4º l'acquisition d'un bien ou d'un service effectuée par un particulier avant le 13 mai 1994 dans le cadre de la construction ou de la rénovation majeure d'un immeuble d'habitation à logement unique qu'il réalise lui-même;

5º la fourniture d'une part du capital social d'une coopérative d'habitation si cette dernière a payé la taxe au taux de 4 % à l'égard de la fourniture taxable de l'immeuble d'habitation qui fait l'objet de la fourniture de la part.

Auparavant, il se lisait comme suit :

362.1 Un particulier a droit au remboursement de la taxe prévue à l'article 16 payée sur le montant du remboursement auquel il a droit en vertu du paragraphe 2 des articles 254, 254.1 ou 256 de la *Loi sur la taxe d'accise* (Statuts du Canada) ou au remboursement de 4 % du montant du remboursement auquel il a droit en vertu du paragraphe 2 de l'article 255 de cette loi.

L'article 362.1 a été modifié par L.Q. 1994, c. 22, art. 571(1) et est réputé entré en vigueur le 1er juillet 1992. Il se lisait comme suit :

362.1 Un particulier a droit au remboursement de la taxe prévue à l'article 16 payée sur le montant du remboursement auquel il a droit en vertu du paragraphe 2 des articles 254 ou 256 de la *Loi sur la taxe d'accise* (Statuts du Canada) ou au remboursement de 4 % du montant du remboursement auquel il a droit en vertu du paragraphe 2 de l'article 255 de cette loi.

L'article 362.1 a été ajouté par L.Q. 1993, c. 19, art. 220 et s'applique à l'égard d'une fourniture ou d'un apport au Québec relativement auquel l'article 685 ou l'un des articles 618 à 656 de L.Q. 1991, c. 67 s'applique [*N.D.L.R.* : les articles 685 et 618 à 656 réfèrent à des dispositions transitoires concernant les transferts avant le 1er juillet 1992].

II — Immeuble d'habitation à logement unique ou en copropriété

362.2 Immeuble d'habitation à logement unique et logement en copropriété — Sous réserve de l'article 362.4, un particulier donné qui reçoit du constructeur d'un immeuble d'habitation à logement unique ou d'un logement en copropriété la fourniture taxable de l'immeuble d'habitation ou du logement par vente, a droit à un remboursement déterminé conformément à l'article 362.3 si, à la fois :

1º au moment où le particulier donné devient responsable ou assume la responsabilité en vertu d'une convention d'achat et de vente de l'immeuble d'habitation ou du logement conclue entre le constructeur et le particulier donné, ce dernier acquiert l'immeuble d'habitation ou le logement pour l'utiliser à titre de résidence principale pour lui-même, un particulier qui lui est lié ou un ex-conjoint du particulier donné;

2º est inférieur à 300 000 $, le total de tous les montants — appelé « total de la contrepartie » dans le présent article et dans l'article 362.3 — dont chacun représente la contrepartie payable pour la fourniture de l'immeuble d'habitation ou du logement au particulier donné ou pour toute autre fourniture taxable à ce dernier d'un droit dans l'immeuble d'habitation ou dans le logement;

3º le particulier donné a payé la totalité de la taxe prévue à l'article 16 payable à l'égard de la fourniture de l'immeuble d'habitation ou du logement et à l'égard de toute autre fourniture au particulier d'un droit dans l'immeuble d'habitation ou dans le logement, appelée « total de la taxe payée par le particulier donné » dans le présent article et dans l'article 362.3;

4º la propriété de l'immeuble d'habitation ou du logement est transférée au particulier donné après que la construction ou la rénovation majeure soit presque achevée;

5º après que la construction ou la rénovation majeure soit presque achevée et avant que la possession de l'immeuble d'habitation ou du logement soit donnée au particulier donné en vertu de la convention d'achat et de vente :

a) dans le cas de l'immeuble d'habitation, il n'est pas occupé par tout particulier à titre de résidence ou d'hébergement;

b) dans le cas du logement, il n'est pas occupé par tout particulier à titre de résidence ou d'hébergement, sauf si pendant qu'il est ainsi occupé, il l'est à titre de résidence par un particulier, un particulier qui lui est lié ou un ex-conjoint du particulier, lequel particulier est au moment de cette occupation un acheteur du logement en vertu d'une convention d'achat et de vente;

LTVQ (français)

6º l'une ou l'autre des conditions suivantes est remplie :

a) le premier particulier à occuper l'immeuble d'habitation ou le logement à titre de résidence à un moment quelconque après que la construction ou la rénovation majeure soit presque achevée est :

i. dans le cas de l'immeuble d'habitation, le particulier donné, un particulier qui lui est lié ou un ex-conjoint du particulier donné;

ii. dans le cas du logement, un particulier, un particulier qui lui est lié ou un ex-conjoint du particulier, lequel particulier est à ce moment l'acheteur du logement en vertu d'une convention d'achat et de vente;

b) le particulier donné effectue la fourniture exonérée de l'immeuble d'habitation ou du logement par vente et la propriété en est transférée à l'acquéreur de la fourniture avant que l'immeuble d'habitation ou le logement soit occupé par tout particulier à titre de résidence ou d'hébergement.

Notes historiques: Le paragraphe 2° de l'article 362.2 a été remplacé par L.Q. 2012, c. 28, par. 120(1) et cette modification s'applique à l'égard de la fourniture taxable par vente d'un immeuble d'habitation à logement unique ou d'un logement en copropriété qui est effectuée en vertu d'une convention écrite conclue après le 31 décembre 2012. Antérieurement, il se lisait ainsi :

2º est inférieur à 300 000 $, le total de tous les montants — appelé « total de la contrepartie » dans le présent article et dans les articles 362.3 et 368.1 — dont chacun représente la contrepartie payable pour la fourniture de l'immeuble d'habitation ou du logement au particulier donné ou pour toute autre fourniture taxable à ce dernier d'un droit dans l'immeuble d'habitation ou dans le logement, en excluant la taxe payée ou payable en vertu de la partie IX de la *Loi sur la taxe d'accise* (L.R.C. 1985, c. E-15) à l'égard de ces fournitures;

Le paragraphe 2° de l'article 362.2 a été modifié par L.Q. 2011, c. 1, par. 139(1) par le remplacement de « 225 000 $ » par « 300 000 $ ». Cette modification s'applique à l'égard de la fourniture taxable d'un immeuble d'habitation à logement unique ou d'un logement en copropriété par vente si la convention écrite relative à la fourniture est conclue après le 31 décembre 2010 et si les transferts de propriété et de possession en vertu de la convention ont lieu après cette date.

Le paragraphe 2° de l'article 362.2 a été modifié par L.Q. 2001, c. 51, art. 280 par le remplacement de « 200 000 $ » par « 225 000 $ » et cette modification s'applique à l'égard de la fourniture taxable d'un immeuble d'habitation à logement unique ou d'un logement en copropriété par vente effectuée en vertu d'une convention écrite conclue après le 14 mars 2000 et en vertu de laquelle le transfert de propriété a lieu après cette date.

L'article 362.2 a été ajouté par L.Q. 1995, c. 1, art 313(1) et s'applique à l'égard de la fourniture taxable d'un immeuble d'habitation à logement unique ou d'un logement en copropriété par vente si la convention écrite relative à la fourniture est conclue après le 12 mai 1994 et si le transfert de propriété et de possession en vertu de la convention a lieu après cette date.

Notes explicatives ARQ (PL 5, L.Q. 2012, c. 28): *Résumé* :

L'article 362.2 est modifié afin de tenir compte du fait qu'à compter du 1er janvier 2013 la taxe sur les produits et services (TPS) est retirée de l'assiette de la taxe de vente du Québec (TVQ).

Situation actuelle :

L'article 362.2 prévoit le droit à un remboursement partiel de la TVQ payée par le particulier qui acquiert un immeuble d'habitation à logement unique ou un logement en copropriété neuf ou ayant fait l'objet d'une rénovation majeure auprès d'un constructeur afin de l'occuper comme résidence principale. Cet article prévoit les conditions qui doivent être satisfaites pour l'obtention du remboursement. Une de ces conditions exige que le prix d'acquisition de l'immeuble d'habitation ou du logement soit inférieur à 300 000 $, en excluant la TPS.

Modifications proposées :

L'article 362.2 est modifié afin de tenir compte du fait qu'à compter du 1er janvier 2013 la TPS est retirée de l'assiette de la TVQ.

Notes explicatives ARQ (PL 117, L.Q. 2011, c. 1): *Résumé* :

L'article 362.2 est modifié afin de porter à 300 000 $ le prix d'acquisition d'un immeuble d'habitation à logement unique ou d'un logement en copropriété à partir duquel plus aucun remboursement n'est accordé.

Situation actuelle :

L'article 362.2 prévoit le droit à un remboursement partiel de la taxe de vente du Québec (TVQ) payée par le particulier qui acquiert un immeuble d'habitation à logement unique ou un logement en copropriété neuf ou ayant fait l'objet d'une rénovation majeure auprès d'un constructeur afin de l'occuper comme résidence principale. Cet article prévoit les conditions qui doivent être satisfaites pour l'obtention du remboursement. Une de ces conditions exige que le prix d'acquisition de l'immeuble d'habitation ou du logement soit inférieur à 225 000 $, en excluant la TVQ et la taxe sur les produits et services.

Modifications proposées :

La modification apportée à cet article vise à porter à 300 000 $ le prix d'acquisition de l'immeuble d'habitation ou du logement à partir duquel plus aucun remboursement n'est accordé.

Guides [art. 362.2]: IN-205 — Remboursement de la TVQ et de la TPS/TVH — Habitations neuves — Immeubles d'habitation locatifs neufs — Rénovations majeures; IN-261 — La TVQ, la TPS et les immeubles d'habitation (construction ou rénovation).

Définitions [art. 362.2]: « constructeur », « fourniture taxable » — 1; « immeuble d'habitation », « immeuble d'habitation à logement unique » — 360.5; « logement en copropriété », « montant », « particulier », « rénovation majeure », « taxe », « vente » — 1.

Renvois [art. 362.2]: 362 (groupe de particuliers); 362.3 (calcul du remboursement prévu à l'article 362.2); 362.4 (calcul du remboursement prévu à l'article 362.2); 366–368.1 (demande présentée au constructeur); 378.18 (restrictions au remboursement); 670.39 (montant du remboursement — taxe de vente d'un immeuble); 670.40 (fournitures effectuées à un groupe de particuliers); 670.67 (remboursement à l'égard de la fourniture d'un immeuble d'habitation); 670.68 (montant du remboursement — fourniture d'un immeuble d'habitation); 670.69 (fourniture effectuée à un groupe de particuliers).

Jurisprudence [art. 362.2]: *Godin Renaud c. Québec (Sous-ministre du Revenu)* (28 mars 2011), 550-32-016851-088, 2011 CarswellQue 4060; *Construction MDGG inc. c. Québec (Sous-ministre du Revenu)* (13 mars 2008), 200-80-002119-061, 2008 CarswellQue 2224.

Bulletins d'interprétation [art. 362.2]: TVQ. 362.2-1/R2 — Remboursement pour habitations neuves à l'égard d'un duplex.

Formulaires [art. 362.2]: VD-370.67, Remboursement de TVQ pour un immeuble d'habitation locatif neuf; VD-370.89, Remboursement de TVQ pour un immeuble d'habitation locatif neuf.

Concordance fédérale: LTA, par. 254(2).

COMMENTAIRES: Voir les commentaires sous l'article 370.

362.3 Montant du remboursement — Pour l'application de l'article 362.2, le remboursement auquel un particulier donné a droit à l'égard de la fourniture d'un immeuble d'habitation à logement unique ou d'un logement en copropriété est égal :

1º dans le cas où le total de la contrepartie est de 200 000 $ ou moins, au montant déterminé selon la formule suivante :

$$50\ \% \times A$$

2º dans le cas où le total de la contrepartie est supérieur à 200 000 $ mais est inférieur à 300 000 $, au montant déterminé selon la formule suivante :

$$9\,975\ \$ \times [(300\,000\ \$\ B) / 100\,000\ \$]$$

Application — Pour l'application de ces formules :

1º la lettre A représente le total de la taxe payée par le particulier donné;

2º (*paragraphe supprimé*);

3º la lettre B représente le total de la contrepartie.

Notes historiques: La formule prévue au paragraphe 1º du premier alinéa de l'article 362.3 a été remplacée par L.Q. 2012, c. 28, s.-par. 121(1)(1º) et cette modification s'applique à l'égard de la fourniture taxable par vente d'un immeuble d'habitation à logement unique ou d'un logement en copropriété qui est effectuée en vertu d'une convention écrite conclue après le 31 décembre 2012. Antérieurement, elle se lisait ainsi :

$$[50\ \% \times (A - B)] + B;$$

La formule au paragraphe 1° du premier alinéa de l'article 362.3 aété modifiée par L.Q. 2011, c. 1, s.-par. 140(1)(1º) par le remplacement de « 36 % » par « 50 % ». Cette modification s'applique à l'égard de la fourniture taxable d'un immeuble d'habitation à logement unique ou d'un logement en copropriété par vente si la convention écrite relative à la fourniture est conclue après le 31 décembre 2010 et si les transferts de propriété et de possession en vertu de la convention ont lieu après cette date.

Le paragraphe 1º du premier alinéa de l'article 362.3 a été modifié par L.Q. 2001, c. 51, art. 281 (1)(1º) par le remplacement de « 175 000 $ » par « 200 000 $ » et cette modification s'applique à l'égard de la fourniture taxable d'un immeuble d'habitation à logement unique ou d'un logement en copropriété par vente effectuée en vertu d'une convention écrite conclue après le 14 mars 2000 et en vertu de laquelle le transfert de propriété a lieu après cette date.

La formule prévue au paragraphe 2º du premier alinéa de l'article 362.3 a été remplacée par L.Q. 2012, c. 28, s.-par. 121(1)(2º) et cette modification s'applique à l'égard de la fourniture taxable par vente d'un immeuble d'habitation à logement unique ou d'un logement en copropriété qui est effectuée en vertu d'une convention écrite conclue après le 31 décembre 2012. Antérieurement, elle se lisait ainsi :

$$[9\,804\,\$ \times \frac{300\,000\,\$ - C}{100\,000\,\$}] + B.$$

La formule au paragraphe 2° du premier alinéa de l'article 362.3 a été modifiée par L.Q. 2011, c. 6, par. 268(1) par le remplacement de « 8 772 $ » par « 9 804 $ ». Cette modification s'applique à l'égard de la fourniture taxable d'un immeuble d'habitation à logement unique ou d'un logement en copropriété par vente si la convention écrite relative à la fourniture est conclue après le 31 décembre 2011 et si les transferts de propriété et de possession en vertu de la convention ont lieu après cette date.

La formule au paragraphe 2° du premier alinéa de l'article 362.3 a été modifié par L.Q. 2010, c. 5, par. 230(1) par. le remplacement de « 5 573 $ » par « 6 316 $ ». Cette modification s'applique à l'égard de la fourniture taxable d'un immeuble d'habitation à logement unique ou d'un logement en copropriété par vente si la convention écrite relative à la fourniture est conclue après le 31 décembre 2010 et si le transfert de propriété et de possession en vertu de la convention a lieu après cette date.

Le paragraphe 2° du deuxième alinéa de l'article 362.3 a été supprimé par L.Q. 2012, c. 28, s.-par. 121(1)(3º)) et cette modification s'applique à l'égard de la fourniture taxable par vente d'un immeuble d'habitation à logement unique ou d'un logement en copropriété qui est effectuée en vertu d'une convention écrite conclue après le 31 décembre 2012. Antérieurement, il se lisait ainsi :

2º la lettre B représente la taxe prévue à l'article 16 payée à l'égard du montant du remboursement auquel le particulier donné a droit à l'égard de la fourniture de l'immeuble d'habitation ou du logement en vertu du paragraphe 2 de l'article 254 de la *Loi sur la taxe d'accise* (L.R.C. 1985, c. E-15);

Le paragraphe 2º du premier alinéa de l'article 362.3 a été remplacé par L.Q. 2011, c. 1, s.-par. 140(1)(2º) et cette modification s'applique à l'égard de la fourniture taxable d'un immeuble d'habitation à logement unique ou d'un logement en copropriété par vente si la convention écrite relative à la fourniture est conclue après le 31 décembre 2010 et si les transferts de propriété et de possession en vertu de la convention ont lieu après cette date. Antérieurement, il se lisait ainsi :

2º dans le cas où le total de la contrepartie est supérieur à 200 000 $ mais est inférieur à 225 000 $, au montant déterminé selon la formule suivante :

$$[5\,573\,\$ \times \frac{225\,000\,\$ - C}{25\,000\,\$}] + B.$$

Le paragraphe 2º du premier alinéa de l'article 365.3 a été modifié par L.Q. 2009, c. 5, par. 638(1) par le remplacement de « 5 607 $ » par « 5 573 $ ». Cette modification s'applique à un remboursement relatif à une fourniture par vente d'un immeuble d'habitation à l'égard duquel la propriété a été transférée après le 31 décembre 2007, sauf si la taxe payable en vertu du paragraphe 1 de l'article 165 de la*Loi sur la taxe d'accise* (Lois révisées du Canada (1985), chapitre E-15) s'est appliquée au taux de 6 % ou de 7 % à l'égard de la fourniture de l'immeuble d'habitation.

Le paragraphe 2º du premier alinéa de l'article 362.3 a été modifié par L.Q. 2007, c. 12, par. 325(1) par le remplacement des mots « 5 642 $ » par les mots « 5 607 $ ». Cette modification s'applique à un remboursement relatif à une fourniture par vente d'un immeuble d'habitation à l'égard duquel la propriété a été transférée après le 30 juin 2006, sauf si la taxe payable en vertu du paragraphe 1 de l'article 165 de la *Loi sur la taxe d'accise* (Lois révisées du Canada (1985), chapitre E-15) s'est appliquée au taux de 7 % à l'égard de la fourniture de l'immeuble d'habitation.

Le paragraphe 2º du premier alinéa de l'article 362.3 a été modifié par L.Q. 2001, c. 51, art. 281 (1)(2º) par le remplacement de « 175 000 $ » par « 200 000 $ », de « 200 000 $ », partout où cela se trouve, par « 225 000 $ » et de « 4 937 $ » par « 5 642 $ ». Ces modifications s'appliquent à l'égard de la fourniture taxable d'un immeuble d'habitation à logement unique ou d'un logement en copropriété par vente effectuée en vertu d'une convention écrite conclue après le 14 mars 2000 et en vertu de laquelle le transfert de propriété a lieu après cette date.

Le paragraphe 2º du premier alinéa de l'article 362.3 a été remplacé par L.Q. 1997, c. 85, art. 643(1). Cette modification, lorsqu'elle remplace « 4 278 $ » par « 4 937 $ », s'applique à l'égard de la fourniture taxable d'un immeuble d'habitation à logement unique ou d'un logement en copropriété par vente si la convention écrite relative à la fourniture est conclue après le 31 décembre 1997 et si le transfert de propriété et de possession en vertu de la convention a lieu après cette date.

Antérieurement, ce paragraphe se lisait ainsi :

2º dans le cas où le total de la contrepartie est supérieur à 175 000 $ mais est inférieur à 200 000 $, au montant déterminé selon la formule suivante :

$$[4\,278\,\$ \times \frac{200\,000\,\$ - C}{25\,000\,\$}] + B.$$

Le paragraphe 3° du deuxième alinéa de l'article 362.3 a été remplacé par L.Q. 2012, c. 28, s.-par. 121(1)(4º) et cette modification s'applique à l'égard de la fourniture taxable par vente d'un immeuble d'habitation à logement unique ou d'un logement en copropriété qui est effectuée en vertu d'une convention écrite conclue après le 31 décembre 2012. Antérieurement, il se lisait ainsi :

3º la lettre C représente le total de la contrepartie.

L'article 362.3 a été ajouté par L.Q. 1995, c. 1, art 313(1) et s'applique à l'égard de la fourniture taxable d'un immeuble d'habitation à logement unique ou d'un logement en copropriété par vente si la convention écrite relative à la fourniture est conclue après le 12 mai 1994 et si le transfert de propriété et de possession en vertu de la convention a lieu après cette date.

Notes explicatives ARQ (PL 5, L.Q. 2012, c. 28): *Résumé* :

L'article 362.3 est modifié afin de tenir compte du fait qu'à compter du 1er janvier 2013 la taxe sur les produits et services (TPS) est retirée de l'assiette de la taxe de vente du Québec (TVQ).

Situation actuelle :

L'article 362.3 prévoit les formules à utiliser pour déterminer le montant du remboursement de la TVQ auquel un particulier a droit en vertu de l'article 362.2 de la LTVQ à l'égard d'un immeuble d'habitation à logement unique ou d'un logement en copropriété neuf, ou ayant fait l'objet d'une rénovation majeure, qu'il a acquis pour utiliser à titre de résidence principale.

Modifications proposées :

L'article 362.3 est modifié afin de tenir compte du fait qu'à compter du 1er janvier 2013 la TPS est retirée de l'assiette de la TVQ.

Dans ce contexte, il y a lieu de remplacer le montant de 9 804 $ par 9 975 $ et de supprimer, dans les formules, la lettre B laquelle représente le remboursement de la TVQ sur le montant de la TPS remboursé au particulier.

Notes explicatives ARQ (PL 5, L.Q. 2011, c. 6): *Résumé* :

L'article 362.3 est modifié de façon à ce qu'il soit tenu compte de la modification du taux de la taxe de vente du Québec (TVQ) qui passe de 8,5 % à 9,5 %.

Situation actuelle :

L'article 362.3 prévoit les formules à utiliser pour déterminer le montant du remboursement de la TVQ auquel un particulier a droit en vertu de l'article 362.2 de la LTVQ à l'égard d'un immeuble d'habitation à logement unique ou d'un logement en copropriété neuf, ou ayant fait l'objet d'une rénovation majeure, qu'il a acquis pour utiliser à titre de résidence principale.

En vertu de l'article 362.3, le remboursement maximal pouvant être accordé à un particulier pour un immeuble d'habitation à logement unique ou un logement en copropriété est de 8 772 $.

Modifications proposées :

La modification apportée à l'article 362.3 consiste à augmenter le remboursement maximal pouvant être obtenu en le faisant passer de 8 772 $ à 9 804 $, et ce, afin de tenir compte de la hausse du taux de la TVQ.

Notes explicatives ARQ (PL 117, L.Q. 2011, c. 1): *Résumé* :

L'article 362.3 est modifié de façon à ce qu'il soit tenu compte du nouveau taux du remboursement ainsi que du nouveau plafond établi pour les fins du calcul du remboursement pour habitations neuves.

Situation actuelle :

L'article 362.3 détermine le montant du remboursement auquel le particulier a droit en vertu de l'article 362.2.

Ainsi, dans le cas où le prix d'acquisition de l'immeuble d'habitation à logement unique ou du logement en copropriété est de 200 000 $ ou moins, le remboursement est égal à 36 % de la taxe de vente du Québec payée, le remboursement maximal étant établi à 6 316 $. Dans le cas où le prix d'acquisition de l'immeuble d'habitation ou du logement est supérieur à 200 000 $ mais inférieur à 225 000 $, le remboursement est dégressif et est déterminé selon la formule prévue à cet article.

Modifications proposées :

La modification apportée à cet article vise à hausser le taux du remboursement de 36 % à 50 % et de porter à 300 000 $ le prix d'acquisition de l'immeuble d'habitation ou du logement à partir duquel plus aucun remboursement n'est accordé. Ainsi, le remboursement maximal pouvant être obtenu est de 8 772 $.

Notes explicatives ARQ (PL 2, L.Q. 2009, c. 5): *Résumé* :

L'article 362.3 est modifié de façon à ce qu'il soit tenu compte du nouveau montant maximum de remboursement pour habitations neuves qui passe de 5 607 $ à 5 573 $, en raison de la modification du taux de la taxe prévue au paragraphe 1 de l'article 165 de la *Loi sur la taxe d'accise* (Lois révisées du Canada (1985), chapitre E-15) qui passe de 6 % à 5 %.

Situation actuelle :

L'article 362.3 de la LTVQ permet de déterminer le montant du remboursement auquel le particulier a droit en vertu de l'article 362.2 de la LTVQ.

Ainsi, dans le cas où le prix d'acquisition d'un immeuble d'habitation à logement unique ou d'un logement en copropriété est de 200 000 $ ou moins, le remboursement est égal à 36 % de la taxe de vente du Québec payée, le remboursement maximal étant établi à 5 607 $.

Dans le cas où le prix d'acquisition de l'immeuble d'habitation ou du logement est supérieur à 200 000 $ mais inférieur à 225 000 $, le remboursement est dégressif et est déterminé selon la formule qui y est prévue.

Modifications proposées :

LTVQ (français)

La modification apportée à l'article 362.3 de la LTVQ vise à diminuer de 5 607 $ à 5 573 $ le remboursement maximal pouvant être obtenu par un particulier à l'égard d'un immeuble d'habitation à logement unique ou d'un logement en copropriété acquis par ce particulier.

Notes explicatives ARQ (PL 2, L.Q. 2007, c. 12): *Résumé* :

L'article 362.3 est modifié de façon à ce qu'il soit tenu compte du nouveau montant maximum de remboursement pour habitations neuves qui passe de 5 642 $ à 5 607 $, en raison de la modification du taux de la taxe prévue au paragraphe 1 de l'article 165 de la *Loi sur la taxe d'accise* (Lois révisées du Canada (1985), chapitre E-15 (LTA)) qui passe de 7 % à 6 %.

Situation actuelle :

L'article 362.3 permet de déterminer le montant du remboursement auquel le particulier a droit en vertu de l'article 362.2 de la LTVQ.

Ainsi, dans le cas où le prix d'acquisition d'un immeuble d'habitation à logement unique ou d'un logement en copropriété est de 200 000 $ ou moins, le remboursement est égal à 36 % de la taxe de vente du Québec payée, le remboursement maximal étant établi à 5 642 $. Dans le cas où le prix d'acquisition de l'immeuble d'habitation ou du logement est supérieur à 200 000 $ mais inférieur à 225 000 $, le remboursement est dégressif et est déterminé selon la formule qui y est prévue.

Modifications proposées :

La modification apportée à l'article 362.3 vise à diminuer de 5 642 $ à 5 607 $ le remboursement maximal pouvant être obtenu par un particulier à l'égard d'un immeuble à logement unique ou d'un logement en copropriété acquis par ce particulier.

Guides [art. 362.3]: IN-205 — Remboursement de la TVQ et de la TPS/TVH — Habitations neuves — Immeubles d'habitation locatifs neufs — Rénovations majeures.

Définitions [art. 362.3]: « contrepartie », « fourniture », « immeuble d'habitation », « immeuble d'habitation à logement unique » — 360.5; « logement en copropriété », « montant », « particulier », « taxe », « vente » — 1.

Renvois [art. 362.3]: 362 (groupe de particuliers); 362.2 (droit au remboursement par un particulier pour immeuble d'habitation à logement unique ou logement en copropriété); 378.18 (restrictions au remboursement); 670.40 (fournitures effectuées à un groupe de particuliers); 670.69 (fourniture effectuée à un groupe de particuliers).

Bulletins d'information: 2006-2 — Harmonisation à certaines mesures du Budget fédéral du 2 mai 2006 et autres mesures fiscales.

Formulaires [art. 362.3]: VD-370.89, Remboursement de TVQ pour un immeuble d'habitation locatif neuf.

Concordance fédérale: LTA, par. 254(2).

COMMENTAIRES: Voir les commentaires sous l'article 370.

362.4 Délai de la demande — Un particulier a droit au remboursement prévu à l'article 362.2 à l'égard d'un immeuble d'habitation à logement unique ou d'un logement en copropriété seulement s'il produit une demande de remboursement dans les deux ans suivant le jour où la propriété de l'immeuble d'habitation ou du logement lui est transférée.

Notes historiques: L'article 362.4 a été remplacé par L.Q. 1997, c. 85, art. 644(1) et a effet à l'égard d'un remboursement relatif à un immeuble d'habitation dont la propriété est transférée après le 30 juin 1996 à la personne qui demande le remboursement. Antérieurement, il se lisait ainsi :

> 362.4 Un particulier a droit au remboursement prévu à l'article 362.2 à l'égard d'un immeuble d'habitation à logement unique ou d'un logement en copropriété seulement s'il produit une demande de remboursement dans les quatre ans suivant le jour ou la propriété de l'immeuble d'habitation ou du logement lui est transférée.

L'article 362.4 a été ajouté par L.Q. 1995, c. 1, art 313(1) et s'applique à l'égard de la fourniture taxable d'un immeuble d'habitation à logement unique ou d'un logement en copropriété par vente si la convention écrite relative à la fourniture est conclue après le 12 mai 1994 et si le transfert de propriété et de possession en vertu de la convention a lieu après cette date.

Guides [art. 362.4]: IN-205 — Remboursement de la TVQ et de la TPS/TVH — Habitations neuves — Immeubles d'habitation locatifs neufs — Rénovations majeures; IN-261 — La TVQ, la TPS et les immeubles d'habitation (construction ou rénovation).

Définitions [art. 362.4]: « logement en copropriété » — 1; « particulier » — 1; « immeuble d'habitation à logement unique » — 360.5.

Renvois [art. 362.4]: 362 (groupe de particuliers); 378.18 (restrictions au remboursement); 670.40 (fournitures effectuées à un groupe de particuliers); 670.69 (fourniture effectuée à un groupe de particuliers).

Bulletins d'interprétation [art. 362.4]: TVQ. 362.2-1/R2 — Remboursement pour habitations neuves à l'égard d'un duplex.

Concordance fédérale: LTA, par. 254(3).

COMMENTAIRES: Voir les commentaires sous l'article 370.

363. [*Abrogé*]

Notes historiques: L'article 363 a été abrogé par L.Q. 1993, c. 19, art. 221 à l'égard d'une fourniture ou d'un apport au Québec relativement auquel l'article 685 ou l'un des articles 618 à 656 de L.Q. 1991, c. 67 s'applique [*N.D.L.R.* : les articles 685 et 618 à 656 réfèrent à des dispositions transitoires concernant les transferts avant le 1er juillet 1992]. L'article 363, édicté par L.Q. 1991, c. 67, se lisait auparavant comme suit :

> 363. Sous réserve de l'article 365, un particulier donné qui reçoit du constructeur d'un immeuble d'habitation à logement unique ou d'un logement en copropriété la fourniture taxable de l'immeuble d'habitation ou du logement par vente, a droit à un remboursement déterminé conformément à l'article 364 si, à la fois :
>
> 1° au moment où le particulier devient responsable ou assume la responsabilité en vertu d'une convention d'achat et de vente de l'immeuble d'habitation ou du logement conclue entre le constructeur et le particulier donné, ce dernier acquiert l'immeuble d'habitation ou le logement pour l'utiliser à titre de résidence principale pour lui-même, un particulier qui lui est lié ou un ex-conjoint du particulier donné;
>
> 2° est inférieur à 175 000 $, le total de tous les montants — appelé « total de la contrepartie » dans le présent article et dans les articles 364 et 369 — dont chacun représente la contrepartie payable pour la fourniture de l'immeuble d'habitation ou du logement au particulier donné ou pour toute autre fourniture taxable à ce dernier d'un droit dans l'immeuble d'habitation ou dans le logement, en excluant la taxe payée ou payable en vertu de la partie IX de la *Loi sur la taxe d'accise* (Statuts du Canada) à l'égard de ces fournitures;
>
> 3° le particulier donné a payé la totalité de la taxe prévue à l'article 16 à l'égard de la fourniture de l'immeuble d'habitation ou du logement et à l'égard de toute autre fourniture au particulier d'un droit dans l'immeuble d'habitation ou dans le logement, appelée « total de la taxe payée par le particulier donné » dans le présent article et dans l'article 364;
>
> 4° la propriété de l'immeuble d'habitation ou du logement est transférée au particulier donné après que la construction ou la rénovation majeure soit presque achevée;
>
> 5° après que la construction ou la rénovation majeure soit presque achevée et avant que le particulier donné entre en possession de l'immeuble d'habitation ou du logement en vertu de la convention d'achat et de vente :
>
> a) dans le cas de l'immeuble d'habitation, il n'est pas occupé par un particulier à titre de résidence ou de pension en vertu d'un quelconque arrangement en ce sens;
>
> b) dans le cas du logement, il n'est pas occupé par un particulier à titre de résidence ou de pension en vertu d'un quelconque arrangement en ce sens, sauf si pendant le temps où il est ainsi occupé, il l'est à titre de résidence par un particulier, un particulier qui lui est lié ou un ex-conjoint du particulier, qui est lors de cette occupation un acheteur du logement en vertu d'une convention d'achat et de vente;
>
> 6° l'une ou l'autre des conditions suivantes est remplie :
>
> a) le premier particulier à occuper l'immeuble d'habitation ou le logement à titre de résidence en vertu d'un arrangement en ce sens à un moment quelconque après que la construction ou la rénovation majeure soit presque achevée est :
>
> i. dans le cas de l'immeuble d'habitation, le particulier donné, un particulier qui lui est lié ou un ex-conjoint du particulier donné;
>
> ii. dans le cas du logement, un particulier, un particulier qui lui est lié ou un ex-conjoint du particulier, qui est à ce moment l'acheteur du logement en vertu d'une convention d'achat et de vente;
>
> b) le particulier donné effectue la fourniture exonérée de l'immeuble d'habitation ou du logement par vente et la propriété en est transférée à l'acquéreur de la fourniture avant que l'immeuble d'habitation ou le logement soit occupé par tout particulier à titre de résidence ou de pension en vertu d'un quelconque arrangement en ce sens.

COMMENTAIRES: Voir les commentaires sous l'article 370.

364. [*Abrogé*]

Notes historiques: L'article 364 a été abrogé par L.Q. 1993, c. 19, art. 221 à l'égard d'une fourniture ou d'un apport au Québec relativement auquel l'article 685 ou l'un des articles 618 à 656 de L.Q. 1991, c. 67 s'applique [*N.D.L.R.* : les articles 685 et 618 à 656 réfèrent à des dispositions transitoires concernant les transferts avant le 1er juillet 1992]. L'article 364, édicté par L.Q. 1991, c. 67, se lisait comme suit :

> 364. Pour l'application de l'article 363, le remboursement auquel un particulier donné a droit à l'égard de la fourniture d'un immeuble d'habitation à logement unique ou d'un logement en copropriété est égal :
>
> 1° dans le cas où le total de la contrepartie est de 150 000 $ ou moins au montant déterminé selon la formule suivante :
>
> $$[36\ \% \times (A - B)] + B;$$
>
> 2° dans le cas où le total de la contrepartie est supérieur à 150000 $ mais est inférieur à 175000 $, au montant déterminé selon la formule suivante :

$$[4\,514\,\$ \times \frac{(175\,000\,\$ - C)}{25\,000\,\$}] + B.$$

Pour l'application de ces formules :

1° la lettre A représente le total de la taxe payée par le particulier donné;

2° la lettre B représente la taxe prévue à l'article 16 payée à l'égard du montant du remboursement auquel le particulier donné a droit à l'égard de la fourniture de l'immeuble d'habitation ou du logement en vertu du paragraphe 2° de l'article 254 de la *Loi sur la taxe d'accise* (Statuts du Canada);

3° la lettre C représente le total de la contrepartie.

COMMENTAIRES: Voir les commentaires sous l'article 370.

365. [*Abrogé*]

Notes historiques: L'article 365 a été abrogé par L.Q. 1993, c. 19, art. 221, à l'égard d'une fourniture ou d'un apport au Québec relativement auquel l'article 685 ou l'un des articles 618 à 656 de L.Q. 1991, c. 67 s'applique [*N.D.L.R.* : les articles 685 et 618 à 656 réfèrent à des dispositions transitoires concernant les transferts avant le 1er juillet 1992]. L'article 365, édicté par L.Q. 1991, c. 67, se lisait auparavant comme suit :

> 365. Un particulier a droit au remboursement prévu à l'article 363 à l'égard d'un immeuble d'habitation à logement unique ou d'un logement en copropriété seulement s'il produit une demande de remboursement dans les quatre ans suivant le jour où la propriété de l'immeuble d'habitation ou du logement lui est transférée.

COMMENTAIRES: Voir les commentaires sous l'article 370.

366. Demande présentée au constructeur — Le constructeur d'un immeuble d'habitation à logement unique ou d'un logement en copropriété qui a effectué la fourniture taxable de l'immeuble d'habitation ou du logement par vente à un particulier et en a transféré la propriété à ce dernier en vertu de la convention relative à la fourniture, peut payer au particulier, ou en sa faveur, ou porter à son crédit le montant du remboursement visé à l'article 362.2 si, à la fois :

1° la taxe prévue à l'article 16 a été payée ou est payable par le particulier à l'égard de la fourniture;

2° dans les deux ans suivant le jour où la propriété de l'immeuble d'habitation ou du logement lui est transférée en vertu de la convention relative à la fourniture, le particulier soumet au constructeur, de la manière prescrite par le ministre, une demande de remboursement au moyen du formulaire prescrit contenant les renseignements prescrits pour le remboursement auquel le particulier aurait droit en vertu de l'article 362.2 à l'égard de l'immeuble d'habitation ou du logement si le particulier en faisait la demande dans le délai prévu;

3° le constructeur accepte de payer au particulier, ou en sa faveur, ou de porter à son crédit tout remboursement payable à ce dernier en vertu de l'article 362.2 à l'égard de l'immeuble d'habitation;

4° la taxe payable à l'égard de la fourniture n'a pas été payée au moment où le particulier soumet une demande de remboursement au constructeur et, si le particulier avait payé la taxe et avait fait une demande de remboursement, le remboursement aurait été payable au particulier en vertu de l'article 362.2.

Notes historiques: Le préambule de l'article 366 a été modifié par L.Q. 1995, c. 1, art. 314(1) et cette modification s'applique à l'égard de la fourniture taxable d'un immeuble d'habitation à logement unique ou d'un logement en copropriété par vente si la convention écrite relative à la fourniture est conclue après le 12 mai 1994 et si le transfert de propriété et de possession en vertu de la convention a lieu après cette date.

Auparavant, le préambule de l'article 366 avait été modifié par L.Q. 1993, c. 19, art. 222(1°) et s'appliquait à l'égard d'une fourniture ou d'un apport au Québec relativement auquel l'article 685 ou l'un des articles 618 à 656 de L.Q. 1991, c. 67 s'applique [*N.D.L.R.* : les articles 685 et 618 à 656 réfèrent à des dispositions transitoires concernant les transferts avant le 1er juillet 1992]. Il se lisait comme suit :

> 366. Le constructeur d'un immeuble d'habitation à logement unique ou d'un logement en copropriété visé au paragraphe 2 de l'article 254 de la *Loi sur la taxe d'accise* (Statuts du Canada), peut payer au particulier, ou en sa faveur, ou porter à son crédit le montant du remboursement visé à l'article 362.1 si, à la fois :

Le préambule de l'article 366 se lisait auparavant comme suit :

> 366. Le constructeur d'un immeuble d'habitation à logement unique ou d'un logement en copropriété qui a effectué la fourniture taxable de l'immeuble d'habitation ou du logement à un particulier et en transfère la propriété à ce dernier en vertu de la convention relative à la fourniture par vente, peut payer au particulier, ou en sa faveur, ou porter à son crédit le montant du remboursement visé à l'article 363 si, à la fois :

Le paragraphe 2° de l'article 366 a été remplacé par L.Q. 1997, c. 85, art. 645(1) et a effet à l'égard d'un remboursement relatif à un immeuble d'habitation dont la propriété est transférée après le 30 juin 1996 à la personne qui demande le remboursement. Antérieurement, il se lisait ainsi :

> 2° dans les quatre ans suivant le jour ou la propriété de l'immeuble d'habitation ou du logement lui est transférée en vertu de la convention relative à la fourniture, le particulier soumet au constructeur, de la manière prescrite par le ministre, une demande de remboursement au moyen du formulaire prescrit contenant les renseignements prescrits pour le remboursement auquel le particulier aurait droit en vertu de l'article 362.2 à l'égard de l'immeuble d'habitation ou du logement si le particulier en faisait la demande dans le delai prévu;

Les paragraphes 2° à 4° de l'article 366 ont été modifiés par L.Q. 1995, c. 1, art. 314(1) et ces modifications s'appliquent à l'égard de la fourniture taxable d'un immeuble d'habitation à logement unique ou d'un logement en copropriété par vente si la convention écrite relative à la fourniture est conclue après le 12 mai 1994 et si le transfert de propriété et de possession en vertu de la convention a lieu après cette date.

Auparavant, les paragraphes 2° à 4° de l'article 366 avaient été modifiés par L.Q. 1993, c. 19, art. 222(2°) à l'égard d'une fourniture ou d'un apport au Québec relativement auquel l'article 685 ou l'un des articles 618 à 656 de L.Q. 1991, c. 67 s'applique [*N.D.L.R.* : les articles 685 et 618 à 656 réfèrent à des dispositions transitoires concernant les transferts avant le 1er juillet 1992]. Les paragraphes 2°–4° de l'article 366 se lisaient comme suit :

> 2° dans les quatre ans suivant le jour où la propriété de l'immeuble d'habitation ou du logement lui est transférée en vertu de la convention relative à la fourniture, le particulier soumet au constructeur, de la manière prescrite par le ministre, une demande de remboursement au moyen du formulaire prescrit contenant les renseignements prescrits pour le remboursement auquel le particulier aurait droit en vertu de l'article 362.1 à l'égard de l'immeuble d'habitation ou du logement si le particulier en faisait la demande dans le délai prévu;
>
> 3° le constructeur accepte de payer au particulier, ou en sa faveur, ou de porter à son crédit tout remboursement payable à ce dernier en vertu de l'article 362.1 à l'égard de l'immeuble d'habitation;
>
> 4° la taxe payable à l'égard de la fourniture n'a pas été payée au moment où le particulier soumet une demande de remboursement au constructeur et si le particulier avait payé la taxe et avait fait une demande de remboursement, le remboursement aurait été payable au particulier en vertu de l'article 362.1.

Auparavant, les paragraphes 2° à 4° de l'article 366 se lisaient comme suit :

> 2° dans les quatre ans suivant le jour où la propriété de l'immeuble d'habitation ou du logement lui est transférée en vertu de la convention relative à la fourniture, le particulier soumet au constructeur, de la manière prescrite par le ministre, une demande de remboursement au moyen du formulaire prescrit contenant les renseignements prescrits pour le remboursement auquel le particulier aurait droit en vertu de l'article 363 à l'égard de l'immeuble d'habitation ou du logement si le particulier en faisait la demande dans le délai prévu;
>
> 3° le constructeur accepte de payer au particulier, ou en sa faveur, ou de porter à son crédit tout remboursement payable à ce dernier en vertu de l'article 363 à l'égard de l'immeuble d'habitation;
>
> 4° la taxe payable à l'égard de la fourniture n'a pas été payée au moment où le particulier soumet une demande de remboursement au constructeur et si le particulier avait payé la taxe et avait fait une demande de remboursement, le remboursement aurait été payable au particulier en vertu de l'article 363.

L'article 366 a été édicté par L.Q. 1991, c. 67.

Guides [art. 366]: IN-261 — La TVQ, la TPS et les immeubles d'habitation (construction ou rénovation).

Définitions [art. 366]: « constructeur », « fourniture », « fourniture taxable », « immeuble d'habitation », « immeuble d'habitation à logement unique », « logement en copropriété », « montant », « particulier », « taxe », « vente » — 1, 360.5.

Renvois [art. 366]: 222.4 (construction de maison mobile ou flottante); 223 (fourniture à soi-même); 224 (fourniture à soi-même); 362 (groupe de particuliers); 367 (transmission de la demande par le constructeur); 368 (montant du remboursement payé par un constructeur en vertu de la LTA); 370 (responsabilité solidaire du constructeur et du particulier); 370.1 (remboursement — immeuble d'habitation et fonds de terre); 378.18 (restrictions au remboursement); 403, 404 (demande de remboursement); 455 (déduction pour paiement du remboursement — constructeur); 670.40 (fournitures effectuées à un groupe de particuliers); 670.69 (fourniture effectuée à un groupe de particuliers).

Formulaires [art. 366]: VD-366, Demande de remboursement de la taxe de vente du Québec (TVQ) pour habitations neuves; VD-366.G, Remboursement de TVQ — Habitations neuves (guide); VD-366.FP, Remboursement de TVQ — Habitation neuve — Terrain loué ou part du capital social.

Bulletins d'interprétation [art. 366]: TVQ. 362.2-1/R2 — Remboursement pour habitations neuves à l'égard d'un duplex.

Concordance fédérale: LTA, par. 254(4).

COMMENTAIRES: Voir les commentaires sous l'article 370.

367. Transmission de la demande par le constructeur — Malgré l'article 362.2, dans le cas où la demande de remboursement d'un particulier en vertu de cet article à l'égard d'un immeuble d'habitation à logement unique ou d'un logement en copropriété est soumise au constructeur en vertu de l'article les règles suivantes s'appliquent :

1º le constructeur doit transmettre la demande au ministre avec sa déclaration produite en vertu du chapitre VIII pour la période de déclaration au cours de laquelle le remboursement est payé ou porté au crédit du particulier;

2º malgré l'article 28 de la *Loi sur l'administration fiscale* (chapitre A-6.002), aucun intérêt n'est payable à l'égard du remboursement.

Notes historiques: Le préambule de l'article 367 a été modifié par L.Q. 1995, c. 1, art. 315(1) et cette modification s'applique à l'égard de la fourniture taxable d'un immeuble d'habitation à logement unique ou d'un logement en copropriété par vente si la convention écrite relative à la fourniture est conclue après le 12 mai 1994 et si le transfert de propriété et de possession en vertu de la convention a lieu après cette date.

Auparavant, le préambule de l'article 367, modifié par L.Q. 1993, c. 19, art. 223, s'appliquait à l'égard d'une fourniture ou d'un apport au Québec relativement auquel l'article 685 ou l'un des articles 618 à 656 de L.Q. 1991, c. 67 s'applique [*N.D.L.R.* : les articles 685 et 618 à 656 réfèrent à des dispositions transitoires concernant les transferts avant le 1er juillet 1992]. Il se lisait comme suit :

> 367. Malgré l'article 362.1, dans le cas où la demande de remboursement d'un particulier en vertu de cet article à l'égard d'un immeuble d'habitation à logement unique ou d'un logement en copropriété est soumise au constructeur en vertu de l'article 366, les règles suivantes s'appliquent :

Le préambule de l'article 367 se lisait auparavant comme suit :

> 367. Malgré l'article 363, dans le cas où la demande de remboursement d'un particulier en vertu de cet article à l'égard d'un immeuble d'habitation à logement unique ou d'un logement en copropriété est soumise au constructeur en vertu de l'article 366, les règles suivantes s'appliquent :

L'article 367 a été édicté par L.Q. 1991, c. 67.

Guides: IN-261 — La TVQ, la TPS et les immeubles d'habitation (construction ou rénovation).

Définitions [art. 367]: « constructeur », « immeuble d'habitation à logement unique », « logement en copropriété », « particulier », « période de déclaration » — 1, 360.5.

Renvois [art. 367]: 362 (groupe de particuliers); 378.18 (restrictions au remboursement); 455 (déduction pour paiement du remboursement — constructeur); 670.40 (fournitures effectuées à un groupe de particuliers); 670.69 (fourniture effectuée à un groupe de particuliers).

Bulletins d'interprétation [art. 367]: TVQ. 362.2-1/R2 — Remboursement pour habitations neuves à l'égard d'un duplex.

Concordance fédérale: LTA, par. 254(5).

COMMENTAIRES: Voir les commentaires sous l'article 370.

368. Remboursement en vertu de la *Loi sur la taxe d'accise* — Dans le cas où le constructeur paie à un particulier, ou en sa faveur, ou porte à son crédit, en vertu du paragraphe 4 de l'article 254 de la *Loi sur la taxe d'accise* (Lois révisées du Canada (1985), chapitre E-15), le montant du remboursement visé au paragraphe 2 de cet article à l'égard de l'immeuble d'habitation ou du logement, le constructeur doit payer au particulier, ou en sa faveur, ou porter à son crédit, en vertu de l'article 366, le montant du remboursement visé à l'article 362.2 à l'égard de l'immeuble d'habitation ou du logement.

Remboursement en vertu de la *Loi sur la taxe d'accise* — L'article 366 ne s'applique pas dans le cas où le constructeur d'un immeuble d'habitation à logement unique ou d'un logement en copropriété ne paie pas à un particulier, ou en sa faveur, ou ne porte pas à son crédit, en vertu du paragraphe 4 de l'article 254 de la *Loi sur la taxe d'accise*, le montant du remboursement visé au paragraphe 2 de cet article à l'égard de l'immeuble d'habitation ou du logement.

Notes historiques: Le premier alinéa de l'article 368 a été modifié par L.Q. 1995, c. 1, art. 316(1) et cette modification s'applique à l'égard de la fourniture taxable d'un immeuble d'habitation à logement unique ou d'un logement en copropriété par vente si la convention écrite relative à la fourniture est conclue après le 12 mai 1994 et si le transfert de propriété et de possession en vertu de la convention a lieu après cette date.

Auparavant, le premier alinéa de l'article 368, modifié par L.Q. 1993, c. 19, art. 224, s'appliquait à l'égard d'une fourniture ou d'un apport au Québec relativement auquel l'article 685 ou l'un des articles 618 à 656 de L.Q. 1991, c. 67 s'applique [*N.D.L.R.* : les articles 685 et 618 à 656 réfèrent à des dispositions transitoires concernant les transferts avant le 1er juillet 1992]. Il se lisait comme suit :

> 368. Dans le cas où le constructeur paie à un particulier, ou en sa faveur, ou porte à son crédit, en vertu du paragraphe 4 de l'article 254 de la *Loi sur la taxe d'accise* (Statuts du Canada), le montant du remboursement visé au paragraphe 2 de cet article à l'égard de l'immeuble d'habitation ou du logement, le constructeur doit payer au particulier, ou en sa faveur, ou porter à son crédit, en vertu de l'article 366, le montant du remboursement visé à l'article 362.1 à l'égard de l'immeuble d'habitation ou du logement.

Le premier alinéa de l'article 368 se lisait auparavant comme suit :

> 368. Dans le cas où le constructeur paie à un particulier, ou en sa faveur, ou porte à son crédit, en vertu du paragraphe 4 de l'article 254 de la *Loi sur la taxe d'accise* (Statuts du Canada), le montant du remboursement visé au paragraphe 2 de cet article à l'égard de l'immeuble d'habitation ou du logement, le constructeur doit payer au particulier, ou en sa faveur, ou porter à son crédit, en vertu de l'article 366, le montant du remboursement visé à l'article 363 à l'égard de l'immeuble d'habitation ou du logement.

L'article 368 a été édicté par L.Q. 1991, c. 67.

Guides: IN-261 — La TVQ, la TPS et les immeubles d'habitation (construction ou rénovation).

Définitions [art. 368]: « constructeur », « immeuble d'habitation », « immeuble d'habitation à logement unique » — 1, 360.5; « logement en copropriété », « montant », « particulier » — 1.

Renvois [art. 368]: 362 (groupe de particuliers); 378.18 (restrictions au remboursement); 670.40 (fournitures effectuées à un groupe de particuliers); 670.69 (fourniture effectuée à un groupe de particuliers).

Concordance fédérale: aucune.

COMMENTAIRES: Voir les commentaires sous l'article 370.

368.1 [*Abrogé*].

Notes historiques: L'article 368.1 a été abrogé par L.Q. 2012, c. 28, par. 122(1) et cette abrogation s'applique à l'égard de la fourniture taxable par vente d'un immeuble d'habitation à logement unique ou d'un logement en copropriété qui est effectuée en vertu d'une convention écrite conclue après le 31 décembre 2012. Antérieurement, il se lisait ainsi :

> 368.1 **Remboursement de la taxe payée à l'égard d'un remboursement de la taxe sur les produits et services** — Le particulier qui n'a pas droit au remboursement visé à l'article 362.2 à l'égard d'un immeuble d'habitation à logement unique ou d'un logement en copropriété parce que le total de la contrepartie est de 300 000 $ ou plus, mais qui a droit à un remboursement en vertu du paragraphe 2 de l'article 254 de la *Loi sur la taxe d'accise* (L.R.C. 1985, c. E-15) à l'égard de l'immeuble d'habitation ou du logement, a droit au remboursement de la taxe prévue à l'article 16 payée sur le montant du remboursement auquel le particulier a droit à l'égard de l'immeuble d'habitation ou du logement en vertu de ce paragraphe.

L'article 368.1 a été modifié par L.Q. 2011, c. 1, par. 141(1) par le remplacement de « 225 000 $ » par « 300 000 $ ». Cette modification s'applique à l'égard de la fourniture taxable d'un immeuble d'habitation à logement unique ou d'un logement en copropriété par vente si la convention écrite relative à la fourniture est conclue après le 31 décembre 2010 et si les transferts de propriété et de possession en vertu de la convention ont lieu après cette date.

L'article 368.1 a été modifié par L.Q. 2001, c. 51, art. 282 par le remplacement de « 200 000 $ » par « 225 000 $ » et cette modification s'applique à l'égard de la fourniture taxable d'un immeuble d'habitation à logement unique ou d'un logement en copropriété par vente effectuée en vertu d'une convention écrite conclue après le 14 mars 2000 et en vertu de laquelle le transfert de propriété a lieu après cette date.

L'article 368.1 a été ajouté par L.Q. 1995, c. 1, art 317(1) et s'applique à l'égard de la fourniture taxable d'un immeuble d'habitation à logement unique ou d'un logement en copropriété par vente si la convention écrite relative à la fourniture est conclue après le 12 mai 1994 et si le transfert de propriété et de possession en vertu de la convention a lieu après cette date.

Notes explicatives ARQ (PL 5, L.Q. 2012, c. 28): *Résumé* :

L'article 368.1 est abrogé en raison du fait qu'à compter du 1er janvier 2013 la taxe sur les produits et services (TPS) est retirée de l'assiette de la taxe de vente du Québec (TVQ).

Situation actuelle :

L'article 368.1 prévoit que lorsqu'un particulier n'a pas droit au remboursement prévu à l'article 362.2 de la LTVQ parce que le prix d'acquisition de l'immeuble d'habitation à logement unique ou du logement en copropriété qu'il acquiert est de 300 000 $ ou plus, et qui, par ailleurs, a droit à un remboursement à l'égard de l'immeuble d'habitation ou du logement en vertu de l'article 254 de la *Loi sur la taxe d'accise* (Lois révisées du Canada (1985), chapitre E-15), ce particulier a droit au remboursement de la TVQ qu'il a payée sur le montant de la TPS qui lui est ainsi remboursé.

Modifications proposées :

L'article 368.1 est abrogé en raison du fait qu'à compter du 1er janvier 2013 la TPS est retirée de l'assiette de la TVQ.

Notes explicatives ARQ (PL 117, L.Q. 2011, c. 1): *Résumé* :

L'article 368.1 est modifié pour tenir compte de la hausse de la valeur à partir de laquelle plus aucun remboursement n'est accordé, soit de 225 000 $ à 300 000 $.

Situation actuelle :

L'article 368.1 prévoit que lorsqu'un particulier n'a pas droit au remboursement prévu à l'article 362.2 de la LTVQ parce que le prix d'acquisition de l'immeuble d'habitation à logement unique ou du logement en copropriété qu'il acquiert est de 225 000 $ ou plus, et qui, par ailleurs, a droit à un remboursement à l'égard de l'immeuble d'habitation ou du logement en vertu de l'article 254 de la *Loi sur la taxe d'accise* (Lois révisées du Canada (1985), chapitre E-15), ce particulier a droit au remboursement de la taxe de vente du Québec qu'il a payée sur le montant de la taxe sur les produits et services qui lui est ainsi remboursé.

Modifications proposées :

La modification apportée à cet article vise à remplacer le montant de 225 000 $ par le montant de 300 000 $, soit la nouvelle valeur à partir de laquelle plus aucun remboursement n'est accordé.

Guides [art. 368.1]: IN-205 — Remboursement de la TVQ et de la TPS/TVH — Habitations neuves — Immeubles d'habitation locatifs neufs — Rénovations majeures; IN-261 — La TVQ, la TPS et les immeubles d'habitation (construction ou rénovation).

Définitions [art. 368.1]: « contrepartie », « immeuble d'habitation », « immeuble d'habitation à logement unique », « logement en copropriété », « montant », « particulier » — 1, 360.5.

Renvois [art. 368.1]: 670.39 (montant du remboursement — taxe de vente d'un immeuble); 670.40 (fournitures effectuées à un groupe de particuliers); 670.67 (remboursement à l'égard de la fourniture d'un immeuble d'habitation); 670.68 (montant du remboursement — fourniture d'un immeuble d'habitation); 670.69 (fourniture effectuée à un groupe de particuliers).

COMMENTAIRES: Voir les commentaires sous l'article 370.

369. [*Abrogé*]

Notes historiques: L'article 369 a été abrogé par L.Q. 1993, c. 19, art. 225 et cette abrogation s'applique à l'égard d'une fourniture ou d'un apport au Québec relativement auquel l'article 685 ou l'un des articles 618 à 656 de L.Q. 1991, c. 67 s'applique [*N.D.L.R.* : les articles 685 et 618 à 656 réfèrent à des dispositions transitoires concernant les transferts avant le 1er juillet 1992]. L'article 369, édicté par L.Q. 1991, c. 67, se lisait auparavant comme suit :

> 369. Le particulier qui n'a pas droit au remboursement visé à l'article 363 à l'égard d'un immeuble d'habitation à logement unique ou d'un logement en copropriété, parce que le total de la contrepartie est de 175 000 $ et plus, mais qui a droit à un remboursement en vertu du paragraphe 2 de l'article 254 de la *Loi sur la taxe d'accise* (Statuts du Canada) à l'égard de l'immeuble d'habitation ou du logement, a droit au remboursement de la taxe prévue à l'article 16 payée sur le montant du remboursement auquel le particulier a droit à l'égard de l'immeuble d'habitation ou du logement en vertu du paragraphe 2 de cet article.

COMMENTAIRES: Voir les commentaires sous l'article 370.

370. Remboursement indu — obligation solidaire — Dans le cas où le constructeur d'un immeuble d'habitation à logement unique ou d'un logement en copropriété paie à un particulier, ou en sa faveur, ou porte à son crédit un remboursement en vertu de l'article 366 et que le constructeur sait ou devrait savoir que le particulier n'a pas droit à ce remboursement ou que le montant payé ou porté à son crédit excède le remboursement auquel le particulier a droit, le constructeur et le particulier sont responsables solidairement du paiement au ministre du montant de ce remboursement ou de cet excédent.

Notes historiques: L'article 370 a été édicté par L.Q. 1991, c. 67.

Guides: IN-261 — La TVQ, la TPS et les immeubles d'habitation (construction ou rénovation).

Définitions [art. 370]: « constructeur », « immeuble d'habitation à logement unique », « logement en copropriété », « montant », « particulier » — 1, 360.5.

Renvois [art. 370]: 362 (groupe de particuliers); 378.18 (restrictions au remboursement); 670.40 (fournitures effectuées à un groupe de particuliers); 670.69 (fourniture effectuée à un groupe de particuliers).

Concordance fédérale: LTA, par. 254(6).

COMMENTAIRES: Ces articles prévoient le remboursement partiel de la TVQ payée par un particulier lors de l'acquisition d'un immeuble d'habitation à logement unique ou d'un logement en copropriété. Les articles 370.9 à 370.13 LTVQ, pour leurs parts, font référence, de façon générale, à la situation où telle habitation est construite par le particulier lui-même ou par un intermédiaire.

Le projet de loi nº 5 (2012, chapitre 28) — *Loi modifiant la Loi sur la taxe de vente du Québec et d'autres dispositions législatives*, sanctionné le 7 décembre 2012 augmentera le total de la contrepartie payée de 200 00 $ à 300 000 $ en vertu des articles 362.2 et 362.3.

Revenu Québec a indiqué que les duplex se qualifient à titre d'immeuble d'habitation à logement unique. Voir notamment à cet effet : Revenu Québec, Lettre d'interprétation, 94-0107402 — *Demande de remboursement pour habitation neuve / copropriété divise et indivise* (26 janvier 1995).

L'article 362.2 requiert la présence d'une fourniture taxable par vente. À cet effet, Revenu Québec a indiqué que le transfert d'un droit d'usufruit s'apparente davantage aux concepts de preneur à bail et ne constitue donc pas un transfert de propriété aux fins du droit civil. Par conséquent, le transfert d'un droit d'usufruit ne peut se qualifier en vertu du remboursement prévu à l'article 362.2. Voir notamment à cet effet : Revenu Québec, Lettre d'interprétation, 96-010555 — *Demande de remboursement partiel* (9 mai 1996), et Lettre d'interprétation 95-0108324 — *Demande d'interprétation concernant la vente d'un droit d'usufruit* (3 novembre 1995).

Également, la fourniture taxable doit être effectuée par un constructeur. Nous vous invitons à consulter la définition de cette expression sous l'article 1 et qui est différente du sens ordinaire attribué à ce mot. Dans le cadre d'une position administrative, Revenu Québec a conclu que les personnes qui ont construit un immeuble d'habitation avec l'intention de le vendre ou de le louer en tout ou en partie on entreprit une entreprise, d'un projet à risque ou d'une affaire de caractère commercial et à ce titre, se qualifie comme « constructeur » au sens de la *Loi sur la taxe de vente du Québec*. Voir notamment à cet effet : Revenu Québec, Lettre d'interprétation 96-0110534 — *Inscription du constructeur d'un immeuble d'habitation* (30 août 1996).

Finalement, dans la situation où suite à la construction par un constructeur d'un immeuble habitation à logement unique et à sa mise en location malgré une option d'achat valable incluse dans le bail de location, si l'option d'achat de l'immeuble d'habitation est levée quelques mois suivant le début du bail, Revenu Québec est d'avis qu'il ne s'agit plus de la fourniture d'une maison neuve et aucune taxe de vente ni de remboursement n'est applicable à la vente. Voir notamment à cet effet : Revenu Québec, Lettre d'interprétation 98-0101877 — *Demande de confirmation* (2 avril 1998).

De surcroît, l'immeuble d'habitation à logement unique ou le logement en copropriété doit être utilisé à titre de « résidence principale » par le particulier, un particulier lié à celui-ci ou un ex-conjoint. À cet effet, la Cour du Québec, dans l'affaire *Godin Renaud c. Québec (Sous-ministre du Revenu)*, 2011 QCCQ 2365 (C.Q.) a indiqué que l'expression « résidence principale » était identique à l'expression « résidence habituelle » qui se retrouve dans la *Loi sur la taxe d'accise (TPS)*.

Le paragraphe (4) de l'article 362.2 fait référence au fait que la propriété soit transférée, notamment, après que la construction ou la rénovation majeure soit presque achevée. Il existe un problème d'interprétation au niveau de la *Loi sur la taxe de vente du Québec* en raison de l'absence de l'expression « achevés en grande partie », qui est utilisée dans la *Loi sur la taxe d'accise (TPS)*, dans la version française où l'expression « presque achevés » est plutôt utilisée, mais où la version anglaise utilise la même expression, à savoir « substantially completed ».

La Cour du Québec, dans l'affaire *Lafontaine c. Ministère du revenu national*, 2006 PTC-QC-102 (C.Q.) (l'affaire « ***Lafontaine*** »), a précisé que l'expression « achevés en grande partie » avait une définition différente de celle de l'expression « presque achevés ». Dans cette affaire, le contribuable s'était vu refuser sa demande de remboursement parce que Revenu Québec estimait qu'elle avait été produite en dehors du délai prévu à l'article 370.12. La question en litige était donc de déterminer si, à la date d'occupation donnée, les travaux de construction étaient « presque achevés ». La Cour du Québec souligne la position de Revenu Québec voulant que les deux expressions « presque achevés » et « achevés en grande partie » aient la même signification, soit que l'immeuble peut être utilisé comme lieu de résidence avec une jouissance raisonnable. De l'avis de la Cour du Québec, toutefois, des travaux en grande partie terminés réfèrent à un degré d'achèvement moins grand que des travaux presque terminés. L'analogie avec la jurisprudence développée au fédéral, selon le tribunal, demeure intéressante et celui-ci souligne son accord avec la position adoptée par le juge Hamlyn de la Cour canadienne de l'impôt dans l'affaire *Vallières c. La Reine*, [2001] GTC 545 (C.C.I.).

De l'avis de l'auteur, il existe effectivement une différence entre ces deux expressions et le raisonnement de la Cour du Québec dans l'affaire Lafontaine est juste. En effet, il est raisonnable de dire qu'un immeuble dont les travaux sont achevés en grande partie peut raisonnablement être habité, cela ne veut pas dire que les travaux sont pour autant presque achevés. Le contribuable qui désire obtenir une certaine assurance peut toutefois soumettre une demande de consultation tarifiée, notamment, auprès de Revenu Québec. En toute logique, l'auteur admet toutefois qu'aucune différence d'interprétation ne devrait résulter de la version provinciale et de la version fédérale et que sa conclusion se base sur la législation existante. En effet, le législateur n'est pas censé parler pour ne rien dire et donc, en vertu de ce principe d'interprétation, chacune de ces deux expressions devrait être définie différemment. À ce titre, une demande de modification législative a été soumise au Ministère des Finances et de l'Économie pour obtenir un changement législatif à cet égard.

L'article 368.1 est une disposition particulière à la TVQ qui prévoit, essentiellement, que le particulier a droit au remboursement de la TVQ qu'il a payée sur le montant de la TPS qui lui est ainsi remboursé, dans un cas où, par exemple, le particulier serait admissible au remboursement en TPS, mais non en TVQ, et ce, en raison du prix d'acquisition trop élevé. À compter du 1er janvier 2013, cette disposition ne devrait plus s'appliquer puisque la TVQ n'est plus calculée sur le montant du prix, incluant la TPS, mais sera calculée directement sur le prix d'acquisition, tout comme la TPS.

Revenu Québec a indiqué à plusieurs reprises que les articles relatifs aux remboursements en vertu de la *Loi sur la taxe d'accise (TPS)* sont similaires à ceux qui prévalent en vertu de la *Loi sur la taxe de vente du Québec*. Voir notamment à cet effet, Revenu Québec, Lettre d'interprétation, 96-010555 — *Demande de remboursement partiel* (9 mai 1996) et Lettre d'interprétation, 98-0101877 — *Demande de confirmation* (2 avril 1998).

Ainsi, compte tenu de la similarité de la rédaction des dispositions législatives et considérant l'engagement spécifique de Revenu Québec de veiller à ce que l'assiette de TVQ modifiée, de même que les paramètres administratifs, structurels et définitionnels, produisent des résultats qui sont identiques à ceux produits sous le régime de la TPS/TVH et soient administrés d'une manière qui produit des résultats identiques, tel que reflété par l'article 14 de l'*Entente intégrée globale de coordination fiscale* signée entre le gouvernement du Canada et le gouvernement du Québec, nous vous invitons à consulter nos commentaires en vertu de l'article 254 de la *Loi sur la taxe d'accise (TPS)* qui devraient s'appliquer *mutatis mutandis*, avec les adaptations nécessaires.

II.1 — Immeuble d'habitation et fonds de terre

Notes historiques: L'intertitre de la division II.1 de la sous-section 3 de la section I du chapitre VII du titre I a été ajouté par L.Q. 1994, c. 22, art. 572(1) et est réputé entré en vigueur le 1er juillet 1992.

370.0.1 Habitation neuve sur un fonds loué du constructeur — Sous réserve de l'article 370.0.3, un particulier donné qui reçoit du constructeur d'un immeuble d'habitation qui est un immeuble d'habitation à logement unique ou un logement en copropriété une fourniture visée au paragraphe 1°, a droit à un remboursement déterminé conformément à l'article 370.0.2 si, à la fois :

1° en vertu d'une convention conclue entre le constructeur d'un immeuble d'habitation à logement unique ou d'un logement en copropriété et le particulier donné, le constructeur effectue à ce dernier :

a) par bail à long terme une ou plusieurs fournitures exonérées du fonds de terre attribuable à l'immeuble d'habitation ou par cession d'un tel bail;

b) une fourniture exonérée, par vente de la totalité ou d'une partie du bâtiment dans lequel l'habitation qui fait partie de l'immeuble d'habitation est située;

2° au moment où le particulier donné devient responsable ou assume la responsabilité en vertu de la convention, il acquiert l'immeuble d'habitation pour l'utiliser à titre de résidence principale pour lui-même, un particulier qui lui est lié ou un ex-conjoint du particulier donné;

3° au moment où la possession de l'immeuble d'habitation est donnée au particulier donné en vertu de la convention, la juste valeur marchande de celui-ci est inférieure à 344 925 $;

4° le constructeur est réputé avoir effectué la fourniture de l'immeuble d'habitation en vertu des articles 223 ou 225 du fait qu'il en a donné la possession au particulier donné en vertu de la convention;

5° la possession de l'immeuble d'habitation est donnée au particulier donné après que la construction ou la rénovation majeure soit presque achevée;

6° après que la construction ou la rénovation majeure soit presque achevée et avant que la possession de l'immeuble d'habitation soit donnée au particulier donné en vertu de la convention, l'immeuble d'habitation n'est pas occupé par tout particulier à titre de résidence ou d'hébergement;

7° l'une ou l'autre des conditions suivantes est remplie :

a) le premier particulier à occuper l'immeuble d'habitation à titre de résidence après que la construction ou la rénovation majeure soit presque achevée est le particulier donné, un particulier qui lui est lié ou un ex-conjoint du particulier donné;

b) le particulier donné effectue la fourniture exonérée de la totalité de son droit dans l'immeuble d'habitation par vente ou par cession et la possession de l'immeuble d'habitation est transférée à l'acquéreur de la fourniture avant que l'immeuble d'habitation soit occupé par tout particulier à titre de résidence ou d'hébergement.

Exception — Le présent article ne s'applique pas dans le cas où le constructeur d'un immeuble d'habitation n'est pas tenu, par l'effet d'une loi du Québec, autre que la présente loi, d'une loi fédérale ou d'une autre règle de droit, de payer ou de verser la taxe qu'il est réputé avoir payée et perçue en vertu de l'article 223 relativement à la fourniture de l'immeuble réputée avoir été effectuée en vertu de cet article.

Notes historiques: La partie qui précède le paragraphe 2° du premier alinéa de l'article 370.0.1 a été remplacée par L.Q. 1997, c. 85, art. 646(1)(1°) et a effet à l'égard d'une demande produite au ministre du Revenu après le 22 avril 1996. Toutefois, à l'égard d'une telle demande produite avant le 1er avril 1997, la partie qui précède le sous-paragraphe b) du paragraphe 1° du premier alinéa de l'article 370.0.1 doit se lire comme suit :

> 370.0.1 Sous réserve de l'article 370.0.3, un particulier donné qui reçoit du constructeur d'un immeuble d'habitation à logement unique ou d'un logement en copropriété la fourniture exonérée visée au paragraphe 1°, a droit à un remboursement déterminé conformément à l'article 370.0.2 si, à la fois :
>
> 1° en vertu d'une convention conclue entre le constructeur d'un immeuble d'habitation à logement unique ou d'un logement en copropriété et le particulier donné, le constructeur effectue à ce dernier une fourniture exonérée :
>
> a) par bail à long terme ou par cession d'un bail à long terme du fonds de terre attribuable à l'immeuble d'habitation;

Antérieurement, ce passage se lisait ainsi :

> 370.0.1 Sous réserve de l'article 370.0.3, un particulier donné qui reçoit du constructeur d'un immeuble d'habitation à logement unique la fourniture exonérée visée au paragraphe 1°, a droit à un remboursement déterminé conformément à l'article 370.0.2 si, à la fois :
>
> 1° en vertu d'une convention conclue entre le constructeur d'un immeuble d'habitation à logement unique et le particulier donné, le constructeur effectue à ce dernier une fourniture exonérée :
>
> a) par bail à long terme ou par cession d'un bail à long terme du fonds de terre attribuable à l'immeuble d'habitation;
>
> b) par vente de la totalité ou d'une partie du bâtiment dans lequel l'habitation qui fait partie de l'immeuble d'habitation est située;

Le paragraphe 3° du premier alinéa de l'article 370.0.1 a été modifié par L.Q. 2011, c. 6, par. 269(1) par le remplacement de « 341 775 $ » par « 344 925 $ ». Cette modification s'applique à l'égard de la fourniture, effectuée à un particulier donné, de la totalité ou d'une partie d'un bâtiment dans lequel est située une habitation faisant partie d'un immeuble d'habitation si la possession de l'habitation est donnée au particulier donné après le 31 décembre 2011.

Le paragraphe 3° du premier alinéa de l'article 370.0.1 a été modifié par L.Q. 2010, c. 5, par. 231(1) par le remplacement de « 253 969 $ » par « 256 331 $ ». Cette modification s'applique à l'égard de la fourniture, effectuée à un particulier donné, de la totalité ou d'une partie d'un bâtiment dans lequel est située une habitation faisant partie d'un immeuble d'habitation si la possession de l'habitation est donnée au particulier donné après le 31 décembre 2010.

Le paragraphe 3° du premier alinéa de l'article 370.0.1 a été modifié par L.Q. 2011, c. 1, par. 142(1) par le remplacement de « 256 331 $ » par « 341 775 $ ». Cette modification s'applique à l'égard de la fourniture, effectuée à un particulier donné, de la totalité ou d'une partie d'un bâtiment dans lequel est située une habitation faisant partie d'un immeuble d'habitation si la possession de l'habitation est donnée au particulier donné après le 31 décembre 2010.

Le paragraphe 3° du premier alinéa de l'article 370.0.1 a été modifié par L.Q. 2009, c. 5, par. 639(1) par le remplacement de « 256 388 $ » par « 253 969 $ ». Cette modification s'applique à l'égard d'une fourniture, effectuée à un particulier donné, d'un bâtiment ou d'une partie de celui-ci dans lequel est située une habitation faisant partie d'un immeuble d'habitation si la possession de l'habitation est transférée au particulier donné après le 31 décembre 2007, sauf si le constructeur est réputé en vertu de l'article 191 de la *Loi sur la taxe d'accise* (Lois révisées du Canada (1985), chapitre E-15) avoir payé la taxe en vertu du paragraphe 1 de l'article 165 de la *Loi sur la taxe d'accise* au taux de 6 % ou de 7 % à l'égard de la fourniture visée à l'alinéa d du paragraphe 2 de l'article 254.1 de la *Loi sur la taxe d'accise*.

Le paragraphe 3° du premier alinéa de l'article 370.0.1 a été modifié par L.Q. 2007, c. 12, par. 326(1) par le remplacement des mots « 258 806 $ » par les mots « 256 388 $ ». Cette modification s'applique à l'égard d'une fourniture, effectuée à un particulier donné, d'un bâtiment ou d'une partie de celui-ci dans lequel est située une habitation faisant partie d'un immeuble d'habitation si la possession de l'habitation est transférée au particulier donné après le 30 juin 2006, sauf si le constructeur est réputé en vertu de l'article 191 de la *Loi sur la taxe d'accise* (Lois révisées du Canada (1985), chapitre E-15) avoir payé la taxe en vertu du paragraphe 1 de l'article 165 de la *Loi sur la taxe d'accise* au taux de 7 % à l'égard de la fourniture visée à l'alinéa d) du paragraphe 2 de l'article 254.1 de la *Loi sur la taxe d'accise*.

Le paragraphe 3° du premier alinéa de l'article 370.0.1 a été modifié par L.Q. 2001, c. 51, art. 283 par le remplacement de « 230 050 $ » par « 258 806 $ » et cette modification s'applique à l'égard de la fourniture d'un immeuble d'habitation à logement unique ou d'un logement en copropriété effectuée en vertu d'une convention écrite conclue après le 14 mars 2000 et en vertu de laquelle le transfert de propriété de la totalité ou d'une partie du bâtiment dans lequel l'habitation est située a lieu après cette date.

Le paragraphe 3° du premier alinéa de l'article 370.0.1 a été remplacé par L.Q. 1997, c. 85, art. 646(1)(2°) et s'applique à l'égard de la fourniture d'un immeuble d'habitation à logement unique ou d'un logement en copropriété dans le cadre de laquelle l'habitation fait l'objet d'une vente et le fonds de terre d'un bail à long terme si la convention écrite relative à la fourniture est conclue après le 31 décembre 1997 et si le transfert de possession en vertu de la convention a lieu après cette date.

Antérieurement, le paragraphe 3° se lisait ainsi :

> 3° au moment où la possession de l'immeuble d'habitation est donnée au particulier donné en vertu de la convention, la juste valeur marchande de celui-ci est inférieure à 227 910 $;

Le paragraphe 4° du premier alinéa de l'article 370.0.1 a été remplacé par L.Q. 2001, c. 53, art. 356 et cette modification a effet depuis le 26 novembre 1997. Antérieurement, il se lisait ainsi :

> 4° le constructeur est réputé avoir effectué la fourniture de l'immeuble d'habitation en vertu de l'article 223 du fait qu'il en a donné la possession au particulier donné en vertu de la convention;

Le deuxième alinéa de l'article 370.0.1 a été ajouté par L.Q. 1997, c. 85, art. 646(1)(3°) et a effet depuis le 1er juillet 1992. Toutefois, cet alinéa ne s'applique pas à l'égard d'un remboursement pour lequel le ministre du Revenu a reçu une demande avant le 23 avril 1996 ni à l'égard d'un remboursement accordé par le ministre du Revenu avant le 24 avril 1996.

L'article 370.0.1 a été ajouté par L.Q. 1995, c. 1, art. 318(1) et s'applique à l'égard de la fourniture d'un immeuble d'habitation à logement unique dans le cadre de laquelle l'habitation fait l'objet d'une vente et le fonds de terre d'un bail à long terme si la convention écrite relative à la fourniture est conclue après le 12 mai 1994 et si le transfert de possession en vertu de la convention a lieu après cette date.

Notes explicatives ARQ (PL 5, L.Q. 2011, c. 6): *Résumé* :

L'article 370.0.1 est modifié de façon à ce qu'il soit tenu compte de la modification du taux de la taxe de vente du Québec (TVQ) qui passe de 8,5 % à 9,5 %.

Situation actuelle :

Actuellement, l'article 370.0.1 prévoit le droit à un remboursement pour un particulier qui acquiert un bâtiment faisant partie d'un immeuble d'habitation à logement unique ou d'un logement en copropriété et loue le fonds de terre sur lequel il est situé aux termes d'un bail qui a une durée d'au moins 20 ans.

Cet article précise également les conditions qui doivent être satisfaites pour que le particulier y ait droit, notamment qu'il s'agisse d'une fourniture exonérée, que la juste valeur marchande (JVM) du terrain et du bâtiment n'excède pas 341 775 $ et que l'acquisition ait pour but l'occupation à titre de résidence principale, notamment par le particulier.

Modifications proposées :

La modification apportée à cet article vise à augmenter la JVM du terrain et du bâtiment à partir de laquelle aucun remboursement ne peut être obtenu, en la faisant passer de 341 775 $ à 344 925 $, et ce, afin de tenir compte de la hausse du taux de la TVQ.

Notes explicatives ARQ (PL 117, L.Q. 2011, c. 1): *Résumé* :

L'article 370.0.1 est modifié afin de porter à 341 775 $ la juste valeur marchande d'une habitation et d'un terrain à partir de laquelle plus aucun remboursement n'est accordé.

Situation actuelle :

L'article 370.0.1 prévoit le droit à un remboursement pour le particulier qui acquiert une habitation neuve ou ayant fait l'objet d'une rénovation majeure d'un constructeur et qui loue à long terme de celui-ci le terrain sur lequel l'habitation est située afin d'occuper l'habitation comme résidence principale.

Cet article prévoit les conditions qui doivent être satisfaites pour l'obtention du remboursement. Il doit s'agir, notamment, d'une fourniture exonérée et la juste valeur marchande de l'habitation et du terrain au moment où leur possession est donnée au particulier doit être inférieure à 256 331 $.

Modifications proposées :

La modification apportée à cet article vise à porter à 341 775 $ la juste valeur marchande de l'habitation et du terrain à partir de laquelle plus aucun remboursement n'est accordé.

Notes explicatives ARQ (PL 2, L.Q. 2009, c. 5): *Résumé* :

L'article 370.0.1 est modifié de façon à ce qu'il soit tenu compte de la modification du taux de la taxe prévue au paragraphe 1 de l'article 165 de la *Loi sur la taxe d'accise* (Lois révisées du Canada (1985), chapitre E-15) qui passe de 6 % à 5 %.

Situation actuelle :

L'article 370.0.1 de la LTVQ prévoit le droit au remboursement pour le particulier qui acquiert un immeuble d'habitation à logement unique ou un logement en copropriété et loue le fonds de terre sur lequel il est situé aux termes d'un bail qui a une durée d'au moins 20 ans ou qui prévoit une option d'achat.

Cet article précise également les conditions qui doivent être satisfaites pour que le particulier y ait droit, notamment qu'il s'agisse d'une fourniture exonérée, que la juste valeur marchande (JVM) du terrain et du bâtiment n'excède pas 256 388 $ et que l'acquisition ait pour but l'occupation à titre résidentiel par le particulier, un particulier qui lui est lié ou un ex-conjoint du particulier.

Modifications proposées :

La modification apportée à cet article vise à diminuer la valeur de la JVM du terrain et du bâtiment à partir de laquelle plus aucun remboursement ne peut être obtenu en la faisant passer de 256 388 $ à 253 969 $.

Notes explicatives ARQ (PL 2, L.Q. 2007, c. 12): *Résumé* :

L'article 370.0.1 est modifié de façon à ce qu'il soit tenu compte de la modification du taux de la taxe prévue au paragraphe 1 de l'article 165 de la *Loi sur la taxe d'accise* (Lois révisées du Canada (1985), chapitre E-15) qui passe de 7 % à 6 %.

Situation actuelle :

L'article 370.0.1 prévoit le droit au remboursement pour le particulier qui acquiert un immeuble d'habitation à logement unique ou un logement en copropriété et loue le fonds de terre sur lequel il est situé aux termes d'un bail qui a une durée d'au moins 20 ans ou qui prévoit une option d'achat.

Cet article précise également les conditions qui doivent être satisfaites pour que le particulier y ait droit, notamment qu'il s'agisse d'une fourniture exonérée, que la juste valeur marchande (JVM) du terrain et du bâtiment n'excède pas 258 806 $ et que l'acquisition ait pour but l'occupation à titre résidentiel par le particulier, un particulier qui lui est lié ou un ex-conjoint du particulier.

Modifications proposées :

La modification apportée à cet article vise à diminuer la valeur de la JVM du terrain et du bâtiment à partir de laquelle plus aucun remboursement ne peut être obtenu en la faisant passer de 258 806 $ à 256 388 $.

Guides: IN-261 — La TVQ, la TPS et les immeubles d'habitation (construction ou rénovation).

Définitions [art. 370.0.1]: « bail à long terme » — 360.6; « constructeur », « fourniture exonérée », « immeuble d'habitation » — 1; « immeuble d'habitation à logement unique » — 1, 360.5; « logement en copropriété », « montant », « particulier », « rénovation majeure », « vente » — 1.

Renvois [art. 370.0.1]: 15 (JVM); 362 (groupe de particuliers); 370.1 (demande présentée au constructeur); 370.2 (demande présentée au constructeur); 370.3 (remboursement de la taxe payée sur un remboursement); 670.13, 670.14 (remboursement transitoire de la taxe de vente à l'égard d'un immeuble d'habitation); 670.15 (remboursement transitoire de la taxe de vente à l'égard d'un immeuble d'habitation à un constructeur); 670.19 (remboursement transitoire de la taxe de vente à l'égard d'un immeuble d'habitation à un constructeur); 670.21 (groupe de particuliers); 670.24 (remboursement transitoire à l'acheteur); 670.25 (calcul du remboursement); 670.42 (remboursement à l'égard d'un immeuble d'habitation); 670.43 (montant du remboursement à l'égard d'un immeuble d'habitation); 670.44 (remboursement transitoire au constructeur d'un immeuble); 670.46 (remboursement à l'égard d'un immeuble d'habitation); 670.48 (remboursement transitoire au constructeur d'un immeuble); 670.50 (fournitures effectuées à un groupe de particuliers); 670.53 (montant du remboursement à l'égard d'un immeuble d'habitation); 670.54 (fournitures effectuées à un groupe de particuliers); 670.71 (remboursement à l'égard d'un immeuble d'habitation); 670.72 (montant du remboursement à l'égard d'un immeuble d'habitation); 670.73 (remboursement transitoire au constructeur d'un immeuble); 670.75 (remboursement à l'égard d'un immeuble d'habitation); 670.77 (remboursement transitoire au constructeur d'un immeuble); 670.79 (fournitures effectuées à un groupe de particuliers); 670.82 (montant du remboursement à l'égard d'un immeuble d'habitation); 670.83 (fournitures effectuées à un groupe de particuliers).

Lettres d'interprétation [art. 370.0.1]: 98-0109672 — Coopérative d'habitation.

Concordance fédérale: LTA, par. 254.1(2).

COMMENTAIRES: Voir les commentaires sous l'article 370.4.

370.0.2 Montant du remboursement — Pour l'application de l'article 370.0.1, le remboursement auquel un particulier donné a droit à l'égard de la fourniture visée au paragraphe 1° du premier alinéa de cet article est égal :

1° dans le cas où la juste valeur marchande visée au paragraphe 3° du premier alinéa de l'article 370.0.1 est de 229 950 $ ou moins, un montant déterminé selon la formule suivante :

$$4{,}34\ \% \times A$$

2° dans le cas où la juste valeur marchande visée au paragraphe 3° du premier alinéa de l'article 370.0.1 est supérieure à 229 950 $ mais est inférieure à 344 925 $, au montant déterminé selon la formule suivante :

$$(4{,}34\ \% \times A) \times [(344\,925\ \$\ B) / 114\,975\ \$]$$

Interprétation — Pour l'application de ces formules :

1° la lettre A représente le total de tous les montants dont chacun représente la contrepartie payable au constructeur par le particulier donné pour la fourniture par vente à ce dernier de la totalité ou d'une partie du bâtiment visée au paragraphe 1° du premier alinéa de l'article 370.0.1 ou d'une autre construction qui fait partie de l'immeuble d'habitation, sauf la contrepartie qui peut raisonnablement être con-

LTVQ (français)

sidérée comme un loyer pour les fournitures du fonds de terre attribuable à l'immeuble d'habitation ou comme une contrepartie pour la fourniture d'une option d'achat de ce fonds;

2° (*paragraphe supprimé*);

3° la lettre B représente la juste valeur marchande de l'immeuble d'habitation visée au paragraphe 3° du premier alinéa de l'article 370.0.1.

Restriction — Pour l'application du présent article, le montant obtenu en multipliant 4,34 % par A ne peut excéder 9 975 $.

Notes historiques: Le préambule du premier alinéa de l'article 370.0.2 a été remplacé par L.Q. 2012, c. 8, par. 269(1°) et cette modification est entrée en vigueur le 9 mai. Antérieurement, il se lisait ainsi :

> 370.0.2 Pour l'application de l'article 370.0.1, le remboursement auquel un particulier donné a droit à l'égard de la fourniture visée au paragraphe 1° de cet article est égal :

La formule du paragraphe 1° du premier alinéa de l'article 370.0.2 a été remplacée par L.Q. 2012, c. 28, s.-par. 123(1)(1°) et cette modification s'applique à l'égard de la fourniture de la totalité ou d'une partie d'un bâtiment dans lequel est située une habitation faisant partie d'un immeuble d'habitation, lorsque la possession de l'habitation est donnée après le 31 décembre 2012. Antérieurement, elle se lisait ainsi :

$$[4{,}34\ \% \times (A - B)] + (9{,}5\ \% \times B);$$

La formule du paragraphe 1° du premier alinéa de l'article 370.0.2 a été modifiée par L.Q. 2011, c. 1, al. 143(1)(1°)a) par le remplacement de « 2,78 % » par « 3,85 % ». Cette modification s'applique à l'égard de la fourniture, effectuée à un particulier donné, de la totalité ou d'une partie d'un bâtiment dans lequel est située une habitation faisant partie d'un immeuble d'habitation si la possession de l'habitation est donnée au particulier donné après le 31 décembre 2010.

La formule du paragraphe 2° du premier alinéa de l'article 370.0.2 a été remplacée par L.Q. 2012, c. 28, s.-par. 123(1)(2°) et cette modification s'applique à l'égard de la fourniture de la totalité ou d'une partie d'un bâtiment dans lequel est située une habitation faisant partie d'un immeuble d'habitation, lorsque la possession de l'habitation est donnée après le 31 décembre 2012. Antérieurement, elle se lisait ainsi :

$$\{[4{,}34\ \% \times (A - B)] \times [(344\,925\ \$\ C) / 114\,975\ \$]\} + (9{,}5\ \% \times B).$$

Les paragraphes 1° et 2° du premier alinéa de l'article 370.0.2 ont été remplacés par L.Q. 2011, c. 6, s.-par. 270(1)(1°). Cette modification s'applique à l'égard de la fourniture, effectuée à un particulier donné, de la totalité ou d'une partie d'un bâtiment dans lequel est située une habitation faisant partie d'un immeuble d'habitation si la possession de l'habitation est donnée au particulier donné après le 31 décembre 2011. Antérieurement, ils se lisaient ainsi :

> 1° dans le cas où la juste valeur marchande visée au paragraphe 3° du premier alinéa de l'article 370.0.1 est de 227 850 $ ou moins, un montant déterminé selon la formule suivante :
>
> $$[2{,}78\ \% \times (A - B)] + (8{,}5\ \% \times B);$$
>
> 2° dans le cas où la juste valeur marchande visée au paragraphe 3° du premier alinéa de l'article 370.0.1 est supérieure à 227 850 $ mais est inférieure à 256 331 $, au montant déterminé selon la formule suivante :
>
> $$\{[2{,}78\ \% \times (A - B)] \times [(256\,331\ \$ - C) / 28\,481\ \$]\} + (8{,}5\ \% \times B).$$

Les paragraphes 1° et 2° du premier alinéa de l'article 370.0.2 ont été remplacés par L.Q. 2010, c. 5, s.-par. 232(1)(1°) et cette modification s'applique à l'égard de la fourniture, effectuée à un particulier donné, de la totalité ou d'une partie d'un bâtiment dans lequel est située une habitation faisant partie d'un immeuble d'habitation si la possession de l'habitation est donnée au particulier donné après le 31 décembre 2010. Antérieurement, ils se lisaient ainsi :

> 1° dans le cas où la juste valeur marchande visée au paragraphe 3° du premier alinéa de l'article 370.0.1 est de 225 750 $ ou moins, un montant déterminé selon la formule suivante :
>
> $$[3{,}85\ \% \times (A - B)] + (7{,}5\ \% \times B);$$
>
> 2° dans le cas où la juste valeur marchande visée au paragraphe 3° du premier alinéa de l'article 370.0.1 est supérieure à 227 850 $ mais est inférieure à 341 775 $, au montant déterminé selon la formule suivante :
>
> $$\{[3{,}85\ \% \times (A - B)] \times \left[\frac{341\,775\ \$ - C}{113\,925\ \$}\right]\} + (8{,}5\ \% \times B).$$

Les paragraphes 1° et 2° du premier alinéa de l'article 370.0.2 ont été remplacés par L.Q. 2009, c. 5, s.-par. 640(1)(1°) et cette modification s'applique à l'égard d'une fourniture, effectuée à un particulier donné, d'un bâtiment ou d'une partie de celui-ci dans lequel est située une habitation faisant partie d'un immeuble d'habitation si la possession de l'habitation est transférée au particulier donné après le 31 décembre 2007, sauf si le constructeur est réputé en vertu de l'article 191 de la *Loi sur la taxe d'accise* (Lois révisées du Canada (1985), chapitre E-15) avoir payé la taxe en vertu du paragraphe 1 de l'article 165 de la *Loi sur la taxe d'accise* au taux de 6 % ou de 7 % à l'égard de la fourniture visée à l'alinéa d du paragraphe 2 de l'article 254.1 de la *Loi sur la taxe d'accise*. Antérieurement, ils se lisaient ainsi :

> 1° dans le cas où la juste valeur marchande visée au paragraphe 3° de l'article 370.0.1 est de 227 900 $ ou moins, un montant déterminé selon la formule suivante :
>
> $$[2{,}46\ \% \times (A - B)] + (7{,}5\ \% \times B);$$
>
> 2° dans le cas où la juste valeur marchande visée au paragraphe 3° de l'article 370.0.1 est supérieure à 227 900 $ mais est inférieure à 256 388 $, au montant déterminé selon la formule suivante :
>
> $$\{[2{,}46\ \% \times (A - B)] \times \left[\frac{256\,388\ \$ - C}{28\,488\ \$}\right]\} + (7{,}5\ \% \times B).$$

Les paragraphes 1° et 2° du premier alinéa de l'article 370.0.2 ont été remplacés par L.Q. 2007, c. 12, s.-par. 327(1)(1°) et cette modification s'applique à l'égard d'une fourniture, effectuée à un particulier donné, d'un bâtiment ou d'une partie de celui-ci dans lequel est située une habitation faisant partie d'un immeuble d'habitation si la possession de l'habitation est transférée au particulier donné après le 30 juin 2006, sauf si le constructeur est réputé en vertu de l'article 191 de la *Loi sur la taxe d'accise* (Lois révisées du Canada (1985), chapitre E-15) avoir payé la taxe en vertu du paragraphe 1 de l'article 165 de la *Loi sur la taxe d'accise* au taux de 7 % à l'égard de la fourniture visée à l'alinéa d) du paragraphe 2 de l'article 254.1 de la *Loi sur la taxe d'accise*. Antérieurement, ils se lisaient ainsi :

> 1° dans le cas où la juste valeur marchande visée au paragraphe 3° de l'article 370.0.1 est de 230 050 $ ou moins, un montant déterminé selon la formule suivante :
>
> $$[2{,}46\ \% \times (A - B)] + (7{,}5\ \% \times B);$$
>
> 2° dans le cas où la juste valeur marchande visée au paragraphe 3° de l'article 370.0.1 est supérieure à 230 050 $ mais est inférieure à 258 806 $, au montant déterminé selon la formule suivante :
>
> $$\{[2{,}46\ \% \times (A - B)] \times \left[\frac{258\,806\ \$ - C}{28\,756\ \$}\right]\} + (7{,}5\ \% \times B).$$

Les paragraphes 1° et 2° du premier alinéa de l'article 370.0.2 ont été remplacés par L.Q. 2001, c. 51, art. 284 (1)(1°) et (2°) par le remplacement de « 201 294 $ » par « 230 050 $ » et de « 230 050 $ », partout où cela se trouve, par « 258 806 $ » et ces modifications s'appliquent à l'égard de la fourniture d'un immeuble d'habitation à logement unique ou d'un logement en copropriété effectuée en vertu d'une convention écrite conclue après le 14 mars 2000 et en vertu de laquelle le transfert de propriété de la totalité ou d'une partie du bâtiment dans lequel l'habitation est située a lieu après cette date.

Les paragraphes 1° et 2° du premier alinéa de l'article 370.0.2 ont été remplacés par L.Q. 1997, c. 85, art. 647(1)(1°) et (2°) et s'appliquent à l'égard de la fourniture d'un immeuble d'habitation à logement unique ou un logement en copropriété dans le cadre de laquelle l'habitation ou le logement fait l'objet d'une vente et le fonds de terre d'un bail à long terme si la convention écrite relative à la fourniture est conclue après le 31 décembre 1997 et si le transfert de possession en vertu de la convention a lieu après cette date.

Antérieurement, les paragraphes 1° et 2° se lisaient ainsi :

> 1° dans le cas où la juste valeur marchande visée au paragraphe 3° de l'article 370.0.1 est de 199 421 $ ou moins, un montant déterminé selon la formule suivante :
>
> $$[2{,}2\ \% \times (A - B)] + (6{,}5\ \% \times B);$$
>
> 2° dans le cas où la juste valeur marchande visée au paragraphe 3° de l'article 370.0.1 est supérieure à 199 421 $ mais est inférieure à 227 910 $, au montant déterminé selon la formule suivante :
>
> $$\{[2{,}2\ \% \times (A - B)] \times \frac{(227\,910\ \$ - C)}{28\,489\ \$}\} + (6{,}5\ \% \times B).$$

Le paragraphe 1° du deuxième alinéa de l'article 370.0.2 a été remplacé par L.Q. 2012, c. 8, par. 269(2°) et cette modification est entrée en vigueur le 9 mai 2012. Antérieurement, il se lisait ainsi :

> 1° la lettre A représente le total de tous les montants dont chacun représente la contrepartie payable au constructeur par le particulier donné pour la fourniture par vente à ce dernier de la totalité ou d'une partie du bâtiment visée au paragraphe 1° de l'article 370.0.1 ou d'une autre construction qui fait partie de l'immeuble d'habitation, sauf la contrepartie qui peut raisonnablement être considérée comme un loyer pour les fournitures du fonds de terre attribuable à l'immeuble d'habitation ou comme une contrepartie pour la fourniture d'une option d'achat de ce fonds;

Le paragraphe 1° du deuxième alinéa de l'article 370.0.2 a été remplacé par L.Q. 1997, c. 85, art. 647(1)(3°) et a effet depuis le 1er avril 1997. Antérieurement, il se lisait ainsi :

> 1° la lettre A représente le total de tous les montants dont chacun représente la contrepartie payable au constructeur par le particulier donné pour la fourniture par vente à ce dernier de la totalité ou d'une partie du bâtiment visée au paragraphe 1° de l'article 370.0.1 ou d'une autre construction qui fait partie de l'immeuble d'habitation, sauf la contrepartie qui peut raisonnablement être considérée comme un

loyer pour la fourniture du fonds de terre attribuable à l'immeuble d'habitation ou comme une contrepartie pour la fourniture d'une option d'achat de ce fonds;

Le paragraphe 2° du deuxième alinéa de l'article 370.0.2 a été supprimé par L.Q. 2012, c. 28, s.-par. 123(1)(3°) et cette modification s'applique à l'égard de la fourniture de la totalité ou d'une partie d'un bâtiment dans lequel est située une habitation faisant partie d'un immeuble d'habitation, lorsque la possession de l'habitation est donnée après le 31 décembre 2012. Antérieurement, il se lisait ainsi :

2° la lettre B représente le remboursement auquel le particulier donné a droit à l'égard de la fourniture de l'immeuble d'habitation en vertu du paragraphe 2 de l'article 254.1 de la *Loi sur la taxe d'accise* (L.R.C. 1985, c. E-15);

Le paragraphe 2° du premier alinéa de l'article 370.0.2 a été remplacé par L.Q. 2011, c. 1, al. 143(1)(1°)b) et cette modification s'applique à l'égard de la fourniture, effectuée à un particulier donné, de la totalité ou d'une partie d'un bâtiment dans lequel est située une habitation faisant partie d'un immeuble d'habitation si la possession de l'habitation est donnée au particulier donné après le 31 décembre 2010. Antérieurement, il se lisait ainsi :

2° dans le cas où la juste valeur marchande visée au paragraphe 3° du premier alinéa de l'article 370.0.1 est supérieure à 225 750 \$ mais est inférieure à 253 969 \$, au montant déterminé selon la formule suivante :

$$\{[2{,}47\ \% \times (A - B)] \times \left[\frac{253\,969\ \$ - C}{28\,219\ \$}\right]\} + (7{,}5\ \% \times B).$$

Le paragraphe 3° du deuxième alinéa de l'article 370.0.2 a été remplacé par L.Q. 2012, c. 28, s.-par. 123(1)(4°) et cette modification s'applique à l'égard de la fourniture de la totalité ou d'une partie d'un bâtiment dans lequel est située une habitation faisant partie d'un immeuble d'habitation, lorsque la possession de l'habitation est donnée après le 31 décembre 2012. Antérieurement, il se lisait ainsi :

3° la lettre C représente la juste valeur marchande de l'immeuble d'habitation visée au paragraphe 3° du premier alinéa de l'article 370.0.1.

Le paragraphe 3° du deuxième alinéa de l'article 370.0.2 a été remplacé par L.Q. 2012, c. 8, par. 269(3°) et cette modification est entrée en vigueur le 9 mai 2012. Antérieurement, il se lisait ainsi :

3° la lettre C représente la juste valeur marchande de l'immeuble d'habitation visée au paragraphe 3° de l'article 370.0.1.

Le troisième alinéa de l'article 370.0.2 a été remplacé par L.Q. 2012, c. 28, s.-par. 123(1)(5°) et cette modification s'applique à l'égard de la fourniture de la totalité ou d'une partie d'un bâtiment dans lequel est située une habitation faisant partie d'un immeuble d'habitation, lorsque la possession de l'habitation est donnée après le 31 décembre 2012. Antérieurement, il se lisait ainsi :

Pour l'application du présent article, le montant obtenu en multipliant 4,34 % par la différence entre A et B ne peut excéder 9 804 \$.

Le troisième alinéa de l'article 370.0.2 a été remplacé par L.Q. 2011, c. 6, s.-par. 270(1)(2°) et cette modification s'applique à l'égard de la fourniture, effectuée à un particulier donné, de la totalité ou d'une partie d'un bâtiment dans lequel est située une habitation faisant partie d'un immeuble d'habitation si la possession de l'habitation est donnée au particulier donné après le 31 décembre 2011. Antérieurement, il se lisait ainsi :

Pour l'application du présent article, le montant obtenu en multipliant 2,78 % par la différence entre A et B ne peut excéder 6 316 \$.

Le troisième alinéa de l'article 370.0.2 a été remplacé par L.Q. 2010, c. 5, s.-par. 232(1)(2°) et cette modification s'applique à l'égard de la fourniture, effectuée à un particulier donné, de la totalité ou d'une partie d'un bâtiment dans lequel est située une habitation faisant partie d'un immeuble d'habitation si la possession de l'habitation est donnée au particulier donné après le 31 décembre 2010. Antérieurement, il se lisait ainsi :

Pour l'application du présent article, le montant obtenu en multipliant 3,85 % par la différence entre A et B ne peut excéder 8 772 \$.

Le troisième alinéa de l'article 370.0.2 a été remplacé par L.Q. 2011, c. 1, s.-par. 143(1)(2°) et cette modification s'applique à l'égard de la fourniture, effectuée à un particulier donné, de la totalité ou d'une partie d'un bâtiment dans lequel est située une habitation faisant partie d'un immeuble d'habitation si la possession de l'habitation est donnée au particulier donné après le 31 décembre 2010. Antérieurement, il se lisait ainsi :

Pour l'application du présent article, le montant obtenu en multipliant 2,47 % par la différence entre A et B ne peut excéder 5 573 \$.

Le troisième alinéa de l'article 370.0.2 a été remplacé par L.Q. 2009, c. 5, s.-par. 640(1)(2°) et cette modification s'applique à l'égard d'une fourniture, effectuée à un particulier donné, d'un bâtiment ou d'une partie de celui-ci dans lequel est située une habitation faisant partie d'un immeuble d'habitation si la possession de l'habitation est transférée au particulier donné après le 31 décembre 2007, sauf si le constructeur est réputé en vertu de l'article 191 de la *Loi sur la taxe d'accise* (Lois révisées du Canada (1985), chapitre E-15) avoir payé la taxe en vertu du paragraphe 1 de l'article 165 de la *Loi sur la taxe d'accise* au taux de 6 % ou de 7 % à l'égard de la fourniture visée à l'alinéa d du paragraphe 2 de l'article 254.1 de la *Loi sur la taxe d'accise*. Antérieurement, il se lisait ainsi :

Pour l'application du présent article, le montant obtenu en multipliant 2,46 % par la différence entre A et B ne peut excéder 5 607 \$.

Le troisième alinéa de l'article 370.0.2 a été remplacé par L.Q. 2007, c. 12, s.-par. 327(1)(2°) et cette modification s'applique selon les mêmes modalités que la modification apportée aux paragraphes 1° et 2° du premier alinéa de l'article 370.0.2 plus haut. Antérieurement, il se lisait ainsi :

Pour l'application du présent article, le montant obtenu en multipliant 2,46 % par la différence entre A et B ne peut excéder 5 642 \$.

Le troisième alinéa de l'article 370.0.2 a été modifié par L.Q. 2001, c. 51, art. 284(1)(3°) par le remplacement de « 4 937 \$ » par « 5 642 \$ » et cette modification s'applique à l'égard de la fourniture d'un immeuble d'habitation à logement unique ou d'un logement en copropriété effectuée en vertu d'une convention écrite conclue après le 14 mars 2000 et en vertu de laquelle le transfert de propriété de la totalité ou d'une partie du bâtiment dans lequel l'habitation est située a lieu après cette date.

Le troisième alinéa de l'article 370.0.2 a été remplacé par L.Q. 1997, c. 85, art. 647(1)(4°). Il s'applique à l'égard de la fourniture d'un immeuble d'habitation à logement unique ou un logement en copropriété dans le cadre de laquelle l'habitation ou le logement fait l'objet d'une vente et le fonds de terre d'un bail à long terme si la convention écrite relative à la fourniture est conclue après le 31 décembre 1997 et si le transfert de possession en vertu de la convention a lieu après cette date.

Antérieurement, il se lisait ainsi :

Pour l'application du présent article, le montant obtenu en multipliant 2,2 % par la différence entre A et B ne peut excéder 4278 \$.

L'article 370.0.2 a été ajouté par L.Q. 1995, c. 1, art 318(1) et s'applique à l'égard de la fourniture d'un immeuble d'habitation à logement unique dans le cadre de laquelle l'habitation fait l'objet d'une vente et le fonds de terre d'un bail à long terme si la convention écrite relative à la fourniture est conclue après le 12 mai 1994 et si le transfert de possession en vertu de la convention a lieu après cette date.

Notes explicatives ARQ (PL 5, L.Q. 2012, c. 28): *Résumé* :

L'article 370.0.2 est modifié afin de tenir compte du fait qu'à compter du 1er janvier 2013 la taxe sur les produits et services (TPS) est retirée de l'assiette de la taxe de vente du Québec (TVQ).

Situation actuelle :

L'article 370.0.2 prévoit les formules à utiliser pour déterminer le montant du remboursement auquel un particulier a droit en vertu de l'article 370.0.1 de la LTVQ, dans le cas où celui-ci acquiert un bâtiment faisant partie d'un immeuble d'habitation à logement unique ou d'un logement en copropriété et loue le fonds de terre sur lequel il est situé. Ces formules sont établies en fonction de la juste valeur marchande (JVM) de l'immeuble d'habitation, comprenant le terrain et le bâtiment.

Ainsi, dans le cas où la JVM de l'immeuble d'habitation est de 229 950 \$ ou moins, le montant du remboursement représente la somme de 4,34 % de la contrepartie payée à l'égard de la fourniture par vente du bâtiment soustraction faite du remboursement auquel le particulier a droit en vertu du régime de la TPS et de 9,5 % du remboursement auquel le particulier a droit en vertu du régime de la TPS. Le remboursement maximal est établi à 9 804 \$.

Dans le cas où la JVM de l'immeuble d'habitation est supérieure à 229 950 \$ mais inférieure à 344 925 \$, le remboursement maximal décroît selon la formule prévue au paragraphe 2° du premier alinéa de l'article 370.0.2.

Modifications proposées :

L'article 370.0.2 est modifié afin de tenir compte du fait qu'à compter du 1er janvier 2013 la TPS est retirée de l'assiette de la TVQ.

Dans ce contexte, il y a lieu de modifier les formules pour ne plus tenir compte du remboursement auquel le particulier a droit en vertu du régime de la TPS.

Notes explicatives ARQ (PL 63, L.Q. 2012, c. 8): *Résumé* :

L'article 370.0.2 de la *Loi sur la taxe de vente du Québec* (LTVQ) est modifié afin qu'il y soit précisé que la référence aux paragraphes 1° et 3° de l'article 370.0.1 de la LTVQ est une référence aux paragraphes 1° et 3° du premier alinéa de cet article 370.0.1.

Situation actuelle :

L'article 370.0.1 de la LTVQ prévoit le droit à un remboursement pour le particulier qui acquiert une habitation neuve ou ayant fait l'objet d'une rénovation majeure d'un constructeur et qui loue à long terme de celui-ci le terrain sur lequel l'habitation est située afin d'occuper l'habitation comme résidence principale.

L'article 370.0.2 de la LTVQ détermine le montant du remboursement auquel le particulier a droit en vertu de l'article 370.0.1 de la LTVQ.

Modifications proposées :

La modification apportée à l'article 370.0.2 de la LTVQ consiste à préciser que la référence aux paragraphes 1° et 3° de l'article 370.0.1 de la LTVQ est une référence aux paragraphes 1° et 3° du premier alinéa de l'article 370.0.1. Cette précision est nécessaire compte tenu de l'ajout à l'article 370.0.1 d'un deuxième alinéa par le chapitre 85 des lois de 1997.

Notes explicatives ARQ (PL 5, L.Q. 2011, c. 6): *Résumé* :

L'article 370.0.2 est modifié de façon à ce qu'il soit tenu compte de la modification du taux de la taxe de vente du Québec (TVQ) qui passe de 8,5 % à 9,5 %.

LTVQ (français)

Situation actuelle :

L'article 370.0.2 prévoit les formules à utiliser pour déterminer le montant du remboursement auquel un particulier a droit en vertu de l'article 370.0.1 de la LTVQ, dans le cas où celui-ci acquiert un bâtiment faisant partie d'un immeuble d'habitation à logement unique ou d'un logement en copropriété et loue le fonds de terre sur lequel il est situé.

Ces formules sont établies en fonction de la juste valeur marchande (JVM) de l'immeuble d'habitation, comprenant le terrain et le bâtiment.

Ainsi, dans le cas où la JVM de l'immeuble d'habitation est de 227 850 $ oumoins, lemontant du remboursement représente la somme de 3,85 % de la contrepartie payée à l'égard de la fourniture par vente du bâtiment soustraction faite du remboursement auquel le particulier a droit en vertu du régime de la taxe sur les produits et services (TPS) et de 8,5 % du remboursement auquel le particulier a droit en vertu du régime de la TPS. Le remboursement maximal est établi à 8 772 $.

Dans le cas où la JVM de l'immeuble d'habitation est supérieure à 227 850 $ mais inférieure à 341 775 $, le remboursement maximal décroît selon la formule prévue à l'article 370.0.2.

Modifications proposées :

Afin de refléter la hausse du taux de la TVQ, des modifications sont apportées à l'article 370.0.2 de la LTVQ.

Les modifications apportées aux paragraphes 1° et 2° du premier alinéa de l'article 370.0.2 visent notamment à remplacer le pourcentage de 8,5 %par 9,5 %et à augmenter à 229 950 $ la JVM de l'immeuble d'habitation à l'égard de laquelle le particulier a droit au remboursement maximal et à 344 925 $ la JVM de l'immeuble d'habitation à partir de laquelle aucun remboursement ne peut être obtenu.

Dans le cas où la JVM de l'immeuble d'habitation est supérieure à 229 950 $ mais inférieure à 344 925 $, le dénominateur permettant de calculer la décroissance du remboursement passe de 113 925 $ à 114 975 $.

Enfin, il est proposé de modifier le troisième alinéa de l'article 370.0.2 afin de remplacer le facteur de 3,85 % par un facteur de 4,34 % et d'augmenter le remboursement maximal à 9 804 $.

Notes explicatives ARQ (PL 117, L.Q. 2011, c. 1): *Résumé* :

L'article 370.0.2 est modifié afin de porter à 341 775 $ la juste valeur marchande d'une habitation et d'un terrain à partir de laquelle plus aucun remboursement n'est accordé.

Situation actuelle :

L'article 370.0.2 détermine le montant du remboursement auquel le particulier a droit en vertu de l'article 370.0.1.

Ainsi, dans le cas où la juste valeur marchande de l'habitation et du terrain est de 227 850 $ ou moins, le remboursement représente un montant de 2,78 % du prix d'acquisition payé pour l'habitation, soustraction faite du remboursement auquel le particulier a droit en vertu du régime de la taxe sur les produits et services (TPS), et de 8,5 % du remboursement auquel le particulier a droit en vertu du régime de la TPS. Le remboursement maximal est établi à 6 316 $. Dans le cas où la juste valeur marchande de l'habitation et du terrain est supérieure à 227 850 $ mais inférieure à 256 331 $, le remboursement est dégressif et est déterminé selon la formule prévue à l'article 370.0.2.

Modifications proposées :

La modification apportée à cet article vise à porter à 341 775 $ la juste valeur marchande de l'habitation et du terrain à partir de laquelle plus aucun remboursement n'est accordé.

De plus, le facteur de 2,78 % est remplacé par 3,85 % et le remboursement maximal pouvant être obtenu est désormais établi à 8 772 $.

Notes explicatives ARQ (PL 2, L.Q. 2009, c. 5): *Résumé* :

L'article 370.0.2 est modifié de façon à ce qu'il soit tenu compte de la modification du taux de la taxe prévue au paragraphe 1 de l'article 165 de la *Loi sur la taxe d'accise* (Lois révisées du Canada (1985), chapitre E-15) qui passe de 6 % à 5 %.

Situation actuelle :

L'article 370.0.2 de la LTVQ précise les formules à utiliser pour déterminer le montant du remboursement auquel un particulier a droit en vertu de l'article 370.0.1 de la LTVQ, dans le cas où celui-ci acquiert une habitation résidentielle neuve et loue le fonds de terre sur lequel elle est située.

Les formules sont établies en fonction de la juste valeur marchande (JVM) de l'immeuble d'habitation, comprenant le terrain et le bâtiment.

Ainsi, dans le cas où la JVM de l'habitation et du terrain est de 227 900 $ ou moins, le montant du remboursement représente la somme de 2,46 % de la contrepartie payée pour l'habitation et de 7,5 % du remboursement auquel le particulier a droit en vertu du régime de la taxe sur les produits et services, le remboursement maximal étant établi à 5 607 $.

Dans le cas où la JVMde l'habitation et du terrain est supérieure à 227 900 $ mais inférieure à 256 388 $, le remboursement maximal décroît selon la formule qui y est prévue.

Modifications proposées :

Les modifications apportées aux paragraphes 1° et 2° du premier alinéa de l'article 370.0.2 de la LTVQ visent à réduire à 225 750 $ la JVM de l'habitation et du terrain pour laquelle le particulier a droit au remboursement maximal et à 253 969 $ la JVM de l'habitation et du terrain à partir de laquelle aucun remboursement ne peut être obtenu.

Également, il est proposé de modifier le troisième alinéa de l'article 370.0.2 de la LTVQ afin de remplacer le facteur 2,46 % par 2,47 % et de réduire le remboursement maximal à 5 573 $.

Enfin, dans le cas où la JVM de l'habitation et du terrain est, selon les modifications proposées, supérieure à 225 750 $ mais inférieure à 253 969 $, le facteur permettant de calculer la décroissance du remboursement passe de 28 488 $ à 28 219 $.

Notes explicatives ARQ (PL 2, L.Q. 2007, c. 12): *Résumé* :

L'article 370.0.2 est modifié de façon à ce qu'il soit tenu compte de la modification du taux de la taxe prévue au paragraphe 1 de l'article 165 de la *Loi sur la taxe d'accise* (Lois révisées du Canada (1985), chapitre E-15) qui passe de 7 % à 6 %.

Situation actuelle :

L'article 370.0.2 précise les formules à utiliser pour déterminer le montant du remboursement auquel un particulier a droit en vertu de l'article 370.0.1 de la LTVQ, dans le cas où celui-ci acquiert une habitation résidentielle neuve et loue le fonds de terre sur lequel elle est située. Les formules sont établies en fonction de la juste valeur marchande (JVM) de l'immeuble d'habitation, comprenant le terrain et le bâtiment. Ainsi, dans le cas où la JVM de l'habitation et du terrain est de 230 050 $ ou moins, le montant du remboursement représente la somme de 2,46 % de la contrepartie payée pour l'habitation et de 7,5 % du remboursement auquel le particulier a droit en vertu du régime de la taxe sur les produits et services (TPS). Le remboursement maximal étant établi à 5 642 $. Dans le cas où la JVM de l'habitation et du terrain est supérieure à 230 050 $ mais inférieure à 258 806 $, le remboursement maximal décroit selon la formule qui y est prévue.

Modifications proposées :

Les modifications apportées aux paragraphes 1° et 2° du premier alinéa de l'article 370.0.2 visent à réduire à 227 900 $ la JVM de l'habitation et du terrain pour laquelle le particulier a droit au remboursement maximal et à 256 388 $ la JVM de l'habitation et du terrain à partir de laquelle aucun remboursement ne peut être obtenu.

Également, il est proposé de modifier le troisième alinéa de l'article 370.0.2 afin de réduire le remboursement maximal à 5 607 $. Enfin, dans le cas où la JVM de l'habitation et du terrain est, selon les modifications proposées, supérieure à 227 900 $ mais inférieure à 256 388 $, le facteur permettant de calculer la décroissance du remboursement passe de 28 756 $ à 28 488 $.

Guides [art. 370.0.2]: IN-261 — La TVQ, la TPS et les immeubles d'habitation (construction ou rénovation).

Définitions [art. 370.0.2]: « constructeur », « contrepartie », « fourniture », « immeuble d'habitation » — 1; « immeuble d'habitation à logement unique » — 1, 360.5; « logement en copropriété », « montant », « particulier », « vente » — 1.

Renvois [art. 370.0.2]: 15 (JVM); 362 (groupe de particuliers); 378.9 (droit au remboursement pour fourniture d'un immeuble d'habitation loué à des fins résidentielles); 670.50 (fournitures effectuées à un groupe de particuliers); 670.54 (fournitures effectuées à un groupe de particuliers); 670.79 (fournitures effectuées à un groupe de particuliers); 670.83 (fournitures effectuées à un groupe de particuliers).

Lettres d'interprétation [art. 370.0.2]: 98-0109672 — Coopérative d'habitation.

Concordance fédérale: LTA, par. 254.1(2).

COMMENTAIRES: Voir les commentaires sous l'article 370.4.

370.0.3 Délai de la demande — Un particulier a droit au remboursement prévu à l'article 370.0.1 à l'égard d'un immeuble d'habitation seulement s'il produit une demande de remboursement dans les deux ans suivant le jour où la possession de l'immeuble d'habitation lui est transférée.

Notes historiques: L'article 370.0.3 a été remplacé par L.Q. 1997, c. 85, art. 648(1) et a effet à l'égard d'un remboursement relatif à un immeuble d'habitation dont la possession est transférée après le 30 juin 1996 à la personne qui demande le remboursement. Antérieurement, il se lisait ainsi :

> Un particulier a droit au remboursement prévu à l'article 370.0.1 à l'égard d'un immeuble d'habitation seulement s'il produit une demande de remboursement dans les quatre ans suivant le jour où la possession de l'immeuble d'habitation lui est transférée.

L'article 370.0.3 a été ajouté par L.Q. 1995, c. 1, art 318(1) et s'applique à l'égard de la fourniture d'un immeuble d'habitation à logement unique dans le cadre de laquelle l'habitation fait l'objet d'une vente et le fonds de terre d'un bail à long terme si la convention écrite relative à la fourniture est conclue après le 12 mai 1994 et si le transfert de possession en vertu de la convention a lieu après cette date.

Définitions [art. 370.0.3]: « particulier », « immeuble d'habitation » — 1; « immeuble d'habitation à logement unique » — 1, 360.5; « logement en copropriété », « montant », « particulier », « vente » — 1.

Renvois [art. 370.0.3]: 362 (groupe de particuliers); 670.50 (fournitures effectuées à un groupe de particuliers); 670.54 (fournitures effectuées à un groupe de particuliers); 670.79 (fournitures effectuées à un groupe de particuliers); 670.83 (fournitures effectuées à un groupe de particuliers).

Concordance fédérale: LTA, par. 254.1(3).

COMMENTAIRES: Voir les commentaires sous l'article 370.4.

370.1 Demande présentée au constructeur — Le constructeur d'un immeuble d'habitation qui est un immeuble d'habitation à logement unique ou un logement en copropriété qui effectue la fourniture de l'immeuble d'habitation à un particulier en vertu d'une convention visée au paragraphe 1° du premier alinéa de l'article 370.0.1 et lui en transfère la possession en vertu de celle-ci, peut payer au particulier ou porter à son crédit le montant du remboursement visé à l'article 370.0.1 si, à la fois :

1° dans les deux ans suivant le jour où la possession de l'immeuble d'habitation lui est transférée en vertu de la convention relative à la fourniture, le particulier soumet au constructeur, de la manière prescrite par le ministre, une demande de remboursement au moyen du formulaire prescrit contenant les renseignements prescrits pour le remboursement auquel le particulier aurait droit en vertu de l'article 370.0.1 à l'égard de l'immeuble d'habitation si le particulier en faisait la demande dans le délai prévu;

2° le constructeur accepte de payer au particulier ou de porter à son crédit tout remboursement payable à ce dernier en vertu de l'article 370.0.1 à l'égard de l'immeuble d'habitation.

Notes historiques: Le préambule de l'article 370.1 a été remplacé par L.Q. 2001, c. 53, art. 357 et cette modification s'applique à l'égard d'un remboursement relatif à un immeuble d'habitation pour lequel une demande est produite au ministre du Revenu après le 22 avril 1996, sauf si, selon le cas :

1° l'immeuble a été occupé à titre résidentiel ou d'hébergement entre le début de sa construction ou des rénovations majeures dont il a fait l'objet et le 23 avril 1996;

2° la construction ou les rénovations majeures de l'immeuble étaient presque achevées avant le 23 avril 1996;

3° la personne qui effectue la demande a transféré la propriété de l'immeuble avant le 23 avril 1996 à l'acquéreur d'une fourniture par vente d'immeuble.

Antérieurement, il se lisait ainsi :

370.1 Le constructeur d'un immeuble d'habitation à logement unique qui effectue la fourniture de l'immeuble d'habitation à un particulier en vertu d'une convention visée au paragraphe 1° de l'article 370.0.1 et lui en transfère la possession en vertu de celle-ci, peut payer au particulier ou porter à son crédit le montant du remboursement visé à l'article 370.0.1 si, à la fois :

Le paragraphe 1° de l'article 370.1 a été remplacé par L.Q. 1997, c. 85, art. 649(1) et a effet à l'égard d'un remboursement relatif à un immeuble d'habitation dont la possession est transférée après le 30 juin 1996 à la personne qui demande le remboursement. Antérieurement, il se lisait ainsi :

1° dans les quatre ans suivant le jour où la possession de l'immeuble d'habitation lui est transférée en vertu de la convention relative à la fourniture, le particulier soumet au constructeur, de la manière prescrite par le ministre, une demande de remboursement au moyen du formulaire prescrit contenant les renseignements prescrits pour le remboursement auquel le particulier aurait droit en vertu de l'article 370.0.1 à l'égard de l'immeuble d'habitation si le particulier en faisait la demande dans le délai prévu;

L'article 370.1 a été modifié par L.Q. 1995, c. 1, art. 319(1) et cette modification s'applique à l'égard de la fourniture d'un immeuble d'habitation à logement unique dans le cadre de laquelle l'habitation fait l'objet d'une vente et le fonds de terre d'un bail à long terme si la convention écrite relative à la fourniture est conclue après le 12 mai 1994 et si le transfert de possession en vertu de la convention a lieu après cette date. Auparavant, l'article 370.1, ajouté par L.Q. 1994, c. 22, art. 572(1), était réputé entré en vigueur le 1er juillet 1992. Il se lisait comme suit :

370.1 Le constructeur d'un immeuble d'habitation à logement unique visé au paragraphe 2° de l'article 254.1 de la *Loi sur la taxe d'accise* (Statuts du Canada), peut payer au particulier ou porter à son crédit le montant du remboursement visé à l'article 362.1 si, à la fois :

1° dans les quatre ans suivant le jour où la possession de l'immeuble lui est transférée en vertu de la convention relative à la fourniture, le particulier soumet au constructeur, de la manière prescrite par le ministre, une demande de remboursement au moyen du formulaire prescrit contenant les renseignements prescrits pour le remboursement auquel le particulier aurait droit en vertu de l'article 362.1 à l'égard de l'immeuble si le particulier en faisait la demande dans le délai prévu;

2° le constructeur accepte de payer au particulier ou de porter à son crédit tout remboursement payable à ce dernier en vertu de l'article 362.1 à l'égard de l'immeuble.

Guides [art. 370.1]: IN-261 — La TVQ, la TPS et les immeubles d'habitation (construction ou rénovation).

Définitions [art. 370.1]: « constructeur », « fourniture » — 1; « immeuble d'habitation à logement unique » — 1, 360.5; « montant », « particulier » — 1.

Renvois [art. 370.1]: 97.1 (fourniture exonérée de bâtiment); 222.4 (construction de maison mobile ou flottante); 223 (fourniture à soi-même); 224 (fourniture à soi-même); 362 (groupe de particuliers); 370.2 (transmission de la demande par le constructeur); 370.3 (remboursement de la taxe payée sur un remboursement); 370.4 (responsabilité solidaire); 403 (demande de remboursement); 404 (demande de remboursement); 455 (déduction pour paiement du remboursement — constructeur); 670.50 (fournitures effectuées à un groupe de particuliers); 670.54 (fournitures effectuées à un groupe de particuliers); 670.79 (fournitures effectuées à un groupe de particuliers); 670.83 (fournitures effectuées à un groupe de particuliers).

Formulaires [art. 370.1]: FP-2190.A, Remboursement de taxes par le propriétaire pour une nouvelle habitation et un terrain achetés d'un même constructeur; FP-2190.C, Remboursement de taxes accordé par le constructeur pour une nouvelle habitation; FP-2190.L, Remboursement de taxes pour une habitation située sur un terrain loué ou pour une part dans une coopérative d'habitation; FP-2190.P, Remboursement de taxes demandé par le propriétaire pour une habitation neuve ou modifiée de façon majeure.

Concordance fédérale: LTA, par. 254.1(4).

COMMENTAIRES: Voir les commentaires sous l'article 370.4.

370.2 Transmission de la demande par le constructeur — Malgré l'article 370.0.1, dans le cas où la demande de remboursement d'un particulier en vertu de cet article à l'égard d'un immeuble d'habitation est soumise au constructeur en vertu de l'article 370.1, les règles suivantes s'appliquent :

1° le constructeur doit transmettre la demande au ministre avec sa déclaration produite en vertu du chapitre VIII pour la période de déclaration au cours de laquelle le remboursement est payé ou porté au crédit du particulier;

2° malgré l'article 28 de la *Loi sur l'administration fiscale* (chapitre A-6.002), aucun intérêt n'est payable à l'égard du remboursement.

Notes historiques: Le préambule de l'article 370.2 a été modifié par L.Q. 1995, c. 1, art. 320(1) et cette modification s'applique à l'égard de la fourniture d'un immeuble d'habitation à logement unique dans le cadre de laquelle l'habitation fait l'objet d'une vente et le fonds de terre d'un bail à long terme si la convention écrite relative à la fourniture est conclue après le 12 mai 1994 et si le transfert de possession en vertu de la convention a lieu après cette date. Auparavant, il se lisait comme suit :

370.2 Malgré l'article 362.1, dans le cas où la demande de remboursement d'un particulier en vertu de cet article à l'égard d'un immeuble d'habitation est soumise au constructeur en vertu de l'article 370.1, les règles suivantes s'appliquent :

L'article 370.2 a été ajouté par L.Q. 1994, c. 22, art. 572(1) et est réputé entré en vigueur le 1er juillet 1992.

Guides [art. 370.2]: IN-261 — La TVQ, la TPS et les immeubles d'habitation (construction ou rénovation).

Définitions [art. 370.2]: « constructeur », « immeuble d'habitation » — 1; « immeuble d'habitation à logement unique » — 360.5; « particulier », « période de déclaration » — 1.

Renvois [art. 370.2]: 362 (groupe de particuliers); 455 (déduction pour paiement du remboursement — constructeur); 670.50 (fournitures effectuées à un groupe de particuliers); 670.54 (fournitures effectuées à un groupe de particuliers); 670.79 (fournitures effectuées à un groupe de particuliers); 670.83 (fournitures effectuées à un groupe de particuliers).

Concordance fédérale: LTA, par. 254.1(5).

COMMENTAIRES: Voir les commentaires sous l'article 370.4.

370.3 Remboursement en vertu du paragraphe 4° de l'article 254.1 de la *Loi sur la taxe d'accise* — Dans le cas où le constructeur paie à un particulier ou porte à son crédit, en vertu du paragraphe 4 de l'article 254.1 de la *Loi sur la taxe d'accise* (Lois révisées du Canada (1985), chapitre E-15), le montant du remboursement visé au paragraphe 2 de cet article à l'égard de l'immeuble d'habitation, le constructeur doit payer au particulier ou porter à son crédit, en vertu de l'article 370.1, le montant du remboursement visé à l'article 370.0.1 à l'égard de l'immeuble d'habitation.

Exception — L'article 370.1 ne s'applique pas dans le cas où le constructeur d'un immeuble d'habitation ne paie pas à un particulier ou ne porte pas à son crédit, en vertu du paragraphe 4 de l'article 254.1 de la *Loi sur la taxe d'accise*, le montant du remboursement visé au paragraphe 2 de cet article à l'égard de l'immeuble d'habitation.

Notes historiques: Le premier alinéa de l'article 370.3 a été modifié par L.Q. 1995, c. 1, art. 321(1) et cette modification s'applique à l'égard de la fourniture d'un immeuble d'habitation à logement unique dans le cadre de laquelle l'habitation fait l'objet d'une vente et le fonds de terre d'un bail à long terme si la convention écrite relative à la

LTVQ (français)

fourniture est conclue après le 12 mai 1994 et si le transfert de possession en vertu de la convention a lieu après cette date. Auparavant, il se lisait comme suit :

370.3 Dans le cas où le constructeur paie à un particulier ou porte à son crédit, en vertu du paragraphe 4 de l'article 254.1 de la *Loi sur la taxe d'accise* (Statuts du Canada), le montant du remboursement visé au paragraphe 2 de cet article à l'égard de l'immeuble d'habitation, le constructeur doit payer au particulier ou porter à son crédit, en vertu de l'article 370.1, le montant du remboursement visé à l'article 362.1 à l'égard de l'immeuble d'habitation.

L'article 370.3 a été ajouté par L.Q. 1994, c. 22, art. 572(1) et est réputé entré en vigueur le 1er juillet 1992.

Guides [art. 370.3]: IN-261 — La TVQ, la TPS et les immeubles d'habitation (construction ou rénovation).

Définitions [art. 370.3]: « constructeur », « immeuble d'habitation » — 1; « immeuble d'habitation à logement unique » — 360.5; « montant », « particulier » — 1.

Renvois [art. 370.3]: 362 (groupe de particuliers); 670.50 (fournitures effectuées à un groupe de particuliers); 670.54 (fournitures effectuées à un groupe de particuliers); 670.79 (fournitures effectuées à un groupe de particuliers); 670.83 (fournitures effectuées à un groupe de particuliers).

Concordance fédérale: aucune.

COMMENTAIRES: Voir les commentaires sous l'article 370.4.

370.3.1 [*Abrogé*].

Notes historiques: L'article 370.3.1 a été abrogé par L.Q. 2012, c. 28, par. 124(1) et cette abrogation s'applique à l'égard de la fourniture de la totalité ou d'une partie d'un bâtiment dans lequel est située une habitation faisant partie d'un immeuble d'habitation, lorsque la possession de l'habitation est donnée après le 31 décembre 2012. Antérieurement, il se lisait ainsi :

370.3.1 Remboursement de la taxe payée à l'égard d'un remboursement de la taxe sur les produits et services — Le particulier qui n'a pas droit au remboursement visé à l'article 370.0.1 à l'égard d'un immeuble d'habitation parce que la juste valeur marchande de celui-ci est de 344 925 $ ou plus, mais qui a droit à un remboursement en vertu du paragraphe 2 de l'article 254.1 de la *Loi sur la taxe d'accise* (L.R.C. 1985, c. E-15) à l'égard de l'immeuble d'habitation, a droit au remboursement de 9,5 % du montant du remboursement auquel le particulier a droit à l'égard de l'immeuble d'habitation en vertu de ce paragraphe.

L'article 370.3.1 a été modifié par L.Q. 2011, c. 6, par. 271(1) par le remplacement de « 341 775 $ » et « 8,5 % » par, respectivement, « 344 925 $ » et « 9,5 % ». Cette modification s'applique à l'égard de la fourniture, effectuée à un particulier donné, de la totalité ou d'une partie d'un bâtiment dans lequel est située une habitation faisant partie d'un immeuble d'habitation si la possession de l'habitation est donnée au particulier donné après le 31 décembre 2011.

L'article 370.3.1 a été modifié par L.Q. 2010, c. 5, par. 233(1) par le remplacement de « 253 969 $ » et « 7,5 % » par, respectivement, « 256 331 $ » et « 8,5 % ». Ces modifications s'appliquent à l'égard de la fourniture, effectuée à un particulier donné, de la totalité ou d'une partie d'un bâtiment dans lequel est située une habitation faisant partie d'un immeuble d'habitation si la possession de l'habitation est donnée au particulier donné après le 31 décembre 2010.

L'article 370.3.1 a été modifié par L.Q. 2011, c. 1, par. 144(1) par le remplacement de « 256 331 $ » par « 341 775 $ ». Cette modification s'applique à l'égard de la fourniture, effectuée à un particulier donné, de la totalité ou d'une partie d'un bâtiment dans lequel est située une habitation faisant partie d'un immeuble d'habitation si la possession de l'habitation est donnée au particulier donné après le 31 décembre 2010.

L'article 370.3.1 a été modifié par L.Q. 2009, c. 5, par. 641(1) par le remplacement de « 256 388 $ » par « 253 969 $ ». Cette modification s'applique à l'égard d'une fourniture, effectuée à un particulier donné, d'un bâtiment ou d'une partie de celui-ci dans lequel est située une habitation faisant partie d'un immeuble d'habitation si la possession de l'habitation est transférée au particulier donné après le 31 décembre 2007, sauf si le constructeur est réputé en vertu de l'article 191 de la *Loi sur la taxe d'accise* (Lois révisées du Canada (1985), chapitre E-15) avoir payé la taxe en vertu du paragraphe 1 de l'article 165 de la *Loi sur la taxe d'accise* au taux de 6 % ou de 7 % à l'égard de la fourniture visée à l'alinéa d du paragraphe 2 de l'article 254.1 de la *Loi sur la taxe d'accise.*

L'article 370.3.1 a été modifié par L.Q. 2007, c. 12, par. 328(1) par le remplacement de « 258 806 $ » par « 256 388 $ ». Cette modification s'applique à l'égard d'une fourniture, effectuée à un particulier donné, d'un bâtiment ou d'une partie de celui-ci dans lequel est située une habitation faisant partie d'un immeuble d'habitation si la possession de l'habitation est transférée au particulier donné après le 30 juin 2006, sauf si le constructeur est réputé en vertu de l'article 191 de la *Loi sur la taxe d'accise* (Lois révisées du Canada (1985), chapitre E-15) avoir payé la taxe en vertu du paragraphe 1 de l'article 165 de la *Loi sur la taxe d'accise* au taux de 7 % à l'égard de la fourniture visée à l'alinéa d) du paragraphe 2 de l'article 254.1 de la *Loi sur la taxe d'accise.*

L'article 370.3.1 a été modifié par L.Q. 2001, c. 51, art. 285 par le remplacement de « 230 050 $ » par « 258 806 $ » et cette modification s'applique à l'égard de la fourniture d'un immeuble d'habitation à logement unique ou d'un logement en copropriété effectuée en vertu d'une convention écrite conclue après le 14 mars 2000 et en vertu de laquelle le transfert de propriété de la totalité ou d'une partie du bâtiment dans lequel l'habitation est située a lieu après cette date.

L'article 370.3.1 a été remplacé par L.Q. 1997, c. 85, art. 650(1) et s'applique à l'égard de la fourniture d'un immeuble d'habitation à logement unique ou d'un logement en copropriété dans le cadre de laquelle l'habitation ou le logement fait l'objet d'une vente et le fonds de terre d'un bail à long terme si la convention écrite relative à la fourniture est conclue après le 31 décembre 1997 et si le transfert de possession en vertu de la convention a lieu après cette date. Antérieurement, il se lisait ainsi :

370.3.1 Le particulier qui n'a pas droit au remboursement visé à l'article 370.0.1 à l'égard d'un immeuble d'habitation parce que la juste valeur marchande de celui-ci est de 227 910 $ ou plus, mais qui a droit à un remboursement en vertu du paragraphe 2 de l'article 254.1 de la *Loi sur la taxe d'accise* (Statuts du Canada) à l'égard de l'immeuble d'habitation, a droit au remboursement de 6,5 % du montant du remboursement auquel le particulier a droit à l'égard de l'immeuble d'habitation en vertu de ce paragraphe.

L'article 370.3.1 a été ajouté par L.Q. 1995, c. 1, art 322(1) et s'applique à l'égard de la fourniture d'un immeuble d'habitation à logement unique dans le cadre de laquelle l'habitation fait l'objet d'une vente et le fonds de terre d'un bail à long terme si la convention écrite relative à la fourniture est conclue après le 12 mai 1994 et si le transfert de possession en vertu de la convention a lieu après cette date.

Notes explicatives ARQ (PL 5, L.Q. 2012, c. 28): *Résumé* :

L'article 370.3.1 est abrogé en raison du fait qu'à compter du 1er janvier 2013 la taxe sur les produits et services (TPS) est retirée de l'assiette de la taxe de vente du Québec (TVQ).

Situation actuelle :

L'article 370.3.1 prévoit que lorsqu'un particulier n'a pas droit au remboursement prévu à l'article 370.0.1 de la LTVQ parce que la juste valeur marchande de l'habitation et du terrain est de 344 925 $ ou plus, et qui, par ailleurs, a droit à un remboursement à l'égard de l'habitation en vertu de l'article 254.1 de la *Loi sur la taxe d'accise* (Lois révisées du Canada (1985), chapitre E-15), ce particulier a droit à un remboursement de 9,5 % sur le montant de la TPS qui lui est ainsi remboursé.

Modifications proposées :

L'article 370.3.1 est abrogé en raison du fait qu'à compter du 1er janvier 2013 la TPS est retirée de l'assiette de la TVQ.

Notes explicatives ARQ (PL 5, L.Q. 2011, c. 6): *Résumé* :

L'article 370.3.1 est modifié de façon à ce qu'il soit tenu compte de la modification du taux de la taxe de vente du Québec (TVQ) qui passe de 8,5 % à 9,5 %.

Situation actuelle :

L'article 370.3.1 prévoit que le particulier qui n'a pas droit au remboursement visé à l'article 370.0.1 de la LTVQ à l'égard d'un immeuble d'habitation en raison de la juste valeur marchande (JVM) qui est de 341 775 $ ou plus, mais qui a droit à un remboursement dans le régime de la taxe sur les produits et services à l'égard de cet immeuble, a le droit d'obtenir un remboursement de 8,5 % du montant du remboursement auquel le particulier a droit en vertu du paragraphe 2 de l'article 254.1 de la *Loi sur la taxe d'accise* (Lois révisées du Canada (1985), chapitre E-15).

Modifications proposées :

Les modifications apportées à cet article visent à augmenter la JVM d'un immeuble d'habitation à partir de laquelle aucun remboursement ne peut être obtenu en la faisant passer de 341 775 $ à 344 925 $, et ce, afin de tenir compte de la hausse du taux de la TVQ. Elles visent également à remplacer le pourcentage de 8,5 % par 9,5 %.

Notes explicatives ARQ (PL 117, L.Q. 2011, c. 1): *Résumé* :

L'article 370.3.1 est modifié pour tenir compte de la hausse de la valeur à partir de laquelle plus aucun remboursement n'est accordé, soit de 256 331 $ à 341 775 $.

Situation actuelle :

L'article 370.3.1 prévoit que lorsqu'un particulier n'a pas droit au remboursement prévu à l'article 370.0.1 parce que la juste valeur marchande de l'habitation et du terrain est de 256 331 $ ou plus, et qui, par ailleurs, a droit à un remboursement à l'égard de l'habitation en vertu de l'article 254.1 de la *Loi sur la taxe d'accise* (Lois révisées du Canada (1985), chapitre E-15), ce particulier a droit à un remboursement de 8,5 % sur le montant de la taxe sur les produits et services qui lui est ainsi remboursé.

Modifications proposées :

La modification apportée à cet article vise à remplacer le montant de 256 331 $ par le montant de 341 775 $, soit la nouvelle valeur à partir de laquelle plus aucun remboursement n'est accordé.

Notes explicatives ARQ (PL 2, L.Q. 2009, c. 5): *Résumé* :

L'article 370.3.1 est modifié de façon à ce qu'il soit tenu compte de la modification du taux de la taxe prévue au paragraphe 1 de l'article 165 de la *Loi sur la taxe d'accise* (Lois révisées du Canada (1985), chapitre E-15 (LTA)) qui passe de 6 % à 5 %

Situation actuelle :

L'article 370.3.1 de la LTVQ prévoit que le particulier qui n'a pas droit au remboursement visé à l'article 370.0.1 de la LTVQ à l'égard d'un immeuble d'habitation en raison de la juste valeur marchande (JVM) qui est de 256 388 $ ou plus, mais qui a droit à un remboursement dans le régime de taxation fédéral à l'égard de cet immeuble, a le droit d'obtenir un remboursement de 7,5 % du montant du remboursement auquel le particulier a droit en vertu du paragraphe 2 de l'article 254.1 de la LTA.

Modifications proposées :

La modification apportée à cet article vise à diminuer la valeur de la JVM d'un immeuble d'habitation à partir de laquelle aucun remboursement ne peut être obtenu en la faisant passer de 256 388 $ à 253 969 $.

Notes explicatives ARQ (PL 2, L.Q. 2007, c. 12): *Résumé* :

L'article 370.3.1 est modifié de façon à ce qu'il soit tenu compte de la modification du taux de la taxe prévue au paragraphe 1 de l'article 165 de la *Loi sur la taxe d'accise* (Lois révisées du Canada (1985), chapitre E-15) qui passe de 7 % à 6 %.

Situation actuelle :

L'article 370.3.1 prévoit que le particulier qui n'a pas droit au remboursement visé à l'article 370.0.1 de la LTVQ à l'égard d'un immeuble d'habitation en raison de la juste valeur marchande qui est de 258 806 $ ou plus, mais qui a droit à un remboursement dans le régime de taxation fédéral à l'égard de cet immeuble, a le droit d'obtenir un remboursement de 7,5 % du montant du remboursement auquel le particulier a droit en vertu du paragraphe 2 de l'article 254.1 de la *Loi sur la taxe d'accise.*

Modifications proposées :

La modification apportée à cet article vise à diminuer la valeur de la juste valeur marchande d'un immeuble d'habitation à partir de laquelle aucun remboursement ne peut être obtenu en la faisant passer de 258 806 $ à 256 388 $.

Guides: IN-261 — La TVQ, la TPS et les immeubles d'habitation (construction ou rénovation).

Définitions [art. 370.3.1]: « immeuble d'habitation » — 1; « immeuble d'habitation à logement unique » — 360.5; « montant », « particulier » — 1.

Renvois [art. 370.3.1]: 15 (JVM); 362 (groupe de particuliers); 670.13, 670.14 (remboursement transitoire de la taxe de vente à l'égard d'un immeuble d'habitation); 670.15 (remboursement transitoire de la taxe de vente à l'égard d'un immeuble d'habitation à un constructeur); 670.24 (remboursement transitoire à l'acheteur); 670.42 (remboursement à l'égard d'un immeuble d'habitation); 670.43 (montant du remboursement à l'égard d'un immeuble d'habitation); 670.44 (remboursement transitoire au constructeur d'un immeuble); 670.50 (fournitures effectuées à un groupe de particuliers); 670.53 (montant du remboursement à l'égard d'un immeuble d'habitation); 670.54 (fournitures effectuées à un groupe de particuliers); 670.71 (remboursement à l'égard d'un immeuble d'habitation); 670.72 (montant du remboursement à l'égard d'un immeuble d'habitation); 670.73 (remboursement transitoire au constructeur d'un immeuble); 670.79 (fournitures effectuées à un groupe de particuliers); 670.82 (montant du remboursement à l'égard d'un immeuble d'habitation); 670.83 (fournitures effectuées à un groupe de particuliers).

370.4 Obligation solidaire — Dans le cas où le constructeur d'un immeuble d'habitation paie à un particulier ou porte à son crédit un remboursement en vertu de l'article 370.1 et que le constructeur sait ou devrait savoir que le particulier n'a pas droit à ce remboursement ou que le montant payé ou porté à son crédit excède le remboursement auquel le particulier a droit, le constructeur et le particulier sont responsables solidairement du paiement au ministre du montant de ce remboursement ou de cet excédent.

Notes historiques: L'article 370.4 a été ajouté par L.Q. 1994, c. 22, art. 572(1) et est réputé entré en vigueur le 1er juillet 1992.

Guides: IN-261 — La TVQ, la TPS et les immeubles d'habitation (construction ou rénovation).

Définitions [art. 370.4]: « constructeur », « immeuble d'habitation », « montant », « particulier » — 1.

Renvois [art. 370.4]: 362 (groupe de particuliers); 670.25 (calcul du remboursement); 670.50 (fournitures effectuées à un groupe de particuliers); 670.54 (fournitures effectuées à un groupe de particuliers); 670.79 (fournitures effectuées à un groupe de particuliers); 670.83 (fournitures effectuées à un groupe de particuliers).

Concordance fédérale: LTA, par. 254.1(6).

COMMENTAIRES: Dans l'affaire *Lavoie c. Québec*, 2011 QCCQ 13056 (C.Q.), la Cour du Québec a indiqué que la juste valeur marchande d'un immeuble aux fins du calcul du remboursement à l'article 370.0.2 doit être évaluée dans un contexte de vente.

Le paragraphe 5 de l'article 370.0.1 indique que la possession de l'immeuble d'habitation est donnée au particulier après que la construction ou la rénovation majeure doit presque achevée. Il existe un problème d'interprétation au niveau de la *Loi sur la taxe de vente du Québec* en raison de l'absence de l'expression « achevés en grande partie », qui est utilisée dans la *Loi sur la taxe d'accise (TPS)*, dans la version française où l'expression « presque achevés » est plutôt utilisée, mais où la version anglaise utilise la même expression, à savoir « substantially completed ».

La Cour du Québec, dans l'affaire *Lafontaine c. Ministère du revenu national*, 2006 PTC-QC-102 (C.Q.) (l'affaire « ***Lafontaine*** »), a précisé que l'expression « achevés en grande partie » avait une définition différente de celle de l'expression « presque achevés ». Dans cette affaire, le contribuable s'était vu refuser sa demande de remboursement parce que Revenu Québec estimait qu'elle avait été produite en dehors du délai prévu à l'article 370.12. La question en litige était donc de déterminer si, à la date d'occupation donnée, les travaux de construction étaient « presque achevés ». La Cour du Québec souligne la position de Revenu Québec voulant que les deux expressions « presque achevés » et « achevés en grande partie » aient la même signification, soit que l'immeuble peut être utilisé comme lieu de résidence avec une jouissance raisonnable. De l'avis de la Cour du Québec, toutefois, des travaux en grande partie terminés réfèrent à un degré d'achèvement moins grand que des travaux presque terminés. L'analogie avec la jurisprudence développée en matière fédérale, selon le tribunal, demeure intéressante et celui-ci souligne son accord avec la position adoptée par le juge Hamlyn de la Cour canadienne de l'impôt dans l'affaire *Vallières c. La Reine*, [2001] GTC 545 (C.C.I.).

De l'avis de l'auteur, il existe effectivement une différence entre ces deux expressions et le raisonnement de la Cour du Québec dans l'affaire *Lafontaine* est juste. En effet, il est raisonnable de dire qu'un immeuble dont les travaux sont achevés en grande partie peut raisonnablement être habité, cela ne veut pas dire que les travaux sont pour autant presque achevés. Le contribuable qui désire obtenir une certaine assurance peut toutefois soumettre une demande de consultation tarifée, notamment, auprès de Revenu Québec. En toute logique, l'auteur admet toutefois qu'aucune différence d'interprétation ne devrait résulter de la version provinciale et de la version fédérale et que sa conclusion se base sur la législation existante. En effet, le législateur n'est pas censé parler pour ne rien dire et donc, en vertu de ce principe d'interprétation, chacune de ces deux expressions devrait être définie différemment. À ce titre, une demande de modification législative a été soumise au Ministère des Finances et de l'Économie pour obtenir un changement législatif à cet égard.

Nous vous invitons à consulter nos commentaires en vertu de la sous-section 6 — *Montant payé par erreur* pour une discussion sur la présence d'un délai de rigueur et, le cas échéant, sur la possibilité de bénéficier d'un recours alternatif lorsque le délai prescrit est expiré.

Ainsi, compte tenu de la similarité de la rédaction des dispositions législatives et considérant l'engagement spécifique de Revenu Québec de veiller à ce que l'assiette de TVQ modifiée, de même que les paramètres administratifs, structurels et définitionnels, produisent des résultats qui sont identiques à ceux produits sous le régime de la TPS/TVH et soient administrés d'une manière qui produit des résultats identiques, tel que reflété par l'article 14 de l'*Entente intégrée globale de coordination fiscale* signée entre le gouvernement du Canada et le gouvernement du Québec, nous vous invitons à consulter nos commentaires en vertu de l'article 254.1 de la *Loi sur la taxe d'accise (TPS)* qui devraient s'appliquer *mutatis mutandis*, avec les adaptations nécessaires.

II.2 — Coopérative d'habitation

Notes historiques: La sous-section II.2 de la sous-section 3 de la section I du chapitre VII du titre I a été ajoutée par L.Q. 1995, c. 1, art 323(1) et s'applique à l'égard de la fourniture d'une part du capital social d'une coopérative d'habitation si cette dernière a payé la taxe au taux de 6.5 % à l'égard de la fourniture taxable de l'immeuble d'habitation qui a fait l'objet de la fourniture de la part.

370.5 Part dans une coopérative d'habitation — Sous réserve de l'article 370.7, un particulier donné qui reçoit d'une coopérative d'habitation la fourniture d'une part du capital social de celle-ci, a droit à un remboursement déterminé conformément à l'article 370.6 si, à la fois :

1° la coopérative transfère au particulier donné la propriété de la part;

2° la coopérative a payé la taxe à l'égard de la fourniture taxable d'un immeuble d'habitation qu'elle a reçue;

3° au moment où le particulier donné devient responsable ou assume la responsabilité en vertu d'une convention d'achat et de vente de la part conclue entre la coopérative et le particulier donné, ce dernier acquiert la part pour utiliser une habitation dans l'immeuble d'habitation à titre de résidence principale pour lui-même, un particulier qui lui est lié ou un ex-conjoint du particulier donné;

4° est inférieur à 344 925 $, le total de tous les montants — appelé « total de la contrepartie » dans le présent article et l'article 370.6 — dont chacun représente la contrepartie payable pour la fourniture au particulier donné de la part dans la coopérative ou d'un droit dans l'immeuble d'habitation ou l'habitation;

5° après que la construction ou la rénovation majeure de l'immeuble d'habitation soit presque achevée et avant que la possession de l'habitation soit donnée au particulier donné du fait qu'il est propriétaire de la part, l'habitation n'est pas occupée par tout particulier à titre de résidence ou d'hébergement;

6° l'une ou l'autre des conditions suivantes est remplie :

a) le premier particulier à occuper l'habitation à titre de résidence après que la possession de l'habitation soit donnée au particulier donné est le particulier donné, un particulier qui lui est lié ou un ex-conjoint du particulier donné;

LTVQ (français)

b) le particulier donné effectue la fourniture de la part par vente et la propriété de celle-ci est transférée à l'acquéreur de la fourniture avant que l'habitation soit occupée par tout particulier à titre de résidence ou d'hébergement.

Notes historiques: Le paragraphe 4° de l'article 370.5 a été remplacé par L.Q. 2012, c. 28, par. 125(1) et cette modification s'applique à l'égard de la fourniture d'une part du capital social d'une coopérative d'habitation à un particulier qui l'acquiert pour utiliser une habitation dans un immeuble d'habitation lorsque, selon le cas :

1° la fourniture taxable de l'immeuble d'habitation à la coopérative d'habitation a été effectuée en vertu d'une convention écrite conclue après le 31 décembre 2012;

2° la coopérative d'habitation est réputée avoir effectué et reçu la fourniture taxable de l'immeuble d'habitation en vertu des articles 223 à 231.1 de cette loi et avoir payé la taxe à l'égard de cette fourniture après le 31 décembre 2012.

Antérieurement, il se lisait ainsi :

4° est inférieur à 344 925 $, le total de tous les montants — appelé « total de la contrepartie » dans le présent article et les articles 370.6 et 370.8 — dont chacun représente la contrepartie payable pour la fourniture au particulier donné de la part dans la coopérative ou d'un droit dans l'immeuble d'habitation ou l'habitation;

Le paragraphe 4° de l'article 370.5 a été modifié par L.Q. 2011, c. 6, par. 272(1) par le remplacement de « 341 775 $ » par « 344 925 $ ». Cette modification s'applique à l'égard d'une fourniture, effectuée par une coopérative d'habitation à un particulier donné, d'une part de son capital social dans le cas où le particulier acquiert la part pour utiliser une habitation dans un immeuble d'habitation à titre de résidence principale pour lui-même, un particulier qui lui est lié ou un ex-conjoint du particulier donné et si, selon le cas :

1° la coopérative d'habitation a payé la taxe relativement à une fourniture taxable effectuée à son profit de l'immeuble d'habitation dont la propriété et la possession lui ont été transférées après le 31 décembre 2011 en vertu d'une convention écrite conclue après cette date;

2° la coopérative d'habitation est réputée avoir effectué et reçu la fourniture taxable de l'immeuble d'habitation en vertu des articles 223 à 231.1 et avoir payé la taxe à l'égard de cette fourniture après le 31 décembre 2011.

Le paragraphe 4° de l'article 370.5 a été modifié par L.Q. 2011, c. 1, par. 145(1) par le remplacement de « 256 331 $ » par « 341 775 $ ». Cette modification s'applique à l'égard d'une fourniture, effectuée par une coopérative d'habitation à un particulier donné, d'une part de son capital social si, selon le cas :

1° la coopérative d'habitation a payé la taxe relativement à une fourniture taxable effectuée à son profit de l'immeuble d'habitation dont la propriété et la possession lui ont été transférées après le 31 décembre 2010 en vertu d'une convention écrite conclue après cette date;

2° la coopérative d'habitation est réputée avoir effectué et reçu la fourniture taxable de l'immeuble d'habitation en vertu des articles 223 à 231.1 et avoir payé la taxe à l' égard de cette fourniture après le 31 décembre 2010.

Le paragraphe 4° de l'article 370.5 a été modifié par L.Q. 2010, c. 5, par. 234(1) par le remplacement de « 253 969 $ » par « 256 331 $ ». Cette modification s'applique à l'égard de la fourniture d'une part du capital social d'une coopérative d'habitation si cette dernière a payé la taxe au taux de 8,5 % à l'égard de la fourniture taxable de l'immeuble d'habitation qui fait l'objet de la fourniture de la part.

Le paragraphe 4° de l'article 370.5 a été modifié par L.Q. 2009, c. 5, par. 642(1) par le remplacement de « 256 388 $ » par « 253 969 $ ». Cette modification s'applique aux fins du calcul du remboursement à l'égard d'une fourniture, effectuée par une coopérative d'habitation à un particulier donné, d'une part de son capital social, dans le cas où ce dernier acquiert la part pour utiliser une habitation dans l'immeuble d'habitation à titre de résidence principale pour lui-même, un particulier qui lui est lié ou un ex-conjoint du particulier donné et que la demande de remboursement est produite après le 31 décembre 2007, sauf si la coopérative a payé la taxe au taux de 6 % ou de 7 % en vertu du paragraphe 1 de l'article 165 de la *Loi sur la taxe d'accise* (Lois révisées du Canada (1985), chapitre E-15) à l'égard de la fourniture de l'immeuble d'habitation effectuée à son profit.

Le paragraphe 4° de l'article 370.5 a été modifié par L.Q. 2007, c. 12, par. 329(1) par le remplacement de « 258 806 $ » par « 256 388 $ ». Cette modification s'applique aux fins du calcul du remboursement à l'égard d'une fourniture, effectuée par une coopérative d'habitation à un particulier, d'une part de son capital social, dans le cas où le particulier acquiert la part pour utiliser une habitation dans l'immeuble d'habitation à titre de résidence principale pour lui-même, un particulier qui lui est lié ou un ex-conjoint du particulier et que la demande de remboursement est produite après le 30 juin 2006, sauf si la coopérative a payé la taxe au taux de 7 % en vertu du paragraphe 1 de l'article 165 de la *Loi sur la taxe d'accise* (Lois révisées du Canada (1985), chapitre E-15) à l'égard de la fourniture de l'immeuble d'habitation effectuée à son profit.

Le paragraphe 4° de l'article 370.5 a été modifié par L.Q. 2001, c. 51, art. 286 par le remplacement de « 230 050 $ » par « 258 806 $ » et cette modification s'applique à l'égard de la fourniture d'une part du capital social d'une coopérative d'habitation effectuée en vertu d'une convention écrite conclue après le 14 mars 2000 et en vertu de laquelle le transfert de propriété de la part a lieu après cette date.

Le paragraphe 4° du premier alinéa de l'article 370.5 a été remplacé par L.Q. 1997, c. 85, art. 651(1) et s'applique à l'égard de la fourniture d'une part du capital social d'une coopérative d'habitation si cette dernière a payé la taxe au taux de 7,5 % à l'égard de la fourniture taxable de l'immeuble d'habitation qui fait l'objet de la fourniture de la part. Antérieurement, il se lisait ainsi :

4° est inférieur à 227 910 $, le total de tous les montants — appelé « total de la contrepartie » dans le présent article et les articles 370.6 et 370.8 — dont chacun représente la contrepartie payable pour la fourniture au particulier donné de la part dans la coopérative ou d'un droit dans l'immeuble d'habitation ou l'habitation;

L'article 370.5 a été ajouté par L.Q. 1995, c. 1, art 323(1) et s'applique à l'égard de la fourniture d'une part du capital social d'une coopérative d'habitation si cette dernière a payé la taxe au taux de 6,5 % à l'égard de la fourniture taxable de l'immeuble d'habitation qui fait l'objet de la fourniture de la part.

Notes explicatives ARQ (PL 5, L.Q. 2012, c. 28): *Résumé* :

L'article 370.5 est modifié afin de supprimer la référence à l'article 370.8 de la LTVQ lequel est abrogé.

Situation actuelle :

L'article 370.5 prévoit le droit à un remboursement pour un particulier qui acquiert une part du capital social d'une coopérative d'habitation afin d'utiliser comme résidence principale une habitation située dans un immeuble d'habitation neuf ou ayant fait l'objet d'une rénovation majeure appartenant à la coopérative d'habitation. Cet article prévoit également les conditions qui doivent être satisfaites pour l'obtention du remboursement. Une de ces conditions est que le prix d'acquisition de la part soit inférieur à 344 925 $.

Modifications proposées :

L'article 370.5 est modifié afin de supprimer la référence à l'article 370.8 de la LTVQ lequel est abrogé.

Notes explicatives ARQ (PL 5, L.Q. 2011, c. 6): *Résumé* :

L'article 370.5 est modifié de façon à ce qu'il soit tenu compte de la hausse du taux de la taxe de vente du Québec (TVQ) qui passe de 8,5 % à 9,5 %.

Situation actuelle :

L'article 370.5 prévoit le droit à un remboursement pour un particulier qui acquiert une part du capital social d'une coopérative d'habitation afin d'utiliser comme résidence principale une habitation située dans un immeuble d'habitation neuf ou ayant fait l'objet d'une rénovation majeure appartenant à la coopérative d'habitation. Cet article prévoit également les conditions qui doivent être satisfaites pour l'obtention du remboursement. Une de ces conditions est que le prix d'acquisition de la part soit inférieur à 341 775 $.

Modifications proposées :

La modification apportée à l'article 370.5 vise à augmenter la valeur de la part du capital social d'une coopérative d'habitation à partir de laquelle aucun remboursement ne peut être obtenu en la faisant passer de 341 775 $ à 344 925 $, et ce, afin de tenir compte de la hausse du taux de la TVQ.

Notes explicatives ARQ (PL 117, L.Q. 2011, c. 1): *Résumé* :

L'article 370.5 est modifié afin de porter à 341 775 $ le prix d'acquisition d'une part du capital social d'une coopérative d'habitation à partir duquel plus aucun remboursement n'est accordé.

Situation actuelle :

L'article 370.5 prévoit le droit à un remboursement pour le particulier qui acquiert une part du capital social d'une coopérative d'habitation afin d'utiliser comme résidence principale une habitation située dans un immeuble d'habitation neuf ou ayant fait l'objet d'une rénovation majeure appartenant à la coopérative d'habitation. Cet article prévoit les conditions qui doivent être satisfaites pour l'obtention du remboursement. Une de ces conditions exige que le prix d'acquisition de la part soit inférieur à 256 331 $.

Modifications proposées :

La modification apportée à cet article vise à porter à 341 775 $ le prix d'acquisition de la part du capital social de la coopérative d'habitation à partir duquel plus aucun remboursement n'est accordé.

Notes explicatives ARQ (PL 64, L.Q. 2010, c. 5): *Résumé* :

L'article 370.5 dest modifié de façon à ce qu'il soit tenu compte de la modification du taux de la taxe de vente du Québec qui passe de 7,5 % à 8,5 %.

Situation actuelle :

L'article 370.5 de la LTVQ prévoit le droit à un remboursement pour un particulier qui acquiert une part du capital social d'une coopérative d'habitation afin d'utiliser comme résidence principale une habitation située dans un immeuble d'habitation neuf ou ayant fait l'objet d'une rénovation majeure appartenant à la coopérative d'habitation. Cet article prévoit également les conditions qui doivent être satisfaites pour l'obtention du remboursement. Une de ces conditions est à l'effet que le prix d'acquisition de la part doit être inférieur à 253 969 $.

Modifications proposées :

La modification apportée à l'article 370.5 de la LTVQ vise à augmenter la valeur de la part du capital social d'une coopérative d'habitation à partir de laquelle aucun remboursement ne peut être obtenu en la faisant passer de 253 969 $ à 256 331 $, et ce, afin de tenir compte de la hausse du taux de la taxe de vente du Québec.

Notes explicatives ARQ (PL 2, L.Q. 2009, c. 5): *Résumé* :

L'article 370.5 est modifié de façon à ce qu'il soit tenu compte de la modification du taux de la taxe prévue au paragraphe 1 de l'article 165 de la *Loi sur la taxe d'accise* (Lois révisées du Canada (1985), chapitre E-15) qui passe de 6 % à 5 %.

Situation actuelle :

L'article 370.5 de la LTVQ prévoit le droit à un remboursement pour le particulier qui acquiert une part du capital social d'une coopérative d'habitation afin d'utiliser comme résidence principale une habitation située dans un immeuble d'habitation neuf ou ayant fait l'objet d'une rénovation majeure appartenant à la coopérative d'habitation. Cet article prévoit également les conditions qui doivent être satisfaites pour l'obtention du remboursement. Une de ces conditions est à l'effet que le prix d'acquisition de la part doit être inférieur à 256 388 $.

Modifications proposées :

La modification apportée à l'article 370.5 de la LTVQ vise à diminuer la valeur de la part du capital social d'une coopérative d'habitation à partir de laquelle plus aucun remboursement ne peut être obtenu en la faisant passer de 256 388 $ à 253 969 $.

Notes explicatives ARQ (PL 2, L.Q. 2007, c. 12): *Résumé* :

L'article 370.5 est modifié de façon à ce qu'il soit tenu compte de la modification du taux de la taxe prévue au paragraphe 1 de l'article 165 de la *Loi sur la taxe d'accise* (Lois révisées du Canada (1985), chapitre E-15) qui passe de 7 % à 6 %.

Situation actuelle :

L'article 370.5 prévoit le droit à un remboursement pour le particulier qui acquiert une part du capital social d'une coopérative d'habitation afin d'utiliser comme résidence principale une habitation située dans un immeuble d'habitation neuf ou ayant fait l'objet d'une rénovation majeure appartenant à la coopérative d'habitation. Cet article prévoit également les conditions qui doivent être satisfaites pour l'obtention du remboursement. Une de ces conditions prévoit que le prix d'acquisition de la part doit être inférieur à 258 806 $.

Modifications proposées :

La modification apportée à l'article 370.5 vise à diminuer la valeur de la part du capital social d'une coopérative d'habitation à partir de laquelle plus aucun remboursement ne peut être obtenu en la faisant passer de 258 806 $ à 256 388 $.

Définitions [art. 370.5]: « acquéreur », « coopérative d'habitation », « fourniture », « fourniture taxable », « immeuble d'habitation », « montant », « particulier », « rénovation majeure », « taxe », « vente » — 1.

Renvois [art. 370.5]: 362 (groupe de particuliers); 370.8 (droit au remboursement); 670.37 (remboursement transitoire — taxe de vente d'un immeuble); 670.66 (montant du remboursement pour une coopérative d'habitation).

Concordance fédérale: LTA, par. 255(2).

COMMENTAIRES: Voir les commentaires sous l'article 370.8.

370.6 Montant de remboursement — Pour l'application de l'article 370.5, le remboursement auquel un particulier donné a droit à l'égard de la fourniture d'une part du capital social d'une coopérative d'habitation est égal :

1º dans le cas où le total de la contrepartie est de 229 950 $ ou moins, au montant déterminé selon la formule suivante :

$$4{,}34\ \% \times A;$$

2º dans le cas où le total de la contrepartie est supérieur à 229 950 $ mais est inférieur à 344 925 $, au montant déterminé selon la formule suivante :

$$9\,975\ \$ \times [(344\,925\ \$\ A) / 114\,975\ \$].$$

Application — Pour l'application de ces formules, la lettre A représente le total de la contrepartie.

Restriction — Pour l'application du présent article, le montant obtenu en multipliant 4,34 % par A ne peut excéder 9 975 $.

Notes historiques: La formule du paragraphe 1° du premier alinéa de l'article 370.6 a été remplacée par L.Q. 2012, c. 28, s.-par. 126(1)(1°) et cette modification s'applique à l'égard de la fourniture d'une part du capital social d'une coopérative d'habitation à un particulier qui l'acquiert pour utiliser une habitation dans un immeuble d'habitation lorsque, selon le cas :

1° la fourniture taxable de l'immeuble d'habitation à la coopérative d'habitation a été effectuée en vertu d'une convention écrite conclue après le 31 décembre 2012;

2° la coopérative d'habitation est réputée avoir effectué et reçu la fourniture taxable de l'immeuble d'habitation en vertu des articles 223 à 231.1 et avoir payé la taxe à l'égard de cette fourniture après le 31 décembre 2012.

Antérieurement, elle se lisait ainsi :

$$[4{,}34\ \% \times (A - B)] + (9{,}5\ \% \times B);$$

La formule au paragraphe 1° du premier alinéa de l'article 370.6 a été modifiée par L.Q. 2011, c. 1, al. 146(1)(1°)a) par le remplacement, de « 2,78 % » par « 3,85 % ». Cette modification s'applique à l'égard d'une fourniture, effectuée par une coopérative d'habitation à un particulier donné, d'une part de son capital social si, selon le cas :

1° la coopérative d'habitation a payé la taxe relativement à une fourniture taxable effectuée à son profit de l'immeuble d'habitation dont la propriété et la possession lui ont été transférées après le 31 décembre 2010 en vertu d'une convention écrite conclue après cette date;

2° la coopérative d'habitation est réputée avoir effectué et reçu la fourniture taxable de l'immeuble d'habitation en vertu des articles 223 à 231.1 et avoir payé la taxe à l' égard de cette fourniture après le 31 décembre 2010.

Les paragraphes 1° et 2° du premier alinéa de l'article 370.6 ont été remplacés par L.Q. 2011, c. 6, s.-par. 273(1)(1°) et cette modification s'applique à l'égard d'une fourniture, effectuée par une coopérative d'habitation à un particulier donné, d'une part de son capital social dans le cas où le particulier acquiert la part pour utiliser une habitation dans un immeuble d'habitation à titre de résidence principale pour lui-même, un particulier qui lui est lié ou un ex-conjoint du particulier donné et si, selon le cas :

1° la coopérative d'habitation a payé la taxe relativement à une fourniture taxable effectuée à son profit de l'immeuble d'habitation dont la propriété et la possession lui ont été transférées après le 31 décembre 2011 en vertu d'une convention écrite conclue après cette date;

2° la coopérative d'habitation est réputée avoir effectué et reçu la fourniture taxable de l'immeuble d'habitation en vertu des articles 223 à 231.1 et avoir payé la taxe à l'égard de cette fourniture après le 31 décembre 2011.

Antérieurement, ils se lisaient ainsi :

1° dans le cas où le total de la contrepartie est de 227 850 $ ou moins, au montant déterminé selon la formule suivante :

$$3{,}85\ \% \times (A - B)] + (8{,}5\ \% \times B);$$

2° dans le cas où le total de la contrepartie est supérieur à 227 850 $ mais est inférieur à 341 775 $, au montant déterminé selon la formule suivante :

$$\{8\,772\ \$ \times [(341\,775\ \$\ A)/113\,925\ \$]\} + (8{,}5\ \% \times B).$$

Les paragraphes 1° et 2° du premier alinéa de l'article 370.6 ont été remplacés par L.Q. 2010, c. 5, s.-par. 235(1)(1°) et ces modifications s'appliquent à l'égard de la fourniture d'une part du capital social d'une coopérative d'habitation si cette dernière a payé la taxe au taux de 8,5 % à l'égard de la fourniture taxable de l'immeuble d'habitation qui fait l'objet de la fourniture de la part. Antérieurement, ils se lisaient ainsi :

1° dans le cas où le total de la contrepartie est de 225 750 $ ou moins, au montant déterminé selon la formule suivante :

$$[2{,}47\ \% \times (A - B)] + (7{,}5\ \% \times B);$$

2° dans le cas où le total de la contrepartie est supérieur à 225 750 $ mais est inférieur à 253 969 $, au montant déterminé selon la formule suivante :

$$\{5\,573\ \$ \times \left[\frac{253\,969\ \$ - A}{28\,219\ \$}\right]\} + (7{,}5\ \% \times B).$$

Les paragraphes 1° et 2° du premier alinéa de l'article 370.6 ont été remplacés par L.Q. 2009, c. 5, s.-par. 643(1)(1°) et cette modification s'applique aux fins du calcul du remboursement à l'égard d'une fourniture, effectuée par une coopérative d'habitation à un particulier donné, d'une part de son capital social, dans le cas où ce dernier acquiert la part pour utiliser une habitation dans l'immeuble d'habitation à titre de résidence principale pour lui-même, un particulier qui lui est lié ou un ex-conjoint du particulier donné et que la demande de remboursement est produite après le 31 décembre 2007, sauf si la coopérative a payé la taxe au taux de 6 % ou de 7 % en vertu du paragraphe 1 de l'article 165 de la *Loi sur la taxe d'accise* (Lois révisées du Canada (1985), chapitre E-15) à l'égard de la fourniture de l'immeuble d'habitation effectuée à son profit. Antérieurement, ils se lisaient ainsi :

1° dans le cas où le total de la contrepartie est de 227 900 $ ou moins, au montant déterminé selon la formule suivante :

$$[2{,}46\ \% \times (A - B)] + (7{,}5\ \% \times B);$$

2° dans le cas où le total de la contrepartie est supérieur à 227 900 $ mais est inférieur à 256 388 $, au montant déterminé selon la formule suivante :

$$\{5\,607\ \$ \times \left[\frac{256\,388\ \$ - A}{28\,488\ \$}\right]\} + (7{,}5\ \% \times B).$$

Les paragraphes 1° et 2° du premier alinéa de l'article 370.6 ont été remplacés par L.Q. 2007, c. 12, s.-par. 330(1)(1°) et cette modification s'applique aux fins du calcul du remboursement à l'égard d'une fourniture, effectuée par une coopérative d'habitation à un particulier, d'une part de son capital social, dans le cas où le particulier acquiert la part pour utiliser une habitation dans l'immeuble d'habitation à titre de résidence principale pour lui-même, un particulier qui lui est lié ou un ex-conjoint du particulier et que la demande de remboursement est produite après le 30 juin 2006, sauf si la coopérative a payé la taxe au taux de 7 % en vertu du paragraphe 1 de l'article 165 de la *Loi sur la taxe d'accise* (Lois révisées du Canada (1985), chapitre E-15) à l'égard de la fourniture de l'immeuble d'habitation effectuée à son profit. Antérieurement, ils se lisaient ainsi :

1° dans le cas où le total de la contrepartie est de 230 050 $ ou moins, au montant déterminé selon la formule suivante :

LTVQ (français)

$$[2{,}46\ \% \times (A - B)] + (7{,}5\ \% \times B);$$

2° dans le cas où le total de la contrepartie est supérieur à 230 050 $ mais est inférieur à 258 806 $, au montant déterminé selon la formule suivante :

$$[5\,642\ \$ \times \frac{258\,806\ \$ - A}{28\,756\ \$}] + (7{,}5\ \% \times B).$$

Les paragraphes 1° et 2° du premier alinéa de l'article 370.6 ont été remplacés par L.Q. 2001, c. 51, art. 287(1)(1°) et (2°) par le remplacement de « 201 294 $ » par « 230 050 $ », de « 230 050 $ », partout où cela se trouve, par « 258 806 $ » et de « 4 937 $ » par « 5 642 $ ». Ces modifications s'appliquent à l'égard de la fourniture d'une part du capital social d'une coopérative d'habitation effectuée en vertu d'une convention écrite conclue après le 14 mars 2000 et en vertu de laquelle le transfert de propriété de la part a lieu après cette date.

Les paragraphes 1° et 2° du premier alinéa de l'article 370.6 ont été remplacés par L.Q. 1997, c. 85, art. 652(1)(1°) et (2°) et s'appliquent à l'égard de la fourniture d'une part du capital social d'une coopérative d'habitation si cette dernière a payé la taxe au taux de 7,5 % à l'égard de la fourniture taxable de l'immeuble d'habitation qui fait l'objet de la fourniture de la part. Antérieurement, le paragraphe 1° se lisait ainsi :

1° dans le cas où le total de la contrepartie est de 199421 $ ou moins, au montant déterminé selon la formule suivante :

$$[2{,}2\ \% \times (A - B)] + (6{,}5\ \% \times B);$$

Le paragraphe 2° se lisait ainsi :

2° dans le cas où le total de la contrepartie est supérieur à 199 421 $ mais est inférieur à 227 910 $, au montant déterminé selon la formule suivante :

$$[4\,278\ \$ \times \frac{(227\,910\ \$ - A)}{28\,489\ \$}]\ (6{,}5\ \% \times B).$$

La formule du paragraphe 2° du premier alinéa de l'article 370.6 a été remplacée par L.Q. 2012, c. 28, s.-par. 126(1)(2°) et cette modification s'applique à l'égard de la fourniture d'une part du capital social d'une coopérative d'habitation à un particulier qui l'acquiert pour utiliser une habitation dans un immeuble d'habitation lorsque, selon le cas :

1° la fourniture taxable de l'immeuble d'habitation à la coopérative d'habitation a été effectuée en vertu d'une convention écrite conclue après le 31 décembre 2012;

2° la coopérative d'habitation est réputée avoir effectué et reçu la fourniture taxable de l'immeuble d'habitation en vertu des articles 223 à 231.1 et avoir payé la taxe à l'égard de cette fourniture après le 31 décembre 2012.

Antérieurement, elle se lisait ainsi :

$$\{9\,804\ \$ \times [(344\,925\ \$\ A) / 114\,975\ \$]\} + (9{,}5\ \% \times B).$$

Le paragraphe 2° du premier alinéa de l'article 370.6 a été remplacé par L.Q. 2011, c. 1, al. 146(1)(1°)b) et cette modification s'applique à l'égard d'une fourniture, effectuée par une coopérative d'habitation à un particulier donné, d'une part de son capital social si, selon le cas :

1° la coopérative d'habitation a payé la taxe relativement à une fourniture taxable effectuée à son profit de l'immeuble d'habitation dont la propriété et la possession lui ont été transférées après le 31 décembre 2010 en vertu d'une convention écrite conclue après cette date;

2° la coopérative d'habitation est réputée avoir effectué et reçu la fourniture taxable de l'immeuble d'habitation en vertu des articles 223 à 231.1 et avoir payé la taxe à l'égard de cette fourniture après le 31 décembre 2010.

Antérieurement, il se lisait ainsi :

2° dans le cas où le total de la contrepartie est supérieur à 227 850 $ mais est inférieur à 256 331 $, au montant déterminé selon la formule suivante :

$$\{6\,316\ \$ \times [(256\,331\ \$ - A) / 28\,481\ \$]\} + (8{,}5\ \% \times B).$$

Le deuxième alinéa de l'article 370.6 a été remplacé par L.Q. 2012, c. 28, s.-par. 126(1)(3°) et cette modification s'applique à l'égard de la fourniture d'une part du capital social d'une coopérative d'habitation à un particulier qui l'acquiert pour utiliser une habitation dans un immeuble d'habitation lorsque, selon le cas :

1° la fourniture taxable de l'immeuble d'habitation à la coopérative d'habitation a été effectuée en vertu d'une convention écrite conclue après le 31 décembre 2012;

2° la coopérative d'habitation est réputée avoir effectué et reçu la fourniture taxable de l'immeuble d'habitation en vertu des articles 223 à 231.1 et avoir payé la taxe à l'égard de cette fourniture après le 31 décembre 2012.

Antérieurement, il se lisait ainsi :

Pour l'application de ces formules :

1° la lettre A représente le total de la contrepartie;

2° la lettre B représente le remboursement auquel le particulier donné a droit à l'égard de la fourniture de la part du capital social de la coopérative d'habitation en vertu du paragraphe 2° de l'article 255 de la *Loi sur la taxe d'accise* (Lois révisées du Canada (1985), chapitre E-15).

Le troisième alinéa de l'article 370.6 a été remplacé par L.Q. 2012, c. 28, s.-par. 126(1)(4°) et cette modification s'applique à l'égard de la fourniture d'une part du capital social d'une coopérative d'habitation à un particulier qui l'acquiert pour utiliser une habitation dans un immeuble d'habitation lorsque, selon le cas :

1° la fourniture taxable de l'immeuble d'habitation à la coopérative d'habitation a été effectuée en vertu d'une convention écrite conclue après le 31 décembre 2012;

2° la coopérative d'habitation est réputée avoir effectué et reçu la fourniture taxable de l'immeuble d'habitation en vertu des articles 223 à 231.1 et avoir payé la taxe à l'égard de cette fourniture après le 31 décembre 2012.

Antérieurement, il se lisait ainsi :

Pour l'application du présent article, le montant obtenu en multipliant 4,34 % par la différence entre A et B ne peut excéder 9 804 $.

Le troisième alinéa de l'article 370.6 a été remplacé par L.Q. 2011, c. 6, s.-par. 273(1)(2°) et cette modification s'applique à l'égard d'une fourniture, effectuée par une coopérative d'habitation à un particulier donné, d'une part de son capital social dans le cas où le particulier acquiert la part pour utiliser une habitation dans un immeuble d'habitation à titre de résidence principale pour lui-même, un particulier qui lui est lié ou un ex-conjoint du particulier donné et si, selon le cas :

1° la coopérative d'habitation a payé la taxe relativement à une fourniture taxable effectuée à son profit de l'immeuble d'habitation dont la propriété et la possession lui ont été transférées après le 31 décembre 2011 en vertu d'une convention écrite conclue après cette date;

2° la coopérative d'habitation est réputée avoir effectué et reçu la fourniture taxable de l'immeuble d'habitation en vertu des articles 223 à 231.1 et avoir payé la taxe à l'égard de cette fourniture après le 31 décembre 2011.

Antérieurement, il se lisait ainsi :

Pour l'application du présent article, le montant obtenu en multipliant 3,85 % par la différence entre A et B ne peut excéder 8 772 $.

Le troisième alinéa de l'article 370.6 a été remplacé par L.Q. 2011, c. 1, s.-par. 146(1)(2°) et cette modification s'applique à l'égard d'une fourniture, effectuée par une coopérative d'habitation à un particulier donné, d'une part de son capital social si, selon le cas :

1° la coopérative d'habitation a payé la taxe relativement à une fourniture taxable effectuée à son profit de l'immeuble d'habitation dont la propriété et la possession lui ont été transférées après le 31 décembre 2010 en vertu d'une convention écrite conclue après cette date;

2° la coopérative d'habitation est réputée avoir effectué et reçu la fourniture taxable de l'immeuble d'habitation en vertu des articles 223 à 231.1 et avoir payé la taxe à l' égard de cette fourniture après le 31 décembre 2010.

Antérieurement, il se lisait ainsi :

Pour l'application du présent article, le montant obtenu en multipliant 2,78 % par la différence entre A et B ne peut excéder 6 316 $.

Le troisième alinéa de l'article 370.6 a été remplacé par L.Q. 2010, c. 5, s.-par. 235(1)(2°) et cette modification s'applique à l'égard de la fourniture d'une part du capital social d'une coopérative d'habitation si cette dernière a payé la taxe au taux de 8,5 % à l'égard de la fourniture taxable de l'immeuble d'habitation qui fait l'objet de la fourniture de la part. Antérieurement, il se lisait ainsi :

Pour l'application du présent article, le montant obtenu en multipliant 2,47 % par la différence entre A et B ne peut excéder 5 573 $.

Le troisième alinéa de l'article 370.6 a été remplacé par L.Q. 2009, c. 5, s.-par. 643(1)(2°) et cette modification s'applique aux fins du calcul du remboursement à l'égard d'une fourniture, effectuée par une coopérative d'habitation à un particulier donné, d'une part de son capital social, dans le cas où ce dernier acquiert la part pour utiliser une habitation dans l'immeuble d'habitation à titre de résidence principale pour lui-même, un particulier qui lui est lié ou un ex-conjoint du particulier donné et que la demande de remboursement est produite après le 31 décembre 2007, sauf si la coopérative a payé la taxe au taux de 6 % ou de 7 % en vertu du paragraphe 1 de l'article 165 de la *Loi sur la taxe d'accise* (Lois révisées du Canada (1985), chapitre E-15) à l'égard de la fourniture de l'immeuble d'habitation effectuée à son profit. Antérieurement, il se lisait ainsi :

Pour l'application du présent article, le montant obtenu en multipliant 2,46 % par la différence entre A et B ne peut excéder 5 607 $.

Le troisième alinéa de l'article 370.6 a été remplacé par L.Q. 2007, c. 12, s.-par. 330(1)(2°) et cette modification s'applique selon les mêmes modalités que la modification apportée aux paragraphes 1° et 2° du premier alinéa de l'article 370.6 ci-haut. Antérieurement, il se lisait ainsi :

Pour l'application du présent article, le montant obtenu en multipliant 2,46 % par la différence entre A et B ne peut excéder 5 642 $.

Le troisième alinéa de l'article 370.6 a été modifié par L.Q. 2001, c. 51, art. 287(1)(3°) par le remplacement de « 4 937 $ » par « 5 642 $ » et cette modification s'applique à l'égard de la fourniture d'une part du capital social d'une coopérative d'habitation effectuée en vertu d'une convention écrite conclue après le 14 mars 2000 et en vertu de laquelle le transfert de propriété de la part a lieu après cette date.

Le troisième alinéa de l'article 370.6 a été remplacé par L.Q. 1997, c. 85, art. 652(1)(3°) et s'applique à l'égard de la fourniture d'une part du capital social d'une coopérative d'habitation si cette dernière a payé la taxe au taux de 7,5 % à l'égard de la fourniture taxable de l'immeuble d'habitation qui fait l'objet de la fourniture de la part. Antérieurement, il se lisait ainsi :

> Pour l'application du présent article, le montant obtenu en multipliant 2,2 % par la différence entre A et B ne peut excéder 4 278 $.

L'article 370.6 a été ajouté par L.Q. 1995, c. 1, art 323(1) et s'applique à l'égard de la fourniture d'une part du capital social d'une coopérative d'habitation si cette dernière a payé la taxe au taux de 6,5 % à l'égard de la fourniture taxable de l'immeuble d'habitation qui fait l'objet de la fourniture de la part.

Notes explicatives ARQ (PL 5, L.Q. 2012, c. 28): *Résumé* :

L'article 370.6 est modifié afin de tenir compte du fait qu'à compter du 1er janvier 2013 la taxe sur les produits et services (TPS) est retirée de l'assiette de la taxe de vente du Québec (TVQ).

Situation actuelle :

L'article 370.6 prévoit les formules à utiliser pour déterminer le montant du remboursement auquel un particulier a droit en vertu de l'article 370.5 de la LTVQ dans le cas où celui-ci acquiert une part du capital social d'une coopérative d'habitation afin d'utiliser comme résidence principale une habitation située dans un immeuble d'habitation neuf ou ayant fait l'objet d'une rénovation majeure appartenant à la coopérative d'habitation. Ces formules sont établies en fonction de la contrepartie de la part du capital social.

Ainsi, dans le cas où cette contrepartie est de 229 950 $ ou moins, le montant du remboursement représente la somme de 4,34 % de la contrepartie payée pour la fourniture de la part du capital social soustraction faite du remboursement auquel le particulier a droit en vertu du régime de la TPS et de 9,5 % du remboursement auquel le particulier a droit en vertu du régime de la TPS. Il est à noter que le remboursement maximal est établi à 9 804 $.

Dans le cas où la contrepartie de la part du capital social est supérieure à 229 950 $ mais inférieure à 344 925 $, le remboursement maximal décroît selon la formule qui y est prévue, comprenant le dénominateur de 114 975 $.

Modifications proposées :

L'article 370.6 est modifié afin de tenir compte du fait qu'à compter du 1er janvier 2013 la TPS est retirée de l'assiette de la TVQ.

Dans ce contexte, il y a lieu de remplacer le montant de 9 804 $ par 9 975 $ et de modifier les formules pour ne plus tenir compte du remboursement auquel le particulier a droit en vertu du régime de la TPS.

Notes explicatives ARQ (PL 5, L.Q. 2011, c. 6): *Résumé* :

L'article 370.6 est modifié de façon à ce qu'il soit tenu compte de la hausse du taux de la taxe de vente du Québec (TVQ) qui passe de 8,5 % à 9,5 %.

Situation actuelle :

L'article 370.6 prévoit les formules à utiliser pour déterminer le montant du remboursement auquel un particulier a droit en vertu de l'article 370.5 de la LTVQ dans le cas où celui-ci acquiert une part du capital social d'une coopérative d'habitation afin d'utiliser comme résidence principale une habitation située dans un immeuble d'habitation neuf ou ayant fait l'objet d'une rénovation majeure appartenant à la coopérative d'habitation. Ces formules sont établies en fonction de la contrepartie de la part du capital social.

Ainsi, dans le cas où cette contrepartie est de 227 850 $ ou moins, le montant du remboursement représente la somme de 3,85 % de la contrepartie payée pour la fourniture de la part du capital social soustraction faite du remboursement auquel le particulier a droit en vertu du régime de la taxe sur les produits et services (TPS) et de 8,5 % du remboursement auquel le particulier a droit en vertu du régime de la TPS. Il est à noter que le remboursement maximal est établi à 8 772 $.

Dans le cas où la contrepartie de la part du capital social est supérieure à 227 850 $ mais inférieure à 341 775 $, le remboursement maximal décroît selon la formule qui y est prévue, comprenant le dénominateur de 113 925 $.

Modifications proposées :

Afin de refléter la hausse du taux de la TVQ, des modifications sont apportées à l'article 370.6.

Les modifications apportées aux paragraphes 1° et 2° du premier alinéa de l'article 370.6 de la LTVQ visent notamment à remplacer le pourcentage de 8,5 % par 9,5 %et à augmenter à 229 950 $ le total de la contrepartie de la part du capital social d'une coopérative d'habitation pour laquelle le particulier a droit au remboursement maximal et à 344 925 $ le total de la contrepartie de la part du capital social d'une coopérative d'habitation à partir duquel aucun remboursement ne peut être obtenu.

Dans le cas où le total de la contrepartie de la part du capital social d'une coopérative d'habitation est supérieur à 229 950 $ mais inférieur à 344 925 $, le dénominateur permettant de calculer la décroissance du remboursement passe de 113 925 $ à 114 975 $.

Enfin, il est proposé de modifier le troisième alinéa de l'article 370.6 afin de remplacer le facteur de 3,85 % par un facteur de 4,34 % et d'augmenter le remboursement maximal à 9 804 $.

Notes explicatives ARQ (PL 117, L.Q. 2011, c. 1): *Résumé* :

L'article 370.6 est modifié afin de porter à 341 775 $ le prix d'acquisition de la part du capital social d'une coopérative d'habitation à partir duquel plus aucun remboursement n'est accordé.

Situation actuelle :

L'article 370.6 détermine le montant du remboursement auquel le particulier a droit en vertu de l'article 370.5. Ainsi, dans le cas où le prix d'acquisition de la part du capital social de la coopérative d'habitation est de 227 850 $ ou moins, le remboursement représente un montant de 2,78 % du prix d'acquisition payé pour la part, soustraction faite du remboursement auquel le particulier a droit en vertu du régime de la taxe sur les produits et services (TPS), et de 8,5 % du remboursement auquel le particulier a droit en vertu du régime de la TPS. Le remboursement maximal est établi à 6 316 $. Dans le cas où le prix d'acquisition de la part du capital social de la coopérative d'habitation est supérieur à 227 850 $ mais inférieur à 256 331 $, le remboursement est dégressif et est déterminé selon la formule prévue à l'article 370.6.

Modifications proposées :

La modification apportée à cet article vise à porter à 341 775 $ le prix d'acquisition de la part à partir duquel plus aucun remboursement n'est accordé. De plus, le facteur de 2,78 % est remplacé par 3,85 % et le remboursement maximal pouvant être obtenu est désormais établi à 8 772 $.

Notes explicatives ARQ (PL 64, L.Q. 2010, c. 5): *Résumé* :

L'article 370.6 est modifié de façon à ce qu'il soit tenu compte de la modification du taux de la taxe de vente du Québec qui passe de 7,5 % à 8,5 %.

Situation actuelle :

L'article 370.6 de la LTVQ prévoit les formules à utiliser pour déterminer le montant du remboursement auquel un particulier a droit en vertu de l'article 370.5 de la LTVQ dans le cas où celui-ci acquiert une part du capital social d'une coopérative d'habitation afin d'utiliser comme résidence principale une habitation située dans un immeuble d'habitation neuf ou ayant fait l'objet d'une rénovation majeure appartenant à la coopérative d'habitation.

Ces formules sont établies en fonction de la contrepartie de la part du capital social.

Ainsi, dans le cas où cette contrepartie est de 225 750 $ ou moins, le montant du remboursement représente la somme de 2,47 % de la contrepartie payée pour la fourniture de la part du capital social soustraction faite du remboursement auquel le particulier a droit en vertu du régime de la taxe sur les produits et services et de 7,5 % du remboursement auquel le particulier a droit en vertu du régime de la taxe sur les produits et services. Il est à noter que le remboursement maximal est établi à 5 573 $.

Dans le cas où la contrepartie de la part du capital social est supérieure à 225 750 $ mais inférieure à 253 969 $, le remboursement maximal décroît selon la formule qui y est prévue, comprenant le dénominateur de 28 219 $.

Modifications proposées :

Afin de refléter la hausse du taux de la taxe de vente du Québec des modifications sont apportées à l'article 370.6 de la LTVQ.

Les modifications apportées aux paragraphes 1° et 2° du premier alinéa de l'article 370.6 de la LTVQ visent notamment à remplacer le pourcentage de 7,5 % par 8,5 % et à augmenter à 227 850 $ le total de la contrepartie de la part du capital social d'une coopérative d'habitation pour laquelle le particulier a droit au remboursement maximal et à 256 331 $ le total de la contrepartie de la part du capital social d'une coopérative d'habitation à partir duquel aucun remboursement ne peut être obtenu.

Dans le cas où le total de la contrepartie de la part du capital social d'une coopérative d'habitation est supérieur à 227 850 $ mais inférieur à 256 331 $, le dénominateur permettant de calculer la décroissance du remboursement passe de 28 219 $ à 28 481 $.

Enfin, il est proposé de modifier le troisième alinéa de l'article 370.6 de la LTVQ afin de remplacer le facteur de 2,47 % par un facteur de 2,78 % et d'augmenter le remboursement maximal à 6 316 $.

Notes explicatives ARQ (PL 2, L.Q. 2009, c. 5): *Résumé* :

L'article 370.6 est modifié de façon à ce qu'il soit tenu compte de la modification du taux de la taxe prévue au paragraphe 1 de l'article 165 de la *Loi sur la taxe d'accise* (Lois révisées du Canada (1985), chapitre E-15 (LTA)) qui passe de 6 % à 5 %.

Situation actuelle :

L'article 370.6 de la LTVQ précise les formules à utiliser pour déterminer le montant du remboursement auquel un particulier a droit en vertu de l'article 370.5 de la LTVQ, dans le cas où celui-ci acquiert une part du capital social d'une coopérative d'habitation afin d'utiliser comme résidence principale une habitation située dans un immeuble d'habitation neuf ou ayant fait l'objet d'une rénovation majeure appartenant à la coopérative d'habitation. Les formules sont établies en fonction de la contrepartie de la part du capital social.

Ainsi, dans le cas où cette contrepartie est de 227 900 $ ou moins, le montant du remboursement représente la somme de 2,46 % de la contrepartie payée pour l'habitation et de 7,5 % du remboursement auquel le particulier a droit en vertu du paragraphe 2 de l'article 255 de la LTA. Il est à noter que le remboursement maximal est établi à 5 607 $.

Dans le cas où la contrepartie de la part du capital social est supérieure à 227 900 $ mais inférieure à 256 388 $, le remboursement maximal décroît selon la formule qui y est prévue.

Modifications proposées :

Les modifications apportées aux paragraphes 1° et 2° du premier alinéa de l'article 370.6 de la LTVQ visent à réduire à 225 750 $ le total de la contrepartie de la part du capital social d'une coopérative d'habitation pour laquelle le particulier a droit au remboursement maximal et à 253 969 $ le total de la contrepartie de la part du capital social d'une coopérative d'habitation à partir de laquelle plus aucun remboursement ne peut être obtenu.

Il est également proposé de modifier le troisième alinéa de l'article 370.6 de la LTVQ afin de remplacer le facteur 2,46 % par 2,47 % et de réduire le remboursement maximal à 5 573 $.

Enfin, dans le cas où le total de la contrepartie de la part du capital social d'une coopérative d'habitation est, selon les modifications proposées, supérieure à 225 750 $ mais inférieure à 253 969 $, le facteur permettant de calculer la décroissance du remboursement passe de 28 488 $ à 28 219 $.

Notes explicatives ARQ (PL 2, L.Q. 2007, c. 12): *Résumé* :

L'article 370.6 est modifié de façon à ce qu'il soit tenu compte de la modification du taux de la taxe prévue au paragraphe 1 de l'article 165 de la *Loi sur la taxe d'accise* (Lois révisées du Canada (1985), chapitre E-15) qui passe de 7 % à 6 %.

Situation actuelle :

L'article 370.6 précise les formules à utiliser pour déterminer le montant du remboursement auquel un particulier a droit en vertu de l'article 370.5 de la LTVQ, dans le cas où celui-ci acquiert une part du capital social d'une coopérative d'habitation afin d'utiliser comme résidence principale une habitation située dans un immeuble d'habitation neuf ou ayant fait l'objet d'une rénovation majeure appartenant à la coopérative d'habitation. Les formules sont établies en fonction de la contrepartie de la part du capital social.

Ainsi, dans le cas où cette contrepartie est de 230 050 $ ou moins, le montant du remboursement représente la somme de 2,46 % de la contrepartie payée pour l'habitation et de 7,5 % du remboursement auquel le particulier a droit en vertu du paragraphe 2 de l'article 255 de la *Loi sur la taxe d'accise*. Il est à noter que le remboursement maximal est établi à 5 642 $.

Dans le cas où la contrepartie de la part du capital social est supérieure à 230 050 $ mais inférieure à 258 806 $, le remboursement maximal décroît selon la formule qui y est prévue.

Modifications proposées :

Les modifications apportées aux paragraphes 1° et 2° du premier alinéa de l'article 370.6 de la LTVQ visent à réduire à 227 900 $ le total de la contrepartie de la part du capital social d'une coopérative d'habitation pour laquelle le particulier a droit au remboursement maximal et à 256 388 $ le total de la contrepartie de la part du capital social d'une coopérative d'habitation à partir de laquelle plus aucun remboursement ne peut être obtenu. Il est également proposé de modifier le troisième alinéa de l'article 370.6 de la LTVQ afin de réduire le remboursement maximal à 5 607 $.

Enfin, dans le cas où le total de la contrepartie de la part du capital social d'une coopérative d'habitation est, selon les modifications proposées, supérieure à 227 900 $ mais inférieure à 256 388 $, le facteur permettant de calculer la décroissance du remboursement passe de 28 756 $ à 28 488 $.

Définitions [art. 370.6]: « contrepartie », « coopérative d'habitation », « fourniture », « immeuble d'habitation », « montant », « particulier » — 1.

Renvois [art. 370.6]: 362 (groupe de particuliers).

Bulletins d'information [art. 370.6]: 2007-10 — Bonification du crédit d'impôt pour services de production cinématographique et autres mesures fiscales.

Concordance fédérale: LTA, par. 255(2).

COMMENTAIRES: Voir les commentaires sous l'article 370.8.

370.7 Délai de la demande — Un particulier a droit au remboursement prévu à l'article 370.5 à l'égard d'une part du capital social d'une coopérative d'habitation seulement s'il produit une demande de remboursement dans les deux ans suivant le jour où la propriété de la part lui est transférée.

Notes historiques: L'article 370.7 a été remplacé par L.Q. 1997, c. 85, art. 653(1) et s'applique à un remboursement relatif à une part du capital social d'une coopérative d'habitation dont la propriété est transférée après le 30 juin 1996 à la personne qui demande le remboursement. Antérieurement, il se lisait ainsi :

> 370.7 Un particulier a droit au remboursement prévu à l'article 370.5 à l'égard d'une part du capital social d'une coopérative d'habitation seulement s'il produit une demande de remboursement dans les quatre ans suivant le jour ou la propriété de la part lui est transférée.

L'article 370.7 a été ajouté par L.Q. 1995, c. 1, art 323(1) et s'applique à l'égard de la fourniture d'une part du capital social d'une coopérative d'habitation si cette dernière a payé la taxe au taux de 6,5 % à l'égard de la fourniture taxable de l'immeuble d'habitation qui fait l'objet de la fourniture de la part.

Définitions [art. 370.7]: « coopérative d'habitation », « particulier » — 1.

Renvois [art. 370.7]: 362 (groupe de particuliers).

Concordance fédérale: LTA, par. 255(3).

COMMENTAIRES: Voir les commentaires sous l'article 370.8.

370.8 [*Abrogé*].

Notes historiques: L'article 370.8 a été abrogé par L.Q. 2012, c. 28, par. 127(1) et cette abrogation s'applique à l'égard de la fourniture d'une part du capital social d'une coopérative d'habitation à un particulier qui l'acquiert pour utiliser une habitation dans un immeuble d'habitation lorsque, selon le cas :

> 1° la fourniture taxable de l'immeuble d'habitation à la coopérative d'habitation a été effectuée en vertu d'une convention écrite conclue après le 31 décembre 2012;
>
> 2° la coopérative d'habitation est réputée avoir effectué et reçu la fourniture taxable de l'immeuble d'habitation en vertu des articles 223 à 231.1 et avoir payé la taxe à l'égard de cette fourniture après le 31 décembre 2012.

Antérieurement, il se lisait ainsi :

> 370.8 Remboursement de la taxe payée à l'égard d'un remboursement de la taxe sur les produits et services — Le particulier qui n'a pas droit au remboursement visé à l'article 370.5 à l'égard d'une part du capital social d'une coopérative d'habitation parce que le total de la contrepartie est de 344 925 $ ou plus, mais qui a droit à un remboursement en vertu du paragraphe 2° de l'article 255 de la *Loi sur la taxe d'accise* (Lois révisées du Canada (1985), chapitre E-15) à l'égard de la part du capital social, a droit au remboursement de 9,5 % du montant du remboursement auquel le particulier a droit à l'égard de la part du capital social en vertu de ce paragraphe.

L'article 370.8 a été modifié par L.Q. 2011, c. 6, par. 274(1) par le remplacement de « 341 775 $ » et « 8,5 % » par, respectivement, « 344 925 $ » et « 9,5 % ». Ces modifications s'appliquent à l'égard d'une fourniture, effectuée par une coopérative d'habitation à un particulier donné, d'une part de son capital social dans le cas où le particulier acquiert la part pour utiliser une habitation dans un immeuble d'habitation à titre de résidence principale pour lui-même, un particulier qui lui est lié ou un ex-conjoint du particulier donné et si, selon le cas :

> 1° la coopérative d'habitation a payé la taxe relativement à une fourniture taxable effectuée à son profit de l'immeuble d'habitation dont la propriété et la possession lui ont été transférées après le 31 décembre 2011 en vertu d'une convention écrite conclue après cette date;
>
> 2° la coopérative d'habitation est réputée avoir effectué et reçu la fourniture taxable de l'immeuble d'habitation en vertu des articles 223 à 231.1 et avoir payé la taxe à l'égard de cette fourniture après le 31 décembre 2011.

L'article 370.8 a été modifié par L.Q. 2011, c. 1, par. 147(1) par le remplacement de « 256 331 $ » par « 341 775 $ ». Cette modification s'applique à l'égard d'une fourniture, effectuée par une coopérative d'habitation à un particulier donné, d'une part de son capital social si, selon le cas :

> 1° la coopérative d'habitation a payé la taxe relativement à une fourniture taxable effectuée à son profit de l'immeuble d'habitation dont la propriété et la possession lui ont été transférées après le 31 décembre 2010 en vertu d'une convention écrite conclue après cette date;
>
> 2° la coopérative d'habitation est réputée avoir effectué et reçu la fourniture taxable de l'immeuble d'habitation en vertu des articles 223 à 231.1 et avoir payé la taxe à l' égard de cette fourniture après le 31 décembre 2010.

L'article 370.8 a été modifié par L.Q. 2010, c. 5, par. 236(1) par le remplacement de « 253 969 $ » et « 7,5 % » par, respectivement, « 256 331 $ » et « 8,5 % ». Ces modifications s'appliquent à l'égard de la fourniture d'une part du capital social d'une coopérative d'habitation si cette dernière a payé la taxe au taux de 8,5 % à l'égard de la fourniture taxable de l'immeuble d'habitation qui fait l'objet de la fourniture de la part.

L'article 370.8 a été modifié par L.Q. 2009, c. 5, par. 644(1) par le remplacement de « 256 388 $ » par « 253 969 $ ». Cette modification s'applique aux fins du calcul du remboursement à l'égard d'une fourniture, effectuée par une coopérative d'habitation à un particulier donné, d'une part de son capital social, dans le cas où ce dernier acquiert la part pour utiliser une habitation dans l'immeuble d'habitation à titre de résidence principale pour lui-même, un particulier qui lui est lié ou un ex-conjoint du particulier donné et que la demande de remboursement est produite après le 31 décembre 2007, sauf si la coopérative a payé la taxe au taux de 6 % ou de 7 % en vertu du paragraphe 1 de l'article 165 de la *Loi sur la taxe d'accise* (Lois révisées du Canada (1985), chapitre E-15) à l'égard de la fourniture de l'immeuble d'habitation effectuée à son profit.

L'article 370.8 a été modifié par L.Q. 2007, c. 12, par. 331(1) par le remplacement de « 258 806 $ » par « 256 388 $ ». Cette modification s'applique aux fins du calcul du remboursement à l'égard d'une fourniture, effectuée par une coopérative d'habitation à un particulier, d'une part de son capital social, dans le cas où le particulier acquiert la part pour utiliser une habitation dans l'immeuble d'habitation à titre de résidence principale pour lui-même, un particulier qui lui est lié ou un ex-conjoint du particulier et que la demande de remboursement est produite après le 30 juin 2006, sauf si la coopérative a payé la taxe au taux de 7 % en vertu du paragraphe 1 de l'article 165 de la *Loi sur la taxe d'accise* (Lois révisées du Canada (1985), chapitre E-15) à l'égard de la fourniture de l'immeuble d'habitation effectuée à son profit.

L'article 370.8 est modifié par L.Q. 2001, c. 51, art. 288 par le remplacement de « 230 050 $ » par « 258 806 $ » et cette modification s'applique à l'égard de la fourniture d'une part du capital social d'une coopérative d'habitation effectuée en vertu d'une convention écrite conclue après le 14 mars 2000 et en vertu de laquelle le transfert de propriété de la part a lieu après cette date.

L'article 370.8 a été remplacé par L.Q. 1997, c. 85, art. 654(1) et s'applique à l'égard de la fourniture d'une part du capital social d'une coopérative d'habitation si cette dernière a payé la taxe au taux de 7,5 % à l'égard de la fourniture taxable de l'immeuble d'habitation qui fait l'objet de la fourniture de la part. Antérieurement, il se lisait ainsi :

> 370.8 Le particulier qui n'a pas droit au remboursement visé à l'article 370.5 à l'égard d'une part du capital social d'une coopérative d'habitation parce que le total de la contrepartie est de 227 910 $ ou plus, mais qui a droit à un remboursement en vertu du paragraphe 2° de l'article 255 de la *Loi sur la taxe d'accise* (Statuts du Canada) à l'égard de la part du capital social, a droit au remboursement de 6,5 % du montant du remboursement auquel le particulier a droit à l'égard de la part du capital social en vertu de ce paragraphe.

L'article 370.8 a été ajouté par L.Q. 1995, c. 1, art 323(1) et s'applique à l'égard de la fourniture d'une part du capital social d'une coopérative d'habitation si cette dernière a payé la taxe au taux de 6,5 % à l'égard de la fourniture taxable de l'immeuble d'habitation qui fait l'objet de la fourniture de la part.

Notes explicatives ARQ (PL 5, L.Q. 2012, c. 28): *Résumé* :

L'article 370.8 est abrogé en raison du fait qu'à compter du 1er janvier 2013 la taxe sur les produits et services (TPS) est retirée de l'assiette de la taxe de vente du Québec (TVQ).

Situation actuelle :

L'article 370.8 prévoit que lorsqu'un particulier n'a pas droit au remboursement prévu à l'article 370.5 de la LTVQ parce que le prix d'acquisition de la part du capital social de la coopérative d'habitation est de 344 925 $ ou plus, et qui, par ailleurs, a droit à un remboursement à l'égard de la part en vertu de l'article 255 de la *Loi sur la taxe d'accise* (Lois révisées du Canada (1985), chapitre E-15), ce particulier a droit à un remboursement de 9,5 %sur le montant de la TPS qui lui est ainsi remboursé.

Modifications proposées :

L'article 370.8 est abrogé en raison du fait qu'à compter du 1er janvier 2013 la TPS est retirée de l'assiette de la TVQ.

Notes explicatives ARQ (PL 5, L.Q. 2011, c. 6): *Résumé* :

L'article 370.8 est modifié de façon à ce qu'il soit tenu compte de la hausse du taux de la taxe de vente du Québec (TVQ) qui passe de 8,5 % à 9,5 %.

Situation actuelle :

L'article 370.8 prévoit que le particulier qui n'a pas droit au remboursement visé à l'article 370.5 de la LTVQ à l'égard d'une part du capital social d'une coopérative d'habitation en raison du fait que le total de la contrepartie est de 341 775 $ ou plus, mais qui a droit à un remboursement dans le régime de la taxe sur les produits et services, a droit au remboursement de 8,5 % du montant du remboursement auquel il a droit en vertu du paragraphe 2 de l'article 255 de la *Loi sur la taxe d'accise* (Lois révisées du Canada (1985), chapitre E-15).

Modifications proposées :

Les modifications apportées à cet article consistent à augmenter le total de la contrepartie de la part du capital social d'une coopérative d'habitation à partir duquel aucun remboursement ne peut être obtenu en le faisant passer de 341 775 $ à 344 925 $, et ce, afin de tenir compte de la hausse du taux de la TVQ. Elles visent également à remplacer le pourcentage de 8,5 % par 9,5 %.

Notes explicatives ARQ (PL 117, L.Q. 2011, c. 1): *Résumé* :

L'article 370.8 est modifié afin de remplacer le montant de 256 331 $ par le montant de 341 775 $, soit la nouvelle valeur à partir de laquelle plus aucun remboursement n'est accordé.

Situation actuelle :

L'article 370.8 prévoit que lorsqu'un particulier n'a pas droit au remboursement prévu à l'article 370.5 de la LTVQ parce que le prix d'acquisition de la part du capital social de la coopérative d'habitation est de 256 331 $ ou plus, et qui, par ailleurs, a droit à un remboursement à l'égard de la part en vertu de l'article 255 de la *Loi sur la taxe d'accise* (Lois révisées du Canada (1985), chapitre E-15), ce particulier a droit à un remboursement de 8,5 % sur le montant de la taxe sur les produits et services qui lui est ainsi remboursé.

Modifications proposées :

La modification apportée à cet article vise à remplacer le montant de 256 331 $ par le montant de 341 775 $, soit la nouvelle valeur à partir de laquelle plus aucun remboursement n'est accordé.

Notes explicatives ARQ (PL 64, L.Q. 2010, c. 5): *Résumé* :

L'article 370.8 est modifié de façon à ce qu'il soit tenu compte de la modification du taux de la taxe de vente du Québec qui passe de 7,5 % à 8,5 %.

Situation actuelle :

L'article 370.8 de la LTVQ prévoit que le particulier qui n'a pas droit au remboursement visé à l'article 370.5 de la LTVQ à l'égard d'une part du capital social d'une coopérative d'habitation en raison du fait que le total de la contrepartie est de 253 969 $ ou plus, mais qui a droit à un remboursement dans le régime de la taxe sur les produits et services, a droit au remboursement de 7,5 % du montant du remboursement auquel il a droit en vertu du paragraphe 2 de l'article 255 de la *Loi sur la taxe d'accise* (Lois révisées du Canada (1985), chapitre E-15).

Modifications proposées :

Les modifications apportées à cet article consistent à augmenter le total de la contrepartie de la part du capital social d'une coopérative d'habitation à partir duquel aucun remboursement ne peut être obtenu en le faisant passer de 253 969 $ à 256 331 $ et ce, afin de tenir compte de la hausse du taux de la taxe de vente du Québec. Elles visent également à remplacer le pourcentage de 7,5 % par 8,5 %.

Notes explicatives ARQ (PL 2, L.Q. 2009, c. 5): *Résumé* :

L'article 370.8 est modifié de façon à ce qu'il soit tenu compte de la modification du taux de la taxe prévue au paragraphe 1 de l'article 165 de la *Loi sur la taxe d'accise* (Lois révisées du Canada (1985), chapitre E-15 (LTA)) qui passe de 6 % à 5 %.

Situation actuelle :

L'article 370.8 de la LTVQ prévoit que le particulier qui n'a pas droit au remboursement visé à l'article 370.5 de la LTVQ à l'égard d'une part du capital social d'une coopérative d'habitation en raison de la juste valeur marchande qui est de 256 388 $ ou plus, mais qui a droit à un remboursement dans le régime de taxation fédéral, a droit au remboursement de 7,5 % du montant du remboursement auquel il a droit en vertu du paragraphe 2 de l'article 255 de la LTA.

Modifications proposées :

La modification apportée à cet article consiste à diminuer le total de la contrepartie de la part du capital social d'une coopérative d'habitation à partir de laquelle plus aucun remboursement ne peut être obtenu en le faisant passer de 256 388 $ à 253 969 $.

Notes explicatives ARQ (PL 2, L.Q. 2007, c. 12): *Résumé* :

L'article 370.8 est modifié de façon à ce qu'il soit tenu compte de la modification du taux de la taxe prévue au paragraphe 1 de l'article 165 de la *Loi sur la taxe d'accise* (Lois révisées du Canada (1985), chapitre E-15) qui passe de 7 % à 6 %.

Situation actuelle :

L'article 370.8 prévoit que le particulier qui n'a pas droit au remboursement visé à l'article 370.5 de la LTVQ à l'égard d'une part du capital social d'une coopérative d'habitation en raison de la juste valeur marchande qui est de 258 806 $ ou plus, mais qui a droit à un remboursement dans le régime de taxation fédéral, a droit au remboursement de 7,5 % du montant du remboursement auquel il a droit en vertu du paragraphe 2 de l'article 255 de la *Loi sur la taxe d'accise*.

Modifications proposées :

La modification apportée à cet article consiste à diminuer le total de la contrepartie de la part du capital social d'une coopérative d'habitation à partir de laquelle plus aucun remboursement ne peut être obtenu en le faisant passer de 258 806 $ à 256 388 $.

Définitions [art. 370.8]: « contrepartie », « coopérative d'habitation », « particulier » — 1; « total de la contrepartie » — 370.5.

Renvois [art. 370.8]: 362 (groupe de particuliers).

Concordance fédérale: aucune.

COMMENTAIRES: Dans le cadre d'une position administrative, Revenu Québec confirme que les membres d'une coopérative d'habitation qui sont des particuliers ont droit au remboursement pour habitations neuves relativement aux taxes payées pour la construction de la coopération et qu'aucun remboursement n'est prévu à l'égard de l'achat du terrain et de ces améliorations étant donné qu'il s'agit de la coopérative qui a payé le terrain et non les particuliers. La coopérative peut récupérer les taxes ainsi payées pour l'acquisition du terrain et des améliorations. Voir à cet effet : Revenu Québec, Lettre d'interprétation, 98-0109672 — *Coopérative d'habitation* (23 décembre 1998).

Toutefois, compte tenu de la similarité de la rédaction des dispositions législatives et considérant l'engagement spécifique de Revenu Québec de veiller à ce que l'assiette de TVQ modifiée, de même que les paramètres administratifs, structurels et définitionnels, produisent des résultats qui sont identiques à ceux produits sous le régime de la TPS/TVH et soient administrés d'une manière qui produit des résultats identiques, tel que reflété par l'article 14 de l'*Entente intégrée globale de coordination fiscale* signée entre le gouvernement du Canada et le gouvernement du Québec, nous vous invitons à consulter nos commentaires en vertu de l'article 255 de la *Loi sur la taxe d'accise (TPS)* qui devraient s'appliquer *mutatis mutandis*, avec les adaptations nécessaires.

II.3 — Fourniture d'un immeuble à soi-même

Notes historiques: L'intertitre de la sous-section II.3 de la sous-section 3 de la section I du chapitre VII du titre I a été ajouté par L.Q. 1995, c. 1, art 323(1) et cet ajout s'applique :

> 1° à l'égard de la fourniture taxable effectuée en vertu d'une convention écrite relative à la construction ou à la rénovation majeure d'un immeuble d'habitation à logement unique si la convention est conclue apres le 12 mai 1994;
>
> 2° à l'égard de l'acquisition d'un bien ou d'un service effectuée par un particulier dans le cadre de la construction ou de la rénovation majeure d'un immeuble d'habitation à logement unique qu'il réalise lui-même si cette acquisition a lieu après le 12 mai 1994.

370.9 Habitation construite par soi-même — Sous réserve de l'article 370.12, un particulier donné qui, lui-même ou par l'intermédiaire d'une personne qu'il engage, construit un immeuble d'habitation qui est un immeuble d'habitation à logement unique ou un logement en copropriété ou en fait la rénovation majeure pour l'utiliser à

LTVQ (français)

titre de résidence principale pour lui-même, un particulier qui lui est lié ou un ex-conjoint du particulier donné, a droit à un remboursement déterminé conformément à l'un des articles 370.10 et 370.10.1 si, à la fois :

1° au moment où la construction ou la rénovation majeure est presque achevée, la juste valeur marchande de l'immeuble d'habitation est inférieure à 83 225 000 $ pour l'application de l'article 370.10 ou à 300 000 $ pour l'application de l'article 370.10.1, selon le cas;

2° le particulier donné a payé la taxe à l'égard de la fourniture par vente au particulier du fonds de terre qui fait partie de l'immeuble d'habitation ou d'un droit dans le fonds de terre ou à l'égard de la fourniture au particulier, ou de l'apport au Québec, par le particulier, de toute amélioration au fonds de terre ou, dans le cas d'une maison mobile ou d'une maison flottante, de l'immeuble, le total de cette taxe étant appelé « total de la taxe payée par le particulier donné » dans le présent article et dans les articles 370.10 et 370.10.1;

3° l'une ou l'autre des conditions suivantes est remplie :

a) le premier particulier à occuper l'immeuble d'habitation après que la construction ou la rénovation majeure soit commencée est le particulier donné, un particulier qui lui est lié ou un ex-conjoint du particulier donné;

b) le particulier donné effectue la fourniture exonérée de l'immeuble d'habitation par vente et la propriété de celui-ci est transférée à l'acquéreur de la fourniture avant que l'immeuble d'habitation soit occupé par tout particulier à titre de résidence ou d'hébergement.

Notes historiques: Le préambule de l'article 370.9 a été modifié par L.Q. 2012, c. 28, s.-par. 128(1)(1°) par le remplacement de « aux articles 370.10 ou 370.10.1 » par « à l'un des articles 370.10 et 370.10.1 ». Cette modification a effet à compter du 1er janvier 2013.

Le préambule de l'article 370.9 a été modifié par L.Q. 2011, c. 1, s.-par. 148(1)(1°) par le remplacement de « à l'article 370.10 » par « aux articles 370.10 ou 370.10.1 ». Cette modification s'applique à l'égard :

1° de la fourniture taxable effectuée en vertu d'une convention écrite relative à la construction ou à la rénovation majeure d'un immeuble d'habitation à logement unique ou d'un logement en copropriété si la convention écrite est conclue après le 31 décembre 2010;

2° de la construction ou de la rénovation majeure d'un immeuble d'habitation à logement unique ou d'un logement en copropriété que le particulier donné réalise lui-même si le permis relatif à la construction ou à la rénovation majeure est délivré après le 31 décembre 2010.

Le préambule de l'article 370.9 a été remplacé par L.Q. 1997, c. 85, art. 655(1)(1°) et a effet à l'égard d'un remboursement relatif à un immeuble d'habitation pour lequel une demande est produite au ministre du Revenu après le 22 avril 1996, sauf si, selon le cas :

a) l'immeuble a été occupé à titre résidentiel ou d'hébergement entre le début de sa construction ou des rénovations majeures dont il fait l'objet et le 23 avril 1996;

b) la construction ou les rénovations majeures de l'immeuble étaient presque achevées avant le 23 avril 1996;

c) la personne qui effectue la demande a transféré la propriété de l'immeuble avant le 23 avril 1996 à l'acquéreur d'une fourniture par vente de l'immeuble.

Antérieurement, le préambule se lisait ainsi :

370.9 Sous réserve de l'article 370.12, un particulier donné qui, lui-même ou par l'intermédiaire d'une personne qu'il engage, construit un immeuble d'habitation à logement unique ou en fait la rénovation majeure pour l'utiliser à titre de résidence principale pour lui-même, un particulier qui lui est lié ou un ex-conjoint du particulier donné, a droit à un remboursement déterminé conformément à l'article 370.10 si, à la fois :

Le paragraphe 1° de l'article 370.9 a été remplacé par L.Q. 2012, c. 28, s.-par. 128(1)(2°) et cette modification a effet à compter du 1er janvier 2013. Antérieurement, il se lisait ainsi :

1° au moment où la construction ou la rénovation majeure est presque achevée, la juste valeur marchande de l'immeuble d'habitation, en excluant un montant équivalant à la taxe qui serait payée ou payable par le particulier donné en vertu de la partie IX de la *Loi sur la taxe d'accise* (Lois révisées du Canada (1985), chapitre E-15) relativement à cet immeuble d'habitation s'il était acquis par lui à cette date pour une contrepartie égale à la juste valeur marchande de l'immeuble d'habitation déterminée conformément à cette loi, est inférieure à 225 000 $ pour l'application de l'article 370.10 ou à 300 000 $ pour l'application de l'article 370.10.1, selon le cas;

Le paragraphe 1° de l'article 370.9 a été modifié par L.Q. 2011, c. 34, par. 148(1) par le remplacement de « à 300 000 $ » par « à 225 000 $ pour l'application de l'article 370.10 ou à 300 000 $ pour l'application de l'article 370.10.1, selon le cas ». Cette modification s'appliquera à l'égard :

1° de la fourniture taxable effectuée en vertu d'une convention écrite relative à la construction ou à la rénovation majeure d'un immeuble d'habitation à logement unique ou d'un logement en copropriété si la convention écrite est conclue après le 31 décembre 2010;

2° de la construction ou de la rénovation majeure d'un immeuble d'habitation à logement unique ou d'un logement en copropriété que le particulier donné réalise lui-même si le permis relatif à la construction ou à la rénovation majeure est délivré après le 31 décembre 2010.

Le paragraphe 1° de l'article 370.9 a été modifié par L.Q. 2011, c. 1, s.-par. 148(1)(2°) par le remplacement de « 225 000 $ » par « 300 000 $ ». Cette modification s'applique à l'égard :

1° de la fourniture taxable effectuée en vertu d'une convention écrite relative à la construction ou à la rénovation majeure d'un immeuble d'habitation à logement unique ou d'un logement en copropriété si la convention écrite est conclue après le 31 décembre 2010;

2° de la construction ou de la rénovation majeure d'un immeuble d'habitation à logement unique ou d'un logement en copropriété que le particulier donné réalise lui-même si le permis relatif à la construction ou à la rénovation majeure est délivré après le 31 décembre 2010.

Le paragraphe 1° de l'article 370.9 a été modifié par L.Q. 2001, c. 51, art. 289 par le remplacement de « 200 000 $ » par « 225 000 $ » et cette modification s'applique à l'égard d'un immeuble d'habitation à logement unique ou d'un logement en copropriété dont le permis relatif à la construction ou à la rénovation majeure est délivré après le 14 mars 2000.

Le paragraphe 2° de l'article 370.9 a été modifié par L.Q. 2011, c. 1, s.-par. 148(1)(3°) par le remplacement de « l'article 370.10 » par « dans les articles 370.10 et 370.10.1 ». Cette modification s'applique à l'égard :

1° de la fourniture taxable effectuée en vertu d'une convention écrite relative à la construction ou à la rénovation majeure d'un immeuble d'habitation à logement unique ou d'un logement en copropriété si la convention écrite est conclue après le 31 décembre 2010;

2° de la construction ou de la rénovation majeure d'un immeuble d'habitation à logement unique ou d'un logement en copropriété que le particulier donné réalise lui-même si le permis relatif à la construction ou à la rénovation majeure est délivré après le 31 décembre 2010.

Le paragraphe 2° de l'article 370.9 a été remplacé par L.Q. 1997, c. 85, art. 655(1)(2°) et a effet depuis le 1er avril 1997. Antérieurement, il se lisait ainsi :

2° le particulier donné a payé la taxe prévue à l'article 16 à l'égard de la fourniture par vente au particulier du fonds de terre qui fait partie de l'immeuble d'habitation ou d'un droit dans le fonds de terre ou à l'égard de la fourniture au particulier de toute amélioration au fonds de terre, le total de cette taxe étant appelé « total de la taxe payée par le particulier donné » dans le présent article et l'article 370.10;

L'article 370.9 a été ajouté par L.Q. 1995, c. 1, art 323(1) et s'applique :

1° à l'égard de la fourniture taxable effectuée en vertu d'une convention écrite relative à la construction ou à la rénovation majeure d'un immeuble d'habitation à logement unique si la convention est conclue après le 12 mai 1994;

2° à l'égard de l'acquisition d'un bien ou d'un service effectuée par un particulier dans le cadre de la construction ou de la rénovation majeure d'un immeuble d'habitation à logement unique qu'il réalise lui-même si cette acquisition a lieu après le 12 mai 1994.

Notes explicatives ARQ (PL 5, L.Q. 2012, c. 28): *Résumé* :

L'article 370.9 est modifié afin de tenir compte du fait qu'à compter du 1er janvier 2013 la taxe sur les produits et services (TPS) est retirée de l'assiette de la taxe de vente du Québec (TVQ).

Situation actuelle :

L'article 370.9 prévoit le droit à un remboursement partiel de la TVQ payée pour le particulier qui effectue lui-même, ou par l'intermédiaire d'une personne qu'il engage, la construction ou la rénovation majeure d'un immeuble d'habitation à logement unique ou d'un logement en copropriété afin de l'occuper comme résidence principale. Cet article prévoit les conditions qui doivent être satisfaites pour l'obtention du remboursement.

Une de ces conditions exige que la juste valeur marchande de l'immeuble d'habitation ou du logement au moment où sa construction ou sa rénovation majeure est presque achevée soit inférieure à 225 000 $ pour l'application de l'article 370.10 de la LTVQ ou à 300 000 $ pour l'application de l'article 370.10.1 de la LTVQ, selon le cas, en excluant un montant équivalant à la taxe qui serait payée ou payable par le particulier en vertu de la partie IX de la *Loi sur la taxe d'accise* (Lois révisées du Canada (1985), chapitre E-15).

Modifications proposées :

L'article 370.9 est modifié afin de tenir compte du fait qu'à compter du 1er janvier 2013 la TPS est retirée de l'assiette de la TVQ.

Notes explicatives ARQ (PL 32, L.Q. 2011, c. 34): *Résumé* :

L'article 370.9 est modifié afin de préciser que pour l'application de l'article 370.10 de la LTVQ, la juste valeur marchande de l'immeuble d'habitation doit être inférieure à 225 000 $.

Situation actuelle :

L'article 370.9 prévoit le droit à un remboursement partiel de la taxe de vente du Québec payée pour le particulier qui effectue lui-même, ou par l'intermédiaire d'une personne qu'il engage, la construction ou la rénovation majeure d'un immeuble d'habitation à logement unique ou d'un logement en copropriété afin de l'occuper comme résidence principale. Cet article prévoit les conditions qui doivent être satisfaites pour l'obtention du remboursement prévu à l'article 370.10 ou à l'article 370.10.1 de la LTVQ.

Une de ces conditions est que la juste valeur marchande de l'immeuble d'habitation ou du logement au moment où sa construction ou sa rénovation majeure est presque achevée doit être inférieure à 300 000 $.

Modifications proposées :

La modification apportée à l'article 370.9 consiste à préciser que pour l'application de l'article 370.10 de la LTVQ, la juste valeur marchande de l'immeuble d'habitation doit être inférieure à 225 000 $.

Ainsi, aucun remboursement n'est accordé dans le cas d'un immeuble d'habitation à logement unique ou d'un logement en copropriété dont la juste valeur marchande est de 225 000 $ ou plus.

Notes explicatives ARQ (PL 117, L.Q. 2011, c. 1): *Résumé* :

L'article 370.9 est modifié en premier lieu afin de porter à 300 000 $ la juste valeur marchande d'un immeuble d'habitation à logement unique ou d'un logement en copropriété à partir de laquelle plus aucun remboursement n'est accordé et, en deuxième lieu, afin de faire référence au nouvel article 370.10.1 de la LTVQ.

Situation actuelle :

L'article 370.9 prévoit le droit à un remboursement partiel de la taxe de vente du Québec (TVQ) payée pour le particulier qui effectue lui-même, ou par l'intermédiaire d'une personne qu'il engage, la construction ou la rénovation majeure d'un immeuble d'habitation à logement unique ou d'un logement en copropriété afin de l'occuper comme résidence principale.

Cet article prévoit les conditions qui doivent être satisfaites pour l'obtention du remboursement. Une de ces conditions exige que la juste valeurmarchande de l'immeuble d'habitation ou du logement au moment où sa construction ou sa rénovation majeure est presque achevée soit inférieure à 225 000 $, en excluant la TVQ et la taxe sur les produits et services.

Modifications proposées :

La modification apportée à cet article vise en premier lieu à porter à 300 000 $ la juste valeur marchande de l'immeuble d'habitation ou du logement à partir de laquelle plus aucun remboursement n'est accordé lorsque la convention écrite relative à la construction ou à la rénovation majeure de l'immeuble d'habitation ou du logement est conclue après le 31 décembre 2010 ou le permis relatif à la construction ou à la rénovation majeure, dans le cas où le particulier réalise lui-même la construction ou la rénovation majeure de l'immeuble ou du logement, est délivré après cette date, et, en deuxième lieu, à faire référence au nouvel article 370.10.1 de la LTVQ.

Guides [art. 370.9]: IN-205 — Remboursement de la TVQ et de la TPS/TVH — Habitations neuves — Immeubles d'habitation locatifs neufs — Rénovations majeures; IN-261 — La TVQ, la TPS et les immeubles d'habitation (construction ou rénovation).

Définitions [art. 370.9]: « contrepartie », « fourniture » — 1; « immeuble d'habitation à logement unique » — 1, 360.5; « particuliers », « personne », « rénovation majeure », « taxe », « vente » — 1.

Renvois [art. 370.9]: 15 (JVM); 362 (groupe de particuliers); 370.9.1 (amélioration à un immeuble d'habitation); 370.12 (demande de remboursement); 370.13 (droit au remboursement); 378.18 (restrictions au remboursement).

Jurisprudence [art. 370.9]: *Bédard c. Québec (Sous-ministre du Revenu)* (30 juin 2010), 200-32-047260-087, 2010 CarswellQue 8316; *Allaire c. Québec (Sous-ministre du Revenu)* (18 juillet 2008), 650-32-002032-063, 2008 CarswellQue 10383; *Déry c. Québec (Sous-ministre du Revenu)* (20 mai 2005), 200-32-033889-030; *Chicoine c. Québec (Sous-ministre du Revenu)* (2 juillet 2003), 200-32-028744-026, 2003 CarswellQue 3429; *Tremblay c. Québec (Sous-ministre du Revenu)* (13 mai 2003), 160-32-000082-029; *Bouchard c. Québec (Sous-ministre du Revenu)* (4 juin 2002), 150-32-003254-006, 2002 CarswellQue 2125; *Flynn c. Québec (Sous-ministre du Revenu)* (2 mai 2002), 200-32-024605-007, 2002 CarswellQue 2155; *Lavoie c. Québec (Sous-ministre du Revenu)* (20 mars 2002), 160-32-000179-007, 2002 CarswellQue 1207; *Bérubé c. Québec (Sous-ministre du Revenu)* (8 décembre 2000), 400-32-003742-983, 2000 CarswellQue 3299.

Bulletins d'interprétation [art. 370.9]: TVQ. 362.2-1/R2 — Remboursement pour habitations neuves à l'égard d'un duplex.

Lettres d'interprétation [art. 370.9]: 98-0103659 — Remboursement de la TPS et de la TVQ pour habitations neuves; 00-0104562 — Interprétation relative à la TPS et à la TVQ — Règles relatives à la fourniture d'un immeuble par vente et à son changement d'usage; 01-0108413 — Syndicat de copropriété.

Concordance fédérale: LTA, par. 256(2).

COMMENTAIRES: Voir les commentaires sous l'article 370.13.

370.9.1 Restriction — Dans le cas où un particulier acquiert une amélioration à un immeuble d'habitation qu'il construit ou auquel il fait des rénovations majeures, la taxe à l'égard de l'acquisition de l'amélioration qui devient payable par le particulier plus de deux ans suivant le jour où l'immeuble est occupé pour la première fois conformément au sous-paragraphe a) du paragraphe 3° de l'article 370.9, ne doit pas être incluse, en vertu du paragraphe 2° de l'article 370.9, dans le calcul du total de la taxe payée par le particulier.

Notes historiques: L'article 370.9.1 a été ajouté par L.Q. 1997, c. 85, art. 656(1) et a effet à l'égard d'un remboursement relatif à un immeuble d'habitation pour lequel une demande est produite au ministre du Revenu après le 22 avril 1996, sauf si, selon le cas :

a) l'immeuble a été occupé à titre résidentiel ou d'hébergement entre le début de sa construction ou des rénovations majeures dont il fait l'objet et le 23 avril 1996;

b) la construction ou les rénovations majeures de l'immeuble étaient presque achevées avant le 23 avril 1996;

c) la personne qui effectue la demande a transféré la propriété de l'immeuble avant le 23 avril 1996 à l'acquéreur d'une fourniture par vente de l'immeuble.

Guides [art. 370.9.1]: IN-205 — Remboursement de la TVQ et de la TPS/TVH — Habitations neuves — Immeubles d'habitation locatifs neufs — Rénovations majeures; IN-261 — La TVQ, la TPS et les immeubles d'habitation (construction ou rénovation).

Définitions [art. 370.9.1]: « amélioration », « particulier », « rénovation majeure », « taxe » — 1.

Renvois [art. 370.9.1]: 378.18 (restrictions au remboursement).

Bulletins d'interprétation [art. 370.9.1]: TVQ. 362.2-1/R2 — Remboursement pour habitations neuves à l'égard d'un duplex.

Concordance fédérale: LTA, par. 256(2.01).

COMMENTAIRES: Voir les commentaires sous l'article 370.13.

370.10 Montant du remboursement — Pour l'application de l'article 370.9, sauf si l' article 370.10.1 s'applique, le remboursement auquel un particulier donné a droit à l'égard de la construction d'un immeuble d'habitation à logement unique ou d'un logement en copropriété ou de sa rénovation majeure est égal :

1° dans le cas où la juste valeur marchande visée au paragraphe 1° de l'article 370.9 est de 200 000 $ ou moins, au montant déterminé selon la formule suivante :

$$[36\ \% \times (A - B)] + B;$$

2° dans le cas où la juste valeur marchande visée au paragraphe 1° de l'article 370.9 est supérieure à 200 000 $ mais est inférieure à 225 000 $, au montant déterminé selon la formule suivante :

$$\{[36\ \% \times (A - B)] \times (225\ 000\ \$ - C) / 25\ 000\ \$\} + B$$

Application — Pour l'application de ces formules :

1° la lettre A représente le total de la taxe payée par le particulier donné avant que sa demande de remboursement soit produite au ministre en vertu de l'article 370.12;

2° la lettre B représente la taxe prévue à l'article 16 qui, le cas échéant, est payée à l'égard du montant du remboursement auquel le particulier donné a droit à l'égard de la construction de l'immeuble d'habitation ou de sa rénovation majeure en vertu du paragraphe 2 de l'article 256 de la *Loi sur la taxe d'accise* (L.R.C. 1985, c. E-15);

3° la lettre C représente la juste valeur marchande visée au paragraphe 1° de l'article 370.9.

Restriction — Pour l'application du présent article, le montant obtenu en multipliant 36 % par la différence entre A et B ne peut excéder :

0.0.0.1° dans le cas où la totalité ou la presque totalité de la taxe a été payée au taux de 9,975 %, 7 182 $;

0.0.1° dans le cas où la totalité ou la presque totalité de la taxe a été payée au taux de 9,5 % alors que la taxe payable en vertu du paragraphe 1 de l'article 165 de la *Loi sur la taxe d'accise* a été payée au taux de 5 %, 7 059 $;

0.1° dans le cas où la totalité ou la presque totalité de la taxe a été payée au taux de 8,5 % alors que la taxe payable en vertu du para-

LTVQ (français)

graphe 1 de l'article 165 de la *Loi sur la taxe d'accise* a été payée au taux de 5 %, 6 316 $;

1° dans le cas où la totalité ou la presque totalité de la taxe a été payée alors que la taxe payable en vertu du paragraphe 1 de l'article 165 de la *Loi sur la taxe d'accise* a été payée au taux de 5 %, 5 573 $;

2° dans le cas où la totalité ou la presque totalité de la taxe a été payée alors que la taxe payable en vertu du paragraphe 1 de l'article 165 de la *Loi sur la taxe d'accise* a été payée au taux de 6 %, 5 607 $;

3° dans le cas où la totalité de la taxe a été payée au taux de 7,5 % alors que la taxe payable en vertu du paragraphe 1 de l'article 165 de la *Loi sur la taxe d'accise* a été payée au taux de 7 %, 5 642 $;

4° dans les autres cas, le montant déterminé selon la formule suivante :

(D × 69 $) + (E × 34 $) + (F × 743 $) + (G × 1 486 $) + (H × 1 609 $) + 5 573 $.

Interprétation — Pour l'application de la formule prévue au paragraphe 4° du troisième alinéa :

1° la lettre D représente le pourcentage qui correspond à la mesure dans laquelle la taxe a été payée alors que la taxe payable en vertu du paragraphe 1 de l'article 165 de la *Loi sur la taxe d'accise* a été payée au taux de 7 %;

2° la lettre E représente le pourcentage qui correspond à la mesure dans laquelle la taxe a été payée au taux de 7,5 % alors que la taxe payable en vertu du paragraphe 1 de l'article 165 de la *Loi sur la taxe d'accise* a été payée au taux de 6 %.

3° la lettre F représente le pourcentage qui correspond à la mesure dans laquelle la taxe a été payée au taux de 8,5 % alors que la taxe payable en vertu du paragraphe 1 de l'article 165 de la *Loi sur la taxe d'accise* a été payée au taux de 5 %.

4° la lettre G représente le pourcentage qui correspond à la mesure dans laquelle la taxe a été payée au taux de 9,5 % alors que la taxe payable en vertu du paragraphe 1 de l'article 165 de la *Loi sur la taxe d'accise* a été payée au taux de 5 %.

5° la lettre H représente le pourcentage qui correspond à la mesure dans laquelle la taxe a été payée au taux de 9,975 %.

Notes historiques: Le préambule du premier alinéa de l'article 370.10 a été modifié par L.Q. 2011, c. 1, par. 149(1) par l'insertion, après « Pour l'application de l'article 370.9, », de « sauf si l'article 370.10.1 s'applique, ». Cette modification s'applique à l'égard :

1° de la fourniture taxable effectuée en vertu d'une convention écrite relative à la construction ou à la rénovation majeure d'un immeuble d'habitation à logement unique ou d'un logement en copropriété si la convention écrite est conclue après le 31 décembre 2010;

2° de la construction ou de la rénovation majeure d'un immeuble d'habitation à logement unique ou d'un logement en copropriété que le particulier donné réalise lui-même si le permis relatif à la construction ou à la rénovation majeure est délivré après le 31 décembre 2010.

Le préambule du premier alinéa de l'article 370.10 a été remplacé par L.Q. 1997, c. 85, s.-par. 657(1)(1°) et s'applique :

a) à l'égard de la fourniture taxable effectuée en vertu d'une convention écrite relative à la construction ou à la rénovation majeure d'un immeuble d'habitation à logement unique ou d'un logement en copropriété si la convention est conclue après le 31 décembre 1997;

b) à l'égard de l'acquisition d'un bien ou d'un service effectuée par un particulier dans le cadre de la construction ou de la rénovation majeure d'un immeuble d'habitation à logement unique ou d'un logement en copropriété qu'il réalise lui-même si cette acquisition a lieu après le 31 décembre 1997.

Antérieurement, le préambule se lisait ainsi :

370.10 Pour l'application de l'article 370.9, le remboursement auquel un particulier donné a droit à l'égard de la construction d'un immeuble d'habitation à logement unique ou de sa rénovation majeure est égal :

Le paragraphe 0.0.1° du troisième alinéa de l'article 370.10 a été ajouté par L.Q. 2011, c. 6, s.-al. 275(1)(1°)a) et s'applique à l'égard d'un remboursement relatif à un immeuble d'habitation pour lequel une demande est présentée au ministre du Revenu après le 31 décembre 2011.

Les paragraphes 1° et 2° du premier alinéa de l'article 370.10 ont été modifiés par L.Q. 2001, c. 51, art. 290(1)(1°) et (2°) par le remplacement de « 175 000 $ » par « 200 000 $ » et de « 200 000 $ », partout où cela se trouve, par « 225 000 $ ». Ces modifications s'appliquent à l'égard d'un immeuble d'habitation à logement unique ou d'un logement en copropriété dont le permis relatif à la construction ou à la rénovation majeure est délivré après le 14 mars 2000.

Le paragraphe 0.1° du troisième alinéa de l'article 370.10 a été ajouté par L.Q. 2010, c. 5, s.-par. 237(1)(1°)(a) et s'applique à l'égard d'un remboursement relatif à un immeuble d'habitation pour lequel une demande est produite au ministre du Revenu après le 31 décembre 2010.

Les paragraphes 1° à 3° du troisième alinéa de l'article 370.10 ont été modifiés par L.Q. 2010, c. 5, s.-par. 237(1)(1°)(b) par l'insertion, après les mots « totalité de la taxe a été payée », de « au taux de 7,5 % ». Cette modification s'applique à l'égard d'un remboursement relatif à un immeuble d'habitation pour lequel une demande est produite au ministre du Revenu après le 31 décembre 2010.

Le paragraphe 2° du deuxième alinéa de l'article 370.10 a été remplacé par L.Q. 2012, c. 28, s.-par. 129(1)(1°) et cette modification a effet à compter du 1er janvier 2013. Antérieurement, il se lisait ainsi :

2° la lettre B représente la taxe prévue à l'article 16 payée à l'égard du montant du remboursement auquel le particulier donné a droit à l'égard de la construction de l'immeuble d'habitation ou de sa rénovation majeure en vertu du paragraphe 2 de l'article 256 de la *Loi sur la taxe d'accise* (Lois révisées du Canada (1985), chapitre E-15);

Le paragraphe 0.0.1° du troisième alinéa de l'article 370.10 a été ajouté par L.Q. 2012, c. 28, s.-par. 129(1)(2°) et a effet à compter du 1er janvier 2013.

La formule du paragraphe 4° du troisième alinéa de l'article 370.10 a été remplacée par L.Q. 2012, c. 28, s.-par. 129(1)(3°) et cette modification a effet à compter du 1er janvier 2013. Antérieurement, elle se lisait ainsi :

(D × 69 $) + (E × 34 $) + (F × 743 $) + (G × 1 486 $) + 5 573 $.

Le paragraphe 4° du troisième alinéa de l'article 370.10 a été remplacé par L.Q. 2011, c. 6, s.-al. 275(1)(1°)b) et cette modification s'applique à l'égard d'un remboursement relatif à un immeuble d'habitation pour lequel une demande est présentée au ministre du Revenu après le 31 décembre 2011. Antérieurement, il se lisait ainsi :

4° dans les autres cas, le montant déterminé selon la formule suivante :

(D × 69 $) + (E × 34 $) + (F × 743 $) + 5 573 $.

Le paragraphe 4° du troisième alinéa de l'article 370.10 a été remplacé par L.Q. 2010, c. 5, s.-par. 237(1)(1°)(c) et cette modification s'applique à l'égard d'un remboursement relatif à un immeuble d'habitation pour lequel une demande est produite au ministre du Revenu après le 31 décembre 2010. Antérieurement, il se lisait ainsi :

4° dans les autres cas, le montant déterminé selon la formule suivante :

(D × 69 $) + (E × 34 $) + 5 573 $.

Les troisième et quatrième alinéas de l'article 370.10 ont été remplacés par L.Q. 2009, c. 5, par. 645(1) et cette modification s'applique à un remboursement à l'égard d'un immeuble d'habitation pour lequel une demande est produite au ministre après le 31 décembre 2007. Antérieurement, ils se lisaient ainsi :

Pour l'application du présent article, le montant obtenu en multipliant 36 % par la différence entre A et B ne peut excéder :

1° dans le cas où la totalité ou la presque totalité de la taxe a été payée alors que la taxe payable en vertu de la partie IX de la *Loi sur la taxe d'accise* a été payée au taux de 6 %, 5 607 $;

2° dans le cas où la totalité de la taxe a été payée alors que la taxe payable en vertu de la partie IX de la *Loi sur la taxe d'accise* a été payée au taux de 7 %, 5 642 $;

3° dans les autres cas, le montant déterminé selon la formule suivante :

(D × 35 $) + 5 607 $.

Pour l'application de la formule prévue au paragraphe 3° du troisième alinéa, la lettre D représente le pourcentage qui correspond à la mesure dans laquelle la taxe a été payée alors que la taxe payable en vertu de la partie IX de la *Loi sur la taxe d'accise* a été payée au taux de 7 %.

Le troisième alinéa de l'article 370.10 a été modifié par L.Q. 2001, c. 51, art. 290(1)(3°) par le remplacement de « 4 937 $ » par « 5 642 $ » et cette modification s'applique à l'égard d'un immeuble d'habitation à logement unique ou d'un logement en copropriété dont le permis relatif à la construction ou à la rénovation majeure est délivré après le 14 mars.

Le troisième alinéa de l'article 370.10 a été remplacé par L.Q. 1997, c. 85, art. 657(1)(2°) et s'applique :

a) à l'égard de la fourniture taxable effectuée en vertu d'une convention écrite relative à la construction ou à la rénovation majeure d'un immeuble d'habitation à logement unique ou d'un logement en copropriété si la convention est conclue après le 31 décembre 1997;

b) à l'égard de l'acquisition d'un bien ou d'un service effectuée par un particulier dans le cadre de la construction ou de la rénovation majeure d'un immeuble d'habitation à logement unique ou d'un logement en copropriété qu'il réalise lui-même si cette acquisition a lieu après le 31 décembre 1997.

Antérieurement, le troisième alinéa se lisait ainsi :

> Pour l'application du présent article, le montant obtenu en multipliant 36 % par la différence entre A et B ne peut excéder 4 278 $.

Le troisième alinéa a été remplacé et le quatrième alinéa de l'article 370.10 a été ajouté par L.Q. 2007, c. 12, par. 332(1) et ces modifications s'appliquent à un remboursement à l'égard d'un immeuble d'habitation pour lequel une demande est produite au ministre après le 30 juin 2006. Antérieurement, le troisième alinéa se lisait ainsi :

> Pour l'application du présent article, le montant obtenu en multipliant 36 % par la différence entre A et B ne peut excéder :
>
> 1° dans le cas où la totalité ou la presque totalité de la taxe a été payée alors que la taxe payable en vertu de la partie IX de la *Loi sur la taxe d'accise* a été payée au taux de 6 %, 5 607 $;
>
> 2° dans le cas où la totalité de la taxe a été payée alors que la taxe payable en vertu de la partie IX de la *Loi sur la taxe d'accise* a été payée au taux de 7 %, 5 642 $;
>
> 3° dans les autres cas, le montant déterminé selon la formule suivante :
>
> $$(D \times 35\ \$) + 5\ 607\ \$.$$

Les paragraphes 1° et 2° du quatrième alinéa de l'article 370.10 ont été modifiés par L.Q. 2010, c. 5, s.-par. 237(1)(2°)(a) par l'insertion, après les mots « la taxe a été payée », de « au taux de 7,5 % ». Cette modification s'applique à l'égard d'un remboursement relatif à un immeuble d'habitation pour lequel une demande est produite au ministre du Revenu après le 31 décembre 2010.

Le paragraphe 3° du quatrième alinéa de l'article 370.10 a été ajouté par L.Q. 2010, c. 15, s.-par. 237(1)(2°)(b) et s'applique à l'égard d'un remboursement relatif à un immeuble d'habitation pour lequel une demande est produite au ministre du Revenu après le 31 décembre 2010.

Le paragraphe 4° du quatrième alinéa de l'article 370.10 a été ajouté par L.Q. 2011, c. 6, s.-par. 275(1)(2°) et s'applique à l'égard d'un remboursement relatif à un immeuble d'habitation pour lequel une demande est présentée au ministre du Revenu après le 31 décembre 2011.

Le paragraphe 5° du quatrième alinéa de l'article 370.10 a été ajouté par L.Q. 2012, c. 28, s.-par. 129(1)(4°) et a effet à compter du 1er janvier 2013.

L'article 370.10 a été ajouté par L.Q. 1995, c. 1, art 323(1) et s'applique :

> 1° à l'égard de la fourniture taxable effectuée en vertu d'une convention écrite relative à la construction ou à la rénovation majeure d'un immeuble d'habitation à logement unique si la convention est conclue apres le 12 mai 1994;
>
> 2° à l'égard de l'acquisition d'un bien ou d'un service effectuée par un particulier dans le cadre de la construction ou de la rénovation majeure d'un immeuble d'habitation à logement unique qu'il réalise lui-même si cette acquisition a lieu après le 12 mai 1994.

Notes explicatives ARQ (PL 5, L.Q. 2012, c. 28): *Résumé* :

L'article 370.10 est modifié afin de tenir compte du fait qu'à compter du 1er janvier 2013 la taxe sur les produits et services (TPS) est retirée de l'assiette de la taxe de vente du Québec (TVQ).

Situation actuelle :

Actuellement, l'article 370.10 détermine, sauf si l'article 370.10.1 s'applique, le montant du remboursement auquel un particulier a droit en vertu de l'article 370.9 de la LTVQ.

Modifications proposées :

À compter du 1er janvier 2013, la TPS est retirée de l'assiette de la TVQ et le taux de taxation de 9,5 % est porté à 9,975 %.

En conséquence, l'article 370.10 est modifié afin de déterminer le montant du remboursement auquel le particulier a droit en vertu de l'article 370.9 de la LTVQ dans le cas où ce dernier a payé la totalité ou une partie de la TVQ au taux de 9,975 %. Si la totalité ou la quasi totalité de la TVQ payée par le particulier est au taux de 9,975 %, le montant maximal du remboursement est de 7 182 $.

Notes explicatives ARQ (PL 5, L.Q. 2011, c. 6): *Résumé* :

L'article 370.10 est modifié de façon à ce qu'il soit tenu compte de la hausse du taux de la taxe de vente du Québec (TVQ) qui passe de 8,5 % à 9,5 %.

Situation actuelle :

L'article 370.10 prévoit les formules à utiliser pour déterminer le montant du remboursement auquel un particulier a droit en vertu de l'article 370.9 de la LTVQ dans le cas où ce dernier, lui-même ou par l'intermédiaire d'une personne qu'il engage, construit ou fait la rénovation majeure d'un immeuble d'habitation à logement unique ou d'un logement en copropriété en vue de l'utiliser à titre de résidence principale.

En vertu de l'article 370.10, le remboursement maximal pouvant être accordé à un particulier pour un immeuble d'habitation à logement unique ou un logement en copropriété est de 6 316 $.

Modifications proposées :

Afin de refléter la hausse du taux de la TVQ, des modifications sont apportées à l'article 370.10.

Une de ces modifications consiste à augmenter le remboursement maximal en le faisant passer de 6 316 $ à 7 059 $, dans le cas où la totalité ou la presque totalité de la TVQ a été payée au taux de 9,5 % alors que la taxe payable en vertu du paragraphe 1 de l'article 165 de la *Loi sur la taxe d'accise* (Lois révisées du Canada (1985), chapitre E-15) a été payée au taux de 5 %.

De plus, des modifications ont été apportées à la formule prévue au troisième alinéa de l'article 370.10 de sorte que, dans le cas où la TVQ n'a pas été payée en totalité ou en presque totalité au taux de 9,5 %, le remboursement maximal soit établi en proportion de la taxe payée au taux applicable.

Notes explicatives ARQ (PL 117, L.Q. 2011, c. 1): *Résumé* :

La modification apportée à l'article 370.10 fait suite à l'introduction du nouvel article 370.10.1 à la LTVQ. Ainsi, le montant du remboursement auquel le particulier a droit en vertu de l'article 370.9 sera déterminé conformément à l'article 370.10, sauf si le nouvel article 370.10.1 de la LTVQ s'applique.

Situation actuelle :

L'article 370.10 détermine le montant du remboursement auquel le particulier a droit en vertu de l'article 370.9 de la LTVQ.

Modifications proposées :

La modification apportée à l'article 370.10 fait suite à l'introduction du nouvel article 370.10.1 à la LTVQ. Ainsi, le montant du remboursement auquel le particulier a droit en vertu de l'article 370.9 de la LTVQ sera déterminé conformément à l'article 370.10 de la LTVQ, sauf si le nouvel article 370.10.1 de la LTVQ s'applique.

Notes explicatives ARQ (PL 64, L.Q. 2010, c. 5): *Résumé* :

L'article 370.10 est modifié de façon à ce qu'il soit tenu compte de la modification du taux de la taxe de vente du Québec qui passe de 7,5 % à 8,5 %.

Situation actuelle :

L'article 370.10 de la LTVQ prévoit les formules à utiliser pour déterminer le montant du remboursement auquel un particulier a droit en vertu de l'article 370.9 de la LTVQ dans le cas où ce dernier, lui-même ou par l'intermédiaire d'une personne qu'il engage, construit ou fait la rénovation majeure d'un immeuble d'habitation à logement unique ou d'un logement en copropriété en vue de l'utiliser à titre de résidence principale.

En vertu de l'article 370.10 de la LTVQ, le remboursement maximal pouvant être accordé à un particulier pour un immeuble d'habitation à logement unique ou un logement en copropriété est de 5 573 $.

Modifications proposées :

Afin de refléter la hausse du taux de la taxe de vente du Québec des modifications sont apportées à l'article 370.10 de la LTVQ.

Une de ces modifications consiste à augmenter le remboursement maximal en le faisant passer de 5 573 $ à 6 316 $, dans le cas où la totalité ou la presque totalité de la taxe de vente du Québec a été payée au taux de 8,5 % alors que la taxe payable en vertu du paragraphe 1 de l'article 165 de la *Loi sur la taxe d'accise* (Lois révisées du Canada (1985), chapitre E-15) a été payée au taux de 5 %.

De plus, des modifications ont été apportées à la formule prévue au troisième alinéa de l'article 370.10 de la LTVQ de sorte que dans le cas où la taxe de vente du Québec n'a pas été payée en totalité ou en presque totalité au taux de 8,5 %, le remboursement maximal variera en proportion du taux de taxe appliqué.

Enfin, d'autres modifications apportées à l'article 370.10 de la LTVQ visent à préciser que les remboursements maximaux de 5 573 $, 5 607 $ et 5 642 $ ont été établis alors que la taxe de vente du Québec payable était au taux de 7,5 %.

Notes explicatives ARQ (PL 2, L.Q. 2009, c. 5): *Résumé* :

L'article 370.10 est remplacé de façon à ce qu'il soit tenu compte de la modification du taux de la taxe prévue au paragraphe 1 de l'article 165 de la *Loi sur la taxe d'accise* (Lois révisées du Canada (1985), chapitre E-15 (LTA)) qui passe de 6 % à 5 %.

Situation actuelle :

L'article 370.10 de la LTVQ précise les formules à utiliser pour déterminer le montant du remboursement prévu à l'article 370.9 de la LTVQ à l'égard de la construction d'un immeuble d'habitation à logement unique ou d'un logement en copropriété ou de sa rénovation majeure. Les formules sont établies en fonction de la juste valeur marchande (JVM) de l'immeuble d'habitation sans tenir compte du montant de la taxe sur les produits et services (TPS) qui serait payée ou payable.

Dans le cas où la JVM de l'immeuble d'habitation est de 200 000 $ ou moins, le montant du remboursement représente la somme de 36 % de la taxe payable et de 7,5 % du remboursement auquel le particulier a droit en vertu du paragraphe 2 de l'article 256 de la LTA. Le remboursement maximal est de 5 607 $ dans le cas où au moment où la taxe de vente du Québec (TVQ) a été payée, la TPS était au taux de 6 %.

Le remboursement maximal peut également varier entre 5 607 $ et 5 642 $ dans le cas où au moment où la TVQ a été payée, la TPS était au taux de 7 %.

Le remboursement diminue progressivement dans le cas d'immeubles d'habitation dont la JVM se situe entre 200 000 $ et 225 000 $ et aucun remboursement n'est accordé pour les immeubles d'habitation dont la JVM est égale ou supérieure à 225 000 $.

Modifications proposées :

Une des modifications apportées à l'article 370.10 de la LTVQ consiste à diminuer le remboursement maximal en le faisant passer de 5 607 $ à 5 573 $ dans le cas où au moment où la TVQ a été payée, la TPS était au taux de 5 %.

Les autres modifications apportées visent à s'assurer que le montant du remboursement représente le pourcentage qui correspond à lamesure dans laquelle la TVQ a été payée alors que la TPS était au taux de 6 % ou de 7 %.

Notes explicatives ARQ (PL 2, L.Q. 2007, c. 12): *Résumé* :

L'article 370.10 est remplacé de façon à ce qu'il soit tenu compte de la modification du taux de la taxe prévue au paragraphe 1 de l'article 165 de la *Loi sur la taxe d'accise* (Lois révisées du Canada (1985), chapitre E-15) qui passe de 7 % à 6 %.

Situation actuelle :

L'article 370.10 précise les formules à utiliser pour déterminer le montant du remboursement prévu à l'article 370.9 de la LTVQ à l'égard de la construction d'un immeuble d'habitation à logement unique ou d'un logement en copropriété ou de sa rénovation majeure. Les formules sont établies en fonction de la juste valeur marchande (JVM) de l'immeuble d'habitation sans tenir compte du montant de la taxe sur les produits et services (TPS) qui serait payée ou payable.

Dans le cas où la JVM de l'immeuble d'habitation est de 200 000 $ ou moins, le montant du remboursement représente la somme de 36 % de la taxe payable et de 7,5 % du remboursement auquel le particulier a droit en vertu du paragraphe 2 de l'article 256 de a *Loi sur la taxe d'accise*. Le remboursement maximal étant établi à 5 642 $. Le remboursement diminue progressivement dans le cas d'immeubles d'habitation dont la JVM se situe entre 200 000 $ et 225 000 $, et aucun remboursement n'est accordé pour les immeubles d'habitation dont la JVM est égale ou supérieure à 225 000 $.

Modifications proposées :

Une des modifications apportées à l'article 370.10 consiste à diminuer le remboursement maximal en le faisant passer de 5 642 $ à 5 607 $ dans le cas où au moment où la taxe de vente du Québec (TVQ) a été payée, la taxe sur les produits et services (TPS) était au taux de 6 %.

Les autres modifications apportées visent à s'assurer que le montant du remboursement représente la mesure du pourcentage dans laquelle la TVQ a été payée alors que la TPS était au taux de 7 %.

Guides [art. 370.10]: IN-205 — Remboursement de la TVQ et de la TPS/TVH — Habitations neuves — Immeubles d'habitation locatifs neufs — Rénovations majeures; IN-261 — La TVQ, la TPS et les immeubles d'habitation (construction ou rénovation).

Définitions [art. 370.10]: « immeuble d'habitation à logement unique » — 1, 360.5; « particulier », « rénovation majeure » — 1.

Renvois [art. 370.10]: 15 (JVM); 362 (groupe de particuliers); 378.18 (restrictions au remboursement).

Jurisprudence [art. 370.10]: *Bédard c. Québec (Sous-ministre du Revenu)* (30 juin 2010), 200-32-047260-087, 2010 CarswellQue 8316; *Déry c. Québec (Sous-ministre du Revenu)* (20 mai 2005), 200-32-033889-030; *Leblond c. Québec (Sous-ministre du Revenu)* (3 décembre 2003), 755-32-004232-031, 2003 CarswellQue 3527; *Chicoine c. Québec (Sous-ministre du Revenu)* (2 juillet 2003), 200-32-028744-026, 2003 CarswellQue 3429; *Tremblay c. Québec (Sous-ministre du Revenu)* (13 mai 2003), 160-32-000082-029.

Formulaires [art. 370.10]: VD-370.89, Remboursement de TVQ pour un immeuble d'habitation locatif neuf.

Lettres d'interprétation [art. 370.10]: 97-0111795 — Remboursement pour habitation neuve; 01-0108413 — Syndicat de copropriété.

Concordance fédérale: LTA, par. 256(2).

COMMENTAIRES: Voir les commentaires sous l'article 370.13.

370.10.1 [Montant du remboursement] — Pour l'application de l'article 370.9, le remboursement auquel un particulier donné a droit à l'égard de la construction d'un immeuble d'habitation à logement unique ou d'un logement en copropriété ou de sa rénovation majeure est égal :

1º dans le cas où la juste valeur marchande visée au paragraphe 1° de l'article 370.9 est de 200 000 $ ou moins, au montant déterminé selon la formule suivante :

$$[50\ \% \times (A - B)] + B;$$

2º dans le cas où la juste valeur marchande visée au paragraphe 1° de l'article 370.9 est supérieure à 200 000 $ mais est inférieure à 300 000 $, au montant déterminé selon la formule suivante :

$$\{[50\ \% \times (A - B)] \times [(300\ 000\ \$ - C)/100\ 000\ \$]\} + B.$$

[Interprétation] — Pour l'application de ces formules :

1º la lettre A représente le total de la taxe payée par le particulier donné avant que sa demande de remboursement soit produite au ministre en vertu de l'article 370.12;

2º la lettre B représente la taxe prévue à l'article 16 qui, le cas échéant, est payée à l'égard du montant du remboursement auquel le particulier donné a droit à l'égard de la construction de l'immeuble d'habitation ou de sa rénovation majeure en vertu du paragraphe 2 de l'article 256 de la *Loi sur la taxe d'accise* (Lois révisées du Canada (1985), chapitre E-15);

3º la lettre C représente la juste valeur marchande visée au paragraphe 1° de l'article 370.9.

[Restriction] — Pour l'application du présent article, le montant obtenu en multipliant 50 % par la différence entre A et B ne peut excéder :

1º dans le cas où la totalité de la taxe a été payée au taux de 8,5 %, 8 772 $;

2º dans le cas où la totalité de la taxe a été payée au taux de 9,5 %, 9 804 $;

3º dans le cas où la totalité de la taxe a été payée au taux de 9,975 %, 9 975 $;

4º dans les autres cas, le montant déterminé selon la formule suivante :

$$(D \times 1\ 032\ \$) + (E \times 1\ 203\ \$) + 8\ 772\ \$.$$

[Interprétation] — Pour l'application de la formule prévue au paragraphe 4° du troisième alinéa :

1º la lettre D représente le pourcentage qui correspond à la mesure dans laquelle la taxe a été payée au taux de 9,5 %;

2º la lettre E représente le pourcentage qui correspond à la mesure dans laquelle la taxe a été payée au taux de 9,975 %.

[Application] — Le présent article s'applique à l'égard :

1º de la fourniture taxable effectuée en vertu d'une convention écrite relative à la construction ou à la rénovation majeure d'un immeuble d'habitation à logement unique ou d'un logement en copropriété si la convention écrite est conclue après le 31 décembre 2010;

2º de la construction ou de la rénovation majeure d'un immeuble d'habitation à logement unique ou d'un logement en copropriété que le particulier donné réalise lui-même si le permis relatif à la construction ou à la rénovation majeure est délivré après le 31 décembre 2010.

Notes historiques: Le paragraphe 2° du deuxième alinéa de l'article 370.10.1 a été remplacé par L.Q. 2012, c. 28, s.-par. 130(1)(1º) et cette modification a effet depuis le 6 juin 2011. Toutefois, lorsque l'article 370.10.1 s'applique avant le 1er janvier 2013, il doit se lire en supprimant, dans le paragraphe 2° du deuxième alinéa, « qui, le cas échéant, est ». Antérieurement, il se lisait ainsi :

> 2º la lettre B représente la taxe prévue à l'article 16 payée à l'égard du montant du remboursement auquel le particulier donné a droit à l' égard de la construction de l'immeuble d'habitation ou de sa rénovation majeure en vertu du paragraphe 2 de l'article 256 de la *Loi sur la taxe d'accise* (Lois révisées du Canada (1985), chapitre E-15);

Les paragraphes 1° et 2° du troisième alinéa de l'article 370.10.1 ont été remplacés par L.Q. 2012, c. 28, s.-par. 130(1)(2º) et cette modification a effet depuis le 6 juin 2011. Antérieurement, ils se lisaient ainsi :

> 1º dans le cas où la fourniture relative à la construction ou à la rénovation majeure de l'immeuble d'habitation à logement unique ou du logement en copropriété est effectuée au particulier donné en vertu d'une convention écrite :
>
> a) 8 772 $, si la convention est conclue avant le 1&sup-er; janvier 2012;
>
> b) 9 804 $, si la convention est conclue après le 31 décembre 2011;
>
> 2º dans le cas où le particulier donné réalise lui-même la construction ou la rénovation majeure de l'immeuble d'habitation à logement unique ou du logement en copropriété et qu'il acquiert des biens ou des services dans un tel cadre :
>
> a) 8 772 $, si l'acquisition de biens ou de services a lieu en totalité avant le 1&sup-er; janvier 2012;
>
> b) 9 804 $, si l'acquisition de biens ou de services a lieu en totalité après le 31 décembre 2011;
>
> c) le montant déterminé selon la formule suivante, dans les autres cas :

(D × 1 032 $) + 8 772 $.

Les paragraphes 3° et 4° du troisième alinéa de l'article 370.10.1 ont été ajoutés par L.Q. 2012, c. 28, s.-par. 130(1)(3°) et ont effet depuis le 6 juin 2011. Toutefois, lorsque l'article 370.10.1 s'applique avant le 1er janvier 2013, il doit se lire :

1° en y supprimant le paragraphe 3° du troisième alinéa;

2° en y remplaçant la formule prévue au paragraphe 4° du troisième alinéa par la suivante :

(D × 1 032 $) + 8 772 $

Le troisième alinéa de l'article 370.10.1 a été remplacé par L.Q. 2011, c. 6, par. 276(1°) et cette modification est entrée en vigueur le 6 juin 2011. Antérieurement, il se lisait ainsi :

> Pour l'application du présent article, le montant obtenu en multipliant 50 % par la différence entre A et B ne peut excéder 8 772 $.

Le quatrième alinéa de l'article 370.10.1 a été remplacé par L.Q. 2012, c. 28, s.-par. 130(1)(4°) et cette modification a effet depuis le 6 juin 2011. Toutefois, lorsque l'article 370.10.1 s'applique avant le 1er janvier 2013, il doit se lire en y remplaçant le quatrième alinéa par le suivant :

> Pour l'application de la formule prévue au paragraphe 4° du troisième alinéa, la lettre D représente le pourcentage qui correspond à la mesure dans laquelle la taxe a été payée au taux de 9,5 %.

Antérieurement, il se lisait ainsi :

> Pour l'application de la formule prévue au sous-paragraphe c) du paragraphe 2° du troisième alinéa, la lettre D représente le pourcentage qui correspond à la mesure dans laquelle la taxe a été payée au taux de 9,5 %.

Le quatrième alinéa de l'article 370.10.1 a été ajouté par L.Q. 2011, c. 6, par. 276(2°) et est entrée en vigueur le 6 juin 2011.

L'article 370.10.1 a été ajouté par L.Q. 2011, c. 1, art. 150 et est réputée être entré en vigueur le 17 février 2011.

Notes explicatives ARQ (PL 5, L.Q. 2012, c. 28): *Résumé* :

L'article 370.10.1 est modifié afin de tenir compte du fait qu'à compter du 1er janvier 2013 la taxe sur les produits et services (TPS) est retirée de l'assiette de la taxe de vente du Québec (TVQ).

Situation actuelle :

Actuellement, l'article 370.10.1 détermine le montant du remboursement auquel un particulier a droit en vertu de l'article 370.9 de la LTVQ lorsque la convention écrite relative à la construction ou à la rénovation majeure de l'immeuble d'habitation à logement unique ou du logement en copropriété a été conclue après le 31 décembre 2010 ou lorsque le permis relatif à la construction ou à la rénovation majeure a été délivré après le 31 décembre 2010, et ce, dans le cas où particulier réalise lui-même la construction ou la rénovation majeure de l'immeuble d'habitation.

Modifications proposées :

À compter du 1er janvier 2013, la TPS est retirée de l'assiette de la TVQ et le taux de taxation de 9,5 % est porté à 9,975 %.

En conséquence, l'article 370.10.1 est modifié afin de déterminer le montant du remboursement auquel un particulier a droit en vertu de l'article 370.9 de la LTVQ dans le cas où ce dernier a payé la totalité ou une partie de la TVQ au taux de 9,975 %. Si c'est la totalité de la TVQ payée par le particulier qui est au taux de 9,975 %, le montant maximal du remboursement est de 9 975 $.

Notes explicatives ARQ (PL 5, L.Q. 2011, c. 6): *Résumé* :

L'article 370.10.1 est modifié de façon à ce qu'il soit tenu compte de la hausse du taux de la taxe de vente du Québec (TVQ) qui passe de 8,5 % à 9,5 %.

Situation actuelle :

L'article 370.10.1 prévoit les formules à utiliser pour déterminer le montant du remboursement auquel un particulier donné a droit en vertu de l'article 370.9 de la LTVQ dans le cas où ce dernier, lui-même ou par l'intermédiaire d'une personne qu'il engage, construit ou fait la rénovation majeure d'un immeuble d'habitation à logement unique ou d'un logement en copropriété en vue de l'utiliser à titre de résidence principale.

En vertu de cet article, le remboursement maximal pouvant être accordé à un particulier donné pour un immeuble d'habitation à logement unique ou un logement en copropriété est de 8 772 $.

De plus, cet article n'est applicable que si la fourniture taxable relative à la construction ou à la rénovation majeure de l'immeuble d'habitation ou du logement en copropriété est effectuée en vertu d'une convention écrite conclue après le 31 décembre 2010 ou si le permis relatif à la construction ou à la rénovation majeure, dans le cas où le particulier réalise lui-même la construction ou la rénovation majeure de l'immeuble ou du logement, est délivré après cette date.

Modifications proposées :

Afin de refléter la hausse du taux de la TVQ, des modifications sont apportées à l'article 370.10.1.

Une de ces modifications consiste à augmenter le remboursement maximal à 9 804 $ dans le cas où la fourniture taxable relative à la construction ou à la rénovation majeure de l'immeuble ou du logement est effectuée en vertu d'une convention écrite conclue après le 31 décembre 2011 ou dans le cas où l'acquisition de biens ou de services, par un particulier donné dans le cadre de la construction ou de la rénovation majeure de l'immeuble ou du logement qu'il réalise lui-même, a lieu après cette date.

De plus, des modifications ont été apportées afin de faire en sorte que, dans le cas où la TVQ n'a pas été payée en totalité au taux de 9,5 %, c'est-à-dire lorsque l'acquisition de biens ou de services par un particulier donné dans le cadre de la construction ou de la rénovation majeure de l'immeuble ou du logement n'a pas eu lieu en totalité après le 31 décembre 2011, le remboursement maximal soit établi en proportion de la taxe payée au taux de 9,5 %.

Notes explicatives ARQ (PL 117, L.Q. 2011, c. 1): *Résumé* :

Le nouvel article 370.10.1 est introduit de façon à ce qu'il soit tenu compte du nouveau taux du remboursement ainsi que du nouveau plafond établi pour les fins du calcul du remboursement pour habitations neuves prévu à l'article 370.9 de la LTVQ.

Contexte :

Considérant d'une part, la hausse du taux de la taxe de vente du Québec à 8,5 % à compter du 1er janvier 2011 et, d'autre part, l'évolution du marché résidentiel au cours des dernières années, des modifications sont apportées au remboursement pour habitations neuves. Ainsi, l'article 370.10.1 est introduit à la LTVQ afin de tenir compte du nouveau taux du remboursement ainsi que du nouveau plafond à partir duquel plus aucun remboursement n'est accordé, et ce, pour les fins du calcul du remboursement pour habitations neuves prévu à l'article 370.9 de la LTVQ.

Modifications proposées :

L'article 370.10.1 est introduit de sorte que, pour les fins du calcul du remboursement pour habitation neuve prévu à l'article 370.9 de la LTVQ, le taux du remboursement est désormais établi à 50 % et la juste valeur marchande d'un immeuble d'habitation ou d'un logement en copropriété à partir de laquelle plus aucun remboursement n'est accordé est portée à 300 000 $. Ainsi, le remboursement maximal pouvant être obtenu est de 8 772 $.

Concordance fédérale: LTA, par. 256(2).

COMMENTAIRES: Voir les commentaires sous l'article 370.13.

370.11 Maison mobile — présomption

370.11 Maison mobile — présomption — Pour l'application de l'article 370.9, un particulier donné est réputé avoir construit une maison mobile ou une maison flottante et en avoir presque achevé la construction immédiatement avant le premier des moments visés au paragraphe 3° si, à la fois :

1° le particulier donné apporte au Québec ou reçoit la fourniture par vente de la maison mobile ou de la maison flottante qui n'a jamais été utilisée ou occupée par tout particulier à titre de résidence ou d'hébergement et il ne produit pas au ministre, ou ne soumet pas au fournisseur, une demande de remboursement à l'égard de la maison en vertu des sous-sections II ou II.1;

2° le particulier donné acquiert, ou apporte au Québec, la maison mobile ou la maison flottante pour l'utiliser à titre de résidence principale pour lui-même, un particulier qui lui est lié ou un ex-conjoint du particulier donné;

3° soit le premier particulier à occuper la maison mobile ou la maison flottante à un moment quelconque est le particulier donné, un particulier qui lui est lié ou un ex-conjoint du particulier donné, soit le particulier donné transfère à un moment quelconque la propriété de la maison en vertu d'une convention relative à la fourniture exonérée de la maison par vente.

Apport au Québec de la maison mobile ou flottante — Dans le cas d'une maison mobile ou d'une maison flottante apportée au Québec par le particulier, l'occupation ou l'utilisation de la maison hors du Québec est réputée ne pas constituer une occupation ou une utilisation de la maison.

Notes historiques: L'article 370.11 a été remplacé par L.Q. 1997, c. 85, art. 658(1) et a effet depuis le 1er avril 1997. Antérieurement, il se lisait ainsi :

> 370.11 Pour l'application de l'article 370.9, un particulier donné est réputé avoir construit une maison mobile et en avoir presque achevé la construction immédiatement avant le premier des moments visés au paragraphe 3° si, à la fois :
>
> 1° le particulier donné reçoit la fourniture par vente de la maison mobile qui n'a jamais été utilisée ou occupée par tout particulier à titre de résidence ou d'hébergement et il ne produit pas au ministre, ou ne soumet pas au fournisseur, une demande de remboursement à l'égard de la maison en vertu des sous-sections II ou II.1;
>
> 2° le particulier donné acquiert la maison mobile pour l'utiliser à titre de résidence principale pour lui-même, un particulier qui lui est lié ou un ex-conjoint du particulier donné;

3° soit le premier particulier à occuper la maison mobile à un moment quelconque est le particulier donné, un particulier qui lui est lié ou un ex-conjoint du particulier donné, soit le particulier donné transfère à un moment quelconque la propriété de la maison en vertu d'une convention relative à la fourniture exonérée de la maison par vente.

L'article 370.11 a été ajouté par L.Q. 1995, c. 1, art 323(1) et s'applique :

1° à l'égard de la fourniture taxable effectuée en vertu d'une convention écrite relative à la construction ou à la rénovation majeure d'un immeuble d'habitation à logement unique si la convention est conclue apres le 12 mai 1994;

2° à l'égard de l'acquisition d'un bien ou d'un service effectuée par un particulier dans le cadre de la construction ou de la rénovation majeure d'un immeuble d'habitation à logement unique qu'il réalise lui-même si cette acquisition a lieu après le 12 mai 1994.

Guides: IN-261 — La TVQ, la TPS et les immeubles d'habitation (construction ou rénovation).

Définitions [art. 370.11]: « fournisseur », « fourniture », « fourniture exonérée », « maison mobile », « particulier », « vente » — 1.

Renvois [art. 370.11]: 362 (groupe de particuliers); 378.18 (restrictions au remboursement).

Concordance fédérale: LTA, par. 256(2.1), 256(2.2).

COMMENTAIRES: Voir les commentaires sous l'article 370.13.

370.12 Délai de la demande — Un particulier a droit au remboursement prévu à l'article 370.9 à l'égard d'un immeuble d'habitation seulement s'il produit une demande de remboursement au plus tard :

1° le jour qui suit de deux ans le premier en date des jours suivants :

a) le jour qui suit de deux ans le jour où l'immeuble d'habitation est occupé pour la première fois de la manière prévue au sous-paragraphe a du paragraphe 3° de l'article 370.9;

b) le jour où la propriété de celui-ci est transférée, selon le sous-paragraphe b du paragraphe 3° de l'article 370.9;

c) le jour où la construction ou la rénovation majeure de l'immeuble d'habitation est presque achevée;

2° tout autre jour après celui prévu au paragraphe 1° et que le ministre détermine.

Notes historiques: Le paragraphe 1° de l'article 370.12 a été remplacé par L.Q. 1997, c. 85, art. 659(1)(1°) et a effet à l'égard d'un remboursement relatif à un immeuble d'habitation pour lequel une demande est produite au ministre du Revenu après le 22 avril 1996, sauf si, selon le cas :

a) l'immeuble a été occupé à titre résidentiel ou d'hébergement entre le début de sa construction ou des rénovations majeures dont il fait l'objet et le 23 avril 1996;

b) la construction ou les rénovations majeures de l'immeuble étaient presque achevées avant le 23 avril 1996;

c) la personne qui effectue la demande a transféré la propriété de l'immeuble avant le 23 avril 1996 à l'acquéreur d'une fourniture par vente de l'immeuble.

Antérieurement, le paragraphe 1° se lisait ainsi :

1° le jour où l'immeuble d'habitation est occupé pour la première fois ou le jour où la propriété de celui-ci est transférée, selon le paragraphe 3° de l'article 370.9;

Le paragraphe 1.1° de l'article 370.12 a été ajouté par L.Q. 1997, c. 85, art. 659(1)(2°) et a effet à l'égard d'un remboursement relatif à un immeuble d'habitation pour lequel une demande est produite au ministre du Revenu après le 22 avril 1996, sauf si, selon le cas :

a) l'immeuble a été occupé à titre résidentiel ou d'hébergement entre le début de sa construction ou des rénovations majeures dont il fait l'objet et le 23 avril 1996;

b) la construction ou les rénovations majeures de l'immeuble étaient presque achevées avant le 23 avril 1996;

c) la personne qui effectue la demande a transféré la propriété de l'immeuble avant le 23 avril 1996 à l'acquéreur d'une fourniture par vente de l'immeuble.

L'article 370.12 a été remplacé par L.Q. 2009, c. 5, par. 646(1) et cette modification a effet depuis le 20 décembre 2002. Antérieurement, il se lisait ainsi :

370.12 Un particulier a droit au remboursement prévu à l'article 370.9 à l'égard d'un immeuble d'habitation seulement s'il produit une demande de remboursement dans les deux ans suivant le premier en date des jours suivants :

1° le jour qui tombe deux ans après le jour où l'immeuble d'habitation est occupé pour la première fois, selon le sous-paragraphe a) du paragraphe 3° de l'article 370.9;

1.1° le jour où la propriété de celui-ci est transférée, selon le sous-paragraphe b) du paragraphe 3° de l'article 370.9;

2° le jour où la construction ou la rénovation majeure de l'immeuble d'habitation est presque achevée.

L'article 370.12 a été ajouté par L.Q. 1995, c. 1, art 323(1) et s'applique :

1° à l'égard de la fourniture taxable effectuée en vertu d'une convention écrite relative à la construction ou à la rénovation majeure d'un immeuble d'habitation à logement unique si la convention est conclue apres le 12 mai 1994;

2° à l'égard de l'acquisition d'un bien ou d'un service effectuée par un particulier dans le cadre de la construction ou de la rénovation majeure d'un immeuble d'habitation à logement unique qu'il réalise lui-même si cette acquisition a lieu après le 12 mai 1994.

Notes explicatives ARQ (PL 2, L.Q. 2009, c. 5): *Résumé* :

La modification apportée à l'article 370.12 vise à permettre au ministre du Revenu d'accepter la demande de remboursement visant une habitation construite par le propriétaire-constructeur après l'expiration du délai imparti.

Situation actuelle :

Actuellement, l'article 370.12 de la LTVQ prévoit le délai prescrit pour produire une demande de remboursement en vertu de l'article 370.9 de la LTVQ.

Modifications proposées :

La modification apportée à l'article 370.12 consiste à permettre au ministre du Revenu d'accepter la demande de remboursement visant une habitation construite par le propriétaire-constructeur après l'expiration du délai prévu à cet article. On reconnaît ainsi qu'il peut y avoir des circonstances exceptionnelles empêchant le propriétaire-constructeur de produire sa demande dans le délai imparti.

Guides: IN-261 — La TVQ, la TPS et les immeubles d'habitation (construction ou rénovation).

Définitions [art. 370.12]: « immeuble d'habitation », « particulier », « rénovation majeure » — 1.

Renvois [art. 370.12]: 360.5 (immeuble d'habitation à logement unique); 362 (groupe de particuliers); 370.10 (application de l'article 370.9); 378.18 (restrictions au remboursement); 7R78.2.1, 7R78.14.1 RAF (signature des documents par certains fonctionnaires) .

Jurisprudence [art. 370.12]: *Lafontaine c. Québec (Sous-ministre du Revenu)* (14 novembre 2006), 410-32-003236-050, 2006 CarswellQue 13117; *Bruguier c. Québec (Sous-ministre du Revenu)* (3 décembre 2003), 755-32-004158-038, 2003 CarswellQue 3528; *Bouchard c. Québec (Sous-ministre du Revenu)* (4 juin 2002), 150-32-003254-006, 2002 CarswellQue 2125.

Bulletins d'interprétation [art. 370.12]: TVQ. 362.2-1/R2 — Remboursement pour habitations neuves à l'égard d'un duplex.

Lettres d'interprétation [art. 370.12]: 99-0108003 — Interprétation en TPS et en TVQ — Rénovations majeures.

Concordance fédérale: LTA, par. 256(3).

COMMENTAIRES: Voir les commentaires sous l'article 370.13.

370.13 Remboursement de la taxe payée à l'égard d'un remboursement de la taxe sur les produits et services — Le particulier qui n'a pas droit au remboursement visé à l'article 370.9 à l'égard de la construction d'un immeuble d'habitation ou de sa rénovation majeure en raison du fait que la juste valeur marchande de l'immeuble d'habitation est supérieure ou égale à la limite visée au paragraphe 1° de l'article 370.9, mais qui a droit à un remboursement en vertu du paragraphe 2 de l'article 256 de la *Loi sur la taxe d'accise* (L.R.C. 1985, c. E-15) à l'égard de la construction de l'immeuble d'habitation ou de sa rénovation majeure, a droit au remboursement de la taxe prévue à l'article 16 qui, le cas échéant, a été payée à l'égard du montant du remboursement auquel le particulier a droit à l'égard de la construction de l'immeuble d'habitation ou de sa rénovation majeure en vertu de ce paragraphe 2.

Notes historiques: L'article 370.13 a été remplacé par L.Q. 2012, c. 28, par. 131(1) et cette modification a effet à compter du 1er janvier 2011. Toutefois, lorsque l'article 370.13 s'applique avant le 1er janvier 2013, il doit se lire en y supprimant « qui, le cas échéant, a été ». Antérieurement, il se lisait ainsi :

370.13 Le particulier qui n'a pas droit au remboursement visé à l'article 370.9 à l'égard de la construction d'un immeuble d'habitation ou de sa rénovation majeure parce que la juste valeur marchande visée au paragraphe 1° de l'article 370.9 est de 300 000 $ ou plus, mais qui a droit à un remboursement en vertu du paragraphe 2 de l'article 256 de la *Loi sur la taxe d'accise* (L.R.C. 1985, c. E-15) à l'égard de la construction de l'immeuble d'habitation ou de sa rénovation majeure, a droit au remboursement de la taxe prévue à l'article 16 payée sur le montant du remboursement auquel le particulier a droit à l'égard de la construction de l'immeuble d'habitation ou de sa rénovation majeure en vertu de ce paragraphe 2.

L'article 370.13 a été modifié par L.Q. 2011, c. 1, par. 151(1) par le remplacement de « 225 000 $ » par « 300 000 $ ». Cette modification s'applique à l'égard :

1° de la fourniture taxable effectuée en vertu d'une convention écrite relative à la construction ou à la rénovation majeure d'un immeuble d'habitation à logement unique ou d'un logement en copropriété si la convention écrite est conclue après le 31 décembre 2010;

2° de la construction ou de la rénovation majeure d'un immeuble d'habitation à logement unique ou d'un logement en copropriété que le particulier donné réalise lui-même si le permis relatif à la construction ou à la rénovation majeure est délivré après le 31 décembre 2010.

L'article 370.13 a été modifié par L.Q. 2001, c. 51, art. 291 par le remplacement de « 200 000 $ » par « 225 000 $ » et par la suppression, après les mots « la construction d'un immeuble d'habitation », des mots « à logement unique ». Ces modifications s'appliquent :

1° lorsqu'il remplace « 200 000 $ » par « 225 000 $ », à l'égard d'un immeuble d'habitation à logement unique ou d'un logement en copropriété dont le permis relatif à la construction ou à la rénovation majeure est délivré après le 14 mars 2000;

2° lorsqu'il supprime les mots « à logement unique », à l'égard d'un remboursement relatif à un immeuble d'habitation pour lequel une demande est produite au ministre du Revenu après le 22 avril 1996, sauf si, selon le cas :

a) l'immeuble a été occupé à titre résidentiel ou d'hébergement entre le début de sa construction ou des rénovations majeures dont il a fait l'objet et le 23 avril 1996;

b) la construction ou les rénovations majeures de l'immeuble étaient presque achevées avant le 23 avril 1996;

c) la personne qui effectue la demande a transféré la propriété de l'immeuble avant le 23 avril 1996 à l'acquéreur d'une fourniture par vente d'immeuble.

L'article 370.13 a été ajouté par L.Q. 1995, c. 1, art 323(1) et s'applique :

1° à l'égard de la fourniture taxable effectuée en vertu d'une convention écrite relative à la construction ou à la rénovation majeure d'un immeuble d'habitation à logement unique si la convention est conclue après le 12 mai 1994;

2° à l'égard de l'acquisition d'un bien ou d'un service effectuée par un particulier dans le cadre de la construction ou de la rénovation majeure d'un immeuble d'habitation à logement unique qu'il réalise lui-même si cette acquisition a lieu après le 12 mai 1994.

Notes explicatives ARQ (PL 5, L.Q. 2012, c. 28): *Résumé* :

L'article 370.13 est modifié en raison du fait qu'à compter du 1er janvier 2013 la taxe sur les produits et services (TPS) est retirée de l'assiette de la taxe de vente du Québec (TVQ).

Situation actuelle :

L'article 370.13 prévoit que lorsqu'un particulier n'a pas droit au remboursement prévu à l'article 370.9 de la LTVQ parce que la juste valeur marchande de l'immeuble d'habitation à logement unique qu'il a construit ou dont il a fait une rénovation majeure est de 300 000 $ ou plus, et qui, par ailleurs, a droit à un remboursement à l'égard de l'immeuble d'habitation en vertu de l'article 256 de la *Loi sur la taxe d'accise* (Lois révisées du Canada (1985), chapitre E-15), ce particulier a droit au remboursement de la TVQ qu'il a payée sur le montant de la TPS qui lui est ainsi remboursé.

L'article 370.13 a été modifié par l'article 151 du chapitre 1 des lois de 2011 afin d'y remplacer le montant de 225 000 $ par 300 000 $. Cette modification a été effectuée en concordance avec celle apportée à l'article 370.9 de la LTVQ alors que la juste valeur marchande de 225 000 $ prévu à cet article a été portée à 300 000 $ dans le cas où une convention écrite est conclue après le 31 décembre 2010 ou un permis relatif à la construction est délivré après cette date. De même, l'article 370.10.1 de la LTVQ a été introduit dans la LTVQ afin de déterminer le remboursement prévu à cet article 370.9 lorsque la juste valeur marchande de l'immeuble est inférieure à 300 000 $.

Ainsi, dans sa version antérieure, l'article 370.13 prévoit le remboursement de la TVQ payée sur le montant de la TPS remboursé lorsque le remboursement visé à l'article 370.9 de la LTVQ ne peut être accordé parce que la juste valeur marchande de l'immeuble est de 225 000 $ ou plus.

Modifications proposées :

À compter du 1er janvier 2013, la TPS est retirée de l'assiette de la TVQ et le taux de taxation de 9,5 %est porté à 9,975 %. L'article 370.13 de la LTVQ est donc modifié afin de mettre en évidence que la taxe prévue à l'article 16 de la LTVQ doit avoir été payée à l'égard du montant de la TPS remboursé pour que le remboursement prévu à l'article 370.13 de la LTVQ soit accordé.

Notes explicatives ARQ (PL 117, L.Q. 2011, c. 1): *Résumé* :

L'article 370.13 est modifié afin de remplacer le montant de 225 000 $ par le montant de 300 000 $, soit la nouvelle valeur à partir de laquelle plus aucun remboursement n'est accordé.

Situation actuelle :

L'article 370.13 prévoit que lorsqu'un particulier n'a pas droit au remboursement prévu à l'article 370.9 de la LTVQ parce que la juste valeur marchande de l'immeuble d'habitation à logement unique qu'il a construit ou dont il a fait une rénovation majeure est de 225 000 $ ou plus, et qui, par ailleurs, a droit à un remboursement à l'égard de l'immeuble d'habitation en vertu de l'article 256 de la *Loi sur la taxe d'accise* (Lois révisées du Canada (1985), chapitre E-15), ce particulier a droit au remboursement de la taxe de vente du Québec qu'il a payée sur le montant de la taxe sur les produits et services qui lui est ainsi remboursé.

Modifications proposées :

La modification apportée à l'article 370.13 vise à remplacer le montant de 225 000 $ par le montant de 300 000 $, soit la nouvelle valeur à partir de laquelle plus aucun remboursement n'est accordé.

Cette modification s'applique lorsque la convention écrite relative à la construction ou à la rénovation majeure de l'immeuble d'habitation à logement unique ou du logement en copropriété est conclue après le 31 décembre 2010 ou lorsque le permis relatif à la construction ou à la rénovation majeure, dans le cas où le particulier réalise lui-même la construction ou la rénovation majeure de l'immeuble ou du logement, est délivré après cette date.

Guides [art. 370.13]: IN-205 — Remboursement de la TVQ et de la TPS/TVH — Habitations neuves — Immeubles d'habitation locatifs neufs — Rénovations majeures; IN-261 — La TVQ, la TPS et les immeubles d'habitation (construction ou rénovation).

Définitions [art. 370.13]: « immeuble d'habitation à logement unique », « particulier », « rénovation majeure » — 1.

Renvois [art. 370.13]: 360.5 (immeuble d'habitation à logement unique); 362 (groupe de particuliers); 370.10 (application de l'article 370.9).

Jurisprudence [art. 370.13]: *Bédard c. Québec (Sous-ministre du Revenu)* (30 juin 2010), 200-32-047260-087, 2010 CarswellQue 8316; *Tremblay c. Québec (Sous-ministre du Revenu)* (13 mai 2003), 160-32-000082-029.

Concordance fédérale: aucune.

COMMENTAIRES: Les articles 370.9 à 370.13 LTVQ servent à permettre à un particulier de demander un remboursement lorsqu'il procède lui-même ou par l'entremise d'un entrepreneur à la construction ou à la rénovation majeure d'un immeuble d'habitation à logement unique.

Le paragraphe 1 de l'article 370.9 énonce que la juste valeur marchande est calculée au moment où la construction ou la rénovation majeure est presque achevée. Nous vous invitons à consulter nos commentaires sous les articles 378.4 à 378.19 pour une discussion détaillée de la problématique entourant l'expression « presque achevé ».

Dans l'affaire *Bruguier c. Québec (Sous-ministre)*, 2003 CarswellQue 3528 (C.Q.), la Cour du Québec a conclu que la personne qui a entrepris et complété des rénovations majeures consistant à l'érection d'un deuxième étage à sa résidence constituait des rénovations majeures et a donc permis le remboursement prévu à l'article 370.9.

L'une des conditions prévues au paragraphe 2 de l'article 370.9 est que la taxe doit avoir été payée par un particulier, c'est-à-dire une personne physique.

Revenu Québec a analysé une situation où les documents qui avaient été transmis démontraient que les paiements remis à l'entrepreneur pour les travaux et les taxes applicables avaient été effectués par le syndicat des copropriétaires. Or, en vertu du *Code civil du Québec*, un syndicat de copropriétaires est une personne morale. De plus, en l'espèce, Revenu Québec est d'avis que le syndicat de copropriétaires n'a pas payé la TVQ à titre de mandataire de ceux-ci. Par conséquent, le syndicat n'a pas droit au remboursement pour habitation neuve prévu par l'article 370.9. De plus, comme les copropriétaires n'ont pas payé eux-mêmes la TVQ, ils ne peuvent avoir droit à ce remboursement. Voir à cet effet : Revenu Québec, Lettre d'interprétation 01-0108413 — *Syndicat de copropriété* (17 janvier 2002).

À la lecture du paragraphe 3 de l'article 370.9, le premier particulier à occuper l'immeuble d'habitation après le début des travaux doit être le particulier qui l'a construit ou rénové ou son proche et celui-ci doit occuper l'immeuble à titre de résidence habituelle. Autrement dit, le particulier ou son proche ne peut occuper l'immeuble d'habitation à d'autres fins entre le début des travaux et le moment où il occupera l'immeuble à titre de résidence habituelle. En l'espèce, puisque le particulier a occupé l'immeuble d'habitation à titre de résidence secondaire après le début des travaux, Revenu Québec a conclu qu'il n'a pas droit au remboursement pour habitations neuves à l'égard de cet immeuble. Voir à cet effet : Revenu Québec, Lettre d'interprétation, 96-0112100 — *Remboursement pour habitations neuves* (9 décembre 1996).

La Cour du Québec, dans l'affaire *Lavoie c. Québec (Sous-ministre)*, 2011 QCCQ 13056 devait déterminer si la personne qui avait construit l'immeuble d'habitation l'avait utilisé à titre de résidence principale. Dans cette situation, le tribunal a indiqué que le retard du service postal ou téléphonique dans le cadre du transfert vers la nouvelle résidence ne pouvait faire échec à la demande de remboursement de la personne.

Il est utile de rappeler que la Cour du Québec, dans l'affaire *Godin Renaud c. Québec (Sous-ministre du Revenu)*, 2011 QCCQ 2365 (C.Q.) a indiqué que l'expression « résidence principale » était identique à l'expression « résidence habituelle » qui se retrouve dans la *Loi sur la taxe d'accise (TPS)*.

L'article 370.12 est un délai de rigueur et il n'est pas possible d'invoquer l'impossibilité d'agir pour justifier une production tardive. Voir notamment à cet effet : *Bouchard c. Québec (Sous-ministre)*, 2002 CarswellQue 2125 et *Bruguier c. Québec (Sous-ministre)*, 2003 CarswellQue 3528 (C.Q.).

Nous vous invitons à consulter nos commentaires en vertu de la sous-section 6 — *Montant payé par erreur* pour une discussion sur la présence d'un délai de rigueur et, le cas échéant, sur la possibilité de bénéficier d'un recours alternatif lorsque le délai prescrit est expiré.

Compte tenu de la similarité de la rédaction des dispositions législatives et considérant l'engagement spécifique de Revenu Québec de veiller à ce que l'assiette de TVQ modifiée, de même que les paramètres administratifs, structurels et définitionnels, produisent des résultats qui sont identiques à ceux produits sous le régime de la TPS/TVH et soient administrés d'une manière qui produit des résultats identiques, tel que reflété par l'article 14 de l'*Entente intégrée globale de coordination fiscale* signée entre le gouverne-

LTVQ (français)

ment du Canada et le gouvernement du Québec, nous vous invitons à consulter nos commentaires en vertu de l'article 256 de la *Loi sur la taxe d'accise (TPS)* qui devraient s'appliquer *mutatis mutandis*, avec les adaptations nécessaires.

III — [*Abrogée*]

371. [*Abrogé*]

Notes historiques: L'article 371 a été abrogé par L.Q. 1993, c. 19, art. 226 à l'égard d'une fourniture ou d'un apport au Québec relativement auquel l'article 685 ou l'un des articles 618 à 656 de L.Q. 1991, c. 67 s'applique [*N.D.L.R.* : les articles 685 et 618 à 656 réfèrent à des dispositions transitoires concernant les transferts avant le 1er juillet 1992]. L'article 371, édicté par L.Q. 1991, c. 67, se lisait comme suit :

> 371. Sous réserve de l'article 373, un particulier donné qui reçoit d'une coopérative d'habitation la fourniture d'une part du capital social de celle-ci a droit à un remboursement déterminé conformément à l'article 372 si, à la fois :
>
> 1° la coopérative a transféré au particulier donné la propriété de la part;
>
> 2° la coopérative a payé la taxe à l'égard de la fourniture taxable d'un immeuble d'habitation qu'elle a reçue;
>
> 3° au moment où le particulier donné devient responsable ou assume la responsabilité en vertu d'une convention d'achat et de vente de la part conclue entre la coopérative et le particulier donné, ce dernier acquiert la part pour utiliser une habitation dans l'immeuble d'habitation à titre de résidence principale pour lui-même, un autre particulier qui lui est lié ou un ex-conjoint du particulier donné;
>
> 4° est inférieur à 202 230 $ le total de tous les montants — appelé « total de la contrepartie » dans le présent article et dans les articles 372 et 374 — dont chacun représente la contrepartie payable pour la fourniture au particulier donné de la part dans la coopérative, ou d'un droit dans l'immeuble d'habitation ou l'habitation;
>
> 5° après que la construction ou la rénovation majeure de l'immeuble d'habitation soit presque achevée et avant que le particulier donné entre en possession de l'habitation du fait qu'il est propriétaire de la part, l'habitation n'est pas occupée par un particulier à titre de résidence ou de pension en vertu d'un quelconque arrangement en ce sens;
>
> 6° l'une ou l'autre des conditions suivantes est remplie :
>
> a) le premier particulier à occuper l'habitation à titre de résidence en vertu d'un arrangement en ce sens à un moment quelconque après que la possession de l'habitation soit donnée au particulier donné, est le particulier donné, un particulier qui lui est lié ou un ex-conjoint du particulier donné;
>
> b) le particulier donné effectue la fourniture de la part par vente et la propriété en est transférée à l'acquéreur de la fourniture avant que l'habitation soit occupée par tout particulier à titre de résidence ou de pension en vertu d'un quelconque arrangement en ce sens.

372. [*Abrogé*]

Notes historiques: L'article 372 a été abrogé par L.Q. 1993, c. 19, art. 226 à l'égard d'une fourniture ou d'un apport au Québec relativement auquel l'article 685 ou l'un des articles 618 à 656 de L.Q. 1991, c. 67 s'applique [*N.D.L.R.* : les articles 685 et 618 à 656 réfèrent à des dispositions transitoires concernant les transferts avant le 1er juillet 1992]. L'article 372, édicté par L.Q. 1991, c. 67, se lisait comme suit :

> 372. Pour l'application de l'article 371, le remboursement auquel un particulier donné a droit à l'égard de la fourniture d'une part du capital social d'une coopérative d'habitation est égal :
>
> 1° dans le cas où le total de la contrepartie est de 173 340 $ ou moins au montant déterminé selon la formule suivante :
>
> $$[2{,}66\ \% \times (A - B)] + 8\ \% \times B;$$
>
> 2° dans le cas où le total de la contrepartie est supérieur à 173 340 $ mais est inférieur à 202 230 $, au montant déterminé selon la formule suivante :
>
> $$[4\,514\ \$ \times \frac{(202\,230\ \$ - A)}{28\,890\ \$}] + 8\ \% \times B.$$
>
> Pour l'application de ces formules :
>
> 1° la lettre A représente le total de la contrepartie;
>
> 2° la lettre B représente le remboursement auquel le particulier donné a droit à l'égard de la fourniture de la part du capital social de la coopérative d'habitation en vertu du paragraphe 2 de l'article 255 de la *Loi sur la taxe d'accise* (Statuts du Canada)

373. [*Abrogé*]

Notes historiques: L'article 373 a été abrogé par L.Q. 1993, c. 19, art. 226 à l'égard d'une fourniture ou d'un apport au Québec relativement auquel l'article 685 ou l'un des articles 618 à 656 de L.Q. 1991, c. 67 s'applique [*N.D.L.R.* : les articles 685 et 618 à 656 réfèrent à des dispositions transitoires concernant les transferts avant le 1er juillet 1992]. L'article 373, édicté par L.Q. 1991, c. 67, se lisait comme suit :

> 373. Un particulier a droit au remboursement prévu à l'article 371 à l'égard d'une part du capital social d'une coopérative d'habitation seulement s'il produit une demande de remboursement dans les quatre ans suivant le jour où la propriété de la part lui est transférée.

374. [*Abrogé*]

Notes historiques: L'article 374 a été abrogé par L.Q. 1993, c. 19, art. 226 à l'égard d'une fourniture ou d'un apport au Québec relativement auquel l'article 685 ou l'un des articles 618 à 656 de L.Q. 1991, c. 67 s'applique [*N.D.L.R.* : les articles 685 et 618 à 656 réfèrent à des dispositions transitoires concernant les transferts avant le 1er juillet 1992]. L'article 374, édicté par L.Q. 1991, c. 67, se lisait comme suit :

> 374. Le particulier qui n'a pas droit au remboursement visé à l'article 371 à l'égard d'une part du capital social d'une coopérative d'habitation, parce que le total de la contrepartie est de 202 230 $ et plus, mais qui a droit à un remboursement en vertu du paragraphe 2 de l'article 255 de la *Loi sur la taxe d'accise* (Statuts du Canada) à l'égard de la part du capital social, a droit au remboursement de 8 % du montant du remboursement auquel le particulier a droit à l'égard de la part du capital social en vertu du paragraphe 2 de cet article.

IV — [*Abrogée*]

375. [*Abrogé*]

Notes historiques: L'article 375 a été abrogé par L.Q. 1993, c. 19, art. 226 à l'égard d'une fourniture ou d'un apport au Québec relativement auquel l'article 685 ou l'un des articles 618 à 656 de L.Q. 1991, c. 67 s'applique [*N.D.L.R.* : les articles 685 et 618 à 656 réfèrent à des dispositions transitoires concernant les transferts avant le 1er juillet 1992]. L'article 375, édicté par L.Q. 1991, c. 67, se lisait comme suit :

> 375. Sous réserve de l'article 377, un particulier donné qui, lui-même ou par l'intermédiaire d'une personne qu'il engage, construit un immeuble d'habitation à logement unique ou en fait la rénovation majeure pour l'utiliser à titre de résidence principale pour lui-même, pour un particulier qui lui est lié ou un ex-conjoint du particulier donné, a droit à un remboursement déterminé conformément à l'article 376 si, à la fois :
>
> 1° au moment où la construction ou la rénovation majeure est presque achevée, la juste valeur marchande de l'immeuble d'habitation, en excluant un montant équivalant à la taxe qui serait payée ou payable par le particulier donné en vertu de la partie IX de la *Loi sur la taxe d'accise* (Statuts du Canada) relativement à cet immeuble d'habitation s'il était acquis par lui à cette date pour une contrepartie égale à la juste valeur marchande de l'immeuble d'habitation déterminée conformément à cette loi, est inférieure à 175 000 $;
>
> 2° le particulier donné a payé la taxe prévue à l'article 16 à l'égard de la fourniture par vente au particulier du fonds de terre qui fait partie de l'immeuble d'habitation ou d'un droit dans le fonds de terre ou à l'égard de la fourniture au particulier de toute amélioration au fonds de terre, le total de cette taxe étant appelé « total de la taxe payée par le particulier donné » dans le présent article et dans l'article 376;
>
> 3° l'une ou l'autre des conditions suivantes est remplie :
>
> a) le premier particulier à occuper l'immeuble d'habitation en vertu d'un arrangement en ce sens à un moment quelconque après que la construction ou la rénovation majeure soit commencée, est le particulier donné, un particulier qui lui est lié ou un ex-conjoint du particulier donné;
>
> b) le particulier donné effectue la fourniture exonérée de l'immeuble d'habitation par vente et la propriété est transférée à l'acquéreur de la fourniture avant que l'immeuble d'habitation soit occupé par tout particulier à titre de résidence ou de pension en vertu d'un quelconque arrangement en ce sens.

376. [*Abrogé*]

Notes historiques: L'article 376 a été abrogé par L.Q. 1993, c. 19, art. 226 à l'égard d'une fourniture ou d'un apport au Québec relativement auquel l'article 685 ou l'un des articles 618 à 656 de L.Q. 1991, c. 67 s'applique [*N.D.L.R.* : les articles 685 et 618 à 656 réfèrent à des dispositions transitoires concernant les transferts avant le 1er juillet 1992]. L'article 376, édicté par L.Q. 1991, c. 67, se lisait comme suit :

> 376. Pour l'application de l'article 375, le remboursement auquel un particulier donné a droit à l'égard de la construction d'un immeuble d'habitation à logement unique ou de sa rénovation majeure est égal :
>
> 1° dans le cas où la juste valeur marchande visée au paragraphe 1° de l'article 375 est de 150 000 $ ou moins et que la fourniture au particulier du fonds de terre qui fait partie de l'immeuble d'habitation est une fourniture taxable par vente, au montant déterminé selon la formule suivante :
>
> $$[36\ \% \times (A - B)] + B;$$
>
> 2° dans le cas où la juste valeur marchande visée au paragraphe 1° de l'article 375 est de 150 000 $ ou moins et que la fourniture au particulier du fonds de terre qui

fait partie de l'immeuble d'habitation n'est pas une fourniture taxable par vente, au montant déterminé selon la formule suivante :

$$[10\ \% \times (A - B)] + B;$$

3° dans le cas où la juste valeur marchande visée au paragraphe 1° de l'article 375 est supérieure à 150 000 $ais est inférieure à 175 000 $ et que la fourniture au particulier du fonds de terre qui fait partie de l'immeuble d'habitation est une fourniture taxable par vente, au montant déterminé selon la formule suivante :

$$[4\,514\ \$ \times \frac{(175\,000\ \$ - C)}{25\,000\ \$}] + B;$$

4° dans le cas où la juste valeur marchande visée au paragraphe 1° de l'article 375 est supérieure à 150 000 $ mais est inférieure à 175 000 $ et que la fourniture au particulier du fonds de terre qui fait partie de l'immeuble d'habitation n'est pas une fourniture taxable par vente, au montant déterminé selon la formule suivante :

$$[893\ \$ \times \frac{(175\,000\ \$ - C)}{25\,000\ \$}] + B.$$

Pour l'application de ces formules :

1° la lettre A représente le total de la taxe payée par le particulier donné avant que sa demande de remboursement ne soit produite au ministre en vertu de l'article 377;

2° la lettre B représente la taxe prévue à l'article 16, payée à l'égard du montant du remboursement auquel le particulier donné a droit à l'égard de la construction de l'immeuble d'habitation ou de sa rénovation majeure, en vertu du paragraphe 2 de l'article 256 de la *Loi sur la taxe d'accise* (Statuts du Canada);

3° la lettre C représente la juste valeur marchande visée au paragraphe 1° de l'article 375.

377. [*Abrogé*]

Notes historiques: L'article 377 a été abrogé par L.Q. 1993, c. 19, art. 226 à l'égard d'une fourniture ou d'un apport au Québec relativement auquel l'article 685 ou l'un des articles 618 à 656 de L.Q. 1991, c. 67 s'applique [*N.D.L.R.* : les articles 685 et 618 à 656 réfèrent à des dispositions transitoires concernant les transferts avant le 1er juillet 1992]. L'article 377, édicté par L.Q. 1991, c. 67, se lisait comme suit :

> 377. Un particulier a droit au remboursement prévu à l'article 375 à l'égard d'un immeuble d'habitation seulement s'il produit une demande de remboursement dans les deux ans suivant le premier en date des jours suivants :
>
> 1° le jour où l'immeuble d'habitation est occupé pour la première fois ou le jour où la propriété de l'immeuble est transférée, selon le paragraphe 3° de l'article 375;
>
> 2° le jour où la construction ou la rénovation majeure de l'immeuble d'habitation est presque achevée.

378. [*Abrogé*]

Notes historiques: L'article 378 a été abrogé par L.Q. 1993, c. 19, art. 226 à l'égard d'une fourniture ou d'un apport au Québec relativement auquel l'article 685 ou l'un des articles 618 à 656 de L.Q. 1991, c. 67 s'applique [*N.D.L.R.* : les articles 685 et 618 à 656 réfèrent à des dispositions transitoires concernant les transferts avant le 1er juillet 1992]. L'article 378, édicté par L.Q. 1991, c. 67, se lisait comme suit :

> 378. Le particulier qui n'a pas droit au remboursement visé à l'article 375 à l'égard de la construction d'un immeuble d'habitation à logement unique ou de sa rénovation majeure, parce que la juste valeur marchande visée au paragraphe 1° de l'article 375 est de 175 000 $ et plus, mais qui a droit à un remboursement en vertu du paragraphe 2 de l'article 256 de la *Loi sur la taxe d'accise* (Statuts du Canada) à l'égard de la construction de l'immeuble d'habitation ou de sa rénovation majeure a droit au remboursement de la taxe prévue à l'article 16 sur le montant du remboursement auquel le particulier a droit à l'égard de la construction de l'immeuble d'habitation ou de sa rénovation majeure en vertu de ce paragraphe 2.

IV.1 — Fourniture d'un fonds de terre

Notes historiques: L'intertitre de la division IV.1 de la sous-section 3 de la section I du chapitre VII du titre I a été ajouté par L.Q. 1994, c. 22, art. 573(1) et est réputé entré en vigueur le 1er juillet 1992.

378.1 Remboursement au propriétaire d'un fonds de terre loué pour usage résidentiel — Sous réserve de l'article 378.3, chaque personne qui est un propriétaire ou un locataire d'un fonds de terre et qui n'est pas le locataire donné — appelée « locateur » dans la présente sous-section — et qui effectue la fourniture exonérée d'un fonds de terre visée aux articles 99 ou 99.0.1 à un locataire donné qui l'acquiert dans le but d'effectuer la fourniture d'un immeuble ou d'un service qui comprend le fonds de terre ou la fourniture d'un contrat de louage, d'une licence ou d'un accord semblable visant un immeuble qui comprend le fonds de terre, a droit à un remboursement déterminé conformément à l'article 378.2 si, à la fois :

1° la fourniture est une fourniture exonérée d'un immeuble ou d'un service, autre qu'une fourniture qui est exonérée par le seul effet du paragraphe 2° de l'article 98, qui, selon le cas :

a) comprend le transfert de la possession ou de l'utilisation d'un immeuble d'habitation ou d'une habitation qui fait partie d'un immeuble d'habitation, à une autre personne en vertu d'un contrat de louage, d'une licence ou d'un accord semblable conclu en vue de son occupation par un particulier à titre de résidence ou d'hébergement;

b) est visée à l'article 100, autre que celle visée au paragraphe 1° du premier alinéa de cet article effectuée à une personne visée au sous-paragraphe b) de ce paragraphe;

2° par suite de cette fourniture, le locataire donné est réputé avoir effectué la fourniture d'un immeuble qui comprend le fonds de terre à un moment donné en vertu de l'un des articles 222.1 à 222.3 et 223 à 231.1.

Notes historiques: Le préambule et le paragraphe 1° de l'article 378.1 ont été remplacés par L.Q. 2001, c. 53, art. 358 et cette modification a effet depuis le 1er juillet 1992. Antérieurement, ils se lisaient ainsi :

> 378.1 Sous réserve de l'article 378.3, chaque personne qui est un propriétaire ou un locataire d'un fonds de terre et qui n'est pas le locataire donné — appelée « locateur » dans la présente sous-section — et qui effectue la fourniture exonérée d'un fonds de terre visée à l'article 99 à un locataire donné qui l'acquiert dans le but d'effectuer la fourniture d'un immeuble qui comprend le fonds de terre, a droit à un remboursement déterminé conformément à l'article 378.2 si, à la fois :
>
> 1° la fourniture effectuée par le locataire donné est une fourniture exonérée visée au paragraphe 1° de l'article 98 ou aux paragraphes 1° ou 2° de l'article 100, sauf une fourniture exonérée visée au paragraphe 1° de l'article 100 effectuée à une personne visée au sous-paragraphe b de celui-ci;

L'article 378.1 a été remplacé par L.Q. 2009, c. 15, par. 512(1) et cette modification s'applique à l'égard des fournitures suivantes :

> 1° la fourniture d'un fonds de terre effectuée à un locataire donné qui est réputé, en vertu des articles 222.1 à 222.3 et 223 à 231.1, avoir effectué, après le 26 février 2008, une autre fourniture d'un immeuble qui comprend le fonds de terre;
>
> 2° la fourniture d'un fonds de terre effectuée par une personne à un locataire donné, dans le cas où, à la fois :
>
> a) le locataire donné était réputé, en vertu des articles 222.1 à 222.3 et 223 à 231.1, avoir effectué, avant le 27 février 2008, une autre fourniture d'un immeuble qui comprend le fonds de terre;
>
> b) la fourniture serait visée à l'article 99.0.1, si cet article s'était appliqué;
>
> c) la personne n'a pas exigé, perçu ou versé, avant le 27 février 2008, un montant au titre de la taxe prévue par le titre I à l'égard de la fourniture ou de toute autre fourniture du fonds de terre qu'elle a effectuée et qui serait visée aux articles 99 ou 99.0.1, si ces articles, s'étaient appliqués.

Dans le cas où le sous-paragraphe 2° de ce qui précède s'applique :

> 1° chaque personne qui est un propriétaire ou un locataire d'un fonds de terre et qui n'est pas le locataire donné — appelé « locateur » dans le présent paragraphe — peut, malgré l'article 378.3, produire une demande de remboursement en vertu de l'article 378.1 avant le 27 février 2010;
>
> 2° la demande peut, malgré le deuxième alinéa de l'article 403, être la deuxième demande de remboursement du locateur si celui-ci a produit, avant le 27 février 2008, une autre demande de remboursement à l'égard de laquelle une cotisation a été établie avant que le locateur produise la deuxième demande;
>
> 3° les articles 99 et 99.0.1, s'appliquent, pour l'application du titre I, à l'égard de la demande visée au sous-paragraphe 1°;
>
> 4° un remboursement prévu à l'article 378.1, n'est pas payable à une personne qui n'est pas locateur du fonds de terre au moment où la demande de remboursement est produite.

Antérieurement, il se lisait ainsi :

> 378.1 Sous réserve de l'article 378.3, chaque personne qui est un propriétaire ou un locataire d'un fonds de terre et qui n'est pas le locataire donné — appelée « locateur » dans la présente sous-section — et qui effectue la fourniture exonérée d'un fonds de terre visée à l'article 99 à un locataire donné qui l'acquiert dans le but d'effectuer la fourniture d'un immeuble qui comprend le fonds de terre ou d'un bail, d'une licence ou d'un accord semblable visant un immeuble qui comprend le fonds de terre, a droit à un remboursement déterminé conformément à l'article 378.2 si, à la fois :
>
> 1° la fourniture effectuée par le locataire donné est une fourniture exonérée visée au paragraphe 1° de l'article 98 ou à l'article 100, sauf une fourniture exonérée

LTVQ (français)

visée au paragraphe 1° du premier alinéa de l'article 100 effectuée à une personne visée au sous-paragraphe b) de celui-ci;

2° par suite de cette fourniture, le locataire donné est réputé avoir effectué la fourniture de l'immeuble à un moment donné en vertu de l'un des articles 222.1 à 222.3 et 223 à 231.1.

L'article 378.1 a été ajouté par L.Q. 1994, c. 22, art. 573(1) et est réputé entré en vigueur le 1er juillet 1992.

Notes explicatives ARQ (PL 37, L.Q. 2009, c. 15): *Résumé* :

L'article 378.1 est modifié afin que le remboursement prévu à cet article s'applique dans le cas où un locateur fournit un fonds de terre à un locataire dans le cadre d'une fourniture exonérée visée au nouvel article 99.0.1 de la LTVQ.

Situation actuelle :

Actuellement, l'article 378.1 de la LTVQ prévoit un remboursement au locateur d'un fonds de terre de la taxe payée sur l'acquisition du fonds ou les améliorations s'y rapportant dans le cas où il effectue une fourniture exonérée du fonds visée à l'article 99 de la LTVQ à un locataire qui l'acquiert, en vue d'effectuer des fournitures qui comprennent le fonds de terre, lesquelles sont exonérées en vertu du paragraphe 1° de l'article 98 de la LTVQ ou en vertu de l'article 100 de la LTVQ, autre que celle visée au paragraphe 1° du premier alinéa de cet article, effectuée à une personne visée au sous-paragraphe b) de ce paragraphe.

Par suite de ces fournitures, le locataire est assujetti à la règle relative à la fourniture à soi-même prévue à l'article 190 de la LTVQ à l'égard du fonds de terre ou à celle prévue aux articles 223 à 231.1 de la LTVQ relativement à un immeuble d'habitation ou à une adjonction à celui-ci qui comprend le fonds de terre.

Modifications proposées :

L'article 378.1 de la LTVQ est modifié afin que le remboursement prévu à cet article s'applique dans le cas où le locateur fournit un fonds de terre à un locataire dans le cadre d'une fourniture exonérée visée au nouvel article 99.0.1 de la LTVQ.

De plus, l'article 378.1 de la LTVQ est modifié afin de faire en sorte que le remboursement soit accordé au locateur dans le cas où le locataire acquiert le fonds de terre en vue d'effectuer des fournitures exonérées (sauf des fournitures qui ne sont exonérées que par l'effet du paragraphe 2° de l'article 98 de la LTVQ), qui comprennent le transfert de la possession ou de l'utilisation d'un immeuble d'habitation ou d'une habitation située dans un tel immeuble aux termes d'un contrat de louage, d'une licence ou d'un accord semblable et que, par suite de ces fournitures, le locataire doit effectuer une fourniture à soi-même du fonds de terre ou de l'immeuble d'habitation ou de l'adjonction à celui-ci.

Définitions [art. 378.1]: « fourniture », « fourniture exonérée », « immeuble », « personne » — 1.

Renvois [art. 378.1]: 237.3 (dernière acquisition ou apport); 378.2 (remboursement au propriétaire d'un fonds de terre loué pour usage résidentiel); 378.3 (demande de remboursement); 403, 404 (demande de remboursement).

Formulaires [art. 378.1]: FP-524, *Remboursement de TPS pour un immeuble d'habitation locatif neuf* ; FP-525, *Annexe au remboursement de TPS pour un immeuble d'habitation locatif neuf à Logements multiples* .

Lettres d'interprétation [art. 378.1]: 00-0105239 — Interprétation relative à la TPS et la TVQ — Remboursement pour immeubles d'habitation locatifs neufs.

Concordance fédérale: LTA, par. 256.1(1).

COMMENTAIRES: Voir les commentaires sous l'article 378.3.

378.2 Calcul du remboursement — Pour l'application de l'article 378.1, le remboursement auquel un locateur a droit à l'égard de la fourniture exonérée d'un fonds de terre visée à l'article 99 est déterminé selon la formule suivante :

A – B.

Application — Pour l'application de cette formule :

1° la lettre A représente le montant qui correspond au total de la taxe qui, avant le moment donné, est devenue payable par le locateur, ou qui le serait devenue en faisant abstraction des articles 75.1 et 80, à l'égard de la dernière acquisition du fonds de terre par celui-ci et de la taxe payable par lui à l'égard d'une amélioration au fonds de terre acquise, ou apportée au Québec, par le locateur après que le fonds de terre a été ainsi acquis la dernière fois et qui a été utilisée, avant le moment donné, afin d'améliorer l'immeuble qui comprend le fonds de terre;

2° la lettre B représente le montant qui correspond au total de tous les autres remboursements et du remboursement de la taxe sur les intrants que le locateur avait le droit de demander à l'égard de tout montant inclus dans le total visé au paragraphe 1°.

Notes historiques: Les paragraphes 1° et 2° du deuxième alinéa de l'article 378.2 ont été remplacés par L.Q. 2001, c. 53, art. 359 et cette modification a effet depuis le 10 décembre 1998 et s'applique aux fins du calcul d'un remboursement qui fait l'objet d'une demande reçue par le ministre du Revenu après le 9 décembre 1998. Antérieurement, ils se lisaient ainsi :

1° la lettre A représente le montant qui correspond au total — appelé « total de la taxe exigée à l'égard du fonds de terre » dans le présent article — de la taxe payable par le locateur, ou qui le serait en faisant abstraction des articles 75.1 et 80, à l'égard de la dernière acquisition du fonds de terre par celui-ci et de la taxe payable par lui à l'égard d'une amélioration au fonds de terre acquise, ou apportée au Québec, par le locateur après que le fonds de terre a été ainsi acquis la dernière fois;

2° la lettre B représente le montant qui correspond au total de tous les autres remboursements et du remboursement de la taxe sur les intrants que le locateur avait le droit de demander à l'égard de toute taxe comprise dans le total de la taxe exigée à l'égard de l'immeuble.

L'article 378.2 a été ajouté par L.Q. 1994, c. 22, art. 573(1) et est réputé entré en vigueur le 1er juillet 1992. Toutefois, pour la période du 1er juillet 1992 au 30 septembre 1992, la référence à l'article 75.1 doit être lue comme une référence à l'article 75.

Définitions [art. 378.2]: « amélioration », « fourniture exonérée », « immeuble », « montant », « taxe » — 1.

Concordance fédérale: LTA, par. 256.1(1).

COMMENTAIRES: Voir les commentaires sous l'article 378.3.

378.3 Délai de la demande — Un locateur a droit au remboursement prévu à l'article 378.1 à l'égard de la fourniture du fonds de terre effectuée à une personne qui sera réputée avoir effectué, un jour donné, une autre fourniture de l'immeuble qui comprend le fonds de terre en vertu de l'un des articles 222.1 à 222.3 et 223 à 231.1, seulement s'il produit une demande de remboursement au plus tard deux ans suivant le jour donné.

Notes historiques: L'article 378.3 a été remplacé par L.Q. 1997, c.85, art. 660(1) et a effet à l'égard d'un remboursement relatif à un fonds dont la fourniture est réputée avoir été effectuée après le 30 juin 1996, en vertu de l'un des articles 222.1 à 222.3 et 223 à 231.1. Antérieurement, il se lisait ainsi :

378.3 Un locateur a droit au remboursement prévu à l'article 378.1 à l'égard de la fourniture du fonds de terre effectuée à une personne qui sera réputée avoir effectué, un jour donné, une autre fourniture de l'immeuble qui comprend le fonds de terre en vertu de l'un des articles 222.1 à 222.3 et 223 à 231.1, seulement s'il produit une demande de remboursement dans les quatre ans suivant le jour donné.

L'article 378.3 a été ajouté par L.Q. 1994, c. 22, art. 573(1) et est réputé entré en vigueur le 1er juillet 1992.

Définitions [art. 378.3]: « fourniture », « immeuble », « personne » — 1.

Renvois [art. 378.3]: 378.1 (remboursement au propriétaire d'un fonds de terre loué pour usage résidentiel).

Concordance fédérale: LTA, par. 256.1(2).

COMMENTAIRES: L'article 378.3 prévoit un délai de deux pour la production de la demande de remboursement. Nous vous invitons à consulter nos commentaires en vertu de la sous-section 6 — *Montant payé par erreur* pour une discussion sur la présence d'un délai de rigueur et, le cas échéant, sur la possibilité de bénéficier d'un recours alternatif lorsque le délai prescrit est expiré.

Dans le cadre d'une position administrative, Revenu Québec a indiqué que l'article 378.1 était similaire au paragraphe 256.1(1) de la *Loi sur la taxe d'accise (TPS)*. Voir notamment à cet effet : Revenu Québec, Lettre d'interprétation, 00-0105239 — *Interprétation relative à la TPS et la TVQ — Remboursement pour immeubles d'habitation locatifs neufs* (27 février 2001).

Ainsi, compte tenu de la similarité de la rédaction des dispositions législatives et considérant l'engagement spécifique de Revenu Québec de veiller à ce que l'assiette de TVQ modifiée, de même que les paramètres administratifs, structurels et définitionnels, produisent des résultats qui sont identiques à ceux produits sous le régime de la TPS/TVH et soient administrés d'une manière qui produit des résultats identiques, tel que reflété par l'article 14 de l'*Entente intégrée globale de coordination fiscale* signée entre le gouvernement du Canada et le gouvernement du Québec, nous vous invitons à consulter nos commentaires en vertu de l'article 256.1 de la *Loi sur la taxe d'accise (TPS)* qui devraient s'appliquer *mutatis mutandis*, avec les adaptations nécessaires.

IV.2 — Fourniture d'un immeuble d'habitation loué à des fins résidentielles

Notes historiques: L'intitulé de la sous-section IV.2 de la sous-section 3 de la section I du chapitre VII du titre I a été ajouté par L.Q. 2003, c. 2, par. 339(1) et a effet depuis le 28 février 2000.

378.4 Définitions : — Pour l'application de la présente sous-section, l'expression :

« habitation admissible » d'une personne, à un moment donné, signifie, selon le cas :

1º une habitation dont la personne est, au moment donné ou immédiatement avant ce moment, le propriétaire, un copropriétaire, un locataire ou un sous-locataire, ou dont elle a la possession en tant qu'acheteur en vertu d'une convention d'achat et de vente, au moment donné ou immédiatement avant ce moment, ou une habitation qui est située dans un immeuble d'habitation et dont elle est un locataire ou un sous-locataire au moment donné ou immédiatement avant ce moment, dans le cas où, à la fois :

a) au moment donné, l'habitation est une résidence autonome;

b) la personne détient l'habitation :

i. soit dans le but d'effectuer des fournitures exonérées visées aux articles 97.1, 99, 99.0.1 ou 100;

i.1 soit dans le but d'effectuer des fournitures exonérées de biens ou de services qui comprennent le transfert de la possession ou de l'utilisation de l'habitation à une personne en vertu d'un contrat de louage, d'une licence ou d'un accord semblable à être conclu en vue de son occupation par un particulier à titre de résidence;

ii. soit pour l'utiliser à titre de résidence principale pour ellemême, dans le cas où l'immeuble dans lequel l'habitation est située comprend une ou plusieurs autres habitations qui seraient des habitations admissibles de la personne;

c) la première utilisation de l'habitation est ou sera, ou la personne peut raisonnablement s'attendre au moment donné à ce que cette première utilisation soit, selon le cas :

i. à titre de résidence principale pour la personne, un particulier qui lui est lié ou un ex-conjoint de la personne ou pour un locateur de l'immeuble, un particulier qui lui est lié ou un exconjoint du locateur, pour une période d'au moins un an, ou pour une période plus courte au terme de laquelle l'habitation sera utilisée conformément au sous-paragraphe ii;

ii. à titre de résidence pour des particuliers qui peuvent chacun occuper de façon continue l'habitation, en vertu d'un ou de plusieurs contrats de louage, pour une période d'au moins un an tout au long de laquelle l'habitation leur sert de résidence principale, ou pour une période plus courte se terminant lorsque l'habitation est soit vendue à un acquéreur qui l'acquiert pour l'utiliser à titre de résidence principale pour luimême, un particulier qui lui est lié ou un ex-conjoint de l'acquéreur, soit utilisée à titre de résidence principale pour la personne, un particulier qui lui est lié ou un ex-conjoint de la personne ou pour un locateur de l'immeuble, un particulier qui lui est lié ou un ex-conjoint du locateur;

d) sauf dans le cas où l'habitation est utilisée, dans les circonstances visées au sous-paragraphe ii du sous-paragraphe c), à titre de résidence principale pour la personne, un particulier qui lui est lié ou un ex-conjoint de la personne ou pour un locateur de l'immeuble, un particulier qui lui est lié ou un ex-conjoint du locateur, dans le cas où, au moment donné, la personne a l'intention, après que l'habitation a été utilisée conformément au sous-paragraphe c), de l'occuper pour son propre usage ou de la fournir par louage à titre de résidence ou d'hébergement à un particulier qui lui est lié ou un ex-conjoint de la personne ou qui est un actionnaire, un membre ou un associé de la personne, ou avec lequel elle a un lien de dépendance, la personne peut raisonnablement s'attendre à ce que l'habitation soit sa résidence principale ou celle de ce particulier;

2º une habitation prescrite de la personne;

Notes historiques: Le sous-paragraphe i du sous-paragraphe b) du paragraphe 1° de la définition de « habitation admissible » à l'article 378.4 a été remplacé par L.Q. 2009, c. 15, s.-par. 513(1)(1°) et s'applique à l'égard d'une fourniture taxable par vente :

1° d'un immeuble d'habitation ou d'une adjonction à un immeuble d'habitation à logements multiples qui est réputée avoir été effectuée en vertu des articles 223 à 231.1, si la taxe à l'égard de la fourniture est réputée, en vertu de ces articles, avoir été payée après le 26 février 2008;

2° d'un immeuble d'habitation ou d'un droit dans celui-ci effectuée à une personne — appelée « personne donnée » dans le présent paragraphe et dans celui qui suit — par une autre personne, si la taxe prévue au titre I à l'égard de la fourniture devient payable pour la première fois après le 26 février 2008;

3° d'un immeuble d'habitation ou d'une adjonction à un immeuble d'habitation à logements multiples qui est réputée avoir été effectuée en vertu des articles 223 à 231.1 si, à la fois :

a) la taxe à l'égard de la fourniture est réputée, en vertu de ces articles, avoir été payée par une personne donnée à un jour donné avant le 27 février 2008;

b) la personne donnée a fait rapport de la taxe dans sa déclaration produite en vertu du chapitre VIII du titre I pour sa période de déclaration qui comprend le jour donné;

c) la personne donnée a versé, le cas échéant, la totalité de la taxe nette à verser selon cette déclaration;

4° d'un immeuble d'habitation ou d'un droit dans celui-ci effectuée par une personne à une personne donnée qui n'est pas le constructeur de l'immeuble, si la taxe prévue au titre I à l'égard de la fourniture devient payable pour la première fois avant le 27 février 2008 et la personne donnée a payé la totalité de la taxe.

Dans le cas où les sous-paragraphes 3° ou 4° du paragraphe précédant s'appliquent :

1° la personne donnée visée à ces sous-paragraphes peut, malgré le paragraphe 1° de l'article 378.16, produire une demande de remboursement à l'égard de la taxe, en vertu de l'article 378.6, avant le 27 février 2010;

2° la demande peut, malgré le deuxième alinéa de l'article 403, être la deuxième demande de remboursement de la personne donnée si celle-ci a produit, avant le 27 février 2008, une autre demande de remboursement à l'égard de laquelle une cotisation a été établie avant que la personne donnée produise la deuxième demande.

Antérieurement, il se lisait ainsi :

i. soit dans le but d'effectuer des fournitures exonérées visées aux articles 97.1, 98, 99 ou 100;

Le sous-paragraphe i.1 du sous-paragraphe b) du paragraphe 1° de la définition de « habitation admissible » à l'article 378.4 a été ajouté par L.Q. 2009, c. 15, s.-par. 513(1)(2°) et s'applique selon les mêmes modalités que la modification du sous-paragraphe i du sous-paragraphe b) du paragraphe 1° de la définition de « habitation admissible » à l'article 378.4.

Concordance fédérale: LTA, par. 256.2(1)« habitation admissible ».

« première utilisation » à l'égard d'une habitation signifie la première utilisation d'une habitation après que la construction ou la dernière rénovation majeure dont elle a fait l'objet soit presque achevée ou, dans le cas d'une habitation qui est située dans un immeuble d'habitation à logements multiples, après que la construction ou la dernière rénovation majeure de l'immeuble ou de l'adjonction à celui-ci dans lequel l'habitation est située soit presque achevée;

Concordance fédérale: LTA, par. 256.2(1)« première utilisation ».

« résidence autonome » signifie une habitation qui, selon le cas :

1º est une chambre ou une suite dans une auberge, un hôtel, un motel, une pension, une résidence pour étudiants, pour aînés, pour personnes handicapées ou pour autres particuliers;

2º contient une cuisine, une salle de bains et un espace habitable privés;

Concordance fédérale: LTA, par. 256.2(1)« résidence autonome ».

« pourcentage de superficie totale » à l'égard d'une habitation qui fait partie d'un immeuble d'habitation, ou qui fait partie d'une adjonction à un immeuble d'habitation à logements multiples, signifie la proportion, exprimée en pourcentage, que représente, en mètres carrés, la superficie totale de l'habitation par rapport à la superficie totale de toutes les habitations qui se trouvent dans l'immeuble d'habitation ou dans l'adjonction, selon le cas.

Concordance fédérale: LTA, par. 256.2(1)« pourcentage de superficie totale ».

Notes historiques [art. 378.4]: L'article 378.4 été ajouté par L.Q. 2003, c. 2, par. 339(1) et a effet depuis le 28 février 2000.

Notes explicatives ARQ (PL 37, L.Q. 2009, c. 15): *Résumé* :

La définition de l'expression « habitation admissible » prévue à l'article 378.4 est modifiée afin de remplacer la condition selon laquelle la personne doit détenir l'habitation en vue d'effectuer des fournitures exonérées visées à l'article 98 de la LTVQ par celle à l'effet que la personne doit détenir l'habitation en vue d'effectuer des fournitures exonérées qui comprennent le transfert de la possession ou de l'utilisation de l'habitation en vertu d'un contrat de louage conclu en vue de l'occupation de celle-ci par un particulier à titre de résidence.

Situation actuelle :

Actuellement, l'article 378.4 de la LTVQ prévoit certaines expressions pour l'application des articles 378.6 à 378.19 de la LTVQ. Parmi ces expressions, on retrouve celle d' « habitation admissible » qui énonce les conditions qu'une habitation doit remplir pour qu'une personne ait droit à un remboursement en vertu des articles 378.6 à 378.19 de la LTVQ. Or, une de ces conditions est à l'effet que la personne doit détenir l'habitation

LTVQ (français)

dans le but d'effectuer des fournitures exonérées visées notamment à l'article 98 de la LTVQ.

Modifications proposées :

La modification apportée à la définition de l'expression « habitation admissible » prévue à l'article 378.4 de la LTVQ consiste à remplacer la condition selon laquelle la personne doit détenir l'habitation en vue d'effectuer des fournitures exonérées visées à l'article 98 de la LTVQ par celle à l'effet que la personne doit détenir l'habitation en vue d'effectuer des fournitures exonérées qui comprennent le transfert de la possession ou de l'utilisation de l'habitation en vertu d'un contrat de louage conclu en vue de l'occupation de celle-ci par un particulier à titre de résidence.

Guides [art. 378.4]: IN-205 — Remboursement de la TVQ et de la TPS/TVH — Habitations neuves — Immeubles d'habitation locatifs neufs — Rénovations majeures; IN-261 — La TVQ, la TPS et les immeubles d'habitation (construction ou rénovation).

COMMENTAIRES: Voir les commentaires sous l'article 378.19.

378.5 Expression « par louage » — Pour l'application de la présente sous-section, la référence à l'expression « par louage » doit être lue comme une référence à l'expression « par louage, licence ou accord semblable ».

Notes historiques: L'article 378.5 été ajouté par L.Q. 2003, c. 2, par. 339(1) et a effet depuis le 28 février 2000.

Guides [art. 378.5]: IN-205 — Remboursement de la TVQ et de la TPS/TVH — Habitations neuves — Immeubles d'habitation locatifs neufs — Rénovations majeures; IN-261 — La TVQ, la TPS et les immeubles d'habitation (construction ou rénovation).

Concordance fédérale: LTA, par. 256.2(2).

COMMENTAIRES: Voir les commentaires sous l'article 378.19.

378.6 Fonds de terre et bâtiment loués à titre résidentiel — Sous réserve des articles 378.16 et 378.17, une personne, autre qu'une coopérative d'habitation, a droit à un remboursement déterminé conformément à l'article 378.7 dans le cas où, à la fois :

1° la personne est, selon le cas :

a) l'acquéreur de la fourniture taxable par vente — appelée « achat auprès du fournisseur » dans le présent article et l'article 378.7 — effectuée par une autre personne, d'un immeuble d'habitation ou d'un droit dans celui-ci et n'est pas un constructeur de l'immeuble;

b) le constructeur d'un immeuble d'habitation ou d'une adjonction à un immeuble d'habitation à logements multiples qui donne la possession ou l'utilisation d'une habitation située dans l'immeuble d'habitation ou dans l'adjonction à une autre personne en vertu d'un contrat de louage, d'une licence ou d'un accord semblable conclu en vue de son occupation par un particulier à titre de résidence par suite de laquelle la personne est réputée, en vertu des articles 223 à 231.1, avoir effectué et reçu une fourniture taxable par vente — appelée « achat présumé » dans le présent article et l'article 378.7 — de l'immeuble ou de l'adjonction;

2° à un moment donné, la taxe devient payable pour la première fois à l'égard de l'achat auprès du fournisseur ou la taxe à l'égard de l'achat présumé est réputée avoir été payée par la personne;

3° au moment donné, l'immeuble ou l'adjonction, selon le cas, est une habitation admissible de la personne ou comprend une ou plusieurs habitations admissibles de cette dernière;

4° la personne n'a pas le droit d'inclure, dans le calcul de son remboursement de la taxe sur les intrants, la taxe à l'égard de l'achat auprès du fournisseur ou la taxe à l'égard de l'achat présumé.

Notes historiques: Le sous-paragraphe b) du paragraphe 1° de l'article 378.6 a été remplacé par L.Q. 2009, c. 15, par. 514(1) et cette modification s'applique à l'égard d'une fourniture taxable par vente :

1° d'un immeuble d'habitation ou d'une adjonction à un immeuble d'habitation à logements multiples qui est réputée avoir été effectuée en vertu des articles 223 à 231.1, si la taxe à l'égard de la fourniture est réputée, en vertu de ces articles, avoir été payée après le 26 février 2008;

2° d'un immeuble d'habitation ou d'un droit dans celui-ci effectuée à une personne — appelée « personne donnée » dans le présent paragraphe et dans le paragraphe 3 — par une autre personne, si la taxe prévue au titre I à l'égard de la fourniture devient payable pour la première fois après le 26 février 2008;

3° d'un immeuble d'habitation ou d'une adjonction à un immeuble d'habitation à logements multiples qui est réputée avoir été effectuée en vertu des articles 223 à 231.1 si, à la fois :

a) la taxe à l'égard de la fourniture est réputée, en vertu de ces articles, avoir été payée par une personne donnée à un jour donné avant le 27 février 2008;

b) la personne donnée a fait rapport de la taxe dans sa déclaration produite en vertu du chapitre VIII du titre I pour sa période de déclaration qui comprend le jour donné;

c) la personne donnée a versé, le cas échéant, la totalité de la taxe nette à verser selon cette déclaration;

4° d'un immeuble d'habitation ou d'un droit dans celui-ci effectuée par une personne à une personne donnée qui n'est pas le constructeur de l'immeuble, si la taxe prévue au titre I à l'égard de la fourniture devient payable pour la première fois avant le 27 février 2008 et la personne donnée a payé la totalité de la taxe.

Dans le cas où les sous-paragraphes 3° ou 4° du paragraphe précédant s'appliquent :

1° la personne donnée visée à ces sous-paragraphes peut, malgré le paragraphe 1° de l'article 378.16, produire une demande de remboursement à l'égard de la taxe, en vertu de l'article 378.6, avant le 27 février 2010;

2° la demande peut, malgré le deuxième alinéa de l'article 403, être la deuxième demande de remboursement de la personne donnée si celle-ci a produit, avant le 27 février 2008, une autre demande de remboursement à l'égard de laquelle une cotisation a été établie avant que la personne donnée produise la deuxième demande.

Antérieurement, il se lisait ainsi :

b) le constructeur d'un immeuble d'habitation ou d'une adjonction à un immeuble d'habitation à logements multiples qui effectue une fourniture exonérée par louage visée à l'article 98 ou à l'article 99 par suite de laquelle la personne est réputée, en vertu des articles 223 à 231.1, avoir effectué et reçu une fourniture taxable par vente — appelée « achat présumé » dans le présent article et l'article 378.7 — de l'immeuble ou de l'adjonction;

L'article 378.6 été ajouté par L.Q. 2003, c. 2, par. 339(1) et a effet depuis le 28 février 2000. Toutefois :

1° cet article s'applique à la fourniture taxable par vente :

a) d'un immeuble d'habitation ou d'un droit dans celui-ci, à une personne qui n'est pas un constructeur de l'immeuble, ou d'un immeuble d'habitation ou d'une adjonction à celui-ci, à une personne qui, autrement qu'en raison de l'article 220, est un constructeur de l'immeuble ou de l'adjonction, selon le cas, seulement dans le cas où la construction ou la dernière rénovation majeure de l'immeuble ou de l'adjonction, selon le cas, a commencé après le 27 février 2000;

b) d'un immeuble d'habitation ou d'une adjonction à celui-ci qui est réputée être effectuée à une personne qui a converti un immeuble pour l'utiliser comme immeuble d'habitation ou une adjonction à celui-ci et qui, par conséquent, est réputée, en vertu de l'article 220, être un constructeur de l'immeuble ou de l'adjonction, seulement dans le cas où la construction ou les travaux de transformation nécessaires à la conversion ont commencé après le 27 février 2000;

Notes explicatives ARQ (PL 37, L.Q. 2009, c. 15): *Résumé* :

L'article 378.6 est modifié afin de remplacer la condition à l'effet que le constructeur de l'immeuble d'habitation doit effectuer une fourniture exonérée visée aux articles 98 ou 99 de la LTVQ par celle à l'effet qu'il doit transférer la possession ou l'utilisation d'une habitation à une personne en vertu d'un contrat de louage conclu en vue de l'occupation de l'habitation par un particulier à titre de résidence.

Situation actuelle :

L' article 378.6 de la LTVQ permet d'accorder un remboursement partiel de la taxe payée au constructeur d'un immeuble d'habitation tenu de s'autocotiser en vertu des articles 223 à 231.1 de la LTVQ, dans le cas où il effectue une fourniture exonérée visée aux articles 98 ou 99 de la LTVQ.

Modifications proposées :

La modification apportée à l'article 378.6 de la LTVQ consiste à remplacer la condition à l'effet que le constructeur de l'immeuble d'habitation doit effectuer une fourniture exonérée visée aux articles 98 ou 99 de la LTVQ par celle à l'effet qu'il doit transférer la possession ou l'utilisation d'une habitation à une personne en vertu d'un contrat de louage conclu en vue de l'occupation de l'habitation par un particulier à titre de résidence.

Guides [art. 378.6]: IN-203 — Renseignements généraux sur la TVQ et la TPS/TVH; IN-205 — Remboursement de la TVQ et de la TPS/TVH — Habitations neuves — Immeubles d'habitation locatifs neufs — Rénovations majeures; IN-261 — La TVQ, la TPS et les immeubles d'habitation (construction ou rénovation).

Renvois [art. 378.6]: 370.3 (remboursement transitoire de la taxe de vente à l'égard d'un immeuble d'habitation); 457.8 (choix à l'égard d'un immeuble d'habitation); 457.9 (redressement de la taxe nette); 670.4 (calcul du remboursement transitoire de la taxe de vente à l'égard d'un immeuble d'habitation); 670.32 (remboursement transitoire — taxe de vente d'un immeuble) ; 670.61 (remboursement à l'égard de la fourniture d'un immeuble d'habitation); 670.62 (montant du remboursement — fourniture d'un immeuble d'habitation).

Jurisprudence [art. 378.6]: *Coutu c. Québec (Sous-ministre du Revenu)* (20 novembre 2008), 705-80-001269-071, 2008 CarswellQue 12958; *Fortin c. Québec (Sous-ministre du Revenu)* (22 novembre 2005), 160-80-000018-048, 2005 CarswellQue 12442 (C.Q.).

Concordance fédérale: LTA, par. 256.2(3).

COMMENTAIRES: Voir les commentaires sous l'article 378.19.

378.7 Montant du remboursement — Pour l'application de l'article 378.6, le remboursement auquel la personne a droit est égal au total des montants dont chacun représente un montant à l'égard d'une habitation qui fait partie de l'immeuble d'habitation ou de l'adjonction, selon le cas, et qui est une habitation admissible de la personne, au moment donné, déterminé selon la formule suivante :

$$A \times (225\ 000\ \$\ B) / 25\ 000\ \$.$$

Application — Pour l'application de la formule prévue au premier alinéa :

1º la lettre A représente le moindre de 7 182 $ et du montant déterminé selon la formule suivante :

$$36\ \% \times (A1 \times A2);$$

2º la lettre B représente le plus élevé de 200 000 $ et de l'un des montants suivants :

a) dans le cas où l'habitation est un immeuble d'habitation à logement unique ou un logement en copropriété, la juste valeur marchande de l'habitation au moment donné;

b) dans tout autre cas, le montant déterminé selon la formule suivante :

$$B1 \times B2;$$

3º (*paragraphe supprimé*).

Application — Pour l'application des formules prévues au deuxième alinéa :

1º la lettre A1 représente le total de la taxe payable en vertu de l'article 16 à l'égard de l'achat auprès du fournisseur ou qui est réputée avoir été payée à l'égard de l'achat présumé;

2º la lettre A2 représente :

a) dans le cas où l'habitation est un immeuble d'habitation à logement unique ou un logement en copropriété, 1;

b) dans tout autre cas, le pourcentage de superficie totale de l'habitation;

3º la lettre B1 représente le pourcentage de superficie totale de l'habitation;

4º la lettre B2 représente la juste valeur marchande, au moment donné, de l'immeuble d'habitation ou de l'adjonction, selon le cas.

5º (*paragraphe supprimé*).

Notes historiques: Le préambule du paragraphe 1° du deuxième alinéa de l'article 378.7 a été modifié par L.Q. 2010, c. 5, par. 238(1) par le remplacement de « 5 573 $ » par « 6 316 $ ». Cette modification s'applique à l'égard :

1° d'une fourniture taxable par vente, effectuée à un acquéreur par une autre personne, d'un immeuble d'habitation ou d'un droit dans celui-ci, si la convention écrite relative à la fourniture est conclue après le 31 décembre 2010 et si le transfert de propriété et de possession en vertu de la convention a lieu après cette date;

2° d'un achat présumé, effectué par un constructeur, dans le cas où la taxe à l'égard de l'achat présumé d'un immeuble d'habitation ou d'une adjonction à celui-ci est réputée avoir été payée après le 31 décembre 2010.

Le préambule du paragraphe 1° du deuxième alinéa de l'article 378.7 a été modifié par L.Q. 2011, c. 6, par. 277(1) par le remplacement de « 6 316 $ » par « 7 059 $ ». Cette modification s'applique à l'égard :

1° d'une fourniture taxable par vente, effectuée à un acquéreur par une autre personne, d'un immeuble d'habitation ou d'un droit dans celui-ci, si la convention écrite relative à la fourniture est conclue après le 31 décembre 2011 et si les transferts de propriété et de possession en vertu de la convention ont lieu après cette date;

2° d'un achat présumé, effectué par un constructeur, dans le cas où la taxe à l'égard de l'achat présumé d'un immeuble d'habitation ou d'une adjonction à celui-ci est réputée avoir été payée après le 31 décembre 2011.

La formule du premier alinéa de l'article 378.7 a été remplacée par L.Q. 2012, c. 28, s.-par. 132(1)(1°) et cette modification s'applique à l'égard :

1° de la fourniture taxable par vente d'un immeuble d'habitation ou d'un droit dans celui-ci qui est effectuée en vertu d'une convention écrite conclue après le 31 décembre 2012;

2° de l'achat présumé, au sens du sous-paragraphe b) du paragraphe 1° de l'article 378.6, d'un immeuble d'habitation ou d'une adjonction à un immeuble d'habitation à logements multiples, lorsque la taxe à l'égard de cet achat présumé est réputée avoir été payée après le 31 décembre 2012.

Antérieurement, elle se lisait ainsi :

$$[A \times (225\ 000\ \$ - B) / 25\ 000\ \$] + C.$$

Le paragraphe 1° du deuxième alinéa de l'article 378.7 a été remplacé par L.Q. 2012, c. 28, s.-par. 132(1)(2°) et cette modification s'applique à l'égard :

1° de la fourniture taxable par vente d'un immeuble d'habitation ou d'un droit dans celui-ci qui est effectuée en vertu d'une convention écrite conclue après le 31 décembre 2012;

2° de l'achat présumé, au sens du sous-paragraphe b) du paragraphe 1° de l'article 378.6, d'un immeuble d'habitation ou d'une adjonction à un immeuble d'habitation à logements multiples, lorsque la taxe à l'égard de cet achat présumé est réputée avoir été payée après le 31 décembre 2012.

Antérieurement, elle se lisait ainsi :

1° la lettre A représente le moindre de 7 059 $ et du montant déterminé selon la formule suivante :

$$36\ \% \times [(A1 \times A2) - D];$$

Le paragraphe 1° du deuxième alinéa de l'article 378.7 a été modifié par L.Q. 2009, c. 5, par. 647(1) par le remplacement de « 5 607 $ » par « 5 573 $ ». Cette modification s'applique à l'égard :

1° d'une fourniture taxable, effectuée à un acquéreur par une autre personne, d'un immeuble d'habitation ou d'un droit dans celui-ci, dont la propriété et la possession en vertu de la convention relative à la fourniture sont transférées après le 31 décembre 2007, sauf si cette convention est constatée par écrit et a été conclue avant le 31 octobre 2007;

2° d'un achat présumé, au sens du sous-paragraphe b) du paragraphe 1° de l'article 378.6, effectué par un constructeur, dans le cas où la taxe à l'égard de l'achat présumé d'un immeuble d'habitation ou d'une adjonction à celui-ci, est réputée avoir été payée après le 31 décembre 2007.

Le paragraphe 1° du deuxième alinéa de l'article 378.7 a été modifié par L.Q. 2007, c. 12, par. 333(1) par le remplacement de « 5 642 $ » par « 5 607 $ ». Cette modification s'applique à l'égard :

1° d'une fourniture taxable, effectuée à un acquéreur par une autre personne, d'un immeuble d'habitation ou d'un droit dans celui-ci, dont la propriété et la possession en vertu de la convention relative à la fourniture sont transférées après le 30 juin 2006, sauf si cette convention est constatée par écrit et a été conclue avant le 3 mai 2006;

2° d'un achat présumé, au sens du sous-paragraphe b) du paragraphe 1° de l'article 378.6 de cette loi, effectué par un constructeur, dans le cas où la taxe à l'égard de l'achat présumé d'un immeuble d'habitation ou d'une adjonction à celui-ci, est réputée avoir été payée après le 30 juin 2006.

Le sous-paragraphe a) du paragraphe 2° du deuxième alinéa de l'article 378.7 a été remplacé par L.Q. 2012, c. 28, s.-par. 132(1)(3°) et cette modification s'applique à l'égard :

1° de la fourniture taxable par vente d'un immeuble d'habitation ou d'un droit dans celui-ci qui est effectuée en vertu d'une convention écrite conclue après le 31 décembre 2012;

2° de l'achat présumé, au sens du sous-paragraphe b) du paragraphe 1° de l'article 378.6, d'un immeuble d'habitation ou d'une adjonction à un immeuble d'habitation à logements multiples, lorsque la taxe à l'égard de cet achat présumé est réputée avoir été payée après le 31 décembre 2012.

Antérieurement, il se lisait ainsi :

a) dans le cas où l'habitation est un immeuble d'habitation à logement unique ou un logement en copropriété, la juste valeur marchande de l'habitation, au moment donné, en excluant un montant équivalant à la taxe qui serait payée ou payable par la personne en vertu de la partie IX de la *Loi sur la taxe d'accise* (Lois révisées du Canada (1985), chapitre E-15) relativement à cette habitation si elle était acquise par elle à ce moment pour une contrepartie égale à la juste valeur marchande de l'habitation déterminée conformément à cette loi;

Le paragraphe 3° du deuxième alinéa de l'article 378.7 a été supprimé par L.Q. 2012, c. 28, s.-par. 132(1)(4°) et cette modification s'applique à l'égard :

1° de la fourniture taxable par vente d'un immeuble d'habitation ou d'un droit dans celui-ci qui est effectuée en vertu d'une convention écrite conclue après le 31 décembre 2012;

2° de l'achat présumé, au sens du sous-paragraphe b) du paragraphe 1° de l'article 378.6, d'un immeuble d'habitation ou d'une adjonction à un immeuble d'habitation à logements multiples, lorsque la taxe à l'égard de cet achat présumé est réputée avoir été payée après le 31 décembre 2012.

Antérieurement, il se lisait ainsi :

3° la lettre C représente la taxe prévue à l'article 16 payée à l'égard du montant du remboursement auquel la personne a droit à l'égard de l'habitation en vertu du paragraphe 3 de l'article 256.2 de la *Loi sur la taxe d'accise*.

Le paragraphe 4° du troisième alinéa de l'article 378.7 a été remplacé par L.Q. 2012, c. 28, s.-par. 132(1)(6°) et cette modification s'applique à l'égard :

1° de la fourniture taxable par vente d'un immeuble d'habitation ou d'un droit dans celui-ci qui est effectuée en vertu d'une convention écrite conclue après le 31 décembre 2012;

2° de l'achat présumé, au sens du sous-paragraphe b) du paragraphe 1° de l'article 378.6, d'un immeuble d'habitation ou d'une adjonction à un immeuble d'habitation à logements multiples, lorsque la taxe à l'égard de cet achat présumé est réputée avoir été payée après le 31 décembre 2012.

Antérieurement, il se lisait ainsi :

4° la lettre B2 représente la juste valeur marchande, au moment donné, de l'immeuble d'habitation ou de l'adjonction, selon le cas, en excluant un montant équivalant à la taxe qui serait payée ou payable par la personne en vertu de la partie IX de la *Loi sur la taxe d'accise* relativement à cet immeuble d'habitation ou à cette adjonction s'il était acquis par elle à ce moment pour une contrepartie égale à la juste valeur marchande de l'immeuble d'habitation ou de l'adjonction déterminée conformément à cette loi;

Le paragraphe 5° du troisième alinéa de l'article 378.7 a été supprimé par L.Q. 2012, c. 28, s.-par. 132(1)(7°) et cette modification s'applique à l'égard :

1° de la fourniture taxable par vente d'un immeuble d'habitation ou d'un droit dans celui-ci qui est effectuée en vertu d'une convention écrite conclue après le 31 décembre 2012;

2° de l'achat présumé, au sens du sous-paragraphe b) du paragraphe 1° de l'article 378.6, d'un immeuble d'habitation ou d'une adjonction à un immeuble d'habitation à logements multiples, lorsque la taxe à l'égard de cet achat présumé est réputée avoir été payée après le 31 décembre 2012.

Antérieurement, il se lisait ainsi :

5° la lettre D représente le montant déterminé en vertu du paragraphe 3° du deuxième alinéa.

L'article 378.7 été ajouté par L.Q. 2003, c. 2, par. 339(1) et a effet depuis le 28 février 2000. Toutefois :

1° cet article s'applique à la fourniture taxable par vente :

a) d'un immeuble d'habitation ou d'un droit dans celui-ci, à une personne qui n'est pas un constructeur de l'immeuble, ou d'un immeuble d'habitation ou d'une adjonction à celui-ci, à une personne qui, autrement qu'en raison de l'article 220, est un constructeur de l'immeuble ou de l'adjonction, selon le cas, seulement dans le cas où la construction ou la dernière rénovation majeure de l'immeuble ou de l'adjonction, selon le cas, a commencé après le 27 février 2000;

b) d'un immeuble d'habitation ou d'une adjonction à celui-ci qui est réputée être effectuée à une personne qui a converti un immeuble pour l'utiliser comme immeuble d'habitation ou une adjonction à celui-ci et qui, par conséquent, est réputée, en vertu de l'article 220, être un constructeur de l'immeuble ou de l'adjonction, seulement dans le cas où la construction ou les travaux de transformation nécessaires à la conversion ont commencé après le 27 février 2000;

De plus, lorsque :

1° cet article s'applique à la fourniture taxable par vente :

a) d'un immeuble d'habitation ou d'un droit dans celui-ci, à une personne qui n'est pas un constructeur de l'immeuble, effectuée en vertu d'une convention écrite conclue avant le 15 mars 2000 et en vertu de laquelle le transfert de propriété a lieu avant cette date, il doit se lire en y remplaçant « 200 000 $ » par « 175 000 $ », « 225 000 $ » par « 200 000 $ » et « 5 642 $ » par « 4 937 $ »;

b) d'un immeuble d'habitation ou d'une adjonction à celui-ci, à une personne qui, autrement qu'en raison de l'article 220, est le constructeur de l'immeuble ou de l'adjonction, selon le cas, et dont le permis relatif à la construction ou à la rénovation majeure est délivré avant le 15 mars 2000, il doit se lire en y remplaçant « 200 000 $ » par « 175 000 $ », « 225 000 $ » par « 200 000 $ » et « 5 642 $ » par « 4 937 $ »;

2° cet article s'applique à la fourniture taxable par vente d'un immeuble d'habitation ou d'une adjonction à celui-ci qui est réputée effectuée à une personne qui a converti un immeuble pour l'utiliser comme immeuble d'habitation ou une adjonction à celui-ci et qui, par conséquent, est réputée, en vertu de l'article 220, être un constructeur de l'immeuble ou de l'adjonction et dont la construction ou les travaux de transformation nécessaires à la conversion ont commencé avant le 15 mars 2000, il doit se lire en y remplaçant « 200 000 $ » par « 175 000 $ », « 225 000 $ » par « 200 000 $ » et « 5 642 $ » par « 4 937 $ ».

Notes explicatives ARQ (PL 5, L.Q. 2012, c. 28): *Résumé* :

L'article 378.7 est modifié afin de tenir compte du fait qu'à compter du 1er janvier 2013 la taxe sur les produits et services (TPS) est retirée de l'assiette de la taxe de vente du Québec (TVQ).

Situation actuelle :

L'article 378.7 prévoit les formules pour déterminer le remboursement auquel une personne a droit en vertu de l'article 378.6 de la LTVQ relativement à un immeuble d'habitation locatif neuf ou ayant fait l'objet d'une rénovation majeure.

En vertu de l'article 378.7, le remboursement maximal pouvant être accordé pour une « habitation admissible » au sens de l'article 378.4 de la LTVQ est de 7 059 $, ce qui correspond à la somme qui serait remboursée pour une habitation dont la juste valeur marchande est de 200 000 $.

Modifications proposées :

L'article 378.7 est modifié afin de tenir compte du fait qu'à compter du 1er janvier 2013 la TPS est retirée de l'assiette de la TVQ.

Dans ce contexte, il y a lieu de remplacer le montant de 7 059 $ par 7 182 $ et de supprimer, dans les formules, les lettres C et D lesquelles représentent le remboursement de la TVQ sur le montant de la TPS remboursé à la personne.

Notes explicatives ARQ (PL 5, L.Q. 2011, c. 6): *Résumé* :

L'article 378.7 est modifié de façon à ce qu'il soit tenu compte de la hausse du taux de la taxe de vente du Québec (TVQ) qui passe de 8,5 % à 9,5 %.

Situation actuelle :

L'article 378.7 prévoit les formules pour déterminer le remboursement auquel une personne a droit en vertu de l'article 378.6 de la LTVQ relativement à un immeuble d'habitation locatif neuf ou ayant fait l'objet d'une rénovation majeure.

En vertu de l'article 378.7, le remboursement maximal pouvant être accordé relativement à une « habitation admissible » au sens de l'article 378.4 de la LTVQ est de 6 316 $, ce qui correspond à la somme qui serait remboursée pour une habitation dont la juste valeur marchande est de 200 000 $.

Modifications proposées :

La modification apportée à l'article 378.7 consiste à augmenter le remboursement maximal pouvant être obtenu en le faisant passer de 6 316 $ à 7 059 $, et ce, afin de tenir compte de la hausse du taux de la TVQ.

Notes explicatives ARQ (PL 2, L.Q. 2009, c. 5): *Résumé* :

L'article 378.7 est modifié de façon à ce qu'il soit tenu compte de la modification du taux de la taxe prévue au paragraphe 1 de l'article 165 de la *Loi sur la taxe d'accise* (Lois révisées du Canada (1985), chapitre E-15) qui passe de 6 % à 5 %.

Situation actuelle :

Les immeubles d'habitation locatifs neufs sont assujettis à la taxe de vente du Québec (TVQ), lorsqu'ils sont acquis par un locateur auprès du constructeur ou, en autocotisation, lorsque le constructeur est le locateur. Pour les acheteurs-locateurs, la TVQ devient payable à l'achat de l'immeuble neuf. Pour les locateurs tenus de s'autocotiser, la TVQ devient payable, en règle générale, dès que la première habitation de l'immeuble est louée.

L'article 378.7 de la LTVQ précise les formules à utiliser pour déterminer le montant du remboursement prévu à l'article 378.6 de la LTVQ à l'égard des immeubles d'habitation locatifs neufs.

Les formules sont établies en fonction de la juste valeur marchande (JVM) sans tenir compte du montant de la taxe sur les produits et services qui serait payée ou payable. Le remboursementmaximal s'établit à 5 607 $ ce qui correspond à la somme qui serait remboursée pour une habitation d'une valeur de 200 000 $.

Le remboursement diminue progressivement dans le cas des habitations dont la JVM se situe entre 200 000 $ et 225 000 $ et aucun remboursement n'est accordé pour les habitations locatives dont la JVM est égale ou supérieure à 225 000 $.

Lorsque l'habitation admissible est située dans un immeuble d'habitation à logements multiples, sa valeur correspond au produit de la multiplication du pourcentage de superficie totale de l'habitation par sa JVM.

Modifications proposées :

La modification apportée à l'article 378.7 de la LTVQ consiste à diminuer le remboursement maximal pouvant être obtenu en le faisant passer de 5 607 $ à 5 573 $.

Notes explicatives ARQ (PL 2, L.Q. 2007, c. 12): *Résumé* :

L'article 378.7 est modifié de façon à ce qu'il soit tenu compte de la modification du taux de la taxe prévue au paragraphe 1 de l'article 165 de la *Loi sur la taxe d'accise* (Lois révisées du Canada (1985), chapitre E-15) qui passe de 7 % à 6 %.

Situation actuelle :

Les immeubles d'habitation locatifs neufs sont assujettis à la taxe de vente du Québec (TVQ), lorsqu'ils sont acquis par un locateur auprès du constructeur ou, en autocotisation, lorsque le constructeur est le locateur. Pour les acheteurs-locateurs, la TVQ devient payable à l'achat de l'immeuble neuf. Pour les locateurs tenus de procéder à l'autocotisation de la TVQ, celle-ci devient payable, en règle générale, dès que la première habitation de l'immeuble est louée. Dans le contexte actuel, aucun remboursement de taxe n'est accordé à l'acheteur-locateur ou au locateur tenu de procéder à l'autocotisation de la TVQ.

L'article 378.7 précise les formules à utiliser pour déterminer le montant du remboursement prévu à l'article 378.6 de la LTVQ à l'égard des immeubles d'habitation locatifs neufs.

Les formules sont établies en fonction de la juste valeur marchande (JVM) sans tenir compte du montant de la taxe sur les produits et services qui serait payée ou payable. Le remboursementmaximal s'établit à 5 642 $, ce qui correspond à la somme qui serait remboursée pour une habitation d'une valeur de 200 000 $. Le remboursement diminue progressivement dans le cas des habitations dont la JVM se situe entre 200 000 $ et 225 000 $, et aucun remboursement n'est accordé pour les habitations locatives dont la JVM est égale ou supérieure à 225 000 $. Lorsque l'habitation admissible est située dans un immeuble d'habitation à logements multiples, sa valeur correspond au produit de la multiplication du pourcentage de superficie totale de l'habitation par sa JVM.

Modifications proposées :

La modification apportée à l'article 378.7 consiste à diminuer le remboursement maximal pouvant être obtenu en le faisant passer de 5 642 $ à 5 607 $.

Guides [art. 378.7]: IN-203 — Renseignements généraux sur la TVQ et la TPS/TVH; IN-205 — Remboursement de la TVQ et de la TPS/TVH — Habitations neuves — Immeubles d'habitation locatifs neufs — Rénovations majeures; IN-261 — La TVQ, la TPS et les immeubles d'habitation (construction ou rénovation).

Renvois [art. 378.7]: 457.8 (choix à l'égard d'un immeuble d'habitation).

Jurisprudence [art. 378.7]: *Coutu c. Québec (Sous-ministre du Revenu)* (20 novembre 2008), 705-80-001269-071, 2008 CarswellQue 12958; *Fortin c. Québec (Sous-ministre du Revenu)* (22 novembre 2005), 160-80-000018-048, 2005 CarswellQue 12442 (C.Q.).

Concordance fédérale: LTA, par. 256.2(3).

COMMENTAIRES: Voir les commentaires sous l'article 378.19

378.8 Vente du bâtiment et location du fonds — Sous réserve des articles 378.16 et 378.17, une personne, autre qu'une coopérative d'habitation, a droit à un remboursement déterminé conformément à l'article 378.9 dans le cas où, à la fois :

1º la personne est le constructeur d'un immeuble d'habitation ou d'une adjonction à un immeuble d'habitation à logements multiples et elle effectue les fournitures suivantes :

a) la fourniture exonérée par vente, visée à l'article 97.1, d'un bâtiment ou d'une partie de celui-ci;

b) la fourniture exonérée, visée à l'article 100, d'un fonds de terre par louage ou d'un contrat de louage par cession à l'égard d'un fonds;

2º le contrat de louage prévoit la possession ou l'utilisation continues du fonds de terre pour une période d'au moins 20 ans ou une option d'achat du fonds;

3º par suite de ces fournitures, la personne est réputée en vertu des articles 223 à 231.1 avoir effectué et reçu une fourniture taxable de l'immeuble ou de l'adjonction par vente et avoir payé, à un moment donné, la taxe à l'égard de cette fourniture;

4º dans le cas d'un immeuble d'habitation à logements multiples ou d'une adjonction à celui-ci, l'immeuble ou l'adjonction, selon le cas, comprend, au moment donné, une ou plusieurs habitations admissibles de la personne;

5º la personne n'a pas le droit d'inclure, dans le calcul de son remboursement de la taxe sur les intrants, la taxe qu'elle est réputée avoir payée;

6º dans le cas de la fourniture exonérée par vente d'un immeuble d'habitation à logement unique ou d'un logement en copropriété, l'acquéreur de la fourniture a le droit de demander un remboursement en vertu de l'article 370.0.1 à l'égard de l'immeuble ou du logement.

Notes historiques: L'article 378.8 été ajouté par L.Q. 2003, c. 2, par. 339(1) et a effet depuis le 28 février 2000. Toutefois :

1º cet article s'applique à la fourniture taxable par vente :

a) d'un immeuble d'habitation ou d'un droit dans celui-ci, à une personne qui n'est pas un constructeur de l'immeuble, ou d'un immeuble d'habitation ou d'une adjonction à celui-ci, à une personne qui, autrement qu'en raison de l'article 220, est un constructeur de l'immeuble ou de l'adjonction, selon le cas, seulement dans le cas où la construction ou la dernière rénovation majeure de l'immeuble ou de l'adjonction, selon le cas, a commencé après le 27 février 2000;

b) d'un immeuble d'habitation ou d'une adjonction à celui-ci qui est réputée être effectuée à une personne qui a converti un immeuble pour l'utiliser comme immeuble d'habitation ou une adjonction à celui-ci et qui, par conséquent, est réputée, en vertu de l'article 220, être un constructeur de l'immeuble ou de l'adjonction, seulement dans le cas où la construction ou les travaux de transformation nécessaires à la conversion ont commencé après le 27 février 2000.

Notes explicatives ARQ (PL 5, L.Q. 2012, c. 28): *Résumé* :

L'article 378.8 permet d'accorder, à certaines conditions, un remboursement partiel pour les immeubles d'habitation locatifs neufs au titre de la taxe payée par un constructeur. Cet article est modifié pour apporter une correction de nature terminologique au texte anglais de son paragraphe 6°.

Situation actuelle :

L'article 378.8 permet d'accorder un remboursement partiel pour les immeubles d'habitation locatifs neufs au titre de la taxe payée par un constructeur tenu de s'autocotiser en vertu des articles 223 à 231.1 de la LTVQ à la suite de la vente exonérée d'un bâtiment à une personne qui, de plus, loue le fonds de terre sur lequel le bâtiment est situé. En vertu du paragraphe 6° de cet article 378.8, ce remboursement est accordé si, dans le cas de la fourniture exonérée par vente d'un immeuble d'habitation à logement unique ou d'un logement en copropriété, l'acquéreur de la fourniture a le droit de demander un remboursement en vertu de l'article 370.0.1 de la LTVQ à l'égard de l'immeuble ou du logement.

Modifications proposées :

Dans le texte anglais du paragraphe 6° de l'article 378.8, l'expression « logement en copropriété » est traduite par l'expression « residential condominium unit » alors qu'à l'article 1 de la LTVQ, l'expression « logement en copropriété » est traduite par l'expression « residential unit held in co-ownership ».

Aussi, une modification de nature terminologique est apportée au texte anglais du paragraphe 6° de l'article 378.8 de la LTVQ afin que le texte de ce paragraphe utilise l'expression que l'on trouve définie à l'article 1 de la LTVQ.

Guides [art. 378.8]: IN-205 — Remboursement de la TVQ et de la TPS/TVH — Habitations neuves — Immeubles d'habitation locatifs neufs — Rénovations majeures; IN-261 — La TVQ, la TPS et les immeubles d'habitation (construction ou rénovation).

Renvois [art. 378.8]: 670.16 (remboursement transitoire de la taxe de vente à l'égard d'un immeuble d'habitation à un constructeur); 670.44 (remboursement transitoire au constructeur d'un immeuble); 670.45 (montant du remboursement au constructeur d'un immeuble); 670.56 (remboursement transitoire au constructeur d'un immeuble); 670.57 (montant du remboursement au constructeur d'un immeuble); 670.73 (remboursement transitoire au constructeur d'un immeuble); 670.74 (montant du remboursement au constructeur d'un immeuble); 670.85 (remboursement transitoire au constructeur d'un immeuble); 670.86 (montant du remboursement au constructeur d'un immeuble).

Concordance fédérale: LTA, par. 256.2(4).

COMMENTAIRES: Voir les commentaires sous l'article 378.19.

378.9 Montant du remboursement — Pour l'application de l'article 378.8, le remboursement auquel la personne a droit est égal au total des montants dont chacun représente un montant à l'égard d'une habitation qui fait partie de l'immeuble d'habitation ou de l'adjonction, selon le cas, et qui, dans le cas d'un immeuble d'habitation à logements multiples ou d'une adjonction à celui-ci, est une habitation admissible de la personne, au moment donné, déterminé selon la formule suivante :

$$[A \times (225\ 000\ \$\ B) / 25\ 000\ \$]\ C.$$

Application — Pour l'application de la formule prévue au premier alinéa :

1º la lettre A représente le moindre de 7 182 $ et du montant déterminé selon la formule suivante :

$$36\ \% \times (A1 \times A2);$$

2º la lettre B représente le plus élevé de 200 000 $ et de l'un des montants suivants :

a) dans le cas où l'habitation est un immeuble d'habitation à logement unique ou un logement en copropriété, la juste valeur marchande de l'habitation au moment donné;

b) dans tout autre cas, le montant déterminé selon la formule suivante :

$$B1 \times B2;$$

3º (*paragraphe supprimé*);

4º la lettre C représente le montant du remboursement prévu à l'article 370.0.2 que l'acquéreur de la fourniture exonérée par vente peut demander à l'égard de l'immeuble ou du logement.

Application — Pour l'application des formules prévues au deuxième alinéa :

1º la lettre A1 représente la taxe prévue à l'article 16 qui est réputée avoir été payée par la personne à l'égard de l'immeuble d'habitation ou de l'adjonction au moment donné;

LTVQ (français)

2º la lettre A2 représente :

a) dans le cas où l'habitation est un immeuble d'habitation à logement unique ou un logement en copropriété, 1;

b) dans tout autre cas, le pourcentage de superficie totale de l'habitation;

3º la lettre B1 représente le pourcentage de superficie totale de l'habitation;

4º la lettre B2 représente la juste valeur marchande, au moment donné, de l'immeuble d'habitation ou de l'adjonction, selon le cas.

5º (*paragraphe supprimé*).

Notes historiques: La formule du premier alinéa de l'article 378.9 a été remplacée par L.Q. 2012, c. 28, s.-par. 134(1)(1º) et cette modification s'applique à l'égard de la fourniture d'un bâtiment, ou d'une partie de celui-ci, qui fait partie d'un immeuble d'habitation et de la fourniture d'un fonds de terre, par suite desquelles une personne est réputée, en vertu des articles 223 à 231.1 avoir effectué et reçu une fourniture taxable par vente de l'immeuble d'habitation ou d'une adjonction à celui-ci après le 31 décembre 2012. Antérieurement, elle se lisait ainsi :

[A × (225 000 $ – B) / 25 000 $] + C – D.

Le préambule du paragraphe 1° du deuxième alinéa de l'article 378.9 a été modifié par L.Q. 2011, c. 6, par. 278(1) par le remplacement de « 6 316 $ » par « 7 059 $ ». Cette modification s'applique à l'égard de la fourniture d'un bâtiment ou d'une partie de celui-ci qui fait partie d'un immeuble d'habitation et de la fourniture d'un fonds de terre, visées aux sous-paragraphes a) et b) du paragraphe 1° de l'article 378.8, par suite desquelles une personne sera réputée en vertu des articles 223 à 231.1 avoir effectué et reçu une fourniture taxable par vente de l'immeuble d'habitation ou d'une adjonction à celui-ci après le 31 décembre 2011.

Le préambule du paragraphe 1° du deuxième alinéa de l'article 378.9 a été modifié par L.Q. 2010, c. 5, par. 239(1) par le remplacement de « 5 573 $ » par « 6 316 $ ». Cette modification s'applique à l'égard de la fourniture d'un bâtiment ou d'une partie de celui-ci qui fait partie d'un immeuble d'habitation et de la fourniture d'un fonds de terre visées aux sous-paragraphes a) et b) du paragraphe 1° de l'article 378.8, par suite desquelles une personne est réputée en vertu des articles 223 à 231.1 avoir effectué et reçu une fourniture taxable par vente de l'immeuble d'habitation ou d'une adjonction à celui-ci après le 31 décembre 2010.

Le paragraphe 1° du deuxième alinéa de l'article 378.9 a été remplacé par L.Q. 2012, c. 28, s.-par. 134(1)(2º) et cette modification s'applique à l'égard de la fourniture d'un bâtiment, ou d'une partie de celui-ci, qui fait partie d'un immeuble d'habitation et de la fourniture d'un fonds de terre, par suite desquelles une personne est réputée, en vertu des articles 223 à 231.1 avoir effectué et reçu une fourniture taxable par vente de l'immeuble d'habitation ou d'une adjonction à celui-ci après le 31 décembre 2012. Antérieurement, il se lisait ainsi :

1° la lettre A représente le moindre de 7 059 $ et du montant déterminé selon la formule suivante :

36 % × [(A1 × A2) – E];

Le paragraphe 1º du deuxième alinéa de l'article 378.9 a été modifié par L.Q. 2009, c. 5, par. 648(1) par le remplacement de « 5 607 $ » par « 5 573 $ ». Cette modification s'applique à la fourniture d'un bâtiment ou d'une partie de celui-ci qui fait partie d'un immeuble d'habitation et à la fourniture d'un fonds de terre, visées aux sous-paragraphes a) et b) du paragraphe 1° de l'article 378.8, par suite desquelles une personne est réputée, en vertu des articles 223 à 231.1, avoir effectué et reçu une fourniture taxable par vente de l'immeuble d'habitation ou d'une adjonction à celui-ci, après le 31 décembre 2007, sauf si la fourniture est réputée avoir été effectuée en raison du fait que le constructeur a transféré la possession d'une habitation de l'immeuble d'habitation ou de l'adjonction à une personne aux termes d'une convention relative à la fourniture par vente du bâtiment ou d'une partie de celui-ci qui fait partie de l'immeuble d'habitation ou de l'adjonction et, selon le cas :

1° la convention a été conclue avant le 31 octobre 2007;

2° une autre convention a été conclue entre le constructeur et une autre personne avant le 3 mai 2006, laquelle n'a pas pris fin avant le 1er juillet 2006 et portait sur la fourniture par vente du bâtiment ou d'une partie de celui-ci qui fait partie :

a) dans le cas d'une fourniture réputée d'un immeuble d'habitation, de l'immeuble d'habitation;

b) dans le cas d'une fourniture réputée d'une adjonction, de l'adjonction;

3° une autre convention a été conclue entre le constructeur et une autre personne avant le 31 octobre 2007, laquelle n'a pas pris fin avant le 1er janvier 2008 et portait sur la fourniture par vente du bâtiment ou d'une partie de celui-ci qui fait partie :

a) dans le cas d'une fourniture réputée d'un immeuble d'habitation, de l'immeuble d'habitation;

b) dans le cas d'une fourniture réputée d'une adjonction, de l'adjonction.

Le paragraphe 1º du deuxième alinéa de l'article 378.9 a été modifié par L.Q. 2007, c. 12, par. 334(1) par le remplacement de « 5 642 $ » par « 5 607 $ ». Cette modification s'applique à la fourniture d'un bâtiment ou d'une partie de celui-ci qui fait partie d'un immeuble d'habitation et à la fourniture d'un fonds de terre, visées aux sous-paragraphes a) et b) du paragraphe 1° de l'article 378.8, par suite desquelles une personne est réputée en vertu des articles 223 à 231.1 avoir effectué et reçu une fourniture taxable par vente de l'immeuble d'habitation ou d'une adjonction à celui-ci, après le 30 juin 2006, sauf si la fourniture est réputée avoir été effectuée du fait que le constructeur a transféré la possession d'une habitation de l'immeuble d'habitation ou de l'adjonction à une personne en vertu d'une convention relative à la fourniture par vente du bâtiment ou d'une partie de celui-ci qui fait partie de l'immeuble d'habitation ou de l'adjonction et sauf si, selon le cas :

1° la convention a été conclue avant le 3 mai 2006;

2° une autre convention entre le constructeur et une autre personne a été conclue avant le 3 mai 2006, n'a pas pris fin avant le 1er juillet 2006 et portait sur la fourniture par vente du bâtiment ou d'une partie de celui-ci qui fait partie :

a) dans le cas d'une fourniture réputée d'un immeuble d'habitation, de l'immeuble d'habitation;

b) dans le cas d'une fourniture réputée d'une adjonction, de l'adjonction.

Le sous-paragraphe a) du paragraphe 2° du deuxième alinéa de l'article 378.9 a été remplacé par L.Q. 2012, c. 28, s.-par. 134(1)(3º) et cette modification s'applique à l'égard de la fourniture d'un bâtiment, ou d'une partie de celui-ci, qui fait partie d'un immeuble d'habitation et de la fourniture d'un fonds de terre, par suite desquelles une personne est réputée, en vertu des articles 223 à 231.1 avoir effectué et reçu une fourniture taxable par vente de l'immeuble d'habitation ou d'une adjonction à celui-ci après le 31 décembre 2012. Antérieurement, il se lisait ainsi :

a) dans le cas où l'habitation est un immeuble d'habitation à logement unique ou un logement en copropriété, la juste valeur marchande de l'habitation, au moment donné, en excluant un montant équivalant à la taxe qui serait payée ou payable par la personne en vertu de la partie IX de la *Loi sur la taxe d'accise* (L.R.C. 1985, c. E-15) relativement à cette habitation si elle était acquise par elle à ce moment pour une contrepartie égale à la juste valeur marchande de l'habitation déterminée conformément à cette loi;

Le paragraphe 3° du deuxième alinéa de l'article 378.9 a été supprimé par L.Q. 2012, c. 28, s.-par. 134(1)(4º) et cette modification s'applique à l'égard de la fourniture d'un bâtiment, ou d'une partie de celui-ci, qui fait partie d'un immeuble d'habitation et de la fourniture d'un fonds de terre, par suite desquelles une personne est réputée, en vertu des articles 223 à 231.1 avoir effectué et reçu une fourniture taxable par vente de l'immeuble d'habitation ou d'une adjonction à celui-ci après le 31 décembre 2012. Antérieurement, il se lisait ainsi :

3º la lettre C représente la taxe prévue à l'article 16 payée à l'égard du montant du remboursement auquel la personne a droit à l'égard de l'habitation en vertu du paragraphe 4 de l'article 256.2 de la *Loi sur la taxe d'accise*;

Le paragraphe 4º du deuxième alinéa de l'article 378.9 a été remplacé par L.Q. 2012, c. 28, s.-par. 134(1)(5º) et cette modification s'applique à l'égard de la fourniture d'un bâtiment, ou d'une partie de celui-ci, qui fait partie d'un immeuble d'habitation et de la fourniture d'un fonds de terre, par suite desquelles une personne est réputée, en vertu des articles 223 à 231.1 avoir effectué et reçu une fourniture taxable par vente de l'immeuble d'habitation ou d'une adjonction à celui-ci après le 31 décembre 2012. Antérieurement, il se lisait ainsi :

4º la lettre D représente le montant du remboursement prévu à l'article 370.0.2 que l'acquéreur de la fourniture exonérée par vente peut demander à l'égard de l'immeuble ou du logement.

Le paragraphe 4° du troisième alinéa de l'article 378.9 a été remplacé par L.Q. 2012, c. 28, s.-par. 134(1)(7º) et cette modification s'applique à l'égard de la fourniture d'un bâtiment, ou d'une partie de celui-ci, qui fait partie d'un immeuble d'habitation et de la fourniture d'un fonds de terre, par suite desquelles une personne est réputée, en vertu des articles 223 à 231.1 avoir effectué et reçu une fourniture taxable par vente de l'immeuble d'habitation ou d'une adjonction à celui-ci après le 31 décembre 2012. Antérieurement, il se lisait ainsi :

4º la lettre B2 représente la juste valeur marchande, au moment donné, de l'immeuble d'habitation ou de l'adjonction, selon le cas, en excluant un montant équivalant à la taxe qui serait payée ou payable par la personne en vertu de la partie IX de la *Loi sur la taxe d'accise* relativement à cet immeuble d'habitation ou à cette adjonction s'il était acquis par elle à ce moment pour une contrepartie égale à la juste valeur marchande de l'immeuble d'habitation ou de l'adjonction déterminée conformément à cette loi;

Le paragraphe 5° du troisième alinéa de l'article 378.9 a été supprimé par L.Q. 2012, c. 28, s.-par. 134(1)(8º) et cette modification s'applique à l'égard de la fourniture d'un bâtiment, ou d'une partie de celui-ci, qui fait partie d'un immeuble d'habitation et de la fourniture d'un fonds de terre, par suite desquelles une personne est réputée, en vertu des articles 223 à 231.1 avoir effectué et reçu une fourniture taxable par vente de l'immeuble d'habitation ou d'une adjonction à celui-ci après le 31 décembre 2012. Antérieurement, il se lisait ainsi :

5º la lettre E représente le montant déterminé en vertu du paragraphe 3° du deuxième alinéa.

L'article 378.9 été ajouté par L.Q. 2003, c. 2, par. 339(1) et a effet depuis le 28 février 2000. Toutefois :

1° cet article s'applique à la fourniture taxable par vente :

a) d'un immeuble d'habitation ou d'un droit dans celui-ci, à une personne qui n'est pas un constructeur de l'immeuble, ou d'un immeuble d'habitation ou d'une adjonction à celui-ci, à une personne qui, autrement qu'en raison de l'article 220, est un constructeur de l'immeuble ou de l'adjonction, selon le cas, seulement dans le cas où la construction ou la dernière rénovation majeure de l'immeuble ou de l'adjonction, selon le cas, a commencé après le 27 février 2000;

b) d'un immeuble d'habitation ou d'une adjonction à celui-ci qui est réputée être effectuée à une personne qui a converti un immeuble pour l'utiliser comme immeuble d'habitation ou une adjonction à celui-ci et qui, par conséquent, est réputée, en vertu de l'article 220, être un constructeur de l'immeuble ou de l'adjonction, seulement dans le cas où la construction ou les travaux de transformation nécessaires à la conversion ont commencé après le 27 février 2000;

De plus, lorsque :

1° cet article s'applique à la fourniture taxable par vente :

a) d'un immeuble d'habitation ou d'un droit dans celui-ci, à une personne qui n'est pas un constructeur de l'immeuble, effectuée en vertu d'une convention écrite conclue avant le 15 mars 2000 et en vertu de laquelle le transfert de propriété a lieu avant cette date, il doit se lire en y remplaçant « 200 000 $ » par « 175 000 $ », « 225 000 $ » par « 200 000 $ » et « 5 642 $ » par « 4 937 $ »;

b) d'un immeuble d'habitation ou d'une adjonction à celui-ci, à une personne qui, autrement qu'en raison de l'article 220, est le constructeur de l'immeuble ou de l'adjonction, selon le cas, et dont le permis relatif à la construction ou à la rénovation majeure est délivré avant le 15 mars 2000, il doit se lire en y remplaçant « 200 000 $ » par « 175 000 $ », « 225 000 $ » par « 200 000 $ » et « 5 642 $ » par « 4 937 $ »;

2° cet article s'applique à la fourniture taxable par vente d'un immeuble d'habitation ou d'une adjonction à celui-ci qui est réputée effectuée à une personne qui a converti un immeuble pour l'utiliser comme immeuble d'habitation ou une adjonction à celui-ci et qui, par conséquent, est réputée, en vertu de l'article 220, être un constructeur de l'immeuble ou de l'adjonction et dont la construction ou les travaux de transformation nécessaires à la conversion ont commencé avant le 15 mars 2000, il doit se lire en y remplaçant « 200 000 $ » par « 175 000 $ », « 225 000 $ » par « 200 000 $ » et « 5 642 $ » par « 4 937 $ ».

Notes explicatives ARQ (PL 5, L.Q. 2012, c. 28): *Résumé* :

L'article 378.9 est modifié afin de tenir compte du fait qu'à compter du 1er janvier 2013 la taxe sur les produits et services (TPS) est retirée de l'assiette de la taxe de vente du Québec (TVQ).

Situation actuelle :

L'article 378.9 prévoit les formules pour déterminer le remboursement auquel un constructeur a droit en vertu de l'article 378.8 de la LTVQ relativement à la vente exonérée d'un bâtiment à une personne qui, de plus, loue le fonds de terre sur lequel le bâtiment est situé. Dans ce cas, le constructeur est tenu de procéder à l'autocotisation de la taxe relative au bâtiment et au fonds de terre en vertu des articles 223 à 231.1 de la LTVQ.

En vertu de l'article 378.9, le remboursement maximal pouvant être accordé relativement à une « habitation admissible » au sens de l'article 378.4 de la LTVQ est de 7 059 $, ce qui correspond à la somme qui serait remboursée pour une habitation dont la juste valeur marchande est de 200 000 $.

Modifications proposées :

L'article 378.9 est modifié afin de tenir compte du fait qu'à compter du 1er janvier 2013 la TPS est retirée de l'assiette de la TVQ.

Dans ce contexte, il y a lieu de remplacer le montant de 7 059 $ par 7 182 $ et de supprimer, dans les formules, les lettres C et E lesquelles représentent le remboursement de la TVQ sur le montant de la TPS remboursé à la personne.

Notes explicatives ARQ (PL 5, L.Q. 2011, c. 6): *Résumé* :

L'article 378.9 est modifié de façon à ce qu'il soit tenu compte de la hausse du taux de la taxe de vente du Québec (TVQ) qui passe de 8,5 % à 9,5 %.

Situation actuelle :

L'article 378.9 prévoit les formules pour déterminer le remboursement auquel un constructeur a droit en vertu de l'article 378.8 de la LTVQ relativement à la vente exonérée d'un bâtiment à une personne qui, de plus, loue le fonds de terre sur lequel le bâtiment est situé. Dans ce cas, le constructeur est tenu de procéder à l'autocotisation de la taxe relative au bâtiment et au fonds de terre en vertu des articles 223 à 231.1 de la LTVQ.

En vertu de l'article 378.9, le remboursement maximal pouvant être accordé relativement à une « habitation admissible » au sens de l'article 378.4 de la LTVQ est de 6 316 $, ce qui correspond à la somme qui serait remboursée pour une habitation dont la juste valeur marchande est de 200 000 $.

Modifications proposées :

La modification apportée à cet article consiste à augmenter le remboursement maximal pouvant être obtenu en le faisant passer de 6 316 $ à 7 059 $, et ce, afin de tenir compte de la hausse du taux de la TVQ.

Notes explicatives ARQ (PL 2, L.Q. 2009, c. 5): *Résumé* :

L'article 378.9 est modifié de façon à ce qu'il soit tenu compte de la modification du taux de la taxe prévue au paragraphe 1 de l'article 165 de la *Loi sur la taxe d'accise* (Lois révisées du Canada (1985), chapitre E-15) qui passe de 6 % à 5 %.

Situation actuelle :

L'article 378.9 de la LTVQ précise les formules à utiliser pour déterminer le montant du remboursement prévu à l'article 378.8, soit le remboursement dans le cas où un constructeur doit s'autocotiser suite à une fourniture exonérée par vente d'un bâtiment et à une fourniture exonérée par bail à long terme du fonds de terre sur lequel le bâtiment est situé.

Dans le cas d'un immeuble d'habitation à logement unique ou d'un logement en copropriété, le montant du remboursement s'obtient par la soustraction du montant du remboursement pour habitations neuves auquel l'acheteur a droit, du montant du remboursement déterminé par ailleurs pour le constructeur, compte tenu des mêmes seuils de 200 000 $ et de 225 000 $ que dans la formule figurant à l'article 378.7 de la LTVQ. De plus, dans cette situation, le remboursement n'est accordé que si l'acheteur a droit au remboursement pour habitations neuves.

Modifications proposées :

La modification apportée à cet article consiste à diminuer le remboursement maximal pouvant être obtenu en le faisant passer de 5 607 $ à 5 573 $.

Notes explicatives ARQ (PL 2, L.Q. 2007, c. 12): *Résumé* :

L'article 378.9 est modifié de façon à ce qu'il soit tenu compte de la modification du taux de la taxe prévue au paragraphe 1 de l'article 165 de la *Loi sur la taxe d'accise* (Lois révisées du Canada (1985), chapitre E-15) qui passe de 7 % à 6 %.

Situation actuelle :

L'article 378.9 précise les formules à utiliser pour déterminer le montant du remboursement prévu à l'article 378.8, soit le remboursement dans les cas où un constructeur doit se cotiser lui-même suite à une fourniture exonérée par vente d'un bâtiment et à une fourniture exonérée par bail à long terme du fonds de terre sur lequel le bâtiment est situé.

Dans le cas d'un immeuble d'habitation à logement unique ou d'un logement en copropriété, le montant du remboursement s'obtient par la soustraction du montant du remboursement pour habitations neuves auquel l'acheteur a droit, du montant du remboursement déterminé par ailleurs pour le constructeur, compte tenu des mêmes seuils de 200 000 $ et de 225 000 $ que dans la formule figurant à l'article 378.7 de la LTVQ. De plus, dans cette situation, le remboursement n'est accordé que si l'acheteur a droit au remboursement pour habitations neuves.

Modifications proposées :

La modification apportée à cet article vise à diminuer le remboursement maximal pouvant être obtenu en le faisant passer de 5 642 $ à 5 607 $.

Guides [art. 378.9]: IN-205 — Remboursement de la TVQ et de la TPS/TVH — Habitations neuves — Immeubles d'habitation locatifs neufs — Rénovations majeures; IN-261 — La TVQ, la TPS et les immeubles d'habitation (construction ou rénovation).

Formulaires [art. 378.9]: VD-370.67, Remboursement de TVQ pour un immeuble d'habitation locatif neuf.

Concordance fédérale: LTA, par. 256.2(4).

COMMENTAIRES: Voir les commentaires sous l'article 378.19.

378.10 Coopérative d'habitation — Sous réserve des articles 378.16 et 378.17, une coopérative d'habitation a droit à un remboursement déterminé conformément à l'article 378.11 dans le cas où, à la fois :

1° la coopérative est, selon le cas :

a) l'acquéreur de la fourniture taxable par vente — appelée « achat auprès du fournisseur » dans le présent article et l'article 378.11 — effectuée par une autre personne d'un immeuble d'habitation ou d'un droit dans celui-ci et n'est pas un constructeur de l'immeuble;

b) le constructeur d'un immeuble d'habitation ou d'une adjonction à un immeuble d'habitation à logements multiples qui effectue une fourniture exonérée par louage visée à l'article 98 par suite de laquelle la coopérative est réputée, en vertu des articles 223 à 231.1, avoir effectué et reçu une fourniture taxable par vente — appelée « achat présumé » dans le présent article et l'article 378.11 — de l'immeuble ou de l'adjonction et avoir payé la taxe à l'égard de cette fourniture;

2° la coopérative n'a pas le droit d'inclure, dans le calcul de son remboursement de la taxe sur les intrants, la taxe à l'égard de l'achat auprès du fournisseur ou la taxe à l'égard de l'achat présumé;

LTVQ (français)

3º à un moment quelconque, une habitation qui est comprise dans l'immeuble est une habitation admissible de la coopérative et la coopérative en permet l'occupation, pour la première fois après sa construction ou sa dernière rénovation majeure, en vertu d'une convention relative à une fourniture de cette habitation qui est une fourniture exonérée visée à l'article 98.

Notes historiques: L'article 378.10 été ajouté par L.Q. 2003, c. 2, par. 339(1) et a effet depuis le 28 février 2000. Toutefois :

1° cet article s'applique à la fourniture taxable par vente :

a) d'un immeuble d'habitation ou d'un droit dans celui-ci, à une personne qui n'est pas un constructeur de l'immeuble, ou d'un immeuble d'habitation ou d'une adjonction à celui-ci, à une personne qui, autrement qu'en raison de l'article 220, est un constructeur de l'immeuble ou de l'adjonction, selon le cas, seulement dans le cas où la construction ou la dernière rénovation majeure de l'immeuble ou de l'adjonction, selon le cas, a commencé après le 27 février 2000;

b) d'un immeuble d'habitation ou d'une adjonction à celui-ci qui est réputée être effectuée à une personne qui a converti un immeuble pour l'utiliser comme immeuble d'habitation ou une adjonction à celui-ci et qui, par conséquent, est réputée, en vertu de l'article 220, être un constructeur de l'immeuble ou de l'adjonction, seulement dans le cas où la construction ou les travaux de transformation nécessaires à la conversion ont commencé après le 27 février 2000;

Guides [art. 378.10]: IN-261 — La TVQ, la TPS et les immeubles d'habitation (construction ou rénovation).

Formulaires [art. 378.9]: VD-370.89, Remboursement de TVQ pour un immeuble d'habitation locatif neuf.

Concordance fédérale: LTA, par. 256.2(5).

COMMENTAIRES: Voir les commentaires sous l'article 378.19.

378.11 Montant du remboursement — Pour l'application de l'article 378.10, le remboursement auquel la coopérative d'habitation a droit à l'égard d'une habitation est égal au montant déterminé selon la formule suivante :

[A × (225 000 $ B) / 25 000 $] – C.

Application — Pour l'application de la formule prévue au premier alinéa :

1º la lettre A représente le moindre de 7 182 $ et du montant déterminé selon la formule suivante :

36 % × (A1 × A2);

2º la lettre B représente le plus élevé de 200 000 $ et de l'un des montants suivants :

a) dans le cas où l'habitation est un immeuble d'habitation à logement unique ou un logement en copropriété, la juste valeur marchande de l'habitation, au moment où la taxe devient payable pour la première fois à l'égard de l'achat auprès du fournisseur ou au moment où la taxe à l'égard de l'achat présumé est réputée avoir été payée par la coopérative;

b) dans tout autre cas, le montant déterminé selon la formule suivante :

B1 x B2;

3º (*paragraphe supprimé*);

4º la lettre C représente le montant du remboursement prévu à l'article 370.6 que l'acquéreur de la fourniture exonérée de l'habitation peut demander à l'égard de celle-ci.

Application — Pour l'application des formules prévues au deuxième alinéa :

1º la lettre A1 représente le total de la taxe payable en vertu de l'article 16 à l'égard de l'achat auprès du fournisseur ou qui est réputée avoir été payée à l'égard de l'achat présumé;

2º la lettre A2 représente :

a) dans le cas où l'habitation est un immeuble d'habitation à logement unique, 1;

b) dans tout autre cas, le pourcentage de superficie totale de l'habitation;

3º la lettre B1 représente le pourcentage de superficie totale de l'habitation;

4º la lettre B2 représente la juste valeur marchande de l'immeuble d'habitation au moment mentionné au sous-paragraphe a du paragraphe 2° du deuxième alinéa. »;

5º (*paragraphe supprimé*).

Notes historiques: La formule du premier alinéa de l'article 378.11 a été remplacée par L.Q. 2012, c. 28, s.-par. 135(1)(1º) et cette modification s'applique à l'égard :

1° de la fourniture taxable par vente d'un immeuble d'habitation ou d'un droit dans celui-ci qui est effectuée en vertu d'une convention écrite conclue après le 31 décembre 2012;

2° de l'achat présumé, au sens du sous-paragraphe b) du paragraphe 1° de l'article 378.10, d'un immeuble d'habitation ou d'une adjonction à un immeuble d'habitation à logements multiples, lorsque la taxe à l'égard de cet achat présumé est réputée avoir été payée après le 31 décembre 2012.

Antérieurement, elle se lisait ainsi :

[A × (225 000 $ – B) / 25 000 $] + C – D.

Le préambule du paragraphe 1° du deuxième alinéa de l'article 378.11 a été modifié par L.Q. 2011, c. 6, par. 279(1) par le remplacement de « 6 316 $ » par « 7 059 $ ».Cette modification s'applique à l'égard :

1° d'une fourniture taxable par vente, effectuée à un acquéreur par une autre personne, d'un immeuble d'habitation ou d'un droit dans celui-ci, si la convention écrite relative à la fourniture est conclue après le 31 décembre 2011 et si les transferts de propriété et de possession en vertu de la convention ont lieu après cette date;

2° d'un achat présumé, effectué par un constructeur, dans le cas où la taxe à l'égard de l'achat présumé d'un immeuble d'habitation ou d'une adjonction à celui-ci est réputée avoir été payée après le 31 décembre 2011.

Le préambule du paragraphe 1° du deuxième alinéa de l'article 378.11 a été modifié par L.Q. 2010, c. 5, par. 240(1) par le remplacement de « 5 573 $ » par « 6 316 $ ». Cette modification s'applique à l'égard :

1° d'une fourniture taxable par vente, effectuée à un acquéreur par une autre personne, d'un immeuble d'habitation ou d'un droit dans celui-ci, si la convention écrite relative à la fourniture est conclue après le 31 décembre 2010 et si le transfert de propriété et de possession en vertu de la convention a lieu après cette date;

2° d'un achat présumé, effectué par un constructeur, dans le cas où la taxe à l'égard de l'achat présumé d'un immeuble d'habitation ou d'une adjonction à celui-ci est réputée avoir été payée après le 31 décembre 2010.

Le paragraphe 1° du deuxième alinéa de l'article 378.11 a été remplacé par L.Q. 2012, c. 28, s.-par. 135(1)(2º) et cette modification s'applique à l'égard :

1° de la fourniture taxable par vente d'un immeuble d'habitation ou d'un droit dans celui-ci qui est effectuée en vertu d'une convention écrite conclue après le 31 décembre 2012;

2° de l'achat présumé, au sens du sous-paragraphe b) du paragraphe 1° de l'article 378.10, d'un immeuble d'habitation ou d'une adjonction à un immeuble d'habitation à logements multiples, lorsque la taxe à l'égard de cet achat présumé est réputée avoir été payée après le 31 décembre 2012.

Antérieurement, il se lisait ainsi :

1° la lettre A représente le moindre de 7 059 $ et du montant déterminé selon la formule suivante :

36 % × [(A1 x A2) – E];

Le paragraphe 1° du deuxième alinéa de l'article 378.11 a été modifié par L.Q. 2009, c. 5, par. 649(1) par le remplacement de « 5 607 $ » par « 5 573 $ ». Cette modification s'applique à l'égard :

1° d'une fourniture taxable par vente, effectuée à un acquéreur par une autre personne, d'un immeuble d'habitation ou d'un droit dans celui-ci, dont la propriété et la possession aux termes de la convention relative à la fourniture sont transférées après le 31 décembre 2007, sauf si cette convention est constatée par écrit et a été conclue avant le 31 octobre 2007;

2° d'un achat présumé, au sens du sous-paragraphe b du paragraphe 1° de l'article 378.10, effectué par un constructeur, dans le cas où la taxe à l'égard de l'achat présumé d'un immeuble d'habitation ou d'une adjonction à celui-ci, est réputée avoir été payée après le 31 décembre 2007.

Le paragraphe 1° du deuxième alinéa de l'article 378.11 a été modifié par L.Q. 2007, c. 12, par. 335(1) par le remplacement de « 5 642 $ » par « 5 607 $ ». Cette modification s'applique à l'égard :

1° d'une fourniture taxable par vente, effectuée à un acquéreur par une autre personne, d'un immeuble d'habitation ou d'un droit dans celui-ci, dont la propriété et la possession en vertu de la convention relative à la fourniture sont transférées après le 30 juin 2006, sauf si cette convention est constatée par écrit et a été conclue avant le 3 mai 2006;

2° d'un achat présumé, au sens du sous-paragraphe b du paragraphe 1° de l'article 378.10, effectué par un constructeur, dans le cas où la taxe à l'égard de l'achat présumé d'un immeuble d'habitation ou d'une adjonction à celui-ci, est réputée avoir été payée après le 30 juin 2006.

Le sous-paragraphe a) du paragraphe 2° du deuxième alinéa de l'article 378.11 a été remplacé par L.Q. 2012, c. 28, s.-par. 135(1)(3°) et cette modification s'applique à l'égard :

1° de la fourniture taxable par vente d'un immeuble d'habitation ou d'un droit dans celui-ci qui est effectuée en vertu d'une convention écrite conclue après le 31 décembre 2012;

2° de l'achat présumé, au sens du sous-paragraphe b) du paragraphe 1° de l'article 378.10, d'un immeuble d'habitation ou d'une adjonction à un immeuble d'habitation à logements multiples, lorsque la taxe à l'égard de cet achat présumé est réputée avoir été payée après le 31 décembre 2012.

Antérieurement, il se lisait ainsi :

a) dans le cas où l'habitation est un immeuble d'habitation à logement unique ou un logement en copropriété, la juste valeur marchande de l'habitation, au moment où la taxe devient payable pour la première fois à l'égard de l'achat auprès du fournisseur ou au moment où la taxe à l'égard de l'achat présumé est réputée avoir été payée par la coopérative, en excluant un montant équivalant à la taxe qui serait payée ou payable par la coopérative en vertu de la partie IX de la *Loi sur la taxe d'accise* (L.R.C. 1985, c. E-15) relativement à cette habitation si elle était acquise par elle à ce moment pour une contrepartie égale à la juste valeur marchande de l'habitation déterminée conformément à cette loi;

Le paragraphe 3° du deuxième alinéa de l'article 378.11 a été supprimé par L.Q. 2012, c. 28, s.-par. 135(1)(4°) et cette modification s'applique à l'égard :

1° de la fourniture taxable par vente d'un immeuble d'habitation ou d'un droit dans celui-ci qui est effectuée en vertu d'une convention écrite conclue après le 31 décembre 2012;

2° de l'achat présumé, au sens du sous-paragraphe b) du paragraphe 1° de l'article 378.10, d'un immeuble d'habitation ou d'une adjonction à un immeuble d'habitation à logements multiples, lorsque la taxe à l'égard de cet achat présumé est réputée avoir été payée après le 31 décembre 2012.

Antérieurement, il se lisait ainsi :

3° la lettre C représente la taxe prévue à l'article 16 payée à l'égard du montant du remboursement auquel la coopérative a droit à l'égard de l'habitation en vertu du paragraphe 5 de l'article 256.2 de la *Loi sur la taxe d'accise*;

Le paragraphe 4° du deuxième alinéa de l'article 378.11 a été remplacé par L.Q. 2012, c. 28, s.-par. 135(1)(5°) et cette modification s'applique à l'égard :

1° de la fourniture taxable par vente d'un immeuble d'habitation ou d'un droit dans celui-ci qui est effectuée en vertu d'une convention écrite conclue après le 31 décembre 2012;

2° de l'achat présumé, au sens du sous-paragraphe b) du paragraphe 1° de l'article 378.10, d'un immeuble d'habitation ou d'une adjonction à un immeuble d'habitation à logements multiples, lorsque la taxe à l'égard de cet achat présumé est réputée avoir été payée après le 31 décembre 2012.

Antérieurement, il se lisait ainsi :

4° la lettre D représente le montant du remboursement prévu à l'article 370.6 que l'acquéreur de la fourniture exonérée de l'habitation peut demander à l'égard de celle-ci.

Le paragraphe 4° du troisième alinéa de l'article 378.11 a été remplacé par L.Q. 2012, c. 28, s.-par. 135(1)(6°) et cette modification s'applique à l'égard :

1° de la fourniture taxable par vente d'un immeuble d'habitation ou d'un droit dans celui-ci qui est effectuée en vertu d'une convention écrite conclue après le 31 décembre 2012;

2° de l'achat présumé, au sens du sous-paragraphe b) du paragraphe 1° de l'article 378.10, d'un immeuble d'habitation ou d'une adjonction à un immeuble d'habitation à logements multiples, lorsque la taxe à l'égard de cet achat présumé est réputée avoir été payée après le 31 décembre 2012.

Antérieurement, il se lisait ainsi :

4° la lettre B2 représente la juste valeur marchande de l'immeuble d'habitation, au moment mentionné en vertu du sous-paragraphe a du paragraphe 2° du deuxième alinéa, en excluant un montant équivalant à la taxe qui serait payée ou payable par la coopérative en vertu de la partie IX de la *Loi sur la taxe d'accise* relativement à cet immeuble s'il était acquis par elle à ce moment pour une contrepartie égale à la juste valeur marchande de l'immeuble déterminée conformément à cette loi;

Le paragraphe 5° du troisième alinéa de l'article 378.11 a été supprimé par L.Q. 2012, c. 28, s.-par. 135(1)(7°) et cette modification s'applique à l'égard :

1° de la fourniture taxable par vente d'un immeuble d'habitation ou d'un droit dans celui-ci qui est effectuée en vertu d'une convention écrite conclue après le 31 décembre 2012;

2° de l'achat présumé, au sens du sous-paragraphe b) du paragraphe 1° de l'article 378.10, d'un immeuble d'habitation ou d'une adjonction à un immeuble d'habitation à logements multiples, lorsque la taxe à l'égard de cet achat présumé est réputée avoir été payée après le 31 décembre 2012.

Antérieurement, il se lisait ainsi :

5° la lettre E représente le montant déterminé en vertu du paragraphe 3° du deuxième alinéa.

L'article 378.11 été ajouté par L.Q. 2003, c. 2, par. 339(1) et a effet depuis le 28 février 2000. Toutefois :

1° cet article s'applique à la fourniture taxable par vente :

a) d'un immeuble d'habitation ou d'un droit dans celui-ci, à une personne qui n'est pas un constructeur de l'immeuble, ou d'un immeuble d'habitation ou d'une adjonction à celui-ci, à une personne qui, autrement qu'en raison de l'article 220, est un constructeur de l'immeuble ou de l'adjonction, selon le cas, seulement dans le cas où la construction ou la dernière rénovation majeure de l'immeuble ou de l'adjonction, selon le cas, a commencé après le 27 février 2000;

b) d'un immeuble d'habitation ou d'une adjonction à celui-ci qui est réputée être effectuée à une personne qui a converti un immeuble pour l'utiliser comme immeuble d'habitation ou une adjonction à celui-ci et qui, par conséquent, est réputée, en vertu de l'article 220, être un constructeur de l'immeuble ou de l'adjonction, seulement dans le cas où la construction ou les travaux de transformation nécessaires à la conversion ont commencé après le 27 février 2000;

De plus, lorsque :

1° cet article s'applique à la fourniture taxable par vente :

a) d'un immeuble d'habitation ou d'un droit dans celui-ci, à une personne qui n'est pas un constructeur de l'immeuble, effectuée en vertu d'une convention écrite conclue avant le 15 mars 2000 et en vertu de laquelle le transfert de propriété a lieu avant cette date, il doit se lire en y remplaçant « 200 000 $ » par « 175 000 $ », « 225 000 $ » par « 200 000 $ » et « 5 642 $ » par « 4 937 $ »;

b) d'un immeuble d'habitation ou d'une adjonction à celui-ci, à une personne qui, autrement qu'en raison de l'article 220, est le constructeur de l'immeuble ou de l'adjonction, selon le cas, et dont le permis relatif à la construction ou à la rénovation majeure est délivré avant le 15 mars 2000, il doit se lire en y remplaçant « 200 000 $ » par « 175 000 $ », « 225 000 $ » par « 200 000 $ » et « 5 642 $ » par « 4 937 $ »;

2° cet article s'applique à la fourniture taxable par vente d'un immeuble d'habitation ou d'une adjonction à celui-ci qui est réputée effectuée à une personne qui a converti un immeuble pour l'utiliser comme immeuble d'habitation ou une adjonction à celui-ci et qui, par conséquent, est réputée, en vertu de l'article 220, être un constructeur de l'immeuble ou de l'adjonction et dont la construction ou les travaux de transformation nécessaires à la conversion ont commencé avant le 15 mars 2000, il doit se lire en y remplaçant « 200 000 $ » par « 175 000 $ », « 225 000 $ » par « 200 000 $ » et « 5 642 $ » par « 4 937 $ ».

Notes explicatives ARQ (PL 5, L.Q. 2012, c. 28): *Résumé* :

L'article 378.11 est modifié afin de tenir compte du fait qu'à compter du 1er janvier 2013 la taxe sur les produits et services (TPS) est retirée de l'assiette de la taxe de vente du Québec (TVQ).

Situation actuelle :

L'article 378.11 prévoit les formules pour déterminer le remboursement auquel une coopérative d'habitation a droit en vertu de l'article 378.10 de la LTVQ relativement à un immeuble d'habitation locatif neuf ou ayant fait l'objet d'une rénovation majeure.

En vertu de l'article 378.11, le remboursement maximal pouvant être accordé relativement à une « habitation admissible » au sens de l'article 378.4 de la LTVQ est de 7 059 $ ce qui correspond à la somme qui serait remboursée pour une habitation dont la juste valeur marchande est de 200 000 $.

Modifications proposées :

L'article 378.11 est modifié afin de tenir compte du fait qu'à compter du 1er janvier 2013 la TPS est retirée de l'assiette de la TVQ.

Dans ce contexte, il y a lieu de remplacer le montant de 7 059 $ par 7 182 $ et de supprimer, dans les formules, les lettres C et E lesquelles représentent le remboursement de la TVQ sur le montant de la TPS remboursé à la personne.

Notes explicatives ARQ (PL 5, L.Q. 2011, c. 6): *Résumé* :

L'article 378.11 est modifié de façon à ce qu'il soit tenu compte de la hausse du taux de la taxe de vente du Québec (TVQ) qui passe de 8,5 % à 9,5 %.

Situation actuelle :

L'article 378.11 révoit les formules pour déterminer le remboursement auquel une coopérative d'habitation a droit en vertu de l'article 378.10 de la LTVQ relativement à un immeuble d'habitation locatif neuf ou ayant fait l'objet d'une rénovation majeure.

En vertu de l'article 378.11, le remboursement maximal pouvant être accordé relativement à une « habitation admissible » au sens de l'article 378.4 de la LTVQ est de 6 316 $, ce qui correspond à la somme qui serait remboursée pour une habitation dont la juste valeur marchande est de 200 000 $.

Modifications proposées :

La modification apportée à l'article 378.11 vise à augmenter le remboursement maximal pouvant être obtenu en le faisant passer de 6 316 $ à 7 059 $, et ce, afin de tenir compte de la hausse du taux de la TVQ.

Notes explicatives ARQ (PL 2, L.Q. 2009, c. 5): *Résumé* :

L'article 378.11 est modifié de façon à ce qu'il soit tenu compte de la modification du taux de la taxe prévue au paragraphe 1 de l'article 165 de la *Loi sur la taxe d'accise* (Lois révisées du Canada (1985), chapitre E-15) qui passe de 6 % à 5 %.

Situation actuelle :

L'article 378.11 de la LTVQ précise les formules à utiliser pour déterminer le montant du remboursement prévu à l'article 378.10 de la LTVQ, soit le remboursement pour une coopérative d'habitation. Le remboursement se calcule en tenant compte des mêmes seuils de 200 000 $ et de 225 000 $ que dans les formules figurant à l'article 378.7 de la LTVQ.

Toutefois, le remboursement accordé est diminué du montant du remboursement pour habitations neuves auquel l'acheteur de la part du capital social a droit en vertu de l'article 370.5 de la LTVQ.

Lorsqu'une habitation admissible neuve est occupée pour la première fois par un particulier qui n'est ni l'acheteur d'une part de la coopérative, ni un particulier qui lui est lié ni un ex-conjoint de l'acheteur, la coopérative a droit au plein montant du remboursement pour immeubles d'habitation locatifs neufs à l'égard de l'habitation, puisque le particulier n'a pas droit au remboursement pour habitations neuves dans ces circonstances.

Modifications proposées :

La modification apportée à l'article 378.11 de la LTVQ vise à diminuer le remboursement maximal pouvant être obtenu en le faisant passer de 5 607 $ à 5 573 $.

Notes explicatives ARQ (PL 2, L.Q. 2007, c. 12): *Résumé* :

L'article 378.11 est modifié de façon à ce qu'il soit tenu compte de la modification du taux de la taxe prévue au paragraphe 1 de l'article 165 de la *Loi sur la taxe d'accise* (Lois révisées du Canada (1985), chapitre E-15) qui passe de 7 % à 6 %.

Situation actuelle :

L'article 378.11 précise les formules à utiliser pour déterminer le montant du remboursement prévu à l'article 378.10 de la LTVQ, soit le remboursement pour une coopérative d'habitation qui est un immeuble d'habitation locatif neuf. Le remboursement se calcule compte tenu des mêmes seuils de 200 000 $ et de 225 000 $ que dans les formules figurant à l'article 378.7 de la LTVQ.

Toutefois, le remboursement accordé est diminué du montant du remboursement pour habitations neuves auquel l'acheteur de la part a droit en vertu de l'article 370.5 de la LTVQ. Lorsqu'une habitation admissible neuve est occupée pour la première fois par un particulier qui n'est ni l'acheteur d'une part de la coopérative, ni un particulier qui lui est lié ou un ex-conjoint de l'acheteur, la coopérative a droit au plein montant du remboursement pour immeubles d'habitation locatifs neufs à l'égard de l'habitation puisque le particulier n'a pas droit au remboursement pour habitations neuves dans ces circonstances.

Modifications proposées :

La modification apportée à l'article 378.11 de la LTVQ vise à diminuer le remboursement maximal pouvant être obtenu en le faisant passer de 5 642 $ à 5 607 $.

Guides [art. 378.11]: IN-261 — La TVQ, la TPS et les immeubles d'habitation (construction ou rénovation).

Concordance fédérale: LTA, par. 256.2(5).

COMMENTAIRES: Voir les commentaires sous l'article 378.19.

378.12 Fonds loué à titre résidentiel — Sous réserve des articles 378.16 et 378.17, une personne qui, d'une part, effectue la fourniture exonérée d'un fonds de terre qui est soit une fourniture visée au paragraphe 1º du premier alinéa de l'article 100 à une personne décrite au sous-paragraphe a) de ce paragraphe, soit une fourniture visée au paragraphe 2º du premier alinéa de cet article d'un emplacement situé sur un terrain de caravaning résidentiel et qui, d'autre part, est réputée, en vertu de l'un des articles 222.1 à 222.3, 243, 258 et 261, avoir effectué et reçu une fourniture taxable par vente du fonds de terre et avoir payé, à un moment donné, la taxe à l'égard de cette fourniture, a droit à un remboursement déterminé conformément à l'article 378.13 si la personne n'a pas le droit d'inclure, dans le calcul de son remboursement de la taxe sur les intrants, la taxe qu'elle est réputée avoir payée et, dans le cas de la fourniture exonérée d'un fonds de terre visée au paragraphe 1º du premier alinéa de l'article 100, l'habitation qui est ou doit être fixée au fonds l'est ou le sera en vue de son utilisation et de sa jouissance à titre de résidence principale pour des particuliers.

Notes historiques: L'article 378.12 été ajouté par L.Q. 2003, c. 2, par. 339(1) et a effet depuis le 28 février 2000. Toutefois, cet article ne s'applique pas à une fourniture exonérée effectuée avant le 28 février 2000.

Guides [art. 378.12]: IN-261 — La TVQ, la TPS et les immeubles d'habitation (construction ou rénovation).

Concordance fédérale: LTA, par. 256.2(6).

COMMENTAIRES: Voir les commentaires sous l'article 378.19.

378.13 Montant du remboursement — Pour l'application de l'article 378.12, le remboursement auquel la personne a droit est égal au montant déterminé selon la formule suivante :

$$(36\ \% \times A) \times [(56\ 250\ \$\ B) / 6\ 250\ \$].$$

Application — Pour l'application de cette formule :

1º la lettre A représente :

a) dans le cas d'une fourniture taxable à l'égard de laquelle la personne est réputée avoir payé la taxe calculée sur la juste valeur marchande du fonds de terre, la taxe visée à l'article 16 qui est réputée avoir été payée à l'égard de cette fourniture;

b) dans le cas d'une fourniture taxable à l'égard de laquelle la personne est réputée avoir payé une taxe égale à la teneur en taxe du fonds de terre, la taxe égale à la teneur en taxe du fonds au moment donné;

2º (*paragraphe supprimé*);

3º la lettre B représente le plus élevé de 50 000 $ et de l'un des montants suivants :

a) dans le cas de la fourniture d'un fonds de terre visée au paragraphe 1° du premier alinéa de l'article 100, la juste valeur marchande du fonds au moment donné;

b) dans le cas de la fourniture d'un emplacement situé sur un terrain de caravaning résidentiel ou une superficie additionnelle à celui-ci, le résultat obtenu en divisant la juste valeur marchande du terrain ou de la superficie additionnelle, selon le cas, au moment donné, par le nombre total d'emplacements dans le terrain ou la superficie additionnelle, selon le cas, à ce moment. ».

Notes historiques: La formule du premier alinéa de l'article 378.13 a été remplacée par L.Q. 2012, c. 28, s.-par. 136(1)(1º) et cette modification s'applique à l'égard de la fourniture exonérée d'un fonds de terre par suite de laquelle une personne est réputée, en vertu des articles 222.1 à 222.3, 243, 258 et 261, avoir effectué et reçu une fourniture taxable par vente du fonds de terre après le 31 décembre 2012. Antérieurement, elle se lisait ainsi :

$$\{[36\ \% \times (A - B)] \times [(56\ 250\ \$ - C) / 6\ 250\ \$]\} + B.$$

Le paragraphe 2° du deuxième alinéa de l'article 378.13 a été supprimé par L.Q. 2012, c. 28, s.-par. 136(1)(2º) et cette modification s'applique à l'égard de la fourniture exonérée d'un fonds de terre par suite de laquelle une personne est réputée, en vertu des articles 222.1 à 222.3, 243, 258 et 261, avoir effectué et reçu une fourniture taxable par vente du fonds de terre après le 31 décembre 2012. Antérieurement, il se lisait ainsi :

> 2º la lettre B représente la taxe prévue à l'article 16 payée à l'égard du montant du remboursement auquel la personne a droit à l'égard du fonds de terre en vertu du paragraphe 6 de l'article 256.2 de la *Loi sur la taxe d'accise* (Lois révisées du Canada (1985), chapitre E-15);

Le paragraphe 3° du deuxième alinéa de l'article 378.13 a été remplacé par L.Q. 2012, c. 28, s.-par. 136(1)(3º) et cette modification s'applique à l'égard de la fourniture exonérée d'un fonds de terre par suite de laquelle une personne est réputée, en vertu des articles 222.1 à 222.3, 243, 258 et 261, avoir effectué et reçu une fourniture taxable par vente du fonds de terre après le 31 décembre 2012. Antérieurement, il se lisait ainsi :

> 3º la lettre C représente le plus élevé de 50 000 $ et de l'un des montants suivants :
>
> a) dans le cas de la fourniture d'un fonds de terre visée au paragraphe 1° du premier alinéa de l'article 100, la juste valeur marchande du fonds, au moment donné, en excluant un montant équivalant à la taxe qui serait payée ou payable par la personne en vertu de la partie IX de la *Loi sur la taxe d'accise* relativement à ce fonds s'il était acquis par elle à ce moment pour une contrepartie égale à la juste valeur marchande du fonds déterminée conformément à cette loi;
>
> b) dans le cas de la fourniture d'un emplacement situé sur un terrain de caravaning résidentiel ou une superficie additionnelle à celui-ci, le résultat obtenu en divisant la juste valeur marchande du terrain ou de la superficie additionnelle, selon le cas, au moment donné, en excluant un montant équivalant à la taxe qui serait payée ou payable par la personne en vertu de la partie IX de la *Loi sur la taxe d'accise* relativement à ce terrain ou la superficie additionnelle s'il était acquis par elle à ce moment pour une contrepartie égale à la juste valeur marchande du terrain ou de la superficie additionnelle déterminée conformément à cette loi, par le nombre total d'emplacements dans le terrain ou la superficie additionnelle, selon le cas, à ce moment.

L'article 378.13 été ajouté par L.Q. 2003, c. 2, par. 339(1) et a effet depuis le 28 février 2000. Toutefois, cet article ne s'applique pas à une fourniture exonérée effectuée avant le 28 février 2000.

De plus, lorsque cet article s'applique à une fourniture exonérée effectuée avant le 15 mars 2000, il doit se lire en y remplaçant « 50 000 $ » par « 43 750 $ » et « 56 250 $ » par « 50 000 $ ».

Notes explicatives ARQ (PL 5, L.Q. 2012, c. 28): *Résumé* :

L'article 378.13 est modifié afin de tenir compte du fait qu'à compter du 1er janvier 2013 la taxe sur les produits et services (TPS) est retirée de l'assiette de la taxe de vente du Québec (TVQ).

Situation actuelle :

L'article 378.13 prévoit une formule pour déterminer le remboursement auquel un propriétaire d'un fonds de terre a droit en vertu de l'article 378.12 de la LTVQ lorsque ce dernier est tenu de s'autocotiser suite à la location du fonds à des fins résidentielles.

Le montant du remboursement est assujetti à un plafond et diminue progressivement lorsque la valeur du fonds de terre dépasse certains seuils. Ainsi, le remboursement diminue progressivement pour les fonds dont la juste valeur marchande se situe entre 50 000 $ et 56 250 $, et aucun remboursement n'est accordé pour les fonds dont la juste valeur marchande est égale ou supérieure à 56 250 $ ou plus.

D'autre part, en ce qui concerne l'exploitant d'un terrain de caravaning résidentiel, le remboursement est accordé pour l'ensemble du terrain mais est toutefois déterminé en fonction de la valeur de chaque emplacement.

Ainsi, la valeur d'un emplacement correspond au résultat obtenu en divisant la juste valeur marchande du terrain dans son ensemble ou de la superficie additionnelle par le nombre total d'emplacements sur le terrain ou la superficie additionnelle, selon le cas. Le remboursement diminue progressivement pour les emplacements dont la valeur se situe entre 50 000 $ et 56 250 $, et aucun remboursement n'est accordé pour les emplacements dont la valeur marchande est égale ou supérieure à 56 250 $.

Modifications proposées :

L'article 378.13 est modifié afin de tenir compte du fait qu'à compter du 1er janvier 2013 la TPS est retirée de l'assiette de la TVQ.

Dans ce contexte, il y a lieu de supprimer, dans la formule la lettre B laquelle représente le remboursement de la TVQ sur le montant de la TPS remboursé à la personne.

Guides [art. 378.13]: IN-261 — La TVQ, la TPS et les immeubles d'habitation (construction ou rénovation).

Concordance fédérale: LTA, par. 256.2(6).

COMMENTAIRES: Voir les commentaires sous l'article 378.19.

378.14 [*Abrogé*].

Notes historiques: L'article 378.14 a été abrogé par L.Q. 2012, c. 28, par. 137(1) et cette abrogation s'applique à l'égard :

1° de la fourniture taxable par vente d'un immeuble d'habitation ou d'un droit dans celui-ci qui est effectuée en vertu d'une convention écrite conclue après le 31 décembre 2012;

2° de l'achat présumé, au sens du sous-paragraphe b) du paragraphe 1° de l'un des articles 378.6 et 378.10, d'un immeuble d'habitation ou d'une adjonction à un immeuble d'habitation à logements multiples, lorsque la taxe à l'égard de cet achat présumé est réputée avoir été payée après le 31 décembre 2012;

3° de la fourniture d'un bâtiment, ou d'une partie de celui-ci, qui fait partie d'un immeuble d'habitation et de la fourniture d'un fonds de terre, par suite desquelles une personne est réputée, en vertu des articles 223 à 231.1, avoir effectué et reçu une fourniture taxable par vente de l'immeuble d'habitation ou d'une adjonction à celui-ci après le 31 décembre 2012.

Antérieurement, il se lisait ainsi :

> 378.14 **Remboursement de la taxe payée à l'égard d'un remboursement de la taxe sur les produits et services** — La personne qui n'a pas droit au remboursement visé à l'un des articles 378.6, 378.8 et 378.10 à l'égard d'une habitation parce que la juste valeur marchande de celle-ci est de 225 000 $ ou plus, mais qui a droit à un remboursement en vertu de l'un des paragraphes 3, 4 et 5 de l'article 256.2 de la *Loi sur la taxe d'accise* (Lois révisées du Canada (1985), chapitre E-15) à l'égard de l'habitation, a droit au remboursement de la taxe prévue à l'article 16 payée sur le montant du remboursement auquel la personne a droit à l'égard de l'habitation en vertu de l'un de ces paragraphes.

L'article 378.14 été ajouté par L.Q. 2003, c. 2, par. 339(1) et a effet depuis le 28 février 2000.

De plus, lorsque :

1° cet article s'applique à la fourniture taxable par vente :

a) d'un immeuble d'habitation ou d'un droit dans celui-ci, à une personne qui n'est pas un constructeur de l'immeuble, effectuée en vertu d'une convention écrite conclue avant le 15 mars 2000 et en vertu de laquelle le transfert de propriété a lieu avant cette date, il doit se lire en y remplaçant « 225 000 $ » par « 200 000 $ »;

b) d'un immeuble d'habitation ou d'une adjonction à celui-ci, à une personne qui, autrement qu'en raison de l'article 220, est le constructeur de l'immeuble ou de l'adjonction, selon le cas, et dont le permis relatif à la construction ou à la rénovation majeure est délivré avant le 15 mars 2000, il doit se lire en y remplaçant « 225 000 $ » par « 200 000 $ »;

2° cet article s'applique à la fourniture taxable par vente d'un immeuble d'habitation ou d'une adjonction à celui-ci qui est réputée effectuée à une personne qui a converti un immeuble pour l'utiliser comme immeuble d'habitation ou une adjonction à celui-ci et qui, par conséquent, est réputée, en vertu de l'article 220, être un constructeur de l'immeuble ou de l'adjonction et dont la construction ou les travaux de transformation nécessaires à la conversion ont commencé avant le 15 mars 2000, il doit se lire en y remplaçant « 225 000 $ » par « 200 000 $ »;

Notes explicatives ARQ (PL 5, L.Q. 2012, c. 28): *Résumé* :

L'article 378.14 est abrogé en raison du fait qu'à compter du 1er janvier 2013 la taxe sur les produits et services (TPS) est retirée de l'assiette de la taxe de vente du Québec (TVQ).

Situation actuelle :

L'article 378.14 prévoit que lorsqu'une personne n'a pas droit au remboursement prévu aux articles 378.6, 378.8 et 378.10 de la LTVQ à l'égard d'une habitation parce que la juste valeur marchande de celle-ci est de 225 000 $ ou plus, et qui, par ailleurs, a droit à un remboursement à l'égard de l'habitation en vertu de l'un des paragraphes 256.2(3), 256.2(4) et 256.2(5) de la *Loi sur la taxe d'accise* (Lois révisées du Canada (1985), chapitre E-15), cette personne a droit au remboursement de la TVQ qu'elle a payée sur le montant de la TPS qui lui est ainsi remboursé.

Modifications proposées :

L'article 378.14 est abrogé en raison du fait qu'à compter du 1er janvier 2013 la TPS est retirée de l'assiette de la TVQ.

Guides [art. 378.14]: IN-205 — Remboursement de la TVQ et de la TPS/TVH — Habitations neuves — Immeubles d'habitation locatifs neufs — Rénovations majeures.

Renvois [art. 378.14]: 370.3 (remboursement transitoire de la taxe de vente à l'égard d'un immeuble d'habitation); 457.8 (choix à l'égard d'un immeuble d'habitation); 457.9 (redressement de la taxe nette); 670.4 (calcul du remboursement transitoire de la taxe de vente à l'égard d'un immeuble d'habitation); 670.16 (remboursement transitoire de la taxe de vente à l'égard d'un immeuble d'habitation à un constructeur); 670.28 (calcul du remboursement transitoire au constructeur); 670.32 (remboursement transitoire — taxe de vente d'un immeuble) ; 670.44 (remboursement transitoire au constructeur d'un immeuble); 670.45 (montant du remboursement au constructeur d'un immeuble); 670.56 (remboursement transitoire au constructeur d'un immeuble); 670.57 (montant du remboursement au constructeur d'un immeuble); 670.61 (remboursement à l'égard de la fourniture d'un immeuble d'habitation); 670.62 (montant du remboursement — fourniture d'un immeuble d'habitation); 670.73 (remboursement transitoire au constructeur d'un immeuble); 670.74 (montant du remboursement au constructeur d'un immeuble); 670.85 (remboursement transitoire au constructeur d'un immeuble); 670.86 (montant du remboursement au constructeur d'un immeuble).

COMMENTAIRES: Voir les commentaires sous l'article 378.19.

378.15 [*Abrogé*].

Notes historiques: L'article 378.15 a été abrogé par L.Q. 2012, c. 28, par. 138(1) et cette abrogation s'applique à l'égard de la fourniture exonérée d'un fonds de terre par suite de laquelle une personne est réputée, en vertu des articles 222.1 90 à 222.3, 243, 258 et 261, avoir effectué et reçu une fourniture taxable par vente du fonds de terre après le 31 décembre 2012. Antérieurement, il se lisait ainsi :

> 378.15 **Remboursement de la taxe payée à l'égard d'un remboursement de la taxe sur les produits et services** — La personne qui n'a pas droit au remboursement visé à l'article 378.12 à l'égard d'un fonds de terre parce que la juste valeur marchande de celui-ci est de 56 250 $ ou plus, mais qui a droit à un remboursement en vertu du paragraphe 6 de l'article 256.2 de la *Loi sur la taxe d'accise* (Lois révisées du Canada (1985), chapitre E-15) à l'égard du fonds de terre, a droit au remboursement de la taxe prévue à l'article 16 payée sur le montant du remboursement auquel la personne a droit à l'égard du fonds de terre en vertu de ce paragraphe.

L'article 378.15 été ajouté par L.Q. 2003, c. 2, par. 339(1) et a effet depuis le 28 février 2000.

De plus, lorsque, cet article s'applique à une fourniture exonérée effectuée avant le 15 mars 2000, il doit se lire en y remplaçant « 56 250 $ » par « 50 000 $ ».

Notes explicatives ARQ (PL 5, L.Q. 2012, c. 28): *Résumé* :

L'article 378.15 est abrogé en raison du fait qu'à compter du 1er janvier 2013 la taxe sur les produits et services (TPS) est retirée de l'assiette de la taxe de vente du Québec (TVQ).

Situation actuelle :

L'article 378.15 prévoit que lorsqu'une personne n'a pas droit au remboursement prévu à l'article 378.12 de la LTVQ à l'égard d'un fonds de terre parce que la juste valeur marchande de celui-ci est de 56 250 $ ou plus, et a, par ailleurs, droit à un remboursement à l'égard du fonds de terre en vertu du paragraphe 256.2(6) de la *Loi sur la taxe d'accise* (Lois révisées du Canada (1985), chapitre E-15), cette personne a droit au remboursement de la TVQ qu'elle a payée sur le montant de la TPS qui lui est ainsi remboursé.

Modifications proposées :

L'article 378.15 est abrogé en raison du fait qu'à compter du 1er janvier 2013 la TPS est retirée de l'assiette de la TVQ.

Guides [art. 378.15]: IN-261 — La TVQ, la TPS et les immeubles d'habitation (construction ou rénovation).

COMMENTAIRES: Voir les commentaires sous l'article 378.19.

378.15.1 Redressement pour remboursement transitoire — Aux fins du calcul du montant d'un remboursement donné à l'égard d'un immeuble d'habitation, d'un droit dans celui-ci ou d'une adjonction à un immeuble d'habitation à logements multiples payable à une personne en vertu des articles 378.6 à 378.11, le montant total de la taxe prévue à l'article 16 inclus dans le calcul effectué selon la formule prévue à ces articles doit être réduit du total de tous les remboursements payables à la personne en vertu des articles 670.1 à 670.87 à l'égard de l'immeuble d'habitation, du droit dans celui-ci ou de l'adjonction, si la personne :

1º n'avait pas droit au remboursement donné en vertu des articles 378.4 et 378.6 tels qu'ils se lisaient avant le 26 février 2008;

2º a droit au remboursement donné en vertu des articles 378.4 et 378.6.

Notes historiques: L'article 378.15.1 été ajouté par L.Q. 2009, c. 15, par. 515(1) et a effet depuis le 1er juillet 2006.

Notes explicatives ARQ (PL 37, L.Q. 2009, c. 15): *Résumé* :

Le nouvel article 378.15.1 prévoit les ajustements qu'une personne doit apporter lors du calcul du remboursement pour immeubles d'habitation locatifs neufs qu'elle a le droit de demander suite aux modifications apportées aux articles 378.4 et 378.6 de la LTVQ.

Contexte :

Le gouvernement fédéral a réduit le taux de la taxe sur les produits et services (TPS) pour le faire passer de 7 % à 6 % le 1[er]juillet 2006 et de 6 % à 5 % le 1er janvier 2008. Toutefois, les promesses d'achat-vente relatives aux immeubles d'habitation signées avant l'annonce des baisses du taux de la TPS ont été établies en fonction des anciens taux de la TPS soit de 7 % ou de 6 %.

Afin de tenir compte de cette situation, le gouvernement fédéral a introduit un remboursement transitoire de 1 % qui permet de replacer les parties contractantes dans la même position que si elles avaient tenu compte des nouveaux taux de la TPS soit 6 % ou 5 %.

Compte tenu que la taxe de vente du Québec (TVQ) a été payée sur le montant de TPS faisant l'objet d'un remboursement transitoire, les articles 670.1 à 670.87 ont été introduits à la LTVQ afin de permettre à une personne de demander le remboursement de la TVQ ainsi payée sur le montant de TPS.

Le remboursement de la TVQ est cependant réduit afin de tenir compte de tout montant que la personne peut, par ailleurs, recouvrer à l'égard de la TVQ qu'elle a payée lors de l'acquisition de l'immeuble d'habitation, tel que le remboursement pour immeubles d'habitation locatifs neufs.

Modifications proposées :

Le nouvel article 378.15.1 de la LTVQ prévoit les ajustements qu'une personne doit apporter lors du calcul du remboursement pour immeubles d'habitation locatifs neufs qu'elle a le droit de demander suite aux modifications apportées aux articles 378.4 et 378.6d e la LTVQ.

Ainsi, la personne doit soustraire du total de la taxe prévue à l'article 16 de la LTVQ qui entre dans le calcul du remboursement de TVQ pour immeubles d'habitation locatifs neufs, le total des remboursements transitoires qui lui sont payables en vertu des articles 670.1 à 670.87 de la LTVQ.

Concordance fédérale: LTA, par. 256.2(6.1).

COMMENTAIRES: Voir les commentaires sous l'article 378.19.

378.16 Délai de la demande — Une personne n'a droit au remboursement prévu à la présente sous-section IV.2 que si :

1º la personne produit une demande de remboursement dans un délai de deux ans suivant :

a) dans le cas d'un remboursement en vertu de l'article 378.10, la fin du mois au cours duquel la personne effectue la fourniture exonérée visée au sous-paragraphe b) du paragraphe 1º de cet article;

b) dans le cas d'un remboursement en vertu de l'article 378.12, la fin du mois au cours duquel la taxe visée à cet article est réputée avoir été payée par la personne;

c) dans tout autre cas de remboursement à l'égard d'une habitation, la fin du mois au cours duquel la taxe devient payable par la personne pour la première fois, ou est réputée avoir été payée par elle, à l'égard de l'habitation ou d'un droit dans celle-ci, ou à l'égard d'un immeuble d'habitation ou d'une adjonction dans lequel l'habitation est située ou d'un droit dans cet immeuble ou cette adjonction;

2º dans le cas où le remboursement est relatif à une fourniture taxable que la personne a reçue d'une autre personne, la personne a payé la totalité de la taxe payable à l'égard de cette fourniture;

3º dans le cas où le remboursement est relatif à une fourniture taxable à l'égard de laquelle la personne est réputée avoir perçu la taxe au cours de l'une de ses périodes de déclaration, la personne a fait rapport de la taxe dans sa déclaration produite en vertu du chapitre VIII pour la période de déclaration et a versé, le cas échéant, la totalité de la taxe nette à verser selon cette déclaration.

Notes historiques: L'article 378.16 été ajouté par L.Q. 2003, c. 2, par. 339(1) et a effet depuis le 28 février 2000. Toutefois, dans le cas où, afin de satisfaire à la condition prévue au paragraphe 1º de l'article 378.16 relativement à un remboursement, la personne était tenue de produire une demande de remboursement avant l'expiration d'un délai de deux ans suivant la date de la sanction de L.Q. 2003, c. 2, celle-ci peut, malgré ce paragraphe, présenter sa demande au plus tard à cette date.

Guides [art. 378.16]: IN-205 — Remboursement de la TVQ et de la TPS/TVH — Habitations neuves — Immeubles d'habitation locatifs neufs — Rénovations majeures; IN-261 — La TVQ, la TPS et les immeubles d'habitation (construction ou rénovation).

Renvois [art. 378.16]: 457.8 (choix à l'égard d'un immeuble d'habitation); 457.9 (redressement de la taxe nette).

Concordance fédérale: LTA, par. 256.2(7).

COMMENTAIRES: Voir les commentaires sous l'article 378.19.

378.17 Règles particulières — Pour l'application de la présente sous-section IV.2, les règles suivantes s'appliquent :

1º dans le cas où, à un moment donné, la presque totalité des habitations d'un immeuble d'habitation à logements multiples contenant dix habitations ou plus sont des habitations à l'égard desquelles la condition mentionnée au sous-paragraphe c) du paragraphe 1º de la définition de l'expression « habitation admissible » prévue à l'article 378.4 est remplie, la totalité des habitations situées dans l'immeuble sont réputées des habitations à l'égard desquelles cette condition est remplie à ce moment;

2º sauf s'il s'agit d'habitations visées au paragraphe 1° de la définition de l'expression « résidence autonome » prévue à l'article 378.4 :

a) les deux habitations situées dans un immeuble d'habitation à logements multiples qui ne contient que ces deux habitations sont réputées former ensemble une seule habitation et l'immeuble est réputé un immeuble d'habitation à logement unique et ne pas être un immeuble d'habitation à logements multiples;

b) dans le cas où une habitation -- appelée « habitation désignée » dans le présent sous-paragraphe -- située dans un bâtiment comporte un accès interne direct, avec ou sans l'utilisation d'une clé ou d'un instrument semblable, à une autre aire du bâtiment qui constitue l'ensemble ou une partie de l'espace habitable d'une autre habitation, l'habitation désignée est réputée faire partie de l'autre habitation et ne pas être une habitation distincte.

Notes historiques: L'article 378.17 été ajouté par L.Q. 2003, c. 2, par. 339(1) et a effet depuis le 28 février 2000.

Guides [art. 378.17]: IN-261 — La TVQ, la TPS et les immeubles d'habitation (construction ou rénovation).

Concordance fédérale: LTA, par. 256.2(8).

COMMENTAIRES: Voir les commentaires sous l'article 378.19.

378.18 Restrictions — Aucun remboursement n'est payé à une personne en vertu de la présente sous-section IV.2 dans le cas où la totalité ou une partie de la taxe incluse dans le calcul du remboursement serait par ailleurs incluse dans le calcul du remboursement de la personne en vertu de l'un des articles 362.2 à 370, 370.9 à 370.13, 378.1 à 378.3 et 383 à 397.2.

Exclusions — De plus, tout montant de taxe que la personne, par l'effet d'une loi du Québec, autre que la présente loi, d'une loi fédérale ou d'une autre règle de droit, n'est pas tenue de payer ou de verser, ou a le droit de recouvrer par remboursement, remise ou compensation, ne doit pas être inclus dans le calcul du remboursement en vertu de la présente sous-section IV.2.

Notes historiques: Le premier alinéa de l'article 378.18 a été modifié par L.Q. 2005, c. 38, par. 373(1) par le remplacement de « 397 » par « 397.2 ». Cette modification s'applique à l'égard du calcul d'un remboursement pour une période de demande se terminant après le 31 décembre 2004. Toutefois, le remboursement d'une personne, pour une période de demande qui inclut le 1er janvier 2005, doit être déterminé comme si cette modification n'était pas entrée en vigueur à l'égard d'un montant qui est, selon le cas :

1° un montant de taxe qui devient payable par la personne avant le 1er janvier 2005;

2° un montant qui est réputé avoir été payé ou perçu par la personne avant le 1er janvier 2005;

3° un montant qui doit être ajouté dans le calcul de la taxe nette de la personne, selon le cas :

a) du fait qu'une division ou une succursale de la personne devient une division de petit fournisseur avant le 1er janvier 2005;

b) du fait que la personne cesse d'être un inscrit avant le 1er janvier 2005.

L'article 378.18 été ajouté par L.Q. 2003, c. 2, par. 339(1) et cette modification a effet depuis le 28 février 2000.

Guides [art. 378.18]: IN-261 — La TVQ, la TPS et les immeubles d'habitation (construction ou rénovation).

Concordance fédérale: LTA, par. 256.2(9).

COMMENTAIRES: Voir les commentaires sous l'article 378.19.

378.19 Restitution du remboursement — Une personne qui avait droit de demander un remboursement en vertu de l'un des articles 378.6 et 378.14, tel qu'il se lisait avant son abrogation, à l'égard d'une habitation admissible, autre qu'une habitation située dans un immeuble d'habitation à logements multiples, et qui, dans l'année suivant la première occupation de l'habitation à titre de résidence après que la construction ou la dernière rénovation majeure de l'habitation a été presque achevée, effectue la fourniture par vente de l'habitation, autre qu'une fourniture réputée avoir été effectuée en vertu des articles 298 à 301.3 ou 320 à 324.6, à un acheteur qui acquiert l'habitation autrement que dans le but de l'utiliser à titre de résidence principale pour lui-même, pour un particulier qui lui est lié ou pour un ex-conjoint de l'acheteur, doit payer au ministre un montant égal au remboursement et aux intérêts calculés sur ce montant, au taux prévu à l'article 28 de la *Loi sur l'administration fiscale* (chapitre A-6.002), pour la période commençant le jour où le remboursement lui a été payé ou a été affecté à un montant dont elle est redevable et se terminant le jour où le montant du remboursement est payé par elle au ministre.

Notes historiques: L'article 378.19 a été remplacé par L.Q. 2012, c. 28, par. 139(1) et cette modification lorsqu'elle insère dans l'article 378.19 « , tel qu'il se lisait avant son abrogation, », s'applique à l'égard :

1° de la fourniture taxable par vente d'un immeuble d'habitation ou d'un droit dans celui-ci qui est effectuée en vertu d'une convention écrite conclue après le 31 décembre 2012;

2° de l'achat présumé, au sens du sous-paragraphe b) du paragraphe 1° de l'article 378.6, d'un immeuble d'habitation lorsque la taxe à l'égard de cet achat présumé est réputée avoir été payée après le 31 décembre 2012.

Antérieurement, il se lisait ainsi :

> 378.19 Dans le cas où une personne qui avait droit de demander un remboursement en vertu des articles 378.6 et 378.14 à l'égard d'une habitation admissible, autre qu'une habitation située dans un immeuble d'habitation à logements multiples, et qui, dans l'année suivant la première occupation de l'habitation à titre de résidence après que la construction ou la dernière rénovation majeure de l'habitation soit presque achevée, effectue la fourniture par vente de l'habitation, autre qu'une fourniture réputée avoir été effectuée en vertu des articles 298 à 301.3 ou 320 à 324.6, à un acheteur qui acquiert l'habitation autrement que dans le but de l'utiliser à titre de résidence principale pour lui-même, pour un particulier qui lui est lié ou un ex-conjoint de l'acheteur, la personne doit payer au ministre un montant égal au remboursement et aux intérêts calculés sur ce montant, au taux prévu à l'article 28 de la *Loi sur l'administration fiscale* (chapitre A-6.002), pour la période commençant le jour où le remboursement est payé à la personne ou affecté à un montant dont elle est redevable et se terminant le jour où le montant du remboursement est payé par la personne au ministre.

L'article 378.19 été ajouté par L.Q. 2003, c. 2, par. 339(1) et cette modification a effet depuis le 28 février 2000.

Notes explicatives ARQ (PL 5, L.Q. 2012, c. 28): *Résumé* :

La modification apportée à l'article 378.19 vise à supprimer le renvoi effectué à l'article 378.14 de la LTVQ compte tenu que cet article est abrogé.

Situation actuelle :

L'article 378.19 prévoit que le montant du remboursement visé à l'un des articles 378.6 et 378.14 de la LTVQ, majoré des intérêts, peut faire l'objet d'une récupération si l'habitation est vendue, dans l'année suivant sa première occupation, à un acheteur qui acquiert l'habitation autrement que dans le but de l'utiliser à titre de résidence principale pour lui-même, pour un particulier qui lui est lié ou son ex-conjoint.

Modifications proposées :

La modification apportée à l'article 378.19 vise à supprimer le renvoi effectué à l'article 378.14 de la LTVQ compte tenu que cet article est abrogé.

Guides [art. 378.19]: IN-261 — La TVQ, la TPS et les immeubles d'habitation (construction ou rénovation).

Concordance fédérale: LTA, par. 256.2(10).

COMMENTAIRES: L'expression « première utilisation », qui est définie à l'article 378.4 s'applique, de façon générale, à l'égard de la première utilisation, une fois presque achevée la construction ou la dernière rénovation majeure. À cet égard, Revenu Québec, a précisé que la définition de l'expression « rénovations majeures » indique que pour faire l'objet de rénovations majeures la totalité, ou presque, d'un bâtiment exception faite de certains éléments, doit être enlevée et/ou remplacée. Ainsi, selon Revenu Québec, la date du début des rénovations majeures apportées à un bâtiment est la date où commencent physiquement les travaux d'enlèvement (démolition) et/ou de remplacement (construction). Par exemple, il peut s'agir de la démolition d'un mur, de l'enlèvement de tuile, etc. Toutefois, l'enlèvement des meubles ou la mise en place des échafaudages ne peut constituer la date de début des rénovations majeures puisqu'il n'y a pas eu de travaux de démolition ou de construction effectués au bâtiment. Voir notamment à cet effet : Revenu Québec, Lettre d'interprétation, 00-0105239 — *Interprétation relative à la TPS et la TVQ — Remboursement pour immeubles d'habitation locatifs neufs* (27 février 2001).

Revenu Québec s'est penché sur la situation particulière suivante: (i) un particulier construit un triplex, (ii) le triplex est utilisé dans une proportion de 35 % par le particulier, 35 % par un particulier qui lui est lié (mère), et 30 % par un tiers, (iii) l'occupation du particulier et de sa mère est à plus de 50 %, (iv) le particulier n'est pas admissible au remboursement pour immeubles locatifs neufs, et (v) en vertu des jugements *Coutu c. R.*, 2008 CarswellNat 4136 (C.C.I.) et *Costa Rego c. R.*, 2009 CarswellNat 87 (C.C.I.), le particulier n'est pas tenu de s'autocotiser en vertu de l'article 225 (en raison de l'exception prévue à l'article 227). Dans cette situation, Revenu Québec indique qu'il y a une possibilité pour le particulier de s'inscrire et de demander un remboursement de la taxe sur les intrants à l'égard de l'immeuble d'habitation. Dans ce cas, l'exception prévue à l'article 227 n'est pas applicable et il est donc tenu de s'autocotiser. Le particulier doit verser la TVQ sur la juste valeur marchande de l'immeuble d'habitation. Finalement, le particulier peut être admissible au remboursement pour immeubles locatifs neufs. Voir à cet effet : Revenu Québec, *Tribune d'échange sur des questions techniques avec Revenu Québec*, Symposium des taxes à la consommation, Association de planification fiscale et financière (2009).

Sous nos notes qui figurent à l'article 256.2 de la *Loi sur la taxe d'accise (TPS)*, nous avons souligné un problème d'interprétation dans la *Loi sur la taxe de vente du Québec* en raison de l'absence de l'expression « achevés en grande partie », qui est utilisée dans la *Loi sur la taxe d'accise (TPS)*, dans la version française où l'expression « presque achevés » est plutôt utilisée, mais où la version anglaise utilise la même expression, à savoir « substantially completed ».

La Cour du Québec, dans l'affaire *Lafontaine c. Ministère du revenu national*, 2006 CarswellQue 13117 (C.Q.) (l'affaire « Lafontaine »), a précisé que l'expression « achevés en grande partie » avait une définition différente de celle de l'expression « presque achevés ». Dans cette affaire, le contribuable s'était vu refuser sa demande de remboursement parce que Revenu Québec estimait qu'elle avait été produite en dehors du délai prévu à l'article 370.12. La question en litige était donc de déterminer si, à la date d'occupation donnée, les travaux de construction étaient « presque achevés ». La Cour du Québec souligne la position de Revenu Québec voulant que les deux expressions « presque achevés » et « achevés en grande partie » ont la même signification, soit que l'immeuble peut être utilisé comme lieu de résidence avec une jouissance raisonnable. De l'avis de la Cour du Québec, toutefois, des travaux en grande partie terminés réfèrent à un degré d'achèvement moins grand que des travaux presque terminés. L'analogie avec la jurisprudence développée en matière fédérale, selon le tribunal, demeure intéressante et celui-ci souligne son accord avec la position adoptée par le juge Hamlyn de la Cour canadienne de l'impôt dans l'affaire *Vallières c. La Reine*, [2001] G.T.C. 545 (C.C.I.).

De l'avis de l'auteur, il existe effectivement une différence entre ces deux expressions et le raisonnement de la Cour du Québec dans l'affaire *Lafontaine* est juste. En effet, il est raisonnable de dire qu'un immeuble dont les travaux sont achevés en grande partie peut raisonnablement être habité, cela ne veut pas dire que les travaux sont pour autant presque achevés. Le contribuable qui désire obtenir une certaine assurance peut toutefois soumettre une demande de consultation tarifiée, notamment, auprès de Revenu Québec. En toute logique, l'auteur admet toutefois qu'aucune différence d'interprétation ne devrait résulter de la version provinciale et de la version fédérale et que sa conclusion se base sur la législation existante. En effet, le législateur n'est pas censé parler pour ne rien dire et donc, en vertu de ce principe d'interprétation, chacune de ces deux expressions devrait être définie différemment. À ce titre, une demande de modification législative a été soumise au Ministère des Finances et de l'Économie pour obtenir un changement législatif à cet égard.

L'article 378.14 est une disposition particulière à la TVQ qui prévoit, essentiellement, que le particulier a droit au remboursement de la TVQ qu'il a payée sur le montant de la TPS qui lui est ainsi remboursé, dans un cas où, par exemple, le particulier serait admissible au remboursement en TPS, mais non en TVQ et ce, en raison du prix d'acquisition trop élevé. À compter du 1er janvier 2013, cette disposition ne devrait plus s'appliquer puisque la TVQ n'est plus calculée sur le montant du prix, incluant la TPS, mais sera calculée directement sur le prix d'acquisition, tout comme la TPS.

Compte tenu de la similarité de la rédaction des dispositions législatives et considérant l'engagement spécifique de Revenu Québec de veiller à ce que l'assiette de TVQ modifiée, de même que les paramètres administratifs, structurels et définitionnels, produisent des résultats qui sont identiques à ceux produits sous le régime de la TPS/TVH et soient administrés d'une manière qui produit des résultats identiques, tel que reflété par l'article 14 de l'*Entente intégrée globale de coordination fiscale* signée entre le gouvernement du Canada et le gouvernement du Québec, nous vous référons à nos commentaires en vertu de l'article 256.2 de la *Loi sur la taxe d'accise (TPS)* qui devraient s'appliquer *mutatis mutandis*, avec les adaptations nécessaires.

V. — Fourniture d'un immeuble par un non-inscrit

379. Vente par un non-inscrit — Sous réserve des articles 379.1 et 380, une personne qui n'est pas un inscrit et qui effectue la fourniture taxable d'un immeuble par vente a droit au remboursement d'un montant égal au moindre des montants suivants :

1° la teneur en taxe de l'immeuble au moment de la fourniture;

2° le montant qui correspond à la taxe payable, ou qui le serait en faisant abstraction des articles 75.1, 75.3 à 75.9 et 80, à l'égard de la fourniture taxable.

Notes historiques: Le préambule de l'article 379 a été remplacé par L.Q. 2007, c. 12, par. 336(1) et cette modification s'applique à une fourniture à l'égard de laquelle la taxe devient payable ou serait devenue payable, en faisant abstraction des articles 75.1 et 80, après le 30 juin 2006. Antérieurement, il se lisait ainsi :

> 379. Sous réserve de l'article 380, une personne qui n'est pas un inscrit et qui effectue la fourniture taxable d'un immeuble par vente a droit au remboursement d'un montant égal au moindre des montants suivants :

Le paragraphe 2° de l'article 379 a été remplacé par L.Q. 2009, c. 5, par. 650(1) et cette modification a effet depuis le 28 juin 1999. Antérieurement, il se lisait ainsi :

> 2° le montant qui correspond à la taxe payable, ou qui le serait en faisant abstraction des articles 75.1 et 80, à l'égard de la fourniture taxable.

L'article 379 a été remplacé par L.Q. 1997, c. 85, art. 660(1) et a effet à l'égard de la fourniture d'un immeuble effectuée après le 31 mars 1997. Antérieurement, il se lisait ainsi :

> 379. Sous réserve de l'article 380, une personne qui n'est pas un inscrit et qui effectue la fourniture taxable d'un immeuble par vente a droit au remboursement d'un montant déterminé selon la formule suivante :
>
> A × B.
>
> Pour l'application de cette formule :
>
> 1° la lettre A représente le moindre des montants suivants :
>
> a) le montant qui correspond au total — appelé « total de la taxe exigée à l'égard de l'immeuble » dans le présent article — de la taxe payable par la personne à l'égard de la dernière acquisition de l'immeuble par celle-ci et de la taxe payable par elle à l'égard d'une amélioration à l'immeuble acquise, ou apportée au Québec, par la personne après que l'immeuble a été ainsi acquis la dernière fois;
>
> b) le montant qui correspond à la taxe payable, ou qui le serait en faisant abstraction des articles 75.1, 80, à l'égard de la fourniture taxable;
>
> 2° la lettre B représente :
>
> a) dans le cas où la personne avait le droit de demander un remboursement en vertu des articles 383 à 397 à l'égard de toute taxe comprise dans le total de la taxe exigée à l'égard de l'immeuble, la différence entre 100 % et le pourcentage prévu aux articles 386 ou 386.1 qui est applicable aux fins du calcul du montant de ce remboursement;
>
> b) dans tous les autres cas, 100 %.

L'article 379 a été ajouté par L.Q. 1994, c. 22, art. 574(1) et les dispositions transitoires de cette modification ont été modifiées par L.Q. 1995, c. 63, art. 543(1), lequel a effet depuis le 17 juin 1994. Selon L.Q. 1995, c. 63, art. 243(1), la modification à l'article 379 par L.Q. 1994, c. 22, art. 574(1) s'applique à compter du 1er août 1995 à l'égard de la fourniture par vente d'un immeuble si, à la fois :

> 1° la convention écrite relative à son acquisition est conclue après le 31 juillet 1995;
>
> 2° le transfert de propriété et de possession a lieu après le 31 juillet 1995 aux termes de la convention.

De plus, lorsque :

> 1° l'article 379 s'applique :
>
> a) pour la période du 1er juillet 1992 au 30 septembre 1992, le premier alinéa et le sous-paragraphe b) du paragraphe 1° du deuxième alinéa de cet article doivent se lire respectivement comme suit :
>
> Sous réserve de l'article 380, une personne qui n'est pas un inscrit et qui effectue la fourniture taxable ou non taxable d'un immeuble par vente a droit au remboursement d'un montant déterminé selon la formule suivante :
>
> A – B;
>
> b) le montant qui correspond à la taxe calculée sur la contrepartie de la fourniture de l'immeuble par la personne ou le montant qui correspond à la taxe qui serait payable en faisant abstraction du fait qu'il s'agit de la fourniture non taxable de l'immeuble;
>
> 2° pour la période du 1er octobre 1992 au 31 juillet 1995, cet article doit se lire comme suit :
>
> Sous réserve de l'article 380, une personne qui n'est pas un inscrit et qui effectue la fourniture taxable ou non taxable d'un immeuble par vente a droit au remboursement d'un montant déterminé selon la formule suivante :
>
> A × B.
>
> Pour l'application de cette formule :
>
> 1° la lettre A représente le moindre des montants suivants :
>
> a) le montant qui correspond au total — appelé « total de la taxe exigée à l'égard de l'immeuble » dans le présent article — de la taxe payable par la personne à l'égard de la dernière acquisition de l'immeuble par celle-ci et de la taxe payable par elle à l'égard d'une amélioration à l'immeuble acquise, ou apportée au Québec, par la personne après que l'immeuble a été ainsi acquis la dernière fois;
>
> b) le montant qui correspond à la taxe payable, ou qui le serait en faisant abstraction des articles 75.1, 80 ou du fait qu'il s'agit de la fourniture non taxable de l'immeuble, à l'égard de la fourniture taxable ou non taxable de l'immeuble;
>
> 2° la lettre B représente :
>
> a) dans le cas où la personne avait le droit de demander un remboursement en vertu des articles 383 à 397 à l'égard de toute taxe comprise dans le total de la taxe exigée à l'égard de l'immeuble, la différence entre 100 % et le pourcentage prévu aux articles 386 ou 386.1 qui est applicable aux fins du calcul du montant de ce remboursement;
>
> b) dans tous les autres cas, 100 %.

Auparavant, les dispositions transitoires de L.Q. 1994, c. 22, art. 574(2) stipulaient que cette modification s'appliquait à compter du 1er octobre 1992.

L'article 379, édicté par L.Q. 1991, c. 67, se lisait comme suit :

> 379. Sous réserve de l'article 380, une personne qui n'est pas un inscrit et qui effectue la fourniture taxable d'un immeuble par vente a droit au remboursement d'un montant déterminé selon la formule suivante :
>
> A – B.
>
> Pour l'application de cette formule :
>
> 1° la lettre A représente le moindre des montants suivants :
>
> a) le montant qui correspond au total de la taxe payable par la personne à l'égard de la dernière fourniture de l'immeuble à celle-ci et de la taxe payable par la personne à l'égard d'une amélioration qu'elle a apporté à l'immeuble depuis qu'il lui a été fourni pour la dernière fois;
>
> b) le montant qui correspond à la taxe calculée sur la contrepartie de la fourniture de l'immeuble par la personne;
>
> 2° la lettre B représente le total de tous les montants dont chacun représente un montant payé à la personne, ou un montant auquel elle a droit, à titre de remboursement, en vertu de la section I, de la taxe payable par celle-ci à l'égard de la dernière fourniture de l'immeuble à cette dernière ou à titre de remboursement, en vertu de cette section, de la taxe payable par la personne à l'égard d'une amélioration qu'elle a apporté à l'immeuble depuis qu'il lui a été fourni pour la dernière fois.

Notes explicatives ARQ (PL 2, L.Q. 2009, c. 5): *Résumé* :

L'article 379 est modifié afin d'ajouter un renvoi aux nouveaux articles 75.3 à 75.9 de la LTVQ. Ainsi, le remboursement prévu à l'article 379 sera égal à la teneur en taxe du bien au moment de la vente ou, s'il est moins élevé, au montant de taxe qui est payable relativement à la vente ou qui le serait en l'absence des articles 75.1, 80 et 75.3 à 75.9 de la LTVQ.

Situation actuelle :

Actuellement, l'article 379 de la LTVQ permet à un non-inscrit qui effectue ou est réputé effectuer la vente taxable d'un immeuble de demander un remboursement en vue de recouvrer un montant de taxe antérieurement irrécouvrable qu'il a payé relativement à l'immeuble. Le montant du remboursement correspond à la teneur en taxe de l'immeuble au moment de la vente ou, s'il est moins élevé, au montant de taxe qui est payable relativement à la vente ou qui le serait en l'absence des articles 75.1 et 80 de la LTVQ.

Modifications proposées :

La modification apportée à l'article 379 de la LTVQ consiste à ajouter au paragraphe 2° un renvoi aux nouveaux articles 75.3 à 75.9 de la LTVQ.

Ainsi, le remboursement prévu à cet article sera égal à la teneur en taxe du bien au moment de la vente ou, s'il est moins élevé, au montant de taxe qui est payable relativement à la vente ou qui le serait en l'absence des articles 75.1, 80 et 75.3 à 75.9 de la LTVQ.

Notes explicatives ARQ (PL 2, L.Q. 2007, c. 12): *Résumé* :

L'article 379 qui prévoit, sous certaines conditions, le remboursement de la taxe payée relativement à l'acquisition d'un immeuble au moment de sa revente, est modifié par l'ajout d'un renvoi au nouvel article 379.1, qui s'applique dans le cas de la vente d'un immeuble par un organisme du secteur public à une autre personne avec laquelle l'organisme a un lien de dépendance.

Situation actuelle :

L'article 379 prévoit le remboursement de la taxe payée lors de l'acquisition antérieure d'un immeuble lorsque celui-ci fait l'objet d'une fourniture taxable par vente par une personne qui n'est pas un inscrit, dans le cas où cette dernière n'a pu bénéficier d'un quelconque remboursement.

À défaut d'un tel article, il y aurait double imposition puisque la taxe aurait été exigible lors de la précédente acquisition de l'immeuble et le serait également lors d'une nouvelle fourniture par vente.

Le montant remboursable correspond à la teneur en taxe de l'immeuble au moment de la vente ou, s'il est moins élevé, au montant de taxe qui est payable relativement à la vente, ou qui le serait en l'absence des articles 75.1 et 80.

Modifications proposées :

La modification apportée à l'article 379 consiste à prévoir que le remboursement en cause est accordé sous réserve du nouvel article 379.1, qui s'applique dans le cas où la vente d'un immeuble relativement auquel le remboursement est demandé est effectuée par un organisme du secteur public à une autre personne avec laquelle l'organisme a un lien de dépendance.

Guides [art. 379]: IN-261 — La TVQ, la TPS et les immeubles d'habitation (construction ou rénovation).

Définitions [art. 379]: « amélioration », « fourniture taxable », « immeuble », « inscrit », « montant », « particulier », « personne », « taxe », « teneur en taxe », « vente » — 1.

Renvois [art. 379]: 237.3 (dernière acquisition ou apport); 298 (fourniture à l'assureur sur règlement de sinistre); 320 (saisie et reprise de possession); 380 (demande de remboursement); 380.1 (rachat d'un immeuble); 403 (demande de remboursement); 404 (demande de remboursement); 25 LAF (cotisation par le ministre); 30 LAF (intérêts sur remboursement).

Jurisprudence [art. 379]: *9062-8942 Québec inc. c. Québec (Sous-ministre du Revenu)* (24 juillet 2006), 400-80-000224-042, 2006 CarswellQue 7347 (C.Q.).

Bulletins d'interprétation [art. 379]: TVQ. 223-1/R2 — Fourniture à soi-même d'un immeuble d'habitation; TVQ. 362.2-1/R2 — Remboursement pour habitations neuves à l'égard d'un duplex; TVQ. 379-1/R1 — Remboursement de TVQ lors de la fourniture par vente d'un immeuble par une personne non inscrite au fichier de la TVQ.

Concordance fédérale: LTA, par. 257(1).

COMMENTAIRES: Voir les commentaires sous l'article 380.1.

379.1 Restriction — organisme du secteur public — Dans le cas où la fourniture taxable visée à l'article 379 est effectuée à un moment donné par un organisme du secteur public à une personne avec laquelle il a un lien de dépendance, le remboursement prévu à cet article ne doit pas excéder le moindre des montants suivants :

1° la teneur en taxe de l'immeuble à ce moment;

2° le montant déterminé selon la formule suivante :

$$A / B \times C.$$

Application — Pour l'application de cette formule :

1° la lettre A représente la teneur en taxe de l'immeuble à ce moment;

2° la lettre B représente le montant qui correspondrait à la teneur en taxe de l'immeuble à ce moment si ce montant était déterminé sans tenir compte du total des montants que représente la lettre B visée au paragraphe 2° de la définition de l'expression « teneur en taxe » prévue à l'article 1;

3° la lettre C représente le montant qui correspond à la taxe payable, ou qui le serait en faisant abstraction des articles 75.1 et 80, à l'égard de la fourniture taxable.

Notes historiques: L'article 379.1 a été ajouté par L.Q. 2007, c. 12, par. 337(1) et s'applique à une fourniture à l'égard de laquelle la taxe devient payable ou serait devenue payable, en faisant abstraction des articles 75.1 et 80, après le 30 juin 2006.

Notes explicatives ARQ (PL 2, L.Q. 2007, c. 12): *Résumé* :

L'article 379.1 est édicté afin de prévoir que le remboursement visé à l'article 379 est accordé, dans le cas d'un organisme du secteur public qui effectue la vente d'un immeuble à une personne avec qui il a un lien de dépendance, sous réserve d'un montant plafond, dont l'établissement est prévu à cet article 379.1.

Situation actuelle :

L'article 379 prévoit le remboursement de la taxe payée lors de l'acquisition antérieure d'un immeuble lorsque celui-ci fait l'objet d'une fourniture taxable par vente par une personne qui n'est pas un inscrit, dans le cas où cette dernière n'a pu bénéficier d'un quelconque remboursement.

Le montant remboursable correspond à la teneur en taxe de l'immeuble au moment de la vente ou, s'il est moins élevé, au montant de taxe qui est payable relativement à la vente, ou qui le serait en l'absence des articles 75.1 et 80.

Modifications proposées :

Le nouvel article 379.1 prévoit que le remboursement visé à l'article 379 est accordé, dans le cas d'un organisme du secteur public, sous certaines réserves. Ainsi, lorsque la demande de remboursement est formulée par un tel organisme qui a effectué la vente d'un immeuble à une personne avec laquelle il a un lien de dépendance, le remboursement est limité à un montant plafond. Ainsi, le remboursement est limité au moindre de la « teneur en taxe » de l'immeuble et d'un autre montant déterminé selon une certaine formule.

L'expression « teneur en taxe », définie à l'article 1, correspond généralement au montant de la taxe de vente du Québec qu'une personne est tenue de payer relativement à la fourniture ou aux améliorations d'un bien, duquel doit être soustrait les sommes recouvrables par voie de remboursements, de remises ou autrement, sauf les remboursements de la taxe sur les intrants (incluant également les sommes qui auraient pu être recouvrées pour utilisation exclusive dans le cadre d'activités autres que des activités commerciales), compte tenu de toute dépréciation.

En application de la formule, le montant de taxe qui est payable relativement à la vente d'un immeuble (ou qui le serait en l'absence des articles 75.1 et 80) est multiplié par le rapport entre la teneur en taxe réelle de l'immeuble au moment de la vente et le montant qui correspondrait à sa teneur en taxe à ce moment si les montants (sauf les remboursements de la taxe sur les intrants) que la personne peut recouvrer par voie de remboursements, de remises ou autrement (ou aurait pu recouvrer si l'immeuble avait été acquis pour utilisation exclusive dans le cadre d'activités autres que des activités commerciales) n'étaient pas déduits dans le calcul de la teneur en ta xe.

Concordance fédérale: LTA, par. 257(1.1).

COMMENTAIRES: Voir les commentaires sous l'article 380.1.

380. Délai de la demande — Une personne a droit au remboursement prévu à l'article 379 à l'égard de la fourniture d'un immeuble par vente par celle-ci seulement si elle produit une demande de remboursement dans les deux ans suivant le jour où la contrepartie de la fourniture est devenue due ou est payée sans devenir due.

Notes historiques: L'article 380 a été remplacé par L.Q. 1997, c. 85, art. 660(1) et a effet à l'égard d'un remboursement relatif à la fourniture d'un immeuble dont la totalité de la contrepartie devient due après le 30 juin 1996 ou est payée après le 30 juin 1996 sans qu'elle soit devenue due. Antérieurement, cet article se lisait ainsi :

> 380. Une personne a droit au remboursement prévu à l'article 379 à l'égard de la fourniture d'un immeuble par vente par celle-ci seulement si elle produit une demande de remboursement dans les quatre ans suivant le jour où la contrepartie de la fourniture est devenue due ou est payée sans devenir due.

L'article 380 a été édicté par L.Q. 1991, c. 67.

Guides: IN-261 — La TVQ, la TPS et les immeubles d'habitation (construction ou rénovation).

Formulaires [art. 379]: VD-403, *Demande de remboursement de la taxe de vente du Québec (TVQ)*.

Définitions [art. 380]: « contrepartie », « fourniture », « fourniture taxable », « immeuble », « personne », « vente » — 1.

Renvois [art. 380]: 298 (fourniture à l'assureur sur règlement de sinistre); 320 (saisie et reprise de possession); 379 (vente d'immeuble par un non-inscrit); 380.1 (rachat d'un immeuble); 403, 404 (demande de remboursement); 25 LAF (cotisation par le ministre); 30 LAF (intérêts sur remboursement).

Bulletins d'interprétation [art. 380]: TVQ. 211-1 — Allocation de dépenses versée à un élu municipal; TVQ. 212-2 — Caractéristiques d'un remboursement de dépenses.

Concordance fédérale: LTA, par. 257(2).

LTVQ (français)

COMMENTAIRES: Voir les commentaires sous l'article 380.1.

380.1 Saisie et reprise de possession — rachat d'un immeuble par un débiteur non inscrit — Dans le cas où un créancier exerce, soit en vertu d'une loi du Québec, d'une autre province, des Territoires du Nord-Ouest, du territoire du Yukon, du territoire du Nunavut ou du Canada, soit en vertu d'une convention concernant un titre de créance, un droit de faire effectuer la fourniture d'un immeuble pour le paiement de la totalité ou d'une partie d'une dette ou d'une autre obligation due par une personne — appelée « débiteur » dans le présent article — et que la loi ou la convention confère au débiteur le droit de racheter l'immeuble, les règles suivantes s'appliquent :

1º le débiteur a le droit de demander un remboursement en vertu de l'article 379 à l'égard de l'immeuble seulement si à l'expiration du délai pour racheter l'immeuble, le débiteur n'a pas exercé son droit de rachat;

2º dans le cas où le débiteur a le droit de demander un remboursement, la contrepartie de la fourniture est réputée, pour l'application de l'article 380, être devenue due le jour de l'expiration du délai imparti pour racheter l'immeuble.

Notes historiques: Le préambule de l'article 380.1 a été modifié par L.Q. 2003, c. 2, par. 340(1) par l'insertion, après le mot « Yukon », de « , du territoire du Nunavut ». Cette modification a effet depuis le 1er avril 1999.

L'article 380.1 a été ajouté par L.Q. 1997, c. 85, art. 661(1) et a effet depuis le 24 avril 1996.

Définitions [art. 380.1]: « contrepartie », « fourniture », « immeuble », « personne » — 1.

Concordance fédérale: LTA, par. 257(3).

COMMENTAIRES: L'objectif visé par l'article 379 consiste à respecter la politique fiscale selon laquelle un immeuble ne doit être assujetti qu'une seule fois à la TVQ. Ainsi, dans la mesure où le vendeur avait déjà payé de la TVQ qui n'était pas possible de récupérer, en raison du fait qu'il est non-inscrit, et que la vente est taxable, un remboursement de la taxe sera possible par celui-ci et l'acheteur, s'il est inscrit, pourra récupérer ses remboursements de la taxe sur les intrants. Ce paragraphe permet ainsi d'éviter une double imposition. Si le vendeur est un inscrit, des remboursements de la taxe sur les intrants seront disponibles. Nous vous invitons à consulter nos commentaires sous l'article 199.

L'article 380 prévoit que la demande de remboursement doit être produite dans les deux ans suivant le jour où la contrepartie de la fourniture est devenue due ou est payée sans devenir due.

Nous vous invitons à consulter nos commentaires en vertu de la sous-section 6 — *Montant payé par erreur* pour une discussion sur la présence d'un délai de rigueur et, le cas échéant, sur la possibilité de bénéficier d'un recours alternatif lorsque le délai prescrit est expiré.

Compte tenu de la similarité de la rédaction des dispositions législatives et considérant l'engagement spécifique de Revenu Québec de veiller à ce que l'assiette de TVQ modifiée, de même que les paramètres administratifs, structurels et définitionnels, produisent des résultats qui sont identiques à ceux produits sous le régime de la TPS/TVH et soient administrés d'une manière qui produit des résultats identiques, tel que reflété par l'article 14 de l'*Entente intégrée globale de coordination fiscale* signée entre le gouvernement du Canada et le gouvernement du Québec, nous vous invitons à consulter nos commentaires en vertu de l'article 257 de la *Loi sur la taxe d'accise (TPS)* qui devraient s'appliquer *mutatis mutandis*, avec les adaptations nécessaires.

§ 4. — *Aide juridique*

381. Service professionnel d'aide juridique — Sous réserve de l'article 382, une société responsable de l'administration de l'aide juridique, en vertu de la *Loi sur l'aide juridique et sur la prestation de certains autres services juridiques* (chapitre A-14), qui paie la taxe à l'égard de la fourniture taxable d'un service professionnel d'aide juridique a droit au remboursement de la taxe qu'elle a payée à l'égard de la fourniture et n'a droit à aucun autre remboursement en vertu de la présente section à l'égard de la taxe relative à cette fourniture.

Notes historiques: L'article 381 a été modifié par L.Q. 2010, c. 12, art. 34 par le remplacement de « *Loi sur l'aide juridique* » par « *Loi sur l'aide juridique et sur la prestation de certains autres services juridiques* ». Cette modification est entrée en vigueur le 7 septembre 2010 (Décret 699-2010).

L'article 381 a été modifié par L.Q. 1997, c. 3, art. 135(2º) pour remplacer le mot « corporation » par le mot « société ». Cette modification est réputée entrée en vigueur le 20 mars 1997. Cet article a été édicté par L.Q. 1991, c. 67.

Guides: IN-261 — La TVQ, la TPS et les immeubles d'habitation (construction ou rénovation).

Définitions [art. 381]: « fourniture », « fourniture taxable », « service », « taxe » — 1.

Renvois [art. 381]: 138 (service d'aide juridique exonéré); 1.1 (personne morale); 382 (demande de remboursement); 403 (demande de remboursement); 404 (demande de remboursement); 506.1 (société et société de personnes); 25 LAF (cotisation par le ministre); 30 LAF (intérêts sur remboursement).

Concordance fédérale: LTA, par. 258(2).

COMMENTAIRES: Cet article permet le remboursement de la TVQ payée à l'égard d'un service professionnel d'aide juridique.

Cet article est limitatif en soi et fait référence uniquement à la TVQ payée par une société responsable de l'administration de l'aide juridique.

L'article 382 prévoit que la demande de remboursement doit être produite dans un délai de quatre ans suivant la fin de la période de déclaration de la société au cours de laquelle la TVQ est devenue payable. Nous vous invitons à consulter nos commentaires en vertu de la sous-section 6 — *Montant payé par erreur* pour une discussion sur la présence d'un délai de rigueur et, le cas échéant, sur la possibilité de bénéficier d'un recours alternatif lorsque le délai prescrit est expiré.

Compte tenu de la similarité de la rédaction des dispositions législatives et considérant l'engagement spécifique de Revenu Québec de veiller à ce que l'assiette de TVQ modifiée, de même que les paramètres administratifs, structurels et définitionnels, produisent des résultats qui sont identiques à ceux produits sous le régime de la TPS/TVH et soient administrés d'une manière qui produit des résultats identiques, tel que reflété par l'article 14 de l'*Entente intégrée globale de coordination fiscale* signée entre le gouvernement du Canada et le gouvernement du Québec, nous vous invitons à consulter nos commentaires en vertu de l'article 258 de la *Loi sur la taxe d'accise (TPS)* qui devraient s'appliquer *mutatis mutandis*, avec les adaptations nécessaires.

382. Délai de la demande — La société visée à l'article 381 a droit au remboursement prévu à cet article à l'égard de la taxe qu'elle a payée seulement si elle produit au ministre une demande de remboursement dans les quatre ans suivant la fin de la période de déclaration de la société au cours de laquelle la taxe est devenue payable.

Notes historiques: L'article 382 a été modifié par L.Q. 1997, c. 3, art. 135(2º) pour remplacer le mot « corporation » par le mot « société ». Cette modification est réputée entrée en vigueur le 20 mars 1997. Cet article a été édicté par L.Q. 1991, c. 67.

Définitions [art. 382]: « fourniture taxable », « période de déclaration », « taxe » — 1.

Renvois [art. 382]: 1.1 (personne morale); 381 (remboursement — service professionnel d'aide juridique); 403 (demande de remboursement); 404 (demande de remboursement); 506.1 (société et société de personnes); 25 LAF (cotisation par le ministre); 30 LAF (intérêts sur remboursement).

Concordance fédérale: LTA, par. 258(3).

COMMENTAIRES: Cet article permet le remboursement de la TVQ payée à l'égard d'un service professionnel d'aide juridique.

Cet article est limitatif en soi et fait référence uniquement à la TVQ payée par une société responsable de l'administration de l'aide juridique.

L'article 382 prévoit que la demande de remboursement doit être produite dans un délai de quatre ans suivant la fin de la période de déclaration de la société au cours de laquelle la TVQ est devenue payable. Nous vous invitons à consulter nos commentaires en vertu de la sous-section 6 — *Montant payé par erreur* pour une discussion sur la présence d'un délai de rigueur et, le cas échéant, sur la possibilité de bénéficier d'un recours alternatif lorsque le délai prescrit est expiré.

Compte tenu de la similarité de la rédaction des dispositions législatives et considérant l'engagement spécifique de Revenu Québec de veiller à ce que l'assiette de TVQ modifiée, de même que les paramètres administratifs, structurels et définitionnels, produisent des résultats qui sont identiques à ceux produits sous le régime de la TPS/TVH et soient administrés d'une manière qui produit des résultats identiques, tel que reflété par l'article 14 de l'*Entente intégrée globale de coordination fiscale* signée entre le gouvernement du Canada et le gouvernement du Québec, nous vous invitons à consulter nos commentaires en vertu de l'article 258 de la *Loi sur la taxe d'accise (TPS)* qui devraient s'appliquer *mutatis mutandis*, avec les adaptations nécessaires.

§4.1. — *Véhicule à moteur admissible*

Notes historiques: L'intitulé de la sous-section 4.1 a été ajouté par L.Q. 2001, c. 53, par. 360(1) et a effet depuis le 11 décembre 1992.

382.1 Véhicule à moteur admissible — Pour l'application de la présente sous-section, l'expression « véhicule à moteur admissible » signifie un véhicule à moteur qui est équipé d'un appareil conçu exclusivement pour aider au chargement d'un fauteuil roulant dans le véhicule sans avoir à le plier ou d'un dispositif auxiliaire de conduite afin de faciliter la conduite du véhicule par une personne handicapée.

Notes historiques: L'article 382.1 a été ajouté par L.Q. 2001, c. 53, art. 360 et a effet depuis le 11 décembre 1992. Toutefois, pour la période qui commence le 11 décembre 1992 et qui se termine le 3 avril 1998, l'article 382.1 doit se lire comme suit :

382.1 Pour l'application de la présente sous-section, l'expression « véhicule à moteur admissible » signifie un véhicule à moteur qui, à la fois :

a) est équipé d'un appareil conçu exclusivement pour aider au chargement d'un fauteuil roulant dans le véhicule sans avoir à le plier;

b) depuis qu'il est équipé d'un tel appareil, n'a jamais été utilisé à titre d'immobilisation ou détenu autrement que pour fourniture dans le cours normal d'une entreprise.

L'article 382.1 a été remplacé par L.Q. 2009, c. 5, par. 651(1) et cette modification a effet :

1° dans le cas de la fourniture, ou de l'apport au Québec, d'un véhicule à moteur admissible équipé d'un appareil conçu exclusivement pour aider au chargement d'un fauteuil roulant, depuis le 11 décembre 1992 si l'acquéreur est un particulier et depuis le 24 avril 1996 si l'acquéreur est une personne autre qu'un particulier;

2° dans le cas de la fourniture, ou de l'apport au Québec, d'un véhicule à moteur admissible équipé d'un dispositif auxiliaire de conduite afin de faciliter la conduite du véhicule par une personne handicapée, depuis le 4 avril 1998.

Antérieurement, il se lisait ainsi :

382.1 Véhicule à moteur admissible — Pour l'application de la présente sous-section, l'expression « véhicule à moteur admissible » signifie un véhicule à moteur qui, à la fois :

a) est équipé d'un appareil conçu exclusivement pour aider au chargement d'un fauteuil roulant dans le véhicule sans avoir à le plier ou d'un dispositif auxiliaire de conduite afin de faciliter la conduite du véhicule par une personne handicapée;

b) depuis qu'il est équipé de l'un de ces appareils, n'a jamais été utilisé à titre d'immobilisation ou détenu autrement que pour fourniture dans le cours normal d'une entreprise.

Notes explicatives ARQ (PL 2, L.Q. 2009, c. 5): *Résumé* :

Les modifications proposées à l'article 382.1 visent à retirer, dans la définition de l'expression « véhicule à moteur admissible », la condition voulant que le véhicule à moteur doit n'avoir jamais été utilisé à titre d'immobilisation ou détenu autrement que pour fourniture dans le cours normal d'une entreprise.

Situation actuelle :

La LTVQ prévoit, aux articles 382.2 et suivants, un remboursement de la taxe payée à l'égard d'un véhicule à moteur admissible.

Un tel remboursement est accordé quant à la partie de la taxe calculée sur la contrepartie qui peut raisonnablement être attribuée aux dispositifs spéciaux et aux incorporations effectuées au véhicule à moteur admissible.

Pour l'application de ces articles, l'article 382.1 de la LTVQ définit l'expression « véhicule à moteur admissible », laquelle signifie un véhicule à moteur équipé d'un appareil conçu pour aider au chargement d'un fauteuil roulant ou d'un dispositif auxiliaire afin de faciliter la conduite du véhicule par une personne handicapée.

De plus, le véhicule à moteur doit, pour les fins de ce remboursement, n'avoir jamais été utilisé à titre d'immobilisation ou détenu autrement que pour fourniture dans le cours normal d'une entreprise depuis qu'il est équipé de l'un de ces appareils.

Modifications proposées :

Afin que le remboursement de la taxe payée à l'égard d'un véhicule à moteur admissible soit accordé également au véhicule qui a été utilisé après avoir été équipé des appareils requis, il y aurait lieu de modifier la définition de l'expression « véhicule à moteur admissible » contenue à l'article 382.1 de la LTVQ pour y retirer la condition voulant que le véhicule à moteur doit, pour les fins de ce remboursement, n'avoir jamais été utilisé à titre d'immobilisation ou détenu autrement que pour fourniture dans le cours normal d'une entreprise depuis qu'il est équipé de l'un de ces appareils.

Guides [art. 382.1]: IN-624 — La TVQ, la TPS/TVH et les véhicules routiers.

Concordance fédérale: LTA, par. 258.1(1).

COMMENTAIRES: Voir les commentaires sous l'article 382.7.

382.2 Véhicule à moteur admissible acheté au Québec —

Un acquéreur a droit au remboursement de la partie de la taxe totale payable à l'égard de la fourniture d'un véhicule à moteur admissible qui est égale à la taxe calculée sur la partie — appelée « montant déterminé du prix d'achat » dans le présent article — de la contrepartie pour la fourniture qui peut raisonnablement être attribuée à des dispositifs spéciaux qui ont été incorporés au véhicule ou à des adaptations qui y ont été effectuées en vue de son utilisation par une personne utilisant un fauteuil roulant ou pour le transport d'une personne utilisant un fauteuil roulant ou pour équiper le véhicule d'un dispositif auxiliaire de conduite qui facilite la conduite du véhicule par une personne handicapée si, à la fois :

1° (*paragraphe supprimé*);

2° l'acquéreur a payé le total de la taxe payable à l'égard de la fourniture;

3° le fournisseur indique par écrit à l'acquéreur le montant déterminé du prix d'achat du véhicule;

4° l'acquéreur produit une demande de remboursement au ministre dans un délai de quatre ans suivant le premier jour où une taxe devient payable à l'égard de la fourniture.

Notes historiques: Le paragraphe 1° de l'article 382.2 a été supprimé par L.Q. 2009, c. 5, par. 652(1) et cette modification a effet :

1° dans le cas de la fourniture d'un véhicule à moteur admissible équipé d'un appareil conçu exclusivement pour aider au chargement d'un fauteuil roulant, depuis le 11 décembre 1992 si l'acquéreur est un particulier et depuis le 24 avril 1996 si l'acquéreur est une personne autre qu'un particulier;re qu'un particulier;

2° dans le cas de la fourniture d'un véhicule à moteur admissible équipé d'un dispositif auxiliaire de conduite afin de faciliter la conduite du véhicule par une personne handicapée, depuis le 4 avril 1998.

Malgré le paragraphe 4° de l'article 382.2, une personne dispose d'un délai de quatre ans suivant le 27 novembre 2006 pour produire, en vertu de cet article, une demande au ministre du Revenu pour le remboursement de la taxe qui est devenue payable avant le 27 novembre 2006 à l'égard de la fourniture d'un véhicule à moteur admissible, à l'exclusion d'un véhicule à moteur admissible qui, entre le moment où il était équipé d'un appareil décrit à l'article 382.1 et celui où il était acquis par la personne, n'a jamais été utilisé à titre d'immobilisation ou détenu autrement que pour fourniture dans le cours normal d'une entreprise.

La demande visée plus haut peut, malgré le deuxième alinéa de l'article 403, être la deuxième demande de remboursement d'une personne si, avant le 27 novembre 2006, la personne a présenté une demande de remboursement à l'égard duquel une cotisation a été établie. Antérieurement, il se lisait ainsi :

1° un inscrit effectue une fourniture taxable du véhicule par vente;

L'article 382.2 a été ajouté par L.Q. 2001, c. 53, art. 360 et s'applique à l'égard de la fourniture d'un véhicule à moteur admissible effectuée après le 10 décembre 1992. Toutefois :

1° pour la période qui commence le 11 décembre 1992 et qui se termine le 23 avril 1996, l'article 382.2 doit se lire comme suit :

382.2 Un particulier a droit au remboursement de la partie de la taxe totale payable à l'égard de la fourniture d'un véhicule à moteur admissible qui est égale à la taxe calculée sur la partie - appelée « montant déterminé du prix d'achat » dans le présent article - de la contrepartie pour la fourniture qui peut raisonnablement être attribuée à des dispositifs spéciaux qui ont été incorporés au véhicule ou à des adaptations qui y ont été effectuées en vue de son utilisation par une personne utilisant un fauteuil roulant ou pour le transport d'une personne utilisant un fauteuil roulant si, à la fois :

1° un inscrit effectue une fourniture taxable du véhicule par vente;

2° le particulier a payé le total de la taxe payable à l'égard de la fourniture

3° le fournisseur indique par écrit au particulier le montant déterminé du prix d'achat du véhicule;

4° le particulier produit une demande de remboursement au ministre dans un délai de quatre ans suivant le premier jour où une taxe devient payable à l'égard de la fourniture;

2° pour la période qui commence le 24 avril 1996 et qui se termine le 3 avril 1998, l'article 382.2 doit se lire comme suit :

382.2 Un acquéreur a droit au remboursement de la partie de la taxe totale payable à l'égard de la fourniture d'un véhicule à moteur admissible qui est égale à la taxe calculée sur la partie - appelée « montant déterminé du prix d'achat » dans le présent article - de la contrepartie pour la fourniture qui peut raisonnablement être attribuée à des dispositifs spéciaux qui ont été incorporés au véhicule ou à des adaptations qui y ont été effectuées en vue de son utilisation par une personne utilisant un fauteuil roulant ou pour le transport d'une personne utilisant un fauteuil roulant si, à la fois :

1° un inscrit effectue une fourniture taxable du véhicule par vente;

2° l'acquéreur a payé le total de la taxe payable à l'égard de la fourniture;

3° le fournisseur indique par écrit à l'acquéreur le montant déterminé du prix d'achat du véhicule;

4° l'acquéreur produit une demande de remboursement au ministre dans un délai de quatre ans suivant le premier jour où une taxe devient payable à l'égard de la fourniture.

3° à l'égard d'une fourniture d'un véhicule à moteur admissible effectuée avant le 31 mars 1998, la demande de remboursement doit être produite au ministre dans un délai de quatre ans suivant cette date;

4° à l'égard d'une fourniture d'un véhicule à moteur admissible équipé d'un dispositif auxiliaire de conduite qui facilite la conduite du véhicule par une personne handicapée, cet ajout s'applique à l'égard d'une fourniture dont une partie de la contrepartie devient due après le 3 avril 1998 ou est payée après cette date sans être devenue due.

Notes explicatives ARQ (PL 2, L.Q. 2009, c. 5): *Résumé* :

Les modifications proposées à l'article 382.2 visent à ce que le remboursement de la taxe payée lors de la fourniture par vente d'un véhicule à moteur admissible soit accordé également lorsqu'un tel véhicule est acquis d'une personne qui n'est pas un inscrit.

Situation actuelle :

La LTVQ prévoit, aux articles 382.2 et suivants, un remboursement de la taxe payée à l'égard d'un véhicule à moteur admissible.

Un tel remboursement est accordé quant à la partie de la taxe calculée sur la contrepartie qui peut raisonnablement être attribuée aux dispositifs spéciaux et aux incorporations effectuées au véhicule à moteur admissible.

En ce sens, l'article 382.2 de la LTVQ établit les conditions relatives au remboursement de la taxe payée lors de la fourniture par vente d'un véhicule à moteur admissible.

Suivant cette disposition, un acquéreur a droit au remboursement de la taxe si, entre autres, la fourniture taxable par vente du véhicule à moteur admissible a été effectuée par un inscrit.

Modifications proposées :

En corrélation avec les modifications proposées à la définition de l'expression « véhicule à moteur admissible » contenue à l'article 382.1 de la LTVQ, il y aurait lieu de supprimer le paragraphe 1° de l'article 382.2 de la LTVQ afin que le remboursement de la taxe payée lors de la fourniture par vente d'un véhicule à moteur admissible soit accordé également lorsqu'un tel véhicule est acquis d'une personne qui n'est pas un inscrit.

En effet, il est proposé de modifier la définition de l'expression « véhicule à moteur admissible » contenue à l'article 382.1 de la LTVQ de sorte que le remboursement de la taxe payée à l'égard d'un véhicule à moteur admissible soit accordé également au véhicule qui a été utilisé après avoir été équipé des appareils requis.

Ainsi, l'acquéreur d'un tel véhicule acquis lors d'une fourniture par vente effectuée par un non-inscrit, par exemple, un particulier qui vend son véhicule à moteur admissible usagé, laquelle fourniture s'avère taxable dans le régime de la TVQ par application de l'article 20.1 de la LTVQ, aurait droit à ce remboursement.

Concordance fédérale: LTA, par. 258.1(2).

COMMENTAIRES: Voir les commentaires sous l'article 382.7.

382.3 Demande soumise au fournisseur — Un inscrit qui a effectué une fourniture taxable d'un véhicule à moteur admissible par vente peut payer à l'acquéreur ou porter à son crédit le montant du remboursement visé à l'article 382.2 si, à la fois :

1° la taxe prévue à l'article 16 a été payée ou devient payable à l'égard de la fourniture;

2° l'acquéreur soumet à l'inscrit, dans un délai de quatre ans suivant le premier jour où une taxe devient payable à l'égard de la fourniture, une demande pour le remboursement auquel il aurait droit en vertu de l'article 382.2 à l'égard du véhicule s'il avait payé le total de la taxe payable à l'égard de la fourniture et demandé le remboursement conformément à cet article.

Exception — Toutefois, dans le cas où la fourniture constitue une fourniture par vente au détail d'un véhicule automobile autre que celle effectuée par suite de l'exercice par l'acquéreur d'un droit d'acquérir celui-ci qui lui est conféré en vertu d'une convention écrite de louage du véhicule qu'il a conclue avec l'inscrit, ce dernier peut déduire le montant demandé par l'acquéreur à titre de remboursement du montant de la taxe payable qu'il doit indiquer pour les fins de l'article 425.1.

Notes historiques: L'article 382.3 a été ajouté par L.Q. 2001, c. 53, art. 360 et s'applique à l'égard d'une fourniture d'un véhicule à moteur admissible effectuée après le 10 décembre 1992. Toutefois :

1° pour la période qui commence le 11 décembre 1992 et qui se termine le 23 avril 1996, l'article 382.3 doit se lire comme suit :

> 382.3 Un inscrit qui a effectué une fourniture taxable d'un véhicule à moteur admissible par vente peut payer au particulier ou porter à son crédit le montant du remboursement visé à l'article 382.2 si, à la fois :
>
> 1° la taxe prévue à l'article 16 a été payée ou devient payable à l'égard de la fourniture;
>
> 2° le particulier soumet à l'inscrit, dans un délai de quatre ans suivant le premier jour où une taxe devient payable à l'égard de la fourniture, une demande pour le remboursement auquel il aurait droit en vertu de l'article 382.2 à l'égard du véhicule s'il avait payé le total de la taxe payable à l'égard de la fourniture et demandé le remboursement conformément à cet article.

2° pour la période qui commence le 24 avril 1996 et qui se termine le 20 février 2000, l'article 382.3 doit se lire comme suit :

> 382.3 Un inscrit qui a effectué une fourniture taxable d'un véhicule à moteur admissible par vente peut payer à l'acquéreur ou porter à son crédit le montant du remboursement visé à l'article 382.2 si, à la fois
>
> 1° la taxe prévue à l'article 16 a été payée ou devient payable à l'égard de la fourniture;
>
> 2° l'acquéreur soumet à l'inscrit, dans un délai de quatre ans suivant le premier jour où une taxe devient payable à l'égard de la fourniture, une demande pour le remboursement auquel il aurait droit en vertu de l'article 382.2 à l'égard du véhicule s'il avait payé le total de la taxe payable à l'égard de la fourniture et demandé le remboursement conformément à cet article.

Concordance fédérale: LTA, par. 258.1(3).

COMMENTAIRES: Voir les commentaires sous l'article 382.7.

382.4 Transmission de la demande par le fournisseur — Dans le cas où une demande d'un acquéreur pour un remboursement prévu à l'article 382.2 est soumise à un inscrit dans les circonstances décrites à l'article 382.3, les règles suivantes s'appliquent :

1° l'inscrit doit transmettre la demande au ministre avec sa déclaration produite en vertu du chapitre VIII pour la période de déclaration au cours de laquelle un montant au titre du remboursement est payé à l'acquéreur ou porté à son crédit ou, dans le cas mentionné au deuxième alinéa de l'article 382.3, pour la période de déclaration qui comprend le moment de la délivrance du véhicule automobile à l'acquéreur;

2° malgré l'article 28 de la *Loi sur l'administration fiscale* (chapitre A-6.002), aucun intérêt n'est payable à l'égard du remboursement.

Notes historiques: L'article 382.4 a été ajouté par L.Q. 2001, c. 53, art. 360 et s'applique à l'égard d'une fourniture d'un véhicule à moteur admissible effectuée après le 10 décembre 1992. Toutefois :

1° pour la période qui commence le 11 décembre 1992 et qui se termine le 23 avril 1996, l'article 382.4 doit se lire comme suit :

> 382.4 Dans le cas où une demande d'un particulier pour un remboursement prévu à l'article 382.2 est soumise à un inscrit dans les circonstances décrites à l'article 382.3, les règles suivantes s'appliquent :
>
> 1° l'inscrit doit transmettre la demande au ministre avec sa déclaration produite en vertu du chapitre VIII pour la période de déclaration au cours de laquelle un montant au titre du remboursement est payé au particulier ou porté à son crédit;
>
> 2° malgré l'article 28 de la *Loi sur le ministère du Revenu* (chapitre M-31), aucun intérêt n'est payable à l'égard du remboursement.

2° pour la période qui commence le 24 avril 1996 et qui se termine le 20 février 2000, l'article 382.4 doit se lire comme suit :

> 382.4 Dans le cas où une demande d'un acquéreur pour un remboursement prévu à l'article 382.2 est soumise à un inscrit dans les circonstances décrites à l'article 382.3, les règles suivantes s'appliquent :
>
> 1° l'inscrit doit transmettre la demande au ministre avec sa déclaration produite en vertu du chapitre VIII pour la période de déclaration au cours de laquelle un montant au titre du remboursement est payé à l'acquéreur ou porté à son crédit;
>
> 2° malgré l'article 28 de la *Loi sur le ministère du Revenu* (chapitre M-31), aucun intérêt n'est payable à l'égard du remboursement.

Concordance fédérale: LTA, par. 258.1(4).

COMMENTAIRES: Voir les commentaires sous l'article 382.7.

382.5 Obligation solidaire — Dans le cas où, en vertu de l'article 382.3, un inscrit paie à un acquéreur ou porte à son crédit un montant au titre d'un remboursement et que l'inscrit sait ou devrait savoir que l'acquéreur n'a pas droit au remboursement ou que le montant payé ou porté à son crédit excède le remboursement auquel l'acquéreur a droit, l'inscrit et l'acquéreur sont responsables solidairement du paiement au ministre du montant de ce remboursement ou de cet excédent, selon le cas.

Notes historiques: L'article 382.5 a été ajouté par L.Q. 2001, c. 53, art. 360 et s'applique à l'égard d'une fourniture d'un véhicule à moteur admissible effectuée après le 10 décembre 1992. Toutefois, pour la période qui commence le 11 décembre 1992 et qui se termine le 23 avril 1996, l'article 382.5 doit se lire comme suit :

382.5 Dans le cas où, en vertu de l'article 382.3, un inscrit paie à un particulier ou porte à son crédit un montant au titre d'un remboursement et que l'inscrit sait ou devrait savoir que le particulier n'a pas droit au remboursement ou que le montant payé ou porté à son crédit excède le remboursement auquel le particulier a droit, l'inscrit et le particulier sont responsables solidairement du paiement au ministre du montant de ce remboursement ou de cet excédent, selon le cas.

Concordance fédérale: LTA, par. 258.1(5).

COMMENTAIRES: Voir les commentaires sous l'article 382.7.

382.6 Véhicule à moteur admissible acheté hors du Québec — Un acquéreur a droit au remboursement de la partie de la taxe totale payable en vertu de l'article 17 à l'égard d'un véhicule à moteur admissible qui est égale à la taxe calculée sur la partie — appelée « montant déterminé du prix d'achat » dans le présent article — de la valeur de ce véhicule, au sens de l'article 17, qui peut raisonnablement être attribuée à des dispositifs spéciaux qui ont été incorporés au véhicule ou à des adaptations qui y ont été effectuées en vue de son utilisation par une personne utilisant un fauteuil roulant ou pour le transport d'une personne utilisant un fauteuil roulant ou pour équiper le véhicule d'un dispositif auxiliaire de conduite qui facilite la conduite du véhicule par une personne handicapée si, à la fois :

1° la fourniture du véhicule par vente est effectuée hors du Québec;

2° le fournisseur indique par écrit à l'acquéreur le montant déterminé du prix d'achat du véhicule;

3° l'acquéreur apporte le véhicule au Québec;

4° (*paragraphe supprimé*);

5° l'acquéreur a payé le total de la taxe payable à l'égard de l'apport;

6° l'acquéreur produit une demande de remboursement au ministre dans un délai de quatre ans suivant le jour où l'acquéreur apporte le véhicule au Québec.

Notes historiques: Le paragraphe 4° de l'article 382.6 a été supprimé par L.Q. 2009, c. 5, par. 653(1) et cette modification a effet :

1° dans le cas de l'apport au Québec d'un véhicule à moteur admissible équipé d'un appareil conçu exclusivement pour aider au chargement d'un fauteuil roulant, depuis le 11 décembre 1992 si l'acquéreur est un particulier et depuis le 24 avril 1996 si l'acquéreur est une personne autre qu'un particulier;

2° dans le cas de l'apport au Québec d'un véhicule à moteur admissible équipé d'un dispositif auxiliaire de conduite afin de faciliter la conduite du véhicule par une personne handicapée, depuis le 4 avril 1998.

Malgré le paragraphe 6° de l'article 382.6, une personne dispose d'un délai de quatre ans suivant le 27 novembre 2006 pour produire, en vertu de cet article, une demande au ministre du Revenu pour le remboursement de la taxe qui est devenue payable avant le 27 novembre 2006 à l'égard de l'apport au Québec d'un véhicule à moteur admissible, à l'exclusion d'un véhicule à moteur admissible qui, entre le moment où il était acquis par l'acquéreur et celui où il était apporté au Québec, n'a jamais été utilisé, sauf dans la mesure raisonnablement nécessaire pour livrer le véhicule au fournisseur d'un service à exécuter sur celui-ci ou l'apporter au Québec, selon le cas.

La demande visée plus haut peut, malgré le deuxième alinéa de l'article 403, être la deuxième demande de remboursement d'une personne si, avant le 27 novembre 2006, la personne a présenté une demande de remboursement à l'égard duquel une cotisation a été établie. Antérieurement, le paragraphe 4° de l'article 382.6 se lisait comme suit :

4° entre le moment où il est acquis par l'acquéreur et celui où il est apporté au Québec, le véhicule n'est pas utilisé, sauf dans la mesure raisonnablement nécessaire pour livrer le véhicule au fournisseur d'un service à exécuter sur celui-ci ou l'apporter au Québec, selon le cas;

L'article 382.6 a été ajouté par L.Q. 2001, c. 53, art. 360 et s'applique à l'égard d'un apport au Québec d'un véhicule à moteur admissible effectué après le 10 décembre 1992. Toutefois :

1° pour la période qui commence le 11 décembre 1992 et qui se termine le 23 avril 1996, l'article 382.6 doit se lire comme suit :

382.6 Un particulier a droit au remboursement de la partie de la taxe totale payable en vertu de l'article 17 à l'égard d'un véhicule à moteur admissible qui est égale à la taxe calculée sur la partie - appelée « montant déterminé du prix d'achat » dans le présent article - de la valeur de ce véhicule, au sens de l'article 17, qui peut raisonnablement être attribuée à des dispositifs spéciaux qui ont été incorporés au véhicule ou à des adaptations qui y ont été effectuées en vue de son utilisation par une personne utilisant un fauteuil roulant ou pour le transport d'une personne utilisant un fauteuil roulant si, à la fois :

1° la fourniture du véhicule par vente est effectuée hors du Québec;

2° le fournisseur indique par écrit au particulier le montant déterminé du prix d'achat du véhicule;

3° le particulier apporte le véhicule au Québec;

4° entre le moment où il est acquis par le particulier et celui où il est apporté au Québec, le véhicule n'est pas utilisé, sauf dans la mesure raisonnablement nécessaire pour livrer le véhicule au fournisseur d'un service à exécuter sur celui-ci ou l'apporter au Québec, selon le cas;

5° le particulier a payé le total de la taxe payable à l'égard de l'apport;

6° le particulier produit une demande de remboursement au ministre dans un délai de quatre ans suivant le jour où le particulier apporte le véhicule au Québec;

2° pour la période qui commence le 24 avril 1996 et qui se termine le 3 avril 1998, l'article 382.6 doit se lire comme suit :

382.6 Un acquéreur a droit au remboursement de la partie de la taxe totale payable en vertu de l'article 17 à l'égard d'un véhicule à moteur admissible qui est égale à la taxe calculée sur la partie - appelée « montant déterminé du prix d'achat » dans le présent article - de la valeur de ce véhicule, au sens de l'article 17, qui peut raisonnablement être attribuée à des dispositifs spéciaux qui ont été incorporés au véhicule ou à des adaptations qui y ont été effectuées en vue de son utilisation par une personne utilisant un fauteuil roulant ou pour le transport d'une personne utilisant un fauteuil roulant si, à la fois :

1° la fourniture du véhicule par vente est effectuée hors du Québec;

2° le fournisseur indique par écrit à l'acquéreur le montant déterminé du prix d'achat du véhicule;

3° l'acquéreur apporte le véhicule au Québec;

4° entre le moment où il est acquis par l'acquéreur et celui où il est apporté au Québec, le véhicule n'est pas utilisé, sauf dans la mesure raisonnablement nécessaire pour livrer le véhicule au fournisseur d'un service à exécuter sur celui-ci ou l'apporter au Québec, selon le cas;

5° l'acquéreur a payé le total de la taxe payable à l'égard de l'apport;

6° l'acquéreur produit une demande de remboursement au ministre dans un délai de quatre ans suivant le jour où l'acquéreur apporte le véhicule au Québec.

3° à l'égard d'un apport au Québec d'un véhicule à moteur admissible effectué avant le 31 mars 1998, la demande de remboursement doit être produite au ministre dans un délai de quatre ans suivant cette date;

4° à l'égard d'un apport au Québec d'un véhicule à moteur admissible équipé d'un dispositif auxiliaire de conduite qui facilite la conduite du véhicule par une personne handicapée, l'article 382.6 de cette loi, s'applique à l'égard d'une fourniture dont une partie de la contrepartie devient due après le 3 avril 1998 ou est payée après cette date sans être devenue due.

Notes explicatives ARQ (PL 2, L.Q. 2009, c. 5): *Résumé* :

Les modifications proposées à l'article 382.6 visent à ce que le remboursement de la taxe payée à l'égard d'un véhicule à moteur admissible acquis à l'extérieur du Québec puis apporté au Québec soit accordé également lorsqu'un tel véhicule a été utilisé après avoir été équipé des appareils requis.

Situation actuelle :

La LTVQ prévoit, aux articles 382.2 et suivants, un remboursement de la taxe payée à l'égard d'un véhicule à moteur admissible.

Un tel remboursement est accordé quant à la partie de la taxe calculée sur la contrepartie qui peut raisonnablement être attribuée aux dispositifs spéciaux et aux incorporations effectuées au véhicule à moteur admissible.

Suivant l'article 382.6 de la LTVQ, un acquéreur a droit au remboursement de la taxe dans le cas où le véhicule à moteur admissible est acquis à l'extérieur du Québec puis apporté au Québec.

Pour les fins de ce remboursement, le véhicule à moteur ne doit pas, entre le moment où il est acquis par l'acquéreur et celui où il est apporté au Québec, avoir été utilisé, sauf dans la mesure raisonnablement nécessaire pour livrer le véhicule au fournisseur d'un service à exécuter sur celui-ci ou pour l'apporter au Québec, selon le cas, condition prévue au paragraphe 4° de l'article 382.6 de la LTVQ.

Modifications proposées :

Afin que le remboursement de la taxe payée à l'égard d'un véhicule à moteur admissible acquis à l'extérieur du Québec puis apporté au Québec soit accordé également au véhicule qui a été utilisé après avoir été équipé des appareils requis, il y aurait lieu de supprimer le paragraphe 4° de l'article 382.6 de la LTVQ voulant que le véhicule à moteur ne doit pas avoir été utilisé entre le moment où il est acquis par l'acquéreur et celui où il est apporté au Québec.

Concordance fédérale: LTA, par. 258.1(6).

COMMENTAIRES: Voir les commentaires sous l'article 382.7.

382.7 Location d'un véhicule à moteur admissible — Dans le cas où un fournisseur conclut par écrit avec un acquéreur une con-

LTVQ (français)

vention donnée pour la fourniture taxable par louage d'un véhicule à moteur admissible, les règles suivantes s'appliquent :

1° dans le calcul de la taxe payable à l'égard d'une fourniture du véhicule par louage à cet acquéreur effectuée en vertu de la convention donnée ou d'une convention relative à la modification ou au renouvellement de cette convention, il ne doit pas être inclus la partie de la contrepartie de cette fourniture qui est indiquée par écrit à l'acquéreur par le fournisseur et qui peut raisonnablement être attribuée à des dispositifs spéciaux qui ont été incorporés au véhicule ou à des adaptations qui y ont été effectuées en vue de son utilisation par une personne utilisant un fauteuil roulant ou pour le transport d'une personne utilisant un fauteuil roulant ou pour équiper le véhicule d'un dispositif auxiliaire de conduite qui facilite la conduite du véhicule par une personne handicapée;

2° dans le cas où, à un moment ultérieur, l'acquéreur exerce une option d'achat du véhicule en vertu de la convention donnée ou d'une convention relative à la modification ou au renouvellement de cette convention, le véhicule est réputé, pour l'application des articles 382.2 et 382.6, être, à ce moment, un véhicule à moteur admissible.

Notes historiques: Le préambule de l'article 382.7 a été modifié par L.Q. 2009, c. 5, par. 654(1) par le remplacement du mot « inscrit » par le mot « fournisseur ». Cette modification a effet :

1° dans le cas de la fourniture d'un véhicule à moteur admissible équipé d'un appareil conçu exclusivement pour aider au chargement d'un fauteuil roulant, depuis le 11 décembre 1992 si l'acquéreur est un particulier et depuis le 24 avril 1996 si l'acquéreur est une personne autre qu'un particulier;

2° dans le cas de la fourniture d'un véhicule à moteur admissible équipé d'un dispositif auxiliaire de conduite afin de faciliter la conduite du véhicule par une personne handicapée, depuis le 4 avril 1998.

Malgré le paragraphe 4° de l'article 382.2, une personne dispose d'un délai de quatre ans suivant le 27 novembre 2006 pour produire, en vertu de cet article, une demande au ministre du Revenu pour le remboursement de la taxe qui est devenue payable avant le 27 novembre 2006 à l'égard de la fourniture d'un véhicule à moteur admissible, à l'exclusion d'un véhicule à moteur admissible qui, entre le moment où il était équipé d'un appareil décrit à l'article 382.1 et celui où il était acquis par la personne, n'a jamais été utilisé à titre d'immobilisation ou détenu autrement que pour fourniture dans le cours normal d'une entreprise.

La demande visée au paragraphe ci-haut peut, malgré le deuxième alinéa de l'article 403, être la deuxième demande de remboursement d'une personne si, avant le 27 novembre 2006, la personne a présenté une demande de remboursement à l'égard duquel une cotisation a été établie.

L'article 382.7 a été ajouté par L.Q. 2001, c. 53, art. 360 et s'applique à l'égard d'une fourniture par louage d'un véhicule à moteur admissible effectuée après le 3 avril 1998.

Notes explicatives ARQ (PL 2, L.Q. 2009, c. 5): *Résumé* :

Les modifications proposées à l'article 382.7 visent à ce que le remboursement de la taxe payée lors de la fourniture par louage d'un véhicule à moteur admissible soit accordé également lorsqu'un tel véhicule est loué d'une personne qui n'est pas un inscrit.

Situation actuelle :

La LTVQ prévoit, aux articles 382.2 et suivants, un remboursement de la taxe payée à l'égard d'un véhicule à moteur admissible.

Un tel remboursement est accordé quant à la partie de la taxe calculée sur la contrepartie qui peut raisonnablement être attribuée aux dispositifs spéciaux et aux incorporations effectuées au véhicule à moteur admissible.

En ce sens, l'article 382.7 de la LTVQ établit les conditions relatives au remboursement de la taxe lors de la fourniture par louage d'un véhicule à moteur admissible.

Suivant cette disposition, un acquéreur a droit au remboursement si, entre autres, la fourniture taxable par louage du véhicule à moteur admissible a été effectuée par un inscrit.

Modifications proposées :

En corrélation avec les modifications proposées à la définition de l'expression « véhicule à moteur admissible » contenue à l'article 382.1 de la LTVQ, il y aurait lieu de modifier l'article 382.7 de la LTVQ afin que le remboursement de la taxe payée lors de la fourniture par louage d'un véhicule à moteur admissible soit accordé également lorsqu'un tel véhicule est loué d'une personne qui n'est pas un inscrit.

En effet, il est proposé de modifier la définition de l'expression « véhicule à moteur admissible » contenue à l'article 382.1 de la LTVQ de sorte que le remboursement de la taxe payée à l'égard d'un véhicule à moteur admissible soit accordé également au véhicule qui a été utilisé après avoir été équipé des appareils requis.

Ainsi, l'acquéreur d'un tel véhicule acquis lors d'une fourniture par louage effectuée par un non-inscrit, laquelle fourniture s'avère taxable dans le régime de la TVQ par application de l'article 20.1 de la LTVQ, aurait droit à ce remboursement.

Concordance fédérale: LTA, par. 258.1(7).

COMMENTAIRES: En date des présentes, nous n'avons identifié aucune position administrative de Revenu Québec ni de décision jurisprudentielle interprétant ces articles.

L'article 382.2 prévoit que la demande de remboursement doit être produite dans un délai de quatre ans suivant le premier jour où la TVQ devient payable à l'égard de la fourniture. Nous vous référons à nos commentaires en vertu de la sous-section 6 — *Montant payé par erreur* pour une discussion sur la présence d'un délai de rigueur et, le cas échéant, sur la possibilité de bénéficier d'un recours alternatif lorsque le délai prescrit est expiré.

Compte tenu de la similarité de la rédaction des dispositions législatives et considérant l'engagement spécifique de Revenu Québec de veiller à ce que l'assiette de TVQ modifiée, de même que les paramètres administratifs, structurels et définitionnels, produisent des résultats qui sont identiques à ceux produits sous le régime de la TPS/TVH et soient administrés d'une manière qui produit des résultats identiques, tel que reflété par l'article 14 de l'*Entente intégrée globale de coordination fiscale* signée entre le gouvernement du Canada et le gouvernement du Québec, nous vous référons à nos commentaires en vertu de la *Loi sur la taxe d'accise (TPS)* qui devraient s'appliquer *mutatis mutandis*, avec les adaptations nécessaires.

§4.2 — *Véhicule hybride neuf prescrit*

Notes historiques: La section §4.2, comprenant les articles 382.8 à 382.11, a été ajoutée par L.Q. 2006, c. 36, par. 289(1) et s'applique à l'égard d'une fourniture ou d'un apport effectué après le 23 mars 2006 et avant le 1er janvier 2009.

382.8 Interprétation — Pour l'application de la présente sous-section, l'expression :

« louage à long terme » d'un véhicule signifie le louage en vertu d'une convention selon laquelle la possession continue ou l'utilisation continue de ce véhicule est offerte à un acquéreur pour une période d'au moins un an;

Concordance fédérale: aucune.

« véhicule hybride » signifie un véhicule automobile dont la production d'énergie est assurée par l'association d'un moteur thermique et d'un moteur électrique.

Concordance fédérale: aucune.

Notes historiques: L'article 382.8 a été ajouté par L.Q. 2006, c. 36, par. 289(1) et s'applique à l'égard d'une fourniture ou d'un apport effectué après le 23 mars 2006 et avant le 1er janvier 2009.

Notes explicatives ARQ (PL 41, L.Q. 2006, c. 36): *Résumé* :

Il est proposé d'ajouter l'article 382.8 afin de définir les expressions nécessaires pour les fins de l'application de la nouvelle mesure de remboursement partiel de la taxe de vente duQuébec (TVQ), prévue au nouvel article 382.9 de la LTVQ, à l'égard de la vente, du louage à long terme ou de l'apport au Québec de véhicules hybrides neufs.

Contexte :

L'utilisation de véhicules hybrides, plutôt que de véhicules conventionnels dotés uniquement d'un moteur à combustion interne, peut contribuer à la réduction des émissions polluantes et des gaz à effet de serre.

Aussi, afin de promouvoir l'utilisation des véhicules hybrides peu énergivores, il est proposé de modifier le régime de la TVQ pour y introduire un remboursement partiel de cette taxe payée à l'égard de la vente, du louage à long terme ou de l'apport au Québec de tels véhicules.

Modifications proposées :

Il est proposé d'ajouter l'article 382.8 à la LTVQpour définir les expressions nécessaires à l'application de ce remboursement, soit les expressions « louage à long terme » et « véhicule hybride ».

Renvois [art. 382.8]: 199.0.2 (définitions — calcul du remboursement de la taxe sur les intrants).

COMMENTAIRES: Voir les commentaires sous l'article 382.11.

382.9 Droit de l'acquéreur — Sous réserve de l'article 382.10, un acquéreur a droit au remboursement de la taxe qu'il a payée relativement à la fourniture par vente ou par louage à long terme, ou à l'apport au Québec, d'un véhicule hybride neuf prescrit si, à la fois :

0.1° il a acquis ou apporté le véhicule après le 23 mars 2006 et avant le 1er janvier 2009;

1° il a payé le total de la taxe payable à l'égard de la fourniture par vente ou de l'apport du véhicule;

2° il n'est pas un inscrit;

3° il n'a pas le droit d'obtenir un remboursement à l'égard de cette taxe en vertu de tout autre article de la présente loi;

4° il produit sa demande de remboursement, accompagnée des pièces justificatives prescrites, dans le délai prévu à l'article 382.11;

5° il remplit les conditions et les modalités prescrites.

Application — Pour l'application du premier alinéa, seul un véhicule hybride pour lequel il est établi que la consommation de carburant, sur route ou en ville, est de 6 litres ou moins aux 100 kilomètres peut être prescrit.

Notes historiques: Le paragraphe 0.1° du premier alinéa de l'article 382.9 a été ajouté par L.Q. 2010, c. 25, art. 247 et est entré en vigueur le 27 octobre 2010.

L'article 382.9 a été ajouté par L.Q. 2006, c. 36, par. 289(1) et s'applique à l'égard d'une fourniture ou d'un apport effectué après le 23 mars 2006 et avant le 1er janvier 2009.

Notes explicatives ARQ (PL 96, L.Q. 2010, c. 25): *Résumé* :

La modification proposée à l'article 382.9 s'avère d'ordre technique et a pour objet d'insérer le paragraphe 0.1° afin de préciser, dans le texte même de l'article, la période pendant laquelle l'acquisition ou l'apport qui y sont visés doivent être effectués.

En effet, un acquéreur a droit au remboursement de la taxe qu'il a payée relativement à la fourniture, ou à l'apport au Québec, d'un véhicule hybride neuf s'il a acquis ou apporté le véhicule après le 23 mars 2006 et avant le 1er janvier 2009.

Situation actuelle :

Conformément à l'article 382.9, un acquéreur a droit, sous réserve de certaines conditions, au remboursement de la taxe qu'il a payée relativement à la fourniture par vente ou par louage à long terme, ou à l'apport au Québec, d'un véhicule hybride neuf prescrit.

L'article 382.9 a été inséré par application du paragraphe 1 de l'article 289 de la *Loi modifiant de nouveau la Loi sur les impôts et d'autres dispositions législatives* (2006, chapitre 36) (*Loi modificatrice 2006*).

Par ailleurs, suivant le paragraphe 2 de l'article 289 de la *Loi modificatrice 2006*, le paragraphe 1 s'applique à l'égard d'une fourniture ou d'un apport effectué après le 23 mars 2006 et avant le 1er janvier 2009.

Modifications proposées :

Pour des fins de lisibilité et de clarté, il y aurait lieu d'apporter une modification technique à l'article 382.9, plus particulièrement en y insérant le paragraphe 0.1°, de sorte que soit précisée, dans le texte même de l'article, la période pendant laquelle l'acquisition ou l'apport qui y sont visés doivent être effectués.

En effet, un acquéreur a droit au remboursement de la taxe qu'il a payée relativement à la fourniture par vente ou par louage à long terme, ou à l'apport au Québec, d'un véhicule hybride neuf prescrit s'il a acquis ou apporté le véhicule après le 23 mars 2006 et avant le 1er janvier 2009.

Une telle modification s'appliquerait à compter de la date de la sanction de la présente loi.

Notes explicatives ARQ (PL 41, L.Q. 2006, c. 36): *Résumé* :

Il est proposé d'ajouter l'article 382.9 afin d'y introduire le droit à un remboursement de la taxe de vente du Québec (TVQ) payée à l'égard de la vente, du louage à long terme ou de l'apport au Québec d'un véhicule hybride neuf prescrit et de prévoir les conditions de ce remboursement.

Contexte :

L'utilisation de véhicules hybrides, plutôt que de véhicules conventionnels dotés uniquement d'un moteur à combustion interne, peut contribuer à la réduction des émissions polluantes et des gaz à effet de serre.

Aussi, afin de promouvoir l'utilisation des véhicules hybrides peu énergivores, il est proposé de modifier le régime de la TVQ pour y introduire un remboursement partiel de cette taxe payée à l'égard de la vente, du louage à long terme ou de l'apport au Québec de tels véhicules.

Modifications proposées :

Il est proposé d'ajouter l'article 382.9 à la LTVQ afin d'y introduire le droit à un remboursement de la TVQ payée à l'égard de la vente, du louage à long terme ou de l'apport au Québec d'un véhicule hybride neuf prescrit et de prévoir les conditions de ce remboursement.

L'acquéreur, pour obtenir ce remboursement, doit respecter les conditions et les modalités prescrites. Il doit également présenter sa demande, au moyen du formulaire prescrit contenant les renseignements prescrits, et ce, dans les délais fixés par le nouvel article 382.11 de la LTVQ, accompagnée des pièces justificatives prescrites.

Ce remboursement ne peut être demandé par une personne inscrite au fichier de la TVQ, ou qui est tenue de l'être, ni par une personne ayant droit à un remboursement de la TVQ payée lors de cet achat, cet apport ou ce louage en vertu d'autres dispositions du régime de la TVQ.

Ainsi, un inscrit au fichier de la TVQ ne peut demander ce remboursement, et ce, même s'il ne peut réclamer un remboursement de la taxe sur les intrants relativement à un véhicule qu'il a acquis du fait qu'il est une grande entreprise. Il en est de même pour un organisme déterminé de services publics pouvant réclamer un remboursement partiel de la TVQ à l'égard d'un véhicule hybride qu'il a acquis ou pour un particulier pouvant réclamer le remboursement de TVQ accordé aux salariés et aux associés d'une société de personnes relativement à un tel véhicule.

Renvois [art. 382.9]: 199.0.2 (définitions — calcul du remboursement de la taxe sur les intrants); 677 (règlements); RTVQ, 382.9R1.

Jurisprudence [art. 382.9]: *Légaré c. Québec (Sous-ministre du Revenu)* (17 mai 2010), 200-32-047408-082, 2010 CarswellQue 8917; *Drolet c. Québec (Sous-ministre du Revenu)* (18 mars 2010), 200-32-048234-081, 2010 CarswellQue 6027 (C.Q.).

Formulaires: VD-403.H, *Remboursement partiel de TVQ concernant un véhicule hybride*.

Concordance fédérale: aucune.

COMMENTAIRES: Voir les commentaires sous l'article 382.11.

382.10 Remboursement — Le remboursement auquel a droit un acquéreur en vertu de l'article 382.9 ne peut excéder 2 000 $ pour un même véhicule.

Notes historiques: L'article 382.10 a été modifié par L.Q. 2009, c. 5, par. 655(1) par le remplacement de « 1 000 $ » par « 2 000 $ ». Cette modification s'applique à l'égard d'une fourniture ou d'un apport effectué après le 20 février 2007 et avant le 1er janvier 2009.

L'application de l'article 382.10 prévue par L.Q. 2009, c. 5, par. 655(2) a été remplacée par L.Q. 2010, c. 25, art. 254 pour se lire comme suit :

> Le paragraphe 1 s'applique à l'égard d'une fourniture ou d'un apport effectué après le 20 février 2007.

Cette modification est entrée en vigueur le 27 octobre 2010.

L'article 382.10 a été ajouté par L.Q. 2006, c. 36, par. 289(1) et s'applique à l'égard d'une fourniture ou d'un apport effectué après le 23 mars 2006 et avant le 1er janvier 2009.

Notes explicatives ARQ (PL 2, L.Q. 2009, c. 5): *Résumé* :

Les modifications proposées à l'article 382.10 ont pour objet de hausser de 1 000 $ à 2 000 $ le montant maximal du remboursement auquel un acquéreur a droit en vertu de l'article 382.9 de la LTVQ.

Situation actuelle :

L'article 382.10 de la LTVQ prévoit le montant maximal du remboursement auquel un acquéreur a droit, en vertu de l'article 382.9 de la LTVQ, quant à la TVQ payée relativement à la fourniture par vente, par louage à long terme, ou à l'apport au Québec, d'un véhicule hybride neuf prescrit.

Modifications proposées :

En vue de promouvoir davantage l'utilisation de véhicules hybrides, il y aurait lieu de modifier l'article 382.10 de la LTVQ de façon à hausser de 1 000 $ à 2 000 $ le montant maximal du remboursement auquel un acquéreur a droit, en vertu de l'article 382.9 de la LTVQ, quant à la TVQ payée relativement à la fourniture par vente, par louage à long terme, ou à l'apport au Québec, d'un véhicule hybride neuf prescrit.

Notes explicatives ARQ (PL 41, L.Q. 2006, c. 36): *Résumé* :

Il est proposé d'ajouter l'article 382.10 afin de limiter à 1 000 $ le montant du remboursement auquel un acquéreur a droit, conformément au nouvel article 382.9 de la LTVQ, à l'égard de la taxe de vente du Québec (TVQ) payée relativement à la vente, au louage à long terme ou à l'apport au Québec d'un même véhicule hybride neuf prescrit.

Contexte :

L'utilisation de véhicules hybrides, plutôt que de véhicules conventionnels dotés uniquement d'un moteur à combustion interne, peut contribuer à la réduction des émissions polluantes et des gaz à effet de serre.

Aussi, afin de promouvoir l'utilisation des véhicules hybrides peu énergivores, il est proposé de modifier le régime de la TVQ pour y introduire un remboursement partiel de cette taxe payée à l'égard de la vente, du louage à long terme ou de l'apport au Québec de tels véhicules.

Modifications proposées :

Il est proposé d'ajouter l'article 382.10 à la LTVQ afin de limiter à 1 000 $ le montant du remboursement auquel un acquéreur a droit, conformément au nouvel article 382.9 de la LTVQ, à l'égard de la TVQ payée relativement à la vente, au louage à long terme ou à l'apport auQuébec d'un même véhicule hybride neuf prescrit.

Concordance fédérale: aucune.

COMMENTAIRES: Voir les commentaires sous l'article 382.11.

382.11 Délai pour produire une demande — Un acquéreur a droit au remboursement prévu à l'article 382.9 à l'égard de la fourniture, ou de l'apport au Québec, d'un véhicule hybride neuf prescrit seulement s'il produit une demande de remboursement :

1° dans le cas d'une fourniture par vente ou d'un apport, dans les quatre ans suivant le jour où la taxe est devenue payable;

2° dans le cas d'une fourniture par louage à long terme, au plus tard dans les quatre ans suivant le jour de l'expiration de la convention

LTVQ (français)

portant sur la fourniture du véhicule par louage et à compter du premier en date des jours suivants :

a) le jour où le total de la taxe devenue payable pour chacune des fournitures qui, en raison de l'article 32.2, sont réputées être effectuées relativement au véhicule est égal ou supérieur à 2 000 $;

b) le jour suivant celui de l'expiration de la convention portant sur la fourniture du véhicule par louage.

Malgré le sous-paragraphe a) du paragraphe 2° du premier alinéa, l'acquéreur peut produire une demande pour obtenir un montant de 1 000 $, au titre d'une partie du remboursement auquel il a droit en vertu de l'article 382.9, à compter du jour où le total visé à ce sous-paragraphe est égal ou supérieur à ce montant.

Notes historiques: Le préambule du paragraphe 2° de l'article 382.11 a été modifié par L.Q. 2009, c. 5, s.-par. 656(1)(1°) par l'insertion, après « louage à long terme, », des mots « au plus tard ». Cette modification s'applique à l'égard d'une fourniture ou d'un apport effectué après le 23 mars 2006 et avant le 1er janvier 2009.

L'application du préambule du paragraphe 2° de l'article 382.11 prévue par L.Q. 2009, c. 5, par. 656(2) a été remplacée par L.Q. 2010, c. 25, art. 255 pour se lire comme suit :

> Le sous-paragraphe 1° du paragraphe 1 s'applique à l'égard d'une fourniture ou d'un apport effectué après le 23 mars 2006.

Cette modification est entrée en vigueur le 27 octobre 2010.

Le sous-paragraphe a) du paragraphe 2° de l'article 382.11 a été modifié par L.Q. 2009, c. 5, s.-par. 656(1)(2°) par le remplacement de « 1 000 $ » par « 2 000 $ ». Cette modification s'applique à l'égard d'une fourniture ou d'un apport effectué après le 20 février 2007 et avant le 1er janvier 2009.

Le deuxième alinéa de l'article 382.11 a été ajouté par L.Q. 2009, c. 5, s.-par. 656(1)(3°) et s'applique à l'égard d'une fourniture ou d'un apport effectué après le 20 février 2007 et avant le 1er janvier 2009.

L'application du sous-paragraphe a) du paragraphe 2° de l'article 382.11 et celle du deuxième alinéa de l'article 382.11 prévue par L.Q. 2009, c. 5, par. 656(3) a été remplacée par L.Q. 2010, c. 25, art. 255 pour se lire comme suit :

> Les sous-paragraphes 2° et 3° du paragraphe 1 s'appliquent à l'égard d'une fourniture ou d'un apport effectué après le 20 février 2007.

Cette modification est entrée en vigueur le 27 octobre 2010.

L'article 382.11 a été ajouté par L.Q. 2006, c. 36, par. 289(1) et s'applique à l'égard d'une fourniture ou d'un apport effectué après le 23 mars 2006 et avant le 1er janvier 2009.

Notes explicatives ARQ (PL 2, L.Q. 2009, c. 5): *Résumé* :

Les modifications proposées à l'article 382.11 ont pour objet, dans le cas d'une fourniture par louage à long terme, de prévoir que, outre la possibilité de produire une demande de remboursement le jour où le total de la TVQ devenue payable est égal ou supérieur à 2 000 $, l'acquéreur peut également choisir de produire une demande de remboursement pour obtenir un montant de 1 000 $ au titre d'une partie du remboursement auquel il a droit en vertu de l'article 382.9 de la LTVQ.

Situation actuelle :

L'article 382.11 de la LTVQ prévoit le délai pendant lequel l'acquéreur doit produire une demande de remboursement quant à la TVQ payée relativement à la fourniture par vente, par louage à long terme, ou à l'apport au Québec, d'un véhicule hybride neuf prescrit.

Ainsi, dans le cas d'une fourniture par vente ou d'un apport, la demande doit être produite dans les quatre ans suivant le jour où la TVQ est devenue payable. Dans le cas d'une fourniture par louage à long terme, elle doit être produite, dans les quatre ans suivant le jour de l'expiration de la convention, à compter du jour où le total de la TVQ devenue payable est égal ou supérieur à 1 000 $ ou le jour suivant celui de l'expiration de la convention.

Modifications proposées :

Il y aurait lieu de modifier l'article 382.11 de la LTVQ de sorte que :

— en corrélation avec la modification apportée à l'article 382.10 de la LTVQ portant sur la hausse du montant maximal du remboursement, l'acquéreur puisse produire une demande de remboursement le jour où le total de la TVQ devenue payable est égal ou supérieur à 2 000 $;

— au titre d'une partie du remboursement auquel il a droit en vertu de l'article 382.9 de la LTVQ, l'acquéreur puisse, par ailleurs, choisir de produire une demande de remboursement pour obtenir un montant de 1 000 $;

— en ce qui concerne la demande de remboursement présentée à l'égard d'un véhicule acquis par louage à long terme, il soit précisé que l'acquéreur peut présenter sa demande à compter du moment où il a payé le montant maximal du remboursement et, au plus tard, dans les quatre ans suivant le jour de l'expiration de la convention.

Notes explicatives ARQ (PL 41, L.Q. 2006, c. 36): *Résumé* :

Il est proposé d'ajouter l'article 382.11 afin de prévoir le délai dans lequel l'acquéreur doit présenter sa demande du remboursement prévu au nouvel article 382.9 de la LTVQ à l'égard de la taxe de vente du Québec (TVQ) payée relativement à la vente, au louage à long terme ou à l'apport au Québec d'un véhicule hybride neuf prescrit.

Contexte :

L'utilisation de véhicules hybrides, plutôt que de véhicules conventionnels dotés uniquement d'un moteur à combustion interne, peut contribuer à la réduction des émissions polluantes et des gaz à effet de serre.

Aussi, afin de promouvoir l'utilisation des véhicules hybrides peu énergivores, il est proposé de modifier le régime de la TVQ pour y introduire un remboursement partiel de cette taxe payée à l'égard de la vente, du louage à long terme ou de l'apport au Québec de tels véhicules.

Modifications proposées :

Il est proposé d'ajouter l'article 382.11 à la LTVQ afin de prévoir le délai dans lequel l'acquéreur doit présenter sa demande du remboursement prévu au nouvel article 382.9 de la LTVQ à l'égard de la TVQ payée relativement à la vente, au louage à long terme ou à l'apport auQuébec d'un véhicule hybride neuf prescrit.

Ainsi, dans le cas d'un achat ou d'un apport, la demande doit être faite dans les quatre ans suivant le jour où la TVQ est devenue payable à l'égard du véhicule. Dans le cas du louage à long terme, elle peut être faite à la fin du contrat de louage ou dès que le montant maximal de TVQ remboursable (soit 1 000 $) est devenue payable relativement au véhicule, et ce, au plus tard, dans les quatre ans suivant le jour de l'expiration du contrat de louage.

Formulaires: VD-403.H, *Remboursement partiel de TVQ concernant un véhicule hybride*.

Concordance fédérale: aucune.

COMMENTAIRES: En vertu du texte introductif figurant à l'article 382.9, un acquéreur a droit à un remboursement de la TVQ payée, sous réserve de certaines conditions, relativement à l'achat ou la location d'un véhicule hybride neuf.

La question à savoir ce que constitue un véhicule hybride neuf a été analysée à plusieurs reprises par les tribunaux. Dans l'affaire *Blais c. Québec (Agence du Revenu)*, 2011 QCCQ 11036, le juge a déterminé qu'une voiture ayant servi de voiture de fonction comportant 14 000 km au compteur n'était pas un véhicule neuf et qu'à ce titre, la personne ayant acheté le véhicule ne pouvait bénéficier du remboursement.

Également, dans l'affaire *Légaré c. Québec (Sous-ministre du Revenu)*, 2010 QCCQ 4374 (C.Q.), la Cour du Québec a conclu qu'une voiture utilisée à titre de véhicule commercial pour le concessionnaire et ensuite comme voiture de fonction comportant 13 000 km au compteur n'était pas un véhicule neuf et que par conséquent, la personne ayant acheté le véhicule ne pouvait bénéficier du remboursement.

Toutefois, la Cour du Québec, dans l'affaire *Drolet c. Québec (Sous-ministre du Revenu)*, 2010 QCCQ 3455 (C.Q.) a conclut qu'une voiture ayant servie de démonstration pour le concessionnaire et comportant 3 370 km au compteur n'avait « presque pas servi » et était, par conséquent, encore considéré comme un véhicule neuf, permettant ainsi à son acquéreur de bénéficier du remboursement.

De façon générale, l'article 382.11 prévoit que la demande de remboursement doit être produite dans un délai de quatre ans suivant le jour où la TVQ est devenue payable dans le cas d'une vente ou suivant le jour de l'expiration de la convention de louage. Nous vous référons à nos commentaires en vertu de la sous-section 6 — *Montant payé par erreur* pour une discussion sur la présence d'un délai de rigueur et, le cas échéant, sur la possibilité de bénéficier d'un recours alternatif lorsque le délai prescrit est expiré.

Finalement, nous soulignons l'absence de concordance de ce remboursement aux fins de la TPS/TVH en vertu de la *Loi sur la taxe d'accise (TPS)*.

§ 5. — Remboursement à certains organismes

383. Définitions — Pour l'application du présent article et des articles 384 à 397.2, l'expression :

« activités déterminées » signifie des activités visées à l'un des sous-paragraphes a), b) ou c) du paragraphe 3° du deuxième alinéa de l'article 386.2, autres que des activités exercées dans le cadre de l'exploitation d'un centre hospitalier ou d'un hôpital public;

Notes historiques: La définition de « activités déterminées » de l'article 383 a été ajoutée par L.Q. 2005, c. 38, s.-par. 374(1)(2°) et s'applique selon les mêmes modalités que la modification du préambule de l'article 383.

Concordance fédérale: LTA, par. 259(1)« activités déterminées ».

« exploitant d'établissement »signifie un organisme de bienfaisance, une institution publique ou un organisme sans but lucratif admissible, autre qu'une administration hospitalière, qui administre un établissement admissible visé à l'article 385.1;

Notes historiques: La définition de « exploitant d'établissement » de l'article 383 a été ajoutée par L.Q. 2005, c. 38, s.-par. 374(1)(2°) et s'applique selon les mêmes modalités que la modification du préambule de l'article 383.

Concordance fédérale: LTA, par. 259(1)« exploitant d'établissement ».

« **financement admissible** » signifie, dans le cas d'un exploitant d'établissement pour un exercice ou une partie d'un exercice de cet exploitant, une somme d'argent vérifiable, y compris un prêt à remboursement conditionnel, mais ne comprend pas un autre prêt ou un remboursement, une remise ou un crédit de taxes, de droits ou de frais imposés en vertu d'une loi, qui est payé ou payable, soit dans le but d'aider financièrement à l'exploitation de l'établissement pendant l'exercice ou la partie de l'exercice, soit à titre de contrepartie d'une fourniture exonérée qui consiste à faire en sorte que l'établissement soit disponible pour que des fournitures en établissement puissent y être effectuées pendant l'exercice ou la partie de l'exercice, soit à titre de contrepartie de fournitures en établissement de biens qui sont mis à la disposition d'une personne ou de services qui lui sont rendus dans l'établissement pendant l'exercice ou la partie de l'exercice, à l'exploitant à l'égard de la prestation de services de santé au public par, selon le cas :

1° un gouvernement;

2° une personne qui est un organisme de bienfaisance, une institution publique ou un organisme sans but lucratif admissible dans le cas où, à la fois :

a) l'une de ses missions est d'organiser ou de coordonner la prestation de services de santé au public;

b) il est raisonnable de s'attendre à ce qu'un gouvernement soit la principale source de financement de ses activités à l'égard de la prestation de services de santé au public pendant son exercice au cours duquel la fourniture est effectuée;

Notes historiques: La définition de « financement admissible » de l'article 383 a été ajoutée par L.Q. 2005, c. 38, s.-par. 374(1)(2°) et s'applique selon les mêmes modalités que la modification du préambule de l'article 383.

Concordance fédérale: LTA, par. 259(1)« subvention admissible ».

« **financement médical** » signifie, dans le cas d'un fournisseur à l'égard d'une fourniture, une somme d'argent, y compris un prêt à remboursement conditionnel, mais ne comprend pas un autre prêt ou un remboursement, une remise ou un crédit de taxes, de droits ou de frais imposés en vertu d'une loi, qui est payé ou payable, soit dans le but d'aider financièrement le fournisseur à effectuer la fourniture, soit à titre de contrepartie de la fourniture, au fournisseur à l'égard de services de santé par, selon le cas :

1° un gouvernement;

2° une personne qui est un organisme de bienfaisance, une institution publique ou un organisme sans but lucratif admissible dans le cas où, à la fois :

a) l'une de ses missions est d'organiser ou de coordonner la prestation de services de santé au public;

b) il est raisonnable de s'attendre à ce qu'un gouvernement soit la principale source de financement de ses activités à l'égard de la prestation de services de santé au public pendant son exercice au cours duquel la fourniture est effectuée;

Notes historiques: La définition de « financement médical » de l'article 383 a été ajoutée par L.Q. 2005, c. 38, s.-par. 374(1)(2°) et s'applique selon les mêmes modalités que la modification du préambule de l'article 383.

Concordance fédérale: LTA, par. 259(1)« subvention médical ».

« **fournisseur externe** » signifie un organisme de bienfaisance, une institution publique ou un organisme sans but lucratif admissible, autre qu'une administration hospitalière ou un exploitant d'établissement, qui effectue des fournitures auxiliaires, des fournitures en établissement ou des fournitures d'un bien ou d'un service médical à domicile;

Notes historiques: La définition de « fournisseur externe » de l'article 383 a été ajoutée par L.Q. 2005, c. 38, s.-par. 374(1)(2°) et s'applique selon les mêmes modalités que la modification du préambule de l'article 383.

Concordance fédérale: LTA, par. 259(1)« fournisseur externe ».

« **fourniture auxiliaire** » signifie, selon le cas :

1° une fourniture exonérée d'un service qui consiste à organiser ou à coordonner la réalisation de fournitures en établissement ou de fournitures d'un bien ou d'un service médical à domicile à l'égard de laquelle un montant, autre qu'un montant symbolique, est payé ou payable au fournisseur à titre de financement médical;

2° la partie d'une fourniture exonérée, autre qu'une fourniture en établissement, une fourniture d'un bien ou d'un service médical à domicile ou une fourniture prescrite, d'un bien ou d'un service, autre qu'un service financier, qui représente la mesure dans laquelle le bien ou le service est ou est raisonnablement censé être consommé ou utilisé dans la réalisation d'une fourniture en établissement et à l'égard de laquelle un montant, autre qu'un montant symbolique, est payé ou payable au fournisseur à titre de financement médical;

Notes historiques: La définition de « fourniture auxiliaire » de l'article 383 a été ajoutée par L.Q. 2005, c. 38, s.-par. 374(1)(2°) et s'applique selon lesmêmes modalités que la modification du préambule de l'article 383.

Concordance fédérale: LTA, par. 259(1)« fourniture connexe ».

« **fourniture déterminée** » signifie, dans le cas d'un bien d'une personne, selon le cas :

1° une fourniture taxable, effectuée à la personne à un moment quelconque après le 31 décembre 2004, d'un bien qui appartenait, à cette date, à la personne ou à une personne qui lui est liée à ce moment;

2° une fourniture taxable, que la personne est réputée, en vertu de l'article 275, avoir effectuée après le 31 décembre 2004, d'un bien qui appartenait, à cette date, à la personne ou à une autre personne qui a effectué la dernière fois la fourniture par vente du bien à la personne et qui lui était liée le jour où la fourniture par vente a été effectuée;

Notes historiques: La définition de « fourniture déterminée » de l'article 383 a été ajoutée par L.Q. 2005, c. 38, s.-par. 374(1)(2°) et s'applique selon les mêmes modalités que la modification du préambule de l'article 383.

Concordance fédérale: LTA, par. 259(1)« fourniture déterminée ».

« **fourniture d'un bien ou d'un service médical à domicile** » signifie une fourniture exonérée, autre qu'une fourniture en établissement ou une fourniture prescrite, d'un bien ou d'un service dans le cas où, à la fois :

1° la fourniture est effectuée, à la fois :

a) dans le cadre d'un processus de soins qui est médicalement nécessaire pour maintenir la santé d'un particulier, prévenir une maladie, diagnostiquer ou traiter une blessure, une maladie ou un handicap ou fournir des soins palliatifs;

b) après qu'un médecin agissant dans le cadre de l'exercice de sa profession ou qu'une personne prescrite agissant dans des circonstances prescrites a reconnu ou confirmé qu'il est approprié que le processus soit réalisé au lieu de résidence ou d'hébergement du particulier, autre qu'un centre hospitalier, un hôpital public ou un établissement admissible;

2° le bien est mis à la disposition du particulier ou le service est rendu au particulier, au lieu de résidence ou d'hébergement du particulier, autre qu'un centre hospitalier, un hôpital public ou un établissement admissible, avec l'autorisation d'une personne responsable de la coordination du processus et dans des circonstances où il est raisonnable de s'attendre à ce que cette personne exercera cette responsabilité en collaboration avec un médecin agissant dans le cadre de l'exercice de sa profession ou une personne prescrite agissant dans des circonstances prescrites ou en suivant de façon continue les directives données relativement au processus par un tel médecin ou une telle personne prescrite;

3° la totalité ou la presque totalité de la fourniture comprend un bien ou un service autre que des repas, un logement, des services ménagers courants, de l'aide relativement aux activités quotidiennes, sociales et récréatives ainsi que d'autres services connexes afin de satisfaire aux besoins psychosociaux du particulier;

4° un montant à l'égard de la fourniture, autre qu'un montant symbolique, est payé ou payable à titre de financement médical au fournisseur;

Notes historiques: La définition de « fourniture d'un bien ou d'un service médical à domicile » de l'article 383 a été ajoutée par L.Q. 2005, c. 38, s.-par. 374(1)(2°) et s'applique selon les mêmes modalités que la modification du préambule de l'article 383.

LTVQ (français)

Concordance fédérale: LTA, par. 259(1)« fourniture de biens ou services médicaux à domicile ».

« fourniture en établissement » signifie une fourniture exonérée, autre qu'une fourniture prescrite, d'un bien ou d'un service dans le cas où, à la fois :

1° le bien est mis à la disposition d'un particulier ou le service lui est rendu dans un centre hospitalier, un hôpital public ou un établissement admissible, dans le cadre d'un processus de soins qui est médicalement nécessaire pour maintenir la santé du particulier, prévenir une maladie, diagnostiquer ou traiter une blessure, une maladie ou un handicap ou fournir des soins palliatifs dans le cas où, à la fois :

a) le processus est réalisé, en totalité ou en partie, au centre hospitalier, à l'hôpital public ou à l'établissement admissible;

b) il est raisonnable de s'attendre à ce que le processus soit réalisé sous la direction ou la surveillance active ou avec la participation active de l'une des personnes suivantes :

i. un médecin agissant dans le cadre de l'exercice de sa profession;

ii. une sage–femme agissant dans le cadre de l'exercice de sa profession;

iii. dans le cas où un médecin n'est pas facilement accessible dans la région géographique où le processus est réalisé, une infirmière ou un infirmier agissant dans le cadre de l'exercice de leur profession;

iv. une personne prescrite agissant dans des circonstances prescrites;

c) lorsque des soins de longue durée nécessitent que le particulier passe la nuit au centre hospitalier, à l'hôpital public ou à l'établissement admissible, le processus exige ou est raisonnablement censé exiger, à la fois :

i. qu'une infirmière ou un infirmier soit présent au centre hospitalier, à l'hôpital public ou à l'établissement admissible à tout moment où le particulier s'y trouve;

ii. qu'un médecin ou, si un médecin n'est pas facilement accessible dans la région géographique où le processus est réalisé, qu'une infirmière ou un infirmier soit présent ou disponible sur demande au centre hospitalier, à l'hôpital public ou à l'établissement admissible à tout moment où le particulier s'y trouve;

iii. que, tout au long du processus, le particulier soit soumis à une surveillance médicale et reçoive une gamme de services de soins thérapeutiques qui comprend des soins infirmiers;

iv. qu'en aucun cas, la totalité ou la presque totalité de chaque jour ou partie de jour que le particulier passe au centre hospitalier, à l'hôpital public ou à l'établissement admissible ne soit une période pendant laquelle le particulier ne reçoit pas de services de soins thérapeutiques visés au sous-paragraphe iii;

2° dans le cas où le fournisseur n'exploite pas le centre hospitalier, l'hôpital public ou l'établissement admissible, un montant, autre qu'un montant symbolique, est payé ou payable au fournisseur à titre de financement médical;

Notes historiques: La définition de « fourniture en établissement » de l'article 383 a été ajoutée par L.Q. 2005, c. 38, s.-par. 374(1)(2°) et s'applique selon les mêmes modalités que la modification du préambule de l'article 383.

Concordance fédérale: LTA, par. 259(1)« fourniture en établissement ».

« médecin » signifie un médecin au sens de la *Loi médicale* (chapitre M-9) et comprend une personne habilitée en vertu de la législation d'une autre province, des Territoires du Nord-Ouest, du territoire du Yukon ou du territoire du Nunavut à exercer la profession de médecin;

Notes historiques: La définition de « médecin » de l'article 383 a été ajoutée par L.Q. 2005, c. 38, s.-par. 374(1)(2°) et s'applique selon les mêmes modalités que la modification du préambule de l'article 383.

Concordance fédérale: LTA, par. 259(1)« médecin ».

« municipalité » comprend une personne désignée par le ministre comme municipalité mais seulement à l'égard des activités précisées dans la désignation qui impliquent la réalisation de fournitures, sauf des fournitures taxables, de services municipaux effectuées par la personne;

Notes historiques: La définition de « municipalité » de l'article 383 a été réintroduite par L.Q. 2010, c. 5, art. 241 et est entrée en vigueur le 20 avril 2010.

La définition de « municipalité » a été supprimée par L.Q. 1997, c. 85, art. 662(1)(1°). Cette modification a effet à l'égard d'un bien ou d'un service acquis, ou apporté au Québec, en vertu d'une convention conclue après le 31 décembre 1996. Toutefois, dans le cas d'un bien ou d'un service qui est, selon le cas, délivré, exécuté ou rendu disponible de façon continue au moyen d'un fil, d'un pipeline ou d'une autre canalisation, cette modification effet à l'égard d'un bien ou d'un service facturé pour une période habituelle commençant après le 31 décembre 1996. Antérieurement, la définition de « municipalité » à l'article 383 se lisait ainsi :

> « municipalité » comprend une personne désignée par le ministre, pour l'application de la présente sous-section, comme municipalité mais seulement à l'égard des activités précisées dans la désignation qui impliquent la réalisation de fournitures, sauf des fournitures taxables, de services municipaux effectuées par la personne;

La définition de « municipalité » à l'article 383 a été remplacée par L.Q. 1995, c. 63, art. 439(1) et cette modification a effet depuis le 1er août 1995, sauf à l'égard des activités précisées dans une désignation qui impliquent la réalisation de fournitures non taxables de services municipaux, auquel cas il ne s'applique pas.

Auparavant, la définition de « municipalité » à l'article 383 avait été modifiée par L.Q. 1994, c. 22, art. 575(1) et cette modification était réputée entrée en vigueur le 1er juillet 1992. Elle se lisait comme suit :

> « municipalité » comprend une personne désignée par le ministre, pour l'application de la présente sous-section, comme municipalité mais seulement à l'égard des activités précisées dans la désignation qui impliquent la réalisation de fournitures, sauf des fournitures taxables et des fournitures non taxables, de services municipaux effectuées par la personne;

La définition de « municipalité » à l'article 383, édictée par L.Q. 1991, c. 67, se lisait comme suit :

> « municipalité » comprend un organisme désigné par le ministre, pour l'application de la présente sous-section, comme municipalité mais seulement à l'égard des fournitures, sauf les fournitures taxables et les fournitures non taxables, effectuées par l'organisme de services municipaux précisés dans la désignation;

Concordance fédérale: LTA, par. 259(1)« municipalité ».

« organisme de bienfaisance » comprend un organisme sans but lucratif qui administre, autrement qu'à des fins lucratives, un établissement de santé au sens du paragraphe 2° de la définition de cette expression prévue à l'article 108;

Notes historiques: La définition de « organisme de bienfaisance » à l'article 383 a été remplacée par L.Q. 1994, c. 22, art. 575(1) et cette modification est réputée entrée en vigueur le 1er juillet 1992. La définition de « organisme de bienfaisance » à l'article 383, édictée par L.Q. 1991, c. 67, se lisait comme suit :

> « organisme de bienfaisance » comprend un organisme sans but lucratif qui administre la totalité ou une partie d'un établissement afin de donner des soins intermédiaires en maison de repos ou des soins en établissement, selon le sens que donne à ces expressions la *Loi canadienne sur la santé* (Statuts du Canada);

Lettres d'interprétation: 98-0102842 — Fournitures de services d'entretien ménager commercial par un organisme de charité; 98-0109656 — Décision portant sur l'application de la TPS — Interprétation relative à la TVQ — Fourniture unique et fournitures multiples — Droit d'entrée dans un musée accompagné d'un tour de ville; 98-0110209 — Interprétation relative à la TPS et à la TVQ — Remboursement des frais de déplacement, d'hébergement et de repas aux accompagnateurs des personnes handicapées.

Concordance fédérale: LTA, par. 259(1)« organisme de bienfaisance ».

« organisme déterminé de services publics » signifie :

1° une administration hospitalière;

2° une administration scolaire ou une université constituée et administrée autrement qu'à des fins lucratives;

3° un collège public constitué et administré autrement qu'à des fins lucratives;

4° [supprimé]

5° un exploitant d'établissement;

6° un fournisseur externe;

Notes historiques: Le paragraphe 3° de la définition de « organisme déterminé de services publics » à l'article 383 a été remplacé par L.Q. 1997, c. 85, art. 662(1)(2°)a) et cette modification a effet aux fins du calcul des remboursements en vertu des articles

383 à 397 à l'égard de la taxe exigée non admissible au remboursement de la taxe sur les intrants pour les périodes de demande commençant après le 23 avril 1996. Antérieurement, il se lisait ainsi :

3º un collège public;

Le paragraphe 4º a été supprimé par L.Q. 1997, c. 85, art. 662(1)(2º)b). Cette modification a effet à l'égard d'un bien ou d'un service acquis, ou apporté au Québec, en vertu d'une convention conclue après le 31 décembre 1996. Toutefois, dans le cas d'un bien ou d'un service qui est, selon le cas, délivré, exécuté ou rendu disponible de façon continue au moyen d'un fil, d'un pipeline ou d'une autre canalisation, ils ont effet à l'égard d'un bien ou d'un service facturé pour une période habituelle commençant après le 31 décembre 1996. Antérieurement, il se lisait ainsi :

4º une municipalité.

Les paragraphes 5º et 6º de la définition de « organisme déterminé de services publics » de l'article 383 ont été ajoutés par L.Q. 2005, c. 38, s.-par. 374(1)(3º) et s'appliquent selon les mêmes modalités que la modification du préambule de l'article 383.

La définition de « organisme déterminé de services publics » à l'article 383 a été ajoutée par L.Q. 1991, c. 67.

Lettres d'interprétation: 98-0109656 — Décision portant sur l'application de la TPS — Interprétation relative à la TVQ — Fourniture unique et fournitures multiples — Droit d'entrée dans un musée accompagné d'un tour de ville; 03-0110936 — Interprétation relative à la TPS et à la TVQ — taux de remboursement partiel des taxes — construction d'un immeuble par une municipalité.

Concordance fédérale: LTA, par. 259(1)« organisme déterminé de services publics ».

« organisme sans but lucratif » comprend un organisme prescrit d'un gouvernement;

Notes historiques: La définition de « organisme sans but lucratif » à l'article 383 a été ajoutée par L.Q. 1994, c. 22, art. 575(1) et est réputée entrée en vigueur le 1er juillet 1992.

Règlement: RTVQ, 383R4.

Lettres d'interprétation: 06-010184 — Interprétation relative à la TPS et la TVQ — gestion de complexe sportif d'une municipalité par un OSBL.

Concordance fédérale: LTA, par. 259(1)« organisme à but non lucratif ».

« période de demande » d'une personne à un moment quelconque signifie :

1º dans le cas où la personne est, à ce moment, un inscrit, sa période de déclaration qui comprend ce moment;

2º dans tout autre cas, la période qui comprend ce moment et qui consiste selon le cas :

a) les premier et deuxième trimestres d'exercice d'un exercice de la personne;

b) les troisième et quatrième trimestres d'exercice d'un exercice de la personne;

Notes historiques: La définition de « période de demande » à l'article 383 a été remplacée par L.Q. 1997, c. 85, art. 662(1)(3º) et cette modification a effet depuis le 1er juillet 1992. Toutefois, lorsque la définition de l'expression « période de demande » prévue à l'article 383, a effet aux fins de déterminer les périodes de demande de la personne dans ses exercices commençant avant le 1er janvier 1997, elle doit se lire comme suit :

« période de demande » d'une personne à un moment quelconque signifie :

1º dans le cas où la personne est, à ce moment, un inscrit, sa période de déclaration qui comprend ce moment;

2º dans tout autre cas, son trimestre d'exercice qui comprend ce moment;

Antérieurement, la définition de « période de demande » se lisait ainsi :

« période de demande » d'une personne à un moment quelconque signifie sa période de déclaration qui comprend ce moment;

La définition de « période de demande » à l'article 383 a été ajoutée par L.Q. 1991, c. 67.

Définitions: « activité désignée » — 139; « administration hospitalière », « administration scolaire », « bien », « collège public », « fourniture », « fourniture taxable », « montant », « municipalité » — 1; « organisation paramunicipale » — 139; « organisme de bienfaisance » — 1; « organisme désigné du gouvernement du Québec » — 139; « organisme sans but lucratif », « période de déclaration », « personne », « service », « taxe », « université » — 1.

Renvois: 169.2 (fourniture entre différentes entités); 238.1 (utilisation à titre d'immobilisation); 242 (principale utilisation d'immobilisations); 247 (valeur d'une voiture de tourisme); 249 (vente d'une voiture de tourisme); 256 (acquisition d'une immobilisation); 257 (utilisation accrue d'une immobilisation); 258 (changement d'utilisation d'une immobilisation); 259 (utilisation réduit d'une immobilisation); 279 (RTI d'un inscrit prescrit); 379 (vente d'immeuble par un non-inscrit); 386.2 (calcul du remboursement — organisme de services publics, organisme de bienfaisance, organisme sans but lucratif admissible); 389 (choix visant le calcul simplifié); 405 (exercice); 677 (règlements).

Règlements: RTVQ, 383R1–383R3.

Bulletins d'interprétation: TVQ. 383-1 — Calcul du pourcentage de financement public; TVQ. 383-2 — Délai à respecter lors d'une demande de remboursement partiel de la TVQ; TVQ. 386-2 — Collèges privés admissibles aux remboursements partiels de la taxe de vente du Québec dans le cadre d'un programme de subvention; TVQ. 386-4/R2 — Remboursement partiel de la taxe de vente du Québec aux établissements de santé.

Concordance fédérale: LTA, par. 259(1)« période de demande ».

« pourcentage de financement public » d'une personne pour son exercice signifie le pourcentage déterminé de la manière prescrite.

Notes historiques: La définition de « pourcentage de financement public » à l'article 383 a été ajoutée par L.Q. 1991, c. 67.

Lettres d'interprétation: 06-0101847 — Interprétation relative à la TPS à et la TVQ — Gestion du complexe sportif d'une municipalité par un OSBL.

Concordance fédérale: LTA, par. 259(1)« pourcentage de financement public ».

« sage-femme » signifie une personne habilitée en vertu de la législation du Québec, d'une autre province, des Territoires du Nord-Ouest, du territoire du Yukon ou du territoire du Nunavut à exercer la profession de sage-femme;

Notes historiques: La définition de « sage-femme » de l'article 383 a été ajoutée par L.Q. 2005, c. 38, s.-par. 375(1)(4º) et s'applique selon les mêmes modalités que la modification du préambule de l'article 383.

Concordance fédérale: LTA, par. 259(1)« sage-femme ».

« taxe exigée non admissible au remboursement de la taxe sur les intrants » à l'égard d'un bien ou d'un service pour une période de demande d'une personne, signifie l'excédent éventuel du montant visé au paragraphe 1º sur le montant visé au paragraphe 2º :

1º le total des montants — appelé « taxe totale exigée à l'égard du bien ou du service » dans le présent article et dans les articles 384 à 397 — dont chacun représente, selon le cas :

a) la taxe à l'égard de la fourniture, ou de l'apport au Québec, du bien ou du service qui devient payable par la personne au cours de la période ou qui est payée par celle-ci au cours de la période sans qu'elle soit devenue payable, à l'exclusion de la taxe qui est réputée avoir été payée par la personne;

b) la taxe qui est réputée en vertu des articles 209, 223 à 231.1, 323.1, 341.1 et 341.7 avoir été perçue par la personne, au cours de la période, à l'égard du bien ou du service;

b.1) dans le cas où la personne n'est pas un organisme de bienfaisance auquel l'article 433.2 s'applique, la taxe réputée en vertu de l'article 323.2 ou 323.3 avoir été perçue par la personne, au cours de la période, à l'égard du bien ou du service;

c) la taxe, calculée sur le montant d'une allocation à l'égard du bien ou du service, qui est réputée en vertu de l'article 211 avoir été payée au cours de la période par la personne;

d) la taxe qui est réputée en vertu de l'article 212 avoir été payée au cours de la période par la personne à l'égard du bien ou du service;

e) un montant à l'égard du bien ou du service qui doit, en vertu des articles 210 et 341.3, être ajouté dans le calcul de la taxe nette de la personne pour la période;

2º le total de tous les montants dont chacun est inclus dans le total déterminé en vertu du paragraphe 1º et soit :

a) qui est inclus dans le calcul du remboursement de la taxe sur les intrants de la personne à l'égard du bien ou du service pour la période;

b) qui serait inclus dans le calcul du remboursement de la taxe sur les intrants de la personne à l'égard du bien ou du service pour la période, n'eût été du fait que la personne est une grande entreprise au sens des articles 551 à 551.4 du chapitre 63 des lois de 1995;

c) pour lequel il peut raisonnablement être considéré que la personne a obtenu ou a le droit d'obtenir un remboursement, une

LTVQ (français)

remise ou une compensation en vertu de tout autre article de la présente loi ou de toute autre loi.

d) qui est inclus dans un montant remboursé à la personne, redressé en sa faveur ou porté à son crédit et pour lequel une note de crédit visée à l'article 449 a été reçue par la personne ou une note de débit visée à cet article a été remise par la personne.

Notes historiques: Le sous-paragraphe a) du paragraphe 1º de la définition « taxe exigée non admissible au remboursement de la taxe sur les intrants » de l'article 383 a été remplacé par L.Q. 2009, c. 5, par. 657(1) et cette modification a effet depuis le 1er mai 2002. Antérieurement, il se lisait ainsi :

a) la taxe à l'égard de la fourniture, ou de l'apport au Québec, du bien ou du service qui devient payable par la personne au cours de la période ou qui est payée par celle-ci au cours de la période sans qu'elle soit devenue payable, à l'exclusion de la taxe qui est réputée avoir été payée par la personne ou à l'égard de laquelle la personne n'a pas le droit de demander un remboursement de la taxe sur les intrants par le seul effet de l'article 350.27;

Le sous-paragraphe b) du paragraphe 1º la définition de « taxe exigée non admissible au remboursement de la taxe sur les intrants » de l'article 383 a été remplacé par L.Q. 2007, c. 12, par. 338(1) et cette modification s'applique à l'égard de la taxe qui est réputée avoir été perçue après le 1er mai 2006. Antérieurement, il se lisait ainsi :

b) la taxe qui est réputée en vertu des articles 209, 223 à 231.1, 275, 323.1, 341.1 et 341.7 avoir été perçue par la personne, au cours de la période, à l'égard du bien ou du service;

Le sous-paragraphe b) du paragraphe 1º de la définition de « taxe exigée non admissible au remboursement de la taxe sur les intrants » à l'artilce 383 a été remplacé par L.Q. 1997, c. 85, art. 662(1)(4º)a) et cette modification a effet à l'égard de la taxe réputée avoir été perçue par un inscrit durant ses périodes de déclaration commençant après le 31 décembre 1996. Toutefois, lorsque le sous-paragraphe b) du paragraphe 1º de la définition de l'expression « taxe exigée non admissible au remboursement de la taxe sur les intrants » prévue à l'article 383 a effet à l'égard de la taxe qui est devenue payable ou qui est réputée avoir été perçue avant le 1er avril 1997, il doit se lire comme suit :

b) la taxe qui est réputée en vertu des articles 209, 223 à 231.1, 243, 273, 275, 323.1 à 323.3, 341.1 et 341.7 avoir été perçue par la personne, au cours de la période, à l'égard du bien ou du service;

Antérieurement, le sous-paragraphe b) se lisait ainsi :

b) la taxe qui est réputée en vertu des articles 209, 223 à 231.1, 243, 273, 275, 323.1, 341.1 et 341.7 avoir été perçue par la personne, au cours de la période, à l'égard du bien ou du service;

Le sous-paragraphe b.1) du paragraphe 1º de la définition de « taxe exigée non-admissible au remboursement de la taxe sur les intrants » à l'article 383 a été ajouté par L.Q. 1997, c. 85, art. 662(1)(4º)b) et a effet à l'égard de la taxe réputée avoir été perçue par un inscrit durant ses périodes de déclaration commençant après le 31 décembre 1996.

Le sous-paragraphe d) du paragraphe 1º de la définition de « taxe exigée non-admissible au remboursement de la taxe sur les intrants » à l'article 383 a été remplacé par L.Q. 1997, c. 85, art. 662(1)(4º)c) et cette modification a effet depuis le 1er juillet 1992. Antérieurement, il se lisait ainsi :

d) la taxe qui est réputée en vertu de l'article 212, 283 ou 284 avoir été payée au cours de la période par la personne à l'égard du bien ou du service;

Le sous-paragraphe d) du paragraphe 2º de la définition de « taxe exigée non-admissible au remboursement de la taxe sur les intrants » à l'article 383 a été ajouté par L.Q. 2001, c. 53, art 361 et a effet depuis le 10 décembre 1998 et s'applique à l'égard d'un montant qui est remboursé à une personne, redressé en sa faveur ou porté à son crédit et pour lequel une note de crédit est reçue ou une note de débit est remise par la personne après cette date.

Le paragraphe 2º de la définition de « taxe exigée non admissible au remboursement de la taxe sur les intrants » à l'article 383 a été remplacé par L.Q. 1999, c. 83, art. 317(1). Cette modification a effet à l'égard de la taxe qui devient payable après le 31 juillet 1995 et qui n'est pas payée avant le 1er août 1995. Antérieurement, le paragraphe 2º se lisait comme suit :

2º le total de tous les montants dont chacun est inclus dans le total déterminé en vertu du paragraphe 1º et qui est inclus dans le calcul du remboursement de la taxe sur les intrants de la personne à l'égard du bien ou du service pour la période, ou pour lequel il peut raisonnablement être considéré que la personne a obtenu ou a le droit d'obtenir un remboursement, une remise ou une compensation en vertu de tout autre article de la présente loi ou de toute autre loi.

Le paragraphe 2º de la définition de « taxe exigée non-admissible au remboursement de la taxe sur les intrants » à l'article 383 a été remplacé par L.Q. 1997, c. 85, art. 662(1)(4º)d) et a effet aux fins du calcul des remboursements en vertu des articles 383 à 397 à l'égard de la taxe exigée non admissible au remboursement de la taxe sur les intrants pour les périodes de demande commençant après le 31 décembre 1996.

Antérieurement, il se lisait ainsi :

2º le total de tous les montants inclus dans le total déterminé en vertu du paragraphe 1º qui sont inclus dans le calcul du remboursement de la taxe sur les intrants de la personne à l'égard du bien ou du service pour la période.

La définition de « taxe exigée non admissible au remboursement de la taxe sur les intrants » a été ajoutée par L.Q. 1994, c. 22, art. 575(1) et est réputée entrée en vigueur le 1er juillet 1992.

Lettres d'interprétation: 99-0112492 — Interprétation TPS/TVQ.

Concordance fédérale: LTA, par. 259(1)« taxe exigée non admise au crédit ».

Notes historiques [art. 383]: Le préambule de l'article 383 a été remplacé par L.Q. 2005, c. 38, s.-par. 374(1)(1º) et cette modification s'applique à l'égard du calcul d'un remboursement pour une période de demande se terminant après le 31 décembre 2004. Toutefois, le remboursement d'une personne, pour une période de demande qui inclut le 1er janvier 2005, doit être déterminé comme si cette modification n'était pas entrée en vigueur à l'égard d'un montant qui est, selon le cas :

1° un montant de taxe qui devient payable par la personne avant le 1er janvier 2005;

2° un montant qui est réputé avoir été payé ou perçu par la personne avant le 1er janvier 2005;

3° un montant qui doit être ajouté dans le calcul de la taxe nette de la personne, selon le cas :

a) du fait qu'une division ou une succursale de la personne devient une division de petit fournisseur avant le 1er janvier 2005;

b) du fait que la personne cesse d'être un inscrit avant le 1er janvier 2005.

Antérieurement, il se lisait ainsi :

383. Pour l'application du présent article et des articles 384 à 397, l'expression :

Notes explicatives ARQ (PL 64, L.Q. 2010, c. 5): *Résumé* :

L'article 383 est modifié afin d'introduire la définition de l'expression « municipalité » de façon à permettre la désignation d'une personne à titre de municipalité à l'égard de certaines activités.

Situation actuelle :

Dans le régime de la taxe sur les produits et services (TPS), la possibilité pour le ministre du Revenu national de désigner une personne à titre demunicipalité uniquement à l'égard de certaines activités est fondée sur la définition de l'expression « municipalité » du paragraphe 259(1) de la *Loi sur la taxe d'accise* (LTA).

Ainsi, une personne peut être désignée par le ministre du Revenu national comme municipalité mais seulement à l'égard des activités précisées dans la désignation qui impliquent la réalisation de fournitures, sauf des fournitures taxables, de services municipaux effectuées par cette personne.

Les régimes de la taxe de vente du Québec (TVQ) et de la TPS étant généralement harmonisés, l'article 383 de la LTVQ contenait une disposition au même effet. Toutefois, la définition de l'expression « municipalité » de l'article 383 de la LTVQ a été supprimée par le sous-paragraphe 1º du paragraphe 1 de l'article 662 du chapitre 85 des lois de 1997 suite à l'abolition du droit au remboursement partiel de la TVQ accordé aux municipalités.

Or, la définition de « municipalité » de l'article 383 de la LTVQ demeure nécessaire aux fins d'une désignation partielle d'une personne à titre de municipalité puisqu'elle permet d'exonérer certaines fournitures effectuées ou reçues par une personne qui exerce, en plus de ses activités municipales, des activités d'une autre nature.

En effet, certaines dispositions d'exonération de la LTVQ font référence à la désignation comme municipalité pour l'application de l'article 383 de la LTVQ. Ainsi, le paragraphe 2º du deuxième alinéa de l'article 169.2 de la LTVQ permet aux organisations municipales d'effectuer entre elles des fournitures exonérées dans le cadre de leurs activités désignées. Cette disposition vise, entre autres, une organisation paramunicipale désignée comme municipalité pour l'application de l'article 383 de la LTVQ. De plus, la définition d'une « activité désignée » de l'article 139 de la LTVQ fait également référence à une désignation comme municipalité pour l'application de l'article 383 de la LTVQ.

Modifications proposées :

L'article 383 de la LTVQ est modifié afin d'introduire la définition de l'expression « municipalité » de façon à permettre la désignation d'une personne à titre de municipalité à l'égard de certaines activités.

Notes explicatives ARQ (PL 2, L.Q. 2009, c. 5): *Résumé* :

La modification proposée à l'article 383 a pour objet de retirer, dans la définition de l'expression « taxe exigée non admissible au remboursement de la taxe sur les intrants », le renvoi à l'article 350.27 de la LTVQ.

Situation actuelle :

Actuellement, l'article 383 de la LTVQ définit l'expression « taxe exigée non admissible au remboursement de la taxe sur les intrants » en excluant un montant de taxe qui, en raison de l'article 350.27 de la LTVQ, n'est pas admissible à un remboursement de taxe sur intrants (RTI).

L'article 350.27 de la LTVQ prévoit qu'une personne n'a pas droit à un RTI à l'égard de la taxe incluse dans la consigne payée à l'égard d'un contenant consigné sauf si ce contenant est acquis en vue d'effectuer une fourniture détaxée ou une fourniture hors du Québec.

Or, en vertu des nouvelles mesures proposées dans le cadre du présent projet de loi, l'article 350.27 de la LTVQ est abrogé et le montant de la consigne payable à l'égard d'un contenant consigné n'est plus assujetti à la taxe.

Modifications proposées :

Il est proposé de modifier l'article 383 de la LTVQ afin de retirer, dans la définition de l'expression « taxe exigée non admissible au remboursement de la taxe sur les intrants », le renvoi à l'article 350.27 de la LTVQ.

Notes explicatives ARQ (PL 2, L.Q. 2007, c. 12): *Résumé* :

Le sous-paragraphe b) du paragraphe 1° de la définition de l'expression « taxe exigée non admissible au remboursement de la taxe sur les intrants » prévue à l'article 383 est modifié par le retrait d'un renvoi à l'article 275, en concordance avec certaines modifications apportées à cet article 275.

Situation actuelle :

La définition de l'expression « taxe exigée non admissible au remboursement de la taxe sur les intrants » prévue à l'article 383 prévoit les montants qui peuvent être inclus dans le calcul du remboursement partiel de la taxe de vente du Québec par un organisme de bienfaisance, un organisme sans but lucratif dont le financement public est d'au moins 40 % et un organisme déterminé de services publics. Particulièrement, le sous-paragraphe b) du paragraphe 1° de cette définition fait état de montants que l'organisme qui peut demander un remboursement est réputé avoir perçus lorsque le choix qu'il a fait en vertu de l'article 272 relativement à un immeuble est révoqué.

Modifications proposées :

La modification apportée au sous-paragraphe b) du paragraphe 1° de la définition de l'expression « taxe exigée non admissible au remboursement de la taxe sur les intrants » prévue à l'article 383 fait suite aux changements apportés aux paragraphes 1° et 2° de l'article 275 par le présent projet de loi.

Par suite de ces changements, le montant de taxe qu'une personne est réputée avoir payé et perçu lorsque le choix fait en vertu de l'article 272 relativement à un immeuble est révoqué correspond non pas à la taxe calculée sur la juste valeur marchande de l'immeuble à la date de la révocation du choix, mais à la teneur en taxe de l'immeuble à cette date.

Étant donné que les remboursements auxquels le demandeur aurait eu droit relativement à l'immeuble sont déjà pris en compte dans le calcul de la teneur en taxe de l'immeuble, la version modifiée du sous-paragraphe b) du paragraphe 1° de cette définition ne renvoie plus à l'article 275.

Guides [art. 383]: IN-228 — La TVQ et la TPS/TVH pour les organismes de bienfaisance.

Renvois: 450.0.1 (définitions); 670.5 (remboursement transitoire de la taxe de vente à l'égard d'un immeuble d'habitation); 670.8 (calcul du remboursement transitoire de la taxe de vente à l'égard d'un immeuble d'habitation à une coopérative); 670.34 (remboursement transitoire — taxe de vente d'un immeuble); 670.37 (remboursement transitoire — taxe de vente d'un immeuble); 670.63 (remboursement à l'égard de la fourniture d'un immeuble d'habitation); 670.65 (remboursement pour une coopérative d'habitation); 670.66 (montant du remboursement pour une coopérative d'habitation).

Bulletins d'interprétation [art. 383]: TVQ. 383-1/R1 — Calcul du pourcentage de financement public; TVQ. 383-2 — Délai à respecter lors d'une demande de remboursement partiel de la TVQ; TVQ. 386-2/R1 — Collèges privés admissibles aux remboursements partiels de la taxe de vente du Québec dans le cadre d'un programme de subvention; TVQ. 386-4/R2 — Remboursement partiel de la taxe de vente du Québec aux établissements de santé.

Lettres d'interprétation [art. 383]: 03-0110936 — Interprétation relative à la TPS et à la TVQ — taux de remboursement partiel des taxes — construction d'un immeuble par une municipalité.

COMMENTAIRES: Voir les commentaires sous l'article 397.2.

384. [*Abrogé*]

Notes historiques: L'article 384 a été abrogé par L.Q. 1994, c. 22, art. 576(1) rétroactivement au 1er juillet 1992. L'article 384, édicté par L.Q. 1991, c. 67, se lisait comme suit :

> 384. Pour l'application des articles 385 à 397, la taxe payable par une personne à l'égard d'un bien ou d'un service comprend :
>
> 1° la taxe qui est réputée avoir été perçue par la personne à l'égard du bien ou du service en vertu des articles 209 ou 243;
>
> 2° un montant à l'égard du bien ou du service qui doit être ajouté en vertu du paragraphe 2° de l'article 210, dans le calcul de la taxe nette de la personne pour une période de déclaration.
>
> Toutefois, cette taxe payable ne comprend pas un montant que la personne a demandé ou a le droit de demander à titre de remboursement de la taxe sur les intrants à l'égard du bien ou du service.

COMMENTAIRES: Voir les commentaires sous l'article 397.2.

385. Organisme sans but lucratif admissible — Pour l'application de la présente sous-section, une personne est un organisme sans but lucratif admissible à un moment quelconque de son exercice si, à ce moment, la personne est un organisme sans but lucratif et son pourcentage de financement public pour l'exercice est d'au moins 40 %.

Notes historiques: L'article 385 a été édicté par L.Q. 1991, c. 67.

Guides [art. 385]: IN-203 — Renseignements généraux sur la TVQ et la TPS/TVH; IN-229 — La TVQ, la TPS/TVH pour les organismes sans but lucratif; IN-305 — Les organismes sans but lucratif et la fiscalité.

Définitions [art. 385]: « activité désignée », « organisation paramunicipale », « organisme désigné du gouvernement du Québec » — 139; « organisme sans but lucratif »1, 383; « personne » — 139; « pourcentage de financement public » — 383.

Renvois [art. 385]: 169.2 (fourniture entre différentes entités); 279 (RTI d'un inscrit prescrit); 378.18 (restrictions au remboursement); 379 (vente d'immeuble par un non-inscrit); 389 (choix visant le calcul simplifié); 405 (exercice); 670.5 (remboursement transitoire de la taxe de vente à l'égard d'un immeuble d'habitation); 670.8 (calcul du remboursement transitoire de la taxe de vente à l'égard d'un immeuble d'habitation à une coopérative); 670.34 (remboursement transitoire — taxe de vente d'un immeuble); 670.37 (remboursement transitoire — taxe de vente d'un immeuble); 670.63 (remboursement à l'égard de la fourniture d'un immeuble d'habitation); 670.65 (remboursement pour une coopérative d'habitation); 670.66 (montant du remboursement pour une coopérative d'habitation).

Bulletins d'interprétation [art. 385]: TVQ. 119.1-1/R2 — Programme d'exonération financière pour les services d'aide domestique; TVQ. 383-1/R1 — Calcul du pourcentage de financement public.

Formulaires: FP-523, *Organisme sans but lucratif — financement public.*

Lettres d'interprétation [art. 385]: 98-0108930 — Abolition du remboursement partiel de la TVQ aux OSBL admissibles; 98-0110209 — Interprétation relative à la TPS et à la TVQ — Remboursement des frais de déplacement, d'hébergement et de repas aux accompagnateurs des personnes handicapées; 99-0109423 — Décision portant sur l'application de la TPS — Interprétation relative à la TVQ — Locations d'immeubles, CTI/RTI; 99-0106510 — [Organisme à but non lucratif — activités exonérées — pourcentage d'aide financière]; 99-0109787 — Interprétation relative à la TPS et à la TVQ; 00-0100610 — Interprétation relative à la TPS et à la TVQ — Qualification à titre d'organisme à but non lucratif et à titre d'organisme à but non lucratif admissible; 00-0109470 — Interprétation relative à la TPS et à la TVQ — Montant versé à des prestataires de services de garde et le calcul du pourcentage de financement public; 02-0109419 — Interprétation relative à la TPS et à la TVQ — Montant de financement public pour un exercice.

Concordance fédérale: LTA, par. 259(2).

COMMENTAIRES: Voir les commentaires sous l'article 397.2.

385.1 Établissement admissible — Pour l'application des articles 383 à 397.2, un établissement ou une partie d'un établissement, autre qu'un centre hospitalier ou un hôpital public, est un établissement admissible pour un exercice ou une partie d'un exercice de l'exploitant de l'établissement ou de la partie de l'établissement dans le cas où, à la fois :

1° les fournitures de services qui sont habituellement rendus au public, pendant l'exercice ou la partie de l'exercice, à l'établissement ou à la partie de l'établissement, seraient des fournitures en établissement si, dans la définition de l'expression « fourniture en établissement » prévue à l'article 383, les mots « un centre hospitalier, un hôpital public ou un établissement admissible » faisaient référence à l'établissement ou à la partie de l'établissement;

2° un montant, autre qu'un montant symbolique, est payé ou payable à l'exploitant à titre de financement admissible relativement à l'établissement ou à la partie de l'établissement pendant l'exercice ou la partie de l'exercice;

3° une accréditation, un permis ou une autre autorisation, qui est reconnu ou prévu en vertu de la législation du Québec, d'une autre province, des Territoires du Nord-Ouest, du territoire du Yukon, du territoire du Nunavut ou du Canada relativement à des établissements où sont fournis des services de santé, s'applique à l'établissement ou à la partie de l'établissement pendant l'exercice ou la partie de l'exercice.

Notes historiques: L'article 385.1 a été ajouté par L.Q. 2005, c. 38, par. 375(1) et s'applique selon les mêmes modalités que la modification du préambule de l'article 383.

Renvois [art. 385.1]: 670.34 (remboursement transitoire — taxe de vente d'un immeuble); 670.37 (remboursement transitoire — taxe de vente d'un immeuble); 670.63 (remboursement à l'égard de la fourniture d'un immeuble d'habitation); 670.65 (remboursement pour une coopérative d'habitation); 670.66 (montant du remboursement pour une coopérative d'habitation).

Concordance fédérale: LTA, par. 259(2.1).

COMMENTAIRES: Voir les commentaires sous l'article 397.2.

386. Remboursement — Sous réserve des articles 386.2 et 387, une personne qui, le dernier jour de sa période de demande ou de son exercice qui comprend cette période de demande, est un organisme déterminé de services publics, un organisme de bienfaisance ou un organisme sans but lucratif admissible, a droit, pour cette période de demande, à un remboursement égal, selon le cas, à l'un des pourcentages suivants de la taxe exigée non admissible au remboursement de la taxe sur les intrants à l'égard d'un bien ou d'un service autre qu'un bien ou un service prescrit :

1º 50 % pour un organisme de bienfaisance ou un organisme sans but lucratif admissible sauf s'il constitue un organisme déterminé de services publics;

2º [supprimé]

3º 47 % pour une administration scolaire, un collège public ou une université;

4º 51,5 % pour une administration hospitalière, un exploitant d'établissement ou un fournisseur externe.

Exception — Le présent article ne s'applique pas :

1º à une personne qui est un inscrit prescrit pour l'application de l'article 279;

1.1º à une institution financière désignée;

2º à une personne qui est un organisme sans but lucratif admissible, à l'égard des activités qui impliquent la réalisation de fournitures visées aux articles 162 à 165 et 167;

3º à une personne qui est un organisme sans but lucratif admissible, autre qu'un organisme déterminé de services publics, à l'égard des activités qui impliquent la réalisation des fournitures visées aux articles 154 et 161 lorsque ces fournitures sont destinées à une clientèle définie par son appartenance à un territoire qui relève de la compétence d'une municipalité locale ou d'une municipalité régionale au sens que donne l'article 139 à ces expressions.

Notes historiques: Le préambule de l'article 386 a été remplacé par L.Q. 1997, c. 85, art. 663(1)(1º) et a effet à l'égard d'un remboursement pour lequel une demande a été reçue par le ministre du Revenu après le 23 avril 1996 ou à un montant accordé par le ministre du Revenu après cette date. Toutefois, dans le cas d'une personne qui est une municipalité, cette modification a effet à l'égard d'un tel remboursement ou d'un tel montant relativement aux biens et services suivants :

a) un bien ou un service acquis, ou apporté au Québec, en vertu d'une convention conclue avant le 1er janvier 1997;

b) dans le cas d'un bien ou d'un service qui est, selon le cas, délivré, exécuté ou rendu disponible de façon continue au moyen d'un fil, d'un pipeline ou d'une autre canalisation, un bien ou un service facturé pour une période habituelle commençant avant le 1er janvier 1997.

Antérieurement, le préambule se lisait ainsi :

386. Sous réserve de l'article 387, une personne qui, le dernier jour de sa période de demande ou de son exercice qui comprend cette période de demande, est un organisme déterminé de services publics, un organisme de bienfaisance ou un organisme sans but lucratif admissible, a droit, pour cette période de demande, à un remboursement égal, selon le cas, à l'un des pourcentages suivants de la taxe exigée non admissible au remboursement de la taxe sur les intrants à l'égard d'un bien ou d'un service autre qu'un bien ou un service prescrit :

Le préambule du premier alinéa a été modifié par L.Q. 1994, c. 22, art. 577(1) et cette modification est réputée entrée en vigueur le 1er juillet 1992. Le préambule du premier alinéa de l'article 386 se lisait comme suit :

386. Sous réserve de l'article 387, une personne qui, le dernier jour de sa période de demande ou de son exercice, est un organisme déterminé de services publics, un organisme de bienfaisance ou un organisme sans but lucratif admissible, a droit à un remboursement égal, selon le cas, à l'un des pourcentages suivants du montant de la taxe devenue payable au cours de cette période à l'égard d'un bien ou d'un service :

Le paragraphe 2º du premier alinéa de l'article 386 a été supprimé par L.Q. 1997, c. 85, art. 663(1)(2º) et cette modification a effet à l'égard d'un bien ou d'un service acquis, ou apporté au Québec, en vertu d'une convention conclue après le 31 décembre 1996. Toutefois, dans le cas d'un bien ou d'un service qui est, selon le cas, délivré, exécuté ou rendu disponible de façon continue au moyen d'un fil, d'un pipeline ou d'une autre canalisation, la suppression a effet à l'égard d'un bien ou d'un service facturé pour une période habituelle commençant après le 31 décembre 1996.

Antérieurement, ce paragraphe se lisait ainsi :

2º 43 % pour une municipalité;

Le paragraphe 2º du premier alinéa a été modifié par L.Q. 1995, c. 63, art. 440(1) et cette modification s'applique à l'égard de la taxe qui devient payable après le 9 mai 1995 et qui n'est pas payée avant le 10 mai 1995. Auparavant, le paragraphe 2º du premier alinéa de l'article 386, modifié par L.Q. 1993, c. 19, art. 227, s'appliquait à l'égard d'une fourniture ou d'un apport au Québec relativement auquel l'article 685 ou l'un des articles 618 à 656 de L.Q. 1991, c. 67 s'applique [*N.D.L.R.* : les articles 685 et 618 à 656 réfèrent à des dispositions transitoires concernant les transferts avant le 1er juillet 1992]. Il se lisait comme suit :

2º 40 % pour une municipalité;

Le paragraphe 2º, édicté par L.Q. 1991, c. 67, se lisait comme suit :

2º 37 % pour une municipalité;

Le paragraphe 3º du premier alinéa a été modifié par L.Q. 1995, c. 63, art. 440(1) et cette modification s'applique à l'égard de la taxe qui devient payable après le 9 mai 1995 et qui n'est pas payée avant le 10 mai 1995. Auparavant, le paragraphe 3º du premier alinéa de l'article 386, modifié par L.Q. 1993, c. 19, art. 227, s'appliquait à l'égard d'une fourniture ou d'un apport au Québec relativement auquel l'article 685 ou l'un des articles 618 à 656 de L.Q. 1991, c. 67 s'applique [*N.D.L.R.* : les articles 685 et 618 à 656 réfèrent à des dispositions transitoires concernant les transferts avant le 1er juillet 1992]. Il se lisait comme suit :

3º 30 % pour une administration scolaire, un collège public ou une université;

Le paragraphe 3º, édicté par L.Q. 1991, c. 67, se lisait comme suit :

3º 23 % pour une administration scolaire, un collège public ou une université;

Le paragraphe 4º du premier alinéa de l'article 386 a été a remplacé par L.Q. 2006, c. 13, art. 238 et cette modification a effet à l'égard de la taxe qui devient payable après le 31 mars 2006 et qui n'est pas payée avant le 1er avril 2006. Antérieurement, il se lisait ainsi :

4º 70 % pour une administration hospitalière, un exploitant d'établissement ou un fournisseur externe.

Le paragraphe 4º du premier alinéa de l'article 386 a été a modifié par L.Q. 2005, c. 38, par. 376(1) par l'addition, après les mots « administration hospitalière », de « , un exploitant d'établissement ou un fournisseur externe ». Cette modification s'applique selon les mêmes modalités que la modification du préambule de l'article 383.

Le paragraphe 4º du premier alinéa de l'article 386 a été modifié par L.Q. 1997, c. 14, art. 344 et cette modification a effet à l'égard de la taxe qui devient payable après le 9 mai 1995 et qui n'est pas payée avant le 10 mai 1995. Toutefois, le taux prévu au paragraphe 4º du premier alinéa de l'article 386 est de :

a) 66 %, à l'égard de la taxe qui devient payable après le 31 mars 1997 et qui n'est pas payée avant le 1er avril 1997, autre qu'une taxe visée à l'un ou l'autre des sous-paragraphes b) à d);

b) 60 %, à l'égard de la taxe qui devient payable après le 31 mars 2000 et qui n'est pas payée avant le 1er avril 2000, autre qu'une taxe visée à l'un ou l'autre des sous-paragraphes c) et d);

c) 55 %, à l'égard de la taxe qui devient payable après le 31 mars 2003 et qui n'est pas payée avant le 1er avril 2003, autre qu'une taxe visée au sous-paragraphe d);

d) 51,5 %, à l'égard de la taxe qui devient payable après le 31 mars 2006 et qui n'est pas payée avant le 1er avril 2006.

Le paragraphe 4º du premier alinéa a été modifié par L.Q. 1995, c. 63, art. 440(1) et cette modification s'applique à l'égard de la taxe qui devient payable après le 9 mai 1995 et qui n'est pas payée avant le 10 mai 1995. Auparavant, le paragraphe 4º du premier alinéa de l'article 386, modifié par L.Q. 1993, c. 19, art. 227, s'appliquait à l'égard d'une fourniture ou d'un apport au Québec relativement auquel l'article 685 ou l'un des articles 618 à 656 de L.Q. 1991, c. 67 s'applique [*N.D.L.R.* : les articles 685 et 618 à 656 réfèrent à des dispositions transitoires concernant les transferts avant le 1er juillet 1992]. Il se lisait comme suit :

4º 19 % pour une administration hospitalière.

Le paragraphe 4º du premier alinéa se lisait auparavant comme suit :

4º 51,5 % pour une administration hospitalière.

Le paragraphe 4º, édicté par L.Q. 1991, c. 67, se lisait comme suit :

4º 18 % pour une administration hospitalière.

Le paragraphe 1.1° du deuxième alinéa de l'article 386 a été ajouté par L.Q. 2012, c. 28, par. 140(1) et s'applique à l'égard du calcul d'un remboursement pour une période de demande se terminant après le 31 décembre 2012. Toutefois, le remboursement d'une personne, pour une période de demande qui inclut le 1er janvier 2013, doit être déterminé comme si le paragraphe 1 n'était pas entré en vigueur à l'égard d'un montant de taxe à l'égard d'une fourniture effectuée avant cette date.

Le deuxième alinéa de l'article 386 a été remplacé par L.Q. 1997, c. 85, art. 663(1)(3º) et a effet à l'égard :

a) d'un bien ou d'un service acquis, ou apporté au Québec, en vertu d'une convention conclue après le 31 décembre 1996;

b) dans le cas d'un bien ou d'un service qui est, selon le cas, délivré, exécuté ou rendu disponible de façon continue au moyen d'un fil, d'un pipeline ou d'une autre canalisation, d'un bien ou d'un service facturé pour une période habituelle commençant après le 31 décembre 1996.

Cependant, à l'égard d'un bien ou d'un service acquis, ou apporté au Québec, après le 31 décembre 1996 et avant le 25 mars 1997, le deuxième alinéa de l'article 386 doit alors se lire comme suit :

> Le présent article ne s'applique pas à une personne qui est un inscrit prescrit pour l'application de l'article 279.

Antérieurement, le deuxième alinéa se lisait ainsi :

> Le présent article ne s'applique pas à une personne qui est un inscrit prescrit pour l'application de l'article 279 ou à une personne désignée comme municipalité pour l'application de la présente sous-section.

Le deuxième alinéa de l'article 386 a été modifié par L.Q. 1994, c. 22, art. 577(1) et cette modification est réputée entrée en vigueur le 1er juillet 1992. Il se lisait comme suit :

> Le présent article ne s'applique pas relativement à la taxe payable à l'égard d'un bien ou d'un service prescrit.

L'article 386 a été édicté par L.Q. 1991, c. 67.

Notes explicatives ARQ (PL 5, L.Q. 2012, c. 28): *Résumé* :

L'article 386 accorde, à un organisme déterminé de services publics, un organisme de bienfaisance ou un organisme sans but lucratif admissible, un remboursement, selon un pourcentage déterminé, de la taxe de vente du Québec qui ne donne pas droit au remboursement de la taxe sur les intrants. Cet article est modifié de façon à prévoir que le remboursement prévu à cet article 386 n'est pas accordé à une institution financière désignée.

Situation actuelle :

L'article 386 accorde, à un organisme déterminé de services publics, un organisme de bienfaisance ou un organisme sans but lucratif admissible, un droit de remboursement, selon un pourcentage déterminé, de la taxe exigée non admissible au remboursement de la taxe sur les intrants à l'égard de certains biens et services. Cependant, le deuxième alinéa de cet article en circonscrit l'application en prévoyant que le remboursement qui y est prévu n'est accordé ni à une personne qui est un inscrit pour l'application de l'article 279 de cette loi (soit la Société des loteries du Québec et toute société qui est une filiale entièrement contrôlée de la Société des loteries du Québec), ni à certains organismes sans but lucratif admissibles qui effectuent des fournitures de nature relevant normalement de municipalités.

Modifications proposées :

Le deuxième alinéa de l'article 286 est modifié de façon à prévoir que le remboursement prévu à cet article ne peut être accordé à une institution financière désignée. Cette modification découle de l'exonération des services financiers dans le régime de la taxe de vente du Québec à compter du 1er janvier 2013.

Notes explicatives ARQ (PL 15, L.Q. 2006, c. 13): *Résumé* :

La modification proposée ne vise qu'à indiquer dans l'article 386 le taux du remboursement de la taxe auquel a droit une administration hospitalière, un exploitant d'établissement ou un fournisseur externe à l'égard de la taxe qui devient due après le 31 mars 2006 et qui n'est pas payée avant le 1er avril 2006.

Situation actuelle :

Le paragraphe 4° du premier alinéa de l'article 386 indique que le taux du remboursement de la taxe auquel a droit une administration hospitalière, un exploitant d'établissement ou un fournisseur externe est de 55 %. Or, l'article 344 du chapitre 14 des lois de 1997 prévoit une variation du taux de ce remboursement au cours de la période du 10 mai 1995 au 1er avril 2006 de sorte que ce taux est de 51,5 % à l'égard de la taxe qui devient payable après le 31 mars 2006 et qui n'est pas payée avant le 1er avril 2006.

Modifications proposées :

Il y aurait lieu d'indiquer, à l'article 386, le taux du remboursement de la taxe auquel a droit une administration hospitalière, un exploitant d'établissement ou un fournisseur externe à l'égard de la taxe qui devient due après le 31 mars 2006 et qui n'est pas payée avant le 1er avril 2006.

Guides [art. 386]: IN-203 — Renseignements généraux sur la TVQ et la TPS/TVH; IN-228 — La TVQ et la TPS/TVH pour les organismes de bienfaisance; IN-229 — La TVQ, la TPS/TVH pour les organismes sans but lucratif; IN-305 — Les organismes sans but lucratif et la fiscalité.

Définitions [art. 386]: « activité désignée » — 139; « administration hospitalière », « administration scolaire », « bien », « collège public », « municipalité » — 1, 383; « organisation paramunicipale » — 139; « organisme de bienfaisance » — 1, 383; « organisme désigné du gouvernement du Québec » — 139; « organisme déterminé de services publics » — 383; « organisme sans but lucratif », « personne » — 1; « période de demande » — 383; « service », « taxe », « université » — 1.

Renvois [art. 386]: 169.2 (fourniture entre différentes entités); 207 (nouvel inscrit); 233 (vente d'un immeuble); 234 (vente par un organisme de services publics); 238.1 (utilisation à titre d'immobilisation); 242 (principale utilisation d'immobilisations); 247 (valeur d'une voiture de tourisme); 249 (vente d'une voiture de tourisme); 256 (acquisition d'une immobilisation); 257 (utilisation accrue d'une immobilisation); 258 (changement d'utilisation d'une immobilisation); 259 (utilisation réduite d'une immobilisation); 279 (RTI d'un inscrit prescrit); 378.18 (restrictions au remboursement); 379 (vente d'immeuble par un non-inscrit); 387 (demande de remboursement); 388.1 (compensation versée par le ministre); 389 (choix visant le calcul simplifié); 394 (organisme déterminé de services publics); 395 (organisme déterminé de services publics); 396 (demandes de succursales et divisions); 397 (demande selon l'article 474); 403 (demande de remboursement); 404 (demande de remboursement); 405 (exercice); 428–432 (taxe nette); 450.0.4, 450.0.7 (effet de la note de redressement); 670.5 (remboursement transitoire de la taxe de vente à l'égard d'un immeuble d'habitation); 670.8 (calcul du remboursement transitoire de la taxe de vente à l'égard d'un immeuble d'habitation à une coopérative); 670.34 (remboursement transitoire — taxe de vente d'un immeuble); 670.37 (remboursement transitoire — taxe de vente d'un immeuble); 670.63 (remboursement à l'égard de la fourniture d'un immeuble d'habitation); 670.65 (remboursement pour une coopérative d'habitation); 670.66 (montant du remboursement pour une coopérative d'habitation); 677 (règlements); 25 LAF (cotisation par le ministre); 30 LAF (intérêts sur remboursement).

Formulaires [art. 386]: FP-66.G, Guide de la demande de remboursement de la TPS/TVH à l'intention des organismes de services publics; FP-253, Organisme sans but lucratif — Financement public; FP-253Z, Organisme sans but lucratif — Financement public; FPZ-66, Demande de remboursement de la TPS et de la TVH à l'intention des organismes de services publics; VD-387, Demande de remboursement de la TVQ à l'intention des organismes de services publics; VDZ-387, Demande de remboursement de la TVQ à l'intention des organismes de services publics; VDZ-387.G, Transfert Organismes de services publics — Calculs détaillés.

Règlements [art. 386]: RTVQ, 386R1–386R17.

Bulletins d'interprétation [art. 386]: TVQ. 16-29 — Fournitures réalisées par les gestionnaires de salle de bingo; TVQ. 119.1-1/R2 — Programme d'exonération financière pour les services d'aide domestique; TVQ. 124-1/R1 — Administrations scolaires admissibles aux remboursements partiels de la taxe de vente du Québec lorsqu'elles effectuent la fourniture de transport scolaire; TVQ. 206.1-1 — Carburant acquis en partie à des fins de consommation et en partie à des fins de revente; TVQ. 211-1/R1 — Allocation de dépenses versée à un élu municipal; TVQ. 211-2/R1 — Caractéristiques d'une allocation de dépenses; TVQ. 211-3/R3 — Remboursement de la taxe sur les intrants à l'égard d'une allocation de dépenses; TVQ. 212-1/R4 — Méthodes simplifiées de calcul d'un remboursement de la taxe sur les intrants à l'égard d'un remboursement de dépenses; TVQ. 212-2 — Caractéristiques d'un remboursement de dépenses; TVQ. 383-1/R1 — Calcul du pourcentage de financement public; TVQ. 383-2 — Délai à respecter lors d'une demande de remboursement partiel de la TVQ; TVQ. 386-1 — Les municipalités et la fourniture d'eau potable; TVQ. 386-2/R1 — Collèges privés admissibles aux remboursements partiels de la taxe de vente du Québec dans le cadre d'un programme de subvention; TVQ. 386-3/R2 — Abolition du remboursement partiel de la taxe de vente du Québec accordé aux municipalités; TVQ. 386-4/R2 — Remboursement partiel de la taxe de vente du Québec aux établissements de santé; TVQ. 386-5/R1 — Abolition du remboursement partiel de la taxe de vente du Québec (TVQ) accordé aux organismes sans but lucratif admissibles; TVQ. 407-3/R2 — Partis politiques.

Lettres d'interprétation [art. 386]: 93-0113493 — Interprétation relative à la TPS et à la TVQ — Méthode rapide spéciale réservée aux organismes de services publics; 98-010103 — Administration hospitalière; 98-0102081 — Interprétation relative à la TVQ — Remboursement partiel de la TVQ aux organismes sans but lucratif admissibles; 98-0102594 — Décision portant sur l'application de la TPS — Interprétation relative à la TVQ — Indemnité suite à la modification d'un contrat — Remboursement partiel de la TVQ aux municipalités; 98-0108930 — Abolition du remboursement partiel de la TVQ aux OSBL admissibles; 98-0111561 — Interprétation relative à la TPS et à la TVQ — Infrastructures municipales; 99-0100984 — Décision portant sur l'application de la TPS — Interprétation relative à la TVQ — Fourniture unique et fournitures multiples; 99-0104481 — Décision portant sur l'application de la TPS — Interprétation relative à la TVQ — Infrastructures municipales; 99-0106510 — [Organisme à but non lucratif — activités exonérées — pourcentage d'aide financière]; 99-0109423 — Décision portant sur l'application de la TPS — Interprétation relative à la TVQ — Locations d'immeubles, CTI/RTI; 00-0102319 — Interprétation TPS/TVQ — Remboursement partiel versé en trop; 00-0102335 — Interprétation relative à la TPS et à la TVQ — Admissibilité d'une institution publique à une demande de remboursement partiel; 00-0102566 — Interprétation portant sur l'application de la TPS Interprétation relative à la TVQ — Remboursement partiel de la TPS et de la TVQ à un établissement de santé suite à un paiement en vue de l'extinction d'une hypothèque légale; 00-0110791 — Interprétation relative à la TVQ — Remboursement partiel de la taxe; 02-0103453 — Interprétation relative à la TPS et à la TVQ — Fournitures effectuées par un organisme à but non lucratif; 03-0110936 — Interprétation relative à la TPS et à la TVQ — taux de remboursement partiel des taxes — construction d'un immeuble par une municipalité; 04-0104796 — Interprétation relative à la TVQ — abolition du remboursement partiel de la TVQ aux municipalités.

Concordance fédérale: LTA, par. 259(3) et *Règlement sur les remboursements aux organismes de services publics*, art. 5.

COMMENTAIRES: Voir les commentaires sous l'article 397.2.

386.1 [*Abrogé*]

Notes historiques: L'article 386.1 a été abrogé par L.Q. 1997, c. 85, art. 664(1) et cette abrogation a effet à l'égard d'un bien ou d'un service acquis, ou apporté au Québec, en vertu d'une convention conclue après le 31 décembre 1996. Toutefois, dans le cas d'un bien ou d'un service qui est, selon le cas, délivré, exécuté ou rendu disponible de façon continue au moyen d'un fil, d'un pipeline ou d'une autre canalisation, l'abrogation a effet à l'égard d'un bien ou d'un service facturé pour une période habituelle commençant après le 31 décembre 1996.

LTVQ (français)

De plus, lorsque ce qui précède la formule prévue au premier alinéa de l'article 386.1 a effet à l'égard des périodes de demande se terminant après le 30 juin 1992, il doit se lire comme suit :

386.1 Sous réserve des articles 386.2 et 387, une personne qui, le dernier jour de sa période de demande ou de son exercice qui comprend cette période, est désignée comme municipalité pour l'application de la présente sous-section à l'égard d'activités — appelées « activités désignées » dans le présent article — précisées dans la désignation, a droit à un remboursement à l'égard d'un bien ou d'un service, autre qu'un bien ou un service prescrit, égal au montant déterminé selon la formule suivante :

Antérieurement, cet article se lisait ainsi :

386.1 Sous réserve de l'article 387, une personne qui, le dernier jour de sa période de demande ou de son exercice qui comprend cette période, est désignée comme municipalité pour l'application de la présente sous-section à l'égard d'activités — appelées « activités désignées » dans le présent article — précisées dans la désignation, a droit à un remboursement à l'égard d'un bien ou d'un service, autre qu'un bien ou un service prescrit, égal au montant déterminé selon la formule suivante :

$$43\ \% \times A \times B.$$

Pour l'application de cette formule :

1º la lettre A représente la taxe totale exigée à l'égard du bien ou du service pour la période de demande;

2º la lettre B représente un pourcentage qui correspond :

a) dans le cas où le bien est acquis par la personne par louage, licence ou accord semblable pour une contrepartie qui comprend plusieurs paiements périodiques imputables à des intervalles successifs — appelés « intervalle de location » dans le présent article — de la période pour laquelle la possession ou l'utilisation du bien est offerte en vertu de l'accord et qu'un montant calculé sur un tel paiement périodique est inclus dans la taxe totale exigée à l'égard du bien pour la période de demande, à la mesure dans laquelle la personne a l'intention, au début de l'intervalle de location auquel le paiement périodique est imputable, d'utiliser le bien dans le cadre des activités désignées;

b) dans le cas où le service est fourni à la personne pour une contrepartie qui comprend plusieurs paiements imputables à des services rendus en vertu de la convention relative à la fourniture et qu'à un moment donné au cours de la période de demande, la taxe, calculée sur un paiement donné, devient payable par la personne ou est payée par celle-ci sans qu'elle soit devenue payable et est incluse dans la taxe totale exigée à l'égard du service pour la période de demande, à la mesure dans laquelle la personne avait, avant ce moment, consommé, utilisé ou fourni les services auxquels le paiement donné est imputable dans le cadre des activités désignées ou à la mesure dans laquelle la personne avait l'intention, à ce moment, de consommer, d'utiliser ou de fournir ces services dans le cadre de celles-ci;

c) dans tout autre cas, à la mesure dans laquelle la personne avait l'intention, au moment où elle a acquis, ou apporté au Québec, le bien ou le service, de le consommer, de l'utiliser ou de le fournir dans le cadre des activités désignées.

Le premier alinéa de l'article 386.1 a été modifié par L.Q. 1995, c. 63, art. 441(1) et cette modification s'applique à l'égard de la taxe qui devient payable après le 9 mai 1995 et qui n'est pas payée avant le 10 mai 1995. Auparavant, il se lisait comme suit :

386.1 Sous réserve de l'article 387, une personne qui, le dernier jour de sa période de demande ou de son exercice qui comprend cette période, est désignée comme municipalité pour l'application de la présente sous-section à l'égard d'activités — appelées « activités désignées » dans le présent article — précisées dans la désignation, a droit à un remboursement à l'égard d'un bien ou d'un service, autre qu'un bien ou un service prescrit, égal au montant déterminé selon la formule suivante :

$$40\ \% \times A \times B.$$

L'article 386.1 a été ajouté par L.Q. 1994, c. 22, art. 578(1) et est réputé entré en vigueur le 1er juillet 1992.

COMMENTAIRES: Voir les commentaires sous l'article 397.2.

386.2 Répartition du remboursement — Sous réserve de l'article 386.3, dans le cas où une personne est un organisme de bienfaisance, une institution publique, à l'exclusion d'une administration locale qui est une municipalité par application du paragraphe 2º de la définition de l'expression « municipalité » prévue à l'article 1, ou un organisme sans but lucratif admissible, et est un organisme déterminé de services publics, le remboursement, le cas échéant, payable à la personne en vertu de l'article 386 à l'égard d'un bien ou d'un service, pour une période de demande, est égal au total des montants suivants :

1º 50 % de la taxe exigée non admissible au remboursement de la taxe sur les intrants à l'égard du bien ou du service pour la période de demande;

2º le total des montants dont chacun correspond à un montant déterminé selon la formule suivante :

$$A \times B \times C.$$

Application — Pour l'application de cette formule :

1º malgré l'article 2, la lettre A représente le pourcentage prévu à l'article 386 applicable à un organisme déterminé de services publics visé aux paragraphes 1º à 6º de la définition de cette expression prévue à l'article 383 qui s'applique à la personne, moins 50 %;

2º la lettre B représente un montant qui est inclus dans la taxe totale exigée à l'égard du bien ou du service pour la période de demande et qui correspond, selon le cas :

a) à un montant de la taxe à l'égard d'une fourniture effectuée à la personne, ou de l'apport du bien au Québec, par la personne, à un moment quelconque;

b) à un montant réputé avoir été payé ou perçu, à un moment quelconque, par la personne;

c) à un montant qui doit être ajouté en vertu des articles 341.2 et 341.3 dans le calcul de la taxe nette de la personne du fait qu'une division ou une succursale de celle-ci devient une division de petit fournisseur à un moment quelconque;

d) à un montant qui doit être ajouté en vertu du paragraphe 2º de l'article 210 dans le calcul de la taxe nette de la personne du fait que la personne cesse, à un moment quelconque, d'être un inscrit;

3º la lettre C représente le pourcentage qui correspond à la mesure dans laquelle la personne avait l'intention, à ce moment, de consommer, d'utiliser ou de fournir le bien ou le service :

a) dans le cas d'une personne agissant à titre d'administration hospitalière, dans le cadre des activités que la personne exerce dans l'exploitation d'un centre hospitalier ou d'un hôpital public, dans l'exploitation d'un établissement admissible en vue de la réalisation de fournitures en établissement ou dans le cadre de la réalisation de fournitures en établissement, de fournitures auxiliaires ou de fournitures d'un bien ou d'un service médical à domicile;

b) dans le cas d'une personne agissant à titre d'exploitant d'établissement, dans le cadre des activités que la personne exerce dans l'exploitation d'un établissement admissible en vue de la réalisation de fournitures en établissement ou dans le cadre de la réalisation de fournitures en établissement, de fournitures auxiliaires ou de fournitures d'un bien ou d'un service médical à domicile;

c) dans le cas d'une personne agissant à titre de fournisseur externe, dans le cadre des activités que la personne exerce dans la réalisation de fournitures auxiliaires, de fournitures en établissement ou de fournitures d'un bien ou d'un service médical à domicile;

c) dans les autres cas, dans le cadre des activités que la personne exerce dans l'exploitation d'une école primaire ou secondaire, d'un collège d'enseignement postsecondaire ou d'un institut technique d'enseignement postsecondaire, d'une institution reconnue qui décerne un diplôme, de l'institut de recherche d'une telle institution ou d'un collège qui lui est affilié, selon le cas.

Notes historiques: Le préambule de l'article 386.2 a été modifié par L.Q. 2005, c. 38, s.-par. 377(1)(1º) par l'insertion, avant les mots « Dans le cas où », de « Sous réserve de l'article 386.3, ». Cette modification a effet depuis le 26 novembre 1997 et s'applique aux fins du calcul d'un remboursement pour lequel une demande est reçue par le ministre du Revenu après le 25 novembre 1997.

Le paragraphe 1º du deuxième alinéa de l'article 386.2 a été modifié par L.Q. 2005, c. 38, al. 377(1)(2º)a) par le remplacement de « 3º » par « 6º ». Cette modification s'applique selon les mêmes modalités que la modification du préambule de l'article 383.

Le sous-paragraphe a) paragraphe 2º du deuxième alinéa de l'article 386.2 a été remplacé par L.Q. 2005, c. 38, al. 367(1)(2º)b) et cette modification a effet depuis le 1er avril 1997. Antérierieurent, il se lisait ainsi :

a) au montant de la taxe à l'égard d'une fourniture du bien effectuée à la personne, ou de son apport au Québec, par la personne, à un moment quelconque;

Le paragraphe 3º du deuxième alinéa de l'article 386.2 a été remplacé par L.Q. 2005, c. 38, al. 377(1)(2º)c) et cette modification s'applique selon les mêmes modalités que la modification du préambule de l'article 383. Antérieurement, il se lisait ainsi :

3º la lettre C représente le pourcentage qui correspond à la mesure dans laquelle la personne avait l'intention, à ce moment, de consommer, d'utiliser ou de fournir le bien ou le service dans le cadre des activités que la personne exerce dans l'exploitation d'un centre hospitalier ou un hôpital public, d'une école primaire ou secondaire, d'un collège d'enseignement postsecondaire ou d'un institut technique d'enseignement postsecondaire, d'une institution reconnue qui décerne un diplôme, de l'institut de recherche d'une telle institution ou d'un collège qui lui est affilié, selon le cas.

L'article 386.2 a été ajouté par L.Q. 1997, c. 85, art. 665(1) et a effet :

a) depuis le 1er juillet 1992, dans le cas d'une personne qui est désignée par le ministre du Revenu comme municipalité pour l'application des articles 383 à 397, à l'égard des biens et services suivants :

i. un bien ou un service acquis, ou apporté au Québec, en vertu d'une convention conclue avant le 1er janvier 1997;

ii. dans le cas d'un bien ou d'un service qui est, selon le cas, délivré, exécuté ou rendu disponible de façon continue au moyen d'un fil, d'un pipeline ou d'une autre canalisation, un bien ou un service facturé pour une période habituelle commençant avant le 1er janvier 1997;

b) dans tout autre cas, au remboursement pour lequel une demande a été reçue par le ministre du Revenu après le 23 avril 1996 ou à un montant accordé par le ministre du Revenu après cette date, sauf que dans le cas d'une personne qui est une municipalité, l'article 386.2 n'a effet qu'à l'égard des biens et services suivants :

i. un bien ou un service acquis, ou apporté au Québec, en vertu d'une convention conclue avant le 1er janvier 1997;

ii. dans le cas d'un bien ou d'un service qui est, selon le cas, délivré, exécuté ou rendu disponible de façon continue au moyen d'un fil, d'un pipeline ou d'une autre canalisation, un bien ou un service facturé pour une période habituelle commençant avant le 1er janvier 1997.

Lorsque le préambule du premier alinéa de l'article 386.2 a effet relativement aux périodes de demande se terminant avant le 1er janvier 1997, il doit se lire en faisant abstraction des mots « une institution publique, à l'exclusion d'une administration locale qui est une municipalité par application du paragraphe 2º de la définition de l'expression « municipalité » prévue à l'article 1 ».

Sous réserve du paragraphe 3º, lorsque ce qui suit le paragraphe 1º du premier alinéa de l'article 386.2 a effet à l'égard de la taxe qui devient payable ou qui est réputée avoir été perçue avant le 1er avril 1997, il doit se lire comme suit :

2º le montant déterminé selon la formule suivante :

$$A \times B \times C.$$

Pour l'application de cette formule :

1º la lettre A représente la taxe exigée non admissible au remboursement de la taxe sur les intrants;

2º la lettre B représente le pourcentage prévu à l'article 386 applicable à un organisme déterminé de services publics visé aux paragraphes 1º à 4º de la définition de cette expression prévue à l'article 383 qui s'applique à la personne;

3º la lettre C représente un pourcentage qui correspond :

a) dans le cas où le bien est acquis par la personne par louage, licence ou accord semblable pour une contrepartie qui comprend plusieurs paiements périodiques imputables à des intervalles successifs — appelé « intervalle de location » dans le présent article — de la période pour laquelle la possession ou l'utilisation du bien est offerte en vertu de l'accord et qu'un montant calculé sur un tel paiement périodique est inclus dans la taxe totale exigée à l'égard du bien pour la période de demande, à la mesure dans laquelle la personne a l'intention, au début de l'intervalle de location auquel le paiement périodique est imputable, d'utiliser le bien dans le cadre des activités désignées;

b) dans le cas où le service est fourni à la personne pour une contrepartie qui comprend plusieurs paiements imputables à des services rendus en vertu de la convention relative à la fourniture et qu'à un moment donné au cours de la période de demande, la taxe, calculée sur un paiement donné, devient payable par la personne ou est payée par celle-ci sans qu'elle soit devenue payable et est incluse dans la taxe totale exigée à l'égard du service pour la période de demande, à la mesure dans laquelle la personne avait, avant ce moment, consommé, utilisé ou fourni les services auxquels le paiement donné est imputable dans le cadre des activités désignées ou à la mesure dans laquelle la personne avait l'intention, à ce moment, de consommer, d'utiliser ou de fournir ces services dans le cadre de celles-ci;

c) dans tout autre cas, à la mesure dans laquelle la personne avait l'intention, au moment où elle a acquis, ou apporté au Québec, le bien ou le service, de le consommer, de l'utiliser ou de le fournir dans le cadre des activités désignées.

Les activités que la personne exerce dans le cadre de l'exploitation d'un centre hospitalier ou un hôpital public, d'une école primaire ou secondaire, d'un collège d'enseignement postsecondaire ou d'un institut technique d'enseignement postsecondaire, d'une institution reconnue qui décerne un diplôme, de l'institut de recherche d'une telle institution ou d'un collège qui lui est affilié, selon le cas, constituent les activités désignées visées au paragraphe 3º du deuxième alinéa.

Lorsque le troisième alinéa de l'article 386.2 a effet, dans le cas d'une personne qui est une municipalité ou qui est désignée par le ministre du Revenu comme municipalité pour l'application des articles 383 à 397, à l'égard d'un bien ou d'un service acquis, ou apporté au Québec, en vertu d'une convention conclue avant le 1er janvier 1997 ou, dans le cas d'un bien ou d'un service qui est, selon le cas, délivré, exécuté ou rendu disponible de façon continue au moyen d'un fil, d'un pipeline ou d'une autre canalisation, d'un bien ou d'un service facturé pour une période habituelle commençant avant le 1er janvier 1997, il doit se lire comme suit :

Sont visées par le paragraphe 3º du deuxième alinéa les activités désignées suivantes :

1º dans le cas d'une personne qui est une municipalité par application du paragraphe 2º de la définition de l'expression « municipalité » prévue à l'article 1, les activités que la personne exerce dans le cadre de l'exécution de ses responsabilités à titre d'administration locale;

2º les activités que la personne exerce dans le cadre de l'exploitation d'un centre hospitalier ou un hôpital public, d'une école primaire ou secondaire, d'un collège d'enseignement postsecondaire ou d'un institut technique d'enseignement postsecondaire, d'une institution reconnue qui décerne un diplôme, de l'institut de recherche d'une telle institution ou d'un collège qui lui est affilié, selon le cas.

Guides [art. 386.2]: IN-203 — Renseignements généraux sur la TVQ et la TPS/TVH; IN-228 — La TVQ et la TPS/TVH pour les organismes de bienfaisance; IN-229 — La TVQ, la TPS/TVH pour les organismes sans but lucratif; IN-305 — Les organismes sans but lucratif et la fiscalité.

Définitions [art. 386.2]: « institution publique », « organisme de bienfaisance », « personne », « taxe » — 1; « municipalité » — 383.

Renvois [art. 386.2]: 199 (RTI); 378.18 (restrictions au remboursement); 386 (remboursement — organisme de services publics, organisme de bienfaisance, organisme sans but lucratif admissible); 670.5 (remboursement transitoire de la taxe de vente à l'égard d'un immeuble d'habitation); 670.8 (calcul du remboursement transitoire de la taxe de vente à l'égard d'un immeuble d'habitation à une coopérative); 670.34 (remboursement transitoire — taxe de vente d'un immeuble); 670.37 (remboursement transitoire — taxe de vente d'un immeuble); 670.63 (remboursement à l'égard de la fourniture d'un immeuble d'habitation); 670.65 (remboursement pour une coopérative d'habitation); 670.66 (montant du remboursement pour une coopérative d'habitation).

Lettres d'interprétation [art. 386.2]: 00-0105031 — Interprétation relative à la TPS et à la TVQ — Remboursement de dépenses par une municipalité à des bénévoles ou des salariés; 01-0104040 — Interprétation relative à la TPS et à la TVQ — Fournitures effectuées par des organismes à but non lucratif.

Concordance fédérale: LTA, par. 259(4), 259(4.1).

COMMENTAIRES: Voir les commentaires sous l'article 397.2.

386.3 Restriction — Un montant ne doit pas être inclus dans le calcul du montant visé à la lettre B de la formule prévue à l'article 386.2 à l'égard d'une période de demande d'une personne dans la mesure où, selon le cas :

1º le montant est inclus dans le calcul d'un remboursement de la taxe sur les intrants de la personne;

2º il est raisonnable de considérer que la personne a obtenu ou a le droit d'obtenir un remboursement, une remise ou une compensation du montant en vertu de tout autre article de la présente loi ou de toute autre loi;

3º le montant est inclus dans un montant remboursé à la personne, redressé en sa faveur ou porté à son crédit pour lequel une note de crédit visée à l'article 449 a été reçue par la personne ou une note de débit visée à cet article a été remise par cette personne.

Notes historiques: L'article 386.3 a été ajouté par L.Q. 2005, c. 38, par. 378(1) et a effet depuis le 26 novembre 1997 et s'applique aux fins du calcul d'un remboursement pour lequel une demande est reçue par le ministre du Revenu après le 25 novembre 1997.

Toutefois, le paragraphe 3º de l'article 386.3 s'applique uniquement à des montants qui sont remboursés, redressés ou portés au crédit d'une personne pour lesquels une note de crédit est reçue ou une note de débit est remise par la personne après le 10 décembre 1998.

Renvois [art. 386.3]: 670.34 (remboursement transitoire — taxe de vente d'un immeuble); 670.37 (remboursement transitoire — taxe de vente d'un immeuble); 670.63 (remboursement à l'égard de la fourniture d'un immeuble d'habitation); 670.65 (remboursement pour une coopérative d'habitation); 670.66 (montant du remboursement pour une coopérative d'habitation).

Concordance fédérale: LTA, par. 259(4.01).

COMMENTAIRES: Voir les commentaires sous l'article 397.2.

387. Délai de la demande — Une personne mentionnée à l'article 386 a droit au remboursement prévu à cet article à l'égard de la taxe exigée non admissible au remboursement de la taxe sur les intrants payable par celle-ci au cours de sa période de demande seulement si elle produit une demande de remboursement après le premier jour de l'exercice au cours duquel elle est un organisme déterminé de services publics, un organisme de bienfaisance ou un organisme sans but lucratif admissible et dans les quatre ans après le jour qui est :

1° dans le cas où la personne est un inscrit, au plus tard le jour où elle est tenue de produire une déclaration, en vertu du chapitre VIII, pour la période;

2° dans le cas où la personne n'est pas un inscrit, le dernier jour de la période de demande.

Notes historiques: Le préambule de l'article 387 a été remplacé par L.Q. 1997, c. 85, art. 666(1) et a effet à l'égard d'un bien ou d'un service acquis, ou apporté au Québec, en vertu d'une convention conclue après le 31 décembre 1996. Toutefois, dans le cas d'un bien ou d'un service qui est, selon le cas, délivré, exécuté ou rendu disponible de façon continue au moyen d'un fil, d'un pipeline ou d'une autre canalisation, il a effet à l'égard d'un bien ou d'un service facturé pour une période habituelle commençant après le 31 décembre 1996.

Antérieurement, le préambule se lisait ainsi :

> 387. Une personne mentionnée à l'article 386 ou à l'article 386.1 a droit au remboursement prévu à ces articles à l'égard de la taxe exigée non admissible au remboursement de la taxe sur les intrants payable par celle-ci au cours de sa période de demande seulement si elle produit une demande de remboursement après le premier jour de l'exercice au cours duquel elle est un organisme déterminé de services publics, un organisme de bienfaisance ou un organisme sans but lucratif admissible et dans les quatre ans après le jour qui est :

L'article 387 a été modifié par L.Q. 1994, c. 22, art. 579(1) et est réputé entré en vigueur le 1er juillet 1992. L'article 387, édicté par L.Q. 1991, c. 67, se lisait comme suit :

> 387. Une personne mentionnée à l'article 386 a droit au remboursement prévu à cet article à l'égard de la taxe payable par celle-ci au cours de sa période de demande seulement si elle produit une demande de remboursement après le premier jour de l'exercice au cours duquel elle est un organisme déterminé de services publics, un organisme de bienfaisance ou un organisme sans but lucratif admissible et dans les quatre ans après le jour qui est :
>
> 1° dans le cas où la personne est un inscrit, au plus tard le jour où elle est tenue de produire une déclaration, en vertu du chapitre huitième, pour la période;
>
> 2° dans le cas où la personne n'est pas un inscrit, le dernier jour de la période de demande.

Guides [art. 387]: IN-228 — La TVQ et la TPS/TVH pour les organismes de bienfaisance; IN-229 — La TVQ, la TPS/TVH pour les organismes sans but lucratif; IN-305 — Les organismes sans but lucratif et la fiscalité.

Définitions [art. 387]: « activité désignée » — 139; « inscrit » — 1; « organisation paramunicipale » — 139; « organisme de bienfaisance » — 1, 383; « organisme désigné du gouvernement du Québec » — 139; « organisme déterminé de services publics » — 383; « organisme sans but lucratif », « période de déclaration » — 1; « période de demande » — 383; « personne », « taxe » — 1.

Renvois [art. 387]: 169.2 (fourniture entre différentes entités); 207 (nouvel inscrit); 279 (RTI d'un inscrit prescrit); 378.18 (restrictions au remboursement); 379 (vente d'immeuble par un non-inscrit); 386 (remboursement — organisme de services publics, organisme de bienfaisance, organisme sans but lucratif admissible); 388 (une demande par période); 389 (choix visant le calcul simplifié); 396 (demandes de succursales et divisions); 397 (demande selon l'article 474); 405 (exercice); 670.5 (remboursement transitoire de la taxe de vente à l'égard d'un immeuble d'habitation); 670.8 (calcul du remboursement transitoire de la taxe de vente à l'égard d'un immeuble d'habitation à une coopérative); 670.34 (remboursement transitoire — taxe de vente d'un immeuble); 670.37 (remboursement transitoire — taxe de vente d'un immeuble); 670.63 (remboursement à l'égard de la fourniture d'un immeuble d'habitation); 670.65 (remboursement pour une coopérative d'habitation); 670.66 (montant du remboursement pour une coopérative d'habitation).

Formulaires [art. 387]: FP-66.G, Demande de remboursement de la TVQ à l'intention des organismes de services publics; FPZ-66, Demande de remboursement de la TPS et de la TVH à l'intention des organismes de services publics; VD-387, Demande de remboursement de la TVQ à l'intention des organismes de services publics; VD-387.1, Demande de remboursement de la TVQ à l'intention des organismes de services publics inscrits; VD-387.2, Demande de remboursement de la TVQ à l'intention des organismes de services publics non inscrits; VDZ-387, Demande de remboursement de la TVQ à l'intention des organismes de services publics; VDZ-387.G, Organismes de services publics — Calculs détaillés.

Bulletins d'interprétation [art. 387]: TVQ. 383-2 — Délai à respecter lors d'une demande de remboursement partiel de la TVQ; TVQ. 386-3/R2 — Abolition du remboursement partiel de la taxe de vente du Québec accordé aux municipalités; TVQ. 386-5/R1 — Abolition du remboursement partiel de la taxe de vente du Québec (TVQ) accordé aux organismes sans but lucratif admissibles.

Lettres d'interprétation [art. 387]: 03-0107627 — Interprétation relative à la TPS et à la TVQ — fourniture de biens par un mandataire [d'une institution d'enseignement].

Concordance fédérale: LTA, par. 259(5).

COMMENTAIRES: Voir les commentaires sous l'article 397.2.

387.1 Exception — Dans le cas où la taxe à l'égard d'une fourniture d'un bien ou d'un service est devenue payable par une personne au cours d'une période de demande donnée de la personne, que le fournisseur n'a pas, avant la fin de la dernière période de demande de la personne qui se termine dans les quatre ans suivant la fin de la période de demande donnée, exigé la taxe à l'égard de la fourniture, que le fournisseur dévoile par écrit à la personne que le ministre lui a émis un avis de cotisation à l'égard de cette taxe et que la personne paie cette taxe après la fin de cette dernière période de demande et avant que cette taxe soit incluse dans le calcul d'un remboursement demandé par la personne en vertu des articles 383 à 388 et des articles 389 à 397.2, les règles suivantes s'appliquent :

1° pour l'application des articles 383 à 388 et des articles 389 à 397.2, cette taxe est réputée être devenue payable par la personne dans la période de demande au cours de laquelle elle paie cette taxe et ne pas être devenue payable dans la période de demande donnée;

2° la partie du remboursement de la personne en vertu des articles 383 à 388 et des articles 389 à 397.2 à l'égard du bien ou du service pour la période de demande au cours de laquelle elle paie cette taxe qui excède le montant du remboursement qui serait déterminé sans tenir compte du présent article :

a) peut, malgré l'article 388, être demandée dans une demande distincte de la demande de la personne pour d'autres remboursements en vertu des articles 383 à 388 et des articles 389 à 397.2 pour cette période de demande;

b) ne doit pas être payée à la personne à moins que cette partie ne soit demandée dans une demande produite par la personne après le début de son exercice qui comprend cette période de demande et après le premier jour de l'exercice au cours duquel elle est un organisme déterminé de services publics, un organisme de bienfaisance ou un organisme sans but lucratif admissible et, selon le cas :

i. au plus tard le jour où la personne est tenue de produire une déclaration, en vertu du chapitre VIII, pour cette période de demande, si elle est un inscrit;

ii. au cours du mois qui suit la fin de cette période de demande, si la personne n'est pas un inscrit;

3° l'article 387 s'applique à l'autre partie de ce remboursement comme si cette partie était relative à un bien ou à un service distinct.

Notes historiques: Le préambule de l'article 387.1 a été modifié par L.Q. 2005, c. 38, s.–par. 379(1)(1°) par le remplacement de « 397 » par « 397.2 » et cette modification s'applique selon les mêmes modalités que la modification du préambule de l'article 383.

Le paragraphe 1° de l'article 387.1 a été modifié par L.Q. 2005, c. 38, s.–par. 379(1)(2°) par le remplacement de « 397 » par « 397.2 » et cette modification s'applique selon les mêmes modalités que la modification du préambule de l'article 383.

Le préambule du paragraphe 2° de l'article 387.1 a été modifié par L.Q. 2005, c. 38, s.–par. 379(1)(3°) par le remplacement de « 397 » par « 397.2 » et cette modification s'applique selon les mêmes modalités que la modification du préambule de l'article 383.

Le sous-paragraphe a) du paragraphe 2° de l'article 387.1 a été modifié par L.Q. 2005, c. 38, s.–par. 379(1)(4°) par le remplacement de « 397 » par « 397.2 ». Cette modification s'applique selon les mêmes modalités que la modification du préambule de l'article 383.

L'article 387.1 a été ajouté par L.Q. 2001, c. 53, art. 362 et a effet depuis le 1er juillet 1992.

Guides [art. 387.1]: IN-228 — La TVQ et la TPS/TVH pour les organismes de bienfaisance.

397, modifiés par L.Q. 1997, c. 85, à l'égard de la taxe exigée non admissible au remboursement de la taxe sur les intrants pour les périodes de demande commençant après le 23 avril 1996. Antérieurement, il se lisait ainsi :

392. Une personne peut révoquer le choix qu'elle a effectué en vertu de l'article 389, auquel cas la révocation prend effet le premier jour d'une période de demande de la personne.

L'article 392 a été modifié par L.Q. 1994, c. 22, art. 581(1) et est réputé entré en vigueur le 1er juillet 1992. L'article 392, édicté par L.Q. 1991, c. 67, se lisait comme suit :

392. La révocation d'un choix effectué en vertu de l'article 389 par une personne doit :

1º d'une part, être effectuée au moyen du formulaire prescrit contenant les renseignements prescrits;

2º d'autre part, être produite au ministre de la manière prescrite par ce dernier au plus tard le premier en date des jours suivants :

a) le jour où la personne produit au ministre une demande de remboursement en vertu de l'article 387 à l'égard de la taxe payable par celle-ci au cours de la période de demande où la révocation doit prendre effet;

b) le jour où la personne produit au ministre la déclaration requise en vertu du chapitre huitième pour sa période de déclaration au cours de laquelle la révocation doit prendre effet.

COMMENTAIRES: Voir les commentaires sous l'article 397.2.

393. [*Abrogé*]

Notes historiques: L'article 393 a été abrogé par L.Q. 1997, c. 85, art. 670(1) et cette abrogation s'applique aux fins du calcul des remboursements en vertu des articles 383 à 397, modifiés par L.Q. 1997, c. 85, à l'égard de la taxe exigée non admissible au remboursement de la taxe sur les intrants pour les périodes de demande commençant après le 23 avril 1996. Antérieurement, il se lisait ainsi :

393. Le choix prévu à l'article 389 qui est effectué par une personne cesse d'être en vigueur le premier en date des moments suivants :

1º celui où la personne cesse d'être une personne prescrite pour l'application de l'article 389;

2º celui où une révocation du choix entre en vigueur.

L'article 393 a été modifié par L.Q. 1994, c. 22, art. 581(1) et est réputé entré en vigueur le 1er juillet 1992. L'article 393, édicté par L.Q. 1991, c. 67, se lisait comme suit :

393. Dans le cas où une personne qui a effectué un choix en vertu de l'article 389 cesse d'être un inscrit, celle-ci est réputée avoir révoqué le choix conformément à l'article 392 immédiatement avant de cesser d'être un inscrit.

COMMENTAIRES: Voir les commentaires sous l'article 397.2.

394. Organisme déterminé de services publics — Dans le cas où un organisme déterminé de services publics acquiert, ou apporte au Québec, un bien ou un service principalement pour consommation, utilisation ou fourniture dans le cadre d'activités exercées par un autre organisme déterminé de services publics, aux fins du calcul du montant de son remboursement en vertu de l'article 386 à l'égard de la taxe exigée non admissible au remboursement de la taxe sur les intrants relativement au bien ou au service pour une de ses périodes de demande, l'organisme est réputé exercer ces activités.

Notes historiques: L'article 394 a été remplacé par L.Q. 2005, c. 38, par. 381(1) et cette modification s'applique selon les mêmes modalités que la modification du préambule de l'article 383. Antérieurement, il se lisait ainsi :

394. Dans le cas où un organisme déterminé de services publics, visé à l'un des paragraphes de la définition de cette expression prévue à l'article 383, acquiert, ou apporte au Québec, un bien ou un service principalement pour consommation, utilisation ou fourniture dans le cadre d'activités exercées par un autre organisme visé à un autre des paragraphes de cette définition, aux fins du calcul du montant de son remboursement en vertu de l'article 386 à l'égard de la taxe exigée non admissible au remboursement de la taxe sur les intrants relativement au bien ou au service pour une de ses périodes de demande, l'organisme est réputé exercer ces activités.

L'article 394 a été remplacé par L.Q. 1997, c. 85, art. 671(1) et cette modification a effet à l'égard d'un bien ou d'un service acquis, ou apporté au Québec, en vertu d'une convention conclue après le 31 décembre 1996. Toutefois, dans le cas d'un bien ou d'un service qui est, selon le cas, délivré, exécuté ou rendu disponible de façon continue au moyen d'un fil, d'un pipeline ou d'une autre canalisation, il a effet à l'égard d'un bien ou d'un service facturé pour une période habituelle commençant après le 31 décembre 1996.

Antérieurement, il se lisait ainsi :

394. Dans le cas où un organisme déterminé de services publics, visé à l'un des paragraphes de la définition de cette expression prévue à l'article 383, acquiert, ou apporte au Québec, un bien ou un service principalement pour consommation, utilisation ou fourniture dans le cadre d'activités exercées par un autre organisme visé à un autre des paragraphes de cette définition, aux fins du calcul du montant de son remboursement en vertu des articles 386 ou 386.1 à l'égard de la taxe exigée non admissible au remboursement de la taxe sur les intrants relativement au bien ou au service pour une de ses périodes de demande, l'organisme est réputé exercer ces activités.

L'article 394 a été remplacée par L.Q. 1994, c. 22, par. 581(1) et cette modification est réputée entrée en vigueur le 1er juillet 1992. L'article 394, édicté par L.Q. 1991, c. 67, se lisait comme suit :

394. Dans le cas où une taxe est payable par un organisme déterminé de services publics à l'égard d'un bien ou d'un service qu'il acquiert, ou apporte au Québec, principalement pour consommation, utilisation ou fourniture dans le cadre d'activités exercées par un autre organisme semblable, aux fins du calcul du montant de son remboursement en vertu de l'article 386 à l'égard de la taxe, l'organisme est réputé exercer ces activités.

Définitions [art. 394]: « activité désignée » — 139; « bien », « fourniture », « montant » — 1; « organisation paramunicipale », « organisme désigné du gouvernement du Québec » — 139; « organisme déterminé de services publics », « remboursement à certains organismes » — 383; « service », « taxe » — 1.

Renvois [art. 394]: 169.2 (fourniture entre différentes entités); 207 (nouvel inscrit); 378.18 (restrictions au remboursement); 379 (vente d'immeuble par un non-inscrit); 389 (choix visant le calcul simplifié); 670.5 (remboursement transitoire de la taxe de vente à l'égard d'un immeuble d'habitation); 670.8 (calcul du remboursement transitoire de la taxe de vente à l'égard d'un immeuble d'habitation à une coopérative); 670.34 (remboursement transitoire — taxe de vente d'un immeuble); 670.37 (remboursement transitoire — taxe de vente d'un immeuble); 670.63 (remboursement à l'égard de la fourniture d'un immeuble d'habitation); 670.65 (remboursement pour une coopérative d'habitation); 670.66 (montant du remboursement pour une coopérative d'habitation).

Lettres d'interprétation [art. 394]: 03-0110936 — Interprétation relative à la TPS et à la TVQ — taux de remboursement partiel des taxes — construction d'un immeuble par une municipalité.

Concordance fédérale: LTA, par. 259(7).

COMMENTAIRES: Voir les commentaires sous l'article 397.2.

395. Organisme déterminé de services publics — Dans le cas où une personne acquiert, ou apporte au Québec, un bien ou un service principalement pour consommation, utilisation ou fourniture dans le cadre d'activités qu'elle exerce au titre d'un organisme déterminé de services publics visé à l'un des paragraphes de la définition de l'expression « organisme déterminé de services publics » prévue à l'article 383, le montant de son remboursement en vertu de l'article 386 à l'égard de la taxe exigée non admissible au remboursement de la taxe sur les intrants relativement au bien ou au service pour une période de demande, doit être calculé comme si la personne n'était pas un organisme déterminé de services publics visé à un autre des paragraphes de cette définition.

Notes historiques: L'article 395 a été modifié par L.Q. 2005, c. 38, par. 382(1) par le remplacement des mots « cette expression » par « l'expression « organisme déterminé de services publics ». Cette modification s'applique selon les mêmes modalités que la modification du préambule de l'article 383.

L'article 395 a été remplacé par L.Q. 1997, c. 85, art. 672(1) et cette modification a effet à l'égard d'un bien ou d'un service acquis, ou apporté au Québec, en vertu d'une convention conclue après le 31 décembre 1996. Toutefois, dans le cas d'un bien ou d'un service qui est, selon le cas, délivré, exécuté ou rendu disponible de façon continue au moyen d'un fil, d'un pipeline ou d'une autre canalisation, il a effet à l'égard d'un bien ou d'un service facturé pour une période habituelle commençant après le 31 décembre 1996.

Antérieurement, cet article se lisait ainsi :

395. Dans le cas où une personne acquiert, ou apporte au Québec, un bien ou un service principalement pour consommation, utilisation ou fourniture dans le cadre d'activités qu'elle exerce au titre d'un organisme déterminé de services publics visé à l'un des paragraphes de la définition de cette expression prévue à l'article 383, le montant de son remboursement en vertu des articles 386 ou 386.1 à l'égard de la taxe exigée non admissible au remboursement de la taxe sur les intrants relativement au bien ou au service pour une période de demande, doit être calculé comme si la personne n'était pas un organisme déterminé de services publics visé à un autre des paragraphes de cette définition.

L'article 395 a été modifié par L.Q. 1994, c. 22, art. 581(1) et est réputé entré en vigueur le 1er juillet 1992. L'article 395, édicté par L.Q. 1991, c. 67, se lisait comme suit :

395. Dans le cas où une taxe est payable par une personne à l'égard d'un bien ou d'un service qu'elle acquiert, ou apporte au Québec, principalement pour consommation, utilisation ou fourniture dans le cadre d'activités qu'elle exerce à titre d'organisme déterminé de services publics, le montant de son remboursement en

LTVQ (français)

vertu de l'article 386 à l'égard de la taxe doit être calculé comme si la personne n'était pas un tel organisme.

Définitions [art. 395]: « activité désignée » — 139; « bien », « fourniture », « montant » — 1; « organisation paramunicipale », « organisme désigné du gouvernement du Québec » — 139; « organisme déterminé de services publics », « période de demande » — 383; « personne » — 1; « remboursement à certains organismes » — 383; « service », « taxe » — 1; « taxe exigée non admissible au remboursement de la taxe sur les intrants » — 383.

Renvois [art. 395]: 169.2 (fourniture entre différentes entités); 207 (nouvel inscrit); 378.18 (restrictions au remboursement); 379 (vente d'immeuble par un non-inscrit); 389 (choix visant le calcul simplifié); 670.34 (remboursement transitoire — taxe de vente d'un immeuble); 670.37 (remboursement transitoire — taxe de vente d'un immeuble); 670.63 (remboursement à l'égard de la fourniture d'un immeuble d'habitation); 670.65 (remboursement pour une coopérative d'habitation); 670.66 (montant du remboursement pour une coopérative d'habitation).

Concordance fédérale: LTA, par. 259(8).

COMMENTAIRES: Voir les commentaires sous l'article 397.2.

396. Divisions ou succursales — Dans le cas où une personne qui a droit à un remboursement en vertu de l'article 386 exerce une ou plusieurs activités dans des divisions ou des succursales distinctes et est autorisée, en vertu de l'article 475, à produire des déclarations distinctes en vertu du chapitre VIII à l'égard d'une division ou d'une succursale, les règles suivantes s'appliquent :

1º la personne doit produire des demandes distinctes en vertu de l'article 387 à l'égard de la division ou de la succursale;

2º la personne ne peut effectuer plus d'une telle demande à l'égard de la division ou de la succursale pour une période de demande de la personne.

Notes historiques: Le préambule de l'article 396 a été remplacé par L.Q. 1997, c. 85, art. 673(1) et a effet à l'égard d'un bien ou d'un service acquis, ou apporté au Québec, en vertu d'une convention conclue après le 31 décembre 1996. Toutefois, dans le cas d'un bien ou d'un service qui est, selon le cas, délivré, exécuté ou rendu disponible de façon continue au moyen d'un fil, d'un pipeline ou d'une autre canalisation, il a effet à l'égard d'un bien ou d'un service facturé pour une période habituelle commençant après le 31 décembre 1996.

Antérieurement, le préambule se lisait ainsi :

> 396. Dans le cas où une personne qui a droit à un remboursement en vertu des articles 386 ou 386.1 exerce une ou plusieurs activités dans des divisions ou des succursales distinctes et est autorisée, en vertu de l'article 475, à produire des déclarations distinctes en vertu du chapitre VIII à l'égard d'une division ou d'une succursale, les règles suivantes s'appliquent :

L'article 396 a été modifié par L.Q. 1994, c. 22, art. 581(1) et est réputé entré en vigueur le 1er juillet 1992. L'article 396, édicté par L.Q. 1991, c. 67, se lisait comme suit :

> 396. Dans le cas où une personne qui a droit à un remboursement en vertu de l'article 386 exerce une ou plusieurs activités dans des divisions ou des succursales distinctes et est autorisée, en vertu de l'article 475, à produire des déclarations distinctes en vertu du chapitre huitième à l'égard d'une division ou d'une succursale, les règles suivantes s'appliquent :
>
> 1º la personne doit produire des demandes distinctes en vertu de l'article 387 à l'égard de la division ou de la succursale;
>
> 2º la division ou la succursale ne peut effectuer plus d'une demande de remboursement en vertu de l'article 387 pour une période de demande de la personne.

Guides [art. 396]: IN-229 — La TVQ, la TPS/TVH pour les organismes sans but lucratif; IN-305 — Les organismes sans but lucratif et la fiscalité.

Définitions [art. 396]: « activité désignée », « organisation paramunicipale » — 139; « organisme de bienfaisance » — 1; « organisme désigné du gouvernement du Québec » — 139; « organisme sans but lucratif » — 1; « période de demande » — 383; « personne » — 1.

Renvois [art. 396]: 169.2 (fourniture entre différentes entités); 207 (nouvel inscrit); 378.18 (restrictions au remboursement); 379 (vente d'immeuble par un non-inscrit); 388 (une demande par période); 389 (choix visant le calcul simplifié); 670.34 (remboursement transitoire — taxe de vente d'un immeuble); 670.37 (remboursement transitoire — taxe de vente d'un immeuble); 670.63 (remboursement à l'égard de la fourniture d'un immeuble d'habitation); 670.65 (remboursement pour une coopérative d'habitation); 670.66 (montant du remboursement pour une coopérative d'habitation).

Concordance fédérale: LTA, par. 259(10).

COMMENTAIRES: Voir les commentaires sous l'article 397.2.

397. Application des articles 474 et 475 — Dans le cas où une personne qui n'a pas effectué une demande en vertu de l'article 474 a droit à un remboursement en vertu de l'article 386 et exerce une ou plusieurs activités dans des divisions ou des succursales distinctes, les règles suivantes s'appliquent :

1º les articles 474 et 475 s'appliquent à la personne en y remplaçant les expressions « activités commerciales » par « activités », « déclarations distinctes en vertu du présent chapitre » et « déclarations distinctes » par « demandes en vertu de l'article 387 » et « inscrit » par « personne »;

2º dans le cas où, par l'effet du présent article, une division ou une succursale de la personne est autorisée en vertu de l'article 475 à produire des demandes de remboursement distinctes en vertu de l'article 387, la personne ne peut produire plus d'une telle demande à l'égard de la division ou de la succursale pour une période de demande de la personne;

3º dans le cas où, par l'effet du présent article, la personne est autorisée en vertu de l'article 475 à produire des demandes de remboursement distinctes en vertu de l'article 387 relativement à une division ou à une succursale et que la personne est tenue de produire des déclarations en vertu du chapitre VIII, celle-ci doit produire des déclarations distinctes en vertu de ce chapitre à l'égard de la division ou de la succursale.

Notes historiques: Le préambule de l'article 397 a été remplacé par L.Q. 1997, c. 85, art. 674(1) et a effet à l'égard d'un bien ou d'un service acquis, ou apporté au Québec, en vertu d'une convention conclue après le 31 décembre 1996. Toutefois, dans le cas d'un bien ou d'un service qui est, selon le cas, délivré, exécuté ou rendu disponible de façon continue au moyen d'un fil, d'un pipeline ou d'une autre canalisation, il a effet à l'égard d'un bien ou d'un service facturé pour une période habituelle commençant après le 31 décembre 1996.

Antérieurement, le préambule se lisait ainsi :

> 397. Dans le cas où une personne qui n'a pas effectué une demande en vertu de l'article 474 a droit à un remboursement en vertu des articles 386 ou 386.1 et exerce une ou plusieurs activités dans des divisions ou des succursales distinctes, les règles suivantes s'appliquent :

L'article 397 a été modifié par L.Q. 1994, c. 22, art. 581(1) et est réputé entré en vigueur le 1er juillet 1992. L'article 397, édicté par L.Q. 1991, c. 67, se lisait comme suit :

> 397. Dans le cas où une personne qui n'a pas effectué une demande en vertu de l'article 474 a droit à un remboursement en vertu de l'article 386 et exerce une ou plusieurs activités dans des divisions ou des succursales distinctes, les règles suivantes s'appliquent :
>
> 1º les articles 474 et 475 s'appliquent à la personne en y remplaçant les expressions « activités commerciales » par « activités », « déclarations distinctes en vertu du présent chapitre » et « déclarations distinctes » par « demandes en vertu de l'article 387 » et « inscrit » par « personne »;
>
> 2º dans le cas où, par application du présent article, une division ou une succursale de la personne est autorisée en vertu de l'article 475 à produire des demandes de remboursement distinctes en vertu de l'article 387, la division ou la succursale ne peut produire plus d'une telle demande pour une période de demande de la personne;
>
> 3º dans le cas où, par application du présent article, la personne est autorisée en vertu de l'article 475 à produire des demandes de remboursement distinctes en vertu de l'article 387 relativement à une division ou à une succursale et que la personne est tenue de produire des déclarations en vertu du chapitre huitième, celle-ci doit produire des déclarations distinctes en vertu de ce chapitre relativement à la division ou à la succursale.

Guides [art. 397]: IN-229 — La TVQ, la TPS/TVH pour les organismes sans but lucratif; IN-305 — Les organismes sans but lucratif et la fiscalité.

Définitions [art. 397]: « activité désignée » — 139; « inscrit » — 1; « organisation paramunicipale » — 139; « organisme de bienfaisance » — 1; « organisme désigné du gouvernement du Québec » — 139; « organisme sans but lucratif » — 1; « période de demande » — 383; « personne » — 1.

Renvois [art. 397]: 169.2 (fourniture entre différentes entités); 207 (nouvel inscrit); 378.18 (restrictions au remboursement); 379 (vente d'immeuble par un non-inscrit); 388 (une demande par période); 389 (choix visant le calcul simplifié); 477.1 (production de déclarations distinctes); 670.34 (remboursement transitoire — taxe de vente d'un immeuble); 670.37 (remboursement transitoire — taxe de vente d'un immeuble); 670.63 (remboursement à l'égard de la fourniture d'un immeuble d'habitation); 670.65 (remboursement pour une coopérative d'habitation); 670.66 (montant du remboursement pour une coopérative d'habitation).

Formulaires [art. 397]: FP-530, Demande présentée par un organisme de services publics afin que ses succursales ou ses divisions présentent une demande distincte de remboursement; FP-2010, Demande de production de déclarations distinctes — Demande de remboursement distincte — Révocation de l'une ou l'autre des demandes.

Concordance fédérale: LTA, par. 259(11).

COMMENTAIRES: Voir les commentaires sous l'article 397.2.

397.1 Totalité de la taxe réputée avoir été engagée — Pour l'application des articles 383 à 397.2, dans le cas où une personne engage la totalité ou la presque totalité de la taxe qui est incluse dans le calcul du montant de la taxe exigée non admissible au remboursement de la taxe sur les intrants à l'égard d'un bien ou d'un service pour une période de demande de la personne agissant à titre d'administration hospitalière, d'exploitant d'établissement ou de fournisseur externe, la personne est réputée avoir engagé la totalité de la taxe qui est incluse dans le calcul de ce montant dans le cadre de l'exécution de ses responsabilités à titre, selon le cas, d'administration hospitalière, d'exploitant d'établissement ou de fournisseur externe.

Notes historiques: L'article 397.1 a été ajouté par L.Q. 2005, c. 38, par. 383(1) et s'applique selon les mêmes modalités que la modification du préambule de l'article 383.

Renvois [art. 397.1]: 670.34 (remboursement transitoire — taxe de vente d'un immeuble); 670.63 (remboursement à l'égard de la fourniture d'un immeuble d'habitation); 670.65 (remboursement pour une coopérative d'habitation); 670.66 (montant du remboursement pour une coopérative d'habitation).

Concordance fédérale: LTA, par. 259(14).

COMMENTAIRES: Voir les commentaires sous l'article 397.2.

397.2 Répartition du remboursement — Exception — Malgré les articles 386 et 386.2, dans le cas où une personne qui est une administration hospitalière, un exploitant d'établissement ou un fournisseur externe est tenue de calculer, pour sa période de demande, un montant donné qui est déterminé, à l'égard d'une fourniture déterminée d'un de ses biens effectuée à un moment quelconque, selon la formule prévue au paragraphe 2° du premier alinéa de l'article 386.2 pour la période de demande et que la valeur de la lettre C prévue au paragraphe 3° du deuxième alinéa de l'article 386.2 est la mesure dans laquelle la personne avait l'intention, à ce moment, de consommer, d'utiliser ou de fournir le bien dans le cadre d'activités déterminées, le montant donné doit être déterminé selon la formule suivante :

$$A \times [(B - C) / B].$$

Application — Pour l'application de la formule prévue au premier alinéa :

1° la lettre A représente le montant qui, en l'absence du présent article, serait déterminé comme étant le montant donné;

2° la lettre B représente la juste valeur marchande du bien au moment de la fourniture;

3° la lettre C représente la juste valeur marchande du bien au 1er janvier 2005.

Notes historiques: L'article 397.2 a été ajouté par L.Q. 2005, c, 38, par. 383(1) et s'applique selon les mêmes modalités que la modification du préambule de l'article 383.

Renvois [art. 397.2]: 139 (Organisme de secteur public); 169.2 (Fourniture entre organisations municipales); 247 (Valeur d'une voiture de tourisme); 378.18 (Restriction au remboursement); 389 (Choix pour calcul simplifié); 670.5 (remboursement transitoire de la taxe de vente à l'égard d'un immeuble d'habitation); 670.8 (calcul du remboursement transitoire de la taxe de vente à l'égard d'un immeuble d'habitation à une coopérative); 670.34 (remboursement transitoire — taxe de vente d'un immeuble); 670.37 (remboursement transitoire — taxe de vente d'un immeuble); 670.63 (remboursement à l'égard de la fourniture d'un immeuble d'habitation); 670.65 (remboursement pour une coopérative d'habitation); 670.66 (montant du remboursement pour une coopérative d'habitation); RTVQ, 386R9.1 (Bien ou service prescrit); RTVQ, 389R10 (Calcul du remboursement); RTVQ, 389R11 (Présomption).

Concordance fédérale: LTA, par. 259(15).

COMMENTAIRES: L'article 385 prévoit qu'une personne est un organisme à but non lucratif admissible à un moment donné de son exercice si, à ce moment, elle est un organisme à but non lucratif et que son pourcentage de financement public pour l'exercice est d'au moins 40 %.

Pour se qualifier à titre d'organisme sans but lucratif, Revenu Québec a indiqué que les trois critères suivants devaient être rencontrés : (i) être constitué exclusivement à des fins non lucratives, (ii) être administré exclusivement à des fins non lucratives, et (iii) aucune partie de son revenu ne doit être payable à ses membres ou autrement disponible pour leur profit personnel. En l'espèce, l'association ne se qualifiait pas en fonction des critères énoncés ci-dessus et par conséquent, elle n'était pas admissible au remboursement partiel de la TVQ. Voir à cet effet : Revenu Québec, Lettre d'interprétation, 12-014302-001 — *Qualification d'organisme à but non lucratif* (31 octobre 2012).

De l'avis de Revenu Québec, un organisme sans but lucratif admissible doit être un organisme sans but lucratif en plus d'avoir un pourcentage de financement public pour son exercice d'au moins 40 %. Ce pourcentage est de rigueur pour être admissible à la qualification d'« organisme sans but lucratif admissible ». Voir notamment à cet effet : Revenu Québec, Lettre d'interprétation, 99-0106510 (28 juillet 1998) et Lettre d'interprétation, 99-0109787 — *Interprétation relative à la TPS et à la TVQ* (20 juin 2000).

La question se pose donc quant à l'étendue de ce que constitue le financement public. Revenu Québec s'est penché sur cette question dans la position administrative suivante : Lettre d'interprétation 02-0109419 — *Interprétation relative à la TPS et à la TVQ — Montant de financement public pour un exercice* (29 octobre 2002). De l'avis de Revenu Québec, en vertu de l'article 3 du *Règlement sur les remboursements aux organismes de services publics* (TPS/TVH), un organisme de services publics doit prendre en compte, dans l'établissement de son pourcentage de financement public pour un exercice donné, les montants qui figurent dans ses états financiers annuels pour l'exercice à titre de montants de financement public reçus ou à recevoir au cours de l'exercice, tout dépendant de la méthode comptable utilisée pour déterminer son revenu ou son financement pour l'exercice. Ainsi, si l'organisme utilise un système de comptabilité de caisse, il doit prendre en compte les montants de financement public qu'il a réellement reçus au cours d'un exercice donné. Par contre, si l'organisme utilise plutôt un système de comptabilité d'exercice, il doit prendre en compte les montants de financement public qu'il a reçu au cours d'un exercice donné ainsi que ceux qu'il devait recevoir au cours du même exercice. En l'espèce, de l'avis de Revenu Québec, puisque l'aide financière est versée à l'organisme au moyen de versements mensuels effectués sur une période de 15 ans à l'institution financière pour et à l'acquit de l'organisme, ce sont ces versements mensuels qui doivent être pris en compte pour l'établissement du pourcentage de financement public de l'organisme et non pas la totalité du montant de l'aide financière que le subventionnaire s'est engagé à verser à l'organisme. En effet, selon Revenu Québec, seuls les montants de financement public effectivement reçus ou à recevoir par l'Organisme au cours de l'exercice peuvent être pris en considération dans le calcul du pourcentage applicable à l'Organisme. Voir également au même effet : Revenu Québec, Lettre d'interprétation, 06-0101847 — Interprétation relative à la TPS et à la TVQ — *Gestion du complexe sportif d'une municipalité par un OSBL* (26 juillet 2006).

Dans le cadre d'une autre position administrative, Revenu Québec a indiqué que la définition de l'expression « pourcentage de financement public » réfère au *Règlement sur les remboursements aux organismes de services publics* et que dans le cadre du calcul de ce pourcentage, on doit notamment considérer le « montant de financement public » reçu par l'organisme. Cette dernière expression se définit à l'article 2 dudit règlement comme suit :

> « Le montant de financement public d'une personne s'entend : a) de toute somme d'argent, y compris un prêt à remboursement conditionnel, mais à l'exclusion de tout autre type de prêt et des remboursements, ristournes, remises ou crédits de frais, droits ou taxes imposés en application d'une loi, qui est facilement vérifiable et qui est payée ou payable à la personne par un subventionnaire : (i) soit en vue de l'aider financièrement à atteindre ses objectifs et non en contrepartie de fournitures, (ii) soit en contrepartie des biens ou des services qu'elle met à la disposition d'autres personnes (exception faite du subventionnaire, des particuliers qui en sont les cadres, salariés actionnaires ou membres et des personnes liées au subventionnaire ou à ces particuliers), au moyen de fournitures exonérées; b) de toute somme d'argent payée ou payable à la personne soit par un organisme intermédiaire qui a reçu le montant d'un subventionnaire, soit par un autre organisme qui a reçu le montant d'un organisme intermédiaire, lorsque, à la fois : (i) dans le cas d'un montant qui, après 1990, devient payable ou est payé à la personne, l'organisme intermédiaire ou l'autre organisme remet à la personne, au moment du paiement, une attestation en la forme déterminée par le ministre portant que le montant constitue un montant de financement public, (ii) le montant serait un montant de financement public de la personne par l'effet de l'alinéa a) si le subventionnaire le lui versait directement dans le même but que celui dans lequel l'organisme intermédiaire ou l'autre organisme, selon le cas, le lui a versé et si cet organisme était compris dans la notion de « subventionnaire » au sous-alinéa a)(ii). »

Dans la situation soumise à Revenu Québec, il a été décidé que la subvention respectait la définition reproduite ci-dessus, de sorte qu'elle représente un montant de financement public. Voir à cet effet : Revenu Québec, Lettre d'interprétation, 00-0109470 — Interprétation relative à la TPS et à la TVQ — *Montant versé à des prestataires de services de garde et le calcul du pourcentage de financement public* (4 décembre 2000).

Dans le cadre d'une autre situation, Revenu Québec a indiqué que les sommes reçues de la part du Service d'aide financière d'hébergement et d'aide domestique (SAFHAD) de la RAMQ dans le cadre du PEFSAD ne se qualifient pas à titre de « montant de financement public », car ces sommes constituent une aide financière accordée aux bénéficiaires des services. Voir à cet effet : Revenu Québec, Lettre d'interprétation, 00-0100610 -- *Interprétation relative à la TPS et à la TVQ — Qualification à titre d'organisme à but non lucratif et à titre d'organisme à but non lucratif admissible* (20 avril 2000).

À l'égard de la définition du terme « municipalité » qui figure à l'article 383, nous vous référons à la position suivante de Revenu Québec : Lettre d'interprétation, 06-0101847 — Interprétation relative à la TPS et à la TVQ — *Gestion du complexe sportif d'une municipalité par un OSBL* (26 juillet 2006), où Revenu Québec fait référence au bulletin B-046 de l'Agence du revenu du Canada qui prévoit notamment que, pour être admissible à titre de municipalité en vertu de la définition de ce terme à l'article 123(1) de la *Loi sur la taxe d'accise (TPS)*, une personne morale, telle que l'organisme sans but lucratif, doit avoir été créé par une province ou une municipalité et doit appartenir à une municipalité ou être contrôlée par celle-ci. En l'espèce, Revenu Québec a conclu que l'organisme sans but lucratif ne pouvait être désigné comme municipalité puisque les fournitures qu'elle effectue ne sont pas des fournitures de services municipaux exonérés.

À titre indicatif, vous trouverez ci-dessous un tableau comparatif établissant les taux de remboursement en vigueur en date des présentes en matière de TVQ et de TPS en vertu respectivement de la *Loi sur la taxe de vente du Québec* et de la *Loi sur la taxe d'accise (TPS)* :

ENTITÉS ADMISSIBLES	Taux du remboursement applicable en TVQ	Taux du remboursement applicable en TPS
Organisme de bienfaisance, organisme à but non lucratif admissible (pourcentage de financement public d'au moins 40 %) qui n'est pas un organisme déterminé de services publics	50 %	50 %
Administration hospitalière, exploitant d'établissement ou fournisseur externe	51,5 %	83 %
Administration scolaire	47 %	68 %
Université ou collège public	47 %	67 %
Municipalité	Aucun	100 %

Il est à noter que bien que le taux de remboursement offert aux municipalités soit de 0 %, celles-ci bénéficient, sous réserve de certaines conditions, à une compensation, et ce, en vertu des articles 388.1 à 388.4. Aux fins de l'application de la *Loi sur l'administration fiscale*, le montant de compensation ainsi reçu est réputé être un remboursement.

Il est à noter qu'en raison de la différence des taux, il peut être avantageux pour un organisme sans but lucratif de se qualifier à titre d'administration hospitalière ou scolaire pour bénéficier du taux de remboursement plus élevé.

Compte tenu de la similarité de la rédaction des dispositions législatives et considérant l'engagement spécifique de Revenu Québec de veiller à ce que l'assiette de TVQ modifiée, de même que les paramètres administratifs, structurels et définitionnels, produisent des résultats qui sont identiques à ceux produits sous le régime de la TPS/TVH et soient administrés d'une manière qui produit des résultats identiques, tel que reflété par l'article 14 de l'*Entente intégrée globale de coordination fiscale* signée entre le gouvernement du Canada et le gouvernement du Québec, nous vous référons à nos commentaires en vertu de l'article 259 de *Loi sur la taxe d'accise (TPS)* qui devraient s'appliquer *mutatis mutandis*, avec les adaptations nécessaires.

Section § 5.1 — Remboursement à la Légion royale canadienne

Notes historiques: L'intitulé de la section 5.1 a été ajouté par L.Q. 2012, c. 8, par. 270(1) et s'applique à l'égard de la taxe qui devient payable après le 31 décembre 2009 ou qui est payée après cette date sans qu'elle soit devenue payable.

397.3 Pour l'application de la présente sous-section, l'expression :

« entité de la Légion » signifie la direction nationale, une direction provinciale ou une filiale de la Légion royale canadienne;

Concordance fédérale: LTA, par. 259.2(1)« entité de la Légion ».

« période de demande » a le sens que lui donne l'article 383.

Concordance fédérale: LTA, par. 259.2(1)« période de demande ».

L.Q. 2012, c. 8, art. 270.

Notes historiques: L'article 397.3 a été ajouté par L.Q. 2012, c. 8, par. 270(1) et s'applique à l'égard de la taxe qui devient payable après le 31 décembre 2009 ou qui est payée après cette date sans qu'elle soit devenue payable.

Notes explicatives ARQ (PL 63, L.Q. 2012, c. 8): *Résumé* :

La *Loi sur la taxe de vente du Québec* (LTVQ) est modifiée pour y introduire deux nouvelles définitions, soit celle de l'expression « entité de la Légion » et celle de « période de demande ». Ces définitions sont nécessaires à l'application des nouvelles dispositions introduites dans la LTVQ, lesquelles prévoient un remboursement de la taxe de vente du Québec (TVQ) payée par la direction nationale, une direction provinciale ou une filiale de la Légion royale canadienne relativement à l'acquisition ou à l'apport au Québec de coquelicots et de couronnes.

Contexte :

L'article 169.1 de la LTVQ prévoit l'exonération des fournitures de coquelicots et de couronnes effectuées notamment par la direction nationale, par une direction provinciale ou par une filiale de la Légion royale canadienne dans le cadre de la journée du Souvenir. Par ailleurs, ces derniers n'ont droit à aucun remboursement de la TVQ qu'ils paient lors de l'acquisition de ces articles auprès de fournisseurs du secteur privé.

Modifications proposées :

Pour l'application des articles 397.4 à 397.6 de la LTVQ, l'expression « période de demande » a la même signification qu'à l'article 383 de la LTVQ. Ainsi, elle signifie, dans le cas d'un inscrit, sa période de déclaration, ou dans le cas d'un non-inscrit, les deux premiers ou les deux derniers trimestres d'un exercice donné.

L'expression « entité de la Légion » signifie la direction nationale, une direction provinciale ou une filiale de la Légion royale canadienne.

397.4 Sous réserve de l'article 397.5, une entité de la Légion qui acquiert ou apporte au Québec un bien qui est un coquelicot ou une couronne a droit à un remboursement égal au montant de taxe qui devient payable par elle ou qui est payé par elle sans qu'il soit devenu payable, au cours d'une période de demande, relativement à l'acquisition ou à l'apport.

L.Q. 2012, c. 8, art. 270.

Notes historiques: L'article 397.4 a été ajouté par L.Q. 2012, c. 8, par. 270(1) et s'applique à l'égard de la taxe qui devient payable après le 31 décembre 2009 ou qui est payée après cette date sans qu'elle soit devenue payable.

Dans le cas où, en l'absence du présent paragraphe, une demande visant le remboursement prévu à l'article 397.4, devrait être produite par une entité de la Légion avant le 9 mai 2016 afin que le remboursement puisse être effectué, l'article 397.5, doit se lire en remplaçant « dernier jour de la période de demande » par « 9 mai 2012 ».

Notes explicatives ARQ (PL 63, L.Q. 2012, c. 8): *Résumé* :

Le nouvel article 397.4 de la *Loi sur la taxe de vente du Québec* (LTVQ) prévoit un remboursement de la taxe de vente du Québec (TVQ) payable, ou payée sans être devenue payable, par une entité de la Légion relativement à l'acquisition ou à l'apport au Québec de coquelicots et de couronnes.

Contexte :

Voir la rubrique « Contexte » de la note explicative relative au nouvel article 397.3 de la LTVQ.

Modifications proposées :

Le nouvel article 397.4 de la LTVQ prévoit un remboursement de la TVQ payable, ou payée sans être devenue payable, par une entité de la Légion relativement à l'acquisition ou à l'apport au Québec de coquelicots et de couronnes.

Concordance fédérale: LTA, par. 259.2(2).

397.5 Une entité de la Légion a droit au remboursement prévu à l'article 397.4 à l'égard de la taxe qui devient payable par elle ou qui est payée par elle sans qu'elle soit devenue payable, au cours d'une période de demande, seulement si elle produit une demande de remboursement dans les quatre ans suivant le dernier jour de la période de demande.

L.Q. 2012, c. 8, art. 270.

Notes historiques: L'article 397.5 a été ajouté par L.Q. 2012, c. 8, par. 270(1) et s'applique à l'égard de la taxe qui devient payable après le 31 décembre 2009 ou qui est payée après cette date sans qu'elle soit devenue payable.

Dans le cas où, en l'absence du présent paragraphe, une demande visant le remboursement prévu à l'article 397.4, devrait être produite par une entité de la Légion avant le 9 mai 2016 afin que le remboursement puisse être effectué, l'article 397.5, doit se lire en remplaçant « dernier jour de la période de demande » par « 9 mai 2012 ».

Notes explicatives ARQ (PL 63, L.Q. 2012, c. 8): *Résumé* :

Le nouvel article 397.5 de la *Loi sur la taxe de vente du Québec* (LTVQ) précise le délai dont dispose une entité de la Légion pour produire sa demande de remboursement aux termes de l'article 397.4.

Contexte :

Voir la rubrique « Contexte » de la note explicative relative au nouvel article 397.3 de la LTVQ.

Modifications proposées :

Selon le nouvel article 397.5 de la LTVQ, une entité de la Légion dispose d'un délai de quatre ans après l'expiration de sa période de demande au cours de laquelle la taxe de vente du Québec est devenue payable, ou a été payée sans être devenue payable pour demander le remboursement de cette taxe.

Concordance fédérale: LTA, par. 259.2(3).

397.6 Une entité de la Légion ne peut effectuer plus d'une demande de remboursement, en vertu de la présente sous-section, par période de demande.

L.Q. 2012, c. 8, art. 270.

Notes historiques: L'article 397.6 a été ajouté par L.Q. 2012, c. 8, par. 270(1) et s'applique à l'égard de la taxe qui devient payable après le 31 décembre 2009 ou qui est payée après cette date sans qu'elle soit devenue payable.

Notes explicatives ARQ (PL 63, L.Q. 2012, c. 8): *Résumé* :

Le nouvel article 397.6 de la *Loi sur la taxe de vente du Québec* (LTVQ) prévoit qu'une seule demande de remboursement peut être effectuée par période de demande.

Contexte :

Voir la rubrique « Contexte » de la note explicative relative au nouvel article 397.3 de la LTVQ.

Modifications proposées :

La règle énoncée à l'article 397.6 de la LTVQ prévoit qu'une entité de la Légion ne peut produire plus d'une demande de remboursement par période de demande.

Concordance fédérale: LTA, par. 259.2(4).

Section § 5.2 — Remboursement — expédition hors du Québec par un organisme de bienfaisance ou une institution publique »

Notes historiques: L'intitulé de la section 5.2 a été ajouté par L.Q. 2012, c. 8, art. 271 et est entrée en vigueur le 9 mai 2012.

398. Organisme de bienfaisance ou institution publique — fourniture emportée ou expédiée hors du Québec — Sous réserve de l'article 399, une personne qui est un organisme de bienfaisance ou une institution publique a droit au remboursement de la taxe qu'elle a payée à l'égard de la fourniture d'un bien ou d'un service dont elle est l'acquéreur si la personne a emporté ou expédié ce bien ou ce service hors du Québec.

Notes historiques: L'article 398 a été remplacé par L.Q. 1997, c. 85, art. 675(1) et s'applique aux fournitures à l'égard desquelles la taxe devient payable après le 23 avril 1996 ou est payée après cette date sans qu'elle soit devenue due. Toutefois, à l'égard des fournitures effectuées avant le 1er janvier 1997 l'article 398 doit se lire en faisant abstraction des mots « ou une institution publique ».

L'article 398, édicté par L.Q. 1991, c. 67, se lisait ainsi :

> 398. Sous réserve de l'article 399, un organisme de bienfaisance qui a payé la taxe à l'égard de la fourniture d'un bien ou d'un service qu'il a reçue a droit au remboursement de la taxe qu'il a payée à l'égard de la fourniture si, à la fois :
>
> 1° l'organisme n'a pas demandé et n'a pas le droit de demander un remboursement de la taxe sur les intrants à l'égard du bien ou du service;
>
> 2° l'organisme a emporté ou expédié hors du Québec le bien ou le service pour qu'il serve dans des œuvres de bienfaisance.

Guides [art. 398]: IN-228 — La TVQ et la TPS/TVH pour les organismes de bienfaisance.

Définitions [art. 398]: « bien », « fourniture », « institution publique », « organisme de bienfaisance », « service », « taxe » — 1.

Renvois [art. 398]: 399 (demande de remboursement); 403 (demande de remboursement); 404 (demande de remboursement); 25 LAF (cotisation par le ministre); 30 LAF (intérêts sur remboursement).

Concordance fédérale: LTA, par. 260(1).

COMMENTAIRES: Tel que le précise Revenu Québec, ce remboursement n'est valide que dans la mesure où l'organisme de bienfaisance n'a pas demandé de remboursements de la taxe sur les intrants relatifs au bien ou au service et n'y a pas droit. Voir notamment à cet effet: Revenu Québec, Lettre d'interprétation, 96-0108975 - *Demande d'interprétation* (8 janvier 1997).

De plus, Revenu Québec précise que ces articles ne s'appliqueront pas à la TVQ payée sur des achats qui ne sont pas exportés, bien que ces derniers puissent être utilisés dans le cadre des activités qui appuient l'œuvre de bienfaisance à l'extérieur du Québec. Voir notamment à cet effet: Revenu Québec, Lettre d'interprétation, 96-0108975 — *Demande d'interprétation* (8 janvier 1997).

Le délai de production de la demande de remboursement est de 4 ans. Nous vous référons à nos commentaires en vertu de la sous-section 6 — *Montant payé par erreur* pour une discussion sur la présence d'un délai de rigueur et, le cas échéant, sur la possibilité de bénéficier d'un recours alternatif lorsque le délai prescrit est expiré.

En date des présentes, nous n'avons identifié aucune décision jurisprudentielle interprétant ces articles.

Compte tenu de la similarité de la rédaction des dispositions législatives et considérant l'engagement spécifique de Revenu Québec de veiller à ce que l'assiette de TVQ modifiée, de même que les paramètres administratifs, structurels et définitionnels, produisent des résultats qui sont identiques à ceux produits sous le régime de la TPS/TVH et soient administrés d'une manière qui produit des résultats identiques, tel que reflété par l'article 14 de l'*Entente intégrée globale de coordination fiscale* signée entre le gouvernement du Canada et le gouvernement du Québec, nous vous référons à nos commentaires en vertu de la *Loi sur la taxe d'accise (TPS)* qui devraient s'appliquer *mutatis mutandis*, avec les adaptations nécessaires.

399. Délai de la demande — Une personne a droit au remboursement prévu à l'article 398 à l'égard de la fourniture d'un bien ou d'un service seulement si elle produit une demande de remboursement dans les quatre ans suivant la fin de son exercice au cours duquel la taxe à l'égard de la fourniture est devenue payable.

Notes historiques: L'article 399 a été remplacé par L.Q. 1997, c. 85, art. 675(1) et s'applique aux fournitures à l'égard desquelles la taxe devient payable après le 23 avril 1996 ou est payée après cette date sans qu'elle soit devenue due.

L'article 399, édicté par L.Q. 1991, c. 67, se lisait ainsi :

> 399. Un organisme de bienfaisance a droit au remboursement prévu à l'article 398 à l'égard de la fourniture d'un bien ou d'un service qu'il a reçue seulement s'il produit une demande de remboursement dans les quatre ans suivant la fin de son exercice au cours duquel la taxe à l'égard de la fourniture est devenue payable.

Définitions [art. 399]: « bien » — 1; « exercice » — 405; « fourniture », « organisme de bienfaisance », « service », « taxe » — 1.

Renvois [art. 399]: 398 (expédition hors du Québec par les organismes de bienfaisance).

Concordance fédérale: LTA, par. 260(2).

COMMENTAIRES: Tel que le précise Revenu Québec, ce remboursement n'est valide que dans la mesure où l'organisme de bienfaisance n'a pas demandé de remboursements de la taxe sur les intrants relatifs au bien ou au service et n'y a pas droit. Voir notamment à cet effet: Revenu Québec, Lettre d'interprétation, 96-0108975 - *Demande d'interprétation* (8 janvier 1997).

De plus, Revenu Québec précise que ces articles ne s'appliqueront pas à la TVQ payée sur des achats qui ne sont pas exportés, bien que ces derniers puissent être utilisés dans le cadre des activités qui appuient l'œuvre de bienfaisance à l'extérieur du Québec. Voir notamment à cet effet: Revenu Québec, Lettre d'interprétation, 96-0108975 — *Demande d'interprétation* (8 janvier 1997).

Le délai de production de la demande de remboursement est de 4 ans. Nous vous référons à nos commentaires en vertu de la sous-section 6 — *Montant payé par erreur* pour une discussion sur la présence d'un délai de rigueur et, le cas échéant, sur la possibilité de bénéficier d'un recours alternatif lorsque le délai prescrit est expiré.

En date des présentes, nous n'avons identifié aucune décision jurisprudentielle interprétant ces articles.

Compte tenu de la similarité de la rédaction des dispositions législatives et considérant l'engagement spécifique de Revenu Québec de veiller à ce que l'assiette de TVQ modifiée, de même que les paramètres administratifs, structurels et définitionnels, produisent des résultats qui sont identiques à ceux produits sous le régime de la TPS/TVH et soient administrés d'une manière qui produit des résultats identiques, tel que reflété par l'article 14 de l'*Entente intégrée globale de coordination fiscale* signée entre le gouvernement du Canada et le gouvernement du Québec, nous vous référons à nos commentaires en vertu de la *Loi sur la taxe d'accise (TPS)* qui devraient s'appliquer *mutatis mutandis*, avec les adaptations nécessaires.

Section § 5.3 — Remboursement au gouvernement du Québec

Notes historiques: La section § 5.3, comprenant l'article 399.1, a été ajoutée par L.Q. 2012, c. 28, par. 141(1) et s'applique à l'égard d'une taxe qui est payée ou qui sera réputée avoir été payée après le 31 mars 2013.

399.1 Le gouvernement du Québec ou l'un de ses ministères ou de ses mandataires prescrits a droit, selon les modalités déterminées par le ministre, au remboursement de la taxe qu'il a payée ou qu'il est réputé avoir payée en vertu du présent titre, s'il en fait la demande au ministre, de la façon que celui-ci détermine, dans les quatre ans suivant le jour où cette taxe a été payée ou est réputée avoir été payée.

Un remboursement auquel a droit un ministère ou un mandataire que le gouvernement désigne est fait au ministre des Finances pour le compte de ce ministère ou de ce mandataire.

Notes historiques: L'article 399.1 a été ajouté par L.Q. 2012, c. 28, par. 141(1) et s'applique à l'égard d'une taxe qui est payée ou qui sera réputée avoir été payée après le 31 mars 2013.

Notes explicatives ARQ (PL 5, L.Q. 2012, c. 28): *Résumé* :

Le nouvel article 399.1 prévoit le remboursement au gouvernement du Québec, à ses ministères et à ses mandataires prescrits de la taxe de vente du Québec (TVQ) qu'ils ont respectivement payée.

Contexte :

Le 28 mars 2012, les ministres des Finances du Canada et du Québec ont conclu l'*Entente intégrée globale de coordination fiscale entre le gouvernement du Canada et le gouvernement du Québec* (Entente). L'article 44 de l'Entente prévoit que les gouvernements du Canada et du Québec conviennent de payer, à compter du 1er avril 2013, la taxe sur les produits et services, la taxe de vente harmonisée (TPS/TVH) et la TVQ modifiée relativement aux fournitures effectuées au profit de leurs gouvernements respectifs ou des mandataires de ceux-ci. En cas d'immunité fiscale entre administrations,

LTVQ (français)

les montants de TPS/TVH et de TVQ modifiée seront recouvrables au moyen d'un mécanisme de remboursement.

Modifications proposées :

Le nouvel article 399.1 prévoit que le gouvernement du Québec, ses ministères et ses mandataires prescrits ont droit, selon les modalités déterminées par le ministre du Revenu, au remboursement de la TVQ qu'ils ont respectivement payée ou qu'ils sont réputés avoir respectivement payée. Pour l'application de cet article, un mandataire prescrit est une entité énumérée à l'annexe III du *Règlement sur la taxe de vente du Québec* (R.Q., chapitre T-0.1, r. 2). Lorsque ce remboursement doit être fait à un ministère ou à un mandataire que le gouvernement désigne, le deuxième alinéa de l'article 399.1 de la LTVQ permet au ministre du Revenu de le verser, pour leur compte, au ministre des Finances.

Concordance fédérale: aucune.

COMMENTAIRES: Le projet de loi nº 5 (2012, chapitre 28) — *Loi modifiant la Loi sur la taxe de vente du Québec et d'autres dispositions législatives*, sanctionné le 7 décembre 2012 prévoit l'ajout de cet article et permet, de façon générale, au gouvernement du Québec ou l'un de ses mandataires de réclamer le remboursement de la TVQ qu'il a payée. Cette demande doit être présentée dans un délai de quatre ans suivant le jour où cette taxe a été payée.

§ 6. — Montant payé par erreur

400. Montant payé par erreur — Sous réserve de l'article 401, une personne qui a payé un montant à titre de taxe, de taxe nette, de pénalité, d'intérêt ou d'une autre obligation en vertu du présent titre, ou qui a été pris en compte à ce titre, alors qu'elle n'avait pas à le payer ou à le verser, a droit au remboursement de ce montant, qu'il ait été payé par erreur ou autrement, sauf dans la mesure où :

1º le montant a été pris en compte à titre de taxe ou de taxe nette pour une période de déclaration de la personne et celle-ci a été cotisée pour la période;

2º le montant payé était une taxe, une taxe nette, une pénalité, un intérêt ou tout autre montant cotisé;

3º un remboursement du montant est payable en vertu des articles 17.5 et 17.6.

Notes historiques: Le paragraphe 3º de l'article 400 a été ajouté par L.Q. 1994, c.22, art. 582(1) et s'applique aux montants payés après le 10 juin 1993 au titre de la taxe prévue à l'article 17 à l'égard de biens corporels :

> a) soit dédouanés au sens du paragraphe 1 de l'article 2 de la *Loi sur les douanes* (Statuts du Canada);
>
> b) soit apportés au Québec qui proviennent du Canada hors du Québec.

L'article 400 a été édicté par L.Q. 1991, c. 67.

Définitions [art. 400]: « montant », « période de déclaration », « personne », « taxe » — 1.

Renvois [art. 400]: 297.2 (fourniture par vente effectuée par un démarcheur); 297.7.1 (fourniture taxable par vente à un entrepreneur qui n'a pas une approbation donnée en vertu de l'article 297.1.4); 401 (demande de remboursement); 402 (une demande par mois); 402.0.1 (demandes par divisions ou succursales); 402.0.2 (demande selon l'article 474); 403 (demande de remboursement); 404 (demande de remboursement); 674.5 (remboursement à la suite d'une réduction d'une contrepartie); 25 LAF (cotisation par le ministre); 30 LAF (intérêts sur remboursement).

Bulletins d'interprétation [art. 400]: TVQ. 223-2/R2 — Mesure d'assouplissement relative à la fourniture à soi-même d'un immeuble d'habitation.

Jurisprudence [art. 400]: *Jenner c. Québec (Sous-ministre du Revenu)* (29 juin 2011), 540-80-002884-093, 2011 CarswellQue 6021; *Langlais c. Québec (Sous-ministre du Revenu)* (8 septembre 2009), 200-32-044939-071, 2009 CarswellQue 11377; *Construction MDGG inc. c. Québec (Sous-ministre du Revenu)* (13 mars 2008), 200-80-002119-061, 2008 CarswellQue 2224; *Québec (Sous-ministre du Revenu) c. 3199959 Canada inc.* (6 septembre 2006), 500-09-015494-057, 2007 CarswellQue 8323; *3863506 Canada inc. c. Québec (Sous-ministre du Revenu)* (12 mai 2005), 500-80-002087-030, 2005 CarswellQue 2711 (C.Q.); *Theodarakopoulos c. Québec (Sous-ministre du Revenu)* (6 juin 2003), 500-32-070313-020.

Formulaires [art. 400]: FP-189, Formulaire de demande générale de remboursement de la TPS/TVH; FP-189.G, Guide relatif au formulaire de demande générale de remboursement de la TPS/TVH; VD-403, *Demande de remboursement de la taxe de vente du Québec (TVQ)*.

Lettres d'interprétation [art. 400]: 96-0115103 — Services ophtalmologiques; 98-0107494 — Application de la *Loi sur la taxe d'accise* (L.R.C. 1985, c. E-15 « la LTA ») et de la *Loi sur la taxe de vente du Québec* (L.R.Q., c. T-0.1 « la LTVQ »); 98-8100129[A] — Vente en justice et vente sous contrôle de justice; 99-0109134 — Interprétation relative à la TPS — Interprétation relative à la TVQ — Vente sous contrôle de justice — certificats d'actions; 00-0100727 — Décision portant sur l'application la TPS — Interprétation relative à la TVQ — Résolution d'une vente immobilière et remboursement de taxes.

Concordance fédérale: LTA, par. 261(1), 261(2).

COMMENTAIRES: Voir les commentaires sous l'article 402.0.2.

401. Délai de la demande — Une personne a droit au remboursement prévu à l'article 400 à l'égard d'un montant seulement si elle produit une demande de remboursement dans les deux ans suivant le jour où le montant a été payé ou versé par la personne.

Notes historiques: L'article 401 a été remplacé par L.Q. 1997, c. 85, art. 676(1) et s'applique aux montants qui, après le 30 juin 1996, sont payés ou pris en compte au titre de la taxe ou d'un autre montant payable ou à verser en vertu du titre I et aux montants qui, avant le 1er juillet 1996, ont été payés ou pris en compte au titre de la taxe ou d'un autre montant payable ou à verser en vertu de ce titre, sauf les montants qui sont demandés dans une demande en vertu des articles 400 à 402.0.2 présentée avant le 1er juillet 1998. L'article 401, édicté par L.Q. 1991, c. 67, se lisait auparavant ainsi :

> 401. Une personne a droit au remboursement prévu à l'article 400 à l'égard d'un montant seulement si elle produit une demande de remboursement dans les quatre ans suivant le paiement ou le versement du montant.

Définitions [art. 401]: « montant », « personne » — 1.

Renvois [art. 401]: 297.2 (fourniture par vente effectuée par un démarcheur); 297.7.1 (fourniture taxable par vente à un entrepreneur qui n'a pas une approbation donnée en vertu de l'article 297.1.4); 674.5 (remboursement à la suite d'une réduction d'une contrepartie).

Bulletins d'interprétation [art. 401]: TVQ. 16-20/R1 — La taxe de vente du Québec et les fournisseurs de services d'accès au réseau Internet; TVQ. 401-1 — Demande de remboursement par un Indien, une bande ou une entité mandatée par une bande.

Jurisprudence [art. 401]: *3863506 Canada inc. c. Québec (Sous-ministre du Revenu)* (12 mai 2005), 500-80-002087-030, 2005 CarswellQue 2711 (C.Q.); *Theodarakopoulos c. Québec (Sous-ministre du Revenu)* (6 juin 2003), 500-32-070313-020.

Lettres d'interprétation [art. 401]: 96-0115103 — Services ophtalmologiques; 99-0109134 — Interprétation relative à la TPS — Interprétation relative à la TVQ — Vente sous contrôle de justice — certificats d'actions.

Concordance fédérale: LTA, par. 261(3).

COMMENTAIRES: Voir les commentaires sous l'article 402.0.2.

402. Demande unique par mois — Sous réserve des articles 402.0.1 et 402.0.2, une personne ne peut effectuer plus d'une demande de remboursement en vertu de l'article 400 par mois.

Notes historiques: L'article 402 a été modifié par L.Q. 1994, c. 22, art. 583(1) et est réputé entré en vigueur le 1er juillet 1992. L'article 402, édicté par L.Q. 1991, c. 67, se lisait comme suit :

> 402. Une personne ne peut effectuer plus d'une demande de remboursement en vertu de l'article 400 par mois.

Définitions [art. 402]: « personne » — 1.

Renvois [art. 402]: 297.2 (fourniture par vente effectuée par un démarcheur); 297.7.1 (fourniture taxable par vente à un entrepreneur qui n'a pas une approbation donnée en vertu de l'article 297.1.4); 674.5 (remboursement à la suite d'une réduction d'une contrepartie).

Lettres d'interprétation [art. 402]: 96-0115103 — Services ophtalmologiques.

Concordance fédérale: LTA, par. 261(4).

COMMENTAIRES: Voir les commentaires sous l'article 402.0.2.

402.0.1 Demande par succursale ou division — Une personne peut présenter une demande de remboursement distincte en vertu de l'article 400 à l'égard d'une division ou d'une succursale dans le cas où, à la fois :

1º la personne a le droit de demander un remboursement en vertu de l'article 400;

2º la personne exerce une ou plusieurs activités dans des divisions ou des succursales distinctes;

3º la personne est autorisée, en vertu de l'article 475, à produire des déclarations distinctes pour l'application du chapitre VIII relativement à la division ou la succursale.

Limitation — La personne visée au premier alinéa ne peut effectuer plus d'une demande de remboursement par mois en vertu de l'article 400 à l'égard de la division ou de la succursale.

Notes historiques: L'article 402.0.1 a été ajouté par L.Q. 1994, c. 22, art. 584(1) et est réputé entré en vigueur le 1er juillet 1992.

Définitions [art. 402.0.1]: « personne » — 1.

Renvois [art. 402.0.1]: 297.2 (fourniture par vente effectuée par un démarcheur); 297.7.1 (fourniture taxable par vente à un entrepreneur qui n'a pas une approbation donnée en vertu de l'article 297.1.4); 402 (une demande par mois); 674.5 (remboursement à la suite d'une réduction d'une contrepartie).

Lettres d'interprétation [art. 402.0.1]: 96-0115103 — Services ophtalmologiques.

Concordance fédérale: LTA, par. 261(5).

COMMENTAIRES: Voir les commentaires sous l'article 402.0.2.

402.0.2 Demande en vertu de l'article 400 — Dans le cas où une personne qui exerce une ou plusieurs activités dans des divisions ou des succursales distinctes a droit à un remboursement en vertu de l'article 400 et n'a pas présenté une demande en vertu de l'article 474, les règles suivantes s'appliquent :

1º les articles 474 et 475 s'appliquent à la personne en y remplaçant les expressions « activités commerciales » par « activités », « déclarations distinctes en vertu du présent chapitre » et « déclarations distinctes » par « demandes en vertu de l'article 400 » et « inscrit » par « personne »;

2º la personne qui, par l'effet du présent article, est autorisée, en vertu de l'article 475, à produire des demandes de remboursement distinctes en vertu de l'article 400 relativement à une division ou une succursale ne peut produire plus d'une demande de remboursement par mois pour la division ou la succursale.

Notes historiques: L'article 402.0.2 a été ajouté par L.Q. 1994, c. 22, art. 584(1) et est réputé entré en vigueur le 1er juillet 1992.

Définitions [art. 402.0.2]: « activité commerciale », « inscrit », « personne » — 1.

Renvois [art. 402.0.2]: 297.2 (fourniture par vente effectuée par un démarcheur); 297.7.1 (fourniture taxable par vente à un entrepreneur qui n'a pas une approbation donnée en vertu de l'article 297.1.4); 402 (une demande par mois); 674.5 (remboursement à la suite d'une réduction d'une contrepartie).

Lettres d'interprétation [art. 402.0.2]: 96-0115103 — Services ophtalmologiques.

Concordance fédérale: LTA, par. 261(6).

COMMENTAIRES: Comme en matière de TPS, de façon générale, la Cour du Québec a conclu, dans l'affaire *Theodarakopoulos c. Québec (Sous-ministre du Revenu)*, 2003 QC 35 (C.Q.) qu'un contribuable ne pouvait présenter une demande de remboursement pour la TVQ payée par erreur ou autrement si celle-ci était présentée en dehors des délais prescrits. Voir également : *Charlesbourg c. Québec (Sous-ministre du Revenu)*, [1999] R.D.F.Q. 187 (C.Q.) (appel rejeté par la C.A.Q. mais celle-ci ne discute pas de l'application des articles 400 et suivants, [2002] R.D.F.Q 23 (C.A.Q.).

Ainsi, bien qu'une action en répétition de l'indu était possible à l'égard de taxes municipales payées par erreur dans les affaires *Willmor Discount Corp. c. Vaudreuil (Ville de)*, [1994] 2 R.C.S. 210 (C.S.C.) et *Abel Skiver Farm Corp. c. Ste-Foy (Ville de)*, [1983] 1 R.C.S. 403 (C.S.C.) en raison de dispositions particulières, ces actions étaient limitées par la prescription applicable.

Nous sommes portés à penser qu'en dehors des recours prévus aux articles 447 et 400 et suivants, les tribunaux ne devraient pas permettre l'octroi de recours additionnels ayant pour objectif de recouvrer les montants de TVQ payés par erreur ou autrement pour les périodes antérieures au délai de deux ans et ce, principalement pour les trois raisons suivantes :

1) La *Loi sur la taxe de vente du Québec* prévoit un code exhaustif au niveau des mécanismes de remboursement de TVQ payée par erreur ou autrement et, par conséquent, les règles de droit civil ne devraient pas s'appliquer. En effet, dans l'affaire *Québec (Sous-ministre du Revenu) c. Expotronics Inc.*, [1998] R.D.F.Q. 33 (C.A.), la Cour d'appel a conclu que l'article 21 de la *Loi sur le ministère du Revenu* (maintenant intitulée « *Loi sur l'administration fiscale* ») s'appliquait au remboursement d'une somme perçue à la suite d'une erreur de fait (ou erreur de droit) commise par Revenu Québec. La Cour d'appel souligne également que toute référence aux principes de droit commun ou du *Code civil du Québec* doit être écartée puisque le contexte du litige réfère au droit public. Finalement, la Cour d'appel souligne que les règles de droit civil s'appliquent à l'occasion en matière fiscale, mais, en l'espèce, la situation est prévue par la législation fiscale. Voir également au même effet : *Québec (Sous-ministre du Revenu) c. 3199959 Canada Inc.*, 2007 QCCA 1153 (C.A.Q.);

2) Les articles 21 à 24 de la *Loi sur l'administration fiscale* prévoient que les demandes de remboursement de TVQ doivent être analysées à la lumière des dispositions de la *Loi sur la taxe de vente du Québec*. En effet, il ne semble pas y avoir de disposition législative identique à l'article 312 de la *Loi sur la taxe d'accise (TPS)*. Cependant, nous sommes d'avis qu'un résultat semblable peut être obtenu par le biais des articles 21 et 25 de la *Loi sur l'administration fiscale*; et

3) Les principes d'interprétation établissent, de façon prépondérante, que les dispositions spécifiques de la *Loi sur la taxe de vente du Québec* doivent être interprétées sans avoir recours à des textes législatifs externes.

Nous désirons souligner que contrairement au gouvernement fédéral, le gouvernement du Québec n'octroie pas de décret de remise. Toutefois, l'article 94 de la *Loi sur l'administration fiscale* prévoit un recours équivalent à l'égard d'une remise de droits ou remboursement de montants payés par erreur.

Nous n'avons pas été en mesure d'identifier de position administrative de Revenu Québec quant à sa position sur l'arrêt de la Cour suprême du Canada dans l'affaire *United Parcel Service Canada Ltd. c. R.*, 2009 CarswellNat 907, 2009 SCC 20 (Cour suprême du Canada).

Finalement, une particularité de la *Loi sur la taxe de vente du Québec* réside dans l'application de l'article 404.1, qui prévoit qu'une personne n'a pas droit au remboursement d'un montant qu'elle a payé au titre de la taxe à l'égard de la fourniture par vente d'un véhicule automobile qu'elle a acquis uniquement afin d'être fournie de nouveau par vente ou par location à long terme. En raison de cet article, l'acquéreur ne pourra demander un remboursement de la taxe payée par erreur même s'il démontre par la suite que le véhicule automobile était destiné à la revente et, par conséquent, que la fourniture était détaxée. Voir notamment à cet effet : Revenu Québec, Lettre d'interprétation, 04-0104085 — *Versement par erreur de la TVQ pour un véhicule visé par la mesure de détaxation de la fourniture de véhicules automobiles — Concessionnaire ne pouvant rembourser l'acquéreur parce que la perception relève de la SAAQ* (9 juin 2005).

Compte tenu de la similarité de la rédaction des dispositions législatives et considérant l'engagement spécifique de Revenu Québec de veiller à ce que l'assiette de TVQ modifiée, de même que les paramètres administratifs, structurels et définitionnels, produisent des résultats qui sont identiques à ceux produits sous le régime de la TPS/TVH et soient administrés d'une manière qui produit des résultats identiques, tel que reflété par l'article 14 de l'*Entente intégrée globale de coordination fiscale* signée entre le gouvernement du Canada et le gouvernement du Québec, nous vous référons à nos commentaires en vertu de l'article 261 *Loi sur la taxe d'accise (TPS)* qui devraient s'appliquer *mutatis mutandis*, avec les adaptations nécessaires.

§ 6.1. — Carburant

Notes historiques: Le titre « Carburant » a été ajouté par L.Q. 1993, c. 19, art. 229 et s'applique à l'égard d'une fourniture ou d'un apport au Québec relativement auquel l'article 685 ou l'un des articles 618 à 656 de L.Q. 1991, c. 67 s'applique [*N.D.L.R.* : les articles 685 et 618 à 656 réfèrent à des dispositions transitoires concernant les transferts avant le 1er juillet 1992].

402.1 [*Abrogé*]

Notes historiques: L'article 402.1 a été abrogé par L.Q. 1995, c. 63, art. 442(1) et cette abrogation s'applique :

a) à l'égard du carburant acquis après le 31 juillet 1995 par une personne qui est un inscrit relativement auquel elle peut inclure dans le calcul du remboursement de la taxe sur les intrants, en raison de l'abrogation de l'article 206.1, la taxe qu'elle a payée à l'égard du carburant;

b) dans tous les autres cas, à l'égard du carburant acquis après le 31 décembre 1995 par une personne qui n'est pas un inscrit.

[*N.D.L.R.* : le paragraphe d'application prévu par L.Q. 1995, c. 63, art. 442(2) a été modifié par L.Q. 1997, c. 85, art. 755(1) et a effet depuis le 15 décembre 1995.

Antérieurement, il prévoyait ce qui suit :

L'abrogation s'applique à l'égard :

1º de la taxe qui devient payable après le 31 juillet 1995 et qui n'est pas payée avant le 1er août 1995 par l'inscrit qui est une petite ou moyenne entreprise relativement à la fourniture d'un carburant;

2º de la taxe qui devient payable après le 31 décembre 1995 et qui n'est pas payée avant le 1er janvier 1996 par une personne visée au sous-paragraphe vii du paragraphe a ou du sous-paragraphe ii du paragraphe b) de l'article 10 de la *Loi concernant la taxe sur les carburants* (L.R.Q., chapitre T-1) et qui n'est pas visée au paragraphe a, relativement à la fourniture d'un carburant.]

L'article 402.1, ajouté par L.Q. 1993, c. 19, art. 229, s'appliquait à l'égard d'une fourniture ou d'un apport au Québec relativement auquel l'article 685 ou l'un des articles 618 à 656 de L.Q. 1991, c. 67 s'applique [*N.D.L.R.* : les articles 685 et 618 à 656 réfèrent à des dispositions transitoires concernant les transferts avant le 1er juillet 1992]. Il se lisait comme suit :

402.1 Une personne a droit au remboursement de la taxe qu'elle a payée en vertu de l'article 16 à l'égard de la fourniture d'un carburant, si elle a droit à un remboursement en vertu du sous-paragraphe vii du paragraphe a) ou du sous-paragraphe ii du paragraphe b) de l'article 10 de la *Loi concernant la taxe sur les carburants* (L.R.Q., chapitre T-1) à l'égard de ce carburant, ou aurait droit à un tel remboursement si ce carburant était assujetti à cette loi, pourvu qu'elle en fasse la demande dans le même délai et selon les mêmes modalités que ceux prévus par cette loi.

Le remboursement prévu au premier alinéa se calcule en utilisant la même proportion que celle utilisée pour calculer le remboursement auquel la personne a droit, ou aurait droit, en vertu de la *Loi concernant la taxe sur les carburants* (L.R.Q., chapitre T-1).

402.2 [*Abrogé*]

LTVQ (français)

Notes historiques: L'article 402.2 a été abrogé par L.Q. 1995, c. 63, art. 443(1) et cette abrogation s'applique à l'égard de :

a) la taxe payée par le transporteur en commun à l'égard du carburant qu'il a acquis, ou apporté au Québec, dans le cas où elle peut être incluse dans le calcul de son remboursement de la taxe sur les intrants, en raison de l'abrogation de l'article 206.1;

b) la taxe payée par le transporteur en commun qui est un organisme sans but lucratif admissible, à l'égard du carburant qu'il a acquis, ou apporté au Québec, avant le 26 mars 1997, et la taxe payée par le transporteur en commun qui est une municipalité, à l'égard du carburant qu'il a acquis, ou apporté au Québec, avant le 1er janvier 1997, dans le cas où ils peuvent demander un remboursement en vertu des articles 386 et 386.1 relativement à celle-ci;

c) la taxe payée par le transporteur en commun qui est un organisme sans but lucratif admissible, à l'égard du carburant qu'il a acquis, ou apporté au Québec, après le 25 mars 1997 et la taxe payée par le transporteur en commun qui est une municipalité, à l'égard du carburant qu'il a acquis, ou apporté au Québec, après le 31 décembre 1996.

[*N.D.L.R.* : le paragraphe d'application prévu par L.Q. 1995, c. 63, art. 443(2) a été modifié par L.Q. 1997, c. 85, art. 756(2) et a effet depuis le 15 décembre 1995. Antérieurement, il prévoyait ce qui suit :

L'abrogation s'applique à l'égard :

1° de la taxe qui devient payable après le 31 juillet 1995 et qui n'est pas payée avant le 1er août 1995 par le transporteur en commun qui est une petite ou moyenne entreprise relativement à la fourniture, ou à l'apport au Québec, d'un carburant à l'égard duquel il peut demander un remboursement de la taxe sur les intrants;

2° de la taxe qui devient payable après le 29 novembre 1996 et qui n'est pas payée avant le 30 novembre 1996 par le transporteur en commun qui est une grande entreprise relativement à la fourniture, ou à l'apport au Québec, d'un carburant à l'égard duquel il peut demander un remboursement de la taxe sur les intrants;

3° de la taxe qui devient payable après le 31 juillet 1995 et qui n'est pas payée avant le 1er août 1995 par le transporteur en commun relativement à la fourniture, ou à l'apport au Québec, d'un carburant à l'égard duquel il peut demander un remboursement en vertu des articles 386 et 386.1 de cette loi.

L'article 402.2, ajouté par L.Q. 1993, c. 19, art. 229, s'appliquait à l'égard d'une fourniture ou d'un apport au Québec relativement auquel l'article 685 ou l'un des articles 618 à 656 de L.Q. 1991, c. 67 s'applique [*N.D.L.R.* : les articles 685 et 618 à 656 réfèrent à des dispositions transitoires concernant les transferts avant le 1er juillet 1992]. Il se lisait comme suit :

402.2 Un transporteur en commun a droit au remboursement de la taxe qu'il a payée en vertu des articles 16 ou 17 à l'égard d'un carburant, s'il a droit à un remboursement en vertu de l'article 10.1 de la *Loi concernant la taxe sur les carburants* (L.R.Q., chapitre T-1) à l'égard de ce carburant, ou aurait droit à un tel remboursement si ce carburant était assujetti à cette loi, pourvu qu'il en fasse la demande dans le même délai et selon les mêmes modalités que ceux prévus par cette loi.

Le remboursement prévu au premier alinéa se calcule en utilisant la même proportion que celle utilisée pour calculer le remboursement auquel le transporteur en commun a droit, ou aurait droit, en vertu de la *Loi concernant la taxe sur les carburants* (L.R.Q., chapitre T-1).

§ 6.2. — Véhicule routier usagé

Notes historiques: L'intertitre « Véhicule routier usagé » a été ajouté par L.Q. 1995, c. 1, art. 324(1) et s'applique à l'égard d'un remboursement relatif à une fourniture effectuée après le 31 mai 1994 ou à un apport effectué après cette date.

402.3 Endommagement ou usure inhabituelle — Sous réserve de l'article 402.5, une personne a droit à un remboursement, déterminé conformément à l'article 402.4, à l'égard de la taxe qu'elle a payée en vertu soit de l'article 16 relativement à la fourniture par vente d'un véhicule routier usagé qui doit être immatriculé en vertu du *Code de la sécurité routière* (chapitre C-24.2) par suite d'une demande de la personne, soit de l'article 17 relativement à un tel véhicule apporté au Québec immédiatement après le moment de sa fourniture par vente hors du Québec et utilisé dans les 12 mois de la fourniture ou apporté pour fourniture au Québec pour une contrepartie par la personne dans le cas où elle est un petit fournisseur qui n'est pas un inscrit ou une personne qui n'est pas inscrite en vertu de la section I du chapitre VIII si, à la fois :

1° le véhicule est endommagé ou présente une usure inhabituelle au moment de la fourniture;

2° la taxe payée par la personne a été calculée sur la valeur estimative du véhicule pour l'application soit de l'article 55.0.1, soit du sous-paragraphe a) du paragraphe 2.1° ou du sous-paragraphe b) du paragraphe 2.2° du deuxième alinéa de l'article 17;

3° une évaluation écrite du véhicule ou des réparations à réaliser à l'égard de celui-ci, qui respecte les exigences prévues au troisième alinéa de l'article 55.0.3, est effectuée dans un délai raisonnable après le moment de la fourniture.

Notes historiques: Le préambule de l'article 402.3 a été remplacé par L.Q. 2001, c. 51, art. 292 et cette modification a effet depuis le 1er mai 1999. Antérieurement, il se lisait ainsi :

402.3 Sous réserve de l'article 402.5, une personne a droit à un remboursement, déterminé conformément à l'article 402.4, à l'égard de la taxe qu'elle a payée en vertu soit de l'article 16 relativement à la fourniture par vente d'un véhicule routier usagé qui doit être immatriculé en vertu du *Code de la sécurité routière* (chapitre C-24.2) par suite d'une demande de la personne, soit de l'article 17 relativement à un tel véhicule apporté au Québec immédiatement après le moment de sa fourniture par vente hors du Québec et utilisé dans les 12 mois de la fourniture ou apporté pour fourniture au Québec pour une contrepartie par la personne dans le cas où elle est un petit fournisseur qui n'est pas un inscrit si, à la fois :

Le préambule et le paragraphe 2° de l'article 402.3 ont été modifiés par L.Q. 1995, c. 63, art. 444(1) et ces modifications s'appliquent à l'égard d'un remboursement relatif à l'apport d'un véhicule routier effectué après le 31 juillet 1995. Auparavant, ils se lisaient comme suit :

402.3 Sous réserve de l'article 402.5, une personne a droit à un remboursement, determiné conformément à l'article 402.4, à l'égard de la taxe qu'elle à payée en vertu soit de l'article 16 relativement à la fourniture par vente d'un véhicule routier usagé qui doit être immatriculé en vertu du *Code de la sécurité routière* (L.R.Q., chapitre C-24.2) par suite d'une demande de la personne, soit de l'article 17 relativement à un tel véhicule apporté au Québec immédiatement après le moment de sa fourniture par vente hors du Québec et utilisé dans les 12 mois de la fourniture si, à la fois :

2° la taxe payée par la personne a été calculée sur la valeur estimative du véhicule pour l'application de l'article 55.0.1 ou du sous-paragraphe a) du paragraphe 2.1° du deuxième alinéa de l'article 17;

Le paragraphe 3° de l'article 402.3 a été remplacé par L.Q. 2005, c. 23, par. 277(1) et cette modification s'applique à l'égard d'un remboursement relatif à une fourniture ou à un apport pour lequel la taxe prévue par le titre I est payable après le 30 novembre 2004. Antérieurement, il se lisait comme suit :

3° une évaluation écrite du véhicule ou des réparations à réaliser à l'égard de celui-ci est effectuée, dans un délai raisonnable après le moment de la fourniture, par la personne visée au troisième alinéa de l'article 55.0.3.

L'article 402.3 a été ajouté par L.Q. 1995, c. 1, art. 324(1) et s'applique à l'égard d'un remboursement relatif à une fourniture effectuée après le 31 mai 1994 ou à un apport effectué après cette date.

Définitions [art. 402.3]: « contrepartie », « fourniture », « personne », « petit fournisseur », « taxe » — 1; « valeur estimative » — 17.0.1, 55.0.2; « véhicule routier », « vente » — 1.

Renvois [art. 402.3]: 294 (petit fournisseur).

Jurisprudence [art. 402.3]: *Roy c. Québec (Sous-ministre du Revenu)* (3 février 2011), 300-32-000150-083.

Concordance fédérale: aucune.

COMMENTAIRES: Voir les commentaires sous l'article 402.5.

402.4 Calcul du remboursement — Le remboursement auquel a droit une personne en vertu de l'article 402.3 à l'égard de la taxe qu'elle a payée relativement à la fourniture, ou à l'apport au Québec, d'un véhicule routier est égal au montant déterminé selon la formule suivante :

$$A - B.$$

Application — Pour l'application de cette formule :

1° la lettre A représente la taxe payée par la personne;

2° la lettre B représente la taxe qui aurait été payable par la personne si elle avait été calculée sur la valeur estimative du véhicule, pour l'application soit de l'article 55.0.1, soit du sous-paragraphe a) du paragraphe 2.1° ou du sous-paragraphe b) du paragraphe 2.2° du deuxième alinéa de l'article 17, réduite d'un montant égal :

a) soit à l'excédent de cette valeur sur la valeur du véhicule indiquée sur l'évaluation écrite visée au paragraphe 3° de l'article 402.3;

b) soit à l'excédent de la valeur des réparations à réaliser à l'égard du véhicule indiquée sur l'évaluation écrite visée au paragraphe 3º de l'article 402.3 sur 500 $.

Notes historiques: Le préambule du paragraphe 2º du deuxième alinéa de l'article 402.4 a été modifié par L.Q. 1995, c. 63, art. 445(1) et cette modification s'applique à l'égard d'un remboursement relatif à l'apport d'un véhicule routier effectué après le 31 juillet 1995. Auparavant, il se lisait comme suit :

> la lettre B représente la taxe qui aurait été payable par la personne si elle avait été calculée sur la valeur estimative du véhicule, pour l'application de l'article 55.0.1 ou du sous-paragraphe a) du paragraphe 2.1º du deuxième alinéa de l'article 17, réduite d'un montant égal :

Le sous-paragraphe b) du paragraphe 2º du deuxième alinéa a été modifié par L.Q. 1995, c. 63, art. 445(1) et cette modification s'applique à l'égard d'un remboursement relatif à une fourniture effectuee après le 31 mai 1994 ou à un apport effectué après cette date. Auparavant, il se lisait comme suit :

> b) soit à la valeur des réparations à réaliser à l'égard du véhicule indiquée sur l'évaluation écrite visée au paragraphe 3º de l'article 402.3.

L'article 402.4 a été ajouté par L.Q. 1995, c. 1, art. 324(1) et s'applique à l'égard d'un remboursement relatif à une fourniture effectuée après le 31 mai 1994 ou à un apport effectué après cette date.

Définitions [art. 402.4]: « fourniture », « montant », « personne », « taxe » — 1; « valeur estimative » — 17.0.1, 55.0.2; « véhicule routier » — 1.

Concordance fédérale: aucune.

COMMENTAIRES: Voir les commentaires sous l'article 402.5.

402.5 Modalités d'application

— Une personne n'a droit au remboursement prévu à l'article 402.3 à l'égard de la taxe qu'elle a payée relativement à la fourniture, ou à l'apport au Québec, d'un véhicule routier que si, à la fois :

1º la personne produit une demande de remboursement dans les quatre ans suivant le jour où la taxe a été payée;

2º la demande de remboursement est accompagnée de l'évaluation écrite visée au paragraphe 3º de l'article 402.3.

Notes historiques: L'article 402.5 a été ajouté par L.Q. 1995, c. 1, art. 324(1) et s'applique à l'égard d'un remboursement relatif à une fourniture effectuée après le 31 mai 1994 ou à un apport effectué après cette date.

Définitions [art. 402.5]: « fourniture », « personne », « taxe », « véhicule routier » — 1.

Concordance fédérale: aucune.

COMMENTAIRES: De façon générale, l'article 402.5 prévoit que la demande de remboursement doit être produite dans un délai de quatre ans suivant le jour où la TVQ a été payée. Nous vous référons à nos commentaires en vertu de la sous-section 6 - *Montant payé par erreur* pour une discussion sur la présence d'un délai de rigueur et, le cas échéant, sur la possibilité de bénéficier d'un recours alternatif lorsque le délai prescrit est expiré.

De surcroît, l'article 402.5 prévoit que la demande de remboursement doit être accompagnée d'une évaluation écrite visée au paragraphe 3 de l'article 402.3. Dans l'affaire *Roy c. Québec (Sous-ministre du Revenu)*, 2011 CarswellQue 6631 (C.Q.), la Cour du Québec prévoit que « l'évaluation écrite du véhicule ou des réparations à réaliser à l'égard de celui-ci » est un critère de rigueur et qu'à défaut de présenter une telle évaluation dans un délai raisonnable, la demande de remboursement ne peut être accordée.

Finalement, nous soulignons l'absence de concordance de ce remboursement aux fins de la TPS/TVH en vertu de la *Loi sur la taxe d'accise (TPS)*.

§ 6.3 — *Ouvre-porte automatique*

Notes historiques: L'intertitre de la sous-section §6.3 a été ajouté par L.Q. 2000, c. 39, art. 283(1) et s'applique à l'égard de la taxe qui devient payable après le 9 mars 1999 et qui n'est pas payée avant le 10 mars 1999 relativement à la fourniture d'un ouvre-porte automatique et du service qui consiste à l'installer.

402.6 Remboursement de la taxe

— Une personne a droit au remboursement de la taxe qu'elle a payée à l'égard de la fourniture d'un ouvre-porte automatique et du service qui consiste à l'installer, lorsque l'ouvre-porte est acquis pour l'usage d'un particulier qui, en raison d'un handicap physique, ne peut accéder à sa résidence sans assistance.

Notes historiques: L'article 402.6 a été ajouté par L.Q. 2000, c. 39, art. 283(1) et s'applique à l'égard de la taxe qui devient payable après le 9 mars 1999 et qui n'est pas payée avant le 10 mars 1999 relativement à la fourniture d'un ouvre-porte automatique et du service qui consiste à l'installer.

Définitions [art. 402.6]: « bien », « fourniture taxable », « inscrit », « immeuble d'habitation à logement unique », « logement en copropriété », « logement provisoire », « organisme de bienfaisance », « organisme sans but lucratif », « particulier », « rénovation majeure », « vente » — 1.

Renvois [art. 402.6]: 1.1 (personne morale); 402.7 (production de la demande de remboursement de la taxe); 506.1 (société et société de personnes).

Formulaires [art. 402.6]: VD-403, *Demande de remboursement de la taxe de vente du Québec (TVQ)*.

Bulletins d'interprétation [art. 402.6]: TVQ. 179-2 — Fourniture d'un bien meuble corporel à être expédié hors du Québec par l'acquéreur — preuves satisfaisantes de l'expédition du bien.

Concordance fédérale: aucune.

COMMENTAIRES: En date des présentes, nous n'avons identifié aucune position administrative de Revenu Québec ni de décision jurisprudentielle interprétant ces articles.

L'article 402.7 prévoit que la demande de remboursement doit être produite dans un délai de quatre ans suivant le jour où la TVQ a été payée. Nous vous référons à nos commentaires en vertu de la sous-section 6 — *Montant payé par erreur* pour une discussion sur la présence d'un délai de rigueur et, le cas échéant, sur la possibilité de bénéficier d'un recours alternatif lorsque le délai prescrit est expiré.

Finalement, nous soulignons l'absence de concordance de ce remboursement aux fins de la TPS/TVH en vertu de la *Loi sur la taxe d'accise (TPS)*.

402.7 Modalité d'application

— Une personne n'a droit au remboursement prévu à l'article 402.6 que si, à la fois :

1º elle produit une demande de remboursement dans les quatre ans suivant le jour où la taxe a été payée;

2º la demande de remboursement est accompagnée d'un certificat médical décrivant le handicap du particulier pour lequel l'ouvre-porte automatique a été acquis et indiquant que celui-ci ne peut accéder seul à sa résidence en l'absence d'un tel ouvre-porte.

Notes historiques: L'article 402.7 a été ajouté par L.Q. 2000, c. 39, art. 283(1) et s'applique à l'égard de la taxe qui devient payable après le 9 mars 1999 et qui n'est pas payée avant le 10 mars 1999 relativement à la fourniture d'un ouvre-porte automatique et du service qui consiste à l'installer.

Concordance fédérale: aucune.

COMMENTAIRES: En date des présentes, nous n'avons identifié aucune position administrative de Revenu Québec ni de décision jurisprudentielle interprétant ces articles.

L'article 402.7 prévoit que la demande de remboursement doit être produite dans un délai de quatre ans suivant le jour où la TVQ a été payée. Nous vous référons à nos commentaires en vertu de la sous-section 6 — *Montant payé par erreur* pour une discussion sur la présence d'un délai de rigueur et, le cas échéant, sur la possibilité de bénéficier d'un recours alternatif lorsque le délai prescrit est expiré.

Finalement, nous soulignons l'absence de concordance de ce remboursement aux fins de la TPS/TVH en vertu de la *Loi sur la taxe d'accise (TPS)*.

§6.4. — *Véhicules automobiles*

Notes historiques: L'intitulé de la sous-section §6.4, comprenant les articles 402.8 à 402.11, a été ajouté par L.Q. 2001, c. 51, art. 293 et a effet depuis le 21 février 2000.

402.8 Remboursement à l'égard de la réduction de la contrepartie — vente au détail d'un véhicule automobile

— Une personne qui, en vertu de l'article 473.1.1, a versé la taxe prévue à l'article 16 à une personne prescrite ou au ministre à l'égard de la fourniture par vente au détail d'un véhicule automobile a droit, dans le cas où la valeur de la contrepartie de cette fourniture est, à un moment donné, réduite pour une raison quelconque, au remboursement du montant résultant de la différence entre la taxe payée et le montant de taxe payable en tenant compte de la réduction de la contrepartie payée, si elle produit au ministre une demande de remboursement de ce montant dans les quatre ans suivant le jour où la taxe est devenue payable à l'égard de la fourniture.

Application — Le présent article ne s'applique pas dans le cas où l'article 402.3 s'applique.

Notes historiques: L'article 402.8 a été ajouté par L.Q. 2001, c. 51, art. 293 et a effet depuis le 21 février 2000.

Guides [art. 402.8]: IN-624 — La TVQ, la TPS/TVH et les véhicules routiers.

Jurisprudence [art. 402.8]: *Langlais c. Québec (Sous-ministre du Revenu)* (8 septembre 2009), 200-32-044939-071, 2009 CarswellQue 11377; *Drapeau c. Québec (Sous-ministre du Revenu)* (23 septembre 2004), 150-02-003373-031, 2004 CarswellQue 2480.

Formulaires [art. 402.8]: VD-60, Demande de remboursement ou de non-paiement de la taxe de vente du Québec à l'égard d'un véhicule routier.

Concordance fédérale: aucune.

LTVQ (français)

COMMENTAIRES: Voir les commentaires sous l'article 402.11.

402.9 Remboursement de l'acquéreur — Un fournisseur peut payer à l'acquéreur le montant du remboursement qui lui est payable en vertu de l'article 402.8, ou le porter à son crédit, si les conditions suivantes sont réunies :

1º le fournisseur a effectué la fourniture par vente au détail du véhicule automobile;

2º l'acquéreur cède ce remboursement au fournisseur au moyen du formulaire prescrit contenant les renseignements prescrits;

3º l'acquéreur remet au fournisseur une preuve du paiement de la taxe;

4º l'acquéreur présente au fournisseur, dans les quatre ans suivant le jour où la taxe est devenue payable à l'égard de la fourniture, au moyen du formulaire prescrit contenant les renseignements prescrits, la demande de remboursement de la taxe auquel il a droit en vertu de l'article 402.8 s'il avait demandé le remboursement conformément à cet article.

Notes historiques: L'article 402.9 a été ajouté par L.Q. 2001, c. 51, art. 293 et a effet depuis le 21 février 2000.

Concordance fédérale: aucune.

COMMENTAIRES: Voir les commentaires sous l'article 402.11.

402.10 Cession du droit au remboursement — Lorsque la demande de remboursement prévue à l'article 402.8 est présentée au fournisseur et que ce dernier paie à l'acquéreur, ou porte à son crédit, tout remboursement qui lui est payable en vertu de cet article à l'égard de la fourniture, les règles suivantes s'appliquent :

1º le fournisseur peut demander une déduction en vertu de l'article 455 à l'égard de la fourniture égale au montant de ce remboursement payable à l'acquéreur;

2º l'acquéreur n'a pas droit à un remboursement, à une remise ou à une compensation de la taxe à l'égard de la réduction de la contrepartie de la valeur de la fourniture;

3º le fournisseur conserve la demande de remboursement pour fins de vérification par le ministre;

4º malgré l'article 28 de la *Loi sur l'administration fiscale* (chapitre A-6.002), aucun intérêt n'est payable à l'égard du remboursement;

5º le fournisseur doit remettre à l'acquéreur, dans un délai raisonnable, une note de crédit, au montant du remboursement ou du crédit, contenant les renseignements prescrits pour l'application du paragraphe 1º de l'article 449, compte tenu des adaptations nécessaires.

Notes historiques: L'article 402.10 a été ajouté par L.Q. 2001, c. 51, art. 293 et a effet depuis le 21 février 2000.

Concordance fédérale: aucune.

COMMENTAIRES: Voir les commentaires sous l'article 402.11.

402.11 Cas d'application — Lorsqu'en vertu de l'article 402.9, un fournisseur, à un moment donné, paie à un acquéreur, ou porte à son crédit, un montant au titre d'un remboursement et que, selon le cas :

1º l'acquéreur ne satisfait pas aux conditions prévues à la présente section — appelées « conditions d'admissibilité » dans le présent article — pour obtenir ce remboursement;

2º le montant payé ou porté au crédit de l'acquéreur excède le remboursement auquel il aurait ainsi eu droit, d'un montant donné.

Responsabilité du paiement — Sous réserve du troisième alinéa, l'acquéreur est responsable du paiement au ministre du montant ou du montant donné, selon le cas, comme s'il avait été payé au moment donné à l'acquéreur au titre d'un remboursement en vertu de la présente section.

Responsabilité solidaire — Dans le cas où, au moment donné, le fournisseur sait ou devrait savoir que l'acquéreur ne satisfait pas aux conditions d'admissibilité ou que le montant payé ou porté au crédit de l'acquéreur excède le remboursement auquel il a droit, le fournisseur et l'acquéreur sont responsables solidairement du paiement au ministre du montant ou du montant donné, selon le cas, comme s'il avait été payé au moment donné au titre d'un remboursement en vertu de la présente section au fournisseur et à l'acquéreur.

Notes historiques: L'article 402.11 a été ajouté par L.Q. 2001, c. 51, art. 293 et a effet depuis le 21 février 2000.

Concordance fédérale: aucune.

COMMENTAIRES: Tel que le souligne la Cour du Québec dans l'affaire *Drapeau c. Québec (Sous-ministre du Revenu)*, 2004 CarswellQue 2480, (C.Q.), le remboursement prévu à l'article 402.8 LTVQ ne s'applique que dans les situations d'annulation de la vente ou d'une réduction du prix de vente d'un véhicule.

En effet, le remboursement prévu à ces articles ne s'appliquera pas dans la situation impliquant la réduction du prix de rachat du véhicule par le fabricant. Voir notamment à cet effet : *Langlais c. Québec (Sous-ministre du Revenu)*, 2009 QCCQ 9647 (C.Q.).

L'article 402.9, au paragraphe 2, prévoit que la demande de remboursement doit être produite dans un délai de quatre ans suivant le jour où la TVQ devient payable. Nous vous référons à nos commentaires en vertu de la sous-section 6 — *Montant payé par erreur* pour une discussion sur la présence d'un délai de rigueur et, le cas échéant, sur la possibilité de bénéficier d'un recours alternatif lorsque le délai prescrit est expiré.

Finalement, nous soulignons l'absence de concordance de ce remboursement aux fins de la TPS/TVH en vertu de la *Loi sur la taxe d'accise (TPS)*.

§6.5. — Véhicules automobiles expédiés hors du Québec

Notes historiques: L'intitulé de la sous-section §6.5 a été modifié par L.Q. 2002, c. 9, par. 171(1) et s'applique à l'égard de la taxe qui devient payable après le 30 juin 1999 et qui n'est pas payée avant le 1er juillet 1999 relativement à la fourniture d'un véhicule automobile neuf. Antérieurement, il se lisait « Véhicules automobiles exportés hors du Canada ».

L'intitulé de la sous-section §6.5 a été ajouté par L.Q. 2001, c. 51, art. 293 et s'applique à l'égard de la taxe qui devient payable après le 30 juin 1999 et qui n'est pas payée avant le 1er juillet 1999 relativement à la fourniture d'un véhicule automobile neuf.

402.12 Remboursement à l'égard de la vente au détail d'un véhicule automobile neuf — Une personne a droit, dans la mesure où elle remplit les conditions et les modalités prescrites, au remboursement de la taxe qu'elle a payée à l'égard de la fourniture par vente au détail d'un véhicule automobile neuf qu'elle acquiert par l'intermédiaire d'un mandataire qui n'est pas inscrit si elle expédie ce véhicule hors du Québec dans un délai raisonnable suivant sa délivrance.

Délai pour produire une demande — Une personne a droit au remboursement prévu au premier alinéa si elle produit une demande de remboursement dans les 12 mois suivant le jour où la taxe a été payée.

Notes historiques: Le premier alinéa de l'article 402.12 a été modifié par L.Q. 2002, c. 9, par. 171(1) et s'applique à l'égard de la taxe qui devient payable après le 30 juin 1999 et qui n'est pas payée avant le 1er juillet 1999 relativement à la fourniture d'un véhicule automobile neuf. Antérieurement, il se lisait comme suit :

> 402.12 Une personne a droit, dans la mesure où elle remplit les conditions et les modalités prescrites, au remboursement de la taxe qu'elle a payée à l'égard de la fourniture par vente au détail d'un véhicule automobile neuf qu'elle acquiert par l'intermédiaire d'un mandataire qui n'est pas inscrit si elle exporte ce véhicule hors du Canada dans un délai raisonnable suivant sa délivrance à la personne.

De plus, lorsque le paragraphe 1 s'applique à l'égard de la taxe payée avant le 20 décembre 2001 relativement à la fourniture par vente au détail d'un véhicule automobile neuf que la personne a expédié hors du Québec mais au Canada, le deuxième alinéa de l'article 402.12 doit se lire comme suit :

> Une personne a droit au remboursement prévu au premier alinéa si elle produit une demande de remboursement avant le 20 décembre 2002.

L'article 402.12 a été ajouté par L.Q. 2001, c. 51, art. 293 et s'applique à l'égard de la taxe qui devient payable après le 30 juin 1999 et qui n'est pas payée avant le 1er juillet 1999 relativement à la fourniture d'un véhicule automobile neuf.

Guides [art. 402.12]: IN-624 — La TVQ, la TPS/TVH et les véhicules routiers.

Règlements [art. 402.12]: RTVQ, 402.12R1.

Bulletins d'interprétation [art. 402.12]: SPÉCIAL 123 — Bonification de la politique fiscale en matière d'avantages sociaux accordés aux employés, instauration d'un crédit d'impôt remboursable pour le rajeunissement du parc véhicules-taxis et autres mesures fiscales.

Jurisprudence: *Québec (Sous-ministre du Revenu) c. 3199959 Canada inc.* (6 septembre 2006), 500-09-015494-057, 2007 CarswellQue 8323; *3199959 Canada inc. c.*

Québec (Sous-ministre du Revenu) (4 mars 2005), 500-80-002091-032, 2005 CarswellQue 734.

Concordance fédérale: aucune.

COMMENTAIRES: La Cour du Québec a souligné, dans l'affaire *3199959 Canada inc. c. Québec (Sous-ministre du Revenu)*, 2007 QCCA 1154 que le remboursement prévu à cet article ne serait pas applicable dans la mesure où le véhicule a été acquis sans l'intermédiaire d'un mandataire.

Cet article prévoit que la demande de remboursement doit être produite dans un délai de douze mois suivant le jour où la TVQ a été payée. Nous vous référons à nos commentaires en vertu de la sous-section 6 — *Montant payé par erreur* pour une discussion sur la présence d'un délai de rigueur et, le cas échéant, sur la possibilité de bénéficier d'un recours alternatif lorsque le délai prescrit est expiré.

Finalement, nous soulignons l'absence de concordance de ce remboursement aux fins de la TPS/TVH en vertu de la *Loi sur la taxe d'accise (TPS)*.

§6.6. — Régimes de pension

Notes historiques: L'intitulé de la sous-section 6.6 a été remplacé par L.Q. 2011, c. 34, par. 149(1) et cette modification s'applique à l'égard d'une période de demande d'une entité de gestion commençant après le 22 septembre 2009. Antérieurement, il se lisait « Régimes de pension interentreprises »

L'intitulé de la sous-section §6.6, comprenant les articles 402.13 à 402.17, a été ajouté par L.Q. 2001, c. 53, art. 363 et a effet depuis le 20 octobre 2000.

Notes explicatives ARQ (PL 32, L.Q. 2011, c. 34): *Résumé* :

L'intitulé de la sous-section 6.6 de la section I du chapitre VII du titre I est modifié pour tenir compte du fait que l'application de cette sous-section est étendue à l'ensemble des régimes de pension agréés, et ce, en raison de nouvelles règles mises en place dans le cadre du présent projet de loi en vertu desquelles la taxe payée ou réputée payée par une entité de gestion d'un tel régime ouvre généralement droit au remboursement prévu par cette sous-section.

Situation actuelle :

La sous-section 6.6 de la section I du chapitre VII du titre I regroupe les règles applicables aux régimes de pension interentreprises en vertu desquelles une fiducie régie par un tel régime peut obtenir un remboursement, lequel correspond à la taxe payable par la fiducie, ou payée par elle sans qu'elle soit devenue payable, pour laquelle la fiducie ne peut demander un remboursement de la taxe sur les intrants, un autre remboursement, une remise ou une compensation en vertu d'une disposition de la LTVQ autre que l'article 404.14 ou de toute autre loi du Québec, et qui n'a pas été rajustée conformément à l'article 449 de cette loi.

Modifications proposées :

L'intitulé de la sous-section 6.6 de la section I du chapitre VII du titre I est modifié pour tenir compte du fait que l'application de cette sous-section est étendue à l'ensemble des régimes de pension agréés, et ce, à la suite des nouvelles règles mises en place dans le cadre du présent projet de loi en vertu desquelles, de façon générale, la taxe devenue payable par une entité de gestion d'un régime de pension, payée par elle sans être devenue payable ou réputée payée par elle ouvre droit au remboursement prévu par cette sous-section, lorsque l'entité de gestion n'a pas droit à un remboursement de la taxe sur les intrants relativement à cette taxe.

402.13 Définitions — Pour l'application des articles 402.14 à 402.17, l'expression :

« cotisation » signifie une cotisation qu'une personne verse à un régime de pension et qu'elle peut déduire en vertu de l'article 137 de la *Loi sur les impôts* (chapitre I-3) dans le calcul de son revenu;

Notes historiques: La définition de « cotisation » à l'article 402.12 a été ajoutée par L.Q. 2011, c. 34, s.-par. 150(1)(2º) et s'applique à l'égard d'une période de demande d'une entité de gestion commençant après le 22 septembre 2009.

Concordance fédérale: LTA, par. 261.01(1)« cotisation ».

« employeur admissible » d'un régime de pension pour une année civile signifie un employeur participant au régime qui est un inscrit et qui :

1º dans le cas où des cotisations ont été versées au régime au cours de l'année civile précédente, a versé des cotisations au régime au cours de cette année;

2º dans les autres cas, était l'employeur d'un ou de plusieurs participants actifs au régime au cours de l'année civile précédente;

Notes historiques: La définition de « employeur admissible » à l'article 402.12 a été ajoutée par L.Q. 2011, c. 34, s.-par. 150(1)(2º) et s'applique à l'égard d'une période de demande d'une entité de gestion commençant après le 22 septembre 2009.

Concordance fédérale: LTA, par. 261.01(1)« employeur admissible ».

« employeur participant » a le sens que lui donne l'article 289.2;

Notes historiques: La définition de « employeur participant » à l'article 402.12 a été ajoutée par L.Q. 2011, c. 34, s.-par. 150(1)(2º) et s'applique à l'égard d'une période de demande d'une entité de gestion commençant après le 22 septembre 2009.

Concordance fédérale: LTA, par. 261.01(1)« employeur participant ».

« entité de gestion » a le sens que lui donne l'article 289.2;

Notes historiques: La définition de « entité de gestion » à l'article 402.12 a été ajoutée par L.Q. 2011, c. 34, s.-par. 150(1)(2º) et s'applique à l'égard d'une période de demande d'une entité de gestion commençant après le 22 septembre 2009.

Concordance fédérale: LTA, par. 261.01(1)« entité de gestion ».

« entité de gestion admissible » désigne une entité de gestion d'un régime de pension qui n'est pas un régime à l'égard duquel l'une des conditions suivantes est remplie :

1º au moins 10 % des cotisations totales au cours de la dernière année civile antérieure où des cotisations ont été versées au régime l'ont été par des institutions financières désignées;

2º il est raisonnable de s'attendre à ce qu'au moins 10 % des cotisations totales au cours de l'année civile subséquente où des cotisations devront être versées au régime le seront par des institutions financières désignées;

Notes historiques: La définition de « entité de gestion admissible » au premier alinéa de l'article 402.13 a été ajoutée par L.Q. 2012, c. 28, s.-par. 142(1)(1º) et s'applique à l'égard d'une période de demande qui commence après le 31 décembre 2012.

De plus, lorsque l'article 402.13 s'applique relativement à une période de demande qui commence après le 31 décembre 2012 et avant le 1er janvier 2014, il devra se lire en remplaçant la formule prévue à la définition de l'expression « montant de remboursement de pension » prévue au premier alinéa par la suivante :

$$(A \times B) + (C \times D).$$

Concordance fédérale: LTA, par. 261.01(1)« entité de gestion admissible ».

« entité de gestion non admissible » désigne une entité de gestion qui n'est pas une entité de gestion admissible;

Notes historiques: La définition de « entité de gestion non admissible » au premier alinéa de l'article 402.13 a été ajoutée par L.Q. 2012, c. 28, s.-par. 142(1)(1º) et s'applique à l'égard d'une période de demande qui commence après le 31 décembre 2012.

Concordance fédérale: LTA, par. 261.01(1)« entité de gestion non admissible ».

« montant admissible » d'une entité de gestion pour une période de demande signifie, sous réserve du deuxième alinéa, le montant de taxe, sauf un montant recouvrable relativement à la période de demande, qui, selon le cas :

1º est devenu payable par l'entité de gestion au cours de la période de demande, ou a été payé par elle au cours de cette période sans être devenu payable, relativement à la fourniture ou à l'apport au Québec d'un bien ou d'un service qu'elle a acquis ou apporté, selon le cas, pour sa consommation, son utilisation ou sa fourniture relativement à un régime de pension, à l'exclusion d'un montant de taxe qui, selon le cas :

a) est réputé avoir été payé par l'entité de gestion en vertu des dispositions du présent titre, à l'exception des articles 223 à 231.1;

b) est devenu payable par l'entité de gestion à un moment où elle avait droit à un remboursement en vertu des articles 383 à 388 et 394 à 397.2, ou a été payé par elle à ce moment sans être devenu payable;

c) était payable par l'entité de gestion en vertu de l'article 16, ou est réputé en vertu des articles 223 à 231.1 avoir été payé par l'entité de gestion, relativement à la fourniture taxable, effectuée à cette entité de gestion, d'un immeuble d'habitation, d'une adjonction à un tel immeuble ou d'un fonds si l'entité de gestion avait droit, relativement à cette fourniture, à un remboursement en vertu de la sous-section IV.2 de la sous-section 3 ou y aurait droit après avoir payé la taxe payable à l'égard de la fourniture;

d) serait inclus dans le calcul du remboursement de la taxe sur les intrants de l'entité de gestion n'eût été le fait que l'entité de gestion est une grande entreprise au sens de l'article 551 du chapitre 63 des lois de 1995;

2º est réputé avoir été payé par l'entité de gestion en vertu de la section I.1 du chapitre VI au cours de la période de demande;

LTVQ (français)

Notes historiques: Le préambule de la définition de « montant admissible » au premier alinéa de l'article 402.13 a été remplacé par L.Q. 2012, c. 28, s.-par. 142(1)(2º) et cette modification s'applique à l'égard d'une période de demande qui commence après le 31 décembre 2012. Antérieurement, il se lisait ainsi :

> « montant admissible » d'une entité de gestion pour une période de demande signifie le montant de taxe, sauf un montant recouvrable relativement à la période de demande, qui, selon le cas :

La définition de « montant admissible » à l'article 402.12 a été ajoutée par L.Q. 2011, c. 34, s.-par. 150(1)(2º) et s'applique à l'égard d'une période de demande d'une entité de gestion commençant après le 22 septembre 2009.

Concordance fédérale: LTA, par. 261.01(1)« montant admissible ».

« montant de remboursement de pension » d'une entité de gestion pour une période de demande signifie le montant obtenu par la formule suivante :

$$A \times B;$$

Notes historiques: La définition de « montant de remboursement de pension » à l'article 402.12 a été ajoutée par L.Q. 2011, c. 34, s.-par. 150(1)(2º) et s'applique à l'égard d'une période de demande d'une entité de gestion commençant après le 22 septembre 2009.

Concordance fédérale: LTA, par. 261.01(1)« montant de remboursement de pension ».

« montant recouvrable » relativement à une période de demande d'une personne signifie un montant de taxe qui, selon le cas :

1º est inclus dans le calcul d'un remboursement de la taxe sur les intrants de la personne pour la période de demande;

2º est un montant à l'égard duquel il est raisonnable de considérer que la personne a obtenu ou peut obtenir un remboursement, une remise ou une compensation en vertu d'un article de la présente loi, autre qu'un article prévu à la présente sous-section, ou de toute autre loi;

3º est un montant qu'il est raisonnable de considérer comme ayant été inclus dans un montant remboursé à la personne, redressé en sa faveur ou porté à son crédit, pour lequel une note de crédit visée à l'article 449 a été reçue par la personne ou une note de débit visée à cet article a été remise par cette personne;

Notes historiques: La définition de « montant recouvrable » à l'article 402.12 a été ajoutée par L.Q. 2011, c. 34, s.-par. 150(1)(2º) et s'applique à l'égard d'une période de demande d'une entité de gestion commençant après le 22 septembre 2009.

Concordance fédérale: LTA, par. 261.01(1)« montant recouvrable ».

« participant actif » a le sens que lui donne le paragraphe 1 de l'article 8500 du *Règlement de l'impôt sur le revenu* (C.R.C., c. 945) édicté en vertu de la *Loi de l'impôt sur le revenu* (L.R.C. 1985, c. 1 (5e suppl.));

Notes historiques: La définition de « participant actif » à l'article 402.12 a été ajoutée par L.Q. 2011, c. 34, s.-par. 150(1)(2º) et s'applique à l'égard d'une période de demande d'une entité de gestion commençant après le 22 septembre 2009.

Concordance fédérale: LTA, par. 261.01(1)« participant actif ».

« période de demande » a, sous réserve du cinquième alinéa, le sens que lui donne l'article 383;

Notes historiques: La définition de « période de demande » au premier alinéa de l'article 402.13 a été remplacée par L.Q. 2012, c. 28, s.-par. 142(1)(3º) et cette modification s'applique à l'égard d'une période de demande qui comprend le 1er janvier 2013. Toutefois, lorsque la définition de l'expression « période de demande » prévue au premier alinéa de l'article 402.13 s'applique à l'égard d'une période de demande qui commence avant le 1er janvier 2013, elle doit se lire en remplaçant le mot « cinquième » par le mot « quatrième ». Antérieurement, elle se lisait ainsi :

> « période de demande » a le sens que lui donne l'article 383;

Concordance fédérale: LTA, par. 261.01(1)« période de demande ».

« régime de pension » a le sens que lui donne l'article 289.2;

Notes historiques: La définition de « régime de pension » à l'article 402.12 a été ajoutée par L.Q. 2011, c. 34, s.-par. 150(1)(2º) et s'applique à l'égard d'une période de demande d'une entité de gestion commençant après le 22 septembre 2009.

Concordance fédérale: LTA, par. 261.01(1)« régime de pension ».

« régime interentreprises », (*définition supprimée*);

Notes historiques: La définition de « régime interentreprises » à l'article 402.12 a été supprimée par L.Q. 2011, c. 34, s.-par. 1150(1)(1º) et cette modification s'applique à l'égard d'une période de demande d'une entité de gestion commençant après le 22 septembre 2009. Antérieurement, elle se lisait ainsi :

> « régime interentreprises », à un moment quelconque au cours d'une année civile donnée, signifie un régime de pension qui est, à ce moment, un régime de pension agréé au sens du paragraphe 1 de l'article 248 de la *Loi de l'impôt sur le revenu* (Lois révisées du Canada (1985), chapitre 1, 5e supplément), qui est un régime interentreprises au sens du paragraphe 1 de l'article 8500 du *Règlement de l'impôt sur le revenu* (Codification des règlements du Canada, chapitre 945, tel que modifié), au cours de cette année.

« taux de recouvrement de taxe » d'une personne pour un exercice signifie le taux qui correspond au moins élevé des pourcentages suivants :

1º 100 %;

2º la fraction, exprimée en pourcentage, déterminée selon la formule suivante :

$$(A + B) / C$$

.

Notes historiques: La définition de « taux de recouvrement de taxe » à l'article 402.12 a été ajoutée par L.Q. 2011, c. 34, s.-par. 150(1)(2º) et s'applique à l'égard d'une période de demande d'une entité de gestion commençant après le 22 septembre 2009.

Lorsqu'une entité de gestion est une institution financière désignée particulière tout au long d'une période de demande, le montant admissible de l'entité de gestion pour la période de demande est réputé nul.

Pour l'application de la formule prévue à la définition de l'expression « montant de remboursement de pension » prévue au premier alinéa :

1º la lettre A représente 33 %;

2º la lettre B représente le total des montants dont chacun représente un montant admissible de l'entité de gestion pour la période de demande.

Pour l'application de la formule prévue à la définition de l'expression « taux de recouvrement de taxe » prévue au premier alinéa :

1º la lettre A représente le total des montants dont chacun représente :

a) soit, dans le cas où la personne est une institution financière désignée particulière au cours de l'exercice, un montant visé au sous-alinéa i de l'élément A de l'alinéa b) de la définition de l'expression « taux de recouvrement de taxe » prévue au paragraphe 1 de l'article 261.01 de la *Loi sur la taxe d'accise* (L.R.C. 1985, c. E-15), pour une période de déclaration comprise dans l'exercice;

b) soit, dans les autres cas, un remboursement de la taxe sur les intrants de la personne pour une période de déclaration comprise dans l'exercice;

2º la lettre B représente le total des montants dont chacun représente :

a) soit, dans le cas où la personne est une institution financière désignée particulière au cours de l'exercice, un montant visé au sous-alinéa i de l'élément B de l'alinéa b) de la définition de l'expression « taux de recouvrement de taxe » prévue au paragraphe 1 de l'article 261.01 de la *Loi sur la taxe d'accise* pour une période de demande comprise dans l'exercice;

b) soit, dans les autres cas, le montant d'un remboursement auquel la personne a droit en vertu des articles 383 à 388 et 394 à 397.2 pour une période de demande comprise dans l'exercice;

3º la lettre C représente le total des montants dont chacun représente :

a) soit, dans le cas où la personne est une institution financière désignée particulière au cours de l'exercice, un montant visé au sous-alinéa i de l'élément C de l'alinéa b) de la définition de l'expression « taux de recouvrement de taxe » prévue au paragraphe 1 de l'article 261.01 de la *Loi sur la taxe d'accise* qui est devenu payable par la personne au cours de l'exercice ou qui a été payé par elle au cours de l'exercice sans être devenu payable;

b) soit, dans les autres cas, un montant de taxe qui est devenu payable par la personne au cours de l'exercice ou qui a été payé par elle au cours de l'exercice sans être devenu payable.

Lorsqu'une période de demande donnée d'une entité de gestion a commencé avant le 1er janvier 2013 et que, n'eût été le présent alinéa, la période comprendrait cette date, les règles suivantes s'appliquent :

1º la période de demande donnée est réputée se terminer le 31 décembre 2012;

2º la période de demande qui suit la période de demande donnée est réputée commencer le 1er janvier 2013 et se terminer le jour où la période de demande donnée se serait terminée, n'eût été le présent alinéa.

Notes historiques: Le deuxième alinéa de l'article 402.13 a été ajouté par L.Q. 2012, c. 28, s.-par. 142(1)(4º) et s'applique à l'égard d'une période de demande qui commence après le 31 décembre 2012.

De plus, lorsque l'article 402.13 s'applique relativement à une période de demande qui commence après le 31 décembre 2012 et avant le 1er janvier 2014, il doit se lire :

[...]

2° en remplaçant les paragraphes 1° et 2° du deuxième alinéa par les suivants :

« 1° la lettre A représente, selon le cas :

a) 77 %, lorsque l'entité de gestion est régie par un régime de pension auquel plus de 50 % des cotisations sont versées par un ou plusieurs organsimes de services publics n'ayant droit à aucun remboursement en vertu de l'article 386;

b) 88 %, lorsque l'entité de gestion est régie par un régime de pension auquel plus de 50 % des cotisations sont versées par un ou plusieurs organismes de services publics ayant droit à un remboursement en vertu de l'article 386;

c) dans les autres cas, 100 %;

2° la lettre B représente le total des montants dont chacun correspond, relativement à un employeur participant à un régime de pension, au moindre des montants suivants :

a) le total des montants dont chacun représente un montant visé au paragraphe 2° de la définition de l'expression « montant admissible » prévue au premier alinéa pour la période de demande, relativement à une fourniture taxable que l'employeur participant au régime de pension est réputé avoir effectuée;

b) le total des montants dont chacun représente un montant visé au paragraphe 1° de la définition de l'expression « montant admissible » prévue au premier alinéa, pour une période de demande qui se termine en 2012, qui est devenu payable par l'entité de gestion ou a été payé par elle sans être devenu payable, relativement à une fourniture effectuée par l'employeur participant au régime, au cours d'un exercice de celui-ci qui se termine après le 31 décembre 2012; »;

3° en insérant, après le paragraphe 2° du deuxième alinéa, les paragraphes suivants :

« 3° la lettre C représente 33 %;

4° la lettre D représente l'excédent du total des montants dont chacun représente un montant admissible de l'entité de gestion pour la période de demande sur le montant représenté par la lettre B. ».

Le paragraphe 1° du troisième alinéa de l'article 402.13, renuméroté par le s.-par. 142(1)(4º), a été remplacé par L.Q. 2012, c. 28, s.-par. 142(1)(5º) et cette modification s'applique à l'égard d'une période de demande qui commence après le 31 décembre 2012. Antérieurement, il se lisait ainsi :

1º la lettre A représente, selon le cas :

a) 77 %, lorsque l'entité de gestion est régie par un régime de pension auquel plus de 50 % des cotisations sont versées par un ou plusieurs organismes de services publics n'ayant droit à aucun remboursement en vertu de l'article 386;

b) 88 %, lorsque l'entité de gestion est régie par un régime de pension auquel plus de 50 % des cotisations sont versées par un ou plusieurs organismes de services publics ayant droit à un remboursement en vertu de l'article 386;

c) dans les autres cas, 100 %;

Les deuxième et troisième alinéas de l'article 402.12 ont été ajoutés par L.Q. 2011, c. 34, s.-par. 150(1)(3º) et s'appliquent à l'égard d'une période de demande d'une entité de gestion commençant après le 22 septembre 2009.

Les paragraphes 1° à 3º du quatrième alinéa de l'article 402.13, renuméroté par le s.-par. 142(1)(4º) ont été remplacés par le L.Q. 2012, c. 28, s.-par. 142(1)(6º) et cette modification s'applique à l'égard d'une période de demande qui commence après le 31 décembre 2012. Antérieurement, ils se lisaient ainsi :

1º la lettre A représente le total des montants dont chacun représente un remboursement de la taxe sur les intrants de la personne pour une période de déclaration comprise dans l'exercice;

2º la lettre B représente le total des montants dont chacun représente le montant d'un remboursement auquel la personne a droit en vertu des articles 383 à 388 et 394 à 397.2 pour une période de demande comprise dans l'exercice;

3º la lettre C représente le total des montants dont chacun représente un montant de taxe qui est devenu payable par la personne au cours de l'exercice ou qui a été payé par elle au cours de l'exercice sans être devenu payable.

Le cinquième alinéa de l'article 402.13, renuméroté par le s.-par. 142(1)(4º), a été ajouté par le s.-par. 142(1)(7º) et s'applique à l'égard d'une période de demande qui comprend le 1er janvier 2013.

L'article 402.13 a été ajouté par L.Q. 2001, c. 53, art. 363 et a effet depuis le 20 octobre 2000.

Notes explicatives ARQ (PL 5, L.Q. 2012, c. 28): *Résumé* :

L'article 402.13 est modifié pour notamment ajuster le taux applicable au calcul du montant de remboursement de pension et pour y introduire des particularités applicables aux institutions financières désignées particulières.

Situation actuelle :

L'article 402.13 comprend les définitions nécessaires pour l'application des règles prévues à la sous-section 6.6 de la section I du chapitre VII du titre I de cette loi, en vertu desquelles une entité de gestion d'un régime de pension peut demander un remboursement de la taxe devenue payable par elle, payée par elle sans être devenue payable ou réputée payée par elle. Ce remboursement est prévu à l'article 402.14 de la LTVQ.

De façon générale, une entité de gestion d'un régime de pension a droit à ce remboursement, plutôt qu'à un montant au titre du remboursement de la taxe sur les intrants, à l'égard de la taxe devenue payable par elle, payée par elle sans être devenue payable ou réputée payée par elle (donc à l'égard de toute taxe relative à une fourniture taxable, réputée ou non, effectuée à l'entité de gestion).

Toutefois, lorsqu'une entité de gestion a droit d'obtenir un montant au titre du remboursement de la taxe sur les intrants, relativement à une fourniture, l'entité de gestion n'a pas droit au remboursement prévu à cet article 402.14, relativement à cette fourniture. Notons que l'article 206.0.1 de la LTVQ restreint les montants de taxe ouvrant droit au remboursement de la taxe sur les intrants pour un inscrit qui est une entité de gestion d'un régime de pension. Ainsi, cet article 206.0.1 fait en sorte qu'aucun montant de taxe relativement à une fourniture donnée ne donne droit à un remboursement de la taxe sur les intrants lorsqu'aucun montant n'a été inclus, relativement à cette fourniture, dans le calcul d'un crédit de taxe sur les intrants en vertu du régime de taxation fédéral.

L'expression « montant admissible » d'une entité de gestion pour une période de demande signifie le montant de taxe, sauf un montant recouvrable relativement à la période de demande, qui, selon le cas :

— est devenu payable par l'entité de gestion au cours de la période de demande, ou a été payé par elle au cours de cette période sans être devenu payable, relativement à la fourniture ou à l'apport au Québec d'un bien ou d'un service qu'elle a acquis ou apporté, selon le cas, pour sa consommation, son utilisation ou sa fourniture relativement à un régime de pension, à l'exclusion d'un montant de taxe qui :

- soit est réputé avoir été payé par l'entité de gestion en vertu des dispositions du titre I de la LTVQ comme la taxe découlant du changement d'utilisation d'une immobilisation et la taxe relative aux allocations et remboursements aux salariés. Cependant, la taxe qui est réputée, en vertu des articles 223 à 231.1 de cette loi, avoir été payée relativement à la fourniture à soi-même d'un immeuble d'habitation n'est pas visée par cette exception;
- soit est devenu payable par l'entité de gestion à un moment où elle avait droit au remboursement aux organismes de services publics prévu aux articles 383 à 388 et 394 à 397.2 de la LTVQ, ou a été payé par elle à ce moment sans être devenu payable;
- soit était payable par l'entité de gestion en vertu de l'article 16 de la LTVQ, ou est réputé en vertu des articles 223 à 231.1 de cette loi avoir été payé par l'entité de gestion, relativement à la fourniture taxable, effectuée à cette entité de gestion, d'un immeuble d'habitation, d'une adjonction à un tel immeuble ou d'un fonds de terre, si l'entité de gestion avait droit, relativement à cette fourniture, à un remboursement en vertu de la sous-section IV.2 de la sous-section 3 de la section I du chapitre VII du titre I de la LTVQ ou y aurait droit après avoir payé la taxe payable à l'égard de la fourniture (le montant admissible de l'entité de gestion ne comprend pas le montant de taxe réputée en vertu de la règle relative à la fourniture à soi-même d'un immeuble d'habitation qui ouvre droit au remboursement pour immeubles d'habitation locatifs neufs);
- soit serait inclus dans le calcul du remboursement de la taxe sur les intrants de l'entité de gestion n'eût été le fait que l'entité de gestion est une grande entreprise au sens de l'article 551 du chapitre 63 des lois du Québec de 1995;

— est réputé avoir été payé par l'entité de gestion en vertu des articles 289.2 à 289.8 de la LTVQ au cours de la période de demande (le montant admissible de l'entité de gestion comprend donc la taxe réputée payée par elle en vertu des présomptions prévues aux articles 289.5, 289.6 et 289.7 de cette loi).

LTVQ (français)

L'expression « montant de remboursement de pension » d'une entité de gestion pour une période de demande est définie comme étant le produit obtenu par la formule A x B.

La lettre A correspond soit à 77 %, lorsque l'entité de gestion est régie par un régime de pension auquel plus de 50 % des cotisations sont versées par un ou plusieurs organismes de services publics (telles des municipalités) n'ayant droit à aucun remboursement en vertu de l'article 386 de la LTVQ, soit à 88 %, lorsque l'entité de gestion est régie par un régime de pension auquel plus de 50 % des cotisations sont versées par un ou plusieurs organismes de services publics ayant droit à un remboursement en vertu de cet article 386 (telles des universités), soit, dans les autres cas, à 100 %.

La lettre B correspond au total des montants dont chacun représente un montant admissible de l'entité de gestion pour la période de demande.

Le « taux de recouvrement de taxe » d'une personne pour un exercice correspond au moindre de 100 % et de la fraction, exprimée en pourcentage, obtenue par la formule (A + B) / C.

Cette fraction représente le rapport entre l'ensemble des montants dont chacun est soit un remboursement de la taxe sur les intrants de la personne pour une période de déclaration comprise dans l'exercice, soit un montant à titre de remboursement aux organismes de services publics, aux organismes de bienfaisance et aux organismes sans but lucratif auquel a droit la personne en vertu des articles 383 à 388 et 394 à 397.2 de la LTVQ pour une période de demande comprise dans l'exercice et le total des montants dont chacun est un montant de taxe qui est devenu payable par la personne au cours de l'exercice ou qui a été payé par elle au cours de l'exercice sans être devenu payable.

La notion de « taux de recouvrement de taxe » est pertinente pour l'application de l'article 402.19 de cette loi. Sommairement, lorsque 50 % ou plus des cotisations versées au régime de pension l'ont été par un ou plusieurs employeurs qui ne sont pas des organismes de services publics, chacun des employeurs admissibles du régime peut déduire, dans le calcul de sa taxe nette pour sa période de déclaration qui comprend le jour où le choix visé à cet article 402.19 est présenté au ministre du Revenu, un montant qui représente le produit obtenu en multipliant la part du montant du remboursement de pension de l'entité de gestion pour la période de demande déterminée à l'égard de l'employeur (soit le montant du remboursement de pension de l'entité de gestion multiplié par le pourcentage alloué à l'employeur admissible dans ce choix et par le pourcentage représentant la participation de l'employeur au régime) par le taux de recouvrement de taxe de l'employeur admissible pour son exercice terminé au plus tard le dernier jour de la période de demande.

Modifications proposées :

L'article 402.13 est modifié pour y introduire les notions de « entité de gestion admissible » et de « entité de gestion non admissible ». Seule une entité de gestion admissible peut demander le remboursement prévu à l'article 402.14 de la LTVQ. Une entité de gestion admissible désigne toute entité de gestion d'un régime de pension autre qu'un régime à l'égard duquel soit des institutions financières désignées ont versé au moins 10 % des cotisations totales au cours de la dernière année civile antérieure où des cotisations ont été versées au régime, soit il est raisonnable de s'attendre à ce que de telles institutions versent au régime au moins 10 % des cotisations totales au cours de l'année civile subséquente où des cotisations devront y être versées. L'expression « entité de gestion admissible » est utilisée à l'article 402.14 de la LTVQ, qui précise que le remboursement n'est offert qu'à une entité de gestion admissible, aux articles 402.18, 402.19 de cette loi, lesquels concernent le choix de transférer le montant de remboursement de pension par une entité de gestion admissible en faveur des employeurs admissibles du régime, lorsque respectivement tous les employeurs exercent exclusivement des activités commerciales ou qu'au moins l'un de ces employeurs n'exerce pas exclusivement des activités commerciales, et à l'article 402.19.1 de cette loi, introduit par le présent projet de loi, qui porte sur le choix de transférer le remboursement de pension par une entité de gestion non admissible en faveur des employeurs admissibles du régime.

Le nouveau deuxième alinéa de l'article 402.13 précise que, lorsqu'une entité de gestion est une institution financière désignée particulière tout au long d'une période de demande, le montant admissible de l'entité de gestion pour la période de demande est réputé nul. Ceci fait en sorte que l'entité de gestion qui est une institution financière désignée particulière n'a aucunmontant de remboursement de pension et ne peut donc obtenir unmontant au titre du remboursement prévu à l'article 402.14 de cette loi. Toutefois, une telle entité de gestion pourra faire le choix prévu à l'un des articles 402.18, 402.19 et 402.19.1 de la LTVQ, selon qu'elle est ou non une entité de gestion admissible et que les employeurs admissibles du régime exercent exclusivement ou non des activités commerciales, de façon à permettre aux employeurs admissibles du régime de déduire un certain montant dans le calcul de leur taxe nette pour la période de déclaration qui comprend le jour où le document concernant le choix est présenté au ministre du Revenu. De façon générale, dans un tel cas, le montant pouvant être ainsi déduit par ces employeurs sera pondéré, entre autres, en fonction du montant de remboursement de pension de l'entité de gestion, tel qu'établi en vertu de la *Loi sur la taxe d'accise* (Lois révisées du Canada (1985), chapitre E-15) (LTA), du pourcentage d'attribution applicable au Québec, lequel est similaire à celui représentant la proportion des affaires faites au Québec sur l'ensemble des affaires faites au Canada ou au Québec et ailleurs, établie conformément aux règles énoncées aux articles 771R2 à 771R28 du *Règlement sur les impôts* (R.Q., c. I-3, r. 1). À cet égard, voir la note explicative sous l'article 402.18 de la LTVQ, tel que modifié par le présent projet de loi.

La formule permettant de calculer le taux de recouvrement de taxe est également modifiée pour prévoir des valeurs différentes lorsque la personne est une institution financière désignée particulière. Lorsque la personne est une institution financière désignée particulière au cours de l'exercice, son taux de recouvrement de taxe pour l'exercice correspond au quotient obtenu par la division du total des montants dont chacun représente soit un crédit de taxe sur les intrants de la personne relativement à un montant de taxe prévu au paragraphe 1 de l'article 165 de la LTA ou à l'un des articles 212, 218 et 218.01 de la LTA pour l'exercice, soit un remboursement auquel la personne a droit en vertu de l'article 259 de la LTA, relativement à un montant de taxe prévu au paragraphe 1 de cet article 165 ou à l'un des articles 212, 218 et 218.01 de la LTA, pour une période de demande comprise dans l'exercice, par le total des montants dont chacun représente un montant de taxe prévu au paragraphe 1 de l'article 165 de la LTA ou à l'un des articles 212, 218 et 218.01 de cette loi qui est devenu payable ou a été payé par la personne au cours de l'exercice sans être devenu payable. Ainsi, seule la TPS ou la composante fédérale de la TVH est prise en considération dans la détermination du taux de recouvrement de taxe dans ces cas. La notion de taux de recouvrement de taxe s'avère utile pour l'application des articles 402.19 et 402.19.1 de la LTVQ, qui, réitérons-le, concernent respectivement le choix de transférer le montant de remboursement de pension par une entité de gestion admissible en faveur des employeurs admissibles du régime lorsqu'au moins l'un de ces employeurs n'exerce pas exclusivement des activités commerciales et le choix de transférer le remboursement de pension par une entité de gestion non admissible en faveur des employeurs admissibles du régime. Le taux de recouvrement de taxe d'un employeur admissible en faveur duquel un tel choix est fait limite le montant pouvant être déduit dans le calcul de sa taxe nette.

Enfin, le pourcentage par lequel est multiplié un montant admissible d'une entité de gestion pour donner lieu au montant de remboursement de pension est modifié pour passer, dans tous les cas, à 33 %, et ce, considérant que la nouvelle section VI.1 du chapitre III du titre I de la LTVQ, introduite par le présent projet de loi, prévoit l'exonération des services financiers, autres que certains services financiers qui demeurent détaxés en vertu des articles 197.3 à 197.5 de la LTVQ.

Notes explicatives ARQ (PL 32, L.Q. 2011, c. 34): *Résumé* :

L'article 402.13 est modifié pour y introduire de nouvelles définitions étant donné l'élargissement de la portée de la sous-section 6.6 de la section I du chapitre VII du titre I de cette loi à l'ensemble des régimes de pension agréés. Ces modifications découlent des nouvelles règles mises en place dans le cadre du présent projet de loi en vertu desquelles, de façon générale, la taxe devenue payable par une entité de gestion d'un régime de pension, payée par elle sans être devenue payable ou réputée payée par elle ouvre droit au remboursement prévu par cette sous-section.

Situation actuelle :

L'article 402.13 prévoit la définition de certaines expressions pour l'application des articles 402.14 à 402.17 de cette loi. Ainsi, l'expression « période de demande » a le sens que lui donne l'article 383 de cette loi, soit, dans le cas d'un inscrit, sa période de déclaration, ou, dans le cas d'un non-inscrit, les deux premiers ou les deux derniers trimestres d'un exercice donné.

L'expression « régime interentreprises » s'entend d'un régime de pension agréé, au sens du paragraphe 1 de l'article 248 de la *Loi de l'impôt sur le revenu* (Lois révisées du Canada (1985), chapitre 1, 5e supplément) (LIR), qui est un régime interentreprises au sens du paragraphe 1 de l'article 8500 du *Règlement de l'impôt sur le revenu* (RIR) édicté en vertu de la LIR.

Modifications proposées :

L'article 402.13 est modifié pour y supprimer la définition de l'expression « régime interentreprises ». Cette définition n'est plus nécessaire du fait que la sous-section 6.6 de la section I du chapitre VII du titre I de cette loi, qui comprenait les articles 402.13 à 402.17 avant les présentes modifications, s'appliquera dorénavant à l'ensemble des régimes de pension agréés, et non seulement aux régimes interentreprises.

Cet article est également modifié pour y ajouter les définitions nécessaires pour l'application des nouvelles règles insérées dans cette sous-section 6.6 en vertu desquelles une entité de gestion d'un régime de pension peut demander un remboursement de la taxe devenue payable par elle, payée par elle sans être devenue payable ou réputée payée par elle. Ce remboursement est prévu à l'article 402.14 de la LTVQ, lequel est également modifié dans le cadre du présent de loi.

De façon générale, une entité de gestion d'un régime de pension a droit à ce remboursement, plutôt qu'à un montant au titre du remboursement de la taxe sur les intrants, à l'égard de la taxe devenue payable par elle, payée par elle sans être devenue payable ou réputée payée par elle (donc à l'égard de toute taxe relative à une fourniture taxable, réputée ou non, effectuée à l'entité de gestion). Toutefois, lorsqu'une entité de gestion a droit d'obtenir un montant au titre du remboursement de la taxe sur les intrants, relativement à une fourniture, l'entité de gestion n'a pas droit au remboursement prévu à cet article 402.14, relativement à cette fourniture.

Notons que le nouvel article 206.0.1, introduit dans le cadre du présent projet de loi, restreint les montants de taxe ouvrant droit au remboursement de la taxe sur les intrants pour un inscrit qui est une entité de gestion d'un régime de pension. Ainsi, cet article 206.0.1 fait en sorte qu'aucun montant de taxe relativement à une fourniture donnée ne donne droit à un remboursement de la taxe sur les intants lorsqu'aucun montant n'a été inclus, relativement à cette fourniture, dans le calcul d'un crédit de taxe sur les intrants en vertu du régime de taxation fédéral.

L'expression « cotisation » signifie une cotisation qu'une personne verse à un régime de pension et qu'elle peut déduire dans le calcul de son revenu en vertu de l'article 137 de la *Loi sur les impôts* (L.R.Q., chapitre I-3) (LI). Les expressions « employeur participant », « entité de gestion » et « régime de pension » ont le sens que leur donne le nouvel article 289.2 de la LTVQ, introduit dans le cadre du présent projet de loi.

L'expression « employeur admissible » d'un régime de pension pour une année civile signifie un employeur participant au régime qui est un inscrit et qui, lorsque des cotisations ont été versées au régime au cours de l'année civile précédente, a versé des cotisations au régime au cours de cette année, ou, dans les autres cas, était l'employeur d'un ou de plusieurs participants actifs au régime au cours de l'année civile précédente.

L'expression « montant admissible » d'une entité de gestion pour une période de demande signifie le montant de taxe, sauf un montant recouvrable relativement à la période de demande, qui, selon le cas :

— est devenu payable par l'entité de gestion au cours de la période de demande, ou a été payé par elle au cours de cette période sans être devenu payable, relativement à la fourniture ou à l'apport au Québec d'un bien ou d'un service qu'elle a acquis ou apporté, selon le cas, pour sa consommation, son utilisation ou sa fourniture relativement à un régime de pension, à l'exclusion d'un montant de taxe qui :

- soit est réputé avoir été payé par l'entité de gestion en vertu des dispositions du titre I de la LTVQ comme la taxe découlant du changement d'utilisation d'une immobilisation et la taxe relative aux allocations et remboursements aux salariés. Cependant, la taxe qui est réputée, en vertu des articles 223 à 231.1 de cette loi, avoir été payée relativement à la fourniture à soi-même d'un immeuble d'habitation n'est pas visée par cette exception;
- soit est devenu payable par l'entité de gestion à un moment où elle avait droit au remboursement aux organismes de services publics prévu aux articles 383 à 388 et 394 à 397.2 de la LTVQ, ou a été payé par elle à ce moment sans être devenu payable;
- soit était payable par l'entité de gestion en vertu de l'article 16 de la LTVQ, ou est réputé en vertu des articles 223 à 231.1 de cette loi avoir été payé par l'entité de gestion, relativement à la fourniture taxable, effectuée à cette entité de gestion, d'un immeuble d'habitation, d'une adjonction à un tel immeuble ou d'un fonds de terre, si l'entité de gestion avait droit, relativement à cette fourniture, à un remboursement en vertu de la sous-section IV.2 de la sous-section 3 de la section I du chapitre VII du titre I de la LTVQ ou y aurait droit après avoir payé la taxe payable à l'égard de la fourniture (le montant admissible de l'entité de gestion ne comprend pas le montant de taxe réputée en vertu de la règle relative à la fourniture à soi-même d'un immeuble d'habitation qui ouvre droit au remboursement pour immeubles d'habitation locatifs neufs);
- soit serait inclus dans le calcul du remboursement de la taxe sur les intrants de l'entité de gestion n'eût été le fait que l'entité de gestion est une grande entreprise au sens de l'article 551 du chapitre 63 des lois de 1995;

— est réputé avoir été payé par l'entité de gestion en vertu des nouveaux articles 289.2 à 289.8 de la LTVQ, introduits dans le cadre du présent projet de loi, au cours de la période de demande (le montant admissible de l'entité de gestion comprend donc la taxe réputée payée par elle en vertu des présomptions prévues aux nouveaux articles 289.5, 289.6 et 289.7 de cette loi, introduits dans le cadre du présent projet de loi).

L'expression « montant de remboursement de pension » d'une entité de gestion pour une période de demande est définie comme étant le produit obtenu par la formule A x B.

La lettre A correspond soit à 77 %, lorsque l'entité de gestion est régie par un régime de pension auquel plus de 50 % des cotisations sont versées par un ou plusieurs organismes de services publics (telles des municipalités) n'ayant droit à aucun remboursement en vertu de l'article 386 de la LTVQ, soit à 88 %, lorsque l'entité de gestion est régie par un régime de pension auquel plus de 50 % des cotisations sont versées par un ou plusieurs organismes de services publics ayant droit à un remboursement en vertu de cet article 386 (telles des universités), soit, dans les autres cas, à 100 %.

La lettre B correspond au total des montants dont chacun représente un montant admissible de l'entité de gestion pour la période de demande.

L'expression « montant recouvrable », relativement à une période de demande d'une personne, signifie un montant de taxe qui, selon le cas, est inclus dans le calcul d'un remboursement de la taxe sur les intrants de la personne pour la période de demande ou est l'un ou l'autre des montants suivants :

— un montant à l'égard duquel il est raisonnable de considérer que la personne a obtenu ou peut obtenir un remboursement, une remise ou une compensation en vertu d'un article de la LTVQ, autre qu'un article prévu à la sous-section 6.6 de la section I du chapitre VII du titre I de cette loi, ou de toute autre loi;

— un montant qu'il est raisonnable de considérer comme ayant été inclus dans un montant remboursé à la personne, redressé en sa faveur ou porté à son crédit, pour lequel une note de crédit visée à l'article 449 de la LTVQ a été reçue par la personne ou une note de débit visée à cet article a été remise par cette personne.

Les montants de taxe qui sont inclus dans le calcul du remboursement de la taxe sur les intrants d'une entité de gestion, pour une période de demande, à l'égard d'une fourniture (ce qui suppose alors, comme mentionné précédemment, que, considérant le nouvel article 206.0.1 de la LTVQ, la personne demande un crédit de taxe sur les intrants, en vertu du régime de taxation fédéral, relativement à cette fourniture et qu'elle a droit à un tel crédit) sont des montants recouvrables et, par conséquent, ne sont pas des montants admissibles de l'entité de gestion pour cette période de demande pour les fins du remboursement prévu par l'article 402.14 de la LTVQ.

L'expression « participant actif » a le sens que lui donne le paragraphe 1 de l'article 8500 du RIR. Selon ce paragraphe, est un participant actif d'un régime de pension au cours d'une année civile le participant qui acquiert des prestations aux termes d'une disposition à prestations déterminées du régime pour tout ou partie de l'année ou qui verse, ou pour le compte duquel sont versées, des cotisations se rapportant à l'année aux termes d'une disposition à cotisations déterminées du régime. Cette expression est utile pour l'application du nouvel article 402.19 de la LTVQ, introduit dans le cadre du présent projet de loi, qui porte sur le choix conjoint qu'une entité de gestion d'un régime de pension et les employeurs admissibles du régime dont l'un ou plusieurs n'exercent pas exclusivement des activités commerciales peuvent faire en vue de transférer à ces employeurs la totalité ou une partie du montant de remboursement de pension que l'entité de gestion pourrait autrement obtenir en vertu de l'article 402.14 de la LTVQ.

Le « taux de recouvrement de taxe » d'une personne pour un exercice correspond au moindre de 100 % et de la fraction, exprimée en pourcentage, obtenue par la formule (A + B) / C. Cette fraction représente le rapport entre l'ensemble des montants dont chacun est soit un remboursement de la taxe sur les intrants de la personne pour une période de déclaration comprise dans l'exercice, soit un montant à titre de remboursement aux organismes déterminés de services publics, aux organismes de bienfaisance et aux organismes sans but lucratif auquel a droit la personne en vertu des articles 383 à 388 et 394 à 397.2 de la LTVQ pour une période de demande comprise dans l'exercice et le total des montants dont chacun est un montant de taxe qui est devenu payable par la personne au cours de l'exercice ou qui a été payé par elle au cours de l'exercice sans être devenu payable.

La notion de « taux de recouvrement de taxe » est pertinente pour l'application du nouvel article 402.19 de cette loi. Sommairement, lorsque 50 % ou plus des cotisations versées au régime de pension l'ont été par un ou plusieurs employeurs qui ne sont pas des organismes de services publics, chacun des employeurs admissibles du régime peut déduire, dans le calcul de sa taxe nette pour sa période de déclaration qui comprend le jour où le choix visé à cet article 402.19 est présenté au ministre du Revenu, un montant qui représente le produit obtenu en multipliant la part du montant du remboursement de pension de l'entité de gestion pour la période de demande déterminée à l'égard de l'employeur (soit le montant du remboursement de pension de l'entité de gestion multiplié par le pourcentage alloué à l'employeur admissible dans ce choix et par le pourcentage représentant la participation de l'employeur au régime) par le taux de recouvrement de taxe de l'employeur admissible pour son exercice terminé au plus tard le dernier jour de la période de demande. Pour plus de détails quant au montant pouvant être déduit par un employeur admissible dans le calcul de sa taxe nette pour une période de déclaration, par suite d'un choix fait en vertu du nouvel article 402.19 de la LTVQ, voir les notes explicatives sous cet article 402.19.

Lettres d'interprétation [art. 402.13]: 05-0100486 — Interprétation relative à la TPS et à la TVQ — remboursement pour fiducie régie par un régime de pension interentreprises.

Renvois [art. 402.13]: 450.0.1 (définitions).

Bulletins d'information [art. 402.13]: 2009-9 — Harmonisation à diverses mesures relatives à la législation et à la règlementation fiscales fédérales et report de l'imposition d'une ristourne admissible.

402.14 Remboursement — Une entité de gestion d'un régime de pension qui est une entité de gestion admissible le dernier jour de sa période de demande a droit, pour la période de demande, à un remboursement égal au montant déterminé selon la formule suivante :

A – B.

Application — Pour l'application de la formule prévue au premier alinéa :

1° la lettre A représente le montant de remboursement de pension de l'entité de gestion pour la période;

2° la lettre B représente le total des montants dont chacun représente :

a) soit le montant déterminé selon la formule prévue au premier alinéa de l'article 402.18 relativement à un employeur admissible en raison du choix fait en vertu de cet article pour la période;

b) soit le montant déterminé conformément au paragraphe 1° du premier alinéa de l'article 402.19 à l'égard d'un employeur admissible en raison du choix fait en vertu de cet article pour la période.«

Notes historiques: Le préambule du premier alinéa de l'article 402.14 a été remplacé par L.Q. 2012, c. 28, par. 143(1) et cette modification s'applique à l'égard d'une période de demande qui commence après le 31 décembre 2012. Antérieurement, il se lisait ainsi :

> 402.14 Une entité de gestion d'un régime de pension a droit, pour chacune de ses périodes de demande, à un remboursement égal au montant déterminé selon la formule suivante :

L'article 402.14 a été remplacé par L.Q. 2011, c. 34, par. 151(1) et cette modification s'applique à l'égard d'une période de demande d'une entité de gestion commençant après le 22 septembre 2009. Antérieurement, il se lisait ainsi :

> 402.14 Une fiducie régie par un régime interentreprises qui acquiert, ou apporte au Québec, un bien ou un service pour consommation, utilisation ou fourniture à

l'égard du régime, a droit, pour chacune des périodes de demande de la fiducie, à un remboursement égal au montant déterminé selon la formule suivante :

A – B.

Pour l'application de cette formule :

1° la lettre A représente le total des montants dont chacun constitue la taxe devenue payable par la fiducie, ou payée par celle-ci sans qu'elle soit devenue payable, pendant cette période et après le 31 décembre 1998, à l'égard de la fourniture ou de l'apport du bien ou du service;

2° la lettre B représente le total des montants dont chacun correspond à un montant qui est inclus dans le total visé au paragraphe 1° pour la période et soit :

a) qui est inclus dans le calcul du remboursement de la taxe sur les intrants de la fiducie à l'égard du bien ou du service pour la période;

b) pour lequel il peut raisonnablement être considéré que la fiducie a obtenu ou a le droit d'obtenir un remboursement, une remise ou une compensation en vertu de tout autre article de la présente loi ou de toute autre loi du Québec;

c) qui est inclus dans un montant remboursé à la fiducie, redressé en sa faveur ou porté à son crédit et pour lequel une note de crédit visée à l'article 449 a été reçue par la fiducie ou une note de débit visée à cet article a été remise par la fiducie.

L'article 402.14 a été ajouté par L.Q. 2001, c. 53, art. 363 et a effet depuis le 20 octobre 2000. Toutefois, dans le cas où une personne a droit au remboursement prévu à l'article 402.14 de cette loi à l'égard d'un montant qui, avant le 20 octobre 2000, est devenu payable ou a été payé sans qu'il soit devenu payable par la personne pendant une période de demande de celle-ci, ou qui aurait eu droit au remboursement en l'absence de l'article 402.16 de cette loi, la personne a, malgré cet article, pour présenter une demande de remboursement, jusqu'au jour qui tombe deux ans après le dernier en date des jours suivants :

1° le jour qui est le 20 octobre 2000;

2° le jour qui est prevu au paragraphe 1° ou 2° de l'article 402.16 de cette loi, selon le cas.

Notes explicatives ARQ (PL 5, L.Q. 2012, c. 28): *Résumé* :

L'article 402.14 est modifié pour faire en sorte que seule une entité de gestion admissible ait droit au remboursement qui y est prévu.

Situation actuelle :

L'article 402.14 prévoit le remboursement à une entité de gestion d'un régime de pension, pour une période de demande, d'un montant égal à son montant de remboursement de pension pour cette période de demande moins, le cas échéant, l'ensemble des montants dont chacun représente soit un montant déterminé en vertu de l'article 402.18 de cette loi, relativement à un employeur admissible du régime, en raison du choix fait en vertu de cet article pour cette période, soit un montant déterminé conformément au paragraphe 1° du premier alinéa de l'article 402.19 de cette loi, relativement à un tel employeur pour une telle période de demande, en raison du choix fait en vertu de cet article 402.19.

Ainsi, le remboursement auquel a droit une entité de gestion en vertu de l'article 402.14 de la LTVQ est réduit de tout montant transféré, en vertu de l'un des articles 402.18 et 402.19 de cette loi, à l'un ou plusieurs des employeurs admissibles de ce régime.

Modifications proposées :

L'article 402.14 est modifié de façon à préciser que, pour avoir au remboursement qui y prévu pour une période de demande, l'entité de gestion doit être une entité de gestion admissible le dernier jour de cette période de demande. Conformément au premier alinéa de l'article 402.13 de la LTVQ, une entité de gestion admissible désigne toute entité de gestion d'un régime de pension autre qu'un régime à l'égard duquel soit des institutions financières désignées ont versé au moins 10 % des cotisations totales au cours de la dernière année civile antérieure à celle où des cotisations ont été versées au régime, soit il est raisonnable de s'attendre à ce que de telles institutions versent au régime au moins 10 % des cotisations totales au cours de l'année civile subséquente à celle où des cotisations devront y être versées.

Notes explicatives ARQ (PL 32, L.Q. 2011, c. 34): *Résumé* :

L'article 402.14 est modifié pour donner suite à l'élargissement de la portée de la sous-section 6.6 de la section I du chapitre VII du titre I de cette loi à l'ensemble des régimes de pension agréés, de façon à y prévoir le remboursement, pour une période de demande, du montant de remboursement de pension d'une entité de gestion d'un tel régime pour cette période.

Situation actuelle :

L'article 402.14 prévoit qu'une fiducie régie par un régime interentreprises a droit à un remboursement équivalant à la taxe par ailleurs irrécupérable payée ou payable par la fiducie après 1998 à l'égard de dépenses relatives au régime.

Le remboursement est calculé pour chaque période de demande de la fiducie à l'égard d'un bien ou d'un service, acquis ou apporté au Québec par la fiducie, pour consommation, utilisation ou fourniture relativement au régime. Le remboursement correspond à la taxe payée ou payable par la fiducie pour laquelle cette dernière ne peut demander un remboursement de la taxe sur les intrants ou un autre remboursement ou une remise, et qui n'a pas été rajustée conformément à l'article 449 de la LTVQ.

Modifications proposées :

L'article 402.14 est modifié de façon à prévoir le remboursement à une entité de gestion d'un régime de pension, pour une période de demande, d'un montant égal à son montant de remboursement de pension pour cette période de demande moins, le cas échéant, l'ensemble des montants dont chacun représente soit un montant déterminé en vertu du nouvel article 402.18 de cette loi, introduit dans le cadre du présent projet de loi, relativement à un employeur admissible du régime, en raison du choix fait en vertu de cet article pour cette période, soit un montant déterminé conformément au paragraphe 1° du premier alinéa du nouvel article 402.19 de cette loi, également introduit dans le cadre du présent projet de loi, relativement à un tel employeur pour une telle période de demande, en raison du choix fait en vertu de cet article 402.19.

Ainsi, le remboursement auquel a droit une entité de gestion en vertu de l'article 402.14 de la LTVQ est réduit de tout montant transféré, en vertu de l'un des articles 402.18 et 402.19 de cette loi, à l'un ou plusieurs des employeurs admissibles de ce régime.

Bulletins d'information [art. 402.14]: 2009-9 — Harmonisation à diverses mesures relatives à la législation et à la règlementation fiscales fédérales et report de l'imposition d'une ristourne admissible.

Lettres d'interprétation [art. 402.14]: 05-0100486 — Interprétation relative à la TPS et à la TVQ — remboursement pour fiducie régie par un régime de pension interentreprises.

Renvois [art. 402.14]: 450.0.4, 450.0.7 (effet de la note de redressement).

Concordance fédérale: LTA, par. 261.01(2).

402.15 [*Abrogé*].

Notes historiques: L'article 402.15 a été abrogé par L.Q. 2011, c. 34, par. 152(1) et cette abrogation s'applique à l'égard d'une période de demande d'une entité de gestion commençant après le 22 septembre 2009. Antérieurement, il se lisait ainsi :

402.15 Restrictions — Les montants suivants ne sont pas inclus dans le calcul du total visé à la lettre A de la formule prévue à l'article 402.14 :

1° un montant de taxe qu'une fiducie est réputée avoir payé en vertu des dispositions du présent titre, autre que les dispositions prévues aux articles 223 à 231.3;

2° un montant de taxe qui est devenu payable, ou a été payé sans être devenu payable, par une fiducie à un moment où elle avait le droit de demander un remboursement en vertu des articles 383 à 388 et des articles 394 à 397.2;

3° un montant de taxe qui serait incluse dans le calcul du remboursement de la taxe sur les intrants de la fiducie n'eût été du fait que la fiducie est une grande entreprise au sens de l'article 551 du chapitre 63 des lois de 1995.

4° un montant de taxe, en vertu de l'article 16, qui était payable ou réputé, en vertu des articles 223 à 231.1, avoir été payé par une fiducie à l'égard d'une fourniture taxable, effectuée à cette fiducie, d'un immeuble d'habitation, d'une adjonction à celui-ci ou d'un fonds de terre, dans le cas où la fiducie avait le droit de demander, à l'égard de cette fourniture, un remboursement en vertu de la sous-section IV.2 de la sous-section 3 de la section I du chapitre VII ou y aurait droit après avoir payé la taxe payable à l'égard de cette fourniture.

Le paragraphe 2° de l'article 402.15 a été modifié par L.Q. 2005, c. 38, par. 384(1) par le remplacement de « 397 » par « 397.2 ». Cette modification s'applique selon les mêmes modalités que la modification du préambule de l'article 383.

Le paragraphe 4° de l'article 402.15 a été ajouté par L.Q. 2003, c. 2, par 341(1) et a effet depuis le 28 février 2000.

L'article 402.15 a été ajouté par L.Q. 2001, c. 53, art. 363 et a effet depuis le 20 octobre 2000.

Notes explicatives ARQ (PL 32, L.Q. 2011, c. 34): *Résumé* :

L'article 402.15 est abrogé.

Situation actuelle :

L'article 402.14 prévoit qu'une fiducie régie par un régime interentreprises a droit à un remboursement équivalant à la taxe par ailleurs irrécupérable payée ou payable par la fiducie après 1998 à l'égard des dépenses relatives au régime. Le remboursement est calculé pour chaque période de demande de la fiducie, à l'égard d'un bien ou d'un service, acquis ou apporté au Québec par la fiducie, pour consommation, utilisation ou fourniture relativement au régime. Le remboursement correspond à la taxe payée ou payable par la fiducie pour laquelle cette dernière ne peut demander un remboursement de la taxe sur les intrants ou un autre remboursement ou remise.

Plus particulièrement, l'article 402.15 prévoit qu'une fiducie ne doit pas tenir compte, dans le calcul du montant du remboursement auquel elle a droit en vertu de cet article 402.14, de tout montant qui :

— soit est réputé avoir été payé par la fiducie en vertu des dispositions du titre I de la LTVQ, à l'exception des articles 223 à 231.1 (le montant ouvrant droit au remboursement pour la fiducie ne comprend donc pas la taxe attribuable à une fourniture réputée autre que la fourniture réputée découlant de la fourniture à soi-même d'un immeuble d'habitation) (paragraphe 1° de cet article 402.15);

— soit est devenu payable par la fiducie à un moment où elle avait droit à un remboursement en vertu des articles 383 à 388 et 394 à 397.2, ou a été payé par elle à ce moment sans être devenu payable (le montant ouvrant droit au remboursement pour la fiducie ne comprend pas le montant de taxe ouvrant droit au remboursement offert en vertu des dispositions de la sous-section 5 de la section I du chapitre VII du titre I de la LTVQ applicables aux organismes déterminés de services publics, aux organismes de bienfaisance et aux organismes sans but lucratif admissibles) (paragraphe 2° de cet article 402.15);

— soit serait inclus dans le calcul du remboursement de la taxe sur les intrants de la fiducie n'eût été le fait que la fiducie est une grande entreprise au sens de l'article 551 du chapitre 63 des lois de 1995 (paragraphe 3° de cet article 402.15);

— soit était payable par la fiducie en vertu de l'article 16, ou est réputé en vertu des articles 223 à 231.1 avoir été payé par celle-ci, relativement à la fourniture taxable, effectuée à cette fiducie, d'un immeuble d'habitation, d'une adjonction à un tel immeuble ou d'un fonds de terre si la fiducie avait droit, relativement à cette fourniture, à un remboursement en vertu de la sous-section IV.2 de la sous-section 3 de la section I du chapitre VII du titre I de la LTVQ ou y aurait droit après avoir payé la taxe payable à l'égard de la fourniture (le montant ouvrant droit au remboursement pour la fiducie ne comprend pas le montant de taxe payable, ou réputé payé en vertu de la règle relative à la fourniture à soi-même d'un immeuble d'habitation, qui ouvre droit au remboursement pour immeubles d'habitation locatifs neufs) (paragraphe 4° de cet article 402.15).

Modifications proposées :

Dans le cadre du présent projet de loi, la portée de la sous-section 6.6 de la section I du chapitre VII du titre I de cette loi est élargie pour viser l'ensemble des régimes de pension agréés. Des modifications sont apportées à la LTVQ pour mettre en place de nouvelles règles en vertu desquelles, de façon générale, la taxe devenue payable par une entité de gestion d'un régime de pension, payée par elle sans être devenue payable ou réputée payée par elle ouvre droit au remboursement prévu par cette sous-section. L'article 402.15 de la LTVQ est abrogé, étant donné que son contenu se retrouve dorénavant à la définition de l'expression « montant admissible » prévue au premier alinéa de l'article 402.13 de la LTVQ, tel que modifié dans le cadre du présent projet de loi. Les exclusions prévues à la notion de montant admissible font en sorte que les montants de taxe qui ne pouvaient donner droit au remboursement accordé à un régime interentreprises ne peuvent donner droit au remboursement accordé à une entité de gestion d'un régime de pension en vertu de ces nouvelles règles.

Bulletins d'information [art. 402.15]: 2009-9 — Harmonisation à diverses mesures relatives à la législation et à la règlementation fiscales fédérales et report de l'imposition d'une ristourne admissible.

402.16 Délai pour produire une demande — Une entité de gestion n'a droit au remboursement prévu à l'article 402.14 pour une période de demande que si elle en fait la demande dans les deux ans après le jour qui est :

1° dans le cas où l'entité de gestion est un inscrit, au plus tard le jour où elle est tenue de produire une déclaration, en vertu du chapitre VIII, pour la période de demande;

2° dans les autres cas, le dernier jour de la période de demande.

Notes historiques: L'article 402.16 a été remplacé par L.Q. 2011, c. 34, par. 153(1) et cette modification s'applique à l'égard d'une période de demande d'une entité de gestion commençant après le 22 septembre 2009. Antérieurement, il se lisait ainsi :

402.16 Une fiducie a droit au remboursement prévu à l'article 402.14 pour une période de demande à l'égard de la fourniture ou de l'apport au Québec d'un bien ou d'un service seulement dans le cas où elle produit une demande de remboursement dans les deux ans après le jour qui est :

1° dans le cas où la fiducie est un inscrit, au plus tard le jour où elle est tenue de produire une déclaration, en vertu du chapitre VIII, pour la période de demande;

2° dans tout autre cas, le dernier jour de la période de demande.

L'article 402.16 a été ajouté par L.Q. 2001, c. 53, art. 363 et a effet depuis le 20 octobre 2000. Toutefois, dans le cas où une personne a droit au remboursement prévu à l'article 402.14 de cette loi à l'égard d'un montant qui, avant le 20 octobre 2000, est devenu payable ou a été payé sans qu'il soit devenu payable par la personne pendant une période de demande de celle-ci, ou qui aurait eu droit au remboursement en l'absence de l'article 402.16 de cette loi, la personne a, malgré cet article, pour présenter une demande de remboursement, jusqu'au jour qui tombe deux ans après le dernier en date des jours suivants :

1° le jour qui est le 20 octobre 2000;

2° le jour qui est prévu au paragraphe 1° ou 2° de l'article 402.16 de cette loi, selon le cas.

Notes explicatives ARQ (PL 32, L.Q. 2011, c. 34): *Résumé :*

L'article 402.16 est modifié de façon à y remplacer la mention d'une fiducie par celle d'une entité de gestion. Situation actuelle : Selon l'article 402.16 de la LTVQ, le remboursement prévu à l'article 402.14 de cette loi doit être demandé dans les deux ans suivant la date de production de la déclaration pour la période de demande, si la fiducie est un inscrit. Dans les autres cas, il doit être demandé dans les deux ans suivant le dernier jour de la période de demande.

Modifications proposées :

Dans le cadre du présent projet de loi, la portée de la sous-section 6.6 de la section I du chapitre VII du titre I de la LTVQ est élargie pour viser l'ensemble des régimes de pension agréés. Les modifications apportées à cette loi visent à mettre en place de nouvelles règles par suite desquelles, de façon générale, la taxe devenue payable par une entité de gestion d'un régime de pension, payée par elle sans être devenue payable ou réputée payée par elle ouvre droit au remboursement prévu par cette sous-section. L'article 402.16 de la LTVQ est modifié de façon à remplacer la mention d'une fiducie, en référence à une fiducie régie par un régime interentreprises, par celle d'entité de gestion. Pour l'application de cette sous-section 6.6, l'expression « entité de gestion » est définie au premier alinéa de l'article 402.13, tel que modifié dans le cadre du présent projet de loi.

Ainsi, la demande en vue d'obtenir le remboursement prévu à l'article 402.14 de la LTVQ, tel que modifié dans le cadre du présent projet de loi, doit être faite par une entité de gestion d'un régime de pension dans les deux ans suivant la date limite où la déclaration pour la période de demande doit être produite, si l'entité de gestion est un inscrit. Dans les autres cas, l'entité de gestion doit présenter sa demande en vue d'obtenir ce remboursement dans les deux ans suivant le dernier jour de la période de demande.

Bulletins d'information [art. 402.16]: 2009-9 — Harmonisation à diverses mesures relatives à la législation et à la règlementation fiscales fédérales et report de l'imposition d'une ristourne admissible.

Formulaires [art. 402.16]: VD-402.16, Demande de remboursement de TVQ pour une fiducie régie par un régime de pension interentreprise; VD-402.16.RP, Choix et demande de remboursement de la TVQ pour une entité de gestion.

Concordance fédérale: LTA, par. 261.01(3).

402.17 Une demande par période de demande — Une entité de gestion ne peut effectuer plus d'une demande de remboursement, en vertu de la présente sous-section, par période de demande.

Notes historiques: L'article 402.17 a été remplacé par L.Q. 2011, c. 34, par. 153(1) et cette modification s'applique à l'égard d'une période de demande d'une entité de gestion commençant après le 22 septembre 2009. Antérieurement, il se lisait ainsi :

402.17 Une fiducie ne peut effectuer plus d'une demande de remboursement, en vertu de la présente sous-section, par période de demande.

L'article 402.17 a été ajouté par L.Q. 2001, c. 53, art. 363 et a effet depuis le 20 octobre 2000.

Notes explicatives ARQ (PL 32, L.Q. 2011, c. 34): *Résumé :*

L'article 402.17 est modifié de façon à y remplacer la mention d'une fiducie par celle d'une entité de gestion. Situation actuelle : En vertu de l'article 402.17 de la LTVQ, une fiducie ne peut produire plus d'une demande de remboursement par période de demande, relativement au remboursement prévu à l'article 402.14 de cette loi.

Modifications proposées :

Dans le cadre du présent projet de loi, la portée de la sous-section 6.6 de la section I du chapitre VII du titre I de la LTVQ est élargie pour viser l'ensemble des régimes de pension agréés. Lesmodifications apportées à cette loi visent à mettre en place de nouvelles règles par suite desquelles, de façon générale, la taxe devenue payable par une entité de gestion d'un régime de pension, payée par elle sans être devenue payable ou réputée payée par elle ouvre droit au remboursement prévu par cette sous-section. L'article 402.17 de la LTVQ est modifié de façon à remplacer la mention d'une fiducie, en référence à une fiducie régie par un régime interentreprises, par celle d'entité de gestion. L'expression « entité de gestion » est définie au premier alinéa de l'article 402.13, tel que modifié dans le cadre du présent projet de loi, pour l'application de cette sous-section 6.6. Ainsi, une entité de gestion d'un régime de pension ne peut effectuer plus d'une demande par période de demande en vue d'obtenir le remboursement d'un montant en vertu de l'article 402.14 de la LTVQ, tel que modifié dans le cadre du présent projet de loi.

Lettres d'interprétation [art. 402.17]: 05-0100486 — Interprétation relative à la TPS et à la TVQ — remboursement pour fiducie régie par un régime de pension interentreprises.

Bulletins d'information [art. 402.17]: 2009-9 — Harmonisation à diverses mesures relatives à la législation et à la règlementation fiscales fédérales et report de l'imposition d'une ristourne admissible.

Concordance fédérale: LTA, par. 261.01(4).

402.18 [Choix de partager le remboursement — exercice exclusif d'activités commerciales] — Lorsqu'une entité de gestion d'un régime de pension est une entité de gestion admissible le dernier jour de sa période de demande et qu'elle fait un choix pour cette période de demande conjointement avec les personnes qui sont, pour l'année civile qui comprend le dernier jour de la période, des employeurs admissibles du régime exerçant chacun exclusivement des activités commerciales tout au long de la période, chacun de ces employeurs admissibles peut déduire, dans le calcul de sa taxe nette pour la période de déclaration qui comprend le jour où le choix est présenté au ministre :

LTVQ (français)

1° sauf dans le cas visé au paragraphe 2°, le montant déterminé selon la formule suivante :

$$A \times B;$$

2° si l'entité de gestion est une institution financière désignée particulière tout au long de la période de demande, le montant déterminé selon la formule suivante :

$$C \times D \times E / F \times B.$$

Pour l'application des formules prévues au premier alinéa :

1° la lettre A représente le montant de remboursement de pension de l'entité de gestion pour la période de demande;

2° la lettre B représente le pourcentage déterminé à l'égard de l'employeur admissible dans le choix.

3° la lettre C représente la valeur de l'élément A de la formule prévue à la définition de l'expression « montant de remboursement de pension provincial » prévue au paragraphe 1 de l'article 261.01 de la *Loi sur la taxe d'accise* (L.R.C. 1985, c. E-15) pour la période de demande ou, le cas échéant, la valeur qu'aurait cet élément A pour la période de demande si l'entité de gestion était également une institution financière désignée particulière pour l'application de cette loi;

Modification proposée — 402.18, al. 2, par. 3°

Application: Le paragraphe 3° du deuxième alinéa de l'article 402.18 sera modifié par l'art. 237 du *Projet de loi 18* (présenté le 21 février 2013) par la suppression du mot « également ». Cette modification entrera en vigueur à la date de la sanction du *Projet de loi 18*.

4° la lettre D représente le pourcentage correspondant à la valeur qu'aurait, quant au Québec, l'élément C de la formule prévue au paragraphe 2 de l'article 225.2 de la *Loi sur la taxe d'accise*, déterminée pour l'année d'imposition dans laquelle se termine l'exercice de l'entité de gestion comprenant la période de demande, si le Québec était une province participante au sens du paragraphe 1 de l'article 123 de cette loi et si, le cas échéant, l'entité de gestion était une institution financière désignée particulière pour l'application de cette loi;

5° la lettre E représente le taux de la taxe prévu au premier alinéa de l'article 16;

6° la lettre F représente le taux de la taxe prévu au paragraphe 1 de l'article 165 de la *Loi sur la taxe d'accise*.

2011, c. 34, art. 154; 2012, c. 28, art. 144.

Notes historiques: Le premier alinéa de l'article 402.18 a été remplacé par L.Q. 2012, c. 28, s.-par. 144(1)(1°) et cette modification s'applique à l'égard d'une période de demande qui commence après le 31 décembre 2012. Antérieurement, il se lisait ainsi :

402.18 Lorsqu'une entité de gestion d'un régime de pension fait un choix pour une période de demande conjointement avec les personnes qui sont, pour l'année civile qui comprend le dernier jour de la période, des employeurs admissibles du régime exerçant chacun exclusivement des activités commerciales tout au long de la période, chacun de ces employeurs admissibles peut déduire, dans le calcul de sa taxe nette pour la période de déclaration qui comprend le jour où le choix est présenté au ministre, le montant déterminé selon la formule suivante :

$$A \times B.$$

Le préambule du deuxième alinéa de l'article 402.18 a été remplacé par L.Q. 2012, c. 28, s.-par. 144(1)(2°) et cette modification s'applique à l'égard d'une période de demande qui commence après le 31 décembre 2012. Antérieurement, il se lisait ainsi :

Pour l'application de la formule prévue au premier alinéa :

Les paragraphes 3° à 6° du deuxième alinéa de l'article 402.18 ont été ajoutés par L.Q. 2012, c. 28, s.-par. 144(1)(3°) et s'appliquent à l'égard d'une période de demande qui commence après le 31 décembre 2012.

L'article 402.18 a été ajouté par L.Q. 2011, c. 34, par. 154(1) et s'applique à l'égard d'une période de demande d'une entité de gestion commençant après le 22 septembre 2009.

Notes historiques: L'article 402.20 a été ajouté par L.Q. 2011, c. 34, par. 154(1) et s'applique à l'égard d'une période de demande d'une entité de gestion commençant après le 22 septembre 2009.

Notes historiques: L'article 402.21 a été ajouté par L.Q. 2011, c. 34, par. 154(1) et s'applique à l'égard d'une période de demande d'une entité de gestion commençant après le 22 septembre 2009.

Notes explicatives ARQ (PL 5, L.Q. 2012, c. 28): *Résumé* :

L'article 402.18 prévoit le choix que peuvent exercer conjointement une entité de gestion d'un régime de pension et les employeurs admissibles de ce régime de transférer une partie ou la totalité du montant que l'entité de gestion pourrait demander à titre de remboursement en vertu de l'article 402.14 de cette loi en faveur de l'un ou plusieurs de ces employeurs, lorsque tous les employeurs exercent exclusivement des activités commerciales. Cet article est modifié afin de préciser que, pour l'exercice de ce choix, l'entité de gestion doit être une entité de gestion admissible et afin d'y introduire des particularités lorsque l'entité de gestion est une institution financière désignée particulière.

Situation actuelle :

L'article 402.18 prévoit le choix que peuvent exercer conjointement une entité de gestion d'un régime de pension et les employeurs admissibles de ce régime, pour une période de demande, en vue de transférer une partie ou la totalité du montant de remboursement de pension de l'entité de gestion en faveur de l'un ou plusieurs de ces employeurs. Cet article 402.18 gouverne le choix que peuvent faire l'entité de gestion et les personnes qui sont des employeurs admissibles du régime pour l'année civile qui comprend le dernier jour de la période de demande visée par ce choix, lorsque ces personnes exercent exclusivement des activités commerciales tout au long de cette période. Lorsqu'au moins l'un des employeurs admissibles d'un régime de pension n'exerce pas exclusivement des activités commerciales tout au long de la période de demande, le choix offert à ces employeurs et à l'entité de gestion est prévu à l'article 402.19 de la LTVQ.

Plus précisément, en vertu de l'article 402.18, l'entité de gestion d'un régime de pension et les personnes qui sont, pour l'année civile qui comprend le dernier jour d'une période de demande, des employeurs admissibles du régime exerçant chacun exclusivement des activités commerciales tout au long de cette période peuvent faire un choix par suite duquel chacun de ces employeurs pourra déduire, dans le calcul de sa taxe nette pour la période de déclaration qui comprend le jour où le choix est présenté au ministre du Revenu, un montant déterminé selon la formule suivante :

$$A \times B.$$

Dans cette formule, la lettre A représente le montant de remboursement de pension de l'entité de gestion pour la période de demande et la lettre B représente le pourcentage déterminé à l'égard de l'employeur admissible dans le choix.

L'entité de gestion et l'ensemble des employeurs admissibles du régime peuvent déterminer à leur gré le pourcentage à l'égard d'un employeur admissible, lequel peut même être nul. Par exemple, certains employeurs admissibles du régime peuvent n'avoir aucun montant à déduire dans le calcul de leur taxe nette en vertu de l'article 402.18 de la LTVQ ou, encore, un seul des employeurs admissibles du régime peut obtenir la totalité du montant de remboursement de pension de l'entité de gestion pour la période de demande.

En vertu du paragraphe 3° de l'article 402.21, le total des pourcentages dont chacun est un pourcentage déterminé à l'égard d'un employeur admissible du régime dans le choix ne peut dépasser 100 %. Par conséquent, l'ensemble des montants déterminés en vertu de l'article 402.18 de la LTVQ pour les employeurs admissibles du régime ne peut excéder le montant de remboursement de pension de l'entité de gestion pour la période de demande.

Enfin, notons que, en vertu de l'article 402.14, tout montant déterminé en vertu de l'article 402.18 de cette loi relativement à un employeur admissible d'un régime de pension ne peut donner droit au remboursement prévu à cet article 402.14 pour l'entité de gestion de ce régime.

Modifications proposées :

L'article 402.18 est modifié pour y introduire, dans son liminaire, l'exigence que l'entité de gestion soit une entité de gestion admissible. Seule une entité de gestion admissible peut faire le choix qui y est prévu, conjointement avec les employeurs admissibles du régime de pension. Notons que lorsque l'entité de gestion est une entité de gestion non admissible, le choix que peut faire l'entité de gestion pour transférer le montant de remboursement de pension en faveur des employeurs admissibles du régime est plutôt prévu au nouvel article 402.19.1 de la LTVQ, introduit par le présent projet de loi.

Le premier alinéa de l'article 402.18 est également modifié pour prévoir une formule distincte pour le calcul du montant qu'un employeur admissible du régime de pension peut déduire dans le calcul de sa taxe nette pour la période de déclaration qui comprend le jour où le choix est présenté au ministre du Revenu pour une période de demande, lorsque l'entité de gestion du régime est une institution financière désignée particulière tout au long de la période de demande. Notons que, en vertu du nouveau deuxième alinéa de l'article 402.13 de la LTVQ, le montant admissible d'une entité de gestion pour une période de demande est réputé nul lorsqu'elle est une institution financière désignée particulière tout au long de cette période de demande. Dans ce dernier cas, le montant pouvant être ainsi déduit par l'employeur admissible est égal au produit obtenu en multipliant les montants suivants :

— le montant représentant le montant de remboursement de pension fédéral de l'entité de gestion pour la période demande (lettre C);

— le pourcentage d'attribution applicable quant au Québec, lequel correspond, essentiellement, à celui représentant la proportion des affaires faites au Québec sur l'ensemble des affaires faites au Canada ou au Québec et ailleurs, établie conformément aux règles énoncées aux articles 771R2 à 771R28 du *Règlement sur les impôts* (R.Q., chapitre I-3, r. 1) (lettre D);

— le quotient obtenu en divisant le taux de la TVQ par celui de la taxe sur les produits et services (TPS) (ou de la composante fédérale de la TVH) (D/E);

— le pourcentage déterminé à l'égard de l'employeur admissible dans le choix (lettre B).

De façon sommaire, le montant pouvant être « transféré » à un employeur admissible au titre du montant de remboursement de pension d'une entité de gestion admissible qui est également une institution financière désignée particulière est donc déterminé à partir du montant total de la TPS devenue payable, ou payée par l'entité de gestion sans être devenue payable, à l'égard des fournitures taxables acquises ou réputées acquises.

Notes explicatives ARQ (PL 32, L.Q. 2011, c. 34): *Résumé* :

Le nouvel article 402.18 prévoit le choix que peuvent exercer conjointement une entité de gestion d'un régime de pension et les employeurs admissibles de ce régime de transférer une partie ou la totalité du montant que l'entité de gestion pourrait demander à titre de remboursement en vertu de l'article 402.14 de cette loi en faveur de l'un ou plusieurs de ces employeurs.

Contexte :

Voir la rubrique « Contexte » de la note explicative relative au nouvel article 289.2 de la LTVQ.

Modifications proposées :

Le nouvel article 402.18 prévoit le choix que peuvent exercer conjointement une entité de gestion d'un régime de pension et les employeurs admissibles de ce régime, pour une période de demande, en vue de transférer une partie ou la totalité du montant de remboursement de pension de l'entité de gestion en faveur de l'un ou plusieurs de ces employeurs.

Cet article 402.18 gouverne le choix que peuvent faire l'entité de gestion et les personnes qui sont des employeurs admissibles du régime pour l'année civile qui comprend le dernier jour de la période de demande visée par ce choix, lorsque ces personnes exercent exclusivement des activités commerciales tout au long de cette période. Lorsqu'au moins l'un des employeurs admissibles d'un régime de pension n'exerce pas exclusivement des activités commerciales tout au long de la période de demande, le choix offert à ces employeurs et à l'entité de gestion est prévu au nouvel article 402.19 de la LTVQ, introduit dans le cadre du présent projet de loi.

Plus précisément, en vertu de cet article 402.18, l'entité de gestion d'un régime de pension et les personnes qui sont, pour l'année civile qui comprend le dernier jour d'une période de demande, des employeurs admissibles du régime exerçant chacun exclusivement des activités commerciales tout au long de cette période peuvent faire un choix par suite duquel chacun de ces employeurs pourra déduire, dans le calcul de sa taxe nette pour la période de déclaration qui comprend le jour où le choix est produit au ministre du Revenu, un montant déterminé selon la formule suivante :

$$A \times B.$$

Dans cette formule, la lettre A représente le montant de remboursement de pension de l'entité de gestion pour la période de demande et la lettre B représente le pourcentage déterminé à l'égard de l'employeur admissible dans le choix.

L'entité de gestion et l'ensemble des employeurs admissibles du régime peuvent déterminer à leur gré le pourcentage à l'égard d'un employeur admissible, lequel peut même être nul. Par exemple, certains employeurs admissibles du régime peuvent n'avoir aucun montant à déduire dans le calcul de leur taxe nette en vertu de l'article 402.18 de la LTVQ ou, encore, un seul des employeurs admissibles du régime peut obtenir la totalité du montant de remboursement de pension de l'entité de gestion pour la période de demande.

En vertu du paragraphe 3° du nouvel article 402.21, également introduit dans le cadre du présent projet de loi, le total des pourcentages dont chacun est un pourcentage déterminé à l'égard d'un employeur admissible du régime dans le choix ne peut dépasser 100 %. Par conséquent, l'ensemble des montants déterminés en vertu de l'article 402.18 de la LTVQ pour les employeurs admissibles du régime ne pourra excéder le montant de remboursement de pension de l'entité de gestion pour la période de demande.

Enfin, notons que, en vertu de l'article 402.14, tel que modifié dans le cadre du présent projet de loi, tout montant déterminé en vertu du nouvel article 402.18 de cette loi relativement à un employeur admissible d'un régime de pension ne pourra donner droit au remboursement prévu à cet article 402.14 pour l'entité de gestion de ce régime.

Renvois [art. 402.18]: 450.0.4, 450.0.7 (effet de la note de redressement).

Bulletins d'information [art. 402.18]: 2009-9 — Harmonisation à diverses mesures relatives à la législation et à la règlementation fiscales fédérales et report de l'imposition d'une ristourne admissible.

Concordance fédérale: LTA, par. 261.01(5).

402.19 [Choix de partager le remboursement — exercice non exclusif d'activités commerciales] — Lorsqu'une entité de gestion d'un régime de pension est une entité de gestion admissible le dernier jour de sa période de demande et qu'elle fait un choix pour cette période de demande conjointement avec les personnes qui sont, pour l'année civile qui comprend le dernier jour de la période, des employeurs admissibles du régime dont l'un ou plusieurs n'exercent pas exclusivement des activités commerciales tout au long de la période, les règles suivantes s'appliquent :

1º sauf dans le cas visé au paragraphe 3° :

a) le montant — appelé « part » dans le présent article — obtenu par la formule suivante est déterminé à l'égard de chacun de ces employeurs admissibles :

$$A \times B \times C;$$

b) chacun de ces employeurs admissibles peut déduire, dans le calcul de sa taxe nette pour la période de déclaration qui comprend le jour où le choix est présenté au ministre, le montant déterminé selon la formule suivante :

$$D \times E;$$

2º (*paragraphe supprimé*);

3º si l'entité de gestion est une institution financière désignée particulière tout au long de la période de demande, chacun de ces employeurs admissibles peut déduire, dans le calcul de sa taxe nette pour la période de déclaration qui comprend le jour où le choix est présenté au ministre, le montant déterminé selon la formule suivante :

$$J \times K \times L / M \times B \times C \times E.$$

Pour l'application des formules prévues au premier alinéa :

1º la lettre A représente le montant de remboursement de pension de l'entité de gestion pour la période de demande;

2º la lettre B représente le pourcentage déterminé à l'égard de l'employeur admissible dans le choix;

3º la lettre C représente :

a) dans le cas où des cotisations ont été versées au régime au cours de l'année civile précédant celle qui comprend le dernier jour de la période de demande — appelée « année civile précédente » dans le présent article —, le montant déterminé selon la formule suivante :

$$F / G;$$

b) dans le cas où le sous-paragraphe a ne s'applique pas et qu'au moins un employeur admissible du régime était l'employeur d'un ou de plusieurs participants actifs au régime au cours de l'année civile précédente, le montant déterminé selon la formule suivante :

$$H / I;$$

c) la lettre C représente :

4º la lettre D représente la part à l'égard de l'employeur admissible, déterminée en vertu du paragraphe 1° du premier alinéa;

5º la lettre E représente le taux de recouvrement de taxe de l'employeur admissible pour son exercice terminé au plus tard le dernier jour de la période de demande.

6º la lettre J représente la valeur de l'élément A de la formule prévue à la définition de l'expression « montant de remboursement de pension provincial » prévue au paragraphe 1 de l'article 261.01 de la *Loi sur la taxe d'accise* (L.R.C. 1985, c. E-15) pour la période de demande ou, le cas échéant, la valeur qu'aurait cet élément A pour la période de demande si l'entité de gestion était une institution financière désignée particulière pour l'application de cette loi;

7º la lettre K représente le pourcentage correspondant à la valeur qu'aurait, quant au Québec, l'élément C de la formule prévue au paragraphe 2 de l'article 225.2 de la *Loi sur la taxe d'accise*, déterminée pour l'année d'imposition dans laquelle se termine l'exercice de l'entité de gestion comprenant la période de demande, si le Québec était une province participante au sens du paragraphe 1 de l'article 123 de cette loi et si, le cas échéant, l'entité de gestion était une institution financière désignée particulière pour l'application de cette loi;

LTVQ (français)

8º la lettre L représente le taux de la taxe prévu au premier alinéa de l'article 16;

9º la lettre M représente le taux de la taxe prévu au paragraphe 1 de l'article 165 de la *Loi sur la taxe d'accise*.

Pour l'application des formules prévues au deuxième alinéa :

1º la lettre F représente le total des montants dont chacun représente une cotisation versée au régime par l'employeur admissible au cours de l'année civile précédente;

2º la lettre G représente le total des montants dont chacun représente une cotisation versée au régime au cours de l'année civile précédente;

3º la lettre H représente le nombre de salariés de l'employeur admissible au cours de l'année civile précédente qui étaient des participants actifs au régime au cours de cette année;

4º la lettre I représente le total du nombre de salariés de chacun de ces employeurs admissibles au cours de l'année civile précédente qui étaient des participants actifs au régime au cours de cette année.

2011, c. 34, art. 154; 2012, c. 28, art. 145.

Notes historiques: Le passage précédant la formule du paragraphe 1° du premier alinéa de l'article 402.19 a été remplacé par L.Q. 2012, c. 28, s.-par. 145(1)(1°) et cette modification s'applique à l'égard d'une période de demande qui commence après le 31 décembre 2012. Antérieurement, il se lisait ainsi :

> 402.19 Lorsqu'une entité de gestion d'un régime de pension fait un choix pour une période de demande conjointement avec les personnes qui sont, pour l'année civile qui comprend le dernier jour de la période, des employeurs admissibles du régime dont l'un ou plusieurs n'exercent pas exclusivement des activités commerciales tout au long de la période, les règles suivantes s'appliquent :
>
> 1° le montant — appelé « part » dans le présent article — obtenu par la formule suivante est déterminé à l'égard de chacun de ces employeurs admissibles :

Le sous-paragraphe b) du paragraphe 1° du premier alinéa de l'article 402.19 a été ajouté par L.Q. 2012, c. 28, s.-par. 145(1)(2°) et s'applique à l'égard d'une période de demande qui commence après le 31 décembre 2012.

Le paragraphe 2° du premier alinéa de l'article 402.19 a été supprimé par L.Q. 2012, c. 28, s.-par. 145(1)(3°) et cette modification s'applique à l'égard d'une période de demande qui commence après le 31 décembre 2012. Antérieurement, il se lisait ainsi :

> 2° la lettre B représente le pourcentage déterminé à l'égard de l'employeur admissible dans le choix;

Le paragraphe 3° du premier alinéa de l'article 402.19 a été remplacé par L.Q. 2012, c. 28, s.-par. 145(1)(4°) et cette modification s'applique à l'égard d'une période de demande qui commence après le 31 décembre 2012. Antérieurement, il se lisait ainsi :

> 3° dans les autres cas, chacun de ces employeurs admissibles peut déduire, dans le calcul de sa taxe nette pour la période de déclaration qui comprend le jour où le choix est présenté au ministre, le montant déterminé selon la formule suivante :
>
> $$D \times E.$$

Les paragraphes 6° à 9° du deuxième alinéa de l'article 402.19 ont été ajoutés par L.Q. 2012, c. 28, s.-par. 145(1)(5°) et s'appliquent à l'égard d'une période de demande qui commence après le 31 décembre 2012.

L'article 402.19 a été ajouté par L.Q. 2011, c. 34, par. 154(1) et s'applique à l'égard d'une période de demande d'une entité de gestion commençant après le 22 septembre 2009.

Notes explicatives ARQ (PL 5, L.Q. 2012, c. 28): *Résumé* :

L'article 402.19 prévoit le choix que peuvent exercer conjointement une entité de gestion d'un régime de pension et les employeurs admissibles de ce régime de transférer une partie ou la totalité du montant que l'entité de gestion pourrait demander à titre de remboursement en vertu de l'article 402.14 de cette loi en faveur de l'un ou plusieurs de ces employeurs, lorsqu'au moins l'une de ces personnes n'exerce pas exclusivement des activités commerciales. Cet article est modifié afin de préciser que, pour l'exercice de ce choix, l'entité de gestion doit être une entité de gestion admissible et afin d'y introduire des particularités lorsque l'entité de gestion est une institution financière désignée particulière.

Situation actuelle :

L'article 402.19 prévoit le choix que peuvent exercer conjointement une entité de gestion d'un régime de pension et les employeurs admissibles de ce régime en vue de transférer une partie ou la totalité du montant de remboursement de pension de l'entité de gestion pour une période de demande en faveur de l'un ou plusieurs de ces employeurs. Cet article gouverne le choix que peuvent faire l'entité de gestion d'un régime de pension et les personnes qui sont des employeurs admissibles du régime pour l'année civile qui comprend le dernier jour de la période de demande visée par ce choix, lorsqu'au moins l'une de ces personnes n'exerce pas exclusivement des activités commerciales tout au long de la période. Lorsque tous les employeurs admissibles d'un régime de pension exercent exclusivement des activités commerciales tout au long de la période de demande concernée, le choix offert à ces employeurs et à l'entité de gestion est prévu à l'article 402.18 de la LTVQ.

Plus précisément, en vertu de l'article 402.19, l'entité de gestion d'un régime de pension et les personnes qui sont, pour l'année civile qui comprend le dernier jour d'une période de demande, des employeurs admissibles du régime dont au moins l'un d'entre eux n'exerce pas exclusivement des activités commerciales tout au long de la période de demande peuvent faire un choix, par suite duquel chacun de ces employeurs pourra déduire un montant dans le calcul de sa taxe nette pour la période de déclaration qui comprend le jour où le choix est présenté au ministre du Revenu.

L'article 402.19 prévoit que, dans le cas d'un régime de pension auquel plus de 50 % des cotisations sont versées par un ou plusieurs organismes de services publics, chacun de ces employeurs admissibles peut déduire, dans le calcul de sa taxe nette pour la période de déclaration qui comprend le jour où le choix est présenté au ministre du Revenu, le montant qui représente la part déterminée à son égard. Le paragraphe 1° de ce premier alinéa prévoit le calcul de la part d'un employeur admissible.

La part à l'égard de l'employeur admissible déterminée en vertu du paragraphe 1° du premier alinéa de cet article 402.19 (la lettre D) correspond au produit obtenu selon la formule suivante :

$$A \times B \times C.$$

Par conséquent, la part à l'égard de l'employeur admissible correspond au montant de remboursement de pension de l'entité de gestion pour la période de demande (lettre A) multiplié par le pourcentage déterminé à l'égard de l'employeur admissible dans le choix (lettre B - pourcentage, qui peut être nul, ne peut excéder 100 %, tel que le prévoit le paragraphe 4° de l'article 402.21 de la LTVQ) et par le pourcentage représentant la participation de l'employeur au régime. Le pourcentage représentant la participation de l'employeur admissible au régime (la lettre C) correspond au quotient obtenu selon l'une des formules suivantes :

— F / G, lorsque des cotisations ont été versées au régime au cours de l'année civile précédant celle qui comprend le dernier jour de la période de demande (année civile précédente);

— H / I, dans les autres cas.

Pour l'application de l'une ou l'autre des formules permettant de déterminer le pourcentage représentant la participation de l'employeur admissible au régime, la lettre F représente le total des cotisations versées au régime par l'employeur admissible au cours de l'année civile précédente, la lettre G représente le total des cotisations versées au régime au cours de cette année civile précédente, la lettre H représente le nombre de salariés de l'employeur admissible au cours de cette année civile précédente qui étaient des participants actifs au régime au cours de celle-ci et la lettre I représente le total du nombre de salariés de chacun des employeurs admissibles au cours de cette année civile précédente qui étaient des participants actifs au régime au cours de celle-ci. Le participant actif qui est le salarié de deux employeurs admissibles au cours de l'année civile précédente est compté deux fois dans le dénominateur. Si aucune cotisation n'est versée au régime au cours de cette année précédente et qu'aucun employeur n'avait de salariés qui étaient des participants actifs du régime au cours de l'année, les employeurs admissibles ne reçoivent aucune part.

Le paragraphe 3° du premier alinéa de l'article 402.19, prévoit que, dans les autres cas, chacun des employeurs admissibles du régime de pension peut déduire, dans le calcul de sa taxe nette pour la période de déclaration qui comprend le jour où le choix est présenté au ministre du Revenu, le montant obtenu selon la formule suivante :

$$D \times E.$$

Dans cette formule, la lettre D représente la part à l'égard de l'employeur admissible déterminée en vertu du paragraphe 1° du premier alinéa de l'article 402.19 de la LTVQ (soit le montant obtenu selon la formule A x B x C mentionnée précédemment) et la lettre E représente le taux de recouvrement de taxe de l'employeur admissible pour son exercice terminé au plus tard le dernier jour de la période de demande.

Sommairement, le taux de recouvrement de taxe de l'employeur admissible pour un exercice signifie le taux qui représente la mesure dans laquelle l'employeur peut récupérer la taxe devenue payable par lui ou payée par lui sans être devenue payable. Par exemple, le taux de recouvrement de taxe est généralement de 100 % pour un employeur qui n'est pas une grande entreprise et qui exerce exclusivement des activités commerciales, alors que ce taux est moindre pour un employeur admissible du régime qui est un organisme de services publics.

Enfin, notons que, en vertu de l'article 402.14, le remboursement auquel a droit une entité de gestion d'un régime de pension en vertu de cet article 402.14 est alors réduit de l'ensemble des montants dont chacun représente la part déterminée à l'égard d'un employeur admissible du régime en vertu du paragraphe 1° du premier alinéa de l'article 402.19 de la LTVQ.

Modifications proposées :

L'article 402.19 est modifié pour y introduire, dans son liminaire, l'exigence que l'entité de gestion soit une entité de gestion admissible. Seule une entité de gestion admissible peut faire le choix qui y est prévu, conjointement avec les employeurs admissibles du régime de pension. Notons que lorsque l'entité de gestion est une entité de gestion non admissible, le choix que peut faire l'entité de gestion pour transférer le montant de remboursement de pension en faveur des employeurs admissibles du régime est plutôt prévu au nouvel article 402.19.1 de la LTVQ, introduit par le présent projet de loi.

Le premier alinéa de l'article 402.19 est également modifié pour prévoir une formule distincte pour le calcul du montant qu'un employeur admissible du régime de pension peut déduire dans le calcul de sa taxe nette pour la période de déclaration qui comprend le jour où le choix est présenté au ministre du Revenu pour une période de demande, lorsque l'entité de gestion du régime est une institution financière désignée particulière tout au long de la période de demande (voir le paragraphe 3° du premier alinéa de cet article 402.19, tel que modifié). Dans ce cas, le montant pouvant être ainsi déduit par l'employeur admissible est égal au produit obtenu en multipliant les montants suivants :

— le montant représentant le montant de remboursement de pension fédéral de l'entité de gestion pour la période de demande (lettre J);

— le pourcentage d'attribution applicable quant au Québec, lequel correspond, essentiellement, à celui représentant la proportion des affaires faites au Québec sur l'ensemble des affaires faites au Canada ou au Québec et ailleurs, établie conformément aux règles énoncées aux articles 771R2 à 771R28 du *Règlement sur les impôts* (R.Q., chapitre I-3, r. 1) (lettre K);

— le quotient obtenu en divisant le taux de la TVQ par celui de la taxe sur les produits et services (TPS) (ou de la composante fédérale de la TVH) (L/M);

— le pourcentage déterminé à l'égard de l'employeur admissible dans le choix (lettre B);

— le pourcentage représentant la participation de l'employeur admissible au régime (lettre C);

— le taux de recouvrement de taxe de l'employeur admissible pour son exercice terminé au plus tard le dernier jour de la période de demande (lettre E).

De façon sommaire, le montant pouvant être « transféré » à un employeur admissible au titre du montant de remboursement de pension d'une entité de gestion admissible qui est également une institution financière désignée particulière est donc déterminé à partir du montant total de la TPS devenue payable ou payée par l'entité de gestion sans être devenue payable à l'égard des fournitures taxables acquises.

Enfin, le paragraphe 2° du premier alinéa est supprimé, étant donné que le montant de remboursement de pension d'une entité de gestion auquel plus de 50 % des cotisations sont versées par un ou plusieurs organismes de services publics cesse d'être calculé en pondérant le total des montants admissibles, au sens de l'article 402.13 de la LTVQ, par un taux de 77 % ou de 88 %. En effet, conformément à la définition de « montant de remboursement de pension » d'une entité de gestion, prévue à l'article 402.13 de la LTVQ et telle que modifiée par le présent projet de loi, le montant de remboursement de pension d'une entité de gestion d'un régime de pension représente, sans égard au type de cotisants au régime, 33 % de l'ensemble des montants admissibles de l'entité de gestion. Toutefois, lorsque l'entité de gestion est une institution financière désignée particulière tout au long d'une période de demande, le montant admissible de l'entité de gestion pour la période de demande est réputé nul, et ce, en vertu du nouveau deuxième alinéa de l'article 402.13 de la LTVQ.

Notes explicatives ARQ (PL 32, L.Q. 2011, c. 34): *Résumé* :

Le nouvel article 402.19 prévoit le choix que peuvent exercer conjointement une entité de gestion d'un régime de pension et les employeurs admissibles de ce régime de transférer une partie ou la totalité du montant que l'entité de gestion pourrait demander à titre de remboursement en vertu de l'article 402.14 de cette loi en faveur de l'un ou plusieurs de ces employeurs.

Contexte :

Voir la rubrique « Contexte » de la note explicative relative au nouvel article 289.2 de la LTVQ.

Modifications proposées :

Le nouvel article 402.19 prévoit le choix que peuvent exercer conjointement une entité de gestion d'un régime de pension et les employeurs admissibles de ce régime, pour une période de demande, en vue de transférer une partie ou la totalité du montant de remboursement de pension de l'entité de gestion pour une période de demande en faveur de l'un ou plusieurs de ces employeurs. Cet article gouverne le choix que peuvent faire l'entité de gestion d'un régime de pension et les personnes qui sont des employeurs admissibles du régime pour l'année civile qui comprend le dernier jour de la période de demande visée par ce choix, lorsqu'au moins l'une de ces personnes n'exerce pas exclusivement des activités commerciales tout au long de la période. Lorsque tous les employeurs admissibles d'un régime de pension exercent exclusivement des activités commerciales tout au long de la période de demande concernée, le choix offert à ces employeurs et à l'entité de gestion est prévu au nouvel article 402.18 de la LTVQ, introduit dans le cadre du présent projet de loi.

Plus précisément, en vertu de cet article 402.19, l'entité de gestion d'un régime de pension et les personnes qui sont, pour l'année civile qui comprend le dernier jour d'une période de demande, des employeurs admissibles du régime dont au moins l'un d'entre eux n'exerce pas exclusivement des activités commerciales tout au long de la période de demande peuvent faire un choix, par suite duquel chacun de ces employeurs peut déduire un montant dans le calcul de sa taxe nette pour la période de déclaration qui comprend le jour où le choix est présenté au ministre du Revenu.

Ainsi, le paragraphe 2° du premier alinéa de ce nouvel article 402.19 prévoit que, dans le cas d'un régime de pension auquel plus de 50 % des cotisations sont versées par un ou plusieurs organismes de services publics, chacun de ces employeurs admissibles peut déduire, dans le calcul de sa taxe nette pour la période de déclaration qui comprend le jour où le choix est présenté au ministre du Revenu, le montant qui représente la part déterminée à son égard. Le paragraphe 1° de ce premier alinéa prévoit le calcul de la part d'un employeur admissible.

La part à l'égard de l'employeur admissible déterminée en vertu du paragraphe 1° du premier alinéa de cet article 402.19 (la lettre D) correspond au produit obtenu par la formule suivante :

$$A \times B \times C.$$

Par conséquent, la part à l'égard de l'employeur admissible correspond au montant de remboursement de pension de l'entité de gestion pour la période de demande (lettre A) multiplié par le pourcentage déterminé à l'égard de l'employeur admissible dans le choix (lettre B - ce pourcentage, qui peut être nul, ne peut excéder 100 %, tel que le prévoit le paragraphe 4° du nouvel article 402.21 de la LTVQ, introduit dans le cadre du présent projet de loi) et par le pourcentage représentant la participation de l'employeur au régime. Le pourcentage représentant la participation de l'employeur admissible au régime (la lettre C) correspond au quotient obtenu par l'une des formules suivantes :

— F / G, lorsque des cotisations ont été versées au régime au cours de l'année civile précédant celle qui comprend le dernier jour de la période de demande (année civile précédente);

— H / I, dans les autres cas.

Pour l'application de l'une ou l'autre des formules permettant de déterminer le pourcentage représentant la participation de l'employeur admissible au régime, la lettre F représente le total des cotisations versées au régime par l'employeur admissible au cours de l'année civile précédente, la lettre G représente le total des cotisations versées au régime au cours de cette année civile précédente, la lettre H représente le nombre de salariés de l'employeur admissible au cours de cette année civile précédente qui étaient des participants actifs au régime au cours de celle-ci et la lettre I représente le total du nombre de salariés de chacun des employeurs admissibles au cours de cette année civile précédente qui étaient des participants actifs au régime au cours de celle-ci. Le participant actif qui est le salarié de deux employeurs admissibles au cours de l'année civile précédente est compté deux fois dans le dénominateur. Si aucune cotisation n'est versée au régime au cours de cette année précédente et qu'aucun employeur n'avait de salariés qui étaient des participants actifs du régime au cours de l'année, les employeurs admissibles ne reçoivent aucune part.

Le paragraphe 3° du premier alinéa du présent article 402.19, prévoit que, dans les autres cas, chacun des employeurs admissibles du régime de pension peut déduire, dans le calcul de sa taxe nette pour la période de déclaration qui comprend le jour où le choix est présenté au ministre du Revenu, le montant obtenu par la formule suivante :

$$D \times E.$$

Dans cette formule, la lettre D représente la part à l'égard de l'employeur admissible déterminée en vertu du paragraphe 1° du premier alinéa de cet article 402.19 de la LTVQ (soit le montant obtenu au moyen de la formule A x B x C mentionnée précédemment) et la lettre E représente le taux de recouvrement de taxe de l'employeur admissible pour son exercice terminé au plus tard le dernier jour de la période de demande. Sommairement, le taux de recouvrement de taxe de l'employeur admissible pour un exercice signifie le taux qui représente la mesure dans laquelle l'employeur peut récupérer la taxe devenue payable par lui ou payé par lui sans être devenu payable. Par exemple, le taux de recouvrement de taxe est généralement de 100 % pour un employeur qui n'est pas une grande entreprise et qui exerce exclusivement des activités commerciales, alors que ce taux est moindre pour un employeur admissible du régime qui est un organisme de service public. Pour plus de détails quant à la détermination du taux de recouvrement de taxe d'une personne pour un exercice, voir la partie de la note explicative sous l'article 402.13 de la LTVQ, tel que modifié dans le cadre du présent projet de loi, qui concerne la définition de l'expression « taux de recouvrement de taxe ».

Enfin, notons que, en vertu de l'article 402.14, tel que modifié dans le cadre du présent projet de loi, le remboursement auquel a droit une entité de gestion d'un régime de pension en vertu de cet article 402.14 est alors réduit de l'ensemble des montants dont chacun représente la part déterminée à l'égard d'un employeur admissible du régime en vertu du paragraphe 1° du premier alinéa du présent article 402.19.

Renvois [art. 402.19]: 450.0.4, 450.0.7 (effet de la note de redressement).

Bulletins d'information [art. 402.19]: 2009-9 — Harmonisation à diverses mesures relatives à la législation et à la règlementation fiscales fédérales et report de l'imposition d'une ristourne admissible.

Concordance fédérale: LTA, par. 261.01(6).

402.19.1 Lorsqu'une entité de gestion d'un régime de pension est une entité de gestion non admissible le dernier jour de sa période de demande et qu'elle fait un choix pour cette période de demande conjointement avec les personnes qui sont, pour l'année civile qui comprend le dernier jour de la période, des employeurs admissibles du régime, chacun de ces employeurs admissibles peut déduire, dans le calcul de sa taxe nette pour la période de déclaration qui comprend le jour où le choix est présenté au ministre :

1° sauf dans le cas visé au paragraphe 2°, le montant déterminé selon la formule suivante :

$$A \times B \times C;$$

LTVQ (français)

2º si l'entité de gestion est une institution financière désignée particulière tout au long de la période de demande, le montant déterminé selon la formule suivante :

D × E × F / G × B × C.

Pour l'application des formules prévues au premier alinéa :

1º la lettre A représente le montant de remboursement de pension de l'entité de gestion pour la période de demande;

2º la lettre B représente :

a) dans le cas où des cotisations ont été versées au régime au cours de l'année civile précédant celle qui comprend le dernier jour de la période de demande — appelée « année civile précédente » dans le présent article —, le montant déterminé selon la formule suivante :

H / I;

b) dans le cas où le sous-paragraphe a ne s'applique pas et qu'au moins un employeur admissible du régime était l'employeur d'un ou de plusieurs participants actifs au régime au cours de l'année civile précédente, le montant déterminé selon la formule suivante :

J / K;

c) dans les autres cas, zéro;

3º la lettre C représente le taux de recouvrement de taxe de l'employeur admissible pour son exercice terminé au plus tard le dernier jour de la période de demande;

4º la lettre D représente la valeur de l'élément A de la formule prévue à la définition de l'expression « montant de remboursement de pension provincial » prévue au paragraphe 1 de l'article 261.01 de la *Loi sur la taxe d'accise* (L.R.C. 1985, c. E-15) pour la période de demande ou, le cas échéant, la valeur qu'aurait cet élément A pour la période de demande si l'entité de gestion était une institution financière désignée particulière pour l'application de cette loi;

5º la lettre E représente le pourcentage correspondant à la valeur qu'aurait, quant au Québec, l'élément C de la formule prévue au paragraphe 2 de l'article 225.2 de la *Loi sur la taxe d'accise*, déterminée pour l'année d'imposition dans laquelle se termine l'exercice de l'entité de gestion comprenant la période de demande, si le Québec était une province participante au sens du paragraphe 1 de l'article 123 de cette loi et si, le cas échéant, l'entité de gestion était une institution financière désignée particulière pour l'application de cette loi;

6º la lettre F représente le taux de la taxe prévu au premier alinéa de l'article 16;

7º la lettre G représente le taux de la taxe prévu au paragraphe 1 de l'article 165 de la *Loi sur la taxe d'accise*.

Pour l'application des formules prévues au deuxième alinéa :

1º la lettre H représente le total des montants dont chacun représente une cotisation versée au régime par l'employeur admissible au cours de l'année civile précédente;

2º la lettre I représente le total des montants dont chacun représente une cotisation versée au régime au cours de l'année civile précédente;

3º la lettre J représente le nombre de salariés de l'employeur admissible au cours de l'année civile précédente qui étaient des participants actifs au régime au cours de cette année;

4º la lettre K représente le total du nombre de salariés de chacun de ces employeurs admissibles au cours de l'année civile précédente qui étaient des participants actifs au régime au cours de cette année.

2012, c. 28, art. 146.

Notes historiques: L'article 402.19.1 a été ajouté par L.Q. 2012, c. 28, par. 146(1) et s'applique à l'égard d'une période de demande qui commence après le 31 décembre 2012.

Notes explicatives ARQ (PL 5, L.Q. 2012, c. 28): *Résumé* :

Le nouvel article 402.19.1 prévoit le choix que peuvent exercer conjointement une entité de gestion d'un régime de pension qui est une entité de gestion non admissible et les employeurs admissibles de ce régime afin que certains ou l'ensemble de ces employeurs puissent déduire, dans le calcul de leur taxe nette, un montant au titre d'un montant de remboursement de pension.

Contexte :

L'article 402.13 est modifié, par le présent projet de loi, pour y introduire les notions de « entité de gestion admissible » et de « entité de gestion non admissible ». Seule une entité de gestion admissible peut demander le remboursement au titre du montant de remboursement de pension prévu à l'article 402.14 de la LTVQ, tel que modifié par le présent projet de loi. Une entité de gestion admissible désigne toute entité de gestion d'un régime de pension autre qu'un régime à l'égard duquel soit des institutions financières désignées ont versé au moins 10 % des cotisations totales au cours de la dernière année civile antérieure où des cotisations ont été versées au régime, soit il est raisonnable de s'attendre à ce que de telles institutions versent au régime au moins 10 % des cotisations totales au cours de l'année civile subséquente où des cotisations devront y être versées. Une entité de gestion non admissible ne peut donc obtenir un montant au titre du montant de remboursement de pension.

Modifications proposées :

Le nouvel article 402.19.1 prévoit le choix que peuvent exercer conjointement une entité de gestion d'un régime de pension qui est une entité de gestion non admissible, au sens de l'article 402.13 de la LTVQ, et les employeurs admissibles de ce régime, pour une période de demande, en vue de permettre à certains ou à l'ensemble de ces employeurs de déduire, dans le calcul de leur taxe nette, un montant au titre d'un montant de remboursement de pension. Les entités de gestion non admissibles n'ont pas droit au remboursement prévu à l'article 402.14 de la LTVQ.

Toutefois, en faisant le choix prévu au nouvel article 402.19.1, les employeurs admissibles d'un régime de pension auquel cotisent, de façon non négligeable, des institutions financières, peuvent se retrouver dans une situation semblable à celle des employeurs admissibles d'autres régimes de pension qui ont fait le choix prévu à l'article 402.19 de la LTVQ.

Le choix prévu à l'article 402.19.1 est offert, pour une période de demande, à une entité de gestion qui est une entité de gestion non admissible à la fin de cette période de demande. Il doit être fait conjointement par l'entité de gestion et par toutes les personnes qui sont des employeurs admissibles du régime pour l'année civile qui comprend le dernier jour de la période de demande.

Lorsque l'entité de gestion non admissible n'est pas une institution financière désignée particulière tout au long de la période de demande et que le choix prévu à l'article 402.19.1 de la LTVQ est fait pour cette période, chaque employeur admissible peut déduire, dans le calcul de sa taxe nette pour sa période de déclaration qui comprend le jour où le document concernant le choix est présenté au ministre du Revenu, le produit obtenu par la multiplication des trois montants suivants :

— le montant de remboursement de pension de l'entité de gestion non admissible pour la période de demande (lettre A);

— le pourcentage de participation de l'employeur admissible au régime (lettre B);

— le taux de recouvrement de taxe de l'employeur admissible pour l'exercice terminé au plus tard à la fin de la période de demande (lettre C).

Lorsque l'entité de gestion non admissible est une institution financière désignée particulière tout au long de la période de demande et que le choix prévu à l'article 402.19.1 de la LTVQ est fait pour cette période, chaque employeur admissible peut déduire, dans le calcul de sa taxe nette pour sa période de déclaration qui comprend le jour où le document concernant le choix est présenté au ministre du Revenu, le produit obtenu par la multiplication des montants suivants :

— le montant représentant le montant de remboursement de pension fédéral de l'entité de gestion pour la période de demande (lettre D);

— le pourcentage d'attribution applicable quant au Québec, lequel correspond, essentiellement, à celui représentant la proportion des affaires faites au Québec sur l'ensemble des affaires faites au Canada ou au Québec et ailleurs, établie conformément aux règles énoncées aux articles 771R2 à 771R28 du *Règlement sur les impôts* (R.Q., chapitre I-3, r. 1) (lettre E);

— le quotient obtenu en divisant le taux de la TVQ par celui de la taxe sur les produits et services (TPS) (ou de la composante fédérale de la TVH) (F / G);

— le pourcentage représentant la participation de l'employeur admissible au régime (lettre B);

— le taux de recouvrement de taxe de l'employeur admissible pour son exercice terminé au plus tard le dernier jour de la période de demande (lettre C).

Le pourcentage représentant la participation de l'employeur admissible au régime (la lettre B) correspond :

soit au quotient obtenu selon la formule, selon le cas :

— H / I, dans le cas où des cotisations ont été versées au régime au cours de l'année civile précédant celle qui comprend le dernier jour de la période de demande (année civile précédente);

— J / K, dans le cas où aucune cotisation n'a été versée au régime au cours de l'année civile précédant celle qui comprend le dernier jour de la période de demande et qu'au moins un employeur admissible du régime était l'employeur de l'un ou plusieurs participants actifs au régime au cours de cette année civile précédente;

— zéro, dans les autres cas.

Pour l'application de l'une ou l'autre des formules permettant de déterminer le pourcentage représentant la participation de l'employeur admissible au régime, la lettre H représente le total des cotisations versées au régime par l'employeur admissible au cours de l'année civile précédente, la lettre I représente le total des cotisations versées au régime au cours de cette année civile précédente, la lettre J représente le nombre de salariés de l'employeur admissible au cours de cette année civile précédente qui étaient des participants actifs au régime au cours de celle-ci et la lettre K représente le total du nombre de salariés de chacun des employeurs admissibles au cours de cette année civile précédente qui étaient des participants actifs au régime au cours de celle-ci. Le participant actif qui est le salarié de deux employeurs admissibles au cours de l'année civile précédente est compté deux fois dans le dénominateur. Si aucune cotisation n'est versée au régime au cours de cette année précédente et qu'aucun employeur n'avait de salariés qui étaient des participants actifs du régime au cours de l'année, les employeurs admissibles ne reçoivent aucune part.

Sommairement, le taux de recouvrement de taxe de l'employeur admissible pour un exercice (lettre C) signifie le taux qui représente la mesure dans laquelle l'employeur peut récupérer la taxe devenue payable par lui ou payée par lui sans être devenue payable.

402.20 [Exercice exclusif d'activités commerciales] — Pour l'application des articles 402.18 et 402.19, l'employeur admissible d'un régime de pension exerce exclusivement des activités commerciales tout au long d'une période de demande d'une entité de gestion du régime de pension si :

1° dans le cas d'un employeur admissible qui est une institution financière au cours de la période de demande, la totalité de ses activités pour la période sont des activités commerciales;

2° dans les autres cas, la totalité ou la presque totalité des activités de l'employeur admissible pour la période de demande sont des activités commerciales.

2011, c. 34, art. 154

Notes explicatives ARQ (PL 32, L.Q. 2011, c. 34): *Résumé* :

Le nouvel article 402.20 prévoit une règle d'interprétation pour déterminer si un employeur admissible d'un régime de pension exerce ou non exclusivement des activités commerciales tout au long d'une période de demande d'une entité de gestion du régime.

Contexte :

Voir la rubrique « Contexte » de la note explicative relative au nouvel article 289.2 de la LTVQ.

Modifications proposées :

Le nouvel article 402.20 prévoit une règle d'interprétation pour l'application des nouveaux articles 402.18 et 402.19 de cette loi, introduits dans le cadre du présent projet de loi. Plus précisément, le nouvel article 402.20 de cette loi permet de déterminer si un employeur admissible d'un régime de pension exerce ou non exclusivement des activités commerciales tout au long d'une période de demande d'une entité de gestion du régime, et ce, afin de savoir lequel de ces articles 402.18 et 402.19 gouverne le choix de transférer une partie ou la totalité du montant de remboursement de pension de l'entité de gestion pour une période de demande en faveur des employeurs admissibles du régime.

Lorsqu'un employeur admissible est une institution financière au cours d'une période de demande, il est considéré exercer exclusivement des activités commerciales tout au long de cette période seulement si la totalité de ses activités pour cette période sont des activités commerciales. Pour un employeur admissible qui n'est pas une institution financière au cours d'une période de demande, celui-ci est considéré exercer exclusivement des activités commerciales tout au long de cette période pour autant que la totalité ou presque de ses activités pour cette période soient des activités commerciales.

Bulletins d'information [art. 402.20]: 2009-9 — Harmonisation à diverses mesures relatives à la législation et à la règlementation fiscales fédérales et report de l'imposition d'une ristourne admissible.

Concordance fédérale: LTA, par. 261.01(7).

402.21 [Forme et modalités du choix] — Un choix fait en vertu de l'un des articles 402.18 et 402.19 par une entité de gestion d'un régime de pension et par les employeurs admissibles du régime doit satisfaire aux conditions suivantes :

1° il doit être présenté au ministre de la manière prescrite par ce dernier, au moyen du formulaire prescrit contenant les renseignements prescrits;

2° il doit être présenté au ministre par l'entité de gestion enmême temps que sa demande visant le remboursement prévu à l'article 402.14 pour la période de demande;

3° dans le cas où il s'agit du choix fait en vertu de l'article 402.18, il doit préciser le pourcentage déterminé à l'égard de chaque employeur admissible, dont le total pour l'ensemble des employeurs admissibles ne peut dépasser 100 %;

4° dans le cas où il s'agit du choix prévu à l'article 402.19, il doit préciser le pourcentage déterminé à l'égard de chaque employeur admissible, lequel pourcentage ne peut dépasser 100 %.

2011, c. 34, art. 154

Notes explicatives ARQ (PL 32, L.Q. 2011, c. 34): *Résumé* :

Le nouvel article 402.21 prévoit les modalités du choix qu'offrent les articles 402.18 et 402.19 de cette loi pour transférer, en tout ou en partie, le montant de remboursement de pension d'une entité de gestion d'un régime de pension en faveur de l'un ou plusieurs des employeurs admissibles du régime.

Contexte :

Voir la rubrique « Contexte » de la note explicative relative au nouvel article 289.2 de la LTVQ.

Modifications proposées :

Le nouvel article 402.21 prévoit les modalités du choix qu'offrent les nouveaux articles 402.18 et 402.19 de cette loi, introduits dans le cadre du présent projet de loi, pour transférer, en tout ou en partie, le montant de remboursement de pension d'une entité de gestion d'un régime de pension, pour une période de demande, en faveur de l'un ou plusieurs des employeurs admissibles du régime. Cet article 402.21 prévoit que ce choix doit être présenté au ministre du Revenu par l'entité de gestion du régime de la manière prescrite, au moyen du formulaire prescrit contenant les renseignements prescrits et en même temps que la demande de l'entité de gestion en vue d'obtenir le remboursement prévu à l'article 402.14 de cette loi, tel que modifié dans le cadre du présent projet de loi.

Par ailleurs, lorsque le choix est fait en vertu de cet article 402.18, il doit préciser le pourcentage déterminé à l'égard de chaque employeur admissible du régime et le total des pourcentages, dont chacun est le pourcentage déterminé à l'égard d'un employeur admissible du régime, ne peut excéder 100 % (paragraphe 3° de l'article 402.21).

Lorsque le choix est fait en vertu du nouvel article 402.19 de cette loi, il doit préciser le pourcentage déterminé à l'égard de chaque employeur admissible du régime, lequel ne peut excéder 100 %. Ainsi, il est possible que ce pourcentage soit de 100 % pour chacun de ces employeurs. Dans un tel cas, l'entité de gestion du régime n'a droit à aucun remboursement en vertu de l'article 402.14 de la LTVQ, puisque la totalité du montant de remboursement de pension pour la période de demande auquel elle aurait eu autrement droit est transféré en faveur des employeurs admissibles du régime. Les employeurs admissibles se partageront par la suite le montant de remboursement de pension de l'entité de gestion ainsi transféré en leur faveur en fonction de l'importance de la participation de chacun dans le régime, comme le prévoit la lettre C de la formule prévue au paragraphe 1° du premier alinéa de l'article 402.19 de cette loi.

Bulletins d'information [art. 402.21]: 2009-9 — Harmonisation à diverses mesures relatives à la législation et à la règlementation fiscales fédérales et report de l'imposition d'une ristourne admissible.

Concordance fédérale: LTA, par. 261.01(8).

402.22 [Responsabilité solidaire] — Lorsqu'un employeur admissible d'un régime de pension, en cas de choix conjoint avec l'entité de gestion du régime, déduit un montant en vertu de l'article 402.18, de l'un des paragraphes 1° et 3° du premier alinéa de l'article 402.19 ou de l'article 402.19.1 dans le calcul de sa taxe nette pour une période de déclaration et que l'un ou l'autre sait ou devrait savoir que l'employeur n'a pas droit à ce montant ou que ce montant excède celui auquel il a droit, l'employeur et l'entité de gestion sont solidairement responsables du paiement du montant ou de l'excédent au ministre.

2011, c. 34, art. 154; 2012, c. 28, art. 147.

Notes historiques: L'article 402.22 a été remplacé par L.Q. 2012, c. 28, par. 147(1) et cette modification s'applique à compter du 1er janvier 2013. Antérieurement, il se lisait ainsi :

> 402.22 Lorsqu'un employeur admissible d'un régime de pension, en cas de choix conjoint avec l'entité de gestion du régime, déduit un montant en vertu de l'article 402.18 ou de l'un des paragraphes 2° et 3° du premier alinéa de l'article 402.19 dans le calcul de sa taxe nette pour une période de déclaration et que l'un ou l'autre sait ou devrait savoir que l'employeur n'a pas droit à ce montant ou que ce montant excède celui auquel il a droit, l'employeur et l'entité de gestion sont solidairement responsables du paiement du montant ou de l'excédent au ministre.

L'article 402.22 a été ajouté par L.Q. 2011, c. 34, par. 154(1) et s'applique à l'égard d'une période de demande d'une entité de gestion commençant après le 22 septembre 2009.

Notes explicatives ARQ (PL 5, L.Q. 2012, c. 28): *Résumé* :

LTVQ (français)

L'article 402.22 prévoit la responsabilité solidaire d'une entité de gestion d'un régime de pension et d'un employeur admissible du régime pour le paiement du montant déduit par cet employeur, ou du montant déduit en trop par celui-ci, dans le calcul de sa taxe nette pour une période de déclaration au titre du montant de remboursement de pension de l'entité de gestion transféré en sa faveur. Cet article est modifié pour faire référence à l'article 402.19.1 de la LTVQ.

Situation actuelle :

L'article 402.22 fait en sorte que l'entité de gestion d'un régime de pension et l'employeur admissible du régime sont solidairement responsables du paiement du montant déduit par cet employeur, ou du montant déduit en trop par celui-ci, dans le calcul de sa taxe nette pour une période de déclaration au titre du montant de remboursement de pension de l'entité de gestion transféré en sa faveur. Plus précisément, l'entité de gestion d'un régime de pension et un employeur admissible du régime qui a déduit un montant donné dans le calcul de sa taxe nette pour une période de déclaration en vertu de l'article 402.18 de la LTVQ ou en vertu de l'un des paragraphes 2° et 3° du premier alinéa de l'article 402.19 de cette loi sont solidairement responsables du paiement au ministre du Revenu soit du montant donné, lorsque l'employeur admissible ou l'entité de gestion sait ou aurait dû savoir que l'employeur n'avait pas droit au montant donné, soit de la partie du montant donné qui excède le montant auquel l'employeur a droit, lorsque l'employeur ou l'entité de gestion sait ou aurait dû savoir que le montant donné ainsi déduit excède celui auquel l'employeur a droit.

Modifications proposées :

Cet article est modifié pour faire référence à l'article 402.19.1, lequel permet aux employeurs admissibles d'un régime de pension de déduire un montant au titre du montant de remboursement de pension d'une entité de gestion lorsque celle-ci est une entité de gestion non admissible. En effet, le nouvel article 402.19.1 de la LTVQ, introduit par le présent projet de loi, prévoit le choix que peuvent exercer conjointement une entité de gestion d'un régime de pension qui est une entité de gestion non admissible, au sens de l'article 402.13 de la LTVQ, et les employeurs admissibles de ce régime, pour une période de demande, en vue de permettre à certains ou à l'ensemble de ces employeurs de déduire, dans le calcul de leur taxe nette, un montant au titre d'un montant de remboursement de pension.

Les entités de gestion non admissibles n'ont pas droit au remboursement prévu à l'article 402.14 de la LTVQ. Toutefois, en faisant le choix prévu au nouvel article 402.19.1 de la LTVQ, les employeurs admissibles d'un régime de pension auquel cotisent, de façon non négligeable, des institutions financières, peuvent se retrouver dans une situation semblable à celle des employeurs admissibles d'autres régimes de pension qui ont fait le choix prévu à l'article 402.19 de la LTVQ.

Notes explicatives ARQ (PL 32, L.Q. 2011, c. 34): *Résumé* :

Le nouvel article 402.22 prévoit la responsabilité solidaire d'une entité de gestion d'un régime de pension et d'un employeur admissible du régime pour le paiement du montant déduit par cet employeur, ou du montant déduit en trop par celui-ci, dans le calcul de sa taxe nette pour une période de déclaration au titre du montant de remboursement de pension de l'entité de gestion transféré en sa faveur.

Contexte :

Voir la rubrique « Contexte » de la note explicative relative au nouvel article 289.2 de la LTVQ.

Modifications proposées :

Le nouvel article 402.22 fait en sorte que l'entité de gestion d'un régime de pension et l'employeur admissible du régime sont solidairement responsables du paiement du montant déduit par cet employeur, ou du montant déduit en trop par celui-ci, dans le calcul de sa taxe nette pour une période de déclaration au titre du montant de remboursement de pension de l'entité de gestion transféré en sa faveur. Plus précisément, l'entité de gestion d'un régime de pension et un employeur admissible du régime qui a déduit un montant donné dans le calcul de sa taxe nette pour une période de déclaration en vertu du nouvel article 402.18 de la LTVQ, introduit dans le cadre du présent projet de loi, ou en vertu de l'un des paragraphes 2° et 3° du premier alinéa du nouvel article 402.19 de cette loi, également introduit dans le cadre du présent projet de loi, sont solidairement responsables du paiement au ministre du Revenu soit du montant donné, lorsque l'employeur admissible ou l'entité de gestion sait ou aurait dû savoir que l'employeur n'avait pas droit au montant donné, soit de la partie du montant donné qui excède le montant auquel l'employeur a droit, lorsque l'employeur ou l'entité de gestion sait ou aurait dû savoir que le montant donné ainsi déduit excède celui auquel l'employeur a droit.

Bulletins d'information [art. 402.22]: 2009-9 — Harmonisation à diverses mesures relatives à la législation et à la règlementation fiscales fédérales et report de l'imposition d'une ristourne admissible.

Concordance fédérale: LTA, par. 261.01(12).

§6.7. — Fonds réservés et régimes de placement

Notes historiques: La sous-section §6.7, comprenant les articles 402.23 à 402.27, a été ajoutée par L.Q. 2012, c. 28, par. 148(1) et s'applique à l'égard d'un montant de taxe qui est devenu payable après le 31 décembre 2012 ou qui a été payé après cette date sans être devenu payable.

402.23 Sous réserve de l'article 402.24, lorsqu'une institution financière désignée visée à l'un des paragraphes 6° et 9° de la définition de l'expression « institution financière désignée » prévue à l'article 1, autre qu'une institution financière désignée particulière, est l'acquéreur de la fourniture d'un service déterminé et que la taxe prévue à l'un des articles 16, 18 et 18.0.1 est payable relativement à la fourniture, l'institution financière a droit à un remboursement égal à un montant déterminé selon les modalités prescrites, pour autant que les conditions prescrites soient remplies.

Pour l'application de la présente sous-section, un service déterminé est un service de gestion ou d'administration ou tout autre service offert à l'acquéreur d'un service de gestion ou d'administration par le fournisseur d'un tel service.

Notes historiques: L'article 402.23 a été ajouté par L.Q. 2012, c. 28, par. 148(1) et s'applique à l'égard d'un montant de taxe qui est devenu payable après le 31 décembre 2012 ou qui a été payé après cette date sans être devenu payable.

Notes explicatives ARQ (PL 5, L.Q. 2012, c. 28): *Résumé* :

Le nouvel article 402.23 prévoit le remboursement de la taxe payable par un fonds réservé d'un assureur ou un régime de placement relativement à la fourniture de certains services.

Contexte :

À compter du 1er janvier 2013, la fourniture d'un service financier cesse, en règle générale, d'être détaxée et devient exonérée. La principale conséquence de ce changement est que les institutions financières ne pourront plus obtenir de remboursements de la taxe sur les intrants à l'égard de la taxe relative aux fournitures acquises en vue de rendre des services financiers. La nouvelle sous-section 6.7 de la section I du chapitre VII du titre I de la LTVQ vise à permettre à un régime de placement ou à un fonds réservé d'un assureur d'obtenir le remboursement de la taxe payée relativement à certains services dans la mesure où il détient ou investit des sommes pour le compte de personnes résidant hors du Québec.

Modifications proposées :

Le nouvel article 402.23 prévoit qu'une institution financière qui est un fonds réservé d'un assureur (soit une personne visée au paragraphe 6° de la définition de l'expression « institution financière désignée » prévue à l'article 1 de la LTVQ) ou un régime de placement (soit une personne visée au paragraphe 9° de la définition de l'expression « institution financière désignée » prévue à l'article 1 de la LTVQ) peut demander au ministre du Revenu le remboursement de la taxe payable relativement à des services déterminés dans la mesure où l'institution financière détient ou investit des sommes pour le compte d'autres personnes résidant hors du Québec.

Ainsi, le remboursement de la taxe auquel a droit le fonds réservé ou le régime de placement n'est pas fonction du fait que le service soit acquis pour consommation ou utilisation hors du Québec, contrairement au remboursement prévu à l'article 353.0.3 de la LTVQ. À ce sujet, notons que le fonds réservé d'un assureur et un régime de placement ne peuvent obtenir un remboursement en vertu de cet article 353.0.3. En effet, le deuxième alinéa de l'article 353.0.4 de la LTVQ précise que le remboursement qui y est prévu n'est offert ni à un fonds réservé, ni à un régime de placement. Le remboursement auquel a droit un fonds réservé ou un régime de placement est déterminé selon les modalités prescrites.

Le deuxième alinéa de l'article 402.23 précise ce qu'est un service déterminé pour l'application de la nouvelle sous-section 6.7 de la section I du chapitre VII du titre I de la LTVQ, laquelle comprend les nouveaux articles 402.23 à 402.27, introduits par le présent projet de loi. Un service déterminé désigne tout service de gestion ou d'administration ou tout autre service offert à l'acquéreur d'un service de gestion ou d'administration par le fournisseur d'un tel service.

Enfin, aucun remboursement n'est accordé en vertu du nouvel article 402.23 de la LTVQ à une personne qui est une institution financière désignée particulière, au sens que donne à cette expression l'article 1 de cette loi, également modifié par le présent projet de loi.

Concordance fédérale: aucune.

402.24 Une personne n'a droit au remboursement prévu à l'article 402.23 que si, à la fois :

1° la personne produit une demande de remboursement dans un délai d'un an suivant le jour où la taxe devient payable;

2° la personne n'effectue pas plus d'une demande de remboursement par mois en vertu du présent article;

3° les circonstances prescrites, le cas échéant, existent.

Notes historiques: L'article 402.24 a été ajouté par L.Q. 2012, c. 28, par. 148(1) et s'applique à l'égard d'un montant de taxe qui est devenu payable après le 31 décembre 2012 ou qui a été payé après cette date sans être devenu payable.

Notes explicatives ARQ (PL 5, L.Q. 2012, c. 28): *Résumé* :

Le nouvel article 402.24 précise certaines conditions qui doivent être satisfaites pour qu'une institution financière puisse obtenir un remboursement en vertu de l'article 402.23 de la LTVQ.

Contexte :

Voir la rubrique « Contexte » de la note explicative relative au nouvel article 402.23 de la LTVQ.

Modifications proposées :

Le nouvel article 402.24 précise certaines conditions qui doivent être satisfaites pour qu'une institution financière visée à l'article 402.23 de la LTVQ, soit un fonds réservé d'un assureur ou un régime de placement, qui n'est pas une institution financière désignée particulière, puisse obtenir le remboursement prévu à cet article 402.23. La demande de remboursement doit être faite dans l'année qui suit le jour où la taxe devient payable par l'institution financière. Le paragraphe 2° de l'article 402.24 de la LTVQ précise qu'une institution financière ne peut présenter plus d'une demande de remboursement en vertu de l'article 402.23 de cette loi au cours d'un mois civil.

Concordance fédérale: aucune.

402.25 Lorsqu'un assureur et son fonds réservé en font le choix, en la forme et contenant les renseignements déterminés par le ministre, l'assureur peut verser au fonds, ou porter à son crédit, le montant des remboursements payables au fonds en vertu de l'article 402.23 relativement aux fournitures de services déterminés effectuées par l'assureur au profit du fonds.

Le document constatant le choix prévu au premier alinéa doit être présenté au ministre, selon les modalités qu'il détermine, au plus tard le jour où l'assureur est tenu de produire la déclaration prévue à la section IV du chapitre VIII pour sa période de déclaration au cours de laquelle il verse au fonds réservé ou à son profit, ou encore porte à son crédit, le remboursement visé à l'article 402.23.

Un assureur ne peut verser à son fonds réservé ou à son profit le montant du remboursement payable au fonds en vertu de l'article 402.23, ou porter ce montant à son crédit, que si les conditions suivantes sont remplies :

1° l'assureur effectue la fourniture taxable d'un service déterminé au profit du fonds;

2° le remboursement serait payable relativement à la fourniture si le fonds se conformait aux dispositions de l'article 402.24 quant à la fourniture;

3° l'assureur et le fonds ont produit le document concernant le choix prévu au premier alinéa, lequel est en vigueur au moment où la taxe relative à la fourniture devient payable;

4° le fonds, dans l'année suivant le jour où la taxe devient payable relativement à la fourniture, présente à l'assureur une demande de remboursement, en la forme et contenant les renseignements déterminés par le ministre.

Notes historiques: L'article 402.25 a été ajouté par L.Q. 2012, c. 28, par. 148(1) et s'applique à l'égard d'un montant de taxe qui est devenu payable après le 31 décembre 2012 ou qui a été payé après cette date sans être devenu payable.

Notes explicatives ARQ (PL 5, L.Q. 2012, c. 28): *Résumé* :

Le nouvel article 402.25 permet à un assureur et à son fonds réservé de faire un choix par suite duquel le remboursement de la taxe auquel a droit le fonds en vertu de l'article 402.23 de cette loi lui est versé par l'assureur. Cet article précise le délai et les conditions pour faire un tel choix.

Contexte :

Voir la rubrique « Contexte » de la note explicative relative au nouvel article 402.23 de la LTVQ.

Modifications proposées :

Le nouvel article 402.25 permet à un assureur et à son fonds réservé de faire un choix par suite duquel le remboursement de la taxe auquel a droit le fonds en vertu de l'article 402.23 de cette loi lui est versé par l'assureur. Le premier alinéa de l'article 402.25 de la LTVQ précise que ce choix est possible relativement à la taxe payable à l'égard de la fourniture de services déterminés rendus par l'assureur en faveur du fonds réservé.

Ainsi, le fonds obtient le remboursement auquel il a droit directement de l'assureur plutôt que du ministre du Revenu.

Dans un tel cas, soulignons que l'assureur qui verse au fonds le remboursement ou porte ce montant à son crédit pourra obtenir une déduction équivalente dans le calcul de sa taxe nette pour sa période de déclaration qui comprend le jour où il verse ce montant ou le porte au crédit du fonds, et ce, en vertu de l'article 455.0.1 de la LTVQ, introduit par le présent projet de loi.

Le deuxième alinéa de l'article 402.25 exige que ce choix soit constaté dans un document qui doit être présenté au ministre du Revenu au plus tard le jour où l'assureur doit produire sa déclaration en vertu de la section IV du chapitre VIII du titre I de la LTVQ au cours de laquelle il a versé à son fonds réservé ou porté à son crédit le montant du remboursement prévu à l'article 402.23 de la LTVQ.

Enfin, le troisième alinéa de l'article 402.25 précise les conditions qui doivent être satisfaites pour qu'un montant de remboursement puisse être versé directement par l'assureur :

— il doit y avoir fourniture par l'assureur d'un service déterminé — cette notion étant précisée au deuxième alinéa de l'article 402.23 de la LTVQ —, en faveur du fonds réservé;

— le remboursement aurait autrement été payé par le ministre du Revenu si les conditions de l'article 402.24 de la LTVQ avaient été satisfaites;

— le document constatant le choix conjoint de l'assureur et de son fonds réservé doit avoir été présenté au ministre du Revenu et que ce choix ait été en vigueur au moment où la taxe relative à la fourniture du service déterminé était payable;

— le fonds réservé doit faire la demande de remboursement auprès de l'assureur, en la forme et contenant les renseignements déterminés par le ministre du Revenu, dans l'année qui suit le jour où la taxe devient payable.

Concordance fédérale: aucune.

402.26 Lorsqu'une demande de remboursement est présentée à un assureur par son fonds réservé et que les conditions prévues au troisième alinéa de l'article 402.25 sont remplies, l'assureur doit transmettre cette demande au ministre avec la déclaration prévue à la section IV du chapitre VIII pour sa période de déclaration au cours de laquelle il verse au fonds réservé, ou porte à son crédit, le remboursement.

Malgré l'article 30 de la *Loi sur l'administration fiscale* (chapitre A-6.002), aucun intérêt n'est payable relativement au remboursement demandé à un assureur par son fonds réservé.

Notes historiques: L'article 402.26 a été ajouté par L.Q. 2012, c. 28, par. 148(1) et s'applique à l'égard d'un montant de taxe qui est devenu payable après le 31 décembre 2012 ou qui a été payé après cette date sans être devenu payable.

Notes explicatives ARQ (PL 5, L.Q. 2012, c. 28): *Résumé* :

Le nouvel article 402.26 prévoit qu'un assureur dont le fonds réservé lui demande le remboursement de la taxe payable à l'égard de la fourniture de services déterminés effectuée par l'assureur doit transmettre cette demande au ministre du Revenu.

Contexte :

Voir la rubrique « Contexte » de la note explicative relative au nouvel article 402.23 de la LTVQ.

Modifications proposées :

L'article 402.26 exige que l'assureur, dont le fonds réservé lui présente une demande de remboursement dans les circonstances décrites au troisième alinéa de l'article 402.25 de la LTVQ, transmette cette demande au ministre du Revenu au plus tard le jour où il produit sa déclaration en vertu de la section IV du chapitre VIII du titre I de la LTVQ pour la période de déclaration au cours de laquelle il a remboursé un montant au fonds réservé, par suite de cette demande, ou a ainsi porté ce montant à son crédit.

Concordance fédérale: aucune.

402.27 Lorsqu'un assureur déduit, dans le calcul de sa taxe nette pour une période de déclaration, conformément aux dispositions de l'article 455.0.1, un montant qu'il a payé à son fonds réservé, ou porté à son crédit, au titre du remboursement prévu à l'article 402.23, que cet assureur sait ou devrait savoir que le fonds réservé n'a pas droit au remboursement ou que le montant ainsi payé ou porté au crédit du fonds excède celui auquel le fonds a droit, l'assureur et le fonds réservé sont solidairement responsables du paiement du montant ou de l'excédent au ministre.

Notes historiques: L'article 402.27 a été ajouté par L.Q. 2012, c. 28, par. 148(1) et s'applique à l'égard d'un montant de taxe qui est devenu payable après le 31 décembre 2012 ou qui a été payé après cette date sans être devenu payable.

Notes explicatives ARQ (PL 5, L.Q. 2012, c. 28): *Résumé* :

Le nouvel article 402.27 prévoit la responsabilité solidaire d'un assureur et de son fonds réservé pour le montant du remboursement effectué au fonds ou porté à son crédit par l'assureur.

Contexte :

Voir la rubrique « Contexte » de la note explicative relative au nouvel article 402.23 de la LTVQ.

Modifications proposées :

Le nouvel article 402.27 fait en sorte que l'assureur et son fonds réservé sont solidairement responsables du paiement au ministre du Revenu du remboursement effectué par l'assureur au profit du fonds ou porté à son crédit, lorsque l'assureur sait ou devrait savoir que le fonds réservé n'a pas droit au montant remboursé ou que le remboursement

LTVQ (français)

excède le montant auquel le fonds a droit. La responsabilité solidaire de l'assureur se limite au montant du remboursement ou de l'excédent, selon le cas.

Concordance fédérale: aucune.

§ 7. — Règles applicables à la présente section

403. Modalités d'une demande de remboursement — Une demande de remboursement en vertu de la présente section, autre qu'un remboursement visé à la sous-section 2, doit être effectuée au moyen du formulaire prescrit contenant les renseignements prescrits et produite au ministre de la manière prescrite par ce dernier.

Non en vigueur — 403 al. 1

403. Modalités d'une demande de remboursement — Une demande de remboursement en vertu de la présente section, autre qu'un remboursement visé à l'une des sous-sections 2 et 5.3, doit être effectuée au moyen du formulaire prescrit contenant les renseignements prescrits et produite au ministre de la manière prescrite par ce dernier.

Application: Le premier alinéa de l'article 403 a été remplacé par L.Q. 2012, c. 28, par. 149(1) et cette modification s'appliquera à compter du 1er avril 2013.

Demande unique — Une seule demande de remboursement, en vertu de la présente section, peut être effectuée à l'égard d'un même objet.

Notes historiques: Le premier alinéa de l'article 403 a été modifié par L.Q. 1994, c. 22, art. 585(1) et est réputé entré en vigueur le 1er juillet 1992. Il se lisait comme suit :

> 403. Une demande de remboursement en vertu de la présente section doit être effectuée au moyen du formulaire prescrit contenant les renseignements prescrits et produite au ministre de la manière prescrite par ce dernier.

L'article 403 a été édicté par L.Q. 1991, c. 67.

Notes explicatives ARQ (PL 5, L.Q. 2012, c. 28): *Résumé* :

L'article 403 prévoit qu'une demande de remboursement de la taxe de vente du Québec (TVQ) prévue à la section I du chapitre VII du titre I de cette loi doit être faite au moyen du formulaire prescrit contenant les renseignements prescrits. L'article 403 de la LTVQ est modifié afin qu'il ne s'applique pas à la demande de remboursement de la TVQ prévue à la nouvelle sous-section 5.3 de cette section I, comprenant le nouvel article 399.1 de la LTVQ, qui concerne le gouvernement du Québec, ses ministères et ses mandataires prescrits.

Contexte :

Le 28 mars 2012, les ministres des Finances du Canada et du Québec ont conclu l'*Entente intégrée globale de coordination fiscale entre le gouvernement du Canada et le gouvernement du Québec* (Entente). L'article 44 de l'Entente prévoit que les gouvernements du Canada et du Québec conviennent de payer, à compter du 1er avril 2013, la taxe sur les produits et services, la taxe de vente harmonisée (TPS/TVH) et la TVQ modifiée relativement aux fournitures effectuées au profit de leurs gouvernements respectifs ou des mandataires de ceux-ci. En cas d'immunité fiscale entre administrations, les montants de TPS/TVH et de TVQ modifiée seront recouvrables au moyen d'un mécanisme de remboursement.

Dans le cadre du présent projet de loi, l'article 399.1 est introduit. Il prévoit que le gouvernement du Québec, ses ministères et ses mandataires prescrits ont droit au remboursement de la TVQ qu'ils ont respectivement payée ou qu'ils sont réputés avoir respectivement payée. Une demande de remboursement devra être faite au ministre du Revenu, de la façon que celui-ci détermine, dans les quatre ans suivant le jour où cette taxe a été payée ou est réputée avoir été payée.

Modifications proposées :

L'article 403 est modifié afin qu'il ne s'applique pas à la demande de remboursement de la TVQ prévue au nouvel article 399.1 de la LTVQ puisque, conformément à ce que ce dernier article prévoit, elle sera faite de la façon déterminée par le ministre du Revenu et non au moyen du formulaire prescrit contenant les renseignements prescrits.

Guides [art. 403]: IN-229 — La TVQ, la TPS/TVH pour les organismes sans but lucratif.

Bulletins d'interprétation [art. 403]: TVQ. 179-2/R1 — Fourniture d'un bien meuble corporel à être expédié hors du Québec.

Jurisprudence: *Québec (Sous-ministre du Revenu) c. 3199959 Canada inc.* (6 septembre 2006), 500-09-015494-057, 2007 CarswellQue 8323.

Formulaires: FP-2518, *Remboursement partiel de la taxe payée sur un véhicule adapté au transport d'une personne handicapée*; VD-403, *Demande générale de remboursement de la taxe de vente du Québec (TVQ)*; VD-403.E, *Demande de remboursement concernant les véhicules automobiles neufs expédiés hors du Québec*; VD-403.E.MA, *Déclaration du mandataire de la personne qui a droit au remboursement*; VD-403.H, *Remboursement partiel de TVQ concernant un véhicule hybride*.

Concordance fédérale: LTA, par. 262.

COMMENTAIRES: Voir les commentaires sous l'article 405.

404. Restriction — Une personne n'a pas droit au remboursement d'un montant en vertu des articles 17.5 à 17.7 ou en vertu de la présente section dans la mesure où il est raisonnable de considérer que, selon le cas :

1º le montant a déjà été remboursé ou remis à la personne en vertu de la présente loi ou de toute autre loi;

2º la personne a demandé ou a le droit de demander un remboursement de la taxe sur les intrants à l'égard du montant;

3º la personne a obtenu ou a le droit d'obtenir un remboursement, une remise ou une compensation du montant en vertu de tout autre article de la présente loi ou de toute autre loi.

4º une note de crédit visée à l'article 449 a été reçue par la personne ou une note de débit visée à cet article a été remise par la personne pour un redressement, un remboursement ou un crédit qui inclut le montant.

Notes historiques: Le préambule de l'article 404 a été modifié par L.Q. 1997, c. 14, art. 346 et cette modification a effet à l'égard d'un bateau de plaisance apporté au Québec après le 9 mai 1996. Auparavant, le préambule de l'article 404 a été modifié par L.Q. 1994, c. 22, art. 586(1) et s'applique au remboursement d'un montant payé après le 10 juin 1993 au titre de la taxe prévue à l'article 17 à l'égard de biens corporels :

> a) soit dédouanés au sens du paragraphe 1 de l'article 2 de la *Loi sur les douanes* (Statuts du Canada);
>
> b) soit apportés au Québec qui proviennent du Canada hors du Québec.

Le préambule de l'article 404 se lisait comme suit :

> 404. Une personne n'a pas droit au remboursement d'un montant en vertu des articles 17.5 ou 17.6 ou en vertu de la présente section dans la mesure où il est raisonnable de considérer que, selon le cas :

Auparavant, le préambule de l'article 404 se lisait comme suit :

> 404. Une personne n'a pas droit au remboursement d'un montant en vertu de la présente section dans la mesure où il est raisonnable de considérer que, selon le cas :

Le paragraphe 4º de l'article 404 a été ajouté par L.Q. 2001, c. 53, art. 364 et a effet depuis le 10 décembre 1998.

L'article 404 a été édicté par L.Q. 1991, c. 67.

Guides [art. 404]: IN-229 — La TVQ, la TPS/TVH pour les organismes sans but lucratif.

Définitions [art. 404]: « bien », « fourniture taxable », « immeuble d'habitation à logement unique », « inscrit », « logement en copropriété », « logement provisoire », « montant », « organisme de bienfaisance », « organisme sans but lucratif », « particulier », « personne », « rénovation majeure », « vente » — 1.

Renvois [art. 404]: 17.6 (remboursement pour biens retournés — biens corporels provenant de l'extérieur du Québec); 199 ss. (RTI).

Jurisprudence: *Jenner c. Québec (Sous-ministre du Revenu)* (29 juin 2011), 540-80-002884-093, 2011 CarswellQue 6021; *Québec (Sous-ministre du Revenu) c. 3199959 Canada inc.* (6 septembre 2006), 500-09-015494-057, 2007 CarswellQue 8323.

Bulletins d'interprétation [art. 404]: TVQ. 179-2/R1 — Fourniture d'un bien meuble corporel à être expédié hors du Québec; TVQ. 379-1/R1 — Remboursement de TVQ lors de la fourniture par vente d'un immeuble par une personne non inscrite au fichier de la TVQ.

Concordance fédérale: LTA, art. 263.

COMMENTAIRES: Voir les commentaires sous l'article 405.

404.1 Restriction — Une personne n'a pas droit au remboursement en vertu de la présente section d'un montant qu'elle a payé à titre de taxe relativement à la fourniture par vente d'un véhicule automobile qu'elle a reçu uniquement afin d'en effectuer à nouveau la fourniture par vente, autrement que par donation, ou par louage en vertu d'une convention selon laquelle la possession continue ou l'utilisation continue du véhicule est offerte à une personne pour une période d'au moins un an.

Notes historiques: L'article 404.1 a été ajouté par L.Q. 2001, c. 51, art. 294 et a effet depuis le 1er mai 1999.

Jurisprudence [art. 404.1]: *Québec (Sous-ministre du Revenu) c. 3199959 Canada inc.* (6 septembre 2006), 500-09-015494-057, 2007 CarswellQue 8323; *3863506 Canada inc. c. Québec (Sous-ministre du Revenu)* (12 mai 2005), 500-80-002087-030, 2005 CarswellQue 2711 (C.Q.).

Concordance fédérale: aucune.

COMMENTAIRES: Voir les commentaires sous l'article 405.

404.2 Restriction — Sous réserve de l'article 402.12, une personne n'a pas droit au remboursement en vertu de la présente section d'un montant de taxe prévue à l'article 16 qu'elle a payée à l'inscrit de qui elle a acquis un véhicule automobile par fourniture par vente au détail alors qu'elle n'avait pas à lui payer ce montant en vertu de l'article 422.

Notes historiques: L'article 404.2 a été ajouté par L.Q. 2001, c. 51, art. 294 et a effet depuis le 21 février 2000.

Jurisprudence [art. 404.2]: *Québec (Sous-ministre du Revenu) c. 3199959 Canada inc.* (6 septembre 2006), 500-09-015494-057, 2007 CarswellQue 8323.

Lettres d'interprétation [art. 404.2]: 04-0104085 — Interprétation relative à la TVQ Remboursement de la TVQ payée relativement à la fourniture détaxée d'un véhicule automobile.

Concordance fédérale: aucune.

COMMENTAIRES: Voir les commentaires sous l'article 405.

404.3 Une personne n'a pas droit au remboursement d'un montant, autre qu'en vertu de l'un des articles 357.2 à 357.5, 357.5.1 et 357.5.2 dans la mesure où il est raisonnable de considérer que le montant se rapporte à la taxe prévue à l'article 16 ou, relativement à un bien corporel qui provient de l'extérieur du Canada, à la taxe prévue à l'article 17 qui est devenue payable par la personne à un moment où elle était une institution financière désignée particulière, ou qui a été payée par elle à ce moment sans être devenue payable, relativement à un bien ou à un service qu'elle a acquis ou apporté au Québec, selon le cas, pour consommation, utilisation ou fourniture dans le cadre d'une entreprise, d'un projet comportant un risque ou d'une affaire de caractère commercial.

Le premier alinéa ne s'applique pas relativement à un montant de taxe qui est devenu payable par un assureur, ou qui a été payé par lui sans être devenu payable, relativement à un bien ou à un service acquis ou apporté au Québec exclusivement et directement pour consommation, utilisation ou fourniture dans le cadre d'une enquête, d'un règlement ou d'une opposition relative à une réclamation fondée sur une police d'assurance, autre qu'une police d'assurance contre la maladie ou les accidents ou une police d'assurance sur la vie.

Le premier alinéa ne s'applique pas relativement à un montant de taxe qui est devenu payable par une caution, au sens du premier alinéa de l'article 301.4, ou qui a été payé par elle sans être devenu payable, relativement à un bien ou à un service acquis, ou apporté au Québec, à la fois :

1° pour sa consommation, son utilisation ou sa fourniture exclusive et directe dans le cadre de la construction d'un immeuble au Québec par la caution ou par une autre personne qu'elle engage à cette fin, laquelle construction est entreprise en exécution, même partielle, des obligations de la caution en vertu d'un cautionnement d'exécution;

2° pour une fin autre que son utilisation à titre d'immobilisation de la caution ou que l'amélioration apportée à ses immobilisations.

Notes historiques: L'article 404.3 a été ajouté par L.Q. 2012, c. 28, par. 150(1) et s'applique à compter du 1er janvier 2013.

Notes explicatives ARQ (PL 5, L.Q. 2012, c. 28): *Résumé* :

Le nouvel article 404.3 précise qu'une institution financière désignée particulière ne peut obtenir de remboursement particulier au titre de la taxe payée ou payable par elle, sauf exceptions.

Contexte :

Voir la rubrique « Contexte » de la note explicative relative au nouvel article 433.16 de la LTVQ.

Modifications proposées :

De façon générale, une institution financière désignée particulière ne peut demander un remboursement de la taxe sur les intrants, tel que le prévoit le nouvel article 199.0.0.1 de la LTVQ, introduit par le présent projet de loi. Le nouvel article 404.3 de la LTVQ prévoit, quant à lui, qu'une institution financière désignée particulière ne peut obtenir de remboursement particulier au titre de la taxe payée ou payable par elle, sauf exceptions.

Le fait pour une institution financière désignée particulière de ne pouvoir obtenir un remboursement de la taxe sur les intrants ou d'autres remboursements particuliers se justifie, puisqu'une telle institution est tenue d'apporter un redressement dans le calcul de sa taxe nette conformément au nouvel article 433.16 de la LTVQ, également introduit par le présent projet de loi. Dans la détermination du montant à ajouter ou à déduire, selon le cas, dans le calcul de la taxe nette d'une institution financière désignée particulière, au titre de ce redressement, le montant de taxe devenu payable par elle ou payée par elle sans être devenu payable est déduit (voir la lettre F de la formule prévue au premier alinéa de l'article 433.16 de la LTVQ).

Par conséquent, le nouvel article 404.3 empêche une personne d'obtenir un remboursement en vertu de la section I du chapitre VII du titre I de la LTVQ lorsque ce remboursement est relatif à une taxe payée ou payable à un moment où elle est une institution financière désignée particulière. Toutefois, certaines exceptions à cette règle sont prévues concernant les remboursements visés par les articles 357.2 à 357.5, 357.5.1 et 357.5.2 de la LTVQ, lesquels concernent les remboursements accordés relativement aux promoteurs de congrès étrangers et aux acquéreurs non-inscrits et non-résidents pour services d'installation.

De plus, la restriction prévue à l'article 404.3 ne s'applique que relativement à un bien ou à un service acquis ou apporté au Québec par une institution financière désignée particulière pour consommation, utilisation ou fourniture dans le cadre de ses activités qui font partie d'une entreprise ou d'un projet comportant un risque ou d'une affaire à caractère commercial exploitée par elle. Par conséquent, la restriction ne vise pas un particulier qui est un courtier d'assurance exploitant une entreprise, lorsque celui-ci demande le remboursement de la taxe payée sur un bien destiné à son usage personnel. Ainsi, un tel particulier peut demander, en vertu de l'article 362.2 de la LTVQ, le remboursement partiel de la taxe payée par suite de l'acquisition d'un immeuble d'habitation à logement unique ou d'un logement en copropriété neuf ou ayant fait l'objet d'une rénovation majeure auprès d'un constructeur lorsqu'il entend l'occuper comme résidence principale.

Le deuxième alinéa de l'article 404.3 prévoit une autre exception à la règle prévue au premier alinéa de cet article selon laquelle aucun remboursement ne peut être accordé relativement à unmontant de taxe devenu payable ou payé sans être devenu payable par une institution financière désignée particulière. Cette restriction ne s'applique pas à un assureur qui demande le remboursement de la taxe relative à un bien ou à un service acquis ou apporté au Québec exclusivement et directement pour consommation, utilisation ou fourniture dans le cadre de l'enquête, du règlement ou d'une opposition relative à une réclamation fondée sur une police d'assurance, autre qu'une police d'assurance contre les accidents ou la maladie ou qu'une police d'assurance sur la vie. Notons que, dans ce cas, ce bien ou ce service n'est pas pris en considération dans le calcul du redressement qu'est tenue d'apporter l'institution financière désignée particulière dans le calcul de sa taxe nette en vertu de l'article 433.16 de la LTVQ. En effet, la taxe sur les produits et services (TPS) payable ou payée sans être devenue payable à l'égard de ce bien ou de ce service n'est pas incluse dans l'élément A de la formule figurant au paragraphe 2 de l'article 225.2 de la *Loi sur la taxe d'accise* (Lois révisées du Canada (1985), chapitre E-15), et, par conséquent dans la valeur de la lettre A de la formule prévue au premier alinéa de l'article 433.16 de la LTVQ. De même, la taxe de vente du Québec payable ou payée sans être devenue payable à l'égard de ce bien ou de ce service n'est pas incluse dans la valeur de la lettre F de cette formule, puisqu'elle est un montant de taxe prescrit.

Enfin, le troisième alinéa de l'article 404.3 précise que la règle prévue au premier alinéa de cet article ne s'applique pas à certains remboursements demandés par une institution financière désignée particulière qui est une caution, au sens du premier alinéa de l'article 301.4 de la LTVQ, également introduit par le présent projet de loi.

Cette exception permet donc à une caution de demander le remboursement de la taxe à l'égard d'un bien ou d'un service, utilisé autrement qu'à titre d'immobilisation ou d'amélioration apportée à une immobilisation, qu'elle a acquis ou apporté au Québec exclusivement et directement pour consommation, utilisation ou fourniture dans le cadre de certaines activités de construction visées par l'article 301.4, soit en vertu d'un cautionnement d'exécution à l'égard d'un contrat visant une fourniture taxable de services de construction relatif à un immeuble situé au Québec.

Guides [art. 404.3]: *Québec (Sous-ministre du Revenu) c. 3199959 Canada inc.* (6 septembre 2006), 500-09-015494-057, 2007 CarswellQue 8323; *3863506 Canada inc. c. Québec (Sous-ministre du Revenu)* (12 mai 2005), 500-80-002087-030, 2005 CarswellQue 2711 (C.Q.).

Concordance fédérale: aucune.

COMMENTAIRES: Voir les commentaires sous l'article 405.

405. Exercice d'une personne — Pour l'application de la présente section, l'exercice d'une personne correspond à son exercice au sens de l'article 458.1.

Notes historiques: L'article 405 a été modifié par L.Q. 1994, c. 22, art. 587(1) et est réputé entré en vigueur le 1er juillet 1992. L'article 405, édicté par L.Q. 1991, c. 67, se lisait comme suit :

> 405. Pour l'application de la présente section, l'exercice d'une personne correspond à son exercice au sens de la partie IX de la *Loi sur la taxe d'accise* (Statuts du Canada) pour l'application de celle-ci.

Définitions [art. 405]: « personne » — 1.

Renvois [art. 405]: 452 (application de l'article 405)..

Concordance fédérale: LTA, par. 123(1)« exercice ».

LTVQ (français)

COMMENTAIRES: Le mot « personne » qui figure à l'article 404 a été interprété par la Cour d'appel du Québec dans les affaires *3199959 Canada inc. c. Québec (Sous-ministre du Revenu)*, 2007 QCCA 1153 et *3863506 Canada inc. c. Québec (Sous-ministre du Revenu)*, 2007 QCCA 1154 comme faisant référence non seulement à un « inscrit », mais également à toute « personne ».

Selon l'auteur, la rédaction de l'article 404 est malheureuse en raison de l'utilisation du mot « raisonnable » qui appert au texte introductif *in fine*. En effet, cela peut vouloir dire que c'est un agent de l'Agence du revenu du Canada ou de Revenu Québec qui considère, de façon raisonnable, si une des situations aux paragraphes (1) à (4) existe dans un cas particulier. En raison de l'importance de la décision, on devrait exiger un niveau de confort plus élevé que celle de la raisonnabilité, qui se veut davantage un critère subjectif.

Revenu Québec a résumé la restriction prévue à l'article 404.1 comme voulant signifier qu'il est impossible pour une personne d'obtenir le remboursement de la taxe qu'elle a payée à une personne autre que le fournisseur, relativement à un véhicule automobile qui a été acquis par vente uniquement afin d'être fourni de nouveau par vente ou par location à long terme. Voir notamment à cet effet : Revenu Québec, Lettre d'interprétation, 04-0104085 — *Interprétation relative à la TVQ payée relativement à la fourniture détaxée d'un véhicule automobile* (9 juin 2005).

La Cour d'appel du Québec a confirmé que l'article 404.1 s'appliquait à toute personne, inscrite ou non inscrite, et restreignait la portée et les remboursements prévus aux articles 197.2, 400 et 404.1. Voir à cet effet: *3863506 Canada inc. c. Québec (Sous-ministre du Revenu)*, 2007 QCCA 1154 (C.A.Q.).

La Cour d'appel du Québec a également indiqué que l'article 404.2 doit être interprété restrictivement à la suite des décisions interprétant l'article 404.1 dans les affaires *3199959 Canada inc. c. Québec (Sous-ministre du Revenu)*, 2007 QCCA 1153 et *3863506 Canada inc. c. Québec (Sous-ministre du Revenu)*, 2007 QCCA 1154.

Compte tenu de la similarité de la rédaction des dispositions législatives et considérant l'engagement spécifique de Revenu Québec de veiller à ce que l'assiette de TVQ modifiée, de même que les paramètres administratifs, structurels et définitionnels, produisent des résultats qui sont identiques à ceux produits sous le régime de la TPS/TVH et soient administrés d'une manière qui produit des résultats identiques, tel que reflété par l'article 14 de l'*Entente intégrée globale de coordination fiscale* signée entre le gouvernement du Canada et le gouvernement du Québec, nous vous référons à nos commentaires en vertu des articles 262 et 263 *Loi sur la taxe d'accise (TPS)* qui devraient s'appliquer *mutatis mutandis*, avec les adaptations nécessaires.

SECTION II — COMPENSATION

406. [*Abrogé*]

Notes historiques: L'article 406 a été abrogé par L.Q. 1997, c. 14, art. 337 et cette abrogation a effet à l'égard d'une fourniture ou d'un apport effectué après le 9 mai 1996. L'article 406, édicté par L.Q. 1991, c. 67, se lisait comme suit :

> 406. Dans le cas où une personne paie la taxe à l'égard de la fourniture d'un livre ou à l'égard d'un livre qu'elle apporte au Québec, celle-ci a droit à une compensation d'un montant égal à cette taxe.
>
> La personne qui effectue la fourniture doit payer à cette personne le montant de cette compensation et elle peut le déduire du montant qu'elle doit verser au ministre en vertu de l'article 437.
>
> Cette compensation est réputée être un remboursement aux fins de la *Loi sur le ministère du Revenu* (L.R.Q., chapitre M-31).
>
> Le livre visé au présent article est soit un livre imprimé ou sa mise à jour, identifié par un numéro international normalisé du livre (ISBN), attribué en conformité avec le système de numérotation international du livre, soit un livre parlant ou son support, qu'une personne acquiert en raison d'un handicap visuel.

Chapitre VIII — Mesures de perception et de versement

SECTION I — INSCRIPTION

407. Inscription obligatoire — Toute personne qui effectue une fourniture taxable au Québec dans le cadre d'une activité commerciale qu'elle exerce au Québec est tenue d'être inscrite sauf dans le cas où, selon le cas :

1° la personne est un petit fournisseur;

2° la seule activité commerciale de la personne consiste à effectuer la fourniture d'un immeuble par vente, autrement que dans le cadre d'une entreprise;

3° la personne ne réside pas au Québec et n'y exploite pas d'entreprise;

4° [Supprimé].

Notes historiques: Le préambule du premier alinéa de l'article 407 a été modifié par L.Q. 1995, c. 63, art. 446(1) et cette modification s'applique à l'égard d'une fourniture effectuée après le 31 juillet 1995. Auparavant, il se lisait comme suit :

> 407. Toute personne qui effectue une fourniture taxable ou non taxable au Québec dans le cadre d'une activité commerciale qu'elle exerce au Québec est tenue d'être inscrite sauf dans le cas où, selon le cas :

Le paragraphe 4° du premier alinéa et le deuxième alinéa de l'article 407 ont été supprimés par L.Q. 1995, c. 63, art. 446(1) et ces suppressions ont effet depuis le 1er août 1995. Toutefois, lorsque l'article 407, modifié par L.Q. 1996, c. 63, art. 446(1) s'applique avant le 1er août 1995, le paragraphe 4° du premier alinéa de cet article doit se lire comme suit :

> 4° la personne est un entrepreneur indépendant d'un démarcheur qui est un inscrit dont la seule entreprise qu'elle exploite consiste à vendre les produits exclusifs du démarcheur à un autre entrepreneur indépendant de celui-ci ou à un acheteur.

Auparavant, le paragraphe 4° du premier alinéa se lisait comme suit :

> 4° la personne est un entrepreneur indépendant d'un démarcheur dont la seule entreprise qu'elle exploite consiste à vendre les produits exclusifs du démarcheur à un autre entrepreneur indépendant de celui-ci ou à un acheteur.

Le deuxième alinéa de l'article 407 se lisait comme suit :

> Pour l'application du paragraphe 4° du premier alinéa, les expressions « acheteur », « démarcheur », « entrepreneur indépendant » et « produit exclusif » ont le sens que leur donne l'article 297.1.

L'article 407 a été remplacé par L.Q. 1994, c. 22, art. 588(1) et cette modification s'applique à compter du 1er juillet 1992. Antérieurement, il se lisait ainsi :

> 407. Toute personne qui exerce une activité commerciale au Québec doit, avant le jour où elle effectue, autrement qu'à titre de petit fournisseur, sa première fourniture taxable ou non taxable au Québec dans le cadre de cette activité, présenter une demande d'inscription au ministre.
>
> Les personnes suivantes ne sont pas tenues de présenter la demande d'inscription prévue au premier alinéa :
>
> 1° la personne qui est un petit fournisseur;
>
> 2° la personne dont la seule activité commerciale consiste à effectuer la fourniture d'un immeuble par vente, autrement que dans le cadre d'une entreprise;
>
> 3° la personne qui ne réside pas au Québec et qui n'y exploite pas d'entreprise.

L'article 407 a été édicté par L.Q. 1991, c. 67.

Guides [art. 407]: IN-202 — Dois-je m'inscrire au Ministère?; IN-203 — Renseignements généraux sur la TVQ et la TPS/TVH; IN-211 — La TVQ, la TPS/TVH, les appareils médicaux et les médicaments; IN-216 — La TVQ, la TPS/TVH et l'alimentation; IN-228 — La TVQ et la TPS/TVH pour les organismes de bienfaisance; IN-229 — La TVQ, la TPS/TVH pour les organismes sans but lucratif; IN-255 — Les marchés aux puces; IN-263 — Les fabricants de boissons alcooliques et les taxes à la consommation; IN-300 — Vous êtes travailleur autonome? Aide-mémoire concernant la fiscalité; IN-305 — Les organismes sans but lucratif et la fiscalité; IN-307 — Le démarrage d'entreprise et la fiscalité.

Définitions [art. 407]: « activité commerciale », « entreprise », « fourniture », « fourniture taxable », « immeuble », « inscrit », « personne », « petit fournisseur », « vente » — 1.

Renvois [art. 407]: 3 (lien de dépendance); 21 (fourniture effectuée au Québec); 50 (membre d'une société); 188.1 (fourniture d'un bien meuble incorporel); 207 (nouvel inscrit); 208 (nouvel inscrit); 294 (petit fournisseur); 407.1 (entreprise de taxis); 407.4, 407.5 (inscription obligatoire); 408 (demande d'inscription par un petit fournisseur); 410.1 (présentation d'une demande d'inscription); 411 (inscription au choix); 415 (inscription); 416 (annulation d'inscription); 457.1.6 (période de déclaration — aliments, boissons et divertissements); 458.2 (avis d'un inscrit — période de déclaration); 466 (période de déclaration du nouvel inscrit); 676 (demande d'inscription par un petit fournisseur); 10 LAF; 17.2–17.9 LAF.

Jurisprudence [art. 407]: *Québec (Sous-ministre du Revenu) c. Therrien* (2 juin 2009), 235-17-000033-098, 2009 CarswellQue 6340; *Guay c. Québec (Sous-ministre du Revenu)* (9 février 2009), 550-80-000639-068, 2009 CarswellQue 1058; *Québec (Sous-ministre du Revenu) c. Cun* (13 novembre 2008), 505-61-074113-069, 2008 CarswellQue 11822; *Vêtements de sport Chapter One inc. c. Québec (Sous-ministre du Revenu)* (2 avril 2008), 500-09-017382-078, 2008 CarswellQue 2455 (C.A. Qué.); *Weinstein & Gavino Fabrique et Bar à pâtes compagnie ltée c. Québec (Sous-ministre du Revenu)* (19 décembre 2007), 500-17-015442-034, 2007 CarswellQue 12599; *Québec (Sous-ministre du Revenu) c. Lemieux* (15 août 2006), 250-17-000332-051; *Québec (Sous-ministre du Revenu) c. Michaud* (2 février 2006), 655-05-000945-055, 2004 CarswellQue 1270; *Sioui c. Québec (Sous-ministre du Revenu)* (26 mai 1995), 200-05-001060-933, 1995 CarswellQue 439; *S.M.R.Q. c. Bar des Sept-Mers Inc.* (30 mars 1995), 765-05-000195-948, 1995 CarswellQue 444.

Bulletins d'interprétation [art. 407]: TVQ. 1-4/R2 — La société de moyens; TVQ. 16-2 — La livraison de fleurs par l'entremise d'un service de commande à distance; TVQ. 16-14/R1 — Fournitures effectuées à un régime de pension agréé; TVQ. 16-30/R1 — Contrat de prête-nom; TVQ. 75-3 — Transfert d'une entreprise de services de transport par taxi; TVQ. 346-1 — Fourniture taxable d'immeubles détenus en copropriété indivise; TVQ. 407-1 — Inscription d'un régime de pension agréé; TVQ. 407-3/R2 — Partis politiques; TVQ. 411-1 — Inscription au fichier de la taxe de vente du Québec à l'égard des transporteurs de marchandises qui circulent sur les routes; TVQ. 415-1/R1 — Utilisation du numéro d'inscription; TVQ. 415-2/R2 — Inscription rétroactive; TVQ. 423-1/R2 — Non-perception de la taxe lors de la fourniture taxable d'un immeuble par vente à un inscrit.

Formulaires [art. 407]: LM-1, Formulaire d'inscription; LM-1.PA, Demande d'inscription du particulier en affaires.

Lettres d'interprétation [art. 407]: 98-0102636 — Interprétation relative à la TVQ — Inscription d'un non résident; 98-0103113 — Interprétation relative à la TVQ — Inscription d'une société de portefeuille; 98-0104954 — Décision portant sur l'application de la TPS — Interprétation relative à la TVQ; 98-0106728 — Interprétation relative à la TVQ — Apport au Québec d'un bien meuble corporel et fourniture d'un service par un non-résident; 98-0106736 — QST Interpretation Supply of Software; 98-0107197 — Décision portant sur l'application de la TPS — Interprétation relative à la TVQ — Droits d'accès vendus à des motoneigistes; 98-0108146 — Interprétation relative à la TPS et à la TVQ — Prix reçus par un athlète professionnel; 98-0108898 — Rapports d'expertise médicale; 99-0101339 — Interprétation relative à la TPS et à la TVQ — Institution financière aux fins de la taxe compensatoire; 99-0102493 — Règles relatives à l'inscription par une personne non résidente; 99-0107617 — Interprétation relative à la TPS et à la TVQ — Droit pour un entrepreneur indépendant d'un démarcheur de demander des CTI/RTI; 00-0106401 — [Application des articles] — 409 et 409.1 de la *Loi sur la taxe de vente du Québec*; 01-0107621 — Interprétation relative à la TPS et à la TVQ — Déclarations au secteur public et aux taxes spécifiques; 02-0102158 — Décision portant sur l'application de la TPS — Interprétation relative à la TVQ — Contributions versées dans le cadre d'un projet relatif à la création d'emplois; 02-0104758 — Interprétation relative à la TPS et à la TVQ — Organisation d'un congrès international; 02-0105581 — Fournitures effectuées par un organisme à but non lucratif; 05-0100486 — Interprétation relative à la TPS et à la TVQ — remboursement pour fiducie régie par un régime de pension interentreprises; 06-0103629 — Interprétation relative à la TVQ — contrat de franchise vendue par un non-résident à un résident du Québec; 12-013765-002 — Interprétation relative à la TVQ — Administration d'un hôtel par un créancier - Demande de RTI.

Concordance fédérale: LTA, par. 240(1).

COMMENTAIRES: L'article 407 fait référence à l'obligation de s'inscrire, sous réserve de certaines exceptions, dont celle se rapportant à la personne qui ne réside pas au Québec et qui n'y exploite pas d'entreprise. Ainsi, pour déterminer si une personne qui ne réside pas au Québec exploite une entreprise au Québec, il n'y a pas lieu de tenir compte des règles relatives au lieu de la fourniture. Cependant, une fois qu'il est déterminé que cette personne exploite une entreprise au Québec, les règles relatives au lieu de la fourniture doivent être appliquées pour déterminer si elle effectue une fourniture taxable au Québec et si en conséquence elle doit s'inscrire en application de cet article. Voir notamment à cet effet : Revenu Québec, Lettre d'interprétation, 99-0102493 [A] — *Règles relatives à l'inscription par une personne non résidente* (3 mars 2000).

Compte tenu de la similarité de la rédaction des dispositions législatives et considérant l'engagement spécifique de Revenu Québec de veiller à ce que l'assiette de TVQ modifiée, de même que les paramètres administratifs, structurels et définitionnels, produisent des résultats qui sont identiques à ceux produits sous le régime de la TPS/TVH et soient administrés d'une manière qui produit des résultats identiques, tel que reflété par l'article 14 de l'*Entente intégrée globale de coordination fiscale* signée entre le gouvernement du Canada et le gouvernement du Québec, nous vous référons à nos commentaires en vertu du paragraphe 240(1) de *Loi sur la taxe d'accise (TPS)* qui devraient s'appliquer *mutatis mutandis*, avec les adaptations nécessaires.

407.1 Entreprise de taxis — Malgré l'article 407, le petit fournisseur qui exploite une entreprise de taxis est tenu d'être inscrit à l'égard de cette entreprise.

Notes historiques: L'article 407.1 a été ajouté par L.Q. 1994, c. 22, art. 589(1) et est réputé entré en vigueur le 1er juillet 1992.

Guides [art. 407.1]: IN-202 — Dois–je m'inscrire au Ministère?; IN-307 — Le démarrage d'entreprise et la fiscalité.

Définitions [art. 407.1]: « entreprise de taxis », « inscrit », « petit fournisseur » — 1.

Renvois [art. 407.1]: 188.1 (fourniture d'un bien meuble incorporel); 410.1 (présentation d'une demande d'inscription); 411 (inscription au choix); 411.1 (petit fournisseur qui exploite une entreprise de taxis); 415.1 (entreprise de taxis — inscription); 457.1.6 (période de déclaration — aliments, boissons et divertissements).

Bulletins d'interprétation [art. 407.1]: TVQ. 75-3 — Transfert d'une entreprise de services de transport par taxi.

Concordance fédérale: LTA, par. 240(1.1).

407.2 Inscription obligatoire — Malgré l'article 407, la personne qui effectue la vente en détail de tabac au sens de la *Loi concernant l'impôt sur le tabac* (chapitre I-2) est tenue d'être inscrite à l'égard de cette activité.

Dispositions applicables — Les articles 411.1, 415.1 et 417.1 s'appliquent, compte tenu des adaptations nécessaires, au petit fournisseur qui effectue la vente en détail de tabac.

Notes historiques: Le premier alinéa de l'article 407.2 a été modifié par L.Q. 1997, c. 14, art. 348 et cette modification a effet depuis le 22 juin 1995. Auparavant, cet alinéa se lisait comme suit :

> 407.2 Malgré l'article 407, le petit fournisseur qui effectue la vente en détail de tabac au sens de la *Loi concernant l'impôt sur le tabac* (chapitre I-2) est tenu d'être inscrit à l'égard de cette activité.

L'article 407.2 a été ajouté par L.Q. 1995, c. 47, art. 9 et est entré en vigueur le 22 juin 1995.

Guides [art. 407.2]: IN-202 — Dois–je m'inscrire au Ministère?.

Définitions [art. 407.2]: « petit fournisseur », « vente » — 1.

Renvois [art. 407.2]: 188.1 (fourniture d'un bien meuble incorporel); 210.6 (champ d'application des article 210.2–210.5); 210.7 (champ d'application des article 210.2–210.5); 294 (petit fournisseur); 410.1 (présentation d'une demande d'inscription); 411 (inscription au choix); 417.3 (demande au ministre); 457.1.6 (période de déclaration — aliments, boissons et divertissements).

Formulaires [art. 407.2]: LM-1, Formulaire d'inscription; LM-4, Mise à jour des renseignements sur un établissement lié au secteur du carburant ou du tabac.

Concordance fédérale: aucune.

407.3 Boissons alcooliques — Malgré l'article 407, le petit fournisseur qui effectue la fourniture de boissons alcooliques est tenu d'être inscrit à l'égard de cette activité.

Exception — Le premier alinéa ne s'applique pas à un petit fournisseur qui effectue la fourniture de boissons alcooliques au moment où il est titulaire d'un permis de réunion délivré en vertu de la *Loi sur les permis d'alcool* (chapitre P-9.1) qui est en vigueur à ce moment et que cette fourniture est autorisée par ce permis.

Application — Les articles 411.1, 415.1 et 417.1 s'appliquent, compte tenu des adaptations nécessaires, au petit fournisseur qui est tenu d'être inscrit en vertu du présent article.

Notes historiques: Le deuxième alinéa de l'article 407.3 a été modifié par L.Q. 1997, c. 63, art. 875 par le remplacement du mot « détenteur » par « titulaire ». Cette modification est entrée en vigueur le 1er décembre 1997.

L'article 407.3 a été ajouté par L.Q. 1995, c. 63, art. 447(1) et a effet depuis le 1er août 1995.

Guides [art. 407.3]: IN-202 — Dois–je m'inscrire au Ministère?; IN-216 — La TVQ, la TPS/TVH et l'alimentation; IN-263 — Les fabricants de boissons alcooliques et les taxes à la consommation; IN-300 — Vous êtes travailleur autonome? Aide–mémoire concernant la fiscalité; IN-307 — Le démarrage d'entreprise et la fiscalité.

Définitions [art. 407.3]: « fourniture », « petit fournisseur » — 1.

Renvois [art. 407.3]: 188.1 (fourniture d'un bien meuble incorporel); 210.6 (champ d'application des article 210.2–210.5); 210.7 (champ d'application des article 210.2–210.5); 294 (petit fournisseur); 410.1 (présentation d'une demande d'inscription); 411 (inscription au choix); 417.3 (demande au ministre); 457.1.6 (période de déclaration — aliments, boissons et divertissements).

Bulletins d'interprétation [art. 407.3]: TVQ. 407.3-1 — Inscription au fichier de la TVQ des titulaires de permis de réunion et perception de la taxe.

Concordance fédérale: aucune.

407.4 Vente au détail de carburant — Malgré l'article 407, le petit fournisseur qui effectue la vente en détail de carburant, au sens de la *Loi concernant la taxe sur les carburants* (chapitre T-1), est tenu d'être inscrit à l'égard de cette activité.

Dispositions applicables — Les articles 411.1, 415.1 et 417.1 s'appliquent, compte tenu des adaptations nécessaires, au petit fournisseur qui est tenu d'être inscrit en vertu du présent article.

Notes historiques: L'article 407.4 a été ajouté par L.Q. 1999, c. 65, art. 50 et est entré en vigueur le 2 février 2000.

Guides [art. 407.4]: IN-202 — Dois–je m'inscrire au Ministère?; IN-218 — La TVQ, la TPS/TVH, la taxe sur les carburants et les transporteurs de marchandises; IN-307 — Le démarrage d'entreprise et la fiscalité.

Renvois [art. 407.4]: 188.1 (fourniture d'un bien meuble incorporel); 210.8 (fournisseur de carburant); 411 (inscription au choix); 417.3 (demande au ministre); 457.1.6 (période de déclaration — aliments, boissons et divertissements).

Formulaires [art. 407.4]: LM-1, Formulaire d'inscription; LM-4, Mise à jour des renseignements sur un établissement lié au secteur du carburant ou du tabac.

Concordance fédérale: aucune.

407.5 Pneus neufs et véhicules routiers — Malgré l'article 407, le petit fournisseur ou la personne qui ne réside pas au Québec et n'y exploite pas d'entreprise, qui effectue la vente d'un pneu neuf ou d'un véhicule routier autre qu'un véhicule routier qui est son immobilisation ou qui effectue la location d'un pneu neuf ou la location à long terme d'un véhicule routier, est tenu d'être inscrit à l'égard de ces activités.

Location à long terme, pneu neuf et véhicule routier — Les expressions « location à long terme », « pneu neuf » et « véhicule routier » ont le sens que leur donne le titre IV.5 de la loi.

Dispositions applicables — Les articles 411.1, 415.1 et 417.1 s'appliquent, compte tenu des adaptations nécessaires, à la personne qui est tenue d'être inscrite en vertu du présent article.

Notes historiques: Le premier alinéa de l'article 407.5 a été remplacé par L.Q. 2001, c. 51, art. 295 et a effet depuis le 1er octobre 1999. Antérieurement, il se lisait ainsi :

> 407.5 Malgré l'article 407, le petit fournisseur ou la personne qui ne réside pas au Québec et n'y exploite pas d'entreprise, qui effectue la vente d'un pneu neuf ou d'un véhicule routier ou qui effectue la location d'un pneu neuf ou la location à long terme d'un véhicule routier, est tenu d'être inscrit à l'égard de ces activités.

L'article 407.5 a été ajouté par L.Q. 2000, c. 39, art. 284(1) et a effet depuis le 1er octobre 1999.

Guides [art. 407.5]: IN-202 — Dois–je m'inscrire au Ministère?; IN-307 — Le démarrage d'entreprise et la fiscalité.

Renvois [art. 407.5]: 188.1 (fourniture d'un bien meuble incorporel); 210.9 (fournisseur de pneus neufs ou de véhicules routiers); 410.1 (présentation d'une demande d'inscription); 411 (inscription au choix); 417.3 (demande au ministre); 457.1.6 (période de déclaration — aliments, boissons et divertissements).

Concordance fédérale: aucune.

407.6 Malgré l'article 407, une institution financière désignée particulière tout au long d'une période de déclaration comprise dans un exercice se terminant dans une année d'imposition donnée et qui est un inscrit en vertu de la partie IX de la *Loi sur la taxe d'accise* (Lois révisées du Canada (1985), 103 chapitre E-15) est tenue d'être inscrite lorsque le pourcentage correspondant à la lettre C de la formule prévue au premier alinéa de l'article 433.16 déterminée pour l'année d'imposition donnée pour l'institution financière est supérieur à zéro.

Modification proposée — 407.6

Application: L'article 407.6 sera modifié par le par. 226(1) du *Projet de loi 18* (présenté le 21 février 2013) par la suppression de « lorsque le pourcentage correspondant à la lettre C de la formule prévue au premier alinéa de l'article 433.16 déterminée pour l'année d'imposition donnée pour l'institution financière est supérieur à zéro ». Cette modification aura effet depuis le 1er janvier 2013.

Notes historiques: L'article 407.6 a été ajouté par L.Q. 2012, c. 28, par. 151(1) et s'applique à compter du 1er janvier 2013.

Notes explicatives ARQ (PL 5, L.Q. 2012, c. 28): *Résumé* :

Le nouvel article 407.6 prévoit qu'une institution financière désignée particulière qui est inscrite dans le régime de la taxe sur les produits et services (TPS) doit également s'inscrire dans le régime de la taxe de vente du Québec (TVQ) lorsqu'elle exerce des activités au Québec.

Contexte :

Voir la rubrique « Contexte » de la note explicative relative au nouvel article 433.16 de la LTVQ.

Modifications proposées :

Le nouvel article 407.6 prévoit que l'institution financière désignée particulière (IFDP) qui est inscrite dans le régime de la TPS est tenue d'être inscrite dans le régime de la TVQ lorsque, essentiellement, cette institution financière mène des activités au Québec. Plus précisément, cet article a pour effet de requérir l'inscription dans le régime de la TVQ d'une IFDP déjà inscrite dans celui de la TPS à un moment quelconque d'une période de déclaration lorsque le pourcentage correspondant à la valeur qu'aurait l'élément C de la formule apparaissant au paragraphe 2 de l'article 225.2 de la *Loi sur la taxe d'accise* (Lois révisées du Canada (1985), chapitre E-15) (LTA), déterminée pour l'année d'imposition dans laquelle se termine l'exercice dans lequel est comprise la période de déclaration, pour l'institution financière quant au Québec, si le Québec était une province participante au sens du paragraphe 1 de l'article 123 de la LTA et si, le cas échéant, l'institution financière était également une institution financière désignée particulière pour l'application de cette loi, est supérieur à zéro (le pourcentage que représente la lettre C de la formule prévue au premier alinéa quant à l'article 433.16 de la LTVQ).

De façon générale, le pourcentage d'attribution qui serait, dans ces hypothèses, applicable au Québec (soit l'élément C de la formule prévue au premier paragraphe de l'article 225.2 de la LTA) est fonction des recettes attribuables à un établissement situé au Québec et des salaires versés aux employés d'un tel établissement. Ce pourcentage se rapproche donc de celui représentant la proportion des 162 affaires faites au Québec sur l'ensemble des affaires faites au Canada ou au Québec et ailleurs, établie conformément aux règles énoncées aux articles 771R2 à 771R28 du *Règlement sur les impôts* (R.Q., chapitre I-3, r. 1).

L'article 407.6 requiert donc qu'une IFDP inscrite en TPS s'inscrive également en TVQ lorsque celle-ci mène des activités au Québec.

Concordance fédérale: aucune.

408. Petit fournisseur — Malgré l'article 407, une personne qui est un petit fournisseur et qui présente, à un moment quelconque, une demande d'inscription au ministre du Revenu national en vertu du paragraphe 3° de l'article 240 de la *Loi sur la taxe d'accise* (Lois révisées du Canada (1985), chapitre E-15) doit, à ce moment, présenter une demande d'inscription au ministre.

Notes historiques: L'article 408 a été modifié par L.Q. 2004, c. 21, par. 533(1) par la suppression de « et sous réserve du sous-paragraphe i du sous-paragraphe b) du paragraphe 2° du premier alinéa de l'article 411 ». Cette modification a effet depuis le 12 mars 2003.

L'article 408 a été remplacé par L.Q. 1997, c. 85, art. 677(1) et a effet depuis le 24 avril 1996. L'article 408, édicté par L.Q. 1991, c. 67, se lisait auparavant ainsi :

> 408. Malgré l'article 407, une personne qui est un petit fournisseur et qui présente, à un moment quelconque, une demande d'inscription au ministre du Revenu national en vertu du paragraphe 3 de l'article 240 de la *Loi sur la taxe d'accise* (Statuts du Canada) doit, à ce moment, présenter une demande d'inscription au ministre.

Guides [art. 408]: IN-202 — Dois–je m'inscrire au Ministère?; IN-228 — La TVQ et la TPS/TVH pour les organismes de bienfaisance; IN-229 — La TVQ, la TPS/TVH pour les organismes sans but lucratif; IN-307 — Le démarrage d'entreprise et la fiscalité.

Définitions [art. 408]: « acquéreur », « bien », « entreprise », « fourniture », « fourniture détaxée », « fourniture taxable », « personne », « petit fournisseur », « salarié », « service » — 1.

Renvois [art. 408]: 188.1 (fourniture d'un bien meuble incorporel); 411 (inscription au choix); 457.1.6 (période de déclaration — aliments, boissons et divertissements).

Jurisprudence [art. 408]: *Major c. Euro Fashion Ltd.* (30 janvier 1997), 500-02-026596-960.

Formulaires [art. 408]: LM-1, Formulaire d'inscription.

Concordance fédérale: aucune.

409. Personne réputée exploiter une entreprise au Québec — Une personne est réputée exploiter une entreprise au Québec et est tenue d'être inscrite, sauf si elle est un petit fournisseur, si, selon le cas :

1° la personne réside au Québec ou n'y réside pas et y fait des démarches, par l'intermédiaire d'un salarié ou d'un mandataire ou au moyen de publicité s'adressant au marché québécois, pour obtenir des commandes pour la fourniture par elle-même d'un bien prescrit pour l'application de l'article 24.1, ou y offre de fournir ce bien qui doit être envoyé par courrier ou messagerie à l'acquéreur à une adresse au Québec;

2° la personne ne réside pas au Québec et y effectue la fourniture taxable, autre que la fourniture détaxée, d'un service de transport de passagers au sens de la section VII du chapitre IV.

Notes historiques: Le préambule et le paragraphe 1° de l'article 409 ont été remplacés par L.Q. 2000, c. 39, art. 285 et cette modification est réputée entrée en vigueur le 15 novembre 2000. Antérieurement, ils se lisaient ainsi :

> 409. Une personne est réputée exploiter une entreprise au Québec et est tenue d'être inscrite, si, selon le cas :
>
> 1° la personne, autre qu'un petit fournisseur, réside au Québec ou n'y réside pas et y fait des démarches, par l'intermédiaire d'un salarié ou d'un mandataire ou au moyen de publicité s'adressant au marché québécois, pour obtenir des commandes pour la fourniture par elle-même d'un bien prescrit pour l'application de l'article 24.1, ou y offre de fournir ce bien qui doit être envoyé par courrier ou messagerie à l'acquéreur à une adresse au Québec;

Le paragraphe 1° de l'article 409 a été modifié par L.Q. 1997, c. 85, art. 678(1) par le remplacement du mot « messager » par le mot « messagerie ». Cette modification a effet depuis le 1er juillet 1992.

L'article 409 a été modifié par L.Q. 1994, c. 22, art. 590(1) et est réputé entré en vigueur le 1er janvier 1993. L'article 409, édicté par L.Q. 1991, c. 67, se lisait comme suit :

> 409. Pour l'application de l'article 407, une personne qui ne réside pas au Québec est réputée y exploiter une entreprise si, selon le cas :
>
> 1° la personne fait des démarches au Québec pour obtenir des commandes pour la fourniture par elle-même d'un bien meuble corporel à l'égard duquel l'article 24

s'appliquerait si elle était un inscrit, ou y offre un tel bien pour le fournir par l'intermédiaire d'un salarié ou d'un mandataire ou au moyen de publicité s'adressant au marché québécois;

2º la personne effectue au Québec la fourniture taxable, autre que la fourniture détaxée, d'un service de transport de passagers ou d'un service de transport de marchandises au sens de la section VII du chapitre quatrième.

Guides [art. 409]: IN-202 — Dois–je m'inscrire au Ministère?; IN-307 — Le démarrage d'entreprise et la fiscalité.

Renvois [art. 409]: 188.1 (fourniture d'un bien meuble incorporel); 457.1.6 (période de déclaration — aliments, boissons et divertissements).

Formulaires [art. 409]: LM-1, Formulaire d'inscription.

Concordance fédérale: LTA, par. 240(4).

409.1 Fournisseur non résidant d'un bien meuble corporel — Une personne, autre qu'un petit fournisseur, qui ne réside pas au Québec mais qui réside au Canada, qui n'exploite pas d'entreprise au Québec et qui, dans le cadre de l'exploitation d'une entreprise au Canada, fait des démarches au Québec pour obtenir des commandes pour la fourniture taxable, autre que la fourniture détaxée, par elle-même d'un bien meuble corporel, autre qu'un bien prescrit pour l'application de l'article 24.1, pour délivrance au Québec à un consommateur est tenue d'être inscrite et doit présenter une demande d'inscription au ministre avant le jour où elle effectue pour la première fois une telle fourniture.

Notes historiques: L'article 409.1 a été ajouté par L.Q. 1995, c. 63, art. 448(1) et a effet depuis le 10 mai 1995.

Définitions [art. 409.1]: « bien », « consommateur », « entreprise », « fourniture détaxée », « fourniture taxable », « personne », « petit fournisseur » — 1.

Renvois [art. 409.1]: 11–14 (résidence); 188.1 (fourniture d'un bien meuble incorporel); 294 (petit fournisseur); 411 (inscription au choix); 457.1.6 (période de déclaration — aliments, boissons et divertissements).

Jurisprudence [art. 409.1]: *Major c. Euro Fashion Ltd* (30 janvier 1997), 500-02-026596-960.

Bulletins d'interprétation [art. 409.1]: TVQ. 17-1/R1 — Apport au Québec de biens corporels.

Lettres d'interprétation [art. 409.1]: 00-0105049 — QST Interpretation; 00-0106401 — [Application des articles] — 409 et 409.1 de la *Loi sur la taxe de vente du Québec*; 06-0103629 — Interprétation relative à la TVQ — contrat de franchise vendue par un non-résident à un résident du Québec.

Concordance fédérale: aucune.

COMMENTAIRES: En vertu de l'article 409.1, une personne, autre qu'un petit fournisseur, qui ne réside pas au Québec, mais qui réside au Canada, qui n'exploite pas d'entreprise au Québec et qui, dans le cadre de l'exploitation d'une entreprise au Canada, fait des démarches au Québec pour obtenir des commandes pour la fourniture taxable, autre que la fourniture détaxée, par elle-même d'un bien meuble corporel (à l'exception, notamment, d'un journal, d'un livre, d'un périodique, d'une revue et de toute autre publication semblable), pour délivrance au Québec à un consommateur est tenue d'être inscrite et doit présenter une demande d'inscription au ministre avant le jour où elle effectue pour la première fois une telle fourniture. Ainsi, dans la mesure où une société fournit ses produits à des personnes autres que des consommateurs, Revenu Québec est d'avis qu'elle n'est pas tenue d'être inscrite en vertu de l'article 409.1 et peut alors demander que son inscription au fichier de la TVQ soit annulée. Voir notamment à cet effet : Revenu Québec, Lettre d'interprétation, 00-0106401 -- ***-*409 et 409.1 de la Loi sur la taxe de vente du Québec* (23 janvier 2001).

410. Fournisseur non résidant de droits d'entrée — Une personne qui entre au Québec dans le but d'effectuer la fourniture taxable de droits d'entrée à l'égard d'une activité, d'un colloque, d'un événement ou d'un lieu de divertissement est tenue d'être inscrite et doit, avant d'effectuer une telle fourniture, présenter une demande d'inscription au ministre.

Notes historiques: L'article 410 a été modifié par L.Q. 1994, c. 22, art. 590(1) et est réputé entré en vigueur le 1er juillet 1992. L'article 410, édicté par L.Q. 1991, c. 67, se lisait comme suit :

> 410. Une personne qui entre au Québec dans le but d'effectuer la fourniture taxable de droits d'entrée à l'égard d'une activité, d'un colloque, d'un événement ou d'un lieu de divertissement doit, avant d'effectuer une telle fourniture, présenter une demande d'inscription au ministre.

Guides [art. 410]: IN-202 — Dois–je m'inscrire au Ministère?; IN-307 — Le démarrage d'entreprise et la fiscalité.

Définitions [art. 410]: « droit d'entrée », « fourniture taxable », « lieu de divertissement », « personne » — 1.

Renvois [art. 410]: 188.1 (fourniture d'un bien meuble incorporel); 207 (nouvel inscrit); 208 (nouvel inscrit); 411 (inscription au choix); 457.1.6 (période de déclaration — aliments, boissons et divertissements); 458.2 (avis d'un inscrit); 466 (période de déclaration du nouvel inscrit); 469 (production — artistes non résidants).

Formulaires [art. 410]: LM-1, Formulaire d'inscription.

Concordance fédérale: LTA, par. 240(2).

410.1 Présentation de la demande d'inscription — Une personne tenue d'être inscrite en vertu des articles 407 à 407.5 doit présenter une demande d'inscription au ministre avant l'un des jours suivants :

1º dans le cas d'une personne tenue d'être inscrite en vertu de l'article 407.1 à l'égard d'une entreprise de taxis, le jour où elle effectue sa première fourniture taxable au Québec dans le cadre de cette entreprise;

1.1º dans le cas d'une personne tenue d'être inscrite en vertu de l'article 407.2 à l'égard de la vente en détail de tabac, le jour où elle effectue sa première vente en détail de tabac;

1.2º dans le cas d'une personne tenue d'être inscrite en vertu de l'article 407.3 à l'égard de la fourniture de boissons alcooliques, le jour où elle effectue sa première fourniture taxable au Québec de boissons alcooliques;

1.3º dans le cas d'une personne tenue d'être inscrite en vertu de l'article 407.4 à l'égard de la vente en détail de carburant, le jour où elle effectue sa première vente en détail de carburant au Québec;

1.4º dans le cas d'une personne tenue d'être inscrite en vertu de l'article 407.5 à l'égard de la vente de pneus neufs ou de véhicules routiers ou de la location de pneus neufs ou de la location à long terme de véhicules routiers, le jour où elle effectue sa première vente ou location de pneus neufs ou de véhicules routiers au Québec;

2º dans tout autre cas, le jour où elle effectue sa première fourniture taxable au Québec, autrement qu'à titre de petit fournisseur, dans le cadre d'une activité commerciale qu'elle y exerce.

Notes historiques: Le préambule de l'article 410.1 a été modifié par L.Q. 2000, c. 39, art. 286(1)(1º) par le remplacement de « 407.4 » par « 407.5 ». Cette modification a effet depuis le 1er octobre 1999.

Le préambule de l'article 410.1 a été modifié par L.Q. 1999, c. 65, art. 51(1º) par le remplacement de « , 407.1, 407.2 ou 407.3 » par « à 407.4 ». Cette modification est entrée en vigueur le 2 février 2000.

Le préambule de l'article 410.1 a été modifié par L.Q. 1995, c. 47, art. 10 par le remplacement des mots « 407 ou 407.1 » par les mots « 407, 407.1 ou 407.2 ». Cette modification est entrée en vigueur le 22 juin 1995.

Le paragraphe 1º de l'article 410.1 a été modifié par L.Q. 1995, c. 47, art. 10 et cette modification entre en vigueur le 22 juin 1995. Auparavant, il se lisait comme suit :

> 1º dans le cas d'une personne tenue d'être inscrite en vertu de l'article 407.1 à l'égard d'une entreprise de taxis, le jour où elle effectue sa première fourniture taxable ou non taxable au Québec dans le cadre de cette entreprise;

Le paragraphe 1.3º de l'article 410.1 a été ajouté par L.Q. 1999, c. 65, art. 51(2º) et est entré en vigueur le 2 février 2000.

Le paragraphe 1.4º de l'article 410.1 a été ajouté par L.Q. 2000, c. 39, art. 286(1)(2º) et a effet depuis le 1er octobre 1999.

L'article 410.1 a été modifié par L.Q. 1995, c. 63, art. 449(1) et cette modification, sauf à l'égard du paragraphe 2º, a effet depuis le 1er août 1995. La modification au paragraphe 2º s'applique à l'égard d'une fourniture effectuée après le 31 juillet 1995. Auparavant, l'article 410.1 se lisait comme suit :

> 410.1 Une personne tenue d'être inscrite en vertu des articles 407, 407.1 ou 407.2 doit présenter une demande d'inscription au ministre avant l'un des jours suivants :
>
> 1º dans le cas d'une personne tenue d'être inscrite en vertu de l'article 407.1 à l'égard d'une entreprise de taxis ou en vertu de l'article 407.2 à l'égard de la vente en détail de tabac, le jour où elle effectue, selon le cas, sa première fourniture taxable ou non taxable au Québec dans le cadre de cette entreprise ou sa première vente en détail de tabac;
>
> 2º dans tout autre cas, le jour où elle effectue sa première fourniture taxable ou non taxable au Québec, autrement qu'à titre de petit fournisseur, dans le cadre d'une activité commerciale qu'elle y exerce.

L'article 410.1 a été ajouté par L.Q 1994, c. 22, art. 591(1) et est réputé entré en vigueur le 1er juillet 1992.

LTVQ (français)

Guides [art. 410.1]: IN-202 — Dois–je m'inscrire au Ministère?; IN-307 — Le démarrage d'entreprise et la fiscalité.

Définitions [art. 410.1]: « activité commerciale », « entreprise de taxis », « fourniture taxable », « petit fournisseur » — 1.

Renvois [art. 410.1]: 188.1 (fourniture d'un bien meuble incorporel); 294 (petit fournisseur); 458.2 (avis d'un inscrit); 457.1.6 (période de déclaration — aliments, boissons et divertissements).

Bulletins d'interprétation [art. 410.1]: TVQ. 415-2/R2 — Inscription rétroactive.

Formulaires [art. 410.1]: LM-1, Formulaire d'inscription.

Concordance fédérale: LTA, par. 240(2.1).

411. Inscription facultative — Une personne qui n'est pas tenue d'être inscrite en vertu des article 407 à 407.5 et 409 à 410 peut présenter une demande d'inscription au ministre si, selon le cas :

1º elle exerce une activité commerciale au Québec;

2º elle est une personne qui ne réside pas au Québec et qui dans le cours normal de l'exploitation d'une entreprise hors du Québec, selon le cas :

a) fait régulièrement des démarches pour obtenir des commandes pour la fourniture d'un bien meuble corporel pour expédition ou délivrance au Québec;

b) a conclu une convention relativement à la fourniture par elle :

i. d'un service qui doit être exécuté au Québec;

ii. d'un bien meuble incorporel qui doit être utilisé au Québec;

iii. d'un bien meuble incorporel qui se rapporte à un immeuble situé au Québec, à un bien meuble corporel habituellement situé au Québec ou à un service qui doit être exécuté au Québec;

2.1º elle est une institution financière désignée qui réside au Canada;

2.2º elle est une société qui réside au Canada qui est propriétaire d'actions du capital-actions, ou détentrice de créances, d'une autre société qui lui est liée, ou qui acquiert, ou projette d'acquérir, la totalité ou la presque totalité des actions du capital-actions d'une autre société, émises et en circulation et comportant plein droit de vote en toute circonstance si la totalité ou la presque totalité des biens de l'autre société sont, pour l'application des articles 301.11 à 301.13, des biens que cette dernière a acquis ou importés au Canada pour la dernière fois pour consommation, utilisation ou fourniture exclusive dans le cadre de ses activités commerciales;

3º elle est l'acquéreur d'une fourniture admissible, au sens de l'article 75.3, ou d'une fourniture qui serait une fourniture admissible si elle était un inscrit, et elle produit au ministre, relativement à la fourniture admissible, le choix prévu à l'article 75.4 avant la plus tardive des dates visées au paragraphe 1° de l'article 75.9;

4º elle est une société qui serait un membre temporaire, au sens de l'article 331.0.1, en l'absence du paragraphe 1° de cet article.

Petit fournisseur — Malgré le paragraphe 1° du premier alinéa, une personne qui est un petit fournisseur ne peut présenter la demande d'inscription qui y est prévue, à moins qu'elle ne présente une demande d'inscription auministre du Revenu national en vertu du paragraphe 3 de l'article 240 de la *Loi sur la taxe d'accise* (Lois révisées du Canada (1985), chapitre E-15), à l'exception des personnes suivantes :

1º (*paragraphe supprimé*);

2º un organisme de bienfaisance ou une institution publique qui effectue, à titre de promoteur, la fourniture de droits d'entrée à un congrès, autre qu'un droit d'entrée à un congrès étranger, à une personne qui ne réside pas au Québec.

Modification proposée — Harmonisation du régime de taxation québécois au régime fédéral

Bulletin d'information 2012–4, 31 mai 2012: Afin d'atteindre une plus grande harmonisation du régime de la taxe de vente du Québec (TVQ) au régime fédéral de la taxe sur les produits et services (TPS) et de la taxe de vente harmonisée (TVH), les gouvernements du Canada et du Québec ont conclu, en mars 2012, une entente intégrée globale de coordination fiscale (EIGCF Canada-Québec) comportant différents engagements à cet égard.

Le présent bulletin d'information vise à préciser les modifications qui seront apportées au régime de la TVQ pour donner suite aux engagements d'harmonisation au régime de la TPS/TVH applicables en 2013.

[...]

Par ailleurs, ce bulletin d'information expose certaines modifications qui seront accessoirement apportées au régime de la TVQ pour assurer une application encore plus uniforme des régimes de taxation fédéral et québécois au Québec.

[...]

Autres modifications d'harmonisation

En plus des engagements d'harmonisation du régime de la TVQ à celui de la TPS/TVH applicables en 2013 dont il est question dans les sections précédentes, le gouvernement du Québec a par ailleurs convenu dans le cadre de l'EIGCF Canada-Québec qu'il veillerait à ce que l'assiette de la TVQ de même que les paramètres administratifs, structurels et définitionnels produisent des résultats identiques à ceux produits sous le régime de taxation fédéral. Dans ce contexte, certaines modifications seront accessoirement apportées au régime de taxation québécois.

[...]

Inscription facultative d'un non-résident du Québec qui réside au Canada

Le régime de la TVQ permet à une personne qui ne réside pas au Québec et qui n'est pas tenue de s'inscrire dans ce régime de présenter une demande d'inscription si certaines conditions sont satisfaites[11]. Cette inscription facultative donne à la personne non résidente du Québec l'option d'éviter l'application des mesures du régime de la TVQ ayant trait aux livraisons directes.

Bien que le régime de la TPS/TVH prévoie des mesures semblables en matière de livraisons directes, il n'offre pas la même possibilité d'inscription à la personne qui ne réside pas au Canada.

Afin d'assurer une application uniforme des régimes de taxation fédéral et québécois à cet égard, ce dernier régime sera modifié de façon à ne permettre l'inscription facultative dans de telles circonstances qu'au non-résident du Québec qui réside au Canada. Cette modification s'appliquera à compter du 1er janvier 2013.

Par ailleurs, les non-résidents du Canada qui, avant le 1er janvier 2013, se seront prévalus de cette inscription facultative dans le régime de la TVQ sans pouvoir s'inscrire dans celui de la TPS devront demander aux autorités fiscales que leur inscription soit annulée à cette date.

Notes historiques: Le préambule de l'article 411 a été modifié par L.Q. 2000, c. 39, art. 287(1)(1º) par le remplacement de « 407.4 » par « 407.5 ». Cette modification a effet depuis le 1er octobre 1999.

Le préambule du premier alinéa de l'article 411 a été modifié par L.Q. 1999, c. 65, art. 52 par le remplacement de « 407.3 » par « 407.4 ». Cette modification est entrée en vigueur le 2 février 2000.

Le préambule du premier alinéa de l'article 411 a été modifié par L.Q. 1995, c. 63, art. 450(1) et cette modification a effet depuis le 10 mai 1995. Toutefois, lorsque le préambule de l'article 411 s'applique :

1º pour la période du 10 mai 1995 au 21 juin 1995, il doit se lire en y remplaçant « à 407.3 » par « , 407.1 »;

2º pour la période du 22 juin 1995 au 31 juillet 1995, elle doit se lire en y remplaçant « 407.3 » par « 407.2 »

Le préambule du premier alinéa de l'article 411 a été modifié par L.Q. 1995, c. 47, art. 11 par l'ajout des mots « 407.2, » et cette modification est entrée en vigueur le 22 juin 1995. Il se lisait auparavant comme suit :

> 411. Une personne qui n'est pas tenue d'être inscrite en vertu des articles 407, 407.1, 409 ou 410 peut présenter une demande d'inscription au ministre si, selon le cas :

Le sous-paragraphe i du sous-paragraphe b) du paragraphe 2º du premier alinéa de l'article 411 a été remplacé par L.Q. 2004, c. 21, s.-par. 534(1)(1º) et cette modification a effet depuis le 12 mars 2003. Antérieurement, il se lisait ainsi :

> i. d'un service qui doit être exécuté au Québec, autre que la fourniture d'un service de transport visée au deuxième alinéa;

[11] Article 411.0.1 de la *Loi sur la taxe de vente du Québec*.

Le paragraphe 2° du premier alinéa de l'article 411 a été remplacé par L.Q. 1997, c. 85, art. 679(1)(1°) et a effet depuis le 24 avril 1996. Antérieurement, le paragraphe 2° se lisait ainsi :

> 2° elle est une personne qui ne réside pas au Québec et qui dans le cours normal de l'exploitation d'une entreprise hors du Québec fait régulièrement des démarches pour obtenir des commandes pour la fourniture d'un bien meuble corporel pour délivrance au Québec.

Les paragraphes 2.1° et 2.2° du premier alinéa de l'article 411 ont été ajoutés par L.Q. 2012, c. 28, s.-par. 152(1)(1°) et s'appliquent à compter du 1er janvier 2013.

Les paragraphes 3° et 4° du premier alinéa de l'article 411 ont été ajoutés par L.Q. 2009, c. 5, par. 658(1). Le paragraphe 3° a effet depuis le 28 juin 1999 et le paragraphe 4° a effet depuis le 17 novembre 2005.

Le paragraphe 1° du deuxième alinéa de l'article 411 a été supprimé par L.Q. 2012, c. 28, s.-par. 152(1)(2°) et cette modification s'applique à compter du 1er janvier 2013. Antérieurement, il se lisait ainsi :

> 1° une personne qui effectue la fourniture de services financiers;

Le deuxième alinéa de l'article 411 a été remplacé par L.Q. 2010, c. 5, art. 242 et cette modification est entrée en vigueur le 20 avril 2010. Antérieurement, il se lisait ainsi :

> Malgré le paragraphe 1° du premier alinéa, une personne qui est un petit fournisseur, autre qu'une personne qui effectue la fourniture de services financiers, ne peut présenter la demande d'inscription qui y est prévue, à moins qu'elle ne présente une demande d'inscription au ministre du Revenu national en vertu du paragraphe 3° de l'article 240 de la *Loi sur la taxe d'accise* (Lois révisées du Canada (1985), chapitre E-15).

Le deuxième alinéa de l'article 411 a été supprimé par L.Q. 2004, c. 21, s.-par. 534(1)(2°) et cette modification a effet depuis le 12 mars 2003. Antérieurement, il se lisait ainsi :

> Exception — La fourniture de services de transport à laquelle réfère le sous-paragraphe i) du sous-paragraphe b) du paragraphe 2° du premier alinéa est la fourniture détaxée d'un service de transport de marchandises, ou la fourniture d'un tel service réputée effectuée hors du Québec en vertu de l'article 22.32 ou de l'article 24.2, effectuée par une personne qui ne réside pas au Québec mais qui réside au Canada.

Le deuxième alinéa de l'article 411 a été remplacé par L.Q. 2001, c. 51, art. 296 et a effet depuis le 24 avril 1996. Antérieurement, il se lisait ainsi :

> La fourniture de services de transport à laquelle réfère le sous-paragraphe i. du sous-paragraphe b) du paragraphe 2° du premier alinéa est la fourniture détaxée d'un service de transport de marchandises, ou la fourniture d'un tel service réputée effectuée hors du Québec en vertu de l'article 24.2, effectuée par une personne qui ne réside pas au Québec mais qui réside au Canada.

Le deuxième alinéa de l'article 411 a été ajouté par L.Q. 1997, c. 85, art. 679(1)(2°) et a effet depuis le 24 avril 1996.

Le troisième alinéa de l'article 411 a été remplacé par L.Q. 2000, c. 39, art. 287(1)(2°) et cette modification est réputée entrée en vigueur le 15 novembre 2000. Antérieurement, il se lisait ainsi :

> Malgré le paragraphe 1° du premier alinéa, une personne qui est un petit fournisseur ne peut présenter la demande d'inscription qui y est prévue, à moins qu'elle ne présente une demande d'inscription au ministre du Revenu national en vertu du paragraphe 3 de l'article 240 de la *Loi sur la taxe d'accise* (Lois révisées du Canada (1985), chapitre E-15).

L'article 411 a été remplacé par L.Q. 1994, c. 22, art. 592(1) et est réputé entré en vigueur le 1er juillet 1992.

Antérieurement, l'article 411, édicté par L.Q. 1991, c. 67, se lisait comme suit :

> 411. Malgré le deuxième alinéa de l'article 407, une personne qui exerce une activité commerciale au Québec peut présenter une demande d'inscription au ministre.
>
> Une personne qui ne réside pas au Québec et qui dans le cours normal de l'exploitation d'une entreprise hors du Québec fait régulièrement des démarches pour obtenir des commandes pour la fourniture d'un bien meuble corporel pour délivrance au Québec, peut également présenter une telle demande.
>
> Malgré le premier alinéa, une personne qui est un petit fournisseur ne peut présenter la demande d'inscription qui y est prévue, à moins qu'elle ne présente une demande d'inscription au ministre du Revenu national en vertu du paragraphe 3 de l'article 240 de la *Loi sur la taxe d'accise* (Statuts du Canada).

Notes explicatives ARQ (PL 5, L.Q. 2012, c. 28): *Résumé* :

L'article 411 prévoit, entre autres, qu'un petit fournisseur, autre qu'une personne qui effectue la fourniture de services financiers, qui désire s'inscrire dans le régime de la taxe de vente du Québec (TVQ) doit présenter une demande d'inscription dans celui de la taxe sur les produits et services (TPS). Cet article est modifié pour y supprimer l'exception applicable à une personne qui effectue la fourniture de services financiers.

Situation actuelle :

L'article 411 établit en quelles circonstances une personne qui n'est pas tenue d'être inscrite peut présenter une demande d'inscription.

Le deuxième alinéa de l'article 411 établit une règle selon laquelle, pour qu'une personne qui est un petit fournisseur puisse s'inscrire dans le régime de la TVQ sans qu'elle n'y soit par ailleurs tenue, la personne doit d'abord être inscrite dans celui de la TPS. Cet alinéa prévoit cependant deux exceptions à cette règle, l'une visant une personne qui effectue la fourniture de services financiers, l'autre visant les organismes de bienfaisance et les institutions publiques qui répondent aux exigences pour être de petits fournisseurs et qui effectuent la fourniture de droit d'entrée à un congrès, autre qu'un droit d'entrée à un congrès étranger, à une personne qui ne réside pas au Québec.

Modifications proposées :

À compter du 1er janvier 2013, la fourniture d'un service financier cesse, en règle générale, d'être détaxée et devient exonérée dans le régime de la TVQ. La nouvelle section VI.1 du chapitre III du titre I de la LTVQ, introduite par le présent projet de loi, prévoit donc l'exonération des services financiers. La principale conséquence de ce changement est que les services financiers cessent d'être des activités commerciales, de sorte qu'aucun remboursement de la taxe sur les intrants ne peut, en règle générale, être demandé relativement à la taxe payable sur des intrants acquis en vue d'effectuer de tels services financiers.

Le nouveau paragraphe 2.1° du premier alinéa de l'article 411 permet à une institution financière désignée qui réside au Canada de présenter une demande d'inscription même si elle n'effectue pas de fournitures taxables.

Le nouveau paragraphe 2.2° du premier alinéa de l'article 411 autorise l'inscription d'une société mère qui réside au Canada, qui n'exerce aucune activité commerciale mais qui détient des actions ou des titres de créance d'une société liée qui sont réputés, en application du nouvel article 301.13 de cette loi, introduit par le présent projet de loi, des biens acquis par la société mère pour utilisation exclusive dans le cadre de ses activités commerciales. Il permet en outre l'inscription d'une société qui acquiert, ou projette d'acquérir, la totalité, ou presque, du capital-actions d'une autre société. Ainsi, une société de portefeuille qui n'exerce aucune activité commerciale peut s'inscrire pour profiter des règles prévues à l'article 301.13 de la LTVQ et avoir droit à un remboursement de la taxe sur les intrants à l'égard de la taxe payable sur les frais liés à ses placements dans d'autres sociétés.

Enfin, le deuxième alinéa de l'article 411 est modifié afin de retirer l'exception applicable aux personnes effectuant la fourniture de services financiers à la règle selon laquelle, pour qu'une personne qui est un petit fournisseur puisse s'inscrire dans le régime de la TVQ sans qu'elle n'y soit par ailleurs tenue, la personne doit d'abord être inscrite dans celui de la TPS. Cette exception ne se justifie plus, étant donné l'exonération des services financiers.

Notes explicatives ARQ (PL 64, L.Q. 2010, c. 5): *Résumé* :

L'article 411 est modifié de façon à permettre à un organisme de bienfaisance ou à une institution publique qui est un petit fournisseur et qui effectue la fourniture de droit d'entrée à un congrès, autre qu'un droit d'entrée à un congrès étranger, à une personne non résidente du Québec de s'inscrire au régime de la taxe de vente du Québec (TVQ) sans avoir à s'inscrire d'abord dans celui de la taxe sur les produits et services (TPS).

Situation actuelle :

L'article 411 LTVQ établit en quelles circonstances une personne qui n'est pas tenue d'être inscrite peut présenter une demande d'inscription. Cette disposition prévoit, entre autres, qu'un petit fournisseur, autre qu'une personne qui effectue la fourniture de services financiers, qui désire s'inscrire dans le régime de la TVQ doit présenter une demande d'inscription dans celui de la TPS.

Or, les organismes de bienfaisance ou les institutions publiques qui se qualifient de petits fournisseurs et qui effectuent la fourniture d'un congrès, autre qu'un droit d'entrée à un congrès étranger, à une personne qui ne réside pas au Québec ne peuvent s'inscrire au régime de la TPS. En effet, cette fourniture est exonérée dans le régime de la TPS de sorte qu'une personne qui effectue une telle fourniture n'exerce pas d'activités commerciales au sens de la définition de l'expression « activité commerciale » prévue au paragraphe 123(1) de la *Loi sur la taxe d'accise* (LTA). Par contre, dans le régime de la TVQ, cette même fourniture est détaxée.

Modifications proposées :

L'article 411 de la LTVQ est modifié afin de soustraire les organismes de bienfaisance et les institutions publiques qui se qualifient de petits fournisseurs et qui effectuent la fourniture de droit d'entrée à un congrès, autre qu'un droit d'entrée à un congrès étranger, à une personne qui ne réside pas au Québec, à l'obligation de s'inscrire d'abord dans le régime de la TPS.

Notes explicatives ARQ (PL 2, L.Q. 2009, c. 5): *Résumé* :

Cette modification vise à permettre à une banque étrangère qui reçoit une fourniture admissible ou à une société de présenter, dans certaines circonstances, une demande d'inscription en vertu de l'article 411.

Situation actuelle :

Actuellement, l'article 411 de la LTVQ prévoit les conditions pour la présentation d'une demande d'inscription par une personne qui n'est pas tenue d'être inscrite en vertu des articles 407 à 407.5 et 409 à 410 de la LTVQ.

Modifications proposées :

La modification apportée au paragraphe 3° du premier alinéa de l'article 411 de la LTVQ permet à une banque étrangère qui reçoit une fourniture admissible, au sens de l'article 75.3 de la LTVQ, ou qui reçoit une fourniture qui remplirait les exigences de la définition de cette expression, si elle était un inscrit au moment de la conclusion de la

LTVQ (français)

convention portant sur la fourniture admissible, de présenter une demande d'inscription. Cette inscription sera permise si la banque étrangère présente au ministre le choix conjoint prévu à l'article 75.4 de la LTVQ dans le délai fixé à l'article 75.9 de la LTVQ.

La modification apportée au paragraphe 4° du premier alinéa de l'article 411 de la LTVQ, permet à une société de présenter, dans certaines circonstances, une demande d'inscription. Il doit s'agir d'une société qui serait considérée comme un membre temporaire, au sens de l'article 331.0.1 de la LTVQ, si elle remplissait toutes les exigences de cette définition, sauf celle voulant qu'elle soit un inscrit.

Cette modification permettra à la société de remplir l'exigence en matière d'inscription et, si elle remplit toutes les autres conditions de la section X du chapitre VI du titre I de la LTVQ, de faire le choix prévu à l'article 334 de la LTVQ de recevoir une fourniture en franchise de taxe. Cette fourniture doit être effectuée en prévision d'une attribution faite dans le cadre d'une réorganisation visée au paragraphe a) de l'article 308.3 de la *Loi sur les impôts* (L.R.Q., chapitre I-3). La société peut présenter sa demande d'inscription avant de recevoir la fourniture à la condition qu'elle la reçoive effectivement par la suite.

Guides [art. 411]: IN-202 — Dois–je m'inscrire au Ministère?; IN-203 — Renseignements généraux sur la TVQ et la TPS/TVH; IN-228 — La TVQ et la TPS/TVH pour les organismes de bienfaisance; IN-307 — Le démarrage d'entreprise et la fiscalité.

Définitions [art. 411]: « activité commerciale », « bien meuble corporel », « entreprise », « fourniture », « personne », « petit fournisseur » — 1.

Renvois [art. 411]: 188.1 (fourniture d'un bien meuble incorporel); 207 (nouvel inscrit); 208 (personne devenant un inscrit); 407.5 (inscription obligatoire); 408 (demande d'inscription par un petit fournisseur); 411.0.1 (demande d'inscription par non-résident); 457.1.6 (période de déclaration — aliments, boissons et divertissements); 466 (période de déclaration du nouvel inscrit).

Bulletins d'interprétation [art. 411]: TVQ. 411-1 — Inscription au fichier de la taxe de vente du Québec à l'égard des transporteurs de marchandises qui circulent sur les routes; TVQ. 415-2/R2 — Inscription rétroactive.

Formulaires [art. 411]: LM-1, Formulaire d'inscription.

Lettres d'interprétation [art. 411]: 96-0113223 — Inscription à la TVQ des concessionnaires d'automobiles qui ne résident pas au Québec ; 97-010359 [A] — Inscription au fichier de la taxe de vente du Québec (« TVQ ») à l'égard d'une personne non résidente; 97-010359 [B] — Demande d'inscription au fichier de la TVQ à l'égard d'un transporteur canadien qui réside pas au Québec et qui n'y exploite pas d'entreprise; 97-010359 [B] — Demande d'inscription au fichier de la TVQ à l'égard d'un transporteur canadien qui réside pas au Québec et qui n'y exploite pas d'entreprise; 97-0110474 — Interprétation relative à la TPS et à la TVQ — Inscription aux fichiers de la TPS et de la TVQ d'un failli par un syndic de faillite ; 97-0113254 — [Inscription d'une corporation aux fichiers de la TPS et de la TVQ — entreprise ne présentant pas d'expectative raisonnable de profit]; 98-0102636 — Interprétation relative à la TVQ — Inscription d'un non résident; 98-0106728 — Interprétation relative à la TVQ — Apport au Québec d'un bien meuble corporel et fourniture d'un service par un non-résident; 98-810324 — Inscription en vertu de la *Loi sur la taxe d'accise* (L.R.C. 1985, c. E-15, ci-après « LTA ») et de la *Loi sur la taxe de vente du Québec* (L.R.Q., c. T-0.1, ci-après « LTVQ ») vs la *Loi sur la faillite et l'insolvabilité*; 99-0102493 [B] — Règles relatives à l'inscription par une personne non résidente; 99-0107617 — Interprétation relative à la TPS et à la TVQ — Droit pour un entrepreneur indépendant d'un démarcheur de demander des CTI/RTI; 06-0103629 — Interprétation relative à la TVQ — contrat de franchise vendue par un non-résident à un résident du Québec; 12-013765-002 — Interprétation relative à la TVQ — Administration d'un hôtel par un créancier - Demande de RTI.

Bulletins d'information [411]: 2012-4 — Modifications au régime de taxation québécois donnant suite aux engagements d'harmonisation au régime de taxation fédéral applicable en 2013.

Concordance fédérale: LTA, par. 240(3).

COMMENTAIRES: De façon générale, l'article 411 prévoit qu'il est possible pour une personne qui n'est pas tenue d'être inscrite, de s'inscrire volontairement. Un créancier qui ne réside pas au Québec, mais qui a, dans le cours normal de l'exploitation de son entreprise hors du Québec, conclu une convention relativement à la fourniture par elle d'un service qui doit être exécuté au Québec, soit la fourniture d'un service financier, peut présenter une demande d'inscription. Voir notamment à cet effet : Revenu Québec, Lettre d'interprétation, 12-013765-002 -- *Interprétation relative à la TVQ — Administration d'un hôtel par un créancier — Demande de RTI* (11 septembre 2012).

De l'avis de Revenu Québec, une personne qui n'exploite pas une entreprise au Québec et qui n'est donc pas tenue de s'inscrire peut, en vertu du paragraphe 2 de l'article 411, présenter une demande d'inscription. Ainsi, une entreprise qui a conclu une convention relativement à la fourniture par elle d'un service qui doit être exécuté au Québec autre que la fourniture d'un service de transport peut faire le choix de s'inscrire au fichier de la TVQ. Voir notamment à cet effet : Revenu Québec, Lettre d'interprétation, 98-0106728 — *Interprétation relative à la TVQ — Apport au Québec d'un bien meuble corporel et fourniture d'un service par un non-résident* (8 septembre 1998), Revenu Québec, Lettre d'interprétation, 98-0102636 — *Interprétation relative à la TVQ — Inscription d'un non résident* (13 mai 1998), et Revenu Québec, Lettre d'interprétation, 97-0113254 (17 mars 1998).

Compte tenu de la similarité de la rédaction des dispositions législatives et considérant l'engagement spécifique de Revenu Québec de veiller à ce que l'assiette de TVQ modifiée, de même que les paramètres administratifs, structurels et définitionnels, produisent des résultats qui sont identiques à ceux produits sous le régime de la TPS/TVH et soient administrés d'une manière qui produit des résultats identiques, tel que reflété par l'article 14 de l'*Entente intégrée globale de coordination fiscale* signée entre le gouvernement du Canada et le gouvernement du Québec, nous vous référons à nos commentaires en vertu du paragraphe 240(3) de *Loi sur la taxe d'accise (TPS)* qui devraient s'appliquer *mutatis mutandis*, avec les adaptations nécessaires.

411.0.1 Inscription d'une personne non résidante — Une personne donnée qui ne réside pas au Québec mais qui réside au Canada, qui n'est pas tenue d'être inscrite en vertu de la présente section et qui ne peut pas présenter une demande d'inscription en vertu de l'article 411 peut présenter au ministre une demande d'inscription si, en vertu d'une convention conclue entre elle et un inscrit, à la fois :

1° l'inscrit effectue au Québec à la personne donnée la fourniture, autre qu'une fourniture exonérée, d'un bien meuble corporel par vente ou d'un service de fabrication ou de production d'un tel bien, ou acquiert la possession matérielle d'un bien meuble corporel, autre qu'un bien d'une personne qui réside au Québec, afin d'effectuer à la personne donnée la fourniture, autre qu'une fourniture exonérée, d'un service commercial à l'égard du bien;

2° l'inscrit doit faire transférer, à un moment quelconque, la possession matérielle du bien à un endroit au Québec à une tierce personne ou à la personne donnée;

3° la personne donnée n'est pas un consommateur du bien ou du service fourni par l'inscrit en vertu de la convention.

Notes historiques: Le paragraphe 4° de l'article 411.0.1 a été supprimé par L.Q. 1995, c. 63, art. 451(1) et cette modification s'applique à l'égard d'une fourniture effectuée après une date de prise d'effet fixée par décret du gouvernement [*N.D.L.R.* : la date du *29 novembre 1996* a été modifiée par L.Q. 1997, c. 85, art. 772(1) et a effet depuis le 15 décembre 1995].

Auparavant, le paragraphe 4° se lisait comme suit :

> 4° le bien ou le service n'est pas un bien ou un service prescrit fourni dans les circonstances prescrites.

L'article 411.0.1 a été remplacé par L.Q. 2012, c. 28, par. 153(1) et cette modification s'applique à compter du 1er janvier 2013. Antérieurement, il se lisait ainsi :

> 411.0.1 Une personne qui ne réside pas au Québec, qui n'est pas tenue d'être inscrite en vertu de la présente section et qui ne peut pas présenter une demande d'inscription en vertu de l'article 411 peut présenter au ministre une demande d'inscription si, en vertu d'une convention conclue entre elle et un inscrit, à la fois :
>
> 1° l'inscrit effectue au Québec à la personne qui ne réside pas au Québec la fourniture, autre qu'une fourniture exonérée, d'un bien meuble corporel par vente ou d'un service de fabrication ou de production d'un tel bien, ou acquiert la possession matérielle d'un bien meuble corporel, autre qu'un bien d'une personne qui réside au Québec, afin d'effectuer à la personne qui ne réside pas au Québec la fourniture, autre qu'une fourniture exonérée, d'un service commercial à l'égard du bien;
>
> 2° l'inscrit doit faire transférer, à un moment quelconque, la possession matérielle du bien à un endroit au Québec à une tierce personne ou à la personne qui ne réside pas au Québec;
>
> 3° la personne qui ne réside pas au Québec n'est pas un consommateur du bien ou du service fourni par l'inscrit en vertu de la convention;
>
> 4° [Supprimé].

L'article 411.0.1 a été ajouté par L.Q. 1995, c. 1, art. 325(1) et a effet depuis le 1er juillet 1992 [*N.D.L.R.* : cette disposition s'applique conformément aux articles 618 à 656 et 685 de L.Q. 1991, c. 67, tels que modifiés]. Toutefois, lorsque l'article 411.0.1 s'applique avant le 30 janvier 1995, il ne s'applique qu'à l'égard d'une personne qui ne réside pas au Québec et à qui, en vertu d'une convention conclue entre elle et un inscrit, l'inscrit effectue la fourniture taxable d'un service commercial à l'égard d'un bien meuble corporel dont il doit faire transférer la possession materielle à un consommateur qui est l'acquéreur d'une fourniture taxable du bien effectuée pour une contrepartie par la personne qui ne réside pas au Québec.

Notes explicatives ARQ (PL 5, L.Q. 2012, c. 28): *Résumé* :

L'article 411.0.1 permet à une personne, qui ne réside pas au Québec et qui n'est pas tenue d'être inscrite, de présenter au ministre du Revenu une demande d'inscription lorsque certaines conditions sont satisfaites. Des modifications sont apportées à cet article afin de prévoir qu'une personne qui présente une telle demande doit également résider au Canada.

Situation actuelle :

L'article 411.0.1 permet à une personne qui ne réside pas au Québec et qui n'est pas tenue d'être inscrite au fichier de la taxe de vente du Québec (TVQ) de présenter, dans certaines circonstances, une demande d'inscription. Cette inscription facultative permet à la personne non résidente d'éviter l'application des dispositions prévues à la section

IX du chapitre VI du titre I de la LTVQ, lesquelles concernent les livraisons directes. Ainsi, l'article 411.0.1 de la LTVQ offre cette possibilité d'inscription pour autant qu'un inscrit, en vertu d'une convention conclue entre lui et la personne non résidente, effectue à cette dernière la fourniture, autre qu'une fourniture exonérée, d'un bien meuble corporel par vente ou d'un service de fabrication ou de production d'un tel bien, ou acquiert la possession matérielle d'un bien meuble corporel, autre qu'un bien d'une personne qui réside au Québec, afin d'effectuer à la personne non résidente la fourniture, autre qu'une fourniture exonérée, d'un service commercial à l'égard du bien. De plus, en vertu de cette même convention, l'inscrit doit faire transférer, à un moment quelconque, la possession matérielle du bien à un endroit au Québec à une tierce personne ou à la personne non résidente.

Par ailleurs, la personne non résidente ne doit pas être le consommateur du bien ou du service fourni par l'inscrit en vertu de la convention.

Modifications proposées :

L'article 411.0.1 est modifié afin de prévoir qu'une personne qui ne réside pas au Québec doit toutefois résider au Canada pour présenter une demande d'inscription en vertu de cet article. Cette modification tient compte du fait qu'aucune disposition de la partie IX de la *Loi sur la taxe d'accise* (Lois révisées du Canada (1985), chapitre E-15) ne permet à une personne qui ne réside pas au Canada de présenter une demande d'inscription volontaire en vue précisément d'éviter l'application des règles sur les livraisons directes.

Guides [art. 411.0.1]: IN-202 — Dois–je m'inscrire au Ministère?.

Définitions [art. 411.0.1]: « bien », « consommateur », « fourniture », « fourniture exonérée », « inscrit », « personne », « service » — 1.

Renvois [art. 411.0.1]: 11 (personne qui réside au Québec); 188.1 (fourniture d'un bien meuble incorporel); 457.1.6 (période de déclaration — aliments, boissons et divertissements).

Concordance fédérale: aucune.

411.1 Demande relative à l'inscription — entreprise de taxis

taxis — Une personne qui est un petit fournisseur qui exploite une entreprise de taxis peut présenter une demande au ministre de la manière prescrite par celui-ci, au moyen du formulaire prescrit contenant les renseignements prescrits, afin que son inscription s'applique à l'égard de toutes les activités commerciales qu'elle exerce au Québec.

Petit fournisseur — Malgré le premier alinéa, une personne qui est un petit fournisseur ne peut présenter la demande de modification d'inscription qui y est prévue, à moins qu'elle ne présente une demande au ministre du Revenu national afin d'être inscrite en vertu de l'article 240 de la *Loi sur la taxe d'accise* (Lois révisées du Canada (1985), chapitre E-15) à l'égard de toutes les activités commerciales qu'elle exerce au Canada.

Approbation — Le ministre peut approuver la demande présentée en vertu du premier alinéa et doit aviser, par écrit, la personne de la date à compter de laquelle l'inscription s'applique à toutes les activités commerciales qu'elle exerce au Québec.

Prise d'effet — La modification prévue au présent article prend effet à la date à compter de laquelle l'inscription en vertu de l'article 240 de cette loi s'applique à toutes les activités commerciales que la personne exerce au Canada.

Notes historiques: L'article 411.1 a été remplacé par L.Q. 1997, c. 85, art. 680(1) et a effet depuis le 1er août 1995. Antérieurement, il se lisait ainsi :

> 411.1 Un petit fournisseur qui exploite une entreprise de taxis peut présenter une demande au ministre de la manière prescrite par celui-ci, au moyen du formulaire prescrit contenant les renseignements prescrits, afin que son inscription s'applique à l'égard de toutes les activités commerciales qu'il exerce au Québec.
>
> Le ministre peut approuver la demande présentée en vertu du premier alinéa et doit aviser, par écrit, le petit fournisseur de la date à compter de laquelle l'inscription s'applique.

L'article 411.1 a été ajouté par L.Q. 1994, c. 22, art. 593(1) et est réputé entré en vigueur le 1er juillet 1992.

Guides [art. 411.1]: IN-202 — Dois–je m'inscrire au Ministère?; IN-307 — Le démarrage d'entreprise et la fiscalité.

Définitions [art. 411.1]: « activité commerciale », « entreprise de taxis », « petit fournisseur » — 1.

Renvois [art. 411.1]: 188.1 (fourniture d'un bien meuble incorporel); 407.4, 407.5 (inscription obligatoire); 415.1 (entreprise de taxis); 417.3 (demande de modification ou d'annulation d'inscription en vertu de la LTA); 7R78.3, 7R78.14 RAF (signature des documents par certains fonctionnaires).

Concordance fédérale: LTA, par. 240(3.1).

412. Modalités de l'inscription

— Une demande d'inscription doit être effectuée au moyen du formulaire prescrit contenant les renseignements prescrits et présentée au ministre de la manière prescrite par ce dernier.

Notes historiques: L'article 412 a été édicté par L.Q. 1991, c. 67.

Guides [art. 412]: IN-307 — Le démarrage d'entreprise et la fiscalité.

Renvois [art. 412]: 188.1 (fourniture d'un bien meuble incorporel); 457.1.6 (période de déclaration — aliments, boissons et divertissements); 526.1 (demande d'inscription); 541.42 (vendeur de perchloroéthylène — demande d'inscription).

Jurisprudence [art. 412]: *Sioui c. S.M.R.Q.* (11 décembre 1996), 200-09-000352-952, 1996 CarswellQue 1066 ; *Sioui c. Québec (Sous-ministre du Revenu)* (26 mai 1995), 200-05-001060-933, 1995 CarswellQue 439.

Bulletins d'interprétation [art. 412]: TVQ. 415-2/R2 — Inscription rétroactive.

Formulaires [art. 412]: LM-1, Formulaire d'inscription.

Concordance fédérale: LTA, par. 240(5).

413. [*Abrogé*]

Notes historiques: L'article 413 a été abrogé par L.Q. 1993, c. 79, art. 56 à compter du 17 décembre 1993. Il se lisait auparavant comme suit :

> 413. Toute personne qui ne réside pas au Québec, qui n'y a pas d'établissement stable et qui présente une demande d'inscription ou est tenue d'être inscrite pour l'application du présent titre, doit donner et maintenir un cautionnement, d'un montant et sous une forme satisfaisants pour le ministre, assurant qu'elle percevra et versera les taxes tel que requis par le présent titre.

Tout cautionnement exigé ou réputé exigé par le ministre en vertu d'une loi fiscale avant le 17 décembre 1993 à l'égard d'un certificat ou d'un permis délivré en vertu d'une telle loi est réputé avoir été exigé en vertu des articles 17.2 à 17.4 de la *Loi sur le ministère du Revenu* [L.Q. 1993, c. 79, art. 58].

L'article 413 a été édicté par L.Q. 1991, c. 67.

Bulletins d'interprétation: TVQ. 16-5/R1 — Les démarcheurs.

414. [*Abrogé*]

Notes historiques: L'article 414 a été abrogé par L.Q. 1993, c. 79, art. 56 à compter du 17 décembre 1993. Il se lisait auparavant comme suit :

> 414. Le ministre peut exiger de toute personne, comme condition de la délivrance ou du maintien en vigueur d'un certificat d'inscription, un cautionnement dont il fixe le montant en tenant compte, s'il y a lieu, des montants que cette personne est susceptible de percevoir, de verser ou de payer en vertu de la présente loi dans les six mois suivant la date à laquelle le cautionnement est exigé ou devait verser ou payer en vertu de la présente loi à l'égard des six mois précédant cette date, si cette personne :
>
> 1º au cours des cinq années qui précèdent, a été déclarée coupable d'une infraction à une loi fiscale;
>
> 2º est contrôlée par un administrateur, un officier ou une autre personne qui, au cours des cinq années qui précèdent, a été déclaré coupable d'une infraction à une loi fiscale;
>
> 3º n'est pas en mesure, en raison de sa situation financière, d'assumer les obligations financières qui découlent de son entreprise;
>
> 4º omet de payer au ministre un montant qu'elle est tenue de lui payer en vertu de l'article 1015 de la *Loi sur les impôts* (L.R.Q., chapitre I-3), de l'article 23 ou de l'article 24 de la *Loi sur le ministère du Revenu* (L.R.Q., chapitre M-31);
>
> 5º n'a pas produit la déclaration prévue à l'article 468 ou le formulaire prévu à l'article 1086R18.1 du *Règlement sur les impôts* tel qu'édicté par le Décret 1025-91 du 17 juillet 1991 ou tel que modifié ou remplacé par tout décret postérieur;
>
> 6º a été titulaire d'un certificat d'inscription émis en vertu de la présente loi ou d'un certificat d'enregistrement émis en vertu de la *Loi concernant l'impôt sur la vente en détail* (L.R.Q., chapitre I-1), de la *Loi concernant la taxe sur la publicité électronique* (L.R.Q., chapitre T-2) ou de la *Loi concernant la taxe sur les télécommunications* (L.R.Q., chapitre T-4) qui a été révoqué dans les 18 mois qui précèdent la demande;
>
> 7º est une personne dont l'un des administrateurs ou officiers est ou a été administrateur ou officier d'une corporation ou membre d'une société dont le certificat d'inscription émis en vertu de la présente loi ou le certificat d'enregistrement émis en vertu de la *Loi concernant l'impôt sur la vente en détail*, de la *Loi concernant la taxe sur la publicité électronique* ou de la *Loi concernant la taxe sur les télécommunications* a été révoqué dans les 18 mois qui précèdent la demande.
>
> Le ministre peut, en tout temps, exiger un cautionnement additionnel si, à ce moment, le montant du cautionnement fourni est inférieur à celui qui pourrait alors être fixé selon les modalités prévues au premier alinéa.

Tout cautionnement exigé ou réputé exigé par le ministre en vertu d'une loi fiscale avant le 17 décembre 1993 à l'égard d'un certificat ou d'un permis délivré en vertu d'une telle loi est réputé avoir été exigé en vertu des articles 17.2 à 17.4 de la *Loi sur le ministère du Revenu* [L.Q. 1993, c. 79, art. 58].

LTVQ (français)

L'article 414 a été édicté par L.Q. 1991, c. 67.

Bulletins d'interprétation: TVQ. 16-5/R1 — Les démarcheurs.

415. Inscription par le ministre — Le ministre peut inscrire toute personne qui lui présente une demande d'inscription et, à cette fin, le ministre, ou toute personne qu'il autorise, doit lui attribuer un numéro d'inscription et l'aviser par écrit, au moyen d'un certificat d'inscription, de ce numéro ainsi que de la date d'entrée en vigueur de l'inscription.

Garde du certificat — Le certificat d'inscription doit être gardé au principal établissement de son titulaire au Québec et est incessible.

Notes historiques: Le deuxième alinéa de l'article 415 a été modifié par L.Q. 1997, c. 3, art. 129 pour remplacer le mot « à la principale place d'affaires » par les mots « au son principal établissement ». Cette modification est réputée entrée en vigueur le 20 mars 1997. L'article 415 a été édicté par L.Q. 1991, c. 67.

Guides [art. 415]: IN-256 — Aide–mémoire pour les entreprises en démarrage — Les taxes; IN-307 — Le démarrage d'entreprise et la fiscalité.

Définitions [art. 415]: « personne » — 1.

Renvois [art. 415]: 188.1 (fourniture d'un bien meuble incorporel); 327.2 (certificat de transfert de possession); 350.49 (déclaration à produire — industrie du vêtement); 407–411 (inscription); 415.1 (entreprise de taxis); 457.1.6 (période de déclaration — aliments, boissons et divertissements); 493 (vente de boissons alcooliques); 501 (achat de boisson alcoolique); 526.1 (demande d'inscription); 536 (recouvrement d'une créance); 541.42 (vendeur de perchloroéthylène — demande d'inscription); 7R20, 7R78.3, 7R78.14 RAF (signature des documents par certains fonctionnaires).

Jurisprudence [art. 415]: *Québec (Sous-ministre du Revenu) c. Michaud* (2 février 2006), 655-05-000945-055, 2004 CarswellQue 1270; *Québec (Sous-ministre du Revenu) c. 9128-8449 Québec inc. (Restaurant Metaxta et Jardin grec)* (30 décembre 2004), 200-17-004851-044, 2004 CarswellQue 8746; *Québec (Sous-ministre du Revenu) c. Gardien vigilant inc.* (29 janvier 2003), 150-17-000476-033, 2003 CarswellQue 1009; *S.M.R.Q. c. Sioui* (11 décembre 1996), 200-09-000352-952, 1996 CarswellQue 1066; *S.M.R.Q. c. Placements France Marcotte* (2 novembre 1995), 765-05-000098-951, 1995 CarswellQue 497; *Sioui c. Québec (Sous-ministre du Revenu)* (26 mai 1995), 200-05-001060-933, 1995 CarswellQue 439; *S.M.R.Q. c. Bar des Sept-Mers Inc.* (30 mars 1995), 765-05-000195-948, 1995 CarswellQue 444; *S.M.R.Q. c. Binette* (28 octobre 1994), 415-05-000125-947, 1994 CarswellQue 599; *2958-8324 Québec Inc. (Action moteur sport Enr.) c. S.M.R.Q.* (9 mars 1994), 200-09-000120-946, 1994 CarswellQue 531.

Bulletins d'interprétation [art. 415]: TVQ. 415-1/R1 — Utilisation du numéro d'inscription; TVQ. 415-2/R2 — Inscription rétroactive.

Lettres d'interprétation [art. 415]: 97-0110474 — Interprétation relative à la TPS et à la TVQ — Inscription aux fichiers de la TPS et de la TVQ d'un failli par un syndic de faillite ; 98-810324 — Inscription en vertu de la *Loi sur la taxe d'accise* (L.R.C. 1985, c. E-15, ci-après « LTA ») et de la *Loi sur la taxe de vente du Québec* (L.R.Q., c. T-0.1, ci-après « LTVQ ») vs la *Loi sur la faillite et l'insolvabilité*.

Concordance fédérale: LTA, par. 241(1).

COMMENTAIRES: Revenu Québec souligne que le ministre « peut », en vertu de l'article 415, inscrire toute personne qui lui présente une demande d'inscription. Malgré le fait que le failli exerce une activité commerciale, il ne pourra toutefois demander de remboursement de la taxe sur les intrants puisque ces derniers ne sont pas acquis afin d'effectuer une fourniture dans le cadre de l'initiative. Par conséquent, le ministre peut refuser de l'inscrire et c'est la décision qui sera prise dans ces situations. Voir notamment à cet effet : Revenu Québec, Lettre d'interprétation, 97-0110474 -- *Interprétation relative à la TPS et à la TVQ — Inscription aux fichiers de la TPS et de la TVQ d'un failli par un syndic de faillite* (25 mars 1998).

Compte tenu de la similarité de la rédaction des dispositions législatives et considérant l'engagement spécifique de Revenu Québec de veiller à ce que l'assiette de TVQ modifiée, de même que les paramètres administratifs, structurels et définitionnels, produisent des résultats qui sont identiques à ceux produits sous le régime de la TPS/TVH et soient administrés d'une manière qui produit des résultats identiques, tel que reflété par l'article 14 de l'*Entente intégrée globale de coordination fiscale* signée entre le gouvernement du Canada et le gouvernement du Québec, nous vous référons à nos commentaires en vertu de l'article 241 de *Loi sur la taxe d'accise (TPS)* qui devraient s'appliquer *mutatis mutandis*, avec les adaptations nécessaires.

415.0.1 Établissements visés — Le certificat d'inscription délivré en vertu du présent titre à une personne qui effectue la vente en détail de tabac est réputé être délivré à l'égard de chaque établissement au sens de la *Loi concernant l'impôt sur le tabac* (chapitre I-2) où elle exerce cette activité.

Notes historiques: L'article 415.0.1 a été ajouté par L.Q. 1998, c. 33, art. 66 et est réputé entré en vigueur le 17 décembre 1999.

Renvois [art. 415.0.1]: 188.1 (fourniture d'un bien meuble incorporel); 457.1.6 (période de déclaration — aliments, boissons et divertissements).

Concordance fédérale: aucune.

415.1 Entreprise de taxis — Dans le cas où une personne est un petit fournisseur qui exploite une entreprise de taxis le jour où son inscription, en vertu du premier alinéa de l'article 415, entre en vigueur ou est modifiée en vertu de l'article 417.1 et qu'une approbation ne prend pas effet ce même jour par suite de l'application de l'article 411.1 à l'égard de l'inscription de la personne, l'inscription ne s'applique à aucune autre activité commerciale exercée par la personne au Québec tout au long de la période commençant ce même jour et se terminant le premier en date des jours suivants :

1º le lendemain du jour où la personne cesse d'être un petit fournisseur;

2º le jour indiqué dans l'avis émis aux termes de l'article 411.1 à l'égard de l'inscription ou de l'inscription modifiée, selon le cas, à compter duquel l'inscription doit s'appliquer à toutes les activités commerciales que la personne exerce au Québec.

Notes historiques: L'article 415.1 a été ajouté par L.Q. 1994, c. 22, art. 594(1) et est réputé entré en vigueur le 1er juillet 1992.

Définitions [art. 415.1]: « activité commerciale », « entreprise de taxis », « personne », « petit fournisseur » — 1.

Renvois [art. 415.1]: 188.1 (fourniture d'un bien meuble incorporel); 210.2 (entreprise de taxis); 407.1 (inscription); 407.4, 407.5 (inscription obligatoire); 416 (annulation d'inscription); 457.1.6 (période de déclaration — aliments, boissons et divertissements); 458.2 (avis d'un inscrit — période de déclaration).

Concordance fédérale: LTA, par. 241(2).

416. Annulation de l'inscription — Le ministre peut annuler l'inscription d'une personne après lui avoir donné un avis écrit raisonnable, s'il est établi, à la satisfaction du ministre, que l'inscription n'est pas requise pour l'application du présent titre.

Notes historiques: L'article 416 a été édicté par L.Q. 1991, c. 67.

Définitions [art. 416]: « personne » — 1.

Renvois [art. 416]: 188.1 (fourniture d'un bien meuble incorporel); 209 (cessation de l'inscription); 210 (cessation de l'inscription); 297.0.13 (révocation de l'approbation du ministre); 407 ss. (inscription); 457.1.6 (période de déclaration — aliments, boissons et divertissements); 467 (période de déclaration de la personne qui cesse d'être un inscrit); 526.2 (annulation de l'inscription); 541.31 (annulation d'inscription); art. 541.43 (vendeur de perchloroéthylène — annulation d'inscription); 7R14, 7R20, 7R78.3, 7R78.14 RAF (signature des documents par certains fonctionnaires).

Formulaires [art. 416]: FP-611, Demande d'annulation ou de modification de l'inscription.

Lettres d'interprétation [art. 416]: 95-0109439 — Questions légales visant notamment la notion de « petit fournisseur »; 98-810324 — Inscription en vertu de la *Loi sur la taxe d'accise* (L.R.C. 1985, c. E-15, ci-après « LTA ») et de la *Loi sur la taxe de vente du Québec* (L.R.Q., c. T-0.1, ci-après « LTVQ ») vs la *Loi sur la faillite et l'insolvabilité*.

Concordance fédérale: LTA, par. 242(1).

COMMENTAIRES: En vertu de l'article 416, le ministre peut annuler l'inscription d'une personne « après lui avoir donné un avis écrit raisonnable », s'il est établi que l'inscription n'est pas requise. À cet égard, Revenu Québec indique qu'il semble qu'on peut difficilement prétendre que quelques jours représentent un délai raisonnable. Voir notamment à cet effet : Revenu Québec, Lettre d'interprétation, 95-0109439 — *Questions légales visant notamment la notion de « petit fournisseur »* (22 septembre 1995).

Compte tenu de la similarité de la rédaction des dispositions législatives et considérant l'engagement spécifique de Revenu Québec de veiller à ce que l'assiette de TVQ modifiée, de même que les paramètres administratifs, structurels et définitionnels, produisent des résultats qui sont identiques à ceux produits sous le régime de la TPS/TVH et soient administrés d'une manière qui produit des résultats identiques, tel que reflété par l'article 14 de l'*Entente intégrée globale de coordination fiscale* signée entre le gouvernement du Canada et le gouvernement du Québec, nous vous référons à nos commentaires en vertu du paragraphe 242(1) de *Loi sur la taxe d'accise (TPS)* qui devraient s'appliquer *mutatis mutandis*, avec les adaptations nécessaires.

416.1 Annulation ou modification de l'inscription par le ministre — Le ministre doit, après avoir donné un avis raisonnable à une personne :

1º annuler l'inscription de cette personne si, à la fois :

a) elle n'est pas tenue d'être inscrite en vertu du présent titre;

b) elle n'est pas inscrite en vertu de l'article 240 de la partie IX de la *Loi sur la taxe d'accise* (Lois révisées du Canada (1985), chapitre E-15);

2° modifier l'inscription de cette personne afin que l'inscription ne s'applique qu'à l'égard de son entreprise de taxis, de la vente en détail de tabac ou de la fourniture de boissons alcooliques par cette personne si, à la fois :

a) elle est inscrite et que l'inscription s'applique à une activité autre qu'une activité à l'égard de laquelle elle est tenue d'être inscrite;

b) elle n'est pas inscrite en vertu de l'article 240 de la partie IX de la *Loi sur la taxe d'accise* à l'égard de cette autre activité.

Non-application des articles 209 ou 210.4 — L'article 209 ou le paragraphe 1° de l'article 210.4, selon le cas, ne s'applique pas à l'égard de l'annulation et de la modification de l'inscription prévues aux paragraphes 1° et 2°.

Exception — Le premier alinéa ne s'applique pas dans le cas où la personne présente une demande d'inscription ou une demande de modification de son inscription pour une activité autre qu'une activité à l'égard de laquelle elle est tenue d'être inscrite, au ministre du Revenu national en vertu du paragraphe 3.1 de l'article 240 de la *Loi sur la taxe d'accise* (Lois révisées du Canada (1985), chapitre E-15), et que cette inscription ou cette modification de l'inscription prend effet avant le moment où l'annulation ou la modification de l'inscription prévue au premier alinéa prend effet.

Notes historiques: L'article 416.1 a été ajouté par L.Q. 1995, c. 63, art. 452(1) et cette modification a effet depuis le 1er août 1995. Toutefois, lorsque l'article 416.1 s'applique à une personne qui est un petit fournisseur uniquement en raison du fait que la totalité ou la presque totalité des montants visés au paragraphe 1° de l'article 294 ne sont pas relatifs à la fourniture de biens meubles incorporels, d'immeubles ou de services, la partie du premier alinéa qui précède le paragraphe 1° de l'article 416.1 doit se lire comme suit :

> 416.1 Le ministre doit, après avoir donné un avis raisonnable à une personne ou à la suite de la demande d'une personne dans le cas où celle-ci est inscrite uniquement en raison du fait que la totalité ou la presque totalité des montants visés au paragraphe 1° de l'article 294 ne sont pas relatifs à la fourniture de biens meubles incorporels, d'immeubles ou de services et que cette demande est présentée de la manière prescrite par le ministre, au moyen du formulaire prescrit contenant les renseignements prescrits :

Guides [art. 416.1]: IN-203 — Renseignements généraux sur la TVQ et la TPS/TVH.

Définitions [art. 416.1]: « entreprise de taxis », « fourniture », « personne », « vente » — 1.

Renvois [art. 416.1]: 188.1 (fourniture d'un bien meuble incorporel); 407–407.3 (inscription obligatoire); 457.1.6 (période de déclaration — aliments, boissons et divertissements); 7R20, 7R78.2.1, 7R78.3, 7R78.14 RAF (signature des documents par certains fonctionnaires).

Concordance fédérale: aucune.

417. Annulation de l'inscription

417. Annulation de l'inscription — Le ministre doit annuler l'inscription d'une personne qui est un petit fournisseur et qui, selon le cas, n'exploite pas une entreprise de taxis, ne vend pas en détail du tabac, n'effectue pas la fourniture de boissons alcooliques ou n'est pas visée à l'un des articles 407.4 et 407.5 si, à la fois :

1° la personne lui présente une demande à cette fin de la manière prescrite par le ministre, au moyen du formulaire prescrit contenant les renseignements prescrits;

2° l'inscription de la personne a été annulée en vertu de la partie IX de la *Loi sur la taxe d'accise* (Lois révisées du Canada (1985), chapitre E-15).

Entrée en vigueur — L'annulation prévue au premier alinéa prend effet à la même date que celle où l'annulation de l'inscription de la personne en vertu de la partie IX de la *Loi sur la taxe d'accise* (Lois révisées du Canada (1985), chapitre E-15) prend effet.

Notes historiques: Le préambule du premier alinéa de l'article 417 a été modifié par L.Q. 2004, c. 21, par. 535(1) par le remplacement des mots « l'article » par « l'un des articles 407.4 et ». Cette modification a effet depuis le 2 février 2000.

Le préambule de l'article 417 a été remplacé par L.Q. 2003, c. 2, par. 342(1) et cette modification a effet depuis le 1er octobre 1999. Antérieurement, il se lisait ainsi :

> 417. Le ministre doit annuler l'inscription d'une personne qui est un petit fournisseur et qui, selon le cas, n'exploite pas une entreprise de taxis, ne vend pas en détail du tabac ou n'effectue pas la fourniture de boissons alcooliques si, à la fois :

Le paragraphe 1° du premier alinéa de l'article 417 a été remplacé par L.Q. 1997, c. 85, art. 681(1) et a effet depuis le 1er août 1995. Antérieurement, il se lisait ainsi :

> 1° la personne lui présente une demande à cette fin de la manière prescrite par le ministre, au moyen du formulaire prescrit contenant les renseignements prescrits, et qu'elle est inscrite depuis au moins un an le dernier jour de son exercice au sens de l'article 458.1;

Dans le cas où le ministre du Revenu reçoit, en vertu de l'article 417 de la *Loi sur la taxe de vente du Québec* (L.R.Q., chapitre T-0.1), une demande d'annulation de l'inscription d'un organisme de services publics, autre qu'une inscription visée au deuxième alinéa, au cours de la période de deux ans commençant le 23 avril 1996 et que l'inscription est annulée à ce moment, les règles suivantes s'appliquent :

> 1° l'article 209 de cette loi ne s'applique pas afin que l'organisme soit réputé, à ce moment ou immédiatement avant ce moment, avoir effectué ou reçu une fourniture de chacun de ses biens, qui, immédiatement avant ce moment, était détenu par l'organisme, avoir perçu la taxe ou avoir cessé d'utiliser ces biens, immédiatement avant ce moment, dans le cadre de ses activités commerciales;
>
> 2° le paragraphe de l'article 210 de cette loi ne s'applique pas aux fins du calcul de la taxe nette de l'organisme pour sa dernière période de déclaration commençant avant ce moment;
>
> 3° dans le calcul du remboursement de la taxe sur les intrants de l'organisme pour la première période de déclaration finissant après que l'organisme soit devenu à nouveau un inscrit, les règles suivantes s'appliquent :
>
> a) l'article 207 de cette loi ne s'applique pas aux biens visés au paragraphe;
>
> b) le paragraphe de l'article 208 de cette loi ne s'applique pas à la taxe qui a été incluse dans le calcul du remboursement de la taxe sur les intrants de l'organisme pour une période de déclaration de l'organisme se terminant avant cette première période de déclaration.

L'inscription à laquelle il est référé au paragraphe précédent des présentes *Notes* en est une qui est entrée en vigueur pendant la période de deux ans commençant le 23 avril 1996 et pour laquelle une demande en vertu de l'article 411 de cette loi a été présentée par l'organisme. (L.Q. 1997, c. 85, art. 780)

Le préambule et le paragraphe 1° du premier alinéa de l'article 417 ont été modifiés par L.Q. 1995, c. 63, art. 453(1) et ces modifications sont assujetties aux dispositions transitoires suivantes :

> 1° Sous réserve des paragraphes 2° et 3°, ces modifications ont effet depuis le 1er juillet 1992. Toutefois, lorsque le préambule du premier alinéa s'applique :
>
> a) avant le 21 juin 1995, cette partie doit se lire comme suit :
>
> Le ministre doit annuler l'inscription d'une personne qui est un petit fournisseur et qui n'exploite pas une entreprise de taxis si, à la fois :
>
> b) pour la période du 22 juin 1995 au 31 juillet 1995, cette partie doit se lire comme suit :
>
> Le ministre doit annuler l'inscription d'une personne qui est un petit fournisseur et qui n'exploite pas une entreprise de taxis ou ne vend pas en détail du tabac si, à la fois :
>
> 2° Lorsque le préambule et le paragraphe 1° du premier alinéa de l'article 417 s'appliquent à l'égard d'une personne qui est un petit fournisseur à un moment quelconque au cours de la période du 1er juillet 1992 au 24 novembre 1992 et tout au long de la période qui suit ce moment en raison de la mention « de biens meubles incorporels, d'immeubles ou » qui se retrouve au paragraphe 2° du premier alinéa de l'article 294 :
>
> a) la partie du premier alinéa qui précède le paragraphe 1° doit se lire en y remplaçant « à la fois » par « selon le cas »;
>
> b) le paragraphe 1° du premier alinéa doit se lire en faisant abstraction de l'expression « , et qu'elle est inscrite depuis au moins un an le dernier jour de son exercice au sens de l'article 458.1 ».
>
> 3° Lorsque le deuxième alinéa de l'article 417 s'applique à une personne visée au paragraphe 2, il doit se lire comme suit :
>
> L'annulation prévue au premier alinéa prend effet :
>
> 1° pour l'application du paragraphe 1° de cet alinéa, au plus tôt le 25 novembre 1992;
>
> 2° pour l'application du paragraphe 2° de cet alinéa, à la même date que celle où l'annulation de l'inscription de la personne en vertu de la partie IX de la *Loi sur la taxe d'accise* prend effet mais au plus tôt le 25 novembre 1992.

Auparavant, le préambule du premier alinéa de l'article 417 a été modifié par L.Q. 1995, c. 47, art. 12 par l'ajout des mots « ou ne vend pas en détail du tabac ». Cette modification entre en vigueur le 12 juin 1995. Également, le préambule et le paragraphe 1° du

LTVQ (français)

premier alinéa de l'article 417, modifiés par L.Q. 1994, c. 22, art. 595(1), étaient réputés entrés en vigueur le 1er juillet 1992. Ils lisaient comme suit :

> 417. Le ministre doit annuler l'inscription d'une personne qui est un petit fournisseur et qui n'exploite pas une entreprise de taxis ou ne vend pas en détail du tabac si, selon le cas :
>
> 1° la personne lui présente une demande à cette fin de la manière prescrite par le ministre, au moyen du formulaire prescrit contenant les renseignements prescrits, et qu'elle est un inscrit depuis au moins un an le dernier jour de son exercice au sens de l'article 458.1;

De plus, les dispositions transitoires de L.Q. 1994, c. 22, art. 595(2) prévoyaient que, malgré le paragraphe 1° du premier alinéa de l'article 417, une personne peut présenter une demande d'annulation d'inscription en vertu de cet article alors qu'elle est un inscrit depuis moins d'un an au moment de la présentation de la demande dans le cas où elle est un petit fournisseur en vertu du paragraphe 2° de l'article 294, à un moment quelconque au cours de la période du 1er juillet 1992 au 24 novembre 1992 et tout au long de la période qui suit ce moment, en raison de la mention « de biens meubles incorporels, d'immeubles ou » qui s'y retrouve. Malgré le paragraphe 1° du deuxième alinéa de l'article 417, l'annulation prend effet au plus tôt le 25 novembre 1992.

Le préambule et le paragraphe 1° du premier alinéa de l'article 417, édicté par L.Q. 1991, c. 67, se lisaient comme suit :

> 417. Le ministre doit annuler l'inscription d'une personne qui est un petit fournisseur si, selon le cas :
>
> 1° la personne lui présente une demande à cette fin de la manière prescrite par le ministre, au moyen du formulaire prescrit contenant les renseignements prescrits, et qu'elle est un inscrit depuis au moins un an le dernier jour de son année d'imposition;

Le deuxième alinéa de l'article 417 a été modifié par L.Q. 1995, c. 63, art. 453(1) et cette modification a effet depuis 1er juillet 1992 [*N.D.L.R.* : cette disposition s'applique conformément aux articles 618 à 656 et 685 de L.Q. 1991, c. 67, tels que modifiés]. Auparavant, il se lisait comme suit :

> L'annulation prévue au premier alinéa prend effet :
>
> 1° pour l'application du paragraphe 1° de cet alinéa, le lendemain du jour qui y est visé;
>
> 2° pour l'application du paragraphe 2° de cet alinéa, à la même date que celle où l'annulation de l'inscription de la personne en vertu de la partie IX de la *Loi sur la taxe d'accise* prend effet.

L'article 417 a été édicté par L.Q. 1991, c. 67.

Guides [art. 417]: IN-228 — La TVQ et la TPS/TVH pour les organismes de bienfaisance; IN-229 — La TVQ, la TPS/TVH pour les organismes sans but lucratif.

Définitions [art. 417]: « entreprise de taxis », « personne », « petit fournisseur » — 1.

Renvois [art. 417]: 188.1 (fourniture d'un bien meuble incorporel); 209 (cessation de l'inscription); 210 (cessation de l'inscription); 297.0.13 (révocation de l'approbation du ministre); 407.1–407.3 (inscription obligatoire par petit fournisseur); 417.3 (demande de modification ou d'annulation d'inscription en vertu de la LTA); 418.1 (demande par petit fournisseur avant le 1er avril 1996); 457.1.6 (période de déclaration — aliments, boissons et divertissements); 467 (période de déclaration de la personne qui cesse d'être un inscrit); 7R20,7R78.2.1, 7R78.3, 7R78.14 RAF (signature des documents par certains fonctionnaires).

Jurisprudence [art. 417]: *Québec (Sous-ministre du Revenu) c. Therrien* (2 juin 2009), 235-17-000033-098, 2009 CarswellQue 6340.

Formulaires [art. 417]: VD-417, Demande d'annulation de l'inscription en raison du statut de petit fournisseur; FP-611, Demande d'annulation ou de modification de l'inscription.

Lettres d'interprétation [art. 417]: 99-0100984 — Décision portant sur l'application de la TPS — Interprétation relative à la TVQ — Fourniture unique et fournitures multiples.

Concordance fédérale: LTA, par. 242(2).

COMMENTAIRES: Compte tenu de la similarité de la rédaction des dispositions législatives et considérant l'engagement spécifique de Revenu Québec de veiller à ce que l'assiette de TVQ modifiée, de même que les paramètres administratifs, structurels et définitionnels, produisent des résultats qui sont identiques à ceux produits sous le régime de la TPS/TVH et soient administrés d'une manière qui produit des résultats identiques, tel que reflété par l'article 14 de l'*Entente intégrée globale de coordination fiscale* signée entre le gouvernement du Canada et le gouvernement du Québec, nous vous référons à nos commentaires en vertu du paragraphe 242(2) de *Loi sur la taxe d'accise (TPS)* qui devraient s'appliquer *mutatis mutandis*, avec les adaptations nécessaires.

417.0.1 Toute personne qui, le 1er janvier 2013, est un fournisseur de services financiers et un inscrit doit présenter au ministre une demande d'annulation d'inscription, lorsque, à cette date, elle n'est pas inscrite en vertu de la sous-section d) de la section V de la partie IX de la *Loi sur la taxe d'accise* (Lois révisées du Canada (1985), chapitre E-15).

Sous réserve des articles 407.2 à 407.5, le ministre doit annuler l'inscription d'une personne qui lui présente une demande conformément au premier alinéa et cette annulation prend effet le 1er janvier 2013.

L'article 209 ne s'applique pas à l'égard de l'annulation de l'inscription prévue au deuxième alinéa.

Notes historiques: L'article 417.0.1 a été ajouté par L.Q. 2012, c. 28, par. 154(1) et s'applique à compter du 1er janvier 2013.

Notes explicatives ARQ (PL 5, L.Q. 2012, c. 28): *Résumé* :

Le nouvel article 417.0.1 prévoit l'obligation d'une personne qui, le 1er janvier 2013, est un fournisseur de services financiers de demander l'annulation de son inscription à compter de cette date lorsque, à cette date, elle n'est pas inscrite pour l'application du régime de la taxe sur les produits et services et de la taxe de vente harmonisée (TPS/TVH).

Contexte :

À compter du 1er janvier 2013, le régime de la taxe de vente du Québec (TVQ) est harmonisé à celui de la TPS/TVH. Il en découle notamment que la fourniture d'un service financier cesse, en règle générale, d'être détaxée et devient exonérée.

Modifications proposées :

Le nouvel article 417.0.1 prévoit l'obligation d'une personne qui, le 1er janvier 2013, est un fournisseur de services financiers inscrit dans le régime de la TVQ de demander au ministre du Revenu d'annuler son inscription lorsqu'elle n'est pas à ce moment inscrite dans le régime de la TPS/TVH. Le deuxième alinéa de l'article 417.0.1 de la LTVQ précise l'obligation du ministre du Revenu de donner suite à cette demande en procédant à l'annulation de l'inscription de la personne; cette annulation prend alors effet le 1er janvier 2013.

Enfin, le troisième alinéa de l'article 417.0.1 précise que l'article 209 de cette loi ne s'applique pas à l'égard de cette annulation. Ainsi, la personne n'a pas à remettre les remboursements de la taxe sur les intrants obtenus avant 2013. En corollaire, notons que le nouvel article 15.1 de la LTVQ, introduit par le présent projet de loi, précise que la teneur en taxe d'un bien qu'une personne, dont l'inscription est annulée à compter du 1er janvier 2013 par suite du présent article 417.0.1, détenait, immédiatement avant cette date, ne comprend pas toute taxe devenue payable avant le 1er janvier 2013 relativement à ce bien.

Concordance fédérale: aucune.

417.0.2 Toute personne qui, le 1er janvier 2013, ne réside pas au Canada et est un inscrit doit présenter au ministre une demande d'annulation d'inscription si, à la fois :

1° elle est inscrite en vertu de l'article 411.0.1;

2° elle n'est pas inscrite en vertu de la sous-section d) de la section V de la partie IX de la *Loi sur la taxe d'accise* (Lois révisées du Canada (1985), chapitre E-15).

Le ministre doit annuler l'inscription d'une personne qui lui présente une demande conformément au premier alinéa et cette annulation prend effet le 1er janvier 2013.

Notes historiques: L'article 417.0.2 a été ajouté par L.Q. 2012, c. 28, par. 154(1) et s'applique à compter du 1er janvier 2013.

Notes explicatives ARQ (PL 5, L.Q. 2012, c. 28): *Résumé* :

Le nouvel article 417.0.2 prévoit l'obligation d'une personne qui, le 1er janvier 2013, ne réside pas au Canada et est inscrite en vertu de l'article 411.0.1 de cette loi, sans l'être dans le régime de la taxe sur les produits et services et de la taxe de vente harmonisée (TPS/TVH), de présenter au ministre du Revenu une demande d'annulation d'inscription.

Contexte :

Dans le contexte d'harmonisation du régime de la taxe de vente du Québec (TVQ) à celui de la TPS/TVH, certaines modifications sont apportées au régime de taxation afin que l'assiette de la TVQ de même que les paramètres administratifs, structurels et définitionnels produisent des résultats identiques à ceux produits sous le régime de taxation fédéral.

Actuellement, le régime de taxation fédéral n'offre pas la possibilité d'inscription à une personne qui ne réside pas au Canada précisément en vue d'éviter l'application des règles sur les livraisons directes. Or, l'article 411.0.1 de la LTVQ permet à une personne qui ne réside pas au Québec et qui n'est pas tenue d'être inscrite au fichier de la TVQ de présenter une demande d'inscription dans certaines circonstances. Cette inscription facultative a pour but de permettre à la personne non résidente d'éviter l'application des dispositions prévues à la section IX du chapitre VI du titre I de la LTVQ, lesquelles concernent les livraisons directes.

Modifications proposées :

L'article 411.0.1 est modifié, par le présent projet de loi, de façon à prévoir une exigence additionnelle pour présenter une demande d'inscription en vertu de cet article, soit celle selon laquelle la personne doit résider au Canada. De cette façon, l'inscription facultative prévue à l'article 411.0.1 de la LTVQ cesse d'être offerte aux personnes qui ne résident pas au Canada.

Le nouvel article 417.0.2 requiert qu'une personne qui, le 1er janvier 2013, ne réside pas au Canada et qui est inscrite au fichier de la TVQ par suite d'une demande présentée à cette fin en vertu de l'article 411.0.1 de cette loi, sans l'être aux fins du régime de la TPS/TVH, présente une demande d'annulation de son inscription au ministre du Revenu.

Le deuxième alinéa de l'article 417.0.2 précise que le ministre du Revenu procède alors à l'annulation de l'inscription et que celle-ci prend effet le 1er janvier 2013.

Concordance fédérale: aucune.

417.1 Demande de modification — Le ministre doit modifier l'inscription d'une personne qui est un petit fournisseur qui exploite une entreprise de taxis si celle-ci présente une demande de la manière prescrite par le ministre au moyen du formulaire prescrit contenant les renseignements prescrits, afin que son inscription soit modifiée pour ne s'appliquer qu'à cette entreprise.

Petit fournisseur — Malgré le premier alinéa, une personne qui est un petit fournisseur ne peut présenter la demande de modification d'inscription qui y est prévue, à moins qu'elle ne présente une demande au ministre du Revenu national en vertu de la partie IX de la *Loi sur la taxe d'accise* (Lois révisées du Canada (1985), chapitre E-15), de façon à ce que son inscription ne s'applique qu'à l'égard d'une activité pour laquelle elle est tenue d'être inscrite en vertu de cette loi.

Prise d'effet — La modification prévue au premier alinéa prend effet à la date à compter de laquelle l'inscription en vertu de la partie IX de cette loi ne s'applique qu'à l'égard d'une activité pour laquelle la personne est tenue d'être inscrite en vertu de cette loi.

Notes historiques: L'article 417.1 a été remplacé par L.Q. 1997, c. 85, art. 682(1) et a effet depuis le 1er août 1995. Antérieurement, cet article se lisait ainsi :

> 417.1 Le ministre peut modifier l'inscription d'un petit fournisseur qui exploite une entreprise de taxis si celui-ci présente une demande de la manière prescrite par le ministre au moyen du formulaire prescrit contenant les renseignements prescrits, afin que son inscription soit modifiée pour ne s'appliquer qu'à cette entreprise.
>
> La modification entre en vigueur le premier jour d'un exercice du petit fournisseur, au sens de l'article 458.1, qui commence au moins un an après que l'inscription du petit fournisseur se soit appliquée pour la dernière fois à toutes les activités commerciales qu'il exerce au Québec.

L'article 417.1 a été ajouté par L.Q 1994, c. 22, art. 596(1) et est réputé entré en vigueur le 1er juillet 1992.

Guides [art. 417.1]: IN-228 — La TVQ et la TPS/TVH pour les organismes de bienfaisance.

Définitions [art. 417.1]: « activité commerciale », « entreprise de taxis », « petit fournisseur » — 1.

Renvois [art. 417.1]: 188.1 (fourniture d'un bien meuble incorporel); 210.4 (entreprise de taxis — cessation d'inscription aux fins d'autres activités); 407.4, 407.5 (inscription obligatoire); 415.1 (entreprise de taxis); 417.3 (demande de modification ou d'annulation d'inscription en vertu de la LTA); 418.1 (demande par petit fournisseur avant le 1er avril 1996); 457.1.6 (période de déclaration — aliments, boissons et divertissements); 7R20, 7R78.2.1, 7R78.3, 7R78.14 RAF (signature des documents par certains fonctionnaires).

Formulaires [art. 417.1]: FP-611, Demande d'annulation ou de modification de l'inscription.

Concordance fédérale: LTA, par. 242(2.1).

417.2 Annulation de l'inscription de l'entrepreneur indépendant — Dans le cas où, à un moment où une approbation donnée en vertu de l'article 297.1.3 à l'égard d'un démarcheur est en vigueur, un entrepreneur indépendant, au sens de l'article 297.1, de ce démarcheur serait un petit fournisseur si l'approbation avait toujours été en vigueur avant ce moment, le ministre doit annuler l'inscription de l'entrepreneur indépendant si, à la fois :

1º l'entrepreneur indépendant lui présente une demande à cette fin de la manière prescrite par le ministre, au moyen du formulaire prescrit contenant les renseignements prescrits;

2º l'inscription de l'entrepreneur indépendant a été annulée en vertu de la partie IX de la *Loi sur la taxe d'accise* (Lois révisées du Canada (1985), chapitre E-15).

Entrée en vigueur de l'annulation — L'annulation prévue au premier alinéa prend effet à la même date que celle où l'annulation de l'inscription de l'entrepreneur indépendant en vertu de la partie IX de la *Loi sur la taxe d'accise* prend effet.

Notes historiques: L'article 417.2 a été modifié par L.Q. 1997, c. 14, art. 349 et cette modification a effet depuis le 1er août 1995. Antérieurement, il se lisait comme suit :

> 417.2 Dans le cas où, à un moment où une approbation donnée en vertu de l'article 297.1.3 à l'égard d'un démarcheur est en vigueur, un entrepreneur indépendant, au sens de l'article 297.1, de ce démarcheur serait un petit fournisseur si l'approbation avait toujours été en vigueur avant ce moment et que l'entrepreneur indépendant présente une demande au ministre de la manière prescrite par ce dernier, au moyen du formulaire prescrit contenant les renseignements prescrits, afin d'annuler son inscription, le ministre doit annuler l'inscription de l'entrepreneur indépendant.

L'article 417.2 a été modifié par L.Q. 1995, c. 63, art. 454(1) et a effet depuis le 1er août 1995 [*N.D.L.R.* : cette disposition s'applique conformément aux articles 618 à 656 et 685 de L.Q. 1991, c. 67, tels que modifiés]. Il se lisait comme suit :

> 417.2 Le ministre doit annuler l'inscription d'une personne qui est un entrepreneur indépendant pour l'application de la section III.1 du chapitre VI et qui lui présente une demande à cet effet de la manière prescrite par le ministre, au moyen du formulaire prescrit contenant les renseignements prescrits.

L'article 417.2, ajouté par L.Q 1994, c. 22, art. 596(1), était réputé entré en vigueur le 1er juillet 1992.

Guides [art. 417.2]: IN-203 — Renseignements généraux sur la TVQ et la TPS/TVH; IN-228 — La TVQ et la TPS/TVH pour les organismes de bienfaisance.

Définitions [art. 417.2]: « démarcheur », « entrepreneur indépendant » — 297.1; « petit fournisseur » — 1.

Renvois [art. 417.2]: 188.1 (fourniture d'un bien meuble incorporel); 294 (petit fournisseur); 417.3 (demande de modification ou d'annulation d'inscription en vertu de la LTA); 457.1.6 (période de déclaration — aliments, boissons et divertissements); 7R20, 7R78.2.1, 7R78.3, 7R78.14 RAF (signature des documents par certains fonctionnaires).

Formulaires [art. 417.2]: FP-611, Demande d'annulation ou de modification de l'inscription.

Concordance fédérale: LTA, par. 242(2.2).

417.2.1 [Petit fournisseur] — Dans le cas où, à un moment où l'approbation donnée en vertu de l'article 297.0.7 à l'égard d'un vendeur de réseau, au sens de l'article 297.0.3, et de chacun de ses représentants commerciaux, au sens de cet article, est en vigueur, un représentant commercial du vendeur serait un petit fournisseur si l'approbation avait toujours été en vigueur avant ce moment, le ministre doit annuler l'inscription du représentant commercial si, à la fois :

1º le représentant commercial lui présente une demande à cette fin de la manière prescrite par le ministre, au moyen du formulaire prescrit contenant les renseignements prescrits;

2º l'inscription du représentant commercial a été annulée en vertu de la partie IX de la *Loi sur la taxe d'accise* (Lois révisées du Canada (1985), chapitre E-15).

[Date de l'annulation] — L'annulation prévue au premier alinéa prend effet à la même date que celle où l'annulation de l'inscription du représentant commercial en vertu de la partie IX de la *Loi sur la taxe d'accise* prend effet.

Notes historiques: L'article 417.2.1 a été ajouté par L.Q. 2011, c. 6, par. 280(1) et a effet depuis le 1er janvier 2010.

Notes explicatives ARQ (PL 5, L.Q. 2011, c. 6): *Résumé* :

Le nouvel article 417.2.1 prévoit dans quelles circonstances le ministre du Revenu doit annuler l'inscription d'un représentant commercial d'un vendeur de réseau à l'égard duquel l'approbation visant l'utilisation de la méthode de comptabilité spéciale prévue à l'article 297.0.7 de la LTVQ est en vigueur.

Contexte :

Les entreprises du secteur du démarchage vendent habituellement leurs produits soit à des entrepreneurs indépendants qui, à leur tour, les vendent à des acheteurs, soit directement à des consommateurs par l'entremise de représentants commerciaux.

Afin de simplifier l'application de la taxe de vente du Québec (TVQ), les entreprises qui vendent leurs produits à des entrepreneurs indépendants peuvent demander l'approbation au ministre du Revenu pour utiliser la méthode facultative de perception prévue aux articles 297.1 et suivants de la LTVQ.

Lorsque les entreprises vendent leurs produits à des consommateurs par l'entremise de représentants commerciaux, elles versent à ces derniers une commission pour avoir pris

LTVQ (français)

des mesures pour vendre les produits. Les représentants commerciaux qui sont inscrits sous le régime de la TVQ doivent facturer la TVQ sur leurs commissions de réseau et la déclarer.

Dans le cadre du présent projet de loi, de nouvelles mesures sont proposées à l'égard de ces entreprises (appelées vendeurs de réseau) afin de leur permettre de demander l'approbation au ministre du Revenu pour utiliser la méthode de comptabilité spéciale dont le but est de simplifier l'application de la TVQ. Ainsi, lorsqu'une approbation est en vigueur, les commissions de réseau qu'un représentant commercial facture à un vendeur de réseau ne sont pas assujetties à la TVQ.

Modifications proposées :

La modification proposée consiste à introduire l'article 417.2.1 à la LTVQ afin de permettre au ministre d'annuler l'inscription d'un représentant commercial d'un vendeur de réseau à l'égard duquel l'approbation visant l'utilisation de la méthode de comptabilité spéciale prévue à l'article 297.0.7 de la LTVQ est en vigueur dans le cas où le représentant commercial serait un petit fournisseur si l'approbation avait toujours été en vigueur et si, à la fois, le représentant commercial présente au ministre de la manière prescrite par ce dernier une demande pour annuler son inscription et l'inscription du représentant commercial a été annulée en vertu de la partie IX de la *Loi sur la taxe d'accise* (Lois révisées du Canada (1985), chapitre E-15).

Concordance fédérale: LTA, par. 242(2.3).

417.3 Demande d'annulation ou de modification de l'inscription — Sous réserve des articles 407.2 à 407.5, une personne qui est un petit fournisseur et qui présente, à un moment quelconque, une demande de modification ou d'annulation d'inscription au ministre du Revenu national en vertu du paragraphe 3.1 de l'article 240 de la *Loi sur la taxe d'accise* (Lois révisées du Canada (1985), chapitre E-15) ou des paragraphes 2º, 2.1º ou 2.2º de l'article 242 de cette loi, doit, à ce moment, présenter une telle demande au ministre en vertu des articles 411.1, 417, 417.1 ou 417.2.

Notes historiques: L'article 417.3 a été modifié par L.Q. 2000, c. 39, art. 288(1) par le remplacement de « 407.4 » par « 407.5 ». Cette modification a effet depuis le 1er octobre 1999.

L'article 417.3 a été modifié par L.Q. 1999, c. 65, art. 53 par le remplacement de « et 407.3 » par « à 407.4 ». Cette modification est entrée en vigueur le 2 février 2000.

L'article 417.3 a été ajouté par L.Q. 1997, c. 85, art. 683(1) et a effet depuis le 1er août 1995.

Guides [art. 417.3]: IN-203 — Renseignements généraux sur la TVQ et la TPS/TVH; IN-228 — La TVQ et la TPS/TVH pour les organismes de bienfaisance; IN-256 — Aide-mémoire pour les entreprises en démarrage — Les taxes.

Définitions [art. 417.3]: « fournisseur », « ministre », « personne » — 1.

Renvois [art. 417.3]: 188.1 (fourniture d'un bien meuble incorporel); 294:1º (petit fournisseur); 417.3 (demande de modification ou d'annulation d'inscription au ministre); 457.1.6 (période de déclaration — aliments, boissons et divertissements).

Concordance fédérale: aucune.

418. Avis d'annulation ou de modification — Dans le cas où le ministre annule ou modifie l'inscription d'une personne, il doit l'aviser par écrit de l'annulation ou de la modification et de sa date d'effet.

Notes historiques: L'article 418 a été modifié par L.Q 1994, c. 22, art. 597(1) et est réputé entré en vigueur le 1er juillet 1992. L'article 418, édicté par L.Q. 1991, c. 67, se lisait comme suit :

> 418. Dans le cas où le ministre annule l'inscription d'une personne, il doit l'aviser par écrit de l'annulation et de sa date d'effet.

Définitions [art. 418]: « personne », « petit fournisseur » — 1.

Renvois [art. 418]: 188.1 (fourniture d'un bien meuble incorporel); 457.1.6 (période de déclaration — aliments, boissons et divertissements); 526.2 (annulation de l'inscription); 541.31 (annulation d'inscription); 541.43 (vendeur de perchloroéthylène — annulation d'inscription); 7R20, 7R78.2.1, 7R78.3, 7R78.14 RAF (signature des documents par certains fonctionnaires).

Lettres d'interprétation [art. 418]: 99-0100984 — Décision portant sur l'application de la TPS — Interprétation relative à la TVQ — Fourniture unique et fournitures multiples.

Concordance fédérale: LTA, par. 242(3).

COMMENTAIRES: Revenu Québec a indiqué qu'un organisme peut demander l'annulation de son inscription lorsqu'il se qualifie à titre de petit fournisseur. À ce titre, l'annulation de l'inscription fait en sorte que l'Organisme n'a plus droit à un remboursement de la taxe sur les intrants, c.-à-d. à un remboursement de 100 % de la TVQ payée sur les biens et services acquis pour réaliser des fournitures taxables. Dans l'hypothèse où l'organisme aurait déjà demandé des crédits de taxe sur les intrants lors de l'acquisition de certains biens servant à réaliser des fournitures taxables, il pourrait avoir à remettre un montant de taxe suite à l'application des règles relatives au changement d'usage en vertu de l'article 209. Des règles particulières sont aussi prévues à l'article 210 lorsque l'organisme louait des biens ou payait des services pour effectuer des fournitures taxables. Voir notamment à cet effet : Revenu Québec, Lettre d'interprétation, 99-0100984 — *Décision portant sur l'application de la TPS — Interprétation relative à la TVQ — Fourniture unique et fournitures multiples* (12 mars 1999).

Compte tenu de la similarité de la rédaction des dispositions législatives et considérant l'engagement spécifique de Revenu Québec de veiller à ce que l'assiette de TVQ modifiée, de même que les paramètres administratifs, structurels et définitionnels, produisent des résultats qui sont identiques à ceux produits sous le régime de la TPS/TVH et soient administrés d'une manière qui produit des résultats identiques, tel que reflété par l'article 14 de l'*Entente intégrée globale de coordination fiscale* signée entre le gouvernement du Canada et le gouvernement du Québec, nous vous référons à nos commentaires en vertu du paragraphe 242(3) de *Loi sur la taxe d'accise (TPS)* qui devraient s'appliquer *mutatis mutandis*, avec les adaptations nécessaires.

418.1 Demande d'annulation ou de modification de l'inscription — Dans le cas où une demande est présentée en vertu de l'article 417 ou de l'article 417.1 par une personne qui est un petit fournisseur le 1er août 1995 en raison du fait que la totalité ou la presque totalité des montants visés au paragraphe 1º de l'article 294 ne sont pas relatifs à la fourniture de biens meubles incorporels, d'immeubles ou de services et que cette demande est la première qui est présentée après le 1er août 1995, l'article 209 ou le paragraphe 1º de l'article 210.4, selon le cas, ne s'applique pas à cette personne si sa demande est présentée au ministre avant le 1er août 1996.

Notes historiques: L'article 418.1 a été ajouté par L.Q. 1995, c. 63, art. 455(1) et a effet depuis le 1er août 1995.

Guides [art. 418.1]: IN-203 — Renseignements généraux sur la TVQ et la TPS/TVH; IN-256 — Aide-mémoire pour les entreprises en démarrage — Les taxes.

Définitions [art. 418.1]: « bien », « fourniture », « immeuble », « montant », « personne », « petit fournisseur », « service » — 1.

Renvois [art. 418.1]: 188.1 (fourniture d'un bien meuble incorporel); 457.1.6 (période de déclaration — aliments, boissons et divertissements).

Concordance fédérale: aucune.

419. [*Abrogé*]

Notes historiques: L'article 419 a été abrogé par L.Q. 1993, c. 79, art. 56 à compter du 17 décembre 1993. Il se lisait auparavant comme suit :

> 419. Le ministre peut suspendre, révoquer ou refuser de délivrer un certificat d'inscription à toute personne qui, selon le cas :
>
> 1º au cours des cinq années qui précèdent, a été déclarée coupable d'une infraction à une loi fiscale;
>
> 2º est contrôlée par un administrateur, un officier ou une autre personne qui, au cours des cinq années qui précèdent, a été déclaré coupable d'une infraction à une loi fiscale;
>
> 3º n'est pas en mesure, en raison de sa situation financière, d'assumer les obligations financières qui découlent de son entreprise;
>
> 4º omet de payer au ministre un montant qu'elle est tenue de lui payer en vertu de l'article 1015 de la *Loi sur les impôts* (L.R.Q., chapitre I-3), de l'article 23 ou de l'article 24 de la *Loi sur le ministère du Revenu* (L.R.Q., chapitre M-31);
>
> 5º n'a pas produit la déclaration prévue à l'article 468 ou le formulaire prévu à l'article 1086R18.1 du *Règlement sur les impôts* tel qu'édicté par le Décret 1025-91 du 17 juillet 1991 ou tel que modifié ou remplacé par tout décret postérieur;
>
> 6º a été titulaire d'un certificat d'inscription émis en vertu de la présente loi ou d'un certificat d'enregistrement émis en vertu de la *Loi concernant l'impôt sur la vente en détail* (L.R.Q., chapitre I-1), de la *Loi concernant la taxe sur la publicité électronique* (L.R.Q., chapitre T-2) ou de la *Loi concernant la taxe sur les télécommunications* (L.R.Q., chapitre T-4) qui a été révoqué dans les 18 mois qui précèdent la demande;
>
> 7º est une personne dont l'un des administrateurs ou officiers est ou a été administrateur ou officier d'une corporation ou membre d'une société dont le certificat d'inscription émis en vertu de la présente loi ou le certificat d'enregistrement émis en vertu de la *Loi concernant l'impôt sur la vente en détail*, de la *Loi concernant la taxe sur la publicité électronique* ou de la *Loi concernant la taxe sur les télécommunications* a été révoqué dans les 18 mois qui précèdent la demande;
>
> 8º ne satisfait pas ou ne satisfait plus aux conditions prévues par le présent titre pour l'obtention du certificat d'inscription.
>
> Toutefois, dans le cas des paragraphes 2º et 4º à 8º, le ministre ne peut suspendre, révoquer ou refuser de délivrer le certificat que s'il a exigé de la personne le cautionnement visé à l'article 414 et que celle-ci n'a pas satisfait à cette demande.
>
> De plus, dans le cas des paragraphes 2º et 3º, le ministre ne peut révoquer le certificat d'inscription sans l'avoir au préalable suspendu.

L'article 419 a été édicté par L.Q. 1991, c. 67.

420. [*Abrogé*]

Notes historiques: L'article 420 a été abrogé par L.Q. 1993, c. 79, art. 56 à compter du 17 décembre 1993. Il se lisait auparavant comme suit :

> 420. La suspension d'un certificat d'inscription a effet à compter de la date de la signification de la décision au titulaire. Cette signification s'effectue à personne ou par courrier recommandé ou certifié à la dernière adresse connue du titulaire.
>
> Un mode de signification différent de ceux prévus au premier alinéa peut être autorisé par un juge de la Cour du Québec.

L'article 420 a été édicté par L.Q. 1991, c. 67.

421. [*Abrogé*]

Notes historiques: L'article 421 a été abrogé par L.Q. 1993, c. 79, art. 56 à compter du 17 décembre 1993. Il se lisait auparavant comme suit :

> 421. La révocation d'un certificat d'inscription a effet à compter de la date de la signification de la décision au titulaire.
>
> Malgré le premier alinéa, dans les cas prévus aux paragraphes 2º et 3º de l'article 419, la révocation n'a effet qu'à l'échéance des quinze jours suivant la signification de la décision de suspension au titulaire lorsque ce dernier n'a pas fait valoir son point de vue dans les six jours de la réception de cette dernière. Cette révocation s'opère de plein droit.
>
> Dans tous les cas, la signification de la décision de révocation s'effectue à personne ou par courrier recommandé ou certifié à la dernière adresse connue du titulaire.
>
> Un mode de signification différent de ceux prévus au troisième alinéa peut être autorisé par un juge de la Cour du Québec.
>
> Le titulaire doit immédiatement après signification, retourner son certificat au ministre.

L'article 421 a été édicté par L.Q. 1991, c. 67.

SECTION II — PERCEPTION

422. Mandataire du ministre — Toute personne qui effectue une fourniture taxable doit, à titre de mandataire du ministre, percevoir la taxe payable par l'acquéreur en vertu de l'article 16 à l'égard de cette fourniture.

Exception — Le présent article ne s'applique pas dans le cas où :

1º la fourniture est visée à l'article 20.1;

2º la personne est un petit fournisseur qui effectue, dans le cadre d'une activité commerciale, la fourniture d'un véhicule routier qui doit être immatriculé en vertu du *Code de la sécurité routière* (chapitre C-24.2) à la suite d'une demande de son acquéreur.

3º la fourniture constitue une fourniture par vente au détail d'un véhicule automobile autre que celle effectuée par suite de l'exercice par l'acquéreur d'un droit d'acquérir celui-ci qui lui est conféré en vertu d'une convention écrite de louage du véhicule qu'il a conclue avec le fournisseur.

Notes historiques: Le paragraphe 3º du deuxième alinéa de l'article 422 a été ajouté par L.Q. 2001, c. 51, art. 297 et s'applique à l'égard d'une fourniture dont la totalité ou une partie de la contrepartie devient due après le 20 février 2000 et n'est pas payée avant le 21 février 2000. Toutefois, il ne s'applique pas à l'égard de toute partie de la contrepartie qui devient due ou est payée avant le 21 février 2000.

L'article 422 a été modifié par L.Q. 1995, c. 63, art. 456(1) et a effet depuis le 1er juillet 1992 [*N.D.L.R.* : cette disposition s'applique conformément aux articles 618 à 656 et 685 de L.Q. 1991, c. 67, tels que modifiés]. Auparavant, l'article 422 avait été modifié par L.Q. 1993, c. 19, art. 230 pour ajouter les mots « autre qu'une fourniture visée à l'article 20.1 ». Cette modification s'appliquait à l'égard d'une fourniture ou d'un apport au Québec relativement auquel l'article 685 ou l'un des articles 618 à 656 de L.Q. 1991, c. 67 s'applique [*N.D.L.R.* : les articles 685 et 618 à 656 réfèrent à des dispositions transitoires concernant les transferts avant le 1er juillet 1992].

L'article 422, édicté par L.Q. 1991, c. 67, se lisait comme suit :

> 422. Toute personne qui effectue une fourniture taxable autre qu'une fourniture visée à l'article 20.1 doit, à titre de mandataire du ministre, percevoir la taxe payable par l'acquéreur en vertu de l'article 16 à l'égard de cette fourniture.

Guides [art. 422]: IN-203 — Renseignements généraux sur la TVQ et la TPS/TVH; IN-300 — Vous êtes travailleur autonome? Aide-mémoire concernant la fiscalité; IN-307 — Le démarrage d'entreprise et la fiscalité; IN-624 — La TVQ, la TPS/TVH et les véhicules routiers.

Définitions [art. 422]: « acquéreur », « activité commerciale », « fourniture », « fournisseur », « fourniture taxable », « personne », « petit fournisseur », « taxe », « véhicule routier » — 1.

Renvois [art. 422]: 54.1 (valeur de la contrepartie de la fourniture d'un bien meuble corporel); 424.1 (présomption de compte client); 427 (droit du fournisseur d'intenter une action en recouvrement); 437 (versement de la taxe nette); 20 LAF (montants perçus détenus en fiducie).

Jurisprudence [art. 422]: *Agence du revenu du Québec c. 9083-9978 Québec inc.* (15 mars 2012), 500-05-081449-116, 2012 CarswellQue 6497; *Robitaille c. Québec (Sous-ministre du Revenu)* (24 septembre 2010), 200-80-001797-057, 2010 CarswellQue 11493; *Québec (Sous-ministre du Revenu) c. Service de garantie Québec inc. (Syndic de)* (3 mars 2009), 500-09-017872-078, 2009 CarswellQue 2517; *Guay c. Québec (Sous-ministre du Revenu)* (9 février 2009), 550-80-000639-068, 2009 CarswellQue 1058; *9069-2674 Québec inc. c. Québec (Sous-ministre du Revenu)* (12 décembre 2008), 200-80-001737-053, 2008 CarswellQue 12461; *Québec (Sous-ministre du Revenu) c. Cun* (13 novembre 2008), 505-61-074113-069, 2008 CarswellQue 11822; *Construction MDGG inc. c. Québec (Sous-ministre du Revenu)* (13 mars 2008), 200-80-002119-061, 2008 CarswellQue 2224; *Weinstein & Gavino Fabrique et Bar à pâtes compagnie ltée c. Québec (Sous-ministre du Revenu)* (19 décembre 2007), 500-17-015442-034, 2007 CarswellQue 12599; *Rafla c. Québec (Sous-ministre du Revenu)* (17 octobre 2006), 500-09-015241-052, 2006 CarswellQue 8996; *Québec (Sous-ministre du Revenu) c. Parent* (21 mars 2006), 200-05-018197-058, 2006 CarswellQue 2551 (C.S. Qué.); *Rebuts de l'Outaouais inc. c. Québec (Sous-ministre du Revenu)* (28 avril 2005), 550-80-000198-032, 2005 CarswellQue 2883 (C.Q.); *Durand c. Québec (Sous-ministre du Revenu)* (29 janvier 2004), 200-09-003865-026, 2004 CarswellQue 116; *Fournier c. Québec (Procureur général)* (14 février 2003), 450-05-005094-020, 2003 CarswellQue 540; *Crête c. Québec (Sous-ministre du Revenu)* (31 janvier 2002), 450-32-006123-004, 450-32-006124-002, 2002 CarswellQue 1206; *Durand c. S.M.R.Q.* (19 novembre 2001), 200-02-009176-969, 2001 CarswellQue 3332; *Major c. Euro Fashion Ltd.* (30 janvier 1997), 500-02-026596-960; *S.M.R.Q. c. Sioui* (11 décembre 1996), 200-09-000352-952, 1996 CarswellQue 1066 ; *Sioui c. Québec (Sous-ministre du Revenu)* (26 mai 1995), 200-05-001060-933, 1995 CarswellQue 439 .

Bulletins d'interprétation [art. 422]: TVQ. 16-2/R3 — La livraison de fleurs par l'entremise d'un service de commande à distance; TVQ. 1-4/R2 — La société de moyens; TVQ. 1-9/R1 — Juges des cours municipales; TVQ. 16-1/R2 — Le gouvernement du Canada et les taxes à la consommation du Québec; TVQ. 16-6 — L'industrie de la construction; TVQ. 16-7/R1 — Service de transport d'une matière en vrac; TVQ. 16-13 — Programme d'aide financière pour la mise en valeur des forêts privées; TVQ. 16-21 — Frais réclamés par les organismes de mise en marché des produits agricoles alimentaires et de la pêche; TVQ. 16-22 — Agences de mise en valeur de la forêt privée; TVQ. 16-27 — Fournitures de photocopies par un organisme de bienfaisance, une institution publique ou un organisme de services publics au sens de l'article 139 de la *Loi sur la taxe de vente du Québec*; TVQ. 407-3/R2 — Partis politiques; TVQ. 422-1/R1 — Documentation relative aux fournitures non taxables; TVQ. 423-1/R2 — Non-perception de la taxe lors de la fourniture taxable d'un immeuble par vente à un inscrit; TVQ. 425-1 — Indication de la taxe de vente du Québec sur les mémoires de frais produits en matière de faillite; TVQ. 427-1 — Recouvrement de la taxe suite à une cotisation; TVQ. 678-1/R4 — Le gouvernement du Québec et les taxes à la consommation du Québec.

Lettres d'interprétation [art. 422]: 94-0109036 — Application de la TVQ à un démarcheur non-résident; 95-0110866 — Option d'achat consentie sur un terrain; 96-010053 — [Question concernant un avis d'intention de déposer une proposition concordataire]; 97-010211 — Redressement de la taxe sur les produits et services (« TPS ») et de la taxe de vente du Québec (« TVQ ») suite à un vol d'argent; 97-0112058 — Frais de copropriété; 97-011378 — Interprétation relative à la TVQ — Livraison de fleurs par l'entremise d'un service de commande à distance; 97-0108072 — Tarification des non-résidents pour des services de loisirs offerts par la Ville; 97-0109633 — Interprétation relative à la TPS/TVH et à la TVQ — TPS/TVQ à l'égard des commissions versées à un agent de voyages; 97-3800733 — Interprétation relative à la TPS — Interprétation relative à la TVQ — Ventes sous contrôle de justice — perception et remise de la taxe; 98-0106728 — Interprétation relative à la TVQ — Apport au Québec d'un bien meuble corporel et fourniture d'un service par un non-résident; 99-0101362 — Décision portant sur l'application de la TPS — Interprétation relative à la TVQ — Transfert d'immeuble par le gouvernement; 99-0102139 — Interprétation relative à la TPS — Interprétation relative à la TVQ — Organisateurs de voyages (Forfaits hôteliers); 99-0106833 — Interprétation relative à la TPS et à la TVQ — Fourniture d'activités de loisir aux citoyens d'une municipalité; 99-010706 — Loi sur les arrangements avec les créanciers des compagnies; 00-0109595 — Interprétation relative à la TVQ — Frais chargés au locataire d'un véhicule routier; 01-0106367 — Interprétation relative à la TPS et à la TVQ — Fourniture d'un véhicule automobile suite à l'exercice d'une option d'achat; 02-0100913 — Interprétation relative à la TVQ — Fourniture d'un véhicule automobile usagé; 02-0107223 — Interprétation relative à la TPS et à la TVQ — Cotisation annuelle [Application de la loi aux avis de]; 02-0112082 — Décision portant sur l'application de la TPS — interprétation relative à la TVQ — montants versés dans le cadre de tansactions effectuées au moyen de guichets automatiques privés; 06-0103397 — Décision portant sur l'application de la TPS — interprétation relative à la TVQ — acte de propriété superficiaire et de servitudes; 06-0103629 — Interprétation relative à la TVQ — contrat de franchise vendue par un non-résident à un résident du Québec; 12-013796-001 — Interprétation relative à la TVQ — Dépenses engagées par un avocat à l'étranger.

Publications [art. 422]: IN-256 — Aide-mémoire pour les entreprises en démarrage — Les taxes.

Concordance fédérale: LTA, par. 221(1).

COMMENTAIRES: La Cour du Québec, dans l'affaire *Robitaille c. Québec (Sous-ministre du Revenu)*, 2010 CarswellQue 11493 (Cour du Québec), traite du cas où les demandeurs interjettent un appel conjoint de la décision alléguant essentiellement qu'un numéro de TVQ leur a été irrégulièrement attribué. L'article 422 énonce que toute personne qui effectue une fourniture taxable doit, à titre de mandataire du ministre, percevoir la taxe payable par l'acquéreur en vertu de l'article 16 à l'égard de cette fourniture. Ainsi par son texte clair, impératif et formel, le législateur oblige la personne qui effectue une fourniture taxable d'en percevoir la taxe. Le texte de l'article 422 ne souffre d'aucune ambiguïté. Puisqu'il s'agit d'une disposition qui impose une obligation incontournable à toute personne qui effectue une fourniture taxable, on ne peut assimiler ce mandat statutaire à un mandat contractuel régi par le *Code civil du Québec*. Par ailleurs, les revenus gagnés dans le cadre d'un commerce illégal demeurent imposables à titre de revenu d'entreprise puisque la présence d'un commerce emporte l'exploitation d'une entreprise, au sens de la législation en matière d'impôt sur le revenu et que le revenu qui en découle constitue une source de revenus. La notion d'entreprise dans cette loi étant similaire à celle applicable en matière d'impôt et recouvrant même une réalité plus vaste, le principe dégagé par la jurisprudence doit également recevoir application sous le régime de la TVQ. En conséquence, si l'activité exercée par une personne peut être considérée comme une entreprise, le fait que cette personne poursuive une fin illégale n'a pas en soi d'incidence aux fins de la TVQ. Ceci étant, si une personne transfert la possession de stupéfiants à d'autres personnes, moyennant contrepartie, sur une base commerciale, il y a présence d'une fourniture taxable au sens de la *Loi sur la taxe de vente du Québec*. Par le jeu combiné des articles 1, 16 et 422, la remise d'un bien constitue une délivrance de celui-ci et cette délivrance est assimilée à une fourniture. Or, cette fourniture effectuée dans le cadre d'une activité commerciale est une fourniture taxable qui oblige la personne qui l'effectue à percevoir la taxe et à la remettre au ministre. C'est ainsi que le demandeur, en remettant à plusieurs reprises de la cocaïne à plus d'une personne exerçait une activité commerciale et la fourniture ainsi effectuée dans le cadre de cette activité était une fourniture taxable obligeant le demandeur à percevoir et à remettre la taxe afférente au ministre, ce que le demandeur a admis avoir omis de faire.

Revenu Québec a indiqué que toute personne qui effectue une fourniture taxable au Québec doit, en vertu de l'article 422, percevoir la taxe payable à l'égard de cette fourniture. Cependant, l'article 68 prévoit qu'aucune taxe ne sera payable à l'égard de cette fourniture lorsqu'elle est effectuée par une personne qui est un petit fournisseur. Par conséquent, un franchiseur qui ne réside pas au Québec, qui n'y exploite pas d'entreprise, mais qui est tenu de s'inscrire, ou qui choisit de s'inscrire au régime de la TVQ, devra généralement percevoir et remettre au ministre la TVQ payable à l'égard d'une fourniture taxable qu'il effectue à un franchisé établi au Québec. Par contre, dans l'hypothèse où un franchiseur est un petit fournisseur ou qu'il n'est pas tenu de s'inscrire au régime de la TVQ, qu'il ne réside pas au Québec et qu'il n'y exploite pas d'entreprise, aucune TVQ ne sera payable à l'égard d'une fourniture taxable qu'il effectue à un franchisé établit au Québec. Dans ce cas, le franchiseur n'aura donc pas à percevoir de taxe à l'égard de cette fourniture. Revenu Québec, Lettre d'interprétation, 06-0103629 — *Interprétation relative à la TVQ — Contrat de franchise vendue par un non-résident à un résident du Québec* (9 juillet 2007). Voir également au même effet : Revenu Québec, Lettre d'interprétation, 00-0109595 — *Interprétation relative à la TVQ — Frais chargés au locataire d'un véhicule routier* (20 mars 2001).

Finalement, le paragraphe 3 du deuxième alinéa de l'article 422 prévoit que le concessionnaire n'est pas tenu de percevoir la TVQ payable à l'égard de la fourniture par vente au détail d'un véhicule automobile qu'il effectue autrement que dans le cadre de l'exercice d'une option d'achat du véhicule. Dans ce cas, c'est la Société de l'assurance automobile du Québec qui doit percevoir la TVQ, et ce, conformément à l'article 473.1.1. Toutefois, le concessionnaire demeure tenu, en raison de l'article 425.1, d'établir le montant de la TVQ qui sera payable à l'égard de cette fourniture. Voir notamment à cet effet : Revenu Québec, Lettre d'interprétation, 02-0100913 — *Interprétation relative à la TVQ — Fourniture d'un véhicule automobile usagé* (16 mai 2002). Voir également au même effet : Revenu Québec, Lettre d'interprétation, 01-0106367 — *Interprétation relative à la TVQ — Fourniture d'un véhicule automobile suite à l'exercice d'une option d'achat* (26 octobre 2001).

Compte tenu de la similarité de la rédaction des dispositions législatives et considérant l'engagement spécifique de Revenu Québec de veiller à ce que l'assiette de TVQ modifiée, de même que les paramètres administratifs, structurels et définitionnels, produisent des résultats qui sont identiques à ceux produits sous le régime de la TPS/TVH et soient administrés d'un manière qui produit des résultats identiques, tel que reflété par l'article 14 de l'*Entente intégrée globale de coordination fiscale* signée entre le gouvernement du Canada et le gouvernement du Québec, nous vous référons à nos commentaires en vertu du paragraphe 221(1) de *Loi sur la taxe d'accise (TPS)* qui devraient s'appliquer *mutatis mutandis*, avec les adaptations nécessaires.

423. Exception — fourniture d'un immeuble — Un fournisseur, autre qu'un fournisseur prescrit, qui effectue la fourniture taxable d'un immeuble par vente n'est pas tenu de percevoir la taxe payable par l'acquéreur en vertu de l'article 16 à l'égard de cette fourniture si, selon le cas :

1º le fournisseur est une personne qui ne réside pas au Québec ou qui y réside uniquement en raison de l'article 12;

2º l'acquéreur est inscrit en vertu de la section I et, dans le cas où l'acquéreur est un particulier, l'immeuble n'est ni un immeuble d'habitation ni fourni à titre de concession dans un cimetière, de lieu d'inhumation, de sépulture ou de lieu de dépôt de dépouilles mortelles ou de cendres;

2.1º le fournisseur et l'acquéreur ont fait le choix prévu à l'article 94 à l'égard de la fourniture;

3º l'acquéreur est un acquéreur prescrit.

Notes historiques: Le paragraphe 2º de l'article 423 a été remplacé par L.Q. 2001, c. 53, art. 365 et cette modification s'applique aux fournitures effectuées après le 10 décembre 1998. Antérieurement, il se lisait ainsi :

> 2º l'acquéreur est inscrit en vertu de la section I et que la fourniture n'est pas une fourniture d'un immeuble d'habitation effectuée à un particulier;

Le paragraphe 2.1º a été ajouté par L.Q. 2003, c. 2, par. 343(1) et s'applique à l'égard d'une fourniture effectuée après le 4 octobre 2000.

L'article 423 a été édicté par L.Q. 1991, c. 67.

Guides: IN-261 — La TVQ, la TPS et les immeubles d'habitation (construction ou rénovation).

Définitions [art. 423]: « acquéreur », « fournisseur », « fourniture », « fourniture taxable », « immeuble », « immeuble d'habitation », « inscrit », « particulier », « personne », « taxe », « vente » — 1.

Renvois [art. 423]: 201 (documents); 438 (immeuble fourni par une personne non tenue de percevoir la taxe); 677 (règlements).

Bulletins d'interprétation [art. 423]: TVQ. 16-6 — L'industrie de la construction; TVQ. 16-16/R1 — Le *Code civil du Québec* et la *Loi sur la taxe de vente du Québec*; TVQ. 16-30/R1 — Contrat de prête-nom; TVQ. 423-1/R2 — Non-perception de la taxe lors de la fourniture taxable d'un immeuble par vente à un inscrit.

Lettres d'interprétation [art. 423]: 98-0101471 — Interprétation relative à la TPS — Interprétation relative à la TVQ — Vente ou location de lots intramunicipaux; 99-0101362 — Décision portant sur l'application de la TPS — Interprétation relative à la TVQ — Transfert d'immeuble par le gouvernement; 00-0108506 — Interprétation relative à la TPS et à la TVQ — Conséquences fiscales de la désignation à titre de municipalité d'une régie intermunicipale; 06-0101904 — Interprétation relative à la TPS et à la TVQ — Perception et versement de la TPS et de la TVQ.

Concordance fédérale: LTA, par. 221(2).

COMMENTAIRES: De façon générale, en vertu de l'article 422, le fournisseur est responsable, en sa qualité de mandataire de la Couronne, de percevoir et de verser au Receveur général du Canada la taxe générée à l'occasion d'une fourniture taxable. Cependant, en vertu de l'article 423, le fournisseur qui effectue la fourniture taxable d'un immeuble par vente, autre que la fourniture d'un immeuble d'habitation à un particulier, n'est pas tenu de percevoir la taxe payable par l'acquéreur si ce dernier est inscrit au fichier de la TVQ. L'acquéreur est alors tenu de s'autocotiser et de verser la taxe payable directement au ministre. Voir notamment à cet effet : Revenu Québec, Lettre d'interprétation, 00-0108506 — *Interprétation relative à la TPS et à la TVQ — Conséquences fiscales de la désignation à titre de municipalité d'une régie intermunicipale* (2 mars 2001). Voir également au même effet : Revenu Québec, Lettre d'interprétation, 98-0101471 — *Interprétation relative à la TPS/Interprétation relative à la TVQ Vente ou location de lots intramunicipaux* (9 juillet 1998).

Dans l'hypothèse où le Ministère effectue la fourniture taxable par vente d'un immeuble moyennant contrepartie, la TVQ s'appliquera sur le montant de la contrepartie de la fourniture. Aux termes de l'article 422, c'est la personne qui effectue une fourniture taxable qui doit percevoir la taxe payable par l'acquéreur. Toutefois, l'article 443 prévoit que le fournisseur n'est pas tenu de percevoir la TVQ payable par l'acquéreur si l'acquéreur est inscrit au fichier de la TVQ et qu'il ne s'agit pas de la fourniture d'un immeuble d'habitation au profit d'un particulier. Dans ce cas, c'est l'acquéreur qui est tenu de payer la taxe. Voir notamment à et effet : Revenu Québec, Lettre d'interprétation, 99-0101362 — *Décision portant sur l'application de la TPS — Interprétation relative à la TVQ — Transfert d'immeuble par le gouvernement* (15 février 1999). Voir également au même effet : Revenu Québec, Lettre d'interprétation, 06-0101904 — *Interprétation relative à la TPS et à la TVQ — Perception et versement de la TPS et de la TVQ* (28 mars 2006).

Compte tenu de la similarité de la rédaction des dispositions législatives et considérant l'engagement spécifique de Revenu Québec de veiller à ce que l'assiette de TVQ modifiée, de même que les paramètres administratifs, structurels et définitionnels, produisent des résultats qui sont identiques à ceux produits sous le régime de la TPS/TVH et soient administrés d'une manière qui produit des résultats identiques, tel que reflété par l'article 14 de l'*Entente intégrée globale de coordination fiscale* signée entre le gouvernement du Canada et le gouvernement du Québec, nous vous référons à nos commentaires en vertu du paragraphe 221(2) de *Loi sur la taxe d'accise (TPS)* qui devraient s'appliquer *mutatis mutandis*, avec les adaptations nécessaires.

424. Exception — fourniture d'un service de transport de marchandises — Un transporteur qui effectue la fourniture taxable d'un service de transport d'un bien meuble corporel n'est pas tenu de percevoir la taxe à l'égard de cette fourniture ou de toute fourniture qui y est accessoire si, à la fois :

1º il détient la déclaration de l'expéditeur du bien visée au paragraphe 2º de l'article 197 dans le cas où celle-ci est requise;

2º au moment où la taxe relative à la fourniture devient payable, ou avant, il ne sait pas et ne peut raisonnablement pas savoir que :

a) le bien n'est pas destiné à être expédié hors du Québec;

b) le transport qu'il effectue ne fait pas partie d'un service continu de transport de marchandises vers l'extérieur relatif au bien;

c) le bien est ou sera réacheminé vers une destination finale au Québec.

Interprétation — Pour l'application du présent article, les expressions « expéditeur » et « service continu de transport de marchandises vers l'extérieur » ont le même sens que dans la section VII du chapitre IV.

Notes historiques: Le deuxième alinéa a été remplacé par L.Q. 1997, c. 85, art. 684(1) et a effet depuis le 1er juillet 1992. Antérieurement, cet alinéa se lisait ainsi :

> Pour l'application du présent article, les expressions « expéditeur », « service continu de transport de marchandises vers l'extérieur » et « transporteur » ont le même sens que dans la section VII du chapitre quatrième.

L'article 424 a été édicté par L.Q. 1991, c. 67.

Définitions [art. 424]: « bien », « bien meuble corporel », « fourniture », « fourniture taxable », « service », « taxe », « transporteur » — 1.

Concordance fédérale: LTA, par. 221(3), 221(4).

424.1 Vente d'un compte client

424.1 Vente d'un compte client — Dans le cas où une personne effectue une fourniture taxable qui donne lieu à un compte client et que, à un moment quelconque, la personne fournit la dette par vente ou par cession, pour l'application de l'article 20 de la *Loi sur l'administration fiscale* (chapitre A-6.002) et des articles 428 à 436.1, les règles suivantes s'appliquent :

1º la personne est réputée avoir perçu, à ce moment, le montant éventuel de la taxe relative à la fourniture taxable qui n'a pas été perçu par elle avant ce moment;

2º un montant perçu par une personne, après ce moment, au titre de la taxe payable à l'égard de la fourniture taxable est réputé ne pas constituer un montant perçu au titre de la taxe.

Montant réputé ne pas être un montant de droits — Pour l'application de l'article 24.1 de cette loi, le montant de la taxe relative à la fourniture taxable ayant donné lieu au compte client et faisant l'objet de la vente ou de la cession est réputé ne pas être un montant de droits qui doivent être payés au ministre conformément à une loi fiscale.

Exception — Le présent article ne s'applique pas dans le cas où la personne, qui effectue une fourniture taxable qui donne lieu à un compte client, n'est pas tenue de percevoir la taxe payable à l'égard de cette fourniture en raison de l'application du deuxième alinéa de l'article 422.

Notes historiques: L'article 424.1 a été ajouté par L.Q. 2003, c. 2, par. 344(1) et s'applique à l'égard de la fourniture d'une dette dont la propriété est transférée, en vertu de la convention relative à la fourniture, après le 10 décembre 1998.

Guides [art. 424.1]: IN-203 — Renseignements généraux sur la TVQ et la TPS/TVH.

Concordance fédérale: LTA, par. 222.1.

425. Indication de la taxe — Un inscrit qui effectue une fourniture taxable, autre qu'une fourniture détaxée, doit indiquer à l'acquéreur de la manière prescrite, ou sur la facture ou le reçu délivré à l'acquéreur, ou dans une convention écrite conclue avec celui-ci :

1º soit la contrepartie payée ou payable par l'acquéreur pour la fourniture et la taxe payable à l'égard de celle-ci de façon à ce que le montant de la taxe apparaisse clairement, auquel cas l'inscrit peut indiquer un montant total constitué à la fois de cette taxe et de celle prévue à la partie IX de la *Loi sur la taxe d'accise* (Lois révisées du Canada (1985), chapitre E-15);

2º soit que le montant payé ou payable par l'acquéreur pour la fourniture comprend la taxe payable à l'égard de celle-ci.

Indication du taux de la taxe — Lorsque l'inscrit indique à l'acquéreur le taux de la taxe, il doit l'indiquer séparément du taux de toute autre taxe.

Mention — De plus, la taxe doit être désignée par son nom, une abréviation de celui-ci ou une indication similaire. Aucune autre mention portant sur cette taxe ne peut être utilisée.

Notes historiques: Le préambule du premier alinéa de l'article 425 a été modifié par L.Q. 2009, c. 15, art. 516 par le remplacement du mot « émis » par le mot « délivré ». Cette modification est entrée en vigueur le 4 juin 2009.

Le préambule du premier alinéa de l'article 425 a été remplacé par L.Q. 2001, c. 53, art. 366 et cette modification a effet depuis le 7 avril 1997. Antérieurement, il se lisait ainsi :

> 425. Un inscrit qui effectue une fourniture taxable doit indiquer à l'acquéreur de la manière prescrite, ou sur la facture ou le reçu émis à l'acquéreur, ou dans une convention écrite conclue avec celui-ci :

Le troisième alinéa de l'article 425 a été ajouté par L.Q. 2002, c. 46, art. 29 et cette modification s'applique à compter du 11 mars 2003.

L'article 425 a été édicté par L.Q. 1991, c. 67.

Notes explicatives ARQ (PL 37, L.Q. 2009, c. 15): *Résumé* :

L'article 425 est modifié par le remplacement du mot « émis » par le mot « délivré ».

Situation actuelle :

L'article 425 de la LTVQ permet à l'inscrit qui effectue une fourniture taxable d'indiquer que la taxe de vente du Québec est incluse dans le prix de vente ou de l'indiquer de façon séparée.

Modifications proposées :

L'article 425 de la LTVQ fait l'objet d'une modification terminologique afin de tenir compte du contexte dans lequel les dérivés des mots « émission » et « délivrance » doivent être utilisés. En effet, l'article 425 de la LTVQ fait référence à l'émission d'un reçu ou d'une facture. Or, dans ce contexte, il est plus approprié d'utiliser le dérivé du mot « délivrer ».

Guides [art. 425]: IN-203 — Renseignements généraux sur la TVQ et la TPS/TVH; IN-307 — Le démarrage d'entreprise et la fiscalité; IN-624 — La TVQ, la TPS/TVH et les véhicules routiers.

Définitions [art. 425]: « acquéreur », « contrepartie », « facture », « fourniture », « fourniture taxable », « inscrit », « montant », « taxe » — 1.

Renvois [art. 425]: 350.2 (acceptation d'un bon remboursable); 427 (droit du fournisseur d'intenter une action en recouvrement); 428 (taxe nette); 485.3 (infraction); 677 (règlements); 59.0.2 LAF.

Règlements [art. 425]: RTVQ, 425R1–425R3.

Jurisprudence [art. 425]: *Cauchon Deschênes c. Desrochers* (13 juillet 1999), 200-32-016536-988, 1999 CarswellQue 4067; *Major c. Euro Fashion Ltd* (30 janvier 1997), 500-02-026596-960; *Claveau c. Doyon* (21 septembre 1995), 235-02-000074-946, 1995 CarswellQue 16.

Bulletins d'interprétation [art. 425]: TVQ. 425-1 — Indication de la taxe de vente du Québec sur les mémoires de frais produits en matière de faillite; TVQ. 427-1 — Recouvrement de la taxe suite à une cotisation.

Lettres d'interprétation [art. 425]: 98-0103964 — Décision portant sur l'application de la TPS — Interprétation relative à la TVQ — Location de véhicules routiers avec valeur d'échange; 04-0103632 — Renonciation à un droit de poursuite en contrepartie d'une somme d'argent — application de la taxe sur les produits et services (la « TPS«) et de la taxe de vente du Québec (la « TVQ«).

Bulletins d'information [art. 425]: 2007-10 — Bonification du crédit d'impôt pour services de production cinématographique et autres mesures fiscales.

Concordance fédérale: LTA, par. 223(1).

425.0.1 Exception — L'article 425 ne s'applique pas à un inscrit qui n'est pas tenu de percevoir la taxe payable à l'égard de la fourniture taxable qu'il effectue.

Notes historiques: L'article 425.0.1 a été ajouté par L.Q. 2001, c. 53, art. 367 et s'applique à l'égard d'une fourniture effectuée après le 10 décembre 1998.

Concordance fédérale: LTA, par. 223(1.3).

425.1 Indication de la taxe — vente au détail d'un véhicule automobile — Malgré le premier alinéa de l'article 425, un inscrit qui effectue la fourniture par vente au détail d'un véhicule automobile, autre qu'une fourniture visée à l'article 20.1, doit indiquer clairement, sur la facture ou le reçu délivré à l'acquéreur ou dans une convention écrite qu'il a conclue avec celui-ci, la taxe payable par l'acquéreur en vertu de l'article 16 à l'égard de la fourniture ainsi que les renseignements prescrits.

Renseignements prescrits — Dans le cas d'un inscrit prescrit, il doit également indiquer les renseignements prescrits de la manière prescrite sur le document prescrit.

Mention — De plus, la taxe doit être désignée par son nom, une abréviation de celui-ci ou une indication similaire. Aucune autre mention portant sur cette taxe ne peut être utilisée.

Notes historiques: Le premier alinéa de l'article 425.1 a été modifié par L.Q. 2009, c. 15, art. 517 par le remplacement du mot « émis » par le mot « délivré ». Cette modification est entrée en vigueur le 4 juin 2009.

Le troisième alinéa de l'article 425.1 a été ajouté par L.Q. 2002, c. 46, art. 30 et cette modification s'applique à compter du 11 mars 2003.

L'article 425.1 a été ajouté par L.Q. 2001, c. 51, art. 298 et a effet depuis le 21 février 2000.

Notes explicatives ARQ (PL 37, L.Q. 2009, c. 15): *Résumé* :

L'article 425.1 est modifié par le remplacement du mot « émis » par le mot « délivré ».

Situation actuelle :

L'article 425.1 de la LTVQ mentionne la manière dont la taxe de vente du Québec doit être indiquée.

Modifications proposées :

L'article 425.1 de la LTVQ fait l'objet d'unemodification terminologique afin de tenir compte du contexte dans lequel les dérivés des mots « émission » et « délivrance » doivent être utilisés. En effet, l'article 425.1 de la LTVQ fait référence à l'émission d'un reçu ou d'une facture. Or, dans ce contexte, il est plus approprié d'utiliser le dérivé du mot « délivrer ».

Guides [art. 425.1]: IN-203 — Renseignements généraux sur la TVQ et la TPS/TVH; IN-624 — La TVQ, la TPS/TVH et les véhicules routiers.

Règlements [art. 425.1]: RTVQ, 425R1–425R5.

Renvois [art. 425.1]: 473.1.1 (Versement de la taxe).

Lettres d'interprétation [art. 425.1]: 02-0100913 — Interprétation relative à la TVQ — Fourniture d'un véhicule automobile usagé; 04-0102519 — [Entente de consignation de véhicules récréatifs]; 06-0103132 — Interprétation relative à la TVQ — Application des articles 425.1 et 425.2 de la *Loi sur la taxe de vente du Québec*.

Concordance fédérale: aucune.

COMMENTAIRES: Dans le cadre de la présente position administrative, Revenu Québec devait statuer sur la situation suivante : un inscrit effectue la fourniture par vente de véhicules automobiles à des recycleurs. L'intention de ces recycleurs serait d'acheter le véhicule automobile, soit pour les pièces; afin de le revendre; ou pour le réparer afin de le revendre. Les contrats sont tous intitulés « Contrat de vente entre commerçants ». Ces contrats n'indiquent aucune TVQ payable. L'inscrit aurait fait défaut d'indiquer la taxe payable relativement à ces fournitures par vente de véhicules automobiles pour les pièces qu'il a effectuées, faisant ainsi défaut aux obligations que lui impose l'article 425.1. De l'avis de Revenu Québec, les obligations prévues à l'article 425.1 sont prévues relativement à la fourniture par vente au détail d'un véhicule automobile. L'expression « vente au détail » d'un véhicule automobile signifie, tel que le prévoit l'article 1, la vente d'un véhicule automobile à une personne qui le reçoit pour une autre fin que celle de le fournir à nouveau par vente, autrement que par donation, ou par louage pour une période d'au moins un an. Il y a lieu de conclure, selon Revenu Québec, que les fournitures par vente de véhicules automobiles effectuées par l'inscrit en faveur de recycleurs constituent, non pas, des fournitures par vente au détail, mais des fournitures détaxées, conformément à l'article 197.2. En effet, la fourniture par vente d'un véhicule automobile acquis par un recycleur pour être revendu tel quel ou par pièce constitue une fourniture détaxée en vertu de l'article 197.2. Il en serait de même, si l'intention du recycleur était de réparer le véhicule avant de le revendre. Aussi, l'inscrit n'est pas visé par les obligations prévues par l'article 425.1 relativement à ces fournitures qu'il a effectuées en faveur de recycleurs. Il s'en suit qu'il ne peut se voir imposer le paiement d'un montant d'argent en application de l'article 425.2 à l'égard de ces fournitures. Par contre, lorsque l'inscrit effectue la fourniture par vente d'un véhicule automobile à un recycleur de véhicules qui l'acquiert uniquement afin de le revendre (notamment par pièces), l'inscrit doit utiliser le numéro de la licence de commerçant ou le numéro de la licence de recycleur délivrée par la Société de l'assurance automobile du Québec, pour justifier la non-perception de la TVQ. En effet, Revenu Québec considère que la preuve documentaire d'un inscrit relativement à une telle fourniture sera suffisante si le numéro de la licence SAAQ de l'acquéreur est indiqué sur le contrat de vente et le formulaire Attestation de transaction avec un commerçant dans la case « TVQ perçue ». Si la fourniture est effectuée à une personne qui est un inscrit, autre qu'une personne détenant une licence SAAQ, qui l'acquiert uniquement afin de le revendre (notamment par pièce), il doit exiger de l'acquéreur une déclaration écrite et signée. Cette déclaration doit être faite sur le document constatant la transaction, selon laquelle le véhicule automobile est acquis uniquement pour être fourni de nouveau. Le défaut pour l'inscrit de conserver ces preuves documentaires établissant qu'il n'avait ni à percevoir ni à indiquer la TVQ relativement à des fournitures qu'il a effectuées l'expose, non seulement, à d'éventuels problèmes de preuve lors de vérifications de Revenu Québec, mais également au paiement d'amendes en application de la *Loi sur le ministère du Revenu* [maintenant *Loi sur l'administration fiscale*]. Revenu Québec, Lettre d'interprétation, 06-0103132 — *Interprétation relative à la TVQ — Application des articles 425.1 et 425.2 de la Loi sur la taxe de vente du Québec* (7 juillet 2006). Voir également au même effet : Revenu Québec, Lettre d'interprétation, 04-0102519 — *** (8 juillet 2005).

425.1.1 [Indication de la taxe] — Malgré le premier alinéa de l'article 425, un inscrit qui effectue la fourniture taxable d'un repas, autre qu'une fourniture détaxée, doit indiquer, sur la facture visée à l'article 350.51 qu'il doit remettre à l'acquéreur, la contrepartie payée ou payable par l'acquéreur pour la fourniture de même que la taxe payable à l'égard de celle-ci de façon à ce que le montant de la taxe apparaisse clairement en indiquant distinctement cette taxe de celle prévue par la partie IX de la *Loi sur la taxe d'accise* (Lois révisées du Canada (1985), chapitre E-15).

Notes historiques: L'article 425.1.1 a été ajouté par L.Q. 2010, c. 5, art. 243 et est entré en vigueur le 1er septembre 2010.

Notes explicatives ARQ (PL 64, L.Q. 2010, c. 5): *Résumé* :

Le nouvel article 425.1.1 est modifié afin de préciser la manière dont la taxe de vente du Québec doit être indiquée sur la facture produite lors de la vente d'un repas par un inscrit qui exploite un établissement de restauration.

Contexte :

Afin de contrer des stratagèmes utilisés pour dissimuler des revenus et des taxes dans l'industrie de la restauration, notamment le phénomène des camoufleurs de vente (communément appelés « zappers »), des modifications sont apportées à la LTVQ afin d'obliger l'exploitant d'un établissement de restauration à remettre une facture à ses clients lors de la fourniture d'un repas. Dans le cas d'un exploitant qui est un inscrit, une telle facture devra être préparée au moyen d'un appareil prescrit.

Par ailleurs, la LTVQ mentionne actuellement la manière dont la taxe de vente du Québec doit être indiquée. Particulièrement, le fournisseur doit indiquer sur la facture ou le reçu remis à l'acquéreur ou, le cas échéant, sur la convention conclue avec celui-ci, le prix du bien ou du service et le montant de la taxe de vente du Québec. Il peut aussi indiquer que le montant total payé par l'acheteur comprend la taxe. Dans ces deux cas, le document doit indiquer soit le montant de la taxe, soit que le montant comprend la taxe. La LTVQ précise aussi que la taxe ne doit être désignée que par son nom, une abréviation de celui-ci ou une indication similaire.

Modifications proposées :

Le premier alinéa du nouvel article 350.51 de la LTVQ oblige l'exploitant d'un établissement de restauration, lors de la vente d'un repas taxable, à préparer une facture. Cette facture doit contenir les renseignements qui seront prescrits par un règlement.

Il est proposé d'introduire l'article 425.1.1 de la LTVQ, afin de préciser que l'inscrit ne peut indiquer un montant total constitué à la fois de la taxe de vente du Québec et de la taxe sur les produits et services (taxe prévue à la partie IX de la *Loi sur la taxe d'accise*).

Guides [art. 425.1.1]: IN-522 — Bulletin d'information destiné aux restaurateurs du Québec; IN-573 — L'inspection des établissements de restauration; IN-574 — Programme de subvention pour les restaurateurs; IN-574.A — Annexe au programme de subvention pour les restaurateurs — Modalités et conditions relatives au crédit-bail et à la location; IN-575 — Renseignements pour les restaurateurs; IN-577 — Guide d'utilisation du MEV; IN-582.3 — Ministère du Revenu du Québec : IN-582.3-Le MEV : arrêt d'utilisation et transfert de propriété.

Renvois [art. 425.1.1]: 350.59 (infraction); 485.3 (infraction et peine).

Concordance fédérale: aucune.

425.2 Défaut d'indiquer la taxe — responsabilité et pénalité — Tout inscrit qui omet d'indiquer à l'acquéreur, conformément à l'article 425.1, la taxe payable par celui-ci à l'égard de la fourniture par vente au détail d'un véhicule automobile qu'il effectue ou qui indique un montant moindre que celui de la taxe payable par l'acquéreur relativement à cette fourniture doit payer un montant égal à la différence entre le montant de taxe payable et le montant de taxe versée par l'acquéreur en vertu de l'article 473.1.1 à l'égard de la fourniture, et ce, au moment où la déclaration prévue au présent chapitre doit être produite pour la période de déclaration de l'inscrit au cours de laquelle il a effectué cette fourniture.

Pénalité — De plus, l'inscrit encourt une pénalité de 15 % de la différence entre ces deux montants.

Droit du fournisseur d'intenter une action en recouvrement — Le montant payé par l'inscrit en application du premier alinéa est réputé être une taxe que l'inscrit était tenu de percevoir de l'acquéreur de la fourniture en vertu du présent titre et l'inscrit peut intenter une action devant un tribunal compétent pour recouvrer ce montant de l'acquéreur comme s'il s'agissait d'un montant que celui-ci lui doit.

Notes historiques: L'article 425.2 a été ajouté par L.Q. 2001, c. 51, art. 298 et a effet depuis le 21 février 2000.

Guides [art. 425.2]: IN-624 — La TVQ, la TPS/TVH et les véhicules routiers.

Lettres d'interprétation [art. 425.2]: 04-0102519 — [Entente de consignation de véhicules récréatifs]; 06-0103132 — Interprétation relative à la TVQ — Application des articles 425.1 et 425.2 de la *Loi sur la taxe de vente du Québec*.

Concordance fédérale: aucune.

426. Renseignements relatifs à une fourniture — Une personne qui effectue une fourniture taxable à une autre personne doit, à la demande de celle-ci, lui fournir sans délai et par écrit les renseignements relatifs à la fourniture qui peuvent être requis pour l'application du présent titre pour justifier une demande de remboursement par cette autre personne à l'égard de la fourniture.

Notes historiques: L'article 426 a été édicté par L.Q. 1991, c. 67.

Guides [art. 426]: IN-307 — Le démarrage d'entreprise et la fiscalité.

Définitions [art. 426]: « acquéreur », « fournisseur », « fourniture taxable », « personne » — 1.

Renvois [art. 426]: 201 (RTI — documents).

Jurisprudence [art. 426]: *Vêtements de sport Chapter One inc. c. Québec (Sous-ministre du Revenu)* (16 novembre 2006), 500-80-003322-048, 2006 CarswellQue 11456 (C.Q.).

Bulletins d'interprétation [art. 426]: TVQ. 201-1/R2 — Remboursement de la taxe sur les intrants — renseignements insuffisants — fausse facturation — exigences documentaires en matière de remboursement de la taxe sur les intrants; TVQ. 201-2 — Exigences documentaires aux fins de la production d'une demande de remboursement de la taxe sur les intrants — Nom d'une société et nom sous lequel une société fait affaire.

Lettres d'interprétation [art. 426]: 98-0103964 — Décision portant sur l'application de la TPS — Interprétation relative à la TVQ — Location de véhicules routiers avec valeur d'échange.

Concordance fédérale: LTA, par. 223(2).

COMMENTAIRES: La question à l'étude par Revenu Québec était de déterminer les exigences de facturation relativement à la location d'un véhicule routier dont le loyer est réduit du crédit accordé pour un véhicule usagé donné en échange et pour lequel il subsiste une dette envers une institution financière. Le montant sur lequel les taxes doivent être calculées peut être décomposé en deux sommes partielles sur la facturation. Soit une première correspondant à la contrepartie de la fourniture par location comme telle et une seconde, correspondant au remboursement du prêt non remboursé sur le véhicule repris. Revenu Québec confirme que ces informations peuvent être présentées par le locateur au locataire sur une facture ou un état de compte. En fait, le fournisseur en ce qui concerne la facturation doit satisfaire aux exigences de l'article 426. Le premier précise la façon dont doit être indiquée la taxe. Le second prévoit que le fournisseur doit remettre, par écrit, sans délai à la personne au profit de laquelle il a effectué une fourniture qu'il lui demande, les renseignements requis pour justifier une demande de crédit de taxe sur les intrants ou une demande de remboursement par cette personne. Revenu Québec, Lettre d'interprétation, 98-0103964 — *Décision portant sur l'application de la TPS — Interprétation relative à la TVQ — Location de véhicules routiers avec valeur d'échange* (3 mars 2000).

Compte tenu de la similarité de la rédaction des dispositions législatives et considérant l'engagement spécifique de Revenu Québec de veiller à ce que l'assiette de TVQ modifiée, de même que les paramètres administratifs, structurels et définitionnels, produisent des résultats qui sont identiques à ceux produits sous le régime de la TPS/TVH et soient administrés d'une manière qui produit des résultats identiques, tel que reflété par l'article 14 de l'*Entente intégrée globale de coordination fiscale* signée entre le gouvernement du Canada et le gouvernement du Québec, nous vous référons à nos commentaires en vertu du paragraphe 223(2) de *Loi sur la taxe d'accise (TPS)* qui devraient s'appliquer *mutatis mutandis*, avec les adaptations nécessaires.

427. Droit du fournisseur d'intenter une action en recouvrement — Un fournisseur qui a effectué une fourniture taxable à un acquéreur, qui est tenu en vertu du présent titre de percevoir de celui-ci la taxe relative à cette fourniture, qui s'est conformé à l'article 425 en ce qui concerne la fourniture et qui a rendu compte ou versé au ministre la taxe payable par l'acquéreur à l'égard de la fourniture sans la percevoir de ce dernier, peut intenter une action devant un tribunal compétent pour recouvrer la taxe de l'acquéreur comme s'il s'agissait d'un montant que celui-ci lui doit.

Notes historiques: L'article 427 a été édicté par L.Q. 1991, c. 67.

Définitions [art. 427]: « acquéreur », « fournisseur », « fourniture taxable », « montant », « taxe » — 1.

Renvois [art. 427]: 422 (perception).

Jurisprudence [art. 427]: *S.P. Holdings Canada Inc. c. Ikea Ltd.* (1er août 2001), 500-09-006796-981, 2001 CarswellQue 1664; *Construction & Rénovation M. Dubeau inc. c. 9059-7816 Québec inc.* (7 juin 2001), 200-22-011173-994, 2001 CarswellQue 2514; *Assoc. coopérative de taxi de l'Est de Montréal c. Montréal (Société de transport de la Communauté urbaine)* (14 septembre 1999), 500-17-001344-970, 1999 CarswellQue 3408; *Cauchon Deschênes c. Desrochers* (13 juillet 1999), 200-32-016536-988, 1999 CarswellQue 4067; *Major c. Euro Fashion Ltd* (30 janvier 1997), 500-02-026596-960; *Claveau c. Doyon* (21 septembre 1995), 235-02-000074-946, 1995 CarswellQue 16.

Lettres d'interprétation [art. 425.1]: 96-0114304 — Indemnité versée à titre de dommages suite à l'inexécution et à la résiliation d'un bail; 97-0100848 — Perception de la taxe de vente du Québec; 97-0105953 — Recouvrement par un fournisseur de la taxe non perçue lors d'une fourniture taxable; 98-0102800 — Taux de taxe de vente applicable; 02-0100913 — Interprétation relative à la TVQ — Fourniture d'un véhicule automobile usagé; 04-0102519 — [Entente de consignation de véhicules récréatifs]; 06-0103132 — Interprétation relative à la TVQ — Application des articles 425.1 et 425.2 de la *Loi sur la taxe de vente du Québec*.

Concordance fédérale: LTA, art. 224.

COMMENTAIRES: Dans l'affaire *Construction & Rénovation M. Dubeau inc. c. 9059-7816 Québec inc.*, 2001 CarswellQue 2514 (Cour du Québec), la demanderesse réclame de la défenderesse 22 284,45 $ correspondant aux montants impayés de la TPS et la TVQ afférentes aux travaux de réparations qu'elle a effectués à l'été 1998 sur un immeuble, propriété de la défenderesse, qui avait été endommagé par un incendie. La Cour du Québec souligne que l'article 422 prévoit que « toute personne qui effectue une fourniture taxable doit, à titre de mandataire du ministre, percevoir la taxe payable par l'acquéreur en vertu de l'article 16 à l'égard de cette fourniture ». Cette taxe doit être ensuite versée au ministre du Revenu suivant les modalités prévues aux articles 437 et suivants. Finalement, l'article 427 permet au fournisseur de services ou de biens taxables d'intenter, à certaines conditions, une action en recouvrement de la taxe de l'acquéreur de service comme s'il s'agissait d'un montant que celui-ci lui devait. Dans le présent cas, la preuve révèle, selon la Cour du Québec, que ces conditions ont été remplies par la demanderesse. En premier lieu, la demanderesse a offert une preuve suffisante que la somme de 151 620,49 $, versée le 30 juillet 1998 au ministre du Revenu à titre de taxe de vente nette pour la période du mois de juin 1998, inclut la somme de 22 284,45 $, soit 10 382,11 $ à titre de TPS et 11 902,34 $ à titre de TVQ correspondant aux taxes fédérales et provinciales imputables aux fournitures taxables livrées à la défenderesse. En second lieu, la demanderesse s'est conformée à l'article 425 en indiquant sur la facture, dont la défenderesse reconnaît avoir pris connaissance, la « contrepartie payée ou payable par l'acquéreur pour la fourniture et la taxe payable à l'égard de celle-ci, de façon à ce que le montant de la taxe apparaisse clairement. » Le tribunal note que la *Loi sur la taxe d'accise (TPS)* contient des dispositions analogues à celles de la *Loi sur la taxe de vente* et que ces dispositions légales trouvent application en ce qui concerne le volet fédéral de la taxe sur les produits et services (voir les articles 123, 221(1), 228(1) à (3), 223(1) et 224 de la *Loi sur la taxe d'accise (TPS)*).

Compte tenu de la similarité de la rédaction des dispositions législatives et considérant l'engagement spécifique de Revenu Québec de veiller à ce que l'assiette de TVQ modifiée, de même que les paramètres administratifs, structurels et définitionnels, produisent des résultats qui sont identiques à ceux produits sous le régime de la TPS/TVH et soient administrés d'un manière qui produit des résultats identiques, tel que reflété par l'article 14 de l'*Entente intégrée globale de coordination fiscale* signée entre le gouvernement du Canada et le gouvernement du Québec, nous vous référons à nos commentaires en vertu de l'article 224 de *Loi sur la taxe d'accise (TPS)* qui devraient s'appliquer *mutatis mutandis*, avec les adaptations nécessaires.

SECTION II.1 — CERTIFICAT D'EXPÉDITION

Notes historiques: La section II.1 du chapitre VIII du Titre I a été ajoutée par L.Q. 1995, c. 63, art. 457(1) et a effet depuis le 1er août 1995.

427.1 [*Abrogé*]

Notes historiques: L'article 427.1 a été abrogé par L.Q. 2003, c. 2, par. 345(1) et cette abrogation s'applique à l'égard d'une fourniture effectuée après le 31 décembre 2000. Antérieurement, il se lisait ainsi :

> 427.1 Certificat d'expédition — L'inscrit qui effectue la fourniture taxable d'un bien meuble corporel pour lequel l'acquéreur de la fourniture lui remet un certificat visé à l'article 179 n'est pas tenu de percevoir la taxe à l'égard de la fourniture si, au plus tard au moment où cette taxe devient payable, il ne savait pas et ne pouvait vraisemblablement pas savoir que le bien ne serait pas expédié hors du Québec par l'acquéreur dans les circonstances décrites à cet article.

L'article 427.1 a été ajouté par L.Q. 1995, c. 63, art. 457(1) et a effet depuis le 1er août 1995.

427.2 Définitions — Pour l'application de la présente section, l'expression :

« exercice » a le sens que lui donne l'article 458.1;

Définitions [art. 427.2« exercice »]: « entreprise », « fourniture », « vente » — 1.

Concordance fédérale: LTA, par. 123(1)« exercice ».

« stocks » d'une personne signifie les biens meubles corporels de la personne qu'elle a acquis au Québec, ou y a apportés, pour fourni-

LTVQ (français)

ture par vente dans le cours normal d'une entreprise qu'elle exploite au Québec.

Concordance fédérale: LTA, par. 221.1(1).

Notes historiques: L'article 427.2 a été ajouté par L.Q. 1995, c. 63, art. 457(1) et a effet depuis le 1er août 1995.

427.3 Autorisation d'utiliser un certificat d'expédition — Le ministre peut, à la demande d'une personne qui est inscrite en vertu de la section I, autoriser la personne à utiliser, à compter d'un jour donné d'un exercice de celle-ci et sous réserve des conditions que le ministre peut fixer au besoin, un certificat — appelé « certificat d'expédition » dans la présente section — pour l'application de l'article 179.1, s'il est raisonnable de s'attendre à ce que, à la fois :

1º au moins 90 % du total de la contrepartie des fournitures à la personne de stocks acquis au Québec par celle-ci au cours de la période de douze mois commençant immédiatement après le jour donné sera attribuable à des fournitures qui seraient visées à l'article 179 s'il se lisait en faisant abstraction du paragraphe 5º de celui-ci;

2º le total de la contrepartie, incluse dans le calcul du revenu d'une entreprise de la personne pour l'exercice, des fournitures qu'elle a effectuées hors du Québec de ses stocks qui ne sont pas consommés, utilisés, traités, transformés ou modifiés après leur acquisition, ou leur apport, au Québec par la personne et avant d'être ainsi fournis par celle-ci, sera égal ou supérieur à 90 % du total de la contrepartie, incluse dans le calcul de ce revenu, des fournitures de ses stocks qu'elle a effectuées.

Notes historiques: Le préambule de l'article 427.3 a été remplacé par L.Q. 2003, c. 2, s.-par. 346(1)(1º) et cette modification a effet depuis le 1er janvier 2001. Antérieurement, il se lisait ainsi :

> 427.3 Le ministre peut, à la demande d'une personne qui est inscrite en vertu de la section i du chapitre VIII, autoriser la personne à utiliser, à compter d'un jour donné d'un exercice de celle-ci et sous réserve des conditions que le ministre peut fixer de temps à autre, un certificat — appelé « certificat d'expédition » dans la présente section — pour l'application de l'article 179, s'il est raisonnable de s'attendre à ce que, à la fois :

Le paragraphe 1º de l'article 427.3 a été modifié par L.Q. 2003, c. 2, s.-par. 346(1)(2º) par le remplacement des mots « cet article » par les mots « l'article 179 ». Cette modification a effet depuis le 1er janvier 2001.

Le paragraphe 1º de l'article 427.3 a été remplacé par L.Q. 2001, c. 53, art. 368 et cette modification s'applique à la fourniture d'un bien effectuée après le 31 octobre 1998. Antérieurement, il se lisait ainsi :

> 1º au moins 90 % du total de la contrepartie des fournitures à la personne de stocks acquis au Québec par celle-ci au cours de la période de douze mois commençant immédiatement après le jour donné sera attribuable à des fournitures qui seraient visées à cet article s'il se lisait en faisant abstraction du paragraphe 4º de celui-ci;

L'article 427.3 a été ajouté par L.Q. 1995, c. 63, art. 457(1) et a effet depuis le 1er août 1995.

Définitions [art. 427.3]: « contrepartie », « entreprise », « fourniture », « personne » — 1; 457.4 (certificat d'expédition dont l'autorisation n'est pas en vigueur); 457.5 (révocation de l'autorisation); « stocks » — 427.2.

Renvois [art. 427.3]: 51 (valeur de la contrepartie); 179 (fourniture d'un bien meuble corporel à un acquéreur pour expédition hors du Québec); 179.1 (fourniture à un acquéreur inscrit non consommateur); 179.2 (fourniture à un acquéreur inscrit); 327.3 (transfert de possession matérielle d'un bien); 427.4–427.9 (autorisation d'utiliser un certificat d'expédition); 457.5 (révocation de l'autorisation).

Bulletins d'interprétation [art. 427.3]: TVQ. 179-2/R1 — Fourniture d'un bien meuble corporel à être expédié hors du Québec.

Lettres d'interprétation [art. 427.3]: 99-0109159 — Interprétation relative à la TPS / TVH — Interprétation relative à la TVQ — Conception / hébergement d'un site Web; 04-0106411 — Interprétation relative à la TVQ — bulletin d'interprétation TVQ. 179-2 — déclaration d'acquéreur.

Concordance fédérale: LTA, par. 221.1(2).

427.4 Forme et production de la demande — La demande d'autorisation d'utiliser un certificat d'expédition doit être effectuée au moyen du formulaire prescrit contenant les renseignements prescrits et produite au ministre de la manière prescrite par ce dernier.

Notes historiques: L'article 427.4 a été ajouté par L.Q. 1995, c. 63, art. 457(1) et a effet depuis le 1er août 1995.

Renvois [art. 427.4]: 179.1 (fourniture à un acquéreur inscrit non consommateur); 427.3 (autorisation par le ministre d'utiliser un certificat d'expédition).

Concordance fédérale: LTA, par. 221.1(3).

427.5 Avis d'autorisation — Dans le cas où le ministre autorise un inscrit à utiliser un certificat d'expédition, il doit l'aviser par écrit de l'autorisation, des dates de prise d'effet et d'expiration de celle-ci ainsi que du numéro d'identification attribué à l'inscrit ou à l'autorisation et qui doit être indiqué par l'inscrit au moment de la remise du certificat pour l'application de l'article 179.1.

Notes historiques: L'article 427.5 a été remplacé par L.Q. 2003, c. 2, par. 347(1) et cette modification s'applique à l'égard d'une autorisation accordée à une personne après le 31 décembre 2000, qu'il s'agisse d'une première autorisation ou d'un renouvellement. Antérieurement, il se lisait ainsi :

> 427.5 Dans le cas où le ministre autorise un inscrit à utiliser un certificat d'expédition, il doit l'aviser par écrit de l'autorisation et de la date d'effet de celle-ci.

L'article 427.5 a été ajouté par L.Q. 1995, c. 63, art. 457(1) et a effet depuis le 1er août 1995.

Renvois [art. 427.5]: 427.3 (autorisation par le ministre d'utiliser un certificat d'expédition); 7R78.20 RAF (signature des documents par certains fonctionnaires).

Bulletins d'interprétation [art. 427.5]: TVQ. 179-2/R1 — Fourniture d'un bien meuble corporel à être expédié hors du Québec.

Concordance fédérale: LTA, par. 221.1(4).

427.6 Révocation — Le ministre peut révoquer, à compter d'un jour donné, l'autorisation accordée à un inscrit en vertu de l'article 427.3 si, selon le cas :

1º l'inscrit omet de respecter une condition de l'autorisation ou une disposition du présent titre;

2º il est raisonnable de s'attendre à ce que les exigences des paragraphes 1º et 2º de l'article 427.3 ne seraient pas rencontrées si la période visée au paragraphe 1º de cet article commençait le jour donné.

Avis de la révocation — Dans le cas où le ministre révoque l'autorisation, il doit aviser l'inscrit par écrit de la révocation et de sa date d'effet.

Notes historiques: L'article 427.6 a été ajouté par L.Q. 1995, c. 63, art. 457(1) et a effet depuis le 1er août 1995.

Définitions [art. 427.6]: « inscrit » — 1.

Renvois [art. 427.6]: 427.9 (autre autorisation); 7R78.20 RAF (signature des documents par certains fonctionnaires).

Concordance fédérale: LTA, par. 221.1(5).

427.7 Révocation réputée — L'autorisation accordée à un inscrit à un moment quelconque en vertu de l'article 427.3 est réputée révoquée, à compter du jour suivant le dernier jour d'un exercice de l'inscrit qui prend fin après ce moment, si la fraction déterminée au paragraphe 1º excède celle déterminée au paragraphe 2º :

1º la fraction déterminée selon la formule suivante :

$$\frac{A}{B};$$

2º la fraction déterminée selon la formule suivante :

$$\frac{C}{D}.$$

Application — Pour l'application de ces formules :

1º la lettre A représente le total de la contrepartie payée ou payable par l'inscrit pour des stocks qu'il a acquis au Québec au cours de l'exercice dans le cadre d'une entreprise de l'inscrit et à l'égard desquels il a remis un certificat d'expédition aux fournisseurs de ceux-ci;

2º la lettre B représente le total de la contrepartie payée ou payable par l'inscrit pour des stocks qu'il a acquis au Québec au cours de l'exercice dans le cadre de cette entreprise;

3º la lettre C représente le total de la contrepartie, incluse dans le calcul du revenu provenant de cette entreprise pour l'exercice, des fournitures effectuées hors du Québec par l'inscrit de ses stocks qui ne sont pas consommés, utilisés, traités, transformés ou modifiés après leur acquisition, ou leur apport, au Québec par l'inscrit et avant d'être ainsi fournis par celui-ci;

4º la lettre D représente le total de la contrepartie, incluse dans le calcul de ce revenu, des fournitures de stocks de l'inscrit qu'il a effectuées.

Notes historiques: L'article 427.7 a été ajouté par L.Q. 1995, c. 63, art. 457(1) et a effet depuis le 1er août 1995.

Définitions [art. 427.7]: « contrepartie », « entreprise » — 1; « exercice » — 427.2; « fourniture », « inscrit » — 1; « stocks » — 427.2.

Renvois [art. 427.7]: 51 (valeur de la contrepartie); 457.5 (révocation de l'autorisation).

Concordance fédérale: LTA, par. 221.1(6).

427.8 Cessation — L'autorisation accordée à un inscrit en vertu de l'article 427.3 cesse d'avoir effet le premier en date des jours suivants :

1º le jour de la date d'effet de la révocation de l'autorisation;

2º le jour qui est trois ans après la date d'effet de l'autorisation ou de son renouvellement.

Notes historiques: L'article 427.8 a été ajouté par L.Q. 1995, c. 63, art. 457(1) et a effet depuis le 1er août 1995.

Définitions [art. 427.8]: « inscrit » — 1.

Concordance fédérale: LTA, par. 221.1(7).

427.9 Autorisation après révocation — Dans le cas où une autorisation accordée à un inscrit en vertu de l'article 427.3 est révoquée, à compter d'un jour donné, le ministre ne doit pas accorder à l'inscrit une autre autorisation en vertu de cet article qui prenne effet avant, selon le cas :

1º dans le cas où l'autorisation a été révoquée dans les circonstances décrites au paragraphe 1º du premier alinéa de l'article 427.6, le jour qui est deux ans après le jour donné;

2º dans les autres cas, le premier jour du deuxième exercice de l'inscrit qui commence après le jour donné.

Notes historiques: L'article 427.9 a été ajouté par L.Q. 1995, c. 63, art. 457(1) et a effet depuis le 1er août 1995.

Définitions [art. 427.9]: « inscrit » — 1.

Concordance fédérale: LTA, par. 221.1(8).

SECTION III — VERSEMENT

§ 1. — Détermination de la taxe nette

428. Taxe nette d'une personne — La taxe nette pour une période de déclaration donnée d'une personne correspond au montant positif ou négatif déterminé selon la formule suivante :

A – B.

Application — Pour l'application de cette formule :

1º la lettre A représente le total des montants suivants :

a) les montants devenus percevables et les montants perçus par la personne au cours de la période de déclaration donnée au titre de la taxe prévue à l'article 16;

b) les montants qui doivent, en vertu du présent titre, être ajoutés dans le calcul de la taxe nette de la personne pour la période de déclaration donnée;

2º la lettre B représente le total des montants suivants :

a) les montants dont chacun représente un remboursement de la taxe sur les intrants pour la période de déclaration donnée ou une période de déclaration antérieure de la personne, demandé par celle-ci dans la déclaration produite en vertu du présent chapitre pour la période de déclaration donnée;

b) les montants dont chacun représente un montant qui peut être déduit par la personne en vertu du présent titre dans le calcul de sa taxe nette pour la période de déclaration donnée et qui est demandé par celle-ci dans la déclaration produite en vertu du présent chapitre pour cette période.

Notes historiques: L'article 428 a été modifié par L.Q. 1994, c. 22, art. 598(1) et est réputé entré en vigueur le 1er juillet 1992. L'article 428, édicté par L.Q. 1991, c. 67, se lisait comme suit :

> 428. La taxe nette pour une période de déclaration donnée d'un inscrit correspond au montant positif ou négatif déterminé selon la formule suivante :
>
> A – B.
>
> Pour l'application de cette formule :
>
> 1º la lettre A représente le total des montants suivants :
>
> a) les montants devenus percevables et les montants perçus par l'inscrit au cours de la période de déclaration donnée au titre de la taxe prévue à l'article 16;
>
> b) les montants qui doivent, en vertu du présent titre, être ajoutés dans le calcul de la taxe nette de l'inscrit pour la période de déclaration donnée;
>
> 2º la lettre B représente le total des montants suivants :
>
> a) les montants dont chacun représente un remboursement de la taxe sur les intrants pour la période de déclaration donnée ou une période de déclaration antérieure de l'inscrit, demandé par celui-ci dans la déclaration produite en vertu du présent chapitre pour la période de déclaration donnée;
>
> b) les montants dont chacun représente un montant qui peut être déduit par l'inscrit en vertu du présent titre dans le calcul de sa taxe nette pour la période de déclaration donnée et qui est demandé par celui-ci dans la déclaration produite en vertu du présent chapitre pour cette période.

Guides [art. 428]: IN-203 — Renseignements généraux sur la TVQ et la TPS/TVH.

Définitions [art. 428]: « inscrit », « montant », « période de déclaration », « personne », « taxe » — 1.

Renvois [art. 428]: 199 ss. (RTI); 209 (cessation de l'inscription); 210 (services et biens de location — personne cessant d'être un inscrit); 220–232 (immeubles); 235 (déclaration erronée sur l'utilisation d'un immeuble); 237–276 (immobilisation); 237.3 (dernière acquisition ou apport); 286 (avantages aux actionnaires, bénéficiaires ou membres); 290 (avantages aux salariés et aux actionnaires); 297.5–297.7.8 (démarcheur); 298 (fourniture à l'assureur sur règlement de sinistre); 350.6 (rabais); 424.1 (présomption de compte client); 429 (restriction à la lettre A); 430 (restriction à la lettre B); 430.1 (restriction à la lettre B); 434 (choix pour une comptabilité abrégée); 437 (calcul et versement de la taxe nette); 444–446 (mauvaise créance); 449 (note de crédit ou de débit); 455 (remboursement — constructeur); 455.1 (remboursement — fournitures à des non-résidents); 456 (location de voiture de tourisme); 462 (montant déterminant); 468 (déclaration); 482 (règle anti-évitement); 32 LAF.

Jurisprudence [art. 428]: *9069-2674 Québec inc. c. Québec (Sous-ministre du Revenu)* (12 décembre 2008), 200-80-001737-053, 2008 CarswellQue 12461; *Québec (Sous-ministre du Revenu) c. Cun* (13 novembre 2008), 505-61-074113-069, 2008 CarswellQue 11822; *Weinstein & Gavino Fabrique et Bar à pâtes compagnie ltée c. Québec (Sous-ministre du Revenu)* (19 décembre 2007), 500-17-015442-034, 2007 CarswellQue 12599; *Rafla c. Québec (Sous-ministre du Revenu)* (17 octobre 2006), 500-09-015241-052, 2006 CarswellQue 8996; *Rebuts de l'Outaouais inc. c. Québec (Sous-ministre du Revenu)* (28 avril 2005), 550-80-000198-032, 2005 CarswellQue 2883 (C.Q.); *Slater Steel inc. (Syndic de)* (18 juin 2004), 500-11-020930-034, 2003 CarswellQue 1708 (C.A.); *S.M.R.Q. c. Sioui* (11 décembre 1996), 200-09-000352-952, 1996 CarswellQue 1066 ; *Sioui c. Québec (Sous-ministre du Revenu)* (26 mai 1995), 200-05-001060-933, 1995 CarswellQue 439 .

Bulletins d'interprétation [art. 428]: TVQ. 16-7/R1 — Service de transport d'une matière en vrac; TVQ. 16-30/R1 — Contrat de prête-nom; TVQ. 427-1 — Recouvrement de la taxe suite à une cotisation.

Lettres d'interprétation [art. 428]: 98-0103303 — Coût direct; 98-010842 — Moment d'imposition des taxes dans le commerce au détail; 99-0109134 — Interprétation relative à la TPS — Interprétation relative à la TVQ — Vente sous contrôle de justice — certificats d'actions; 00-0111302 — Interprétation relative à la TPS et à la TVQ — Réclamation de CTI/RTI; 02-0107223 — Interprétation relative à la TPS et à la TVQ — Cotisation annuelle [Application de la loi aux avis de]; 07-0101217 — Décision portant sur l'application de la TPS — interprétation relative à la TVQ — application de la méthode de calcul de la taxe nette pour les organismes de bienfaisance.

Publications [art. 428]: IN-256 — Aide-mémoire pour les entreprises en démarrage — Les taxes.

Concordance fédérale: LTA, par. 225(1).

429. Restriction — Un montant ne doit pas être inclus dans le total visé à la lettre A de la formule prévue à l'article 428 pour une période de déclaration d'une personne, dans la mesure où il a déjà été inclus dans ce total pour une période de déclaration antérieure de la personne.

Un montant ne doit pas être inclus dans le total visé à la lettre A de la formule prévue à l'article 428 pour une période de déclaration

LTVQ (français)

d'une personne, lorsque ce montant est réputé perçu par la personne en vertu de l'une des dispositions suivantes :

1° le paragraphe 1° du cinquième alinéa de l'article 255.1;

2° le paragraphe 1° de l'article 259.1;

3° le paragraphe 1° de l'article 262.1.

Notes historiques: Le deuxième alinéa de l'article 429 a été ajouté par L.Q. 2012, c. 28, par. 155(1) et s'applique à compter du 1er janvier 2013.

L'article 429 a été modifié par L.Q. 1994, c. 22, art. 598(1) et est réputé entré en vigueur le 1er juillet 1992. L'article 429, édicté par L.Q. 1991, c. 67, se lisait comme suit :

429. Un montant ne doit pas être inclus dans le total visé à la lettre A de la formule prévue à l'article 428 pour une période de déclaration d'un inscrit, dans la mesure où il a déjà été inclus dans ce total pour une période de déclaration antérieure de l'inscrit.

Notes explicatives ARQ (PL 5, L.Q. 2012, c. 28): *Résumé* :

Le nouveau deuxième alinéa de l'article 429 précise que la taxe qu'une personne est réputée avoir perçue, le 1er janvier 2013, par suite des règles transitoires découlant de la nouvelle exonération des services financiers n'a pas à être ajoutée dans le calcul de la taxe nette de la personne pour une période de déclaration.

Situation actuelle :

L'article 429 prévoit que toute taxe déclarée perçue ou percevable au cours d'une période de déclaration antérieure à une période de déclaration donnée ou toute addition à la taxe nette calculée pour une telle période de déclaration antérieure n'est pas à inclure dans la déclaration pour la période de déclaration donnée. Cette mesure vise à éviter qu'un même montant de taxe soit pris en considération plus d'une fois.

Modifications proposées :

À compter du 1er janvier 2013, la fourniture d'un service financier cesse, en règle générale, d'être détaxée et devient exonérée dans le régime de la taxe de vente du Québec (TVQ). La principale conséquence de ce changement est que les institutions financières et les autres inscrits ne pourront plus obtenir de remboursements de la taxe sur les intrants relativement aux fournitures acquises en vue de rendre des services financiers. La nouvelle section VI.1 du chapitre III du titre I de la LTVQ, introduite par le présent projet de loi et comprenant les articles 169.3 et 169.4, prévoit donc l'exonération des services financiers.

Le nouveau deuxième alinéa de l'article 429 précise que la taxe qu'une personne est réputée avoir perçue, le 1er janvier 2013, par suite des règles transitoires découlant de la nouvelle exonération des services financiers n'a pas à être ajoutée dans le calcul de la taxe nette de la personne pour une période de déclaration.

Définitions [art. 429]: « montant », « période de déclaration », « personne » — 1.

Renvois [art. 429]: 424.1 (présomption de compte client).

Lettres d'interprétation [art. 429]: 98-0103303 — Coût direct.

Concordance fédérale: LTA, par. 225(2).

429.1 [*Abrogé*]

Notes historiques: L'article 429.1 a été abrogé par L.Q. 1995, c. 63, art. 458(1) et cette abrogation s'applique à l'égard de toute demande ou toute déclaration produite après le 15 décembre 1995. Auparavant, il se lisait comme suit :

429.1 Dans le cas où un inscrit devient failli au sens de la *Loi sur la faillite et l'insolvabilité* (Statuts du Canada), les règles suivantes s'appliquent :

1° le total des remboursements de la taxe sur les intrants demandés et des montants déduits, dans une déclaration produite après la date de la faillite, pour une période de déclaration de l'inscrit se terminant avant cette date, ne peut excéder le total des montants suivants :

a) le montant qui correspondrait à la taxe nette pour la période si aucun remboursement de la taxe sur les intrants n'était demandé et si aucun montant n'était déduit dans le calcul de la taxe nette pour cette période;

b) les montants qui doivent être versés par l'inscrit à l'égard de périodes de déclaration se terminant avant cette période ainsi que tout montant payable par l'inscrit relativement à ces périodes de déclaration;

2° un remboursement de la taxe sur les intrants, un remboursement en vertu de la section I du chapitre VII, ou un montant qui peut être déduit dans le calcul de la taxe nette, pour une période de déclaration de l'inscrit se terminant avant la date de la faillite, ne peut être demandé ni déduit dans une déclaration visant une période de déclaration de l'inscrit se terminant après la date de la faillite.

Le premier alinéa ne s'applique pas si, le jour où la déclaration mentionnée au paragraphe 1° de cet alinéa est produite, les déclarations qui doivent être produites en vertu du présent titre pour les périodes de déclaration de l'inscrit se terminant avant la date de la faillite, ou relativement à des acquisitions d'immeubles effectuées au cours de ces périodes, ont été produites et si les montants qui doivent être versés par l'inscrit ainsi que les montants payables par lui en vertu du présent titre relativement à ces périodes de déclaration ont été versés ou payés.

L'article 429.1 a été ajouté par L.Q. 1994, c. 22, art. 599 et cet ajout s'applique à toute déclaration produite après le 30 septembre 1992.

430. Restrictions — Un montant ne doit pas être inclus dans le total visé à la lettre B de la formule prévue à l'article 428 pour une période de déclaration donnée d'une personne dans la mesure où le montant a déjà été demandé ou inclus à titre de remboursement de la taxe sur les intrants ou de déduction dans ce total pour une période de déclaration antérieure de la personne.

Notes historiques: L'article 430 a été remplacé par L.Q. 1997, c. 85, art. 685(1) et a effet depuis le 23 avril 1996. Auparavant, cet article se lisait ainsi :

430. Un montant ne doit pas être inclus dans le total visé à la lettre B de la formule prévue à l'article 428 pour une période de déclaration d'une personne dans la mesure où, selon le cas :

1° ce montant a déjà été inclus dans ce total pour une période de déclaration antérieure de la personne;

2° avant la fin de la période, ce montant est devenu remboursable à la personne en vertu de la présente loi ou de toute autre loi du Québec ou lui a été remis en vertu de la *Loi sur le ministère du Revenu* (L.R.Q., chapitre M-31).

L'article 430 a été modifié par L.Q. 1994, c. 22, art. 600(1) et est réputé entré en vigueur le 1er juillet 1992. Antérieurement, l'article 430, édicté par L.Q. 1991, c. 67, se lisait comme suit :

430. Un montant ne doit pas être inclus dans le total visé à la lettre B de la formule prévue à l'article 428 pour une période de déclaration d'un inscrit dans la mesure où, selon le cas :

1° ce montant a déjà été inclus dans ce total pour une période de déclaration antérieure de l'inscrit;

2° avant la fin de la période, ce montant est devenu remboursable à l'inscrit en vertu de la présente loi ou de toute autre loi du Québec ou lui a été remis en vertu de la *Loi sur le ministère du Revenu* (L.R.Q., chapitre M-31).

Définitions [art. 430]: « montant », « période de déclaration » — 1.

Renvois [art. 430]: 424.1 (présomption de compte client).

Lettres d'interprétation [art. 430]: 98-0103303 — Coût direct.

Concordance fédérale: LTA, par. 225(3).

430.1 Demande de remboursement ne satisfaisant pas les exigences documentaires — Sous réserve de l'article 430.2, un montant peut être inclus dans le total visé à la lettre B de la formule prévue à l'article 428 pour une période de déclaration donnée d'une personne si celle-ci n'avait pas le droit de demander le montant dans le calcul de sa taxe nette pour la période antérieure uniquement parce qu'elle ne satisfaisait pas aux exigences de l'article 201 à l'égard du montant avant que la déclaration pour cette période antérieure soit produite.

Notes historiques: L'article 430.1 a été ajouté par L.Q. 1997, c. 85, art. 686(1) et a effet depuis le 23 avril 1996.

Définitions [art. 430.1]: « montant », « période de déclaration », « personne » — 1.

Renvois [art. 430.1]: 424.1 (présomption de compte client).

Lettres d'interprétation [art. 430.1]: 98-0103303 — Coût direct.

Concordance fédérale: LTA, par. 225(3)a).

430.2 Rapport écrit de l'erreur au ministre — Pour l'application de l'article 430.1, dans le cas où une personne demande le montant dans une déclaration pour une période de déclaration donnée et que le ministre n'a pas refusé le montant à titre de remboursement de la taxe sur les intrants en déterminant le montant des droits, intérêts et pénalités dont la personne est redevable en vertu de la présente loi pour une période de déclaration antérieure, celle-ci doit faire rapport par écrit au ministre, au plus tard le jour où la déclaration pour la période de déclaration donnée est produite, qu'elle a commis une erreur en demandant ce montant dans le calcul de sa taxe nette pour cette période antérieure.

Pénalités et intérêts — Pour l'application du premier alinéa, si la personne ne fait pas rapport de l'erreur au ministre au moins trois mois avant que n'expire le délai prévu au deuxième alinéa de l'article 25 de la *Loi sur l'administration fiscale* (chapitre A-6.002) pour déterminer le montant des droits, intérêts et pénalités de la personne pour cette période antérieure, la personne doit, au plus tard le jour où la déclaration pour la période de déclaration donnée est produite, payer le montant ainsi que les intérêts et les pénalités exigibles au ministre.

Notes historiques: L'article 430.2 a été ajouté par L.Q. 1997, c. 85, art. 686(1) et a effet depuis le 23 avril 1996.

Définitions [art. 430.2]: « ministre », « montant », « période de déclaration », « personne » — 1.

Renvois [art. 430.2]: 424.1 (présomption de compte client).

Lettres d'interprétation [art. 430.2]: 98-0103303 — Coût direct.

Concordance fédérale: LTA, par. 225(3)b).

430.3 Restrictions — Un montant ne doit pas être inclus dans le total visé à la lettre B de la formule prévue à l'article 428 pour une période de déclaration d'une personne dans la mesure où, avant la fin de la période, le montant a été remboursé à la personne en vertu de la présente loi ou de toute autre loi du Québec ou lui a été remis en vertu de la *Loi sur l'administration fiscale* (chapitre A-6.002).

Notes historiques: L'article 430.3 a été ajouté par L.Q. 1997, c. 85, art. 686(1) et a effet depuis le 23 avril 1996.

Guides [art. 430.3]: IN-203 — Renseignements généraux sur la TVQ et la TPS/TVH.

Définitions [art. 430.3]: « montant », « période de déclaration », « personne » — 1.

Renvois [art. 430.3]: 424.1 (présomption de compte client).

Lettres d'interprétation [art. 430.3]: 98-0103303 — Coût direct.

Concordance fédérale: LTA, par. 225(3.1).

431. Délai — remboursement de la taxe sur les intrants — Une personne ne peut demander un remboursement de la taxe sur les intrants pour une période de déclaration donnée, à moins qu'il ne le soit dans une déclaration produite en vertu du présent chapitre, au plus tard le jour qui est :

1º dans le cas où la personne est une personne déterminée durant la période de déclaration donnée :

a) si le remboursement de la taxe sur les intrants est à l'égard d'un bien ou d'un service fourni à la personne par un fournisseur qui n'a pas, avant la fin de la période de déclaration donnée, exigé la taxe à l'égard de la fourniture qui est devenue payable durant la période de déclaration donnée et que la personne paie cette taxe après la fin de la période de déclaration donnée et avant que le remboursement de la taxe sur les intrants soit demandé, le premier en date des jours suivants :

i. au plus tard le jour où la déclaration prévue au présent chapitre doit être produite pour la dernière période de déclaration de la personne qui se termine dans les deux ans suivant la fin de l'exercice de la personne au cours duquel le fournisseur a exigé cette taxe à la personne;

ii. au plus tard le jour où la déclaration prévue au présent chapitre doit être produite pour la dernière période de déclaration de la personne qui se termine dans les quatre ans suivant la fin de la période de déclaration donnée;

b) si le remboursement de la taxe sur les intrants a été demandé dans une déclaration produite en vertu du présent chapitre, au plus tard le jour où la déclaration prévue au présent chapitre doit être produite pour la dernière période de déclaration de la personne qui se termine dans les deux ans suivant la fin de l'exercice de la personne qui comprend la période de déclaration donnée, par une autre personne qui n'avait pas le droit de le demander et la personne a payé la taxe payable à l'égard de l'acquisition, ou de l'apport au Québec, du bien ou du service, au plus tard le jour où la déclaration prévue au présent chapitre doit être produite pour la dernière période de déclaration de la personne qui se termine dans les quatre ans suivant la fin de la période de déclaration donnée;

c) dans tout autre cas, au plus tard le jour où la déclaration prévue au présent chapitre doit être produite pour la dernière période de déclaration de la personne qui se termine dans les deux ans suivant la fin de l'exercice de la personne qui comprend la période de déclaration donnée;

2º dans le cas où la personne n'est pas une personne déterminée durant la période de déclaration donnée, au plus tard le jour où la déclaration prévue au présent chapitre doit être produite pour la dernière période de déclaration de la personne qui se termine dans les quatre ans suivant la fin de la période de déclaration donnée;

3º dans le cas où le remboursement de la taxe sur les intrants est à l'égard d'un bien ou d'un service fourni à la personne par un fournisseur qui n'a pas, avant la fin de la dernière période de déclaration de la personne qui se termine dans les quatre ans suivant la fin de la période de déclaration donnée, exigé la taxe à l'égard de la fourniture qui est devenue payable durant la période de déclaration donnée et que le fournisseur dévoile par écrit à la personne que le ministre lui a émis un avis de cotisation à l'égard de cette taxe et que la personne paie cette taxe après la fin de cette dernière période de déclaration et avant que le remboursement de la taxe sur les intrants soit demandé par celle-ci, au plus tard le jour où la déclaration prévue au présent chapitre doit être produite pour la période de déclaration de la personne au cours de laquelle elle paie cette taxe.

Exercice d'une personne — Pour l'application du présent article et de l'article 431.1, l'exercice d'une personne correspond à son exercice au sens de l'article 458.1.

Notes historiques: L'article 431 a été remplacé par L.Q. 1997, c. 85, art. 687(1) et a effet à l'égard :

a) d'un remboursement de la taxe sur les intrants pour une période de déclaration se terminant après le 30 juin 1996;

b) d'un remboursement de la taxe sur les intrants pour une période de déclaration se terminant avant le 1er juillet 1996, autre qu'un remboursement de la taxe sur les intrants qui est demandé, dans une déclaration produite en vertu du chapitre VIII du titre I, au plus tard le 30 juin 1998;

c) d'un remboursement de la taxe sur les intrants pour une période de déclaration se terminant avant le 1er juillet 1996 qui est demandé dans une déclaration produite, en vertu du chapitre VIII du titre I, dans les circonstances décrites au paragraphe 3º du premier alinéa du nouvel article 431.

Antérieurement, cet article se lisait ainsi :

> 431. Un inscrit ne peut demander un remboursement de la taxe sur les intrants pour une période de déclaration, à moins qu'il ne le soit dans une déclaration produite en vertu du présent chapitre dans les quatre ans suivant le jour où l'inscrit est tenu de produire pour cette période la déclaration prévue au présent chapitre.

L'article 431 a été édicté par L.Q. 1991, c. 67.

Guides [art. 431]: IN-203 — Renseignements généraux sur la TVQ et la TPS/TVH.

Définitions [art. 431]: « inscrit », « période de déclaration » — 1.

Renvois [art. 431]: 424.1 (présomption de compte client); 431.1 (personne déterminée).

Jurisprudence [art. 431]: *Dolbec c. Québec (Sous-ministre du Revenu)* (21 avril 2009), 200-80-000371-037, 2009 CarswellQue 4373; *Wener c. Québec (Sous-ministre du Revenu)* (15 septembre 2004), 500-02-083850-003, 2004 CarswellQue 2793.

Lettres d'interprétation [art. 431]: 98-0103303 — Coût direct; 98-010842 — Moment d'imposition des taxes dans le commerce au détail; 99-0101339 — Interprétation relative à la TPS et à la TVQ — Institution financière aux fins de la taxe compensatoire; 12-013765-002 — Interprétation relative à la TVQ — Administration d'un hôtel par un créancier - Demande de RTI.

Concordance fédérale: LTA, par. 225(4).

431.1 « personne déterminée » — Pour l'application de l'article 431, une personne est une « personne déterminée » durant une période de déclaration de la personne si, selon le cas :

1º la personne est, durant la période de déclaration, une institution financière visée au troisième alinéa ou une personne liée à une telle institution financière;

2º le montant déterminant de la personne, tel que déterminé conformément à l'article 462, excède 6 000 000 $ pour l'exercice donné de la personne qui comprend la période de déclaration et l'exercice précédant de la personne.

Exception — Le premier alinéa ne s'applique pas à l'égard d'une personne, autre qu'une personne visée au paragraphe 1º du premier alinéa durant la période de déclaration, si elle est un organisme de bienfaisance durant la période de déclaration ou si la totalité ou la presque totalité des fournitures qu'elle a effectuées durant les deux exercices qui précèdent immédiatement l'exercice donné, à l'exclusion des fournitures de services financiers, sont des fournitures taxables.

Institutions financières visées — Les institutions financières auxquelles fait référence le présent article sont les personnes visées à la définition de l'expression « institution financière désignée » pré-

LTVQ (français)

vue à l'article 1, à l'exclusion de celles visées au paragraphe 11° de cette définition.

Notes historiques: Le paragraphe 1° du premier alinéa de l'article 431.1 a été remplacé par L.Q. 2003, c. 2, s.-par. 348(1)(1°) et cette modification a effet depuis le 1er juillet 1996. Toutefois, la référence à l'expression « organisme de bienfaisance » dans l'article 431.1 doit être lue comme si la définition des expressions « organisme de bienfaisance » et « institution publique » prévue à l'article 1, édictée par les sous-paragraphes 18° et 22° du paragraphe 1 de l'article 418 de la *Loi modifiant de nouveau la Loi sur les impôts, la Loi sur la taxe de vente du Québec et d'autres dispositions législatives* (1997, chapitre 85), était entrée en vigueur à cette date.

Antérieurement, il se lisait ainsi :

> 1° la personne est une institution financière visée au troisième alinéa durant la période de déclaration;

Le deuxième alinéa de l'article 431.1 a été remplacé par L.Q. 2003, c. 2, s.-par. 348(1)(2°) et cette modification a effet depuis le 1er juillet 1996. Toutefois, la référence à l'expression « organisme de bienfaisance » dans l'article 431.1 doit être lue comme si la définition des expressions « organisme de bienfaisance » et « institution publique » prévue à l'article 1, édictée par les sous-paragraphes 18° et 22° du paragraphe 1 de l'article 418 de la *Loi modifiant de nouveau la Loi sur les impôts, la Loi sur la taxe de vente du Québec et d'autres dispositions législatives* (1997, chapitre 85), était entrée en vigueur à cette date.

Antérieurement, il se lisait ainsi :

> Le premier alinéa ne s'applique pas à l'égard d'une personne, autre qu'une institution financière visée au troisième alinéa durant la période de déclaration, si elle est un organisme de bienfaisance durant la période de déclaration ou si la totalité ou la presque totalité des fournitures qu'elle a effectuées durant les deux exercices qui précèdent immédiatement l'exercice donné, à l'exclusion des fournitures de services financiers, sont des fournitures taxables.

Le troisième alinéa de l'article 431.1 a été remplacé par L.Q. 2012, c. 28, par. 156(1) et cette modification s'applique à compter du 1er janvier 2013. Antérieurement, il se lisait ainsi :

> Les institutions financières auxquelles réfèrent le présent article sont les personnes visées à la définition de l'expression « institution financière désignée » prévue à l'article 1, à l'exclusion de celles visées aux paragraphes 3°, 8° et 10° de cette définition.

Le troisième alinéa de l'article 431.1 a été remplacé par L.Q. 2003, c. 2, s.-par. 348(1)(2°) et cette modification a effet depuis le 1er juillet 1996. Toutefois, la référence à l'expression « organisme de bienfaisance » dans l'article 431.1 doit être lue comme si la définition des expressions « organisme de bienfaisance » et « institution publique » prévue à l'article 1, édictée par les sous-paragraphes 18° et 22° du paragraphe 1 de l'article 418 de la *Loi modifiant de nouveau la Loi sur les impôts, la Loi sur la taxe de vente du Québec et d'autres dispositions législatives* (1997, chapitre 85), était entrée en vigueur à cette date.

Antérieurement, il se lisait ainsi :

> Les institutions financières auxquelles réfèrent le présent article sont les personnes visées par la définition de l'expression « institution financière désignée » prévue à l'article 1, à l'exclusion de celles visées aux paragraphes 3°, 8° et 10° de cette définition, incluant toute personne liée à l'une de celles-ci.

L'article 431.1 a été ajouté par L.Q. 1997, c. 85, art. 688 et a effet depuis le 1er juillet 1996. Toutefois, la référence à l'expression « organisme de bienfaisance » dans l'article 431.1 doit être lue comme si la définition des expressions « organisme de bienfaisance » et « institution publique » prévue à l'article 1, édictée par L.Q. 1997, c. 85, art. 418(1)(18°), (22°) était entrée en vigueur à cette date.

Notes explicatives ARQ (PL 5, L.Q. 2012, c. 28): *Résumé* :

L'article 431.1 définit l'expression « personne déterminée » pour l'application de l'article 431 de cette loi. Cet article 431.1 est modifié pour élargir les catégories d'institutions financières pouvant être une personne déterminée.

Situation actuelle :

L'article 431.1 définit l'expression « personne déterminée » pour l'application de l'article 431 de cette loi. En vertu de l'article 431 de la LTVQ, une personne déterminée durant une période de déclaration donnée doit généralement demander un remboursement de la taxe sur les intrants pour cette période donnée au plus tard le jour où la déclaration doit être produite pour la dernière période de déclaration de la personne qui se termine dans les deux ans suivant la fin de l'exercice de la personne qui comprend la période de déclaration donnée.

L'article 431.1 ne vise que les personnes qui, en plus de satisfaire à la condition selon laquelle leur montant déterminant, déterminé en vertu de l'article 462 de la LTVQ, pour l'exercice comprenant la période de déclaration donnée excède 6 000 000 $, sont des institutions financières visées au troisième alinéa de cet article 431.1 ou des personnes liées à une telle institution.

Modifications proposées :

L'article 431.1 est modifié de façon à élargir les catégories d'institutions financières pouvant être une personne déterminée, sous réserve de la condition relative au montant déterminant. Le troisième alinéa de l'article 431.1 de la LTVQ est modifié de façon que toutes les institutions financières désignées, au sens de l'article 1 de la LTVQ, puissent être visées, sauf une institution financière visée au paragraphe 11° de la définition de l'expression « institution financière désignée » prévue à l'article 1 de cette loi (soit une société qui est réputée une institution financière en vertu du nouvel article 297.0.2.6 de la LTVQ, introduit par le présent projet de loi, c'est-à-dire une société qui a fait le choix en vertu du paragraphe 1 de l'article 150 de la *Loi sur la taxe d'accise* (Lois révisées du Canada (1985), chapitre E-15) par suite duquel certaines fournitures autrement taxables effectuées entre deux sociétés parties à ce choix sont réputées des fournitures de services financiers).

Définitions [art. 431.1]: « fourniture », « institution financière », « institution financière désignée », « institution publique », « organisme de bienfaisance », « période de déclaration », « personne », « service financier » — 1.

Renvois [art. 431.1]: 424.1 (présomption de compte client); 431 (exercice).

Lettres d'interprétation [art. 431.1]: 98-0103303 — Coût direct; 98-0108120 — Vente avec faculté de rachat; 05-0100486 — Interprétation relative à la TPS et à la TVQ — remboursement pour fiducie régie par un régime de pension interentreprises.

Concordance fédérale: LTA, par. 225(4.1).

432. Remboursement de la taxe sur les intrants — immeuble d'habitation exonéré — Un inscrit qui effectue par vente la fourniture exonérée d'un immeuble d'habitation ne peut demander un remboursement de la taxe sur les intrants à l'égard de la dernière acquisition de cet immeuble ou de l'acquisition, ou de l'apport au Québec, d'une amélioration à l'immeuble après la dernière acquisition de l'immeuble dans une déclaration produite le jour, ou après le jour, où il transfère la propriété ou la possession de l'immeuble à l'acquéreur de la fourniture.

Notes historiques: L'article 432 a été modifié par L.Q. 1994, c. 22, art. 601(1) et est réputé entré en vigueur le 1er juillet 1992. L'article 432, édicté par L.Q. 1991, c. 67, se lisait comme suit :

> 432. Un inscrit qui effectue la fourniture exonérée d'un immeuble d'habitation par vente ne peut demander un remboursement de la taxe sur les intrants à l'égard de cet immeuble dans une déclaration produite le jour, ou après le jour, où il transfère la propriété ou la possession de l'immeuble à l'acquéreur de la fourniture.

Définitions [art. 432]: « acquéreur », « fourniture », « fourniture exonérée », « immeuble d'habitation », « inscrit », « vente » — 1.

Renvois [art. 432]: 424.1 (présomption de compte client).

Lettres d'interprétation [art. 432]: 98-0103303 — Coût direct.

Concordance fédérale: LTA, par. 225(5).

433. [*Abrogé*]

Notes historiques: L'article 433 a été abrogé par L.Q. 1994, c. 22, art. 602(1) rétroactivement au 1er juillet 1992. L'article 433, édicté par L.Q. 1991, c. 67, se lisait comme suit :

> 433. La taxe nette pour une période de déclaration d'une personne qui n'est pas un inscrit et qui effectue, dans des circonstances où l'article 423 ne s'applique pas, la fourniture taxable d'un immeuble par vente au cours de cette période, correspond au total des montants dont chacun représente soit un montant devenu percevable par la personne au cours de la période au titre de la taxe prévue à l'article 16 à l'égard de la fourniture, soit un montant perçu par elle au titre de cette taxe à l'égard de la fourniture.

433.1 Définition : « fourniture déterminée » — Pour l'application des articles 433.2 à 433.15, l'expression « fourniture déterminée » signifie une fourniture taxable, à l'exclusion :

1° de la fourniture par vente d'un immeuble ou d'une immobilisation;

2° de la fourniture réputée effectuée en vertu des articles 212.2, 323.2, 323.3 ou 350.6;

3° de la fourniture à laquelle les articles 286 ou 290 s'appliquent.

4° de la fourniture réputée effectuée par un mandataire en vertu des articles 41.1 ou 41.2.

Notes historiques: Le préambule de l'article 433.1 a été remplacé par L.Q. 2001, c. 53, art. 369(1)(1°) et cette modification s'applique, aux fins du calcul de la taxe nette d'un organisme de bienfaisance, à l'égard des périodes de déclaration commençant après le 24 février 1998. Antérieurement, il se lisait ainsi :

> 433.1 Pour l'application des articles 433.2 à 433.14, l'expression « fourniture déterminée » signifie une fourniture taxable, à l'exclusion :

Le paragraphe 4° de l'article 433.1 a été ajouté par L.Q. 2001, c. 53, art. 369(1)(2°) et s'applique, aux fins du calcul de la taxe nette, à l'égard des périodes de déclaration se terminant après le 26 novembre 1997.

L'article 433.1 a été ajouté par L.Q. 1997, c. 85, art. 689(1). Cet article s'applique aux fins du calcul de la taxe nette d'un organisme de bienfaisance à l'égard d'une période de déclaration commençant après le 31 décembre 1996.

Définitions [art. 433.1]: « fourniture », « fourniture taxable », « immeuble », « immobilisation », « période de déclaration », « vente » — 1.

Renvois [art. 433.1]: 18.0.1 (calcul de la taxe — acquisition d'un bien meuble incorporel ou d'un service hors du Québec); 424.1 (présomption de compte client); 433.7 (non-application des art. 444–457.1); 433.14 (exercice).

Lettres d'interprétation: 04-0101784 — Interprétation relative à la TPS et à la TVQ — ordinateurs reconditionnés [par un organisme de bienfaisance].

Concordance fédérale: LTA, par. 225.1(1).

433.2 Taxe nette d'un organisme de bienfaisance — Sous réserve de l'article 433.9, la taxe nette pour une période de déclaration donnée d'un organisme de bienfaisance qui est un inscrit correspond au montant positif ou négatif, déterminé selon la formule suivante :

A – B.

Application — Pour l'application de cette formule :

1º la lettre A représente le total des montants suivants :

a) 60 % du total des montants, dont chacun représente un montant percevable par l'organisme de bienfaisance, qui, au cours de la période de déclaration donnée, sont devenus percevables ou ont été perçus avant qu'ils soient devenus percevables par l'organisme au titre de la taxe à l'égard des fournitures déterminées effectuées par l'organisme;

b) le total des montants devenus percevables et des montants perçus par l'organisme de bienfaisance au cours de la période de déclaration donnée au titre de la taxe à l'égard :

i. des fournitures par vente d'immeubles ou d'immobilisations effectuées par l'organisme de bienfaisance;

ii. des fournitures effectuées par l'organisme de bienfaisance auxquelles les articles 286 ou 290 s'appliquent;

iii. des fournitures effectuées pour le compte d'une autre personne pour qui l'organisme de bienfaisance agit à titre de mandataire et qui sont, selon le cas, réputées, en vertu des articles 41.1 ou 41.2, avoir été effectuées par l'organisme et non par l'autre personne ou à l'égard desquelles l'organisme a fait le choix prévu à l'article 41.0.1;

b.1) le total des montants, dont chacun représente un montant qui n'est pas visé au sous-paragraphe b), qui ont été perçus de la personne par l'organisme de bienfaisance au cours de la période de déclaration donnée au titre de la taxe alors que la personne n'avait pas à payer ce montant, qu'il ait été payé par erreur ou autrement;

c) le total des montants dont chacun représente un montant à l'égard des fournitures d'immeubles ou d'immobilisations effectuées par vente par l'organisme de bienfaisance, ou à celui-ci, qui doivent être ajoutés, en vertu des articles 446 et 449 dans le calcul de la taxe nette pour la période de déclaration donnée;

d) le montant qui doit être ajouté en vertu de l'article 473.5 dans le calcul de la taxe nette pour la période de déclaration donnée;

2º la lettre B représente le total des montants suivants :

a) les remboursements de la taxe sur les intrants de l'organisme de bienfaisance pour la période de déclaration donnée et les périodes de déclaration antérieures qui sont demandés dans la déclaration produite en vertu du présent chapitre pour la période de déclaration donnée à l'égard :

i. d'un immeuble acquis par vente par l'organisme de bienfaisance;

ii. d'un bien meuble acquis, ou apporté au Québec, par l'organisme de bienfaisance pour utilisation à titre d'immobilisation;

iii. d'une amélioration apportée à un immeuble ou une immobilisation de l'organisme de bienfaisance;

iv. d'un bien meuble corporel, autre qu'un bien visé aux sous-paragraphes ii ou iii, acquis, ou apporté au Québec, par l'organisme de bienfaisance en vue de le fournir par vente et qui est, selon le cas, fourni par une personne agissant à titre de mandataire pour l'organisme dans les circonstances pour lesquelles l'article 41.0.1 s'applique ou réputé, en vertu de l'article 41.2, avoir été fourni par un encanteur agissant à titre de mandataire pour l'organisme;

v. d'un bien meuble corporel, autre qu'un bien visé aux sous-paragraphes ii ou iii, réputé, en vertu du paragraphe 2º de l'article 327.7, avoir été acquis par l'organisme de bienfaisance et, en vertu des articles 41.1 ou 41.2, avoir été fourni par l'organisme;

b) 60 % du total des montants à l'égard des fournitures déterminées qui peuvent être déduits en vertu de l'article 449 à titre de redressements, de remboursements ou de crédits effectués par l'organisme en vertu de l'article 448 ou qui peuvent être déduits en vertu de l'article 455.1, dans le calcul de la taxe nette pour la période de déclaration donnée et qui sont demandés dans la déclaration produite en vertu du présent chapitre pour cette période de déclaration;

b.1) (*paragraphe supprimé*);

b.2) le total des montants qui peuvent, dans le calcul de la taxe nette pour la période de déclaration donnée, être déduits en vertu de l'article 449 à titre de redressements, de remboursements ou de crédits effectués par l'organisme en vertu des articles 447 ou 447.1, à l'égard des fournitures déterminées et qui sont demandés dans la déclaration produite en vertu du présent chapitre pour cette période de déclaration;

c) le total des montants à l'égard des fournitures par vente d'immeubles ou d'immobilisations effectuées par l'organisme de bienfaisance qui peuvent être déduits par l'organisme en vertu des articles 444, 449, 455 ou 455.1 dans le calcul de sa taxe nette pour la période de déclaration donnée et qui sont demandés dans la déclaration produite en vertu du présent chapitre pour cette période de déclaration;

d) le total des montants dont chacun représente un remboursement de la taxe sur les intrants, autre qu'un remboursement de la taxe sur les intrants visé au sous-paragraphe a) du paragraphe 2º du présent alinéa, de l'organisme de bienfaisance, pour une période de déclaration antérieure à l'égard de laquelle le présent article ne s'est pas appliqué aux fins du calcul de la taxe nette de l'organisme de bienfaisance, que l'organisme de bienfaisance avait le droit d'inclure dans le calcul de sa taxe nette pour cette période de déclaration antérieure et qui est demandé dans la déclaration produite en vertu du présent chapitre pour la période de déclaration donnée.

Notes historiques: Le sous-paragraphe a) du paragraphe 1º du deuxième alinéa de l'article 433.2 a été modifié par L.Q. 2001, c. 53, art. 370(1)(1º)a) et cette modification s'applique, aux fins du calcul de la taxe nette, à l'égard des périodes de déclaration se terminant après le 4 juin 1999. Antérieurement, il se lisait ainsi :

a) 60 % du total des montants devenus percevables et des montants perçus par l'organisme de bienfaisance au cours de la période de déclaration donnée au titre de la taxe à l'égard des fournitures déterminées effectuées par l'organisme;

Le sous-paragraphe iii du sous-paragraphe b) du paragraphe 1º du deuxième alinéa de l'article 433.2 a été modifié par L.Q. 2001, c. 53, art. 370(1)(1º)b) et cette modification s'applique, aux fins du calcul de la taxe nette, à l'égard des périodes de déclaration se terminant après le 26 novembre 1997. Antérieurement, il se lisait ainsi :

iii. des fournitures effectuées par l'organisme de bienfaisance à titre de mandataire pour une autre personne et à l'égard desquelles l'organisme a fait le choix prévu à l'article 41.0.1;

Le sous-paragraphe b.1) du paragraphe 1º du deuxième alinéa de l'article 433.2 a été ajouté par L.Q. 2001, c. 53, art. 370(1)(1º)c) et s'applique, aux fins du calcul de la taxe nette, à l'égard des périodes de déclaration se terminant après le 4 juin 1999.

Le sous-paragraphe c) du paragraphe 1º du deuxième alinéa de l'article 433.2 a été remplacé par L.Q. 2009, c. 5, s.-par. 659(1)(1º) et cette modification s'applique, aux fins du calcul de la taxe nette d'un organisme de bienfaisance, à l'égard d'une période de déclaration commençant après le 31 décembre 1996. Antérieurement, il se lisait ainsi :

c) les montants à l'égard des fournitures d'immeubles ou d'immobilisations effectuées par vente à l'organisme de bienfaisance qui doivent être ajoutés en vertu des articles 446 et 449 dans le calcul de la taxe nette pour la période de déclaration donnée;

LTVQ (français)

Les sous-paragraphes iv) et v) du sous-paragraphe a) du paragraphe 2° du deuxième alinéa de l'article 433.2 ont été ajoutés par L.Q. 2001, c. 53, art. 370(1)(2°)a) et s'applique, aux fins du calcul de la taxe nette pour les périodes de déclaration commençant après le 31 décembre 1996, à l'égard d'un bien qui est réputé, en vertu des articles 41.1 ou 41.2 de cette loi, avoir été fourni par un mandataire ou auquel s'applique l'article 41.0.1 de cette loi.

Le sous-paragraphe b) du paragraphe 2° du deuxième alinéa de l'article 433.2 a été remplacé par L.Q. 2001, c. 53, art. 370(1)(2°)b) et cette modification s'applique, aux fins du calcul de la taxe nette, à l'égard des périodes de déclaration se terminant après le 4 juin 1999. Antérieurement, il se lisait ainsi :

> b) 60 % du total des montants à l'égard des fournitures déterminées qui peuvent être déduits par l'organisme de bienfaisance en vertu de l'article 449 ou 455.1 dans le calcul de la taxe nette pour la période de déclaration donnée et qui sont demandés dans une déclaration produite en vertu du présent chapitre pour cette période de déclaration;

Le sous-paragraphe b.1) du paragraphe 2° du deuxième alinéa de l'article 433.2 a été supprimé par L.Q. 2009, c. 5, s.-par. 659(1)(2°) et cette suppression s'applique, aux fins du calcul de la taxe nette d'un organisme de bienfaisance, à l'égard d'une période de déclaration commençant après la dernière période de déclaration de l'organisme se terminant dans les quatre ans suivant sa période de déclaration qui comprend le 15 juillet 2002. Antérieurement, il se lisait ainsi :

> b.1) le total des montants qui peuvent être déduits par l'organisme de bienfaisance en vertu de l'article 350.42.1 dans le calcul de la taxe nette pour la période de déclaration donnée et qui sont demandés dans la déclaration produite en vertu du présent chapitre pour cette période de déclaration;

Les sous-paragraphe b.1) et b.2) du paragraphe 2° du deuxième alinéa de l'article 433.2 ont été ajoutés par L.Q. 2001, c. 53, art. 370(1)(2°)c). Le sous-paragraphe b.1) du paragraphe 2° du deuxième alinéa de l'article 433.2 s'applique à l'égard des périodes de déclaration se terminant après le 31 mars 1998. Le sous-paragraphe b.2) du paragraphe 2° du deuxième alinéa de l'article 433.2 s'applique, aux fins du calcul de la taxe nette, à l'égard des périodes de déclaration se terminant après le 4 juin 1999.

L'article 433.2 a été ajouté par L.Q. 1997, c. 85, art. 689(1). Cet article s'applique aux fins du calcul de la taxe nette d'un organisme de bienfaisance à l'égard d'une période de déclaration commençant après le 31 décembre 1996.

Notes explicatives ARQ (PL 2, L.Q. 2009, c. 5): *Résumé* :

L'article 433.2 est modifié afin de préciser que, dans le cas du recouvrement d'une mauvaise créance visée à l'article 446 de la LTVQ, l'organisme de bienfaisance est le fournisseur du bien. L'article 433.2 de la LTVQ est également modifié afin de supprimer une déduction qui n'est plus nécessaire suite aux modifications apportées en matière de contenants consignés.

Situation actuelle :

L'article 433.2 de la LTVQ prévoit une méthode simplifiée pour déterminer le montant de la taxe nette d'un organisme de bienfaisance. Selon cette méthode, le montant de la taxe nette d'un organisme de bienfaisance est déterminé suivant la formule suivante :

$$A - B.$$

Le sous-paragraphe c) de l'élémentAde cette formule fait état de sommes qu'un organisme de bienfaisance est tenu d'ajouter dans le calcul de sa taxe nette soit au titre du recouvrement d'une mauvaise créance visée à l'article 446 de la LTVQ soit au titre d'un rajustement de taxe prévu à l'article 449 de la LTVQ. Cependant, le libellé actuel du sous-paragraphe c) de l'élément A de la formule ne précise pas que le recouvrement d'une mauvaise créance fait référence à un montant relatif à une fourniture effectuée par l'organisme.

Par ailleurs, le sous-paragraphe b.1) de l'élément B de la formule prévoit qu'un organisme de bienfaisance peut demander une déduction, dans le calcul de sa taxe nette, à l'égard de la taxe incluse dans la consigne qu'il paie lorsqu'il acquiert des contenants consignés. Or, les mesures proposées dans le cadre du présent projet de loi font en sorte que le montant remboursé au titre de la consigne sur un contenant consigné ne sera plus assujetti à la taxe. Par conséquent, la déduction prévue au sous-paragraphe b.1) de l'élément B de la formule n'est plus nécessaire.

Modifications proposées :

Le sous-paragraphe c) de l'élément A de la formule prévue à l'article 433.2 de la LTVQ est modifié afin de préciser que, dans le cas du recouvrement d'une mauvaise créance visée à l'article 446, l'organisme de bienfaisance est le fournisseur du bien.

L'article 433.2 de la LTVQ est également modifié afin de supprimer le sous-paragraphe b.1) de l'élément B de la formule prévue à cet article, et ce, suite aux mesures proposées, dans le cadre du présent projet de loi, à l'égard des contenants consignés.

Guides [art. 433.2]: IN-228 — La TVQ et la TPS/TVH pour les organismes de bienfaisance.

Définitions [art. 433.2]: « fourniture », « immeuble », « immobilisation », « inscrit », « montant », « organisme de bienfaisance », « période de déclaration », « taxe » — 1; « taxe exigée non admissible au remboursement de la taxe sur les intrants » — 383; « vente » — 1.

Renvois [art. 433.2]: 18.0.1 (calcul de la taxe — acquisition d'un bien meuble incorporel ou d'un service hors du Québec); 424.1 (présomption de compte client); 428 (taxe nette); 433.1 (fourniture déterminée); 433.3 (restriction — lettre A); 433.4 (restriction — lettre B); 433.6 (restriction — lettre B); 433.7 (non-application des art. 444–457.1); 433.8 (choix de ne pas calculer la taxe nette); 433.11 (choix de ne pas calculer la taxe nette); 433.14 (exercice).

Formulaires [art. 433.2]: FP-2488, Choix ou révocation d'un choix de ne pas utiliser le calcul de la taxe nette des organismes de bienfaisance.

Lettres d'interprétation [art. 433.2]: 98-0101042 — Décision portant sur l'application de la TPS — Interprétation relative à la TVQ — Méthode simplifiée de détermination de la taxe nette réservée aux organismes de bienfaisance; 98-0107932 — Interprétation relative à la TVQ — Article 433.8 de la Loi.

Concordance fédérale: LTA, par. 225.1(2).

433.3 Restrictions. — Un montant ne doit pas être inclus dans le calcul du total visé à la lettre A de la formule prévue à l'article 433.2 pour une période de déclaration d'un organisme de bienfaisance dans la mesure où ce montant a été inclus dans ce total pour une période de déclaration antérieure de l'organisme de bienfaisance.

Notes historiques: L'article 433.3 a été ajouté par L.Q. 1997, c. 85, art. 689(1). Cet article s'applique aux fins du calcul de la taxe nette d'un organisme de bienfaisance à l'égard d'une période de déclaration commençant après le 31 décembre 1996.

Définitions [art. 433.3]: « montant », « organisme de bienfaisance », « période de déclaration » — 1.

Renvois [art. 433.3]: 18.0.1 (calcul de la taxe — acquisition d'un bien meuble incorporel ou d'un service hors du Québec); 424.1 (présomption de compte client); 433.1 (fourniture déterminée); 433.7 (non-application des art. 444–457.1); 433.14 (exercice).

Concordance fédérale: LTA, par. 225.1(3).

433.4 Restrictions — Un montant ne doit pas être inclus dans le total visé à la lettre B de la formule prévue à l'article 433.2 pour une période de déclaration donnée d'un organisme de bienfaisance dans la mesure où le montant a déjà été demandé ou inclus à titre de remboursement de la taxe sur les intrants ou de déduction dans ce total pour une période de déclaration antérieure de l'organisme.

Demande de remboursement ne satisfaisant pas les exigences documentaires — Malgré le premier alinéa et sous réserve de l'article 433.5, un montant peut être inclus dans ce total pour une période de déclaration donnée d'un organisme de bienfaisance si celui-ci n'avait pas le droit de demander le montant dans le calcul de sa taxe nette pour la période antérieure uniquement parce qu'il ne satisfaisait pas aux exigences de l'article 201 à l'égard du montant avant que la déclaration pour cette période antérieure soit produite.

Notes historiques: L'article 433.4 a été ajouté par L.Q. 1997, c. 85, art. 689(1). Cet article s'applique aux fins du calcul de la taxe nette d'un organisme de bienfaisance à l'égard d'une période de déclaration commençant après le 31 décembre 1996.

Définitions [art. 433.4]: « montant », « organisme de bienfaisance », « période de déclaration », « taxe nette » — 1.

Renvois [art. 433.4]: 18.0.1 (calcul de la taxe — acquisition d'un bien meuble incorporel ou d'un service hors du Québec); 424.1 (présomption de compte client); 433.1 (fourniture déterminée); 433.7 (non-application des art. 444–457.1); 433.14 (exercice).

Concordance fédérale: LTA, par. 225.1(4)a).

433.5 Rapport écrit de l'erreur au ministre — Pour l'application de l'article 433.4, dans le cas où un organisme de bienfaisance demande le montant dans une déclaration pour une période de déclaration donnée et que le ministre n'a pas refusé le montant à titre de remboursement de la taxe sur les intrants en déterminant le montant des droits, intérêts et pénalités dont l'organisme est redevable en vertu de la présente loi pour une période de déclaration antérieure, celui-ci doit faire rapport par écrit au ministre, au plus tard le jour où la déclaration pour la période de déclaration donnée est produite, qu'il a commis une erreur en demandant ce montant dans le calcul de sa taxe nette pour cette période antérieure.

Pénalités et intérêts — Pour l'application du premier alinéa, si l'organisme ne fait pas rapport de l'erreur au ministre au moins trois mois avant que n'expire le délai prévu au deuxième alinéa de l'article 25 de la *Loi sur l'administration fiscale* (chapitre A-6.002)pour déterminer le montant des droits, intérêts et pénalités dont l'organisme est redevable en vertu de la présente loi pour cette période antérieure, l'organisme doit, au plus tard le jour où la déclaration pour la période de déclaration donnée est produite, payer le montant ainsi que les intérêts et les pénalités exigibles au ministre.

Notes historiques: L'article 433.5 a été ajouté par L.Q. 1997, c. 85, art. 689(1). Cet article s'applique aux fins du calcul de la taxe nette d'un organisme de bienfaisance à l'égard d'une période de déclaration commençant après le 31 décembre 1996.

Définitions [art. 433.5]: « ministre », « montant », « organisme de bienfaisance », « période de déclaration » — 1.

Renvois [art. 433.5]: 18.0.1 (calcul de la taxe — acquisition d'un bien meuble incorporel ou d'un service hors du Québec); 424.1 (présomption de compte client); 433.1 (fourniture déterminée); 433.7 (non-application des art. 444–457.1); 433.14 (exercice).

Concordance fédérale: LTA, par. 225.1(4)b).

433.6 Restrictions — Un montant ne doit pas être inclus dans le total visé à la lettre B de la formule prévue à l'article 433.2 pour une période de déclaration d'un organisme de bienfaisance dans la mesure où, avant la fin de la période, le montant a été remboursé à l'organisme de bienfaisance en vertu de la présente loi ou de toute autre loi du Québec ou lui a été remis en vertu de la *Loi sur l'administration fiscale* (chapitre A-6.002).

Notes historiques: L'article 433.6 a été ajouté par L.Q. 1997, c. 85, art. 689(1). Cet article s'applique aux fins du calcul de la taxe nette d'un organisme de bienfaisance à l'égard d'une période de déclaration commençant après le 31 décembre 1996.

Définitions [art. 433.6]: « montant », « organisme de bienfaisance », « période de déclaration » — 1.

Renvois [art. 433.6]: 18.0.1 (calcul de la taxe — acquisition d'un bien meuble incorporel ou d'un service hors du Québec); 424.1 (présomption de compte client); 433.1 (fourniture déterminée); 433.7 (non-application des art. 444–457.1); 433.14 (exercice).

Concordance fédérale: LTA, par. 225.1(4.1).

433.7 Application des articles 444 à 457.1 — Les articles 444 à 457.1 ne s'appliquent pas aux fins de calculer la taxe nette d'un organisme de bienfaisance en conformité avec l'article 433.2, sauf disposition contraire des articles 433.1 à 433.15.

Notes historiques: L'article 433.7 a été remplacé par L.Q. 2001, c. 53, art. 371 et cette modification s'applique, aux fins du calcul de la taxe nette d'un organisme de bienfaisance, à l'égard des périodes de déclaration commençant après le 24 février 1998. Antérieurement, il se lisait ainsi :

> 433.7 Les articles 444 à 457.1 ne s'appliquent pas aux fins de calculer la taxe nette d'un organisme de bienfaisance en conformité avec l'article 433.2, sauf disposition contraire des articles 433.1 — 433.14.

L'article 433.7 a été ajouté par L.Q. 1997, c. 85, art. 689(1). Cet article s'applique aux fins du calcul de la taxe nette d'un organisme de bienfaisance à l'égard d'une période de déclaration commençant après le 31 décembre 1996.

Définitions [art. 433.7]: « organisme de bienfaisance » — 1.

Renvois [art. 433.7]: 18.0.1 (calcul de la taxe — acquisition d'un bien meuble incorporel ou d'un service hors du Québec); 424.1 (présomption de compte client); 433.1 (fourniture déterminée); 433.14 (exercice).

Concordance fédérale: LTA, par. 225.1(5).

433.8 Exception — choix — Dans le cas où un organisme de bienfaisance qui effectue des fournitures hors du Québec, ou des fournitures détaxées, dans le cours normal de son entreprise ou dont la totalité ou la presque totalité des fournitures sont des fournitures taxables, autres que des fournitures de services financiers, fait le choix de ne pas calculer sa taxe nette conformément à l'article 433.2, cet article ne s'applique pas à l'égard d'une période de déclaration de l'organisme de bienfaisance au cours de laquelle ce choix est en vigueur.

Notes historiques: L'article 433.8 a été remplacé par L.Q. 2001, c. 51, art. 299 et cette modification s'applique aux fins du calcul de la taxe nette d'un organisme de bienfaisance à l'égard d'une période de déclaration commençant après le 14 mars 2000. Toutefois, dans le cas où un organisme de bienfaisance a fait le choix prévu à l'article 433.8 alors que cet organisme de bienfaisance n'aurait pu faire ce choix conformément à l'article 433.8, que le paragraphe 1 remplace, le choix effectué par cet organisme de bienfaisance est réputé révoqué à compter du premier jour d'une période de déclaration commençant après le 14 mars 2000. Antérieurement, il se lisait ainsi :

> 433.8 Dans le cas où un organisme de bienfaisance qui effectue des fournitures hors du Québec, ou des fournitures détaxées, dans le cours normal de son entreprise ou dont la totalité ou la presque totalité des fournitures sont des fournitures taxables fait le choix de ne pas calculer sa taxe nette conformément à l'article 433.2, cet article ne s'applique pas à l'égard d'une période de déclaration de l'organisme de bienfaisance au cours de laquelle ce choix est en vigueur.

L'article 433.8 a été ajouté par L.Q. 1997, c. 85, art. 689(1). Cet article s'applique aux fins du calcul de la taxe nette d'un organisme de bienfaisance à l'égard d'une période de déclaration commençant après le 31 décembre 1996.

Guides [art. 433.8]: IN-203 — Renseignements généraux sur la TVQ et la TPS/TVH.

Définitions [art. 433.8]: « entreprise », « fourniture », « fourniture détaxée », « fourniture taxable », « organisme de bienfaisance », « période de déclaration », « taxe nette » — 1.

Renvois [art. 433.8]: 18.0.1 (calcul de la taxe — acquisition d'un bien meuble incorporel ou d'un service hors du Québec); 424.1 (présomption de compte client); 433.1 (fourniture déterminée); 433.7 (non-application des art. 444–457.1); 433.9 (forme et contenu du choix); 433.10 (révocation du choix); 433.11 (restriction); 433.13 (choix en vertu de 225.1(6) LTA); 433.14 (exercice).

Formulaires [art. 433.8]: FP-2488, Choix ou révocation d'un choix de ne pas utiliser le calcul de la taxe nette des organismes de bienfaisance.

Lettres d'interprétation [art. 433.8]: 98-0101042 — Décision portant sur l'application de la TPS — Interprétation relative à la TVQ — Méthode simplifiée de détermination de la taxe nette réservée aux organismes de bienfaisance.

Concordance fédérale: LTA, par. 225.1(6).

433.9 Forme et contenu du choix — Le choix prévu à l'article 433.8, effectué par un organisme de bienfaisance, doit :

1º être produit de la manière prescrite par le ministre au moyen du formulaire prescrit contenant les renseignements prescrits, au plus tard :

a) dans le cas où la première période de déclaration de l'organisme de bienfaisance dans laquelle le choix est en vigueur correspond à l'exercice de l'organisme de bienfaisance, le premier jour du deuxième trimestre d'exercice de cet exercice ou un jour ultérieur que le ministre détermine sur demande de l'organisme de bienfaisance;

b) dans tout autre cas, le jour où l'organisme de bienfaisance est tenu de produire sa déclaration en vertu du présent chapitre pour sa première période de déclaration dans laquelle le choix est en vigueur ou un jour ultérieur que le ministre détermine sur demande de l'inscrit;

2º indiquer le jour d'entrée en vigueur du choix, lequel jour doit être le premier jour d'une période de déclaration de l'organisme;

3º demeurer en vigueur tant qu'une révocation du choix ne prend effet.

Notes historiques: L'article 433.9 a été modifié par L.Q. 2004, c. 8, art. 215(1) par le remplacement dans le sous-paragraphe b) du paragraphe 1º, du mot « charité » par le mot « bienfaisance ». Cette modification s'applique aux fins du calcul de la taxe nette d'un organisme de bienfaisance à l'égard d'une période de déclaration commençant après le 31 décembre 1996.

L'article 433.9 a été ajouté par L.Q. 1997, c. 85, art. 689(1). Cet article s'applique aux fins du calcul de la taxe nette d'un organisme de bienfaisance à l'égard d'une période de déclaration commençant après le 31 décembre 1996.

Guides [art. 433.9]: IN-203 — Renseignements généraux sur la TVQ et la TPS/TVH.

Définitions [art. 433.9]: « ministre », « organisme de bienfaisance », « période de déclaration » — 1.

Renvois [art. 433.9]: 18.0.1 (calcul de la taxe — acquisition d'un bien meuble incorporel ou d'un service hors du Québec); 424.1 (présomption de compte client); 433.1 (fourniture déterminée); 433.2 (taxe nette d'un organisme de bienfaisance inscrit); 433.7 (non-application des art. 444–457.1); 433.13 (choix en vertu de 225.1(6) LTA); 433.14 (exercice); 7R78.3, 7R78.14 RAF (signature des documents par certains fonctionnaires).

Formulaires [art. 433.9]: FP-2488, Choix ou révocation d'un choix de ne pas utiliser le calcul de la taxe nette des organismes de bienfaisance.

Concordance fédérale: LTA, par. 225.1(7).

433.10 Révocation du choix — Le choix prévu à l'article 433.8 effectué par un organisme de bienfaisance peut être révoqué et cette révocation prend effet le premier jour d'une période de déclaration de l'organisme de bienfaisance, à condition que ce jour ne soit pas antérieur au premier jour d'une période de déclaration qui débute au moins un an après l'entrée en vigueur de ce choix et qu'un avis de la révocation du choix au moyen du formulaire prescrit contenant les renseignements prescrits ait été produit au ministre de la manière prescrite par ce dernier au plus tard le jour où l'organisme de bienfaisance est tenu de produire sa déclaration en vertu du présent chapitre pour sa dernière période de déclaration au cours de laquelle le choix est en vigueur.

Notes historiques: L'article 433.10 a été ajouté par L.Q. 1997, c. 85, art. 689(1). Cet article s'applique aux fins du calcul de la taxe nette d'un organisme de bienfaisance à l'égard d'une période de déclaration commençant après le 31 décembre 1996.

Définitions [art. 433.10]: « ministre », « organisme de bienfaisance », « période de déclaration » — 1.

Renvois [art. 433.10]: 18.0.1 (calcul de la taxe — acquisition d'un bien meuble incorporel ou d'un service hors du Québec); 424.1 (présomption de compte client); 433.1 (fourniture déterminée); 433.7 (non-application des art. 444–457.1); 433.13 (choix en vertu de 225.1(6) LTA); 433.14 (exercice).

Formulaires [art. 433.10]: FP-2488, Choix ou révocation d'un choix de ne pas utiliser le calcul de la taxe nette des organismes de bienfaisance .

Concordance fédérale: LTA, par. 225.1(8).

433.11 Montant relatif à une période antérieure au choix — Dans le cas où un choix en vertu de l'article 433.8 effectué par un organisme de bienfaisance entre en vigueur un jour donné, le deuxième alinéa s'applique à l'égard d'un montant, relatif à une période de déclaration se terminant avant ce jour et qui n'est pas demandé dans une déclaration produite pour une période de déclaration se terminant avant ce jour, et qui est, selon le cas :

1º un remboursement de la taxe sur les intrants;

2º relatif à une fourniture déterminée et qui peut être déduit par l'organisme de bienfaisance en vertu des articles 449 ou 455.1 dans le calcul de sa taxe nette.

Restrictions quant au remboursement de la taxe sur les intrants — Le montant ne doit pas être demandé par l'organisme de bienfaisance dans une déclaration pour une période de déclaration se terminant après ce jour sauf dans la mesure où l'organisme de bienfaisance avait le droit d'inclure ce montant dans le calcul du total représenté par la lettre B de la formule prévue à l'article 433.2 pour une période de déclaration se terminant avant ce jour.

Notes historiques: L'article 433.11 a été ajouté par L.Q. 1997, c. 85, art. 689(1). Cet article s'applique aux fins du calcul de la taxe nette d'un organisme de bienfaisance à l'égard d'une période de déclaration commençant après le 31 décembre 1996.

Renvois [art. 433.11]: 1« montant »; 1« organisme de bienfaisance »; 1« période de déclaration »; 18.0.1 (calcul de la taxe — acquisition d'un bien meuble incorporel ou d'un service hors du Québec); 424.1 (présomption de compte client); 433.1 (fourniture déterminée); 433.7 (non-application des art. 444 — 457.1); 433.14 (exercice).

Formulaires [art. 433.11]: FP-2287, Choix ou révocation du choix par les organismes de services publics d'utiliser la méthode rapide spéciale de comptabilité.

Concordance fédérale: LTA, par. 225.1(9).

433.12 Calcul simplifié du remboursement de la taxe sur les intrants — Dans le cas où un organisme de bienfaisance est une personne prescrite pour l'application de l'article 389 au cours d'une période de déclaration, tout remboursement de la taxe sur les intrants que l'organisme de bienfaisance a le droit de demander dans une déclaration pour cette période de déclaration peut être déterminé en vertu d'une méthode prescrite comme si l'organisme de bienfaisance avait effectué un choix valide en vertu de l'article 434 qui demeure en vigueur tant que l'organisme de bienfaisance est une personne prescrite.

Notes historiques: L'article 433.12 a été ajouté par L.Q. 1997, c. 85, art. 689(1). Cet article s'applique aux fins du calcul de la taxe nette d'un organisme de bienfaisance à l'égard d'une période de déclaration commençant après le 31 décembre 1996.

Guides [art. 433.12]: IN-203 — Renseignements généraux sur la TVQ et la TPS/TVH; IN-228 — La TVQ et la TPS/TVH pour les organismes de bienfaisance.

Définitions [art. 433.12]: « organisme de bienfaisance », « période de déclaration » — 1.

Renvois [art. 433.12]: 18.0.1 (calcul de la taxe — acquisition d'un bien meuble incorporel ou d'un service hors du Québec); 424.1 (présomption de compte client); 433.1 (fourniture déterminée); 433.7 (non-application des art. 444–457.1); 433.14 (exercice); 677(44.1) (règlements).

Concordance fédérale: LTA, par. 225.1(10).

433.13 Présomptions relatives au choix — Malgré les articles 433.8 à 433.10, dans le cas où un inscrit fait le choix, en vertu du paragraphe 6º de l'article 225.1 de la *Loi sur la taxe d'accise* (Lois révisées du Canada (1985), chapitre E-15), de ne pas calculer sa taxe nette conformément au paragraphe 2 de cet article, les règles suivantes s'appliquent :

1º l'inscrit n'a pas à faire le choix prévu à l'article 433.8;

2º l'inscrit est réputé avoir effectué ce choix et ce dernier est réputé :

a) entrer en vigueur le jour de l'entrée en vigueur du choix effectué en vertu du paragraphe 6º de l'article 225.1 de cette loi et demeurer en vigueur tant qu'une révocation de ce choix ne prend effet;

b) cesser d'être en vigueur le jour où la révocation de ce choix, en vertu du paragraphe 8º de l'article 225.1 de cette loi, prend effet.

Demande du ministre — Pour l'application du premier alinéa, le ministre peut exiger de l'inscrit qu'il l'informe de la manière prescrite par le ministre au moyen du formulaire prescrit contenant les renseignements prescrits et dans le délai qu'il détermine, du choix effectué en vertu du paragraphe 6º de l'article 225.1 de cette loi ou de la révocation de ce choix, le cas échéant, effectué en vertu du paragraphe 8º de l'article 225.1 de cette loi.

Notes historiques: L'article 433.13 a été ajouté par L.Q. 1997, c. 85, art. 689(1). Cet article s'applique aux fins du calcul de la taxe nette d'un organisme de bienfaisance à l'égard d'une période de déclaration commençant après le 31 décembre 1996.

Guides [art. 433.13]: IN-228 — La TVQ et la TPS/TVH pour les organismes de bienfaisance.

Définitions [art. 433.13]: « inscrit », « ministre », « période de déclaration » — 1.

Renvois [art. 433.13]: 18.0.1 (calcul de la taxe — acquisition d'un bien meuble incorporel ou d'un service hors du Québec); 424.1 (présomption de compte client); 433.1 (fourniture déterminée); 433.7 (non-application des art. 444–457.1); 433.14 (exercice).

Concordance fédérale: aucune.

433.14 Exercice d'une personne — Pour l'application des articles 433.1 à 433.13, l'exercice d'une personne correspond à son exercice au sens de l'article 458.1.

Notes historiques: L'article 433.14 a été ajouté par L.Q. 1997, c. 85, art. 689(1). Cet article s'applique aux fins du calcul de la taxe nette d'un organisme de bienfaisance à l'égard d'une période de déclaration commençant après le 31 décembre 1996.

Guides [art. 433.14]: IN-228 — La TVQ et la TPS/TVH pour les organismes de bienfaisance.

Définitions [art. 433.14]: « personne » — 1.

Renvois [art. 433.14]: 18.0.1 (calcul de la taxe — acquisition d'un bien meuble incorporel ou d'un service hors du Québec); 424.1 (présomption de compte client); 433.1 (fourniture déterminée); 433.7 (non-application des art. 444–457.1).

Concordance fédérale: aucune.

433.15 Exception — Les articles 433.1 à 433.14 ne s'appliquent pas à un organisme de bienfaisance qui est désigné en vertu des articles 350.17.1 à 350.17.4.

Notes historiques: L'article 433.15 a été ajouté par L.Q. 2001, c. 53, art. 372 et s'applique, aux fins du calcul de la taxe nette d'un organisme de bienfaisance, à l'égard des périodes de déclaration commençant après le 24 février 1998.

Guides [art. 433.15]: IN-228 — La TVQ et la TPS/TVH pour les organismes de bienfaisance.

Concordance fédérale: LTA, par. 225.1(11).

433.16 Une institution financière désignée particulière d'une catégorie prescrite doit, dans le calcul de sa taxe nette pour une période de déclaration donnée comprise dans un exercice se terminant dans son année d'imposition, ajouter le montant positif ou déduire le montant négatif, selon le cas, déterminé selon la formule suivante :

$$[(A\ B) \times C \times (D / E)]\ F + G.$$

Pour l'application de la formule prévue au premier alinéa :

1° la lettre A représente la valeur de l'élément A de la formule prévue au paragraphe 2 de l'article 225.2 de la *Loi sur la taxe d'accise* (Lois révisées du Canada (1985), chapitre E-15) déterminée pour la période donnée ou la valeur qu'aurait l'élément A de cette formule pour la période donnée si l'institution financière était également une institution financière désignée particulière pour l'application de cette loi;

2° la lettre B représente la valeur de l'élément B de la formule prévue au paragraphe 2 de l'article 225.2 de la *Loi sur la taxe d'accise* déterminée pour la période donnée ou la valeur qu'aurait l'élément B de cette formule pour la période donnée si l'institution financière était également une institution financière désignée particulière pour l'application de cette loi;

Modification proposée — 433.16, al. 2, par. 1°, 2°

Application: Les paragraphes 1° et 2° du deuxième alinéa de l'article 433.16 seront modifiés par l'art. 237 du *Projet de loi 18* (présenté le 21 février 2013) par la suppression du mot « également ». Cette modification entrera en vigueur à la date de la sanction du *Projet de loi 18*.

3° la lettre C représente le pourcentage correspondant à la valeur qu'aurait l'élément C de la formule prévue au paragraphe 2 de l'article 225.2 de la *Loi sur la taxe d'accise*, déterminée pour l'année d'imposition, pour l'institution financière quant au Québec, si le Québec était une province participante au sens du paragraphe 1 de l'article 123 de cette loi et si, le cas échéant, l'institution financière était une institution financière désignée particulière pour l'application de cette loi;

4° la lettre D représente le taux de la taxe prévu au premier alinéa de l'article 16;

5° la lettre E représente le taux de la taxe prévu au paragraphe 1 de l'article 165 de la *Loi sur la taxe d'accise*;

6° la lettre F représente le total des montants suivants :

a) l'ensemble des montants dont chacun représente la taxe, sauf un montant de taxe prescrit, prévue au premier alinéa de l'article 16 relativement à une fourniture effectuée à l'institution financière, ou prévue au premier alinéa de l'article 17, relativement à un bien corporel qu'elle a apporté au Québec en provenance de l'extérieur du Canada, qui est devenue payable par elle au cours de la période donnée ou qui a été payée par elle au cours de cette période sans qu'elle soit devenue payable;

b) lorsque l'institution financière et une autre personne ont fait le choix prévu à l'alinéa c) de l'élémentAde la formule prévue au paragraphe 2 de l'article 225.2 de la *Loi sur la taxe d'accise*, ou à l'article 433.17, relativement à une fourniture effectuée au cours de la période donnée d'un bien ou d'un service, l'ensemble des montants représentant chacun un montant égal à la taxe payable par cette autre personne en vertu du premier alinéa de l'article 16, du premier alinéa de l'article 17, ou de l'un des articles 18 et 18.0.1 qui est incluse dans le coût pour cette autre personne de la fourniture du bien ou du service à l'institution financière;

7° la lettre G représente le total des montants dont chacun représente un montant, positif ou négatif, qui est un montant prescrit.

Notes historiques: L'article 433.16 a été ajouté par L.Q. 2012, c. 28, par. 157(1) et s'applique à compter du 1er janvier 2013. Toutefois, lorsque l'article 433.16 s'applique à l'égard d'une période de déclaration donnée d'une personne qui suit immédiatement la période de déclaration qui est réputée se terminer le 31 décembre 2012 en vertu du deuxième alinéa de l'article 458.8, que l'article 180 édicte, les paragraphes 1° et 2° du deuxième alinéa de cet article 433.16 doivent se lire comme suit :

1° la lettre A représente le produit obtenu en multipliant la valeur de l'élément A de la formule prévue au paragraphe 2 de l'article 225.2 de la *Loi sur la taxe d'accise* (Lois révisées du Canada (1985), chapitre E-15) déterminée pour la période de déclaration de l'institution financière pour l'application de la partie IX de cette loi qui comprend le 1er janvier 2013, ou la valeur qu'aurait l'élément A de cette formule pour cette période de déclaration si l'institution financière était également une institution financière désignée particulière pour l'application de cette loi, par le rapport entre le nombre de jours de la période de déclaration donnée et le nombre de jours de la période de déclaration de l'institution financière pour l'application de la partie IX de cette loi qui comprend le 1er janvier 2013;

2° la lettre B représente le produit obtenu en multipliant la valeur de l'élément B de la formule prévue au paragraphe 2 de l'article 225.2 de la *Loi sur la taxe d'accise* déterminée pour la période de déclaration de l'institution financière pour l'application de la partie IX de cette loi qui comprend le 1er janvier 2013, ou la valeur qu'aurait l'élément B de cette formule pour cette période de déclaration si l'institution financière était également une institution financière désignée particulière pour l'application de cette loi, par le rapport entre le nombre de jours de la période de déclaration donnée et le nombre de jours de la période de déclaration de l'institution financière pour l'application de la partie IX de cette loi qui comprend le 1er janvier 2013;

Notes explicatives ARQ (PL 5, L.Q. 2012, c. 28): *Résumé* :

Le nouvel article 433.16 prévoit un redressement dans le calcul de la taxe nette d'une institution financière désignée particulière, de façon à pondérer ultimement la taxe de vente payable par une telle institution en fonction d'un pourcentage représentant, sommairement, l'importance de son revenu de source canadienne qui est attribuable au Québec.

Contexte :

À compter du 1er janvier 2013, la fourniture d'un service financier cesse, en règle générale, d'être détaxée et devient exonérée dans le régime de la taxe de vente du Québec (TVQ). Il en découle que les institutions financières ne pourront plus obtenir de remboursements de la taxe sur les intrants (RTI) relativement à la taxe payable ou payée par elles sans être devenue payable à l'égard des fournitures acquises en vue de rendre des services financiers.

Les institutions financières désignées particulières (IFDP) ne pourront généralement obtenir des RTI. Le nouvel article 199.0.0.1 de la LTVQ, introduit par le présent projet de loi, fera en sorte que ces institutions financières n'auront pas droit à des RTI, puisque, conformément aux règles introduites par le présent article 433.16 de la LTVQ, elles auront droit, en règle générale, dans le calcul de leur taxe nette, à une déduction spécifique au titre de la TVQ devenue payable ou payée par elles sans être devenue payable.

De façon sommaire, le redressement à apporter par une IFDP dans le calcul de sa taxe nette sera déterminé à partir du montant total de la taxe sur les produits et services (TPS) non recouvrable (soit l'excédent de la TPS — sans tenir compte alors de la composante provinciale de la taxe de vente harmonisée (TVH) — devenue payable ou payée par elle sans être devenue payable à l'égard des fournitures taxables acquises sur les crédits de taxe sur les intrants obtenus en vertu de la *Loi sur la taxe d'accise* (Lois révisées du Canada (1985), chapitre E-15) (LTA), lequel montant sera ensuite pondéré en fonction du pourcentage applicable à l'IFDP quant au Québec. Ce pourcentage a pour but de refléter l'importance de son revenu de source canadienne qui est attribuable au Québec.

Modifications proposées :

Le nouvel article 433.16 prévoit un redressement dans le calcul de la taxe nette d'une IFDP pour une période de déclaration donnée. Une IFDP doit, dans le calcul de sa taxe nette pour une période de déclaration donnée, inclure le montant positif ou déduire le montant négatif, selon le cas, obtenu selon la formule suivante prévue au premier alinéa de cet article :

$$[(A - B) \times C \times (D / E)] - F + G.$$

Les lettres A et B représentent, respectivement, la valeur des éléments A et B de la formule apparaissant au paragraphe 2 de l'article 225.2 de la LTA déterminée pour la période de déclaration donnée. Ces éléments correspondent au total de la TPS qui est devenue payable par l'institution financière au cours de la période donnée et de la TPS qu'elle a payée au cours de la période sans que celle-ci soit devenue payable, moins les crédits de taxe sur les intrants s'y rapportant.

La lettre C représente la valeur qu'aurait l'élément C de la formule apparaissant au paragraphe 2 de l'article 225.2 de la LTA, déterminée pour la période de déclaration donnée, pour l'institution financière quant au Québec si le Québec était une province participante au sens du paragraphe 1 de l'article 123 de cette loi. Ainsi, de façon générale, le pourcentage d'attribution sera similaire à celui représentant la proportion des affaires faites au Québec sur l'ensemble des affaires faites au Canada ou au Québec et ailleurs, établie conformément aux règles énoncées aux articles 771R2 à 771R28 du *Règlement sur les impôts* (R.Q., c. I-3, r. 1).

Le produit obtenu en multipliant la TPS non recouvrable en fonction du pourcentage applicable à l'institution financière quant au Québec est ensuite pondéré par le rapport entre les taux de TVQ et de TPS seulement (donc sans tenir compte de la composante provinciale de la TVH) applicables (facteur D / E).

Enfin, la dernière étape du calcul consiste à soustraire la TVQ réelle qui est devenue payable par l'institution financière au cours de la période donnée, ou qui a été payée par elle au cours de la période sans qu'elle soit devenue payable, relativement aux fournitures taxables acquises au Québec et aux biens corporels que l'institution financière a apportés au Québec en provenance de l'extérieur du Canada (lettre F) et les montants prescrits (lettre G). Sommairement, la lettre G représente certains montants qui rectifient le redressement apporté dans le calcul de la taxe nette de l'institution financière pour la période et qui ont pour but de tenir compte de circonstances particulières. Le total des montants prescrits peut être un montant positif ou négatif.

Notons que le redressement requis par l'article 433.16 est nécessaire notamment du fait que, d'une part, les IFDP n'ont pas à payer la TVQ par autocotisation selon les règles prévues à l'article 18 de cette loi en vertu du premier alinéa du nouvel article 18.0.3 de la LTVQ, introduit par le présent projet de loi, et, d'autre part, elles n'ont pas à payer par autocotisation la taxe prévue à l'article 17 de la LTVQ, relativement à l'acquisition d'une fourniture d'un bien meuble corporel au Canada mais hors du Québec, ni celle prévue à l'article 18.0.1 de la LTVQ, en vertu, respectivement, du nouvel article 17.4.1 de la LTVQ et du deuxième alinéa de cet article 18.0.3.

Concordance fédérale: LTA, par. 225.2(2).

433.17 Lorsqu'une institution financière désignée particulière n'est pas une institution financière désignée particulière pour l'application de la *Loi sur la taxe d'accise* (Lois révisées du Canada (1985), chapitre E-15), que l'institution financière et une personne, sauf une personne prescrite ou faisant partie d'une catégorie prescrite, ont fait le choix conjoint requis en vertu de l'article 297.0.2.1, elles peuvent faire le choix conjoint pour que la valeur de la lettre A de la formule prévue au premier alinéa de l'article 433.16 soit déterminée comme si l'alinéa c) de l'élément A de la formule prévue au paragraphe 2 de l'article 225.2 de la *Loi sur la taxe d'accise* s'appliquait à chaque fourniture visée à l'article 297.0.2.1 que la personne effectue à l'institution financière à un moment où le choix prévu au présent article est en vigueur.

Notes historiques: L'article 433.17 a été ajouté par L.Q. 2012, c. 28, par. 157(1) et s'applique à compter du 1er janvier 2013.

Notes explicatives ARQ (PL 5, L.Q. 2012, c. 28): *Résumé* :

Le nouvel article 433.17 porte sur le choix que peuvent faire une institution financière qui est une institution financière désignée particulière sous le régime de la taxe de vente du Québec (TVQ), mais non sous celui de la taxe sur les produits et services (TPS), et une autre personne pour que, aux fins du redressement que doit apporter l'institution financière désignée particulière dans le calcul de sa taxe nette pour une période de déclaration, les montants de taxe considérés soient ceux payables par cette autre personne sur les intrants acquis en vue d'effectuer des fournitures à l'institution financière.

Contexte :

Voir la rubrique « Contexte » de la note explicative relative au nouvel article 433.16 de la LTVQ.

Modifications proposées :

De façon sommaire, en vertu du paragraphe 1 de l'article 150 de la *Loi sur la taxe d'accise* (Lois révisées du Canada (1985), chapitre E-15) (LTA), deux sociétés membres d'un même groupe étroitement lié dont une institution financière désignée est membre peuvent faire un choix conjoint pour que certaines fournitures effectuées entre elles soient réputées des fournitures de services financiers. Le nouvel article 297.0.2.1 de la LTVQ, introduit par le présent projet de loi, fait référence à ce choix et prévoit que, lorsque ce choix est fait pour l'application de la partie IX de la LTA, un choix à cet effet doit également être fait pour les fins du régime de la TVQ.

Par conséquent, l'article 297.0.2.1 fait en sorte qu'une fourniture réputée celle d'un service financier par suite du choix fait en vertu du paragraphe 1 de l'article 150 de la LTA sera également exonérée en vertu du nouvel article 169.4 de la LTVQ, introduit par le présent projet de loi. Ainsi, une société partie à un tel choix qui effectue une fourniture réputée celle d'un service financier assume la taxe sur tous les intrants imputables à cette fourniture faite à l'autre société partie au choix et ne facture pas la taxe à cette autre société; en corollaire, la société ne peut alors demander un remboursement de la taxe sur les intrants.

Le nouvel article 433.17 permet à une institution financière, qui est une institution financière désignée particulière sous le régime de la LTVQ, mais non sous celui de la TPS, et qui a fait, conjointement avec une autre personne, le choix requis en vertu de l'article 297.0.2.1 de la LTVQ, et à cette autre personne de faire un second choix pour que le montant pris en considération dans le calcul du redressement de la taxe nette de l'institution financière en vertu du nouvel article 433.16 de la LTVQ, également introduit par le présent projet de loi, soit un montant égal à la TPS calculée sur le coût, pour l'autre personne, de la réalisation de fournitures à son profit.

Concordance fédérale: aucune; .

433.18 Le choix prévu à l'article 433.17 doit satisfaire aux conditions suivantes :

1° il doit être fait dans un document en la forme et contenant les renseignements déterminés par le ministre;

2° il doit préciser le jour de son entrée en vigueur;

3° il doit être présenté par l'institution financière au ministre selon les modalités déterminées par ce dernier au plus tard le jour où l'institution financière est tenue de produire sa déclaration en vertu du chapitre VIII pour sa période de déclaration au cours de laquelle le choix entre en vigueur ou, s'il est postérieur, le jour que détermine le ministre.

Notes historiques: L'article 433.18 a été ajouté par L.Q. 2012, c. 28, par. 157(1) et s'applique à compter du 1er janvier 2013.

Notes explicatives ARQ (PL 5, L.Q. 2012, c. 28): *Résumé* :

Le nouvel article 433.18 prévoit les modalités applicables au choix que peut faire une institution financière désignée particulière en vertu du nouvel article 433.17 de cette loi.

Contexte :

Voir la rubrique « Contexte » de la note explicative relative au nouvel article 433.16 de la LTVQ.

Modifications proposées :

En vertu de l'article 433.17, une institution financière qui est une institution financière désignée particulière sous le régime de la taxe de vente du Québec (TVQ), mais non sous celui de la taxe sur les produits et services (TPS), qui a fait, conjointement avec une autre personne, le choix requis en vertu de l'article 297.0.2.1 de la LTVQ, peut faire un second choix pour que le montant pris en considération dans le calcul du redressement de la taxe nette de l'institution financière en vertu du nouvel article 433.16 de la LTVQ, également introduit par le présent projet de loi, soit un montant égal à la TPS calculée sur le coût, pour l'autre personne, de la réalisation de fournitures au profit de l'institution financière. Le nouvel article 433.18 de la LTVQ précise comment ce choix doit être fait et les modalités qui lui sont applicables. Ainsi, ce second choix doit être produit selon la forme et contenir les renseignements déterminés par le ministre du Revenu. De plus, le document constatant le choix doit préciser la date de l'entrée en vigueur du choix et être présenté au ministre du Revenu au plus tard le jour où l'institution financière est tenue de produire sa déclaration pour la période de déclaration qui comprend la date de l'entrée en vigueur du choix.

Concordance fédérale: LTA, par. 225.2(4).

433.19 Le choix prévu à l'article 433.17 fait conjointement par l'institution financière et la personne s'applique à la période qui commence le jour précisé dans le document constatant le choix et qui se termine au premier en date des jours suivants :

1° le jour où le choix requis en vertu de l'article 297.0.2.1 fait conjointement par l'institution financière et la personne cesse d'être en vigueur;

2° le jour précisé par la personne et l'institution financière dans un avis de révocation, établi en la forme et contenant les renseignements déterminés par le ministre, qu'elles présentent conjointement au ministre selon les modalités qu'il détermine, lequel suit d'au moins 365 jours la date précisée dans le document constatant le choix prévu à l'article 433.17;

3° le jour où la personne devient une personne prescrite ou faisant partie d'une catégorie prescrite pour l'application de l'article 433.17;

4° le jour où l'institution financière cesse d'être une institution financière désignée particulière.

Notes historiques: L'article 433.19 a été ajouté par L.Q. 2012, c. 28, par. 157(1) et s'applique à compter du 1er janvier 2013.

Notes explicatives ARQ (PL 5, L.Q. 2012, c. 28): *Résumé* :

Le nouvel article 433.19 prévoit la période pour laquelle est en vigueur le choix prévu au nouvel article 433.17 de cette loi.

Contexte :

Voir la rubrique « Contexte » de la note explicative relative au nouvel article 433.16 de la LTVQ.

Modifications proposées :

En vertu du nouvel article 433.17, introduit par le présent projet de loi, une institution financière qui est une institution financière désignée particulière sous le régime de la LTVQ, mais non sous celui de la taxe sur les produits et services (TPS), qui a fait, conjointement avec une autre personne, le choix requis en vertu de l'article 297.0.2.1 de la LTVQ, peut faire un second choix pour que le montant pris en considération dans le calcul du redressement de la taxe nette de l'institution financière en vertu du nouvel article 433.16 de la LTVQ, également introduit par le présent projet de loi, soit un montant égal à la TPS calculée sur le coût, pour l'autre personne, de la réalisation de fournitures à l'institution financière. Le nouvel article 433.19 de la LTVQ précise la période pour laquelle ce second choix est en vigueur.

Ainsi, ce choix est en vigueur pour la période débutant le jour indiqué dans le document constatant le choix — cette information devant apparaître dans le document constatant le choix, comme le prévoit le nouvel article 433.18 de la LTVQ —, et se terminant le premier en date des jours suivants :

— le jour où le choix requis en vertu de l'article 297.0.2.1 de la LTVQ cesse d'être en vigueur;

— le jour où les deux personnes parties au second choix le révoquent conjointement dans un avis selon la forme et contenant les renseignements déterminés par le ministre du Revenu;

— le jour où l'autre personne avec laquelle l'institution financière a fait ce second choix devient une personne prescrite ou faisant partie d'une catégorie prescrite;

— le jour où l'institution financière cesse d'être une institution financière désignée particulière.

Concordance fédérale: aucune.

433.20 Pour le calcul du montant qu'une institution financière désignée particulière doit ajouter ou peut déduire, en application de l'article 433.16, dans le calcul de sa taxe nette, les règles suivantes s'appliquent :

1° la taxe que l'institution financière est réputée avoir payée en vertu de l'un des articles 207, 210.3, 256, 257, 264 et 265 ne doit pas être prise en considération dans le total des montants déterminé en vertu du paragraphe 6° du deuxième alinéa de l'article 433.16;

2° aucun montant de taxe payé ou payable par l'institution financière relativement à un bien ou à un service acquis ou apporté au Québec pour une fin autre que sa consommation, utilisation ou fourniture dans le cadre de son initiative au sens de l'article 42.0.1 ne doit être pris en considération dans ce calcul.

Notes historiques: L'article 433.20 a été ajouté par L.Q. 2012, c. 28, par. 157(1) et s'applique à compter du 1er janvier 2013.

Notes explicatives ARQ (PL 5, L.Q. 2012, c. 28): *Résumé* :

Le nouvel article 433.20 prévoit l'exclusion de certains montants aux fins du redressement que doit apporter une institution financière désignée particulière dans le calcul de sa taxe nette pour une période de déclaration.

Contexte :

Voir la rubrique « Contexte » de la note explicative relative au nouvel article 433.16 de la LTVQ.

Modifications proposées :

Le nouvel article 433.20 prévoit l'exclusion de certains montants aux fins du redressement que doit apporter une institution financière désignée particulière dans le calcul de sa taxe nette pour une période de déclaration conformément au nouvel article 433.16 de la LTVQ, également introduit par le présent projet de loi.

Plus précisément, l'article 433.20 fait en sorte que, pour l'application du paragraphe 6° de l'article 433.16 de cette loi, la taxe qu'une institution financière est réputée avoir payée en vertu de l'un des articles 207 (taxe réputée payée par un nouvel inscrit), 210.3 (application de l'inscription d'un exploitant d'une entreprise de taxi à d'autres activités commerciales), 256 (début d'utilisation d'un immeuble détenu à titre d'immobilisation dans le cadre d'activités commerciales), 257 (augmentation de l'utilisation d'un immeuble détenu à titre d'immobilisation dans le cadre d'activités commerciales), 264 (début de l'utilisation d'un immeuble détenu à titre d'immobilisation par un particulier dans le cadre d'activités commerciales) et 265 (hausse de l'utilisation d'un immeuble détenu à titre d'immobilisation par un particulier dans le cadre d'activités commerciales) de cette loi n'est pas considérée. Ainsi, une telle taxe réputée payée n'est pas comprise dans la valeur de la lettre F de la formule prévue au premier alinéa de l'article 433.16 de la LTVQ.

De plus, le paragraphe 2° du nouvel article 433.20 exclut du redressement de la taxe nette d'une institution financière désignée particulière prévu à l'article 433.16 de cette loi un montant de taxe payé relativement à des biens ou à des services acquis ou apportés au Québec à une fin autre que leur consommation, utilisation ou fourniture dans le cadre d'une initiative (au sens de l'article 42.0.1 de la LTVQ). Cette exclusion fait donc en sorte, par exemple, qu'un particulier qui est une institution financière désignée particulière (tel un courtier d'assurance qui opère une entreprise à propriétaire unique) n'est pas tenu d'inclure, dans le calcul du redressement à apporter dans le calcul de sa taxe nette, la taxe payée relativement à des biens ou à des services qui sont destinés à son utilisation personnelle.

Concordance fédérale: aucune.

433.21 Pour l'application de l'article 433.16, les articles 201, 202 et 426 s'appliquent à un montant compris dans le total visé au paragraphe 6° du deuxième alinéa de l'article 433.16 comme s'il s'agissait d'un remboursement de la taxe sur les intrants.

Notes historiques: L'article 433.21 a été ajouté par L.Q. 2012, c. 28, par. 157(1) et s'applique à compter du 1er janvier 2013.

Notes explicatives ARQ (PL 5, L.Q. 2012, c. 28): *Résumé* :

Le nouvel article 433.21 fait en sorte que les exigences concernant les renseignements à fournir dans une demande de remboursement de la taxe sur les intrants et celles relatives à la divulgation de la taxe s'appliquent à la déduction de montants au titre de la taxe devenue payable ou payée sans être devenue payable par une institution financière désignée particulière dans la détermination du redressement qu'elle doit apporter dans le calcul de sa taxe nette pour une période de déclaration.

Contexte :

Voir la rubrique « Contexte » de la note explicative relative au nouvel article 433.16 de la LTVQ.

Modifications proposées :

En vertu du nouvel article 199.0.0.1, introduit par le présent projet de loi, une institution financière désignée particulière n'a pas droit, en règle générale, à un remboursement de la taxe sur les intrants au titre de la taxe devenue payable par elle ou payée sans être devenue payable. Il lui est toutefois permis de déduire ces montants de taxe dans la détermination du redressement qu'elle doit apporter dans le calcul de sa taxe nette, et ce, en vertu de la lettre F de la formule prévue au premier alinéa de l'article 433.16 de la LTVQ. Bien que ces déductions ne soient pas des remboursements de la taxe sur les intrants, le nouvel article 433.21 de la LTVQ fait en sorte que les exigences concernant les renseignements à fournir dans une demande de remboursement de la taxe sur les intrants, prévues aux articles 201 et 202 de la LTVQ, et celles relatives à la divulgation de la taxe, prévues à l'article 426 de cette loi, s'appliquent à ces déductions.

Les institutions financières désignées particulières sont donc tenues de satisfaire aux exigences documentaires applicables aux demandes de remboursements de la taxe sur les intrants avant de profiter des déductions prévues au paragraphe 6° du deuxième alinéa de l'article 433.16 de la LTVQ.

Concordance fédérale: aucune.

434. Choix d'une méthode de comptabilité — Un inscrit prescrit ou un membre d'une catégorie prescrite d'inscrits, à l'exception d'un organisme de bienfaisance qui n'est pas désigné en vertu des articles 350.17.1 à 350.17.4, peut faire un choix pour que sa taxe nette pour une période de déclaration durant laquelle le choix est en vigueur soit déterminée par une méthode prescrite.

Forme et contenu — L'inscrit qui fait un choix prévu au premier alinéa doit :

1° effectuer le choix au moyen du formulaire prescrit contenant les renseignements prescrits et le produire au ministre de la manière prescrite par ce dernier;

2° indiquer le jour de l'entrée en vigueur du choix, lequel jour doit être le premier jour d'une période de déclaration de l'inscrit;

3° le produire au plus tard :

a) dans le cas où la première période de déclaration de l'inscrit dans laquelle le choix est en vigueur correspond à son exercice, le premier jour du deuxième trimestre d'exercice de cet exercice ou un jour ultérieur que le ministre détermine sur demande de l'inscrit;

b) dans tout autre cas, le jour où l'inscrit est tenu de produire sa déclaration en vertu du présent chapitre pour sa première période de déclaration dans laquelle le choix est en vigueur ou un jour ultérieur que le ministre détermine sur demande de l'inscrit.

Exercice d'une personne — Pour l'application du présent article, l'exercice d'une personne correspond à son exercice au sens de l'article 458.1.

Notes historiques: Le premier alinéa de l'article 434 a été remplacé par L.Q. 2001, c. 53, art. 373 et cette modification s'applique à l'égard d'une période de déclaration commençant après le 24 février 1998. Antérieurement, il se lisait ainsi :

> 434. Un inscrit prescrit ou un membre d'une catégorie prescrite d'inscrits, à l'exception d'un organisme de bienfaisance, peut faire un choix pour que sa taxe nette pour une période de déclaration durant laquelle le choix est en vigueur soit déterminée par une méthode prescrite.

Le premier alinéa de l'article 434 a été remplacé par L.Q. 1997, c. 85, art. 690(1) et s'applique aux fins du calcul de la taxe nette d'un organisme de bienfaisance pour une période de déclaration commençant après le 31 décembre 1996.

De plus, un choix effectué par un organisme de bienfaisance, en vertu de l'article 434 qui aurait, en faisant abstraction de cet article, été en vigueur au commencement de la première période de déclaration de l'organisme de bienfaisance commençant après le 31 décembre 1996 est réputé avoir cessé d'être en vigueur immédiatement avant cette période de déclaration.

Antérieurement, le premier alinéa de l'article 434 se lisait ainsi :

> 434. Un inscrit prescrit ou un membre d'une catégorie prescrite d'inscrits peut faire un choix pour que sa taxe nette pour une période de déclaration durant laquelle le choix est en vigueur soit déterminée par une méthode prescrite.

Les sous-paragraphes a) et b) du paragraphe 3º du deuxième alinéa de l'article 434 ont été modifiés par L.Q. 1994, c. 22, art. 603(1) et sont réputés entrés en vigueur le 1er juillet 1992. Ils se lisaient comme suit :

> a) dans le cas où la première période de déclaration de l'inscrit dans laquelle le choix est en vigueur correspond à l'année civile, le premier jour du deuxième trimestre de cette année civile ou un jour ultérieur que le ministre détermine sur demande de l'inscrit;
>
> b) dans tout autre cas, le jour où l'inscrit est tenu de produire sa déclaration en vertu du présent chapitre pour sa première période de déclaration dans laquelle le choix est en vigueur.

Le troisième alinéa de l'article 434 a été ajouté par L.Q. 1994, c. 22, art. 603(1) et est réputé entré en vigueur le 1er juillet 1992.

L'article 434 a été édicté par L.Q. 1991, c. 67.

Guides [art. 434]: IN-203 — Renseignements généraux sur la TVQ et la TPS/TVH; IN-228 — La TVQ et la TPS/TVH pour les organismes de bienfaisance; IN-307 — Le démarrage d'entreprise et la fiscalité.

Définitions [art. 434]: « inscrit », « période de déclaration », « taxe » — 1.

Renvois [art. 434]: 18.0.1 (calcul de la taxe — acquisition d'un bien meuble incorporel ou d'un service hors du Québec); 424.1 (présomption de compte client); 428 (taxe

LTVQ (français)

nette); 433.12 (organisme de bienfaisance — calcul simplifié du RTI); 435–435.3 (cessation du choix); 436 (restriction quant au remboursement de la taxe sur les intrants); 436.1 (non-application des art. 444–457.1); 677 (règlements).

Règlements [art. 434]: RTVQ, 434R1–434R12.

Formulaires [art. 434]: FP-687, Choix d'une méthode rapide spéciale de comptabilité à l'intention des organismes de services publics; FP-2074, Choix ou révocation du choix de la méthode rapide de comptabilité; FP-2287, Choix ou révocation du choix par les organismes de services publics d'utiliser la méthode rapide spéciale de comptabilité.

Lettres d'interprétation [art. 434]: 97-0107561 — Production en retard d'un choix visant la méthode de comptabilité simplifiée.

Concordance fédérale: LTA, par. 227(1),(2).

435. Cessation du choix — Le choix prévu à l'article 434 cesse d'être en vigueur le premier en date des jours suivants :

1° le premier jour de la période de déclaration de l'inscrit au cours de laquelle celui-ci cesse d'être un inscrit prescrit ou un membre d'une catégorie prescrite d'inscrits;

2° le jour de l'entrée en vigueur de la révocation du choix.

Notes historiques: Le paragraphe 2° du premier alinéa de l'article 435 a été modifié par L.Q. 1995, c. 1, art. 326(1) et cette modification a effet depuis le 1er mars 1993. Auparavant, il se lisait comme suit :

> 2° dans le cas où, au plus tard le jour où une déclaration pour une période de déclaration de l'inscrit doit être produite en vertu du présent chapitre l'inscrit produit avec cette déclaration un avis de révocation du choix au moyen du formulaire prescrit contenant les renseignements prescrits, le dernier jour de cette période de déclaration.

Le deuxième alinéa de l'article 435 a été supprimé par L.Q. 1995, c. 1, art. 326(1) et cette modification a effet depuis le 1er mars 1993. Auparavant, il se lisait comme suit :

> L'avis de révocation du choix prévu au paragraphe 2° du premier alinéa ne peut être produit avec une déclaration pour une période de déclaration de l'inscrit qui se termine dans l'année qui suit immédiatement l'entrée en vigueur du choix.

L'article 435 a été édicté par L.Q. 1991, c. 67.

Définitions [art. 435]: « inscrit », « période de déclaration » — 1.

Renvois [art. 435]: 424.1 (présomption de compte client).

Formulaires [art. 435]: VD-435, Avis de révocation du choix de la méthode rapide spéciale de comptabilité à l'intention des organismes de services publics.

Concordance fédérale: LTA, par. 227(3), 227(4), 227(4.1).

435.1 Révocation — Le choix prévu à l'article 434 effectué par un inscrit peut être révoqué par celui-ci.

Notes historiques: L'article 435.1 a été ajouté par L.Q. 1995, c. 1, art. 327(1) et a effet depuis le 1er mars 1993.

Définitions [art. 435.1]: « inscrit » — 1.

Concordance fédérale: LTA, par. 227(4).

435.2 Entrée en vigueur et validité — La révocation par l'inscrit du choix prévu à l'article 434 :

1° entre en vigueur le premier jour d'une période de déclaration de l'inscrit qui débute au moins un an après l'entrée en vigueur du choix;

2° n'est valide que si un avis de révocation est produit au ministre de la manière prescrite par ce dernier, au moyen du formulaire prescrit contenant les renseignements prescrits, au plus tard le jour où l'inscrit est tenu de produire sa déclaration en vertu du présent chapitre pour sa dernière période de déclaration dans laquelle le choix est en vigueur.

Exception — véhicule automobile — Malgré le premier alinéa, dans le cas où un inscrit prescrit effectue, selon le cas :

1° la fourniture détaxée de véhicules automobiles en vertu de l'article 197.2, la révocation du choix prévu à l'article 434 peut, à la demande de l'inscrit prescrit, entrer en vigueur le premier jour d'une période de déclaration qui comprend le 1er mai 1999;

2° la fourniture par vente au détail de véhicules automobiles, la révocation du choix prévu à l'article 434 peut, à la demande de l'inscrit prescrit, entrer en vigueur le premier jour d'une période de déclaration qui comprend le 21 février 2000.

Notes historiques: Le deuxième alinéa de l'article 435.2 a été ajouté par L.Q. 2001, c. 51, art. 300 et a effet depuis le 1er mai 1999. Toutefois, pour la période qui commence le 1er mai 1999 et qui se termine le 20 février 2000, le deuxième alinéa de l'article 435.2 doit se lire comme suit :

> Malgré le premier alinéa, dans le cas où un inscrit prescrit effectue la fourniture détaxée de véhicules automobiles en vertu de l'article 197.2, la révocation du choix prévu à l'article 434 peut, à la demande de l'inscrit prescrit, entrer en vigueur le premier jour d'une période de déclaration qui comprend le 1er mai 1999.

L'article 435.2 a été ajouté par L.Q. 1995, c. 1, art. 327(1) et a effet depuis le 1er mars 1993.

Définitions [art. 435.2]: « inscrit », « période de déclaration » — 1.

Renvois [art. 435.2]: 424.1 (présomption de compte client); 435.3 (application de 434).

Concordance fédérale: LTA, par. 227(4.1).

435.3 Exception — Dans le cas où un inscrit fait le choix prévu à l'article 434 et que, par suite de ce choix, sa taxe nette doit être déterminée conformément à des dispositions prescrites du *Règlement sur la taxe de vente du Québec*, tel qu'édicté par le décret 1607-92 du 4 novembre 1992 ou tel que modifié ou remplacé par tout décret postérieur :

1° le paragraphe 1° du deuxième alinéa de l'article 434 ne s'applique pas au choix;

2° malgré l'article 434, le choix doit être fait avant qu'une déclaration ne soit produite en vertu du présent chapitre pour la période de déclaration de l'inscrit dans laquelle le choix entre en vigueur;

3° le paragraphe 2° de l'article 435.2 ne s'applique pas à la révocation du choix.

Notes historiques: L'article 435.3 a été ajouté par L.Q. 1995, c. 1, art. 327(1) et a effet depuis le 1er mars 1993.

Définitions [art. 435.3]: « inscrit », « période de déclaration » — 1.

Renvois [art. 435.3]: 424.1 (présomption de compte client); 677 (réglements).

Concordance fédérale: LTA, par. 227(4.2).

436. Restriction quant au remboursement de la taxe sur les intrants — L'inscrit dont le choix prévu à l'article 434 cesse d'être en vigueur ne peut demander, au cours d'une période de déclaration qui commence après que le choix cesse d'être en vigueur, un remboursement de la taxe sur les intrants, autre qu'un tel remboursement prescrit, pour une période de déclaration dans laquelle le choix était en vigueur.

Notes historiques: L'article 436 a été édicté par L.Q. 1991, c. 67.

Définitions [art. 436]: « inscrit », « période de déclaration » — 1.

Renvois [art. 436]: 424.1 (présomption de compte client); 677 (règlements).

Règlements [art. 436]: RTVQ, 436R1.

Concordance fédérale: LTA, par. 227(5).

436.1 Dispositions non applicables — Les articles 444 à 457.1 ne s'appliquent pas aux fins du calcul de la taxe nette d'un inscrit pour une période de déclaration au cours de laquelle un choix effectué par l'inscrit en vertu de l'article 434 est en vigueur, sous réserve d'une disposition réglementaire adoptée en vertu de cet article.

Notes historiques: L'article 436.1 a été ajouté par L.Q. 1997, c. 85, art. 691(1) et a effet depuis le 1er juillet 1992.

Définitions [art. 436.1]: « inscrit », « période de declaration » — 1.

Renvois [art. 436.1]: 424.1 (présomption de compte client).

Concordance fédérale: LTA, par. 227(6).

§ 2. — Versement ou remboursement de la taxe nette

437. Taxe nette — Toute personne tenue de produire une déclaration en vertu du présent chapitre doit y calculer sa taxe nette pour la période de déclaration qui y est visée, sauf si elle est tenue de produire une déclaration pour cette période en vertu de l'article 470.1.

Versement — Si la taxe nette pour une période de déclaration d'une personne correspond à un montant positif, elle doit verser ce montant au ministre, sauf si elle est tenue de produire une déclaration pour cette période en vertu de l'article 470.1 :

a) dans le cas où le sous-paragraphe b) du paragraphe 1° de l'article 468 s'applique à l'égard de la période de déclaration de la personne qui est un particulier, au plus tard le 30 avril de l'année suivant la fin de la période de déclaration;

b) dans les autres cas, au plus tard le jour où elle est tenue de produire la déclaration pour cette période.

Remboursement — Si la taxe nette pour une période de déclaration d'une personne correspond à un montant négatif, elle peut demander à titre de remboursement de la taxe nette pour la période payable par le ministre :

1° si elle est une institution financière désignée particulière qui est tenue de produire une déclaration finale pour la période conformément au paragraphe 2° de l'article 470.1, le montant déterminé selon la formule suivante pour la période dans cette déclaration finale :

$$A - B;$$

2° dans les autres cas, le montant de cette taxe nette dans la déclaration relative à cette période.

Pour l'application de la formule prévue au paragraphe 1° du troisième alinéa :

1° la lettre A représente le montant, exprimé comme un nombre positif, de la taxe nette de la personne pour la période de déclaration;

2° la lettre B représente le montant que la personne demande à titre de remboursement de sa taxe nette provisoire pour la période de déclaration conformément à l'article 437.4.

Notes historiques: Le premier alinéa de l'article 437 a été remplacé par L.Q. 2012, c. 28, s.-par. 158(1)(1°) et cette modification s'applique à l'égard d'une période de déclaration qui se termine après le 31 décembre 2012. Antérieurement, il se lisait ainsi :

> 437. Toute personne tenue de produire une déclaration en vertu du présent chapitre doit y calculer sa taxe nette pour la période de déclaration qui y est visée.

Le préambule du deuxième alinéa de l'article 437 a été remplacé par L.Q. 2012, c. 28, s.-par. 158(1)(2°) et cette modification s'applique à l'égard d'une période de déclaration qui se termine après le 31 décembre 2012. Antérieurement, il se lisait ainsi :

> Si la taxe nette pour une période de déclaration d'une personne correspond à un montant positif, elle doit verser ce montant au ministre :

Le deuxième alinéa de l'article 437 a été modifié par L.Q. 1997, c. 31, art. 147 et cette modification s'applique à une période de déclaration qui commence après le 31 décembre 1994. Auparavant, cet alinéa se lisait comme suit :

> Si la taxe nette pour une période de déclaration d'une personne correspond à un montant positif, elle doit verser ce montant au ministre au plus tard le jour où elle est tenue de produire la déclaration pour cette période.

Le troisième alinéa de l'article 437 a été remplacé par L.Q. 2012, c. 28, s.-par. 158(1)(3°) et cette modification s'applique à l'égard d'une période de déclaration qui se termine après le 31 décembre 2012. Antérieurement, il se lisait ainsi :

> Si la taxe nette pour une période de déclaration d'une personne correspond à un montant négatif, elle peut demander, dans la déclaration relative à cette période, ce montant à titre de remboursement de la taxe nette, payable à la personne par le ministre.

Le quatrième alinéa de l'article 437 a été ajouté par L.Q. 2012, c. 28, s.-par. 158(1)(4°) et s'applique à l'égard d'une période de déclaration qui se termine après le 31 décembre 2012.

L'article 437 a été modifié par L.Q 1994, c. 22 art. 604(1) et est réputé entré en vigueur le 1er juillet 1992. L'article 437, édicté par L.Q. 1991, c. 67, se lisait comme suit :

> 437. Tout inscrit tenu de produire une déclaration en vertu du présent chapitre doit y calculer sa taxe nette pour la période de déclaration qui y est visée.
>
> Si la taxe nette pour une période de déclaration d'un inscrit correspond à un montant positif, il doit verser ce montant au ministre au plus tard le jour où il est tenu de produire la déclaration pour cette période.
>
> Si la taxe nette pour une période de déclaration d'un inscrit correspond à un montant négatif, il peut demander, dans la déclaration relative à cette période, ce montant à titre de remboursement de la taxe nette, payable à l'inscrit par le ministre.
>
> Les premier et deuxième alinéas s'appliquent, compte tenu des adaptations nécessaires, à la personne visée à l'article 433.

Notes explicatives ARQ (PL 5, L.Q. 2012, c. 28): *Résumé* :

L'article 437 prévoit qu'une personne tenue de produire une déclaration doit y calculer sa taxe nette. Cet article est modifié de façon à tenir compte des règles applicables à certaines institutions financières désignées particulières qui sont tenues de produire une déclaration provisoire et une déclaration finale pour une période de déclaration.

Situation actuelle :

L'article 437 prévoit qu'une personne tenue de produire une déclaration doit y calculer sa taxe nette. Le deuxième alinéa de cet article précise que si la taxe nette de la personne correspond à un montant positif, celle-ci doit verser ce montant au ministre du Revenu au plus tard le jour où elle est tenue de produire sa déclaration.

Enfin, le troisième alinéa de l'article 437 permet à une personne de demander que le montant négatif de la taxe nette pour sa période de déclaration lui soit versé par le ministre du Revenu à titre de remboursement de la taxe nette pour cette période.

Modifications proposées :

En vertu du paragraphe 1° du nouvel article 470.1, introduit par le présent projet de loi, une institution financière désignée particulière dont la période de déclaration correspond à un mois ou à un trimestre d'exercice doit produire, pour chacune de ses périodes de déclaration, une déclaration provisoire dans un délai d'un mois suivant la fin de la période de déclaration.

Le paragraphe 2° de ce nouvel article 470.1 requiert la production d'une déclaration finale par une telle institution dans les six mois suivant la fin de l'exercice dans lequel se termine la période de déclaration.

L'article 437 est modifié de façon à tenir compte des règles applicables à certaines institutions financières désignées particulières qui sont tenues de produire une déclaration provisoire et une déclaration finale pour une période de déclaration. L'obligation d'une telle institution financière désignée particulière de procéder au calcul de sa taxe nette pour une période de déclaration est prévue au nouvel article 437.1 de la LTVQ, également introduit par le présent projet loi. De même, l'obligation d'une telle institution de verser au ministre du Revenu le montant positif de sa taxe nette provisoire et de sa taxe nette finale est prévue, respectivement, au nouvel article 437.1 et au deuxième alinéa de l'article 437.3 de la LTVQ, introduits par le présent projet de loi.

Le troisième alinéa de l'article 437 est modifié et le quatrième alinéa de cet article est édicté de façon à permettre à une institution financière désignée particulière de demander le remboursement de sa taxe nette pour une période de déclaration dans sa déclaration finale pour cette période dans la mesure où elle n'a pas demandé ce montant à titre de remboursement de sa taxe nette provisoire.

Guides [art. 437]: IN-203 — Renseignements généraux sur la TVQ et la TPS/TVH; IN-256 — Aide-mémoire pour les entreprises en démarrage — Les taxes; IN-307 — Le démarrage d'entreprise et la fiscalité.

Définitions [art. 437]: « inscrit », « montant », « période de déclaration », « personne », « taxe » — 1.

Renvois [art. 437]: 406 (compensation à l'égard d'un livre); 428 (taxe nette); 441 (compensation du remboursement); 442 (remboursement d'une autre personne).

Jurisprudence [art. 437]: *9069-2674 Québec inc. c. Québec (Sous-ministre du Revenu)* (12 décembre 2008), 200-80-001737-053, 2008 CarswellQue 12461; *Québec (Sous-ministre du Revenu) c. Cun* (13 novembre 2008), 505-61-074113-069, 2008 CarswellQue 11822; *Weinstein & Gavino Fabrique et Bar à pâtes compagnie ltée c. Québec (Sous-ministre du Revenu)* (19 décembre 2007), 500-17-015442-034, 2007 CarswellQue 12599; *Rafla c. Québec (Sous-ministre du Revenu)* (17 octobre 2006), 500-09-015241-052, 2006 CarswellQue 8996; *Rebuts de l'Outaouais inc. c. Québec (Sous-ministre du Revenu)* (28 avril 2005), 550-80-000198-032, 2005 CarswellQue 2883 (C.Q.); *Elqudsi c. Québec (Sous-ministre du Revenu)* (27 octobre 2004), 500-075675-023, 2004 CarswellQue 9285; *Slater Steel inc. (Syndic de)* (18 juin 2004), 500-11-020930-034, 2003 CarswellQue 1708 (C.A.); *S.M.R.Q. c. Binette* (28 octobre 1994), 415-05-000125-947, 1994 CarswellQue 599; *Le Groupe Sport Interplus Inc. c. S.M.R.Q.* (2 juin 1994), 200-11-000517-931, 1994 CarswellQue 593.

Bulletins d'interprétation [art. 437]: TVQ. 16-7/R1 — Service de transport d'une matière en vrac; TVQ. 427-1 — Recouvrement de la taxe suite à une cotisation.

Formulaires [art. 437]: FP-500.G, Formule de déclaration (calculs détaillés) — Taxe sur les produits et services — Taxe de vente du Québec; FP-603.A, Demande de compensation de la taxe au moyen d'un remboursement; FPZ-500, Formulaire de déclaration (TPS/TVH-TVQ); FPZ-500.AR, Formulaire de déclaration (TPS/TVH-TVQ); FPZ-2500, Demande de modification d'une déclaration; VD-442.S, Demande de compensation de la TVQ au moyen d'un remboursement de TVQ; FPZ-2034.CD, Calculs détaillés (TPS/TVH-TVQ).

Lettres d'interprétation [art. 437]: 99-010706 — Loi sur les arrangements avec les créanciers des compagnies; 99-0109134 — Interprétation relative à la TPS — Interprétation relative à la TVQ — Vente sous contrôle de justice — certificats d'actions.

Concordance fédérale: LTA, par. 228(1) à (3).

437.1 Toute personne, qui est une institution financière désignée particulière, tenue de produire une déclaration provisoire en vertu de l'article 470.1 pour une période de déclaration doit, sous réserve du deuxième alinéa, calculer le montant — appelé « taxe nette provisoire » dans le présent article et dans les articles 437 et 437.2 à 437.4 — qui correspondrait à sa taxe nette pour la période si le paragraphe 3° du deuxième alinéa de l'article 433.16 se lisait comme suit :

« 3° la lettre C représente le moindre de la valeur qu'aurait l'élément C de la formule prévue au paragraphe 2 de l'article 225.2 de la *Loi sur la taxe d'accise* (Lois révisées du Canada (1985), chapitre E-15), déterminée pour l'année d'imposition, pour l'institution financière quant au Québec, ou de la valeur qu'aurait cet élément C, pour l'institution financière quant au Québec, pour l'année d'imposition précédente, si chacun de ces éléments était déterminé en conformité avec le règlement pris en vertu de cette loi pour l'application du paragraphe 2.1 de l'article 228 de cette loi en tenant compte des hypothèses suivantes :

Modification proposée — 433.16 al. 2, s.-par. 3°, préambule

« 3° la lettre C représente le moindre du pourcentage correspondant à la valeur qu'aurait l'élément C de la formule prévue au paragraphe 2 de l'article 225.2 de la *Loi sur la taxe d'accise*, déterminée pour l'année d'imposition, pour l'institution financière quant au Québec, et du pourcentage correspondant à la valeur qu'aurait cet élément C, pour l'institution financière quant au Québec, pour l'année d'imposition précédente, si chacun de ces éléments était déterminé en conformité avec le règlement pris en vertu de cette loi pour l'application du paragraphe 2.1 de l'article 228 de cette loi en tenant compte des hypothèses suivantes :

Application: Le préambule du paragraphe 3° du deuxième alinéa de l'article 433.16 de cette loi que ce premier alinéa de l'article 437.1 édicte sera remplacé par le par. 227(1) du *Projet de loi 18* (présenté le 21 février 2013) et cette modification s'appliquera à l'égard d'une période de déclaration qui se termine après le 31 décembre 2012.

a) le Québec est une province participante au sens du paragraphe 1 de l'article 123 de la *Loi sur la taxe d'accise* pour l'année d'imposition et l'année d'imposition précédente;

b) l'institution financière est une institution financière désignée particulière pour l'application de la *Loi sur la taxe d'accise* pour l'année d'imposition et l'année d'imposition précédente; ».

Lorsqu'une personne devient une institution financière désignée particulière au cours d'une période de déclaration qui se termine dans un exercice donné, la taxe nette provisoire de la personne pour chaque période de déclaration comprise dans l'exercice est le montant qui correspondrait à sa taxe nette pour la période si le paragraphe 3° du deuxième alinéa de l'article 433.16 se lisait comme suit :

« 3° la lettre C représente le pourcentage qui serait applicable à l'institution financière quant au Québec pour la période de déclaration précédente, s'il était déterminé en conformité avec le règlement pris en vertu de la *Loi sur la taxe d'accise* (Lois révisées du Canada (1985), chapitre E-15), pour l'application du paragraphe 2.2 de l'article 228 de cette loi en tenant compte des hypothèses suivantes :

a) le Québec est une province participante au sens du paragraphe 1 de l'article 123 de la *Loi sur la taxe d'accise*;

b) l'institution financière est une institution financière désignée particulière pour l'application de la *Loi sur la taxe d'accise* tout au long de la période de déclaration; ».

Notes historiques: L'article 437.1 a été ajouté par L.Q. 2012, c. 28, par. 159(1) et s'applique à l'égard d'une période de déclaration qui se termine après le 31 décembre 2012.

Notes explicatives ARQ (PL 5, L.Q. 2012, c. 28): *Résumé* :

Le nouvel article 437.1 requiert qu'une personne qui est une institution financière désignée particulière fasse le calcul du montant de sa taxe nette provisoire.

Contexte :

Voir la rubrique « Contexte » de la note explicative relative au nouvel article 433.16 de la LTVQ.

Modifications proposées :

Le premier alinéa du nouvel article 437.1 requiert qu'une personne qui est une institution financière désignée particulière dont la période de déclaration est mensuelle ou trimestrielle calcule un montant au titre de sa taxe nette provisoire pour une période de déclaration. La taxe nette provisoire d'une institution financière désignée particulière pour une période de déclaration est calculée de la même manière que sa taxe nette pour la période. Toutefois, pour les fins du calcul de la taxe nette provisoire, l'institution financière peut utiliser le pourcentage d'attribution applicable à l'institution financière quant au Québec (la lettre C de la formule prévue au premier alinéa de l'article 433.16 de la LTVQ, introduit par le présent projet de loi) ou, s'il est moins élevé, le pourcentage d'attribution qui a été ainsi déterminé pour son année d'imposition précédente pour les fins d'établir le redressement de taxe nette prévu à l'article 433.16 de la LTVQ; chacun de ces pourcentages étant déterminé en tenant compte des règles prévues dans le règlement pris en vertu de la *Loi sur la taxe d'accise* (Lois révisées du Canada (1985), chapitre E-15) (LTA) pour l'application du paragraphe 2.1 de l'article 228 de cette loi en faisant les adaptations nécessaires.

Le deuxième alinéa de l'article 437.1 prévoit une méthode transitoire pour le calcul de la taxe nette provisoire d'une institution financière pour chaque période de déclaration qui prend fin dans l'exercice au cours duquel elle est devenue une institution financière désignée particulière. En règle générale, la méthode de calcul transitoire de la taxe nette provisoire est la même que la méthode de calcul normal de cette taxe que prévoit le premier alinéa de l'article 437.1 de la LTVQ. Cependant, pour une période de déclaration prenant fin au cours d'un exercice au cours duquel la personne est devenue une institution financière désignée particulière, la taxe nette provisoire est calculée comme si le redressement de la taxe nette, prévu au nouvel article 433.16 de la LTVQ, également introduit par le présent projet de loi, était déterminé en fonction du pourcentage d'attribution applicable quant au Québec pour la période de déclaration précédente, en tenant compte des règles prévues dans le règlement pris en vertu de la LTA pour l'application du paragraphe 2.2 de l'article 228 de cette loi en faisant les adaptations nécessaires.

Concordance fédérale: aucune.

437.2 Si la taxe nette provisoire pour une période de déclaration de l'institution financière désignée particulière visée à l'article 437.1 correspond à un montant positif, elle doit verser, au plus tard le jour où elle est tenue de produire une déclaration provisoire, conformément à l'article 470.1, ce montant au ministre au titre de sa taxe nette pour cette période qu'elle est tenue de verser en vertu du sous-paragraphe a) du paragraphe 2° de l'article 437.3.

Notes historiques: L'article 437.2 a été ajouté par L.Q. 2012, c. 28, par. 159(1) et s'applique à l'égard d'une période de déclaration qui se termine après le 31 décembre 2012.

Notes explicatives ARQ (PL 5, L.Q. 2012, c. 28): *Résumé* :

Le nouvel article 437.2 prévoit que, lorsque le montant de la taxe nette provisoire d'une institution financière est un montant positif, celle-ci doit payer ce montant au ministre du Revenu.

Contexte :

Voir la rubrique « Contexte » de la note explicative relative au nouvel article 433.16 de la LTVQ.

Modifications proposées :

Le nouvel article 437.2 prévoit une méthode transitoire pour le calcul de la taxe nette provisoire d'une institution financière pour chaque période de déclaration qui prend fin dans l'exercice au cours duquel elle est devenue une institution financière désignée particulière. Cette méthode ne s'applique pas aux exercices qui commencent avant le 1er janvier 2013. En règle générale, la méthode de calcul transitoire de la taxe nette provisoire est la même que la méthode de calcul normal de cette taxe que prévoit le nouvel article 437.1 de la LTVQ, introduit par le présent projet de loi. Cependant, pour une période de déclaration prenant fin au cours d'un exercice qui commence après le 31 décembre 2012 et au cours duquel la personne est devenue une institution financière désignée particulière, la taxe nette provisoire est calculée comme si le redressement de la taxe nette, prévu au nouvel article 433.16 de la LTVQ, également introduit par le présent projet de loi, était déterminé en fonction du pourcentage d'attribution applicable quant au Québec pour la période de déclaration précédente, en tenant compte des règles prévues dans le règlement pris en vertu de la *Loi sur la taxe d'accise* (Lois révisées du Canada (1985), chapitre E-15) pour l'application du paragraphe 2.2 de l'article 228 de cette loi, compte tenu des adaptations nécessaires.

Concordance fédérale: aucune.

437.3 Une personne qui est une institution financière désignée particulière qui doit produire une déclaration finale en vertu du paragraphe 2° de l'article 470.1 pour une période de déclaration doit :

Modification proposée — 437.3 préambule

437.3 Une personne qui est une institution financière désignée particulière tenue de produire une déclaration finale en vertu de l'article 470.1 pour une période de déclaration doit :

Application: Le préambule de l'article 437.3 sera remplacé par le par. 228(1) du *Projet de loi 18* (présenté le 21 février 2013) et cette modification s'appliquera à l'égard d'une période de déclaration qui se termine après le 31 décembre 2012.

1° calculer dans sa déclaration sa taxe nette pour la période;

2° verser au ministre, au plus tard le jour où elle est tenue de produire cette déclaration, l'un ou l'autre des montants suivants :

a) le montant positif, le cas échéant, de sa taxe nette pour la période de déclaration;

b) lorsqu'elle a demandé un remboursement de la taxe nette provisoire pour la période de déclaration conformément à l'article 437.4, soit l'excédent du montant de remboursement de la taxe nette provisoire pour la période sur le montant qui représenterait celui du remboursement de la taxe nette pour la période, payable à la personne en vertu du paragraphe 1° du troisième alinéa de l'article 437 si la personne n'avait pas demandé le remboursement provisoire, soit, si sa taxe nette pour la période correspond à un montant positif, un montant correspondant à celui du remboursement de la taxe nette provisoire pour la période;

3° indiquer dans cette déclaration, le montant positif payé au titre de sa taxe nette pour la période, conformément à l'article 437.2, ou le montant négatif pour lequel elle a demandé un remboursement de la taxe nette provisoire pour la période, conformément à l'article 437.4, dans sa déclaration provisoire produite en vertu de cet article 470.1 pour la période.

Notes historiques: L'article 437.3 a été ajouté par L.Q. 2012, c. 28, par. 159(1) et s'applique à l'égard d'une période de déclaration qui se termine après le 31 décembre 2012.

Notes explicatives ARQ (PL 5, L.Q. 2012, c. 28): *Résumé* :

Le nouvel article 437.3 prévoit les montants qui doivent être indiqués par une institution financière désignée particulière dans la déclaration finale qu'elle doit produire en vertu de l'article 470.1 de la LTVQ pour une période de déclaration de même que les montants que celle-ci doit payer au ministre du Revenu par suite de la conciliation de sa taxe nette provisoire pour la période avec sa taxe nette finale pour cette période.

Contexte :

Voir la rubrique « Contexte » de la note explicative relative au nouvel article 433.16 de la LTVQ.

Modifications proposées :

En vertu du nouvel article 470.1, introduit par le présent projet de loi, une institution financière désignée particulière dont la période de déclaration est mensuelle ou trimestrielle doit produire une déclaration finale pour chaque période de déclaration faisant partie d'un exercice, et ce, dans les six mois suivant la fin de l'exercice. Le nouvel article 437.3 de la LTVQ précise les montants que l'institution financière doit indiquer dans cette déclaration finale. Ainsi, le paragraphe 1° de l'article 437.3 de la LTVQ exige que l'institution financière indique, dans sa déclaration finale, sa taxe nette pour la période de déclaration. Le paragraphe 3° de l'article 437.3 de la LTVQ requiert que l'institution financière y indique également le montant des paiements de taxe nette provisoire pour la période ou le montant demandé à titre de remboursement de la taxe nette provisoire pour cette période, selon le cas.

Le paragraphe 2° de l'article 437.3 exige d'une institution financière qu'elle verse au ministre du Revenu le montant positif, le cas échéant, de sa taxe nette pour la période de déclaration au plus tard le jour où elle est tenue de produire sa déclaration finale pour cette période en vertu de l'article 470.1 de la LTVQ. De même, ce deuxième paragraphe requiert qu'une institution financière désignée particulière paie au ministre du Revenu, également au plus tard le jour où elle est tenue de produire sa déclaration finale pour cette période en vertu de cet article 470.1, l'excédent, s'il y a lieu, du montant de remboursement de la taxe nette provisoire sur le montant qui représenterait celui du remboursement de la taxe nette, payable conformément au troisième alinéa de l'article 437 de la LTVQ, si la personne n'avait pas demandé le remboursement provisoire. Ainsi, lorsque l'institution financière a demandé un remboursement de la taxe nette provisoire qui excède le remboursement éventuel de la taxe nette finale auquel elle a droit pour la période de déclaration, l'excédent doit être restitué au ministre du Revenu.

Concordance fédérale: aucune.

Concordance fédérale: aucune.

437.4 Une personne qui est une institution financière désignée particulière peut demander le montant négatif de sa taxe nette provisoire, déterminé conformément à l'article 437.1 pour sa période de déclaration, à titre de remboursement de la taxe nette provisoire pour la période payable par le ministre, dans la déclaration provisoire pour la période qu'elle produit en vertu de l'article 470.1, pour autant que celle-ci soit produite avant le dernier jour où doit être produite la déclaration finale pour la période en vertu de cet article.

Notes historiques: L'article 437.4 a été ajouté par L.Q. 2012, c. 28, par. 159(1) et s'applique à l'égard d'une période de déclaration qui se termine après le 31 décembre 2012.

Notes explicatives ARQ (PL 5, L.Q. 2012, c. 28): *Résumé* :

Le nouvel article 437.4 permet à une institution financière désignée particulière dont la période de déclaration est mensuelle ou trimestrielle de demander, dans sa déclaration provisoire pour une période de déclaration, le montant négatif de sa taxe nette provisoire à titre de remboursement de la taxe nette provisoire, pour autant que cette déclaration soit produite avant le dernier jour où doit être produite sa déclaration finale pour cette période.

Contexte :

Voir la rubrique « Contexte » de la note explicative relative au nouvel article 433.16 de la LTVQ.

Modifications proposées :

En vertu du nouvel article 470.1, introduit par le présent projet de loi, une institution financière désignée particulière dont la période de déclaration est mensuelle ou trimestrielle doit produire une déclaration finale pour chaque période de déclaration faisant partie d'un exercice, et ce, dans les six mois suivant la fin de l'exercice. Le nouvel article 437.4 de la LTVQ permet à une telle institution financière désignée particulière de demander à titre de remboursement de la taxe nette provisoire tout montant négatif de la taxe nette provisoire pour une période de déclaration. Ce remboursement peut être demandé dans la déclaration provisoire pour la période de déclaration qu'elle doit produire en vertu de l'article 470.1 de la LTVQ, pour autant que cette déclaration soit produite avant le dernier jour où la déclaration finale doit être produite pour cette période en vertu de cet article 470.1.

438. Immeuble fourni par une personne non tenue de percevoir la taxe

— Dans le cas où la taxe prévue à l'article 16 est payable par une personne à l'égard de la fourniture d'un immeuble et que le fournisseur n'est pas tenu de percevoir ni n'est réputé avoir perçu la taxe, la personne doit payer la taxe au ministre :

1° dans le cas où la personne est un inscrit et qu'elle a acquis le bien pour utilisation ou fourniture principalement dans le cadre de ses activités commerciales, au plus tard le jour où elle est tenue de produire sa déclaration pour la période de déclaration où elle est devenue payable et faire rapport de la taxe dans cette déclaration;

2° dans les autres cas, au plus tard le dernier jour du mois suivant celui où elle est devenue payable et lui produire, de la manière prescrite par ce dernier, au moyen du formulaire prescrit contenant les renseignements prescrits, une déclaration relative à la taxe.

Notes historiques: L'article 438 a été remplacé par L.Q. 1997, c. 85, art. 692(1) et a effet depuis le 23 avril 1996. Toutefois, pour la période commençant le 23 avril 1996 et se terminant le 31 décembre 1996, le paragraphe 1° de l'article 438 doit se lire comme suit :

> 1° dans le cas où la personne est un inscrit et qu'elle a acquis le bien pour utilisation ou fourniture principalement dans le cadre de ses activités commerciales, au plus tard le jour où elle est tenue de produire sa déclaration pour la période de déclaration où elle est devenue payable et lui produire, de la manière prescrite par ce dernier, au moyen du formulaire prescrit contenant les renseignements prescrits, une déclaration relative à la taxe;

Antérieurement, cet article se lisait ainsi :

> 438. Dans le cas où la taxe prévue à l'article 16 est payable par une personne à l'égard de la fourniture d'un immeuble, autre qu'une fourniture réputée, effectuée à celle-ci dans des circonstances où l'article 423 s'applique, la personne doit payer la taxe au ministre et lui produire, de la manière prescrite par ce dernier, au moyen du formulaire prescrit contenant les renseignements prescrits, une déclaration relative à la taxe :
>
> 1° dans le cas où la personne est un inscrit et qu'elle a acquis le bien pour utilisation ou fourniture principalement dans le cadre de ses activités commerciales, au plus tard le jour où elle est tenue de produire sa déclaration pour la période de déclaration où elle est devenue payable;
>
> 2° dans les autres cas, au plus tard le dernier jour du mois suivant celui où elle est devenue payable.

L'article 438 a été modifié par L.Q. 1994, c. 22, art. 605(1) et est réputé entré en vigueur le 1er juillet 1992. L'article 438, édicté par L.Q. 1991, c. 67, se lisait comme suit :

> 438. Dans le cas où la taxe prévue à l'article 16 est payable par une personne à l'égard de la fourniture d'un immeuble par vente effectuée à celle-ci dans des circonstances où l'article 423 s'applique, la personne doit verser la taxe au ministre et lui produire, de la manière prescrite par ce dernier, au moyen du formulaire prescrit contenant les renseignements prescrits, une déclaration relative à la taxe au plus tard le dernier jour du mois suivant celui où elle est devenue payable.

Définitions [art. 438]: « acquéreur », « activité commerciale », « bien », « fourniture », « fourniture taxable », « immeuble », « inscrit », « période de déclaration », « personne », « taxe », « vente » — 1.

Renvois [art. 438]: 201 (documents); 438 (compensation du remboursement); 441 (compensation du remboursement); 442 (remboursement d'une autre personne).

Formulaires [art. 438]: FP-505, Formulaire de déclaration particulière ; FP-603.A, Demande de compensation de la taxe au moyen d'un remboursement; VD-438, Déclaration de la TVQ à payer lors de l'acquisition d'un immeuble.

Bulletins d'interprétation [art. 438]: TVQ. 16-6 — L'industrie de la construction; TVQ. 16-16/R1 — Le *Code civil du Québec* et la *Loi sur la taxe de vente du Québec*; TVQ. 16-30/R1 — Contrat de prête-nom; TVQ. 423-1/R2 — Non-perception de la taxe lors de la fourniture taxable d'un immeuble par vente à un inscrit.

Formulaires [art. 438]: VD-442.S, *Demande de compensation de la TVQ au moyen d'un remboursement de TVQ*.

Lettres d'interprétation [art. 438]: 97-0111795 — Remboursement pour habitation neuve; 99-0101362 — Décision portant sur l'application de la TPS — Interprétation relative à la TVQ — Transfert d'immeuble par le gouvernement; 06-0101904 — Interprétation relative à la TPS et à la TVQ — Perception et versement de la TPS et de la TVQ.

Concordance fédérale: LTA, par. 228(4).

438.1 Changement d'utilisation d'un véhicule automobile acquis par fourniture détaxée par un non-inscrit

438.1 Changement d'utilisation d'un véhicule automobile acquis par fourniture détaxée par un non-inscrit — Dans le cas où la taxe prévue à l'article 16 est payable par une personne en raison de l'article 287.1, la personne doit la verser au ministre et lui produire de la manière prescrite par ce dernier, au moyen du formulaire prescrit contenant les renseignements prescrits, une déclaration relative à la taxe au plus tard le dernier jour du mois suivant celui où elle est devenue payable.

Notes historiques: L'article 438.1 a été ajouté par L.Q. 2001, c. 51, art. 301 et a effet depuis le 1er mai 1999.

Concordance fédérale: aucune.

439. [*Abrogé*]

Notes historiques: L'article 439 a été abrogé par L.Q. 1995, c. 63, art. 459(1) et cette abrogation a effet depuis le 1er août 1995, sauf à l'égard de l'un des biens et services suivants, auquel cas il ne s'applique pas :

> 1° un bien meuble corporel ou un service qu'une personne a acquis par fourniture non taxable;
>
> 2° un véhicule routier qui est exempté de l'immatriculation en vertu du *Code de la sécurité routière* (L.R.Q., chapitre C-24.2) en raison de l'utilisation qu'une personne en fait et qu'elle a acquis par une fourniture effectuée autrement que dans le cadre d'une activité commerciale et à l'égard duquel l'article 289.1 s'applique.

[*N.D.L.R.* : le paragraphe d'application prévu par L.Q. 1995, c. 63, art. 459(2) b) a été modifié par L.Q. 1997, c. 85, art. 757(1) et a effet depuis le 15 décembre 1995. Antérieurement, il prévoyait ce qui suit :

> 2° un véhicule routier qui est exempté de l'immatriculation en vertu du *Code de la sécurité routière* (L.R.Q., chapitre C-24.2) en raison de l'utilisation qu'une personne en fait et qu'elle a acquis par une fourniture effectuée autrement que dans le cadre d'une activité commerciale :
>
> i. avant le 1er août 1995, dans le cas où la personne est une petite ou moyenne entreprise;
>
> ii. avant le 30 novembre 1996, dans le cas où la personne est une grande entreprise.]

L'article 439, modifié par L.Q. 1994, c. 22, art. 605(1), était réputé entré en vigueur le 1er juillet 1992. Il se lisait comme suit :

> 439. Dans le cas où la taxe prévue à l'article 16 est payable par une personne en raison de l'article 289 ou 289.1, la personne doit la verser au ministre et lui produire, de la manière prescrite par ce dernier, au moyen du formulaire prescrit contenant les renseignements prescrits, une déclaration relative à la taxe :
>
> 1° dans le cas où la personne est un inscrit, au plus tard le jour où elle est tenue de produire sa déclaration pour la période de déclaration où elle est devenue payable;
>
> 2° dans les autres cas, au plus tard le dernier jour du mois suivant celui où elle est devenue payable.

L'article 439 a été modifié par L.Q. 1993, c. 19, art. 231 pour ajouter la référence à l'article 289.1. Il s'appliquait à l'égard d'une fourniture ou d'un apport au Québec relativement auquel l'article 685 ou l'un des articles 618 à 656 de L.Q. 1991, c. 67 s'applique [*N.D.L.R.* : les articles 685 et 618 à 656 réfèrent à des dispositions transitoires concernant les transferts avant le 1er juillet 1992]. L'article 439 a été édicté par L.Q. 1991, c. 67 et il se lisait comme suit :

> 439. Dans le cas où la taxe prévue à l'article 16 est payable par une personne en raison de l'article 289 ou 289.1, la personne doit la verser au ministre et lui produire, de la manière prescrite par ce dernier, au moyen du formulaire prescrit contenant les renseignements prescrits, une déclaration relative à la taxe au plus tard le dernier jour du mois suivant celui où elle est devenue payable.

440. [*Abrogé*]

Notes historiques: L'article 440 a été abrogé par L.Q. 1994, c. 22, art. 606(1) rétroactivement au 1er juillet 1992. L'article 440, édicté par L.Q. 1991, c. 67, se lisait comme suit :

> 440. Une personne qui n'est pas un inscrit et qui est tenue de percevoir la taxe prévue à l'article 16 ou qui perçoit des montants au titre de cette taxe au cours d'une période de déclaration, doit verser le montant de sa taxe nette pour cette période au ministre au plus tard le jour où elle est tenue de produire sa déclaration pour cette période.

441. Compensation de remboursement

441. Compensation de remboursement — Dans le cas où, à un moment quelconque, une personne produit une déclaration donnée, conformément au présent titre, dans laquelle la personne fait rapport d'un montant — appelé « versement » dans le présent article — qu'elle est tenue de verser, en vertu du deuxième alinéa de l'un des articles 437 et 437.3, ou de payer, en vertu des articles 17, 18, 18.0.1, 437.2 ou 438, et qu'elle demande un remboursement auquel elle a droit à ce moment en vertu du présent titre, dans la déclaration donnée, dans une autre déclaration ou dans une demande produite conformément au présent titre avec la déclaration donnée, la personne est réputée avoir versé à ce moment, au titre de son versement, et le ministre est réputé avoir payé à ce moment, à titre de remboursement, un montant égal au moindre du versement ou du montant du remboursement.

Modification proposée — 441

441. Compensation de remboursement — Dans le cas où, à un moment quelconque, une personne produit une déclaration donnée, conformément au présent titre, dans laquelle la personne fait rapport d'un montant — appelé « versement » dans le présent article — qu'elle est tenue de verser, en vertu du deuxième alinéa de l'article 437 ou de l'article 437.3, ou de payer, en vertu des articles 17, 18, 18.0.1, 437.2 ou 438, et qu'elle demande un remboursement auquel elle a droit à ce moment en vertu du présent titre, dans la déclaration donnée, dans une autre déclaration ou dans une demande produite conformément au présent titre avec la déclaration donnée, la personne est réputée avoir versé à ce moment, au titre de son versement, et le ministre est réputé avoir payé à ce moment, à titre de remboursement, un montant égal au moindre du versement et du montant du remboursement.

Application: L'article 441 sera remplacé par le par. 229(1) du *Projet de loi 18* (présenté le 21 février 2013) et cette modification s'appliquera à l'égard d'une période de déclaration qui se termine après le 31 décembre 2012.

Notes historiques: L'article 441 a été remplacé par L.Q. 2012, c. 28, par. 160(1) et cette modification s'applique à l'égard d'une période de déclaration qui se termine après le 31 décembre 2012. Antérieurement, il se lisait ainsi :

> 441. Dans le cas où, à un moment quelconque, une personne produit une déclaration donnée, conformément au présent titre, dans laquelle la personne fait rapport d'un montant — appelé « versement » dans le présent article — qu'elle est tenue de verser, en vertu du deuxième alinéa de l'article 437, ou de payer, en vertu des articles 17, 18, 18.0.1 ou 438, et qu'elle demande un remboursement auquel elle a droit à ce moment en vertu du présent titre, dans la déclaration donnée, dans une autre déclaration ou dans une demande produite conformément au présent titre avec la déclaration donnée, la personne est réputée avoir versé à ce moment, au titre de son versement, et le ministre est réputé avoir payé à ce moment, à titre de remboursement, un montant égal au moindre du versement ou du montant du remboursement.

L'article 441 a été remplacé par L.Q. 1997, c. 85, art. 693(1) et a effet depuis le 23 avril 1996. Toutefois, pour la période qui débute le 23 avril 1996 et qui se termine le 31 mars 1997, l'article 441 doit être lu en faisant abstraction de « ,18.0.1 ».

L'article 441, édicté par L.Q. 1991, c. 67, se lisait antérieurement ainsi :

> 441. Dans le cas où, à un moment quelconque, une personne produit une déclaration donnée, conformément au présent titre, pour une période de déclaration au cours de laquelle il est établi que la personne est tenue de verser, en vertu du deuxième alinéa de l'article 437 ou de l'article 438, un montant de taxe — appelé « versement » dans le présent article — et qu'elle produit avec celle-ci une autre déclaration, conformément au présent titre, dans laquelle elle demande un remboursement auquel elle a droit à ce moment en vertu du présent titre, les règles suivantes s'appliquent :

1º pour l'application du deuxième alinéa de l'article 437 et de l'article 438, la personne est réputée avoir versé à ce moment, au titre de son versement, le moindre du versement ou du montant du remboursement;

2º si la personne demande dans l'autre déclaration un remboursement, autre qu'un remboursement prévu à la section I du chapitre septième, elle est réputée, pour l'application de l'article 201, avoir produit la déclaration donnée avant l'autre déclaration et le ministre est réputé, lui avoir payé à ce moment un montant à titre de remboursement égal au moindre du versement ou du remboursement auquel elle a droit et qui est visé dans le présent paragraphe;

3º si la personne demande dans l'autre déclaration un remboursement prévu à la section I du chapitre septième, le ministre est réputé, pour l'application de cette section, lui avoir payé à ce moment un montant à titre de remboursement égal au moindre des montants suivants :

a) le montant qui correspond au remboursement auquel elle a droit qui est visé au présent paragraphe;

b) le montant qui correspond à l'excédent du remboursement auquel elle a droit et qui est visé au présent paragraphe sur l'excédent du versement sur le remboursement demandé qui est visé au paragraphe 2º.

Notes explicatives ARQ (PL 5, L.Q. 2012, c. 28): *Résumé* :

L'article 441 prévoit un mécanisme de compensation entre un montant de taxe qu'une personne est tenue de verser et un remboursement auquel elle a droit. Cet article est modifié de façon à tenir compte des nouvelles dispositions prévoyant le versement de montants par une institution financière désignée particulière et le droit au remboursement d'un montant pour une telle institution relativement à sa taxe nette pour une période de déclaration.

Situation actuelle :

L'article 441 prévoit qu'une personne, qui produit deux déclarations au même moment, peut réduire la taxe à verser en vertu d'une déclaration du montant du remboursement qu'elle demande dans l'autre déclaration, le cas échéant. On évite ainsi que la personne qui a droit à un remboursement dans une déclaration soit tenue de verser la taxe qu'elle doit payer en vertu de l'autre déclaration.

Modifications proposées :

L'article 441 fait référence à des dispositions en vertu desquelles des montants doivent être versés ou payés. Cet article est modifié de façon à ajouter des renvois aux nouveaux articles 437.2 et 437.3 de la LTVQ, introduits par le présent projet de loi. Ces nouveaux articles prévoient le versement de montants par une institution financière désignée particulière et le droit pour celle-ci à un remboursement lors de la production de sa déclaration provisoire et de sa déclaration finale.

Guides [art. 441]: IN-203 — Renseignements généraux sur la TVQ et la TPS/TVH; IN-307 — Le démarrage d'entreprise et la fiscalité.

Définitions [art. 441]: « montant », « période de déclaration », « personne », « taxe » — 1.

Bulletins d'interprétation [art. 441]: TVQ. 223-2/R2 — Mesure d'assouplissement relative à la fourniture à soi-même d'un immeuble d'habitation.

Jurisprudence: *Chowieri c. Québec (Sous-ministre du Revenu)* (9 juillet 2004), 550-02-015200-025, 2004 CarswellQue 1860.

Concordance fédérale: LTA, par. 228(6).

442. Remboursement d'une autre personne — Une personne peut, dans des circonstances prescrites et sous réserve des conditions et des règles prescrites, réduire ou compenser la taxe qu'elle est tenue, à un moment quelconque, de verser en vertu du deuxième alinéa des articles 437 et 437.3 ou de payer en vertu des articles 17, 18, 18.0.1, 437.2 ou 438, du montant de tout remboursement auquel une autre personne peut avoir droit à ce moment en vertu du présent titre.

Modification proposée — 442

442. Remboursement d'une autre personne — Une personne peut, dans des circonstances prescrites et sous réserve des conditions et des règles prescrites, réduire ou compenser la taxe qu'elle est tenue, à un moment quelconque, de verser en vertu du deuxième alinéa de l'article 437 ou de l'article 437.3 ou de payer en vertu des articles 17, 18, 18.0.1, 437.2 ou 438, du montant de tout remboursement auquel une autre personne peut avoir droit à ce moment en vertu du présent titre.

Application: L'article 442 sera remplacé par le par. 229(1) du *Projet de loi 18* (présenté le 21 février 2013) et cette modification s'appliquera à l'égard d'une période de déclaration qui se termine après le 31 décembre 2012.

Notes historiques: L'article 442 a été remplacé par L.Q. 2012, c. 28, par. 160(1) et cette modification s'applique à l'égard d'une période de déclaration qui se termine après le 31 décembre 2012. Antérieurement, il se lisait ainsi :

442. Une personne peut, dans des circonstances prescrites et sous réserve des conditions et des règles prescrites, réduire ou compenser la taxe qu'elle est tenue, à un moment quelconque, de verser en vertu du deuxième alinéa de l'article 437 ou de payer en vertu des articles 17, 18, 18.0.1 ou 438, du montant de tout remboursement auquel une autre personne peut avoir droit à ce moment en vertu du présent titre.

L'article 442 a été remplacé par L.Q. 1997, c. 85, art. 693(1) et a effet depuis le 23 avril 1996. Toutefois, pour la période qui débute le 23 avril 1996 et qui se termine le 31 mars 1997, l'article 442 doit être lu en faisant abstraction de « ,18.0.1 ».

L'article 442, édicté par L.Q. 1991, c. 67, se lisait antérieurement ainsi :

442. Une personne peut, dans des circonstances prescrites et sous réserve des conditions et des règles prescrites, réduire ou compenser la taxe qu'elle est tenue de verser à un moment quelconque en vertu du deuxième alinéa de l'article 437 et de l'article 438, du montant de tout remboursement auquel une autre personne peut avoir droit à ce moment en vertu du présent titre.

Notes explicatives ARQ (PL 5, L.Q. 2012, c. 28): *Résumé* :

L'article 442 permet à une personne, dans des circonstances prescrites et sous réserve de conditions et de règles également prescrites, de réduire sa taxe payable à un moment donné d'un montant de remboursement de la taxe auquel une autre personne a droit. Cet article est modifié de façon à tenir compte des nouvelles dispositions prévoyant le versement d'un montant par une institution financière désignée particulière de même que le droit au remboursement d'un montant pour une telle institution, relativement à sa taxe nette pour une période de déclaration.

Situation actuelle :

L'article 442 permet à une personne, dans des circonstances prescrites et sous réserve de conditions et de règles également prescrites, de réduire sa taxe payable à un moment donné d'un montant de remboursement de taxe auquel une autre personne a droit.

Modifications proposées :

L'article 442 fait référence à des dispositions en vertu desquelles des montants doivent être versés ou payés. Cet article est modifié de façon à ajouter des renvois aux nouveaux articles 437.2 et 437.3 de la LTVQ, introduits par le présent projet de loi. Ces nouveaux articles prévoient le versement de montants par une institution financière désignée particulière et le droit pour celle-ci de demander le remboursement d'un montant lors de la production de sa déclaration provisoire et de sa déclaration finale, conformément au nouvel article 470.1 de la LTVQ, également introduit par le présent projet de loi.

Définitions [art. 442]: « montant », « personne », « taxe » — 1.

Renvois [art. 442]: 677 (règlements).

Règlements [art. 442]: RTVQ, 442R1–442R5.

Formulaires [art. 442]: VD-442.S, Demande de compensation de la taxe au moyen d'un remboursement de TVQ.

Jurisprudence: *Slater Steel inc. (Syndic de)* (18 juin 2004), 500-11-020930-034, 2003 CarswellQue 1708 (C.A.).

Concordance fédérale: LTA, par. 228(7).

443. Paiement du remboursement de la taxe nette — Le ministre doit payer avec diligence le remboursement de la taxe nette payable à une personne qui le demande dans une déclaration qu'elle est tenue de produire en vertu du présent chapitre.

Notes historiques: L'article 443 a été modifié par L.Q 1994, c. 22, art. 607(1) et est réputé entré en vigueur le 1er juillet 1992. L'article 443, édicté par L.Q. 1991, c. 67, se lisait comme suit :

443. Le ministre doit payer avec diligence le remboursement de la taxe nette payable à un inscrit qui le demande dans une déclaration qu'il est tenu de produire en vertu du présent chapitre.

Guides [art. 443]: IN-203 — Renseignements généraux sur la TVQ et la TPS/TVH.

Définitions [art. 443]: « personne », « taxe » — 1.

Renvois [art. 443]: 437 al. 3 (remboursement de taxe nette).

Jurisprudence [art. 443]: *Slater Steel inc. (Syndic de)* (18 juin 2004), 500-11-020930-034, 2003 CarswellQue 1708 (C.A.); *S.M.R.Q. c. Sioui* (11 décembre 1996), 200-09-000352-952, 1996 CarswellQue 1066; *Sioui c. Québec (Sous-ministre du Revenu)* (26 mai 1995), 200-05-001060-933, 1995 CarswellQue 439.

Concordance fédérale: LTA, par. 229(1).

443.1 Définition — Pour l'application de la présente sous-section, l'expression « déclarant » d'une fourniture signifie :

1º dans le cas où un choix a été effectué en vertu de l'article 41.0.1 à l'égard de la fourniture, la personne qui est tenue, en vertu de cet

LTVQ (français)

article, d'inclure la taxe percevable à l'égard de la fourniture dans le calcul de sa taxe nette;

2° dans tout autre cas, le fournisseur.

Notes historiques: L'article 443.1 a été ajouté par L.Q. 2009, c. 5, par. 660(1) et a effet depuis le 24 avril 1996.

Notes explicatives ARQ (PL 2, L.Q. 2009, c. 5): *Résumé* :

L'article 443.1 est ajouté pour définir le terme « déclarant » utilisé pour l'application de la sous-section 3 relative aux mauvaises créances.

Contexte :

L'article 444 permet actuellement au fournisseur de déduire, dans le calcul de sa taxe nette pour une période de déclaration donnée, un montant à l'égard de la contrepartie et de la taxe relatives à une fourniture taxable devenues une mauvaise créance.

L'article 444 est modifié afin de permettre la déduction au mandataire lorsque le fournisseur et son mandataire ont fait, en vertu de l'article 41.0.1 de la LTVQ, le choix de confier au mandataire la tâche de déclarer la taxe percevable relativement à une fourniture effectuée par le fournisseur.

Modifications proposées :

L'article 443.1 de la LTVQ est ajouté de façon à définir la notion de « déclarant ».

Lorsqu'un choix a été effectué en vertu de l'article 41.0.1 de la LTVQ, le déclarant est la personne tenue d'inclure la taxe percevable à l'égard de la fourniture, dans le calcul de sa taxe nette. Dans les autres cas, le déclarant est le fournisseur.

Le déclarant est la personne qui pourra demander une déduction pour mauvaise créance en vertu de l'article 444 de la LTVQ.

Concordance fédérale: aucune.

§ 3. — Mauvaise créance

444. Règle générale — Dans le cas où un fournisseur a effectué pour une contrepartie une fourniture taxable, autre qu'une fourniture détaxée, à un acquéreur avec lequel il n'a aucun lien de dépendance, qu'il est établi que tout ou partie du total de la contrepartie et de la taxe payable à l'égard de la fourniture est devenu une mauvaise créance et que le fournisseur, à un moment quelconque, radie la mauvaise créance de ses livres de comptes, le déclarant de la fourniture peut, dans le calcul de sa taxe nette pour la période de déclaration où la mauvaise créance est radiée ou pour une période de déclaration subséquente, déduire le montant déterminé selon la formule prévue au deuxième alinéa.

Le montant que peut déduire le déclarant en vertu du premier alinéa est déterminé selon la formule suivante :

$$A \times \frac{B}{C}.$$

Application — Pour l'application de cette formule :

1° la lettre A représente la taxe payable à l'égard de la fourniture;

2° la lettre B représente le total de la contrepartie et de la taxe demeurant impayé à l'égard de la fourniture qui a été radié à ce moment à titre de mauvaise créance;la lettre B représente le total de la contrepartie et de la taxe demeurant impayé à l'égard de la fourniture qui a été radié à titre de mauvaise créance;

3° la lettre C représente le total de la contrepartie et de la taxe payable à l'égard de la fourniture.

Notes historiques: Le paragraphe 2° du troisième alinéa de l'article 444 a été remplacé par L.Q. 2001, c. 53, art. 374 et cette modification s'applique à l'égard du calcul de la taxe nette pour toute période de déclaration pour laquelle une déclaration est produite après le 23 avril 1996. Antérieurement, il se lisait ainsi :

> 2° la lettre B représente le total de la contrepartie et de la taxe demeurant impayé à l'égard de la fourniture qui a été radiée à titre de mauvaise créance;

L'article 444 a été remplacé par L.Q. 2009, c. 5, par. 661(1) et cette modification s'applique à l'égard d'une fourniture effectuée après le 23 avril 1996. Antérieurement, il se lisait ainsi :

> 444. Une personne qui effectue pour une contrepartie une fourniture taxable, autre qu'une fourniture détaxée, à un acquéreur avec lequel elle n'a aucun lien de dépendance, peut, dans la mesure où il est établi que la contrepartie et la taxe payables à l'égard de la fourniture sont devenues en totalité ou en partie une mauvaise créance, déduire, dans le calcul de la taxe nette pour sa période de déclaration où la mauvaise créance est radiée de ses livres de comptes ou pour une période de déclaration subséquente, le montant déterminé selon la formule prévue au deuxième alinéa si, à la fois :
>
> 1° la personne a fait rapport de la taxe percevable à l'égard de la fourniture dans la déclaration produite en vertu du présent chapitre pour la période de déclaration où la taxe est devenue payable;
>
> 2° la personne a, le cas échéant, versé la totalité de la taxe nette à verser selon cette déclaration.
>
> Le montant que peut déduire la personne en vertu du premier alinéa est déterminé selon la formule suivante :
>
> $$A \times \frac{B}{C}.$$
>
> Pour l'application de cette formule :
>
> 1° la lettre A représente la taxe payable à l'égard de la fourniture;
>
> 2° la lettre B représente le total de la contrepartie et de la taxe demeurant impayé à l'égard de la fourniture qui a été radié à titre de mauvaise créance;
>
> 3° la lettre C représente le total de la contrepartie et de la taxe payable à l'égard de la fourniture.

L'article 444 a été remplacé par L.Q. 1997, c. 85, art. 694(1) et s'applique à l'égard du calcul de la taxe nette pour toute période de déclaration pour laquelle une déclaration est produite après le 23 avril 1996. Antérieurement, cet article se lisait ainsi :

> 444. Une personne qui effectue pour une contrepartie une fourniture taxable, autre qu'une fourniture détaxée, dans le cadre d'une activité commerciale à une personne avec laquelle elle n'a aucun lien de dépendance et qui, conformément à la présente section, produit une déclaration concernant la fourniture et verse la taxe prévue à l'article 16 à l'égard de celle-ci peut, dans la mesure où il est établi que la contrepartie et la taxe sont devenues en totalité ou en partie une mauvaise créance, déduire, dans le calcul de la taxe nette pour sa période de déclaration où la mauvaise créance est radiée de ses livres de comptes ou pour une période de déclaration qui se termine dans les quatre ans suivant la fin de cette période, un montant égal à la fraction de taxe de la mauvaise créance radiée.

L'article 444 a été modifié par L.Q. 1995, c. 1, art. 328(1) et cette modification s'applique à l'égard d'une mauvaise créance relative à une fourniture effectuée après le 12 mai 1994. L'article 444, auparavant modifié par L.Q. 1993, c. 19, art. 232, s'applique à l'égard d'une fourniture ou d'un apport au Québec relativement auquel l'article 685 ou l'un des articles 618 à 656 de L.Q. 1991, c. 67 s'applique [*N.D.L.R.* : les articles 685 et 618 à 656 réfèrent à des dispositions transitoires concernant les transferts avant le 1er juillet 1992]. Il se lisait comme suit :

> 444. Une personne qui effectue pour une contrepartie la fourniture taxable d'un bien ou d'un service, autre qu'une fourniture détaxée, dans le cadre d'une activité commerciale à une personne avec laquelle elle n'a aucun lien de dépendance et qui, conformément à la présente section, produit une déclaration concernant la fourniture et verse la taxe prévue à l'article 16 à l'égard de celle-ci peut, dans la mesure où il est établi que la contrepartie et la taxe sont devenues en totalité ou en partie une mauvaise créance, déduire, dans le calcul de la taxe nette pour sa période de déclaration où la mauvaise créance est radiée de ses livres de comptes ou pour une période de déclaration qui se termine dans les quatre ans suivant la fin de cette période, un montant égal au montant obtenu en multipliant la mauvaise créance radiée par la fraction de taxe relative au bien ou au service.

L'article 444, édicté par L.Q. 1991, c. 67, se lisait comme suit :

> 444. Une personne qui effectue pour une contrepartie une fourniture taxable, autre qu'une fourniture détaxée, dans le cadre d'une activité commerciale à une personne avec laquelle elle n'a aucun lien de dépendance et qui, conformément à la présente section, produit une déclaration concernant la fourniture et verse la taxe prévue à l'article 16 à l'égard de celle-ci peut, dans la mesure où il est établi que la contrepartie et la taxe sont devenues en totalité ou en partie une mauvaise créance, déduire, dans le calcul de la taxe nette pour sa période de déclaration où la mauvaise créance est radiée de ses livres de comptes ou pour une période de déclaration qui se termine dans les quatre ans suivant la fin de cette période, un montant égal à la fraction de taxe de la mauvaise créance radiée.

Notes explicatives ARQ (PL 2, L.Q. 2009, c. 5): *Résumé* :

L'article 444 est modifié de façon à s'appliquer lorsque le fournisseur et le mandataire ont fait le choix prévu à l'article 41.0.1 de la LTVQ. Le mandataire qui a déclaré la taxe à l'égard d'une fourniture pourra demander une déduction pour une mauvaise créance radiée par le fournisseur relativement à cette fourniture.

Situation actuelle :

L'article 444 permet au seul fournisseur de déduire, dans le calcul de sa taxe nette pour une période de déclaration donnée, un montant à l'égard de la contrepartie et de la taxe relatives à une fourniture taxable devenues une mauvaise créance. L'article 444 contient aussi une formule algébrique facilitant le calcul du montant pouvant être déduit à ce titre.

Lorsque le fournisseur et son mandataire ont fait, en vertu de l'article 41.0.1 de la LTVQ, le choix de confier au mandataire la tâche de déclarer la taxe payable relativement à une fourniture effectuée par le fournisseur, ni le mandataire, ni le fournisseur ne peuvent demander une déduction pour mauvaise créance.

Modifications proposées :

L'article 444 de la LTVQ est modifié de façon à permettre au « déclarant », expression définie au nouvel article 443.1 de la LTVQ, de demander une déduction pour une mauvaise créance liée à cette fourniture, qui est radiée par le fournisseur.

La version modifiée de l'article 444 reprend les conditions voulant que tout ou partie de la créance relative à la fourniture soit devenue une mauvaise créance et que le fournisseur ait radié la créance de ses livres comptables. L'article modifié précise que la déduction pour mauvaise créance peut être demandée si tout ou partie du total de la contrepartie et de la taxe payable relativement à la fourniture devient une mauvaise créance. Si une partie seulement de ce total est radiée à titre de mauvaise créance, peu importe qu'elle soit attribuable entièrement à la taxe, entièrement à la contrepartie ou aux deux à la fois, un montant égal à une fraction du montant radié peut être déduit en vertu de l'article 444.

La modification s'applique aux fournitures effectuées après le 23 avril 1996, date à laquelle le choix prévu à l'article 41.0.1 de la LTVQ est entré en vigueur de façon générale.

Définitions [art. 444]: « activité commerciale », « contrepartie », « fourniture détaxée », « fourniture taxable », « fraction de taxe », « montant », « période de déclaration », « personne » — 1.

Renvois [art. 444]: 3; 4 (lien de dépendance); 51; 52 (contrepartie); 76 (fusion); 77 (liquidation); 433.2 (taxe nette d'un organisme de bienfaisance inscrit); 433.7 (non-application — taxe nette d'un organisme de bienfaisance); 436.1 (non-application — choix pour une comptabilité abrégée); 445 (déduction à l'égard d'une mauvaise créance); 446 (recouvrement); 446.1 (demande).

Bulletins d'interprétation [art. 444]: TVQ. 444-1/R2 — Mauvaises créances.

Jurisprudence: *Construction MDGG inc. c. Québec (Sous-ministre du Revenu)* (13 mars 2008), 200-80-002119-061, 2008 CarswellQue 2224; *Slater Steel inc. (Syndic de)* (18 juin 2004), 500-11-020930-034, 2003 CarswellQue 1708 (C.A.).

Concordance fédérale: LTA, par. 231(1).

444.1 Restriction — Un déclarant peut déduire un montant en vertu de l'article 444 à l'égard d'une fourniture si, à la fois :

1º la taxe percevable à l'égard de la fourniture est incluse dans le calcul de la taxe nette dans sa déclaration produite en vertu du présent chapitre pour la période de déclaration où la taxe est devenue percevable;

2º le cas échéant, la totalité de la taxe nette à verser selon cette déclaration est versée.

Notes historiques: L'article 444.1 a été ajouté par L.Q. 2009, c. 5, par. 662(1) et s'applique à l'égard d'une fourniture effectuée après le 23 avril 1996.

Notes explicatives ARQ (PL 2, L.Q. 2009, c. 5): *Résumé* :

L'article 444.1 est ajouté de façon à énoncer les exigences relatives à la déduction d'un montant pour mauvaise créance en vertu de l'article 444.

Contexte :

L'article 444 permet à une personne de déduire, dans le calcul de sa taxe nette pour une période de déclaration donnée, un montant à l'égard de la contrepartie et de la taxe relatives à une fourniture taxable devenues une mauvaise créance. L'article contient aussi une formule algébrique facilitant le calcul du montant pouvant être déduit à ce titre.

Modifications proposées :

L'article 444.1 de la LTVQ reprend les conditions qui étaient énoncées à l'article 444. Toutefois, il tient compte du fait que l'un ou l'autre du fournisseur ou de son mandataire peut, à titre de « déclarant », être tenu d'indiquer la taxe relative à la fourniture dans sa déclaration. Ce même déclarant sera aussi tenu de verser tout montant positif de taxe nette indiqué dans cette déclaration avant de pouvoir déduire un montant en vertu de l'article 444.

Concordance fédérale: LTA, par. 231(1.1).

445. [*Abrogé*]

Notes historiques: L'article 445 a été abrogé par L.Q. 2001, c. 53, art. 375 et cette modification s'applique à l'égard d'un compte client acheté à sa valeur nominale, sans possibilité de recours, si la propriété du compte client est transférée à l'acheteur après le 31 décembre 1999. Antérieurement, il se lisait ainsi :

> 445. Particularité relative à une institution financière désignée — Une institution financière qui est un membre d'un groupe étroitement lié ou d'un groupe prescrit et qui achète un compte client à sa valeur nominale, sans possibilité de recours, d'une autre personne qui est membre du groupe au moment de l'achat peut, dans la mesure où il est établi que le compte client est devenu en totalité ou en partie une mauvaise créance, déduire, dans le calcul de la taxe nette pour sa période de déclaration où la mauvaise créance est radiée de ses livres de comptes ou pour une période de déclaration subséquente, un montant qui n'excède pas celui que l'autre personne aurait pu ainsi déduire en vertu de l'article 444 si elle n'avait pas vendu le compte client et avait radié la mauvaise créance de ses livres de comptes.

L'article 445 a été remplacé par L.Q. 1997, c. 85, art. 694(1) et s'applique, sauf à l'égard d'un montant radié à titre de mauvaises créances avant le 24 avril 1996, aux fins du calcul de la taxe nette pour toute période de déclaration pour laquelle une déclaration est produite après le 23 avril 1996.

L'article 445, édicté par L.Q. 1991, c. 67, se lisait antérieurement ainsi :

> 445. Une institution financière désignée qui est un membre d'un groupe étroitement lié ou d'un groupe prescrit et qui achète un compte client à sa valeur nominale, sans possibilité de recours, d'une autre personne qui est membre du groupe au moment de l'achat peut, dans la mesure où il est établi que le compte client est devenu en totalité ou en partie une mauvaise créance, déduire, dans le calcul de la taxe nette pour sa période de déclaration où la mauvaise créance est radiée de ses livres de comptes ou pour une période de déclaration qui se termine dans les quatre ans suivant la fin de cette période, un montant qui n'excède pas celui que l'autre personne aurait pu ainsi déduire en vertu de l'article 444 si elle n'avait pas vendu le compte client et avait radié la mauvaise créance de ses livres de comptes.

446. Recouvrement — En cas de recouvrement, à un moment quelconque, de la totalité ou d'une partie d'une mauvaise créance à l'égard de laquelle une personne a déduit un montant en vertu de la présente sous-section, la personne doit, dans le calcul de sa taxe nette pour la période de déclaration au cours de laquelle la mauvaise créance ou une partie de celle-ci est recouvrée, ajouter le montant déterminé selon la formule suivante :

$$A \times \frac{B}{C}.$$

Application — Pour l'application de cette formule :

1º la lettre A représente le montant de la mauvaise créance recouvré à ce moment;

2º la lettre B représente la taxe payable à l'égard de la fourniture à laquelle la mauvaise créance se rapporte;

3º la lettre C représente le total de la contrepartie et de la taxe payable à l'égard de la fourniture.

Notes historiques: La partie de l'article 446 qui précède la formule a été remplacée par L.Q. 2001, c. 53, art. 376 et cette modification s'applique à l'égard du recouvrement par une personne d'une mauvaise créance relativement à un compte client dont la propriété a été transférée à la personne après le 31 décembre 1999. Antérieurement, il se lisait ainsi :

> 446. Une personne qui recouvre la totalité ou une partie d'une mauvaise créance à l'égard de laquelle elle a déduit un montant en vertu des articles 444 ou 445 doit, dans le calcul de la taxe nette pour sa période de déclaration où la mauvaise créance ou une partie de celle-ci est recouvrée, ajouter le montant déterminé selon la formule suivante :

L'article 446 a été remplacé par L.Q. 2009, c. 5, par. 663(1) et cette modification s'applique à l'égard d'une mauvaise créance relative à une fourniture effectuée après le 23 avril 1996. Antérieurement, il se lisait ainsi :

> 446. Une personne qui recouvre la totalité ou une partie d'une mauvaise créance à l'égard de laquelle elle a déduit un montant en vertu de l'article 444 doit, dans le calcul de la taxe nette pour sa période de déclaration où la mauvaise créance ou une partie de celle-ci est recouvrée, ajouter le montant déterminé selon la formule suivante :
>
> $$A \times \frac{B}{C}.$$
>
> Application — Pour l'application de cette formule :
>
> 1º la lettre A représente le montant de la mauvaise créance recouvrée par la personne;
>
> 2º la lettre B représente la taxe payable à l'égard de la fourniture à laquelle la mauvaise créance se rapporte;
>
> 3º la lettre C représente le total de la contrepartie et de la taxe payable à l'égard de la fourniture.

L'article 446 a été remplacé par L.Q. 1997, c. 85, art. 694(1) et s'applique aux fins du calcul de la taxe nette pour toute période de déclaration pour laquelle une déclaration est produite après le 23 avril 1996. Antérieurement, cet article se lisait ainsi :

> 446. Une personne qui recouvre la totalité ou une partie d'une mauvaise créance à l'égard de laquelle elle a déduit un montant en vertu des articles 444 ou 445 doit, dans le calcul de la taxe nette pour sa période de déclaration où la mauvaise créance ou une partie de celle-ci est recouvrée, ajouter un montant égal à la fraction de taxe de la mauvaise créance ou de la partie de celle-ci ainsi recouvrée.

L'article 446 a été modifié par L.Q. 1995, c. 1, art. 329(1) et cette modification s'applique à l'égard d'une mauvaise créance relative à une fourniture effectuée après le 12 mai 1994. Auparavant, l'article 446 avait été modifié par L.Q. 1993, c. 19, art. 233 à

LTVQ (français)

l'égard d'une fourniture ou d'un apport au Québec relativement auquel l'article 685 ou l'un des articles 618 à 656 de L.Q. 1991, c. 67 s'applique [*N.D.L.R.* : les articles 685 et 618 à 656 réfèrent à des dispositions transitoires concernant les transferts avant le 1er juillet 1992]. Il se lisait comme suit :

> 446. Une personne qui recouvre la totalité ou une partie d'une mauvaise créance à l'égard de laquelle elle a déduit un montant en vertu des articles 444 ou 445 doit, dans le calcul de la taxe nette pour sa période de déclaration où la mauvaise créance ou une partie de celle-ci est recouvrée, ajouter un montant égal au montant obtenu en multipliant la mauvaise créance ou la partie de celle-ci ainsi recouvrée par la fraction de taxe applicable à la mauvaise créance conformément à l'article 444.

L'article 446, édicté par L.Q. 1991, c. 67, se lisait comme suit :

> 446. Une personne qui recouvre la totalité ou une partie d'une mauvaise créance à l'égard de laquelle elle a déduit un montant en vertu des articles 444 ou 445 doit, dans le calcul de la taxe nette pour sa période de déclaration où la mauvaise créance ou une partie de celle-ci est recouvrée, ajouter un montant égal à la fraction de taxe de la mauvaise créance ou de la partie de celle-ci ainsi recouvrée.

Notes explicatives ARQ (PL 2, L.Q. 2009, c. 5): *Résumé* :

L'article 446 prévoit qu'en cas de recouvrement de la totalité ou d'une partie d'une mauvaise créance pour laquelle une déduction a été demandée, une personne doit ajouter un montant déterminé dans le calcul de sa taxe nette.

Situation actuelle :

L'article 446 oblige une personne qui recouvre la totalité ou une partie d'une mauvaise créance à l'égard de laquelle un montant de taxe a été déduit dans le calcul de sa taxe nette, à remettre un montant égal à la fraction de taxe relative à la mauvaise créance ainsi recouvrée.

Modifications proposées :

L'article 446 de la LTVQ est modifié de façon à tenir compte du fait que le fournisseur qui recouvre la créance radiée n'est pas nécessairement la personne qui a demandé la déduction pour mauvaise créance. La déduction peut avoir été demandée par le mandataire du fournisseur si le fournisseur et le mandataire ont fait le choix prévu à l'article 41.0.1 à l'égard de la fourniture à laquelle la créance se rapporte.

Les modifications précisent en outre que, en cas de recouvrement d'une somme à un moment donné, le montant qui représente l'élément A de la formule de calcul du montant à ajouter à la taxe nette pour la période de déclaration correspond à la somme qui est recouvrée au moment en question. En effet, des recouvrements partiels peuvent être effectués à différents moments et chacun d'eux donne lieu à un nouveau montant à ajouter à la taxe nette en vertu de l'article 446 de la Loi.

Définitions [art. 446]: « fraction de taxe », « montant », « période de déclaration », « personne » — 1.

Renvois [art. 446]: 76 (fusion); 77 (liquidation); 433.2 (taxe nette d'un organisme de bienfaisance inscrit); 433.7 (non-application — taxe nette d'un organisme de bienfaisance); 436.1 (non-application — choix pour une comptabilité abrégée).

Bulletins d'interprétation [art. 446]: TVQ. 444-1/R2 — Mauvaises créances.

Concordance fédérale: LTA, par. 231(3).

446.1 Restriction — Une personne ne peut demander une déduction en vertu de la présente sous-section à l'égard d'une mauvaise créance relative à une fourniture à moins que la déduction ne soit demandée dans une déclaration produite en vertu du présent chapitre dans les quatre ans suivant le jour où elle était tenue de produire, pour la période de déclaration où le fournisseur a radié de ses livres de comptes la mauvaise créance, la déclaration prévue au présent chapitre.

Notes historiques: L'article 446.1 a été remplacé par L.Q. 2009, c. 5, par. 663(1) et cette modification s'applique à l'égard d'une mauvaise créance relative à une fourniture effectuée après le 23 avril 1996. Toutefois, l'article 446.1 doit se lire en y remplaçant « le fournisseur a radié » par « la personne a radié » lorsqu'une déduction est demandée par une personne en vertu de l'article 445, tel qu'il s'appliquait avant son abrogation à un compte client transféré à la personne avant le 1er janvier 2000.

Malgré l'article 446.1, si un fournisseur et un inscrit agissant à titre de mandataire du fournisseur ont effectué conjointement un choix en vertu de l'article 41.0.1 à l'égard d'une fourniture effectuée avant le 20 décembre 2002 et que le fournisseur radie de ses livres de comptes une mauvaise créance relative à la fourniture à un moment quelconque avant le 21 décembre 2002, l'inscrit peut demander une déduction en vertu de l'article 444, à l'égard de la mauvaise créance radiée, dans une déclaration produite en vertu du chapitre VIII du titre I et reçue par le ministre du Revenu à la plus tardive des dates suivantes :

a) le jour qui suit d'un an le 20 décembre 2002;

b) le jour qui suit de quatre ans le jour où il était tenu de produire sa déclaration pour sa période de déclaration où la mauvaise créance a été radiée.

Antérieurement, il se lisait ainsi :

> 446.1 Une personne ne peut demander une déduction en vertu de l'article 444 à l'égard d'un montant que la personne a, durant une période de déclaration donnée de la personne, radié de ses livres de compte à titre de mauvaise créance à moins que la déduction ne soit demandée dans une déclaration produite en vertu du présent chapitre dans les quatre ans suivant le jour où l'inscrit est tenu de produire pour cette période de déclaration donnée la déclaration prévue au présent chapitre.

L'article 446.1 a été remplacé par L.Q. 2001, c. 53, art. 377 et cette modification s'applique à l'égard d'un montant d'un compte client radié par une personne à titre de mauvaise créance si la propriété du compte client a été transférée à la personne après le 31 décembre 1999. Antérieurement, il se lisait ainsi :

> 446.1 Une personne ne peut demander une déduction en vertu des articles 444 et 445 à l'égard d'un montant que la personne a, durant une période de déclaration donnée de la personne, radié de ses livres de compte à titre de mauvaise créance à moins que la déduction ne soit demandée dans une déclaration produite en vertu du présent chapitre dans les quatre ans suivant le jour où l'inscrit est tenu de produire pour cette période de déclaration donnée la déclaration prévue au présent chapitre.

L'article 446.1 a été ajouté par L.Q. 1997, c. 85, art. 695(1) et s'applique à l'égard du calcul de la taxe nette pour toute période de déclaration pour laquelle une déclaration est produite après le 23 avril 1996.

Notes explicatives ARQ (PL 2, L.Q. 2009, c. 5): *Résumé* :

L'article 446.1 est modifié de façon à préciser le délai dans lequel une personne peut demander une déduction pour mauvaise créance.

Situation actuelle :

L'article 446.1 prévoit que la déduction qui peut être demandée en vertu de l'article 444 ne peut l'être que dans une déclaration produite en vertu du chapitre VIII dans les quatre ans suivant le jour où la personne est tenue de produire la déclaration pour la période au cours de laquelle la mauvaise créance est radiée de ses livres de comptes.

Modifications proposées :

L'article 446.1 de la LTVQ est modifié pour tenir compte des changements apportés à l'article 444 selon lesquels le « déclarant » d'une fourniture, au sens du nouvel article 446.2 de la LTVQ, est la personne qui peut demander une déduction au titre d'une mauvaise créance qui a été radiée des livres de comptes du fournisseur. Le déclarant est le mandataire du fournisseur lorsque le choix prévu à l'article 41.0.1 de la LTVQ a été fait.

Cette modification s'applique aux mauvaises créances liées à des fournitures effectuées après le 23 avril 1996. Toutefois, la mention du fournisseur, dans le contexte de la personne qui radie la mauvaise créance de ses livres de comptes, vaut mention de la personne qui demande la déduction pour mauvaise créance lorsqu'il s'agit de la déduction prévue à l'ancien article 445 de la LTVQ. Cet article permettait à une institution financière de demander une déduction pour mauvaise créance à l'égard d'un compte client acheté d'un vendeur qui lui était étroitement lié.

Malgré l'article 446.1, une règle transitoire a pour effet de prolonger, dans certains cas, le délai dans lequel il est permis à un mandataire de demander une déduction pour mauvaise créance en vertu de l'article 444 de la LTVQ relativement à une fourniture à l'égard de laquelle il a rendu compte de la taxe conformément au choix qu'il a fait avec le fournisseur en vertu de l'article 41.0.1.

Cette prolongation de délai peut s'appliquer aux fournitures effectuées avant le 20 décembre 2002 relativement auxquelles une mauvaise créance a été radiée à cette date ou antérieurement. Le délai est prolongé jusqu'au jour qui suit d'un an le 20 décembre 2002 dans le cas où le délai habituel de quatre ans prévu à l'article 446.1 était déjà expiré ou expirerait moins d'un an après cette date.

Définitions [art. 446.1]: « montant », « période de déclaration », « personne » — 1.

Renvois [art. 446.1]: 433.7 (non-application — taxe nette d'un organisme de bienfaisance); 436.1 (non-application — choix pour une comptabilité abrégée).

Bulletins d'interprétation [art. 446.1]: TVQ. 444-1/R2 — Mauvaises créances.

Concordance fédérale: LTA, par. 231(4).

§ 4. — Redressement ou remboursement

447. Taxe exigée ou perçue en trop — Une personne qui, au cours d'une période de déclaration, exige ou perçoit d'une autre personne un montant au titre de la taxe prévue à l'article 16, autre que celui exigé ou perçu en vertu de l'article 473.1.1, excédant la taxe qu'elle devait percevoir de l'autre personne, peut, dans les deux ans suivant le jour où le montant a été exigé ou perçu :

1º redresser le montant de la taxe exigée, si l'excédent a été exigé mais non perçu;

2º rembourser l'excédent à l'autre personne ou le porter à son crédit, si cet excédent a été perçu.

Notes historiques: Le préambule de l'article 447 a été remplacé par L.Q. 2004, c. 21, par. 536(1) et cette modification a effet depuis le 21 février 2000. Antérieurement, il se lisait ainsi :

> 447. Une personne qui, au cours d'une période de déclaration, exige ou perçoit d'une autre personne un montant au titre de la taxe prévue à l'article 16 excédant

la taxe qu'elle devait percevoir de l'autre personne peut, dans les deux ans suivant le jour où le montant a été exigé ou perçu :

Le préambule de l'article 447 a été remplacé par L.Q. 1997, c. 85, art. 696(1) et a effet à l'égard :

a) d'un montant exigé ou perçu au titre de la taxe prévue à l'article 16 après le 30 juin 1996;

b) d'un montant exigé ou perçu au titre de la taxe prévue à l'article 16 avant le 1er juillet 1996, autre qu'un montant ayant fait l'objet d'un redressement, d'un remboursement ou porté au crédit d'une personne au plus tard le 30 juin 1998 conformément aux dispositions de l'article 447 tel qu'il se lisait le 30 juin 1996.

Antérieurement, ce préambule se lisait ainsi :

447. Une personne qui, au cours d'une période de déclaration, exige ou perçoit d'une autre personne un montant au titre de la taxe prévue à l'article 16 excédant la taxe qu'elle devait percevoir de l'autre personne peut, au cours de cette période ou dans les quatre ans suivant la fin de celle-ci :

L'article 447 a été édicté par L.Q. 1991, c. 67.

Définitions [art. 447]: « montant », « période de déclaration », « personne », « taxe » — 1.

Renvois [art. 447]: 57 (paiements anticipés ou en retard); 350.6 (rabais); 428 (taxe nette); 433.7 (non-application — taxe nette d'un organisme de bienfaisance); 436.1 (non-application — choix pour une comptabilité abrégée); 449 (note de crédit ou de débit); 450 (non-application des articles 447–449); 541.39 (perchloroéthylène — obligation de rendre compte); 541.58 (droit spécifique sur les pneus neufs — application de l'article 447).

Jurisprudence: *Construction MDGG inc. c. Québec (Sous-ministre du Revenu)* (13 mars 2008), 200-80-002119-061, 2008 CarswellQue 2224.

Bulletins d'interprétation [art. 447]: TVQ. 16-20/R1 — La taxe de vente du Québec et les fournisseurs de services d'accès au réseau Internet.

Lettres d'interprétation [art. 447]: 96-0115103 — Services ophtalmologiques; 99-0109134 — Interprétation relative à la TPS — Interprétation relative à la TVQ — Vente sous contrôle de justice — certificats d'actions; 01-0106938 — Interprétation en TPS et en TVQ — Services de consultation en informatique.

Concordance fédérale: LTA, par. 232(1).

COMMENTAIRES: Revenu Québec a analysé l'application de cet article afin de déterminer le processus à suivre par une entreprise s'il advenait qu'elle ait payé la TVQ sans que celle-ci ne soit exigible. L'article 447 permet un redressement ou un remboursement de la TVQ lorsqu'un fournisseur a facturé ou perçu un montant de taxe excédant celui qu'il devait percevoir. Dans de telles situations, le fournisseur peut, dans les deux ans suivant le jour où le montant a été exigé ou perçu, procéder de la façon suivante : (i) redresser le montant de la taxe exigée (facturée), si l'excédent a été exigé, mais non perçu; et (ii) rembourser l'excédent à l'acquéreur ou le porter à son crédit, si cet excédent a été perçu. Quant au fournisseur, il a alors le droit de déduire dans le calcul de sa taxe nette, la taxe relative au trop-perçu qu'il a redressée ou remboursée dans la mesure où cette taxe a déjà été incluse dans le calcul de sa taxe nette. Dans l'hypothèse où l'acquéreur aurait déjà reçu un remboursement de la TVQ, ce dernier devra remettre ce montant. Voir notamment à cet effet : Revenu Québec, Lettre d'interprétation, 01-0106938 — *Interprétation relative à la TVQ — Services de consultation en informatique* (31 octobre 2001). Voir également au même effet : Revenu Québec, Lettre d'interprétation, 99-0109134 — *Interprétation relative à la TPS / Interprétation relative à la TVQ / Vente sous contrôle de justice — certificats d'actions* (17 septembre 1999).

Compte tenu de la similarité de la rédaction des dispositions législatives et considérant l'engagement spécifique de Revenu Québec de veiller à ce que l'assiette de TVQ modifiée, de même que les paramètres administratifs, structurels et définitionnels, produisent des résultats qui sont identiques à ceux produits sous le régime de la TPS/TVH et soient administrés d'une manière qui produit des résultats identiques, tel que reflété par l'article 14 de l'*Entente intégrée globale de coordination fiscale* signée entre le gouvernement du Canada et le gouvernement du Québec, nous vous référons à nos commentaires en vertu du paragraphe 232(1) de *Loi sur la taxe d'accise (TPS)* qui devraient s'appliquer *mutatis mutandis*, avec les adaptations nécessaires.

447.1 Taxe exigée ou perçue en trop — Un inscrit qui effectue la fourniture par vente d'un véhicule automobile et qui, au cours d'une période de déclaration, exige ou perçoit d'un autre inscrit un montant au titre de la taxe prévue à l'article 16 à l'égard de cette fourniture que l'autre inscrit reçoit uniquement afin d'en effectuer à nouveau la fourniture par vente, autrement que par donation, ou par louage en vertu d'une convention selon laquelle la possession continue ou l'utilisation continue du véhicule est offerte à une personne pour une période d'au moins un an excédant la taxe qu'il devait percevoir de l'autre inscrit doit, si ce dernier lui en fait la demande dans les deux ans suivant le jour où le montant a été exigé ou perçu :

1º redresser le montant exigé, si l'excédent a été exigé mais non perçu;

2º rembourser l'excédent à l'inscrit ou le porter à son crédit, s'il a été perçu.

Application — Le premier alinéa s'applique, compte tenu des adaptations nécessaires, à l'égard d'un montant de taxe prévue à l'article 16 exigé ou perçu par un inscrit qui effectue une fourniture par vente au détail d'un véhicule automobile excédant la taxe qu'il devait percevoir à l'égard de cette fourniture.

Notes historiques: L'article 447.1 a été ajouté par L.Q. 2001, c. 51, art. 302 et a effet depuis le 1er mai 1999. Toutefois, pour la période qui commence le 1er mai 1999 et qui se termine le 20 février 2000, l'article 447.1 de cette loi doit se lire comme suit :

447.1 Un inscrit qui effectue la fourniture par vente d'un véhicule automobile et qui, au cours d'une période de déclaration, exige ou perçoit d'un acquéreur un montant au titre de la taxe prévue à l'article 16 à l'égard de cette fourniture que l'acquéreur reçoit uniquement afin d'en effectuer à nouveau la fourniture par vente, autrement que par donation, ou par louage en vertu d'une convention selon laquelle la possession continue ou l'utilisation continue du véhicule est offerte à une personne pour une période d'au moins un an excédant la taxe qu'il devait percevoir de l'acquéreur doit, si ce dernier lui en fait la demande dans les deux ans suivant le jour où le montant a été exigé ou perçu :

1º redresser le montant exigé, si l'excédent a été exigé mais non perçu;

2º rembourser l'excédent à l'inscrit ou le porter à son crédit, s'il a été perçu.

Guides [art. 447.1]: IN-624 — La TVQ, la TPS/TVH et les véhicules routiers.

Jurisprudence [art. 447.1]: *Québec (Sous-ministre du Revenu) c. 3199959 Canada inc.* (6 septembre 2006), 500-09-015494-057, 2007 CarswellQue 8323.

Lettres d'interprétation [art. 447.1]: 04-0104085 — Interprétation relative à la TVQ Remboursement de la TVQ payée relativement à la fourniture détaxée d'un véhicule automobile.

Concordance fédérale: aucune.

COMMENTAIRES: Dans l'affaire *3199959 Canada inc. c. Québec (Sous-ministre du Revenu)*, 2007 CarswellQue 8323 (C.A.Q.), l'appelant ne conteste pas que le véhicule neuf acquis par l'intimée sans l'intermédiaire d'un mandataire et à la seule fin de revente à l'étranger constitue une fourniture détaxée (article 197.2). Il plaide cependant que, s'agissant d'une fourniture détaxée, l'intimée n'a pas payé une taxe, mais plutôt un montant « à titre de taxe » qui ne peut faire l'objet d'aucun remboursement aux termes de l'un ou l'autre des articles 199, 402.12, ou 400; l'appelant prétend par ailleurs que l'intimée pouvait se prévaloir de l'article 447.1 et demander aux concessionnaires de lui rembourser les montants versés à titre de taxes. En premier lieu, la Cour d'appel est d'accord avec l'appelant que l'article 402.12 ne peut fonder le droit de l'intimée à un remboursement. Cette disposition encadre spécifiquement le droit au remboursement de la taxe payée « à l'égard de la fourniture par vente au détail d'un véhicule automobile neuf qu'elle acquiert par l'intermédiaire d'un mandataire qui n'est pas inscrit », ce qui n'est pas le cas ici puisque le véhicule a été acquis directement par l'intimée. Quant à l'article 199, l'appelant plaide qu'il ne peut fonder le droit de l'intimée à un remboursement puisque, la fourniture étant détaxée, l'acheteur n'a pas payé une « taxe » à l'égard de cette fourniture, mais un montant « à titre de taxe ». Il reste la question de l'article 447.1. Selon l'appelant, l'intimée aurait dû se prévaloir du droit qui lui est conféré par cette disposition et réclamer aux concessionnaires les montants payés à titre de taxe. Malheureusement, la Cour d'appel doute que cette disposition soit de quelque utilité en l'espèce puisque la taxe de vente a été perçue par la SAAQ et non par l' « inscrit qui effectue la fourniture par vente d'un véhicule automobile », ici le concessionnaire automobile. Le fait qu'un représentant du concessionnaire automobile ait lui-même remis le montant de la taxe de vente à la SAAQ ne modifie en rien, me semble-t-il, la situation puisque la SAAQ est, aux termes de la loi, l'unique mandataire du ministre aux fins de la perception de la taxe. Pour toutes ces raisons, et bien que l'intimée ait payé des sommes auxquelles l'appelant n'avait en définitive pas droit, la Cour d'appel est d'avis que les dispositions pertinentes actuelles de la *Loi sur la taxe de vente du Québec* ne permettent pas de faire droit à sa demande de remboursement.

Voir également notamment la position de Revenu Québec suivante qui est au même effet que la décision de la Cour d'appel du Québec : Revenu Québec, Lettre d'interprétation, 04-0104085 — *Interprétation relative à la TVQ Remboursement de la TVQ payée relativement à la fourniture détaxée d'un véhicule automobile* (9 juin 2005).

448. Réduction de la contrepartie — Une personne qui exige ou perçoit d'une autre personne la taxe prévue à l'article 16, calculée sur la contrepartie d'une fourniture ou une partie de la contrepartie, laquelle contrepartie ou partie de celle-ci est par la suite réduite au cours d'une période de déclaration pour une raison quelconque peut, au cours de cette période ou dans les quatre ans suivant la fin de celle-ci :

1º redresser le montant de la taxe exigée en soustrayant la partie de la taxe qui a été calculée sur le montant de la réduction, si la taxe a été exigée mais non perçue;

LTVQ (français)

2º rembourser à l'autre personne la partie de la taxe qui a été calculée sur le montant de la réduction, ou la porter à son crédit, si la taxe a été perçue.

Notes historiques: L'article 448 a été édicté par L.Q. 1991, c. 67.

Définitions [art. 448]: « contrepartie », « fourniture », « montant », « période de déclaration », « personne », « taxe » — 1.

Renvois [art. 448]: 433.7 (non-application — taxe nette d'un organisme de bienfaisance); 436.1 (non-application — choix pour une comptabilité abrégée); 448 (paiement d'une ristourne); 449 (note de crédit ou de débit); 450 (non-application des articles 447–449); 453 (paiement d'une ristourne).

Bulletins d'interprétation [art. 448]: TVQ. 51-3 — Réduction de la contrepartie d'une fourniture; TVQ. 82-3 — Contrats d'arrangements préalables de services funéraires; TVQ. 444-1/R2 — Mauvaises créances.

Jurisprudence [art. 448]: *Langlais c. Québec (Sous-ministre du Revenu)* (8 septembre 2009), 200-32-044939-071, 2009 CarswellQue 11377; *Drapeau c. Québec (Sous-ministre du Revenu)* (23 septembre 2004), 150-02-003373-031, 2004 CarswellQue 2480.

Lettres d'interprétation [art. 448]: 96-0115103 — Services ophtalmologiques; 98-0108153 — Indemnité provisionnelle versée pour l'expropriation d'un site d'enfouissement; 00-0100727 — Décision portant sur l'application la TPS — Interprétation relative à la TVQ — Résolution d'une vente immobilière et remboursement de taxes; 00-0112086 — Interprétation relative à la TPS et à la TVQ — Fourniture par vente d'un véhicule et « contre-lettre »; 03-0109193 — Interprétation relative à la TPS et à la TVQ — résiliation de contrats [à l'égard d'une soicété de cimetière].

Concordance fédérale: LTA, par. 232(2).

COMMENTAIRES: Dans l'affaire *Drapeau c. Québec (Sous-ministre du Revenu)*, 2004 CarswellQue 2480 (C.Q.), la Cour du Québec a analysé la question à l'effet de savoir si le requérant peut obtenir de l'intimé le remboursement de la taxe de vente qu'il a payée en tenant compte du montant que lui a remis le fabricant Toyota Canada Inc., suite aux décisions arbitrales rendues les 19 août et 2 septembre 2002. Le requérant s'est adressé au concessionnaire pour qu'il examine les problèmes à son véhicule, et ce dernier lui a recommandé de procéder à cette démarche en utilisant le processus prévu par sa convention d'arbitrage. Cette démarche s'est terminée par les décisions de l'arbitre rendues les 19 août et 2 septembre 2002, par lesquelles il était ordonné le rachat du véhicule par le Fabricant pour un montant de 27 097,82 $, taxe sur produits et services incluse. Or, la décision d'arbitrage du 19 août 2002 prévoit qu'il appartient au requérant de faire sa propre démarche en vue de récupérer sa taxe de vente, comme prévu à l'article 6.1.3 de la convention d'arbitrage. Les réponses de l'intimé au requérant vont dans le sens que la *Loi sur la taxe de vente du Québec* ne prévoit pas le remboursement de la taxe de vente pour le bien qui est visé par la demande. Étant en présence d'une situation légale de rachat du véhicule moteur et la démarche de récupérer la taxe de vente revenant au requérant, la Cour examinera plus loin les dispositions de la *Loi sur la taxe de vente du Québec* afin de voir si le requérant peut réussir dans sa démarche. La Cour ne croit pas que l'article 448 trouve ici son application, car il ne s'agit pas d'une réduction de la contrepartie. Il s'agit d'un rachat de véhicule où l'acheteur se départit du bien acheté en faveur du fabricant. Le prix payé pour le bien n'a pas été réduit, on a procédé à une nouvelle vente entre le requérant et le fabricant. Il ne fait pas de doute que cet article touche le domaine de la vente automobile, mais il trouve son application lorsqu'il y a annulation de la vente ou la réduction de sa contrepartie pour une raison quelconque. Dans le présent cas, il y a eu rachat du véhicule par le fabricant qui s'est soumis à l'ordonnance de l'arbitre, le requérant a reçu le montant de l'ordonnance et il a livré le véhicule. La Cour doit donc conclure que le requérant n'a pas été en mesure de justifier légalement sa réclamation.

Également à titre illustratif de l'article 448, lorsque l'acheteur résilie son contrat signé avec une société afin d'en conclure un nouveau avec cette dernière, la société peut, dans le cas où la taxe a déjà été perçue, soit rembourser à l'acheteur la taxe calculée sur le montant de la réduction, soit la porter à son crédit. Il en est de même lorsque l'acheteur résilie tout simplement son contrat. Il est à noter que le redressement ou le remboursement doit être effectué au cours de la période où la contrepartie est réduite ou dans les 4 ans qui suivent la fin de celle-ci. Dans le cas où le fournisseur effectue un tel redressement ou remboursement de la taxe, il doit, conformément à l'article 449 remettre à l'acquéreur dans un délai raisonnable, une note de crédit contenant les renseignements prescrits. Voir notamment à cet effet : Revenu Québec, Lettre d'interprétation, 03-0109193 — *Interprétation relative à la TPS et à la TVQ — Résiliation de contrats* (2 août 2004).

Revenu Québec devait déterminer si le retour du camion un mois seulement après son achat doit être considéré comme une revente ou une annulation du contrat initial. Pour répondre à cette question, Revenu Québec a tenu compte de l'article 448. De l'avis de Revenu Québec, cette dernière entente peut être assimilée à une réduction de la contrepartie au sens de l'article 448. Par conséquent, le retour du véhicule par l'acquéreur ne constitue pas une fourniture par vente et la taxe n'a pas à être perçue à nouveau. De plus, l'acquéreur pouvait demander au vendeur, comme il l'a fait en l'espèce, de lui rembourser la partie des taxes payées lors de la vente du véhicule, calculées sur le montant du remboursement versé par le vendeur. Voir notamment à cet effet : Revenu Québec, Lettre d'interprétation, 00-0112086 — *Interprétation relative à la TPS et à la TVQ — Fourniture par vente d'un véhicule et « contre-lettre »* (13 juin 2001).

Finalement, Revenu Québec est d'avis qu'une municipalité peut exercer la clause résolutoire prévue dans chacun des contrats avant l'achèvement du délai de trois ans, puisqu'il apparaît certain que les acquéreurs ne construiront pas sur les terrains acquis de la municipalité. Il convient cependant que cette dernière respecte les conditions de forme prévues aux articles 1742 et 1743 du Code civil du Québec. Dès lors que ces formalités auront été accomplies, elle pourra obtenir la résolution de chacune des ventes. Conformément à l'article 1507 du Code civil du Québec, la résolution de la vente va mettre fin rétroactivement à chacun des contrats. Ceux-ci seront censés n'avoir jamais existé. En conséquence, la fourniture des terrains par la municipalité à chacun des acquéreurs sera censée n'avoir jamais été réalisée. L'article 448 va permettre à la municipalité de rembourser directement à chacun des acquéreurs les taxes qu'ils ont acquittées à l'occasion de l'acquisition de leur terrain. Elle pourra le faire au cours de la période de déclaration où la contrepartie de la fourniture sera réduite en tout ou en partie. Elle pourra également le faire dans les quatre ans qui suivent la fin de cette période. Dans le cas où la municipalité refuserait de rembourser les acquéreurs, ceux-ci pourraient alors présenter au ministre une demande de remboursement de taxe payée par erreur en vertu de l'article 400. En effet, cet article autorise le ministre à rembourser tout montant de taxe payé en trop par une personne, indépendamment du fait qu'il ait été payé par erreur ou autrement. Les acquéreurs disposeront alors d'un délai de deux ans suivant la date du remboursement pour présenter leur demande au ministre. Aucune disposition particulière, autre que les articles 448 et 400, ne s'applique lorsqu'un acquéreur informe son vendeur qu'il ne respectera pas ses obligations contractuelles moins de trente jours après la date de signature de l'acte de vente d'un immeuble. À toutes fins utiles, Revenu Québec souligne que le montant de la TVQ à rembourser à la suite de la résolution de chacun des contrats sera celui qui a été versé et remis au ministre par la municipalité. De plus, selon Revenu Québec, le montant conservé par la municipalité à la suite de la résolution de chacun des contrats sera de la nature d'une pénalité. Ce montant ne représentera pas la contrepartie d'une fourniture. En conséquence, il ne sera pas assujetti à la TVQ. Voir notamment à cet effet : Revenu Québec, Lettre d'interprétation, 00-0100727 — *Décision portant sur l'application la TPS — Interprétation relative à la TVQ — Résolution d'une vente immobilière et remboursement de taxes* (4 août 2000).

Compte tenu de la similarité de la rédaction des dispositions législatives et considérant l'engagement spécifique de Revenu Québec de veiller à ce que l'assiette de TVQ modifiée, de même que les paramètres administratifs, structurels et définitionnels, produisent des résultats qui sont identiques à ceux produits sous le régime de la TPS/TVH et soient administrés d'une manière qui produit des résultats identiques, tel que reflété par l'article 14 de l'*Entente intégrée globale de coordination fiscale* signée entre le gouvernement du Canada et le gouvernement du Québec, nous vous référons à nos commentaires en vertu du paragraphe 232(2) de *Loi sur la taxe d'accise (TPS)* qui devraient s'appliquer *mutatis mutandis*, avec les adaptations nécessaires.

449. Règles applicables — Dans le cas où une personne redresse un montant en faveur d'une autre personne, le lui rembourse ou le porte à son crédit, conformément aux articles 447, 447.1 ou 448, les règles suivantes s'appliquent :

1º la personne doit, dans un délai raisonnable, remettre à l'autre personne une note de crédit, contenant les renseignements prescrits, au montant du redressement, du remboursement ou du crédit, à moins que l'autre personne remette une note de débit au même montant, contenant les renseignements prescrits;

2º le montant peut être déduit dans le calcul de la taxe nette de la personne pour sa période de déclaration où, selon le cas, la note de crédit est remise à l'autre personne ou la note de débit est reçue par la personne, dans la mesure où il a été inclus dans le calcul de sa taxe nette pour cette période de déclaration ou une de ses périodes de déclaration antérieures;

3º le montant doit être ajouté dans le calcul de la taxe nette de l'autre personne pour sa période de déclaration où, selon le cas, la note de débit est remise à la personne ou la note de crédit est reçue par l'autre personne, dans la mesure où il a été inclus dans le calcul de son remboursement de la taxe sur les intrants demandé dans la déclaration produite pour cette période de déclaration ou une de ses périodes de déclaration antérieures;

4º si la totalité ou une partie du montant a été incluse dans le calcul d'un remboursement prévu à la section I du chapitre VII payé à l'autre personne ou affecté pour le compte de l'autre personne avant le jour donné où la note de crédit est reçue ou la note de débit est remise par l'autre personne et que le remboursement ainsi payé ou affecté excède le remboursement auquel l'autre personne aurait eu droit si le montant redressé, remboursé ou porté à son crédit par la personne n'avait jamais été exigé ou perçu de l'autre personne, l'autre personne doit payer au ministre cet excédent :

a) si l'autre personne est un inscrit, au plus tard le jour où elle est tenue de produire une déclaration pour la période de déclaration qui comprend le jour donné;

b) dans tout autre cas, le dernier jour du mois civil qui suit immédiatement le mois civil qui comprend le jour donné.

Notes historiques: Le préambule de l'article 449 a été modifié par L.Q. 2001, c. 51, art. 303 et a effet depuis le 1er mai 1999. Antérieurement, il se lisait ainsi :

449. Dans le cas où une personne redresse un montant en faveur d'une autre personne, le lui rembourse ou le porte à son crédit, conformément aux articles 447 ou 448, les règles suivantes s'appliquent :

L'article 449 a été modifié par L.Q. 1994, c. 22, art. 608(1) et est réputé entré en vigueur le 1er juillet 1992. L'article 449, édicté par L.Q. 1991, c. 67, se lisait comme suit :

449. Dans le cas où une personne redresse un montant en faveur d'une autre personne, le lui rembourse ou le porte à son crédit, conformément aux articles 447 ou 448, les règles suivantes s'appliquent :

1° la personne doit remettre à l'autre personne une note de crédit, contenant les renseignements prescrits, au montant du redressement, du remboursement ou du crédit;

2° le montant peut être déduit dans le calcul de la taxe nette de la personne pour sa période de déclaration où la note de crédit est remise, dans la mesure où il a été inclus dans le calcul de sa taxe nette pour cette période ou une de ses périodes de déclaration antérieures;

3° le montant doit être ajouté dans le calcul de la taxe nette de l'autre personne pour sa période de déclaration où la note de crédit est remise, dans la mesure où il a été déduit dans le calcul de sa taxe nette pour cette période ou une de ses périodes de déclaration antérieures.

Le paragraphe 4° de l'article 449 a été ajouté par L.Q. 2001, c. 53, art. 378 et s'applique à l'égard d'un montant qui est remboursé à une personne, redressé en sa faveur ou porté à son crédit et pour lequel une note de crédit est reçue ou une note de débit est remise par cette personne après le 10 décembre 1998.

L'article 449 a été édicté par L.Q. 1991, c. 67.

Définitions [art. 449]: « montant », « note de crédit », « note de débit », « période de déclaration », « personne », « taxe » — 1.

Renvois [art. 449]: 350.4 (acceptation de bons); 350.17 (groupe d'acheteurs); 433.2 (taxe nette d'un organisme de bienfaisance inscrit); 433.7 (non-application — taxe nette d'un organisme de bienfaisance); 436.1 (non-application — choix pour une comptabilité abrégée); 450 (non-application des articles 447–449); 541.39 (perchloroéthylène — obligation de rendre compte); 541.58 (dispositions applicables); 653 (remboursement de l'excédent); 677 (règlements).

Règlements [art. 449]: RTVQ, 449R1.

Jurisprudence: *Construction MDGG inc. c. Québec (Sous-ministre du Revenu)* (13 mars 2008), 200-80-002119-061, 2008 CarswellQue 2224.

Bulletins d'interprétation [art. 449]: TVQ. 51-3 — Réduction de la contrepartie d'une fourniture; TVQ. 82-3 — Contrats d'arrangements préalables de services funéraires; TVQ. 444-1/R2 — Mauvaises créances.

Lettres d'interprétation [art. 449]: 96-0115103 — Services ophtalmologiques; 98-0108153 — Indemnité provisionnelle versée pour l'expropriation d'un site d'enfouissement; 99-0109134 — Interprétation relative à la TPS — Interprétation relative à la TVQ — Vente sous contrôle de justice — certificats d'actions; 99-0112492 — Interprétation TPS/TVQ; 00-0102319 — Interprétation TPS/TVQ — Remboursement partiel versé en trop; 01-0101418 — Interprétation relative à la TPS et à la TVQ — Réduction de la contrepartie d'une fourniture; 01-0106938 — Interprétation en TPS et en TVQ — Services de consultation en informatique; 03-0109193 — Interprétation relative à la TPS et à la TVQ — résiliation de contrats [à l'égard d'une soicété de cimetière].

Concordance fédérale: LTA, par. 232(3).

COMMENTAIRES: Dans le cas où un commerçant effectue un tel redressement ou remboursement de la taxe comme prévu à l'article 448, il devra, conformément à l'article 449 remettre au consommateur dans un délai raisonnable, une note de crédit contenant les renseignements prescrits. Le commerçant aura alors le droit de déduire, dans le calcul de sa taxe nette, la taxe relative au trop-perçu qu'il a redressée ou remboursée dans la mesure où cette taxe a déjà été incluse dans le calcul de sa taxe nette. De plus, lorsqu'un commerçant doit corriger le prix du bien et accorder au consommateur un rabais de 10 $ sur le prix ainsi corrigé, Revenu Québec est d'avis qu'il y a réduction de la contrepartie de la fourniture et la taxe sera payable sur le montant d'argent effectivement exigible du consommateur, c'est-à-dire sur le prix corrigé moins le rabais de 10,00 $.Dans ce cas, si la taxe est devenue payable, c'est-à-dire qu'une facture a été émise, ou si la taxe a été perçue par le commerçant, celui-ci pourra faire les ajustements conformément à l'article 448. Revenu Québec, Lettre d'interprétation, 01-0101418 — *Interprétation relative à la TPS et à la TVQ — Réduction de la contrepartie d'une fourniture* (15 mars 2001).

Également à titre illustratif, Revenu Québec devait statuer sur une situation où la contrepartie d'un bien immeuble est réduite de 3 % pour paiement dans un délai de dix jours suivant la signature du contrat (soit un escompte de caisse) et lorsqu'elle est augmentée d'un intérêt si elle est payée plus de quatre-vingt-dix jours suivant la signature du contrat. Lorsque la contrepartie de la fourniture d'un bien immeuble bénéficie d'un escompte de caisse, la société peut ajuster les taxes sur le montant de l'escompte et, pour ce faire, elle doit émettre une note de crédit en faveur du concessionnaire afin d'ajuster les montants qui ont été perçus en vertu de leur convention originale, et ce, conformément à l'article 448. Lorsque la contrepartie est affectée d'un intérêt pour paiement en retard, la taxe est imposée sur la contrepartie sans tenir compte de cet intérêt puisque le paiement de cet intérêt constitue le paiement d'un service financier. Toutefois, cet intérêt doit être indiqué séparément sur la facture. Voir notamment à cet effet : Revenu Québec, Lettre d'interprétation, 96-0103448 — *Réduction de prix — [Price Reduction]* (25 octobre 1996).

Dans le cas où le fournisseur choisit de ne pas rembourser ou de porter au crédit de l'acquéreur la TVQ qu'il a perçue par erreur, notamment parce que celui-ci est incertain quant à l'application de la taxe à une fourniture et ne désire pas risquer être cotisé pour avoir fait défaut d'avoir perçu la taxe, l'acquéreur peut présenter une demande de remboursement en vertu de l'article 400. Voir notamment à cet effet : Revenu Québec, Lettre d'interprétation, 99-0112492 — *Interprétation TPS/TVQ* (2 août 2000).

Compte tenu de la similarité de la rédaction des dispositions législatives et considérant l'engagement spécifique de Revenu Québec de veiller à ce que l'assiette de TVQ modifiée, de même que les paramètres administratifs, structurels et définitionnels, produisent des résultats qui sont identiques à ceux produits sous le régime de la TPS/TVH et soient administrés d'une manière qui produit des résultats identiques, tel que reflété par l'article 14 de l'*Entente intégrée globale de coordination fiscale* signée entre le gouvernement du Canada et le gouvernement du Québec, nous vous référons à nos commentaires en vertu du paragraphe 232(3) de *Loi sur la taxe d'accise (TPS)* qui devraient s'appliquer *mutatis mutandis*, avec les adaptations nécessaires.

450. Exception — Les articles 447 à 449 ne s'appliquent pas dans le cas où les articles 57, 213 ou 215 à 219 s'appliquent.

Notes historiques: L'article 450 a été édicté par L.Q. 1991, c. 67.

Lettres d'interprétation [art. 450]: 96-0115103 — Services ophtalmologiques.

Concordance fédérale: LTA, par. 232(4).

450.0.1 [Définitions] — Pour l'application du présent article et des articles 450.0.2 à 450.0.12, l'expression :

« employeur admissible » a le sens que lui donne l'article 402.13;

« employeur participant » a le sens que lui donne l'article 289.2;

« entité de gestion » a le sens que lui donne l'article 289.2;

« exercice » a le sens que lui donne l'article 458.1;

« montant admissible » a le sens que lui donne l'article 402.13;

« montant de remboursement de pension » a le sens que lui donne l'article 402.13;

« période de demande » a le sens que lui donne l'article 383;

« régime de pension » a le sens que lui donne l'article 289.2;

« ressource d'employeur » a le sens que lui donne l'article 289.2;

« ressource déterminée » a le sens que lui donne l'article 289.5.

2011, c. 34, art. 155

Notes historiques: L'article 450.0.1 a été ajouté par L.Q. 2011, c. 34, par. 155(1) et a effet depuis le 23 septembre 2009.

Notes explicatives ARQ (PL 32, L.Q. 2011, c. 34): *Résumé* :

Le nouvel article 450.0.1 prévoit la définition de certaines expressions pour l'application des articles 450.0.2 à 450.0.12 de cette loi, lesquels concernent les notes de redressement de taxe.

Contexte :

Voir la rubrique « Contexte » de la note explicative relative au nouvel article 289.2 de la LTVQ.

Modifications proposées :

Le nouvel article 450.0.1 prévoit la définition de certaines expressions pour l'application des nouveaux articles 450.0.2 à 450.0.12 de cette loi, introduits dans le cadre du présent projet de loi, lesquels concernent les notes de redressement de taxe que peut délivrer un employeur participant à un régime de pension à une entité de gestion de ce régime, dans certaines circonstances.

Une note de redressement de taxe a pour conséquence que l'employeur participant qui l'a délivrée peut déduire le montant qui y est indiqué dans le calcul de sa taxe nette pour la période de déclaration qui comprend le jour où cette note est délivrée et l'entité de gestion à qui la note de redressement de taxe est délivrée doit restituer le montant reçu au titre du remboursement de la taxe sur les intrants ou au titre du remboursement prévu par l'article 402.14 de la LTVQ, tel que modifié dans le cadre du présent projet de loi, selon le cas, à l'égard de la taxe qui est ainsi réduite par cette note. La note de redressement de taxe a pour effet de réduire la taxe réputée payée, appelée « taxe réputée », par une entité de gestion d'un régime de pension, et réputée perçue par l'employeur participant au régime, par suite des présomptions prévues aux nouveaux articles 289.5 et 289.6 de la LTVQ, introduits dans le cadre du présent projet de loi, lorsqu'une fourniture réelle relative à une ressource déterminée visée à cet article 289.5 ou relative à une ressource d'employeur visée à cet article 289.6 est faite par l'employeur en faveur de l'entité de gestion.

Ainsi, le nouvel article 450.0.1 prévoit que les expressions « employeur admissible », « montant admissible » et « montant de remboursement de pension » ont le sens que leur

LTVQ (français)

donne l'article 402.13 de la LTVQ, tel que modifié dans le cadre du présent projet de loi. Les expressions « employeur participant », « entité de gestion », « régime de pension » et « ressource d'employeur » ont le sens que leur donne le nouvel article 289.2 de la LTVQ, introduit dans le cadre du présent projet de loi. Les expressions « exercice » et « période de demande » ont le sens que leur donnent, respectivement, les articles 458.1 et 383 de la LTVQ. L'expression « ressource déterminée » a le sens que lui donne ce nouvel article 289.5 de la LTVQ.

Renvois [art. 450.0.1]: 289.5 (acquisition d'un bien ou d'un services aux fins de fourniture); 289.6 (consommation ou utilisation d'une ressource d'employeur aux fins de fourniture).

Bulletins d'information [art. 450.0.1]: 2009-9 — Harmonisation à diverses mesures relatives à la législation et à la règlementation fiscales fédérales et report de l'imposition d'une ristourne admissible.

Concordance fédérale: LTA, par. 232.01(1).

450.0.2 [Note de redressement de taxe] — Une personne peut délivrer à une entité de gestion, un jour donné, une note — appelée « note de redressement de taxe » dans les articles 450.0.3 et 450.0.4 — à l'égard d'une ressource déterminée ou d'une partie d'une ressource déterminée et indiquant le montant déterminé conformément à l'article 450.0.3 si, à la fois :

1º la personne est réputée en vertu du paragraphe 2° du premier alinéa de l'article 289.5 avoir perçu, au plus tard le jour donné, la taxe à l'égard d'une fourniture taxable de la ressource déterminée ou de la partie de celle-ci qu'elle est réputée avoir effectuée en vertu du paragraphe 1° de cet alinéa;

2º une fourniture de la ressource déterminée ou de la partie de celle-ci est réputée avoir été reçue par l'entité de gestion en vertu du sous-paragraphe a) du paragraphe 4° du premier alinéa de l'article 289.5 et une taxe à l'égard de cette fourniture est réputée avoir été payée par l'entité de gestion en vertu :

a) soit, sauf dans le cas visé au sous-paragraphe b), du sous-paragraphe b) du paragraphe 4° du premier alinéa de l'article 289.5;

b) soit, lorsque l'entité de gestion est une institution financière désignée particulière le dernier jour de l'exercice au cours duquel la personne a acquis cette ressource, de la division A du sous-alinéa ii de l'alinéa d) du paragraphe 5 de l'article 172.1 de la *Loi sur la taxe d'accise* (Lois révisées du Canada (1985), chapitre E-15);

3º un montant de taxe devient payable, ou est payé sans être devenu payable, à la personne, autrement que par l'effet des articles 289.2 à 289.8, par l'entité de gestion à l'égard d'une fourniture taxable de la ressource déterminée ou de la partie de celle-ci au plus tard le jour donné.

2011, c. 34, art. 155; 2012, c. 28, art. 161.

Notes historiques: Le paragraphe 2° de l'article 450.0.2 a été remplacé par L.Q. 2012, c. 28, par. 161(1) et cette modification s'applique à compter du 1er janvier 2013. Antérieurement, il se lisait ainsi :

> 2º une fourniture de la ressource déterminée ou de la partie de celle-ci est réputée avoir été reçue par l'entité de gestion en vertu du sous-paragraphe a du paragraphe 4° du premier alinéa de l'article 289.5 et la taxe à l'égard de cette fourniture est réputée avoir été payée par l'entité de gestion en vertu du sous-paragraphe b) de ce paragraphe;

L'article 450.0.2 a été ajouté par L.Q. 2011, c. 34, par. 155(1) et a effet depuis le 23 septembre 2009.

Notes explicatives ARQ (PL 5, L.Q. 2012, c. 28): *Résumé* :

L'article 450.0.2 prévoit les circonstances dans lesquelles une personne peut délivrer une note de redressement de taxe à une entité de gestion à l'égard d'une ressource déterminée ou d'une partie d'une ressource déterminée. Cet article est modifié pour préciser ces circonstances lorsque l'entité de gestion à qui est délivrée la note de redressement de taxe est une institution financière désignée particulière (IFDP).

Situation actuelle :

L'article 450.0.2 s'applique lorsque, d'une part, une personne (un employeur participant à un régime de pension) est réputée, en vertu des paragraphes 1° et 2° du premier alinéa de l'article 289.5 de la LTVQ avoir effectué une fourniture taxable d'une ressource déterminée, ou d'une partie d'une ressource déterminée, en faveur d'une entité de gestion du régime et avoir perçu la taxe à l'égard de cette fourniture, et, d'autre part, un montant de taxe devient payable par l'entité de gestion, ou est payé par elle sans être devenu payable, à la suite de la fourniture réelle de cette ressource déterminée ou de la partie de celle-ci.

Plus précisément, cet article trouve application dans les circonstances suivantes :

— une personne, soit un employeur participant à un régime de pension, est réputée avoir effectué une fourniture taxable d'une ressource déterminée, ou d'une partie de celle-ci, en faveur d'une entité de gestion du régime et avoir perçu la taxe à l'égard de cette fourniture en vertu respectivement des paragraphes 1° et 2° du premier alinéa de l'article 289.5 de la LTVQ (paragraphe 1° de l'article 450.0.2 de la LTVQ);

— une fourniture de la ressource déterminée, ou de la partie de celle-ci, est réputée avoir été reçue par l'entité de gestion et la taxe à l'égard de cette fourniture est réputée avoir été payée par celle-ci en vertu respectivement des sous-paragraphes a) et b) du paragraphe 4° du premier alinéa de cet article 289.5 de la LTVQ (paragraphe 2° de l'article 450.0.2 de la LTVQ);

— un montant de taxe devient payable par l'entité de gestion, ou est payé par elle sans être devenu payable, à la personne, autrement que par l'effet des présomptions prévues aux articles 289.2 à 289.8 de la LTVQ, à l'égard d'une fourniture taxable de la ressource déterminée ou de la partie de celle-ci (soit à la suite d'une fourniture réelle de la ressource déterminée ou de la partie de celle-ci) (paragraphe 3° de l'article 450.0.2 de la LTVQ).

Dans ces circonstances, l'article 450.0.2 permet à l'employeur participant au régime de pension de délivrer une note de redressement de taxe indiquant un montant déterminé conformément à l'article 450.0.3 de cette loi. Ce montant peut être déduit dans le calcul de la taxe nette de l'employeur participant en vertu de l'article 450.0.4 de cette loi. De même, ce montant donne lieu à une inclusion par l'entité de gestion du régime, dans le calcul de sa taxe nette, ou, lorsque le choix prévu à l'un des articles 402.18 et 402.19 de la LTVQ a été fait en faveur des employés admissibles d'un régime de pension, à l'inclusion d'un montant déterminé, pour chacun des employeurs admissibles du régime, selon la formule prévue au paragraphe 4° du premier alinéa de cet article 450.0.4, dans le calcul de sa taxe nette.

Modifications proposées :

L'article 450.0.2 est modifié de façon à modifier les circonstances dans lesquelles une note de redressement de taxe peut être délivrée par un employeur participant à un régime de pension, lorsque l'entité de gestion du régime est une IFPD. Soulignons que, dans un tel cas, l'entité de gestion n'est pas réputée avoir payé un montant de taxe à l'égard de la fourniture de la ressource déterminée, et ce, par suite de la modification apportée au sous-paragraphe b du paragraphe 4° du premier alinéa de l'article 289.5 de la LTVQ par le présent projet de loi. Toutefois, une entité de gestion qui est également une IFPD peut faire le choix permettant à certains employeurs admissibles du régime de déduire un montant dans le calcul de leur taxe nette en vertu de l'un des articles 402.18, 402.19 et 402.19.1 de la LTVQ.

L'article 450.0.2 est donc modifié de façon que, lorsque l'entité de gestion est une IFDP le dernier jour de l'exercice au cours duquel elle est réputée avoir reçu une fourniture de la ressource déterminée, l'exigence qu'un montant de TVQ ait été réputé payé par l'entité de gestion ce jour-là, à l'égard de la fourniture déterminée, soit remplacée par celle voulant que l'entité de gestion soit réputée avoir payé un montant de taxe en vertu de la division A du sous-alinéa ii de l'alinéa d) du paragraphe 5 de l'article 172.1 de la *Loi sur la taxe d'accise* (Lois révisées du Canada (1985), chapitre E-15) (soit, essentiellement, de la TPS réputée) à l'égard de la fourniture de la ressource déterminée.

Notes explicatives ARQ (PL 32, L.Q. 2011, c. 34): *Résumé* :

Le nouvel article 450.0.2 prévoit les circonstances dans lesquelles une personne peut délivrer une note de redressement de taxe à une entité de gestion à l'égard d'une ressource déterminée ou d'une partie d'une ressource déterminée.

Contexte :

Voir la rubrique « Contexte » de la note explicative relative au nouvel article 289.2 de la LTVQ.

Modifications proposées :

Le nouvel article 450.0.2 s'applique lorsque, d'une part, une personne (un employeur participant à un régime de pension) est réputée, en vertu des paragraphes 1° et 2° du premier alinéa du nouvel article 289.5 de la LTVQ, introduit dans le cadre du présent projet de loi, avoir effectué une fourniture taxable d'une ressource déterminée, ou d'une partie d'une ressource déterminée, en faveur d'une entité de gestion du régime et avoir perçu la taxe à l'égard de cette fourniture, et, d'autre part, un montant de taxe devient payable par l'entité de gestion, ou est payé par elle sans être devenu payable, à la suite de la fourniture réelle de cette ressource déterminée ou de la partie de celle-ci.

Plus précisément, cet article trouve application dans les circonstances suivantes :

— une personne, soit un employeur participant à un régime de pension, est réputée avoir effectué une fourniture taxable d'une ressource déterminée, ou d'une partie de celle-ci, en faveur d'une entité de gestion du régime et avoir perçu la taxe à l'égard de cette fourniture en vertu respectivement des paragraphes 1° et 2° du premier alinéa du nouvel article 289.5 de la LTVQ (paragraphe 1° de l'article 450.0.2);

— une fourniture de la ressource déterminée, ou de la partie de celle-ci, est réputée avoir été reçue par l'entité de gestion et la taxe à l'égard de cette fourniture est réputée avoir été payée par celle-ci en vertu respectivement des sous-paragraphes a) et b) du paragraphe 4° du premier alinéa de ce nouvel article 289.5 (paragraphe 2° de l'article 450.0.2);

— un montant de taxe devient payable par l'entité de gestion, ou est payé par elle sans être devenu payable, à la personne, autrement que par l'effet des présomptions prévues par les nouveaux articles 289.2 à 289.8 de la LTVQ, à l'égard d'une fourniture taxable de la ressource déterminée ou de la partie de celle-ci (soit à la suite d'une fourniture réelle de la ressource déterminée ou de la partie de celle-ci) (paragraphe 3° de l'article 450.0.2).

Dans ces circonstances, le nouvel article 450.0.2 permet à l'employeur participant au régime de pension de délivrer une note de redressement de taxe indiquant un montant déterminé conformément au nouvel article 450.0.3 de cette loi, introduit dans le cadre du présent projet de loi.

Ce montant peut être déduit dans le calcul de la taxe nette de l'employeur participant en vertu du nouvel article 450.0.4 de cette loi, également introduit dans le cadre du présent projet de loi. De même, ce montant donne lieu à un remboursement par l'entité de gestion du régime ou, lorsque le choix prévu à l'un des articles nouveaux articles 402.18 et 402.19 de la LTVQ, introduits dans le cadre du présent projet de loi, a été fait en faveur des employés admissibles d'un régime de pension, à l'inclusion d'un montant déterminé, pour chacun des employeurs admissibles du régime, selon la formule prévue au paragraphe 4° du premier alinéa de cet article 450.0.4, dans le calcul de sa taxe nette.

Renvois [art. 450.0.2]: 289.5 (acquisition d'un bien ou d'un services aux fins de fourniture); 289.6 (consommation ou utilisation d'une ressource d'employeur aux fins de fourniture).

Bulletins d'information [art. 450.0.2]: 2009-9 — Harmonisation à diverses mesures relatives à la législation et à la règlementation fiscales fédérales et report de l'imposition d'une ristourne admissible.

Concordance fédérale: LTA, par. 232.01(3).

450.0.3 [Montant indiqué de la note de redressement]

— Le montant indiqué dans une note de redressement de taxe délivrée, un jour donné, en vertu de l'article 450.0.2 à l'égard d'une ressource déterminée ou d'une partie d'une ressource déterminée ne peut excéder le montant déterminé selon la formule suivante :

$$A - B.$$

Pour l'application de la formule prévue au premier alinéa :

1º la lettre A représente le moindre des montants suivants :

a) le montant déterminé en vertu du paragraphe 3° du premier alinéa de l'article 289.5 à l'égard de la ressource déterminée ou de la partie de celle-ci;

b) le total des montants dont chacun représente un montant de taxe, prévu au premier alinéa de l'article 16, qui est devenu payable à la personne par l'entité de gestion, ou qui lui a été payé par l'entité de gestion sans être devenu payable, autrement que par l'effet des articles 289.2 à 289.8, à l'égard d'une fourniture taxable de la ressource déterminée ou de la partie de celle-ci au plus tard le jour donné;

2º la lettre B représente le total des montants dont chacun représente le montant de taxe, tel que déterminé en vertu du présent article, indiqué dans une autre note de redressement de taxe délivrée au plus tard le jour donné à l'égard de la ressource déterminée ou de la partie de celle-ci.

2011, c. 34, art. 155

Notes historiques: L'article 450.0.3 a été ajouté par L.Q. 2011, c. 34, par. 155(1) et a effet depuis le 23 septembre 2009.

Notes explicatives ARQ (PL 32, L.Q. 2011, c. 34): *Résumé* :

Le nouvel article 450.0.3 permet de déterminer le montant maximal qui peut être indiqué dans une note de redressement de taxe que délivre une personne à l'égard d'une ressource déterminée ou d'une partie d'une ressource déterminée.

Contexte :

Voir la rubrique « Contexte« de la note explicative relative au nouvel article 289.2 de la LTVQ.

Modifications proposées :

Le nouvel article 450.0.3 précise que le montant indiqué dans une note de redressement de taxe délivrée, un jour donné, par une personne qui est un employeur participant à un régime de pension en vertu du nouvel article 450.0.2 de cette loi, introduit dans le cadre du présent projet de loi, à l'égard d'une ressource déterminée ou d'une partie d'une ressource déterminée, ne peut excéder le montant déterminé selon la formule suivante :

$$A - B.$$

La lettre A représente le moindre des montants suivants :

— le montant déterminé en vertu du paragraphe 3° du premier alinéa du nouvel article 289.5, introduit dans le cadre du présent projet de loi, à l'égard de la ressource déterminée ou de la partie de celle-ci, c'est-à-dire le montant de taxe réputée prévu à cet article 289.5;

— le total des montants dont chacun représente un montant de taxe, prévu au premier alinéa de l'article 16, qui est devenu payable à la personne par l'entité de gestion (soit l'entité de gestion à qui est délivrée la note de redressement de taxe), ou qui lui a été payé par l'entité de gestion sans être devenu payable, autrement que par l'effet des présomptions prévues aux nouveaux articles 289.2 à 289.8 de cette loi, introduits dans le cadre du présent projet de loi, à l'égard d'une fourniture taxable de la ressource déterminée ou de la partie de celle-ci au plus tard le jour donné (soit, essentiellement, l'ensemble des montants de taxe devenus payables par l'entité de gestion ou payés par elle sans être devenus payables à l'égard d'une fourniture réelle de cette ressource déterminée ou de cette partie de celle-ci).

La lettre B représente le total des montants dont chacun représente le montant de taxe, tel que déterminé en vertu du présent article, indiqué dans une autre note de redressement de taxe délivrée au plus tard le jour donné à l'égard de la ressource déterminée ou de la partie de celle-ci.

Renvois [art. 450.0.3]: 289.5 (acquisition d'un bien ou d'un services aux fins de fourniture); 289.6 (consommation ou utilisation d'une ressource d'employeur aux fins de fourniture).

Bulletins d'information [art. 450.0.3]: 2009-9 — Harmonisation à diverses mesures relatives à la législation et à la règlementation fiscales fédérales et report de l'imposition d'une ristourne admissible.

Concordance fédérale: LTA, par. 232.01(4).

450.0.4 [Effet de la note de redressement]

— Lorsqu'une personne délivre une note de redressement de taxe en vertu de l'article 450.0.2 à une entité de gestion à l'égard d'une ressource déterminée ou d'une partie d'une ressource déterminée, que la fourniture de la ressource déterminée ou de la partie de celle-ci est réputée avoir été reçue par l'entité de gestion en vertu du sous-paragraphe a) du paragraphe 4° du premier alinéa de l'article 289.5 et qu'un montant de taxe — appelé « taxe réputée » dans le présent article — à l'égard de cette fourniture soit, dans le cas où l'entité de gestion n'est pas une institution financière désignée particulière un jour donné — appelé « jour particulier » dans le présent article —, est réputé avoir été payé le jour particulier par l'entité de gestion en vertu du sous-paragraphe b) du paragraphe 4° du premier alinéa de l'article 289.5, soit, dans le cas contraire, est réputé avoir été payé le jour particulier par l'entité de gestion en vertu de la division A du sous-alinéa ii de l'alinéa d) du paragraphe 5 de l'article 172.1 de la *Loi sur la taxe d'accise* (Lois révisées du Canada (1985), chapitre E-15) ou serait réputé avoir été payé le jour particulier par l'entité de gestion en vertu de cette division A si elle était également une institution financière désignée particulière pour l'application de cette loi, les règles suivantes s'appliquent :

Modification proposée — 450.0.4 al. 1, préambule

Application: Le préambule du premier alinéa de l'article 450.0.4 sera modifié par l'art. 237 du *Projet de loi 18* (présenté le 21 février 2013) par la suppression du mot « également ». Cette modification entrera en vigueur à la date de la sanction du *Projet de loi 18*.

1º le montant de taxe indiqué dans la note de redressement de taxe peut être déduit dans le calcul de la taxe nette de la personne pour sa période de déclaration qui comprend le jour où la note de redressement de taxe est délivrée;

2º sauf lorsque l'entité de gestion est une institution financière désignée particulière le jour particulier, l'entité de gestion est tenue d'ajouter, dans le calcul de sa taxe nette pour sa période de déclaration qui comprend le jour où la note de redressement de taxe est délivrée, le montant déterminé selon la formule suivante :

$$A \times (B / C);$$

3º sauf lorsque l'entité de gestion est une institution financière désignée particulière le jour particulier, si une partie quelconque du montant de taxe réputée est un montant admissible de l'entité de gestion pour une période de demande donnée, l'entité de gestion est tenue de payer au ministre, au plus tard le dernier jour de sa période de demande qui suit celle qui comprend le jour où la note de redressement de taxe est délivrée, le montant déterminé selon la formule suivante

$$D \times E \times (B / C) \times [(F - G) / F];$$

4º sauf lorsque l'entité de gestion est une institution financière désignée particulière le jour particulier, si une partie quelconque du montant de taxe réputée est un montant admissible de l'entité de gestion pour une période de demande donnée où le choix prévu à l'un

LTVQ (français)

des articles 402.18, 402.19 et 402.19.1 a été fait conjointement par l'entité de gestion et par les employeurs participants au régime de pension qui étaient des employeurs admissibles du régime pour l'année civile qui comprend le dernier jour de cette période, chacun de ces employeurs est tenu d'ajouter, dans le calcul de sa taxe nette pour sa période de déclaration qui comprend le jour où la note de redressement de taxe est délivrée, le montant déterminé selon la formule suivante :

$$D \times E \times (B / C) \times (H / F).$$

Pour l'application des formules prévues au premier alinéa :

1º la lettreA représente le total des remboursements de la taxe sur les intrants que l'entité de gestion peut demander au titre de la taxe réputée;

2º la lettre B représente le montant de taxe indiqué dans la note de redressement de taxe;

3º la lettre C représente le montant de taxe réputée;

4º la lettre D représente la partie quelconque du montant de taxe réputée;

5º la lettre E représente 33 %;

a) 77 %, lorsque l'entité de gestion est régie par un régime de pension auquel plus de 50 % des cotisations sont versées par un ou plusieurs organismes de services publics n'ayant droit à aucun remboursement en vertu de l'article 386;

b) 88 %, lorsque l'entité de gestion est régie par un régime de pension auquel plus de 50 % des cotisations sont versées par un ou plusieurs organismes de services publics ayant droit à un remboursement en vertu de l'article 386;

c) dans les autres cas, 100 %;

6º la lettre F représente le montant de remboursement de pension de l'entité de gestion pour la période de demande donnée;

7º la lettre G représente le total visé au paragraphe 2° du deuxième alinéa de l'article 402.14 déterminé relativement à l'entité de gestion pour la période de demande donnée;

8º la lettre H représente le montant de la déduction déterminé relativement à l'employeur participant en vertu de l'article 402.18, de l'un des paragraphes 1° et 3° du premier alinéa de l'article 402.19 ou de l'article 402.19.1, selon le cas, pour la période de demande donnée.

2011, c. 34, art. 155; 2012, c. 28, art. 162.

Notes historiques: Le préambule du premier alinéa de l'article 450.0.4 a été remplacé par L.Q. 2012, c. 28, s.-par. 162(1)(1°) et cette modification s'applique à l'égard d'une période de déclaration qui se termine après le 31 décembre 2012. Antérieurement, il se lisait ainsi :

450.0.4 Lorsqu'une personne délivre une note de redressement de taxe en vertu de l'article 450.0.2 à une entité de gestion à l'égard d'une ressource déterminée ou d'une partie d'une ressource déterminée, que la fourniture de la ressource déterminée ou de la partie de celle-ci est réputée avoir été reçue par l'entité de gestion en vertu du sous-paragraphe a) du paragraphe 4° du premier alinéa de l'article 289.5 et que la taxe — appelée « taxe réputée » dans le présent article — à l'égard de cette fourniture est réputée avoir été payée un jour donné par l'entité de gestion en vertu du sous-paragraphe b) de ce paragraphe, les règles suivantes s'appliquent :

Le préambule du paragraphe 2° du premier alinéa de l'article 450.0.4 a été remplacé par L.Q. 2012, c. 28, s.-par. 162(1)(2°) et cette modification s'applique à l'égard d'une période de déclaration qui se termine après le 31 décembre 2012. Antérieurement, il se lisait ainsi :

2° l'entité de gestion est tenue d'ajouter, dans le calcul de sa taxe nette pour sa période de déclaration qui comprend le jour où la note de redressement de taxe est délivrée, le montant déterminé selon la formule suivante :

Le préambule du paragraphe 3° du premier alinéa de l'article 450.0.4 a été remplacé par L.Q. 2012, c. 28, s.-par. 162(1)(3°) et cette modification s'applique à l'égard d'une période de déclaration qui se termine après le 31 décembre 2012. Antérieurement, il se lisait ainsi :

3° si une partie quelconque du montant de taxe réputée est un montant admissible de l'entité de gestion pour une période de demande donnée, l'entité de gestion est tenue de payer au ministre, au plus tard le dernier jour de sa période de demande qui suit celle qui comprend le jour où la note de redressement de taxe est délivrée, le montant déterminé selon la formule suivante :

Le préambule du paragraphe 4° du premier alinéa de l'article 450.0.4 a été remplacé par L.Q. 2012, c. 28, s.-par. 162(1)(4°) et cette modification s'applique à l'égard d'une période de déclaration qui se termine après le 31 décembre 2012. Antérieurement, il se lisait ainsi :

4° si une partie quelconque du montant de taxe réputée est un montant admissible de l'entité de gestion pour une période de demande donnée où le choix prévu à l'un des articles 402.18 et 402.19 a été fait conjointement par l'entité de gestion et par les employeurs participants au régime de pension qui étaient des employeurs admissibles du régime pour l'année civile qui comprend le dernier jour de cette période, chacun de ces employeurs est tenu d'ajouter, dans le calcul de sa taxe nette pour sa période de déclaration qui comprend le jour où la note de redressement de taxe est délivrée, le montant déterminé selon la formule suivante :

Le paragraphe 5° du deuxième alinéa de l'article 450.0.4 a été remplacé par L.Q. 2012, c. 28, s.-par. 162(1)(5°) et cette modification s'applique à l'égard d'une période de déclaration qui se termine après le 31 décembre 2012. Toutefois, lorsque la note de redressement de taxe est relative, à la fois, à un montant visé au paragraphe 3° de l'article 450.0.2 qui est devenu payable par une entité de gestion, ou qui a été payé par elle sans être devenu payable, avant le 1er janvier 2013 et à un montant visé au paragraphe 2° de cet article 450.0.2 qui est réputé avoir été payé après le 31 décembre 2012, le paragraphe 5° du deuxième alinéa de l'article 450.0.4 doit se lire comme suit :

« 5° la lettre E représente, selon le cas :

a) 77 %, lorsque l'entité de gestion est régie par un régime de pension auquel plus de 50 % des cotisations sont versées par un ou plusieurs organismes de services publics n'ayant droit à aucun remboursement en vertu de l'article 386;

b) 88 %, lorsque l'entité de gestion est régie par un régime de pension auquel plus de 50 % des cotisations sont versées par un ou plusieurs organismes de services publics ayant droit à un remboursement en vertu de l'article 386;

c) dans les autres cas, 100 %. »

Antérieurement, il se lisait ainsi :

5° la lettre E représente, selon le cas :

Le paragraphe 8° du deuxième alinéa de l'article 450.0.4 a été remplacé par L.Q. 2012, c. 28, s.-par. 162(1)(6°) et cette modification s'applique à l'égard d'une période de déclaration qui se termine après le 31 décembre 2012. Antérieurement, il se lisait ainsi :

8° la lettre H représente le montant de la déduction déterminé relativement à l'employeur participant en vertu de l'article 402.18 ou de l'un des paragraphes 2° et 3° du premier alinéa de l'article 402.19, selon le cas, pour la période de demande donnée.

L'article 450.0.4 a été ajouté par L.Q. 2011, c. 34, par. 155(1) et a effet depuis le 23 septembre 2009.

Notes explicatives ARQ (PL 5, L.Q. 2012, c. 28): *Résumé* :

L'article 450.0.4 prévoit les conséquences découlant de la délivrance d'une note de redressement de taxe à l'égard d'une ressource déterminée ou d'une partie de celle-ci. Cet article est modifié pour préciser qu'aucun montant n'est à ajouter, en vertu de cet article, dans le calcul de la taxe nette de l'entité de gestion d'un régime de pension à qui est délivrée la note de redressement de taxe lorsque celle-ci est une institution financière désignée particulière (IFDP).

Situation actuelle :

L'article 450.0.4 s'applique dans les circonstances suivantes :

— une personne, soit un employeur participant à un régime de pension, délivre une note de redressement de taxe, en vertu de l'article 450.0.2 de la LTVQ à une entité de gestion de ce régime à l'égard d'une ressource déterminée ou d'une partie d'une ressource déterminée;

— la fourniture de la ressource déterminée ou de la partie de celle-ci, ci-après appelée « fourniture réputée », est réputée avoir été reçue par l'entité de gestion en vertu du sous-paragraphe a du paragraphe 4° du premier alinéa de l'article 289.5 de la LTVQ;

— la taxe à l'égard de la fourniture réputée, ci-après appelée « taxe réputée », est réputée avoir été payée par l'entité de gestion en vertu du sous-paragraphe b du paragraphe 4° du premier alinéa de l'article 289.5 de la LTVQ.

L'article 450.0.4 prévoit les conséquences découlant de la délivrance d'une note de redressement de taxe dans ces circonstances. Ainsi, la personne qui a délivré la note de redressement de taxe, soit un employeur participant au régime de pension, peut déduire, dans le calcul de sa taxe nette pour sa période de déclaration qui comprend le jour où la note de redressement de taxe est délivrée, le montant qui y est indiqué (paragraphe 1° du premier alinéa de l'article 450.0.4 de la LTVQ). L'entité de gestion du régime doit inclure, dans le calcul de sa taxe nette pour sa période de déclaration qui comprend le jour où la note de redressement de taxe est délivrée, le montant déterminé selon la formule suivante :

$$A \times (B / C).$$

Dans cette formule, la lettre A représente le total des remboursements de la taxe sur les intrants que l'entité de gestion peut demander au titre de la taxe réputée. La lettre B représente le montant de taxe indiqué dans la note de redressement de taxe et la lettre C représente le montant de taxe réputée.

En fait, cette inclusion, dans le calcul de la taxe nette de l'entité de gestion pour cette période de déclaration, vise à annuler le remboursement de la taxe sur les intrants que peut par ailleurs avoir demandé l'entité de gestion relativement à la taxe réputée. Cette inclusion s'explique du fait que l'entité de gestion a pu demander un remboursement de la taxe sur les intrants à l'égard de la taxe payée relativement à la fourniture réelle de la ressource déterminée ou de la partie de la ressource déterminée de même qu'à l'égard de la taxe réputée relativement à la fourniture réputée de la ressource déterminée ou de la partie de celle-ci qu'elle est réputée avoir payée en vertu du sous-paragraphe b du paragraphe 4° du premier alinéa de l'article 289.5 de la LTVQ (paragraphe 2° du premier alinéa de l'article 450.0.4 de la LTVQ). Notons que, en raison de l'article 206.0.1 de la LTVQ, aucun montant de taxe relativement à une fourniture ne peut donner droit à un remboursement de la taxe sur les intrants acquis par un inscrit qui est une entité de gestion, pour une période de déclaration, dans la mesure où l'entité de gestion n'a pas demandé un crédit de taxe sur les intrants en vertu de la *Loi sur la taxe d'accise* (Lois révisées du Canada, (1985), chapitre E-15), relativement à cette fourniture, ou qu'elle n'a pas droit à un tel crédit.

Par conséquent, dans le cas où l'entité de gestion n'a pas droit à un crédit de taxe sur les intrants relativement à une fourniture, le montant déterminé en vertu du paragraphe 2° du premier alinéa de l'article 450.0.4 de la LTVQ est égal à zéro, puisque l'entité de gestion n'a alors pas bénéficié d'un montant au titre du remboursement de la taxe sur les intrants relativement à cette fourniture.

En vertu du paragraphe 3° du premier alinéa de l'article 450.0.4, lorsqu'une partie quelconque du montant de taxe réputée est un montant admissible de l'entité de gestion pour une période de demande donnée — soit lorsque l'entité de gestion a droit, pour la période de demande donnée, à un remboursement en vertu de l'article 402.14 de la LTVQ, l'entité de gestion doit payer au ministre du Revenu, au plus tard le dernier jour de la période de demande qui suit celle qui comprend le jour où la note de redressement de taxe est délivrée, le montant déterminé selon la formule suivante :

$$D \times E \times (B / C) \times [(F - G) / F].$$

Notons que tout montant inclus dans le calcul du remboursement de la taxe sur les intrants de l'entité de gestion pour une période de demande ne peut être un montant admissible pour cette période en vertu des définitions des expressions « montant admissible » et « montant recouvrable » prévues au premier alinéa de l'article 402.13 de la LTVQ. Ainsi, une partie quelconque d'un montant de taxe réputée ne peut être à la fois visée au paragraphe 2° du premier alinéa de l'article 450.0.4 de la LTVQ et au paragraphe 3° de ce premier alinéa. Dans cette formule, la lettre D représente la partie quelconque du montant de taxe réputée qui est un montant admissible de l'entité de gestion pour la période de demande et la lettre E représente le taux applicable pour le calcul du montant de remboursement de pension de l'entité de gestion pour la période de demande, lequel est l'un des taux suivants :

— 77 %, lorsque l'entité de gestion est régie par un régime de pension auquel plus de 50 % des cotisations sont versées par un ou plusieurs organismes de services publics n'ayant droit à aucun remboursement en vertu de l'article 386 de la LTVQ (telles des municipalités);

— 88 %, lorsque l'entité de gestion est régie par un régime de pension auquel plus de 50 % des cotisations sont versées par un ou plusieurs organismes de services publics ayant droit à un remboursement en vertu de l'article 386 de la LTVQ (telles des universités);

— 100 %, dans les autres cas.

La lettre F représente le montant de remboursement de pension de l'entité de gestion pour la période de demande et la lettre G représente le total visé au paragraphe 2° du deuxième alinéa de l'article 402.14 de la LTVQ, soit le total des montants transférés en faveur d'un employeur admissible du régime à la suite d'un choix fait par l'entité de gestion et les employeurs admissibles du régime en vertu de l'un des articles 402.18 et 402.19 de la LTVQ.

Ainsi, de façon sommaire, le paragraphe 3° du premier alinéa de l'article 450.0.4 de la LTVQ a pour effet de contraindre l'entité de gestion à restituer au ministre du Revenu la partie de la taxe réputée pour laquelle elle a obtenu un remboursement en vertu de l'article 402.14 de la LTVQ qui est attribuable au montant indiqué dans la note de redressement de taxe.

En vertu du paragraphe 4° du premier alinéa de l'article 450.0.4, lorsque le montant de taxe réputée est un montant admissible de l'entité de gestion pour une période de demande où le choix prévu à l'un des articles 402.18 et 402.19 de la LTVQ a été fait conjointement par l'entité de gestion et les employeurs participants au régime qui étaient des employeurs admissibles du régime pour l'année civile qui comprend le dernier jour de cette période de demande — soit le choix de transférer une partie du montant de remboursement de pension auquel l'entité de gestion aurait eu par ailleurs droit en faveur des employeurs admissibles du régime —, chacun des employeurs admissibles du régime est tenu d'inclure, dans le calcul de sa taxe nette pour sa période de déclaration qui comprend le jour où la note de redressement de taxe est délivrée, le montant déterminé selon la formule suivante :

$$D \times E \times (B / C) \times (H / F).$$

Dans cette formule, la lettre H représente le montant de la déduction déterminé relativement à l'employeur participant en vertu de l'article 402.18 de la LTVQ ou de l'un des paragraphes 2° et 3° du premier alinéa de l'article 402.19 de la LTVQ pour la période de demande. Ainsi, le paragraphe 4° du premier alinéa de l'article 450.0.4 de cette loi a pour effet de récupérer, au moyen d'une inclusion dans le calcul de la taxe nette d'un employeur admissible du régime, la partie de la taxe réputée qui a pu être déduite par celui-ci dans le calcul de sa taxe nette par suite du choix prévu à l'un de ces articles 402.18 et 402.19 et qui fait l'objet de la note de redressement de taxe.

Modifications proposées :

L'article 450.0.4 est modifié de façon à préciser qu'aucun montant n'est à ajouter par une entité de gestion d'un régime de pension ou par un employeur admissible du régime en faveur duquel l'un des choix prévus aux articles 402.18, 402.19 et 402.19.1 de la LTVQ a été fait, dans le calcul de sa taxe nette pour la période de déclaration qui comprend le jour où la note de redressement de taxe est délivrée, lorsque l'entité de gestion était une IFDP le jour où elle est réputée avoir payé un montant de taxe à l'égard de la fourniture de la ressource déterminée.

Par ailleurs, le paragraphe 5° du deuxième alinéa de l'article 450.0.4, qui définit la lettre E, est modifié de façon à faire référence uniquement à un taux de 33 %, et ce, considérant que la nouvelle section VI.1 du chapitre III du titre I de la LTVQ, introduite par le présent projet de loi, prévoit l'exonération des services financiers, autres que certains services financiers qui demeurent détaxés en vertu des articles 197.3 à 197.5 de la LTVQ.

Notes explicatives ARQ (PL 32, L.Q. 2011, c. 34): *Résumé* :

Le nouvel article 450.0.4 prévoit les conséquences découlant de la délivrance d'une note de redressement de taxe à l'égard d'une ressource déterminée ou d'une partie de celle-ci.

Contexte :

Voir la rubrique « Contexte » de la note explicative relative au nouvel article 289.2 de la LTVQ.

Modifications proposées :

Le nouvel article 450.0.4 s'applique dans les circonstances suivantes :

— une personne, soit un employeur participant à un régime de pension, délivre une note de redressement de taxe, en vertu du nouvel article 450.0.2 de la LTVQ, introduit dans le cadre du présent projet de loi, à une entité de gestion de ce régime à l'égard d'une ressource déterminée ou d'une partie d'une ressource déterminée;

— la fourniture de la ressource déterminée ou de la partie de celle-ci, ci-après appelée « fourniture réputée », est réputée avoir été reçue par l'entité de gestion en vertu du sous-paragraphe a du paragraphe 4° du premier alinéa du nouvel article 289.5 de la LTVQ, également introduit dans le cadre du présent projet de loi;

— la taxe à l'égard de la fourniture réputée, ci-après appelée « taxe réputée », est réputée avoir été payée par l'entité de gestion en vertu du sous-paragraphe b) du paragraphe 4° du premier alinéa de ce nouvel article 289.5 de la LTVQ.

Le nouvel article 450.0.4 prévoit les conséquences découlant de la délivrance d'une note de redressement de taxe dans ces circonstances. Ainsi, la personne qui a délivré la note de redressement de taxe, soit un employeur participant au régime de pension, peut déduire, dans le calcul de sa taxe nette pour sa période de déclaration qui comprend le jour où la note de redressement de taxe est délivrée, le montant qui y est indiqué (paragraphe 1° du premier alinéa de l'article 450.0.4).

L'entité de gestion du régime doit inclure, dans le calcul de sa taxe nette pour sa période de déclaration qui comprend le jour où la note de redressement de taxe est délivrée, le montant déterminé selon la formule suivante :

$$A \times (B / C).$$

Dans cette formule, la lettre A représente le total des remboursements de la taxe sur les intrants que l'entité de gestion peut demander au titre de la taxe réputée. La lettre B représente le montant de taxe indiqué dans la note de redressement de taxe et la lettre C représente le montant de taxe réputée.

En fait, cette inclusion, dans le calcul de la taxe nette de l'entité de gestion pour cette période de déclaration, vise à annuler le remboursement de la taxe sur les intrants que peut par ailleurs avoir demandé l'entité de gestion relativement à la taxe réputée. Cette inclusion s'explique du fait que l'entité de gestion a pu demander un remboursement de la taxe sur les intrants à l'égard de la taxe payée relativement à la fourniture réelle de la ressource déterminée ou de la partie de la ressource déterminée de même qu'à l'égard de la taxe réputée relativement à la fourniture réputée de la ressource déterminée ou de la partie de celle-ci qu'elle est réputée avoir payée en vertu du sous-paragraphe b) du paragraphe 4° du premier alinéa du nouvel article 289.5 de la LTVQ (paragraphe 2° du premier alinéa de l'article 450.0.4). Notons que, en raison du nouvel article 206.0.1 de la LTVQ, introduit dans le cadre du présent projet de loi, aucun montant de taxe relativement à une fourniture ne peut donner droit à un remboursement de la taxe sur les intrants acquis par un inscrit qui est une entité de gestion, pour une période de déclaration, lorsque l'entité de gestion n'a pas demandé un crédit de taxe sur les intrants en vertu de la *Loi sur la taxe d'accise* (Lois révisées du Canada, (1985), chapitre E-15), relativement à cette fourniture, ou qu'elle n'a pas droit à un tel crédit. Par conséquent, dans le cas où l'entité de gestion n'a pas droit à un crédit de taxe sur les intrants relativement à une fourniture, le montant déterminé en vertu du paragraphe 2° du premier alinéa de l'article 450.0.4 de la LTVQ est égal à zéro, puisque l'entité de gestion n'a alors pas bénéficié d'un montant au titre du remboursement de la taxe sur les intrants relativement à cette fourniture.

En vertu du paragraphe 3° du premier alinéa de l'article 450.0.4, lorsqu'une partie quelconque du montant de taxe réputée est un montant admissible de l'entité de gestion pour une période de demande donnée — soit lorsque l'entité de gestion a droit, pour la période de demande donnée, à un remboursement en vertu de l'article 402.14 de la LTVQ, tel que modifié dans le cadre du présent projet de loi —, l'entité de gestion doit payer au ministre du Revenu, au plus tard le dernier jour de la période de demande qui suit

LTVQ (français)

celle qui comprend le jour où la note de redressement de taxe est délivrée, le montant déterminé selon la formule suivante :

$$D \times E \times (B / C) \times [(F - G) / F].$$

Notons que tout montant inclus dans le calcul du remboursement de la taxe sur les intrants de l'entité de gestion pour une période de demande ne peut être un montant admissible pour cette période en vertu de la définition des expressions « montant admissible » et « montant recouvrable » prévue au premier alinéa de l'article 402.13 de la LTVQ, tel que modifié dans le cadre du présent projet de loi. Ainsi, une partie quelconque d'un montant de taxe réputée ne peut être à la fois visée au paragraphe 2° du premier alinéa de l'article 450.0.4 de la LTVQ et au paragraphe 3° de ce premier alinéa.

Dans cette formule, la lettre D représente la partie quelconque du montant de taxe réputée qui est un montant admissible de l'entité de gestion pour la période de demande et la lettre E représente le taux applicable pour le calcul du montant de remboursement de pension de l'entité de gestion pour la période de demande, lequel est l'un des taux suivants :

- — 77 % lorsque l'entité de gestion est régie par un régime de pension auquel plus de 50 % des cotisations sont versées par un ou plusieurs organismes de services publics n'ayant droit à aucun remboursement en vertu de l'article 386 de la LTVQ (telles des municipalités);
- — 88 %, lorsque l'entité de gestion est régie par un régime de pension auquel plus de 50 % des cotisations sont versées par un ou plusieurs organismes de services publics ayant droit à un remboursement en vertu de l'article 386 de la LTVQ (telles des universités);
- — 100 %, dans les autres cas.

La lettre F représente le montant de remboursement de pension de l'entité de gestion pour la période de demande et la lettre G représente le total visé au paragraphe 2° du deuxième alinéa de l'article 402.14 de la LTVQ, tel que modifié dans le cadre du présent projet de loi, soit le total des montants transférés en faveur d'un employeur admissible du régime à la suite d'un choix fait par l'entité de gestion et les employeurs admissibles du régime en vertu de l'un des nouveaux articles 402.18 et 402.19 de la LTVQ, introduits dans le cadre du présent projet de loi.

Ainsi, de façon sommaire, le paragraphe 3° du premier alinéa de ce nouvel article 450.0.4 a pour effet de contraindre l'entité de gestion à restituer au ministre du Revenu la partie de la taxe réputée pour laquelle elle a obtenu un remboursement en vertu de l'article 402.14 de la LTVQ qui est attribuable au montant indiqué dans la note de redressement de taxe.

En vertu du paragraphe 4° du premier alinéa de l'article 450.0.4, lorsque lemontant de taxe réputée est un montant admissible de l'entité de gestion pour une période de demande où le choix prévu à l'un de ces nouveaux articles 402.18 et 402.19 a été fait conjointement par l'entité de gestion et les employeurs participants au régime qui étaient des employeurs admissibles du régime pour l'année civile qui comprend le dernier jour de cette période de demande — soit le choix de transférer une partie du montant de remboursement de pension auquel l'entité de gestion aurait eu par ailleurs droit en faveur des employeurs admissibles du régime — , chacun des employeurs admissibles du régime est tenu d'inclure, dans le calcul de sa taxe nette pour sa période de déclaration qui comprend le jour où la note de redressement de taxe est délivrée, le montant déterminé selon la formule suivante :

$$D \times E \times (B / C) \times (H / F).$$

Dans cette formule, la lettre H représente le montant de la déduction déterminé relativement à l'employeur participant en vertu de l'article 402.18 ou de l'un des paragraphes 2° et 3° du premier alinéa de l'article 402.19 de la LTVQ pour la période de demande. Ainsi, le paragraphe 4° du premier alinéa du nouvel article 450.0.4 a pour effet de récupérer, au moyen d'une inclusion dans le calcul de la taxe nette d'un employeur admissible du régime, la partie de la taxe réputée qui a pu être déduite par celui-ci dans le calcul de sa taxe nette par suite du choix prévu à l'un de ces nouveaux articles 402.18 et 402.19 et qui fait l'objet de la note de redressement de taxe.

Renvois [art. 450.0.4]: 289.5 (acquisition d'un bien ou d'un services aux fins de fourniture); 289.6 (consommation ou utilisation d'une ressource d'employeur aux fins de fourniture).

Bulletins d'information [art. 450.0.4]: 2009-9 — Harmonisation à diverses mesures relatives à la législation et à la règlementation fiscales fédérales et report de l'imposition d'une ristourne admissible.

Concordance fédérale: LTA, par. 232.01(5).

450.0.5 [Note de redressement de la taxe] — Une personne peut délivrer à une entité de gestion, un jour donné, une note — appelée « note de redressement de taxe » dans les articles 450.0.6 et 450.0.7 — à l'égard des ressources d'employeur consommées ou utilisées en vue d'effectuer une fourniture d'un bien ou d'un service — appelée « fourniture réelle » dans le présent article et dans les articles 450.0.6 et 450.0.7 — à l'entité de gestion et indiquant le montant déterminé conformément à l'article 450.0.6 si, à la fois :

1º la personne est réputée en vertu du paragraphe 2° du premier alinéa de l'article 289.6 avoir perçu, au plus tard le jour donné, la taxe à l'égard d'une ou de plusieurs fournitures taxables de ressources d'employeur qu'elle est réputée avoir effectuées en vertu du paragraphe 1° de cet alinéa;

2º une fourniture de chacune de ces ressources d'employeur est réputée avoir été reçue par l'entité de gestion en vertu du sous-paragraphe a du paragraphe 4° du premier alinéa de l'article 289.6 et une taxe à l'égard de chacune de ces fournitures est réputée avoir été payée par l'entité de gestion en vertu :

a) soit, sauf dans le cas visé au sous-paragraphe b), du sous-paragraphe b) du paragraphe 4° du premier alinéa de l'article 289.6;

b) soit, lorsque l'entité de gestion est une institution financière désignée particulière le dernier jour de l'exercice au cours duquel les ressources d'employeur sont consommées ou utilisées en vue d'effectuer la fourniture réelle, de la division A du sous-alinéa ii de l'alinéa d) du paragraphe 6 de l'article 172.1 de la *Loi sur la taxe d'accise* (Lois révisées du Canada (1985), chapitre E-15);

3º un montant de taxe devient payable à la personne par l'entité de gestion, ou lui est payé par l'entité de gestion sans être devenu payable, autrement que par l'effet des articles 289.2 à 289.8, à l'égard de la fourniture réelle au plus tard le jour donné.

2011, c. 34, art. 155; 2012, c. 28, art. 163

Notes historiques: Le paragraphe 2° de l'article 450.0.5 a été remplacé par L.Q. 2012, c. 28, par. 163(1) et cette modification s'applique à compter du 1er janvier 2013. Antérieurement, il se lisait ainsi :

> 2° une fourniture de chacune de ces ressources d'employeur est réputée avoir été reçue par l'entité de gestion en vertu du sous-paragraphe a) du paragraphe 4° du premier alinéa de l'article 289.6 et la taxe à l'égard de chacune de ces fournitures est réputée avoir été payée par elle en vertu du sous-paragraphe b) de ce paragraphe;

L'article 450.0.5 a été ajouté par L.Q. 2011, c. 34, par. 155(1) et a effet depuis le 23 septembre 2009.

Notes explicatives ARQ (PL 5, L.Q. 2012, c. 28): *Résumé :*

L'article 450.0.5 prévoit les circonstances dans lesquelles une personne peut délivrer une note de redressement de taxe à une entité de gestion à l'égard de ressources d'employeur. Cet article est modifié pour préciser ces circonstances lorsque l'entité de gestion à qui est délivrée la note de redressement de taxe est une institution financière désignée particulière (IFDP).

Situation actuelle :

L'article 450.0.5 s'applique lorsqu'un employeur participant à un régime de pension est réputé, en vertu des paragraphes 1° et 2° du premier alinéa de l'article 289.6 de la LTVQ, avoir effectué une fourniture taxable de ses ressources d'employeur, au sens que donne à cette expression l'article 450.0.1 de la LTVQ — ce qui survient lorsque l'employeur consomme ou utilise une de ses ressources d'employeur en vue d'effectuer la fourniture réelle d'un bien ou d'un service à une entité de gestion du régime-, et est réputé avoir perçu la taxe à l'égard de cette fourniture réputée de ses ressources d'employeur.

L'article 450.0.5 de la LTVQ permet à une personne, soit un employeur participant à un régime de pension, de délivrer à une entité de gestion du régime, un jour donné, une note de redressement de taxe indiquant un montant déterminé conformément à l'article 450.0.6 de cette loi.

Plus précisément, cet article 450.0.5 s'applique dans les circonstances suivantes :

- — la personne, soit un employeur participant à un régime de pension, a consommé ou utilisé une de ses ressources d'employeur, au sens que donne à cette expression l'article 450.0.1 de la LTVQ, en vue d'effectuer la fourniture d'un bien ou d'un service, appelée « fourniture réelle », à une entité de gestion du régime (la partie de l'article 450.0.5 de la LTVQ qui précède le paragraphe 1°);
- — la personne est réputée avoir effectué une ou plusieurs fournitures taxables de ressources d'employeur et avoir perçu la taxe à l'égard de ces fournitures en vertu respectivement des paragraphes 1° et 2° du premier alinéa du nouvel article 289.6 de cette loi (paragraphe 1° de l'article 450.0.5 de la LTVQ);
- — une fourniture de chacune de ces ressources d'employeur est réputée avoir été reçue par l'entité de gestion et la taxe à l'égard de cette fourniture est réputée avoir été payée par l'entité de gestion en vertu respectivement des sous-paragraphes a) et b) du paragraphe 4° du premier alinéa de cet article 289.6 (paragraphe 2° de l'article 450.0.5 de la LTVQ);
- — un montant de taxe devient payable par l'entité de gestion, ou est payé par elle sans être devenu payable, à la personne, autrement que par l'effet des présomptions prévues aux articles 289.2 à 289.8 de la LTVQ, à l'égard de la fourniture réelle au plus tard le jour donné (paragraphe 3° de l'article 450.0.5 de la LTVQ).

Le montant indiqué dans la note de redressement de taxe peut être déduit dans le calcul de la taxe nette de l'employeur participant en vertu de l'article 450.0.7 de cette loi. De même, le montant indiqué dans cette note donne lieu à une récupération par l'entité de gestion du régime au moyen d'une inclusion dans le calcul de sa taxe nette ou, lorsque le choix prévu à l'un des articles 402.18 et 402.19 de la LTVQ a été fait, à l'inclusion d'un montant déterminé, pour chacun des employeurs admissibles du régime, selon la formule prévue au paragraphe 4° du premier alinéa de cet article 450.0.7 dans le calcul de sa taxe nette.

Modifications proposées :

L'article 450.0.5 est modifié de façon à modifier les circonstances dans lesquelles une note de redressement de taxe peut être délivrée par un employeur participant à un régime de pension, lorsque l'entité de gestion du régime est une IFDP. Soulignons que, dans un tel cas, l'entité de gestion n'est pas réputée avoir payé un montant de taxe à l'égard de la fourniture de la ressource d'employeur, et ce, par suite de la modification apportée au sous-paragraphe b du paragraphe 4° du premier alinéa de l'article 289.6 de la LTVQ par le présent projet de loi. Toutefois, une entité de gestion qui est également une IFDP peut faire le choix permettant à certains employeurs admissibles du régime de déduire un montant dans le calcul de leur taxe nette en vertu de l'un des articles 402.18 et 402.19 de la LTVQ et du nouvel article 402.19.1 de cette loi, également introduit par le présent projet de loi.

L'article 450.0.5 est donc modifié de façon que, lorsque l'entité de gestion est une IFDP le dernier jour de l'exercice de l'employeur participant au cours duquel celui-ci a consommé ou utilisé des ressources d'employeur en vue d'effectuer la fourniture d'un bien ou d'un service à l'entité de gestion, l'exigence qu'un montant de TVQ réputée ait été réputé payé par l'entité de gestion ce jour-là, à l'égard de la fourniture réputée des ressources d'employeur, soit remplacée par celle voulant que l'entité de gestion soit réputée avoir payé un montant de taxe réputée en vertu de la division A du sous-alinéa ii de l'alinéa d du paragraphe 6 de l'article 172.1 de la *Loi sur la taxe d'accise* (Lois révisées du Canada (1985), chapitre E-15) (soit, essentiellement, de la TPS réputée) à l'égard de la fourniture réputée de la ressource d'employeur.

Notes explicatives ARQ (PL 32, L.Q. 2011, c. 34): *Résumé* :

Le nouvel article 450.0.5 prévoit les circonstances dans lesquelles une personne peut délivrer une note de redressement de taxe à une entité de gestion à l'égard d'une fourniture réputée effectuée en vertu du nouvel article 289.6 de cette loi.

Contexte :

Voir la rubrique « Contexte » de la note explicative relative au nouvel article 289.2 de la LTVQ.

Modifications proposées :

Le nouvel article 450.0.5 s'applique lorsqu'un employeur participant à un régime de pension est réputé, en vertu des paragraphes 1° et 2° du premier alinéa du nouvel article 289.6 de la LTVQ, introduit dans le cadre du présent projet de loi, avoir effectué une fourniture taxable de ses ressources d'employeur, au sens que donne à cette expression le nouvel article 450.0.1 de la LTVQ, introduit dans le cadre du présent projet de loi, — ce qui survient lorsque l'employeur consomme ou utilise une de ses ressources d'employeur en vue d'effectuer la fourniture réelle d'un bien ou d'un service à une entité de gestion du régime —, et est réputé avoir perçu la taxe à l'égard de cette fourniture réputée de ses ressources d'employeur.

Le nouvel article 450.0.5 permet à une personne, soit un employeur participant à un régime de pension, de délivrer à une entité de gestion du régime, un jour donné, une note de redressement de taxe indiquant un montant déterminé conformément au nouvel article 450.0.6 de cette loi, également introduit dans le cadre du présent projet de loi.

Plus précisément, cet article 450.0.5 s'applique dans les circonstances suivantes :

— la personne, soit un employeur participant à un régime de pension, a consommé ou utilisé une de ses ressources d'employeur, au sens que donne à cette expression le nouvel article 450.0.1 de la LTVQ, en vue d'effectuer la fourniture d'un bien ou d'un service, appelée « fourniture réelle », à une entité de gestion du régime (partie de l'article 450.0.5 qui précède le paragraphe 1°);

— la personne est réputée avoir effectué une ou plusieurs fournitures taxables de ressources d'employeur et avoir perçu la taxe à l'égard de ces fournitures en vertu respectivement des paragraphes 1° et 2° du premier alinéa du nouvel article 289.6 de cette loi (paragraphe 1° de l'article 450.0.5);

— une fourniture de chacune de ces ressources d'employeur est réputée avoir été reçue par l'entité de gestion et la taxe à l'égard de cette fourniture est réputée avoir été payée par l'entité de gestion en vertu respectivement des sous-paragraphes a et b du paragraphe 4° du premier alinéa de cet article 289.6 (paragraphe 2° de l'article 450.0.5);

— un montant de taxe devient payable par l'entité de gestion, ou est payé par elle sans être devenu payable, à la personne, autrement que par l'effet des présomptions prévues par les nouveaux articles 289.2 à 289.8 de la LTVQ, à l'égard de la fourniture réelle au plus tard le jour donné (paragraphe 3° de l'article 450.0.5).

Le montant indiqué dans la note de redressement de taxe peut être déduit dans le calcul de la taxe nette de l'employeur participant en vertu du nouvel article 450.0.7 de cette loi, introduit dans le cadre du présent projet de loi. De même, le montant indiqué dans cette note donne lieu à un remboursement par l'entité de gestion du régime ou, lorsque le choix prévu à l'un des nouveaux articles 402.18 et 402.19 de la LTVQ, introduits dans le cadre du présent projet de loi, a été fait, à l'inclusion d'un montant déterminé, pour chacun des employeurs admissibles du régime, selon la formule prévue au paragraphe 4° du premier alinéa de cet article 450.0.7 dans le calcul de sa taxe nette.

Renvois [art. 450.0.5]: 289.5 (acquisition d'un bien ou d'un services aux fins de fourniture); 289.6 (consommation ou utilisation d'une ressource d'employeur aux fins de fourniture).

Bulletins d'information [art. 450.0.5]: 2009-9 — Harmonisation à diverses mesures relatives à la législation et à la règlementation fiscales fédérales et report de l'imposition d'une ristourne admissible.

Concordance fédérale: LTA, par. 232.02(2).

450.0.6 [Montant indiqué de la note de redressement] — Le montant indiqué dans une note de redressement de taxe délivrée, un jour donné, en vertu de l'article 450.0.5 à l'égard des ressources d'employeur consommées ou utilisées en vue d'effectuer une fourniture réelle ne peut excéder le montant déterminé selon la formule suivante :

A– B.

Pour l'application de la formule prévue au premier alinéa :

1º la lettre A représente le moindre des montants suivants :

a) le total des montants dont chacun représente un montant de taxe qui est déterminé en vertu du paragraphe 3° du premier alinéa de l'article 289.6 relativement à l'une de ces ressources d'employeur et qui est réputé, en vertu du paragraphe 2° de cet alinéa, devenu payable et avoir été perçu au plus tard le jour donné;

b) le total des montants dont chacun représente un montant de taxe, prévu au premier alinéa de l'article 16, qui est devenu payable à la personne par l'entité de gestion, ou qui lui a été payé par l'entité de gestion sans être devenu payable, autrement que par l'effet des articles 289.2 à 289.8, à l'égard de la fourniture réelle au plus tard le jour donné;

2º la lettre B représente le total des montants dont chacun représente le montant de taxe, tel que déterminé en vertu du présent article, indiqué dans une autre note de redressement de taxe délivrée au plus tard le jour donné à l'égard des ressources d'employeur consommées ou utilisées en vue d'effectuer la fourniture réelle.

2011, c. 34, art. 155

Notes historiques: L'article 450.0.6 a été ajouté par L.Q. 2011, c. 34, par. 155(1) et a effet depuis le 23 septembre 2009.

Notes explicatives ARQ (PL 32, L.Q. 2011, c. 34): *Résumé* :

Le nouvel article 450.0.6 permet de déterminer le montant maximal qui peut être indiqué dans une note de redressement de taxe que délivre une personne à l'égard de ressources d'employeur consommées ou utilisées en vue d'effectuer la fourniture d'un bien ou d'un service à une entité de gestion d'un régime de pension.

Contexte :

Voir la rubrique « Contexte » de la note explicative relative au nouvel article 289.2 de la LTVQ.

Modifications proposées :

Le nouvel article 450.0.6 précise que le montant indiqué dans une note de redressement de taxe délivrée, un jour donné, par une personne qui est un employeur participant à un régime de pension en vertu du nouvel article 450.0.5 de cette loi, introduit dans le cadre du présent projet de loi, à l'égard de ressources d'employeur consommées ou utilisées en vue d'effectuer la fourniture d'un bien ou d'un service, appelée « fourniture réelle », ne peut excéder le montant déterminé selon la formule suivante :

A – B.

Pour l'application de cette formule, la lettre A représente le moindre des montants suivants :

— le montant déterminé en vertu du paragraphe 3° du premier alinéa du nouvel article 289.6, introduit dans le cadre du présent projet de loi, relativement à l'une de ces ressources d'employeur, c'est-à-dire le montant de taxe réputée prévu à cet article 289.6, qui est réputé devenu payable et avoir été perçu au plus tard le jour donné;

— le total des montants dont chacun représente un montant de taxe, prévu au premier alinéa de l'article 16 de la LTVQ, qui est devenu payable à la personne par l'entité de gestion, ou qui lui a été payé par l'entité de gestion sans être devenu payable, autrement que par l'effet des présomptions prévues aux nouveaux articles 289.2 à 289.8 de cette loi, introduits dans le cadre du présent projet de loi, au plus tard le jour donné, à l'égard de la fourniture réelle.

La lettre B représente le total des montants dont chacun représente le montant de taxe, tel que déterminé en vertu du présent article, indiqué dans une autre note de redressement de taxe délivrée au plus tard le jour donné à l'égard des ressources d'employeur consommées ou utilisées en vue d'effectuer la fourniture réelle.

Renvois [art. 450.0.6]: 289.5 (acquisition d'un bien ou d'un services aux fins de fourniture); 289.6 (consommation ou utilisation d'une ressource d'employeur aux fins de fourniture).

LTVQ (français)

Bulletins d'information [art. 450.0.6]: 2009-9 — Harmonisation à diverses mesures relatives à la législation et à la règlementation fiscales fédérales et report de l'imposition d'une ristourne admissible.

Concordance fédérale: LTA, par. 232.02(3).

450.0.7 [Effet de la note de redressement] — Lorsqu'une personne délivre une note de redressement de taxe en vertu de l'article 450.0.5 à une entité de gestion à l'égard des ressources d'employeur consommées ou utilisées en vue d'effectuer une fourniture réelle, qu'une fourniture de chacune de ces ressources d'employeur — appelée « fourniture donnée » dans le présent article — est réputée avoir été reçue par l'entité de gestion en vertu du sous-paragraphe a) du paragraphe 4° du premier alinéa de l'article 289.6 et qu'un montant de taxe — appelé « taxe réputée » dans le présent article — à l'égard de chacune de ces fournitures données soit, dans le cas où l'entité de gestion n'est pas une institution financière désignée particulière le dernier jour de l'exercice de la personne au cours duquel ces ressources d'employeur ont été ainsi consommées ou utilisées, est réputé avoir été payé par l'entité de gestion en vertu du sous-paragraphe b) du paragraphe 4° du premier alinéa de l'article 289.6, soit, dans le cas contraire, est réputé avoir été payé par l'entité de gestion en vertu de la division A du sous-alinéa ii de l'alinéa d du paragraphe 6 de l'article 172.1 de la *Loi sur la taxe d'accise* (Lois révisées du Canada (1985), chapitre E-15) ou serait réputé avoir été payé par l'entité de gestion en vertu de cette division A si elle était également une institution financière désignée particulière ce dernier jour pour l'application de cette loi, les règles suivantes s'appliquent :

Modification proposée — 450.0.7 al. 1, préambule

Application: Le préambule du premier alinéa de l'article 450.0.7 sera modifié par l'art. 237 du *Projet de loi 18* (présenté le 21 février 2013) par la suppression du mot « également ». Cette modification entrera en vigueur à la date de la sanction du *Projet de loi 18*.

1° le montant de taxe indiqué dans la note de redressement de taxe peut être déduit dans le calcul de la taxe nette de la personne pour sa période de déclaration qui comprend le jour où la note de redressement de taxe est délivrée;

2° sauf lorsque l'entité de gestion est une institution financière désignée particulière le premier jour où un montant de taxe réputée est réputé avoir été payé, l'entité de gestion est tenue d'ajouter, dans le calcul de sa taxe nette pour sa période de déclaration qui comprend le jour où la note de redressement de taxe est délivrée, le montant déterminé selon la formule suivante :

$$A \times (B / C);$$

3° sauf lorsque l'entité de gestion est une institution financière désignée particulière le premier jour où un montant de taxe réputée est réputé avoir été payé, pour chaque période de demande donnée de l'entité de gestion pour laquelle une partie quelconque du montant de taxe réputée à l'égard d'une fourniture donnée est un montant admissible de l'entité de gestion, celle-ci est tenue de payer au ministre, au plus tard le dernier jour de sa période de demande qui suit celle qui comprend le jour où la note de redressement de taxe est délivrée, le montant déterminé selon la formule suivante :

$$D \times E \times (B / C) \times [(F - G) / F];$$

4° sauf lorsque l'entité de gestion est une institution financière désignée particulière le premier jour où un montant de taxe réputée est réputé avoir été payé, pour chaque période de demande donnée de l'entité de gestion pour laquelle une partie quelconque du montant de taxe réputée à l'égard d'une fourniture donnée est un montant admissible de l'entité de gestion et pour laquelle le choix prévu à l'un des articles 402.18, 402.19 et 402.19.1 a été fait conjointement par l'entité de gestion et par les employeurs participants au régime de pension qui étaient des employeurs admissibles du régime pour l'année civile qui comprend le dernier jour de cette période, chacun de ces employeurs est tenu d'ajouter, dans le calcul de sa taxe nette pour sa période de déclaration qui comprend le jour où la note de redressement de taxe est délivrée, le montant déterminé selon la formule suivante :

$$D \times E \times (B / C) \times (H / F).$$

Pour l'application des formules prévues au premier alinéa :

1° la lettre A représente le total des montants dont chacun représente le total des remboursements de la taxe sur les intrants que l'entité de gestion peut demander au titre de la taxe réputée à l'égard d'une fourniture donnée;

2° la lettre B représente le montant de taxe indiqué dans la note de redressement de taxe;

3° la lettre C représente le total des montants dont chacun représente un montant de taxe réputée à l'égard d'une fourniture donnée;

4° la lettre D représente le total des montants dont chacun représente la partie d'un montant de taxe réputée à l'égard d'une fourniture donnée qui est un montant admissible de l'entité de gestion pour la période de demande donnée;

5° la lettre E représente 33 %;

6° la lettre F représente le montant de remboursement de pension de l'entité de gestion pour la période de demande donnée;

7° la lettre G représente le total visé au paragraphe 2° du deuxième alinéa de l'article 402.14 déterminé relativement à l'entité de gestion pour la période de demande donnée;

8° la lettre H représente le montant de la déduction déterminé relativement à l'employeur participant en vertu de l'article 402.18, de l'un des paragraphes 1° et 3° du premier alinéa de l'article 402.19 ou de l'article 402.19.1, selon le cas, pour la période de demande donnée.

2011, c. 34, art. 155; 2012, c. 28, art. 164.

Notes historiques: Le préambule du premier alinéa de l'article 450.0.7 a été remplacé par L.Q. 2012, c. 28, s.-par. 164(1)(1°) et cette modification s'applique à l'égard d'une période de déclaration qui se termine après le 31 décembre 2012. Antérieurement, il se lisait ainsi :

450.0.7 Lorsqu'une personne délivre une note de redressement de taxe en vertu de l'article 450.0.5 à une entité de gestion à l'égard des ressources d'employeur consommées ou utilisées en vue d'effectuer une fourniture réelle, qu'une fourniture de chacune de ces ressources d'employeur — appelée « fourniture donnée » dans le présent article — est réputée avoir été reçue par l'entité de gestion en vertu du sous-paragraphe a du paragraphe 4° du premier alinéa de l'article 289.6 et que la taxe — appelée « taxe réputée » dans le présent article — à l'égard de chacune de ces fournitures données est réputée avoir été payée par l'entité de gestion en vertu du sous-paragraphe b de ce paragraphe, les règles suivantes s'appliquent :

Le préambule du paragraphe 2° du premier alinéa de l'article 450.0.7 a été remplacé par L.Q. 2012, c. 28, s.-par. 164(1)(2°) et cette modification s'applique à l'égard d'une période de déclaration qui se termine après le 31 décembre 2012. Antérieurement, il se lisait ainsi :

2° l'entité de gestion est tenue d'ajouter, dans le calcul de sa taxe nette pour sa période de déclaration qui comprend le jour où la note de redressement de taxe est délivrée, le montant déterminé selon la formule suivante :

Le préambule du paragraphe 3° du premier alinéa de l'article 450.0.7 a été remplacé par L.Q. 2012, c. 28, s.-par. 164(1)(3°) et cette modification s'applique à l'égard d'une période de déclaration qui se termine après le 31 décembre 2012. Antérieurement, il se lisait ainsi :

3° pour chaque période de demande donnée pour laquelle une partie quelconque du montant de taxe réputée à l'égard d'une fourniture donnée est un montant admissible de l'entité de gestion, celle-ci est tenue de payer au ministre, au plus tard le dernier jour de sa période de demande qui suit celle qui comprend le jour où la note de redressement de taxe est délivrée, le montant déterminé selon la formule suivante :

Le préambule du paragraphe 4° du premier alinéa de l'article 450.0.7 a été remplacé par L.Q. 2012, c. 28, s.-par. 164(1)(4°) et cette modification s'applique à l'égard d'une période de déclaration qui se termine après le 31 décembre 2012. Antérieurement, il se lisait ainsi :

4° pour chaque période de demande donnée de l'entité de gestion pour laquelle une partie quelconque du montant de taxe réputée à l'égard d'une fourniture donnée est un montant admissible de l'entité de gestion et pour laquelle le choix prévu à l'un des articles 402.18 et 402.19 a été fait conjointement par l'entité de gestion et par les employeurs participants au régime de pension qui étaient des employeurs admissibles du régime pour l'année civile qui comprend le dernier jour de cette période, chacun de ces employeurs est tenu d'ajouter, dans le calcul de sa taxe nette pour sa période de déclaration qui comprend le jour où la note de redressement de taxe est délivrée, le montant déterminé selon la formule suivante :

Le paragraphe 5° du deuxième alinéa de l'article 450.0.7 a été remplacé par L.Q. 2012, c. 28, s.-par. 164(1)(5°) et cette modification s'applique à l'égard d'une période de déclaration qui se termine après le 31 décembre 2012. Toutefois, lorsque la note de redressement de taxe est relative, à la fois, à un montant visé au paragraphe 3° de l'article 450.0.5 qui est devenu payable par une entité de gestion, ou qui a été payé par elle sans être devenu payable, avant le 1er janvier 2013 et à un montant visé au paragraphe 2° de cet article 450.0.5 qui est réputé avoir été payé après le 31 décembre 2012, le paragraphe 5° du deuxième alinéa de l'article 450.0.7 doit se lire comme suit :

« 5° la lettre E représente, selon le cas :

a) 77 %, lorsque l'entité de gestion est régie par un régime de pension auquel plus de 50 % des cotisations sont versées par un ou plusieurs organismes de services publics n'ayant droit à aucun remboursement en vertu de l'article 386;

b) 88 %, lorsque l'entité de gestion est régie par un régime de pension auquel plus de 50 % des cotisations sont versées par un ou plusieurs organismes de services publics ayant droit à un remboursement en vertu de l'article 386;

c) dans les autres cas, 100 %;

Antérieurement, il se lisait ainsi :

5° la lettre E représente, selon le cas :

a) 77 %, lorsque l'entité de gestion est régie par un régime de pension auquel plus de 50 % des cotisations sont versées par un ou plusieurs organismes de services publics n'ayant droit à aucun remboursement en vertu de l'article 386;

b) 88 %, lorsque l'entité de gestion est régie par un régime de pension auquel plus de 50 % des cotisations sont versées par un ou plusieurs organismes de services publics ayant droit à un remboursement en vertu de l'article 386;

c) dans les autres cas, 100 %;

Le paragraphe 8° du deuxième alinéa de l'article 450.0.7 a été remplacé par L.Q. 2012, c. 28, s.-par. 164(1)(6°) et cette modification s'applique à l'égard d'une période de déclaration qui se termine après le 31 décembre 2012. Antérieurement, il se lisait ainsi :

8° la lettre H représente le montant de la déduction déterminé relativement à l'employeur participant en vertu de l'article 402.18 ou de l'un des paragraphes 2° et 3° du premier alinéa de l'article 402.19, selon le cas, pour la période de demande donnée.

L'article 450.0.7 a été ajouté par L.Q. 2011, c. 34, par. 155(1) et a effet depuis le 23 septembre 2009.

Notes explicatives ARQ (PL 5, L.Q. 2012, c. 28): *Résumé* :

L'article 450.0.7 prévoit les conséquences découlant de la délivrance d'une note de redressement de taxe à l'égard de ressources d'employeur consommées ou utilisées en vue d'effectuer une fourniture réelle d'un bien ou d'un service à une entité de gestion d'un régime de pension. Cet article est modifié pour préciser qu'aucun montant n'est à ajouter, en vertu de cet article, dans le calcul de la taxe nette lorsque l'entité de gestion à qui est délivrée la note de redressement de taxe est une institution financière désignée particulière (IFDP).

Situation actuelle :

L'article 450.0.7 s'applique dans les circonstances suivantes :

— une personne, soit un employeur participant à un régime de pension, délivre une note de redressement de taxe, en vertu de l'article 450.0.5 de cette loi à une entité de gestion de ce régime à l'égard des ressources d'employeur consommées ou utilisées en vue d'effectuer la fourniture réelle d'un bien ou d'un service;

— une fourniture de chacune de ces ressources d'employeur est réputée avoir été reçue par l'entité de gestion en vertu du sous-paragraphe a) du paragraphe 4° du premier alinéa de l'article 289.6 de la LTVQ;

— la taxe à l'égard de la fourniture réputée de ces ressources d'employeur, ci-après appelée « taxe réputée », est réputée avoir été payée par l'entité de gestion en vertu du sous-paragraphe b) du paragraphe 4° du premier alinéa de cet article 289.6.

L'article 450.0.7 prévoit les conséquences découlant de la délivrance d'une note de redressement de taxe dans ces circonstances. Ainsi, la personne qui a délivré la note de redressement de taxe, soit un employeur participant au régime de pension, peut déduire, dans le calcul de sa taxe nette pour sa période de déclaration qui comprend le jour où la note de redressement de taxe est délivrée, le montant qui y est indiqué (paragraphe 1° du premier alinéa de l'article 450.0.7).

L'entité de gestion du régime doit inclure, dans le calcul de sa taxe nette pour sa période de déclaration qui comprend le jour où la note de redressement de taxe est délivrée, le montant déterminé selon la formule suivante :

$$A \times (B / C).$$

Dans cette formule, la lettre A représente le total des remboursements de la taxe sur les intrants que l'entité de gestion peut demander au titre de la taxe réputée à l'égard de la fourniture de chacune de ces ressources d'employeur. La lettre B représente le montant de taxe indiqué dans la note de redressement de taxe et la lettre C représente le montant de taxe réputée relative à la fourniture de chacune de ces ressources d'employeur.

En fait, cette inclusion, dans le calcul de la taxe nette de l'entité de gestion pour cette période de déclaration, vise à annuler le remboursement de la taxe sur les intrants que peut par ailleurs avoir demandé l'entité de gestion relativement à la taxe réputée. Cette inclusion s'explique du fait que l'entité de gestion a pu demander un remboursement de la taxe sur les intrants à l'égard de la taxe payée relativement à la fourniture du bien ou du service dans le cadre de laquelle ces ressources d'employeur ont été utilisées ou consommées, qui a été effectivement effectuée en sa faveur, de même qu'à l'égard de la taxe réputée, relativement à la fourniture réputée de ces ressources d'employeur, qu'elle est réputée avoir payée en vertu du sous-paragraphe b) du paragraphe 4° du premier alinéa de l'article 289.6 de la LTVQ (paragraphe 2° du premier alinéa de l'article 450.0.7).

Notons que, en raison de l'article 206.0.1, aucun montant de taxe relativement à une fourniture ne peut donner droit à un remboursement de la taxe sur les intrants acquis par un inscrit qui est une entité de gestion, pour une période de déclaration, dans la mesure où l'entité de gestion n'a pas demandé un crédit de taxe sur les intrants en vertu de la *Loi sur la taxe d'accise* (Lois révisées du Canada, (1985), chapitre E-15), relativement à cette fourniture, ou qu'elle n'a pas droit à un tel crédit. Par conséquent, dans le cas où l'entité de gestion n'a pas droit à un crédit de taxe sur les intrants relativement à une fourniture, le montant déterminé en vertu du paragraphe 2° du premier alinéa de l'article 450.0.7 de la LTVQ est égal à zéro, puisque l'entité de gestion n'a alors pas bénéficié d'un montant au titre du remboursement de la taxe sur les intrants relativement à cette fourniture.

En vertu du paragraphe 3° du premier alinéa de l'article 450.0.7, lorsqu'une partie quelconque du montant de taxe réputée est un montant admissible de l'entité de gestion pour une période de demande donnée — soit lorsque l'entité de gestion a droit, pour la période de demande donnée, à un remboursement en vertu de l'article 402.14 de la LTVQ, l'entité de gestion doit payer au ministre du Revenu, au plus tard le dernier jour de la période de demande qui suit celle qui comprend le jour où la note de redressement de taxe est délivrée, le montant déterminé selon la formule suivante :

$$D \times E \times (B / C) \times [(F - G) / F].$$

Notons que tout montant inclus dans le calcul du remboursement de la taxe sur les intrants de l'entité de gestion pour une période de demande donnée ne peut être un montant admissible pour cette période en vertu de la définition des expressions « montant admissible » et « montant recouvrable » prévue au premier alinéa de l'article 402.13 de la LTVQ. Ainsi, une partie quelconque d'un montant de taxe réputée ne peut être à la fois visée au paragraphe 2° du premier alinéa de l'article 450.0.7 de la LTVQ et au paragraphe 3° de ce premier alinéa. Dans cette formule, la lettre D représente le total des montants dont chacun représente la partie d'un montant de taxe réputée à l'égard d'une fourniture réputée de ressources d'employeur qui est un montant admissible de l'entité de gestion pour la période de demande. La lettre E représente le taux applicable pour le calcul du montant de remboursement de pension de l'entité de gestion pour la période de demande, lequel est l'un des taux suivants :

— 77 % lorsque l'entité de gestion est régie par un régime de pension auquel plus de 50 % des cotisations sont versées par un ou plusieurs organismes de services publics n'ayant droit à aucun remboursement en vertu de l'article 386 de la LTVQ (telles des municipalités);

— 88 %, lorsque l'entité de gestion est régie par un régime de pension auquel plus de 50 % des cotisations sont versées par un ou plusieurs organismes de services publics ayant droit à un remboursement en vertu de l'article 386 de la LTVQ (telles des universités);

— 100 %, dans les autres cas.

La lettre F représente le montant de remboursement de pension de l'entité de gestion pour la période de demande et la lettre G représente le total visé au paragraphe 2° du deuxième alinéa de l'article 402.14 de la LTVQ, soit le total des montants transférés en faveur d'un employeur admissible du régime à la suite d'un choix fait par l'entité de gestion et les employeurs admissibles du régime en vertu de l'un des articles 402.18 et 402.19 de la LTVQ.

Ainsi, de façon sommaire, le paragraphe 3° du premier alinéa de l'article 450.0.7 de la LTVQ a pour effet de contraindre l'entité de gestion à restituer au ministre du Revenu la partie de la taxe réputée pour laquelle elle a obtenu un remboursement en vertu de l'article 402.14 de la LTVQ qui est attribuable au montant indiqué dans la note de redressement de taxe.

En vertu du paragraphe 4° du premier alinéa de l'article 450.0.7, lorsque le montant de taxe réputée est un montant admissible de l'entité de gestion pour une période de demande où le choix prévu à l'un de ces articles 402.18 et 402.19 de la LTVQ a été fait conjointement par l'entité de gestion et les employeurs participants au régime qui étaient des employeurs admissibles du régime pour l'année civile qui comprend le dernier jour de cette période de demande — soit le choix de transférer une partie du montant de remboursement de pension auquel l'entité de gestion aurait eu par ailleurs droit en faveur des employeurs admissibles du régime — , chacun des employeurs admissibles du régime est tenu d'inclure, dans le calcul de sa taxe nette pour sa période de déclaration qui comprend le jour où la note de redressement de taxe est délivrée, le montant déterminé selon la formule suivante :

$$D \times E \times (B / C) \times (H / F).$$

Dans cette formule, la lettre H représente le montant de la déduction déterminé relativement à l'employeur participant en vertu de l'article 402.18 ou de l'un des paragraphes 2° et 3° du premier alinéa de l'article 402.19 de la LTVQ pour la période de demande. Ainsi, le paragraphe 4° du premier alinéa de l'article 450.0.7 de la LTVQ a pour effet de récupérer, au moyen d'une inclusion dans le calcul de la taxe nette d'un employeur admissible du régime, la partie de la taxe réputée qui a pu être déduite par celui-ci dans le calcul de sa taxe nette par suite du choix prévu à l'un des articles 402.18 et 402.19 et qui fait l'objet de la note de redressement de taxe.

Modifications proposées :

L'article 450.0.7 est modifié de façon à préciser qu'aucun montant n'est à ajouter par une entité de gestion d'un régime de pension ou par un employeur admissible du régime en faveur duquel l'un des choix prévus aux articles 402.18, 402.19 et 402.19.1 de la LTVQ a été fait, dans le calcul de sa taxe nette pour la période de déclaration qui comprend le jour où la note de redressement de taxe est délivrée, lorsque l'entité de gestion était une IFDP le premier jour où un montant de taxe réputée est réputé avoir été payé, en vertu du sous-paragraphe b) du paragraphe 4° du premier alinéa de l'article 289.6 de la LTVQ, à l'égard de la fourniture de ressources d'employeur.

Par ailleurs, le paragraphe 5° du deuxième alinéa de l'article 450.0.7, qui définit la lettre E, est modifié de façon à faire référence uniquement à un taux de 33 %, et ce, considérant que la nouvelle section VI.1 du chapitre III du titre I de la LTVQ, introduite par le présent projet de loi, prévoit l'exonération des services financiers, autres que certains services financiers qui demeurent détaxés en vertu des articles 197.3 à 197.5 de la LTVQ.

Notes explicatives ARQ (PL 32, L.Q. 2011, c. 34): *Résumé* :

Le nouvel article 450.0.7 prévoit les conséquences découlant de la délivrance d'une note de redressement de taxe à l'égard de ressources d'employeur consommées ou utilisées en vue d'effectuer une fourniture réelle d'un bien ou d'un service à une entité de gestion d'un régime de pension.

Contexte :

Voir la rubrique « Contexte » de la note explicative relative au nouvel article 289.2 de la LTVQ.

Modifications proposées :

Le nouvel article 450.0.7 s'applique dans les circonstances suivantes :

— une personne, soit un employeur participant à un régime de pension, délivre une note de redressement de taxe, en vertu du nouvel article 450.0.5 de cette loi, introduit dans le cadre du présent projet de loi, à une entité de gestion de ce régime à l'égard des ressources d'employeur consommées ou utilisées en vue d'effectuer la fourniture réelle d'un bien ou d'un service;

— une fourniture de chacune de ces ressources d'employeur est réputée avoir été reçue par l'entité de gestion en vertu du sous-paragraphe a du paragraphe 4° du premier alinéa du nouvel article 289.6 de la LTVQ, également introduit dans le cadre du présent projet de loi;

— la taxe à l'égard de la fourniture réputée de ces ressources d'employeur, ci-après appelée « taxe réputée », est réputée avoir été payée par l'entité de gestion en vertu du sous-paragraphe b du paragraphe 4° du premier alinéa de cet article 289.6.

Le nouvel article 450.0.7 prévoit les conséquences découlant de la délivrance d'une note de redressement de taxe dans ces circonstances. Ainsi, la personne qui a délivré la note de redressement de taxe, soit un employeur participant au régime de pension, peut déduire, dans le calcul de sa taxe nette pour sa période de déclaration qui comprend le jour où la note de redressement de taxe est délivrée, le montant qui y est indiqué (paragraphe 1° du premier alinéa de l'article 450.0.7).

L'entité de gestion du régime doit inclure, dans le calcul de sa taxe nette pour sa période de déclaration qui comprend le jour où la note de redressement de taxe est délivrée, le montant déterminé selon la formule suivante :

$$A \times (B / C).$$

Dans cette formule, la lettre A représente le total des remboursements de la taxe sur les intrants que l'entité de gestion peut demander au titre de la taxe réputée à l'égard de la fourniture de chacune de ces ressources d'employeur. La lettre B représente le montant de taxe indiqué dans la note de redressement de taxe et la lettre C représente le montant de taxe réputée relative à la fourniture de chacune de ces ressources d'employeur.

En fait, cette inclusion, dans le calcul de la taxe nette de l'entité de gestion pour cette période de déclaration, vise à annuler le remboursement de la taxe sur les intrants que peut par ailleurs avoir demandé l'entité de gestion relativement à la taxe réputée. Cette inclusion s'explique du fait que l'entité de gestion a pu demander un remboursement de la taxe sur les intrants à l'égard de la taxe payée relativement à la fourniture du bien ou du service dans le cadre de laquelle ces ressources d'employeur ont été utilisées ou consommées, qui a été effectivement effectuée en sa faveur, de même qu'à l'égard de la taxe réputée, relativement à la fourniture réputée de ces ressources d'employeur, qu'elle est réputée avoir payée en vertu du sous-paragraphe b) du paragraphe 4° du premier alinéa du nouvel article 289.6 de la LTVQ (paragraphe 2° du premier alinéa de l'article 450.0.7).

Notons que, en raison du nouvel article 206.0.1 de la LTVQ, introduit dans le cadre du présent projet de loi, aucun montant de taxe relativement à une fourniture ne peut donner droit à un remboursement de la taxe sur les intrants acquis par un inscrit qui est une entité de gestion, pour une période de déclaration, lorsque l'entité de gestion n'a pas demandé un crédit de taxe sur les intrants en vertu de la *Loi sur la taxe d'accise* (Lois révisées du Canada, (1985), chapitre E-15), relativement à cette fourniture, ou qu'elle n'a pas droit à un tel crédit. Par conséquent, dans le cas où l'entité de gestion n'a pas droit à un crédit de taxe sur les intrants relativement à une fourniture, le montant déterminé en vertu du paragraphe 2° du premier alinéa de l'article 450.0.7 de la LTVQ est égal à zéro, puisque l'entité de gestion n'a alors pas bénéficié d'un montant au titre du remboursement de la taxe sur les intrants relativement à cette fourniture.

En vertu du paragraphe 3° du premier alinéa de l'article 450.0.7, lorsqu'une partie quelconque du montant de taxe réputée est un montant admissible de l'entité de gestion pour une période de demande donnée — soit lorsque l'entité de gestion a droit, pour la période de demande donnée, à un remboursement en vertu de l'article 402.14 de la LTVQ, tel que modifié dans le cadre du présent projet de loi — l'entité de gestion doit payer au ministre du Revenu, au plus tard le dernier jour de la période de demande qui suit celle qui comprend le jour où la note de redressement de taxe est délivrée, le montant déterminé selon la formule suivante :

$$D \times E \times (B / C) \times [(F - G) / F].$$

Notons que tout montant inclus dans le calcul du remboursement de la taxe sur les intrants de l'entité de gestion pour une période de demande donnée ne peut être un montant admissible pour cette période en vertu de la définition des expressions « montant admissible » et « montant recouvrable » prévue au premier alinéa de l'article 402.13 de la LTVQ, tel que modifié dans le cadre du présent projet de loi. Ainsi, une partie quelconque d'un montant de taxe réputée ne peut être à la fois visée au paragraphe 2° du premier alinéa de l'article 450.0.7 de la LTVQ et au paragraphe 3° de ce premier alinéa. Dans cette formule, la lettre D représente le total des montants dont chacun représente la partie d'un montant de taxe réputée à l'égard d'une fourniture réputée de ressources d'employeur qui est un montant admissible de l'entité de gestion pour la période de demande. La lettre E représente le taux applicable pour le calcul du montant de remboursement de pension de l'entité de gestion pour la période de demande, lequel est l'un des taux suivants :

— 77 % lorsque l'entité de gestion est régie par un régime de pension auquel plus de 50 % des cotisations sont versées par un ou plusieurs organismes de services publics n'ayant droit à aucun remboursement en vertu de l'article 386 de la LTVQ (telles des municipalités);

— 88 %, lorsque l'entité de gestion est régie par un régime de pension auquel plus de 50 % des cotisations sont versées par un ou plusieurs organismes de services publics ayant droit à un remboursement en vertu de l'article 386 de la LTVQ (telles des universités);

— 100 %, dans les autres cas.

La lettre F représente le montant de remboursement de pension de l'entité de gestion pour la période de demande et la lettre G représente le total visé au paragraphe 2° du deuxième alinéa de l'article 402.14 de la LTVQ, tel que modifié dans le cadre du présent projet de loi, soit le total des montants transférés en faveur d'un employeur admissible du régime à la suite d'un choix fait par l'entité de gestion et les employeurs admissibles du régime en vertu de l'un des nouveaux articles 402.18 et 402.19 de la LTVQ, introduits dans le cadre du présent projet de loi.

Ainsi, de façon sommaire, le paragraphe 3° du premier alinéa de ce nouvel article 450.0.7 a pour effet de contraindre l'entité de gestion à restituer au ministre du Revenu la partie de la taxe réputée pour laquelle elle a obtenu un remboursement en vertu de l'article 402.14 de la LTVQ qui est attribuable au montant indiqué dans la note de redressement de taxe.

En vertu du paragraphe 4° du premier alinéa de l'article 450.0.7 de la LTVQ, lorsque lemontant de taxe réputée est un montant admissible de l'entité de gestion pour une période de demande où le choix prévu à l'un de ces nouveaux articles 402.18 et 402.19 a été fait conjointement par l'entité de gestion et les employeurs participants au régime qui étaient des employeurs admissibles du régime pour l'année civile qui comprend le dernier jour de cette période de demande - soit le choix de transférer une partie du montant de remboursement de pension auquel l'entité de gestion aurait eu par ailleurs droit en faveur des employeurs admissibles du régime-, chacun des employeurs admissibles du régime est tenu d'inclure, dans le calcul de sa taxe nette pour sa période de déclaration qui comprend le jour où la note de redressement de taxe est délivrée, le montant déterminé selon la formule suivante :

$$D \times E \times (B / C) \times (H / F).$$

Dans cette formule, la lettre H représente le montant de la déduction déterminé relativement à l'employeur participant en vertu de l'article 402.18 ou de l'un des paragraphes 2° et 3° du premier alinéa de l'article 402.19 de la LTVQ pour la période de demande. Ainsi, le paragraphe 4° du premier alinéa du nouvel article 450.0.7 a pour effet de récupérer, au moyen d'une inclusion dans le calcul de la taxe nette d'un employeur admissible du régime, la partie de la taxe réputée qui a pu être déduite par celui-ci dans le calcul de sa taxe nette par suite du choix prévu à l'un de ces nouveaux articles 402.18 et 402.19 et qui fait l'objet de la note de redressement de taxe.

Renvois [art. 450.0.7]: 289.5 (acquisition d'un bien ou d'un services aux fins de fourniture); 289.6 (consommation ou utilisation d'une ressource d'employeur aux fins de fourniture).

Bulletins d'information [art. 450.0.7]: 2009-9 — Harmonisation à diverses mesures relatives à la législation et à la règlementation fiscales fédérales et report de l'imposition d'une ristourne admissible.

Concordance fédérale: LTA, par. 232.02(4).

450.0.8 [Forme et modalité] — Une note de redressement de taxe visée à l'un des articles 450.0.2 et 450.0.5 doit être établie au moyen du formulaire prescrit contenant les renseignements prescrits et délivrée d'une manière satisfaisante pour le ministre.

Modification proposée — 450.0.8

450.0.8 [Forme et modalité] — Une note de redressement de taxe visée à l'un des articles 450.0.2 et 450.0.5 doit être établie en la forme et contenant les renseignements déterminés par le ministre et délivrée d'une manière satisfaisante pour ce dernier.

Application: L'article 450.0.8 sera remplacé par l'art. 230 du *Projet de loi 18* (présenté le 21 février 2013) et cette modification entrera en vigueur à la date de la sanction du *Projet de loi 18*.

2011, c. 34, art. 155

Notes historiques: L'article 450.0.8 a été ajouté par L.Q. 2011, c. 34, par. 155(1) et a effet depuis le 23 septembre 2009.

Notes explicatives ARQ (PL 32, L.Q. 2011, c. 34): *Résumé* :

Le nouvel article 450.0.8 précise les modalités applicables à une note de redressement de taxe délivrée en vertu de l'un des articles 450.0.2 et 450.0.5 de la LTVQ.

Contexte :

Voir la rubrique « Contexte » de la note explicative relative au nouvel article 289.2 de la LTVQ.

Modifications proposées :

Le nouvel article 450.0.8 prévoit les modalités applicables à une note de redressement de taxe délivrée en vertu de l'un des nouveaux articles 450.0.2 et 450.0.5 de la LTVQ, introduits dans le cadre du présent projet de loi. Cet article 450.0.8 exige que la note de redressement de taxe délivrée en vertu de l'un des nouveaux articles 450.0.2 et 450.0.5 de la LTVQ soit établie au moyen du formulaire prescrit contenant les renseignements prescrits et soit délivrée d'une manière satisfaisante pour le ministre du Revenu.

Renvois [art. 450.0.8]: 289.5 (acquisition d'un bien ou d'un services aux fins de fourniture); 289.6 (consommation ou utilisation d'une ressource d'employeur aux fins de fourniture).

Bulletins d'information [art. 450.0.8]: 2009-9 — Harmonisation à diverses mesures relatives à la législation et à la règlementation fiscales fédérales et report de l'imposition d'une ristourne admissible.

Concordance fédérale: LTA, par. 232.02(5).

450.0.9 [Avis] — Lorsqu'une note de redressement de taxe est délivrée en vertu de l'un des articles 450.0.2 et 450.0.5 à une entité de gestion d'un régime de pension et que, par suite de cette délivrance, le paragraphe 4° du premier alinéa de l'un des articles 450.0.4 et 450.0.7 s'applique à un employeur participant au régime, l'entité de gestion doit aviser l'employeur participant sans délai de la délivrance de la note de redressement de taxe, d'une manière satisfaisante pour le ministre, au moyen du formulaire prescrit contenant les renseignements prescrits.

Modification proposée — 450.0.9

450.0.9 [Avis] — Lorsqu'une note de redressement de taxe est délivrée en vertu de l'un des articles 450.0.2 et 450.0.5 à une entité de gestion d'un régime de pension et que, par suite de cette délivrance, le paragraphe 4° du premier alinéa de l'un des articles 450.0.4 et 450.0.7 s'applique à un employeur participant au régime, l'entité de gestion doit aviser l'employeur participant sans délai de la délivrance de la note de redressement de taxe, d'une manière satisfaisante pour le ministre, en la forme et contenant les renseignements déterminés par ce dernier.

Application: L'article 450.0.9 sera remplacé par l'art. 231 du *Projet de loi 18* (présenté le 21 février 2013) et cette modification entrera en vigueur à la date de la sanction du *Projet de loi 18*.

2011, c. 34, art. 155

Notes historiques: L'article 450.0.9 a été ajouté par L.Q. 2011, c. 34, par. 155(1) et a effet depuis le 23 septembre 2009.

Notes explicatives ARQ (PL 32, L.Q. 2011, c. 34): *Résumé* :

Le nouvel article 450.0.9 exige qu'une entité de gestion d'un régime de pension à qui est délivrée une note de redressement de taxe en vertu de l'un des articles 450.0.2 et 450.0.5 de cette loi en avise les employeurs participants au régime, lorsque ces employeurs sont tenus d'inclure un montant dans le calcul de leur taxe nette en vertu du paragraphe 4° du premier alinéa de l'un des articles 450.0.4 et 450.0.7 de cette loi.

Contexte :

Voir la rubrique « Contexte » de la note explicative relative au nouvel article 289.2 de la LTVQ.

Modifications proposées :

Le nouvel article 450.0.9 exige qu'une entité de gestion d'un régime de pension à qui est délivrée une note de redressement de taxe en vertu de l'un des nouveaux articles 450.0.2 et 450.0.5 de cette loi, introduits dans le cadre du présent projet de loi, avise sans délai les employeurs participants au régime de la délivrance de cette note de redressement de taxe, lorsque ces employeurs sont tenus d'inclure un montant dans le calcul de leur taxe nette en vertu du paragraphe 4° du premier alinéa de l'un des nouveaux articles 450.0.4 et 450.0.7 de cette loi, également introduits dans le cadre du présent projet de loi. Une telle inclusion survient par suite du choix fait par l'entité de gestion du régime et les employeurs admissibles du régime de transférer la totalité ou une partie du montant de remboursement de pension de l'entité de gestion à l'un ou plusieurs de ces employeurs, en vertu de l'un des nouveaux articles 402.18 ou 402.19 de cette loi, également introduits dans le cadre du présent projet de loi. L'avis auquel est tenu l'entité de gestion, dans ces circonstances, doit être fait sans délai, d'une manière satisfaisante pour le ministre du Revenu et au moyen du formulaire prescrit contenant les renseignements prescrits.

Renvois [art. 450.0.9]: 289.5 (acquisition d'un bien ou d'un services aux fins de fourniture); 289.6 (consommation ou utilisation d'une ressource d'employeur aux fins de fourniture).

Bulletins d'information [art. 450.0.9]: 2009-9 — Harmonisation à diverses mesures relatives à la législation et à la règlementation fiscales fédérales et report de l'imposition d'une ristourne admissible.

Concordance fédérale: LTA, par. 232.02(6).

450.0.10 [Responsabilité solidaire] — Lorsqu'un employeur participant à un régime de pension est tenu d'ajouter un montant dans le calcul de sa taxe nette en vertu du paragraphe 4° du premier alinéa de l'un des articles 450.0.4 et 450.0.7 du fait qu'une note de redressement de taxe a été délivrée en vertu de l'un des articles 450.0.2 et 450.0.5 à une entité de gestion du régime, l'employeur participant et l'entité de gestion sont solidairement responsables du paiement du montant au ministre.

2011, c. 34, art. 155

Notes historiques: L'article 450.0.10 a été ajouté par L.Q. 2011, c. 34, par. 155(1) et a effet depuis le 23 septembre 2009.

Notes explicatives ARQ (PL 32, L.Q. 2011, c. 34): *Résumé* :

Le nouvel article 450.0.10 prévoit que, lorsqu'un employeur participant à un régime de pension est tenu d'inclure un montant dans le calcul de sa taxe nette, en vertu du paragraphe 4° du premier alinéa de l'un des articles 450.0.4 et 450.0.7 de cette loi, cet employeur et l'entité de gestion du régime sont solidairement responsables du paiement de ce montant au ministre du Revenu.

Contexte :

Voir la rubrique « Contexte » de la note explicative relative au nouvel article 289.2 de la LTVQ.

Modifications proposées :

Le nouvel article 450.0.10 prévoit une obligation solidaire pour une entité de gestion d'un régime de pension à qui une note de redressement de taxe a été délivrée, en vertu de l'un des nouveaux articles 450.0.2 et 450.0.5 de cette loi, introduits dans le cadre du présent projet de loi, et un employeur participant à ce régime, dans certaines circonstances. Plus précisément, lorsqu'un employeur participant à un régime de pension est tenu d'inclure un montant dans le calcul de sa taxe nette, en vertu du paragraphe 4° du premier alinéa de l'un des nouveaux articles 450.0.4 et 450.0.7 de la LTVQ, également introduits dans le cadre du présent projet de loi, du fait qu'une note de redressement de taxe a été délivrée en vertu de l'un de ces articles 450.0.2 et 450.0.5 à une entité de gestion du régime, cet employeur et cette entité de gestion sont solidairement responsables du paiement de ce montant au ministre du Revenu.

Renvois [art. 450.0.10]: 289.5 (acquisition d'un bien ou d'un services aux fins de fourniture); 289.6 (consommation ou utilisation d'une ressource d'employeur aux fins de fourniture).

Bulletins d'information [art. 450.0.10]: 2009-9 — Harmonisation à diverses mesures relatives à la législation et à la règlementation fiscales fédérales et report de l'imposition d'une ristourne admissible.

Concordance fédérale: LTA, par. 232.02(7).

450.0.11 [Responsabilité — employeur participant qui cesse d'exister] — Lorsqu'un employeur participant à un régime de pension aurait été tenu, s'il n'avait pas cessé d'exister au plus tard le jour où une note de redressement de taxe est délivrée en vertu de l'un des articles 450.0.2 et 450.0.5 à une entité de gestion du régime, d'ajouter un montant dans le calcul de sa taxe nette en vertu du paragraphe 4° du premier alinéa de l'un des articles 450.0.4 et 450.0.7 en raison de la délivrance de cette note de redressement de taxe, l'entité de gestion est tenue de payer le montant au ministre au plus tard le dernier jour de sa période de demande qui suit immédiatement celle

LTVQ (français)

qui comprend le jour où la note de redressement de taxe a été délivrée.

2011, c. 34, art. 155

Notes historiques: L'article 450.0.11 a été ajouté par L.Q. 2011, c. 34, par. 155(1) et a effet depuis le 23 septembre 2009.

Notes explicatives ARQ (PL 32, L.Q. 2011, c. 34): *Résumé* :

Le nouvel article 450.0.11 prévoit qu'une entité de gestion d'un régime de pension à qui a été délivrée une note de redressement de taxe en vertu de l'un des articles 450.0.2 et 450.0.5 de cette loi est tenue de payer au ministre du Revenu le montant qu'un employeur participant au régime aurait été tenu d'inclure dans le calcul de sa taxe nette en vertu du paragraphe 4° du premier alinéa de l'un des articles 450.0.4 et 450.0.7 de cette loi, si cet employeur n'avait pas cessé d'exister.

Contexte :

Voir la rubrique « Contexte » de la note explicative relative au nouvel article 289.2 de la LTVQ.

Modifications proposées :

Le nouvel article 450.0.11 s'applique lorsqu'un employeur participant à un régime de pension a cessé d'exister au plus tard le jour donné où une note de redressement de taxe est délivrée à une entité de gestion du régime en vertu de l'un des nouveaux articles 450.0.2 et 450.0.5 de cette loi, introduits dans le cadre du présent projet de loi. L'entité de gestion du régime est alors tenue de payer le montant que cet employeur participant aurait été tenu d'inclure dans le calcul de sa taxe nette, en vertu du paragraphe 4° du premier alinéa de l'un des nouveaux articles 450.0.4 et 450.0.7 de cette loi, également introduits dans le cadre du présent projet de loi, en raison de la délivrance d'une note de redressement de taxe, n'eût été le fait que l'employeur participant avait cessé d'exister au plus tard le jour donné où cette note de redressement a été délivrée. Le paiement de ce montant par l'entité de gestion du régime doit se faire au plus tard le dernier jour de la période de demande de l'entité de gestion qui suit immédiatement celle qui comprend le jour donné où la note de redressement de taxe a été délivrée.

Renvois [art. 450.0.11]: 289.5 (acquisition d'un bien ou d'un services aux fins de fourniture); 289.6 (consommation ou utilisation d'une ressource d'employeur aux fins de fourniture).

Bulletins d'information [art. 450.0.11]: 2009-9 — Harmonisation à diverses mesures relatives à la législation et à la règlementation fiscales fédérales et report de l'imposition d'une ristourne admissible.

Concordance fédérale: LTA, par. 232.02(9).

450.0.12 [Obligation de tenir des registres] — Malgré le premier alinéa de l'article 35.1 de la *Loi sur l'administration fiscale* (chapitre A-6.002), quiconque délivre une note de redressement de taxe en vertu de l'un des articles 450.0.2 et 450.0.5 doit conserver, pendant une période de six ans à compter de la date de la délivrance de la note de redressement de taxe, des preuves, satisfaisantes pour le ministre, établissant son droit de délivrer la note de redressement de taxe pour le montant qui y est indiqué.

2011, c. 34, art. 155

Notes historiques: L'article 450.0.12 a été ajouté par L.Q. 2011, c. 34, par. 155(1) et a effet depuis le 23 septembre 2009.

Notes explicatives ARQ (PL 32, L.Q. 2011, c. 34): *Résumé* :

Le nouvel article 450.0.12 prévoit l'obligation, pour quiconque délivre une note de redressement de taxe en vertu de l'un des articles 450.0.2 et 450.0.5 de cette loi, de conserver les preuves satisfaisantes pour établir son droit de délivrer cette note de redressement de taxe en vertu de l'un ou l'autre de ces articles pour une période de six ans à compter de la date de la délivrance de cette note.

Contexte :

Voir la rubrique « Contexte » de la note explicative relative au nouvel article 289.2 de la LTVQ.

Modifications proposées :

Le nouvel article 450.0.12 prolonge la période de conservation des documents qui sont des preuves permettant d'établir le droit d'un employeur participant à un régime de pension de délivrer une note de redressement de taxe en vertu de l'un des nouveaux articles 450.0.2 ou 450.0.5 de cette loi, introduits dans le cadre du présent projet de loi. Ainsi, un employeur participant qui délivre une note de redressement de taxe en vertu de l'un ou l'autre de ces articles est tenu de conserver les preuves permettant d'établir son droit à délivrer une telle note de redressement de taxe pour le montant qui y est indiqué pour une période de six ans à compter de la date de la délivrance de cette note.

Renvois [art. 450.0.12]: 289.5 (acquisition d'un bien ou d'un services aux fins de fourniture); 289.6 (consommation ou utilisation d'une ressource d'employeur aux fins de fourniture).

Bulletins d'information [art. 450.0.12]: 2009-9 — Harmonisation à diverses mesures relatives à la législation et à la règlementation fiscales fédérales et report de l'imposition d'une ristourne admissible.

Concordance fédérale: LTA, par. 232.02(10).

450.1 Ristournes promotionnelles — Dans le cas où un inscrit donné acquiert un bien meuble corporel donné exclusivement en vue de le fournir par vente pour un prix en argent dans le cadre de ses activités commerciales et qu'un autre inscrit qui a effectué des fournitures taxables du bien donné par vente à l'inscrit donné ou à une autre personne paie à l'inscrit donné, ou porte à son crédit, un montant en échange de la promotion du bien donné par l'inscrit donné ou accorde un tel montant à titre de réduction ou de crédit sur le prix d'un bien ou d'un service — appelé « bien ou service réduit » dans le présent article — que l'autre inscrit fournit à l'inscrit donné, les règles suivantes s'appliquent :

1° le montant est réputé ne pas être la contrepartie d'une fourniture effectuée par l'inscrit donné à l'autre inscrit;

2° dans le cas où le montant est accordé à titre de réduction ou de crédit sur le prix du bien ou service réduit :

a) si l'autre inscrit a déjà exigé ou perçu de l'inscrit donné la taxe prévue à l'article 16 calculée sur la contrepartie de la fourniture du bien ou service réduit, ou une partie de celle-ci, le montant de la réduction ou du crédit est réputé être une réduction de la contrepartie de cette fourniture pour l'application de l'article 448;

b) dans tout autre cas, la valeur de la contrepartie de la fourniture du bien ou service réduit est réputée égale à l'excédent de la valeur de la contrepartie de cette fourniture, telle que déterminée par ailleurs, sur le montant de la réduction ou du crédit;

3° dans le cas où le montant n'est pas accordé à titre de réduction ou de crédit sur le prix du bien ou service réduit fourni à l'inscrit donné, le montant est réputé être un rabais à l'égard du bien donné pour l'application de l'article 350.6.

Notes historiques: L'article 450.1 a été ajouté par L.Q. 2001, c. 53, art. 379 et s'applique à un montant payé à un inscrit ou porté à son crédit, ou accordé à titre de réduction ou de crédit sur le prix d'un bien ou d'un service, après le 31 mars 1997 en échange de la promotion de biens.

Concordance fédérale: LTA, art. 232.1.

§ 5. — Ristourne

451. « montant déterminé » — Pour l'application de l'article 453, l'expression « montant déterminé », à l'égard d'une ristourne payée par une personne au cours de son exercice, signifie le montant calculé selon la formule suivante :

$$A \times \frac{(B + D)}{(C + D)}.$$

Application — Pour l'application de cette formule :

1° la lettre A représente le montant de la ristourne;

2° la lettre B représente la valeur totale de toute contrepartie devenue due, ou payée sans être devenue due, au cours de l'exercice précédent de la personne alors qu'elle était un inscrit, pour des fournitures taxables qu'elle a effectuées au Québec, autres que des fournitures de ses immobilisations par vente et des fournitures détaxées;

3° la lettre C représente la valeur totale de toute contrepartie devenue due, ou payée sans être devenue due, au cours de l'exercice précédent de la personne pour des fournitures taxables qu'elle a effectuées au Québec, autres que des fournitures de ses immobilisations par vente;

4° la lettre D représente le total de la taxe devenue payable, ou payée sans être devenue payable, au cours de l'exercice précédent de la personne à l'égard des fournitures taxables qu'elle a effectuées, autres que des fournitures de ses immobilisations par vente.

Notes historiques: Le paragraphe 3° du deuxième alinéa de l'article 451 a été modifié par L.Q. 1995, c. 63, art. 460(1) et cette modification a effet depuis le 1er août 1995. Toutefois, lorsque ce paragraphe s'applique à l'égard d'une contrepartie dont la totalité est devenue due ou est payée sans être devenue due avant le 1er août 1995, il doit se lire en y remplaçant les mots « fournitures taxables » par « fournitures taxables ou non taxables ». Auparavant, l'article 451, modifié par L.Q. 1994, c. 22, art. 609(1), était réputé entré en vigueur le 1er juillet 1992. Il se lisait comme suit :

3° la lettre C représente la valeur totale de toute contrepartie devenue due, ou payée sans être devenue due, au cours de l'exercice précédent de la personne pour des fournitures taxables et non taxables qu'elle a effectuées au Québec, autres que des fournitures de ses immobilisations par vente;

L'article 451, édicté par L.Q. 1991, c. 67, se lisait comme suit :

451. Pour l'application de l'article 453, l'expression « montant déterminé », à l'égard d'une ristourne payée par une personne au cours de son exercice, signifie le montant calculé selon la formule suivante :

$$A \times \frac{B}{C}.$$

Pour l'application de cette formule :

1° la lettre A représente le montant de la ristourne;

2° la lettre B représente la valeur totale de toute contrepartie devenue due, ou payée sans être devenue due, au cours de l'exercice précédent de la personne alors qu'elle était un inscrit, pour des fournitures taxables qu'elle a effectuées, autres que des fournitures de ses immobilisations par vente et des fournitures détaxées;

3° la lettre C représente la valeur totale de toute contrepartie devenue due, ou payée sans être devenue due, au cours de l'exercice précédent de la personne pour des fournitures taxables et non taxables qu'elle a effectuées, autres que des fournitures de ses immobilisations par vente.

Définitions [art. 451]: « contrepartie », « fourniture détaxée », « fourniture taxable », « immobilisation », « inscrit », « montant », « personne », « ristourne », « vente » — 1.

Renvois [art. 451]: 51 (valeur de la contrepartie); 83 (contrepartie due); 433.7 (non-application — taxe nette d'un organisme de bienfaisance); 436.1 (non-application — choix pour une comptabilité abrégée); 448 (remboursement ou redressement de la taxe).

Concordance fédérale: LTA, par. 233(1).

452. Exercice d'une personne — Pour l'application de la présente sous-section, l'exercice d'une personne correspond à son exercice au sens de l'article 458.1.

Notes historiques: L'article 452 a été modifié par L.Q. 1994, c. 22, art. 609(1) et est réputé entré en vigueur le 1er juillet 1992. L'article 452, édicté par L.Q. 1991, c. 67, se lisait comme suit :

452. Pour l'application de la présente sous-section, l'article 405 s'applique à l'exercice d'une personne.

Définitions [art. 452]: « personne » — 1.

Renvois [art. 452]: 433.7 (non-application — taxe nette d'un organisme de bienfaisance); 436.1 (non-application — choix pour une comptabilité abrégée).

Concordance fédérale: aucune.

453. Ristourne — Dans le cas où, à un moment au cours de son exercice, une personne donnée paie à une autre personne une ristourne dont la totalité ou une partie est payée à l'égard de fournitures taxables, autres que des fournitures détaxées, effectuées par la personne donnée à l'autre personne, la personne donnée est réputée :

1° avoir réduit, à ce moment, la contrepartie totale pour ces fournitures d'un montant égal au résultat obtenu en multipliant 100/109,975 par :

a) dans le cas où la personne donnée a effectué un choix qui est en vigueur pour cet exercice afin que le présent sous-paragraphe s'applique, la partie de la ristourne qui est relative à des fournitures taxables qu'elle a effectuées à l'autre personne, autres que des fournitures détaxées;

b) dans tout autre cas, le montant déterminé à l'égard de la ristourne;

2° avoir effectué, à ce moment, le redressement ou le remboursement approprié en faveur de cette autre personne ou avoir porté au crédit de celle-ci le montant approprié, en vertu de l'article 448.

Notes historiques: Le préambule du paragraphe 1° l'article 453 a été modifié par L.Q. 2012, c. 28, par. 165(1) par le remplacement de « 100/109,5 » par « 100/109,975 ». Cette modification a effet à compter du 1er janvier 2013.

Le préambule du paragraphe 1° de l'article 453 a été modifié par L.Q. 2011, c. 6, par. 281(1) par le remplacement de « 100 / 108,5 » par « 100 / 109,5 ». Cette modification a effet à compter du 1er janvier 2012.

Le préambule du paragraphe 1° de l'article 453 a été modifié par L.Q. 2010, c. 5, par. 244(1) par le remplacement de « 100 / 107,5 » par « 100 / 108,5 ». Cette modification a effet à compter du 1er janvier 2011.

Le préambule du paragraphe 1° de l'article 453 a été modifié par L.Q. 1995, c. 1, art. 330(1) et cette modification a effet depuis le 13 mai 1994. Auparavant, il se lisait comme suit :

1° avoir réduit, à ce moment, la contrepartie totale pour ces fournitures d'un montant égal à la fraction de contrepartie déterminée conformément à l'article 453.1 :

Le préambule du paragraphe 1° de l'article 453 a auparavant été remplacé par L.Q. 1993, c. 19, art. 234 pour ajouter les mots « déterminée conformément à l'article 453.1 » et s'applique à l'égard d'une fourniture ou d'un apport au Québec relativement auquel l'article 685 ou l'un des articles 618 à 656 de L.Q. 1991, c. 67 s'applique [*N.D.L.R.* : les articles 685 et 618 à 656 réfèrent à des dispositions transitoires concernant les transferts avant le 1er juillet 1992].

Le paragraphe 1° de l'article 453 a été remplacé par L.Q. 1997, c. 85, art. 697(1) et a effet depuis le 1er avril 1997. Toutefois, lorsqu'il s'applique pour la période du 1er avril 1997 au 31 décembre 1997, le paragraphe 1° de l'article 453 doit se lire en y remplaçant 100/107,5 par 100/106,5.

Antérieurement, ce paragraphe se lisait ainsi :

1° avoir réduit, à ce moment, la contrepartie totale pour ces fournitures d'un montant égal à la fraction de contrepartie :

a) du montant déterminé à l'égard de la ristourne;

b) dans le cas où la personne donnée a effectué un choix qui est en vigueur pour cet exercice afin que le présent sous-paragraphe s'applique, de la partie de la ristourne qui est relative à des fournitures taxables qu'elle a effectuées à l'autre personne, autres que des fournitures détaxées;

Le sous-paragraphe b) du paragraphe 1° de l'article 453 a été modifié par L.Q. 1994, c. 22, art. 610(1) et est réputé entré en vigueur le 1er juillet 1992. Il se lisait comme suit :

b) dans le cas où la personne donnée a produit au ministre, de la manière prescrite par ce dernier, un choix afin que le présent sous-paragraphe s'applique, au moyen du formulaire prescrit contenant les renseignements prescrits, de la partie de la ristourne qui est relative à ces fournitures;

L'article 453 a été édicté par L.Q. 1991, c. 67.

Notes explicatives ARQ (PL 5, L.Q. 2012, c. 28): *Résumé* :

L'article 453 est modifié afin de remplacer la fraction « 100/109,5 » par « 100/109,975 », et ce, en vue de tenir compte du fait qu'à compter du 1er janvier 2013 la taxe sur les produits et services (TPS) est retirée de l'assiette de la taxe de vente du Québec (TVQ).

Situation actuelle :

L'article 453 offre deux possibilités à une personne afin de lui permettre de déterminer la portion d'une ristourne attribuable aux fournitures taxables qu'elle a effectuées et qui constitue un redressement ou un remboursement selon l'article 448 de la LTVQ. C'est ainsi qu'elle peut soit utiliser la formule prévue à l'article 451 de la LTVQ, soit présenter le montant réel de la ristourne qui représente cette portion si elle a effectué un choix à cet effet.

Modifications proposées :

En vue de tenir compte du fait que la TPS est retirée de l'assiette de la TVQ à compter du 1er janvier 2013, il y a lieu de modifier l'article 453 de la LTVQ.

Cette modification a pour objet de remplacer la fraction « 100/109,5 » par « 100/109,975 ».

Notes explicatives ARQ (PL 5, L.Q. 2011, c. 6): *Résumé* :

L'article 453 est modifié afin de tenir compte de la hausse du taux de la taxe de vente du Québec (TVQ) à 9,5 % à compter du 1er janvier 2012.

Situation actuelle :

L'article 453 offre deux possibilités à une personne afin de lui permettre de déterminer la portion d'une ristourne attribuable aux fournitures taxables qu'elle a effectuées et qui constitue un redressement ou un remboursement selon l'article 448 de la LTVQ. C'est ainsi qu'elle peut soit utiliser la formule prévue à l'article 451 de la LTVQ, soit présenter le montant réel de la ristourne qui représente cette portion si elle a effectué un choix à cet effet.

Modifications proposées :

L'article 453 est modifié afin de tenir compte de la hausse du taux de la TVQ à 9,5 % à compter du 1er janvier 2012.

Notes explicatives ARQ (PL 64, L.Q. 2010, c. 5): *Résumé* :

L'article 453 est modifié afin de tenir compte de l'établissement du taux de la taxe de vente du Québec (TVQ) à 8,5 % à compter du 1er janvier 2011.

Situation actuelle :

AL'article 453 de la LTVQ offre deux possibilités à une personne afin de lui permettre de déterminer la portion d'une ristourne attribuable aux fournitures taxables qu'elle a effectuées et qui constitue un redressement ou un remboursement selon l'article 448 de la LTVQ. C'est ainsi qu'elle peut soit utiliser la formule prévue à l'article 451 de la LTVQ, soit présenter le montant réel de la ristourne qui représente cette portion si elle a effectué un choix à cet effet.

Modifications proposées :

L'article 453 de la LTVQ estmodifié afin de tenir compte de l'établissement du taux de la TVQ à 8,5 % à compter du 1er janvier 2011.

Définitions [art. 453]: « contrepartie », « fourniture détaxée », « fourniture taxable », « fraction de contrepartie », « montant », « personne », « ristourne » — 1.

Renvois [art. 453]: 433.7 (non-application — taxe nette d'un organisme de bienfaisance); 436.1 (non-application — choix pour une comptabilité abrégée); 451 (définition du montant déterminé); 454 (non-application de l'article 453); 454.1 (moment du choix); 454.2 (révocation du choix).

Concordance fédérale: LTA, par. 233(2).

453.1 [*Abrogé*]

Notes historiques: L'article 453.1 a été abrogé par L.Q. 1995, c. 1, art. 331(1) et cette abrogation a effet depuis le 13 mai 1994. L'article 453.1 a été ajouté par L.Q. 1993, c. 19, art. 235 et s'applique à l'égard d'une fourniture ou d'un apport au Québec relativement auquel l'article 685 ou l'un des articles 618 à 656 de L.Q. 1991, c. 67 s'applique [*N.D.L.R.* : les articles 685 et 618 à 656 réfèrent à des dispositions transitoires concernant les transferts avant le 1er juillet 1992]. Auparavant, il se lisait comme suit :

> 453.1 Pour l'application du paragraphe 1° de l'article 453, la fraction de contrepartie est :
>
> 1° de $^{100}/_{108}$ dans le cas où la totalité des fournitures taxables à l'égard desquelles la totalité de la ristourne ou la partie de celle-ci est payée sont des fournitures de biens ou de services à l'égard desquelles le taux de la taxe applicable est de 8 %;
>
> 2° de $^{100}/_{104}$ dans le cas où la totalité des fournitures taxables à l'égard desquelles la totalité de la ristourne ou la partie de celle-ci est payée sont des fournitures de biens ou de services à l'égard desquelles le taux de la taxe applicable est de 4 %;
>
> 3° dans tous les autres cas, de :
>
> a) $^{100}/_{108}$ pour la partie du montant déterminé à l'égard de la ristourne qui est attribuable à des fournitures de biens ou de services à l'égard desquelles le taux de la taxe applicable est de 8 %;
>
> b) $^{100}/_{104}$ pour la partie du montant déterminé à l'égard de la ristourne qui est attribuable à des fournitures de biens ou de services à l'égard desquelles le taux de la taxe applicable est de 4 %.

454. Exception — choix — L'article 453 ne s'applique pas à une ristourne payée par une personne au cours d'un exercice de celle-ci pour lequel un choix effectué en vertu du présent article est en vigueur, auquel cas la ristourne est réputée ne pas être une réduction de la contrepartie d'une fourniture.

Notes historiques: L'article 454 a été modifié par L.Q. 1994, c. 22, art. 611(1) et est réputé entré en vigueur le 1er juillet 1992. L'article 454, édicté par L.Q. 1991, c. 67, se lisait comme suit :

> 454. L'article 453 ne s'applique pas si une ristourne est payée par une personne qui a produit au ministre, de la manière prescrite par ce dernier, un choix afin que le présent article s'applique, au moyen du formulaire prescrit contenant les renseignements prescrits, auquel cas la ristourne est réputée ne pas être une réduction de la contrepartie d'une fourniture.

Définitions [art. 454]: « contrepartie », « fourniture », « fourniture taxable », « personne », « ristourne » — 1.

Renvois [art. 454]: 433.7 (non-application — taxe nette d'un organisme de bienfaisance); 436.1 (non-application — choix pour une comptabilité abrégée); 454.1 (moment du choix); 454.2 (révocation du choix).

Concordance fédérale: LTA, par. 233(3).

454.1 Moment du choix — Le choix effectué par une personne en vertu du sous-paragraphe a) du paragraphe 1° de l'article 453 ou de l'article 454 doit être effectué avant qu'une ristourne ne soit payée par la personne au cours de son exercice à compter duquel le choix prend effet.

Notes historiques: L'article 454.1 a été remplacé par L.Q. 1997, c. 85, art. 698(1) et a effet depuis le 1er avril 1997. Antérieurement, il se lisait ainsi :

> 454.1 Le choix effectué par une personne en vertu du sous-paragraphe b) du paragraphe 1° de l'article 453 ou de l'article 454 doit être effectué avant qu'une ristourne ne soit payée par la personne au cours de son exercice à compter duquel le choix prend effet.

L'article 454.1 a été ajouté par L.Q. 1994, c. 22, art. 612(1) et est réputé entré en vigueur le 1er juillet 1992.

Définitions [art. 454.1]: « personne », « ristourne » — 1.

Renvois [art. 454.1]: 433.7 (non-application — taxe nette d'un organisme de bienfaisance); 436.1 (non-application — choix pour une comptabilité abrégée); 453 (paiement d'une ristourne).

Concordance fédérale: LTA, par. 233(4).

454.2 Révocation du choix — Le choix effectué par une personne en vertu du sous-paragraphe a) du paragraphe 1° de l'article 453 ou de l'article 454 peut être révoqué par celle-ci avant qu'une ristourne ne soit payée par la personne au cours de son exercice durant lequel la révocation prend effet.

Notes historiques: L'article 454.2 a été remplacé par L.Q. 1997, c. 85, art. 698(1) et a effet depuis le 1er avril 1997. Antérieurement, il se lisait ainsi :

> 454.2 Le choix effectué par une personne en vertu du sous-paragraphe b) du paragraphe 1° de l'article 453 ou de l'article 454 peut être révoqué par celle-ci avant qu'une ristourne ne soit payée par la personne au cours de son exercice durant lequel la révocation prend effet.

L'article 454.2 a été ajouté par L.Q. 1994, c. 22, art. 612(1) et est réputé entré en vigueur le 1er juillet 1992.

Définitions [art. 454.2]: « personne », « ristourne » — 1.

Renvois [art. 454.2]: 433.7 (non-application — taxe nette d'un organisme de bienfaisance); 436.1 (non-application — choix pour une comptabilité abrégée); 453 (paiement d'une ristourne).

Concordance fédérale: LTA, par. 233(5).

454.3 Date du paiement de la ristourne — Pour l'application de la présente sous-section, une ristourne est réputée être payée le jour où elle est déclarée.

Notes historiques: L'article 454.3 a été ajouté par L.Q. 1994, c. 22, art. 612(1) et est réputé entré en vigueur le 1er juillet 1992.

Définitions [art. 454.3]: « ristourne » — 1.

Renvois [art. 454.3]: 433.7 (non-application — taxe nette d'un organisme de bienfaisance); 436.1 (non-application — choix pour une comptabilité abrégée).

Concordance fédérale: LTA, par. 233(6).

§ 6. — Paiement d'un remboursement par une personne

Notes historiques: L'intitulé de la sous-section 6 a été remplacé par L.Q. 2001, c. 53, art. 380 et cette modification a effet depuis le 10 décembre 1992. Antérieurement, il se lisait ainsi : « Paiement d'un remboursement par un inscrit ».

L'intitulé de la sous-section 6 a été remplacé par L.Q. 1997, c. 85, art. 699(1). Cette modification a effet depuis le 24 avril 1996. Antérieurement, il se lisait ainsi : « Paiement d'un remboursement par un constructeur ».

455. Déduction pour paiement d'un remboursement — Un inscrit qui, dans les circonstances visées aux articles 357.5.2, 366, 370.1 ou 402.9, paie à une personne ou porte à son crédit un montant au titre d'un remboursement et qui transmet la demande de la personne pour le remboursement au ministre conformément à l'article 357.5.2, 367 ou 370.2, selon le cas, ou la conserve, conformément à l'article 402.10, peut déduire le montant dans le calcul de sa taxe nette pour sa période de déclaration au cours de laquelle le montant est payé ou porté au crédit de la personne.

Notes historiques: L'article 455 a été remplacé par L.Q. 2001, c. 51, art. 304 et cette modification a effet depuis le 21 février 2000. Antérieurement, il se lisait ainsi :

> 455. Un inscrit qui, dans les circonstances visées aux articles 357.5.2, 366 ou 370.1, paie à une personne ou porte à son crédit un montant au titre d'un remboursement et qui transmet la demande de la personne pour le remboursement au ministre conformément à l'article 357.5.2, 367 ou 370.2, selon le cas, peut déduire le montant dans le calcul de sa taxe nette pour sa période de déclaration au cours de laquelle le montant est payé ou porté au crédit de la personne.

L'article 455 a été remplacé par L.Q. 2001, c. 53, art. 380 et cette modification a effet depuis le 10 décembre 1992. Toutefois, lorsque l'article 455 de cette loi s'applique avant le 24 avril 1996, il doit se lire sans référer aux articles 357.5.2, 402.9 et 402.10 et lorsqu'il s'applique après le 23 avril 1996 et avant le 21 février 2000, il doit se lire sans référer aux articles 402.9 et 402.10. Ainsi, il doit se lire comme suit :

> 455. Une personne donnée qui, dans les circonstances visées aux articles 357.5.2, 366, 370.1, 382.3 ou 402.9, paie à une autre personne ou porte à son crédit, un montant au titre d'un remboursement et qui transmet la demande de l'autre personne pour le remboursement au ministre conformément à l'article 357.5.2, 367, 370.2 ou 382.4, selon le cas, ou la conserve, conformément à l'article 402.10, peut déduire le montant dans le calcul de sa taxe nette pour sa période de déclaration au cours de laquelle le montant est payé ou porté au crédit de l'autre personne.

L'article 455 a été remplacé par L.Q. 1997, c. 85, art. 699(1) et a effet depuis le 24 avril 1996. Antérieurement, il se lisait ainsi :

> 455. Un constructeur qui, dans les circonstances visées aux articles 366 ou 370.1, paie à un particulier ou porte à son crédit un montant au titre d'un remboursement

visé à ceux-ci et qui transmet la demande du particulier pour le remboursement au ministre conformément aux articles 367 ou 370.2, peut déduire le montant dans le calcul de sa taxe nette pour sa période de déclaration au cours de laquelle le montant est payé ou porté au crédit du particulier.

L'article 455 a été modifié par L.Q. 1994, c. 22, art. 613(1) et est réputé entré en vigueur le 1er juillet 1992. L'article 455, édicté par L.Q. 1991, c. 67, se lisait comme suit :

455. Un constructeur qui paie un remboursement à un particulier, ou en sa faveur, ou le porte à son crédit, conformément à l'article 366 et qui transmet la demande de celui-ci au ministre conformément à l'article 367, peut déduire le montant du remboursement dans le calcul de sa taxe nette pour sa période de déclaration au cours de laquelle le remboursement est payé ou porté au crédit du particulier.

Définitions [art. 455]: « constructeur », « immeuble d'habitation à logement unique », « logement en copropriété », « montant », « particulier », « période de déclaration » — 1.

Renvois [art. 455]: 370 (responsabilité du constructeur); 370.4 (responsabilité du constructeur); 428 (taxe nette); 433.2 (taxe nette d'un organisme de bienfaisance inscrit); 433.7 (non-application — taxe nette d'un organisme de bienfaisance); 436.1 (non-application — choix pour une comptabilité abrégée).

Lettres d'interprétation [art. 455]: 98-0106124 — Remboursement pour logement provisoire accordé à une personne non résidente.

Concordance fédérale: LTA, par. 234(1).

455.0.1 Un assureur qui, dans les circonstances visées au troisième alinéa de l'article 402.25, verse à son fonds réservé, ou porte à son crédit, un montant au titre d'un remboursement prévu à cet article et qui transmet la demande de remboursement du fonds au ministre conformément à l'article 402.26 peut déduire le montant dans le calcul de sa taxe nette pour sa période de déclaration au cours de laquelle le montant est versé au fonds ou est porté à son crédit.

Notes historiques: L'article 455.0.1 a été ajouté par L.Q. 2012, c. 28, par. 166(1) et s'applique à l'égard d'un remboursement relatif à un montant de taxe qui est devenu payable après le 31 décembre 2012 ou qui a été payé après cette date sans être devenu payable.

Notes explicatives ARQ (PL 5, L.Q. 2012, c. 28): *Résumé* :

Le nouvel article 455.0.1 prévoit qu'un assureur qui paie à son fonds réservé ou porte à son crédit un montant au titre d'un remboursement dans les circonstances décrites au troisième alinéa de l'article 402.25 de la LTVQ peut déduire ce montant dans le calcul de sa taxe nette.

Contexte :

Voir la rubrique « Contexte » de la note explicative relative au nouvel article 402.23 de la LTVQ.

Modifications proposées :

Le nouvel article 455.0.1 permet à un assureur de déduire dans le calcul de sa taxe nette un montant au titre du remboursement qu'il verse à son fonds réservé ou porte à son crédit dans les circonstances prévues au troisième alinéa de l'article 402.25 de la LTVQ. Rappelons que, en vertu de l'article 402.23 de la LTVQ, un fonds réservé d'un assureur, de même qu'un régime de placement, peuvent obtenir du ministre du Revenu le remboursement de la taxe payable relativement à des services déterminés (soit essentiellement des services de gestion ou d'administration), dans la mesure où ils détiennent ou investissent des sommes pour le compte d'autres personnes résidant hors du Québec. Le nouvel article 402.25 de la LTVQ, introduit par le présent projet de loi, permet à un assureur et à son fonds réservé de faire un choix par suite duquel le remboursement de la taxe auquel a droit le fonds en vertu de l'article 402.23 de cette loi lui est versé par l'assureur. Ce choix conjoint permet donc que, essentiellement, le fonds réservé soit remboursé directement par l'assureur plutôt que par le ministre du Revenu.

Ainsi, lorsque ce choix est fait, l'assureur qui paie un montant au titre de ce remboursement à son fonds réservé ou porte un montant à ce titre à son crédit peut déduire ce montant dans le calcul de sa taxe nette pour sa période de déclaration au cours de laquelle ce montant est versé au fonds réservé ou porté à son crédit.

Concordance fédérale: LTA, par. 234(5).

§ 6.1. — [Abrogée]

Notes historiques: L'intitulé de la sous-section 6.1 de la section III du chapitre VIII du titre I a été abrogé par L.Q. 1997, c. 85, art. 699(1) et cette abrogation a effet depuis le 24 avril 1996. Antérieurement, il se lisait ainsi : « Paiement d'un remboursement par un inscrit ».

L'intitulé de la sous-section 6.1 a été ajouté par L.Q. 1994, c. 22, art. 614(1) et est réputé entré en vigueur le 1er juillet 1992.

455.1 Déduction pour remboursement — fourniture à des personnes qui ne résident pas au Québec — Un inscrit qui, dans les circonstances visées aux articles 353.2, 357.3 ou 357.5, paie à une personne ou porte à son crédit un montant au titre d'un remboursement visé à ceux-ci, peut déduire le montant dans le calcul de sa taxe nette :

1º soit pour sa période de déclaration qui comprend le jour donné qui est le dernier en date du dernier jour où toute taxe à laquelle le remboursement se rapporte devient payable et du jour où le montant est payé ou crédité;

2º soit pour toute période de déclaration subséquente de l'inscrit pour laquelle une déclaration est produite dans l'année suivant le jour donné.

Notes historiques: Le préambule de l'article 455.1 a été modifié par L.Q. 2009, c. 5, par. 664(1) par la suppression de « 356, » après les mots « 353.2, ». Cette suppression s'applique à l'égard de la fourniture d'un logement provisoire, d'un emplacement de camping ou d'un voyage organisé comprenant un tel logement provisoire ou un tel emplacement de camping :

1° dont la totalité de la contrepartie devient due après le 31 octobre 2001 et n'est pas payée au plus tard à cette même date;

2° dont la totalité ou une partie de la contrepartie devient due avant le 1er novembre 2001 ou est payée avant cette même date, lorsque la totalité des logements provisoires rendus disponibles dans le cadre de telles fournitures sont destinés à être occupés après le 31 octobre 2001.

L'article 455.1 a été ajouté par L.Q. 1994, c. 22, art. 614(1) et est réputé entré en vigueur le 1er juillet 1992. Toutefois, pour la période du 1er juillet 1992 au 30 septembre 1992, la référence à l'article 353.2 doit être lue comme une référence à l'article 353.5.

Notes explicatives ARQ (PL 2, L.Q. 2009, c. 5): *Résumé* :

L'article 455.1 est modifié afin que soit supprimée la référence à l'article 356 de la LTVQ, puisque ce dernier article a été abrogé en vertu du chapitre 9 des lois de 2002.

Situation actuelle :

Actuellement, l'article 455.1 de la LTVQ prévoit qu'un fournisseur qui a payé à un acquéreur, ou porté à son crédit, un montant en vertu des articles 353.2, 356, 357.3 ou 357.5 de la LTVQ, au titre d'un remboursement à un non-résident, peut déduire ce montant dans le calcul de sa taxe nette. L'article 356 de la LTVQ a été abrogé en vertu du chapitre 9 des lois de 2002. Ce dernier article prévoyait, avant le 1er novembre 2001, qu'un inscrit qui fournit un logement provisoire ou un voyage organisé comprenant un tel logement, pour lequel un remboursement peut être accordé, peut bénéficier d'une déduction dans le calcul de sa taxe nette, du montant payé ou crédité à un non-résident au titre d'un remboursement et ce, sous réserve de certaines conditions.

Modifications proposées :

Il y a lieu de modifier l'article 455.1 de la LTVQ en vue de supprimer la référence à l'article 356 de la LTVQ puisque ce dernier article a été abrogé en vertu du chapitre 9 des lois de 2002.

Définitions [art. 455.1]: « inscrit », « montant », « période de déclaration », « personne » — 1.

Renvois [art. 455.1]: 353.2 (cession de droit au remboursement); 357.3 (remboursement par l'organisateur); 357.5 (remboursement par le fournisseur); 357.5.0.1 (production de renseignements); 433.2 (taxe nette d'un organisme de bienfaisance inscrit); 433.7 (non-application — taxe nette d'un organisme de bienfaisance); 436.1 (non-application — choix pour une comptabilité abrégée); 433.11 (choix de ne pas calculer la taxe nette).

Concordance fédérale: LTA, par. 234(2).

455.2 Production tardive de renseignements — Dans le cas où un inscrit est tenu de produire les renseignements prescrits conformément à l'article 357.5.0.1 à l'égard d'un montant demandé à titre de déduction, en vertu de l'article 455.1, à l'égard d'un montant payé ou crédité au titre d'un remboursement, les règles suivantes s'appliquent :

1º dans le cas où l'inscrit produit les renseignements un jour - appelé « jour de production » dans le présent article - qui est après le jour où il est tenu de produire sa déclaration en vertu du chapitre VIII pour la période de déclaration au cours de laquelle il a demandé la déduction, en vertu de l'article 455.1, à l'égard du montant payé ou crédité et avant le jour donné prévu au deuxième alinéa, il doit ajouter, dans le calcul de sa taxe nette pour sa période de déclaration qui comprend le jour de production, un montant égal aux intérêts, au taux fixé en vertu de l'article 28 de la *Loi sur l'administration fiscale* (chapitre A-6.002) calculés sur le montant demandé à titre de déduction, en vertu de l'article 455.1, pour la période commençant le jour où l'inscrit était tenu de produire les renseignements prescrits, en vertu de l'article 357.5.0.1, et se terminant le jour de production;

2º dans le cas où l'inscrit omet de produire les renseignements avant le jour donné, il doit ajouter, dans le calcul de sa taxe nette pour sa

LTVQ (français)

période de déclaration qui comprend le jour donné, un montant égal au total du montant demandé à titre de déduction, en vertu de l'article 455.1, et des intérêts, au taux fixé en vertu de l'article 28 de la *Loi sur l'administration fiscale*, calculés sur ce montant pour la période commençant le jour où l'inscrit était tenu de produire les renseignements, en vertu de l'article 357.5.0.1, et se terminant le jour où l'inscrit est tenu, en vertu de l'article 468, de produire une déclaration pour sa période de déclaration qui comprend le jour donné.

Jour donné — Pour l'application du premier alinéa, le jour donné est le premier en date des jours suivants :

1° le jour qui suit de quatre ans le jour où l'inscrit était tenu, en vertu de l'article 468, de produire une déclaration pour la période;

2° le jour fixé par le ministre dans une demande péremptoire de produire les renseignements.

Notes historiques: L'article 455.2 a été ajouté par L.Q. 2009, c. 5, par. 665(1) et s'applique à l'égard d'un montant demandé à titre de déduction, en vertu de l'article 455.1, à l'égard d'un montant qui est payé à une personne ou porté à son crédit après le 31 mars 2007 et qui se rapporte à une fourniture à l'égard de laquelle la taxe prévue au titre I devient payable après le 31 mars 2007.

Notes explicatives ARQ (PL 2, L.Q. 2009, c. 5): *Résumé* :

Le nouvel article 455.2 prévoit que l'inscrit qui produit des renseignements en retard est tenu d'ajouter un certain montant dans le calcul de sa taxe nette. La nouvelle obligation de produire des renseignements est prévue au nouvel article 357.5.0.1.de la LTVQ.

Contexte :

Actuellement, le régime de la TVQ ne prévoit ni l'obligation de produire une déclaration de renseignements dans le cas où un inscrit demande une déduction dans le calcul de sa taxe nette au titre d'un remboursement versé ou crédité à une autre personne dans un contexte de congrès étranger, ni l'obligation d'ajouter un montant dans le calcul de la taxe nette en cas de retard dans la production des renseignements.

Modifications proposées :

Il y a lieu d'insérer l'article 455.2 de la LTVQ, afin de prévoir que l'inscrit qui transmet en retard certains renseignements qu'il est tenu de produire en vertu de l'article 357.5.0.1 de la LTVQ, doit ajouter un certain montant dans le calcul de sa taxe nette.

Concordance fédérale: LTA, par. 234(2.1).

§ 7. — Remboursement de la taxe sur les intrants

456. Location d'une voiture de tourisme — Dans le cas où, au cours d'une année d'imposition d'un inscrit, la taxe à l'égard des fournitures d'une voiture de tourisme effectuées par bail devient payable ou est payée par l'inscrit sans qu'elle ne soit devenue payable et que le total de la contrepartie des fournitures qui serait déductible dans le calcul de son revenu pour l'année pour l'application de la *Loi sur les impôts* (chapitre I-3), si l'inscrit était un contribuable en vertu de cette loi et que celle-ci était lue en faisant abstraction de son article 421.6, excède le montant relatif à cette contrepartie qui serait déductible dans le calcul du revenu de l'inscrit pour l'année pour l'application de cette loi, si l'inscrit était un contribuable en vertu de cette loi et que les formules prévues aux articles 99R1 et 421.6R1 du *Règlement sur les impôts* (R.R.Q., 1981, chapitre I-3, r. 1) étaient lues en faisant abstraction de la lettre B, un montant déterminé selon la formule suivante doit être ajouté dans le calcul de la taxe nette pour la période de déclaration indiquée de l'inscrit :

$$A \times B \times C.$$

Application — Pour l'application de cette formule :

1° la lettre A représente le résultat obtenu en divisant cet excédent par cette contrepartie;

2° la lettre B représente la taxe payée ou payable à l'égard de ces fournitures à l'exception de la taxe que l'inscrit, en raison des articles 203 ou 206, n'a pas le droit d'inclure dans le calcul de son remboursement de la taxe sur les intrants;

3° la lettre C représente la proportion de l'utilisation de la voiture dans le cadre des activités commerciales de l'inscrit par rapport à l'utilisation totale de la voiture.

Malgré le premier alinéa, aucun montant ne doit être inclus dans le calcul de la taxe nette d'un inscrit pour la période de déclaration indiquée lorsque l'inscrit est une institution financière désignée particulière au cours de cette période.

Notes historiques: Le préambule du premier alinéa de l'article 456 a été modifié par L.Q. 2009, c. 15, par. 518(1) par le remplacement de « 99R2 » par « 99R1 ». Cette modification a effet depuis le 4 mars 2009.

Le préambule du premier alinéa de l'article 456 a été remplacé par L.Q. 2009, c. 5, par. 666(1) et cette modification s'applique à l'égard d'une période de déclaration qui se termine après le 27 novembre 2006 et d'une période de déclaration qui se termine avant le 28 novembre 2006, sauf si, à la fois :

1° un montant a été ajouté, conformément aux articles 456 et 457, dans le calcul de la taxe nette pour la période de déclaration;

2° le montant a été déterminé en considérant que le coût en capital de la voiture de tourisme pour l'application de la *Loi sur les impôts* (L.R.Q., chapitre I-3) inclut les taxes de vente fédérale et provinciale;

3° la déclaration pour la période de déclaration a été produite en vertu du chapitre VIII du titre I avant le 28 novembre 2006.

Antérieurement, il se lisait ainsi :

> 456. Dans le cas où au cours d'une année d'imposition d'un inscrit, la taxe à l'égard des fournitures d'une voiture de tourisme effectuées par bail devient payable ou est payée par l'inscrit sans qu'elle ne soit devenue payable et que le total de la contrepartie des fournitures qui serait déductible dans le calcul de son revenu pour l'année pour l'application de la *Loi sur les impôts* (chapitre I-3), si l'inscrit était un contribuable en vertu de cette loi et que celle-ci était lue en faisant abstraction de son article 421.6, excède le montant relatif à cette contrepartie qui est déductible dans le calcul du revenu de l'inscrit pour l'année pour l'application de cette loi, ou qui le serait s'il était un contribuable en vertu de celle-ci, un montant déterminé selon la formule suivante doit être ajouté dans le calcul de la taxe nette pour la période de déclaration indiquée de l'inscrit :

Le premier alinéa de l'article 456 a été remplacé par L.Q. 1997, c. 85, art. 700(1)(1°) et a effet depuis le 1er avril 1997. Antérieurement, il se lisait ainsi :

> 456. Dans le cas où au cours d'une année d'imposition d'un inscrit, la taxe à l'égard d'une fourniture par louage d'une voiture de tourisme devient payable ou est payée par l'inscrit sans qu'elle ne soit devenue payable et que le total de la contrepartie de la fourniture qui serait déductible dans le calcul de son revenu pour l'année pour l'application de la *Loi sur les impôts* (L.R.Q., chapitre I-3), si l'inscrit était un contribuable en vertu de cette loi et que celle-ci était lue en faisant abstraction de son article 421.6, excède le montant relatif à cette contrepartie qui est déductible dans le calcul du revenu de l'inscrit pour l'année pour l'application de cette loi, ou qui le serait s'il était un contribuable en vertu de celle-ci, un montant déterminé selon la formule suivante doit être ajouté dans le calcul de la taxe nette pour la période de déclaration indiquée de l'inscrit :
>
> $$A \times B \times C.$$

Le paragraphe 2° du deuxième alinéa de l'article 456 a été remplacé par L.Q. 1997, c. 85, art. 700(1)(2°) et a effet depuis le 1er avril 1997. Antérieurement, il se lisait ainsi :

> 2° la lettre B représente la taxe payée ou payable à l'égard de cette fourniture à l'exception de la taxe que l'inscrit, en raison des articles 203 ou 206, n'a pas le droit d'inclure dans le calcul de son remboursement de la taxe sur les intrants;

Le paragraphe 2° du deuxième alinéa de l'article 456 a été modifié par L.Q. 1995, c. 63, art. 461(1) et cette modification a effet depuis 1er juillet 1992 [*N.D.L.R.* : cette disposition s'applique conformément aux articles 618 à 656 et 685 de L.Q. 1991, c. 67, tels que modifiés]. Le paragraphe 2° du deuxième alinéa de l'article 456 se lisait comme suit :

> 2° la lettre B représente la taxe payée ou payable à l'égard de cette fourniture à l'exception de la taxe que l'inscrit, en raison des articles 203, 206 ou 206.1, n'a pas le droit d'inclure dans le calcul de son remboursement de la taxe sur les intrants;

Auparavant, l'article 456, modifié par L.Q. 1994, c. 22, art. 615(1), était réputé entré en vigueur le 1er juillet 1992, se lisait comme suit :

> 456. Dans le cas où une voiture de tourisme est fournie par louage à un inscrit dans une année d'imposition de celui-ci et que le total de la contrepartie de la fourniture qui serait déductible dans le calcul de son revenu pour l'année pour l'application de la *Loi sur les impôts* (L.R.Q., chapitre I-3), si l'inscrit était un contribuable en vertu de cette loi et que celle-ci était lue en faisant abstraction de son article 421.6, excède le montant relatif à cette contrepartie qui est déductible en raison de l'article 421.6 de la *Loi sur les impôts* dans le calcul du revenu de l'inscrit pour l'année pour l'application de cette loi, ou qui le serait s'il était un contribuable en vertu de celle-ci, un montant déterminé selon la formule suivante doit être ajouté dans le calcul de la taxe nette pour la période de déclaration indiquée de l'inscrit :
>
> $$A \times B \times C.$$
>
> Pour l'application de cette formule :
>
> 1° la lettre a représente cet excédent;

2° la lettre B représente le taux de la taxe imposée en vertu de l'article 16 à la fin de cette période;

3° la lettre C représente la proportion de l'utilisation de la voiture dans le cadre des activités commerciales de l'inscrit par rapport à l'utilisation totale de la voiture.

Le troisième alinéa de l'article 456 a été ajouté par L.Q. 2012, c. 28, par. 167(1) et s'applique à compter du 1er janvier 2013.

L'article 456 a été édicté par L.Q. 1991, c. 67.

Notes explicatives ARQ (PL 5, L.Q. 2012, c. 28): *Résumé* :

L'article 456 prévoit qu'un inscrit doit, lorsqu'une voiture de tourisme lui est fournie par louage, redresser le montant du remboursement de la taxe sur les intrants (RTI) qu'il a obtenu relativement à cette location dans la mesure où les coûts de location excèdent ceux qui sont déductibles dans le calcul de son revenu pour son année d'imposition.

L'article 456 st modifié de façon à prévoir qu'il n'y a pas de redressement lorsque l'inscrit est une institution financière désignée particulière (IFDP).

Situation actuelle :

L'article 456 prévoit qu'un inscrit doit, lorsqu'une voiture de tourisme lui est fournie par louage, ajouter un montant, déterminé en fonction de la taxe payée ou payable à l'égard de certaines fournitures de voiture de tourisme, dans le calcul de sa taxe nette. Le montant ainsi ajouté tient lieu de redressement du montant du RTI que l'inscrit a obtenu relativement à cette location dans la mesure où les coûts de location excèdent ceux qui sont déductibles dans le calcul de son revenu pour son année d'imposition.

Modifications proposées :

Le nouveau troisième alinéa de l'article 456 précise que, lorsque l'inscrit est une IFDP au cours de la période de déclaration pour laquelle un montant serait autrement à ajouter dans le calcul de la taxe nette de l'inscrit conformément au premier alinéa, aucun montant ne doit être inclus dans ce calcul, et ce, malgré le premier alinéa. Bien qu'une IFDP ait pu payer un montant de taxe sur les coûts de location d'une voiture de tourisme, aucun montant ne peut être demandé à cet égard à titre de RTI, et ce, en raison du nouvel article 199.0.0.1 de la LTVQ, introduit par le présent projet de loi.

Le nouvel article 199.0.0.1 prévoit qu'une personne ne peut demander un RTI à l'égard de la taxe qui devient payable à un moment où la personne est une IFDP, sauf pour certaines exceptions. Les IFDP ne peuvent demander un RTI, du fait que, conformément aux règles prévues au nouvel article 433.16 de la LTVQ, introduit par le présent projet de loi, elles ont en général droit, dans la détermination du redressement à apporter dans le calcul de leur taxe nette prévu à cet article 433.16, à une déduction au titre de la taxe devenue payable ou payée par elles sans être devenue payable.

Sommairement, le nouvel article 433.16 exige qu'une IFDP apporte un redressement dans le calcul de sa taxe nette. Ce redressement est déterminé à partir du montant de la taxe sur les produits et services (TPS) non recouvrable, lequel montant est ensuite pondéré en fonction du pourcentage applicable à l'IFDP quant au Québec. Or, lorsque la TPS ou la composante fédérale de la taxe de vente harmonisée, selon cas, payée ou payable à l'égard de tels coûts de location est en partie récupérée au moyen d'une inclusion, dans le calcul de la taxe nette de l'IFDP pour une période de déclaration, en vertu du paragraphe 1 de l'article 235 de la *Loi sur la taxe d'accise* (Lois révisées du Canada (1985), chapitre E-15), cette inclusion affectera à la hausse le montant du redressement que devra apporter l'IFDP en vertu de l'article 433.16 de la LTVQ. En effet, cette inclusion sera prise en compte dans la détermination de la valeur correspondant à la lettre G de la formule prévue au premier alinéa de cet article 433.16.

Notes explicatives ARQ (PL 37, L.Q. 2009, c. 15): *Résumé* :

L'article 456 est modifié afin d'apporter une modification de concordance suite à la renumérotation de l'article 99R2 du *Règlement sur les impôts* (RI) par le décret n° 134-2009 du 18 février 2009 (2009, G.O. 2, 397). L'ancien article 99R2 correspond dorénavant à l'article 99R1.

Situation actuelle :

L'article 456 de la LTVQ prévoit qu'un inscrit doit, lorsqu'une voiture de tourisme lui est fournie par louage, redresser le montant du remboursement de la taxe sur les intrants (RTI) qu'il a obtenu relativement à cette location dans la mesure où les coûts de location excèdent ceux qui sont déductibles dans le calcul de son revenu pour son année d'imposition.

Or, pour les fins du calcul des coûts de location déductibles prévu aux articles 99R2 et 421.6R1 du RI, il est tenu compte des taxes de vente fédérale et provinciale qui auraient été payables sur la voiture de tourisme si elle avait été louée au montant maximum déductible établi, par ailleurs, en vertu de cet article.

Le décret n° 134-2009 modifie le RI notamment pour effectuer une révision de ses divisions et de sa numérotation. Par conséquent, une modification de concordance doit être apportée à l'article 247 de la LTVQ.

Modifications proposées :

L'article 456 de la LTVQ est modifié afin d'apporter une modification de concordance avec le RI. Ainsi, il y a lieu de remplacer la référence à l'article 99R2 du RI par la référence à l'article 99R1 du RI.

Notes explicatives ARQ (PL 2, L.Q. 2009, c. 5): *Résumé* :

Les modifications proposées à l'article 456 ont pour objet de préciser, pour le calcul du redressement du montant du remboursement de la taxe sur les intrants (RTI) obtenu relativement à une voiture de tourisme, que le coût de location maximal de cette voiture, lequel correspond à celui qui est déductible dans le calcul du revenu pour une année d'imposition en application de la *Loi sur les impôts* (L.R.Q., chapitre I-3) (LI), doit être déterminé sans tenir compte des taxes de vente provinciale et fédérale qui peuvent être incluses lors du calcul de ce montant aux fins de l'application de la LI.

Situation actuelle :

L'article 456 de la LTVQ prévoit qu'un inscrit doit, lorsqu'une voiture de tourisme lui est fournie par louage, redresser le montant du RTI qu'il a obtenu relativement à cette location dans la mesure où les coûts de location excèdent ceux qui sont déductibles dans le calcul de son revenu pour son année d'imposition.

Or, pour les fins du calcul des coûts de location déductibles prévu aux articles 99R2 et 426.1R1 du *Règlement sur les impôts* (R.R.Q., 1981, chapitre I-3, r. 1) (RI), il est tenu compte des taxes de vente fédérale et provinciale qui auraient été payables sur la voiture de tourisme si elle avait été loué au montant maximum déductible établi, par ailleurs, en vertu de cet article.

Modifications proposées :

Afin de confirmer l'intention visée et la pratique utilisée par les autorités fiscales pour le calcul du redressement du montant du RTI obtenu relativement à une voiture de tourisme, il y aurait lieu de modifier l'article 456 de la LTVQ, dans son premier alinéa, afin de préciser que le coût de location déductible d'une voiture de tourisme établi pour les fins de la LI doit être déterminé sans tenir compte des taxes de vente fédérale et provinciale, éléments dont il fait mention à la lettre B des formules prévues aux articles 99R2 et 426.1R1 du RI.

Définitions [art. 456]: « activité commerciale », « année d'imposition », « contrepartie » — 1; « contribuable » — 1 LI; « fourniture », « inscrit », « montant », « période de déclaration », « voiture de tourisme » — 1.

Renvois [art. 456]: 247 (valeur d'une voiture de tourisme); 249 (vente d'une voiture de tourisme); 428 (taxe nette); 433.7 (non-application — taxe nette d'un organisme de bienfaisance); 436.1 (non-application — choix pour une comptabilité abrégée); 457 (période de déclaration indiquée); 62, 63, 133.2.1 LI.

Concordance fédérale: LTA, par. 235(1).

457. Période de déclaration indiquée — Pour l'application de l'article 456, la période de déclaration indiquée d'un inscrit à l'égard d'une voiture de tourisme qui lui est fournie par louage dans une année d'imposition de celui-ci correspond à la période de déclaration suivante :

1° la dernière période de déclaration de l'inscrit dans cette année d'imposition, dans le cas où il cesse au cours ou à la fin de cette année d'être inscrit en vertu de la section I;

2° l'année civile dans laquelle se termine l'année d'imposition, dans le cas où la période de déclaration de l'inscrit correspond à l'année civile;

3° la période de déclaration de l'inscrit qui commence immédiatement après cette année d'imposition, dans tout autre cas.

Notes historiques: L'article 457 a été édicté par L.Q. 1991, c. 67.

Guides [art. 457]: IN-203 — Renseignements généraux sur la TVQ et la TPS/TVH.

Définitions [art. 457]: « année d'imposition », « inscrit », « période de déclaration », « voiture de tourisme » — 1.

Renvois [art. 457]: 433.7 (non-application — taxe nette d'un organisme de bienfaisance); 436.1 (non-application — choix pour une comptabilité abrégée).

Lettres d'interprétation [art. 457]: 00-0104281 — Commissions versées par une compagnie américaine.

Concordance fédérale: LTA, par. 235(2).

457.0.1 [Exercice distinctif] — Pour l'application du présent article et des articles 457.0.2 à 457.0.5, l'exercice d'un vendeur de réseau à l'égard duquel l'approbation donnée en vertu de l'article 297.0.7 est en vigueur constitue :

1° son premier exercice distinctif si, à la fois :

a) il ne remplit pas pour cet exercice en cause la condition énoncée au paragraphe 3° du premier alinéa de l'article 297.0.4;

b) il remplit la condition énoncée au paragraphe 3° du premier alinéa de l'article 297.0.4 pour chacun de ses exercices, antérieur à l'exercice en cause, à l'égard duquel l'approbation donnée en vertu de l'article 297.0.7 est en vigueur;

2° son second exercice distinctif si, à la fois :

a) l'exercice en cause est postérieur à son premier exercice distinctif;

LTVQ (français)

b) il ne remplit pas pour l'exercice en cause la condition énoncée au paragraphe 3° du premier alinéa de l'article 297.0.4;

c) il remplit la condition énoncée au paragraphe 3° du premier alinéa de l'article 297.0.4 pour chacun de ses exercices, autre que le premier exercice distinctif, antérieur à l'exercice en cause, à l'égard duquel l'approbation donnée en vertu de l'article 297.0.7 est en vigueur.

2011, c. 6, art. 282

Notes historiques: L'article 457.0.1 a été ajouté par L.Q. 2011, c. 6, par. 282(1) et s'applique à l'égard d'un exercice d'une personne qui commence après le 31 décembre 2009. Toutefois, si la personne fait une demande en vertu du sous-paragraphe 1° du paragraphe 2 de l'article 254 de L.Q. 2011, c. 6 relativement à une période admissible, au sens du sous-paragraphe 3° du paragraphe 2 de l'article 254 de L.Q. 2011, c. 6, pour l'application des articles 457.0.1 à 457.0.4, la référence, dans ces articles, à l'expression « exercice » doit être lue comme une référence, en ce qui concerne l'exercice de la personne commençant en 2010, à l'expression « période admissible ».

Notes explicatives ARQ (PL 5, L.Q. 2011, c. 6): *Résumé* :

Le nouvel article 457.0.1 précise, pour l'application des articles 457.0.1 à 457.0.5 de la LTVQ relatifs au redressement de la taxe nette d'un vendeur de réseau qui ne remplit pas certaines conditions, en quoi consistent les premier et second exercices distinctifs d'un vendeur de réseau à l'égard duquel une approbation donnée en vertu de l'article 297.0.7 est en vigueur.

Contexte :

Les entreprises du secteur du démarchage vendent habituellement leurs produits soit à des entrepreneurs indépendants qui, à leur tour, les vendent à des acheteurs, soit directement à des consommateurs par l'entremise de représentants commerciaux.

Afin de simplifier l'application de la taxe de vente du Québec (TVQ), les entreprises qui vendent leurs produits à des entrepreneurs indépendants peuvent demander l'approbation au ministre du Revenu pour utiliser la méthode facultative de perception prévue aux articles 297.1 et suivants de la LTVQ.

Lorsque les entreprises vendent leurs produits à des consommateurs par l'entremise de représentants commerciaux, elles versent à ces derniers une commission pour avoir pris des mesures pour vendre les produits. Les représentants commerciaux qui sont inscrits sous le régime de la TVQ doivent facturer la TVQ sur leurs commissions de réseau et la déclarer.

Dans le cadre du présent projet de loi, de nouvelles mesures sont proposées à l'égard de ces entreprises (appelées vendeurs de réseau) afin de leur permettre de demander l'approbation au ministre du Revenu pour utiliser la méthode de comptabilité spéciale dont le but est de simplifier l'application de la TVQ. Ainsi, lorsqu'une approbation est en vigueur, les commissions de réseau qu'un représentant commercial facture à un vendeur de réseau ne sont pas assujetties à la TVQ.

Modifications proposées :

La modification proposée consiste à introduire l'article 457.0.1 à la LTVQ afin de préciser, pour l'application des articles 457.0.1 à 457.0.5 de la LTVQ, en quoi consistent les premier et second exercices distinctifs d'un vendeur de réseau à l'égard desquels l'approbation visant l'utilisation de la méthode de comptabilité spéciale prévue à l'article 297.0.7 de la LTVQ est en vigueur et qui ne remplissent pas la condition prévue au paragraphe 3° de l'article 297.0.4 de la LTVQ selon laquelle la totalité ou la presque totalité de ses représentants commerciaux auxquels des commissions de réseau deviennent payables doivent avoir, au cours d'un exercice du vendeur, des commissions de réseau d'un total n'excédant pas 31 500 $ ou une fraction de cette somme établie en proportion du nombre de jours de l'exercice du vendeur.

Renvois [art. 457.0.1]: 297.0.3 (définitions — vendeur de réseau); 297.0.24 (exercice d'une personne).

Concordance fédérale: LTA, par. 236.5(1).

457.0.2 [Vendeur de réseau qui ne satisfait pas aux conditions] — Sous réserve des articles 457.0.3 et 457.0.4, dans le cas où un vendeur de réseau ne satisfait pas à une ou à plusieurs des conditions énoncées aux paragraphes 1° à 3° du premier alinéa de l'article 297.0.4 pour son exercice à l'égard duquel l'approbation donnée en vertu de l'article 297.0.7 est en vigueur et où, au cours de cet exercice, une commission de réseau deviendrait payable par lui à son représentant commercial, en faisant abstraction de l'article 297.0.9, en contrepartie d'une fourniture taxable, autre qu'une fourniture détaxée, effectuée au Québec par le représentant commercial, le vendeur doit ajouter, dans le calcul de sa taxe nette pour sa première période de déclaration suivant l'exercice, un montant égal aux intérêts, calculés au taux fixé en vertu de l'article 28 de la *Loi sur l'administration fiscale* (chapitre A-6.002), sur le montant total de taxe relatif à la fourniture qui serait payable si la taxe était payable à l'égard de la fourniture, pour la période commençant le premier jour où la contrepartie de la fourniture est payée ou devient due et se terminant au plus tard le jour où le vendeur doit produire une déclaration pour la période de déclaration qui comprend ce premier jour.

Notes historiques: L'article 457.0.2 a été ajouté par L.Q. 2011, c. 6, par. 282(1) et s'applique à l'égard d'un exercice d'une personne qui commence après le 31 décembre 2009. Toutefois, si la personne fait une demande en vertu du sous-paragraphe 1° du paragraphe 2 de l'article 254 de L.Q. 2011, c. 6 relativement à une période admissible, au sens du sous-paragraphe 3° du paragraphe 2 de l'article 254 de L.Q. 2011, c. 6, pour l'application des articles 457.0.1 à 457.0.4, la référence, dans ces articles, à l'expression « exercice » doit être lue comme une référence, en ce qui concerne l'exercice de la personne commençant en 2010, à l'expression « période admissible ».

Notes explicatives ARQ (PL 5, L.Q. 2011, c. 6): *Résumé* :

Le nouvel article 457.0.2 prévoit dans quelles circonstances la taxe nette d'un vendeur de réseau à l'égard duquel une approbation donnée en vertu de l'article 297.0.7 de la LTVQ est en vigueur doit faire l'objet d'un redressement.

Contexte :

Les entreprises du secteur du démarchage vendent habituellement leurs produits soit à des entrepreneurs indépendants qui, à leur tour, les vendent à des acheteurs, soit directement à des consommateurs par l'entremise de représentants commerciaux.

Afin de simplifier l'application de la taxe de vente du Québec (TVQ), les entreprises qui vendent leurs produits à des entrepreneurs indépendants peuvent demander l'approbation au ministre du Revenu pour utiliser la méthode facultative de perception prévue aux articles 297.1 et suivants de la LTVQ.

Lorsque les entreprises vendent leurs produits à des consommateurs par l'entremise de représentants commerciaux, elles versent à ces derniers une commission pour avoir pris des mesures pour vendre les produits. Les représentants commerciaux qui sont inscrits sous le régime de la TVQ doivent facturer la TVQ sur leurs commissions de réseau et la déclarer.

Dans le cadre du présent projet de loi, de nouvelles mesures sont proposées à l'égard de ces entreprises (appelées vendeurs de réseau) afin de leur permettre de demander l'approbation au ministre du Revenu pour utiliser la méthode de comptabilité spéciale dont le but est de simplifier l'application de la TVQ. Ainsi, lorsqu'une approbation est en vigueur, les commissions de réseau qu'un représentant commercial facture à un vendeur de réseau ne sont pas assujetties à la TVQ.

Modifications proposées :

La modification proposée consiste à introduire l'article 457.0.2 à la LTVQ afin de prévoir que, sous réserve des articles 457.0.3 et 457.0.4 de la LTVQ relatifs aux premier et second exercices distinctifs, la taxe nette d'un vendeur de réseau doit faire l'objet d'un redressement dans le cas où, au cours d'un exercice à l'égard duquel l'approbation visant l'utilisation de la méthode de comptabilité spéciale prévue à l'article 297.0.7 de la LTVQ est en vigueur, le vendeur ne satisfait pas à l'une des conditions énoncées aux paragraphes 1° à 3° de l'article 297.0.4 de la LTVQ (vendeur de réseau admissible) et où des commissions de réseau deviendraient payables par lui à l'un de ses représentants commerciaux, en faisant abstraction de l'article 297.0.9 de la LTVQ, en contrepartie d'une fourniture taxable effectuée par ce dernier. Dans ces circonstances, le vendeur de réseau doit ajouter, dans le calcul de sa taxe nette pour sa première période de déclaration suivant l'exercice, une somme égale aux intérêts, calculés au taux fixé en vertu de l'article 28 de la *Loi sur l'administration fiscale* (L.R.Q., chapitre A-6.002), sur le montant total de taxe qui aurait été payable sur les commissions de réseau. Ces intérêts sont calculés pour la période commençant le premier jour où la commission est payée ou devient due et se terminant au plus tard le jour où le vendeur est tenu de produire une déclaration pour la période de déclaration qui comprend ce premier jour.

Renvois [art. 457.0.2]: 297.0.24 (exercice d'une personne); 457.0.1 (exercice distinctif d'un vendeur de réseau); 457.0.4 (ajout d'un montant dans le calcul de la taxe nette).

Concordance fédérale: LTA, par. 236.5(2).

457.0.3 [Ajout d'un montant dans le calcul de la taxe nette] — Un vendeur de réseau ne doit pas ajouter un montant conformément à l'article 457.0.2 dans le calcul de sa taxe nette pour sa première période de déclaration suivant son premier exercice distinctif si, à la fois :

a) il remplit les conditions énoncées aux paragraphes 1° et 2° du premier alinéa de l'article 297.0.4 pour le premier exercice distinctif et pour chaque exercice, antérieur à cet exercice, à l'égard duquel l'approbation donnée en vertu de l'article 297.0.7 est en vigueur;

b) il remplirait la condition énoncée au paragraphe 3° du premier alinéa de l'article 297.0.4 pour le premier exercice distinctif si la référence à l'expression « la totalité ou la presque totalité » dans ce paragraphe devait être lue comme une référence à l'expression « au moins 80 % ».

Notes historiques: L'article 457.0.3 a été ajouté par L.Q. 2011, c. 6, par. 282(1) et s'applique à l'égard d'un exercice d'une personne qui commence après le 31 décembre 2009. Toutefois, si la personne fait une demande en vertu du sous-paragraphe 1° du paragraphe 2 de l'article 254 de L.Q. 2011, c. 6 relativement à une période admissible, au sens du sous-paragraphe 3° du paragraphe 2 de l'article 254 de L.Q. 2011, c. 6, pour l'application des articles 457.0.1 à 457.0.4, la référence, dans ces articles, à l'expression « exercice » doit être lue comme une référence, en ce qui concerne l'exercice de la personne commençant en 2010, à l'expression « période admissible ».

Notes explicatives ARQ (PL 5, L.Q. 2011, c. 6): *Résumé* :

Le nouvel article 457.0.3 prévoit à quelles conditions un vendeur de réseau à l'égard duquel l'approbation donnée en vertu de l'article 297.0.7 de la LTVQ est en vigueur n'a pas à redresser sa taxe nette pour son premier exercice distinctif.

Contexte :

Les entreprises du secteur du démarchage vendent habituellement leurs produits soit à des entrepreneurs indépendants qui, à leur tour, les vendent à des acheteurs, soit directement à des consommateurs par l'entremise de représentants commerciaux.

Afin de simplifier l'application de la taxe de vente du Québec (TVQ), les entreprises qui vendent leurs produits à des entrepreneurs indépendants peuvent demander l'approbation au ministre du Revenu pour utiliser la méthode facultative de perception prévue aux articles 297.1 et suivants de la LTVQ.

Lorsque les entreprises vendent leurs produits à des consommateurs par l'entremise de représentants commerciaux, elles versent à ces derniers une commission pour avoir pris des mesures pour vendre les produits. Les représentants commerciaux qui sont inscrits sous le régime de la TVQ doivent facturer la TVQ sur leurs commissions de réseau et la déclarer.

Dans le cadre du présent projet de loi, de nouvelles mesures sont proposées à l'égard de ces entreprises (appelées vendeurs de réseau) afin de leur permettre de demander l'approbation au ministre du Revenu pour utiliser la méthode de comptabilité spéciale dont le but est de simplifier l'application de la TVQ. Ainsi, lorsqu'une approbation est en vigueur, les commissions de réseau qu'un représentant commercial facture à un vendeur de réseau ne sont pas assujetties à la TVQ.

Modifications proposées :

La modification proposée consiste à introduire l'article 457.0.3 à la LTVQ afin de prévoir qu'un vendeur de réseau ne doit pas ajouter de montant à sa taxe nette conformément à l'article 457.0.2 de la LTVQ pour le premier exercice distinctif dans le cas où, d'une part, il remplit les conditions énoncées aux paragraphes 1° et 2° de l'article 297.0.4 de la LTVQ au cours de cet exercice et des exercices précédents et que, d'autre part, il ne remplit pas la condition énoncée au paragraphe 3° de ce même article mais qu'au moins 80 % de ses représentants commerciaux auxquels des commissions de réseau deviennent payables auraient eu chacun, au cours de l'exercice du vendeur qui correspond à son premier exercice distinctif, des commissions de réseau d'un total n'excédant pas 31 500 $ ou une fraction de cette somme établie en fonction du nombre de jours de l'exercice du vendeur.

Renvois [art. 457.0.3]: 297.0.24 (exercice d'une personne); 457.0.2 (vendeur de réseau ne satisfaisant pas aux conditions).

Concordance fédérale: LTA, par. 236.5(3).

457.0.4 [Idem] — Un vendeur de réseau ne doit pas ajouter un montant conformément à l'article 457.0.2 dans le calcul de sa taxe nette pour sa première période de déclaration suivant son second exercice distinctif si, à la fois :

a) il remplit les conditions énoncées aux paragraphes 1° et 2° du premier alinéa de l'article 297.0.4 pour le second exercice distinctif et pour chaque exercice, antérieur à cet exercice, à l'égard duquel l'approbation donnée en vertu de l'article 297.0.7 est en vigueur;

b) il remplirait la condition énoncée au paragraphe 3° du premier alinéa de l'article 297.0.4 pour chacun des premier et second exercices distinctifs si la référence à l'expression « la totalité ou la presque totalité » dans ce paragraphe devait être lue comme une référence à l'expression « au moins 80 % »;

c) dans les 180 jours qui suivent le début du second exercice distinctif, le vendeur demande au ministre, par écrit, de révoquer l'approbation.

Notes historiques: L'article 457.0.4 a été ajouté par L.Q. 2011, c. 6, par. 282(1) et s'applique à l'égard d'un exercice d'une personne qui commence après le 31 décembre 2009. Toutefois, si la personne fait une demande en vertu du sous-paragraphe 1° du paragraphe 2 de l'article 254 de L.Q. 2011, c. 6 relativement à une période admissible, au sens du sous-paragraphe 3° du paragraphe 2 de l'article 254 de L.Q. 2011, c. 6, pour l'application des articles 457.0.1 à 457.0.4, la référence, dans ces articles, à l'expression « exercice » doit être lue comme une référence, en ce qui concerne l'exercice de la personne commençant en 2010, à l'expression « période admissible ».

Notes explicatives ARQ (PL 5, L.Q. 2011, c. 6): *Résumé* :

Le nouvel article 457.0.4 prévoit à quelles conditions un vendeur de réseau à l'égard duquel l'approbation donnée en vertu de l'article 297.0.7 de la LTVQ est en vigueur n'a pas à redresser sa taxe nette pour son second exercice distinctif.

Contexte :

Les entreprises du secteur du démarchage vendent habituellement leurs produits soit à des entrepreneurs indépendants qui, à leur tour, les vendent à des acheteurs, soit directement à des consommateurs par l'entremise de représentants commerciaux.

Afin de simplifier l'application de la taxe de vente du Québec (TVQ), les entreprises qui vendent leurs produits à des entrepreneurs indépendants peuvent demander l'approbation au ministre du Revenu pour utiliser la méthode facultative de perception prévue aux articles 297.1 et suivants de la LTVQ.

Lorsque les entreprises vendent leurs produits à des consommateurs par l'entremise de représentants commerciaux, elles versent à ces derniers une commission pour avoir pris des mesures pour vendre les produits. Les représentants commerciaux qui sont inscrits sous le régime de la TVQ doivent facturer la TVQ sur leurs commissions de réseau et la déclarer.

Dans le cadre du présent projet de loi, de nouvelles mesures sont proposées à l'égard de ces entreprises (appelées vendeurs de réseau) afin de leur permettre de demander l'approbation au ministre du Revenu pour utiliser la méthode de comptabilité spéciale dont le but est de simplifier l'application de la TVQ. Ainsi, lorsqu'une approbation est en vigueur, les commissions de réseau qu'un représentant commercial facture à un vendeur de réseau ne sont pas assujetties à la TVQ.

Modifications proposées :

La modification proposée consiste à introduire l'article 457.0.4 à la LTVQ afin de prévoir qu'un vendeur de réseau n'a pas à ajouter de montant à sa taxe nette en application de l'article 457.0.2 de la LTVQ dans le cas où, d'une part, dans les 180 jours suivant le début de son second exercice distinctif prévu au paragraphe 2° de l'article 457.0.1 de la LTVQ, il demande, par écrit, au ministre du Revenu de révoquer l'approbation visant l'utilisation de la méthode de comptabilité spéciale prévue à l'article 297.0.7 de la LTVQ et, d'autre part, il remplit les conditions énoncées aux paragraphes 1° et 2° de l'article 297.0.4 de la LTVQ au cours de cet exercice et des exercices précédents et au moins 80 % de ses représentants commerciaux auxquels des commissions de réseau deviennent payables auraient eu chacun, au cours de l'exercice du vendeur qui correspond à son second exercice distinctif, des commissions de réseau d'un total n'excédant pas 31 500 $ ou une fraction de cette somme établie en fonction du nombre de jours de l'exercice du vendeur.

Renvois [art. 457.0.4]: 297.0.24 (exercice d'une personne); 457.0.2 (vendeur de réseau ne satisfaisant pas aux conditions).

Concordance fédérale: LTA, par. 236.5(4).

457.0.5 [Commission de réseau devenue payable en contrepartie d'une fourniture taxable] — Dans le cas où, à un moment quelconque après qu'une approbation donnée en vertu de l'article 297.0.7 à l'égard d'un vendeur de réseau et de chacun de ses représentants commerciaux cesse d'être en vigueur du fait qu'elle a été révoquée en vertu de l'un des articles 297.0.13 et 297.0.14, une commission de réseau deviendrait, en faisant abstraction de l'article 297.0.9, payable en contrepartie d'une fourniture taxable, autre qu'une fourniture détaxée, effectuée au Québec par un représentant commercial du vendeur qui n'a pas été avisé de la révocation conformément au paragraphe 2° de l'article 297.0.15 et qu'aucun montant n'est exigé ou perçu au titre de la taxe à l'égard de la fourniture, le vendeur doit ajouter, dans le calcul de sa taxe nette pour la période de déclaration donnée qui comprend le premier jour où la contrepartie de la fourniture est payée ou devient due, un montant égal aux intérêts, calculés au taux fixé en vertu de l'article 28 de la *Loi sur l'administration fiscale* (chapitre A-6.002), sur le montant total de taxe qui serait payable à l'égard de la fourniture si la taxe était payable à l'égard de la fourniture, pour la période commençant le premier jour et se terminant au plus tard le jour où le vendeur est tenu de produire une déclaration pour la période de déclaration donnée.

Notes historiques: L'article 457.0.5 a été ajouté par L.Q. 2011, c. 6, par. 282(1) et s'applique à l'égard d'un exercice d'une personne qui commence après le 31 décembre 2009. Toutefois, si la personne fait une demande en vertu du sous-paragraphe 1° du paragraphe 2 de l'article 254 de L.Q. 2011, c. 6 relativement à une période admissible, au sens du sous-paragraphe 3° du paragraphe 2 de l'article 254 de L.Q. 2011, c. 6, pour l'application des articles 457.0.1 à 457.0.4, la référence, dans ces articles, à l'expression « exercice » doit être lue comme une référence, en ce qui concerne l'exercice de la personne commençant en 2010, à l'expression « période admissible ».

Notes explicatives ARQ (PL 5, L.Q. 2011, c. 6): *Résumé* :

Le nouvel article 457.0.5 prévoit le redressement de la taxe nette d'un vendeur de réseau lorsque ce dernier omet d'aviser ses représentants commerciaux de la révocation de l'approbation donnée en vertu de l'article 297.0.7 de la LTVQ.

Contexte :

Les entreprises du secteur du démarchage vendent habituellement leurs produits soit à des entrepreneurs indépendants qui, à leur tour, les vendent à des acheteurs, soit directement à des consommateurs par l'entremise de représentants commerciaux.

Afin de simplifier l'application de la taxe de vente du Québec (TVQ), les entreprises qui vendent leurs produits à des entrepreneurs indépendants peuvent demander l'approbation au ministre du Revenu pour utiliser la méthode facultative de perception prévue aux articles 297.1 et suivants de la LTVQ.

Lorsque les entreprises vendent leurs produits à des consommateurs par l'entremise de représentants commerciaux, elles versent à ces derniers une commission pour avoir pris des mesures pour vendre les produits. Les représentants commerciaux qui sont inscrits sous le régime de la TVQ doivent facturer la TVQ sur leurs commissions de réseau et la déclarer.

Dans le cadre du présent projet de loi, de nouvelles mesures sont proposées à l'égard de ces entreprises (appelées vendeurs de réseau) afin de leur permettre de demander l'approbation au ministre du Revenu pour utiliser la méthode de comptabilité spéciale dont le but est de simplifier l'application de la TVQ. Ainsi, lorsqu'une approbation est en vigueur, les commissions de réseau qu'un représentant commercial facture à un vendeur de réseau ne sont pas assujetties à la TVQ.

Modifications proposées :

La modification proposée consiste à introduire l'article 457.0.5 à la LTVQ afin de prévoir des règles selon lesquelles la taxe nette d'un vendeur de réseau doit faire l'objet d'un redressement dans le cas où, l'approbation visant l'utilisation de la méthode de comptabilité spéciale prévue à l'article 297.0.7 de la LTVQ ayant cessé d'être en vigueur du fait de sa révocation (articles 297.0.13 et 297.0.14 de la LTVQ), le vendeur omet d'en aviser ses représentants commerciaux et où des commissions de réseau deviendraient payables par lui à l'un de ses représentants commerciaux, abstraction faite de l'article 297.0.9 de la LTVQ, en contrepartie d'une fourniture taxable effectuée par ce dernier.

Dans ces circonstances, le vendeur doit ajouter, dans le calcul de sa taxe nette pour sa période de déclaration qui comprend le premier jour où les commissions de réseau sont payées ou deviennent dues, une somme égale aux intérêts, calculés au taux fixé en vertu de l'article 28 de la *Loi sur l'administration fiscale* (L.R.Q., chapitre A-6.002), sur le montant total de taxe qui serait payable sur les commissions. Ces intérêts sont calculés pour la période commençant le premier jour où les commissions sont payées ou deviennent dues et se terminant au plus tard le jour où le vendeur est tenu de produire une déclaration pour la période de déclaration qui comprend ce premier jour.

Renvois [art. 457.0.5]: 297.0.3 (définitions — vendeur de réseau); 457.0.1 (exercice distinctif d'un vendeur de réseau).

Concordance fédérale: LTA, par. 236.5(5).

457.1 Nourriture, boissons et divertissements — Une personne doit ajouter le montant déterminé selon la formule prévue au deuxième alinéa dans le calcul de sa taxe nette pour sa période de déclaration indiquée lorsque, à la fois :

1º un montant — appelé « montant combiné » dans le présent article — , selon le cas :

a) devient dû par la personne ou est un montant payé par elle sans qu'il soit devenu dû, à l'égard de la fourniture d'un bien ou d'un service effectuée à la personne;

b) est payé par la personne à titre d'allocation ou de remboursement à l'égard duquel elle est réputée en vertu des articles 211 ou 212 avoir reçu la fourniture d'un bien ou d'un service;

2º les situations suivantes, ou l'une d'elles, s'appliquent :

a) l'article421.1 de la *Loi sur les impôts* (chapitre I-3) s'applique, ou s'appliquerait si la personne était un contribuable en vertu de cette loi, à l'ensemble du montant combiné ou à la partie de ce montant qui est, pour l'application de cette loi, un montant, autre qu'un montant visé à l'article 421.1.1 de cette loi, payé ou à payer à l'égard de la consommation par une personne de nourriture ou de boissons ou à l'égard de divertissements dont elle a joui et le montant combiné ou la partie de ce montant est réputé en vertu de l'article 421.1 de cette loi égal à 50 % d'un montant donné;

b) l'article 421.1.1 de la *Loi sur les impôts* s'applique, ou s'appliquerait si la personne était un contribuable en vertu de cette loi, à l'ensemble du montant combiné ou à la partie de ce montant qui est, pour l'application de cette loi, un montant payé ou à payer à l'égard de la consommation de nourriture ou de boissons par un conducteur de grand routier, au sens de l'article 421.1.1 de cette loi, pendant la période de déplacement admissible, au sens de l'article 421.1.1 de cette loi, et le montant combiné ou la partie de ce montant est réputé en vertu de l'article 421.1.1 de cette loi être égal à un pourcentage d'un montant déterminé donné;

3º la taxe incluse dans le montant combiné ou réputée en vertu des articles 211 ou 212 avoir été payée par la personne est incluse dans le calcul du remboursement de la taxe sur les intrants à l'égard du bien ou du service qui est demandé par la personne dans une déclaration pour une période de déclaration au cours d'un exercice de la personne.

Détermination du montant — Le montant à ajouter dans le calcul de la taxe nette en vertu du premier alinéa est déterminé selon la formule suivante :

$$[50\ \% \times (A / B) \times C] + [D \times (E / B) \times C]$$

Application — Pour l'application de cette formule :

1º la lettre A représente :

a) dans le cas où le sous-paragraphe a du paragraphe 2° du premier alinéa s'applique, le montant donné;

b) dans les autres cas, zéro;

2º la lettre B représente le montant combiné;

3º la lettre C représente le remboursement de la taxe sur les intrants;

4º la lettre D représente :

a) 40 %, dans le cas où la période donnée débute après le 19 mars 2007 et se termine avant le 1er janvier 2008;

b) 35 %, dans le cas où la période donnée correspond à l'année 2008;

c) 30 %, dans le cas où la période donnée correspond à l'année 2009;

d) 25 %, dans le cas où la période donnée correspond à l'année 2010;

e) 20 %, dans le cas où la période donnée débute après l'année 2010;

5º la lettre E représente :

a) dans le cas où le sous-paragraphe b du paragraphe 2° du premier alinéa s'applique, le montant déterminé donné;

b) dans les autres cas, zéro.

Exercice d'une personne — Pour l'application du présent article, l'exercice d'une personne correspond à son exercice au sens de l'article 458.1.

Période donnée — Pour l'application du présent article, la période donnée correspond, selon le cas :

a) à une période au cours de laquelle la taxe prévue au titre I devient payable, ou est payée sans être devenue due, à l'égard de la fourniture de nourriture, de boissons ou de divertissements alors qu'aucun remboursement ni indemnité n'est payé à l'égard de la fourniture;

b) à une période au cours de laquelle un montant est payé à titre de remboursement ou d'indemnité à l'égard d'une fourniture de nourriture, de boissons ou de divertissements.

Exception — Le premier alinéa ne s'applique pas aux organismes de bienfaisance ni aux institutions publiques.

Notes historiques: Le paragraphe 2° du premier alinéa de l'article 457.1 a été remplacé par L.Q. 2009, c. 15, s.-par. 519(1)(1º) et cette modification s'applique aux montants suivants :

1° un montant relatif à la fourniture de nourriture, de boissons ou de divertissements dans le cas où la taxe prévue au titre I à l'égard d'une fourniture devient due, ou est payée sans être devenue due, après le 19 mars 2007 et aucune indemnité ni remboursement n'est payé à l'égard de cette fourniture;

2° un montant payé après le 19 mars 2007 à titre d'indemnité ou de remboursement à l'égard d'une fourniture de nourriture, de boissons ou de divertissements.

Antérieurement, il se lisait ainsi :

2° l'article 421.1 de la *Loi sur les impôts* (chapitre I-3) s'applique, ou s'appliquerait si la personne était un contribuable en vertu de cette loi, à l'ensemble du montant combiné ou à la partie de ce montant qui est, pour l'application de cette loi, un montant payé ou à payer à l'égard de la consommation par une personne de nourriture ou de boissons ou à l'égard de divertissements dont elle a joui et le montant combiné ou la partie de ce montant est réputé en vertu de cet article égal à 50 % d'un montant donné;

Le premier alinéa a été remplacé et les deuxième et troisième alinéas ont été ajoutés par L.Q. 2001, c. 53, art. 381 et ces modifications s'appliquent :

1° dans le cas d'un montant qui devient dû ou qui est payé sans être devenu dû à l'égard de la fourniture de nourriture, de boissons ou de divertissements et dans le cas d'un montant payé à titre de remboursement ou d'allocation à l'égard de la fourniture de nourriture, de boissons ou de divertissements :

a) aux fins du calcul de la taxe nette pour les périodes de déclaration qui se terminent après le 8 octobre 1998;

b) aux fins du calcul d'un remboursement en vertu de l'article 400 de cette loi d'un montant qui, le 8 octobre 1998, avant ou après cette date, est payé au titre de la taxe nette ou pris en compte à ce titre sauf si la demande de remboursement a été reçue par le ministre du Revenu avant cette date;

2° dans les autres cas, aux montants qui deviennent dus après le 8 octobre 1998 ou qui sont payés après cette date sans être devenus dus.

Antérieurement, le premier alinéa se lisait ainsi :

457.1 Dans le cas où un inscrit est l'acquéreur d'une fourniture de nourriture, de boissons ou de divertissements ou paie une allocation à l'égard d'une telle fourniture et que l'article 421.1 de la *Loi sur les impôts* (chapitre I-3) s'applique, ou s'appliquerait si l'inscrit était un contribuable en vertu de cette loi, à l'égard de la fourniture ou de l'allocation, un montant correspondant à 50 % du total des montants dont chacun représente un remboursement de la taxe sur les intrants demandé, à l'égard de la fourniture ou de l'allocation, dans une déclaration pour une période de déclaration au cours d'un exercice de l'inscrit doit être ajouté dans le calcul de la taxe nette pour la période suivante :

1° la dernière période de déclaration de l'inscrit dans cet exercice, dans le cas où il cesse au cours ou à la fin de cet exercice d'être inscrit en vertu de la section i;

2° la période de déclaration, dans le cas où la période de déclaration de l'inscrit correspond à son exercice;

3° la période de déclaration de l'inscrit qui commence immédiatement après la fin de cet exercice, dans tout autre cas.

La formule du deuxième alinéa de l'article 457.1 a été remplacée par L.Q. 2009, c. 15, s.-par. 519(1)(2°) et cette modification s'applique aux montants suivants :

1° un montant relatif à la fourniture de nourriture, de boissons ou de divertissements dans le cas où la taxe prévue au titre I à l'égard d'une fourniture devient due, ou est payée sans être devenue due, après le 19 mars 2007 et aucune indemnité ni remboursement n'est payé à l'égard de cette fourniture;

2° un montant payé après le 19 mars 2007 à titre d'indemnité ou de remboursement à l'égard d'une fourniture de nourriture, de boissons ou de divertissements.

Antérieurement, elle se lisait ainsi :

$$50\ \% \times A/B \times C.$$

Le troisième alinéa de l'article 457.1 a été remplacé par L.Q. 2009, c. 15, s.-par. 519(1)(3°) et cette modification s'applique aux montants suivants :

1° un montant relatif à la fourniture de nourriture, de boissons ou de divertissements dans le cas où la taxe prévue au titre I à l'égard d'une fourniture devient due, ou est payée sans être devenue due, après le 19 mars 2007 et aucune indemnité ni remboursement n'est payé à l'égard de cette fourniture;

2° un montant payé après le 19 mars 2007 à titre d'indemnité ou de remboursement à l'égard d'une fourniture de nourriture, de boissons ou de divertissements.

Antérieurement, il se lisait ainsi :

Pour l'application de cette formule :

1° la lettre A représente le montant donné;

2° la lettre B représente le montant combiné;

3° la lettre C représente le remboursement de la taxe sur les intrants.

Le troisième alinéa de l'article 457.1 a été remplacé par L.Q. 1997, c. 85, art. 701(1) et s'applique à l'égard de la fourniture de nourriture, de boissons ou de divertissements reçue après le 31 décembre 1996, de même qu'à l'allocation payée après cette date. Antérieurement, cet alinéa se lisait ainsi :

Le premier alinéa ne s'applique pas aux organismes de bienfaisance ».

Le cinquième alinéa de l'article 457.1 a été ajouté par L.Q. 2009, c. 15, s.-par. 519(1)(4°) et s'applique aux montants suivants :

1° un montant relatif à la fourniture de nourriture, de boissons ou de divertissements dans le cas où la taxe prévue au titre I à l'égard d'une fourniture devient due, ou est payée sans être devenue due, après le 19 mars 2007 et aucune indemnité ni remboursement n'est payé à l'égard de cette fourniture;

2° un montant payé après le 19 mars 2007 à titre d'indemnité ou de remboursement à l'égard d'une fourniture de nourriture, de boissons ou de divertissements.

L'article 457.1 a été ajouté par L.Q. 1995, c. 63, art. 462 et a effet depuis le 1er août 1995. [*N.D.L.R.* : le paragraphe d'application prévu par L.Q. 1995, c. 63, art. 462(2) a été modifié par L.Q. 1997, c. 85, art. 758(1) et a effet depuis le 15 décembre 1995. Antérieurement, il prévoyait ceci :

L'ajout de l'article 457.1 s'applique relativement à une fourniture de nourriture, de boissons ou de divertissements ou à une allocation payée à l'égard d'une telle fourniture à l'égard de laquelle la taxe devient payable :

1° après le 31 juillet 1995 et n'est pas payée avant le 1er août 1995 par l'inscrit qui est une petite ou moyenne entreprise;

2° après le 29 novembre 1996 et n'est pas payée avant le 30 novembre 1996 par l'inscrit qui est une grande entreprise.]

Notes explicatives ARQ (PL 37, L.Q. 2009, c. 15): *Résumé* :

Les modifications apportées à l'article 457.1 font en sorte que les règles relatives au droit à un remboursement de la taxe sur les intrants (RTI) à l'égard de nourriture ou de boissons acquises par un conducteur de grand routier soient harmonisées au traitement réservé à de telles dépenses en vertu du nouvel article 421.1.1 de la *Loi sur les impôts* (LI).

Situation actuelle :

L'article 457.1 de la LTVQ a pour objet de reproduire l'effet de l'article 421.1 de la LI. Ce dernier article limite les montants qui peuvent être déduits au titre des dépenses de nourriture, de boissons ou de divertissements dans le calcul du revenu d'une personne pour l'application de l'impôt sur le revenu.

Ainsi, l'article 457.1 de la LTVQ limite, dans la même proportion que celle prévue à l'article 421.1 de la LI, le montant net du RTI qu'une personne peut réclamer, dans le calcul de sa taxe nette, à l'égard de la taxe relative à une dépense de nourriture, de boissons ou de divertissements.

Or, dans le cadre du présent projet de loi, la LI est modifiée afin d'assujettir l'application de l'article 421.1 de la LI au nouvel article 421.1.1 à la LI qui prévoit qu'un montant payé à l'égard de la consommation de nourriture ou de boissons acquises par un conducteur de grand routier pendant une période de déplacement admissible sera assujetti à une limite donnée.

Modifications proposées :

Il est proposé de modifier l'article 457.1 de la LTVQ afin d'harmoniser les règles relatives au RTI à l'égard de nourriture ou de boissons acquises par un conducteur de grand routier au traitement réservé à de telles dépenses en vertu du nouvel article 42 1.1.1 de la LI.

Définitions [art. 457.1]: « acquéreur », « fourniture », « inscrit », « montant », « organisme de bienfaisance », « période de déclaration », « personne » — 1.

Renvois [art. 457.1]: 199 (RTI); 428–436 (détermination de la taxe nette); 433.7 (non-application — taxe nette d'un organisme de bienfaisance); 436.1 (non-application — choix pour une comptabilité abrégée).

Bulletins d'interprétation [art. 457.1]: TVQ. 211-3/R3 — Remboursement de la taxe sur les intrants à l'égard d'une allocation de dépenses; TVQ. 211-4/R2 — Indemnité pour frais de déplacement versée en vertu du Décret de la construction; TVQ. 211-5/R1 — Méthode simplifiée de calcul d'un remboursement de la taxe sur les intrants à l'égard d'une allocation de dépenses; TVQ. 212-1/R4 — Méthodes simplifiées de calcul d'un remboursement de la taxe sur les intrants à l'égard d'un remboursement de dépenses; TVQ. 457.1-1 — Dépenses de divertissement.

Lettres d'interprétation [art. 457.1]: 99-0101479 — Interprétation relative à la TPS et à la TVQ Organisation d'un congrès par un organisme sans but lucratif; 00-0102665 — Interprétation relative à la TPS et à la TVQ — CTI/RTI à l'égard de frais de repas, de boissons et de divertissements refacturés; 03-0110043 — Interprétation relative à la TPS — Application du paragraphe 236(1) de la *Loi sur la taxe d'accise*; 06-0102365 — Interprétation relative à la TPS et à la TVQ — RTI/CTI — repas acquis pour déjeuners-conférences; 06-0104114 — Interprétation relative à la TPS et à la TVQ — organisation d'un congrès par un organisme sans but lucratif.

Concordance fédérale: LTA, par. 236(1),(2).

457.1.1 Période de déclaration indiquée — Pour l'application de l'article 457.1, dans le cas où une personne est tenue, en vertu de cet article, d'ajouter dans le calcul de sa taxe nette un montant déterminé en fonction d'un remboursement de la taxe sur les intrants qu'elle a demandé dans une déclaration pour une période de déclaration au cours d'un exercice de la personne, la période de déclaration indiquée de la personne correspond à la période suivante :

1° dans le cas où la personne cesse d'être inscrite en vertu de la section I du chapitre VIII dans une période de déclaration se terminant au cours de cet exercice, cette période de déclaration;

2° dans le cas où cet exercice correspond à la période de déclaration de la personne, cette période de déclaration;

3° dans tout autre cas, la période de déclaration de la personne qui commence immédiatement après cet exercice.

Notes historiques: L'article 457.1.1 a été ajouté par L.Q. 2001, c. 53, art. 382 et s'applique :

1° dans le cas d'un montant qui devient dû ou qui est payé sans être devenu dû à l'égard de la fourniture de nourriture, de boissons ou de divertissements et dans le

LTVQ (français)

cas d'un montant payé à titre de remboursement ou d'allocation à l'égard de la fourniture de nourriture, de boissons ou de divertissements :

a) aux fins du calcul de la taxe nette pour les périodes de déclaration qui se terminent après le 8 octobre 1998;

b) aux fins du calcul d'un remboursement en vertu de l'article 400 de cette loi d'un montant qui, le 8 octobre 1998, avant ou après cette date, est payé au titre de la taxe nette ou pris en compte à ce titre sauf si la demande de remboursement a été reçue par le ministre du Revenu avant cette date;

2° dans les autres cas, aux montants qui deviennent dus après le 8 octobre 1998 ou qui sont payés après cette date sans être devenus dus.

De plus, lorsqu'il s'applique à toute personne qui cesse, avant le 8 octobre 1998, d'être inscrite en vertu de la section I du chapitre VIII du titre I, le paragraphe 1° de l'article 457.1.1 doit se lire comme suit :

1° si la personne cesse au cours ou à la fin de cet exercice d'être inscrite en vertu de la section I du chapitre VIII, sa dernière période de déclaration de cet exercice;

Concordance fédérale: LTA, par. 236(1.1).

457.1.2 Montants déraisonnables — Lorsque la taxe calculée sur un montant — appelé « contrepartie déraisonnable » dans le présent article — qui représente l'ensemble ou une partie du montant total qui devient dû par une personne, ou est payé par une personne sans qu'il soit devenu dû, à l'égard de la fourniture d'un bien ou d'un service effectuée à la personne n'est pas à inclure, en raison de l'article 206, dans le calcul du remboursement de la taxe sur les intrants, ce montant total est réputé, pour l'application de l'article 457.1, correspondre à l'excédent éventuel de ce montant total sur le total de la contrepartie déraisonnable, des pourboires et des droits, frais ou taxes qui sont imposés en vertu du présent titre ou en vertu d'une loi du Québec, d'une autre province, des Territoires du Nord-Ouest, du territoire du Yukon, du territoire du Nunavut ou du Canada qui sont payés ou payables à l'égard de la contrepartie déraisonnable.

Notes historiques: L'article 457.1.2 a été modifié par L.Q. 2005, c. 38, par. 385(1) par l'insertion, après le mot « Yukon », de « , du territoire du Nunavut ». Cette modification a effet depuis le 1er avril 1999.

L'article 457.1.2 a été ajouté par L.Q. 2001, c. 53, art. 382 et s'applique :

1° dans le cas d'un montant qui devient dû ou qui est payé sans être devenu dû à l'égard de la fourniture de nourriture, de boissons ou de divertissements et dans le cas d'un montant payé à titre de remboursement ou d'allocation à l'égard de la fourniture de nourriture, de boissons ou de divertissements :

a) aux fins du calcul de la taxe nette pour les périodes de déclaration qui se terminent après le 8 octobre 1998;

b) aux fins du calcul d'un remboursement en vertu de l'article 400 de cette loi d'un montant qui, le 8 octobre 1998, avant ou après cette date, est payé au titre de la taxe nette ou pris en compte à ce titre sauf si la demande de remboursement a été reçue par le ministre du Revenu avant cette date;

2° dans les autres cas, aux montants qui deviennent dus après le 8 octobre 1998 ou qui sont payés après cette date sans être devenus dus.

Concordance fédérale: LTA, par. 236(1.2).

457.1.3 Définitions : — Pour l'application du présent article et des articles 457.1.4 à 457.1.6, l'expression :

« année d'imposition » a le sens que lui donne l'article 1 de la *Loi sur les impôts* (L.R.Q., chapitre I-3);

Concordance fédérale: aucune.

« bien » a le sens que lui donne l'article 1 de la *Loi sur les impôts*;

Concordance fédérale: aucune.

« entreprise » a le sens que lui donne l'article 1 de la *Loi sur les impôts*;

Concordance fédérale: aucune.

« exercice » a le sens que lui donne l'article 458.1;

Concordance fédérale: aucune.

« montant payé dans un endroit éloigné » signifie un montant payé ou à payer par un inscrit, au cours d'un exercice donné, à l'égard de la fourniture d'un bien ou d'un service relatif à la consommation par un particulier de nourriture ou de boissons à un endroit qui est éloigné d'au moins 40 kilomètres de l'établissement stable de l'inscrit où ce particulier travaille habituellement, ou auquel il se présente habituellement, dans l'accomplissement de ses fonctions relativement aux activités liées à une entreprise de l'inscrit, dans la mesure où la nourriture ou les boissons sont consommées dans le cadre des activités de l'inscrit impliquant habituellement qu'un particulier travaille à un endroit ainsi éloigné de l'établissement stable;

Concordance fédérale: aucune.

« période de déclaration indiquée » signifie la période de déclaration qui est déterminée en vertu de l'article 457.1.6;

Concordance fédérale: aucune.

« revenu brut » a le sens que lui donne l'article 1 de la *Loi sur les impôts*.

Concordance fédérale: aucune.

Notes historiques: L'article 457.1.3 a été ajouté par L.Q. 2004, c. 21, par. 537(1) et s'applique à l'égard de la taxe payable relativement à la fourniture de nourriture, de boissons ou de divertissements, lorsque cette taxe devient due ou est payée sans être devenue due au cours d'une année d'imposition, au sens de la *Loi sur les impôts* (L.R.Q., chapitre I-3), qui se termine après le 12 juin 2003.

457.1.4 Nourriture, boissons et divertissements — Un inscrit doit ajouter le montant calculé selon la formule prévue à l'article 457.1.5 dans le calcul de sa taxe nette pour sa période de déclaration indiquée lorsque, à la fois :

1° un montant, autre qu'un montant payé dans un endroit éloigné, est une dépense encourue par l'inscrit dans le but de gagner un revenu, au cours d'une année d'imposition, provenant d'une entreprise ou d'un bien — appelé « montant combiné » dans le présent article — et qui, selon le cas :

a) devient dû par l'inscrit ou est un montant payé par lui sans qu'il soit devenu dû à l'égard de la fourniture d'un bien ou d'un service effectuée à l'inscrit;

b) est payé par l'inscrit à titre d'allocation ou de remboursement à l'égard duquel l'inscrit est réputé en vertu des articles 211 ou 212 avoir reçu la fourniture d'un bien ou d'un service;

2° l'article 421.1 de la *Loi sur les impôts* (L.R.Q., chapitre I-3) s'applique, ou s'appliquerait si l'inscrit était un contribuable en vertu de cette loi, à l'ensemble du montant combiné ou à la partie de ce montant qui est, pour l'application de cette loi, un montant payé ou à payer à l'égard de la consommation par un particulier de nourriture ou de boissons ou relatif aux divertissements dont un particulier a joui et le montant combiné ou la partie de ce montant est réputé en vertu de cet article égal à 50 % d'un montant donné;

3° le montant donné excède le montant déterminé en vertu du deuxième alinéa;

4° la taxe incluse dans le montant combiné ou réputée en vertu des articles 211 ou 212 avoir été payée par l'inscrit est incluse dans le calcul du remboursement de la taxe sur les intrants à l'égard du bien ou du service qui est demandé par l'inscrit dans une déclaration pour une période de déclaration au cours d'un exercice de l'inscrit.

Plafond — Pour l'application du présent article, le montant déterminé auquel le paragraphe 3° du premier alinéa fait référence est égal au montant calculé selon la formule suivante :

$$A \times 2.$$

Application — Pour l'application de la formule prévue au deuxième alinéa, la lettre A représente le montant déterminé en vertu de l'article 175.6.1 de la *Loi sur les impôts* qui est déductible dans le calcul du revenu de l'inscrit pour l'année d'imposition, ou le serait si l'inscrit était un contribuable en vertu de cette loi, qui provient de l'entreprise ou du bien.

Exception — Le premier alinéa ne s'applique pas aux organismes de bienfaisance ni aux institutions publiques.

Notes historiques: Les deuxième et troisième alinéas de l'article 457.1.4 ont été remplacés par L.Q. 2005, c. 23, par. 278(1) et cette modification s'applique à l'égard de la taxe payable relativement à la fourniture de nourriture, de boissons ou divertissements, lorsque cette taxe devient due ou est payée sans être devenue due au cours d'une année d'imposition, au sens de la *Loi sur les impôts* (L.R.Q., chapitre I-3), qui se termine après le 30 mars 2004. Antérieurement, ils se lisaient ainsi :

Pour l'application du présent article, le montant déterminé auquel le paragraphe 3° du premier alinéa fait référence est égal :

1° dans le cas où l'inscrit exploite une entreprise qui consiste à vendre, à titre d'intermédiaire, des biens compris dans l'inventaire d'une autre personne, au montant calculé selon la formule suivante :

1 % × [(A – B) + B/C] × 2;

2° dans les autres cas, au montant calculé selon la formule suivante :

1 % × A × 2.

Pour l'application de ces formules :

1° la lettre A représente le montant, pour l'année d'imposition, du revenu brut de l'inscrit, ou qui le serait si l'inscrit était un contribuable en vertu de l'article 1 de la *Loi sur les impôts*, qui provient de l'entreprise ou du bien;

2° la lettre B représente le montant des commissions ou d'autres montants semblables déterminés en fonction des ventes effectuées par l'inscrit, à titre d'intermédiaire, de biens compris dans l'inventaire d'une autre personne qui sont inclus, pour l'année d'imposition, dans le calcul du revenu provenant de l'entreprise de l'inscrit, pour l'application de la *Loi sur les impôts*, ou qui le seraient si l'inscrit était un contribuable en vertu de cette loi;

3° la lettre C représente le pourcentage moyen qui sert au calcul des commissions ou d'autres montants semblables déterminés en fonction des ventes effectuées par l'inscrit, à titre d'intermédiaire, de biens compris dans l'inventaire d'une autre personne qui sont inclus, pour l'année d'imposition, dans le calcul du revenu provenant de l'entreprise de l'inscrit, pour l'application de la *Loi sur les impôts*, ou qui le seraient si l'inscrit était un contribuable en vertu de cette loi.

L'article 457.1.4 a été ajouté par L.Q. 2004, c. 21, par. 537(1) et s'applique à l'égard de la taxe payable relativement à la fourniture de nourriture, de boissons ou de divertissements, lorsque cette taxe devient due ou est payée sans être devenue due au cours d'une année d'imposition, au sens de la *Loi sur les impôts* (L.R.Q., chapitre I-3), qui se termine après le 12 juin 2003. Toutefois, lorsque cet article s'applique à une année d'imposition qui comprend le 12 juin 2003, les deuxième et troisième alinéas de cet article doivent se lire comme suit :

Pour l'application du présent article, le montant déterminé auquel le paragraphe 3° du premier alinéa fait référence est égal :

1° dans le cas où l'inscrit exploite une entreprise qui consiste à vendre, à titre d'intermédiaire, des biens compris dans l'inventaire d'une autre personne, au montant calculé selon la formule suivante :

A + 1 % × [(B – C) + C/D] × 2;

2° dans les autres cas, au montant calculé selon la formule suivante :

A + 1 % × B × 2.

Pour l'application de ces formules :

1° la lettre A représente le montant obtenu en multipliant le montant donné par le rapport entre le nombre de jours de l'année qui précèdent le 13 juin 2003 et le nombre de jours de cette année;

2° la lettre B représente le montant obtenu en multipliant le montant, pour l'année d'imposition, du revenu brut de l'inscrit, ou qui le serait si l'inscrit était un contribuable en vertu de l'article 1 de la *Loi sur les impôts*, qui provient de l'entreprise ou du bien par le rapport entre le nombre de jours de l'année qui suivent le 12 juin 2003 et le nombre de jours de cette année;

3° la lettre C représente le montant obtenu en multipliant le montant des commissions ou d'autres montants semblables déterminés en fonction des ventes effectuées par l'inscrit, à titre d'intermédiaire, de biens compris dans l'inventaire d'une autre personne qui sont inclus, pour l'année d'imposition, dans le calcul du revenu provenant de l'entreprise de l'inscrit, pour l'application de la *Loi sur les impôts*, ou qui le seraient si l'inscrit était un contribuable en vertu de cette loi, par le rapport entre le nombre de jours de l'année qui suivent le 12 juin 2003 et le nombre de jours de cette année;

4° la lettre D représente le pourcentage moyen qui sert au calcul des commissions ou d'autres montants semblables déterminés en fonction des ventes effectuées par l'inscrit, à titre d'intermédiaire, de biens compris dans l'inventaire d'une autre personne qui sont inclus, pour l'année d'imposition, dans le calcul du revenu provenant de l'entreprise de l'inscrit, pour l'application de la *Loi sur les impôts*, ou qui le seraient si l'inscrit était un contribuable en vertu de cette loi.

Bulletins d'interprétation [art. 457.1]: TVQ. 211-3/R3 — Remboursement de la taxe sur les intrants à l'égard d'une allocation de dépenses.

Lettres d'interprétation [art. 457.1.4]: 06-0104114 — Interprétation relative à la TPS et à la TVQ — organisation d'un congrès par un organisme sans but lucratif.

Concordance fédérale: LTA, par. 236(1).

457.1.5 Montant ajoutée dans le calcul de la taxe nette

— Pour l'application de l'article 457.1.4, le montant qu'un inscrit doit ajouter dans le calcul de sa taxe nette pour sa période de déclaration indiquée est calculé selon la formule suivante :

50 % × [(A – B) / C] × D.

Application — Pour l'application de cette formule :

1° la lettre A représente le montant donné visé au paragraphe 2° du premier alinéa de l'article 457.1.4;

2° la lettre B représente le montant déterminé en vertu du deuxième alinéa de l'article 457.1.4;

3° la lettre C représente le montant combiné visé au paragraphe 1° du premier alinéa de l'article 457.1.4;

4° la lettre D représente le montant du remboursement de la taxe sur les intrants demandé par l'inscrit, au cours d'un exercice, relativement au montant combiné.

Notes historiques: L'article 457.1.5 a été ajouté par L.Q. 2004, c. 21, par. 537(1) et s'applique à l'égard de la taxe payable relativement à la fourniture de nourriture, de boissons ou de divertissements, lorsque cette taxe devient due ou est payée sans être devenue due au cours d'une année d'imposition, au sens de la *Loi sur les impôts* (L.R.Q., chapitre I-3), qui se termine après le 12 juin 2003.

Lettres d'interprétation [art. 457.1.5]: 06-0104114 — Interprétation relative à la TPS et à la TVQ — organisation d'un congrès par un organisme sans but lucratif.

Concordance fédérale: LTA, par. 236(1).

457.1.6 Période de déclaration indiquée

— Dans le cas où un inscrit est tenu, en vertu de l'article 457.1.4, d'ajouter dans le calcul de sa taxe nette un montant déterminé en fonction d'un remboursement de la taxe sur les intrants que l'inscrit a demandé dans une déclaration pour une période de déclaration au cours d'un exercice donné, la période de déclaration indiquée correspond à la période suivante :

1° dans le cas où l'inscrit cesse d'être inscrit en vertu de la section I du chapitre VIII dans une période de déclaration se terminant au cours de l'exercice donné, cette période de déclaration;

2° dans le cas où la période de déclaration de l'inscrit correspond à son exercice, la période de déclaration qui correspond au plus tardif des exercices suivants :

a) l'exercice donné;

b) l'exercice dans lequel se termine l'année d'imposition visée au paragraphe 1° du premier alinéa de l'article 457.1.4;

3° dans le cas où la période de déclaration de l'inscrit correspond à son trimestre d'exercice, la période de déclaration qui commence immédiatement après le plus tardif des exercices suivants :

a) l'exercice donné;

b) l'exercice dans lequel se termine l'année d'imposition visée au paragraphe 1° du premier alinéa de l'article 457.1.4;

4° dans le cas où la période de déclaration de l'inscrit correspond à son mois d'exercice, la cinquième période de déclaration de l'inscrit qui commence immédiatement après le plus tardif des exercices suivants :

a) l'exercice donné;

b) l'exercice dans lequel se termine l'année d'imposition visée au paragraphe 1° du premier alinéa de l'article 457.1.4.

Notes historiques: L'article 457.1.6 a été ajouté par L.Q. 2004, c. 21, par. 537(1) et s'applique à l'égard de la taxe payable relativement à la fourniture de nourriture, de boissons ou de divertissements, lorsque cette taxe devient due ou est payée sans être devenue due au cours d'une année d'imposition, au sens de la *Loi sur les impôts* (L.R.Q., chapitre I-3), qui se termine après le 12 juin 2003. Toutefois, lorsque l'article 457.1.4 s'applique à une année d'imposition qui comprend le 12 juin 2003, les deuxième et troisième alinéas de cet article doivent se lire comme suit :

Pour l'application du présent article, le montant déterminé auquel le paragraphe 3° du premier alinéa fait référence est égal :

1° dans le cas où l'inscrit exploite une entreprise qui consiste à vendre, à titre d'intermédiaire, des biens compris dans l'inventaire d'une autre personne, au montant calculé selon la formule suivante :

A + 1 % × [(B – C) + C/D] × 2;

2° dans les autres cas, au montant calculé selon la formule suivante :

$$A + 1 \% \times B \times 2.$$

Pour l'application de ces formules :

1° la lettre A représente le montant obtenu en multipliant le montant donné par le rapport entre le nombre de jours de l'année qui précèdent le 13 juin 2003 et le nombre de jours de cette année;

2° la lettre B représente le montant obtenu en multipliant le montant, pour l'année d'imposition, du revenu brut de l'inscrit, ou qui le serait si l'inscrit était un contribuable en vertu de l'article 1 de la *Loi sur les impôts*, qui provient de l'entreprise ou du bien par le rapport entre le nombre de jours de l'année qui suivent le 12 juin 2003 et le nombre de jours de cette année;

3° la lettre C représente le montant obtenu en multipliant le montant des commissions ou d'autres montants semblables déterminés en fonction des ventes effectuées par l'inscrit, à titre d'intermédiaire, de biens compris dans l'inventaire d'une autre personne qui sont inclus, pour l'année d'imposition, dans le calcul du revenu provenant de l'entreprise de l'inscrit, pour l'application de la *Loi sur les impôts*, ou qui le seraient si l'inscrit était un contribuable en vertu de cette loi, par le rapport entre le nombre de jours de l'année qui suivent le 12 juin 2003 et le nombre de jours de cette année;

4° la lettre D représente le pourcentage moyen qui sert au calcul des commissions ou d'autres montants semblables déterminés en fonction des ventes effectuées par l'inscrit, à titre d'intermédiaire, de biens compris dans l'inventaire d'une autre personne qui sont inclus, pour l'année d'imposition, dans le calcul du revenu provenant de l'entreprise de l'inscrit, pour l'application de la *Loi sur les impôts*, ou qui le seraient si l'inscrit était un contribuable en vertu de cette loi.

Lettres d'interprétation [art. 457.1.6]: 06-0104114 — Interprétation relative à la TPS et à la TVQ — organisation d'un congrès par un organisme sans but lucratif.

Concordance fédérale: LTA, par. 236(1).

457.2 Partie d'un établissement domestique autonome — Dans le cas où un inscrit qui est un particulier a demandé, dans une déclaration pour une période de déclaration au cours d'un exercice, un remboursement de la taxe sur les intrants à l'égard d'un bien ou d'un service acquis ou apporté au Québec pour consommation ou utilisation relativement au maintien d'un établissement domestique autonome dont fait partie un espace de travail visé par le sous-paragraphe a) ou le sous-paragraphe b) du paragraphe 1.1° de l'article 203, un montant correspondant à 50 % du remboursement demandé doit être ajouté dans le calcul de sa taxe nette pour la période de déclaration suivante :

1° la dernière période de déclaration de l'inscrit dans cet exercice, dans le cas où il cesse au cours ou à la fin de cet exercice d'être inscrit en vertu de la section I;

2° la période de déclaration, dans le cas où la période de déclaration de l'inscrit correspond à son exercice;

3° la période de déclaration de l'inscrit qui commence immédiatement après la fin de cet exercice, dans tout autre cas.

Exercice — Pour l'application du présent article, « exercice » a le sens que lui donne l'article 458.1.

Maintient d'un établissement domestique autonome — Pour l'application du présent article, un bien ou un service acquis ou apporté au Québec pour consommation ou utilisation relativement au maintien d'un établissement domestique autonome comprend un bien ou un service relatif à l'entretien, à la réparation ou à l'amélioration de l'établissement mais ne comprend pas l'électricité, le gaz, le combustible ou la vapeur servant à l'éclairage ou au chauffage de l'établissement.

Exception — Le présent article ne s'applique pas au remboursement de la taxe sur les intrants demandé :

1° à l'égard d'un bien ou d'un service acquis ou apporté au Québec pour consommation ou utilisation exclusive relativement à l'espace de travail;

2° relativement à l'exploitation d'un établissement d'hébergement touristique qui constitue une résidence de tourisme, un gîte ou un établissement participant d'un village d'accueil, au sens des règlements édictés en vertu de la *Loi sur les établissements d'hébergement touristique* (chapitre E-14.2) lorsque l'inscrit détient une attestation de classification de la catégorie appropriée émise en vertu de cette loi ou est un participant d'un village d'accueil visé par une telle attestation.

Notes historiques: Le préambule du premier alinéa de l'article 457.2 a été remplacé par L.Q. 2004, c. 21, s.-par. 538(1)(1°) et cette modification s'applique à l'égard de la fourniture ou de l'apport au Québec d'un bien ou d'un service, lorsque la taxe relative à cette fourniture ou à cet apport devient payable au cours d'un exercice financier, au sens de la *Loi sur les impôts* (L.R.Q., chapitre I-3), qui se termine après le 14 mars 2000.

De plus, lorsque la taxe relative à la fourniture ou à l'apport au Québec d'un bien ou d'un service devient payable au cours d'un exercice financier, au sens de la *Loi sur les impôts*, qui commence après le 9 mai 1996 et qui se termine avant le 15 mars 2000, le préambule du premier alinéa de l'article 457.2 doit se lire comme suit :

> 457.2 Un montant correspondant à 50 % du total des montants dont chacun représente un remboursement de la taxe sur les intrants demandé, à l'égard de la fourniture ou de l'apport au Québec d'un bien ou d'un service acquis ou apporté par un inscrit qui est un particulier pour consommation ou utilisation relativement à un espace de travail visé par le sous-paragraphe a) ou le sous-paragraphe b) du paragraphe 1.1° de l'article 203, autre qu'un bien ou un service qui se rapporte exclusivement à l'espace de travail, dans une déclaration pour une période de déclaration au cours d'un exercice de l'inscrit doit être ajouté dans le calcul de sa taxe nette pour la période suivante :

Lorsqu'en vertu de l'article 457.2, tel qu'il se lisait avant les modifications apportées par L.Q. 2004, c. 21, un inscrit, autre qu'un inscrit qui est un particulier, a ajouté un montant dans le calcul de sa taxe nette, il a droit au remboursement de ce montant s'il produit une demande de remboursement dans les deux ans suivant la date de la sanction de L.Q. 2004, c. 21 [la date de la sanction est le 3 novembre 2004 — n.d.l.r.].

Lorsqu'en vertu de l'article 457.2, tel qu'il se lisait avant les modifications apportées au préambule du premier alinéa et au deuxième alinéa par L.Q. 2004, c. 21 , un inscrit qui est un particulier a ajouté un montant dans le calcul de sa taxe nette à l'égard d'un bien ou d'un service acquis ou apporté au Québec pour consommation ou utilisation exclusive relativement à un espace de travail visé par le sous-paragraphe a) ou le sous-paragraphe b) du paragraphe 1.1° de l'article 203, il a droit au remboursement de ce montant s'il produit une demande de remboursement dans les deux ans suivant la date de la sanction de L.Q. 2004, c. 21 [la date de la sanction est le 3 novembre 2004 — n.d.l.r.]. Antérieurement, ce préambule se lisait ainsi :

> 457.2 Un montant correspondant à 50 % du total des montants dont chacun représente un remboursement de la taxe sur les intrants demandé, à l'égard de la fourniture ou de l'apport au Québec d'un bien ou d'un service acquis ou apporté par un inscrit pour consommation ou utilisation relativement à un espace de travail visé par le sous-paragraphe a) ou le sous-paragraphe b) du paragraphe 1.1° de l'article 203, dans une déclaration pour une période de déclaration au cours d'un exercice de l'inscrit doit être ajouté dans le calcul de la taxe nette pour la période suivante :

Le deuxième alinéa de l'article 457.2 a été remplacé par L.Q. 2004, c. 21, s.-par. 538(1)(2°) et cette modification a effet depuis le 10 mai 1996.

Lorsqu'en vertu de l'article 457.2, tel qu'il se lisait avant les modifications apportées au préambule du premier alinéa et au deuxième alinéa par L.Q. 2004, c. 21, un inscrit, autre qu'un inscrit qui est un particulier, a ajouté un montant dans le calcul de sa taxe nette, il a droit au remboursement de ce montant s'il produit une demande de remboursement dans les deux ans suivant la date de la sanction de L.Q. 2004, c. 21 [n.d.l.r.: la date de la sanction est le 3 novembre 2004].

Lorsqu'en vertu de l'article 457.2, tel qu'il se lisait avant les modifications apportées au préambule du premier alinéa et au deuxième alinéa par L.Q. 2004, c. 21, un inscrit qui est un particulier a ajouté un montant dans le calcul de sa taxe nette à l'égard d'un bien ou d'un service acquis ou apporté au Québec pour consommation ou utilisation exclusive relativement à un espace de travail visé par le sous-paragraphe a) ou le sous-paragraphe b) du paragraphe 1.1° de l'article 203, il a droit au remboursement de ce montant s'il produit une demande de remboursement dans les deux ans suivant la date de la sanction de L.Q. 2004, c. 21 [n.d.l.r.: la date de la sanction est le 3 novembre 2004]. Antérieurement, il se lisait ainsi :

> Pour l'application du présent article, l'exercice d'une personne correspond à son exercice au sens de l'article 458.1.

Les troisième et quatrième alinéas de l'article 457.2 ont été ajoutés par L.Q. 2004, c. 21, s.-par. 538(1)(3°). Le troisième alinéa s'applique à l'égard de la fourniture ou de l'apport au Québec d'un bien ou d'un service lorsque la taxe relative à cette fourniture ou à cet apport devient payable au cours d'un exercice financier, au sens de la *Loi sur les impôts*, qui se termine après le 14 mars 2000. La partie du quatrième alinéa de l'article 457.2 qui précède le paragraphe 2° s'applique à l'égard de la fourniture ou de l'apport au Québec d'un bien ou d'un service lorsque la taxe relative à cette fourniture ou à cet apport devient payable au cours d'un exercice financier, au sens de la *Loi sur les impôts*, qui se termine après le 14 mars 2000. Le quatrième alinéa de l'article 457.2, sauf son paragraphe 1°, s'applique à l'égard de la fourniture ou de l'apport au Québec d'un bien ou d'un service lorsque la taxe relative à cette fourniture ou à cet apport devient payable au cours d'un exercice financier, au sens de la *Loi sur les impôts*, qui commence après le 9 mai 1996.

Lorsqu'en vertu de l'article 457.2, tel qu'il se lisait avant les modifications apportées au préambule du premier alinéa et au deuxième alinéa par L.Q. 2004, c.21, un inscrit, autre qu'un inscrit qui est un particulier, a ajouté un montant dans le calcul de sa taxe nette, il aura droit au remboursement de ce montant s'il produit une demande de remboursement dans les deux ans suivant la date de la sanction de L.Q. 2004, c. 21 [n.d.l.r.: la date de la sanction est le 3 novembre 2004].

Lorsqu'en vertu de l'article 457.2, tel qu'il se lisait avant les modifications apportées préambule du premier alinéa et au deuxième alinéa par L.Q. 2004, c.21, un inscrit qui est un particulier a ajouté un montant dans le calcul de sa taxe nette à l'égard d'un bien ou d'un service acquis ou apporté au Québec pour consommation ou utilisation exclusive relativement à un espace de travail visé par le sous-paragraphe a) ou le sous-paragraphe b) du paragraphe 1.1° de l'article 203, il aura droit au remboursement de ce montant s'il produit une demande de remboursement dans les deux ans suivant la date de la sanction de L.Q. 2004, c. 21 [n.d.l.r.: la date de la sanction est le 3 novembre 2004].

L'article 457.2 a été ajouté par L.Q. 1997, c. 85, art. 702(1) et s'applique à l'égard de la fourniture, ou de l'apport au Québec, d'un bien ou d'un service, lorsque la taxe relative à cette fourniture ou à cet apport devient payable au cours d'un exercice financier, au sens de la *Loi sur les impôts* (L.R.Q., chapitre I-3), de l'inscrit qui commence après le 9 mai 1996.

Définitions [art. 457.2]: « bien », « fourniture », « inscrit », « montant », « période de déclaration », « service », « taxe nette » — 1.

Renvois [art. 457.2]: 203 (restriction).

Lettres d'interprétation [art. 457.2]: 00-0104281 — Commissions versées par une compagnie américaine; 03-0109003 — Dépenses relatives à un bureau à domicile.

Concordance fédérale: aucune.

457.3 Produit transporté en continu — Dans le cas où un inscrit a reçu la fourniture détaxée d'un produit transporté en continu visé à l'article 191.3.2 qui n'est ni expédié hors du Québec par lui conformément au paragraphe 1° du premier alinéa de l'article 191.3.2, ni fourni par lui conformément au paragraphe 2° du premier alinéa de l'article 191.3.2, l'inscrit doit ajouter dans le calcul de sa taxe nette pour sa période de déclaration qui comprend le premier jour où la taxe serait devenue payable, si ce n'était de l'article 191.3.2, à l'égard de la fourniture, un montant égal aux intérêts, au taux prescrit à l'article 28 de la *Loi sur l'administration fiscale* (chapitre A-6.002), calculés sur le montant de la taxe qui aurait été payable à l'égard de la fourniture si elle n'avait pas été une fourniture détaxée pour la période commençant ce premier jour et se terminant au plus tard le jour où la déclaration prévue à l'article 468 doit être produite pour cette période de déclaration.

Notes historiques: L'article 457.3 a été remplacé par L.Q. 2009, c. 5, par. 667(1) et cette modification s'applique à l'égard de la fourniture d'un produit transporté en continu, effectuée à un inscrit, à l'égard de laquelle la taxe serait devenue payable pour la première fois, si ce n'était de l'article 191.3.2, un jour donné qui est à l'intérieur d'une période de déclaration de l'inscrit pour laquelle la déclaration prévue à l'article 468 doit être produite au plus tard un jour qui est après le 31 mars 2007. Toutefois, si le jour donné est avant le 1er avril 2007 et que le jour où la déclaration doit être produite pour la période de déclaration qui comprend le jour donné est au plus tard à une date qui est après le 31 mars 2007, l'article 457.3 doit se lire comme suit :

> 457.3 Dans le cas où un inscrit a reçu la fourniture détaxée d'un produit transporté en continu visé à l'article 191.3.2 qui n'est ni expédié hors du Québec par lui conformément au paragraphe 1° du premier alinéa de l'article 191.3.2, ni fourni par lui conformément au paragraphe 2° du premier alinéa de l'article 191.3.2, l'inscrit doit ajouter dans le calcul de sa taxe nette pour sa période de déclaration qui comprend le premier jour où la taxe serait devenue payable, si ce n'était de l'article 191.3.2, à l'égard de la fourniture, un montant égal au total des montants suivants :
>
> 1° les intérêts, au taux prescrit à l'article 28 de la *Loi sur le ministère du Revenu* (chapitre M-31) plus 4 % par année capitalisés quotidiennement, calculés sur le total de la taxe qui aurait été payable à l'égard de la fourniture si elle n'avait pas été une fourniture détaxée pour la période commençant ce premier jour et se terminant le 31 mars 2007;
>
> 2° les intérêts, au taux prescrit à l'article 28 de la *Loi sur le ministère du Revenu*, calculés sur le montant de la taxe qui aurait été payable à l'égard de la fourniture si elle n'avait pas été une fourniture détaxée, majoré des intérêts visés au paragraphe 1°, pour la période commençant le 1er avril 2007 et se terminant au plus tard le jour où la déclaration prévue à l'article 468 doit être produite pour cette période de déclaration.

Antérieurement, il se lisait ainsi :

> 457.3 Dans le cas où un inscrit a reçu la fourniture détaxée d'un produit transporté en continu visé à l'article 191.3.2 qui n'est ni expédié hors du Québec par lui conformément au paragraphe 1° du premier alinéa de l'article 191.3.2, ni fourni par lui conformément au paragraphe 2° du premier alinéa de l'article 191.3.2, l'inscrit doit ajouter dans le calcul de sa taxe nette pour sa période de déclaration qui comprend le premier jour où la taxe serait devenue payable, si ce n'était de l'article 191.3.2, à l'égard de la fourniture, un montant égal aux intérêts, au taux prescrit à l'article 28 de la *Loi sur le ministère du Revenu* (chapitre M-31) plus 4 % par année capitalisés quotidiennement, calculés sur le total de la taxe qui aurait été payable à l'égard de la fourniture si elle n'avait pas été une fourniture détaxée pour la période commençant ce premier jour et se terminant au plus tard le jour où la déclaration prévue à l'article 468 doit être produite pour cette période de déclaration.

L'article 457.3 a été ajouté par L.Q. 2001, c. 53, art. 383 et s'applique à l'égard d'une fourniture effectuée après le 31 octobre 1998.

Notes explicatives ARQ (PL 2, L.Q. 2009, c. 5): *Résumé* :

L'article 457.3 est modifié afin que soit supprimé le taux supplémentaire de 4 % par année, capitalisé quotidiennement, qui y est prévu.

Situation actuelle :

Actuellement, l'article 457.3 de la LTVQ prévoit que le montant qu'un inscrit est tenu d'ajouter, dans le calcul de sa taxe nette, lorsqu'il n'expédie pas hors du Québec ou ne fournit pas un produit transporté en continu conformément aux dispositions de l'article 191.3.2 de la LTVQ, est égal aux intérêts, au taux prescrit à l'article 28 de la *Loi sur le ministère du Revenu* (L.R.Q., chapitre M-31) (LMR), plus 4 % par année capitalisés quotidiennement, calculés sur le total de la taxe qui aurait été payable à l'égard de la fourniture si elle n'avait pas été une fourniture détaxée pour la période visée à l'article 457.3 de la LTVQ.

Modifications proposées :

L'article 457.3 de la LTVQ est modifié afin de supprimer le taux supplémentaire de 4 % par année, capitalisé quotidiennement, de sorte que l'inscrit n'est redevable que du montant égal aux intérêts au taux prescrit à l'article 28 de la LMR, calculés sur le montant de la taxe qui aurait été payable à l'égard de la fourniture si elle n'avait pas été une fourniture détaxée pour la période visée à l'article 457.3 de la LTVQ.

Concordance fédérale: LTA, par. 236.1.

457.4 Redressement en cas d'utilisation non autorisée d'un certificat d'expédition — Un inscrit qui a reçu la fourniture d'un bien, à l'exception d'une fourniture détaxée autre que celle visée à l'article 179.1, d'un fournisseur à qui il a remis, pour les fins de la fourniture, un certificat d'expédition, au sens de l'article 427.3, mais dont l'autorisation d'utiliser le certificat n'était pas en vigueur au moment où la fourniture a été effectuée ou qui n'a pas expédié le bien hors du Québec dans les circonstances décrites aux paragraphes 2° à 4° de l'article 179, doit ajouter, dans le calcul de sa taxe nette pour sa période de déclaration qui comprend le premier jour où la taxe à l'égard de la fourniture est devenue payable, ou le serait devenue si celle-ci n'avait pas été une fourniture détaxée, un montant égal aux intérêts, au taux fixé en vertu de l'article 28 de la *Loi sur l'administration fiscale* (chapitre A-6.002), calculés sur le montant de la taxe qui était payable à l'égard de la fourniture, ou l'aurait été si celle-ci n'avait pas été une fourniture détaxée, pour la période commençant ce premier jour et se terminant au plus tard le jour où la déclaration doit être produite en vertu de l'article 468 pour cette période de déclaration.

Notes historiques: L'article 457.4 a été remplacé par L.Q. 2009, c. 5, par. 667(1) et cette modification s'applique à l'égard de la fourniture d'un bien, effectuée à un inscrit, à l'égard de laquelle la taxe est devenue payable pour la première fois, ou le serait devenue si celle-ci n'avait pas été une fourniture détaxée, un jour donné d'une période de déclaration de l'inscrit pour laquelle la déclaration prévue à l'article 468 doit être produite au plus tard un jour qui est après le 31 mars 2007. Toutefois, si le jour donné est avant le 1er avril 2007 et que le jour où la déclaration doit être produite pour la période de déclaration qui comprend le jour donné est au plus tard à une date qui est après le 31 mars 2007, l'article 457.4 doit se lire comme suit :

> 457.4 Un inscrit qui a reçu la fourniture d'un bien, à l'exception d'une fourniture détaxée autre que celle visée à l'article 179.1, d'un fournisseur à qui il a remis, pour les fins de la fourniture, un certificat d'expédition, au sens de l'article 427.3, mais dont l'autorisation d'utiliser le certificat n'était pas en vigueur au moment où la fourniture a été effectuée ou qui n'a pas expédié le bien hors du Québec dans les circonstances décrites aux paragraphes 2° à 4° de l'article 179, doit ajouter, dans le calcul de sa taxe nette pour sa période de déclaration qui comprend le premier jour où la taxe à l'égard de la fourniture est devenue payable, ou le serait devenue si celle-ci n'avait pas été une fourniture détaxée, un montant égal au total des montants suivants :
>
> 1° les intérêts, au taux fixé en vertu de l'article 28 de la *Loi sur le ministère du Revenu* (chapitre M-31) plus 4 % par année capitalisés quotidiennement, calculés sur le total de la taxe qui était payable à l'égard de la fourniture, ou l'aurait été si celle-ci n'avait pas été une fourniture détaxée, pour la période commençant ce premier jour et se terminant le 31 mars 2007;
>
> 2° les intérêts, au taux fixé en vertu de l'article 28 de la *Loi sur le ministère du Revenu*, calculés sur le montant de la taxe qui était payable à l'égard de la fourniture, ou l'aurait été si celle-ci n'avait pas été une fourniture détaxée, majoré des intérêts visés au paragraphe 1°, pour la période commençant le 1er avril 2007 et se terminant au plus tard le jour où la déclaration doit être produite en vertu de l'article 468 pour cette période de déclaration.

LTVQ (français)

Antérieurement, il se lisait ainsi :

457.4 Un inscrit qui a reçu la fourniture d'un bien, à l'exception d'une fourniture détaxée autre que celle visée à l'article 179.1, d'un fournisseur à qui il a remis, pour les fins de la fourniture, un certificat d'expédition, au sens de l'article 427.3, mais dont l'autorisation d'utiliser le certificat n'était pas en vigueur au moment où la fourniture a été effectuée ou qui n'a pas expédié le bien hors du Québec dans les circonstances décrites aux paragraphes 2° à 4° de l'article 179, doit ajouter, dans le calcul de sa taxe nette pour sa période de déclaration qui comprend le premier jour où la taxe à l'égard de la fourniture est devenue payable, ou le serait devenue si celle-ci n'avait pas été une fourniture détaxée, un montant égal aux intérêts, au taux fixé en vertu de l'article 28 de la *Loi sur le ministère du Revenu* (chapitre M-31) plus 4 % par année capitalisés quotidiennement, calculés sur le total de la taxe qui était payable à l'égard de la fourniture, ou l'aurait été si celle-ci n'avait pas été une fourniture détaxée, pour la période commençant ce premier jour et se terminant au plus tard le jour où une déclaration doit être produite en vertu de l'article 468 pour cette période de déclaration.

L'article 457.4 a été ajouté par L.Q. 2003, c. 2, par. 349(1) et cette modification s'applique à l'égard d'une fourniture effectuée après le 31 décembre 2000.

Notes explicatives ARQ (PL 2, L.Q. 2009, c. 5): *Résumé* :

L'article 457.4 est modifié afin que soit supprimé le taux supplémentaire de 4 % par année, capitalisé quotidiennement, qui y est prévu.

Situation actuelle :

Actuellement, l'article 457.4 de la LTVQ prévoit que le montant qu'un inscrit est tenu d'ajouter, dans le calcul de sa taxe nette, lorsqu'il utilise un certificat d'expédition qui n'est plus en vigueur ou qui a servi à acquérir des biens qui n'ont pas été expédiés hors du Québec, est égal aux intérêts, au taux fixé à l'article 28 de la *Loi sur le ministère du Revenu* (L.R.Q., chapitre M-31) (LMR), plus 4 % par année capitalisés quotidiennement, calculés sur le total de la taxe qui était payable à l'égard de la fourniture, ou l'aurait été si celle-ci n'avait pas été une fourniture détaxée, pour la période visée à l'article 457.4 de la LTVQ.

Modifications proposées :

L'article 457.4 de la LTVQ est modifié afin de supprimer le taux supplémentaire de 4 % par année, capitalisé quotidiennement, de sorte que l'inscrit n'est redevable que du montant égal aux intérêts au taux fixé à l'article 28 de la LMR, calculés sur le montant de la taxe qui était payable à l'égard de la fourniture, ou l'aurait été si celle-ci n'avait pas été une fourniture détaxée, pour la période visée à l'article 457.4 de la LTVQ.

Concordance fédérale: LTA, par. 236.2(1).

457.5 Redressement en cas de révocation réputée d'un certificat d'expédition

457.5 Redressement en cas de révocation réputée d'un certificat d'expédition — Un inscrit doit, dans le cas où l'autorisation qui lui a été accordée d'utiliser un certificat d'expédition, au sens de l'article 427.3, est réputée révoquée en vertu de l'article 427.7 à compter du jour suivant le dernier jour d'un exercice de l'inscrit, ajouter, dans le calcul de sa taxe nette, pour sa première période de déclaration suivant l'exercice, le montant déterminé selon la formule suivante :

$$A \times B/12.$$

Application — Pour l'application de cette formule :

1° la lettre A représente le produit obtenu en multipliant 9,975 % par le total des montants dont chacun représente la contrepartie payée ou payable par l'inscrit pour la fourniture, effectuée au Québec, de stocks qu'il a acquis au cours de l'exercice, qui est une fourniture détaxée uniquement en raison du fait qu'elle est visée à l'article 179.1, sauf une fourniture à l'égard de laquelle il est tenu, en vertu de l'article 457.4, d'ajouter un montant dans le calcul de sa taxe nette pour une période de déclaration;

2° la lettre B représente le taux d'intérêt fixé en vertu de l'article 28 de la *Loi sur l'administration fiscale* (chapitre A-6.002) qui est en vigueur le dernier jour de cette première période de déclaration.

Notes historiques: Le paragraphe 1° du deuxième alinéa de l'article 457.5 a été modifié par L.Q. 2012, c. 28, par. 168(1) par le remplacement de « 9,5 % » par « 9,975 % ». Cette modification a effet à compter du 1er janvier 2013.

Le paragraphe 1° du deuxième alinéa de l'article 457.5 a été modifié par L.Q. 2011, c. 6, par. 283(1) par le remplacement de « 7,5 % » par « 9,5 % ». Cette modification s'applique à l'égard d'une fourniture effectuée après le 31 décembre 2011. De plus, lorsque l'article 457.5 s'applique après le 31 décembre 2010 et avant le 1er janvier 2012, il doit se lire en y remplaçant, dans le paragraphe 1° du deuxième alinéa, « 7,5 % » par « 8,5 % ».

Le paragraphe 2° du deuxième alinéa de l'article 457.5 a été remplacé par L.Q. 2009, c. 5, par. 668(1) et cette modification s'applique à l'égard de toute période de déclaration d'un inscrit suivant un exercice de celui-ci se terminant après le 31 mars 2007. Toutefois, dans le cas où l'exercice de l'inscrit comprend le 1er avril 2007, l'article 457.5 doit se lire comme suit :

457.5 Un inscrit doit, dans le cas où l'autorisation qui lui a été accordée d'utiliser un certificat d'expédition, au sens de l'article 427.3, est réputée révoquée en vertu de l'article 427.7 à compter du jour suivant le dernier jour d'un exercice de l'inscrit, ajouter, dans le calcul de sa taxe nette, pour sa première période de déclaration suivant l'exercice, le total des montants dont chacun est déterminé selon la formule suivante :

$$A \times B/12.$$

Pour l'application de cette formule :

1° la lettre A représente :

a) soit le produit obtenu en multipliant 7,5 % par un montant de contrepartie qui a été payé ou est devenu payable par l'inscrit avant le 1er avril 2007, pour la fourniture, effectuée au Québec, de stocks qu'il a acquis au cours de l'exercice, qui est une fourniture détaxée uniquement en raison du fait qu'elle est visée à l'article 179.1, sauf une fourniture à l'égard de laquelle il est tenu, en vertu de l'article 457.4, d'ajouter un montant dans le calcul de sa taxe nette pour une période de déclaration;

b) soit le produit obtenu en multipliant 7,5 % par un montant de contrepartie — qui n'est pas compris au sous-paragraphe a) — qui a été payé ou est devenu payable par l'inscrit après le 31 mars 2007, pour la fourniture, effectuée au Québec, de stocks qu'il a acquis au cours de l'exercice, qui est une fourniture détaxée uniquement en raison du fait qu'elle est visée à l'article 179.1, sauf une fourniture à l'égard de laquelle il est tenu, en vertu de l'article 457.4, d'ajouter un montant dans le calcul de sa taxe nette pour une période de déclaration;

2° la lettre B représente :

a) dans le cas où le sous-paragraphe a du paragraphe 1° s'applique, la somme de 4 % et du taux d'intérêt fixé en vertu de l'article 28 de la *Loi sur le ministère du Revenu* (chapitre M-31), exprimé en pourcentage annuel, qui est en vigueur le dernier jour de cette première période de déclaration;

b) dans le cas où le sous-paragraphe b) du paragraphe 1° s'applique, le taux d'intérêt fixé en vertu de l'article 28 de la *Loi sur le ministère du Revenu* qui est en vigueur le dernier jour de cette première période de déclaration.

Antérieurement, il se lisait ainsi :

2° la lettre B représente la somme de 4 % et du taux d'intérêt fixé en vertu de l'article 28 de la *Loi sur le ministère du Revenu* (chapitre M-31), exprimé en pourcentage annuel, qui est en vigueur le dernier jour de cette première période de déclaration.

L'article 457.5 a été ajouté par L.Q. 2003, c. 2, par. 349(1) et cette modification s'applique à l'égard d'une fourniture effectuée après le 31 décembre 2000.

Notes explicatives ARQ (PL 5, L.Q. 2012, c. 28): *Résumé* :

L'article 457.5 est modifié afin de remplacer le taux de taxation de 9,5 % par 9,975 % à compter du 1er janvier 2013, pour tenir compte du retrait de la taxe sur les produits et services (TPS) de l'assiette de la taxe de vente du Québec (TVQ) à compter de cette date.

Situation actuelle :

L'article 457.5 prévoit que le montant qu'un inscrit est tenu d'ajouter, dans le calcul de sa taxe nette, pour une période de déclaration, en cas de révocation réputée de l'autorisation qui lui a été accordée d'utiliser un certificat d'expédition, correspond au résultat obtenu enmultipliant le total de la TVQ qui aurait été payable sur les achats de stocks au Québec pour lesquels le certificat d'expédition a été utilisé au cours de l'exercice par le taux d'intérêt, pour un mois, calculé en fonction du taux annualisé fixé en vertu de l'article 28 de la *Loi sur l'administration fiscale* (L.Q., chapitre A-6.002).

Modifications proposées :

En vue de tenir compte du fait que la TPS est retirée de l'assiette de la TVQ à compter du 1er janvier 2013, il y a lieu de modifier l'article 457.5 de la LTVQ.

Cette modification a pour objet de remplacer le taux de taxation de 9,5 % par un taux établi à 9,975 %, soit un taux équivalent au taux effectif dans le régime actuel.

Notes explicatives ARQ (PL 5, L.Q. 2011, c. 6): *Résumé* :

L'article 457.5 est modifié de façon à ce qu'il soit tenu compte de la hausse du taux de la taxe de vente du Québec (TVQ).

Situation actuelle :

Actuellement, l'article 457.5 prévoit que le montant qu'un inscrit est tenu d'ajouter, dans le calcul de sa taxe nette, pour une période de déclaration, en cas de révocation réputée de l'autorisation qui lui a été accordée d'utiliser un certificat d'expédition, correspond au résultat obtenu en multipliant le total de la TVQ qui aurait été payable sur les achats de stocks au Québec pour lesquels le certificat d'expédition a été utilisé au cours de l'exercice par le taux d'intérêt, pour un mois, calculé en fonction du taux annualisé fixé en vertu de l'article 28 de la *Loi sur l'administration fiscale* (L.R.Q., chapitre A-6.002).

Modifications proposées :

L'article 457.5 est modifié afin de tenir compte du nouveau taux de la TVQ.

Notes explicatives ARQ (PL 2, L.Q. 2009, c. 5): *Résumé* :

L'article 457.5 est modifié afin que soit supprimé le taux supplémentaire de 4 % par année, capitalisé quotidiennement, qui y est prévu.

Situation actuelle :

Actuellement, l'article 457.5 de la LTVQ prévoit que le montant qu'un inscrit est tenu d'ajouter, dans le calcul de sa taxe nette, pour une période de déclaration, en cas de révocation réputée de l'autorisation qui lui a été accordée d'utiliser un certificat d'expédition, correspond au résultat obtenu en multipliant le total de la TVQ qui aurait été payable sur les achats de stocks au Québec pour lesquels le certificat d'expédition a été utilisé au cours de l'exercice, par le taux d'intérêt, pour un mois, calculé en fonction du taux annualisé fixé en vertu de l'article 28 de la *Loi sur le ministère du Revenu* (L.R.Q., chapitre M-31) (LMR), plus 4 % par année. Cet ajout a pour objet de tenir compte du fait que la personne a reçu un avantage sur le plan des mouvements de trésorerie en acquérant les stocks sans payer la taxe.

Modifications proposées :

L'article 457.5 de la LTVQ est modifié afin de supprimer le taux supplémentaire de 4 % par année, de sorte que l'inscrit est tenu d'ajouter, dans le calcul de sa taxe nette, pour une période de déclaration, un montant qui correspond au résultat obtenu en multipliant le total de la TVQ qui aurait été payable sur les achats de stocks au Québec pour lesquels le certificat d'expédition a été utilisé au cours de l'exercice, par le taux d'intérêt, pour un mois, calculé en fonction du taux annualisé fixé en vertu de l'article 28 de la LMR.

Concordance fédérale: LTA, par. 236.2(2).

457.6 Redressement en cas d'utilisation non autorisée d'un certificat de centre de distribution des expéditions — Un inscrit qui a reçu la fourniture d'un bien, à l'exception d'une fourniture détaxée autre que celle visée à l'article 179.2, d'un fournisseur à qui il a remis, pour les fins de la fourniture, un certificat de centre de distribution des expéditions, au sens de l'article 350.23.7, mais dont l'autorisation d'utiliser le certificat n'était pas en vigueur au moment où la fourniture a été effectuée ou qui n'a pas acquis le bien pour utilisation ou fourniture à titre de stocks intérieurs ou de bien d'appoint, au sens que donne à ces expressions l'article 350.23.1, dans le cadre de ses activités commerciales, doit ajouter, dans le calcul de sa taxe nette pour sa période de déclaration qui comprend le premier jour où la taxe à l'égard de la fourniture est devenue payable, ou le serait devenue si celle-ci n'avait pas été une fourniture détaxée, un montant égal aux intérêts, au taux fixé en vertu de l'article 28 de la *Loi sur l'administration fiscale* (chapitre A-6.002), calculés sur le montant de la taxe qui était payable à l'égard de la fourniture, ou l'aurait été si celle-ci n'avait pas été une fourniture détaxée, pour la période commençant ce premier jour et se terminant au plus tard le jour où la déclaration doit être produite en vertu de l'article 468 pour cette période de déclaration.

Notes historiques: L'article 457.6 a été remplacé par L.Q. 2009, c. 5, par. 669(1) et cette modification s'applique à l'égard de la fourniture d'un bien, effectuée à un inscrit, à l'égard de laquelle la taxe est devenue payable pour la première fois ou le serait devenue si celle-ci n'avait pas été une fourniture détaxée, un jour donné qui est à l'intérieur d'une période de déclaration de l'inscrit pour laquelle la déclaration prévue à l'article 468 doit être produite au plus tard un jour qui est après le 31 mars 2007. Toutefois, si le jour donné est avant le 1er avril 2007 et que le jour où la déclaration doit être produite pour la période de déclaration qui comprend le jour donné est au plus tard à une date qui est après le 31 mars 2007, l'article 457.6 doit se lire comme suit :

> 457.6 Un inscrit qui a reçu la fourniture d'un bien, à l'exception d'une fourniture détaxée autre que celle visée à l'article 179.2, d'un fournisseur à qui il a remis, pour les fins de la fourniture, un certificat de centre de distribution des expéditions, au sens de l'article 350.23.7, mais dont l'autorisation d'utiliser le certificat n'était pas en vigueur au moment où la fourniture a été effectuée ou qui n'a pas acquis le bien pour utilisation ou fourniture à titre de stocks intérieurs ou de bien d'appoint, au sens que donne à ces expressions l'article 350.23.1, dans le cadre de ses activités commerciales, doit ajouter, dans le calcul de sa taxe nette pour sa période de déclaration qui comprend le premier jour où la taxe à l'égard de la fourniture est devenue payable, ou le serait devenue si celle-ci n'avait pas été une fourniture détaxée, un montant égal au total des montants suivants :
>
> 1° les intérêts, au taux fixé en vertu de l'article 28 de la *Loi sur le ministère du Revenu* (chapitre M-31) plus 4 % par année capitalisés quotidiennement, calculés sur le total de la taxe qui était payable à l'égard de la fourniture, ou l'aurait été si celle-ci n'avait pas été une fourniture détaxée, pour la période commençant ce premier jour et se terminant le 31 mars 2007;
>
> 2° les intérêts, au taux fixé en vertu de l'article 28 de la *Loi sur le ministère du Revenu*, calculés sur le montant de la taxe qui était payable à l'égard de la fourniture, ou l'aurait été si celle-ci n'avait pas été une fourniture détaxée, majoré des intérêts visés au paragraphe 1°, pour la période commençant le 1er avril 2007 et se terminant au plus tard le jour où la déclaration doit être produite en vertu de l'article 468 pour cette période de déclaration.

Antérieurement, il se lisait ainsi :

> 457.6 Un inscrit qui a reçu la fourniture d'un bien, à l'exception d'une fourniture détaxée autre que celle visée à l'article 179.2, d'un fournisseur à qui il a remis, pour les fins de la fourniture, un certificat de centre de distribution des expéditions, au sens de l'article 350.23.7, mais dont l'autorisation d'utiliser le certificat n'était pas en vigueur au moment où la fourniture a été effectuée ou qui n'a pas acquis le bien pour utilisation ou fourniture à titre de stocks intérieurs ou de bien d'appoint, au sens que donne à ces expressions l'article 350.23.1, dans le cadre de ses activités commerciales, doit ajouter, dans le calcul de sa taxe nette pour sa période de déclaration qui comprend le premier jour où la taxe à l'égard de la fourniture est devenue payable, ou le serait devenue si celle-ci n'avait pas été une fourniture détaxée, un montant égal aux intérêts, au taux fixé en vertu de l'article 28 de la *Loi sur le ministère du Revenu* (chapitre M-31) plus 4 % par année capitalisés quotidiennement, calculés sur le total de la taxe qui était payable à l'égard de la fourniture, ou l'aurait été si celle-ci n'avait pas été une fourniture détaxée, pour la période commençant ce premier jour et se terminant au plus tard le jour où une déclaration doit être produite en vertu de l'article 468 pour cette période de déclaration.

L'article 457.6 a été ajouté par L.Q. 2003, c. 2, par. 349(1) et cette modification s'applique à l'égard d'une fourniture effectuée après le 31 décembre 2000.

Notes explicatives ARQ (PL 2, L.Q. 2009, c. 5): *Résumé* :

L'article 457.6 est modifié afin que soit supprimé le taux supplémentaire de 4 % par année, capitalisé quotidiennement, qui y est prévu.

Situation actuelle :

Actuellement, l'article 457.6 de la LTVQ prévoit l'ajout d'un montant dans le calcul de la taxe nette d'une personne qui utilise un certificat de centre de distribution des expéditions qui n'est plus en vigueur ou qui a servi à acquérir des biens qui n'ont pas été fournis ou utilisés à titre de « stocks intérieurs » ou de « bien d'appoint ». Ce montant est égal aux intérêts, au taux fixé à l'article 28 de la *Loi sur le ministère du Revenu* (L.R.Q., chapitre M-31) (LMR), plus 4 % par année capitalisés quotidiennement, calculés sur le total de la taxe qui était payable à l'égard de la fourniture, ou l'aurait été si celle-ci n'avait pas été une fourniture détaxée, pour la période visée à l'article 457.6 de la LTVQ.

Modifications proposées :

L'article 457.6 de la LTVQ est modifié afin de supprimer le taux supplémentaire de 4 % par année capitalisé quotidiennement, de sorte que l'inscrit n'est redevable que du montant égal aux intérêts au taux fixé à l'article 28 de la LMR, calculés sur le montant de la taxe qui était payable à l'égard de la fourniture, ou l'aurait été si celle-ci n'avait pas été une fourniture détaxée, pour la période visée à l'article 457.6 de la LTVQ.

Concordance fédérale: LTA, par. 236.3(1).

457.7 Redressement en cas de non-respect des conditions relatives aux centres de distribution des expéditions — Un inscrit doit, dans le cas où l'autorisation qui lui a été accordée en vertu de l'article 350.23.7 est en vigueur au cours d'un exercice de celui-ci et que le pourcentage de ses recettes d'expédition, au sens de l'article 350.23.1, pour l'exercice est inférieur à 90 % ou que les circonstances décrites à l'un des paragraphes 1° et 2° de l'article 350.23.11 se produisent relativement à l'exercice, ajouter, dans le calcul de sa taxe nette pour sa première période de déclaration suivant l'exercice, le montant déterminé selon la formule suivante :

$$A \times B/12.$$

Application — Pour l'application de cette formule :

1° la lettre A représente le produit obtenu en multipliant 9,975 % par le total des montants dont chacun représente la contrepartie payée ou payable par l'inscrit pour la fourniture, effectuée au Québec, d'un bien qu'il a acquis au cours de l'exercice, qui est une fourniture détaxée uniquement en raison du fait qu'elle est visée à l'article 179.2, sauf une fourniture à l'égard de laquelle il est tenu, en vertu de l'article 457.6, d'ajouter un montant dans le calcul de sa taxe nette pour une période de déclaration;

2° la lettre B représente le taux d'intérêt fixé en vertu de l'article 28 de la *Loi sur l'administration fiscale* (chapitre A-6.002) qui est en vigueur le dernier jour de cette première période de déclaration.

Notes historiques: Le paragraphe 1° du deuxième alinéa de l'article 457.7 a été modifié par L.Q. 2012, c. 28, par. 169(1) par le remplacement de « 9,5 % » par « 9,975 % ». Cette modification a effet à compter du 1er janvier 2013.

Le paragraphe 1° du deuxième alinéa de l'article 457.7 a été modifié par L.Q. 2011, c. 6, par. 284(1) par le remplacement de « 7,5 % » par « 9,5 % ». Cette modification s'applique à l'égard d'une fourniture effectuée après le 31 décembre 2011. De plus, lorsque

LTVQ (français)

l'article 457.7 s'applique après le 31 décembre 2010 et avant le 1er janvier 2012, il doit se lire en y remplaçant, dans le paragraphe 1° du deuxième alinéa, « 7,5 % » par « 8,5 % ».

Le paragraphe 2° du deuxième alinéa de l'article 457.7 a été remplacé par L.Q. 2009, c. 5, par. 670(1) et cette modification s'applique à l'égard de toute période de déclaration d'un inscrit suivant un exercice de celui-ci se terminant après le 31 mars 2007. Toutefois, dans le cas où l'exercice de l'inscrit comprend le 1er avril 2007, l'article 457.7 doit se lire comme suit :

457.7 Un inscrit doit, dans le cas où l'autorisation qui lui a été accordée en vertu de l'article 350.23.7 est en vigueur au cours d'un exercice de celui-ci et que le pourcentage de ses recettes d'expédition, au sens de l'article 350.23.1, pour l'exercice est inférieur à 90 % ou que les circonstances décrites à l'un des paragraphes 1° et 2° de l'article 350.23.11 se produisent relativement à l'exercice, ajouter, dans le calcul de sa taxe nette pour sa première période de déclaration suivant l'exercice, le total des montants dont chacun est déterminé selon la formule suivante :

$$A \times B / 12.$$

Pour l'application de cette formule :

1° la lettre A représente :

a) soit le produit obtenu en multipliant 7,5 % par un montant de contrepartie qui a été payé ou est devenu payable par l'inscrit avant le 1er avril 2007, pour la fourniture, effectuée au Québec, d'un bien qu'il a acquis au cours de l'exercice, qui est une fourniture détaxée uniquement en raison du fait qu'elle est visée à l'article 179.2, sauf une fourniture à l'égard de laquelle il est tenu, en vertu de l'article 457.6, d'ajouter un montant dans le calcul de sa taxe nette pour une période de déclaration;

b) soit le produit obtenu en multipliant 7,5 % par un montant de contrepartie - qui n'est pas compris au sous-paragraphe a - qui a été payé ou est devenu payable par l'inscrit après le 31 mars 2007, pour la fourniture, effectuée au Québec, d'un bien qu'il a acquis au cours de l'exercice, qui est une fourniture détaxée uniquement en raison du fait qu'elle est visée à l'article 179.2, sauf une fourniture à l'égard de laquelle il est tenu, en vertu de l'article 457.6, d'ajouter un montant dans le calcul de sa taxe nette pour une période de déclaration;

2° la lettre B représente :

a) dans le cas où le sous-paragraphe a du paragraphe 1° s'applique, la somme de 4 % et du taux d'intérêt fixé en vertu de l'article 28 de la *Loi sur le ministère du Revenu* (chapitre M-31), exprimé en pourcentage annuel, qui est en vigueur le dernier jour de cette première période de déclaration;

b) dans le cas où le sous-paragraphe b du paragraphe 1° s'applique, le taux d'intérêt fixé en vertu de l'article 28 de la *Loi sur le ministère du Revenu* qui est en vigueur le dernier jour de cette première période de déclaration.

Antérieurement, il se lisait ainsi :

2° la lettre B représente la somme de 4 % et du taux d'intérêt fixé en vertu de l'article 28 de la *Loi sur le ministère du Revenu* (chapitre M-31), exprimé en pourcentage annuel, qui est en vigueur le dernier jour de cette première période de déclaration.

L'article 457.7 a été ajouté par L.Q. 2003, c. 2, par. 349(1) et cette modification s'applique à l'égard d'une fourniture effectuée après le 31 décembre 2000.

Notes explicatives ARQ (PL 5, L.Q. 2012, c. 28): *Résumé* :

L'article 457.7 est modifié afin de remplacer le taux de taxation de 9,5 % par 9,975 % à compter du 1er janvier 2013, pour tenir compte du retrait de la taxe sur les produits et services (TPS) de l'assiette de la taxe de vente du Québec (TVQ) à compter de cette date.

Situation actuelle :

L'article 457.7 prévoit un ajout dans le calcul de la taxe nette d'une personne qui ne respecte pas les conditions en vertu desquelles l'autorisation d'utiliser un certificat de centre de distribution des expéditions lui a été accordée.

Le montant que cette personne est tenue d'ajouter, dans le calcul de sa taxe nette, pour une période de déclaration, correspond au résultat obtenu en multipliant le total de la TVQ qui aurait été payable sur certains achats au cours de l'exercice, par le taux d'intérêt, pour un mois, calculé en fonction du taux annualisé fixé en vertu de l'article 28 de la *Loi sur l'administration fiscale* (L.Q., chapitre A-6.002).

Modifications proposées :

En vue de tenir compte du fait que la TPS est retirée de l'assiette de la TVQ à compter du 1er janvier 2013, il y a lieu de modifier l'article 457.7 de la LTVQ.

Cette modification a pour objet de remplacer le taux de taxation de 9,5 % par un taux établi à 9,975 %, soit un taux équivalent au taux effectif dans le régime actuel.

Notes explicatives ARQ (PL 5, L.Q. 2011, c. 6): *Résumé* :

L'article 457.7 est modifié de façon à ce qu'il soit tenu compte de la hausse du taux de la taxe de vente du Québec (TVQ).

Situation actuelle :

Actuellement, l'article 457.7 prévoit un ajout dans le calcul de la taxe nette d'une personne qui ne respecte pas les conditions en vertu desquelles l'autorisation d'utiliser un certificat de centre de distribution des expéditions lui a été accordée.

Le montant que cette personne est tenue d'ajouter, dans le calcul de sa taxe nette, pour une période de déclaration, correspond au résultat obtenu en multipliant le total de la TVQ qui aurait été payable sur certains achats au cours de l'exercice, par le taux d'intérêt, pour un mois, calculé en fonction du taux annualisé fixé en vertu de l'article 28 de la *Loi sur l'administration fiscale* (L.R.Q., chapitre A-6.002).

Modifications proposées :

L'article 457.7 est modifié afin de tenir compte du nouveau taux de la TVQ.

Notes explicatives ARQ (PL 2, L.Q. 2009, c. 5): *Résumé* :

L'article 457.7 est modifié afin que soit supprimé le taux supplémentaire de 4 % par année, capitalisé quotidiennement, qui y est prévu.

Situation actuelle :

Actuellement, l'article 457.7 de la LTVQ prévoit un ajout dans le calcul de la taxe nette d'une personne qui ne respecte pas les conditions en vertu desquelles l'autorisation d'utiliser un certificat de centre de distribution des expéditions lui a été accordée. Le montant que cette personne est tenue d'ajouter, dans le calcul de sa taxe nette, pour une période de déclaration, correspond au résultat obtenu en multipliant le total de la taxe de vente du Québec (TVQ) qui aurait été payable sur certains achats au cours de l'exercice, par le taux d'intérêt, pour un mois, calculé en fonction du taux annualisé fixé en vertu de l'article 28 de la *Loi sur le ministère du Revenu* (L.R.Q., chapitre M-31) (LMR), plus 4 % par année. Cet ajout a pour objet de tenir compte du fait que la personne a reçu un avantage sur le plan des mouvements de trésorerie en acquérant les biens sans payer la taxe.

Modifications proposées :

L'article 457.7 de la LTVQ est modifié afin de supprimer le taux supplémentaire de 4 % par année, de sorte que l'inscrit est tenu d'ajouter, dans le calcul de sa taxe nette, pour une période de déclaration, un montant qui correspond au résultat obtenu en multipliant le total de la TVQ qui aurait été payable sur certains achats au Québec au cours de l'exercice par le taux d'intérêt, pour un mois, calculé en fonction du taux annualisé fixé en vertu de l'article 28 de la LMR.

Concordance fédérale: LTA, par. 236.3(2).

457.8 Choix à l'égard d'un immeuble d'habitation — Une personne peut faire un choix à l'égard d'un immeuble d'habitation ou d'une adjonction à un immeuble d'habitation à logements multiples pour une période de déclaration donnée dans le cas où, à la fois :

1° la personne est le constructeur de l'immeuble d'habitation ou de l'adjonction;

2° la personne est réputée, en vertu des articles 223, 225 ou 226, avoir effectué et reçu, à un moment donné avant le 27 février 2008, une fourniture taxable par vente de l'immeuble d'habitation ou de l'adjonction et avoir payé à titre d'acquéreur et avoir perçu à titre de fournisseur un montant de taxe donné à l'égard de cette fourniture;

3° la personne n'a pas fait rapport d'un montant au titre de la taxe à l'égard de la fourniture taxable dans sa déclaration produite en vertu du présent chapitre pour une période de déclaration pour laquelle une déclaration est produite avant le 27 février 2008 ou doit être produite en vertu du présent chapitre au plus tard avant cette date;

4° la personne aurait le droit de demander, selon le cas :

a) un remboursement, en vertu de l'article 378.6, à l'égard de l'immeuble d'habitation ou de l'adjonction qui est déterminé en fonction du montant de taxe donné si, à la fois :

i. l'article 378.6 s'appliquait en faisant abstraction de l'article 378.16;

ii. le montant visé par la lettre B de la formule prévue au premier alinéa de l'article 378.7 déterminé pour une habitation admissible, au sens de l'article 378.4, qui fait partie de l'immeuble d'habitation ou de l'adjonction, était inférieur à 225 000 $;

b) un remboursement, en vertu de l'article 378.14, qui est déterminé en fonction du remboursement auquel la personne aurait droit en vertu de l'alinéa d) du paragraphe 1 de l'article 236.4 de la *Loi sur la taxe d'accise* (Lois révisées du Canada (1985), chapitre E-15) si, à la fois :

i. l'article 378.14 s'appliquait en faisant abstraction de l'article 378.16;

ii. le choix prévu au paragraphe 1 de l'article 236.4 de la *Loi sur la taxe d'accise* était effectué conformément à ce paragraphe;

5º la personne n'a pas fourni par vente l'immeuble d'habitation ou l'adjonction à une autre personne avant le 27 février 2008;

6º la période de déclaration donnée se termine avant le 27 février 2010;

7º le choix est produit au ministre, au moyen du formulaire prescrit contenant les renseignements prescrits, au plus tard le jour où la personne est tenue de produire une déclaration, en vertu du présent chapitre, pour la période de déclaration donnée;

8º la personne n'a pas fait un autre choix, en vertu du présent article, à l'égard de l'immeuble d'habitation ou de l'adjonction.

Notes historiques: L'article 457.8 a été ajouté par L.Q. 2009, c. 15, par. 520(1) et s'applique à l'égard d'une période de déclaration se terminant après le 25 février 2008.

Notes explicatives ARQ (PL 37, L.Q. 2009, c. 15): *Résumé* :

Le nouvel article 457.8 est introduit afin qu'un constructeur d'un immeuble d'habitation ait le choix de demander le remboursement de taxe pour immeubles d'habitation locatifs neufs dans des circonstances où il n'a pas établi la taxe par autocotisation ni versé un montant au titre de la taxe relative à l'immeuble d'habitation au plus tard le 26 février 2008.

Contexte :

La LTVQ accorde un remboursement de taxe pour immeubles d'habitation locatifs neufs aux personnes qui ont versé la taxe par autocotisation lors de la construction d'un immeuble d'habitation. Afin d'avoir droit àce remboursement, les personnes doivent notamment détenir l'immeuble en vue de louer des logements résidentiels exonérés.

Actuellement, le remboursement est accordé aux constructeurs d'établissements de soins prolongés, telle une résidence pour personnes âgées, lorsqu'ils offrent principalement à leur clientèle des logements résidentiels.

Toutefois, les constructeurs de tels établissements n'ont pas droit à ce remboursement dans le cas où ils offrent en plus du logement, des soins infirmiers, des soins personnels ou des services d'aide dans l'exercice des activités de la vie quotidienne. Ceci est dû au fait qu'on considère que ce qui est offert principalement à la clientèle, ce sont des services plutôt qu'un logement.

Modifications proposées :

Le nouvel article 457.8 est introduit à la LTVQ afin qu'un constructeur d'un immeuble d'habitation ait le choix de demander le remboursement de taxe pour immeubles d'habitation locatifs neufs dans des circonstances où il n'a pas établi la taxe par autocotisation ni versé un montant au titre de la taxe relative à l'immeuble d'habitation au plus tard le 26 février 2008.

Pour faire ce choix, le constructeur ne doit pas avoir vendu l'immeuble d'habitation à une autre personne avant le 27 février 2008 et il ne doit pas avoir fait un autre choix en vertu du présent article relativement à l'immeuble. Enfin, il doit produire le choix au ministre, au moyen du formulaire prescrit contenant les renseignements prescrits, au plus tard lejour où il est tenu de produire une déclaration pour la période de déclaration visée par le choix.

Concordance fédérale: LTA, par. 236.4(1).

457.9 Redressement de la taxe nette — Dans le cas où une personne fait un choix en vertu de l'article 457.8 à l'égard d'un immeuble d'habitation ou d'une adjonction à un immeuble d'habitation à logements multiples, pour une période de déclaration, la personne doit, dans le calcul de sa taxe nette pour cette période, ajouter le montant positif ou déduire le montant négatif déterminé selon la formule suivante :

$$(A - B) - C.$$

Application — Pour l'application de cette formule :

1º la lettre A représente le montant de taxe donné visé au paragraphe 2° de l'article 457.8;

2º la lettre B représente, selon le cas :

a) le montant du remboursement que la personne aurait le droit de demander, en vertu de l'article 378.6, à l'égard de l'immeuble d'habitation ou de l'adjonction, si cet article s'appliquait en faisant abstraction de l'article 378.16, déterminé en fonction du montant de taxe donné;

b) le montant du remboursement que la personne aurait le droit de demander, en vertu de l'article 378.14, si cet article s'appliquait en faisant abstraction de l'article 378.16, déterminé en fonction du remboursement auquel la personne a droit en vertu de l'alinéa d) du paragraphe 1 de l'article 236.4 de la *Loi sur la taxe d'accise* (Lois révisées du Canada (1985), chapitre E-15);

3º la lettre C représente le montant déterminé par la formule suivante :

$$C1 - C2.$$

Application — Pour l'application de la formule prévue au paragraphe 3° du deuxième alinéa :

1º la lettre C1 représente le total des montants dont chacun représente un remboursement de la taxe sur les intrants de la personne qui, à la fois :

a) est un montant relatif à un bien ou à un service acquis ou apporté au Québec, avant le moment donné visé au paragraphe 2° de l'article 457.8, pour consommation ou utilisation dans le but d'effectuer la fourniture visée à ce paragraphe;

b) est un montant à l'égard duquel la personne satisfait aux exigences du premier alinéa de l'article 201 au moment où le choix prévu à l'article 457.8 est produit;

2º la lettre C2 représente le total des montants dont chacun représente un montant inclus dans le calcul du montant visé à la lettre C1, mais seulement dans la mesure où le montant peut raisonnablement être considéré comme un montant qui, selon le cas :

a) a été demandé ou inclus à titre de remboursement de la taxe sur les intrants ou de déduction dans le calcul de la taxe nette pour la période de déclaration ou pour une période de déclaration antérieure de la personne;

b) a déjà été remboursé ou remis à la personne ou peut être obtenu par celle-ci au titre d'un remboursement ou d'une remise;

c) est inclus dans un redressement, un remboursement ou un crédit pour lequel une note de crédit visée à l'article 449 a été reçue par la personne ou une note de débit visée à cet article a été remise par la personne.

Notes historiques: L'article 457.9 a été ajouté par L.Q. 2009, c. 15, par. 520(1) et s'applique à l'égard d'une période de déclaration se terminant après le 25 février 2008.

Notes explicatives ARQ (PL 37, L.Q. 2009, c. 15): *Résumé* :

Le nouvel article 457.9 prévoit la formule qu'un constructeur doit utiliser aimn de redresser sa taxe nette pour la période de déclaration visée par le choix prévu au nouvel article 457.8 de la LTVQ.

Contexte :

[Voir sous l'article 457.8 — n.d.l.r.]

Modifications proposées :

Le nouvel article 457.9 de la LTVQ prévoit la formule que doit utiliser le constructeur aimn de redresser sa taxe nette pour la période de déclaration visée par le choix prévu au nouvel article 457.8 de la LTVQ.

La formule de redressement prévoit l'addition par le constructeur d'un montant égal à la taxe réputée perçue relativement à la fourniture à soi-même, auquel doit être déduit un montant égal au remboursement de taxe pour immeubles d'habitation locatifs neufs.

De plus, de cet excédent, le constructeur doit déduire les montants correspondants aux remboursements de la taxe sur les intrants relatifs à des biens ou à des services acquis, ou apportés au Québec, relativement à l'immeuble d'habitation avant la

Concordance fédérale: LTA, par. 236.4(2).

457.10 Conséquences du choix — Dans le cas où une personne fait le choix prévu à l'article 457.8 à l'égard d'un immeuble d'habitation ou d'une adjonction à un immeuble d'habitation à logements multiples, pour une période de déclaration, la personne est réputée, à la fois :

1º avoir été réputée, en vertu de l'article 223 dans le cas où le choix est fait à l'égard d'un immeuble d'habitation à logement unique ou d'un logement en copropriété, en vertu de l'article 225 dans le cas où le choix est fait à l'égard d'un immeuble d'habitation à logements multiples ou en vertu de l'article 226 dans le cas où le choix est fait à l'égard d'une adjonction, avoir effectué et reçu, au moment donné visé au paragraphe 2° de l'article 457.8, une fourniture taxable par vente de l'immeuble d'habitation ou de l'adjonction, avoir payé à titre d'acquéreur et avoir perçu à titre de fournisseur, à l'égard de

LTVQ (français)

cette fourniture, une taxe égale au montant de taxe donné visé à ce paragraphe;

2° avoir demandé, à titre de remboursement de la taxe sur les intrants, dans le calcul de sa taxe nette pour la période de déclaration, chaque montant qui est inclus dans le calcul du montant visé à la lettre C1 de la formule prévue au paragraphe 3° du deuxième alinéa de l'article 457.9, mais seulement dans la mesure où il n'est pas inclus dans le calcul du montant visé à la lettre C2 de cette formule;

3° avoir demandé et reçu, en vertu de l'article 378.6 ou 378.14, à l'égard de l'immeuble d'habitation ou de l'adjonction, un remboursement égal au montant visé à la lettre B de la formule prévue au premier alinéa de l'article 457.9;

4° ne pas être tenue d'inclure le montant de taxe donné qui est réputé avoir été perçu en vertu du paragraphe 1°, aux fins du calcul de sa taxe nette pour la période de déclaration qui comprend le moment donné, à une fin autre que d'inclure ce montant dans le calcul du montant visé à la lettre A de la formule prévue au premier alinéa de l'article 457.9.

Notes historiques: L'article 457.10 a été ajouté par L.Q. 2009, c. 15, par. 520(1) et s'applique à l'égard d'une période de déclaration se terminant après le 25 février 2008.

Notes explicatives ARQ (PL 37, L.Q. 2009, c. 15): *Résumé* :

Le nouvel article 457.10 prévoit les conséquences découlant du choix effectué par un constructeur en vertu du nouvel article 457.8 de la LTVQ.

Contexte :

[Voir sous l'article 457.8 — n.d.l.r.]

Modifications proposées :

Le nouvel article 457.10 de la LTVQ prévoit les conséquences découlant du choix effectué par un constructeur en vertu du nouvel article 457.8 de la LTVQ.

Ainsi, le constructeur est réputé avoir déclaré relativement à l'immeuble d'habitation un montant de taxe établi par autocotisation et avoir demandé au cours de la période de déclaration pendant laquelle le choix est produit, le remboursement de taxe pour immeubles d'habitation locatifs neufs ainsi que des remboursements de la taxe sur les intrants.

Concordance fédérale: LTA, par. 236.4(3).

457.11 Remboursement de la taxe sur les intrants — Pour l'application de l'article 431, dans le cas où une personne fait un choix en vertu de l'article 457.8, un remboursement de la taxe sur les intrants à l'égard de l'immeuble d'habitation ou de l'adjonction qu'elle est réputée avoir reçu, en vertu du paragraphe 1° de l'article 457.10, est réputé être un remboursement de la taxe sur les intrants pour sa période de déclaration qui comprend le 26 février 2008 et ne pas l'être pour toute autre période de déclaration.

Notes historiques: L'article 457.11 a été ajouté par L.Q. 2009, c. 15, par. 520(1) et s'applique à l'égard d'une période de déclaration se terminant après le 25 février 2008.

Notes explicatives ARQ (PL 37, L.Q. 2009, c. 15): *Résumé* :

Le nouvel article 457.11 prévoit une règle temporelle concernant les remboursements de la taxe sur les intrants (RTI) dans le cas où un constructeur fait le choix prévu au nouvel article 457.8 de la LTVQ.

Contexte :

[Voir sous l'article 457.8 — n.d.l.r.]

Modifications proposées :

Le nouvel article 457.11 de la LTVQ prévoit une règle temporelle concernant les RTI dans le cas où un constructeur fait le choix prévu au nouvel article 457.8 de la LTVQ.

Plus précisément, cette règle est à l'effet que dans le cas où le choix est fait à l'égard d'un immeuble d'habitation, tout RTI qu'il est réputé avoir reçu en raison des règles relatives à la fourniture à soi-même visées au paragraphe 1° du nouvel article 457.10 de la LTVQ est réputé, pour l'application de l'article 431 de la LTVQ, être un RTI pour sa période de déclaration qui comprend le 26 février 2008 et non pour une autre période de déclaration.

Concordance fédérale: LTA, par. 236.4(4).

457.12 Prescription en cas de choix — Dans le cas où une personne fait un choix en vertu de l'article 457.8 à l'égard d'un immeuble d'habitation ou d'une adjonction à un immeuble d'habitation à logements multiples, l'article 25 de la *Loi sur le ministère du Revenu* (chapitre M-31) s'applique à toute cotisation ou nouvelle cotisation visant un montant que la personne a ajouté à sa taxe nette ou déduit de celle-ci à l'égard de l'immeuble d'habitation ou de l'adjonction.

Délai — Toutefois, le ministre dispose d'un délai de quatre ans à compter du jour où le choix prévu à l'article 457.8 doit lui être produit pour établir une cotisation ou une nouvelle cotisation en vue de tenir compte d'un montant qui est ou doit être ajouté ou soustrait dans le calcul du montant déterminé selon la formule prévue au premier alinéa de l'article 457.9.

Notes historiques: L'article 457.12 a été ajouté par L.Q. 2009, c. 15, par. 520(1) et s'applique à l'égard d'une période de déclaration se terminant après le 25 février 2008.

Notes explicatives ARQ (PL 37, L.Q. 2009, c. 15): *Résumé* :

Le nouvel article 457.12 permet de s'assurer que dans le cas où un constructeur fait le choix prévu au nouvel article 457.8 de la LTVQ, le ministre dispose d'un délai de 4 ans à compter du jour où le choix doit être produit pour établir une cotisation ou une nouvelle cotisation relativement à un montant inclus ou à inclure dans le redressement de la taxe nette du constructeur.

Contexte :

[Voir sous l'article 457.8 — n.d.l.r.]

Modifications proposées :

Le nouvel article 457.12 de la LTVQ permet de s'assurer que dans le cas où un constructeur fait le choix prévu au nouvel article 457.8 de la LTVQ, le ministre dispose d'un délai de 4 ans à compter du jour où le choix doit être produit pour établir une cotisation, une nouvelle cotisation ou une cotisation supplémentaire relativement à un montant inclus ou à inclure dans le redressement de la taxe nette du constructeur.

Concordance fédérale: LTA, par. 236.4(5).

457.13 Immeuble d'habitation et adjonction — Pour l'application des articles 457.8 à 457.12, dans le cas où une personne est le constructeur d'une adjonction à un immeuble d'habitation et qu'elle peut faire un choix en vertu de l'article 457.8 à l'égard de l'adjonction ou du reste de l'immeuble d'habitation, l'adjonction et le reste de l'immeuble d'habitation sont réputés être des biens distincts.

Notes historiques: L'article 457.13 a été ajouté par L.Q. 2009, c. 15, par. 520(1) et s'applique à l'égard d'une période de déclaration se terminant après le 25 février 2008.

Notes explicatives ARQ (PL 37, L.Q. 2009, c. 15): *Résumé* :

Le nouvel article 457.13 prévoit que pour l'application des nouveaux articles 457.8 à 457.12 de la LTVQ, toute adjonction à un immeuble d'habitation à logements multiples est considérée comme un bien distinct du reste de l'immeuble. Ainsi, le constructeur qui fait une ou plusieurs adjonctions à un immeuble d'habitation à logements multiples pourra produire des choix distincts pour l'immeuble et pour chaque adjonction à celui-ci.

Contexte :

[Voir sous l'article 457.8 — n.d.l.r.]

Modifications proposées :

Le nouvel article 457.13 de la LTVQ prévoit que pour l'application des nouveaux articles 457.8 à 457.12 de la LTVQ, toute adjonction à un immeuble d'habitation à logements multiples est considérée comme un bien distinct du reste de l'immeuble. Ainsi, le constructeur qui fait une ou plusieurs adjonctions à un immeuble d'habitation à logements multiples pourra produire des choix distincts pour l'immeuble et pour chaque adjonction à celui-ci.

Concordance fédérale: LTA, par. 236.4(6).

458. [*Abrogé*]

Notes historiques: L'article 458 a été abrogé par L.Q. 1993, c. 19, art. 236 à l'égard d'une fourniture ou d'un apport au Québec relativement auquel l'article 685 ou l'un des articles 618 à 656 de L.Q. 1991, c. 67 s'applique [*N.D.L.R.* : les articles 685 et 618 à 656 réfèrent à des dispositions transitoires concernant les transferts avant le 1er juillet 1992]. L'article 458, édicté par L.Q. 1991, c. 67, se lisait comme suit :

> 458. Dans le cas où les articles 421.1 à 421.4 de la *Loi sur les impôts* (L.R.Q., chapitre I-3) s'appliquent, ou s'appliqueraient si l'inscrit était un contribuable en vertu de cette loi, à l'égard de la fourniture de nourriture, de boissons ou de divertissements à un inscrit ou à l'égard d'une allocation relative à une telle fourniture payée par un inscrit, au cours d'une année d'imposition de celui-ci, un montant correspondant à 20 % du total des montants dont chacun représente un remboursement de la taxe sur les intrants à l'égard d'une telle fourniture que l'inscrit peut demander pendant cette année d'imposition doit être ajouté dans le calcul de la taxe nette pour la période de déclaration suivante :
>
> 1° la dernière période de déclaration de l'inscrit dans cette année d'imposition, dans le cas où il cesse au cours ou à la fin de cette année d'être inscrit en vertu de la section I;
>
> 2° l'année civile dans laquelle se termine l'année d'imposition, dans le cas où la période de déclaration de l'inscrit correspond à l'année civile;
>
> 3° la période de déclaration de l'inscrit qui commence immédiatement après cette année d'imposition, dans tout autre cas.

§ 8. — *Acomptes provisionnels*

Notes historiques: L'intitulé de la sous-section 8 de la section III du chapitre VIII du titre I a été ajouté par L.Q. 1995, c. 63, art. 463(1) et cet ajout s'applique à une personne dont l'exercice, au sens de l'article 458.1 de cette loi, commence après le 31 juillet 1995.

458.0.1 Acomptes provisionnels — L'inscrit dont la période de déclaration correspond à un exercice, au sens de l'article 458.1, ou à une période déterminée en vertu de l'article 461.1 doit, au cours du mois qui suit chacun de ses trimestres d'exercice qui prend fin au cours de la période de déclaration, payer au ministre un montant égal au montant suivant :

1° soit, sauf en cas d'application du paragraphe 2°, au quart de son acompte provisionnel de base pour cette période de déclaration;

2° soit, lorsque les circonstances décrites à l'article 458.0.3.1 se produisent, le montant déterminé conformément à cet article.

Notes historiques: L'article 458.0.1 a été remplacé par L.Q. 2012, c. 28, par. 170(1) et cette modification s'applique à compter du 1er janvier 2013. Antérieurement, il se lisait ainsi :

> 458.0.1 L'inscrit dont la période de déclaration correspond à un exercice, au sens de l'article 458.1, ou à une période déterminée en vertu de l'article 461.1 doit, au cours du mois qui suit chacun de ses trimestres d'exercice qui prend fin au cours de la période de déclaration, payer au ministre un montant égal au quart de son acompte provisionnel de base pour cette période de déclaration.

L'article 458.0.1 a été ajouté par L.Q. 1995, c. 63, art. 463(1) et s'applique à une personne dont l'exercice commence après le 31 juillet 1995.

Notes explicatives ARQ (PL 5, L.Q. 2012, c. 28): *Résumé* :

L'article 458.0.1 prévoit des règles relatives au paiement d'acomptes provisionnels dans le cas où la période de déclaration d'un inscrit correspond à son exercice ou à une période déterminée en vertu de l'article 461.1 de cette loi. Cet article est modifié de façon à tenir compte de la règle particulière relative aux acomptes provisionnels pour le premier exercice au cours duquel une personne devient une institution financière désignée particulière (IFDP).

Situation actuelle :

L'article 458.0.1 prévoit des règles relatives au paiement d'acomptes provisionnels dans le cas où la période de déclaration d'un inscrit correspond à son exercice ou à une période déterminée en vertu de l'article 461.1 de la LTVQ. L'inscrit doit payer un montant égal au quart de son acompte provisionnel de base déterminé en vertu de l'article 458.0.2 de cette loi. Le montant doit être payé dans le mois qui suit chacun des trimestres d'exercice qui prend fin au cours de la période de déclaration.

Modifications proposées :

Le présent projet de loi introduit dans la LTVQ la notion de « institution financière désignée particulière ». À cet égard, voir la note explicative sous le nouvel article 433.16 de la LTVQ, introduit par le présent projet de loi.

L'article 458.0.1 est modifié de façon que, dans le cas où l'inscrit qui est un déclarant annuel devient une IFDP au cours d'une période de déclaration, ses acomptes provisionnels pour la période correspondent aux montants déterminés selon le nouvel article 458.0.3.1, introduit par le présent projet de loi.

Guides [art. 458.0.1]: IN-203 — Renseignements généraux sur la TVQ et la TPS/TVH; IN-307 — Le démarrage d'entreprise et la fiscalité.

Définitions [art. 458.0.1]: « inscrit », « mois », « montant », « période de déclaration » — 1.

Renvois [art. 458.0.1]: 458.0.3 (application de l'article 458.0.1); 458.0.4 (intérêt dans le cas de non-paiement du montant à l'article 458.0.1).

Formulaires [art. 458.0.1]: FPZ-558.C, *Formulaire relatif à des acomptes provisionnels*; FPZ-558.C, *Calcul des acomptes provisionnels — TPS/TVH et TVQ*; VDZ-458.0.1, *Formulaire relatif à des acomptes provisionnels — TVQ*; VDZ-458.0.2, *Calcul des acomptes provisionnels — TVQ*.

Concordance fédérale: LTA, par. 237(1).

458.0.2 Acompte provisionnel d'un inscrit — L'acompte provisionnel de base d'un inscrit pour une période de déclaration donnée de celui-ci correspond au moindre des montants suivants :

1° le montant égal :

a) dans le cas d'une période de déclaration déterminée en vertu de l'article 461.1, au montant déterminé selon la formule suivante :

$$A \times \frac{365}{B};$$

b) dans tout autre cas, à la taxe nette pour la période de déclaration donnée;

2° le montant déterminé selon la formule suivante :

$$C \times \frac{365}{D}.$$

Application — Pour l'application de ces formules :

1° la lettre A représente la taxe nette pour la période de déclaration donnée;

2° la lettre B représente le nombre de jours de la période de déclaration donnée;

3° la lettre C représente le total des montants dont chacun constitue la taxe nette pour une période de déclaration de l'inscrit se terminant dans les douze mois précédant la période de déclaration donnée;

4° la lettre D correspond au nombre de jours de la période commençant le premier jour de la première de ces périodes de déclaration précédentes et se terminant le dernier jour de la dernière de ces périodes de déclaration précédentes.

Notes historiques: L'article 458.0.2 a été ajouté par L.Q. 1995, c. 63, art. 463(1) et s'applique à une personne dont l'exercice commence après le 31 juillet 1995. Toutefois, lorsque l'article 458.0.2 s'applique à une personne qui est un inscrit pour l'application de la partie IX de la *Loi sur la taxe d'accise* (Lois révisées du Canada (1985), chapitre E-15) et dont l'exercice commence avant le 1er août 1996 :

> 1° le paragraphe 2° du premier alinéa de cet article doit se lire comme suit :
>
> > 2° la base des acomptes provisionnels déterminée conformément au paragraphe 2 de l'article 237 de la *Loi sur la taxe d'accise* (Lois révisées du Canada (1985), chapitre E-15).;
>
> 2° le deuxième alinéa de cet article doit se lire comme suit :
>
> > Pour l'application de cette formule :
> >
> > 1° la lettre a représente la taxe nette pour la période de déclaration donnée;
> >
> > 2° la lettre B représente le nombre de jours de la période de déclaration donnée.

Guides [art. 458.0.2]: IN-203 — Renseignements généraux sur la TVQ et la TPS/TVH.

Définitions [art. 458.0.2]: « inscrit », « mois », « montant », « période de déclaration » — 1.

Renvois [art. 458.0.2]: 428–436 (détermination de la taxe nette).

Formulaires [art. 458.0.2]: VDZ-458.0.2, *Calcul des acomptes provisionnels — TVQ*.

Concordance fédérale: LTA, par. 237(2).

458.0.3 Acompte provisionnel de base réputé nul — Pour l'application de l'article 458.0.1, l'acompte provisionnel de base d'un inscrit qui est inférieur à 3 000 $ pour une période de déclaration est réputé nul.

Notes historiques: L'article 458.0.3 a été modifié par L.Q. 2009, c. 15, par. 521(1) par le remplacement de « 1 500 $ » par « 3 000 $ ». Cette modification s'applique à une période de déclaration qui commence après le 31 décembre 2007.

L'article 458.0.3 a été ajouté par L.Q. 1995, c. 63, art. 463(1) et s'applique à une personne dont l'exercice commence après le 31 juillet 1995.

Notes explicatives ARQ (PL 37, L.Q. 2009, c. 15): *Résumé* :

L'article 458.0.3 est modifié afin d'augmenter le seuil de l'acompte provisionnel de base d'un inscrit qui passe de 1 500 $ à 3 000 $.

Situation actuelle :

L'article 458.0.3 de la LTVQ prévoit que lorsque l'acompte provisionnel de base d'un inscrit est inférieur à 1 500 $, cet acompte est réputé nul. Dans de telles circonstances, l'inscrit n'a pas à effectuer un versement d'acomptes provisionnels pour la période de déclaration concernée.

Modifications proposées :

Il est proposé de modifier l'article 458.0.3 de la LTVQ afin de remplacer le seuil de l'acompte provisionnel de base d'un inscrit de 1 500 $ par 3000 $.

Guides [art. 458.0.3]: IN-203 — Renseignements généraux sur la TVQ et la TPS/TVH; IN-307 — Le démarrage d'entreprise et la fiscalité.

Définitions [art. 458.0.3]: « inscrit », « période de déclaration » — 1.

Concordance fédérale: LTA, par. 237(3).

LTVQ (français)

458.0.3.1 Pour l'application du paragraphe 2° de l'article 458.0.1, lorsqu'une personne devient une institution financière désignée particulière au cours d'une période de déclaration, l'acompte provisionnel à payer au cours du mois qui suit chacun de ses trimestres d'exercice qui prend fin au cours de la période de déclaration est égal au montant suivant :

1° si le trimestre d'exercice est le premier de la période de déclaration, le quart du montant déterminé conformément à l'article 458.0.2;

2° dans les autres cas, le moindre des montants suivants :

a) le quart du montant déterminé conformément au paragraphe 1° du premier alinéa de l'article

b) le montant obtenu selon la formule suivante :

$$A \times B.$$

Pour l'application de la formule prévue au sous-paragraphe b) du paragraphe 2° du premier alinéa :

1° la lettre A représente la valeur de l'élément A de la formule prévue au sous-alinéa ii de l'alinéa b du paragraphe 5 de l'article 237 de la *Loi sur la taxe d'accise* (Lois révisées du Canada (1985), chapitre E-15) déterminée pour la période de déclaration;

2° la lettre B représente le pourcentage correspondant à la valeur qu'aurait l'élément D de la formule prévue au sous-alinéa ii de l'alinéa b) du paragraphe 5 de l'article 237 de la *Loi sur la taxe d'accise*, pour l'institution financière quant au Québec, déterminé pour le trimestre d'exercice précédent, si le Québec était une province participante au sens du paragraphe 1 de l'article 123 de cette loi et si, le cas échéant, l'institution financière était une institution financière désignée particulière pour l'application de cette loi.

Notes historiques: L'article 458.0.3.1 a été ajouté par L.Q. 2012, c. 28, par. 171(1) et s'applique à compter du 1er janvier 2013.

Notes explicatives ARQ (PL 5, L.Q. 2012, c. 28): *Résumé* :

Le nouvel article 458.0.3.1 prévoit une méthode transitoire pour le calcul des acomptes provisionnels d'une institution financière dont la période de déclaration est annuelle, lorsque cette institution financière devient une institution financière désignée particulière (IFDP).

Contexte :

Voir la rubrique « Contexte » de la note explicative relative au nouvel article 433.16 de la LTVQ.

Modifications proposées :

Le nouvel article 458.0.3.1 prévoit une méthode transitoire pour le calcul des acomptes provisionnels payables par une institution financière dont la période de déclaration est annuelle pour l'exercice au cours duquel elle devient une IFDP.

Pour le premier trimestre d'exercice de la période de déclaration, le premier acompte provisionnel de l'institution financière pour l'exercice correspond au quart de son acompte provisionnel de base déterminé conformément à l'article 458.0.2 de la LTVQ. Pour chacun des autres trimestres d'exercice de la période de déclaration, l'institution financière est tenue de verser un acompte provisionnel égal, en vertu du paragraphe 2° du premier alinéa de l'article 458.0.3.1 de la LTVQ, au quart de la taxe nette pour l'exercice, ou, s'il est moindre, au montant correspondant au quart de la taxe nette de l'institution financière pour la période de déclaration, déterminée en vertu de la *Loi sur la taxe d'accise* (Lois révisées du Canada (1985), chapitre E-15) (LTA) et en tenant compte seulement de la taxe sur les produits et services (TPS). Toute composante provinciale de la taxe de vente harmonisée (TVH), pondérée en fonction du pourcentage d'attribution qui serait applicable à l'institution financière quant au Québec, si le Québec était une province participante, au sens du paragraphe 1 de l'article 123 de la LTA, et si, le cas échéant, l'institution financière était une IFDP au sens de cette loi, est ignorée.

Concordance fédérale: LTA, par. 237(5).

458.0.4 Intérêt et pénalité sur acompte insuffisant — Dans le cas où une personne ne paie pas la totalité d'un acompte provisionnel payable par celle-ci en vertu de l'article 458.0.1 dans le délai prévu à ce dernier article, elle doit payer, sur le montant de l'acompte provisionnel impayé, des intérêts au taux prévu à l'article 28 de la *Loi sur l'administration fiscale* (chapitre A-6.002), calculés pour la période commençant le jour de l'expiration de ce délai et se terminant au premier en date des jours suivants :

1° le jour où le total du montant et des intérêts est payé;

2° le jour où la taxe au titre de laquelle l'acompte provisionnel était payable doit être versée.

Notes historiques: L'article 458.0.4 a été remplacé par L.Q. 2009, c. 5, par. 671(1) et cette modification s'applique à l'égard d'un acompte provisionnel payable par une personne après le 31 mars 2007. Toutefois, aux fins du calcul d'une pénalité ou d'un intérêt à l'égard d'un acompte provisionnel que la personne doit payer en vertu de l'article 458.0.1 avant le 1er avril 2007 et qu'elle n'a pas payé avant ce jour, l'article 458.0.4 doit se lire comme suit :

> 458.0.4 Une personne qui n'a pas payé un montant visé à l'article 458.0.1 dans le délai prévu :
>
> 1° doit payer les intérêts au taux prévu à l'article 28 de la *Loi sur le ministère du Revenu* (chapitre M-31) sur ce montant et elle encourt une pénalité annuelle de 6 % de ce montant, capitalisée quotidiennement, pour la période s'étendant de la date de l'expiration du délai accordé pour payer ce montant et se terminant le 31 mars 2007;
>
> 2° doit payer les intérêts au taux prévu à l'article 28 de la *Loi sur le ministère du Revenu* sur le total du montant de l'acompte provisionnel qui demeure impayé le 31 mars 2007, majoré des intérêts et, le cas échéant, de la pénalité prévus au paragraphe 1°, pour la période s'étendant du 1er avril 2007 au premier en date des jours suivants :
>
> a) le jour où le total du montant de l'acompte provisionnel, des intérêts et de la pénalité est payé;
>
> b) le jour où la taxe au titre de laquelle l'acompte provisionnel est payable doit être versée.

Antérieurement, il se lisait ainsi :

> 458.0.4 Une personne qui n'a pas payé un montant visé à l'article 458.0.1 dans le délai prévu doit payer un intérêt au taux prévu à l'article 28 de la *Loi sur le ministère du Revenu* (chapitre M-31) sur ce montant et encourt une pénalité annuelle de 6 % de ce montant, capitalisée quotidiennement, pour la période s'étendant de la date de l'expiration du délai accordé pour payer ce montant jusqu'au jour où ce montant est payé ou jusqu'au jour où la taxe au titre de laquelle l'acompte est payable doit être versée, suivant le jour qui survient le premier.
>
> Pour l'application du présent article, l'intérêt et la pénalité à payer s'ajoutent au montant à payer à la fin de chaque jour.

L'article 458.0.4 a été ajouté par L.Q. 1995, c. 63, art. 463(1) et s'applique à une personne dont l'exercice commence après le 31 juillet 1995.

Notes explicatives ARQ (PL 2, L.Q. 2009, c. 5): *Résumé* :

L'article 458.0.4 prévoit les conséquences du défaut, par une personne, de payer la totalité d'un acompte provisionnel exigible en vertu de l'article 458.0.1 de la LTVQ.

Situation actuelle :

Actuellement, l'article 458.0.4 de la LTVQ prévoit qu'une personne qui n'a pas payé la totalité d'un acompte provisionnel exigible dans le délai fixé, doit payer des intérêts, au taux prescrit à l'article 28 de la *Loi sur le ministère du Revenu* (L.R.Q., chapitre M-31), et une pénalité annuelle de 6 %, capitalisée quotidiennement, calculés sur l'acompte provisionnel impayé, pour une certaine période.

Modifications proposées :

L'article 458.0.4 de la LTVQ est modifié afin que soit supprimée la pénalité annuelle de 6 %, capitalisée quotidiennement, imposée suite au défaut de verser des acomptes provisionnels dans le délai fixé par la LTVQ.

Guides [art. 458.0.4]: IN-203 — Renseignements généraux sur la TVQ et la TPS/TVH.

Définitions [art. 458.0.4]: « montant », « personne », « taxe » — 1.

Renvois [art. 458.0.4]: 458.0.5 (intérêt dans le cas de non-paiement du montant visé à l'article 458.0.1); 499.1 (acompte provisionnel).

Concordance fédérale: LTA, par. 280(2).

458.0.5 Intérêts et pénalité maximum — Malgré l'article 458.0.4, le total des intérêts payables par une personne, en vertu de cet article, pour la période commençant le premier jour d'une période de déclaration pour laquelle un acompte provisionnel au titre de la taxe est payable et se terminant le jour où la taxe au titre de laquelle l'acompte provisionnel était payable doit être versée ne peut être supérieur à l'excédent éventuel du montant des intérêts qui seraient payables, en vertu de l'article 458.0.4, par la personne pour la période si aucun montant n'était payé par elle au titre des acomptes provisionnels payables au cours de la période sur le total de tous les montants dont chacun représente un montant d'intérêts au taux prévu à l'article 28 de la *Loi sur l'administration fiscale* (chapitre A-6.002), calculés sur un acompte provisionnel de taxe payé pour la période commençant le jour de ce paiement et se terminant le jour où la taxe au titre de laquelle l'acompte provisionnel était payable doit être versée.

Notes historiques: L'article 458.0.5 a été remplacé par L.Q. 2009, c. 5, par. 671(1) et cette modification s'applique à l'égard d'une période de déclaration d'une personne qui commence après le 31 mars 2007. Toutefois, dans le cas où la personne doit payer un acompte provisionnel en vertu de l'article 458.0.1 avant le 1er avril 2007, mais qu'elle ne paie pas l'acompte provisionnel avant l'expiration du délai prévu à l'article 458.0.1 et qu'elle doit verser la taxe au titre de laquelle l'acompte provisionnel était payable au plus tard à cette date ou à une date postérieure, aux fins du calcul d'une pénalité ou d'un intérêt applicable à l'égard de l'acompte provisionnel, l'article 458.0.5 doit se lire comme suit :

458.0.5 Malgré l'article 458.0.4, le total des intérêts payables par une personne, en vertu de cet article, pour la période commençant le premier jour d'une période de déclaration pour laquelle un acompte provisionnel au titre de la taxe est payable et se terminant le jour où la taxe au titre de laquelle l'acompte provisionnel était payable doit être versée, ne peut être supérieur à l'excédent éventuel du total des intérêts et des pénalités qui seraient payables, en vertu de l'article 458.0.4, par la personne pour la période si aucun montant n'était payé par elle au titre des acomptes provisionnels payables au cours de la période sur le total de tous les montants dont chacun représente :

1° un montant d'intérêts au taux prévu à l'article 28 de la *Loi sur le ministère du Revenu* (chapitre M-31) plus, le cas échéant, 6 % par année capitalisé quotidiennement, calculés sur un acompte provisionnel de taxe payé avant le 1er avril 2007, pour la période commençant le jour de ce paiement et se terminant le 31 mars 2007;

2° un montant d'intérêts au taux prévu à l'article 28 de la *Loi sur le ministère du Revenu* applicable sur les intérêts calculés sur l'acompte provisionnel visé au paragraphe 1° pour la période commençant le 1er avril 2007 et se terminant le jour où la taxe au titre de laquelle cet acompte provisionnel donné était payable doit être versée;

3° un montant d'intérêts au taux prévu à l'article 28 de la *Loi sur le ministère du Revenu* applicable sur les intérêts calculés sur un acompte provisionnel de taxe payé après le 31 mars 2007, pour la période commençant le jour de ce paiement et se terminant le jour où la taxe au titre de laquelle l'acompte provisionnel était payable doit être versée.

Antérieurement, il se lisait ainsi :

458.0.5 Malgré l'article 458.0.4, l'intérêt et la pénalité à payer par une personne en vertu de cet article ne peuvent être supérieurs à l'excédent du total de l'intérêt et de la pénalité qui seraient payables par la personne si aucun montant n'était payé par elle au titre des acomptes provisionnels payables au cours de la période, sur le montant obtenu en calculant, sur chaque paiement fait au titre de ces acomptes, un intérêt, plus 6 % par année capitalisé quotidiennement dans le cas où la pénalité prévue à l'article 458.0.4 lui a été appliquée, jusqu'au jour où la taxe au titre de laquelle l'acompte est payable doit être versée.

L'article 458.0.5 a été ajouté par L.Q. 1995, c. 63, art. 463(1) et s'applique à une personne dont l'exercice commence après le 31 juillet 1995.

Notes explicatives ARQ (PL 2, L.Q. 2009, c. 5): *Résumé* :

L'article 458.0.5 permet de limiter le montant total des intérêts et de la pénalité annuelle de 6 %, capitalisée quotidiennement, payables relativement à des acomptes provisionnels insuffisants ou en retard.

Situation actuelle :

Actuellement, l'article 458.0.5 de la LTVQ prévoit une règle de calcul faisant en sorte que lemontant total des intérêts et de la pénalité annuelle de 6 %, capitalisée quotidiennement, soit réduit en fonction des paiements d'acomptes provisionnels excédentaires et des paiements d'acomptes provisionnels faits par la personne avant la date prévue.

Modifications proposées :

L'article 458.0.5 de la LTVQ est modifié afin que soit supprimée la pénalité annuelle de 6 %, capitalisée quotidiennement, imposée suite au défaut de verser des acomptes provisionnels dans le délai fixé par la LTVQ.

Définitions [art. 458.0.5]: « montant », « personne », « taxe » — 1.

Renvois [art. 458.0.5]: 499.1 (acompte provisionnel).

Concordance fédérale: LTA, par. 280(3).

SECTION IV — EXERCICE, PÉRIODE DE DÉCLARATION ET DÉCLARATION

Notes historiques: L'intitulé de la section IV du chapitre VIII du titre I a été modifié par L.Q. 1994, c. 22, art. 616(1) et est réputé entré en vigueur le 1er juillet 1992. Auparavant, il se lisait « Période de déclaration et déclaration ».

§ 0.1 — Exercice

Notes historiques: L'intitulé de la sous-section 0.1 de la section IV du chapitre VIII du titre I a été ajouté par L.Q. 1994, c. 22, art. 617(1).

I — Définitions

Notes historiques: L'intitulé de la division I de la sous-section 0.1 de la section IV du chapitre VIII du titre I a été ajouté par L.Q. 1994, c. 22, art. 617(1).

458.1 Définitions — Pour l'application de la présente section :

1° **« exercice »** — l'exercice d'une personne correspond :

a) dans le cas où la personne a fait le choix prévu à l'article 458.4, à la période choisie par la personne comme son exercice, si ce choix est en vigueur;

b) dans le cas où l'exercice de la personne est déterminé conformément à l'article 458.2, à l'exercice déterminé conformément à cet article;

c) dans tout autre cas, à son année d'imposition au sens de la partie IX de la *Loi sur la taxe d'accise* (Lois révisées du Canada (1985), chapitre E-15);

2° **« trimestre d'exercice »** — le trimestre d'exercice d'une personne correspond à la période définie en application des articles 458.1.1, 458.2 et 458.2.1 comme le trimestre d'exercice de cette personne;

3° **« mois d'exercice »** — le mois d'exercice d'une personne correspond à la période définie en application des articles 458.1.2, 458.2 et 458.2.1 comme le mois d'exercice de cette personne.

Exception — Malgré le premier alinéa, l'exercice, le trimestre d'exercice et le mois d'exercice, à un moment donné, d'une personne qui est un inscrit en vertu de la partie IX de la *Loi sur la taxe d'accise* sont réputés correspondre à son exercice, à son trimestre d'exercice et à son mois d'exercice pour l'application de la partie IX de cette loi à ce moment.

Notes historiques: L'article 458.1 a été modifié par L.Q. 1995, c. 63, art. 464(1) et cette modification a effet depuis le 1er août 1995. Toutefois, lorsque le deuxième alinéa de l'article 458.1 s'applique pour la période qui commence le 1er août 1995 et qui se termine le 20 juin 1996, il doit se lire comme suit :

458.1 Malgré le premier alinéa, dans le cas où une personne est un inscrit en vertu de la partie IX de la *Loi sur la taxe d'accise*, les règles suivantes s'appliquent :

1° l'exercice et le trimestre d'exercice de la personne, à un moment donné, sont réputés correspondre à son exercice et à son trimestre d'exercice pour l'application de la partie IX de cette loi à ce moment;

2° le mois d'exercice de la personne, à un moment donné, dans le cas où il ne correspond pas au mois civil, est réputé correspondre à son mois d'exercice pour l'application de la partie IX de cette loi à ce moment si la personne a avisé le ministre conformément à l'article 458.2.

[*N.D.L.R.* : le préambule du paragraphe d'application prévu à L.Q. 1995, c. 63, art. 464(1) a été modifié par L.Q. 1997, c. 85, art. 759. Il prévoyait ce qui suit :

Le paragraphe 1 a effet depuis le 1 er août 1995. Toutefois, pour la période qui commence le 1er août 1995 et qui se termine à la date fixée par le gouvernement, il doit se lire comme suit :]

L'article 458.1 a été ajouté par L.Q. 1994, c 22, art. 617(1) et est réputé entré en vigueur le 1er juillet 1992. Auparavant, il se lisait comme suit :

458.1 Pour l'application de la présente section et sous réserve de l'article 458.6 :

1° l'exercice d'une personne correspond :

a) dans le cas où la personne n'est pas un inscrit en vertu de la sous-section d de la section V de la partie IX de la *Loi sur la taxe d'accise* (Statuts du Canada) :

i. si le choix prévu à l'article 458.4 est en vigueur, à la période choisie par la personne conformément à cet article;

ii. dans tout autre cas, à son année d'imposition au sens de la partie IX de la *Loi sur la taxe d'accise*;

b) dans le cas où l'exercice de la personne est déterminé conformément à l'article 458.2, à l'exercice déterminé conformément à cet article;

c) dans tout autre cas, à l'exercice de la personne pour l'application de la partie IX de la *Loi sur la taxe d'accise*;

2° le trimestre d'exercice d'un exercice d'une personne correspond :

a) dans le cas où, soit la personne n'est pas un inscrit en vertu de la sous-section d de la section V de la partie IX de la *Loi sur la taxe d'accise*, soit la période de déclaration de la personne correspond à son exercice pour l'application de la partie IX de cette loi, aux trimestres d'exercice déterminés conformément à l'article 458.2;

b) dans tout autre cas, aux trimestres d'exercice déterminés conformément à l'article 243 de la *Loi sur la taxe d'accise* pour l'application de celle-ci;

LTVQ (français)

3° le mois d'exercice d'un exercice d'une personne correspond :

a) dans le cas où les mois d'exercice d'un exercice de la personne sont déterminés conformément à l'article 458.2, aux mois d'exercice déterminés conformément à cet article;

b) dans tout autre cas, au mois civil.

Toutefois, pour la période du 1er juillet 1992 au 23 novembre 1992, il devait se lire comme suit;

458.1 Pour l'application de la présente section et sous réserve de l'article 458.6 :

1° l'exercice d'une personne correspond :

a) dans le cas où la personne n'est pas un inscrit en vertu de la sous-section d de la section V de la partie IX de la *Loi sur la taxe d'accise* (Statuts du Canada) :

i. si le choix prévu à l'article 458.4 est en vigueur, à la période choisie par la personne conformément à cet article;

ii. dans tout autre cas, à son année d'imposition au sens de la partie IX de la *Loi sur la taxe d'accise*;

b) dans tout autre cas, à l'exercice de la personne pour l'application de la partie IX de la *Loi sur la taxe d'accise*;

2° le mois d'exercice d'un exercice d'une personne correspond au mois civil ou à la période de déclaration déterminée conformément au deuxième alinéa de l'article 459.

Pour la période du 24 novembre 1992 au 31 décembre 1992, l'article 458.1 doit se lire comme suit :

458.1 Pour l'application de la présente section et sous réserve de l'article 458.6 :

1° l'exercice d'une personne correspond :

a) dans le cas où la personne n'est pas un inscrit en vertu de la sous-section d de la section V de la partie IX de la *Loi sur la taxe d'accise* (Statuts du Canada) :

i. si le choix prévu à l'article 458.4 est en vigueur, à la période choisie par la personne conformément à cet article;

ii. dans tout autre cas, à son année d'imposition au sens de la partie IX de la *Loi sur la taxe d'accise*;

b) dans le cas où l'exercice de la personne est déterminé conformément à l'article 458.2, à l'exercice déterminé conformément à cet article;

c) dans tout autre cas, à l'exercice de la personne pour l'application de la partie IX de la *Loi sur la taxe d'accise*;

2° le mois d'exercice d'un exercice d'une personne correspond :

a) dans le cas où les mois d'exercice d'un exercice de la personne sont déterminés conformément à l'article 458.2, aux mois d'exercice déterminés conformément à cet article;

b) dans tout autre cas, au mois civil.

Définitions [art. 458.1]: « année d'imposition », « inscrit », « période de déclaration », « personne » — 1.

Renvois [art. 458.1]: 289.2 (définitions); 297.0.24 (exercice d'une personne); 317.3 (séquestre); 405 (sens d'« exercice »); 415.1 (demande d'annulation par un petit fournisseur); 417.1 (demande de modification); 434 (choix pour une comptabilité abrégée); 450.0.1 (définitions); 457.2 (calcul de la taxe nette); 499.1 (acompte provisionnel); 499.4 (période de déclaration).

Formulaires [art. 458.1]: FP-671, *Avis de déclaration aux mois et aux trimestres d'exercice et demande d'autorisation en vue de prolonger ou de raccourcir des mois d'exercice*.

Concordance fédérale: LTA, par. 123(1)« exercice »; LTA, par. 243(1); LTA, par. 243(2).

458.1.1 Trimestre d'exercice d'un exercice d'une personne — Les trimestres d'exercice d'un exercice d'une personne doivent être déterminés conformément aux règles suivantes :

1° un exercice ne compte pas plus de 4 trimestres d'exercice;

2° le premier trimestre d'exercice de l'exercice commence le premier jour de cet exercice et le dernier trimestre d'exercice de l'exercice se termine le dernier jour de cet exercice;

3° chaque trimestre d'exercice compte moins de 120 jours;

4° sauf pour le premier et le dernier trimestre d'exercice de l'exercice, chaque trimestre d'exercice compte plus de 83 jours.

Notes historiques: L'article 458.1.1 a été ajouté par L.Q. 1995, c. 63, art. 465(1) et a effet depuis le 1er août 1995.

Guides [art. 458.1.1]: IN-307 — Le démarrage d'entreprise et la fiscalité.

Définitions [art. 458.1.1]: « personne » — 1.

Renvois [art. 458.1.1]: 458.1 (définitions); 458.2.1 (non détermination par une personne de ses trimestres d'exercice ou mois d'exercice).

Formulaires [art. 458.1.1]: FP-671, *Avis de déclaration aux mois et aux trimestres d'exercice et demande d'autorisation en vue de prolonger ou de raccourcir des mois d'exercice.*

Concordance fédérale: LTA, par. 243(1).

458.1.2 Mois d'exercice d'un exercice d'une personne — Les mois d'exercice d'un exercice d'une personne doivent être déterminés conformément aux règles suivantes :

1° le premier mois d'exercice de chaque trimestre d'exercice de l'exercice commence le premier jour du trimestre d'exercice et le dernier mois d'exercice de chaque trimestre d'exercice se termine le dernier jour du trimestre d'exercice;

2° chaque mois d'exercice compte moins de 36 jours sauf que le ministre peut, si une demande lui est présentée par écrit de la manière prescrite par ce dernier au moyen du formulaire prescrit contenant les renseignements prescrits, permettre à la personne qu'un mois d'exercice dans un trimestre d'exercice compte plus de 35 jours;

3° chaque mois d'exercice compte plus de 27 jours à moins que, selon le cas :

a) ce mois d'exercice ne soit le premier ou le dernier mois d'exercice d'un trimestre d'exercice;

b) le ministre, si une demande lui est présentée par écrit de la manière prescrite par ce dernier au moyen du formulaire prescrit contenant les renseignements prescrits, ne permette à la personne que ce mois d'exercice compte moins de 28 jours.

Notes historiques: L'article 458.1.2 a été ajouté par L.Q. 1995, c. 63, art. 465(1) et a effet depuis le 1er août 1995.

Définitions [art. 458.1.2]: « mois », « personne » — 1.

Renvois [art. 458.1.2]: 458.1 (définitions); 458.2.1 (non détermination par une personne de ses trimestres d'exercice ou mois d'exercice); 7R78.3, 7R78.14 RAF (signature des documents par certains fonctionnaires).

Formulaires [art. 458.1.2]: FP-671, *Avis de déclaration aux mois et aux trimestres d'exercice et demande d'autorisation en vue de prolonger ou de raccourcir des mois d'exercice.*

Concordance fédérale: LTA, par. 243(2).

II — Détermination d'un exercice, de trimestres d'exercice et de mois d'exercice

Notes historiques: L'intertitre de la division II de la sous-section 0.1 de la section IV du chapitre VIII du titre I a été ajouté par L.Q. 1994, c. 22, art. 617(1) et est réputé entré en vigueur le 1er juillet 1992.

458.2 Avis d'un inscrit au ministre — Une personne qui est un inscrit à un moment quelconque au cours de son exercice doit aviser le ministre des premier et dernier jours de chaque trimestre d'exercice et mois d'exercice de l'exercice de la manière prescrite par ce dernier au moyen du formulaire prescrit contenant les renseignements prescrits le jour ou avant le jour qui est :

1° si la personne devient un inscrit au cours de cet exercice, le dernier en date des jours suivants :

a) le jour où elle présente une demande d'inscription ou, dans le cas où elle est tenue de présenter une demande d'inscription en vertu des articles 410 ou 410.1, le jour où elle est tenue de présenter cette demande d'inscription;

b) le jour de l'entrée en vigueur de l'inscription;

2° dans tout autre cas, le premier jour de cet exercice.

Exception — Le premier alinéa ne s'applique pas dans le cas où l'article 458.6 s'applique.

Notes historiques: Le préambule du premier alinéa de l'article 458.2 a été modifié par L.Q. 2006, c. 13, art. 239 par le remplacement de « avise » par « doit aviser ». Cette modification est entrée en vigueur le 13 juin 2006.

L'article 458.2 a été modifié par L.Q. 1995, c. 63, art. 466(1) et cette modification a effet depuis le 1er août 1995. Toutefois, lorsque le deuxième alinéa de l'article 458.2

s'applique pour la période qui commence le 1er août 1995 et qui se termine le 20 juin 1996, il doit se lire comme suit :

458.2 Le premier alinéa ne s'applique pas si, selon le cas :

1° l'article 458.6 s'applique;

2° la période de déclaration de la personne correspond au mois d'exercice lequel correspond au mois civil sauf si, à la fois :

a) sa période de déclaration pour l'application de la partie IX de la *Loi sur la taxe d'accise* (Lois révisées du Canada (1985), chapitre E-15) correspond à son mois d'exercice lequel ne correspond pas au mois civil;

b) elle avise le ministre pour que sa période de déclaration corresponde au mois d'exercice autre que le mois civil.

[*N.D.L.R.* : Le préambule du paragraphe d'application prévu à L.Q. 1995, c. 63, art. 466(2) a été modifié par L.Q. 1997, c. 85, art. 760. Il prévoyait auparavant ce qui suit :

s'appliquera à une date qui sera fixée par le gouvernement.]

L'article 458.2 a auparavant été modifié par L.Q. 1994, c. 22, art. 617(1) et s'applique aux personnes dont l'exercice commence après le 24 novembre 1992. Il se lisait comme suit :

458.2 Sous réserve de l'article 458.6, une personne fournit au ministre les renseignements prévus au paragraphe 3 de l'article 243 de la *Loi sur la taxe d'accise* (Statuts du Canada) conformément aux dispositions prévues aux paragraphes 1 et 2 de cet article, de la manière prescrite par ce dernier au moyen du formulaire prescrit contenant les renseignements prescrits si, selon le cas :

1° la personne est visée à l'article 459.1;

2° la personne fait, ou a fait, le choix prévu à l'article 459.4 qui est en vigueur le jour visé au deuxième alinéa et, soit elle n'est pas un inscrit en vertu de la sous-section d de la section V de la partie IX de la *Loi sur la taxe d'accise*, soit la période de déclaration de la personne correspond à son exercice au sens de la partie IX de cette loi pour l'application de celle-ci.

Les renseignements visés au premier alinéa doivent être fournis le jour ou avant le jour qui est :

1° si la personne devient un inscrit au cours d'un exercice, le dernier en date des jours suivants :

a) le jour où elle présente une demande d'inscription ou, dans le cas où elle est tenue de présenter une demande d'inscription en vertu des articles 410 ou 410.1, le jour où elle est tenue de présenter cette demande d'inscription;

b) le jour de l'entrée en vigueur de l'inscription;

2° si la période de déclaration de la personne correspond à son trimestre d'exercice, au cours d'un exercice, le premier jour de l'exercice qui suit immédiatement celui où le choix fait par la personne en vertu de l'article 459.4 entre en vigueur;

3° dans tout autre cas, le premier jour de l'exercice de la personne.

Dans le cas où une personne ne fournit pas au ministre les renseignements visés au premier alinéa conformément au présent article, les règles suivantes s'appliquent :

1° si l'exercice de la personne correspond à l'année civile, les trimestres d'exercice sont réputés correspondre aux trimestres civils;

2° malgré l'article 458.4, si l'exercice de la personne ne correspond pas à l'année civile, l'exercice de la personne est réputé correspondre à l'année civile et ses trimestres d'exercice sont réputés correspondre aux trimestres civils.

Toutefois, pour la période du 25 novembre 1992 au 31 décembre 1992, l'article 458.2 devait se lire comme suit :

458.2 Sous réserve de l'article 458.6, une personne fournit au ministre les renseignements prévus au paragraphe 3 de l'article 243 de la *Loi sur la taxe d'accise* (Statuts du Canada) conformément aux dispositions prévues aux paragraphes 1 et 2 de cet article, de la manière prescrite par ce dernier au moyen du formulaire prescrit contenant les renseignements prescrits si elle est visée à l'article 459.1.

Les renseignements visés au premier alinéa doivent être fournis le jour ou avant le jour qui est :

1° si la personne devient un inscrit au cours d'un exercice, le dernier en date des jours suivants :

a) le jour où elle présente une demande d'inscription ou, dans le cas où elle est tenue de présenter une demande d'inscription en vertu des articles 410 ou 410.1, le jour où elle est tenue de présenter cette demande d'inscription;

b) le jour de l'entrée en vigueur de l'inscription;

2° dans tout autre cas, le premier jour de l'exercice de la personne.

Pour l'application de l'article 458.2 à l'égard d'une personne visée au sous-paragraphe b) du paragraphe 2 de l'article 620, cette personne fournit au ministre les renseignements visés au premier alinéa de l'article 458.2 dans le mois civil qui précède le premier jour du mois d'exercice au cours duquel sa période de déclaration correspond à son mois d'exercice, conformément au sous-paragraphe b) du paragraphe 2 de l'article 620;

Pour l'application de l'article 458.2 à l'égard d'une personne visée au sous-paragraphe d) du paragraphe 2 de l'article 620, cette personne fournit au ministre les renseignements visés au premier alinéa de l'article 458.2 dans le mois civil qui précède le jour de l'entrée en vigueur du choix visé au sous-paragraphe d) du paragraphe 2 de l'article 620;

Pour l'application de l'article 458.2 à l'égard d'une personne visée au paragraphe 4 de l'article 620 qui n'est pas un inscrit en vertu de la sous-section d de la section V de la partie IX de la *Loi sur la taxe d'accise* (Statuts du Canada) ou dont la période de déclaration correspond à son exercice pour l'application de la partie IX, cette personne fournit au ministre les renseignements visés au premier alinéa de l'article 458.2 avant le premier jour de l'exercice qui suit immédiatement l'exercice qui com mence à un moment quelconque au cours de l'année 1992 et se termine au cours de l'année 1993.

Notes explicatives ARQ (PL 15, L.Q. 2006, c. 13): *Résumé* :

La modification proposée au premier alinéa de l'article 458.2 consiste à remplacer le mot « avise » par les mots « doit aviser ».

Situation actuelle :

Actuellement, le mot « avise » est utilisé dans le premier alinéa de l'article 458.2 de la LTVQ alors que techniquement on devrait y lire « doit aviser ».

Modifications proposées :

Il y aurait lieu que le premier alinéa de l'article 458.2 soit modifié afin d'y remplacer le mot « avise » par les mots « doit aviser ».

Guides [art. 458.2]: IN-203 — Renseignements généraux sur la TVQ et la TPS/TVH.

Définitions [art. 458.2]: « inscrit », « mois », « personne » — 1.

Renvois [art. 458.2]: 458.1 (définitions); 458.1.1 (détermination des mois et trimestre d'exercice); 458.1.2 (détermination des mois et trimestre d'exercice); 458.2.1 (non détermination par une personne de ses trimestres d'exercice ou mois d'exercice); 458.6 (période de déclaration).

Formulaires [art. 458.2]: FP-671, *Avis de déclaration aux mois et aux trimestres d'exercice et demande d'autorisation en vue de prolonger ou de raccourcir des mois d'exercice.*

Concordance fédérale: LTA, par. 243(3).

458.2.1 Sanction en cas de défaut d'avis — Dans le cas où une personne ne détermine pas ses trimestres d'exercice ou ses mois d'exercice d'un exercice conformément aux règles prévues à l'article 458.1.1 ou 458.1.2, ou omet de satisfaire aux exigences de l'article 458.2, les règles suivantes s'appliquent :

1° si l'exercice de la personne correspond à l'année civile, ses trimestres d'exercice et ses mois d'exercice sont réputés correspondre aux trimestres civils et aux mois civils;

2° malgré l'article 458.4, si l'exercice de la personne ne correspond pas à l'année civile, son exercice est réputé correspondre à l'année civile et ses trimestres d'exercice et ses mois d'exercice sont réputés correspondre aux trimestres civils et aux mois civils.

Notes historiques: L'article 458.2.1 a été ajouté par L.Q. 1995, c. 63, art. 467(1) et a effet depuis le 1er août 1995.

Définitions [art. 458.2.1]: « personne » — 1.

Renvois [art. 458.2.1]: 458.1 (définitions).

Formulaires [art. 458.2.1]: FP-671, *Avis de déclaration aux mois et aux trimestres d'exercice et demande d'autorisation en vue de prolonger ou de raccourcir des mois d'exercice.*

Concordance fédérale: LTA, par. 243(4).

458.3 [*Abrogé*]

Notes historiques: L'article 458.3 a été abrogé par L.Q. 1995, c. 63, art. 468(1) et cette abrogation a effet depuis le 1er août 1995. L'article 458.3, ajouté par L.Q. 1994, c. 22, art. 617(1), s'appliquait aux personnes dont l'exercice commence après le 24 novembre 1992. Il se lisait comme suit :

458.3 Dans le cas où une personne qui n'est pas un inscrit en vertu de la sous-section d de la section V de la partie IX de la *Loi sur la taxe d'accise* (Statuts du Canada) ou dont la période de déclaration correspond à son exercice pour l'application de la partie IX de cette loi fournit au ministre les renseignements visés à l'article 458.2 conformément à cet article, le ministre peut, si une demande lui est présentée par écrit de la manière prescrite par ce dernier au moyen du formulaire prescrit contenant les renseignements prescrits, permettre qu'un mois d'exercice d'un trimestre d'exercice d'une personne compte plus de 35 jours ou, sauf s'il s'agit du premier ou du dernier mois d'exercice du trimestre d'exercice, moins de 28 jours.

III. — Choix d'exercice

Notes historiques: L'intertitre de la division III de la sous-section 0.1 de la section IV du chapitre VIII du titre I a été ajouté par L.Q. 1994, c. 22, art. 617(1) et est réputé entré en vigueur le 1er juillet 1992.

458.4 Modalités — Une personne peut faire un choix visé au deuxième alinéa, de la manière prescrite par le ministre au moyen du formulaire prescrit contenant les renseignements prescrits.

Portée du choix — La personne visée au premier alinéa peut :

1° dans le cas où son année d'imposition au sens de la partie IX de la *Loi sur la taxe d'accise* ne correspond pas à l'année civile, faire un choix pour que ses exercices y correspondent;

2° dans le cas d'un particulier ou d'une fiducie dont l'année d'imposition au sens de la partie IX de la *Loi sur la taxe d'accise* ne correspond pas à une période qui est, pour l'application de la *Loi sur les impôts* (L.R.Q., chapitre I-3), l'exercice financier d'une entreprise exploitée par le particulier ou la fiducie, ou par une société de personnes dont le particulier ou la fiducie est membre, faire un choix pour que son exercice y corresponde.

Application — Pour l'application des alinéas précédents, les règles suivantes s'appliquent :

1° le choix visé au paragraphe 1° du deuxième alinéa prend effet le premier jour de l'année civile;

2° le choix visé au paragraphe 2° du deuxième alinéa prend effet le premier jour d'un des exercices financiers du particulier ou de la fiducie;

3° le choix doit préciser le jour où il doit prendre effet et être produit au ministre ce jour ou avant ce jour.

Exception — Le premier alinéa ne s'applique pas dans le cas où l'article 458.6 s'applique.

Notes historiques: L'article 458.4 a été modifié par L.Q. 1997, c. 3, art. 135(1°) pour remplacer le mot « société » par les mots « société de personnes ». Cette modification est réputée entrée en vigueur le 20 mars 1997. Auparavant, le premier alinéa de l'article 458.4 a été modifié par L.Q. 1995, c. 63, art. 469(1) et cette modification a effet depuis le 1er août 1995. Auparavant, il se lisait comme suit :

> 458.4 Une personne qui n'est pas un inscrit en vertu de la sous-section d de la section V de la partie IX de la *Loi sur la taxe d'accise* (Statuts du Canada) peut faire un choix visé au deuxième alinéa, de la manière prescrite par le ministre au moyen du formulaire prescrit contenant les renseignements prescrits.

Le quatrième alinéa de l'article 458.4 a été ajouté par L.Q. 1995, c. 63, art. 469(1) et a effet depuis le 1er août 1995.

L'article 458.4 a été ajouté par L.Q. 1994, c. 22, art. 617(1) et est réputé entré en vigueur le 1er juillet 1992.

Guides [art. 458.4]: IN-203 — Renseignements généraux sur la TVQ et la TPS/TVH.

Définitions [art. 458.4]: « entreprise » — 1; « exercice financier » — 1 LI; « inscrit », « particulier », « personne » — 1.

Renvois [art. 458.4]: 1.1 (personne morale); 458.1 (définitions); 458.2 (avis d'un inscrit); 458.2.1 (non détermination par une personne de ses trimestres d'exercice ou mois d'exercice); 458.5 (révocation); 506.1 (société et société de personnes).

Formulaires [art. 458.4]: FP-670, Choix ou révocation du choix d'un exercice en ce qui a trait à la TPS/TVH et à la TVQ.

Concordance fédérale: LTA, par. 244(1); LTA, par. 244(2); LTA, par. 244(4).

458.5 Révocation du choix — Une personne peut révoquer le choix fait en vertu de l'article 458.4 de la manière prescrite par le ministre au moyen du formulaire prescrit contenant les renseignements prescrits.

Application — Pour l'application du premier alinéa, les règles suivantes s'appliquent :

1° la révocation prend effet le premier jour de l'année d'imposition de la personne qui commence plus d'un an après que le choix prévu à l'article 458.4 soit entré en vigueur;

2° la révocation doit préciser le jour où elle doit prendre effet et être produite au ministre ce jour ou avant ce jour.

Notes historiques: L'article 458.5 a été ajouté par L.Q. 1994, c. 22, art. 617(1) et est réputé entré en vigueur le 1er juillet 1992.

Guides [art. 458.5]: IN-203 — Renseignements généraux sur la TVQ et la TPS/TVH.

Définitions [art. 458.5]: « année d'imposition », « personne » — 1.

Formulaires [art. 458.5]: FP-670, Choix ou révocation du choix d'un exercice en ce qui a trait à la TPS/TVH et à la TVQ.

Concordance fédérale: LTA, par. 244(3), 244(4).

§ 1. — *Période de déclaration*

I — Généralités

Notes historiques: L'intertitre de la division I de la sous-section 1 de la section IV du chapitre VIII du titre I a été ajouté par L.Q. 1994, c. 22, art. 618(1) et est réputé entré en vigueur le 1er juillet 1992.

L'article 512 de L.Q. 1995, c. 63, lequel a effet depuis le 1er août 1995, stipule que :

> 1° Pour l'application de cette loi, dans le cas où une personne est un inscrit en vertu de celle-ci et de la partie IX de la *Loi sur la taxe d'accise* (Lois révisées du Canada (1985), chapitre E-15), sa période de déclaration, au sens de l'article 1, qui commence avant le 1er août 1995 et qui se termine après le 31 juillet 1995 est réputée se terminer au même moment que la période de déclaration pour l'application de la partie IX de la *Loi sur la taxe d'accise* qui est sa première période à se terminer après le 31 juillet 1995. Dans ce cas, cette période de déclaration est réputée être une période de déclaration distincte de la personne.
>
> 2° Le paragraphe 1° ne s'applique pas si, selon le cas :
>
> a) la personne est une institution financière désignée et qu'elle a fait le choix d'une période de déclaration pour l'application de cette loi différente de celle applicable pour les fins de l'application de la partie IX de la *Loi sur la taxe d'accise*;
>
> b) la période de déclaration de la personne pour l'application de la partie IX de la *Loi sur la taxe d'accise* correspond à son mois d'exercice autre que le mois civil.

458.6 Période de déclaration correspondante à celle prévue à la *Loi sur la taxe d'accise* — Pour l'application de la présente section et malgré l'article 459.0.1, la période de déclaration d'une personne qui est un inscrit à un moment donné de son exercice est réputée correspondre à sa période de déclaration à ce moment de son exercice pour l'application de la partie IX de la *Loi sur la taxe d'accise* (Lois révisées du Canada (1985), chapitre E-15), si la personne est un inscrit en vertu de la partie IX de cette loi, au moment où cette période entre en vigueur en vertu de cette loi.

Demande du ministre — Pour l'application du premier alinéa, le ministre peut exiger d'une personne qu'elle l'informe de la manière prescrite par ce dernier au moyen du formulaire prescrit contenant les renseignements prescrits et dans le délai qu'il détermine, de ses périodes de déclaration pour l'application de la partie IX de la *Loi sur la taxe d'accise* pour chacun de ses exercices financiers.

Notes historiques: Le premier alinéa de l'article 458.6 a été remplacé par L.Q. 1995, c. 63, art. 470(1) et cette modification s'applique à l'égard de la période de déclaration d'un inscrit qui commence après le 31 juillet 1995. Toutefois, lorsque le premier alinéa de l'article 458.6 s'applique à l'égard d'une période de déclaration qui commence après le 31 juillet 1995 mais avant le 21 juin 1996, il doit se lire comme suit :

> 458.6 Pour l'application de la présente section et malgré l'article 459.0.1, la période de déclaration d'une personne qui est un inscrit à un moment donné de son exercice est réputée correspondre à sa période de déclaration à ce moment de son exercice pour l'application de la partie IX de la *Loi sur la taxe d'accise* (Lois révisées du Canada (1985), chapitre E-15), au moment où cette période entre en vigueur en vertu de cette loi, si la personne est un inscrit en vertu de la partie IX de cette loi, et que, selon le cas :
>
> 1° sa période de déclaration correspond à son exercice ou à son trimestre d'exercice;
>
> 2° sa période de déclaration correspond à son mois d'exercice, son mois d'exercice ne correspond pas au mois civil et elle a avisé le ministre conformément à l'article 458.2.

Antérieurement, il se lisait ainsi :

> 458.6 Pour l'application de la présente section, les règles suivantes s'appliquent, malgré l'article 459 :
>
> 1° dans le cas où une personne fait le choix prévu à l'article 459.4 et que sa période de déclaration correspond à son trimestre d'exercice pour l'application de la partie IX de la *Loi sur la taxe d'accise* (Statuts du Canada) au moment où le choix prévu à l'article 459.4 entre en vigueur, la période de déclaration de la personne est réputée correspondre à sa période de déclaration pour l'application de la partie IX de cette loi;
>
> 2° dans le cas où une personne a fait le choix prévu à l'article 459.4 et que sa période de déclaration pour l'application de la partie IX de la *Loi sur la taxe d'accise* est modifiée pour correspondre à son trimestre d'exercice, ou qu'elle devient un inscrit en vertu de la sous-section d de la section V de la partie IX de cette loi et que sa période de déclaration correspond à son trimestre d'exercice pour l'application de la partie IX de cette loi, la période de déclaration de la personne est réputée correspondre à sa période de déclaration pour l'application de la partie IX de cette loi, au moment où cette période entre en vigueur en vertu de cette loi;

3° dans le cas où une personne fait le choix prévu à l'article 460 et que sa période de déclaration correspond à son exercice pour l'application de la partie IX de la *Loi sur la taxe d'accise* au moment où le choix prévu à l'article 460 entre en vigueur, la période de déclaration de la personne est réputée correspondre à sa période de déclaration pour l'application de la partie IX de cette loi;

4° dans le cas où une personne a fait le choix prévu à l'article 460 et que sa période de déclaration pour l'application de la partie IX de la *Loi sur la taxe d'accise* est modifiée pour correspondre à son exercice, ou qu'elle devient un inscrit en vertu de la sous-section d de la section V de la partie IX de cette loi et que sa période de déclaration correspond à son exercice pour l'application de la partie IX de cette loi, la période de déclaration de la personne est réputée correspondre à sa période de déclaration pour l'application de la partie IX de cette loi, au moment où cette période entre en vigueur en vertu de cette loi.

[*N.D.L.R.* : le paragraphe d'application prévu par L.Q. 1995, c. 63, art. 470(2) a été modifié par L.Q. 1997, c. 85, art. 761. Antérieurement, il prévoyait ce qui suit :

1° sa période de déclaration correspond à son exercice ou à son trimestre d'exercice;

2° sa période de déclaration correspond à son mois d'exercice, son mois d'exercice ne correspond pas au mois civil et elle a avisé le ministre conformément à l'article 458.2.

L'article 458.6 a été ajouté par L.Q. 1994, c. 22, art. 618(1) et est réputé entré en vigueur le 1er juillet 1992.

Toutefois, pour la période du 1er juillet 1992 au 23 novembre 1992, l'article 458.6 devait se lire comme suit :

458.6 Pour l'application de la présente section et malgré l'article 459, dans le cas où une personne fait le choix prévu à l'article 460 et que sa période de déclaration correspond à son exercice pour l'application de la partie IX de la *Loi sur la taxe d'accise* (Statuts du Canada) au moment où le choix prévu à l'article 460 entre en vigueur, la période de déclaration de la personne est réputée correspondre à sa période de déclaration pour l'application de la partie IX de cette loi.

Pour la période du 24 novembre 1992 au 31 décembre 1992 l'article 458.6 devait se lire comme suit :

458.6 Pour l'application de la présente section, les règles suivantes s'appliquent, malgré l'article 459 :

1° dans le cas où une personne fait le choix prévu à l'article 460 et que sa période de déclaration correspond à son exercice pour l'application de la partie IX de la *Loi sur la taxe d'accise* (Statuts du Canada) au moment où le choix prévu à l'article 460 entre en vigueur, la période de déclaration de la personne est réputée correspondre à sa période de déclaration pour l'application de la partie IX de cette loi;

2° dans le cas où une personne a fait le choix prévu à l'article 460 et que sa période de déclaration pour l'application de la partie IX de la *Loi sur la taxe d'accise* est modifiée pour correspondre à son exercice, ou qu'elle devient un inscrit en vertu de la sous-section d de la section V de la partie IX de cette loi et que sa période de déclaration correspond à son exercice pour l'application de la partie IX de cette loi, la période de déclaration de la personne est réputée correspondre à sa période de déclaration pour l'application de la partie IX de cette loi, au moment où cette période entre en vigueur en vertu de cette loi.

Pour l'application du premier alinéa, le ministre peut exiger d'une personne qu'elle l'informe de la manière prescrite par ce dernier au moyen du formulaire prescrit contenant les renseignements prescrits et dans le délai qu'il détermine, de son exercice pour l'application de la partie IX de la *Loi sur la taxe d'accise*.]

Guides [art. 458.6]: IN-228 — La TVQ et la TPS/TVH pour les organismes de bienfaisance.

Définitions [art. 458.6]: « inscrit », « période de déclaration », « personne » — 1.

Renvois [art. 458.6]: 458.2 (définitions); 458.4 (choix d'exercice); 458.7 (non application de l'article 458.6); 7R78.3, 7R78.14 RAF (signature des documents par certains fonctionnaires).

Bulletins d'interprétation [art. 458.6]: SPÉCIAL 122 — Extension de l'application du crédit d'impôt pour spectacles musicaux aux spectacles dramatiques et aux spectacles d'humour — Précisions concernant la politique fiscale applicable aux particuliers et aux entreprises.

Concordance fédérale: aucune.

458.7 Exception — L'article 458.6 ne s'applique pas à :

1° (*paragraphe supprimé*);

2° un fabricant de vêtements au sens de l'article 350.48.

Notes historiques: Le paragraphe 1° de l'article 458.7 a été supprimé par L.Q. 2012, c. 28, par. 172(1) et cette modification s'applique à compter du 1er janvier 2013. Antérieurement, il se lisait ainsi :

1° une institution financière désignée qui a fait un choix en vertu des articles 459.2, 459.2.1, 459.4 ou 460 et dont la période de déclaration ne correspond pas à sa période de déclaration pour l'application de la partie IX de la *Loi sur la taxe d'accise* (Lois révisées du Canada (1985), chapitre E-15);

L'article 458.7 a été remplacé par L.Q. 2002, c. 9, par. 172(1) et cette modification s'applique à compter du premier mois d'exercice de l'inscrit commençant après le 31 décembre 2001. Antérieurement, il se lisait ainsi :

L'article 458.6 ne s'applique pas à une institution financière désignée qui a fait un choix en vertu des articles 459.2, 459.2.1, 459.4 ou 460 et dont la période de déclaration ne correspond pas à sa période de déclaration pour l'application de la partie IX de la *Loi sur la taxe d'accise* (Lois révisées du Canada (1985), chapitre E-15).

L'article 458.7 a été ajouté par L.Q. 1995, c. 63, art. 471(1) et s'applique à l'égard de la période de déclaration d'une institution financière désignée qui commence après le 31 juillet 1995.

Notes explicatives ARQ (PL 5, L.Q. 2012, c. 28): *Résumé* :

L'article 458.7 est modifié de façon à assujettir les institutions financières désignées à l'application de l'article 458.6 de cette loi.

Situation actuelle :

L'article 458.6 prévoit qu'en dépit des règles prévues à l'article 459.0.1 de cette loi, la période de déclaration d'une personne correspond à sa période de déclaration pour l'application de la partie IX de la *Loi sur la taxe d'accise* (Lois révisées du Canada (1985), chapitre E-15) (LTA), si la personne est un inscrit en vertu de la LTA.

Toutefois, l'article 458.7 prévoit que la règle édictée à l'article 458.6 de la LTVQ ne s'applique pas notamment à une institution financière désignée qui a fait le choix que sa période de déclaration corresponde à son mois d'exercice, à son trimestre d'exercice ou à son exercice.

Modifications proposées :

La modification apportée à l'article 458.7 a pour effet que la période de déclaration d'une institution financière désignée qui est également un inscrit en vertu de la LTA corresponde à sa période de déclaration en vertu de la partie IX de la LTA.

Guides [art. 458.7]: IN-262 — Vers une saine concurrence dans l'industrie du vêtement.

Définitions [art. 458.7]: « institution financière désignée », « période de déclaration » — 1.

Concordance fédérale: aucune.

458.8 Malgré toute autre disposition de la présente section, la période de déclaration donnée d'une personne qui commence avant le 1er janvier 2013 et qui, n'eût été le présent article, se terminerait après le 31 décembre 2012 est réputée se terminer le 31 décembre 2012, lorsque les conditions suivantes sont satisfaites :

1° la personne est une institution financière désignée;

2° la personne est un inscrit le 31 décembre 2012 pour l'application du présent titre et de la partie IX de la *Loi sur la taxe d'accise* (Lois révisées du Canada (1985), chapitre E-15);

3° la période de déclaration de la personne en vertu de la partie IX de la *Loi sur la taxe d'accise* qui comprend le 1er janvier 2013 ne correspond pas à ce que serait sa période de déclaration donnée, n'eût été le présent article.

Malgré toute autre disposition de la présente section, lorsqu'une personne aurait été une institution financière désignée particulière tout au long de sa période de déclaration donnée qui commence avant le 1er janvier 2013 et qui, n'eût été le présent alinéa, se terminerait après le 31 décembre 2012, la période de déclaration donnée est réputée se terminer le 31 décembre 2012.

Malgré toute autre disposition de la présente section, la période de déclaration d'une personne qui soit suit la période de déclaration donnée qui est réputée se terminer le 31 décembre 2012 en vertu du présent article, soit commence le 1er janvier 2013 par suite de l'inscription de la personne en vertu de l'article 407.6, se termine le jour où la période de déclaration de la personne en vertu de la partie IX de la *Loi sur la taxe d'accise* qui comprend le 1er janvier 2013 se termine.

Notes historiques: L'article 458.8 a été ajouté par L.Q. 2012, c. 28, par. 173(1) et s'applique à compter du 1er janvier 2013.

Notes explicatives ARQ (PL 5, L.Q. 2012, c. 28): *Résumé* :

L'article 458.8 introduit une disposition de nature transitoire réputant une fin de période de déclaration au 31 décembre 2012 pour certaines institutions financières désignées qui ont des périodes de déclaration différentes dans le régime de la taxe sur les produits et services et de la taxe de vente harmonisée (TPS/TVH) et dans le régime de la taxe de vente du Québec (TVQ) de même que pour toutes les institutions financières désignées particulières (IFDP).

Contexte :

À compter du 1er janvier 2013, la fourniture d'un service financier cesse, en règle générale, d'être détaxée et devient exonérée. En raison de la détaxation des services financiers dans le régime de la TVQ, une institution financière désignée pouvait choisir de modifier la fréquence de ses déclarations de façon à accélérer l'obtention de ses remboursements de la taxe sur les intrants.

Or, la principale conséquence de l'exonération des services financiers dans le régime de la TVQ est que les institutions financières ne pourront plus obtenir de remboursements de la taxe sur les intrants relativement aux fournitures acquises en vue d'effectuer la fourniture d'un service financier, de sorte que la possibilité que leur accordait la LTVQ d'opter pour des périodes de déclaration différentes ne trouve plus justification.

Modifications proposées :

Le premier alinéa du nouvel article 458.8 prévoit que la période de déclaration donnée d'une institution financière désignée qui est un inscrit en TVQ le 31 décembre 2012, laquelle période a commencé avant le 1er janvier 2013 et se terminerait autrement après le 31 décembre 2012, est réputée se terminer le 31 décembre 2012, lorsque, d'une part, l'institution financière désignée est également un inscrit en TPS/TVH le 31 décembre 2012, et, d'autre part, la période de déclaration qui lui est applicable en TPS/TVH qui comprend le 1er janvier 2013 ne correspond pas à ce que serait autrement la période de déclaration donnée. Le deuxième alinéa du nouvel article 458.8 de la LTVQ fait

Le deuxième alinéa du nouvel article 458.8 fait en sorte que, lorsqu'une personne serait une IFDP tout au long de sa période de déclaration donnée qui, autrement, comprendrait le 1er janvier 2013 et qui aurait autrement commencé avant cette date, la période de déclaration donnée est réputée prendre fin le 31 décembre 2012. Dans un tel cas, il y a une fin de période de déclaration le 31 décembre 2012, que l'institution financière ait ou non déjà une période de déclaration dans le régime de la TVQ qui correspond à sa période de déclaration dans le régime de la TPS/TVH.

Enfin, le troisième alinéa de l'article 458.8 précise que la période de déclaration de la personne qui suit la période de déclaration réputée s'être terminée le 31 décembre 2012 en raison du premier ou du deuxième alinéa de cet article, de même que la période de déclaration qui commence le 1er janvier 2013 par suite de l'inscription d'une institution financière en vertu du nouvel article 407.6 de la LTVQ, introduit par le présent projet de loi, se termine le jour où la période de déclaration qui comprend le 1er janvier 2013 pour l'application du régime de la TPS/TVH se termine.

De façon sommaire, le nouvel article 407.6 prévoit que l'IFDP qui est inscrite dans le régime de la TPS est tenue d'être inscrite dans le régime de la TVQ lorsque, essentiellement, cette institution financière mène des activités au Québec. L'article 458.8 de la LTVQ et l'abrogation du paragraphe 1° de l'article 458.7 de la LTVQ, dans le cadre du présent projet de loi, font en sorte que les institutions financières désignées ont la même période de déclaration dans les régimes de la TPS et de la TVQ.

459. Période de déclaration d'une personne qui n'est pas un inscrit

459. Période de déclaration d'une personne qui n'est pas un inscrit — Sous réserve des articles 466 et 467, la période de déclaration d'une personne qui n'est pas un inscrit correspond au mois civil.

Notes historiques: L'article 459 a été remplacé par L.Q. 1997, c. 85, art. 703(1) et s'applique à l'égard d'un exercice commençant après le 23 avril 1996. De plus, il doit se lire comme suit pour la période commençant le 1er janvier 1993 et se terminant le 31 juillet 1995 :

> 459. La période de déclaration d'une personne correspond :
>
> 1° dans le cas d'une personne qui n'est pas un inscrit et sous réserve des articles 466, 467, au mois civil;
>
> 2° dans le cas d'une personne qui est un inscrit à un moment donné au cours de son exercice et sous réserve des articles 305, 306, 307, 314, 314.1, 315, 324.7, 464, 466, 467 :
>
> a) à son exercice qui comprend ce moment, si elle a fait le choix prévu à l'article 460 qui est en vigueur à ce moment;
>
> b) à son trimestre d'exercice qui comprend ce moment, si elle a fait le choix prévu à l'article 459.4 qui est en vigueur à ce moment;
>
> c) dans tout autre cas, à son mois d'exercice qui comprend ce moment.

Antérieurement, l'article 459 se lisait ainsi :

> 459. Sous réserve des articles 459.2–459.5, 466, 467, la période de déclaration :
>
> 1° d'une personne qui n'est ni un inscrit ni une institution financière désignée correspond au mois civil;
>
> 2° d'une institution financière désignée qui n'est pas un inscrit correspond à son exercice.

Malgré l'article 462, pour l'application des articles 459, 459.0.1, 459.4 à 460, 461 et 461.1, le montant déterminant d'une personne à qui l'article 149 de L.Q. 1997, c. 31 s'applique pour un exercice donné de celle-ci qui commence le 1er janvier 1997 correspond au plus élevé des montants suivants :

> 1° le montant qui serait, en vertu de cet article 462, le montant déterminant si le nombre de jours visé aux lettres B et D des formules prévues au premier alinéa de cet article était de 365;
>
> 2° le montant déterminant de la personne en vertu de cet article 462, pour l'exercice de la personne qui précède immédiatement l'exercice donné [L.Q. 1997, c. 31, art. 150].

L'article 459 a été modifié par L.Q. 1995, c. 63, art. 472(1) et cette modification a effet depuis le 1er août 1995. Auparavant, l'article 459 a été modifié par L.Q. 1994, c. 22, art. 619(1) et s'applique à compter du 24 novembre 1992. Il se lisait comme suit :

> 459. La période de déclaration d'une personne correspond :
>
> 1° dans le cas d'une personne qui n'est pas un inscrit et sous réserve des articles 466, 467, au mois civil;
>
> 2° dans le cas d'une personne qui est un inscrit à un moment donné au cours de son exercice et sous réserve des articles 464, 466, 467 :
>
> a) à son exercice qui comprend ce moment, si elle a fait le choix prévu à l'article 460 qui est en vigueur à ce moment;
>
> b) à son trimestre d'exercice qui comprend ce moment, si elle a fait le choix prévu à l'article 459.4 qui est en vigueur à ce moment;
>
> c) dans tout autre cas, à son mois d'exercice qui comprend ce moment.

Toutefois, pour la période antérieure au 1er janvier 1993, il devait se lire comme suit :

> 459. La période de déclaration d'une personne correspond :
>
> 1° dans le cas d'une personne qui n'est pas un inscrit et sous réserve des articles 466, 467, au mois civil;
>
> 2° dans le cas d'une personne qui est un inscrit à un moment donné au cours de son exercice et sous réserve des articles 460.1, 464, 466, 467 :
>
> a) à son exercice qui comprend ce moment, si elle a fait le choix prévu à l'article 460 qui est en vigueur à ce moment;
>
> b) dans tout autre cas, à son mois d'exercice qui comprend ce moment.

L'article 459 se lisait comme suit :

> 459. Sous réserve des articles 460, 460.1, 464, 466, 467, la période de déclaration d'un inscrit ou d'une personne qui n'est pas un inscrit correspond au mois civil.
>
> Malgré le premier alinéa, un inscrit dont la période comptable diffère du mois civil peut utiliser une période de déclaration qui correspond à cette période, si les conditions suivantes sont rencontrées :
>
> 1° le système comptable de l'inscrit comporte douze périodes;
>
> 2° les périodes se terminent dans les sept jours antérieurs ou postérieurs au dernier jour d'un mois civil donné;
>
> 3° les périodes comportent un nombre de jours qui n'est pas inférieur à 28 ni supérieur à 35.
>
> Une période de déclaration visée au second alinéa est réputée se terminer le dernier jour du mois civil donné.

L'article 459 a été modifié par L.Q. 1993, c. 19, art. 237 et s'applique à l'égard d'une fourniture ou d'un apport au Québec relativement auquel l'article 685 ou l'un des articles 618 à 656 de L.Q. 1991, c. 67 s'applique [*N.D.L.R.* : cette modification est donc rétroactive au 1er juillet 1992, jour de l'entrée en vigueur de la taxe, sous réserve des dispositions transitoires]. L'article 459, édicté par L.Q. 1991, c. 67, se lisait comme suit :

> 459. Sous réserve des articles 460, 464, 466, 467, la période de déclaration d'un inscrit ou d'une personne qui n'est pas un inscrit correspond au mois civil.

Guides [art. 459]: IN-228 — La TVQ et la TPS/TVH pour les organismes de bienfaisance.

Définitions [art. 459]: « inscrit », « institution financière désignée » — 1.

Renvois [art. 459]: 458.1 (définitions); 459.2–459.3 (choix de mois d'exercice); 459.4 (choix de trimestre d'exercice); 459.5 (choix de trimestre d'exercice); 460 (choix à l'égard de la période de déclaration); 466 (période de déclaration du nouvel inscrit); 467 (période de déclaration de la personne qui cesse d'être un inscrit).

Jurisprudence [art. 459]: *9062-8942 Québec inc. c. Québec (Sous-ministre du Revenu)* (24 juillet 2006), 400-80-000224-042, 2006 CarswellQue 7347 (C.Q.); *Le Groupe Sport Interplus Inc. c. S.M.R.Q.* (2 juin 1994), 200-11-000517-931, 1994 CarswellQue 593.

Concordance fédérale: LTA, par. 245(1).

459.0.1 Période de déclaration d'une personne qui est un inscrit

459.0.1 Période de déclaration d'une personne qui est un inscrit — Sous réserve des articles 305, 306, 307, 314, 314.1, 315, 324.7, 461.1, 466 et 467, la période de déclaration d'un inscrit à un moment donné de son exercice correspond :

1° à son exercice qui comprend ce moment si, selon le cas :

a) l'inscrit a fait le choix prévu à l'article 460 qui est en vigueur à ce moment;

b) les conditions suivantes sont remplies :

i. aucun choix fait par l'inscrit en vertu des articles 459.2, 459.2.1 ou 459.4 n'est en vigueur à ce moment;

ii. le choix prévu à l'article 460 fait par l'inscrit serait en vigueur à ce moment si l'inscrit avait fait un tel choix au début de son exercice qui comprend ce moment;

iii. sauf si la période de déclaration de l'inscrit qui comprend ce moment est réputée, en vertu des articles 305, 306, 307, 314, 314.1, 315, 324.7 ou 466, une période de déclaration distincte, la dernière période de déclaration de l'inscrit se terminant avant ce moment était un exercice de l'inscrit;

c) l'inscrit est un organisme de bienfaisance et aucun choix fait par lui en vertu des articles 459.2, 459.2.1 ou 459.4 n'est en vigueur à ce moment;

d) l'inscrit est visé à l'un des paragraphes 1° à 10° de la définition de l'expression « institution financière désignée » prévue à l'article 1 et aucun choix fait par lui en vertu des articles 459.2, 459.2.1 ou 459.4 n'est en vigueur à ce moment;

2º à son mois d'exercice qui comprend ce moment si, selon le cas :

a) le montant déterminant de l'inscrit pour son exercice ou son trimestre d'exercice qui comprend ce moment excède 6 000 000 $ et l'inscrit n'est ni visé à l'un des paragraphes 1° à 10° de la définition de l'expression « institution financière désignée » prévue à l'article 1 ni un organisme de bienfaisance;

b) la dernière période de déclaration de l'inscrit se terminant avant ce moment était un mois d'exercice de l'inscrit et aucun choix fait par l'inscrit en vertu des articles 459.4 ou 460 n'est en vigueur à ce moment;

c) l'inscrit a fait le choix prévu à l'article 459.2 ou 459.2.1 qui est en vigueur à ce moment;

d) l'inscrit est un fabricant de vêtements au sens de l'article 350.48;

3º [supprimé];

4º à son trimestre d'exercice qui comprend ce moment, dans tout autre cas.

Notes historiques: Le préambule de l'article 459.0.1 a été remplacé par L.Q. 1997, c. 85, art. 704(1)(1º) et a effet depuis le 1er août 1995. Antérieurement, il se lisait ainsi :

Sous réserve des articles 461.1, 466, 467, la période de déclaration d'un inscrit à un moment donné de son exercice correspond :

Le sous-paragraphe iii du sous-paragraphe b) du paragraphe 1º de l'article 459.0.1 a été remplacé par L.Q. 1997, c. 85, art. 704(1)(2º)a) et a effet depuis le 1er août 1995. Antérieurement, il se lisait ainsi :

iii. sauf si la période de déclaration de l'inscrit qui comprend ce moment est réputée être, en vertu de l'article 466, une période de déclaration distincte, la dernière période de déclaration de l'inscrit se terminant avant ce moment était un exercice de l'inscrit;

Les sous-paragraphes c) et d) du paragraphe 1º de l'article 459.0.1 ont été ajoutés par L.Q. 1997, c. 85, art. 704(1)(2º)b). Ces modifications s'appliquent à l'égard d'un exercice commençant après le 31 décembre 1996.

Le sous-paragraphe d) du paragraphe 1º de l'article 459.0.1 a été remplacé par L.Q. 2012, c. 28, s.-par. 174(1)(1º) et cette modification s'applique à compter du 1er janvier 2013. Antérieurement, il se lisait ainsi :

d) l'inscrit est une institution financière désignée et aucun choix fait par lui en vertu des articles 459.2, 459.2.1 ou 459.4 n'est en vigueur à ce moment;

Le sous-paragraphe a) du paragraphe 2° de l'article 459.0.1 a été remplacé par L.Q. 2012, c. 28, s.-par. 174(1)(2º) et cette modification s'applique à compter du 1er janvier 2013. Antérieurement, il se lisait ainsi :

a) le montant déterminant de l'inscrit pour son exercice ou son trimestre d'exercice qui comprend ce moment excède 6 000 000 $ et l'inscrit n'est pas une institution financière désignée ni un organisme de bienfaisance;

Le sous-paragraphe a) du paragraphe 2º a été remplacé par L.Q. 1997, c. 85, art. 704(1)(3º). Cette modification s'applique à l'égard d'un exercice commençant après le 31 décembre 1996. Antérieurement, le sous-paragraphe a) se lisait ainsi :

a) le montant déterminant de l'inscrit pour son exercice ou son trimestre d'exercice qui comprend ce moment excède 6 000 000 $ et l'inscrit n'est pas une institution financière désignée;

Le sous-paragraphe d) du paragraphe 2º de l'article 459.0.1 a été ajouté par L.Q. 2002, c. 9, par. 173(1) et s'applique à compter du premier mois d'exercice de l'inscrit commençant après le 31 décembre 2001. De plus, malgré les articles 458.6 et 459.0.1, la période de déclaration d'un fabricant de vêtements qui commence avant le 1er janvier 2002 et qui se termine après le 31 décembre 2001 est réputée se terminer le jour précédant le premier jour de son premier mois d'exercice commençant après le 31 décembre 2001, et la déclaration qu'il doit produire en vertu de l'article 468 pour cette période doit être produite dans le mois suivant le jour où elle se termine.

Finalement, le paragraphe 3º de l'article 459.0.1 a été supprimé par L.Q. 1997, c. 85, art. 704(1)(4º) et cette modification s'applique à l'égard d'un exercice commençant après le 31 décembre 1996. Antérieurement, il se lisait ainsi :

3º à son exercice qui comprend ce moment dans le cas où l'inscrit est une institution financière désignée et qu'il n'a pas fait un choix en vertu des articles 459.2, 459.2.1 ou 459.4;

Malgré l'article 462, pour l'application des articles 459, 459.0.1, 459.4 à 460, 461 et 461.1, le montant déterminant d'une personne à qui l'article 149 de L.Q. 1997, c. 31 s'applique pour un exercice donné de celle-ci qui commence le 1er janvier 1997 correspond au plus élevé des montants suivants :

1º le montant qui serait, en vertu de cet article 462, le montant déterminant si le nombre de jours visé aux lettres B et D des formules prévues au premier alinéa de cet article était de 365;

2º le montant déterminant de la personne en vertu de cet article 462, pour l'exercice de la personne qui précède immédiatement l'exercice donné [L.Q. 1997, c. 31, art. 150].

L'article 459.0.1 a été ajouté par L.Q. 1995, c. 63, art. 472(1) et a effet depuis le 1er août 1995.

Notes explicatives ARQ (PL 5, L.Q. 2012, c. 28): *Résumé* :

L'article 459.0.1 fait l'objet d'une modification corrélative par suite de la modification apportée à la définition de l'expression « institution financière désignée particulière » prévue à l'article 1 de la LTVQ.

Situation actuelle :

L'article 459.0.1 détermine la période de déclaration d'un inscrit dans le régime de la taxe de vente du Québec (TVQ). Sommairement, il prévoit que la période de déclaration d'un inscrit correspond à son exercice ou à son mois d'exercice, si l'inscrit a fait le choix de cette période et si certaines conditions sont satisfaites, ou à son trimestre d'exercice, dans les autres cas.

La période de déclaration d'un inscrit correspond aussi à son exercice s'il n'a pas fait le choix d'avoir une période de déclaration mensuelle ou trimestrielle, si un choix de période de déclaration annuelle serait en vigueur s'il en avait fait le choix et si sa dernière période de déclaration était un exercice. En règle générale, la période de déclaration d'un inscrit dépend de son montant déterminant calculé conformément aux articles 462 à 462.1.1 de la LTVQ.

Le montant déterminant pour un exercice ou un trimestre d'exercice est établi en fonction des fournitures taxables (ce qui comprend alors les fournitures détaxées) effectuées au cours de l'exercice précédent ou du trimestre précédent, selon le cas. L'inscrit dont le montant déterminant pour un exercice ne dépasse pas 1 500 000 $ peut choisir de produire sa déclaration sur la base de son exercice.

Dans le cas d'une institution financière désignée qui est un inscrit, sa période de déclaration correspond à son exercice et ce, même si ses fournitures taxables sont supérieures à six millions de dollars. De plus, en vertu de l'article 459.0.1 de la LTVQ, la période de déclaration d'un inscrit qui est un fabricant de vêtements correspond obligatoirement à son mois d'exercice.

Modifications proposées :

L'article 459.0.1 est modifié afin de tenir compte des modifications apportées par le présent projet de loi à la définition de l'expression « institution financière désignée » prévue à l'article 1 de cette loi. Plus précisément, l'article 459.0.1 de la LTVQ est modifié de façon à faire en sorte que la règle selon laquelle la période de déclaration d'une institution financière désignée correspond à son exercice, et ce, même si ses fournitures taxables sont supérieures à 6 millions de dollars, ne soit pas applicable à un inscrit qui est une société réputée une institution financière en vertu du nouvel article 297.0.2.6 de la LTVQ, introduit par le présent projet de loi.

Guides [art. 459.0.1]: IN-228 — La TVQ et la TPS/TVH pour les organismes de bienfaisance; IN-262 — Vers une saine concurrence dans l'industrie du vêtement.

Définitions [art. 459.0.1]: « inscrit », « institution financière désignée », « période de déclaration » — 1.

Renvois [art. 459.0.1]: 458.1 (définition); 458.6 (période de déclaration); 462 (montant déterminant); 462.1 (montant déterminant).

Bulletins d'interprétation: TVQ. 350.48-1 — Mesures relatives à l'industrie de la fabrication du vêtement.

Formulaires [art. 459.0.1]: FP-620, Choix visant à modifier les périodes de déclaration TPS/TVH et de TVQ; FP-620.1, Avis de révocation du choix visant la fréquence de déclaration de la TPS/TVH par une institution financière désignée.

Concordance fédérale: LTA, par. 245(2).

II — Choix de périodes

Notes historiques: L'intertitre de la division II de la sous-section 1 de la section IV du chapitre VIII du titre I a été ajouté par L.Q. 1994, c. 22, art. 620(1) et cet ajout s'applique aux personnes dont l'exercice commence après le 24 novembre 1992.

1. — [Abrogée]

Notes historiques: La sous-division 1 de la sous-section II de la sous-section 1 de la section IV du chapitre VIII du titre I a été abrogée par L.Q. 1995, c. 63, art. 474(1) et cette abrogation a effet depuis le 1er août 1995. Elle avait été ajoutée par L.Q. 1994, c. 22, art. 620(1) cet ajout s'applique aux personnes dont l'exercice commence après le 24 novembre 1992. Antérieurement, il se lisait ainsi : « Avis du mois d'exercice ».

459.1 [*Abrogé*]

Notes historiques: L'article 459.1 a été abrogé par L.Q. 1995, c. 63, art. 474(1) et cette abrogation a effet depuis le 1er août 1995. Auparavant, l'article 459.1 a été ajouté par L.Q. 1994, c. 22, art. 620(1) et s'appliquait aux personnes dont l'exercice commence après le 24 novembre 1992. Il se lisait comme suit :

> 459.1 Dans le cas où la période de déclaration d'une personne correspond à son mois d'exercice qui est le mois civil, la période de déclaration de celle-ci peut correspondre à son mois d'exercice, autre que le mois civil, si elle fournit au ministre les renseignements visés à l'article 458.2 conformément à cet article.
>
> Pour l'application du premier alinéa, la période de déclaration de la personne correspond à son mois d'exercice, autre que le mois civil, le premier jour de l'exercice de la personne si elle est un inscrit ou le jour où la personne devient un inscrit.
>
> La période de déclaration de la personne cesse de correspondre à son mois d'exercice, autre que le mois civil, le premier en date des jours suivants :
>
> 1° si un choix est fait par la personne en vertu de l'article 459.4 ou de l'article 460, le jour où ce choix entre en vigueur;
>
> 2° si la personne ne fournit pas au ministre les renseignements visés à l'article 458.2 conformément à cet article pour un exercice, le premier jour de cet exercice.

Toutefois, pour la période du 25 novembre 1992 au 31 décembre 1992, le paragraphe 1° du troisième alinéa de l'article 459.1 devait se lire en faisant abstraction de la mention « de l'article 459.4 ou » qui s'y retrouve.

Pour l'application de l'article 459.1 à l'égard d'une personne dont l'exercice commence avant le 24 novembre 1992 et se termine à un moment quelconque au cours de l'année 1993, la période de déclaration de la personne correspond à son mois d'exercice, autre que le mois civil, au cours de cet exercice, le premier jour du mois d'exercice suivant le mois civil où elle fournit au ministre les renseignements visés à l'article 458.2.

2. — Choix du mois d'exercice

Notes historiques: L'intertitre de la sous-division 2 de la division II de la sous-section 1 de la section IV du chapitre VIII du titre I a été ajouté par L.Q. 1994, c. 22, art. 620(1) cet ajout s'applique aux personnes dont l'exercice commence après le 24 novembre 1992.

459.2 Choix du mois d'exercice — Une personne peut faire un choix pour que sa période de déclaration corresponde à son mois d'exercice.

Entrée en vigueur — Le choix prévu au premier alinéa entre en vigueur, selon le cas :

1° le premier jour de l'exercice de la personne si elle est un inscrit

2° le jour où la personne devient un inscrit.

Notes historiques: Le deuxième alinéa de l'article 459.2 a été ajouté par L.Q. 1995, c. 63, art. 475(1) et est a effet depuis le 1er août 1995.

L'article 459.2 a été ajouté par L.Q. 1994, c. 22, art. 620(1) et s'applique aux personnes dont l'exercice commence après le 24 novembre 1992.

Guides [art. 459.2]: IN-203 — Renseignements généraux sur la TVQ et la TPS/TVH.

Définitions [art. 459.2]: « période de déclaration », « personne » — 1.

Renvois [art. 459.2]: 458.1.2 (détermination des mois d'exercice); 459 (période de déclaration de l'inscrit et du non inscrit); 459.0.1 (période de déclaration d'un inscrit); 459.3 (entrée en vigueur et durée du choix); 459.5 (durée du choix); 458.7 (non application de l'article 458.6); 461 (durée du choix); 462.3 (forme et production du choix).

Bulletins d'information: 2004-6 — Modification d'ordre technique concernant notamment l'impôt minimum de remplacement, le Régime d'investissement coopératif et la taxation des boissons alcooliques.

Concordance fédérale: LTA, par. 246(1).

459.2.1 Choix du mois d'exercice — Dans le cas où une personne a fait un choix en vertu de l'article 460 et que ce choix cesse d'être en vigueur au début d'un trimestre d'exercice de la personne visé au paragraphe 2° de l'article 461, celle-ci peut faire un choix pour que sa période de déclaration corresponde à son mois d'exercice.

Entrée en vigueur — Le choix prévu au premier alinéa entre en vigueur le premier jour de ce trimestre d'exercice.

Notes historiques: L'article 459.2.1 a été ajouté par L.Q. 1995, c. 63, art. 476(1) et a effet depuis le 1er août 1995.

Guides [art. 459.2.1]: IN-203 — Renseignements généraux sur la TVQ et la TPS/TVH.

Définitions [art. 459.2.1]: « période de déclaration », « personne » — 1.

Renvois [art. 459.2.1]: 458.1.1 (détermination des mois et trimestres d'exercice); 458.1.2 (détermination des mois et trimestres d'exercice); 458.7 (non application de l'article 458.6); 459 (période de déclaration de l'inscrit et du non inscrit); 459.0.1 (période de déclaration d'un inscrit); 459.3 (entrée en vigueur et durée du choix); 462.3 (forme et production du choix).

Concordance fédérale: LTA, par. 246(2).

459.3 Durée du choix — Les choix prévus aux articles 459.2 et 459.2.1 demeurent en vigueur jusqu'au début du jour de l'entrée en vigueur d'un choix fait par la personne en vertu de l'article 459.4 ou de l'article 460.

Notes historiques: L'article 459.3 a été modifié par L.Q. 1995, c. 63, art. 477(1) et cette modification a effet depuis le 1er août 1995. Il a été ajouté par L.Q. 1994, c. 22, art. 620(1) et s'applique aux personnes dont l'exercice commence après le 24 novembre 1992. Il se lisait comme suit :

> 459.3 Le choix prévu à l'article 459.2 entre en vigueur le premier jour de l'exercice de la personne et le demeure jusqu'au jour de l'entrée en vigueur d'un choix fait par la personne en vertu de l'article 459.4 ou de l'article 460.

Toutefois, pour la période du 25 novembre 1992 au 31 décembre 1992, il doit se lire en faisant abstraction de la mention « de l'article 459.4 ou » qui s'y retrouve.

Pour son application dans le cas où une personne fait le choix prévu à l'article 459.2 et que sa période de déclaration correspond à son trimestre d'exercice au début du premier trimestre d'exercice qui commence et se termine durant l'année 1993 sans qu'elle n'ait fait le choix prévu à l'article 459.4, le choix prévu à l'article 459.2 entre en vigueur le premier jour du mois d'exercice suivant le mois civil au cours duquel le choix est produit au ministre conformément à l'article 462.3.

Définitions [art. 459.3]: « période de déclaration », « personne » — 1.

Renvois [art. 459.3]: 459 (période de déclaration de l'inscrit et du non inscrit).

Concordance fédérale: LTA, par. 246(1), 246(3).

3. — Choix du trimestre d'exercice

Notes historiques: L'intertitre de la sous-division 3 de la division II de la sous-section 1 de la section IV du chapitre VIII du titre I a été ajouté par L.Q. 1994, c. 22, art. 620(1) cet ajout s'applique aux personnes dont l'exercice commence après le 1er janvier 1993 ou après cette date.

459.4 Choix du trimestre d'exercice — Une personne qui est un organisme de bienfaisance le premier jour de l'exercice de celle-ci ou dont le montant déterminant pour un exercice donné n'excède pas 6 000 000 $ peut faire un choix pour que sa période de déclaration corresponde à son trimestre d'exercice.

Entrée en vigueur — Le choix prévu au premier alinéa entre en vigueur, selon le cas :

a) si la personne est un inscrit le premier jour de l'exercice de celle-ci, ce premier jour;

b) le jour de l'exercice de la personne où elle devient un inscrit.

Notes historiques: L'article 459.4 a été remplacé par L.Q. 1997, c. 85, art. 705(1) et a effet depuis le 23 avril 1996. Toutefois, afin de déterminer la période de déclaration d'une personne pour un exercice commençant avant le 1er janvier 1997, le premier alinéa de l'article 459.4 doit se lire comme suit :

> 459.4 Une personne dont le montant déterminant pour un exercice donné n'excède pas 6 000 000 $ peut faire un choix pour que sa période de déclaration corresponde à son trimestre d'exercice.

Antérieurement, cet article se lisait ainsi :

> 459.4 Une personne dont le montant déterminant pour un exercice donné n'excède pas 6 000 000 $ peut faire un choix pour que sa période de déclaration corresponde à son trimestre d'exercice.
>
> Le choix prévu au premier alinéa entre en vigueur le premier jour de l'exercice de la personne.

Malgré l'article 462, pour l'application des articles 459, 459.0.1, 459.4 à 460, 461 et 461.1, le montant déterminant d'une personne à qui l'article 149 de L.Q. 1997, c. 31 s'applique pour un exercice donné de celle-ci qui commence le 1er janvier 1997 correspond au plus élevé des montants suivants :

> 1° le montant qui serait, en vertu de cet article 462, le montant déterminant si le nombre de jours visé aux lettres B et D des formules prévues au premier alinéa de cet article était de 365;

2º le montant déterminant de la personne en vertu de cet article 462, pour l'exercice de la personne qui précède immédiatement l'exercice donné [L.Q. 1997, c. 31, art. 150].

L'article 459.4 a été modifié par L.Q. 1995, c. 63, art. 478(1) et cette modification a effet depuis le 1er août 1995. Il se lisait antérieurement comme suit :

459.4 Une personne peut faire un choix pour que sa période de déclaration corresponde à son trimestre d'exercice dans le cas où, à la fois :

1º le montant déterminant de la personne pour un exercice donné n'excède pas 12 000 $;

2º la période de déclaration de la personne correspond à son trimestre d'exercice ou à son exercice pour l'application de la partie IX de la *Loi sur la taxe d'accise* (Statuts du Canada) ou elle n'est pas un inscrit en vertu de la sous-section d de la section V de la partie IX de cette loi.

Le choix prévu au premier alinéa entre en vigueur, selon le cas :

1º le premier jour de l'exercice de la personne si elle est un inscrit;

2º le jour où la personne devient un inscrit;

3º le jour où le choix prévu à l'article 460 cesse d'être en vigueur par suite de l'application du paragraphe 2º de l'article 461 à l'égard du choix prévu à l'article 460.

Auparavant, le paragraphe 1º du premier alinéa de l'article 459.4 a été modifié par L.Q. 1995, c. 1, art. 332(1) et cette modification a effet depuis le 13 mai 1994. Il se lisait comme suit :

1º le montant déterminant de la personne pour un exercice donné n'excède pas 20 000 $;

L'article 459.4 a été ajouté par L.Q. 1994, c. 22, art. 620(1) et s'applique aux personnes dont l'exercice commence le 1er janvier 1993 ou après cette date.

Pour l'application de l'article 459.4, une personne dont l'exercice commence à un moment quelconque au cours de l'année 1992 pour se terminer au cours de l'année 1993 peut faire un choix en vertu de cet article, avant le début de l'exercice qui suit immédiatement cet exercice, si, à la fois :

1º à compter du 1er juillet 1992, le total des montants suivants n'excède pas 1 000 $ à l'égard d'un mois d'exercice donné de l'exercice de la personne :

a) les montants devenus percevables et les autres montants perçus par la personne et qui sont visés au sous-paragraphe a) du paragraphe 1º du deuxième alinéa de l'article 428, autre que la taxe payable par un acquéreur à l'égard de la fourniture par vente d'une immobilisation de la personne;

b) les montants qui doivent être ajoutés dans le calcul de la taxe nette de la personne en vertu des articles 297.2 et 350.30;

c) les montants perçus et ceux qui auraient dû être perçus par la personne au titre de la taxe prévue au titre III;

d) le total des montants dont chacun représente un montant à l'égard d'un associé de la personne égal au total des montants suivants :

i. les montants devenus percevables et les autres montants perçus par l'associé et qui sont visés au sous-paragraphe a) du paragraphe 1º du deuxième alinéa de l'article 428, autre que la taxe payable par un acquéreur à l'égard de la fourniture par vente d'une immobilisation de l'associé.

ii. les montants qui doivent être ajoutés dans le calcul de la taxe nette de l'associé en vertu des articles 297.2 et 350.30;

iii. les montants perçus et ceux qui auraient dû être perçus par l'associé au titre de la taxe prévue au titre III;

2º au moment de l'entrée en vigueur du choix fait par la personne en vertu de l'article 459.4, la période de déclaration de celle-ci correspond à son trimestre d'exercice ou à son exercice pour l'application de la partie IX de la *Loi sur la taxe d'accise* (Statuts du Canada) ou la personne n'est pas un inscrit en vertu de la sous-section d de la section V de la partie IX.

Malgré le paragraphe 1º du premier alinéa de la règle d'application ci-dessus, une personne peut faire un choix en vertu de l'article 459.4 si elle démontre, à la satisfaction du ministre, que le total des montants visés aux sous-paragraphes a) à d) du paragraphe 1º n'excédera pas 12 000 $ pour l'exercice qui commence à un moment quelconque au cours de l'année 1992 pour se terminer au cours de l'année 1993.

Le choix fait par la personne en vertu de l'article 459.4 entre en vigueur le premier jour du trimestre d'exercice suivant le mois civil au cours duquel le choix est produit au ministre conformément à l'article 462.3.

Pour l'application de l'article 459.4, une personne dont la période de déclaration correspond à son trimestre d'exercice, sans qu'elle n'ait fait le choix prévu à l'article 459.4, est réputée avoir fait le choix qui y est prévu.

Guides [art. 459.4]: IN-228 — La TVQ et la TPS/TVH pour les organismes de bienfaisance.

Définitions [art. 459.4]: « inscrit », « montant », « période de déclaration », « personne » — 1.

Renvois [art. 459.4]: 458.1.1 (détermination d'un trimestre d'exercice); 458.5 (durée du choix); 458.7 (non application de l'article 458.6); 459 (période de déclaration de l'inscrit et du non-inscrit); 459.0.1 (période de déclaration d'un inscrit); 459.2 (choix du mois d'exercice); 459.3 (choix du mois d'exercice); 460 (choix de l'exercice); 461 (choix de l'exercice); 462 (montant déterminant); 462.1 (montant déterminant pour le trimestre d'exercice); 462.3 (forme et production du choix).

Bulletins d'information: 2004-6 — Modification d'ordre technique concernant notamment l'impôt minimum de remplacement, le Régime d'investissement coopératif et la taxation des boissons alcooliques.

Concordance fédérale: LTA, par. 247(1).

459.5 Durée du choix — Le choix fait par une personne en vertu de l'article 459.4 demeure en vigueur jusqu'au premier en date des jours suivants :

1º le début du jour où un choix fait par la personne en vertu de l'article 459.2 ou de l'article 460 entre en vigueur;

2º si la personne n'est pas un organisme de bienfaisance, le début du premier trimestre d'exercice de la personne au cours duquel son montant déterminant excède 6 000 000 $;

3º si la personne n'est pas un organisme de bienfaisance, le début du premier exercice de la personne au cours duquel son montant déterminant excède 6 000 000 $.

Notes historiques: Les paragraphes 2º et 3º de l'article 459.5 ont été remplacés par L.Q. 1997, c. 85, art. 706(1) et s'appliquent à l'égard d'un exercice commençant après le 31 décembre 1996. Antérieurement, les paragraphes 2º et 3º se lisaient ainsi :

2º le début du premier trimestre d'exercice de la personne au cours duquel son montant déterminant excède 6 000 000 $;

3º le début du premier exercice de la personne au cours duquel son montant déterminant excède 6 000 000 $.

Malgré l'article 462, pour l'application des articles 459, 459.0.1, 459.4 à 460, 461 et 461.1, le montant déterminant d'une personne à qui l'article 149 de L.Q. 1997, c. 31 s'applique pour un exercice donné de celle-ci qui commence le 1er janvier 1997 correspond au plus élevé des montants suivants :

1º le montant qui serait, en vertu de cet article 462, le montant déterminant si le nombre de jours visé aux lettres B et D des formules prévues au premier alinéa de cet article était de 365;

2º le montant déterminant de la personne en vertu de cet article 462, pour l'exercice de la personne qui précède immédiatement l'exercice donné [L.Q. 1997, c. 31, art. 150].

L'article 459.5 a été modifié par L.Q. 1995, c. 63, art. 478 et cette modification a effet depuis le 1er août 1995. Auparavant, les paragraphe 3º et 4º de l'article 459.5 ont été modifiés par L.Q. 1995, c. 1, art. 333(1) et cette modification a effet depuis le 13 mai 1994. Ils se lisaient comme suit :

3º si le montant déterminant de la personne excède 12 000 $ pour un trimestre d'exercice donné, le premier jour de ce trimestre;

4º si le montant déterminant de la personne excède 12 000 $ pour un exercice donné, le premier jour de cet exercice.

L'article 459.5 a été ajouté par L.Q. 1994, c. 22, art. 620(1) et s'applique aux personnes dont l'exercice commence le 1er janvier 1993 ou après cette date. Il se lisait comme suit :

459.5 Le choix prévu à l'article 459.4 demeure en vigueur jusqu'au premier en date des jours suivants :

1º si un choix est fait par la personne en vertu de l'article 459.2 ou de l'article 460, le jour où ce choix entre en vigueur;

2º si la période de déclaration de la personne correspond à son mois d'exercice pour l'application de la partie IX de la *Loi sur la taxe d'accise* (Statuts du Canada), le premier jour du mois d'exercice au cours duquel sa période de déclaration correspond à son mois d'exercice pour l'application de cette loi;

3º si le montant déterminant de la personne excède 20 000 $ pour un trimestre d'exercice donné, le premier jour de ce trimestre;

4º si le montant déterminant de la personne excède 20 000 $ pour un exercice donné, le premier jour de cet exercice.

Pour l'application de l'article 459.5, une personne dont la période de déclaration correspond à son trimestre d'exercice, sans qu'elle n'ait fait le choix prévu à l'article 459.4, est réputée avoir fait le choix qui y est prévu.

Guides [art. 459.5]: IN-228 — La TVQ et la TPS/TVH pour les organismes de bienfaisance.

Définitions [art. 459.5]: « montant », « période de déclaration », « personne » — 1.

Renvois [art. 459.5]: 458.1.1 (détermination d'un trimestre d'exercice); 459 (période de déclaration de l'inscrit et du non inscrit); 462 (montant déterminant); 462.1 (montant déterminant pour le trimestre d'exercice).

Concordance fédérale: LTA, par. 247(2).

LTVQ (français)

4. — Choix de l'exercice

Notes historiques: L'intertitre de la sous-division 4 de la division II de la sous-section 1 de la section IV du chapitre VIII du titre I a été ajouté par L.Q. 1994, c. 22, art. 621(1) et est réputé entré en vigueur le 1er juillet 1992.

460. Choix de l'exercice — Un inscrit qui est un organisme de bienfaisance le premier jour de son exercice ou dont le montant déterminant pour un exercice donné n'excède pas 1 500 000 $ peut faire un choix pour que sa période de déclaration corresponde à son exercice.

Entrée en vigueur — Le choix prévu au premier alinéa entre en vigueur le premier jour de l'exercice de la personne.

Notes historiques: Le premier alinéa de l'article 460 a été modifié par L.Q. 2009, c. 15, par. 522(1) par le remplacement de « 500 000 $ » par « 1 500 000 $ ». Cette modification s'applique à un exercice qui commence après le 31 décembre 2007.

Le premier alinéa de l'article 460 a été remplacé par L.Q. 1997, c. 85, art. 707(1) et a effet depuis le 1er août 1995. Toutefois, à l'égard d'un exercice commençant avant le 1er janvier 1997, le premier alinéa de l'article 460 doit se lire comme suit :

> 460. Un inscrit dont le montant déterminant pour un exercice donné n'excède pas 500 000 $ peut faire un choix pour que sa période de déclaration corresponde à son exercice.

Antérieurement, le premier alinéa se lisait ainsi :

> 460. Une personne dont le montant déterminant pour un exercice donné n'excède pas 500 000 $ peut faire un choix pour que sa période de déclaration corresponde à son exercice.

Malgré l'article 462, pour l'application des articles 459, 459.0.1, 459.4 à 460, 461 et 461.1, le montant déterminant d'une personne à qui l'article 149 de L.Q. 1997, c. 31 s'applique pour un exercice donné de celle-ci qui commence le 1er janvier 1997 correspond au plus élevé des montants suivants :

> 1° le montant qui serait, en vertu de cet article 462, le montant déterminant si le nombre de jours visé aux lettres B et D des formules prévues au premier alinéa de cet article était de 365;
>
> 2° le montant déterminant de la personne en vertu de cet article 462, pour l'exercice de la personne qui précède immédiatement l'exercice donné [L.Q. 1997, c. 31, art. 150].

L'article 460 a été modifié par L.Q. 1995, c. 63, art. 479(1) et cette modification a effet depuis le 1er août 1995. Il se lisait comme suit :

> 460. Une personne dont le montant déterminant pour un exercice donné n'excède pas 1 500 $ peut faire un choix pour que sa période de déclaration corresponde à son exercice.

Auparavant, le premier alinéa de l'article 460 a été modifié par L.Q. 1995, c. 1, art. 334(1) et cette modification a effet depuis le 13 mai 1994.

Auparavant, l'article 460 a été modifié par L.Q. 1994, c. 22, art. 621(1) et est réputé entré en vigueur le 1er juillet 1992. Il se lisait comme suit :

> 460. Une personne dont le montant déterminant pour un exercice donné n'excède pas 2 500 $ peut faire un choix pour que sa période de déclaration corresponde à son exercice.
>
> Le choix prévu au premier alinéa entre en vigueur, selon le cas :
>
> 1° le premier jour de l'exercice de la personne si elle est un inscrit;
>
> 2° le jour où la personne devient un inscrit.

Toutefois, le choix fait par une personne en vertu de l'article 460 pour son exercice qui commence avant le 24 novembre 1992 et se termine à un moment quelconque après cette date, avant le début de l'exercice qui suit immédiatement cet exercice, entre en vigueur le premier jour du mois d'exercice qui suit immédiatement le mois civil au cours duquel le choix est produit au ministre conformément à l'article 462.3.

L'article 460, édicté par L.Q. 1991, c. 67, se lisait comme suit :

> 460. Un inscrit dont le montant déterminant pour une année civile donnée n'excède pas 1 000 $ peut faire un choix pour que sa période de déclaration corresponde à l'année civile.
>
> Le choix prévu au premier alinéa :
>
> 1° doit être effectué au moyen du formulaire prescrit contenant les renseignements prescrits;
>
> 2° doit être produit au ministre de la manière prescrite par ce dernier avec la déclaration que l'inscrit est tenu de produire en vertu du présent chapitre pour la période de déclaration qui précède immédiatement l'année civile où le choix doit entrer en vigueur;
>
> 3° entre en vigueur le premier jour de l'année civile donnée.

Notes explicatives ARQ (PL 37, L.Q. 2009, c. 15): *Résumé* :

L'article 460 est modifié afin d'augmenter le seuil du montant déterminant d'un inscrit qui passe de 500 000 $ à 1 500 000 $.

Situation actuelle :

L'article 460 de la LTVQ prévoit, entre autres, qu'un inscrit dont le montant déterminant pour un exercice donné n'excède pas 500 000 $ peut faire un choix pour que sa période de déclaration corresponde à son exercice.

Modifications proposées :

Il est proposé de modifier l'article 460 de la LTVQ afin de remplacer le seuil du montant déterminant d'un inscrit de 500 000 $ par 1 500 000 $.

Guides [art. 460]: IN-203 — Renseignements généraux sur la TVQ et la TPS/TVH.

Définitions [art. 460]: « inscrit », « montant », « période de déclaration », « personne » — 1; « exercice » — 458.1.

Renvois [art. 460]: 458.1 (définitions); 458.7 (non application de l'article 458.6); 459.0.1 (période de déclaration d'un inscrit); 459.2.1 (choix cesse d'être en vigueur au début d'un trimestre d'exercice); 459.3 (entrée en vigueur du choix); 459.4 (choix de trimestre d'exercice); 459.5 (choix de trimestre d'exercice); 460 (production d'une déclaration); 461 (durée du choix et choix cesse d'être en vigueur); 461.1 (durée du choix et choix cesse d'être en vigueur); 462 (montant déterminant); 462.1 (montant déterminant pour le trimestre d'exercice); 462.3 (forme et production du choix).

Formulaires [art. 460]: VD-460, Choix relatif à la période de déclaration.

Concordance fédérale: LTA, par. 248(1).

460.1 [*Abrogé*]

Notes historiques: L'article 460.1 a été abrogé par L.Q. 1994, c. 22, par. 622(1) et cette abrogation s'applique à compter du 1er janvier 1993. Antérieurement, il se lisait ainsi :

> 460.1 Choix — période de déclaration — Un inscrit exerçant uniquement des activités commerciales qui consistent à transporter des passagers à des prix réglementés par la *Loi sur le transport par taxi* (L.R.Q., chapitre T-11.1) et dont le montant déterminant pour une année civile donnée n'excède pas 4 280 $, peut faire un choix pour que sa période de déclaration corresponde à un trimestre civil.
>
> Le choix prévu au premier alinéa :
>
> 1° doit être effectué au moyen du formulaire prescrit contenant les renseignements prescrits;
>
> 2° doit être produit au ministre de la manière prescrite par ce dernier avec la déclaration que l'inscrit est tenu de produire en vertu du présent chapitre pour la période de déclaration qui précède immédiatement l'année civile où le choix doit entrer en vigueur;
>
> 3° entre en vigueur le premier jour de l'année civile donnée.

L'article 460.1 a été modifié par L.Q. 1993, c. 19, art. 238 et cette modification s'applique à l'égard d'une fourniture ou d'un apport au Québec relativement auquel l'article 685 ou l'un des articles 618 à 656 de L.Q. 1991, c. 67 s'applique (L.Q. 1993, art. 258).

461. Durée du choix — Le choix fait par une personne en vertu de l'article 460 demeure en vigueur jusqu'au premier en date des moments suivants :

1° le début du jour où un choix fait par la personne en vertu de l'article 459.2 ou de l'article 459.4 entre en vigueur;

2° si la personne n'est pas un organisme de bienfaisance et que le montant déterminant de la personne pour le deuxième ou le troisième trimestre d'exercice de son exercice excède 1 500 000 $, le début du premier trimestre d'exercice de la personne au cours duquel le montant déterminant excède ce montant;

3° si la personne n'est pas un organisme de bienfaisance et que le montant déterminant de la personne pour un exercice excède 1 500 000 $, le début de cet exercice.

Notes historiques: Malgré l'article 462, pour l'application des articles 459, 459.0.1, 459.4 à 460, 461 et 461.1, le montant déterminant d'une personne à qui l'article 149 de L.Q. 1997, c. 31 s'applique pour un exercice donné de celle-ci qui commence le 1er janvier 1997 correspond au plus élevé des montants suivants :

> 1° le montant qui serait, en vertu de cet article 462, le montant déterminant si le nombre de jours visé aux lettres B et D des formules prévues au premier alinéa de cet article était de 365;
>
> 2° le montant déterminant de la personne en vertu de cet article 462, pour l'exercice de la personne qui précède immédiatement l'exercice donné [L.Q. 1997, c. 31, art. 150].

Le paragraphe 1° de l'article 461 a été modifié par L.Q. 1995, c. 63, art. 480(1) et cette modification a effet depuis le 1er août 1995. Auparavant, le paragraphe 1° a été modifié par L.Q. 1995, c. 1, art. 335(1) et cette modification a effet depuis le 13 mai 1994.

Le paragraphe 1° se lisait comme suit :

> 1° si le montant déterminant de la personne pour un exercice donné excède 2 500 $, le premier jour de cet exercice;

Les paragraphes 2° et 3° de l'article 461 ont été modifiés par L.Q. 2009, c. 15, par. 523(1) par le remplacement de « 500 000 $ » par « 1 500 000 $ ». Cette modification s'applique à un exercice qui commence après le 31 décembre 2007.

Les paragraphes 2° et 3° de l'article 461 ont été modifiés par L.Q. 1997, c. 85, art. 708(1) et ont effet depuis le 1er janvier 1997.

Antérieurement, ils se lisaient ainsi :

2° si le montant déterminant de la personne pour le deuxième ou le troisième trimestre d'exercice de son exercice excède 500 000 $, le début du premier trimestre d'exercice de la personne au cours duquel le montant déterminant excède ce montant;

3° si le montant déterminant de la personne pour un exercice excède 500 000 $, le début de cet exercice.

Le paragraphe 2° de l'article 461 a été modifié par L.Q. 1995, c. 63, art. 480(1) et cette modification a effet depuis le 1er août 1995. Auparavant, le paragraphe 2° a été modifié par L.Q. 1995, c. 1, art. 335(1) et cette modification a effet depuis le 13 mai 1994. Le paragraphe 2° se lisait comme suit :

2° si le montant déterminant de la personne pour un mois d'exercice donné excède 2 500 $, le premier jour de ce mois;

Auparavant, l'article 461 a été modifié par L.Q. 1994, c. 22, art. 623(1) et est réputé entré en vigueur le 1er juillet 1992. Il se lisait comme suit :

461. Le choix prévu à l'article 460 demeure en vigueur jusqu'au premier en date des jours suivants :

1° si le montant déterminant de la personne pour un exercice donné excède 2 500 $, le premier jour de cet exercice;

2° si le montant déterminant de la personne pour un mois d'exercice donné excède 2 500 $, le premier jour de ce mois;

3° si un choix est fait par la personne en vertu de l'article 459.2 ou de l'article 459.4, le jour où ce choix entre en vigueur.

Toutefois, pour la période du 1er juillet 1992 au 23 novembre 1992, l'article 461 doit se lire comme suit :

461. Le choix prévu à l'article 460 ou 460.1 demeure en vigueur jusqu'au premier en date des jours suivants :

1° si le montant déterminant de la personne pour un exercice donné excède 1 500 $ quant au choix prévu à l'article 460 ou 4 280 $ quant au choix prévu à l'article 460.1, le premier jour de cet exercice;

2° si le montant déterminant de la personne pour un mois d'exercice donné excède 1 500 $ quant au choix prévu à l'article 460 ou 4 280 $ quant au choix prévu à l'article 460.1, le premier jour de ce mois;

3° si le ministre révoque le choix en vertu de l'article 463, le premier jour de l'année civile suivant immédiatement celle où la personne présente la demande de révocation.

Pour la période du 24 novembre 1992 au 31 décembre 1992, l'article 461 doit se lire comme suit :

461. Le choix prévu à l'article 460 ou 460.1 demeure en vigueur jusqu'au premier en date des jours suivants :

1° si le montant déterminant de la personne pour un exercice donné excède 1 500 $ quant au choix prévu à l'article 460 ou 4 280 $ quant au choix prévu à l'article 460.1, le premier jour de cet exercice;

2° si le montant déterminant de la personne pour un mois d'exercice donné excède 1 500 $ quant au choix prévu à l'article 460 ou 4 280 $ quant au choix prévu à l'article 460.1, le premier jour de ce mois;

3° si le ministre révoque le choix en vertu de l'article 463, le premier jour de l'année civile suivant immédiatement celle où la personne présente la demande de révocation;

4° si un choix est fait par la personne en vertu de l'article 459.2, le jour où ce choix entre en vigueur.

L'article 461 se lisait auparavant comme suit :

461. Le choix prévu à l'article 460 ou 460.1 demeure en vigueur jusqu'au premier en date des jours suivants :

1° si le montant déterminant de l'inscrit pour une année civile donnée excède 1 000 $ quant au choix prévu à l'article 460 ou 4 280 $ quant au choix prévu à l'article 460.1, le premier jour de cette année civile;

2° si le montant déterminant de l'inscrit pour un mois donné excède 1 000 $ quant au choix prévu à l'article 460 ou 4 280 $ quant au choix prévu à l'article 460.1, le premier jour de ce mois;

3° si le ministre révoque le choix en vertu de l'article 463, le premier jour de l'année civile suivant immédiatement celle où l'inscrit présente la demande de révocation.

Le préambule et les paragraphes 1° et 2° de l'article 461 ont été modifiés par L.Q. 1993, c. 19, art. 239 et s'appliquent à l'égard d'une fourniture ou d'un apport au Québec relativement auquel l'article 685 ou l'un des articles 618 à 656 de L.Q. 1991, c. 67 s'applique [*N.D.L.R.* : les articles 685 et 618 à 656 réfèrent à des dispositions transitoires concernant les transferts avant le 1er juillet 1992]. Ils se lisaient auparavant comme suit :

461. Le choix prévu à l'article 460 demeure en vigueur jusqu'au premier en date des jours suivants :

1° si le montant déterminant de l'inscrit pour une année civile donnée excède 1 000 $, le premier jour de cette année civile;

2° si le montant déterminant de l'inscrit pour un mois donné excède 1 000 $, le premier jour de ce mois;

L'article 461 a été édicté par L.Q. 1991, c. 67.

Notes explicatives ARQ (PL 37, L.Q. 2009, c. 15): *Résumé* :

L'article 461 est modifié afin d'augmenter le seuil du montant déterminant d'un inscrit qui passe de 500 000 $ à 1 500 000 $.

Situation actuelle :

L'article 461 de la LTVQ détermine le moment où le choixprévu à l'article 460 de la LTVQ cesse d'être en vigueur. Ainsi, le choix d'une période de déclaration qui correspond à l'exercice d'une personne demeure en vigueur tant que le montant déterminant pour un exercice ou un mois d'exercice n'excède pas 500 000 $, ou jusqu'au moment où le choix d'une autre période de déclaration entre en vigueur.

Modifications proposées :

Il est proposé de modifier l'article 461 de la LTVQ afin de remplacer le seuil du montant déterminant d'un inscrit de 500 000 $ par 1 500 000 $.

Définitions [art. 461]: « montant », « période de déclaration », « personne » — 1; « exercice » — 458.1.

Renvois [art. 461]: 458.1 (définitions); 458.1.1 (détermination d'un trimestre d'exercice); 459.2.1 (choix cesse d'être en vigueur au début d'un trimestre d'exercice); 461.1 (cas où un choix cesse d'être en vigueur); 462 (montant déterminant); 462.1 (montant déterminant).

Concordance fédérale: LTA, par. 248(2).

461.1 Période de déclaration réputée — Dans le cas où une personne a fait un choix en vertu de l'article 460 et que ce choix cesse d'être en vigueur au début d'un trimestre d'exercice visé au paragraphe 2° de l'article 461 de la personne, la période commençant le premier jour de l'exercice de la personne qui comprend ce trimestre d'exercice et se terminant immédiatement avant le début de ce trimestre d'exercice est réputée être une période de déclaration de la personne.

Notes historiques: Malgré l'article 462, pour l'application des articles 459, 459.0.1, 459.4 à 460, 461 et 461.1, le montant déterminant d'une personne à qui l'article 149 de L.Q. 1997, c. 31 s'applique pour un exercice donné de celle-ci qui commence le 1er janvier 1997 correspond au plus élevé des montants suivants :

1° le montant qui serait, en vertu de cet article 462, le montant déterminant si le nombre de jours visé aux lettres B et D des formules prévues au premier alinéa de cet article était de 365;

2° le montant déterminant de la personne en vertu de cet article 462, pour l'exercice de la personne qui précède immédiatement l'exercice donné [L.Q. 1997, c. 31, art. 150].

L'article 461.1 a été ajouté par L.Q. 1995, c. 63, art. 481(1) et a effet depuis le 1er août 1995.

Définitions [art. 461.1]: « personne » — 1; « exercice » — 458.1.

Renvois [art. 461.1]: 458.0.1 (période de déclaration correspondant à un exercice); 458.0.2 (calcul de l'acompte provisionnel); 458.1 (définitions); 458.1.1 (détermination d'un trimestre d'exercice); 459.0.1 (période de déclaration d'un inscrit); 499.1, 499.2 (acompte provisionnel).

Concordance fédérale: LTA, par. 248(3).

III. — Modalités d'un choix

Notes historiques: L'intertitre de la division III de la sous-section 1 de la section IV du chapitre VIII du titre I a été ajouté par L.Q. 1994, c. 22, art. 623(1) et est réputé entré en vigueur le 1er juillet 1992.

1. — Calcul du montant déterminant

Notes historiques: L'intertitre de la sous-division 1 et de la division III de la sous-section 1 de la section IV du chapitre VIII du titre I a été ajouté par L.Q. 1994, c. 22, art. 623(1) et est réputé entré en vigueur le 1er juillet 1992.

462. Montant déterminant à l'égard d'un exercice donné. — Pour l'application des articles 459.0.1, 459.4, 459.5, 460 et 461, le montant déterminant d'une personne à l'égard d'un exercice donné de celle-ci correspond au total des montants suivants :

1° le montant calculé selon la formule suivante :

LTVQ (français)

$$A \times \frac{365}{B};$$

2º le total des montants dont chacun représente un montant à l'égard d'un associé de la personne qui lui était associée à la fin de l'exercice de l'associé qui est le dernier exercice de celui-ci se terminant au même moment que l'exercice qui précède immédiatement l'exercice donné de la personne ou à un moment quelconque au cours de l'exercice qui précède immédiatement l'exercice donné de la personne, calculé selon la formule suivante :

$$C \times \frac{365}{D}.$$

Application — Pour l'application de ces formules :

1º la lettre A représente le total des contreparties, autre que la contrepartie visée à l'article 75.2 qui est attribuable à l'achalandage d'une entreprise, des fournitures taxables, autres que des fournitures de services financiers, des fournitures par vente d'immeubles qui sont des immobilisations de la personne et des fournitures visées à la partie V de l'annexe VI de la *Loi sur la taxe d'accise* (Lois révisées du Canada (1985), chapitre E-15), effectuées au Canada par la personne dans le cadre d'activités commerciales, qui lui sont devenues dues au cours de l'exercice qui précède immédiatement son exercice donné, ou qui lui ont été payées au cours de cet exercice sans qu'elles soient devenues dues;

2º la lettre B représente le nombre de jours de l'exercice qui précède immédiatement l'exercice donné

3º la lettre C représente le total des contreparties, autre que la contrepartie visée à l'article 75.2 qui est attribuable à l'achalandage d'une entreprise, des fournitures taxables, autres que des fournitures de services financiers, des fournitures par vente d'immeubles qui sont des immobilisations de l'associé et des fournitures visées à la partie V de l'annexe VI de la *Loi sur la taxe d'accise*, effectuées au Canada par l'associé dans le cadre d'activités commerciales, qui lui sont devenues dues au cours de son exercice, ou qui lui ont été payées au cours de cet exercice sans qu'elles soient devenues dues;

4º la lettre D représente le nombre de jours de l'exercice de l'associé.

Notes historiques: Malgré l'article 462, pour l'application des articles 459, 459.0.1, 459.4 à 460, 461 et 461.1, le montant déterminant d'une personne à qui l'article 149 de L.Q. 1997, c. 31 s'applique pour un exercice donné de celle-ci qui commence le 1er janvier 1997 correspond au plus élevé des montants suivants :

1º le montant qui serait, en vertu de cet article 462, le montant déterminant si le nombre de jours visé aux lettres B et D des formules prévues au premier alinéa de cet article était de 365;

2º le montant déterminant de la personne en vertu de cet article 462, pour l'exercice de la personne qui précède immédiatement l'exercice donné [L.Q. 1997, c. 31, art. 150].

Le préambule de l'article 462 a été modifié par L.Q. 1995, c. 63, art. 482(1) et cette modification a effet depuis le 1er août 1995. Auparavant, le préambule, modifié par L.Q. 1994, c. 22, art. 623(1), se lisait comme suit :

462. Pour l'application des articles 459.4, 459.5, 460 et 461, le montant déterminant d'une personne à l'égard d'un exercice donné de celle-ci correspond au total des montants suivants :

Le préambule de l'article 462 a été modifié par L.Q. 1993, c. 19, art. 240 par le remplacement de « 460 et 461 » par « 460 à 461 ». Il s'applique à l'égard d'une fourniture ou d'un apport au Québec relativement auquel l'article 685 ou l'un des articles 618 à 656 de L.Q. 1991, c. 67 s'applique [*N.D.L.R.* : les articles 685 et 618 à 656 réfèrent à des dispositions transitoires concernant les transferts avant le 1er juillet 1992].

Les paragraphes 1º et 3º du deuxième alinéa ont été modifiés par L.Q. 1995, c. 63, art. 462(1) et ces modifications ont effet depuis le 1er août 1995. Toutefois, lorsque ces modifications s'appliquent à l'égard du calcul du montant déterminant d'une personne qui a effectué ou dont l'associé a effectué une fourniture dont la totalité de la contrepartie est devenue due ou est payée sans être devenue due avant le 1er août 1995, ils doivent se lire :

1º en y remplaçant les mots « fournitures taxables » par « fournitures taxables ou non taxables »

2º en y remplaçant le mot « contreparties » par l'expression « contreparties, excluant la taxe payée ou payable en vertu de la partie IX de la *Loi sur la taxe d'accise* (Lois révisées du Canada (1985), chapitre E-15),

Auparavant, les paragraphes 1º et 3º du deuxième alinéa, modifié par L.Q. 1994, c. 22, art. 623(1), se lisaient comme suit :

1º la lettre A représente le total des montants suivants : :

a) les montants devenus percevables et les autres montants perçus au cours de l'exercice qui précède immédiatement l'exercice donné par la personne et qui sont visés au sous-paragraphe a) du paragraphe 1º du deuxième alinéa de l'article 428, autres que la taxe payable par un acquéreur à l'égard de la fourniture par vente d'une immobilisation de la personne;

b) les montants qui doivent être ajoutés dans le calcul de la taxe nette de la personne en vertu des articles 297.2 et 350.30 au cours de l'exercice qui précède immédiatement l'exercice donné

c) les montants perçus et ceux qui auraient dû être perçus au cours de l'exercice qui précède immédiatement l'exercice donné par la personne au titre de la taxe prévue au titre III;

3º la lettre C représente le total des montants suivants :

a) les montants devenus percevables et les autres montants perçus au cours de l'exercice de l'associé par celui-ci et qui sont visés au sous-paragraphe a) du paragraphe 1º du deuxième alinéa de l'article 428, autres que la taxe payable par un acquéreur à l'égard de la fourniture par vente d'une immobilisation de l'associé

b) les montants qui doivent être ajoutés dans le calcul de la taxe nette de l'associé en vertu des articles 297.2 et 350.30 au cours de son exercice;

c) les montants perçus et ceux qui auraient dû être perçus au cours de l'exercice de l'associé par celui-ci au titre de la taxe prévue au titre III;

L'article 462 a été modifié par L.Q. 1994, c. 22, art. 623(1) et est réputé entré en vigueur le 1er juillet 1992. Toutefois, pour la période du 1er juillet 1992 au 31 décembre 1992, la référence aux articles 459.4, 459.5, 460 et 461 au premier alinéa de l'article 462 doit être lue comme une référence aux articles 460 à 461.

Pour l'application des paragraphes 2º et 4º du deuxième alinéa de l'article 462, seuls les jours de l'exercice après le 30 juin 1992 doivent être compris dans le nombre de jours de l'exercice qui précède immédiatement l'exercice donné.

L'article 462 se lisait auparavant comme suit :

462. Pour l'application des articles 460 à 461, le montant déterminant d'un inscrit correspond :

1º à l'égard d'une année civile donnée, au total des montants devenus percevables et des autres montants perçus au cours de l'année civile qui précède immédiatement l'année civile donnée, par l'inscrit ou un associé de celui-ci au début de l'année civile donnée, au titre de la taxe prévue à l'article 16, autre que celle payable par un acquéreur à l'égard de la fourniture par vente d'une immobilisation de l'inscrit ou de l'associé

2º à l'égard d'un mois donné d'une année civile, au total des montants devenus percevables et des autres montants perçus au cours des mois de cette année civile qui précèdent immédiatement le mois donné, par l'inscrit ou un associé de celui-ci au début du mois donné, au titre de la taxe prévue à l'article 16, autre que celle payable par un acquéreur à l'égard de la fourniture par vente d'une immobilisation de l'inscrit ou de l'associé.

Pour l'application du présent article, l'expression « associé » d'un inscrit à un moment quelconque signifie une personne qui lui est associée à ce moment.

L'article 462 a été édicté par L.Q. 1991, c. 67.

Définitions [art. 462]: « activité commerciale », « contrepartie », « entreprise », « fourniture », « fourniture taxable », « immeuble », « immobilisation », « montant », « personne », « service financier », « vente » — 1; « exercice » — 458.1.

Renvois [art. 462]: 5–9 (personnes associées); 41.0.1 (contrepartie devenue due); 54.2 (valeur de la contrepartie — biens échangés); 76 (fusion); 77 (liquidation); 237.1 (immeuble d'habitation non réputé être une immobilisation); 237.2 (adjonction non réputée être une immobilisation); 297.7.5 (approbation à l'égard d'un démarcheur et de son distributeur); 297.7.6 (approbation à l'égard d'un démarcheur et de son distributeur); 341.4 (fourniture par une division de petit fournisseur); 431.1 (personne déterminée); 458.1 (définitions); 462.1.1 (application des article 462, 462.1).

Lettres d'interprétation [art. 462]: 98-0107643 — Détermination du « montant déterminant »; 98-0108120 — Vente avec faculté de rachat.

Concordance fédérale: LTA, par. 249(1).

462.1 Montant déterminant à l'égard d'un trimestre d'exercice donné — Pour l'application des articles 459.0.1, 459.4, 459.5, 460, 461, le montant déterminant d'une personne à l'égard d'un trimestre d'exercice donné à un moment quelconque d'un exercice de celle-ci correspond au total des montants suivants :

1º le total des contreparties, autre que la contrepartie visée à l'article 75.2 qui est attribuable à l'achalandage d'une entreprise, des fournitures taxables, autres que des fournitures de services financiers, des fournitures par vente d'immeubles qui sont des immobilisations de la personne et des fournitures visées à la partie V de l'annexe VI de la *Loi sur la taxe d'accise* (Lois révisées du Canada (1985), chapitre E-15), effectuées au Canada par la personne dans le cadre d'activités commerciales, qui lui sont devenues dues au cours de ses trimestres d'exercice se terminant dans cet exercice qui précèdent immédiatement le trimestre d'exercice donné de cet exercice, ou qui lui ont été payées au cours de ces trimestres d'exercice qui précèdent le trimestre d'exercice donné sans qu'elles soient devenues dues;

2° le total des montants dont chacun représente un montant à l'égard d'un associé de la personne au début du trimestre d'exercice donné, égal au total des contreparties, autre que la contrepartie visée à l'article 75.2 qui est attribuable à l'achalandage d'une entreprise, des fournitures taxables, autres que des fournitures de services financiers, des fournitures par vente d'immeubles qui sont des immobilisations de l'associé et des fournitures visées à la partie V de l'annexe VI de la *Loi sur la taxe d'accise*, effectuées au Canada par l'associé dans le cadre d'activités commerciales, qui lui sont devenues dues au cours de ses trimestres d'exercice qui se terminent au cours de cet exercice de la personne mais avant le début du trimestre d'exercice donné, ou qui lui ont été payées sans être devenues dues au cours de ces trimestres d'exercice.

Notes historiques: Les paragraphes 1° et 2° de l'article 462.1 ont été remplacés par L.Q. 2001, c. 53, art. 384 et ces modifications s'appliquent à l'égard du calcul du montant déterminant d'une personne pour un trimestre d'exercice de la personne commençant après le 10 décembre 1998. Antérieurement, ils se lisaient ainsi :

> 1° le total des contreparties des fournitures taxables, autres que des fournitures de services financiers, des fournitures par vente d'immeubles qui sont des immobilisations de la personne et des fournitures visées à la partie V de l'annexe VI de la *Loi sur la taxe d'accise* (Lois révisées du Canada (1985), chapitre E-15), effectuées au Canada par la personne dans le cadre d'activités commerciales, qui lui sont devenues dues au cours de ses trimestres d'exercice se terminant dans cet exercice qui précèdent immédiatement le trimestre d'exercice donné de cet exercice, ou qui lui ont été payées au cours de ces trimestres d'exercice qui précèdent le trimestre d'exercice donné sans qu'elles soient devenues dues;
>
> 2° le total des montants dont chacun représente un montant à l'égard d'un associé de la personne au début du trimestre d'exercice donné, égal au total des contreparties des fournitures taxables, autres que des fournitures de services financiers, des fournitures par vente d'immeubles qui sont des immobilisations de l'associé et des fournitures visées à la partie V de l'annexe VI de la *Loi sur la taxe d'accise*, effectuées au Canada par l'associé dans le cadre d'activités commerciales, qui lui sont devenues dues au cours de ses trimestres d'exercice qui se terminent au cours de l'exercice de la personne mais avant le début du trimestre d'exercice donné, ou qui lui ont été payées sans être devenues dues au cours de ces trimestres d'exercice.

L'article 462.1 a été modifié par L.Q. 1995, c. 63, art. 483(1) et cette modification a effet depuis le 1er août 1995. Toutefois, lorsque l'article 462.1 s'applique à l'égard du calcul du montant déterminant d'une personne qui a effectué ou dont l'associé a effectué une fourniture dont la totalité de la contrepartie est devenue due ou est payée sans être devenue due avant le 1er août 1995, il doit se lire :

> 1° en y remplaçant les mots « fournitures taxables » par « fournitures taxables ou non taxables »;
>
> 2° en y remplaçant le mot « contreparties » par l'expression « contreparties, excluant la taxe payée ou payable en vertu de la partie IX de la *Loi sur la taxe d'accise* (Lois révisées du Canada (1985), chapitre E-15), ».

L'article 462.1 a été ajouté par L.Q. 1994, c. 22, art. 624(1) et est réputé entré en vigueur le 1er janvier 1993. Il se lisait comme suit :

> 462.1 Pour l'application des articles 459.4 et 459.5, le montant déterminant d'une personne à l'égard d'un trimestre d'exercice donné à un moment quelconque d'un exercice de celle-ci correspond au total des montants suivants :
>
> 1° les montants devenus percevables et les autres montants perçus au cours des trimestres d'exercice se terminant dans cet exercice qui précèdent immédiatement le trimestre d'exercice donné de cet exercice par la personne et qui sont visés au sous-paragraphe a) du paragraphe 1° du deuxième alinéa de l'article 428, autres que la taxe payable par un acquéreur à l'égard de la fourniture par vente d'une immobilisation de la personne;
>
> 2° les montants qui doivent être ajoutés dans le calcul de la taxe nette de la personne en vertu des articles 297.2 et 350.30 au cours des trimestres d'exercice se terminant dans cet exercice qui précèdent immédiatement le trimestre d'exercice donné de cet exercice;
>
> 3° les montants perçus et ceux qui auraient dû être perçus au cours des trimestres d'exercice de cet exercice qui précèdent immédiatement le trimestre d'exercice donné par la personne au titre de la taxe prévue au titre III;
>
> 4° le total des montants dont chacun représente un montant à l'égard d'un associé de la personne au début du trimestre d'exercice donné égal au total des montants suivants :
>
> a) le montants devenus percevables et les autres montants perçus par l'associé au cours de ses trimestres d'exercice qui se terminent au cours de l'exercice de la personne mais avant le début du trimestre d'exercice donné et qui sont visés au sous-paragraphe a) du paragraphe 1° du deuxième alinéa de l'article 428, autres que la taxe payable par un acquéreur à l'égard de la fourniture par vente d'une immobilisation de l'associé;
>
> b) les montants qui doivent être ajoutés dans le calcul de la taxe nette de l'associé en vertu des articles 297.2 et 350.30 au cours de ses trimestres d'exercice qui se terminent au cours de l'exercice de la personne mais avant le début du trimestre d'exercice donné;
>
> c) les montants perçus et ceux qui auraient dû être perçus par l'associé au cours de ses trimestres d'exercice qui se terminent au cours de l'exercice de la personne mais avant le début du trimestre d'exercice donné au titre de la taxe prévue au titre III.
>
> Toutefois, à l'égard d'un exercice qui commence à un moment quelconque au cours de l'année 1992 pour se terminer au cours de l'année 1993, seuls les trimestres d'exercice complets qui commencent après le 30 juin 1992 doivent être pris en compte.

Définitions [art. 462.1]: « activité commerciale », « contrepartie », « fourniture », « fourniture taxable », « immeuble », « immobilisation », « montant », « personne », « service financier », « vente » — 1; « exercice » — 458.1.

Renvois [art. 462.1]: 41.0.1 (contrepartie devenue due); 54.2 (valeur de la contrepartie — biens échangés); 76 (fusion); 77 (liquidation); 237.1 (immeuble d'habitation non réputé être une immobilisation); 237.2 (adjonction non réputée être une immobilisation); 297.7.5 (approbation à l'égard d'un démarcheur et de son distributeur); 297.7.6 (approbation à l'égard d'un démarcheur et de son distributeur); 341.4 (fourniture par une division de petit fournisseur); 458.1 (définitions); 458.1.1 (détermination d'un trimestre d'exercice); 462.1.1 (application des article 462, 462.1).

Concordance fédérale: LTA, par. 249(2).

462.1.1 Règles quant au montant déterminant — Pour l'application des articles 462 et 462.1, l'expression « fourniture effectuée au Canada » signifie une fourniture effectuée au Canada pour l'application de la partie IX de la *Loi sur la taxe d'accise* (Lois révisées du Canada (1985), chapitre E-15).

Notes historiques: L'article 462.1.1 a été remplacé par L.Q. 2012, c. 28, par. 175(1) et cette modification s'applique à l'égard de la contrepartie d'une fourniture si le paragraphe 1° du deuxième alinéa de l'article 52 de cette loi est modifié à son égard par le sous-paragraphe 1° du paragraphe 1 de l'article 49 de la présente loi. Antérieurement, il se lisait ainsi :

> 462.1.1 Pour l'application des articles 462 et 462.1, les règles suivantes s'appliquent :
>
> 1° malgré l'article 52, la contrepartie ne comprend pas la taxe payée ou payable en vertu de la partie IX de la *Loi sur la taxe d'accise* (Lois révisées du Canada (1985), chapitre E-15);
>
> 2° l'expression « fourniture effectuée au Canada » signifie une fourniture effectuée au Canada pour l'application de la partie IX de la *Loi sur la taxe d'accise.*

L'article 462.1.1 a été ajouté par L.Q. 1995, c. 63, art. 484(1) et a effet depuis le 1er août 1995.

Notes explicatives ARQ (PL 5, L.Q. 2012, c. 28): *Résumé* :

L'article 462.1.1 est modifié afin de tenir compte du fait qu'à compter du 1er janvier 2013 la taxe sur les produits et services (TPS) est retirée de l'assiette de la taxe de vente du Québec (TVQ).

Situation actuelle :

L'article 462 prévoit le calcul du montant déterminant d'une personne à l'égard d'un exercice donné et l'article 462.1 de la LTVQ prévoit le calcul du montant déterminant d'une personne à l'égard d'un trimestre d'exercice donné.

Or, le paragraphe 1° de l'article 462.1.1 exclut du calcul prévu à ces articles, la taxe payée ou payable en vertu de la partie IX de la *Loi sur la taxe d'accise* (Lois révisées du Canada (1985), chapitre E-15).

Modifications proposées :

L'article 462.1.1 est modifié afin de tenir compte du fait qu'à compter du 1er janvier 2013 la TPS est retirée de l'assiette de la TVQ.

Définitions [art. 462.1.1]: « fourniture », « taxe » — 1.

Renvois [art. 462.1.1]: 76 (fusion); 77 (liquidation); 237.1 (immeuble d'habitation non réputé immobilisation); 237.2 (adjonction réputée immobilisation); 341.4 (fourniture par une division de petit fournisseur).

Concordance fédérale: aucune.

462.2 [*Abrogé*]

Notes historiques: L'article 462.2 a été abrogé par L.Q. 1995, c. 63, art. 485(1) et cette abrogation a effet depuis le 1er août 1995. Il avait été ajouté par L.Q. 1994, c. 22, art. 624(1) et se lisait comme suit :

> Pour l'application des articles 460 et 461, le montant déterminant d'une personne à l'égard d'un mois d'exercice donné à un moment quelconque d'un exercice de celle-ci correspond au total des montants suivants :
>
> 1º les montants devenus percevables et les autres montants perçus au cours des mois d'exercice de cet exercice qui précèdent immédiatement le mois d'exercice donné par la personne et qui sont visés au sous-paragraphe a) du paragraphe 1º du deuxième alinéa de l'article 428, autres que la taxe payable par un acquéreur à l'égard de la fourniture par vente d'une immobilisation de la personne;
>
> 2º les montants qui doivent être ajoutés dans le calcul de la taxe nette de la personne en vertu des articles 297.2 et 350.30 au cours des mois d'exercice de cet exercice qui précèdent immédiatement le mois d'exercice donné;
>
> 3º les montants perçus et ceux qui auraient dû être perçus au cours des mois d'exercice de cet exercice qui précèdent immédiatement le mois d'exercice donné par la personne au titre de la taxe prévue au titre III;
>
> 4º le total des montants dont chacun représente un montant à l'égard d'un associé de la personne au début du mois d'exercice donné égal au total des montants suivants :
>
> a) les montants devenus percevables et les autres montants perçus par l'associé au cours de ses mois d'exercice qui se terminent au cours de l'exercice de la personne mais avant le début du mois d'exercice donné et qui sont visés au sous-paragraphe a) du paragraphe 1º du deuxième alinéa de l'article 428, autres que la taxe payable par un acquéreur à l'égard de la fourniture par vente d'une immobilisation de l'associé;
>
> b) les montants qui doivent être ajoutés dans le calcul de la taxe nette de l'associé en vertu des articles 297.2 et 350.30 au cours de ses mois d'exercice qui se terminent au cours de l'exercice de la personne mais avant le début du mois d'exercice donné;
>
> c) les montants perçus et ceux qui auraient dû être perçus par l'associé au cours de ses mois d'exercice qui se terminent au cours de l'exercice de la personne mais avant le début du mois d'exercice donné au titre de la taxe prévue au titre III.
>
> Pour l'application du présent article, toute partie du mois civil comprise dans l'exercice de la personne constitue un mois d'exercice.

2. — Production d'un choix

Notes historiques: L'intertitre de la sous-division 2 de la division III de la sous-section 1 de la section IV du chapitre VIII du titre I a été ajouté par L.Q. 1994, c. 22, art. 624(1) et est réputé entré en vigueur le 1er juillet 1992.

462.3 Modalités — Un choix fait en vertu de l'article 459.2, 459.2.1, 459.4 ou 460 par une personne doit être produit au ministre de la manière prescrite par ce dernier au moyen du formulaire prescrit contenant les renseignements prescrits et préciser le premier exercice auquel il s'applique.

Délais — Le choix visé au premier alinéa doit être produit :

1º dans le cas où le choix entre en vigueur le jour où la personne devient un inscrit, au moment où la personne présente une demande d'inscription ou, dans le cas où l'inscription de la personne entre en vigueur après ce moment, à un moment quelconque entre ce moment et celui auquel l'inscription entre en vigueur;

2º dans le cas où le choix est fait en vertu de l'article 460 et que la période de déclaration se terminant immédiatement avant le jour où le choix entre en vigueur est un trimestre d'exercice de la personne, dans les trois mois suivant ce jour;

3º dans tout autre cas, dans les deux mois suivant le jour où le choix entre en vigueur.

Notes historiques: Le premier alinéa de l'article 462.3 a été modifié par L.Q. 1995, c. 63, art. 486(1) et cette modification a effet depuis le 1er août 1995. Auparavant, il se lisait comme suit :

> Un choix fait en vertu de l'article 459.2, 459.4 ou 460 par une personne doit être produit au ministre de la manière prescrite par ce dernier au moyen du formulaire prescrit contenant les renseignements prescrits et préciser le premier exercice auquel il s'applique.

L'article 462.3 a été ajouté par L.Q. 1994, c. 22, art. 624(1) et s'applique à l'égard des personnes dont l'exercice commence après le 24 novembre 1992. Toutefois, pour la période du 25 novembre 1992 au 31 décembre 1992, la partie qui précède le deuxième alinéa de l'article 462.3 doit se lire en faisant abstraction de la référence à l'article 459.4.

Pour l'application de l'article 462.3 à l'égard d'une personne dont la période de déclaration correspond à son trimestre d'exercice au début du premier trimestre d'exercice qui commence et se termine durant l'année 1993 sans qu'elle n'ait fait le choix prévu à l'article 459.4, le choix fait par la personne en vertu de l'article 459.2, doit être produit au ministre avant le premier jour de l'exercice qui suit immédiatement l'exercice au cours duquel sa période de déclaration correspond à son trimestre d'exercice.

Pour l'application de l'article 462.3 à l'égard d'une personne dont l'exercice commence à un moment quelconque au cours de l'année 1992 pour se terminer au cours de l'année 1993 et qui a fait le choix en vertu de l'article 459.4, ce choix doit être produit au ministre avant le premier jour de l'exercice qui suit immédiatement l'exercice qui commence à un moment quelconque au cours de l'année 1992 et se termine au cours de l'année 1993.

Pour l'application de l'article 462.3 à l'égard d'une personne dont l'exercice commence avant le 24 novembre 1992 et se termine à un moment quelconque après cette date, avant le début de l'exercice qui suit immédiatement cet exercice, et qui a fait le choix en vertu de l'article 460, ce choix doit être produit avant le premier jour de l'exercice qui suit immédiatement l'exercice qui commence avant le 24 novembre 1992 et se termine à un moment quelconque après cette date.

Guides [art. 462.3]: IN-203 — Renseignements généraux sur la TVQ et la TPS/TVH.

Définitions [art. 462.3]: « inscrit », « période de déclaration », « personne » — 1; « exercice » — 458.1.

Formulaires [art. 462.3]: FP-670, Choix ou révocation du choix d'un exercice en ce qui a trait à la TPS/TVH et à la TVQ.

Concordance fédérale: LTA, art. 250.

463. [*Abrogé*]

Notes historiques: L'article 463 a été abrogé par L.Q. 1994, c. 22, art. 625(1) à compter du 1er janvier 1993. Toutefois, pour la période du 1er juillet 1992 au 23 novembre 1992, il doit se lire comme suit :

> 463. Le ministre doit révoquer, par écrit, le choix effectué en vertu de l'article 460 ou 460.1, si la personne lui présente une demande à cette fin de la manière prescrite par le ministre, au moyen du formulaire prescrit contenant les renseignements prescrits.
>
> La révocation prend effet le premier jour de l'année civile suivant immédiatement celle où la personne présente la demande de révocation.

Pour la période du 24 novembre 1992 au 31 décembre 1992, l'article 463 doit se lire comme suit :

> 463. Le ministre doit révoquer, par écrit, le choix effectué en vertu de l'article 460.1, si la personne lui présente une demande à cette fin de la manière prescrite par le ministre, au moyen du formulaire prescrit contenant les renseignements prescrits.
>
> La révocation prend effet le premier jour de l'année civile suivant immédiatement celle où la personne présente la demande de révocation.

L'article 463 se lisait comme suit :

> 463. Le ministre doit révoquer, par écrit, le choix effectué en vertu de l'article 460 ou 460.1, si l'inscrit lui présente une demande à cette fin de la manière prescrite par le ministre, au moyen du formulaire prescrit contenant les renseignements prescrits.
>
> La révocation prend effet le premier jour de l'année civile suivant immédiatement celle où l'inscrit présente la demande de révocation.

Le premier alinéa de l'article 463 a été modifié par L.Q. 1993, c. 19, art. 241 pour ajouter la référence à l'article 460.1. Il s'applique à l'égard d'une fourniture ou d'un apport au Québec relativement auquel l'article 685 ou l'un des articles 618 à 656 de L.Q. 1991, c. 67 s'applique [*N.D.L.R.* : les articles 685 et 618 à 656 réfèrent à des dispositions transitoires concernant les transferts avant le 1er juillet 1992].

L'article 463 a été édicté par L.Q. 1991, c. 67.

IV. — Particularités

Notes historiques: L'intertitre de la division IV de la sous-section 1 de la section IV du chapitre VIII du titre I a été ajouté par L.Q. 1994, c. 22, art. 626(1) et est réputé entré en vigueur le 1er juillet 1992.

464. [*Abrogé*]

Notes historiques: L'article 464 a été abrogé par L.Q. 1995, c. 63, art. 487(1) et cette abrogation a effet depuis le 1er août 1995. Auparavant, l'article 464 avait été modifié par L.Q. 1994, c. 22, art. 627(1) et était réputé entré en vigueur le 1er juillet 1992. Il se lisait comme suit :

> 464. Dans le cas où, à un moment quelconque, la période de déclaration d'une personne qui est un inscrit est modifiée, la période de déclaration de cette personne, déterminée en vertu de la sous-section 1, qui précède le jour de l'entrée en vigueur de sa nouvelle période de déclaration est réputée se terminer la veille de ce jour.

L'article 464 a auparavant été modifié par L.Q. 1993, c. 19, art. 242 et s'appliquait à l'égard d'une fourniture ou d'un apport au Québec relativement auquel l'article 685 ou l'un des articles 618 à 656 de L.Q. 1991, c. 67 s'applique [*N.D.L.R.* : les articles 685 et 618 à 656 réfèrent à des dispositions transitoires concernant les transferts avant le 1er juillet 1992]. Il se lisait comme suit :

464. Dans le cas où le choix prévu à l'article 460 ou 460.1 cesse d'être en vigueur parce que le montant déterminant de l'inscrit pour un mois donné d'une année civile donnée excède 1 000 $ quant au choix prévu à l'article 460 ou 4 280 $ quant au choix prévu à l'article 460.1, la période de déclaration qui précède immédiatement le mois donné est réputée correspondre à la période commençant le premier jour de l'année civile donnée quant au choix prévu à l'article 460 ou le premier jour du trimestre civil donné quant au choix prévu à l'article 460.1 et se terminant la veille du jour où le choix cesse d'être en vigueur.

L'article 464 a été édicté par L.Q. 1991, c. 67 et se lisait comme suit :

464. Dans le cas où le choix prévu à l'article 460 cesse d'être en vigueur parce que le montant déterminant de l'inscrit pour un mois donné d'une année civile donnée excède 1 000 $, la période de déclaration qui précède immédiatement le mois donné est réputée correspondre à la période commençant le premier jour de l'année civile donnée et se terminant la veille du jour où le choix cesse d'être en vigueur.

465. [*Abrogé*]

Notes historiques: L'article 465 a été abrogé par L.Q. 1995, c. 63, art. 487(1) et cette abrogation a effet depuis le 1er août 1995. Auparavant, l'article 465 avait été modifié par L.Q. 1994, c. 22, art. 627(1) et était réputé entré en vigueur le 1er juillet 1992. Il se lisait comme suit :

465. Malgré l'article 460, la personne dont la période de déclaration correspond à son exercice et qui est tenue de percevoir la taxe prévue à l'article 16 ou qui perçoit des montants au titre de cette taxe à l'égard de la fourniture d'une immobilisation par vente, doit verser la taxe au ministre et lui produire, de la manière prescrite par ce dernier, au moyen du formulaire prescrit contenant les renseignements prescrits, une déclaration relative à la taxe au plus tard le dernier jour du mois civil suivant celui où la taxe est devenue payable.

Toutefois, pour la période du 1er juillet 1992 au 31 décembre 1992, il devait se lire comme suit :

465. Malgré les articles 460 et 460.1, la personne dont la période de déclaration correspond à son exercice ou à son trimestre civil et qui est tenue de percevoir la taxe prévue à l'article 16 ou qui perçoit des montants au titre de cette taxe à l'égard de la fourniture d'une immobilisation par vente, doit verser la taxe au ministre et lui produire, de la manière prescrite par ce dernier, au moyen du formulaire prescrit contenant les renseignements prescrits, une déclaration relative à la taxe au plus tard le dernier jour du mois suivant celui où la taxe est devenue payable.

Auparavant, l'article 465 se lisait comme suit :

465. Malgré les articles 460 et 460.1, l'inscrit dont la période de déclaration est l'année civile ou le trimestre civil et qui est tenu de percevoir la taxe prévue à l'article 16 ou qui perçoit des montants au titre de cette taxe à l'égard de la fourniture d'une immobilisation par vente, doit verser la taxe au ministre et lui produire, de la manière prescrite par ce dernier, au moyen du formulaire prescrit contenant les renseignements prescrits, une déclaration relative à la taxe au plus tard le dernier jour du mois suivant celui où la taxe est devenue payable.

L'article 465, modifié par L.Q. 1993, c. 19, art. 243, s'appliquait à l'égard d'une fourniture ou d'un apport au Québec relativement auquel l'article 685 ou l'un des articles 618 à 656 de L.Q. 1991, c. 67 s'applique [*N.D.L.R.* : les articles 685 et 618 à 656 réfèrent à des dispositions transitoires concernant les transferts avant le 1er juillet 1992].

L'article 465, édicté par L.Q. 1991, c. 67, se lisait comme suit :

465. Malgré l'article 460, l'inscrit dont la période de déclaration est l'année civile et qui est tenu de percevoir la taxe prévue à l'article 16 ou qui perçoit des montants au titre de cette taxe à l'égard de la fourniture d'une immobilisation par vente, doit verser la taxe au ministre et lui produire, de la manière prescrite par ce dernier, au moyen du formulaire prescrit contenant les renseignements prescrits, une déclaration relative à la taxe au plus tard le dernier jour du mois suivant celui où la taxe est devenue payable.

466. Période de déclaration d'un nouvel inscrit — Dans le cas où une personne devient un inscrit un jour donné, les périodes suivantes sont réputées être des périodes de déclaration distinctes de la personne :

1° la période commençant le premier jour du mois civil qui comprend le jour donné et se terminant la veille du jour donné;

2° la période commençant le jour donné et se terminant le dernier jour de la période de déclaration de la personne, déterminée en vertu de la sous-section 1, qui comprend le jour donné.

Notes historiques: L'article 466 a été modifié par L.Q. 1994, c. 22, art. 627(1) et est réputé entré en vigueur le 24 novembre 1992. L'article 466, édicté par L.Q. 1991, c. 67, se lisait comme suit :

466. Dans le cas où une personne devient un inscrit un jour donné, les périodes suivantes sont réputées être des périodes de déclaration distinctes de la personne :

1° la période commençant le premier jour du mois civil qui comprend le jour donné et se terminant la veille du jour donné;

2° la période commençant le jour donné et se terminant le dernier jour de la période de déclaration de la personne.

Définitions [art. 466]: « inscrit », « période de déclaration », « personne » — 1.

Renvois [art. 466]: 207 (nouvel inscrit); 208 (nouvel inscrit); 407–411 (inscription); 459 (période de déclaration de l'inscrit et du non-inscrit); 459.0.1 (période de déclaration d'un inscrit).

Concordance fédérale: LTA, par. 251(1).

467. Période de déclaration d'une personne qui cesse d'être un inscrit — Dans le cas où une personne cesse d'être un inscrit un jour donné, les périodes suivantes sont réputées être des périodes de déclaration distinctes de la personne :

1° la période commençant le premier jour de la période de déclaration de la personne, déterminée en vertu de la sous-section 1, qui comprend le jour donné et se terminant la veille du jour donné;

2° la période commençant le jour donné et se terminant le dernier jour du mois civil qui comprend le jour donné.

Notes historiques: L'article 467 a été modifié par L.Q. 1994, c. 22, art. 627(1) et est réputé entré en vigueur le 24 novembre 1992. L'article 467, édicté par L.Q. 1991, c. 67, se lisait comme suit :

467. Dans le cas où une personne cesse d'être un inscrit un jour donné, les périodes suivantes sont réputées être des périodes de déclaration distinctes de la personne :

1° la période commençant le premier jour de la période de déclaration de la personne qui comprend le jour donné et se terminant la veille du jour donné;

2° la période commençant le jour donné et se terminant le dernier jour du mois civil qui comprend le jour donné.

Définitions [art. 467]: « inscrit », « période de déclaration », « personne » — 1.

Renvois [art. 467]: 209 (effet de la cessation de l'inscription); 210 (effet de la cessation de l'inscription); 416 (cessation de l'inscription); 417 (cessation de l'inscription); 459 (période de déclaration de l'inscrit et du non-inscrit); 459.0.1 (période de déclaration d'un inscrit).

Concordance fédérale: LTA, par. 251(2).

§ 2. — Déclaration

468. Production par un inscrit — Tout inscrit doit produire une déclaration au ministre pour chacune de ses périodes de déclaration :

1° dans le cas où la période de déclaration de l'inscrit correspond ou correspondrait, en faisant abstraction de l'article 466, à son exercice :

a) si l'inscrit est visé à l'un des paragraphes 1° à 10° de la définition de l'expression « institution financière désignée » prévue à l'article 1, dans les six mois suivant la fin de l'exercice;

b) sauf lorsque le sous-paragraphe a s'applique, si l'inscrit est un particulier dont l'exercice correspond à l'année civile et que, pour l'application de la *Loi sur les impôts* (chapitre I-3), il exploitait une entreprise au cours de l'année et sa date d'échéance de production pour l'année est le 15 juin de l'année suivante, au plus tard ce jour;

c) dans les autres cas, dans les trois mois suivant la fin de l'exercice;

2° dans tout autre cas, dans le mois civil suivant la fin de la période de déclaration.

Notes historiques: Le sous-paragraphe a) du paragraphe 1° de l'article 468 a été remplacé par L.Q. 2011, c. 6, s.-par. 285(1)(1°) et cette modification s'applique à l'égard d'une période de déclaration qui commence après le 23 septembre 2009. Antérieurement, il se lisait ainsi :

a) sauf dans le cas où le sous-paragraphe b) s'applique, dans les trois mois suivant la fin de l'exercice;

LTVQ (français)

Les sous-paragraphes a) et b) du paragraphe 1° de l'article 468 ont été remplacés par L.Q. 2012, c. 28, par. 176(1) et cette modification s'applique à l'égard d'une période de déclaration qui se termine après le 31 décembre 2012. Antérieurement, ils se lisaient ainsi :

a) si l'inscrit est une institution financière désignée, dans les six mois suivant la fin de l'exercice;

b) si l'inscrit est un particulier dont l'exercice correspond à l'année civile et que, pour l'application de la *Loi sur les impôts* (chapitre I-3), il exploitait une entreprise au cours de l'année et sa date d'échéance de production pour l'année est le 15 juin de l'année suivante, au plus tard ce jour;

De plus, relativement à une période de déclaration d'une institution financière qui commence le 1er janvier 2013 en raison de l'article 458.8, l'article 468 doit se lire en remplaçant la partie du paragraphe 1° qui précède le sous-paragraphe a par ce qui suit :

1° dans le cas où sa période de déclaration, pour l'application de la partie IX de la *Loi sur la taxe d'accise* (Lois révisées du Canada (1985), chapitre E-15), correspond à son exercice ou y correspondrait, n'eût été le paragraphe 1 de l'article 251 de cette loi :

Le sous-paragraphe c) du paragraphe 1° de l'article 468 a été ajouté par L.Q. 2011, c. 6, s.-par. 285(1)(2°) et s'applique à l'égard d'une période de déclaration qui commence après le 23 septembre 2009.

Le paragraphe 1° de l'article 468 a été modifié par L.Q. 1997, c. 31, art. 148 et cette modification s'applique à une période de déclaration qui commence après le 31 décembre 1994. Toutefois, le sous-paragraphe a) du paragraphe 1° de l'article 468 doit se lire en y remplaçant les mots « trois mois » par les mots « trois mois civils » lorsqu'il s'applique à l'égard de la période de déclaration d'un inscrit qui commence après le 31 décembre 1994 et qui se termine avant le 21 juin 1996. Auparavant le paragraphe 1° du premier alinéa de l'article 468 a été modifié par L.Q. 1995, c. 63, art. 48(1). Il se lisait comme suit :

1° dans le cas où la période de déclaration de l'inscrit correspond à son exercice, dans les trois mois suivant la fin de l'exercice;

Cette modification s'applique à compter du 21 juin 1996. [*N.D.L.R.* : Le paragraphe d'application prévu par L.Q. 1995, c. 63, art. 488(2) a été modifié par L.Q. 1997, c. 85, art. 762. Il prévoyait auparavant l'entrée en vigueur à une date qui sera fixée par le gouvernement].

Le paragraphe 1° du premier alinéa de l'article 468 se lisait auparavant comme suit :

1° dans le cas où la période de déclaration de l'inscrit correspond à son exercice, dans les trois mois civils suivant la fin de l'exercice;

Le paragraphe 2° du premier alinéa de l'article 468 a été modifié par L.Q. 1995, c. 63, art. 488(1). Cette modification s'applique à compter du 21 juin 1996. [N.D.L.R. : Le paragraphe d'application prévu par L.Q. 1995, c. 63, art. 488(2) a été modifié par L.Q. 1997, c. 85, art. 762. Il prévoyait auparavant l'entrée en vigueur à la date fixée par le gouvernement]. Le paragraphe 2° du premier alinéa de l'article 468 se lisait auparavant comme suit :

Malgré le premier alinéa, les règles suivantes s'appliquent :

1° si la période de déclaration de l'inscrit correspond à son mois d'exercice ou à son trimestre d'exercice et qu'elle se termine au cours des sept premiers jours d'un mois civil donné, l'inscrit doit produire la déclaration avant la fin du mois civil donné;

2° si la période de déclaration de l'inscrit correspond à son exercice et qu'elle se termine au cours des sept premiers jours d'un mois civil donné, l'inscrit doit produire la déclaration avant la fin du deuxième mois civil suivant la fin de son exercice.

Le deuxième alinéa de l'article 468 a été supprimé par L.Q. 1995, c. 63, art. 488(1). Cette modification s'applique à compter du 21 juin 1996. Le deuxième alinéa de l'article 468 se lisait auparavant comme suit :

Malgré le premier alinéa, les règles suivantes s'appliquent :

1° si la période de déclaration de l'inscrit correspond à son mois d'exercice ou à son trimestre d'exercice et qu'elle se termine au cours des sept premiers jours d'un mois civil donné, l'inscrit doit produire la déclaration avant la fin du mois civil donné;

2° si la période de déclaration de l'inscrit correspond à son exercice et qu'elle se termine au cours des sept premiers jours d'un mois civil donné, l'inscrit doit produire la déclaration avant la fin du deuxième mois civil suivant la fin de l'exercice.

L'article 468 a auparavant été modifié par L.Q. 1994, c. 22, art. 627(1) et est réputé entré en vigueur le 1er juillet 1992. Toutefois, pour la période du 1er juillet 1992 au 23 novembre 1992, il devait se lire en faisant abstraction de son deuxième alinéa.

Pour la période du 24 novembre 1992 au 31 décembre 1992, le paragraphe 1° du deuxième alinéa de l'article 468 devait se lire en faisant abstraction des mots « ou à son trimestre d'exercice ».

L'article 468, édicté par L.Q. 1991, c. 67, se lisait comme suit :

468. Tout inscrit doit produire une déclaration au ministre pour chacune de ses périodes de déclaration, dans le mois suivant la fin de la période de déclaration.

Notes explicatives ARQ (PL 5, L.Q. 2012, c. 28): *Résumé* :

L'article 468 fait l'objet d'une modification corrélative par suite de la modification apportée à la définition de l'expression « institution financière désignée » prévue à l'article 1 de cette loi.

Situation actuelle :

L'article 468 requiert que les personnes inscrites sous le régime de la taxe de vente du Québec (TVQ) produisent une déclaration au ministre du Revenu dans certains délais. Lorsque l'inscrit est une institution financière désignée et que sa période de déclaration correspond à l'exercice, il doit produire sa déclaration dans les six mois suivant la fin de son exercice.

Modifications proposées :

Le sous-paragraphe a) du paragraphe 1° de l'article 468 est modifié afin de tenir compte de la modification de la définition de l'expression « institution financière désignée » prévue à l'article 1 de cette loi. Cette modification fait en sorte que le délai de six mois suivant la fin de l'exercice applicable à une institution financière désignée ne s'applique pas à un inscrit qui est une société réputée une institution financière en vertu du nouvel article 297.0.2.6 de la LTVQ, introduit par le présent projet de loi.

Notes explicatives ARQ (PL 5, L.Q. 2011, c. 6): *Résumé* :

Les modifications apportées à l'article 468 consistent à prolonger de trois à six mois le délai pour la production des déclarations des institutions financières désignées qui présentent leurs déclarations de taxe sur une base annuelle.

Situation actuelle :

Selon l'article 468, les personnes inscrites sous le régime de la taxe de vente du Québec (TVQ) sont tenues de produire des déclarations de TVQ dans certains délais. Lorsque l'inscrit est une institution financière désignée et que sa période de déclaration correspond à l'exercice, il doit produire sa déclaration dans les trois mois suivant la fin de son exercice.

Modifications proposées :

La modification proposée à l'article 468 consiste à prolonger de trois à six mois le délai de production d'une déclaration de taxe pour un inscrit qui est une institution financière désignée et dont la période de déclaration correspond à son exercice de façon à ce que le régime de la TVQ soit harmonisé avec celui de la taxe sur les produits et services.

Guides [art. 468]: IN-203 — Renseignements généraux sur la TVQ et la TPS/TVH; IN-262 — Vers une saine concurrence dans l'industrie du vêtement; IN-300 — Vous êtes travailleur autonome? Aide–mémoire concernant la fiscalité; IN-307 — Le démarrage d'entreprise et la fiscalité.

Définitions [art. 468]: « inscrit », « mois », « période de déclaration » — 1.

Renvois [art. 468]: 210.4 (cessation d'inscription aux fins d'autres activités); 212.1 (remboursement à un salarié, à un membre d'une société ou à un bénévole — exception); 293 (voiture de tourisme ou aéronef); 341.3 (restriction — organisme de services publics); 350.49 (déclaration à produire — industrie du vêtement); 437 (versement de la taxe nette); 455.2 (production tardive de renseignements — défaut de produire); 457.4 (certificat d'expédition dont l'autorisation n'est pas en vigueur); 457.7 (révocaiton de l'autorisation); 459–467 (périodes de déclaration); 469 (production — artistes non résidants); 471 (forme et contenu d'une déclaration); 473 (production d'une déclaration par le redevable de la taxe prévue à l'article 17); 473.4 (cas où le montant cumulatif n'exède pas 1,000 $); 473.9 (cas où une personne n'est pas tenue de produire une déclaration); 494 (production d'une déclaration); 20, 36, 39, 39.1, 58, 59.0.2, 60 LAF.

Jurisprudence [art. 468]: *Québec (Sous-ministre du Revenu) c. Azar* (25 novembre 2011), 540-61-042474-087 et 540-73-000330-086, 2011 CarswellQue 14358; *Québec (Sous-ministre du Revenu) c. Cun* (13 novembre 2008), 505-61-074113-069, 2008 CarswellQue 11822; *Weinstein & Gavino Fabrique et Bar à pâtes compagnie ltée c. Québec (Sous-ministre du Revenu)* (19 décembre 2007), 500-17-015442-034, 2007 CarswellQue 12599; *Rafla c. Québec (Sous-ministre du Revenu)* (17 octobre 2006), 500-09-015241-052, 2006 CarswellQue 8996; *Rebuts de l'Outaouais inc. c. Québec (Sous-ministre du Revenu)* (28 avril 2005), 550-80-000198-032, 2005 CarswellQue 2883 (C.Q.); *Slater Steel inc. (Syndic de)* (18 juin 2004), 500-11-020930-034, 2003 CarswellQue 1708 (C.A.); *S.M.R.Q. c. Placements France Marcotte* (2 novembre 1995), 765-05-000098-951, 1995 CarswellQue 497; *S.M.R.Q. c. Bar des Sept-Mers Inc.* (30 mars 1995), 765-05-000195-948, 1995 CarswellQue 444.

Bulletins d'interprétation [art. 468]: SPÉCIAL 122 — Extension de l'application du crédit d'impôt pour spectacles musicaux aux spectacles dramatiques et aux spectacles d'humour — Précisions concernant la politique fiscale applicable aux particuliers et aux entreprises; TVQ. 16-14/R1 — Fournitures effectuées à un régime de pension agréé; TVQ. 427-1 — Recouvrement de la taxe suite à une cotisation.

Bulletins d'information [art. 468]: 2009-9 — Harmonisation à diverses mesures relatives à la législation et à la règlementation fiscales fédérales et report de l'imposition d'une ristourne admissible.

Lettres d'interprétation [art. 468]: 99-0100208 — Interprétation relative à la TPS — Interprétation relative à la TVQ — Numéro d'inscription utilisé par un séquestre; 99-010706 — *Loi sur les arrangements avec les créanciers des compagnies*; 01-0107910 — Interprétation relative à la TVQ — Article 318 de la LTVQ et dédommagement accordé à des inscrits — Demande de précision.

Concordance fédérale: LTA, par. 238(1).

469. Fournisseur non résidant de droits d'entrée — Malgré l'article 468, une personne qui ne réside pas au Québec et qui, au cours d'une période de déclaration, y effectue la fourniture taxable de droits d'entrée à l'égard d'une activité, d'un colloque, d'un événement ou d'un lieu de divertissement doit :

1° produire une déclaration au ministre pour cette période au plus tard le premier en date :

a) du jour où une déclaration pour cette période doit être produite en vertu de l'article 468;

b) du jour où la personne, ou un ou plusieurs de ses salariés qui ont pris part à l'activité commerciale dans le cadre de laquelle la fourniture est effectuée, quittent le Québec;

2° verser, au plus tard le premier en date des jours visés au paragraphe 1°, tout montant devenu percevable et tout autre montant perçu au cours de la période au titre de la taxe prévue à l'article 16.

Notes historiques: L'article 469 a été édicté par L.Q. 1991, c. 67.

Définitions [art. 469]: « activité commerciale », « droit d'entrée », « fourniture taxable », « lieu de divertissement », « montant », « période de déclaration », « personne », « salarié », « taxe » — 1.

Renvois [art. 469]: 410 (artistes non résidants).

Concordance fédérale: LTA, par. 238(3).

470. Production par un non-inscrit — Toute personne qui n'est pas un inscrit doit produire une déclaration au ministre pour chacune de ses périodes de déclaration pour laquelle elle doit verser la taxe nette, dans le mois suivant la fin de la période de déclaration.

Notes historiques: L'article 470 a été modifié par L.Q. 1994, c. 22, art. 628(1) et est réputé entré en vigueur le 1er juillet 1992. L'article 470, édicté par L.Q. 1991, c. 67, se lisait comme suit :

> 470. Toute personne qui n'est pas un inscrit doit produire une déclaration au ministre pour chacune de ses périodes de déclaration pour laquelle elle doit verser la taxe prévue à l'article 16, dans le mois suivant la fin de la période de déclaration.

Définitions [art. 470]: « fourniture taxable », « inscrit », « période de déclaration », « personne » — 1.

Renvois [art. 470]: 471 (forme et contenu d'une déclaration); 20 LAF.

Jurisprudence: *9062-8942 Québec inc. c. Québec (Sous-ministre du Revenu)* (24 juillet 2006), 400-80-000224-042, 2006 CarswellQue 7347 (C.Q.); *Slater Steel inc. (Syndic de)* (18 juin 2004), 500-11-020930-034, 2003 CarswellQue 1708 (C.A.).

Formulaires [art. 470]: FP-505, Formulaire de déclaration particulière .

Lettres d'interprétation [art. 470]: 98-0101471 — Interprétation relative à la TPS — Interprétation relative à la TVQ — Vente ou location de lots intramunicipaux.

Concordance fédérale: LTA, par. 238(2).

470.1 Malgré le paragraphe 2° de l'article 468 et l'article 470, une institution financière désignée particulière dont la période de déclaration se terminant au cours d'un exercice correspond à un mois d'exercice ou à un trimestre d'exercice pour l'application de la *Loi sur la taxe d'accise* (Lois révisées du Canada (1985), chapitre E-15) doit présenter au ministre, lorsque le pourcentage déterminé conformément au paragraphe 3° du deuxième alinéa de l'article 433.16 pour l'année d'imposition dans laquelle se termine l'exercice pour l'institution financière est supérieur à zéro :

Modification proposée — 470.1 préambule

470.1 Malgré le paragraphe 2° de l'article 468 et l'article 470, une institution financière désignée particulière dont la période de déclaration se terminant au cours d'un exercice correspond à un mois d'exercice ou à un trimestre d'exercice doit présenter au ministre :

Application: Le préambule de l'article 470.1 sera remplacé par le par. 232 (1) du *Projet de loi 18* (présenté le 21 février 2013) et cette modification s'appliquera à l'égard d'une période de déclaration qui se termine après le 31 décembre 2012. Toutefois, lorsqu'elle s'applique relativement à une période de déclaration qui comprend le 1er janvier 2013, l'article 470.1 devra se lire comme suit :

> 470.1 Malgré le paragraphe 2° de l'article 468 et l'article 470, lorsqu'une institution financière désignée particulière a une période de déclaration qui se termine un jour donné au cours d'un exercice et que, pour l'application de la partie IX de la *Loi sur la taxe d'accise* (Lois révisées du Canada (1985), chapitre E-15), sa période de déclaration se terminant ce jour donné correspond à un mois d'exercice ou à un trimestre d'exercice, elle doit présenter au ministre :

1° une déclaration provisoire pour la période de déclaration, dans le mois suivant la fin de la période;

2° une déclaration finale pour la période de déclaration, dans les six mois suivant la fin de l'exercice.

Notes historiques: L'article 470.1 a été ajouté par L.Q. 2012, c. 28, par. 177(1) et s'applique à l'égard d'une période de déclaration qui se termine après le 31 décembre 2012.

Notes explicatives ARQ (PL 5, L.Q. 2012, c. 28): *Résumé* :

Le nouvel article 470.1 exige qu'une institution financière désignée particulière (IFDP) produise une déclaration provisoire et une déclaration finale pour chaque période de déclaration. Cet article prévoit également un délai particulier pour la production de ces déclarations de renseignements.

Contexte :

Voir la rubrique « Contexte » de la note explicative relative au nouvel article 433.16 de la LTVQ.

Modifications proposées :

En vertu des articles 468 et 470, les personnes inscrites dans le régime de la taxe de vente du Québec (TVQ) ainsi que certaines personnes non inscrites sont tenues de produire des déclarations de renseignements dans un certain délai. Le nouvel article 470.1 de la LTVQ exige qu'une IFDP produise une déclaration provisoire et une déclaration finale pour chaque période de déclaration se terminant dans un exercice donné. Il précise également le délai applicable pour la production de ces déclarations de renseignements. L'obligation de produire une déclaration de renseignements en vertu de l'article 470.1 de la LTVQ s'adresse aux IFDP qui mènent des activités en lien avec le Québec. En effet, l'obligation concerne les IFDP pour lesquelles la valeur qu'aurait l'élément C de la formule apparaissant au paragraphe 2 de l'article 225.2 de la *Loi sur la taxe d'accise* (Lois révisées du Canada (1985), chapitre E-15) (LTA), déterminée pour l'année d'imposition dans laquelle se termine l'exercice donné, pour l'institution financière quant au Québec, si le Québec était une province participante au sens du paragraphe 1 de l'article 123 de la LTA et si, le cas échéant, l'institution financière était également une IFDP pour l'application de cette loi, est supérieur à zéro (soit le pourcentage que représente la lettre C de la formule prévue au premier alinéa de l'article 433.16 de la LTVQ, introduit par le présent projet de loi).

En vertu du paragraphe 1° de l'article 470.1, une telle IFDP dont la période de déclaration correspond à un mois ou à un trimestre d'exercice doit produire, pour chacune de ses périodes de déclaration, une déclaration provisoire dans un délai d'un mois suivant la fin de la période de déclaration. Le paragraphe 2° de ce nouvel article requiert la production d'une déclaration finale par cette institution financière dans les six mois suivant la fin de l'exercice dans lequel se termine la période de déclaration.

471. Modalités — Toute déclaration prévue à la présente sous-section doit être effectuée au moyen du formulaire prescrit contenant les renseignements prescrits et produite au ministre de la manière prescrite par ce dernier.

Notes historiques: L'article 471 a été édicté par L.Q. 1991, c. 67.

Guides [art. 471]: IN-203 — Renseignements généraux sur la TVQ et la TPS/TVH; IN-307 — Le démarrage d'entreprise et la fiscalité.

Définitions [art. 471]: « bien », « droit d'entrée », « fourniture taxable », « inscrit », « lieu de divertissement » — 1.

Renvois [art. 471]: 468 (production par un inscrit); 469 (production — artistes non résidants); 470 (production par un non-inscrit); 472 (déclaration — taxe prévue à l'article 18); 473 (production d'une déclaration par le redevable de la taxe prévue à l'article 17).

Formulaires [art. 471]: FP-500, Formulaire de déclaration (calculs détaillés) — Taxe sur les produits et services — Taxe de vente du Québec; FPZ-2500, Demande de modification d'une déclaration; VDZ-471, Formulaire de déclaration (TVQ); VDZ-471.CD, Calcul détaillé de la TVQ; VDZ-471.GE, Annexe à l'intention des grandes entreprises qui effectuent du transport.

Jurisprudence: *Slater Steel inc. (Syndic de)* (18 juin 2004), 500-11-020930-034, 2003 CarswellQue 1708 (C.A.).

Concordance fédérale: LTA, par. 238(4).

472. Production — apport au Québec et fourniture taxable effectuée hors du Québec — Dans le cas où la taxe prévue à l'article 18 ou à l'article 18.0.1 est payable par une personne, celle-ci doit :

1° dans le cas où la personne est un inscrit, payer la taxe au ministre ou à la personne prescrite au plus tard le jour donné où elle est tenue de produire sa déclaration en vertu de l'article 468 ou 469 pour la période de déclaration au cours de laquelle la taxe est devenue payable, et :

LTVQ (français)

Modification proposée — 472, par. 1°, préambule

1° dans le cas où la personne est un inscrit, payer la taxe au ministre ou à la personne prescrite au plus tard le jour donné où elle est tenue de produire sa déclaration en vertu de l'un des articles 468 et 469 pour la période de déclaration au cours de laquelle la taxe est devenue payable, et :

Application: Le préambule du paragraphe 1° de l'article 472 sera remplacé par le s.-par. 233(1)(1°) du *Projet de loi 18* (présenté le 21 février 2013) et cette modification s'appliquera à l'égard d'une période de déclaration qui se termine après le 31 décembre 2012.

a) sauf si elle est visée au sous-paragraphe b) faire rapport de la taxe dans cette déclaration;

b) si elle est un contribuable admissible, au sens de l'article 26.2, présenter au ministre ou à la personne prescrite au plus tard le jour donné, selon les modalités que le ministre détermine, une déclaration relative à la taxe, en la forme et contenant les renseignements déterminés par le ministre;

Modification proposée — 472, par. 1°, s.-par. b)

Application: Le sous-paragraphe b) du paragraphe 1° de l'article 472 sera modifié par le s.-par. 233(1)(2°) du *Projet de loi 18* (présenté le 21 février 2013) par la suppression des mots « ou à la personne prescrite ». Cette modification s'appliquera à l'égard d'une période de déclaration qui se termine après le 31 décembre 2012.

2° dans tout autre cas, au plus tard le dernier jour du mois suivant le mois civil au cours duquel la taxe est devenue payable, payer la taxe au ministre ou à la personne prescrite et présenter au ministre ou à la personne prescrite de la manière prescrite par le ministre, une déclaration relative à la taxe, au moyen du formulaire prescrit contenant les renseignements prescrits.

Notes historiques: Les paragraphes 1° et 2° ont été remplacés par L.Q. 2012, c. 28, par. 178(1) et cette modification s'applique à l'égard d'une période de déclaration qui se termine après le 31 décembre 2012. Antérieurement, ils se lisaient ainsi :

> 1° dans le cas où la personne est un inscrit, au plus tard le jour où elle est tenue de produire sa déclaration en vertu des articles 468 ou 469 pour la période de déclaration au cours de laquelle la taxe est devenue payable, payer la taxe au ministre ou à la personne prescrite et faire rapport de la taxe dans cette déclaration;
>
> 2° dans tout autre cas, au plus tard le dernier jour du mois suivant le mois civil au cours duquel la taxe est devenue payable, payer la taxe au ministre ou à la personne prescrite et produire au ministre ou à la personne prescrite de la manière prescrite par le ministre, une déclaration relative à la taxe, au moyen du formulaire prescrit contenant les renseignements prescrits.

L'article 472 a été remplacé par L.Q. 1997, c. 85, art. 709(1) et a effet depuis le 1er janvier 1997. Antérieurement, il se lisait ainsi :

> 472. Toute personne responsable du paiement de la taxe en vertu de l'article 18 — appelée « redevable » dans le présent article — doit établir une déclaration pour sa période de déclaration au cours de laquelle la taxe devient payable.
>
> Le redevable doit produire la déclaration au ministre ou à une personne prescrite de la manière prescrite par le ministre et verser au ministre ou à la personne prescrite le montant de la taxe prévue à l'article 18 qui est devenue payable au cours de la période de déclaration visée par la déclaration au plus tard :
>
> 1° dans le cas où la période de déclaration visée par la déclaration est l'exercice du redevable, le jour qui est trois mois après la fin de la période de déclaration;
>
> 2° dans les autres cas, le jour qui est un mois après la fin de la période de déclaration visée par la déclaration.
>
> Pour l'application du présent article et malgré l'article 459, la période de déclaration du redevable qui n'est pas un inscrit correspond au trimestre civil.

Les paragraphes 1° et 2° de l'article 472 ont été remplacés par L.Q. 1995, c. 63, art. 489(1) et s'appliquent à compter du 21 juin 1996. [*N.D.L.R.* : le paragraphe d'application prévu à L.Q. 1995, c. 63, art. 489(2) a été modifié par L.Q. 1997, c. 85, art. 763. Auparavant, l'entrée en vigueur était prévue à une date fixée par le gouvernement.]

Les paragraphes 1° et 2° de l'article 472 se lisaient auparavant comme suit :

> 1° dans le cas où le redevable est un inscrit, le jour où il est tenu de produire sa déclaration en vertu de la présente section pour cette période;
>
> 2° dans les autres cas, le dernier jour du mois suivant la fin de cette période.

Le préambule du deuxième alinéa de l'article 472 a été modifié par L.Q. 1995, c. 1, art. 336(1) et cette modification a effet depuis le 1er juillet 1992 [*N.D.L.R.* : cette disposition s'applique conformément aux articles 618 à 656 et 685 de L.Q. 1991, c. 67, tels que modifiés]. Auparavant, le préambule du deuxième alinéa de l'article 472, modifié par L.Q. 1994, c. 22, art. 629(1), se lisait comme suit :

> Le redevable doit produire la déclaration au ministre de la manière prescrite par ce dernier et lui verser le montant de la taxe prévue à l'article 18 qui est devenue payable au cours de la période de déclaration visée par la déclaration au plus tard :

Le deuxième alinéa de l'article 472 a été modifié par L.Q. 1994, c. 22, art. 629(1) et est réputé entré en vigueur le 1er juillet 1992. Il se lisait auparavant comme suit :

> Le redevable doit produire la déclaration au ministre de la manière prescrite par ce dernier et lui verser le montant de la taxe prévue à l'article 18 qui est devenue payable au cours de la période de déclaration visée par la déclaration, dans le mois suivant la fin de cette période.

Le troisième alinéa a été ajouté par L.Q. 1995, c. 63, art. 489(1) et a effet depuis le 1er août 1995.

L'article 472 a été édicté par L.Q. 1991, c. 67.

Notes explicatives ARQ (PL 5, L.Q. 2012, c. 28): *Résumé* :

L'article 472 prévoit qu'une personne tenue de payer la taxe de vente du Québec (TVQ) par autocotisation, en vertu de l'article 18 ou 18.0.1 de cette loi, doit payer cette taxe au ministre et précise le moment auquel elle doit le faire. Cet article est modifié afin d'obliger un contribuable admissible, soit une institution financière, à produire une déclaration relativement à cette taxe.

Situation actuelle :

L'article 472 détermine comment et quand une personne est tenue de payer la TVQ visée à l'article 18 de la LTVQ, à l'égard de la fourniture taxable de certains biens et services effectuée hors du Québec ou par une personne qui ne réside pas au Québec, de même que la TVQ visée à l'article 18.0.1 de cette loi, à l'égard de la fourniture taxable d'un bien meuble incorporel ou d'un service effectuée hors du Québec mais au Canada.

Modifications proposées :

La modification apportée à l'article 472 a pour but de faire en sorte que chaque contribuable admissible, au sens de l'article 26.2 de la LTVQ, qui est redevable de la TVQ relativement à une fourniture taxable réputée, découlant de frais ou dépenses effectués hors du Canada par un contribuable admissible, ou découlant d'opérations survenues avec une succursale située hors du Canada, se rapportant à ses activités exercées au Québec, conformément au paragraphe 9° de l'article 18 de la LTVQ, soit tenu de présenter au ministre du Revenu ou à la personne prescrite une déclaration et d'y indiquer le montant de TVQ. Sommairement, lorsque le contribuable admissible est un inscrit, le sous-paragraphe b) du paragraphe 1° de l'article 472 de la LTVQ oblige le contribuable à payer au ministre ou à la personne prescrite la taxe prévue à l'article 18 ou 18.0.1 de la LTVQ qui devient payable au cours d'une période de déclaration, au plus tard le jour donné où il est tenu de produire sa déclaration en vertu de l'article 468 de cette loi. De plus, ce contribuable admissible doit, au plus tard ce jour donné, produire une déclaration relativement à cette taxe.

Lorsque le contribuable admissible n'est pas un inscrit, le paragraphe 2° de l'article 472 de la LTVQ oblige le contribuable à présenter une déclaration au ministre du Revenu et à payer la TVQ dont il est redevable en vertu de l'article 18 ou 18.0.1 de cette loi au plus tard à la fin du mois qui suit celui au cours duquel cette taxe devient payable. Enfin, ce paragraphe 2° de l'article 472 de la LTVQ fait l'objet d'une modification terminologique.

Définitions [art. 472]: « montant », « période de déclaration », « personne », « taxe » — 1.

Renvois [art. 472]: 471 (forme et contenu d'une déclaration); 677 (règlements).

Règlements [art. 472]: RTVQ, 472R1.

Formulaires [art. 472]: FP-500, Formulaire de déclaration (calculs détaillés) — Taxe sur les produits et services — Taxe de vente du Québec.

Concordance fédérale: LTA, art. 219.

473. Production — versement — apport au Québec — Toute personne responsable du paiement de la taxe prévue à l'article 17 — appelée « redevable » dans le présent article — doit, au moment où la taxe devient payable, produire une déclaration au ministre ou à une personne prescrite, au moyen du formulaire prescrit contenant les renseignements prescrits, et verser en même temps au ministre ou à cette personne la taxe payable.

Exception — inscrit — Malgré l'article 17, le redevable tenu de produire une déclaration en vertu de l'article 468 doit, sauf si la taxe prévue à l'article 17 doit être perçue par une personne prescrite, fournir dans cette déclaration les renseignements relatifs à l'apport et verser la taxe en même temps qu'elle doit produire la déclaration en vertu de l'article 468.

Notes historiques: L'article 473 a été modifié par L.Q. 1995, c. 63, art. 490(1) et est assujetti aux dispositions transitoires suivantes :

> 1° Cette modification, lorsqu'elle supprime, dans l'article 473, la référence à l'article 17.2, s'applique à l'égard de l'apport d'un véhicule routier effectué par un inscrit après le 31 juillet 1995 dans le cas où l'inscrit aurait le droit de demander un remboursement de la taxe sur les intrants s'il payait une taxe relativement au véhicule

ainsi apporté et, dans tous les autres cas, à l'égard de l'apport d'un véhicule routier effectué après une date de prise d'effet fixée par décret du gouvernement.

2° Cette modification, lorsqu'elle supprime, dans l'article 473, la référence à l'article 17.3, s'applique à l'égard de l'apport d'un carburant effectué par un inscrit après le 31 juillet 1995 dans le cas où l'inscrit aurait le droit de demander un remboursement de la taxe sur les intrants s'il payait une taxe relativement au carburant ainsi apporté et, dans tous les autres cas, à l'égard de l'apport d'un carburant effectué après le 31 décembre 1995.

[*N.D.L.R.* : les paragraphes d'application 1° et 2° ont été modifiés par L.Q. 1997, c. 85, art. 764(1) et ont effet depuis le 15 décembre 1995. Antérieurement, ils se lisaient ainsi :

1° Cette modification, lorsqu'elle supprime, dans l'article 17, la référence à l'article 17.2, s'applique à l'égard de l'apport d'un véhicule routier effectué par un inscrit après le 31 juillet 1995 dans le cas où l'inscrit aurait le droit de demander un remboursement de la taxe sur les intrants s'il payait une taxe relativement au véhicule ainsi apporté et, dans tous les autres cas, à l'égard de l'apport d'un véhicule routier effectué après le 29 novembre 1996.

2° Cette modification, lorsqu'elle supprime, dans l'article 17, la référence à l'article 17.3, s'applique à l'égard de l'apport d'un carburant effectué par un inscrit après le 31 juillet 1995 dans le cas où l'inscrit aurait le droit de demander un remboursement de la taxe sur les intrants s'il payait une taxe relativement au carburant ainsi apporté et, dans tous les autres cas, à l'égard de l'apport d'un carburant effectué après le 31 décembre 1995.]

Auparavant, l'article 473 se lisait comme suit :

473. Toute personne responsable du paiement de la taxe prévue aux articles 17, 17.2 et 17.3 — appelée « redevable » dans le présent article — doit, au moment où la taxe devient payable, produire une déclaration au ministre ou à une personne prescrite, au moyen du formulaire prescrit contenant les renseignements prescrits, et verser en même temps au ministre ou à cette personne la taxe payable.

Malgré les articles 17, 17.2 et 17.3, le redevable tenu de produire une déclaration en vertu de l'article 468 doit, sauf si la taxe prévue à l'article 17 doit être perçue par une personne prescrite, fournir dans cette déclaration les renseignements relatifs à l'apport et verser la taxe en même temps qu'elle doit produire la déclaration en vertu de l'article 468.

L'article 473 a été modifié par L.Q. 1993, c. 19, art. 244 pour ajouter les références aux articles 17.2 et 17.3. Il s'applique à l'égard d'une fourniture ou d'un apport au Québec relativement auquel l'article 685 ou l'un des articles 618 à 656 de L.Q. 1991, c. 67 s'applique [*N.D.L.R.* : les articles 685 et 618 à 656 réfèrent à des dispositions transitoires concernant les transferts avant le 1er juillet 1992].

L'article 473 a été édicté par L.Q. 1991, c. 67.

Définitions [art. 473]: « inscrit », « personne » — 1.

Renvois [art. 473]: 17.0.2 (réduction de la valeur estimative); 471 (forme et contenu d'une déclaration); 677 (règlements).

Formulaires [art. 473]: FP-500, Formulaire de déclaration (calculs détaillés) — Taxe sur les produits et services — Taxe de vente du Québec; LM-471.16, Annexe — Relevé des achats et des opérations de manutention de carburant; VD-8, Déclaration annuelle du transporteur international; VD-81, Déclaration du transporteur concernant la répartition de la taxe de vente du Québec à l'égard du matériel de transport routier interprovincial; VD-83, Formulaire de redressement de la taxe de vente du Québec (TVQ) à l'égard du matériel de transport routier international; VD-471.iP, Répartition de la taxe — transporteurs canadiens; VD-677.R.G. Déclaration relative aux kilomètres parcourus au Québec par un transporteur, concernant la répartition de la taxe de vente du Québec (TVQ) à l'égard du matériel de transport routier interprovincial.

Règlements [art. 473]: 473R1 RTVQ.

Lettres d'interprétation [art. 473]: 99-0105090 — Interprétation relative à la TVQ — Achat de cartes aux États-Unis pour usage au Québec.

Concordance fédérale: aucune.

473.1 Versement de la taxe — Toute personne responsable du paiement de la taxe prévue à l'article 16 — appelée « redevable » dans le présent article — à l'égard d'une fourniture visée à l'article 20.1 ou d'une fourniture effectuée par un petit fournisseur qui n'est pas un inscrit, dans le cadre d'une activité commerciale, d'un véhicule routier, autre qu'un véhicule automobile acquis par fourniture par vente au détail, qui doit être immatriculé en vertu du *Code de la sécurité routière* (chapitre C-24.2) à la suite d'une demande de la personne doit, au moment de la fourniture, verser au ministre ou à une personne prescrite la taxe payable à l'égard de la fourniture.

Mandataire du ministre — La personne prescrite doit, à titre de mandataire du ministre, percevoir la taxe payable par le redevable à l'égard de la fourniture.

Notes historiques: Le premier alinéa de l'article 473.1 a été modifié par L.Q. 2001, c. 51, art. 305 et cette modification s'applique à l'égard d'une fourniture dont la totalité ou une partie de la contrepartie devient due après le 20 février 2000 et n'est pas payée avant le 21 février 2000. Toutefois, il ne s'applique pas à l'égard de toute partie de la contrepartie qui devient due ou a été payée avant le 21 février 2000. Antérieurement, il se lisait ainsi :

473.1 Toute personne responsable du paiement de la taxe prévue à l'article 16 — appelée « redevable » dans le présent article — à l'égard d'une fourniture visée à l'article 20.1 ou d'une fourniture effectuée par un petit fournisseur, dans le cadre d'une activité commerciale, d'un véhicule routier qui doit être immatriculé en vertu du *Code de la sécurité routière* (chapitre C-24.2) à la suite d'une demande de la personne doit, au moment de la fourniture, verser au ministre ou à une personne prescrite la taxe payable à l'égard de la fourniture.

Le premier alinéa de l'article 473.1 a été modifié par L.Q. 1995, c. 63, art. 491(1) et cette modification a effet depuis le 1er juillet 1992 [*N.D.L.R.* : cette disposition s'applique conformément aux articles 618 à 656 et 685 de L.Q. 1991, c. 67, tels que modifiés]. Toutefois, lorsque le premier alinéa de l'article 473.1 s'applique à l'égard d'une fourniture effectuée avant le 1er juin 1994, il doit se lire comme suit :

473.1 Toute personne responsable du paiement de la taxe prévue à l'article 16 à l'égard d'une fourniture visée à l'article 20.1 ou d'une fourniture effectuée par un petit fournisseur, dans le cadre d'une activité commerciale, d'un véhicule routier qui doit être immatriculé en vertu du *Code de la sécurité routière* (L.R.Q., chapitre C-24.2) à la suite d'une demande de la personne doit, au moment de la fourniture, verser au ministre ou à une personne prescrite la taxe payable à l'égard de la fourniture.

Auparavant, l'article 473.1 a été modifié par L.Q. 1995, c. 1, art. 337(1) et cette modification s'applique à l'égard d'une fourniture effectuée après le 31 mai 1994. Il se lisait comme suit :

473.1 Toute personne responsable du paiement de la taxe prévue à l'article 16 à l'égard d'une fourniture visée à l'article 20.1 — appelée « redevable » dans le présent article — doit, au moment de la fourniture, verser au ministre ou à une personne prescrite la taxe payable à l'égard de la fourniture.

Auparavant, il se lisait comme suit :

473.1 Toute personne responsable du paiement de la taxe prévue à l'article 16 à l'égard d'une fourniture visée à l'article 20.1 doit, au moment de la fourniture, verser au ministre ou à une personne prescrite la taxe payable à l'égard de la fourniture.

L'article 473.1 a été ajouté par L.Q. 1993, c. 19, art. 245 et s'applique à l'égard d'une fourniture ou d'un apport au Québec relativement auquel l'article 685 ou l'un des articles 618 à 656 de L.Q. 1991, c. 67 s'applique [*N.D.L.R.* : les articles 685 et 618 à 656 réfèrent à des dispositions transitoires concernant les transferts avant le 1er juillet 1992].

Guides [art. 473.1]: IN-203 — Renseignements généraux sur la TVQ et la TPS/TVH; IN-300 — Vous êtes travailleur autonome? Aide–mémoire concernant la fiscalité; IN-624 — La TVQ, la TPS/TVH et les véhicules routiers.

Définitions [art. 473.1]: « fourniture », « personne », « petit fournisseur », « taxe », « véhicule routier » — 1; « exercice » — 458.1.

Renvois [art. 473.1]: 55.0.3 (fourniture d'un véhicule routier endommagé ou inhabituellement usé); 82.1 (taxe payable sur une fourniture de véhicule routier); 294 (petit fournisseur); 677:50.1° (règlements).

Règlements [art. 473.1]: RTVQ, 473.1R1.

Formulaires [art. 473]: VD-80.1, Déclaration de transaction d'un véhicule routier immatriculé au Québec entre particuliers liés.

Lettres d'interprétation [art. 473.1]: 00-0102236 — Interprétation relative à la TVQ — Mesure relative à la perception de la TVQ par la Société de l'assurance automobile du Québec « SAAQ » et annulation d'une vente.

Concordance fédérale: aucune.

473.1.1 Versement de la taxe — Toute personne responsable du paiement de la taxe prévue à l'article 16 — appelée « redevable » dans le présent article — à l'égard de la fourniture par vente au détail d'un véhicule automobile doit, au moment où la taxe devient payable en vertu de l'article 82.2, verser la taxe payable à l'égard de la fourniture :

a) dans le cas où ce moment correspond à l'immatriculation du véhicule en vertu du *Code de la sécurité routière* (chapitre C-24.2) à la suite d'une demande de son acquéreur, à une personne prescrite;

b) dans le cas où ce moment correspond au moment de la délivrance du véhicule à l'acquéreur, au ministre ou à une personne prescrite.

Mandataire du ministre — La personne prescrite, à titre de mandataire du ministre, doit percevoir la taxe payable par le redevable à l'égard de la fourniture et indiquée par le fournisseur, conformément à l'article 425.1, ainsi que lui remettre le document requis pour l'application du présent titre pour justifier une demande de rembourse-

LTVQ (français)

ment par celui-ci à l'égard de la fourniture, attestant que la taxe prévue à l'article 16 a été payée.

Exception — Le présent article ne s'applique pas dans le cas où :

1º la fourniture est visée à l'article 20.1;

2º la fourniture constitue une fourniture effectuée par un petit fournisseur qui n'est pas un inscrit, dans le cadre d'une activité commerciale, d'un véhicule routier, autre qu'un véhicule automobile acquis par fourniture par vente au détail, qui doit être immatriculé en vertu du *Code de la sécurité routière* à la suite d'une demande de la personne;

3º la fourniture est effectuée par suite de l'exercice par l'acquéreur d'un droit d'acquérir le véhicule automobile qui lui est conféré en vertu d'une convention écrite de louage de celui-ci qu'il a conclue avec le fournisseur;

4º la personne aurait droit au remboursement de la taxe payable à l'égard de la fourniture du véhicule automobile en vertu de l'article 351 ou de l'article 352 si elle avait versé la taxe prévue au premier alinéa;

5º la personne a reçu la fourniture d'un véhicule automobile neuf afin de le fournir à nouveau par vente, autrement que par donation, qu'elle a acquis par l'intermédiaire d'un mandataire dans le but de l'expédier hors du Québec et que ce véhicule a été expédié hors du Québec.

Notes historiques: Le deuxième alinéa de l'article 473.1.1 a été remplacé par L.Q. 2004, c. 21, par. 539(1) et cette modification s'applique à l'égard d'une fourniture dont la totalité ou une partie de la contrepartie devient due après le 20 février 2000 et n'est pas payée avant le 21 février 2000. Toutefois, il ne s'applique pas à l'égard de toute partie de la contrepartie qui devient due ou a été payée avant le 21 février 2000. Antérieurement, cet alinéa se lisait ansi :

> La personne prescrite, à titre de mandataire du ministre, doit percevoir la taxe payable par le redevable à l'égard de la fourniture et lui remettre le document requis pour l'application du présent titre pour justifier une demande de remboursement par celui-ci à l'égard de la fourniture, attestant que la taxe prévue à l'article 16 a été payée.

L'article 473.1.1 a été ajouté par L.Q. 2001, c. 51, art. 306 et s'applique à l'égard d'une fourniture dont la totalité ou une partie de la contrepartie devient due après le 20 février 2000 et n'est pas payée avant le 21 février 2000. Toutefois, il ne s'applique pas à l'égard de toute partie de la contrepartie qui devient due ou a été payée avant le 21 février 2000.

Guides [art. 473.1.1]: IN-624 — La TVQ, la TPS/TVH et les véhicules routiers.

Règlements [art. 473.1.1]: RTVQ, 473.1.1R1.

Jurisprudence [art. 473.1.1]: *Lafarge Canada Inc. c. Québec (Sous-ministre du Revenu)* (12 mars 2009), 500-17-062043-107, 2011 CarswellQue 13949; *151761 Canada inc. c. SAAQ* (12 mars 2009), 500-32-109401-085, 2009 CarswellQue 7489; *Québec (Sous-ministre du Revenu) c. 3199959 Canada inc.* (6 septembre 2006), 500-09-015494-057, 2007 CarswellQue 8323.

Formulaires [art. 473.1.1]: VD-87, Confirmation de la transaction entre un détaillant hors du Québec et un résident du Québec concernant un véhicule automobile.

Lettres d'interprétation [art. 422]: 01-0106367 — Interprétation relative à la TPS et à la TVQ — Fourniture d'un véhicule automobile suite à l'exercice d'une option d'achat; 02-0100913 — Interprétation relative à la TVQ — Fourniture d'un véhicule automobile usagé; 04-0104085 — Interprétation relative à la TVQ Remboursement de la TVQ payée relativement à la fourniture détaxée d'un véhicule automobile.

Concordance fédérale: aucune.

473.2 Définitions — Pour l'application des articles 473.3 à 473.9, l'expression :

« exercice » d'un inscrit correspond à son exercice au sens de l'article 458.1;

Notes historiques: La définition de « exercice » à l'article 473.2 a été ajoutée par L.Q. 1995, c. 63, art. 492(1) et s'applique à l'égard d'une période de déclaration commençant après le 31 mars 1994.

Définitions: « inscrit » — 1.

Concordance fédérale: LTA, par. 123(1)« exercice ».

« montant cumulatif » pour une période de déclaration d'un inscrit signifie le total des montants suivants :

1º le montant qui, en faisant abstraction de l'article 473.5, correspondrait à la taxe nette de l'inscrit pour la période si aucun remboursement de la taxe sur les intrants n'était demandé et si aucun montant n'était déduit dans le calcul de cette taxe nette;

2º le montant qui, en vertu de l'article 473.5, doit être ajouté dans le calcul de la taxe nette pour la période;

Notes historiques: La définition de « montant cumulatif » à l'article 473.2 a été ajoutée par L.Q. 1995, c. 1, art. 338(1) et s'applique à l'égard d'une période de déclaration commençant après le 31 mars 1994.

Définitions: « inscrit », « montant », « période de déclaration » — 1.

Renvois: 199 (RTI); 428–436 (détermination de la taxe nette).

Concordance fédérale: LTA, par. 238.1(1)« montant cumulatif ».

« période désignée » d'une personne signifie une période de déclaration de la personne, à l'égard de laquelle une désignation prévue à l'article 473.3 est en vigueur, mais ne comprend pas une période de déclaration dans laquelle la personne cesse d'être un inscrit.

Notes historiques: La définition de « periode désignée » à l'article 473.2 a été ajoutée par L.Q. 1995, c. 1, art. 338(1) et s'applique à l'égard d'une période de déclaration commençant après le 31 mars 1994.

Définitions: « inscrit », « période de déclaration », « personne » — 1.

Concordance fédérale: LTA, par. 238.1(1)« période désignée ».

473.3 Désignation — Le ministre peut, à la demande d'un inscrit, désigner par écrit à titre de période de déclaration admissible pour l'application des articles 473.2 à 473.9 une période de déclaration donnée de l'inscrit, autre qu'un exercice, que l'inscrit précise dans sa demande et qui se termine dans un exercice de l'inscrit si, à la fois :

1º il est établi, à la satisfaction du ministre, qu'il est raisonnable de s'attendre à ce que le montant cumulatif pour la période de déclaration donnée n'excède pas 1 000 $;

2º la demande de l'inscrit à l'égard de la période de déclaration donnée est effectuée au moyen du formulaire prescrit contenant les renseignements prescrits et est produite au ministre avant le début de la période de déclaration donnée de la manière prescrite par celui-ci;

3º au moment où la demande est produite :

a) aucune désignation effectuée en vertu du présent article d'une période de déclaration de l'inscrit se terminant au cours de l'exercice n'a été révoquée;

b) tous les montants que l'inscrit était tenu, en vertu d'une loi fiscale au sens de la *Loi sur l'administration fiscale* (chapitre A-6.002), de payer ou de verser avant ce moment l'ont été;

c) toutes les déclarations que l'inscrit était tenu, en vertu du présent titre, de produire au ministre avant ce moment l'ont été.

Notes historiques: L'article 473.3 a été ajouté par L.Q. 1995, c. 1, art. 338(1) et s'applique à l'égard d'une période de déclaration commençant le 31 mars 1994.

Définitions [art. 473.3]: « inscrit » — 1; « exercice » — 473.2; « montant cumulatif » — 473.2; « période de déclaration » — 1; « période désignée » — 473.2.

Renvois [art. 473.3]: 473.6 (révocation par le ministre d'une période de déclaration); 7R78.3, 7R78.14 RAF (signature des documents par certains fonctionnaires).

Concordance fédérale: LTA, par. 238.1(2).

473.4 Exemption de production — Sous réserve des articles 39, 39.2 et 61.1 de la *Loi sur l'administration fiscale* (chapitre A-6.002), un inscrit n'a pas à produire une déclaration en vertu de l'article 468 pour une période désignée si le montant cumulatif pour cette période n'excède pas 1 000 $.

Notes historiques: L'article 473.4 a été remplacé par L.Q. 2009, c. 15, art. 524 et cette modification est entrée en vigueur le 4 juin 2009. Antérieurement, il se lisait ainsi :

> 473.4 Sous réserve des articles 39 et 95 de la *Loi sur le ministère du Revenu* (L.R.Q., chapitre M-31) et de l'article 1001 de la *Loi sur les impôts* (L.R.Q., chapitre I-3), un inscrit n'a pas à produire une déclaration en vertu de l'article 468 pour une période désignée si le montant cumulatif pour cette période n'excède pas 1 000 $.

L'article 473.4 a été ajouté par L.Q. 1995, c. 1, art. 338(1) et s'applique à l'égard d'une période de déclaration commençant le 31 mars 1994.

Notes explicatives ARQ (PL 37, L.Q. 2009, c. 15): *Résumé* :

Une modification technique est apportée à l'article 473.4 afin de préciser les articles en vertu desquels un inscrit est tenu de produire une déclaration si le ministre l'exige ou si un tribunal l' ordonne.

Situation actuelle :

Actuellement, l'article 473.4 de la LTVQ prévoit qu'un inscrit n'a pas à produire une déclaration à l'égard d'une de ses périodes de déclaration qui est désignée par le ministre si le montant cumulatif pour cette période n'excède pas 1000 $.

Toutefois, l'article 473.4 de la LTVQ précise que l'inscrit doit produire une déclaration à l'égard d'une période désignée si le ministre l'exige par une mise en demeure prévue à l'article 1001 de la *Loi sur les impôts* ou par une demande péremptoire prévue aux articles 39 et 95 de la *Loi sur le ministère du Revenu* (LMR).

Or, l'article 473.4 de la LTVQ devrait plutôt se lire en faisant référence à une déclaration qu'un inscrit est tenu de produire si le ministre l'exige, ou si un tribunal l'ordonne, en vertu des articles 39, 39.2 et 61.1 de la LMR.

Modifications proposées :

Il est proposé de modifier l'article 473.4 de la LTVQ afin de préciser les articles en vertu desquels un inscrit est tenu de produire une déclaration si le ministre l'exige ou si un tribunal l'ordonne.

Définitions [art. 473.4]: « montant cumulatif » — 473.2; « période de déclaration » — 1.

Renvois [art. 473.4]: 473.3 (détermination par le ministre d'une période de déclaration donnée); 473.9 (cas où une personne n'est pas tenue de produire une déclaration).

Concordance fédérale: LTA, par. 238.1(3).

473.5 Calcul de la taxe nette — Dans le cas où le montant cumulatif pour une période désignée d'un inscrit n'excède pas 1 000 $, ce montant doit être ajouté dans le calcul de la taxe nette de l'inscrit pour sa période de déclaration suivant immédiatement la période désignée et, malgré toute autre disposition du présent titre, ce montant ne doit pas être inclus dans le calcul de la taxe nette de l'inscrit pour la période désignée.

Notes historiques: L'article 473.5 a été ajouté par L.Q. 1995, c. 1, art. 338(1) et s'applique à l'égard d'une période de déclaration commençant le 31 mars 1994.

Définitions [art. 473.5]: « inscrit », « montant » — 1; « montant cumulatif » — 473.2; « période de déclaration » — 1; « période désignée » — 473.2.

Renvois [art. 473.5]: 428–436 (détermination de la taxe nette); 433.2 (taxe nette d'un organisme de bienfaisance inscrit); 473.3 (détermination par le ministre d'une période de déclaration donnée).

Concordance fédérale: LTA, par. 238.1(4).

473.6 Révocation par le ministre — Le ministre peut révoquer la désignation d'une période de déclaration effectuée en vertu de l'article 473.3 si, selon le cas :

1° la condition visée au paragraphe 1° de l'article 473.3 n'est plus remplie à l'égard de la période;

2° les conditions visées au paragraphe 3° de l'article 473.3 ne seraient pas remplies si une demande de désignation était produite au début de la période.

Notes historiques: L'article 473.6 a été ajouté par L.Q. 1995, c. 1, art. 338(1) et s'applique à l'égard d'une période de déclaration commençant le 31 mars 1994.

Définitions [art. 473.6]: « période de déclaration » — 1.

Renvois [art. 473.6]: 473.7 (avis écrit de la révocation).

Concordance fédérale: LTA, par. 238.1(5).

473.7 Avis de révocation — Dans le cas où le ministre révoque en vertu de l'article 473.6 la désignation d'une période de déclaration d'un inscrit, il doit expédier à l'inscrit un avis écrit de la révocation.

Notes historiques: L'article 473.7 a été ajouté par L.Q. 1995, c. 1, art. 338(1) et s'applique à l'égard d'une période de déclaration commençant le 31 mars 1994.

Définitions [art. 473.7]: « inscrit », « période de déclaration » — 1.

Renvois [art. 473.7]: 473.3 (détermination par le ministre d'une période de déclaration donnée); 7R78.3, 7R78.14 RAF (signature des documents par certains fonctionnaires).

Concordance fédérale: LTA, par. 238.1(6).

473.8 Révocation d'office — Toute désignation, effectuée par le ministre en vertu de l'article 473.3, d'une période de déclaration d'un inscrit qui est postérieure à une période désignée donnée de l'inscrit et qui se termine au cours du même exercice que la période désignée donnée est révoquée si, selon le cas :

1° l'inscrit produit ou est tenu de produire une déclaration prévue à l'article 468 pour la période désignée donnée;

2° le ministre révoque la désignation de la période désignée donnée.

Notes historiques: L'article 473.8 a été ajouté par L.Q. 1995, c. 1, art. 338(1) et s'applique à l'égard d'une période de déclaration commençant le 31 mars 1994.

Définitions [art. 473.8]: « exercice » — 473.2; « inscrit », « période de déclaration », « période désignée » — 1.

Concordance fédérale: LTA, par. 238.1(7).

473.9 Délais — Pour l'application du présent titre, sauf des articles 473.2 à 473.8, dans le cas où une personne n'est pas tenue, en raison de l'article 473.4, de produire une déclaration, toute référence au jour où elle est tenue, au plus tard, de produire la déclaration doit être lue comme une référence au jour où elle serait tenue, au plus tard, de produire la déclaration si ce n'était de l'article 473.4.

Notes historiques: L'article 473.9 a été ajouté par L.Q. 1995, c. 1, art. 338(1) et s'applique à l'égard d'une période de déclaration commençant le 31 mars 1994.

Définitions [art. 473.9]: « personne » — 1.

Renvois [art. 473.9]: 473.3 (détermination par le ministre d'une période de déclaration donnée).

Concordance fédérale: LTA, par. 238.1(8).

474. Déclarations distinctes — Un inscrit qui exerce une ou plusieurs activités commerciales dans des divisions ou des succursales distinctes peut présenter une demande au ministre de la manière prescrite par ce dernier, au moyen du formulaire prescrit contenant les renseignements prescrits, pour obtenir l'autorisation de produire des déclarations distinctes en vertu du présent chapitre à l'égard d'une division ou d'une succursale visée dans la demande.

Notes historiques: L'article 474 a été édicté par L.Q. 1991, c. 67.

Guides [art. 474]: IN-203 — Renseignements généraux sur la TVQ et la TPS/TVH.

Définitions [art. 474]: « activité commerciale », « inscrit » — 1.

Renvois [art. 474]: 397 (succursales et division de certains organismes); 402.0.2 (succursales et division de certains organismes); 475 (autorisation); 477.1 (production de déclaration distinctes).

Lettres d'interprétation [art. 474]: 01-0100279 — Admissibilité à un RTI par un non-résident.

Formulaires [art. 474]: FP-594, Demande de production de déclarations distinctes pour des succursales ou des divisions; FP-2010, Demande de production de déclarations distinctes — Demande de remboursement distincte — Révocation de l'une ou l'autre des demandes.

Concordance fédérale: LTA, par. 239(1).

475. Autorisation — Le ministre peut autoriser, par écrit, un inscrit à produire des déclarations distinctes relativement à une division ou à une succursale visée dans une demande présentée en vertu de l'article 474, sous réserve des conditions que le ministre peut imposer en tout temps, s'il est établi à la satisfaction de ce dernier que, à la fois :

1° la division ou la succursale peut être reconnue distinctement par son emplacement ou la nature des activités qu'elle exerce;

2° des livres de comptes, d'autres registres et des systèmes comptables distincts sont tenus à l'égard de la division ou de la succursale.

Notes historiques: Le paragraphe 2° de l'article 475 a été modifié par L.Q. 2000, c. 25, art. 30 par le remplacement des mots « des registres » par les mots « d'autres registres ». Cette modification est réputée entrée en vigueur le 16 juin 2000.

L'article 475 a été édicté par L.Q. 1991, c. 67.

Définitions [art. 475]: « inscrit » — 1.

Renvois [art. 475]: 396 (demandes de succursales et divisions); 397 (demande selon l'article 474); 402.0.1 (demandes par divisions ou succursales); 402.0.2 (demande selon l'article 474); 476 (révocation d'autorisation); 477.1 (production de déclarations distinctes); 7R78.3, 7R78.14 RAF (signature des documents par certains fonctionnaires).

Concordance fédérale: LTA, par. 239(2).

476. Révocation — Le ministre peut révoquer, par écrit, l'autorisation accordée en vertu de l'article 475 si, selon le cas :

LTVQ (français)

1° l'inscrit omet de respecter une condition de cette autorisation ou une disposition du présent titre;

2° le ministre considère que l'autorisation n'est plus requise pour les fins pour lesquelles elle a été accordée ou pour l'application du présent titre;

3° il n'est plus établi à la satisfaction du ministre que les exigences prévues aux paragraphes 1° et 2° de l'article 475 sont rencontrées;

4° l'inscrit demande au ministre, par écrit, de révoquer l'autorisation.

Notes historiques: L'article 476 a été édicté par L.Q. 1991, c. 67.

Définitions [art. 476]: « inscrit » — 1.

Renvois [art. 476]: 477 (avis de révocation); 477.1 (production de déclarations distinctes); 7R78.3, 7R78.14 RAF (signature des documents par certains fonctionnaires).

Concordance fédérale: LTA, par. 239(3).

477. Avis de révocation — Dans le cas où le ministre révoque une autorisation en vertu de l'article 476, il doit expédier à l'inscrit un avis écrit de la révocation et y préciser sa date d'effet.

Notes historiques: L'article 477 a été édicté par L.Q. 1991, c. 67.

Définitions [art. 477]: « inscrit » — 1.

Renvois [art. 477]: 477.1 (production de déclarations distinctes); 7R78.3, 7R78.14 RAF (signature des documents par certains fonctionnaires).

Concordance fédérale: LTA, par. 239(4).

477.1 Déclarations distinctes — Malgré les articles 474 à 477, dans le cas où un inscrit obtient une autorisation en vertu de l'article 239 de la partie IX de la *Loi sur la taxe d'accise* (Lois révisées du Canada (1985), chapitre E-15) de produire des déclarations distinctes relativement à une division ou à une succursale à l'égard de laquelle une demande peut être effectuée en vertu des articles 474 et 475, les règles suivantes s'appliquent :

1° l'inscrit n'a pas à produire la demande prévue à l'article 474;

2° l'autorisation visée à l'article 239 de la partie IX de cette loi, y compris les conditions qui peuvent y être imposées, est réputée être une autorisation accordée en vertu de l'article 475;

3° l'avis de retrait délivré en vertu de l'article 239 de la partie IX de cette loi de l'autorisation obtenue en vertu de cet article est réputée être une révocation délivrée en vertu de l'article 476 de l'autorisation donnée en vertu de l'article 475 et la date d'effet de cet avis est réputée être la date d'effet de la révocation.

Demande du ministre — Pour l'application du premier alinéa, le ministre peut exiger de l'inscrit qu'il l'informe de la manière prescrite par le ministre au moyen du formulaire prescrit contenant les renseignements prescrits et dans le délai qu'il détermine, de l'autorisation obtenue en vertu de l'article 239 de la partie IX de cette loi ou de la révocation de cette autorisation, le cas échéant, ou exiger qu'il lui transmette l'autorisation ou l'avis de retrait de cette autorisation délivré en application de l'article 239 de la partie IX de cette loi.

Déclarations distinctes — personne visée à l'article 397 — Le présent article s'applique, compte tenu des adaptations nécessaires, à une personne visée à l'article 397 qui est autorisée à produire une demande en vertu de l'article 239 de la partie IX de cette loi en raison de l'application du paragraphe 11° de l'article 259 de cette loi.

Notes historiques: Le paragraphe 3° du premier alinéa de l'article 477.1 a été modifié par L.Q. 2009, c. 15, art. 525 par le remplacement du mot « émis » par le mot « délivré » et du mot « émise » par le mot « délivrée ». Cette modification est entrée en vigueur le 4 juin 2009.

Le troisième alinéa de l'article 477.1 a été ajouté par L.Q. 1997, c. 85, art. 710(1) et a effet depuis le 1er août 1995.

L'article 477.1 a été ajouté par L.Q. 1995, c. 63, art. 493 et a effet depuis le 1er août 1995.

Notes explicatives ARQ (PL 37, L.Q. 2009, c. 15): *Résumé* :

L'article 477.1 est modifié par le remplacement du mot « émis « par le mot « délivré « .

Situation actuelle :

L'article 477.1 de la LTVQ prévoit que lorsqu'une personne obtient l'autorisation de produire des déclarations distinctes en vertu de l'article 239 de la *Loi sur la taxe d'accise* (LTA), cette autorisation s'applique également dans le régime de la taxe de vente du Québec.

De même, lorsque l'autorisation est retirée en vertu de l'article 239 de la LTA, l'autorisation est réputée être révoquée en vertu de l'article 475 et ce, à la même date. À cette fin, le ministre peut exiger de cette personne les renseignements relatifs à cette autorisation et à son retrait.

Les mêmes règles s'appliquent à une personne ayant obtenu l'autorisation de produire des déclarations distinctes en vertu de l'article 239 de la LTA en raison de l'application du paragraphe 11 de l'article 259 de la LTA, laquelle s'applique à une personne non inscrite.

Modifications proposées :

L'article 477.1 de la LTVQ fait l'objet d'une modification terminologique afin de tenir compte du contexte dans lequel les dérivés des mots « émission » et « délivrance » doivent être utilisés. En effet, l'article 477.1 de la LTVQ fait référence à l'émission d'un avis de retrait ainsi qu'à l'émission d'une révocation. Or, dans ce contexte, il est plus approprié d'utiliser le dérivé du mot « délivrer ».

Guides [art. 477.1]: IN-203 — Renseignements généraux sur la TVQ et la TPS/TVH.

Définitions [art. 477.1]: « inscrit », « personne » — 1.

Concordance fédérale: aucune.

Chapitre IX — Règle anti-évitement

478. Définitions — Pour l'application du présent chapitre, l'expression :

« attributs fiscaux » d'une personne signifie le montant de la taxe, de la taxe nette, d'un remboursement de la taxe sur les intrants, d'un remboursement en vertu de la section I du chapitre septième ou un autre montant payable par cette personne ou remboursable à cette personne en vertu du présent titre, ou tout autre montant qui est pertinent aux fins de calculer l'un de ces montants;

Notes historiques: La définition de « attributs fiscaux » à l'article 478 a été ajoutée par L.Q. 1991, c. 67.

Définitions: « montant », « personne », « taxe » — 1.

Concordance fédérale: LTA, par. 274(1)« attribut fiscal ».

« avantage fiscal » signifie une réduction, un évitement ou un report de la taxe ou d'un autre montant payable en vertu du présent titre ou une augmentation d'un remboursement de taxe ou d'un autre montant en vertu du présent titre;

Notes historiques: La définition de « avantage fiscal » à l'article 478 a été ajoutée par L.Q. 1991, c. 67.

Concordance fédérale: LTA, par. 274(1)« avantage fiscal ».

« opération » comprend un arrangement ou un événement.

Notes historiques: La définition de « opération » à l'article 478 a été ajoutée par L.Q. 1991, c. 67.

Concordance fédérale: LTA, par. 274(1)« opération ».

COMMENTAIRES: Voir les commentaires sous l'article 485.

479. Règle générale anti-évitement — Dans le cas où une opération constitue une opération d'évitement, les attributs fiscaux d'une personne doivent être déterminés de façon raisonnable dans les circonstances afin que soit supprimé un avantage fiscal qui, en l'absence du présent chapitre, résulterait directement ou indirectement de cette opération ou d'une série d'opérations qui comprend cette opération.

Notes historiques: L'article 479 a été édicté par L.Q. 1991, c. 67.

Définitions [art. 479]: « personne » — 1.

Renvois [art. 479]: 481 (non-application); 482 (attributs fiscaux à déterminer); 483 (demande en vue de déterminer les attributs fiscaux).

Lettres d'interprétation [art. 479]: 98-0104038 — Demande d'interprétation RTI à l'égard des dépenses encourues pour la location de camions avec opérateur — Incidence fiscale.

Concordance fédérale: LTA, par. 274(2).

COMMENTAIRES: Voir les commentaires sous l'article 485.

480. Opération d'évitement — Une opération d'évitement signifie une opération qui, en l'absence du présent chapitre, entraînerait directement ou indirectement un avantage fiscal, ou qui fait partie d'une série d'opérations qui, en l'absence du présent chapitre, entraînerait directement ou indirectement un avantage fiscal, sauf si, dans l'un ou l'autre de ces cas, l'on peut raisonnablement considérer que l'opération a été entreprise ou organisée principalement pour des objets véritables autres que l'obtention de l'avantage fiscal.

Notes historiques: L'article 480 a été remplacé par L.Q. 2007, c. 12, art. 339 et cette modification est entrée en vigueur le 7 novembre 2007. Antérieurement, il se lisait ainsi :

> 480. Une opération d'évitement signifie une opération qui, en l'absence du présent chapitre, résulterait directement ou indirectement en un avantage fiscal, ou qui fait partie d'une série d'opérations qui, en l'absence du présent chapitre, résulterait directement ou indirectement en un avantage fiscal, sauf si, dans l'un ou l'autre de ces cas, l'on peut raisonnablement considérer que l'opération a été entreprise ou organisée principalement pour des objets véritables autres que l'obtention de l'avantage fiscal.

L'article 480 a été édicté par L.Q. 1991, c. 67.

Notes explicatives ARQ (PL 2, L.Q. 2007, c. 12): *Résumé* :

L'article 480 définit ce qu'est une opération d'évitement pour l'application de la règle générale antiévitement.

Cet article 480 est modifié de façon à remplacer, en concordance avec la modification apportée à l'article 481 de la LTVQ, l'expression « résulterait en » par le terme « entraînerait ».

Situation actuelle :

L'article 480 prévoit qu'une opération d'évitement est une opération ou une série d'opérations qui mène à un avantage fiscal. Cette définition soustrait à l'application de la règle antiévitement les opérations ou les séries d'opérations qui peuvent raisonnablement être considérées comme ayant été principalement effectuées pour un objet non fiscal.

Modifications proposées :

L'article 480 est modifié afin que soit remplacée, en concordance avec la modification apportée à l'article 481 de la LTVQ, l'expression « résulterait en » par le mot « entraînerait ».

Définitions [art. 480]: « montant », « personne », « taxe » — 1.

Concordance fédérale: LTA, par. 274(3).

COMMENTAIRES: Voir les commentaires sous l'article 485.

481. Exception — L'article 479 ne s'applique à une opération que si l'on peut raisonnablement considérer que, selon le cas :

1° s'il n'était pas tenu compte du présent chapitre, cette opération entraînerait directement ou indirectement un abus dans l'application des dispositions d'un ou plusieurs des textes suivants :

a) le présent titre;

b) le *Règlement sur la taxe de vente du Québec*, édicté par le décret n° 1607-92 (1992, G.O. 2, 6726), en ce qui concerne les dispositions relatives à l'application du présent titre;

c) tout autre texte législatif ou réglementaire qui est pertinent soit pour le calcul de la taxe ou d'un autre montant payable par une personne ou qui est remboursable à une personne en vertu du présent titre, soit pour la détermination d'un montant qui doit être pris en compte dans ce calcul;

2° cette opération entraînerait directement ou indirectement un abus dans l'application des dispositions visées au paragraphe 1°, exception faite du présent chapitre, lues dans leur ensemble.

Notes historiques: L'article 481 a été remplacé par L.Q. 2007, c. 12, par. 340(1) et cette modification s'applique à l'égard d'une opération conclue après le 30 septembre 1991. Antérieurement, il se lisait ainsi :

> 481. Pour plus de certitude, dans le cas où l'on peut raisonnablement considérer qu'une opération ne résulterait pas directement ou indirectement en un mauvais emploi des dispositions du présent titre ou en un abus compte tenu des dispositions du présent titre, exception faite du présent chapitre, lu dans son ensemble, l'article 479 ne s'applique pas à cette opération.

L'article 481 a été édicté par L.Q. 1991, c. 67.

Notes explicatives ARQ (PL 2, L.Q. 2007, c. 12): *Résumé* :

L'article 481 prévoit que la règle générale antiévitement ne s'applique à une opération d'évitement que si l'on peut raisonnablement considérer que cette opération entraîne un abus dans l'application d'une ou plusieurs dispositions du titre I de la LTVQ ou un abus dans l'application des dispositions de ce titre, lues dans leur ensemble.

Cet article 481 est modifié afin de préciser l'étendue de la règle générale antiévitement.

Situation actuelle :

L'article 481 de la LTVQ impose une restriction à l'application de la règle générale antiévitement prévue à l'article 479 de la LTVQ. Il prévoit que cette règle générale ne s'applique à une opération d'évitement que si l'on peut raisonnablement considérer que cette opération entraîne, directement ou indirectement un abus dans l'application d'une ou plusieurs dispositions du titre I de la LTVQ ou un abus dans l'application des dispositions de ce titre, lues dans leur ensemble, mais sans tenir compte des dispositions de la règle générale antiévitement (c'est-à-dire des dispositions du chapitre IX du titre I de cette loi qui comprend les articles 478 à 485 de la LTVQ).

Modifications proposées :

L'article 481 est modifié afin de préciser que la règle générale antiévitement de l'article 479 de la LTVQ doit être appliquée en tenant compte, non seulement du titre I de la LTVQ, mais également du Règlement sur la taxe de vente du Québec (Décret 1607-92 (1992, G.O. 2, 6726)) (RTVQ) ainsi que d'autres lois et règlements qui sont pertinents au calcul de la taxe ou d'un autre montant payable ou remboursable en vertu d'une disposition fiscale. Ces modifications permettent de contrer une interprétation jurisprudentielle trop restrictive.

Plus précisément, il est maintenant indiqué expressément que la règle générale antiévitement prévue à l'article 479 de la LTVQ ne s'applique que si l'on peut raisonnablement considérer que, en ne tenant pas compte du chapitre IX du titre I de la LTVQ, l'opération conduit, directement ou indirectement :

— soit en un abus dans l'application d'un ou plusieurs textes, à savoir le titre I de la LTVQ, le RTVQ en ce qui concerne les dispositions relatives à l'application du titre 1 de la LTVQ ou un autre texte législatif ou réglementaire pertinent (paragraphe a de l'article 481 de la LTVQ);

— soit en un abus dans l'application des dispositions de ces textes lues dans leur ensemble (paragraphe b de cet article 481).

L'article 481 de la LTVQ est aussi modifié afin que soit remplacée l'expression « résulterait en » par le mot « entraînerait ».

Concordance fédérale: LTA, par. 274(4).

COMMENTAIRES: Voir les commentaires sous l'article 485.

482. Détermination des attributs fiscaux — Sans restreindre la portée de l'article 479, et malgré tout autre texte législatif ou réglementaire, dans la détermination des attributs fiscaux d'une personne de façon raisonnable dans les circonstances afin que soit supprimé un avantage fiscal qui, en l'absence du présent chapitre, résulterait directement ou indirectement d'une opération d'évitement :

1° tout remboursement de la taxe sur les intrants, toute déduction ou toute exclusion dans le calcul de la taxe ou de la taxe nette payable peut être accordé ou refusé en tout ou en partie;

2° la totalité ou une partie de tout remboursement, de toute déduction ou de toute exclusion visé au paragraphe 1° peut être attribuée à une personne;

3° la nature de tout paiement ou de tout autre montant peut être qualifiée autrement;

4° les conséquences fiscales qui résulteraient par ailleurs de l'application d'autres dispositions du présent titre peuvent être ignorées.

Notes historiques: Le préambule de l'article 482 a été modifié par L.Q. 2007, c. 12, s.-par. 341(1)(1°) par l'insertion après les mots « l'article 479, » des mots « et malgré tout autre texte législatif ou réglementaire, ». Cette modification s'applique à l'égard d'une opération conclue après le 30 septembre 1991.

Les paragraphe 1° et 2° de l'article 482 ont été remplacés par L.Q. 2007, c. 12, s.-par. 341(1)(2°) et cette modification s'applique à l'égard d'une opération conclue après le 30 septembre 1991. Antérieurement, ils se lisaient ainsi :

> 1° tout remboursement de la taxe sur les intrants ou toute déduction dans le calcul de la taxe ou de la taxe nette payable peut être accordé ou refusé en tout ou en partie;
>
> 2° la totalité ou une partie de tout remboursement ou de toute déduction visé au paragraphe 1° peut être attribuée à une personne;

L'article 482 a été édicté par L.Q. 1991, c. 67.

Notes explicatives ARQ (PL 2, L.Q. 2007, c. 12): *Résumé* :

L'article 482 énonce des règles particulières qui peuvent être appliquées dans le cadre de la détermination des attributs fiscaux que prévoit la règle générale antiévitement. Cette détermination est effectuée aux fins de supprimer l'avantage fiscal dont bénéficie une personne suite à une opération d'évitement. Cet article est modifié principalement pour que, dans le cadre d'une telle détermination, des exclusions puissent, au même titre que les remboursements de la taxe sur les intrants et les déductions, être, d'une part, acceptées ou refusées et, d'autre part, attribuées à une personne, le cas échéant.

Situation actuelle :

La règle générale antiévitement de l'article 479 prévoit que les attributs fiscaux d'une personne doivent être déterminés de façon raisonnable dans les circonstances et ce, aux fins de supprimer un avantage fiscal qui découle d'une opération d'évitement ou d'une

LTVQ (français)

série d'opérations qui comprend cette opération d'évitement. L'article 482 de la LTVQ indique des règles particulières qui, sans restreindre la portée générale de la règle anti-évitement, peuvent être appliquées dans le cadre de cette détermination.

Ainsi, le paragraphe 1° de cet article 482 prévoit qu'un remboursement de la taxe sur les intrants et qu'une déduction peuvent être accordés ou refusés, en tout ou en partie, dans le calcul de la taxe ou de la taxe nette payable. Pour sa part, le paragraphe 2° de l'article 482 de la LTVQ prévoit que la totalité ou une partie d'un tel remboursement ou d'une telle déduction ainsi accordée ou refusée peut être attribuée à une personne.

Modifications proposées :

L'article 482 est d'abord modifié pour y indiquer que les règles qu'il prévoit s'appliquent malgré les prescriptions contraires de tout autre texte législatif ou réglementaire (cette modification est effectuée dans la partie de cet article 482 qui précède le paragraphe 1°).

Ensuite, les paragraphes 1° et 2° de cet article sont modifiés pour que les règles qu'ils énoncent puissent s'appliquer, non seulement à un remboursement de la taxe sur les intrants et à une déduction, mais également à une exclusion.

Ainsi, à la suite de ces modifications, le paragraphe 1° de l'article 482 prévoit qu'un remboursement de la taxe sur les intrants, une déduction ou une exclusion peut être accordé ou refusé, en tout ou en partie, dans le calcul de la taxe ou de la taxe nette payable. Pour sa part, le paragraphe 2° de cet article prévoit que la totalité ou une partie d'un tel remboursement de la taxe sur les intrants, d'une telle déduction ou d'une telle exclusion ainsi accordée ou refusée, peut être attribuée à une personne.

Concordance fédérale: LTA, par. 274(5).

COMMENTAIRES: Voir les commentaires sous l'article 485.

483. Demande de détermination des attributs fiscaux — Dans le cas où un avis de cotisation impliquant l'application de l'article 479 à l'égard d'une opération a été envoyé à une personne, toute autre personne que celle à laquelle l'un de ces avis a été envoyé, a le droit, dans les 180 jours qui suivent le jour de l'envoi de l'avis, de demander par écrit que le ministre établisse une cotisation en appliquant l'article 479 à l'égard de cette opération.

Prorogation — Toutefois, lorsque la personne qui fait cette demande était dans l'impossibilité en fait d'agir ou de donner mandat d'agir en son nom dans le délai fixé et qu'il ne s'est pas écoulé plus d'un an à compter de la date de l'envoi de l'avis, elle peut demander à un juge de la Cour du Québec de proroger ce délai pour une période qui ne peut excéder le quinzième jour suivant la date du jugement accordant cette prorogation.

Notes historiques: L'article 483 a été modifié par L.Q. 2004, c. 4, art. 56 par le remplacement, partout où ils se trouvent, des mots « du dépôt à la poste » par les mots « de l'envoi ». Cette modification est entrée en vigueur le 22 avril 2004.

Le deuxième alinéa de l'article 483 a été modifié par L.Q. 1997, c. 3, art. 130 pour remplacer le mot « physique » par les mots « en fait ». Cette modification est réputée entrée en vigueur le 20 mars 1997.

L'article 483 a été édicté par L.Q. 1991, c. 67.

Définitions [art. 483]: « personne » — 1.

Renvois [art. 483]: 485 (obligation du ministre).

Concordance fédérale: LTA, par. 274(6).

COMMENTAIRES: Voir les commentaires sous l'article 485.

484. Restriction — Malgré toute autre disposition du présent titre, les attributs fiscaux de toute personne, suivant l'application du présent chapitre, ne peuvent être déterminés que par un avis de cotisation impliquant l'application du présent chapitre.

Notes historiques: L'article 484 a été édicté par L.Q. 1991, c. 67.

Définitions [art. 484]: « personne » — 1.

Concordance fédérale: LTA, par. 274(7).

COMMENTAIRES: Voir les commentaires sous l'article 485.

485. Obligation du ministre — Sur réception d'une demande présentée par une personne en vertu de l'article 483, le ministre doit, avec diligence, examiner la demande et, malgré le deuxième alinéa de l'article 25 de la *Loi sur l'administration fiscale* (chapitre A-6.002), établir une cotisation à l'égard de cette personne.

Restriction — Toutefois, une cotisation ne peut être établie en vertu du présent article que dans la mesure où elle peut raisonnablement être considérée comme se rapportant à l'opération visée à l'article 483.

Notes historiques: Le premier alinéa de l'article 485 a été modifié par L.Q. 1995, c. 63, art. 494(1) et cette modification a effet depuis le 1er juillet 1992 [*N.D.L.R.* : cette disposition s'applique conformément aux articles 618 à 656 et 685 de L.Q. 1991, c. 67, tels que modifiés]. L'article 485 avait été édicté par L.Q. 1991, c. 67 et se lisait comme suit :

> 485. Sur réception d'une demande présentée par une personne en vertu de l'article 483, le ministre doit, avec diligence, examiner la demande et, malgré le troisième alinéa de l'article 25 de la *Loi sur le ministère du Revenu* (L.R.Q., chapitre M-31), établir une cotisation à l'égard de cette personne.

Définitions [art. 485]: « personne » — 1.

Concordance fédérale: LTA, par. 274(8).

COMMENTAIRES: L'évitement fiscal est à différencier de l'évasion fiscale qui elle est visée par les infractions qui figurent notamment sous l'article 62 de la *Loi sur l'administration fiscale*.

Cette règle générale anti-évitement (la « RGAÉ ») est similaire à celle qui prévaut en vertu des articles 1079.9 et suivants de la *Loi sur les impôts*.

Revenu Québec a souligné que la règle générale anti-évitement qui figure à l'article 479 ne s'appliquait pas à la situation visée qui concernait davantage la qualification d'une fourniture dans un contexte de location de camions incluant deux sociétés. Voir à cet effet : Revenu Québec, Lettre d'interprétation, 98-0104038 — *Demande d'interprétation RTI à l'égard des dépenses encourues pour la location de camions avec opérateur — Incidence fiscale* (15 janvier 1999).

En date de la rédaction des présentes, nous n'avons répertorié aucune jurisprudence concernant l'application de la RGAÉ dans un contexte de TVQ. Toutefois, nous vous recommandons nos commentaires sous l'article 274 de *Loi sur la taxe d'accise (TPS)* à cet égard, et particulièrement à l'égard des deux décisions suivantes dont Revenu Québec est à l'origine : *9000-6560 Québec Inc. c. R*, [2001] G.S.T.C. 16 (C.C.I.) et *Ventes d'auto Giordano Inc. c. R*, [2001] G.S.T.C. 37 (C.C.I.) (appel en C.A.F. retiré).

L'auteur souligne qu'il n'y a aucun comité de la RGAÉ aux fins de la TVQ et qu'à ce titre, les questions de TVQ sont analysées par le comité de la RGAÉ qui prévaut en impôt sur le revenu. En pratique, cette situation peut s'expliquer en raison du nombre peu élevé de cas qui sont référés au comité de la RGAÉ en matière de TVQ et des coûts élevés pour Revenu Québec de maintenir un comité séparé aux fins de la TVQ.

Finalement, l'auteur souligne l'absence des dispositions spécifiques anti-évitement reliées principalement au changement de taux de la TVQ, tel que l'on retrouve aux articles 274.1 et 274.11 de la *Loi sur la taxe d'accise (TPS)*. Or, et tel que l'auteur le souligne dans ses commentaires en vertu de ces articles, il n'était pas nécessaire de légiférer spécifiquement sur ce point, car les situations qui y sont visées seraient vraisemblablement visées par la RGAÉ qui se retrouve aux articles 478 à 485.

Chapitre X — Disposition pénale

Notes historiques: Le chapitre dixième a été ajouté par L.Q. 1995, c. 1, art. 339(1) et cet ajout est entré en vigueur le 30 janvier 1995.

485.1 Infraction et peine — Toute personne qui contrevient à une disposition réglementaire adoptée en vertu du paragraphe 22° du premier alinéa de l'article 677, dont la violation constitue une infraction en vertu d'une disposition réglementaire adoptée en vertu du paragraphe 60° de cet alinéa, est passible d'une amende d'au moins 500 $ et d'au plus 2 000 $ et, en cas de récidive dans les cinq ans, d'une amende d'au moins 2 000 $ et d'au plus 5 000 $ et, pour une récidive additionnelle dans ce délai, d'une amende d'au moins 5 000 $ et d'au plus 10 000 $.

Notes historiques: L'article 485.1 a été remplacé par L.Q. 2006, c. 7, art. 14 et cette modification est entrée en vigueur le 8 juin 2006. Antérieurement, il se lisait ainsi :

> 485.1 Toute personne qui contrevient à une disposition réglementaire adoptée en vertu du paragraphe 22° du premier alinéa de l'article 677 dont la violation constitue une infraction en vertu d'une disposition réglementaire adoptée en vertu du paragraphe 60° de cet alinéa, est passible d'une amende d'au moins 325 $ et d'au plus 10 000 $.

L'article 485.1 a été ajouté par L.Q. 1995, c. 1, art. 339(1) et cet ajout est entré en vigueur le 30 janvier 1995.

Notes explicatives ARQ (PL 5, L.Q. 2006, c. 7): *Résumé* :

Les modifications proposées à l'article 485.1 ont pour objet de réviser les montants de l'amende imposée à toute personne qui contrevient à une disposition réglementaire relative au marquage d'un contenant de bière.

Plus précisément, ces modifications visent à ce que le montant minimum de l'amende exigible, dans le cas d'une première offense, soit augmenté et que des paliers d'amende soient fixés en fonction de la possibilité de récidive.

Situation actuelle :

L'article 485.1 prévoit l'imposition d'une amende variant entre 325 $ et 10 000 $ à toute personne qui contrevient à une disposition réglementaire relative au marquage d'un contenant de bière.

Le marquage d'un tel contenant constitue unemesure visant à protéger les recettes fiscales à l'égard de la taxe spécifique sur les boissons alcooliques applicable à la bière destinée à être consommée sur place.

Ainsi, cette mesure permet de détecter, en l'absence d'une marque d'identification sur son contenant, la bière pour laquelle un montant moins élevé de taxe spécifique sur les boissons alcooliques a été payé. En effet, le montant de cette taxe est de 0,65 $ par litre lorsque la bière est destinée à être consommée sur place (bars, restaurants) tandis qu'il est de 0,40 $ par litre lorsque la bière est destinée à être consommée à domicile (dépanneurs, épiceries).

L'infraction relative au marquage d'un contenant de bière ayant été introduite en 1995, il conviendrait d'actualiser lemontant de l'amende afin demaintenir son caractère dissuasif.

Modifications proposées :

Il y aurait lieu de modifier l'article 485.1 de sorte que soient révisés les montants de l'amende imposée à toute personne qui contrevient à une disposition réglementaire relative au marquage d'un contenant de bière. Plus précisément, il y aurait lieu que :

— le montant minimum exigible, dans le cas d'une première offense, soit augmenté à 500 $;

— des paliers d'amende soient fixés en fonction de la possibilité de récidive pour varier, dans le cas d'une première offense, de 500 $ à 2 000 $, dans le cas de récidive dans les cinq ans, de 2 000 $ à 5 000 $ et, dans le cas de récidive additionnelle dans ce délai, de 5 000 $ à 10 000 $.

Définitions [art. 485.1]: « personne » — 1.

Renvois [art. 485.1]: 485.2 (rapport d'infraction).

Bulletins d'interprétation [art. 485.1]: TVQ. 677-1/R2 — Identification des contenants de bière.

Concordance fédérale: aucune.

485.2 Rapport d'infraction — Lorsqu'une infraction à une disposition réglementaire visée à l'article 485.1 a été commise, toute personne chargée de faire observer la présente loi peut dresser un rapport d'infraction.

Preuve — Dans toute poursuite intentée en vertu de la présente loi, le rapport d'infraction, signé par la personne visée au premier alinéa, est accepté comme preuve, en l'absence de toute preuve contraire, des faits qu'elle a constatés et de l'autorité de cette personne, sans autre preuve de sa nomination ou de sa signature.

Notes historiques: Le deuxième alinéa de l'article 485.2 a été modifié par L.Q. 1997, c. 3, art. 131 pour remplacer les mots « prima facie » par les mots « , en l'absence de toute preuve contraire, ». Cette modification est réputée entrée en vigueur le 20 mars 1997. L'article 485.2 a été ajouté par L.Q. 1995, c. 1, art. 339(1).

Définitions [art. 485.2]: « personne » — 1.

Concordance fédérale: aucune.

485.3 Infraction et peine — Toute personne qui contrevient à l'un des articles 425, 425.1 et 425.1.1 commet une infraction et est passible d'une amende d'au moins 200 $ et d'au plus 5 000 $.

Notes historiques: L'article 485.3 a été modifié par L.Q. 2010, c. 5, art. 245 par le remplacement de « 425 et 425.1 » par « 425, 425.1 et 425.1.1 ». Cette modification est entrée en vigueur le 1er septembre 2010.

L'article 485.3 a été ajouté par L.Q. 2002, c. 46, art. 31 et s'applique à compter du 11 mars 2003.

Notes explicatives ARQ (PL 64, L.Q. 2010, c. 5): *Résumé* :

L'article 485.3 est modifié afin de sanctionner le défaut d'indiquer de façon adéquate la taxe de vente du Québec sur la facture produite lors de la vente d'un repas par un inscrit qui exploite un établissement de restauration.

Contexte :

Actuellement l'article 485.3 de la LTVQ sanctionne le défaut de respecter les obligations prévues aux articles 425 et 425.1 de la LTVQ qui sont relatives à la manière dont la taxe de vente du Québec doit être indiquée.

Modifications proposées :

Cette modification proposée à l'article 485.3 de la LTVQ est de concordance avec la nouvelle obligation qui est introduite à l'article 425.1.1 de la LTVQ.

Le nouvel article 350.51 de la LTVQ oblige l'exploitant d'un établissement de restauration, lors de la vente d'un repas taxable, à préparer une facture. Cette facture doit contenir les renseignements qui seront prescrits par un règlement. De plus, le nouvel article 425.1.1 de la LTVQ précise la manière dont la taxe de vente du Québec doit être indiquée par l'inscrit sur cette facture.

L'infraction relative à l'article 425.1.1 de la LTVQ est maintenant couverte par l'article 485.3 de la LTVQ.

Guides [art. 485.3]: IN-522 — Bulletin d'information destiné aux restaurateurs du Québec; IN-573 — L'inspection des établissements de restauration; IN-574 — Programme de subvention pour les restaurateurs; IN-574.A — Annexe au programme de subvention pour les restaurateurs — Modalités et conditions relatives au crédit-bail et à la location; IN-575 — Renseignements pour les restaurateurs.

Lettres d'interprétation [art. 485.3]: 04-0102519 — [Entente de consignation de véhicules récréatifs].

Renvois [art. 485.3]: 350.59 (infraction).

Concordance fédérale: aucune.

TITRE II — TAXE SUR LES BOISSONS ALCOOLIQUES

Chapitre I — Définitions

486. Interprétation — Pour l'application du présent titre et des règlements adoptés en vertu de celui-ci, à moins que le contexte n'indique un sens différent, l'expression :

« bière » a le sens que lui donne la *Loi sur les infractions en matière de boissons alcooliques* (L.R.Q., chapitre I-8.1);

Définitions: « personne » — 1.

Concordance fédérale: aucune.

« consommation sur place » signifie :

1º l'usage ou la consommation d'une boisson alcoolique dans un établissement pour lequel la personne qui l'exploite est tenue d'être titulaire de l'un des permis suivants :

a) un permis autorisant la vente de boissons alcooliques pour consommation sur place délivré en vertu de la *Loi sur les permis d'alcool*(chapitre P-9.1);

b) un permis de réunion délivré en vertu de la *Loi sur les permis d'alcool*;

c) un permis visé à l'article 2.0.1 de la *Loi sur les infractions en matière de boissons alcooliques* (chapitre I-8.1) qui correspond à un permis prévu au sous-paragraphe a) ou au sous-paragraphe b) du présent paragraphe;

d) un permis de production artisanale délivré en vertu de la *Loi sur la Société des alcools du Québec* (chapitre S-13);

e) un permis de brasseur délivré en vertu de la *Loi sur la Société des alcools du Québec*;

2º l'usage ou la consommation d'une boisson alcoolique accompagnée d'un repas pour emporter ou livrer et vendue par une personne qui est tenue d'être titulaire de l'un des permis suivants :

a) un permis de restaurant pour vendre délivré en vertu de l'article 28 de la *Loi sur les permis d'alcool*;

b) un permis visé à l'article 2.0.1 de la *Loi sur les infractions en matière de boissons alcooliques* qui correspond au permis prévu au sous-paragraphe a) du présent paragraphe;

Notes historiques: La définition de « consommation sur place » à l'article 486 a été ajoutée par L.Q. 2005, c. 1, s.-par. 358(1)(1º) et a effet depuis le 1er septembre 2004.

Guides: IN-263 — Les fabricants de boissons alcooliques et les taxes à la consommation.

Concordance fédérale: aucune.

« période de déclaration » d'une personne correspond, selon le cas, à la période de déclaration de la personne pour l'application du titre I ou à la période de déclaration de la personne déterminée conformément à l'article 499.4;

Notes historiques: La définition de « période de déclaration » à l'article 486 a été remplacée par L.Q. 2005, c. 1, s.-par. 358(1)(2º) et cette modification a effet depuis le 1er septembre 2004. Antérieurement, elle se lisait ainsi :

> « période de déclaration » période de déclaration » d'une personne correspond à la période de déclaration de la personne pour l'application du titre;

Concordance fédérale: aucune.

« personne » a le sens que lui donne l'article 1;

Concordance fédérale: aucune.

« vendeur » signifie une personne qui vend au détail au Québec une boisson alcoolique;

LTVQ (français)

Concordance fédérale: aucune.

« vente au détail » signifie toute vente à des fins autres qu'exclusivement la revente.

Notes historiques: La définition de « période de déclaration » à l'article 486 a été ajoutée par L.Q. 1999, c. 83, art. 318(1). Cette définition s'applique à compter de la première période de déclaration d'une personne pour l'application de la section IV du chapitre VIII du titre I de cette loi qui commence après le 31 mars 1998.

L'article 486 a été édicté par L.Q. 1991, c. 67.

Concordance fédérale: aucune.

Chapitre II — Taxe spécifique

487. Taxe spécifique — Toute personne doit, lors d'une vente au détail au Québec d'une boisson alcoolique, payer une taxe spécifique égale à :

1º 0,065 cent par millilitre de bière ou à 0,197 cent par millilitre de toute autre boisson alcoolique, qu'elle achète pour consommation sur place;

2º 0,040 cent par millilitre de bière ou à 0,089 cent par millilitre de toute autre boisson alcoolique, qu'elle achète autrement que pour consommation sur place.

Modification proposée — Augmentation de la taxe spécifique sur les boissons alcooliques

Renseignements additionnels sur les mesures fiscales, Budget 2013-2014, 20 novembre 2012: La bière et les autres boissons alcooliques vendues au Québec sont assujetties à une taxe spécifique dont les taux sont déterminés en fonction du type de produits et du lieu où ils sont destinés à être consommés.

Ainsi, dans le cas des produits vendus pour consommation dans un établissement, les taux applicables sont généralement de 0,65 $ le litre pour la bière et de 1,97 $ le litre pour toute autre boisson alcoolique, alors que dans le cas des produits vendus pour consommation ailleurs que dans un établissement, les taux qui s'appliquent sont généralement de 0,40 $ le litre pour la bière et de 0,89 $ le litre pour toute autre boisson alcoolique.

Compte tenu de l'état actuel des finances publiques et de la volonté gouvernementale d'atteindre et de maintenir l'équilibre budgétaire, les taux de la taxe spécifique sur les boissons alcooliques seront augmentés à compter de 3 heures dans la nuit suivant le discours sur le budget.

De façon générale, à la suite de cette augmentation, les nouveaux taux de la taxe spécifique applicables aux boissons alcooliques vendues pour consommation dans un établissement seront de 0,82 $ le litre pour la bière et de 2,47 $ le litre pour les autres boissons, tandis que ceux applicables aux boissons alcooliques vendues pour consommation ailleurs que dans un établissement seront de 0,50 $ le litre pour la bière et de 1,12 $ le litre pour les autres boissons.

Notes historiques: L'article 487 a été remplacé par L.Q. 2005, c. 1, par. 359(1) et cette modification a effet depuis le 1er septembre 2004. Antérieurement, il se lisait ainsi :

> 487. Toute personne doit, lors d'une vente au détail au Québec d'une boisson alcoolique, payer une taxe spécifique égale à 0,040 cent par millilitre de bière ou à 0,089 cent par millilitre de toute autre boisson alcoolique, qu'elle achète.

L'article 487 a été modifié par L.Q. 1995, c. 1, art. 340(1) et cette modification a effet depuis le 13 mai 1994. L'article 487 avait été édicté par L.Q. 1991, c. 67 [c. LIVD, art. 20.9.3] et se lisait comme suit :

> 487. Toute personne doit, lors d'une vente au détail au Québec d'une boisson alcoolique, payer une taxe spécifique égale à 0,036 cent par millilitre de bière ou à 0,072 cent par millilitre de toute autre boisson alcoolique, qu'elle achète.

Guides [art. 487]: IN-216 — La TVQ, la TPS/TVH et l'alimentation; IN-263 — Les fabricants de boissons alcooliques et les taxes à la consommation; IN-300 — Vous êtes travailleur autonome? Aide–mémoire concernant la fiscalité; IN-307 — Le démarrage d'entreprise et la fiscalité.

Définitions [art. 487]: « bière », « personne », « vente au détail » — 486.

Renvois [art. 487]: 492 (mandataire du ministre); 495 (rapport au ministre); 497 (perception de la taxe).

Bulletins d'interprétation [art. 487]: LIC. 4/R4 — Application des dispositions fiscales relatives aux taxes à la consommation et aux droits de licence à l'égard des boissons alcooliques pour les titulaires de permis de production artisanale, de permis de producteur artisanal de bière et de permis de brasseur délivrés en vertu de la *Loi sur la Société des alcools du Québec* (L.R.Q., c. S-13); SPÉCIAL 96 — Faits saillants, par. 3.1; TVQ. 487-1 — Taxe spécifique sur les boissons alcooliques.

Concordance fédérale: aucune.

488. Taxe sur apport — Toute personne qui fait affaire ou qui réside ordinairement au Québec et qui y apporte ou fait en sorte qu'il y soit apporté une boisson alcoolique pour usage ou consommation par elle-même ou à ses frais par une autre personne ou qui achète, par une vente au détail conclue hors du Québec, une boisson alcoolique qui se trouve au Québec doit, à la date où commence l'usage ou la consommation de cette boisson alcoolique au Québec, payer au ministre une taxe spécifique égale à :

1º 0,065 cent par millilitre de bière ou à 0,197 cent par millilitre de toute autre boisson alcoolique, ainsi apportée ou achetée pour consommation sur place;

2º 0,040 cent par millilitre de bière ou à 0,089 cent par millilitre de toute autre boisson alcoolique, ainsi apportée ou achetée autrement que pour consommation sur place.

Modification proposée — Traitement fiscal des paiements accordés par le gouvernement fédéral aux parents d'une victime d'un acte criminel

Bulletin d'information 2012-6, 21 décembre 2012: Le 20 avril 2012, le premier ministre du Canada annonçait la mise en place, à compter du 1er janvier 2013, d'un programme de soutien du revenu pour les parents d'enfants victimes de meurtre ou portés disparus.

Ce programme entend offrir une prestation de 350 $ par semaine, pendant au plus 35 semaines, aux parents qui perdent leur revenu parce qu'ils s'absentent du travail à cause de la mort ou de la disparition d'un enfant survenue par suite d'une infraction au *Code criminel*. Pour recevoir cette nouvelle prestation, les parents concernés devront avoir gagné un minimum de revenu au cours de l'année civile précédente et avoir pris congé.

Pour assurer la mise en œuvre de ce nouveau programme de soutien aux parents, la Loi visant à aider les familles dans le besoin[12] modifie le *Code canadien du travail* afin de prévoir le droit pour un employé de prendre congé lorsque son enfant décède ou disparaît et que le décès ou la disparition résulte probablement de la perpétration d'un crime.

Elle modifie également la législation et la réglementation fiscales fédérales pour prévoir le traitement fiscal qui sera applicable aux prestations versées en vertu du nouveau programme de soutien du revenu pour les parents. De façon sommaire, ces modifications visent à prévoir :

- qu'un particulier devra inclure, dans le calcul de son revenu, les prestations reçues dans le cadre du nouveau programme fédéral de soutien du revenu pour les parents d'enfants décédés ou disparus par suite d'une infraction, avérée ou probable, prévue au *Code criminel*;
- que les prestations versées dans le cadre du nouveau programme de soutien du revenu seront assujetties à une retenue d'impôt à la source;
- qu'un particulier pourra déduire, dans le calcul de son revenu, toute somme versée en remboursement d'une prestation reçue dans le cadre du nouveau programme de soutien du revenu, pour autant que cette prestation ait été incluse dans le calcul de son revenu.

Étant donné que, de façon générale, le régime d'imposition québécois est harmonisé au régime d'imposition fédéral en ce qui a trait au traitement fiscal applicable aux prestations versées en vertu d'un programme fédéral, la législation et la réglementation fiscales québécoises seront modifiées pour y intégrer, en les adaptant en fonction de leurs principes généraux, les mesures fédérales relatives au traitement fiscal applicable aux prestations accordées dans le cadre du nouveau programme de soutien du revenu pour les parents d'enfants décédés ou disparus par suite d'une infraction, avérée ou probable, prévue au *Code criminel*[13]. Ces modifications s'appliqueront à compter du 1er janvier 2013.

Modification proposée — Augmentation de la taxe spécifique sur les boissons alcooliques

Renseignements additionnels sur les mesures fiscales, Budget 2013-2014, 20 novembre 2012: [Voir sous l'art. 487 — n.d.l.r.]

[12] L.C. 2012, c. 27, sanctionnée le 14 décembre 2012.

[13] Ces mesures sont prévues aux alinéas 56(1)a.3), 60v) et 153(1)d.2) de la *Loi de l'impôt sur le revenu* (L.R.C., 1985, c. 1, 5e suppl.) et à l'alinéa g.1) de la définition de l'expression « rémunération » prévue au paragraphe 100(1) du *Règlement de l'impôt sur le revenu* (C.R.C., c. 945).

Notes historiques: L'article 488 a été remplacé par L.Q. 2005, c. 1, par. 360(1) et cette modification a effet depuis le 1er septembre 2004. Antérieurement, il se lisait ainsi :

> 488. Toute personne qui fait affaire ou qui réside ordinairement au Québec et qui y apporte ou fait en sorte qu'il y soit apporté une boisson alcoolique pour usage ou consommation par elle-même ou à ses frais par une autre personne ou qui achète, par une vente au détail conclue hors du Québec, une boisson alcoolique qui se trouve au Québec doit, à la date où commence l'usage ou la consommation de cette boisson alcoolique au Québec, payer au ministre une taxe spécifique égale à 0,040 cent par millilitre de bière ou à 0,089 cent par millilitre de toute autre boisson alcoolique, ainsi apportée ou achetée.

L'article 488 a été modifié par L.Q. 1995, c. 1, art. 340(1) et cette modification a effet depuis le 13 mai 1994. L'article 488 avait été édicté par L.Q. 1991, c. 67 [anc. LIVD, art. 20.9.4] et se lisait comme suit :

> 488. Toute personne qui fait affaires ou qui réside ordinairement au Québec et qui y apporte ou fait en sorte qu'il y soit apporté une boisson alcoolique pour usage ou consommation par elle-même ou à ses frais par une autre personne ou qui achète, par une vente au détail conclue hors du Québec, une boisson alcoolique qui se trouve au Québec doit, à la date où commence l'usage ou la consommation de cette boisson alcoolique au Québec, payer au ministre une taxe spécifique égale à 0,036 cent par millilitre de bière ou à 0,072 cent par millilitre de toute autre boisson alcoolique, ainsi apportée ou achetée.

Guides [art. 488]: IN-216 — La TVQ, la TPS/TVH et l'alimentation; IN-263 — Les fabricants de boissons alcooliques et les taxes à la consommation.

Définitions [art. 488]: « bière », « personne », « vente au détail » — 486.

Renvois [art. 488]: 11–14 (résidence); 21–23 (fourniture au Québec et à l'étranger); 491 (taxe non applicable); 495 (rapport au ministre).

Concordance fédérale: aucune.

489. Taxe pour usage ou consommation au Québec — Toute personne qui a acheté ou produit une boisson alcoolique pour la vendre ou pour qu'elle soit un composant d'un bien meuble destiné à la vente doit, à la date où elle commence à en faire usage ou consommation au Québec à une autre fin ou fait en sorte qu'il y en soit fait usage ou consommation à ses frais par une autre personne, payer au ministre une taxe spécifique égale à :

1º 0,065 cent par millilitre de bière ou à 0,197 cent par millilitre de toute autre boisson alcoolique, ainsi achetée ou produite, lorsque l'usage ou la consommation qui en est faite constitue de la consommation sur place;

2º 0,040 cent par millilitre de bière ou à 0,089 cent par millilitre de toute autre boisson alcoolique, ainsi achetée ou produite, lorsque l'usage ou la consommation qui en est faite ne constitue pas de la consommation sur place.

Disposition non applicable — Toutefois, le premier alinéa ne s'applique pas à l'égard d'une boisson alcoolique achetée ou produite au Québec, si elle est emportée ou expédiée hors du Québec pour usage ou consommation dans le cadre de l'exploitation de l'entreprise de la personne.

Taxe réputée payée — De plus, si la personne a payé un montant égal à la taxe spécifique en application de l'article 497 à l'égard d'une boisson alcoolique visée au premier alinéa, les règles suivantes s'appliquent :

1º si le montant égal à la taxe spécifique payé correspond à la taxe qu'elle doit payer en vertu du premier alinéa, elle est réputée avoir payé cette taxe;

2º si le montant égal à la taxe spécifique payé est supérieur à la taxe qu'elle doit payer en vertu du premier alinéa, elle est réputée avoir payé cette taxe jusqu'à concurrence du montant de celle-ci;

3º si le montant égal à la taxe spécifique payé est inférieur à la taxe qu'elle doit payer en vertu du premier alinéa, elle est réputée avoir payé cette taxe jusqu'à concurrence du montant égal à la taxe spécifique payé et elle doit payer la différence au ministre conformément au premier alinéa.

Modification proposée — Augmentation de la taxe spécifique sur les boissons alcooliques

Renseignements additionnels sur les mesures fiscales, Budget 2013-2014, 20 novembre 2012: [Voir sous l'art. 487 — n.d.l.r.]

Notes historiques: Le préambule du premier alinéa de l'article 489 a été modifié par L.Q. 2005, c. 23, art. 279 par le remplacement des mots « composante d'un bien mobilier » par les mots « un composant d'un bien meuble ». Cette modification est entrée en vigueur le 17 juin 2005.

Le premier alinéa de l'article 489 a été remplacé par L.Q. 2005, c. 1, s.-par. 361(1)(1º) et cette modification a effet depuis le 1er septembre 2004. Antérieurement, il se lisait ainsi :

> 489. Toute personne qui a acheté ou produit une boisson alcoolique pour la vendre ou pour qu'elle soit composante d'un bien mobilier destiné à la vente doit, à la date où elle commence à en faire usage ou consommation au Québec à une autre fin ou fait en sorte qu'il y en soit fait usage ou consommation à ses frais par une autre personne, payer au ministre une taxe spécifique égale à 0,040 cent par millilitre de bière ou à 0,089 cent par millilitre de toute autre boisson alcoolique, ainsi achetée ou produite et ainsi utilisée ou consommée par elle-même ou par l'autre personne.

Le premier alinéa de l'article 489 a été modifié par L.Q. 1995, c. 1, art. 341(1) et cette modification a effet depuis le 13 mai 1994. Auparavant, il se lisait comme suit :

> 489. Toute personne qui a acheté ou produit une boisson alcoolique pour la vendre ou pour qu'elle soit composante d'un bien mobilier destiné à la vente doit, à la date où elle commence à en faire usage ou consommation au Québec à une autre fin ou fait en sorte qu'il y en soit fait usage ou consommation à ses frais par une autre personne, payer au ministre une taxe spécifique égale à 0,036 cent par millilitre de bière ou à 0,072 cent par millilitre de toute autre boisson alcoolique, ainsi achetée ou produite et ainsi utilisée ou consommée par elle-même ou par l'autre personne.

Le deuxième alinéa de l'article 189 a été modifié par L.Q. 1995, c. 63, art. 495(1) et cette modification a effet depuis le 1er juillet 1992 [*N.D.L.R.* : cette disposition s'applique conformément aux articles 618 à 656 et 685 de L.Q. 1991, c. 67, tels que modifiés]. Auparavant, il se lisait comme suit :

> Toutefois, le premier alinéa ne s'applique pas à l'égard d'une boisson alcoolique produite au Québec, si elle est emportée ou expédiée hors du Québec pour usage ou consommation dans le cadre de l'exploitation de l'entreprise de la personne.

Le troisième alinéa de l'article 489 a été remplacé par L.Q. 2005, c. 1, s.-par. 361(1)(2º) et cette modification a effet depuis le 1er septembre 2004. Antérieurement, il se lisait ainsi :

> De plus, si la personne a payé le montant égal à la taxe spécifique prévue au chapitre cinquième à l'égard de la boisson alcoolique visée au premier alinéa, cette personne est réputée avoir payé la taxe imposée à cet alinéa à l'égard de cette boisson.

L'article 489 a été édicté par L.Q. 1991, c. 67 [anc. LIVD, art. 20.9.5].

Guides [art. 489]: IN-216 — La TVQ, la TPS/TVH et l'alimentation; IN-263 — Les fabricants de boissons alcooliques et les taxes à la consommation.

Définitions [art. 489]: « bière », « personne » — 486.

Renvois [art. 489]: 11–14 (résidence); 21–23 (fourniture au Québec et à l'étranger); 491 (taxe non applicable); 495 (rapport au ministre).

Concordance fédérale: aucune.

489.1 Réduction de la taxe — Dans le cas de la bière fabriquée au Québec par une personne prescrite, la taxe spécifique qu'une personne est tenue de payer à l'égard de la bière en vertu du présent titre est réduite du pourcentage prescrit, selon les conditions et les modalités prescrites.

Réduction de la taxe — Dans le cas de toute autre boisson alcoolique fabriquée au Québec par une personne prescrite, la taxe spécifique qu'une personne est tenue de payer à l'égard d'une telle boisson alcoolique en vertu du présent titre est réduite du montant ou du pourcentage prescrit, selon les conditions et les modalités prescrites.

Notes historiques: Le deuxième alinéa de l'article 489.1 a été ajouté par L.Q. 1997, c. 85, art. 711(1) et a effet depuis le 26 mars 1997. Il s'applique à l'égard d'une boisson alcoolique autre que la bière vendue depuis cette date.

L'article 489.1 a été ajouté par L.Q. 1995, c. 63, art. 496 et a effet depuis le 10 mai 1995.

Guides [art. 489.1]: IN-216 — La TVQ, la TPS/TVH et l'alimentation; IN-263 — Les fabricants de boissons alcooliques et les taxes à la consommation.

Définitions [art. 489.1]: « personne » — 1; « bière » — 486.

Renvois [art. 489.1]: 677 (règlements).

Règlements [art. 489.1]: RTVQ, 489.1R1–489.1R5.

Bulletins d'interprétation [art. 489.1]: LIC. 4/R4 — Application des dispositions fiscales relatives aux taxes à la consommation et aux droits de licence à l'égard des boissons alcooliques pour les titulaires de permis de production artisanale, de permis de producteur artisanal de bière et de permis de brasseur délivrés en vertu de la *Loi sur la Société des alcools du Québec* (L.R.Q., c. S-13).

Bulletins d'information [art. 489.1]: 2004-6 — Modification d'ordre technique concernant notamment l'impôt minimum de remplacement, le Régime d'investissement coopératif et la taxation des boissons alcooliques.

Concordance fédérale: aucune.

Chapitre III — Exemption

490. Exemptions — La taxe spécifique prévue au présent titre ne s'applique pas :

1º, 2º [*supprimés*];

3º à la vente d'une boisson alcoolique dont la délivrance s'effectue hors du Québec, pour usage ou consommation hors du Québec;

4º à la vente d'une boisson alcoolique devant être un composant d'un bien meuble destiné à la vente;

5º à la vente d'une boisson alcoolique contenant 0,5 % ou moins en volume d'alcool.

Délivrance réputée hors du Québec — Pour l'application du paragraphe 3º du premier alinéa, un vendeur est réputé effectuer la délivrance de boissons alcooliques hors du Québec lorsque :

1º il livre à une personne qui exploite une entreprise de transport commercial par terre, par air ou par eau, pour livraison hors du Québec, les boissons alcooliques qu'il a vendues pour usage ou consommation hors du Québec et conserve pour fins de vérification par le ministre une copie du connaissement ou du récépissé certifiée par le transporteur;

2º il met à la poste, pour livraison hors du Québec, les boissons alcooliques qu'il a vendues pour usage ou consommation hors du Québec, conserve pour fins de vérification par le ministre le récépissé délivré par la Société canadienne des postes identifiant l'acheteur et l'expéditeur et satisfait le ministre quant à la nature de l'objet ainsi livré.

Notes historiques: Le paragraphe 1º du premier alinéa de l'article 490 a été supprimé par L.Q. 2005, c. 1, par. 362(1) et cette modification a effet depuis le 1er septembre 2004. Antérieurement, il se lisait ainsi :

> 1º à la vente d'une boisson alcoolique pour consommation sur place, autorisée par un permis délivré en vertu de la *Loi sur les permis d'alcool* (chapitre P-9.1), par un permis de production artisanale délivré en vertu de la *Loi sur la Société des alcools du Québec* (chapitre S-13) ou par un permis de brasseur délivré en vertu de cette loi;

Le paragraphe 1º du premier alinéa de l'article 490 a été remplacé par L.Q. 1997, c. 85, art. 712(1) et cette modification a effet depuis le 12 juin 1997. Antérieurement, il se lisait ainsi :

> 1º à la vente d'une boisson alcoolique pour consommation sur place, autorisée par un permis délivré en vertu de la *Loi sur les permis d'alcool* (chapitre P-9.1) ou par un permis de production artisanale délivré en vertu de la *Loi sur la Société des alcools du Québec* (chapitre S-13);

Le paragraphe 1º du premier alinéa de l'article 490 a été modifié par L.Q. 1997, c. 14, art. 350 et cette modification a effet depuis le 5 juillet 1996. Auparavant, ce paragraphe se lisait comme suit :

> 1º à la vente d'une boisson alcoolique pour consommation sur place, autorisée par un permis délivré en vertu de la *Loi sur les permis d'alcool* (L.R.Q., chapitre P-9.1);

Le paragraphe 2º du premier alinéa de l'article 490 a été supprimé par L.Q. 2005, c. 1, par. 362(1) et cette modification a effet depuis le 1er septembre 2004. Antérieurement, il se lisait ainsi :

> 2º à la vente d'une boisson alcoolique autorisée par un permis de réunion délivré en vertu de la *Loi sur les permis d'alcool* qui en permet la consommation à l'endroit qu'il indique;

Le paragraphe 4º du premier alinéa de l'article 490 a été modifié par L.Q. 2005, c. 23, art. 280 par le remplacement du mot « composante » par les mots « un composant ». Cette modification est entrée en vigueur le 17 juin 2004.

Le paragraphe 5º du premier alinéa de l'article 490 a été modifié par L.Q. 1995, c. 63, art. 497(1) et cette modification est entrée en vigueur le 15 décembre 1995. Auparavant, il se lisait comme suit :

> 5º à la vente d'une boisson alcoolique contenant 1 % et moins d'alcool en volume.

Le paragraphe 2º du deuxième alinéa de l'article 490 a été modifié par L.Q. 2009, c. 15, art. 526 par le remplacement du mot « émis » par le mot « délivré ». Cette modification est entrée en vigueur le 4 juin 2009.

L'article 490 a été édicté par L.Q. 1991, c. 67 [anc. LIVD, art. 20.9.6].

Notes explicatives ARQ (PL 37, L.Q. 2009, c. 15): *Résumé* :

L'article 490 est modifié par le remplacement du mot « émis » par le mot « délivré ».

Situation actuelle :

L'article 490 de la LTVQ prévoit des exemptions à la perception de la taxe spécifique sur les boissons alcooliques.

Modifications proposées :

L'article 490 de la LTVQ fait l'objet d'une modification terminologique afin de tenir compte du contexte dans lequel les dérivés des mots « émission » et « délivrance » doivent être utilisés. En effet, l'article 490 de la LTVQ fait référence à l'émission d'un récépissé. Or, dans ce contexte, il est plus approprié d'utiliser le dérivé du mot « délivrer ».

Guides [art. 490]: IN-216 — La TVQ, la TPS/TVH et l'alimentation; IN-263 — Les fabricants de boissons alcooliques et les taxes à la consommation; IN-307 — Le démarrage d'entreprise et la fiscalité.

Définitions [art. 490]: « personne » — 486; « transporteur » — 1; « vendeur » — 486.

Renvois [art. 490]: 491 (taxe non applicable).

Bulletins d'interprétation [art. 490]: SPÉCIAL 96 — Faits saillants, par. 3.2.

Concordance fédérale: aucune.

491. Taxe non applicable — La taxe qu'une personne est tenue de payer lors de l'usage ou de la consommation d'une boisson alcoolique en vertu des articles 488 ou 489 ne s'applique pas dans la mesure de l'exemption à laquelle cette personne aurait droit en vertu de l'article 490, si elle achetait cette boisson alcoolique au Québec au moment où en commence l'usage ou la consommation et si elle satisfait aux conditions de cette exemption.

Notes historiques: L'article 491 a été édicté par L.Q. 1991, c. 67 [anc. LIVD, art. 20.9.7].

Guides: IN-263 — Les fabricants de boissons alcooliques et les taxes à la consommation.

Définitions [art. 491]: « personne » — 486.

Concordance fédérale: aucune.

Chapitre IV — Administration

492. Perception — Tout vendeur doit percevoir comme mandataire du ministre la taxe spécifique prévue à l'article 487 lors de la vente d'une boisson alcoolique qu'il effectue.

Perception lors de la vente — Que le prix soit stipulé payable comptant, à terme, par versements ou de toute autre manière, la taxe visée au premier alinéa doit être perçue par le vendeur lors de la vente et se calcule sur le nombre total de millilitres de boisson alcoolique faisant l'objet du contrat.

Indication de la taxe — Le vendeur tenu de percevoir la taxe spécifique visée au premier alinéa doit, de la manière prescrite ou sur toute facture, reçu, écrit ou autre document constatant la vente, indiquer à l'acheteur cette taxe séparément du prix de vente ou lui indiquer que ce prix comprend cette taxe. De plus, la taxe doit être désignée par son nom, une abréviation de celui-ci ou une indication similaire. Aucune autre mention portant sur cette taxe ne peut être utilisée.

Notes historiques: Le troisième alinéa de l'article 492 a été remplacé par L.Q. 2002, c. 46, art. 32 et cette modification s'applique à compter du 11 mars 2003. Antérieurement, il se lisait ainsi :

> Le vendeur tenu de percevoir la taxe spécifique visée au premier alinéa doit, de la manière prescrite ou sur toute facture, reçu, écrit ou autre document constatant la vente, indiquer à l'acheteur cette taxe séparément du prix de vente ou lui indiquer que ce prix comprend cette taxe.

L'article 492 a été édicté par L.Q. 1991, c. 67 [anc. LIVD, art. 20.9.8].

Guides [art. 492]: IN-216 — La TVQ, la TPS/TVH et l'alimentation; IN-263 — Les fabricants de boissons alcooliques et les taxes à la consommation; IN-307 — Le démarrage d'entreprise et la fiscalité.

Définitions [art. 492]: « vendeur » — 486.

Renvois [art. 492]: 503 (amende en cas de contravention à certaines dispositions); 677:51º (règlements).

Concordance fédérale: aucune.

493. Interdiction de vendre des boissons alcooliques — Aucun agent-percepteur, grossiste, importateur, fabricant ou vendeur ne doit vendre au Québec des boissons alcooliques à moins qu'un certificat d'inscription ne lui ait été délivré en vertu du titre I et ne soit en vigueur au moment de la vente.

Exception — Toutefois, l'obligation prévue au premier alinéa ne s'applique pas à la personne qui n'est pas tenue d'être inscrite en vertu du titre I au moment de la vente des boissons alcooliques.

Notes historiques: L'article 493 a été modifié par L.Q. 1997, c. 3, art. 132 pour remplacer le mot « manufacturier » par le mot « fabricant ». Cette modification est réputée entrée en vigueur le 20 mars 1997. Auparavant, le deuxième alinéa de l'article 493 a été ajouté par L.Q. 1995, c. 63, art. 498(1) et a effet depuis le 1er juillet 1992 [*N.D.L.R.* : cette disposition s'applique conformément aux articles 618 à 656 et 685 de L.Q. 1991, c. 67, tels que modifiés]. Toutefois, pour la période qui commence le 1er juillet 1992 et qui se termine le 31 juillet 1995, le deuxième alinéa de l'article 493, que le paragraphe 1 édicte, doit se lire comme suit :

> Toutefois, l'obligation prévue au premier alinéa ne s'applique pas à la personne qui n'est pas tenue d'être inscrite en vertu du titre I au moment de la vente des boissons alcooliques, pourvu que cette personne soit détentrice d'un permis de réunion en vigueur à ce moment et délivré en vertu de la *Loi sur les permis d'alcool* (L.R.Q., chapitre P-9.1) et que la vente des boissons alcooliques à ce moment soit autorisée par ce permis.

L'article 493 a été édicté par L.Q. 1991, c. 67.

Guides [art. 493]: IN-216 — La TVQ, la TPS/TVH et l'alimentation; IN-263 — Les fabricants de boissons alcooliques et les taxes à la consommation; IN-307 — Le démarrage d'entreprise et la fiscalité.

Définitions [art. 493]: « personne », « vendeur » — 486.

Renvois [art. 493]: 500 (vente de boisson alcoolique); 503 (amende en cas de contravention à certaines dispositions).

Concordance fédérale: aucune.

494. Obligation de rendre compte — Tout vendeur doit tenir compte de la taxe spécifique perçue et, pour chaque période de déclaration, lorsqu'il doit produire la déclaration prévue à la section IV du chapitre VIII du titre I, ou dans le délai prévu à l'article 468, s'il a fait le choix en vertu de l'article 499.4, rendre compte au ministre de la taxe spécifique qu'il a perçue ou qu'il aurait dû percevoir au cours de la période de déclaration donnée sur le formulaire prescrit contenant les renseignements prescrits, le lui produire de la manière prescrite par ce dernier et, en même temps, lui verser le montant de cette taxe.

Obligation de rendre compte — Il doit rendre compte même si aucune vente donnant lieu à cette taxe n'a été faite durant la période de déclaration donnée.

Exception — Cependant, il n'est pas tenu de rendre compte au ministre, à moins que celui-ci ne l'exige, ni de lui verser la taxe spécifique perçue à l'égard d'une boisson alcoolique vendue qu'il a acquise d'un agent-percepteur titulaire d'un certificat d'inscription, lorsqu'il a versé à ce dernier le montant prévu à l'article 497 à l'égard de cette boisson alcoolique.

Taxe supérieure au montant versé — Toutefois, si la taxe spécifique perçue à l'égard de cette boisson alcoolique est supérieure au montant qu'il a versé en vertu de l'article 497 à un agent-percepteur titulaire d'un certificat d'inscription, la différence entre cette taxe et ce montant doit être versée au ministre, selon les modalités prévues au premier alinéa.

Notes historiques: Le premier alinéa de l'article 494 a été remplacé par L.Q. 2005, c. 5, par. 363(1) et cette modification s'applique à l'égard d'un exercice commençant après le 31 décembre 2004. Antérieurement, il se lisait ainsi :

> 494. Tout vendeur doit tenir compte de la taxe spécifique perçue et, pour chaque période de déclaration, lorsqu'il doit produire la déclaration prévue à la section IV du chapitre VIII du titre I, rendre compte au ministre de la taxe spécifique qu'il a perçue ou qu'il aurait dû percevoir au cours de la période de déclaration donnée sur le formulaire prescrit contenant les renseignements prescrits, le lui produire de la manière prescrite par ce dernier et, en même temps, lui verser le montant de cette taxe.

Le premier alinéa de l'article 494 a été remplacé par L.Q. 1999, c. 83, art. 319(1). Cette modification s'applique à compter de la première période de déclaration d'une personne pour l'application de la section IV du chapitre VIII du titre I qui commence après le 31 mars 1998. Antérieurement, le premier alinéa se lisait comme suit ;

> 494. Tout vendeur doit tenir compte de la taxe spécifique perçue et au plus tard le dernier jour de chaque mois civil, rendre compte au ministre de la taxe spécifique qu'il a perçue ou qu'il aurait dû percevoir au cours du mois civil précédent sur le formulaire prescrit contenant les renseignements prescrits, le lui produire de la manière prescrite par ce dernier et il doit en même temps lui verser le montant de cette taxe.

Le deuxième alinéa de l'article 494 a été remplacé par L.Q. 1999, c. 83, art. 319(1). Cette modification s'applique à compter de la première période de déclaration d'une personne pour l'application de la section IV du chapitre VIII du titre I qui commence après le 31 mars 1998. Antérieurement, le deuxième alinéa se lisait comme suit :

> Il doit rendre compte même si aucune vente donnant lieu à cette taxe n'a été faite durant le mois civil.

L'article 494 a été édicté par L.Q. 1991, c. 67 [anc. LIVD, art. 20.9.9].

Guides [art. 494]: IN-263 — Les fabricants de boissons alcooliques et les taxes à la consommation.

Définitions [art. 494]: « vendeur » — 486.

Renvois [art. 494]: 7R78.3, 7R78.14 RAF (Signature des documents par certains fonctionnaires).

Bulletins d'interprétation [art. 494]: SPÉCIAL 96 — Faits saillants, par. 3.3.

Concordance fédérale: aucune.

494.1 Obligation de rendre compte — titulaire d'un permis de réunion — Un vendeur titulaire d'un permis de réunion délivré en vertu de la *Loi sur les permis d'alcool* (chapitre P-9.1) qui n'est pas tenu d'être inscrit, et qui n'est pas inscrit, en vertu du titre I doit tenir compte de la taxe spécifique perçue et, au plus tard le dernier jour du mois suivant celui où il a vendu une boisson alcoolique, rendre compte au ministre de la taxe spécifique qu'il a perçue ou qu'il aurait dû percevoir au cours du mois précédent sur le formulaire prescrit contenant les renseignements prescrits, le lui produire de la manière prescrite par ce dernier et, en même temps, lui verser le montant de cette taxe.

Application — Les troisième et quatrième alinéas de l'article 494 s'appliquent, compte tenu des adaptations nécessaires, au vendeur titulaire d'un permis de réunion délivré en vertu de la *Loi sur les permis d'alcool*.

Notes historiques: Le premier alinéa de l'article 494.1 a été modifié par L.Q. 2005, c. 23, art. 281 par l'insertion, après les mots « qui n'est pas tenu d'être inscrit », de « , et qui n'est pas inscrit, ». Cette modification a effet depuis le 1er septembre 2004.

L'article 494.1 a été ajouté par L.Q. 2005, c. 1, par. 364(1) et a effet depuis le 1er septembre 2004.

Bulletins d'information: 2004-6 — Modification d'ordre technique concernant notamment l'impôt minimum de remplacement, le Régime d'investissement coopératif et la taxation des boissons alcooliques.

Concordance fédérale: aucune.

495. Déclaration de l'acheteur — Lorsque la taxe spécifique prévue à l'article 487 n'est pas perçue par le vendeur, l'acheteur doit, lors de la vente, rendre compte au ministre en lui transmettant la facture, s'il y a lieu, avec tout renseignement que celui-ci peut exiger et, en même temps, lui verser la taxe spécifique exigible.

Obligation — Quiconque est tenu de payer la taxe en vertu des articles 488 ou 489 a la même obligation et ce, à l'époque prévue à ces articles.

Notes historiques: L'article 495 a été édicté par L.Q. 1991, c. 67 [anc. LIVD, art. 20.9.10].

Guides [art. 495]: IN-263 — Les fabricants de boissons alcooliques et les taxes à la consommation.

Définitions [art. 495]: « vendeur » — 486.

Renvois [art. 495]: 503 (amende en cas de contravention à certaines dispositions); 7R78.3, 7R78.14 RAF (Signature des documents par certains fonctionnaires).

Concordance fédérale: aucune.

Chapitre V — Perception anticipée

496. Agent-percepteur — Toute personne qui vend une boisson alcoolique au Québec est un agent-percepteur.

Exception — Malgré le premier alinéa, les personnes suivantes, lorsqu'elles exercent les activités mentionnées ci-dessous, ne sont pas des agents-percepteurs :

1º le vendeur, lorsqu'il effectue une vente au détail;

2º le titulaire d'un permis de distillateur ou d'un permis de fabricant de vin délivré en vertu de la *Loi sur la Société des alcools du Québec* (chapitre S-13), lorsqu'il exerce les activités qu'autorise un tel permis;

3º le titulaire d'un permis de brasseur, d'un permis de distributeur de bière, d'un permis d'entrepôt ou d'un permis de fabricant de cidre délivré en vertu de la *Loi sur la Société des alcools du Québec*, lorsqu'il vend une boisson alcoolique :

a) à des fins de mélange à une personne qui est titulaire d'un permis industriel délivré en vertu de cette loi;

b) [*supprimé*];

c) à la Société des alcools du Québec;

4º le titulaire d'un permis de production artisanale délivré en vertu de la *Loi sur la Société des alcools du Québec*, lorsqu'il vend une boisson alcoolique :

a) [*supprimé*];

b) à la Société des alcools du Québec;

4.1º le titulaire d'un permis de production artisanale de bière délivré en vertu de la *Loi sur la Société des alcools du Québec*, lorsqu'il vend à la Société des alcools du Québec;

5º la Société des alcools du Québec, lorsqu'elle vend une boisson alcoolique :

a) au titulaire d'un permis industriel, d'un permis de production artisanale ou d'un permis de producteur artisanal de bière délivré en vertu de la *Loi sur la Société des alcools du Québec*;

b) [*supprimé*].

Notes historiques: Le paragraphe 2º du deuxième alinéa de l'article 496 a été modifié par L.Q. 1997, c. 43, art. 875(7º) par le remplacement des mots « qu'autorise la détention d'un tel permis » par les mots « qu'autorise un tel permis ». Cette modification est entrée en vigueur le 1er décembre 1997.

Le sous-paragraphe b) du paragraphe 3º du deuxième alinéa de l'article 496 a été supprimé par L.Q. 2005, c. 1, s.-par. 365(1)(1º) et cette modification a effet depuis le 1er septembre 2004. Antérieurement, il se lisait ainsi :

> b) pour consommation sur place, à une personne qui est titulaire d'un permis, autorisant la vente de boissons alcooliques pour consommation sur place, délivré en vertu de la *Loi sur les permis d'alcool* (L.R.Q., chapitre P-9.1), qui est livrée dans un contenant marqué de la manière prescrite par le ministre;

Le paragraphe 3º du deuxième alinéa de l'article 496 a été modifié par L.Q. 1992, c. 17, art. 18, applicable à compter du 30 juin 1992 (D. 984-92, 30 juin 1992), ajoutant après le mot « brasseur », les mots « , d'un permis de distributeur de bière ».

Le sous-paragraphe a) du paragraphe 4º du deuxième alinéa de l'article 496 a été supprimé par L.Q. 2005, c. 1, s.-par. 365(1)(2º) et cette modification a effet depuis le 1er septembre 2004. Antérieurement, il se lisait ainsi :

> a) pour consommation sur place, à une personne qui est titulaire d'un permis, autorisant la vente de boissons alcooliques pour consommation sur place, délivré en vertu de la *Loi sur les permis d'alcool*, qui est livrée dans un contenant marqué de la manière prescrite par le ministre;

Le paragraphe 4º du deuxième alinéa de l'article 496 a été ajouté par L.Q. 1997, c. 14, art. 351 et a effet depuis le 5 juillet 1996. Auparavant, ce paragraphe se lisait comme suit :

> 4º le titulaire d'un permis de production artisanale délivré en vertu de la *Loi sur la Société des alcools du Québec*, lorsqu'il vend à la Société des alcools du Québec;

Le paragraphe 4.1º du deuxième alinéa de l'article 496 a été modifié par L.Q. 1997, c. 14, art. 351 et cette modification a effet depuis le 5 juillet 1996.

Le sous-paragraphe a) du paragraphe 5º de l'article 496 a été modifié par L.Q. 1997, c. 14, art. 351 et cette modification a effet depuis le 5 juillet 1996. Auparavant, ce sous-paragraphe se lisait comme suit :

> a) au titulaire d'un permis industriel ou d'un permis de production artisanale délivré en vertu de la *Loi sur la Société des alcools du Québec*;

Le sous-paragraphe b) du paragraphe 5º du deuxième alinéa de l'article 496 a été supprimé par L.Q. 2005, c. 1, s.-par. 365(1)(3º) et cette modification a effet depuis le 1er septembre 2004. Antérieurement, il se lisait ainsi :

> b) pour consommation sur place, à une personne qui est titulaire d'un permis, autorisant la vente de boissons alcooliques pour consommation sur place, délivré en vertu de la *Loi sur les permis d'alcool*, qui est livrée dans un contenant marqué de la manière prescrite par le ministre.

L'article 496 a été édicté par L.Q. 1991, c. 67 [anc. LIVD, art. 20.9.11].

Guides [art. 496]: IN-263 — Les fabricants de boissons alcooliques et les taxes à la consommation.

Définitions [art. 496]: « personne », « vendeur », « vente au détail » — 486.

Concordance fédérale: aucune.

497. Perception — Tout agent-percepteur titulaire d'un certificat d'inscription doit percevoir comme mandataire du ministre :

1º un montant égal à la taxe spécifique prévue au paragraphe 1º de l'article 487 à l'égard de la bière ou d'une autre boisson alcoolique, selon le cas, de toute personne à qui il vend une boisson alcoolique au Québec et qui est tenue d'être titulaire de l'un des permis suivants :

a) un permis autorisant la vente de boissons alcooliques pour consommation sur place délivré en vertu de la *Loi sur les permis d'alcool* (chapitre P-9.1);

b) un permis de réunion délivré en vertu de la *Loi sur les permis d'alcool*;

c) un permis visé à l'article 2.0.1 de la *Loi sur les infractions en matière de boissons alcooliques* (chapitre I-8.1) qui correspond à un permis prévu au sous-paragraphe a) ou au sous-paragraphe b) du présent paragraphe;

d) un permis de production artisanale délivré en vertu de la *Loi sur la Société des alcools du Québec* (chapitre S-13);

e) un permis de brasseur délivré en vertu de la *Loi sur la Société des alcools du Québec*;

2º un montant égal à la taxe spécifique prévue au paragraphe 2º de l'article 487 à l'égard de la bière ou d'une autre boisson alcoolique, selon le cas, de toute personne à qui il vend une boisson alcoolique au Québec et qui n'est pas tenue d'être titulaire de l'un des permis prévus au paragraphe 1º.

Exception — Toutefois, l'obligation prévue au premier alinéa ne s'applique pas :

1º à la vente d'une boisson alcoolique dont la délivrance s'effectue hors du Québec;

2º à la vente d'une boisson alcoolique dont la délivrance s'effectue au Québec, si elle est emportée ou expédiée hors du Québec, dans les circonstances décrites aux paragraphes 2º à 4º de l'article 179, aux fins de revente et que l'agent-percepteur en conserve une preuve satisfaisante pour le ministre.

Perception lors de la vente — Que le prix soit stipulé payable comptant, à terme, par versements ou de toute autre manière, le montant visé au premier alinéa doit être perçu par l'agent-percepteur lors de la vente et se calcule sur le nombre total de millilitres de boisson alcoolique faisant l'objet du contrat.

Indication du montant — La personne tenue de percevoir le montant visé au premier alinéa doit, de la manière prescrite ou sur toute facture, reçu, écrit ou autre document constatant la vente, indiquer à l'acheteur ce montant séparément du prix de vente ou lui indiquer que ce prix comprend ce montant.

Notes historiques: Le premier alinéa de l'article 497 a été remplacé par L.Q. 2005, c. 1 par. 366(1) et cette modification a effet depuis le 1er septembre 2004. Antérieurement, il se lisait ainsi :

> 497. Tout agent-percepteur titulaire d'un certificat d'inscription doit percevoir comme mandataire du ministre un montant égal à la taxe spécifique prévue à l'article 487 à l'égard de la bière ou d'une autre boisson alcoolique, selon le cas, de toute personne à qui il vend de la boisson alcoolique au Québec.

En vertu de l'article 380 de L.Q. 2005, c. 1, les droits qu'un détaillant a payés ou aurait dû payer, en vertu des paragraphes b) ou d) du premier alinéa de l'article 79.11 de la *Loi sur les licences* (L.R.Q., chapitre L-3), à l'égard d'une boisson alcoolique qu'il a en stock à vingt-quatre heures, le 31 août 2004, sont réputés avoir été perçus ou être à percevoir par un agent-percepteur, à titre de montant égal à la taxe spécifique, conformément au paragraphe 1° du premier alinéa de l'article 497 de la *Loi sur la taxe de vente du Québec* (L.R.Q., chapitre T-0.1), tel que modifié par l'article 365 [devrait se lire 366 — n.d.l.r.] de L.Q. 2005, c. 1, et correspondent à la totalité de ce montant. À cette fin, les boissons alcooliques qu'un détaillant a en stock à vingt-quatre heures, le 31 août 2004, comprennent les boissons alcooliques qu'il a acquises mais qui ne lui ont pas été livrées à ce moment.

De plus, en vertu de l'article 381 de L.Q. 2005, c. 1, la période de déclaration d'un détaillant, déterminée conformément au quatrième alinéa de l'article 79.14 de la *Loi sur les licences* (L.R.Q., chapitre L-3), ou d'un fournisseur, déterminée conformément au deuxième alinéa de l'article 79.15 de cette loi, qui n'est pas terminée le 31 août 2004 est réputée se terminer à cette date. Le détaillant doit, à l'égard de sa période de déclaration réputée terminée le 31 août 2004, payer au ministre les droits prévus aux paragraphes c) et e) du premier alinéa de l'article 79.11 de la *Loi sur les licences* dans le délai prévu à l'article 468 de la *Loi sur la taxe de vente du Québec* (L.R.Q., chapitre T-0.1) et, en même temps, lui en rendre compte sur le formulaire prescrit contenant les renseignements prescrits et le lui produire de la manière prescrite par ce dernier, même si aucun droit n'est dû pour cette période de déclaration. De même, le fournisseur doit, à l'égard de sa période de déclaration réputée terminée le 31 août 2004, verser au ministre les droits prévus aux paragraphes b) et d) du premier alinéa de l'article 79.11 de la *Loi sur les licences* qu'il a perçus ou qu'il aurait dû percevoir pendant cette période de déclaration dans le délai prévu à l'article 468 de la *Loi sur la taxe de vente du Québec* et, en même temps, lui en rendre compte sur le formulaire prescrit contenant les renseignements prescrits et le lui produire de la manière prescrite par ce dernier, même si aucune vente donnant lieu à ces droits n'a été faite durant cette période de déclaration.

Le deuxième alinéa de l'article 497 a été remplacé par L.Q. 2006, c. 7, art. 15 et cette modification est entrée en vigueur le 8 juin 2006. Antérieurement, il se lisait ainsi :

> Cette obligation ne s'applique pas à la vente d'une boisson alcoolique dont la délivrance s'effectue hors du Québec.

L'article 497 a été édicté par L.Q. 1991, c. 67 [anc. LIVD, art. 20.9.12].

Notes explicatives ARQ (PL 5, L.Q. 2006, c. 7): *Résumé* :

Les modifications proposées à l'article 497 visent à dispenser l'agent-percepteur de percevoir le montant égal à la taxe spécifique en ce qui a trait à la vente d'une boisson alcoolique délivrée au Québec, si elle est emportée ou expédiée hors du Québec, dans certaines circonstances, aux fins de revente.

Situation actuelle :

L'article 497 prévoit les modalités entourant l'obligation, pour un agent-percepteur, de percevoir un montant égal à la taxe spécifique lorsqu'il vend une boisson alcoolique au Québec. Toutefois, il existe, en vertu du deuxième alinéa de cet article, une exception à cette obligation en ce qui concerne la vente d'une boisson alcoolique dont la délivrance s'effectue hors du Québec.

Il peut arriver qu'un agent-percepteur vende une boisson alcoolique dont la délivrance est effectuée au Québec mais qui est ensuite emportée ou exportée hors du Québec aux fins de revente. Étant donné que la vente au détail de cette boisson alcoolique aura lieu hors du Québec, aucune taxe spécifique ne sera perçue.

Or, en raison de son libellé actuel, l'article 497 oblige l'agent-percepteur à percevoir un montant égal à la taxe spécifique dans ces circonstances.

Actuellement, lorsque cette situation se présente, le ministre peut notamment conclure une entente avec l'agent-percepteur suivant laquelle ce dernier n'est pas tenu de percevoir un montant égal à la taxe spécifique sur présentation d'une preuve satisfaisante que la boisson alcoolique est expédiée ou emportée aux fins de revente hors du Québec. Cependant, un tel processus s'avère lourd.

Modifications proposées :

L'article 497 est modifié afin de préciser les modalités entourant l'obligation, pour un agent-percepteur, de percevoir un montant égal à la taxe spécifique.

Ainsi, l'agent-percepteur sera dispensé de cette obligation en ce qui a trait à la vente d'une boisson alcoolique délivrée au Québec, si elle est emportée ou expédiée hors du Québec, aux fins de revente, dans les circonstances décrites aux paragraphes 2° à 4° de l'article 179 de la LTVQ (c'est-à-dire si la boisson est emportée ou expédiée hors du Québec dans un délai raisonnable, n'est pas achetée pour usage, consommation ou fourniture au Québec et n'est pas davantage traitée, transformée ou modifiée avant son expédition hors du Québec).

En outre, pour ne pas être tenu de percevoir un montant égal à la taxe spécifique, l'agent-percepteur devra conserver une preuve satisfaisante pour le ministre du Revenu que cette boisson alcoolique est emportée ou expédiée hors du Québec.

Guides [art. 497]: IN-263 — Les fabricants de boissons alcooliques et les taxes à la consommation.

Définitions [art. 497]: « bière », « personne » — 486.

Renvois [art. 497]: 489 (taxe spécifique); 494 (remise de la taxe); 498 (remise de la taxe); 499 (défaut de percevoir ou de remettre la taxe); 503 (amende en cas de contravention à certaines dispositions); 677:52° (règlements).

Concordance fédérale: aucune.

498. Obligation de rendre compte — Tout agent-percepteur titulaire d'un certificat d'inscription doit tenir compte des montants perçus et, pour chaque période de déclaration, lorsqu'il doit produire la déclaration prévue à la section IV du chapitre VIII du titre I, ou dans le délai prévu à l'article 468, s'il a fait le choix en vertu de l'article 499.4, rendre compte au ministre des montants qu'il a perçus ou qu'il aurait dû percevoir en vertu de l'article 497 au cours de la période de déclaration donnée sur le formulaire prescrit contenant les renseignements prescrits, le lui produire de la manière prescrite par ce dernier et, en même temps, les lui verser.

Obligation de rendre compte — Il doit rendre compte même si aucune vente de boisson alcoolique n'a été faite durant la période de déclaration donnée.

Exception — Cependant, il n'est pas tenu de rendre compte au ministre, à moins que celui-ci ne l'exige, ni de lui verser le montant perçu à l'égard d'une boisson alcoolique vendue qu'il a acquise d'un agent-percepteur titulaire d'un certificat d'inscription, lorsqu'il a versé à ce dernier le montant prévu à l'article 497 à l'égard de cette boisson alcoolique.

Montant supérieur au montant versé — Toutefois, si le montant perçu à l'égard de cette boisson alcoolique est supérieur au montant qu'il a versé en vertu de l'article 497 à un agent-percepteur titulaire d'un certificat d'inscription, la différence entre ces deux montants doit être versée au ministre, selon les modalités prévues au premier alinéa.

Notes historiques: Le premier alinéa de l'article 498 a été remplacé par L.Q. 2005, c. 1, par. 367(1) et cette modification s'applique à l'égard d'un exercice commençant après le 31 décembre 2004. Antérieurement, il se lisait ainsi :

> 498. Tout agent-percepteur titulaire d'un certificat d'inscription doit tenir compte des montants perçus et, pour chaque période de déclaration, lorsqu'il doit produire la déclaration prévue à la section IV du chapitre VIII du titre I, rendre compte au ministre des montants qu'il a perçus ou qu'il aurait dû percevoir en vertu de l'article 497 au cours de la période de déclaration donnée sur le formulaire prescrit contenant les renseignements prescrits, le lui produire de la manière prescrite par ce dernier et, en même temps, les lui verser.

Le premier alinéa de l'article 498 a été remplacé par L.Q. 1999, c. 83, art. 320(1) Cette modification s'applique à compter de la première période de déclaration d'une personne pour l'application de la section IV du chapitre VIII du titre I qui commence après le 31 mars 1998. Antérieurement, cet alinéa se lisait comme suit :

> 498. Tout agent-percepteur titulaire d'un certificat d'inscription doit tenir compte des montants perçus et au plus tard le dernier jour de chaque mois civil, rendre compte au ministre des montants qu'il a perçus ou qu'il aurait dû percevoir en vertu de l'article 497 au cours du mois civil précédent, sur le formulaire prescrit contenant les renseignements prescrits, le lui produire de la manière prescrite par ce dernier et il doit en même temps les lui verser.

Le deuxième alinéa de l'article 498 a été remplacé par L.Q. 1999, c. 83, art. 320(1). Cette modification s'applique à compter de la première période de déclaration d'une personne pour l'application de la section IV du chapitre VIII du titre I qui commence après le 31 mars 1998. Antérieurement, cet alinéa se lisait comme suit :

> Il doit rendre compte même si aucune vente de boisson alcoolique n'a été faite durant le mois civil.

L'article 498 a été édicté par L.Q. 1991, c. 67 [anc. LIVD, art. 20.9.13].

Guides [art. 498]: IN-263 — Les fabricants de boissons alcooliques et les taxes à la consommation.

Renvois [art. 498]: 7R78.3, 7R78.14 RAF (Signature des documents par certains fonctionnaires).

Formulaires [art. 498]: LM-21, Demande de remboursement à l'intention d'un vendeur au détail relative à l'impôt sur le tabac et à la taxe spécifique sur les boissons alcooliques; VDZ-498, Formulaire de déclaration — taxe spécifique sur les boissons alcooliques.

Concordance fédérale: aucune.

499. Omission de la part de l'agent-percepteur — Tout agent-percepteur titulaire d'un certificat d'inscription qui ne perçoit pas le montant prévu à l'article 497 ou qui ne verse pas au ministre un tel montant qu'il a perçu et qu'il est tenu de verser ou qui le verse à une personne qui n'est pas titulaire d'un certificat d'inscription devient débiteur de ce montant envers le gouvernement.

Agent-percepteur non titulaire d'un certificat — Tout agent-percepteur qui n'est pas titulaire d'un certificat d'inscription en vigueur au moment où il vend de la boisson alcoolique au Québec de-

LTVQ (français)

vient débiteur envers le gouvernement de tout montant prévu à l'article 497 qu'il a perçu ou qu'il aurait dû percevoir s'il avait été titulaire d'un tel certificat.

Droits présumés — Les montants prévus aux premier et deuxième alinéas sont alors réputés être des droits au sens de la *Loi sur l'administration fiscale* (chapitre A-6.002).

Notes historiques: L'article 499 a été édicté par L.Q. 1991, c. 67 [anc. LIVD, art. 20.9.14].

Guides [art. 499]: IN-263 — Les fabricants de boissons alcooliques et les taxes à la consommation.

Définitions [art. 499]: « personne » — 486.

Renvois [art. 499]: 433.11 (choix de ne pas calculer la taxe nette).

Concordance fédérale: aucune.

Chapitre V.1 — Acompte provisionnel

Notes historiques: L'intitulé du chapitre V.1 a été ajouté par L.Q. 1999, c. 83, art. 321(1) et s'applique à compter de la première période de déclaration d'une personne pour l'application de la section IV du chapitre VIII du titre I de cette loi qui commence après le 31 mars 1998.

499.1 Acompte provisionnel de base — Le vendeur ou l'agent-percepteur titulaire d'un certificat d'inscription dont la période de déclaration correspond à un exercice, au sens de l'article 458.1, ou à une période déterminée en vertu de l'article 461.1 doit, au cours du mois qui suit chacun de ses trimestres d'exercice, au sens de l'article 458.1, qui prend fin au cours de la période de déclaration, payer au ministre un montant égal au quart de son acompte provisionnel de base pour cette période de déclaration.

Dispositions applicables — Les articles 458.0.4 et 458.0.5 s'appliquent à cet acompte provisionnel, compte tenu des adaptations nécessaires.

Notes historiques: Le premier alinéa de l'article 499.1 a été modifié par L.Q. 2005, c. 1, s.-par. 368(1)(1°) par la suppression de « Sous réserve du troisième alinéa, ». Cette modification a effet depuis le 1er septembre 2004.

Le vendeur ou l'agent-percepteur qui a satisfait à l'obligation imposée en vertu de l'article 79.15.0.1 de la *Loi sur les licences* (L.R.Q., chapitre L-3), pour un trimestre d'exercice réputé terminé le 31 août 2004, conformément à l'article 381 de la présente loi, n'est pas visé par le premier alinéa de l'article 499.1 de la *Loi sur la taxe de vente du Québec* (L.R.Q., chapitre T-0.1), tel que modifié par le sous-paragraphe 368(1)(1°) de L.Q. 2005, c. 1, à l'égard du trimestre d'exercice visé par cet alinéa qui se prolonge au-delà du 31 août 2004.

Le troisième alinéa de l'article 499.1 a été supprimé par L.Q. 2005, c. 1, s.-par. 368(1)(2°) et cette modification a effet depuis le 1er septembre 2004. Antérieurement, il se lisait ainsi :

> Le vendeur ou l'agent-percepteur qui a déjà satisfait à l'obligation imposée en vertu de l'article 79.15.0.1 de la *Loi sur les licences* (chapitre L-3), pour un trimestre d'exercice donné, n'est pas visé par le premier alinéa pour ce trimestre.

L'article 499.1 a été ajouté par L.Q. 1999, c. 83, art. 321(1). Cet article s'applique à compter de la première période de déclaration d'une personne pour l'application de la section IV du chapitre VIII du titre I de cette loi qui commence après le 31 mars 1998.

Guides [art. 499.1]: IN-263 — Les fabricants de boissons alcooliques et les taxes à la consommation.

Renvois [art. 499.1]: 499.2, 499.3 (acompte provisionnel de base).

Concordance fédérale: aucune.

499.2 Calcul de l'acompte provisionnel de base — L'acompte provisionnel de base d'une personne visée à l'article 499.1 pour une période de déclaration donnée de celle-ci correspond au moindre des montants suivants :

1° le montant égal :

a) dans le cas d'une période de déclaration déterminée en vertu de l'article 461.1, au montant déterminé selon la formule suivante :

$$A \times (365 / B);$$

b) dans tout autre cas, au total de la taxe spécifique et du montant égal à la taxe spécifique, le cas échéant, qu'elle a perçus ou qu'elle aurait dû percevoir pour la période de déclaration donnée;

2° le montant déterminé selon la formule suivante :

$$C \times (365 / D).$$

Application — Pour l'application de ces formules :

1° la lettre A représente le total de la taxe spécifique et du montant égal à la taxe spécifique, le cas échéant, qu'elle a perçus ou qu'elle aurait dû percevoir pour la période de déclaration donnée;

2° la lettre B représente le nombre de jours de la période de déclaration donnée;

3° La lettre C représente le total des montants dont chacun constitue le total de la taxe spécifique et du montant égal à la taxe spécifique, le cas échéant, qu'elle a perçus ou qu'elle aurait dû percevoir pour une période de déclaration se terminant dans les douze mois précédant la période de déclaration donnée;

4° la lettre D correspond au nombre de jours de la période commençant le premier jour de la première de ces périodes de déclaration précédentes et se terminant le dernier jour de la dernière de ces périodes de déclaration précédentes.

Notes historiques: Le sous-paragraphe b) du paragraphe 1° du premier alinéa de l'article 499.2 a été remplacé par L.Q. 2005, c. 1, s.-par. 369(1)(1°) et cette modification a effet depuis le 1er septembre 2004. Antérieurement, il se lisait ainsi :

> b) dans tout autre cas, au total de la taxe spécifique et du montant égal à la taxe spécifique, le cas échéant, qu'elle a perçus ou qu'elle aurait dû percevoir, des droits prévus à l'article 79.11 de la *Loi sur les licences* (chapitre L-3) qu'elle a perçus ou qu'elle aurait dû percevoir en vertu des paragraphes b et d du premier alinéa de cet article et qu'elle doit payer en vertu des paragraphes c et e du premier alinéa de cet article pour la période de déclaration donnée;

Dans le calcul prévu au sous-paragraphe b) du paragraphe 1° du premier alinéa ainsi qu'aux paragraphes 1° et 3° du deuxième alinéa de l'article 499.2 de la *Loi sur la taxe de vente du Québec* (L.R.Q., chapitre T-0.1), tel que modifié par le paragraphe 369(1) de L.Q. 2005, c. 1, il doit être ajouté le total des droits prévus à l'article 79.11 de la *Loi sur les licences* (L.R.Q., chapitre L-3) que la personne visée à l'article 499.1 de la *Loi sur la taxe de vente du Québec* a perçus ou qu'elle aurait dû percevoir en vertu des paragraphes b) et d) du premier alinéa de l'article 79.11 de la *Loi sur les licences* et qu'elle doit payer en vertu des paragraphes c) et e) du premier alinéa de l'article 79.11 de la *Loi sur les licences* au cours de la période pour laquelle ce calcul est effectué.

Le paragraphe 1° du deuxième alinéa de l'article 499.2 a été remplacé par L.Q. 2005, c. 1, s.-par. 369(1)(2°)(a) et cette modification a effet depuis le 1er septembre 2004. Voir également les modalités de calcul prévues sous l'application du sous-par. (1°)b) du premier alinéa de l'art. 499.2. Antérieurement, le paragraphe 1° du deuxième alinéa de l'article 499.2 se lisait ainsi :

> 1° la lettre A représente le total de la taxe spécifique et du montant égal à la taxe spécifique, le cas échéant, qu'elle a perçus ou qu'elle aurait dû percevoir, des droits prévus à l'article 79.11 de la *Loi sur les licences* qu'elle a perçus ou qu'elle aurait dû percevoir en vertu des paragraphes b) et d) du premier alinéa de cet article et qu'elle doit payer en vertu des paragraphes c) et e) du premier alinéa de cet article pour la période de déclaration donnée;

Le paragraphe 3° du deuxième alinéa de l'article 499.2 a été remplacé par L.Q. 2005, c. 1, al. 369(1)(2°)b) et cette modification a effet depuis le 1er septembre 2004. Voir également les modalités de calcul prévues sous l'application du sous-par. (1°)b) du premier alinéa de l'art. 499.2. Antérieurement, le paragraphe 3° du deuxième alinéa de l'article 499.2 se lisait ainsi :

> 3° la lettre C représente le total des montants dont chacun constitue le total de la taxe spécifique et du montant égal à la taxe spécifique, le cas échéant, qu'elle a perçus ou qu'elle aurait dû percevoir, des droits prévus à l'article 79.11 de la *Loi sur les licences* qu'elle a perçus ou qu'elle aurait dû percevoir en vertu des paragraphes b) et d) du premier alinéa de cet article et qu'elle doit payer en vertu des paragraphes c) et e) du premier alinéa de cet article pour une période de déclaration se terminant dans les douze mois précédant la période de déclaration donnée;

L'article 499.2 a été ajouté par L.Q. 1999, c. 83, art. 321(1). Ce chapitre s'applique à compter de la première période de déclaration d'une personne pour l'application de la section IV du chapitre VIII du titre I de cette loi qui commence après le 31 mars 1998.

Notes explicatives ARQ (PL 37, L.Q. 2009, c. 15): *Résumé* :

L'article 499.3 est modifié afin d'augmenter le seuil de l'acompte provisionnel de base d'un vendeur ou d'un agent-percepteur titulaire d'un certificat d'inscription qui passe de 1 500 $ à 3000 $.

Situation actuelle :

L'article 499.3 de la LTVQ prévoit que lorsque l'acompte provisionnel de base d'un vendeur ou d'un agent-percepteur titulaire d'un certificat d'inscription est inférieur à 1 500 $, cet acompte est réputé nul. Dans de telles circonstances, ces personnes ne sont pas tenues de verser des acomptes provisionnels pour la période de déclaration concernée.

Modifications proposées :

Il est proposé de modifier l'article 499.3 de la LTVQ afin de remplacer le seuil de l'acompte provisionnel de base d'un vendeur ou d'un agent-percepteur titulaire d'un certificat d'inscription de 1 500 $ par 3 000 $.

Guides [art. 499.2]: IN-263 — Les fabricants de boissons alcooliques et les taxes à la consommation.

Définitions [art. 499.2]: « vendeur » — 486.

Renvois [art. 499.2]: 502 (amende).

Concordance fédérale: aucune.

499.3 Acompte provisionnel de base réputé nul — Pour l'application de l'article 499.1, l'acompte provisionnel de base d'un vendeur ou d'un agent-percepteur titulaire d'un certificat d'inscription qui est inférieur à 3 000 $ pour une période de déclaration est réputé nul.

Notes historiques: L'article 499.3 été modifié par L.Q. 2009, c. 15, par. 527(1) par le remplacement de « 1 500 $ » par « 3 000 $ ». Cette modification s'applique à une période de déclaration qui commence après le 31 décembre 2007.

L'article 499.3 a été ajouté par L.Q. 1999, c. 83, par. 321(1). Ce chapitre s'applique à compter de la première période de déclaration d'une personne pour l'application de la section IV du chapitre VIII du titre I de cette loi qui commence après le 31 mars 1998.

Guides [art. 499.3]: IN-263 — Les fabricants de boissons alcooliques et les taxes à la consommation.

Concordance fédérale: aucune.

Chapitre V.2 — Période de déclaration

Notes historiques: Le chapitre V.2 a été ajouté par L.Q. 2005, c. 1, par. 370(1) et s'applique à l'égard d'un exercice commençant après le 31 décembre 2004.

499.4 Choix d'une période de déclaration — Un vendeur, qui, de manière habituelle, rend compte de la taxe spécifique qu'il a perçue, conformément à l'article 494, ou un agent-percepteur peut faire un choix pour que sa période de déclaration corresponde :

1º à son exercice, au sens de l'article 458.1, si, à la fois :

a) sa période de déclaration en vertu de la section IV du chapitre VIII du titre I correspond à son mois d'exercice ou à son trimestre d'exercice;

b) le total de la taxe spécifique et du montant égal à la taxe spécifique, le cas échéant, qu'il a versés au ministre, conformément à l'article 494 ou à l'article 498, au cours de l'exercice précédant celui durant lequel le choix est fait, est inférieur à 3 000 $;

2º à son mois d'exercice ou à son trimestre d'exercice, au sens de l'article 458.1, si, à la fois :

a) sa période de déclaration en vertu de la section IV du chapitre VIII du titre I correspond à son exercice;

b) le total de la taxe spécifique et du montant égal à la taxe spécifique, le cas échéant, qu'il a versés au ministre, conformément à l'article 494 ou à l'article 498, au cours de l'exercice précédant celui durant lequel le choix est fait, est égal ou supérieur à 1 500 $.

Notes historiques: Le sous-paragraphe b) du paragraphe 1° de l'article 499.4 a été modifié par L.Q. 2009, c. 15, par. 528(1) par le remplacement de « 1 500 $ » par « 3 000 $ ». Cette modification s'applique à une période de déclaration qui commence après le 31 décembre 2007.

L'article 499.4 a été ajouté par L.Q. 2005, c. 1, par. 370(1) et s'applique à l'égard d'un exercice commençant après le 31 décembre 2004.

Dans la détermination de l'admissibilité d'un vendeur ou d'un agent-percepteur au choix prévu à l'article 499.4, tel qu'édicté par L.Q. 2005, c.1, par. 370(1), il doit être ajouté au montant calculé, conformément au sous-paragraphe b) du paragraphe 1º ou au sous-paragraphe b) du paragraphe 2º de l'article 499.4, le total des droits prévus aux paragraphes b), c), d) ou e) du premier alinéa de l'article 79.11 de la *Loi sur les licences* (L.R.Q., chapitre L-3) que cette personne a versés au ministre, conformément à l'article 79.14 ou à l'article 79.15 de cette loi, au cours de l'exercice pour lequel ce calcul est effectué.

Notes explicatives ARQ (PL 37, L.Q. 2009, c. 15): *Résumé* :

Le sous-paragraphe b) du paragraphe 1° de l'article 499.4 est modifié afin d'augmenter à 3 000 $ le seuil du total de la taxe spécifique et du montant égal à la taxe spécifique qui sont versés au cours d'un exercice donné et en deçà duquel un vendeur ou un agent-percepteur peut faire un choix afin que sa période de déclaration corresponde à son exercice.

Situation actuelle :

L'article 499.4 de la LTVQ permet à un vendeur ou à un agent-percepteur de choisir, à certaines conditions, une fréquence de production de ses déclarations de la taxe spécifique sur les boissons alcooliques, ou du montant égal à cette taxe, qui soit distincte de la fréquence de production de ses déclarations de taxe de vente du Québec.

Ainsi, le paragraphe 1° de l'article 499.4 de la LTVQ permet à une personne qui est un vendeur ou un agent-percepteur de faire un choix afin que sa période de déclaration corresponde à son exercice lorsque, entre autres, le total de la taxe spécifique et du montant égal à la taxe spécifique qui sont versés au cours de l'exercice précédent est inférieur à 1 500 $.

Modifications proposées :

Il est proposé de modifier le sous-paragraphe b du paragraphe 1° de l'article 499.4 de la LTVQ afin d'augmenter à 3 000 $ le seuil du total de la taxe spécifique et du montant égal à la taxe spécifique qui sont versés au cours d'un exercice donné et en deçà duquel un vendeur ou un agent-percepteur peut faire un choix afin que sa période de déclaration corresponde à son exercice.

Guides [art. 499.4]: IN-263 — Les fabricants de boissons alcooliques et les taxes à la consommation.

Concordance fédérale: aucune.

499.5 Modalités du choix — Une personne peut faire le choix prévu à l'article 499.4 en transmettant, au plus tard le jour où il entre en vigueur, un avis écrit au ministre précisant l'exercice, le trimestre d'exercice ou le mois d'exercice auquel doit correspondre la période de déclaration.

Entrée en vigueur — Le choix prévu au premier alinéa entre en vigueur le premier jour de la période de déclaration pour laquelle il est fait.

Notes historiques: L'article 499.5 a été ajouté par L.Q. 2005, c. 1, par. 370(1) et s'applique à l'égard d'un exercice commençant après le 31 décembre 2004.

Guides [art. 499.5]: IN-263 — Les fabricants de boissons alcooliques et les taxes à la consommation.

Concordance fédérale: aucune.

499.6 Durée du choix — Le choix fait par une personne en vertu de l'article 499.4 demeure en vigueur jusqu'au premier en date des jours suivants :

1º le début du jour où entre en vigueur un nouveau choix fait en vertu de l'article 499.4;

2º le début du jour où entre en vigueur un choix fait par la personne en vertu de la section IV du chapitre VIII du titre I à l'égard de la période de déclaration prévue par cette section, dans le cas où ce choix a pour effet de rendre cette période de déclaration différente de celle choisie par la personne en vertu du paragraphe 2º de l'article 499.4;

3º si la personne a fait un choix en vertu du paragraphe 1º de l'article 499.4, le premier jour de la période de déclaration au cours de laquelle le total de la taxe spécifique et du montant égal à la taxe spécifique, le cas échéant, qu'elle a versés au ministre atteint 3 000 $.

Notes historiques: Le paragraphe 3° de l'article 499.6 a été modifié par L.Q. 2009, c. 15, par. 529(1) par le remplacement de « 1 500 $ » par « 3 000 $ ». Cette modification s'applique à une période de déclaration qui commence après le 31 décembre 2007.

L'article 499.6 a été ajouté par L.Q. 2005, c. 1, par. 370(1) et s'applique à l'égard d'un exercice commençant après le 31 décembre 2004.

Notes explicatives ARQ (PL 37, L.Q. 2009, c. 15): *Résumé* :

Le paragraphe 3° de l'article 499.6 est modifié afin d'augmenter à 3 000 $ le seuil du total de la taxe spécifique et du montant égal à la taxe spécifique qui sont versés au cours d'une période de déclaration et en deçà duquel le choix fait par un vendeur ou un agent-percepteur, afin que leur période de déclaration corresponde à leur exercice, demeure en vigueur.

Situation actuelle :

L'article 499.6 de la LTVQ prévoit certaines modalités relatives à la durée d'un choix fait, en vertu de l'article 499.4 de la LTVQ, par un vendeur ou un agent-percepteur quant à la fréquence de production de ses déclarations.

Ainsi, le paragraphe 3° de l'article 499.6 de la LTVQ prévoit que le choix fait par un vendeur ou un agent-percepteur d'avoir une période de déclaration qui correspond à son exercice demeure en vigueur jusqu'au premier jour de la période de déclaration au cours

LTVQ (français)

de laquelle le total de la taxe spécifique et du montant égal à la taxe spécifique qu'il a versés au cours de cette période est inférieur à 1 500 $.

Modifications proposées :

Le paragraphe 3° de l'article 499.6 de la LTVQ est modifié afin d'augmenter à 3 000 $ le seuil du total de la taxe spécifique et du montant égal à la taxe spécifique qui sont versés au cours d'une période de déclaration et en deçà duquel le choix fait par un vendeur ou un agent-percepteur, afin que leur période de déclaration corresponde à leur exercice, demeure en vigueur.

Guides [art. 499.6]: IN-263 — Les fabricants de boissons alcooliques et les taxes à la consommation.

Concordance fédérale: aucune.

499.7 Révocation du choix — Une personne peut révoquer le choix fait en vertu de l'article 499.4 en transmettant un avis écrit au ministre.

Application — Pour l'application du premier alinéa, les règles suivantes s'appliquent :

1º la révocation doit préciser le jour où elle doit prendre effet et la période de déclaration visée;

2º la révocation doit être produite au ministre au plus tard le jour où elle doit prendre effet.

Notes historiques: L'article 499.7 a été ajouté par L.Q. 2005, c. 1, par. 370(1) et s'applique à l'égard d'un exercice commençant après le 31 décembre 2004.

Guides [art. 499.7]: IN-263 — Les fabricants de boissons alcooliques et les taxes à la consommation.

Concordance fédérale: aucune.

Chapitre VI — Dispositions diverses

500. Vente prohibée — Nul ne peut vendre de la boisson alcoolique au Québec à un agent-percepteur ou à un vendeur, à moins que cet agent-percepteur ou ce vendeur ne soit, sous réserve du deuxième alinéa de l'article 493, titulaire du certificat d'inscription prévu au premier alinéa de cet article.

Notes historiques: L'article 500 a été modifié par L.Q. 1995, c. 63, par. 499(1) et cette modification a effet depuis le 1er juillet 1992 [*N.D.L.R.* : cette disposition s'applique conformément aux articles 618 à 656 et 685 de L.Q. 1991, c. 67, tels que modifiés]. L'article 500 avait été édicté par L.Q. 1991, c. 67 [anc. LIVD, art. 20.9.15] et se lisait comme suit :

> Nul ne peut vendre de la boisson alcoolique au Québec à un agent-percepteur ou à un vendeur, à moins que cet agent-percepteur ou ce vendeur ne soit titulaire d'un certificat d'inscription délivré conformément à l'article 415.

Guides [art. 500]: IN-202 — Dois-je m'inscrire au Ministère?; IN-263 — Les fabricants de boissons alcooliques et les taxes à la consommation; IN-300 — Vous êtes travailleur autonome? Aide-mémoire concernant la fiscalité; IN-307 — Le démarrage d'entreprise et la fiscalité.

Concordance fédérale: aucune.

501. Achat prohibé — Aucun agent-percepteur ou vendeur ne peut acheter de la boisson alcoolique au Québec d'une personne qui n'est pas titulaire d'un certificat d'inscription délivré conformément à l'article 415.

Notes historiques: L'article 501 a été édicté par L.Q. 1991, c. 67 [anc. LIVD, art. 20.9.16].

Guides [art. 501]: IN-263 — Les fabricants de boissons alcooliques et les taxes à la consommation.

Définitions [art. 501]: « personne », « vendeur » — 486.

Renvois [art. 501]: 502 (amende).

Concordance fédérale: aucune.

502. Infraction et peine — Toute personne qui contrevient aux articles 500 ou 501 est passible d'une amende d'au moins 2 000 $ et d'au plus 25 000 $.

Notes historiques: L'article 502 a été édicté par L.Q. 1991, c. 67 [anc. LIVD, art. 23, par. 3].

Guides [art. 502]: IN-263 — Les fabricants de boissons alcooliques et les taxes à la consommation.

Définitions [art. 502]: « personne » — 486.

Concordance fédérale: aucune.

503. Infraction et peine — Toute personne qui contrevient au troisième alinéa de l'article 492, aux articles 493 ou 495 ou au quatrième alinéa de l'article 497 est passible d'une amende d'au moins 200 $ et d'au plus 5 000 $.

Notes historiques: L'article 503 a été modifié par L.Q. 1995, c. 1, art. 342(1) et cette modification a effet depuis le 13 mai 1994. Il avait été édicté par L.Q. 1991, c. 67 [anc. LIVD, art. 23, par. 2] et se lisait comme suit :

> Toute personne qui contrevient au troisième alinéa de l'article 492, aux articles 493 ou 495, au quatrième alinéa de l'article 497 ou à une disposition réglementaire visée au paragraphe 60º de l'article 677 est passible d'une amende d'au moins 200 $ et d'au plus 5 000 $.

Guides [art. 503]: IN-263 — Les fabricants de boissons alcooliques et les taxes à la consommation.

Définitions [art. 503]: « personne » — 486.

Concordance fédérale: aucune.

504. Infraction et peine — Toute personne qui, étant mandataire du ministre, refuse ou néglige de percevoir la taxe ou le montant égal à la taxe, d'en tenir compte, d'en rendre compte ou de le verser au ministre, le tout conformément aux dispositions du présent titre ou à une disposition réglementaire visée au paragraphe 60º de l'article 677, est passible d'une amende d'au moins 25 $ pour chaque jour que dure l'infraction.

Notes historiques: L'article 504 a été édicté par L.Q. 1991, c. 67 [anc. LIVD, art. 23, par. 1].

Guides [art. 504]: IN-263 — Les fabricants de boissons alcooliques et les taxes à la consommation.

Définitions [art. 504]: « personne » — 486.

Concordance fédérale: aucune.

505. Inventaire — Le ministre peut exiger du titulaire d'un certificat d'inscription ou de la personne tenue de l'être qu'il lui fasse rapport dans le délai qu'il fixe, au moyen du formulaire prescrit contenant les renseignements prescrits, de l'inventaire de toutes ou de certaines boissons alcooliques qu'il a en sa possession à une date que le ministre détermine.

Notes historiques: L'article 505 a été édicté par L.Q. 1991, c. 67 [anc. LIVD, art. 21, par. 5].

Guides [art. 505]: IN-263 — Les fabricants de boissons alcooliques et les taxes à la consommation.

Définitions [art. 505]: « personne » — 486.

Renvois [art. 505]: 7R78.3, 7R78.14 RAF (Signature des documents par certains fonctionnaires).

Concordance fédérale: aucune.

505.1 Mauvaise créance — L'agent-percepteur titulaire d'un certificat d'inscription qui effectue une vente de boisson alcoolique, autre qu'une vente au détail, à une personne avec laquelle il n'a aucun lien de dépendance, peut, en autant qu'il soit établi que le prix de vente et le montant prévu à l'article 497 à l'égard de cette vente de boisson alcoolique sont devenus en totalité ou en partie une mauvaise créance, obtenir le remboursement d'un montant correspondant au montant prévu à cet article qu'il n'a pu recouvrer.

Conditions — Pour obtenir le remboursement prévu au premier alinéa, l'agent-percepteur doit satisfaire aux conditions suivantes :

1º s'il y est tenu en vertu de l'article 498, avoir rendu compte au ministre du montant prévu à l'article 497 qu'il aurait dû percevoir à l'égard de cette vente de boisson alcoolique, au moyen du formulaire prescrit, pour la période de déclaration où ce montant aurait dû être perçu;

2º selon le cas, avoir versé en vertu de l'article 497 à un agent-percepteur titulaire d'un certificat d'inscription le montant prévu à cet article à l'égard de la boisson alcoolique relative à cette mauvaise créance ou avoir versé ce montant au ministre en vertu de l'article 498;

3º avoir radié la mauvaise créance de ses livres de comptes et produire au ministre une demande au moyen du formulaire prescrit dans les quatre ans suivant le jour de cette radiation;

4º remplir les conditions prescrites ainsi que les modalités prescrites.

Calcul du remboursement — Pour l'application du premier alinéa, l'agent-percepteur peut, selon les conditions et les modalités d'utilisation prescrites, déterminer le montant du remboursement au moyen de la méthode prescrite.

Notes historiques: L'article 505.1 a été ajouté par L.Q. 2001, c. 51, art. 307 et s'applique à l'égard d'une vente d'une boisson alcoolique effectuée après le 14 mars 2000.

Guides [art. 505.1]: IN-263 — Les fabricants de boissons alcooliques et les taxes à la consommation.

Règlements [art. 505.1]: RTVQ, 505.1R1-505.1R3.

Concordance fédérale: aucune.

505.2 Lien de dépendance — Pour l'application du premier alinéa de l'article 505.1, des personnes ont un lien de dépendance entre elles si elles sont visées par l'un des articles 3 à 9.

Notes historiques: L'article 505.2 a été ajouté par L.Q. 2001, c. 51, art. 307 et s'applique à l'égard d'une vente d'une boisson alcoolique effectuée après le 14 mars 2000.

Guides [art. 505.2]: IN-263 — Les fabricants de boissons alcooliques et les taxes à la consommation.

Concordance fédérale: aucune.

505.3 Recouvrement — L'agent-percepteur titulaire d'un certificat d'inscription qui recouvre la totalité ou une partie d'une mauvaise créance à l'égard de laquelle il a obtenu un remboursement en vertu de l'article 505.1 doit, au plus tard le dernier jour du mois suivant le mois où il a recouvré la totalité ou une partie de cette mauvaise créance, faire rapport au ministre, au moyen du formulaire prescrit, du montant égal à la taxe spécifique calculé selon la méthode prescrite et en même temps lui verser ce montant.

Notes historiques: L'article 505.3 a été ajouté par L.Q. 2001, c. 51, art. 307 et s'applique à l'égard d'une vente d'une boisson alcoolique effectuée après le 14 mars 2000.

Guides [art. 505.3]: IN-263 — Les fabricants de boissons alcooliques et les taxes à la consommation.

Règlements: RTVQ, 505.3R1.

Concordance fédérale: aucune.

TITRE III — TAXE SUR LES PRIMES D'ASSURANCE

Chapitre I — Champ d'application

506. « personne » — Pour l'application du présent titre et des règlements adoptés en vertu de celui-ci, à moins que le contexte n'indique un sens différent, l'expression « personne » a le sens que lui donne l'article 1.

Notes historiques: L'article 506 a été édicté par L.Q. 1991, c. 67 [anc. LIVD, art. 21, par. 5].

Définitions [art. 506]: « personne » — 1.

Jurisprudence [art. 506]: *Syndicat national des employés de l'aluminium de Baie-Comeau — C.S.N. c. Québec (Sous-ministre du Revenu)* (5 août 2002), 200-09-001588-976; *Syndicat national des employés de l'aluminium de Baie-Comeau — C.S.N. c. Québec (Sous-ministre du Revenu)* (16 juillet 1997), 200-02-005338-944.

Concordance fédérale: aucune.

506.1 Interprétation — Pour l'application du présent titre et des règlements adoptés en vertu de celui-ci, une personne morale, qu'elle soit ou non à but lucratif, est désignée par le mot « société », étant entendu que ce mot ne désigne pas une personne morale lorsqu'il est employé dans l'expression « société de personnes ».

Notes historiques: L'article 506.1 a été ajouté par L.Q. 1997, c. 3, art. 133 et est réputé entré en vigueur le 20 mars 1997.

Renvois [art. 506.1]: 1.1 (personne morale); 506.1 (société et société de personnes).

Jurisprudence [art. 506.1]: *Syndicat national des employés de l'aluminium de Baie-Comeau — C.S.N. c. Québec (Sous-ministre du Revenu)* (5 août 2002), 200-09-001588-976; *Syndicat national des employés de l'aluminium de Baie-Comeau — C.S.N. c. Québec (Sous-ministre du Revenu)* (16 juillet 1997), 200-02-005338-944.

Concordance fédérale: aucune.

507. Imposition des primes d'assurance — Le présent titre a pour objet d'imposer les primes d'assurance.

Prime d'assurance — Est assimilé à une prime d'assurance :

1º le montant payable afin d'obtenir pour soi ou pour autrui, en cas de réalisation d'un risque, une prestation payable par un assureur ou une autre personne, y compris une contribution à un régime d'avantages sociaux non assurés, une cotisation, un dépôt-prime ou un droit d'entrée;

2º le montant qui, dans le cadre d'un régime d'avantages sociaux non assurés, est payé en raison de la réalisation d'un risque.

Notes historiques: L'article 507 a été édicté par L.Q. 1991, c. 67 [anc. LIVD, art. 20.10].

Guides [art. 507]: IN-300 — Vous êtes travailleur autonome? Aide–mémoire concernant la fiscalité; IN-307 — Le démarrage d'entreprise et la fiscalité.

Définitions [art. 507]: « assureur », « droit d'entrée », « montant » — 1; « personne » — 506.

Renvois [art. 507]: 514 (prime d'assurance); 520 (taxe non applicable); 523 (perception de la taxe); 524 (perception par l'administrateur du régime d'avantages sociaux non assurés).

Jurisprudence [art. 507]: *Syndicat national des employés de l'aluminium de Baie-Comeau — C.S.N. c. Québec (Sous-ministre du Revenu)* (5 août 2002), 200-09-001588-976; *Syndicat national des employés de l'aluminium de Baie-Comeau — C.S.N. c. Québec (Sous-ministre du Revenu)* (16 juillet 1997), 200-02-005338-944.

Bulletins d'interprétation [art. 507]: TVQ. 507-1/R1 — Les parts sociales de qualification des sociétés mutuelles d'assurance; TVQ. 520-1/R1 — Contrat de cautionnement et contrat d'assurance crédit; TVQ. 520-2 — Préséance de la taxe de vente du Québec sur la taxe sur les primes d'assurances; TVQ. 522-1/R1 — Les réserves et les ristournes en assurance collective de personnes et la taxe sur les primes d'assurance.

Lettres d'interprétation [art. 507]: 98-0107809 — Décision portant sur l'application de la TPS — Interprétation relative à la TVQ — Contrats d'assurance relatifs à la vente d'une automobile; 03-0102073 — Taxe sur les primes d'assurance; 05-0100189 — Honoraires payables à un courtier d'assurance; 06-0102571 — Interprétation relative à la TPS et à la TVQ et à la taxe sur les primes d'assurance — honoraires payables à un courtier en assurance de dommages; 06-0103728 — Interprétation relative à la TPS et à la TVQ — Montants payables dans le cadre de programmes de garantie de remplacement de véhicule automobile.

Concordance fédérale: aucune.

508. Personne assujettie — Est assujettie à la taxe prévue au présent titre :

1º une personne qui réside au Québec ou y fait affaires;

2º une personne qui ne réside pas au Québec et n'y fait pas affaires quant à une assurance relative à un bien situé au Québec.

Notes historiques: L'article 508 a été édicté par L.Q. 1991, c. 67 [anc. LIVD, art. 20.11].

Définitions [art. 508]: « personne », « taxe » — 1.

Jurisprudence [art. 508]: *Syndicat national des employés de l'aluminium de Baie-Comeau — C.S.N. c. Québec (Sous-ministre du Revenu)* (5 août 2002), 200-09-001588-976; *Syndicat national des employés de l'aluminium de Baie-Comeau — C.S.N. c. Québec (Sous-ministre du Revenu)* (16 juillet 1997), 200-02-005338-944.

Bulletins d'interprétation [art. 508]: TVQ. 529-1/R1 — Certification de la partie imposable d'une prime d'assurance.

Lettres d'interprétation [art. 508]: 12-010471-001 — Interprétation concernant la taxe sur les primes d'assurance — Assurance collective.

Concordance fédérale: aucune.

509. Résidence au Québec — Une personne réside au Québec si elle y réside ordinairement ou si elle est réputée y résider en vertu de la *Loi sur les impôts* (chapitre I-3).

Notes historiques: L'article 509 a été édicté par L.Q. 1991, c. 67 [anc. LIVD, art. 20.12].

Définitions [art. 509]: « personne » — 1, 506.

Renvois [art. 509]: 8–11.1 (résidence).

Jurisprudence [art. 509]: *Syndicat national des employés de l'aluminium de Baie-Comeau — C.S.N. c. Québec (Sous-ministre du Revenu)* (5 août 2002), 200-09-001588-976; *Syndicat national des employés de l'aluminium de Baie-Comeau — C.S.N. c. Québec (Sous-ministre du Revenu)* (16 juillet 1997), 200-02-005338-944.

Lettres d'interprétation [art. 508]: 12-010471-001 — Interprétation concernant la taxe sur les primes d'assurance — Assurance collective.

Concordance fédérale: aucune.

510. Établissement au Québec — Une personne fait affaires au Québec si elle y a un établissement ou si elle est réputée y avoir un établissement en vertu de la *Loi sur les impôts* (chapitre I-3).

Notes historiques: L'article 510 a été édicté par L.Q. 1991, c. 67 [anc. LIVD, art. 20.13].

Renvois [art. 510]: « personne » — 1, 506; 12–16.1 LI (établissement).

Jurisprudence [art. 510]: *Syndicat national des employés de l'aluminium de Baie-Comeau — C.S.N. c. Québec (Sous-ministre du Revenu)* (5 août 2002), 200-09-001588-976; *Syndicat national des employés de l'aluminium de Baie-Comeau — C.S.N. c. Québec (Sous-ministre du Revenu)* (16 juillet 1997), 200-02-005338-944.

Lettres d'interprétation [art. 508]: 12-010471-001 — Interprétation concernant la taxe sur les primes d'assurance — Assurance collective.

Concordance fédérale: aucune.

511. Régimes d'avantages sociaux non assurés — Un régime d'avantages sociaux non assurés est un régime qui accorde à l'égard d'un risque une protection qui pourrait autrement être obtenue en souscrivant une assurance de personnes, que les avantages soient partiellement assurés ou non.

Assurance de personnes — Ce régime est réputé être une assurance de personnes.

Notes historiques: L'article 511 a été édicté par L.Q. 1991, c. 67 [anc. LIVD, art. 20.14].

Définitions [art. 511]: « personne » — 1, 506.

Jurisprudence [art. 511]: *Syndicat national des employés de l'aluminium de Baie-Comeau — C.S.N. c. Québec (Sous-ministre du Revenu)* (5 août 2002), 200-09-001588-976; *Syndicat national des employés de l'aluminium de Baie-Comeau — C.S.N. c. Québec (Sous-ministre du Revenu)* (16 juillet 1997), 200-02-005338-944.

Bulletins d'interprétation [art. 511]: TVQ. 514-1/R1 — Les frais d'administration relatifs à un régime d'avantages sociaux non assurés.

Concordance fédérale: aucune.

Chapitre II — Taxe

512. Paiement de la taxe — Une personne assujettie doit, lors du paiement d'une prime d'assurance, payer une taxe égale à 9 % de la prime sauf s'il s'agit d'une prime d'assurance automobile auquel cas la taxe est égale à 5 % de la prime.

Prime par versement — Toutefois, lorsque la prime est payée par versements, la taxe se calcule et se paie au prorata de la prime payée.

Notes historiques: L'article 512 a été édicté par L.Q. 1991, c. 67 [anc. LIVD, art. 20.15].

Définitions [art. 512]: « personne » — 1, 506.

Renvois [art. 512]: 508 (personne assujettie); 518 (prime d'assurance prescrite); 59.2 al. 3 LAF (pénalité pour omission).

Jurisprudence [art. 512]: *Syndicat national des employés de l'aluminium de Baie-Comeau — C.S.N. c. Québec (Sous-ministre du Revenu)* (5 août 2002), 200-09-001588-976; *Syndicat national des employés de l'aluminium de Baie-Comeau — C.S.N. c. Québec (Sous-ministre du Revenu)* (16 juillet 1997), 200-02-005338-944.

Bulletins d'interprétation [art. 512]: TVQ. 512-1 — Paiement de la taxe sur les primes d'assurances automobile par les Indiens et les bandes indiennes; TVQ. 514-1/R1 — Les frais d'administration relatifs à un régime d'avantages sociaux non assurés; TVQ. 516-1 — Frais financiers et frais d'administration; TVQ. 517-1/R1 — Assurance voyage; TVQ. 519-1 — Assurance automobile; TVQ. 520-1/R1 — Contrat de cautionnement et contrat d'assurance crédit; TVQ. 520-2 — Préséance de la taxe de vente du Québec sur la taxe sur les primes d'assurances; TVQ. 522-1/R1 — Les réserves et les ristournes en assurance collective de personnes et la taxe sur les primes d'assurance.

Lettres d'interprétation [art. 512]: 98-0103642 — Contrats d'assurance-crédit; 98-0107809 — Décision portant sur l'application de la TPS — Interprétation relative à la TVQ — Contrats d'assurance relatifs à la vente d'une automobile; 02-0107512 — Application de la taxe sur les primes d'assurances à l'égard des primes d'assurance automobile payables par des Indiens; 03-0102073 — Taxe sur les primes d'assurance; 05-0102466 — Garantie d'exonération pour les dommages par collision aux véhicules loués par les détenteurs d'une carte de crédit; 07-0102058 — Taxe sur les primes d'assurance — assurance automobile; 12-010471-001 — Interprétation concernant la taxe sur les primes d'assurance — Assurance collective.

Concordance fédérale: aucune.

513. Prime payée par personne non assujettie — Une personne qui réside au Québec ou y fait affaires est réputée payer la prime d'assurance payée par une personne non assujettie quant à cette assurance, dans l'une ou l'autre des situations suivantes :

1° lorsqu'elle est propriétaire du contrat d'assurance;

2° lorsqu'elle a cédé son contrat d'assurance à une personne non assujettie quant à cette assurance;

3° lorsqu'elle a un droit dans un bien situé au Québec ou qu'elle exerce une activité et qu'une personne non assujettie quant à cette assurance est propriétaire du contrat d'assurance relatif à ce droit ou à cette activité.

Prime payée par personne non assujettie — Il en va de même à l'égard d'une personne qui ne réside pas au Québec et n'y fait pas affaires lorsqu'elle a un droit dans un bien situé au Québec et que la prime en est payée par une personne non assujettie quant à cette assurance.

Montant de la prime — Dans ces cas, cette personne est réputée avoir payée une prime égale à celle payée par la personne non assujettie et ce, à la date où cette dernière a payé la prime.

Notes historiques: L'article 513 a été édicté par L.Q. 1991, c. 67 [anc. LIVD, art. 20.16].

Définitions [art. 513]: « bien » — 1; « personne » — 1, 506.

Renvois [art. 513]: 509 (résidence au Québec); 510 (établissement au Québec).

Jurisprudence [art. 513]: *Syndicat national des employés de l'aluminium de Baie-Comeau — C.S.N. c. Québec (Sous-ministre du Revenu)* (5 août 2002), 200-09-001588-976; *Syndicat national des employés de l'aluminium de Baie-Comeau — C.S.N. c. Québec (Sous-ministre du Revenu)* (16 juillet 1997), 200-02-005338-944.

Concordance fédérale: aucune.

Chapitre III — Dispositions particulières à certaines assurances

Section I — Assurance de personnes

514. Prime d'assurance — Sont assimilés à une prime d'assurance :

1° les frais d'administration relatifs à une assurance de personnes et payables à la personne qui reçoit la prime visée au paragraphe 1° du deuxième alinéa de l'article 507;

2° les frais d'administration relatifs à une prime d'assurance visée au paragraphe 2° du deuxième alinéa de l'article 507 et payables à la personne qui administre le régime d'avantages sociaux non assurés;

3° les frais d'intérêt et, le cas échéant, la taxe payée ou payable en vertu de la partie IX de la *Loi sur la taxe d'accise* (Lois révisées du Canada (1985), chapitre E-15) relatifs à une prime taxable d'un régime d'avantages sociaux non assurés;

4° le montant payable pour combler un déficit relatif à une assurance de personnes en vigueur ou non lors du paiement.

Notes historiques: L'article 514 a été édicté par L.Q. 1991, c. 67 [anc. LIVD, art. 20.17].

Définitions [art. 514]: « montant » — 1; « personne » — 1, 506; « taxe » — 1.

Jurisprudence [art. 514]: *Syndicat national des employés de l'aluminium de Baie-Comeau — C.S.N. c. Québec (Sous-ministre du Revenu)* (5 août 2002), 200-09-001588-976; *Syndicat national des employés de l'aluminium de Baie-Comeau — C.S.N. c. Québec (Sous-ministre du Revenu)* (16 juillet 1997), 200-02-005338-944.

Bulletins d'interprétation [art. 514]: TVQ. 514-1/R1 — Les frais d'administration relatifs à un régime d'avantages sociaux non assurés.

Concordance fédérale: aucune.

515. Prime d'assurance — Le dépôt d'un montant dans un fonds créé afin d'obtenir pour soi ou pour autrui une prestation en cas de réalisation d'un risque, est assimilé au paiement d'une prime d'assurance.

Notes historiques: L'article 515 a été édicté par L.Q. 1991, c. 67 [anc. LIVD, art. 20.18].

Définitions [art. 515]: « montant » — 1.

Jurisprudence [art. 515]: *Syndicat national des employés de l'aluminium de Baie-Comeau — C.S.N. c. Québec (Sous-ministre du Revenu)* (5 août 2002), 200-09-001588-976; *Syndicat national des employés de l'aluminium de Baie-Comeau — C.S.N. c. Québec (Sous-ministre du Revenu)* (16 juillet 1997), 200-02-005338-944.

Concordance fédérale: aucune.

SECTION II — ASSURANCE DE DOMMAGES

516. Frais d'administration — Sont assimilés à une prime d'assurance les frais d'administration relatifs à une assurance de dommages, sauf ceux qui sont payables à une autre personne que l'assureur et qui sont indiqués séparément sur la facture.

Notes historiques: L'article 516 a été édicté par L.Q. 1991, c. 67 [anc. LIVD, art. 20.22].

Définitions [art. 516]: « assureur » — 1; « personne » — 1, 506.

Jurisprudence [art. 516]: *Syndicat national des employés de l'aluminium de Baie-Comeau — C.S.N. c. Québec (Sous-ministre du Revenu)* (5 août 2002), 200-09-001588-976; *Syndicat national des employés de l'aluminium de Baie-Comeau — C.S.N. c. Québec (Sous-ministre du Revenu)* (16 juillet 1997), 200-02-005338-944.

Bulletins d'interprétation [art. 516]: TVQ. 516-1 — Frais financiers et frais d'administration.

Lettres d'interprétation [art. 516]: 06-0102571 — Interprétation relative à la TPS et à la TVQ et à la taxe sur les primes d'assurance — honoraires payables à un courtier en assurance de dommages.

Concordance fédérale: aucune.

517. [*Abrogé*]

Notes historiques: L'article 517 a été abrogé par L.Q. 2005, c. 1, par. 371 et cette abrogation s'applique à l'égard d'un contrat d'assurance regroupant de l'assurance de personnes et de l'assurance de dommages conclu après le 28 février 2005. Antérieurement, il se lisait ainsi :

> 517. Présomption — La partie assurance individuelle de personnes qui est accessoire dans un contrat d'assurance regroupant de l'assurance de personnes et de l'assurance de dommages est réputée être de l'assurance de dommages.

L'article 517 a été modifié par L.Q. 1997, c. 14, art. 352. Auparavant, cet article, édicté par L.Q. 1991, c. 67 [anc. LIVD, art. 20.23], se lisait comme suit :

> 517. La partie assurance individuelle de personnes qui est accessoire à un contrat d'assurance de dommages est réputée être de l'assurance de dommages.

517.1 Assurance de dommages réputée — Pour l'application du présent titre, une assurance relative à l'annulation ou l'interruption d'un voyage est réputée être de l'assurance de dommages.

Notes historiques: L'article 517.1 a été ajouté par par L.Q. 1997, c. 14, art. 353.

Définitions [art. 517.1]: « personne » — 1, 506; « taxe » — 1.

Renvois [art. 517.1]: 677:53° (règlements).

Jurisprudence [art. 517.1]: *Syndicat national des employés de l'aluminium de Baie-Comeau — C.S.N. c. Québec (Sous-ministre du Revenu)* (5 août 2002), 200-09-001588-976; *Syndicat national des employés de l'aluminium de Baie-Comeau — C.S.N. c. Québec (Sous-ministre du Revenu)* (16 juillet 1997), 200-02-005338-944.

Règlements [art. 517.1]: RTVQ, 518R1–518R10.

Lettres d'interprétation [art. 517.1]: 98-0103642 — Contrats d'assurance-crédit.

Concordance fédérale: aucune.

518. Prime prescrite — Pour l'application de l'article 512, lorsque la prime d'une assurance de dommages payable par une personne qui fait affaires au Québec est supérieure à 1 000 $ pour la période couverte et qu'une partie seulement de celle-ci est attribuable à un risque susceptible de se produire au Québec, la prime est celle qui est prescrite si les conditions prescrites sont satisfaites.

Défaut — À défaut, la taxe se calcule sur la totalité de la prime.

Notes historiques: L'article 518 a été édicté par L.Q. 1991, c. 67 [anc. LIVD, art. 20.24].

Bulletins d'interprétation [art. 518]: TVQ. 519-1 — Assurance automobile; TVQ. 529-1/R1 — Certification de la partie imposable d'une prime d'assurance.

Lettres d'interprétation [art. 518]: 03-0102073 — Taxe sur les primes d'assurance; 05-0102466 — Garantie d'exonération pour les dommages par collision aux véhicules loués par les détenteurs d'une carte de crédit.

Concordance fédérale: aucune.

519. Prime d'assurance automobile — La prime d'assurance automobile est celle exigible en vertu d'une police dont la forme et les conditions sont approuvées par l'Autorité des marchés financiers ou d'une police équivalente.

Notes historiques: L'article 519 a été modifié par L.Q. 2004, c. 37, par. 90(38°) par le remplacement des mots « l'Agence nationale d'encadrement du secteur financier » par les mots « l'Autorité des marchés financiers ». Cette modification a effet depuis le 11 décembre 2002.

L'article 519 a été modifié par L.Q. 2002, c. 45, art. 622 par le remplacement des mots « l'inspecteur général des institutions financières » par les mots « l'Agence nationale d'encadrement du secteur financier ». Cette modification est entrée en vigueur le 1er février 2004.

L'article 519 a été modifié par L.Q. 1992, c. 57, art. 714 pour remplacer les mots « visée à l'article 2479 du *Code civil du Bas-Canada* » par « dont la forme et les conditions sont approuvées par l'inspecteur général des institutions financières ». Cette modification s'applique à compter du 1er janvier 1994.

L'article 519 a été édicté par L.Q. 1991, c. 67 [anc. LIVD, art. 20.24.1].

Définitions [art. 519]: « police d'assurance » — 1.

Jurisprudence [art. 519]: *Syndicat national des employés de l'aluminium de Baie-Comeau — C.S.N. c. Québec (Sous-ministre du Revenu)* (5 août 2002), 200-09-001588-976; *Syndicat national des employés de l'aluminium de Baie-Comeau — C.S.N. c. Québec (Sous-ministre du Revenu)* (16 juillet 1997), 200-02-005338-944.

Bulletins d'interprétation [art. 519]: TVQ. 519-1 — Assurance automobile.

Lettres d'interprétation [art. 519]: 07-0102058 — Taxe sur les primes d'assurance — assurance automobile.

Concordance fédérale: aucune.

Chapitre IV — Exemption

520. Taxe non applicable — La taxe prévue par le présent titre ne s'applique pas :

1° à la prime d'une assurance individuelle de personnes;

2° à la prime d'une assurance collective de personnes ou d'un régime d'avantages sociaux non assurés :

a) payable par un employeur à l'égard d'un employé qui se présente au travail à un établissement de l'employeur situé hors du Québec ou qui n'est pas requis de se présenter au travail à un établissement de son employeur et dont le salaire est versé d'un tel établissement situé hors du Québec;

b) payable à l'égard d'une personne qui réside hors du Québec, par une personne qui fait affaires au Québec et ailleurs et qui n'est pas visée au sous-paragraphe a);

3° à la prime d'un régime d'avantages sociaux non assurés visée au paragraphe 1° du deuxième alinéa de l'article 507 et payable par un employeur à l'égard d'un employé ou par un organisme à l'égard d'un membre si, à la fois :

a) le montant se limite à celui nécessaire pour acquitter les prestations prévisibles et exigibles dans les 30 jours suivant le paiement de la prime;

b) les prestations constituent un revenu de charge ou d'emploi pour lequel sont versées des contributions établies en vertu de la *Loi sur les accidents du travail et les maladies professionnelles* (chapitre A-3.001), de la *Loi sur la Régie de l'assurance maladie du Québec* (chapitre R-5) ou de la *Loi sur le régime de rentes du Québec* (chapitre R-9);

c) les prestations sont payables en raison de la perte totale ou partielle d'un revenu provenant d'une charge ou d'un emploi;

4° à la prime d'un régime d'avantages sociaux non assurés visée au paragraphe 2° du deuxième alinéa de l'article 507 si, à la fois :

a) le montant est payé par un employeur à l'égard d'un employé ou par un organisme à l'égard d'un membre;

LTVQ (français)

b) le montant constitue un revenu de charge ou d'emploi pour lequel est versée une contribution établie en vertu de la *Loi sur les accidents du travail et les maladies professionnelles*, de la *Loi sur la Régie de l'assurance-maladie du Québec* ou de la *Loi sur le régime de rentes du Québec*;

c) le montant est payable en raison de la perte totale ou partielle d'un revenu provenant d'une charge ou d'un emploi;

5º à la prime d'une assurance de dommages lorsque celle-ci est attribuable en entier à la réalisation d'un risque hors du Québec;

6º à la prime payable à même une autre prime imposable;

7º à la prime payable en vertu d'un contrat de réassurance ou d'assurance couvrant les risques prévus à l'article 2390 du Code civil à l'exclusion des risques relatifs à l'usage d'un bateau de plaisance qui navigue uniquement sur des plans d'eau intérieurs;

8º à la contribution payable en vertu d'un contrat de rente;

9º au montant relatif à un contrat de garantie supplémentaire aux termes duquel une personne s'engage à assumer le coût de la réparation ou du remplacement d'un bien ou d'une partie d'un bien advenant sa défectuosité ou son mauvais fonctionnement;

10º au montant payable pour obtenir un cautionnement;

11º à la prime payable par une fabrique ou un syndic de paroisse en vertu d'un contrat d'assurance relatif à des biens servant au culte ou aux activités du culte;

12º à la prime payable par une société de cimetière en vertu d'un contrat d'assurance relatif à des biens servant au cimetière ou aux activités du cimetière;

13º à la prime prescrite payable par un Indien ou une bande d'Indiens, au sens de la *Loi sur les Indiens* (L.R.C. 1985, c. I-5) ou de la *Loi sur les Cris et les Naskapis du Québec* (S.C. 1984, c. 18), si les conditions prescrites sont satisfaites;

14º à la prime, cotisation ou contribution payable en vertu de :

a) la *Loi sur les accidents du travail* (chapitre A-3);

b) la *Loi sur les accidents du travail et les maladies professionnelles* (chapitre A-3.001);

b.1) la *Loi sur l'assurance parentale* (chapitre A-29.01 1);

c) la *Loi sur l'assurance-récolte* (chapitre A-30);

d) la *Loi sur l'assurance-stabilisation des revenus agricoles* (chapitre A-31);

e) la *Loi sur la Régie de l'assurance-maladie du Québec* (chapitre R-5);

f) la *Loi sur le régime de rentes du Québec* (chapitre R-9);

g) la *Loi sur l'assurance-emploi* (L.C. 1996, c. 23);

15º à la prime payable à l'égard d'un aéronef utilisé dans l'exploitation d'un service aérien commercial suivant un permis ou une licence délivré à cette fin en vertu de la *Loi sur l'aéronautique* (L.R.C. 1985, c. A-2) ou en vertu de la *Loi nationale de 1987 sur les transports* (L.R.C. 1985, c. 28 (3e suppl.));

16º à la prime de 0,25 $ ou moins payable soit en un seul versement, soit en plusieurs versements si le total annuel n'excède pas ce montant;

17º à la prime qui constitue, en vertu du titre I, la contrepartie d'une fourniture taxable, autre qu'une fourniture détaxée.

Notes historiques: Le sous-paragraphe b.1) du paragraphe 14º de l'article 520 a été ajouté par L.Q. 2011, c. 1, par. 152(1) et a effet depuis le 1er janvier 2006.

Les sous-paragraphes c) des paragraphes 3º et 4º de l'article 520 ont été ajoutés par L.Q. 1993, c. 64, art. 244 et ont effet depuis le 21 mai 1993.

Le paragraphe 520(7º) a été modifié par L.Q. 1997, c. 3, art. 134 et cette modification est réputée entrée en vigueur le 20 mars 1997. Auparavant, ce paragraphe se lisait comme suit :

> 7º à la prime payable en vertu d'un contrat de réassurance ou d'assurance couvrant les risques prévus à l'article 2490 du *Code civil du Québec* à l'exclusion des risques relatifs à l'usage d'un bateau de plaisance qui navigue uniquement sur des plans d'eau intérieurs;

Auparavant, le paragraphe 520(7º) a été modifié par L.Q. 1992, c. 57, art. 715 pour remplacer les mots « d'assurance maritime ou de réassurance » par « de réassurance ou d'assurance couvrant les risques prévus à l'article 2490 du *Code civil du Québec* à l'exclusion des risques relatifs à l'usage d'un bateau de plaisance qui navigue uniquement sur des plans d'eau intérieurs ». Cette modification s'applique à compter du 1er janvier 1994.

Le paragraphe 520(12º) a été modifié par L.Q. 1997, c. 3, art. 134 pour supprimer les mots « , compagnie, ou corporation » et cette modification est réputée entrée en vigueur le 20 mars 1997.

Le sous-paragraphe g) du paragraphe 14º de l'article 520 a été remplacé par L.Q. 2005, c. 38, par. 386(1) et cette modification a effet depuis le 30 juin 1996. Antérieurement, il se lisait ainsi :

> g) la *Loi sur l'assurance-chômage* (Lois révisées du Canada (1985), chapitre U-1);

L'article 520 a été édicté par L.Q. 1991, c. 67 [anc. LIVD, art. 20.25].

Notes explicatives ARQ (PL 117, L.Q. 2011, c. 1): *Résumé* :

La modification proposée au paragraphe 14º de l'article 520 prévoit que la cotisation payable en vertu de la *Loi sur l'assurance parentale* (L.R.Q., chapitre A-29.011) (LAP) n'est pas imposable dans le régime de la taxe sur les primes d'assurance.

Situation actuelle :

Le régime de la taxe sur les primes d'assurance ne prévoit pas une exemption relative à la cotisation payable en vertu de la LAP.

Modifications proposées :

Il y aurait lieu de modifier le paragraphe 14º de sorte que la cotisation payable en vertu de la LAP ne soit pas visée par l'application de la taxe sur les primes d'assurance. Cette exemption est applicable dès l'entrée en vigueur du régime québécois d'assurance parentale, à savoir le 1er janvier 2006.

Définitions [art. 520]: « bien », « charge », « contrepartie », « employeur », « fourniture détaxée », « fourniture taxable », « montant » — 1; « personne » — 1, 506; « taxe » — 1.

Renvois [art. 520]: 521 (application); 677:54º (règlements).

Jurisprudence [art. 520]: *Syndicat national des employés de l'aluminium de Baie-Comeau — C.S.N. c. Québec (Sous-ministre du Revenu)* (5 août 2002), 200-09-001588-976; *Syndicat national des employés de l'aluminium de Baie-Comeau — C.S.N. c. Québec (Sous-ministre du Revenu)* (16 juillet 1997), 200-02-005338-944.

Bulletins d'interprétation [art. 520]: TVQ. 514-1/R1 — Les frais d'administration relatifs à un régime d'avantages sociaux non assurés; TVQ. 517-1/R1 — Assurance voyage; TVQ. 519-1 — Assurance automobile; TVQ. 520-1/R1 — Contrat de cautionnement et contrat d'assurance crédit; TVQ. 520-2 — Préséance de la taxe de vente du Québec sur la taxe sur les primes d'assurances; TVQ. 529-1/R1 — Certification de la partie imposable d'une prime d'assurance.

Lettres d'interprétation [art. 520]: 98-0103642 — Contrats d'assurance-crédit; 98-0107809 — Décision portant sur l'application de la TPS — Interprétation relative à la TVQ — Contrats d'assurance relatifs à la vente d'une automobile; 99-0100885 — Primes d'assurance payables par un Indien; 03-0108922 — Garantie de remplacement d'un véhicule automobile en cas de vol ou de perte totale; 06-0100047 — Taxe sur les primes d'assurance; 06-0103728 — Interprétation relative à la TPS et à la TVQ — Montants payables dans le cadre de programmes de garantie de remplacement de véhicule automobile; 12-010471-001 — Interprétation concernant la taxe sur les primes d'assurance — Assurance collective.

Concordance fédérale: aucune.

521. Taxe applicable — Malgré l'article 520, la taxe prévue au présent titre s'applique à la prime d'assurance payable à la Société de l'assurance automobile du Québec.

Notes historiques: L'article 521 a été édicté par L.Q. 1991, c. 67 [anc. LIVD, art. 20.25.1].

Définitions [art. 521]: « taxe » — 1.

Jurisprudence [art. 521]: *Syndicat national des employés de l'aluminium de Baie-Comeau — C.S.N. c. Québec (Sous-ministre du Revenu)* (16 juillet 1997), 00-02-005338-944.

Bulletins d'interprétation [art. 521]: TVQ. 519-1 — Assurance automobile.

Concordance fédérale: aucune.

Chapitre V — Remboursement

522. Remboursement — Lorsqu'une personne rembourse, en totalité ou en partie, une prime d'assurance, elle doit également rembourser la taxe qu'elle a perçue à son égard.

[Remboursement] — Lorsqu'une personne qui est un assureur rembourse à une autre personne, en totalité ou en partie, une prime d'assurance et qu'elle n'a pas perçu la taxe à son égard, elle peut également rembourser à cette autre personne la taxe que cette dernière a payée à l'égard de cette prime.

Calcul — Le remboursement se calcule au prorata de la prime remboursée et se déduit du montant de la taxe qu'elle a perçue pour la période prévue à l'un des articles 527, 527.1 ou 527.2 au cours de laquelle elle verse le remboursement.

Notes historiques: Le deuxième alinéa de l'article 522 a été ajouté par L.Q. 2011, c. 1, par. 153(1) et a effet depuis le 1er octobre 2010.

Le deuxième alinéa de l'article 522 a été remplacé par L.Q. 2005, c. 1, par. 372(1) et cette modification a effet depuis le 1er juin 2004. Antérieurement, il se lisait ainsi :

> Le remboursement se calcule au prorata de la prime remboursée et se déduit du montant de la taxe qu'elle a perçue dans le mois.

L'article 522 a été édicté par L.Q. 1991, c. 67 [anc. LIVD, art. 20.26].

Notes explicatives ARQ (PL 117, L.Q. 2011, c. 1): *Résumé* :

La modification proposée à l'article 522 vise à prévoir le cas où un assureur rembourse une prime d'assurance à une personne à l'égard de laquelle une autre personne a perçu la taxe sur les primes d'assurance. Dans ce cas, cet assureur pourra rembourser la taxe à la personne qui l'a payée au prorata de la prime remboursée.

Situation actuelle :

L'article 522 prévoit que la personne qui rembourse une prime d'assurance doit également rembourser la taxe qu'elle a perçue à son égard. Cet article ne traite pas du cas où un assureur rembourse une prime d'assurance à une personne alors que la taxe à l'égard de cette prime a été perçue par une autre personne.

Modifications proposées :

La modification proposée à l'article 522 permet à un assureur qui rembourse une prime d'assurance à une personne, de rembourser la taxe sur les primes d'assurance à cette personne au prorata de la prime remboursée lorsque cette dernière a payé cette taxe, et ce, même si cette taxe a été perçue par une autre personne.

Définitions [art. 522]: « personne » — 1, 506; « taxe » — 1.

Jurisprudence [art. 522]: *Syndicat national des employés de l'aluminium de Baie-Comeau — C.S.N. c. Québec (Sous-ministre du Revenu)* (5 août 2002), 200-09-001588-976; *Syndicat national des employés de l'aluminium de Baie-Comeau — C.S.N. c. Québec (Sous-ministre du Revenu)* (16 juillet 1997), 200-02-005338-944.

Bulletins d'interprétation [art. 522]: TVQ. 522-1/R1 — Les réserves et les ristournes en assurance collective de personnes et la taxe sur les primes d'assurance.

Bulletins d'information [art. 522]: 2010-6 — Mesures fiscales relatives aux particuliers et aux entreprises et en matière de taxes à la consommation.

Lettres d'interprétation [art. 522]: 06-0106390 — Remboursement de la taxe sur les primes d'assurance à l'égard de ristourne.

Concordance fédérale: aucune.

522.1 Taxe perçue en trop — Lorsqu'une personne perçoit d'une autre personne un montant au titre de la taxe prévue au présent titre excédant la taxe qu'elle devait percevoir, qu'elle en a rendu compte au ministre et le lui a versé, elle peut, dans les quatre ans suivant le jour où le montant a été perçu, rembourser l'excédent à l'autre personne.

Déduction — Le remboursement se déduit du montant de la taxe qu'elle a perçue pour la période prévue à l'un des articles 527, 527.1 ou 527.2 au cours de laquelle elle verse le remboursement.

Notes historiques: L'article 522.1 a été ajouté par L.Q. 2005, c. 1, par. 373(1) et a effet depuis le 31 mars 2004.

Lettres d'interprétation [art. 522.1]: 06-0100047 — Taxe sur les primes d'assurance.

Concordance fédérale: aucune.

Chapitre VI — Administration

SECTION I — CERTIFICAT D'INSCRIPTION, PERCEPTION ET VERSEMENT

523. Perception de la taxe — La personne qui reçoit une prime d'assurance de personnes visée au paragraphe 1° du deuxième alinéa de l'article 507, doit, en même temps, percevoir la taxe prévue au présent titre.

Taxe transmise au ministre — Cette personne doit transmettre cette taxe au ministre si elle n'est pas tenue de verser la prime à une autre personne ou si elle est tenue de la verser à une personne qui n'est pas titulaire d'un certificat d'inscription.

Versement — Dans les autres cas, elle doit verser cette taxe, en même temps que la prime, à la personne à qui elle verse cette prime.

Notes historiques: L'article 523 a été édicté par L.Q. 1991, c. 67 [anc. LIVD, art. 20.27].

Guides [art. 523]: IN-307 — Le démarrage d'entreprise et la fiscalité.

Définitions [art. 523]: « personne » — 1, 506; « taxe » — 1.

Jurisprudence [art. 523]: *Syndicat national des employés de l'aluminium de Baie-Comeau — C.S.N. c. Québec (Sous-ministre du Revenu)* (5 août 2002), 200-09-001588-976; *Syndicat national des employés de l'aluminium de Baie-Comeau — C.S.N. c. Québec (Sous-ministre du Revenu)* (16 juillet 1997), 200-02-005338-944.

Bulletins d'interprétation [art. 523]: TVQ. 523-1 — La perception et la remise de la taxe sur les primes d'assurance dans le cadre d'un contrat d'assurance collective de personnes; TVQ. 529-1/R1 — Certification de la partie imposable d'une prime d'assurance.

Concordance fédérale: aucune.

524. Perception de la taxe — La personne qui administre le régime d'avantages sociaux non assurés d'une personne donnée doit percevoir la taxe prévue au présent titre au moment où la personne donnée lui paie le montant relatif à la prime visée au paragraphe 2° du deuxième alinéa de l'article 507. Cette personne est tenue de verser cette taxe au ministre.

Notes historiques: L'article 524 a été édicté par L.Q. 1991, c. 67 [anc. LIVD, art. 20.27.1 (partie)].

Définitions [art. 524]: « montant », « personne », « taxe » — 1.

Jurisprudence [art. 524]: *Syndicat national des employés de l'aluminium de Baie-Comeau — C.S.N. c. Québec (Sous-ministre du Revenu)* (5 août 2002), 200-09-001588-976; *Syndicat national des employés de l'aluminium de Baie-Comeau — C.S.N. c. Québec (Sous-ministre du Revenu)* (16 juillet 1997), 200-02-005338-944.

Bulletins d'interprétation [art. 524]: TVQ. 529-1/R1 — Certification de la partie imposable d'une prime d'assurance.

Concordance fédérale: aucune.

525. Perception de la taxe et versement au ministre — La taxe à l'égard d'une prime d'assurance de dommages doit être perçue en même temps que la prime et versée au ministre par :

1° le courtier d'assurance;

1.1° le distributeur autorisé en vertu de la *Loi sur la distribution de produits et services financiers* (chapitre D-9.2) à offrir une police d'assurance automobile qui est une assurance de remplacement au sens du paragraphe 5° de l'article 424 de cette loi;

2° l'assureur, lorsque la prime n'a pas été versée à un courtier en assurance ou à un distributeur visé au paragraphe 1.1° ou lorsqu'elle a été versée à un courtier en assurance hors du Québec qui ne lui fournit pas la preuve que la taxe a été versée au ministre;

3° [supprimé];

4° toute autre personne qui reçoit une prime qu'elle n'est pas tenue de verser à une autre personne, y compris l'organisme qui reçoit une prime exigible en vertu d'une loi.

Taxe à l'égard d'une prime d'assurance de dommages — De plus, la taxe à l'égard d'une prime d'assurance de dommages doit être perçue en même temps que la prime par l'agent de voyages et ce dernier doit verser cette taxe au ministre seulement lorsqu'il est tenu de verser cette prime à une personne qui n'est pas titulaire d'un certificat d'inscription.

Notes historiques: Le paragraphe 1° de l'article 525 a été modifié par L.Q. 2005, c. 1, s.-par. 374(1)(1°) par la suppression des mots « sauf quant à la prime qui lui est versée par un agent de voyages ». Cette modification s'applique à l'égard de la taxe sur les primes d'assurance perçue ou qui doit être perçue par un agent de voyages après le 31 mai 2004.

Le paragraphe 1.1° du premier alinéa de l'article 525 a été ajouté par L.Q. 2011, c. 1, s.-par. 154(1)(1°) et a effet depuis le 1er octobre 2010.

LTVQ (français)

Le paragraphe 2° du premier alinéa de l'article 525 a été remplacé par L.Q. 2011, c. 1, s.-par. 154(1)(2°) et cette modification a effet depuis le 1er octobre 2010. Antérieurement, il se lisait ainsi :

2° l'assureur lorsque la prime n'a pas été versée à un courtier d'assurances ou lorsqu'elle a été versée à un courtier d'assurances hors du Québec qui ne lui fournit pas la preuve que la taxe a été versée au ministre;

Le paragraphe 2° de l'article 525 a été a modifié par L.Q. 2005, c. 1, s.-par. 374(1)(2°) par la suppression des mots « à son agent de voyages ou ». Cette modification s'applique à l'égard de la taxe sur les primes d'assurance perçue ou qui doit être perçue par un agent de voyages après le 31 mai 2004.

Le paragraphe 3° de l'article 525 a été supprimé par L.Q. 2005, c. 1, s.-par. 374(1)(3°) et cette modification s'applique à l'égard de la taxe sur les primes d'assurance perçue ou qui doit être perçue par un agent de voyages après le 31 mai 2004. Antérieurement, il se lisait ainsi :

3° l'agent de voyages;

Le deuxième alinéa de l'article 525 a été ajouté par L.Q. 2005, c, 1, s.-par. 374(1)(4°) et s'applique à l'égard de la taxe sur les primes d'assurance perçue ou qui doit être perçue par un agent de voyages après le 31 mai 2004.

L'article 525 a été édicté par L.Q. 1991, c. 67 [anc. LIVD, art. 20.28].

Notes explicatives ARQ (PL 117, L.Q. 2011, c. 1): *Résumé* :

Les modifications proposées à l'article 525 visent à prévoir que les distributeurs autorisés en vertu de la *Loi sur la distribution de produits et services financiers* (L.R.Q., chapitre D-9.2) (LDPSF) à offrir une police d'assurance automobile, qui est une assurance de remplacement au sens de cette dernière loi, doivent percevoir la taxe sur les primes d'assurance (TPA) en même temps que la prime d'assurance et la verser au ministre.

Situation actuelle :

L'article 525 indique quelles sont les personnes qui, à titre de mandataire du ministre, doivent percevoir la TPA et la verser au ministre. Les distributeurs autorisés en vertu de la LDPSF à offrir une police d'assurance automobile qui est une assurance de remplacement ne sont présentement pas visés, dans le régime de la TPA, à titre de mandataire du ministre.

Modifications proposées :

L'insertion du paragraphe 1.1° à l'article 525 a pour but d'ajouter, à titre de mandataire du ministre dans le régime de la TPA, les distributeurs autorisés en vertu de la LDPSF à offrir une police d'assurance automobile qui est une assurance de remplacement au sens de cette dernière loi.

La modification apportée au paragraphe 2° de l'article 525 a pour objet de prévoir le cas où l'assureur doit percevoir la taxe sur les primes d'assurance et la remettre au ministre, lorsque cette taxe n'a pas été perçue par un distributeur autorisé visé au paragraphe 1.1° de cet article.

Définitions [art. 525]: « assureur » — 1; « personne » — 1, 506; « taxe » — 1.

Jurisprudence [art. 525]: *Syndicat national des employés de l'aluminium de Baie-Comeau — C.S.N. c. Québec (Sous-ministre du Revenu)* (5 août 2002), 200-09-001588-976; *Syndicat national des employés de l'aluminium de Baie-Comeau — C.S.N. c. Québec (Sous-ministre du Revenu)* (16 juillet 1997), 200-02-005338-944.

Bulletins d'interprétation [art. 525]: TVQ. 517-1/R1 — Assurance voyage; TVQ. 529-1/R1 — Certification de la partie imposable d'une prime d'assurance.

Bulletins d'information [art. 525]: 2010-6 — Mesures fiscales relatives aux particuliers et aux entreprises et en matière de taxes à la consommation.

Concordance fédérale: aucune.

526. Certificat d'inscription — Toute personne tenue de verser au ministre la taxe prévue au présent titre a l'obligation de s'inscrire et d'être titulaire d'un certificat d'inscription délivré conformément à l'article 526.1, à l'exception de la personne visée à l'article 528.

Notes historiques: L'article 526 a été modifié par L.Q. 1995, c. 63, art. 500(1) et cette modification a effet depuis le 1er août 1995. L'article 526 a été ajouté par L.Q. 1991, c. 67 [anc. LIVD, art. 20.29] et se lisait comme suit :

526. La personne tenue de verser au ministre la taxe prévue au présent titre doit être titulaire d'un certificat d'inscription délivré en vertu du titre premier, à l'exception de la personne visée à l'article 528.

Guides [art. 526]: IN-202 — Dois-je m'inscrire au Ministère?; IN-307 — Le démarrage d'entreprise et la fiscalité.

Définitions [art. 526]: « personne » — 1, 506; « taxe » — 1.

Renvois [art. 526]: 526.2 (annulation de l'inscription); 534 (amende); 536 (recouvrement d'une créance).

Jurisprudence [art. 526]: *Syndicat national des employés de l'aluminium de Baie-Comeau — C.S.N. c. Québec (Sous-ministre du Revenu)* (5 août 2002), 200-09-001588-976; *Syndicat national des employés de l'aluminium de Baie-Comeau — C.S.N. c. Québec (Sous-ministre du Revenu)* (16 juillet 1997), 200-02-005338-944.

Bulletins d'interprétation [art. 526]: TVQ. 523-1 — La perception et la remise de la taxe sur les primes d'assurance dans le cadre d'un contrat d'assurance collective de personnes.

Concordance fédérale: aucune.

526.1 Demande d'inscription — La personne tenue d'être inscrite en vertu de l'article 526 doit présenter une demande d'inscription au ministre avant le jour où elle doit percevoir pour la première fois la taxe prévue au présent titre.

Dispositions applicables — Les articles 412 et 415 s'appliquent à cette demande, compte tenu des adaptations nécessaires.

Notes historiques: L'article 526.1 a été ajouté L.Q. 1995, c. 63, art. 501 et a effet depuis le 1er août 1995.

Guides [art. 526.1]: IN-202 — Dois-je m'inscrire au Ministère?.

Définitions [art. 526.1]: « personne » — 506.

Renvois [art. 526.1]: 508 (personne assujettie); 512 (taxe); 528.1 (titulaire d'un certificat); 7R78.14 RAF (signature des documents par certains fonctionnaires).

Jurisprudence [art. 526.1]: *Syndicat national des employés de l'aluminium de Baie-Comeau — C.S.N. c. Québec (Sous-ministre du Revenu)* (5 août 2002), 200-09-001588-976; *Syndicat national des employés de l'aluminium de Baie-Comeau — C.S.N. c. Québec (Sous-ministre du Revenu)* (16 juillet 1997), 200-02-005338-944.

Bulletins d'interprétation [art. 526.1]: TVQ. 523-1 — La perception et la remise de la taxe sur les primes d'assurance dans le cadre d'un contrat d'assurance collective de personnes.

Concordance fédérale: aucune.

526.2 Annulation de l'inscription — Le ministre peut annuler l'inscription d'une personne visée à l'article 526.

Dispositions applicables — Les articles 416 et 418 s'appliquent à cette annulation, compte tenu des adaptations nécessaires.

Notes historiques: L'article 526.2 a été ajouté L.Q. 1995, c. 63, art. 501 et a effet depuis le 1er août 1995.

Renvois [art. 526.2]: 416 (annulation de l'inscription); 7R78.14 RAF (signature des documents par certains fonctionnaires).

Jurisprudence [art. 526.2]: *Syndicat national des employés de l'aluminium de Baie-Comeau — C.S.N. c. Québec (Sous-ministre du Revenu)* (5 août 2002), 200-09-001588-976; *Syndicat national des employés de l'aluminium de Baie-Comeau — C.S.N. c. Québec (Sous-ministre du Revenu)* (16 juillet 1997), 200-02-005338-944.

Concordance fédérale: aucune.

527. Mandataire du ministre — Sous réserve des articles 527.1 et 527.2, au plus tard le dernier jour de chaque mois civil, le titulaire d'un certificat d'inscription ou la personne tenue d'être titulaire d'un tel certificat doit agir comme mandataire du ministre, tenir compte de la taxe perçue prévue au présent titre ou qu'il aurait dû percevoir pour le mois civil précédent, en rendre compte au ministre sur le formulaire prescrit contenant les renseignements prescrits, le lui produire de la manière prescrite par ce dernier même si aucun paiement de prime d'assurance donnant lieu à celle-ci n'a été reçu durant le mois civil et il doit, au même moment, lui verser le montant de cette taxe.

Notes historiques: L'article 527 a été modifié par L.Q. 2005, c. 1, par. 375(1) par le remplacement des mots « Au plus tard » par « Sous réserve des articles 527.1 et 527.2, au plus tard ». Cette modification a effet depuis le 1er juin 2004.

L'article 527 a été modifié par L.Q. 1995, c. 63, art. 502(1) et cette modification a effet depuis le 1er août 1995. Auparavant, il avait été modifié par L.Q. 1994, c. 22, art. 630(1) et était réputé entré en vigueur le 24 novembre 1992. Il se lisait comme suit :

527. Le titulaire d'un certificat d'inscription ou la personne tenue d'être titulaire d'un tel certificat doit agir comme mandataire du ministre, tenir compte de la taxe perçue prévue au présent titre ou qu'il aurait dû percevoir au cours de sa période de déclaration déterminée en vertu de la sous-section 1 de la section IV du chapitre VIII du titre I, en rendre compte au ministre sur le formulaire prescrit contenant les renseignements prescrits, le lui produire de la manière prescrite par ce dernier et il doit lui verser le montant de cette taxe au plus tard le jour où il est tenu de produire sa déclaration pour la période de déclaration qui y est visée, conformément aux dispositions prévues à la sous-section 2 de la section IV du chapitre VIII du titre I, même si aucun paiement de prime d'assurance donnant lieu à celle-ci n'a été reçu durant sa période de déclaration.

L'article 527, édicté par L.Q. 1991, c. 67, [anc. LIVD, art. 20.30] se lisait comme suit :

527. Le titulaire d'un certificat d'inscription ou la personne tenue d'être titulaire d'un tel certificat doit agir comme mandataire du ministre, tenir compte de la taxe perçue prévue au présent titre ou qu'il aurait dû percevoir au plus tard le dernier jour de chaque mois civil pour le mois civil précédent, en rendre compte au ministre sur le formulaire prescrit contenant les renseignements prescrits, le lui produire de la manière prescrite par ce dernier et il doit en même temps lui verser le mon-

tant de cette taxe même si aucun paiement de prime d'assurance donnant lieu à celle-ci n'a été reçu durant le mois civil.

Définitions [art. 527]: « mois » — 1; « personne » — 1, 506; « taxe » — 1.

Renvois [art. 527]: 526 (certificat d'inscription).

Jurisprudence [art. 527]: *Syndicat national des employés de l'aluminium de Baie-Comeau — C.S.N. c. Québec (Sous-ministre du Revenu)* (5 août 2002), 200-09-001588-976; *Syndicat national des employés de l'aluminium de Baie-Comeau — C.S.N. c. Québec (Sous-ministre du Revenu)* (16 juillet 1997), 200-02-005338-944.

Formulaires [art. 527]: VDZ-527, Formulaire de déclaration de la taxe sur les primes d'assurance.

Concordance fédérale: aucune.

527.1 Choix d'une période trimestrielle — Le titulaire d'un certificat d'inscription peut faire le choix de rendre compte au ministre, au plus tard le dernier jour de chaque mois suivant la fin d'une période de trois mois civils, de la taxe prévue au présent titre, conformément à l'article 527, pour la période précédente de trois mois civils, même si aucun paiement de prime d'assurance donnant lieu à celle-ci n'a été reçu durant cette période si, à la fois :

1° au cours des 12 mois civils précédant celui de l'entrée en vigueur du choix, la taxe perçue ou qu'il aurait dû percevoir est inférieure à 12 000 $;

2° il informe le ministre de son choix.

Entrée en vigueur du choix — Le choix prévu au premier alinéa entre en vigueur le jour choisi par le titulaire du certificat d'inscription, lequel doit correspondre au premier jour d'un mois civil.

Cessation du choix — Le choix prévu au premier alinéa cesse d'être en vigueur le premier en date des jours suivants :

1° le premier jour du mois civil suivant celui où le titulaire du certificat d'inscription révoque le choix;

2° le jour de la date anniversaire de l'entrée en vigueur du choix si, au cours des 12 mois civils précédant celui-ci, la taxe perçue ou qu'il aurait dû percevoir est égale ou supérieure à 12 000 $.

Notes historiques: L'article 527.1 a été ajouté par L.Q. 2005, c. 1, par. 376(1) et a effet depuis le 1er juin 2004.

Concordance fédérale: aucune.

527.2 Choix d'une période annuelle — Le titulaire d'un certificat d'inscription peut faire le choix de rendre compte au ministre, au plus tard le dernier jour de chaque troisième mois suivant la fin d'une période de 12 mois civils, de la taxe prévue au présent titre, conformément à l'article 527, pour la période précédente de 12 mois civils, même si aucun paiement de prime d'assurance donnant lieu à celle-ci n'a été reçu durant cette période si, à la fois :

1° au cours des 12 mois civils précédant celui de l'entrée en vigueur du choix, la taxe perçue ou qu'il aurait dû percevoir est inférieure à 1 500 $;

2° il informe le ministre de son choix.

Entrée en vigueur du choix — Le choix prévu au premier alinéa entre en vigueur le jour choisi par le titulaire du certificat d'inscription, lequel doit correspondre au premier jour d'un mois civil.

Cessation du choix — Le choix prévu au premier alinéa cesse d'être en vigueur le premier en date des jours suivants :

1° le premier jour du mois civil suivant celui où le titulaire du certificat d'inscription révoque le choix;

2° le jour de la date anniversaire de l'entrée en vigueur du choix si, au cours des 12 mois civils précédant celui-ci, la taxe perçue ou qu'il aurait dû percevoir est égale ou supérieure à 1 500 $.

Notes historiques: L'article 527.2 a été ajouté par L.Q. 2005, c. 1, par. 376(1) et a effet depuis le 1er juin 2004.

Concordance fédérale: aucune.

527.3 Utilisation des données estimatives — Pour l'application des articles 527.1 et 527.2, le titulaire d'un certificat d'inscription qui établit, pour la première fois, le montant de la taxe à percevoir peut utiliser des données estimatives.

Notes historiques: L'article 527.3 a été ajouté par L.Q. 2005, c. 1, par. 376(1) et a effet depuis le 1er juin 2004.

Concordance fédérale: aucune.

528. Déclaration au ministre — Lorsque la taxe prévue au présent titre n'est pas perçue de la personne assujettie au moment du paiement de la prime, cette personne doit, à ce moment, rendre compte au ministre en lui transmettant la facture ou le relevé, s'il y a lieu, avec tout renseignement que celui-ci peut exiger et lui verser cette taxe exigible au plus tard :

1° sauf lorsque la personne est une institution financière désignée particulière tout au long d'une période de déclaration donnée, dans le cas où la personne est inscrite en vertu du titre I, le jour où elle est tenue de produire sa déclaration pour la période de déclaration donnée déterminée en vertu de la sous-section 1 de la section IV du chapitre VIII du titre I au cours de laquelle la prime a été payée, conformément aux dispositions prévues à la sous-section 2 de la section IV du chapitre VIII du titre I;

Modification proposée — 528, par. 1°

1° dans le cas où la personne est inscrite en vertu du titre I, le jour où elle est tenue de produire sa déclaration pour la période de déclaration déterminée en vertu de la sous-section 1 de la section IV du chapitre VIII du titre I au cours de laquelle la prime a été payée, conformément aux dispositions prévues à la sous-section 2 de la section IV du chapitre VIII du titre I, sauf lorsque la personne est une institution financière désignée particulière tout au long de cette période de déclaration;

Application: Le paragraphe 1° de l'article 528 sera remplacé par le par. 234(1) du *Projet de loi 18* (présenté le 21 février 2013) et cette modification s'appliquera à l'égard d'une période de déclaration qui se termine après le 31 décembre 2012.

2° dans tout autre cas, le dernier jour du mois civil suivant celui où la prime a été payée.

Notes historiques: Le préambule de l'article 528 a été modifié par L.Q. 2006, c. 13, art. 240 par le remplacement de « sur le formulaire prescrit contenant les renseignements prescrits, le lui produire de la manière prescrite par ce dernier, en lui transmettant la facture ou le relevé, s'il y a lieu, » par « en lui transmettant la facture ou le relevé, s'il y a lieu, ». Cette modification est entrée en vigueur le 13 juin 2006.

Le paragraphe 1° de l'article 528 a été remplacé par L.Q. 2012, c. 28, par. 179(1) et cette modification s'applique à l'égard d'une période de déclaration qui se termine après le 31 décembre 2012. Antérieurement, il se lisait ainsi :

> 1° dans le cas où la personne est inscrite en vertu du titre I, le jour où elle est tenue de produire sa déclaration pour la période de déclaration déterminée en vertu de la sous-section 1 de la section iv du chapitre VIII du titre I au cours de laquelle la prime a été payée, conformément aux dispositions prévues à la sous-section 2 de la section iv du chapitre VIII du titre I;

Le paragraphe 1° de l'article 528 a été modifié par L.Q. 2009, c. 15, art. 530 par le remplacement de « de la partie I » par « du titre I ». Cette modification est entrée en vigueur le 4 juin 2009.

L'article 528 a été modifié par L.Q. 1995, c. 63, art. 503(1) et cette modification a effet depuis le 1er août 1995. L'article 528, ajouté par L.Q. 1991, c. 67 [anc. LIVD, art. 20.31], se lisait comme suit :

> 528. Lorsque la taxe prévue au présent titre n'est pas perçue de la personne assujettie au moment du paiement de la prime, cette personne doit, à ce moment, rendre compte au ministre en lui transmettant la facture ou le relevé, s'il y a lieu, avec tout renseignement que celui-ci peut exiger et, en même temps, lui verser cette taxe exigible.

Notes explicatives ARQ (PL 5, L.Q. 2012, c. 28): *Résumé* :

L'article 528 prévoit que, lorsque la taxe de vente du Québec (TVQ) sur les primes d'assurance n'est pas perçue de la personne assujettie à cette taxe au moment du paiement de la prime, cette personne doit elle-même verser la taxe au ministre du Revenu dans un délai prévu à cet article. Cet article est modifié pour faire en sorte qu'une institution financière désignée particulière (IFDP) s'autocotise de la même façon que les personnes non inscrites.

Situation actuelle :

L'article 528 prévoit que, lorsque la TVQ sur les primes d'assurance n'est pas perçue de la personne assujettie à cette taxe au moment du paiement de la prime, cette personne doit elle-même verser la taxe au ministre du Revenu dans le délai prévu à cet article. Le délai pour remettre la taxe est celui du jour où la personne, lorsqu'elle est un inscrit en

LTVQ (français)

vertu du titre I de la LTVQ, doit produire sa déclaration pour la période de déclaration au cours de laquelle la prime d'assurance a été payée et y déclarer la taxe. Lorsque la personne n'est pas un inscrit, la TVQ ainsi payable par autocotisation doit être remise au plus tard le dernier jour du mois civil qui suit celui au cours duquel la prime d'assurance a été payée.

Modifications proposées :

L'article 528 est modifié de façon qu'une personne qui est une IFDP s'autocotise sur la TVQ payable à l'égard des primes d'assurance de la même façon que les personnes non inscrites. Ainsi, la taxe ne sera pas déclarée dans la déclaration produite conformément aux dispositions prévues à la sous-section 2 de la section IV du chapitre VIII du titre I de la LTVQ, mais elle devra être remise au plus tard le dernier jour du mois civil qui suit celui au cours duquel la prime d'assurance a été payée.

Notes explicatives ARQ (PL 37, L.Q. 2009, c. 15): *Résumé* :

Une modification technique est apportée au paragraphe 1° de l'article 528 afin de faire un renvoi au titre I plutôt qu'à la partie I de la LTVQ.

Situation actuelle :

L'article 528 de la LTVQ prévoit que lorsque la taxe sur les primes d'assurance n'est pas perçue de la personne assujettie à cette taxe au moment du paiement de la prime, cette personne doit elle-même verser la taxe au ministre dans un délai prévu à cet article.

Actuellement, le paragraphe 1° de l'article 528 de la LTVQ prévoit le délai applicable lorsque cette personne est inscrite en vertu de la partie I de la LTVQ alors que l'inscription d'une personne est plutôt prévue au titre I de la LTVQ.

Modifications proposées :

Il est proposé d'apporter une modification technique au paragraphe 1° de l'article 528 de la LTVQ afin de faire un renvoi au titre I plutôt qu'à la partie I de la LTVQ.

Notes explicatives ARQ (PL 15, L.Q. 2006, c. 13): *Résumé* :

La modification à l'article 528 vise à retrancher l'obligation d'utiliser un formulaire prescrit lorsque la taxe sur les primes d'assurance n'est pas perçue de la personne assujettie au moment du paiement de la prime.

Situation actuelle :

L'article 528 prévoit que lorsque la taxe sur les primes d'assurance n'est pas perçue de la personne assujettie au moment du paiement de la prime, cette personne doit, à ce moment, rendre compte au ministre du Revenu sur le formulaire prescrit contenant les renseignements prescrits, le lui produire de la manière prescrite par ce dernier, en lui transmettant la facture ou le relevé, s'il y a lieu, avec tout renseignement que celui-ci peut exiger et lui verser cette taxe exigible.

Modifications proposées :

La modification proposée à l'article 528 enlève l'obligation d'utiliser un formulaire prescrit pour rendre compte au ministre du Revenu de la taxe sur les primes d'assurance exigible. Ainsi, une simple lettre pourra tenir lieu d'explication.

Définitions [art. 528]: « mois », « période de déclaration » — 1; « personne » — 1, 506; « taxe » — 1.

Renvois [art. 528]: 508 (personne assujettie); 512 (taxe); 526 (certificat d'inscription); 534 (amende); 7R78.3 RAF (Signature des documents par certains fonctionnaires); 7R78.14 RAF (signature des documents par certains fonctionnaires).

Jurisprudence [art. 528]: *Syndicat national des employés de l'aluminium de Baie-Comeau — C.S.N. c. Québec (Sous-ministre du Revenu)* (5 août 2002), 200-09-001588-976; *Syndicat national des employés de l'aluminium de Baie-Comeau — C.S.N. c. Québec (Sous-ministre du Revenu)* (16 juillet 1997), 200-02-005338-944.

Bulletins d'interprétation [art. 528]: TVQ. 523-1 — La perception et la remise de la taxe sur les primes d'assurance dans le cadre d'un contrat d'assurance collective de personnes.

Concordance fédérale: aucune.

528.1 Inscription réputée — Toute personne tenue de verser au ministre la taxe prévue au présent titre qui, le 31 juillet 1995, est titulaire d'un certificat d'inscription délivré en vertu du titre I, est réputée, pour les fins du présent titre, être titulaire le 1er août 1995 d'un certificat d'inscription délivré conformément à l'article 526.1.

Notes historiques: L'article 528.1 a été ajouté par L.Q. 1995, c. 63, art. 504(1) et a effet depuis le 1er août 1995.

Définitions [art. 528.1]: « personne » — 506.

Renvois [art. 528.1]: 512 (taxe); 526 (certificat d'inscription).

Jurisprudence [art. 528.1]: *Syndicat national des employés de l'aluminium de Baie-Comeau — C.S.N. c. Québec (Sous-ministre du Revenu)* (5 août 2002), 200-09-001588-976; *Syndicat national des employés de l'aluminium de Baie-Comeau — C.S.N. c. Québec (Sous-ministre du Revenu)* (16 juillet 1997), 200-02-005338-944.

Concordance fédérale: aucune.

SECTION II — CERTIFICATION

529. Certification — La personne assujettie qui paie une prime d'assurance dont une partie n'est pas imposable doit certifier la partie imposable de la prime à la personne tenue de percevoir la taxe.

Notes historiques: L'article 529 a été modifié par L.Q. 2004, c. 21, par. 540(1) par la suppression de « , sur le formulaire prescrit et dans les cas prescrits, ». Cette modification a effet depuis le 1er juillet 1992.

L'article 529 a été édicté par L.Q. 1991, c. 67 [anc. LIVD, art. 20.32].

Définitions [art. 529]: « personne » — 1, 506; « taxe » — 1.

Renvois [art. 529]: 531 (indication de la taxe); 677:55° (règlements).

Jurisprudence [art. 529]: *Syndicat national des employés de l'aluminium de Baie-Comeau — C.S.N. c. Québec (Sous-ministre du Revenu)* (5 août 2002), 200-09-001588-976; *Syndicat national des employés de l'aluminium de Baie-Comeau — C.S.N. c. Québec (Sous-ministre du Revenu)* (16 juillet 1997), 200-02-005338-944.

Bulletins d'interprétation [art. 529]: TVQ. 529-1/R1 — Certification de la partie imposable d'une prime d'assurance.

Concordance fédérale: aucune.

SECTION III — CALCUL ET INDICATION SÉPARÉS DE LA TAXE

530. Calcul de la taxe — La taxe prévue au présent titre doit être calculée séparément pour chaque paiement de prime et toute fraction de 0,01 $ doit être comptée comme 0,01 $ entier.

Ajustement — Toutefois, lorsqu'une prime d'assurance de dommages est supérieure à 11 $, la personne qui perçoit cette taxe peut l'arrondir au dollar le plus près.

Notes historiques: L'article 530 a été édicté par L.Q. 1991, c. 67 [anc. LIVD, art. 20.33].

Définitions [art. 530]: « personne » — 1, 506; « taxe » — 1.

Jurisprudence [art. 530]: *Syndicat national des employés de l'aluminium de Baie-Comeau — C.S.N. c. Québec (Sous-ministre du Revenu)* (5 août 2002), 200-09-001588-976; *Syndicat national des employés de l'aluminium de Baie-Comeau — C.S.N. c. Québec (Sous-ministre du Revenu)* (16 juillet 1997), 200-02-005338-944.

Concordance fédérale: aucune.

531. Indication de la taxe — La taxe doit être indiquée séparément de la prime sur toute facture ou relevé et dans les livres comptables de la personne tenue de percevoir cette taxe, sauf lorsque s'applique l'article 529 auquel cas la personne assujettie est tenue d'indiquer la taxe séparément du montant de la prime sur tout document accompagnant son paiement.

Mention — De plus, la taxe doit être désignée par son nom, une abréviation de celui-ci ou une indication similaire. Aucune autre mention portant sur cette taxe ne peut être utilisée.

Notes historiques: Le deuxième alinéa de l'article 531 a été ajouté par L.Q. 2002, c. 46, art. 33 et s'applique à compter du 11 mars 2003.

L'article 531 a été édicté par L.Q. 1991, c. 67 [anc. LIVD, art. 20.34, tel qu'ajouté par L.Q. 1986, c. 15, art. 23].

Définitions [art. 531]: « montant » — 1; « personne » — 1, 506; « taxe » — 1.

Renvois [art. 531]: 534 (amende).

Jurisprudence [art. 531]: *Syndicat national des employés de l'aluminium de Baie-Comeau — C.S.N. c. Québec (Sous-ministre du Revenu)* (5 août 2002), 200-09-001588-976; *Syndicat national des employés de l'aluminium de Baie-Comeau — C.S.N. c. Québec (Sous-ministre du Revenu)* (16 juillet 1997), 200-02-005338-944.

Lettres d'interprétation [art. 531]: 03-0108922 — Garantie de remplacement d'un véhicule automobile en cas de vol ou de perte totale.

Concordance fédérale: aucune.

532. Prime déterminée par le ministre — Lorsqu'une prime d'assurance n'est pas spécifiée ou qu'elle est confondue avec un autre montant, le ministre peut déterminer la prime qui doit servir de base à l'imposition prévue au présent titre.

Notes historiques: L'article 532 a été édicté par L.Q. 1991, c. 67 [anc. LIVD, art. 20.35].

Définitions [art. 532]: « montant » — 1.

Renvois [art. 532]: 7R78.3 RAF (Signature des documents par certains fonctionnaires); 7R78.14 RAF (signature des documents par certains fonctionnaires).

Jurisprudence [art. 532]: *Syndicat national des employés de l'aluminium de Baie-Comeau — C.S.N. c. Québec (Sous-ministre du Revenu)* (5 août 2002), 200-09-001588-976; *Syndicat national des employés de l'aluminium de Baie-Comeau — C.S.N. c. Québec (Sous-ministre du Revenu)* (16 juillet 1997), 200-02-005338-944.

Concordance fédérale: aucune.

533. Prélèvement sur le salaire — Lorsqu'une prime d'assurance est payée par voie de prélèvement sur le salaire, la taxe n'a pas à être indiquée séparément sur le bulletin de paie.

Avis — Toutefois, celui qui adhère à ce mode de paiement doit être avisé, lors de son adhésion, du montant de la taxe exigible à l'égard de sa prime d'assurance.

Notes historiques: L'article 533 a été édicté par L.Q. 1991, c. 67 [anc. LIVD, art. 20.36].

Définitions [art. 533]: « montant » — 1; « taxe » — 1.

Renvois [art. 533]: 534 (amende).

Jurisprudence [art. 533]: *Syndicat national des employés de l'aluminium de Baie-Comeau — C.S.N. c. Québec (Sous-ministre du Revenu)* (5 août 2002), 200-09-001588-976; *Syndicat national des employés de l'aluminium de Baie-Comeau — C.S.N. c. Québec (Sous-ministre du Revenu)* (16 juillet 1997), 200-02-005338-944.

Concordance fédérale: aucune.

534. Infraction et peine — Toute personne qui contrevient aux articles 526, 528, 531 ou 533 ou à une disposition réglementaire visée au paragraphe 60º de l'article 677 est passible d'une amende d'au moins 200 $ et d'au plus 5 000 $.

Notes historiques: L'article 534 a été édicté par L.Q. 1991, c. 67 [anc. LIVD, art. 23, par. 1, a)].

Définitions [art. 534]: « personne » — 1, 506.

Jurisprudence [art. 534]: *Syndicat national des employés de l'aluminium de Baie-Comeau — C.S.N. c. Québec (Sous-ministre du Revenu)* (5 août 2002), 200-09-001588-976; *Syndicat national des employés de l'aluminium de Baie-Comeau — C.S.N. c. Québec (Sous-ministre du Revenu)* (16 juillet 1997), 200-02-005338-944.

Concordance fédérale: aucune.

535. Infraction et peine — Toute personne qui, étant mandataire du ministre, refuse ou néglige de percevoir la taxe ou le montant égal à la taxe, d'en tenir compte, d'en rendre compte ou de le verser au ministre, le tout conformément aux dispositions du présent titre ou à une disposition réglementaire visée au paragraphe 60º de l'article 677, est passible d'une amende d'au moins 25 $ pour chaque jour que dure l'infraction.

Notes historiques: L'article 535 a été édicté par L.Q. 1991, c. 67 [anc. LIVD, art. 23, par. 1, b)].

Définitions [art. 535]: « montant » — 1; « personne » — 1, 506; « taxe » — 1.

Jurisprudence [art. 535]: *Syndicat national des employés de l'aluminium de Baie-Comeau — C.S.N. c. Québec (Sous-ministre du Revenu)* (5 août 2002), 200-09-001588-976; *Syndicat national des employés de l'aluminium de Baie-Comeau — C.S.N. c. Québec (Sous-ministre du Revenu)* (16 juillet 1997), 200-02-005338-944.

Concordance fédérale: aucune.

536. Poursuite par une personne — Une personne visée à l'article 526 ne peut intenter ou continuer au Québec une poursuite en recouvrement d'une créance découlant d'un contrat d'assurance s'il n'est titulaire d'un certificat d'inscription délivré conformément à l'article 415.

Reconnaissance par le tribunal — Cette incapacité est reconnue d'office par le tribunal et ses officiers.

Validité des procédures — Cependant, les procédures faites malgré cette incapacité sont valides par l'obtention subséquente du certificat d'inscription.

Notes historiques: L'article 536 a été édicté par L.Q. 1991, c. 67 [anc. LIVD, art. 29].

Définitions [art. 536]: « personne » — 1, 506.

Jurisprudence [art. 536]: *Syndicat national des employés de l'aluminium de Baie-Comeau — C.S.N. c. Québec (Sous-ministre du Revenu)* (5 août 2002), 200-09-001588-976; *Syndicat national des employés de l'aluminium de Baie-Comeau — C.S.N. c. Québec (Sous-ministre du Revenu)* (16 juillet 1997), 200-02-005338-944.

Concordance fédérale: aucune.

TITRE IV — TAXE SUR LE PARI MUTUEL

537. « personne » — Pour l'application du présent titre et des règlements adoptés en vertu de celui-ci, à moins que le contexte n'indique un sens différent, l'expression « personne » a le sens que lui donne l'article 1.

Notes historiques: L'article 537 a été édicté par L.Q. 1991, c. 67 [anc. LL, art. 1].

Bulletins d'information: 2003-4 — Abolition du droit spécifique sur le perchloroéthylène et uniformisation des critères de reconnaissance des organismes d'éducation politique.

Définitions [art. 537]: « personne » — 1.

Concordance fédérale: aucune.

538. Taxe payable lors d'une course de chevaux — Toute personne qui, au Québec, fait un pari en vertu d'un système de pari-mutuel, lors d'une course de chevaux tenue à un hippodrome au Québec ou ailleurs, doit, au moment où elle dépose son enjeu, payer au ministre une taxe calculée au taux de 2,5 % sur le montant de l'enjeu déposé avant toute déduction prescrite ou permise par une autre loi.

1º-3º [*paragraphes supprimés*].

Notes historiques: Le préambule de l'article 538 a été remplacé par L.Q. 2011, c. 1, s.-par. 155(1)(1º) et cette modification s'applique à l'égard d'un enjeu déposé après le 30 mars 2010. Antérieurement, il se lisait ainsi :

> 538. Toute personne qui, au Québec, fait un pari en vertu d'un système de pari mutuel, lors d'une course de chevaux tenue à un hippodrome au Québec ou ailleurs, doit, au moment où elle dépose son enjeu, payer au ministre une taxe égale au montant de l'enjeu déposé avant toute déduction prescrite ou permise par une autre loi multiplié par le taux suivant :

Les paragraphes 1º et 2º de l'article 538 ont été supprimés par L.Q. 2011, c. 1, s.-par. 155(1)(2º) et cette modification s'applique à l'égard d'un enjeu déposé après le 30 mars 2010. Antérieurement, il se lisaient ainsi :

> 1º 4 % lorsque cet enjeu ne comporte le choix que d'un seul cheval gagnant;
>
> 2º 10 % lorsque cet enjeu comporte le choix de deux chevaux gagnants et plus.

Les paragraphes 1º et 2º du premier alinéa de l'article 538 sont remplacés par L.Q. 2001, c. 51, art. 308(1)(1º) et ces modifications ont effet à l'égard d'un enjeu déposé par une personne depuis le 1er avril 2000. Antérieurement, ils se lisaient ainsi :

> 1º lorsque cet enjeu ne comporte le choix que d'un seul cheval gagnant :
>
> a) 1 % si la moyenne globale des mises par programme de courses tenu à cet hippodrome durant l'année civile précédant la date où cette course a lieu, appelée dans le présent article la « moyenne globale des mises », est inférieure à 125 000 $;
>
> b) 2 % si la moyenne globale des mises est d'au moins 125 000 $ mais inférieure à 250 000 $;
>
> c) 4 % si la moyenne globale des mises est de 250 000 $ ou plus;
>
> 2º lorsque cet enjeu comporte le choix de deux chevaux gagnants :
>
> a) 6 % si la moyenne globale des mises est inférieure à 125 000 $;
>
> b) 7 % si la moyenne globale des mises est d'au moins 125 000 $ mais inférieure à 250 000 $;
>
> c) 9 % si la moyenne globale des mises est de 250 000 $ ou plus;

Le paragraphe 3º du premier alinéa de l'article 538 a été supprimé par L.Q. 2001, c. 51, art. 308(1)(2º) et cette modification a effet à l'égard d'un enjeu déposé par une personne depuis le 1er avril 2000. Antérieurement, il se lisait ainsi :

> 3º lorsque cet enjeu comporte le choix de plus de deux chevaux gagnants :
>
> a) 9 % si la moyenne globale des mises est inférieure à 125 000 $;
>
> b) 9,5 % si la moyenne globale des mises est d'au moins 125 000 $ mais inférieure à 250 000 $;
>
> c) 11,5 % si la moyenne globale des mises est de 250 000 $ ou plus.

Le deuxième alinéa de l'article 538 a été supprimé par L.Q. 2001, c. 51, art. 308(1)(3º) et cette modification a effet à l'égard d'un enjeu déposé par une personne depuis le 1er avril 2000. Antérieurement, il se lisait ainsi :

> Lorsque, durant l'année civile précédant la date où cette course a lieu, il n'y a pas eu d'enjeux faits en vertu d'un système de pari mutuel lors de courses de chevaux tenues à cet hippodrome, le ministre détermine la moyenne globale des mises.

L'article 538 a été édicté par L.Q. 1991, c. 67 [anc. LL, art. 46].

Notes explicatives ARQ (PL 117, L.Q. 2011, c. 1): *Résumé* :
Une modification est proposée à l'article 538.

LTVQ (français)

Cette modification vise à remplacer, à l'égard d'un enjeu déposé après le 30 mars 2010, les taux de la taxe sur le pari mutuel, établis à 4 % ou à 10 %, par un seul taux fixé à 2,5 % du montant de l'enjeu.

Situation actuelle :

L'article 538 prévoit les taux de la taxe sur le pari mutuel applicable lorsqu'une personne fait, au Québec, un pari en vertu d'un système de pari mutuel lors d'une course de chevaux tenue à un hippodrome au Québec ou ailleurs.

Ainsi, cette personne est tenue de payer une taxe égale au montant de l'enjeu déposé multiplié par un taux déterminé en fonction du nombre de chevaux gagnants que comporte l'enjeu.

Pour un enjeu déposé avant le 31 mars 2010, les taux de cette taxe sont établis à 4 % lorsque l'enjeu comporte le choix d'un seul cheval gagnant et à 10 % lorsque l'enjeu comporte le choix de deux chevaux gagnants et plus.

Modifications proposées :

Afin de simplifier la structure de taxation du pari mutuel, il y aurait lieu de modifier l'article 538 de la LTVQ.

Cette modification aurait pour objet de remplacer les taux de la taxe sur le pari mutuel, établis à 4 % ou à 10 % selon le nombre de chevaux gagnants que comporte l'enjeu, par un seul taux fixé à 2,5 % du montant de l'enjeu.

Cette modification s'appliquerait à l'égard d'un enjeu déposé après le 30 mars 2010.

Définitions [art. 538]: « montant » — 1; « personne » — 1, 537; « taxe » — 1.

Renvois [art. 538]: 539 (perception de la taxe); 7R78.3, 7R78.14 RAF (Signature des documents par certains fonctionnaires).

Concordance fédérale: aucune.

539. Perception de la taxe — Toute personne qui, pendant un programme de courses, reçoit les enjeux déposés en vertu d'un système de pari mutuel doit, à ce moment, percevoir la taxe prévue à l'article 538 de la manière indiquée par le ministre.

Autres obligations du mandataire — La personne agit alors comme mandataire du ministre. Elle doit à chaque jour verser au ministre la taxe perçue et, en même temps, lui faire rapport en la manière que ce dernier indique.

Notes historiques: L'article 539 a été édicté par L.Q. 1991, c. 67 [anc. LL, art. 46.3].

Définitions [art. 539]: « personne » — 1, 537; « taxe » — 1.

Renvois [art. 539]: 7R78.3, 7R78.14 RAF (Signature des documents par certains fonctionnaires).

Formulaires [art. 539]: VD-539.A, Rapport quotidien — Taxe sur le pari mutuel; VDZ-539, Formulaire relatif au pari mutuel à l'intention des personnes inscrites.

Concordance fédérale: aucune.

540. Inscription obligatoire — Toute personne tenue de percevoir la taxe prévue au présent titre doit être titulaire d'un certificat d'inscription délivré en vertu du titre premier.

Notes historiques: L'article 540 a été édicté par L.Q. 1991, c. 67.

Définitions [art. 540]: « personne » — 1, 537; « taxe » — 1.

Concordance fédérale: aucune.

540.1 [*Abrogé*].

2011, c. 16, art. 35.

Notes historiques: L'article 540.1 a été abrogé par L.Q. 2011, c. 16, art. 35 et cette abrogation a effet depuis le 1er juillet 2011. Antérieurement, il se lisait ainsi :

> 540.1 Versement — Le ministre verse au Fonds de l'industrie des courses de chevaux, institué par la section IV.1 de la *Loi sur le ministère de l'Agriculture, des Pêcheries et de l'Alimentation* (chapitre M-14), le produit de la taxe sur le pari mutuel en vertu du présent titre.
>
> Modalités — Les versements sont effectués aux dates et selon les modalités que détermine le gouvernement.

L'article 540.1 a été ajouté par L.Q. 1995, c. 68, art. 5 et est réputé entré en vigueur le 1er janvier 1996.

541. Impôt municipal prohibé — Malgré toute loi spéciale, une municipalité ne peut, par règlement, résolution ou autrement, prélever un droit, un impôt ou une taxe pour l'exploitation d'un hippodrome ou la tenue d'une réunion de courses.

Notes historiques: L'article 541 a été édicté par L.Q. 1991, c. 67 [anc. LL, art. 65].

Définitions [art. 541]: « municipalité », « taxe » — 1.

Bulletins d'interprétation [art. 541]: TVQ. 541.23-1 — Abolition de la mesure de détaxation de certains forfaits hôteliers et instauration de la taxe spécifique sur l'hébergement dans certaines régions prescrites.

Lettres d'interprétation [art. 541]: 05-0102508 — Interprétation relative à la TVQ — montant porté au crédit de l'acquéreur à l'égard d'un bien échangé.

Concordance fédérale: aucune.

TITRE IV.1 — [ABROGÉ]

Notes historiques: Le titre IV.1 a été abrogé par L.Q. 1997, c. 14, par. 379(1) rétroactivement au 15 décembre 1995. Il se lisait antérieurement « Taxe sur l'utilisation du réseau routier ».

Le titre IV.1 avait été ajouté par L.Q. 1995, c. 63, art. 505 et était entré en vigueur le 1er mars 1996. Toutefois, ce titre ne s'appliquait pas à l'égard d'un camion pour lequel, conformément au *Code de la sécurité routière* (L.R.Q., chapitre C-24.2), des sommes sont payables pour obtenir le droit de circuler au Québec, relativement à une période de 12 mois se rapportant au calcul de ces droits et qui débute à cette date, dans le cas où le camion est acquis après le 31 décembre 1995 et avant le 1er mars 1996.

Chapitre I — [*Abrogé*]

Notes historiques: L'intitulé du chapitre I a été abrogé par L.Q. 1997, c. 14, par. 379(1) rétroactivement au 15 décembre 1995. Antérieurement, l'intitulé du chapitre I se lisait ainsi : « Définitions ».

L'intitulé du chapitre I a été ajouté par L.Q. 1995, c. 63, par. 505(1) et est entré en vigueur le 1er mars 1996. Toutefois, il ne s'applique pas à l'égard d'un camion pour lequel, conformément au *Code de la sécurité routière* (L.R.Q., chapitre C-24.2), des sommes sont payables pour obtenir le droit de circuler au Québec, relativement à une période de 12 mois se rapportant au calcul de ces droits et qui débute à cette date, dans le cas où le camion est acquis après le 31 décembre 1995 et avant le 1er mars 1996.

541.1 [*Abrogé*]

Notes historiques: L'article 541.1 [modifié par L.Q. 1997, c. 3, art. 144], inséré par L.Q. 1995, c. 63, art. 505(1), a été abrogé par L.Q. 1997, c. 14, par. 379(1) rétroactivement au 15 décembre 1995. L'article 541.1 était entré en vigueur le 1er mars 1996. Toutefois, cet article 541.1 ne s'appliquait pas à l'égard d'un camion pour lequel, conformément au *Code de la sécurité routière* (L.R.Q., chapitre C-24.2), des sommes sont payables pour obtenir le droit de circuler au Québec, relativement à une période de 12 mois se rapportant au calcul de ces droits et qui débute à cette date, dans le cas où le camion est acquis après le 31 décembre 1995 et avant le 1er mars 1996. L'article 541.1 se lisait comme suit :

> 541.1 Pour l'application du présent titre et des règlements adoptés en vertu de celui-ci, à moins que le contexte n'indique un sens différent, l'expression :
>
> « camion » signifie un véhicule routier fabriqué uniquement pour le transport de biens, d'un équipement qui y est fixé en permanence ou des deux et qui possède un nombre d'essieux égal ou supérieur à trois calculé de la manière prévue à la section vii du chapitre I du *Règlement sur l'immatriculation des véhicules routiers* (Décret 1420-91 (1991, G.O. 2, 5881)) et ses modifications actuelles et futures;
>
> « chemin public » a le sens que lui donne l'article 4 du *Code de la sécurité routière* (chapitre C-24.2);
>
> « essieu » a le sens que lui donne l'article 17 du *Règlement sur l'immatriculation des véhicules routiers* (Décret 1420-91 (1991, G.O. 2, 5881)) et ses modifications actuelles et futures;
>
> « période taxable » signifie, à l'égard d'un camion :
>
> 1° dans le cas d'un camion dont la plaque d'immatriculation est délivrée conformément au *Code de la sécurité routière* (chapitre C-24.2), la période de 12 mois pour laquelle des sommes payables afin que le propriétaire, au sens de ce code, obtienne ou conserve le droit de circuler au Québec avec le camion sont calculées conformément au *Règlement sur l'immatriculation des véhicules routiers* (Décret 1420-91 (1991, G.O. 2, 5881)) et ses modifications actuelles et futures;
>
> 2° dans le cas d'un camion dont la plaque d'immatriculation n'est pas délivrée conformément au *Code de la sécurité routière* (chapitre C-24.2) mais conformément aux lois d'une province autre que le Québec et pour lequel des droits d'immatriculation sont payables au Québec, la période de 12 mois pour laquelle des sommes payables afin que le propriétaire, au sens de ce code, obtienne ou conserve le droit de circuler dans cette province avec le camion sont calculées conformément aux lois de cette province;
>
> 3° dans tout autre cas, la période de 12 mois visée au paragraphe 1° comme si la plaque d'immatriculation du camion était délivrée conformément au *Code de la sécurité routière* (chapitre C-24.2);
>
> « personne » signifie une personne physique, une personne morale, une société, une fiducie, une succession ou un organisme qui est une association, un club, une commission, un syndicat ou une autre organisation;
>
> « principale place d'affaires » signifie, à l'égard d'un propriétaire :
>
> 1° dans le cas d'une personne physique, l'adresse de sa résidence principale qui est transmise à la Société à titre de renseignement composant l'immatriculation du camion conformément au *Règlement sur l'immatriculation des véhicules routiers* (Décret 1420-91 (1991, G.O. 2, 5881)) et ses modifications actuelles et futures;
>
> 2° dans tout autre cas, l'adresse de son principal établissement qui est transmise à la Société à titre de renseignement composant l'immatriculation du camion con-

formément au *Règlement sur l'immatriculation des véhicules routiers* (Décret 1420-91 (1991, G.O. 2, 5881)) et ses modifications actuelles et futures;

« propriétaire » signifie, à l'égard d'un camion, la personne au nom de laquelle le camion est immatriculé, ou doit l'être, en vertu des lois de la juridiction dans laquelle le camion est immatriculé, ou doit l'être;

« province » signifie une province du Canada et comprend les Territoires du Nord-Ouest et le territoire du Yukon;

« Société » signifie la Société de l'assurance automobile du Québec;

« véhicule routier » a le sens que lui donne l'article 4 du *Code de la sécurité routière* (chapitre C-24.2).

541.1.1 [*Abrogé*]

Notes historiques: Cet article a été abrogé par L.Q. 1997, c. 14, art. 379 et cette abrogation a effet depuis le 15 décembre 1995. Antérieurement, il se lisait ainsi:

541.1.1 Pour l'application du présent titre et des règlements adoptés en vertu de celui-ci, une personne morale, qu'elle soit ou non à but lucratif, est désignée par le mot « société », étant entendu que ce mot ne désigne pas une personne morale lorsqu'il est employé dans l'expression « société de personnes ».

Cet article a été inséré par L.Q. 1997, c. 14, art. 379 et est entré en vigueur le 1er mars 1996. Toutefois, il ne s'applique pas à l'égard d'un camion pour lequel, conformément au *Code de la sécurité routière* (L.R.Q., chapitre C-24.2), des sommes sont payables pour obtenir le droit de circuler au Québec, relativement à une période de 12 mois se rapportant au calcul de ces droits et qui débute à cette date, dans le cas où le camion est acquis après le 31 décembre 1995 et avant le 1er mars 1996.

Chapitre II — [*Abrogé*]

Notes historiques: L'intitulé du chapitre II a été abrogé par L.Q. 1997, c. 14, par. 379(1) rétroactivement au 15 décembre 1995. Antérieurement, l'intitulé du chapitre II se lisait ainsi : « Imposition de la taxe ».

L'intitulé du chapitre II a été ajouté par L.Q. 1995, c. 63, par. 505(1) et est entré en vigueur le 1er mars 1996. Toutefois, il ne s'applique pas à l'égard d'un camion pour lequel, conformément au *Code de la sécurité routière* (L.R.Q., chapitre C-24.2), des sommes sont payables pour obtenir le droit de circuler au Québec, relativement à une période de 12 mois se rapportant au calcul de ces droits et qui débute à cette date, dans le cas où le camion est acquis après le 31 décembre 1995 et avant le 1er mars 1996.

541.2 [*Abrogé*]

Notes historiques: L'article 541.2 a été abrogé par L.Q. 1997, c. 14, par. 379(1) rétroactivement au 15 décembre 1995. L'article 541.2 a été ajouté par L.Q. 1995, c. 63, par. 505(1) et est entré en vigueur le 1er mars 1996. Toutefois, cet article 541.2 ne s'appliquait pas à l'égard d'un camion pour lequel, conformément au *Code de la sécurité routière* (L.R.Q., chapitre C-24.2), des sommes sont payables pour obtenir le droit de circuler au Québec, relativement à une période de 12 mois se rapportant au calcul de ces droits et qui débute à cette date, dans le cas où le camion est acquis après le 31 décembre 1995 et avant le 1er mars 1996. L'article 541.2 se lisait comme suit :

541.2 Tout propriétaire doit, à l'égard d'un camion qui circule sur un chemin public du Québec, pour chaque période taxable relative au camion, payer une taxe dont le montant n'excède pas 800 $ et qui est déterminée conformément aux règles prescrites ainsi qu'en fonction du nombre d'essieux du camion, calculé de la manière prévue à la section VII du chapitre I du *Règlement sur l'immatriculation des véhicules routiers* (Décret 1420-91 (1991, G.O. 2, 5881)) et ses modifications actuelles et futures.

Aux fins de la détermination du montant de la taxe prévue au premier alinéa, l'obligation incombant au propriétaire de payer une taxe de même nature, imposée en vertu d'une loi d'une province autre que le Québec, peut être prise en considération de la manière prescrite.

541.3 [*Abrogé*]

Notes historiques: L'article 541.3 a été abrogé par L.Q. 1997, c. 14, par. 379(1) rétroactivement au 15 décembre 1995. L'article 541.3 a été ajouté par L.Q. 1995, c. 63, par. 505(1) et est entré en vigueur le 1er mars 1996. Toutefois, cet article 541.3 ne s'appliquait pas à l'égard d'un camion pour lequel, conformément au *Code de la sécurité routière* (L.R.Q., chapitre C-24.2), des sommes sont payables pour obtenir le droit de circuler au Québec, relativement à une période de 12 mois se rapportant au calcul de ces droits et qui débute à cette date, dans le cas où le camion est acquis après le 31 décembre 1995 et avant le 1er mars 1996. L'article 541.3 se lisait comme suit :

541.3 Les règles relatives au paiement de la taxe qui, en vertu de l'article 541.2, est exigible d'un propriétaire à l'égard d'un camion, relativement à une période taxable, sont les suivantes :

1° dans le cas d'un camion dont la plaque d'immatriculation est délivrée conformément au *Code de la sécurité routière* (chapitre C-24.2), la taxe est payable au moment et selon les modalités prévues par les articles 24 et 25 du *Règlement sur l'immatriculation des véhicules routiers* (Décret 1420-91 (1991, G.O. 2, 5881)) et ses modifications actuelles et futures, qui sont applicables au paiement des droits et des frais exigibles pour obtenir l'immatriculation du camion et le droit de le mettre en circulation au cours de la période taxable;

2° dans le cas d'un camion dont la plaque d'immatriculation est délivrée conformément aux lois d'une province autre que le Québec et pour lequel des droits d'immatriculation sont payables au Québec, la taxe est payable au moment et selon les modalités qui, relativement à l'immatriculation et à l'égard de la période taxable, sont applicables au camion conformément à l'Entente canadienne sur l'immatriculation des véhicules, adoptée par le décret 3030-80 du 24 septembre 1980, et ses modifications actuelles et futures;

3° dans les cas suivants, la taxe est payable à la Société au plus tard au moment où, à l'égard du camion, une demande pour l'obtention du certificat visé à l'article 541.12 est tenue d'être présentée conformément à cet article :

a) un camion dont la plaque d'immatriculation est délivrée conformément aux lois d'un pays autre que le Canada;

b) un camion qui possède, à la fois, une plaque d'immatriculation délivrée conformément aux lois d'un pays autre que le Canada et une plaque d'immatriculation délivrée conformément au *Code de la sécurité routière* (chapitre C-24.2), si la principale place d'affaires du propriétaire est située hors du Canada.

541.4 [*Abrogé*]

Notes historiques: L'article 541.4 a été abrogé par L.Q. 1997, c. 14, par. 379(1) rétroactivement au 15 décembre 1995. L'article 541.4 a été ajouté par L.Q. 1995, c. 63, par. 505(1) et est entré en vigueur le 1er mars 1996. Toutefois, cet article 541.4 ne s'appliquait pas à l'égard d'un camion pour lequel, conformément au *Code de la sécurité routière* (L.R.Q., chapitre C-24.2), des sommes sont payables pour obtenir le droit de circuler au Québec, relativement à une période de 12 mois se rapportant au calcul de ces droits et qui débute à cette date, dans le cas où le camion est acquis après le 31 décembre 1995 et avant le 1er mars 1996. L'article 541.4 se lisait comme suit :

541.4 Dans le cas où un propriétaire utilise pour la première fois un camion sur un chemin public du Québec, à un moment quelconque au cours d'une période taxable donnée, le montant de la taxe qui est payable à l'égard du camion en vertu de l'article 541.2, relativement à la période taxable donnée, est déterminé conformément à la formule suivante :

$$A \times \frac{B}{12}.$$

Pour l'application de cette formule :

1° la lettre A représente le montant de la taxe qui, en faisant abstraction du présent article, serait payable à l'égard du camion en vertu de l'article 541.2 relativement à la période taxable donnée;

2° la lettre B représente le nombre de mois complets, plus un, à écouler entre ce moment et le dernier jour du mois qui précède celui où la période taxable subséquente à la période taxable donnée débute.

541.5 [*Abrogé*]

Notes historiques: L'article 541.5 a été abrogé par L.Q. 1997, c. 14, par. 379(1) rétroactivement au 15 décembre 1995. L'article 541.5, ajouté par L.Q. 1995, c. 63, par. 505(1), est entré en vigueur le 1er mars 1996. Toutefois, cet article 541.5 ne s'appliquait pas à l'égard d'un camion pour lequel, conformément au *Code de la sécurité routière* (L.R.Q., chapitre C-24.2), des sommes sont payables pour obtenir le droit de circuler au Québec, relativement à une période de 12 mois se rapportant au calcul de ces droits et qui débute à cette date, dans le cas où le camion est acquis après le 31 décembre 1995 et avant le 1er mars 1996. L'article 541.5 se lisait comme suit :

541.5 Le propriétaire qui augmente le nombre d'essieux d'un camion à un moment quelconque au cours d'une période taxable, est tenu d'aviser la Société de cette augmentation au plus tard le dernier jour du mois qui suit celui comprenant ce moment.

Le premier alinéa ne s'applique pas à l'égard d'un camion dont le nombre d'essieux, immédiatement avant ce moment, est égal ou supérieur au nombre d'essieux prescrit.

541.6 [*Abrogé*]

Notes historiques: L'article 541.6 a été abrogé par L.Q. 1997, c. 14, par. 379(1) rétroactivement au 15 décembre 1995. L'article 541.6, ajouté par L.Q. 1995, c. 63, par. 505(1), est entré en vigueur le 1er mars 1996. Toutefois, cet article 541.6 ne s'appliquait pas à l'égard d'un camion pour lequel, conformément au *Code de la sécurité routière* (L.R.Q., chapitre C-24.2), des sommes sont payables pour obtenir le droit de circuler au Québec, relativement à une période de 12 mois se rapportant au calcul de ces droits et qui débute à cette date, dans le cas où le camion est acquis après le 31 décembre 1995 et avant le 1er mars 1996. L'article 541.6 se lisait comme suit :

541.6 Le propriétaire qui augmente le nombre d'essieux d'un camion à un moment quelconque au cours d'une période taxable donnée, doit payer une taxe dont le montant est déterminé selon la formule suivante :

$$(A - B) \times \frac{C}{12}$$

Pour l'application de cette formule :

1° la lettre A représente le montant de la taxe prévue à l'article 541.2 qui serait payable à l'égard du camion par le propriétaire si le nombre d'essieux ainsi augmenté avait été pris en compte dans le calcul de la taxe relativement à la période taxable donnée;

2° la lettre B représente le montant de taxe qui a été payée par le propriétaire relativement à la période taxable donnée;

3° la lettre C représente le nombre de mois complets, plus un, à écouler entre ce moment et le dernier jour du mois qui précède celui où la période taxable subséquente à la période taxable donnée débute.

541.7 [*Abrogé*]

Notes historiques: L'article 541.7 a été abrogé par L.Q. 1997, c. 14, par. 379(1) rétroactivement au 15 décembre 1995. L'article 541.7, ajouté par L.Q. 1995, c. 63, par. 505(1), est entré en vigueur le 1er mars 1996. Toutefois, cet article 541.7 ne s'appliquait pas à l'égard d'un camion pour lequel, conformément au *Code de la sécurité routière* (L.R.Q., chapitre C-24.2), des sommes sont payables pour obtenir le droit de circuler au Québec, relativement à une période de 12 mois se rapportant au calcul de ces droits et qui débute à cette date, dans le cas où le camion est acquis après le 31 décembre 1995 et avant le 1er mars 1996. L'article 541.7 se lisait comme suit :

541.7 La taxe qui, en vertu de l'article 541.6, est exigible d'un propriétaire à l'égard d'un camion, est payable à la Société au plus tard le jour où le propriétaire doit aviser celle-ci de l'augmentation du nombre d'essieux du camion conformément à l'article 541.5.

Chapitre III — [*Abrogé*]

Notes historiques: L'intitulé du chapitre III a été abrogé par L.Q. 1997, c. 14, par. 379(1) rétroactivement au 15 décembre 1995. Antérieurement, l'intitulé du chapitre II se lisait ainsi : « Exemption et réduction de la taxe ».

L'intitulé du chapitre III a été ajouté par L.Q. 1995, c. 63, par. 505(1) et est entré en vigueur le 1er mars 1996. Toutefois, il ne s'applique pas à l'égard d'un camion pour lequel, conformément au *Code de la sécurité routière* (L.R.Q., chapitre C-24.2), des sommes sont payables pour obtenir le droit de circuler au Québec, relativement à une période de 12 mois se rapportant au calcul de ces droits et qui débute à cette date, dans le cas où le camion est acquis après le 31 décembre 1995 et avant le 1er mars 1996.

541.8 [*Abrogé*]

Notes historiques: L'article 541.8 a été abrogé par L.Q. 1997, c. 14, par. 379(1) rétroactivement au 15 décembre 1995. L'article 541.8, ajouté par L.Q. 1995, c. 63, par. 505(1), est entré en vigueur le 1er mars 1996. Toutefois, cet article 541.8 ne s'appliquait pas à l'égard d'un camion pour lequel, conformément au *Code de la sécurité routière* (L.R.Q., chapitre C-24.2), des sommes sont payables pour obtenir le droit de circuler au Québec, relativement à une période de 12 mois se rapportant au calcul de ces droits et qui débute à cette date, dans le cas où le camion est acquis après le 31 décembre 1995 et avant le 1er mars 1996. L'article 541.8 se lisait comme suit :

541.8 Un propriétaire est exempté du paiement de la taxe prévue aux articles 541.2 et 541.6 à l'égard d'un camion, relativement à une période taxable si, à la fois :

1° il s'agit d'un camion à l'égard duquel, en faisant abstraction du présent article, la taxe prévue à ces articles devrait être payée conformément aux paragraphes 2° ou 3° de l'article 541.3;

2° au cours de la période taxable, le nombre de kilomètres parcourus au Québec par le camion est inférieur au nombre de kilomètres prescrit.

541.9 [*Abrogé*]

Notes historiques: L'article 541.9 a été abrogé par L.Q. 1997, c. 14, par. 379(1) rétroactivement au 15 décembre 1995. L'article 541.9, ajouté par L.Q. 1995, c. 63, par. 505(1), est entré en vigueur le 1er mars 1996. Toutefois, cet article 541.9 ne s'appliquait pas à l'égard d'un camion pour lequel, conformément au *Code de la sécurité routière* (L.R.Q., chapitre C-24.2), des sommes sont payables pour obtenir le droit de circuler au Québec, relativement à une période de 12 mois se rapportant au calcul de ces droits et qui débute à cette date, dans le cas où le camion est acquis après le 31 décembre 1995 et avant le 1er mars 1996. L'article 541.9 se lisait comme suit :

541.9 Un propriétaire est exempté du paiement de la taxe prévue aux articles 541.2 et 541.6 à l'égard d'un camion :

1° dont la plaque d'immatriculation porte le préfixe « C » aux termes du *Règlement sur l'immatriculation des véhicules routiers* (Décret 1420-91 (1991, G.O. 2, 5881)) et ses modifications actuelles et futures;

2° dont la plaque d'immatriculation porte le préfixe « V » aux termes du *Règlement sur l'immatriculation des véhicules routiers* (Décret 1420-91 (1991, G.O. 2, 5881)) et ses modifications actuelles et futures;

3° appartenant à une personne membre d'une association agricole accréditée en vertu d'une loi du Québec ou d'une autre juridiction ou une personne titulaire de la carte d'enregistrement d'une exploitation agricole délivrée par le ministère de l'Agriculture, des Pêcheries et de l'Alimentation en vertu du décret 54-85 (1985, G.O. 2, 1035);

4° appartenant aux personnes suivantes, sauf s'il s'agit d'un camion qui nécessite un permis de la Commission des transports du Québec ou de la Régie des marchés agricoles et alimentaires du Québec :

a) une commission scolaire;

b) une personne exploitant un centre hospitalier au sens de la *Loi sur les services de santé et les services sociaux* (chapitre S-4.2) ou au sens de la *Loi sur les services de santé et les services sociaux pour les autochtones cris* (chapitre S-5);

c) une institution exclusivement vouée à des fins charitables formée en corporation à but non lucratif et qui est reconnue comme telle en vertu de sa loi constitutive;

d) une fabrique ou un syndic d'une paroisse.

Le premier alinéa ne s'applique pas à l'égard du camion appartenant à une personne visée au paragraphe 3° si le camion ne peut être immatriculé comme véhicule de ferme en raison de l'application de l'article 54 du *Règlement sur l'immatriculation des véhicules routiers* (Décret 1420-91 (1991, G.O. 2, 5881)) et ses modifications actuelles et futures.

541.10 [*Abrogé*]

Notes historiques: L'article 541.10 a été abrogé par L.Q. 1997, c. 14, par. 379(1) rétroactivement au 15 décembre 1995. L'article 541.10, ajouté par L.Q. 1995, c. 63, par. 505(1), est entré en vigueur le 1er mars 1996. Toutefois, cet article 541.10 ne s'appliquait pas à l'égard d'un camion pour lequel, conformément au *Code de la sécurité routière* (L.R.Q., chapitre C-24.2), des sommes sont payables pour obtenir le droit de circuler au Québec, relativement à une période de 12 mois se rapportant au calcul de ces droits et qui débute à cette date, dans le cas où le camion est acquis après le 31 décembre 1995 et avant le 1er mars 1996. L'article 541.10 se lisait comme suit :

541.10 Est exempté du paiement de la taxe prévue aux articles 541.2 et 541.6 :

1° le gouvernement du Québec ou un organisme public tel que défini à l'article 1 de la *Loi sur l'aménagement et l'urbanisme* (chapitre A-19.1), à l'exception des personnes prescrites;

2° un gouvernement étranger dans la mesure où il accorde un tel privilège au gouvernement du Québec.

541.11 [*Abrogé*]

Notes historiques: L'article 541.11 a été abrogé par L.Q. 1997, c. 14, par. 379(1) rétroactivement au 15 décembre 1995. L'article 541.11, ajouté par L.Q. 1995, c. 63, par. 505(1), est entré en vigueur le 1er mars 1996. Toutefois, cet article 541.11 ne s'appliquait pas à l'égard d'un camion pour lequel, conformément au *Code de la sécurité routière* (L.R.Q., chapitre C-24.2), des sommes sont payables pour obtenir le droit de circuler au Québec, relativement à une période de 12 mois se rapportant au calcul de ces droits et qui débute à cette date, dans le cas où le camion est acquis après le 31 décembre 1995 et avant le 1er mars 1996. L'article 541.11 se lisait comme suit :

541.11 Un propriétaire a droit à une réduction, calculée en fonction d'un pourcentage prescrit, du montant de la taxe payable en vertu des articles 541.2 et 541.6 à l'égard d'un camion, relativement à une période taxable, s'il s'agit d'un camion à l'égard duquel la taxe prévue à ces articles est payée conformément au paragraphe 3° de l'article 541.3.

Chapitre IV — [*Abrogé*]

Notes historiques: L'intitulé du chapitre IV a été abrogé par L.Q. 1997, c. 14, par. 379(1) rétroactivement au 15 décembre 1995. Antérieurement, l'intitulé du chapitre IV se lisait ainsi : « Certificat ».

L'intitulé du chapitre IV a été ajouté par L.Q. 1995, c. 63, par. 505(1) et est entré en vigueur le 1er mars 1996. Toutefois, il ne s'applique pas à l'égard d'un camion pour lequel, conformément au *Code de la sécurité routière* (L.R.Q., chapitre C-24.2), des sommes sont payables pour obtenir le droit de circuler au Québec, relativement à une période de 12 mois se rapportant au calcul de ces droits et qui débute à cette date, dans le cas où le camion est acquis après le 31 décembre 1995 et avant le 1er mars 1996.

541.12 [*Abrogé*]

Notes historiques: L'article 541.12 a été abrogé par L.Q. 1997, c. 14, par. 379(1) rétroactivement au 15 décembre 1995. L'article 541.12, ajouté par L.Q. 1995, c. 63, par. 505(1), est entré en vigueur le 1er mars 1996. Toutefois, cet article 541.12 ne s'appliquait pas à l'égard d'un camion pour lequel, conformément au *Code de la sécurité routière* (L.R.Q., chapitre C-24.2), des sommes sont payables pour obtenir le droit de circuler au Québec, relativement à une période de 12 mois se rapportant au calcul de ces droits et qui débute à cette date, dans le cas où le camion est acquis après le 31 décembre 1995 et avant le 1er mars 1996. L'article 541.12 se lisait comme suit :

541.12 Un propriétaire doit être titulaire d'un certificat délivré par la Société attestant le paiement de la taxe qui, relativement à une période taxable, est exigible à l'égard d'un camion en vertu des articles 541.2 et 541.6, dans le cas où il s'agit d'un camion à l'égard duquel la taxe prévue à ces articles doit être payée conformément au paragraphe 3° de l'article 541.3.

La Société délivre le certificat si, à la fois :

1° le propriétaire lui présente une demande sur le formulaire prescrit contenant les renseignements prescrits au plus tard le premier jour où le camion circule sur un chemin public du Québec au cours de la période taxable;

2° la taxe prévue aux articles 541.2 et 541.6 lui a été versée relativement à la période taxable donnée.

Le certificat doit être conservé dans le camion.

Chapitre V — [*Abrogé*]

Notes historiques: L'intitulé du chapitre V a été abrogé par L.Q. 1997, c. 14, par. 379(1) rétroactivement au 15 décembre 1995. Antérieurement, l'intitulé du chapitre V se lisait ainsi : « Remboursements ».

L'intitulé du chapitre V a été ajouté par L.Q. 1995, c. 63, par. 505(1) et est entré en vigueur le 1er mars 1996. Toutefois, il ne s'applique pas à l'égard d'un camion pour lequel, conformément au *Code de la sécurité routière* (L.R.Q., chapitre C-24.2), des sommes sont payables pour obtenir le droit de circuler au Québec, relativement à une période de 12 mois se rapportant au calcul de ces droits et qui débute à cette date, dans le cas où le camion est acquis après le 31 décembre 1995 et avant le 1er mars 1996.

541.13 [*Abrogé*]

Notes historiques: L'article 541.13 a été abrogé par L.Q. 1997, c. 14, par. 379(1) rétroactivement au 15 décembre 1995. L'article 541.13, ajouté par L.Q. 1995, c. 63, par. 505(1), est entré en vigueur le 1er mars 1996. Toutefois, cet article 541.13 ne s'appliquait pas à l'égard d'un camion pour lequel, conformément au *Code de la sécurité routière* (L.R.Q., chapitre C-24.2), des sommes sont payables pour obtenir le droit de circuler au Québec, relativement à une période de 12 mois se rapportant au calcul de ces droits et qui débute à cette date, dans le cas où le camion est acquis après le 31 décembre 1995 et avant le 1er mars 1996. L'article 541.13 se lisait comme suit :

541.13 Un propriétaire a droit au remboursement d'une partie de la taxe qu'il a payée en vertu des articles 541.2 et 541.6 à l'égard d'un camion, relativement à une période taxable si, à la fois :

1° le camion cesse de circuler sur les chemins publics du Québec à un moment quelconque au cours de la période taxable et n'y est pas subséquemment remis en circulation au cours de cette période;

2° le propriétaire avise la Société que le camion est retiré de la circulation au Québec.

541.14 [*Abrogé*]

Notes historiques: L'article 541.14 a été abrogé par L.Q. 1997, c. 14, par. 379(1) rétroactivement au 15 décembre 1995. L'article 541.14, ajouté par L.Q. 1995, c. 63, par. 505(1), est entré en vigueur le 1er mars 1996. Toutefois, cet article 541.14 ne s'appliquait pas à l'égard d'un camion pour lequel, conformément au *Code de la sécurité routière* (L.R.Q., chapitre C-24.2), des sommes sont payables pour obtenir le droit de circuler au Québec, relativement à une période de 12 mois se rapportant au calcul de ces droits et qui débute à cette date, dans le cas où le camion est acquis après le 31 décembre 1995 et avant le 1er mars 1996. L'article 541.14 se lisait comme suit :

541.14 Le montant du remboursement prévu à l'article 541.13 à l'égard de la taxe payée en vertu des articles 541.2 et 541.6, relativement à une période taxable donnée, est calculé conformément à la formule suivante :

$$A \times \frac{B}{12} + C \times \frac{B}{D}.$$

Pour l'application de cette formule :

1° la lettre A représente le montant de la taxe payée en vertu de l'article 541.2 relativement à la période taxable donnée;

2° la lettre B représente le nombre de mois complets entre la plus tardive de la date où la Société est avisée par le propriétaire du retrait de la circulation du camion et la date où celui-ci cesse effectivement de circuler et le dernier jour du mois qui précède celui où la prochaine période taxable débuterait si le camion n'avait pas été retiré de la circulation;

3° la lettre C représente le montant de la taxe payée en vertu de l'article 541.6 relativement à la période taxable donnée;

4° la lettre D représente le nombre de mois visé au paragraphe 3° du deuxième alinéa de l'article 541.6.

541.15 [*Abrogé*]

Notes historiques: L'article 541.15 a été abrogé par L.Q. 1997, c. 14, par. 379(1) rétroactivement au 15 décembre 1995. L'article 541.15, ajouté par L.Q. 1995, c. 63, par. 505(1), est entré en vigueur le 1er mars 1996. Toutefois, cet article 541.15 ne s'appliquait pas à l'égard d'un camion pour lequel, conformément au *Code de la sécurité routière* (L.R.Q., chapitre C-24.2), des sommes sont payables pour obtenir le droit de circuler au Québec, relativement à une période de 12 mois se rapportant au calcul de ces droits et qui débute à cette date, dans le cas où le camion est acquis après le 31 décembre 1995 et avant le 1er mars 1996. L'article 541.15 se lisait comme suit :

541.15 Un propriétaire a droit au remboursement de la taxe qu'il a payée à l'égard d'un camion en vertu des articles 541.2 et 541.6, relativement à une période taxable donnée si, à la fois :

1° il s'agit d'un camion à l'égard duquel la taxe a été payée conformément aux paragraphes 2° ou 3° de l'article 541.3;

2° le camion a parcouru au Québec, au cours de la période taxable donnée, un nombre de kilomètres inférieur au nombre de kilomètres prescrit;

3° le propriétaire présente une demande de remboursement à la Société au plus tard le jour où la période taxable subséquente à la période taxable donnée se termine.

541.16 [*Abrogé*]

Notes historiques: L'article 541.16 a été abrogé par L.Q. 1997, c. 14, par. 379(1) rétroactivement au 15 décembre 1995. L'article 541.16, ajouté par L.Q. 1995, c. 63, par. 505(1), est entré en vigueur le 1er mars 1996. Toutefois, cet article 541.16 ne s'appliquait pas à l'égard d'un camion pour lequel, conformément au *Code de la sécurité routière* (L.R.Q., chapitre C-24.2), des sommes sont payables pour obtenir le droit de circuler au Québec, relativement à une période de 12 mois se rapportant au calcul de ces droits et qui débute à cette date, dans le cas où le camion est acquis après le 31 décembre 1995 et avant le 1er mars 1996. L'article 541.16 se lisait comme suit :

541.16 Un propriétaire peut obtenir un remboursement, calculé de la manière prescrite et selon les règles prescrites, de la taxe qu'il a payée en vertu des articles 541.2 et 541.6 à l'égard d'un camion relativement à une période taxable, si une taxe de même nature est imposée pour la première fois à l'égard du camion au cours de la période taxable en vertu d'une loi d'une province autre que le Québec.

541.17 [*Abrogé*]

Notes historiques: L'article 541.17 a été abrogé par L.Q. 1997, c. 14, par. 379(1) rétroactivement au 15 décembre 1995. L'article 541.17, ajouté par L.Q. 1995, c. 63, par. 505(1), est entré en vigueur le 1er mars 1996. Toutefois, cet article 541.17 ne s'appliquait pas à l'égard d'un camion pour lequel, conformément au *Code de la sécurité routière* (L.R.Q., chapitre C-24.2), des sommes sont payables pour obtenir le droit de circuler au Québec, relativement à une période de 12 mois se rapportant au calcul de ces droits et qui débute à cette date, dans le cas où le camion est acquis après le 31 décembre 1995 et avant le 1er mars 1996. L'article 541.17 se lisait comme suit :

541.17 Un remboursement prévu au présent chapitre relatif à une période taxable donnée s'effectue au moyen d'un chèque ou d'un crédit applicable au paiement de la taxe qui est exigible en vertu des articles 541.2 et 541.6 relativement à une période taxable subséquente à la période taxable donnée.

Chapitre VI — [*Abrogé*]

Notes historiques: L'intitulé du chapitre VI a été abrogé par L.Q. 1997, c. 14, par. 379(1) rétroactivement au 15 décembre 1995. Antérieurement, il se lisait ainsi : « Dispositions diverses ».

L'intitulé du chapitre VI a été ajouté par L.Q. 1995, c. 63, par. 505(1) et est entré en vigueur le 1er mars 1996. Toutefois, il ne s'applique pas à l'égard d'un camion pour lequel, conformément au *Code de la sécurité routière* (L.R.Q., chapitre C-24.2), des sommes sont payables pour obtenir le droit de circuler au Québec, relativement à une période de 12 mois se rapportant au calcul de ces droits et qui débute à cette date, dans le cas où le camion est acquis après le 31 décembre 1995 et avant le 1er mars 1996.

SECTION I — [ABROGÉE]

Notes historiques: L'intitulé de la section I du chapitre VI a été abrogé par L.Q. 1997, c. 14, par. 379(1) rétroactivement au 15 décembre 1995. Antérieurement, il se lisait ainsi : « Calcul de la taxe ».

L'intitulé de la section I du chapitre VI a été ajouté par L.Q. 1995, c. 63, par. 505(1) et est entré en vigueur le 1er mars 1996. Toutefois, il ne s'applique pas à l'égard d'un camion pour lequel, conformément au *Code de la sécurité routière* (L.R.Q., chapitre C-24.2), des sommes sont payables pour obtenir le droit de circuler au Québec, relativement à une période de 12 mois se rapportant au calcul de ces droits et qui débute à cette date, dans le cas où le camion est acquis après le 31 décembre 1995 et avant le 1er mars 1996.

541.18 [*Abrogé*]

Notes historiques: L'article 541.18 a été abrogé par L.Q. 1997, c. 14, par. 379(1) rétroactivement au 15 décembre 1995. L'article 541.18, ajouté par L.Q. 1995, c. 63, par. 505(1), est entré en vigueur le 1er mars 1996. Toutefois, cet article 541.18 ne s'appliquait pas à l'égard d'un camion pour lequel, conformément au *Code de la sécurité routière* (L.R.Q., chapitre C-24.2), des sommes sont payables pour obtenir le droit de circuler au Québec, relativement à une période de 12 mois se rapportant au calcul de ces droits et qui débute à cette date, dans le cas où le camion est acquis après le 31 décembre 1995 et avant le 1er mars 1996. L'article 541.18 se lisait comme suit :

> 514.18 Aux fins de la détermination d'un montant de taxe calculée conformément au présent titre ou d'un remboursement y afférent, toute fraction d'un dollar inférieure à 0,50 $ ne doit pas être prise en compte et toute fraction d'un dollar qui est égale ou supérieure à 0,50 $ est réputée être égale à un dollar.

SECTION II — [ABROGÉE]

Notes historiques: L'intitulé de la section II du chapitre VI a été abrogé par L.Q. 1997, c. 14, par. 379(1) rétroactivement au 15 décembre 1995. Antérieurement, il se lisait ainsi : « Infractions et peines ».

L'intitulé de la section II du chapitre VI a été ajouté par L.Q. 1995, c. 63, par. 505(1) et est entré en vigueur le 1er mars 1996. Toutefois, il ne s'applique pas à l'égard d'un camion pour lequel, conformément au *Code de la sécurité routière* (L.R.Q., chapitre C-24.2), des sommes sont payables pour obtenir le droit de circuler au Québec, relativement à une période de 12 mois se rapportant au calcul de ces droits et qui débute à cette date, dans le cas où le camion est acquis après le 31 décembre 1995 et avant le 1er mars 1996.

541.19 [*Abrogé*]

Notes historiques: L'article 541.19 a été abrogé par L.Q. 1997, c. 14, par. 379(1) rétroactivement au 15 décembre 1995. L'article 541.19, ajouté par L.Q. 1995, c. 63, par. 505(1), est entré en vigueur le 1er mars 1996. Toutefois, cet article 541.19 ne s'appliquait pas à l'égard d'un camion pour lequel, conformément au *Code de la sécurité routière* (L.R.Q., chapitre C-24.2), des sommes sont payables pour obtenir le droit de circuler au Québec, relativement à une période de 12 mois se rapportant au calcul de ces droits et qui débute à cette date, dans le cas où le camion est acquis après le 31 décembre 1995 et avant le 1er mars 1996. L'article 541.19 se lisait comme suit :

> 541.19 Le propriétaire qui fait en sorte qu'un camion circule sur un chemin public du Québec au cours d'une période taxable, sans que la taxe prévue aux articles 541.2 et 541.6 n'ait été payée à l'égard du camion relativement à la période taxable, commet une infraction et est passible d'une amende d'un montant équivalant au total de la taxe qu'il doit payer à cet égard.

541.20 [*Abrogé*]

Notes historiques: L'article 541.20 a été abrogé par L.Q. 1997, c. 14, par. 379(1) rétroactivement au 15 décembre 1995. L'article 541.20, ajouté par L.Q. 1995, c. 63, par. 505(1), est entré en vigueur le 1er mars 1996. Toutefois, cet article 541.20 ne s'appliquait pas à l'égard d'un camion pour lequel, conformément au *Code de la sécurité routière* (L.R.Q., chapitre C-24.2), des sommes sont payables pour obtenir le droit de circuler au Québec, relativement à une période de 12 mois se rapportant au calcul de ces droits et qui débute à cette date, dans le cas où le camion est acquis après le 31 décembre 1995 et avant le 1er mars 1996. L'article 541.20 se lisait comme suit :

> 541.20 Le propriétaire qui n'a pas satisfait à son obligation de conserver, conformément à l'article 541.12, un certificat attestant le paiement de la taxe à l'égard d'un camion, commet une infraction et est passible d'une amende de 30 $ à 60 $.

SECTION III — [ABROGÉE]

Notes historiques: L'intitulé de la section III du chapitre VI a été abrogé par L.Q. 1997, c. 14, par. 379(1) rétroactivement au 15 décembre 1995. Antérieurement, il se lisait ainsi : « Loi sur le ministère du Revenu ».

L'intitulé de la section III du chapitre VI a été ajouté par L.Q. 1995, c. 63, par. 505(1) et est entré en vigueur le 1er mars 1996. Toutefois, il ne s'applique pas à l'égard d'un camion pour lequel, conformément au *Code de la sécurité routière* (L.R.Q., chapitre C-24.2), des sommes sont payables pour obtenir le droit de circuler au Québec, relativement à une période de 12 mois se rapportant au calcul de ces droits et qui débute à cette date, dans le cas où le camion est acquis après le 31 décembre 1995 et avant le 1er mars 1996.

541.21 [*Abrogé*]

Notes historiques: L'article 541.21 a été abrogé par L.Q. 1997, c. 14, par. 379(1) rétroactivement au 15 décembre 1995. L'article 541.21, ajouté par L.Q. 1995, c. 63, par. 505(1), est entré en vigueur le 1er mars 1996. Toutefois, cet article 541.21 ne s'appliquait pas à l'égard d'un camion pour lequel, conformément au *Code de la sécurité routière* (L.R.Q., chapitre C-24.2), des sommes sont payables pour obtenir le droit de circuler au Québec, relativement à une période de 12 mois se rapportant au calcul de ces droits et qui débute à cette date, dans le cas où le camion est acquis après le 31 décembre 1995 et avant le 1er mars 1996. L'article 541.21 se lisait comme suit :

> 541.21 Les sections iii et vii du chapitre III de la *Loi sur le ministère du Revenu* ne s'appliquent pas au présent titre.

Chapitre VII — [*Abrogée*]

Notes historiques: L'intitulé du chapitre VII a été abrogé par L.Q. 1997, c. 14, par. 379(1) rétroactivement au 15 décembre 1995. Antérieurement, l'intitulé du chapitre VII se lisait ainsi : « Dispositions réglementaires ».

L'intitulé du chapitre VII a été ajouté par L.Q. 1995, c. 63, par. 505(1) et est entré en vigueur le 1er mars 1996. Toutefois, il ne s'applique pas à l'égard d'un camion pour lequel, conformément au *Code de la sécurité routière* (L.R.Q., chapitre C-24.2), des sommes sont payables pour obtenir le droit de circuler au Québec, relativement à une période de 12 mois se rapportant au calcul de ces droits et qui débute à cette date, dans le cas où le camion est acquis après le 31 décembre 1995 et avant le 1er mars 1996.

541.22 [*Abrogé*]

Notes historiques: L'article 541.22 a été abrogé par L.Q. 1997, c. 14, par. 379(1) rétroactivement au 15 décembre 1995. L'article 541.22, ajouté par L.Q. 1995, c. 63, par. 505(1), est entré en vigueur le 1er mars 1996. Toutefois, cet article 541.22 ne s'appliquait pas à l'égard d'un camion pour lequel, conformément au *Code de la sécurité routière* (L.R.Q., chapitre C-24.2), des sommes sont payables pour obtenir le droit de circuler au Québec, relativement à une période de 12 mois se rapportant au calcul de ces droits et qui débute à cette date, dans le cas où le camion est acquis après le 31 décembre 1995 et avant le 1er mars 1996. L'article 541.22 se lisait comme suit :

> 541.22 Le gouvernement peut, par règlement :
>
> 1º pour l'application de l'article 541.2, déterminer les règles prescrites et la manière prescrite;
>
> 2º déterminer, pour l'application de l'article 541.5, le nombre d'essieux prescrit;
>
> 3º déterminer, pour l'application de l'article 541.8, le nombre de kilomètres prescrit;
>
> 4º déterminer, pour l'application de l'article 541.10, les personnes qui constituent des personnes prescrites;
>
> 5º déterminer, pour l'application de l'article 541.11, le pourcentage prescrit;
>
> 6º déterminer, pour l'application de l'article 541.15, le nombre de kilomètres prescrit;
>
> 7º déterminer, pour l'application de l'article 541.16, la manière prescrite et les règles prescrites;
>
> 8º prescrire les autres mesures requises pour l'application du présent titre.
>
> Les règlements adoptés en vertu de la présente loi entrent en vigueur le jour de leur publication à la *Gazette officielle du Québec* ou à une date ultérieure qui y est fixée; ils peuvent aussi, une fois publiés et s'ils en disposent ainsi, s'appliquer à une date antérieure à leur publication mais non antérieure à l'année en cours.

TITRE IV.2 — TAXE SUR L'HÉBERGEMENT

Notes historiques: L'intitulé du titre IV.2 a été remplacé par L.Q. 2005, c. 38, par. 387(1) et cette modification a effet depuis le 1er juillet 2005. Antérieurement, il se lisait ainsi : « Taxe spécifique sur l'hébergement ».

L'intitulé du titre IV.2 a été ajouté par L.Q. 1994, c. 14, par. 354(1) et s'applique à compter du 1er avril 1997.

L'application de L.Q. 1997, c. 14, art. 354(1) a été modifiée par L.Q. 1997, c. 85, art. 774(1) et se lit comme suit :

> La modification s'applique à l'égard de la fourniture d'une unité d'hébergement qui est facturée après le 31 mars 1997 par l'exploitant d'un établissement d'hébergement pour une occupation après cette date.
>
> Toutefois, l'exploitant de l'établissement d'hébergement n'a pas à percevoir la taxe spécifique sur l'hébergement à l'égard d'une unité d'hébergement facturée à un agent de voyages au sens de l'article 2 de la *Loi sur les agents de voyages* (L.R.Q., chapitre A-10), un tour-opérateur étranger ou un organisateur de congrès qui fournit les unités d'hébergement aux congressistes, dans la mesure où, d'une part, le prix de cette unité a été fixé dans le cadre d'une entente visant à garantir les tarifs d'hébergement pour l'année 1997 intervenue avant le 1er avril 1997 entre l'exploitant et l'agent de voyages, le touropérateur étranger ou l'organisateur de congrès et, d'autre part, l'occupation de cette unité s'effectue entre le 1er avril 1997 et le 1er janvier 1998.
>
> L'application modifiée a effet depuis le 22 mai 1997. Dans le cas visé au deuxième paragraphe, soit dans le cas où il y a eu une entente visant à garantir les tarifs d'hébergement pour l'année 1997, les montants de taxe perçus entre le 1er avril 1997 et le 16 mai 1997 peuvent être remboursés par l'exploitant d'un établissement d'hébergement à l'agent de voyages, au tour-opérateur étranger ou à l'organisateur de congrès dans la mesure où ce dernier formule une demande à cet effet à l'exploitant d'un établissement d'hébergement avant le 1er juillet 1997 et où la taxe a été remboursée à la clientèle touristique par l'agent de voyages, le tour-opérateur étranger ou l'organisateur de congrès avant le 1er juillet 1997.

Chapitre I — Définitions

Notes historiques: L'intitulé du chapitre I a été ajouté par L.Q. 1994, c. 14, par. 354(1) et s'applique à compter du 1er avril 1997.

L'application de L.Q. 1997, c. 14, art. 354(1) a été modifiée par L.Q. 1997, c. 85, art. 774(1). [Voir les notes historiques sous le Titre IV.2].

541.23 Définitions — Pour l'application du présent titre et des règlements adoptés en vertu de celui-ci, à moins que le contexte n'indique un sens différent, l'expression :

« acquéreur » a le sens que lui donne l'article 1;

Définitions: « acquéreur », « activité commerciale », « fourniture », « personne », « trimestre civil » — 1.

Renvois: 541.25 (mandataire du ministre); 541.26 (rendre compte au ministre).

Bulletins d'interprétation: TVQ. 541.23-1 — Abolition de la mesure de détaxation de certains forfaits hôteliers et instauration de la taxe spécifique sur l'hébergement dans certaines régions prescrites.

Concordance fédérale: aucune.

« activité commerciale » (*définition supprimée*);

Notes historiques: La définition de « activité commerciale » à l'article 541.23 a été supprimée par L.Q. 2005, c. 38, s.-par. 388(1)(1°) et cette modification a effet depuis le 1er juillet 2005. Antérieurement, elle se lisait ainsi :

> « activité commerciale » a le sens que lui donne l'article 1;

« client » signifie l'acquéreur de la fourniture d'une unité d'hébergement mais ne comprend pas l'intermédiaire;

Notes historiques: La définition de « client » de l'article 541.23 a été remplacée par L.Q. 2005, c. 38, s-.par. 388(1)(2°) et cette modification a effet depuis le 1er juillet 2005. Antérieurement, elle se lisait ainsi :

> « client » signifie l'acquéreur de la fourniture d'une unité d'hébergement mais ne comprend pas l'acquéreur qui la reçoit afin d'en effectuer uniquement à nouveau la fourniture dans le cadre de ses activités commerciales;

Concordance fédérale: aucune.

« établissement d'hébergement » signifie un établissement d'hébergement touristique au sens du *Règlement sur les établissements d'hébergement touristique* (chapitre E-14.2, r. 1);

Notes historiques: La définition de « établissement d'hébergement » à l'article 541.23 a été remplacée par L.Q. 2011, c. 6, s.-par. 286(1)(1°) et cette modification a effet depuis le 1er janvier 2011. Antérieurement, elle se lisait ainsi :

> « établissement d'hébergement » signifie :
>
> 1° un établissement d'hébergement touristique au sens du *Règlement sur les établissements d'hébergement touristique*, édicté par le décret nº 1111-2001 du 19 septembre 2001, tel que ce règlement se lit au moment de son application;
>
> 2° une pourvoirie au sens de la *Loi sur la conservation et la mise en valeur de la faune* (chapitre C-61.1) ou de la *Loi sur les droits de chasse et de pêche dans les territoires de la Baie James et du Nouveau-Québec* (chapitre D-13.1);

La définition d'« établissement d'hébergement » à l'article 541.23 a été remplacée par L.Q. 2003, c. 9, s.-par. 457(1)(1°) et cette modification a effet depuis le 1er décembre 2001. Antérieurement, elle se lisait ainsi :

> « établissement d'hébergement » a le sens que lui donne le règlement;

Concordance fédérale: aucune.

« exploitant d'un établissement d'hébergement » signifie une personne qui exerce les activités relatives à l'exploitation d'un établissement d'hébergement;

Notes historiques: La définition de « exploitant d'un établissement d'hébergement » à l'article 541.23 a été ajoutée par L.Q. 2004, c. 21, s.-par. 541(1)(3°) et a effet depuis le 10 octobre 2003.

Concordance fédérale: aucune.

« fourniture » a le sens que lui donne l'article 1;

Concordance fédérale: aucune.

« intermédiaire » signifie l'acquéreur de la fourniture d'une unité d'hébergement qui la reçoit afin d'en effectuer uniquement de nouveau la fourniture;

Notes historiques: La définition d'« intermédiaire » à l'article 541.23 a été modifée par L.Q. 2010, c. 25, par. 248(1) par la suppression des mots « moyennant une contrepartie ». Cette modification a effet depuis le 1er juillet 2005.

La définition de « intermédiaire » de l'article 541.23 a été ajoutée par L.Q. 2005, c. 38, s-.par. 388(1)(3°) et a effet depuis le 1er juillet 2005.

Concordance fédérale: aucune.

« nuitée » signifie la fourniture d'une unité d'hébergement de plus de six heures par période de 24 heures;

Concordance fédérale: aucune.

« personne » a le sens que lui donne l'article 1;

Concordance fédérale: aucune.

« règlement » (*définition supprimée*);

Notes historiques: La définition de « règlement » à l'article 541.23 a été supprimée par L.Q. 2003, c. 9, s.-par. 457(1)(2°) et cette modification a effet depuis le 1er décembre 2001. Antérieurement, elle se lisait ainsi :

> « règlement » signifie le *Règlement sur les établissements touristiques* (Décret 747-91 (1991, G.O. 2, 2682)) et ses modifications actuelles et futures;

« trimestre civil » a le sens que lui donne l'article 1;

Concordance fédérale: aucune.

« unité d'hébergement » comprend une chambre, un lit, une suite, un appartement, une maison ou un chalet.

Notes historiques: La défintion de « unité d'hébergement » à l'article 541.23 a été modifiée par L.Q. 2011, c. 6, s.-par. 286(1)(2°) par l'insertion, après « un lit, », de « une suite, ». Cette modification a effet depuis le 1er janvier 2011.

La définition d'« unité d'hébergement » à l'article 541.23 a été remplacée par L.Q. 2006, c. 36, art. 290 et cette modification est entrée en vigueur le 6 décembre 2006. Antérieurement, elle se lisait ainsi :

> « unité d'hébergement » a le sens que lui donne le *Règlement sur les établissements d'hébergement touristique*, tel qu'il se lit au moment de son application.

La définition d'« unité d'hébergement » à l'article 541.23 a été modifiée par L.Q. 2003, c. 9, par. s.-par. 457(1)(3°) par le remplacement du mot « règlement » par les mots « *Règlement sur les établissements d'hébergement touristique*, tel qu'il se lit au moment de son application ». Cette modification a effet depuis le 1er décembre 2001.

Les définitions de l'article 541.23 ont été ajoutées par L.Q. 1997, c. 14, art. 354 et s'appliquent à l'égard de la fourniture d'une unité d'hébergement qui est facturée après le 31 mars 1997 par l'exploitant d'un établissement d'hébergement pour une occupation après cette date. Toutefois, l'exploitant de l'établissement d'hébergement n'a pas à percevoir la taxe spécifique sur l'hébergement à l'égard d'une unité d'hébergement facturée à un agent de voyages au sens de l'article 2 de la *Loi sur les agents de voyages* (L.R.Q., chapitre A-10), un tour-opérateur étranger ou un organisateur de congrès qui fournit les unités d'hébergement aux congressistes, dans la mesure où, d'une part, le prix de cette unité a été fixé dans le cadre d'une entente visant à garantir les tarifs d'hébergement pour l'année 1997 intervenue avant le 1er avril 1997 entre l'exploitant et l'agent de voyages, le tour-opérateur étranger ou l'organisateur de congrès et, d'autre part, l'occupation de cette unité s'effectue entre le 1er avril 1997 et le 1er janvier 1998.

[*N.D.L.R.* : l'application a été modifiée par L.Q. 1997, c. 85, art. 774(1) et a effet depuis le 22 mai 1997. Dans le cas où il y a eu une entente visant à garantir les tarifs d'hébergement pour l'année 1997, les montants de taxe perçus entre le 1er avril 1997 et le 16 mai 1997 peuvent être remboursés par l'exploitant d'un établissement d'hébergement à l'agent de voyages, au tour-opérateur étranger ou à l'organisateur de congrès dans la mesure où ce dernier formule une demande à cet effet à l'exploitant d'un établissement d'hébergement avant le 1er juillet 1997 et où la taxe a été remboursée à la clientèle touristique par l'agent de voyages, le tour-opérateur étranger ou l'organisateur de congrès avant le 1er juillet 1997. Antérieurement, le paragraphe d'application prévoyait ceci :

> Les définitions s'appliquent à l'égard de la fourniture d'une unité d'hébergement qui est facturée après le 31 mars 1997 par une personne qui exploite l'établissement d'hébergement pour une occupation après cette date.

Notes explicatives ARQ (PL 5, L.Q. 2011, c. 6): *Résumé* :

L'article 541.23 prévoit diverses définitions pour l'application du régime de la taxe sur l'hébergement. Les définitions des expressions « établissement d'hébergement » et « unité d'hébergement » sont modifiées de concordance avec les modifications apportées aux définitions de ce qui constitue un établissement d'hébergement touristique et une unité d'hébergement selon le *Règlement sur les établissements d'hébergement touristique* (R.R.Q., chapitre E-14.2, r. 1) (REHT).

Situation actuelle :

L'article 541.23 prévoit diverses définitions pour l'application du régime de la taxe sur l'hébergement. La définition de l'expression « établissement d'hébergement » désigne un établissement d'hébergement touristique au sens du REHT et les pourvoiries au sens de la *Loi sur la conservation et la mise en valeur de la faune* (L.R.Q., chapitre C-61.1) ou de la *Loi sur les droits de chasse et de pêche dans les territoires de la Baie James et du Nouveau-Québec* (L.R.Q., chapitre D-13.1). La définition de l'expression « unité d'hébergement » comprend une chambre, un lit, un appartement, une maison ou un chalet.

Le *Règlement modifiant le Règlement sur les établissements d'hébergement touristique*, édicté par le décret no 1045-2010 (2010, *G.O.* 2, 5485), modifie ce qui constitue un établissement d'hébergement touristique et une unité d'hébergement selon le REHT. Ainsi, un établissement d'hébergement touristique comprend maintenant les pourvoiries au sens de la *Loi sur la conservation et la mise en valeur de la faune* ou de la *Loi sur les droits de chasse et de pêche dans les territoires de la Baie James et du Nouveau-Québec*. Également, l'expression « unité d'hébergement » comprend une suite.

Modifications proposées :

Les définitions des expressions « établissement d'hébergement » et « unité d'hébergement » prévues à l'article 541.23 sont modifiées de concordance avec les modifications

LTVQ (français)

de ce qui constitue un établissement d'hébergement touristique et une unité d'hébergement selon le REHT. Puisque les établissements de pourvoirie sont maintenant inclus dans ce qui constitue un établissement d'hébergement touristique en vertu de l'article 1 du REHT, il n'est plus nécessaire que la définition de l'expression « établissement d'hébergement » prévue à l'article 541.23 de la LTVQ les mentionne spécifiquement. Également, la définition de l'expression « unité d'hébergement » est modifiée pour comprendre une suite.

Notes explicatives ARQ (PL 96, L.Q. 2010, c. 25): *Résumé* :

L'article 541.23 prévoit diverses définitions nécessaires à l'application du régime de la taxe sur l'hébergement.

Situation actuelle :

Selon la définition de l'expression « intermédiaire » prévue à l'article 541.23, cette expression signifie l'acquéreur de la fourniture d'une unité d'hébergement qui la reçoit afin d'en effectuer uniquement de nouveau la fourniture moyennant une contrepartie.

Modifications proposées :

Il y aurait lieu de modifier la définition de l'expression « intermédiaire » afin de tenir compte du fait que les intermédiaires fournissent, parfois, des unités d'hébergement à titre gratuit. Conséquemment, la mention « moyennant une contrepartie » devrait être supprimée.

Notes explicatives ARQ (PL 41, L.Q. 2006, c. 36): *Résumé* :

L'article 541.23 prévoit diverses définitions nécessaires à l'application du régime de la taxe sur l'hébergement.

La définition de l'expression « unité d'hébergement » est modifiée afin de préciser les unités visées par l'application de la taxe sur l'hébergement.

Situation actuelle :

Actuellement, la définition de l'expression « unité d'hébergement » prévue à l'article 541.23 de la LTVQ réfère à la définition de cette expression contenue dans le *Règlement sur les établissements d'hébergement touristique* (D. 1111-2001). Or, cette dernière définition comprend également « un camp, un carré de tente, un wigwam ou un site pour camper ». Ces dernières unités étant incluses dans les catégories d'établissements d'hébergement non-visées par la taxe sur l'hébergement, à savoir les meublés rudimentaires et les établissements de camping, il convient qu'elles ne soient pas comprises dans la définition de l'expression « unité d'hébergement ».

Modifications proposées :

La modification proposée à l'article 541.23 de la LTVQ vise à clarifier la définition de l'expression « unité d'hébergement » afin que cette définition comprenne uniquement les unités visées par le régime de la taxe sur l'hébergement.

Guides [art. 541.23]: IN-203 — Renseignements généraux sur la TVQ et la TPS/TVH.

Bulletins d'interprétation [art. 541.23]: TVQ. 541.23-1/R2 — Application de la taxe spécifique sur l'hébergement dans certaines régions prescrites — règles transitoires; TVQ. 541-24-2/R1 — Fourniture d'une unité d'hébergement pour une période de plus de 31 jours consécutifs en regard de l'imposition de la taxe sur l'hébergement; TVQ. 541-25-1/R1 — Mandataires responsables de la perception et du versement de la taxe sur l'hébergement.

Bulletins d'information [art. 541.23]: 2005-5 — Application optionnelle d'une taxe sur l'hébergement de 3%.

Lettres d'interprétation [art. 541.23]: 98-0108146 — Interprétation relative à la TPS et à la TVQ — Prix reçus par un athlète professionnel; 99-0104671 — Interprétation relative à la TPS et à la TVQ — Demande de CTI et de RTI par un dentiste.

Concordance fédérale: aucune.

Chapitre II — Imposition de la taxe

Notes historiques: L'intitulé du chapitre II du titre IV.2 a été remplacé par L.Q. 2005, c. 38, par. 389(1) et cette modification a effet depuis le 1er juillet 2005. Antérieurement, il se lisait ainsi : « Imposition de la taxe spécifique ».

L'intitulé du chapitre II a été ajouté par L.Q. 1994, c. 14, par. 354(1) et s'applique à compter du 1er avril 1997.

L'application de L.Q. 1997, c. 14, art. 354(1) a été modifiée par L.Q. 1997, c. 85, art. 774(1). [Voir les notes historiques sous le Titre IV.2].

541.24 Taxe — Le client doit, lors de la fourniture d'une unité d'hébergement dans un établissement d'hébergement prescrit situé dans une région touristique prescrite, payer :

1° dans le cas où cet établissement est situé dans une région touristique de la catégorie 1 prescrite, une taxe spécifique égale à 2 $ par nuitée pour chaque unité;

2° dans le cas où cet établissement est situé dans une région touristique de la catégorie 2 prescrite :

a) si la fourniture est effectuée par l'exploitant d'un établissement d'hébergement, une taxe calculée au taux de 3 % sur la valeur de la contrepartie de la nuitée;

b) si la fourniture est effectuée par un intermédiaire, une taxe spécifique égale à 3 $ par nuitée pour chaque unité.

3° pour la période commençant après le 31 janvier 2010 et se terminant avant le 1er février 2015, dans le cas où cet établissement est situé dans une région touristique de la catégorie 3 prescrite :

a) si la fourniture est effectuée par l'exploitant d'un établissement d'hébergement, une taxe calculée au taux de 3,5 % sur la valeur de la contrepartie de la nuitée;

b) si la fourniture est effectuée par un intermédiaire, une taxe spécifique égale à 3,50 $ par nuitée pour chaque unité.

Ajout proposé — 541.24, al. 1, par. 4°

4° dans le cas où cet établissement est situé dans une région touristique de la catégorie 4 prescrite, une taxe spécifique égale à 3 $ par nuitée pour chaque unité.

Application: Le paragraphe 4° du premier alinéa de l'article 541.24 sera ajouté par le par. 235(1) du *Projet de loi 18* (présenté le 21 février 2013) et s'appliquera à l'égard de la fourniture d'une unité d'hébergement qui est facturée après le 30 juin 2012 pour une occupation après cette date, sauf si, selon le cas :

1° l'unité d'hébergement est fournie par un intermédiaire qui en a reçu la fourniture avant le 1er juillet 2012;

2° la fourniture de l'unité d'hébergement est facturée par l'exploitant d'un établissement d'hébergement à un intermédiaire de voyages qui est un agent de voyages au sens de l'article 2 de la *Loi sur les agents de voyages* (chapitre A-10), un voyagiste étranger ou un organisateur de congrès qui fournit l'unité d'hébergement à un congressiste, lorsque la contrepartie de cette fourniture a été fixée dans le cadre d'une entente intervenue avant le 1er juillet 2012 entre l'exploitant de l'établissement d'hébergement et l'intermédiaire de voyages et que l'occupation de l'unité d'hébergement s'effectue après le 30 juin 2012 et avant le 1er avril 2013.

Valeur de la contrepartie — Pour l'application du sous-paragraphe a) du paragraphe 2° et du sous-paragraphe a) du paragraphe 3° du premier alinéa, dans le cas où un bien ou un service est fourni avec l'unité d'hébergement pour une contrepartie unique, la valeur de la contrepartie de la nuitée correspond uniquement au montant attribuable à la fourniture de l'unité d'hébergement.

Détermination de la valeur de la contrepartie — Pour l'application du deuxième alinéa, le ministre peut déterminer la valeur de la contrepartie de la nuitée si cette valeur est inférieure à sa juste valeur marchande.

Modification proposée — Hausse de la taxe sur l'hébergement dans les régions touristiques de Lanaudière, de la Mauricie, du Saguenay — Lac-Saint-Jean et de Charlevoix

Bulletin d'information 2012-6, 21 décembre 2012: Le gouvernement a mis sur pied un fonds de partenariat touristique afin de renforcer et de soutenir la promotion et le développement touristiques du Québec. Le financement de ce fonds est assuré en partie par une taxe sur l'hébergement, applicable à chaque unité d'hébergement louée dans un établissement d'hébergement situé dans une région touristique du Québec qui en fait la demande au gouvernement par l'intermédiaire de son association touristique régionale (ATR).

Les revenus générés par cette taxe, déduction faite des coûts reliés à son administration, sont retournés aux régions participantes et les sommes ainsi retournées sont utilisées selon les modalités convenues dans le cadre d'un protocole d'entente intervenant entre Tourisme Québec et les ATR de ces régions participantes.

Les ATR qui désirent que la taxe sur l'hébergement s'applique sur leur territoire peuvent choisir entre l'imposition d'une taxe spécifique de 2 $ ou de 3 $ par nuitée ou d'une taxe ad valorem de 3 % du prix de chaque nuitée.

La taxe spécifique sur l'hébergement de 2 $ par nuitée s'applique dans la région touristique de Charlevoix depuis le 1er octobre 2001, dans celle du Saguenay — Lac-Saint-Jean depuis le 1er juillet 2002 et dans celles de Lanaudière et de la Mauricie depuis le 1er avril 2004. Or, à la suite de demandes présentées par les ATR de ces régions, la taxe spécifique de 2 $ par nuitée sera remplacée, à compter du 1er février 2013, par celle de 3 $ par nuitée dans les régions touristiques de Lanaudière, de la Mauricie et du Saguenay — Lac-Saint-Jean et par celle de 3 % du prix de chaque nuitée dans la région touristique de Charlevoix.

Ainsi, l'exploitant d'un établissement d'hébergement situé dans la région touristique de Lanaudière, de la Mauricie ou du Saguenay — Lac-Saint-Jean devra, selon le cas, percevoir ou prépercevoir la taxe spécifique sur l'hébergement de 3 $ à l'égard de toute unité d'hébergement louée dans son établissement qu'il facturera après le 31 janvier 2013 pour occupation après cette date.

Quant à l'exploitant d'un établissement d'hébergement situé dans la région touristique de Charlevoix, il devra percevoir la taxe de 3 % ou prépercevoir la taxe de 3 $ à l'égard de toute unité d'hébergement louée dans son établissement qu'il facturera après le 31 janvier 2013 pour occupation après cette date. En effet, lorsqu'un client fera l'acquisition d'une unité d'hébergement dans un établissement d'hébergement situé dans la région touristique de Charlevoix auprès d'une personne qui aura acquis l'unité d'une autre personne uniquement pour la fournir de nouveau moyennant un prix, la taxe sur l'hébergement ne sera pas de 3 % du prix de chaque nuitée mais plutôt de 3 $ par nuitée. Dans un tel cas, l'imposition d'une taxe spécifique de 3 $ au lieu d'une taxe ad valorem de 3 % permet l'application du système de préperception de la taxe sur l'hébergement, qui assure le caractère direct de la taxe tout en simplifiant son administration confiée essentiellement aux exploitants d'établissements d'hébergement.

Toutefois, l'exploitant d'un établissement d'hébergement situé dans l'une de ces quatre régions touristiques n'aura pas à prépercevoir la taxe de 3 $ à l'égard des unités d'hébergement facturées à un intermédiaire de voyages, lorsque le prix de ces unités aura été fixé dans le cadre d'une entente intervenue avant le 1er février 2013 entre l'exploitant et l'intermédiaire et que leur occupation par la clientèle touristique s'effectuera entre le 31 janvier 2013 et le 1er novembre 2013. Dans ces circonstances, l'exploitant demeurera tenu de prépercevoir la taxe actuelle de 2 $.

Modification proposée — Taxe sur l'hébergement dans les régions touristiques de l'Outaouais, du Centre-du-Québec et de l'Abitibi-Témiscamingue

Bulletin d'information 2012–3, 18 mai 2012: Le gouvernement a mis sur pied un fonds de partenariat touristique afin de renforcer et de soutenir la promotion et le développement touristiques du Québec. Le financement de ce fonds est assuré en partie par une taxe sur l'hébergement, applicable à chaque unité d'hébergement louée dans un établissement d'hébergement situé dans une région touristique du Québec qui en fait la demande au gouvernement par l'intermédiaire de son association touristique régionale (ATR).

Les revenus générés par cette taxe, déduction faite des coûts reliés à son administration, sont retournés aux régions participantes et les sommes ainsi retournées sont utilisées selon les modalités convenues dans le cadre d'un protocole d'entente intervenant entre le ministère du Tourisme et les ATR de ces régions participantes.

Les ATR qui désirent que la taxe sur l'hébergement s'applique sur leur territoire peuvent choisir entre l'imposition d'une taxe spécifique de 2 $ ou de 3 $ par nuitée ou d'une taxe ad valorem de 3 % du prix de chaque nuitée.

La taxe spécifique sur l'hébergement de 2 $ par nuitée s'applique dans les régions touristiques de l'Outaouais, du Centre-du-Québec et de l'Abitibi-Témiscamingue depuis respectivement le 1er octobre 2001, le 1er juillet 2003 et le 1er juillet 2004. Or, à la suite de demandes présentées par les ATR de ces régions, la taxe spécifique de 3 $ par nuitée remplacera celle de 2 $ par nuitée à compter du 1er juillet 2012.

Ainsi, l'exploitant d'un établissement d'hébergement situé dans l'une de ces trois régions touristiques devra percevoir ou prépercevoir la taxe spécifique sur l'hébergement de 3 $, selon le cas, à l'égard de toute unité d'hébergement louée dans son établissement qu'il facturera après le 30 juin 2012 pour occupation après cette date.

Toutefois, l'exploitant d'un établissement d'hébergement n'aura pas à prépercevoir la taxe de 3 $ à l'égard des unités d'hébergement facturées à un intermédiaire de voyages lorsque le prix de ces unités aura été fixé dans le cadre d'une entente intervenue avant le 1er juillet 2012 entre l'exploitant et l'intermédiaire et que leur occupation par la clientèle touristique s'effectuera entre le 30 juin 2012 et le 1er avril 2013. Dans ces circonstances, l'exploitant demeurera tenu de prépercevoir la taxe actuelle de 2 $.

Notes historiques: Le sous-paragraphe a) du paragraphe 2° du premier alinéa de l'article 541.24 a été modifié par L.Q. 2006, c. 36, s.-par. 291(1)(1°) par le remplacement, après les mots « contrepartie de la », du mot « fourniture » par le mot « nuitée ». Cette modification a effet depuis le 1er juillet 2005.

Le paragraphe 3° du premier alinéa de l'article 541.24 a été ajouté par L.Q. 2010, c. 25, s.-par. 249(1)(1°) et s'applique à l'égard de la fourniture d'une unité d'hébergement qui est facturée après le 31 janvier 2010 pour une occupation après cette date, sauf si, selon le cas :

1° l'unité d'hébergement est fournie par un intermédiaire qui en a reçu la fourniture avant le 1er février 2010;

2° l'unité d'hébergement a été facturée par l'exploitant d'un établissement d'hébergement à un intermédiaire de voyages qui est un agent de voyages au sens de l'article 2 de la *Loi sur les agents de voyages* (L.R.Q., chapitre A-10), un voyagiste étranger ou un organisateur de congrès qui fournit l'unité d'hébergement à un congressiste, la contrepartie a été fixée dans le cadre d'une entente intervenue avant le 1er février 2010 entre l'exploitant de l'établissement d'hébergement et l'intermédiaire de voyages et l'occupation de l'unité d'hébergement s'effectue après le 31 janvier 2010 et avant le 1er novembre 2010.

Le deuxième alinéa de l'article 541.24 a été modifié par L.Q. 2010, c. 25, s.-par. 249(1)(2°) par l'insertion, après « paragraphe 2° », de « et du sous-paragraphe a) du paragraphe 3° ». Cette modification s'applique à l'égard de la fourniture d'une unité d'hébergement qui est facturée après le 31 janvier 2010 pour une occupation après cette date, sauf si, selon le cas :

1° l'unité d'hébergement est fournie par un intermédiaire qui en a reçu la fourniture avant le 1er février 2010;

2° l'unité d'hébergement a été facturée par l'exploitant d'un établissement d'hébergement à un intermédiaire de voyages qui est un agent de voyages au sens de l'article 2 de la *Loi sur les agents de voyages* (L.R.Q., chapitre A-10), un voyagiste étranger ou un organisateur de congrès qui fournit l'unité d'hébergement à un congressiste, la contrepartie a été fixée dans le cadre d'une entente intervenue avant le 1er février 2010 entre l'exploitant de l'établissement d'hébergement et l'intermédiaire de voyages et l'occupation de l'unité d'hébergement s'effectue après le 31 janvier 2010 et avant le 1er novembre 2010.

Le deuxième alinéa de l'article 541.24 a été modifié par L.Q. 2006, c. 36, s.-par. 291(1)(2°) par le remplacement, après les mots « contrepartie de la », du mot « fourniture » par le mot « nuitée ». Cette modification a effet depuis le 1er juillet 2005.

Le troisième alinéa de l'article 541.24 a été modifié par L.Q. 2006, c. 36, s.-par. 291(1)(3°) par le remplacement du mot « fourniture » par le mot « nuitée ». Cette modification a effet depuis le 1er juillet 2005.

L'article 541.24 a été remplacé par L.Q. 2005, c. 38, par. 390(1) et cette modification a effet depuis le 1er juillet 2005. Antérieurement, il se lisait ainsi :

> 541.24 Le client doit, lors de la fourniture d'une unité d'hébergement dans un établissement d'hébergement prescrit situé dans une région touristique prescrite, payer une taxe spécifique égale à 2 $ par nuitée pour chaque unité.

L'article 541.24 a été ajouté par L.Q. 1997, c. 14, art. 354 et s'applique à l'égard de la fourniture d'une unité d'hébergement qui est facturée après le 31 mars 1997 par l'exploitant d'un établissement d'hébergement pour une occupation après cette date. Toutefois, l'exploitant de l'établissement d'hébergement n'a pas à percevoir la taxe spécifique sur l'hébergement à l'égard d'une unité d'hébergement facturée à un agent de voyages au sens de l'article 2 de la *Loi sur les agents de voyages* (L.R.Q., chapitre A-10), un tour-opérateur étranger ou un organisateur de congrès qui fournit les unités d'hébergement aux congressistes, dans la mesure où, d'une part, le prix de cette unité a été fixé dans le cadre d'une entente visant à garantir les tarifs d'hébergement pour l'année 1997 intervenue avant le 1er avril 1997 entre l'exploitant et l'agent de voyages, le tour-opérateur étranger ou l'organisateur de congrès et, d'autre part, l'occupation de cette unité s'effectue entre le 1er avril 1997 et le 1er janvier 1998.

[*N.D.L.R.* : l'application a été modifiée par L.Q. 1997, c. 85, art. 774(1) et a effet depuis le 22 mai 1997. Dans le cas où il y a eu une entente visant à garantir les tarifs d'hébergement pour l'année 1997, les montants de taxe perçus entre le 1er avril 1997 et le 16 mai 1997 peuvent être remboursés par l'exploitant d'un établissement d'hébergement à l'agent de voyages, au tour-opérateur étranger ou à l'organisateur de congrès dans la mesure où ce dernier formule une demande à cet effet à l'exploitant d'un établissement d'hébergement avant le 1er juillet 1997 et où la taxe a été remboursée à la clientèle touristique par l'agent de voyages, le tour-opérateur étranger ou l'organisateur de congrès avant le 1er juillet 1997. Antérieurement, le paragraphe d'application prévoyait ceci :

> Les définitions s'appliquent à l'égard de la fourniture d'une unité d'hébergement qui est facturée après le 31 mars 1997 par une personne qui exploite l'établissement d'hébergement pour une occupation après cette date.]

Notes explicatives ARQ (PL 96, L.Q. 2010, c. 25): *Résumé* :

Les modifications proposées à l'article 541.24 visent à introduire un nouveau taux de taxe sur l'hébergement de 3,5 %, applicable lors de la fourniture d'une unité d'hébergement dans un établissement d'hébergement prescrit situé dans une région touristique de la catégorie 3, soit la région touristique de Montréal.

Dans le cas particulier où un client reçoit la fourniture d'une unité d'hébergement d'un intermédiaire, la taxe sur l'hébergement n'est pas de 3,5 % du prix de la nuitée mais plutôt de 3,50 $ par nuitée.

Situation actuelle :

L'article 541.24 prévoit une taxe de 2 $ par nuitée imposée lors de la fourniture d'une unité d'hébergement dans un établissement d'hébergement prescrit situé dans certaines régions touristiques prescrites et une taxe de 3 % du prix de la nuitée ou de 3 $ par nuitée, selon le cas, imposée lors de la fourniture d'une unité d'hébergement dans un établissement d'hébergement prescrit situé dans certaines autres régions touristiques prescrites.

Modifications proposées :

Il y aurait lieu de modifier l'article 541.24 afin d'introduire un nouveau taux de taxe de 3,5 % applicable lors de la fourniture à un client, par un exploitant d'établissement d'hébergement, d'une unité d'hébergement dans un établissement prescrit situé dans la région touristique de Montréal et une taxe de 3,50 $ par nuitée applicable lorsque la fourniture d'une telle unité d'hébergement est effectuée par un intermédiaire.

À cet égard, le *Règlement sur la taxe de vente du Québec* sera modifié afin de prévoir la nouvelle catégorie 3, qui contiendra la région touristique de Montréal.

Notes explicatives ARQ (PL 41, L.Q. 2006, c. 36): *Résumé* :

L'article 541.24 est modifié afin de remplacer l'expression « valeur de la contrepartie de la fourniture » par l'expression « valeur de la contrepartie de la nuitée », la nuitée étant, aux termes de l'article 541.23 de la LTVQ, la fourniture d'une unité d'hébergement de plus de six heures par période de 24 heures.

LTVQ (français)

Situation actuelle :

Actuellement, l'article 541.24 de la LTVQ prévoit que la taxe *ad valorem* de 3 % est calculée sur la valeur de la contrepartie de la fourniture d'une unité d'hébergement.

Modifications proposées :

Les modifications proposées à l'article 541.24 de la LTVQ visent à préciser que la taxe ad valorem de 3 % est calculée sur la valeur de la contrepartie d'une nuitée dans une unité d'hébergement.

Guides [art. 541.24]: IN-260 — La taxe sur l'hébergement; IN-307 — Le démarrage d'entreprise et la fiscalité.

Définitions [art. 541.24]: « établissement d'hébergement », « nuitée », « unité d'hébergement » — 541.23.

Renvois [art. 541.24]: 541.25 (mandataire du ministre); 541.26 (rendre compte au ministre).

Règlements: RTVQ, 541.24R1-541.24R2.

Bulletins d'information: 2002-10 — Application de la taxe spécifique sur l'hébergement dans les régions touristiques des Cantons-de-l'Est et de Chaudière-Appalaches et autres mesures fiscales; 2003-2 — Application de la taxe spécifique sur l'hébergement dans les régions touristiques du Centre-du-Québec et de la Gaspésie; 2004-3 — Application de la taxe spécifique sur l'hébergement dans les régions touristiques du Bas-Saint-Laurent, de Lanaudière et de la Mauricie; 2004-5 — Application de la taxe spécifique sur l'hébergement dans les régions touristiques de l'Abitibi-Témiscamingue et prolongation du délai pour l'application de certaines mesures fiscales; 2005-2 — Application de la taxe spécifique sur l'hébergement dans la région touristique de la Montérégie; 2005-4 — Application de la taxe spécifique sur l'hébergement dans les régions touristiques des Laurentides; 2005-5 — Application optionnelle d'une taxe sur l'hébergement de 3 %; 2008-2 — Application de la taxe sur l'hébergement de 3 % dans la région touristique de la Gaspésie et maintien de l'aide fiscale accordée à la production de spectacles; 2008-3 — Application de la taxe sur l'hébergement dans la région touristique des Îles-de-la-Madeleine; 2009-7 — Hausse temporaire de la taxe sur l'hébergement dans la région touristique de Montréal dans le but de permettre le retour du Grand Prix du Canada; 2012-3 — Mesures relatives au Régime d'épargne-actions II et à la taxe sur l'hébergement.

Bulletins d'interprétation [art. 541.24]: SPÉCIAL 96 — Faits saillants, par. 4; SPÉCIAL 122 — Extension de l'application du crédit d'impôt pour spectacles musicaux aux spectacles dramatiques et aux spectacles d'humour — Précisions concernant la politique fiscale applicable aux particuliers et aux entreprises; SPÉCIAL 128 — Application de la taxe spécifique sur l'hébergement dans la région touristique du Saguenay-Lac-St-Jean; SPÉCIAL 134 — Application de la taxe spécifique sur l'hébergement dans les régions touristiques des Cantons-de l'Est et de Chaudière-Appalaches et autres mesures fiscales; SPÉCIAL 139 — Application de la taxe spécifique sur l'hébergement dans les régions touristiques du Centre-du-Québec et de la Gaspésie; TVQ. 16-1/R2 — Le gouvernement du Canada et les taxes à la consommation du Québec; TVQ. 541.23-1/R2 — Application de la taxe spécifique sur l'hébergement dans certaines régions prescrites — règles transitoires; TVQ. 541.24-1/R1 — Perception de la taxe sur l'hébergement; TVQ. 541-24-2/R1 — Fourniture d'une unité d'hébergement pour une période de plus de 31 jours consécutifs en regard de l'imposition de la taxe sur l'hébergement; TVQ. 541-25-1/R1 — Mandataires responsables de la perception et du versement de la taxe sur l'hébergement.

Publications [art. 541.24]: IN-260 — La taxe sur l'hébergement.

Concordance fédérale: aucune.

541.24.1 Facteur d'arrondissement — Dans le cas où la taxe qui est, à un moment quelconque, payable en vertu de l'article 541.24 à l'égard d'une ou de plusieurs fournitures faisant l'objet d'une même convention, d'une même facture ou d'un même reçu comprend une fraction de cent, les règles suivantes s'appliquent :

1° si la fraction est inférieure à un demi-cent, il peut ne pas être tenu compte de cette fraction;

2° si la fraction est égale ou supérieure à un demi-cent, elle est réputée égale à un cent.

Notes historiques: L'article 541.24.1 a été ajouté par L.Q. 2005, c. 38, par. 391(1) et a effet depuis le 1er juillet 2005.

Bulletins d'interprétation [art. 541.24]: TVQ. 541-25-1/R1 — Mandataires responsables de la perception et du versement de la taxe sur l'hébergement.

Publications [art. 541.24]: IN-260 — La taxe sur l'hébergement.

Concordance fédérale: aucune.

Chapitre III — Administration

Notes historiques: L'intitulé du chapitre III a été ajouté par L.Q. 1997, c. 14, par. 354(1) et s'applique à compter du 1er avril 1997.

L'application de L.Q. 1997, c. 14, art. 354(1) a été modifiée par L.Q. 1997, c. 85, art. 774(1). [Voir les notes historiques sous le Titre IV.2].

541.25 Perception de la taxe spécifique — L'exploitant d'un établissement d'hébergement ou l'intermédiaire qui reçoit un montant d'un client pour la fourniture d'une unité d'hébergement visée à l'article 541.24 doit, à titre de mandataire du ministre, percevoir en même temps la taxe.

Perception de la taxe spécifique — L'exploitant d'un établissement d'hébergement ou l'intermédiaire qui reçoit un montant d'une personne autre qu'un client pour la fourniture d'une telle unité d'hébergement doit, à titre de mandataire du ministre, percevoir en même temps un montant égal à la taxe.

Exception — L'exploitant d'un établissement d'hébergement ou l'intermédiaire qui effectue la fourniture d'une telle unité d'hébergement sans contrepartie doit, à titre de mandataire du ministre, percevoir, au moment où cette fourniture est effectuée :

1° dans le cas où la fourniture est effectuée à un client, la taxe prévue au paragraphe 1° du premier alinéa de l'article 541.24, au sous-paragraphe b) du paragraphe 2° ou au sous-paragraphe b) du paragraphe 3° de cet alinéa, selon le cas;

Modification proposée — 541.25, al. 3, par. 1°

1° dans le cas où la fourniture est effectuée à un client, la taxe prévue au paragraphe 1° du premier alinéa de l'article 541.24, au sous-paragraphe b) de l'un des paragraphes 2° et 3° de cet alinéa ou au paragraphe 4° de cet alinéa, selon le cas;

Application: Le paragraphe 1° du troisième alinéa de l'article 541.25 sera remplacé par le par. 236(1) du *Projet de loi 18* (présenté le 21 février 2013) et cette modification s'appliquera à l'égard de la fourniture d'une unité d'hébergement qui est facturée après le 30 juin 2012 pour une occupation après cette date, sauf si, selon le cas :

1° l'unité d'hébergement est fournie par un intermédiaire qui en a reçu la fourniture avant le 1er juillet 2012;

2° la fourniture de l'unité d'hébergement est facturée par l'exploitant d'un établissement d'hébergement à un intermédiaire de voyages qui est un agent de voyages au sens de l'article 2 de la *Loi sur les agents de voyages* (chapitre A-10), un voyagiste étranger ou un organisateur de congrès qui fournit l'unité d'hébergement à un congressiste, lorsque la contrepartie de cette fourniture a été fixée dans le cadre d'une entente intervenue avant le 1er juillet 2012 entre l'exploitant de l'établissement d'hébergement et l'intermédiaire de voyages et que l'occupation de l'unité d'hébergement s'effectue après le 30 juin 2012 et avant le 1er avril 2013.

2° dans le cas où la fourniture est effectuée à une personne autre qu'un client, un montant égal à l'une des taxes prévues au paragraphe 1°.

Notes historiques: Le troisième alinéa de l'article 541.25 a été remplacé par L.Q. 2010, c. 25, par. 250(1) et cette modification a effet depuis le 1er février 2010. Antérieurement, il se lisait ainsi :

> Toutefois, l'exploitant d'un établissement d'hébergement ou l'intermédiaire qui effectue une fourniture sans contrepartie doit, à titre de mandataire du ministre, percevoir, au moment où cette fourniture est effectuée :
>
> 1° dans le cas où une unité d'hébergement visée au paragraphe 1° du premier alinéa de l'article 541.24 est fournie, la taxe prévue à ce paragraphe;
>
> 2° dans le cas où une unité d'hébergement visée au sous-paragraphe b) du paragraphe 2° du premier alinéa de l'article 541.24 est fournie, la taxe prévue à ce sous-paragraphe.

Le troisième alinéa de l'article 541.25 a été ajouté par L.Q. 2005, c. 38, par. 392(1) et a effet depuis le 1er avril 1997. Toutefois :

1° à l'égard d'une fourniture effectuée avant le 10 octobre 2003, le troisième alinéa de l'article 541.25 doit se lire comme suit :

> Toutefois, la personne qui effectue une fourniture sans contrepartie d'une unité d'hébergement visée à l'article 541.24 doit, à titre de mandataire du ministre, percevoir la taxe au moment où cette fourniture est effectuée.

2° à l'égard d'une fourniture effectuée pour la période commençant le 10 octobre 2003 et se terminant le 30 juin 2005, le troisième alinéa de l'article 541.25 doit se lire comme suit :

> Toutefois, l'exploitant d'un établissement d'hébergement ou l'intermédiaire qui effectue une fourniture sans contrepartie d'une unité d'hébergement visée à l'article 541.24 doit, à titre de mandataire du ministre, percevoir la taxe au moment où cette fourniture est effectuée.

L'article 541.25 a été remplacé par L.Q. 2004, c. 21, s.-par. 543(1)(2°) et cette modification a effet depuis le 10 octobre 2003. Antérieurement, il se lisait ainsi :

> 541.25 La personne qui reçoit un montant d'un client pour la fourniture d'une unité d'hébergement visée à l'article 541.24 doit, à titre de mandataire du ministre, percevoir en même temps la taxe.

La personne qui reçoit un montant d'une personne autre qu'un client pour la fourniture d'une telle unité d'hébergement doit, à titre de mandataire du ministre, percevoir en même temps un montant égal à la taxe.

L'article 541.25 a été ajouté par L.Q. 1997, c. 14, art. 354 et s'applique à l'égard de la fourniture d'une unité d'hébergement qui est facturée après le 31 mars 1997 par l'exploitant d'un établissement d'hébergement pour une occupation après cette date. Toutefois, l'exploitant de l'établissement d'hébergement n'a pas à percevoir la taxe spécifique sur l'hébergement à l'égard d'une unité d'hébergement facturée à un agent de voyages au sens de l'article 2 de la *Loi sur les agents de voyages* (L.R.Q., chapitre A-10), un tour-opérateur étranger ou un organisateur de congrès qui fournit les unités d'hébergement aux congressistes, dans la mesure où, d'une part, le prix de cette unité a été fixé dans le cadre d'une entente visant à garantir les tarifs d'hébergement pour l'année 1997 intervenue avant le 1er avril 1997 entre l'exploitant et l'agent de voyages, le tour-opérateur étranger ou l'organisateur de congrès et, d'autre part, l'occupation de cette unité s'effectue entre le 1er avril 1997 et le 1er janvier 1998.

[*N.D.L.R.* : l'application a été modifiée par L.Q. 1997, c. 85, art. 774(1) et a effet depuis le 22 mai 1997. Voir les Notes historiques sous l'art. 541.24].

Notes explicatives ARQ (PL 96, L.Q. 2010, c. 25): *Résumé* :

Les modifications proposées au troisième alinéa de l'article 541.25 visent à apporter des précisions aux règles relatives à la perception de la taxe sur l'hébergement, dans le cas où le fournisseur effectue une fourniture à titre gratuit.

Situation actuelle :

Le troisième alinéa de l'article 541.25 prévoit les règles relatives à la perception de la taxe sur l'hébergement, dans un contexte de fourniture à titre gratuit.

Modifications proposées :

Il y aurait lieu de modifier le troisième alinéa de l'article 541.25 afin d'introduire la règle applicable lors de la fourniture à titre gratuit d'une unité d'hébergement à une personne autre qu'un client. Plus particulièrement, il est précisé que, dans ce cas, un montant égal à la taxe doit être perçu par le fournisseur.

Guides [art. 541.25]: IN-307 — Le démarrage d'entreprise et la fiscalité.

Définitions [art. 541.25]: « client », « fourniture », « personne », « unité d'hébergement » — 541.23.

Bulletins d'information: 2003-4 — Abolition du droit spécifique sur le perchloroéthylène et uniformisation des critères de reconnaissance des organismes d'éducation politique.

Bulletins d'interprétation [541.25]: SPÉCIAL 178 — Abolition du droit spécifique sur le perchloroéthylène et uniformisation des critères de reconnaissance des organismes d'éducation politique; TVQ. 541.23-1/R2 — Application de la taxe spécifique sur l'hébergement dans certaines régions prescrites — règles transitoires; TVQ. 541.24-1/R1 — Perception de la taxe sur l'hébergement; TVQ. 541-25-1/R1 — Mandataires responsables de la perception et du versement de la taxe sur l'hébergement.

Renvois [art. 541.25]: 541.24 (imposition de la taxe spécifique); 678 (application de la loi au gouvernement du Québec et à ses mandataires).

Concordance fédérale: aucune.

541.26 Obligation de rendre compte — La personne tenue de percevoir la taxe ou le montant égal à la taxe doit tenir compte de celui-ci et, au plus tard le dernier jour du mois suivant la fin d'un trimestre civil, rendre compte au ministre de la taxe ou du montant égal à la taxe qu'elle a perçue ou qu'elle aurait dû percevoir pour le trimestre civil précédent sur le formulaire prescrit contenant les renseignements prescrits et elle doit, au même moment, le lui verser.

Obligation de rendre compte — Elle doit rendre compte au ministre même si aucun montant relatif à la fourniture d'une unité d'hébergement donnant lieu à la taxe ou au montant égal à la taxe n'a été reçu durant le trimestre civil.

Exception — Toutefois, la personne n'est pas tenue de rendre compte au ministre, à moins que celui-ci ne l'exige, ni de lui verser la taxe ou le montant égal à cette taxe à l'égard de la fourniture d'une unité d'hébergement qu'elle a acquise d'une autre personne, lorsqu'elle a versé à cette dernière un montant égal à la taxe à l'égard de cette fourniture.

Montants réputés être des droits — Le montant égal à la taxe est réputé être un droit au sens de la *Loi sur l'administration fiscale* (chapitre A-6.002).

Notes historiques: L'article 541.26 a été ajouté par L.Q. 1997, c. 14, art. 354 et s'applique à l'égard de la fourniture d'une unité d'hébergement qui est facturée après le 31 mars 1997 par l'exploitant d'un établissement d'hébergement pour une occupation après cette date. Toutefois, l'exploitant de l'établissement d'hébergement n'a pas à percevoir la taxe spécifique sur l'hébergement à l'égard d'une unité d'hébergement facturée à un agent de voyages au sens de l'article 2 de la *Loi sur les agents de voyages* (L.R.Q., chapitre A-10), un tour-opérateur étranger ou un organisateur de congrès qui fournit les unités d'hébergement aux congressistes, dans la mesure où, d'une part, le prix de cette unité a été fixé dans le cadre d'une entente visant à garantir les tarifs d'hébergement pour l'année 1997 intervenue avant le 1er avril 1997 entre l'exploitant et l'agent de voyages, le tour-opérateur étranger ou l'organisateur de congrès et, d'autre part, l'occupation de cette unité s'effectue entre le 1er avril 1997 et le 1er janvier 1998.

[*N.D.L.R.* : l'application a été modifiée par L.Q. 1997, c. 85, art. 774(1) et a effet depuis le 22 mai 1997. Voir les Notes historiques sous l'art. 541.24].

Définitions [art. 541.26]: « fourniture », « personne », « trimestre civil », « unité d'hébergement » — 541.23.

Renvois [art. 541.26]: 541.24 (imposition de la taxe spécifique).

Bulletins d'information: 2002-3 — Application de la taxe spécifique sur l'hébergement dans la région touristique du Saguenay — Lac-St-Jean.

Bulletins d'interprétation [541.26]: TVQ. 541.25-1 — Mandataires responsables de la perception et du versement de la taxe sur l'hébergement.

Formulaires [art. 541.26]: VDZ-541.26, Formulaire de déclaration (Taxe sur l'hébergement).

Concordance fédérale: aucune.

541.27 Remboursement — Lorsqu'une personne rembourse le montant total payé pour une nuitée dans une unité d'hébergement, elle doit également rembourser la taxe ou le montant égal à la taxe qu'elle a perçu à son égard.

Déduction permise — Elle peut déduire ce montant dans le calcul de cette taxe pour une période de déclaration donnée au cours de laquelle elle verse ce montant à cette autre personne ou pour une période postérieure se terminant au plus tard quatre ans après le jour où la période donnée se termine.

Notes historiques: L'article 541.27 a été ajouté par L.Q. 1997, c. 14, art. 354 et s'applique à l'égard de la fourniture d'une unité d'hébergement qui est facturée après le 31 mars 1997 par l'exploitant d'un établissement d'hébergement pour une occupation après cette date. Toutefois, l'exploitant de l'établissement d'hébergement n'a pas à percevoir la taxe spécifique sur l'hébergement à l'égard d'une unité d'hébergement facturée à un agent de voyages au sens de l'article 2 de la *Loi sur les agents de voyages* (L.R.Q., chapitre A-10), un tour-opérateur étranger ou un organisateur de congrès qui fournit les unités d'hébergement aux congressistes, dans la mesure où, d'une part, le prix de cette unité a été fixé dans le cadre d'une entente visant à garantir les tarifs d'hébergement pour l'année 1997 intervenue avant le 1er avril 1997 entre l'exploitant et l'agent de voyages, le tour-opérateur étranger ou l'organisateur de congrès et, d'autre part, l'occupation de cette unité s'effectue entre le 1er avril 1997 et le 1er janvier 1998.

[*N.D.L.R.* : l'application a été modifiée par L.Q. 1997, c. 85, art. 774(1) et a effet depuis le 22 mai 1997. Voir les Notes historiques sous l'art. 541.24].

Définitions [art. 541.27]: « nuitée », « personne », « unité d'hébergement » — 541.23.

Concordance fédérale: aucune.

541.28 Certificat d'inscription — La personne tenue de verser au ministre la taxe a l'obligation de s'inscrire et d'être titulaire d'un certificat d'inscription délivré conformément à l'article 541.30.

Notes historiques: L'article 541.28 a été ajouté par L.Q. 1997, c. 14, art. 354 et s'applique à l'égard de la fourniture d'une unité d'hébergement qui est facturée après le 31 mars 1997 par l'exploitant d'un établissement d'hébergement pour une occupation après cette date. Toutefois, l'exploitant de l'établissement d'hébergement n'a pas à percevoir la taxe spécifique sur l'hébergement à l'égard d'une unité d'hébergement facturée à un agent de voyages au sens de l'article 2 de la *Loi sur les agents de voyages* (L.R.Q., chapitre A-10), un tour-opérateur étranger ou un organisateur de congrès qui fournit les unités d'hébergement aux congressistes, dans la mesure où, d'une part, le prix de cette unité a été fixé dans le cadre d'une entente visant à garantir les tarifs d'hébergement pour l'année 1997 intervenue avant le 1er avril 1997 entre l'exploitant et l'agent de voyages, le tour-opérateur étranger ou l'organisateur de congrès et, d'autre part, l'occupation de cette unité s'effectue entre le 1er avril 1997 et le 1er janvier 1998.

[*N.D.L.R.* : l'application a été modifiée par L.Q. 1997, c. 85, art. 774(1) et a effet depuis le 22 mai 1997. Voir les Notes historiques sous l'art. 541.24].

Guides [art. 541.28]: IN-202 — Dois-je m'inscrire au Ministère?; IN-203 — Renseignements généraux sur la TVQ et la TPS/TVH.

Définitions [art. 541.28]: « personne » — 541.23.

Renvois [art. 541.28]: 541.30 (demande d'inscription); 541.31 (annulation d'inscription).

Concordance fédérale: aucune.

541.29 Certificat d'inscription — La personne tenue de verser au ministre la taxe qui, immédiatement avant le jour où cette taxe devient applicable, est titulaire d'un certificat d'inscription délivré en vertu du titre I, est réputée, pour les fins du présent titre, être titulaire, le jour où cette taxe devient applicable, d'un certificat d'inscription délivré conformément à l'article 541.30.

Notes historiques: L'article 541.29 a été remplacé par L.Q. 2005, c. 38, par. 393(1) et cette modification a effet depuis le 1er juillet 2001. Antérieurement, il se lisait ainsi :

> 541.29 La personne tenue de verser au ministre la taxe qui, le 31 mars 1997, est titulaire d'un certificat d'inscription délivré en vertu du titre I, est réputée, pour les fins du présent titre, être titulaire le 1er avril 1997 d'un certificat d'inscription délivré conformément à l'article 541.30.

L'article 541.29 a été ajouté par L.Q. 1997, c. 14, art. 354 et s'applique à l'égard de la fourniture d'une unité d'hébergement qui est facturée après le 31 mars 1997 par l'exploitant d'un établissement d'hébergement pour une occupation après cette date. Toutefois, l'exploitant de l'établissement d'hébergement n'a pas à percevoir la taxe spécifique sur l'hébergement à l'égard d'une unité d'hébergement facturée à un agent de voyages au sens de l'article 2 de la *Loi sur les agents de voyages* (L.R.Q., chapitre A-10), un tour-opérateur étranger ou un organisateur de congrès qui fournit les unités d'hébergement aux congressistes, dans la mesure où, d'une part, le prix de cette unité a été fixé dans le cadre d'une entente visant à garantir les tarifs d'hébergement pour l'année 1997 intervenue avant le 1er avril 1997 entre l'exploitant et l'agent de voyages, le tour-opérateur étranger ou l'organisateur de congrès et, d'autre part, l'occupation de cette unité s'effectue entre le 1er avril 1997 et le 1er janvier 1998.

[*N.D.L.R.* : l'application a été modifiée par L.Q. 1997, c. 85, art. 774(1) et a effet depuis le 22 mai 1997. Voir les Notes historiques sous l'art. 541.24].

Définitions [art. 541.29]: « personne » — 541.23.

Renvois [art. 541.29]: 541.30 (demande d'inscription).

Concordance fédérale: aucune.

541.30 Demande d'inscription — La personne tenue d'être inscrite en vertu de l'article 541.28 doit présenter une demande d'inscription au ministre avant le jour où elle doit percevoir pour la première fois la taxe.

Dispositions applicables — Les articles 412 et 415 s'appliquent à cette demande, compte tenu des adaptations nécessaires.

Notes historiques: L'article 541.30 a été ajouté par L.Q. 1997, c. 14, art. 354 et s'applique à l'égard de la fourniture d'une unité d'hébergement qui est facturée après le 31 mars 1997 par l'exploitant d'un établissement d'hébergement pour une occupation après cette date. Toutefois, l'exploitant de l'établissement d'hébergement n'a pas à percevoir la taxe spécifique sur l'hébergement à l'égard d'une unité d'hébergement facturée à un agent de voyages au sens de l'article 2 de la *Loi sur les agents de voyages* (L.R.Q., chapitre A-10), un tour-opérateur étranger ou un organisateur de congrès qui fournit les unités d'hébergement aux congressistes, dans la mesure où, d'une part, le prix de cette unité a été fixé dans le cadre d'une entente visant à garantir les tarifs d'hébergement pour l'année 1997 intervenue avant le 1er avril 1997 entre l'exploitant et l'agent de voyages, le tour-opérateur étranger ou l'organisateur de congrès et, d'autre part, l'occupation de cette unité s'effectue entre le 1er avril 1997 et le 1er janvier 1998.

[*N.D.L.R.* : l'application a été modifiée par L.Q. 1997, c. 85, art. 774(1) et a effet depuis le 22 mai 1997. Voir les Notes historiques sous l'art. 541.24].

Guides [art. 541.30]: IN-260 — La taxe sur l'hébergement; IN-307 — Le démarrage d'entreprise et la fiscalité.

Définitions [art. 541.30]: « personne » — 541.23.

Renvois [art. 541.30]: 541.28 (certificat d'inscription); 541.29 (titulaire d'un certificat d'inscription).

Concordance fédérale: aucune.

541.31 Annulation de l'inscription — Le ministre peut annuler l'inscription d'une personne visée à l'article 541.28.

Dispositions applicables — Les articles 416 et 418 s'appliquent à cette annulation, compte tenu des adaptations nécessaires.

Notes historiques: L'article 541.31 a été ajouté par L.Q. 1997, c. 14, art. 354 et s'applique à l'égard de la fourniture d'une unité d'hébergement qui est facturée après le 31 mars 1997 par l'exploitant d'un établissement d'hébergement pour une occupation après cette date. Toutefois, l'exploitant de l'établissement d'hébergement n'a pas à percevoir la taxe spécifique sur l'hébergement à l'égard d'une unité d'hébergement facturée à un agent de voyages au sens de l'article 2 de la *Loi sur les agents de voyages* (L.R.Q., chapitre A-10), un tour-opérateur étranger ou un organisateur de congrès qui fournit les unités d'hébergement aux congressistes, dans la mesure où, d'une part, le prix de cette unité a été fixé dans le cadre d'une entente visant à garantir les tarifs d'hébergement pour l'année 1997 intervenue avant le 1er avril 1997 entre l'exploitant et l'agent de voyages, le tour-opérateur étranger ou l'organisateur de congrès et, d'autre part, l'occupation de cette unité s'effectue entre le 1er avril 1997 et le 1er janvier 1998.

[*N.D.L.R.* : l'application a été modifiée par L.Q. 1997, c. 85, art. 774(1) et a effet depuis le 22 mai 1997. Voir les Notes historiques sous l'art. 541.24].

Définitions [art. 541.31]: « personne » — 541.23.

Renvois [art. 541.31]: 541.28 (certificat d'inscription); 416 (annulation d'inscription par le ministre); 418 (avis d'annulation); 7R78.3, 7R78.14 RAF (Signature des documents par certains fonctionnaires).

Concordance fédérale: aucune.

541.32 Indication de la taxe — La personne tenue de percevoir la taxe ou le montant égal à cette taxe doit indiquer cette taxe sur la facture, le reçu, l'écrit ou un autre document constatant le montant payé ou payable pour une unité d'hébergement.

Exception — Toutefois, dans le cas où le sous-paragraphe a du paragraphe 2° du premier alinéa de l'article 541.24 ou le sous-paragraphe a) du paragraphe 3° de cet alinéa s'applique, cette personne doit indiquer séparément le montant de cette taxe et préciser qu'il s'agit de la taxe sur l'hébergement de 3 % ou de celle de 3,5 %, selon le cas, si, à la fois :

1° une unité d'hébergement est fournie avec un autre bien ou service;

2° le montant payé ou payable qui est constaté sur la facture, le reçu, l'écrit ou un autre document n'est pas uniquement attribuable à la fourniture de l'unité d'hébergement.

Notes historiques: Le préambule du deuxième alinéa de l'article 541.32 a été remplacé par L.Q. 2010, c. 25, par. 251(1) et cette modification a effet depuis le 1er février 2010. Antérieurement, il se lisait ainsi :

> Toutefois, dans le cas où le sous-paragraphe a du paragraphe 2° du premier alinéa de l'article 541.24 s'applique, cette personne doit indiquer séparément le montant de cette taxe et préciser qu'il s'agit de la taxe sur l'hébergement de 3 % si, à la fois :

L'article 541.32 a été remplacé par L.Q. 2006, c. 36, par. 292(1) et cette modification a effet depuis le 1er juillet 2005. Antérieurement, il se lisait ainsi :

> 541.32 La personne tenue de percevoir la taxe ou le montant égal à cette taxe doit, de la manière prescrite, indiquer cette taxe sur la facture, le reçu, l'écrit ou un autre document constatant le montant payé ou payable pour une unité d'hébergement.

L'article 541.32 a été ajouté par L.Q. 1997, c. 14, art. 354 et s'applique à l'égard de la fourniture d'une unité d'hébergement qui est facturée après le 31 mars 1997 par l'exploitant d'un établissement d'hébergement pour une occupation après cette date. Toutefois, l'exploitant de l'établissement d'hébergement n'a pas à percevoir la taxe spécifique sur l'hébergement à l'égard d'une unité d'hébergement facturée à un agent de voyages au sens de l'article 2 de la *Loi sur les agents de voyages* (L.R.Q., chapitre A-10), un tour-opérateur étranger ou un organisateur de congrès qui fournit les unités d'hébergement aux congressistes, dans la mesure où, d'une part, le prix de cette unité a été fixé dans le cadre d'une entente visant à garantir les tarifs d'hébergement pour l'année 1997 intervenue avant le 1er avril 1997 entre l'exploitant et l'agent de voyages, le tour-opérateur étranger ou l'organisateur de congrès et, d'autre part, l'occupation de cette unité s'effectue entre le 1er avril 1997 et le 1er janvier 1998.

[*N.D.L.R.* : l'application a été modifiée par L.Q. 1997, c. 85, art. 774(1) et a effet depuis le 22 mai 1997. Voir les Notes historiques sous l'art. 541.24].

Notes explicatives ARQ (PL 96, L.Q. 2010, c. 25): *Résumé* :

Les modifications proposées au deuxième alinéa de l'article 541.32 visent à préciser la façon dont doit être indiquée la taxe sur la facture lors de l'application de la taxe sur l'hébergement de 3,5 %, dans le cas où le montant payé ou payable n'est pas uniquement attribuable à la fourniture de l'unité d'hébergement.

Situation actuelle :

Le deuxième alinéa de l'article 541.32 prévoit une règle particulière, lors de l'application de la taxe sur l'hébergement de 3 %, dans le cas où le montant payé ou payable n'est pas uniquement attribuable à la fourniture de l'unité d'hébergement.

Modifications proposées :

Il y aurait lieu de modifier le deuxième alinéa de l'article 541.32 afin de préciser que, lors de l'application de la taxe sur l'hébergement de 3,5 %, le montant de cette taxe perçu, attribuable à la fourniture de l'unité d'hébergement, soit clairement indiqué à l'acquéreur. Ainsi, dans le cas où ce dernier paie un montant global pour la fourniture d'une unité d'hébergement et pour une autre fourniture, la taxe sur l'hébergement de 3,5 %, qui doit être calculée uniquement sur la valeur de la contrepartie de la nuitée, doit être indiquée séparément sur la facture.

Notes explicatives ARQ (PL 41, L.Q. 2006, c. 36): *Résumé* :

L'article 541.32 est modifié afin de préciser la façon dont doit être indiquée la taxe sur la facture lors de l'application de la taxe sur l'hébergement de 3 %, dans le cas où le montant payé ou payable n'est pas uniquement attribuable à la fourniture de l'unité d'hébergement.

Situation actuelle :

1º édicter toute disposition nécessaire pour donner effet à une telle entente ainsi qu'à ses modifications;

2º préciser les dispositions de la présente loi qui ne s'appliquent pas;

3º prendre toutes les autres mesures nécessaires à la mise en œuvre d'une telle entente et de ses modifications.

Examen en commission parlementaire — La commission parlementaire compétente de l'Assemblée nationale examine tout règlement pris par le gouvernement en vertu du présent article et l'entente qui s'y rapporte.

Notes historiques: L'article 541.47 a été ajouté par L.Q. 1999, c. 53, art. 17 et a effet à compter du 24 novembre 1999.

Guides [art. 541.47]: IN-624 — La TVQ, la TPS/TVH et les véhicules routiers.

Règlements: RTVQ, 541.47R1–541.47R4.

Concordance fédérale: aucune.

TITRE IV.4.1 — ACCORDS RELATIFS AUX TAXES AUTOCHTONES DANS DES RÉSERVES INDIENNES

Notes historiques: Le titre IV.4.1 a été ajouté par L.Q. 2010, c. 25, art. 252 et est entré en vigueur le 27 octobre 2010.

Chapitre I — Objet

Notes historiques: L'intertitre du chapitre I a été ajouté par L.Q. 2010, c. 25, art. 252 et est entré en vigueur le 27 octobre 2010.

541.47.1 [Conclusion d'accords entre le gouvernement et un conseil de bande] — Le présent titre a pour objet la conclusion d'accords entre le gouvernement et un conseil de bande habilité à adopter des normes fiscales dans une réserve de la communauté autochtone que celui-ci représente ainsi que l'harmonisation de ces normes à l'un des textes de loi suivants et aux règlements pris pour son application :

1º le titre I en ce qui concerne tous les biens et les services qui y sont visés;

2º le titre I en ce qui concerne les boissons alcooliques ou les carburants;

3º le titre II en ce qui concerne les boissons alcooliques;

4º le titre III en ce qui concerne les primes d'assurance;

5º la Loi concernant l'impôt sur le tabac (chapitre I-2);

6º la Loi concernant la taxe sur les carburants (chapitre T-1).

Notes historiques: L'article 541.47.1 a été ajouté par L.Q. 2010, c. 25, art. 252 et est entré en vigueur le 27 octobre 2010.

Notes explicatives ARQ (PL 96, L.Q. 2010, c. 25): *Résumé* :

Le nouvel article 541.47.1 est introduit afin de préciser le cadre législatif nécessaire à l'imposition, par les conseils de bande, de taxes autochtones harmonisées aux taxes à la consommation québécoises.

Contexte :

Les communautés autochtones visées par la *Loi sur les Indiens* (Lois révisées du Canada (1985), chapitre I-5) sont habilitées en vertu de la *Loi sur la taxe sur les produits et services des premières nations* (Lois du Canada, 2005, chapitre 19, article 10) à adopter un texte législatif imposant une taxe à la consommation, dans les limites de leurs réserves situées au Québec, à la condition qu'elles concluent une entente avec le gouvernement du Québec (gouvernement) pour l'administration et l'application de cette taxe. Or ces taxes autochtones ne pourront être appliquées que si le gouvernement et les conseils de bande édictent des mesures législatives à cet effet.

C'est dans ce contexte que le titre IV.4.1 est ajouté afin de prévoir le cadre législatif nécessaire à l'imposition, par les conseils de bande, de taxes harmonisées aux taxes à la consommation québécoises. Il contient cinq (5) chapitres.

Le chapitre I délimite les paramètres de ce cadre législatif en précisant que le nouveau titre a pour objet la conclusion d'accords entre le gouvernement et le conseil de bande habilité à adopter des textes législatifs imposant des taxes à la consommation ainsi que l'harmonisation de ces textes aux textes de loi québécois imposant des taxes à la consommation.

Le chapitre II définit certaines expressions utilisées pour l'application des dispositions du nouveau titre.

Le chapitre III contient des dispositions qui portent sur le pouvoir du gouvernement de conclure avec un conseil de bande un accord pour lui confier l'administration et l'application d'un texte législatif adopté par ce conseil ainsi que sur l'estimation des recettes fiscales et leur partage entre le gouvernement et la communauté autochtone.

Le chapitre IV porte principalement sur les conditions d'harmonisation des textes législatifs imposant des taxes autochtones aux textes de loi québécois imposant des taxes à la consommation.

C'est ainsi que la taxe autochtone instaurée dans une réserve relativement à la consommation, à la fourniture, à la location, à l'utilisation ou à la vente d'un bien ou d'un service obéira aux mêmes règles d'imposition et d'application que celles auxquelles est soumise la taxe à la consommation québécoise à laquelle se rattache la taxe autochtone et qui est applicable à l'extérieur de la réserve.

Le but visé par cette harmonisation est de faire en sorte que les deux taxes s'appliquent d'une manière uniforme pour ceux qui paient, perçoivent ou administrent les deux taxes. Entre autres conséquences, les fournisseurs n'auront pas à déclarer distinctement les taxes à la consommation autochtones et les taxes à la consommation québécoises qu'ils perçoivent.

Le chapitre V porte sur le pouvoir du ministre de verser, à même le fonds consolidé du revenu, des sommes à la communauté autochtone conformément à un accord conclu en vertu du titre IV.4.1.

Le chapitre VI prévoit un jeu de présomptions qui assure l'intégration complète des régimes parallèles de taxation autochtone et québécois. Ces présomptions permettent d'assimiler les deux taxes pour l'application de l'un ou l'autre des deux régimes de taxation. Ainsi, par exemple, les vendeurs situés sur la réserve d'une communauté autochtone, à supposer que le régime applicable sur la réserve en soit un correspondant à celui de la TVQ, pourront demander, sous ce régime, des remboursements de taxe sur les intrants relativement à une TVQ qu'ils auront payé sur les intrants acquis à l'extérieur de la réserve comme s'il s'agissait d'une taxe autochtone.

De façon générale, le cadre législatif instauré par l'ajout à la LTVQ du titre IV.4.1 permettra donc aux communautés autochtones de conclure des ententes avec le gouvernement pour mettre en œuvre dans les limites de leurs réserves des taxes autochtones harmonisées aux taxes à la consommation québécoises.

Modifications proposées :

Le nouvel article 541.47.1 est introduit afin de préciser les paramètres du cadre législatif nécessaire pour l'imposition, par les conseils de bande, de taxes harmonisées aux taxes à la consommation québécoises.

Il prévoit que le nouveau titre IV.4.1 a pour objet la conclusion d'accords entre le gouvernement et le conseil de bande habilité à adopter des normes fiscales dans une réserve de la communauté autochtone ainsi que l'harmonisation de ces normes aux textes de loi imposant des taxes à la consommation québécoises qui y sont énumérés.

Les taxes à la consommation québécoises visées par les textes de loi énumérés au nouvel article sont la TVQ, la TVQ applicable seulement aux boissons alcooliques et aux carburants, la taxe spécifique sur les boissons alcooliques, le tabac, les carburants ainsi que la taxe sur les primes d'assurance.

Concordance fédérale: aucune.

Chapitre II — Définitions

Notes historiques: L'intertitre du chapitre II a été ajouté par L.Q. 2010, c. 25, art. 252 et est entré en vigueur le 27 octobre 2010.

541.47.2 [Définitions] — Pour l'application du présent titre, à moins que le contexte n'indique un sens différent, les termes du présent titre ont le sens que leur donne l'article 1, sauf le mot « gouvernement » qui signifie uniquement le gouvernement du Québec.

Les termes « boissons alcooliques » et « carburant » ont le sens que leur donne respectivement l'article 2 de la *Loi sur les infractions en matière de boissons alcooliques* (chapitre I-8.1) et l'article 1 de la *Loi concernant la taxe sur les carburants* (chapitre T-1).

De plus, on entend par :

« fourniture taxable apportée », une fourniture visée par les articles 18 ou 18.0.1;

« remboursement de la taxe sur les intrants », un remboursement de la taxe sur les intrants au sens du titre I;

« taxe nette », une taxe nette au sens du titre I;

« texte de bande », un texte législatif de bande au sens de l'article 17 de la *Loi sur la taxe sur les produits et services des premières nations* (L.C. 2003, c. 15, a. 67), édicté par l'article 10 du chapitre 19 des lois du Canada de 2005.

Notes historiques: L'article 541.47.2 a été ajouté par L.Q. 2010, c. 25, art. 252 et est entré en vigueur le 27 octobre 2010.

Notes explicatives ARQ (PL 96, L.Q. 2010, c. 25): *Résumé* :

Le nouvel article 541.47.2 définit certains termes nécessaires pour l'application du nouveau titre IV.4.1.

Contexte :

Il y a lieu de se référer à la note explicative de l'article 541.47.1 à la rubrique contexte.

Modifications proposées :

Le nouvel article 541.47.2 précise que les termes du nouveau titre IV.4.1 ont, en règle générale, le sens que leur donne l'article 1 sauf pour le mot « gouvernement » qui signifie uniquement le gouvernement du Québec.

En ce qui concerne plus spécifiquement les termes « boissons alcooliques » et « carburant », le nouvel article renvoie aux définitions que leur donnent respectivement l'article 2 de la *Loi sur les infractions en matière de boissons alcooliques* (chapitre I-8.1) et l'article 1 de la *Loi concernant la taxe sur les carburants* (chapitre T-1). Ces définitions sont utiles pour l'application des nouveaux articles 541.47.13 à 541.47.15 de la LTVQ.

L'expression « fourniture taxable apportée » réfère à une fourniture visée par les articles 18 ou 18.0.1 de la LTVQ et est utile pour l'application des articles 541.47.8 et 541.47.11.

Les expressions « remboursement de la taxe sur les intrants » et « taxe nette » réfèrent à un remboursement de la taxe sur les intrants et à une taxe nette au sens du titre I de la LTVQ.

Enfin, l'expression « texte de bande » réfère à un texte législatif de bande au sens de l'article 17 de la *Loi sur la taxe sur les produits et services des premières nations* (Lois du Canada, 2005, chapitre 19, article 10).

Concordance fédérale: aucune.

Chapitre III — Accord d'application

Notes historiques: L'intertitre du chapitre III a été ajouté par L.Q. 2010, c. 25, art. 252 et est entré en vigueur le 27 octobre 2010.

541.47.3 [Accord d'application] — Le gouvernement peut conclure un accord avec un conseil de bande visé à l'annexe 2 de la *Loi sur la taxe sur les produits et services des premières nations* (L.C. 2003, c. 15, a. 67), édictée par l'article 12 du chapitre 19 des lois du Canada de 2005, pour que soient confiées au ministre l'administration et l'application d'un texte de bande adopté par ce conseil qui impose, dans les limites d'une réserve visée à cette annexe et située au Québec, une taxe sur des biens ou des services.

Notes historiques: L'article 541.47.3 a été ajouté par L.Q. 2010, c. 25, art. 252 et est entré en vigueur le 27 octobre 2010.

Notes explicatives ARQ (PL 96, L.Q. 2010, c. 25): *Résumé* :

Le nouvel article 541.47.3 accorde au gouvernement le pouvoir de conclure avec un conseil de bande visé à l'annexe 2 de la *Loi sur les produits et services des premières nations* (*Lois du Canada*, 2003, chapitre 15, article 67), édictée par l'article 12 du chapitre 19 des lois du Canada de 2005, un accord visant à confier au ministre du Revenu l'administration et l'application d'un texte de bande adopté par le conseil de bande et qui impose une taxe sur des biens ou des services dans les limites d'une réserve située au Québec.

Contexte :

Il y a lieu de se référer à la note explicative de l'article 541.47.1 à la rubrique contexte.

Modifications proposées :

Le nouvel article 541.47.3 a pour but de permettre la conclusion d'un accord entre le gouvernement et un conseil de bande pour confier au ministre du Revenu l'administration et l'application d'un texte de bande adopté par ce conseil et imposant une taxe sur des biens ou services dans les limites d'une réserve située au Québec.

Concordance fédérale: aucune.

541.47.4 [Conditions] — Un tel accord ne peut être conclu que si le texte de bande :

1º a été régulièrement adopté par le conseil de bande;

2º est harmonisé à l'un des textes de loi mentionnés à l'article 541.47.1 et aux règlements pris pour son application.

Notes historiques: L'article 541.47.4 a été ajouté par L.Q. 2010, c. 25, art. 252 et est entré en vigueur le 27 octobre 2010.

Concordance fédérale: aucune.

541.47.5 [Contenu de l'accord] — L'accord doit prévoir, outre l'administration et l'application du texte de bande par le ministre, le versement par le gouvernement à la communauté autochtone, au titre de ce texte, de sommes fondées sur la taxe attribuable à la communauté autochtone, laquelle correspond à une estimation, selon la méthode qui doit y être déterminée et pour chaque année civile, de l'excédent des montants prévus au paragraphe 1° ou au paragraphe 2°, selon le cas :

1º dans le cas d'un texte de bande harmonisé au texte de loi mentionné au paragraphe 1° de l'article 541.47.1, l'excédent du montant déterminé conformément au sous-paragraphe a sur le montant déterminé conformément au sous-paragraphe b) :

a) le total des montants dont chacun représente le montant de taxe qui, pendant que le texte de bande était en vigueur, est devenu payable au cours de l'année civile, soit en vertu d'un texte de bande qui fait l'objet d'un accord avec le gouvernement, soit en vertu du titre I et qui est attribuable à un bien ou à un service destiné à être consommé ou utilisé dans la réserve de la communauté autochtone;

b) le total des montants dont chacun est inclus dans le total déterminé conformément au sous-paragraphe a et qui, selon le cas :

i. est inclus dans le calcul, soit d'un remboursement de la taxe sur les intrants, soit d'une déduction pouvant être faite dans le calcul de la taxe nette d'une personne;

ii. peut raisonnablement être considéré comme un montant qu'une personne peut ou pouvait recouvrer au moyen d'un remboursement, d'une remise ou autrement en vertu d'un texte de bande qui fait l'objet d'un accord avec le gouvernement, de la présente loi ou d'une autre loi;

iii. est un montant de taxe relatif à la fourniture effectuée à une personne qui est exemptée du paiement de la taxe par l'effet d'une loi fédérale, d'une loi du Québec ou de toute autre règle de droit;

2º dans le cas d'un texte de bande harmonisé au texte de loi mentionné à l'un des paragraphes 2° à 6° de l'article 541.47.1, l'excédent du montant déterminé conformément au sous-paragraphe a sur le montant déterminé conformément au sous-paragraphe b) :

a) le total des montants dont chacun représente le montant de taxe qui, pendant que le texte de bande était en vigueur, est devenu payable au cours de l'année civile en vertu du texte de bande;

b) le total des montants dont chacun est inclus dans le total déterminé conformément au sous-paragraphe a et qui, selon le cas :

i. est inclus dans le calcul, soit d'un remboursement de la taxe sur les intrants, soit d'une déduction pouvant être faite dans le calcul de la taxe nette d'une personne;

ii. peut raisonnablement être considéré comme un montant qu'une personne peut ou pouvait recouvrer au moyen d'un remboursement, d'une remise ou autrement en vertu du texte de bande;

iii. est un montant de taxe dont une personne est exemptée du paiement par l'effet d'une loi fédérale, d'une loi du Québec ou de toute autre règle de droit.

Notes historiques: L'article 541.47.5 a été ajouté par L.Q. 2010, c. 25, art. 252 et est entré en vigueur le 27 octobre 2010.

Concordance fédérale: aucune.

541.47.6 [Contenu de l'accord] — L'accord doit également prévoir :

1º le partage éventuel, entre la communauté autochtone et le gouvernement, de la taxe attribuable à la communauté autochtone;

2º le versement, par le gouvernement à la communauté autochtone, selon les conditions qui y sont prévues, des sommes auxquelles celle-ci a droit aux termes de l'accord relativement à la taxe attribuable à la communauté autochtone;

3º le remboursement, le cas échéant, par la communauté autochtone au gouvernement, des sommes versées en trop par ce dernier et le droit du gouvernement d'appliquer ces sommes et les avances effectuées en réduction des sommes à payer à la communauté autochtone conformément à l'accord;

4° l'attribution au gouvernement des sommes représentant :

a) la part de la taxe attribuable à la communauté autochtone qui lui revient en vertu du partage convenu, le cas échéant;

b) dans le cas d'un texte de bande harmonisé au texte de loi mentionné au paragraphe 1° de l'article 541.47.1, la partie de la taxe totale imposée en vertu du texte de bande qui n'est pas incluse dans la taxe attribuable à la communauté autochtone;

5° sous réserve de l'article 69.0.1 de la *Loi sur l'administration fiscale* (chapitre A-6.002), la communication au conseil de bande par le ministre de renseignements détenus par ce dernier pour l'application du texte de bande ou du texte de loi auquel ce texte de bande est harmonisé ainsi que la communication au ministre par le conseil de bande des renseignements nécessaires à l'application du texte de bande;

6° la façon de rendre compte des sommes perçues conformément à l'accord;

7° l'engagement du gouvernement, de ses ministères, organismes et mandataires de respecter les obligations, incluant le paiement de sommes, imposées par le texte de bande ou par tout autre texte de bande qui fait l'objet d'un accord avec le gouvernement, dans la mesure où ceux-ci y sont assujettis conformément à l'article 541.47.19, ainsi que l'engagement de la communauté autochtone, de ses mandataires et entités subordonnées de respecter les obligations, incluant le paiement de sommes, imposées par le texte de bande, par tout autre texte de bande qui fait l'objet d'un accord avec le gouvernement ainsi que par les textes de loi auxquels ceux-ci sont harmonisés;

8° la façon de rendre compte des paiements effectués par le gouvernement et par le conseil de bande en application du paragraphe 7°;

9° le mode de règlement des différends relatifs à l'application de l'accord;

10° les conditions de modification de l'accord;

11° les conditions de cessation de l'accord, notamment en cas de violation d'une disposition du présent titre ou de l'accord;

12° les mesures applicables en cas de cessation de l'accord;

13° la date de l'entrée en vigueur du texte de bande;

14° la date de l'entrée en vigueur de l'accord.

Notes historiques: L'article 541.47.6 a été ajouté par L.Q. 2010, c. 25, art. 252 et est entré en vigueur le 27 octobre 2010.

Concordance fédérale: aucune.

Notes historiques: L'intertitre de la section I du chapitre IV a été ajouté par L.Q. 2010, c. 25, art. 252 et est entré en vigueur le 27 octobre 2010.

541.47.7 [Signature de l'accord] — L'accord est signé par le ministre, le ministre des Finances, le ministre responsable de l'application de la section III.2 de la *Loi sur le ministère du Conseil exécutif* (chapitre M-30) et par l'organe autorisé du conseil de bande.

Notes historiques: L'article 541.47.7 a été ajouté par L.Q. 2010, c. 25, art. 252 et est entré en vigueur le 27 octobre 2010.

Concordance fédérale: aucune.

Chapitre IV — Texte de bande

Notes historiques: L'intertitre du chapitre IV a été ajouté par L.Q. 2010, c. 25, art. 252 et est entré en vigueur le 27 octobre 2010.

Section I — Harmonisation au titre I en ce qui concerne les biens et les services

541.47.8 [Application du paragraphe 2° de l'article 541.47.4] — Pour l'application du paragraphe 2° de l'article 541.47.4, un texte de bande est harmonisé au texte de loi mentionné au paragraphe 1° de l'article 541.47.1 et aux règlements pris pour son application :

1° s'il impose une taxe dans une réserve :

a) pour une fourniture taxable effectuée dans la réserve conformément à l'article 541.47.9 ou à l'article 541.47.10;

b) pour une fourniture taxable apportée effectuée dans la réserve conformément à l'article 541.47.11;

c) pour un transfert, dans la réserve depuis un endroit au Québec, d'un bien meuble corporel, y compris une maison mobile ou flottante, dans les conditions prévues à l'article 541.47.12;

2° si ses dispositions prévoient :

a) que le titre I et les règlements pris pour son application, à l'exception des dispositions prévoyant un remboursement ou une exemption de taxe fondé sur une exemption mentionnée à l'article 18 de la *Loi sur la taxe sur les produits et services des premières nations* (L.C. 2003, c. 15, a. 67), édicté par l'article 10 du chapitre 19 des lois du Canada de 2005, y sont incorporés par renvoi évolutif et s'appliquent, avec les adaptations nécessaires, comme si la taxe imposée en vertu des sous-paragraphes a) et b) du paragraphe 1° l'était respectivement en vertu de l'article 16 ou des articles 18 ou 18.0.1 et, sous réserve du paragraphe 4° de l'article 541.47.12, comme si la taxe imposée en vertu du sous-paragraphe c) du paragraphe 1° l'était en vertu de l'article 17;

b) que la *Loi sur l'administration fiscale* (chapitre A-6.002) et les règlements pris pour son application s'appliquent, avec les adaptations nécessaires, comme si le texte de bande était une loi fiscale au sens de cette loi;

c) que les règles mentionnées à l'article 541.47.17 s'appliquent;

d) que toute modification à la présente section découlant d'une modification au titre I et aux règlements pris pour son application s'applique comme si elle était apportée au texte de bande.

Notes historiques: L'article 541.47.8 a été ajouté par L.Q. 2010, c. 25, art. 252 et est entré en vigueur le 27 octobre 2010.

Concordance fédérale: aucune.

541.47.9 [Fourniture effectuée dans une réserve] — Une fourniture, sauf une fourniture taxable apportée, est effectuée dans une réserve si au moins une des conditions suivantes est remplie :

1° en outre d'être réputée effectuée au Québec conformément au titre I, elle serait réputée effectuée dans la réserve suivant une disposition du titre I ou d'un règlement pris pour son application qui prévoit qu'une fourniture est réputée effectuée au Québec si celle-ci ainsi que toute autre disposition nécessaire à son application se lisaient en supposant que toute référence à « Québec » en était une à « réserve » et en faisant les adaptations nécessaires;

2° la taxe prévue au titre I serait payable à l'égard de la fourniture si ce n'était de l'article 541.47.18, du lien entre la fourniture et la réserve et de l'application de l'exemption prévue à l'article 87 de la *Loi sur les Indiens* (L.R.C. 1985, c. I-5).

Notes historiques: L'article 541.47.9 a été ajouté par L.Q. 2010, c. 25, art. 252 et est entré en vigueur le 27 octobre 2010.

Concordance fédérale: aucune.

541.47.10 [Fourniture pour louage] — Malgré l'article 541.47.9, dans le cas de la fourniture par louage, licence ou autre accord semblable d'un véhicule routier effectuée en vertu d'une convention selon laquelle la possession ou l'utilisation continues du véhicule est offerte pour une période de plus de trois mois, la fourniture est effectuée dans une réserve uniquement si le véhicule routier est immatriculé au Québec et si :

1° dans le cas d'un acquéreur qui est un particulier, il réside habituellement dans cette réserve au moment de la fourniture;

2° dans le cas d'un acquéreur qui n'est pas un particulier, l'emplacement habituel du véhicule, déterminé pour l'application du titre I au moment de la fourniture, se trouve dans cette réserve.

Notes historiques: L'article 541.47.10 a été ajouté par L.Q. 2010, c. 25, art. 252 et est entré en vigueur le 27 octobre 2010.

Concordance fédérale: aucune.

LTVQ (français)

541.47.11 [Fourniture taxable] — Une fourniture taxable apportée est effectuée dans une réserve si au moins une des conditions suivantes est remplie :

1º s'il s'agit, selon le cas :

a) de la fourniture d'un service ou d'un bien meuble incorporel visée par le paragraphe 1° ou 2° de l'article 18, l'acquéreur de celle-ci réside dans la réserve et l'acquiert pour consommation, utilisation ou fourniture dans la mesure d'au moins 10 % dans la réserve;

b) de la fourniture d'un bien visée par le paragraphe 3° de l'article 18, la possession matérielle du bien a été transférée à l'acquéreur de la fourniture dans la réserve;

c) de la fourniture d'un bien visée par le paragraphe 4°, 5° ou 6° de l'article 18, l'acquéreur de celle-ci soit réside dans la réserve, soit est un inscrit et le bien lui est délivré dans la réserve ou y est mis à sa disposition;

d) de la fourniture d'un bien visée par le paragraphe 2.1°, 7° ou 8° de l'article 18, celle-ci est effectuée dans la réserve conformément au paragraphe 1° de l'article 541.47.9;

e) de la fourniture d'un bien meuble incorporel ou d'un service visée par le premier alinéa de l'article 18.0.1, l'acquéreur de celle-ci réside dans la réserve et l'acquiert pour consommation, utilisation ou fourniture dans la mesure d'au moins 10 % dans la réserve;

2º la taxe prévue au titre I serait payable relativement à la fourniture si ce n'était de l'article 541.47.18, du lien entre la fourniture et la réserve et de l'application de l'exemption prévue à l'article 87 de la *Loi sur les Indiens* (L.R.C. 1985, c. I-5).

Notes historiques: Le sous-paragraphe a) du paragraphe 1° de l'article 541.47.11 a été modifié par L.Q. 2011, c. 1, s.-par. 156(1)(1º) par le remplacement du mot « principalement » par « dans la mesure d'au moins 10 % ». Cette modification a effet à compter du 27 octobre 2010.

Le sous-paragraphe e) du paragraphe 1° de l'article 541.47.11 a été modifié par L.Q. 2011, c. 1, s.-par. 156(1)(2º) par le remplacement du mot « principalement » par « dans la mesure d'au moins 10 % ». Cette modification a effet à compter du 27 octobre 2010.

L'article 541.47.11 a été ajouté par L.Q. 2010, c. 25, art. 252 et est entré en vigueur le 27 octobre 2010.

Notes explicatives ARQ (PL 117, L.Q. 2011, c. 1): *Résumé* :

Les sous-paragraphes a) et e) du paragraphe 1° de l'article 541.47.11 sont modifiés afin de remplacer le mot « principalement » par l'expression « dans la mesure d'au moins 10 % ».

Situation actuelle :

L'article 541.47.11 prévoit deux règles permettant de déterminer si une fourniture taxable apportée est effectuée dans une réserve.

En ce qui concerne plus particulièrement la fourniture d'un bien meuble incorporel ou d'un service visée au paragraphe 1° ou 2° de l'article 18 ou au premier alinéa de l'article 18.0.1 de la LTVQ, il est prévu que le bien ou le service doit être acquis principalement (plus de 50 %) pour consommation, utilisation ou fourniture dans la réserve pour que la taxe autochtone s'applique.

Modifications proposées :

Les modifications apportées aux sous-paragraphes a) et e) du paragraphe 1° de l'article 541.47.11 visent à remplacer le mot « principalement » par l'expression « dans la mesure d'au moins 10 % », de sorte que pour être assujettie à la taxe autochtone, entre autres conditions, la fourniture d'un bien meuble incorporel ou d'un service visée au paragraphe 1° ou 2° de l'article 18 ou au premier alinéa de l'article 18.0.1 de la LTVQ doit être acquise pour consommation, utilisation ou fourniture dans la mesure d'au moins 10 % dans une réserve.

Concordance fédérale: aucune.

541.47.12 [Taxe sur le transfert d'un bien meuble corporel] — Les conditions d'imposition d'une taxe sur le transfert par une personne d'un bien meuble corporel dans une réserve depuis un endroit au Québec sont les suivantes :

1º la taxe vise un bien qui, la dernière fois, a été fourni par vente à la personne qui transfère ou fait transférer le bien — appelée « auteur du transfert » dans le présent article — alors qu'un accord relatif au texte de bande qui l'impose était en vigueur;

2º la taxe aurait été payable à l'égard de la vente du bien en vertu du titre I à un taux autre que nul si ce n'était de l'application de l'exemption prévue à l'article 87 de la *Loi sur les Indiens* (L.R.C. 1985, c. I-5);

3º la taxe ne s'applique pas :

a) dans le cas où, avant le transfert du bien, une taxe est devenue payable par l'auteur du transfert relativement à ce bien en vertu d'un autre texte de bande qui fait l'objet d'un accord conclu avec un conseil de bande ou en vertu de l'article 17;

b) dans les cas d'exception prévus aux paragraphes 2° et 4° du quatrième alinéa de l'article 17 en supposant que cet article vise un transfert visé par le sous-paragraphe c) du paragraphe 1° de l'article 541.47.8;

4º la taxe est payable par l'auteur du transfert du bien au moment de ce transfert et celui-ci doit :

a) dans le cas où il s'agit d'un bien à l'égard duquel la taxe devrait être versée à une personne prescrite conformément à l'article 473 si l'article 17 visait un tel transfert, payer la taxe à cette personne conformément à l'article 473;

b) dans le cas où il est un inscrit et qu'il a acquis le bien, autre qu'un bien visé au sous-paragraphe a), pour consommation, utilisation ou fourniture principalement dans le cadre de ses activités commerciales, payer la taxe au ministre au plus tard le jour où il est tenu de produire, en vertu du texte de bande, sa déclaration concernant la taxe nette pour la période de déclaration où la taxe est devenue payable et faire rapport de cette taxe dans cette déclaration;

c) dans les autres cas, payer la taxe au ministre au plus tard le dernier jour du mois suivant celui où elle est devenue payable et lui produire, de la manière prescrite par ce dernier, au moyen du formulaire prescrit contenant les renseignements prescrits, une déclaration relative à la taxe;

5º le montant de la taxe payable est égal au montant déterminé selon la formule suivante :

$$A \times B.$$

[Interprétation] — Pour l'application de cette formule :

1º la lettre A représente le taux de la taxe prévue au premier alinéa de l'article 17;

2º la lettre B représente :

a) dans le cas où le bien, qui a été fourni la dernière fois par vente à l'auteur du transfert, lui a été livré dans les 30 jours précédant le transfert, la valeur de la contrepartie sur laquelle la taxe prévue au titre I aurait été calculée relativement à la vente si ce n'était de l'application de l'exemption prévue à l'article 87 de la *Loi sur les Indiens*;

b) dans les autres cas, la moins élevée de la juste valeur marchande du bien au moment de son transfert ou de la valeur de la contrepartie visée au sous-paragraphe a.

Notes historiques: L'article 541.47.12 a été ajouté par L.Q. 2010, c. 25, art. 252 et est entré en vigueur le 27 octobre 2010.

Concordance fédérale: aucune.

Section II — Harmonisation au titre I en ce qui concerne les boissons alcooliques ou les carburants

Notes historiques: L'intertitre de la section II du chapitre IV a été ajouté par L.Q. 2010, c. 25, art. 252 et est entré en vigueur le 27 octobre 2010.

541.47.13 [Application du paragraphe 2º de l'article 541.47.4] — Pour l'application du paragraphe 2° de l'article 541.47.4, un texte de bande est harmonisé au texte de loi mentionné au paragraphe 2° de l'article 541.47.1 et aux règlements pris pour son application :

1º s'il impose une taxe dans une réserve uniquement pour une fourniture taxable de boissons alcooliques ou de carburant effectuée dans la réserve conformément à l'article 541.47.14;

2º si ses dispositions prévoient :

a) que le titre I et les règlements pris pour son application, à l'exception des dispositions prévoyant un remboursement ou une exemption de taxe fondé sur une exemption mentionnée à l'article 18 de la *Loi sur la taxe sur les produits et services des premières nations* (L.C. 2003, c. 15, a. 67), édicté par l'article 10 du chapitre 19 des lois du Canada de 2005, y sont incorporés par renvoi évolutif et s'appliquent, avec les adaptations nécessaires, comme si la taxe imposée en vertu du paragraphe 1° l'était en vertu du titre I;

b) que la *Loi sur l'administration fiscale* (chapitre A-6.002) et les règlements pris pour son application s'appliquent, avec les adaptations nécessaires, dans le cadre du texte de bande comme si le texte était une loi fiscale au sens de cette loi;

c) que les règles mentionnées à l'article 541.47.17 s'appliquent;

d) que toute modification à la présente section découlant d'une modification au titre I et aux règlements pris pour son application s'applique comme si elle était apportée au texte de bande.

Notes historiques: L'article 541.47.13 a été ajouté par L.Q. 2010, c. 25, art. 252 et est entré en vigueur le 27 octobre 2010.

Concordance fédérale: aucune.

541.47.14 [Fourniture taxable de boissons alcooliques ou de carburant] — Une fourniture taxable de boissons alcooliques ou de carburant est effectuée dans une réserve si, sans tenir compte de l'article 541.47.18, la taxe prévue au premier alinéa de l'article 16 n'est pas payable à l'égard de la fourniture en raison du lien entre la fourniture et la réserve et de l'application de l'exemption prévue à l'article 87 de la *Loi sur les Indiens* (L.R.C. 1985, c. I-5) ou ne serait pas payable, pour les mêmes raisons, si l'acquéreur de celle-ci était exempté de taxation en vertu de cet article.

Notes historiques: L'article 541.47.14 a été ajouté par L.Q. 2010, c. 25, art. 252 et est entré en vigueur le 27 octobre 2010.

Concordance fédérale: aucune.

SECTION III — HARMONISATION AUX AUTRES TEXTES DE LOI

Notes historiques: L'intertitre de la section III du chapitre IV a été ajouté par L.Q. 2010, c. 25, art. 252 et est entré en vigueur le 27 octobre 2010.

541.47.15 [Application du paragraphe 2º de l'article 541.47.4] — Pour l'application du paragraphe 2° de l'article 541.47.4, un texte de bande est harmonisé à l'un des textes de loi mentionnés aux paragraphes 3° à 6° de l'article 541.47.1 et aux règlements pris pour son application si, à la fois :

1º il impose dans une réserve une taxe pour l'acquisition d'un bien dans la réserve ou pour une prime d'assurance visé par ce texte de loi dans les conditions qui y sont prévues;

2º sans tenir compte de l'article 541.47.18, la taxe prévue par ce texte de loi n'est pas payable à l'égard de l'acquisition du bien ou de la prime d'assurance en raison du lien entre le bien ou la prime et la réserve et de l'application de l'exemption prévue à l'article 87 de la *Loi sur les Indiens* (L.R.C. 1985, c. I-5) ou ne serait pas payable, pour les mêmes raisons, si l'acquéreur du bien ou la personne assujettie à la taxe sur la prime était exempté de taxation en vertu de cet article;

3º ses dispositions prévoient :

a) que le texte de loi et les règlements pris pour son application, à l'exception des dispositions prévoyant un remboursement ou une exemption de taxe fondé sur une exemption mentionnée à l'article 18 de la *Loi sur la taxe sur les produits et services des premières nations* (L.C. 2003, c. 15, a. 67), édicté par l'article 10 du chapitre 19 des lois du Canada de 2005, y sont incorporés par renvoi évolutif et s'appliquent, avec les adaptations nécessaires, comme si la taxe imposée en vertu du paragraphe 1° l'était en vertu de ce texte de loi;

b) que la *Loi sur l'administration fiscale* (chapitre A-6.002) et les règlements pris pour son application s'appliquent, avec les adaptations nécessaires, comme si le texte de bande était une loi fiscale au sens de cette loi;

c) que les règles mentionnées à l'article 541.47.17 s'appliquent;

d) que toute modification à la présente section découlant d'une modification au texte de loi et aux règlements pris pour son application s'applique comme si elle était apportée au texte de bande.

[Remboursement ou exemption de taxe] — Pour l'application du sous-paragraphe a) du paragraphe 3°, un remboursement ou une exemption de taxe fondé sur une exemption mentionnée à l'article 18 de la *Loi sur la taxe sur les produits et services des premières nations* comprend également un remboursement de la taxe sur les carburants conformément à l'article 10.2 de la *Loi concernant la taxe sur les carburants* (chapitre T-1).

Notes historiques: L'article 541.47.15 a été ajouté par L.Q. 2010, c. 25, art. 252 et est entré en vigueur le 27 octobre 2010.

Guides [art. 541.47.15]: IN-258 — Guide du vendeur au détail - Programme de gestion de l'exemption fiscale des Indiens en matière de taxe sur les carburants.

Concordance fédérale: aucune.

Chapitre V — Versement

Notes historiques: L'intertitre du chapitre V a été ajouté par L.Q. 2010, c. 25, art. 252 et est entré en vigueur le 27 octobre 2010.

541.47.16 [Pouvoirs du ministre] — Le ministre peut, au nom du gouvernement, prendre sur le fonds consolidé du revenu les sommes nécessaires pour :

1º verser à la communauté autochtone les sommes ou les avances sur celles-ci auxquelles la communauté a droit conformément à l'accord;

2º verser à une personne conformément à l'accord :

a) une somme qui lui est payable suivant le texte de bande;

b) une somme, à titre d'avance recouvrable, si aucune somme n'est détenue pour le compte de la communauté autochtone dans le fonds consolidé du revenu ou si la somme qui doit être versée en vertu du sous-paragraphe a excède les sommes ainsi détenues, à la condition que leur remboursement par la communauté autochtone soit prévu dans l'accord.

Notes historiques: L'article 541.47.16 a été ajouté par L.Q. 2010, c. 25, art. 252 et est entré en vigueur le 27 octobre 2010.

Concordance fédérale: aucune.

Chapitre VI — Règles d'application

Notes historiques: L'intertitre du chapitre VI a été ajouté par L.Q. 2010, c. 25, art. 252 et est entré en vigueur le 27 octobre 2010.

541.47.17 [Règles applicables] — Une fois l'accord et le texte de bande en vigueur, les règles suivantes s'appliquent :

1º le texte de loi auquel le texte de bande est harmonisé s'applique comme si la taxe imposée en vertu du texte de bande l'était en vertu de ce texte de loi et comme si les dispositions du texte de bande concernant cette taxe en faisaient partie intégrante et, réciproquement, celui-ci s'applique comme si la taxe imposée par le texte de loi auquel il est harmonisé l'était en vertu du texte de bande et comme si les dispositions de ce texte de loi concernant cette taxe en faisaient partie intégrante;

2º dans la mesure du parallélisme du texte de bande et du texte de loi auquel celui-ci est harmonisé, l'application de l'un vaut l'application de l'autre, de sorte que les dispositions de l'un et celles de l'autre ne s'appliquent pas en double et qu'elles sont invoquées sans égard à leur source;

3º les autres lois s'appliquent comme si la taxe imposée en vertu du texte de bande l'était en vertu du texte de loi auquel il est harmonisé.

Notes historiques: L'article 541.47.17 a été ajouté par L.Q. 2010, c. 25, art. 252 et est entré en vigueur le 27 octobre 2010.

Concordance fédérale: aucune.

541.47.18 [Exemption de taxe] — Sans restreindre la portée de l'article 541.47.17, une fois l'accord et le texte de bande en vigueur, aucune taxe n'est payable ni n'est réputée avoir été payée ou perçue à l'égard d'une fourniture, de l'acquisition d'un bien ou d'une prime d'assurance en vertu du texte de loi auquel le texte de bande est harmonisé dans la mesure où, en vertu du texte de bande, une taxe est payable ou est réputée avoir été payée ou perçue à l'égard de celle-ci.

Notes historiques: L'article 541.47.18 a été ajouté par L.Q. 2010, c. 25, art. 252 et est entré en vigueur le 27 octobre 2010.

Concordance fédérale: aucune.

541.47.19 [Disposition du texte de bande] — Dans la mesure où le gouvernement, ses ministères, organismes et mandataires sont liés par une disposition du texte de loi auquel le texte de bande est harmonisé, ils sont liés par la disposition correspondante du texte de bande.

Notes historiques: L'article 541.47.19 a été ajouté par L.Q. 2010, c. 25, art. 252 et est entré en vigueur le 27 octobre 2010.

Concordance fédérale: aucune.

TITRE IV.5 — DROIT SPÉCIFIQUE SUR LES PNEUS NEUFS

Notes historiques: L'intertitre du titre IV.5 a été ajouté par L.Q. 2000, c. 39, art. 289 et a effet depuis le 1er octobre 1999.

Chapitre I — Définitions

Notes historiques: L'intertitre du chapitre I a été ajouté par L.Q. 2000, c. 39, art. 289 et a effet depuis le 1er octobre 1999.

541.48 Définitions — Pour l'application du présent titre et des règlements adoptés en vertu de celui-ci, à moins que le contexte n'indique un sens différent, l'expression :

« activité commerciale » a le sens que lui donne l'article 1;

Concordance fédérale: aucune.

Non en vigueur — 541.48 « agent-percepteur »

« agent-percepteur » signifie :

1º toute personne qui, au Québec et dans le cadre de ses activités commerciales, effectue la vente d'un pneu neuf ou d'un véhicule routier muni de pneus neufs ou la location d'un pneu neuf ou la location à long terme d'un véhicule routier muni de pneus neufs;

2º toute personne qui est un inscrit pour les fins du titre I et qui délivre ou fait en sorte que soit délivré au Québec un pneu neuf ou un véhicule routier muni de pneus neufs autrement que dans le cadre d'une vente au détail ou d'une location au détail;

malgré le paragraphe 1º, une personne n'est pas un agent-percepteur lorsqu'elle agit à titre de vendeur au détail;

Application: La définition de « agent-percepteur » à l'article 541.48 a été ajoutée par L.Q. 2000, c. 39, art. 289 et entrera en vigueur à la date fixée par le gouvernement.

Concordance fédérale: aucune.

« location au détail » signifie :

1º dans le cas d'un pneu, une location effectuée à des fins autres que la relocation ou l'installation sur un véhicule routier destiné à la location à long terme;

2º dans le cas d'un véhicule routier, une location à long terme effectuée à des fins autres que la relocation à long terme;

Concordance fédérale: aucune.

« location à long terme » signifie une location d'au moins douze mois;

Concordance fédérale: aucune.

« période de déclaration » d'une personne correspond à la période de déclaration de la personne pour l'application du titre I;

Concordance fédérale: aucune.

« personne » a le sens que lui donne l'article 1;

Concordance fédérale: aucune.

« pneu » signifie un pneu de véhicule routier dont le diamètre de jante est égal ou inférieur à 62,23 centimètres et dont le diamètre global n'excède pas 123,19 centimètres;

Concordance fédérale: aucune.

« pneu neuf » ne comprend pas un pneu rechapé ou remoulé, mais comprend le pneu de la roue de secours d'un véhicule routier à l'égard duquel le droit prévu par le présent titre n'a pas déjà été payé;

Concordance fédérale: aucune.

« véhicule routier » a le sens que lui donne le *Code de la sécurité routière* (chapitre C-24.2);

Concordance fédérale: aucune.

« véhicule routier muni de pneus neufs » signifie un véhicule routier muni d'un ou de plusieurs pneus neufs;

Concordance fédérale: aucune.

« vendeur au détail » signifie une personne qui, au Québec et dans le cadre de ses activités commerciales, effectue la vente au détail ou la location au détail d'un pneu neuf ou d'un véhicule routier muni de pneus neufs;

Concordance fédérale: aucune.

« vente » comprend tout transfert à titre onéreux :

1º de la propriété d'un pneu ou d'un véhicule routier;

2º de la possession d'un pneu ou d'un véhicule routier en vertu d'une convention visant à transférer la propriété de ce pneu ou de ce véhicule;

Concordance fédérale: aucune.

« vente au détail » signifie :

1º dans le cas d'un pneu, une vente effectuée à des fins autres que la revente, la location ou l'installation sur un véhicule routier destiné à la vente ou à la location à long terme;

2º dans le cas d'un véhicule routier, une vente effectuée à des fins autres que la revente ou la location à long terme.

Concordance fédérale: aucune.

Notes historiques: L'article 541.48 a été ajouté par L.Q. 2000, c. 39, art. 289 et a effet depuis le 1er octobre 1999.

Renvois: 541.50, 541.51 (paiement d'un droit spécifique); 541.53, 541.54 (rapport au ministre); 541.56 (perception par un vendeur); 541.59 (certificat d'inscription requis); 541.60 (perception par un agent-percepteur).

Bulletins d'interprétation: TVQ. 541.48-1 — Droit spécifique sur les pneus neufs.

Chapitre II — Imposition du droit spécifique

Notes historiques: L'intertitre du chapitre II a été ajouté par L.Q. 2000, c. 39, art. 289 et a effet depuis le 1er octobre 1999.

541.49 Droit spécifique — Toute personne doit, lors de la vente au détail ou de la location au détail, au Québec, d'un pneu neuf ou d'un véhicule routier, payer au ministre un droit spécifique égal à 3 $ par pneu neuf qu'elle achète ou loue ou par pneu neuf dont est muni le véhicule routier qu'elle achète ou loue.

Notes historiques: L'article 541.49 a été ajouté par L.Q. 2000, c. 39, art. 289 et a effet depuis le 1er octobre 1999.

Guides [art. 541.49]: IN-307 — Le démarrage d'entreprise et la fiscalité; IN-624 — La TVQ, la TPS/TVH et les véhicules routiers.

Renvois [art. 541.49]: 541.50 (droit spécifique sur les pneus neufs — apport au Québec); 541.51 (droit spécifique sur les pneus neufs — achat hors du Québec); 541.53 (droit spécifique sur les pneus neufs — rapport au ministre); 541.54 (droit spécifique sur les pneus neufs — exemptions); 541.56 (perception du droit spécifique sur les pneus neufs); 541.60 (obligation de percevoir le droit spécifique sur les pneus neufs).

Bulletins d'interprétation [art. 541.49]: TVQ. 16-1/R2 — Le gouvernement du Canada et les taxes à la consommation du Québec.

Concordance fédérale: aucune.

541.50 Droit spécifique sur un pneu neuf apporté au Québec — Toute personne qui fait affaire ou qui réside ordinairement au Québec et qui y apporte ou fait en sorte qu'il y soit apporté un pneu neuf pour utilisation au Québec par elle-même ou à ses frais par une autre personne ou pour installation au Québec sur un véhicule routier destiné à la location à court terme doit, immédiatement après l'apport, en faire rapport au ministre au moyen du formulaire prescrit contenant les renseignements prescrits et lui payer un droit spécifique égal au montant prévu à l'article 541.49 par pneu neuf ainsi apporté.

Notes historiques: L'article 541.50 a été ajouté par L.Q. 2000, c. 39, art. 289 et a effet depuis le 1er octobre 1999.

Renvois [art. 541.50]: 541.52 (réduction du droit spécifique); 541.68 (amende).

Bulletins d'interprétation [art. 541.50]: TVQ. 16-1/R2 — Le gouvernement du Canada et les taxes à la consommation du Québec.

Concordance fédérale: aucune.

541.51 Droit spécifique sur un bien qui se trouve au Québec et rapport au ministre — Toute personne qui fait affaire ou qui réside ordinairement au Québec et qui achète, par une vente au détail conclue hors du Québec, un pneu neuf ou un véhicule routier muni de pneus neufs qui se trouve au Québec doit immédiatement en faire rapport au ministre au moyen du formulaire prescrit contenant les renseignements prescrits et lui payer un droit spécifique égal au montant prévu à l'article 541.49 par pneu neuf ainsi acheté ou par pneu neuf dont est muni le véhicule routier qu'elle achète.

Droit spécifique sur un bien qui se trouve au Québec et rapport au ministre — Toute personne qui fait affaire ou qui réside ordinairement au Québec et qui loue, par une location au détail conclue hors du Québec, un pneu neuf ou un véhicule routier muni de pneus neufs qui se trouve au Québec doit, immédiatement à la signature du bail, en faire rapport au ministre au moyen du formulaire prescrit contenant les renseignements prescrits et lui payer un droit spécifique égal au montant prévu à l'article 541.49 par pneu neuf ainsi loué ou par pneu neuf dont est muni le véhicule routier qu'elle loue.

Notes historiques: L'article 541.51 a été ajouté par L.Q. 2000, c. 39, art. 289 et a effet depuis le 1er octobre 1999.

Renvois [art. 541.51]: 541.52 (réduction du droit spécifique); 541.68 (amende).

Bulletins d'interprétation [art. 541.51]: TVQ. 16-1/R2 — Le gouvernement du Canada et les taxes à la consommation du Québec.

Concordance fédérale: aucune.

541.52 Réduction du droit spécifique — Dans le cas où une personne visée aux articles 541.50 et 541.51 a payé, à l'égard d'un pneu neuf, un droit de même nature que celui payable en vertu du présent titre imposé par une autre province, les Territoires du Nord-Ouest, le territoire du Yukon ou le territoire du Nunavut et qu'elle n'a pas obtenu ou n'a pas le droit d'obtenir le remboursement d'un tel droit, le droit spécifique qu'elle est tenue de payer en vertu de ces articles est réduit du montant du droit de même nature ainsi payé.

Notes historiques: L'article 541.52 a été ajouté par L.Q. 2000, c. 39, art. 289 et a effet depuis le 1er octobre 1999.

Renvois [art. 541.52]: 541.68 (amende).

Bulletins d'interprétation [art. 541.52]: TVQ. 16-1/R2 — Le gouvernement du Canada et les taxes à la consommation du Québec.

Concordance fédérale: aucune.

541.53 Changement d'utilisation — Toute personne qui a acheté ou fabriqué un pneu neuf pour le vendre ou le louer ou pour qu'il soit installé sur un véhicule routier destiné à la vente ou à la location à long terme doit, à la date où elle commence à l'utiliser au Québec à une autre fin ou fait en sorte qu'il soit ainsi utilisé à ses frais par une autre personne, en faire rapport au ministre au moyen du formulaire prescrit contenant les renseignements prescrits et lui payer un droit spécifique égal au montant prévu à l'article 541.49 par pneu neuf acheté ou fabriqué et ainsi utilisé par elle-même ou par l'autre personne.

Changement d'utilisation — Toute personne qui a loué un pneu neuf pour le relouer ou pour qu'il soit installé sur un véhicule routier destiné à la location à long terme doit, à la date où elle commence à l'utiliser au Québec à une autre fin ou fait en sorte qu'il soit ainsi utilisé à ses frais par une autre personne, en faire rapport au ministre au moyen du formulaire prescrit contenant les renseignements prescrits et lui payer un droit spécifique égal au montant prévu à l'article 541.49 par pneu neuf loué et ainsi utilisé par elle-même ou par l'autre personne.

Changement d'utilisation — Toute personne qui a acheté ou fabriqué un véhicule routier muni de pneus neufs pour le vendre ou le louer à long terme ou qui a loué à long terme un véhicule routier muni de pneus neufs pour le relouer à long terme doit, à la date où elle commence à l'utiliser au Québec à une autre fin ou fait en sorte qu'il soit ainsi utilisé à ses frais par une autre personne, en faire rapport au ministre au moyen du formulaire prescrit contenant les renseignements prescrits et lui payer un droit spécifique égal au montant prévu à l'article 541.49 par pneu neuf dont est muni un tel véhicule.

Non en vigueur — 541.53 al. 4

Paiement réputé du droit spécifique — Toutefois, si la personne a payé le montant égal au droit spécifique prévu au chapitre V à l'égard des pneus neufs visés aux trois premiers alinéas, cette personne est réputée avoir payé le droit imposé à ces alinéas à l'égard de ces pneus.

Application: Le quatrième alinéa de l'article 541.53 a été ajouté par L.Q. 2000, c. 39, art. 289 et entrera en vigueur à la date fixée par le gouvernement.

Pneu neuf réputé être acheté ou fabriqué pour la vente ou la location — Pour l'application du présent article, tout pneu neuf acheté ou fabriqué par une personne est réputé être acheté ou fabriqué pour la vente ou la location ou pour être installé sur un véhicule routier destiné à la vente ou à la location à long terme et tout véhicule routier muni de pneus neufs acheté ou fabriqué par une personne est réputé destiné à la vente ou à la location à long terme.

Notes historiques: Le cinquième alinéa de l'article 541.53 a été ajouté par L.Q. 2001, c. 51, art. 310 et cette modification a effet depuis le 1er octobre 1999.

L'article 541.53 a été ajouté par L.Q. 2000, c. 39, art. 289 et a effet depuis le 1er octobre 1999.

Renvois [art. 541.53]: 541.68 (amende).

Bulletins d'interprétation [art. 541.53]: TVQ. 16-1/R2 — Le gouvernement du Canada et les taxes à la consommation du Québec.

Concordance fédérale: aucune.

541.54 Autocotisation — Toute personne qui est tenue de payer le droit spécifique prévu à l'article 541.49 et qui n'a pas payé ce droit à son vendeur au détail doit immédiatement en faire rapport au ministre au moyen du formulaire prescrit contenant les renseignements prescrits et lui payer ce droit.

Notes historiques: L'article 541.54 a été ajouté par L.Q. 2000, c. 39, art. 289 et a effet depuis le 1er octobre 1999.

Renvois [art. 541.54]: 541.68 (amende).

Bulletins d'interprétation [art. 541.54]: TVQ. 16-1/R2 — Le gouvernement du Canada et les taxes à la consommation du Québec.

Concordance fédérale: aucune.

Chapitre III — Exemptions

Notes historiques: L'intertitre du chapitre III a été ajouté par L.Q. 2000, c. 39, art. 289 et a effet depuis le 1er octobre 1999.

LTVQ (français)

541.55 Exemptions — Le droit spécifique prévu au présent titre ne s'applique pas :

1° lorsque le vendeur au détail délivre un pneu neuf ou un véhicule routier muni de pneus neufs hors du Québec, pour utilisation hors du Québec;

2° lorsque le vendeur au détail délivre un pneu neuf ou un véhicule routier muni de pneus neufs à un transporteur public ou le poste, pour expédition hors du Québec, pour le compte de l'acheteur ou du locataire qui ne réside pas au Québec et ne fait pas affaire au Québec, pour utilisation hors du Québec.

Notes historiques: L'article 541.55 a été ajouté par L.Q. 2000, c. 39, art. 289 et a effet depuis le 1er octobre 1999.

Renvois [art. 541.55]: 541.68 (amende).

Concordance fédérale: aucune.

Chapitre IV — Administration

Notes historiques: L'intertitre du chapitre IV a été ajouté par L.Q. 2000, c. 39, art. 289 et a effet depuis le 1er octobre 1999.

541.56 Perception — Tout vendeur au détail doit percevoir, à titre de mandataire du ministre, le droit spécifique prévu à l'article 541.49 au moment de la vente ou, s'il s'agit d'une location, au moment de la signature du contrat de location.

Exception — Cette obligation ne s'applique pas à une vente ou une location effectuée à une personne qui a conclu une entente en vertu de l'article 681, si cette personne est exemptée du paiement du droit spécifique au moment de la vente au détail ou de la location au détail aux termes de cette entente.

Indication du droit — Le droit doit être indiqué séparément du prix de vente ou du loyer sur toute facture, écrit ou autre document constatant la vente ou la location ainsi que dans les registres du vendeur au détail. De plus, ce droit doit être désigné par son nom, une abréviation de celui-ci ou une indication similaire. Aucune autre mention portant sur ce droit ne peut être utilisée.

Notes historiques: Le troisième alinéa de l'article 541.56 a été remplacé par L.Q. 2002, c. 46, art. 35 et cette modification s'applique à compter du 11 mars 2003. Il se lisait antérieurement comme suit :

> Le droit doit être indiqué séparément du prix de vente ou du loyer sur toute facture, écrit ou autre document constatant la vente ou la location ainsi que dans les registres du vendeur au détail.

L'article 541.56 a été ajouté par L.Q. 2000, c. 39, art. 289 et a effet depuis le 1er octobre 1999.

Guides [art. 541.56]: IN-307 — Le démarrage d'entreprise et la fiscalité; IN-624 — La TVQ, la TPS/TVH et les véhicules routiers.

Renvois [art. 541.56]: 541.68 (amende).

Concordance fédérale: aucune.

541.57 Obligation de rendre compte — Tout vendeur au détail doit tenir compte du droit spécifique perçu et, pour chaque période de déclaration, lorsqu'il doit produire la déclaration prévue à la section IV du chapitre VIII du titre I, rendre compte au ministre du droit spécifique qu'il a perçu ou qu'il aurait dû percevoir au cours de la période de déclaration donnée sur le formulaire prescrit contenant les renseignements prescrits, le lui produire de la manière prescrite et, au même moment, lui verser le montant de ce droit.

Obligation de rendre compte — Le vendeur au détail doit rendre compte même si aucune vente ou location donnant lieu à ce droit n'a été faite durant la période de déclaration donnée.

Non en vigueur — 541.57 al. 3, 4

Exception — Cependant, il n'est pas tenu de rendre compte au ministre, à moins que celui-ci ne l'exige, ni de lui verser le droit spécifique perçu à l'égard d'un pneu neuf lorsqu'il a versé à un agent-percepteur titulaire d'un certificat d'inscription le montant prévu à l'article 541.60 à l'égard de ce pneu.

Droit supérieur au montant fixé — Toutefois, si le droit spécifique perçu à l'égard de ce pneu est supérieur au montant qu'il a versé en vertu de l'article 541.60 à un agent-percepteur titulaire d'un certificat d'inscription, la différence entre ce droit et ce montant doit être versée au ministre, selon les modalités prévues au premier alinéa.

Application: Les troisième et quatrième alinéas de l'article 541.57 ont été ajoutés par L.Q. 2000, c. 39, art. 289 et entreront en vigueur à la date fixée par le gouvernement.

Notes historiques: L'article 541.57 a été ajouté par L.Q. 2000, c. 39, art. 289 et a effet depuis le 1er octobre 1999.

Renvois [art. 541.57]: 541.60 (obligation de percevoir le droit spécifique sur les pneus neufs).

Concordance fédérale: aucune.

541.58 Redressement ou remboursement — Les articles 447 et 449 s'appliquent, compte tenu des adaptations nécessaires, lorsque le vendeur au détail exige ou perçoit d'une personne un montant au titre du droit prévu à l'article 541.49 excédant le droit qu'il devait percevoir.

Remboursement — Lorsqu'un vendeur au détail rembourse à une personne la totalité du prix de vente payé pour un pneu neuf ou porte à son crédit la valeur marchande d'un tel pneu, il doit également rembourser ou porter à son crédit le droit qui a été perçu à l'égard de ce pneu.

Remboursement — La règle prévue au deuxième alinéa s'applique à la location, compte tenu des adaptations nécessaires.

Notes historiques: L'article 541.58 a été ajouté par L.Q. 2000, c. 39, art. 289 et a effet depuis le 1er octobre 1999.

Renvois [art. 541.58]: 541.60 (obligation de percevoir le droit spécifique sur les pneus neufs).

Concordance fédérale: aucune.

541.59 Certificat d'inscription — Tout vendeur au détail tenu de percevoir le droit spécifique prévu à l'article 541.49 doit être titulaire d'un certificat d'inscription délivré en vertu du titre I, en vigueur au moment où il est tenu de percevoir le droit.

Non en vigueur — 541.59 al. 2

Certificat d'inscription — Tout agent-percepteur tenu de percevoir le montant égal au droit spécifique prévu à l'article 541.49 doit être titulaire d'un certificat d'inscription délivré en vertu du titre I, en vigueur au moment où il est tenu de percevoir le montant égal au droit.

Application: Le deuxième alinéa de l'article 541.59 a été ajouté par L.Q. 2000, c. 39, art. 289 et entrera en vigueur à la date fixée par le gouvernement.

Notes historiques: L'article 541.59 a été ajouté par L.Q. 2000, c. 39, art. 289 et a effet depuis le 1er octobre 1999.

Guides [art. 541.59]: IN-307 — Le démarrage d'entreprise et la fiscalité.

Renvois [art. 541.59]: 541.63, 541.64 (certificat d'inscription requis); 541.68 (amende).

Concordance fédérale: aucune.

Non en vigueur — Chapitre V

Chapitre V — Perception anticipée

541.60 Perception — Tout agent-percepteur titulaire d'un certificat d'inscription doit percevoir comme mandataire du ministre un montant égal au droit spécifique prévu à l'article 541.49 à l'égard de chaque pneu neuf, de toute personne à qui il vend un pneu neuf ou un véhicule routier ou loue un pneu neuf ou loue à long terme un véhicule routier et de toute personne à qui il délivre ou fait en sorte que soient délivrés au Québec de tels biens.

Exceptions — Cette obligation ne s'applique pas :

1° lorsque l'agent-percepteur délivre un pneu neuf ou un véhicule routier muni de pneus neufs hors du Québec;

2° lorsque l'agent-percepteur délivre un pneu neuf ou un véhicule routier muni de pneus neufs à un transporteur public ou le poste, pour expédition hors du Québec, pour le compte de l'acheteur ou du locataire qui ne réside pas au Québec et ne fait pas affaire au Québec;

3º à une vente ou une location effectuée à une personne qui a conclu une entente en vertu de l'article 681, si cette personne est exemptée du paiement du montant égal au droit spécifique aux termes de cette entente;

4º lorsque l'agent-percepteur vend ou loue un pneu neuf à un fabricant de véhicules automobiles, au sens du *Code de la sécurité routière* (chapitre C-24.2);

5º dans les cas prescrits.

Perception lors de la vente ou de la location — Le montant visé au premier alinéa doit être perçu par l'agent-percepteur lors de la vente ou de la signature du contrat de location, ou à tout autre moment déterminé par le ministre.

Indication du montant — Le montant égal au droit spécifique doit être indiqué séparément du prix de vente ou du loyer sur toute facture, écrit ou autre document constatant la vente ou la location ainsi que dans les registres de l'agent-percepteur.

Dispositions applicables — L'article 541.58 s'applique à l'agent-percepteur, compte tenu des adaptations nécessaires.

Renvois: 541.57 (reddition de compte au ministre); 541.58 (dispositions applicables); 541.61 (reddition de compte au ministre); 541.62 (défaut de percevoir ou de verser le droit spécifique); 541.68 (amende); 677:55.2º (pouvoir réglementaire).

Concordance fédérale: aucune.

541.61 Obligation de rendre compte — Tout agent-percepteur titulaire d'un certificat d'inscription doit tenir compte des montants perçus et, pour chaque période de déclaration, lorsqu'il doit produire la déclaration prévue à la section IV du chapitre VIII du titre I, rendre compte au ministre des montants qu'il a perçus ou qu'il aurait dû percevoir en vertu de l'article 541.60 au cours de la période de déclaration donnée sur le formulaire prescrit contenant les renseignements prescrits, le lui produire de la manière prescrite et, au même moment, lui verser ces montants.

Obligation de rendre compte — Il doit rendre compte même si aucune vente ou location de pneus neufs ou de véhicules routiers munis de pneus neufs n'a été faite durant la période de déclaration donnée.

Exception — Cependant, il n'est pas tenu de rendre compte au ministre, à moins que celui-ci ne l'exige, ni de lui verser le montant perçu à l'égard d'un pneu neuf pour lequel il a versé à un agent-percepteur titulaire d'un certificat d'inscription le montant prévu à l'article 541.60.

Montant supérieur au montant versé — Toutefois, si le montant perçu à l'égard de ce pneu neuf est supérieur au montant qu'il a versé en vertu de l'article 541.60 à un agent-percepteur titulaire d'un certificat d'inscription, la différence entre ces deux montants doit être versée au ministre, selon les modalités prévues au premier alinéa.

Renvois: 541.67 (amende).

Concordance fédérale: aucune.

541.62 Obligation de l'agent–percepteur — Tout agent-percepteur titulaire d'un certificat d'inscription qui ne perçoit pas le montant prévu à l'article 541.60 ou qui ne verse pas au ministre un tel montant qu'il a perçu et qu'il est tenu de verser ou qui le verse à une personne qui n'est pas titulaire d'un certificat d'inscription devient débiteur de ce montant envers l'État.

Agent–percepteur non titulaire d'un certificat d'inscription — Tout agent-percepteur qui n'est pas titulaire d'un certificat d'inscription en vigueur au moment où il vend, loue, délivre ou fait en sorte que soient délivrés des pneus neufs ou des véhicules routiers munis de pneus neufs au Québec devient débiteur envers l'État de tout montant prévu par l'article 541.60 qu'il a perçu ou qu'il aurait dû percevoir s'il avait été titulaire d'un tel certificat.

Droits présumés — Les montants prévus aux premier et deuxième alinéas sont alors réputés être des droits au sens de la *Loi sur l'administration fiscale* (chapitre A-6.002).

Concordance fédérale: aucune.

Application: Le chapitre V du titre IV.5 a été ajouté par L.Q. 2000, c. 39, art. 289 et entrera en vigueur à la date fixée par le gouvernement.

Chapitre VI — Dispositions diverses

Notes historiques: L'intertitre du chapitre VI a été ajouté par L.Q. 2000, c. 39, art. 289 et a effet depuis le 1er octobre 1999.

Non en vigueur — 541.63

541.63 Vente prohibée — Un agent-percepteur ne peut, au Québec, vendre ou effectuer la location d'un pneu neuf ou d'un véhicule routier muni de pneus neufs ou délivrer ou faire en sorte que soient délivrés de tels biens à un agent-percepteur ou à un vendeur au détail à moins que cet agent-percepteur ou ce vendeur ne soit titulaire du certificat d'inscription prévu à l'article 541.59.

Application: L'article 541.63 a été ajouté par L.Q. 2000, c. 39, art. 289 et entrera en vigueur à la date fixée par le gouvernement.

Renvois: 541.67 (infraction et peine) [non en vigueur].

Concordance fédérale: aucune.

Non en vigueur — 541.64

541.64 Achat prohibé — Aucun-percepteur ou vendeur au détail ne peut, au Québec, acheter ou louer un pneu neuf ou acheter ou louer à long terme un véhicule routier muni de pneus neufs d'une personne qui n'est pas titulaire d'un certificat d'inscription délivré conformément à l'article 541.59.

Application: L'article 541.64 a été ajouté par L.Q. 2000, c. 39, art. 289 et entrera en vigueur à la date fixée par le gouvernement.

Renvois: 541.67 (infraction et peine) [non en vigueur].

Concordance fédérale: aucune.

541.65 Désignation d'un agent — Tout agent-percepteur ou vendeur au détail qui n'a ni résidence ni place d'affaires au Québec doit désigner au ministre un agent qui réside au Québec et fournir les nom et adresse de celui-ci.

Signification réputée — La signification de toute procédure à cet agent, de même que de toute demande ou avis est réputée être faite à la personne qui a désigné cet agent.

Notes historiques: L'article 541.65 a été ajouté par L.Q. 2000, c. 39, art. 289 et a effet depuis le 1er octobre 1999. Cependant, à l'égard d'un agent-percepteur, l'article 541.65 a effet à la date à laquelle entrera en vigueur le chapitre V du titre IV.5.

Renvois [art. 541.65]: 685 (application de la TVQ).

Concordance fédérale: aucune.

541.66 Versement à RECYC-QUÉBEC — Le ministre verse à la Société québécoise de récupération et de recyclage, instituée par la *Loi sur la Société québécoise de récupération et de recyclage* (chapitre S-22.01), le produit du droit spécifique sur les pneus neufs perçu en vertu du présent titre.

Modalités — Les versements sont effectués par le ministre aux dates et selon les modalités convenues.

Notes historiques: L'article 541.66 a été ajouté par L.Q. 2000, c. 39, art. 289 et a effet depuis le 1er octobre 1999.

Concordance fédérale: aucune.

Non en vigueur — 541.67

541.67 Infraction et peine — Toute personne qui contrevient aux articles 541.63 ou 541.64 est passible d'une amende d'au moins 2 000 $ et d'au plus 25 000 $.

Application: L'article 541.67 a été ajouté par L.Q. 2000, c. 39, art. 289 et entrera en vigueur à la date fixée par le gouvernement.

Concordance fédérale: aucune.

LTVQ (français)

541.68 Infraction et peine — Toute personne qui contrevient aux articles 541.50, 541.51, 541.53, 541.54, au troisième alinéa de l'article 541.56, à l'article 541.59 ou au quatrième alinéa de l'article 541.60 est passible d'une amende d'au moins 200 $ et d'au plus 5 000 $.

Notes historiques: L'article 541.68 a été ajouté par L.Q. 2000, c. 39, art. 289 et a effet depuis le 1er octobre 1999. Cependant, à l'égard d'un agent-percepteur, l'article 541.68 a effet à la date à laquelle entrera en vigueur le chapitre V du titre IV.5.

Concordance fédérale: aucune.

541.69 Infraction et peine — Toute personne qui, étant mandataire du ministre, refuse ou néglige de percevoir le droit ou le montant égal au droit, d'en tenir compte, d'en rendre compte ou de le verser au ministre, le tout conformément aux dispositions du présent titre ou à une disposition réglementaire visée au paragraphe 60º de l'article 677, est passible d'une amende d'au moins 200 $ pour chaque jour que dure l'infraction.

Notes historiques: L'article 541.69 a été ajouté par L.Q. 2000, c. 39, art. 289 et a effet depuis le 1er octobre 1999. Cependant, à l'égard d'un agent-percepteur, l'article 541.69 a effet à la date à laquelle entrera en vigueur le chapitre V du titre IV.5.

Concordance fédérale: aucune.

TITRE V — [ABROGÉ]

542–617 [*Abrogés*]

Notes historiques: Le titre cinquième de L.Q. 1991, c. 67 (articles 542 à 617), abroge et modifie des dispositions contenues dans la *Loi concernant l'impôt sur la vente en détail*, la *Loi concernant l'impôt sur le tabac*, la *Loi sur les impôts*, la *Loi sur les licences*, la *Loi sur le ministère du Revenu*, la *Loi sur le régime de rentes du Québec*, la *Loi concernant la taxe sur les carburants*, la *Loi concernant la taxe sur la publicité électronique* et la *Loi concernant la taxe sur les télécommunications*. Ces modifications sont intégrées directement aux lois concernées et n'apparaissent donc pas ici.

TITRE VI — DISPOSITIONS TRANSITOIRES

Chapitre I — Interprétation

618. Dispositions applicables — Les dispositions du titre premier s'appliquent au présent titre.

Notes historiques: L'article 618 a été édicté par L.Q. 1991, c. 67.

Jurisprudence [art. 618]: *Groupe Collège Lasalle inc. c. Québec (Sous-ministre du Revenu)* (10 juin 2005), 500-09-010491-017, 2005 CarswellQue 3853 (C.A. Qué.).

Concordance fédérale: aucune.

Chapitre II — Immeuble

SECTION I — TRANSFERT AVANT LE 1ER JUILLET 1992

619. Immeuble — Aucune taxe n'est payable à l'égard de la fourniture taxable d'un immeuble par vente dont la propriété ou la possession est transférée avant le 1er juillet 1992 en vertu de la convention relative à la fourniture.

Notes historiques: L'article 619 a été édicté par L.Q. 1991, c. 67.

Définitions [art. 619]: « fourniture », « fourniture taxable », « immeuble », « taxe », « vente » — 1.

Renvois [art. 619]: 618 (application du titre premier); 685 (application de la TVQ).

Jurisprudence [art. 619]: *Groupe Collège Lasalle inc. c. Québec (Sous-ministre du Revenu)* (10 juin 2005), 500-09-010491-017, 2005 CarswellQue 3853 (C.A. Qué.); *Groupe Collège Lasalle inc. c. Québec (Sous-ministre du Revenu)* (29 novembre 2000), 500-02-060769-978, 2000 CarswellQue 3062.

Concordance fédérale: LTA, par. 336(1).

SECTION II — FOURNITURE EN VUE D'UNE CONVENTION CONCLUE AVANT LE 30 AOÛT 1990

620. Immeuble d'habitation à logement unique — Dans le cas où la fourniture taxable d'un immeuble d'habitation à logement unique par vente au Québec est effectuée à un particulier en vertu d'une convention écrite conclue avant le 30 août 1990 entre le fournisseur et le particulier, que la propriété et la possession de l'immeuble d'habitation ne sont pas transférées au particulier en vertu de la convention avant le 1er juillet 1992 et que la possession de l'immeuble d'habitation est transférée au particulier en vertu de la convention à un moment quelconque après le 30 juin 1992, les règles suivantes s'appliquent :

1º aucune taxe n'est payable par le particulier à l'égard de la fourniture;

2º l'article 223 ne s'applique pas à l'égard de l'immeuble d'habitation avant que la possession en soit transférée au particulier;

3º dans le cas où le particulier est un constructeur de l'immeuble d'habitation uniquement par application du paragraphe 4º de la définition de l'expression « constructeur », le particulier est réputé ne pas être un constructeur de l'immeuble d'habitation et pour déterminer si une autre personne qui, après ce moment, effectue une fourniture de l'immeuble d'habitation ou d'un droit dans celui-ci est un constructeur de l'immeuble d'habitation, l'immeuble d'habitation est réputé avoir été occupé à ce moment par un particulier à titre de résidence;

4º pour l'application de la section II du chapitre sixième, l'immeuble d'habitation est réputé ne pas être un immeuble d'habitation à logement unique déterminé;

5º le fournisseur n'a pas droit à un remboursement de la taxe sur les intrants à l'égard de la fourniture de biens ou de services nécessaires à l'achèvement des travaux après le 30 juin 1992.

Notes historiques: Le paragraphe 3º de l'article 620 a été modifié par L.Q. 1994, c. 22, art. 631(1) et est réputé entré en vigueur le 1er juillet 1992. Il se lisait comme suit :

> 3º dans le cas où le particulier est un constructeur de l'immeuble d'habitation uniquement par application du paragraphe 4º de la définition de l'expression « constructeur », le particulier est réputé ne pas être le constructeur de l'immeuble d'habitation;

L'article 620 a été édicté par L.Q. 1991, c. 67.

Guides [art. 620]: IN-261 — La TVQ, la TPS et les immeubles d'habitation (construction ou rénovation).

Définitions [art. 620]: « bien », « constructeur », « fournisseur », « fourniture », « fourniture taxable », « immeuble d'habitation », « immeuble d'habitation à logement unique », « particulier », « personne », « service », « taxe », « vente » — 1.

Renvois [art. 620]: 618 (application du titre premier); 685 (application de la TVQ).

Concordance fédérale: LTA, par. 336(2).

621. Logement en copropriété — Dans le cas où la fourniture taxable d'un logement en copropriété par vente au Québec est effectuée à une personne en vertu d'une convention écrite conclue avant le 30 août 1990 entre le fournisseur et la personne, que la propriété et la possession du logement ne sont pas transférées à la personne en vertu de la convention avant le 1er juillet 1992 et que la possession du logement est transférée à la personne en vertu de la convention à un moment quelconque après le 30 juin 1992, les règles suivantes s'appliquent :

1º aucune taxe n'est payable par la personne à l'égard de la fourniture;

2º l'article 223 ne s'applique pas à l'égard du logement avant que la possession en soit transférée à la personne;

3º dans le cas où la personne est un constructeur du logement uniquement par application du paragraphe 4º de la définition de l'expression « constructeur », la personne est réputée ne pas être un constructeur du logement et pour déterminer si une autre personne qui, après ce moment, effectue une fourniture du logement ou d'un droit dans celui-ci est un constructeur du logement, la déclaration de copropriété relative à l'immeuble d'habitation en copropriété dans lequel le logement est situé est réputée avoir été inscrite au registre foncier à ce moment et le logement est réputé avoir été occupé à ce moment par un particulier à titre de résidence;

4º pour l'application de la section II du chapitre sixième, le logement est réputé ne pas être un immeuble d'habitation déterminé;

5º le fournisseur n'a pas droit à un remboursement de la taxe sur les intrants à l'égard de la fourniture de biens ou de services nécessaires à l'achèvement des travaux après le 30 juin 1992.

Notes historiques: L'article 621 a été modifié par L.Q. 1997, c. 3, art. 135(4º) pour remplacer le mot « enregistrée » par les mots « inscrite au registre foncier ». Cette modification est entrée en vigueur le 20 mars 1997. Auparavant, le paragraphe 3º de l'article 621 a été modifié par L.Q. 1994, c. 22, art. 632(1) et est réputé entré en vigueur le 1er juillet 1992. Il se lisait comme suit :

3º dans le cas où la personne est un constructeur du logement uniquement par application du paragraphe 4º de la définition de l'expression « constructeur », la personne est réputée ne pas être le constructeur du logement;

L'article 621 a été édicté par L.Q. 1991, c. 67.

Guides [art. 621]: IN-261 — La TVQ, la TPS et les immeubles d'habitation (construction ou rénovation).

Définitions [art. 621]: « bien », « constructeur », « fournisseur », « fourniture », « fourniture taxable », « immeuble d'habitation », « immeuble d'habitation en copropriété », « logement en copropriété », « particulier », « personne », « service », « taxe », « vente » — 1.

Renvois [art. 621]: 618 (application du titre premier); 685 (application de la TVQ).

Concordance fédérale: LTA, par. 336(3).

622. Immeuble d'habitation en copropriété — Dans le cas où la fourniture taxable d'un immeuble d'habitation en copropriété par vente au Québec est effectuée à une personne en vertu d'une convention écrite conclue avant le 30 août 1990 entre le fournisseur et la personne, que la propriété et la possession de l'immeuble d'habitation ne sont pas transférées à la personne en vertu de la convention avant le 1er juillet 1992 et que la propriété de l'immeuble d'habitation est transférée à la personne en vertu de la convention ou que la déclaration de copropriété relative à l'immeuble d'habitation est inscrite au registre foncier à un moment quelconque après le 30 juin 1992, les règles suivantes s'appliquent :

1º aucune taxe n'est payable par la personne à l'égard de la fourniture;

2º l'article 223 ne s'applique pas à l'égard d'un logement en copropriété situé dans l'immeuble d'habitation avant que la propriété de l'immeuble d'habitation soit transférée à la personne;

3º dans le cas où la personne est un constructeur de l'immeuble d'habitation uniquement par application du paragraphe 4º de la définition de l'expression « constructeur », la personne est réputée ne pas être un constructeur de l'immeuble d'habitation ou d'un logement en copropriété situé dans l'immeuble d'habitation et pour déterminer si une autre personne qui, après ce moment, effectue une fourniture de l'immeuble d'habitation, d'un logement en copropriété situé dans l'immeuble d'habitation ou d'un droit dans l'immeuble d'habitation ou le logement est un constructeur de l'immeuble d'habitation ou d'un logement situé dans l'immeuble d'habitation, la déclaration de copropriété relative à l'immeuble d'habitation est réputée avoir été inscrite au registre foncier à ce moment et chacun des logements est réputé avoir été occupé à ce moment par un particulier à titre de résidence;

4º pour l'application de la section II du chapitre sixième, un logement en copropriété situé dans l'immeuble d'habitation est réputé ne pas être un immeuble d'habitation déterminé;

5º le fournisseur n'a pas droit à un remboursement de la taxe sur les intrants à l'égard de la fourniture de biens ou de services nécessaires à l'achèvement des travaux après le 30 juin 1992.

Notes historiques: L'article 622 a été modifié par L.Q. 1997, c. 3, art. 135(4º) pour remplacer le mot « enregistrée » par les mots « inscrite au registre foncier ». Cette modification est entrée en vigueur le 20 mars 1997.

Auparavant, les paragraphes 2º et 3º de l'article 622 ont été modifiés par L.Q. 1994, c. 22, art. 633(1) et sont réputés entrés en vigueur le 1er juillet 1992. Ils se lisaient comme suit :

2º l'article 223 ne s'applique pas à l'égard d'un logement situé dans l'immeuble d'habitation avant que la propriété de l'immeuble d'habitation soit transférée à la personne;

3º dans le cas où la personne est un constructeur de l'immeuble d'habitation uniquement par application du paragraphe 4º de la définition de l'expression « constructeur », la personne est réputée ne pas être le constructeur de l'immeuble d'habitation ou des logements en copropriété;

L'article 622 a été édicté par L.Q. 1991, c. 67.

Guides [art. 622]: IN-261 — La TVQ, la TPS et les immeubles d'habitation (construction ou rénovation).

Définitions [art. 622]: « bien », « constructeur », « droit », « fournisseur », « fourniture taxable », « immeuble d'habitation en copropriété », « logement en copropriété », « particulier », « personne », « service », « taxe », « vente » — 1.

Renvois [art. 622]: 618 (application du titre premier); 685 (application de la TVQ).

Concordance fédérale: LTA, par. 336(4).

622.1 Définitions — Pour l'application de l'article 622.2, l'expression :

« notice d'offre » à l'égard d'une offre de vente d'intérêts dans une société de personne qui constitue une société en commandite — appelée « société en commandite » dans le présent article et dans l'article 622.2 — à un souscripteur potentiel, signifie un ou plusieurs écrits contenant les renseignements suivants :

1º les données concernant la société en commandite ainsi que ses activités courantes ou projetées qui ont ou sont susceptibles d'avoir une incidence importante sur la valeur des intérêts;

2º le prix de vente des intérêts offerts;

3º la date à laquelle la propriété des intérêts doit être transférée aux souscripteurs;

Concordance fédérale: LTA, par. 336(6)« notice d'offre ».

« prix de souscription » d'un intérêt dans une société en commandite signifie la contrepartie payable à l'égard d'un intérêt, prévu dans la notice d'offre.

Concordance fédérale: LTA, par. 336(6)« prix de souscription ».

Notes historiques: L'article 622.1 a été ajouté par L.Q. 1997, c. 85, art. 714(1) et a effet depuis le 1er juillet 1992. Toutefois, l'ajout :

1. Ne s'applique pas à une société en commandite à l'égard de logements en copropriété dont elle est propriétaire qui sont situés dans un immeuble d'habitation en copropriété donné — sauf si la société en commandite demande un remboursement de la taxe visée à l'article 400 avant le 1er janvier 1998 — dans le cas où, à la fois :

a) la société en commandite est réputée, en vertu de l'article 223, avoir effectué la fourniture d'un ou de plusieurs de ces logements avant le 1er décembre 1996;

b) la taxe relative à ces fournitures réputée avoir été perçue et que la société en commandite était tenue de verser avant le 1er décembre 1996 en vertu du titre I, telle qu'elle se lisait avant le 19 décembre 1997, a été versée avant cette date.

2. L'article 401 ne s'applique pas à un remboursement visé à l'article 622.1 si une demande de remboursement est produite au ministre du Revenu avant le 1er janvier 1998.

3. Le ministre du Revenu peut, dans le cas où il a déterminé un montant de taxe qu'une société en commandite devait verser, en vertu du titre I, tel qu'il se lisait avant le 19 décembre 1997, à l'égard de fournitures réputées effectuées, en vertu de l'article 223 de logements en copropriété auxquels l'article 622.2 s'applique, avant le 1er janvier 1998 et malgré l'article 25 de la *Loi sur le ministère du Revenu* (L.R.Q., chapitre M-31), déterminer de nouveau le montant de taxe qui doit être versé par la société en commandite à l'égard de ces fournitures, conformément au titre I, tel qu'il se lisait après le 19 décembre 1997.

4. Dans le cas où une société en commandite a demandé un remboursement en vertu de l'article 667 à l'égard d'un immeuble d'habitation en copropriété et que l'article 622.2, s'applique aux logements en copropriété situés dans l'immeuble dont la société en commandite est propriétaire et que le ministre du Revenu détermine le montant de taxe qui, conformément au titre I, tel qu'il se lisait après le 19 décembre 1997, doit être versée par la société en commandite à l'égard de fournitures de ces logements réputées effectuées en vertu de l'article 223 ou un montant de remboursement visé au paragraphe 1 payable à la société en commandite en vertu de l'article 400 à l'égard de ces logements, le ministre du Revenu peut, malgré le deuxième alinéa de l'article 25 de la *Loi sur le ministère du Revenu*, déterminer de nouveau le montant du remboursement payable à la société en commandite en vertu de l'article 667 ou, si un montant a été payé en trop à la société en commandite à l'égard de ce remboursement, déterminer ce montant à titre de montant payable par la société en commandite à la plus tardive des dates suivantes :

i. le 31 décembre 1997;

ii. dans le cas où le ministre détermine le montant d'un remboursement visé au paragraphe 1 payable à la société en commandite en vertu de l'article 400 à l'égard de ces logements, le jour de cette détermination.

Guides [art. 622.1]: IN-261 — La TVQ, la TPS et les immeubles d'habitation (construction ou rénovation).

LTVQ (français)

Définitions [art. 622.1]: « vente » — 1.

622.2 Fourniture à soi-même d'un logement en copropriété par une société en commandite — Les règles prévues au deuxième alinéa s'appliquent dans le cas où, à la fois :

1º une notice d'offre à l'égard d'une offre de vente d'intérêts dans une société en commandite est distribuée à des souscripteurs potentiels avant le 30 août 1990;

2º les activités projetées de la société en commandite au moment de la distribution de la notice, consistent exclusivement à acquérir un fonds ou un droit à titre bénéficiaire y afférent, à construire sur le fonds un immeuble d'habitation en copropriété, à être propriétaire des logements en copropriété situés dans l'immeuble et effectuer la fourniture des logements en copropriété par louage, licence ou accord semblable pour occupation par des particuliers à titre de résidence;

3º la notice d'offre ne prévoit pas que le prix de souscription des intérêts augmente en raison de modifications à l'application des taxes et le prix de souscription n'a pas subi d'augmentation du 30 août 1990 jusqu'à la date d'expiration prévue pour la vente des intérêts;

4º un intérêt donné dans la société en commandite est transféré à un souscripteur avant le 1er juillet 1992 conformément à la notice d'offre;

5º la société en commandite, de concert ou non avec une autre personne, acquiert un fonds ou un droit à titre bénéficiaire y afférent, avant le 1er juillet 1992 et engage une personne afin de construire un immeuble d'habitation en copropriété sur le fonds en vertu de conventions écrites conclues avant le 30 août 1990 ou de conventions écrites conclues après le 29 août 1990 qui sont conformes, quant à leurs éléments essentiels, aux modalités prévues dans la notice d'offre relativement à ces conventions;

6º l'intérêt donné dans la société en commandite se rapporte à un logement en copropriété donné dont la société en commandite est propriétaire et qui est situé dans l'immeuble d'habitation en copropriété;

7º la possession du logement en copropriété donné est transférée à une personne après le 30 juin 1992 en vertu d'un contrat de louage, d'une licence ou d'un accord semblable pour occupation par un particulier à titre de résidence.

Application — Les règles auxquelles réfère le premier alinéa sont les suivantes :

1º le montant de taxe payable et percevable par la société en commandite, et le montant de taxe réputé payé et perçu par celle-ci, en vertu du paragraphe 2º du premier alinéa de l'article 223, à l'égard de la fourniture du logement en copropriété donné réputée effectuée en vertu du paragraphe 1º du premier alinéa de l'article 223, sont réputés égal à zéro;

2º pour l'application de la section II du chapitre VI, un logement en copropriété donné situé dans l'immeuble d'habitation est réputé ne pas être un immeuble d'habitation déterminé;

3º la société en commandite n'a pas droit à un remboursement de la taxe sur les intrants à l'égard de la fourniture de biens ou de services nécessaires à l'achèvement des travaux après le 30 juin 1992.

Notes historiques: L'article 622.2 a été ajouté par L.Q. 1997, c. 85, art. 714(1) et a effet depuis le 1er juillet 1997. Toutefois, l'ajout :

1. Ne s'applique pas à une société en commandite à l'égard de logements en copropriété dont elle est propriétaire qui sont situés dans un immeuble d'habitation en copropriété donné — sauf si la société en commandite demande un remboursement de la taxe visée à l'article 400 avant le 1er janvier 1998 — dans le cas où, à la fois :

a) la société en commandite est réputée, en vertu de l'article 223 de cette loi, avoir effectué la fourniture d'un ou de plusieurs de ces logements avant le 1er décembre 1996;

b) la taxe relative à ces fournitures réputée avoir été perçue et que la société en commandite était tenue de verser avant le 1er décembre 1996 en vertu du titre I, telle qu'elle se lisait avant le 19 décembre 1997, a été versée avant cette date.

2. L'article 401 de cette loi ne s'applique pas à un remboursement visé à l'article 622.2 si une demande de remboursement est produite au ministre du Revenu avant le 1er janvier 1998.

3. Le ministre du Revenu peut, dans le cas où il a déterminé un montant de taxe qu'une société en commandite devait verser, en vertu du titre I, tel qu'il se lisait avant le 19 décembre 1997, à l'égard de fournitures réputées effectuées, en vertu de l'article 223, de logements en copropriété auxquels l'article 622.2 s'applique, avant le 1er janvier 1998 et malgré l'article 25 de la *Loi sur le ministère du Revenu* (L.R.Q., chapitre M-31), déterminer de nouveau le montant de taxe qui doit être versé par la société en commandite à l'égard de ces fournitures, conformément au titre I, tel qu'il se lisait après le 19 décembre 1997.

4. Dans le cas où une société en commandite a demandé un remboursement en vertu de l'article 667 à l'égard d'un immeuble d'habitation en copropriété et que l'article 622.2 s'applique aux logements en copropriété situés dans l'immeuble dont la société en commandite est propriétaire et que le ministre du Revenu détermine le montant de taxe qui, conformément au titre I, tel qu'il se lisait après le 19 décembre 1997 doit être versée par la société en commandite à l'égard de fournitures de ces logements réputées effectuées en vertu de l'article 223 ou un montant de remboursement visé au paragraphe 1 payable à la société en commandite en vertu de l'article 400 à l'égard de ces logements, le ministre du Revenu peut, malgré le deuxième alinéa de l'article 25 de la *Loi sur le ministère du Revenu*, déterminer de nouveau le montant du remboursement payable à la société en commandite en vertu de l'article 667 ou, si un montant a été payé en trop à la société en commandite à l'égard de ce remboursement, déterminer ce montant à titre de montant payable par la société en commandite à la plus tardive des dates suivantes :

i. le 31 décembre 1997;

ii. dans le cas où le ministre détermine le montant d'un remboursement visé au paragraphe 2 payable à la société en commandite en vertu de l'article 400 à l'égard de ces logements, le jour de cette détermination.

Guides [art. 622.2]: IN-261 — La TVQ, la TPS et les immeubles d'habitation (construction ou rénovation).

Définitions [art. 622.2]: « acquéreur », « constructeur », « contrepartie », « fourniture », « fournitue taxable », « immeuble », « immeuble d'habitation », « immeuble d'habitation à logement unique », « immeuble d'habitation en copropriété », « logement en copropriété », « montant », « particulier », « personne », « taxe », « vente » — 1.

Renvois [art. 622.2]: 199 (CTI); 622.1 (définitions).

Concordance fédérale: LTA, par. 336(5).

SECTION III — FOURNITURE EN VERTU D'UN CONTRAT RELATIF À UN IMMEUBLE OU À UN BATEAU

623. Contrat relatif à un immeuble ou à un bateau — Dans le cas où une fourniture taxable est effectuée en vertu d'un contrat portant sur la construction, la rénovation, la transformation ou la réparation soit d'un immeuble, soit d'un bateau ou autre bâtiment de mer, les règles suivantes s'appliquent :

1º la contrepartie de la fourniture qui devient due ou est payée sans devenir due après le 31 août 1990 mais avant le 1er juillet 1992 à titre de paiement proportionnel requis en vertu du contrat est réputée, pour l'application du titre premier et du présent titre, devenir due le 1er juillet 1992 et ne pas être payée avant le 1er juillet 1992;

2º aucune taxe n'est payable à l'égard de la partie de la contrepartie de la fourniture qui peut raisonnablement être attribuée à un bien délivré et à un service exécuté en vertu du contrat avant le 1er juillet 1992;

3º dans le cas où le paragraphe 3º de l'article 86 s'applique à l'égard de la fourniture, que la taxe est payable à l'égard de cette fourniture et que la construction, la rénovation, la transformation ou la réparation est presque achevée avant le 1er juin 1992, la construction, la rénovation, la transformation ou la réparation est réputée, pour l'application du titre premier et du présent titre, être presque achevée le 1er juin 1992 et non avant ce jour.

Notes historiques: L'article 623 a été édicté par L.Q. 1991, c. 67.

Définitions [art. 623]: « bien », « contrepartie », « fourniture taxable », « service », « taxe » — 1.

Renvois [art. 623]: 618 (application du titre premier); 673 (fourniture donnant droit au remboursement); 674.3 (remboursement de la taxe prévue par la LIVD); 685 (application de la TVQ).

Concordance fédérale: LTA, art. 339.

Chapitre III — Bien meuble

Section I — Fourniture par vente

624. Bien meuble — Aucune taxe prévue au titre premier n'est payable à l'égard de la fourniture d'un bien meuble effectuée par vente en vertu d'une convention conclue avant le 1er juillet 1992 dans la mesure où la taxe prévue au chapitre II de la *Loi concernant l'impôt sur la vente en détail* (chapitre I-1) s'applique à l'égard de la vente de ce bien.

Notes historiques: L'article 624 a été édicté par L.Q. 1991, c. 67.

Définitions [art. 624]: « bien », « fourniture », « taxe », « vente » — 1.

Renvois [art. 624]: 618 (application du titre premier); 685 (application de la TVQ).

Concordance fédérale: LTA, par. 337(1), 337(1.1).

Section II — Fourniture par louage, licence ou accord semblable

625. Contrepartie due ou payée avant le 1er juillet 1992 — La contrepartie d'une fourniture taxable effectuée au Québec par louage, licence ou accord semblable d'un bien meuble en vertu d'une convention conclue avant le 1er juillet 1992, à l'égard duquel la taxe prévue au chapitre II de la *Loi concernant l'impôt sur la vente en détail* (chapitre I-1) s'applique, qui est due avant le 1er juillet 1992 ou qui est payée avant le 1er juillet 1992 sans devenir due, est réputée devenir due le 1er juillet 1992 et ne pas être payée avant le 1er juillet 1992, dans la mesure où la contrepartie constitue un loyer, une redevance ou un paiement semblable imputable à une période postérieure au 30 juin 1992.

Contrepartie imputable à une période postérieure au 30 juin 1992 — De plus, dans le cas où la taxe prévue au chapitre II de la *Loi concernant l'impôt sur la vente en détail* a été payée et est relative à une contrepartie qui constitue un loyer, une redevance ou un paiement semblable imputable à une période postérieure au 30 juin 1992, elle est réputée avoir été payée et versée le 1er juillet 1992 en vertu de la présente loi.

Notes historiques: L'article 625 a été édicté par L.Q. 1991, c. 67.

Définitions [art. 625]: « bien », « contrepartie », « fourniture taxable », « taxe » — 1.

Renvois [art. 625]: 618 (application du titre premier); 673 (fourniture donnant droit au remboursement); 685 (application de la TVQ).

Concordance fédérale: aucune.

626. Contrepartie imputable à une période antérieure au 1er juillet 1992 — Aucune taxe prévue au titre premier n'est payable à l'égard de la contrepartie d'une fourniture taxable effectuée au Québec par louage, licence ou accord semblable d'un bien meuble en vertu d'un convention conclue avant le 1er juillet 1992, à l'égard duquel la taxe prévue au chapitre II de la *Loi concernant l'impôt sur la vente en détail* (chapitre I-1) s'applique, dans la mesure où la contrepartie constitue un loyer, une redevance ou un paiement semblable imputable à une période antérieure au 1er juillet 1992.

Notes historiques: L'article 626 a été édicté par L.Q. 1991, c. 67.

Définitions [art. 626]: « bien », « contrepartie », « fourniture taxable », « taxe » — 1.

Renvois [art. 626]: 618 (application du titre premier); 685 (application de la TVQ).

Concordance fédérale: aucune.

627. Contrepartie due ou payée après le 30 avril 1992 — La contrepartie d'une fourniture taxable effectuée au Québec par louage, licence ou accord semblable d'un bien en vertu d'une convention conclue avant le 1er juillet 1992, à l'égard duquel la taxe prévue au chapitre II de la *Loi concernant l'impôt sur la vente en détail* (chapitre I-1) ne s'applique pas, qui est due après le 30 avril 1992 mais avant le 1er juillet 1992 ou qui est payée après le 30 avril 1992 mais avant le 1er juillet 1992 sans devenir due, est réputée devenir due le 1er juillet 1992 et ne pas être payée avant le 1er juillet 1992, dans la mesure où la contrepartie constitue un loyer, une redevance ou un paiement semblable imputable à une période postérieure au 30 juin 1992.

Taxe payable — Dans le cas où le fournisseur est un inscrit, la taxe est payable à l'égard de la contrepartie qui est ainsi réputée devenir due.

Notes historiques: L'article 627 a été édicté par L.Q. 1991, c. 67.

Définitions [art. 627]: « bien », « contrepartie », « fournisseur », « fourniture taxable », « inscrit » — 1.

Renvois [art. 627]: 618 (application du titre premier); 630 (champ d'application); 674.3 (remboursement de la taxe prévue par la LIVD); 685 (application de la TVQ).

Concordance fédérale: LTA, par. 340(1).

628. Contrepartie imputable à une période postérieure au 30 juin 1992 — La taxe est payable à l'égard de la contrepartie d'une fourniture taxable d'un bien meuble incorporel par licence ou accord semblable, effectuée au Québec à une personne qui n'est pas un consommateur, par un fournisseur dans le cours normal d'une entreprise, dans la mesure où la contrepartie de la fourniture qui devient due après le 31 août 1990 mais avant le 1er mai 1992 ou qui est payée après le 31 août 1990 mais avant le 1er mai 1992 sans devenir due constitue une redevance ou un paiement semblable imputable à une période postérieure au 30 juin 1992.

Déclaration et versement de la taxe — La personne doit produire au ministre une déclaration au moyen du formulaire prescrit contenant les renseignements prescrits, de la manière prescrite par ce dernier et verser la taxe au ministre à l'égard de cette contrepartie au plus tard le 1er octobre 1992.

Exception — Le présent article ne s'applique pas à l'égard de la fourniture d'un bien qui doit être utilisé au Québec exclusivement dans le cadre des activités commerciales de la personne et à l'égard duquel elle aurait le droit de demander un remboursement de la taxe sur les intrants si elle avait payé la taxe prévue au premier alinéa à l'égard du bien.

Notes historiques: Le troisième alinéa de l'article 628 a été ajouté par L.Q. 1993, c. 19, art. 246 et s'applique à l'égard d'une fourniture ou d'un apport au Québec relativement auquel l'article 685 ou l'un des articles 618 à 656 de L.Q. 1991, c. 67 s'applique [*N.D.L.R.* : les articles 685 et 618 à 656 réfèrent à des dispositions transitoires concernant les transferts avant le 1er juillet 1992].

L'article 628 a été édicté par L.Q. 1991, c. 67.

Définitions [art. 628]: « activités commerciales », « bien », « consommateur », « contrepartie », « entreprise », « fournisseur », « fourniture taxable », « personne », « taxe » — 1.

Renvois [art. 628]: 618 (application du titre premier); 630 (champ d'application); 673 (fourniture donnant droit au remboursement); 674.3 (remboursement de la taxe prévue par la LIVD); 674.5 (remboursement à la suite d'une réduction d'une contrepartie); 685 (application de la TVQ).

Concordance fédérale: LTA, par. 340(2) in fine.

629. Contrepartie imputable à une période antérieure au 1er juillet 1992 — Aucune taxe n'est payable à l'égard de la contrepartie d'une fourniture taxable effectuée au Québec par louage, licence ou accord semblable d'un bien en vertu d'une convention conclue avant le 1er juillet 1992, à l'égard duquel la taxe prévue au chapitre II de la *Loi concernant l'impôt sur la vente en détail* (chapitre I-1) ne s'applique pas, qui devient due avant le 1er novembre 1992 ou qui est payée avant le 1er novembre 1992 sans devenir due, dans la mesure où la contrepartie constitue un loyer, une redevance ou un paiement semblable imputable à une période antérieure au 1er juillet 1992.

Notes historiques: L'article 629 a été édicté par L.Q. 1991, c. 67.

Définitions [art. 629]: « bien », « contrepartie », « fourniture taxable », « taxe » — 1.

Renvois [art. 629]: 618 (application du titre premier); 630 (champ d'application); 685 (application de la TVQ).

Concordance fédérale: LTA, par. 340(4).

630. Application des art. 627 à 629 — Les articles 627 à 629 ne s'appliquent pas à l'égard de la contrepartie pour l'utilisation ou le droit d'utilisation d'un bien meuble incorporel si le montant de la contrepartie n'est pas établi en fonction de l'utilisation ou de la production du bien ou des bénéfices provenant de cette utilisation ou de cette production.

LTVQ (français)

Notes historiques: L'article 630 a été édicté par L.Q. 1991, c. 67.

Définitions [art. 630]: « bien », « contrepartie », « montant » — 1.

Renvois [art. 630]: 618 (application du titre premier); 685 (application de la TVQ).

Concordance fédérale: LTA, par. 340(5).

631. Convention conclue avant le 30 août 1990 — Aucune taxe n'est payable à l'égard de la contrepartie de la fourniture d'un bien meuble corporel, à l'égard duquel la taxe prévue au chapitre II de la *Loi concernant l'impôt sur la vente en détail* (chapitre I-1) ne s'applique pas, effectuée soit par louage dans le cas où il est une immobilisation du fournisseur, soit par sous-location dans le cas où il est une immobilisation de la personne qui a fourni le bien par louage au sous-locateur, si la fourniture est effectuée en vertu d'une convention écrite conclue avant le 30 août 1990.

Renouvellement ou modification après le 29 août 1990 — Pour l'application du premier alinéa, dans le cas du renouvellement, après le 29 août 1990, de la convention écrite ou d'une modification, après le 29 août 1990, de la durée de cette convention ou des biens qu'elle vise, la convention est réputée avoir été conclue après cette date.

Notes historiques: Le premier alinéa de l'article 631 a été modifié par L.Q. 1995, c. 63, art. 506(1) et cette modification a effet depuis le 1er juillet 1992 [*N.D.L.R.* : cette disposition s'applique conformément aux articles 618 à 656 et 685 de L.Q. 1991, c. 67, tels que modifiés]. Auparavant, il se lisait comme suit :

> 631. Aucune taxe n'est payable à l'égard de la contrepartie de la fourniture d'un bien meuble corporel soit par louage dans le cas où il est une immobilisation du fournisseur, soit par sous-location dans le cas où il est une immobilisation de la personne qui a fourni le bien par louage au sous-locateur, si la fourniture est effectuée en vertu d'une convention écrite conclue avant le 30 août 1990.

Le premier alinéa de l'article 631 a été modifié par L.Q. 1995, c. 1, par. 343(1) et cette modification est entrée en vigueur le 1er juillet 1992. Antérieurement, l'article 631, édicté par L.Q. 1991, c. 67, se lisait comme suit :

> 631. Aucune taxe n'est payable à l'égard de la contrepartie de la fourniture d'un bien meuble corporel par louage qui est une immobilisation du fournisseur si elle est effectuée en vertu d'une convention écrite conclue avant le 30 août 1990.

Définitions [art. 631]: « bien », « contrepartie », « fournisseur », « fourniture », « immobilisation », « taxe » — 1.

Renvois [art. 631]: 618 (application du titre premier); 685 (application de la TVQ).

Concordance fédérale: LTA, par. 340(6), 340(7).

SECTION III — FOURNITURE D'UN ABONNEMENT À UNE REVUE

632. Contrepartie payée avant le 1er juillet 1992 — Aucune taxe n'est payable à l'égard de la contrepartie de la fourniture taxable d'un abonnement à une revue qui est payée avant le 1er juillet 1992.

Notes historiques: L'article 632 a été édicté par L.Q. 1991, c. 67.

Définitions [art. 632]: « contrepartie », « fourniture taxable », « taxe » — 1.

Renvois [art. 632]: 685 (application de la TVQ).

Concordance fédérale: LTA, par. 337(4).

SECTION IV — RETOUR ET ÉCHANGE D'UN BIEN MEUBLE

633. Retour après le 30 juin 1992 — Dans le cas où une personne a acheté avant le 1er juillet 1992 un bien mobilier, qu'elle a payé la taxe prévue au chapitre II de la *Loi concernant l'impôt sur la vente en détail* (L.R.Q., chapitre I-1) au taux de 8 % lors de cet achat et qu'elle retourne le bien à son vendeur après le 30 juin 1992 mais avant le 1er août 1992 pour l'échanger contre un autre bien mobilier, les règles suivantes s'appliquent, selon le cas :

1º dans le cas où la contrepartie de l'autre bien est égale au prix de vente du bien retourné, malgré l'article 20.9.2 de la *Loi concernant l'impôt sur la vente en détail*, la personne ne peut demander un remboursement de la taxe qu'elle a payée lors de l'achat du bien retourné et la taxe prévue à l'article 16 ne s'applique pas à l'égard de la fourniture de l'autre bien;

2º dans le cas où le vendeur rembourse à la personne une partie du prix de vente du bien retourné, la taxe prévue à l'article 16 ne s'applique pas à l'égard de la fourniture de l'autre bien.

Notes historiques: L'article 633 a été édicté par L.Q. 1991, c. 67.

Définitions [art. 633]: « bien », « contrepartie », « fourniture », « personne », « taxe », « vente » — 1.

Renvois [art. 633]: 618 (application du titre premier); 685 (application de la TVQ).

Concordance fédérale: aucune.

634. Retour après le 30 juin 1992 — Dans le cas où une personne a acheté avant le 1er juillet 1992 un bien mobilier, que la taxe prévue au chapitre II de la *Loi concernant l'impôt sur la vente en détail* (chapitre I-1) ne s'applique pas lors de cet achat et qu'elle retourne le bien après le 30 juin 1992 mais avant le 1er août 1992 pour l'échanger contre un autre bien mobilier, la taxe prévue à l'article 16 ne s'applique pas à l'égard de l'achat de l'autre bien si l'échange est facturé ou payé avant le 1er novembre 1992.

Notes historiques: L'article 634 a été édicté par L.Q. 1991, c. 67.

Définitions [art. 634]: « bien », « facture », « personne », « taxe » — 1.

Renvois [art. 634]: 618 (application du titre premier); 685 (application de la TVQ).

Concordance fédérale: aucune.

635. Contrepartie supérieure au prix de vente du bien retourné — Dans le cas où une personne a acheté avant le 1er juillet 1992 un bien mobilier qu'elle retourne à son vendeur, après le 30 juin 1992 mais avant le 1er août 1992 pour l'échanger contre un autre bien mobilier et que la contrepartie de l'autre bien excède le prix de vente du bien retourné, la personne doit payer la taxe prévue à l'article 16, seulement sur l'excédent et malgré l'article 20.9.2 de la *Loi concernant l'impôt sur la vente en détail* (chapitre I-1), elle n'a pas droit au remboursement de la taxe qu'elle a payée lors de l'achat du bien retourné, le cas échéant.

Notes historiques: L'article 635 a été édicté par L.Q. 1991, c. 67.

Définitions [art. 635]: « bien », « contrepartie », « personne », « taxe » — 1.

Renvois [art. 635]: 618 (application du titre premier); 685 (application de la TVQ).

Concordance fédérale: aucune.

635.1 Retour et échange après le 12 mai 1994 — contreparties égales — Dans le cas où une personne a reçu avant le 13 mai 1994 la fourniture taxable d'un bien meuble à l'égard de laquelle elle a payé la taxe prévue à l'article 16 au taux de 8 % ou de 4 %, selon le cas, qu'elle retourne le bien à son fournisseur après le 12 mai 1994 pour l'échanger contre un autre bien meuble et que la contrepartie de la fourniture de l'autre bien est égale à celle de la fourniture du bien retourné, les règles suivantes s'appliquent :

1º la personne n'a pas droit au remboursement de la taxe qu'elle a payée à l'égard de la fourniture du bien retourné :

2º la taxe prévue à l'article 16 ne s'applique pas à l'égard de la fourniture de l'autre bien.

Notes historiques: L'article 635.1 a été ajouté par L.Q. 1995, c. 1, art. 344(1) et a effet depuis le 13 mai 1994.

Définitions [art. 635.1]: « contrepartie », « fourniture taxable », « personne » — 1.

Concordance fédérale: aucune.

635.2 Retour et échange après le 12 mai 1994 — contreparties inférieure à celle du bien retourné — Dans le cas où une personne a reçu avant le 13 mai 1994 la fourniture taxable d'un bien meuble à l'égard de laquelle elle a payé la taxe prévue à l'article 16 au taux de 8 % ou de 4 %, selon le cas, qu'elle retourne le bien à son fournisseur après le 12 mai 1994 pour l'échanger contre un autre bien meuble et que ce dernier rembourse à la personne ou porte à son crédit une partie de la contrepartie de la fourniture du bien retourné, les règles suivantes s'appliquent :

1º la personne a droit d'obtenir du fournisseur le remboursement de la taxe qu'elle a payée à l'égard de la partie de la contrepartie de la fourniture du bien retourné ainsi remboursée ou créditée et le fournisseur doit lui rembourser cette taxe;

2º la taxe prévue à l'article 16 ne s'applique pas à l'égard de la fourniture de l'autre bien.

Notes historiques: L'article 635.2 a été ajouté par L.Q. 1995, c. 1, art. 344(1) et a effet depuis le 13 mai 1994.

Définitions [art. 635.2]: « bien », « contrepartie », « fournisseur », « fourniture », « fourniture taxable », « personne », « taxe » — 1.

Concordance fédérale: aucune.

635.3 Retour et échange après le 12 mai 1994 — contreparties supérieure à celle du bien retourné — Dans le cas où une personne a reçu avant le 13 mai 1994 la fourniture taxable d'un bien meuble à l'égard de laquelle elle a payé la taxe prévue à l'article 16 au taux de 8 % ou de 4 %, selon le cas, qu'elle retourne le bien à son fournisseur après le 12 mai 1994 pour l'échanger contre un autre bien meuble et que la contrepartie de la fourniture de l'autre bien excède celle de la fourniture du bien retourné, les règles suivantes s'appliquent :

1º la personne n'a pas droit au remboursement de la taxe qu'elle a payée à l'égard de la fourniture du bien retourné;

2º la personne doit payer la taxe prévue à l'article 16 seulement sur la partie de la contrepartie de la fourniture de l'autre bien qui excède celle de la fourniture du bien retourné.

Notes historiques: L'article 635.3 a été ajouté par L.Q. 1995, c. 1, art. 344(1) et a effet depuis le 13 mai 1994.

Définitions [art. 635.3]: « bien », « contrepartie », « fournisseur », « founiture », « fourniture taxable », « personne », « taxe » — 1.

Concordance fédérale: aucune.

635.4 Retour sans échange après le 12 mai 1994 — Dans le cas où une personne a reçu avant le 13 mai 1994 la fourniture taxable d'un bien meuble à l'égard de laquelle elle a payé la taxe prévue à l'article 16 au taux de 8 % ou de 4 %, selon le cas, qu'elle retourne le bien à son fournisseur après le 12 mai 1994 sans l'échanger contre un autre bien meuble et que ce dernier rembourse à la personne ou porte à son crédit la totalité ou une partie de la contrepartie de la fourniture du bien retourné, la personne a droit d'obtenir du fournisseur le remboursement de la taxe qu'elle a payée à l'égard de la totalité ou de la partie de la contrepartie ainsi remboursée ou créditée et le fournisseur doit lui rembourser cette taxe.

Exception — Le présent article ne s'applique pas à l'égard de la fourniture d'un bien meuble relativement à laquelle la taxe prévue à l'article 16 a été payée au taux de 8 %, s'il est raisonnable de considérer que le but poursuivi par la personne qui a reçu la fourniture et le fournisseur qui l'a effectuée est de permettre à la personne de recevoir une nouvelle fourniture, similaire à la fourniture initiale, à l'égard de laquelle la taxe prévue à l'article 16 est payable au taux de 6,5 %.

Notes historiques: L'article 635.4 a été ajouté par L.Q. 1995, c. 1, art. 344(1) et a effet depuis le 13 mai 1994.

Définitions [art. 635.4]: « contrepartie », « fournisseur », « founiture », « fourniture taxable », « personne », « taxe » — 1.

Concordance fédérale: aucune.

635.5 Calcul de la taxe nette — Dans le cas où un fournisseur rembourse à une personne, en vertu des articles 635.2 ou 635.4, la totalité ou une partie de la taxe — appelée « montant de la taxe » dans le présent article — qu'elle a payée à l'égard d'une fourniture, les règles suivantes s'appliquent :

1º le montant de la taxe peut être déduit dans le calcul de la taxe nette du fournisseur pour sa période de déclaration où le remboursement est effectué, dans la mesure où il a été inclus dans le calcul de sa taxe nette pour cette période de déclaration ou une de ses périodes de déclaration antérieures;

2º le montant de la taxe doit être ajouté dans le calcul de la taxe nette de la personne pour sa période de déclaration où le remboursement est effectué, dans la mesure où il a été inclus dans le calcul de son remboursement de la taxe sur les intrants demandé dans la déclaration produite pour cette période de déclaration ou une de ses périodes de déclaration antérieures.

Notes historiques: L'article 635.5 a été ajouté par L.Q. 1995, c. 1, art. 344(1) et a effet depuis le 13 mai 1994.

Définitions [art. 635.5]: « fournisseur », « fourniture », « fourniture taxable », « période de déclaration », « personne » — 1.

Renvois [art. 635.5]: 199 (RTI); 428–436 (détermination de la taxe nette).

Concordance fédérale: aucune.

635.6 Retour et échange après le 31 juillet 1995 — Dans le cas où une personne a reçu avant le 1er août 1995 la fourniture non taxable d'un bien meuble, qu'elle retourne le bien à son fournisseur après le 31 juillet 1995 pour l'échanger contre un autre bien meuble et que la contrepartie de la fourniture de l'autre bien est égale ou inférieure à celle de la fourniture du bien retourné, la taxe prévue à l'article 16 ne s'applique pas à l'égard de la fourniture de l'autre bien.

Notes historiques: L'article 635.6 a été ajouté par L.Q. 1995, c. 63, art. 507(1) et a effet depuis le 1er août 1995.

Définitions [art. 635.6]: « contrepartie », « fournisseur », « fourniture », « fourniture non taxable », « personne », « taxe » — 1.

Concordance fédérale: aucune.

635.7 Contrepartie supérieure à celle du bien retourné — Dans le cas où une personne a reçu avant le 1er août 1995 la fourniture non taxable d'un bien meuble, qu'elle retourne le bien à son fournisseur après le 31 juillet 1995 pour l'échanger contre un autre bien meuble et que la contrepartie de la fourniture de l'autre bien excède celle de la fourniture du bien retourné, la personne doit payer la taxe prévue à l'article 16 seulement sur la partie de la contrepartie de la fourniture de l'autre bien qui excède celle de la fourniture du bien retourné.

Notes historiques: L'article 635.7 a été ajouté par L.Q. 1995, c. 63, art. 507(1) et a effet depuis le 1er août 1995.

Définitions [art. 635.7]: « contrepartie », « fournisseur », « fourniture », « fourniture non taxable », « personne », « taxe » — 1.

Bulletins d'information: 2002-7 — Amendements déclaratoires au régime de la TVQ.

Bulletins d'interprétation [art. 635.7]: SPÉCIAL 132 — Amendements déclaratoires au régime de la TVQ.

Concordance fédérale: aucune.

635.8 Retour et échange après le 31 décembre 1997 — contreparties égales — Dans le cas où une personne a reçu avant le 1er janvier 1998 la fourniture taxable d'un bien meuble à l'égard de laquelle elle a payé la taxe prévue à l'article 16 au taux de 6,5 %, qu'elle retourne le bien à son fournisseur après le 31 décembre 1997 pour l'échanger contre un autre bien meuble et que la contrepartie de la fourniture de l'autre bien est égale à celle de la fourniture du bien retourné, les règles suivantes s'appliquent :

1º la personne n'a pas droit au remboursement de la taxe qu'elle a payée à l'égard de la fourniture du bien retourné;

2º la taxe prévue à l'article 16 ne s'applique pas à l'égard de la fourniture de l'autre bien.

Notes historiques: L'article 635.8 a été ajouté par L.Q. 1997, c. 85, art. 715(1) et a effet à compter du 1er janvier 1998.

Définitions [art. 635.8]: « bien », « contrepartie », « fourniture », « fourniture taxable », « personne », « taxe » — 1.

Concordance fédérale: aucune.

635.9 Retour et échange après le 31 décembre 1997 — contrepartie supérieure à celle du bien retourné — Dans le cas où une personne a reçu avant le 1er janvier 1998 la fourniture taxable d'un bien meuble à l'égard de laquelle elle a payé la taxe prévue à l'article 16 au taux de 6,5 %, qu'elle retourne le bien à son fournisseur après le 31 décembre 1997 pour l'échanger contre un autre bien meuble et que la contrepartie de la fourniture de l'autre bien excède celle de la fourniture du bien retourné, les règles suivantes s'appliquent :

LTVQ (français)

1º la personne n'a pas droit au remboursement de la taxe qu'elle a payée à l'égard de la fourniture du bien retourné;

2º la personne doit payer la taxe prévue à l'article 16 seulement sur la partie de la contrepartie de la fourniture de l'autre bien qui excède celle de la fourniture du bien retourné.

Notes historiques: L'article 635.9 a été ajouté par L.Q. 1997, c. 85, art. 715(1) et a effet à compter du 1er janvier 1998.

Définitions [art. 635.9]: « bien », « contrepartie », « fourniture taxable », « personne », « taxe » — 1.

Concordance fédérale: aucune.

635.10 Dans le cas où une personne a reçu, avant le 1er janvier 2011, la fourniture taxable d'un bien meuble à l'égard de laquelle elle a payé la taxe prévue à l'article 16 au taux de 7,5 %, qu'elle retourne le bien à son fournisseur après le 31 décembre 2010 pour l'échanger contre un autre bien meuble et que la contrepartie de la fourniture de l'autre bien est égale à celle de la fourniture du bien retourné, les règles suivantes s'appliquent :

1º la personne n'a pas droit au remboursement de la taxe qu'elle a payée à l'égard de la fourniture du bien retourné;

2º la taxe prévue à l'article 16 ne s'applique pas à l'égard de la fourniture de l'autre bien.

Notes historiques: L'article 635.10 a été ajouté par L.Q. 2011, c. 1, par. 157(1) et a effet à compter du 1er janvier 2011.

Notes explicatives ARQ (PL 117, L.Q. 2011, c. 1): *Résumé* :

Le nouvel article 635.10 est introduit de façon à ce que, dans le cadre de la hausse du taux de la taxe de vente du Québec (TVQ) de 7,5 % à 8,5 %, à compter du 1er janvier 2011, certaines règles s'appliquent lorsqu'une personne retourne à son fournisseur, après le 31 décembre 2010, un bien fourni avant le 1er janvier 2011 pour l'échanger contre un autre bien de même valeur.

Contexte :

Considérant la hausse du taux à 8,5 % à compter du 1er janvier 2011, l'article 635.10 est introduit à la LTVQ afin que, lorsqu'une personne retourne à son fournisseur, après le 31 décembre 2010, un bien fourni avant le 1er janvier 2011 pour l'échanger contre un autre bien moyennant une contrepartie égale à celle payée pour le bien retourné, certaines règles soient applicables.

Modifications proposées :

Le nouvel article 635.10 prévoit que lorsqu'une personne retourne à son fournisseur, après le 31 décembre 2010, un bien meuble qui lui a été fourni avant le 1er janvier 2011 pour l'échanger contre un autre bien meuble de même valeur, elle n'a droit à aucun remboursement de la taxe payée à l'égard de la fourniture du bien retourné et la taxe au taux de 8,5 % ne s'applique pas à la fourniture de l'autre bien. Ainsi, dans de telles circonstances, il ne se produit aucune conséquence fiscale, tant pour l'acquéreur que pour le fournisseur.

Concordance fédérale: aucune.

635.11 Dans le cas où une personne a reçu, avant le 1er janvier 2011, la fourniture taxable d'un bien meuble à l'égard de laquelle elle a payé la taxe prévue à l'article 16 au taux de 7,5 %, qu'elle retourne le bien à son fournisseur après le 31 décembre 2010 pour l'échanger contre un autre bien meuble et que la contrepartie de la fourniture de l'autre bien excède celle de la fourniture du bien retourné, les règles suivantes s'appliquent :

1º la personne n'a pas droit au remboursement de la taxe qu'elle a payée à l'égard de la fourniture du bien retourné;

2º la personne doit payer la taxe prévue à l'article 16 seulement sur la partie de la contrepartie de la fourniture de l'autre bien qui excède celle de la fourniture du bien retourné.

Notes historiques: L'article 635.11 a été ajouté par L.Q. 2011, c. 1, par. 157(1) et a effet à compter du 1er janvier 2011.

Notes explicatives ARQ (PL 117, L.Q. 2011, c. 1): *Résumé* :

Le nouvel article 635.11 est introduit de façon à ce que, dans le cadre de la hausse du taux de la taxe de vente du Québec (TVQ) de 7,5 % à 8,5 %, à compter du 1er janvier 2011, certaines règles s'appliquent lorsqu'une personne retourne à son fournisseur, après le 31 décembre 2010, un bien fourni avant le 1er janvier 2011 pour l'échanger contre un autre bien et qu'unmontant supplémentaire est payable par elle, dans le cadre de cet échange.

Contexte :

Considérant la hausse du taux à 8,5 % à compter du 1er janvier 2011, l'article 635.11 est introduit à la LTVQ afin que, lorsqu'une personne retourne à son fournisseur, après le 31 décembre 2010, un bien fourni avant le 1er janvier 2011 pour l'échanger contre un autre bien moyennant le paiement d'un montant supplémentaire, certaines règles soient applicables.

Modifications proposées :

Le nouvel article 635.11 prévoit que, dans le cas où une personne retourne à son fournisseur, après le 31 décembre 2010, un bien meuble qui lui a été fourni avant le 1er janvier 2011 pour l'échanger contre un autre bien meuble et qu'elle doit alors débourser un montant supplémentaire, les règles suivantes s'appliquent :

— elle n'a droit à aucun remboursement de la taxe payée relativement à la fourniture du bien retourné;

— la taxe au taux de 8,5 % est payable uniquement à l'égard du montant supplémentaire.

Concordance fédérale: aucune.

635.12 [Échange d'une fourniture taxable] — Dans le cas où une personne a reçu, avant le 1er janvier 2012, la fourniture taxable d'un bien meuble à l'égard de laquelle elle a payé la taxe prévue à l'article 16 au taux de 8,5 %, qu'elle retourne le bien à son fournisseur après le 31 décembre 2011 pour l'échanger contre un autre bien meuble et que la contrepartie de la fourniture de l'autre bien est égale à celle de la fourniture du bien retourné, les règles suivantes s'appliquent :

1º la personne n'a pas droit au remboursement de la taxe qu'elle a payée à l'égard de la fourniture du bien retourné;

2º la taxe prévue à l'article 16 ne s'applique pas à l'égard de la fourniture de l'autre bien.

Notes historiques: L'article 635.12 a été ajouté par L.Q. 2011, c. 6, par. 287(1) et a effet à compter du 1er janvier 2012.

Notes explicatives ARQ (PL 5, L.Q. 2011, c. 6): *Résumé* :

Le nouvel article 635.12 est introduit dans la *Loi sur la taxe de vente du Québec* (LTVQ) de façon à ce que, dans le cadre de la hausse du taux de la taxe de vente du Québec (TVQ) de 8,5 % à 9,5 %, à compter du 1er janvier 2012, certaines règles s'appliquent lorsqu'une personne retourne à son fournisseur, après le 31 décembre 2011, un bien fourni avant le 1er janvier 2012 pour l'échanger contre un autre bien de même valeur.

Contexte :

Considérant la hausse du taux de la TVQ à 9,5 % à compter du 1er janvier 2012, l'article 635.12 est introduit à la LTVQ afin que, lorsqu'une personne retourne à son fournisseur, après le 31 décembre 2011, un bien fourni avant le 1er janvier 2012 pour l'échanger contre un autre bien moyennant une contrepartie égale à celle payée pour le bien retourné, certaines règles soient applicables.

Modifications proposées :

Le nouvel article 635.12 prévoit que lorsqu'une personne retourne à son fournisseur, après le 31 décembre 2011, un bien meuble qui lui a été fourni avant le 1er janvier 2012 pour l'échanger contre un autre bien meuble de même valeur, elle n'a droit à aucun remboursement de la taxe payée à l'égard de la fourniture du bien retourné et la taxe au taux de 9,5 % ne s'applique pas à la fourniture de l'autre bien. Ainsi, dans de telles circonstances, il ne se produit aucune conséquence fiscale, tant pour l'acquéreur que pour le fournisseur.

Concordance fédérale: aucune.

635.13 [Échange d'une fourniture taxable] — Dans le cas où une personne a reçu, avant le 1er janvier 2012, la fourniture taxable d'un bien meuble à l'égard de laquelle elle a payé la taxe prévue à l'article 16 au taux de 8,5 %, qu'elle retourne le bien à son fournisseur après le 31 décembre 2011 pour l'échanger contre un autre bien meuble et que la contrepartie de la fourniture de l'autre bien excède celle de la fourniture du bien retourné, les règles suivantes s'appliquent :

1º la personne n'a pas droit au remboursement de la taxe qu'elle a payée à l'égard de la fourniture du bien retourné;

2º la personne doit payer la taxe prévue à l'article 16 seulement sur la partie de la contrepartie de la fourniture de l'autre bien qui excède celle de la fourniture du bien retourné.

Notes historiques: L'article 635.13 a été ajouté par L.Q. 2011, c. 6, par. 287(1) et a effet à compter du 1er janvier 2012.

Notes explicatives ARQ (PL 5, L.Q. 2011, c. 6): *Résumé* :

Le nouvel article 635.13 est introduit dans la *Loi sur la taxe de vente du Québec* (LTVQ) de façon à ce que, dans le cadre de la hausse du taux de la taxe de vente du Québec (TVQ) de 8,5 % à 9,5 %, à compter du 1er janvier 2012, certaines règles s'appliquent lorsqu'une personne retourne à son fournisseur, après le 31 décembre 2011, un bien fourni avant le 1er janvier 2012 pour l'échanger contre un autre bien et qu'un montant supplémentaire est payable par elle, dans le cadre de cet échange.

Contexte :

Considérant la hausse du taux de la TVQ à 9,5 % à compter du 1er janvier 2012, l'article 635.13 est introduit à la LTVQ afin que, lorsqu'une personne retourne à son fournisseur, après le 31 décembre 2011, un bien fourni avant le 1er janvier 2012 pour l'échanger contre un autre bien moyennant le paiement d'un montant supplémentaire, certaines règles soient applicables.

Modifications proposées :

Le nouvel article 635.13 prévoit que, dans le cas où une personne retourne à son fournisseur, après le 31 décembre 2011, un bien meuble qui lui a été fourni avant le 1er janvier 2012 pour l'échanger contre un autre bien meuble et qu'elle doit alors débourser un montant supplémentaire, les règles suivantes s'appliquent :

— elle n'a droit à aucun remboursement de la taxe payée relativement à la fourniture du bien retourné;

— la taxe au taux de 9,5 % est payable uniquement à l'égard du montant supplémentaire.

Concordance fédérale: aucune.

SECTION V — PERCEPTION ANTICIPÉE À L'ÉGARD DES BOISSONS ALCOOLIQUES

636. Montant réputé égal — Un montant égal à la taxe spécifique perçu en vertu du chapitre II.1 de la *Loi concernant l'impôt sur la vente en détail* (chapitre I-1) à l'égard de la vente d'une boisson alcoolique après le 30 juin 1992 est réputé constituer un montant égal à la taxe spécifique perçu en vertu du chapitre cinquième du titre deuxième.

Notes historiques: L'article 636 a été édicté par L.Q. 1991, c. 67.

Guides [art. 636]: IN-216 — La TVQ, la TPS/TVH et l'alimentation; IN-263 — Les fabricants de boissons alcooliques et les taxes à la consommation.

Définitions [art. 636]: « montant », « taxe », « vente » — 1.

Renvois [art. 636]: 618 (application du titre premier); 685 (application de la TVQ).

Concordance fédérale: aucune.

Chapitre IV — Service

SECTION I — RÈGLES GÉNÉRALES

637. Service exécuté avant le 1er juillet 1992 — Aucune taxe n'est payable à l'égard de la contrepartie de la fourniture d'un service, à l'égard duquel la taxe prévue au chapitre II de la *Loi concernant l'impôt sur la vente en détail* (chapitre I-1) ne s'applique pas, qui est payée ou devient due avant le 1er novembre 1992 si la totalité ou la presque totalité du service est exécutée avant le 1er juillet 1992.

Notes historiques: L'article 637 a été édicté par L.Q. 1991, c. 67.

Définitions [art. 637]: « contrepartie », « fourniture », « service », « taxe » — 1.

Renvois [art. 637]: 618 (application du titre premier); 640 (taxe payable à l'égard de la fourniture taxable d'un service); 642 (droits d'adhésion à vie); 643 (champ d'application); 685 (application de la TVQ).

Jurisprudence [art. 637]: *Major c. Euro Fashion Ltd* (30 janvier 1997), 500-02-026596-960.

Concordance fédérale: LTA, par. 341(1).

638. Contrepartie payée ou due avant le 1er novembre 1992 — Aucune taxe n'est payable à l'égard de la contrepartie, qui est payée ou devient due avant le 1er novembre 1992, de la fourniture d'un service dont la totalité ou la presque totalité n'est pas exécutée avant le 1er juillet 1992, à l'égard duquel la taxe prévue au chapitre II de la *Loi concernant l'impôt sur la vente en détail* (chapitre I-1) ne s'applique pas, dans la mesure où cette contrepartie se rapporte à la partie du service exécutée avant le 1er juillet 1992.

Notes historiques: L'article 638 a été édicté par L.Q. 1991, c. 67.

Définitions [art. 638]: « contrepartie », « fourniture », « service », « taxe » — 1.

Renvois [art. 638]: 618 (application du titre premier); 642 (droits d'adhésion à vie); 643 (champ d'application); 685 (application de la TVQ).

Concordance fédérale: LTA, par. 341(2).

639. Contrepartie payée ou due après le 30 avril 1992 — Sous réserve de l'article 647, la contrepartie de la fourniture taxable d'un service, à l'exception d'un service de transport, à l'égard duquel la taxe prévue au chapitre II de la *Loi concernant l'impôt sur la vente en détail* (L.R.Q., chapitre I-1) ne s'applique pas, est réputée devenir due le 1er juillet 1992 et ne pas être payée avant le 1er juillet 1992, si la contrepartie est payée après le 30 avril 1992 mais avant le 1er juillet 1992 sans être devenue due ou est devenue due après le 30 avril 1992 mais avant le 1er juillet 1992.

Notes historiques: L'article 639 a été modifié par L.Q. 1994, c. 22, art. 634(1) et est réputé entré en vigueur le 1er juillet 1992. L'article 639, édicté par L.Q. 1991, c. 67, se lisait comme suit :

> 639. Sous réserve de l'article 647, la contrepartie de la fourniture taxable d'un service, à l'exception d'un service de transport, à l'égard duquel la taxe prévue au chapitre II de la *Loi concernant l'impôt sur la vente en détail* (L.R.Q., chapitre I-1) ne s'applique pas, est réputée devenir due le 1er juillet 1992 et ne pas être payée avant le 1er juillet 1992, si la contrepartie est payée ou devient due après le 30 avril 1992 mais avant le 1er juillet 1992.

Définitions [art. 639]: « contrepartie », « fourniture taxable », « service », « taxe » — 1.

Renvois [art. 639]: 618 (application du titre premier); 642 (droits d'adhésion à vie); 643 (champ d'application); 674.3 (remboursement de la taxe prévue par la LIVD); 685 (application de la TVQ).

Concordance fédérale: LTA, par. 341(3).

640. Fourniture dans le cours normal d'une entreprise — Sous réserve des articles 637 et 647, la taxe est payable à l'égard de la contrepartie d'une fourniture taxable d'un service, à l'exception d'un service de transport, à l'égard duquel la taxe prévue au chapitre II de la *Loi concernant l'impôt sur la vente en détail* (chapitre I-1) ne s'applique pas, effectuée au Québec à une personne qui n'est pas un consommateur, par un fournisseur dans le cours normal d'une entreprise, dans la mesure où la contrepartie de la fourniture devient due ou est payée sans être devenue due après le 31 août 1990 mais avant le 1er mai 1992 relativement à un service qui n'est pas exécuté avant le 1er juillet 1992.

Déclaration et versement de la taxe — La personne doit produire au ministre une déclaration au moyen du formulaire prescrit contenant les renseignements prescrits, de la manière prescrite par ce dernier et verser la taxe au ministre à l'égard de cette contrepartie au plus tard le 1er octobre 1992.

Exception — Le présent article ne s'applique pas à l'égard de la fourniture d'un service qui doit être utilisé au Québec exclusivement dans le cadre des activités commerciales de la personne et à l'égard duquel elle aurait le droit de demander un remboursement de la taxe sur les intrants si elle avait payé la taxe prévue au premier alinéa à l'égard du service.

Notes historiques: Le premier alinéa de l'article 640 a été modifié par L.Q. 1995, c. 63, art. 508(1) et cette modification a effet depuis le 1er juillet 1992 [*N.D.L.R.* : cette disposition s'applique conformément aux articles 618 à 656 et 685 de L.Q. 1991, c. 67, tels que modifiés]. Il se lisait comme suit :

> 640. Sous réserve des articles 637 et 647, la taxe est payable à l'égard de la contrepartie d'une fourniture taxable d'un service, à l'égard duquel la taxe prévue au chapitre II de la *Loi concernant l'impôt sur la vente en détail* (L.R.Q., chapitre I-1) ne s'applique pas, effectuée au Québec à une personne qui n'est pas un consommateur, par un fournisseur dans le cours normal d'une entreprise, dans la mesure où la contrepartie de la fourniture devient due ou est payée sans être devenue due après le 31 août 1990 mais avant le 1er mai 1992 relativement à un service qui n'est pas exécuté avant le 1er juillet 1992.

Auparavant, le premier alinéa de l'article 640 avait été modifié par L.Q. 1994, c. 22, art. 635(1) et était réputé entré en vigueur le 1er juillet 1992. Il se lisait comme suit :

> 640. Sous réserve de l'article 647, la taxe est payable à l'égard de la contrepartie d'une fourniture taxable d'un service, à l'égard duquel la taxe prévue au chapitre II de la *Loi concernant l'impôt sur la vente en détail* (L.R.Q., chapitre I-1) ne s'applique pas, effectuée au Québec à une personne qui n'est pas un consommateur, par un fournisseur dans le cours normal d'une entreprise, dans la mesure où la contrepartie de la fourniture devient due ou est payée sans devenir due après le 31 août 1990 mais avant le 1er mai 1992 relativement à un service qui n'est pas exécuté avant le 1er juillet 1992.

Le troisième alinéa de l'article 640 a été ajouté par L.Q. 1993, c. 19, art. 247 et s'applique à l'égard d'une fourniture ou d'un apport au Québec relativement auquel l'article 685 ou l'un des articles 618 à 656 de L.Q. 1991, c. 67 s'applique [*N.D.L.R.* : les articles 685 et 618 à 656 réfèrent à des dispositions transitoires concernant les transferts avant le 1er juillet 1992].

L'article 640 a été édicté par L.Q. 1991, c. 67.

Définitions [art. 640]: « activité commerciale », « consommateur », « contrepartie », « entreprise », « fourniture », « fournisseur », « fourniture taxable », « personne », « service », « taxe » — 1.

Renvois [art. 640]: 618 (application du titre premier); 655 (application); 673 (fourniture donnant droit au remboursement); 674.3 (remboursement de la taxe prévue par la LIVD); 674.5 (remboursement à la suite d'une réduction d'une contrepartie); 685 (application de la TVQ).

Concordance fédérale: LTA, par. 337(6).

641. Fourniture de droit d'adhésion et d'entrée — Pour l'application du présent titre, la fourniture d'un droit d'adhésion à un club, à une organisation ou à une association et la fourniture d'un droit d'entrée à un lieu de divertissement, un colloque, une activité ou un événement sont réputées constituer des fournitures de services.

Fourniture d'un droit d'acquérir un droit d'adhésion — De plus, la fourniture du droit d'acquérir un droit d'adhésion à un club, à une organisation ou à une association est réputée constituer la fourniture d'un bien.

Notes historiques: L'article 641 a été édicté par L.Q. 1991, c. 67.

Définitions [art. 641]: « bien », « droit d'adhésion », « droit d'entrée », « fourniture », « lieu de divertissement », « service » — 1.

Renvois [art. 641]: 618 (application du titre premier); 643 (champ d'application); 685 (application de la TVQ).

Lettres d'interprétation [art. 641]: 98-8100079 — Interprétation relative à la TPS — Interprétation relative à la TVQ — Organisme de bienfaisance.

Concordance fédérale: LTA, par. 341(4).

642. Contrepartie de la fourniture d'un droit d'adhésion — Malgré les articles 637 à 639, la contrepartie de la fourniture d'un droit d'adhésion est réputée devenir due le 1er juillet 1992 et ne pas être payée avant le 1er juillet 1992, dans la mesure où le total de tous les montants qui sont payés après le 30 avril 1992 mais avant le 1er juillet 1992 à titre de contrepartie de la fourniture excède 25 % du total de la contrepartie de la fourniture.

Conditions d'application — La fourniture du droit d'adhésion visée au premier alinéa doit être la fourniture d'un droit d'adhésion à vie effectuée à un particulier ou à une personne qui n'est pas un particulier au profit d'un particulier qu'elle désigne.

Notes historiques: L'article 642 a été édicté par L.Q. 1991, c. 67.

Définitions [art. 642]: « contrepartie », « droit d'adhésion », « fourniture », « montant », « particulier », « personne » — 1.

Renvois [art. 642]: 618 (application du titre premier); 685 (application de la TVQ).

Concordance fédérale: LTA, art. 345.

643. Application des art. 637 à 639 et 641 — Les articles 637 à 639 et 641 ne s'appliquent pas à une fourniture à l'égard de laquelle les articles 651 à 654 s'appliquent.

Notes historiques: L'article 643 a été édicté par L.Q. 1991, c. 67.

Définitions [art. 643]: « bien », « droit d'adhésion », « droit d'entrée », « fourniture », « fourniture taxable », « lieu de divertissement » — 1.

Renvois [art. 643]: 618 (application du titre premier); 685 (application de la TVQ).

Concordance fédérale: LTA, par. 341(6).

643.1 Service juridique — Aucune taxe n'est payable à l'égard de la contrepartie de la fourniture d'un service juridique dans la mesure où la contrepartie est relative à une partie du service qui a été exécutée avant le 1er juillet 1992 et, en vertu de la convention relative à la fourniture, ne devient pas due avant :

1o soit la date où un tribunal en permet ou en ordonne le paiement;

2o soit la date de cessation du service rendu par le fournisseur.

Notes historiques: L'article 643.1 a été ajouté par L.Q. 1994, c. 22, art. 636(1) et est réputé entré en vigueur le 1er juillet 1992.

Définitions [art. 643.1]: « contrepartie », « fournisseur », « fourniture », « service », « taxe » — 1.

Renvois [art. 643.1]: 643.3 (présomption); 685 (application de la TVQ).

Concordance fédérale: LTA, par. 341.1(1).

643.2 Service de représentant personnel, de fiduciaire de séquestre ou de liquidateur — Aucune taxe n'est payable à l'égard de la contrepartie de la fourniture d'un service de représentant personnel à l'égard de l'administration d'une succession ou d'un service de fiduciaire, de séquestre ou de liquidateur dans la mesure où la contrepartie est relative à une partie du service qui a été exécutée avant le 1er juillet 1992 et ne devient pas due avant :

1o dans le cas d'un service de représentant personnel, la date où les bénéficiaires de la succession approuvent son paiement ou la date établie selon les modalités de la fiducie liant le représentant;

2o dans le cas d'un service de fiduciaire, la date déterminée en vertu des modalités de la fiducie ou d'une convention écrite relative à la fourniture;

3o dans tous les cas, la date où un tribunal en permet ou en ordonne le paiement.

Notes historiques: L'article 643.2 a été ajouté par L.Q. 1994, c. 22, art. 636(1) et est réputé entré en vigueur le 1er juillet 1992.

Définitions [art. 643.2]: « contrepartie », « fourniture », « représentant personnel », « service », « taxe » — 1.

Renvois [art. 643.2]: 643.3 (présomption); 685 (application de la TVQ).

Concordance fédérale: LTA, par. 341.1(2).

643.3 Totalité du service réputée avoir été exécutée — Pour l'application des articles 643.1 et 643.2, dans le cas où la presque totalité d'un service est exécutée avant le 1er juillet 1992, la totalité du service est réputée avoir été exécutée avant cette date.

Notes historiques: L'article 643.3 a été ajouté par L.Q. 1994, c. 22, art. 636(1) et est réputé entré en vigueur le 1er juillet 1992.

Définitions [art. 643.3]: « service » — 1.

Renvois [art. 643.3]: 685 (application de la TVQ).

Concordance fédérale: LTA, par. 341.1(3).

SECTION II — MESSAGE PUBLICITAIRE

644. Diffusion antérieure au 1er juillet 1992 — Aucune taxe prévue au titre premier n'est payable à l'égard de la contrepartie de la fourniture d'un message publicitaire diffusé avant le 1er juillet 1992 à l'égard duquel la taxe prévue par la *Loi concernant la taxe sur la publicité électronique* (L.R.Q., chapitre T-2) s'applique.

Notes historiques: L'article 644 a été édicté par L.Q. 1991, c. 67.

Définitions [art. 644]: « contrepartie », « fourniture », « taxe » —1.

Renvois [art. 644]: 618 (application du titre premier); 685 (application de la TVQ).

Concordance fédérale: aucune.

SECTION III — SERVICE DE TÉLÉCOMMUNICATION

645. Contrepartie imputable à une période antérieure au 1er juillet 1992 — Aucune taxe prévue au titre premier n'est payable à l'égard de la contrepartie de la fourniture d'un service de télécommunication, à l'égard duquel la taxe prévue par la *Loi concernant la taxe sur les télécommunications* (chapitre T-4) s'applique, expédiée ou reçue avant le 1er juillet 1992 ni à l'égard de la fourniture d'un tel service de télécommunication dans la mesure où la contrepartie constitue un loyer imputable à une période antérieure au 1er juillet 1992.

Notes historiques: L'article 645 a été édicté par L.Q. 1991, c. 67.

Définitions [art. 645]: « contrepartie », « fourniture », « service », « service de télécommunication », « taxe » — 1.

Renvois [art. 645]: 618 (application du titre premier); 685 (application de la TVQ).

Concordance fédérale: aucune.

Chapitre V — Bien et service

SECTION I — FOURNITURE CONTINUE

646. Application des art. 647 à 650 et 654 — Les articles 647 à 650 et 654 ne s'appliquent qu'à l'égard de la fourniture d'un bien ou d'un service qui est, selon le cas, délivré, exécuté ou rendu disponible de façon continue au moyen d'un fil, d'un pipeline ou d'une autre canalisation.

Notes historiques: L'article 646 a été édicté par L.Q. 1991, c. 67.

Définitions [art. 646]: « bien », « fourniture », « service » — 1.

Renvois [art. 646]: 618 (application du titre premier); 685 (application de la TVQ).

Concordance fédérale: LTA, par. 337(2), 337(3).

647. Fourniture antérieure au 1er juillet 1992 — Aucune taxe n'est payable relativement à la fourniture d'un bien ou d'un service, à l'égard duquel la taxe prévue au chapitre II de la *Loi concernant l'impôt sur la vente en détail* (L.R.Q., chapitre I-1) ne s'applique pas, qui est, selon le cas, délivré, exécuté ou rendu disponible à l'acquéreur, avant le 1er juillet 1992, dans la mesure où la contrepartie est payée ou devient due avant le 1er novembre 1992.

Notes historiques: L'article 647 a été édicté par L.Q. 1991, c. 67.

Définitions [art. 647]: « acquéreur », « bien », « contrepartie », « fourniture », « service », « taxe » — 1.

Renvois [art. 647]: 618 (application du titre premier); 639 (services antérieurs au 1er juillet 1992); 640 (taxe payable à l'égard de la fourniture taxable d'un service); 646 (application); 655 (application); 685 (application de la TVQ).

Concordance fédérale: LTA, par. 337(2).

648. Contrepartie due ou payée après le 31 octobre 1992 — La taxe est payable relativement à la contrepartie d'une fourniture taxable au Québec d'un bien ou d'un service, à l'égard duquel la taxe prévue au chapitre II de la *Loi concernant l'impôt sur la vente en détail* (chapitre I-1) ne s'applique pas, qui devient due après le 31 octobre 1992 ou qui est payée après le 31 octobre 1992 sans devenir due, à un moment quelconque où le fournisseur est un inscrit, sans égard au moment où le bien ou le service est, selon le cas, délivré, exécuté ou rendu disponible.

Notes historiques: L'article 648 a été édicté par L.Q. 1991, c. 67.

Définitions [art. 648]: « bien », « contrepartie », « fournisseur », « fourniture taxable », « inscrit », « service », « taxe » — 1.

Renvois [art. 648]: 618 (application du titre premier); 646 (application); 655 (application); 673 (fourniture donnant droit au remboursement); 685 (application de la TVQ).

Concordance fédérale: LTA, par. 337(3).

649. Contrepartie due ou payée avant le 1er juillet 1992 — La contrepartie relative à la fourniture taxable au Québec d'un bien ou d'un service, à l'égard duquel la taxe prévue au chapitre II de la *Loi concernant l'impôt sur la vente en détail* (chapitre I-1) s'appliquerait si ce n'était de l'application de l'article 546, qui devient due avant le 1er juillet 1992 ou qui est payée avant cette date sans devenir due est réputée devenir due le 1er juillet 1992, dans la mesure où le bien ou le service est, selon le cas, délivré, exécuté ou rendu disponible à l'acquéreur après le 30 juin 1992.

Notes historiques: L'article 649 a été édicté par L.Q. 1991, c. 67.

Définitions [art. 649]: « acquéreur », « bien », « contrepartie », « fourniture taxable », « service », « taxe » — 1.

Renvois [art. 649]: 618 (application du titre premier); 646 (application); 673 (fourniture donnant droit au remboursement); 685 (application de la TVQ).

Concordance fédérale: aucune.

650. Fourniture antérieure au 1er juillet 1992 — Aucune taxe prévue au titre premier n'est payable relativement à la fourniture d'un bien ou d'un service, à l'égard duquel la taxe prévue au chapitre II de la *Loi concernant l'impôt sur la vente en détail* (chapitre I-1) s'applique, qui est, selon le cas, délivré, exécuté ou rendu disponible à l'acquéreur avant le 1er juillet 1992.

Notes historiques: L'article 650 a été édicté par L.Q. 1991, c. 67.

Définitions [art. 650]: « acquéreur », « bien », « fourniture », « service », « taxe » — 1.

Renvois [art. 650]: 618 (application du titre premier); 646 (application); 652 (perception de la taxe); 685 (application de la TVQ).

Concordance fédérale: aucune.

SECTION II — PLAN À VERSEMENTS ÉGAUX

651. Plans à versements égaux — Dans le cas où la fourniture d'un bien ou d'un service, autre qu'un abonnement à une revue, est effectuée et que la contrepartie de la fourniture du bien ou du service délivré, exécuté ou rendu disponible au cours d'une période débutant avant le 1er juillet 1992 et se terminant après le 30 juin 1992, est payée par l'acquéreur en vertu d'un plan à versements égaux prévoyant une conciliation des paiements qui doit avoir lieu après ou à la fin de la période et avant le 1er juillet 1993, le fournisseur doit, au moment où il délivre une facture pour la conciliation des paiements, déterminer un montant positif ou négatif établi selon la formule suivante :

$$A - B.$$

Application — Pour l'application de cette formule :

1º la lettre A représente la taxe qui serait payable par l'acquéreur pour la partie du bien ou du service fourni au cours de la période, qui est, selon le cas, délivrée, exécutée ou rendue disponible après le 30 juin 1992, si la contrepartie de cette partie était devenue due et était payée après le 30 juin 1992;

2º la lettre B représente le total de la taxe payable par l'acquéreur à l'égard de la fourniture du bien ou du service qui est, selon le cas, délivré, exécuté ou rendu disponible au cours de la période.

Notes historiques: Le premier alinéa de l'article 651 a été modifié par L.Q. 2009, c. 15, art. 531 par le remplacement du mot « émet » par le mot « délivre ». Cette modification est entrée en vigueur le 4 juin 2009.

L'article 651 a été édicté par L.Q. 1991, c. 67.

Notes explicatives ARQ (PL 37, L.Q. 2009, c. 15): *Résumé* :

L'article 651 est modifié par le remplacement du mot « émet » par le mot « délivre ».

Situation actuelle :

L'article 651 de la LTVQ précise la formule à appliquer dans le cas où la fourniture d'un bien ou d'un service, autre qu'un abonnement à une revue, est effectuée et que la contrepartie de la fourniture du bien ou du service délivré, exécuté ou rendu disponible au cours d'une période débutant avant le 1er juillet 1992 et se terminant après le 30 juin 1992, est payée par l'acquéreur en vertu d'un plan à versements égaux prévoyant une conciliation des paiements qui doit avoir lieu après ou à la fin de la période et avant le 1er juillet 1993.

Modifications proposées :

L'article 651 de la LTVQ fait l'objet d'une modification terminologique afin de tenir compte du contexte dans lequel les dérivés des mots « émission » et « délivrance » doivent être utilisés. En effet, l'article 651 de la LTVQ fait référence à l'émission d'une facture. Or, dans ce contexte, il est plus approprié d'utiliser le dérivé du mot « délivrer ».

Définitions [art. 651]: « acquéreur », « bien », « contrepartie », « facture », « fournisseur », « fourniture », « montant », « service », « taxe » — 1.

Renvois [art. 651]: 618 (application du titre premier); 643 (champ d'application); 653 (remboursement de l'excédent); 674.3 (remboursement de la taxe prévue par la LIVD); 685 (application de la TVQ).

Concordance fédérale: LTA, par. 338(1).

652. Perception de la taxe — Dans le cas où le montant déterminé conformément à l'article 650 à l'égard de la fourniture d'un bien ou d'un service est positif et que le fournisseur est un inscrit, celui-ci doit percevoir et est réputé avoir perçu de l'acquéreur ce montant à titre de taxe le jour où la facture pour la conciliation des paiements est délivrée.

Notes historiques: L'article 652 a été modifié par L.Q. 2009, c. 15, art. 532 par le remplacement du mot « émise » par le mot « délivrée ». Cette modification est entrée en vigueur le 4 juin 2009.

L'article 652 a été édicté par L.Q. 1991, c. 67.

Notes explicatives ARQ (PL 37, L.Q. 2009, c. 15): *Résumé* :

LTVQ (français)

L'article 652 est modifié par le remplacement du mot « émise » par le mot « délivrée ».

Situation actuelle :

L'article 652 de la LTVQ prévoit que le fournisseur qui est un inscrit doit percevoir de l'acquéreur tout montant positif calculé en vertu de l'article 650 parce que l'acquéreur n'a pas payé toute la taxe payable à l'égard des biens ou des services délivrés, exécutés ou rendus disponibles après le 30 juin 1992.

Modifications proposées :

L'article 652 de la LTVQ fait l'objet d'une modification terminologique afin de tenir compte du contexte dans lequel les dérivés des mots « émission » et « délivrance » doivent être utilisés. En effet, l'article 652 fait référence à l'émission d'une facture. Or, dans ce contexte, il est plus approprié d'utiliser le dérivé du mot « délivrer ».

Définitions [art. 652]: « acquéreur », « bien », « facture », « fournisseur », « fourniture », « inscrit », « montant », « service », « taxe » — 1.

Renvois [art. 652]: 618 (application du titre premier); 643 (champ d'application); 673 (fourniture donnant droit au remboursement); 674.3 (remboursement de la taxe prévue par la LIVD); 685 (application de la TVQ).

Concordance fédérale: LTA, par. 338(2).

653. Remboursement de l'excédent — Dans le cas où le montant déterminé conformément à l'article 651 à l'égard de la fourniture d'un bien ou d'un service est négatif et que le fournisseur est un inscrit, celui-ci doit rembourser à l'acquéreur ce montant ou le porter à son crédit et délivrer une note de crédit pour ce montant conformément à l'article 449.

Notes historiques: L'article 653 a été modifié par L.Q. 2009, c. 15, art. 533 par le remplacement du mot « émettre » par le mot « délivrer ». Cette modification est entrée en vigueur le 4 juin 2009.

L'article 653 a été édicté par L.Q. 1991, c. 67.

Notes explicatives ARQ (PL 37, L.Q. 2009, c. 15): *Résumé* :

L'article 653 est modifié par le remplacement du mot « émettre » par le mot « délivrer ».

Situation actuelle :

L'article 653 de la LTVQ prévoit le cas où la facturation d'un bien ou d'un service couvre une période qui commence avant le 1er juillet 1992 et qui se termine après le 30 juin 1992. Le bien ou le service est alors réputé délivré ou rendu en parties égales chaque jour de la période. Cette règle s'applique pour les fournitures continues qu'elles soient ou non payables en vertu d'un plan à versements égaux.

Modifications proposées :

L'article 653 de la LTVQ fait l'objet d'une modification terminologique afin de tenir compte du contexte dans lequel les dérivés des mots « émission » et « délivrance » doivent être utilisés. En effet, l'article 653 fait référence à l'émission d'une note de crédit. Or, dans ce contexte, il est plus approprié d'utiliser le dérivé du mot « délivrer ».

Définitions [art. 653]: « acquéreur », « bien », « fournisseur », « fourniture », « inscrit », « montant », « note de crédit », « service » — 1.

Renvois [art. 653]: 618 (application du titre premier); 643 (champ d'application); 685 (application de la TVQ).

Concordance fédérale: LTA, par. 338(3).

SECTION III — RÈGLES APPLICABLES AUX SECTIONS I ET II

654. Fourniture continue — Pour l'application des sections I et II, dans le cas où la fourniture d'un bien ou d'un service est effectuée au cours d'une période pour laquelle le fournisseur délivre une facture à l'égard de la fourniture et qu'en raison de la méthode d'enregistrement de la délivrance du bien ou de la prestation du service, le moment où la totalité ou une partie du bien ou du service est délivré ou rendu, selon le cas, ne peut être raisonnablement déterminé, la totalité du bien ou du service est réputé être délivré ou rendu, selon le cas, en quantités égales chaque jour de la période.

Notes historiques: L'article 654 a été modifié par L.Q. 2009, c. 15, art. 534 par le remplacement du mot « émet » par le mot « délivre ». Cette modification est entrée en vigueur le 4 juin 2009.

L'article 654 a été édicté par L.Q. 1991, c. 67.

Notes explicatives ARQ (PL 37, L.Q. 2009, c. 15): *Résumé* :

L'article 654 est modifié par le remplacement du mot « émet » par le mot « délivre ».

Situation actuelle :

L'article 654 de la LTVQ prévoit le cas où la facturation d'un bien ou d'un service couvre une période qui commence avant le 1er juillet 1992 et qui se termine après le 30 juin 1992. Le bien ou le service est alors réputé délivré ou rendu en parties égales chaque jour de la période. Cette règle s'applique pour les fournitures continues qu'elles soient ou non payables en vertu d'un plan à versements égaux.

Modifications proposées :

L'article 654 de la LTVQ fait l'objet d'une modification terminologique afin de tenir compte du contexte dans lequel les dérivés des mots « émission » et « délivrance » doivent être utilisés. En effet, l'article 654 fait référence à l'émission d'une facture. Or, dans ce contexte, il est plus approprié d'utiliser le dérivé du mot « délivrer ».

Définitions [art. 654]: « bien », « facture », « fournisseur », « fourniture », « service » — 1.

Renvois [art. 654]: 618 (application du titre premier); 643 (champ d'application); 646 (application); 685 (application de la TVQ).

Concordance fédérale: LTA, par. 338(4).

655. Plan à versements égaux — Les articles 640, 647 et 648 ne s'appliquent pas à une fourniture à l'égard de laquelle la section II s'applique.

Notes historiques: L'article 655 a été édicté par L.Q. 1991, c. 67.

Définitions [art. 655]: « bien », « fourniture », « fourniture taxable », « personne », « service », « taxe » — 1.

Renvois [art. 655]: 618 (application du titre premier); 685 (application de la TVQ).

Concordance fédérale: LTA, par. 337(11).

SECTION IV — FOURNITURE DE SERVICES FUNÉRAIRES ET DE SÉPULTURE

656. Contrat conclu avant le 1er mai 1992 — Aucune taxe prévue au titre premier n'est payable par une personne qui acquiert la fourniture d'un bien ou d'un service en vertu d'un contrat d'arrangements préalables de services funéraires ou d'un contrat d'achat préalable de sépulture, s'il est conclu avant le 1er mai 1992.

« contrat d'arrangements préalables de services funéraires », « contrat d'achat préalable de sépulture » — Pour l'application du premier alinéa, les expressions « contrat d'arrangements préalables de services funéraires » et « contrat d'achat préalable de sépulture » ont le sens que leur donne la *Loi sur les arrangements préalables de services funéraires et de sépulture* (chapitre A-23.001).

Notes historiques: L'article 656 a été édicté par L.Q. 1991, c. 67.

Définitions [art. 656]: « bien », « fourniture », « personne », « service », « taxe » — 1.

Renvois [art. 656]: 618 (application du titre premier); 685 (application de la TVQ).

Concordance fédérale: LTA, par. 344(1)(2).

Chapitre VI — Remboursement

SECTION I — REMBOURSEMENT DE LA TAXE DE VENTE À L'ÉGARD DE BIENS EN INVENTAIRE

657. Définitions — Pour l'application de l'article 658, l'expression :

« bien désigné » signifie un bien à l'égard duquel la personne a payé la taxe imposée en vertu du chapitre II de la *Loi concernant l'impôt sur la vente en détail* (L.R.Q., chapitre I-1), appelée « taxe de vente » dans l'article 658;

Notes historiques: La définition de « bien désigné » à l'article 657 a été ajoutée par L.Q. 1991, c. 67.

Concordance fédérale: aucune.

« inventaire » d'une personne à un moment quelconque signifie les biens désignés de la personne qui figurent dans son inventaire au Québec à ce moment, qui constituent des matériaux de construction détenus à ce moment pour utilisation par la personne dans une entreprise de construction, de rénovation ou d'amélioration de bâtiments ou de constructions qu'elle exploite, mais ne comprend pas :

1° de tels biens qui, avant ce moment, ont été incorporés dans une nouvelle construction, une rénovation ou une amélioration ou ont autrement été délivrés sur un chantier de construction, de rénovation ou d'amélioration;

2º les immobilisations de la personne;

3º les biens détenus par la personne pour utilisation dans la construction, la rénovation ou l'amélioration d'un bien qui est ou doit devenir une immobilisation de la personne;

4º les biens qui figurent dans l'inventaire de toute autre personne à ce moment.

Notes historiques: La définition de « inventaire » à l'article 657 a été ajoutée par L.Q. 1991, c. 67.

Concordance fédérale: LTA, par. 120(1)« inventaire ».

Définitions [art. 657]: « amélioration », « bien », « entreprise », « immobilisation », « personne », « taxe » — 1.

Renvois [art. 657]: 618 (application du titre premier).

658. Remboursement de la taxe — Sous réserve de l'article 661, la personne qui, le 1er juillet 1992, est inscrite en vertu de la section I du chapitre huitième du titre premier et qui a en inventaire au début de ce jour des biens désignés, a droit au remboursement de la taxe de vente qu'elle a payée à l'égard de ces biens.

Notes historiques: L'article 658 a été édicté par L.Q. 1991, c. 67.

Guides [art. 658]: IN-203 — Renseignements généraux sur la TVQ et la TPS/TVH.

Définitions [art. 658]: « bien », « inscrit », « personne », « taxe » — 1.

Renvois [art. 658]: 618 (application du titre premier); 657 (RTV à l'égard de biens en inventaire — définitions); 659 (biens meubles corporels d'occasion réputés); 660 (détermination et dressage de l'inventaire); 661 (calcul du remboursement); 662 (intérêts sur le remboursement).

Concordance fédérale: LTA, par. 120(3) (préambule) et al. 120(3)a).

659. Biens mobiliers d'occasion à l'inventaire — Dans le cas où l'inventaire d'une personne inscrite le 1er juillet 1992 en vertu de la section I du chapitre huitième du titre premier comprend, au début de ce jour, des biens mobiliers d'occasion acquis pour fourniture par vente ou louage dans le cadre de ses activités commerciales, ces biens mobiliers d'occasion sont réputés, pour l'application des articles 213 à 219, être des biens meubles corporels d'occasion fournis par vente au Québec le 1er juillet 1992 à la personne, à l'égard desquels la taxe n'est pas payable par celle-ci et avoir été acquis pour fourniture dans le cadre de ses activités commerciales pour une contrepartie, payée le 1er juillet 1992, égale à 50 % du montant auquel ces biens seraient évalués ce jour-là aux fins du calcul du revenu de la personne provenant d'une entreprise pour l'application de la *Loi sur les impôts* (L.R.Q., chapitre I-3).

Exclusions — Les biens mobiliers d'occasion visés au premier alinéa ne comprennent pas :

1º ceux qui constituent les immobilisations de la personne;

1.1º ceux qui constituent des véhicules routiers de la personne;

2º ceux qui figurent dans l'inventaire de toute autre personne le 1er juillet 1992;

3º ceux pour lesquels un remboursement prévu à l'article 658 peut être demandé;

4º ceux qui, avant le 1er juillet 1992, ont été incorporés dans une nouvelle construction, une rénovation ou une amélioration ou ont été délivrés sur un chantier de construction, de rénovation ou d'amélioration.

Notes historiques: Le paragraphe 1.1º du deuxième alinéa de l'article 659 a été ajouté par L.Q. 1993, c. 19, art. 248 et s'applique rétroactivement au 1er juillet 1992. L'article 659 a été édicté par L.Q. 1991, c. 67.

Guides [art. 659]: IN-203 — Renseignements généraux sur la TVQ et la TPS/TVH.

Définitions [art. 659]: « activité commerciale », « amélioration », « bien », « bien meuble corporel d'occasion », « contrepartie », « entreprise », « immobilisation », « inscrit », « montant », « personne », « véhicule routier », « vente » — 1.

Renvois [art. 659]: 618 (application du titre premier); 660 (détermination et dressage de l'inventaire); 80 LI (revenu provenant d'une entreprise ou d'un bien).

Jurisprudence [art. 659]: *Hector Jolicoeur inc. c. Québec (Sous-ministre du Revenu)* (8 mai 1998), 500-02-025592-952, 1998 CarswellQue 695.

Concordance fédérale: LTA, al. 120(3)b).

660. Préparation de l'inventaire — Pour l'application des articles 658 et 659, l'inventaire d'une personne doit être déterminé au début du 1er juillet 1992 et peut être dressé à l'un des jours suivants :

1º le 1er juillet 1992;

2º dans le cas où l'entreprise de la personne n'est pas exploitée activement le 1er juillet 1992, le premier jour suivant cette date, ou le dernier jour qui la précède durant lequel l'entreprise était exploitée activement;

3º une date antérieure ou postérieure au 1er juillet 1992, s'il est établi à la satisfaction du ministre que le système d'inventaire de la personne est adéquat pour permettre une détermination raisonnable de son inventaire au 1er juillet 1992.

Notes historiques: L'article 660 a été édicté par L.Q. 1991, c. 67.

Définitions [art. 660]: « entreprise », « personne » — 1.

Renvois [art. 660]: 618 (application du titre premier).

Concordance fédérale: LTA, al. 120(4).

661. Demande de remboursement — Une personne a droit au remboursement prévu à l'article 658 seulement si elle produit au ministre de la manière prescrite par ce dernier avant le 1er juillet 1993 une demande de remboursement au moyen du formulaire prescrit contenant les renseignements prescrits.

Notes historiques: L'article 661 a été édicté par L.Q. 1991, c. 67.

Définitions [art. 661]: « personne » — 1.

Renvois [art. 661]: 618 (application du titre premier); 658 (RTV).

Formulaires [art. 661]: VD-661.G, Guide pour remplir le formulaire VDZ-661, relatif aux matériaux de construction en stock le 1er juillet 1992.

Concordance fédérale: LTA, par. 120(5), 120(8).

662. Intérêts payables — Malgré l'article 30 de la *Loi sur le ministère du Revenu* (L.R.Q., chapitre M-31), des intérêts sur le remboursement auquel la personne a droit en vertu de l'article 658 doivent être payés pour la période débutant le dernier en date des jours suivants et se terminant le jour où le remboursement est payé :

1º le 1er septembre 1992;

2º le trente et unième jour suivant celui où la demande de remboursement est reçue par le ministre.

Notes historiques: L'article 662 a été édicté par L.Q. 1991, c. 67.

Définitions [art. 662]: « personne » — 1.

Renvois [art. 662]: 618 (application du titre premier).

Concordance fédérale: LTA, par. 120(7).

SECTION II — REMBOURSEMENT DE LA TAXE DE VENTE À L'ÉGARD D'UN IMMEUBLE D'HABITATION

663. Définitions — Pour l'application de la présente section, l'expression :

« immeuble d'habitation à logement unique déterminé » signifie, à l'exclusion d'une maison mobile ou d'une maison flottante, un immeuble d'habitation qui, à la fois :

1º est un immeuble d'habitation à logement unique ou un immeuble d'habitation à logements multiples de deux habitations;

2º la construction ou la rénovation majeure de l'immeuble d'habitation a commencé avant le 1er juillet 1992;

3º l'immeuble d'habitation n'est pas occupé par un particulier à titre de résidence ou d'hébergement après que la construction ou la rénovation majeure soit commencée et avant le 1er juillet 1992;

Notes historiques: La définition de « immeuble d'habitation à logement unique déterminé » à l'article 663 a été modifiée par L.Q. 1994, c. 22, art. 637(1)(1º) et est réputée entrée en vigueur le 1er juillet 1992. La définition de « immeuble d'habitation à

LTVQ (français)

logement unique déterminé » à l'article 663, édictée par L.Q. 1991, c. 67, se lisait comme suit :

« immeuble d'habitation à logement unique déterminé » signifie un immeuble d'habitation à logement unique dont la construction ou la rénovation majeure commence avant le 1er juillet 1992 et qui n'est pas occupé par un particulier à titre de résidence ou de pension après que la construction ou la rénovation majeure soit commencée et avant le 1er juillet 1992, à l'exclusion d'une maison mobile;

Concordance fédérale: LTA, par. 121(1)« immeuble d'habitation à logement unique déterminé ».

« immeuble d'habitation déterminé » signifie :

1º un immeuble d'habitation à logements multiples de plus de deux habitations si la construction ou la rénovation majeure de l'immeuble d'habitation a commencé avant le 1er juillet 1992 et, entre le début des travaux et le 1er juillet 1992, l'article 225 ne s'est pas appliqué et, malgré les articles 228 et 229, ne se serait pas appliqué pour réputer que la fourniture du logement a été effectuée;

2º un logement en copropriété si la construction ou la rénovation majeure de l'immeuble d'habitation en copropriété dans lequel le logement est situé a commencé avant le 1er juillet 1992 et si, entre le début des travaux et le 1er juillet 1992, les articles 223 et 224 ne se sont pas appliqués pour réputer que la fourniture du logement a été effectuée;

Notes historiques: Le paragraphe 1º de la définition de « immeuble d'habitation déterminé » à l'article 663 a été modifié par L.Q. 1994, c. 22, art. 637(1)(2º) et est réputé entré en vigueur le 1er juillet 1992. Il se lisait comme suit :

1º un immeuble d'habitation à logements multiples dont la construction ou la rénovation majeure a commencé avant le 1er juillet 1992 si, entre le début des travaux et le 1er juillet 1992, l'article 225 ne s'est pas appliqué pour réputer que la fourniture de l'immeuble a été effectuée;

La définition de « immeuble d'habitation déterminé » à l'article 663 a été ajoutée par L.Q. 1991, c. 67.

Concordance fédérale: LTA, par. 121(1)« immeuble d'habitation déterminé ».

« taxe estimative » applicable à un immeuble signifie le montant prescrit, déterminé de la manière prescrite, à l'égard de celui-ci.

Notes historiques: La définition de « taxe estimative » à l'article 663 a été modifiée par L.Q. 1995, c. 1, art. 345, et cette modification a effet depuis le 1er juillet 1992. Cette définition a été ajoutée par L.Q. 1991, c. 67 et se lisait comme suit :

« taxe estimative applicable à un immeuble d'habitation à logement unique déterminé ou à un immeuble d'habitation déterminé, signifie le montant déterminé selon la formule suivante :

$$A \times B.$$

Pour l'application de cette formule :

1º la lettre A représente le montant prescrit, déterminé de la manière prescrite, pour l'application de cette définition, à l'égard de l'immeuble d'habitation à logement unique déterminé ou de l'immeuble d'habitation déterminé, selon le cas;

2º la lettre B représente le nombre de mètres carrés de surface prescrite, déterminée de la manière prescrite, dans l'immeuble d'habitation à logement unique déterminé ou dans l'immeuble d'habitation déterminé, selon le cas.

Concordance fédérale: LTA, par. 121(1)« taxe de vente fédérale estimative ».

Guides: IN-261 — La TVQ, la TPS et les immeubles d'habitation (construction ou rénovation).

Définitions [art. 663]: « fourniture », « immeuble d'habitation », « immeuble d'habitation à logements multiples », « immeuble d'habitation à logement unique », « logement en copropriété », « maison mobile », « maison flottante », « montant », « particulier », « rénovation majeure » — 1.

Renvois [art. 663]: 223–231.1 (fourniture à soi-même d'un immeuble); 618 (application du titre premier); 620 (transfert d'un immeuble d'habitation à logement unique après le 30 juin 1992); 677:56º (règlements).

Règlements [art. 663]: RTVQ, 663R1–663R2.

664. Remboursement pour un immeuble d'habitation à logement unique déterminé — Sous réserve des articles 669 et 669.1, le constructeur d'un immeuble d'habitation à logement unique déterminé a droit à un remboursement établi conformément à l'article 666 si, à la fois :

1º le constructeur donne la possession de l'immeuble d'habitation à une personne en vertu d'un contrat de louage, d'une licence ou d'un accord semblable et est dès lors réputé en vertu des articles 223 ou 225 avoir effectué une fourniture taxable de l'immeuble d'habitation;

2º la taxe prévue à l'article 16 est payable à l'égard de la fourniture;

3º la personne prend possession de l'immeuble d'habitation pour la première fois après le 30 juin 1992 et avant le 1er janvier 1996;

4º la construction ou la rénovation majeure de l'immeuble d'habitation est presque achevée avant le 1er janvier 1993.

Notes historiques: L'article 664 a été modifié par L.Q. 1994, c. 22, art. 638(1) et est réputé entré en vigueur le 1er juillet 1992. Toutefois, il doit être lu en faisant abstraction des mots « la construction ou la rénovation majeure de », pour son application à un immeuble d'habitation à l'égard duquel une demande de remboursement est produite conformément à la section II du chapitre VI du titre VI avant le 15 septembre 1992.

L'article 664 se lisait comme suit :

664. Sous réserve de l'article 669, le constructeur d'un immeuble d'habitation à logement unique déterminé a droit à un remboursement établi conformément à l'article 666 si, à la fois :

1º le constructeur donne la possession de l'immeuble d'habitation à une personne en vertu d'un contrat de louage, d'une licence ou d'un accord semblable et est dès lors réputé en vertu de l'article 223 avoir effectué une fourniture taxable de l'immeuble d'habitation;

2º la taxe prévue à l'article 16 est payable à l'égard de la fourniture;

3º la personne prend possession de l'immeuble d'habitation pour la première fois après le 30 juin 1992 et avant le 1er janvier 1996;

4º l'immeuble d'habitation est presque achevé avant le 1er janvier 1993.

Le paragraphe 3º de l'article 664 a été modifié par L.Q. 1993, c. 19, art. 249 pour changer les mots « avant le 1er janvier 1993 » par les mots « avant le 1er janvier 1996 ». Il s'applique rétroactivement au 1er juillet 1992.

L'article 664 a été édicté par L.Q. 1991, c. 67.

Guides [art. 664]: IN-203 — Renseignements généraux sur la TVQ et la TPS/TVH; IN-261 — La TVQ, la TPS et les immeubles d'habitation (construction ou rénovation).

Définitions [art. 664]: « constructeur », « fourniture taxable », « immeuble d'habitation à logement unique », « personne », « rénovation majeure », « taxe » — 1.

Renvois [art. 664]: 618 (application du titre premier); 666 (montant du remboursement).

Concordance fédérale: LTA, al. 121(2)a)–d).

665. Remboursement pour un immeuble d'habitation à logement unique déterminé — Sous réserve des articles 669 et 669.1, dans le cas où le constructeur d'un immeuble d'habitation à logement unique déterminé effectue la fourniture taxable de l'immeuble d'habitation par vente à un particulier, ce dernier ou le constructeur, en raison de l'article 683, a droit à un remboursement déterminé conformément à l'article 666 si, à la fois :

1º la taxe prévue à l'article 16 est payable à l'égard de la fourniture;

2º le particulier prend possession de l'immeuble d'habitation pour la première fois après le 30 juin 1992 mais avant le 1er janvier 1996;

3º la construction ou la rénovation majeure de l'immeuble d'habitation est presque achevée avant le 1er janvier 1993.

Cession du remboursement — Pour l'application du premier alinéa, un remboursement ne peut être accordé au constructeur qu'au moment du transfert de possession de l'immeuble d'habitation.

Notes historiques: Le préambule de l'article 665 a été modifié par L.Q. 1993, c. 19, art. 250(1º) et s'applique rétroactivement au 1er juillet 1992. Il se lisait comme suit :

665. Sous réserve de l'article 669, dans le cas où le constructeur d'un immeuble d'habitation à logement unique déterminé effectue la fourniture taxable de l'immeuble d'habitation par vente à un particulier, ce dernier a droit à un remboursement déterminé conformément à l'article 666 si, à la fois :

Le paragraphe 2º du premier alinéa de l'article 665 a été modifié par L.Q. 1993, c. 19, art. 250(2º) et s'applique rétroactivement au 1er juillet 1992. Il se lisait comme suit :

2º le particulier prend possession de l'immeuble d'habitation pour la première fois après le 30 juin 1992 mais avant le 1er janvier 1993;

Le deuxième alinéa de l'article 665 a été ajouté par L.Q. 1993, c. 19, art. 250(3º) et s'applique rétroactivement au 1er juillet 1992.

L'article 665 a été modifié par L.Q. 1994, c. 22, art. 638(1) et est réputé entré en vigueur le 1er juillet 1992. Toutefois, il doit être lu en faisant abstraction des mots « la construction ou la rénovation majeure de », pour son application à un immeuble d'habitation à l'égard duquel une demande de remboursement est produite conformément à la section II du chapitre VI du titre VI avant le 15 septembre 1992.

L'article 665 se lisait comme suit :

665. Sous réserve de l'article 669, dans le cas où le constructeur d'un immeuble d'habitation à logement unique déterminé effectue la fourniture taxable de l'immeuble d'habitation par vente à un particulier, ce dernier ou le constructeur, en raison de l'article 683, a droit à un remboursement déterminé conformément à l'article 666 si, à la fois :

1° la taxe prévue à l'article 16 est payable à l'égard de la fourniture;

2° le particulier prend possession de l'immeuble d'habitation pour la première fois après le 30 juin 1992 mais avant le 1er janvier 1996;

3° l'immeuble d'habitation est presque achevé avant le 1er janvier 1993.

Pour l'application du premier alinéa, un remboursement ne peut être accordé au constructeur qu'au moment du transfert de possession de l'immeuble d'habitation.

L'article 665 a été édicté par L.Q. 1991, c. 67.

Guides [art. 665]: IN-261 — La TVQ, la TPS et les immeubles d'habitation (construction ou rénovation).

Définitions [art. 665]: « constructeur », « fourniture taxable », « immeuble d'habitation à logement unique », « particulier », « rénovation majeure », « taxe », « vente » — 1.

Renvois [art. 665]: 618 (application du titre premier); 666 (montant du remboursement).

Concordance fédérale: LTA, par. 121(2).

666. Calcul — Le remboursement auquel une personne a droit à l'égard d'un immeuble d'habitation à logement unique déterminé en vertu des articles 664 et 665 est égal à :

1° dans le cas où la construction ou la rénovation majeure de l'immeuble d'habitation est achevée dans une proportion supérieure à 25 % mais n'excédant pas 50 % au 1er juillet 1992 et que la possession est transférée avant le 1er octobre 1992, 50 % de la taxe estimative de l'immeuble d'habitation;

2° dans le cas où la construction ou la rénovation majeure de l'immeuble d'habitation est achevée dans une proportion supérieure à 50 % au 1er juillet 1992 et, selon le cas :

a) la possession est transférée avant le 1er octobre 1992, 66⅔ % de la taxe estimative de l'immeuble d'habitation;

b) la possession est transférée avant le 1er janvier 1993, 33⅓ % de la taxe estimative de l'immeuble d'habitation;

3° dans le cas où la construction ou la rénovation majeure de l'immeuble d'habitation est presque achevée au 1er juillet 1992 et que la possession est transférée après 1992 mais avant le 1er janvier 1996, 33⅓ % de la taxe estimative de l'immeuble d'habitation.

Notes historiques: Les paragraphes 1° et 2° de l'article 666 ont été modifiés par L.Q. 1993, c. 19, art. 251(1°) et s'appliquent rétroactivement au 1er juillet 1992. Ils se lisaient auparavant comme suit :

1° dans le cas où l'immeuble d'habitation est presque achevé et que la possession est transférée avant le 1er octobre 1992, les deux tiers de la taxe estimative de l'immeuble d'habitation;

2° dans le cas où l'immeuble d'habitation est presque achevé et que la possession est transférée avant le 1er janvier 1993, le tiers de la taxe estimative de l'immeuble, sauf si le paragraphe 1° s'applique.

Le paragraphe 3° de l'article 666 a été ajouté par L.Q. 1993, c. 19, art. 251(2°) et s'applique rétroactivement au 1er juillet 1992.

L'article 666 a été modifié par L.Q. 1994, c. 22, art. 638(1) et est réputé entré en vigueur le 1er juillet 1992. Toutefois, il doit être lu en faisant abstraction des mots « la construction ou la rénovation majeure de », pour son application à un immeuble d'habitation à l'égard duquel une demande de remboursement est produite conformément à la section II du chapitre VI du titre VI avant le 15 septembre 1992.

L'article 666 se lisait comme suit :

666. Le remboursement auquel une personne a droit à l'égard d'un immeuble d'habitation à logement unique déterminé en vertu des articles 664 et 665 est égal à l'excédent de l'un des montants suivants sur le montant de tout remboursement qui est payé à une autre personne à l'égard de l'immeuble d'habitation en vertu des articles 664 et 665 :

1° dans le cas où l'immeuble d'habitation est achevé dans une proportion supérieure à 25 % mais n'excédant pas 50 % au 1er juillet 1992 et que la possession est transférée avant le 11 octobre 1992, 50 % de la taxe estimative de l'immeuble d'habitation;

2° dans le cas où l'immeuble d'habitation est achevé dans une proportion supérieure à 50 % au 1er juillet 1992 et, selon le cas :

a) la possession est transférée avant le 1er octobre 1992, 66⅔ % de la taxe estimative de l'immeuble d'habitation;

b) la possession est transférée avant le 1er janvier 1993, 33⅓ % de la taxe estimative de l'immeuble d'habitation;

3° dans les cas où l'immeuble d'habitation est presque achevé au 1er juillet 1992 et que la possession est transférée après 1992 mais avant le 1er janvier 1996, 33⅓ % de la taxe estimative de l'immeuble d'habitation.

L'article 666 a été édicté par L.Q. 1991, c. 67.

Guides [art. 666]: IN-203 — Renseignements généraux sur la TVQ et la TPS/TVH; IN-261 — La TVQ, la TPS et les immeubles d'habitation (construction ou rénovation).

Définitions [art. 666]: « constructeur », « fourniture taxable », « immeuble d'habitation à logement unique », « montant », « particulier », « personne », « rénovation majeure », « vente » — 1.

Renvois [art. 666]: 618 (application du titre premier); 664 (remboursement pour immeuble d'habitation à logement unique déterminé); 665 (remboursement pour immeuble d'habitation à logement unique déterminé).

Concordance fédérale: LTA, al. 121(2)e), f).

667. Constructeur propriétaire — Sous réserve des articles 669 et 669.1, le constructeur d'un immeuble d'habitation déterminé qui, immédiatement avant le 1er juillet 1992, est propriétaire ou a la possession de l'immeuble d'habitation et qui n'a pas transféré la propriété ou la possession en vertu d'une convention d'achat et de vente à une autre personne qui n'est pas un constructeur de l'immeuble d'habitation, a droit au remboursement du montant déterminé conformément à l'article 668.

Exception — Le premier alinéa ne s'applique pas au constructeur d'un immeuble d'habitation déterminé à qui les articles 223 à 226 ne s'appliquent pas, par application des articles 227 ou 228.

Notes historiques: L'article 667 a été modifié par L.Q. 1994, c. 22, art. 638(1) et est réputé entré en vigueur le 1er juillet 1992. Toutefois, il doit être lu en faisant abstraction de la référence à l'article 228 qui s'y retrouve pour son application à un immeuble d'habitation dont le constructeur est une personne à laquelle les articles 223 à 226 ne s'appliquent pas en raison de l'article 228 et à l'égard duquel une demande de remboursement est produite conformément à la section II du chapitre VI du titre VI avant le 15 septembre 1992.

L'article 667, édicté par L.Q. 1991, c. 67, se lisait comme suit :

667. Sous réserve de l'article 669, le constructeur d'un immeuble d'habitation déterminé qui, immédiatement avant le 1er juillet 1992, est propriétaire ou a la possession de l'immeuble d'habitation et qui n'a pas transféré la propriété ou la possession en vertu d'une convention d'achat et de vente à une autre personne qui n'est pas un constructeur de l'immeuble d'habitation, a droit au remboursement du montant déterminé conformément à l'article 668.

Le premier alinéa ne s'applique pas au constructeur d'un immeuble d'habitation déterminé à qui les articles 223–226 ne s'appliquent pas, par application de l'article 227.

Guides [art. 667]: IN-261 — La TVQ, la TPS et les immeubles d'habitation (construction ou rénovation).

Définitions [art. 667]: « constructeur », « immeuble d'habitation », « montant », « personne », « vente » — 1.

Renvois [art. 667]: 618 (application du titre premier); 668 (montant du remboursement).

Concordance fédérale: LTA, par. 121(3).

668. Calcul — Le remboursement auquel a droit le constructeur d'un immeuble d'habitation déterminé en vertu de l'article 667 est égal à :

1° dans le cas où l'immeuble d'habitation est un immeuble d'habitation à logements multiples :

a) si la construction ou la rénovation majeure de l'immeuble d'habitation est achevée à plus de 25 % mais non à plus de 50 % au 1er juillet 1992, 50 % de la taxe estimative applicable à l'immeuble d'habitation;

b) si la construction ou la rénovation majeure de l'immeuble d'habitation est achevée à plus de 50 % au 1er juillet 1992, 75 % de la taxe estimative applicable à l'immeuble d'habitation;

LTVQ (français)

2º dans le cas où l'immeuble d'habitation est un logement en copropriété dans un immeuble d'habitation en copropriété :

a) si la construction ou la rénovation majeure de l'immeuble d'habitation en copropriété dans lequel le logement est situé est achevée à plus de 25 % mais non à plus de 50 % au 1er juillet 1992, 50 % de la taxe estimative applicable au logement;

b) si la construction ou la rénovation majeure de l'immeuble d'habitation en copropriété dans lequel le logement est situé est achevée à plus de 50 % au 1er juillet 1992, 75 % de la taxe estimative applicable au logement.

Notes historiques: L'article 668 a été modifié par L.Q. 1994, c. 22, art. 638(1) et est réputé entré en vigueur le 1er juillet 1992. Toutefois, il doit être lu en faisant abstraction des mots « la construction ou la rénovation majeure de », pour son application à un immeuble d'habitation à l'égard duquel une demande de remboursement est produite conformément à la section II du chapitre VI du titre VI avant le 15 septembre 1992.

L'article 668, édicté par L.Q. 1991, c. 67, se lisait comme suit :

> 668. Le remboursement auquel a droit le constructeur d'un immeuble d'habitation déterminé en vertu de l'article 667 est égal à :
>
> 1º dans le cas où l'immeuble d'habitation est un immeuble d'habitation à logements multiples, l'excédent de l'un des montants suivants sur le montant de tout remboursement à l'égard de l'immeuble d'habitation qui est payé à une autre personne en vertu de l'article 667;
>
> a) dans le cas où l'immeuble d'habitation est achevé à plus de 25 % mais non à plus de 50 % au 1er juillet 1992, 50 % de la taxe estimative applicable à l'immeuble d'habitation;
>
> b) dans le cas où l'immeuble d'habitation est achevé à plus de 50 % au 1er juillet 1992, 75 % de la taxe estimative applicable à l'immeuble d'habitation;
>
> 2º dans le cas où l'immeuble d'habitation est un logement en copropriété, l'excédent de l'un des montants suivants sur le montant de tout remboursement à l'égard du logement qui est payé à une autre personne en vertu de l'article 667 :
>
> a) dans le cas où l'immeuble d'habitation en copropriété dans lequel le logement est situé est achevé à plus de 25 % mais non à plus de 50 % au 1er juillet 1992, 50 % de la taxe estimative applicable au logement;
>
> b) dans le cas où l'immeuble d'habitation en copropriété dans lequel le logement est situé est achevé à plus de 50 % au 1er juillet 1992, 75 % de la taxe estimative applicable au logement.

Guides [art. 668]: IN-203 — Renseignements généraux sur la TVQ et la TPS/TVH; IN-261 — La TVQ, la TPS et les immeubles d'habitation (construction ou rénovation).

Définitions [art. 668]: « constructeur », « immeuble d'habitation », « immeuble d'habitation à logements multiples », « immeuble d'habitation en copropriété », « logement en copropriété », « rénovation majeure » — 1.

Renvois [art. 668]: 618 (application du titre premier); 667 (remboursement pour immeuble d'habitation déterminé).

Concordance fédérale: LTA, par. 121(3).

669. Demande de remboursement — Une personne a droit à un remboursement prévu à la présente section à l'égard d'un immeuble d'habitation seulement si elle produit au ministre de la manière prescrite par ce dernier avant le 1er juillet 1996 une demande de remboursement au moyen du formulaire prescrit contenant les renseignements prescrits et si aucun remboursement prévu à la présente section à l'égard de l'immeuble d'habitation n'a été payé à une autre personne qui y avait droit.

Notes historiques: L'article 669 a été modifié par L.Q. 1994, c. 22 art. 638(1) et est réputé entré en vigueur le 1er juillet 1992. L'article 669, édicté par L.Q. 1991, c. 67, se lisait comme suit :

> 669. Une personne a droit à un remboursement prévu à la présente section seulement si elle produit au ministre de la manière prescrite par ce dernier avant le 1er juillet 1996 une demande de remboursement au moyen du formulaire prescrit contenant les renseignements prescrits.

Guides: IN-261 — La TVQ, la TPS et les immeubles d'habitation (construction ou rénovation).

Définitions [art. 669]: « constructeur », « immeuble d'habitation », « personne » — 1.

Renvois [art. 669]: 618 (application du titre premier); 664 (remboursement pour immeuble d'habitation à logement unique déterminé); 665 (remboursement pour immeuble d'habitation à logement unique déterminé); 667 (remboursement pour immeuble d'habitation déterminé).

Formulaires [art. 669]: VD-669, Demande de remboursement de la taxe de vente payée sur un immeuble d'habitation nouvellement construit.

Concordance fédérale: LTA, par. 121(4).

669.1 Demande de remboursement — Dans le cas où la taxe estimative applicable à un immeuble d'habitation est un montant calculé en fonction de la contrepartie ou une partie de la contrepartie de la fourniture de l'immeuble d'habitation, une personne a droit à un remboursement prévu à la présente section à l'égard de l'immeuble d'habitation seulement si elle produit une demande de remboursement après que la taxe soit devenue payable en vertu de l'article 16 à l'égard de cette fourniture.

Notes historiques: L'article 669.1 a été ajouté par L.Q. 1994, c. 22, art. 639(1) et est réputé entré en vigueur le 1er juillet 1992.

Guides: IN-261 — La TVQ, la TPS et les immeubles d'habitation (construction ou rénovation).

Définitions [art. 669.1]: « contrepartie », « fourniture », « immeuble d'habitation », « montant », « taxe » — 1.

Renvois [art. 669.1]: 664 (remboursement pour immeuble d'habitation à logement unique déterminé); 665 (remboursement pour immeuble d'habitation à logement unique déterminé); 667 (remboursement pour immeuble d'habitation déterminé).

Concordance fédérale: LTA, par. 121(4.1).

670. Entrée en vigueur réputée — Pour l'application de la présente section, les articles 223 à 231.1 sont réputés être en vigueur avant le 1er juillet 1992.

Notes historiques: L'article 670 a été modifié par L.Q. 1994, c. 22, art. 640(1) et est réputé entré en vigueur le 1er janvier 1993. L'article 670, édicté par L.Q. 1991, c. 67, se lisait comme suit :

> 670. Pour l'application de la présente section, les articles 223 à 231 sont réputés être en vigueur avant le 1er juillet 1992.

Guides [art. 670]: IN-203 — Renseignements généraux sur la TVQ et la TPS/TVH; IN-261 — La TVQ, la TPS et les immeubles d'habitation (construction ou rénovation).

Définitions [art. 670]: « administration scolaire », « cadre », « collège public », « constructeur », « ex-conjoint », « immeuble d'habitation à logements multiples », « immeuble d'habitation à logement unique », « immeuble d'habitation en copropriété », « logement en copropriété », « particulier », « rénovation majeure », « université » — 1.

Renvois [art. 670]: 618 (application du titre premier).

Concordance fédérale: LTA, par. 121(5).

SECTION II.1 — REMBOURSEMENT TRANSITOIRE DE LA TAXE DE VENTE À L'ÉGARD D'UNE IMMEUBLE D'HABITATION

Notes historiques: L'intitulé de la section II.1 a été ajouté par L.Q. 2007, c. 12, par. 343(1) et a effet depuis le 1er juillet 2006.

670.1 Remboursement — Sous réserve de l'article 670.12, une personne donnée, autre qu'une coopérative d'habitation, a droit à un remboursement déterminé conformément à l'article 670.2 dans le cas où, à la fois :

1º conformément à une convention d'achat et de vente constatée par écrit, conclue avant le 3 mai 2006, la personne donnée est l'acquéreur de la fourniture taxable par vente, effectuée par une autre personne, d'un immeuble d'habitation à l'égard duquel la propriété et la possession lui sont transférées en vertu de la convention après le 30 juin 2006;

2º personne donnée a le droit de demander un remboursement, en vertu du paragraphe 1 de l'article 256.3 de la *Loi sur la taxe d'accise* (Lois révisées du Canada (1985), chapitre E-15), à l'égard de la fourniture de l'immeuble d'habitation;

3º la personne donnée a payé la totalité de la taxe, en vertu de l'article 16, à l'égard de la fourniture de l'immeuble d'habitation;

4º la personne donnée n'a pas le droit de demander un remboursement de la taxe sur les intrants ou un remboursement, autre qu'un remboursement en vertu du présent article, à l'égard de la taxe visée au paragraphe 3º.

Notes historiques: L'article 670.1 a été ajouté par L.Q. 2007, c. 12, par. 343(1) et a effet depuis le 1er juillet 2006.

Notes explicatives ARQ (PL 2, L.Q. 2007, c. 12): *Résumé* :

Le nouvel article 670.1 prévoit un remboursement de la taxe de vente du Québec (TVQ) lorsqu'une personne a droit au remboursement transitoire de la taxe sur les produits et services (TPS) prévu au paragraphe 1 de l'article 256.3 de la *Loi sur la taxe d'accise* (Lois révisées du Canada (1985), chapitre E-15) (LTA).

Contexte :

Le 1er juillet 2006, le taux de la TPS est passé de 7 % à 6 %. Cette modification s'applique, entre autres, à la fourniture par vente d'un immeuble d'habitation dont la propriété et la possession sont transférées après le 30 juin 2006. Il existe cependant certaines exceptions où la TPS continue de s'appliquer au taux de 7 % même si la propriété ou la possession d'une habitation, ou les deux, sont transférées après le 30 juin 2006. Tel est le cas lorsque la fourniture par vente d'un immeuble d'habitation est effectuée conformément à une convention constatée par écrit et conclue avant le 3 mai 2006.

Compte tenu de cette exception, le gouvernement fédéral a adopté des mesures transitoires pour permettre à une personne de bénéficier d'un remboursement de la TPS lorsqu'elle acquiert, en vertu d'une convention conclue avant le 3 mai 2006, un immeuble d'habitation dont la propriété et la possession lui sont transférées après le 30 juin 2006.

Ainsi, un remboursement transitoire de la TPS correspondant à 1 % de la contrepartie payée est accordé à l'acquéreur de l'immeuble d'habitation. Ce remboursement est toutefois réduit de tout montant que l'acquéreur peut, par ailleurs, recouvrer à l'égard de la TPS qu'il a payée lors de l'acquisition de l'immeuble d'habitation.

Étant donné que la TVQ est calculée sur la contrepartie de la fourniture d'un immeuble d'habitation et que cette contrepartie comprend la TPS, il y a lieu de permettre à l'acquéreur d'un tel immeuble de demander un remboursement de la TVQ égal à 7,5 % du montant du remboursement transitoire de la TPS auquel il a droit.

Cependant, tout comme dans le régime de la TPS, le remboursement de la TVQ peut être réduit afin de tenir compte de tout montant que la personne peut, par ailleurs, recouvrer à l'égard de la TVQ qu'elle a payée lors de l'acquisition de l'immeuble d'habitation.

Modifications proposées :

La modification proposée consiste à introduire l'article 670.1, lequel établit les conditions auxquelles doit satisfaire l'acquéreur pour obtenir un remboursement de la TVQ sur le montant du remboursement transitoire de la TPS auquel il a droit.

Concordance fédérale: LTA, par. 256.3(1).

670.2 Montant du remboursement — Pour l'application de l'article 670.1, le remboursement auquel une personne donnée a droit, à l'égard de la fourniture d'un immeuble d'habitation, est égal à 7,5 % du montant du remboursement auquel elle a droit en vertu du paragraphe 1 de l'article 256.3 de la *Loi sur la taxe d'accise* (Lois révisées du Canada (1985), chapitre E-15).

Notes historiques: L'article 670.2 a été ajouté par L.Q. 2007, c. 12, par. 343(1) et a effet depuis le 1er juillet 2006.

Notes explicatives ARQ (PL 2, L.Q. 2007, c. 12): *Résumé* :

Le nouvel article 670.2 indique la façon de déterminer le montant du remboursement prévu à l'article 670.1 de la LTVQ.

Contexte :

Le 1er juillet 2006, le taux de la taxe sur les produits et services (TPS) est passé de 7 % à 6 %. Cette modification s'applique, entre autres, à la fourniture par vente d'un immeuble d'habitation dont la propriété et la possession sont transférées après le 30 juin 2006. Il existe cependant certaines exceptions où la TPS continue de s'appliquer au taux de 7 % même si la propriété ou la possession d'une habitation, ou les deux, sont transférées après le 30 juin 2006. Tel est le cas lorsque la fourniture par vente d'un immeuble d'habitation est effectuée conformément à une convention constatée par écrit et conclue avant le 3 mai 2006.

Compte tenu de cette exception, le gouvernement fédéral a adopté des mesures transitoires pour permettre à une personne de bénéficier d'un remboursement de la TPS lorsqu'elle acquiert, en vertu d'une convention conclue avant le 3 mai 2006, un immeuble d'habitation dont la propriété et la possession lui sont transférées après le 30 juin 2006.

Ainsi, un remboursement transitoire de la TPS correspondant à 1 % de la contrepartie payée est accordé à l'acquéreur de l'immeuble d'habitation. Ce remboursement est toutefois réduit de tout montant que l'acquéreur peut, par ailleurs, recouvrer à l'égard de la TPS qu'il a payée lors de l'acquisition de l'immeuble d'habitation.

Étant donné que la taxe de vente du Québec (TVQ) est calculée sur la contrepartie de la fourniture d'un immeuble d'habitation et que cette contrepartie comprend la TPS, il y a lieu de permettre à l'acquéreur d'un tel immeuble de demander un remboursement de la TVQ égal à 7,5 % du montant du remboursement transitoire de la TPS auquel il a droit.

Cependant, tout comme dans le régime de la TPS, le remboursement de la TVQ peut être réduit afin de tenir compte de tout montant que la personne peut, par ailleurs, recouvrer à l'égard de la TVQ qu'elle a payée lors de l'acquisition de l'immeuble d'habitation.

Modifications proposées :

La modification proposée consiste à introduire l'article 670.2 à la LTVQ, lequel établit la formule à utiliser pour déterminer le montant du remboursement de la TVQ auquel l'acquéreur a droit en vertu de l'article 670.1 de la LTVQ.

Renvois [art. 670.2]: 670.30 (remboursement transitoire — taxe de vente d'un immeuble).

Concordance fédérale: LTA, par. 256.3(1) *in fine*.

670.3 Remboursement — Sous réserve de l'article 670.12, une personne donnée, autre qu'une coopérative d'habitation, a droit à un remboursement déterminé conformément à l'article 670.4 dans le cas où, à la fois :

1º conformément à une convention d'achat et de vente constatée par écrit, conclue avant le 3 mai 2006, la personne donnée est l'acquéreur de la fourniture taxable par vente, effectuée par une autre personne, d'un immeuble d'habitation à l'égard duquel la propriété et la possession lui sont transférées en vertu de la convention après le 30 juin 2006;

2º la personne donnée a le droit de demander un remboursement, en vertu du paragraphe 2 de l'article 256.3 de la *Loi sur la taxe d'accise* (Lois révisées du Canada (1985), chapitre E-15), à l'égard de la fourniture de l'immeuble d'habitation;

3º la personne donnée a payé la totalité de la taxe, en vertu de l'article 16, à l'égard de la fourniture de l'immeuble d'habitation;

4º la personne donnée a le droit de demander un remboursement, en vertu de l'article 378.6 ou de l'article 378.14, à l'égard d'une habitation située dans l'immeuble d'habitation.

Notes historiques: L'article 670.3 a été ajouté par L.Q. 2007, c. 12, par. 343(1) et a effet depuis le 1er juillet 2006.

Notes explicatives ARQ (PL 2, L.Q. 2007, c. 12): *Résumé* :

Le nouvel article 670.3 prévoit un remboursement de la taxe de vente du Québec (TVQ) lorsqu'une personne a droit au remboursement transitoire de la taxe sur les produits et services (TPS) prévu au paragraphe 2 de l'article 256.3 de la *Loi sur la taxe d'accise* (Lois révisées du Canada (1985), chapitre E-15) (LTA).

Contexte :

Le 1er juillet 2006, le taux de la TPS est passé de 7 % à 6 %. Cette modification s'applique, entre autres, à la fourniture par vente d'un immeuble d'habitation dont la propriété et la possession sont transférées après le 30 juin 2006. Il existe cependant certaines exceptions où la TPS continue de s'appliquer au taux de 7 % même si la propriété ou la possession d'une habitation, ou les deux, sont transférées après le 30 juin 2006. Tel est le cas lorsque la fourniture par vente d'un immeuble d'habitation est effectuée conformément à une convention constatée par écrit et conclue avant le 3 mai 2006.

Compte tenu de cette exception, le gouvernement fédéral a adopté des mesures transitoires pour permettre à une personne de bénéficier d'un remboursement de la TPS lorsqu'elle acquiert, en vertu d'une convention conclue avant le 3 mai 2006, un immeuble d'habitation dont la propriété et la possession lui sont transférées après le 30 juin 2006.

Ainsi, un remboursement transitoire de la TPS correspondant à 1 % de la contrepartie payée est accordé à l'acquéreur de l'immeuble d'habitation. Ce remboursement est toutefois réduit de tout montant que l'acquéreur peut, par ailleurs, recouvrer à l'égard de la TPS qu'il a payée lors de l'acquisition de l'immeuble d'habitation.

Étant donné que la TVQ est calculée sur la contrepartie de la fourniture d'un immeuble d'habitation et que cette contrepartie comprend la TPS, il y a lieu de permettre à l'acquéreur d'un tel immeuble de demander un remboursement de la TVQ égal à 7,5 % du montant du remboursement transitoire de la TPS auquel il a droit.

Cependant, tout comme dans le régime de la TPS, le remboursement de la TVQ peut être réduit afin de tenir compte de tout montant que la personne peut, par ailleurs, recouvrer à l'égard de la TVQ qu'elle a payée lors de l'acquisition de l'immeuble d'habitation.

Modifications proposées :

La modification proposée consiste à introduire l'article 670.3 à la LTVQ, lequel établit les conditions auxquelles doit satisfaire l'acquéreur pour obtenir un remboursement de la TVQ sur le montant du remboursement transitoire de la TPS auquel il a droit, dans la situation où celui-ci a droit, par ailleurs, au remboursement pour immeubles d'habitation locatifs neufs prévu à l'article 378.6 de la LTVQ ou un remboursement en vertu de l'article 378.14 de la LTVQ.

Concordance fédérale: LTA, par. 256.3(2).

670.4 Montant du remboursement — Pour l'application de l'article 670.3, le remboursement auquel une personne donnée a droit, à l'égard de la fourniture d'un immeuble d'habitation, est égal au montant déterminé selon la formule suivante :

$$A \times 7{,}5\ \% \times (1 - B / C).$$

Application — Pour l'application de cette formule :

LTVQ (français)

1º la lettre A représente le montant du remboursement auquel la personne donnée a droit, en vertu du paragraphe 2 de l'article 256.3 de la *Loi sur la taxe d'accise* (Lois révisées du Canada (1985), chapitre E-15), à l'égard de la fourniture de l'immeuble d'habitation;

2º la lettre B représente l'excédent du montant du remboursement auquel la personne donnée a droit, en vertu de l'article 378.6 ou de l'article 378.14, à l'égard de la fourniture de l'immeuble d'habitation, sur le résultat obtenu en multipliant 7,5 % par le montant du remboursement auquel la personne donnée a droit, en vertu du paragraphe 3 de l'article 256.2 de la *Loi sur la taxe d'accise*, à l'égard de la fourniture de l'immeuble d'habitation;

3º la lettre C représente l'excédent du montant de la taxe qui est payable par la personne donnée, en vertu de l'article 16, à l'égard de la fourniture de l'immeuble d'habitation, sur le résultat obtenu en multipliant 7,5 % par le montant du remboursement auquel la personne donnée a droit, en vertu du paragraphe 3 de l'article 256.2 de la *Loi sur la taxe d'accise*, à l'égard de la fourniture de l'immeuble d'habitation.

Notes historiques: L'article 670.4 a été ajouté par L.Q. 2007, c. 12, par. 343(1) et a effet depuis le 1er juillet 2006.

Notes explicatives ARQ (PL 2, L.Q. 2007, c. 12): *Résumé* :

Le nouvel article 670.4 indique la façon de déterminer le montant du remboursement prévu à l'article 670.3 de la LTVQ.

Contexte :

Le 1er juillet 2006, le taux de la taxe sur les produits et services (TPS) est passé de 7 % à 6 %. Cette modification s'applique, entre autres, à la fourniture par vente d'un immeuble d'habitation dont la propriété et la possession sont transférées après le 30 juin 2006. Il existe cependant certaines exceptions où la TPS continue de s'appliquer au taux de 7 % même si la propriété ou la possession d'une habitation, ou les deux, sont transférées après le 30 juin 2006. Tel est le cas lorsque la fourniture par vente d'un immeuble d'habitation est effectuée conformément à une convention constatée par écrit et conclue avant le 3 mai 2006.

Compte tenu de cette exception, le gouvernement fédéral a adopté des mesures transitoires pour permettre à une personne de bénéficier d'un remboursement de la TPS lorsqu'elle acquiert, en vertu d'une convention conclue avant le 3 mai 2006, un immeuble d'habitation dont la propriété et la possession lui sont transférées après le 30 juin 2006.

Ainsi, un remboursement transitoire de la TPS correspondant à 1 % de la contrepartie payée est accordé à l'acquéreur de l'immeuble d'habitation. Ce remboursement est toutefois réduit de tout montant que l'acquéreur peut, par ailleurs, recouvrer à l'égard de la TPS qu'il a payée lors de l'acquisition de l'immeuble d'habitation.

Étant donné que la taxe de vente du Québec (TVQ) est calculée sur la contrepartie de la fourniture d'un immeuble d'habitation et que cette contrepartie comprend la TPS, il y a lieu de permettre à l'acquéreur d'un tel immeuble de demander un remboursement de la TVQ égal à 7,5 % du montant du remboursement transitoire de la TPS auquel il a droit.

Cependant, tout comme dans le régime de la TPS, le remboursement de la TVQ peut être réduit afin de tenir compte de tout montant que la personne peut, par ailleurs, recouvrer à l'égard de la TVQ qu'elle a payée lors de l'acquisition de l'immeuble d'habitation.

Modifications proposées :

La modification proposée consiste à introduire l'article 670.4 à la LTVQ, lequel établit la formule à utiliser pour déterminer le montant du remboursement de la TVQ auquel l'acquéreur a droit en vertu de l'article 670.3 de la LTVQ.

Bulletins d'information [art. 670.4]: 2007-10 — Bonification du crédit d'impôt pour services de production cinématographique et autres mesures fiscales.

Concordance fédérale: LTA, par. 256.3(2) *in fine*.

670.5 Remboursement — Sous réserve de l'article 670.12, une personne donnée, autre qu'une coopérative d'habitation, a droit à un remboursement déterminé conformément à l'article 670.6 dans le cas où, à la fois :

1º conformément à une convention d'achat et de vente constatée par écrit, conclue avant le 3 mai 2006, la personne donnée est l'acquéreur de la fourniture taxable par vente, effectuée par une autre personne, d'un immeuble d'habitation à l'égard duquel la propriété et la possession lui sont transférées en vertu de la convention après le 30 juin 2006;

2º la personne donnée a le droit de demander un remboursement, en vertu du paragraphe 3 de l'article 256.3 de la *Loi sur la taxe d'accise* (Lois révisées du Canada (1985), chapitre E-15), à l'égard de la fourniture de l'immeuble d'habitation;

3º la personne donnée a payé la totalité de la taxe, en vertu de l'article 16, à l'égard de la fourniture de l'immeuble d'habitation;

4º la personne donnée a le droit de demander un remboursement, en vertu des articles 383 à 388, 389 et 394 à 397.2, à l'égard de la taxe visée au paragraphe 3°, mais n'a pas le droit de demander un remboursement de la taxe sur les intrants ni aucun autre remboursement, autre qu'un remboursement en vertu du présent article, à l'égard de cette taxe.

Notes historiques: L'article 670.5 a été ajouté par L.Q. 2007, c. 12, par. 343(1) et a effet depuis le 1er juillet 2006.

Notes explicatives ARQ (PL 2, L.Q. 2007, c. 12): *Résumé* :

Le nouvel article 670.5 prévoit un remboursement de la taxe de vente du Québec (TVQ) lorsqu'une personne a droit au remboursement transitoire de la taxe sur les produits et services (TPS) prévu paragraphe 3 de l'article 256.3 de la *Loi sur la taxe d'accise* (Lois révisées du Canada (1985), chapitre E-15) (LTA).

Contexte :

Le 1er juillet 2006, le taux de la TPS est passé de 7 % à 6 %. Cette modification s'applique, entre autres, à la fourniture par vente d'un immeuble d'habitation dont la propriété et la possession sont transférées après le 30 juin 2006. Il existe cependant certaines exceptions où la TPS continue de s'appliquer au taux de 7 % même si la propriété ou la possession d'une habitation, ou les deux, sont transférées après le 30 juin 2006. Tel est le cas lorsque la fourniture par vente d'un immeuble d'habitation est effectuée conformément à une convention constatée par écrit et conclue avant le 3 mai 2006.

Compte tenu de cette exception, le gouvernement fédéral a adopté des mesures transitoires pour permettre à une personne de bénéficier d'un remboursement de la TPS lorsqu'elle acquiert, en vertu d'une convention conclue avant le 3 mai 2006, un immeuble d'habitation dont la propriété et la possession lui sont transférées après le 30 juin 2006.

Ainsi, un remboursement transitoire de la TPS correspondant à 1 % de la contrepartie payée est accordé à l'acquéreur de l'immeuble d'habitation. Ce remboursement est toutefois réduit de tout montant que l'acquéreur peut, par ailleurs, recouvrer à l'égard de la TPS qu'il a payée lors de l'acquisition de l'immeuble d'habitation.

Étant donné que la TVQ est calculée sur la contrepartie de la fourniture d'un immeuble d'habitation et que cette contrepartie comprend la TPS, il y a lieu de permettre à l'acquéreur d'un tel immeuble de demander un remboursement de la TVQ égal à 7,5 % du montant du remboursement transitoire de la TPS auquel il a droit.

Cependant, tout comme dans le régime de la TPS, le remboursement de la TVQ peut être réduit afin de tenir compte de tout montant que la personne peut, par ailleurs, recouvrer à l'égard de la TVQ qu'elle a payée lors de l'acquisition de l'immeuble d'habitation.

Modifications proposées :

La modification proposée consiste à introduire l'article 670.5 à la LTVQ, lequel établit les conditions auxquelles doit satisfaire l'acquéreur pour obtenir un remboursement de la TVQ sur le montant du remboursement transitoire de la TPS auquel il a droit, dans la situation où celui-ci a droit, par ailleurs, au remboursement prévu aux articles 383 à 388, 389 et 394 à 397.2 de la LTVQ.

Concordance fédérale: LTA, par. 256.3(3).

670.6 Montant du remboursement — Pour l'application de l'article 670.5, le remboursement auquel une personne donnée a droit, à l'égard de la fourniture d'un immeuble d'habitation, est égal à 7,5 % du montant du remboursement auquel elle a droit en vertu du paragraphe 3 de l'article 256.3 de la *Loi sur la taxe d'accise* (Lois révisées du Canada (1985), chapitre E-15).

Notes historiques: L'article 670.6 a été ajouté par L.Q. 2007, c. 12, par. 343(1) et a effet depuis le 1er juillet 2006.

Notes explicatives ARQ (PL 2, L.Q. 2007, c. 12): *Résumé* :

Le nouvel article 670.6 indique la façon de déterminer le montant du remboursement prévu à l'article 670.5 de la LTVQ.

Contexte :

Le 1er juillet 2006, le taux de la taxe sur les produits et services (TPS) est passé de 7 % à 6 %. Cette modification s'applique, entre autres, à la fourniture par vente d'un immeuble d'habitation dont la propriété et la possession sont transférées après le 30 juin 2006. Il existe cependant certaines exceptions où la TPS continue de s'appliquer au taux de 7 % même si la propriété ou la possession d'une habitation, ou les deux, sont transférées après le 30 juin 2006. Tel est le cas lorsque la fourniture par vente d'un immeuble d'habitation est effectuée conformément à une convention constatée par écrit et conclue avant le 3 mai 2006.

Compte tenu de cette exception, le gouvernement fédéral a adopté des mesures transitoires pour permettre à une personne de bénéficier d'un remboursement de la TPS lorsqu'elle acquiert, en vertu d'une convention conclue avant le 3 mai 2006, un immeuble d'habitation dont la propriété et la possession lui sont transférées après le 30 juin 2006.

Ainsi, un remboursement transitoire de la TPS correspondant à 1 % de la contrepartie payée est accordé à l'acquéreur de l'immeuble d'habitation. Ce remboursement est toutefois réduit de tout montant que l'acquéreur peut, par ailleurs, recouvrer à l'égard de la TPS qu'il a payée lors de l'acquisition de l'immeuble d'habitation.

Étant donné que la taxe de vente du Québec (TVQ) est calculée sur la contrepartie de la fourniture d'un immeuble d'habitation et que cette contrepartie comprend la TPS, il y a lieu de permettre à l'acquéreur d'un tel immeuble de demander un remboursement de la TVQ égal à 7,5 % du montant du remboursement transitoire de la TPS auquel il a droit.

Cependant, tout comme dans le régime de la TPS, le remboursement de la TVQ peut être réduit afin de tenir compte de tout montant que la personne peut, par ailleurs, recouvrer à l'égard de la TVQ qu'elle a payée lors de l'acquisition de l'immeuble d'habitation.

Modifications proposées :

La modification proposée consiste à introduire l'article 670.6 à la LTVQ, lequel établit la formule à utiliser pour déterminer le montant du remboursement de la TVQ auquel l'acquéreur a droit en vertu de l'article 670.5 de la LTVQ.

Renvois [art. 670.6]: 670.35 (montant du remboursement — taxe de vente d'un immeuble).

Concordance fédérale: LTA, par. 256.3(3) in fine.

670.7 Remboursement pour une coopérative d'habitation

670.7 Remboursement pour une coopérative d'habitation — Sous réserve de l'article 670.12, une coopérative d'habitation a droit à un remboursement déterminé conformément à l'article 670.8 dans le cas où, à la fois :

1º conformément à une convention d'achat et de vente constatée par écrit, conclue avant le 3 mai 2006, la coopérative d'habitation est l'acquéreur de la fourniture taxable par vente, effectuée par une autre personne, d'un immeuble d'habitation à l'égard duquel la propriété et la possession lui sont transférées en vertu de la convention après le 30 juin 2006;

2º la coopérative d'habitation a le droit de demander un remboursement, en vertu du paragraphe 4 de l'article 256.3 de la *Loi sur la taxe d'accise* (Lois révisées du Canada (1985), chapitre E-15), à l'égard de la fourniture de l'immeuble d'habitation;

3º la coopérative d'habitation a payé la totalité de la taxe, en vertu de l'article 16, à l'égard de la fourniture de l'immeuble d'habitation;

4º la coopérative d'habitation n'a pas le droit de demander un remboursement de la taxe sur les intrants ou un remboursement, autre qu'un remboursement en vertu du présent article ou en vertu des articles 378.10, 378.14 ou des articles 383 à 388, 389 et 394 à 397.2, à l'égard de la taxe visée au paragraphe 3º.

Notes historiques: L'article 670.7 a été ajouté par L.Q. 2007, c. 12, par. 343(1) et a effet depuis le 1er juillet 2006.

Notes explicatives ARQ (PL 2, L.Q. 2007, c. 12): *Résumé* :

Le nouvel article 670.7 prévoit un remboursement de la taxe de vente du Québec (TVQ) lorsqu'une coopérative d'habitation a droit au remboursement transitoire de la taxe sur les produits et services (TPS) prévu au paragraphe 4 de l'article 256.3 de la *Loi sur la taxe d'accise* (Lois révisées du Canada (1985), chapitre E-15) (LTA).

Contexte :

Le 1er juillet 2006, le TPS est passé de 7 % à 6 %. Cette modification s'applique, entre autres, à la fourniture par vente d'un immeuble d'habitation dont la propriété et la possession sont transférées après le 30 juin 2006. Il existe cependant certaines exceptions où la TPS continue de s'appliquer au taux de 7 % même si la propriété ou la possession d'une habitation, ou les deux, sont transférées après le 30 juin 2006. Tel est le cas lorsque la fourniture par vente d'un immeuble d'habitation est effectuée conformément à une convention constatée par écrit et conclue avant le 3 mai 2006.

Compte tenu de cette exception, le gouvernement fédéral a adopté des mesures transitoires pour permettre à une personne de bénéficier d'un remboursement de la TPS lorsqu'elle acquiert, en vertu d'une convention conclue avant le 3 mai 2006, un immeuble d'habitation dont la propriété et la possession lui sont transférées après le 30 juin 2006.

Ainsi, un remboursement transitoire de la TPS correspondant à 1 % de la contrepartie payée est accordé à l'acquéreur de l'immeuble d'habitation. Ce remboursement est toutefois réduit de tout montant que l'acquéreur peut, par ailleurs, recouvrer à l'égard de la TPS qu'il a payée lors de l'acquisition de l'immeuble d'habitation.

Étant donné que la TVQ est calculée sur la contrepartie de la fourniture d'un immeuble d'habitation et que cette contrepartie comprend la TPS, il y a lieu de permettre à l'acquéreur d'un tel immeuble de demander un remboursement de la TVQ égal à 7,5 % du montant du remboursement transitoire de la TPS auquel il a droit.

Cependant, tout comme dans le régime de la TPS, le remboursement de la TVQ peut être réduit afin de tenir compte de tout montant que la personne peut, par ailleurs, recouvrer à l'égard de la TVQ qu'elle a payée lors de l'acquisition de l'immeuble d'habitation.

Modifications proposées :

La modification proposée consiste à introduire l'article 670.7 à la LTVQ, lequel établit les conditions auxquelles doit satisfaire la coopérative d'habitation pour obtenir un remboursement de la TVQ sur le montant du remboursement transitoire de la TPS auquel elle a droit.

Concordance fédérale: LTA, par. 256.3(4).

670.8 Montant du remboursement

670.8 Montant du remboursement — Pour l'application de l'article 670.7, le remboursement auquel une coopérative d'habitation a droit, à l'égard de la fourniture d'un immeuble d'habitation, est égal :

1º dans le cas où la coopérative d'habitation a le droit de demander un remboursement, en vertu des articles 383 à 388, 389 et 394 à 397.2, à l'égard de la fourniture de l'immeuble d'habitation, au résultat obtenu en multipliant 7,5 % par le montant du remboursement auquel la coopérative d'habitation a droit, en vertu du paragraphe 4 de l'article 256.3 de la *Loi sur la taxe d'accise* (Lois révisées du Canada (1985), chapitre E-15), à l'égard de la fourniture de l'immeuble d'habitation, lorsque l'élément B de la formule prévue à ce paragraphe représente le montant prévu à la division B du sous-alinéa i de ce paragraphe;

2º dans le cas où la coopérative d'habitation n'a pas le droit de demander un remboursement, en vertu des articles 383 à 388, 389 et 394 à 397.2, à l'égard de la fourniture de l'immeuble d'habitation et, selon le cas, que la coopérative d'habitation a le droit de demander, ou peut raisonnablement s'attendre à avoir le droit de demander, un remboursement, en vertu de l'article 378.10, à l'égard d'une habitation située dans l'immeuble d'habitation ou qu'une part de son capital social est ou sera, ou il est raisonnable de s'attendre à ce qu'une part de son capital social soit ou sera, vendue à un particulier donné dans le but qu'une habitation située dans l'immeuble d'habitation soit utilisée, à titre de résidence principale, par le particulier donné, un particulier qui lui est lié ou un ex-conjoint du particulier donné et que le particulier donné a ou aura le droit de demander un remboursement, en vertu de l'article 370.5, à l'égard de la part du capital social, au montant déterminé selon la formule suivante :

$$A - (36\ \% \times A);$$

3º dans les autres cas, au résultat obtenu en multipliant 7,5 % par le montant du remboursement auquel la coopérative d'habitation a droit, en vertu du paragraphe 4 de l'article 256.3 de la*Loi sur la taxe d'accise*, à l'égard de la fourniture de l'immeuble d'habitation.

Application — Pour l'application de la formule prévue au paragraphe 2° du premier alinéa, la lettre A représente le résultat obtenu en multipliant 7,5 % par le montant du remboursement auquel la coopérative d'habitation a droit, en vertu du paragraphe 4 de l'article 256.3 de la *Loi sur la taxe d'accise*, à l'égard de la fourniture de l'immeuble d'habitation, lorsque l'élément B de la formule prévue à ce paragraphe représente le montant prévu au sous-alinéa ii de ce paragraphe.

Notes historiques: L'article 670.8 a été ajouté par L.Q. 2007, c. 12, par. 343(1) et a effet depuis le 1er juillet 2006.

Notes explicatives ARQ (PL 2, L.Q. 2007, c. 12): *Résumé* :

Le nouvel article 670.8 indique la façon de déterminer le montant du remboursement prévu à l'article 670.7 de la LTVQ.

Contexte :

Le 1er juillet 2006, le taux de la taxe sur les produits et services (TPS) est passé de 7 % à 6 %. Cette modification s'applique, entre autres, à la fourniture par vente d'un immeuble d'habitation dont la propriété et la possession sont transférées après le 30 juin 2006. Il existe cependant certaines exceptions où la TPS continue de s'appliquer au taux de 7 % même si la propriété ou la possession d'une habitation, ou les deux, sont transférées après le 30 juin 2006. Tel est le cas lorsque la fourniture par vente d'un immeuble d'habitation est effectuée conformément à une convention constatée par écrit et conclue avant le 3 mai 2006.

LTVQ (français)

Compte tenu de cette exception, le gouvernement fédéral a adopté des mesures transitoires pour permettre à une personne de bénéficier d'un remboursement de la TPS lorsqu'elle acquiert, en vertu d'une convention conclue avant le 3 mai 2006, un immeuble d'habitation dont la propriété et la possession lui sont transférées après le 30 juin 2006.

Ainsi, un remboursement transitoire de la TPS correspondant à 1 % de la contrepartie payée est accordé à l'acquéreur de l'immeuble d'habitation. Ce remboursement est toutefois réduit de tout montant que l'acquéreur peut, par ailleurs, recouvrer à l'égard de la TPS qu'il a payée lors de l'acquisition de l'immeuble d'habitation.

Étant donné que la taxe de vente du Québec (TVQ) est calculée sur la contrepartie de la fourniture d'un immeuble d'habitation et que cette contrepartie comprend la TPS, il y a lieu de permettre à l'acquéreur d'un tel immeuble de demander un remboursement de la TVQ égal à 7,5 % du montant du remboursement transitoire de la TPS auquel il a droit.

Cependant, tout comme dans le régime de la TPS, le remboursement de la TVQ peut être réduit afin de tenir compte de tout montant que la personne peut, par ailleurs, recouvrer à l'égard de la TVQ qu'elle a payée lors de l'acquisition de l'immeuble d'habitation.

Modifications proposées :

La modification proposée consiste à introduire l'article 670.8 à la LTVQ, lequel établit la formule à utiliser pour déterminer le montant du remboursement de la TVQ auquel la coopérative d'habitation a droit en vertu de l'article 670.7 de la LTVQ.

Renvois [art. 670.8]: 670.35 (montant du remboursement — taxe de vente d'un immeuble); 670.37 (remboursement transitoire — taxe de vente d'un immeuble).

Concordance fédérale: LTA, par. 256.3(4) *in fine*.

670.9 Remboursement — Sous réserve de l'article 670.12, un particulier donné a droit à un remboursement déterminé conformément à l'article 670.10 dans le cas où, à la fois :

1º conformément à une convention d'achat et de vente constatée par écrit, conclue avant le 3 mai 2006, le particulier donné est l'acquéreur de la fourniture taxable par vente, effectuée par une autre personne, d'un immeuble d'habitation à l'égard duquel la propriété et la possession lui sont transférées en vertu de la convention après le 30 juin 2006;

2º le particulier donné a le droit de demander un remboursement, en vertu du paragraphe 5 de l'article 256.3 de la *Loi sur la taxe d'accise* (Lois révisées du Canada (1985), chapitre E-15), à l'égard de la fourniture de l'immeuble d'habitation;

3º le particulier donné a payé la totalité de la taxe, en vertu de l'article 16, à l'égard de la fourniture de l'immeuble d'habitation;

4º le particulier donné a le droit de demander un remboursement, en vertu de l'article 362.2 ou de l'article 368.1, à l'égard de l'immeuble d'habitation.

Notes historiques: L'article 670.9 a été ajouté par L.Q. 2007, c. 12, par. 343(1) et a effet depuis le 1er juillet 2006.

Notes explicatives ARQ (PL 2, L.Q. 2007, c. 12): *Résumé* :

Le nouvel article 670.9 prévoit un remboursement de la taxe de vente du Québec (TVQ) lorsqu'un particulier a droit au remboursement transitoire de la taxe sur les produits et services (TPS) prévu au paragraphe 5 de l'article 256.3 de la *Loi sur la taxe d'accise* (Lois révisées du Canada (1985), chapitre E-15) (LTA).

Contexte :

Le 1er juillet 2006, le taux de la TPS est passé de 7 % à 6 %. Cette modification s'applique, entre autres, à la fourniture par vente d'un immeuble d'habitation dont la propriété et la possession sont transférées après le 30 juin 2006. Il existe cependant certaines exceptions où la TPS continue de s'appliquer au taux de 7 % même si la propriété ou la possession d'une habitation, ou les deux, sont transférées après le 30 juin 2006. Tel est le cas lorsque la fourniture par vente d'un immeuble d'habitation est effectuée conformément à une convention constatée par écrit et conclue avant le 3 mai 2006.

Compte tenu de cette exception, le gouvernement fédéral a adopté des mesures transitoires pour permettre à une personne de bénéficier d'un remboursement de la TPS lorsqu'elle acquiert, en vertu d'une convention conclue avant le 3 mai 2006, un immeuble d'habitation dont la propriété et la possession lui sont transférées après le 30 juin 2006.

Ainsi, un remboursement transitoire de la TPS correspondant à 1 % de la contrepartie payée est accordé à l'acquéreur de l'immeuble d'habitation. Ce remboursement est toutefois réduit de tout montant que l'acquéreur peut, par ailleurs, recouvrer à l'égard de la TPS qu'il a payée lors de l'acquisition de l'immeuble d'habitation.

Étant donné que la TVQ est calculée sur la contrepartie de la fourniture d'un immeuble d'habitation et que cette contrepartie comprend la TPS, il y a lieu de permettre à l'acquéreur d'un tel immeuble de demander un remboursement de la TVQ égal à 7,5 % du montant du remboursement transitoire de la TPS auquel il a droit.

Cependant, tout comme dans le régime de la TPS, le remboursement de la TVQ peut être réduit afin de tenir compte de tout montant que la personne peut, par ailleurs, recouvrer à l'égard de la TVQ qu'elle a payée lors de l'acquisition de l'immeuble d'habitation.

Modifications proposées :

La modification proposée consiste à introduire l'article 670.9 à la LTVQ, lequel établit les conditions auxquelles doit satisfaire l'acquéreur pour obtenir un remboursement de la TVQ sur le montant du remboursement transitoire de la TPS auquel il a droit, dans la situation où celui-ci a droit, par ailleurs, au remboursement pour habitations neuves prévu à l'article 362.2 de la LTVQ ou un remboursement en vertu de l'article 368.1 de la LTVQ.

Concordance fédérale: LTA, par. 256.3(5).

670.10 Montant du remboursement — Pour l'application de l'article 670.9, le remboursement auquel un particulier donné a droit, à l'égard de la fourniture d'un immeuble d'habitation, est égal au montant déterminé selon la formule suivante :

$$A \times 7{,}5\ \% \times (1 - B / C).$$

Application — Pour l'application de cette formule :

1º la lettre A représente le montant du remboursement auquel le particulier donné a droit, en vertu du paragraphe 5 de l'article 256.3 de la *Loi sur la taxe d'accise* (Lois révisées du Canada (1985), chapitre E-15), à l'égard de la fourniture de l'immeuble d'habitation;

2º la lettre B représente l'excédent du montant du remboursement auquel le particulier donné a droit, en vertu de l'article 362.2 ou de l'article 368.1, à l'égard de la fourniture de l'immeuble d'habitation, sur le résultat obtenu en multipliant 7,5 % par le montant du remboursement auquel le particulier donné a droit, en vertu du paragraphe 2 de l'article 254 de la *Loi sur la taxe d'accise*, à l'égard de la fourniture de l'immeuble d'habitation;

3º la lettre C représente l'excédent du montant de la taxe qui est payable par le particulier donné, en vertu de l'article 16, à l'égard de la fourniture de l'immeuble d'habitation, sur le résultat obtenu en multipliant 7,5 % par le montant du remboursement auquel le particulier donné a droit, en vertu du paragraphe 2 de l'article 254 de la *Loi sur la taxe d'accise*, à l'égard de la fourniture de l'immeuble d'habitation.

Notes historiques: L'article 670.10 a été ajouté par L.Q. 2007, c. 12, par. 343(1) et a effet depuis le 1er juillet 2006.

Notes explicatives ARQ (PL 2, L.Q. 2007, c. 12): *Résumé* :

Le nouvel article 670.10 indique la façon de déterminer le montant du remboursement prévu à l'article 670.9 de la LTVQ.

Contexte :

Le 1er juillet 2006, le taux de la taxe sur les produits et services (TPS) est passé de 7 % à 6 %. Cette modification s'applique, entre autres, à la fourniture par vente d'un immeuble d'habitation dont la propriété et la possession sont transférées après le 30 juin 2006. Il existe cependant certaines exceptions où la TPS continue de s'appliquer au taux de 7 % même si la propriété ou la possession d'une habitation, ou les deux, sont transférées après le 30 juin 2006. Tel est le cas lorsque la fourniture par vente d'un immeuble d'habitation est effectuée conformément à une convention constatée par écrit et conclue avant le 3 mai 2006.

Compte tenu de cette exception, le gouvernement fédéral a adopté des mesures transitoires pour permettre à une personne de bénéficier d'un remboursement de la TPS lorsqu'elle acquiert, en vertu d'une convention conclue avant le 3 mai 2006, un immeuble d'habitation dont la propriété et la possession lui sont transférées après le 30 juin 2006.

Ainsi, un remboursement transitoire de la TPS correspondant à 1 % de la contrepartie payée est accordé à l'acquéreur de l'immeuble d'habitation. Ce remboursement est toutefois réduit de tout montant que l'acquéreur peut, par ailleurs, recouvrer à l'égard de la TPS qu'il a payée lors de l'acquisition de l'immeuble d'habitation.

Étant donné que la taxe de vente du Québec (TVQ) est calculée sur la contrepartie de la fourniture d'un immeuble d'habitation et que cette contrepartie comprend la TPS, il y a lieu de permettre à l'acquéreur d'un tel immeuble de demander un remboursement de la TVQ égal à 7,5 % du montant du remboursement transitoire de la TPS auquel il a droit.

Cependant, tout comme dans le régime de la TPS, le remboursement de la TVQ peut être réduit afin de tenir compte de tout montant que la personne peut, par ailleurs, recouvrer à l'égard de la TVQ qu'elle a payée lors de l'acquisition de l'immeuble d'habitation.

Modifications proposées :

La modification proposée consiste à introduire l'article 670.10 à la LTVQ, lequel établit la formule à utiliser pour déterminer le montant du remboursement de la TVQ auquel l'acquéreur a droit en vertu de l'article 670.9 de la LTVQ.

Concordance fédérale: LTA, par. 256.3(5) *in fine*.

670.11 Ensemble de particuliers — Dans le cas où la fourniture d'un immeuble d'habitation est effectuée à plusieurs particuliers, la référence dans les articles 670.9 et 670.10 à un particulier donné doit être lue comme une référence à l'ensemble de ces particuliers en tant que groupe, mais seul le particulier donné qui a demandé un remboursement en vertu des articles 362.2 à 370 peut effectuer la demande de remboursement prévue à l'article 670.9.

Notes historiques: L'article 670.11 a été ajouté par L.Q. 2007, c. 12, par. 343(1) et a effet depuis le 1er juillet 2006.

Notes explicatives ARQ (PL 2, L.Q. 2007, c. 12): *Résumé* :

Le nouvel article 670.11 prévoit que, dans le cas où un immeuble d'habitation est acquis par plusieurs particuliers, seul le particulier qui a demandé un remboursement pour habitations neuves, prévu aux articles 362.2 à 370 de la LTVQ, peut effectuer la demande du remboursement prévu à l'article 670.9 de la LTVQ.

Contexte :

Le 1er juillet 2006, le taux de la taxe sur les produits et services (TPS) est passé de 7 % à 6 %. Cette modification s'applique, entre autres, à la fourniture par vente d'un immeuble d'habitation dont la propriété et la possession sont transférées après le 30 juin 2006. Il existe cependant certaines exceptions où la TPS continue de s'appliquer au taux de 7 % même si la propriété ou la possession d'une habitation, ou les deux, sont transférées après le 30 juin 2006. Tel est le cas lorsque la fourniture par vente d'un immeuble d'habitation est effectuée conformément à une convention constatée par écrit et conclue avant le 3 mai 2006.

Compte tenu de cette exception, le gouvernement fédéral a adopté des mesures transitoires pour permettre à une personne de bénéficier d'un remboursement de la TPS lorsqu'elle acquiert, en vertu d'une convention conclue avant le 3 mai 2006, un immeuble d'habitation dont la propriété et la possession lui sont transférées après le 30 juin 2006.

Ainsi, un remboursement transitoire de la TPS correspondant à 1 % de la contrepartie payée est accordé à l'acquéreur de l'immeuble d'habitation. Ce remboursement est toutefois réduit de tout montant que l'acquéreur peut, par ailleurs, recouvrer à l'égard de la TPS qu'il a payée lors de l'acquisition de l'immeuble d'habitation.

Étant donné que la taxe de vente du Québec (TVQ) est calculée sur la contrepartie de la fourniture d'un immeuble d'habitation et que cette contrepartie comprend la TPS, il y a lieu de permettre à l'acquéreur d'un tel immeuble de demander un remboursement de la TVQ égal à 7,5 % du montant du remboursement transitoire de la TPS auquel il a droit.

Cependant, tout comme dans le régime de la TPS, le remboursement de la TVQ peut être réduit afin de tenir compte de tout montant que la personne peut, par ailleurs, recouvrer à l'égard de la TVQ qu'elle a payée lors de l'acquisition de l'immeuble d'habitation.

Modifications proposées :

La modification proposée consiste à introduire l'article 670.11 à la LTVQ afin de prévoir une règle similaire à celle prévue à l'article 362 de la LTVQ. Ainsi, dans le cas où la fourniture d'un l'immeuble d'habitation est effectuée à plusieurs particuliers, seul le particulier qui a demandé un remboursement pour habitations neuves, prévu aux articles 362.2 à 370 de la LTVQ, peut effectuer la demande du remboursement prévu à l'article 670.9 de la LTVQ.

Concordance fédérale: LTA, par. 256.3(6).

670.12 Délai de la demande — Une personne a droit à un remboursement prévu aux articles 670.1 à 670.11 à l'égard d'un immeuble d'habitation seulement si elle produit une demande de remboursement dans les deux ans suivant le jour où la propriété de l'immeuble d'habitation lui est transférée.

Notes historiques: L'article 670.12 a été ajouté par L.Q. 2007, c. 12, par. 343(1) et a effet depuis le 1er juillet 2006.

Notes explicatives ARQ (PL 2, L.Q. 2007, c. 12): *Résumé* :

Le nouvel article 670.12 prévoit le délai prescrit pour produire la demande d'un remboursement prévu aux articles 670.1 à 670.11 de la LTVQ.

Contexte :

Le 1er juillet 2006, le taux de la taxe sur les produits et services (TPS) est passé de 7 % à 6 %. Cette modification s'applique, entre autres, à la fourniture par vente d'un immeuble d'habitation dont la propriété et la possession sont transférées après le 30 juin 2006. Il existe cependant certaines exceptions où la TPS continue de s'appliquer au taux de 7 % même si la propriété ou la possession d'une habitation, ou les deux, sont transférées après le 30 juin 2006. Tel est le cas lorsque la fourniture par vente d'un immeuble d'habitation est effectuée conformément à une convention constatée par écrit et conclue avant le 3 mai 2006.

Compte tenu de cette exception, le gouvernement fédéral a adopté des mesures transitoires pour permettre à une personne de bénéficier d'un remboursement de la TPS lorsqu'elle acquiert, en vertu d'une convention conclue avant le 3 mai 2006, un immeuble d'habitation dont la propriété et la possession lui sont transférées après le 30 juin 2006.

Ainsi, un remboursement transitoire de la TPS correspondant à 1 % de la contrepartie payée est accordé à l'acquéreur de l'immeuble d'habitation. Ce remboursement est toutefois réduit de tout montant que l'acquéreur peut, par ailleurs, recouvrer à l'égard de la TPS qu'il a payée lors de l'acquisition de l'immeuble d'habitation.

Étant donné que la taxe de vente du Québec (TVQ) est calculée sur la contrepartie de la fourniture d'un immeuble d'habitation et que cette contrepartie comprend la TPS, il y a lieu de permettre à l'acquéreur d'un tel immeuble de demander un remboursement de la TVQ égal à 7,5 % du montant du remboursement transitoire de la TPS auquel il a droit.

Cependant, tout comme dans le régime de la TPS, le remboursement de la TVQ peut être réduit afin de tenir compte de tout montant que la personne peut, par ailleurs, recouvrer à l'égard de la TVQ qu'elle a payée lors de l'acquisition de l'immeuble d'habitation.

Modifications proposées :

Le nouvel article 670.12 prévoit que la personne dispose d'un délai de deux ans suivant le jour où la propriété d'un immeuble d'habitation lui est transférée pour demander un remboursement prévu aux articles 670.1 à 670.11 de la LTVQ.

Concordance fédérale: LTA, par. 256.3(7).

670.13 Remboursement — Sous réserve de l'article 670.22, une personne donnée a droit à un remboursement déterminé conformément à l'article 670.14 dans le cas où, à la fois :

1º en vertu d'une convention constatée par écrit, conclue avant le 3 mai 2006 entre la personne donnée et le constructeur d'un immeuble d'habitation qui est un immeuble d'habitation à logement unique ou un logement en copropriété, la personne donnée est l'acquéreur de, à la fois :

a) la fourniture exonérée par louage du fonds de terre qui fait partie de l'immeuble d'habitation ou la fourniture exonérée d'un tel contrat de louage par cession;

b) la fourniture exonérée par vente de la totalité ou d'une partie du bâtiment dans lequel est située l'habitation qui fait partie de l'immeuble d'habitation;

2º la possession de l'immeuble d'habitation est donnée à la personne donnée en vertu de la convention après le 30 juin 2006;

3º le constructeur est réputé avoir effectué et reçu la fourniture de l'immeuble d'habitation en vertu de l'article 223 du fait qu'il en a donné la possession à la personne donnée en vertu de la convention et avoir payé la taxe, en vertu de l'article 16, à l'égard de la fourniture;

4º la personne donnée a le droit de demander un remboursement, en vertu de l'article 370.0.1 ou de l'article 370.3.1, à l'égard de l'immeuble d'habitation;

5º la personne donnée a le droit de demander un remboursement, en vertu de l'alinéa e) du paragraphe 1 de l'article 256.4 de la *Loi sur la taxe d'accise* (Lois révisées du Canada (1985), chapitre E-15), à l'égard de l'immeuble d'habitation.

Notes historiques: L'article 670.13 a été ajouté par L.Q. 2007, c. 12, par. 343(1) et a effet depuis le 1er juillet 2006.

Notes explicatives ARQ (PL 2, L.Q. 2007, c. 12): *Résumé* :

Le nouvel article 670.13 prévoit un remboursement de la taxe de vente du Québec (TVQ) lorsqu'une personne a droit au remboursement transitoire de la taxe sur les produits et services (TPS) prévu au paragraphe 1 de l'article 256.4 de la *Loi sur la taxe d'accise* (Lois révisées du Canada (1985), chapitre E-15) (LTA).

Contexte :

Le 1er juillet 2006, le taux de la TPS est passé de 7 % à 6 %. Cette modification s'applique, entre autres, à la fourniture d'un immeuble d'habitation dont la propriété et la possession sont transférées à une personne, aux termes de la convention portant sur la fourniture, après le 30 juin 2006.

Toutefois il existe certaines exceptions à cette règle où le taux de 7 % continue de s'appliquer. Il s'agit du cas où, notamment, il y a fourniture réputée d'un immeuble d'habitation (immeuble d'habitation à logement unique et logement en copropriété) après le 30 juin 2006, en vertu du paragraphe 191(1) de la LTA, du fait que le constructeur transfère la possession de l'immeuble à une personne, aux termes d'une convention conclue avant le 3 mai 2006 et portant sur la fourniture exonérée par vente du bâtiment faisant partie

LTVQ (français)

de l'immeuble d'habitation et sur la fourniture exonérée par louage du terrain faisant partie également de celui-ci.

Dans une telle situation, un remboursement transitoire de 1 % de la TPS est accordé aux contribuables afin de leur permettre de bénéficier du taux de 6 %. Ainsi, un remboursement transitoire de 1 % est accordé à l'acquéreur de la fourniture par vente du bâtiment faisant partie de l'immeuble d'habitation. Un remboursement transitoire de 1 % est accordé également au constructeur qui est tenu d'établir la TPS par autocotisation.

Ce remboursement transitoire est cependant réduit afin de tenir compte de tout remboursement de la TPS auquel l'acquéreur et le constructeur ont droit par ailleurs, tel le remboursement pour habitations neuves ou le remboursement pour immeubles d'habitation locatifs neufs.

Dans le régime de la TVQ, la TVQ est calculée sur la contrepartie de la fourniture, laquelle comprend la TPS. Par conséquent, un remboursement de la TVQ au taux de 7,5 % est accordé à l'acquéreur et au constructeur sur le montant du remboursement transitoire de la TPS auquel ils ont droit, le cas échéant.

Enfin, tout comme dans le régime de la TPS, ce remboursement de la TVQ peut être réduit afin de tenir compte de tout remboursement de la TVQ auquel l'acquéreur et le constructeur ont droit par ailleurs, comme le remboursement pour habitations neuves ou le remboursement pour immeubles d'habitation locatifs neufs.

Modifications proposées :

La modification proposée consiste à introduire l'article 670.13 à la LTVQ, lequel établit les conditions auxquelles doit satisfaire l'acquéreur pour obtenir un remboursement de la TVQ sur le montant du remboursement transitoire de la TPS auquel il a droit, dans la situation où celui-ci a droit, par ailleurs, au remboursement pour habitations neuves prévu à l'article 370.0.1 de la LTVQ ou au remboursement prévu à l'article 370.3.1 de la LTVQ.

Concordance fédérale: LTA, par. 256.4(1).

670.14 Montant du remboursement — Pour l'application de l'article 670.13, le remboursement auquel une personne donnée a droit, à l'égard de l'immeuble d'habitation, est égal au montant déterminé selon la formule suivante :

$$A \times 7,5\ \% \times (1 - B / C).$$

Application — Pour l'application de la formule prévue au premier alinéa :

1º la lettre A représente le montant du remboursement auquel la personne donnée a droit, en vertu de l'alinéa e) du paragraphe 1 de l'article 256.4 de la *Loi sur la taxe d'accise* (Lois révisées du Canada (1985), chapitre E-15), à l'égard de l'immeuble d'habitation;

2º la lettre B représente l'excédent du montant du remboursement auquel la personne donnée a droit, en vertu de l'article 370.0.1 ou de l'article 370.3.1, à l'égard de l'immeuble d'habitation, sur le résultat obtenu en multipliant 7,5 % par le montant du remboursement auquel la personne donnée a droit, en vertu du paragraphe 2 de l'article 254.1 de la *Loi sur la taxe d'accise*, à l'égard de l'immeuble d'habitation;

3º la lettre C représente le montant déterminé selon la formule suivante :

$$(D \times 7,5 / 107,5) - E.$$

Application — Pour l'application de la formule prévue au paragraphe 3° du deuxième alinéa :

1º la lettre D représente le total des montants dont chacun représente la contrepartie payable au constructeur par la personne donnée pour la fourniture par vente à cette dernière de la totalité ou d'une partie du bâtiment visée au sous-paragraphe b) du paragraphe 1° de l'article 670.13 ou d'une autre construction qui fait partie de l'immeuble d'habitation, sauf la contrepartie qui peut raisonnablement être considérée comme un loyer pour les fournitures du fonds de terre attribuable à l'immeuble d'habitation ou comme une contrepartie pour la fourniture d'une option d'achat de ce fonds;

2º la lettre E représente le résultat obtenu en multipliant 7,5 % par le montant du remboursement auquel la personne donnée a droit, en vertu du paragraphe 2 de l'article 254.1 de la *Loi sur la taxe d'accise*, à l'égard de l'immeuble d'habitation.

Notes historiques: L'article 670.14 a été ajouté par L.Q. 2007, c. 12, par. 343(1) et a effet depuis le 1er juillet 2006.

Notes explicatives ARQ (PL 2, L.Q. 2007, c. 12): *Résumé* :

Le nouvel article 670.14 indique la façon de déterminer le montant du remboursement prévu à l'article 670.13 de la LTVQ.

Contexte :

Le 1er juillet 2006, le taux de la taxe sur les produits et services (TPS) est passé de 7 % à 6 %. Cette modification s'applique, entre autres, à la fourniture d'un immeuble d'habitation dont la propriété et la possession sont transférées à une personne, aux termes de la convention portant sur la fourniture, après le 30 juin 2006.

Toutefois il existe certaines exceptions à cette règle où le taux de 7 % continue de s'appliquer. Il s'agit du cas où, notamment, il y a fourniture réputée d'un immeuble d'habitation (immeuble d'habitation à logement unique et logement en copropriété) après le 30 juin 2006, en vertu du paragraphe 191(1) de la *Loi sur la taxe d'accise* (Lois révisées du Canada (1985), chapitre E-15) (LTA), du fait que le constructeur transfère la possession de l'immeuble à une personne, aux termes d'une convention conclue avant le 3 mai 2006 et portant sur la fourniture exonérée par vente du bâtiment faisant partie de l'immeuble d'habitation et sur la fourniture exonérée par louage du terrain faisant partie également de celui-ci.

Dans une telle situation, un remboursement transitoire de 1 % de la TPS est accordé aux contribuables afin de leur permettre de bénéficier du taux de 6 %. Ainsi, un remboursement transitoire de 1 % est accordé à l'acquéreur de la fourniture par vente du bâtiment faisant partie de l'immeuble d'habitation. Un remboursement transitoire de 1 % est accordé également au constructeur qui est tenu d'établir la TPS par autocotisation.

Ce remboursement transitoire est cependant réduit afin de tenir compte de tout remboursement de la TPS auquel l'acquéreur et le constructeur ont droit par ailleurs, tel le remboursement pour habitations neuves ou le remboursement pour immeubles d'habitation locatifs neufs.

Dans le régime de la taxe de vente du Québec (TVQ), la TVQ est calculée sur la contrepartie de la fourniture, laquelle comprend la TPS. Par conséquent, un remboursement de la TVQ au taux de 7,5 % est accordé à l'acquéreur et au constructeur sur le montant du remboursement transitoire de la TPS auquel ils ont droit, le cas échéant.

Enfin, tout comme dans le régime de la TPS, ce remboursement de la TVQ peut être réduit afin de tenir compte de tout remboursement de la TVQ auquel l'acquéreur et le constructeur ont droit par ailleurs, tel le remboursement pour habitations neuves ou le remboursement pour immeubles d'habitation locatifs neufs.

Modifications proposées :

La modification proposée consiste à introduire l'article 670.14 à la LTVQ, lequel établit la formule à utiliser pour déterminer le montant du remboursement de la TVQ auquel l'acquéreur a droit en vertu de l'article 670.13 de la LTVQ.

Formulaires [art. 670.14]: FP-524, *Remboursement de TPS pour un immeuble d'habitation locatif neuf (demande lorsque la TPS est de 5 %)*; FP-525, *Annexe au remboursement de TPS pour un immeuble d'habitation locatif neuf — logements multiples (demande lorsque la TPS est de 5 %)*.

Concordance fédérale: LTA, par. 256.4(1) *in fine*.

670.15 Remboursement — Sous réserve de l'article 670.22, un constructeur a droit à un remboursement déterminé conformément à l'article 670.16 dans le cas où, à la fois :

1º en vertu d'une convention constatée par écrit, conclue avant le 3 mai 2006 entre une personne donnée et le constructeur d'un immeuble d'habitation qui est un immeuble d'habitation à logement unique ou un logement en copropriété, le constructeur effectue à cette dernière, à la fois :

a) la fourniture exonérée par louage du fonds de terre qui fait partie de l'immeuble d'habitation ou la fourniture exonérée d'un tel contrat de louage par cession;

b) la fourniture exonérée par vente de la totalité ou d'une partie du bâtiment dans lequel est située l'habitation qui fait partie de l'immeuble d'habitation;

2º la possession de l'immeuble d'habitation est donnée à la personne donnée en vertu de la convention après le 30 juin 2006;

3º le constructeur est réputé avoir effectué et reçu la fourniture de l'immeuble d'habitation en vertu de l'article 223 du fait qu'il en a donné la possession à la personne donnée en vertu de la convention et avoir payé la taxe, en vertu de l'article 16, à l'égard de la fourniture;

4º la personne donnée a le droit de demander un remboursement, en vertu de l'article 370.0.1 ou de l'article 370.3.1, à l'égard de l'immeuble d'habitation;

5º le constructeur n'a pas le droit de demander un remboursement de la taxe sur les intrants ou un remboursement, autre qu'un remboursement en vertu du présent article ou en vertu de l'article 378.8 ou de l'article 378.14, à l'égard de la taxe visée au paragraphe 3º;

6º le constructeur a le droit de demander un remboursement, en vertu de l'alinéa f) du paragraphe 1 de l'article 256.4 de la *Loi sur la taxe d'accise* (Lois révisées du Canada (1985), chapitre E-15), à l'égard de l'immeuble d'habitation.

Notes historiques: L'article 670.15 a été ajouté par L.Q. 2007, c. 12, par. 343(1) et a effet depuis le 1er juillet 2006.

Notes explicatives ARQ (PL 2, L.Q. 2007, c. 12): *Résumé* :

Le nouvel article 670.15 prévoit un remboursement de la taxe de vente du Québec (TVQ) lorsqu'un constructeur a droit au remboursement transitoire de la taxe sur les produits et services (TPS) prévu au paragraphe 1 de l'article 256.4 de la *Loi sur la taxe d'accise* (Lois révisées du Canada (1985), chapitre E-15) (LTA).

Contexte :

[Voir sous l'art. 670.14 — n.d.l.r.]

Modifications proposées :

La modification proposée consiste à introduire l'article 670.15 à la LTVQ, lequel établit les conditions auxquelles doit satisfaire le constructeur pour obtenir un remboursement de la TVQ sur le montant du remboursement transitoire de la TPS auquel il a droit, dans la situation où celui-ci a droit, par ailleurs, au remboursement pour immeubles d'habitation locatifs neufs prévu à l'article 378.8 de la LTVQ ou au remboursement prévu à l'article 378.14 de la LTVQ.

Concordance fédérale: LTA, par. 256.4(2).

670.16 Montant du remboursement — Pour l'application de l'article 670.15, le remboursement auquel un constructeur a droit, à l'égard de l'immeuble d'habitation, est égal au montant déterminé selon la formule suivante :

$$A \times 7,5\ \% \times (1 - B / C).$$

Application — Pour l'application de cette formule :

1º la lettre A représente le montant du remboursement auquel le constructeur a droit, en vertu de l'alinéa f) du paragraphe 1 de l'article 256.4 de la *Loi sur la taxe d'accise* (Lois révisées du Canada (1985), chapitre E-15), à l'égard de l'immeuble d'habitation;

2º la lettre B représente l'excédent du montant du remboursement auquel le constructeur a droit, en vertu de l'article 378.8 ou de l'article 378.14, à l'égard de l'immeuble d'habitation, sur le résultat obtenu en multipliant 7,5 % par le montant du remboursement auquel le constructeur a droit, en vertu du paragraphe 4 de l'article 256.2 de la *Loi sur la taxe d'accise*, à l'égard de l'immeuble d'habitation;

3º la lettre C représente l'excédent du montant de la taxe payable, en vertu de l'article 16, à l'égard de la fourniture réputée effectuée en vertu de l'article 223 sur le résultat obtenu en multipliant 7,5 % par le montant du remboursement auquel le constructeur a droit, en vertu du paragraphe 4 de l'article 256.2 de la *Loi sur la taxe d'accise*, à l'égard de l'immeuble d'habitation.

Notes historiques: L'article 670.16 a été ajouté par L.Q. 2007, c. 12, par. 343(1) et a effet depuis le 1er juillet 2006.

Notes explicatives ARQ (PL 2, L.Q. 2007, c. 12): *Résumé* :

Le nouvel article 670.16 indique la façon de déterminer le montant du remboursement prévu à l'article 670.15 de la LTVQ.

Contexte :

[Voir sous l'art. 670.14 — n.d.l.r.]

Modifications proposées :

La modification proposée consiste à introduire l'article 670.16 à la LTVQ, lequel établit la formule à utiliser pour déterminer le montant du remboursement de la TVQ auquel le constructeur a droit en vertu de l'article 670.15 de la LTVQ.

Renvois [art. 670.16]: 670.44 (remboursement transitoire au constructeur d'un immeuble); 670.45 (montant du remboursement au constructeur d'un immeuble).

Concordance fédérale: LTA, par. 256.4(2).

670.17 Remboursement — Sous réserve de l'article 670.22, une personne donnée a droit à un remboursement déterminé conformément à l'article 670.18 dans le cas où, à la fois :

1º en vertu d'une convention constatée par écrit, conclue avant le 3 mai 2006 entre la personne donnée et le constructeur d'un immeuble d'habitation qui est un immeuble d'habitation à logement unique ou un logement en copropriété, la personne donnée est l'acquéreur de, à la fois :

a) la fourniture exonérée par louage du fonds de terre qui fait partie de l'immeuble d'habitation ou la fourniture exonérée d'un tel contrat de louage par cession;

b) la fourniture exonérée par vente de la totalité ou d'une partie du bâtiment dans lequel est située l'habitation qui fait partie de l'immeuble d'habitation;

2º la possession de l'immeuble d'habitation est donnée à la personne donnée en vertu de la convention après le 30 juin 2006;

3º le constructeur est réputé avoir effectué et reçu la fourniture de l'immeuble d'habitation en vertu de l'article 223 du fait qu'il en a donné la possession à la personne donnée en vertu de la convention et avoir payé la taxe, en vertu de l'article 16, à l'égard de la fourniture;

4º la personne donnée n'a pas le droit de demander un remboursement, en vertu de l'article 370.0.1, à l'égard de l'immeuble d'habitation;

5º la personne donnée a le droit de demander un remboursement, en vertu de l'alinéa e) du paragraphe 2 de l'article 256.4 de la *Loi sur la taxe d'accise* (Lois révisées du Canada (1985), chapitre E-15), à l'égard de l'immeuble d'habitation.

Notes historiques: L'article 670.17 a été ajouté par L.Q. 2007, c. 12, par. 343(1) et a effet depuis le 1er juillet 2006.

Notes explicatives ARQ (PL 2, L.Q. 2007, c. 12): *Résumé* :

Le nouvel article 670.17 prévoit un remboursement de la taxe de vente du Québec (TVQ) lorsqu'une personne a droit au remboursement transitoire de la taxe sur les produits et services (TPS) prévu au paragraphe 2 de l'article 256.4 de la *Loi sur la taxe d'accise* (Lois révisées du Canada (1985), chapitre E-15) (LTA).

Contexte :

[Voir sous l'art. 670.14 — n.d.l.r.]

Modifications proposées :

La modification proposée consiste à introduire l'article 670.17 à la LTVQ, lequel établit les conditions auxquelles doit satisfaire l'acquéreur pour obtenir un remboursement de la TVQ sur le montant du remboursement transitoire de la TPS auquel il a droit, dans la situation où celui-ci n'a pas droit au remboursement pour habitations neuves prévu à l'article 370.0.1 de la LTVQ.

Concordance fédérale: LTA, par. 256.4(2).

670.18 Montant du remboursement — Pour l'application de l'article 670.17, le remboursement auquel une personne donnée a droit, à l'égard de l'immeuble d'habitation, est égal à 7,5 % du montant du remboursement auquel elle a droit en vertu de l'alinéa e) du paragraphe 2 de l'article 256.4 de la *Loi sur la taxe d'accise* (Lois révisées du Canada (1985), chapitre E-15).

Notes historiques: L'article 670.18 a été ajouté par L.Q. 2007, c. 12, par. 343(1) et a effet depuis le 1er juillet 2006.

Notes explicatives ARQ (PL 2, L.Q. 2007, c. 12): *Résumé* :

Le nouvel article 670.18 indique la façon de déterminer le montant du remboursement prévu à l'article 670.17 de la LTVQ.

Contexte :

[Voir sous l'art. 670.14 — n.d.l.r.]

Modifications proposées :

La modification proposée consiste à introduire l'article 670.18 à la LTVQ, lequel établit la formule à utiliser pour déterminer le montant du remboursement de la TVQ auquel l'acquéreur a droit en vertu de l'article 670.17 de la LTVQ.

Renvois [art. 670.18]: 670.47 (montant du remboursement à l'égard d'un immeuble d'habitation).

Concordance fédérale: aucune.

670.19 Remboursement — Sous réserve de l'article 670.22, un constructeur a droit à un remboursement déterminé conformément à l'article 670.20 dans le cas où, à la fois :

1º en vertu d'une convention constatée par écrit, conclue avant le 3 mai 2006 entre une personne donnée et le constructeur d'un immeuble d'habitation qui est un immeuble d'habitation à logement unique

LTVQ (français)

ou un logement en copropriété, le constructeur effectue à cette dernière, à la fois :

a) la fourniture exonérée par louage du fonds de terre qui fait partie de l'immeuble d'habitation ou la fourniture exonérée d'un tel contrat de louage par cession;

b) la fourniture exonérée par vente de la totalité ou d'une partie du bâtiment dans lequel est située l'habitation qui fait partie de l'immeuble d'habitation;

2° la possession de l'immeuble d'habitation est donnée à la personne donnée en vertu de la convention après le 30 juin 2006;

3° le constructeur est réputé avoir effectué et reçu la fourniture de l'immeuble d'habitation en vertu de l'article 223 du fait qu'il en a donné la possession à la personne donnée en vertu de la convention et avoir payé la taxe, en vertu de l'article 16, à l'égard de la fourniture;

4° la personne donnée n'a pas le droit de demander un remboursement, en vertu de l'article 370.0.1, à l'égard de l'immeuble d'habitation;

5° le constructeur n'a pas le droit de demander un remboursement de la taxe sur les intrants ou un remboursement, autre qu'un remboursement en vertu du présent article, à l'égard de la taxe visée au paragraphe 3°;

6° le constructeur a le droit de demander un remboursement, en vertu de l'alinéa f) du paragraphe 2 de l'article 256.4 de la *Loi sur la taxe d'accise* (Lois révisées du Canada (1985), chapitre E-15), à l'égard de l'immeuble d'habitation.

Notes historiques: L'article 670.19 a été ajouté par L.Q. 2007, c. 12, par. 343(1) et a effet depuis le 1er juillet 2006.

Notes explicatives ARQ (PL 2, L.Q. 2007, c. 12): *Résumé* :

Le nouvel article 670.19 prévoit un remboursement de la taxe de vente du Québec (TVQ) lorsqu'un constructeur a droit au remboursement transitoire de la taxe sur les produits et services (TPS) prévu au paragraphe 2 de l'article 256.4 de la *Loi sur la taxe d'accise* (Lois révisées du Canada (1985), chapitre E-15) (LTA).

Contexte :

[Voir sous l'art. 670.14 — n.d.l.r.]

Modifications proposées :

La modification proposée consiste à introduire l'article 670.19 à la LTVQ, lequel établit les conditions auxquelles doit satisfaire le constructeur pour obtenir un remboursement de la TVQ sur le montant du remboursement transitoire de la TPS auquel il a droit.

Concordance fédérale: LTA, par. 256.4(2).

670.20 Montant du remboursement — Pour l'application de l'article 670.19, le remboursement auquel un constructeur a droit, à l'égard de l'immeuble d'habitation, est égal à 7,5 % du montant du remboursement auquel il a droit en vertu de l'alinéa f) du paragraphe 2 de l'article 256.4 de la *Loi sur la taxe d'accise* (Lois révisées du Canada (1985), chapitre E-15).

Notes historiques: L'article 670.20 a été ajouté par L.Q. 2007, c. 12, par. 343(1) et a effet depuis le 1er juillet 2006.

Notes explicatives ARQ (PL 2, L.Q. 2007, c. 12): *Résumé* :

Le nouvel article 670.20 indique la façon de déterminer le montant du remboursement prévu à l'article 670.19 de la LTVQ.

Contexte :

[Voir sous l'art. 670.14 — n.d.l.r.]

Modifications proposées :

La modification proposée consiste à introduire l'article 670.20 à la LTVQ, lequel établit la formule à utiliser pour déterminer le montant du remboursement de la TVQ auquel le constructeur a droit en vertu de l'article 670.19 de la LTVQ.

Renvois [art. 670.20]: 670.48 (remboursement transitoire au constructeur d'un immeuble).

Concordance fédérale: aucune.

670.21 Ensemble de particuliers — Dans le cas où les fournitures visées aux articles 670.13 à 670.20 sont effectuées à plusieurs particuliers, la référence dans ces articles à une personne donnée doit être lue comme une référence à l'ensemble de ces particuliers en tant que groupe, mais dans le cas d'un remboursement en vertu de l'article 670.13, seul le particulier qui a demandé un remboursement en vertu des articles 370.0.1 à 370.4 peut effectuer la demande de remboursement prévue à l'article 670.13.

Notes historiques: L'article 670.21 a été ajouté par L.Q. 2007, c. 12, par. 343(1) et a effet depuis le 1er juillet 2006.

Notes explicatives ARQ (PL 2, L.Q. 2007, c. 12): *Résumé* :

Le nouvel article 670.21 prévoit que seul le particulier qui a demandé un remboursement pour habitations neuves prévu aux articles 370.0.1 à 370.4 de la LTVQ peut effectuer la demande du remboursement prévu à l'article 670.13 de la LTVQ.

Contexte :

[Voir sous l'art. 670.14 — n.d.l.r.]

Modifications proposées :

La modification proposée consiste à introduire l'article 670.21 à la LTVQ afin de prévoir une règle similaire à celle prévue à l'article 362 de la LTVQ. Ainsi, dans le cas où les fournitures sont effectuées à plusieurs particuliers, seul le particulier qui a demandé le remboursement pour habitations neuves, prévu aux articles 370.0.1 à 370.4 de la LTVQ, peut effectuer la demande du remboursement prévu à l'article 670.13 de la LTVQ.

Concordance fédérale: LTA, par. 256.4(3).

670.22 Délai de la demande — Une personne a droit à un remboursement prévu aux articles 670.13 à 670.21 à l'égard d'un immeuble d'habitation seulement si elle produit une demande de remboursement dans les deux ans suivant :

1° dans le cas d'un remboursement à une personne autre que le constructeur de l'immeuble d'habitation, le jour où la possession de l'immeuble d'habitation est transférée à la personne;

2° dans le cas d'un remboursement au constructeur de l'immeuble d'habitation, la fin du mois au cours duquel la taxe visée au paragraphe 3° des articles 670.15 et 670.19 est réputée avoir été payée par le constructeur.

Notes historiques: L'article 670.22 a été ajouté par L.Q. 2007, c. 12, par. 343(1) et a effet depuis le 1er juillet 2006.

Notes explicatives ARQ (PL 2, L.Q. 2007, c. 12): *Résumé* :

Le nouvel article 670.22 prévoit le délai prescrit pour produire la demande d'un remboursement prévu aux articles 670.13 à 670.21 de la LTVQ.

Contexte :

[Voir sous l'art. 670.14 — n.d.l.r.]

Modifications proposées :

Le nouvel article 670.22 prévoit le délai prescrit pour produire la demande d'un remboursement. La demande visant le remboursement à l'acquéreur doit être produite dans les deux ans suivant le jour où la possession de l'immeuble d'habitation lui est transférée. La demande visant le remboursement au constructeur doit être produite dans les deux ans suivant la fin du mois au cours duquel la taxe visée au paragraphe 3° des articles 670.15 et 670.19 est réputée avoir été payée par celui-ci.

Concordance fédérale: LTA, par. 256.4(4).

670.23 Remboursement — Sous réserve de l'article 670.26, une personne donnée a droit à un remboursement déterminé conformément à l'article 670.24 dans le cas où, à la fois :

1° en vertu d'une convention constatée par écrit, conclue entre la personne donnée et le constructeur d'un immeuble d'habitation, autre qu'un immeuble d'habitation à logement unique ou un logement en copropriété, ou d'une adjonction à celui-ci, la personne donnée est l'acquéreur de, à la fois :

a) la fourniture exonérée par louage du fonds de terre qui fait partie de l'immeuble d'habitation ou la fourniture exonérée d'un tel contrat de louage par cession;

b) la fourniture exonérée par vente de la totalité ou d'une partie du bâtiment dans lequel est située une habitation qui fait partie de l'immeuble d'habitation ou de l'adjonction;

2° la possession d'une habitation qui fait partie de l'immeuble d'habitation ou de l'adjonction est donnée à la personne donnée en vertu de la convention après le 30 juin 2006;

3º le constructeur est réputé, en vertu de l'article 225 ou de l'article 226, avoir effectué et reçu la fourniture de l'immeuble d'habitation ou de l'adjonction du fait qu'il a, selon le cas :

a) donné la possession de l'habitation à la personne donnée en vertu de la convention;

b) donné la possession d'une habitation qui fait partie de l'immeuble d'habitation ou de l'adjonction à une autre personne en vertu d'une convention visée au paragraphe 1° conclue entre l'autre personne et le constructeur;

4º le constructeur est réputé avoir payé la taxe, en vertu de l'article 16, à l'égard de la fourniture;

5º si le constructeur est réputé avoir payé la taxe visée au paragraphe 4º après le 30 juin 2006, selon le cas :

a) le constructeur et la personne donnée ont conclu la convention avant le 3 mai 2006;

b) le constructeur et une personne autre que la personne donnée ont conclu, avant le 3 mai 2006, une convention visée au paragraphe 1° à l'égard d'une habitation située dans l'immeuble d'habitation ou dans l'adjonction dont le constructeur est réputé avoir effectué la fourniture conformément au paragraphe 3° et il n'a pas été mis fin à cette convention avant le 1er juillet 2006;

6º la personne donnée a le droit de demander un remboursement, en vertu du paragraphe 1 de l'article 256.5 de la *Loi sur la taxe d'accise* (Lois révisées du Canada (1985), chapitre E-15), à l'égard de l'immeuble d'habitation ou de l'adjonction.

Notes historiques: L'article 670.23 a été ajouté par L.Q. 2007, c. 12, par. 343(1) et a effet depuis le 1er juillet 2006.

Notes explicatives ARQ (PL 2, L.Q. 2007, c. 12): *Résumé* :

Le nouvel article 670.23 prévoit un remboursement de la taxe de vente du Québec (TVQ) lorsqu'une personne a droit au remboursement transitoire de la taxe sur les produits et services (TPS) prévu au paragraphe 1 de l'article 256.5 de la *Loi sur la taxe d'accise* (Lois révisées du Canada (1985), chapitre E-15) (LTA).

Contexte :

[Voir sous l'art. 670.14 — n.d.l.r.]

Modifications proposées :

La modification proposée consiste à introduire l'article 670.23 à la LTVQ, lequel établit les conditions auxquelles doit satisfaire l'acquéreur pour obtenir un remboursement de la TVQ sur le montant du remboursement transitoire de la TPS auquel il a droit.

Concordance fédérale: LTA, par. 256.5(1).

670.24 Montant du remboursement — Pour l'application de l'article 670.23, le remboursement auquel une personne donnée a droit, à l'égard de l'immeuble d'habitation ou d'une adjonction à celui-ci, est égal :

1º dans le cas où la personne donnée a le droit de demander un remboursement, en vertu de l'article 370.0.1 ou de l'article 370.3.1, à l'égard de l'immeuble d'habitation, au montant déterminé selon la formule suivante :

$$A \times 7{,}5~\% \times (1 - B / C);$$

2º dans le cas où la personne donnée n'a pas le droit de demander un remboursement, en vertu de l'article 370.0.1 ou de l'article 370.3.1, à l'égard de l'immeuble d'habitation, au résultat obtenu en multipliant 7,5 % par le montant du remboursement auquel la personne donnée a droit, en vertu de l'alinéa g du paragraphe 1 de l'article 256.5 de la *Loi sur la taxe d'accise* (Lois révisées du Canada (1985), chapitre E-15), à l'égard de l'immeuble d'habitation ou de l'adjonction.

Application — Pour l'application de la formule prévue au paragraphe 1º du premier alinéa :

1º la lettre A représente le montant du remboursement auquel la personne donnée a droit, en vertu de l'alinéa f) du paragraphe 1 de l'article 256.5 de la *Loi sur la taxe d'accise*, à l'égard de l'immeuble d'habitation;

2º la lettre B représente l'excédent du montant du remboursement auquel la personne donnée a droit, en vertu de l'article 370.0.1 ou de l'article 370.3.1, à l'égard de l'immeuble d'habitation sur le résultat obtenu en multipliant 7,5 % par le montant du remboursement auquel la personne donnée a droit, en vertu du paragraphe 2 de l'article 254.1 de la *Loi sur la taxe d'accise*, à l'égard de l'immeuble d'habitation;

3º la lettre C représente le montant déterminé selon la formule suivante :

$$(D \times 7{,}5 / 107{,}5) - E.$$

Application — Pour l'application de la formule prévue au paragraphe 3° du deuxième alinéa :

1º la lettre D représente le total des montants dont chacun représente la contrepartie payable au constructeur par la personne donnée pour la fourniture par vente à cette dernière de la totalité ou d'une partie du bâtiment visée au sous-paragraphe b) du paragraphe 1° de l'article 670.23 ou d'une autre construction qui fait partie de l'immeuble d'habitation, sauf la contrepartie qui peut raisonnablement être considérée comme un loyer pour les fournitures du fonds de terre attribuable à l'immeuble d'habitation ou comme une contrepartie pour la fourniture d'une option d'achat de ce fonds;

2º la lettre E représente le résultat obtenu en multipliant 7,5 % par le montant du remboursement auquel la personne donnée a droit, en vertu du paragraphe 2 de l'article 254.1 de la *Loi sur la taxe d'accise*, à l'égard de l'immeuble d'habitation.

Notes historiques: L'article 670.24 a été ajouté par L.Q. 2007, c. 12, par. 343(1) et a effet depuis le 1er juillet 2006.

Notes explicatives ARQ (PL 2, L.Q. 2007, c. 12): *Résumé* :

Le nouvel article 670.24 indique la façon de déterminer le montant du remboursement prévu à l'article 670.23 de la LTVQ.

Contexte :

[Voir sous l'art. 670.14 — n.d.l.r.]

Modifications proposées :

La modification proposée consiste à introduire l'article 670.24 à la LTVQ, lequel établit la formule à utiliser pour déterminer le montant du remboursement de la TVQ auquel l'acquéreur a droit en vertu de l'article 670.23 de la LTVQ.

Concordance fédérale: LTA, par. 256.5(1) *in fine*.

670.25 Ensemble de particuliers — Dans le cas où les fournitures visées aux articles 670.23 et 670.24 sont effectuées à plusieurs particuliers, la référence dans ces articles à une personne donnée doit être lue comme une référence à l'ensemble de ces particuliers en tant que groupe, mais dans le cas d'un remboursement en vertu du paragraphe 1° du premier alinéa de l'article 670.24, seul le particulier qui a demandé un remboursement en vertu des articles 370.0.1 à 370.4 peut effectuer la demande de remboursement prévue à ce paragraphe.

Notes historiques: L'article 670.25 a été ajouté par L.Q. 2007, c. 12, par. 343(1) et a effet depuis le 1er juillet 2006.

Notes explicatives ARQ (PL 2, L.Q. 2007, c. 12): *Résumé* :

Le nouvel article 670.25 prévoit que seul le particulier qui a demandé un remboursement pour habitations neuves prévu aux articles 370.0.1 à 370.4 de la LTVQ peut effectuer la demande du remboursement prévu au paragraphe 1° du premier alinéa de l'article 670.24 de la LTVQ.

Contexte :

[Voir sous l'art. 670.14 — n.d.l.r.]

Modifications proposées :

La modification proposée consiste à introduire l'article 670.25 à la LTVQ afin de prévoir une règle similaire à celle prévue à l'article 362 de la LTVQ. Ainsi, dans le cas où les fournitures sont effectuées à plusieurs particuliers, seul le particulier qui a demandé le remboursement pour habitations neuves, prévu aux articles 370.0.1 à 370.4 de la LTVQ, peut effectuer la demande du remboursement prévu au paragraphe 1° du premier alinéa de l'article 670.24 de la LTVQ.

Concordance fédérale: LTA, par. 256.5(2).

670.26 Délai de la demande — Une personne a droit à un remboursement prévu à l'article 670.23 à l'égard d'un immeuble d'habitation seulement si elle produit une demande de remboursement dans les deux ans suivant le jour où la possession de l'habitation visée au paragraphe 2° de l'article 670.23 est transférée à la personne.

Notes historiques: L'article 670.26 a été ajouté par L.Q. 2007, c. 12, par. 343(1) et a effet depuis le 1er juillet 2006.

Notes explicatives ARQ (PL 2, L.Q. 2007, c. 12): *Résumé* :

Le nouvel article 670.26 prévoit le délai prescrit pour produire la demande d'un remboursement prévu à l'article 670.23 de la LTVQ.

Contexte :

[Voir sous l'art. 670.14 — n.d.l.r.]

Modifications proposées :

Le nouvel article 670.26 de la LTVQ prévoit que l'acquéreur dispose d'un délai de deux ans suivant le jour où la possession de l'habitation visée au paragraphe 2° de l'article 670.23 de la LTVQ lui est transférée pour demander le remboursement.

Concordance fédérale: LTA, par. 256.5(3).

670.27 Remboursement — Sous réserve de l'article 670.29, un constructeur a droit à un remboursement déterminé conformément à l'article 670.28 dans le cas où, à la fois :

1° en vertu d'une convention constatée par écrit, conclue entre une personne donnée et le constructeur d'un immeuble d'habitation, autre qu'un immeuble d'habitation à logement unique ou un logement en copropriété, ou d'une adjonction à celui-ci, le constructeur effectue à cette dernière, à la fois :

a) la fourniture exonérée par louage du fonds de terre qui fait partie de l'immeuble d'habitation ou la fourniture exonérée d'un tel contrat de louage par cession;

b) la fourniture exonérée par vente de la totalité ou d'une partie du bâtiment dans lequel est située une habitation qui fait partie de l'immeuble d'habitation ou de l'adjonction;

2° le constructeur est réputé, en vertu de l'article 225 ou de l'article 226, avoir effectué et reçu la fourniture de l'immeuble d'habitation ou de l'adjonction après le 30 juin 2006 du fait qu'il a, selon le cas :

a) donné la possession de l'habitation à la personne donnée en vertu de la convention;

b) donné la possession d'une habitation qui fait partie de l'immeuble d'habitation ou de l'adjonction à une personne autre que la personne donnée en vertu d'une convention visée au paragraphe 1° conclue entre l'autre personne et le constructeur;

3° selon le cas :

a) le constructeur et la personne donnée ont conclu la convention avant le 3 mai 2006;

b) le constructeur et une personne autre que la personne donnée ont conclu, avant le 3 mai 2006, une convention visée au paragraphe 1° à l'égard d'une habitation située dans l'immeuble d'habitation ou dans l'adjonction dont la fourniture est réputée avoir été effectuée par le constructeur conformément au paragraphe 2° et il n'a pas été mis fin à cette convention avant le 1er juillet 2006;

4° le constructeur est réputé avoir payé la taxe, en vertu de l'article 16, à l'égard de la fourniture visée au paragraphe 2°;

5° le constructeur n'a pas le droit de demander un remboursement de la taxe sur les intrants ou un remboursement, autre qu'un remboursement en vertu du présent article ou en vertu de l'article 378.8 ou de l'article 378.14, à l'égard de la taxe visée au paragraphe 4°;

6° le constructeur a le droit de demander un remboursement, en vertu du paragraphe 1 de l'article 256.6 de la *Loi sur la taxe d'accise* (Lois révisées du Canada (1985), chapitre E-15), à l'égard de l'immeuble d'habitation ou de l'adjonction.

Notes historiques: L'article 670.27 a été ajouté par L.Q. 2007, c. 12, par. 343(1) et a effet depuis le 1er juillet 2006.

Notes explicatives ARQ (PL 2, L.Q. 2007, c. 12): *Résumé* :

Le nouvel article 670.27 prévoit un remboursement de la taxe de vente du Québec (TVQ) lorsqu'un constructeur a droit au remboursement transitoire de la taxe sur les produits et services (TPS) prévu au paragraphe 1 de l'article 256.6 de la *Loi sur la taxe d'accise* (Lois révisées du Canada (1985), chapitre E-15) (LTA).

Contexte :

[Voir sous l'art. 670.14 — n.d.l.r.]

Modifications proposées :

La modification proposée consiste à introduire l'article 670.27 à la LTVQ, lequel établit les conditions auxquelles doit satisfaire le constructeur pour obtenir un remboursement de la TVQ sur le montant du remboursement transitoire de la TPS auquel il a droit.

Concordance fédérale: LTA, par. 256.6(1).

670.28 Montant du remboursement — Pour l'application de l'article 670.27, le remboursement auquel un constructeur a droit, à l'égard de l'immeuble d'habitation ou de l'adjonction à celui-ci, est égal au montant déterminé selon la formule suivante :

$$A \times 7{,}5\ \% \times (1 - B / C).$$

Application — Pour l'application de cette formule :

1° la lettre A représente le montant du remboursement auquel le constructeur a droit, en vertu du paragraphe 1 de l'article 256.6 de la *Loi sur la taxe d'accise* (Lois révisées du Canada (1985), chapitre E-15), à l'égard de l'immeuble d'habitation ou de l'adjonction;

2° la lettre B représente l'excédent du montant du remboursement auquel le constructeur a droit, en vertu de l'article 378.8 ou de l'article 378.14, à l'égard de l'immeuble d'habitation ou de l'adjonction, sur le résultat obtenu en multipliant 7,5 % par le montant du remboursement auquel le constructeur a droit, en vertu du paragraphe 4 de l'article 256.2 de la *Loi sur la taxe d'accise*, à l'égard de l'immeuble d'habitation ou de l'adjonction;

3° la lettre C représente l'excédent du montant de la taxe payable, en vertu de l'article à l'égard de la fourniture réputée effectuée en vertu de l'article 225 ou de l'article 226 sur le résultat obtenu en multipliant 7,5 % par le montant du remboursement auquel le constructeur a droit, en vertu du paragraphe 4 de l'article 256.2 de la *Loi sur la taxe d'accise*, à l'égard de l'immeuble d'habitation ou de l'adjonction.

Notes historiques: L'article 670.28 a été ajouté par L.Q. 2007, c. 12, par. 343(1) et a effet depuis le 1er juillet 2006.

Notes explicatives ARQ (PL 2, L.Q. 2007, c. 12): *Résumé* :

Le nouvel article 670.28 indique la façon de déterminer le montant du remboursement prévu à l'article 670.27 de la LTVQ.

Contexte :

[Voir sous l'art. 670.14 — n.d.l.r.]

Modifications proposées :

La modification proposée consiste à introduire l'article 670.28 à la LTVQ, lequel établit la formule à utiliser pour déterminer le montant du remboursement de la TVQ auquel le constructeur a droit en vertu de l'article 670.27 de la LTVQ.

Concordance fédérale: LTA, par. 256.6(1).

670.29 Délai de la demande — Un constructeur a droit à un remboursement prévu à l'article 670.27 à l'égard d'un immeuble d'habitation ou d'une adjonction à celui-ci seulement s'il produit une demande de remboursement dans les deux ans suivant la fin du mois au cours duquel la taxe visée à l'article 670.27 est réputée avoir été payée par celui-ci.

Notes historiques: L'article 670.29 a été ajouté par L.Q. 2007, c. 12, par. 343(1) et a effet depuis le 1er juillet 2006.

Notes explicatives ARQ (PL 2, L.Q. 2007, c. 12): *Résumé* :

Le nouvel article 670.29 prévoit le délai prescrit pour produire la demande d'un remboursement prévu à l'article 670.27 de la LTVQ.

Contexte :

[Voir sous l'art. 670.14 — n.d.l.r.]

Modifications proposées :

Le nouvel article 670.29 de la LTVQ prévoit que le constructeur dispose d'un délai de deux ans suivant la fin du mois au cours duquel la taxe visée à l'article 670.27 est réputée avoir été payée par ce dernier, pour demander le remboursement.

Concordance fédérale: LTA, par. 256.6(2).

SECTION II.2 — REMBOURSEMENT TRANSITOIRE DE LA TAXE DE VENTE À L'ÉGARD D'UN IMMEUBLE D'HABITATION

Notes historiques: L'intertitre de la section II.2 a été ajouté par L.Q. 2009, c. 5, par. 672(1) et a effet depuis le 1er janvier 2008.

670.30 Remboursement — Sous réserve de l'article 670.41, une personne donnée, autre qu'une coopérative d'habitation, a droit à un remboursement déterminé conformément à l'article 670.31 dans le cas où, à la fois :

1º conformément à une convention d'achat et de vente constatée par écrit, conclue avant le 3 mai 2006, la personne donnée est l'acquéreur de la fourniture taxable par vente, effectuée par une autre personne, d'un immeuble d'habitation à l'égard duquel la propriété et la possession lui sont transférées en vertu de la convention après le 31 décembre 2007;

2º la personne donnée a le droit de demander un remboursement, en vertu du paragraphe 1 de l'article 256.7 de la *Loi sur la taxe d'accise* (Lois révisées du Canada (1985), chapitre E-15), à l'égard de la fourniture de l'immeuble d'habitation;

3º la personne donnée a payé la totalité de la taxe, en vertu de l'article 16, à l'égard de la fourniture de l'immeuble d'habitation;

4º la personne donnée n'a pas le droit de demander un remboursement de la taxe sur les intrants ou un remboursement, autre qu'un remboursement en vertu du présent article ou de l'article 670.2, à l'égard de la taxe visée au paragraphe 3º.

Notes historiques: L'article 670.30 a été ajouté par L.Q. 2009, c. 5, par. 672(1) et a effet depuis le 1er janvier 2008.

Notes explicatives ARQ (PL 2, L.Q. 2009, c. 5): *Résumé* :

Le nouvel article 670.30 prévoit un remboursement de la taxe de vente du Québec (TVQ) lorsqu'une personne a droit au remboursement transitoire de la taxe sur les produits et services (TPS) prévu au paragraphe 1 de l'article 256.7 de la *Loi sur la taxe d'accise* (Lois révisées du Canada (1985), chapitre E-15) (LTA).

Contexte :

Le 1er janvier 2008, le taux de la TPS est passé de 6 % à 5 %. Cette modification s'applique, entre autres, à la fourniture par vente d'un immeuble d'habitation dont la propriété et la possession sont transférées après le 31 décembre 2007.

Il existe cependant des exceptions où le taux de 5 % ne peut s'appliquer. Par exemple, dans le cas où la fourniture par vente d'un immeuble d'habitation est effectuée conformément à une convention constatée par écrit et conclue avant le 3 mai 2006, le taux de 7 %s'applique, même si la propriété ou la possession d'une habitation, ou les deux, sont transférées après le 31 décembre 2007.

Compte tenu de cette exception, le gouvernement fédéral a adopté des mesures transitoires pour permettre à une personne de bénéficier d'un remboursement de la TPS lorsqu'elle acquiert, en vertu d'une convention conclue avant le 3 mai 2006, un immeuble d'habitation dont la propriété et la possession lui sont transférées après le 31 décembre 2007.

Ainsi, un remboursement transitoire de la TPS correspondant à 1 % de la contrepartie payée est accordé à l'acquéreur de l'immeuble d'habitation. De plus, ce remboursement s'ajoute à celui prévu à l'article 256.3 de la LTA.

Le remboursement transitoire est toutefois réduit de tout montant que l'acquéreur peut, par ailleurs, recouvrer à l'égard de la TPS qu'il a payée lors de l'acquisition de l'immeuble d'habitation.

Étant donné que la TVQ est calculée sur la contrepartie de la fourniture et que cette contrepartie comprend la TPS, il y a lieu de permettre à l'acquéreur d'un tel immeuble de demander un remboursement de la TVQ égal à 7,5 % du montant du remboursement transitoire de la TPS auquel il a droit.

Cependant, tout comme dans le régime de la TPS, le remboursement de la TVQ peut être réduit afin de tenir compte de tout montant que la personne peut, par ailleurs, recouvrer à l'égard de la TVQ qu'elle a payée lors de l'acquisition de l'immeuble d'habitation.

Modifications proposées :

La modification proposée consiste à introduire l'article 670.30 à la LTVQ, lequel établit les conditions auxquelles doit satisfaire l'acquéreur pour obtenir un remboursement de la TVQ sur le montant du remboursement transitoire de la TPS auquel il a droit.

Concordance fédérale: LTA, par. 256.7(1) 1er al.

670.31 Montant du remboursement — Pour l'application de l'article 670.30, le remboursement auquel une personne donnée a droit, à l'égard de la fourniture d'un immeuble d'habitation, est égal à 7,5 % du montant du remboursement auquel elle a droit en vertu du paragraphe 1 de l'article 256.7 de la *Loi sur la taxe d'accise* (Lois révisées du Canada (1985), chapitre E-15).

Précision — Le montant du remboursement visé au premier alinéa s'ajoute à celui prévu à l'article 670.2.

Notes historiques: L'article 670.31 a été ajouté par L.Q. 2009, c. 5, par. 672(1) et a effet depuis le 1er janvier 2008.

Notes explicatives ARQ (PL 2, L.Q. 2009, c. 5): *Résumé* :

Le nouvel article 670.31 indique la façon de déterminer le montant du remboursement prévu à l'article 670.30 de la LTVQ. De plus, l'article 670.31 précise que le montant du remboursement s'ajoute à celui prévu à l'article 670.2 de la LTVQ.

Contexte :

[Voir sous l'article 670.30 — n.d.l.r.]

Modifications proposées :

La modification proposée consiste à introduire l'article 670.31 à la LTVQ, lequel établit la formule à utiliser pour déterminer le montant du remboursement de la TVQ auquel l'acquéreur a droit en vertu de l'article 670.30 de la LTVQ. De plus, l'article 670.31 prévoit que ce montant s'ajoute à celui prévu à l'article 670.2 de la LTVQ.

Concordance fédérale: LTA, par. 256.7(1) 2e al.

670.32 Remboursement — Sous réserve de l'article 670.41, une personne donnée, autre qu'une coopérative d'habitation, a droit à un remboursement déterminé conformément à l'article 670.33 dans le cas où, à la fois :

1º conformément à une convention d'achat et de vente constatée par écrit, conclue avant le 3 mai 2006, la personne donnée est l'acquéreur de la fourniture taxable par vente, effectuée par une autre personne, d'un immeuble d'habitation à l'égard duquel la propriété et la possession lui sont transférées en vertu de la convention après le 31 décembre 2007;

2º la personne donnée a le droit de demander un remboursement, en vertu du paragraphe 2 de l'article 256.7 de la *Loi sur la taxe d'accise* (Lois révisées du Canada (1985), chapitre E-15), à l'égard de la fourniture de l'immeuble d'habitation;

3º la personne donnée a payé la totalité de la taxe, en vertu de l'article 16, à l'égard de la fourniture de l'immeuble d'habitation;

4º la personne donnée a le droit de demander un remboursement, en vertu de l'article 378.6 ou de l'article 378.14, à l'égard d'une habitation située dans l'immeuble d'habitation.

Notes historiques: L'article 670.32 a été ajouté par L.Q. 2009, c. 5, par. 672(1) et a effet depuis le 1er janvier 2008.

Notes explicatives ARQ (PL 2, L.Q. 2009, c. 5): *Résumé* :

Le nouvel article 670.32 prévoit un remboursement de la taxe de vente du Québec (TVQ) lorsqu'une personne a droit au remboursement transitoire de la taxe sur les produits et services (TPS) prévu au paragraphe 2 de l'article 256.7 de la *Loi sur la taxe d'accise* (Lois révisées du Canada (1985), chapitre E-15) (LTA).

Contexte :

[Voir sous l'article 670.30 — n.d.l.r.]

Modifications proposées :

La modification proposée consiste à introduire l'article 670.32 à la LTVQ, lequel établit les conditions auxquelles doit satisfaire l'acquéreur pour obtenir un remboursement de la TVQ sur le montant du remboursement transitoire de la TPS auquel il a droit, dans la situation où celui-ci a droit, par ailleurs, au remboursement pour immeubles d'habitation locatifs neufs prévu à l'article 378.6 de la LTVQ ou au remboursement en vertu de l'article 378.14 de la LTVQ.

Concordance fédérale: LTA, par. 256.7(2) 1er al.

670.33 Montant du remboursement — Pour l'application de l'article 670.32, le remboursement auquel une personne donnée a droit, à l'égard de la fourniture d'un immeuble d'habitation, est égal au montant déterminé selon la formule suivante :

$$A \times 7{,}5\ \% \times (1 - B / C).$$

Application — Pour l'application de cette formule :

1º la lettre A représente le montant du remboursement auquel la personne donnée a droit, en vertu du paragraphe 2 de l'article 256.7 de la *Loi sur la taxe d'accise* (Lois révisées du Canada (1985), chapitre E-15), à l'égard de la fourniture de l'immeuble d'habitation;

2º la lettre B représente l'excédent du montant du remboursement auquel la personne donnée a droit, en vertu de l'article 378.6 ou de l'article 378.14, à l'égard de la fourniture de l'immeuble d'habitation, sur le résultat obtenu en multipliant 7,5 % par le montant du remboursement auquel la personne donnée a droit, en vertu du paragraphe 3 de l'article 256.2 de la *Loi sur la taxe d'accise*, à l'égard de la fourniture de l'immeuble d'habitation;

3º la lettre C représente l'excédent du montant de la taxe qui est payable par la personne donnée, en vertu de l'article 16, à l'égard de la fourniture de l'immeuble d'habitation, sur le résultat obtenu en multipliant 7,5 % par le montant du remboursement auquel la personne donnée a droit, en vertu du paragraphe 3 de l'article 256.2 de la *Loi sur la taxe d'accise*, à l'égard de la fourniture de l'immeuble d'habitation.

Précision — Le montant du remboursement visé au premier alinéa s'ajoute à celui prévu à l'article 670.4.

Notes historiques: L'article 670.33 a été ajouté par L.Q. 2009, c. 5, par. 672(1) et a effet depuis le 1er janvier 2008.

Notes explicatives ARQ (PL 2, L.Q. 2009, c. 5): *Résumé* :

Le nouvel article 670.33 indique la façon de déterminer le montant du remboursement prévu à l'article 670.32 de la LTVQ. De plus, l'article 670.33 précise que le montant du remboursement s'ajoute à celui prévu à l'article 670.4 de la LTVQ.

Contexte :

[Voir sous l'article 670.30 — n.d.l.r.]

Modifications proposées :

La modification proposée consiste à introduire l'article 670.33 à la LTVQ, lequel établit la formule à utiliser pour déterminer le montant du remboursement de la TVQ auquel l'acquéreur a droit en vertu de l'article 670.32 de la LTVQ. De plus, l'article 670.33 prévoit que ce montant s'ajoute à celui prévu à l'article 670.4 de la LTVQ.

Concordance fédérale: LTA, par. 256.7(2) 2e al.

670.34 Remboursement — Sous réserve de l'article 670.41, une personne donnée, autre qu'une coopérative d'habitation, a droit à un remboursement déterminé conformément à l'article 670.35 dans le cas où, à la fois :

1º conformément à une convention d'achat et de vente constatée par écrit, conclue avant le 3 mai 2006, la personne donnée est l'acquéreur de la fourniture taxable par vente, effectuée par une autre personne, d'un immeuble d'habitation à l'égard duquel la propriété et la possession lui sont transférées en vertu de la convention après le 31 décembre 2007;

2º la personne donnée a le droit de demander un remboursement, en vertu du paragraphe 3 de l'article 256.7 de la *Loi sur la taxe d'accise* (Lois révisées du Canada (1985), chapitre E-15), à l'égard de la fourniture de l'immeuble d'habitation;

3º la personne donnée a payé la totalité de la taxe, en vertu de l'article 16, à l'égard de la fourniture de l'immeuble d'habitation;

4º la personne donnée a le droit de demander un remboursement, en vertu des articles 383 à 388, 389 et 394 à 397.2, à l'égard de la taxe visée au paragraphe 3º, mais n'a pas le droit de demander un remboursement de la taxe sur les intrants ni aucun autre remboursement, autre qu'un remboursement en vertu du présent article ou de l'article 670.6, à l'égard de cette taxe.

Notes historiques: L'article 670.34 a été ajouté par L.Q. 2009, c. 5, par. 672(1) et a effet depuis le 1er janvier 2008.

Notes explicatives ARQ (PL 2, L.Q. 2009, c. 5): *Résumé* :

Le nouvel article 670.34 prévoit un remboursement de la taxe de vente du Québec (TVQ) lorsqu'une personne a droit au remboursement transitoire de la taxe sur les produits et services (TPS) prévu au paragraphe 3 de l'article 256.7 de la *Loi sur la taxe d'accise* (Lois révisées du Canada (1985), chapitre E-15) (LTA).

Contexte :

[Voir sous l'article 670.30 — n.d.l.r.]

Modifications proposées :

La modification proposée consiste à introduire l'article 670.34 à la LTVQ, lequel établit les conditions auxquelles doit satisfaire l'acquéreur pour obtenir un remboursement de la TVQ sur le montant du remboursement transitoire de la TPS auquel il a droit, dans la situation où celui-ci a droit, par ailleurs, au remboursement prévu aux articles 383 à 388, 389 et 394 à 397.2 de la LTVQ.

Concordance fédérale: LTA, par. 256.7(3) 1er al.

670.35 Montant du remboursement — Pour l'application de l'article 670.34, le remboursement auquel une personne donnée a droit, à l'égard de la fourniture d'un immeuble d'habitation, est égal à 7,5 % du montant du remboursement auquel elle a droit en vertu du paragraphe 3 de l'article 256.7 de la *Loi sur la taxe d'accise* (Lois révisées du Canada (1985), chapitre E-15).

Précision — Le montant du remboursement visé au premier alinéa s'ajoute à celui prévu à l'article 670.6.

Notes historiques: L'article 670.35 a été ajouté par L.Q. 2009, c. 5, par. 672(1) et a effet depuis le 1er janvier 2008.

Notes explicatives ARQ (PL 2, L.Q. 2009, c. 5): *Résumé* :

Le nouvel article 670.35 indique la façon de déterminer le montant du remboursement prévu à l'article 670.34 de la LTVQ. De plus, l'article 670.35 précise que le montant du remboursement s'ajoute à celui prévu à l'article 670.6 de la LTVQ.

Contexte :

[Voir sous l'article 670.30 — n.d.l.r.]

Modifications proposées :

La modification proposée consiste à introduire l'article 670.35 à la LTVQ, lequel établit la formule à utiliser pour déterminer le montant du remboursement de la TVQ auquel l'acquéreur a droit en vertu de l'article 670.34 de la LTVQ. De plus, l'article 670.35 prévoit que ce montant s'ajoute à celui prévu à l'article 670.6 de la LTVQ.

Concordance fédérale: LTA, par. 256.7(3) 2e al.

670.36 Remboursement pour une coopérative d'habitation — Sous réserve de l'article 670.41, une coopérative d'habitation a droit à un remboursement déterminé conformément à l'article 670.37 dans le cas où, à la fois :

1º conformément à une convention d'achat et de vente constatée par écrit, conclue avant le 3 mai 2006, la coopérative d'habitation est l'acquéreur de la fourniture taxable par vente, effectuée par une autre personne, d'un immeuble d'habitation à l'égard duquel la propriété et la possession lui sont transférées en vertu de la convention après le 31 décembre 2007;

2º la coopérative d'habitation a le droit de demander un remboursement, en vertu du paragraphe 4 de l'article 256.7 de la *Loi sur la taxe d'accise* (Lois révisées du Canada (1985), chapitre E-15), à l'égard de la fourniture de l'immeuble d'habitation;

3º la coopérative d'habitation a payé la totalité de la taxe, en vertu de l'article 16, à l'égard de la fourniture de l'immeuble d'habitation;

4º la coopérative d'habitation n'a pas le droit de demander un remboursement de la taxe sur les intrants ou un remboursement, autre qu'un remboursement en vertu du présent article, des articles 378.10, 378.14, 383 à 388, 389, 394 à 397.2 ou 670.8, à l'égard de la taxe visée au paragraphe 3º.

Notes historiques: L'article 670.36 a été ajouté par L.Q. 2009, c. 5, par. 672(1) et a effet depuis le 1er janvier 2008.

Notes explicatives ARQ (PL 2, L.Q. 2009, c. 5): *Résumé* :

Le nouvel article 670.36 prévoit un remboursement de la taxe de vente du Québec (TVQ) lorsqu'une coopérative d'habitation a droit au remboursement transitoire de la taxe sur les produits et services (TPS) prévu au paragraphe 4 de l'article 256.7 de la *Loi sur la taxe d'accise* (Lois révisées du Canada (1985), chapitre E-15) (LTA).

Contexte :

[Voir sous l'article 670.30 — n.d.l.r.]

Modifications proposées :

La modification proposée consiste à introduire l'article 670.36 à la LTVQ, lequel établit les conditions auxquelles doit satisfaire la coopérative d'habitation pour obtenir un remboursement de la TVQ sur le montant du remboursement transitoire de la TPS auquel elle a droit.

Concordance fédérale: LTA, par. 256.7(4).

670.37 Montant du remboursement — Pour l'application de l'article 670.36, le remboursement auquel une coopérative d'habitation a droit, à l'égard de la fourniture d'un immeuble d'habitation, est égal :

1º dans le cas où la coopérative d'habitation a le droit de demander un remboursement, en vertu des articles 383 à 388, 389 et 394 à 397.2, à l'égard de la fourniture de l'immeuble d'habitation, au résultat obtenu en multipliant 7,5 % par le montant du remboursement auquel la coopérative d'habitation a droit, en vertu du paragraphe 4 de l'article 256.7 de la *Loi sur la taxe d'accise* (Lois révisées du Canada (1985), chapitre E-15), à l'égard de la fourniture de l'immeuble d'habitation, lorsque l'élément B de la formule prévue à ce paragraphe représente le montant prévu à la division B du sous-alinéa i de ce paragraphe;

2º dans le cas où la coopérative d'habitation n'a pas le droit de demander un remboursement, en vertu des articles 383 à 388, 389 et 394 à 397.2, à l'égard de la fourniture de l'immeuble d'habitation et, selon le cas, que la coopérative d'habitation a le droit de demander, ou peut raisonnablement s'attendre à avoir le droit de demander, un remboursement, en vertu de l'article 378.10, à l'égard d'une habitation située dans l'immeuble d'habitation ou qu'une part de son capital social est ou sera, ou il est raisonnable de s'attendre à ce qu'une part de son capital social soit ou sera, vendue à un particulier donné dans le but qu'une habitation située dans l'immeuble d'habitation soit utilisée, à titre de résidence principale, par le particulier donné, un particulier qui lui est lié ou un ex-conjoint du particulier donné et que le particulier donné a ou aura le droit de demander un remboursement, en vertu de l'article 370.5, à l'égard de la part du capital social, au montant déterminé selon la formule suivante :

$$A - (36\ \% \times A);$$

3º dans les autres cas, au résultat obtenu en multipliant 7,5 % par le montant du remboursement auquel la coopérative d'habitation a droit, en vertu du paragraphe 4 de l'article 256.7 de la *Loi sur la taxe d'accise*, à l'égard de la fourniture de l'immeuble d'habitation.

Application — Pour l'application de la formule prévue au paragraphe 2° du premier alinéa, la lettre A représente le résultat obtenu en multipliant 7,5 % par le montant du remboursement auquel la coopérative d'habitation a droit, en vertu du paragraphe 4 de l'article 256.7 de la *Loi sur la taxe d'accise*, à l'égard de la fourniture de l'immeuble d'habitation, lorsque l'élément B de la formule prévue à ce paragraphe représente le montant prévu au sous-alinéa ii de ce paragraphe.

Précision — Le montant du remboursement visé au premier alinéa s'ajoute à celui prévu à l'article 670.8.

Notes historiques: L'article 670.37 a été ajouté par L.Q. 2009, c. 5, par. 672(1) et a effet depuis le 1er janvier 2008.

Notes explicatives ARQ (PL 2, L.Q. 2009, c. 5): *Résumé* :

Le nouvel article 670.37 indique la façon de déterminer le montant du remboursement prévu à l'article 670.36 de la LTVQ. De plus, l'article 670.37 952 précise que le montant du remboursement s'ajoute à celui prévu à l'article 670.8 de la LTVQ.

Contexte :

[Voir sous l'article 670.30 — n.d.l.r.]

Modifications proposées :

La modification proposée consiste à introduire l'article 670.37 à la LTVQ, lequel établit la formule à utiliser pour déterminer le montant du remboursement de la TVQ auquel la coopérative d'habitation a droit en vertu de l'article 670.36 de la LTVQ. De plus, l'article 670.37 prévoit que ce montant s'ajoute à celui prévu à l'article 670.8 de la LTVQ.

Concordance fédérale: LTA, par. 256.7(4).

670.38 Remboursement — Sous réserve de l'article 670.41, un particulier donné a droit à un remboursement déterminé conformément à l'article 670.39 dans le cas où, à la fois :

1º conformément à une convention d'achat et de vente constatée par écrit, conclue avant le 3 mai 2006, le particulier donné est l'acquéreur de la fourniture taxable par vente, effectuée par une autre personne, d'un immeuble d'habitation à l'égard duquel la propriété et la possession lui sont transférées en vertu de la convention après le 31 décembre 2007;

2º le particulier donné a le droit de demander un remboursement, en vertu du paragraphe 5 de l'article 256.7 de la *Loi sur la taxe d'accise* (Lois révisées du Canada (1985), chapitre E-15), à l'égard de la fourniture de l'immeuble d'habitation;

3º le particulier donné a payé la totalité de la taxe, en vertu de l'article 16, à l'égard de la fourniture de l'immeuble d'habitation;

4º le particulier donné a le droit de demander un remboursement, en vertu de l'article 362.2 ou de l'article 368.1, à l'égard de l'immeuble d'habitation.

Notes historiques: L'article 670.38 a été ajouté par L.Q. 2009, c. 5, par. 672(1) et a effet depuis le 1er janvier 2008.

Notes explicatives ARQ (PL 2, L.Q. 2009, c. 5): *Résumé* :

Le nouvel article 670.38 prévoit un remboursement de la taxe de vente du Québec (TVQ) lorsqu'un particulier a droit au remboursement transitoire de la taxe sur les produits et services (TPS) prévu au paragraphe 5 de l'article 256.7 de la *Loi sur la taxe d'accise* (Lois révisées du Canada (1985), chapitre E-15) (LTA).

Contexte :

[Voir sous l'article 670.30 — n.d.l.r.]

Modifications proposées :

La modification proposée consiste à introduire l'article 670.38 à la LTVQ, lequel établit les conditions auxquelles doit satisfaire l'acquéreur pour obtenir un remboursement de la TVQ sur le montant du remboursement transitoire de la TPS auquel il a droit, dans la situation où celui-ci a droit, par ailleurs, au remboursement pour habitations neuves en vertu de l'article 362.2 de la LTVQ ou au remboursement prévu à l'article 368.1 de la LTVQ.

Concordance fédérale: LTA, par. 256.7(5) 1er al.

670.39 Montant du remboursement — Pour l'application de l'article 670.38, le remboursement auquel un particulier donné a droit, à l'égard de la fourniture d'un immeuble d'habitation, est égal au montant déterminé selon la formule suivante :

$$A \times 7{,}5\ \% \times (1 - B / C).$$

Application — Pour l'application de cette formule :

1º la lettre A représente le montant du remboursement auquel le particulier donné a droit, en vertu du paragraphe 5 de l'article 256.7 de la *Loi sur la taxe d'accise* (Lois révisées du Canada (1985), chapitre E-15), à l'égard de la fourniture de l'immeuble d'habitation;

2º la lettre B représente l'excédent du montant du remboursement auquel le particulier donné a droit, en vertu de l'article 362.2 ou de l'article 368.1, à l'égard de la fourniture de l'immeuble d'habitation, sur le résultat obtenu en multipliant 7,5 % par le montant du remboursement auquel le particulier donné a droit, en vertu du paragraphe 2 de l'article 254 de la *Loi sur la taxe d'accise*, à l'égard de la fourniture de l'immeuble d'habitation;

3º la lettre C représente l'excédent du montant de la taxe qui est payable par le particulier donné, en vertu de l'article 16, à l'égard de la fourniture de l'immeuble d'habitation, sur le résultat obtenu en multipliant 7,5 % par le montant du remboursement auquel le particulier donné a droit, en vertu du paragraphe 2 de l'article 254 de la *Loi sur la taxe d'accise*, à l'égard de la fourniture de l'immeuble d'habitation.

Précision — Le montant du remboursement visé au premier alinéa s'ajoute à celui prévu à l'article 670.10.

Notes historiques: L'article 670.39 a été ajouté par L.Q. 2009, c. 5, par. 672(1) et a effet depuis le 1er janvier 2008.

Notes explicatives ARQ (PL 2, L.Q. 2009, c. 5): *Résumé* :

Le nouvel article 670.39 indique la façon de déterminer le montant du remboursement prévu à l'article 670.38 de la LTVQ.

Contexte :

[Voir sous l'article 670.30 — n.d.l.r.]

Modifications proposées :

La modification proposée consiste à introduire l'article 670.39 à la LTVQ, lequel établit la formule à utiliser pour déterminer le montant du remboursement de la TVQ auquel

LTVQ (français)

l'acquéreur a droit en vertu de l'article 670.38 de la LTVQ. De plus, l'article 670.39 prévoit que ce montant s'ajoute à celui prévu à l'article 670.10 de la LTVQ.

Concordance fédérale: LTA, par. 256.7(5) 2e al.

670.40 Ensemble de particuliers — Dans le cas où la fourniture d'un immeuble d'habitation est effectuée à plusieurs particuliers, la référence dans les articles 670.38 et 670.39 à un particulier donné doit être lue comme une référence à l'ensemble de ces particuliers en tant que groupe, mais seul le particulier donné qui a demandé un remboursement en vertu des articles 362.2 à 370 peut effectuer la demande de remboursement prévue à l'article 670.38.

Notes historiques: L'article 670.40 a été ajouté par L.Q. 2009, c. 5, par. 672(1) et a effet depuis le 1er janvier 2008.

Notes explicatives ARQ (PL 2, L.Q. 2009, c. 5): *Résumé* :

Le nouvel article 670.40 prévoit que, dans le cas où un immeuble d'habitation est acquis par plusieurs particuliers, seul le particulier qui a demandé un remboursement pour habitations neuves, prévu aux articles 362.2 à 370 de la LTVQ, peut effectuer la demande de remboursement prévue à l'article 670.40 de la LTVQ.

Contexte :

[Voir sous l'article 670.30 — n.d.l.r.]

Modifications proposées :

La modification proposée consiste à introduire l'article 670.40 à la LTVQ afin de prévoir une règle similaire à celle prévue à l'article 362 de la LTVQ. Ainsi, dans le cas où la fourniture d'un immeuble d'habitation est effectuée à plusieurs particuliers, seul le particulier qui a demandé un remboursement pour habitations neuves, en vertu des articles 362.2 à 370 de la LTVQ, peut effectuer la demande du remboursement prévue à l'article 670.38 de la LTVQ.

Concordance fédérale: LTA, par. 256.7(6).

670.41 Délai de la demande — Une personne a droit à un remboursement prévu aux articles 670.30 à 670.40 à l'égard d'un immeuble d'habitation seulement si elle produit une demande de remboursement dans les deux ans suivant le jour où la propriété de l'immeuble d'habitation lui est transférée.

Notes historiques: L'article 670.41 a été ajouté par L.Q. 2009, c. 5, par. 672(1) et a effet depuis le 1er janvier 2008.

Notes explicatives ARQ (PL 2, L.Q. 2009, c. 5): *Résumé* :

Le nouvel article 670.41 prévoit le délai pour produire une demande de remboursement prévue aux articles 670.30 à 670.40 de la LTVQ.

Contexte :

[Voir sous l'article 670.30 — n.d.l.r.]

Modifications proposées :

Le nouvel article 670.41 de la LTVQ prévoit que la personne dispose d'un délai de deux ans suivant le jour où la propriété 957 d'un immeuble d'habitation lui est transférée pour demander un remboursement prévu aux articles 670.30 à 670.40 de la LTVQ.

Renvois [art. 670.41]: 670.30 (remboursement transitoire — taxe de vente d'un immeuble); 670.32 (remboursement transitoire — taxe de vente d'un immeuble)

Concordance fédérale: LTA, par. 256.7(7).

670.42 Remboursement — Sous réserve de l'article 670.51, une personne donnée a droit à un remboursement déterminé conformément à l'article 670.43 dans le cas où, à la fois :

1º en vertu d'une convention constatée par écrit, conclue avant le 3 mai 2006 entre la personne donnée et le constructeur d'un immeuble d'habitation qui est un immeuble d'habitation à logement unique ou un logement en copropriété, la personne donnée est l'acquéreur de, à la fois :

a) la fourniture exonérée par louage du fonds de terre qui fait partie de l'immeuble d'habitation ou la fourniture exonérée d'un tel contrat de louage par cession;

b) la fourniture exonérée par vente de la totalité ou d'une partie du bâtiment dans lequel est située l'habitation qui fait partie de l'immeuble d'habitation;

2º la possession de l'immeuble d'habitation est donnée à la personne donnée en vertu de la convention après le 31 décembre 2007;

3º le constructeur est réputé avoir effectué et reçu la fourniture de l'immeuble d'habitation en vertu de l'article 223 du fait qu'il en a donné la possession à la personne donnée en vertu de la convention, et avoir payé la taxe prévue à l'article 16 à l'égard de la fourniture;

4º la personne donnée a le droit de demander un remboursement, en vertu de l'article 370.0.1 ou de l'article 370.3.1, à l'égard de l'immeuble d'habitation;

5º la personne donnée a le droit de demander un remboursement, en vertu de l'alinéa e) du paragraphe 1 de l'article 256.71 de la *Loi sur la taxe d'accise* (Lois révisées du Canada (1985), chapitre E-15), à l'égard de l'immeuble d'habitation.

Notes historiques: L'article 670.42 a été ajouté par L.Q. 2009, c. 5, par. 672(1) et a effet depuis le 1er janvier 2008.

Notes explicatives ARQ (PL 2, L.Q. 2009, c. 5): *Résumé* :

Le nouvel article 670.42 prévoit un remboursement de la taxe de vente du Québec (TVQ) lorsqu'une personne a droit au remboursement transitoire de la taxe sur les produits et services (TPS) prévu au paragraphe 1 de l'article 256.71 de la *Loi sur la taxe d'accise* (Lois révisées du Canada (1985), chapitre E-15) (LTA).

Contexte :

[Voir sous l'article 670.30 — n.d.l.r.]

Modifications proposées :

La modification proposée consiste à introduire l'article 670.42 à la LTVQ, lequel établit les conditions auxquelles doit satisfaire l'acquéreur pour obtenir un remboursement de la TVQ sur le montant du remboursement transitoire de la TPS auquel il a droit, dans la situation où celui-ci a droit, par ailleurs, au remboursement pour habitations neuves en vertu de l'article 370.0.1 de la LTVQ ou au remboursement prévu à l'article 370.3.1 de la LTVQ.

Concordance fédérale: LTA, par. 256.71(1) 1er al.

670.43 Montant du remboursement — Pour l'application de l'article 670.42, le remboursement auquel une personne donnée a droit, à l'égard de l'immeuble d'habitation, est égal au montant déterminé selon la formule suivante :

$$A \times 7{,}5\ \% \times (1 - B / C).$$

Application — Pour l'application de la formule prévue au premier alinéa :

1º la lettre A représente le montant du remboursement auquel la personne donnée a droit, en vertu de l'alinéa e) du paragraphe 1 de l'article 256.71 de la *Loi sur la taxe d'accise* (Lois révisées du Canada (1985), chapitre E-15), à l'égard de l'immeuble d'habitation;

2º la lettre B représente l'excédent du montant du remboursement auquel la personne donnée a droit, en vertu de l'article 370.0.1 ou de l'article 370.3.1, à l'égard de l'immeuble d'habitation, sur le résultat obtenu en multipliant 7,5 % par le montant du remboursement auquel la personne donnée a droit, en vertu du paragraphe 2 de l'article 254.1 de la *Loi sur la taxe d'accise*, à l'égard de l'immeuble d'habitation;

3º la lettre C représente le montant déterminé selon la formule suivante :

$$(D \times 7{,}5 / 107{,}5) - E.$$

Application — Pour l'application de la formule prévue au paragraphe 3º du deuxième alinéa :

1º la lettre D représente le total des montants dont chacun représente la contrepartie payable au constructeur par la personne donnée pour la fourniture par vente à cette dernière de la totalité ou d'une partie du bâtiment visée au sous-paragraphe b) du paragraphe 1º de l'article 670.42 ou d'une autre construction qui fait partie de l'immeuble d'habitation, sauf la contrepartie qui peut raisonnablement être considérée comme un loyer pour les fournitures du fonds de terre attribuable à l'immeuble d'habitation ou comme une contrepartie pour la fourniture d'une option d'achat de ce fonds;

2º la lettre E représente le résultat obtenu en multipliant 7,5 % par le montant du remboursement auquel la personne donnée a droit, en vertu du paragraphe 2 de l'article 254.1 de la *Loi sur la taxe d'accise*, à l'égard de l'immeuble d'habitation.

Précision — Le montant du remboursement visé au premier alinéa s'ajoute à celui prévu à l'article 670.14.

Notes historiques: L'article 670.43 a été ajouté par L.Q. 2009, c. 5, par. 672(1) et a effet depuis le 1er janvier 2008.

Notes explicatives ARQ (PL 2, L.Q. 2009, c. 5): *Résumé* :

Le nouvel article 670.43 indique la façon de déterminer le montant du remboursement prévu à l'article 670.42 de la LTVQ. De plus, l'article 670.43 précise que le montant du remboursement s'ajoute à celui prévu à l'article 670.14 de la LTVQ.

Contexte :

[Voir sous l'article 670.30 — n.d.l.r.]

Modifications proposées :

La modification proposée consiste à introduire l'article 670.43 à la LTVQ, lequel établit la formule à utiliser pour déterminer le montant du remboursement de la TVQ auquel l'acquéreur a droit en vertu de l'article 670.42 de la LTVQ.

De plus, l'article 670.43 prévoit que ce montant s'ajoute à celui prévu à l'article 670.14 de la LTVQ.

Concordance fédérale: LTA, par. 256.71(1) 2e al.

670.44 Remboursement — Sous réserve de l'article 670.51, un constructeur a droit à un remboursement déterminé conformément à l'article 670.45 dans le cas où, à la fois :

1º en vertu d'une convention constatée par écrit, conclue avant le 3 mai 2006 entre une personne donnée et le constructeur d'un immeuble d'habitation qui est un immeuble d'habitation à logement unique ou un logement en copropriété, le constructeur effectue à cette dernière, à la fois :

a) la fourniture exonérée par louage du fonds de terre qui fait partie de l'immeuble d'habitation ou la fourniture exonérée d'un tel contrat de louage par cession;

b) la fourniture exonérée par vente de la totalité ou d'une partie du bâtiment dans lequel est située l'habitation qui fait partie de l'immeuble d'habitation;

2º la possession de l'immeuble d'habitation est donnée à la personne donnée en vertu de la convention après le 31 décembre 2007;

3º le constructeur est réputé avoir effectué et reçu la fourniture de l'immeuble d'habitation en vertu de l'article 223 du fait qu'il en a donné la possession à la personne donnée en vertu de la convention, et avoir payé la taxe prévue à l'article 16 à l'égard de la fourniture;

4º la personne donnée a le droit de demander un remboursement, en vertu de l'article 370.0.1 ou de l'article 370.3.1, à l'égard de l'immeuble d'habitation;

5º le constructeur n'a pas le droit de demander un remboursement de la taxe sur les intrants ou un remboursement, autre qu'un remboursement en vertu du présent article, des articles 378.8, 378.14 ou 670.16, à l'égard de la taxe visée au paragraphe 3º;

6º le constructeur a le droit de demander un remboursement, en vertu de l'alinéa f) du paragraphe 1 de l'article 256.71 de la *Loi sur la taxe d'accise* (Lois révisées du Canada (1985), chapitre E-15), à l'égard de l'immeuble d'habitation.

Notes historiques: L'article 670.44 a été ajouté par L.Q. 2009, c. 5, par. 672(1) et a effet depuis le 1er janvier 2008.

Notes explicatives ARQ (PL 2, L.Q. 2009, c. 5): *Résumé* :

Le nouvel article 670.44 prévoit un remboursement de la taxe de vente du Québec (TVQ) lorsqu'un constructeur a droit au remboursement transitoire de la taxe sur les produits et services (TPS) prévu au paragraphe 1 de l'article 256.71 de la *Loi sur la taxe d'accise* (Lois révisées du Canada (1985), chapitre E-15) (LTA).

Contexte :

[Voir sous l'article 670.30 — n.d.l.r.]

Modifications proposées :

La modification proposée consiste à introduire l'article 670.44 à la LTVQ, lequel établit les conditions auxquelles doit satisfaire le constructeur pour obtenir un remboursement de la TVQ sur le montant du remboursement transitoire de la TPS auquel il a droit, dans la situation où celui-ci a droit, par ailleurs, au remboursement pour immeubles d'habitation locatifs neufs en vertu de l'article 378.8 de la LTVQ ou au remboursement prévu à l'article 378.14 de la LTVQ.

Concordance fédérale: LTA, par. 256.71(1) 1er al.

670.45 Montant du remboursement — Pour l'application de l'article 670.44, le remboursement auquel un constructeur a droit, à l'égard de l'immeuble d'habitation, est égal au montant déterminé selon la formule suivante :

$$A \times 7{,}5\ \% \times (1 - B / C).$$

Application — Pour l'application de cette formule :

1º la lettre A représente le montant du remboursement auquel le constructeur a droit, en vertu de l'alinéa f) du paragraphe 1 de l'article 256.71 de la *Loi sur la taxe d'accise* (Lois révisées du Canada (1985), chapitre E-15), à l'égard de l'immeuble d'habitation;

2º la lettre B représente l'excédent du montant du remboursement auquel le constructeur a droit, en vertu de l'article 378.8 ou de l'article 378.14, à l'égard de l'immeuble d'habitation, sur le résultat obtenu en multipliant 7,5 % par le montant du remboursement auquel le constructeur a droit, en vertu du paragraphe 4 de l'article 256.2 de la *Loi sur la taxe d'accise*, à l'égard de l'immeuble d'habitation;

3º la lettre C représente l'excédent du montant de la taxe payable, en vertu de l'article 16, à l'égard de la fourniture réputée effectuée en vertu de l'article 223 sur le résultat obtenu en multipliant 7,5 % par le montant du remboursement auquel le constructeur a droit, en vertu du paragraphe 4 de l'article 256.2 de la *Loi sur la taxe d'accise*, à l'égard de l'immeuble d'habitation.

Précision — Le montant du remboursement visé au premier alinéa s'ajoute à celui prévu à l'article 670.16.

Notes historiques: L'article 670.45 a été ajouté par L.Q. 2009, c. 5, par. 672(1) et a effet depuis le 1er janvier 2008.

Notes explicatives ARQ (PL 2, L.Q. 2009, c. 5): *Résumé* :

Le nouvel article 670.45 indique la façon de déterminer le montant du remboursement prévu à l'article 670.44 de la LTVQ. De plus, l'article 670.45 précise que ce montant s'ajoute à celui prévu à l'article 670.16 de la LTVQ.

Contexte :

[Voir sous l'article 670.30 — n.d.l.r.]

Modifications proposées :

La modification proposée consiste à introduire l'article 670.45 à la LTVQ, lequel établit la formule à utiliser pour déterminer le montant du remboursement de la TVQ auquel le constructeur a droit en vertu de l'article 670.44 de la LTVQ. De plus, l'article 670.45 prévoit que ce montant s'ajoute à celui prévu à l'article 670.16 de la LTVQ.

Concordance fédérale: LTA, par. 256.71(1) 2e al.

670.46 Remboursement — Sous réserve de l'article 670.51, une personne donnée a droit à un remboursement déterminé conformément à l'article 670.47 dans le cas où, à la fois :

1º en vertu d'une convention constatée par écrit, conclue avant le 3 mai 2006 entre la personne donnée et le constructeur d'un immeuble d'habitation qui est un immeuble d'habitation à logement unique ou un logement en copropriété, la personne donnée est l'acquéreur de, à la fois :

a) la fourniture exonérée par louage du fonds de terre qui fait partie de l'immeuble d'habitation ou la fourniture exonérée d'un tel contrat de louage par cession;

b) la fourniture exonérée par vente de la totalité ou d'une partie du bâtiment dans lequel est située l'habitation qui fait partie de l'immeuble d'habitation;

2º la possession de l'immeuble d'habitation est donnée à la personne donnée en vertu de la convention après le 31 décembre 2007;

3º le constructeur est réputé avoir effectué et reçu la fourniture de l'immeuble d'habitation en vertu de l'article 223 du fait qu'il en a donné la possession à la personne donnée en vertu de la convention, et avoir payé la taxe prévue à l'article 16 à l'égard de la fourniture;

4º la personne donnée n'a pas le droit de demander un remboursement, en vertu de l'article 370.0.1, à l'égard de l'immeuble d'habitation;

5º la personne donnée a le droit de demander un remboursement, en vertu de l'alinéa e) du paragraphe 2 de l'article 256.71 de la *Loi sur la taxe d'accise* (Lois révisées du Canada (1985), chapitre E-15), à l'égard de l'immeuble d'habitation.

LTVQ (français)

Notes historiques: L'article 670.46 a été ajouté par L.Q. 2009, c. 5, par. 672(1) et a effet depuis le 1er janvier 2008.

Notes explicatives ARQ (PL 2, L.Q. 2009, c. 5): *Résumé* :

Le nouvel article 670.46 prévoit un remboursement de la taxe de vente du Québec (TVQ) lorsqu'une personne a droit au remboursement transitoire de la taxe sur les produits et services (TPS) prévu au paragraphe 2 de l'article 256.71 de la *Loi sur la taxe d'accise* (Lois révisées du Canada (1985), chapitre E-15) (LTA).

Contexte :

[Voir sous l'article 670.30 — n.d.l.r.]

Modifications proposées :

La modification proposée consiste à introduire l'article 670.46 à la LTVQ, lequel établit les conditions auxquelles doit satisfaire l'acquéreur pour obtenir un remboursement de la TVQ sur le montant du remboursement transitoire de la TPS auquel il a droit, dans la situation où celui-ci n'a pas droit au remboursement pour habitations neuves prévu à l'article 370.0.1 de la LTVQ.

Concordance fédérale: LTA, par. 256.71(2) 1er al.

670.47 Montant du remboursement — Pour l'application de l'article 670.46, le remboursement auquel une personne donnée a droit, à l'égard de l'immeuble d'habitation, est égal à 7,5 % du montant du remboursement auquel elle a droit en vertu de l'alinéa e) du paragraphe 2 de l'article 256.71 de la *Loi sur la taxe d'accise* (Lois révisées du Canada (1985), chapitre E-15).

Précision — Le montant du remboursement visé au premier alinéa s'ajoute à celui prévu à l'article 670.18.

Notes historiques: L'article 67047 a été ajouté par L.Q. 2009, c. 5, par. 672(1) et a effet depuis le 1er janvier 2008.

Notes explicatives ARQ (PL 2, L.Q. 2009, c. 5): *Résumé* :

Le nouvel article 670.47 indique la façon de déterminer le montant du remboursement prévu à l'article 670.46 de la LTVQ. De plus, l'article 670.47 précise que le montant du remboursement s'ajoute à celui prévu à l'article 670.18 de la LTVQ.

Contexte :

[Voir sous l'article 670.30 — n.d.l.r.]

Modifications proposées :

La modification proposée consiste à introduire l'article 670.47 à la LTVQ, lequel établit la formule à utiliser pour déterminer le montant du remboursement de la TVQ auquel l'acquéreur a droit en vertu de l'article 670.46 de la LTVQ. De plus, l'article 670.47 prévoit que ce montant s'ajoute à celui prévu à l'article 670.18 de la LTVQ.

Concordance fédérale: LTA, par. 256.71(2) 2e al.

670.48 Remboursement — Sous réserve de l'article 670.51, un constructeur a droit à un remboursement déterminé conformément à l'article 670.49 dans le cas où, à la fois :

1° en vertu d'une convention constatée par écrit, conclue avant le 3 mai 2006 entre une personne donnée et le constructeur d'un immeuble d'habitation qui est un immeuble d'habitation à logement unique ou un logement en copropriété, le constructeur effectue à cette dernière, à la fois :

a) la fourniture exonérée par louage du fonds de terre qui fait partie de l'immeuble d'habitation ou la fourniture exonérée d'un tel contrat de louage par cession;

b) la fourniture exonérée par vente de la totalité ou d'une partie du bâtiment dans lequel est située l'habitation qui fait partie de l'immeuble d'habitation;

2° la possession de l'immeuble d'habitation est donnée à la personne donnée en vertu de la convention après le 31 décembre 2007;

3° le constructeur est réputé avoir effectué et reçu la fourniture de l'immeuble d'habitation en vertu de l'article 223 du fait qu'il en a donné la possession à la personne donnée en vertu de la convention, et avoir payé la taxe prévue à l'article 16 à l'égard de la fourniture;

4° la personne donnée n'a pas le droit de demander un remboursement, en vertu de l'article 370.0.1, à l'égard de l'immeuble d'habitation;

5° le constructeur n'a pas le droit de demander un remboursement de la taxe sur les intrants ou un remboursement, autre qu'un remboursement en vertu du présent article ou de l'article 670.20, à l'égard de la taxe visée au paragraphe 3°;

6° le constructeur a le droit de demander un remboursement, en vertu de l'alinéa f) du paragraphe 2 de l'article 256.71 de la *Loi sur la taxe d'accise* (Lois révisées du Canada (1985), chapitre E-15), à l'égard de l'immeuble d'habitation.

Notes historiques: L'article 670.48 a été ajouté par L.Q. 2009, c. 5, par. 672(1) et a effet depuis le 1er janvier 2008.

Notes explicatives ARQ (PL 2, L.Q. 2009, c. 5): *Résumé* :

Le nouvel article 670.48 prévoit un remboursement de la taxe de vente du Québec (TVQ) lorsqu'un constructeur a droit au remboursement transitoire de la taxe sur les produits et services (TPS) prévu au paragraphe 2 de l'article 256.71 de la *Loi sur la taxe d'accise* (Lois révisées du Canada (1985), chapitre E-15) (LTA).

Contexte :

[Voir sous l'article 670.30 — n.d.l.r.]

Modifications proposées :

La modification proposée consiste à introduire l'article 670.48 à la LTVQ, lequel établit les conditions auxquelles doit satisfaire le constructeur pour obtenir un remboursement de la TVQ sur le montant du remboursement transitoire de la TPS auquel il a droit.

Concordance fédérale: LTA, par. 256.71(2) 1er al.

670.49 Montant du remboursement — Pour l'application de l'article 670.48, le remboursement auquel un constructeur a droit, à l'égard de l'immeuble d'habitation, est égal à 7,5 % du montant du remboursement auquel il a droit en vertu de l'alinéa f) du paragraphe 2 de l'article 256.71 de la *Loi sur la taxe d'accise* (Lois révisées du Canada (1985), chapitre E-15).

Précision — Le montant du remboursement visé au premier alinéa s'ajoute à celui prévu à l'article 670.20.

Notes historiques: L'article 670.49 a été ajouté par L.Q. 2009, c. 5, par. 672(1) et a effet depuis le 1er janvier 2008.

Notes explicatives ARQ (PL 2, L.Q. 2009, c. 5): *Résumé* :

Le nouvel article 670.49 indique la façon de déterminer le montant du remboursement prévu à l'article 670.48 de la LTVQ. De plus, l'article 670.49 précise que le montant du remboursement s'ajoute à celui prévu à l'article 670.20 de la LTVQ.

Contexte :

[Voir sous l'article 670.30 — n.d.l.r.]

Modifications proposées :

La modification proposée consiste à introduire l'article 670.49 à la LTVQ, lequel établit la formule à utiliser pour déterminer le montant du remboursement de la TVQ auquel le constructeur a droit en vertu de l'article 670.48 de la LTVQ. De plus, l'article 670.49 prévoit que ce montant s'ajoute à celui prévu à l'article 670.20 de la LTVQ.

Concordance fédérale: LTA, par. 256.71(2) 2e al.

670.50 Ensemble de particuliers — Dans le cas où les fournitures visées aux articles 670.42 à 670.49 sont effectuées à plusieurs particuliers, la référence dans ces articles à une personne donnée doit être lue comme une référence à l'ensemble de ces particuliers en tant que groupe, mais dans le cas d'un remboursement en vertu de l'article 670.42, seul le particulier qui a demandé un remboursement en vertu des articles 370.0.1 à 370.4 peut effectuer la demande de remboursement prévue à l'article 670.42.

Notes historiques: L'article 670.50 a été ajouté par L.Q. 2009, c. 5, par. 672(1) et a effet depuis le 1er janvier 2008.

Notes explicatives ARQ (PL 2, L.Q. 2009, c. 5): *Résumé* :

Le nouvel article 670.50 prévoit que seul le particulier qui a demandé un remboursement pour habitations neuves prévu aux articles 370.0.1 à 370.4 de la LTVQ peut produire une demande de remboursement en vertu de l'article 670.42 de la LTVQ.

Contexte :

[Voir sous l'article 670.30 — n.d.l.r.]

Modifications proposées :

La modification proposée consiste à introduire l'article 670.50 à la LTVQ afin de prévoir une règle similaire à celle prévue à l'article 362 de la LTVQ. Ainsi, dans le cas où les fournitures sont effectuées à plusieurs particuliers, seul le particulier qui a demandé le remboursement pour habitations neuves, prévu aux articles 370.0.1 à 370.4 de la LTVQ, peut produire une demande de remboursement en vertu de l'article 670.42 de la LTVQ.

Concordance fédérale: LTA, par. 256.71(3).

670.51 Délai de la demande — Une personne a droit à un remboursement prévu aux articles 670.42 à 670.50 à l'égard d'un immeuble d'habitation seulement si elle produit une demande de remboursement dans les deux ans suivant :

1º dans le cas d'un remboursement à une personne autre que le constructeur de l'immeuble d'habitation, le jour où la possession de l'immeuble d'habitation est transférée à la personne;

2º dans le cas d'un remboursement au constructeur de l'immeuble d'habitation, le jour qui correspond à la fin du mois au cours duquel la taxe visée au paragraphe 3º de l'article 670.44 ou au paragraphe 3º de l'article 670.48 est réputée avoir été payée par le constructeur.

Notes historiques: L'article 670.51 a été ajouté par L.Q. 2009, c. 5, par. 672(1) et a effet depuis le 1er janvier 2008.

Notes explicatives ARQ (PL 2, L.Q. 2009, c. 5): *Résumé* :

Le nouvel article 670.51 prévoit le délai pour produire une demande de remboursement prévue aux articles 670.42 à 670.50 de la LTVQ.

Contexte :

[Voir sous l'article 670.30 — n.d.l.r.]

Modifications proposées :

Le nouvel article 670.51 de la LTVQ prévoit le délai pour produire une demande de remboursement. Dans le cas où il s'agit d'une demande de remboursement par un acquéreur, la demande doit être produite dans les deux ans suivant le jour où la possession de l'immeuble d'habitation lui est transférée. Par ailleurs, dans le cas où il s'agit d'une demande de remboursement par un constructeur, la demande doit être produite dans les deux ans suivant la fin du mois au cours duquel la taxe visée au paragraphe 3° des articles 670.44 et 670.48 est réputée avoir été payée par celui-ci.

Concordance fédérale: LTA, par. 256.71(4).

670.52 Remboursement — Sous réserve de l'article 670.55, une personne donnée a droit à un remboursement déterminé conformément à l'article 670.53 dans le cas où, à la fois :

1º en vertu d'une convention constatée par écrit, conclue entre la personne donnée et le constructeur d'un immeuble d'habitation, autre qu'un immeuble d'habitation à logement unique ou un logement en copropriété, ou d'une adjonction à celui-ci, la personne donnée est l'acquéreur de, à la fois :

a) la fourniture exonérée par louage du fonds de terre qui fait partie de l'immeuble d'habitation ou la fourniture exonérée d'un tel contrat de louage par cession;

b) la fourniture exonérée par vente de la totalité ou d'une partie du bâtiment dans lequel est située une habitation qui fait partie de l'immeuble d'habitation ou de l'adjonction;

2º la possession d'une habitation qui fait partie de l'immeuble d'habitation ou de l'adjonction est donnée à la personne donnée en vertu de la convention après le 31 décembre 2007;

3º le constructeur est réputé, en vertu de l'article 225 ou de l'article 226, avoir effectué et reçu la fourniture de l'immeuble d'habitation ou de l'adjonction du fait qu'il a, selon le cas :

a) donné la possession de l'habitation à la personne donnée en vertu de la convention;

b) donné la possession d'une habitation qui fait partie de l'immeuble d'habitation ou de l'adjonction à une autre personne en vertu d'une convention visée au paragraphe 1º conclue entre l'autre personne et le constructeur;

4º le constructeur est réputé avoir payé la taxe prévue à l'article 16 à l'égard de la fourniture;

5º si le constructeur est réputé avoir payé la taxe visée au paragraphe 4° après le 31 décembre 2007, selon le cas :

a) le constructeur et la personne donnée ont conclu la convention avant le 3 mai 2006;

b) le constructeur et une personne autre que la personne donnée ont conclu, avant le 3 mai 2006, une convention visée au paragraphe 1º à l'égard d'une habitation située dans l'immeuble d'habitation ou dans l'adjonction dont le constructeur est réputé avoir effectué la fourniture conformément au paragraphe 3º et il n'a pas été mis fin à cette convention avant le 1er juillet 2006;

6º la personne donnée a le droit de demander un remboursement, en vertu du paragraphe 1 de l'article 256.72 de la *Loi sur la taxe d'accise* (Lois révisées du Canada (1985), chapitre E-15), à l'égard de l'immeuble d'habitation ou de l'adjonction.

Notes historiques: L'article 670.52 a été ajouté par L.Q. 2009, c. 5, par. 672(1) et a effet depuis le 1er janvier 2008.

Notes explicatives ARQ (PL 2, L.Q. 2009, c. 5): *Résumé* :

Le nouvel article 670.52 prévoit un remboursement de la taxe de vente du Québec (TVQ) lorsqu'une personne a droit au remboursement transitoire de la taxe sur les produits et services (TPS) prévu au paragraphe 1 de l'article 256.72 de la *Loi sur la taxe d'accise* (Lois révisées du Canada (1985), chapitre E-15) (LTA).

Contexte :

[Voir sous l'article 670.30 — n.d.l.r.]

Modifications proposées :

La modification proposée consiste à introduire l'article 670.52 à la LTVQ, lequel établit les conditions auxquelles doit satisfaire l'acquéreur pour obtenir un remboursement de la TVQ sur le montant du remboursement transitoire de la TPS auquel il a droit.

Concordance fédérale: LTA, par. 256.72(1) 1er al.

670.53 Montant du remboursement — Pour l'application de l'article 670.52, le remboursement auquel une personne donnée a droit, à l'égard de l'immeuble d'habitation ou d'une adjonction à celui-ci, est égal :

1º dans le cas où la personne donnée a le droit de demander un remboursement, en vertu de l'article 370.0.1 ou de l'article 370.3.1, à l'égard de l'immeuble d'habitation, au montant déterminé selon la formule suivante :

$$A \times 7{,}5\ \% \times (1 - B / C);$$

2º dans le cas où la personne donnée n'a pas le droit de demander un remboursement, en vertu de l'article 370.0.1 ou de l'article 370.3.1, à l'égard de l'immeuble d'habitation, au résultat obtenu en multipliant 7,5 % par le montant du remboursement auquel la personne donnée a droit, en vertu de l'alinéa g) du paragraphe 1 de l'article 256.72 de la *Loi sur la taxe d'accise* (Lois révisées du Canada (1985), chapitre E-15), à l'égard de l'immeuble d'habitation ou de l'adjonction.

Application — Pour l'application de la formule prévue au paragraphe 1° du premier alinéa :

1º la lettre A représente le montant du remboursement auquel la personne donnée a droit, en vertu de l'alinéa f) du paragraphe 1 de l'article 256.72 de la *Loi sur la taxe d'accise*, à l'égard de l'immeuble d'habitation;

2º la lettre B représente l'excédent du montant du remboursement auquel la personne donnée a droit, en vertu de l'article 370.0.1 ou de l'article 370.3.1, à l'égard de l'immeuble d'habitation sur le résultat obtenu en multipliant 7,5 % par le montant du remboursement auquel la personne donnée a droit, en vertu du paragraphe 2 de l'article 254.1 de la *Loi sur la taxe d'accise*, à l'égard de l'immeuble d'habitation;

3º la lettre C représente le montant déterminé selon la formule suivante :

$$(D \times 7{,}5 / 107{,}5) - E.$$

Application — Pour l'application de la formule prévue au paragraphe 3° du deuxième alinéa :

1º la lettre D représente le total des montants dont chacun représente la contrepartie payable au constructeur par la personne donnée pour la fourniture par vente à cette dernière de la totalité ou d'une partie du bâtiment visée au sous-paragraphe b) du paragraphe 1º de l'article 670.52 ou d'une autre construction qui fait partie de l'immeuble d'habitation, sauf la contrepartie qui peut raisonnablement être considérée comme un loyer pour les fournitures du fonds de terre attribuable à l'immeuble d'habitation ou comme une contrepartie pour la fourniture d'une option d'achat de ce fonds;

2º la lettre E représente le résultat obtenu en multipliant 7,5 % par le montant du remboursement auquel la personne donnée a droit, en

LTVQ (français)

vertu du paragraphe 2 de l'article 254.1 de la *Loi sur la taxe d'accise*, à l'égard de l'immeuble d'habitation.

Précision — Le montant du remboursement visé au paragraphe 1° du premier alinéa s'ajoute à celui prévu au paragraphe 1º du premier alinéa de l'article 670.24.

Précision — Le montant du remboursement visé au paragraphe 2º du premier alinéa s'ajoute à celui prévu au paragraphe 2º du premier alinéa de l'article 670.24.

Notes historiques: L'article 670.53 a été ajouté par L.Q. 2009, c. 5, par. 672(1) et a effet depuis le 1er janvier 2008.

Notes explicatives ARQ (PL 2, L.Q. 2009, c. 5): *Résumé* :

Le nouvel article 670.53 indique la façon de déterminer le montant du remboursement prévu à l'article 670.52 de la LTVQ. De plus, l'article 670.53 de la LTVQ précise que ce montant s'ajoute à celui prévu à l'article 670.24 de la LTVQ.

Contexte :

[Voir sous l'article 670.30 — n.d.l.r.]

Modifications proposées :

La modification proposée consiste à introduire l'article 670.53 à la LTVQ, lequel établit la formule à utiliser pour déterminer le montant du remboursement de la TVQ auquel l'acquéreur a droit en vertu de l'article 670.52 de la LTVQ. De plus, l'article 670.53 prévoit que ce montant s'ajoute à celui prévu à l'article 670.24 de la LTVQ.

Concordance fédérale: LTA, par. 256.72(1) 2e al.

670.54 Ensemble de particuliers — Dans le cas où les fournitures visées aux articles 670.52 et 670.53 sont effectuées à plusieurs particuliers, la référence dans ces articles à une personne donnée doit être lue comme une référence à l'ensemble de ces particuliers en tant que groupe, mais dans le cas d'un remboursement en vertu du paragraphe 1º du premier alinéa de l'article 670.53, seul le particulier qui a demandé un remboursement en vertu des articles 370.0.1 à 370.4 peut effectuer la demande de remboursement prévue à ce paragraphe.

Notes historiques: L'article 670.54 a été ajouté par L.Q. 2009, c. 5, par. 672(1) et a effet depuis le 1er janvier 2008.

Notes explicatives ARQ (PL 2, L.Q. 2009, c. 5): *Résumé* :

Le nouvel article 670.54 prévoit que seul le particulier qui a demandé un remboursement pour habitations neuves prévu aux articles 370.0.1 à 370.4 de la LTVQ peut effectuer une demande de remboursement prévue au paragraphe 1° du premier alinéa de l'article 670.53 de la LTVQ.

Contexte :

[Voir sous l'article 670.30 — n.d.l.r.]

Modifications proposées :

La modification proposée consiste à introduire l'article 670.54 à la LTVQ afin de prévoir une règle similaire à celle prévue à l'article 362 de la LTVQ.

Ainsi, dans le cas où les fournitures sont effectuées à plusieurs particuliers, seul le particulier qui a demandé le remboursement pour habitations neuves, prévu aux articles 370.0.1 à 370.4 de la LTVQ, peut produire une demande de remboursement prévue au paragraphe 1° du premier alinéa de l'article 670.53 de la LTVQ.

Concordance fédérale: LTA, par. 256.72(2).

670.55 Délai de la demande — Une personne a droit à un remboursement prévu à l'article 670.52 à l'égard d'un immeuble d'habitation seulement si elle produit une demande de remboursement dans les deux ans suivant le jour où la possession de l'habitation visée au paragraphe 2º de l'article 670.52 est transférée à la personne.

Notes historiques: L'article 670.55 a été ajouté par L.Q. 2009, c. 5, par. 672(1) et a effet depuis le 1er janvier 2008.

Notes explicatives ARQ (PL 2, L.Q. 2009, c. 5): *Résumé* :

Le nouvel article 670.55 prévoit le délai pour produire une demande de remboursement prévue à l'article 670.52 de la LTVQ.

Contexte :

[Voir sous l'article 670.30 — n.d.l.r.]

Modifications proposées :

Le nouvel article 670.55 de la LTVQ prévoit que l'acquéreur dispose d'un délai de deux ans suivant le jour où la possession de l'habitation visée au paragraphe 2° de l'article 670.52 de la LTVQ lui est transférée pour produire une demande de remboursement.

Concordance fédérale: LTA, par. 256.72(3).

670.56 Remboursement — Sous réserve de l'article 670.58, un constructeur a droit à un remboursement déterminé conformément à l'article 670.57 dans le cas où, à la fois :

1º en vertu d'une convention constatée par écrit, conclue entre une personne donnée et le constructeur d'un immeuble d'habitation, autre qu'un immeuble d'habitation à logement unique ou un logement en copropriété, ou d'une adjonction à celui-ci, le constructeur effectue à cette dernière, à la fois :

a) la fourniture exonérée par louage du fonds de terre qui fait partie de l'immeuble d'habitation ou la fourniture exonérée d'un tel contrat de louage par cession;

b) la fourniture exonérée par vente de la totalité ou d'une partie du bâtiment dans lequel est située une habitation qui fait partie de l'immeuble d'habitation ou de l'adjonction;

2º le constructeur est réputé, en vertu de l'article 225 ou de l'article 226, avoir effectué et reçu la fourniture de l'immeuble d'habitation ou de l'adjonction après le 31 décembre 2007 du fait qu'il a, selon le cas :

a) donné la possession de l'habitation à la personne donnée en vertu de la convention;

b) donné la possession d'une habitation qui fait partie de l'immeuble d'habitation ou de l'adjonction à une personne autre que la personne donnée en vertu d'une convention visée au paragraphe 1º conclue entre l'autre personne et le constructeur;

3º selon le cas :

a) le constructeur et la personne donnée ont conclu la convention avant le 3 mai 2006;

b) le constructeur et une personne autre que la personne donnée ont conclu, avant le 3 mai 2006, une convention visée au paragraphe 1º à l'égard d'une habitation située dans l'immeuble d'habitation ou dans l'adjonction dont la fourniture est réputée avoir été effectuée par le constructeur conformément au paragraphe 2º et il n'a pas été mis fin à cette convention avant le 1er juillet 2006;

4º le constructeur est réputé avoir payé la taxe prévue à l'article 16 à l'égard de la fourniture visée au paragraphe 2º;

5º le constructeur n'a pas le droit de demander un remboursement de la taxe sur les intrants ou un remboursement, autre qu'un remboursement en vertu du présent article, des articles 378.8, 378.14 ou 670.28, à l'égard de la taxe visée au paragraphe 4º;

6º le constructeur a le droit de demander un remboursement, en vertu du paragraphe 1 de l'article 256.73 de la *Loi sur la taxe d'accise* (Lois révisées du Canada (1985), chapitre E-15), à l'égard de l'immeuble d'habitation ou de l'adjonction.

Notes historiques: L'article 670.56 a été ajouté par L.Q. 2009, c. 5, par. 672(1) et a effet depuis le 1er janvier 2008.

Notes explicatives ARQ (PL 2, L.Q. 2009, c. 5): *Résumé* :

Le nouvel article 670.56 prévoit un remboursement de la taxe de vente du Québec (TVQ lorsqu'un constructeur a droit au remboursement transitoire de la taxe sur les produits et services (TPS) prévu au paragraphe 1 de l'article 256.73 de la *Loi sur la taxe d'accise* (Lois révisées du Canada (1985), chapitre E-15) (LTA).

Contexte :

[Voir sous l'article 670.30 — n.d.l.r.]

Modifications proposées :

La modification proposée consiste à introduire l'article 670.56 à la LTVQ, lequel établit les conditions auxquelles doit satisfaire le constructeur pour obtenir un remboursement de la TVQ sur le montant du remboursement transitoire de la TPS auquel il a droit.

Concordance fédérale: LTA, par. 256.73(1) 1er al.

670.57 Montant du remboursement — Pour l'application de l'article 670.56, le remboursement auquel un constructeur a droit, à l'égard de l'immeuble d'habitation ou de l'adjonction à celui-ci, est égal au montant déterminé selon la formule suivante :

$$A \times 7,5\ \% \times (1 - B / C).$$

Application — Pour l'application de cette formule :

1º la lettre A représente le montant du remboursement auquel le constructeur a droit, en vertu du paragraphe 1 de l'article 256.73 de la *Loi sur la taxe d'accise* (Lois révisées du Canada (1985), chapitre E-15), à l'égard de l'immeuble d'habitation ou de l'adjonction;

2º la lettre B représente l'excédent du montant du remboursement auquel le constructeur a droit, en vertu de l'article 378.8 ou de l'article 378.14, à l'égard de l'immeuble d'habitation ou de l'adjonction, sur le résultat obtenu en multipliant 7,5 % par le montant du remboursement auquel le constructeur a droit, en vertu du paragraphe 4 de l'article 256.2 de la *Loi sur la taxe d'accise*, à l'égard de l'immeuble d'habitation ou de l'adjonction;

3º la lettre C représente l'excédent du montant de la taxe payable, en vertu de l'article 16, à l'égard de la fourniture réputée effectuée en vertu de l'article 225 ou de l'article 226 sur le résultat obtenu en multipliant 7,5 % par le montant du remboursement auquel le constructeur a droit, en vertu du paragraphe 4 de l'article 256.2 de la *Loi sur la taxe d'accise*, à l'égard de l'immeuble d'habitation ou de l'adjonction.

Précision — Le montant du remboursement visé au premier alinéa s'ajoute à celui prévu à l'article 670.28.

Notes historiques: L'article 670.57 a été ajouté par L.Q. 2009, c. 5, par. 672(1) et a effet depuis le 1er janvier 2008.

Notes explicatives ARQ (PL 2, L.Q. 2009, c. 5): *Résumé* :

Le nouvel article 670.57 indique la façon de déterminer le montant du remboursement prévu à l'article 670.56 de la LTVQ. De plus, l'article 670.57 de la LTVQ précise que ce montant s'ajoute à celui prévu à l'article 670.28 de la LTVQ.

Contexte :

[Voir sous l'article 670.30 — n.d.l.r.]

Modifications proposées :

La modification proposée consiste à introduire l'article 670.57 à la LTVQ, lequel établit la formule à utiliser pour déterminer le montant du remboursement de la TVQ auquel le constructeur a droit en vertu de l'article 670.56 de la LTVQ. De plus, l'article 670.57 prévoit que le montant du remboursement s'ajoute à celui prévu à l'article 670.28 de la LTVQ.

Concordance fédérale: LTA, par. 256.73(1) 2e al.

670.58 Délai de la demande — Un constructeur a droit à un remboursement prévu à l'article 670.56 à l'égard d'un immeuble d'habitation ou d'une adjonction à celui-ci seulement s'il produit une demande de remboursement dans les deux ans suivant le jour qui correspond à la fin du mois au cours duquel la taxe visée à l'article 670.56 est réputée avoir été payée par celui-ci.

Notes historiques: L'article 670.58 a été ajouté par L.Q. 2009, c. 5, par. 672(1) et a effet depuis le 1er janvier 2008.

Notes explicatives ARQ (PL 2, L.Q. 2009, c. 5): *Résumé* :

Le nouvel article 670.58 prévoit le délai pour produire une demande de remboursement prévue à l'article 670.56 de la LTVQ

Contexte :

[Voir sous l'article 670.30 — n.d.l.r.]

Modifications proposées :

Le nouvel article 670.58 de la LTVQ prévoit que le constructeur dispose d'un délai de deux ans suivant la fin du mois au cours duquel la taxe visée à l'article 670.56 est réputée avoir été payée par ce dernier, pour produire une demande de remboursement.

Concordance fédérale: LTA, par. 256.73(2).

670.59 Remboursement — Sous réserve de l'article 670.70, une personne donnée, autre qu'une coopérative d'habitation, a droit à un remboursement déterminé conformément à l'article 670.60 dans le cas où, à la fois :

1º conformément à une convention d'achat et de vente constatée par écrit, conclue après le 2 mai 2006 mais avant le 31 octobre 2007, la personne donnée est l'acquéreur de la fourniture taxable par vente, effectuée par une autre personne, d'un immeuble d'habitation à l'égard duquel la propriété et la possession lui sont transférées en vertu de la convention après le 31 décembre 2007;

2º la personne donnée a le droit de demander un remboursement, en vertu du paragraphe 1 de l'article 256.74 de la *Loi sur la taxe d'accise* (Lois révisées du Canada (1985), chapitre E-15), à l'égard de la fourniture de l'immeuble d'habitation;

3º la personne donnée a payé la totalité de la taxe, en vertu de l'article 16, à l'égard de la fourniture de l'immeuble d'habitation;

4º la personne donnée n'a pas le droit de demander un remboursement de la taxe sur les intrants ou un remboursement, autre qu'un remboursement en vertu du présent article, à l'égard de la taxe visée au paragraphe 3º.

Notes historiques: L'article 670.59 a été ajouté par L.Q. 2009, c. 5, par. 672(1) et a effet depuis le 1er janvier 2008.

Notes explicatives ARQ (PL 2, L.Q. 2009, c. 5): *Résumé* :

Le nouvel article 670.59 prévoit un remboursement de la taxe de vente du Québec (TVQ) lorsqu'une personne a droit au remboursement transitoire de la taxe sur les produits et services (TPS) prévu au paragraphe 1 de l'article 256.74 de la *Loi sur la taxe d'accise* (Lois révisées du Canada (1985), chapitre E-15).

Contexte :

[Voir sous l'article 670.30 — n.d.l.r.]

Modifications proposées :

La modification proposée consiste à introduire l'article 670.59 à la LTVQ, lequel établit les conditions auxquelles doit satisfaire l'acquéreur pour obtenir un remboursement de la TVQ sur le montant du remboursement transitoire de la TPS auquel il a droit.

Concordance fédérale: LTA, par. 256.74(1) 1er al.

670.60 Montant du remboursement — Pour l'application de l'article 670.59, le remboursement auquel une personne donnée a droit, à l'égard de la fourniture d'un immeuble d'habitation, est égal à 7,5 % du montant du remboursement auquel elle a droit en vertu du paragraphe 1 de l'article 256.74 de la *Loi sur la taxe d'accise* (Lois révisées du Canada (1985), chapitre E-15).

Notes historiques: L'article 670.60 a été ajouté par L.Q. 2009, c. 5, par. 672(1) et a effet depuis le 1er janvier 2008.

Notes explicatives ARQ (PL 2, L.Q. 2009, c. 5): *Résumé* :

La modification proposée consiste à introduire l'article 670.60 à la LTVQ, lequel établit la formule à utiliser pour déterminer le montant du remboursement de la TVQ auquel l'acquéreur a droit en vertu de l'article 670.59 de la LTVQ.

Contexte :

[Voir sous l'article 670.30 — n.d.l.r.]

Modifications proposées :

La modification proposée consiste à introduire l'article 670.61 à la LTVQ, lequel établit les conditions auxquelles doit satisfaire l'acquéreur pour obtenir un remboursement de la TVQ sur le montant du remboursement transitoire de la TPS auquel il a droit, dans le cas où celui-ci a droit, par ailleurs, au remboursement pour immeubles d'habitation locatifs neufs en vertu de l'article 378.6 de la LTVQ ou au remboursement prévu à l'article 378.14 de la LTVQ.

Concordance fédérale: LTA, par. 256.74(1) 2e al.

670.61 Remboursement — Sous réserve de l'article 670.70, une personne donnée, autre qu'une coopérative d'habitation, a droit à un remboursement déterminé conformément à l'article 670.62 dans le cas où, à la fois :

1º conformément à une convention d'achat et de vente constatée par écrit, conclue après le 2 mai 2006 mais avant le 31 octobre 2007, la personne donnée est l'acquéreur de la fourniture taxable par vente, effectuée par une autre personne, d'un immeuble d'habitation à l'égard duquel la propriété et la possession lui sont transférées en vertu de la convention après le 31 décembre 2007;

2º la personne donnée a le droit de demander un remboursement, en vertu du paragraphe 2 de l'article 256.74 de la *Loi sur la taxe d'accise* (Lois révisées du Canada (1985), chapitre E-15), à l'égard de la fourniture de l'immeuble d'habitation;

3º la personne donnée a payé la totalité de la taxe, en vertu de l'article 16, à l'égard de la fourniture de l'immeuble d'habitation;

4º la personne donnée a le droit de demander un remboursement, en vertu de l'article 378.6 ou de l'article 378.14, à l'égard d'une habitation située dans l'immeuble d'habitation.

Notes historiques: L'article 670.61 a été ajouté par L.Q. 2009, c. 5, par. 672(1) et a effet depuis le 1er janvier 2008.

Notes explicatives ARQ (PL 2, L.Q. 2009, c. 5): *Résumé* :

Le nouvel article 670.61 prévoit un remboursement de la taxe de vente du Québec (TVQ) lorsqu'une personne a droit au remboursement transitoire de la taxe sur les produits et services (TPS) prévu au paragraphe 2 de l'article 256.74 de la *Loi sur la taxe d'accise* (Lois révisées du Canada (1985), chapitre E-15).

Contexte :

[Voir sous l'article 670.30 — n.d.l.r.]

Modifications proposées :

La modification proposée consiste à introduire l'article 670.61 à la LTVQ, lequel établit les conditions auxquelles doit satisfaire l'acquéreur pour obtenir un remboursement de la TVQ sur le montant du remboursement transitoire de la TPS auquel il a droit, dans le cas où celui-ci a droit, par ailleurs, au remboursement pour immeubles d'habitation locatifs neufs en vertu de l'article 378.6 de la LTVQ ou au remboursement prévu à l'article 378.14 de la LTVQ.

Concordance fédérale: LTA, par. 256.74(2) 1er al.

670.62 Montant du remboursement — Pour l'application de l'article 670.61, le remboursement auquel une personne donnée a droit, à l'égard de la fourniture d'un immeuble d'habitation, est égal au montant déterminé selon la formule suivante :

$$A \times 7,5\ \% \times (1 - B / C).$$

Application — Pour l'application de cette formule :

1º la lettre A représente le montant du remboursement auquel la personne donnée a droit, en vertu du paragraphe 2 de l'article 256.74 de la *Loi sur la taxe d'accise* (Lois révisées du Canada (1985), chapitre E-15), à l'égard de la fourniture de l'immeuble d'habitation;

2º la lettre B représente l'excédent du montant du remboursement auquel la personne donnée a droit, en vertu de l'article 378.6 ou de l'article 378.14, à l'égard de la fourniture de l'immeuble d'habitation, sur le résultat obtenu en multipliant 7,5 % par le montant du remboursement auquel la personne donnée a droit, en vertu du paragraphe 3 de l'article 256.2 de la *Loi sur la taxe d'accise*, à l'égard de la fourniture de l'immeuble d'habitation;

3º la lettre C représente l'excédent du montant de la taxe qui est payable par la personne donnée, en vertu de l'article 16, à l'égard de la fourniture de l'immeuble d'habitation, sur le résultat obtenu en multipliant 7,5 % par le montant du remboursement auquel la personne donnée a droit, en vertu du paragraphe 3 de l'article 256.2 de la *Loi sur la taxe d'accise*, à l'égard de la fourniture de l'immeuble d'habitation.

Notes historiques: L'article 670.62 a été ajouté par L.Q. 2009, c. 5, par. 672(1) et a effet depuis le 1er janvier 2008.

Notes explicatives ARQ (PL 2, L.Q. 2009, c. 5): *Résumé* :

Le nouvel article 670.62 indique la façon de déterminer le montant du remboursement prévu à l'article 670.61 de la LTVQ.

Contexte :

[Voir sous l'article 670.30 — n.d.l.r.]

Modifications proposées :

La modification proposée consiste à introduire l'article 670.62 à la LTVQ, lequel établit la formule à utiliser pour déterminer le montant du remboursement de la TVQ auquel l'acquéreur a droit en vertu de l'article 670.61 de la LTVQ.

Concordance fédérale: LTA, par. 256.74(1) 2e al.

670.63 Remboursement — Sous réserve de l'article 670.70, une personne donnée, autre qu'une coopérative d'habitation, a droit à un remboursement déterminé conformément à l'article 670.64 dans le cas où, à la fois :

1º conformément à une convention d'achat et de vente constatée par écrit, conclue après le 2 mai 2006 mais avant le 31 octobre 2007, la personne donnée est l'acquéreur de la fourniture taxable par vente, effectuée par une autre personne, d'un immeuble d'habitation à l'égard duquel la propriété et la possession lui sont transférées en vertu de la convention après le 31 décembre 2007;

2º la personne donnée a le droit de demander un remboursement, en vertu du paragraphe 3 de l'article 256.74 de la *Loi sur la taxe d'accise* (Lois révisées du Canada (1985), chapitre E-15), à l'égard de la fourniture de l'immeuble d'habitation;

3º la personne donnée a payé la totalité de la taxe, en vertu de l'article 16, à l'égard de la fourniture de l'immeuble d'habitation;

4º la personne donnée a le droit de demander un remboursement, en vertu des articles 383 à 388, 389 et 394 à 397.2, à l'égard de la taxe visée au paragraphe 3º, mais n'a pas le droit de demander un remboursement de la taxe sur les intrants ni aucun autre remboursement, autre qu'un remboursement en vertu du présent article, à l'égard de cette taxe.

Notes historiques: L'article 670.63 a été ajouté par L.Q. 2009, c. 5, par. 672(1) et a effet depuis le 1er janvier 2008.

Notes explicatives ARQ (PL 2, L.Q. 2009, c. 5): *Résumé* :

Le nouvel article 670.63 prévoit un remboursement de la taxe de vente du Québec (TVQ) lorsqu'une personne a droit au remboursement transitoire de la taxe sur les produits et services (TPS) prévu au paragraphe 3 de l'article 256.74 de la *Loi sur la taxe d'accise* (Lois révisées du Canada (1985), chapitre E-15).

Contexte :

[Voir sous l'article 670.30 — n.d.l.r.]

Modifications proposées :

La modification proposée consiste à introduire l'article 670.63 à la LTVQ, lequel établit les conditions auxquelles doit satisfaire l'acquéreur pour obtenir un remboursement de la TVQ sur le montant du remboursement transitoire de la TPS auquel il a droit, dans le cas où celui-ci a droit, par ailleurs, au remboursement prévu aux articles 383 à 388, 389 et 394 à 397.2 de la LTVQ.

Concordance fédérale: LTA, par. 256.74(3) 1er al.

670.64 Montant du remboursement — Pour l'application de l'article 670.63, le remboursement auquel une personne donnée a droit, à l'égard de la fourniture d'un immeuble d'habitation, est égal à 7,5 % du montant du remboursement auquel elle a droit en vertu du paragraphe 3 de l'article 256.74 de la *Loi sur la taxe d'accise* (Lois révisées du Canada (1985), chapitre E-15).

Notes historiques: L'article 670.64 a été ajouté par L.Q. 2009, c. 5, par. 672(1) et a effet depuis le 1er janvier 2008.

Notes explicatives ARQ (PL 2, L.Q. 2009, c. 5): *Résumé* :

Le nouvel article 670.64 indique la façon de déterminer le montant du remboursement prévu à l'article 670.63 de la LTVQ.

Contexte :

[Voir sous l'article 670.30 — n.d.l.r.]

Modifications proposées :

La modification proposée consiste à introduire l'article 670.64 à la LTVQ, lequel établit la formule à utiliser pour déterminer le montant du remboursement de la TVQ auquel l'acquéreur a droit en vertu de l'article 670.63 de la LTVQ.

Concordance fédérale: LTA, par. 256.74(3) 2e al.

670.65 Remboursement pour une coopérative d'habitation — Sous réserve de l'article 670.70, une coopérative d'habitation a droit à un remboursement déterminé conformément à l'article 670.66 dans le cas où, à la fois :

1º conformément à une convention d'achat et de vente constatée par écrit, conclue après le 2 mai 2006 mais avant le 31 octobre 2007, la coopérative d'habitation est l'acquéreur de la fourniture taxable par vente, effectuée par une autre personne, d'un immeuble d'habitation à l'égard duquel la propriété et la possession lui sont transférées en vertu de la convention après le 31 décembre 2007;

2º la coopérative d'habitation a le droit de demander un remboursement, en vertu du paragraphe 4 de l'article 256.74 de la *Loi sur la taxe d'accise* (Lois révisées du Canada (1985), chapitre E-15), à l'égard de la fourniture de l'immeuble d'habitation;

3º la coopérative d'habitation a payé la totalité de la taxe, en vertu de l'article 16, à l'égard de la fourniture de l'immeuble d'habitation;

4º la coopérative d'habitation n'a pas le droit de demander un remboursement de la taxe sur les intrants ou un remboursement, autre qu'un remboursement en vertu du présent article ou en vertu des articles 378.10, 378.14 ou des articles 383 à 388, 389 et 394 à 397.2, à l'égard de la taxe visée au paragraphe 3º.

Notes historiques: L'article 670.65 a été ajouté par L.Q. 2009, c. 5, par. 672(1) et a effet depuis le 1er janvier 2008.

Notes explicatives ARQ (PL 2, L.Q. 2009, c. 5): *Résumé* :

Le nouvel article 670.65 prévoit un remboursement de la taxe de vente du Québec (TVQ) lorsqu'une coopérative d'habitation a droit au remboursement transitoire de la taxe sur les produits et services (TPS) prévu au paragraphe 4 de l'article 256.74 de la *Loi sur la taxe d'accise* (Lois révisées du Canada (1985), chapitre E-15).

Contexte :

[Voir sous l'article 670.30 — n.d.l.r.]

Modifications proposées :

La modification proposée consiste à introduire l'article 670.65 à la LTVQ, lequel établit les conditions auxquelles doit satisfaire une coopérative d'habitation pour obtenir un remboursement de la TVQ sur le montant du remboursement transitoire de la TPS auquel elle a droit.

Concordance fédérale: LTA, par. 256.74(4) 1er al.

670.66 Montant du remboursement — Pour l'application de l'article 670.65, le remboursement auquel une coopérative d'habitation a droit, à l'égard de la fourniture d'un immeuble d'habitation, est égal :

1º dans le cas où la coopérative d'habitation a le droit de demander un remboursement, en vertu des articles 383 à 388, 389 et 394 à 397.2, à l'égard de la fourniture de l'immeuble d'habitation, au résultat obtenu en multipliant 7,5 % par le montant du remboursement auquel la coopérative d'habitation a droit, en vertu du paragraphe 4 de l'article 256.74 de la *Loi sur la taxe d'accise* (Lois révisées du Canada (1985), chapitre E-15), à l'égard de la fourniture de l'immeuble d'habitation, lorsque l'élément B de la formule prévue à ce paragraphe représente le montant prévu à la division B du sous-alinéa i de ce paragraphe;

2º dans le cas où la coopérative d'habitation n'a pas le droit de demander un remboursement, en vertu des articles 383 à 388, 389 et 394 à 397.2, à l'égard de la fourniture de l'immeuble d'habitation et, selon le cas, que la coopérative d'habitation a le droit de demander, ou peut raisonnablement s'attendre à avoir le droit de demander, un remboursement, en vertu de l'article 378.10, à l'égard d'une habitation située dans l'immeuble d'habitation ou qu'une part de son capital social est ou sera, ou il est raisonnable de s'attendre à ce qu'une part de son capital social soit ou sera, vendue à un particulier donné dans le but qu'une habitation située dans l'immeuble d'habitation soit utilisée, à titre de résidence principale, par le particulier donné, un particulier qui lui est lié ou un ex-conjoint du particulier donné et que le particulier donné a ou aura le droit de demander un remboursement, en vertu de l'article 370.5, à l'égard de la part du capital social, au montant déterminé selon la formule suivante :

$$A - (36\ \% \times A);$$

3º dans les autres cas, au résultat obtenu en multipliant 7,5 % par le montant du remboursement auquel la coopérative d'habitation a droit, en vertu du paragraphe 4 de l'article 256.74 de la *Loi sur la taxe d'accise*, à l'égard de la fourniture de l'immeuble d'habitation.

Application — Pour l'application de la formule prévue au paragraphe 2º du premier alinéa, la lettre A représente le résultat obtenu en multipliant 7,5 % par le montant du remboursement auquel la coopérative d'habitation a droit, en vertu du paragraphe 4 de l'article 256.74 de la *Loi sur la taxe d'accise*, à l'égard de la fourniture de l'immeuble d'habitation, lorsque l'élément B de la formule prévue à ce paragraphe représente le montant prévu au sous-alinéa ii de ce paragraphe.

Notes historiques: L'article 670.66 a été ajouté par L.Q. 2009, c. 5, par. 672(1) et a effet depuis le 1er janvier 2008.

Notes explicatives ARQ (PL 2, L.Q. 2009, c. 5): *Résumé* :

Le nouvel article 670.66 indique la façon de déterminer le montant du remboursement prévu à l'article 670.65 de la LTVQ.

Contexte :

[Voir sous l'article 670.30 — n.d.l.r.]

Modifications proposées :

La modification proposée consiste à introduire l'article 670.66 à la LTVQ, lequel établit la formule à utiliser pour déterminer le montant du remboursement de la TVQ auquel la coopérative d'habitation a droit en vertu de l'article 670.65 de la LTVQ.

Concordance fédérale: LTA, par. 256.74(4) 2e al.

670.67 Remboursement — Sous réserve de l'article 670.70, un particulier donné a droit à un remboursement déterminé conformément à l'article 670.68 dans le cas où, à la fois :

1º conformément à une convention d'achat et de vente constatée par écrit, conclue après le 2 mai 2006 mais avant le 31 octobre 2007, le particulier donné est l'acquéreur de la fourniture taxable par vente, effectuée par une autre personne, d'un immeuble d'habitation à l'égard duquel la propriété et la possession lui sont transférées en vertu de la convention après le 31 décembre 2007;

2º le particulier donné a le droit de demander un remboursement, en vertu du paragraphe 5 de l'article 256.74 de la *Loi sur la taxe d'accise* (Lois révisées du Canada (1985), chapitre E-15), à l'égard de la fourniture de l'immeuble d'habitation;

3º le particulier donné a payé la totalité de la taxe, en vertu de l'article 16, à l'égard de la fourniture de l'immeuble d'habitation;

4º le particulier donné a le droit de demander un remboursement, en vertu de l'article 362.2 ou de l'article 368.1, à l'égard de l'immeuble d'habitation.

Notes historiques: L'article 670.67 a été ajouté par L.Q. 2009, c. 5, par. 672(1) et a effet depuis le 1er janvier 2008.

Notes explicatives ARQ (PL 2, L.Q. 2009, c. 5): *Résumé* :

Le nouvel article 670.67 prévoit un remboursement de la taxe de vente du Québec (TVQ) lorsqu'un particulier a droit au remboursement transitoire de la taxe sur les produits et services (TPS) prévu au paragraphe 5 de l'article 256.74 de la *Loi sur la taxe d'accise* (Lois révisées du Canada (1985), chapitre E-15).

Contexte :

[Voir sous l'article 670.30 — n.d.l.r.]

Modifications proposées :

La modification proposée consiste à introduire l'article 670.67 à la LTVQ, lequel établit les conditions auxquelles doit satisfaire l'acquéreur pour obtenir un remboursement de la TVQ sur le montant du remboursement transitoire de la TPS auquel il a droit, dans le cas où celui-ci a droit, par ailleurs, au remboursement pour habitations neuves en vertu de l'article 362.2 de la LTVQ ou au remboursement prévu à l'article 368.1 de la LTVQ.

Concordance fédérale: LTA, par. 256.74(5) 1er al.

670.68 Montant du remboursement — Pour l'application de l'article 670.67, le remboursement auquel un particulier donné a droit, à l'égard de la fourniture d'un immeuble d'habitation, est égal au montant déterminé selon la formule suivante :

$$A \times 7{,}5\ \% \times (1 - B / C).$$

Application — Pour l'application de cette formule :

1º la lettre A représente le montant du remboursement auquel le particulier donné a droit, en vertu du paragraphe 5 de l'article 256.74 de la *Loi sur la taxe d'accise* (Lois révisées du Canada (1985), chapitre E-15), à l'égard de la fourniture de l'immeuble d'habitation;

2º la lettre B représente l'excédent du montant du remboursement auquel le particulier donné a droit, en vertu de l'article 362.2 ou de l'article 368.1, à l'égard de la fourniture de l'immeuble d'habitation, sur le résultat obtenu en multipliant 7,5 % par le montant du remboursement auquel le particulier donné a droit, en vertu du paragraphe 2 de l'article 254 de la *Loi sur la taxe d'accise*, à l'égard de la fourniture de l'immeuble d'habitation;

3º la lettre C représente l'excédent du montant de la taxe qui est payable par le particulier donné, en vertu de l'article 16, à l'égard de la fourniture de l'immeuble d'habitation, sur le résultat obtenu en multipliant 7,5 % par le montant du remboursement auquel le particulier donné a droit, en vertu du paragraphe 2 de l'article 254 de la *Loi sur la taxe d'accise*, à l'égard de la fourniture de l'immeuble d'habitation.

Notes historiques: L'article 670.68 a été ajouté par L.Q. 2009, c. 5, par. 672(1) et a effet depuis le 1er janvier 2008.

Notes explicatives ARQ (PL 2, L.Q. 2009, c. 5): *Résumé* :

Le nouvel article 670.68 indique la façon de déterminer le montant du remboursement prévu à l'article 670.67 de la LTVQ.

Contexte :

LTVQ (français)

[Voir sous l'article 670.30 — n.d.l.r.]

Modifications proposées :

La modification proposée consiste à introduire l'article 670.68 à la LTVQ, lequel établit la formule à utiliser pour déterminer le montant du remboursement de la TVQ auquel l'acquéreur a droit en vertu de l'article 670.67 de la LTVQ.

Concordance fédérale: LTA, par. 256.74(5) 2e al.

670.69 Ensemble de particuliers — Dans le cas où la fourniture d'un immeuble d'habitation est effectuée à plusieurs particuliers, la référence dans les articles 670.67 et 670.68 à un particulier donné doit être lue comme une référence à l'ensemble de ces particuliers en tant que groupe, mais seul le particulier donné qui a demandé un remboursement en vertu des articles 360.5 et 362.2 à 370 peut effectuer la demande de remboursement prévue à l'article 670.67.

Notes historiques: L'article 670.69 a été ajouté par L.Q. 2009, c. 5, par. 672(1) et a effet depuis le 1er janvier 2008.

Notes explicatives ARQ (PL 2, L.Q. 2009, c. 5): *Résumé* :

Le nouvel article 670.69 prévoit que, dans le cas où un immeuble d'habitation est acquis par plusieurs particuliers, seul le particulier qui a demandé un remboursement pour habitations neuves, prévu aux articles 362.2 à 370 de la LTVQ, peut effectuer une demande de remboursement prévue à l'article 670.67 de la LTVQ.

Contexte :

[Voir sous l'article 670.30 — n.d.l.r.]

Modifications proposées :

La modification proposée consiste à introduire l'article 670.69 à la LTVQ afin de prévoir une règle similaire à celle prévue à l'article 362 de la LTVQ. Ainsi, dans le cas où la fourniture d'un immeuble d'habitation est effectuée à plusieurs particuliers, seul le particulier qui a demandé un remboursement pour habitations neuves, prévu aux articles 362.2 à 370 de la LTVQ, peut effectuer une demande de remboursement en vertu de l'article 670.67 de la LTVQ.

Concordance fédérale: LTA, par. 256.74(6).

670.70 Délai de la demande — Une personne a droit à un remboursement prévu aux articles 670.59 à 670.69 à l'égard d'un immeuble d'habitation seulement si elle produit une demande de remboursement dans les deux ans suivant le jour où la propriété de l'immeuble d'habitation lui est transférée.

Notes historiques: L'article 670.70 a été ajouté par L.Q. 2009, c. 5, par. 672(1) et a effet depuis le 1er janvier 2008.

Notes explicatives ARQ (PL 2, L.Q. 2009, c. 5): *Résumé* :

Le nouvel article 670.70 prévoit le délai pour produire une demande de remboursement prévue aux articles 670.59 à 670.69 de la LTVQ.

Contexte :

[Voir sous l'article 670.30 — n.d.l.r.]

Modifications proposées :

Le nouvel article 670.70 de la LTVQ prévoit que la personne dispose d'un délai de deux ans suivant le jour où la propriété d'un immeuble d'habitation lui est transférée pour produire une demande de remboursement prévue aux articles 670.59 à 670.69 de la LTVQ.

Concordance fédérale: LTA, par. 256.74(7).

670.71 Remboursement — Sous réserve de l'article 670.80, une personne donnée a droit à un remboursement déterminé conformément à l'article 670.72 dans le cas où, à la fois :

1° en vertu d'une convention constatée par écrit, conclue après le 2 mai 2006 mais avant le 31 octobre 2007, entre la personne donnée et le constructeur d'un immeuble d'habitation qui est un immeuble d'habitation à logement unique ou un logement en copropriété, la personne donnée est l'acquéreur de, à la fois :

a) la fourniture exonérée par louage du fonds de terre qui fait partie de l'immeuble d'habitation ou la fourniture exonérée d'un tel contrat de louage par cession;

b) la fourniture exonérée par vente de la totalité ou d'une partie du bâtiment dans lequel est située l'habitation qui fait partie de l'immeuble d'habitation;

2° la possession de l'immeuble d'habitation est donnée à la personne donnée en vertu de la convention après le 31 décembre 2007;

3° le constructeur est réputé avoir effectué et reçu la fourniture de l'immeuble d'habitation en vertu de l'article 223 du fait qu'il en a donné la possession à la personne donnée en vertu de la convention, et avoir payé la taxe prévue à l'article 16 à l'égard de la fourniture;

4° la personne donnée a le droit de demander un remboursement, en vertu de l'article 370.0.1 ou de l'article 370.3.1, à l'égard de l'immeuble d'habitation;

5° la personne donnée a le droit de demander un remboursement, en vertu de l'alinéa e) du paragraphe 1 de l'article 256.75 de la *Loi sur la taxe d'accise* (Lois révisées du Canada (1985), chapitre E-15), à l'égard de l'immeuble d'habitation.

Notes historiques: L'article 670.71 a été ajouté par L.Q. 2009, c. 5, par. 672(1) et a effet depuis le 1er janvier 2008.

Notes explicatives ARQ (PL 2, L.Q. 2009, c. 5): *Résumé* :

Le nouvel article 670.71 prévoit un remboursement de la taxe de vente du Québec (TVQ) dans le cas où une personne a droit au remboursement transitoire de la taxe sur les produits et services (TPS), prévu au paragraphe 1 de l'article 256.75 de la *Loi sur la taxe d'accise* (Lois révisées du Canada (1985), chapitre E-15) (LTA).

Contexte :

[Voir sous l'article 670.30 — n.d.l.r.]

Modifications proposées :

La modification proposée consiste à introduire l'article 670.71 à la LTVQ, lequel établit les conditions auxquelles doit satisfaire l'acquéreur pour obtenir un remboursement de la TVQ sur le montant du remboursement transitoire de la TPS auquel il a droit, dans le cas où celui-ci a droit, par ailleurs, au remboursement pour habitations neuves en vertu de l'article 370.0.1 de la LTVQ ou au remboursement prévu à l'article 370.3.1 de la LTVQ.

Concordance fédérale: LTA, par. 256.75(1) 1er al.

670.72 Montant du remboursement — Pour l'application de l'article 670.71, le remboursement auquel une personne donnée a droit, à l'égard de l'immeuble d'habitation, est égal au montant déterminé selon la formule suivante :

$$A \times 7,5\ \% \times (1 - B / C).$$

Application — Pour l'application de la formule prévue au premier alinéa :

1° la lettre A représente le montant du remboursement auquel la personne donnée a droit, en vertu de l'alinéa e) du paragraphe 1 de l'article 256.75 de la *Loi sur la taxe d'accise* (Lois révisées du Canada (1985), chapitre E-15), à l'égard de l'immeuble d'habitation;

2° la lettre B représente l'excédent du montant du remboursement auquel la personne donnée a droit, en vertu de l'article 370.0.1 ou de l'article 370.3.1, à l'égard de l'immeuble d'habitation, sur le résultat obtenu en multipliant 7,5 % par le montant du remboursement auquel la personne donnée a droit, en vertu du paragraphe 2 de l'article 254.1 de la *Loi sur la taxe d'accise*, à l'égard de l'immeuble d'habitation;

3° la lettre C représente le montant déterminé selon la formule suivante :

$$(D \times 7,5 / 107,5) - E.$$

Application — Pour l'application de la formule prévue au paragraphe 3° du deuxième alinéa :

1° la lettre D représente le total des montants dont chacun représente la contrepartie payable au constructeur par la personne donnée pour la fourniture par vente à cette dernière de la totalité ou d'une partie du bâtiment visée au sous-paragraphe b) du paragraphe 1° de l'article 670.71 ou d'une autre construction qui fait partie de l'immeuble d'habitation, sauf la contrepartie qui peut raisonnablement être considérée comme un loyer pour les fournitures du fonds de terre attribuable à l'immeuble d'habitation ou comme une contrepartie pour la fourniture d'une option d'achat de ce fonds;

2° la lettre E représente le résultat obtenu en multipliant 7,5 % par le montant du remboursement auquel la personne donnée a droit, en vertu du paragraphe 2 de l'article 254.1 de la *Loi sur la taxe d'accise*, à l'égard de l'immeuble d'habitation.

Notes historiques: L'article 670.72 a été ajouté par L.Q. 2009, c. 5, par. 672(1) et a effet depuis le 1er janvier 2008.

Notes explicatives ARQ (PL 2, L.Q. 2009, c. 5): *Résumé* :

Le nouvel article 670.72 indique la façon de déterminer le montant du remboursement prévu à l'article 670.71 de la LTVQ.

Contexte :

[Voir sous l'article 670.30 — n.d.l.r.]

Modifications proposées :

La modification proposée consiste à introduire l'article 670.72 à la LTVQ, lequel établit la formule à utiliser pour déterminer le montant du remboursement de la TVQ auquel l'acquéreur a droit en vertu de l'article 670.71 de la LTVQ.

Concordance fédérale: LTA, par. 256.75(1) 2e al.

670.73 Remboursement — Sous réserve de l'article 670.80, un constructeur a droit à un remboursement déterminé conformément à l'article 670.74 dans le cas où, à la fois :

1º en vertu d'une convention constatée par écrit, conclue après le 2 mai 2006 mais avant le 31 octobre 2007, entre une personne donnée et le constructeur d'un immeuble d'habitation qui est un immeuble d'habitation à logement unique ou un logement en copropriété, le constructeur effectue à cette dernière, à la fois :

a) la fourniture exonérée par louage du fonds de terre qui fait partie de l'immeuble d'habitation ou la fourniture exonérée d'un tel contrat de louage par cession;

b) la fourniture exonérée par vente de la totalité ou d'une partie du bâtiment dans lequel est située l'habitation qui fait partie de l'immeuble d'habitation;

2º la possession de l'immeuble d'habitation est donnée à la personne donnée en vertu de la convention après le 31 décembre 2007;

3º le constructeur est réputé avoir effectué et reçu la fourniture de l'immeuble d'habitation en vertu de l'article 223 du fait qu'il en a donné la possession à la personne donnée en vertu de la convention, et avoir payé la taxe prévue à l'article 16 à l'égard de la fourniture;

4º la personne donnée a le droit de demander un remboursement, en vertu de l'article 370.0.1 ou de l'article 370.3.1, à l'égard de l'immeuble d'habitation;

5º le constructeur n'a pas le droit de demander un remboursement de la taxe sur les intrants ou un remboursement, autre qu'un remboursement en vertu du présent article ou en vertu de l'article 378.8 ou de l'article 378.14, à l'égard de la taxe visée au paragraphe 3º;

6º le constructeur a le droit de demander un remboursement, en vertu de l'alinéa f) du paragraphe 1 de l'article 256.75 de la *Loi sur la taxe d'accise* (Lois révisées du Canada (1985), chapitre E-15), à l'égard de l'immeuble d'habitation.

Notes historiques: L'article 670.73 a été ajouté par L.Q. 2009, c. 5, par. 672(1) et a effet depuis le 1er janvier 2008.

Notes explicatives ARQ (PL 2, L.Q. 2009, c. 5): *Résumé* :

Le nouvel article 670.73 prévoit un remboursement de la taxe de vente du Québec (TVQ) dans le cas où un constructeur a droit au remboursement transitoire de la taxe sur les produits et services (TPS) prévu au paragraphe 1 de l'article 256.75 de la *Loi sur la taxe d'accise* (Lois révisées du Canada (1985), chapitre E-15) (LTA).

Contexte :

[Voir sous l'article 670.30 — n.d.l.r.]

Modifications proposées :

La modification proposée consiste à introduire l'article 670.73 à la LTVQ, lequel établit les conditions auxquelles doit satisfaire le constructeur pour obtenir un remboursement de la TVQ sur le montant du remboursement transitoire de la TPS auquel il a droit, dans le cas où celui-ci a droit, par ailleurs, au remboursement pour immeubles d'habitation locatifs neufs en vertu de l'article 378.8 de la LTVQ ou au remboursement prévu à l'article 378.14 de la LTVQ.

Concordance fédérale: LTA, par. 256.75(1) 1er al.

670.74 Montant du remboursement — Pour l'application de l'article 670.73, le remboursement auquel un constructeur a droit, à l'égard de l'immeuble d'habitation, est égal au montant déterminé selon la formule suivante :

$$A \times 7,5\ \% \times (1 - B / C).$$

Application — Pour l'application de cette formule :

1º la lettre A représente le montant du remboursement auquel le constructeur a droit, en vertu de l'alinéa f) du paragraphe 1 de l'article 256.75 de la *Loi sur la taxe d'accise* (Lois révisées du Canada (1985), chapitre E-15), à l'égard de l'immeuble d'habitation;

2º la lettre B représente l'excédent du montant du remboursement auquel le constructeur a droit, en vertu de l'article 378.8 ou de l'article 378.14, à l'égard de l'immeuble d'habitation, sur le résultat obtenu en multipliant 7,5 % par le montant du remboursement auquel le constructeur a droit, en vertu du paragraphe 4 de l'article 256.2 de la *Loi sur la taxe d'accise*, à l'égard de l'immeuble d'habitation;

3º la lettre C représente l'excédent du montant de la taxe payable, en vertu de l'article 16, à l'égard de la fourniture réputée effectuée en vertu de l'article 223 sur le résultat obtenu en multipliant 7,5 % par le montant du remboursement auquel le constructeur a droit, en vertu du paragraphe 4 de l'article 256.2 de la *Loi sur la taxe d'accise*, à l'égard de l'immeuble d'habitation.

Notes historiques: L'article 670.74 a été ajouté par L.Q. 2009, c. 5, par. 672(1) et a effet depuis le 1er janvier 2008.

Notes explicatives ARQ (PL 2, L.Q. 2009, c. 5): *Résumé* :

Le nouvel article 670.74 indique la façon de déterminer le montant du remboursement prévu à l'article 670.73 de la LTVQ.

Contexte :

[Voir sous l'article 670.30 — n.d.l.r.]

Modifications proposées :

La modification proposée consiste à introduire l'article 670.74 à la LTVQ, lequel établit la formule à utiliser pour déterminer le montant du remboursement de la TVQ auquel le constructeur a droit en vertu de l'article 670.73 de la LTVQ.

Concordance fédérale: LTA, par. 256.75(1) 2e al.

670.75 Remboursement — Sous réserve de l'article 670.80, une personne donnée a droit à un remboursement déterminé conformément à l'article 670.76 dans le cas où, à la fois :

1º en vertu d'une convention constatée par écrit, conclue après le 2 mai 2006 mais avant le 31 octobre 2007, entre la personne donnée et le constructeur d'un immeuble d'habitation qui est un immeuble d'habitation à logement unique ou un logement en copropriété, la personne donnée est l'acquéreur de, à la fois :

a) la fourniture exonérée par louage du fonds de terre qui fait partie de l'immeuble d'habitation ou la fourniture exonérée d'un tel contrat de louage par cession;

b) la fourniture exonérée par vente de la totalité ou d'une partie du bâtiment dans lequel est située l'habitation qui fait partie de l'immeuble d'habitation;

2º la possession de l'immeuble d'habitation est donnée à la personne donnée en vertu de la convention après le 31 décembre 2007;

3º le constructeur est réputé avoir effectué et reçu la fourniture de l'immeuble d'habitation en vertu de l'article 223 du fait qu'il en a donné la possession à la personne donnée en vertu de la convention, et avoir payé la taxe prévue à l'article 16 à l'égard de la fourniture;

4º la personne donnée n'a pas le droit de demander un remboursement, en vertu de l'article 370.0.1, à l'égard de l'immeuble d'habitation;

5º la personne donnée a le droit de demander un remboursement, en vertu de l'alinéa e) du paragraphe 2 de l'article 256.75 de la *Loi sur la taxe d'accise* (Lois révisées du Canada (1985), chapitre E-15), à l'égard de l'immeuble d'habitation.

Notes historiques: L'article 670.75 a été ajouté par L.Q. 2009, c. 5, par. 672(1) et a effet depuis le 1er janvier 2008.

Notes explicatives ARQ (PL 2, L.Q. 2009, c. 5): *Résumé* :

Le nouvel article 670.75 prévoit un remboursement de la taxe de vente du Québec (TVQ) dans le cas où une personne a droit au remboursement transitoire de la taxe sur les produits et services (TPS), prévu au paragraphe 2 de l'article 256.75 de la *Loi sur la taxe d'accise* (Lois révisées du Canada (1985), chapitre E-15) (LTA).

Contexte :

[Voir sous l'article 670.30 — n.d.l.r.]

Modifications proposées :

La modification proposée consiste à introduire l'article 670.75 à la LTVQ, lequel établit les conditions auxquelles doit satisfaire l'acquéreur pour obtenir un remboursement de la TVQ sur le montant du remboursement transitoire de la TPS auquel il a droit, dans le cas où celui-ci n'a pas droit au remboursement pour habitations neuves prévu à l'article 370.0.1 de la LTVQ.

Concordance fédérale: LTA, par. 256.75(2) 1er al.

670.76 Montant du remboursement — Pour l'application de l'article 670.75, le remboursement auquel une personne donnée a droit, à l'égard de l'immeuble d'habitation, est égal à 7,5 % du montant du remboursement auquel elle a droit en vertu de l'alinéa e) du paragraphe 2 de l'article 256.75 de la *Loi sur la taxe d'accise* (Lois révisées du Canada (1985), chapitre E-15).

Notes historiques: L'article 670.76 a été ajouté par L.Q. 2009, c. 5, par. 672(1) et a effet depuis le 1er janvier 2008.

Notes explicatives ARQ (PL 2, L.Q. 2009, c. 5): *Résumé* :

Le nouvel article 670.76 indique la façon de déterminer le montant du remboursement prévu à l'article 670.75 de la LTVQ.

Contexte :

[Voir sous l'article 670.30 — n.d.l.r.]

Modifications proposées :

La modification proposée consiste à introduire l'article 670.76 à la LTVQ, lequel établit la formule à utiliser pour déterminer le montant du remboursement de la TVQ auquel l'acquéreur a droit en vertu de l'article 670.75 de la LTVQ.

Concordance fédérale: LTA, par. 256.75(2) 2e al.

670.77 Remboursement — Sous réserve de l'article 670.80, un constructeur a droit à un remboursement déterminé conformément à l'article 670.78 dans le cas où, à la fois :

1° en vertu d'une convention constatée par écrit, conclue après le 2 mai 2006 mais avant le 31 octobre 2007, entre une personne donnée et le constructeur d'un immeuble d'habitation qui est un immeuble d'habitation à logement unique ou un logement en copropriété, le constructeur effectue à cette dernière, à la fois :

a) la fourniture exonérée par louage du fonds de terre qui fait partie de l'immeuble d'habitation ou la fourniture exonérée d'un tel contrat de louage par cession;

b) la fourniture exonérée par vente de la totalité ou d'une partie du bâtiment dans lequel est située l'habitation qui fait partie de l'immeuble d'habitation;

2° la possession de l'immeuble d'habitation est donnée à la personne donnée en vertu de la convention après le 31 décembre 2007;

3° le constructeur est réputé avoir effectué et reçu la fourniture de l'immeuble d'habitation en vertu de l'article 223 du fait qu'il en a donné la possession à la personne donnée en vertu de la convention, et avoir payé la taxe prévue à l'article 16 à l'égard de la fourniture;

4° la personne donnée n'a pas le droit de demander un remboursement, en vertu de l'article 370.0.1, à l'égard de l'immeuble d'habitation;

5° le constructeur n'a pas le droit de demander un remboursement de la taxe sur les intrants ou un remboursement, autre qu'un remboursement en vertu du présent article, à l'égard de la taxe visée au paragraphe 3°;

6° le constructeur a le droit de demander un remboursement, en vertu de l'alinéa f) du paragraphe 2 de l'article 256.75 de la *Loi sur la taxe d'accise* (Lois révisées du Canada (1985), chapitre E-15), à l'égard de l'immeuble d'habitation.

Notes historiques: L'article 670.77 a été ajouté par L.Q. 2009, c. 5, par. 672(1) et a effet depuis le 1er janvier 2008.

Notes explicatives ARQ (PL 2, L.Q. 2009, c. 5): *Résumé* :

Le nouvel article 670.77 prévoit un remboursement de la taxe de vente du Québec (TVQ) dans le cas où un constructeur a droit au remboursement transitoire de la taxe sur les produits et services (TPS), prévu au paragraphe 2 de l'article 256.75 de la *Loi sur la taxe d'accise* (Lois révisées du Canada (1985), chapitre E-15) (LTA).

Contexte :

[Voir sous l'article 670.30 — n.d.l.r.]

Modifications proposées :

La modification proposée consiste à introduire l'article 670.77 à la LTVQ, lequel établit les conditions auxquelles doit satisfaire le constructeur pour obtenir un remboursement de la TVQ sur le montant du remboursement transitoire de la TPS auquel il a droit.

Concordance fédérale: LTA, par. 256.75(2) 1er al.

670.78 Montant du remboursement — Pour l'application de l'article 670.77, le remboursement auquel un constructeur a droit, à l'égard de l'immeuble d'habitation, est égal à 7,5 % du montant du remboursement auquel il a droit en vertu de l'alinéa f) du paragraphe 2 de l'article 256.75 de la *Loi sur la taxe d'accise* (Lois révisées du Canada (1985), chapitre E-15).

Notes historiques: L'article 670.78 a été ajouté par L.Q. 2009, c. 5, par. 672(1) et a effet depuis le 1er janvier 2008.

Notes explicatives ARQ (PL 2, L.Q. 2009, c. 5): *Résumé* :

Le nouvel article 670.78 indique la façon de déterminer le montant du remboursement prévu à l'article 670.77 de la LTVQ.

Contexte :

[Voir sous l'article 670.30 — n.d.l.r.]

Modifications proposées :

La modification proposée consiste à introduire l'article 670.78 à la LTVQ, lequel établit la formule à utiliser pour déterminer le montant du remboursement de la TVQ auquel le constructeur a droit en vertu de l'article 670.77 de la LTVQ.

Concordance fédérale: LTA, par. 256.75(2) 2e al.

670.79 Ensemble de particuliers — Dans le cas où les fournitures visées aux articles 670.71 à 670.78 sont effectuées à plusieurs particuliers, la référence dans ces articles à une personne donnée doit être lue comme une référence à l'ensemble de ces particuliers en tant que groupe, mais dans le cas d'un remboursement en vertu de l'article 670.71, seul le particulier qui a demandé un remboursement en vertu des articles 370.0.1 à 370.4 peut effectuer la demande de remboursement prévue à l'article 670.71.

Notes historiques: L'article 670.79 a été ajouté par L.Q. 2009, c. 5, par. 672(1) et a effet depuis le 1er janvier 2008.

Notes explicatives ARQ (PL 2, L.Q. 2009, c. 5): *Résumé* :

Le nouvel article 670.79 prévoit que seul le particulier qui a demandé un remboursement pour habitations neuves prévu aux articles 370.0.1 à 370.4 de la LTVQ peut effectuer une demande de remboursement prévue à l'article 670.71 de la LTVQ.

Contexte :

[Voir sous l'article 670.30 — n.d.l.r.]

Modifications proposées :

La modification proposée consiste à introduire l'article 670.79 à la LTVQ afin de prévoir une règle similaire à celle prévue à l'article 362 de la LTVQ. Ainsi, dans le cas où les fournitures sont effectuées à plusieurs particuliers, seul le particulier qui a demandé le remboursement pour habitations neuves, prévu aux articles 370.0.1 à 370.4 de la LTVQ, peut produire une demande de remboursement en vertu de l'article 670.71 de la LTVQ.

Concordance fédérale: LTA, par. 256.75(3).

670.80 Délai de la demande — Une personne a droit à un remboursement prévu aux articles 670.71 à 670.79 à l'égard d'un immeuble d'habitation seulement si elle produit une demande de remboursement dans les deux ans suivant :

1° dans le cas d'un remboursement à une personne autre que le constructeur de l'immeuble d'habitation, le jour où la possession de l'immeuble d'habitation est transférée à la personne;

2° dans le cas d'un remboursement au constructeur de l'immeuble d'habitation, le jour qui correspond à la fin du mois au cours duquel la taxe visée au paragraphe 3° de l'article 670.73 ou au paragraphe 3° de l'article 670.77 est réputée avoir été payée par le constructeur.

Notes historiques: L'article 670.80 a été ajouté par L.Q. 2009, c. 5, par. 672(1) et a effet depuis le 1er janvier 2008.

Notes explicatives ARQ (PL 2, L.Q. 2009, c. 5): *Résumé* :

Le nouvel article 670.80 prévoit le délai pour produire une demande de remboursement prévue aux articles 670.71 à 670.79 de la LTVQ.

Contexte :

[Voir sous l'article 670.30 — n.d.l.r.]

Modifications proposées :

Le nouvel article 670.80 de la LTVQ prévoit le délai pour produire une demande de remboursement. Dans le cas où il s'agit d'une demande de remboursement par un acquéreur, la demande doit être produite dans les deux ans suivant le jour où la possession de l'immeuble d'habitation lui est transférée. Par ailleurs, dans le cas où il s'agit d'une demande de remboursement par un constructeur, la demande doit être produite dans les deux ans suivant la fin dumois au cours duquel la taxe visée au paragraphe 3° des articles 670.73 et 670.77 est réputée avoir été payée par celui-ci.

Concordance fédérale: LTA, par. 256.75(4).

670.81 Remboursement — Sous réserve de l'article 670.84, une personne donnée a droit à un remboursement déterminé conformément à l'article 670.82 dans le cas où, à la fois :

1° en vertu d'une convention constatée par écrit, conclue entre la personne donnée et le constructeur d'un immeuble d'habitation, autre qu'un immeuble d'habitation à logement unique ou un logement en copropriété, ou d'une adjonction à celui-ci, la personne donnée est l'acquéreur de, à la fois :

a) la fourniture exonérée par louage du fonds de terre qui fait partie de l'immeuble d'habitation ou la fourniture exonérée d'un tel contrat de louage par cession;

b) la fourniture exonérée par vente de la totalité ou d'une partie du bâtiment dans lequel est située une habitation qui fait partie de l'immeuble d'habitation ou de l'adjonction;

2° la possession d'une habitation qui fait partie de l'immeuble d'habitation ou de l'adjonction est donnée à la personne donnée en vertu de la convention après le 31 décembre 2007;

3° le constructeur est réputé, en vertu de l'article 225 ou de l'article 226, avoir effectué et reçu la fourniture de l'immeuble d'habitation ou de l'adjonction du fait qu'il a, selon le cas :

a) donné la possession de l'habitation à la personne donnée en vertu de la convention;

b) donné la possession d'une habitation qui fait partie de l'immeuble d'habitation ou de l'adjonction à une autre personne en vertu d'une convention visée au paragraphe 1° conclue entre l'autre personne et le constructeur;

4° le constructeur est réputé avoir payé la taxe prévue à l'article 16 à l'égard de la fourniture;

5° si le constructeur est réputé avoir payé la taxe visée au paragraphe 4° après le 31 décembre 2007, selon le cas :

a) le constructeur et la personne donnée ont conclu la convention après le 2 mai 2006 mais avant le 31 octobre 2007;

b) le constructeur et une personne autre que la personne donnée ont conclu, après le 2 mai 2006 mais avant le 31 octobre 2007, une convention visée au paragraphe 1° à l'égard d'une habitation située dans l'immeuble d'habitation ou dans l'adjonction dont le constructeur est réputé avoir effectué la fourniture conformément au paragraphe 3° et il n'a pas été mis fin à cette convention avant le 1er janvier 2008;

6° la personne donnée a le droit de demander un remboursement, en vertu du paragraphe 1 de l'article 256.76 de la *Loi sur la taxe d'accise* (Lois révisées du Canada (1985), chapitre E-15), à l'égard de l'immeuble d'habitation ou de l'adjonction.

Notes historiques: L'article 670.81 a été ajouté par L.Q. 2009, c. 5, par. 672(1) et a effet depuis le 1er janvier 2008.

Notes explicatives ARQ (PL 2, L.Q. 2009, c. 5): *Résumé* :

Le nouvel article 670.81 prévoit un remboursement de la taxe de vente du Québec (TVQ) dans le cas où une personne a droit au remboursement transitoire de la taxe sur les produits et services (TPS) prévu au paragraphe 1 de l'article 256.76 de la *Loi sur la taxe d'accise* (Lois révisées du Canada (1985), chapitre E-15) (LTA).

Contexte :

[Voir sous l'article 670.30 — n.d.l.r.]

Modifications proposées :

La modification proposée consiste à introduire l'article 670.81 à la LTVQ, lequel établit les conditions auxquelles doit satisfaire l'acquéreur pour obtenir un remboursement de la TVQ sur le montant du remboursement transitoire de la TPS auquel il a droit.

Concordance fédérale: LTA, par. 256.76(1) 1er al.

670.82 Montant du remboursement — Pour l'application de l'article 670.81, le remboursement auquel une personne donnée a droit, à l'égard de l'immeuble d'habitation ou d'une adjonction à celui-ci, est égal :

1° dans le cas où la personne donnée a le droit de demander un remboursement, en vertu de l'article 370.0.1 ou de l'article 370.3.1, à l'égard de l'immeuble d'habitation, au montant déterminé selon la formule suivante :

$$A \times 7{,}5\ \% \times (1 - B / C);$$

2° dans le cas où la personne donnée n'a pas le droit de demander un remboursement, en vertu de l'article 370.0.1 ou de l'article 370.3.1, à l'égard de l'immeuble d'habitation, au résultat obtenu en multipliant 7,5 % par le montant du remboursement auquel la personne donnée a droit, en vertu de l'alinéa g) du paragraphe 1 de l'article 256.76 de la *Loi sur la taxe d'accise* (Lois révisées du Canada (1985), chapitre E-15), à l'égard de l'immeuble d'habitation ou de l'adjonction.

Application — Pour l'application de la formule prévue au paragraphe 1° du premier alinéa :

1° la lettre A représente le montant du remboursement auquel la personne donnée a droit, en vertu de l'alinéa f) du paragraphe 1 de l'article 256.76 de la *Loi sur la taxe d'accise*, à l'égard de l'immeuble d'habitation;

2° la lettre B représente l'excédent du montant du remboursement auquel la personne donnée a droit, en vertu de l'article 370.0.1 ou de l'article 370.3.1, à l'égard de l'immeuble d'habitation sur le résultat obtenu en multipliant 7,5 % par le montant du remboursement auquel la personne donnée a droit, en vertu du paragraphe 2 de l'article 254.1 de la *Loi sur la taxe d'accise*, à l'égard de l'immeuble d'habitation;

3° la lettre C représente le montant déterminé selon la formule suivante :

$$(D \times 7{,}5 / 107{,}5) - E.$$

Application — Pour l'application de la formule prévue au paragraphe 3° du deuxième alinéa :

1° la lettre D représente le total des montants dont chacun représente la contrepartie payable au constructeur par la personne donnée pour la fourniture par vente à cette dernière de la totalité ou d'une partie du bâtiment visée au sous-paragraphe b) du paragraphe 1° de l'article 670.81 ou d'une autre construction qui fait partie de l'immeuble d'habitation, sauf la contrepartie qui peut raisonnablement être considérée comme un loyer pour les fournitures du fonds de terre attribuable à l'immeuble d'habitation ou comme une contrepartie pour la fourniture d'une option d'achat de ce fonds;

2° la lettre E représente le résultat obtenu en multipliant 7,5 % par le montant du remboursement auquel la personne donnée a droit, en vertu du paragraphe 2 de l'article 254.1 de la *Loi sur la taxe d'accise*, à l'égard de l'immeuble d'habitation.

Notes historiques: L'article 670.82 a été ajouté par L.Q. 2009, c. 5, par. 672(1) et a effet depuis le 1er janvier 2008.

Notes explicatives ARQ (PL 2, L.Q. 2009, c. 5): *Résumé* :

Le nouvel article 670.82 indique la façon de déterminer le montant du remboursement prévu à l'article 670.81 de la LTVQ.

Contexte :

[Voir sous l'article 670.30 — n.d.l.r.]

Modifications proposées :

La modification proposée consiste à introduire l'article 670.82 à la LTVQ, lequel établit la formule à utiliser pour déterminer le montant du remboursement de la TVQ auquel l'acquéreur a droit en vertu de l'article 670.81 de la LTVQ.

Concordance fédérale: LTA, par. 256.76(1) 2e al.

670.83 Ensemble de particuliers — Dans le cas où les fournitures visées aux articles 670.81 et 670.82 sont effectuées à plusieurs particuliers, la référence dans ces articles à une personne donnée doit être lue comme une référence à l'ensemble de ces particuliers en tant que groupe, mais dans le cas d'un remboursement en vertu du paragraphe 1° du premier alinéa de l'article 670.82, seul le particulier qui a demandé un remboursement en vertu des articles 370.0.1 à 370.4 peut effectuer la demande de remboursement prévue à ce paragraphe.

Notes historiques: L'article 670.83 a été ajouté par L.Q. 2009, c. 5, par. 672(1) et a effet depuis le 1er janvier 2008.

Notes explicatives ARQ (PL 2, L.Q. 2009, c. 5): *Résumé* :

Le nouvel article 670.83 prévoit que seul le particulier qui a demandé un remboursement pour habitations neuves prévu aux articles 370.0.1 à 370.4 de la LTVQ peut effectuer une demande de remboursement prévue au paragraphe 1° du premier alinéa de l'article 670.82 de la LTVQ.

Contexte :

[Voir sous l'article 670.30 — n.d.l.r.]

Modifications proposées :

La modification proposée consiste à introduire l'article 670.83 à la LTVQ afin de prévoir une règle similaire à celle prévue à l'article 362 de la LTVQ. Ainsi, dans le cas où les fournitures sont effectuées à plusieurs particuliers, seul le particulier qui a demandé le remboursement pour habitations neuves, prévu aux articles 370.0.1 à 370.4 de la LTVQ, peut produire une demande de remboursement en vertu du paragraphe 1° du premier alinéa de l'article 670.82 de la LTVQ.

Concordance fédérale: LTA, par. 256.76(2).

670.84 Délai de la demande — Une personne a droit à un remboursement prévu à l'article 670.81 à l'égard d'un immeuble d'habitation seulement si elle produit une demande de remboursement dans les deux ans suivant le jour où la possession de l'habitation visée au paragraphe 2° de l'article 670.81 est transférée à la personne.

Notes historiques: L'article 670.84 a été ajouté par L.Q. 2009, c. 5, par. 672(1) et a effet depuis le 1er janvier 2008.

Notes explicatives ARQ (PL 2, L.Q. 2009, c. 5): *Résumé* :

Le nouvel article 670.84 prévoit le délai pour produire une demande de remboursement prévue à l'article 670.81 de la LTVQ.

Contexte :

[Voir sous l'article 670.30 — n.d.l.r.]

Modifications proposées :

Le nouvel article 670.84 de la LTVQ prévoit que l'acquéreur dispose d'un délai de deux ans suivant le jour où la possession de l'habitation visée au paragraphe 2° de l'article 670.81 de la LTVQ lui est transférée pour demander le remboursement.

Concordance fédérale: LTA, par. 256.76(3).

670.85 Remboursement — Sous réserve de l'article 670.87, un constructeur a droit à un remboursement déterminé conformément à l'article 670.86 dans le cas où, à la fois :

1° en vertu d'une convention constatée par écrit, conclue entre une personne donnée et le constructeur d'un immeuble d'habitation, autre qu'un immeuble d'habitation à logement unique ou un logement en copropriété, ou d'une adjonction à celui-ci, le constructeur effectue à cette dernière, à la fois :

a) la fourniture exonérée par louage du fonds de terre qui fait partie de l'immeuble d'habitation ou la fourniture exonérée d'un tel contrat de louage par cession;

b) la fourniture exonérée par vente de la totalité ou d'une partie du bâtiment dans lequel est située une habitation qui fait partie de l'immeuble d'habitation ou de l'adjonction;

2° le constructeur est réputé, en vertu de l'article 225 ou de l'article 226, avoir effectué et reçu la fourniture de l'immeuble d'habitation ou de l'adjonction après le 31 décembre 2007 du fait qu'il a, selon le cas :

a) donné la possession de l'habitation à la personne donnée en vertu de la convention;

b) donné la possession d'une habitation qui fait partie de l'immeuble d'habitation ou de l'adjonction à une personne autre que la personne donnée en vertu d'une convention visée au paragraphe 1° conclue entre l'autre personne et le constructeur;

3° selon le cas :

a) le constructeur et la personne donnée ont conclu la convention après le 2 mai 2006 mais avant le 31 octobre 2007;

b) le constructeur et une personne autre que la personne donnée ont conclu, après le 2 mai 2006 mais avant le 31 octobre 2007, une convention visée au paragraphe 1° à l'égard d'une habitation située dans l'immeuble d'habitation ou dans l'adjonction dont la fourniture est réputée avoir été effectuée par le constructeur conformément au paragraphe 2° et il n'a pas été mis fin à cette convention avant le 1er janvier 2008;

4° le constructeur est réputé avoir payé la taxe prévue à l'article 16 à l'égard de la fourniture visée au paragraphe 2°;

5° le constructeur n'a pas le droit de demander un remboursement de la taxe sur les intrants ou un remboursement, autre qu'un remboursement en vertu du présent article ou en vertu de l'article 378.8 ou de l'article 378.14, à l'égard de la taxe visée au paragraphe 4°;

6° le constructeur a le droit de demander un remboursement, en vertu du paragraphe 1 de l'article 256.77 de la *Loi sur la taxe d'accise* (Lois révisées du Canada (1985), chapitre E-15), à l'égard de l'immeuble d'habitation ou de l'adjonction.

Notes historiques: L'article 670.85 a été ajouté par L.Q. 2009, c. 5, par. 672(1) et a effet depuis le 1er janvier 2008.

Notes explicatives ARQ (PL 2, L.Q. 2009, c. 5): *Résumé* :

Le nouvel article 670.85 prévoit un remboursement de la taxe de vente du Québec (TVQ) dans le cas où un constructeur a droit au remboursement transitoire de la taxe sur les produits et services (TPS) prévu au paragraphe 1 de l'article 256.77 de la *Loi sur la taxe d'accise* (Lois révisées du Canada (1985), chapitre E-15) (LTA).

Contexte :

[Voir sous l'article 670.30 — n.d.l.r.]

Modifications proposées :

La modification proposée consiste à introduire l'article 670.85 à la LTVQ, lequel établit les conditions auxquelles doit satisfaire le constructeur pour obtenir un remboursement de la TVQ sur le montant du remboursement transitoire de la TPS auquel il a droit.

Concordance fédérale: LTA, par. 256.77(1) 1er al.

670.86 Montant du remboursement — Pour l'application de l'article 670.85, le remboursement auquel un constructeur a droit, à l'égard de l'immeuble d'habitation ou de l'adjonction à celui-ci, est égal au montant déterminé selon la formule suivante :

$$A \times 7,5\ \% \times (1 - B / C).$$

Application — Pour l'application de cette formule :

1° la lettre A représente le montant du remboursement auquel le constructeur a droit, en vertu du paragraphe 1 de l'article 256.77 de la *Loi sur la taxe d'accise* (Lois révisées du Canada (1985), chapitre E-15), à l'égard de l'immeuble d'habitation ou de l'adjonction;

2° la lettre B représente l'excédent du montant du remboursement auquel le constructeur a droit, en vertu de l'article 378.8 ou de l'article 378.14, à l'égard de l'immeuble d'habitation ou de l'adjonction, sur le résultat obtenu en multipliant 7,5 % par le montant du remboursement auquel le constructeur a droit, en vertu du paragraphe 4 de l'article 256.2 de la *Loi sur la taxe d'accise*, à l'égard de l'immeuble d'habitation ou de l'adjonction;

3° la lettre C représente l'excédent du montant de la taxe payable, en vertu de l'article 16, à l'égard de la fourniture réputée effectuée en vertu de l'article 225 ou de l'article 226 sur le résultat obtenu en multipliant 7,5 % par le montant du remboursement auquel le constructeur a droit, en vertu du paragraphe 4 de l'article 256.2 de la *Loi sur la taxe d'accise*, à l'égard de l'immeuble d'habitation ou de l'adjonction.

Notes historiques: L'article 670.86 a été ajouté par L.Q. 2009, c. 5, par. 672(1) et a effet depuis le 1er janvier 2008.

Notes explicatives ARQ (PL 2, L.Q. 2009, c. 5): *Résumé* :

Le nouvel article 670.86 indique la façon de déterminer le montant du remboursement prévu à l'article 670.85 de la LTVQ.

Contexte :

[Voir sous l'article 670.30 — n.d.l.r.]

Modifications proposées :

La modification proposée consiste à introduire l'article 670.86 à la LTVQ, lequel établit la formule à utiliser pour déterminer le montant du remboursement de la TVQ auquel le constructeur a droit en vertu de l'article 670.85 de la LTVQ.

Concordance fédérale: LTA, par. 256.77(1) 2e al.

670.87 Délai de la demande — Un constructeur a droit à un remboursement prévu à l'article 670.85 à l'égard d'un immeuble d'habitation ou d'une adjonction à celui-ci seulement s'il produit une demande de remboursement dans les deux ans suivant le jour qui correspond à la fin du mois au cours duquel la taxe visée à l'article 670.85 est réputée avoir été payée par celui-ci.

Notes historiques: L'article 670.87 a été ajouté par L.Q. 2009, c. 5, par. 672(1) et a effet depuis le 1er janvier 2008.

Notes explicatives ARQ (PL 2, L.Q. 2009, c. 5): *Résumé* :

Le nouvel article 670.87 prévoit le délai pour produire une demande de remboursement prévue à l'article 670.85 de la LTVQ.

Contexte :

[Voir sous l'article 670.30 — n.d.l.r.]

Modifications proposées :

Le nouvel article 670.87 de la LTVQ prévoit que le constructeur dispose d'un délai de deux ans suivant la fin du mois au cours duquel la taxe visée à l'article 670.85 est réputée avoir été payée par ce dernier, pour demander le remboursement.

Concordance fédérale: LTA, par. 256.77(2).

SECTION III — REMBOURSEMENT À L'ÉGARD DE CERTAINES FOURNITURES

§1. — Mesures applicables du 25 octobre 1991 au 1er avril 1992

Notes historiques: L'intertitre de la sous-section 1 de la section III du chapitre VI du titre VI a été modifié par L.Q. 1995, c. 1, art. 346(1) et cette modification a effet depuis le 13 mai 1994. Auparavant, il avait été ajouté par L.Q. 1993, c. 19, art. 252, et s'appliquait à compter du 15 juin 1993. Il se lisait « Remboursement total ».

671. Remboursement de la taxe — L'acquéreur d'une fourniture visée à l'article 673 a droit d'obtenir du fournisseur le remboursement du montant qu'il a payé à titre de taxe à l'égard de cette fourniture.

Prise d'effet — Le présent article a effet du 25 octobre 1991 au 1er avril 1992.

Notes historiques: L'article 671 a été édicté par L.Q. 1991, c. 67.

Définitions [art. 671]: « acquéreur », « fournisseur », « fourniture », « montant », « taxe » — 1.

Renvois [art. 671]: 618 (application du titre premier); 672 (remboursement par le fournisseur); 674 (montant de taxe réputé perçu en vertu d'une loi fiscale); 688 (entrée en vigueur).

Concordance fédérale: aucune.

672. Obligation du fournisseur — La personne qui a effectué une fourniture mentionnée à l'article 671 doit rembourser l'acquéreur du montant qu'il a payé à titre de taxe à l'égard de cette fourniture et conserver une preuve de ce fait. Elle peut suite à ce remboursement et dans la mesure où le montant a été versé au ministre :

1° le déduire du montant qu'elle doit remettre au ministre pour le mois en vertu de la *Loi concernant l'impôt sur la vente en détail* (chapitre I-1), de la *Loi concernant la taxe sur la publicité électronique* (chapitre T-2) ou de la *Loi concernant la taxe sur les télécommunications* (chapitre T-4);

2° si le paragraphe 1° ne peut recevoir application, en demander le remboursement au ministre.

Défaut — À défaut d'avoir remboursé ce montant à l'acquéreur le 1er avril 1992, le fournisseur doit, au plus tard le 15 avril 1992, faire rapport au ministre et lui remettre les montants perçus mais non remboursés.

Prise d'effet — Le présent article a effet depuis le 25 octobre 1991.

Notes historiques: L'article 672 a été édicté par L.Q. 1991, c. 67.

Définitions [art. 672]: « acquéreur », « fournisseur », « fourniture », « montant », « personne », « taxe » — 1.

Renvois [art. 672]: 618 (application du titre premier); 688 (entrée en vigueur).

Concordance fédérale: aucune.

673. Fournitures visées — Est visée, pour l'application de la présente sous-section, la fourniture qui rencontre les conditions suivantes :

1° la taxe prévue par la *Loi concernant l'impôt sur la vente en détail* (chapitre I-1), la *Loi concernant la taxe sur la publicité électronique* (chapitre T-2) ou la *Loi concernant la taxe sur les télécommunications* (chapitre T-4) ne s'applique pas au bien ou au service fourni;

2° aucune taxe n'est ou ne sera payable à l'égard de la fourniture en raison des articles 623, 625, 628, 640, 648, 649, 652 et 685.

Prise d'effet — Le présent article a effet depuis le 25 octobre 1991.

Notes historiques: Le préambule du premier alinéa de l'article 673 a été modifié par L.Q. 1993, c. 19, art. 253 pour remplacer le mot « section » par le mot « sous-section » et s'applique rétroactivement au 25 octobre 1991.

L'article 673 a été édicté par L.Q. 1991, c. 67.

Définitions [art. 673]: « bien », « fourniture », « service », « taxe » — 1.

Renvois [art. 673]: 618 (application du titre premier); 671 (remboursement à l'acquéreur de la taxe payée); 688 (entrée en vigueur).

Concordance fédérale: aucune.

674. Montant réputé avoir été perçu en vertu d'une loi fiscale — Pour l'application des articles 20, 24 à 26 et 27.1 de la *Loi sur l'administration fiscale* (chapitre A-6.002), un montant perçu à titre de taxe à l'égard d'une fourniture mentionnée à l'article 671 est réputé avoir été perçu en vertu d'une loi fiscale. De même, pour l'application des articles 21 et 21.1 de cette loi à l'égard de la personne qui a effectué une fourniture mentionnée à l'article 671, un tel montant est réputé avoir été perçu en vertu d'une loi fiscale.

Prise d'effet — Le présent article a effet depuis le 25 octobre 1991.

Notes historiques: L'article 674 a été édicté par L.Q. 1991, c. 67.

Définitions [art. 674]: « bien », « fourniture », « montant », « personne », « taxe » — 1.

Renvois [art. 674]: 618 (application du titre premier); 688 (entrée en vigueur).

Concordance fédérale: aucune.

§2. — Mesures applicables du 15 mai 1992 au 1er septembre 1992

Notes historiques: L'intertitre de la sous-section 2 de la section III du chapitre VI du titre VI a été modifié par L.Q. 1995, c. 1, art. 347(1) et cette modification a effet depuis le 13 mai 1994. Auparavant, il avait été ajouté par L.Q. 1993, c. 19, art. 254, et s'appliquait à compter du 15 juin 1993. Il se lisait « Remboursement partiel ».

674.1 Remboursement partiel de la taxe — L'acquéreur d'une fourniture visée à l'article 674.3 a droit d'obtenir du fournisseur le remboursement du montant qu'il a payé en excédent de celui qui aurait dû être payé à titre de taxe à l'égard de cette fourniture.

Prise d'effet — Le présent article a effet du 15 mai 1992 au 1er septembre 1992.

Notes historiques: L'article 674.1 a été ajouté par L.Q. 1993, c. 19, art. 254 et s'applique du 15 mai 1992 au 1er septembre 1992.

Définitions [art. 674.1]: « acquéreur », « fournisseur », « fourniture », « montant », « taxe » — 1.

Renvois [art. 674.1]: 618 (application du titre premier); 674.2 (remboursement par le fournisseur); 674.4 (lois fiscales).

Concordance fédérale: aucune.

674.2 Obligation du fournisseur — La personne qui a effectué une fourniture mentionnée à l'article 674.1 doit rembourser l'acquéreur du montant qu'il a payé en excédent de ce qui aurait dû être payé à titre de taxe à l'égard de cette fourniture et conserver une preuve de ce fait. Elle peut suite à ce remboursement et dans la mesure où le montant a été versé au ministre :

1° le déduire du montant qu'elle doit remettre au ministre pour le mois en vertu de la *Loi concernant l'impôt sur la vente en détail* (chapitre I-1), de la *Loi concernant la taxe sur la publicité électronique* (chapitre T-2), de la *Loi concernant la taxe sur les télécommunications* (chapitre T-4) ou de la présente loi;

2° si le paragraphe 1° ne peut recevoir application, en demander le remboursement au ministre.

Défaut — À défaut d'avoir remboursé ce montant à l'acquéreur le 1er septembre 1992, le fournisseur doit, au plus tard le 30 septembre 1992, faire rapport au ministre et lui remettre les montants perçus mais non remboursés.

Prise d'effet — Le présent article a effet depuis le 15 mai 1992.

Notes historiques: L'article 674.2 a été ajouté par L.Q. 1993, c. 19, art. 254 et s'applique à compter du 15 mai 1992.

Définitions [art. 674.2]: « acquéreur », « fournisseur », « fourniture », « montant », « personne », « taxe » — 1.

Renvois [art. 674.2]: 618 (application du titre premier).

Concordance fédérale: aucune.

674.3 Fournitures visées — Est visée, pour l'application de la présente sous-section, la fourniture qui rencontre les conditions suivantes :

1° la taxe prévue par la *Loi concernant l'impôt sur la vente en détail* (chapitre I-1), la *Loi concernant la taxe sur la publicité électronique* (chapitre T-2) ou la *Loi concernant la taxe sur les télécommunications* (chapitre T-4) ne s'applique pas au bien ou au service fourni;

2° une taxe au taux de 4 % est ou sera payable à l'égard de la fourniture en raison des articles 623, 627, 628, 639, 640, 652 ou 685.

Prise d'effet. — Le présent article a effet depuis le 15 mai 1992.

Notes historiques: L'article 674.3 a été ajouté par L.Q. 1993, c. 19, art. 254 et s'applique rétroactivement au 15 mai 1992.

Définitions [art. 674.3]: « bien », « fourniture », « service », « taxe » — 1.

Renvois [art. 674.3]: 618 (application du titre premier); 674.1 (remboursement d'un montant payé en trop).

Concordance fédérale: aucune.

674.4 Montant réputé avoir été perçu en vertu d'une loi fiscale — Pour l'application des articles 20, 24 à 26 et 27.1 de la *Loi sur l'administration fiscale* (chapitre A-6.002), un montant perçu à titre de taxe à l'égard d'une fourniture mentionnée à l'article 674.1 est réputé avoir été perçu en vertu d'une loi fiscale. De même, pour l'application des articles 21 et 21.1 de cette loi à l'égard de la personne qui a effectué une fourniture mentionnée à l'article 674.1, un tel montant est réputé avoir été perçu en vertu d'une loi fiscale.

Prise d'effet — Le présent article a effet depuis le 15 mai 1992.

Notes historiques: L'article 674.4 a été ajouté par L.Q. 1993, c. 19, art. 254 et s'applique rétroactivement au 15 mai 1992.

Définitions [art. 674.4]: « fourniture », « montant », « personne », « taxe » — 1.

Renvois [art. 674.4]: 618 (application du titre premier).

Concordance fédérale: aucune.

§3. — Mesures applicables depuis le 13 mai 1994

Notes historiques: L'intertitre de la sous-section 2 de la section III du chapitre VI du titre VI a été ajouté par par L.Q. 1995, c. 1, art. 348(1) et a effet depuis le 13 mai 1994.

674.4.1 Remboursement de la taxe — Dans le cas où une personne a reçu avant le 13 mai 1994 la fourniture taxable d'un service à l'égard de laquelle elle a payé la taxe prévue à l'article 16 au taux de 8 % ou de 4 %, selon le cas, et que le fournisseur rembourse à la personne ou porte à son crédit après le 12 mai 1994 la totalité ou une partie de la contrepartie de la fourniture du service, la personne a droit d'obtenir du fournisseur le remboursement de la taxe qu'elle a payée à l'égard de la totalité ou de la partie de la contrepartie ainsi remboursée ou créditée et le fournisseur doit lui rembourser cette taxe.

Exception — Le présent article ne s'applique pas à l'égard de la fourniture d'un service relativement à laquelle la taxe prévue à l'article 16 a été payée au taux de 8 %, s'il est raisonnable de considérer que le but poursuivi par la personne qui a reçu la fourniture et le fournisseur qui l'a effectuée est de permettre à la personne de recevoir une nouvelle fourniture, similaire à la fourniture initiale, à l'égard de laquelle la taxe prévue à l'article 16 est payable au taux de 6,5 %.

Notes historiques: L'article 674.4.1 a été ajouté par L.Q. 1995, c. 1, art. 348(1) et a effet depuis le 13 mai 1994.

Définitions [art. 674.4.1]: « contrepartie », « fournisseur », « fourniture taxable », « personne », « service », « taxe » — 1.

Renvois [art. 674.4.1]: 674.4.2 (mesure applicable depuis le 13 mai 1994.

Concordance fédérale: aucune.

674.4.2 Calcul de la taxe nette — Dans le cas où un fournisseur rembourse à une personne, en vertu de l'article 674.4.1, la totalité ou une partie de la taxe — appelée « montant de la taxe » dans le présent article — qu'elle a payée à l'égard d'une fourniture, les règles suivantes s'appliquent :

1° le montant de la taxe peut être déduit dans le calcul de la taxe nette du fournisseur pour sa période de déclaration où le remboursement est effectué, dans la mesure où il a été inclus dans le calcul de sa taxe nette pour cette période de déclaration ou une de ses périodes de déclaration antérieures;

2° le montant de la taxe doit être ajouté dans le calcul de la taxe nette de la personne pour sa période de déclaration où le remboursement est effectué, dans la mesure où il a été inclus dans le calcul de son remboursement de la taxe sur les intrants demandé dans la déclaration produite pour cette période de déclaration ou une de ses périodes de déclaration antérieures.

Notes historiques: L'article 674.4.2 a été ajouté par L.Q. 1995, c. 1, art. 348(1) et a effet depuis le 13 mai 1994.

Définitions [art. 674.4.2]: « contrepartie », « fournisseur », « fourniture », « période de déclaration », « personne », « service », « taxe » — 1.

Renvois [art. 674.4.2]: 199 (RTI); 428–436 (détermination de la taxe nette).

Concordance fédérale: aucune.

SECTION IV — REMBOURSEMENT SUITE À LA RÉDUCTION D'UNE CONTREPARTIE

Notes historiques: L'intitulé de la section IV du chapitre VI du titre VI a été ajouté par L.Q. 1994, c. 22, art. 641(1) et est réputé entré en vigueur le 1er juillet 1992.

674.5 Présomption — Dans le cas où, en vertu des articles 628 ou 640, une personne verse la taxe calculée sur la contrepartie d'une fourniture taxable ou une partie de la contrepartie qui est par la suite réduite, dans la mesure où la personne n'a pas demandé et, si ce n'était du présent article, n'a pas le droit de demander un remboursement de la taxe sur les intrants ou un remboursement à l'égard de la partie de la taxe qui était calculée sur le montant par lequel la contrepartie ou la partie de celle-ci a été réduite, cette partie est réputée être, aux fins du calcul d'un remboursement en vertu des articles 400 à 402.2, un montant qui n'était pas à payer ou à verser par la personne.

Non-application — Le présent article ne s'applique pas dans le cas où l'article 57 ou les articles 213 à 219 s'appliquent.

Notes historiques: L'article 674.5 a été ajouté par L.Q. 1994, c. 22, art. 641(1) et est réputé entré en vigueur le 1er juillet 1992.

Définitions [art. 674.5]: « contrepartie », « fourniture taxable », « montant », « personne », « taxe » — 1.

Concordance fédérale: aucune.

SECTION V — RÈGLE ANTI-ÉVITEMENT

Notes historiques: L'intitulé de la section V du chapitre VI du titre VI a été ajouté par L.Q. 1994, c. 22, art. 641(1) et est réputé entré en vigueur le 1er juillet 1992.

674.6 Règle générale anti-évitement — Le chapitre IX du titre I s'applique, compte tenu des adaptations nécessaires, aux sections I à III du présent chapitre.

Notes historiques: L'article 674.6 a été modifié par L.Q. 1997, c. 3, art. 135(5º) pour remplacer les mots « en faisant les adaptations nécessaires » par les mots « compte tenu des adaptations nécessaires ». Cette modification est entrée en vigueur le 20 mars 1997. Auparavant, l'article 674.6 a été ajouté par L.Q. 1994, c. 22, art. 641(1) et est réputé entré en vigueur le 1er juillet 1992.

Définitions [art. 674.6]: « inscrit », « personne » — 1.

Renvois [art. 674.6]: 618 (application du titre premier); 676 (demande d'inscription par un petit fournisseur).

Concordance fédérale: LTA, art. 121.1.

Chapitre VII — Inscription

675. Continuation de l'enregistrement — Toute personne qui, le 30 juin 1992, est titulaire d'un certificat d'enregistrement délivré en vertu de la *Loi concernant l'impôt sur la vente en détail* (chapitre I-1), est réputée être inscrite en vertu de la section I du chapitre huitième du titre premier le 1er juillet 1992.

Notes historiques: L'article 675 a été édicté par L.Q. 1991, c. 67.

Concordance fédérale: aucune.

676. Inscription d'un petit fournisseur — Malgré l'article 407 et sous réserve de l'article 675, une personne qui est un petit fournisseur et qui, le 30 juin 1992, est un inscrit en vertu de la partie IX de la *Loi sur la taxe d'accise* (Lois révisées du Canada (1985), chapitre E-15), doit présenter une demande d'inscription au ministre.

Notes historiques: L'article 676 a été édicté par L.Q. 1991, c. 67.

Définitions [art. 676]: « fournisseur », « inscrit », « personne », « petit fournisseur » — 1.

Renvois [art. 676]: 618 (application du titre premier).

Concordance fédérale: aucune.

TITRE VII — DISPOSITION RÉGLEMENTAIRE

677. Règlements — Le gouvernement peut, par règlement :

1º déterminer, pour l'application de la définition de l'expression « bien meuble corporel désigné », les biens meubles qui constituent des biens meubles prescrits;

2º déterminer, pour l'application de la définition de l'expression « effet financier », les effets qui constituent des effets prescrits;

3º déterminer, pour l'application de la définition de l'expression « service financier » prévue à l'article 1, les services qui sont des services prescrits pour l'application de ses paragraphes 13°, 17°, 18.3°, 18.4° ou 20° et les biens qui sont des biens prescrits pour l'application de son paragraphe 18.5°;

3.1º déterminer, pour l'application de la définition de l'expression « service de gestion des actifs », les services qui sont des services prescrits;

4º déterminer, pour l'application de l'article 17, les circonstances prescrites et la manière prescrite;

4.0.1º déterminer, pour l'application de l'article 17.4.1, les montants de taxe qui constituent des montants de taxe prescrits;

4.1º [Supprimé];

5º déterminer, pour l'application de l'article 18, les fournitures qui constituent des fournitures prescrites pour l'application du paragraphe 1º de son premier alinéa, les fournitures qui constituent des fournitures prescrites pour l'application du paragraphe 2º de son premier alinéa, les fournitures qui constituent des fournitures prescrites pour l'application du paragraphe 3º de son premier alinéa ainsi que les fournitures qui constituent des fournitures prescrites pour l'application du paragraphe 4º de son premier alinéa;

5.1º déterminer, pour l'application de l'article 18.0.1, la fourniture d'un bien ou d'un service qui constitue une fourniture prescrite ainsi que les circonstances et les modalités qui constituent des circonstances et des modalités prescrites;

5.2º déterminer, pour l'application de l'article 18.0.3, les montants de taxe qui constituent des montants de taxe prescrits;

6º, 7º [Supprimés];

7.1º déterminer, pour l'application de l'article 22.30, la fourniture d'un bien ou d'un service qui constitue une fourniture prescrite;

7.2º déterminer, pour l'application de l'article 22.31, la fourniture d'un service qui constitue une fourniture prescrite;

8º [Supprimé];

8.1º déterminer, pour l'application de l'article 24.1, les biens meubles corporels qui constituent des biens meubles corporels prescrits;

9º déterminer, pour l'application de l'article 29, les services qui constituent des services prescrits;

Non en vigueur — 677 al. 1, par. 9.1º

9.1º déterminer, pour l'application de l'article 29.1, les mandataires prescrits;

Application: Le paragraphe 9.1º du premier alinéa de l'article 677 a été ajouté par L.Q. 2012, c. 28, s.-par. 180(1)(3º) et s'appliquera à compter du 1er avril 2013.

10º [Supprimé];

10.0.1º déterminer, pour l'application de l'article 41.2.1, les biens qui constituent des biens prescrits;

10.1º déterminer, pour l'application de l'article 41.6, les inscrits qui sont des inscrits prescrits;

10.2º déterminer, pour l'application de la définition de l'expression « intrant exclu » prévue à l'article 42.0.10, les biens et les services qui constituent des biens et des services prescrits;

10.3º déterminer, pour l'application des articles 42.0.13 et 42.0.14, le pourcentage qui constitue un pourcentage prescrit et les catégories qui constituent des catégories prescrites;

11º déterminer, pour l'application de l'article 52, les droits, les frais ou les taxes prescrits;

12º déterminer, pour l'application de l'article 76, les fins et les dispositions qui constituent des fins et des dispositions prescrites;

13º déterminer, pour l'application de l'article 77, les fins et les dispositions qui constituent des fins et des dispositions prescrites;

14º déterminer, pour l'application de l'article 81, les biens qui constituent des biens prescrits pour l'application de son paragraphe 8º de même que les circonstances, les biens et les modalités qui constituent des circonstances prescrites, des biens prescrits et des modalités prescrites, pour l'application de son paragraphe 9º;

15º déterminer, pour l'application de l'article 117, les services de santé qui constituent des services de santé prescrits;

16º déterminer, pour l'application de l'article 128, les cours qui constituent des cours équivalents prescrits;

17º [Supprimé];

18º déterminer, pour l'application de l'article 131, les aliments ou les boissons qui constituent des aliments ou des boissons prescrits;

18.1º déterminer, pour l'application du paragraphe 9º de l'article 138.1, les personnes qui sont des personnes prescrites de même que les jeux de hasard qui constituent des jeux de hasard prescrits;

LTVQ (français)

19º déterminer, pour l'application de l'article 146, les personnes qui sont des personnes prescrites de même que les jeux de hasard qui constituent des jeux de hasard prescrits;

20º déterminer, pour l'application de l'article 147, les personnes qui sont des personnes prescrites;

21º déterminer, pour l'application du paragraphe 30º de l'article 176, les biens ou les services qui constituent des biens ou des services prescrits;

22º déterminer qu'une boisson d'une catégorie prescrite qui est destinée à être utilisée ou consommée dans un établissement visé au paragraphe 18º de l'article 177 ou à l'extérieur de cet établissement, soit dans un contenant marqué de la manière prescrite par le ministre ou d'un format prescrit et soit vendue et livrée dans ce contenant; de plus, le gouvernement peut prescrire que de tels contenants soient à l'usage exclusif de l'établissement;

23º déterminer, pour l'application du paragraphe 10º de l'article 178, les biens qui constituent des biens prescrits;

23.1º déterminer, pour l'application de l'article 188.1, les fournitures prescrites;

23.2º déterminer, pour l'application de l'article 199.0.0.1, les montants de taxe qui constituent des montants de taxe prescrits;

24º déterminer, pour l'application de l'article 201, les renseignements qui constituent des renseignements prescrits;

25º-27º [Supprimés];

28º déterminer, pour l'application de l'article 237, les biens qui constituent des biens prescrits;

28.1º déterminer, pour l'application de l'article 237.3, les articles et les circonstances qui constituent des articles prescrits et des circonstances prescrites;

28.2º déterminer, pour l'application de l'article 244.1, les mandataires d'un gouvernement qui constituent des mandataires prescrits;

29º déterminer, pour l'application de l'article 246, les inscrits qui sont des inscrits prescrits;

30º déterminer, pour l'application de l'article 260, les inscrits qui sont des inscrits prescrits;

30.1º déterminer, pour l'application de l'article 267, les mandataires d'un gouvernement qui constituent des mandataires prescrits;

31º déterminer, pour l'application de l'article 279, la manière prescrite et les inscrits qui sont des inscrits prescrits;

31.0.1º déterminer, pour l'application de l'article 287.3, l'inscrit et la valeur qui constituent un inscrit prescrit et la valeur prescrite;

31.0.2º déterminer, pour l'application de la définition de l'expression « activité exclue » prévue au premier alinéa de l'article 289.2, les fins qui constituent les fins prescrites et, pour l'application de la définition de l'expression « entité de gestion » prévue à cet alinéa, la personne qui est une personne prescrite;

31.1º [Supprimé];

31.1.1º déterminer, pour l'application du sous-paragraphe b du paragraphe 2º du premier alinéa de l'article 290, le pourcentage de la contrepartie totale;

31.1.2º déterminer, pour l'application de l'article 300.2, le montant prescrit;

31.1.3º déterminer, pour l'application de l'article 301.1, le montant prescrit;

31.1.4º déterminer, pour l'application de l'article 301.3, le montant prescrit;

31.1.5º déterminer, pour l'application de l'article 323.3, le montant prescrit;

31.1.6º déterminer, pour l'application de l'article 324.1, le montant prescrit;

31.1.7º déterminer, pour l'application de l'article 324.3, le montant prescrit;

31.2º [Supprimé];

32º déterminer, pour l'application de l'article 332, les sociétés qui sont des sociétés prescrites;

33º déterminer, pour l'application de l'article 346, les activités qui constituent des activités prescrites;

33.1º déterminer, pour l'application de l'article 346.1, les mandataires d'un gouvernement qui constituent des mandataires prescrits;

33.2º déterminer, pour l'application de l'article 350.51, les renseignements prescrits que doit contenir une facture ainsi que les cas et les conditions prescrits à l'égard desquels il n'y a pas de remise de facture à l'acquéreur;

33.3º déterminer, pour l'application de l'article 350.52, les appareils prescrits, les renseignements prescrits et les cas prescrits à l'égard desquels l'inscription d'un renseignement n'est pas effectuée sans délai;

33.4º déterminer, pour l'application du deuxième alinéa de l'article 350.53, les cas et les conditions prescrits à l'égard desquels un document peut être remis;

33.5º déterminer, pour l'application de l'article 350.54, les périodes prescrites, les délais prescrits et les cas prescrits;

33.6º déterminer, pour l'application des articles 350.55 et 350.56, la manière prescrite d'aviser le ministre;

34º [Supprimé];

35º déterminer, pour l'application de l'article 352, la mesure prescrite de même que les biens meubles corporels qui constituent des biens meubles corporels prescrits;

35.1º déterminer, pour l'application de l'article 353.0.4, les circonstances prescrites et les demandes de remboursement qui constituent des demandes prescrites;

36º, 37º [Supprimés];

38º [Supprimé];

38.1º déterminer, pour l'application de l'article 378.4, les habitations prescrites;

38.2º déterminer, pour l'application de l'article 382.9, les véhicules hybrides prescrits ainsi que les pièces justificatives, les conditions et les modalités prescrites;

39º déterminer, pour l'application de l'article 383, les fournitures, les personnes, les circonstances, les organismes d'un gouvernement et la manière qui constituent des fournitures prescrites, des personnes prescrites, des circonstances prescrites, des organismes prescrits et la manière prescrite;

40º déterminer, pour l'application de l'article 386, les biens ou les services qui constituent des biens ou des services prescrits;

40.0.1º [Supprimé];

40.1º déterminer, pour l'application de l'article 388.1, les municipalités, le moment et le montant prescrits;

40.1.1º déterminer, pour l'application de l'article 388.2, le montant prescrit;

40.1.2º déterminer, pour l'application de l'article 388.4, les municipalités, le moment et le montant prescrits;

41º déterminer, pour l'application de l'article 389, les personnes qui sont des personnes prescrites et les règles qui constituent des règles prescrites;

Non en vigueur — 677 al. 1, par. 41.0.1°

41.0.1° déterminer, pour l'application de l'article 399.1, les mandataires prescrits;

Application: Le paragraphe 41.0.1° du premier alinéa de l'article 677 a été ajouté par L.Q. 2012, c. 28, s.-par. 180(1)(6°) et s'appliquera à compter du 1er avril 2013.

41.1° déterminer, pour l'application de l'article 402.12, les conditions qui sont des conditions prescrites et les modalités qui sont des modalités prescrites;

42°, 42.1° [Supprimés];

43° déterminer, pour l'application de l'article 423, les fournisseurs ou les acquéreurs qui sont des fournisseurs ou des acquéreurs prescrits;

44° déterminer, pour l'application de l'article 425, la manière prescrite;

44.0.1° déterminer, pour l'application de l'article 425.1, les renseignements qui constituent des renseignements prescrits pour l'application de son premier alinéa ainsi que l'inscrit, les renseignements, la manière et le document qui constituent un inscrit prescrit, les renseignements prescrits, la manière prescrite et le document prescrit pour l'application de son deuxième alinéa;

44.1° déterminer, pour l'application de l'article 433.12, la méthode qui est une méthode prescrite;

44.2° déterminer, pour l'application de l'article 433.16, les montants qui constituent des montants de taxe prescrits ainsi que les montants qui constituent des montants prescrits;

44.3° déterminer, pour l'application des articles 433.16, 433.17 et 433.19, les personnes qui constituent des personnes prescrites et les catégories qui constituent des catégories prescrites;

45° déterminer, pour l'application de l'article 434, les inscrits ou les catégories d'inscrits qui sont des inscrits prescrits ou des catégories prescrites d'inscrits de même que les méthodes qui sont des méthodes prescrites;

45.1° déterminer, pour l'application de l'article 435.3, les dispositions du *Règlement sur la taxe de vente du Québec* (chapitre T-0.1, r. 2) qui sont des dispositions prescrites;

46° déterminer, pour l'application de l'article 436, les remboursements de la taxe sur les intrants qui constituent des remboursements prescrits;

46.1° [Supprimé]

47° déterminer, pour l'application de l'article 442, les circonstances qui constituent des circonstances prescrites de même que les conditions et les règles qui constituent des conditions et des règles prescrites;

48° [Supprimé];

49° déterminer, pour l'application de l'article 449, les renseignements qui constituent des renseignements prescrits à l'égard d'une note de crédit et les renseignements qui constituent des renseignements prescrits à l'égard d'une note de débit;

49.0.1° exiger, pour l'application du titre I, d'une personne ou d'une catégorie de personnes qu'elle transmette à une personne tout renseignement requis pour l'application, par une institution financière désignée particulière, de la formule prévue au premier alinéa de l'un des articles 433.16 et 458.0.3.1 ou dans toute autre disposition du présent titre, ou d'une disposition d'un règlement édicté en vertu d'une telle disposition du titre I, préciser le renseignement ainsi requis et les modalités de sa transmission et prévoir la responsabilité solidaire en cas de défaut de transmettre un renseignement requis selon les modalités ainsi prévues;

49.1° déterminer, pour l'application de l'article 472, la personne prescrite;

50° déterminer, pour l'application de l'article 473, la personne prescrite;

50.1° déterminer, pour l'application de l'article 473.1, la personne prescrite;

50.1.1° déterminer, pour l'application de l'article 473.1.1, la personne qui constitue une personne prescrite;

50.2° déterminer, pour l'application de l'article 489.1, les montants, les pourcentages, les conditions et les modalités qui constituent des montants, des pourcentages, des conditions et des modalités prescrits de même que les personnes qui sont des personnes prescrites;

51° déterminer, pour l'application de l'article 492, la manière prescrite;

52° déterminer, pour l'application de l'article 497, la manière prescrite;

52.1° déterminer, pour l'application de l'article 505.1, les conditions et les modalités qui constituent des conditions prescrites et des modalités prescrites pour l'application du paragraphe 4° de son deuxième alinéa de même que les conditions et les modalités d'utilisation ainsi que la méthode qui constituent des conditions et des modalités d'utilisation prescrites ainsi qu'une méthode prescrite pour l'application de son troisième alinéa;

52.2° déterminer, pour l'application de l'article 505.3, la méthode qui constitue une méthode prescrite;

53° déterminer, pour l'application de l'article 518, la prime prescrite et les conditions prescrites;

54° déterminer, pour l'application de l'article 520, la prime prescrite et les conditions prescrites;

55° déterminer, pour l'application de l'article 529, les cas prescrits;

55.1° déterminer, pour l'application de l'article 541.24, les établissements d'hébergement prescrits, les régions touristiques prescrites et les catégories prescrites;

55.1.1° [Supprimé];

55.2° déterminer, pour l'application de l'article 541.60, les cas prescrits;

56° déterminer, pour l'application de l'article 663, le montant prescrit et la manière prescrite;

57° déterminer, pour l'application de l'article 678, les mandataires du gouvernement du Québec qui constituent des mandataires prescrits;

Non en vigueur — 677 al. 1, par. 57°

Application: Le paragraphe 57° du premier alinéa de l'article 677 a été supprimé par L.Q. 2012, c. 28, s.-par. 180(1)(9°) et cette modification s'appliquera à compter du 1er avril 2013.

58° déterminer, pour l'application de l'article 683, les fournitures prescrites, les délais prescrits et la manière prescrite;

59° prévoir qu'une catégorie de personnes doivent produire les déclarations nécessaires à l'application de la présente loi et que celles-ci en remettent une copie ou la copie d'un extrait qu'il prescrit à la personne que la déclaration ou l'extrait concerne;

60° déterminer, parmi les dispositions réglementaires prises en vertu de la présente loi, celles dont la violation constitue une infraction;

60.1° prescrire, pour l'application du titre premier, la manière de déterminer la taxe à l'égard d'un bien utilisé en partie hors du Québec et ce, malgré toute disposition inconciliable de la présente loi;

60.2° exiger, pour l'application du titre I, de toute institution financière désignée particulière qu'elle s'inscrive conformément à la section I du chapitre VIII, ou prévoir qu'elle est réputée un inscrit pour l'application du titre I;

LTVQ (français)

61° prescrire les autres mesures requises pour l'application de la présente loi.

Entrée en vigueur et rétroactivité — Les règlements adoptés en vertu de la présente loi entrent en vigueur à la date de leur publication à la *Gazette officielle du Québec*, à moins que ceux-ci ne prévoient une autre date qui ne peut être antérieure au 1er juillet 1992.

Notes historiques: Le paragraphe 3° du premier alinéa de l'article 677 a été remplacé par L.Q. 2011, c. 6, par. 288(1°) et cette modification est entrée en vigueur le 6 juin 2011. Antérieurement, il se lisait ainsi :

3° déterminer, pour l'application de la définition de l'expression « service financier », les services qui sont des services prescrits pour l'application de son paragraphe 13°, les services qui sont des services prescrits pour l'application de son paragraphe 17° ainsi que les services qui sont des services prescrits pour l'application de son paragraphe 20°;

Le paragraphe 3° du premier alinéa de l'article 677 a été remplacé par L.Q. 1997, c. 85, art. 716(1)(1°) et a effet depuis le 1er juillet 1992. Antérieurement, il se lisait ainsi :

3° déterminer, pour l'application de la définition de l'expression « service financier », les services qui sont des services prescrits pour l'application de son paragraphe 13° ainsi que les services qui sont des services prescrits pour l'application de son paragraphe 20°;

Le paragraphe 3.1° du premier alinéa de l'article 677 a été ajouté par L.Q. 2011, c. 6, par. 288(2°) et est entré en vigueur le 6 juin 2011.

Le paragraphe 4.0.1° du premier alinéa de l'article 677 a été ajouté par L.Q. 2012, c. 28, s.-par. 180(1)(1°) et s'applique à compter du 1er janvier 2013.

Le paragraphe 4.1° du premier alinéa de l'article 677 a été supprimé par L.Q. 1995, c. 63, art 509(1) et cette modification s'applique à l'égard de l'apport d'un véhicule routier effectué après une date de prise d'effet fixée par décret du gouvernement. [*N.D.L.R.* : l'application prévue à L.Q. 1995, c. 63, art. 509(2) a été modifiée par L.Q. 1997, c. 85, art. 765(1) et a effet depuis le 15 décembre 1995. Antérieurement, elle se lisait ainsi « *s'applique à l'égard de l'apport d'un véhicule routier effectué après le 29 novembre 1996* »].

Auparavant, le paragraphe 4.1° avait été ajouté par L.Q. 1993, c. 19, art. 255(1°) et s'appliquait à l'égard d'une fourniture ou d'un apport au Québec relativement auquel l'article 685 ou l'un des articles 618 à 656 de L.Q. 1991, c. 67 s'applique [*N.D.L.R.* : les articles 685 et 618 à 656 réfèrent à des dispositions transitoires concernant les transferts avant le 1er juillet 1992]. Il se lisait comme suit :

4.1° déterminer, pour l'application de l'article 17.2, les personnes qui sont des personnes prescrites, les véhicules routiers qui constituent des véhicules routiers prescrits et la période, le moment et la valeur prescrits;

Le paragraphe 5° du premier alinéa de l'article 677 a été modifié par L.Q. 1995, c. 1, art. 349(1) et cette modification s'applique à l'égard d'une fourniture dont la contrepartie est payée ou devient due après le 30 septembre 1992, autre qu'une fourniture dont la contrepartie est payée ou devient due avant le 1er octobre 1992. Toutefois, lorsqu'il s'applique à l'égard d'une fourniture dont la totalité ou une partie de la contrepartie est payée ou devient due avant le 1er janvier 1993, il doit se lire comme suit :

5° déterminer, pour l'application de l'article 18, les fournitures qui constituent des fournitures prescrites pour l'application du paragraphe 1° de son premier alinéa, les fournitures qui constituent des fournitures prescrites pour l'application du paragraphe 2° de son premier alinéa ainsi que les fournitures qui constituent des fournitures prescrites pour l'application du paragraphe 3° de son premier alinéa;

Il se lisait comme suit :

5° déterminer, pour l'application de l'article 18, les fournitures qui constituent des fournitures prescrites pour l'application de son paragraphe 1° ainsi que les fournitures qui constituent des fournitures prescrites pour l'application de son paragraphe 2°;

Auparavant, le paragraphe 5° du premier alinéa avait été modifié par L.Q. 1994, c. 22, art. 642(1) et s'appliquait aux fournitures dont la contrepartie est payée ou devient due après le 30 septembre 1992, sauf celles dont la contrepartie est payée ou devient due avant le 1er octobre 1992. Il se lisait auparavant comme suit :

5° déterminer, pour l'application de l'article 18, les fournitures qui constituent des fournitures prescrites;

Le paragraphe 5.1° de l'article 677 a été ajouté par L.Q. 1997, c. 85, art. 716(1)(2°). Il est réputé entré en vigueur le 19 décembre 1997.

Le paragraphe 5.2° du premier alinéa de l'article 677 a été ajouté par L.Q. 2012, c. 28, s.-par. 180(1)(2°) et s'applique à compter du 1er janvier 2013.

Les paragraphes 6° et 7° de l'article 677 ont été supprimés par L.Q. 1997, c. 85, art. 716(1)(3°) et ces suppressions s'appliquent à l'égard de la fourniture d'un bien ou d'un service effectuée après le 31 mars 1997. Antérieurement, ces paragraphes se lisaient ainsi :

6° déterminer, pour l'application de l'article 21, les services qui constituent des services prescrits;

7° déterminer, pour l'application de l'article 22, les services qui constituent des services prescrits;

Le paragraphe 7.2° du premier alinéa de l'article 677 a été modifié par L.Q. 2004, c. 8, art. 216(1) par la suppression des mots « d'un bien ou ». Cette modification a effet depuis le 19 décembre 1997.

Les paragraphes 7.1° et 7.2° ont été ajoutés par L.Q. 1997, c. 85, art. 716(1)(4°). Il sont réputés entrés en vigueur le 19 décembre 1997. [*N.D.L.R.* : L.Q. 1998, c. 16, a. 313(1) a modifié L.Q. 1997, c. 85, art. 716(1)(4°) pour remplacer « 20.30 » par « 22.30 » et « 20.31 » par « 22.31 » dans les paragraphes 7.1° et 7.2°, tels que modifiés, et ce, rétroactivement au 19 décembre 1997.]

Le paragraphe 8° du premier alinéa de l'article 677 a été supprimé par L.Q. 1994, c. 22, art. 642(1) quant aux fournitures effectuées après 1992. Il se lisait auparavant comme suit :

8° déterminer, pour l'application de l'article 24, les personnes qui sont des personnes prescrites et les biens qui constituent des biens prescrits;

Le paragraphe 8.1° du premier alinéa de l'article 677 a été ajouté par L.Q. 1994, c. 22, art. 642(1) et s'applique aux fournitures effectuées après le 31 décembre 1992.

Le paragraphe 10° du premier alinéa de l'article 677 a été supprimé par L.Q. 1994, c. 22, art. 642(1) rétroactivement au 1er juillet 1992. Le paragraphe 10° se lisait comme suit :

10° déterminer, pour l'application de l'article 38, les inscrits qui sont des inscrits prescrits;

Le paragraphe 10.0.1° de l'article 677 a été ajouté par L.Q. 1997, c. 85, art. 716(1)(5°) et s'applique à l'égard d'une fourniture effectuée après le 31 mars 1997.

Le paragraphe 10.1° du premier alinéa de l'article a été ajouté par L.Q. 1994, c. 22, art. 642(1) est réputé entré en vigueur le 1er juillet 1992.

Les paragraphes 10.2° et 10.3° du premier alinéa de l'article 677 ont été ajoutés par L.Q. 2012, c. 28, s.-par. 180(1)(3°) et s'appliquent à compter du 1er janvier 2013.

Le paragraphe 14° du premier alinéa de l'article 677 a été modifié par L.Q. 1994, c. 22, art. 642(1) est réputé entré en vigueur le 1er juillet 1992. Le paragraphe 14° se lisait comme suit :

14° déterminer, pour l'application de l'article 81, les biens qui constituent des biens prescrits pour l'application de son paragraphe 8° de même que les circonstances et les biens qui constituent des circonstances prescrites et des biens prescrits, pour l'application de son paragraphe 9°;

Le paragraphe 17° du premier alinéa de l'article 677 a été supprimé par L.Q. 1994, c. 22, art. 642(1) rétroactivement au 1er juillet 1992. Le paragraphe 17° se lisait comme suit :

17° déterminer, pour l'application de l'article 129, les cours qui constituent des cours équivalents prescrits;

Le paragraphe 18.1° de l'article 677 a été ajouté par L.Q. 1997, c. 85, art. 716(1)(6°) et a effet à l'égard d'une fourniture dont la contrepartie devient due après le 31 décembre 1996 ou est payée après le 31 décembre 1996 sans qu'elle soit devenue due.

Le paragraphe 22° du premier alinéa de l'article 677 a été remplacé par L.Q. 2002, c. 58, art. 18 et cette modification est entrée en vigueur le 18 décembre 2002. Antérieurement, il se lisait ainsi :

22° déterminer qu'une boisson d'une catégorie prescrite qui est destinée à être utilisée ou consommée dans un établissement visé au paragraphe 18° de l'article 177, soit dans un contenant marqué de la manière prescrite par le ministre ou d'un format prescrit et soit vendue et livrée dans ce contenant; de plus, le gouvernement peut prescrire que de tels contenants soient à l'usage exclusif de l'établissement;

Le paragraphe 23.1° du premier alinéa de l'article 677 a été ajouté par L.Q. 2009, c. 5, par. 673(1) et a effet depuis le 1er juillet 1992.

Le paragraphe 23.2° du premier alinéa de l'article 677 a été ajouté par L.Q. 2012, c. 28, s.-par. 180(1)(4°) et s'applique à compter du 1er janvier 2013.

Les paragraphes 25° à 27° ont été supprimés par L.Q. 1997, c. 85, art. 716(1)(7°) et ont effet depuis le 24 avril 1996.

Antérieurement, les paragraphes 25° à 27° se lisaient ainsi :

25° déterminer, pour l'application de l'article 217, le montant prescrit et le pourcentage prescrit;

26° déterminer, pour l'application de l'article 218, le montant prescrit;

27° déterminer, pour l'application de l'article 219, le montant prescrit;

Le paragraphe 28.1° du premier alinéa de l'article 677 a été ajouté par L.Q. 1994, c. 22, art. 642(1) et est réputé entré en vigueur le 1er octobre 1992.

Le paragraphe 28.2° du premier alinéa de l'article 677 a été ajouté par L.Q. 1994, c. 22, art. 642(1) et est réputé entré en vigueur le 1er juillet 1992.

Le paragraphe 30.1° du premier alinéa de l'article a été ajouté par L.Q. 1994, c. 22, art. 642(1) sont réputés entrés en vigueur le 1er juillet 1992.

Le paragraphe 31° du premier alinéa de l'article 677 a été remplacé par L.Q. 1993, c. 19, art. 255(2°) et s'applique à l'égard d'une fourniture ou d'un apport au Québec relativement auquel l'article 685 ou l'un des articles 618 à 656 de L.Q. 1991, c. 67 s'applique. [*N.D.L.R.* : les articles 685 et 618 à 656 réfèrent à des dispositions transitoires concernant les transferts avant le 1er juillet 1992]. Il se lisait auparavant comme suit :

31° déterminer, pour l'application de l'article 279, les inscrits qui sont des inscrits prescrits;

Le paragraphe 31.0.1° du premier alinéa de l'article 677 a été ajouté par L.Q. 2001, c. 51, art. 311(1)(1°) et a effet depuis le 1er mai 1999.

Le paragraphe 31.0.2° de l'articles 677 a été ajouté par L.Q. 2011, c. 34, art. 156 et est entré en vigueur le 9 décembre 2011.

Le paragraphe 31.1° du premier alinéa de l'article 677 a été supprimé par L.Q. 1995, c. 63, art. 509(1) et cette suppression a effet depuis le 1er août 1995 sauf si l'article 288.2 s'applique.

[*N.D.L.R.* : l'application prévue à L.Q. 1995, c. 63, art. 509(3) a été modifié par L.Q. 1997, c. 85, art. 765(1) et a effet depuis le 15 décembre 1995.

Antérieurement, elle prévoyait ce qui suit :

Cette modification s'applique à l'égard de :

1° un véhicule routier que l'inscrit qui est une petite ou moyenne entreprise utilise après le 31 juillet 1995 à une fin qui n'est pas visée à la définition de l'expression « fourniture non taxable », telle qu'elle se lisait avant sa suppression;

2° un véhicule routier que l'inscrit qui est une grande entreprise utilise après le 29 novembre 1996 à une fin qui n'est pas visée à la définition de l'expression « fourniture non taxable », telle qu'elle se lisait avant sa suppression.]

Le paragraphe 31.1° du premier alinéa de l'article 677 avait été ajouté par L.Q. 1993, c. 19, art. 255 et s'appliquait à l'égard d'une fourniture ou d'un apport au Québec relativement auquel l'article 685 ou l'un des articles 618 à 656 de L.Q. 1991, c. 67 s'applique [*N.D.L.R.* : les articles 685 et 618 à 656 réfèrent à des dispositions transitoires concernant les transferts avant le 1er juillet 1992]. Il se lisait comme suit :

31.1° déterminer, pour l'application de l'article 288.2, les inscrits qui sont des inscrits prescrits et la valeur prescrite;

Le paragraphe 31.1.1° a été remplacé par L.Q. 1997, c. 85, art. 716(1)(8°) et s'applique à compter de l'année d'imposition 1996.

Le paragraphe 31.1.1° du premier alinéa de l'article 677 a été ajouté par L.Q. 1995, c. 63, art. 509(1) et a effet depuis le 1er août 1995.

[*N.D.L.R.* : l'application a été modifiée par L.Q. 1997, c. 85, art. 765(1) et a effet depuis le 15 décembre 1995. Elle prévoyait ceci :

L'ajout s'applique à compter de :

1° l'année d'imposition 1996 dans le cas où l'inscrit est une petite ou moyenne entreprise;

2° l'année d'imposition 1997 dans le cas où l'inscrit est une grande entreprise.]

Les paragraphes 31.1.2° à 31.1.7° ont été ajoutés par L.Q. 1997, c. 85, art. 716(1)(9°) et ont effet depuis le 24 avril 1996.

Le paragraphe 31.2° du premier alinéa de l'article 677 a été supprimé par L.Q. 1995, c. 63, art. 509(1) et cette suppression s'applique à l'égard d'une fourniture effectuée après une date de prise d'effet fixée par décret du gouvernement.

[*N.D.L.R.* : l'application a été modifiée par L.Q. 1997, c. 85, art. 765(1) et a effet depuis le 15 décembre 1995. Antérieurement, elle se lisait ainsi :

La suppression s'applique à l'égard d'une fourniture effectuée après le 29 novembre 1996.]

Auparavant, il se lisait comme suit :

31.2° déterminer, pour l'application de l'article 327.1, les biens ou les services qui constituent des biens prescrits ou des services prescrits de même que les circonstances qui constituent des circonstances prescrites;

Le paragraphe 31.2° avait été ajouté par L.Q. 1995, c. 1, art. 349(1) et avait effet depuis 1er juillet 1992 [*N.D.L.R.* : cette disposition s'applique conformément aux articles 618 à 656 et 685 de L.Q. 1991, c. 67, tels que modifiés].

Le paragraphe 32° du premier alinéa de l'article 677 a été modifié par L.Q. 1997, c. 3, art. 135(2°) pour remplacer le mot « corporations » par le mot « sociétés ». Cette modification est réputée entrée en vigueur le 20 mars 1997.

Le paragraphe 33.1° du premier alinéa de l'article 677 a été ajouté par L.Q. 1994, c. 22, art. 642(1) et est réputé entré en vigueur le 1er juillet 1992. Toutefois, il ne s'applique pas aux acquisitions, ou aux apports au Québec, de biens ou de services effectués avant le 12 décembre 1992.

Le paragraphe 33.2° du premier alinéa de l'article 677 a été ajouté par L.Q. 2010, c. 5, art. 246 et est entré en vigueur le 20 avril 2010.

Le paragraphe 33.3° du premier alinéa de l'article 677 a été ajouté par L.Q. 2010, c. 5, art. 246 et est entré en vigueur le 20 avril 2010.

Le paragraphes 33.4° du premier alinéa de l'article 677 a été ajouté par L.Q. 2010, c. 5, art. 246 et est entré en vigueur le 20 avril 2010.

Le paragraphe 33.5° du premier alinéa de l'article 677 a été ajouté par L.Q. 2010, c. 5, art. 246 et est entré en vigueur le 20 avril 2010.

Le paragraphe 33.6° du premier alinéa de l'article 677 a été ajouté par L.Q. 2010, c. 5, art. 246 et est entré en vigueur le 20 avril 2010.

Le paragraphe 34° de l'article 677 a été supprimé par L.Q. 1997, c. 85, art. 716(1)(10°) et s'applique à l'égard des biens acquis après le 23 avril 1996. Antérieurement, il se lisait ainsi :

34° déterminer, pour l'application de l'article 351, le montant prescrit;

Le paragraphe 35.1° du premier alinéa de l'article 677 a été modifié par L.Q. 2011, c. 1, par. 158(1) par l'insertion, après « l'article 353.0.4, », des mots « les circonstances prescrites et ». Cette modification a effet depuis le 1er juillet 2010.

Le paragraphe 35.1° de l'article 677 a été ajouté par L.Q. 1997, c. 85, art. 716(1)(11°) et a effet depuis le 1er avril 1997.

Le paragraphe 36° du premier alinéa de l'article 677 a été supprimé par L.Q. 1994 c. 22, art. 642(1) rétroactivement au 1er juillet 1992. Le paragraphe 36° se lisait comme suit :

36° déterminer, pour l'application de l'article 354, le montant prescrit;

Le paragraphe 37° du premier alinéa de l'article 677 a été supprimé par L.Q. 1994 c. 22, art. 642(1) rétroactivement au 1er juillet 1992. Le paragraphe 37° se lisait comme suit :

37° déterminer, pour l'application de l'article 355, la manière prescrite et les règles prescrites;

Le paragraphe 38° du premier alinéa de l'article 677 a été supprimé par L.Q. 2009, c. 15, art. 535 et cette modification est entrée en vigueur le 4 juin 2009. Antérieurement, il se lisait ainsi :

38° déterminer, pour l'application de l'article 357, les demandes de remboursement qui constituent des demandes prescrites;

Le paragraphe 38.1° du premier alinéa de l'article 677 a été ajouté par L.Q. 2003, c. 2, par. 350 (1) et a effet depuis le 28 février 2000.

Le paragraphe 38.2° du premier alinéa de l'article 677 a été ajouté par L.Q. 2006, c. 36, s.-par. 292(1)(1°) et s'applique à l'égard d'une fourniture par vente ou par louage à long terme d'un véhicule hybride neuf prescrit ou d'un apport au Québec d'un tel véhicule effectué après le 23 mars 2006 et avant le 1er janvier 2009.

Le paragraphe 39° du premier alinéa de l'article 677 a été remplacé par L.Q. 2005, c. 38, s.-par. 395(1)(1°) et cette modification s'applique à l'égard du calcul d'un remboursement pour une période de demande se terminant après le 31 décembre 2004. Toutefois, le remboursement d'une personne, pour une période de demande qui inclut le 1er janvier 2005, doit être déterminé comme si cette modification n'était pas entrée en vigueur à l'égard d'un montant qui est, selon le cas :

1° un montant de taxe qui devient payable par la personne avant le 1er janvier 2005;

2° un montant qui est réputé avoir été payé ou perçu par la personne avant le 1er janvier 2005;

3° un montant qui doit être ajouté dans le calcul de la taxe nette de la personne, selon le cas :

a) du fait qu'une division ou une succursale de la personne devient une division de petit fournisseur avant le 1er janvier 2005;

b) du fait que la personne cesse d'être un inscrit avant le 1er janvier 2005.

Antérieurement, le paragraphe 39° du premier alinéa de l'article 677 se lisait ainsi :

39° déterminer, pour l'application de l'article 383, les organismes d'un gouvernement qui constituent des organismes prescrits et la manière prescrite;

Le paragraphe 39° du premier alinéa de l'article 677 a été modifié par L.Q. 1994, c. 22, art. 642(1) est réputé entré en vigueur le 1er juillet 1992. Le paragraphe 39° se lisait comme suit :

39° déterminer, pour l'application de l'article 383, la manière prescrite;

Le paragraphe 40.0.1° a été supprimé par L.Q. 1997, c. 85, art. 716(1)(10°) et cette modification a effet à l'égard d'un bien ou d'un service acquis, ou apporté au Québec, en vertu d'une convention conclue après le 31 décembre 1996. Toutefois, dans le cas d'un bien ou d'un service qui est, selon le cas, délivré, exécuté ou rendu disponible de façon continue au moyen d'un fil, d'un pipeline ou d'une autre canalisation, il a effet à l'égard d'un bien ou d'un service facturé pour une période habituelle commençant après le 31 décembre 1996. Antérieurement, il se lisait ainsi :

40.0.1° déterminer, pour l'application de l'article 386.1, les biens ou les services qui constituent des biens ou des services prescrits;

Le paragraphe 40.0.1° du premier alinéa de l'article 677 a été ajouté par L.Q. 1994, c. 22, art. 642(1) et est réputé entré en vigueur le 1er juillet 1992.

Le paragraphe 40.1° du premier alinéa de l'article 677 a été ajouté par L.Q. 1993, c. 19, art. 255 et s'applique à l'égard d'une fourniture ou d'un apport au Québec relativement auquel l'article 685 ou l'un des articles 618 à 656 de L.Q. 1991, c. 67 s'applique [*N.D.L.R.* : les articles 685 et 618 à 656 réfèrent à des dispositions transitoires concernant les transferts avant le 1er juillet 1992].

Le paragraphe 40.1.1° du premier alinéa de l'article 677 a été ajouté par L.Q. 2002, c. 9, art. 174 et est entré en vigueur le 8 juin 2002.

Le paragraphe 40.1.2° du premier alinéa de l'article 677 a été ajouté par L.Q. 2006, c. 31, art. 112 et est entré en vigueur le 15 juin 2006.

Le paragraphe 41° du premier alinéa de l'article 677 a été modifié par L.Q. 1994, c. 22, art. 642(1) est réputé entré en vigueur le 1er juillet 1992. Le paragraphe 41° se lisait comme suit :

41° déterminer, pour l'application de l'article 389, les biens ou les services qui constituent des biens ou des services prescrits de même que la manière prescrite;

Le paragraphe 41.1° du premier alinéa de l'article 677 a été ajouté par L.Q. 2001, c. 51, art. 311(1)(2°) et s'applique à l'égard de la taxe qui devient payable après le 30 juin 1999 et qui n'est pas payée avant le 1er juillet 1999 relativement à la fourniture d'un véhicule automobile neuf.

Le paragraphe 42° du premier alinéa de l'article 677 a été supprimé par L.Q. 1994 c. 22, art. 642(1) rétroactivement au 1er juillet 1992. Le paragraphe 42° se lisait comme suit :

42° déterminer, pour l'application de l'article 390, les biens ou les services qui constituent des biens ou des services prescrits;

Le paragraphe 42.1° du premier alinéa de l'article 677 a été supprimé par L.Q. 1995, c. 63, art. 509(1) et cette suppression s'applique à l'égard d'une fourniture effectuée après une date de prise d'effet fixée par décret du gouvernement.

[*N.D.L.R.* : l'application a été modifiée par L.Q. 1997, c. 85, art. 765(1) et a effet depuis le 15 décembre 1995. Antérieurement, elle se lisait ainsi :

> La suppression s'applique à l'égard d'une fourniture effectuée après le 29 novembre 1996.]

Le paragraphe 42.1° se lisait auparavant comme suit :

> 42.1° déterminer, pour l'application de l'article 411.0.1, les biens ou les services qui constituent des biens prescrits ou des services prescrits de même que les circonstances qui constituent des circonstances prescrites;

Il avait été ajouté par L.Q. 1995, c. 1, art. 349(1) et avait effet depuis le 1er juillet 1992 [*N.D.L.R.* : cette disposition s'applique conformément aux articles 618 à 656 et 685 de L.Q. 1991, c. 67, tels que modifiés].

Le paragraphe 44.0.1° du premier alinéa de l'article 677 a été ajouté par L.Q. 2001, c. 51, art. 311(1)(3°) et a effet depuis le 21 février 2000.

Le paragraphe 44.1° a été ajouté par L.Q. 1997, c. 85, art. 716(1)(12°) et s'applique relativement au calcul de la taxe nette d'un organisme de bienfaisance à l'égard d'une période de déclaration commençant après le 31 décembre 1996.

Les paragraphes 44.2° et 44.3° du premier alinéa de l'article 677 ont été ajoutés par L.Q. 2012, c. 28, s.-par. 180(1)(7°) et s'appliquent à compter du 1er janvier 2013.

Le paragraphe 45.1° du premier alinéa de l'article 677 a été ajouté par L.Q. 1995, c. 1, art. 349(1) et a effet depuis le 1er mars 1993.

Le paragraphe 46.1° de l'article 677 a été supprimé par L.Q. 2003, c. 9, par. 458(1) et cette modification a effet depuis le 1er mai 1999. Antérieurement, il se lisait ainsi :

> 46.1° déterminer, pour l'application de l'article 438.1, la manière qui constitue la manière prescrite;

Le paragraphe 46.1° du premier alinéa de l'article 677 a été ajouté par L.Q. 2001, c. 51, art. 311(1)(4°) et a effet depuis le 1er mai 1999.

Le paragraphe 48° du premier alinéa de l'article 677 a été supprimé par L.Q. 2001, c. 53, art. 385 et cette modification s'applique à l'égard d'un compte client acheté à sa valeur nominale, sans possibilité de recours, si la propriété du compte client est transférée à l'acheteur après le 31 décembre 1999. Antérieurement, il se lisait ainsi :

> 48° déterminer, pour l'application de l'article 445, les groupes qui constituent des groupes prescrits;

Le paragraphe 49° du premier alinéa de l'article 677 a été modifié par L.Q. 1994, c. 22, art. 642(1) est réputé entré en vigueur le 1er juillet 1992. Le paragraphe 49° se lisait comme suit :

> 49° déterminer, pour l'application de l'article 449, les renseignements qui constituent des renseignements prescrits;

Le paragraphe 49.0.1° du premier alinéa de l'article 677 a été ajouté par L.Q. 2012, c. 28, s.-par. 180(1)(8°) et s'applique à compter du 1er janvier 2013.

Le paragraphe 49.1° du premier alinéa de l'article 677 a été ajouté par L.Q. 1995, c. 1, art. 349(1)(5°) et cet ajout a effet depuis le 1er juillet 1992

Le paragraphe 50.1° du premier alinéa de l'article 677 a été ajouté par L.Q. 1993, c. 19, art. 255 et s'applique à l'égard d'une fourniture ou d'un apport au Québec relativement auquel l'article 685 ou l'un des articles 618 à 656 de L.Q. 1991, c. 67 s'applique [*N.D.L.R.* : les articles 685 et 618 à 656 réfèrent à des dispositions transitoires concernant les transferts avant le 1er juillet 1992].

Le paragraphe 50.1.1° du premier alinéa de l'article 677 a été ajouté par L.Q. 2001, c. 51, art. 311(1)(5°) et a effet depuis le 21 février 2000.

Le paragraphe 50.2° a été remplacé par L.Q. 1997, c. 85, art. 716(1)(13°) et a effet depuis le 26 mars 1997. Antérieurement, il se lisait ainsi :

> 50.2° déterminer, pour l'application de l'article 489.1, les pourcentages, les conditions et les modalités qui constituent des pourcentages, des conditions et des modalités prescrits de même que les personnes qui sont des personnes prescrites;

Le paragraphe 50.2° du premier alinéa de l'article 677 a été ajouté par L.Q. 1995, c. 63, art. 509(1) et a effet depuis le 10 mai 1995.

Le paragraphe 52.1° du premier alinéa de l'article 677 a été ajouté par L.Q. 2001, c. 51, art. 311(1)(6°) et s'applique à l'égard d'une vente d'une boisson alcoolique effectuée après le 14 mars 2000.

Le paragraphe 52.2° du premier alinéa de l'article 677 a été ajouté par L.Q. 2001, c. 51, art. 311(1)(6°) et s'applique à l'égard d'une vente d'une boisson alcoolique effectuée après le 14 mars 2000.

Le paragraphe 55.1° du premier alinéa de l'article 677 a été remplacé par L.Q. 2005, c. 38, s.-par. 395(1)(2°) et cette modification a effet depuis le 1er juillet 2005. Antérieurement, il se lisait ainsi :

> 55.1° déterminer, pour l'application de l'article 541.24, l'établissement d'hébergement prescrit et la région touristique prescrite;

Le paragraphe 55.1° du premier alinéa de l'article 677 a été ajouté par L.Q. 1997, c. 14, art. 337 et a effet à compter du 1er avril 1997.

Le paragraphe 55.1.1° du premier alinéa de l'article 677 a été supprimé par L.Q. 2006, c. 36, s.-par. 293(1)(2°) et cette modification a effet depuis le 1er juillet 2005. Antérieurement, il se lisait ainsi :

> 55.1.1° déterminer, pour l'application de l'article 541.32, la manière prescrite;

Le paragraphe 55.1.1° du premier alinéa de l'article 677 a été ajouté par L.Q. 2005, c. 38, s.-par. 395(1)(3°) et a effet depuis le 1er avril 1997.

Le paragraphe 55.2° a été ajouté par L.Q. 2000, c. 39, art. 290(1) et a effet depuis le 1erer octobre 1999.

Le paragraphe 56° du premier alinéa de l'article 677 a été modifié par L.Q. 1995, c. 1, art. 349(1) et cette modification a effet depuis le 1er juillet 1992 [*N.D.L.R.* : cette disposition s'applique conformément aux articles 618 à 656 et 685 de L.Q. 1991, c. 67, tels que modifiés]. Auparavant, il se lisait comme suit :

> 56° déterminer, pour l'application de l'article 663, le montant prescrit, la manière prescrite, le nombre de mètres carrés de surface prescrite ainsi que la manière prescrite afin de déterminer la surface prescrite;

Le paragraphe 60.1° du premier alinéa de l'article 677 a été ajouté par L.Q. 1993, c. 19, art. 255 et s'applique à l'égard d'une fourniture ou d'un apport au Québec relativement auquel l'article 685 ou l'un des articles 618 à 656 de L.Q. 1991, c. 67 s'applique [*N.D.L.R.* : les articles 685 et 618 à 656 réfèrent à des dispositions transitoires concernant les transferts avant le 1er juillet 1992].

Le paragraphe 60.2° du premier alinéa de l'article 677 a été ajouté par L.Q. 2012, c. 28, s.-par. 180(1)(10°) et s'applique à compter du 1er janvier 2013.

L'article 677 a été édicté par L.Q. 1991, c. 67.

Notes explicatives ARQ (PL 5, L.Q. 2012, c. 28): *Résumé* :

L'article 677 prévoit les pouvoirs du gouvernement relatifs aux règlements nécessaires à l'application de la LTVQ.

Dans le cadre du projet de loi donnant suite à l'*Entente intégrée globale de coordination fiscale entre le gouvernement du Canada et le gouvernement du Québec* (Entente), les articles 29.1 et 399.1 de la LTVQ sont introduits et ils font référence à un mandataire prescrit. Également, l'article 678 de la LTVQ est modifié de sorte qu'il n'est plus nécessaire de déterminer les organismes prescrits et les mandataires prescrits. Ainsi, l'article 677 de la LTVQ est modifié afin de prévoir le pouvoir réglementaire pour l'application des articles 29.1 et 399.1 de la LTVQ et de supprimer le pouvoir réglementaire pour l'application de l'article 678 de la LTVQ.

De plus, cet article 677 est modifié pour y insérer des nouveaux paragraphes habilitant le gouvernement à édicter par règlement certaines dispositions relatives aux institutions financières désignées particulières (IFDP) et aux nouvelles règles concernant la répartition des intrants des institutions financières.

Situation actuelle :

L'article 677 prévoit les pouvoirs du gouvernement relatifs aux règlements nécessaires à l'application de la LTVQ. Ainsi, le paragraphe 57° du premier alinéa de l'article 677 de la LTVQ prévoit que le gouvernement peut par règlement déterminer, pour l'application de l'article 678 de la LTVQ, les mandataires du gouvernement du Québec qui constituent des mandataires prescrits. En effet, le deuxième alinéa de l'article 678 de la LTVQ prévoit que les dispositions de cette loi relatives à la taxe de vente du Québec (TVQ) ne lient le gouvernement du Québec, ses ministères, ses organismes prescrits et ses mandataires prescrits qu'en ce qui concerne leur obligation, à titre de fournisseurs, de percevoir et de verser la TVQ.

Le 28 mars 2012, les ministres des Finances du Canada et du Québec ont conclu l'Entente. L'article 44 de l'Entente prévoit que les gouvernements du Canada et du Québec conviennent de payer, à compter du 1er avril 2013, la taxe sur les produits et services, la taxe de vente harmonisée (TPS/TVH) et la TVQ modifiée relativement aux fournitures effectuées au profit de leurs gouvernements respectifs ou des mandataires de ceux-ci. En cas d'immunité fiscale entre administrations, les montants de TPS/TVH et de TVQ modifiée seront recouvrables au moyen d'un mécanisme de remboursement.

Dans le cadre du projet de loi donnant suite à l'Entente, le deuxième alinéa de l'article 678 de la LTVQ est supprimé afin que la LTVQ lie le gouvernement du Québec, ses ministères, ses organismes et ses mandataires sans restriction. Ainsi, ils auront l'obligation de payer la TVQ comme tout autre acquéreur d'une fourniture taxable. Également, un mécanisme de remboursement de cette taxe est introduit dans la LTVQ afin de tenir compte de leur immunité fiscale. Ainsi, les articles 29.1 et 399.1 de la LTVQ sont introduits et font référence à un mandataire prescrit. En vertu de ce mécanisme, le gouvernement du Québec ou l'un des ses ministères ou de ses mandataires prescrits a droit au remboursement de la TVQ qu'il a payée en vertu du titre I de la LTVQ.

De plus, l'article 677 est modifié pour y insérer des nouveaux paragraphes habilitant le gouvernement à édicter par règlement certaines dispositions relatives aux institutions financières désignées particulières et aux nouvelles règles concernant la détermination de la mesure d'utilisation et de la mesure d'acquisition des intrants des institutions financières, et ce, en vue de distinguer ce qui est acquis pour effectuer des fournitures taxables de ce qui est acquis pour effectuer des fournitures exonérées.

Modifications proposées :

L'article 677 est modifié afin de prévoir le pouvoir réglementaire pour déterminer, pour l'application des articles 29.1 et 399.1 de la LTVQ, les mandataires prescrits. Également, le pouvoir réglementaire prévu au paragraphe 57° du premier alinéa de l'article 677 de la LTVQ est supprimé de concordance à la suppression du deuxième alinéa de l'article 678 de la LTVQ.

De plus, l'article 677 est modifié pour y prévoir le pouvoir du gouvernement d'édicter des dispositions réglementaires relatives aux IFDP. Plus précisément, le gouvernement pourra édicter des règlements en vue de :

— déterminer les montants de taxe qui constituent des montants de taxe prescrits pour l'application des nouveaux articles 17.4.1, 18.0.3 et 199.0.0.1 de la LTVQ (paragraphes 4.0.1°, 5.2° et 23.2° du premier alinéa de l'article 677 de la LTVQ);

— déterminer les biens et les services qui constituent des biens et des services exclus pour l'application de la définition de l'expression « intrant exclu » prévue au nouvel article 42.0.10 de la LTVQ (paragraphe 10.2° du premier alinéa de l'article 677 de la LTVQ);

— déterminer les pourcentages et les catégories qui constituent des pourcentages prescrits et des catégories prescrites pour l'application des nouveaux articles 42.0.13 et 42.0.14 de la LTVQ (paragraphe 10.3° du premier alinéa de l'article 677 de la LTVQ);

— déterminer les personnes et les catégories qui constituent respectivement des personnes prescrites et des catégories prescrites et les montants de taxe qui constituent des montants de taxe prescrits pour l'application du nouvel article 433.16 de la LTVQ (paragraphes 44.2° et 44.3° du premier alinéa de l'article 677 de la LTVQ);

— déterminer les personnes et les catégories de personnes qui ne peuvent faire le choix conjoint visé au nouvel article 433.17 de la LTVQ (paragraphe 44.3° du premier alinéa de l'article 677 de la LTVQ);

— exiger d'une personne ou d'une catégorie de personnes qu'elle transmettre à une personne tout renseignement requis pour l'application, par une IFDP, de la formule prévue au premier alinéa de l'article 433.16 de la LTVQ ou du nouvel article 458.0.3.1 de cette loi, introduit par le présent projet de loi, lesquels concernent les redressements de la taxe nette et les acomptes provisionnels, ou dans toute autre disposition du titre I de la LTVQ, ou d'une disposition d'un règlement édicté en vertu d'une telle disposition du titre I, préciser le renseignement ainsi requis et les modalités de sa transmission (paragraphe 49.0.1° du premier alinéa de l'article 677 de la LTVQ), et prévoir la responsabilité solidaire;

— exiger de toute institution financière désignée particulière qu'elle s'inscrive conformément à la section I du chapitre VIII, ou prévoir qu'elle est réputée un inscrit pour l'application du titre I de la LTVQ (paragraphe 60.2° du premier alinéa de l'article 677 de la LTVQ).

Notes explicatives ARQ (PL 32, L.Q. 2011, c. 34): *Résumé* :

L'article 677 est modifié pour y insérer, dans le premier alinéa, le paragraphe 31.0.2° en raison du nouvel article 289.2 de cette loi.

Situation actuelle :

L'article 677 prévoit les pouvoirs qu'a le gouvernement d'édicter des dispositions réglementaires nécessaires à l'application de certaines dispositions de la LTVQ.

Modifications proposées :

L'article 677 est modifié pour y insérer, dans le premier alinéa, le nouveau paragraphe 31.0.2°. Ce paragraphe vise à permettre au gouvernement de déterminer les fins qui constituent les fins prescrites et la personne qui constitue la personne prescrite pour l'application respectivement de la définition de l'expression « activité exclue » et de celle de l'expression « entité de gestion », lesquelles sont prévues au premier alinéa du nouvel article 289.2 de cette loi, introduit dans le cadre du présent projet de loi.

Notes explicatives ARQ (PL 5, L.Q. 2011, c. 6): *Résumé* :

Le remplacement du paragraphe 3° et l'insertion du paragraphe 3.1° du premier alinéa de l'article 677 découlent des modifications apportées à la définition de l'expression « service financier » et de l'ajout de la définition de l'expression « service de gestion des actifs » prévues à l'article 1 de la LTVQ.

Situation actuelle :

Actuellement, l'article 677 prévoit les pouvoirs qu'a le gouvernement d'édicter les règlements nécessaires à l'application de la loi.

Modifications proposées :

La modification du paragraphe 3° du premier alinéa de l'article 677, en concordance avec les modifications apportées à l'article 1 de la LTVQ, permet, d'une part, de déterminer pour les fins de l'application de la définition de l'expression « service financier » prévue à cette disposition, les services qui constituent les services prescrits pour l'application de ses paragraphes 13°, 17°, 18.3°, 18.4° ou 20° et les biens qui sont des biens prescrits pour l'application de son paragraphe 18.5°. D'autre part, l'insertion du paragraphe 3.1° du premier alinéa de l'article 677 de la LTVQ, vise à déterminer, pour l'application de la définition de l'expression « service de gestion des actifs », les services qui sont des services prescrits.

Notes explicatives ARQ (PL 117, L.Q. 2011, c. 1): *Résumé* :

Le paragraphe 35.1° du premier alinéa de l'article 677 est modifié afin de permettre de déterminer, pour l'application de l'article 353.0.4 de la LTVQ, les circonstances qui constituent des circonstances prescrites.

Situation actuelle :

Actuellement, l'article 677 prévoit les pouvoirs qu'a le gouvernement d'édicter les règlements nécessaires à l'application de la loi.

Modifications proposées :

La modification apportée au paragraphe 35.1° du premier alinéa de l'article 677 de LTVQ permet de déterminer, pour l'application de l'article 353.0.4 de la LTVQ, les circonstances qui constituent des circonstances prescrites.

Cette modification est effectuée en concordance avec les modifications apportées à l'article 353.0.4 de la LTVQ.

Notes explicatives ARQ (PL 64, L.Q. 2010, c. 5): *Résumé* :

L'insertion des paragraphes 33.3° à 33.6° au premier alinéa de l'article 677 vise à prévoir les pouvoirs qu'a le gouvernement d'édicter les règlements nécessaires en raison de l'introduction des nouveaux articles 350.50 à 350.60 de la LTVQ qui concernent les nouvelles mesures relatives à la lutte à l'évasion fiscale dans le secteur de la restauration. Ces mesures prévoient notamment l'obligation par l'exploitant d'un établissement de restauration, de remettre une facture à ses clients lors de la fourniture d'un repas. Dans le cas où l'exploitant d'un établissement de restauration est un inscrit, une telle facture devra être préparée au moyen d'un appareil prescrit.

Situation actuelle :

L'article 677 de la LTVQ prévoit les pouvoirs qu'a le gouvernement d'édicter les règlements nécessaires à l'application de la LTVQ.

Par ailleurs, afin de contrer des stratagèmes utilisés pour dissimuler les taxes dans l'industrie de la restauration, notamment le phénomène des camoufleurs de vente (communément appelés « zappers »), des modifications sont apportées à la LTVQ afin d'obliger les exploitants d'établissement de restauration à présenter une facture à leurs clients lors de la fourniture d'un repas. Dans le cas d'un inscrit, une telle facture devra être préparée au moyen d'un appareil prescrit.

Modifications proposées :

Différents articles ont été intégrés dans la LTVQ afin de faire la lutte à l'évasion fiscale dans le secteur de la restauration.

Ces articles nécessitent d'édicter des dispositions réglementaires complémentaires. Il est proposé de modifier le premier alinéa de l'article 677 de la LTVQ afin d'y insérer les paragraphes 33.2° à 33.6° qui prévoient les pouvoirs nécessaires au gouvernement d'édicter ces mesures réglementaires complémentaires.

L'insertion du paragraphe 33.2° au premier alinéa de l'article 677 de la LTVQ est nécessaire en raison de l'insertion de l'article 350.51 de la LTVQ afin de déterminer les renseignements prescrits que doit contenir une facture et les cas et les conditions prescrits à l'égard desquels il n'y a pas de remise de facture à l'acquéreur pour l'application de cet article.

L'article 350.51 de la LTVQ prévoit l'obligation pour l'exploitant d'un établissement de restauration, lors de la vente d'un repas taxable, de préparer une facture contenant les renseignements prescrits, la remettre, sauf dans les cas et les conditions prescrits, à l'acquéreur après l'avoir préparée et en conserver une copie.

L'insertion du paragraphe 33.3° au premier alinéa de l'article 677 de la LTVQ est nécessaire en raison de l'insertion de l'article 350.52 de la LTVQ afin de déterminer les appareils prescrits, les renseignements prescrits et les cas prescrits à l'égard desquels l'inscription d'un renseignement n'est pas effectuée sans délai pour l'application de cet article. L'article 350.52 de la LTVQ prévoit notamment que l'exploitant d'un établissement de restauration qui est un inscrit doit, au moyen d'un appareil prescrit, tenir un registre contenant les renseignements prévus à l'article 350.51 et les renseignements prescrits concernant les opérations relatives à une facture ou à la fourniture d'un repas. Lorsqu'il s'agit d'un renseignement relatif au paiement d'une telle fourniture, il doit l'inscrire dans ce registre sans délai, sauf dans les cas prescrits, après avoir reçu le paiement.

L'insertion du paragraphe 33.4° au premier alinéa de l'article 677 de la LTVQ est nécessaire en raison de l'insertion de l'article 350.53 de la LTVQ afin de déterminer les cas et les conditions prescrits à l'égard desquels un document peut être remis. L'article 350.53 de la LTVQ prévoit notamment qu'un inscrit ne peut remettre à l'acquéreur un document qui indique la contrepartie payée ou payable et la taxe payable, sauf dans les cas et aux conditions prescrits ou s'il a été fait conformément au premier alinéa de l'article 350.53 de la LTVQ ou à l'article 350.52 de la LTVQ.

L'insertion du paragraphe 33.5° au premier alinéa de l'article 677 de la LTVQ est nécessaire en raison de l'insertion de l'article 350.54 de la LTVQ afin de déterminer les périodes prescrites, les délais prescrits et les cas prescrits pour l'application de cet article. Le premier alinéa de l'article 350.54 de la LTVQ oblige l'exploitant d'un établissement de restauration, qui est un inscrit, à produire au ministre du Revenu, pour chacune des périodes prescrites, un rapport, dans les délais prescrits. Sauf dans les cas prescrits, il doit être produit à l'égard de chacun des appareils (appareil visé à l'article 350.52 de la LTVQ).

L'insertion du paragraphe 33.6° au premier alinéa de l'article 677 de la LTVQ est nécessaire en raison de l'insertion des articles 350.55 et 350.56 de la LTVQ afin de déterminer la manière prescrite d'aviser le ministre du Revenu. L'article 350.54 de la LTVQ précise que, lorsqu'un scellé est brisé, l'exploitant d'un établissement de restauration, qui est un inscrit, doit en faire apposer un nouveau et en aviser le ministre du Revenu de la manière prescrite. De plus, l'article 350.54 de la LTVQ vise à préciser que la personne qui active, désactive, initialise, entretient, répare, met à jour un appareil prescrit (appareil visé à l'article 350.52 de la LTVQ) ou qui effectue un autre travail à l'égard d'un tel appareil, doit en aviser le ministre du Revenu, de la manière prescrite, après avoir effectué un tel travail.

Notes explicatives ARQ (PL 37, L.Q. 2009, c. 15): *Résumé* :

Le paragraphe 38° de l'article 677 est supprimé.

LTVQ (français)

Situation actuelle :

Actuellement, l'article 677 de la LTVQ prévoit les pouvoirs qu'a le gouvernement d'édicter les règlements nécessaires à l'application de la LTVQ.

Plus particulièrement, le paragraphe 38° de l'article 677 de la LTVQ prévoit le pouvoir de déterminer, pour l'application de l'article 357, les demandes de remboursement qui constituent des demandes prescrites.

Or, il n'y a plus lieu de prévoir un tel pouvoir, puisque le paragraphe 2° de l'article 357 de la LTVQ qui faisait référence aux demandes prescrites a été supprimé.

Modifications proposées :

Il est proposé de supprimer le paragraphe 38° de l'article 677 de la LTVQ qui est devenu caduc suite à la suppression du paragraphe 2° de l'article 357 de la LTVQ.

Notes explicatives ARQ (PL 2, L.Q. 2009, c. 5): *Résumé* :

L'insertion du paragraphe 23.1° au premier alinéa de l'article 677 découle de l'introduction de l'article 188.1 à la LTVQ.

Situation actuelle :

Actuellement, l'article 677 de la LTVQ prévoit les pouvoirs qu'a le gouvernement d'édicter les règlements nécessaires à l'application de la loi.

Modifications proposées :

L'insertion du paragraphe 23.1° au premier alinéa de l'article 677 de la LTVQ, en concordance avec l'introduction de l'article 188.1, permet de déterminer, pour les fins de l'application de cette disposition, les fournitures qui constituent des fournitures prescrites.

Notes explicatives ARQ (PL 41, L.Q. 2006, c. 36): *Résumé* :

L'insertion du paragraphe 38.2° au premier alinéa de l'article 677 vise à prévoir le pouvoir réglementaire de déterminer les conditions et les modalités prescrites à respecter ainsi que les pièces justificatives prescrites à fournir pour demander le remboursement de la taxe de vente du Québec (TVQ) relativement à un véhicule hybride neuf prescrit prévu au nouvel article 382.9 de la LTVQ.

Par ailleurs, le paragraphe 55.1.1° du premier alinéa de l'article 677 de la *Loi sur la taxe de vente du Québec* (LTVQ), qui prévoit le pouvoir réglementaire de déterminer, pour l'application de l'article 541.32 de la LTVQ, la manière prescrite d'indiquer la taxe sur l'hébergement sur la facture, est supprimé, en concordance avec la modification de l'article 541.32 de la LTVQ.

Situation actuelle :

L'utilisation de véhicules hybrides, plutôt que de véhicules conventionnels dotés uniquement d'un moteur à combustion interne, peut contribuer à la réduction des émissions polluantes et des gaz à effet de serre.

Aussi, afin de promouvoir l'utilisation des véhicules hybrides peu énergivores, il est proposé de modifier le régime de la TVQ pour y introduire un remboursement partiel de cette taxe payée à l'égard de la vente, de la location à long terme ou de l'apport au Québec de tels véhicules.

Par ailleurs, actuellement, le paragraphe 55.1.1° du premier alinéa de l'article 677 de la LTVQ prévoit le pouvoir réglementaire de déterminer la manière prescrite d'indiquer la taxe sur l'hébergement sur la facture.

Modifications proposées :

L'article 677 de la LTVQ prévoit les pouvoirs qu'a le gouvernement d'édicter des dispositions réglementaires nécessaires à l'application de certaines dispositions de la LTVQ.

L'insertion du paragraphe 38.2° au premier alinéa de l'article 677 de la LTVQ permet de déterminer, par règlement, les véhicules hybrides prescrits ainsi que les conditions et les modalités prescrites à respecter de même que les pièces justificatives prescrites à fournir pour demander le remboursement de la TVQ relativement à un véhicule hybride neuf prescrit prévu au nouvel article 382.9 de la LTVQ.

Ainsi, par exemple, cette demande de remboursement devra être accompagnée de l'original du contrat d'achat ou de location ainsi que de la confirmation de service obtenue auprès de la Société de l'assurance automobile du Québec. Ces documents devront indiquer la date de l'achat ou de la location, les noms et adresses du vendeur ou du locateur et de l'acheteur ou du locataire, une description du véhicule (incluant le nom du fabricant, le modèle et l'année du véhicule et le fait qu'il s'agit d'un véhicule neuf) ainsi que le montant de TVQ payé.

La suppression du paragraphe 55.1.1° donne suite aux modifications proposées à l'article 541.32 de la LTVQ. Ces modifications visent à préciser la manière dont doit être effectuée l'indication de la taxe dans le régime de la taxe sur l'hébergement.

Définitions [art. 677]: « acquéreur », « bien », « bien meuble corporel », « bien meuble corporel désigné », « droit », « effet financier », « fournisseur », « fourniture », « inscrit », « jeu de hasard », « montant », « municipalité », « note de crédit », « note de débit », « personne », « service », « service financier », « taxe », « véhicule routier » — 1.

Renvois [art. 677]: 1.1 (personne morale); 351 (remboursement aux non-résidents); 485.1 (contravention d'une disposition réglementaire et rapport d'infraction); 485.2 (contravention d'une disposition réglementaire et rapport d'infraction); 504 (amende en cas de non-perception ou non-versement de la taxe); 506.1 (société et société de personnes); 534 (amende en cas de contravention à certaines dispositions); 535 (amende en cas de non-perception ou non-versement de la taxe); 541.69 (amende).

Règlements [art. 677]: RTVQ, 677R1 à 677R39; *Règlement sur la manière prescrite de marquer un contenant de bière.*

Bulletins d'information [art. 677]: 2009-9 — Harmonisation à diverses mesures relatives à la législation et à la règlementation fiscales fédérales et report de l'imposition d'une ristourne admissible.

Bulletins d'interprétation [art. 677]: TVQ. 677-1/R2 — Identification des contenants de bière.

Concordance fédérale: LTA, art. 277.

TITRE VIII — DISPOSITIONS FINALES

678. Application de la loi au gouvernement du Québec — La présente loi lie le gouvernement du Québec, ses ministères, ses organismes et ses mandataires.

Toutefois, le titre I et les dispositions transitoires qui s'y rapportent ne lient le gouvernement, ses ministères, ses organismes prescrits et ses mandataires prescrits qu'en ce qui concerne leur obligation, à titre de fournisseurs, de percevoir et de verser la taxe relative à une fourniture taxable qu'ils effectuent.

Notes historiques: Le deuxième alinéa de l'article 678 a été supprimé par L.Q. 2012, c. 28, par. 181(1) et cette modification s'applique à l'égard d'une taxe qui est payable après le 31 mars 2013. Antérieurement, il se lisait ainsi :

> **Exception** — Toutefois, le titre premier et les dispositions transitoires qui s'y rapportent ne lient le gouvernement, ses ministères, ses organismes prescrits et ses mandataires prescrits qu'en ce qui concerne leur obligation, à titre de fournisseurs, de percevoir et de verser la taxe relative à une fourniture taxable qu'ils effectuent.

L'article 678 a été édicté par L.Q. 1991, c. 67.

Notes explicatives ARQ (PL 5, L.Q. 2012, c. 28): *Résumé* :

L'article 678 prévoit que les dispositions de la LTVQ relatives à la taxe de vente du Québec (TVQ) ne lient le gouvernement du Québec, ses ministères, ses organismes prescrits et ses mandataires prescrits qu'en ce qui concerne leur obligation, à titre de fournisseurs, de percevoir et de verser cette taxe. Cet article est modifié afin que la LTVQ lie le gouvernement du Québec, ses ministères, ses organismes et ses mandataires prescrits sans restriction, conformément à l'*Entente intégrée globale de coordination fiscale entre le gouvernement du Canada et le gouvernement du Québec* (Entente). Ainsi, ils auront l'obligation de payer la TVQ à l'égard d'une fourniture taxable comme tout autre acquéreur d'une telle fourniture.

Situation actuelle :

Le premier alinéa de l'article 678 mentionne que cette loi lie le gouvernement du Québec, ses ministères, ses organismes et ses mandataires. Par contre, le deuxième alinéa de l'article 678 de la LTVQ prévoit que les dispositions de cette loi relatives à la TVQ ne lient le gouvernement du Québec, ses ministères, ses organismes prescrits et ses mandataires prescrits qu'en ce qui concerne leur obligation, à titre de fournisseurs, de percevoir et de verser cette taxe.

Le 28 mars 2012, les ministres des Finances du Canada et du Québec ont conclu l'Entente. L'article 44 de l'Entente prévoit que les gouvernements du Canada et du Québec conviennent de payer, à compter du 1er avril 2013, la taxe sur les produits et services, la taxe de vente harmonisée (TPS/TVH) et la TVQ modifiée relativement aux fournitures effectuées au profit de leurs gouvernements respectifs ou des mandataires de ceux-ci. En cas d'immunité fiscale entre administrations, les montants de TPS/TVH et de TVQ modifiée seront recouvrables au moyen d'un mécanisme de remboursement.

Modifications proposées :

Le deuxième alinéa de l'article 678 est supprimé afin que la LTVQ lie le gouvernement du Québec, ses ministères, ses organismes et ses mandataires sans restriction. Ainsi, ils auront l'obligation de payer la TVQ comme tout autre acquéreur d'une fourniture taxable.

Guides [art. 678]: IN-203 — Renseignements généraux sur la TVQ et la TPS/TVH.

Définitions [art. 678]: « fournisseur », « fourniture taxable », « gouvernement », « taxe » — 1.

Renvois [art. 678]: 677:57° (règlements).

Règlements [art. 678]: RTVQ, 678R1.

Bulletins d'interprétation [art. 678]: TVQ. 164.1-1/R2 — Réfection par une municipalité de routes dont la gestion incombe au ministère des Transports du Québec; TVQ. 678-1/R4 — Le gouvernement du Québec et les taxes à la consommation du Québec; TVQ. 678-2 — Achats effectués par un centre d'aide juridique ou dans le cadre de la réalisation d'un mandat d'aide juridique.

Lettres d'interprétation [art. 678]: 98-0110654 — Décision portant sur l'application de la TPS — Interprétation relative à la TVQ — Hébergement pour un service de santé; 00-0107540 — Interprétation relative à la TVQ — Application de la TVQ et des autres taxes aux gouvernements; 02-0102299 — Décision portant sur l'application se la TPS — Interprétation relative à la TVQ, reprise d'un véhicule routier.

Concordance fédérale: LTA, art. 122.

679. [*Abrogé*]

Notes historiques: L'article 679 a été abrogé par L.Q. 1993, c. 79, art. 56 à compter du 17 décembre 1993. Il se lisait auparavant comme suit :

679. Les procédures de suspension ou d'annulation d'un certificat d'enregistrement émis ou délivré en vertu de la *Loi concernant l'impôt sur la vente en détail* (L.R.Q., chapitre I-1), de la *Loi concernant la taxe sur la publicité électronique* (L.R.Q., chapitre T-2) ou de la *Loi concernant la taxe sur les télécommunications* (L.R.Q., chapitre T-4), engagées avant le 1er juillet 1992, sont continuées conformément au titre premier à l'égard d'un certificat d'inscription délivré en vertu de ce titre.

Les procédures de suspension, de révocation ou d'annulation d'un certificat ou d'un permis délivré en vertu d'une loi fiscale, engagées avant le 17 décembre 1993 sont continuées conformément aux dispositions prévues aux articles 17.5 à 17.9 de la *Loi sur le ministère du Revenu* [L.Q. 1993, c. 79, art. 57].

L'article 679 a été édicté par L.Q. 1991, c. 67.

680. [*Abrogé*]

Notes historiques: L'article 680 a été abrogé par L.Q. 1993, c. 79, art. 56 à compter du 17 décembre 1993. Il se lisait auparavant comme suit :

680. Le cautionnement exigé par le ministre en vertu de la *Loi concernant l'impôt sur la vente en détail* (L.R.Q., chapitre I-1), de la *Loi concernant la taxe sur la publicité électronique* (L.R.Q., chapitre T-2) ou de la *Loi concernant la taxe sur les télécommunications* (L.R.Q., chapitre T-4) à l'égard d'un certificat d'enregistrement, est réputé avoir été exigé à l'égard d'un certificat d'inscription délivré en vertu du titre premier.

Tout cautionnement exigé ou réputé exigé par le ministre en vertu d'une loi fiscale avant le 17 décembre 1993 à l'égard d'un certificat ou d'un permis délivré en vertu d'une telle loi est réputé avoir été exigé en vertu des articles 17.2 à 17.4 de la *Loi sur le ministère du Revenu* [L.Q. 1993, c. 79, art. 58].

L'article 680 a été édicté par L.Q. 1991, c. 67.

681. Entente avec le titulaire d'un certificat d'inscription — Le ministre peut, afin de faciliter la perception et le versement des taxes ou des droits imposés par la présente loi ou de prévenir le paiement en double de ces taxes ou de ces droits, conclure avec toute personne titulaire d'un certificat d'inscription les ententes écrites qu'il juge à-propos.

Notes historiques: L'article 681 a été remplacé par L.Q. 2000, c. 39, art. 291(1) et cette modification a effet depuis le 1er octobre 1999. Antérieurement, il se lisait ainsi :

681. Le ministre peut, afin de faciliter la perception et le versement des taxes imposées par la présente loi ou de prévenir le paiement en double de ces taxes, conclure avec toute personne titulaire d'un certificat d'inscription les ententes écrites qu'il juge à propos [*sic*].

L'article 681 a été édicté par L.Q. 1991, c. 67.

Définitions [art. 681]: « personne », « taxe » — 1.

Renvois [art. 681]: 541.56 (perception du droit spécifique sur les pneus neufs); 541.60 (obligation de percevoir le droit spécifique sur les pneus neufs).

Concordance fédérale: aucune.

682. Dispositions incluses dans un titre — Les dispositions d'un titre ne s'appliquent pas aux dispositions d'un autre titre, sauf mention expresse à l'effet contraire.

Notes historiques: L'article 682 a été édicté par L.Q. 1991, c. 67.

Définitions [art. 682]: « bien », « droit », « fourniture », « personne », « service », « taxe » — 1.

Renvois [art. 682]: 665 (remboursement pour immeuble d'habitation à logement unique déterminé); 677:58° (règlements).

Concordance fédérale: aucune.

683. Cession du droit au remboursement — règles — La personne qui, en vertu de la présente loi, a droit au remboursement de la totalité ou d'une partie de la taxe qu'elle a payée au ministre en vertu de la présente loi à l'égard de la fourniture prescrite d'un bien ou d'un service peut céder ce droit en faveur de la personne qui lui a fourni le bien ou le service, si cette cession respecte les conditions suivantes :

1° elle est faite sans réserve et est constatée dans un écrit portant la signature du cédant;

2° elle vise la totalité du remboursement auquel a droit le cédant et est consentie autrement qu'à titre de sûreté;

3° elle est communiquée au ministre par un avis écrit accompagné de l'acte de cession, de la demande de remboursement et de la preuve établissant que la taxe a été payée, dans les délais et en la manière prescrits.

Restriction — Toutefois, le cessionnaire n'a droit au remboursement de cette taxe que si le cédant n'a produit aucune demande au ministre à l'égard de ce remboursement.

Effet de la cession — La cession faite conformément au premier alinéa n'a pas pour effet de conférer au cessionnaire plus de droits que n'en détient lui-même le cédant aux termes de la loi.

Notes historiques: L'article 683 a été édicté par L.Q. 1991, c. 67.

Règlements [art. 683]: LTVQ, 683R1.

Concordance fédérale: aucune.

684. Ministre responsable — Le ministre du Revenu est chargé de l'application de la présente loi.

Notes historiques: L'article 684 a été édicté par L.Q. 1991, c. 67.

Définitions [art. 684]: « bien », « contrepartie », « fourniture », « immeuble », « service », « taxe », « vente » — 1.

Renvois [art. 684]: 673 (fourniture donnant droit au remboursement); 674.3 (remboursement de la taxe prévue par la LI); 686 (application de la règle anti-évitement).

Jurisprudence [art. 684]: *Guay c. Québec (Sous-ministre du Revenu)* (9 février 2009), 550-80-000639-068, 2009 CarswellQue 1058; *Rafla c. Québec (Sous-ministre du Revenu)* (17 octobre 2006), 500-09-015241-052, 2006 CarswellQue 8996; *Motter c. Québec (Sous-ministre du Revenu)* (28 septembre 2005), 500-80-001068-031, 2005 CarswellQue 8953; *Rafla c. Québec (Sous-ministre du Revenu)* (1er décembre 2004), 500-02-088684-011; *140759 Canada inc. c. Québec (Sous-ministre du Revenu)* (8 juillet 2004), 500-80-000028-028, 2004 CarswellQue 2567.

Concordance fédérale: aucune.

685. Application du titre I — Le titre premier s'applique, sous réserve des articles 618 à 656, à l'égard :

1° de la fourniture d'un bien meuble ou d'un service, autre qu'un service de transport de passagers ou de marchandises, dont la totalité de la contrepartie devient due ou est payée, ou est réputée être devenue due ou avoir été payée, après le 30 juin 1992 et n'est pas payée, ou est réputée ne pas avoir été payée, avant le 1er juillet 1992 et ne devient pas due, ou est réputée ne pas être devenue due, avant le 1er juillet 1992;

2° de la fourniture d'un bien meuble ou d'un service, autre qu'un service de transport de passagers ou de marchandises, dont une partie de la contrepartie devient due ou est payée, ou est réputée être devenue due ou avoir été payée, après le 30 juin 1992; toutefois, aucune taxe n'est payable en vertu du titre I à l'égard de toute partie de la contrepartie de la fourniture qui devient due ou est payée avant le 1er juillet 1992 et qui n'est pas réputée être devenue due ou avoir été payée après le 30 juin 1992 autrement que par application des articles 618 à 656;

3° de la fourniture d'un service de transport de marchandises qui commence après le 30 juin 1992 dont la totalité ou une partie de la contrepartie devient due après le 30 juin 1992 et n'est pas payée avant le 1er juillet 1992;

4° de la fourniture d'un service de transport de passagers à l'égard duquel le billet est délivré après le 30 juin 1992;

5° d'une fourniture qui est réputée effectuée après le 30 juin 1992;

6° d'une fourniture à l'égard de laquelle la taxe est réputée perçue;

7° de la fourniture d'un immeuble par vente dont la propriété et la possession sont transférées après le 30 juin 1992;

7.1° de la fourniture d'un immeuble par louage, licence ou accord semblable dont la totalité de la contrepartie devient due ou est payée, ou est réputée être devenue due ou avoir été payée, après le 30 juin 1992 et n'est pas payée, ou est réputée ne pas avoir été payée, avant le 1er juillet 1992 et ne devient pas due, ou est réputée ne pas être devenue due, avant le 1er juillet 1992;

LTVQ (français)

7.2º de la fourniture d'un immeuble par louage, licence ou accord semblable dont une partie de la contrepartie devient due ou est payée, ou est réputée être devenue due ou avoir été payée, après le 30 juin 1992; toutefois, aucune taxe n'est payable en vertu du titre I à l'égard de toute partie de la contrepartie de la fourniture qui devient due ou est payée avant le 1er juillet 1992 et qui n'est pas réputée être devenue due ou avoir été payée après le 30 juin 1992 autrement que par application des articles 618 à 656;

8º de l'apport d'un bien corporel au Québec effectué après le 30 juin 1992;

9º d'une fourniture à l'égard de laquelle la taxe est payable par application des articles 618 à 656;

10º d'une fourniture visée à l'article 318 effectuée avant le 1er juillet 1992; toutefois, aucune taxe n'est payable en vertu du titre I à l'égard de tout montant payé ou ayant fait l'objet d'une renonciation ou de toute dette ou autre obligation réduite ou éteinte avant le 1er juillet 1992.

Notes historiques: Les paragraphes 1º et 2º de l'article 685 ont été modifiés par L.Q. 1994, c. 22, art. 643(1) et sont réputés entrés en vigueur le 1er juillet 1992. Ils se lisaient comme suit :

1º de la fourniture d'un bien meuble ou d'un service, autre qu'un service de transport de passagers ou de marchandises, dont la totalité de la contrepartie devient due après le 30 juin 1992 et n'est pas payée avant le 1er juillet 1992;

2º de la fourniture d'un bien meuble ou d'un service, autre qu'un service de transport de passagers ou de marchandises, dont une partie de la contrepartie devient due après le 30 juin 1992 et n'est pas payée avant le 1er juillet 1992; toutefois, aucune taxe n'est payable en vertu du titre premier autrement que par application des articles 618 à 656 à l'égard toute partie de la contrepartie qui devient due ou est payée avant le 1er juillet 1992;

Le paragraphe 4º de l'article 685 été modifié par L.Q. 2009, c. 15, art. 536 par le remplacement du mot « émis » par le mot « délivré ». Cette modification est entrée en vigueur le 4 juin 2009.

Les paragraphes 7.1º et 7.2º de l'article 685 ont été ajoutés par L.Q. 1994, c. 22, art. 643(1) et sont réputés entrés en vigueur le 1er juillet 1992.

Le paragraphe 10º de l'article 685 a été ajouté par L.Q. 1997, c. 85, art. 717(1) et a effet depuis le 24 avril 1996.

L'article 685 a été édicté par L.Q. 1991, c. 67.

Notes explicatives ARQ (PL 37, L.Q. 2009, c. 15): *Résumé* :

L'article 685 est modifié par le remplacement du mot « émis » par le mot « délivré « .

Situation actuelle :

L'article 685 de la LTVQ prévoit, pour l'application du titre I et sous réserve des règles transitoires établies aux chapitres I à VII, les règles d'entrée en vigueur applicables à l'égard de la fourniture d'un bien meuble, d'un service ou d'un immeuble.

Modifications proposées :

L'article 685 de la LTVQ fait l'objet d'une modification terminologique afin de tenir compte du contexte dans lequel les dérivés des mots « émission » et « délivrance » doivent être utilisés. En effet, l'article 685 de la LTVQ fait référence à l'émission d'un billet. Or, dans ce contexte, il est plus approprié d'utiliser le dérivé du mot « délivrer « .

Jurisprudence [art. 685]: *Groupe Collège Lasalle inc. c. Québec (Sous-ministre du Revenu)* (10 juin 2005), 500-09-010491-017, 2005 CarswellQue 3853 (C.A. Qué.).

Concordance fédérale: L.C. 1990, c. 45, par. 12(2).

686. Application du chapitre IX du titre I — Malgré l'article 685, le chapitre neuvième du titre premier s'applique aux opérations effectuées après le 30 septembre 1991 et comme si les mentions, à ce chapitre, du « présent titre » étaient remplacées par des mentions du « présent titre et du chapitre sixième du titre sixième ».

Notes historiques: L'article 686 a été édicté par L.Q. 1991, c. 67.

Définitions [art. 686]: « gouvernement », « service », « taxe » — 1.

Renvois [art. 686]: 688 (entrée en vigueur).

Concordance fédérale: L.C. 1990, c. 45, par. 12(3).

687. Sommes requises pour l'implantation de la réforme — Les sommes requises pour l'implantation de la réforme des taxes à la consommation et pour l'administration par le ministre du Revenu de la taxe sur les produits et services prévue par la *Loi sur la taxe d'accise* (Lois révisées du Canada (1985), chapitre E-15) sont prises, pour l'exercice financier 1992-93, sur le fonds consolidé du revenu dans la mesure déterminée par le gouvernement.

Notes historiques: L'article 687 a été édicté par L.Q. 1991, c. 67.

Concordance fédérale: aucune.

688. [Omis].

Notes historiques: L'article 688 a été édicté par L.Q. 1991, c. 67.

AN ACT RESPECTING THE QUÉBEC SALES TAX

R.S.Q., c. T-0.1 [S.Q. 1991, c. 67], as am. S.Q. 1991, c. 67; 1992, c. 1, s. 248; 1992, c. 17, s. 18; 1992, c. 21; 1992, c. 57; 1992, c. 68; 1993, c. 19; 1993, c. 51; 1993, c. 64, s. 244; 1993, c. 79; 1994, c. 16; 1994, c. 22; 1994, c. 23; 1995, c. 1; 1995, c. 47; 1995, c. 49, s. 246 (Fr.); 1995, c. 63 [s. 351 amended 2000, c. 39, s. 297; s. 505 repealed 1997, c. 14, s. 379.]; 1995, c. 68; 1996, c. 2; 1997, c. 3; 1997, c. 14; 1997, c. 31; 1997, c. 43, s. 875(7) (Fr.); 1997, c. 85 [s. 716 amended 1998, ss. 16, 313; s. 632 amended 2001, c. 7, s. 180; s. 462 amended 2009, c. 5, s. 676.]; 1998, c. 16, ss. 303–306; 1998, c. 33; 1999, c. 14; 1999, c. 53, s. 17; 1999, c. 65, ss. 49–53; 1999, c. 83, ss. 305–322; 1999, c. 89, s. 53; 2000, c. 20, s. 175; 2000, c. 25, ss. 26–30; 2000, c. 39, ss. 280–291; 2000, c. 56, s. 218(22); 2001, c. 7, s. 178; 2001, c. 51, ss. 258–311; 2001, c. 53, ss. 272–373, 374 (Fr.), 375–386; 2002, c. 6, ss. 214, 215; 2002, c. 9, ss. 151–174; 2002, c. 40, s. 340; 2002, c. 45, ss. 621, 622; 2002, c. 46, ss. 28–35; 2002, c. 58, s. 18; 2003, c. 2, ss. 307–350; 2003, c. 9, ss. 456–458; 2004, c. 4, s. 56; 2004, c. 8, ss. 215 (Fr.), 216; 2004, c. 21, ss. 527–548; 2004, c. 37, s. 90(38); 2005, c. 1, ss. 347–351, 352(1)(1), (1)(2) (Fr.), (1)(3) (Fr.), (1)(4), 353–376; 2005, c. 23, ss. 273, 274, 275 (Fr.), 276 (Fr.), 277, 278, 279 (Fr.), 280 (Fr.), 281; 2005, c. 28, s. 195; 2005, c. 38, ss. 362–395; 2006, c. 7, ss. 14, 15; 2006, c. 13, ss. 237, 238, 239 (Fr.), 240; 2006, c. 31, ss. 111, 112; 2006, c. 36, ss. 289–293; 2007, c. 12, ss. 317–343; 2009, c. 5, ss. 595, 596(1)(1) (Fr.), (1)(2), 597–634, 635(1) (Fr.), (2), 636–673; 2009, c. 15, ss. 481 (Fr.), 482–484, 485 (Fr.), 486–498, 499(1)(1)–(1)(4), (1)(5) (Fr.), (1)(6) (Fr.), (1)(7), (1)(8) (Fr.), (1)(9)–(1)(12), 500, 501 (Fr.), 502, 503 (Fr.), 504–510, 511 (Fr.), 512–515, 516 (Fr.), 517 (Fr.), 518–524, 525 (Fr.), 526 (Fr.), 527–530, 531–534 (Fr.), 535, 536 (Fr.); 2010, c. 5, ss. 206–228, 229(1)(1) (Fr.), (1)(2), (1)(3), 230–246; 2010, c. 12, s. 34; 2010, c. 25, ss. 246–252; 2010, c. 31, s. 175(3), (4); 2011, c. 1, ss. 121–158; 2011, c. 6, ss. 232–246, 247 (Fr.), 248–261, 262 (Fr.), 263–288; 2011, c. 16, s. 35; 2011, c. 18, s. 286; 2011, c. 34, ss. 140–156; 2012, c. 8, ss. 265–268, 269(1), (2) (Fr.), (3), 270, 271; 2012, c. 28, ss. 29–48, 49(1)(1), (1)(2) (Fr.), 50–127, 128(1)(1) (Fr.), (1)(2), 129–181.

TITLE I — QUÉBEC SALES TAX

Chapter I — Definitions and Interpretation

DIVISION I — DEFINITIONS

1. Definitions — For the purposes of this title and the regulations made under it, unless the context indicates otherwise,

"admission" means a right of entry or access to, or attendance at, a place of amusement, a seminar, an activity or an event;

"amount" means money, property or a service, expressed in terms of the amount of money or the value in terms of money of the property or service;

"asset management service" means a service (other than a prescribed service) rendered by a particular person in respect of the assets or liabilities of another person that is a service of

(a) managing or administering the assets or liabilities, irrespective of the level of discretionary authority the particular person has to manage some or all of the assets or liabilities,

(b) providing research, analysis, advice or reports in respect of the assets or liabilities,

(c) determining which assets or liabilities are to be acquired or disposed of, or

(d) acting to realize performance targets or other objectives in respect of the assets or liabilities;

"bank" means a bank or an authorized foreign bank within the meaning of section 2 of the *Bank Act* (Revised Statutes of Canada, 1985, chapter B-1);

"basic tax content", at a particular time, of property of a person means the amount determined by the formula

$$(A - B) \times C,$$

where

(1) A is the total of

(a) the tax that was payable by the person in respect of the last acquisition or bringing into Québec of the property by the person,

(b) the tax that would have been payable by the person in respect of the last bringing into Québec of the property by the person but for the fact that the person was a registrant, that the property was brought into Québec by the person for consumption or use exclusively in the course of commercial activities of the person and that the person would have been entitled to claim an input tax refund had the person paid the tax in respect of the bringing in,

(c) the tax that would have been payable by the person in respect of the last bringing into Québec of the property by the person but for the fact that the property was brought into Québec for supply,

(d) the tax that was payable by the person in respect of an improvement to the property acquired, or brought into Québec, by the person after the property was last acquired or brought into Québec by the person,

(e) the tax that would have been payable by the person in respect of the bringing into Québec of an improvement to the property but for the fact that the person was a registrant, that the improvement was brought into Québec by the person for consumption or use exclusively in the course of commercial activities of the person and that the person would have been entitled to claim an input tax refund had the person paid the tax in respect of the bringing in after the property was last acquired or brought into Québec by the person,

(f) the tax under section 16 that would have been payable by the person in respect of the last acquisition of the property by the person or in respect of an improvement to the property acquired by the person after the property was last acquired or brought into Québec by the

LTVQ (anglais)

person, but for sections 54.1, 75.1, 75.3 to 75.9 — in the case of property acquired under an agreement for a qualifying supply that was not, immediately before that acquisition, capital property of the supplier — and 80, or the fact that the property or improvement was acquired by the person for consumption, use or supply exclusively in the course of commercial activities, and

(g) the tax under section 18 or section 18.0.1 that would have been payable by the person in respect of the last acquisition of the property by the person, and the tax under section 18 or section 18.0.1 that would have been payable by the person in respect of an improvement to the property acquired by the person after the property was last acquired or brought into Québec by the person, but for the fact that the person had acquired the property or improvement for consumption, use or supply exclusively in the course of commercial activities of the person;

(h) the total of all amounts each of which is determined by the formula

$$D \times E \times \frac{F}{G},$$

where

i. D is an amount of tax (other than tax that the person was exempt from paying under any other Act or law) under subsection 1 of section 165 of the *Excise Tax Act* or section 212 or 218 of that Act, in relation to the property, referred to in any of subparagraphs i to iii of the description of A in paragraph a of the definition of "basic tax content" in subsection 1 of section 123 of that Act, that became payable, or would have so become payable in the circumstances described in that subparagraph, by the person while the person was a selected listed financial institution, or while the person would have been such a financial institution for the purposes of that Act if Québec were a participating province, within the meaning of that subsection 1,

ii. E is the percentage referred to in subparagraph 3 of the second paragraph of section 433.16 for the persons taxation year that includes the time the amount referred to in subparagraph i so became payable, or would have so become payable,

iii. F is the tax rate specified in the first paragraph of section 16, and

iv. G is the tax rate specified in subsection 1 of section 165 of the *Excise Tax Act*;

(2) B is the total of

(a) all taxes referred to in any of subparagraphs a to g of paragraph 1 that the person was exempt from paying under any other Act or law,

(a.1) all taxes (other than tax referred to in subparagraph a) under the first paragraph of section 16 or 17 referred to in any of subparagraphs a to g of paragraph 1 that became payable by the person, or would have so become payable in the circumstances described in that subparagraph, while the person was a selected listed financial institution,

(b) all amounts (other than input tax refunds and amounts referred to in subparagraphs a and a.1) in respect of tax referred to in subparagraphs a and d of paragraph 1 that the person was entitled to recover by way of rebate, refund or otherwise under this or any other Act or law or would have been entitled to recover if the property or improvement had been acquired for use exclusively in activities that are not commercial activities, and

(c) all amounts (other than input tax refunds and amounts referred to in subparagraphs a and a.1) in respect of tax referred to in subparagraphs b, c and e to g of paragraph 1 that the person would have been entitled to recover by way of rebate, refund or otherwise under this or any other Act or law or would have been entitled to recover if that tax had been payable and the property or improvement had been acquired for use exclusively in activities that are not commercial activities; and

(3) C is the lesser of 1 and

$$H/I,$$

where

(1) H is the fair market value of the property at the particular time, and

(2) I is the total of

(a) the value of the consideration for the last supply of the property to the person or, where the property was last brought into Québec by the person, the value of the property within the meaning of section 17, and

(b) where the person acquires, or brings into Québec, an improvement to the property after the property was last acquired or brought in, the total of all amounts each of which is the value of the consideration for the supply to the person of such an improvement or, if the improvement is property that was brought into Québec by the person, the value of the property within the meaning of section 17;

"builder" of a residential complex or of an addition to a multiple unit residential complex means a person who

(1) at a time when the person has an interest in the immovable on which the complex is situated, carries on or engages another person to carry on for the person

(a) in the case of an addition to a multiple unit residential complex, the construction of the addition,

(b) in the case of a residential unit held in co-ownership, the construction of the complex held in co-ownership in which the unit is situated, and

(c) in any other case, the construction or substantial renovation of the complex,

(2) acquires an interest in the complex at a time when

(a) in the case of an addition to a multiple unit residential complex, the addition is under construction, and

(b) in any other case, the complex is under construction or substantial renovation,

(3) in the case of a mobile home or floating home, makes a supply of the home before the home has been used or occupied by any individual as a place of residence,

(4) acquires an interest in the complex for the primary purpose of making one or more supplies of the complex or parts thereof or interests therein by way of sale, or making one or more supplies of the complex or parts thereof by way of lease, licence or similar arrangement to persons other than to individuals who are acquiring the complex or parts otherwise than in the course of a business or an adventure or concern in the nature of trade

(a) in the case of a complex held in co-ownership or residential unit held in co-ownership at a time when the declaration of co-ownership relating to the residential complex is not yet entered in the land register, or

(b) in any case, before the complex has been occupied by an individual as a place of residence or lodging, or

(5) in any case, is deemed under section 220 to be a builder of the complex; however, "builder" does not include

(6) an individual described in paragraph 1, 2 or 4 who otherwise than in the course of a business or an adventure or concern in the nature of trade,

(a) carries on the construction or substantial renovation of the complex,

(b) engages another person to carry on the construction or substantial renovation of the complex for the individual, or

(c) acquires the complex or an interest in it,

(7) an individual described in paragraph 3 who makes a supply of a mobile home or floating home otherwise than in the course of a business or an adventure or concern in the nature of trade, or

(8) a person described in any of paragraphs 1 to 3 whose only interest in the complex is a right to purchase the complex or an interest in it from a builder of the complex;

"business" includes a profession, calling, trade, manufacture or undertaking of any kind whatever, whether the activity or undertaking is engaged in for profit or not, and any activity engaged in on a regular or continuous basis that involves the supply of property by way of lease, licence or similar arrangement, but does not include an office or employment;

"calendar quarter" means a period of three months beginning on the first day of January, April, July or October in each calendar year;

"capital property", in respect of a person, means property that is, or that would be if the person were a taxpayer under the *Taxation Act* (chapter I-3), capital property of the person within the meaning of that Act, other than property described in Class 12, 14 or 44 of Schedule B to the *Regulation respecting the Taxation Act* (R.R.Q., 1981, chapter I-3, r. 1) and any present or future amendment thereto;

"carrier" means a person who supplies a freight transportation service within the meaning of section 193;

"charity" means a registered charity or a registered Canadian amateur athletic association, within the meaning assigned by section 1 of the *Taxation Act*, but does not include a public institution;

"closely related group" has the meaning assigned by section 330;

"commercial activity" of a person means

(1) a business carried on by the person, other than a business carried on without a reasonable expectation of profit by an individual, a personal trust or a partnership, all of the members of which are individuals, except to the extent to which the business involves the making of exempt supplies by the person,

(2) an adventure or concern of the person in the nature of trade, other than an adventure or concern engaged in without a reasonable expectation of profit by an individual, a personal trust or a partnership, all of the members of which are individuals, except to the extent to which the adventure or concern involves the making of exempt supplies by the person, and

(3) the making of a supply, other than an exempt supply, by the person of an immovable of the person, including anything done by the person in the course of or in connection with the making of the supply;

"commercial service", in respect of corporeal movable property, means any service in respect of the property other than a service of shipping the property supplied by a carrier and a financial service;

"complex held in co-ownership" means a residential complex that contains more than one residential unit held in co-ownership;

"consideration" includes any amount that is payable for a supply by operation of law;

"consideration fraction" [Repealed 1997, c. 85, s. 418(1)(13).]

"consumer" of property or a service means an individual who acquires, or brings into Québec, the property or service at his expense for his personal consumption, use or enjoyment or the personal consumption, use or enjoyment of any other individual, but does not include an individual who acquires, or brings into Québec, the property or service for consumption, use or supply in the course of the commercial activities of the individual or other activities in the course of which the individual makes exempt supplies;

"continuous transmission commodity" means electricity, crude oil, natural gas, or any corporeal movable property, that is transportable by means of a wire, pipeline or other conduit;

"convention" means a formal meeting or assembly that is not open to the general public, but does not include a meeting or assembly the principal purpose of which is

(1) to provide any type of amusement, entertainment or recreation,

(2) to conduct contests or games of chance, or

(3) to transact the business of the convenor or attendees

(a) in the course of a trade show that is open to the general public, or

(b) otherwise than in the course of a trade show;

"convention facility" means an immovable that is acquired by way of lease, licence or similar arrangement by the sponsor or organizer of a convention for use exclusively as the site for the convention;

"cooperative corporation" means a cooperative housing corporation and any other cooperative corporation within the meaning of subsection 2 of section 136 of the *Income Tax Act* (Revised Statutes of Canada, 1985, chapter 1, 5th Supplement);

"cooperative housing corporation" means a corporation that was incorporated, by or under the laws of Québec, another province, the Northwest Territories, the Yukon Territory, Nunavut or Canada, providing for the establishment of the corporation or respecting the establishment of cooperative corporations, for the purpose of making supplies by way of lease, licence or similar arrangement of residential units to its members for the purpose of their occupancy as places of residence for individuals where

(1) the statutes by or under which it was incorporated, its charter, articles of association or by-laws or its contracts with its members require that the activities of the corporation be engaged in at or near cost after providing for reasonable reserves and hold forth the prospect that surplus funds arising from those activities will be distributed among its members in proportion to patronage,

(2) none of its members, except other cooperative corporations, have more than one vote in the conduct of the affairs of the corporation, and

(3) at least 90% of its members are individuals or other cooperative corporations and at least 90% of its shares are held by such persons;

"corporeal movable property" [Repealed 1995, c. 1, s. 247(1)(2).]

"courier" [Repealed 1997, c. 85, s. 418(1)(21).]

"credit note" means a credit note issued under section 449;

"credit union" has the meaning assigned by section 797 of the *Taxation Act* to the expression "savings and credit union" and also includes a deposit insurance corporation described in paragraph b of section 804 of that Act;

"debit note" means a debit note issued under section 449;

"debt security" means a right to be paid money and includes a deposit of money, but does not include a lease, licence or similar arrangement for the use of, or the right to use, property other than a financial instrument;

"direct cost" of a supply of corporeal movable property or a service means the total of all amounts each of which is the consideration paid or payable by the supplier

(1) for the property or service if it was purchased by the supplier for the purpose of making a supply by way of sale of the property or service, or

(2) for an article or material, other than capital property of the supplier, that was purchased by the supplier, to the extent that the article or material is to be incorporated into or is to form a constituent or component part of the property, or is to be consumed or expended directly in the process of manufacturing, producing, processing or packaging the property;

and, for the purposes of this definition, the following rules apply:

(1) the consideration paid or payable by the supplier for property or a service is determined by taking into account any tax imposed under this Title that is payable by the supplier in respect of the acquisition or bringing into Québec of the property or service by the supplier, excluding the portion of tax, other than tax that became payable by the supplier at a time when the supplier was a registrant that is recovered or recoverable by the supplier; and

(2) that consideration is determined without taking into account the portion of the duty, fee or tax referred to in section 52 that is recovered or recoverable by the supplier; and

(3) that consideration is determined by taking into account the tax imposed under Part IX of the *Excise Tax Act* (Revised Statutes of Canada, 1985, chapter E-15);

"document" includes money, a security, a record and a supporting document;

"employee" includes an officer;

"employer", in relation to an officer, means the person from whom the officer receives remuneration;

"equity security" means a share of the capital stock of a corporation or any interest in or right to such a share;

"excisable goods" means beer or malt liquor, within the meaning of section 4 of the *Excise Act* (Revised Statutes of Canada, 1985, chapter E-14), and spirits, wine and tobacco products, within the meaning of section 2 of the *Excise Act, 2001* (Statutes of Canada, 2002, chapter 22);

"exclusive" means, in the case of a person who is not a financial institution, all or substantially all of the consumption, use or supply of a property or a service and, in the case of a financial institution, all of the consumption, use or supply of the property or service;

"exempt supply" means a supply described in Chapter III;

"financial institution" throughout a taxation year means a person who is

(1) a listed financial institution at any time in that taxation year, or

(2) a financial institution,

(a) within the meaning of paragraph b of subsection 1 of section 149 of the *Excise Tax Act*, or

(b) within the meaning of paragraph c of subsection 1 of section 149 of that Act;

"financial instrument" means

(1) a debt security,

(2) an equity security,

(3) an insurance policy,

(4) an interest in a trust, a partnership or a succession, or any right in respect of such an interest,

(5) a precious metal,

(6) a contract or an option for the future supply of a commodity, where the contract or option is traded on a recognized commodity exchange,

(7) a prescribed instrument,

(8) an acceptance, a guarantee or an indemnity in respect of an instrument described in paragraph 1, 2, 4, 5 or 7, or

(9) a contract or an option for the future supply of money or of an instrument described in any of paragraphs 1 to 8;

"financial service", which does not include the operations and services described in paragraphs 14 to 20, means

(1) the exchange, issue, payment, receipt or transfer of money, whether effected by the exchange of currency, by crediting or debiting accounts or otherwise;

(2) the operation or maintenance of a charge, chequing, deposit, savings, loan or other account;

(3) the borrowing or lending of a financial instrument;

(4) the acceptance, allotment, issue, endorsement, variation, granting, repayment, renewal, processing or transfer of ownership of a financial instrument;

(5) the variation, provision, receipt or release of an acceptance, a guarantee or an indemnity in respect of a financial instrument;

(6) the payment or receipt of money as benefits, principal, dividends, other than patronage dividends, interest or any similar payment or receipt of money in respect of a financial instrument;

(6.1) the payment or receipt of an amount in full or partial satisfaction of a claim arising under an insurance policy;

(7) the making of any advance, the granting of any credit or the lending of money;

(8) the underwriting of a financial instrument;

(9) any service provided pursuant to the terms and conditions of any agreement relating to the payment of amounts for which a credit card voucher or charge card voucher has been issued;

(10) the service of investigating and recommending the compensation in satisfaction of a claim where

(a) the claim is made under a marine insurance policy, or

(b) the claim is made under an insurance policy that is not in the nature of accident or sickness or life insurance and

(i) the service is supplied by an insurer or by a person who is licensed under the laws of Québec, another province, the Northwest Territories, the Yukon Territory or Nunavut to provide such a service, or

ii. the service is supplied to an insurer or a group of insurers by a person who would be required to be so licensed but for the fact that the person is relieved from that requirement under the laws of Québec, another province, the Northwest Territories, the Yukon Territory or Nunavut;

(10.1) the service of providing an insurer or a person who supplies a service referred to in paragraph 10 with an appraisal of the damage caused to property, or in the case of a loss of property, the value of the property, where the supplier of the appraisal inspects the property, or in the case of a loss of the property, the last-known place where the property was situated before the loss;

(11) any supply deemed under section 39 or 297.0.2.1 to be a supply of a financial service;

(12) the agreeing to provide, or the arranging for, a service that is

(a) referred to in any of paragraphs 1 to 9, and

(b) not referred to in any of paragraphs 14 to 20;

(13) a prescribed service;

(14) the payment or receipt of money as consideration for the supply of property other than a financial instrument or of a service other than a financial service;

(15) the payment or receipt of money in settlement of a claim (other than a claim under an insurance policy) under a warranty, guarantee or similar arrangement in respect of property other than a financial instrument or a service other than a financial service;

(16) the service of providing advice, other than a service referred to in paragraph 10 or 10.1;

(17) where the supplier is a person who provides management or administrative services to an investment plan, a corporation, partnership or trust the principal activity of which is the investing of funds, the provision to the investment plan, corporation, partnership or trust of

(a) a management or administrative service, or

(b) any other service, other than a prescribed service;

(17.1) an asset management service;

(18) a professional service provided by an actuary, advocate, accountant or notary in the course of a professional practice;

(18.1) the arranging for the transfer of ownership of shares of a cooperative housing corporation;

(18.2) a debt collection service, rendered under an agreement between a person agreeing to provide, or arranging for, the service and a particular person other than the debtor, in respect of all or part of a debt, including a service of attempting to collect, arranging for the

LTVQ (anglais)

collection of, negotiating the payment of, or realizing or attempting to realize on a security given for, the debt, but does not include a service that consists solely of accepting from a person, other than the particular person, a payment of all or part of an account unless

(a) under the terms of the agreement the person rendering the service may attempt to collect all or part of the account or may realize or attempt to realize on a security given for the account, or

(b) the principal business of the person rendering the service is the collection of debt;

(18.3) a service (other than a prescribed service) of managing credit that is in respect of credit cards, charge cards, credit accounts, charge accounts, loan accounts or accounts in respect of any advance and is provided to a person granting, or potentially granting, credit in respect of those cards or accounts, including a service provided to the person of

(a) checking, evaluating or authorizing credit,

(b) making decisions on behalf of the person in relation to a grant, or an application for a grant, of credit,

(c) creating or maintaining records for the person in relation to a grant, or an application for a grant, of credit or in relation to the cards or accounts, or

(d) monitoring another person's payment record or dealing with payments made, or to be made, by the other person;

(18.4) a service (other than a prescribed service) that is preparatory to the provision or the potential provision of a service referred to in any of paragraphs 1 to 9 and 12, or that is provided in conjunction with a service referred to in any of those paragraphs, and that is

(a) a service of collecting, collating or providing information, or

(b) a market research, product design, document preparation, document processing, customer assistance, promotional or advertising service or a similar service;

(18.5) property (other than a financial instrument or prescribed property) that is delivered or made available to a person in conjunction with the rendering by the person of a service referred to in any of paragraphs 1 to 9 and 12;

(19) any service the supply of which is deemed under this title to be a taxable supply;

(20) a prescribed service;

"floating home" means a structure that is composed of a floating platform and a building designed to be occupied as a place of residence for individuals that is permanently affixed to the platform, but does not include any freestanding appliances or furniture sold with the structure or any structure that has means of, or is capable of being readily adapted for, self-propulsion;

"foreign convention" means a convention

(1) at least 75% of the admissions to which are, at the time the sponsor of the convention determines the amount to be charged as consideration therefor, reasonably expected to be supplied to persons not resident in Canada, and

(2) the sponsor of which is an organization whose head office is situated outside Canada or, where the organization has no head office, the member, or majority of members, of which having management and control of the organization is or are not resident in Canada;

"former spouse" [Repealed 2001, c. 53, s. 272(1)(6).]

"game of chance" means a lottery or other scheme under which prizes or winnings are awarded by way of chance only or by way of a mixture of chance and other factors where the result depends more on chance than on the other factors;

"government" means the government of Québec, another province, the Northwest Territories, the Yukon Territory, Nunavut or Canada;

"hospital authority" means a public institution, within the meaning of the *Act respecting health services and social services* (chapter S-4.2) or within the meaning of the *Act respecting health services and social services for Cree Native persons* (chapter S-5), that operates a hospital centre, or an organization that operates a public hospital located in Québec and that is designated by the Minister of National Revenue as a hospital authority;

"immovable" includes

(1) a lease pertaining to an immovable;

(2) a mobile home;

(3) a floating home; and

(4) a leasehold or other proprietary interest in a mobile home or a floating home;

"improvement", in respect of property of a person, means any property or service supplied to, or property brought into Québec by, the person for the purpose of improving the property, to the extent that the consideration paid or payable by the person for the property or service or the value of the property brought in is, or would be if the person were a taxpayer within the meaning of the *Taxation Act*, included in determining the cost or, in the case of property that is capital property of the person, the adjusted cost base to the person of the property for the purposes of that Act;

"individual" means a natural person;

"insurance policy" means a policy of insurance that is issued, or a contract of insurance that is entered into, by an insurer and a policy or contract in the nature of accident or sickness insurance, whether or not the policy is issued, or the contract is entered into, by an insurer, and also includes

(1) a policy of reinsurance issued by an insurer,

(2) an annuity contract entered into by an insurer, or a contract entered into by an insurer that would be an annuity contract except that the payments under the contract

(a) are payable on a periodic basis at intervals that are shorter or longer than one year, or

(b) vary in amount depending on the value of a specified group of assets or on changes in interest rates, and

(3) a contract entered into by an insurer all or part of the insurer's reserves for which vary in amount depending on the value of a specified group of assets;

(4) a bid, performance, maintenance or payment bond issued in respect of a construction contract;

however, **"insurance policy"** does not include a warranty in respect of the quality, fitness or performance of corporeal property, where the warranty is supplied to a person who acquires the property otherwise than for resale;

"insurer" means a person who is authorized under the laws of Québec, another province, the Northwest Territories, the Yukon Territory, Nunavut or Canada to carry on an insurance business in Canada or under the laws of another jurisdiction to carry on an insurance business in that other jurisdiction;

"inter vivos trust" means a trust other than a testamentary trust;

"investment plan" means

(1) a trust governed by any of the following plans, trusts, arrangement or fund, within the meaning of the *Taxation Act* or the *Regulation respecting the Taxation Act* and any present or future amendment thereto:

(a) a registered pension plan,
(b) a profit sharing plan,
(c) a registered supplementary unemployment benefit plan,
(d) a registered retirement savings plan,
(e) a deferred profit sharing plan,
(f) a registered education savings plan,
(g) an employee benefit plan,
(h) an employee trust,
(i) a mutual fund trust,
(j) a unit trust,
(k) a retirement compensation arrangement, or
(l) a registered income fund;

(2) the following corporations within the meaning of the said Act:

(a) an investment corporation,
(b) a mortgage investment corporation,
(c) a mutual fund corporation, or
(d) a non-resident owned investment corporation;

(3) a corporation exempt from tax under the said Act by reason of paragraphs c.1 and c.2 of section 998 and section 998.1 of the said Act; and

(4) a pooled fund trust within the meaning of the *Excise Tax Act* (Revised Statutes of Canada, 1985, chapter E-15);

(5) a prescribed person, or a person of a prescribed class, but only where the person would be a selected listed financial institution for a reporting period in a fiscal year that ends in a taxation year of the person if the person were included in paragraph 9 of the definition of "listed financial institution" during the taxation year and the preceding taxation year of the person;

"invoice" includes a statement of account, a bill and any other similar record or supporting document, regardless of its form or characteristics, and a cash register slip or receipt;

"listed financial institution" throughout a taxation year means a person who is, at any time in the year,

(1) a bank,

(2) a corporation that is authorized under the laws of Québec, another province, the Northwest Territories, the Yukon Territory, Nunavut or Canada to carry on in Canada the business of offering to the public its services as a trustee,

(3) a person whose principal business is as a dealer or trader in, or as a broker or salesperson of, financial instruments or money,

(4) a credit union,

(5) an insurer or any other person whose principal business is providing insurance under insurance policies,

(6) a segregated fund of an insurer,

(7) the Canada Deposit Insurance Corporation,

(8) a person whose principal business is the lending of money or the purchasing of debt securities or a combination thereof,

(9) an investment plan,

(10) a person providing services referred to in section 39;

(11) a corporation deemed under section 297.0.2.6 to be a financial institution;

"management or administrative service" includes an asset management service;

LTVQ (anglais)

"membership" includes a right granted by a particular person that entitles another person to services that are provided by, or to the use of facilities that are operated by, the particular person and that are not available, or are not available to the same extent or for the same charge, to a person to whom such a right has not been granted, and also includes such a right that is conditional on the acquisition or ownership of a share, bond or other security;

"mineral" includes petroleum, natural gas and related hydrocarbons, sand, gravel, ammonite gemstone, bituminous sands, calcium chloride, coal, kaolin, oil shale and silica;

"mobile home" means a building, the manufacture and assembly of which is completed or substantially completed, that is equipped with complete heating, electrical and plumbing facilities and that is designed to be moved to a site for installation on a foundation and connection to service facilities and to be occupied as a place of residence, but does not include any travel trailer, motor home, camping trailer or other vehicle or trailer designed for recreational use;

"money" includes any currency, cheque, promissory note, letter of credit, draft, traveller's cheque, bill of exchange, postal note, money order, postal remittance and other similar instrument, whether Canadian or foreign, but does not include currency the fair market value of which exceeds its stated value as legal tender in the country of issuance or currency that is supplied or held for its numismatic value;

"month" means a period beginning on a particular day in a calendar month and ending

(1) on the day immediately before the day in the next calendar month that has the same calendar number as the particular day, or

(2) where the next calendar month does not have a day that has the same calendar number as the particular day, the last day of that next calendar month;

"motor vehicle" means a self-propelled road vehicle having a net mass of less than 4,000 kg, with four or more wheels and designed essentially for transporting persons or property by road;

"multiple unit residential complex" means a residential complex that contains more than one residential unit, but does not include a complex held in co-ownership;

"municipality" includes

(1) a metropolitan community, the Kativik Regional Government or any other incorporated municipal body however designated, and

(2) such other local authority as the Minister of Revenue may determine to be a municipality for the purposes of this title;

"mutual insurance federation" means a corporation each member of which is a mutual insurance corporation that is required, under an Act of the legislature of Québec, to be a member of the corporation, but does not include a corporation the main purpose of which is

(1) related to automobile insurance,

(2) to provide compensation to insurance policy holders of, or claimants on, insolvent insurers, or

(3) to establish and manage a guarantee fund, cash reserve fund, mutual aid fund or similar fund for the benefit of its members and to provide financial assistance with regard to losses sustained on the winding-up or dissolution of its members;

"mutual insurance group" means a group that consists of

(1) a mutual insurance federation and its members,

(2) where the members of the mutual insurance federation are the sole investors in an investment fund, that fund, and

(3) where there exists a mutual reinsurance corporation each member of which is a member of the mutual insurance federation and is not entitled to obtain reinsurance from any other reinsurance corporation, that mutual reinsurance corporation;

"net mass" means

(1) in the case of a new motor vehicle, the mass of the vehicle indicated by the manufacturer at the time of shipping;

(2) in the case of a used motor vehicle, the mass indicated on the last registration certificate issued in respect of the vehicle;

"non-profit organization" means a person, other than an individual, a succession, a trust, a charity, a public institution, a municipality or a government, that was organized and is operated solely for a purpose other than profit, no part of the income of which is payable to, or otherwise available for the personal benefit of, any proprietor, member or shareholder thereof unless the proprietor, member or shareholder is a club or an association the primary purpose of which is the promotion of amateur athletics in Canada;

"non-taxable supply" [Repealed 1995, c. 63, s. 299(1)(1).]

"office" has the meaning assigned by section 1 of the *Taxation Act*, but does not include

(1) the position of trustee in bankruptcy,

(2) the position of receiver, including the position of a receiver within the meaning assigned by the second paragraph of section 310, or

(3) the position of trustee of a trust or personal representative of a deceased individual where the person who acts in that capacity is entitled to an amount for doing so that is included, for the purposes of that Act, in computing the person's income or, where the person is an individual, the person's income from a business;

"officer" means a person who holds an office;

"organizer" of a convention means a person who acquires the convention facility or related convention supplies and who organizes the convention for another person who is the sponsor of the convention;

"passenger vehicle" has the meaning assigned by section 1 of the *Taxation Act*;

"patronage dividend" means an amount that is deductible under sections 786 to 796 of the *Taxation Act* in computing, for the purposes of that Act, the income of the person paying the amount;

"permanent establishment" in respect of a particular person, means

(1) a fixed place of business of the particular person, including a place of management, a branch, an office, a factory, a workshop, a mine, an oil or gas well, timberland, a quarry or any other place of extraction of natural resources, through which the particular person makes supplies, or

(2) a fixed place of business of another person, other than a broker, general commission agent or other independent agent acting in the ordinary course of business, who is acting in Québec on behalf of the particular person and through whom the particular person makes supplies in the ordinary course of business;

"person" means a corporation, trust, individual, partnership or succession or a body that is an association, club, commission, union or other organization of any kind;

"personal representative", of a deceased individual or the succession of a deceased individual, means the liquidator of the individual's succession or any person who is responsible under the appropriate law for the proper collection, administration, disposition and distribution of the assets of the succession;

"personal trust" means

(1) a testamentary trust, or

(2) an *inter vivos* trust that is a personal trust, within the meaning of section 1 of the *Taxation Act*, all the beneficiaries, other than contingent beneficiaries, of which are individuals and all the contingent beneficiaries, if any, of which are individuals, charities or public institutions;

"place of amusement" means any premises or place, whether or not enclosed, at or in any part of which is staged or held any slide show, film, sound and light or similar presentation, any artistic, literary, musical, theatrical or other exhibition, performance or entertainment, any circus, fair, menagerie, rodeo or similar event, or any race, game of chance, athletic contest or other contest or game, and also includes a museum, historical site, zoo, wildlife or other park, place where bets are placed and any place, structure, apparatus, machine or device the purpose of which is to provide any type of amusement or recreation;

"pleasure vehicle" has the meaning assigned by section 1 of the *Fuel Tax Act* (chapter T-1);

"precious metal" means a bar, ingot, coin or wafer that is composed of gold, silver or platinum the purity level of which is at least 99.5% in the case of gold and platinum and at least 99.9% in the case of silver;

"property" does not include money;

"public college" means

(1) a college governed by the *General and Vocational Colleges Act* (chapter C-29);

(2) an institution that is accredited for purposes of subsidies for providing educational services at the college level under the *Act respecting private education*;

(3) an organization that operates a post-secondary college or post-secondary technical institute, situated in Québec,

(a) that receives from a government or a municipality funds that are paid for the purpose of assisting the organization in ongoing provision of educational services to the general public, and

(b) the primary purpose of which is to provide programs of instruction in one or more fields of vocational, technical or general education;

"public institution" means a registered charity, within the meaning of section 1 of the *Taxation Act*, that is a school authority, a public college, a university, a hospital authority or a local authority determined under paragraph 2 of the definition of "municipality" in this section to be a municipality;

"public sector body" means a government or a public service body;

"public service body" means a non-profit organization, a charity, a municipality, a school authority, a hospital authority, a public college or a university;

"recipient" of a supply of property or a service means

(1) where consideration for the supply is payable under an agreement for the supply, the person who is liable under the agreement to pay that consideration,

(2) where paragraph 1 does not apply and consideration is payable for the supply, the person who is liable to pay that consideration, and

(3) where no consideration is payable for the supply,

(a) in the case of a supply of property by way of sale, the person to whom the property is delivered or made available,

(b) in the case of a supply of property otherwise than by way of sale, the person to whom possession or use of the property is given or made available, and

(c) in the case of a supply of a service, the person to whom the service is rendered,

and any reference to a person to whom a supply is made shall be read as a reference to the recipient of the supply;

"registrant" means a person who is registered, or who is required to be registered, under Division I of Chapter VIII;

"related convention supplies" means property or services acquired or brought into Québec by a person exclusively for consumption, use or supply by the person in connection with a convention, but does not include

(1) transportation services, other than a chartered service acquired by the person solely for the purpose of transporting attendees of the convention between any of the convention facilities, places of lodging of the attendees or transportation terminals,

(2) entertainment,

(3) except for the purposes of sections 357.2 to 357.5, property or services that are food or beverages or are supplied to the person under a contract for catering, or

(4) property or services supplied by the person in connection with the convention for consideration that is separate from the consideration for the admission to the convention, unless the recipient of the supply is acquiring the property or service exclusively for consumption or use in the course of promoting, at the convention, property or services supplied by, or a business of, the recipient;

"reporting period" of a person means the reporting period of the person as determined under sections 458.6 to 467;

"residential complex" means

(1) that part of a building in which one or more residential units are located, together with

(a) that part of any common areas and other appurtenances to the building and the land contiguous to the building that is reasonably necessary for the use and enjoyment of the building as a place of residence for individuals, and

(b) that proportion of the land subjacent to the building that that part of the building in which one or more residential units are located is of the whole building,

(2) that part of a building, together with that proportion of any common areas and other appurtenances to the building and the land subjacent or contiguous to the building that is attributable to the unit and that is reasonably necessary for its use and enjoyment as a place of residence for individuals, that is

(a) the whole or part of a semi-detached house, rowhouse unit, residential unit held in co-ownership or other similar premises that is, or is intended to be, a separate parcel or other division of an immovable owned, or intended to be owned, apart from any other unit in the building, and

(b) a residential unit, and

(3) the whole of a building described in paragraph 1, or the whole of a premises described in subparagraph a of paragraph 2, that is owned by or has been supplied by way of sale to an individual and that is used primarily as a place of residence of the individual, an individual related to the individual or a former spouse of the individual, together with

(a) in the case of a building described in paragraph 1, any appurtenances to the building, the land subjacent to the building and that part of the land contiguous to the building, that are reasonably necessary for the use and enjoyment of the building, and

(b) in the case of a premises described in subparagraph a of paragraph 2, that part of any common areas and other appurtenances to the building and the land subjacent or contiguous to the building that is attributable to the unit and that is reasonably necessary for the use and enjoyment of the unit;

(4) a mobile home, together with any appurtenances to the home and, where the home is affixed to land, other than a site in a residential trailer park, for the purpose of its use and enjoyment as a place of residence for individuals, the land subjacent or contiguous to the home that is attributable to the home and is reasonably necessary for that purpose, and

(5) a floating home;

however, **"residential complex"** does not include

(6) a building, or that part of a building, that is an inn, a hotel, a motel, a boarding house or other similar premises, or the land and appurtenances attributable to the building or part, where

(a) the building or part is not described in paragraph 3, and

(b) all or substantially all of the supplies of residential units in the building or part by way of lease, licence or similar arrangement are, or are expected to be, for periods of continuous possession or use of less than 60 days;

"residential trailer park" of a person means

(1) the land that is included in a trailer park of the person or, where the person has two or more trailer parks that are immediately contiguous to each other, the land that is included in those contiguous trailer parks, and any buildings, fixtures and other appurtenances to the land that are reasonably necessary

(a) for the use and enjoyment of sites in the trailer parks by individuals

i. residing in mobile homes, or travel trailers, motor homes or similar vehicles or trailers, situated or to be situated on those sites, or

ii. occupying mobile homes, or travel trailers, motor homes or similar vehicles or trailers, situated or to be situated on those sites, or

(b) for the purpose of engaging in the business of supplying those sites by way of lease, licence or similar arrangement;

however, **"residential trailer park"** does not include such land and appurtenances or any part of them unless the land encompasses at least two sites and

(2) all or substantially all of the sites in the trailer parks are supplied, or are intended to be supplied, by way of lease, licence or similar arrangement under which continuous possession or use of a site is provided;

(3) if the sites were occupied by mobile homes, they would be suitable for use by individuals as places of residence throughout the year;

"residential unit" means the whole or part of a residential unit held in co-ownership, detached house, semi-detached house, rowhouse unit, mobile home, floating home, apartment, a room or suite in an inn, a hotel, a motel, a boarding house or a lodging house or in a residence for students, seniors, individuals with a disability or other individuals, or the whole or part of any other similar premises, that

(1) is occupied by an individual as a place of residence or lodging,

(2) is supplied by way of lease, licence or similar arrangement for the occupancy thereof as a place of residence or lodging for individuals,

(3) is vacant, but was last occupied or supplied as a place of residence or lodging for individuals, or

(4) has never been used or occupied for any purpose, but is intended to be used as a place of residence or lodging for individuals;

"residential unit held in co-ownership" means a residential complex that is, or is intended to be, a bounded space in a building described as a distinct entity on the declaration of co-ownership entered in the land register and includes any interest in land pertaining to ownership of the entity;

"retail sale" of a motor vehicle means

(1) the sale of a motor vehicle to a person who receives it for any other purpose than to again make a supply of it by way of sale, otherwise than by way of gift, or by way of lease under an agreement under which continuous possession or use of the vehicle is provided to a person for a period of at least one year;

(2) the sale of a new motor vehicle to a person who receives it to again make a supply of it by way of sale, otherwise than by way of gift, and who acquires it through a mandatary for the purpose of shipping the vehicle outside Québec.

"road vehicle" has the meaning assigned by section 4 of the *Highway Safety Code* (chapter C-24.2);

"sale", in respect of property, includes, but for the purposes of subparagraph 2 of the second paragraph of section 17, any transfer of the ownership of the property and any transfer of the possession of the property under an agreement to transfer ownership of the property;

"school authority" means a school board or an institution providing educational services at the elementary or secondary level that is governed by the *Act respecting private education*;

"secured creditor" means

(1) a particular person who has a security interest in the property of another person; or

(2) a person who acts on behalf of the particular person with respect to the security interest and includes

(a) a trustee appointed under a trust deed relating to a security interest,

(b) a receiver or receiver-manager appointed by the particular person or appointed by a court on the application of the particular person,

(c) a sequestrator, or

(d) any other person performing a function similar to that of a person referred to in any of subparagraphs a to c;

"security interest" means any interest in property that secures payment or performance of an obligation, and includes an interest created by or arising out of a security, hypothec, mortgage, lien, pledge, charge, deemed or actual trust, assignment or encumbrance of any kind whatever, however or whenever arising, created, deemed to arise or otherwise provided for;

"segregated fund" of an insurer means a specified group of properties that are held in respect of insurance policies all or part of the reserves for which vary in amount depending on the fair market value of the properties;

"selected listed financial institution" throughout a reporting period in a fiscal year that ends in a particular taxation year means a financial institution that is described in any of paragraphs 1 to 10 of the definition of "listed financial institution" during the particular taxation year and the preceding taxation year if

(1) the financial institution is a corporation that, in accordance with the rules set out in any of sections 402 to 405 of the *Income Tax Regulations* made under the *Income Tax Act*, has or would, if it had taxable income for the particular taxation year and the preceding taxation year, have taxable income earned in the particular year and the preceding taxation year in at least one participating province, within the meaning of subsection 1 of section 123 of the *Excise Tax Act*, and taxable income earned in the particular year and the preceding year in Québec or in another province that is a non-participating province, within the meaning of that subsection 1;

(2) the financial institution is a corporation that, in accordance with the rules set out in any of sections 402 to 405 of the *Income Tax Regulations* made under the *Income Tax Act*, has or would, if it had taxable income for the particular taxation year and the preceding taxation year, have taxable income earned in the particular year and the preceding taxation year in Québec and taxable income earned in the particular year and the preceding year in another province that is a non-participating province, within the meaning of subsection 1 of section 123 of the *Excise Tax Act*;

(3) the financial institution is an individual, the estate of a deceased individual or a trust that, in accordance with the rules set out in section 2603 of the *Income Tax Regulations* made under the *Income Tax Act*, has or would, if it had income for the particular taxation year and the preceding taxation year, have income earned in the particular year and the preceding taxation year in at least one participating province, within the meaning of subsection 1 of section 123 of the *Excise Tax Act*, and income earned in the particular year and the preceding year in Québec or in another province that is a nonparticipating province, within the meaning of that subsection 1;

(4) the financial institution is an individual, the estate of a deceased individual or a trust that, in accordance with the rules set out in section 2603 of the *Income Tax Regulations* made under the *Income Tax Act*, has or would, if it had income for the particular taxation year and the preceding taxation year, have income earned in the particular year and the preceding taxation year in Québec and income earned in the particular year and the preceding year in another province that is a non-participating province, within the meaning of subsection 1 of section 123 of the *Excise Tax Act*;

(5) the financial institution is a specified partnership during the particular taxation year and the preceding taxation year; or

(6) the financial institution is a prescribed financial institution;

Modification proposée — 1"selected listed financial institution"

""selected listed financial institution"" throughout a reporting period in a fiscal year that ends in a particular taxation year means a financial institution that is described in any of paragraphs 1 to 10 of the definition of "listed financial institution" during the particular taxation year and the preceding taxation year if

(1) the financial institution is a corporation that, in accordance with the rules set out in any of sections 402 to 405 of the *Income Tax Regulations* made under the *Income Tax Act*, has or would, if it had taxable income for the particular taxation year and the preceding taxation year, have taxable income earned in the particular year and the preceding taxation year in Québec and taxable income earned in the particular year and the preceding year in another province;

(2) the financial institution is an individual, the estate of a deceased individual or a trust that, in accordance with the rules set out in section 2603 of the *Income Tax Regulations* made under the *Income Tax Act*, has or would, if it had income for the particular taxation year and the preceding taxation year, have income earned in the particular year and the preceding taxation year in Québec and income earned in the particular year and the preceding year in another province;

(3) the financial institution is a specified partnership during the particular taxation year and the preceding taxation year; or

(4) the financial institution is a prescribed financial institution;

Application: Bill 18 (First Reading February 21, 2013), para. 216(1)(2), will substitute the definition of "selected listed financial institution" in s. 1 to read as above, to take effect from January 1, 2013.

"self-contained domestic establishment" has the meaning assigned by section 1 of the *Taxation Act*;

"service" means anything other than property, money and anything that is supplied to an employer by a person who is or agrees to become an employee of the employer in the course of or in relation to his office or employment;

"short-term accommodation" means a residential complex or a residential unit that is supplied to a recipient by way of lease, licence or other similar arrangement for the purpose of its occupancy by an individual as a place of residence or lodging, where the period throughout which the individual is given continuous occupancy of the complex or unit is less than one month and, for the purposes of sections 357.2 to 357.5,

(1) includes any type of overnight shelter (other than shelter on a train, trailer, boat or structure that has means of, or is capable of being readily adapted for, self-propulsion) when supplied as part of a tour package, within the meaning assigned by section 63, that also includes food and the services of a guide, and

(2) does not include a residential complex or unit when it

(a) is supplied to the recipient under a timeshare arrangement, or

(b) is included in that part of a tour package that is not the taxable portion of the tour package, within the meaning assigned to those expressions by section 63;

"single unit residential complex" means a residential complex that contains only one residential unit, but does not include a residential unit held in co-ownership;

"small supplier" means a person who, at any time, is a small supplier

(1) under sections 294 to 297, unless the person is not, at that time, a small supplier under section 148 of the *Excise Tax Act*, or

(2) under sections 297.0.1 and 297.0.2, unless the person is not, at that time, a small supplier under section 148.1 of the *Excise Tax Act*;

"specified corporeal movable property" means property that is, or is an interest in,

(1) a drawing, a print, an etching, a sculpture, a painting or other similar work of art,

(2) jewellery,

(3) a rare folio, manuscript or book,

(4) a stamp,

(5) a coin, or

(6) prescribed movable property;

"specified partnership" in a particular taxation year means a partnership in respect of which the following conditions are met:

(1) in the particular year, the partnership has at least one member that, in the members taxation year that includes the end of the particular year,

(a) where the member is a corporation, has or would, if the member had taxable income for the year, have, in accordance with the rules set out in any of sections 402 to 405 of the *Income Tax Regulations* made under the *Income Tax Act*, taxable income earned in the taxation year in at least one participating province, within the meaning of subsection 1 of section 123 of the *Excise Tax Act*, or in Québec, from a business, within the meaning of section 1 of the *Taxation Act*, carried on by the partnership,

(b) where the member is an individual, the estate of a deceased individual or a trust, has or would, if the member had taxable income for the year, have, in accordance with the rules set out in section 2603 of the *Income Tax Regulations* made under the *Income Tax Act*, income earned in the taxation year in at least one participating province, within the meaning of subsection 1 of section 123 of the *Excise Tax Act*, or in Québec, from a business, within the meaning of section 1 of the *Taxation Act*, carried on by the partnership, or

(c) where the member is another partnership, would have, in accordance with the rules set out in section 402 of the *Income Tax Regulations* made under the *Income Tax Act*, taxable income earned in the taxation year in at least one participating province, within the meaning of subsection 1 of section 123 of the *Excise Tax Act*, or in Québec, from a business, within the meaning of section 1 of the *Taxation Act*, carried on by the partnership if the other partnership were a corporation that is a taxpayer for the purposes of that Act; and

Modification proposée — 1"specified partnership" (1)(a)–(c)

(a) where the member is a corporation, has or would, if the member had taxable income for the year, have, in accordance with the rules set out in any of sections 402 to 405 of the *Income Tax Regulations* made under the *Income Tax Act*, taxable income earned in the taxation year in Québec from a business, within the meaning of section 1 of the *Taxation Act*, carried on by the partnership,

(b) where the member is an individual, the estate of a deceased individual or a trust, has or would, if the member had income for the year, have, in accordance with the rules set out in section 2603 of the *Income Tax Regulations* made under the *Income Tax Act*, income earned in the taxation year in Québec from a business, within the meaning of section 1 of the *Taxation Act*, carried on by the partnership, or

(c) where the member is another partnership, would have, in accordance with the rules set out in section 402 of the *Income Tax Regulations* made under the *Income Tax Act*, taxable income earned in the taxation year in Québec from a business, within the meaning of section 1 of the *Taxation Act*, carried on by the partnership if the other partnership were a corporation that is a taxpayer for the purposes of the *Taxation Act*; and

Application: Bill 18 (First Reading February 21, 2013), para. 216(1)(3), will substitute subparas. (1)(a)–(c) of the definition of "specified partnership" in s. 1 to read as above, to take effect from January 1, 2013.

(2) in the particular year, the partnership has at least one member that, in the members taxation year that includes the end of the particular year,

(a) where the member is a corporation, has or would, if the member had taxable income for the year, have, in accordance with the rules set out in any of sections 402 to 405 of the *Income Tax Regulations* made under the *Income Tax Act*, taxable income earned in the taxation year from a business, within the meaning of section 1 of the *Taxation Act*, carried on by the partnership in at least one of the following provinces:

i. a non-participating province, within the meaning of subsection 1 of section 123 of the *Excise Tax Act*, other than Québec, in the case where none of the members of the partnership has taxable income or income earned, as the case may be, in the taxation year in a participating province, within the meaning of that subsection 1, in accordance with any of subparagraphs a to c of paragraph 1, and

ii. a non-participating province, within the meaning of subsection 1 of section 123 of the *Excise Tax Act*, in any other case,

(b) where the member is an individual, the estate of a deceased individual or a trust, has or would, if the member had taxable income for the year, have, in accordance with the rules set out in section 2603 of the *Income Tax Regulations* made under the *Income Tax Act*, income earned in the taxation year from a business, within the meaning of section 1 of the *Taxation Act*, carried on by the partnership in at least one of the following provinces:

i. a non-participating province, within the meaning of subsection 1 of section 123 of the *Excise Tax Act*, other than Québec, in the case where none of the members of the partnership has taxable income or income earned, as the case may be, in the taxation year in a participating province, within the meaning of that subsection 1, in accordance with any of subparagraphs a to c of paragraph 1, and

ii. a non-participating province, within the meaning of subsection 1 of section 123 of the *Excise Tax Act*, in any other case, or

(c) where the member is another partnership, would have, in accordance with the rules set out in section 402 of the *Income Tax Regulations* made under the *Income Tax Act*, taxable income earned in the taxation year from a business, within the meaning of section 1 of the *Taxation Act*, carried on by the partnership, if the other partnership were a corporation that is a taxpayer for the purposes of that Act, in at least one of the following provinces:

i. a non-participating province, within the meaning of subsection 1 of section 123 of the *Excise Tax Act*, other than Québec, in the case where none of the members of the partnership has taxable income or income earned, as the case may be, in the taxation year in a participating province, within the meaning of that subsection 1, in accordance with any of subparagraphs a to c of paragraph 1, and

ii. a non-participating province, within the meaning of subsection 1 of section 123 of the *Excise Tax Act*, in any other case;

Modification proposée — 1"specified partnership" (2)(a)–(c)

(a) where the member is a corporation, has or would, if the member had taxable income for the year, have, in accordance with the rules set out in any of sections 402 to 405 of the *Income Tax Regulations* made under the *Income Tax Act*, taxable income earned in the taxation year in a province other than Québec from a business, within the meaning of section 1 of the *Taxation Act*, carried on by the partnership,

(b) where the member is an individual, the estate of a deceased individual or a trust, has or would, if the member had income for the year, have, in accordance with the rules set out in section 2603 of the *Income Tax Regulations* made under the *Income Tax Act*, income earned in the taxation year in a province other than Québec from a business, within the meaning of section 1 of the *Taxation Act*, carried on by the partnership, or

(c) where the member is another partnership, would have, in accordance with the rules set out in section 402 of the *Income Tax Regulations* made under the *Income Tax Act*, taxable income earned in the taxation year in a province other than Québec from a business, within the meaning of section 1 of the *Taxation Act*, carried on by the partnership if the other partnership were a corporation that is a taxpayer for the purposes of the *Taxation Act*;

Application: Bill 18 (First Reading February 21, 2013), para. 216(1)(4), will substitute subparas. (2)(a)–(c) of the definition of "specified partnership" in s. 1 to read as above, to take effect from January 1, 2013.

"sponsor" of a convention means the person who convenes the convention and supplies admissions to it;

"spouse" [Repealed 2005, c. 1, s. 347.]

"straddle plant" means a natural gas processing plant devoted primarily to the recovery of natural gas liquids or ethane from natural gas that is transported by pipeline to the plant by a common carrier of natural gas;

"substantial renovation" of a residential complex means the renovation or alteration of a building to such an extent that all or substantially all of the building that existed immediately before the renovation or alteration was begun, other than the foundation, external walls, interior supporting walls, floors, roof and staircases, has been removed or replaced where, after completion of the renovation or alteration, the building is, or forms part of, a residential complex;

"Superintendent" means the Superintendent of Financial Institutions appointed in accordance with the *Office of the Superintendent of Financial Institutions Act* (Revised Statutes of Canada, 1985, chapter 18, 3rd Supplement);

"supplier", in respect of a supply, means the person making the supply;

"supply" means the provision of property or a service in any manner, including sale, transfer, barter, exchange, licence, lease, gift or alienation;

"tax" means tax payable under this title;

"taxable supply" means a supply that is made in the course of a commercial activity;

"taxation year" of a person means

(1) where the person is a taxpayer within the meaning of the *Taxation Act*, other than an unincorporated person exempt in accordance with Book VIII of that Act from tax under Part I of that Act, the taxation year of the person for the purposes of that Act, and

(1.1) where the person is a partnership described in subparagraph ii of subparagraph b of the second paragraph of section 7 of that Act, the fiscal period of the person's business, determined under section 7 of that Act, and

(2) in any other case, the period that would be the taxation year of the person for the purposes of that Act if the person were a corporation other than a professional corporation within the meaning of section 1 of that Act;

"tax fraction" [Repealed 1997, c. 85, s. 418(1)(13).]

"taxi business" means a business carried on in Québec of transporting passengers by taxi for fares that are regulated by the *Act respecting transportation by taxi* (chapter T-11.1);

"telecommunication" means any transmission, emission or reception of signs, signals, writing, images, sounds intelligence of any nature by any wire, cable, radio, optical or other electromagnetic system, or by any similar technical system;

"telecommunications facility" means any facility, apparatus or other thing, including any wire, cable, radio, optical or other electromagnetic system, or any similar technical system, or any part thereof, that is used or is capable of being used for telecommunications;

"telecommunication service" means

(1) the service of emitting, transmitting or receiving signs, signals, writing, images or sounds or intelligence of any nature by wire, cable, radio, optical or other electromagnetic system, or by any similar technical system, or

(2) making available for such emission, transmission or reception telecommunications facilities of a person who carries on the business of supplying services referred to in paragraph 1;

"testamentary trust" has the meaning assigned by section 1 of the *Taxation Act*;

"trailer park" of a person means a piece of land that is owned by or leased to the person and that is exclusively composed of

(1) one or more sites each of which is, or is intended to be, supplied by the person by way of lease, licence or similar arrangement to the owner, lessee or person in occupation or possession of a mobile home, or a travel trailer, motor home or similar vehicle or trailer, situated or to be situated on the site, and

(2) other land that is reasonably necessary

(a) for the use and enjoyment of the sites by individuals

i. residing in mobile homes, or travel trailers, motor homes or similar vehicles or trailers, situated or to be situated on those sites, or

ii. occupying mobile homes, or travel trailers, motor homes or similar vehicles or trailers, situated or to be situated on those sites, or

(b) for the purpose of engaging in the business of supplying the sites by way of lease, licence or similar arrangement;

"university" means

(1) an educational institution at the university level within the meaning of the *Act respecting educational institutions at the university level* (chapter E-14.1), or

(2) a recognized degree-granting institution situated in Québec or an organization situated in Québec that operates a research body of, or a college affiliated with, such an institution;

"used specified corporeal movable property" [Repealed 1997, c. 85, s. 418(1)(4).]

"used corporeal movable property" means corporeal movable property that has been used in Québec;

"used specified corporeal movable property" [Repealed 1997, c. 85, s. 418(1)(4).]

"zero-rated supply" means a supply described in Chapter IV.

1991, c. 67, s. 1; 1992, c. 21, s. 372; 1992, c. 68, ss. 156, 157; 1993, c. 19, s. 167; 1994, c. 22, s. 364; 1994, c. 23, s. 23; 1995, c. 1, s. 247; 1995, c. 63, s. 299; 1997, c. 3, s. 115; 1997, c. 14, s. 329; 1997, c. 31, s. 146; 1997, c. 85, s. 418; 1999, c. 14, s. 32; 2000, c. 25, s. 26; 2001, c. 51, s. 258; 2001, c. 53, s. 272; 2002, c. 9, s. 151; 2002, c. 45, s. 621; 2003, c. 2, s. 307; 2004, c. 37, s. 90(38); 2005, c. 1, s. 347; 2005, c. 38, s. 362; 2007, c. 12, s. 317; 2009, c. 5, s. 595; 2011, c. 6, s. 232; 2011, c. 34, s. 140; 2012, c. 28, s. 29

DIVISION II — INTERPRETATION

1.1 Legal person — For the purposes of this Title and the regulations, a legal person, whether or not established for pecuniary gain, is designated by the word "corporation".

1997, c. 3, s. 116

1.2 For the purposes of this Title and the regulations made thereunder, any reference to the spouse of an individual or to marriage shall be interpreted as if the rules set out in section 2.2.1 of the *Taxation Act* (chapter I-3) applied, with the necessary modifications.

2005, c. 1, s. 348

2. Negative amount — Except as otherwise provided in this title, where an amount or a number is required under this title to be determined or calculated by or in accordance with an algebraic formula, if the amount or number when so determined or calculated would, but for this section, be a negative amount or number, it is deemed to be nil.

1991, c. 67, s. 2

3. Arm's length — Related persons are deemed not to deal with each other at arm's length and it is a question of fact whether persons not related to each other were, at any particular time, dealing with each other at arm's length.

Related persons — Persons are related to each other if, by reason of sections 17 and 19 to 21 of the *Taxation Act* (chapter I-3), they are related to each other for the purposes of that Act.

1991, c. 67, s. 3

4. Partnership — A member of a partnership is deemed to be related to the partnership.

1991, c. 67, s. 4

5. Associated corporations — A corporation is associated with another corporation if, by reason of sections 21.4 and 21.20 to 21.25 of the *Taxation Act* (chapter I-3), the corporation is associated with the other corporation for the purposes of that Act.

1991, c. 67, s. 5

6. Person associated with a corporation — A person other than a corporation is associated with a corporation if the latter is controlled by the person or by a group of persons of which the person is a member and each of whom is associated with the others.

1991, c. 67, s. 6

7. Person associated with a partnership — A person is associated with a partnership if the total of the shares of the profits of the partnership to which the person and all other persons who are associated with the person are entitled is more than half of the total profits of the partnership, or would be if the partnership had profits.

1991, c. 67, s. 7

8. Person associated with a trust — A person is associated with a trust if the total of the values of the interests in the trust of the person and all other persons who are associated with the person is more than half of the total value of all interests in the trust.

1991, c. 67, s. 8

9. Associated persons — A person is associated with another person if each of them is associated with the same third person.

1991, c. 67, s. 9

10. Segregated fund of an insurer — The following rules apply in respect of a segregated fund of an insurer:

(1) the segregated fund is deemed to be a trust that is a separate person from the insurer and that does not deal at arm's length with the insurer;

(2) the insurer is deemed to be a trustee of the trust;

(3) the activities of the segregated fund are deemed to be activities of the trust and not activities of the insurer.

1991, c. 67, s. 10

10.1 Rules applicable to the segregated fund of an insurer — Where, at any time, an amount, other than an amount in respect of tax under this Title, is deducted from the segregated fund of an insurer, the following rules apply:

(1) if the amount is in respect of property or a service that the fund is, because of the application of this Title other than this section, considered to have acquired from the insurer, that supply shall be deemed to be a taxable supply, other than a zero-rated supply, and the amount shall be deemed to be consideration for that supply that becomes due at that time; and

(2) if the amount is not in respect of property or a service that the fund is, because of the application of this Title other than this section, considered to have acquired either from the insurer or another person, the insurer shall be deemed to have made, and the fund shall be deemed to have received, at that time, a taxable supply, other than a zero-rated supply, of a service, and the amount shall be deemed to be consideration for the supply that becomes due at that time.

Application — The first paragraph does not apply to an amount deducted from a segregated fund of an insurer if

(1) the amount is a distribution of income, a payment of a benefit, or the amount of a redemption, in respect of an interest of another person in the fund; or

(2) the amount is a prescribed amount.

2001, c. 53, s. 273

11. Person resident in Québec — A person is deemed to be resident in Québec at any time if,

(1) in the case of a corporation, the corporation is incorporated or continued in Québec and not continued elsewhere;

(2) in the case of an association, a club, a body or a partnership, or a branch thereof, the members, or a majority of the members, having management and control thereof is or are resident in Québec at that time;

(3) in the case of an association of employees, it is carrying on activities as such in Québec and has a local union or branch in Québec at that time.

(4) in the case of an individual, the individual is deemed under any of paragraphs b to f of section 8 of the *Taxation Act* (chapter I-3) to be resident in Québec at that time.

1991, c. 67, s. 11; 1995, c. 3, s. 135; 1997, c. 85, s. 419

11.1 Residence in Québec — Except for the purpose of determining the place of residence of an individual in the individual's capacity as a consumer and except for the purposes of Division V of Chapter IV, a person is deemed to be resident in Québec if the person is resident in Canada and has a permanent establishment in Québec.

Exception — For the purposes of Division V of Chapter IV, a person who is not resident in Québec but who is resident in Canada and has a permanent establishment in Québec is deemed to be resident in Québec, but only in respect of activities carried on by the person through that establishment.

1997, c. 85, s. 420; 1999, c. 83, s. 306; 2001, c. 51, s. 259

11.1.1 Permanent establishment outside Québec but within Canada — A person resident in Québec who has a permanent establishment outside Québec but within Canada is deemed not to be resident in Québec, but only in respect of activities carried on by the person through that establishment.

1999, c. 83, s. 307

11.2 Meaning of "permanent establishment" — For the purposes of sections 11.1, 11.1.1 and 22.2 to 22.30, **"permanent establishment"** of a person means

(1) in the case of an individual, the succession of a deceased individual or a trust that carries on a business, within the meaning of section 1 of the *Taxation Act* (chapter I-3), an establishment, within the meaning of the first paragraph of section 12 or section 13 or 15 of the *Taxation Act*, of the person;

(2) in the case of a corporation that carries on a business, within the meaning of section 1 of the *Taxation Act*, an establishment, within the meaning of the first paragraph of section 12 or any of sections 13 to 16 of the *Taxation Act*;

Modification proposée — 11.2(2)

(2) in the case of a corporation that carries on a business, within the meaning of section 1 of the *Taxation Act*, an establishment, within the meaning of the first paragraph of section 12 or any of sections 13 to 16.0.1 of the *Taxation Act*;

Application: Bill 18 (First Reading February 21, 2013), para. 217(1)(1), will amend para. 11.2(2) to read as above, applicable from taxation year 2009.

(3) in the case of a particular partnership,

(a) an establishment, within the meaning of the first paragraph of section 12 or section 13 or 15 of the *Taxation Act*, of a member that is an individual, the succession of a deceased individual or a trust where the establishment relates to a business, within the meaning of section 1 of the *Taxation Act*, carried on through the partnership,

(b) an establishment, within the meaning of the first paragraph of section 12 or any of sections 13 to 16 of the *Taxation Act*, of a member that is a corporation where the establishment relates to a business, within the meaning of section 1 of the *Taxation Act*, carried on by the particular partnership, or

Modification proposée — 11.2(3)(b)

(b) an establishment, within the meaning of the first paragraph of section 12 or any of sections 13 to 16.0.1 of the *Taxation Act*, of a member that is a corporation where the establishment relates to a business, within the meaning of section 1 of the *Taxation Act*, carried on by the particular partnership, or

Application: Bill 18 (First Reading February 21, 2013), para. 217(1)(1), will amend subpara. 11.2(3)(b) to read as above, applicable from taxation year 2009.

(c) a permanent establishment, within the meaning of this section, of a member that is a partnership where the establishment relates to a business, within the meaning of section 1 of the *Taxation Act*, carried on by the particular partnership; and

(d) in any other case, a place that would be an establishment, within the meaning of the first paragraph of section 12 or any of sections 13 to 16 of the *Taxation Act*, of the person if the person were a corporation and its activities were a business for the purposes of that Act.

Modification proposée — 11.2(3)(d)

(4) in any other case, a place that would be an establishment, within the meaning of the first paragraph of section 12 or any of sections 13 to 16.0.1 of the *Taxation Act*, of the person if the person were a corporation and its activities were a business for the purposes of that Act.

Application: Bill 18 (First Reading February 21, 2013), para. 217(1)(2), will renumber subpara. 11.2(3)(d) as para. 11.2(4) and amend it to read as above, applicable from taxation year 2009.

1997, c. 85, s. 420; 1999, c. 83, s. 308

12. Permanent establishment in Québec — A person not resident in Canada who has a permanent establishment in Québec is deemed to be resident in Québec, but only in respect of activities carried on by the person through that establishment.

1991, c. 67, s. 12; 1997, c. 85, s. 421

12.1 Residence of an international shipping corporation — Subject to section 12, where, under section 11.1.1 of the *Taxation Act* (chapter I-3), a corporation is deemed for the purposes of that Act to be resident in a country other than Canada throughout a taxation year of the corporation and not to be resident in Canada at any time in the year, the corporation is deemed to be resident in that other country throughout the year not to be resident in Canada at any time in the year.

1994, c. 22, s. 365

13. Permanent establishment outside Canada — A person resident in Québec who has a permanent establishment outside Canada is deemed not to be resident in Québec, but only in respect of activities carried on by the person through that establishment.

1991, c. 67, s. 13; 1997, c. 85, s. 421

14. Permanent establishment outside Canada — For the purposes of section 351, a person resident in Canada who has a permanent establishment outside Canada is deemed not to be resident in Canada, but only in respect of activities carried on by the person through that establishment.

1991, c. 67, s. 14

14.1 Deemed residence in Canada — A person not resident in Québec is deemed to be resident in Canada at any time if the person is deemed to be resident in Canada at that time under the *Excise Tax Act* (Revised Statutes of Canada, 1985, chapter E-15).

1995, c. 63, s. 300

15. Fair market value — The fair market value of property or a service supplied to a person is determined without reference to any tax excluded by section 52 from the consideration for the supply.

1991, c. 67, s. 15

15.1 In applying the definition of "basic tax content" in section 1 at any time subsequent to 31 December 2012, in relation to a persons property, any amount of tax that became payable before 1 January 2013 is not taken into consideration where

(1) the property is referred to in the fifth paragraph of section 255.1 or in section 259.1 or 262.1; or

(2) the property was held by the person immediately before 1 January 2013 and the persons registration is cancelled as of that date in accordance with section 417.0.1.

2012, c. 28, s. 30

Chapter II — Taxation

Division I — Imposition of Tax

§1. — Taxable supply made in Québec

16. Taxable supply made in Québec — Every recipient of a taxable supply made in Québec shall pay to the Minister of Revenue a tax in respect of the supply calculated at the rate of 9.975% on the value of the consideration for the supply.

Zero-rated supply — However, the rate of the tax in respect of a taxable supply that is a zero-rated supply is 0%.

1991, c. 67, s. 16; 1993, c. 19, s. 168; 1994, c. 22, s. 367; 1995, c. 1, s. 248; 1997, c. 85, s. 422; 2010, c. 5, s. 206; 2011, c. 6, s. 233; 2012, c. 28, s. 31

16.1 Products used to make wine or beer — Every recipient of a zero-rated supply of a product mentioned in paragraph 1.1 of section 177 who begins, at any time, to use the product to make wine or beer shall, immediately after that time, pay to the Minister a tax in respect of the product calculated at the rate of 9.975% of the value of the consideration for the supply.

Exception — This section does not apply in respect of a product that a registrant begins to use exclusively in the course of his commercial activities and in respect of which the registrant would be entitled to claim an input tax refund had he paid the tax provided for in the first paragraph in respect of the product.

1997, c. 14, s. 330; 1997, c. 85, s. 423; 2010, c. 5, s. 207; 2011, c. 6, s. 234; 2012, c. 28, s. 32

§2. — Bringing into Québec of corporeal property

17. Corporeal property brought into Québec — Every person who brings into Québec corporeal property for consumption or use in Québec by the person or at the person's expense by another person or for supply in Québec for consideration where the person is a small supplier who is not a registrant or, in the case of a road vehicle, a person who is not registered under Division I of Chapter VIII shall, immediately after the bringing into Québec of the property, pay to the Minister a tax in respect of that property, calculated at the rate of 9.975% on the value of the property.

Value of Property — For the purposes of the first paragraph, the value of the property means

(1) in the case of property produced by the person outside Québec but in Canada and brought into Québec within 12 months after it is produced, the cost price of the property;".

(2) in the case of property, other than a road vehicle referred to in subparagraph 2.1, supplied to the person outside Québec by way of sale and consumed or used in Québec within 12 months after it is supplied, the value of the consideration for the supply;

(2.1) in the case of a used road vehicle supplied to the person outside Québec by way of sale that must be registered under the *Highway Safety Code* (R.S.Q., chapter C-24.2) following an application by the person,

(a) where the vehicle is used in Québec within 12 months after the supply, the value of the consideration for the supply or, if the supply is made for no consideration or for consideration less than the estimated value of the vehicle, that estimated value, and

(b) where the vehicle is not used in Québec within 12 months after the supply, the estimated value of the vehicle;

(2.2) in the case of property supplied by way of sale outside Québec to a person who is a small supplier, other than a registrant, and who brings the property into Québec for supply in Québec for consideration,

(a) if the property is property other than a used road vehicle referred to in subparagraph b, the value of the consideration, and

LTVQ (anglais)

(b) if the property is a used road vehicle that must be registered under the *Highway Safety Code* (chapter C-24.2) following an application by the person, the value of the consideration for the supply to the person or, where the supply is made without consideration or for consideration less than the estimated value of the vehicle, that estimated value;

(3) in the case of property supplied to the person by way of lease, licence or similar arrangement outside Québec, the value of the consideration for the supply that can reasonably be attributed to the right of enjoyment of the property in Québec;

(4) in any other case, the fair market value of the property.

Value of property — Notwithstanding the second paragraph, the value of property brought into Québec in prescribed circumstances shall be determined in the prescribed manner.

Exception — The first paragraph does not apply in respect of

(1) corporeal property, where tax under section 16 is payable in respect of the supply of the property;

(2) goods to which section 81 applies;

(3) [Repealed 1995, c. 63, s. 301((1)(3).]

(4) corporeal property brought into Québec by a registrant for exclusive consumption or use in the course of the commercial activities of the registrant and in respect of which the registrant would, if he had paid tax under the first paragraph in respect of the property, be entitled to apply for an input tax refund.

(5) corporeal property that was brought into Québec by a person and that comes from Canada outside Québec, if the total of all amounts, each of which is an amount of tax that, but for this subparagraph and subparagraph 8 of the third paragraph of section 18.0.1, would become payable by the person under the first paragraph or the first paragraph of section 18.0.1, is $35 or less in the calendar month that includes the day on which the property was brought into Québec.

Corporeal property brought into Québec — A person who brings corporeal property into Québec includes any person who causes such property to be brought into Québec.

1991, c. 67, s. 17; 1993, c. 19, s. 169; 1995, c. 1, s. 249; 1995, c. 63, s. 301; 1997, c. 85, s. 424; 2001, c. 51, s. 260; 2010, c. 5, s. 208; 2011, c. 6, s. 235; 2011, c. 34, s. 141; 2012, c. 28, s. 33

17.0.1 Estimated value of a used road vehicle — For the purposes of subparagraph 2.1 and subparagraph b of subparagraph 2.2 of the second paragraph of section 17, the estimated value of a road vehicle is

(1) in the case of a vehicle for which the average wholesale price is listed in the most recent edition, on the first day of the month in which the vehicle is broughht into Québec, of the *Guide d'Évaluation Hebdo* (*Automobiles et Camions Légers*) published by *Hebdo Mag Inc.*, that price less an amount of $500;

(1.1) [Repealed 2000, c. 39, s. 280(1)(2).]

(2) in the case of a vehicle for which an average wholesale price is listed in the most recent edition, on the first day of the month preceding the month in which the vehicle is brought into Québec, of the *Canadian Motorcycle Dealers Blue Book* published by All Seasons Publications Ltd., that price less an amount of $500;

(3) in the case of a vehicle for which an average wholesale price is listed in the most recent edition, on the first day of the month preceding the month in which the vehicle is brought into Québec, of the *Canadian ATV, Snowmobile & Watercraft Dealers Blue Book* published by All Seasons Publications Ltd., that price less an amount of $500; and

(4) in any other case, the value of the vehicle prescribed by the Minister.

1995, c. 1, s. 250; 1995, c. 63, s. 302; 1997, c. 14, s. 331; 2000, c. 39, s. 280

17.0.2 Used vehicle that is damaged or shows unusual wear — Where subparagraph a of subparagraph 2.1 or subparagraph b of subparagraph 2.2 of the second paragraph of section 17 applies in respect of a road vehicle that is damaged or that shows unusual wear at the time it is supplied to a person, that is brought into Québec by the person immediately after that time and that immediately after the bringing of the vehicle into Québec, the person provides the Minister or a person prescribed for the purposes of section 473 with a written estimate of the vehicle or of the repairs to be carried out in respect of the vehicle, that meets the requirements of the third paragraph of section 55.0.3, the value of the vehicle which corresponds to the estimated value of the vehicle described in section 17.0.1 may be reduced by an amount equal to

(1) the amount by which that value exceeds the value of the vehicle stated in the written estimate; or

(2) the amount by which the value stated in the written estimate of the repairs to be carried out in respect of the vehicle exceeds $500.

1995, c. 1, s. 250; 1995, c. 63, s. 302; 2004, c. 21, s. 527; 2005, c. 23, s. 273

17.1 Road vehicle brought into Québec — For the purposes of section 17, where a person brings into Québec a road vehicle (in this section referred to as the "road vehicle brought") that must be registered under the *Highway Safety Code* (chapter C-24.2) following an application by the person and which the person acquired by way of a supply made outside Québec by a supplier of another jurisdiction, the value of the vehicle on which the tax under the said section must be calculated shall be reduced by any credit granted by the supplier for another road vehicle he accepted in full or partial consideration for the supply of the road vehicle brought, where the following conditions are met:

(1) the person owned the road vehicle thus given in exchange and paid, in respect of the vehicle, tax under this Act or the tax prescribed by Chapter II of the *Retail Sales Tax Act* (chapter I-1), or any tax of the same nature levied by another jurisdiction, other than the tax payable under Part IX of the *Excise Tax Act* (Revised Statutes of Canada, 1985, chapter E-15);

(2) the road vehicle thus given in exchange was a used vehicle and, where tax was paid in respect of that vehicle, the person is not entitled to a rebate of the tax so paid;

(3) the jurisdiction in which the supply of the road vehicle brought was made grants the same tax abatement to persons resident or carrying on a business in its territory;

(4) [Repealed 1999, c. 83, s. 309(1)(1).]

(5) the person is a large business or is not required to collect the tax payable under Part IX of the *Excise Tax Act* (Revised Statutes of Canada, 1985, chapter E-15) in respect of a road vehicle so given in exchange.

Interpretation — For the purposes of this section, **"large business"** has the meaning assigned by sections 551 to 551.4 o the *Act to amend the Taxation Act, the Act respecting the Québec sales tax and other legislative provisions* (1995, chapter 63).

1993, c. 19, s. 170; 1995, c. 63, s. 304; 1999, c. 83, s. 309; 2002, c. 9, s. 152

17.2 [Repealed 1995, c. 63, s. 305.]

17.3 [Repealed 1995, c. 63, s. 306.]

17.4 Exception — foreign conventions — Notwithstanding section 17, no tax is payable in respect of corporeal property brought into Québec for consumption, use or supply as supplies related to a convention where the property is brought into Québec by the sponsor of a foreign convention or the organizer of such a convention who is not registered under Division I of Chapter VIII.

1994, c. 22, s. 369

17.4.1 If, but for this section, tax under section 17 would become payable by a person in respect of a corporeal property that comes from Canada outside Québec and that the person brings into Québec when the person is a selected listed financial institution, that tax is not payable unless it is a prescribed amount of tax.

2012, c. 28, s. 34

17.5 Rebate for returned property — Subject to section 404, a person is entitled to a rebate of tax paid under section 17 in respect of the bringing into Québec of corporeal property from outside Canada where

(1) the person paid tax in respect of the property acquired by the person on consignment, approval or other similar terms;

(2) the property is, within 60 days after its release within the meaning of the *Customs Act* (Revises Statutes of Canada, 1985, chapter 1, 2nd Supplement) but before it is used or consumed otherwise than on a trial basis, shipped outside Québec by the person for the purpose of returning it to the supplier and is not damaged after its release and before its shipping; and

(3) within two years after the day the tax was paid, the person files with the Minister an application, in prescribed form containing prescribed information, for a rebate of the tax.

1994, c. 22, s. 369; 1997, c. 85, s. 425

17.6 Rebate for returned property — Subject to section 404, a person is entitled to a rebate of tax paid under section 17 in respect of the bringing into Québec of corporeal property from Canada but outside Québec where

(1) the person paid tax in respect of the property acquired by the person on consignment, approval or other similar terms;

(2) the property is, within 60 days after its being brought into Québec but before it is used or consumed otherwise than on a trial basis, shipped outside Québec by the person for the purpose of returning it to the supplier and is not damaged after its being brought into Québec and before its shipping; and

(3) within two years after the day the tax was paid, the person files with the Minister an application, in prescribed form containing prescribed information, for a rebate of the tax.

1994, c. 22, s. 369; 1997, c. 85, s. 426

17.7 Rebate for pleasure boat — Subject to section 404, an individual is entitled to a rebate of tax paid under section 17 in respect of the bringing into Québec of a pleasure boat for the purpose of storing it during the winter where

(1) the individual paid tax in respect of the bringing into Québec of the pleasure boat;

(2) the pleasure boat is taken or shipped outside Québec within a reasonable period of time after the winter storage;

(3) within four years after the date on which the pleasure boat was taken or shipped outside Québec, the individual files with the Minister an application, in prescribed form containing prescribed information, for a rebate of the tax; and

(4) the application for a rebate is filed with proof establishing that the individual paid tax in respect of the pleasure boat and that the pleasure boat was shipped or taken outside Québec after the winter storage.

1997, c. 14, s. 332

§3. — Taxable supply made outside Québec or by a non-resident person who is not registered and other supplies

[Heading added by 2003, c. 2, s. 308.]

18. Taxable supply made outside Québec or by a person that is not resident and not registered — Every recipient of a taxable supply, except a zero-rated supply, other than the zero-rated supply included in paragraph 2.1 or any of sections 179.1, 179.2 and 191.3.2, or a supply included in section 18.0.1, shall pay to the Minister a tax in respect of the supply calculated at the rate of 9.975% on the value of the consideration for the supply if the supply is

LTVQ (anglais)

(1) a supply, other than a prescribed supply, of a service made outside Québec to a person who is resident in Québec, other than a supply of a service that is

(a) acquired for consumption, use or supply exclusively in the course of commercial activities of the person or activities that are engaged in exclusively outside Québec by the person and that are not part of a business or an adventure or concern in the nature of trade engaged in by the person in Québec,

(b) consumed by an individual exclusively outside Québec, other than a training service the supply of which is made to a person who is not a consumer,

(c) in respect of an immovable situated outside Québec,

(d) a service (other than a custodial or nominee service in respect of securities or precious metals of the person) in respect of corporeal movable property that is

i. situated outside Québec at the time the service is performed, or

ii. shipped outside Québec as soon after the service is performed as is reasonable having regard to the circumstances surrounding the shipping outside Québec and is not consumed, used or supplied in Québec after the service is performed and before the shipping outside Québec of the property,

(e) a transportation service, other than a freight transportation service the supply of which is referred to in section 24.2, or

(f) a service rendered in connection with criminal, civil or administrative litigation outside Québec, other than a service rendered before the commencement of such litigation;

(2) a supply, other than a prescribed supply, of incorporeal movable property made outside Québec to a person who is resident in Québec, other than a supply of property that

(a) is acquired for consumption, use or supply exclusively in the course of commercial activities of the person or activities that are engaged in exclusively outside Québec by the person and that are not part of a business or an adventure or concern in the nature of trade engaged in by the person in Québec,

(b) may not be used in Québec, or

(c) relates to an immovable situated outside Québec, to a service to be performed wholly outside Québec or to corporeal movable property situated outside Québec;

(2.1) a supply made in Québec of incorporeal movable property that is a zero-rated supply only because it is included in section 188 or 188.1, other than

(a) a supply that is made to a consumer of the property; or

(b) a supply of incorporeal movable property that is acquired for consumption, use or supply exclusively in the course of commercial activities of the recipient of the supply or activities that are engaged in exclusively outside Québec by the recipient of the supply and that are not part of a business or an adventure or concern in the nature of trade engaged in by that recipient in Québec;

(3) a supply, other than a prescribed supply, of corporeal movable property made by a person not resident in Québec who is not registered under Division I of Chapter VIII to a recipient who is a registrant where

(a) physical possession of the property is transferred to the recipient in Québec by another registrant who has

i. made in Québec a supply by way of sale of the property or a supply of a service of manufacturing or producing the property to a person not resident in Québec, or

ii. acquired physical possession of the property in order to make a supply of a commercial service in respect of the property to a person not resident in Québec,

(b) the recipient gives to the other registrant a certificate of the recipient referred to in subparagraph 3 of the first paragraph of section 327.2, and

(c) the property

i. is not acquired by the recipient for consumption, use or supply exclusively in the course of commercial activities of the recipient,

ii. [Repealed 1995, c. 63, s. 307(1)(1).]

iii. is a passenger vehicle which the recipient acquires for use in Québec as capital property in the course of commercial activities of the recipient and in respect of which the capital cost to the recipient exceeds the amount deemed under paragraph d.3 or d.4 of section 99 of the *Taxation Act* (R.S.Q., chapter I-3) to be the capital cost of the passenger vehicle to the recipient for the purposes of the said Act; or

(4) a supply, other than a prescribed supply, of corporeal movable property made at a particular time by a person not resident in Québec who is not registered under Division I of Chapter VIII to a particular recipient resident in Québec where

(a) the property is delivered or made available, in Québec, to the particular recipient and the particular recipient is not a registrant who is acquiring the property for consumption, use or supply exclusively in the course of commercial activities of the particular recipient and

(b) the person not resident in Québec has previously made a taxable supply of the property by way of lease, licence or similar arrangement to a registrant with whom the person was not dealing at arm's length or who was related to the particular recipient, and

i. the property was delivered or made available, in Québec, to the registrant,

ii. the registrant was entitled to claim an input tax refund in respect of the property or was not required to pay tax under this section in respect of the supply solely because he had acquired the property for consumption, use or supply exclusively in the course of commercial activities of the registrant and

iii. the supply was the last supply made by the person not resident in Québec to a registrant before the particular time;

(5) a supply of a continuous transmission commodity, if the supply is deemed under section 23 to be made outside Québec to a registrant by a person who was the recipient of a supply of the commodity that was a zero-rated supply included in section 191.3.1 or that would, but for subparagraph e of paragraph 1 of that section, have been included in that section, and the registrant is not acquiring the commodity for consumption, use or supply exclusively in the course of commercial activities of the registrant; or

(6) a supply, included in section 191.3.2, of a continuous transmission commodity that is neither shipped outside Québec, as described in subparagraph 1 of the first paragraph of that section, nor supplied, as described in subparagraph 2 of the first paragraph of that section, by the recipient and the recipient is not acquiring the commodity for consumption, use or supply exclusively in the course of commercial activities of the recipient;

(7) a supply of property that is a zero-rated supply only because it is included in section 179.1, if the recipient is not acquiring the property for consumption, use or supply exclusively in the course of commercial activities of the recipient and

(a) an authorization granted to the recipient to use the certificate referred to in that section is not in effect at the time the supply is made, or

(b) the recipient does not ship the property outside Québec in the circumstances described in paragraphs 2 to 4 of section 179; or

(8) a supply of property that is a zero-rated supply only because it is included in section 179.2, if the recipient is not acquiring the property for consumption, use or supply exclusively in the course of commercial activities of the recipient and

(a) an authorization granted to the recipient to use the certificate referred to in that section is not in effect at the time the supply is made, or

(b) the recipient is not acquiring the property for use or supply as domestic inventory or as added property, as those expressions are defined in section 350.23.1.

(9) a supply deemed to be acquired by a qualifying taxpayer, within the meaning of section 26.2, under section 26.3 or 26.4.

1991, c. 67, s. 18; 1993, c. 19, s. 171; 1994, c. 22, s. 370; 1995, c. 1, ss. 253, 357; 1995, c. 63, s. 307; 1997, c. 85, s. 427; 2001, c. 53, s. 274; 2003, c. 2, s. 309; 2009, c. 5, s. 596(1)(2); 2009, c. 15, s. 482; 2010, c. 5, s. 209; 2011, c. 6, s. 236; 2012, c. 28, s. 35

18.0.1 Taxable supply made outside Québec but within Canada — Every person who is resident in Québec and is the recipient of a taxable supply of incorporeal movable property or a service made outside Québec, otherwise than by reason of section 23 or 24.2, but within Canada that is acquired by the person for consumption, use or supply to an extent of at least 10% in Québec shall pay to the Minister, each time consideration, or a part thereof, for the supply becomes due or is paid without having become due, a tax in respect of the supply equal to the amount determined by the formula

$$A \times B \times C.$$

Interpretation — For the purposes of this formula,

(1) A is 9.975%;

(2) B is the value of the consideration or a part thereof that is paid or becomes due at that time; and

(3) C is the extent, expressed as a percentage, to which the person acquired the property or service for consumption, use or supply in Québec.

Exception — No tax is payable in respect of

(1) a supply of property or a service to a registrant, other than a registrant whose net tax is determined under sections 433.1 to 433.15 or under a regulatory provision made under section 434, who acquired the property or service for consumption, use or supply exclusively in the course of commercial activities of the registrant;

(2) a zero-rated supply;

(3) a supply of a service, other than a custodial or nominee service in respect of securities or precious metals of the person, in respect of corporeal movable property that is shipped outside Québec as soon after the service is performed as is reasonable having regard to the circumstances surrounding the shipment outside Québec and is not consumed, used or supplied in Québec after the service is performed and before the property is shipped outside Québec;

(4) a supply of a service rendered in connection with criminal, civil or administrative litigation outside Québec, other than a service rendered before the commencement of such litigation;

(5) a supply of a transportation service;

(6) a supply of a telecommunication service; or

(7) a prescribed supply of property or a service where the property or service is acquired by the recipient of the supply in prescribed circumstances, in accordance with such terms and conditions as may be prescribed.

(8) a supply of a property or a service, if the total of all amounts, each of which is an amount of tax that, but for this subparagraph and subparagraph 5 of the fourth paragraph of section 17, would become payable by the person under the first paragraph or the first paragraph of section 17, is $35 or less in the calendar month that includes the time when all or part of the consideration for the supply becomes due or is paid without having become due.

Supply made in Canada — For the purposes of the first paragraph, a supply is made in Canada if it is deemed to be made in Canada under Part IX of the *Excise Tax Act* (Revised Statutes of Canada, 1985, chapter E-15).

1997, c. 85, s. 428; 2001, c. 53, s. 275; 2010, c. 5, s. 210; 2011, c. 1, s. 121; 2011, c. 6, s. 237; 2011, c. 34, s. 142; 2012, c. 28, s. 36

18.0.2 Subject to the second paragraph, tax under sections 18 and 18.0.1 that is determined on all or part of the consideration for a supply that becomes payable at any time, or is paid at any time without having become due, becomes payable at that time.

Tax under section 18, in respect of a supply deemed to be acquired by a qualifying taxpayer, within the meaning of section 26.2, in a specified year, within the meaning of section 26.2, of the qualifying taxpayer under section 26.3 or 26.4, that is determined for the specified year becomes payable by the qualifying taxpayer on

(1) if the specified year is a taxation year of the qualifying taxpayer for the purposes of the *Income Tax Act* (Revised Statutes of Canada, 1985, chapter 1, 5th Supplement) and the qualifying taxpayer is required under Division I of Part I of that Act to file with the Minister of National Revenue a fiscal return for the specified year, the day on which the qualifying taxpayer is required to file a fiscal return under Part I of that Act for that taxation year; and

(2) in any other case, the day that is six months after the end of the specified year.

1997, c. 85, s. 428; 2012, c. 28, s. 37

18.0.3 If, but for this paragraph, tax under section 18 would become payable by a person when the person is a selected listed financial institution, that tax is not payable unless it is an amount of tax that

(1) is a prescribed amount of tax for the purposes of subparagraph a of subparagraph 6 of the second paragraph of section 433.16;

(2) is in respect of a supply relating to a property or a service acquired otherwise than for consumption, use or supply in the course of an endeavour, within the meaning assigned by section 42.0.1, of the person; or

(3) is a prescribed amount of tax.

If, but for this paragraph, tax under section 18.0.1 would become payable by a person when the person is a selected listed financial institution, that tax is not payable unless it is a prescribed amount of tax.

2012, c. 28, s. 38

§4.

[Heading repealed 1995, c. 63, s. 308.]

18.1 [Repealed 1995, c. 63, s. 308.]

DIVISION II — SUPPLY AND COMMERCIAL ACTIVITY

§1. — *Supply*

I. — Rules relating to a supply

19. [Repealed 1995, c. 63, s. 309.]

20. [Repealed 1995, c. 63, s. 310.]

20.1 Taxable supply of a road vehicle — A supply, made otherwise than in the course of a commercial activity, of a road vehicle that must be registered under the *Highway Safety Code* (chapter C-24.2) following an application by the recipient of the supply is deemed to be a taxable supply.

1993, c. 19, s. 172; 1995, c. 63, s. 311

II. — Presumptions respecting place of supply

21. [Repealed 1997, c. 85, s. 429.]

22. [Repealed 1997, c. 85, s. 429.]

22.0.1 [Repealed 1997, c. 85, s. 429.]

22.0.2 [Repealed 1997, c. 85, s. 429.]

22.1 [Repealed 1997, c. 85, s. 429.]

1. — Definitions and interpretation

22.2 Definitions — For the purposes of sections 22.2 to 22.30,

"lease interval", in respect of a supply by way of lease, licence or similar arrangement, has the meaning assigned by section 32.2;

"place of negotiation" [Repealed 2011, c. 1, s. 122(1).]

"province" means a province of Canada and includes

(1) the Northwest Territories;

(2) the Yukon Territory;

(2.1) Nunavut;

(3) the Nova Scotia offshore area within the meaning of the *Canada — Nova Scotia Offshore Petroleum Resources Accord Implementation Act* (Statutes of Canada, 1988, chapter 28), to the extent that that area is a participating province within the meaning assigned by subsection 1 of section 123 of the *Excise Tax Act* (Revised Statutes of Canada, 1985, chapter E-15);

(4) the Newfoundland offshore area, within the meaning of the *Canada — Newfoundland Atlantic Accord Implementation Act* (Statutes of Canada, 1987, chapter 3), to the extent that that area is a participating province within the meaning assigned by subsection 1 of section 123 of the *Excise Tax Act*.

1997, c. 85, s. 430; 2003, c. 2, s. 310; 2011, c. 1, s. 122

22.3 Floating home and a mobile home — For the purposes of sections 22.2 to 22.30, a floating home, and a mobile home that is not affixed to land are each deemed to be corporeal movable property and not immovables.

1997, c. 85, s. 430

22.4 Property not delivered or service not performed — For the purposes of sections 22.2 to 22.30, where an agreement for the supply of property or a service is entered into but the property is not delivered to the recipient or the service is not performed, the property is deemed to have been delivered, or the service is deemed to have been performed, where the property or service was to be delivered or performed, as the case may be, under the terms of the agreement.

1997, c. 85, s. 430

22.5 Agreement on the ordinary location of property — Where, for the purpose of determining, under sections 22.2 to 22.30, if a supply is made in Québec, reference is made to the ordinary location of property and, from time to time, the supplier and the recipient mutually agree upon what is to be the ordinary location of the property at a particular time, that location is deemed, for the purposes of sections 22.2 to 22.30, to be the ordinary location of that property at the particular time.

1997, c. 85, s. 430

22.6 Application of sections. 22.7 to 22.30 — Sections 22.7 to 22.30 apply subject to sections 23, 24.2, 327.2 and 327.3.

1997, c. 85, s. 430

2. — Corporeal movable property

22.7 Supply of corporeal movable property by way of sale — A supply of corporeal movable property by way of sale is deemed to be made in Québec if the property is delivered in Québec to the recipient of the supply.

1997, c. 85, s. 430

22.8 Supply of corporeal movable property otherwise than by way of sale — A supply of corporeal movable property otherwise than by way of sale is deemed to be made in Québec if

(1) in the case of a supply made under an agreement under which continuous possession or use of the property is provided for a period of not more than three months, the property is delivered in Québec to the recipient of the supply; and

(2) in any other case,

(a) where the property is a road vehicle, it is required, at the time the supply is made, to be registered under the *Highway Safety Code* (chapter C-24.2), and

(b) where the property is not a road vehicle, the ordinary location of the property, as determined at the time the supply is made, is in Québec.

(c) where the possession or use of the property is given or made available in Québec to the recipient and the property is neither property referred to in subparagraph a or b nor

(i) property that is a specified motor vehicle within the meaning of subsection 1 of section 123 of the *Excise Tax Act* (Revised Statutes of Canada, 1985, chapter E-15) that is required, at the time the supply is made, to be registered under the laws of another province relating to the registration of motor vehicles, or

(ii) property, other than a specified motor vehicle referred to in subparagraph i, the ordinary location of which, as determined at the time the supply is made, is in another province.

Exception — Notwithstanding the first paragraph, a supply of corporeal movable property otherwise than by way of sale is deemed to be made outside Québec if possession or use of the property is given or made available outside Canada to the recipient.

1997, c. 85, s. 430; 1998, c. 16, s. 310

22.9 Presumption — delivery of property — Property is deemed to be delivered

(1) in Québec where the supplier

(a) ships the property to a destination in Québec that is specified in the contract for carriage of the property or transfers possession of the property to a common carrier or consignee that the supplier has retained on behalf of the recipient to ship the property to such a destination, or

(b) sends the property by mail or courier to an address in Québec; and

(2) outside Québec where the supplier

(a) ships the property to a destination in another province that is specified in the contract for carriage of the property or transfers possession of the property to a common carrier or consignee that the supplier has retained on behalf of the recipient to ship the property to such a destination, or

(b) sends the property by mail or courier to an address in another province.

Exception — The first paragraph does not apply where the property is corporeal movable property supplied by way of sale that is, or is to be, delivered outside Canada to the recipient.

1997, c. 85, s. 430; 2001, c. 51, s. 261

22.9.1 Presumptions — For the purposes of section 22.8, if a supply of corporeal movable property is made by way of lease, licence or similar arrangement,

(1) where the supply is made under an arrangement under which continuous possession or use of the property is provided for a period of not more than three months and the property is delivered in Québec to the recipient, the property is deemed to be delivered in Québec for each of the supplies which, because of section 32.2, is deemed to be made;

(2) where the supply is not referred to in paragraph 1 and continuous possession or use of the property is given or made available in Québec to the recipient, possession or use of the property is deemed to be given or made available in Québec to the recipient for each of the supplies which, because of section 32.2, is deemed to be made; and

(3) where possession or use of the property is given or made available outside Canada to the recipient, possession or use of the property is deemed to be given or made available outside Canada to the recipient for each of the supplies which, because of section 32.2, is deemed to be made.

2001, c. 53, s. 276

3. — Incorporeal movable property

22.10 Definition: "Canadian Rights" — For the purposes of sections 22.11.1 and 22.11.2,

"Canadian rights" in respect of an incorporeal movable property means that part of the property that can be used in Canada;

"specified location" of a supplier means

(1) the supplier's permanent establishment; or

(2) a vending machine.

1997, c. 85, s. 430; 2011, c. 1, s. 123

22.10.1 Sections 22.11.1 to 22.11.4 do not apply to an incorporeal movable property to which any of sections 22.21 to 22.27 applies.

2011, c. 1, s. 124

22.11 [Repealed 2011, c. 1, s. 125(1).]

22.11.1 A supply of an incorporeal movable property (other than an incorporeal movable property that relates to an immovable or to a corporeal movable property) in respect of which the Canadian rights can only be used primarily in Québec is deemed to be made in Québec.

2011, c. 1, s. 126

22.11.2 A supply of an incorporeal movable property (other than an incorporeal movable property that relates to an immovable or to a corporeal movable property) in respect of which the Canadian rights can be used otherwise than only primarily in Québec and otherwise than only primarily outside Québec is deemed to be made in Québec if,

(1) in the case of a supply for which the value of the consideration is $300 or less that is made through a specified location of the supplier in Québec and in the presence of an individual who is, or who acts on behalf of, the recipient, the incorporeal movable property can be used in Québec; and

(2) in the case of a supply that is not deemed under paragraph 1 to be made in Québec, the following conditions are satisfied:

(a) in the ordinary course of the supplier's business, the supplier obtains an address (in this paragraph referred to as the "particular address") that is

i. if the supplier obtains only one address that is a home or a business address in Canada of the recipient, the home or business address obtained by the supplier,

ii. if the supplier obtains more than one address described in subparagraph i, the address described in that subparagraph that is most closely connected with the supply, or

iii. in any other case, the address in Canada of the recipient that is most closely connected with the supply,

(b) the particular address is in Québec, and

(c) the incorporeal movable property can be used in Québec.

2011, c. 1, s. 126

22.11.3 A supply of an incorporeal movable property that relates to an immovable is deemed to be made in Québec if the immovable that is situated in Canada is situated primarily in Québec.

2011, c. 1, s. 126

22.11.4 A supply of an incorporeal movable property that relates to a corporeal movable property is deemed to be made in Québec if the corporeal movable property that is ordinarily situated in Canada is ordinarily situated primarily in Québec.

2011, c. 1, s. 126

4. — Immovable

22.12 Immovable — A supply of an immovable is deemed to be made in Québec if the immovable is situated in Québec.

1997, c. 85, s. 430

22.13 [Repealed 2011, c. 1, s. 127(1).]

22.20 Freight transportation service — A supply of a freight transportation service made from a place in Québec to a place outside Canada is deemed to be made in Québec.

1997, c. 85, s. 430

7. — Postal service

22.21 Definitions — For the purposes of this section and sections 22.22 to 22.24,

"permit imprint" means an indicia the use of which as evidence of the payment of postage exclusively by a person is authorized under an agreement between the Canada Post Corporation and the person, but does not include a postage meter impression or any "business reply" indicia or item bearing that indicia;

"postage stamp" means a stamp authorized by the Canada Post Corporation for use as evidence of the payment of postage, but does not include a postage meter impression, a permit imprint or any "business reply" indicia or item bearing that indicia.

1997, c. 85, s. 430

22.22 Postage stamp and mail delivery — A supply of a postage stamp or a postage-paid card, package or similar item, other than an item bearing a "business reply" indicia, that is authorized by the Canada Post Corporation is deemed to be made in Québec if the supplier delivers the stamp or item in Québec to the recipient of the supply and, where the stamp or item is used as evidence of the payment of postage for a mail delivery service, the supply of the service is deemed to be made in Québec, unless

(1) the supply of the service is made pursuant to a bill of lading; or

(2) the consideration for the supply of the service is $5 or more and the address to which the mail is sent is not in Québec.

1997, c. 85, s. 430; 2012, c. 28, s. 39

22.23 Payment evidenced by a postage meter — Where the payment of postage for a mail delivery service supplied by the Canada Post Corporation is evidenced by a postage meter impression printed by a meter, the supply of the service is deemed to be made in Québec if the ordinary location of the meter, as determined at the time the recipient of the supply pays an amount to the Corporation for the purpose of paying that postage, is in Québec, unless the supply is made pursuant to a bill of lading.

1997, c. 85, s. 430

22.24 Payment evidenced by a permit imprint — Where the payment of postage for a mail delivery service supplied by the Canada Post Corporation otherwise than pursuant to a bill of lading is evidenced by a permit imprint, the supply of the service is deemed to be made in Québec if the recipient of the supply deposits the mail in Québec with the Corporation in accordance with the agreement between the recipient and the Corporation authorizing the use of the permit imprint.

1997, c. 85, s. 430

8. — Telecommunication service

22.25 Billing location for a telecommunication service — For the purposes of section 22.26, the billing location for a telecommunication service supplied to a recipient is in Québec if

(1) where the consideration paid or payable for the service is charged or applied to an account that the recipient has with a person who carries on the business of supplying telecommunication services and the account relates to a telecommunications facility that is used or is available for use by the recipient to obtain telecommunication services, that telecommunications facility is ordinarily located in Québec; and

(2) in any other case, the telecommunications facility used to initiate the service is located in Québec.

1997, c. 85, s. 430

22.26 Place of supply of a telecommunication service — A supply of a telecommunication service, other than a service referred to in section 22.27, is deemed to be made in Québec if,

(1) in the case of a telecommunication service of making telecommunications facilities available to a person,

(a) all of those facilities are ordinarily located in Québec,

(b) part of the facilities is ordinarily located in Québec and the other part thereof is ordinarily located outside Canada, or

(c) where not all of the telecommunications facilities are ordinarily located in Québec, any part of the facilities is ordinarily located in another province and

i. the invoice for the supply of the service is sent to an address in Québec, or

ii. in any other case, no tax of the same nature as the tax payable under this Title is imposed on the person by the other province in respect of the supply of the service or, if such tax is imposed by that province, the person is entitled to obtain a rebate thereof; or

(2) in any other case,

(a) the telecommunication is emitted and received in Québec,

(b) the telecommunication is emitted or received in Québec and the billing location for the service is in Québec, or

(c) the telecommunication is emitted in Québec and is received outside Québec and

i. where the telecommunication is received outside Canada, the billing location is in another province, or

ii. where the telecommunication is received in another province, the billing location is not in that province.

1997, c. 85, s. 430; 2002, c. 9, s. 153

22.27 Access to a telecommunications channel — A supply of a telecommunication service of granting to the recipient of the supply sole access to a telecommunications channel, within the meaning of section 32.6, for transmitting telecommunications between a place in Québec and a place outside Québec but within Canada is deemed to be made in Québec.

1997, c. 85, s. 430

9. — Deemed supply and prescribed supply

22.28 Deemed supply — Notwithstanding sections 22.7 to 22.27, a supply of property that is deemed under any of sections 207 to 210.4, 238.1, 285 to 287.3, 298, 300, 320, 323.1, 325 and 337.2 to 341.9 to have been made or received at any time is deemed to be made in Québec if the property is situated in Québec at that time.

1997, c. 85, s. 430; 2001, c. 51, s. 262

22.29 Deemed supply — Notwithstanding sections 22.7 to 22.27, a supply of property or a service is deemed to be made in Québec if the supply is deemed to be made in Québec under another provision of this Title or a provision of the *Regulation respecting the Québec sales tax* (Order in Council 1607-92 (1992, G.O. 2, 4952)) with amendments and future amendments.

1997, c. 85, s. 430

22.30 Supply deemed made in Québec — Notwithstanding sections 22.7 to 22.27, a prescribed supply of property or a service is deemed to be made in Québec.

1997, c. 85, s. 430

22.31 Prescribed supply of a service — Notwithstanding sections 22.14 to 22.27, a supply of a service is deemed to be made outside Québec if it is a supply of a prescribed service.

1997, c. 85, s. 430; 2011, c. 1, s. 135

10. — Special rules

22.32 Supply made outside Québec — A supply that is not deemed to be made in Québec under sections 22.7 to 22.24 and 22.28 to 22.30 is deemed to be made outside Québec.

1997, c. 85, s. 430

23. Supply made in Québec by a non-resident — A supply of movable property or a service made in Québec by a person who is not resident in Québec is deemed to be made outside Québec, unless

(1) the supply is made in the course of a business carried on in Québec;

(2) at the time the supply is made, the person is registered under Division I of Chapter VIII; or

(3) the supply is the supply of an admission in respect of an activity, a seminar, an event or a place of amusement where the non-resident person did not acquire the admission from another person.

1991, c. 67, s. 23

23.1 A supply of a property referred to in section 144 of the *Excise Tax Act* (Revised Statutes of Canada, 1985, chapter E-15) that has not been released, within the meaning of the *Customs Act* (Revised Statutes of Canada, 1985, chapter 1, 2nd Supplement), before being delivered to the recipient in Québec, is deemed to be made outside Québec.

For the purposes of section 17, the property referred to in the first paragraph is deemed to have been brought into Québec at the time of its release within the meaning of the *Customs Act*.

2012, c. 28, s. 40

24. [Repealed 1994, c. 22, s. 373.]

24.1 Supply by mail or courier — Notwithstanding sections 22.32 and 23, a supply of prescribed corporeal movable property made by a person who is registered under Division I of Chapter VIII is deemed to be made in Québec if the property is sent, by mail or courier, to the recipient of the supply at an address in Québec.

1994, c. 22, s. 374; 1997, c. 85, s. 431

24.2 Supply of a freight transportation service — The following are deemed made outside Québec:

(1) a supply of a freight transportation service in respect of the transportation of corporeal movable property from a place in Canada outside Québec to a place in Québec;

(2) a supply of a freight transportation service in respect of the transportation of corporeal movable property between two places in Québec where the service is part of a continuous freight movement, within the meaning of section 193, from a place in Canada outside Québec to a place in Québec and where the supplier of the service maintains documentary evidence satisfactory to the Minister that the service is part of a continuous freight movement from a place in Canada outside Québec to a place in Québec.

1994, c. 22, s. 374; 1997, c. 85, s. 432

24.3 Property in transit — Except for the purposes of sections 182, 191.3.3 and 191.3.4, a continuous transmission commodity that is transported by means of a wire, pipeline or other conduit is deemed not to be shipped outside Québec or brought into Québec in the course of that transportation or further transportation if the commodity is transported

(1) outside Québec in the course of, and solely for the purpose of, being delivered by that means from a place in Québec to another place in Québec;

(2) in Québec in the course of, and solely for the purpose of, being delivered by that means from a place outside Québec to another place outside Québec;

(3) from a place in Québec to a place outside Québec where it is stored or taken up as surplus for a period until further transported by that means to a place in Québec in the same measure and state except to the extent of any consumption or alteration necessary or incidental to its transportation; or

(4) from a place outside Québec to a place in Québec where it is stored or taken up as surplus for a period until further transported by that means to a place outside Québec in the same measure and state except to the extent of any consumption or alteration necessary or incidental to its transportation.

2001, c. 53, s. 280

III. — Other presumptions

1. — General provisions

25. Supply between permanent establishments — Where a person carries on a business through a permanent establishment of the person in Québec and through another permanent establishment of the person outside Québec,

(1) any transfer of movable property or rendering of a service by the permanent establishment in Québec to the permanent establishment outside Québec is deemed to be a supply of the property or service; and

(2) in respect of that supply, the permanent establishments are deemed to be separate persons who deal with each other at arm's length.

1991, c. 67, s. 25

26. Supply between permanent establishments for the purposes of s. 18 — For the purposes of section 18.0.1, where a person carries on a business through a permanent establishment of the person in Québec and through another permanent establishment outside Québec,

(1) any transfer of movable property or rendering of a service by one permanent establishment to the other permanent establishment is deemed to be a supply of the property or service;

(2) in respect of that supply, the permanent establishments are deemed to be separate persons who deal with each other at arm's length; and

(3) the value of the consideration for that supply is deemed to be equal to the fair market value of the supply at the time the property is so transferred or the service is so rendered; and

(4) the consideration for that supply is deemed to have become due and to have been paid, by the permanent establishment (in this paragraph referred to as "the recipient") to which the property was transferred or the service was rendered, to the other permanent establishment at the end of the taxation year of the recipient in which the property was transferred or the service was rendered.

1991, c. 67, s. 26; 1994, c. 22, s. 376; 1997, c. 85, s. 433; 2012, c. 8, s. 265

26.0.1 For the purposes of this section and sections 26.0.2 to 26.0.5,

"incorporeal capital" of a specified person means any of the following that is consumed or used by the specified person in the process of creating or developing incorporeal movable property:

(1) all or part of a labour activity of the specified person;

(2) all or part of property (other than incorporeal movable property described in paragraph 1 of the definition of "incorporeal resource"); or

(3) all or part of a service;

"incorporeal resource" of a specified person means

(1) all or part of incorporeal movable property supplied to, or created or developed by, the specified person that is not support capital of the specified person;

(2) incorporeal capital of the specified person; or

(3) any combination of the items referred to in paragraphs 1 and 2;

"labour activity" of a specified person means anything done by an employee of the specified person in the course of, or in relation to, the office or employment of the employee;

"support capital" of a specified person means all or part of incorporeal movable property that is consumed or used by the specified person in the process of creating or developing property (other than incorporeal movable property) or in supporting, assisting or furthering a labour activity of the specified person;

"support resource" of a specified person means

(1) all or part of property (other than incorporeal movable property) supplied to, or created or developed by, the specified person that is not incorporeal capital of the specified person;

(2) all or part of a service supplied to the specified person that is not incorporeal capital of the specified person;

(3) all or part of a labour activity of the specified person that is not incorporeal capital of the specified person;

(4) support capital of the specified person; or

(5) any combination of the items referred to in paragraphs 1 to 4.

For the purposes of the first paragraph, **"employee"** includes an individual who agrees to become an employee.

2012, c. 8, s. 266

26.0.2 For the purposes of sections 26.0.1 and 26.0.3 to 26.0.5, the following rules apply:

(1) a person (other than a financial institution) is a specified person throughout a taxation year of the person if the person

(a) carries on, at any time in the taxation year, a business through a permanent establishment of the person outside Canada, and

(b) carries on, at any time in the taxation year, a business through a permanent establishment of the person in Québec; and

(2) a business of a person is a specified business of the person throughout a taxation year of the person if the business is carried on, at any time in the taxation year, in Québec through a permanent establishment of the person.

2012, c. 8, s. 266; 2012, c. 28, s. 41

26.0.3 For the purposes of sections 26.0.4 and 26.0.5, internal use of a support resource, or of an incorporeal resource, of a specified person occurs during a taxation year of the specified person if

(1) the specified person at any time in the taxation year uses outside Canada any part of the resource in relation to the carrying on of a specified business of the specified person; or

(2) the specified person is permitted under the *Taxation Act* (chapter I-3), or would be so permitted if that Act applied to the specified person, to allocate for the taxation year, as an amount in respect of a specified business of the specified person,

(a) any part of an outlay made, or expense incurred, by the specified person in respect of any part of the resource, or

(b) any part of an allowance, or allocation for a reserve, in respect of any part of an outlay or expense referred to in subparagraph a.

2012, c. 8, s. 266

26.0.4 If internal use of a support resource of a specified person occurs during a taxation year of the specified person, the following rules apply:

(1) for the purposes of section 18,

(a) the specified person is deemed

i. to have rendered, during the taxation year, a service of internally using the support resource at a permanent establishment of the specified person outside Canada in the course of carrying on a specified business of the specified person, and to be the person to whom the service was rendered,

ii. to be the recipient of a supply made outside Canada of the service, and

iii. to be, in the case of a specified person not resident in Québec, resident in Québec,

(b) the supply is deemed not to be a supply of a service that is in respect of

i. an immovable situated outside Québec, or

ii. corporeal movable property that is situated outside Québec at the time the service is performed,

(c) the value of the consideration for the supply is deemed to be the total of all amounts, each of which is the fair market value of a part, or of the use of a part, as the case may be, of the support resource referred to in section 26.0.3

i. if the part is only referred to in paragraph 1 of section 26.0.3, at the time referred to in that paragraph, and

ii. in any other case, on the last day of the taxation year of the specified person, and

(d) the consideration for the supply is deemed to have become due and to have been paid, on the last day of the taxation year, by the specified person; and

(2) for the purpose of determining an input tax refund of the specified person, the specified person is deemed to have acquired the service for the same purpose as that for which the part of the support resource referred to in section 26.0.3 was acquired, consumed or used by the specified person.

2012, c. 8, s. 266

26.0.5 If internal use of an incorporeal resource of a specified person occurs during a taxation year of the specified person, the following rules apply:

(1) for the purposes of section 18,

(a) the specified person is deemed

i. to have made available, during the taxation year, at a permanent establishment of the specified person outside Canada incorporeal movable property in the course of carrying on a specified business of the specified person and to be the person to whom the incorporeal movable property was made available,

ii. to be the recipient of a supply made outside Canada of the incorporeal movable property, and

iii. to be, in the case of a specified person not resident in Québec, resident in Québec,

(b) the supply is deemed not to be a supply of property that relates to an immovable situated outside Québec, to a service to be performed wholly outside Québec or to corporeal movable property situated outside Québec,

(c) the value of the consideration for the supply is deemed to be the total of all amounts, each of which is the fair market value of a part, or of the use of a part, as the case may be, of the incorporeal resource referred to in section 26.0.3

i. if the part is only referred to in paragraph 1 of section 26.0.3, at the time referred to in that paragraph, and

ii. in any other case, on the last day of the taxation year of the specified person, and

(d) the consideration for the supply is deemed to have become due and to have been paid, on the last day of the taxation year, by the specified person; and

(2) for the purpose of determining an input tax refund of the specified person, the specified person is deemed to have acquired the property for the same purpose as that for which the part of the incorporeal resource referred to in section 26.0.3 was acquired, consumed or used by the specified person.

2012, c. 8, s. 266

26.1 Meaning of "permanent establisment" — For the purposes of sections 25 to 26.0.5, **"permanent establishment"** has the meaning assigned by section 11.2 where a person is resident in Québec otherwise than by reason of section 12.

1997, c. 85, s. 434; 2012, c. 8, s. 267

26.2 For the purposes of this section and sections 26.3 to 26.5,

"external charge" has the meaning assigned by section 217 of the *Excise Tax Act* (Revised Statutes of Canada, 1985, chapter E-15);

"qualifying consideration" has the meaning assigned by section 217 of the *Excise Tax Act*;

"qualifying establishment" means a permanent establishment within the meaning of subsection 1 of section 123 of the *Excise Tax Act* or within the meaning of subsection 2 of section 132.1 of that Act;

"qualifying service" means any service or anything done by an employee in relation to the office or employment of the employee;

"qualifying taxpayer" has the meaning assigned by subsection 1 of section 217.1 of the *Excise Tax Act*;

"specified year" of a person means

(1) in the case of a person that is described in paragraph 1 or 1.1 of the definition of "taxation year" in section 1, the taxation year of the person;

(2) in the case of a person that is a registrant, other than a person described in paragraph 1, the fiscal year of the person; and

(3) in any other case, the calendar year.

For the purposes of the definition of "qualifying service" in the first paragraph, an employee includes an individual who agrees to become an employee.

2012, c. 28, s. 42

26.3 A qualifying taxpayer that is resident in Québec and that made an election under subsection 1 of section 217.2 of the *Excise Tax Act* (Revised Statutes of Canada, 1985, chapter E-15) is deemed to be the recipient of a taxable supply in a specified year of the qualifying taxpayer, provided that the election is in effect for the purposes of that Act for the specified year; the value of the consideration for that taxable supply is deemed to be equal to the amount determined by the formula

$$A + B.$$

For the purposes of the formula in the first paragraph,

(1) A is the total of all amounts each of which is the product obtained by multiplying an amount that is an internal charge for the specified year and that is greater than zero by the percentage that represents the extent to which the internal charge is attributable to outlays or expenses that were made or incurred to consume, use or supply the whole or part of a qualifying service or of a property, in respect of which the internal charge is attributable, in carrying on, engaging in or conducting an activity of the qualifying taxpayer in Québec; and

(2) B is the total of all amounts each of which is the product obtained by multiplying an amount that is an external charge for the specified year and that is greater than zero by the percentage that represents the extent to which the whole or part of the outlay or expense, which corresponds to the external charge, was made or incurred to consume, use or supply the whole or part of a qualifying service or of a property, in respect of which the external charge is attributable, in carrying on, engaging in or conducting an activity of the qualifying taxpayer in Québec.

For the purposes of this section, an amount in respect of which the conditions of subsection 4 of section 217.1 of the *Excise Tax Act* are met is an amount that is an internal charge.

2012, c. 28, s. 42

26.4 A qualifying taxpayer that is resident in Québec and to which section 26.3 does not apply for a specified year of the qualifying taxpayer is deemed to be the recipient of a taxable supply, in the specified year, the value of the consideration for which is deemed to be equal to the total of all amounts, each of which is the product obtained by multiplying an amount in respect of qualifying consideration for the specified year that is greater than zero by the percentage that represents the extent to which the whole or part of the outlay or expense, which corresponds to the qualifying consideration, was made or incurred to consume, use or supply the whole or part of a qualifying service or of a property, in respect of which the qualifying consideration is attributable, in carrying on, engaging in or conducting an activity of the qualifying taxpayer in Québec.

2012, c. 28, s. 42

26.5 Despite sections 11 and 11.1 and for the purposes of sections 26.3 and 26.4, a qualifying taxpayer is deemed to be resident in Québec at a particular time if, at that time,

(1) the qualifying taxpayer has a qualifying establishment in Québec; or

(2) the qualifying taxpayer is resident in Canada and is

(a) a corporation incorporated or continued under the legislation of Québec and not continued elsewhere,

(b) a club, an association, an unincorporated organization, a partnership, or a branch of one of them, in respect of which a majority of the members having management and control of it are resident in Québec, or

(c) a trust, carrying on activities as a trust in Québec, that has an office or branch in Québec.

2012, c. 28, s. 42

27. Agreement to provide property or a service — Where an agreement is entered into to provide property or a service,

(1) the entering into of the agreement is deemed to be a supply of the property or service made at the time the agreement is entered into; and

(2) any provision of property or a service under the agreement is deemed to be part of the supply referred to in paragraph 1 and not a separate supply.

1991, c. 67, s. 27

28. Transfer of security interest — Where, under an agreement entered into in respect of a debt or obligation, a person transfers property or an interest in property for the purpose of securing payment of the debt or performance of the obligation, the transfer is deemed not to be a supply.

Performance of obligation — Where, on payment of the debt or performance of the obligation or the extinguishing of the debt or obligation, the property or interest is retransferred, the retransfer of the property or interest is deemed not to be a supply.

1991, c. 67, s. 28

29. Sponsorship of a public service activity — Where a public sector body makes a supply of a service, or a supply of the use by way of licence of a copyright, trade-mark, trade-name or other similar property of the body, to a person who is the sponsor of an activity of the body for use by the person exclusively in publicizing the person's business, the supply by the body of the service or the use of the property is deemed not to be a supply.

Exception — This section does not apply where it may reasonably be regarded that the consideration for the supply is primarily for a service of advertising by means of radio or television or in a newspaper, magazine or other publication published periodically, or for a prescribed service.

1991, c. 67, s. 29; 1997, c. 85, s. 435

Not in force — 29.1

29.1 Where a supply is made by the Gouvernement du Québec or any of its departments to a prescribed mandatary, or by such a mandatary to the Government, to any of its departments or to another prescribed mandatary, the supply is deemed not to be a supply.

2012, c. 28, s. 43 [Not in force at date of publication.]

30. Lease of property — A supply, by way of lease, licence or similar arrangement, of the use or right to use an immovable or corporeal movable property is deemed to be a supply of an immovable or corporeal movable property, as the case may be.

1991, c. 67, s. 30

30.0.1 Presumption — A supply of movable property delivered electronically is deemed to be a supply of incorporeal movable property.

2002, c. 9, s. 154

30.1 [Repealed 1995, c. 63, s. 312.]

31. Combined supply of immovables — Where a supply of an immovable includes the provision of a property described in subparagraph 1 of the second paragraph and a property described in subparagraph 2 of that paragraph,

(1) the property described in subparagraph 1 of the second paragraph and the property described in subparagraph 2 of that paragraph are each deemed to be a separate property;

(2) the provision of the property described in subparagraph 1 of the second paragraph is deemed to be a supply separate from the provision of the property described in subparagraph 2 of that paragraph; and

(3) neither supply is incidental to the other.

Interpretation — The property referred to in the first paragraph is

(1) an immovable that is

(a) a residential complex,

(b) land, a building or part of a building that forms or is reasonably expected to form part of a residential complex, or

(c) a residential trailer park; or

(2) another immovable that is not part of an immovable referred to in subparagraph 1.

1991, c. 67, s. 31; 1994, c. 22, s. 377; 1997, c. 85, s. 436

31.1 [Repealed 1997, c. 85, s. 437.]

32. Supply by way of sale of a multiple unit residential complex and addition — Where a builder of an addition to a multiple unit residential complex makes a supply of the complex or an interest in it by way of sale that, but for this section, would be a taxable supply and, but for the construction of the addition, would be an exempt supply described in section 97,

(1) the addition and the remainder of the complex are each deemed to be a separate property;

(2) the sale of the addition or interest in it is deemed to be a supply separate from the sale of the remainder of the complex or interest in it; and

(3) neither supply is incidental to the other.

1991, c. 67, s. 32; 1994, c. 22, s. 379

32.1 Supply of a residential trailer park and additional area — Where a person who has increased the area of land included in a residential trailer park of the person (in this section referred to as the "additional area") makes a supply of the park or an interest in it that, but for this section, would be a taxable supply and, but for the additional area, would be an exempt supply described in section 97.3,

(1) the additional area and the remainder of the park are each deemed to be a separate property;

(2) the sale of the additional area or the interest therein is deemed to be a supply separate from the sale of the remainder of the park or the interest in the park; and

(3) neither supply is incidental to the other.

1994, c. 22, s. 380

32.2 Supply by way of lease, licence or similar arrangement and lease interval — Where a supply of property is made by way of lease, licence or similar arrangement to a person for consideration that includes a payment that is attributable to a period (in this section referred to as the "lease interval") that is the whole or a part of the period during which possession or use of the property is provided under the arrangement,

(1) the supplier is deemed to have made, and the person is deemed to have received, a separate supply of the property for the lease interval;

(2) the supply of the property for the lease interval is deemed to be made on the earliest of

(a) the first day of the lease interval,

(b) the day on which the payment that is attributable to the lease interval becomes due, and

(c) the day on which the payment that is attributable to the lease interval is made; and

(3) the payment that is attributable to the lease interval is deemed to be consideration payable in respect of the supply of the property for the lease interval.

1997, c. 85, s. 438

32.2.1 Presumption — If a recipient of a supply by way of lease, licence or similar arrangement of corporeal moveable property exercises an option to purchase the property that is provided for under the arrangement and the recipient begins to have possession of the property under the agreement of purchase and sale of the property at the same time and place as the recipient ceases to have possession of the property as lessee or licensee under the arrangement, that time and place is deemed to be the time and place at which the property is delivered to the recipient in respect of the supply by way of sale of the property to the recipient.

2001, c. 53, s. 281

32.3 Supply of a service and billing period — Where a supply of a service is made to a person for consideration that includes a payment that is attributable to a period (in this section referred to as the "billing period") that is the whole or a part of the period during which the service is or is to be rendered under the agreement for the supply,

(1) the supplier is deemed to have made, and the person is deemed to have received, a separate supply of the service for the billing period;

(2) the supply of the service for the billing period is deemed to be made on the earliest of

(a) the first day of the billing period,

(b) the day on which the payment that is attributable to the billing period becomes due, and

(c) the day on which the payment that is attributable to the billing period is made; and

(3) the payment that is attributable to the billing period is deemed to be consideration payable in respect of the supply of the service for the billing period.

1997, c. 85, s. 438

32.4 Supply of an immovable situated partly in Québec — Where a taxable supply of an immovable includes the provision of an immovable of which part is situated in Québec and another part is situated outside Québec but within Canada, for the purpose of determining whether a taxable supply of the immovable is made in Québec and determining the tax payable, if any, under section 16 in respect of the supply,

(1) the provision of the part of the immovable that is situated in Québec and the provision of the part of the immovable that is situated outside Québec are each deemed to be a separate taxable supply made for separate consideration; and

(2) the supply of the part of the immovable that is situated in Québec is deemed to be made for consideration equal to the portion of the total consideration for all of the immovable that may reasonably be attributed to that part.

1997, c. 85, s. 438

32.5 Separate supply of a freight transportation service — For the purpose of determining the tax payable under section 16 in respect of a supply of a freight transportation service, within the meaning of section 193, that includes the provision of a service of transporting particular corporeal movable property to a destination in Québec and other corporeal movable property to a destination outside Québec but within Canada and determining whether the supply of the service is made in Québec,

(1) the provision of the service of transporting the particular property and the provision of the service of transporting the other property are each deemed to be a separate supply made for separate consideration; and

(2) the supply of the service of transporting the particular property is deemed to be made for consideration equal to the portion of the total consideration that may reasonably be attributed to the transportation of the particular property.

1997, c. 85, s. 438

32.6 Telecommunications channel — For the purposes of section 32.7, **"telecommunications channel"** means a telecommunications circuit, line, frequency, channel, partial channel or other means of sending or receiving a telecommunication but does not include a satellite channel.

1997, c. 85, s. 438

32.7 Supply of a telecommunications channel — Where a person supplies a telecommunication service of granting to the recipient of the supply sole access to a telecommunications channel for transmitting telecommunications between a place in Québec and a place outside Québec but within Canada, the consideration for the supply of the service is deemed to be equal to the amount determined by the formula

$$\left(\frac{A}{B}\right) \times C.$$

Interpretation — For the purposes of this formula,

(1) A is the distance over which the telecommunications would be transmitted in Québec if the telecommunications were transmitted solely by means of cable and related telecommunications facilities located in Canada that connected, in a direct line, the transmitters for emitting and receiving the telecommunications;

(2) B is the distance over which the telecommunications would be transmitted in Canada if the telecommunications were transmitted solely by such means; and

(3) C is the total consideration paid or payable by the recipient for the sole access to the telecommunications channel.

1997, c. 85, s. 438

33. Supply in a covering or container — Where corporeal movable property is supplied in a covering or container that is usual for that class of property, the covering or container is deemed to form part of the property so supplied.

1991, c. 67, s. 33

34. Incidental supply — Where a particular property or service is supplied together with any other property or service for a single consideration, and it may reasonably be regarded that the provision of the other property or service is incidental to the provision of the particular property or service, the other property or service is deemed to form part of the particular property or service so supplied.

1991, c. 67, s. 34; 1993, c. 19, s. 174; 1995, c. 1, s. 256

34.1 [Repealed 1995, c. 63, s. 313.]

34.2 [Repealed 1995, c. 63, s. 313.]

34.3 [Repealed 1995, c. 1, s. 257.]

34.4 [Repealed 1995, c. 1, s. 358.]

35. Where one or more financial services are supplied together with one or more other services that are not financial services, or with properties that are not capital properties of the supplier, for a single consideration, the supply of each of the services and properties is deemed to be a supply of a financial service if

(1) the financial services are related to the other services or the properties, as the case may be;

(2) it is the usual practice of the supplier to supply those or similar services, or those or similar properties and services, together in the ordinary course of the business of the supplier; and

(3) the total of all amounts each of which would be the consideration for a financial service so supplied if that financial service had been supplied separately, is greater than 50% of the total of all amounts each of which would be the consideration for a service or property so supplied if that service or property had been supplied separately.

1991, c. 67, s. 35; 1994, c. 22, s. 383; 2012, c. 28, s. 44

36. Supply of membership with security — Where a person makes a supply of share, bond or other security that represents capital stock or debt of a particular organization, and ownership of the security by the recipient of the supply is a condition of the recipient's, or another person's, obtaining a membership, or a right to acquire a membership, in the particular organization or in another organization that is related to the particular organization, the supply of the security is deemed to be a supply of a membership and not a supply of a financial service.

Share in a credit union or in a cooperative corporation — A share in a credit union or in a cooperative corporation the main purpose of which is not to provide recreational, sporting or dining facilities is not a security for the purposes of the first paragraph.

1991, c. 67, s. 36; 1994, c. 22, s. 384; 1997, c. 3, s. 117

37. [Repealed 1994, c. 22, s. 385.]

38. [Repealed 1994, c. 22, s. 385.]

39. Tax discounter — Notwithstanding section 35, where a discounter within the meaning of the *Tax Rebate Discounting Act* (Revised Statutes of Canada, 1985, chapter T-3) pays an amount to a person to acquire from that person a right to a refund of tax within the meaning of that Act,

(1) the discounter is deemed to have made a taxable supply of a service for consideration equal to the lesser of $30 and ⅔ of the amount by which the amount of the refund exceeds the amount paid by the discounter to the person to acquire the right; and

(2) the discounter is deemed to have made a separate supply of a financial service for consideration equal to the amount by which the amount of the refund exceeds the total of the amount paid by the discounter to the person to acquire the right and the amount determined under paragraph 1.

1991, c. 67, s. 39

39.1 Definition: "feed" — For the purposes of section 39.2, **"feed"** means

(1) grain or seed that is described in paragraph 2 of section 178 and used as feed for farm livestock that is ordinarily raised or kept to produce, or to be used as, food for human consumption or to produce wool;

(2) feed that is a complete feed, supplement, macro-premix, micro-premix or mineral feed, other than a trace mineral salt feed, the supply of which in bulk quantities of at least 20 kg would be a zero-rated supply included in Division IV of Chapter IV; and;

(3) by-products of the food processing industry and plant or animal products, the supply of which in bulk quantities of at least 20 kg would be a zero-rated supply included in Division IV of Chapter IV.

1994, c. 22, s. 386; 1995, c. 1, s. 258

39.2 Supply by a feedlot — Where, in the course of operating a feedlot that is a farming business within the meaning of the *Taxation Act* (chapter I-3), a person makes a supply of a service and the consideration for the supply (in this section referred to as the "total charge") includes a particular amount that is identified in the invoice or agreement in writing for the supply as being attributable to feed,

(1) the provision of the feed is deemed to be a supply separate from the supply of the service and not to be incidental to the provision of any other property or service;

(2) the portion, not exceeding 90%, of the total charge that is reasonably attributable to the feed and is included in the particular amount is deemed to be the consideration for the supply of the feed; and

(3) the difference between the total charge and the consideration for the supply of the feed is deemed to be the consideration for the supply of the service.

1994, c. 22, s. 386

39.3 Definitions — For the purposes of sections 39.3 to 41,

"estimated reserves" of minerals means the estimated quantities of minerals that geological and engineering data demonstrate, with reasonable certainty, to be recoverable under existing economic and operating conditions;

"farm-out agreement" means an agreement referred to in section 39.4;

"natural resource right" means

(1) a right to exploit a mineral deposit;

(2) a right to explore for a mineral deposit;

(3) a right of entry or user relating to a right referred to in paragraph 1 or 2; or

(4) a right to an amount computed by reference to the production, including profit, from, or to the value of production from, a mineral deposit;

"specified mining or well-site equipment", in relation to the exploration or development of unproven property under a farm-out agreement, means

(1) equipment, installations and structures for use at a mine site in the production of minerals from the mine and not in the milling, smelting, refining or other processing of the minerals after production; and

(2) equipment, installations and structures for use at a well site in the production of minerals from the well, including a heater, dehydrator or other well-site facility for the initial treatment of substances produced from the well to prepare such production for transportation but excluding

(a) any equipment, installation, structure or facility that serves or is intended to serve a well that has not been drilled in the course of the exploration or development under that agreement, and

(b) any equipment, installation, structure or facility for use in the refining of oil or the processing of natural gas including the separation therefrom of liquid hydrocarbons, sulphur or other joint products or by-products;

"unproven property" means an immovable for which estimated reserves of minerals have not been established.

2001, c. 53, s. 282

39.4 Presumption respecting a farm-out equipment — If, under an agreement in writing between a person (in this section referred to as the "farmor") and another person (in this section referred to as the "farmee"), the farmor transfers to the farmee particular natural resource rights, or portions of them, relating to unproven property in consideration or part consideration for the farmee undertaking the exploration of the property for mineral deposits, providing information, or the right to it, gathered from the exploration and, subject to any conditions that may be provided in the agreement, developing the property for the production of minerals, the following rules apply:

(1) the value, as consideration, of any property or service given by the farmor to the farmee under the agreement is deemed to be nil to the extent that the property or service is given as consideration for any of the following (each of which is referred to in this section as the **"farmee's contribution"**):

(a) the undertaking of that exploration or development,

(b) the provision of that information, or the right to it, and

LTVQ (anglais)

(c) any transfer under the agreement by the farmee to the farmor of any interest in specified mining or well-site equipment that is used by the farmee exclusively in that exploration or development;

(2) the value of the farmee's contribution as consideration for any property or service given by the farmor to the farmee under the agreement is deemed to be nil; and

(3) if part of the consideration given by the farmor for the farmee's contribution is property or a service (each of which is referred to in this paragraph as the **"farmor's additional contribution"**) that is not a natural resource right relating to unproven property,

(a) the farmee is deemed to have made, at the place at which the unproven property is situated, a taxable supply of a service to the farmor separate from any supply by the farmee under the agreement and that service is deemed to be consideration for the farmor's additional contribution,

(b) the value of that service and the value of the farmor's additional contribution as consideration for the supply of that service are each deemed to be equal to the fair market value of the farmor's additional contribution determined at the time (in this paragraph referred to as the **"time of transfer"**) that

i. if the farmor's additional contribution is a service, performance of the service commences, and

ii. in any other case, ownership of the farmor's additional contribution is transferred to the farmee,

(c) all of the consideration for the farmor's additional contribution and the consideration for the service deemed to have been supplied by the farmee are deemed to become due at the time of transfer, and

(d) if, in addition to the farmee's contribution, the farmee supplies to the farmor other property or services, other than the service deemed under subparagraph a to have been supplied, for which part of the consideration is the farmor's additional contribution, the value of the consideration for the supply of the other property or services is deemed to be equal to the amount by which the value of that consideration, determined without reference to this subparagraph, exceeds the fair market value of the farmor's additional contribution.

2001, c. 53, s. 282

40. Supply of rights relating to natural resources — The supply of the following rights is deemed not to be a supply:

(1) any right to exploit any mineral deposits, peat bogs or deposits of peat or any forestry, fishery or water resources;

(2) any right to explore relating to the deposits, peat bogs or resources referred to in subparagraph 1;

(3) any right of entry or user relating to a right referred to in subparagraph 1 or 2; or

(4) any right to an amount computed by reference to the production, including profit, from, or to an amount computed by reference to the value of production from, the deposits, peat bogs or resources referred to in subparagraph 1;

(5) a right to enter or use land to generate or evaluate the feasibility of generating electricity from the sun or wind.

Fees and royalties — Any consideration paid or due, or any fee or royalty charged or reserved, in respect of a right referred to in the first paragraph is deemed not to be consideration for the right.

1991, c. 67, s. 40; 1994, c. 22, s. 387; 2009, c. 15, s. 483

41. Exception — Section 40 does not apply to a supply of a right to take or remove forestry products, products that grow in water, fishery products, minerals or peat, to a right of entry or user relating to the products, minerals or peat, or to a right described in subparagraph 5 of the first paragraph of that section, if the supply is made

(1) to a consumer; or

(2) to a person who is not a registrant and who acquires the right in the course of a business of the person to make supplies of the products, minerals or peat or of electricity to consumers.

1991, c. 67, s. 41; 1994, c. 22, s. 387; 2009, c. 15, s. 484

2. — Mandatary

41.0.1 Supply by a registrant on behalf of a person required to collect tax — Where a registrant, in the course of a commercial activity of the registrant, acts as mandatary in making a supply, otherwise than by auction, on behalf of a person who is required to collect tax in respect of the supply otherwise than as a consequence of the application of paragraph 1 of section 41.1 and the registrant and the person jointly elect in prescribed form containing prescribed information, the following rules apply:

(1) the tax collectible in respect of the supply or any amount charged or collected by the registrant on behalf of the person as or on account of tax in respect of the supply is deemed to be collectible, charged or collected, as the case may be, by the registrant, and not by the person, for the purpose of

(a) determining the net tax of the registrant and of the person, and

(b) applying sections 447 to 450 and section 20 of the *Tax Administration Act* (chapter A-6.002);

(2) the registrant and the person are solidarily liable for all obligations that arise from the application of this Title because of

(a) the tax becoming collectible,

(b) a failure to account for or pay, in the manner and within the time specified in this Title, an amount of net tax of the registrant, or an amount that was paid to the registrant or applied on account of a refund or rebate under Divisions II to IV of Chapter VIII to which the registrant was not entitled or that exceeds the refund or rebate to which the registrant was entitled, that is reasonably attributable to the supply,

(c) the registrant claiming, in respect of the supply, an amount as a deduction under sections 443.1 to 446.1 or sections 447 to 450 to which the registrant was not entitled or in excess of the amount to which the registrant was entitled,

(d) a failure to pay, in the manner and within the time specified in this Title, the amount of any underpayment of net tax by the registrant, or an amount that was paid to the registrant or applied on account of a refund or rebate under Divisions II to IV of Chapter VIII to which the registrant was not entitled or that exceeds the refund or rebate to which the registrant was entitled, that is reasonably attributable to a claim referred to in subparagraph c,

(e) a recovery of all or part of a bad debt relating to the supply in respect of which the registrant claimed a deduction under sections 443.1 to 446.1, or

(f) a failure to account for or pay, in the manner and within the time specified in this Title, an amount of net tax of the registrant, or an amount that was paid to the registrant or applied on account of a refund or rebate under Divisions II to IV of Chapter VIII to which the registrant was not entitled or that exceeds the refund or rebate to which the registrant was entitled, that is reasonably attributable to an amount required under section 446 to be added to the net tax of the registrant in respect of a bad debt referred to in subparagraph e; and

(3) the threshold amounts of the registrant and of the person under sections 462 and 462.1 must be determined as if all or part of the consideration that became due to the person, or was paid to the person without having become due, in respect of the supply had become due to the registrant, or had been paid to the registrant without having become due, as the case may be, and not to the person.

1995, c. 63, s. 314; 1997, c. 85, s. 439; 2009, c. 5, s. 597; 2010, c. 31, s. 175(4)

41.0.2 If a registrant acts as mandatary of a supplier in charging and collecting consideration and tax payable in respect of a supply made by the supplier but the registrant does not act as mandatary in making the supply, the registrant is deemed to have acted as mandatary of the supplier in making the supply for the purposes of

(1) section 41.0.1; and

(2) if an election under section 41.0.1 is made in respect of the supply, any other provision that refers to a supply in respect of which an election under that section has been made.

2009, c. 5, s. 598

41.0.3 A registrant and a supplier who have made an election under section 41.0.1 may, in the prescribed form containing prescribed information, jointly revoke the election in respect of a supply made on or after the effective date specified in the revocation, and the election is thereby deemed, for the purposes of this Title, not to have been made in respect of that supply.

2009, c. 5, s. 598

41.1 Supply by a registrant on behalf of a person not required to collect tax — Where a person (in this section referred to as the "mandator") makes a supply, other than an exempt or zero-rated supply, of corporeal movable property to a recipient, otherwise than by auction, in the case where the mandator is not required to collect tax in respect of the supply except as provided in this section and a registrant (in this section referred to as the "mandatary"), in the course of a commercial activity of the mandatary, acts as mandatary in making the supply on behalf of the mandator, the following rules apply:

(1) where the mandator is a registrant and the property was last used, or acquired for consumption or use, by the mandator in an endeavour of the mandator, within the meaning of section 42.0.1, and the mandator and the mandatary jointly elect in writing, the supply of the property to the recipient is deemed to be a taxable supply for the following purposes:

(a) all purposes of this Title, other than determining whether the mandator may claim an input tax refund in respect of property or services acquired or brought into Québec by the mandator for consumption or use in making the supply to the recipient, and

(b) the purpose of determining whether the mandator may claim an input tax refund in respect of a service supplied by the mandatary relating to the supply of the property to the recipient; and

(2) in any other case, the supply of the property to the recipient is deemed to be a taxable supply made by the mandatary and not by the mandator, and the mandatary is deemed, except for the purposes of section 327.7, not to have made a supply to the mandator of a service relating to the supply of the property to the recipient.

1994, c. 22, s. 388; 1995, c. 1, s. 259; 1995, c. 63, s. 315; 1997, c. 85, s. 439

41.2 Supply by an auctioneer — Where a registrant (in this section referred to as the "auctioneer"), acting as auctioneer and mandatary for another person (in this section referred to as the "mandator") in the course of a commercial activity of the auctioneer, makes, on behalf of the mandator, a supply by auction of movable corporeal property to a recipient, the supply is deemed to be a taxable supply made by the auctioneer and not by the mandator, and the auctioneer is deemed, except for the purposes of section 327.7, not to have made a supply to the mandator of a service relating to the supply of the property to the recipient.

1994, c. 22, s. 388; 1995, c. 63, s. 316; 1997, c. 85, s. 439

41.2.1 Supply of prescribed property by an auctioneer — Where a registrant (in this section referred to as the "auctioneer"), on a particular day, makes a particular supply by auction of prescribed property on behalf of another registrant (in this section referred to as the "mandator") and, but for section 41.2, that supply would be a taxable supply made by the mandator, section 41.2 does not apply to the particular supply or to any supply made by the auctioneer to the mandator of a service relating to the particular supply where

(1) the auctioneer and the mandator jointly elect in prescribed form containing prescribed information in respect of the particular supply; and

(2) all or substantially all of the consideration for supplies made by auction on the particular day by the auctioneer on behalf of the mandator is attributable to supplies of prescribed property in respect of which the auctioneer and the mandator have elected under this section.

1997, c. 85, s. 440

41.3 [Repealed 1997, c. 85, s. 441.]

41.4 [Repealed 1997, c. 85, s. 441.]

41.5 [Repealed 1997, c. 85, s. 441.]

LTVQ (anglais)

41.6 Supply of incorporeal movable property on behalf of an artist — Except for sections 294 to 297, 462 and 462.1, where a prescribed registrant, acting in the course of a commercial activity, makes a supply on behalf of another person of incorporeal movable property in respect of a product of an author, performing artist, painter, sculptor or other artist, the following rules apply:

(1) the other person is deemed not to have made the supply to the recipient;

(2) the registrant is deemed to have made the supply to the recipient; and

(3) the registrant is deemed not to have made a supply to the other person of a service in relation to the supply to the recipient.

1994, c. 22, s. 388; 1997, c. 85, s. 442

§2. — Commercial activity

42. [Repealed 1994, c. 22, s. 389.]

42.0.1 Definition: "endeavour" — For the purposes of sections 42.0.2 to 42.0.9,

"endeavour" of a person means

(1) a business of the person;

(2) an adventure or concern of the person in the nature of trade; or

(3) the making of a supply by the person of an immovable of the person, including anything done by the person in the course of or in connection with the making of the supply.

1995, c. 1, s. 261; 1997, c. 85, s. 443

42.0.1.1 Definition: "consideration" — For the purposes of sections 42.0.1.2 to 42.0.5, **"consideration"** does not include nominal consideration.

1997, c. 85, s. 444

42.0.1.2 Grants and subsidies — For the purposes of sections 42.0.1 to 42.0.9, where an amount is not consideration for a supply and is a grant, subsidy, forgivable loan or other assistance in the form of money and the assistance may reasonably be considered to be provided for the purpose of funding an activity of the registrant that involves the making of taxable supplies for no consideration, the amount is deemed to be consideration for those supplies where it is received by the registrant from a person who is

(1) a government, a municipality or a band within the meaning of section 2 of the *Indian Act* (Revised Statutes of Canada, 1985, chapter I-5);

(2) a corporation that is controlled by a person referred to in paragraph 1 and one of the main purposes of which is to provide such assistance; or

(3) a trust, board, commission or other body that is established by a person referred to in paragraph 1 or 2 and one of the main purposes of which is to provide such assistance.

1997, c. 85, s. 444

42.0.2 Consumption or use in the course of an endeavour — Where a person acquires or brings into Québec property or a service for consumption or use in the course of an endeavour of the person, the person is deemed to have acquired or brought into Québec the property or service for consumption or use in the course of commercial activities of the person, to the extent that the property or service is acquired or brought into Québec by the person for the purpose of making taxable supplies for consideration in the course of that endeavour.

1995, c. 1, s. 261; 1995, c. 63, s. 320; 1997, c. 85, s. 445

42.0.3 Consumption or use in the course of an endeavour — Where a person acquires or brings into Québec property or a service for consumption or use in the course of an endeavour of the person, the person is deemed to have acquired or brought into Québec the property or service for consumption or use otherwise than in the course of commercial activities of the person, to the extent that the property or service is acquired or brought into Québec by the person

(1) for the purpose of making supplies in the course of that endeavour that are not taxable supplies made for consideration; or

(2) for a purpose other than the making of supplies in the course of that endeavour.

1995, c. 1, s. 261; 1995, c. 63, s. 321; 1997, c. 85, s. 446

42.0.4 Consumption or use in the course of an endeavour — Where a person consumes or uses property or a service in the course of an endeavour of the person, that consumption or use is deemed to be in the course of commercial activities of the person, to the extent that the consumption or use is for the purpose of making taxable supplies for consideration in the course of that endeavour.

1995, c. 1, s. 261; 1995, c. 63, s. 322; 1997, c. 85, s. 447

42.0.5 Consumption or use in the course of an endeavour — Where a person consumes or uses property or a service in the course of an endeavour of the person, that consumption or use is deemed to be otherwise than in the course of commercial activities of the person, to the extent that the consumption or use is

(1) for the purpose of making supplies in the course of that endeavour that are not taxable supplies made for consideration; or

(2) for a purpose other than the making of supplies in the course of that endeavour.

1995, c. 1, s. 261; 1995, c. 63, s. 323; 1997, c. 85, s. 448

42.0.6 Taxable supply for no consideration or nominal consideration — Where a supplier makes a taxable supply (in this section referred to as a "free supply") of property or a service for no consideration or nominal consideration in the course of a particular endeavour of the supplier and it can reasonably be regarded that among the purposes (in this section referred to as the "specified purposes") for which the free supply is made is the purpose of facilitating, furthering or promoting the acquisition, consumption or use of other property or services by any other person, or an endeavour of any person, the following rules apply:

(1) for the purposes of sections 42.0.2 and 42.0.3, the supplier is deemed to have acquired or brought into Québec a particular property or service for use in the course of the particular endeavour, and for the specified purposes and not for the purpose of making the free supply, to the extent that the supplier acquired or brought into Québec the particular property or service for the purpose of making the free supply of that property or service or for consumption or use in the course of making the free supply; and

(2) for the purposes of sections 42.0.4 and 42.0.5, the supplier is deemed to have consumed or used a particular property or service for the specified purposes and not for the purpose of making the free supply, to the extent that he consumed or used the particular property or service for the purpose of making the free supply.

1995, c. 1, s. 261; 1995, c. 63, s. 324

42.0.7 Subject to sections 42.0.10 to 42.0.24, the methods used by a person in a fiscal year to determine the extent to which properties or services are acquired or brought into Québec by the person for the purpose of making taxable supplies for consideration or for other purposes and the extent to which the consumption or use of properties or services is for the purpose of making taxable supplies for consideration or for other purposes must be fair and reasonable and must be used consistently by the person throughout the year.

Fiscal year of a person — For the purposes of this section, the fiscal year of a person is the person's fiscal year within the meaning of section 458.1.

1995, c. 1, s. 261; 1995, c. 63, s. 325; 1997, c. 85, s. 449; 2012, c. 28, s. 45

42.0.8 Application of ss. 42.0.2 to 42.0.5 — Where under a particular provision of this title, other than sections 42.0.2 to 42.0.6, certain facts or circumstances are deemed to exist, and that deeming is dependent, in whole or in part, on the particular circumstance that property or a service is or was acquired or brought into Québec for consumption or use, or consumed or used, to a certain extent in the course of, or otherwise than in the course of, commercial activities or other activities, the following rules apply:

(1) for the purpose of determining whether the particular circumstance exists, that certain extent shall be determined under sections 42.0.2 to 42.0.5; and

(2) where it is determined that the particular circumstance exists and all other circumstances necessary for the particular provision to apply exist, the deeming by the particular provision applies notwithstanding sections 42.0.2 to 42.0.5.

1995, c. 1, s. 261

42.0.9 Presumptions under other provisions — Where under a provision of this title, the consideration for a supply is deemed not to be consideration for the supply, a supply is deemed to be made for no consideration or a supply is deemed not to have been made by a person, that deeming does not apply for the purposes of sections 42.0.1 to 42.0.6.

1995, c. 1, s. 261

42.0.10 For the purposes of this section and sections 42.0.11 to 42.0.24,

"business input" means an excluded input, an exclusive input or a residual input;

"direct attribution method" means a method, conforming to criteria, rules, terms and conditions specified by the Minister of National Revenue, of determining in the most direct manner the operative extent and the procurative extent of a property or a service;

"direct input" means a property or a service, other than an excluded input, an exclusive input or a non-attributable input;

"excluded input" of a person means

(1) a property that is for use by the person as capital property;

(2) a property or a service that is acquired or brought into Québec by the person for use as an improvement to a property described in paragraph 1; or

(3) a prescribed property or service;

"exclusive input" of a person means a property or a service (other than an excluded input) that is acquired or brought into Québec by the person for consumption or use directly and exclusively for the purpose of making a taxable supply for consideration or directly and exclusively for purposes other than making a taxable supply for consideration;

"non-attributable input" of a person means a property or a service that is

(1) not an excluded input or an exclusive input of the person;

(2) acquired or brought into Québec by the person; and

(3) not attributable to the making of any particular supply by the person;

"operative extent" of a property or a service means, as the case may be, the extent to which the consumption or use of the property or service is for the purpose of making a taxable supply for consideration or the extent to which the consumption or use of the property or service is for purposes other than making a taxable supply for consideration;

"procurative extent" of a property or a service means, as the case may be, the extent to which the property or service is acquired or brought into Québec for the purpose of making a taxable supply for consideration or the extent to which the property or service is acquired or brought into Québec for purposes other than making a taxable supply for consideration;

"qualifying institution" for a particular fiscal year means a person that meets the conditions set out in the definition of "qualifying institution" in subsection 1 of section 141.02 of the *Excise Tax Act* (Revised Statutes of Canada, 1985, chapter E-15);

LTVQ (anglais)

"residual input" means a direct input or a non-attributable input;

"specified method" means a method, conforming to criteria, rules, terms and conditions specified by the Minister of National Revenue, of determining the operative extent and the procurative extent of a property or a service.

2012, c. 28, s. 46

42.0.11 For the purposes of sections 42.0.10 and 42.0.12 to 42.0.24, the following rules apply:

(1) a consideration does not include a nominal consideration; and

(2) a person is deemed to be a financial institution of a prescribed class throughout a fiscal year of the person if the person is a financial institution of that class at any time in the fiscal year.

2012, c. 28, s. 46

42.0.12 The following rules apply in respect of an exclusive input of a financial institution:

(1) if the exclusive input is acquired or brought into Québec for consumption or use directly and exclusively for the purpose of making a taxable supply for consideration, the financial institution is deemed to have acquired or brought into Québec the exclusive input for consumption or use exclusively in the course of commercial activities of the financial institution; and

(2) if the exclusive input is acquired or brought into Québec for consumption or use directly and exclusively for purposes other than that mentioned in paragraph 1, the financial institution is deemed to have acquired or brought into Québec the exclusive input for consumption or use exclusively otherwise than in the course of commercial activities of the financial institution.

2012, c. 28, s. 46

42.0.13 If a financial institution is a qualifying institution for any of its fiscal years, the following rules apply for the fiscal year in respect of a residual input:

(1) the extent to which the consumption or use of the residual input is for the purpose of making a taxable supply for consideration is deemed to be equal to the prescribed percentage for the prescribed class of the financial institution;

(2) the extent to which the consumption or use of the residual input is for purposes other than that mentioned in paragraph 1 is deemed to be equal to the amount by which 100% exceeds the prescribed percentage for the prescribed class of the financial institution;

(3) the extent to which the residual input is acquired or brought into Québec by the financial institution for the purpose of making a taxable supply for consideration is deemed to be equal to the prescribed percentage for the prescribed class of the financial institution;

(4) the extent to which the residual input is acquired or brought into Québec by the financial institution for purposes other than that mentioned in paragraph 3 is deemed to be equal to the amount by which 100% exceeds the prescribed percentage for the prescribed class of the financial institution; and

(5) for the purpose of determining an input tax refund in respect of the residual input, the value of B in the formula in the first paragraph of section 199 is deemed to be equal to the prescribed percentage for the prescribed class of the financial institution.

2012, c. 28, s. 46

42.0.14 Subject to the second paragraph, if a person is a financial institution (other than a qualifying institution) of a prescribed class throughout any of the persons fiscal years and the person made an election under subsection 9 of section 141.02 of the *Excise Tax Act* (Revised Statutes of Canada, 1985, chapter E-15) for the fiscal year, the following rules apply for the fiscal year in respect of each residual input of the person:

(1) the extent to which the consumption or use of the residual input is for the purpose of making a taxable supply for consideration is deemed to be equal to the prescribed percentage for the prescribed class of the financial institution;

(2) the extent to which the consumption or use of the residual input is for purposes other than that mentioned in subparagraph 1 is deemed to be equal to the amount by which 100% exceeds the prescribed percentage for the prescribed class of the financial institution;

(3) the extent to which the residual input is acquired or brought into Québec by the financial institution for the purpose of making a taxable supply for consideration is deemed to be equal to the prescribed percentage for the prescribed class of the financial institution;

(4) the extent to which the residual input is acquired or brought into Québec by the financial institution for purposes other than that mentioned in subparagraph 3 is deemed to be equal to the amount by which 100% exceeds the prescribed percentage for the prescribed class of the financial institution; and

(5) for the purpose of determining an input tax refund in respect of the residual input, the value of B in the formula in the first paragraph of section 199 is deemed to be equal to the prescribed percentage for the prescribed class of the financial institution.

The election referred to in the first paragraph in respect of a fiscal year of the person ceases to have effect at the beginning of the fiscal year and is deemed never to have been made for the purposes of this Title if, under subsection 30 of section 141.02 of the *Excise Tax Act*, the election ceases to have effect at the beginning of the fiscal year and is deemed never to have been made for the purposes of Part IX of that Act.

2012, c. 28, s. 46

42.0.15 If a financial institution (other than a qualifying institution) has not made the election referred to in section 42.0.14 in respect of any of its fiscal years, the financial institution shall use a specified method to determine for the fiscal year the operative extent and the procurative extent of each of its non-attributable inputs.

Despite the first paragraph, if a financial institution (other than a qualifying institution) has not made the election referred to in section 42.0.14 in respect of any of its fiscal years and no specified method applies during the fiscal year to a particular non-attributable input of the financial institution, the financial institution shall use another attribution method to determine for the fiscal year the operative extent and the procurative extent of the particular non-attributable input.

The specified method used by a financial institution in accordance with the first paragraph, or the other attribution method used by the financial institution in accordance with the second paragraph, to determine the operative extent and the procurative extent of a non-attributable input for any of its fiscal years must be the same as that used, if applicable, by the financial institution for the fiscal year in respect of the non-attributable input in accordance with subsection 10 of section 141.02 of the *Excise Tax Act* (Revised Statutes of Canada, 1985, chapter E-15) or subsection 11 of that section, as the case may be.

2012, c. 28, s. 46

42.0.16 If a financial institution (other than a qualifying institution) has not made the election referred to in section 42.0.14 in respect of any of its fiscal years, the financial institution shall use a direct attribution method to determine for the fiscal year the operative extent and the procurative extent of each of its direct inputs.

Despite the first paragraph, if a financial institution (other than a qualifying institution) has not made the election referred to in section 42.0.14 in respect of any of its fiscal years and no direct attribution method applies during the fiscal year to a particular direct input of the financial institution, the financial institution shall use another attribution method to determine in the most direct manner for the fiscal year the operative extent and the procurative extent of the particular direct input.

The direct attribution method used by a financial institution in accordance with the first paragraph, or the other attribution method used by the financial institution in accordance with the second paragraph, to determine the operative extent and the procurative extent of a direct input for any of its fiscal years must be the same as that used, if applicable, by the financial institution for the fiscal year in respect of the direct input in accordance with subsection 12 of section 141.02 of the *Excise Tax Act* (Revised Statutes of Canada, 1985, chapter E-15) or subsection 13 of that section, as the case may be.

2012, c. 28, s. 46

42.0.17 A financial institution shall use a specified method to determine for any of its fiscal years the operative extent and the procurative extent of each of its excluded inputs.

Despite the first paragraph, if no specified method applies during any of the fiscal years of a financial institution to a particular excluded input of the financial institution, the financial institution shall use another attribution method to determine for the fiscal year the operative extent and the procurative extent of the particular excluded input.

The specified method used by a financial institution in accordance with the first paragraph, or the other attribution method used by the financial institution in accordance with the second paragraph, to determine the operative extent and the procurative extent of an excluded input for any of its fiscal years must be the same as that used, if applicable, by the financial institution for the fiscal year in respect of the excluded input in accordance with subsection 14 of section 141.02 of the *Excise Tax Act* (Revised Statutes of Canada, 1985, chapter E-15) or subsection 15 of that section, as the case may be.

2012, c. 28, s. 46

42.0.18 Any method that a financial institution is required in accordance with any of sections 42.0.15 to 42.0.17 to use in respect of any of its fiscal years must be

(1) fair and reasonable;

(2) used consistently by the financial institution throughout the fiscal year; and

(3) subject to section 42.0.19, determined by the financial institution no later than the day on which the financial institution is required to file the return provided for in Division IV of Chapter VIII for the first reporting period in the fiscal year.

2012, c. 28, s. 46

42.0.19 Any method used by a financial institution in accordance with any of sections 42.0.15 to 42.0.17 in respect of any of its fiscal years may not, after the day on which the financial institution is required to file the return provided for in Division IV of Chapter VIII for the first reporting period in the fiscal year, be altered or substituted with another method for the fiscal year, unless the Minister consents to the alteration or substitution.

Where the Minister of National Revenue consents, in accordance with subsection 17 of section 141.02 of the *Excise Tax Act* (Revised Statutes of Canada, 1985, chapter E-15), that a method used by a financial institution for any of its fiscal years be altered or substituted with another method for the fiscal year, the Minister is deemed to consent to the alteration or substitution.

2012, c. 28, s. 46

42.0.20 Where, in accordance with subsection 20 of section 141.02 of the *Excise Tax Act* (Revised Statutes of Canada, 1985, chapter E-15), the Minister of National Revenue has authorized the use of particular methods in respect of the fiscal year of a person, the following rules apply:

(1) to determine the operative extent and the procurative extent of each of the persons business inputs, the particular methods must be used consistently by the person throughout the fiscal year and as specified in the application filed for that purpose with the Minister of National Revenue under subsection 18 of section 141.02 of the *Excise Tax Act*; and

(2) sections 42.0.12 to 42.0.17 do not apply for the fiscal year in respect of the persons business inputs.

The authorization referred to in the first paragraph in respect of a fiscal year of the person ceases to have effect at the beginning of the fiscal year and is deemed never to have been granted for the purposes of this Title if, under subsection 23 of section 141.02 of the *Excise Tax Act*, the authorization ceases to have effect at the beginning of the fiscal year and is deemed never to have been granted for the purposes of Part IX of that Act.

2012, c. 28, s. 46

42.0.21 Despite sections 42.0.12, 42.0.13 and 42.0.17, where a person has made an election under subsection 27 of section 141.02 of the *Excise Tax Act* (Revised Statutes of Canada, 1985, chapter E-15) for a fiscal year to use particular methods described in an application filed

LTVQ (anglais)

by the person under subsection 18 of section 141.02 of that Act to determine the operative extent and the procurative extent of each of the business inputs of the person, and where the conditions of subsections 27 and 28 of section 141.02 of that Act are met, the particular methods must be used for the fiscal period.

The election referred to in the first paragraph in respect of a fiscal year of the person ceases to have effect at the beginning of the fiscal year and is deemed never to have been made for the purposes of this Title if, under subsection 30 of section 141.02 of the *Excise Tax Act*, the election ceases to be in force at the beginning of the fiscal year and is deemed never to have been made for the purposes of Part IX of that Act.

2012, c. 28, s. 46

42.0.22 For the purposes of an appeal brought by a financial institution under the *Tax Administration Act* (chapter A-6.002) and pertaining to an assessment under this Title for a reporting period in a fiscal year in respect of an issue relating to the determination, under any of sections 42.0.15 to 42.0.17, 42.0.20 and 42.0.21, of the operative extent or the procurative extent of a business input, the burden of establishing the following facts is on the financial institution:

(1) in the case of the determination of the operative extent or the procurative extent of the business input in accordance with the first paragraph of section 42.0.15 or 42.0.17, the financial institution used a specified method consistently throughout the fiscal year;

(2) in the case of the determination of the operative extent or the procurative extent of the business input in accordance with the second paragraph of section 42.0.15 or 42.0.17, no specified method applied to the business input and the other attribution method used by the financial institution was fair and reasonable and used consistently by the financial institution throughout the fiscal year;

(3) in the case of the determination of the operative extent or the procurative extent of the business input in accordance with the first paragraph of section 42.0.16, the financial institution used a direct attribution method consistently throughout the fiscal year;

(4) in the case of the determination of the operative extent or the procurative extent of the business input in accordance with the second paragraph of section 42.0.16, no direct attribution method applied to the business input and the other attribution method used by the financial institution was fair and reasonable and used consistently by the financial institution throughout the fiscal year;

(5) in the case of the determination of the operative extent or the procurative extent of the business input in accordance with section 42.0.20, the particular methods referred to in that section were used consistently by the financial institution, and as specified in the application referred to in subparagraph 1 of the first paragraph of section 42.0.20, throughout the fiscal year; and

(6) in the case of the determination of the operative extent or the procurative extent of the business input in accordance with section 42.0.21, the particular methods referred to in that section are fair and reasonable, were used consistently by the financial institution, and as specified in the application referred to in the first paragraph of section 42.0.21, throughout the fiscal year, and, where the Minister of National Revenue has provided modifications to those methods under paragraph e of subsection 27 of section 141.02 of the *Excise Tax Act* (Revised Statutes of Canada, 1985, chapter E-15), the modified methods are not fair and reasonable for the purposes of that determination.

2012, c. 28, s. 46

42.0.23 If a financial institution is required to use a method in accordance with any of sections 42.0.15 to 42.0.17 in respect of any of its fiscal years, the Minister may, despite that section, at any time, by notice in writing, direct the financial institution to use another method to determine, for the fiscal year or any subsequent fiscal year, the operative extent and the procurative extent of each business input referred to in that section, provided that the other method is fair and reasonable.

If under subsection 32 of section 141.02 of the *Excise Tax Act* (Revised Statutes of Canada, 1985, chapter E-15) the Minister of National Revenue directed a financial institution to use another method to determine, for a fiscal year, the operative extent and the procurative extent of a business input, the other method must also be used by the financial institution in respect of that business input for the fiscal year, despite sections 42.0.15 to 42.0.17, unless the Minister decides otherwise.

2012, c. 28, s. 46

42.0.24 If a financial institution is required to use another method because of section 42.0.23 in respect of a business input for a fiscal year, the Minister assesses the net tax of the financial institution for a reporting period included in the fiscal year and the financial institution appeals the assessment in respect of an issue relating to the application of that section, the following rules apply:

(1) the burden of proving that the other method is fair and reasonable is on the Minister; and

(2) if a court of last resort determines that the other method is not fair and reasonable, section 42.0.23 may not be applied to require the financial institution to use a particular method for the fiscal year in respect of the business input.

2012, c. 28, s. 46

42.1 Supply of movable property in the course of commercial activities — A person is deemed to have made a supply of movable property in the course of a commercial activity where the person makes a supply, other than an exempt supply, of movable property that

(1) was last acquired or brought into Québec by the person for consumption or use in the course of the person's commercial activities;

(2) was consumed or used by the person in the course of a commercial activity of the person after it was last acquired or brought into Québec by the person;

(3) was manufactured or produced by the person in the course of a commercial activity of the person or for consumption or use in the course of a commercial activity of the person, and was not deemed to have been acquired by the person; or

(4) was manufactured or produced by the person and consumed or used in the course of a commercial activity of the person, and was not deemed to have been acquired by the person.

1994, c. 22, s. 390

42.2 Supply of movable property otherwise than in the course of commercial activities — A person is deemed to have made a supply of movable property otherwise than in the course of commercial activities where the person makes a supply, other than a supply made by way of lease, licence or similar arrangement in the course of a business of the person, of movable property that

(1) was last acquired or brought into Québec by the person exclusively for consumption or use in the course of activities of the person that are not commercial activities and was not consumed or used by the person in the course of commercial activities of the person after it was last acquired or brought into Québec by the person; or

(2) was manufactured or produced by the person in the course of activities of the person that are not commercial activities exclusively for consumption or use in the course of activities of the person that are not commercial activities, was not consumed or used in the course of a commercial activity of the person and was not deemed to have been acquired by the person.

1994, c. 22, s. 390

42.3 Supply by way of sale of movable property or a service in the course of commercial activities — A person is deemed to have made a supply of movable property or a service in the course of commercial activities of the person where the person makes a supply by way of sale of movable property or a service that was acquired, brought into Québec, manufactured or produced by the person exclusively for the purpose of making a supply of that property or service by way of sale in the course of a business of the person or in the course of an adventure or concern of the person in the nature of trade, except where

(1) the supply is an exempt supply;

(2) section 42.4 applies in respect of the supply; or

(3) the person is an individual or a partnership, all of the members of which are individuals, who carries on the business or engages in the adventure or concern without a reasonable expectation of profit.

1994, c. 22, s. 390

42.4 Supply by way of sale of movable property or a service — Where a person makes a supply by way of sale of movable property or a service that was acquired, brought into Québec, manufactured or produced by the person exclusively for the purpose of making an exempt supply of the property or service by way of sale, the person is deemed to have made the supply otherwise than in the course of commercial activities.

1994, c. 22, s. 390

42.5 Things done in the course of commercial activities — To the extent that a person does anything, other than make a supply, in connection with the acquisition, establishment, disposition or termination of a commercial activity of the person, the person is deemed to have done that thing in the course of commercial activities of the person.

1994, c. 22, s. 390

42.6 Things done otherwise than in the course of commercial activities — To the extent that a person does anything, other than make a supply, in connection with the acquisition, establishment, disposition or termination of an activity of the person that is not a commercial activity, the person is deemed to have done that thing otherwise than in the course of commercial activities.

1994, c. 22, s. 390

42.7 [Repealed 2012, c. 28, s. 47(1).]

43. Where substantially all of the consumption or use of property or a service by a person, other than a financial institution, is in the course of the persons commercial activities, all of the consumption or use of the property or service by the person is deemed to be in the course of those activities.

1991, c. 67, s. 43; 1994, c. 22, s. 391; 2012, c. 28, s. 48

44. Where substantially all of the consumption or use for which a person, other than a financial institution, acquired or brought into Québec property or a service is in the course of the persons commercial activities, all of the consumption or use for which the person acquired or brought the property or service is deemed to be in the course of those activities.

1991, c. 67, s. 44; 1994, c. 22, s. 391; 2012, c. 28, s. 48

45. Where substantially all of the consumption or use of property or a service by a person, other than a financial institution, is in the course of particular activities of the person that are not commercial activities, all of the consumption or use is deemed to be in the course of those particular activities.

1991, c. 67, s. 45; 1994, c. 22, s. 391; 2012, c. 28, s. 48

46. Where substantially all of the consumption or use for which a person, other than a financial institution, acquired or brought into Québec property or a service is in the course of particular activities of the person that are not commercial activities, all of the consumption or use for which the person acquired or brought the property or service is deemed to be in the course of those particular activities.

1991, c. 67, s. 46; 1994, c. 22, s. 391; 2012, c. 28, s. 48

47. Immovable that includes a residential complex — For the purposes of sections 43 to 46, where an immovable includes a residential complex and another part that is not part of the residential complex,

(1) the residential complex is deemed to be a property separate from the other part; and

(2) where property or a service is acquired or brought into Québec for consumption or use in relation to the immovable, sections 43 to 46 apply to the property or service only to the extent that it is acquired or brought into Québec for consumption or use in relation to the part that is not part of the residential complex.

1991, c. 67, s. 47; 1994, c. 22, s. 391; 1997, c. 85, s. 450

LTVQ (anglais)

48. Supply made by a government or municipality — The following supplies, when made for consideration by a government or municipality or a board, commission or other body established by a government or municipality are, for greater certainty, deemed to be made in the course of a commercial activity, except where the supply is an exempt supply:

(1) a supply of a service of testing or inspecting any property for the purpose of verifying or certifying that the property meets particular standards of quality or is suitable for consumption, use or supply in a particular manner;

(2) a supply to a consumer of a right to hunt or fish;

(3) a supply of a right to take or remove forestry products, products that grow in water, fishery products, minerals or peat, where the supply is made to

(a) a consumer, or

(b) a person who is not a registrant and who acquires the right in the course of a business of the person of making supplies of the products, minerals or peat to consumers;

(4) a supply of a licence, permit, quota or similar right in respect of the bringing into Québec of alcoholic beverages; and

(5) a supply of a right to enter, to have access to or to use property of the government, municipality or other body.

1991, c. 67, s. 48; 1994, c. 22, s. 392

48.1 Foreign convention — The following supplies, when made by a sponsor of a foreign convention, are deemed to have been made otherwise than in the course of a commercial activity of the sponsor:

(1) a supply of an admission to the convention;

(2) a supply by way of lease, licence or similar arrangement of an immovable for use by the recipient of the supply exclusively as the site for the promotion, at the convention, of a business of, or of property or services supplied by, the recipient; and

(3) a supply of related convention supplies to the recipient of the supply referred to in paragraph 2.

1994, c. 22, s. 393

49. [Repealed 1995, c. 1, s. 262.]

50. [Repealed 1997, c. 85, s. 451.]

DIVISION III — CONSIDERATION

51. Value of consideration — general rule — The value of the consideration, or any part thereof, for a supply is deemed to be equal,

(1) where the consideration or that part is expressed in money, to the amount of the money; and

(2) where the consideration or that part is expressed otherwise than in money, to the fair market value of the consideration or that part at the time the supply was made.

1991, c. 67, s. 51

51.1 [Repealed 1997, c. 85, s. 452.]

52. Consideration — For the purposes of this section, **"provincial levy"** means a duty, fee or tax imposed under an Act of the legislature of Québec, another province, the Northwest Territories, the Yukon Territory or Nunavut in respect of the supply, consumption or use of property or a service.

Duties and taxes to be included — The consideration for a supply of property or a service includes

(1) any duty, fee or tax imposed under an Act of Canada, other than tax imposed under Part IX of the *Excise Tax Act* (Revised Statutes of Canada, 1985, chapter E-15), that is payable by the recipient, or payable or collectible by the supplier, in respect of that supply or in respect of the production, importation into Canada, consumption or use of the property or service;

(2) any provincial levy that is payable by the recipient, or payable or collectible by the supplier, in respect of that supply or in respect of the consumption or use of the property or service, other than tax payable under this Title and the prescribed duties, fees or taxes payable by the recipient;

(3) any other amount that is collectible by the supplier under an Act of the legislature of Québec, another province, the Northwest Territories, the Yukon Territory or Nunavut that is equal to, or is collectible on account of or in lieu of, a provincial levy, except where the amount is payable by the recipient and the provincial levy is a prescribed duty, fee or tax.

Presumption — If, under Title I, a person is deemed to be the recipient of a supply in respect of which another person would, but for that deeming, be the recipient, a reference in this section to the recipient of the supply shall be read as a reference to that other person.

1991, c. 67, s. 52; 2001, c. 53, s. 283; 2003, c. 2, s. 311; 2012, c. 28, s. 49(1)(1)

52.1 [Repealed 1997, c. 85, s. 453.]

53. Combined consideration — The second paragraph shall apply where

(1) "consideration" is paid for a supply and other consideration is paid for one or more other supplies or matters; and

(2) the "consideration" for one of the supplies or matters exceeds the consideration that would be reasonable if the other supply were not made or the other matter were not provided.

Presumption — The consideration for each of the supplies and matters is deemed to be that part of the total of all amounts, each of which is consideration for one of those supplies or matters, that may reasonably be attributed to each of those supplies and matters.

1991, c. 67, s. 53

54. Barter between registrants — The value of the **"consideration"** or a part of the consideration for a supply of property of a particular class or kind is deemed to be nil where

(1) the consideration or that part of the consideration for the supply of the property is property of that class or kind; and

(2) both the supplier and the recipient are registrants; and

(3) the property is acquired by the recipient and the consideration or that part thereof is acquired by the supplier as inventory for use exclusively in commercial activities of the recipient or supplier, as the case may be.

1991, c. 67, s. 54

54.1 Trade-in as consideration — Where, at the time a supplier makes a supply of corporeal movable property to a recipient, the supplier accepts, in full or partial consideration for the supply, other property (in this section and in section 54.2 referred to as the **"trade-in"**) that is used corporeal movable property or a leasehold interest therein and is acquired for consumption, use or supply in the course of a commercial activity of the supplier, and the recipient is not required to collect the tax in respect of the supply of the trade-in otherwise than by reason of the application of subparagraph 3 of the second paragraph of section 422 or the trade-in is a road vehicle in respect of which the recipient is not entitled to claim an input tax refund as a consequence of being a large business, the value of the consideration for the supply made by the supplier is deemed to be equal to the amount by which the value of the consideration for that supply, as otherwise determined, exceeds

(1) except where paragraph 2 applies, the amount credited to the recipient in respect of the trade-in; and

(2) where the supplier and the recipient are not dealing with each other at arm's length at the time the supply is made and the amount credited to the recipient in respect of the trade-in exceeds the fair market value of the trade-in at the time ownership thereof is transferred to the supplier, that fair market value.

Interpretation — For the purposes of this section and section 54.2, **"large business"** has the meaning assigned by sections 551 to 551.4 of the *Act to amend the Taxation Act, the Act respecting the Québec sales tax and other legislative provisions* (1995, chapter 63).

1997, c. 85, s. 454; 2002, c. 9, s. 155

54.1.1 Leaseback agreement — If a person (in this section and sections 54.1.2 to 54.1.5 referred to as the **"lessee"**) makes a supply by way of sale of corporeal movable property to another person (in this section referred to as the **"lessor"**), the lessee is not required to collect tax in respect of that supply and the lessor immediately makes a taxable supply of the property by way of lease to the lessee under an agreement (in this section and sections 54.1.2 to 54.1.5 referred to as the **"original leaseback agreement"**), the value of the consideration for a supply of the property by way of lease that, at a particular time, becomes due or is paid without having become due under a particular agreement that is the original leaseback agreement or a subsequent lease in respect of that agreement, is deemed to be equal to the amount determined by the formula

$$A - B.$$

Interpretation — For the purposes of this formula,

(1) A is the value of the consideration as otherwise determined; and

(2) B is the amount (in this section referred to as the **"purchase credit"**) that is equal to the lesser of

(a) the value of A, and

(b) the amount determined by the formula

$$C / D,$$

or

(c) if there is no unused total purchase credit within the meaning of subparagraph 1 of the third paragraph, zero.

Interpretation — For the purposes of the formula in subparagraph b of subparagraph 2 of the second paragraph,

(1) C is the amount (in this section and section 54.1.5 referred to as the **"unused total purchase credit"**) by which the consideration for the supply by way of sale exceeds the total of all amounts each of which is the purchase credit that was determined in calculating the amount deemed under this section to be the value of any consideration that, before the particular time, became due or was paid without having become due under the original leaseback agreement or a subsequent lease in respect of that agreement; and

(2) D is the specified number of remaining lease payments under the particular agreement at the particular time.

2001, c. 53, s. 284

54.1.2 Specified number of remaining lease payments — For the purposes of section 54.1.1, **"specified number of remaining lease payments"**, at a particular time, in respect of a particular agreement for the supply of property by way of lease that is an original leaseback agreement or a subsequent lease in respect of that agreement, is the amount determined by the formula

$$A - B.$$

Interpretation — For the purposes of this formula,

(1) A is the total number of payments that the lessee was obligated to make as consideration for the supplies of the property by way of lease under the particular agreement based on the terms of that agreement at the time it was entered into; and

(2) B is the total number of payments referred to in subparagraph 1 that, before the particular time, became due or were paid by the lessee.

2001, c. 53, s. 284

LTVQ (anglais)

54.1.3 Subsequent lease — For the purposes of sections 54.1.1 to 54.1.5, **"subsequent lease"**, in respect of an original leaseback agreement for the supply of property by way of lease to a lessee, means

(1) an agreement for the supply of the property by way of lease that constitutes a new agreement between the lessee and an assignee of the rights and obligations of the person who is the supplier under the original leaseback agreement or under an agreement referred to in this paragraph or paragraph 2; or

(2) an agreement for the supply of the property by way of lease to the lessee that succeeds, as a new agreement, either the original leaseback agreement or a particular agreement referred to in paragraph 1 or in this paragraph upon a renewal or variation of that original leaseback agreement or particular agreement.

2001, c. 53, s. 284

54.1.4 Subsequent lease — presumption — For the purposes of sections 54.1.1, 54.1.2 and 54.1.5, where a supplier agrees, at any time, to renew, vary, terminate, otherwise than upon the exercise of an option to purchase, or assign a particular agreement for the supply of property by way of lease that is an original leaseback agreement or a subsequent lease in respect of that agreement and the renewal, variation, termination or assignment does not constitute a novation of the particular agreement but has the effect of changing the number of payments that the lessee is obligated to make for supplies by way of lease of the property under the particular agreement, the following rules apply:

(1) the supplier and lessee are deemed to have, at that time, entered into a subsequent lease in respect of the original leaseback agreement; and

(2) all supplies by way of lease for which consideration becomes due, or is paid without having become due, at or after the time the renewal, variation, termination or assignment takes effect that would, but for this section, be made under the particular agreement are deemed to be made under that subsequent lease and not under the particular agreement.

2001, c. 53, s. 284

54.1.5 Purchase option — Except for a purpose contemplated in paragraph 1 of section 54.2, if a supply of property by way of sale is made to a lessee on the exercise by the lessee of an option to purchase the property provided for in an original leaseback agreement entered into by the lessee in respect of the property, or in a subsequent lease in respect of that agreement, to which section 54.1.1 applied, and immediately before the earliest time at which the consideration for the supply becomes due or is paid without having become due, there is an unused total purchase credit in respect of the property, the following rules apply:

(1) the value of the consideration for the supply is deemed to be equal to the amount determined by the formula

$$A - B;$$

and

(2) section 54.1.1 does not apply to any consideration that, after that earliest time, becomes due or is paid without having become due for any supply of the property by way of lease that was made under the original leaseback agreement or under a subsequent lease in respect of that agreement.

Interpretation — For the purposes of this formula,

(1) A is the value of the consideration for the supply as otherwise determined; and

(2) B is that unused total purchase credit.

2001, c. 53, s. 284

54.1.6 Presumption — For the purposes of sections 54.1.1 to 54.1.5, if a person makes a supply of property by way of sale to a recipient with whom the person is not dealing at arm's length and the consideration for the supply exceeds the fair market value of the property at the time ownership of the property is transferred to the recipient, the consideration for the supply is deemed to be equal to that fair market value.

2001, c. 53, s. 284

54.2 Exception — Sections 54.1 and 54.1.1 do not apply

(1) for the purpose of determining, for the purposes of any provision of this Title, whether the value of consideration for a supply of property equals, exceeds or is less than another amount specified in another provision;

(2) for the purposes of sections 294, 295, 297, 462 and 462.1; or

(3) to any supply of a trade-in that is a zero-rated supply, other than a zero-rated supply under section 197.2 made by a small supplier who is not a registrant or by a large business that is not entitled to claim an input tax refund in respect of the trade-in as a consequence of being a large business, a supply made outside Québec or a supply in respect of which no tax is payable because of paragraph 1 of section 75.1 or section 334.

(4) [Repealed 2002, c. 9, s. 156(1)(2).]

1997, c. 85, s. 454; 2001, c. 51, s. 263; 2002, c. 9, s. 156; 2003, c. 9, s. 456; 2005, c. 38, s. 363

54.3 Exchange of natural gas liquids for make-up gas — If natural gas is transported by pipeline to a straddle plant at which natural gas liquids or ethane (each of which is referred to in this section as **"natural gas liquids"**) is recovered from the natural gas, the residue gas is returned to the pipeline after the recovery along with other natural gas (in this section referred to as **"make-up gas"**) that is supplied solely to make up for the loss of energy content due to the recovery, and the consideration or a part of the consideration for any supply of the natural gas liquids, or the right to recover the liquids, or any supply of make-up gas is, in the case of a supply of natural gas liquids or the right to recover the liquids, the make-up gas, and, in the case of a supply of make-up gas, the natural gas liquids or the right to recover the liquids, the value of that consideration or part, as the case may be, is deemed to be nil.

2001, c. 53, s. 285

55. Non-arm's length supply — Where a supply of property or a service is made between persons not dealing with each other at arm's length for no consideration or for consideration less than the fair market value of the property or service at the time the supply is made, and the recipient of the supply is not a registrant who is acquiring the property or service for consumption, use or supply exclusively in the course of commercial activities of the recipient,

(1) if no consideration is paid for the supply, the supply is deemed to be made for consideration, paid at that time, of a value equal to the fair market value of the property or service at that time; and

(2) if consideration is paid for the supply, the value of the consideration is deemed to be equal to the fair market value of the property or service at that time.

Exception — This section does not apply in respect of

(1) a supply of property or a service made by a person where

(a) an amount is deemed under section 290 to be the total consideration for the supply, or

(b) in the absence of the first paragraph,

i. the person, because of section 203 or 206, would not be entitled to claim an input tax refund in respect of the acquisition or bringing into Québec of the property or service by the person,

ii. section 286 would apply to the supply, or

iii. the supply would be an exempt supply referred to in Division V.1 or VI of Chapter III; or

(2) a supply by way of sale, other than by way of gift, of a used road vehicle made between related individuals.

1991, c. 67, s. 55; 1993, c. 19, s. 177; 1994, c. 22, s. 396; 1995, c. 63, s. 329; 1997, c. 85, s. 455; 2002, c. 9, s. 157

55.0.1 Supply by way of sale of a used road vehicle — Where a taxable supply by way of sale of a used road vehicle that must be registered under the *Highway Safety Code* (R.S.Q., chapter C-24.2) following an application by the recipient of the vehicle is made for no consideration or for consideration less than the estimated value of the vehicle, the following rules apply:

(1) if no consideration is paid for the supply, the supply is deemed to be made for consideration, paid at that time, of a value equal to the estimated value of the vehicle; and

(2) if the consideration for the supply is less than the estimated value of the vehicle, the value of the consideration is deemed to be equal to that estimated value.

Exceptions — This section does not apply in respect of

(1) a supply of a road vehicle made following the exercise by the recipient of a right to acquire the vehicle, conferred on the recipient under an agreement in writing for the lease of the vehicle entered into by the recipient and the supplier;

(2) a supply of a road vehicle deemed to be made or received for no consideration or for consideration equal to the fair market value of the vehicle; or

(3) a supply of a road vehicle in respect of which tax is deemed to be collected or paid.

(4) a supply of a road vehicle made between individuals related to each other otherwise than by way of gift.

1995, c. 1, s. 263; 2002, c. 9, s. 158

55.0.2 Estimated value of a used road vehicle — For the purposes of section 55.0.1, the estimated value of a road vehicle is

(1) in the case of a vehicle for which the average wholesale price is listed in the most recent edition, on the first day of the month in which the vehicle is supplied, of the *Guide d'Évaluation Hebdo* (*Automobiles et Camions Légers*) published by *Hebdo Mag Inc*., that price less an amount of $500;

(1.1) [Repealed 2000, c. 39, s. 281(1)(2).]

(2) in the case of a vehicle for which an average wholesale price is listed in the most recent edition, on the first day of the month preceding the month in which the vehicle is supplied, of the *Canadian Motorcycle Dealers Blue Book* published by All Seasons Publications Ltd., that price less an amount of $500;

(3) in the case of a vehicle for which an average wholesale price is listed in the most recent edition, on the first day of the month preceding the month in which the vehicle is supplied, of the *Canadian ATV, Snowmobile & Watercraft Dealers Blue Book* published by All Seasons Publications Ltd., that price less an amount of $500; and

(4) in any other case, the value of the vehicle prescribed by the Minister.

1995, c. 1, s. 263; 1995, c. 63, s. 330; 1997, c. 14, s. 333; 2000, c. 39, s. 281

55.0.3 Used road vehicle that is damaged or shows unusual wear — Where section 55.0.1 applies to the supply of a road vehicle that is damaged or shows unusual wear and at the time of the supply the recipient provides the person mentioned in the second paragraph with a written estimate of the vehicle or of the repairs to be carried out in respect of the vehicle, the estimated value of the vehicle described in section 55.0.2 may be reduced by an amount equal to

(1) the amount by which that value exceeds the value of the vehicle stated in the written estimate; or

(2) the amount by which the value stated in the written estimate of the repairs to be carried out in respect of the vehicle exceeds $500.

The person referred to in the first paragraph is

(1) in the case of a supply under section 20.1, the Minister or a person prescribed for the purposes of section 473.1;

(2) in the case of a supply of a motor vehicle by way of retail sale, the supplier of the vehicle and, as the case may be, the Minister or a person prescribed for the purposes of section 473.1.1; and

(3) in any other case, the supplier of the vehicle.

LTVQ (anglais)

Written estimate — The written estimate must be made by a person who has been issued a certificate of professional qualification as an estimator of automobile damage by the Groupement des assureurs automobiles, established by the *Automobile Insurance Act* (chapter A-25), in the course of the person's professional practice within a certified appraisal centre or an establishment accredited by the Groupement.

1995, c. 1, s. 263; 1995, c. 63, s. 331; 2001, c. 51, s. 264; 2004, c. 21, s. 528; 2005, c. 23, s. 274

55.1 Value of consideration — determination — The Minister may determine the value of the consideration for the taxable supply of property or a service on which the tax must be calculated if either

(1) the supply is not a supply in respect of which section 55 or 55.0.1 applies, or would apply, but for the second paragraph of those sections, and if

(a) the supply is made for no consideration, or

(b) the value of the consideration for the supply of the property or service is less than the fair market value of the property or service; or

(2) the consideration for the supply of the property or service

(a) is not shown on the invoice or on any other document recording the supply, or

(b) is combined with the consideration for any other supply that is not a taxable supply other than a zero-rated supply.

1993, c. 19, s. 178; 2002, c. 9, s. 159

56. Consideration in foreign currency — Where the consideration for a supply is expressed in a foreign currency, the value of the consideration shall be computed on the basis of the value of that foreign currency in Canadian currency on the day the tax is payable, or on such other day as is acceptable to the Minister.

1991, c. 67, s. 56

57. Early or late payments — Where corporeal movable property or services are supplied and the amount of consideration for the supply shown in the invoice in respect of the supply may be reduced if the amount thereof is paid within a time specified in the invoice or an additional amount is charged to the recipient by the supplier if the amount of the consideration is not paid within a reasonable period specified in the invoice, the consideration due is deemed to be the amount of consideration shown in the invoice.

1991, c. 67, s. 57

58. [Repealed 1997, c. 85, s. 456.]

58.1 [Repealed 1997, c. 85, s. 456.]

58.2 [Repealed 1997, c. 85, s. 456.]

58.3 Payment by a trade union or association — Where an individual, because of membership in a trade union or association referred to in paragraph 1 of section 172, participates in activities of the union or association and, as a consequence, is unable to perform duties, under a contract of employment, for the individual's employer during a period during which the individual would, were it not for the individual's participation in those activities, be obligated to provide such services, and the union or association pays an amount to the employer as compensation for expenses incurred by the employer as a consequence of the individual's participation in those activities or for remuneration or benefits given by the employer to the individual in respect of that period, the amount is deemed not to be consideration for a supply.

1994, c. 22, s. 398

59. [Repealed 1994, c. 22, s. 399.]

60. Bets and games of chance — Where a particular person bets an amount on a game of chance, a race or other event, the following rules apply:

(1) the person with whom the bet is placed is deemed to have made a supply of a service to the particular person;

(2) where the bet is placed in Québec, that supply is deemed to have been made in Québec; and

(3) the consideration for that supply is deemed to be equal to the amount obtained by multiplying the amount by which the total amount in respect of the bet that is given by the particular person to the person with whom the bet is placed, including any amount given as or on account of tax imposed on the particular person under this Title, exceeds the tax imposed on the particular person under Part IX of the *Excise Tax Act* (Revised Statutes of Canada, 1985, chapter E-15) by 100/109.975.

1991, c. 67, s. 60; 1997, c. 85, s. 457; 2010, c. 5, s. 211; 2011, c. 6, s. 238; 2012, c. 28, s. 50

61. [Repealed 1997, c. 85, s. 458.]

62. Contribution by a competitor — Where a competitor in a competitive event contributes an amount to the prizes to be given to competitors in the event, the contribution is deemed not to be consideration for a supply.

Exception — This section does not apply in respect of a contribution, made as part of the fee or charge paid by the competitor in a competitive event for the right or privilege of participating in the event, that is not separately identified as a contribution to the prizes.

1991, c. 67, s. 62

62.1 Penalty for failure to return rolling stock — An amount that is paid as or on account of demurrage, or by one railway corporation to another railway corporation as or on account of a penalty for failure to return rolling stock within a stipulated time, is deemed not to be consideration for a supply.

1994, c. 22, s. 400

63. Definitions — For the purposes of this section and sections 64 to 67,

"base fraction", at a particular time, of a tour package means the proportion that the part of the amount that would be charged by the first supplier of the package for a supply at that time of the package that is, at that time, reasonably attributable to the taxable portion of the package is of the amount that would be charged by the first supplier of the package for a supply at that time of the package;

"first supplier" of a tour package means the person who first supplies the package in Québec;

"initial taxable percentage" of a tour package means the proportion, at the time the first supplier of the package determines the amount to be charged by that supplier for a supply of the package, that the part of that amount that is, at that time, reasonably attributable to the taxable portion of the package is of that amount;

"taxable percentage" at a particular time, of a tour package means :

(1) where the difference between the base fraction at that time of the package and the initial taxable percentage of the package or the base fraction of the package at an earlier time is more than 10%, the base fraction of the package at the particular time, and

(2) in any other case, the initial taxable percentage of the package;

"taxable portion" of a tour package means all property and services included in the tour package and in respect of which tax under section 16 would be payable if the property or service were supplied otherwise than as part of a tour package;

"tour package" means a combination of two or more services, or of property and services, that includes transportation services, accommodation, a right to use a campground or trailer park, or guide or interpreter services, where the property and services are supplied together for an all-inclusive price.

1991, c. 67, s. 63; 1995, c. 63, s. 333

64. Taxable portion of a tour package — supplier — The consideration for a supply of the taxable portion of a tour package, where the supply is made by the first supplier of the package, is deemed to be the amount determined by the formula

$$A \times B.$$

Interpretation — For the purposes of this formula,

(1) A is the taxable percentage of the package at the time the supply is made; and

(2) B is the total consideration for the entire tour package.

1991, c. 67, s. 64

65. Taxable portion of a tour package — other person — The consideration for a supply of the taxable portion of a tour package, where the supply is made by any person other than the first supplier of the package, is deemed to be the amount determined by the formula

$$A \times B.$$

Interpretation — For the purposes of this formula,

(1) A is the percentage that the consideration for the supply to the person of the taxable portion of the package is of the total consideration paid or payable by the person for the entire tour package; and

(2) B is the total consideration paid or payable to the person for the entire tour package.

1991, c. 67, s. 65

66. Taxable and non-taxable parts — The provision of the part of the tour package that is the taxable portion of the package is deemed to be a separate supply from the provision of the remaining part of the package and neither supply is deemed to be incidental to the other.

1991, c. 67, s. 66

67. [Repealed 1995, c. 63, s. 334.]

Division IV — Specific Rules Respecting Taxation

§1. — Rules respecting calculation

68. Supply by a small supplier — Where a person makes a taxable supply and the consideration, or a part thereof, for the supply becomes due, or is paid before it becomes due, at a time when the person is a small supplier who is not a registrant, that consideration or part thereof, as the case may be, shall not be included in calculating the tax payable in respect of the supply.

Exception — This section does not apply in respect of

(1) a supply of an immovable by way of sale; or

(2) a supply of a road vehicle that must be registered under the *Highway Safety Code* (chapter C-24.2) following an application by the recipient of the supply.

1991, c. 67, s. 68; 1995, c. 63, s. 335

69. Rounding of tax — Where tax that is at any time payable under section 16 in respect of one or more supplies included in an agreement, invoice or receipt is an amount that includes a fraction of a cent, the fraction,

(1) if less than half of a cent, may be disregarded; and

(2) if equal to or greater than half of a cent, is deemed to be an amount equal to one cent.

1991, c. 67, s. 69; 1997, c. 85, s. 459

69.1 Pay telephones — Where the consideration for a supply of a telecommunication service is paid by depositing coins in a coin-operated telephone and the tax payable is equal to a fraction of $0.05 or to the total of a multiple of $0.05 and a fraction of $0.05, the fraction

(1) if less than $0.025, may be disregarded; and

(2) if equal to or greater than $0.025, is deemed to be an amount equal to $0.05.

1994, c. 22, s. 401; 1997, c. 85, s. 460

69.2 [Repealed 1995, c. 63, s. 336.]

69.3 [Repealed 2007, c. 12, s. 318(1).]

69.3.1 If a registrant ordinarily uses a cash register to determine the tax payable by a recipient in respect of a taxable supply made by the registrant to the recipient and the cash register does not permit the determination of the tax by multiplying the value of the consideration for the supply by 9.975%, or 14.975% if the registrant determines a total amount made up of both the tax provided for in this Title and the tax provided for in Part IX of the *Excise Tax Act* (Revised Statutes of Canada, 1985, chapter E-15), the following rules apply:

(1) the registrant may, by means of the cash register, determine the tax payable by multiplying the value of the consideration by 9.97%; and

(2) the registrant may, by means of the cash register, determine the total amount made up of both the tax provided for in this Title and the tax provided for in Part IX of the *Excise Tax Act* by multiplying the value of the consideration by 14.97%.

2009, c. 5, s. 599; 2010, c. 5, s. 212; 2011, c. 6, s. 239; 2012, c. 28, s. 51

69.4 [Repealed 2007, c. 12, s. 318(1).]

69.4.1 Every registrant who applies the rules set out in section 69.3.1 in circumstances other than those described in that section shall incur a penalty of 1% of the tax collected in the period during which the irregularity continues.

2009, c. 5, s. 600

69.5 Supply by means of a mechanical coin-operated device — Where the consideration for a supply of corporeal movable property or a service is paid by depositing a single coin in a mechanical coin-operated device that is designed to accept only a single coin of $0.25 or less as the total consideration for the supply and the corporeal movable property is dispensed from the device or the service is rendered through the operation of the device, the tax payable in respect of the supply is equal to zero.

For the purposes of the first paragraph, a supply of a right to use the device is deemed to be a supply of a service rendered through the operation of the device.

1997, c. 85, s. 462; 2009, c. 5, s. 601

69.6 Calculation of tax — Where two or more taxable supplies are included in an invoice, agreement or receipt, the tax payable under section 16 in respect of those supplies, calculated on the consideration for those supplies that is indicated in the invoice, agreement or receipt, may be calculated on the total of that consideration.

1997, c. 85, s. 462

70. [Repealed 1994, c. 22, s. 402.]

71. Coin-operated device — Where a supply is made, and the consideration therefor is paid, by means of a coin-operated device, the following rules apply:

(1) the recipient is deemed to have received the supply, paid the consideration for the supply, and paid any tax payable in respect of the supply, on the day the consideration for the supply is inserted into the device;

(2) the supplier is deemed to have made the supply, received the consideration for the supply, and collected any tax payable in respect of the supply, on the day the consideration for the supply is removed from the device.

1991, c. 67, s. 71

72. [Repealed 1994, c. 22, s. 403.]

73. [Repealed 1994, c. 22, s. 403.]

74. [Repealed 1994, c. 22, s. 403.]

§2. — Supplies not subject to taxation

75. Supply of assets of a business — Where a supplier makes a supply of a business or part of a business that was established or carried on by the supplier or that was established or carried on by another person and acquired by the supplier, and, under the agreement for the supply, the recipient is acquiring ownership, possession or use of all or substantially all of the property that can reasonably be regarded as being necessary for the recipient to be capable of carrying on the business or part as a business,

(1) the supplier is deemed to have made a separate supply of each property and service that is supplied under the agreement for consideration equal to that part of the consideration for the supply of the business or part that can reasonably be attributed to that property or service; and

(2) except where the supplier is a registrant and the recipient is not a registrant, the supplier and the recipient may make a joint election in prescribed form containing prescribed information to have section 75.1 apply to those supplies.

1991, c. 67, s. 75; 1993, c. 19, s. 180; 1994, c. 22, s. 404

75.1 Effect of election — Where a supplier and a recipient make an election under section 75 and the recipient, if a registrant, files the election with the Minister not later than the day on or before which the return under Chapter VIII is required to be filed for the recipient's first reporting period in which tax would, but for this section, have become payable in respect of the supply of any property or service made under the agreement for the supply of the business or part of the business to which the election applies, or on such later day as the Minister may determine on application of the recipient,

(1) no tax is payable in respect of a supply of any property or service made under the agreement other than

(a) taxable supply of a service that is to be rendered by the supplier,

(b) a taxable supply of property by way of lease, licence or similar arrangement,

(c) where the recipient is not a registrant, a taxable supply by way of sale of an immovable,

(d) [Repealed 1995, c. 63, s. 337.]

(2) where, but for this section, tax would have been payable by the recipient, otherwise than by reason of section 20.1, in respect of a supply made under the agreement of property that was capital property of the supplier and that is being acquired by the recipient for use as capital property of the recipient, the recipient is deemed to have so acquired the property for use exclusively in the course of commercial activities of the recipient; and

(3) where, notwithstanding this section, tax would not have been payable by the recipient or would have been payable by the recipient under section 20.1 in respect of a supply made under the agreement of property that was capital property of the supplier and that is being acquired by the recipient for use as capital property of the recipient, the recipient is deemed to have so acquired the property for use exclusively in activities of the recipient that are not commercial activities.

1994, c. 22, s. 405; 1995, c. 63, s. 337

75.2 Goodwill — Where a supplier makes a supply of a business or part of a business that was established or carried on by the supplier or that was established or carried on by another person and acquired by the supplier, the recipient is acquiring ownership, possession or use of all or substantially all of the property that can reasonably be regarded as being necessary for the recipient to be capable of carrying on the business or part as a business, and part of the consideration for the supply can reasonably be attributed to goodwill of the business or part, that part of the consideration shall not be included in calculating the tax payable in respect of the supply.

1994, c. 22, s. 405

75.3 For the purposes of this section and sections 75.4 to 75.9,

"authorized foreign bank" has the meaning assigned by section 2 of the *Bank Act* (Revised Statutes of Canada, 1985, chapter B-1);

"foreign bank branch" means a branch within the meaning of paragraph b of the definition of "branch" in section 2 of the *Bank Act*;

"qualifying supply" means a supply of a property or service that is made in Québec under an agreement for the supply, other than an agreement between a supplier that is a registrant and a recipient that is not a registrant at the time the agreement is entered into, and

(1) that is made by a corporation resident in Québec related to the recipient;

(2) that is made after 27 June 1999, and before

(a) if the Superintendent makes an order under subsection 1 of section 534 of the *Bank Act* in respect of the recipient after 22 June 2007 but before 22 June 2008, the day that is one year after the day on which the Superintendent makes the order, and

(b) in any other case, 22 June 2008; and

(3) that is received by a recipient that

(a) is a person not resident in Canada,

(b) is, or has filed an application with the Superintendent for an order under subsection 1 of section 524 of the *Bank Act* to become, an authorized foreign bank, and

(c) acquired the property or service for consumption, use or supply by the recipient for the purposes of the establishment and commencement of business in Québec by the recipient as an authorized foreign bank at a foreign bank branch of the authorized foreign bank.

2009, c. 5, s. 602

75.4 If a supplier and a recipient of a qualifying supply make a joint election in accordance with section 75.9 in respect of the qualifying supply, the following rules apply:

(1) the supplier is deemed to have made, and the recipient is deemed to have received, a separate supply of each property and service that is supplied under the agreement for the qualifying supply for consideration equal to that portion of the consideration for the qualifying supply that can reasonably be attributed to the property or service;

(2) the portion of the consideration for the qualifying supply attributed to goodwill is deemed to be attributed to a taxable supply of incorporeal movable property unless section 75.2 applies to the qualifying supply; and

(3) sections 75.5 to 75.8 apply to the supply of each property and service that is supplied under the agreement for the qualifying supply.

2009, c. 5, s. 602

75.5 If a supplier and a recipient make a joint election referred to in section 75.4 in respect of a qualifying supply made at a particular time, the following rules apply:

(1) no tax is payable in respect of the supply of a property or service made under the agreement for the qualifying supply other than

(a) a taxable supply of a service that is to be rendered by the supplier,

(b) a taxable supply of a service unless paragraph 1 of section 75 applies to the qualifying supply,

(c) a taxable supply of property by way of lease, licence or similar arrangement,

LTVQ (anglais)

(d) if the recipient is not a registrant, a taxable supply by way of sale of an immovable,

(e) a taxable supply of a property or service, if the property or service was previously supplied under an agreement for a qualifying supply and, because of this section, no tax was payable in respect of that previous supply of a property or service, or

(f) a taxable supply of incorporeal movable property, other than capital property, if the percentage determined by the following formula is greater than 10%:

A – B;

(2) if, but for this section, tax would have been payable by the recipient, otherwise than because of section 20.1, in respect of a supply of property made under the agreement for the qualifying supply that is capital property of the supplier that the recipient acquired for use as capital property, the recipient is deemed to have acquired the property for use exclusively in the course of commercial activities of the recipient;

(3) if, despite this section, tax would not have been payable by the recipient, or would so have been because of section 20.1, in respect of a supply of property made under the agreement for the qualifying supply that is capital property of the supplier that the recipient acquired for use as capital property, the recipient is deemed to have acquired the property for use exclusively in activities of the recipient that are not commercial activities; and

(4) if the recipient acquires, under the agreement for the qualifying supply, property of the supplier that was used by the supplier immediately before the particular time otherwise than as capital property and, but for this section, tax would have been payable by the recipient, otherwise than because of section 20.1, in respect of the supply of the property, the recipient is deemed to have acquired the property for consumption, use or supply in the course of commercial activities of the recipient and otherwise than as capital property.

For the purposes of the formula in subparagraph f of subparagraph 1 of the first paragraph,

(1) A is the extent, expressed as a percentage of the total use of the property by the supplier, to which the supplier used the property in commercial activities of the supplier immediately before the particular time; and

(2) B is the extent, expressed as a percentage of the total use of the property by the recipient, to which the recipient used the property in commercial activities of the recipient immediately after the particular time.

2009, c. 5, s. 602

75.6 If a supplier and a recipient make a joint election referred to in section 75.4 in respect of a qualifying supply and, under the agreement for the qualifying supply, the supplier makes a supply of property that is, immediately before the time the qualifying supply is made, a capital property of the supplier and, because of section 75.5, no tax is payable in respect of the supply of the property, the basic tax content of the property of the recipient at any time is to be determined by applying the following rules:

(1) if the last acquisition of the property by the recipient is the acquisition of the property by the recipient at the time the qualifying supply is made, any reference in the definition of "basic tax content" in section 1 to the last acquisition or bringing into Québec of the property by the person is to be read as a reference to the last acquisition or bringing into Québec of the property by the supplier; and

(2) if the last supply to the recipient of the property is the supply to the recipient of the property at the time the qualifying supply is made, the reference in the definition of "basic tax content" in section 1 to the last supply of the property to the person is to be read as a reference to the last supply of the property to the supplier.

2009, c. 5, s. 602

75.7 If a supplier and a recipient make a joint election referred to in section 75.4 in respect of a qualifying supply made before 17 November 2005 under an agreement for the qualifying supply and tax is paid by the recipient in respect of a property or service supplied under the agreement for the qualifying supply despite no tax being payable in respect of that supply because of section 75.5, the tax is deemed, except for the purposes of section 75.6 and despite section 75.5, to have been payable by the recipient in respect of the supply of the property or service and the recipient may deduct, in determining the net tax of the recipient for the reporting period in which the election is filed with the Minister, the total of all amounts each of which is an amount determined by the formula

A – B.

For the purposes of the formula,

(1) A is the amount of tax paid, although no tax is payable because of section 75.5, by the recipient in respect of the supply of the property or service made under the agreement for the qualifying supply; and

(2) B is the total of

(a) all amounts each of which is an input tax refund that the recipient was entitled to claim in respect of the property or service supplied under the agreement for the qualifying supply,

(b) all amounts each of which is an amount, other than an amount determined under this section, that may be deducted by the recipient under this Title in determining the net tax of the recipient for a reporting period in respect of the property or service supplied under the agreement for the qualifying supply, and

(c) all amounts, other than amounts referred to in subparagraphs a and b, in respect of the tax paid that may be otherwise recovered by way of rebate or refund or otherwise by the recipient in respect of the property or service supplied under the agreement for the qualifying supply.

2009, c. 5, s. 602

75.8 If a supplier and a recipient make a joint election referred to in section 75.4 in respect of a qualifying supply, section 25 of the *Tax Administration Act* (chapter A-6.002) applies to any assessment or reassessment of an amount payable by the recipient in respect of the supply of a property or service made under the agreement for the qualifying supply.

However, the Minister has until the day that is four years after the later of the following days to make an assessment or reassessment solely for the purpose of taking into account any tax, net tax or any other amount payable by the recipient or remittable by the supplier in respect of the supply of a property or service made under the agreement for the qualifying supply:

(1) the day on which the election referred to in section 75.4 is filed with the Minister; and

(2) the day on which the qualifying supply is made.

2009, c. 5, s. 602; 2010, c. 31, s. 175(4)

75.9 A joint election referred to in section 75.4 made by a supplier and a recipient in respect of a qualifying supply is valid only if

(1) the recipient files the election with the Minister in the prescribed form containing prescribed information not later than the particular day that is the latest of

(a) if the recipient is

i. a registrant at the time the qualifying supply is made, the day on which the return under Chapter VIII is required to be filed for the recipient's reporting period in which tax would, but for this section and sections 75.3 to 75.8, have become payable in respect of the supply of a property or service made under the agreement for the qualifying supply, or

ii. not a registrant at the time the qualifying supply is made, the day that is one month after the end of the recipient's reporting period in which tax would, but for this section and sections 75.3 to 75.8, have become payable in respect of the supply of a property or service made under the agreement for the qualifying supply,

(b) 22 June 2008, and

(c) the day that the Minister may determine on application of the recipient;

(2) the qualifying supply is made on or before the day that is one year after the day on which the recipient received for the first time a qualifying supply in respect of which an election referred to in section 75.4 has been made; and

(3) on or before the day on which the election referred to in section 75.4 is filed with the Minister in respect of the qualifying supply, the recipient has not made an election referred to in section 75.1 in respect of the qualifying supply.

2009, c. 5, s. 602

76. Merger or amalgamation — Where two or more corporations are merged or amalgamated to form a new corporation, otherwise than as the result of the acquisition of the property of one corporation by another corporation pursuant to the purchase of the property by the other corporation, or as the result of the distribution of the property to the other corporation on the winding-up of the corporation,

(1) except as otherwise provided in this title, the new corporation is deemed to be a separate person from each of the merged or amalgamated corporations;

(2) for the purposes of sections 444, 446 and 462 to 462.1.1, for the purpose of applying the provisions of this Title in respect of property or a service acquired or brought into Québec by a merged or amalgamated corporation, and for prescribed purposes and provisions, the new corporation is deemed to be the same corporation as, and a continuation of, each merged or amalgamated corporation; and

(3) the transfer of any property by a merged or amalgamated corporation to the new corporation as a consequence of the merger or amalgamation is deemed not to be a supply.

1991, c. 67, s. 76; 1994, c. 22, s. 406; 1995, c. 63, s. 338; 2001, c. 53, s. 286

77. Winding-up — Where at any time a particular corporation is wound up and not less than 90% of the issued shares of each class of the capital stock of the particular corporation were, immediately before that time, owned by another corporation,

(1) for the purposes of sections 444, 446 and 462 to 462.1.1, for the purpose of applying the provisions of this Title in respect of property or a service acquired or brought into Québec by the other corporation as a consequence of the winding-up, and for prescribed purposes and provisions, the other corporation is deemed to be the same corporation as, and a continuation of, the particular corporation; and

(2) the transfer of any property to the other corporation as a consequence of the winding-up is deemed not to be a supply.

1991, c. 67, s. 77; 1994, c. 22, s. 407; 1995, c. 63, s. 339; 2001, c. 53, s. 287

78. [Repealed 1997, c. 85, s. 463.]

79. [Repealed 1997, c. 85, s. 463.]

79.1 Supply of a road vehicle of a deceased individual — No tax is payable in respect of the supply of a road vehicle of a deceased individual, which road vehicle must be registered under the *Highway Safety Code* (chapter C-24.2) following an application by the recipient of the vehicle, if the supply is made by the succession of the individual in accordance with the individual's will or the laws relating to the transmission of property on death or in settlement of rights arising out of the individual's marriage.

1993, c. 19, s. 181; 1997, c. 85, s. 464; 2002, c. 6, s. 214; 2005, c. 1, s. 349

80. Supply of property of a deceased individual — No tax is payable in respect of the supply of property of a deceased individual made by the succession of the individual where

(1) immediately before death, the individual held the property for consumption, use or supply in the course of a business carried on immediately before the individual's death;

(2) the succession of the individual makes a supply of the property, in accordance with the individual's will or the laws relating to the transmission of property on death, to another individual who is a beneficiary of the individual's succession and a registrant;

(3) the property is received for consumption, use or supply in the course of commercial activities of the other individual; and

LTVQ (anglais)

(4) the succession and the other individual make a joint election for the purposes of this section.

Acquisition of property — The other individual is deemed to have acquired the property for use exclusively in commercial activities of the individual.

1991, c. 67, s. 80; 1994, c. 22, s. 408; 1997, c. 85, s. 465

80.1 Supply of a road vehicle by way of gift — No tax is payable in respect of the supply by way of gift of a road vehicle that must be registered under the *Highway Safety Code* (R.S.Q., chapter C-24.2) following an application by the recipient of the vehicle, where the supply is made between related individuals.

Supply in settlement of rights arising out of marriage — Similarly, no tax is payable in respect of the supply of such a road vehicle where the supply is made between individuals in settlement of rights arising out of their marriage.

1993, c. 19, s. 182; 1995, c. 1, s. 265; 1997, c. 85, s. 466; 2002, c. 6, s. 215; 2005, c. 1, s. 350

80.1.1 Supply of a road vehicle by a municipality to another municipality — No tax is payable in respect of the supply of a road vehicle made by a municipality to another municipality where

(1) the vehicle is supplied under an agreement in writing for the provision of municipal services by the recipient in the territory of the supplier;

(2) the vehicle is supplied for use by the recipient in providing municipal services of the same nature as those in the course of which the vehicle was used by the supplier before the time the vehicle was supplied; and

(3) [Repealed 1995, c. 63, s. 340.]

1995, c. 1, s. 266; 1995, c. 63, s. 340

80.1.2 Supply in connection with a transfer under a law of rights and obligations — No tax is payable in respect of a supply by way of sale of a used road vehicle made between two corporations, other than business corporations, in connection with a transfer under a law of rights and obligations.

2002, c. 9, s. 160

80.2 [Repealed 1995, c. 63, s. 341.]

80.3 Convention — Where a sponsor of a convention makes a taxable supply by way of lease, licence or similar arrangement to a person not resident in Québec of an immovable that is acquired by the person exclusively for use as a site for the promotion, at the convention, of a business of, or of property or services supplied by, the person, no tax is payable in respect of that supply to the person or in respect of any supply by the sponsor to the person of property or services that are acquired by the person for consumption or use as related convention supplies in respect of the convention.

1994, c. 22, s. 409

§3. — Goods not subject to taxation brought into Québec

81. The goods to which subparagraph 2 of the fourth paragraph of section 17 refers are the following:

(1) goods referred to in section 1 of Schedule VII to the *Excise Tax Act* (Revised Statutes of Canada, 1985, chapter E-15);

(2) goods from Canada outside Québec that would be goods to which, with the necessary modifications, paragraph 1 applies if they were from outside Canada, but not including goods that would be classified under tariff item No. 9804.10.00, 9804.20.00, 9804.30.00, 9804.40.00, 9805.00.00 or 9807.00.00 of the schedule to the *Customs Tariff* (Statutes of Canada, 1997, chapter 36);

(2.1) goods from Canada outside Québec that are for the domestic or personal use of an individual arriving in Québec to take up permanent residence, except goods acquired by the individual less than 31 days before the individual's arrival in Québec and in respect of which the individual has not paid tax of the same nature as the tax payable under this Title, imposed by another province, the Northwest Territories, the Yukon Territory or Nunavut, or in respect of which the individual has obtained or is entitled to obtain a rebate of such a tax;

(3) medals, trophies and other prizes, not including usual merchantable goods, that are won outside Québec in competitions, that are bestowed, received or accepted outside Québec or that are donated by persons outside Québec, for heroic deeds, valour or distinction;

(4) printed matter that is to be made available to the general public, without charge, for the promotion of tourism, where the printed matter is brought into Québec

(a) by or on the order of a government outside Québec or by an agency or representative of such a government, or

(b) by a board of trade, chamber of commerce, municipal or automobile association or similar organization to which it was supplied for no consideration, other than shipping and handling charges;

(5) goods that are brought into Québec by a charity or a public institution and that have been donated to the charity or institution;

(6) goods that are brought into Québec by a particular person if the goods are supplied to the particular person by a person not resident in Québec for no consideration, other than shipping and handling charges, as replacement parts or as replacement property under a warranty;

(6.1) goods that are brought into Québec solely for the purpose of fulfilling an obligation under a warranty to repair or replace the goods if defective, where replacement goods are supplied for no additional consideration, other than shipping and handling charges, and shipped outside Québec without being consumed or used in Québec except to the extent reasonably necessary or incidental to the transportation of the goods;

(7) goods to the supply of which any of Divisions I, II, III or IV of Chapter IV, except paragraph 3.1 of section 178, paragraph 2 of section 198 or section 198.1 or 198.2 applies;

(7.1) a motor vehicle acquired by way of a supply made outside Québec in circumstances in which the vehicle, had it been acquired by way of a supply made in Québec in the same circumstances, would have been acquired by way of a zero-rated supply under section 197.2;

(8) goods, other than prescribed goods, that are sent to the recipient of the supply of the goods at an address in Québec by mail or courier, that are from outside Canada and the value of which is not more than $20;

(8.1) goods that are prescribed property for the purposes of section 24.1 and that are sent, by mail or courier, to the recipient of the supply of the goods at an address in Québec, where the supplier is registered under Division I of Chapter VIII at the time the goods are brought into Québec;

(9) prescribed goods brought into Québec in prescribed circumstances, under prescribed terms and conditions;

(10) containers to which section 9 of Schedule VII to the *Excise Tax Act* applies or to which that section could so apply but for the fact that the goods are from Canada outside Québec;

(11) money, certificates or other documents evidencing a right that is a financial instrument;

(12) goods from Canada outside Québec that are supplied to a person by lease, licence or similar arrangement under which continuous possession or use of the goods is provided for a period of more than three months in circumstances in which tax under subsection 1 of section 165 of the *Excise Tax Act* is payable by the person in respect of the supply; and

(13) a mobile home or floating home that has been used or occupied in Québec as a place of residence for individuals;

(14) grain, seeds or mature stalks having no leaves, flowers, seeds or branches, of hemp plants of the genera Cannabis brought into Québec and coming from outside Canada, if

(a) in the case of grain or seeds, they are not further processed than sterilized or treated for seeding purposes and are not packaged, prepared or sold for use as feed for wild birds or as pet food;

(b) in the case of viable grain or seeds, they are included in the definition of "industrial hemp" in section 1 of the *Industrial Hemp Regulations* made under the *Controlled Drugs and Substances Act* (Statutes of Canada, 1996, chapter 19); and

(c) the bringing into Québec is made in accordance with the *Controlled Drugs and Substances Act*, if applicable; and

(15) goods from Canada outside Québec to the supply of which paragraph 3.1 of section 178 applies.

1991, c. 67, s. 81; 1993, c. 19, s. 183; 1994, c. 22, s. 410; 1995, c. 1, s. 267; 1995, c. 63, s. 342; 1997, c. 85, s. 467; 2001, c. 51, s. 265; 2001, c. 53, s. 288; 2003, c. 2, s. 312; 2009, c. 5, s. 603; 2012, c. 28, s. 52

Division V — Specific Rules Respecting Time of Taxation

82. Time of taxation — general rule — Tax under section 16 in respect of a taxable supply is payable by the recipient on the earlier of the day the consideration for the supply is paid and the day the consideration for the supply becomes due.

1991, c. 67, s. 82

82.1 Exception — Notwithstanding section 82, tax under section 16 in respect of a supply referred to in section 20.1 is payable at the time the supply is made.

1993, c. 19, s. 184

82.2 Exception — Notwithstanding section 82, tax under section 16 in respect of the supply of a motor vehicle by way of retail sale, other than a supply under section 20.1, is payable at the time of the registration of the vehicle under the *Highway Safety Code* (chapter C-24.2) following an application by the recipient of the supply.

Tax payable at time of delivery — Notwithstanding the first paragraph, tax is payable at the time the motor vehicle is delivered to the recipient if the vehicle is not registered within 15 days after that time.

2001, c. 51, s. 266

83. Consideration deemed to become due — The consideration, or a part thereof, for a taxable supply is deemed to become due on the earliest of

(1) the earlier of the day the supplier first issues an invoice in respect of the supply for that consideration or part and the date of that invoice,

(2) the day the supplier would, but for an undue delay, have issued an invoice in respect of the supply for that consideration or part, and

(3) the day the recipient is required to pay that consideration or part to the supplier pursuant to an agreement in writing.

Exception — Notwithstanding the first paragraph, where property is supplied by way of lease, licence or similar arrangement under an agreement in writing, the consideration, or any part thereof, for the supply is deemed to become due on the day the recipient is required to pay the consideration or part to the supplier pursuant to the agreement.

1991, c. 67, s. 83

84. Consideration that is not money — Where consideration that is not money is given or required to be given, the consideration that is given or required to be given is deemed to be paid or required to be paid, as the case may be.

1991, c. 67, s. 84

85. Partial consideration — Notwithstanding section 82, where consideration for a taxable supply is paid or becomes due on more than one day, tax under section 16 in respect of the supply is payable on each day that is the earlier of the day a part of the consideration is paid and the day that part becomes due.

Calculation — The tax that is payable on each such day shall be calculated on the value of the part of the consideration that is paid or becomes due, as the case may be, on that day.

1991, c. 67, s. 85

LTVQ (anglais)

86. Consideration not paid or due — Notwithstanding sections 82 and 85, where all or any part of the consideration for a taxable supply has not been paid or become due on or before the last day of the calendar month immediately following the first calendar month in which,

(1) where the supply is of corporeal movable property by way of sale, other than a supply described in paragraph 2 or 3, the ownership or possession of the property is transferred to the recipient,

(2) where the supply is of corporeal movable property by way of sale under which the supplier delivers the property to the recipient on approval, consignment, or other similar terms, the recipient acquires ownership of the property or makes a supply of it to any person, other than the supplier, or

(3) where the supply is under an agreement in writing for the construction, renovation or alteration of, or repair to any immovable or any ship or other marine vessel, and it may reasonably be expected that the construction, renovation, alteration or repair will require more than three months to complete, the construction, renovation, alteration or repair is substantially completed,

tax under section 16 in respect of the supply, calculated on the value of that consideration or part, as the case may be, is payable on that day.

1991, c. 67, s. 86; 1995, c. 63, s. 343

87. Continuous supply — Section 86 does not apply in respect of a supply of water, electricity, natural gas, steam or any other property where the property is delivered to the recipient on a continuous basis by means of a wire, pipeline or other conduit and the supplier invoices the recipient in respect of that supply on a regular or periodic basis.

1991, c. 67, s. 87

88. Taxable supply of immovable property by way of sale — Tax under section 16 in respect of a taxable supply of immovable property by way of sale is payable on the earlier of the day ownership of the property is transferred to the recipient and the day possession of the property is transferred to the recipient under the agreement for the supply.

Residential unit held in co-ownership — Notwithstanding the first paragraph, in the case of a supply of a residential unit held in co-ownership, where possession of the unit is transferred, after 30 June 1992 and before the declaration of co-ownership relating to the complex in which the unit is situated is entered in the land register, to the recipient under the agreement for the supply, the tax is payable on the earlier of the day ownership of the unit is transferred to the recipient and the day that is 60 days after the day the declaration of co-ownership is entered in the land register.

Applicability — This section applies notwithstanding sections 82 and 85.

1991, c. 67, s. 88; 1997, c. 3, s. 135

89. Value not ascertainable — Where under section 86 or 88 tax is payable on a particular day and the value of the consideration, or any part thereof, for the taxable supply is not ascertainable on that day,

(1) tax calculated on the value of the consideration or part, as the case may be, that is ascertainable on that day is payable on that day; and

(2) tax calculated on the value of the consideration or part, as the case may be, that is not ascertainable on that day is payable on the day the value becomes ascertainable.

1991, c. 67, s. 89

90. Retention of consideration — Notwithstanding sections 82, 85, 86, 88 and 89, where the recipient of a taxable supply retains, pursuant to an Act of the Legislature of Québec, another province, the Northwest Territories, the Yukon Territory, Nunavut or of the Parliament of Canada, or pursuant to an agreement in writing for the construction, renovation or alteration of, or repair to, any immovable or any ship or other marine vessel, a part of the consideration for the supply pending full and satisfactory performance of the supply, or any part thereof, tax under section 16 calculated on the value of that part of the consideration, is payable on the earlier of the day that part is paid and the day it becomes payable.

1991, c. 67, s. 90; 2003, c. 2, s. 313

91. Combined supply — For the purposes of sections 82, 82.2, 85 to 90 and 92, where a supply of any combination of service, movable property or immovable property (each of which is in this section referred to as an "element") is made and the consideration for each element is not separately identified,

(1) where the value of a particular element can reasonably be regarded as exceeding the value of each of the other elements, the supply of all of the elements is deemed to be a supply only of the particular element; and

(2) in any other case, the supply of all of the elements is deemed, where one of the elements is immovable property, to be a supply only of immovable property, and in any other case, to be a supply only of a service.

1991, c. 67, s. 91; 2001, c. 51, s. 267

92. Deposit — For the purposes of sections 82, 82.2 and 85 to 91, a deposit, whether refundable or not, given in respect of a supply shall not be considered as consideration paid for the supply unless and until the supplier applies the deposit as consideration for the supply.

Exception — This section does not apply in respect of a deposit relating to a covering or container to which section 33 applies.

1991, c. 67, s. 92; 2001, c. 51, s. 268

Chapter III — Exempt Supply

Division I — Immovable

93. [Repealed 1997, c. 85, s. 468.]

94. Supply of a residential complex or addition by a person other than the builder — A supply by way of sale of a residential complex or an interest in a residential complex made by a person who is not a builder of the complex or, if the residential complex is a multiple unit residential complex, an addition to the complex, is exempt, unless

(1) the person claimed an input tax refund in respect of the last acquisition by the person of the residential complex or in respect of an improvement to the complex acquired or brought into Québec by the person after the complex was last acquired by the person; or

(2) the recipient is registered under Division I of Chapter VIII and

(a) the recipient made a taxable supply by way of sale (in this section referred to as the "prior supply") of the residential complex or interest in that complex to a prior recipient who is the person or, if the person is a personal trust other than a testamentary trust, the settlor of the trust or, in the case of a testamentary trust that arose as a result of the death of an individual, the deceased individual,

(b) the prior supply is the last supply by way of sale of the residential complex or interest to the prior recipient,

(c) the supply is not made more than one year after the day that is the day on which the prior recipient acquired the interest, or that is the earlier of the day on which the prior recipient acquired ownership of the residential complex and the day on which the prior recipient acquired possession of the complex, under the agreement for the prior supply,

(d) the residential complex has not been occupied as a place of residence or lodging after the construction or last substantial renovation of the complex was substantially completed,

(e) the supply is made pursuant to a right or obligation of the recipient to purchase the residential complex or interest that is provided for under the agreement for the prior supply, and

(f) the recipient makes an election under this section jointly with the person in prescribed form containing prescribed information that is filed with the Minister with the recipient's return in which the recipient is required to report the tax in respect of the supply.

1991, c. 67, s. 94; 1994, c. 22, s. 411; 2003, c. 2, s. 314

95. Supply of a residential complex or addition by the builder — A supply by way of sale of a residential complex or an interest therein made by an individual who is a builder of the complex or, where the complex is a multiple unit residential complex, an addition thereto is exempt, if

(1) at any time after the construction or substantial renovation of the complex or addition is substantially completed, the complex is used primarily as a place of residence of the individual, an individual related to the individual or a former spouse of the individual; and

(2) the complex is not used primarily for any other purpose after the construction or substantial renovation is substantially completed and before that time.

Application — The first paragraph does not apply if the individual claimed an input tax refund in respect of the last acquisition by the individual of the immovable included in the residential complex or in respect of the acquisition or bringing into Québec by the individual, after the immovable was last acquired by the individual, of an improvement to the immovable.

1991, c. 67, s. 95; 1994, c. 22, s. 411

96. Supply of a single unit residential complex or residential unit held in co-ownership by the builder — A supply by way of sale of a single unit residential complex (in this section referred to as the **"complex"**) or a residential unit held in co-ownership (in this section referred to as the **"unit"**) or an interest in the complex or unit made by a builder of the complex or unit is exempt where,

(1) in the case of a unit situated in a residential complex (in this section referred to as the **"premises"**) that was converted by the builder from use as a multiple unit residential complex to use as a complex held in co-ownership, the builder received an exempt supply of the premises by way of sale or was deemed under section 225 to have received a taxable supply of the premises by way of sale, and that supply was the last supply of the premises made by way of sale to the builder; or

(2) in any case, the builder received an exempt supply of the complex or unit by way of sale or was deemed under section 223 or 224 to have received a taxable supply of the complex or unit by way of sale, and that supply was the last supply of the complex or unit made by way of sale to the builder.

Application — The first paragraph does not apply if,

(1) after the complex, unit or premises were last acquired by the builder, the builder carried on, or engaged another person to carry on for the builder, the substantial renovation of the complex, unit or premises; or

(2) the builder claimed an input tax refund in respect of the last acquisition by the builder of the complex, unit or premises or in respect of the acquisition or bringing into Québec by the builder, after the complex, unit or premises were last acquired by the builder, of an improvement to the complex, unit or premises.

1991, c. 67, s. 96; 1994, c. 22, s. 411

97. Supply of a multiple unit residential complex or addition by the builder — A supply by way of sale of a multiple unit residential complex or an interest therein made by a person who is a builder of the complex or an addition thereto is exempt where

(1) in the case of a person who is a builder of the complex, the person received an exempt supply of the complex by way of sale, or was deemed under section 225 to have received a taxable supply of the complex by way of sale, and that supply was the last supply of the complex made by way of sale to the person; and

(2) in the case of a person who is a builder of an addition to the complex, the person received an exempt supply of the addition by way of sale, or was deemed under section 226 to have received a taxable supply of the addition by way of sale, and that supply was the last supply of the addition made by way of sale to the person.

Application — The first paragraph does not apply if,

(1) after the complex was last supplied to the person, the person carried on, or engaged another person to carry on for the person, the substantial renovation of the complex; or

LTVQ (anglais)

(2) the person claimed an input tax refund in respect of the last acquisition by the person of the complex or an addition thereto or in respect of the acquisition or bringing into Québec by the person, after the complex was last acquired by the person, of an improvement to the complex, other than an input tax refund in respect of the construction of an addition to the complex.

1991, c. 67, s. 97; 1994, c. 22, s. 411

97.1 Supply of a building — A supply by way of sale of a building, or that part of a building, in which one or more residential units are located, or an interest in such a building or part, is exempt where

(1) both immediately before and immediately after the earlier of the time ownership of the building, part or interest is transferred to the recipient of the supply (in this section referred to as the **"purchaser"**) and the time possession thereof is transferred to the purchaser under the agreement for the supply, the building or part forms part of a residential complex; and

(2) immediately after the earlier of the time ownership of the building, part or interest is transferred to the purchaser and the time possession thereof is transferred to the purchaser under the agreement for the supply, the purchaser is a recipient described in subparagraph a of subparagraph 1 of the first paragraph of section 100 of an exempt supply, described by subparagraph 1 of the first paragraph of that section, of the land included in the complex.

1994, c. 22, s. 412

97.2 Supply of land — A supply by way of sale of land that forms part of a residential complex or an interest in such land is exempt where

(1) immediately before the earlier of the time ownership thereof is transferred to the recipient of the supply and the time possession thereof is transferred to the recipient of the supply under the agreement for the supply, the land is subject to a lease, licence or similar arrangement by which a supply that is an exempt supply described by subparagraph 1 of the first paragraph of section 100 was made; and

(2) if a supply by way of sale were made of the residential complex immediately before that earlier time, the supply would be an exempt supply described in any of sections 94 to 97.

1994, c. 22, s. 412

97.3 Supply of a residential trailer park — A supply of a residential trailer park or an interest therein made by a person is exempt where

(1) the person received an exempt supply, described by this section, of the park or was deemed under section 222.2, 243, 258 or 261 to have received a taxable supply of the land included in the park as a consequence of using the land for purposes of the park, and that supply was the last supply of the park made by way of sale to the person; and

(2) if the person increased the area of land included in the park (in this section referred to as the "additional area"), the person received an exempt supply, described by this section, of the additional area or was deemed under section 222.3, 243, 258 or 261 to have made a taxable supply of the additional area as a consequence of using the additional area for purposes of the park, and that supply was the last supply of the additional area made by way of sale to the person.

Application — The first paragraph does not apply if the person claimed an input tax refund in respect of the last acquisition by the person of the park or an additional area thereof or in respect of the acquisition or bringing into Québec by the person, after the park was last acquired by the person, of an improvement to the park, other than an input tax refund in respect of an improvement to an additional area that was acquired or brought into Québec by the person before the additional area was last acquired by the person.

1994, c. 22, s. 412

98. Supply of a residential complex or a residential unit by way of lease — A supply is exempt where the supply is

(1) of a residential complex or a residential unit in a residential complex by way of lease, licence or similar arrangement for the purpose of its occupation as a place of residence or lodging by an individual, where the period throughout which continuous occupation of the complex or unit is given to the same individual under the arrangement is at least one month; or

(2) of a residential unit by way of lease, licence or similar arrangement for the purpose of its occupation as a place of residence or lodging by an individual, where the consideration for the supply does not exceed $20 for each day of occupation.

1991, c. 67, s. 98; 1994, c. 22, s. 413; 1997, c. 85, s. 469

99. Supply to a lessee making exempt supplies — A supply of property is exempt if the property is land, a building, or the part of a building, that consists solely of residential units, and the supply is made by way of lease, licence or similar arrangement to a recipient (in this section referred to as the "lessee") for a lease interval (within the meaning assigned by section 32.2) throughout which the lessee or a sub-lessee makes, or holds the property for the purpose of making, one or more supplies of the property, parts of the property or leases, licences or similar arrangements in respect of the property or parts of it and all or substantially all of those supplies are

(1) exempt supplies described by section 98 or 100; or

(2) supplies that are made, or are reasonably expected to be made, to other lessees or sub-lessees described in this section.

1991, c. 67, s. 99; 1994, c. 22, s. 413; 1997, c. 85, s. 470; 2001, c. 53, s. 289; 2009, c. 15, s. 486

99.0.1 A supply made by way of lease, licence or similar arrangement of property is exempt if the property is a residential complex or is land, a building or the part of a building, that forms or is reasonably expected to form part of a residential complex, and if the supply is made to a recipient (in this section referred to as the "lessee") for a lease interval (within the meaning assigned by section 32.2) throughout which all or substantially all of the property is

(1) supplied, or is held for the purpose of being supplied, in one or more supplies, by the lessee or a sub-lessee for the purpose of the occupancy of the property or parts of the property by individuals as a place of residence or lodging and all or substantially all of the supplies of the property or parts of the property are exempt supplies described in section 98; or

(2) used, or held for the purpose of being used, by the lessee or a sub-lessee in the course of making exempt supplies and, as part of one or more exempt supplies, possession or use of all or substantially all of the residential units situated in the property is given under a lease, licence or similar arrangement for the purpose of their occupancy by an individual as a place of residence.

2009, c. 15, s. 487

99.1 Supply of meals — A supply of meals made by a person who is making a supply, described by paragraph 1 of section 98, of a residential complex or unit is exempt where the meals are provided, to the occupant of the complex or unit, in the complex or unit or in the residential complex in which the unit is located under an arrangement whereby at least 10 meals per week are supplied for a single consideration determined before any meal is provided under the arrangement.

1994, c. 22, s. 414

100. Supply of land or a site in a residential trailer park — A supply is exempt where the supply is

(1) of land, other than a site in a residential trailer park, by way of lease, licence or similar arrangement under which continuous possession or occupation of the land is provided for a period of at least one month, made to

(a) the owner, lessee or person in occupation or possession of a residential unit that is or is to be affixed to the land for the purpose of its use and enjoyment as a place of residence for individuals, or

(b) a person who is acquiring possession of the land for the purpose of constructing a residential complex on it in the course of a commercial activity;

(2) of a site in a residential trailer park, by way of lease, licence or similar arrangement under which continuous possession or occupation of the site is provided for a period of at least one month, made to the owner, lessee or person in occupation or possession of

(a) a mobile home situated or to be situated on the site, or

(b) a travel trailer, motor home or similar vehicle or trailer situated or to be situated on the site; or

(3) of a lease, licence or similar arrangement referred to in subparagraph 1 or 2 by way of assignment.

Application — The first paragraph does not apply to a supply of land on which the residential unit, mobile home, travel trailer, motor home or similar vehicle or trailer is or is to be affixed or situated, or any land contiguous to it, that is not reasonably necessary for the use and enjoyment of the unit, home, vehicle or trailer as a place of residence for individuals.

1991, c. 67, s. 100; 1994, c. 22, s. 415; 1997, c. 85, s. 471

101. Supply by way of sale of a parking space — A supply by way of sale of a parking space that is the subject of a declaration of co-ownership entered in the land register made by a supplier to a person is exempt if

(1) the supplier, at the same time or as part of the same supply, makes a supply, included in any of sections 94 to 96, by way of sale to the person of a residential unit held in co-ownership described by that declaration; and

(2) the space was, at any time, supplied to the supplier by way of sale and the supplier did not, after that time, claim an input tax refund in respect of an improvement to the space.

1991, c. 67, s. 101; 1994, c. 22, s. 415; 1995, c. 1, s. 268; 1997, c. 85, s. 472; 2001, c. 53, s. 290

101.1 Supply of a parking space by way of lease, licence or similar arrangement — A supply of a parking space by way of lease, licence or similar arrangement under which any such space is made available throughout a period of at least one month, is exempt where the supply is

(1) made to a person (in this paragraph referred to as an **"occupier"**) who is a lessee or person in occupation or possession of a single unit residential complex, a residential unit in a multiple unit residential complex or a site in a residential trailer park where

(a) the space forms part of the residential complex or residential trailer park, as the case may be, or

(b) the supplier of the space is an owner or occupier of the single unit residential complex, residential unit or site, as the case may be, and the use of the space is incidental to the use and enjoyment of the complex, unit or site, as the case may be, as a place of residence for individuals;

(2) made to the owner, lessee or person in occupation or possession of a residential unit held in co-ownership described by a declaration of co-ownership entered in the land register if the space is the subject of that declaration; or

(3) made by a supplier to the owner, lessee or person in occupation or possession of a floating home where the home is moored to mooring facilities or a wharf under an agreement with the supplier for a supply that is an exempt supply described in section 106.2 and the use of the space is incidental to the use and enjoyment of the home as a place of residence for individuals.

1994, c. 22, s. 416; 1995, c. 1, s. 269; 1997, c. 85, s. 473; 2001, c. 53, s. 291

101.1.1 Meaning of "settlor" — For the purposes of section 102, "settlor", in relation to a testamentary trust constituted by reason of the death of an individual, means that individual.

1997, c. 85, s. 474

102. Exempt supply — exception — A supply of an immovable by way of sale made by an individual or a personal trust is exempt, except where the supply is

(1) a supply of an immovable that is, immediately before the time ownership or possession of the property is transferred to the recipient of the supply under the agreement for the supply, capital property used primarily

(a) in a business carried on by the individual or trust with a reasonable expectation of profit, or

(b) where the individual or trust is a registrant,

i. in making a taxable supply of the immovable by way of lease, licence or similar arrangement, or

LTVQ (anglais)

ii. in any combination of the uses described in subparagraph a and subparagraph i;

(2) a supply of an immovable made

(a) in the course of a business of the individual or trust, or

(b) in the course of an adventure or concern in the nature of trade of the individual or trust, where the individual or trust has filed an election with and as prescribed by the Minister for that purpose in prescribed form containing prescribed information;

(2.1) a supply of a part of a parcel of land, which parcel the individual, trust or settlor of a testamentary trust subdivided or severed into parts, except where

(a) the parcel was subdivided or severed into two parts and the individual, trust or settlor of a testamentary trust did not subdivide or sever that parcel from another parcel of land, or

(b) the recipient of the supply is an individual who is related to, or is a former spouse of, the individual or settlor of a testamentary trust and is acquiring the part for the personal use and enjoyment of the recipient;

(3) a supply deemed under any of sections 256 to 262 to have been made; or

(4) a supply of a residential complex or an interest in a residential complex; or

(5) a particular supply to a recipient who is registered under Division I of Chapter VIII and who has made an election under this subparagraph jointly with the individual or trust in prescribed form containing prescribed information and filed with the Minister with the recipient's return in which the recipient is required to report the tax in respect of the supply, if

(a) the recipient made a taxable supply by way of sale (in this section referred to as the "prior supply") of the immovable to a person (in this section referred to as the "prior recipient") who is the individual, trust or settlor of the trust and that supply is the last supply by way of sale of the immovable to the prior recipient,

(b) the day the particular supply is made is not more than one year after the particular day that is the earlier of the day on which, under the agreement for the prior supply, the prior recipient acquired ownership of the immovable and the day the prior recipient acquired possession of the immovable, and

(c) the particular supply is made pursuant to a right or obligation of the recipient to purchase the immovable that is provided for under the agreement for the prior supply.

Presumption — For the purposes of subparagraph 2.1 of the first paragraph, a part of a parcel of land that the individual, trust or settlor of a testamentary trust supplies to a person who has the right to acquire it by expropriation, and the remainder of that parcel, are deemed not to have been subdivided or severed from each other by the individual, trust or settlor of a testamentary trust, as the case may be.

1991, c. 67, s. 102; 1994, c. 22, s. 417; 1997, c. 85, s. 475; 2003, c. 2, s. 315

103. Supply of farmland — A supply of farmland by way of sale made by an individual to another individual who is related to or who is a former spouse of the individual, is exempt where

(1) the farmland was used at any time by the individual in a commercial activity that is the business of farming;

(2) the farmland was not used, immediately before the time ownership of the property is transferred under the supply, by the individual in a commercial activity other than the business of farming; and

(3) the other individual is acquiring the farmland for the personal use and enjoyment of the other individual or any individual related thereto.

1991, c. 67, s. 103

104. Supply of farmland — A supply by an individual of farmland, deemed under section 221 or 261 to have been made, is exempt where

(1) the farmland was used at any time by the individual in a commercial activity that is the business of farming;

(2) the farmland was not used, immediately before the supply is deemed to have been made, by the individual in a commercial activity other than the business of farming; and

(3) the farmland, immediately after the time the supply is deemed to have been made, is for the personal use and enjoyment of the individual or of an individual related to him.

1991, c. 67, s. 104

105. Supply of farmland — A supply of farmland by way of sale made by a person that is a partnership, trust or corporation to a particular individual, an individual related to or a former spouse of the particular individual, is exempt where

(1) immediately before the time ownership of the property is transferred under the supply,

(a) all or substantially all of the property of the person is used in a commercial activity that is the business of farming;

(b) the particular individual is a member of the partnership, a beneficiary of the trust or a shareholder of or related to the corporation, as the case may be; and

(c) the particular individual, the spouse of the particular individual or a child, within the meaning of paragraph d of section 451 of the *Taxation Act* (chapter I-3), of the particular individual is actively engaged in the business of the person; and

(2) immediately after the time ownership of the property is transferred under the supply, the farmland is for the personal use and enjoyment of the individual to whom the supply was made or of an individual related thereto.

1991, c. 67, s. 105

106. Supply to the owner or lessee of a residential unit held in co-ownership — A supply of property or a service, made by a corporation or syndicate established upon the registration in the land register of a declaration of co-ownership, to the owner or lessee of a residential unit held in co-ownership described by that declaration, is exempt if the property or service relates to the occupancy or use of the unit.

1991, c. 67, s. 106; 2001, c. 53, s. 292

106.1 Supply by a cooperative housing corporation to a person — A supply of property or a service made by a cooperative housing corporation to a person who, because the person is a shareholder of the corporation or a lessee or sub-lessee of a shareholder of the corporation, is entitled to occupy or use a residential unit in a residential complex administered or owned by the corporation, where the supply relates to the occupation or use of a residential unit in the complex, is exempt.

1994, c. 22, s. 418

106.2 Supply of a right to use mooring facilities or a wharf — A supply, made to a person who is the owner, lessee or person in occupation or possession of a floating home, of a right to use mooring facilities or a wharf for a period of at least one month in connection with the use and enjoyment of the home as a place of residence for individuals, is exempt.

1994, c. 22, s. 418

106.3 Supply of a right to use a washing machine or clothes-dryer — A supply to a consumer of the right to use a washing machine or clothes-dryer that is located in a common area of a residential complex is exempt.

1997, c. 85, s. 476

106.4 Supply of part of the common area of a residential complex that is used as a laundry — A supply by way of lease, licence or similar arrangement of that part of the common area of a residential complex that is used as a laundry, made to a person who so acquires the property for use in the course of making supplies described in section 106.3, is exempt.

1997, c. 85, s. 476

107. Ss. 222.2, 222.3 and 223–231.1 deemed in force at all times — For the purposes of sections 96, 97, 97.2 and 97.3, sections 222.2, 222.3 and 223 to 231.1 are deemed to have been in force at all times.

1991, c. 67, s. 107; 1994, c. 22, s. 419

DIVISION II — HEALTH CARE SERVICE

108. Definitions — In this division,

"cosmetic service supply" means a supply of property or a service that is made for cosmetic purposes and not for medical or reconstructive purposes;

"health care institution" means

(1) a centre operated by an institution, within the meaning of the *Act respecting health services and social services* (chapter S-4.2) or within the meaning of the *Act respecting health services and social services for Cree Native persons* (chapter S-5), for the purpose of providing health or hospital care, acute or chronic care or rehabilitative care, or any other institution operated for the purpose of providing such care;

(1.1) a centre referred to in paragraph 1 that is primarily for persons with mental health problems, or any other institution primarily for persons with mental health problems;

(2) a facility, or part thereof, operated for the purpose of providing residents of the facility who have limited physical or mental capacity for self-supervision and self-care with

(a) nursing and personal care under the direction or supervision of qualified medical and nursing care staff or other personal and supervisory care, other than domestic services of an ordinary household nature, according to the individual requirements of the residents,

(b) assistance with the activities of daily living and social, recreational and other related services to meet the psycho-social needs of the residents, and

(c) meals and accommodation;

"homemaker service" means a household or personal service, such as cleaning, laundering, meal preparation and child care, that is rendered to an individual who, due to age, infirmity or disability, requires assistance;

"institutional health care service" means any of the following when provided in a health care institution:

(1) a laboratory, radiological or other diagnostic service;

(2) a medication, biological substance or related preparation when administered, or a medical or surgical prosthesis when installed, in the facility in conjunction with the supply of a service or property included in any of paragraphs 1 and 3 to 7;

(3) the use of an operating room, case room or anaesthetic facilities, including necessary equipment or supplies;

(4) medical or surgical equipment or supplies

(a) used by the operator of the institution in providing a service included in any of paragraphs 1 to 3 and 5 to 7, or

(b) supplied to a patient or resident of the institution otherwise than by way of sale;

(5) the use of occupational therapy, physiotherapy or radiotherapy facilities;

(6) lodging;

(7) a meal other than one served in a restaurant, cafeteria or similar place where meals are served;

(8) a service rendered by a person remunerated for that purpose by the operator of the institution;

LTVQ (anglais)

"medical practitioner" means a physician within the meaning of the *Medical Act* (chapter M-9) or a dentist within the meaning of the *Dental Act* (chapter D-3) and includes a person who is entitled under the laws of another province, the Northwest Territories, the Yukon Territory or Nunavut to practise the profession of medicine or dentistry;

"practitioner" means a person who practices the profession of audiology, chiropody, chiropractic, dietetics, midwifery, occupational therapy, optometry, osteopathy, physiotherapy, podiatry, psychology or speech-language pathology in Québec and who

(1) where the person is required to be licensed or otherwise authorized to practise that profession in Québec, is so licensed or otherwise authorized;

(2) where the person is not required to be so licensed or otherwise authorized, has qualifications equivalent to those necessary to be licensed or otherwise authorized to practise in another province, the Northwest Territories, the Yukon Territory or Nunavut.

(3) [Repealed 2001, c. 53, s. 293(1)(2).]

1991, c. 67, s. 108; 1992, c. 21, ss. 373, 375; 1994, c. 22, s. 420; 1994, c. 23, s. 23; 1995, c. 1, s. 270; 1995, c. 63, s. 344; 1997, c. 85, s. 477; 2001, c. 53, s. 293; 2003, c. 2, s. 316; 2005, c. 1, s. 351; 2009, c. 5, s. 604; 2011, c. 6, s. 240

108.1 For the purposes of this division, other than section 116, a cosmetic service supply and a supply, in respect of a cosmetic service supply, that is not made for medical or reconstructive purposes are deemed not to be included in this division.

2011, c. 6, s. 241

109. Institutional health car service — A supply of an institutional health care service made by the operator of a health care institution, when rendered to a patient or resident, is exempt.

1991, c. 67, s. 109; 1992, c. 21, s. 375; 2001, c. 53, s. 294; 2011, c. 6, s. 242

110. Lease of medical equipment — A supply by way of lease of medical equipment or supplies, made by the operator of a health care institution to a consumer on the written order of a medical practitioner, is exempt.

1991, c. 67, s. 110; 1992, c. 21, s. 375; 2009, c. 15, s. 488

111. Ambulance service — A supply of an ambulance service made by a person who carries on the business of supplying ambulance services is exempt.

Exception — However, such a supply does not include a supply of an air ambulance service referred to in section 197.1.

1991, c. 67, s. 111; 1997, c. 85, s. 478

112. Medical or dental service — A supply of a consultative, diagnostic, treatment or other health care service that is rendered by a medical practitioner to an individual is exempt.

1991, c. 67, s. 112; 2007, c. 12, s. 319; 2009, c. 15, s. 489; 2011, c. 6, s. 243

113. Nursing services — A supply of a nursing service rendered to an individual by a nurse or a nursing assistant is exempt if the service is rendered within a nurse-patient relationship.

1991, c. 67, s. 113; 1992, c. 21, s. 375; 1997, c. 85, s. 479; 2009, c. 15, s. 490

114. Health care service rendered by a practitioner — A supply of an audiological, chiropodic, chiropractic, midwifery, occupational therapy, optometric, osteopathic, physiotherapy, podiatric, psychological or speech-language pathology service is exempt if the service is rendered to an individual by a practitioner of the service.

1991, c. 67, s. 114; 1997, c. 85, s. 480; 2001, c. 53, s. 295; 2009, c. 5, s. 605; 2009, c. 15, s. 491

114.1 Dietetic service — A supply of a dietetic service rendered by a practitioner of the service is exempt if

(1) the service is rendered to an individual;

(2) the supply is made to a public sector body; or

(3) the supply is made to the operator of a health care institution.

1997, c. 85, s. 481; 2009, c. 15, s. 492

114.2 A supply of a service rendered in the practise of the profession of social work is exempt in the case where

(1) the service is rendered to an individual within a professional-client relationship between the particular individual who renders the service and the individual and is provided for the prevention, assessment or remediation of, or to assist the individual in coping with, a physical, emotional, behavioural or mental disorder or disability of the individual or of another individual to whom the individual is related or to whom the individual provides care or supervision otherwise than in a professional capacity; and

(2) the particular individual is licensed or otherwise certified to practise the profession of social work in Québec.

2009, c. 5, s. 606; 2009, c. 15, s. 493

115. Dental hygienist service — A supply of a dental hygienist service is exempt.

1991, c. 67, s. 115

116. Services payable by a provincial government — A supply, other than a zero-rated supply, of any property or service is exempt to the extent that the consideration for the supply is payable or reimbursed by the Government of Québec pursuant to the *Health Insurance Act* (chapter A-29) or the *Act respecting the Régie de l'assurance maladie du Québec* (chapter R-5) or by the government of another province, the Northwest Territories, the Yukon Territory or Nunavut under a health care plan established for the insured persons of that province or territory under an Act of the legislature of that province or territory.

1991, c. 67, s. 116; 1995, c. 1, s. 271; 1999, c. 89, s. 53; 2003, c. 2, s. 317

117. Prescribed health care service — A supply of a diagnostic, treatment or other health care service rendered to an individual is exempt if the service is a prescribed service and the supply is made on the order of

(1) a medical practitioner or a practitioner; or

(2) a nurse authorized under the laws of Québec, another province, the Northwest Territories, the Yukon Territory or Nunavut to order such a service if the order is made within a nurse-patient relationship.

1991, c. 67, s. 117; 2009, c. 15, s. 494

118. Service relating to meals — A supply of food and beverages, including the services of a caterer, made to an operator of a health care institution under a contract to provide on a regular basis meals for the patients or residents of the institution is exempt.

1991, c. 67, s. 118; 1992, c. 21, s. 375

119. [Repealed 1997, c. 85, s. 482.]

119.1 Homemaker service — A supply of a homemaker service that is rendered to an individual in the individual's place of residence, whether the recipient of the supply is the individual or any other person, is exempt where

(1) the supplier is a government;

(2) the supplier is a municipality;

(3) a government, municipality or organization administering a government or municipal program in respect of homemaker services pays an amount

(a) to the supplier in respect of the supply, or

(b) to any person for the purpose of the acquisition of the service; or

(4) another supply of a homemaker service rendered to the individual is made in the circumstances described in paragraph 1, 2 or 3.

1994, c. 22, s. 421; 1995, c. 1, s. 272

119.2 A supply (other than a zero-rated supply or a prescribed supply) of a training service is exempt if

(1) the training is specially designed to assist individuals with a disorder or disability in coping with the effects of the disorder or disability or to alleviate or eliminate those effects and is given to a particular individual with the disorder or disability or to another individual who provides personal care or supervision to the particular individual otherwise than in a professional capacity; and

(2) any of the following conditions is met:

(a) a person acting in the capacity of a practitioner, medical practitioner, social worker or nurse, and in the course of a professional-client relationship between the person and the particular individual, has certified in writing that the training is an appropriate means to assist the particular individual in coping with the effects of the disorder or disability or to alleviate or eliminate those effects,

(b) a prescribed person, or a member of a prescribed class of persons, has, subject to prescribed circumstances or conditions, certified in writing that the training is an appropriate means to assist the particular individual in coping with the effects of the disorder or disability or to alleviate or eliminate those effects, or

(c) the supplier

i. is a government,

ii. is paid an amount to make the supply by a government or organization administering a government program targeted at assisting individuals with a disorder or disability, or

iii. receives evidence satisfactory to the Minister that, for the purpose of the acquisition of the service, an amount has been paid or is payable to a person by a government or organization administering a government program targeted at assisting individuals with a disorder or disability.

For the purposes of this section, a training service does not include training that is similar to the training ordinarily given to individuals who

(1) do not have a disorder or disability; and

(2) do not provide personal care or supervision to an individual with a disorder or disability.

2009, c. 15, s. 495

DIVISION III — EDUCATIONAL SERVICE

120. Definitions — In this division,

"elementary or secondary school student" means an individual who is enrolled for

(1) educational services at the elementary level provided by a school authority;

(2) educational services at the secondary level provided by a school authority or for services equivalent to such services;

"regulatory body" means a body constituted or empowered by an Act of the Legislature of Québec to regulate the practice of a profession or trade in Québec by setting standards of knowledge or proficiency for practitioners of a profession or trade.

"vocational school" means an institution established and operated primarily to provide students with correspondence courses, or instruction in courses, that develop or enhance students' occupational skills.

1991, c. 67, s. 120; 1994, c. 22, s. 422; 1997, c. 85, s. 483

LTVQ (anglais)

121. Courses at the elementary and secondary levels — A supply made by a school authority that consists in providing individuals with educational services primarily for elementary or secondary school students is exempt.

1991, c. 67, s. 121

122. Supply during an extra-curricular activity — A supply of food, beverages, a service or an admission made by a school authority primarily to elementary or secondary school students during the course of an extra-curricular activity organized under the authority and responsibility of the school authority is exempt.

Exception — This section does not apply to food or beverages prescribed for the purposes of section 131 or food or beverages supplied through a vending machine.

1991, c. 67, s. 122; 1997, c. 85, s. 484

123. Service performed by a student — A supply made by a school authority of a service performed by an elementary or secondary school student or by an instructor of an elementary or secondary school student in the course of the student's program of studies is exempt.

1991, c. 67, s. 123

124. Student transportation service — A supply of a service of transporting elementary or secondary school students to or from a school of a school authority is exempt, if the supply is made by a school authority to a person who is not a school authority.

1991, c. 67, s. 124; 2002, c. 9, s. 161

125. Course leading to a professional accreditation or title — The following supplies, made by a professional association, public college, vocational school, government, regulatory body or university are exempt:

(1) a supply that consists in providing an individual with an educational service leading to, or for the purpose of maintaining or upgrading, a professional accreditation or professional title recognized by the regulatory body;

(2) a supply that consists in administering an examination or a supply of a certificate in respect of an educational service, a professional accreditation or a professional title referred to in subparagraph 1.

Exception — election — This section does not apply if the supplier has made an election under this section in prescribed form containing prescribed information.

1991, c. 67, s. 125; 1994, c. 22, s. 423

126. Course leading to a diploma — A supply made by a school authority, public college or university that consists in providing an individual with, or administering an examination in respect of, an educational service for which credit may be obtained toward a diploma is exempt.

1991, c. 67, s. 126

126.1 Supply in respect of a course — A supply of a service or membership the consideration for which is required to be paid by the recipient of a supply because the recipient receives the supply included in section 126 is exempt.

1994, c. 22, s. 424

127. Vocational training — A supply, other than a zero-rated supply, made by a government, school authority, vocational school, public college or university that consists in providing an individual with, or administering an examination in respect of, an educational service leading to a certificate, diploma, permit or similar document, or a class or rating in respect of a licence or permit, that attests to the competence of an individual to practise a trade or vocation is exempt.

This section does not apply where the supplier has made an election under this section in prescribed form containing prescribed information.

1991, c. 67, s. 127; 1994, c. 22, s. 425; 1997, c. 85, s. 485; 2003, c. 2, s. 318

128. Private and prerequisite courses — The following supplies are exempt:

(1) a supply of an educational service that consists in instructing an individual in a course that either follows a program of studies at the elementary or secondary level established or approved by the Minister of Education, Recreation and Sports or is approved for credit at the elementary or secondary level by the Minister;

(2) a supply of an educational service that consists in instructing an individual in a course that is a prescribed equivalent of a course described in paragraph 1;

(3) a supply of an educational service that consists in instructing an individual in a prerequisite course the successful completion of which is mandatory for admittance into a course described in paragraph 1 or 2.

1991, c. 67, s. 128; 1993, c. 51, s. 72; 1994, c. 16, s. 50; 1994, c. 22, s. 425; 2005, c. 1, s. 352(1)(1), (1)(4); 2005, c. 28, s. 195

129. [Repealed 1994, c. 22, s. 426.]

130. Second-language courses — A supply of an educational service that consists in instructing individuals in, or administering examinations in respect of, language courses that form part of a program of second-language instruction in either English or French is exempt, where the supply is made by a school authority, vocational school, public college or university or in the course of a business established and operated primarily to provide instruction in languages.

1991, c. 67, s. 130; 2001, c. 53, s. 296

131. Meals at a school cafeteria — A supply of food or beverages made in an elementary or secondary school cafeteria primarily to students of the school is exempt, except where the supply is for a reception, meeting, party or similar private event.

Exception — This section does not apply to prescribed food or beverages or food or beverages supplied through a vending machine.

1991, c. 67, s. 131

132. Meals at a university or public college — A supply of a meal to a student enrolled at a university or public college is exempt where the meal is provided under a plan that is for a period of at least one month and under which the student purchases from the supplier for a single consideration only the right to receive at a restaurant or cafeteria at the university or college at least 10 meals weekly throughout the period.

1991, c. 67, s. 132; 1997, c. 85, s. 486

133. Catering services — A supply of food or beverages, including catering services, made to a school authority, public college or university under a contract to provide food or beverages either to students under a plan referred to in section 132 or in an elementary or secondary school cafeteria primarily to students of the school is exempt.

Exception — This section does not apply to the extent that the food, beverages or service are provided for a reception, conference or other special occasion or event.

1991, c. 67, s. 133

134. Lease of movable property — A supply of movable property made by way of lease by a school authority to an elementary or secondary school student is exempt.

1991, c. 67, s. 134

135. Public college or university courses not leading to a diploma — A supply made by a school authority, public college or university of an educational service that consists in instructing individuals in, or administering an examination in respect of, a course is exempt where the service is part of a program that consists of two or more courses and is subject to the review of, and is approved by, the school authority, college or university.

Exception — This section does not apply to courses in sports, games, hobbies or other recreational pursuits that are designed to be taken primarily for recreational purposes.

1991, c. 67, s. 135; 1994, c. 22, s. 427

DIVISION IV — CHILD AND PERSONAL CARE SERVICE

136. Child care service — A supply of a child care service, the primary purpose of which is to provide care and supervision to children 14 years of age or under for periods normally less than 24 hours per day is exempt.

Exception — However, the supply does not include a supply of a service of supervising an unaccompanied child made by a person in connection with a taxable supply by that person of a passenger transportation service.

1991, c. 67, s. 136; 2001, c. 53, s. 297

137. Personal care service — A supply of a service of providing care and supervision and a place of residence for children or disabled or underprivileged individuals in an institution operated by the supplier for the purpose of providing such services is exempt.

1991, c. 67, s. 137; 1992, c. 21, s. 375; 1994, c. 22, s. 428

137.1 Respite care — A supply of a service of providing care and supervision to a person with limited physical or mental capacity for self-supervision and self-care due to an infirmity or disability is an exempt supply if the service is rendered primarily at an establishment of the supplier.

2001, c. 53, s. 298

DIVISION V — LEGAL AID SERVICE

138. Professional legal aid service — A supply of a professional legal aid service provided under a legal aid program authorized by the Gouvernement du Québec and made by a corporation responsible for administering legal aid under the *Act respecting legal aid and the provision of certain other legal services* (chapter A-14) is exempt.

1991, c. 67, s. 138; 2010, c. 12, s. 34

DIVISION V.1 — CHARITIES

138.1 General exemption — A supply made by a charity of any property or service is exempt, except a supply of

(1) property or a service referred to in Chapter IV;

(2) property or a service, other than a supply that is deemed to have been made under section 60 or that is deemed only under section 32.2 or section 32.3 to have been made, where the supply is deemed under this Title to have been made by the charity;

(3) movable property, other than property that was acquired, manufactured or produced by the charity for the purpose of making a supply by way of sale of the property and property supplied by way of lease, licence or similar arrangement in conjunction with an exempt supply by way of lease, licence or similar arrangement by the charity of immovable property, where, immediately before the time tax would first become payable in respect of the supply if it were a taxable supply, that property is used, otherwise than in making the supply, in commercial activities of the charity or, in the case of capital property, primarily in such activities;

(4) corporeal movable property (other than property supplied by way of lease, licence or similar arrangement in conjunction with the exempt supply of an immovable by way of lease, licence or similar arrangement) that was acquired, manufactured or produced by the charity for the purpose of making a supply of the property and was neither donated to the charity nor used by another person before its acquisition by the charity, or any service supplied by the charity in respect of such property, other than such property or such a service supplied under a contract for catering;

(4.1) a specified service as defined in section 350.17.1 if the supply is made to a registrant at a time when a designation of the charity under sections 350.17.1 to 350.17.4 is in effect;

LTVQ (anglais)

(5) an admission in respect of a place of amusement unless the maximum consideration for a supply by the charity of such an admission does not exceed one dollar;

(6) a service involving, or a membership or other right entitling a person to, instruction or supervision in any recreational or athletic activity except where

(a) it could reasonably be expected, given the nature of the activity or the degree of relevant skill or ability required for participation in it, that such services, memberships or rights supplied by the charity would be provided primarily to children 14 years of age or under and the services are not supplied as part of, membership is not in, or the right is not in respect of, a program involving overnight supervision throughout a substantial portion of the program, or

(b) such services, memberships or rights supplied by the charity are intended to be provided primarily to individuals who are underprivileged or who have a disability;

(7) a membership, other than a membership described in subparagraphs a and b of paragraph 6, where the membership

(a) entitles the member to an admission in respect of a place of amusement the supply of which, were it made separately from the supply of the membership, would be a taxable supply, or to a discount on the value of consideration for a supply of such an admission, except where the value of the admission or discount is insignificant in relation to the consideration for the membership, or

(b) includes a right to participate in a recreational or athletic activity, or use facilities, at a place of amusement, except where the value of the right is insignificant in relation to the consideration for the membership;

(8) services of performing artists in a performance where the supply is made to a person who makes taxable supplies of admissions in respect of the performance;

(9) a right, other than an admission, to play or participate in a game of chance where the charity is a prescribed person or the game is a prescribed game of chance;

(10) a residential complex, or an interest therein, where the supply is made by way of sale;

(11) an immovable where the supply is made by way of sale to an individual or a personal trust, other than a supply of an immovable on which is situated a structure that was used by the charity as an office or in the course of commercial activities or of making exempt supplies;

(12) an immovable where the supply is made by way of sale and, immediately before the time tax would first become payable in respect of the supply if it were a taxable supply, the immovable is used, otherwise than in making the supply, primarily in commercial activities of the charity; or

(13) an immovable in respect of which an election under section 272 is in effect at the time tax would become payable in respect of the supply if it were a taxable supply.

1997, c. 85, s. 487; 2001, c. 53, s. 299; 2003, c. 2, s. 319; 2009, c. 5, s. 607

138.2 Supply of admissions to a fund-raising activity — A supply made by a charity of an admission to a fund-raising dinner, ball, concert, show or like fund-raising activity is exempt where part of the consideration for the supply may reasonably be regarded as an amount that is donated to charity and in respect of which a receipt referred to in section 712 or 752.0.10.3 of the *Taxation Act* (chapter I-3) may be issued or could be issued if the recipient of the supply were an individual.

1997, c. 85, s. 487

138.3 Supply of movable property or a service in the course of a fund-raising activity — A supply by way of sale of movable property or a service made by a charity in the course of a fund-raising activity is exempt, but does not include

(1) a supply of any property or service where the charity makes supplies of such property or services in the course of that activity on a regular or continuous basis throughout the year or a significant portion of the year;

(2) a supply of any property or service where the agreement for the supply entitles the recipient to receive from the charity property or services on a regular or continuous basis throughout the year or a significant portion of the year;

(3) a supply of property or a service referred to in any of paragraphs 1 to 3 or 9 of section 138.1; or

(4) a supply of an admission in respect of a place of amusement at which the principal activity is the placing of bets or the playing of games of chance.

1997, c. 85, s. 487

138.4 Meal at place of residence — poverty or suffering — A supply made by a charity of food or beverages to seniors, underprivileged individuals or individuals with a disability under a program established and operated for the purpose of providing prepared food to such individuals in their places of residence and any supply of food or beverages made to the charity for the purposes of the program are exempt.

1997, c. 85, s. 487

138.5 Supply of property or a service for no consideration — A supply made by a charity of any property or service, other than a supply of blood or blood derivatives, is exempt where all or substantially all of the supplies of the property or service by the charity are made for no consideration.

1997, c. 85, s. 487

138.6 Supply of corporeal movable property or a service — symbolic consideration — A supply by way of sale made by a charity to a recipient of corporeal movable property, other than capital property of the charity, or of a service purchased by the charity for the purpose of making a supply by way of sale of the service, is exempt where the total charge for the supply is equal to the usual charge by the charity for such supplies to such recipients and

(1) if the charity does not charge the recipient any amount as tax in respect of the supply, the total charge for the supply does not, and could not reasonably be expected to, exceed the direct cost of the supply; and

(2) if the charity charges the recipient an amount as tax in respect of the supply, the consideration for the supply does not, and could not reasonably be expected to, equal or exceed the direct cost of the supply determined without reference to tax imposed under Part IX of the *Excise Tax Act* (Revised Statutes of Canada, 1985, chapter E-15) and without reference to any tax that became payable under this Title at a time when the charity was a registrant.

1997, c. 85, s. 487; 2001, c. 53, s. 300; 2012, c. 28, s. 53

138.6.1 Meal or short-term accommodation — poverty or suffering — A supply made by a charity of food, beverages or short-term accommodation is exempt if the supply is made in the course of an activity the purpose of which is to relieve poverty, suffering or distress of individuals and is not fund-raising.

2001, c. 53, s. 301

138.7 Admissions — non commercial gambling activities — A supply made by a charity of an admission in respect of a place of amusement at which the principal activity is the placing of bets or the playing of games of chance is exempt where

(1) the administrative function and the other functions performed in operating the game and taking the bets are performed exclusively by volunteers; and

(2) in the case of a bingo or casino, the game is not conducted in premises or at a place, including any temporary structure, that is used primarily for the purpose of conducting gambling activities.

1997, c. 85, s. 487

DIVISION VI — PUBLIC SECTOR BODY

139. Definitions — In this division,

"authorized party" means a party, including any regional or local association of the party, a candidate or a referendum committee governed by an Act of the Legislature of Québec or of the Parliament of Canada that imposes requirements relating to election finances or referendum expenses.

"designated activity" of an organization means an activity in respect of which the organization is designated to be a municipality for the purposes of section 165 or 166 or sections 383 to 397.2;

"designated body of the Gouvernement du Québec" means a body that is established by the Gouvernement du Québec and designated to be a municipality for the purposes of sections 383 to 397;

"direct cost" [Repealed 1997, c. 85, s. 488(1)1).]

"homemaker service" [Repealed 1994, c. 22, s. 429(1)(3).]

"local municipality" of a regional municipality means a municipality that has jurisdiction over an area that forms part of the territory of the regional municipality;

"municipal body" means a municipality or a designated body of the Gouvernement du Québec;

"municipal transit service" means a public passenger transportation service, other than a charter service or a service that is part of a tour, that is supplied by a transit authority all or substantially all of whose supplies are of public passenger transportation services provided within and in the vicinity of the territory of a municipality;

"para-municipal organization" of a municipal body means an organization, other than a government, of the municipal body and that

(1) where the municipal body is a municipality,

(a) is designated to be a municipality for the purposes of section 165 or 166 or sections 383 to 397.2, or

(b) is established by the municipal body and is a municipality by reason of paragraph 2 of the definition of "municipality" in section 1; or

(2) where the municipal body is a designated body of the Gouvernement du Québec, is a municipality by reason of paragraph 2 of the definition of "municipality" in section 1;

"public service body" does not include a charity;

"public sector body" does not include a charity;

"regional municipality" means a municipality that has general jurisdiction over the territory of more than one local municipality within the meaning of the *Act respecting municipal territorial organization* (chapter O-9);

"transit authority" means

(1) a division, department or agency of a government, a municipality or a school authority, the primary purpose of which is to supply public passenger transportation services;

(2) a non-profit organization that

(a) receives funding from a government, municipality or school authority to support the supply of public passenger transportation services; or

(b) that is established and operated for the purpose of providing public passenger transportation services to disabled individuals.

1991, c. 67, s. 139; 1994, c. 22, s. 429; 1996, c. 2, s. 952; 1997, c. 85, s. 488; 2005, c. 38, s. 364

140. [Repealed 1997, c. 85, s. 489.]

140.1 Para-municipal organization — For the purposes of the definition of "para-municipal organization" in section 139, such an organization is the organization of a municipal body if

(1) all or substantially all of the shares of the organization are owned by the municipal body or all or substantially all of the assets held by the organization are owned by the municipal body or are assets the disposition of which is controlled by the municipal body so that, in the event of a winding-up of the organization, those assets are vested in the municipal body; or

(2) the organization is required to submit to the municipal body the periodic operating and, where applicable, capital budget of the organization for approval and a majority of the members of the governing body of the organization are appointed by the municipal body.

1994, c. 22, s. 430

141. General exemption — public institution — A supply made by a public institution of movable property or a service is exempt, except a supply of

(1) property or a service provided for in Chapter IV;

(2) property or a service, other than a supply that is deemed only under section 32.2 or section 32.3 to have been made, where the supply is deemed under this Title to have been made by the institution;

(3) property, other than capital property of the institution or property that was acquired, manufactured or produced by the institution for the purpose of making a supply of the property, where, immediately before the time tax would be payable in respect of the supply if it were a taxable supply, the property was used, otherwise than in making the supply, in the course of commercial activities of the institution;

(4) capital property of the institution where, immediately before the time tax would be payable in respect of the supply if it were a taxable supply, the property was used, otherwise than in making the supply, primarily in commercial activities of the institution;

(5) corporeal property that was acquired, manufactured or produced by the institution for the purpose of making a supply of the property and was neither donated to the institution nor used by another person before its acquisition by the institution, or any service supplied by the institution in respect of such property, other than such property or such a service supplied by the institution under a contract for catering;

(6) property made by way of lease, licence or similar arrangement in conjunction with a supply of an immovable referred to in paragraph 6 of section 168;

(7) property or a service made by the institution under a contract for catering, for an event or occasion sponsored or arranged by another person who contracts with the institution for such supply;

(8) a membership where the membership

(a) entitles the member to supplies of admissions in respect of a place of amusement that would be taxable supplies if they were made separately from the supply of the membership, or to discounts on the value of consideration for such supplies, except where the value of the supplies or discount is insignificant in relation to the consideration for the membership; or

(b) includes a right to participate in a recreational or athletic activity, or use facilities, at a place of amusement, except where the value of the right is insignificant in relation to the consideration for the membership;

(9) services of performing artists in a performance where the supply is made to a person who makes taxable supplies of admissions in respect of the performance;

(10) a service involving, or a membership or other right entitling a person to, supervision or instruction in any recreational or athletic activity;

(11) a right to play or participate in a game of chance;

(12) a service of instructing individuals in, or administering examinations in respect of, any course where the supply is made by a vocational school, as defined in section 120, or a school authority, public college or university; or

(13) an admission in respect of

(a) a place of amusement,

(b) a seminar, conference or similar event where the supply is made by a public college or a university; or

(c) any fund-raising event.

(14) property or a service that

(a) is a cosmetic service supply (as defined in section 108) or a supply, in respect of a cosmetic service supply, that is not made for medical or reconstructive purposes, and

(b) would be included in Division II of this chapter, but for section 108.1, or in Division II of Chapter IV, but for section 175.2.

1991, c. 67, s. 141; 1993, c. 19, s. 185; 1994, c. 22, s. 431; 1995, c. 1, s. 273; 1997, c. 85, s. 490; 2003, c. 2, s. 320; 2011, c. 6, s. 244

142. [Repealed 1997, c. 85, s. 491.]

143. [Repealed 1997, c. 85, s. 491.]

143.1 Supply of admissions in the course of a fund-raising activity — public institution — A supply made by a public institution of an admission to a fund-raising dinner, ball, concert, show or like fund-raising activity is exempt where part of the consideration for the supply may reasonably be regarded as an amount that is donated to the institution and in respect of which a receipt referred to in section 712 or 752.0.10.3 of the *Taxation Act* (chapter I-3) may be issued or could be issued if the recipient of the supply were an individual.

1997, c. 85, s. 492

143.2 Supply of movable property or a service in the course of a fund-raising activity — public institution — A supply by way of sale of movable property or a service made by a public institution in the course of a fund-raising activity is exempt, but does not include

(1) a supply of any property or service where the institution makes supplies of such property or services in the course of that activity on a regular or continuous basis throughout the year or a significant portion of the year;

(2) a supply of any property or service where the agreement for the supply entitles the recipient to receive from the institution property or services on a regular or continuous basis throughout the year or a significant portion of the year;

(3) a supply of property or a service referred to in any of paragraphs 1 to 4 or 11 of section 141; or

(4) a supply of an admission in respect of a place of amusement at which the principal activity is the placing of bets or the playing of games of chance.

1997, c. 85, s. 492

144. Fund-raising campaigns — volunteers — A supply of corporeal movable property made by way of sale by a public sector body is exempt where

(1) the body does not carry on the business of selling such property;

(2) all the sales persons are volunteers;

(3) the consideration for each item sold does not exceed $5; and

(4) the property is not sold at an event at which supplies of property of the kind or class supplied are made by a person who carries on the business of selling such property.

Exception — This section does not apply to a supply of alcoholic beverages or tobacco products.

1991, c. 67, s. 144

145. Admission — non-commercial gambling activities — A supply made by a public sector body of an admission in respect of a place of amusement at which the principal activity is the placing of bets or the playing of games of chance is exempt where

(1) the administrative functions and other functions performed in operating the game and taking the bets are performed exclusively by volunteers; and

(2) in the case of a bingo or casino, the game is not conducted in premises or at a place, including any temporary structure, that is used primarily for the purpose of conducting gambling activities.

1991, c. 67, s. 145

146. Games of chance — public institution or non-profit organization — A supply made by a public institution or non-profit organization of a right, other than an admission, to play or participate in a game of chance is exempt.

Exception — This section does not apply to a supply made by a prescribed person or in the case of the supply of a prescribed game of chance.

1991, c. 67, s. 146; 1994, c. 22, s. 433; 1997, c. 85, s. 493

147. Bets — A supply of a service is exempt when the service is deemed under section 60 to have been supplied

(1) by a public institution or non-profit organization, other than a prescribed person; or

(2) where the service is in respect of a bet made through the agency of a pari-mutuel system on a running, trotting or pacing horse-race.

1991, c. 67, s. 147; 1997, c. 85, s. 494

148. Supply of corporeal property or a service for symbolic consideration — public service body — A supply by way of sale made by a public service body to a recipient of corporeal movable property, other than capital property of the body, or of a service purchased by the body for the purpose of making a supply by way of sale of the service is exempt, where the total charge for the supply is equal to the usual charge by the body for such supplies to such recipients and

(1) if the body does not charge the recipient any amount as tax in respect of the supply, the total charge for the supply does not, or could not reasonably be expected to, exceed the direct cost of the supply; and

(2) if the body charges the recipient an amount as tax in respect of the supply, the consideration for the supply does not, and could not reasonably be expected to, equal or exceed the direct cost of the supply determined without reference to tax imposed under Part IX of the *Excise Tax Act* (Revised Statutes of Canada, 1985, chapter E-15) and without reference to any tax that became payable under this Title at a time when the body was a registrant.

1991, c. 67, s. 148; 1994, c. 22, s. 434; 1997, c. 85, s. 495; 2001, c. 53, s. 302; 2012, c. 28, s. 54

149. [Repealed 1997, c. 85, s. 496.]

150. [Repealed 1997, c. 85, s. 496.]

151. Supply of an admission in respect of a place of amusement — symbolic consideration — A supply made by a public sector body of an admission in respect of a place of amusement is exempt where the maximum consideration for a supply by the body of such an admission does not exceed one dollar.

1991, c. 67, s. 151; 1997, c. 85, s. 497

LTVQ (anglais)

152. Supply of property or a service for no consideration — A supply made by a public sector body of any property or service, other than a supply of blood or blood derivatives, is exempt where all or substantially all of the supplies of the property or service by the body are made for no consideration.

1991, c. 67, s. 152; 1997, c. 85, s. 497

153. Performance and competitive event — amateur artists — A supply of a right to be a spectator at a performance, competitive event or athletic event is exempt where all or substantially all of the performers, athletes or competitors taking part in the performance or event do not receive, directly or indirectly, remuneration for doing so, other than a reasonable amount as prizes, gifts or compensation for travel or other expenses incidental to the performers', athletes' or competitors' participation in the performance or event, or grants paid by a government or a municipality to the performers, athletes or competitors, and where no advertisement or representation in respect of the performance or event features participants who are so remunerated.

Exception — However, a supply of a right to be a spectator at a competitive event in which cash prizes are awarded and in which any competitor is a professional participant in any competitive event does not constitute an exempt supply.

1991, c. 67, s. 153

154. Recreational services — A supply made by a public sector body of a right of membership in a program established and operated by the body that consists of a series of supervised instructional classes or activities involving athletics, outdoor recreation, music, dance, arts, crafts or other hobbies or recreational pursuits is exempt where

(1) it may reasonably be expected, given the nature of the classes or activities or the degree of relevant skill or ability required for participation in them, that the program will be provided primarily to children 14 years of age or under, except where the program involves overnight supervision throughout a substantial portion of the program; or

(2) the program is provided primarily for underprivileged individuals or individuals with a disability.

Inclusion — The first paragraph also applies to a supply of services supplied as part of a program referred to in that paragraph.

1991, c. 67, s. 154; 1997, c. 85, s. 498

155. Recreational services — A supply made by a public sector body of board and lodging, or recreational services, at a recreational camp or similar place under a program or arrangement for providing the board and lodging or services primarily to underprivileged individuals or individuals with a disability is exempt.

1991, c. 67, s. 155; 1997, c. 85, s. 499

156. Short-term accommodation — poverty or suffering — A supply made by a public sector body of food, beverages or short-term accommodation is exempt where the supply is made in the course of an activity the purpose of which is to relieve poverty, suffering or distress of individuals, and is not fund-raising.

1991, c. 67, s. 156

157. Meal at place of residence — poverty or suffering — A supply made by a public sector body of food or beverages to seniors, underprivileged individuals or individuals with a disability under a program established and operated for the purpose of providing prepared food to those individuals in their places of residence and any supply of food or beverages made to the public sector body for the purposes of the program are exempt.

1991, c. 67, s. 157; 1997, c. 3, s. 121; 1997, c. 85, s. 500

158. [Repealed 1994, c. 22, s. 435.]

159. Supply of a membership — A supply of a membership in a public sector body, other than a membership in a club the main purpose of which is to provide dining, recreational or sporting facilities or in an authorized party, is exempt where each member does not receive a benefit by reason of the membership, other than

(1) an indirect benefit that is intended to accrue to all members collectively;

(2) the right to receive services supplied by the body that are in the nature of investigating, conciliating or settling complaints or disputes involving members;

(3) the right to vote at or participate in meetings;

(4) the right to receive or acquire property or services supplied to the member for consideration that is not part of the consideration for the membership and that is equal to the fair market value of the property or services at the time the supply is made;

(5) the right to receive a discount on the value of the consideration for a supply to be made by the body where the total value of all such discounts to which a member is entitled by reason of the membership is insignificant in relation to the consideration for the membership; or

(6) the right to receive periodic newsletters, reports or publications where, as the case may be,

(a) their value is insignificant in relation to the consideration for membership, or

(b) they provide information on the activities of the body or its financial status, other than newsletters, reports or publications the value of which is significant in relation to the consideration for the membership and for which a fee is ordinarily charged by the body to non-members.

Exception — election — This section does not apply where the body has made an election under this section in prescribed form containing prescribed information.

1991, c. 67, s. 159; 1994, c. 22, s. 436; 1997, c. 85, s. 501

159.1 Presumptions in respect of an election — Notwithstanding section 159, where a public sector body has made an election under section 17 of Part VI of Schedule V to the *Excise Tax Act* (Revised Statutes of Canada, 1985, chapter E-15), the body is deemed to have made an election under the second paragraph of section 159 and the election is deemed to become effective on the day an election under section 17 of Part VI of Schedule V to that Act is to become effective.

1997, c. 85, s. 502

160. Professional dues — A supply of a membership made by an organization membership in which is required to maintain a professional status recognized by statute is exempt.

Exception — election — This section does not apply where the supplier has made an election under this section in prescribed form containing prescribed information.

1991, c. 67, s. 160; 1994, c. 22, s. 437

160.1 Supply of a membership in an authorized party — A supply of a membership in an authorized party is exempt.

1997, c. 85, s. 503

160.2 Political contributions — A supply made by an authorized party to a person is exempt where part of the consideration for the supply may reasonably be regarded as an amount (in this section referred to as the "amount contributed") that is contributed to the authorized party and the person can claim a deduction or credit in determining the person's tax payable under the *Taxation Act* (chapter I-3) or the *Income Tax Act* (Revised Statutes of Canada, 1985, chapter 1, 5th Supplement) in respect of the total of such amounts contributed.

1997, c. 85, s. 503

161. Borrowing privileges at a public library — A supply made by a public sector body of a right that confers borrowing privileges at a public lending library is exempt.

1991, c. 67, s. 161

162. Supply of public services — A supply of any of the following property or services made by a government or municipality or by a commission or other body established by a government or municipality is exempt:

(1) a supply of

(a) a service of registering, or processing an application to register, any property in a property registration system,

(b) a service of filing, or processing an application to file, any document in a property registration system, or

(c) a right to use, or to have access to, a property registration system to register, or make application to register, any property in it or to file, or make application to file, any document in it;

(2) a supply of

(a) a service of filing, or processing an application to file, a document in the registration system of a court or in accordance with legislative requirements,

(b) a right to use, or to have access to, the registration system of a court, or any other registration system in which documents are filed in accordance with legislative requirements, for the purpose of filing a document in that registration system,

(c) a service of issuing or providing, or processing an application to issue or provide, a document from the registration system of a court, or

(d) a right to use, or to have access to, the registration system of a court to issue or obtain a document;

(2.1) [Repealed 2009, c. 5, s. 608(1).]

(3) a supply (other than of a right or service supplied in respect of the bringing of alcoholic beverages into Québec) of

(a) a quota, licence, permit or similar right,

(b) a service of processing an application for a quota, licence, permit or similar right, or

(c) a right to use, or to have access to, a filing or registration system to make application for a quota, licence, permit or similar right;

(4) a supply of any document, a service of providing information, or a right to use, or to have access to, a filing or registration system to obtain any document or information that indicates

(a) the vital statistics, residency, citizenship or right to vote of any person,

(b) the registration of any person for any service provided by a government or municipality or by a board, commission or other body established by a government or municipality, or

(c) any other status of any person;

(5) a supply of any document, a service of providing information, or a right to use, or to have access to, a filing or registration system to obtain any document or information, in respect of

(a) the title to, or any right in, property,

(b) any encumbrance or assessment in respect of property, or

(c) the zoning of an immovable;

(6) a service of providing information under the *Access to Information Act* (Revised Statutes of Canada, 1985, chapter A-1), the *Privacy Act* (Revised Statutes of Canada, 1985, chapter P-21) or the *Act respecting Access to documents held by public bodies and the Protection of personal information* (chapter A-2.1);

(7) a law enforcement service or fire safety service, made to a government or a municipality or to a commission or other body established by a government or municipality;

(8) a service of collecting garbage, including recyclable materials; and

LTVQ (anglais)

(9) a right to deposit refuse at a refuse disposal site.

1991, c. 67, s. 162; 1994, c. 22, s. 438; 1995, c. 63, s. 345; 1997, c. 85, s. 504; 2000, c. 20, s. 175; 2009, c. 5, s. 608

162.1 9-1-1 emergency centre — A supply made to a government or a municipality, or to a commission or other body established by a government or a municipality, of a service of receiving and processing telephone calls through a 9-1-1 emergency centre is exempt.

1999, c. 83, s. 311; 2005, c. 1, s. 353

163. Exceptions — Notwithstanding section 162, the following supplies are not exempt:

(1) a supply to a consumer of a right to hunt or fish;

(2) a supply of a right to take or remove forestry products, products that grow in water, fishery products, minerals or peat, where the supply is made to

(a) a consumer; or

(b) a person who is not a registrant and who acquires the right in the course of a business of the person of making supplies of the products, minerals or peat to consumers;

(3) a supply of a right to use, to have access to or to enter property of the government, municipality or other body other than a right, referred to in any of paragraphs 1 to 5 of section 162, to use, or to have access to, a filing or registration system.

1991, c. 67, s. 163; 1994, c. 22, s. 439; 2009, c. 5, s. 609

164. Municipal services — A supply of a municipal service made by a government or municipality to owners or occupants of immovables situated in a particular geographic area is exempt where

(1) the owners or occupants have no option but to receive the service; or

(2) the service is supplied because of a failure by an owner or occupant to comply with an obligation imposed under a law.

Exceptions — This section does not include a supply of a service of testing or inspecting any property for the purpose of verifying or certifying that the property meets particular standards of quality or is suitable for consumption, use or supply in a particular manner.

1991, c. 67, s. 164; 1997, c. 85, s. 505; 2002, c. 40, s. 340

164.1 Other services — A supply made by a municipality or a board, commission or other body established by a municipality of any of the following services is exempt:

(1) a service of installing, replacing, repairing or removing street or road signs or barriers, street or traffic lights or property similar to any of the foregoing;

(2) a service of removing snow, ice or water;

(3) a service of removing, cutting, pruning, treating or planting vegetation;

(4) a service of repairing or maintaining roads, streets, sidewalks or similar or adjacent property; and

(5) a service of installing accesses or egresses.

1997, c. 85, s. 506

165. Water distribution, sewerage or drainage system — A supply of a service, made by a municipality or by an organization that operates a water distribution, sewerage or drainage system and that is designated by the Minister to be a municipality for the purposes of this section, of installing, repairing, maintaining, or interrupting the operation of a water distribution, sewerage or drainage system, is exempt.

1991, c. 67, s. 165; 1994, c. 22, s. 440; 1997, c. 85, s. 507

166. Supply of unbottled water — The following supplies are exempt:

(1) a supply of unbottled water when made by a person other than a government or by a government designated by the Minister to be a municipality for the purposes of this section;

(2) a supply of the service of delivering water, when the service is supplied by the supplier of the water and that supply of water is described in subparagraph 1.

Exception — This section does not apply to a supply of unbottled water that is a zero-rated supply or a supply of water dispensed in single servings to consumers through a vending machine or at a permanent establishment of the supplier.

1991, c. 67, s. 166; 1994, c. 22, s. 440; 1997, c. 85, s. 507

167. Municipal transit service — A supply of a municipal transit service or of a public passenger transportation service designated by the Minister to be a municipal transit service is exempt if it is made to

(1) a member of the public;

(2) a government;

Not in force — 167 para. (3), (4)

(3) a prescribed mandatary for the purposes of section 399.1; or

(4) a department within the meaning of section 2 of the *Financial Administration Act* (Revised Statutes of Canada, 1985, chapter F-11).

2012, c. 28, s. 55 [Not in force at date of publication.]

1991, c. 67, s. 167; 1997, c. 85, s. 507; 2005, c. 1, s. 354

168. A supply of an immovable made by a public service body (other than a financial institution or a government) is exempt, except a supply of

(1) a residential complex or an interest therein where the supply is made by way of sale;

(2) an immovable, other than a supply that is deemed only under section 32.2 to have been made, where the supply is deemed under this Title to have been made;

(3) an immovable where the supply is made by way of sale to an individual or a personal trust, other than a supply of an immovable on which is situated a structure that was used by the body as an office or in the course of commercial activities or of making exempt supplies;

(4) an immovable where, immediately before the time tax would be payable in respect of the supply if it were a taxable supply, the property was used, otherwise than in making the supply, primarily in commercial activities of the body;

(5) short-term accommodation where the supply is made by a non-profit organization, municipality, university, public college or school authority;

(6) an immovable, other than short-term accommodation, where the supply is made by way of lease, where the period throughout which continuous possession or use of the property is provided under the lease is less than one month, or a licence, where the supply is made in the course of a business carried on by the body;

(7) an immovable in respect of which an election under section 272 is in effect at the time tax would become payable under this title in respect of the supply if it were a taxable supply; or

(8) a parking space where the supply is made by way of lease, licence or similar arrangement in the course of a business carried on by the body.

(9) an immovable the last supply of which to the body was deemed to have been made under section 320.

1991, c. 67, s. 168; 1994, c. 22, s. 441; 1995, c. 1, s. 274; 1997, c. 85, s. 508; 2003, c. 2, s. 321; 2012, c. 28, s. 56

169. Organized labour — A supply made by a particular non-profit organization established primarily for the benefit of organized labour is exempt where the supply is made to

(1) a trade union, association or body referred to in section 172 that is a member of or affiliated with the particular organization; or

(2) another non-profit organization established primarily for the benefit of organized labour,

and a supply made by a person referred to in paragraph 1 or 2 is exempt where the supply is made to any such organization.

1991, c. 67, s. 169

169.1 Poppy or wreath — A supply of a poppy or wreath made by the Minister of Veterans Affairs in the course of operating a sheltered employment workshop, by the Dominion Command, or by any provincial command or branch of the Royal Canadian Legion, is exempt.

1994, c. 22, s. 442

169.2 Supply between municipal organizations — A supply between the following persons is exempt:

(1) a municipal body and any of its para-municipal organizations;

(2) a para-municipal organization of a municipal body and any other para-municipal organization of the municipal body;

(3) a regional municipality and any of its local municipalities or any para-municipal organization of any of those local municipalities;

(4) a para-municipal organization of a regional municipality and any local municipality of the regional municipality or any para-municipal organization of the local municipality; or

(5) a regional municipality or any of its para-municipal organizations and any other organization, other than a government, the designated activities of which include the provision of water or municipal services within a territory over which the regional municipality has jurisdiction.

Exception — This section does not apply to a supply of electricity, gas, steam or telecommunication services made by a municipal body or a para-municipal organization, or a branch or division thereof, that acts as a public utility, or any supply made or received by the following persons otherwise than in the course of their designated activities:

(1) a designated body of the Government of Québec;

(2) a para-municipal organization designated as a municipality for the purposes of section 165 or 166 or sections 383 to 397.2; or

(3) another organization referred to in subparagraph 5 of the first paragraph.

1994, c. 22, s. 442; 1997, c. 85, s. 509; 2005, c. 38, s. 365

DIVISION VI.1 — FINANCIAL SERVICES

[Heading added 2012, c. 28, s. 57.]

169.3 A supply of a financial service is exempt, unless it is a zero-rated supply under Division VII.2 of Chapter IV.

2012, c. 28, s. 57

169.4 A supply of a property or service that is deemed to be a supply of a financial service under section 297.0.2.1 is exempt.

2012, c. 28, s. 57

LTVQ (anglais)

Division VII — Ferry, Road or Bridge Toll

170. Ferrying by watercraft — A supply, other than a zero-rated supply, of a service of ferrying by watercraft passengers or property where the principal purpose of the ferrying is to transport motor vehicles and passengers between parts of a road or highway system that are separated by a stretch of water is exempt.

1991, c. 67, s. 170; 1994, c. 22, s. 443

171. Toll road or bridge — A supply of a right to use a road or bridge where a toll is charged for the right is exempt.

1991, c. 67, s. 171

Division VIII — Dues

172. Dues in respect of employment — Where an amount is paid by a person to an organization as

(1) a membership due paid to a trade union as defined

(a) in section 3 of the *Canada Labour Code* (Revised Statutes of Canada, 1985, chapter L-2);

(b) in any provincial Act providing for the investigation, conciliation or settlement of industrial disputes,

or to an association of public servants the primary object of which is to promote the improvement of the members' conditions of employment or work,

(2) a due that was, pursuant to the provisions of a collective agreement, retained by the person from an individual's remuneration and paid to a trade union or association referred to in paragraph 1 of which the individual was not a member, or

(3) a due to a parity or advisory committee or similar body, the payment of which was required under the laws of a province in respect of an individual's employment,

the organization is deemed to have made an exempt supply to the person and the amount is deemed to be consideration for the supply.

1991, c. 67, s. 172

Division IX — Fees Paid to a Government

172.1 Fees paid to a government — Where a government or municipality or a board, commission or other body established by a government or municipality collects from the holder of or applicant for a right the supply of which is referred to in paragraph 3 of section 162 an amount that is levied for the purpose of recovering the costs of administration of a regulatory program relating to the right and the holder's or the applicant's failure to pay the amount would result in a loss of, a restriction in the exercise of, a change in the person's entitlements under, or a denial of, the right,

(1) the government, municipality, board, commission or other similar body is deemed to have made an exempt supply to the person; and

(2) the amount is deemed to be consideration for that supply.

1994, c. 22, s. 444

Chapter IV — Zero-Rated Supply

Division I — Drugs and Biologicals

173. Definitions — For the purposes of this division,

"authorized individual" means an individual, other than a medical practitioner, who is authorized under the laws of Québec, another province, the Northwest Territories, the Yukon Territory or Nunavut to make an order directing that a stated amount of a drug or mixture of drugs specified in the order be dispensed for the individual named in the order;

"medical practitioner" means a physician within the meaning of the *Medical Act* (chapter M-9) or a dentist within the meaning of the *Dental Act* (chapter D-3) and includes a person who is entitled under the laws of another province, the Northwest Territories, the Yukon Territory or Nunavut to practise the profession of medicine or dentistry;

"pharmacist" has the meaning assigned by the *Pharmacy Act* (chapter P-10) and includes a person who is entitled under the laws of another province, the Northwest Territories, the Yukon Territory or Nunavut to practise the profession of pharmacy;

"practitioner" [Repealed 1997, c. 85, s. 510(1)(2).]

"prescription" means a written or verbal order, given to a pharmacist by a medical practitioner or authorized individual, directing that a stated amount of a drug or mixture of drugs specified in the order be dispensed for the individual named in the order.

1991, c. 67, s. 173; 1997, c. 85, s. 510; 2003, c. 2, s. 322; 2009, c. 15, s. 496

174. Medication — The following are zero-rated supplies:

(1) a supply of any of the following drugs or substances, except where they are labelled or supplied for agricultural or veterinary use only:

(a) a drug described in Schedules C and D to the *Food and Drugs Act* (Revised Statutes of Canada, 1985, chapter F-27);

(b) a drug described in Schedule F to the *Food and Drug Regulations* made under the *Food and Drugs Act*, other than a drug or mixture of drugs that may, pursuant to that Act or those regulations, be sold to a consumer with neither a prescription nor a written order signed by the Director (as defined in those regulations);

(c) a drug or other substance included in the schedule to Part G of the Food and Drug Regulations made under the *Food and Drugs Act*;

(d) a drug that contains a substance included in the schedule to the *Narcotic Control Regulations* made under the *Controlled Drugs and Substances Act* (Statutes of Canada, 1996, chapter 19), other than a drug or mixture of drugs that may, pursuant to that Act or regulations made under that Act, be sold to a consumer with neither a prescription nor an exemption by the federal Minister of Health in respect of the sale;

(d.1) a drug referred to in Schedule 1 to the *Benzodiazepines and Other Targeted Substances Regulations* made under the *Controlled Drugs and Substances Act*;

(e) Deslanoside, Digitoxin, Digoxin, Isosorbide dinitrate, Epinephrine and its salts, Nitroglycerine, Medical oxygen, Prenylamine, Quinidine and its salts or Erythrityl tetranitrate;

(f) a drug the supply of which is authorized under the *Food and Drug Regulations* made under the *Food and Drugs Act* for use in an emergency treatment;

(g) plasma expander;

(2) a supply of a drug when the drug is for human use and is dispensed

(a) by a medical practitioner to an individual for the personal consumption or use of the individual or an individual related thereto; or

(b) on the prescription of a medical practitioner or authorized individual for the personal consumption or use of the individual named in the prescription;

(3) a supply of a service of dispensing a drug where the supply of the drug is provided for in this division;

(4) a supply of human sperm.

1991, c. 67, s. 174; 1994, c. 22, s. 446; 1997, c. 85, s. 511; 2001, c. 53, s. 303; 2009, c. 5, s. 610; 2009, c. 15, s. 497

DIVISION II — MEDICAL AND ASSISTIVE DEVICES

175. Definition: "medical practitioner" — For the purposes of this division, **"medical practitioner"** means a physician within the meaning of the *Medical Act* (chapter M-9) and includes a person who is entitled under the laws of another province, the Northwest Territories, the Yukon Territory or Nunavut to practise the profession of medicine.

1991, c. 67, s. 175; 1997, c. 85, s. 512, 513; 2003, c. 2, s. 323

175.1 For the purposes of this division, other than paragraph 32 of section 176, a supply of property that is not designed for human use or for assisting a person with a disability or impairment is deemed not to be included in this division.

2009, c. 15, s. 498

175.2 For the purposes of this division, a cosmetic service supply (as defined in section 108) and a supply, in respect of a cosmetic service supply, that is not made for medical or reconstructive purposes are deemed not to be included in this division.

2011, c. 6, s. 245

176. Medical devices — The following are zero-rated supplies:

(1) a supply of a communication device, other than a device described in paragraph 6, that is specially designed for use by a person with a hearing, speech or vision impairment;

(2) a supply of a heart-monitoring device when the device is supplied on the written order of a medical practitioner for use by a consumer with heart disease who is named in the order;

(3) a supply of a hospital bed when the bed is supplied to the operator of a health care institution, within the meaning of section 108, or on the written order of a medical practitioner for use by an incapacitated person named in the order;

(4) a supply of an artificial breathing apparatus that is specially designed for use by a person with a respiratory disorder;

(4.1) a supply of an aerosol chamber or a metered dose inhaler for use in the treatment of asthma when the chamber or inhaler is supplied on the written order of a medical practitioner for use by a consumer named in the order;

(4.2) a supply of a respiratory monitor, nebulizer, tracheostomy supply, gastro-intestinal tube, dialysis machine, infusion pump or intravenous apparatus, that can be used in the residence of a person;

(5) a supply of a mechanical percussor for postural drainage treatment or a chest wall oscillation system for airway clearance therapy;

(6) a supply of a device that is designed to convert sound to light signals when the device is supplied on the written order of a medical practitioner for use by a consumer with a hearing impairment who is named in the order;

(7) a supply of a selector control device that is specially designed to enable a person with a disability to energize, select or control household, industrial or office equipment;

(8) a supply of ophthalmic lenses, with or without frames, when the lenses are, or are to be, supplied on the written order of an eye-care professional for the correction or treatment of a defect of vision of the consumer named in the order, if the eye-care professional is entitled under the laws of Québec, another province, the Northwest Territories, the Yukon Territory or Nunavut (province or territory in which the professional practises) to prescribe lenses for such purpose;

(9) a supply of an artificial eye;

(10) a supply of artificial teeth;

(10.1) a supply of an orthodontic appliance;

(11) a supply of a hearing aid;

(12) a supply of a laryngeal speaking aid;

(13) a supply of a chair, walker, wheelchair lift or similar aid to locomotion, with or without wheels, including motive power and wheel assemblies therefor, that is specially designed to be operated by a person with a disability for locomotion of the person;

(13.1) a supply of a chair that is specially designed for use by a person with a disability if the chair is supplied on the written order of a medical practitioner for use by a consumer named in the order;

(14) a supply of a patient lifter that is specialty designed to move a disabled person;

(15) a supply of a wheelchair ramp that is specially designed for access to a motor vehicle;

(16) a supply of a portable wheelchair ramp;

(17) a supply of an auxiliary driving control that is designed for attachment to a motor vehicle to facilitate the operation of the vehicle by a person with a disability;

(17.1) a supply of a service of modifying a motor vehicle to adapt the vehicle for the transportation of a person using a wheelchair and a supply of property, other than the vehicle, made in conjunction with, and because of, the supply of the service;

(18) a supply of a patterning device that is specially designed for use by a disabled person;

(19) a supply of a bath seat, shower seat, toilet seat or commode chair that is specially designed for use by a person with a disability;

(20) a supply of an insulin infusion pump or an insulin syringe;

(20.1) a supply of an extremity pump, intermittent pressure pump or similar device for use in the treatment of lymphedema when the pump or device is supplied on the written order of a medical practitioner for use by a consumer named in the order;

(20.2) a supply of a catheter for subcutaneous injections when the catheter is supplied on the written order of a medical practitioner for use by a consumer named in the order;

(20.3) a supply of a lancet;

(21) a supply of an artificial limb;

(22) a supply of an orthotic or orthopaedic device that is made to order for a person or is supplied on the written order of a medical practitioner for use by a consumer named in the order;

(22.1) [Repealed 1997, c. 85, s. 514(1)(12).]

(23) a supply of a specially constructed appliance that is made to order for a person who has a crippled or deformed foot or ankle;

(23.1) a supply of footwear that is specially designed for use by a person who has a crippled or deformed foot or other similar disability, when the footwear is supplied on the written order of a medical practitioner;

(24) a supply of a medical or surgical prosthesis, or an ileostomy, colostomy or urinary appliance or similar article that is designed to be worn by a person;

(25) a supply of an article or material, not including a cosmetic, for use by a user of, and necessary for the proper application and maintenance of an article described in paragraph 24; **"cosmetic"** means a property, whether or not possessing therapeutic or prophylactic properties, commonly or commercially known as a toilet article, preparation or cosmetic that is intended for use or application for toilet purposes or for use in connection with the care of the human body, or any part thereof, whether for preserving, deodorizing, beautifying, cleansing or restoring and, for greater certainty, includes a denture cream or adhesive, antiseptic, skin cream or lotion, mouth wash, depilatory, scent, perfume, toothpaste, tooth powder, bleach, oral rinse, toilet soap and any similar toilet article, cosmetic or preparation;

(26) a supply of a crutch or cane that is specially designed for use by a person with a disability;

(27) a supply of a blood-glucose monitor or meter;

(28) a supply of blood-ketone, urinary-ketone, blood-sugar, or urinary-sugar testing strips or urinary-ketone or urinary-sugar reagents or tablets;

(29) a supply of any article that is specially designed for the use of blind persons when the article is supplied to or by the Canadian National Institute for the Blind or any other *bona fide* association or institution for blind persons for use by a blind person or on the order of or in accordance with the certificate issued by a medical practitioner;

(30) a supply of a prescribed property or service;

(31) a supply of a part, accessory or attachment that is specially designed for a property described in this division;

(32) a supply of an animal that is or is to be specially trained to assist a person with a disability or impairment with a problem arising from the disability or impairment, or a supply of a service of training a person to use the animal, if the supply is made to or by an organization that is operated for the purpose of supplying such specially trained animals to persons with the disability or impairment;

(32.1) [Repealed 2009, c. 15, s. 499(1)(10).]

(33) a supply of a service (other than a service the supply of which is described in any provision of Division II of Chapter III except section 116) of maintaining, installing, modifying, repairing or restoring a property the supply of which is described in any of paragraphs 1 to 31 and 36 to 40, or any part of such a property if the part is supplied in conjunction with the service;

(34) a supply of a graduated compression stocking, an anti-embolic stocking or similar article when the stocking or article is supplied on the written order of a medical practitioner for use by a consumer named in the order;

(35) a supply of clothing that is specially designed for use by a person with a disability when the clothing is supplied on the written order of a medical practitioner for use by a consumer named in the order;

(36) a supply of an incontinence product that is specially designed for use by a person with a disability;

(37) a supply of a feeding utensil or other gripping device that is specially designed for use by a person with impaired use of hands or other similar disability;

(38) a supply of a reaching aid that is specially designed for use by a person with a disability;

(39) a supply of a prone board that is specially designed for use by a person with a disability.

(40) a supply of a device that is specially designed for neuromuscular stimulation therapy or standing therapy, if supplied on the written order of a medical practitioner for use by a consumer with paralysis or a severe mobility impairment who is named in the order.

1991, c. 67, s. 176; 1994, c. 22, s. 447; 1995, c. 1, s. 275; 1997, c. 85, s. 514; 2001, c. 53, s. 304; 2003, c. 2, s. 324; 2009, c. 15, s. 499(1)(1)–(1)(4), (1)(7), (1)(9)–(1)(12); 2010, c. 5, s. 213; 2011, c. 6, s. 246

DIVISION III — BASIC GROCERIES

177. Groceries — Supplies of food or beverages for human consumption, including seasonings, sweetening agents and other ingredients to be mixed with or used in the preparation of such food or beverages, other than supplies of the following, are zero-rated supplies:

(1) beer, malt liquor, spirits, wine or other alcoholic beverages;

(1.1) grapes, juice and concentrated or non-concentrated must, malt, malt extract and other similar products intended for the making of wine or beer;

(2) [Repealed 1997, c. 85, s. 515(1)(1).]

(3) carbonated beverages;

(4) non-carbonated fruit juice beverages or fruit flavoured beverages, other than milk-based beverages, that contain less than 25% by volume of

(a) a natural fruit juice or combination of natural fruit juices; or

(b) a natural fruit juice or combination of natural fruit juices that have been reconstituted;

(5) goods that, when added to water, produce a beverage described in paragraph 4;

(6) candies, confectionery that may be classed as candy, or any goods sold as candies, such as candy floss, chocolate and chewing gum, whether naturally or artificially sweetened, and including fruits, seeds, popcorn and nuts when they are coated or treated with chocolate, molasses, honey, syrup, sugar, candy or artificial sweeteners;

(7) sticks, chips or curls, such as cheese sticks, potato sticks, bacon crisps, corn chips, potato chips or cheese curls, and other similar snack foods, brittle pretzels or popcorn, but not including any product that is sold primarily as a breakfast cereal;

(8) salted seeds or salted nuts;

(9) granola products, but not including any product that is sold primarily as a breakfast cereal;

(10) snack mixtures that contain cereals, dried fruit, seeds, nuts or any other edible product, but not including any mixture that is sold primarily as a breakfast cereal;

(11) ice lollies, juice bars, flavoured, coloured or sweetened ice waters, or similar products, whether frozen or not;

(12) ice cream, frozen pudding, ice milk, sherbet or frozen yoghurt, non-dairy substitutes for any of the foregoing, or any product that contains any of the foregoing, when packaged or sold in single servings;

(13) fruit drops, rolls or bars or similar fruit-based snack foods;

(14) doughnuts, cookies, croissants with sweetened coating, icing or filling, cakes, muffins, pastries, tarts, pies or similar products, but not including bread products without sweetened coating, icing or filling, such as bagels, croissants, English muffins or bread rolls, where

(a) they are prepackaged for sale to consumers in quantities of less than six items each of which is a single serving, or

(b) they are not prepackaged for sale to consumers and are sold as single servings in quantities of less than six;

(15) pudding, including flavoured gelatine, mousse, flavoured whipped dessert product or any other products similar to pudding, or beverages, other than unflavoured milk, except

(a) when prepared and prepackaged specially for consumption by babies,

(b) when sold in multiples, prepackaged by the manufacturer or producer, of single servings, or

(c) when the cans, bottles or other primary containers in which the beverages or products are sold contain a quantity exceeding a single serving;

(16) food or beverages heated for consumption;

(16.1) salads not canned or vacuum sealed;

(16.2) sandwiches and similar products other than when frozen;

(16.3) platters of cheese, fruit, vegetables or cold cuts and other arrangements of prepared food;

(16.4) beverages dispensed at the place where they are sold;

LTVQ (anglais)

(16.5) food or beverages sold under a contract for, or in conjunction with, catering services;

(17) food or beverages sold through a vending machine; and

(18) food or beverages sold at an establishment at which all or substantially all of the sales of food or beverages are sales of food or beverages described in any of paragraphs 1 to 17, except where

(a) the food or beverage is sold in a form not suitable for immediate consumption, having regard to the nature of the product, the quantity sold or its packaging, or

(b) in the case of a product described in paragraph 14, the product is not sold for consumption at the establishment and

i. is prepackaged for sale to consumers in quantities of more than five items each of which is a single serving, or

ii. is not prepackaged for sale to consumers and is sold as single servings in quantities of more than five;

(19) unbottled water, other than ice.

1991, c. 67, s. 177; 1994, c. 22, s. 448; 1997, c. 14, s. 334; 1997, c. 85, s. 515

177.1 Unbottled water — A supply of unbottled water for human consumption made to a consumer, when the water is dispensed in a quantity exceeding a single serving through a vending machine or at a permanent establishment of the supplier, is a zero-rated supply.

1994, c. 22, s. 449

DIVISION IV — AGRICULTURE AND FISHING

178. Agricultural and fishery products and property — The following are zero-rated supplies:

(1) a supply of bees, farm livestock, other than rabbits, or poultry that are ordinarily raised or kept to be used as or to produce food for human consumption or to produce wool;

(1.1) a supply of a rabbit made otherwise than in the course of a business in the course of which animals are regularly supplied as pets to consumers;

(2) a supply of grains or seeds in their natural state, treated for seeding purposes or irradiated for storage purposes, hay or silage, or other fodder crops, that are ordinarily used as, or to produce, food for human consumption or feed for farm livestock or poultry, when supplied in a quantity that is larger than the quantity that is ordinarily sold or offered for sale to consumers, but not including grains or seeds or mixtures thereof that are packaged, prepared or sold for use as feed for wild birds or as pet food;

(2.1) a supply of feed, made by the operator of a feedlot, that is deemed to be a separate supply under paragraph 1 of section 39.2;

(3) a supply of sugar beets, sugar cane, flax seed, hops, barley or straw;

(3.1) a supply of grain or seeds, or of mature stalks having no leaves, flowers, seeds or branches, of hemp plants of the genera Cannabis, if

(a) in the case of grain or seeds, they are not further processed than sterilized or treated for seeding purposes and are not packaged, prepared or sold for use as feed for wild birds or as pet food;

(b) in the case of viable grain or seeds, they are included in the definition of "industrial hemp" in section 1 of the *Industrial Hemp Regulations* made under the *Controlled Drugs and Substances Act* (Statutes of Canada, 1996, chapter 19); and

(c) the supply is made in accordance with the *Controlled Drugs and Substances Act*, if applicable;

(4) a supply of poultry or fish eggs that are produced for hatching purposes;

(5) a supply of fertilizer, other than a product sold as soil or as a soil mixture, whether or not containing fertilizer, made at any time to a recipient when the fertilizer is supplied in bulk, or in a container that contains at least 25 kg of fertilizer, where the total quantity of fertilizer supplied at that time to the recipient is at least 500 kg;

(6) a supply of wool, not further processed than washed;

(7) [Repealed 2009, c. 15, s. 500.]

(8) a supply of fish or other marine or freshwater animals not further processed than frozen, filleted, scaled, eviscerated, smoked, salted, dried, other than any such animal that is not ordinarily used as food for human consumption or that is sold as bait in recreational fishing;

(9) a supply made to a registrant of farmland by way of lease, licence or similar arrangement, to the extent that the consideration for the supply is a share of the production from the farmland of property the supply of which is a zero-rated supply; and

(10) a supply of prescribed property.

1991, c. 67, s. 178; 1994, c. 22, s. 450; 1995, c. 1, s. 276; 1997, c. 85, s. 516; 2009, c. 5, s. 611; 2009, c. 15, s. 500

DIVISION V — SUPPLY SHIPPED OUTSIDE QUÉBEC

179. Shipment outside Québec — A supply of corporeal movable property, other than excisable goods, made by a person to a recipient, other than a consumer, who intends to ship the property outside Québec is a zero-rated supply if

(1) in the case of property that is a continuous transmission commodity that the recipient intends to ship outside Québec by means of a wire, pipeline or other conduit, the recipient is not registered under Division I of Chapter VIII;

(2) the recipient ships the property outside Québec as soon after the property is delivered by the person to the recipient as is reasonable having regard to the circumstances surrounding the shipment outside Québec and, where applicable, to the normal business practice of the recipient;

(3) the property is not acquired by the recipient for consumption, use or supply in Québec before the shipment of the property outside Québec by the recipient;

(4) after the supply is made and before the recipient ships the property outside Québec, the property is not further processed, transformed or altered in Québec except to the extent reasonably necessary or incidental to its transportation; and

(5) the person maintains evidence satisfactory to the Minister of the shipment of the property outside Québec by the recipient.

1991, c. 67, s. 179; 1994, c. 22, s. 451; 1995, c. 63, s. 346; 2001, c. 53, s. 305; 2003, c. 2, s. 325; 2005, c. 38, s. 366

179.1 A supply made by way of sale to a recipient, other than a consumer, who is registered under Division I of Chapter VIII of movable corporeal property, other than property referred to in the third paragraph, is a zero-rated supply where the recipient provides the supplier with a shipping certificate, within the meaning of section 427.3, certifying that an authorization to use the certificate granted to the recipient under that section is in effect at the time the supply is made, and discloses to the supplier the number referred to in section 427.5 and the expiry date of the authorization.

The first paragraph does not apply where an authorization granted by the Minister to use the certificate is not in effect at the time the supply is made or the recipient does not ship the property outside Québec in the circumstances described in paragraphs 2 to 4 of section 179, unless the supplier did not know and could not reasonably be expected to have known, at or before the latest time at which tax in respect of the supply would have become payable if the supply were not a zero-rated supply, that the authorization was not in effect at the time the supply was made or that the recipient would not so ship the property outside Québec.

The property to which the first paragraph refers is

(1) excisable goods; or

(2) a continuous transmission commodity that must be transported by or on behalf of the recipient by means of a wire, pipeline or other conduit.

2003, c. 2, s. 326; 2005, c. 38, s. 367

179.2 A supply made by way of sale to a recipient who is registered under Division I of Chapter VIII of property, other than property referred to in the third paragraph, is a zero-rated supply where

(1) the recipient provides the supplier with a shipping distribution centre certificate, within the meaning of section 350.23.7, certifying that an authorization to use the certificate granted to the recipient under that section is in effect at the time the supply is made and that the property is being acquired for use or supply as domestic inventory or as added property of the recipient, within the meaning assigned to those expressions by section 350.23.1, and discloses to the supplier the number referred to in section 350.23.9 and the expiry date of the authorization; and

(2) the total amount, included in a single invoice or agreement, of the consideration for that supply and for all other supplies that are made to the recipient and are otherwise included in this section is at least $1,000.

The first paragraph does not apply where an authorization granted by the Minister to use the certificate is not in effect at the time the supply is made or the recipient is not acquiring the property for use or supply as domestic inventory or as added property in the course of commercial activities of the recipient, unless the supplier did not know and could not reasonably be expected to have known, at or before the latest time at which tax in respect of the supply would have become payable if the supply were not a zero-rated supply, that the authorization was not in effect at the time the supply was made or that the recipient was not acquiring the property for that purpose.

The property to which the first paragraph refers is

(1) excisable goods; or

(2) a continuous transmission commodity that must be transported by or on behalf of the recipient by means of a wire, pipeline or other conduit.

2003, c. 2, s. 326; 2005, c. 38, s. 368

180. Supply to a carrier not resident in Québec — A supply of property or a service, other than the supply of an immovable by way of sale, made to a person not resident in Québec who is not registered under Division I of Chapter VIII at the time the supply is made, is a zero-rated supply where the property or service is acquired by the person for consumption, use or supply

(1) where the person carries on a business of transporting property or passengers to or from Québec or between places outside Québec by aircraft, railway or ship, in the course of so transporting property or passengers;

(2) in the course of operating an aircraft or ship by or on behalf of a government of a province other than Québec, the Northwest Territories, the Yukon Territory, Nunavut or a country other than Canada; or

(3) in the course of operating a ship for the purpose of obtaining scientific data outside Québec or for the laying or repairing of oceanic telegraph cables.

1991, c. 67, s. 180; 1997, c. 85, s. 517; 2003, c. 2, s. 327

180.1 Supply of fuel to a registered carrier — A supply of fuel is a zero-rated supply when it is made to a person who is registered under Division I of Chapter VIII at the time the supply is made, where

(1) the person carries on a business of transporting property or passengers to or from Québec or between places outside Québec by aircraft, railway or ship; and

(2) the fuel is acquired by the person for use in the course of so transporting property or passengers.

1994, c. 22, s. 452; 1997, c. 85, s. 518

180.2 [Repealed 2012, c. 8, s. 268.]

180.3 Supply of an air navigation service — A supply of an air navigation service, as defined in subsection 1 of section 2 of the *Civil Air Navigation Services Commercialization Act* (Statutes of Canada, 1996, chapter 20), made to a person who is registered under Division I of Chapter VIII at the time the supply is made, is a zero-rated supply if

(1) the person carries on a business of transporting passengers or property to or from Québec, or between places outside Québec, by aircraft; and

(2) the air navigation service is acquired by the person for use in the course of so transporting passengers or property.

2001, c. 53, s. 306

181. Excisable goods — A supply of an excisable good, if the recipient exports the good without the payment of duty in accordance with the *Excise Act* (Revised Statutes of Canada, 1985, chapter E-14) or the *Excise Act, 2001* (Statutes of Canada, 2002, chapter 22), is a zero-rated supply.

1991, c. 67, s. 181; 2005, c. 38, s. 369

182. Service in respect of corporeal movable property — A supply of a service,other than a transportation service,in respect of corporeal movable property ordinarily situated outside Québec and of any corporeal movable property supplied in conjunction with the service,is a zero-rated supply if

(1) where the property is ordinarily situated outside Canada, the property is temporarily brought into Québec for the sole purpose of having the service performed and is taken or shipped outside Canada as soon as is practicable after the service is performed; or

(2) where the property is ordinarily situated outside Québec but within Canada,

(a) the property is temporarily brought into Québec for the sole purpose of having the service performed and is taken or shipped outside Québec but within Canada as soon as is practicable after the service is performed, and

(b) the recipient is registered under Subdivision d of Division V of Part IX of the *Excise Tax Act* (Revised Statutes of Canada,1985,chapter E-15).

1991, c. 67, s. 182; 1997, c. 85, s. 519; 1999, c. 83, s. 312

183. Service of acting as a mandatary or representative — A supply made to a person not resident in Québec of a service of acting as a mandatary of the person or of arranging for, procuring or soliciting orders for supplies by or to the person is a zero-rated supply, to the extent that the service is in respect of

(1) a supply to the person that is provided for in this division; or

(2) a supply made outside Québec by or to the person.

1991, c. 67, s. 183; 1997, c. 85, s. 519

184. Emergency repair service — A supply made by a person to a recipient not resident in Québec of an emergency repair service, and of any corporeal movable property supplied in conjunction with the service, in respect of a conveyance or cargo container that is being used or transported by the person in the course of a business of transporting property or passengers, is a zero-rated supply.

1991, c. 67, s. 184; 1997, c. 85, s. 519

184.1 Emergency repair service — A supply made to a person not resident in Québec who is not registered under Division I of Chapter VIII of an emergency repair service, and of any corporeal movable property supplied in conjunction with the service, in respect of railway rolling stock that is being used in the course of a business of transporting passengers or property, is a zero-rated supply.

1997, c. 85, s. 520

184.2 Emergency repair service in respect of a cargo container — A supply made to a person not resident in Québec who is not registered under Division I of Chapter VIII of an emergency repair service in respect of, or a service of storing, an empty cargo container, other than a container less than 6.1 metres in length or having an internal capacity less than 14 cubic metres, and any corporeal movable property supplied in conjunction with the repair service is a zero-rated supply, to the extent that the cargo container

(1) is used in transporting property to or from Canada and is referred to in subparagraph ii of paragraph a of section 6.2 of Part V of Schedule VI to the *Excise Tax Act* (Revised Statutes of Canada, 1985, chapter E-15); or

(2) is used in transporting property to or from Québec and would be referred to in subparagraph ii of paragraph a of section 6.2 of Part V of Schedule VI to the *Excise Tax Act* if the cargo container were from outside Québec.

1997, c. 85, s. 520; 2012, c. 28, s. 58

185. Service to a person not resident in Québec — A supply of a service made to a person not resident in Québec is a zero-rated supply, except a supply of

(1) a service made to an individual who is in Québec at any time when the individual has contact with the supplier in relation to the supply;

(1.1) a service that is rendered to an individual while that individual is in Québec;

(2) an advisory, consulting or professional service;

(3) a postal service;

(4) a service in respect of an immovable situated in Québec;

(5) a service in respect of corporeal movable property that is situated in Québec at the time the service is performed;

(6) a service of acting as a mandatary of the person not resident in Québec, except a service of acting as a transfer agent in the case where the person is a corporation resident in Canada, or of arranging for, procuring or soliciting orders for supplies by or to the person;

(7) a transportation service.

(8) a telecommunication service.

1991, c. 67, s. 185; 1994, c. 22, s. 453; 1997, c. 85, s. 521; 2002, c. 9, s. 162

186. Service of advertising — A supply of a service of advertising made to a person not resident in Québec who is not registered under Division I of Chapter VIII at the time the service is performed is a zero-rated supply.

1991, c. 67, s. 186

187. Advisory, consulting or research service — A supply made to a person not resident in Québec of an advisory, consulting or research service that is intended to assist the person in taking up residence or establishing a business venture in Québec is a zero-rated supply.

1991, c. 67, s. 187

188. Supply of intellectual property — A supply of a patent, industrial design, copyright, invention, trademark, trade-name, trade secret or other intellectual property or any right, licence or privilege to use any such property is a zero-rated supply where the recipient is a person not resident in Québec who is not registered under Division I of Chapter VIII at the time the supply is made.

1991, c. 67, s. 188

188.1 A supply of an incorporeal movable property made to a person not resident in Québec who is not registered under Division I of Chapter VIII at the time the supply is made is a zero-rated supply, but does not include

(1) a supply made to an individual unless the individual is outside Québec at that time;

(2) a supply of an incorporeal movable property that relates to

(a) an immovable situated in Québec,

(b) a corporeal movable property ordinarily situated in Québec, or

(c) a service the supply of which is made in Québec and is not a zero-rated supply described in any of the sections of this division, of Division VII or of Division VII.2;

(3) a supply that is the making available to a person of a telecommunications facility that is an incorporeal movable property for use in providing a service described in paragraph 1 of the definition of "telecommunication service" in section 1;

(4) a supply of an incorporeal movable property that may only be used in Québec; and

(5) a prescribed supply.

2009, c. 5, s. 612; 2012, c. 28, s. 59

189. Duty free shop — A supply of corporeal movable property made by a person operating a duty free shop licensed as such under the *Customs Act* (Revised Statutes of Canada, 1985, chapter 1, 2nd Supplement) to an individual at a duty free shop for export by the individual is a zero-rated supply.

1991, c. 67, s. 189

189.1 Duty free shop — A supply of corporeal movable property made by way of sale to a person operating a duty free shop licensed as such under the *Customs Act* (Revised Statutes of Canada, 1985, chapter 1, 2nd Supplement), where the person acquires the property as inventory for supply by way of sale at the shop to an individual for export by the individual and the person provides the supplier with the licence number of the shop, is a zero-rated supply.

1995, c. 63, s. 347

190. Property delivered to a public carrier — A supply of corporeal movable property, other than a continuous transmission commodity that is being transported by means of a wire, pipeline or other conduit, is a zero-rated supply if the supplier

(1) ships the property to a destination outside Québec that is specified in the contract for carriage of the property;

(2) transfers possession of the property to a common carrier or consignee that has been retained, to ship the property to a destination outside Québec, by

(a) the supplier on behalf of the recipient, or

(b) the recipient's employer; or

(3) sends the property by mail or courier to an address outside Québec.

1991, c. 67, s. 190; 1997, c. 85, s. 522; 2001, c. 53, s. 307

191. Supply of movable property or a service pursuant to a warranty — The following supplies, made to a person not resident in Québec who is not registered under Division I of Chapter VIII, are zero-rated supplies:

(1) a supply of corporeal movable property or of a service performed in respect of corporeal movable property or an immovable where the property or service is acquired by the person for the purpose of fulfilling an obligation of the person under a warranty;

(2) a supply of corporeal movable property where the supply is deemed, under section 327.1, to have been made following a transfer of possession of the property in performance of an obligation of the person under a warranty.

1991, c. 67, s. 191; 1994, c. 22, s. 454; 1995, c. 1, s. 278; 2001, c. 53, s. 308

191.1 Definitions — For the purposes of section 191.2,

"die" means a solid or hollow form used for shaping materials by stamping, pressing, extruding, drawing or threading;

"fixture" means a device for holding goods in process while working tools are in operation that does not contain any special arrangement for guiding the working tools;

"jig" means a device used in the accurate machining of goods in process by holding the goods firmly and guiding tools exactly to position;

"mould" means a hollow form, matrix or cavity into which materials are placed to produce goods of desired shapes;

"tool" means a device for use in, or attachment to, production machinery that is for the assembling of materials or the working of materials by turning, milling, grinding, polishing, drilling, punching, boring, shaping, shearing, pressing or planing.

1994, c. 22, s. 455

191.2 Supply of a fixture, jig, die, mould and tool — A supply of property that is a fixture, jig, die, mould or tool, or an interest therein, made to a person not resident in Québec who is not registered under Division I of Chapter VIII at the time the supply is made is a zero-rated supply where the property is to be used directly in the manufacture or production of corporeal movable property for the person.

1994, c. 22, s. 455

191.3 Supply of natural gas — A supply of natural gas made by a person to a recipient who is not registered under Division I of Chapter VIII and who intends to ship the gas outside Québec by pipeline is a zero-rated supply if

(1) the recipient ships the gas outside Québec as soon after it is delivered to the recipient by the supplier of the gas as is reasonable, or, where the recipient receives a supply of a service provided for a period in respect of the gas referred to in section 191.3.3 and subsequently ships the gas outside Québec as soon after it is delivered to the recipient as is reasonable at the end of the period having regard to the circumstances surrounding the shipment outside Québec and, where applicable, to the normal business practice of the recipient;

(2) the gas is not acquired by the recipient for consumption or use in Québec, other than by a carrier as fuel or compressor gas to transport the gas by pipeline, or for supply in Québec, other than to supply natural gas liquids or ethane as described in section 54.3, before the shipment of the gas outside Québec by the recipient;

(3) after the supply is made and before being shipped outside Québec, the gas is not further processed, transformed or altered in Québec, except to the extent reasonably necessary or incidental to its transportation, other than to recover natural gas liquids or ethane from the gas at a straddle plant; and

(4) the person maintains evidence satisfactory to the Minister of the transmission of the gas outside Québec by the recipient.

1994, c. 22, s. 455; 2001, c. 53, s. 309

191.3.1 Continuous transmission commodity — The following supplies are zero-rated supplies:

(1) a supply of a continuous transmission commodity made by a supplier (in this section referred to as the **"first seller"**) to a person (in this section referred to as the **"first buyer"**) who is not registered under Division I of Chapter VIII, if

(a) the first buyer makes a supply of the commodity to a registrant and delivers it in Québec to the registrant,

(b) all or part of the consideration for the first buyer's supply of the commodity to the registrant is property of the same class or kind delivered to the first buyer outside Québec,

(c) after the commodity is delivered to the first buyer and before the first buyer delivers it to the registrant,

i. the first buyer does not use the commodity except, in the case of natural gas, to the extent that it is used by a carrier as fuel or compressor gas to transport the gas by pipeline, and

ii. the commodity is not, except to the extent reasonably necessary or incidental to its transportation, further processed, transformed or altered other than, in the case of natural gas, to recover natural gas liquids or ethane from the gas at a straddle plant,

(d) after the first seller's supply is made and before the registrant receives delivery of the commodity, the commodity is not transported by any means other than a wire, pipeline or other conduit, and

(e) the first seller maintains evidence satisfactory to the Minister of the first buyer's supply of the commodity to the registrant; and

(2) a supply of any service, supplied by the registrant to the first buyer, of arranging for or effecting the exchange of the commodity for the property of the same class or kind, if the first buyer is a person not resident in Québec.

2001, c. 53, s. 310

191.3.2 Supply to a registrant of a continuous transmission commodity — A particular supply made by a supplier to a recipient who is registered under Division I of Chapter VIII of a continuous transmission commodity is a zero-rated supply if the recipient provides the supplier with a declaration in writing that

(1) the recipient intends to ship the commodity outside Québec by means of a wire, pipeline or other conduit in the circumstances described in paragraphs 1 to 3 of section 191.3 in the case of natural gas, or paragraphs 2 to 4 of section 179 in any other case, or

(2) the recipient intends to supply the commodity in the circumstances described in subparagraphs a to d of paragraph 1 of section 191.3.1.

Conditions — The first paragraph applies provided that, if the recipient subsequently neither ships the commodity outside Québec in accordance with subparagraph 1 of the first paragraph nor supplies it in accordance with subparagraph 2 of the first paragraph, it is the case that the supplier did not know, and could not reasonably be expected to have known, at or before the latest time at which tax in respect of the particular supply would have become payable if the supply were not a zero-rated supply, that the recipient would neither so ship the commodity outside Québec nor so supply the commodity.

2001, c. 53, s. 310

191.3.3 Service of storing natural gas — A supply made by a person to a recipient not resident in Québec who is not registered under Division I of Chapter VIII of a service of storing natural gas for a period, or of taking up surplus natural gas of the recipient for a period, and returning the gas to the recipient at the end of the period is a zero-rated supply if

(1) at the end of the period, the gas is to be delivered to the recipient to be shipped outside Québec;

(2) at the end of the period, where the gas is exported outside Canada, the recipient holds a valid licence or order for the shipment of the natural gas issued under the *National Energy Board Act* (Revised Statutes of Canada, 1985, chapter N-6); and

(3) it is not the case that, at or before the latest time at which tax in respect of the supply would have become payable if the supply had not been a zero-rated supply, the person knew or could reasonably be expected to have known either that

(a) the recipient would not ship the gas outside Québec as soon after the end of the period as is reasonable, having regard to the circumstances surrounding the shipment outside Québec and, where applicable, to the normal business practice of the recipient, or

(b) the gas would not be shipped outside Québec

i. in the same measure as was stored or taken up except for any loss due to its use by a carrier as fuel or compressor gas for transporting the gas by pipeline, and

ii. in the same state except to the extent of any processing or alteration reasonably necessary or incidental to its transportation or necessary to recover natural gas liquids or ethane from the gas at a straddle plant.

2001, c. 53, s. 310

191.3.4 Service of taking up and returning electricity — A supply made by a supplier to a recipient not resident in Québec who is not registered under Division I of Chapter VIII of a service of taking up surplus electricity of the recipient for a period and returning the electricity to the recipient at the end of the period or of deferring delivery of electricity supplied to the recipient at the beginning of a period until the end of the period is a zero-rated supply if

(1) the electricity is shipped outside Québec by the supplier or recipient

(a) in the same measure and state except for any consumption or alteration reasonably necessary or incidental to its transportation, and

(b) as soon after the end of the period as is reasonable having regard to the circumstances surrounding the shipment outside Québec and, where applicable, to the normal business practice of the shipper; and

(2) at the end of the period, where the electricity is exported outside Canada, the requirement under the *National Energy Board Act* (Revised Statutes of Canada, 1985, chapter N-6), with respect to the holding of a valid licence, order or permit for the export of the electricity issued under that Act, is met.

2001, c. 53, s. 310

191.4 Custodial or nominee service in respect of securities or precious metals — A supply made to a person not resident in Québec of a custodial or nominee service in respect of securities or precious metals of the person is a zero-rated supply.

1994, c. 22, s. 455; 1997, c. 85, s. 523

191.5 Vocational training — A supply made to a person not resident in Québec, other than an individual, who is not registered under Division I of Chapter VIII that consists in providing an individual not resident in Québec with, or in administering an examination in respect of, an educational service leading to a certificate, diploma, permit or similar document, or a class or rating in respect of a licence, that attests to the competence of the individual to whom the service is rendered or the examination is administered to practise a trade or vocation, is a zero-rated supply.

1994, c. 22, s. 455

191.6 Service of destroying or discarding property — A supply made to a person not resident in Québec who is not registered under Division I of Chapter VIII of a service of destroying or discarding corporeal movable property is a zero-rated supply.

1994, c. 22, s. 455

191.7 Service of dismantling property — A supply made to a person not resident in Québec who is not registered under Division I of Chapter VIII of a service of dismantling property for the purpose of shipping the property outside Québec is a zero-rated supply.

1994, c. 22, s. 455

191.8 Service of testing or inspecting property — A supply made to a person not resident in Québec who is not registered under Division I of Chapter VIII of a service of testing or inspecting corporeal movable property that is acquired in or brought into Québec for the sole purpose of having the service performed and that is to be destroyed or discarded in the course of providing, or on completion of, the service, is a zero-rated supply.

1994, c. 22, s. 455

191.9 Postal service — A supply of a postal service is a zero-rated supply where the supply is made, by a registrant who carries on the business of supplying postal services, to a person not resident in Québec who is not a registrant and who carries on such a business.

1994, c. 22, s. 455; 1997, c. 85, s. 524

191.9.1 Telecommunication service — A supply of a telecommunication service where the supply is made, by a registrant who carries on the business of supplying telecommunication services, to a person not resident in Québec who is not a registrant and who carries on such a business, but not including a supply of a telecommunication service where the telecommunication is emitted and received in Québec, is a zero-rated supply.

1997, c. 85, s. 525

191.10 Advisory, consulting or professional service — A supply of an advisory, consulting or professional service made to a person not resident in Québec is a zero-rated supply, except a supply of

(1) a service rendered to an individual in connection with criminal, civil or administrative litigation in Québec, other than a service rendered before the commencement of such litigation;

LTVQ (anglais)

(2) a service in respect of an immovable situated in Québec;

(3) a service in respect of corporeal movable property that is situated in Québec at the time the service is performed; or

(4) a service of acting as a mandatary of the person or of arranging for, procuring or soliciting orders for supplies by or to the person.

1994, c. 22, s. 455; 1997, c. 85, s. 526

191.11 Mobile and floating homes — For the purposes of this division, a floating home and a mobile home that is not affixed to land are each deemed to be corporeal movable property and not immovable property.

1994, c. 22, s. 455

DIVISION VI — TRAVEL SERVICE

192. Zero-rated part of a tour package — A supply of the part of a tour package that is not the taxable portion of the package is a zero-rated supply.

Application of s. 63 — Section 63 applies to this section.

1991, c. 67, s. 192

DIVISION VI.1

[Heading repealed 1997, c. 14, s. 335.]

192.1 [Repealed 1997, c. 14, s. 335.]

192.2 [Repealed 1997, c. 14, s. 335.]

DIVISION VII — TRANSPORTATION SERVICE

193. Definitions — For the purposes of this division,

"carrier" [Repealed 1994, c. 22, s. 456.]

"continuous freight movement" means the transportation of corporeal movable property by one or more carriers to a destination specified by the shipper of the property, where all freight transportation services supplied by the carriers are supplied as a consequence of instructions given by the shipper of the property;

"continuous journey" of an individual or a group of individuals means the set of all passenger transportation services provided to the individual or group

(1) and for which a single ticket or voucher in respect of all the services is issued, or

(2) where two or more tickets or vouchers are issued in respect of two or more legs of a single journey of the individual or group on which there is no stopover between any of the legs of the journey for which separate tickets or vouchers are issued, and all the tickets or vouchers are issued by the same supplier or by two or more suppliers through one mandatary acting on behalf of all the suppliers where

(a) all such tickets or vouchers are issued at the same time and evidence satisfactory to the Minister is maintained by the supplier or mandatary that there is no stopover between any of the legs of the journey for which separate tickets or vouchers are issued, or

(b) the tickets or vouchers are issued at different times and evidence satisfactory to the Minister is submitted by the supplier or mandatary that there is no stopover between any of the legs of the journey for which separate tickets or vouchers are issued;

"continuous outbound freight movement" means the transportation of corporeal movable property by one or more carriers from a place in Québec to a place outside Québec, or to another place in Québec from which the property is to be taken outside Québec, where, after the shipper of the property transfers possession of the property to a carrier and before the property is taken outside Québec, it is not, except to the extent that is reasonably necessary or incidental to its transportation, further processed, transformed or altered in Québec, other than, in the case of natural gas being transported by pipeline, to recover natural gas liquids or ethane from the gas at a straddle plant;

"destination" in respect of a continuous freight movement of property, means a place specified by the shipper of the property where possession of the property is transferred to the person to whom the property is consigned or addressed by the shipper;

"flight outside Québec" [Repealed 1997, c. 85, s. 527.]

"freight transportation service" means a particular service of transporting corporeal movable property and, for greater certainty, includes a service of delivering mail, and any other property or service supplied to the recipient of the particular service by the person who supplies the particular service, where the other property or service is part of or incidental to the particular service, whether or not there is a separate charge for the other property or service, but does not include a service provided by the supplier of a passenger transportation service of transporting an individual's baggage in connection with the passenger transportation service;

"origin" means

(1) in respect of a continuous freight movement, the place where the first carrier that engaged in the continuous freight movement takes possession of the property being transported; and

(2) in respect of a continuous journey, the place where the passenger transportation service that is included in the continuous journey and that is first provided begins;

"place outside Canada" in respect of a freight transportation service, includes at a particular time a place in Canada if, at that time, the property being transported has been imported but has not been released, within the meaning of the *Customs Act* (Revised Statutes of Canada,

1985, chapter 1, 2nd Supplement) and the property is being transported in compliance with that Act or any other Act of Parliament that prohibits, controls or regulates the importation of goods within the meaning of the *Customs Act*;

"shipper" of corporeal movable property means the person who, in respect of a continuous freight movement or a continuous outbound freight movement, transfers possession of the property being shipped to a carrier at the origin of the freight movement and, for greater certainty, does not include a person who is a carrier of the property to which the freight movement relates;

"stopover" in respect of a continuous journey of an individual or a group of individuals, means any place at which the individual or group embarks or disembarks a conveyance used in the provision of a passenger transportation service included in the continuous journey, for any reason other than transferring to another coveyance, or allowing for servicing or refuelling of the conveyance;

"termination" of a continuous journey means the place where the passenger transportation service that is included in the continuous journey and that is last provided ends.

1991, c. 67, s. 193; 1994, c. 22, s. 456; 1997, c. 85, s. 527; 2001, c. 53, s. 311

194. Passenger transportation services — The following are zero-rated supplies:

(1) a supply of a passenger transportation service that is provided to an individual or a group of individuals and that is part of a continuous journey of the individual or group where

(a) the origin, termination or stopover forming part of the continuous journey is outside Canada;

(b) [Repealed 1997, c. 85, s. 528(1)(1).]

(c) the origin of the continuous journey is in Québec, its termination is in Canada but outside Québec and, at the time the journey begins, the individual or group is scheduled to disembark a coveyance used for the provision of the service in a place outside Canada to transfer to another coveyance used for the provision of the service;

(d) [Repealed 2011, c. 1, s. 136(1).]

(2) a supply of any of the following services made by a person in connection with the supply by that person of a passenger transportation service included in paragraph 1:

(a) a service of transporting an individual's baggage, and

(b) a service of supervising an unaccompanied child;

(3) [Repealed 1997, c,. 85, s. 528(1)(2).]

(4) a supply by a person of a service of issuing, delivering, amending, replacing or cancelling a ticket, voucher or reservation for a supply by that person of a passenger transportation service that would, if it were completed in accordance with the agreement for that supply, be included in paragraph 1;

(5) a supply to a person of a service of acting as a mandatary in making a supply on behalf of that person of a service that would, if it were completed in accordance with the agreement for that supply, be included in paragraph 1.

1991, c. 67, s. 194; 1993, c. 19, s. 186; 1997, c. 85, s. 528; 2001, c. 53, s. 312; 2011, c. 1, s. 136

195. Exception — Paragraph 1 of section 194 does not apply in respect of a passenger transportation service that is part of a continuous journey, other than a continuous journey that includes transportation by air, where both the origin and the termination of the journey are in Québec and, at the time the journey begins, the individual or group is not scheduled to be outside Canada for an uninterrupted period of a least 24 hours.

1991, c. 67, s. 195

196. Freight transportation services — For the purposes of this division, where in respect of a continuous freight movement several carriers supply freight transportation services in the course of the continuous freight movement, and the shipper or the consignee of the property is, under the contract of carriage for the continuous freight movement, required to pay a particular carrier that is one of those carriers a particular amount that is part or all of the consideration for the freight transportation services supplied by those several carriers, the following rules apply:

(1) the particular carrier is deemed to have made a supply of a freight transportation service, having the same destination as the continuous freight movement, to the shipper or consignee, as the case may be, for consideration equal to the particular amount, whether or not the particular amount includes an amount paid to the particular carrier as mandatary of any of the other several carriers;

(2) the shipper or consignee, as the case may be, is deemed to have received a supply of a freight transportation service from the particular carrier for consideration equal to the particular amount and not to have received a freight transportation service from any of the other several carriers; and

(3) to the extent that any part of the particular amount is paid by one of the several carriers (in this paragraph referred to as the "first carrier") to another of the several carriers, the first carrier is deemed to be the recipient of freight transportation services supplied by the other carriers in relation to the continuous freight movement and, to the same extent, the other carriers are deemed to have supplied those freight transportation services to the first carrier and not to the shipper or consignee.

1991, c. 67, s. 196; 1997, c. 85, s. 529

197. Freight transportation services — The following are zero-rated supplies:

(1) a supply of a freight transportation service in respect of the transportation of corporeal movable property from a place in Québec to a place outside Canada where the value of the consideration for the supply is $5 or more;

LTVQ (anglais)

(2) a supply made by a carrier of a freight transportation service in respect of the transportation of corporeal movable property from a place in Québec to another place in Québec, where

(a) the shipper of the property provides the carrier with a declaration in prescribed form informing the carrier that the property is being shipped outside Québec and that the freight transportation service to be supplied by the carrier is part of a continuous outbound freight movement in respect of the property, except where the property is intended to be shipped to a place in Canada;

(b) the property is taken outside Québec and the service is part of a continuous outbound freight movement in respect of the property; and

(c) the value of the consideration for the supply is $5 or more;

(3) [Repealed 1994, c. 22, s. 457(1)(3).]

(4) a supply of a freight transportation service in respect of the transportation of corporeal movable property from a place outside Canada to a place in Québec;

(5) [Repealed 1997, c. 85, s. 530(1)(2).]

(5.1) [Repealed 1997, c. 85, s. 530(1)(2).]

(6) a supply of a freight transportation service from a place in Canada to a place in Québec that is part of a continuous freight movement from an origin outside Canada to a destination in Québec, where the supplier of the service maintains documentary evidence satisfactory to the Minister that the service is part of a continuous freight movement from an origin outside Canada to a destination in Québec;

(7) a supply of a freight transportation service made by a carrier of the property being transported to a second carrier of the property being transported, where the service is part of a continuous freight movement and the second carrier is neither the shipper nor the consignee of the property being transported; and

(8) a supply of a service of acting as a mandatary for a person not resident in Québec who is not registered under Division I of Chapter VIII at the time the supply is made, to the extent that the service is in respect of a supply to that person of a freight transportation service that is described in any of paragraphs 1 to 6;

(9) a supply by a licensee under paragraph a of subsection 1 of section 24 of the *Customs Act* (Revised Statutes of Canada, 1985, chapter 1, 2nd Supplement) of a service of warehousing goods imported into Canada at a sufferance warehouse operated by the licensee, where the purpose of the service is to enable examination of the goods before their release, within the meaning of the said Act;

(10) a supply of a service of ferrying by watercraft passengers or property to or from a place outside Québec, where the principal purpose of the ferrying is to transport motor vehicles and passengers between parts of a road or highway system that are separated by a stretch of water.

1991, c. 67, s. 197; 1994, c. 22, s. 457; 1995, c. 63, s. 349; 1997, c. 85, s. 530; 2011, c. 6, s. 248; 2012, c. 28, s. 60

197.1 Supply of an air ambulance service — A supply of an air ambulance service made by a person who carries on the business of supplying air ambulance services, where the transportation is to or from a place outside Québec, is a zero-rated supply.

1997, c. 85, s. 531

DIVISION VII.1 — MOTOR VEHICLE ACQUIRED TO BE RESUPPLIED

[Heading added 2001, c. 51, s. 269.]

197.2 Supply of a motor vehicle — A supply of a motor vehicle by way of sale made to a person who is registered under Division I of Chapter VIII and who receives the motor vehicle only to again make a supply of it by way of sale or by way of lease under an agreement under which continuous possession or use of the vehicle is provided to a person for a period of at least one year is a zero-rated supply.

Sale — For the purposes of this section, **"sale"** has the meaning assigned by section 1 but does not include a gift.

2001, c. 51, s. 269

DIVISION VII.2 — FINANCIAL SERVICE

[Heading added 2012, c. 28, s. 61.]

197.3 A supply of a financial service (other than a supply described in section 197.4) made by a financial institution to a person not resident in Canada is a zero-rated supply, unless the service relates to

(1) a debt that arises from

(a) the deposit of funds in Canada, if the instrument issued as evidence of the deposit is a negotiable instrument, or

(b) the lending of money that is primarily for use in Canada;

(2) a debt for all or part of the consideration for a supply of an immovable that is situated in Canada;

(3) a debt for all or part of the consideration for a supply of a movable property that is for use primarily in Canada;

(4) a debt for all or part of the consideration for a supply of a service that is to be performed primarily in Canada; or

(5) a financial instrument (other than an insurance policy or a precious metal) acquired, otherwise than directly from an issuer not resident in Canada, by the financial institution acting as a mandatory.

2012, c. 28, s. 61

197.4 A supply made by a financial institution of a financial service that relates to an insurance policy issued by the institution (other than a service that relates to investments made by the institution) is a zero-rated supply to the extent that

(1) in the case where the policy is a life or accident and sickness insurance policy (other than a group insurance policy), the policy is issued in respect of an individual who is not resident in Canada at the time the policy becomes effective;

(2) in the case where the policy is a group life or accident and sickness insurance policy, the policy relates to individuals not resident in Canada who are insured under the policy;

(3) in the case where the policy is an insurance policy in respect of an immovable, the policy relates to an immovable situated outside Canada; and

(4) in the case where the insurance policy is an insurance policy of any other kind, the policy relates to risks that are ordinarily situated outside Canada.

2012, c. 28, s. 61

197.5 A supply of a financial service that is the supply of precious metals in the case where the supply is made by the refiner or by the person on whose behalf the precious metals were refined is a zero-rated supply.

2012, c. 28, s. 61

DIVISION VIII — OTHER ZERO-RATED SUPPLIES

198. Other zero-rated supplies — The following are zero-rated supplies:

(1) [Repealed 2012, c. 28, s. 62(1).]

(2) a supply of property or a service that is for the use of the Lieutenant-Governor of Québec or another province;

(3) a supply of an admission to a convention, other than an admission to a foreign convention, made by a sponsor of the convention to a person not resident in Québec.

1991, c. 67, s. 198; 1994, c. 22, s. 458; 2012, c. 28, s. 62

198.0.1 For the purposes of paragraph 1.1 of section 198.1, **"read-only medium"** means a corporeal medium that is designed for the read-only storage of information and other material in digital format.

2011, c. 34, s. 143

198.1 Printed books — The following are zero-rated supplies:

(1) a supply of a printed book, or its updating, identified by an International Standard Book Number (ISBN) assigned according to the international book numbering system;

(1.1) a supply, for a single consideration, of a property consisting in a printed book, or its updating, identified by an International Standard Book Number (ISBN) assigned according to the international book numbering system and a read-only medium or a right to access a website if

(a) the printed book, or its updating, and the read-only medium or the right to access a website are wrapped, packaged, combined or otherwise prepared to be supplied together and are the only components of the supply; and

(b) it is reasonable to consider that the printed book, or its updating, is the main component of the supply; and

(2) a supply of a talking book or of its carrier, acquired by a person as a result of a visual handicap.

1997, c. 14, s. 336; 2011, c. 34, s. 144

198.2 Supply of tobacco — A supply of tobacco or raw tobacco within the meaning of the *Tobacco Tax Act* (chapter I-2) is a zero-rated supply.

1999, c. 83, s. 313; 2009, c. 15, s. 502

198.3 For the purposes of section 198.4,

"item used for bottle-feeding" means feeding bottles or their components, including the disposable bags required for certain types of bottles;

"item used for breast-feeding" means nursing bras, breast pumps or their components, nursing pads, nipple shields and other similar items designed specially to facilitate breast-feeding.

2005, c. 1, s. 355

198.4 A supply of an item used for bottle-feeding or of an item used for breast-feeding is a zero-rated supply.

2005, c. 1, s. 355

198.5 The following supplies are zero-rated supplies:

(1) a supply of diapers or training pants designed specially for children;

(2) a supply of waterproof pants designed specially to be worn over the diapers referred to in paragraph 1, where such diapers are washable; and

(3) a supply of absorbent linings or biodegradable paper products designed specially as accessories for the diapers referred to in paragraph 1, where such diapers are washable.

2005, c. 1, s. 355

LTVQ (anglais)

Chapter V — Input Tax Refund

Division I — General Principles

199. General rule — Where property or a service is supplied to or brought into Québec by a person and, during a reporting period of the person during which the person is a registrant, tax in respect of the supply or bringing into Québec of the property or service becomes payable by the person or is paid by the person without having become payable, the amount determined by the following formula is an input tax refund of the person in respect of the property or service for the period:

$$A \times B.$$

Interpretation — For the purposes of this formula,

(1) A is the tax in respect of the supply or bringing into Québec of the property or service that becomes payable by the person during the reporting period or that is paid by the person during the period without having become payable; and

(2) B is

(a) where the tax is deemed under section 252 to have been paid in respect of the property on the last day of a taxation year of the person, the extent, expressed as a percentage of the total use of the property in the course of commercial activities and businesses of the person during that taxation year, to which the person used the property in the course of commercial activities of the person during that taxation year;

(b) where the property or service is acquired or brought into Québec by the person for use in improving capital property of the person, the extent, expressed as a percentage, to which the person was using the capital property in the course of commercial activities of the person immediately after the capital property or a portion thereof was last acquired or brought into Québec by the person; and

(c) in any other case, the extent, expressed as a percentage, to which the person acquired or brought into Québec the property or service for consumption, use or supply in the course of commercial activities of the person.

Exception — Notwithstanding the first paragraph, the input tax refund of a person in respect of a motor vehicle supplied to the person by way of retail sale is the amount determined pursuant to section 199.0.1.

1991, c. 67, s. 199; 1994, c. 22, s. 459; 1997, c. 85, s. 532; 2001, c. 51, s. 270

199.0.0.1 No amount may be included in determining an input tax refund of a person in respect of tax that became payable by the person under section 16, or, to the extent that the tax relates to a corporeal property the person brings into Québec from outside Canada, under section 17, while the person is a selected listed financial institution unless

(1) the amount is deemed to have been paid by the person under any of sections 207, 210.3, 256, 257, 264 and 265;

(2) the amount is a prescribed amount of tax for the purposes of subparagraph a of subparagraph 6 of the second paragraph of section 433.16;

(3) the person is permitted to claim an input tax refund under section 233 or 234; or

(4) the amount is a prescribed amount of tax.

2012, c. 28, s. 63

199.0.1 Input tax refund — supply by way of retail sale of a motor vehicle — Where a motor vehicle is supplied to a person by way of retail sale and, during a reporting period of the person during which the person is a registrant, tax in respect of the supply is paid by the person, the amount determined by the following formula is an input tax refund of the person in respect of the motor vehicle for the period:

$$A \times B.$$

Interpretation — For the purposes of the formula,

(1) A is the tax in respect of the supply that is paid by the person during the reporting period; however, the tax paid by the person in respect of a retail sale referred to in paragraph 2 of the definition of "retail sale" in section 1 is deemed to be nil;

(2) B is the percentage determined under subparagraph 2 of the second paragraph of section 199.

2001, c. 51, s. 271

199.0.2 For the purposes of section 199.0.3,

"large business" has the meaning assigned by sections 551 to 551.4 of the Act to amend the *Taxation Act*, the *Act respecting the Québec sales tax and other legislative provisions* (1995, chapter 63);

"long-term lease" has the meaning assigned by section 382.8;

"prescribed new hybrid vehicle" means a prescribed new hybrid vehicle for the purposes of section 382.9.

2009, c. 5, s. 613

199.0.3 Despite section 206.1, a registrant that is a large business may include, in determining the registrant's input tax refund, an amount in respect of the tax payable by the registrant in relation to the supply by way of sale or by way of long-term lease, or to the bringing into Québec, of a prescribed new hybrid vehicle where the supply, or the bringing into Québec, of the vehicle is made after 26 June 2007 and before 1 January 2009.

2009, c. 5, s. 613; 2010, c. 25, s. 246

199.1 Where a person acquires or brings into Québec property or a service partly for use in improving capital property of the person and partly for another purpose, for the purpose of determining an input tax refund of the person in respect of the property or service, the following rules apply:

(1) despite section 34, that part of the property or service that is acquired or brought into Québec for use in improving the capital property and the remaining part of the property or service are each deemed to be a separate property or service that does not form part of the other;

(2) the tax payable in respect of the supply or bringing into Québec of that part of the property or service that is acquired or brought into Québec for use in improving the capital property is deemed to be equal to the amount determined by the formula

$$A \times B;$$

and

(3) the tax payable in respect of that part of the property or service that is not for use in improving the capital property is deemed to be equal to the difference between the tax payable (in this section referred to as the "total tax payable") by the person in respect of the supply or bringing into Québec of the property or service, determined without reference to this section, and the amount determined under subparagraph 2.

For the purposes of the formula in subparagraph 2 of the first paragraph,

(1) A is the total tax payable; and

(2) B is the extent, expressed as a percentage, to which the total consideration paid or payable by the person for the supply in Québec of the property or service or the value of the property brought into Québec is or would be, if the person were a taxpayer within the meaning of the *Taxation Act* (chapter I-3), included in determining the adjusted cost base to the person of the capital property for the purposes of that Act.

1994, c. 22, s. 460; 1997, c. 85, s. 533; 2012, c. 28, s. 64

199.2 [Repealed 1997, c. 85, s. 534.]

199.3 [Repealed 1997, c. 85, s. 534.]

199.4 [Repealed 1994, c. 22, s. 461.]

200. [Repealed 1994,c. 22, s. 462.]

201. Required documentation — A registrant may not claim an input tax refund for a reporting period unless, before filing the return in which the refund is claimed,

(1) the registrant obtained sufficient evidence in such form containing such information as will enable the amount of the refund to be determined, including any such information as may be prescribed; and

(2) where the input tax refund is in respect of property or a service supplied to the registrant in circumstances in which the registrant is required to report the tax payable in respect of the supply in a return filed with the Minister under this Title, the registrant has so reported the tax in a return filed under this Title.

Refund in respect of a motor vehicle — Furthermore, where the input tax refund is in respect of a motor vehicle supplied to the registrant by way of retail sale, the registrant shall obtain a document issued by the person required to collect the tax payable in respect of the supply certifying that the tax has been paid by the registrant.

2001, c. 51, s. 272

202. Exemption — Where the Minister is satisfied that there are or will be sufficient records or supporting documents available to establish the particulars of any supply or bringing into Québec or of any supply or bringing into Québec of a specific class and the tax paid or payable in respect of the supply or bringing into Québec, the Minister may

(1) exempt a specified registrant, a specified class of registrants or registrants generally from any of the requirements of section 201 in respect of that supply or bringing into Québec or a supply or bringing into Québec of that class; and

(2) specify terms and conditions of the exemption.

1991, c. 67, s. 202; 1994, c. 22, s. 464; 2000, c. 25, s. 27

202.1 Clothing manufacturer — In determining an input tax refund of a registrant that is a clothing manufacturer within the meaning of section 350.48, no amount shall be included in respect of the tax payable by the registrant in respect of a supply referred to in section 350.49, unless the registrant files in accordance with that section the information return referred to therein in which the registrant declares the amount and all other information required in relation to the supply.

2002, c. 9, s. 163

203. Restriction — In determining an input tax refund of a registrant, no amount shall be included in respect of the tax payable by the registrant in respect of the following supplies made to, or brought into Québec by, the registrant:

(1) a supply of a membership, or a right to acquire a membership, in a club the main purpose of which is to provide recreational, sporting or dining facilities, except where the registrant acquires the membership or right, as the case may be, exclusively for supply in the course of a business of the registrant of supplying such memberships or rights;

(1.1) a supply or bringing into Québec of property or a service that is acquired or brought into Québec by the registrant for consumption or use by the registrant, or, where the registrant is a partnership, an individual who is a member of the partnership, in relation to any part (in this section and in section 457.2 referred to as the "work space") of a self-contained domestic establishment in which the registrant or the individual, as the case may be, resides unless the work space

(a) is the principal place of business of the registrant, or

(b) is used exclusively for the purpose of earning income from a business and is used on a regular and continuous basis for meeting clients, customers or patients of the registrant in respect of the business;

(2) a supply or the bringing into Québec of property or a service that is acquired or brought in by the registrant at any time in or before a reporting period of the registrant exclusively for the personal consumption, use or enjoyment (in this section and in section 204 referred to as the "benefit") in that period of a particular individual who was, is or agrees to become an officer or employee of the registrant, or of another individual related to the particular individual;

(3) a supply made in or before a reporting period of the registrant of property, by way of lease, licence or similar arrangement, primarily for the personal consumption, use or enjoyment in that period of

(a) where the registrant is an individual, the registrant or another individual related to the registrant;

(b) where the registrant is a partnership, an individual who is a member of the partnership or another individual who is an employee, officer or shareholder of, or related to, a member of the partnership;

(c) where the registrant is a corporation, an individual who is a shareholder of the corporation or another individual related to the shareholder; and

(d) where the registrant is a trust, an individual who is a beneficiary of the trust or another individual related to the beneficiary.

(4) a supply or bringing into Québec of property or a service that is acquired or brought into Québec, in the circumstances set out in section 345.2, in respect of the consumption by an individual of food or beverages or in respect of the enjoyment by the individual of entertainment.

1991, c. 67, s. 203; 1994, c. 22, s. 465; 1997, c. 3, s. 135; 1997, c. 85, s. 536; 2004, c. 21, s. 529

204. Exceptions — Paragrah 2 of section 203 does not apply in the following cases:

(1) the registrant makes a taxable supply of the property or service to the particular individual or the other individual for consideration that becomes due in that period and that is equal to the fair market value of the property or service at the time the consideration becomes due; or

(2) if no amount were payable for the benefit by the particular individual who was, is or agrees to become an officer or employee of the registrant, no amount would be included under sections 34 to 47.17 of the *Taxation Act* (chapter I-3) in respect of the benefit in computing the income of the particular individual.

Exception — Similarly, paragraph 3 of section 203 does not apply where the registrant makes a taxable supply of the property in that period to such an individual for consideration that becomes due in that period and that is equal to the fair market value of the supply at the time the consideration becomes due.

1991, c. 67, s. 204

205. [Repealed 1997, c. 85, s. 537.]

206. Restriction — In determining an input tax refund of a registrant, no amount shall be included in respect of the tax payable by the registrant in respect of the supply or bringing into Québec of property or a service, except to the extent that

(1) the consumption or use of property or a service of such quality, nature or cost is reasonable in the circumstances, having regard to the nature of the commercial activities of the registrant; and

(2) the value of the consideration for the supply of the property or service or, in the case of the bringing into Québec of the property or service, the value of the property is reasonable in the circumstances.

1991, c. 67, s. 206

206.0.1 [Repealed 2012, c. 28, s. 65(1).]

206.1 [Repealed 1995, c. 63, s. 350.]

206.2 [Repealed 1995, c. 63, s. 350.]

206.3 [Repealed 1995, c. 63, s. 350.]

206.3.1 [Repealed 1995, c. 63, s. 350.]

206.4 [Repealed 1995, c. 63, s. 350.]

206.5 [Repealed 1995, c. 63, s. 350.]

206.6 [Repealed 1995, c. 63, s. 350.]

206.7 [Repealed 1995, c. 63, s. 352.]

Division II — Special Rules

§1. — Becoming and ceasing to be registrant

207. Small supplier becoming a registrant — property — Where at any time a person becomes a registrant and immediately before that time the person was a small supplier, for the purpose of determining an input tax refund of the person, the following rules apply:

(1) the person is deemed to have received, at that time, a supply by way of sale of each property of the person that was held immediately before that time for consumption, use or supply in the course of commercial activities of the person; and

(2) the person is deemed to have paid, at that time, tax in respect of the supply equal to the basic tax content of the property at that time.

1991, c. 67, s. 207; 1994, c. 22, s. 468; 1997, c. 85, s. 538

208. Person becoming a registrant — services and rental property — Where at any time a person becomes a registrant, the following rules apply in determining the input tax refund of the person for the first reporting period of the person ending after that time,

(1) there may be included the total of any tax that became payable by the person before that time, to the extent that the tax was payable in respect of a service to be supplied to the person after that time for consumption, use or supply in the course of commercial activities of the person or was calculated on the value of consideration that is a rent, royalty or similar payment attributable to a period after that time in respect of property that is used in the course of commercial activities of the person; and

(2) there shall not be included any tax that becomes payable by the person after that time, to the extent that the tax is payable in respect of a service supplied to the person before that time or is calculated on the value of consideration that is a rent, royalty or similar payment attributable to a period before that time.

1991, c. 67, s. 208; 1997, c. 85, s. 539

209. Person ceasing to be a registrant — property — Where a person ceases at any time to be a registrant, the following rules apply:

(1) the person is deemed

(a) to have made, immediately before that time, a supply of each property of the person, other than capital property, that immediately before that time was held by the person for consumption, use or supply in the course of commercial activities of the person and to have collected, immediately before that time, tax in respect of the supply, calculated on the fair market value of the property at that time, and

(b) to have received, at that time, a supply of the property by way of sale and to have paid, at that time, tax in respect of the supply equal to the amount determined under subparagraph a; and

(2) where the person was, immediately before that time, using capital property of the person in commercial activities of the person, the person is deemed to have, immediately before that time, ceased using the property in commercial activities.

1991, c. 67, s. 209; 1993, c. 19, s. 188; 1994, c. 22, s. 469; 1995, c. 63, s. 353

210. Person ceasing to be a registrant — services and rental property — Where a person who engages in commercial activities ceases at any time to be a registrant, the following rules apply:

(1) in determining the input tax refund of the person for the last reporting period of the person beginning before that time, there may be included the total of any tax that becomes payable by the person after that time, to the extent that the tax is payable in respect of a service that was supplied to the person before that time for consumption, use or supply in the course of commercial activities of the person or is calculated on the value of consideration that is a rent, royalty or similar payment attributable to a period before that time in respect of property that is used in the course of commercial activities of the person; and

(2) in determining the net tax of the person for the last reporting period of the person beginning before that time, there shall be added to the total for A in the formula set out in section 428 any input tax refund claimed by the person before that time, to the extent that it relates to a service to be supplied to the person after that time or to the value of consideration that is a rent, royalty or similar payment attributable to a period after that time.

1991, c. 67, s. 210; 1997, c. 85, s. 540

210.1 Application of ss. 207 to 210 — Sections 207 to 210 do not apply where sections 210.2 to 210.4 apply.

Application of s. 209 — Section 209 does not apply to property held by a person immediately before the person ceases to be a registrant where section 297.2, 297.7.1, 297.7.5 and 297.7.6 applied in respect of that property at an earlier time.

1994, c. 22, s. 470; 1995, c. 63, s. 354

§1.1 — Taxi Business

210.2 Small supplier — Where at any time a person who is a small supplier is engaged in a taxi business and other commercial activities in Québec, other than the supply by way of sale of an immovable, and the registration of the person does not apply to those other activities, the following rules apply:

(1) the person is deemed not to be a registrant at that time except in respect of the taxi business and anything done by the person in the course of that business or in connection with it; and

(2) for the purposes of sections 199 to 202 and subdivision 5, the other activities of the person are deemed not to be commercial activities of the person at that time.

1994, c. 22, s. 470

210.3 Becoming a registrant for other activities — Where at any time a person is engaged in a taxi business and other commercial activities in Québec, other than the supply by way of sale of an immovable, and the person's registration begins, at that time, to apply to those other activities, the following rules apply:

(1) for the purpose of determining an input tax refund of the person, the person is deemed to have received, at that time, a supply by way of sale of each property of the person, other than capital property, that was held immediately before that time for consumption, use or supply in the course of those other activities and to have paid, at that time, tax in respect of the supply equal to the basic tax content of the property at that time; and

(2) for the purpose of determining the input tax refund of the person for the reporting period that includes that time, there may be included the total of any tax that became payable by the person before that time, to the extent that the tax is calculated on consideration, or a part thereof,

(a) that is reasonably attributable to a service that is to be rendered to the person after that time and that was acquired by the person for consumption, use or supply in the course of those other activities, or

(b) that is a rent, royalty or similar payment in respect of property and that is reasonably attributable to a period after that time during which the property is used in the course of those other activities.

1994, c. 22, s. 470; 1997, c. 85, s. 541

210.4 Ceasing to be a registrant for other activities — Where at any time a person is engaged in a taxi business and other commercial activities in Québec, other than the supply by way of sale of an immovable, and the person's registration ceases, at that time, to apply to those other activities; the following rules apply:

(1) the person is deemed

(a) to have made, immediately before that time, a supply of each property of the person, other than capital property, that was held immediately before that time for consumption, use or supply in the course of those other activities, and to have collected, immediately before that time, tax in respect of the supply, calculated on the fair market value of the property at that time, and

(b) to have received, at that time, a supply of the property by way of sale and to have paid, at that time, tax in respect of the supply equal to the amount determined under subparagraph a;

(2) in determining the input tax refund of the person for the reporting period that includes that time, there may be included tax that becomes payable by the person after that time, to the extent that the tax is calculated on consideration, or a part thereof,

(a) that is reasonably attributable to a service that was rendered to the person before that time and that was acquired by the person for consumption, use or supply in the course of those other activities, or

(b) that is a rent, royalty or similar payment in respect of property and that is reasonably attributable to a period before that time during which the property was used in the course of those other activities; and

(3) an amount shall be added in determining the net tax for the reporting period of the person that includes that time where, in determining an input tax refund claimed by the person in a return under section 468 for a reporting period ending before that time, there was included an amount in respect of tax calculated on consideration, or a part thereof,

(a) that is reasonably attributable to services that are to be rendered to the person after that time, or

(b) that is a rent, royalty or similar payment in respect of property and that is reasonably attributable to a period (in this section referred to as the "lease period") after that time.

Application — For the purposes of subparagraph 3 of the first paragraph, the amount shall be added in determining the net tax to the extent to which the property is used by the person during the lease period, or the services were acquired by the person for consumption, use or supply, in the course of those other activities.

1994, c. 22, s. 470; 1995, c. 63, s. 355

210.5 [Repealed 1995, c. 63, s. 356.]

§1.2 — Retail vendor of tobacco

210.6 Application of ss. 210.2 to 210.5 — Sections 210.2 to 210.5, adapted as required, apply to every small supplier who is required to register pursuant to section 407.2.

1995, c. 47, s. 8

§1.3 — Supplier of alcoholic beverages

210.7 Application of ss. 210.2 to 210.5 — Sections 210.2 to 210.5 apply, with the necessary modifications, to every small supplier who is required to register pursuant to section 407.3.

1995, c. 63, s. 357

§1.4 — Fuel supplier

210.8 Fuel supplier — Sections 210.2 to 210.5 apply, with the necessary modifications, to every small supplier who is required to register pursuant to section 407.4.

1999, c. 65, s. 49

§1.5 — Suppliers of new tires or road vehicles

210.9 Suppliers of new tires or road vehicles — Sections 210.2 to 210.5 apply, with the necessary modifications, to every person required to register pursuant to section 407.5.

2000, c. 39, s. 282

§2. — Allowance and reimbursement

211. Travel and other allowances — taxable supply deemed received — A person is deemed to have received a supply of property or a service where

(1) the person pays an allowance to an employee of the person, or, where the person is a partnership, to a member of the partnership, or, where the person is a charity or a public institution, to a volunteer who gives services to the charity or public institution

(a) for supplies all or substantially all of which are taxable supplies, other than zero-rated supplies, of property or services acquired in Québec by the employee, member or volunteer in relation to activities engaged in by the person, or

(b) for the use in Québec, in relation to activities engaged in by the person, of a motor vehicle;

(2) an amount in respect of the allowance is deductible in computing the income of the person for a taxation year of the person for the purposes of the *Taxation Act* (R.S.Q., chapter I-3), or would have been so deductible if the person were a taxpayer under that Act and the activity were a business; and

(3) in the case of an allowance in respect of which paragraph e of section 39 or section 40 of the *Taxation Act* would apply if the allowance were a reasonable allowance for the purposes of that paragraph or that section and, where the person is a partnership and the allowance is paid to a member of the partnership, or, where the person is a charity or a public institution and the allowance is paid to a volunteer, if the member or volunteer were an employee of a partnership, charity or institution, the person considered, at the time the allowance was paid, that the allowance would be a reasonable allowance for the purposes of paragraph e of section 39 or section 40 of that Act and it is reasonable for the person to have so considered, at that time, the allowance to be a reasonable allowance for those purposes.

Tax deemed paid at the time the allowance was paid — In addition, any consumption or use of the property or service by the employee, member or volunteer is deemed to be consumption or use by the person and not by the employee, member or volunteer, and the person is deemed to have paid, at the time the allowance was paid, tax in respect of the supply equal to the amount determined by multiplying the amount of the allowance by 9.975/109.975.

1991, c. 67, s. 211; 1993, c. 19, s. 189; 1994, c. 22, s. 471; 1995, c. 1, s. 280; 1995, c. 63, s. 358; 1997, c. 3, s. 135; 1997, c. 85, s. 542; 2010, c. 5, s. 214; 2011, c. 6, s. 249; 2012, c. 28, s. 66

211.1 [Repealed 1995, c. 1, s. 281.]

212. Reimbursement of employees, partners or volunteers — Where an employee of an employer, a member of a partnership or a volunteer who gives services to a charity or public institution acquires or brings into Québec property or a service for consumption or use in activities of the employer, partnership, charity or public institution (each of which is referred to in this section as the "person"), the employee, member or volunteer paid the tax payable in respect of that acquisition or bringing into Québec and the person pays an amount to the employee, member or volunteer as a reimbursement in respect of the property or service,

(1) the person is deemed to have received a supply of the property or service;

(2) any consumption or use of the property or service by the employee, member or volunteer in activities of the person is deemed to be consumption or use by the person and not by the employee, member or volunteer; and

(3) the person is deemed to have paid, at the time the reimbursement is paid, tax in respect of the supply equal to the amount determined by the formula

$$A \times B.$$

Interpretation — For the purposes of this formula,

(1) A is the tax paid by the employee, member or volunteer in respect of the acquisition or bringing into Québec of the property or service; and

(2) B is the lesser of

(a) the percentage of the cost of the property or service, for the employee, member or volunteer, that is reimbursed to the employee, member or volunteer, and

(b) the extent, expressed as a percentage, to which the property or service was acquired or brought into Québec by the employee, member or volunteer for consumption or use in activities of the person.

1991, c. 67, s. 212; 1995, c. 1, s. 282; 1997, c. 85, s. 543

212.1 Exception — Reimbursement of partners — Section 212 does not apply to a reimbursement in respect of property or a service acquired or brought into Québec by a member of a partnership where paragraph 2 of section 345.2 applies to the acquisition or bringing into Québec and the reimbursement is paid to the member after the member files with the Minister a return of the member under section 468 in which an input tax refund in respect of the property or service is claimed.

1997, c. 85, s. 544

212.2 Reimbursement of beneficiaries of a warrantes — Where the beneficiary of a warranty (other than an insurance policy) in respect of the quality, fitness or performance of corporeal property acquires or brings into Québec property or a service in respect of which tax is payable by the beneficiary and a registrant pays to the beneficiary, under the terms of the warranty, an amount as a reimbursement in respect of the property or service and therewith provides written indication that a portion of the amount is on account of tax, the following rules apply:

(1) the registrant may claim an input tax refund, for the reporting period of the registrant in which the reimbursement is paid, equal to the amount (in this section referred to as the "tax reimbursed") determined by the formula

$$A \times \frac{B}{C};$$

and

(2) where the beneficiary is a registrant who was entitled to claim an input tax refund, or a rebate under Division I of Chapter VII, in respect of the property or service, the beneficiary is deemed to have made a taxable supply and to have collected, at the time the reimbursement is paid, tax in respect of the supply equal to the amount determined by the formula

LTVQ (anglais)

$$D \times \frac{E}{F}.$$

Interpretation — For the purposes of these formulas,

(1) A is the tax payable by the beneficiary;

(2) B is the amount of the reimbursement;

(3) C is the cost to the beneficiary of the property or service;

(4) D is the tax reimbursed;

(5) E is the total of the input tax refunds and rebates under Division I of Chapter VII that the beneficiary was entitled to claim in respect of the property or service; and

(6) F is the tax payable by the beneficiary in respect of the supply or bringing into Québec of the property or service.

1997, c. 85, s. 544

§3. — Used returnable container

213. Acquisition of a covering or container — A registrant is deemed, except where section 75.1 or 80 applies in respect of the supply, to have paid, at the time any amount is paid as consideration for the supply, tax in respect of the supply equal to the amount determined by multiplying that amount by 9.975/109.975, where

(1) the registrant is the recipient of a supply made in Québec by way of sale of used corporeal movable property, other than a returnable container as defined in section 350.42.3, that is a usual covering or container of a class of coverings or containers in which property, other than property the supply of which is a zero-rated supply, is delivered;

(2) tax is not payable by the registrant in respect of the supply;

(3) the property is acquired for the purpose of consumption, use or supply in the course of commercial activities of the registrant; and

(4) the registrant pays consideration for the supply that is not less than the total of

(a) the consideration charged by the registrant for supplies by the registrant of used coverings or containers of that class, and

(b) tax calculated on that consideration.

Presumption — value of the consideration — For the purposes of this section, where a person makes a supply of used corporeal movable property to a registrant with whom the person is not dealing at arm's length for consideration that exceeds the fair market value of the property at the time possession of the property is transferred to the registrant, the value of the consideration for the supply is deemed to be equal to the fair market value of the property at that time.

1991, c. 67, s. 213; 1994, c. 22, s. 472; 1997, c. 85, s. 546; 2009, c. 5, s. 614; 2010, c. 5, s. 215; 2011, c. 6, s. 250; 2012, c. 28, s. 67

214. [Repealed 1997, c. 85, s. 547.]

215. [Repealed 1997, c. 85, s. 547.]

216. [Repealed 1997, c. 85, s. 547.]

217. [Repealed 1997, c. 85, s. 547.]

217.1 [Repealed 1997, c. 85, s. 547.]

218. [Repealed 1997, c. 85, s. 547.]

219. [Repealed 1997, c. 85, s. 547.]

§4. — Immovable

I. — Change in use

220. Conversion to residential use — Where at a particular time a person begins to hold or use an immovable as a residential complex,

(1) the person is deemed to have substantially renovated the complex;

(2) the renovation is deemed to have begun at the particular time and to have been substantially completed at the earlier of

(a) the time the complex is occupied by any individual as a place of residence or lodging, and

(b) the time the person transfers ownership of the complex to another person; and

(3) the person is deemed to be a builder of the complex, except where the person is

(a) a particular individual who acquires the immovable at that time to hold and use exclusively as a place of residence of the particular individual or another individual who is related to the particular individual or who is a former spouse of the particular individual, or

(b) a personal trust that acquires the immovable at that time to hold or use exclusively as a place of residence of an individual who is a beneficiary of the trust.

Conditions — However, the first paragraph applies only where

(1) the immovable

(a) was last acquired by the person to be held or used as a residential complex, or

(b) immediately before the particular time, is held for supply, or used or held for use as capital property, in a business or commercial activity of the person;

(2) immediately before the particular time, the immovable was not a residential complex; and

(3) the person did not engage in the construction or substantial renovation of, and is not, but for this section, a builder of the complex.

1991, c. 67, s. 220; 1994, c. 22, s. 477; 1997, c. 85, s. 548

221. Personal use or enjoyment — Where at any time an individual appropriates an immovable for the personal use or enjoyment of the individual, another individual related to the individual or a former spouse of the individual, the individual is deemed

(1) to have made and received a taxable supply by way of sale of the immovable immediately before that time; and

(2) to have paid as a recipient and to have collected as a supplier, at that time, tax in respect of the supply, calculated on the fair market value of the immovable at that time.

Conditions — However, the first paragraph applies only where, immediately before that time, the immovable

(1) was held for supply, or was used or held for use as capital property, in a business or commercial activity of the individual; and

(2) was not a residential complex.

1991, c. 67, s. 221

222. [Repealed 1995, c. 63, s. 363.]

I.1 — Self-supply of land

222.1 Lease of land for residential use — Where a person who has an interest in land makes a supply of the land by way of lease, licence or similar arrangement and at any time gives possession of the land as set out in subparagraph 2 of the second paragraph, the person is deemed

(1) to have made, immediately before that time, a taxable supply by way of sale of the land and to have collected, at that time, tax in respect of the supply calculated on the fair market value of the land at that time; and

(2) to have received, at that time, a taxable supply by way of sale of the land and to have paid, at that time, tax in respect of that supply calculated on the fair market value of the land at that time.

Exception — However, the first paragraph applies only where

(1) the supply is an exempt supply referred to in section 99 or paragraph 1 of section 100;

(2) the person at any time gives possession of the land to the recipient of the supply under the arrangement;

(3) the last use of the land by the person before that time was not under an arrangement for a supply referred to in subparagraph 1 of this paragraph;

(4) the person was not deemed under section 243, 258 or 261 to have made a supply of the land at or immediately before that time; and

(5) the recipient of the supply is not acquiring possession of the land or the purpose of

(a) constructing a residential complex thereon in the course of a commercial activity, or

(b) making an exempt supply of the land referred to in section 99.

1994, c. 22, s. 478

I.2 — Self-supply of a site in a residential trailer park

222.2 First use of a residential trailer park — Where a person makes a supply of a site in a residential trailer park of the person by way of lease, licence or similar arrangement and at any time gives possession or occupancy of the site as set out in subparagraph 2 of the second paragraph, the person is deemed

(1) to have made, immediately before that time, a taxable supply by way of sale of the park and to have collected, at that time, tax in respect of the supply calculated on the fair market value of the park at that time; and

(2) to have received, at that time, a taxable supply by way of sale of the park and to have paid, at that time, tax in respect of the supply calculated on the fair market value of the park at that time.

Exception — However, the first paragraph applies only where

(1) the supply is an exempt supply referred to in paragraph 2 of section 100;

(2) the person at any time gives possession or occupancy of the site to the recipient of the supply under the arrangement;

(3) none of the sites in the park were occupied immediately before that time under an arrangement for a supply referred to in subparagraph 1 of this paragraph; and

(4) either

(a) the last acquisition of the park by the person was not an exempt supply referred to in section 97.3 and the person was not deemed to have made a supply of land included in the park as a consequence of using the land for purposes of the park,

i. before that time under this section, or

ii. at or immediately before that time under section 243, 258 or 261; or

(b) the person was entitled, after the park or land was last acquired or deemed to have been supplied by the person, to claim an input tax refund in respect of the acquisition thereof or an improvement thereto.

1994, c. 22, s. 478

222.3 First use of an additional area — Where a person who increases the area of land included in a residential trailer park of the person makes a supply of a site in the area of land by which the park was increased (in this section referred to as the "additional area") by way of lease, licence or similar arrangement and at any time gives possession or occupancy of the site as set out in subparagraph 2 of the second paragraph, the person is deemed

(1) to have made, immediately before that time, a taxable supply by way of sale of the additional area and to have collected, at that time, tax in respect of the supply calculated on the fair market value of the additional area at that time; and

(2) to have received, at that time, a taxable supply by way of sale of the additional area and to have paid, at that time, tax in respect of the supply calculated on the fair market value of the additional area at that time.

Exception — However, the first paragraph applies only where

(1) the supply is an exempt supply referred to in paragraph 2 of section 100;

(2) the person at any time gives possession or occupancy of the site to the recipient of the supply under the arrangement;

(3) none of the sites in the additional area were occupied immediately before that time under an arrangement for a supply referred to in subparagraph 1 of this paragraph; and

(4) either

(a) the last acquisition of the additional area by the person was not an exempt supply referred to in section 97.3 and the person was not deemed to have made a supply of the additional area as a consequence of using the additional area for purposes of the park,

i. before that time under this subdivision 4, or

ii. at or before that time under section 243, 258 or 261; or

(b) the person was entitled, after the additional area was last acquired or deemed to have been supplied by the person, to claim an input tax refund in respect of the acquisition thereof or an improvement thereto.

1994, c. 22, s. 478

I.3 — Supply of a mobile home or floating home — Builder

222.4 Mobile or floating home — Any person who makes a supply of a mobile home or a floating home before it has been used or occupied by any individual as a place of residence or lodging is deemed to have engaged in the construction of the home and to have substantially completed the construction at the earlier of the time ownership of the home is transferred to the recipient of the supply and the time possession of the home is transferred to the recipient under the agreement for the supply.

1994, c. 22, s. 478

222.5 Substantial renovation of a mobile or floating home — Where a person engages in the substantial renovation of a mobile home or a floating home, the home is deemed not to have been used or occupied, at any time before the person began to substantially renovate the home, by any individual as a place of residence or lodging.

1994, c. 22, s. 478

II — Self-supply of residential complex — Builder

222.6 Reference to "by way of lease" — For the purposes of sections 223 to 231.1, a reference to "by way of lease" in respect of land shall be read as a reference to "by way of lease, licence or similar arrangement".

2001, c. 53, s. 313

223. Self-supply of a single unit residential complex or residential unit held in co-ownership — Subject to sections 224.1 to 224.5, where the construction or substantial renovation of a residential complex that is a single unit residential complex or a residential unit held in co-ownership is substantially completed, the builder of the complex is deemed

(1) to have made and received, at the latest of the time the construction or substantial renovation is substantially completed, the time possession or use of the complex is given as set out in subparagraph a or b of subparagraph 1 of the second paragraph and the time the residential complex is occupied as set out in subparagraph c of that subparagraph, a taxable supply by way of sale of the complex; and

(2) to have paid as a recipient and to have collected as a supplier, at the latest of those times, tax in respect of the supply calculated on the fair market value of the complex at the latest of those times.

Conditions — However, the first paragraph applies only where

(1) the builder of the residential complex

(a) gives possession or use of the complex to a particular person under a lease, licence or similar arrangement, other than an arrangement, arising as a consequence of an agreement of purchase and sale of the complex, for the possession or occupancy of the complex until ownership of the complex is transferred to the purchaser under the agreement, entered into for the purpose of its occupation by an individual as a place of residence,

(b) gives possession or use of the complex to a particular person under an agreement, other than an agreement for the supply of a mobile home and a site for the home in a residential trailer park, for

i. the supply by way of sale of the building or any part thereof in which the residential unit forming part of the complex is located, and

ii. the supply by way of lease of the land forming part of the complex or the supply of such a lease by way of assignment; or

(c) is an individual and occupies the complex as a place of a residence; and

(2) the builder, the particular person or an individual who has entered into a lease, licence or similar arrangement in respect of the complex with the particular person, is the first individual to occupy the complex as a place of residence after substantial completion of the construction or renovation.

1991, c. 67, s. 223; 1994, c. 22, s. 479; 1997, c. 14, s. 337; 2001, c. 53, s. 314; 2009, c. 15, s. 504

224. Self-supply of a residential unit held in co-ownership — Subject to sections 224.1 to 224.5, where the construction or substantial renovation or a residential complex held in co-ownership is substantially completed, the builder of the unit is deemed

(1) to have made and received, at the time referred to in subparagraph 3 of the second paragraph, a taxable supply by way of sale of the unit; and

(2) except where possession of the unit was transferred to the particular person referred to in subparagraph 1 of the second paragraph before 1 July 1992, to have paid as a recipient and to have collected as a supplier, at that time, tax in respect of the supply calculated on the fair market value of the unit at that time.

Conditions — However, the first paragraph applies only where

(1) the builder of the unit gives possession of the unit to a particular person who is the purchaser under an agreement of purchase and sale of the unit at a time when the declaration of co-ownership relating to the complex in which the unit is situated has not yet been entered in the land register;

(2) the particular person or an individual who is a tenant or licensee of the particular person is the first individual to occupy the unit as a place of residence after substantial completion of the construction or renovation; and

(3) the agreement of purchase and sale is at any time terminated, otherwise than by performance of the agreement, and another agreement of purchase and sale of the unit between the builder and the particular person is not entered into at that time.

1991, c. 67, s. 224; 1994, c. 22, s. 480; 1997, c. 3, s. 135; 1997, c. 14, s. 338

224.1 Determination of net tax — Notwithstanding section 428, a builder of a residential complex who is registered under Division I of Chapter VIII may make an election to not include in determining the net tax of the builder for a particular reporting period of the builder the tax deemed under subparagraphs a and c of subparagraphs 1 and 2 of the second paragraph of section 223 or 224 to have been collected by the builder during the particular period in respect of the residential complex.

Condition — However, the first paragraph applies only where the residential complex is built by the builder for the purpose of using it in the course of the builder's business of supplying immovables by way of sale otherwise than by the sole application of section 223 or 224.

1997, c. 14, s. 339

224.2 Presumption — Where a builder having made an election under section 224.1 in respect of a residential complex makes, within 12 months following the supply deemed to have been made under section 223 or 224, a supply of the residential complex by way of sale, other than a supply deemed to have been made under the provisions of this Title, section 223 or 224, as the case may be, is deemed not to have applied, except for the purpose of computing the interest payable by the builder under the first paragraph of section 224.4.

Applicability — determination of net tax — However, if no supply of the residential complex by way of sale is made by the builder within 12 months following the supply deemed to have been made under section 223 or 224, the presumption established in the first paragraph does not apply and the builder shall include, in determining the net tax of the builder for a reporting period of the builder that is not later than the reporting period of the builder that includes the day after the 12-month period following the supply deemed to have been made under section 223 or 224, the tax deemed to have been collected by the builder in respect of the residential complex.

1997, c. 14, s. 339; 1997, c. 85, s. 549

224.3 Form and content of election — A builder having made an election under section 224.1 in respect of a residential complex shall

(1) make the election in prescribed form containing prescribed information; and

(2) file the election with the Minister on or before the last day of the month following the month in which the builder is deemed to have made the supply of the residential complex under section 223 or 224.

1997, c. 14, s. 339

224.4 Interest — A builder having made an election under section 224.1 in respect of a residential complex shall pay interest at the rate determined in section 28 of the *Tax Administration Act* (chapter A-6.002) on the tax payable in respect of the supply deemed to have been made under section 223 or 224 for the period that begins on the day on which the builder is deemed to have made the supply of the residential complex and that ends on the earliest of

(1) the day after the 12-month period following the supply deemed to have been made under section 223 or 224;

(2) the day on which the tax under section 16 is payable in respect of the supply of the residential complex by way of sale in the circumstances described in the first paragraph of section 224.2; and

(3) the day on which the builder remits the tax the builder is deemed under section 223 or 224 to have collected in respect of the residential complex.

Payment of interest — There shall be added, in determining the net tax of the builder for the reporting period of the builder during which the builder is required to include, in determining that net tax, any tax that has become collectible, has been collected or is deemed to have been collected by the builder in respect of the residential complex, the amount equal to the interest payable under the first paragraph.

Exception — However, the first paragraph does not apply where the builder remits to the Minister the tax deemed under section 223 or 224 to have been collected by the builder in respect of the residential complex on or before the day on which the builder is required to file an election under section 224.3.

1997, c. 14, s. 339; 2010, c. 31, s. 175(4)

224.5 Presumption — Where the builder makes an election under section 224.1 in respect of a residential complex, the following rules apply, with the necessary modifications:

(1) where section 75.1 applies, the recipient of the supply is deemed to be the builder of the residential complex from the time the supply is deemed under section 223 or 224 to have been made;

(2) where section 76 applies, the new corporation is deemed to be the builder of the residential complex from the time the supply is deemed under section 223 or 224 to have been made;

(3) where section 77 applies, the other corporation is deemed to be the builder of the residential complex from the time the supply is deemed under section 223 or 224 to have been made;

(4) where section 326 applies, the succession is deemed to be the builder of the residential complex from the time the supply is deemed under section 223 or 224 to have been made; similarly, if section 80 applies, the other individual is deemed to be the builder of the residential complex from the time the supply is deemed under section 223 or 224 to have been made;

(5) where a supply is deemed to be made under section 320, the creditor is deemed to be the builder of the residential complex from the time the supply is deemed under section 223 or 224 to have been made;

(6) where a supply is deemed to have been made under a provision of this Title, other than a supply deemed to have been made under section 320, the second paragraph of section 224.2 applies immediately before the time of the supply and the builder is required to include in determining the net tax of the builder for the builder's reporting period during which the builder is deemed to have made the supply, the tax that is deemed to have been collected under section 223 or 224 by the builder in respect of the residential complex.

1997, c. 14, s. 339; 1998, c. 16, s. 303

225. Self-supply of a multiple unit residential complex — Where the construction or substantial renovation of a multiple unit residential complex is substantially completed, the builder of the complex is deemed

(1) to have made and received, at the latest of the time the construction or substantial renovation is substantially completed, the time possession or use of the unit referred to in subparagraphs a and a.1 of subparagraph 1 of the second paragraph is given as set out in those subparagraphs, and the time the unit referred to in subparagraph b of that subparagraph 1 is occupied as set out in that subparagraph, a taxable supply by way of sale of the complex; and

(2) to have paid as a recipient and to have collected as a supplier, at the latest of those times, tax in respect of the supply calculated on the fair market value of the complex at the latest of those times.

Conditions — However, the first paragraph applies only where

(1) the builder of the residential complex

(a) gives possession or use of any residential unit in the complex to a particular person under a lease, licence or similar arrangement entered into for the purpose of its occupation by an individual as a place of residence and the particular person is not a purchaser under an agreement of purchase and sale of the complex, or

(a.1) gives possession or use of any residential unit in the complex to a particular person under an agreement for

i. the supply by way of sale of the building or part thereof forming part of the complex, and

ii. the supply by way of lease of the land forming part of the complex or the supply of such a lease by way of assignment, or

(b) is an individual and occupies any residential unit in the complex as a place of residence; and

(2) the builder, the particular person or an individual who has entered into a lease, licence or similar arrangement in respect of a residential unit in the complex with the particular person, is the first individual to occupy a residential unit in the complex as a place of residence after substantial completion of the construction or renovation.

1991, c. 67, s. 225; 1994, c. 22, s. 481; 2001, c. 53, s. 315; 2009, c. 15, s. 505

226. Self-supply of an addition to a multiple unit residential complex — Where the construction of an addition to a multiple unit residential complex is substantially completed, the builder of the addition is deemed

(1) to have made and received, at the latest of the time the construction of the addition is substantially completed, the time possession or use of the unit referred to in subparagraphs a and a.1 of subparagraph 1 of the second paragraph is given as set out in those subparagraphs, and the time the unit referred to in subparagraph b of that subparagraph 1 is occupied as set out in that subparagraph, a taxable supply by way of sale of the addition; and

(2) to have paid as a recipient and to have collected as a supplier, at the latest of those times, tax in respect of the supply calculated on the fair market value of the addition at the latest of those times.

Conditions — However, the first paragraph applies only where

(1) the builder of the addition

(a) gives possession or use of any residential unit in the addition to a particular person under a lease, licence or similar arrangement entered into for the purpose of its occupation by an individual as a place of residence and the particular person is not a purchaser under an agreement of purchase and sale of the complex, or

(a.1) gives possession or use of any residential unit in the addition to a particular person under an agreement for

i. the supply by way of sale of the building or part thereof forming part of the complex, and

ii. the supply by way of lease of the land forming part of the complex or the supply of such a lease by way of assignment, or

(b) is an individual and occupies any residential unit in the addition as a place of residence;

(2) the builder, the particular person or an individual who has entered into a lease, licence or similar arrangement in respect of a residential unit in the addition with the particular person, is the first individual to occupy a residential unit in the addition as a place of residence after substantial completion of the construction of the addition.

1991, c. 67, s. 226; 1994, c. 22, s. 482; 2001, c. 53, s. 316; 2009, c. 15, s. 506

227. Application of ss. 223–226 — Sections 223 to 226 do not apply to a builder of a residential complex or an addition to a residential complex where

(1) the builder is an individual;

(2) at any time after the construction or renovation of the complex or addition is substantially completed, the complex is used primarily as a place of residence for the individual, an individual related to the individual or a former spouse of the individual;

(3) the complex is not used primarily for any other purpose between the time the construction or renovation is substantially completed and that time; and

(4) the individual has not claimed an input tax refund in respect of the acquisition of or an improvement to the complex.

1991, c. 67, s. 227

228. Application of ss. 223–226 — Sections 223 to 226 do not apply to a builder of a residential complex or an addition to a residential complex where

(1) the builder is a university, public college or school authority; and

(2) the construction or renovation of the complex or addition is carried out, or the complex is acquired, primarily for the purpose of providing a place of residence for students attending the university or college or a school of the school authority.

1991, c. 67, s. 228

228.1 Application of ss. 223–226 — Sections 223 to 226 do not apply to a builder of a residential complex or an addition to a residential complex where

(1) the builder is a group of individuals in respect of which sections 851.23 to 851.33 of the *Taxation Act* (chapter I-3) apply; and

(2) the construction or substantial renovation of the complex or addition is carried out exclusively for the purpose of providing a place of residence for members of the group.

1997, c. 85, s. 550

229. Remote work site — The supply of a residential complex or a residential unit therein, as a place of residence or lodging, is deemed not to be a supply and the occupation of the residential complex or unit, as a place of residence or lodging, is deemed not to be such an occupation where

(1) the builder of the residential complex or an addition to the residential complex is a registrant;

(2) the construction or substantial renovation of the complex or addition is carried out, or the complex is acquired, for the purpose of providing a place of residence or lodging for an individual at a location at which, because of its remoteness from any established community, the individual could not reasonably be expected to establish and maintain a self-contained domestic establishment and at which the individual is required to be

(a) in the performance of the individual's duties as an employee of the registrant,

(b) to render services to the registrant at that location as a contractor, or an employee of the contractor, engaged by the registrant, or

(c) to render services at that location as a subcontractor, or an employee of the subcontractor, engaged by the contractor referred to in subparagraph b to render services that are acquired by the contractor for the purpose of supplying services to the registrant; and

(3) the registrant makes, for the purposes of this section, an election in prescribed form containing prescribed information in respect of the residential complex or addition.

Duration — The presumptions under the first paragraph apply until the residential complex is supplied by way of sale, or is supplied by way of lease, licence or similar arrangement primarily to persons who are not employees, contractors or subcontractors referred to in subparagraphs a, b and c of subparagraph 2 of the first paragraph who are acquiring the complex or residential units therein in the circumstances described in those subparagraphs or individuals who are related to such employees, contractors or subcontractors.

1991, c. 67, s. 229; 1994, c. 22, s. 483; 1997, c. 85, s. 551

230. Deemed election — Where the registrant makes an election under subsection 7 of section 191 of the *Excise Tax Act* (Revised Statutes of Canada, 1985, chapter E-15) in respect of the residential complex or addition referred to in section 229, the registrant is deemed to have made an election under subparagraph 3 of the first paragraph of section 229.

1991, c. 67, s. 230; 1994, c. 22, s. 484

231. Substantial completion of construction or renovation — For the purposes of sections 223 to 229, the construction or substantial renovation of a multiple unit residential complex or a complex held in co-ownership, or the construction of an addition to a multiple unit residential complex, is deemed to be substantially completed not later than the day all or substantially all of the residential units in the complex or addition are occupied after the construction or substantial renovation is begun.

1991, c. 67, s. 231; 1994, c. 22, s. 484

231.1 Transfer of possession attributed to the builder — If a builder of a residential complex or an addition to a multiple unit residential complex makes a supply of the complex or of a residential unit in the complex or addition by way of lease, licence or similar arrangement and the supply is an exempt supply under section 99 or 99.0.1, the builder is deemed, at the time referred to in paragraph 2, to have given possession of the complex or unit to an individual under a lease, licence or similar arrangement entered into for the purpose of its occupancy by an individual as a place of residence if

(1) the recipient of the supply is acquiring the complex or unit for use or supply in the course of making exempt supplies and, as part of an exempt supply, possession or use of the complex, unit or residential units in the complex is given by the recipient under a lease, licence or similar arrangement under which occupancy of the complex or unit is given to an individual as a place of residence or lodging; and

(2) the builder at any time gives possession of the complex or unit to the recipient under the arrangement.

1994, c. 22, s. 485; 2009, c. 15, s. 507

231.2 Definitions — For the purposes of section 231.3,

"government funding", in respect of a residential complex, means

(1) an amount of money, including a forgivable loan but not including any other loan or a refund or rebate of, or credit in respect of, fees, duties or taxes imposed under any Act, paid or payable by either of the following persons to a builder of the residential complex or of an addition thereto for the purpose of making residential units in the complex available to persons referred to in the second paragraph of section 231.3:

(a) a grantor, or

(b) an organization that received the amount from a grantor or another organization that received the amount from a grantor;

"grantor" means

(1) a government or municipality, other than a corporation all or substantially all of whose activities are commercial activities or the supply of financial services or any combination thereof;

(2) a band within the meaning of section 2 of the *Indian Act* (Revised Statutes of Canada, 1985, chapter I-5);

(3) a corporation that is controlled by a government, a municipality or a band referred to in paragraph 2 and one of the main purposes of which is to fund charitable or non-profit activities; and

(4) a trust, board, commission or other body that is established by a government, municipality, band referred to in paragraph 2 or corporation described in paragraph 3 and one of the main purposes of which is to fund charitable or non-profit activities.

1997, c. 85, s. 552

231.3 Self-supply of a subdivized residential complex — Where a builder of a residential complex or an addition thereto is deemed under any of sections 223 to 226 to have, at a particular time, made and received a supply of the complex or addition and, except where the builder is a government or a municipality, the builder, at or before the particular time, has received or can reasonably expect to receive government funding in respect of the complex, the amount of tax in respect of the supply, calculated on the fair market value of the complex or addition, is deemed for the purposes of sections 223 to 226 to be equal to the greater of

(1) the amount that would, but for this section, be the tax calculated on that fair market value; and

(2) the total of all amounts each of which is tax that was payable by the builder in respect of an immovable that forms part of the complex or addition, or an improvement to the immovable.

Exception — The first paragraph applies only if possession or use of at least 10% of the residential units in the complex is intended to be given for the purpose of their occupancy as a place of residence or lodging by

(1) seniors;

(2) youths;

(3) students;

(4) persons with a disability;

(5) persons in distress or persons in need of assistance;

(6) individuals whose eligibility for occupancy of the units as a place of residence or lodging, or for reduced payments in respect of their occupancy as a place of residence or lodging, is dependent on a means or income test; or

(7) individuals for whose benefit no other persons (other than public sector bodies) pay consideration for supplies that include giving possession or use of the units for occupancy by the individuals as a place of residence or lodging and who either pay no consideration for the supplies or pay consideration that is significantly less than the consideration that could reasonably be expected to be paid for comparable supplies made by a person in the business of making such supplies for the purpose of earning a profit.

1997, c. 85, s. 552; 2009, c. 15, s. 508

232. Non-substantial renovation — Where in the course of a business of making supplies of immovables, a person renovates or alters a residential complex of the person and the renovation or alteration is not a substantial renovation, the person is deemed

(1) to have made and received a taxable supply, at the earlier of the time the renovation is substantially completed and the time ownership of the complex is transferred, for consideration equal to the amount established under the second paragraph; and

(2) to have paid as a recipient and to have collected as a supplier, at that time, tax in respect of the supply, calculated on the consideration referred to in subparagraph 1.

Establishment of the consideration — Subject to section 52, the consideration referred to in subparagraph 1 of the first paragraph is equal to the total of all amounts each of which is an amount in respect of the renovation or alteration, other than the amount of consideration that was paid or payable by the person for a financial service or for any property or service in respect of which the person is required to pay tax, that would be included in determining the adjusted cost base to the person of the complex for the purposes of the *Taxation Act* (chapter I-3) if the complex were capital property of the person and the person were a taxpayer under that Act.

1991, c. 67, s. 232

III — Sale of immovable

233. Sale of immovable — Subject to section 234.0.1, a registrant who, at a particular time, makes a taxable supply of an immovable by way of sale may, despite sections 203 to 206 and subdivision 5, claim an input tax refund for the reporting period in which tax in respect of the taxable supply became payable or is deemed to have been collected, as the case may be, equal to the amount determined by the formula

$$A \times B.$$

Interpretation — For the purposes of this formula,

(1) A is the lesser of

(a) the basic tax content of the immovable at the particular time, and

(b) an amount equal to the tax that is or would be, but for sections 75.1, 75.3 to 75.9 and 80, payable in respect of the taxable supply of the immovable; and

(2) B is the percentage that, immediately before the particular time, the use of the immovable, otherwise than in commercial activities of the registrant, was of the total use of the immovable; and

(3) [Repealed 1997, c. 85, s. 553(1)(3).]

Exception — This section does not apply

(1) to a supply deemed under any of sections 259, 259.1, 262 and 262.1 to have been made; or

(2) to a supply made by a public sector body (other than a financial institution) of an immovable in respect of which an election by the body under sections 272 to 276 is not in effect at the particular time.

1991, c. 67, s. 233; 1994, c. 22, s. 486; 1997, c. 85, s. 553; 2007, c. 12, s. 320; 2009, c. 5, s. 615; 2012, c. 28, s. 68

234. Subject to section 234.0.1, if at a particular time a registrant that is a public sector body (other than a financial institution) makes a taxable supply of an immovable by way of sale (other than a supply that is deemed under any of sections 243, 259 and 259.1 to have been made) and, immediately before the time tax becomes payable in respect of the taxable supply, the immovable was not used by the registrant primarily in commercial activities of the registrant, the registrant may, despite sections 203 to 206 and subdivision 5, except where section 233 applies, claim an input tax refund for the reporting period in which tax in respect of the taxable supply became payable or is deemed to have been collected, as the case may be, equal to the lesser of

(1) the basic tax content of the immovable at the particular time; and

(2) an amount equal to the tax that is or would, but for sections 75.1 and 80, be payable in respect of the taxable supply of the immovable.

1991, c. 67, s. 234; 1994, c. 22, s. 486; 1997, c. 85, s. 554; 2007, c. 12, s. 321; 2012, c. 28, s. 69

234.0.1 If the taxable supply referred to in section 233 or 234 is made at a particular time by a public sector body to a person with whom the public sector body is not dealing at arm's length, the value of A in the formula in section 233 and the amount of the input tax refund determined under section 234 must not exceed the lesser of

(1) the basic tax content of the immovable at that time, and

(2) the amount determined by the formula

$$\left(\frac{A}{B}\right) \times C.$$

For the purposes of the formula,

(1) A is the basic tax content of the immovable at that time;

(2) B is the amount that would be the basic tax content of the immovable at that time if that amount were determined without reference to the total of the amounts used for B in paragraph 2 of the definition of "basic tax content" in section 1; and

(3) C is the tax that is or would be, but for sections 75.1 and 80, payable in respect of the taxable supply.

2007, c. 12, s. 322

234.1 Seizure and repossession — redemption of an immovable by a registered debtor — Where, for the purpose of satisfying in whole or in part a debt or obligation owing by a person (in this section referred to as the "debtor"), a creditor exercises a right under an Act of the Legislature of Québec, another province, the Northwest Territories, the Yukon Territory, Nunavut, or of the Parliament of Canada or an agreement relating to a debt security to cause the supply of an immovable and, under the Act or the agreement, the debtor has a right to redeem the immovable, the following rules apply:

(1) the debtor is not entitled to claim an input tax refund under section 233 or 234 in respect of the immovable unless the time limit for redeeming the immovable has expired and the debtor has not exercised the debtor's right of redemption; and

(2) where the debtor is entitled to claim the input tax refund, that input tax refund is for the reporting period in which the time limit for redeeming the immovable expires.

1997, c. 85, s. 555; 2003, c. 2, s. 328

IV — Statement as to use of immovable

235. Incorrect statement — Where a supplier makes a taxable supply by way of sale of an immovable and incorrectly stated or certifies in writing to the recipient of the supply that the supply is an exempt supply described in any of sections 94 to 97.3, 101 and 102, except where the recipient knows or ought to know that the supply is not an exempt supply,

(1) the tax payable in respect of the supply is deemed to be equal to the amount determined by multiplying the consideration for the supply by 9.975/109.975; and

(2) the supplier is deemed to have collected, and the recipient is deemed to have paid, that tax on the earlier of

(a) the day ownership of the immovable was transferred to the recipient; and

(b) the day possession of the immovable was transferred to the recipient under the agreement for the supply.

1991, c. 67, s. 235; 1994, c. 22, s. 487; 1997, c. 85, s. 556; 2011, c. 6, s. 251; 2012, c. 28, s. 70

236. [Repealed 1995, c. 63, s. 364.]

§5. — Capital property

I. — Interpretation

237. Prescribed property — Where a person acquires or brings into Québec prescribed property for use as capital property of the person, the property is deemed to be movable property.

1991, c. 67, s. 237; 1994, c. 22, s. 488

237.1 Residential complex deemed not to be capital property — Except for the purposes of sections 294 to 297 and 462 to 462.1.1, a residential complex is deemed not to be, at a particular time, capital property of a builder of the complex unless

(1) at or before the particular time, the construction or substantial renovation of the complex was substantially completed; and

(2) between the time at which the construction or substantial renovation of the complex was substantially completed and the particular time, the builder received an exempt supply of the complex or was deemed under sections 223 to 225 to have received a taxable supply of the complex.

1994, c. 22, s. 489; 1995, c. 63, s. 365

237.2 Addition deemed not to be capital property — Except for the purposes of sections 294 to 297 and 462 to 462.1.1, an addition to a multiple unit residential complex is deemed not to be, at a particular time, capital property of a builder of the addition unless

(1) at or before the particular time, the construction of the addition was substantially completed; and

(2) between the time at which the construction of the addition was substantially completed and the particular time, the builder received an exempt supply of the complex or was deemed under section 226 to have received a taxable supply of the addition.

1994, c. 22, s. 489; 1995, c. 63, s. 366

237.3 Last acquisition or bringing into Québec — Except for the purposes of sections 17 and 81, a bringing into Québec of property shall not be considered in determining the last acquisition or bringing in of the property

(1) where tax under section 17 was not paid on the property in respect of that bringing into Québec because the property was described in paragraph 1, 2 or 10 of section 81 or the property was described in paragraph 9 of that section and was classified under the heading specified in paragraph a of subsection 1 of section 195.2 of the *Excise Tax Act* (Revised Statutes of Canada, 1985, chapter E-15), or would have been so classified but for paragraph a of the note referred to in paragraph a of that subsection;

(2) where tax under section 17 on the property in respect of that bringing into Québec was calculated on a value determined under sections 17R1 to 17R7 and 17R9 to 17R11 of the *Regulation respecting the Québec sales Tax* (O.C. 1607-92), other than a prescribed section of that regulation; or

(3) in prescribed circumstances.

1994, c. 22, s. 489; 2012, c. 28, s. 71

237.4 Coming into force before 1 July 1992 — For the purpose of determining the last acquisition or bringing into Québec of property, this title is deemed to have been in force at all times before 1 July 1992.

1994, c. 22, s. 489

238. Intended and actual use — Where a person at any time acquires, brings into Québec or appropriates property for use as capital property of the person to a particular extent in a particular way, the person is deemed to use the property immediately after that time to the particular extent in the particular way.

1991, c. 67, s. 238; 1994, c. 22, s. 490

238.0.1 Use of capital property — Where a person brings into Québec property that is capital property of the person and the person was using the property to a particular extent in a particular way immediately after the property or a portion thereof was last acquired or imported into Canada by the person, the person is deemed to bring the property into Québec for use to the particular extent in the particular way.

1997, c. 85, s. 557

238.1 Appropriation to use as capital property — Where a registrant, at a particular time, appropriates property of the registrant for use as capital property of the registrant or in improving capital property of the registrant and, immediately before the particular time, the property was not capital property of the registrant or an improvement to capital property of the registrant, the following rules apply:

(1) the registrant is deemed

(a) to have made, immediately before the particular time, a supply of the property by way of sale, and

(b) to have collected, at the particular time, tax in respect of the supply calculated on the fair market value of the property at the particular time where the property was last acquired or brought into Québec by the registrant before the particular time for consumption, use or supply, or was consumed or used before the particular time, in the course of commercial activities of the registrant; and

(2) the registrant is deemed to have received, at the particular time, a supply of the property by way of sale and to have paid, at the particular time, tax in respect of the supply equal to

(a) where the supply is not an exempt supply and the property was last acquired or brought into Québec by the registrant before the particular time for consumption, use or supply, or was consumed or used before the particular time, in the course of commercial activities of the registrant, tax calculated on the fair market value of the property at the particular time, and

(b) in any other case, the basic tax content of the property at the particular time.

The first paragraph does not apply in respect of property held by a registrant immediately before 1 January 2013 and to which any of the following provisions applied:

(1) the second paragraph of section 243;

(2) the second paragraph of section 253; and

(3) the fourth paragraph of section 255.1.

1994, c. 22, s. 491; 1997, c. 85, s. 558; 2012, c. 28, s. 72

239. Insignificant change in use — For the purposes of sections 256, 257, 259, 262, 264 and 265, where in any period beginning on the later of

(1) the day a registrant last acquired or brought into Québec property for use as capital property of the registrant, and

(2) the day section 257, 259, 262 or 265 was last applicable in respect of the property,

and ending at any time after that day, the extent to which the registrant changes the use of the property in commercial activities of the registrant is less than 10% of the total use of the property, the registrant is deemed to have used the property throughout that period to the same extent and in the same way as the registrant used the property at the beginning of that period.

Exception — The first paragraph does not apply where the registrant is an individual who began in that period to use the property primarily for the personal use and enjoyment of the individual or a related individual.

1991, c. 67, s. 239; 1993, c. 19, s. 193; 1994, c. 22, s. 492

239.0.1 If a registrant, other than a listed financial institution or a person who is a financial institution referred to in subparagraph a of paragraph 2 of the definition of "financial institution" in section 1, uses property as capital property in the making of supplies of financial services that relate to commercial activities of the registrant, the registrant is deemed,

(1) where the registrant is a financial institution referred to in subparagraph b of paragraph 2 of the definition of "financial institution" in section 1, to use the property in the registrant's commercial activities to the extent that the registrant does not use the property in the registrant's activities that relate to credit cards or charge cards issued by the registrant, or the making of any advance, the lending of money or the granting of any credit; or

(2) in any other case, to use the property in the registrant's commercial activities.

Modification proposée — 239.0.1(1), (2)

(1) where the registrant is a financial institution referred to in subparagraph b of paragraph 2 of the definition of "financial institution" in section 1, to use the property in those commercial activities to the extent that the registrant does not use the property in the registrant's activities that relate to credit cards or charge cards issued by the registrant or to the making of any advance, the lending of money or the granting of any credit; and

(2) in any other case, to use the property in those commercial activities.

Application: Bill 18 (First Reading February 21, 2013), s. 218, will substitute paras. 239.0.1(1) and (2) to read as above, to come into force on Royal Assent.

2012, c. 28, s. 73

239.1 [Repealed 1997, c. 85, s. 559.]

239.2 [Repealed 1997, c. 85, s. 547.]

II — Movable property

1. — General provisions

240. Acquisition or bringing into Québec of movable property — Where a registrant acquires or brings into Québec movable property for use as capital property in commercial activities of the registrant, the following rules apply:

LTVQ (anglais)

(1) the tax payable by the registrant in respect of the acquisition or the bringing into Québec by the registrant of the property shall not be included in determining an input tax refund of the registrant for any reporting period unless the property was acquired or brought into Québec for use primarily in commercial activities of the registrant; and

(2) where the registrant acquires or brings the property for use primarily in commercial activities of the registrant, the registrant is deemed to have acquired or brought the property for use exclusively in commercial activities of the registrant.

1991, c. 67, s. 240; 1997, c. 85, s. 560

241. Improvement — Where a registrant acquires or brings into Québec an improvement to movable property that is capital property of the registrant, tax payable by the registrant in respect of the acquisition or bringing into Québec of the improvement shall not be included in determining an input tax refund of the registrant unless, at the time that tax becomes payable or is paid without having become payable, the capital property is used primarily in commercial activities of the registrant.

1991, c. 67, s. 241; 1993, c. 19, s. 194; 1994, c. 22, s. 494; 1995, c. 63, s. 367

242. Change in use — Where a registrant last acquired or brought into Québec movable property for use as capital property of the registrant but not for use primarily in commercial activities of the registrant and the registrant begins, at any time, to use the property as capital property primarily in commercial activities of the registrant, except where the registrant becomes a registrant at that time, the registrant is deemed

(1) to have received, at that time, a supply of the property by way of sale; and

(2) except where the supply is an exempt supply, to have paid, at that time, tax in respect of the supply equal to the basic tax content of the property at that time.

1991, c. 67, s. 242; 1994, c. 22, s. 495; 1997, c. 85, s. 561

243. Change in use — Where a registrant last acquired or brought into Québec movable property for use as capital property primarily in commercial activities of the registrant and the registrant begins, at any time, to use the property primarily for other purposes, the following rules apply:

(1) the registrant is deemed, immediately before that time, to have made a supply of the property by way of sale and to have collected, at that time, tax in respect of the supply equal to the basic tax content of the property at that time; and

(2) the registrant is deemed to have received, at that time, a supply of the property by way of sale and to have paid, at that time, tax in respect of the supply equal to the basic tax content of the property at that time.

Despite the first paragraph, where a registrant last acquired or brought into Québec movable property for use as capital property primarily in commercial activities of the registrant and the registrant begins, on 1 January 2013, to use the property primarily for other purposes because of Division VI.1 of Chapter III, the following rules apply:

(1) the registrant is deemed to have made, immediately before 1 January 2013, a supply of the property by way of sale for no consideration; and

(2) the registrant is deemed to have received, on 1 January 2013, a supply of the property by way of sale for use otherwise than as capital property or as an improvement to capital property of the registrant.

1991, c. 67, s. 243; 1993, c. 19, s. 195; 1994, c. 22, s. 496; 1995, c. 63, s. 368; 1997, c. 85, s. 562; 2012, c. 28, s. 74

243.1 [Repealed 1995, c. 63, s. 369.]

244. Sale — Notwithstanding section 42.1, where a registrant makes a supply by way of sale of movable property that is capital property of the registrant and, before the earlier of the time that ownership of the property is transferred to the recipient of the supply and the time possession of the property is transferred to the recipient under the agreement for the supply, the registrant was last using the property otherwise than primarily in commercial activities of the registrant, the supply is deemed to be made in the course of activities of the registrant that are not commercial activities.

1991, c. 67, s. 244; 1993, c. 19, s. 197; 1994, c. 22, s. 497; 1995, c. 63, s. 370

244.1 Sale of capital property of the government — Notwithstanding sections 42.2 and 244, where a government, other than a prescribed mandatary of the Government, makes a supply by way of sale of movable property that is capital property of the government, the supply is deemed to have been made in the course of commercial activities of the government.

1994, c. 22, s. 498

245. Use of a musical instrument — For the purposes of sections 240 and 242 to 244, where an individual who is a registrant uses a musical instrument as capital property of the individual in an employment of the individual or in a business carried on by a partnership of which the individual is a member, that use is deemed to be use in commercial activities of the individual.

1991, c. 67, s. 245; 1997, c. 3, s. 135; 1997, c. 85, s. 563

246. Exceptions — Sections 240 to 245 do not apply in respect of

(1) property of a registrant that is a financial institution or a prescribed registrant; or

(2) a passenger vehicle or an aircraft of a registrant who is an individual or a partnership; or

(3) [Repealed 1995, c. 63, s. 371.]

1991, c. 67, s. 246; 1993, c. 19, s. 198; 1995, c. 63, s. 371; 2012, c. 28, s. 75

2. — Passenger vehicle

247. Acquisition or bringing into Québec of a passenger vehicle — For the purpose of determining an input tax refund of a registrant in respect of a passenger vehicle that the registrant at a particular time acquired or brought into Québec for use as capital property in commercial activities of the registrant, the tax payable by the registrant in respect of the acquisition or bringing into Québec of the vehicle is deemed to be the lesser of

(1) an amount equal to the tax payable by the registrant in respect of the acquisition or bringing into Québec of the vehicle; and

(2) the amount determined by the formula

$$A \times B.$$

Interpretation — For the purposes of this formula,

(1) A is the tax that would be payable by the registrant in respect of the vehicle if the registrant acquired the vehicle at the particular time for consideration equal to the amount that would be deemed under paragraph d.3 or d.4 of section 99 of the *Taxation Act* (chapter I-3) to be, for the purposes of that section, the capital cost to a taxpayer of a passenger vehicle, in respect of which that paragraph applies, if the formula in section 99R1 of the *Regulation respecting the Taxation Act* (R.R.Q., 1981, chapter I-3, r. 1) were read without reference to B; and

(2) B is

(a) where the registrant is deemed under section 242, 256 or 257 to have acquired the vehicle or a portion thereof at the particular time and the registrant was previously entitled to claim a rebate under sections 383 to 397.2 in respect of the vehicle or any improvement to it, the difference between 100% and the percentage prescribed in section 386 that applied in determining the amount of the rebate, and

(b) in any other case, 100%.

1991, c. 67, s. 247; 1994, c. 22, s. 499; 1997, c. 85, s. 564; 2005, c. 38, s. 370; 2009, c. 5, s. 616; 2009, c. 15, s. 509

248. Improvement — If the consideration paid or payable by a registrant for an improvement to a passenger vehicle of the registrant increases the cost to the registrant of the vehicle to an amount that exceeds the amount that would be deemed under paragraph d.3 or d.4 of section 99 of the *Taxation Act* (chapter I-3) to be, for the purposes of that section, the capital cost to a taxpayer of a passenger vehicle, in respect of which that paragraph applies, if the formula in section 99R1 of the *Regulation respecting the Taxation Act* (R.R.Q., 1981, chapter I-3, r. 1) were read without reference to B, the tax calculated on that excess must not be included in determining an input tax refund of the registrant for any reporting period of the registrant.

1991, c. 67, s. 248; 2009, c. 5, s. 617; 2009, c. 15, s. 510

249. Sale of a passenger vehicle — Where a registrant, at any time in a reporting period of the registrant, makes a taxable supply by way of sale of a passenger vehicle that, immediately before that time, was used as capital property in commercial activities of the registrant, the registrant may, notwithstanding sections 203 to 206, paragraph 1 of section 240 and sections 241 and 248, claim an input tax refund for that period equal to the amount determined by the formula

$$A \times \frac{(B - C)}{B}.$$

Interpretation — For the purposes of this formula,

(1) A is the basic tax content of the vehicle at that time;

(2) B is the total of the tax that was payable by the registrant in respect of the last acquisition or bringing into Québec of the vehicle by the registrant and the tax that was payable by the registrant in respect of improvements to the vehicle acquired or brought into Québec by the registrant after the property was last so acquired or brought into Québec; and

(3) C is the total of all input tax refunds that the registrant was entitled to claim in respect of any tax included in the total referred to in subparagraph 2;

(4) [Repealed 1997, c. 85, s. 565.]

(5) [Repealed 1997, c. 85, s. 565.]

1991, c. 67, s. 249; 1993, c. 19, s. 199; 1994, c. 22, s. 500; 1995, c. 63, s. 372; 1997, c. 85, s. 565

3. — Passenger vehicle or aircraft of an individual or partnership

250. Acquisition or bringing into Québec of a passenger vehicle or aircraft — Where a registrant who is an individual or a partnership acquires or brings into Québec a passenger vehicle or an aircraft for use as capital property of the registrant, the tax payable by the registrant in respect of the acquisition or bringing into Québec of the vehicle or aircraft shall not be included in determining an input tax refund of the registrant unless the vehicle or aircraft was acquired or brought into Québec by the registrant for use exclusively in commercial activities of the registrant.

Exception — This section does not apply in respect of tax deemed under section 252 to have been paid by the registrant.

1991, c. 67, s. 250; 1994, c. 22, s. 501; 1997, c. 3, s. 135; 1997, c. 85, s. 566

251. Improvement to a passenger vehicle or aircraft — Where a registrant who is an individual or a partnership acquires or brings into Québec an improvement to a passenger vehicle or an aircraft that is capital property of the registrant, the tax payable by the registrant in respect of the improvement shall not be included in determining an input tax refund of the registrant unless, throughout the period beginning on the later of the day the vehicle or aircraft was originally acquired or brought into Québec by the registrant and the day the individual or partnership becomes a registrant, and ending on the day tax in respect of the improvement becomes payable or is paid without having become payable, the vehicle or aircraft was used exclusively in commercial activities of the registrant.

1991, c. 67, s. 251; 1993, c. 19, s. 200; 1994, c. 22, s. 502; 1995, c. 63, s. 373

252. Non-exclusive use — Notwithstanding sections 250 and 251, for the purpose of determining an input tax refund of a registrant who is an individual or a partnership, where the registrant at a particular time acquires or brings into Québec a passenger vehicle or an aircraft for use as capital property of the registrant but not for use exclusively in commercial activities of the registrant and tax is payable by the registrant in respect of the acquisition or bringing into Québec, the following rules apply:

(1) the registrant is deemed to have acquired the vehicle or aircraft on the last day of each taxation year of the registrant ending after that time; and

(2) the registrant is deemed to have paid, at that time, tax in respect of the acquisition or bringing into Québec of the vehicle or aircraft equal to the amount determined by multiplying the following amount by 9.975/109.975:

(a) where an amount in respect of the vehicle or aircraft is required by section 41 or 111 of the *Taxation Act* (chapter I-3) to be included in computing the income of an individual for a taxation year of the individual ending in that taxation year of the registrant, nil, and

(b) in any other case, the part or amount, prescribed under the *Taxation Act*, of the capital cost of the vehicle or aircraft that was deducted under that Act in computing the income of the registrant from those commercial activities for that taxation year of the registrant.

1991, c. 67, s. 252; 1993, c. 19, s. 201; 1994, c. 22, s. 503; 1995, c. 63, s. 374; 1997, c. 3, s. 135; 1997, c. 85, s. 567; 2010, c. 5, s. 216; 2011, c. 6, s. 252; 2012, c. 28, s. 76

253. Change in use — Where a registrant who is an individual or a partnership acquired or brought into Québec a passenger vehicle or an aircraft for use as capital property exclusively in commercial activities of the registrant and the registrant begins, at any time, to use the vehicle or aircraft otherwise than exclusively in commercial activities of the registrant, the following rules apply:

(1) the registrant is deemed to have made, immediately before that time, a taxable supply by way of sale of the vehicle or aircraft; and

(2) the registrant is deemed to have collected, at that time, tax in respect of the supply equal to the basic tax content of the vehicle or aircraft immediately before that time.

Despite the first paragraph, where a registrant who is an individual or a partnership acquired or brought into Québec a passenger vehicle or an aircraft for use as capital property exclusively in commercial activities of the registrant and the registrant begins, on 1 January 2013, to use the property otherwise than exclusively in commercial activities of the registrant because of Division VI.1 of Chapter III, the following rules apply:

(1) the registrant is deemed to have made, immediately before 1 January 2013, a supply by way of sale of the vehicle or aircraft for no consideration; and

(2) the registrant is deemed to have received, on 1 January 2013, a supply by way of sale of the vehicle or aircraft for use otherwise than as capital property or as an improvement to capital property of the registrant.

1991, c. 67, s. 253; 1993, c. 19, s. 202; 1994, c. 22, s. 504; 1995, c. 63, s. 375; 1997, c. 3, s. 135; 1997, c. 85, s. 568; 2012, c. 28, s. 77

253.1 [Repealed 1995, c. 63, s. 376.]

254. Deemed acquisition — For the purposes of section 252, where at any time a registrant is deemed under section 253 to have made a taxable supply of a passenger vehicle or aircraft, the following rules apply:

(1) the registrant is deemed to have acquired the vehicle or aircraft at that time; and

(2) tax is deemed to be payable at that time by the registrant in respect of the acquisition of the vehicle or aircraft.

1991, c. 67, s. 254

255. Sale of a passenger vehicle or aircraft — Notwithstanding section 42.1 and subject to section 20.1 where a registrant who is an individual or a partnership makes, at a particular time, a supply by way of sale of a passenger vehicle or an aircraft that is capital property of the registrant, and at any time after the individual or partnership became a registrant and before the particular time, the registrant did not use the vehicle or aircraft exclusively in commercial activities of the registrant, the supply is deemed not to be a taxable supply.

1991, c. 67, s. 255; 1993, c. 19, s. 204; 1994, c. 22, s. 505; 1995, c. 63, s. 377; 2001, c. 51, s. 273

4. — *Financial institution*

[Heading added 2012, c. 28, s. 78.]

255.1 Where a registrant is a financial institution, sections 256 to 259 apply, with the necessary modifications, in relation to movable property acquired or brought into Québec by the financial institution for use as capital property of the financial institution, and to improvements to such movable property, as if the movable property were an immovable.

Where a registrant is a financial institution, section 233 applies, with the necessary modifications, in relation to movable property (other than a passenger vehicle) acquired or brought into Québec by the institution for use as capital property of the institution as if the movable property were an immovable.

The first and second paragraphs do not apply to movable property of a financial institution having a cost to the institution of $50,000 or less.

Where a registrant that is a financial institution begins, on 1 January 2013, to use movable property having a cost to the institution of $50,000 or less as capital property otherwise than primarily in the course of commercial activities of the registrant because of Division VI.1 of Chapter III, and the registrant last acquired or brought into Québec the movable property for use as capital property primarily in the course of commercial activities of the registrant, the following rules apply:

(1) the registrant is deemed to have made, immediately before 1 January 2013, a supply of the movable property by way of sale for no consideration; and

(2) the registrant is deemed to have received, on 1 January 2013, a supply of the movable property by way of sale for use otherwise than as capital property or an improvement to capital property of the registrant.

Despite the first paragraph, where a registrant that is a financial institution reduces or ceases, on 1 January 2013, the use of movable property having a cost to the institution exceeding $50,000 as capital property in the course of commercial activities of the registrant because of Division VI.1 of Chapter III, and the registrant last acquired or brought into Québec the movable property for use as capital property primarily in the course of commercial activities of the registrant, the following rules apply:

(1) the registrant is deemed to have made, immediately before 1 January 2013, a supply of the movable property by way of sale and to have collected, at that time, tax in respect of the supply equal to the basic tax content of the movable property at that time;

(2) the registrant is deemed to have received, immediately after 31 December 2012, a supply of the movable property by way of sale and to have paid, at that time, tax in respect of the supply equal to the basic tax content of the movable property at that time; and

(3) the second paragraph does not apply in relation to the property.

2012, c. 28, s. 78

255.2 Where an election made by a registrant under the first paragraph of section 297.0.2.1 becomes effective at a particular time, the registrant was a financial institution immediately before the particular time and, as a result of the election becoming effective, the registrant reduces at the particular time the extent to which movable property of the registrant is used as capital property in commercial activities of the registrant, sections 233, 258 and 259 apply, with the necessary modifications, to the reduction in use, as if the property were an immovable.

2012, c. 28, s. 78

255.3 Where, at a particular time, a registrant becomes a financial institution and, immediately before that time, the registrant was using movable property of the registrant as capital property, the following rules apply:

(1) where, immediately before the particular time, the registrant was not using the movable property primarily in commercial activities of the registrant and, immediately after the particular time, the property is for use in commercial activities of the registrant, the registrant is deemed to have changed, at that time, the extent to which the property is used in commercial activities of the registrant, and section 256 applies, with the necessary modifications, to the change in use as if the property were an immovable that was not used, immediately before that time, in commercial activities of the registrant; and

(2) where, immediately before the particular time, the registrant was using the property primarily in commercial activities of the registrant and, immediately after that time, the property is not for use exclusively in commercial activities of the registrant, the registrant is deemed to have changed, at that time, the extent to which the property is used in commercial activities of the registrant, and sections 233, 258 and 259 apply, with the necessary modifications, to the change in use as if the property were an immovable used, immediately before that time, exclusively in commercial activities of the registrant.

Where a particular corporation that is not a financial institution is merged or amalgamated with one or more other corporations, in the circumstances described in section 76, to form a new corporation that is both a financial institution and a registrant and movable property that was capital property of the particular corporation becomes, at a particular time, the property of the new corporation as a consequence of the merger or amalgamation, the first paragraph applies to the property as if the new corporation became a financial institution at the particular time.

Where a particular corporation that is not a financial institution is wound up in the circumstances described in section 77, not less than 90% of the issued shares of each class of the capital stock of the corporation were, immediately before the winding-up, owned by another corporation that is both a financial institution and a registrant, and movable property that was capital property of the particular corporation becomes the property of the other corporation as a consequence of the winding-up, the first paragraph applies to the property as if the other corporation became a financial institution at the time of the winding-up.

2012, c. 28, s. 78

255.4 Where, at a particular time, a registrant ceases to be a financial institution and, immediately before that time, the registrant was using movable property of the registrant as capital property, the following rules apply:

(1) where, immediately before the particular time, the registrant was using the movable property as capital property but not exclusively in commercial activities of the registrant and, immediately after that time, the property is for use primarily in commercial activities of the registrant, the registrant is deemed to have begun, at that time, to use the property exclusively in commercial activities of the registrant, and sections 256 and 257 apply, with the necessary modifications, to the change in use as if the property were an immovable; and

(2) where, immediately before the particular time, the registrant was using the property as capital property in commercial activities of the registrant and, immediately after that time, the property is not for use primarily in commercial activities of the registrant, the registrant is deemed to have ceased, at that time, to use the property in commercial activities of the registrant, and sections 233 and 258 apply, with the necessary modifications, to the change in use as if the property were an immovable.

2012, c. 28, s. 78

255.5 Despite section 239, where, as a consequence of acquiring a business or part of a business from a registrant, a financial institution that is a registrant is deemed, under section 75.1, to have acquired property for use exclusively in commercial activities of the institution and, immediately after possession of the property is transferred to the institution in accordance with the agreement for the supply of the business or part, the property is for use by the institution as capital property but not exclusively in commercial activities of the institution, sections 233, 258 and 259 apply, with the necessary modifications, to the change in use of the property as if the property were an immovable.

2012, c. 28, s. 78

255.6 Despite section 239, where, as a consequence of acquiring a business or part of a business from a registrant, a financial institution that is a registrant is deemed, under section 75.1, to have acquired property for use exclusively in activities of the institution other than commercial activities and, immediately after possession of the property is transferred to the institution in accordance with the agreement for the supply of the business or part, the property is for use by the institution as capital property in commercial activities of the institution, section 256 applies, with the necessary modifications, to the change in use of the property as if the property were an immovable.

2012, c. 28, s. 78

LTVQ (anglais)

III — Immovable

1. — General provisions

256. Beginning use in commercial activities — Where a registrant last acquired an immovable for use as capital property of the registrant but not for use in commercial activities of the registrant and the registrant begins, at a particular time, to use the immovable as capital property in commercial activities of the registrant, except where the registrant becomes a registrant at the particular time, the registrant is deemed

(1) to have received, at the particular time, a supply of the immovable by way of sale; and

(2) except where the supply is an exempt supply, to have paid, at the particular time, tax in respect of the supply equal to the basic tax content of the immovable at the particular time.

1991, c. 67, s. 256; 1994, c. 22, s. 505; 1997, c. 85, s. 569

257. Increasing use in commercial activities — Where a registrant last acquired an immovable for use as capital property in commercial activities of the registrant and the registrant increases, at a particular time, the extent to which the immovable is used in commercial activities of the registrant, for the purpose of determining an input tax refund of the registrant, the registrant is deemed

(1) to have received, immediately before the particular time, a supply of a portion of the immovable for use as capital property exclusively in commercial activities of the registrant; and

(2) except where the supply is an exempt supply, to have paid, at the particular time, tax in respect of the supply equal to the amount determined by the formula

$$A \times B.$$

Interpretation — For the purposes of this formula,

(1) A is the basic tax content of the immovable at the particular time; and

(2) B is the extent, expressed as a percentage of the total use of the immovable by the registrant at the particular time, to which the registrant increased the use of the immovable in commercial activities of the registrant at the particular time; and

(3) [Repealed 1997, c. 85, s. 570(1)(2)(b).]

1991, c. 67, s. 257; 1994, c. 22, s. 505; 1997, c. 85, s. 570

258. Ceasing use in commercial activities — Where a registrant last acquired an immovable for use as capital property in commercial activities of the registrant and the registrant begins, at a particular time, to use the immovable exclusively for other purposes, the registrant is deemed

(1) to have made, immediately before the particular time, a supply of the immovable by way of sale and, except where the supply is an exempt supply, to have collected, at the particular time, tax in respect of the supply equal to the basic tax content of the immovable at the particular time; and

(2) to have received, at the particular time, a supply of the immovable by way of sale and, except where the supply is an exempt supply, to have paid, at the particular time, tax in respect of the supply equal to the amount determined under subparagraph 1.

1991, c. 67, s. 258; 1994, c. 22, s. 505; 1997, c. 85, s. 571

259. Reducing use in commercial activities — Except where section 258 applies, where a registrant last acquired an immovable for use as capital property in commercial activities of the registrant and the registrant reduces, at a particular time, the extent to which the immovable is used in commercial activities of the registrant, for the purpose of determining the net tax of the registrant for the reporting period of the registrant that includes the particular time, the registrant is deemed

(1) to have made a supply of a portion of the immovable immediately before the particular time; and

(2) except where the supply is an exempt supply, to have collected, at the particular time, tax in respect of the supply equal to the amount determined by the formula

$$A \times B.$$

Interpretation — For the purposes of this formula,

(1) A is the basic tax content of the immovable at the particular time; and

(2) B is the extent, expressed as a percentage of the total use of the immovable by the registrant at the particular time, to which the registrant reduced the use of the immovable in commercial activities of the registrant at the particular time; and

(3) [Repealed 1997, c. 85, s. 572(1)(2)(b).]

1991, c. 67, s. 259; 1994, c. 22, s. 505; 1997, c. 85, s. 572

259.1 Despite sections 258 and 259, where, on 1 January 2013, a registrant reduces the extent to which an immovable is used as capital property in commercial activities of the registrant or ceases to use the immovable as capital property in such activities, because of Division VI.1 of Chapter III, the following rules apply:

(1) the registrant is deemed to have made, immediately before 1 January 2013, a supply of the immovable by way of sale and, except where the supply is an exempt supply, to have collected, at that time, tax in respect of the supply equal to the basic tax content of the immovable at that time; and

(2) the registrant is deemed to have received, immediately after 31 December 2012, a supply of the immovable by way of sale and, except where the supply is an exempt supply, to have paid, at that time, tax in respect of the supply equal to the basic tax content of the immovable at that time.

2012, c. 28, s. 79

260. Subject to section 272, sections 256 to 259.1 do not apply in respect of property acquired by a registrant who is an individual, a public sector body that is not a financial institution, or a prescribed registrant.

1991, c. 67, s. 260; 2012, c. 28, s. 80

2. — Individual

261. Individual ceasing use in commercial activities — Where an individual who is a registrant last acquired an immovable for use as capital property in commercial activities of the individual, and not primarily for the personal use and enjoyment of the individual or a related individual, and the individual begins, at a particular time, to use the immovable exclusively for other purposes, or primarily for the personal use and enjoyment of the individual or a related individual, the individual is deemed

(1) to have made, immediately before the particular time, a supply of the immovable by way of sale and, except where the supply is an exempt supply, to have collected, at the particular time, tax in respect of the supply equal to the amount determined by the formula

$$A - B;$$

(2) to have received, at the particular time, a supply of the immovable by way of sale and, except where the supply is an exempt supply, to have paid, at the particular time, tax in respect of the supply equal to the amount determined under subparagraph 1.

Interpretation — For the purposes of the formula in subparagraph 1 of the first paragraph,

(1) A is the basic tax content of the immovable at the particular time; and

(2) B is the tax, if any, that the individual is deemed under section 221 or sections 222.1 to 222.3 to have collected at the particular time in respect of the immovable.

(3) [Repealed 1997, c. 85, s. 573(1)(2)(b).]

(4) [Repealed 1997, c. 85, s. 573(1)(2)(b).]

1991, c. 67, s. 261; 1994, c. 22, s. 506; 1997, c. 85, s. 573

262. Individual reducing use in commercial activities — Except where section 261 applies, where an individual who is a registrant last acquired an immovable for use as capital property in commercial activities of the individual, and not primarily for the personal use and enjoyment of the individual or a related individual, and the individual reduces, at a particular time, the extent to which the immovable is used in commercial activities of the individual without beginning to use the immovable primarily for the personal use and enjoyment of the individual or a related individual, for the purposes of determining the net tax of the individual, the individual is deemed

(1) to have made, immediately before the particular time, a supply by way of sale of a portion of the immovable; and

(2) except where the supply is an exempt supply, to have collected, at the particular time, tax in respect of the supply equal to the amount determined by the formula

$$(A \times B) - C.$$

Interpretation — For the purposes of this formula,

(1) A is the basic tax content of the immovable at the particular time;

(2) B is the extent, expressed as a percentage of the total use of the immovable by the individual at the particular time, to which the individual reduced the use of the immovable in commercial activities of the individual at the particular time; and

(3) C is the tax, if any, that the individual is deemed under section 221 or sections 222.1 to 222.3 to have collected at the particular time in respect of the immovable.

1991, c. 67, s. 262; 1994, c. 22, s. 506; 1997, c. 85, s. 574

262.1 Despite sections 261 and 262, where an individual is a registrant who, on 1 January 2013, reduces the extent to which an immovable is used as capital property in commercial activities of the registrant or ceases to use the immovable as capital property in such activities, because of Division VI.1 of Chapter III, and, immediately before 1 January 2013, the registrant used the immovable in commercial activities of the individual, and not primarily for the personal use and enjoyment of the individual or a related individual, the following rules apply:

(1) the registrant is deemed to have made, immediately before 1 January 2013, a supply of the immovable by way of sale and, except where the supply is an exempt supply, to have collected, at that time, tax in respect of the supply equal to the basic tax content of the immovable at that time; and

(2) the registrant is deemed to have received, immediately after 31 December 2012, a supply of the immovable by way of sale and, except where the supply is an exempt supply, to have paid, at that time, tax in respect of the supply equal to the basic tax content of the immovable at that time.

2012, c. 28, s. 81

263. Acquisition by an individual of an immovable primarily for personal use — Subject to sections 264 to 266, where an individual who is a registrant acquires an immovable for use as capital property of the individual but primarily for the personal use and enjoyment of the individual or a related individual, the tax payable by the individual in respect of the acquisition of the immovable shall not be included in determining an input tax refund of the individual.

1991, c. 67, s. 263; 1994, c. 22, s. 506

LTVQ (anglais)

264. Individual beginning use in commercial activities — Where an individual who is a registrant last acquired an immovable for use as capital property of the individual and primarily for the personal use and enjoyment of the individual or a related individual or for use otherwise than in commercial activities of the individual, and the individual begins, at a particular time, to use the immovable as capital property in commercial activities of the individual and not primarily for the personal use and enjoyment of the individual or a related individual, the individual is deemed

(1) to have received, at the particular time, a supply by way of sale of the immovable; and

(2) except where the supply is an exempt supply, to have paid, at the particular time, tax in respect of the supply equal to the basic tax content of the immovable at the particular time.

1991, c. 67, s. 264; 1994, c. 22, s. 506; 1997, c. 85, s. 575

265. Individual increasing use in commercial activities — Where an individual who is a registrant last acquired an immovable for use as capital property in commercial activities of the individual and not primarily for the personal use and enjoyment of the individual or a related individual, and the individual increases, at a particular time, the extent to which the immovable is used in commercial activities of the individual without beginning to use the immovable primarily for the personal use and enjoyment of the individual or a related individual, for the purposes of determining an input tax refund of the individual, the individual is deemed

(1) to have received, at the particular time, a supply by way of sale of a portion of the immovable for use as capital property exclusively in commercial activities of the individual; and

(2) except where the supply is an exempt supply, to have paid, at the particular time, tax in respect of the supply equal to the amount determined by the formula

$$A \times B.$$

Interpretation — For the purposes of this formula,

(1) A is the basic tax content of the immovable at the particular time; and

(2) B is the extent, expressed as a percentage of the total use of the immovable by the individual at the particular time, to which the individual increased the use of the immovable in commercial activities of the individual at the particular time.

1991, c. 67, s. 265; 1994, c. 22, s. 506; 1997, c. 85, s. 576

266. Improvement to capital property by an individual — Where an individual who is a registrant brings into Québec or acquires an improvement to an immovable that is capital property of the individual, the tax payable by the individual in respect of the improvement shall not be included in determining an input tax refund of the individual if, at the time that tax becomes payable or is paid without having become payable, the immovable is primarily for the personal use and enjoyment of the individual or a related individual.

1991, c. 67, s. 266; 1994, c. 22, s. 506

3. — Public sector body

267. If a registrant is a public service body (other than a financial institution or a government) or a prescribed mandatary of the Government, sections 240 to 244 apply, with the necessary modifications, to an immovable acquired by the registrant for use as capital property of the registrant or, in the case of section 241, to improvements to an immovable that is capital property of the registrant, as if the immovable were movable property.

1991, c. 67, s. 267; 1994, c. 22, s. 506; 1997, c. 3, s. 135; 2001, c. 53, s. 317; 2012, c. 28, s. 82

268. Exception — Notwithstanding section 267, section 244 does not apply to

(1) a supply of a residential complex or an interest in one made by way of sale; or

(2) a supply of an immovable made by way of sale to an individual.

1991, c. 67, s. 268; 1994, c. 22, s. 506; 2001, c. 53, s. 318

269. [Repealed 1994, c. 22, s. 507.]

270. [Repealed 1994, c. 22, s. 507.]

4. — Public service body

271. [Repealed 1994, c. 22, s. 507.]

272. Election — Where a public service body files an election under this section in respect of an immovable described in the second paragraph, throughout the period the election is in effect, sections 233 and 256 to 260 apply, and sections 267 and 268 do not apply to the immovable.

Interpretation — The immovable referred to in the first paragraph is

(1) an immovable that is capital property of the body;

(2) an immovable of the body that is held by the body in inventory for the purpose of supply; or

(3) an immovable acquired by the body by way of lease, licence or similar arrangement for the purpose of making a supply of the immovable by way of lease, licence or similar arrangement or making a supply of the arrangement by way of assignment.

1991, c. 67, s. 272; 1994, c. 22, s. 508

273. Deemed sale where election — Where a public service body has filed an election under section 272 that takes effect on a particular day in respect of an immovable described in subparagraph 1 or 2 of the second paragraph of the said section and the body does not acquire the immovable on that day or become a registrant on that day, the body is deemed

(1) to have made, immediately before the particular day, a taxable supply of the immovable by way of sale and to have collected, on the particular day, tax in respect of the supply equal to the basic tax content of the immovable on the particular day; and

(2) to have received, on the particular day, a taxable supply of the immovable by way of sale and to have paid, on the particular day, tax in respect of the supply equal to the amount determined under paragraph 1.

1991, c. 67, s. 273; 1994, c. 22, s. 508; 1997, c. 85, s. 577

274. Effective period of election — An election under section 272 in respect of an immovable of a public service body is effective for the beginning on the day specified in the election and ending on the day that the body specifies in a notice of revocation of the election filed under section 276.

1991, c. 67, s. 274

275. Deemed sale where revocation — Where an election made under section 272 by a public service body in respect of an immovable described in subparagraph 1 or 2 of the second paragraph of the said section is revoked and ceases to be effective on a particular day and the body does not cease to be a registrant on that day, the body is deemed

(1) to have made, immediately before that day, a taxable supply of the immovable by way of sale and to have collected, on that day, tax in respect of the supply equal to the basic tax content of the immovable on that day; and

(2) to have received, on that day, a taxable supply of the immovable by way of sale and to have paid, on that day, tax in respect of the supply equal to the basic tax content of the immovable on that day.

1991, c. 67, s. 275; 1994, c. 22, s. 509; 2007, c. 12, s. 323

276. Manner and form of election or revocation — An election made under section 272 by a public service body and a notice of revocation of such an election shall

(1) be made in prescribed form containing prescribed information;

(2) specify the immovable in respect of which the election or notice applies and the day the election becomes effective or, in the case of a notice of revocation, ceases to be effective; and

(3) be filed with and as prescribed by the Minister within one month after the end of the reporting period of the body in which the election becomes effective or, in the case of a notice of revocation ceases to be effective.

1991, c. 67, s. 276

§6. — Bets and games of chance

277. Prize or winnings — Where a commercial activity of a registrant, other than a registrant to whom section 279 applies, consists of taking bets or conducting games of chance and, in the course of that activity, the registrant pays an amount of money in a reporting period as a prize or winnings to a better or a person playing or participating in the games, the following rules apply for the purpose of determining an input tax refund of the registrant:

(1) the registrant is deemed to have received in the reporting period a taxable supply of a service for use exclusively in the activity;

(2) the registrant is deemed to have paid, in that period, tax in respect of the supply equal to the tax fraction of the amount of money paid as the prize or winnings.

1991, c. 67, s. 277

278. Prize in competitive event — Where, in the course of an activity that involves the organization, promotion, hosting or other staging of a competitive event, a person gives a prize to a competitor in the event, the following rules apply:

(1) the giving of the prize is deemed not to be a supply;

(2) the prize is deemed not to be consideration for a supply by the competitor to the person; and

(3) tax payable by the person in respect of any property given as the prize shall not be included in determining any input tax refund of the person for any reporting period.

1991, c. 67, s. 278; 1995, c. 63, s. 378

279. Net tax of a prescribed registrant — Where a registrant is a prescribed registrant at any time in a reporting prescribed registrant period, the registrant's net tax for the period shall be determined in prescribed manner.

1991, c. 67, s. 279; 1993, c. 19, s. 205; 1994, c. 22, s. 510

§6.1 — Deemed supply between branches of a financial institution

[Heading added 2012, c. 28, s. 83.]

279.1 In this subdivision, the following rules apply:

(1) **"external charge"**, **"qualifying consideration"**, **"qualifying service"** and **"qualifying taxpayer"** have the meaning assigned by section 26.2; and

(2) an amount that is an internal charge is an amount described in the third paragraph of section 26.3.

2012, c. 28, s. 83

LTVQ (anglais)

279.2 Any outlay or expense that, in accordance with subsection 2 of section 217.1 of the *Excise Tax Act* (Revised Statutes of Canada, 1985, chapter E-15), is included in the outlays made or expenses incurred outside Canada for the purposes of Division IV of Part IX of that Act is also an outlay made or an expense incurred outside Canada for the purposes of this subdivision.

2012, c. 28, s. 83

279.3 For the purpose of determining an input tax refund of a registrant who is a qualifying taxpayer, where an amount (in this section referred to as a "qualifying expenditure") of qualifying consideration, or of an external charge, of the qualifying taxpayer in respect of an outlay made, or expense incurred, outside Canada that is attributable to the whole or part of a property (in this section referred to as an "attributable property") or of a qualifying service (in this section referred to as an "attributable service") is greater than zero and, during a reporting period of the qualifying taxpayer during which the qualifying taxpayer is a registrant, tax under section 18 becomes payable by the qualifying taxpayer or is paid by the qualifying taxpayer without having become payable, in respect of the qualifying expenditure, the following rules apply:

(1) the attributable property or attributable service is deemed to have been acquired by the qualifying taxpayer at the time at which the outlay was made or the expense was incurred;

(2) the tax is deemed to be in respect of a supply of the attributable property or attributable service; and

(3) the extent to which the qualifying taxpayer acquired the attributable property or attributable service for consumption, use or supply in the course of commercial activities of the qualifying taxpayer is deemed to be the same extent as that to which the whole or part of the outlay or expense, which corresponds to the qualifying expenditure, was made or incurred to consume, use or supply the attributable property or attributable service in the course of commercial activities of the qualifying taxpayer.

For the purpose of determining an input tax refund of a qualifying taxpayer in respect of an attributable property or an attributable service, a reference in sections 199 and 199.1 to a property or a service is to be read as a reference to an attributable property or an attributable service.

2012, c. 28, s. 83

279.4 For the purpose of determining an input tax refund of a registrant who is a qualifying taxpayer, where tax (in this section referred to as the "internal tax") under section 18 becomes payable by the qualifying taxpayer or is paid by the qualifying taxpayer without having become payable, in respect of an internal charge and the internal charge is determined based in whole or in part on the inclusion of an outlay made, or an expense incurred, outside Canada by the qualifying taxpayer that is attributable to the whole or part of a property (in this section referred to as an "internal property") or of a qualifying service (in this section referred to as an "internal service"), the following rules apply:

(1) the internal property or internal service is deemed to have been supplied to the qualifying taxpayer at the time the outlay was made or the expense was incurred;

(2) the amount of the internal tax that can reasonably be attributed to the outlay or expense is deemed to be tax (in this subparagraph referred to as "attributed tax") in respect of the supply of the internal property or internal service, and the attributed tax is deemed to have become payable at the time the internal tax becomes payable by the qualifying taxpayer or is paid by the qualifying taxpayer without having become payable; and

(3) the extent to which the qualifying taxpayer acquired the internal property or internal service for consumption, use or supply in the course of commercial activities of the qualifying taxpayer is deemed to be the same extent as that to which the outlay or expense was made or incurred to consume, use or supply the internal property or internal service in the course of commercial activities of the qualifying taxpayer.

For the purpose of determining an input tax refund of a qualifying taxpayer in respect of an internal property or an internal service, a reference in sections 199 and 199.1 to a property or a service is to be read as a reference to an internal property or an internal service.

2012, c. 28, s. 83

§7.

[Heading repealed 2012, c. 28, s. 84(1).]

280. [Repealed 2012, c. 28, s. 84(1).]

281. [Repealed 2012, c. 28, s. 84(1).]

§8.

[Heading repealed 1997, c. 85, s. 578.]

282. [Repealed 1997, c. 85, s. 578.]

§9.

[Heading repealed 1995, c. 1, s. 285.]

283. [Repealed 1995, c. 1, s. 285.]

284. [Repealed 1995, c. 1, s. 285.]

Chapter VI — Special Cases

DIVISION I — CHANGE IN USE

285. Personal use — Where a registrant who is an individual and who has, in the course of commercial activities of the registrant, acquired, manufactured or produced any property, other than capital property of the registrant, or acquired or performed any service, appropriates the property or service, at any time, for the personal consumption, use or enjoyment of the registrant or another individual related to the registrant, the following rules apply:

(1) the registrant is deemed to have made a supply of the property or service for consideration paid at that time equal to the fair market value of the property or service at that time; and

(2) except where the supply is an exempt supply, the registrant is deemed to have collected, at that time, tax in respect of the supply, calculated on that consideration.

1991, c. 67, s. 285

286. Use by a shareholder, partner or others — Where at any time a registrant that is a corporation, trust, partnership, charity, public institution or non-profit organization appropriates any property, other than capital property of the registrant, that was acquired, manufactured or produced, or any service acquired or performed, in the course of commercial activities of the registrant, to or for the benefit of a shareholder, partner, beneficiary or member of the registrant or any individual related to such a shareholder, partner, beneficiary or member, in any manner whatever, otherwise than by way of a supply made for consideration equal to the fair market value of the property or service, the following rules apply:

(1) the registrant is deemed to have made a supply of the property or service for consideration paid at that time equal to the fair market value of the property or service at that time; and

(2) except where the supply is an exempt, the registrant is deemed to have collected, at that time, tax in respect of the supply, calculated on that consideration.

1991, c. 67, s. 286; 1995, c. 63, s. 379; 1997, c. 3, s. 135; 1997, c. 85, s. 579

287. Exception — Sections 285 and 286 do not apply to property or a service appropriated by a registrant to or for the benefit of a person where

(1) the registrant was, by reason of section 203, 205 or 206, not entitled to claim an input tax refund in respect of the last acquisition or bringing into Québec of the property or service by the registrant; or

(2) Division II applies to the property or service so appropriated for the purpose of making it available to the person.

1991, c. 67, s. 287; 1993, c. 19, s. 206; 1994, c. 22, s. 511; 1995, c. 63, s. 380; 1997, c. 85, s. 745

287.1 Zero-rated supply of a motor vehicle used for another purpose by a non-registrant — Where a person who is not a registrant receives a zero-rated supply of a motor vehicle under section 197.2 and, at any time, begins to consume or use the motor vehicle, supplies it for any purpose other than those referred to in that section or causes it to be consumed or used at the person's expense by another person, the person is deemed to have received a taxable supply of the motor vehicle for consideration paid at that time equal to its market value or to its estimated value described in section 55.0.2, whichever is greater, at that time.

2001, c. 51, s. 274

287.2 Zero-rated supply of a motor vehicle used for another purpose by a registrant — Where a registrant receives a zero-rated supply of a motor vehicle under section 197.2 or brings into Québec a motor vehicle acquired by way of a supply made outside Québec in circumstances in which the vehicle, had it been acquired by way of a supply in Québec in the same circumstances, would have been acquired by way of a zero-rated supply under section 197.2 and, at any time, the registrant begins to consume or use the motor vehicle or supplies it for any purpose other than those referred to in section 197.2,

(1) the registrant is deemed

(a) to have made, immediately before that time, a supply of the vehicle by way of sale;

(b) to have collected, at that time, tax in respect of the supply calculated on the market value of the supply or on its estimated value described in section 55.0.2, whichever is greater, at that time; and

(2) the registrant is deemed to have received, at that time, a supply of the vehicle by way of sale and to have paid tax in respect of the supply calculated on its market value or on its estimated value described in section 55.0.2, whichever is greater, at that time.

Application — This section does not apply where section 287.3 applies.

2001, c. 51, s. 274

287.3 Zero-rated supply of a motor vehicle used for another purpose by a prescribed registrant — Where a prescribed registrant has received a zero-rated supply of a motor vehicle under section 197.2 or brings into Québec a motor vehicle acquired by way of a supply made outside Québec in circumstances in which the vehicle, had it been acquired by way of a supply in Québec in the same circusmtances, would have been acquired by way of zero-rated supply under section 197.2 and, at any time, the registrant begins to consume or use the motor vehicle or supplies it for any purpose other than those referred to in section 197.2 and that would not allow the registrant to claim an input tax refund in respect of the vehicle if the vehicle were acquired by the registrant at that time for exclusive use in the course of the commercial activities of the registrant,

(1) the registrant is deemed to have made, on the last day of each month ending after that time, a supply of the vehicle for consideration, paid on that last day, equal to the amount that is 2.5% of the prescribed value of the vehicle; and

LTVQ (anglais)

(2) the registrant is deemed to have collected, on the last day of each month ending after that time, tax in respect of the supply calculated on that consideration.

Presumption — For the purposes of this section, if the prescribed registrant makes a supply of a motor vehicle referred to in the first paragraph for no consideration or for nominal consderation, the prescribed registrant is deemed to consume or use the motor vehicle.

2001, c. 51, s. 274

288. [Repealed 1994, c. 22, s. 512.]

288.1 [Repealed 1995, c. 63, s. 381.]

288.2 [Repealed 1995, c. 63, s. 381.]

289. [Repealed 1995, c. 63, s. 381.]

289.1 [Repealed 1995, c. 63, s. 381.]

DIVISION I.1 — PENSION PLANS

[Heading added 2011, c. 34, s. 146.]

289.2 In this division,

"active member" has the meaning assigned by subsection 1 of section 8500 of the *Income Tax Regulations* made under the *Income Tax Act* (Revised Statutes of Canada, 1985, chapter 1, 5th Supplement);

"employer resource" of a person means

(1) all or part of a labour activity of the person, other than a part of the labour activity consumed or used by the person in the process of creating or developing a property;

(2) all or part of a property or service supplied to the person, other than a part of the property or service consumed or used by the person in the process of creating or developing a property;

(3) all or part of a property created or developed by the person; or

(4) one or more of the items referred to in paragraphs 1 to 3;

"excluded activity", in respect of a pension plan, means an activity undertaken exclusively for

(1) compliance by a participating employer of the pension plan as an issuer, or prospective issuer, of securities with reporting requirements under a law of Québec, another province, the Northwest Territories, the Yukon Territory, Nunavut or Canada in respect of the regulation of securities;

(2) evaluating the feasibility or financial impact on a participating employer of the pension plan of establishing, altering or winding-up the pension plan, other than an activity that relates to the preparation of an actuarial report in respect of the plan required under a law of Québec, another province, the Northwest Territories, the Yukon Territory, Nunavut or Canada;

(3) evaluating the financial impact of the pension plan on the assets and liabilities of a participating employer of the pension plan;

(4) negotiating changes to the benefits under the pension plan with a union or similar organization of employees; or

(5) prescribed purposes;

"fiscal year" has the meaning assigned by section 458.1;

"labour activity" of a person means anything done by an individual who is or agrees to become an employee of the person in the course of, or in relation to, the office or employment of that individual;

"participating employer" of a pension plan means an employer that has made, or is required to make, contributions to the pension plan in respect of the employer's employees or former employees, or payments under the pension plan to the employer's employees or former employees, and includes an employer prescribed for the purposes of the definition of "participating employer" in subsection 1 of section 147.1 of the *Income Tax Act*;

"pension activity", in respect of a pension plan, means an activity (other than an excluded activity) that relates to

(1) the establishment, management or administration of the pension plan or a pension entity of the pension plan; or

(2) the management or administration of assets of the pension plan;

"pension entity" of a pension plan means a person that is

(1) a person referred to in paragraph 1 of the definition of "pension plan";

(2) a corporation referred to in paragraph 2 of the definition of "pension plan"; or

(3) a prescribed person;

"pension plan" means a registered pension plan, within the meaning of section 1 of the *Taxation Act* (chapter I-3),

(1) that governs a person that is a trust or that is deemed to be a trust for the purposes of that Act;

(2) in respect of which a corporation is

(a) incorporated and operated either

i. solely for the administration of the registered pension plan, or

ii. for the administration of the registered pension plan and for no other purpose other than acting as trustee of, or administering, a trust governed by a retirement compensation arrangement, within the meaning of section 1 of the *Taxation Act*, where the terms of the arrangement provide for benefits only in respect of individuals who are provided with benefits under the registered pension plan, and

(b) accepted by the Minister of National Revenue, under subparagraph ii of paragraph o.1 of subsection 1 of section 149 of the *Income Tax Act*, as a funding medium for the purposes of the registration of the registered pension plan; or

(3) in respect of which a person is a prescribed person for the purposes of the definition of "pension entity";

"provincial factor" in respect of a pension plan, for a fiscal year of a person that is a participating employer of the pension plan, means an amount (expressed as a percentage) determined by the formula

$$A \times B.$$

For the purposes of the formula in the definition of "provincial factor" in the first paragraph,

(1) A is the tax rate applicable, specified in the first paragraph of section 16, on the last day of the fiscal year; and

(2) B is

(a) where the person made contributions to the pension plan during the fiscal year that may be deducted by the person under section 137 of the *Taxation Act* in computing its income (in the third paragraph referred to as "pension contributions") and the number of active members of the pension plan who were employees of the person on the last day of the last calendar year ending on or before the last day of the fiscal year (in this paragraph and the third paragraph referred to as the "particular day") is greater than zero, the amount determined by the formula

$$\frac{[(C/D) + (E/F)]}{2},$$

(b) where subparagraph a does not apply and the number of active members of the pension plan who were employees of the person on the particular day is greater than zero, the amount determined by the formula

$$\frac{E}{F},$$

and

(c) in any other case, zero.

For the purposes of the formulas in subparagraphs a and b of subparagraph 2 of the second paragraph,

(1) C is the total of all pension contributions made to the pension plan by the person during the fiscal year in respect of employees of the person who were resident in Québec on the particular day;

(2) D is the total of all pension contributions made to the pension plan by the person during the fiscal year in respect of employees of the person;

(3) E is the number of active members of the pension plan who were, on the particular day, employees of the person and resident in Québec; and

(4) F is the number of active members of the pension plan who were, on the particular day, employees of the person.

2011, c. 34, s. 146

289.3 For the purposes of this division, a property or a service that is supplied to a particular person that is a participating employer of a pension plan by another person is an excluded resource of the particular person in respect of the pension plan if

(1) for each pension entity of the pension plan, no tax would become payable under this Title in respect of the supply if

(a) the supply were made by the other person to the pension entity and not to the particular person, and

(b) the pension entity and the other person were dealing at arm's length; and

(2) where the supply is a supply of corporeal movable property made outside Québec, the supply would not be a supply in respect of which section 18 would apply if the particular person were a registrant not engaged exclusively in commercial activities.

2011, c. 34, s. 146

289.4 If a person is a participating employer of a pension plan and the pension plan has,

(1) at all times in a fiscal year of the person, no more than one pension entity, that pension entity is the specified pension entity of the pension plan in respect of the person for the fiscal year; and

(2) in the fiscal year, two or more pension entities, the person and one of those pension entities may jointly elect, in the prescribed form containing prescribed information, for that pension entity to be the specified pension entity of the pension plan in respect of the person for the fiscal year.

Modification proposée — 289.4(2)

(2) in the fiscal year, two or more pension entities, the person and one of those pension entities may jointly elect, in a document in the form and containing the information determined by the Minister, for that pension entity to be the specified pension entity of the pension plan in respect of the person for the fiscal year.

Application: Bill 18 (First Reading February 21, 2013), s. 219, will substitute para. 289.4(2) to read as above, to come into force on Royal Assent.

LTVQ (anglais)

2011, c. 34, s. 146

289.5 If a person that is a registrant and a participating employer of a pension plan acquires a property or a service (in this section referred to as the "specified resource") for the purpose of making a supply of all or part of the specified resource to a pension entity of the pension plan for consumption, use or supply by the pension entity in the course of pension activities in respect of the pension plan and the specified resource is not an excluded resource of the person in respect of the pension plan, the following rules apply:

(1) the person is deemed to have made a taxable supply of the specified resource or part on the last day of the fiscal year in which the person acquired the specified resource (in this section referred to as the "particular fiscal year");

(2) tax in respect of the taxable supply referred to in subparagraph 1 is deemed to have become payable on the last day of the particular fiscal year and the person is deemed to have collected that tax on that day;

(3) the tax referred to in subparagraph 2 is deemed to be equal to the amount determined by the formula

$$A \times B;$$

and

(4) for the purpose of determining an input tax refund of the pension entity and for the purposes of subdivision 6.6 of Division I of Chapter VII and sections 450.0.1 to 450.0.12, the pension entity is deemed

(a) to have received a supply of the specified resource or part on the last day of the particular fiscal year,

(b) except where the pension entity is a selected listed financial institution on the last day of the particular fiscal year, to have paid tax in respect of the supply referred to in subparagraph a, on that day, equal to the amount of tax determined in accordance with subparagraph 3, and

(c) to have acquired the specified resource or part for consumption, use or supply in the course of its commercial activities to the same extent that the specified resource or part was acquired by the person for the purpose of making a supply of the specified resource or part to the pension entity for consumption, use or supply by the pension entity in the course of pension activities in respect of the pension plan that are commercial activities of the pension entity.

For the purposes of the formula in subparagraph 3 of the first paragraph,

(1) A is the fair market value of the specified resource or part at the time it was acquired by the person; and

(2) B is the provincial factor in respect of the pension plan for the particular fiscal year.

2011, c. 34, s. 146; 2012, c. 28, s. 85

289.6 If a person is both a registrant and a participating employer of a pension plan at any time in a fiscal year of the person, the person consumes or uses at that time an employer resource of the person for the purpose of making a supply of a property or a service (in this section referred to as the "pension supply") to a pension entity of the pension plan for consumption, use or supply by the pension entity in the course of pension activities in respect of the pension plan, and the employer resource is not an excluded resource of the person in respect of the pension plan, the following rules apply:

(1) the person is deemed to have made a taxable supply of the employer resource (in this section referred to as the "employer resource supply") on the last day of the fiscal year;

(2) tax in respect of the employer resource supply is deemed to have become payable on the last day of the fiscal year and the person is deemed to have collected that tax on that day;

(3) the tax referred to in subparagraph 2 is deemed to be equal to the amount determined by the formula

$$A \times B;$$

and

(4) for the purpose of determining an input tax refund of the pension entity and for the purposes of subdivision 6.6 of Division I of Chapter VII and sections 450.0.1 to 450.0.12, the pension entity is deemed

(a) to have received a supply of the employer resource on the last day of the fiscal year,

(b) except where the pension entity is a selected listed financial institution on the last day of the fiscal year, to have paid tax in respect of the supply referred to in subparagraph a, on that day, equal to the amount of tax determined in accordance with subparagraph 3, and

(c) to have acquired the employer resource for consumption, use or supply in the course of its commercial activities to the same extent that the property or service supplied in the pension supply was acquired by the pension entity for consumption, use or supply by the pension entity in pension activities in respect of the pension plan that are commercial activities of the pension entity.

For the purposes of the formula in subparagraph 3 of the first paragraph,

(1) A is

(a) where the employer resource was consumed by the person during the fiscal year for the purpose of making the pension supply, the product obtained by multiplying the fair market value of the employer resource at the time the person began consuming it in the fiscal year by the extent to which that consumption (expressed as a percentage of the total consumption of the employer resource by the person during the fiscal year) occurred when the person was both a registrant and a participating employer of the pension plan, and

(b) in any other case, the product obtained by multiplying the fair market value of the use of the employer resource during the fiscal year as determined on the last day of the fiscal year by the extent to which the employer resource was used during the fiscal year (expressed as a percentage of the total use of the employer resource by the person during the fiscal year) for the purpose of making the pension supply when the person was both a registrant and a participating employer of the pension plan; and

(2) B is the provincial factor in respect of the pension plan for the fiscal year.

2011, c. 34, s. 146; 2012, c. 28, s. 86

289.7 If a person is both a registrant and a participating employer of a pension plan at any time in a fiscal year of the person, the person consumes or uses at that time an employer resource of the person in the course of pension activities in respect of the pension plan, the employer resource is not an excluded resource of the person in respect of the pension plan, and section 289.6 does not apply in respect of that consumption or use, the following rules apply:

(1) the person is deemed to have made a taxable supply of the employer resource (in this section referred to as the "employer resource supply") on the last day of the fiscal year;

(2) tax in respect of the employer resource supply is deemed to have become payable on the last day of the fiscal year and the person is deemed to have collected that tax on that day;

(3) the tax referred to in subparagraph 2 is deemed to be equal to the amount determined by the formula

$$A \times B;$$

and

(4) for the purpose of determining, in accordance with subdivision 6.6 of Division I of Chapter VII, an eligible amount of the specified pension entity of the pension plan in respect of the person for the fiscal year, the specified pension entity is deemed to have paid, on the last day of the fiscal year, except where the pension entity is a selected listed financial institution on that day, tax equal to the amount of tax determined in accordance with subparagraph 3.

For the purposes of the formula in subparagraph 3 of the first paragraph,

(1) A is

(a) where the employer resource was consumed by the person during the fiscal year in the course of pension activities in respect of the pension plan, the product obtained by multiplying the fair market value of the employer resource at the time the person began consuming it in the fiscal year by the extent to which that consumption (expressed as a percentage of the total consumption of the employer resource by the person during the fiscal year) occurred when the person was both a registrant and a participating employer of the pension plan, and

(b) in any other case, the product obtained by multiplying the fair market value of the use of the employer resource during the fiscal year as determined on the last day of the fiscal year by the extent to which the employer resource was used during the fiscal year (expressed as a percentage of the total use of the employer resource by the person during the fiscal year) in the course of pension activities in respect of the pension plan when the person was both a registrant and a participating employer of the pension plan; and

(2) B is the provincial factor in respect of the pension plan for the fiscal year.

2011, c. 34, s. 146; 2012, c. 28, s. 87

289.8 If any of sections 289.5 to 289.7 applies in respect of a person that is a participating employer of a pension plan, the person shall, in the prescribed form and in the manner determined by the Minister, provide the prescribed information to the pension entity of the pension plan that is deemed to have paid tax under that section.

Modification proposée — 289.8

289.8 If any of sections 289.5 to 289.7 applies in respect of a person that is a participating employer of a pension plan, the person shall, in the form and manner determined by the Minister, provide the information determined by the Minister to the pension entity of the pension plan that is deemed to have paid tax under that section.

Application: Bill 18 (First Reading February 21, 2013), s. 220, will substitute s. 289.8 to read as above, to come into force on Royal Assent.

2011, c. 34, s. 146

DIVISION II — BENEFIT

290. Benefit to an employee or shareholder — Where a registrant makes a supply, other than an exempt or zero-rated supply, to an individual or a person related to the individual of property or a service, and an amount (in this paragraph referred to as the "benefit amount") in respect of the supply is required by section 37, 41, 41.1.1, 41.1.2 or 111 of the *Taxation Act* (chapter I-3) to be included in computing the individual's income for a taxation year of the individual, or the supply relates to the use or operation of an automobile and an amount (in this paragraph referred to as a "reimbursement") is paid by the individual or a person related to the individual that reduces the amount in respect of the supply that would otherwise be required under section 41, 41.1.1, 41.1.2 or 111 of the *Taxation Act* to be so included, the following rules apply:

(1) in the case of a supply of property otherwise than by way of sale, the use made by the registrant in so providing the property to the individual or person related to the individual is deemed to be use in commercial activities of the registrant and, to the extent that the registrant acquired the property or brought the property into Québec for the purpose of making that supply, the registrant is deemed to have so acquired the property or brought the property into Québec for use in commercial activities of the registrant; and

(2) for the purpose of determining the net tax of the registrant,

(a) the total of the benefit amount and all reimbursements is deemed to be the total consideration payable in respect of the provision during the year of the property or service to the individual or person related to the individual,

(b) the tax calculated on the total consideration is deemed to be equal to

i. where the benefit amount is an amount that is or would, if the individual were an employee of the registrant and no reimbursements were paid, be required under section 41.1.1 or 41.1.2 of the *Taxation Act* to be included in computing the individual's income, the prescribed percentage of the total consideration,

ii. where the benefit amount is required under section 37 or 41 of the *Taxation Act* to be included in computing the individual's income from an office or employment and the last establishment of the employer at which the individual ordinarily worked or to which the individual ordinarily reported in the year in relation to that office or employment is located in Québec, the amount determined by multiplying the total consideration by 9.975/109.975, and

LTVQ (anglais)

iii. where the benefit amount is required under section 111 of the *Taxation Act* to be included in computing the individual's income and the individual is resident in Québec at the end of the year, the amount determined by multiplying the total consideration by 9.975/109.975, and

(c) that tax is deemed to have become collectible, and to have been collected, by the registrant

i. except where subparagraph ii applies, on the last day of February of the year following the taxation year, and

ii. where the benefit amount is or would, if no reimbursements were paid, be required under section 111 of the *Taxation Act* to be included in computing the individual's income and relates to the provision of the property or service in a taxation year of the registrant, on the last day of that taxation year.

Exceptions — Subparagraph 2 of the first paragraph does not apply where the registrant is, by reason of section 203 or 206, not entitled to include, in determining an input tax refund, an amount in respect of the tax payable by the registrant in respect of the last acquisition or bringing into Québec of the property or service.

1991, c. 67, s. 290; 1993, c. 19, s. 210; 1994, c. 22, s. 513; 1995, c. 63, s. 382; 1997, c. 85, s. 580; 2010, c. 5, s. 217; 2011, c. 6, s. 253; 2012, c. 28, s. 88

291. [Repealed 1994, c. 22, s. 514.]

292. Exceptions — Subparagraph 2 of the first paragraph of section 290 does not apply in respect of property where

(1) the registrant is an individual or a partnership and the property is a passenger vehicle or an aircraft of the registrant that is not used by the registrant exclusively in commercial activities of the registrant;

(2) the registrant is not an individual or a partnership and the property is a passenger vehicle or an aircraft of the registrant that is not used by the registrant primarily in commercial activities of the registrant;

(3) an election made by the registrant under section 293 in respect of the property is in effect at the beginning of the taxation year.

(4) [Repealed 1995, c. 63, s. 383.]

(5) section 287.3 applied in relation to the property that is a motor vehicle.

1991, c. 67, s. 292; 1993, c. 19, s. 211; 1994, c. 22, s. 515; 1995, c. 63, s. 383; 1997, c. 3, s. 135; 1997, c. 85, s. 581; 2004, c. 21, s. 530

293. Where in a reporting period of a registrant other than a financial institution, the registrant acquires a passenger vehicle or an aircraft by way of lease for use otherwise than primarily in the course of commercial activities of the registrant or the registrant uses, otherwise than primarily in the course of commercial activities of the registrant, a passenger vehicle or an aircraft that was last acquired by the registrant by way of lease, or where in a reporting period of a registrant that is a financial institution, the registrant acquires such property by way of purchase or lease or the registrant uses such property that was last acquired by the registrant by way of purchase or lease, the registrant may make an election in respect of the vehicle or aircraft to take effect on the first day of that reporting period of the registrant, in which event the following rules apply:

(1) despite subparagraph 1 of the first paragraph of section 290, the registrant is deemed to have begun, on that day, to use the property exclusively in activities of the registrant that are not commercial activities and, as soon as the election becomes effective and until the registrant disposes of or ceases to lease the property, the registrant is deemed to use the property exclusively in activities of the registrant that are not commercial activities;

(2) where the property was last supplied to the registrant by way of lease,

(a) there shall not be included, in determining an input tax refund claimed by the registrant in the return under section 468 for the particular or any subsequent reporting period, tax calculated on consideration, or a part thereof, for that supply that is reasonably attributable to a reporting period after the day the election becomes effective, and

(b) where an amount in respect of any tax referred to in subparagraph a was included in determining an input tax refund claimed by the registrant in a return under section 468 for a reporting period ending before the particular reporting period, that amount shall be added in determining the net tax of the registrant for the particular reporting period.

(2.1) where the property was last supplied to the registrant by way of sale, the registrant is a financial institution and the cost of the property to the registrant did not exceed $50,000,

(a) there shall not be included, in determining an input tax refund claimed by the registrant in a return under section 468 for that or any subsequent reporting period, tax calculated on all or part of the consideration for that supply and tax in respect of improvements to the property that were acquired or brought into Québec by the registrant after the property was last so acquired or brought into Québec, and

(b) where an amount in respect of any tax referred to in subparagraph a was included in determining an input tax refund claimed by the registrant in a return under section 468 for a reporting period that ends before that period, that amount shall be added in determining the net tax of the registrant for that period;

(3) there shall not be included, in determining an input tax refund claimed by the registrant in a return under section 468 for that or any subsequent reporting period, tax calculated on an amount of consideration, or a value within the meaning of section 17, that may reasonably be attributed to

(a) any property that is acquired or brought into Québec for consumption or use in operating the vehicle or aircraft in respect of which the election is made and that is, or is to be, consumed or used after that day,

(b) that portion of any service relating to the operation of that vehicle or aircraft that is, or is to be, rendered after that day; and

(4) where an amount in respect of any tax referred to in paragraph 3 was included in determining an input tax refund claimed by the registrant in a return under section 468 for a reporting period ending before that reporting period, that amount shall be added in determining the net tax of the registrant for that reporting period.

Form of election — Any election under the first paragraph shall be made in prescribed form containing prescribed information.

1991, c. 67, s. 293; 1994, c. 22, s. 516; 1997, c. 85, s. 582; 2012, c. 28, s. 89

Division III — Small Supplier

294. Small supplier — A person is a small supplier throughout a particular calendar quarter and the first month immediately following the particular calendar quarter if the total referred to in paragraph 1 does not exceed the sum of the total referred to in paragraph 2 and $30,000 or, where the person is a public service body, $50,000:

(1) the total of all amounts each of which is the value of the consideration (other than consideration referred to in section 75.2 that is attributable to goodwill of a business) that became due in the four calendar quarters immediately preceding the particular calendar quarter, or that was paid in those four calendar quarters without having become due, to the person or an associate of the person at the beginning of the particular calendar quarter for taxable supplies (other than supplies of financial services and supplies by way of sale of capital property of the person or associate) made inside or outside Québec by the person or associate;

(2) where, in the four calendar quarters immediately preceding the particular calendar quarter, the person or an associate of the person at the beginning of the particular calendar quarter made a taxable supply of a right to participate in a game of chance or is deemed, under section 60, to have made a supply in respect of a bet and the supply is a taxable supply, the total of all amounts each of which is

(a) an amount of money paid or payable by the person or the associate as a prize or winnings in the game or in satisfaction of the bet, or

(b) consideration paid or payable by the person or the associate for property or a service that is given as a prize or winnings in the game or in satisfaction of the bet.

1991, c. 67, s. 294; 1994, c. 22, s. 517; 1995, c. 1, s. 288; 1995, c. 63, s. 384; 1997, c. 85, s. 583; 2012, c. 28, s. 90

295. Exception — Notwithstanding section 294, where at any time in a calendar quarter the total referred to in paragraph 1 exceeds the sum of the total referred to in paragraph 2 and $30,000 or, where the person is a public service body, $50,000:

(1) the total of all amounts each of which is the value of the consideration (other than consideration referred to in section 75.2 that is attributable to goodwill of a business) that became due in the calendar quarter or was paid in that calendar quarter without having become due, to a person or an associate of the person at the beginning of the calendar quarter for taxable supplies (other than supplies of financial services and supplies by way of sale of capital property of the person or associate) made inside or outside Québec by the person or associate;

(2) where, in the calendar quarter, the person or an associate of the person at the beginning of the calendar quarter made a taxable supply of a right to participate in a game of chance or is deemed, under section 60, to have made a supply in respect of a bet and the supply is a taxable supply, the total of all amounts each of which is

(a) an amount of money paid or payable by the person or the associate as a prize or winnings in the game or in satisfaction of the bet, or

(b) consideration paid or payable by the person or the associate for property or a service that is given as a prize or winnings in the game or in satisfaction of the bet;

the person is not a small supplier throughout the period beginning immediately before that time and ending on the last day of the calendar quarter.

1991, c. 67, s. 295; 1994, c. 22, s. 518; 1995, c. 1, s. 289; 1995, c. 63, s. 384; 1997, c. 85, s. 584; 2012, c. 28, s. 91

296. [Repealed 2012, c. 28, s. 92(1).]

296.1 Exception — Section 294 does not apply to a person not resident in Québec who makes a supply in Québec of admissions in respect of an activity, a seminar, an event or a place of amusement and whose only business carried on in Québec is the making of such supplies.

1995, c. 63, s. 385

297. Definition: "associate" — For the purposes of sections 294 and 295, the expression "associate" of a particular person at any time means another person who is associated at that time with the particular person.

1991, c. 67, s. 297

297.0.1 Definition: "gross revenue" — For the purposes of section 297.0.2, "gross revenue" of a person for a fiscal year of the person means the amount by which the amount determined under subparagraph 1 exceeds the amount determined under subparagraph 2:

(1) the amount that is the total of the following amounts that have not already been included in determining the total under this section for a preceding fiscal year of the person and each of which is

(a) a gift that is received or becomes receivable depending on the method (in this section referred to as the "accounting method") followed by the person in determining the person's revenue for the fiscal year, by the person during the fiscal year,

(b) a grant, subsidy, forgivable loan or other assistance (other than a refund or rebate of, or credit in respect of duties, fees or taxes imposed by an Act of Québec, of another province, of the Northwest Territories, of the Yukon Territory, of Nunavut or of the Parliament of Canada) in the form of money that is received or becomes receivable, depending on the accounting method, by the person during the fiscal year from a government, municipality or other public authority,

(c) revenue that is or would be, if the person were a taxpayer under the *Taxation Act* (R.S.Q., chapter I-3), included for the purposes of that Act in determining the person's income for the fiscal year from property, a business, an adventure or concern in the nature of trade or other source and that is not included in subparagraph b,

(d) an amount that is or would be, if the person were a taxpayer under the *Taxation Act*, a capital gain for the fiscal year for the purposes of that Act from the disposition of property of the person, or

(e) other revenue of any kind whatever (other than an amount that is or would be, if the person were a taxpayer under the *Taxation Act*, included in determining the amount of a capital gain or loss of the person for the purposes of that Act) that is received or becomes receivable, depending on the accounting method, by the person during the fiscal year;

(2) the total of all amounts each of which is, or would be, if the person were a taxpayer under the *Taxation Act*, a capital loss for the fiscal year for the purposes of that Act from the disposition of property of the person.

LTVQ (anglais)

Fiscal year of a person — For the purposes of this section and of section 297.0.2, the fiscal year of a person is the fiscal year of the person within the meaning of section 458.1.

1995, c. 1, s. 290; 1995, c. 63, s. 386; 2003, c. 2, s. 329

297.0.2 Charity or public institution as small supplier — A person that is a charity or a public institution at any time in a particular fiscal year of the person is a small supplier throughout the particular fiscal year if

(1) the particular fiscal year is the first fiscal year of the person;

(2) the particular fiscal year is the second fiscal year of the person and the gross revenue of the person for the first fiscal year does not exceed $250,000; or

(3) the particular fiscal year is not the first or second fiscal year of the person and the gross revenue of the person for either of the two fiscal years immediately preceding the particular fiscal year of the person does not exceed $250,000.

1995, c. 1, s. 290; 1997, c. 85, s. 585

DIVISION III.0.0.1 — FINANCIAL INSTITUTION

[Heading added 2012, c. 28, s. 93.]

297.0.2.1 Where a particular corporation that is a member of a closely related group of which a listed financial institution is a member and another corporation that is a member of the group make a valid joint election under subsection 1 of section 150 of the *Excise Tax Act* (Revised Statutes of Canada, 1985, chapter E-15), the particular corporation and the other corporation shall make the joint election that every supply between them of property by way of lease, licence or similar arrangement or of a service that is made at a time when the election under that subsection 1 is in effect for the purposes of Part IX of that Act that would, but for this section, be a taxable supply is deemed to be a supply of a financial service.

An election required to be made by a particular corporation under the first paragraph must be made in the prescribed form containing prescribed information, specify the day the election is to become effective, and be filed by the particular corporation with the Minister on or before the day on which a return under Chapter VIII for the reporting period of the particular corporation in which the election is to become effective is required to be filed.

Where a particular corporation has, before 1 January 2013, made a valid joint election with another corporation under subsection 1 of section 150 of the *Excise Tax Act* and that election is valid on that date for the purposes of Part IX of that Act, the particular corporation is deemed to have made the election required under the first paragraph.

2012, c. 28, s. 93

297.0.2.2 The election required under section 297.0.2.1 does not apply in respect of

(1) property held or services rendered by a corporation party to the election as a participant in a joint venture with another person while an election under section 346 made jointly by the corporation and the other person is in effect;

(2) a supply described in section 18; or

(3) a supply of services in relation to the clearing or settlement of cheques and other payment items under the national payments system of the Canadian Payments Association if the recipient (in this subparagraph referred to as the "related purchaser") is acquiring all or part of those services for the purpose of making a supply of exempt services to

(a) an unrelated party, or

(b) a supplier that is a member of a closely related group of which the related purchaser is a member and that acquires all or part of the exempt services for the purpose of making a supply of exempt services to an unrelated party or to another supplier described by this subparagraph.

For the purposes of the first paragraph,

"exempt services" means any service in relation to the clearing and settlement of cheques and other payment items under the national payments system of the Canadian Payments Association that is supplied by the Association or any of its members;

"unrelated party", in respect of a supply of services, means a person that is not a member of a closely related group of which the supplier is a member and that is acquiring the services for the purpose of making a supply of services in relation to the clearing or settlement of cheques and other payment items under the national payments system of the Canadian Payments Association.

2012, c. 28, s. 93

297.0.2.3 The election required under section 297.0.2.1 is valid for the period that begins on 1 January 2013 or, if made later, the day on which the election made under subsection 1 of section 150 of the *Excise Tax Act* (Revised Statutes of Canada, 1985, chapter E-15) becomes effective, and that ends on the earliest of

(1) the day either corporation that made the election ceases to be a member of one and the same closely related group;

(2) the first day the closely related group of which the corporations that made the election are members does not include a listed financial institution (other than a corporation that is a financial institution only by reason of the presumption provided for in section 297.0.2.6); and

(3) the day specified in a notice of revocation filed jointly by the corporations that made the election with the Minister in prescribed manner and containing prescribed information.

For the purposes of subparagraph 3 of the first paragraph, the following rules apply:

(1) where a notice of revocation in relation to the election made under subsection 1 of section 150 of the *Excise Tax Act* is filed by the corporations that made the election required under section 297.0.2.1, in accordance with paragraph c of subsection 4 of section 150 of that

Act, a notice of revocation stating the date specified in the notice of revocation filed in accordance with that paragraph c must also be filed by the corporations with the Minister; and

(2) a notice of revocation may be filed with the Minister only if the corporations that made the joint election required under section 297.0.2.1 have filed a notice of revocation in accordance with paragraph c of subsection 4 of section 150 of the *Excise Tax Act*.

2012, c. 28, s. 93

297.0.2.4 The following rules apply to credit unions:

(1) every credit union is deemed to be at all times a member of a closely related group of which every other credit union is a member;

(2) every credit union is deemed to have made the election required under section 297.0.2.1 with every other credit union, which election is in effect at all times; and

(3) every supply of a corporeal movable property (other than a capital property) made by a credit union to another credit union is deemed to be a supply of a financial service.

2012, c. 28, s. 93

297.0.2.5 The following rules apply to the members of a mutual insurance group:

(1) every member of a mutual insurance group is deemed to be at all times a member of a closely related group of which every other member of the mutual insurance group is a member; and

(2) every member of a mutual insurance group is deemed to have made the election required under section 297.0.2.1 with every other member of the mutual insurance group, which election is in effect at all times.

2012, c. 28, s. 93

297.0.2.6 A corporation that is a member of a closely related group and that makes the election required under section 297.0.2.1 is deemed to be a financial institution throughout the period for which the election is in effect.

2012, c. 28, s. 93

DIVISION III.0.1 — NETWORK SELLER

[Heading added 2011, c. 6, s. 254.]

297.0.3 For the purposes of this division and of sections 457.0.1 to 457.0.5,

"network commission" means, in respect of a sales representative of a person, an amount that is payable by the person to the sales representative under an agreement between the person and the sales representative

(1) as consideration for a supply of a service, made by the sales representative, of arranging for the sale of a select product or a sales aid of the person; or

(2) solely as a consequence of a supply of a service, made by any sales representative of the person described in paragraph 1 of the definition of "sales representative", of arranging for the sale of a select product or a sales aid of the person;

"network seller" means a person notified by the Minister of an approval under section 297.0.7;

"sales aid" of a particular person that is a network seller or a sales representative of a network seller means property (other than a select product of any person) that

(1) is a customized business form or a sample, demonstration kit, promotional or instructional item, catalogue or similar movable property acquired, manufactured or produced by the particular person for sale to assist in the distribution, promotion or sale of select products of the network seller; and

(2) is neither sold nor held for sale by the particular person to a sales representative of the network seller that is acquiring the property for use as capital property;

"sales representative" of a particular person means

(1) a person (other than an employee of the particular person or a person acting, in the course of its commercial activities, as mandatary in making supplies of select products of the particular person on behalf of the particular person) that

(a) has a contractual right under an agreement with the particular person to arrange for the sale of select products of the particular person, and

(b) does not arrange for the sale of select products of the particular person primarily at a fixed place of business of the person other than a private residence; or

(2) a person (other than an employee of the particular person or a person acting, in the course of its commercial activities, as mandatary in making supplies of select products of the particular person on behalf of the particular person) that has a contractual right under an agreement with the particular person to be paid an amount by the particular person solely as a consequence of a supply of a service, made by a person described in paragraph 1, of arranging for the sale of a select product or a sales aid of the particular person;

"select product" of a person means corporeal movable property that

(1) is acquired, manufactured or produced by the person for supply by the person for consideration, otherwise than as used corporeal movable property, in the ordinary course of business of the person; and

(2) is ordinarily acquired by consumers by way of sale.

2011, c. 6, s. 254

297.0.4 For the purposes of this division, a person is a qualifying network seller throughout a fiscal year of the person if

(1) all or substantially all of the total of all consideration, included in determining the person's income from a business for the fiscal year, for supplies made in Québec by way of sale is for

(a) supplies of select products of the person, made by the person, by way of sales that are arranged for by sales representatives of the person (in this section referred to as "select supplies"), or

(b) if the person is a direct seller (as defined in section 297.1), supplies by way of sale of exclusive products (as defined in that section) of the person made by the person to independent sales contractors (as defined in that section) of the person at any time when an approval of the Minister for the purposes of sections 297.2 to 297.7.0.2 to the person is in effect;

(2) all or substantially all of the total of all consideration, included in determining the person's income from a business for the fiscal year, for select supplies is for select supplies made to consumers;

(3) all or substantially all of the sales representatives of the person to which network commissions become payable by the person during the fiscal year are sales representatives, each having a total of such network commissions of not more than the amount determined by the formula

$$\$30{,}000 \times \frac{A}{365}$$

; and

(4) the person and each of its sales representatives have made joint elections under section 297.0.6.

For the purposes of the formula in subparagraph 3 of the first paragraph, A is the number of days in the fiscal year.

2011, c. 6, s. 254; 2012, c. 28, s. 94

297.0.5 A person may file an application with the Minister in prescribed form containing prescribed information to have section 297.0.9 apply to the person and each of its sales representatives, beginning on the first day of a fiscal year of the person, if the person

(1) is registered under Division I of Chapter VIII and is reasonably expected to be, throughout the fiscal year,

(a) engaged exclusively in commercial activities, and

(b) a qualifying network seller; and

(2) files the application in the manner prescribed by the Minister before,

(a) in the case of a person that has never made a supply of a select product of the person, the day in the fiscal year on which the person first makes a supply of a select product of the person, and

(b) in any other case, the first day of the fiscal year.

2011, c. 6, s. 254

297.0.6 A person to which section 297.0.5 applies or a person that is a network seller and a sales representative of the person may jointly elect, in prescribed form containing prescribed information, to have section 297.0.9 apply to them at all times when an approval granted under section 297.0.7 is in effect.

2011, c. 6, s. 254

297.0.7 The Minister may approve an application filed under section 297.0.5 by a person or refuse the application and shall notify the person in writing of the approval and the day on which it becomes effective or of the refusal.

2011, c. 6, s. 254

297.0.8 A network seller shall maintain evidence satisfactory to the Minister that the network seller and each of its sales representatives have made joint elections under section 297.0.6.

2011, c. 6, s. 254

297.0.9 If an approval granted by the Minister under section 297.0.7 in respect of a network seller and each of its sales representatives is in effect and, at any time, a network commission becomes payable by the network seller to a sales representative of the network seller as consideration for a taxable supply (other than a zero-rated supply) of a service made in Québec by the sales representative, the supply is deemed not to be a supply.

2011, c. 6, s. 254

297.0.10 If an approval granted by the Minister under section 297.0.7 in respect of a network seller and each of its sales representatives is in effect and, at any time, the network seller or a sales representative of the network seller makes in Québec a taxable supply by way of sale of a sales aid of the network seller or of the sales representative, as the case may be, to a sales representative of the network seller, the supply is deemed not to be a supply.

2011, c. 6, s. 254

297.0.11 If an approval granted by the Minister under section 297.0.7 in respect of a network seller and each of its sales representatives is in effect and, at any time, the network seller or a particular sales representative of the network seller makes a supply of property to an individual as consideration for the supply by the individual of a service of acting as a host at an event organized for the purpose of allowing a sales representative of the network seller or the particular sales representative, as the case may be, to promote, or to arrange for the sale of, select products of the network seller, the individual is deemed not to have made a supply of the service and the service is deemed not to be consideration for a supply.

2011, c. 6, s. 254

297.0.12 A person notified by the Minister of a refusal under section 297.0.7 shall, without delay and in a manner satisfactory to the Minister, notify the sales representative with whom the person made a joint election under section 297.0.6.

2011, c. 6, s. 254

297.0.13 The Minister may, effective on the first day of a fiscal year of a network seller, revoke an approval granted under section 297.0.7 if, before that day, the Minister notifies the network seller of the revocation and the day on which it becomes effective and if

(1) the network seller fails to comply with a provision of this Title;

(2) it can reasonably be expected that the network seller will not be a qualifying network seller throughout the fiscal year;

(3) the network seller requests in writing that the Minister revoke the approval;

(4) the notice referred to in section 416 has been given to, or the request referred to in subparagraph 1 of the first paragraph of section 417 has been filed by, the network seller; or

(5) it can reasonably be expected that the network seller will not be engaged exclusively in commercial activities throughout the fiscal year.

2011, c. 6, s. 254

297.0.14 If an approval granted under section 297.0.7 in respect of a network seller and each of its sales representatives is in effect at any time in a particular fiscal year of the network seller and, at any time during the particular fiscal year, the network seller ceases to be engaged exclusively in commercial activities or the Minister cancels the registration of the network seller, the approval is deemed to be revoked, effective on the first day of the fiscal year of the network seller immediately following the particular fiscal year, unless, on that first day, the network seller is registered under Division I of Chapter VIII and it is reasonably expected that the network seller will be engaged exclusively in commercial activities throughout that following fiscal year.

2011, c. 6, s. 254

297.0.15 If an approval granted under section 297.0.7 in respect of a network seller and each of its sales representatives is revoked under section 297.0.13 or 297.0.14, the following rules apply:

(1) the approval ceases to have effect immediately before the day on which the revocation becomes effective;

(2) the network seller shall without delay notify each of its sales representatives in a manner satisfactory to the Minister of the revocation and the day on which it becomes effective; and

(3) a subsequent approval granted under section 297.0.7 in respect of the network seller and each of its sales representatives may not become effective before the first day of a fiscal year of the network seller that is at least two years after the day on which the revocation became effective.

2011, c. 6, s. 254

297.0.16 A taxable supply (other than a zero-rated supply) of a service made in Québec by a sales representative of a network seller is deemed not to be a supply if

(1) the consideration for the taxable supply is a network commission that becomes payable by the network seller to the sales representative at any time after the day on which an approval granted under section 297.0.7 ceases to have effect as a consequence of a revocation on the basis of any of paragraphs 1 to 3 of section 297.0.13;

(2) the approval could not have been revoked on the basis of paragraph 4 or 5 of section 297.0.13 and would not have otherwise been revoked under section 297.0.14;

(3) at the time the network commission becomes payable, the sales representative

(a) has not been notified of the revocation by the network seller, as required under paragraph 2 of section 297.0.15, or by the Minister, and

(b) neither knows, nor ought to know, that the approval ceased to have effect; and

(4) an amount has not been charged or collected as or on account of tax in respect of the taxable supply.

2011, c. 6, s. 254

297.0.17 Section 297.0.18 applies if the following conditions are satisfied:

(1) the consideration for a taxable supply (other than a zero-rated supply) of a service made in Québec by a sales representative of a network seller is a network commission that becomes payable by the network seller to the sales representative at any time after the day on which an approval granted under section 297.0.7 ceases to have effect as a consequence of a revocation under section 297.0.13 or 297.0.14;

(2) the approval was, or could at any time otherwise have been, revoked under paragraph 4 or 5 of section 297.0.13 or was, or would at any time otherwise have been, revoked under section 297.0.14;

(3) at the time the network commission becomes payable, the sales representative

(a) has not been notified of the revocation by the network seller, as required under paragraph 2 of section 297.0.15, or by the Minister, and

(b) neither knows, nor ought to know, that the approval ceased to have effect; and

(4) an amount has not been charged or collected as or on account of tax in respect of the taxable supply.

2011, c. 6, s. 254

297.0.18 If the conditions described in section 297.0.17 are satisfied, the following rules apply:

(1) section 68 does not apply in respect of the taxable supply described in paragraph 1 of section 297.0.17;

(2) tax that becomes payable or that would, in the absence of section 68, become payable in respect of the taxable supply is not included in determining the net tax of the sales representative referred to in paragraph 1 of section 297.0.17; and

(3) the consideration for the taxable supply is not, in determining whether the sales representative is a small supplier, included in the total referred to in paragraph 1 of section 294 or in paragraph 1 of section 295.

2011, c. 6, s. 254

297.0.19 A taxable supply of a sales aid of a particular sales representative of a network seller made in Québec by way of sale to another sales representative of the network seller is deemed not to be a supply if

(1) the consideration for the taxable supply becomes payable at any time after the day on which an approval granted under section 297.0.7 ceases to have effect as a consequence of a revocation under section 297.0.13 or 297.0.14;

(2) at the time the consideration becomes payable, the particular sales representative

(a) has not been notified of the revocation by the network seller, as required under paragraph 2 of section 297.0.15, or by the Minister, and

(b) neither knows, nor ought to know, that the approval ceased to have effect; and

(3) an amount has not been charged or collected as or on account of tax in respect of the taxable supply.

2011, c. 6, s. 254

297.0.20 If a registrant that is a network seller in respect of which an approval granted under section 297.0.7 is in effect acquires or brings into Québec property (other than a select product of the network seller) or a service for supply to a sales representative of the network seller or an individual related to the sales representative for no consideration or for consideration that is less than the fair market value of the property or service, tax becomes payable in respect of the acquisition or bringing into Québec and the sales representative or individual is not acquiring the property or service for consumption, use or supply exclusively in the course of commercial activities of the sales representative or individual, as the case may be, the following rules apply:

(1) no tax is payable in respect of the supply; and

(2) in determining an input tax refund of the registrant, no amount must be included in respect of tax that becomes payable, or is paid without having become payable, by the registrant in respect of the property or service.

2011, c. 6, s. 254

297.0.21 If a registrant that is a network seller in respect of which an approval granted under section 297.0.7 is in effect and that, in the course of commercial activities of the registrant, has acquired, manufactured or produced property (other than a select product of the network seller), or has acquired or performed a service, appropriates the property or service, at any time, for the benefit of any of the sales representatives of the network seller or of an individual related to the sales representative (otherwise than by way of a supply made for consideration equal to the fair market value of the property or service), and the sales representative or individual is not acquiring the property or service for consumption, use or supply exclusively in the course of commercial activities of the sales representative or individual, the registrant shall be deemed

(1) to have made a supply of the property or service for consideration paid at that time equal to the fair market value of the property or service at that time; and

(2) to have collected, at that time, tax in respect of the supply, unless the supply is an exempt supply, calculated on that consideration.

This section does not apply to property or a service appropriated by a registrant that was not entitled to claim an input tax refund in respect of the property or service because of section 203 or 206.

2011, c. 6, s. 254

297.0.22 If an approval granted under section 297.0.7 in respect of a network seller and each of its sales representatives is in effect and, at any time, a sales representative of the network seller ceases to be a registrant, paragraph 1 of section 209 does not apply to sales aids that were supplied to the sales representative by the network seller or another sales representative of the network seller at any time when the approval was in effect.

2011, c. 6, s. 254

297.0.23 Section 55 does not apply to the supply described in section 297.0.11 made to an individual acting as a host.

2011, c. 6, s. 254

297.0.24 For the purposes of this division and sections 457.0.1 to 457.0.4, the fiscal year of a person is the fiscal year of the person within the meaning of section 458.1.

2011, c. 6, s. 254

297.0.25 If a network seller that is a registrant is granted an approval under subsection 5 of section 178 of the *Excise Tax Act* (Revised Statutes of Canada, 1985, chapter E-15), the following rules apply:

(1) the network seller is not required to file an application under section 297.0.5;

(2) the network seller is deemed to have been granted an approval under section 297.0.7 and the time or day on which the approval becomes effective is the same as the time or day on which the approval granted under subsection 5 of section 178 of that Act becomes effective; and

(3) the approval deemed to have been granted to the network seller under section 297.0.7 is deemed

(a) to have been revoked on the day on which revocation of the approval granted under subsection 5 of section 178 of that Act becomes effective and the revocation is deemed to be in effect on that day, and

(b) to have ceased to have effect on the day on which the approval referred to in subparagraph aceased to have effect.

The Minister may require to be informed by the network seller in the manner prescribed by the Minister in prescribed form containing prescribed information, and within the time determined by the Minister, of an approval granted under subsection 5 of section 178 of that Act, of a revocation of that approval or of the fact that an approval has ceased to have effect, or require the network seller to send notice of an approval or of its revocation to the Minister.

2011, c. 6, s. 254

DIVISION III.1 — DIRECT SELLERS

297.1 Definitions — For the purposes of this division,

"collection officer"[Repealed 1995, c. 63, s. 387.]

"direct seller" means a person who sells exclusive products of the person to independant sales contractors of the person;

"distributor" of a direct seller means a person who is an independent sales contractor of the direct seller and who, in the course of the contractor's business, sells some or all of the exclusive products of the direct seller acquired by the contractor to other independent sales contractors of the direct seller;

"exclusive product" of a direct seller means movable property that is acquired, manufactured or produced by the direct seller for sale, in the ordinary course of a business of the direct seller, to an independent sales contractor of the direct seller, with the expectation that the property would be ultimately sold, otherwise than as used corporeal movable property, by an independent sales contractor of the direct seller, in the ordinary course of a business of the contractor, for consideration to a person other than an independant sales contractor;

"independent sales contractor" of a direct seller means a person, other than a mandatary or employee of the direct seller or of a distributor of the direct seller, who

(1) has a contractual right to purchase exclusive products of the direct seller from the direct seller or from a distributor of the direct seller;

(2) purchases exclusive products of the direct seller for the purpose of resale to another independent sales contractor of the direct seller or to a purchaser; and

(3) does not solicit, negotiate or enter into contracts for the sale of exclusive products of the direct seller to purchasers primarily at a fixed place of business of the person other than a private residence;

"purchaser" of an exclusive product of a direct seller means a person who is the recipient of a supply of the product and who is not acquiring the product for the purpose of supplying it for consideration;

"sales aid" of a person who is a direct seller or a distributor of a direct seller means

(1) property, other than an exclusive product of the direct seller, that is a customized business form or a sample, demonstration kit, promotional or instructional item, catalogue or other movable property acquired, manufactured or produced by the person for sale to assist in the distribution, promotion or sale of exclusive products of the direct seller, but does not include property that is sold, or held for sale, by the person to an independent sales contractor of the direct seller who is acquiring the property for use as capital property; and

(2) the service of shipping or handling, or processing an order for, either property included in paragraph 1 or an exclusive product of the direct seller;

"suggested retail price" at any time of an exclusive product of a direct seller means the lowest price published by the direct seller applicable to supplies of the product made at that time to purchasers and includes the duties, fees and taxes described in section 52, but does not include tax payable under this title and duties, fees and taxes prescribed for the purposes of the second paragraph of section 52.

1994, c. 22, s. 519; 1995, c. 63, s. 387; 2001, c. 53, s. 319

297.1.1 Application for alternate collection method — A direct seller who is a registrant may file an application in prescribed form containing prescribed information, with and as prescribed by the Minister, to have sections 297.2 to 297.7 apply in respect of the direct seller.

1995, c. 63, s. 388

297.1.2 Joint application for alternate collection method — Where a direct seller and a distributor of the direct seller are registrants, they may file a joint application in prescribed form containing prescribed information, with and as prescribed by the Minister, to have sections 297.7.1 to 297.7.4 apply in respect of the distributor.

1995, c. 63, s. 388

297.1.3 Approval by the Minister — Where the Minister receives an application under section 297.1.1 from a direct seller, the Minister may approve the application in writing, and the Minister shall, in writing, notify the direct seller of the approval and the day on which it becomes effective.

1995, c. 63, s. 388

297.1.4 Approval by the Minister — Where the Minister receives a joint application under section 297.1.2 from a direct seller and a distributor of the direct seller, the Minister may approve the application in writing, and the Minister shall, in writing, notify both the direct seller and the distributor of the approval and the day on which it becomes effective.

1995, c. 63, s. 388

297.1.5 Deemed approval — Where, at a time when an approval granted under section 297.1.3 in respect of a direct seller would not, but for this section, be in effect, an approval granted under section 297.1.4 in respect of a distributor of the direct seller becomes effective and no other approval granted under section 297.1.4 in respect of a distributor of the direct seller is in effect at that time, the direct seller is deemed, for the purposes of this Division, to have been granted an approval under section 297.1.3 that becomes effective immediately before that time.

1995, c. 1, s. 388

LTVQ (anglais)

297.1.6 Revocation of approval — The Minister may revoke an approval granted under section 297.1.3 in respect of a direct seller where an approval granted under section 297.1.4 in respect of a distributor of the direct seller is not in effect and

(1) the direct seller fails to comply with any provision of this Title; or

(2) except in the case of an approval deemed under section 297.1.5 to have been granted, the direct seller requests, in writing, the Minister to revoke the approval.

Notification — The Minister shall, in writing, notify the direct seller of the revocation of the approval and the day on which it becomes effective.

1995, c. 1, s. 388

297.1.7 Revocation of application — The Minister may revoke an approval granted under section 297.1.4 in respect of a distributor of a direct seller where

(1) the distributor fails to comply with any provision of this Title; or

(2) the distributor and the direct seller, in writing, jointly request the Minister to revoke the approval.

Notification — The Minister shall, in writing, notify both the distributor and the direct seller of the revocation of the approval and the day on which it becomes effective.

1995, c. 1, s. 388

297.1.8 Cessation — An approval granted under section 297.1.3 in respect of a direct seller ceases to have effect on the earliest of

(1) the day the direct seller ceases to be a registrant;

(2) the day an approval granted under section 297.1.4 in respect of any distributor of the direct seller ceases to have effect and no other approval granted under that section in respect of any distributor of the direct seller is in effect; and

(3) the day a revocation of the approval under section 297.1.6 becomes effective.

1995, c. 1, s. 388

297.1.9 Cessation — An approval granted under section 297.1.4 ceases to have effect on the earliest of

(1) the day the direct seller ceases to be a registrant;

(2) the day the distributor ceases to be a registrant; and

(3) the day a revocation of the approval under section 297.1.7 becomes effective.

1995, c. 1, s. 388

297.1.10 Presumptions relating to approval — Where a direct seller who is a registrant is granted approval under subsection 3 of section 178.2 of the *Excise Tax Act* (Revised Statutes of Canada, 1985, chapter E-15), the following rules apply:

(1) the direct seller is not required to file an application under section 297.1.1;

(2) the direct seller is deemed to have been granted approval under section 297.1.3 and the time or day on which the approval becomes effective is the same as the day on which the approval granted under subsection 3 of section 178.2 of that Act becomes effective; and

(3) the approval deemed to have been granted to the direct seller under section 297.1.3 is deemed

(a) to have been revoked on the day on which revocation of the approval granted under subsection 3 of section 178.2 of that Act becomes effective and the revocation is deemed to be in effect on that day, and

(b) to have ceased to have effect on the day on which the approval referred to in subparagraph a ceased to have effect.

Power of the Minister — The Minister may require to be informed by the direct seller in the manner prescribed by the Minister in prescribed form containing prescribed information, and within the time determined by the Minister, of an approval granted under subsection 3 of section 178.2 of that Act, of a revocation of that approval or of the fact that an approval has ceased to have effect, or require the direct seller to send notice of an approval or of its revocation to the Minister.

1997, c. 14, s. 340

297.1.11 Presumptions relating to approval — Where a direct seller and a distributor of the direct seller who are registrants have been granted approval under subsection 4 of section 178.2 of the *Excise Tax Act* (Revised Statutes of Canada, 1985, chapter E-15), the following rules apply:

(1) the direct seller and the distributor are not required to file a joint application under section 297.1.2;

(2) the direct seller and the distributor are deemed to have been granted an approval under section 297.1.4 which becomes effective on the day on which the approval granted under subsection 4 of section 178.2 of that Act becomes effective; and

(3) the approval deemed to have been granted to the direct seller and the distributor under section 297.1.4 is deemed

(a) to have been revoked on the day on which the approval granted under subsection 4 of section 178.2 of that Act becomes effective and the revocation is deemed to be in effect on that day, and

(b) to have ceased to have effect on the day on which the approval referred to in subparagraph a ceased to have effect.

Power of the Minister — The Minister may require to be informed by the direct seller or the distributor in the manner prescribed by the Minister in prescribed form containing prescribed information, and within the time determined by the Minister, of an approval granted under subsection 4 of section 178.2 of that Act, of a revocation of that approval or of the fact that an approval has ceased to have effect, or require the direct seller or the distributor to send notice of an approval or of its revocation to the Minister.

1997, c. 14, s. 340

297.2 Supply by a direct seller to an independent sales contractor of the direct seller — Where, at any time when an approval granted by the Minister under section 297.1.3 in respect of a direct seller is in effect, the direct seller makes in Québec a taxable supply by way of sale, other than a zero-rated supply, of an exclusive product of the direct seller to an independent sales contractor of the direct seller who is not a distributor in respect of whom an approval granted under section 297.1.4 is in effect at that time or becomes effective immediately after that time, the following rules apply:

(1) the supply is deemed to have been made for consideration, that becomes due and is paid at the particular time that is the earlier of the time when any part of the consideration for the supply becomes due and the time when any part of that consideration is paid, equal to the suggested retail price of the exclusive product at the time the supply is made;

(2) tax is deemed not to be payable by the contractor in respect of the supply;

(3) the contractor is not entitled to any rebate under sections 400 to 402.0.2 in respect of the supply; and

(4) in determining the net tax of the direct seller for the reporting period of the direct seller that includes the particular time, there shall be added an amount equal to tax calculated on the suggested retail price of the product at the time the supply is made.

1994, c. 22, s. 519; 1995, c. 63, s. 389

297.3 [Repealed 1995, c. 63, s. 390.]

297.4 [Repealed 1995, c. 63, s. 390.]

297.5 Supply by an independent sales contractor — Subject to the second paragraph, where, at any time when an approval granted by the Minister under section 297.1.3 in respect of a direct seller is in effect, a particular independent sales contractor of the direct seller, other than a distributor in respect of whom an approval granted under section 297.1.4 is in effect at that time or becomes effective immediately after that time, makes in Québec a particular taxable supply by way of sale, other than a zero-rated supply, of an exclusive product of the direct seller, the following rules apply:

(1) if the recipient of the particular taxable supply is another independent sales contractor of the direct seller, the particular taxable supply is deemed, except for the purposes of section 297.1 and sections 297.2 to 297.7, not to have been made by the particular contractor and not to have been received by the other contractor; and

(2) if the recipient of the particular taxable supply is a person other than the direct seller or another independent sales contractor of the direct seller,

(a) the particular taxable supply is deemed, except for the purposes of sections 297.1, 297.7 and 297.11, to be a taxable supply made by the direct seller, and not by the particular contractor, for consideration equal to the lesser of the actual consideration for the supply and the suggested retail price of the product at the time the particular taxable supply is made,

(b) any tax in respect of the particular taxable supply that is collected by the particular contractor is deemed to have been collected on behalf of the direct seller, and

(c) tax in respect of the particular taxable supply shall not be included in determining the net tax of the direct seller for any reporting period.

Application — This section applies where section 297.2 applied in respect of a supply of an exclusive product made at an earlier time or where section 297.7.5 applied at an earlier time in respect of the exclusive product.

1994, c. 22, s. 519; 1995, c. 63, s. 391

297.6 Supply by an independent sales contractor to the direct seller — Where a direct seller has made a supply of an exclusive product of the direct seller circumstances in which an amount was required under paragraph 4 of section 297.2 to be added in determining the net tax of the direct seller and an independent sales contractor of the direct seller subsequently supplies the product to the direct seller in a particular reporting period of the direct seller, the following rules apply:

(1) the contractor is deemed not to have supplied the product; and

(2) the direct seller may deduct that amount, in determining the net tax of the direct seller for the particular reporting period or for a subsequent reporting period, in a return under Chapter VIII filed by the direct seller within four years after the day on or before which the return under Chapter VIII for the particular reporting period is required to be filed.

1994, c. 22, s. 519; 1995, c. 63, s. 392; 1997, c. 85, s. 586

297.7 Adjustment to the direct seller's net tax — A direct seller may deduct the amount determined under subparagraph 3 in determining the net tax for the particular reporting period of the direct seller in which the amount is paid to, or credited by the direct seller in favour of, an independent sales contractor of the direct seller, or for a subsequent reporting period, in a return under Chapter VIII filed by the direct seller within four years after the day on or before which the return under Chapter VIII is required to be filed for the particular reporting period where

(1) at a particular time the direct seller makes a supply of an exclusive product of the direct seller in circumstances in which an amount was required under paragraph 4 section 297.2 to be added in determining the net tax of the direct seller;

(2) the independent sales contractor

(a) makes a supply of the product that is

i. a zero-rated supply,

ii. a supply made outside Québec, or

iii. a supply in respect of which the recipient is not required to pay tax under a law of Canada or a province,

LTVQ (anglais)

(b) makes a supply of the product to a person other than an independent sales contractor of the direct seller for consideration that is less than the suggested retail price of the product at the particular time and more than nominal, and on which was calculated tax that was paid by the person, or

(c) makes a supply of the product to a person other than an independent sales contractor of the direct seller for no consideration or for nominal consideration or appropriates the product for the consumption, use or enjoyment of the particular contractor or that of an individual related thereto; and

(3) the direct seller pays to, or credits in favour of, an independent sales contractor of the direct seller an amount in respect of the product equal to

(a) where subparagraph a of subparagraph 2 applies, tax calculated on the suggested retail price of the product at the particular time, and

(b) where subparagraph b or c of subparagraph 2 applies, the amount determined by the formula

A – B.

Interpretation — For the purposes of this formula,

(1) A is the tax calculated on the suggested retail price of the product at the particular time; and

(2) B is

(a) where subparagraph b of subparagraph 2 of the first paragraph applies, tax calculated on the consideration for the supply of the product by the contractor, and

(b) where subparagraph c of subparagraph 2 of the first paragraph applies, tax calculated on the consideration for the supply of the product to the contractor, determined without reference to paragraph 1 of section 297.2.

1994, c. 22, s. 519; 1995, c. 63, s. 393; 1997, c. 85, s. 587

297.7.0.1 Bad debt — A direct seller may deduct the amount determined under subparagraph 4 in determining the net tax for the particular reporting period of the direct seller in which the amount is paid, or credited in favour of, an independent sales contractor of the direct seller, or for a subsequent reporting period, in a return under Chapter VIII filed by the direct seller within four years after the day on which the return under that chapter for the particular reporting period is required to be filed if

(1) the direct seller has made a supply of an exclusive product of the direct seller in circumstances in which an amount was required under paragraph 4 of section 297.2 to be added in determining the net tax of the direct seller;

(2) a particular independent sales contractor of the direct seller has or would have, but for subparagraph 2 of the first paragraph of section 297.5, also made a supply of the exclusive product to a person with whom the particular independent sales contractor was dealing at arm's length, other than the direct seller and another independent sales contractor of the direct seller;

(3) the direct seller has obtained evidence satisfactory to the Minister that the consideration and the tax payable in respect of the supply by the particular independent sales contractor have become in whole or in part a bad debt and that the amount of the bad debt has, at a particular time, been written off in the books of account of the particular independent sales contractor; and

(4) the direct seller pays to, or credits in favour of, the particular independent sales contractor an amount in respect of the exclusive product equal to the amount determined by the formula

A × B/C.

Interpretation — For the purposes of this formula,

(1) A is the tax payable in respect of the supply made by the particular independent sales contractor;

(2) B is the total of the consideration and tax in respect of that supply remaining unpaid and written off at a particular time as a bad debt; and

(3) C is the total of the consideration and tax payable in respect of that supply.

2001, c. 53, s. 320

297.7.0.2 Recovery of bad debt — If all or part of a bad debt in respect of which a direct seller has made a deduction under section 297.7.0.1 is recovered, the direct seller shall, in determining the net tax for the direct seller's reporting period in which the bad debt or that part is recovered, add the amount determined by the formula

A × B/C.

Interpretation — For the purposes of this formula,

(1) A is the amount recovered;

(2) B is the tax payable in respect of the supply to which the bad debt relates; and

(3) C is the total of the consideration and tax payable in respect of that supply.

2001, c. 53, s. 320

297.7.1 Supply by a distributor to an independent sales contractor — Where, at any time when an approval granted by the Minister under section 297.1.4 in respect of a distributor of a direct seller is in effect, the distributor makes in Québec a taxable supply by way of sale, other than a zero-rated supply, of an exclusive product of the direct seller to an independent sales contractor of the direct seller who is not a distributor in respect of whom an approval granted under section 297.1.4 is in effect at that time or becomes effective immediately after that time, the following rules apply:

(1) the supply is deemed to have been made for consideration, that becomes due and is paid at the particular time that is the earlier of the time when any part of the consideration for the supply becomes due and the time when any part of that consideration is paid, equal to the suggested retail price of the product at the time the supply is made;

297.1.3 in respect of the direct seller ceases to have effect, each independent sales contractor of the direct seller, other than a distributor in respect of whom an approval granted under section 297.1.4 ceases to have effect at that time, is deemed

(1) to have received, immediately after that time, a supply of each exclusive product of the direct seller that the contractor has in inventory at that time for consideration, that becomes due and is paid immediately after that time, equal to the suggested retail price of the product at that time; and

(2) to have paid, immediately after that time, tax in respect of the supply calculated on that consideration.

1995, c. 63, s. 394

297.7.8 Exclusive products held by an independent sales contractor at the time of revocation — Where at any time an approval granted under section 297.1.3 in respect of a direct seller ceases to have effect and section 297.7.7 does not apply, each independent sales contractor of the direct seller is deemed

(1) to have received, immediately after that time, a supply of each exclusive product of the direct seller that the contractor has in inventory at that time for consideration, that becomes due and is paid immediately after that time, equal to the suggested retail price of the product at that time; and

(2) to have paid, immediately after that time, tax in respect of the supply calculated on that consideration.

1995, c. 63, s. 394

297.8 [Repealed 1995, c. 63, s. 395.]

297.9 [Repealed 1995, c. 63, s. 395.]

297.10 Sales aids — Where an approval granted by the Minister under section 297.1.3 in respect of a direct seller is in effect and the direct seller or an independent sales contractor of the direct seller makes in Québec a taxable supply by way of sale of a sales aid of the direct seller or of the contractor, as the case may be, to an independent sales contractor of the direct seller, the supply is deemed not to be a supply.

1994, c. 22, s. 519; 1995, c. 63, s. 396

297.10.1 Bonus payments — Where an approval granted by the Minister under section 297.1.3 in respect of a direct seller is in effect and an amount is paid or payable by the direct seller or an independent sales contractor of the direct seller to an independent sales contractor of the direct seller because of the volume of purchases or sales of exclusive products of the direct seller or of sales aids and otherwise than as consideration for a supply of such a product or sales aid, the amount is deemed not to be consideration for a supply.

1995, c. 63, s. 397

297.11 Host gifts — Where, at any time when an approval granted by the Minister under section 297.1.3 in respect of a direct seller is in effect, an independent sales contractor of the direct seller, who is not a distributor in respect of whom an approval granted under section 297.1.4 is in effect at that time or becomes effective after that time, makes a supply of property to a person as consideration for the supply by the person of a service of acting as a host at an occasion that is organized for the purpose of the distribution, promotion or sale by the contractor of exclusive products of the direct seller, the person is deemed not to have made a supply of the service and the service is deemed not to be consideration for a supply.

1994, c. 22, s. 519; 1995, c. 63, s. 398

297.12 Restriction on input tax refund — Where a registrant who is a direct seller in respect of whom an approval granted under section 297.1.3 is in effect or who is a distributor of such a direct seller acquires or brings into Québec property, other than an exclusive product of the direct seller, or a service for supply to an independent sales contractor of the direct seller or an individual related thereto for no consideration or for consideration that is less than the fair market value of the property or service and the contractor or individual is not acquiring the property or service for consumption, use or supply exclusively in the course of commercial activities of the contractor or individual, the following rules apply:

(1) no tax is payable in respect of the supply;

(2) in determining an input tax refund of the registrant, no amount shall be included in respect of tax that becomes payable, or is paid without having become payable, by the registrant in respect of the property or service.

(3) [Repealed 1995, c. 63, s. 399(1)(3).]

1994, c. 22, s. 519; 1995, c. 63, s. 399

297.13 Appropriations from a contractor — Where a registrant who is a direct seller in respect of whom an approval granted under section 297.1.3 is in effect or who is a distributor of such a direct seller appropriates, at any time, property, other than an exclusive product of the direct seller, that was acquired, manufactured or produced, or any service acquired or performed, in the course of commercial activities of the registrant, to or for the benefit of an independent sales contractor of the direct seller, or any individual related thereto, otherwise than by way of supply for consideration equal to the fair market value of the property or service, and the contractor or individual is not acquiring the property or service for consumption, use or supply exclusively in the course of commercial activities of the contractor or individual, the registrant is deemed

(1) to have made a supply of the property or service for consideration, paid at that time, equal to the fair market value of the property or service at that time; and

(2) except where the supply is an exempt supply, to have collected, at that time, tax in respect of the supply calculated on that consideration.

Exception — This section does not apply to property or a service appropriated by a registrant where the registrant is not entitled to claim an input tax refund in respect of the property or service because of section 203, 205 or 206.

1994, c. 22, s. 519; 1995, c. 63, s. 400

LTVQ (anglais)

297.14 Independent sales contractor ceasing to be a registrant — Where, at any time when an approval granted under section 297.1.3 in respect of a direct seller is in effect, an independent sales contractor of the direct seller ceases to be a registrant, paragraph 1 of section 209 does not apply to sales aids supplied to the contractor by the direct seller or another independent sales contractor of the direct seller at any time when the approval was in effect.

1994, c. 22, s. 519; 1995, c. 63, s. 400

297.15 Non-arm's length supply — Section 55 does not apply to a supply described in subparagraph b or c of subparagraph 2 of the first paragraph of section 297.7, in subparagraph b or c of subparagraph 2 of the first paragraph of section 297.7.4 or in section 297.11.

1994, c. 22, s. 519; 1995, c. 63, s. 400

Division IV — Insurer

298. Transfer of property to an insurer — Where at any time after 1 July 1992 property is transferred to an insurer by a person in the course of settling an insurance claim,

(1) the person is deemed to have made, and the insurer is deemed to have received, at that time, a supply by way of sale of the property;

(2) the supply is deemed to have been made for no consideration, except for the purposes of sections 233, 234, 379 and 380;

(3) in the case of a taxable supply of an immovable, for the purposes of sections 233, 234, 379 and 380, the tax payable in respect of the supply is deemed to be equal to tax calculated on the fair market value of the property at that time; and

(4) in the case of a supply of an immovable referred to in section 102, in section 138.1 or in section 168, for the purposes of sections 233, 234, 379 and 380, the supply is deemed to be a taxable supply and the tax payable in respect of the supply is deemed to be equal to tax calculated on the fair market value of the property at that time.

1991, c. 67, s. 298; 1994, c. 22, s. 520; 1997, c. 85, s. 590

299. Supply in a commercial activity — Where at any time an insurer makes a supply, other than an exempt supply, of property transferred to the insurer in circumstances in which section 298 applies, except where any of sections 300 to 300.2 applied at an earlier time in respect of the use of the property by the insurer,

(1) the insurer is deemed to have made the supply in the course of a commercial activity of the insurer; and

(2) anything done by the insurer in the course of, or in connection with, the making of the supply and not in connection with the transfer of the property is deemed to have been done in the course of the commercial activity.

1991, c. 67, s. 299; 1994, c. 22, s. 520

300. Use of property — Where at any time an insurer to whom an immovable has been transferred, in circumstances in which section 298 applies, begins to use the immovable otherwise than in the making of a supply of the immovable, the insurer is deemed to have made a supply of the property at that time and, except where the supply is an exempt supply,

(1) the insurer is deemed to have collected, at that time, tax in respect of the supply equal to the amount determined by multiplying the fair market value of the property at that time by 9.975/109.975; and

(2) the insurer is deemed to have acquired the property and to have paid that tax at that time.

1991, c. 67, s. 300; 1994, c. 22, s. 520; 1995, c. 63, s. 401; 1997, c. 85, s. 591; 2010, c. 5, s. 218; 2011, c. 6, s. 255; 2012, c. 28, s. 95

300.1 Use of movable property transferred before 1 January 1994 — Where an insurer to whom movable property has been transferred from a person before January 1994, in circumstances in which section 298 applies, begins at a particular time to use the property otherwise than in the making of a supply of the property, the following rules apply:

(1) the insurer is deemed to have received, immediately after the particular time, a supply by way of sale of the property; and

(2) where tax would have been payable had the property been purchased in Québec, from the person for consideration at the time it was transferred, the insurer is deemed

(a) to have made, at the particular time, a taxable supply of the property and to have collected, at the particular time, tax in respect of that supply equal to the amount determined by multiplying the fair market value of the property at the time it was transferred by 9.975/109.975, and

(b) to have paid, immediately after the particular time, tax in respect of the supply referred to in paragraph 1 equal to the amount determined under subparagraph a.

1994, c. 22, s. 521; 1995, c. 63, s. 402; 1997, c. 85, s. 592; 2010, c. 5, s. 219; 2011, c. 6, s. 256; 2012, c. 28, s. 96

300.2 Use of movable property transferred after 31 December 1993 — Where an insurer to whom movable property has been transferred from a person after 31 December 1993, in circumstances in which section 298 applies, begins at a particular time to use the property otherwise than in the making of a supply of the property, the following rules apply:

(1) the insurer is deemed

(a) to have received, immediately after the particular time, a supply by way of sale of the property, and

(b) to have paid, immediately after the particular time, all tax payable in respect of that supply, which is deemed to be equal to the amount determined by multiplying the fair market value of the property at the time it was transferred by 9.975/109.975, except where

i. the supply is a zero-rated supply, or

ii. in the case of property that was, at the time it was transferred, specified corporeal movable property having a fair market value in excess of the prescribed amount in respect of the property, tax would not have been payable had the property been purchased in Québec from the person at that time; and

(2) where tax would have been payable had the property been purchased in Québec from the person at the time it was transferred, the insurer is deemed

(a) to have made, at the particular time, a taxable supply of the property, and

(b) to have collected, at the particular time, all tax payable in respect of that supply, which is deemed to be equal to the amount determined by multiplying the fair market value of the property at the time it was transferred by 9.975/109.975.

1994, c. 22, s. 521; 1995, c. 63, s. 403; 1997, c. 85, s. 593; 2001, c. 53, s. 322; 2010, c. 5, s. 220; 2011, c. 6, s. 257; 2012, c. 28, s. 97

301. Sale of movable property — The rules set out in the second paragraph apply where

(1) an insurer to whom movable property has been transferred from a person in circumstances in which section 298 applies makes at any time a taxable supply of the property by way of sale, other than a supply deemed, under this Title, to have been made;

(2) the insurer was not deemed under section 300.1, 300.2 or 301.2 to have received a supply of the property at an earlier time;

(2.1) the property is not a road vehicle within the meaning of the *Highway Safety Code* (chapter C-24.2) other than a road vehicle exempt from registraton under section 14 of the *Highway Safety Code*;

(3) no tax would have been payable by the insurer had the insurer purchased the property in Québec from the person at the time the property was transferred; and

(4) [Repealed 1995, c. 63, s. 404(1)(3).]

Presumptions — The insurer is deemed to have received a supply by way of sale of the property immediately before that time for consideration equal to the consideration for the supply referred to in subparagraph 1 of the first paragraph and, except if the supply is a zero-rated supply, to have paid, immediately before that time, all tax payable in respect of the supply deemed under this paragraph to have been received, which is deemed to be equal to the amount determined by the formula

$$A - B.$$

Interpretation — For the purposes of this formula,

(1) A is tax calculated on that consideration; and

(2) B is the total of all amounts each of which is an input tax refund a rebate under Division I of Chapter VII that the insurer was entitled to claim in respect of the property or an improvement thereto.

1991, c. 67, s. 301; 1994, c. 22, s. 522; 1995, c. 63, s. 404; 1997, c. 85, s. 594; 2001, c. 51, s. 275; 2001, c. 53, s. 323

301.1 Exception — Section 301 does not apply where

(1) the supply referred to in subparagraph 1 of the first paragraph of the said section is made outside Québec or is a zero-rated supply; and

(2) the property was transferred to the insurer before 1 January 1994 or was, at the time it was transferred, specified corporeal movable property having a fair market value in excess of the prescribed amount in respect of the property.

1994, c. 22, s. 523; 1997, c. 85, s. 595

301.2 Lease of movable property — The rules set out in the second paragraph apply if

(1) at a particular time an insurer to whom movable property has been transferred from a person in circumstances in which section 298 applies makes a taxable supply of the property by way of lease, licence or similar arrangement for the first lease interval, within the meaning of section 32.2, in respect of the arrangement;

(2) the insurer was not deemed under section 300.1 or 300.2 to have received a supply of the property at an earlier time; and

(2.1) the property is not a road vehicle within the meaning of the *Highway Safety Code* (chapter C-24.2) other than a road vehicle exempt from registration under section 14 of the *Highway Safety Code*;

(3) no tax would have been payable had the property been purchased in Québec from the person at the time the property was transferred;

(4) [Repealed 1995, c. 63, s. 405(1)(3).]

Presumption — The insurer is deemed to have received a supply by way of sale of the property immediately before the particular time and, except if the supply is a zero-rated supply, to have paid, immediately before the particular time, all tax payable in respect of the supply, which is deemed to be equal to tax calculated on the fair market value of the property at the time it was transferred.

1994, c. 22, s. 523; 1995, c. 63, s. 405; 1997, c. 85, s. 596; 2001, c. 51, s. 276; 2001, c. 53, s. 324

301.3 Exception — Section 301.2 does not apply where

(1) the supply referred to in subparagraph 1 of the first paragraph of the said section is made outside Québec or is a zero-rated supply; and

(2) the property was transferred to the insurer before 1 January 1994 or was, at the time it was transferred, specified corporeal movable property having a fair market value in excess of the prescribed amount in respect of the property.

1994, c. 22, s. 523; 1997, c. 85, s. 597

DIVISION IV.1 — PERFORMANCE BONDS

301.4 Sections 301.5 to 301.9 apply if a person (in this division referred to as the "surety") acting as a surety under a performance bond in respect of a contract for a particular taxable supply of construction services relating to an immovable situated in Québec carries on construction (in this division referred to as "particular construction") that is undertaken in full or partial satisfaction of the surety's obligations under the bond and is entitled to receive at any time from the creditor, by reason of carrying on the particular construction, an amount (in this division referred to as a "contract payment").

Definitions — For the purposes of the first paragraph,

(1) a reference to a particular person carrying on construction includes a reference to the particular person engaging another person, by way of acquiring services from the other person, to carry on construction for the particular person; and

(2) a contract payment does not include an amount the tax in respect of which was or will be required to be included in determining the net tax of the debtor under the performance bond and is not an amount paid or payable as or on account of tax under this Title, tax under Part IX of the *Excise Tax Act* (Revised Statutes of Canada, 1985, chapter E-15), or a duty, fee or tax payable by the creditor that is prescribed for the purposes of section 52.

2001, c. 53, s. 325; 2012, c. 28, s. 98

301.5 Except for the purposes of section 301.6, in carrying on the particular construction, the surety is deemed to be making, at the place where the particular supply was made, a taxable supply to which section 68 and Divisions III.0.0.1 and X do not apply and for which the contract payment is deemed to be consideration.

Modification proposée — 301.5

301.5 Except for the purposes of section 301.6, in carrying on the particular construction, the surety is deemed to be making a taxable supply in Québec to which section 68 and Divisions III.0.0.1 and X do not apply and for which the contract payment is deemed to be consideration.

Application: Bill 18 (First Reading February 21, 2013), s. 221, will amend s. 301.5 to read as above, to come into force on Royal Assent.

2012, c. 28, s. 99

301.6 For the purpose of determining the extent to which a property or a service is acquired or brought into Québec by a surety for consumption, use or supply in the course of commercial activities of the surety and for the purpose of determining the extent to which the property or service is consumed, used or supplied by the surety in the course of commercial activities of the surety, the carrying on of the particular construction by the surety is deemed not to be for the purpose of making a taxable supply and not to be a commercial activity of the surety.

2012, c. 28, s. 99

301.7 Despite section 301.6, if section 301.5 deems a surety to be making a taxable supply, any property or service (in this division referred to as a "direct input") that the surety acquires or brings into Québec for consumption, use or supply exclusively and directly in the course of carrying on the particular construction and not for use as capital property of the surety or in improving such a capital property is deemed, except for the purposes of sections 17, 18 to 18.0.3 and 55 and of Division X, to have been acquired or brought into Québec by the surety for consumption, use or supply exclusively in the course of commercial activities of the surety.

2012, c. 28, s. 99

301.8 The input tax refund of a surety in respect of direct inputs is the lesser of

(1) the amount determined in accordance with Chapter V, but for this section, in respect of those inputs; and

(2) either of the following amounts:

(a) where the amount obtained by the following formula exceeds the total of all amounts, each of which would be an input tax refund of the surety in respect of a direct input but for the fact that tax is not payable by the surety in respect of the acquisition or bringing into Québec of the direct input because of section 75 and Division III.0.0.1 or because of the fact that the surety is deemed to have acquired it, or brought it into Québec, for consumption, use or supply exclusively in the course of commercial activities of the surety, that excess amount:

Modification proposée — 301.8 para. 1 (2)(a) opening words

(a) where the amount obtained by the following formula exceeds the total of all amounts, each of which would be an input tax refund of the surety in respect of a direct input but for the fact that tax is not payable by the surety in respect of the acquisition or bringing into Québec of the direct input because of section 75 or Division III.0.0.1 or because of the fact that the surety is deemed to have acquired it, or brought it into Québec, for consumption, use or supply exclusively in the course of commercial activities of the surety, that excess amount:

Application: Bill 18 (First Reading February 21, 2013), para. 223(1)(1), will amend the opening words of subpara. (2)(a) of the first paragraph of s. 301.8 to read as above, applicable in respect of a person who, after December 31, 2012, begins to carry on a particular construction in full or partial satisfaction of the person's obligations under a performance bond.

$$A \times B,$$

and

(b) in any other case, zero.

For the purposes of the formula in subparagraph a of subparagraph 2 of the first paragraph,

(1) A is the tax rate specified in the first paragraph of section 16; and

(2) B is the total of all contract payments (other than contract payments that are not in respect of the carrying on of the particular construction).

2012, c. 28, s. 99

301.9 If a person acquires or brings into Québec a property or a service for consumption, use or supply exclusively and directly in the course of construction work that includes the carrying on of a particular construction that is undertaken in full or partial satisfaction of the person's obligations as a surety and in the course of carrying on other construction activities, the following rules apply for the purposes of this division, of determining the input tax refund and of determining the total amount of all input tax refunds in respect of direct inputs that the person is entitled to claim:

Modification proposée — 301.9 para. 1 opening words

If a person acquires or brings into Québec a property or a service for consumption, use or supply exclusively and directly in the course of construction work that includes the carrying on of a particular construction that is undertaken in full or partial satisfaction of the person's obligations as a surety under a performance bond and in the course of carrying on other construction activities, the following rules apply for the purposes of this division, of determining the input tax refund of the person and of determining the total amount of all input tax refunds in respect of direct inputs that the person is entitled to claim:

Application: Bill 18 (First Reading February 21, 2013), para. 224(1)(1), will substitute the opening words of the first paragraph of s. 301.9 to read as above, applicable in respect of a person who, after December 31, 2012, begins to carry on a particular construction in full or partial satisfaction of the person's obligations under a performance bond.

(1) despite section 34, that part (in this section referred to as the "particular construction input") of the property or service that is for consumption, use or supply in the course of carrying on the particular construction and the remaining part (in this section referred to as the "additional construction input") of the property or service are each deemed to be a separate property or service that does not form part of the other;

(2) the particular construction input is deemed to have been acquired or brought into Québec, as the case may be, exclusively and directly for use in the course of carrying on the particular construction;

(3) the additional construction input is deemed not to have been acquired or brought into Québec, as the case may be, for consumption, use or supply in the course of carrying on the particular construction;

(4) the tax payable in respect of the supply or bringing into Québec, as the case may be, of the particular construction input is deemed to be equal to the amount determined by the formula

$$A \times B;$$

and

(5) the tax payable in respect of the additional construction input is deemed to be equal to the amount by which the amount determined under subparagraph 1 of the second paragraph exceeds the amount determined under subparagraph 4.

For the purposes of the formula in subparagraph 4 of the first paragraph:

(1) A is the tax payable by the person in respect of the supply or bringing into Québec, as the case may be, of the property or service, determined without reference to this section; and

(2) B is the extent (expressed as a percentage) to which the property or service was acquired or brought into Québec, as the case may be, for consumption, use or supply in the course of carrying on the particular construction.

2012, c. 28, s. 99

DIVISION IV.2 — FINANCIAL SERVICE DEEMED TO BE SUPPLIED IN THE COURSE OF COMMERCIAL ACTIVITIES

[Heading added 2012, c. 28, s. 100.]

301.10 If tax in respect of a property or a service acquired or brought into Québec by a registrant becomes payable by the registrant at a time when the registrant is neither a listed financial institution nor a person who is a financial institution referred to in subparagraph a of paragraph 2 of the definition of "financial institution" in section 1, for the purposes of subdivision 5 of Division II of Chapter V and for the purpose of determining the applicable input tax refund, the following rules apply to the extent (determined in accordance with sections 42.0.2, 42.0.3 and 42.0.12) that the property or service was acquired or brought into Québec, as the case may be, for consumption, use or supply in the course of making a supply of financial services that relate to commercial activities of the registrant:

(1) if the registrant is a financial institution referred to in subparagraph b of paragraph 2 of the definition of "financial institution" in section 1, the property or service is deemed, despite sections 42.0.2, 42.0.3 and 42.0.12, to have been so acquired or brought into Québec for consumption, use or supply in the course of those commercial activities except to the extent that the property or service was so acquired or brought into Québec for consumption, use or supply in the course of activities of the registrant that relate to

(a) credit cards or charge cards issued by the registrant, or

(b) the making of any advance, the lending of money or the granting of any credit; and

(2) in any other case, the property or service is deemed, despite sections 42.0.2, 42.0.3 and 42.0.12, to have been so acquired or brought into Québec for consumption, use or supply in the course of those commercial activities.

For the purposes of the first paragraph, a financial service is deemed to be related to commercial activities of an individual only to the extent that the revenues and expenses relating to those activities are taken into account in determining the individual's income for the purposes of the *Taxation Act* (chapter I-3).

2012, c. 28, s. 100

301.11 Subject to section 301.12 and for the purpose of determining an input tax refund, a corporation (in this section referred to as the "parent") that acquires or brings into Québec a property or a service at a particular time is deemed to have acquired the property or service or brought it into Québec for use in the course of commercial activities of the parent to the extent that the parent can reasonably be regarded as having so acquired the property or service, or as having so brought it into Québec, for consumption or use in relation to shares of the capital stock, or indebtedness, of another corporation that is at that time related to the parent, if

(1) the parent is a registrant resident in Canada; and

(2) at the time that tax in respect of the acquisition or bringing into Québec of the property or service becomes payable, or is paid without having become payable, by the parent, all or substantially all of the property of the other corporation is property that was last acquired or imported into Canada by the other corporation for consumption, use or supply by the other corporation exclusively in the course of its commercial activities.

2012, c. 28, s. 100

LTVQ (anglais)

(1) the receiver is liable for the payment or remittance of amounts that became payable or remittable before that period only to the extent of the property and money of the person in possession or under the control and management of the receiver after

(a) satisfying the claims of creditors whose claims ranked, on the particular day, in priority to the claim of the Crown in respect of the amounts, and

(b) paying any amounts that the receiver is required to pay to a trustee in bankruptcy of the person;

(2) the person is not liable for the remittance of any tax collected or collectible by the receiver; and

(3) the payment or remittance by the person or the receiver of an amount in respect of the liability shall discharge the liability to the extent of that amount.

1991, c. 67, s. 313; 1994, c. 22, s. 532; 1995, c. 63, s. 510; 1998, c. 16, s. 304

314. Reporting period of the person — Subject to sections 314.1 and 315, the reporting periods of the person begin and end on the days on which they would have begun and ended if the vesting had not occurred.

1991, c. 67, s. 314; 1994, c. 22, s. 532

314.1 Reporting period of the person — The reporting period of the person, in relation to the relevant assets of the receiver, during which the receiver begins to act as receiver of the person, shall end on the particular day and a new reporting period of the person in relation to the relevant assets shall begin on the day immediately after the particular day.

1994, c. 22, s. 533

315. Reporting period of the person — The reporting period of the person, in relation to the relevant assets of the receiver, during which the receiver ceases to act as receiver of the person, shall end on the day the receiver ceases to act as receiver of the person.

1991, c. 67, s. 315; 1994, c. 22, s. 534

316. Filing of the person's returns — The receiver shall file with the Minister in prescribed form containing prescribed information all returns that are required to be filed by the person in respect of

(1) the relevant assets of the receiver for reporting periods ending in the period during which the receiver is acting as receiver of the person; and

(2) supplies of immovables that can reasonably be considered to relate to the relevant assets and that were made to the person in those periods.

Relevant assets — The receiver shall file the returns referred to in the first paragraph as if the relevant assets were the only businesses, affairs, properties and assets of the person.

1991, c. 67, s. 316; 1994, c. 22, s. 534

317. [Repealed 1994, c. 22, s. 535.]

317.1 Filing of a return — The receiver shall, unless the Minister waives in writing the requirement for the receiver to file the return, file with the Minister in prescribed form containing prescribed information a return for the reporting period referred to in the second paragraph that relates to the businesses, affairs, properties or assets of the person that would have been the relevant assets of the receiver if the receiver had been acting as receiver of the person during that reporting period.

Application — The rules set out in the first paragraph apply if the person has not on or before the particular day filed a return required to be filed by the person for a reporting period of the person ending

(1) on or before the particular day; and

(2) in or immediately before the fiscal year of the person that included the particular day.

1994, c. 22, s. 536

317.2 Filing of a return — immovable — The receiver shall, unless the Minister waives in writing the requirement for the receiver to file the return, file with the Minister in prescribed form containing prescribed information a return in respect of the supply referred to in the second paragraph that can reasonably be considered to relate to the businesses, affairs, properties or assets of the person that would have been the relevant assets of the receiver if the receiver had been acting as receiver of the person in the reporting period referred to in the second paragraph.

Application — The rules set out in the first paragraph apply if the person has not on or before the particular day filed a return required to be filed by the person in respect of a supply of an immovable made to the person in a reporting period ending

(1) on or before the particular day; and

(2) in or immediately before the fiscal year of the person that included the particular day.

1994, c. 22, s. 536

317.3 Fiscal year of a person — For the purposes of this division, the fiscal year of a person is the fiscal year of the person within the meaning of section 458.1.

1994, c. 22, s. 536

DIVISION VII — FORFEITURE, SEIZURE AND REPOSSESSION

318. Forfeiture or reduction of debt — Where at any time, as a consequence of the breach, modification or termination, after 30 June 1992, of an agreement for the making of a taxable supply, other than a zero-rated supply, of property or a service in Québec by a registrant to a person, an amount is paid or forfeited to the registrant otherwise than as consideration for the supply, or a debt or other obligation of the registrant is reduced or extinguished without payment being made in respect of the debt or obligation,

(1) the person is deemed to have paid, at that time, an amount of consideration for the supply equal to the amount determined by multiplying the amount paid or forfeited, or by which the debt or obligation was reduced or extinguished, as the case may be, by 100/109.975; and

(2) the registrant is deemed to have collected, and the person is deemed to have paid, at that time, all tax in respect of the supply that is calculated on that consideration, which is deemed to be equal to tax under section 16 calculated on that consideration.

1991, c. 67, s. 318; 1994, c. 22, s. 537; 1997, c. 85, s. 600; 2010, c. 5, s. 221; 2011, c. 6, s. 258; 2012, c. 28, s. 101

318.0.1 Exception — Paragraph 2 of section 318 does not apply in respect of amounts paid or forfeited, and debts or other obligations reduced or extinguished, as a consequence of a breach, modification or termination of an agreement where

(1) the agreement was entered into in writing before 1 July 1992;

(2) the amount is paid or forfeited, or the debt or other obligation is reduced or extinguished, as the case may be, after 1992; and

(3) tax in respect of the amount paid, forfeited or extinguished, or by which the debt or obligation was reduced, as the case may be, was not contemplated in the agreement.

1997, c. 85, s. 601

318.0.2 Exception — Chapters I to V of Title VI do not apply in respect of section 318.

1997, c. 85, s. 601

318.1 Exception — Section 318 does not apply to that part of any amount paid or forfeited in respect of the breach, modification or termination of an agreement for the making of a supply where that part is

(1) an additional amount that is charged to a person because the consideration for the supply is not paid within a reasonable period and is such an amount referred to in section 57;

(2) an amount paid by one railway corporation to another railway corporation as or on account of a penalty for failure to return rolling stock within a stipulated time; or

(3) an amount paid as or on account of demurrage.

1994, c. 22, s. 538

319. [Repealed 1997, c. 85, s. 602.]

320. Seizure or repossession — Where at any time after 1 July 1992 property of a person is, for the purpose of satisfying in whole or in part a debt or other obligation owing by the person to another person (in this section and in sections 321 to 324.6 referred to as the "creditor"), seized or repossessed by the creditor under a right or power exercisable by the creditor, other than a right or power that the creditor has under, or because of being a party to, a lease, licence or similar arrangement by which the person acquired the property, the following rules apply:

(1) the person is deemed to have made, and the creditor is deemed to have received, at that time a supply of the property by way of sale;

(2) the supply is deemed to have been made for no consideration, except for the purposes of sections 233, 234, 379 and 380;

(3) where the supply is a taxable supply of an immovable, for the purposes of sections 233, 234, 379 and 380, the tax payable in respect of the supply is deemed to be equal to the tax calculated on the fair market value of the property at that time; and

(4) where the supply is a supply of an immovable referred to in section 102, 138.1 or 168, for the purposes of sections 233, 234, 379 and 380, the supply is deemed to be a taxable supply and the tax payable in respect of the supply is deemed to be equal to the tax calculated on the fair market value of the property at that time.

1991, c. 67, s. 320; 1994, c. 22, s. 539; 1997, c. 85, s. 603

321. Supply in commercial activities — Subject to section 323, where at any time a creditor who has seized or repossessed property, in circumstances in which section 320 applies, makes a supply, other than an exempt supply, of the property, except where any of sections 323.1 to 323.3 applied at an earlier time in respect of the use of the property by the creditor, the following rules apply:

(1) the creditor is deemed to have made the supply in the course of a commercial activity of the creditor; and

(2) anything done by the creditor in the course of, or in connection with, the making of the supply and not in connection with the seizure or repossession is deemed to have been done in the course of the commercial activity.

1991, c. 67, s. 321; 1994, c. 22, s. 539

322. [Repealed 1994, c. 22, s. 540.]

323. Court seizures — Where a court, for the purpose of satisfying an amount owing under a judgment of the court, orders a sheriff, bailiff or other officer of the court to seize property of a debtor and subsequently makes a supply of the property, the supply of the property by the court is deemed to be made otherwise than in the course of a commercial activity.

1991, c. 67, s. 323; 1994, c. 22, s. 541

323.1 Use of seized property — Where a creditor who has seized or repossessed an immovable in circumstances in which section 320 applies or would, but for section 324.6, apply, begins at any time to use the immovable otherwise than in the making of a supply of the property, the creditor is deemed to have made a supply of the property at that time and, except where the supply is an exempt supply, the following rules apply:

LTVQ (anglais)

(1) the creditor is deemed to have collected, at that time, tax in respect of the supply equal to the amount determined by multiplying the fair market value of the property at that time by 9.975/109.975; and

(2) the creditor is deemed to have acquired the property and paid that tax at that time.

1994, c. 22, s. 542; 1995, c. 63, s. 406; 1997, c. 85, s. 604; 2010, c. 5, s. 222; 2011, c. 6, s. 259; 2012, c. 28, s. 102

323.2 Use of movable property seized before 1 January 1994 — Where a creditor who has seized or repossessed movable property from a person before 1 January 1994, in circumstances in which section 320 applies or would, but for section 324.6, apply, begins at a particular time to use the property otherwise than in the making of a supply of the property, the following rules apply:

(1) the creditor is deemed to have received, immediately after the particular time, a supply by way of sale of the property; and

(2) where tax would have been payable had the property been purchased in Québec from the person at the time it was seized or repossessed, the creditor is deemed

(a) to have made, at the particular time, a taxable supply of the property and to have collected, at that time, tax in respect of that supply equal to the amount determined by multiplying the fair market value of the property at the time it was seized or repossessed by 9.975/109.975, and

(b) to have paid, immediately after the particular time, tax in respect of the supply referred to in paragraph 1 equal to the amount determined under subparagraph a.

1994, c. 22, s. 542; 1995, c. 63, s. 407; 1997, c. 85, s. 605; 2010, c. 5, s. 223; 2011, c. 6, s. 260; 2012, c. 28, s. 103

323.3 Use of movable property seized after 31 December 1993 — Where a creditor who has seized or repossessed movable property from a person after 31 December 1993, in circumstances in which section 320 applies or would, but for section 324.6, apply, begins at a particular time to use the property otherwise than in the making of a supply of the property, the following rules apply:

(1) the creditor is deemed

(a) to have received, immediately after the particular time, a supply by way of sale of the property, and

(b) to have paid, immediately after the particular time, all tax payable in respect of the supply, which is deemed to be equal to the amount determined by multiplying the fair market value of the property at the time it was seized or repossessed by 9.975/109.975, except where

i. the supply is a zero-rated supply, or

ii. in the case of property that was, at the time it was seized or repossessed, specified corporeal movable property having a fair market value in excess of the prescribed amount in respect of the property, tax would not have been payable had the property been purchased in Québec from the person at that time; and

(2) where tax would have been payable had the property been purchased in Québec from the person at the time it was seized or repossessed, the creditor is deemed

(a) to have made, at the particular time, a taxable supply of the property, and

(b) to have collected, at the particular time, all tax payable in respect of the supply, which is deemed to be equal to the amount determined by multiplying the fair market value of the property at the time it was seized or repossessed by 9.975/109.975.

1994, c. 22, s. 542; 1995, c. 63, s. 408; 1997, c. 85, s. 606; 2001, c. 53, s. 326; 2010, c. 5, s. 224; 2011, c. 6, s. 261; 2012, c. 28, s. 104

324. Seized property of a non-registrant — The rules set out in the second paragraph apply where

(1) a creditor makes at any time a taxable supply by way of sale, other than a supply deemed under this Title to have been made, of movable property seized or repossessed from a person in circumstances in which section 320 applies;

(2) the creditor was not deemed under section 323.2, 323.3 or 324.2 to have received a supply of the property at an earlier time;

(2.1) the property is not a road vehicle within the meaning of the *Highway Safety Code* (chapter C-24.2) other than a road vehicle exempt from registration under section 14 of the *Highway Safety Code*;

(3) no tax would have been payable by the creditor had the property been purchased in Québec by the creditor from the person at the time it was seized or repossessed; and

(4) [Repealed 1995,c. 63, s. 409(1)(3).]

Presumption — The creditor is deemed to have received a supply by way of sale of the property immediately before that time for consideration equal to the consideration for the supply referred to in subparagraph 1 of the first paragraph and, except if the supply is a zero-rated supply, to have paid, immediately before that time, all tax payable in respect of the supply deemed under this paragraph to have been received, which is deemed to be equal to the amount determined by the formula

$$A - B.$$

Interpretation — For the purposes of this formula,

(1) A is tax calculated on that consideration; and

(2) B is the total of all amounts each of which is an input tax refund or a rebate under Division I of Chapter VII that the creditor was entitled to claim in respect of the property or an improvement thereto.

1991, c. 67, s. 324; 1994, c. 22, s. 543; 1995, c. 63, s. 409; 1997, c. 85, s. 607; 2001, c. 51, s. 277; 2001, c. 53, s. 327

324.1 Sale of movable property — Section 324 does not apply where

(1) the supply referred to in subparagraph 1 of the first paragraph of the said section is made outside Québec or is a zero-rated supply; and

(2) the property was seized or repossessed by the creditor before 1 January 1994 or was, at the time it was seized or repossessed, specified corporeal movable property having a fair market value in excess of the prescribed amount in respect of the property.

1994, c. 22, s. 544; 1997, c. 85, s. 608

324.2 Lease of movable property — The rules set out in the second paragraph apply if

(1) at a particular time a creditor who has seized or repossessed movable property from a person in circumstances in which section 320 applies makes a taxable supply of the property by way of lease, licence or similar arrangement for the first lease interval, within the meaning of section 32.2, in respect of the arrangement;

(2) the creditor was not deemed under section 323.2 or 323.3 to have received a supply of the property at an earlier time;

(2.1) the property is not a road vehicle within the meaning of the *Highway Safety Code* (chapter C-24.2) other than a road vehicle exempt from registration under section 14 of the *Highway Safety Code*;

(3) no tax would have been payable had the property been purchased in Québec from the person at the time it was seized or repossessed; and

(4) [Repealed 1995, c. 63, s. 410(1)(3).]

Presumption — The creditor is deemed to have received a supply by way of sale of the property immediately before the particular time and, except if the supply is a zero-rated supply, to have paid, immediately before the particular time, all tax payable in respect of the supply, which is deemed to be equal to tax calculated on the fair market value of the property at the time it was seized or repossessed.

1994, c. 22, s. 544; 1995, c. 63, s. 410; 1997, c. 85, s. 609; 2001, c. 51, s. 278; 2001, c. 53, s. 328

324.3 Exception — Section 324.2 does not apply where

(1) the supply referred to in subparagraph 1 of the first paragraph of the said section is made outside Québec or is a zero-rated supply; and

(2) the property was seized or repossessed by the creditor before 1 January 1994 or was, at the time it was seized or repossessed, specified corporeal movable property having a fair market value in excess of the prescribed amount in respect of the property.

1994, c. 22, s. 544; 1997, c. 85, s. 610

324.4 Voluntary transfer — For the purposes of sections 320 to 324.3 and sections 324.5 and 324.6, where property is at any time voluntarily transferred by a particular person to another person for the purpose of satisfying in whole or in part a debt or other obligation in respect of which the particular person is in default, the other person is deemed to have seized or repossessed the property from the particular person at that time in circumstances in which section 320 applies.

1994, c. 22, s. 544

324.5 Debt security — The rules set out in the second paragraph apply where

(1) for the purpose of satisfying in whole or in part a debt or other obligation owing by a person, a creditor exercises a right under an Act of the Legislature of Québec, another province, the Northwest Territories, the Yukon Territory, Nunavut, or of the Parliament of Canada or an agreement relating to a debt security to cause the supply of property;

(2) section 323 does not apply to the supply; and

(3) a receiver, within the meaning assigned by section 310, does not have authority in respect of the property.

Presumption — The creditor is deemed to have seized the property immediately before the supply and that supply is deemed to have been made by the creditor and not by the person.

1994, c. 22, s. 544; 1997, c. 85, s. 611; 2003, c. 2, s. 331

324.5.1 Redemption of property — The rules set out in the second paragraph apply where

(1) for the purpose of satisfying in whole or in part a debt or obligation owing by a person (in this section referred to as the "debtor"), a creditor exercises a right under an Act of the Legislature of Québec, another province, the Northwest Territories, the Yukon Territory, Nunavut, or of the Parliament of Canada or an agreement relating to a debt security to cause the supply of property (in this section referred to as the "first supply");

(2) the recipient of the first supply has paid an amount (in this section referred to as the "tax amount") as or on account of tax with respect to that supply; and

(3) under the Act or the agreement, the debtor has a right to redeem the property and the debtor exercises that right.

Rules — The rules to which the first paragraph refers are as follows:

(1) the redemption of the property is deemed to be a supply of the property made by way of sale by the recipient of the first supply to the debtor for no consideration; and

(2) where the property was redeemed from the recipient of the first supply and an amount has been reimbursed by the debtor to the creditor or that recipient on account of the tax amount,

(a) except for the purposes of sections 320 to 324.6, the debtor is deemed not to have supplied the property to the creditor under section 320 or to have received a supply of the property at the time of the redemption,

(b) the debtor is deemed, for the purposes of sections 400 to 402, to have paid tax in error at the time of the redemption equal to the amount so reimbursed,

(c) where the tax amount has been included in determining a rebate or an input tax refund claimed by that recipient in an application or return, the amount of the rebate or the input tax refund shall be added in determining the net tax of that recipient for the reporting period in which the property was redeemed, and

(d) the tax amount shall not be included in determining a rebate or an input tax refund claimed by that recipient in an application or a return filed after the redemption of the property.

1997, c. 85, s. 612; 2003, c. 2, s. 332

324.6 Application of Division VI — Division VI applies and sections 320, 321 and 324 to 324.4 do not apply where a creditor

(1) is a receiver, within the meaning of section 310, in respect of property and exercises a right or power to seize or repossess property for the purpose of satisfying in whole or in part a debt or other obligation owing by a person; or

(2) appoints a mandatary who is a receiver within the meaning of section 310, in respect of property to exercise a right or power to seize or repossess property for the purpose of satisfying in whole or in part a debt or other obligation owing by a person.

1994, c. 22, s. 544

DIVISION VIII — SUCCESSION AND TRUST

324.7 Reporting period fo the succession — Subject to sections 324.8, 324.9 and 326, where an individual dies, this Title applies as though the succession of the individual were the individual and the individual had not died, except that

(1) the reporting period of the individual during which the individual died ends on the day the individual died; and

(2) a reporting period of the succession begins on the day after the individual died and ends on the day the reporting period of the individual would have ended if the individual had not died.

1997, c. 85, s. 614

324.8 Definitions — For the purposes of sections 324.9 to 326,

"trust" includes the succession of a deceased individual;

"trustee" includes the personal representative of a deceased individual, but does not include a receiver within the meaning assigned by the second paragraph of section 310.

1997, c. 85, s. 614

324.9 Trustee's liability — Subject to section 324.10, each trustee of a trust is liable to satisfy every obligation imposed on the trust under this Title, whether the obligation was imposed before or during the period during which the trustee acts as trustee of the trust.

1997, c. 85, s. 614

324.10 Solidarity liability — A trustee of a trust is solidarily liable with the trust and each of the other trustees, if any, for the payment or remittance of all amounts that become payable or remittable by the trust before or during the period during which the trustee acts as trustee of the trust.

Extent of liability — Notwithstanding the first paragraph, the trustee is liable for the payment or remittance of amounts that became payable or remittable before the period only to the extent of the value of the property and money of the trust under the control of the trustee.

1997, c. 85, s. 614

324.11 Waiver — Notwithstanding section 324.9, the Minister may, in writing, waive the requirement for the personal representative of a deceased individual to file a return in prescribed form containing prescribed information for a reporting period of the individual ending on or before the day the individual died.

1997, c. 85, s. 614

324.12 Activities of a trustee — Where a person acts as trustee of a trust,

(1) anything done by the person in the person's capacity as trustee of the trust is deemed to have been done by the trust and not by the person; and

(2) notwithstanding paragraph 1, where the person is not an officer of the trust, the person is deemed to supply a service to the trust of acting as a trustee of the trust and any amount to which the person is entitled for acting in that capacity that is included, for the purposes of the *Taxation Act* (chapter I-3), in determining the person's income or, where the person is an individual, the person's income from a business, is deemed to be consideration for that supply.

1997, c. 85, s. 614

325. Inter vivos trust — Where a person settles property on an *inter vivos* trust,

(1) the person is deemed to have made and the trust is deemed to have received a supply by way of sale of the property; and

(2) the supply is deemed to have been made for consideration equal to the amount determined under the *Taxation Act* (chapter I-3) to be the proceeds of disposition of the property.

1991, c. 67, s. 325; 1993, c. 19, s. 212; 1995, c. 1, s. 291; 1997, c. 85, s. 615

326. Distribution by trustee — Where a trustee of a trust distributes property of the trust to one or more persons, the distribution of the property is deemed to be a supply of the property made by the trust at the place at which the property is delivered to the persons and for consideration equal to the amount determined under the *Taxation Act* (chapter I-3) to be the proceeds of disposition of the property.

1991, c. 67, s. 326; 1994, c. 22, s. 545; 1997, c. 85, s. 615

DIVISION IX — NON-RESIDENT PERSON

327. Non-resident person — For the purposes of this Division, **"non-resident person"** means a person not resident in Québec who is not registered under Division I of Chapter VIII.

1991, c. 67, s. 327; 1995, c. 1, s. 392; 1995, c. 63, s. 411

327.1 Taxable supply to a non-resident person — transfer of physical possession of property in Québec — Where a registrant, under an agreement between the registrant and a non-resident person, makes a taxable supply in Québec of corporeal movable property by way of sale, or a taxable supply in Québec of a service of manufacturing or producing corporeal movable property, to the non-resident person, or acquires physical possession of corporeal movable property, other than property of a person who is resident in Québec or is registered under Division I of Chapter VIII, for the purpose of making a taxable supply of a commercial service in respect of the property to the non-resident person and where, under the agreement, the registrant at any time causes physical possession of the property to be transferred, at a place in Québec, to a third person (in this section referred to as the "consignee") or to the non-resident person, the following rules apply:

(1) the registrant is deemed to have made to the non-resident person, and the non-resident person is deemed to have received from the registrant, a taxable supply of the property which is deemed to have been made for consideration, that becomes due and is paid at that time, equal to

(a) where the registrant has caused physical possession of the property to be transferred to a consignee to whom the non-resident person has supplied the property for no consideration, nil, and

(b) in any other case, the fair market value of the property at that time; and

(2) where the registrant made a supply of a service of manufacturing or producing the property or of a commercial service in respect of the property to the non-resident person, except in the case of a supply of a service of storing or shipping the property, the registrant is deemed not to have made that supply of the service.

Exception — This section does not apply if the non-resident person is a consumer of the property or service supplied by the registrant under the agreement.

1995, c. 1, s. 293; 1995, c. 63, s. 412; 1997, c. 85, s. 616

327.2 Transfer of physical possession of property to a registrant consignee of a non-resident person — Section 327.1 does not apply to a supply referred to in subparagraph a of subparagraph 1 where

(1) a registrant, under an agreement between the registrant and a non-resident person,

(a) makes a taxable supply in Québec of corporeal movable property by way of sale, or a taxable supply in Québec of a service of manufacturing or producing corporeal movable property, to the non-resident person, or acquires physical possession of corporeal movable property, other than property of a person who is resident in Québec, for the purpose of making a taxable supply of a commercial service in respect of the property to the non-resident person, and

(b) causes physical possession of the property to be transferred, at a place in Québec, to a third person (in this section referred to as the "consignee") who is registered under Division I of Chapter VIII;

(2) the non-resident person is not a consumer of the property or service supplied by the registrant under the agreement; and

(3) the consignee gives to the registrant, and the registrant retains, a certificate that

(a) states the consignee's name and registration number assigned under section 415, and

(b) acknowledges that the consignee, on taking physical possession of the property, is assuming liability to pay or remit any amount that is or may become payable or remittable by the consignee under section 327.1 or 18 in respect of the property.

Deemed supply outside Québec — Where the first paragraph applies, except in the case of a supply of a service of shipping the property, any supply made by the registrant and referred to in subparagraph a of subparagraph 1 of that paragraph is deemed to have been made outside Québec.

1995, c. 1, s. 293; 2003, c. 2, s. 333

327.3 Transfer of physical possession or shipment of property outside Québec — Section 327.1 does not apply to a supply referred to in subparagraph 1 where

(1) a registrant, under an agreement between the registrant and a non-resident person,

(a) makes a taxable supply in Québec of corporeal movable property by way of sale to the non-resident person,

(b) makes a taxable supply in Québec of a service of manufacturing or producing corporeal movable property to the non-resident person, or

(c) acquires physical possession of corporeal movable property, other than property of a person who is resident in Québec, for the purpose of making a taxable supply of a commercial service in respect of the property to the non-resident person;

(2) the non-resident person is not a consumer of the property or service supplied by the registrant under the agreement; and

(3) either

(a) the registrant causes physical possession of the property to be transferred to a person at a place outside Québec or to a carrier, or the registrant mails the property, for shipping and delivery to a person to a place outside Québec, or

(b) all of the following conditions are met:

i. the registrant causes physical possession of the property to be transferred at a place in Québec to the non-resident person or any other person (each of whom is referred to in this subparagraph as the "shipper") for shipping outside Québec,

LTVQ (anglais)

DIVISION X — CLOSELY RELATED GROUP

327.10 For the purposes of this division, **"distribution"** has the meaning assigned by section 308.0.1 of the *Taxation Act* (chapter I-3).
2009, c. 5, s. 618

328. Qualifying subsidiary — The expression **"qualifying subsidiary"** of a particular corporation means another corporation not less than 90% of the value and number of the issued and outstanding shares of the capital stock of which, having full voting rights under all circumstances, are owned by the particular corporation.
1991, c. 67, s. 328; 2009, c. 5, s. 619

329. Extended meaning: "qualifying subsidiary" — The expression **"qualifying subsidiary"** of a particular corporation includes, in addition to the meaning assigned by section 328,

(1) a corporation that is a qualifying subsidiary of a qualifying subsidiary of the particular corporation; and

(2) where the particular corporation is a credit union, every other credit union;

(3) where the particular corporation is a member of a mutual insurance group, every other member of that group.
1991, c. 67, s. 329; 1994, c. 22, s. 546

329.1 Qualifying group — For the purposes of this division, **"qualifying group"** means

(1) a group of corporations, each member of which is closely related, within the meaning of sections 332 and 333, to each other member of the group; or

(2) a group of qualifying partnerships, or of qualifying partnerships and corporations, each member of which is closely related, within the meaning of sections 331.2 and 331.3, to each other member of the group.
2001, c. 53, s. 329; 2009, c. 5, s. 620

330. The expression **"closely related group"** means a group of corporations each member of which is a registrant resident in Canada that is closely related, within the meaning of sections 332 and 333, to each other member of the group.

For the purposes of this section, the following rules apply:

(1) insurers that are not resident in Canada and have a permanent establishment in Canada are deemed to be resident in Canada;

(2) credit unions and members of a mutual insurance group are deemed to be registrants; and

(3) a registrant includes a person who is registered, or who is required to be registered, for the purposes of Part IX of the *Excise Tax Act* (Revised Statutes of Canada, 1985, chapter E-15).
1991, c. 67, s. 330; 2009, c. 5, s. 620; 2012, c. 28, s. 105

330.1 For the purposes of this division, **"qualifying member"** of a qualifying group means a registrant that is a corporation resident in Québec or a qualifying partnership and that

(1) is a member of the qualifying group; and

(1.1) is not a party to an effective election made under section 297.0.2.1; and

(2) last manufactured, produced, acquired or brought into Québec all or substantially all of its property for consumption, use or supply exclusively in the course of commercial activities of the registrant or, if the registrant has no property, all or substantially all of its supplies are taxable supplies.
2009, c. 5, s. 621; 2012, c. 28, s. 106

331. Specified member — For the purposes of this division, **"specified member"** of a qualifying group means

(1) a qualifying member of the group; or

(2) a temporary member of the group during the course of the reorganization referred to in paragraph 5 of section 331.0.1.
1991, c. 67, s. 331; 1994, c. 22, s. 547; 1999, c. 83, s. 315; 2001, c. 53, s. 330; 2009, c. 5, s. 622

331.0.1 For the purposes of this division, **"temporary member"** of a qualifying group means a corporation

(1) that is a registrant;

(2) that is resident in Québec;

(3) that is a member of the qualifying group;

(4) that is not a qualifying member of the qualifying group;

Ajout proposé — 331.0.1(4.1)

(4.1) that is not a party to an effective election under section 297.0.2.1;

Application: Bill 18 (First Reading February 21, 2013), subsec. 225(1), will add para. 331.0.1(4.1), applicable from January 1, 2013.

(5) that receives a supply of property made in anticipation of a distribution made in the course of a reorganization described in paragraph a of section 308.3 of the *Taxation Act* (chapter I-3) from the distributing corporation referred to in that paragraph that is a qualifying member of the qualifying group;

(6) that, before receiving the supply, does not carry on any business or have any property; and

(7) the shares of which are transferred on the distribution.

2001, c. 53, s. 331; 2009, c. 5, s. 623

331.1 Qualifying partnership — For the purposes of this division, **"qualifying partnership"** means a partnership each member of which is a corporation or partnership and is resident in Québec.

2001, c. 53, s. 331; 2009, c. 5, s. 624

331.2 Closely related persons — For the purposes of this division, a particular qualifying partnership and another person that is a qualifying partnership or a corporation are closely related to each other at any time if, at that time,

(1) in the case where the other person is a qualifying partnership,

(a) all or substantially all of the interest in the other person is held by

i. the particular partnership,

ii. a corporation, or a qualifying partnership, that is a member of a qualifying group of which the particular partnership is a member, or

iii. any combination of corporations or partnerships referred to in subparagraphs i and ii, or

(b) the particular partnership

i. owns at least 90% of the value and number of the issued and outstanding shares, having full voting rights under all circumstances, of the capital stock of a corporation that is a member of a qualifying group of which the other person is a member, or

ii. holds all or substantially all of the interest in a qualifying partnership that is a member of a qualifying group of which the other person is a member; and

(2) in the case where the other person is a corporation,

(a) at least 90% of the value and number of the issued and outstanding shares, having full voting rights under all circumstances, of the capital stock of the other person are owned by

i. the particular partnership,

ii. a corporation, or a qualifying partnership, that is a member of a qualifying group of which the particular partnership is a member, or

iii. any combination of corporations or partnerships referred to in subparagraphs i and ii,

(b) at least 90% of the value and number of the issued and outstanding shares, having full voting rights under all circumstances, of the capital stock of a corporation are owned by

i. the other person, if the corporation is a member of a qualifying group of which the particular partnership is a member, or

ii. the particular partnership, if the corporation is a member of a qualifying group of which the other person is a member,

(c) all or substantially all of the interest in the particular partnership is held by

i. the other person,

ii. a corporation, or a qualifying partnership, that is a member of a qualifying group of which the other person is a member, or

iii. any combination of corporations or partnerships referred to in subparagraphs i and ii, or

(d) all or substantially all of the interest in a qualifying partnership is held by

i. the other person, if the qualifying partnership is a member of a qualifying group of which the particular partnership is a member, or

ii. the particular partnership, if the qualifying partnership is a member of a qualifying group of which the other person is a member.

2001, c. 53, s. 331; 2009, c. 5, s. 625

331.3 Persons closely related to another person — If, under section 331.2, two persons are closely related to the same corporation or partnership, or would be so related if that corporation, or each member of that partnership, were resident in Québec, the two persons are closely related to each other for the purposes of this division.

2001, c. 53, s. 331; 2009, c. 5, s. 626

331.4 Interest in a partnership — For the purposes of this division, a person or a group of persons holds, at any time, all or substantially all of the interest in a partnership only if, at that time,

(1) the person, or every person in the group of persons, is a member of the partnership; and

(2) the person, or the members of the group collectively, as the case may be, is or are

(a) entitled to receive at least 90% of

i. if the partnership had income for the last fiscal period, within the meaning of the *Taxation Act* (chapter I-3), of the partnership that ended before that time, or if the partnership's first fiscal period includes that time, for that fiscal period, the total of all amounts each of which is the share of that income from all sources that each member of the partnership is entitled to receive, or

ii. if the partnership had no income for the last fiscal period or the first fiscal period referred to in subparagraph i, as the case may be, the total of all amounts each of which is the share of the income of the partnership that each member of the partnership would be entitled to receive if the income of the partnership from each source were one dollar,

(b) entitled to receive at least 90% of the total amount that would be paid to all members of the partnership, otherwise than as a share of any income of the partnership, if it were wound up at that time, and

(c) able to direct the business and affairs of the partnership or would be so able if no secured creditor had any security interest in an interest in, or the property of, the partnership.

2001, c. 53, s. 331; 2009, c. 5, s. 627

332. Closely related corporations — A particular corporation and another corporation are closely related to each other at any time if, at that time,

341.3 Input tax refund in respect of rented properties and services — In determining the input tax refund claimed in respect of the tax referred to in section 341.2 by the public services body in the return under section 468 for the particular reporting period or any subsequent reporting period, there shall not be included any portion of the amount determined by the formula

$$A \times B.$$

Interpretation — For the purposes of this formula,

(1) A is the tax referred to in section 341.2; and

(2) B is the extent, expressed as a percentage, to which the property is used by the public service body during the lease period, or the services were acquired or brought into Québec by the body for consumption, use or supply, in the course of activities engaged in by the body through the division or branch.

Amount to be included in determining the net tax — Where all or any portion of the amount determined under the first paragraph was included in determining an input tax refund claimed by the public service body in a return under section 468 for a reporting period ending before the particular reporting period, that amount or portion thereof shall be added in determining the net tax for the particular reporting period.

1994, c. 22, s. 552

341.4 Supply by a small supplier division — Where a public service body makes a taxable supply, other than a supply of alcoholic beverages or of an immovable by way of sale, or other than the retail sale of tobacco within the meaning of the *Tobacco Tax Act* (chapter I-2), through a division or branch of the body and the consideration or a part thereof for the supply becomes due to the body at a time when the division or branch is a small supplier division or is paid to the body at such a time without having become due,

(1) that consideration or part thereof, as the case may be, shall not be included in calculating the tax payable in respect of the supply nor in determining the threshold amount of the body under sections 462 to 462.1.1;

(2) [Repealed 1995, c. 63, s. 416(1)(2).]

(3) that supply is deemed not to have been made by a registrant.

Exception — However, the exception provided for in the first paragraph in respect of the supply of alcoholic beverages does not apply if the supply is made by a public service body which is not required to be registered under this Title at the time of the supply.

1994, c. 22, s. 552; 1995, c. 63, s. 416; 1997, c. 14, s. 341

341.5 Restriction on an input tax refund for purchases — In determining the input tax refund of a public service body, there shall not be included an amount in respect of tax that at any time became payable, or was paid without having become payable, by the body, to the extent that the tax

(1) is in respect of the acquisition or bringing into Québec of property, other than capital property or an improvement thereto, of the body for the purpose of consumption, use or supply in the course of activities engaged in by the body through a small supplier division of the body; or

(2) is calculated on consideration, or a part thereof, that is reasonably attributable to services that were, before that time, consumed, used or supplied by the body in the course of activities engaged in by the body through a small supplier division of the body or that are, at that time, intended to be so consumed, used or supplied.

1994, c. 22, s. 552

341.6 Restriction on an input tax refund for leases — Where property is supplied by way of lease, licence or similar arrangement to a public service body for consideration that includes two or more periodic payments that are attributable to successive parts (each of which is referred to in this section as a "lease interval") of the period for which possession or use of the property is provided under the arrangement, no amount of tax that became payable, or was paid without having become payable, by the body, in a reporting period in respect of the supply of property, calculated on a particular periodic payment, shall be included in determining an input tax refund of the body for the reporting period to the extent that the body intended, at the beginning of the lease interval to which the particular periodic payment is attributable, to use the property in the course of activities engaged in by the body through a small 0supplier division of the body.

1994, c. 22, s. 552

341.7 Change in use of property — Where a public service body that is a registrant begins at any time to hold property of the body, other than capital property, for consumption, use or supply primarily in the course of activities engaged in by the body through its small supplier divisions, and immediately before that time, the body was holding the property for consumption, use or supply in the course of commercial activities of the body, and otherwise than primarily in the course of activities engaged in by the body through its small supplier divisions, the body is deemed, except where section 341.1 or section 209 applies,

(1) to have made, immediately before that time, a supply of the property; and

(2) except where the supply is an exempt supply, to have collected, immediately before that time, tax in respect of the supply equal to the total of all input tax refunds in respect of the property that the body was entitled to claim at or before that time.

1994, c. 22, s. 552; 1995, c. 63, s. 417

341.8 Change in use of property — For the purpose of determining an input tax refund of a public service body, the second paragraph applies, except where section 207 applies, where

(1) the body begins, at any time, to hold property of the body, other than capital property, for consumption, use or supply primarily in the course of activities engaged in by the body otherwise than through its small supplier divisions;

(2) immediately before that time the property was held by the body for consumption, use or supply primarily in the course of activities engaged in by the body through its small supplier divisions; and

(3) immediately after that time the property is held by the body for consumption, use or supply in the course of commercial activities engaged in by the body otherwise than through its small supplier divisions.

Rule applicable — The public service body is deemed to have received a supply of the property and to have paid, at that time, tax in respect of the supply equal to the lesser of

(1) the amount, if any, by which the total of all amounts each of which is tax that, before that time, was paid or became payable by the body in respect of the last acquisition or bringing into Québec of the property or that was deemed under section 341.1 to have been collected by the body in respect of the property exceeds the total of all refunds and rebates that the body was entitled to claim under this title before that time in respect of that acquisition or bringing into Québec; and

(2) the amount that is the tax calculated on the fair market value of the property at that time.

1994, c. 22, s. 552; 1995, c. 63, s. 418

341.9 Use of capital property — For the purpose of determining an input tax refund in respect of capital property of a public service body and for the purposes of subdivision 5 of Division II of Chapter V, an activity engaged in by a public service body is deemed not to be a commercial activity of the body to the extent that the activity is engaged in through a small supplier division of the body.

1994, c. 22, s. 552

DIVISION XII — UNINCORPORATED ORGANIZATION

342. Application to be deemed a branch — Where a particular unincorporated organization is a member of another unincorporated organization, the particular organization and the other organization may apply jointly to the Minister, in prescribed form containing prescribed information, to have the particular organization deemed to be a branch of the other organization and not to be a separate person.

1991, c. 67, s. 342

343. Approval by the Minister — Where the Minister receives an application under section 342 made by a particular unincorporated organization and another unincorporated organization and is satisfied that it is appropriate, for the purposes of this title, to approve the application, the Minister may, in writing, approve the application.

Effect of approval — Thereafter, the particular unincorporated organization is deemed to be a branch of the other organization and not to be a separate person, except as regards

(1) the purposes for which the particular unincorporated organization is deemed under section 339 to be a separate person;

(2) [Repealed 1995, c. 63, s. 419(2).]

1991, c. 67, s. 343; 1993, c. 19, s. 214; 1995, c. 63, s. 419

344. Revocation — Where either the particular unincorporated organization or the other organization referred to in section 342 requests the Minister in writing to revoke the approval granted under section 343, the Minister may revoke the approval.

Effect of revocation — Thereafter, the particular unincorporated organization is deemed to be a separate person and not to be a branch of the other organization.

1991, c. 67, s. 344

345. Notice of revocation — Where under section 344 the Minister revokes an approval, the Minister shall send a notice in writing of the revocation to the organizations affected and shall specify therein the effective date of the revocation.

1991, c. 67, s. 345

DIVISION XIII — PARTNERSHIP AND JOINT VENTURE

345.1 Partnership — Anything done by a person as a member of a partnership is deemed to have been done by the partnership in the course of the partnership's activities and not to have been done by the person.

1997, c. 85, s. 621

345.2 Acquisition by a member — Notwithstanding section 345.1, where property or a service is acquired or brought into Québec by a member of a partnership for consumption, use or supply in the course of activities of the partnership but not on the account of the partnership, the following rules apply:

(1) except as otherwise provided in section 212, the partnership is deemed not to have acquired or brought into Québec the property or service;

(2) where the member is not an individual, for the purpose of determining an input tax refund or rebate of the member in respect of the property or service and, in the case of property that is acquired or brought into Québec for use as capital property of the member, applying subdivision 5 of Division II of Chapter V in relation to the property,

(a) section 345.1 does not apply to deem the member not to have acquired or brought into Québec the property or service, and

(b) the member is deemed to be engaged in those activities of the partnership; and

(3) where the member is not an individual and the partnership at any time pays an amount to the member as a reimbursement and is entitled to claim an input tax refund in respect of the property or service in circumstances in which section 212 applies, any input tax refund in respect of the property or service that the member would, but for this section, be entitled to claim in a return of the member that is filed with the Minister after that time shall be reduced by the amount of the input tax refund that the partnership is entitled to claim.

1997, c. 85, s. 621

345.3 Supply to partnership — Where a person who is or agrees to become a member of a partnership makes a supply of property or a service to the partnership otherwise than in the course of the partnership's activities,

"tax amount" for a fiscal year of a person means an amount that

(1) is tax paid or payable under sections 17, 18 and 18.0.1, or is tax that is deemed under this Title to have been paid or become payable, by the person at any time during the fiscal year;

(2) became collectible or was collected, or is deemed under this Title to have become collectible or to have been collected, by the person as or on account of tax under this Title in a reporting period of the person in the fiscal year;

(3) is an input tax refund for a reporting period of the person in the fiscal year;

(4) is an amount that is required to be added or that may be deducted in determining net tax for a reporting period of the person in the fiscal year; or

(5) is required under this Title to be used in determining any amount described in paragraph 2 or 4, other than an amount that is consideration for a supply, an amount that is the value of a property or a service, or a percentage.

2012, c. 28, s. 112

350.0.2 In this subdivision, a person, other than a prescribed person or a person of a prescribed class, is a reporting institution throughout a fiscal year of the person if

(1) the person is a financial institution at any time in the fiscal year;

(2) the person is a registrant at any time in the fiscal year; and

(3) the total of all amounts each of which is an amount included in computing, for the purposes of the *Taxation Act* (chapter I-3), the person's income, or, if the person is an individual, the person's income from a business for the purposes of that Act, for the last taxation year of the person that ends in the fiscal year, exceeds the amount determined by the formula

$$\$1{,}000{,}000 \times \frac{A}{365}.$$

For the purposes of the formula in subparagraph 3 of the first paragraph, A is the number of days in the taxation year.

2012, c. 28, s. 112

350.0.3 A reporting institution shall file an information return with the Minister for a fiscal year of the reporting institution in the form and containing the information determined by the Minister on or before the day that is six months after the end of the fiscal year.

2012, c. 28, s. 112

350.0.4 Every reporting institution that is required to report, in the information return it is required to file in accordance with section 350.0.3, an amount (other than an actual amount) that is not reasonably ascertainable on or before the day on which the information return is required to be filed under that section shall provide a reasonable estimate of the amount in the information return.

2012, c. 28, s. 112

350.0.5 The Minister may exempt any reporting institution or class of reporting institutions from the requirement, under section 350.0.3, to provide any prescribed information or may allow any reporting institution or class of reporting institutions to provide a reasonable estimate of any actual amount that is required to be reported in an information return in accordance with that section.

2012, c. 28, s. 112

DIVISION XV — COUPONS, DISCOUNTS AND GIFT CERTIFICATES

350.1 Definitions — For the purposes of this section and sections 350.2 to 350.5,

"coupon" includes a ticket, receipt or other device but does not include a gift certificate or a barter unit within the meaning of section 350.7.1;

"tax fraction" of a coupon value or of the discount or exchange value of a coupon means 9.975/109.975.

1994, c. 22, s. 556; 1997, c. 85, s. 623; 2001, c. 53, s. 334; 2010, c. 5, s. 225; 2011, c. 6, s. 263; 2012, c. 28, s. 113

350.2 Acceptance of a reimbursable coupon — Where at any time a registrant accepts, in full or partial consideration for a taxable supply of property or a service, other than a zero-rated supply, a coupon that entitles the recipient of the supply to a reduction of the price of the property or service equal to a fixed dollar amount specified in the coupon (in this section referred to as the "coupon value") and the registrant can reasonably expect to be paid an amount for the redemption of the coupon by another person, the following rules apply, except in respect of section 425:

(1) the tax collectible by the registrant in respect of the supply is deemed to be the tax that would be collectible if the coupon were not accepted;

(2) the registrant is deemed to have collected, at that time, a portion of the tax collectible equal to the tax fraction of the coupon value; and

(3) the tax payable by the recipient in respect of the supply is deemed to be the amount determined by the formula

$$A - B.$$

Interpretation — For the purposes of this formula,

(1) A is the tax collectible by the registrant in respect of the supply; and

(2) B is the tax fraction of the coupon value.

1994, c. 22, s. 556; 1995, c. 1, s. 295

350.3 Acceptance of a non-reimbursable coupon — Where at any time a registrant accepts, in full or partial consideration for a taxable supply of property or a service, other than a zero-rated supply, a coupon that entitles the recipient of the supply to a reduction of the price of the property or service equal to a fixed dollar amount specified in the coupon or a fixed percentage, specified in the coupon (the amount of which reduction is, in each case, referred to in this section as the "coupon value") and the registrant can reasonably expect not to be paid an amount for the redemption of the coupon by another person,

(1) the registrant shall treat the coupon

(a) as reducing the value of the consideration for the supply as provided for in section 350.4, where subsection 4 of section 181 of the *Excise Tax Act* (Revised Statutes of Canada, 1985, chapter E-15) applies to the coupon, or

(b) as a partial cash payment that does not reduce the value of the consideration for the supply; and

(2) where the registrant treats the coupon as a partial cash payment that does not reduce the value of the consideration for the supply, subparagraphs 1 to 3 of the first paragraph of section 350.2 apply in respect of the supply and the coupon and the registrant may claim an input tax refund for the reporting period of the registrant that includes that time equal to the tax fraction of the coupon value.

1994, c. 22, s. 556; 1995, c. 1, s. 296; 1997, c. 85, s. 624

350.4 Acceptance of other coupons — If a registrant accepts, in full or partial consideration for a supply of property or a service, a coupon that may be exchanged for the property or service or that entitles the recipient of the supply to a reduction of the price of the property or service and subparagraphs 1 to 3 of the first paragraph of section 350.2 do not apply in respect of the coupon, the value of the consideration for the supply is deemed to be the amount by which the value of the consideration for the supply as otherwise determined exceeds the discount or exchange value of the coupon.

1994, c. 22, s. 556; 2001, c. 53, s. 335

350.5 Redemption of a coupon — Where a supplier who is a registrant, in full or partial consideration for a taxable supply of property or a service, accepts a coupon that may be exchanged for the property or service or that entitles the recipient of the supply to a reduction of the price of the property or service, and a particular person at any time pays, in the course of a commercial activity of the particular person, an amount to the supplier for the redemption of the coupon, the following rules apply:

(1) the amount is deemed not to be consideration for a supply; and

(2) if the supply is not a zero-rated supply and the coupon entitled the recipient to a reduction of the price of the property or service equal to a fixed dollar amount specified in the coupon (in this section referred to as the **"coupon value"**), the particular person, if a registrant at the time of the payment, may claim an input tax refund for the reporting period of the particular person that includes that time equal to the tax fraction of the coupon value.

Exception — Subparagraph 2 of the first paragraph does not apply where all or part of the coupon value is an amount of an adjustment, refund or credit to which section 449 applies or where the particular person is, at the time of the payment, a prescribed registrant referred to in section 279.

1994, c. 22, s. 556; 1995, c. 1, s. 297; 1997, c. 85, s. 625; 2001, c. 53, s. 336

350.6 Rebate — Where a registrant makes a taxable supply in Québec of property or a service, other than a zero-rated supply that is not a zero-rated supply under section 197.2, that a particular person acquires either from the registrant or from another person, and the registrant pays at any time to the particular person a rebate in respect of the property or service to which section 449 does not apply, and therewith provides written indication that a portion of the rebate is an amount on account of tax, the following rules apply:

(1) the registrant may claim an input tax refund for the reporting period of the registrant that includes that time equal to the amount obtained when 9.975/109.975 (in this section referred to as the "tax fraction in respect of the rebate") is multiplied by the amount of the rebate;

(2) where the particular person is a registrant who was entitled to claim an input tax refund, or a rebate under Division I of Chapter VII, in respect of the acquisition of the property or service, the particular person is deemed

(a) to have made a taxable supply, and

(b) to have collected, at that time, tax in respect of the supply equal to the amount determined by the formula

$$A \times \frac{B}{C} \times D.$$

Application — For the purposes of this formula,

(1) A is the tax fraction in respect of the rebate;

(2) B is the input tax refund, or the rebate under Division I of Chapter VII, that the particular person was entitled to claim in respect of the acquisition of the property or service;

(3) C is the tax payable by the particular person in respect of the acquisition of the property or service; and

(4) D is the amount of the rebate paid to the particular person by the supplier.

1994, c. 22, s. 556; 1995, c. 1, s. 298; 1995, c. 63, s. 422; 1997, c. 85, s. 626; 2001, c. 51, s. 279; 2010, c. 5, s. 226; 2011, c. 6, s. 264; 2012, c. 28, s. 114

350.7 Gift certificate — The issuance or sale of a gift certificate for consideration is deemed not to be a supply.

Presumption — In addition, when given as consideration for a supply of property or a service, the gift certificate is deemed to be money.

1994, c. 22, s. 556

DIVISION XV.1 — BARTER EXCHANGE NETWORK

350.7.1 Definitions — In this division,

"administrator" of a barter exchange network means the person who is responsible for administering, maintaining or operating a system of accounts, to which barter units may be credited, of members of the network;

"barter exchange network" means a group of persons each member of which has agreed in writing to accept as full or partial consideration for the supply of property or services by that particular member to any other member of that group one or more credits (in this division referred to as **"barter units"**) on an account of the particular member maintained or operated by a single administrator of all such accounts of the members, which credits can be used as full or partial consideration for the supply of property or services between members of that group.

2001, c. 53, s. 337

350.7.2 Application for designation — The administrator of a barter exchange network may make an application to the Minister, in prescribed form containing prescribed information and filed in prescribed manner, to have the network designated for the purposes of section 350.7.5.

2001, c. 53, s. 337

350.7.3 Designation of a barter exchange network — On receipt of an application by an administrator of a barter exchange network under section 350.7.2, the Minister may designate the barter exchange network for the purposes of section 350.7.5, in which case the Minister shall notify the administrator in writing of the designation and its effective date.

2001, c. 53, s. 337

350.7.4 Notice by administrator — On receipt of a notification by the Minister of a designation of a barter exchange network, the administrator of the network shall, within a reasonable time, notify each member of the network in writing of the designation and its effective date.

2001, c. 53, s. 337

350.7.5 Exchange for a barter unit — If a member of a barter exchange network or the administrator of a barter exchange network gives, while a designation of the network under section 350.7.3 is in effect, property, a service or money in exchange for a barter unit, the value of that property, service or money as consideration for the barter unit is, notwithstanding section 55, deemed to be nil.

2001, c. 53, s. 337

350.7.6 Presumption — Each of the following is deemed not to be a financial service:

(1) the operation, maintenance or administration of a system of accounts, to which barter units can be credited, of members of a barter exchange network;

(2) the crediting of a barter unit to such an account;

(3) the supply, receipt or redemption of a barter unit; and

(4) the agreeing to provide, or the arranging for, any service referred to in paragraphs 1 to 3.

2001, c. 53, s. 337

DIVISION XVI — GAMES OF CHANCE

350.8 Definitions — For the purposes of this division,

"distributor" of an issuer means a person who

(1) as mandatary of the issuer, supplies a right of the issuer on behalf of the issuer;

(2) on the person's own behalf supplies a right of the issuer;

(3) accepts, on behalf of the issuer, a bet on a game of chance conducted by the issuer; or

(4) makes a specified gaming machine supply to the issuer;

"distributor" of an issuer means a person who supplies rights of an issuer

(1) as mandatary of the issuer, or

(2) on the person's own behalf;

"gaming machine" means a machine by the operation of which by a person, the person plays a game of chance in which the element of chance is provided by means of the machine, but does not include a machine that dispenses a ticket, token or other device evidencing the right to play or participate in, or receive a prize or winnings in, one or more games of chance unless the device is, for each of those games, sufficient evidence, and in the case of a printed device, contains sufficient information, to ascertain whether the holder of the device is entitled to receive a prize or winnings without reference to any other information;

"issuer" means a registrant who is a prescribed registrant referred to in section 279;

"right" of an issuer means a right to play or participate in a game of chance conducted by the issuer.

"specified gaming machine supply" means a supply in respect of a gaming machine made to an issuer if

(1) the supply is

(a) of the machine, or a site at which the machine is operated, made by way of lease, licence or similar arrangement, or

(b) of a service of repairing or maintaining the machine, performing functions necessary to ensure its proper operation or awarding, paying or delivering prizes won in the game of chance played by its operation; and

(2) under the agreement for the supply, all or part of the consideration for the supply is determined as a percentage of the proceeds of the issuer from conducting those games.

1994, c. 22, s. 556; 2001, c. 53, s. 338

350.9 Supply by an issuer — Where an issuer makes a supply of a right of the issuer to a distributor of the issuer,

(1) in the case of a taxable supply, tax is deemed not to be payable by the distributor in respect of the supply; and

(2) the distributor is not entitled to any rebate under sections 400 to 402.0.2 in respect of the supply.

1994, c. 22, s. 556

350.10 Supply by a distributor — Where a particular distributor of an issuer makes a supply of a right of the issuer,

(1) if the recipient of the supply is another distributor of the issuer, the supply is deemed, except for the purposes of this division, not to have been made by the particular distributor and not to have been received by the other distributor;

(2) if the recipient of the supply is the issuer, the supply is deemed, except for the purposes of this division, not to have been made by the particular distributor; and

(3) if the recipient of the supply is any other person,

(a) the supply is deemed to be a supply made by the issuer and not by the particular distributor, and

(b) any tax in respect of the supply that is collected by the particular distributor is deemed to have been collected by the issuer and not by the particular distributor.

1994, c. 22, s. 556

350.11 Deemed non-supplies — The following supplies are deemed not to be supplies:

(1) supplies made to an issuer by a distributor of the issuer of a service in respect of

(a) the supply of rights of the issuer,

(b) the awarding, payment or delivery of prizes won in games of chance conducted by the issuer, or

(c) the maintenance and repair of equipment used by the distributor in the supplying of rights of the issuer; and

(1.1) supplies made to an issuer by a distributor of the issuer of a service in respect of the acceptance, on behalf of the issuer, of bets on games of chance conducted by the issuer, including supplies of a service of managing, administering and carrying on the day-to-day operations of the issuer's gaming activities that are connected with a casino of the issuer;

(1.2) specified gaming machine supplies made to an issuer by a distributor of the issuer; and

(2) supplies made by an issuer to a distributor of the issuer of a service in respect of

(a) the supply of rights of the issuer, or

(b) the awarding, payment or delivery of prizes won in games of chance conducted by the issuer.

1994, c. 22, s. 556; 2001, c. 53, s. 339

350.12 Deemed non-consideration — The following are deemed not to be consideration for a supply:

(1) promotional bonuses and prizes given by an issuer to a distributor of the issuer for or in respect of the supply by the distributor of rights of the issuer; and

(2) amounts paid to an issuer by a distributor of the issuer for or on account of damage to property of the issuer.

1994, c. 22, s. 556

DIVISION XVII — BUYING GROUPS

350.13 Definitions — For the purposes of this division,

"original supplier" of corporeal movable property or a service means a person who makes a taxable supply of the property or service to another person who, in turn, supplies the property or service by way of a pass-through supply;

"pass-through supply" means a taxable supply of corporeal movable property or a service made by a person for consideration that is equal to the consideration paid or payable by the person to the supplier who supplied the property or service to the person;

"ultimate recipient" means a recipient of a pass-through supply.

1994, c. 22, s. 556; 1995, c. 63, s. 423

350.14 Application for buyer designation — A particular person may apply to the Minister, in prescribed form containing prescribed information and filed with and as prescribed by the Minister, to be designated as a buyer where

(1) all or substantially all of the supplies of property and services made by the particular person in the ordinary course of the particular person's business are pass-through supplies;

(2) in respect of each pass-through supply of corporeal movable property or a service made by the particular person, the original supplier of the property or service causes physical possession of the property to be transferred to, or renders the service to, the ultimate recipient, or to another person on behalf of the ultimate recipient, and not to the particular person; and

LTVQ (anglais)

(3) in respect of each pass-through supply of corporeal movable property or a service made by the particular person, the ultimate recipient pays, on behalf of the particular person, to the original supplier of the property or service, the amount payable by the particular person to the original supplier as consideration for the property or service.

1994, c. 22, s. 556

350.15 Designation as buyer — Where the Minister receives an application of a person under section 350.14, the Minister may, subject to such conditions as the Minister may at any time impose, designate the person as a buyer and notify the person in writing of the designation and the day it becomes effective.

1994, c. 22, s. 556

350.16 Revocation of designation — The Minister may revoke a designation of a person made under section 350.15 on application of the person, or where the person fails to comply with any condition imposed in respect of the designation.

Notice of revocation — Where the designation is revoked, the Minister shall notify the person in writing of the day the designation ceases to be effective.

1994, c. 22, s. 556

350.17 Buying group — Where a person makes a pass-through supply of corporeal movable property or a service at a time when a designation of the person as a buyer under section 350.15 is in effect, except for the purposes of sections 294, 295 and 297, Division IV of Chapter VIII and this division, the following rules apply:

(1) the supply of the property or service by the original supplier of the property or service is deemed to have been made to the ultimate recipient and not to the person;

(2) the person is deemed not to have received a supply of the property or service from the original supplier nor to have supplied the property or service to the ultimate recipient;

(3) the consideration payable for, and the tax payable in respect of, the supply by the original supplier of the property or service is deemed to be payable by the ultimate recipient and any amount paid in respect of the consideration or tax is deemed to have been paid by the ultimate recipient;

(4) notwithstanding subparagraph 3, the person and the ultimate recipient are solidarily liable for the payment of the tax in respect of the supply made by the original supplier; and

(5) if the amount charged or collected by the original supplier of the property or service as or on account of tax under section 16 in respect of the supply exceeds the tax that was collectible under that section in respect of the supply, or if the amount of tax collectible under that section in respect of the supply is reduced because of a reduction in the consideration for the supply, and the original supplier issues to, or receives from, the person a credit note or a debit note in respect of the supply, the person is deemed to have received or issued the note on behalf of the ultimate recipient.

1994, c. 22, s. 556; 1995, c. 63, ss. 424, 510

Division XVII.1 — Designated Charities

350.17.1 Specified service — For the purposes of this division, **"specified service"** means any service, other than a service

(1) that is

(a) the care, employment or training for employment of individuals with disabilities,

(b) an employment placement service rendered to individuals with disabilities, or

(c) the provision of instruction to assist individuals with disabilities in securing employment; and

(2) the recipient of which is a public sector body or a board, commission or other body established by a government or a municipality.

2001, c. 53, s. 340

350.17.2 Supply of a specified service by a charity — A charity may apply to the Minister, in prescribed form containing prescribed information, to be designated for the purposes of paragraph 4.1 of section 138.1 if

(1) one of the main purposes of the charity is the provision of employment, training for employment or employment placement services for individuals with disabilities or the provision of instructional services to assist such individuals in securing employment; and

(2) the charity supplies, on a regular basis, specified services that are performed, in whole or in part, by individuals with disabilities.

2001, c. 53, s. 340

350.17.3 Designation by the Minister — On application by a charity under section 350.17.2, the Minister may, by notice in writing, designate the charity for the purposes of paragraph 4.1 of section 138.1, effective on the first day of a reporting period specified in the notice, if the Minister is satisfied that the conditions described in section 350.17.2 are met and a revocation under section 350.17.4 pursuant to a request made by the charity has not become effective in the 365-day period ending immediately before that day.

2001, c. 53, s. 340

350.17.4 Designation by the Minister — The Minister may, by notice in writing, revoke a designation of a charity, effective on the first day of a reporting period specified in the notice, if the Minister is satisfied that the conditions described in section 350.17.2 are no longer met, or the charity makes a request in writing to the Minister that the designation be revoked and the designation had not become effective in the 365-day period ending immediately before that day.

2001, c. 53, s. 340

DIVISION XVIII

[Heading repealed 2005, c. 1, s. 356.]

350.18 [Repealed 2005, c. 1, s. 356.]

350.19 [Repealed 2005, c. 1, s. 356.]

350.20 [Repealed 2005, c. 1, s. 356.]

350.21 [Repealed 2005, c. 1, s. 356.]

350.22 [Repealed 2005, c. 1, s. 356.]

350.23 [Repealed 2005, c. 1, s. 356.]

DIVISION XVIII.1 — SHIPPING DISTRIBUTION CENTRE

[Heading added 2003, c. 2, s. 335.]

350.23.1 For the purposes of this division,

"added property" that is in the possession of a person means corporeal movable property or software that the person incorporates into, attaches to, combines or assembles with, or uses to pack, other property that is not property of the person held otherwise than for sale by the person;

"base value" of property that a person brings into Québec or obtains physical possession of in Québec means

(1) if the person brings the property into Québec, the value of the property within the meaning of the second paragraph of section 17, or within the meaning that would be assigned by that paragraph but for the third paragraph of that section; and

(2) in any other case, the fair market value of the property at the time the person obtains physical possession of it in Québec;

"basic service" means any of the following services performed at any time in respect of goods, to the extent that, if the goods were held in a bonded warehouse at that time, it would be feasible, given the stage of processing of the goods at that time, to perform that service in the bonded warehouse and it would be permissible to do so according to the *Customs Bonded Warehouses Regulations* made under the *Customs Tariff* (Revised Statutes of Canada, 1985, chapter 41, 3rd Supplement):

(1) disassembling or reassembling, if the goods have been assembled or disassembled for packing, handling or transportation purposes;

(2) displaying;

(3) inspecting;

(4) labelling;

(5) packing;

(6) removing, for the sole purpose of soliciting orders for goods or services, a small quantity of material, or a portion, a piece or an individual object, that represents the goods;

(7) storing;

(8) testing; or

(9) any of the following that do not materially alter the characteristics of the goods:

(a) cleaning,

(b) complying with any applicable law of Canada or of Québec,

(c) diluting,

(d) normal maintenance and servicing,

(e) preserving,

(f) separating defective goods from prime quality goods,

(g) sorting or grading, and

(h) trimming, filing, slitting or cutting;

"customer's good" in respect of a particular person means corporeal movable property of another person that the particular person brings into Québec, or obtains physical possession of in Québec, for the purpose of supplying a service or added property in respect of the corporeal movable property;

"domestic inventory" of a person means corporeal movable property that the person acquires in Québec or brings into Québec, for the purpose of selling the property separately for consideration in the ordinary course of a business carried on by the person;

"finished inventory" of a person means property of the person, other than capital property of the person, that is in the state at which it is intended to be sold by the person, or to be used by the person as added property, in the course of a business carried on by the person;

"fiscal year" of a person has the meaning assigned by section 458.1;

"labelling" includes marking, tagging and ticketing;

"packing" includes unpacking, repacking, packaging and repackaging;

"processing" includes adjusting, altering, assembling and a basic service;

LTVQ (anglais)

"shipping revenue" of a particular person for a fiscal year means the total of all amounts each of which is consideration, included in determining the specified total revenue of the person for the fiscal year, for

(1) a supply by way of sale of an item of domestic inventory of the person that is made outside Québec or referred to in Division V of Chapter IV, other than a supply referred to in any of sections 180.1, 181, 189, 191.2 and 191.3.1;

(2) a supply by way of sale of added property acquired by the person for the purpose of processing in Québec property where that property, or the product resulting from that processing, as the case may be, is shipped outside Québec, after that processing is complete, without being consumed, used, transformed or further processed, manufactured or produced in Québec by another person except to the extent reasonably necessary or incidental to the transportation of that property or that product; or

(3) a supply of a service of processing, storing or distributing corporeal movable property of another person if the property, or all the products resulting from that processing, as the case may be, are shipped outside Québec, after the processing in Québec, if any, by the particular person is complete, without being consumed, used, transformed or further processed, manufactured or produced in Québec by any other person except to the extent reasonably necessary or incidental to the transportation of that property or those products;

"shipping revenue percentage" of a person for a fiscal year means the proportion expressed as a percentage that the person's shipping revenue for the fiscal year is of the person's specified total revenue for the fiscal year;

"specified total revenue" of a person for a fiscal year means the total of all amounts each of which is consideration, included in determining the income from a business of the person for the fiscal year, for a supply made by the person, or that would be made by the person but for any provision of this Title that deems the supply to be made by another person, other than

(1) a supply of a service in respect of property that the person neither brings into Québec nor obtains physical possession of in Québec for the purpose of providing the service;

(2) a supply by way of sale of property that the person acquired for the purpose of selling it, or selling other property to which the property has been added or with which the property has been combined, for consideration but that is neither acquired in Québec nor brought into Québec by the person;

(3) a supply by way of sale of added property that the person acquired for the purpose of processing corporeal movable property that the person neither brings into Québec nor obtains physical possession of in Québec; and

(4) a supply by way of sale of capital property of the person;

"substantial alteration of property" by a person, in a fiscal year of the person, means

(1) manufacturing or producing, or engaging another person to manufacture or produce, property other than capital property of the person at any time in the fiscal year in the course of a business carried on by the person; or

(2) any processing undertaken by or for the person during the fiscal year to bring property of the person to a state at which the property or the product of that processing is finished inventory of the person, if

(a) the person's percentage value added attributable to non-basic services in respect of finished inventory of the person for the fiscal year exceeds 10%, and

(b) the person's percentage total value added in respect of finished inventory of the person for the fiscal year exceeds 20%.

2003, c. 2, s. 335

350.23.2 A person's percentage value added attributable to non-basic services in respect of finished inventory of the person for a fiscal year of the person is the amount, expressed as a percentage, determined by the formula

A/B.

For the purposes of the formula,

(1)
A is the total of all amounts each of which is

(a) part of the total cost to the person of all property that was finished inventory of the person supplied, or used as added property, by the person during the fiscal year, and

(b) reasonably attributable to

i. salary, wages or other remuneration paid or payable to employees of the person, excluding any amounts that are reasonably attributable to the performance of basic services, or

ii. consideration paid or payable by the person to engage other persons to perform processing, excluding any portion of such consideration that is reasonably attributed by the other persons to corporeal movable property supplied in connection with that processing or that is reasonably attributable to the performance of basic services; and

(2)
B is the total cost to the person of the property.

2003, c. 2, s. 335

350.23.3 A person's percentage total value added in respect of finished inventory of the person for a fiscal year of the person is the amount expressed as a percentage that would be determined for the fiscal year by the formula in section 350.23.2 if the total determined under subparagraph 1 of the second paragraph of that section did not exclude any amounts that are reasonably attributable to the performance of basic services.

2003, c. 2, s. 335

350.23.4 A person's percentage value added attributable to non-basic services in respect of customers' goods for a fiscal year of the person is the amount, expressed as a percentage, determined by the formula

A/(A + B)

For the purposes of the formula,

(1)

A is the total of all consideration, included in determining the income from a business of the person for the fiscal year, for supplies of services, or of added property, in respect of customers' goods, other than the portion of such consideration that is reasonably attributable to the performance of basic services or to the provision of added property used in the performance of basic services; and

(2)

B is the total of the base values of the customers' goods.

2003, c. 2, s. 335

350.23.5 A person's percentage total value added in respect of customers' goods for a fiscal year of the person is the amount expressed as a percentage that would be determined for the fiscal year by the formula in section 350.23.4 if the total determined under subparagraph 1 of the second paragraph of that section did not exclude any amounts that are reasonably attributable to the performance of basic services or the provision of added property used in the performance of basic services.

2003, c. 2, s. 335

350.23.6 For the purpose of determining a particular person's shipping revenue percentage or an amount under any of sections 350.23.2 to 350.23.5 in respect of finished inventory of a particular person or customers' goods in respect of a particular person, the following rules apply if a supply between the particular person and another person with whom the particular person is not dealing at arm's length is made for no consideration or for less than fair market value and any consideration for the supply would be included in determining the income from a business of the particular person for a year:

(1) the supply is deemed to have been made for consideration equal to fair market value; and

(2) that consideration is deemed to be included in determining that income.

2003, c. 2, s. 335

350.23.7 The Minister may, on the application of a person who is registered under Division I of Chapter VIII and who is engaged exclusively in commercial activities, authorize the person to use, beginning on a day in a fiscal year of the person and subject to such conditions as the Minister may from time to time specify, a certificate (in this division referred to as a "shipping distribution centre certificate") for the purposes of section 179.2, if it can reasonably be expected that

(1) the person will not engage in the substantial alteration of property in the fiscal year;

(2) either the person's percentage value added attributable to non-basic services in respect of customers' goods for the fiscal year will not exceed 10% or the person's percentage total value added in respect of customers' goods for the fiscal year will not exceed 20%; and

(3) the person's shipping revenue percentage for the fiscal year will be at least 90%.

2003, c. 2, s. 335

350.23.8 An application for an authorization to use a shipping distribution centre certificate shall be made in prescribed form containing prescribed information and be filed with the Minister in prescribed manner.

2003, c. 2, s. 335

350.23.9 Where the Minister authorizes a person to use a shipping distribution centre certificate, the Minister shall notify the person in writing of the authorization, its effective date and its expiry date and the number assigned by the Minister that identifies the person or the authorization and that must be disclosed by the person when providing the certificate for the purposes of section 179.2.

2003, c. 2, s. 335

350.23.10 The Minister may revoke an authorization granted to a person under section 350.23.7, effective on a day in a fiscal year of the person (in this section referred to as the "fiscal year of the revocation"), if

(1) the person fails to comply with any condition attached to the authorization or with any provision of this Title;

(2) it can reasonably be expected that

(a) one or both of the conditions described in paragraphs 1 and 2 of section 350.23.7 would not be met if the fiscal year referred to in those paragraphs were the fiscal year of the revocation, or

(b) the person's shipping revenue percentage for the fiscal year of the revocation will be less than 80%; or

(3) the person has requested in writing that the authorization be revoked as of that day.

2003, c. 2, s. 335

350.23.11 Subject to section 350.23.10, an authorization granted to a person under section 350.23.7 is deemed to have been revoked effective on the day after the last day of a fiscal year of the person, if

(1) the person engaged in the substantial alteration of property in that fiscal year;

(2) the person's percentage value added attributable to non-basic services in respect of customers' goods for the fiscal year exceeds 10% and the person's percentage total value added in respect of customers' goods for the fiscal year exceeds 20%; or

(3) the person's shipping revenue percentage for the fiscal year is less than 80%.

2003, c. 2, s. 335

350.23.12 An authorization granted under section 350.23.7 to a person ceases to have effect immediately before the earlier of

(1) the day on which a revocation of the authorization becomes effective; and

(2) the day that is three years after the day on which the authorization became effective.

2003, c. 2, s. 335

350.23.13 The Minister may not grant to a person, if an authorization granted to the person under section 350.23.7 is revoked effective on a day, another authorization under that section that becomes effective before,

(1) if the authorization was revoked in circumstances described in paragraph 1 of section 350.23.10, the day that is two years after the day of the revocation; and

(2) in any other case, the first day of the second fiscal year of the person that begins after the day of the revocation.

2003, c. 2, s. 335

DIVISION XIX

[Heading repealed 2009, c. 5, s. 631(1).]

§1.

[Heading repealed 2009, c. 5, s. 631(1).]

350.24 [Repealed 2009, c. 5, s. 631(1).]

350.25 [Repealed 2009, c. 5, s. 631(1).]

§2.

[Heading repealed 2009, c. 5, s. 631(1).]

350.26 [Repealed 2009, c. 5, s. 631(1).]

350.27 [Repealed 2009, c. 5, s. 631(1).]

350.28 [Repealed 2009, c. 5, s. 631(1).]

§3.

[Repealed 1995, c. 63, s. 428.]

350.29 [Repealed 1995, c. 63, s. 428.]

350.30 [Repealed 1995, c. 63, s. 428.]

350.31 [Repealed 1995, c. 63, s. 428.]

350.32 [Repealed 1995, c. 63, s. 428.]

350.33 [Repealed 1995, c. 63, s. 428.]

350.34 [Repealed 1995, c. 63, s. 428.]

350.35 [Repealed 1995, c. 63, s. 428.]

350.36 [Repealed 1995, c. 63, s. 428.]

350.37 [Repealed 1995, c. 63, s. 428.]

350.38 [Repealed 1995, c. 63, s. 428.]

§4.

[Heading repealed 2009, c. 5, s. 631(1).]

350.39 [Repealed 2009, c. 5, s. 631(1).]

350.40 [Repealed 2009, c. 5, s. 631(1).]

350.41 [Repealed 2009, c. 5, s. 631(1).]

350.42 [Repealed 2009, c. 5, s. 631(1).]

350.42.1 [Repealed 2009, c. 5, s. 631(1).]

350.42.2 [Repealed 2009, c. 5, s. 631(1).]

DIVISION XIX.1 — RETURNABLE CONTAINER

[Heading added 2009, c. 5, s. 632(1).]

350.42.3 For the purposes of this division,

"applicable compulsory amount" for a returnable container of a particular class means the compulsory consumers' refund for a returnable container of that class;

"compulsory consumers' refund" for a returnable container of a particular class means the amount that, in respect of recycling, must be paid for a used and empty returnable container of that class to a person of a class that includes consumers;

"consumers' recycler", in respect of a returnable container of a particular class, means a person who, in the ordinary course of the person's business, acquires used and empty returnable containers of that class from consumers for consideration;

"distributor" of a returnable container of a particular class means a person who supplies beverages in filled and sealed returnable containers of that class and charges a returnable container charge in respect of the returnable containers;

"recycler" of returnable containers of a particular class means

(1) a person who, in the ordinary course of the person's business, acquires used and empty returnable containers of that class, or the material resulting from their compaction, for consideration; or

(2) a person who, in the ordinary course of the person's business, pays consideration to a person referred to in paragraph 1 in compensation for that person acquiring used and empty returnable containers and paying consideration for those containers;

"recycling" means

(1) the return, redemption, reuse, destruction or disposal of

(a) returnable containers, or

(b) returnable containers and other goods; or

(2) the control or prevention of waste or the protection of the environment;

"refund", at any time, means in relation to a returnable container of a particular class that is supplied used and empty, or that is filled with a beverage that is supplied, at that time, if there is an applicable compulsory amount for a returnable container of that class, that amount;

"returnable container" means a beverage container of a class of containers that

(1) are ordinarily acquired by consumers;

(2) when acquired by consumers, are ordinarily filled and sealed; and

(3) are ordinarily supplied used and empty by consumers for consideration;

"returnable container charge", at any time, means

(1) in relation to a returnable container of a particular class containing a beverage that is supplied at that time, the amount that is charged by the supplier as an amount in respect of recycling;

(2) in relation to a filled and sealed returnable container containing a beverage that is held by a person at that time for consumption, use or supply, the amount in respect of the container that would be determined under paragraph 1 if the beverage was supplied at that time by or to the person; and

(3) in relation to a returnable container of a particular class in respect of which a recycler of returnable containers of that class makes at that time a supply of a service in respect of recycling to a distributor, or a recycler, of returnable containers of that class, the amount in respect of the container that would be determined under paragraph 1 if the container was filled and sealed and contained a beverage that would be supplied at that time;

"specified beverage retailer", in respect of a returnable container of a particular class, means a registrant

(1) who, in the ordinary course of the registrant's business, makes supplies (in this definition referred to as "specified supplies") of beverages in returnable containers of that class to consumers in circumstances in which the registrant typically does not unseal the containers; and

(2) whose circumstance is not that all or substantially all of the supplies of used and empty returnable containers of that class that are gathered by the registrant at establishments at which the registrant makes specified supplies are of containers that the registrant acquired used and empty for consideration.

2009, c. 5, s. 632

350.42.4 If a supplier makes a taxable supply, other than a zerorated supply, of a beverage in a filled and sealed returnable container of a particular class in circumstances in which the supplier typically does not unseal the container, and the supplier charges the recipient a returnable container charge in respect of the container, the consideration for the supply is deemed to be equal to the amount determined by the formula

$$A - B.$$

For the purposes of the formula in the first paragraph,

(1) A is the consideration for the particular supply as otherwise determined for the purposes of this Title; and

(2) B is the returnable container charge.

350.52 The operator of an establishment providing restaurant services who is a registrant shall, by means of a prescribed device, keep a register containing the information referred to in section 350.51 and issue the invoice described in that section.

The operator shall also enter in the register, by means of the device, the prescribed information on the operations relating to an invoice or to the supply of a meal. In the case of information relating to the payment of such a supply, the operator shall enter the information in the register without delay, except in the cases prescribed, upon receiving the payment.

2010, c. 5, s. 227

350.53 A registrant referred to in section 350.52 or a person acting on the registrant's behalf may not print the invoice containing the information referred to in section 350.51 more than once, except when providing it to the recipient for the purposes of section 350.51. If such a registrant or such a person generates a copy, duplicate, facsimile or any other type of total or partial reproduction for another purpose, the registrant or person can only do so by means of the device referred to in section 350.52 and shall make a note on such a document identifying the operation relating to the invoice.

No registrant or person referred to in the first paragraph may provide a recipient of a supply described in section 350.51 with a document stating the consideration paid or payable by the recipient for the supply and the tax payable in respect of the supply, except in the prescribed cases and conditions or unless the document was generated in accordance with the first paragraph or in accordance with section 350.52.

2010, c. 5, s. 227

350.54 A registrant referred to in section 350.52 shall file with the Minister, for each prescribed period, a report in the prescribed form containing prescribed information, within the prescribed time and in the manner prescribed by the Minister.

Except in the cases prescribed, the form must be filed in respect of each device referred to in section 350.52 even if no meal was supplied during the period.

2010, c. 5, s. 227

350.55 No registrant referred to in section 350.52 may have, in an establishment providing restaurant services, a device referred to in that section that is not sealed at all times.

If a seal is broken, the registrant shall, without delay and at the registrant's expense, have a new seal affixed and notify the Minister in the prescribed manner.

2010, c. 5, s. 227

350.56 No person may open or repair a device referred to in section 350.52, or install or affix a seal on such a device, unless authorized to do so by the Minister.

Any person who activates, deactivates, initializes, maintains, repairs or updates a device referred to in section 350.52 or who performs any other work in respect of such a device shall notify the Minister in the prescribed manner and without delay after performing such work.

2010, c. 5, s. 227

350.57 The Minister may, on such terms and conditions as the Minister determines, exempt a person or class of persons from a requirement set out in sections 350.51 to 350.56. The Minister may, however, revoke the exemption or modify the terms and conditions.

2010, c. 5, s. 227

350.58 Is liable to a penalty of $100 whoever fails to comply with any of sections 350.51, 350.55 and 350.56, to a penalty of $300 whoever fails to comply with section 350.52 and to a penalty of $200 whoever fails to comply with section 350.53.

2010, c. 5, s. 227

350.59 In any proceedings respecting an offence under section 60.3 of the *Tax Administration Act* (chapter A-6.002), when it refers to section 350.53, an offence under section 60.4 of the *Tax Administration Act*, when it refers to any of sections 350.51, 350.55 and 350.56, an offence under section 61.0.0.1 of the *Tax Administration Act*, when it refers to section 350.52, or an offence under section 485.3, when it refers to section 425.1.1, an affidavit of an employee of the Agence du revenu du Québec attesting that the public servant had knowledge that an invoice was provided to the recipient by an operator of an establishment providing restaurant services referred to in section 350.51 or by a person acting on the operator's behalf, is proof, in the absence of any proof to the contrary, that the invoice was prepared and provided by the operator or the person acting on the operator's behalf and that the amount shown in the invoice as being the consideration corresponds to the consideration received from the recipient for the supply of a meal.

2010, c. 5, s. 227; 2010, c. 31, s. 175(3), (4); 2011, c. 6, s. 265

350.60 In proceedings respecting an offence referred to in section 350.59, an affidavit of an employee of the Agence du revenu du Québec attesting that the public servant carefully analyzed an invoice and that it was impossible for the public servant to find that it was issued using an operator's device referred to in section 350.52, is proof, in the absence of any proof to the contrary, that the invoice was not issued by means of the operator's device.

2010, c. 5, s. 227; 2010, c. 31, s. 175(3), (4)

Chapter VII — Rebate and Compensation

Division I — Rebate

§1. — Person resident outside Québec or Canada

I. — Movable property or services

351. Supply of corporeal movable property to persons resident outside Canada — Subject to section 357, a person not resident in Canada, other than a consumer, who is the recipient of a supply of corporeal movable property acquired by the person for use primarily outside Québec is entitled to a rebate of the tax paid by the person in respect of the supply if the person takes or ships the property outside Québec within 60 days after it is delivered to the person.

Supply of corporeal movable property to persons operating a business outside Québec but within Canada — Subject to section 357, a person resident in Canada who carries on business outside Québec but within Canada and is the recipient of a supply of corporeal movable property acquired by the person for use primarily outside Québec in the course of carrying on the person's business is entitled to a rebate of the tax paid by the person in respect of the supply if the person takes or ships the property outside Québec as soon as is reasonable after it is delivered to the person.

Exclusions — This section does not apply in respect of a supply of the following:

(1) [Repealed 1997, c. 85, s. 630.]

(2) excisable goods;

(3) [Repealed 2005, c. 38, s. 372(1)(2).]

(4) gasoline, diesel fuel or other motive fuel, other than such fuel that is being transported in a vehicle designed for transporting gasoline, diesel fuel or other motive fuel in bulk and is for use otherwise than in the vehicle in which or with which it is being transported.

(5) property referred to in subparagraph 60.1 of the first paragraph of section 677 in respect of which the person takes advantage of the method for determining the tax provided for in sections 677R11 to 677R39 of the *Regulation respecting the Québec Sales Tax* (Order in Council 1607-92 (1992, G.O. 2, 4952)) and any present and future amendments.

1991, c. 67, s. 351; 1994, c. 22, s. 558; 1995, c. 63, s. 434; 1997, c. 85, s. 630; 2002, c. 9, s. 165; 2005, c. 38, s. 372

352. Supply of corporeal movable property to persons resident outside Québec but within Canada — A person who is not resident in Québec but who is resident in Canada is entitled to a rebate, to the extent prescribed, of the tax paid by him under section 16 in respect of a supply of corporeal movable property, other than prescribed corporeal movable property, that is not acquired in the course of carrying on his business, if, after such acquisition,

(1) the property, in the case of a road vehicle, is such a vehicle primarily adapted for the transportation of persons or property and was not registered in Québec in the person's name or was so registered for a maximum period of 10 days under a temporary registration certificate and, in other cases, has not been used in Québec;

(2) the person has taken or shipped the property definitively outside Québec; and

(3) the application for the rebate is made in prescribed form containing prescribed information and filed with and as prescribed by the Minister.

Application for rebate — A person is not entitled to a rebate under the first paragraph unless he files an application for a rebate

(1) where the property is a road vehicle primarily adapted for the transportation of persons or property, within four years after the day on which the tax was paid; and

(2) in other cases, within 60 days after the day on which the tax became payable.

1991, c. 67, s. 352; 1995, c. 63, s. 435; 1997, c. 14, s. 342

352.1 Supply of corporeal property to former residents in Québec — Notwithstanding section 352, an individual is entitled to a rebate of the tax paid by him under section 16 in respect of a supply of corporeal property, other than an alcoholic beverage, made while he was resident in Québec where

(1) the property was acquired by the individual for the individual's personal or domestic use less than 31 days before the individual's leaving Québec to take up permanent residence in another province, the Northwest Territories, the Yukon Territory or Nunavut;

(2) the property was taken or shipped to the other province or the territory by the individual to be used on a permanent basis; and

(3) the individual has paid a tax in respect of the property, imposed by the other province or the territory, of the same nature as that payable under this title and has not obtained or is not entitled to obtain a rebate of such tax.

1995, c. 1, s. 302; 2003, c. 2, s. 336; 2004, c. 21, s. 531

352.2 Entitlement to rebate — An individual is not entitled to the rebate provided for in section 352.1 in respect of the tax paid by him in respect of a supply of property unless

(1) the individual files an application for the rebate within four years after the day the tax was paid;

(2) the total of all rebates for which the application is made is at least $50; and

(3) the application for the rebate is accompanied by evidence that the individual has paid a tax in respect of the property, imposed by the province or territory where the property was taken or shipped, of the same nature as that payable under this title.

1995, c. 1, s. 302

353. Supply of fuel to non-residents operating a business outside Québec — Notwithstanding subparagraph 4 of the third paragraph of section 351, a person who is not resident in Québec and who carries on a business outside Québec is entitled to a rebate of the tax paid by the person under section 16 in respect of a supply of fuel used in Québec to power a propulsion engine, if the person is entitled to a refund pursuant to the *Fuel Tax Act* (chapter T-1) in respect of such fuel, or would be entitled to a refund if the fuel were subject to the said Act, provided the person applies therefor within the same period and on the same terms and conditions as provided in the said Act.

Computation — The rebate provided for in the first paragraph shall be computed by using the same proportion as that used for the purpose of computing the refund to which the person is entitled or would be entitled under the *Fuel Tax Act*.

1991, c. 67, s. 353; 1993, c. 19, s. 215; 1995, c. 63, s. 436

353.0.1 Service in respect of corporeal movable property brought temporarily into Québec — A person is entitled to a rebate of the tax paid by the person under section 16 in respect of a supply of a service, other than a transportation service, in respect of corporeal movable property that is ordinarily located outside Québec but within Canada, that is temporarily brought into Québec for the sole purpose of having the service performed and that is taken or shipped outside Québec but within Canada as soon as is practicable after the service is performed.

Corporeal movable property — The person is also entitled to a rebate of tax paid by the person under section 16 in respect of any corporeal movable property supplied with the service.

1997, c. 85, s. 631

353.0.2 Entitlement to rebate — A person is not entitled to a rebate under section 353.0.1 unless

(1) the person files an application for the rebate within four years after the day the tax was paid; and

(2) the application for the rebate is accompanied by evidence that the person has paid a tax in respect of the service and of any corporeal movable property supplied with the service, imposed by the province or territory where the property was taken or shipped, of the same nature as that payable under this Title.

1997, c. 85, s. 631

353.0.3 Supply of incorporeal movable property or a service — Subject to sections 353.0.1 and 353.0.4, where a person who is resident in Canada is the recipient of a supply of incorporeal movable property or a service that is acquired by the person for consumption, use or supply to an extent of at least 10% outside Québec and tax under section 16 is paid by the person in respect of the supply, the person is entitled to a rebate of tax equal to the amount determined by the formula

$$A \times B.$$

Interpretation — For the purposes of this formula,

(1) A is the amount of the tax; and

(2) B is the extent, expressed as a percentage, to which the incorporeal movable property or service is acquired by the person for consumption, use or supply outside Québec.

1997, c. 85, s. 631; 1999, c. 83, s. 316; 2011, c. 1, s. 137; 2011, c. 34, s. 147

353.0.4 Entitlement to rebate — A person is not entitled to a rebate under section 353.0.3 unless

(1) the person files an application for the rebate within one year after the day the tax became payable;

(2) except where the application is a prescribed application, where the person is an individual, the individual has not made another application under this section in the calendar quarter in which the application is made;

(3) where the person is not an individual, the person has not made another application under this section in the calendar month in which the application is made;

(4) the prescribed circumstances, if applicable, exist;

(5) [Repealed 2011, c. 1, s. 138(1)(2).]

Despite the first paragraph, no rebate is payable under section 353.0.3 to a person that is a listed financial institution described in paragraph 6 or 9 of the definition of "listed financial institution" in section 1 in respect of a supply of a specified service within the meaning of the second paragraph of section 402.23.

1997, c. 85, s. 631; 2009, c. 5, s. 633; 2011, c. 1, s. 138; 2012, c. 28, s. 116

353.1 Work with copyright protection — Subject to sections 353.2 and 357, a person not resident in Québec who is not a registrant is entitled to a rebate of the tax paid by the person in respect of the acquisition of property or a service, other than a service of storing or shipping property, where the person

(1) acquires the property or service for consumption or use exclusively in the manufacture or production of an original literary, musical, artistic, cinematographic or other work in which copyright protection subsists and copies, if any, of that work;

(2) is not a consumer of the property or service; and

(3) is manufacturing or producing the work and all copies of it for shipment outside Québec by the person not resident in Québec.

1994, c. 22, s. 559

353.2 Assignment of rebate — Notwithstanding section 33 of the *Tax Administration Act* (chapter A-6.002), where the recipient of a supply assigns, in prescribed form containing prescribed information, to the supplier the right to a rebate under section 353.1 to which the recipient would be entitled in respect of the supply if the recipient had paid the tax in respect of the supply and had satisfied the conditions set out in section 357, and the supplier pays to, or credits in favour of, the recipient the amount of that tax,

(1) the supplier may claim a deduction under section 455.1 in respect of the supply equal to that amount; and

(2) the recipient is not entitled to any rebate, refund, remission of or compensation for tax in respect of the supply.

1994, c. 22, s. 559; 2010, c. 31, s. 175(4)

353.3 [Repealed 1994, c. 22, s. 560.]

353.4 [Repealed 1994, c. 22, s. 560.]

353.5 [Repealed 1994, c. 22, s. 560.]

II.

[Heading repealed 2002, c. 9, s. 166.]

353.6 [Repealed 2002, c. 9, s. 166.]

354. [Repealed 2002, c. 9, s. 166.]

354.1 [Repealed 2002, c. 9, s. 166.]

355. [Repealed 2002, c. 9, s. 166.]

355.1 [Repealed 2002, c. 9, s. 166.]

355.2 [Repealed 2002, c. 9, s. 166.]

355.3 [Repealed 2002, c. 9, s. 166.]

356. [Repealed 2002, c. 9, s. 166.]

356.1 [Repealed 2002, c. 9, s. 166.]

III. — Restrictions

357. Entitlement to rebate — A person is not entitled to a rebate under section 351 or 353.1 unless

(1) the person files an application for the rebate within one year after

(a) in the case of a rebate relates under section 351, the day the person ships the property to which the rebate relates outside Québec,

(a.1) notwithstanding subparagraph a, in the case of a rebate under the second paragraph of section 351 in respect of property supplied to the person by a supplier who did not, before the end of the year after the day the person ships the property to which the rebate relates outside Québec, charge the tax payable in respect of the supply and the supplier discloses in writing to the person that the Minister has sent a notice of assessment to the supplier for that tax, the day the person pays that tax;

(b) in the case of a rebate under section 353.1, the day the tax to which the rebate relates became payable, and

(c) [Repealed 2002, c. 9, s. 167(1)(2).]

(2) [Repealed 2001, c. 53, s. 350(1)(1).]

(3) [Repealed 2001, c. 53, s. 350(1)(1).]

(4) at the time the application is made,

(a) in the case of an application for a rebate under the first paragraph of section 351, the person is not resident in Canada, and

(b) in the case of an application for a rebate under the second paragraph of section 351, the person is resident in Canada and carries on a business outside Québec but within Canada;

(4.1) in the case of a rebate under section 351, the rebate is substantiated by a receipt for an amount that includes consideration totalling at least $50, for taxable supplies, other than zero-rated supplies, in respect of which the person is otherwise entitled to a rebate under section 351; and

(5) the application for a rebate relates to taxable supplies, other than zerorated supplies, the total consideration for which is at least $200;

(6) [Repealed 2002, c. 9, s. 167(1)(4).]

(7) [Repealed 2002, c. 9, s. 167(1)(4).]

1991, c. 67, s. 357; 1994, c. 22, s. 567; 1995, c. 1, s. 305; 1997, c. 85, s. 639; 2001, c. 7, s. 178; 2001, c. 53, s. 350; 2002, c. 9, s. 167; 2009, c. 5, s. 634; 2012, c. 28, s. 117

IV. — Conventions

357.1 Rebate for exhibitors not resident in Québec — Where a person not resident in Québec who is not registered under Division I of Chapter VIII is the recipient of a supply by way of lease, licence or similar arrangement of an immovable that is acquired by the person exclusively for use as a site for the promotion, at a convention, of a business of the person or of property or services supplied by the person, the person is entitled, on the person's application filed within one year after the day the convention ends, to

(1) a rebate equal to the tax paid by the person in respect of that supply; and

(2) a rebate equal to the tax paid by the person in respect of a supply to the person of related convention supplies in respect of the convention.

1994, c. 22, s. 568

357.2 Rebate to the sponsor of a foreign convention — The rules set out in the second paragraph apply where the sponsor of a foreign convention pays tax in respect of

(1) a supply of property or services relating to the convention made by a registrant who is the organizer of the convention;

(2) a supply, made by a registrant who is not the organizer of the convention, of the convention facility, or of property or services that are acquired by the sponsor for consumption, use or supply by the sponsor as related convention supplies; or

(3) property or services that are brought into Québec by the sponsor for consumption, use or supply by the sponsor as related convention supplies.

Rules — Subject to section 357.3, and on the sponsor's application filed within one year after the day the convention ends, the sponsor is entitled,

(1) in the case of a supply made by the organizer, to a rebate equal to the total of

(a) the tax paid by the sponsor calculated on that part of the consideration for the supply that is reasonably attributable to the convention facility or related convention supplies other than property or services that are food or beverages or are supplied under a contract for catering, and

(b) 50% of the tax paid by the sponsor calculated on that part of the consideration for the supply that is reasonably attributable to related convention supplies that are food or beverages or are supplied under a contract for catering; and

(2) in any other case, to a rebate equal to

(a) if the property or services are food or beverages or are supplied under a contract for catering, 50% of the tax paid by the sponsor in respect of the supply or bringing into Québec of the property or services, and

(b) in any other case, the tax paid by the sponsor in respect of the supply or bringing into Québec of the property or services.

1994, c. 22, s. 568; 2001, c. 53, s. 351; 2009, c. 5, s. 635(2)

357.3 Rebate paid by the organizer — Where a registrant who is the organizer of a foreign convention pays to, or credits in favour of, the sponsor of the convention an amount on account of a rebate under section 357.2 to which the sponsor would be entitled in respect of a supply made by the registrant to the sponsor if the sponsor had paid the tax in respect of the supply and had applied for the rebate in accordance with that section,

(1) the registrant may claim a deduction under section 455.1 in respect of the amount paid or credited to the sponsor; and

(2) the sponsor is not entitled to any rebate, refund or remission in respect of the tax to which the amount relates.

1994, c. 22, s. 568

357.4 Rebate to the organizer — If an organizer of a foreign convention who is not registered under Division I of Chapter VIII pays tax in respect of a supply of the convention facility or a supply or the bringing into Québec of related convention supplies, the organizer is entitled, on the organizer's application filed within one year after the day the convention ends, to a rebate equal to the total of

(1) the tax paid by the organizer calculated on that part of the consideration for the supply or on that part of the value of property that is reasonably attributable to the convention facility or related convention supplies other than property or services that are food or beverages or are supplied under a contract for catering; and

(2) 50% of the tax paid by the organizer calculated on that part of the consideration for the supply or on that part of the value of property that is reasonably attributable to related convention supplies that are food or beverages or are supplied under a contract for catering.

1994, c. 22, s. 568; 2001, c. 53, s. 352; 2009, c. 5, s. 636

357.5 Rebate paid by the supplier — The second paragraph applies where

(1) a person who is the organizer of a foreign convention and who is not registered under Division I of Chapter VIII, or the sponsor of a foreign convention, is the recipient of

(a) a taxable supply of the convention facility, or related convention supplies, made by the operator of the facility who is not the organizer of the convention, or

(b) a taxable supply, made by a registrant other than the organizer of the convention, of short-term accommodation or camping accommodation that is acquired by the person exclusively for supply in connection with the convention; and

(2) the operator of the facility or supplier of short-term accommodation or camping accommodation pays to, or credits in favour of, the person an amount on account of a rebate to which the person would be entitled under section 357.2 or 357.4 in respect of the supply of the facility, short-term accommodation or camping accommodation, as the case may be, if the person had paid the tax in respect of the supply and had applied for the rebate in accordance with that section.

Rules — The operator or supplier of short-term accommodation or camping accommodation, as the case may be, may claim a deduction under section 455.1 in respect of the amount paid to, or credited in favour of, the person, and the person is not entitled to any rebate, refund or remission in respect of the tax to which the amount relates.

"Camping accommodation" — For the purposes of this section, **"camping accommodation"** means a campsite at a recreational trailer park or campground, other than a campsite included in the definition of "short-term accommodation" in section 1 or included in that part of a tour package that is not the taxable portion of the tour package, within the meaning of section 63, that is supplied by way of lease, licence or similar arrangement for the purpose of its occupancy by an individual as a place of residence or lodging, if the period throughout which the individual is given continuous occupancy of the campsite is less than one month and includes water, electricity and waste disposal services, or the right to their use, if they are accessed by means of an outlet or hook-up at the campsite and are supplied with the campsite.

1994, c. 22, s. 568; 2001, c. 53, s. 353; 2002, c. 9, s. 168

357.5.0.1 If, in accordance with section 357.3 or 357.5, a registrant pays to, or credits in favour of, a person an amount on account of a rebate and, in determining the registrant's net tax for a reporting period, claims a deduction under section 455.1 in respect of the amount paid or credited, the registrant shall file with the Minister prescribed information in respect of the amount in the form and manner prescribed by the Minister on or before the day on which the registrant's return under Chapter VIII for the reporting period in which the amount is deducted is required to be filed.

2009, c. 5, s. 637

IV.1 — Installation services

357.5.1 Rebate for persons not resident in Québec respecting installation services — Where corporeal movable property is supplied on an installed basis by a supplier not resident in Québec who is not registered under Division I of Chapter VIII to a particular person who is so registered and the supplier or another person not resident in Québec who is not so registered is the recipient of a taxable supply in Québec of a service of installing, in an immovable situated in Québec, the corporeal movable property so that it can be used by the particular person,

(1) the recipient of the service is entitled to a rebate of the tax paid by the recipient of the service in respect of the supply of the service if the recipient of the service files an application within one year after the completion of the service; and

(2) the particular person is deemed to have received from the supplier of the corporeal movable property a taxable supply of the service that is separate from and not incidental to the supply of the property, for consideration equal to that part of the total consideration paid or payable by the particular person for the property and the installation of the property that can reasonably be attributed to the installation.

1997, c. 85, s. 640

357.5.2 Application to supplier — Where a person not resident in Québec submits to a supplier an application for a rebate under section 357.5.1 to which the person not resident in Québec would be entitled in respect of a supply made by the supplier to the person not resident in Québec if the person not resident in Québec had paid the tax in respect of the supply and had applied for the rebate in accordance with that section, the supplier may pay to, or credit in favour of, the person not resident in Québec the amount of the rebate in which event the supplier shall transmit the application to the Minister with the supplier's return filed under Chapter VIII for the reporting period in which the rebate is paid or credited to the person not resident in Québec and, notwithstanding section 28 of the *Tax Administration Act* (chapter A-6.002), no interest is payable in respect of the rebate.

1997, c. 85, s. 640; 2010, c. 31, s. 175(4)

357.5.3 Solidary liability — Where, under section 357.5.2, a supplier pays to, or credits in favour of, a person an amount on account of a rebate and the supplier knows or ought to know that the person is not entitled to the rebate or that the amount paid or credited to the person exceeds the rebate to which the person is entitled, the supplier and the person are solidarily liable to pay to the Minister the amount that was paid to, or credited in favour of, the person on account of the rebate or the excess amount, as the case may be.

1997, c. 85, s. 640

V. — Solidary liability

357.6 Liability for amount paid or credited — This section applies where, under sections 351, 353.1, 353.2 and 357.2 to 357.5, a registrant at a particular time pays to, or credits in favour of, a person an amount on account of a rebate and

(1) the person does not satisfy the condition (in this section referred to as the "eligibility condition") that the person would have been entitled to the rebate if the person had paid the tax to which the amount relates and had satisfied the conditions of section 357 or, in the case of a rebate under section 357.2, had applied for the rebate within the time limited by that section for filing an application for the rebate; or

(2) the amount paid to, or credited in favour of, the person exceeds the rebate to which the person would have been so entitled, by a particular amount.

Liability — Subject to the third paragraph, the person is liable to pay to the Minister the amount or particular amount, as the case may be, as if it had been paid at the particular time to the person as a rebate under this division.

Solidary liability — Where, at the particular time, the registrant knows or ought to know that the person does not satisfy the eligibility condition or that the amount paid to, or credited in favour of, the person exceeds the rebate to which the person is entitled, the registrant and the person are solidarily liable to pay to the Minister the amount or particular amount, as the case may be, as if it had been paid at the particular time as a rebate under this division to the registrant and the person.

1994, c. 22, s. 568; 1995, c. 63, s. 510; 2002, c. 9, s. 169

§2. — Employee and member of a partnership

358. Where a musical instrument, motor vehicle, aircraft or any other property or a service is or would, but for section 345.1, be regarded as having been acquired or brought into Québec by an individual who is a member of a partnership that is a registrant or an employee of a registrant (other than a listed financial institution), in the case of an individual who is a member of a partnership, the acquisition or bringing into Québec is not on the account of the partnership, the individual has paid the tax payable in respect of the acquisition or bringing into Québec, and, in the case of an acquisition or bringing into Québec of a musical instrument, the individual is not entitled to claim an input tax refund in respect of the instrument, the individual is entitled, subject to sections 359 and 360, to a rebate in respect of the property or service for each calendar year equal to the amount determined by the formula

$$A \times (B + C - D).$$

Interpretation — For the purposes of this formula,

(1) A is 9.975/109.975;

(2) B is the amount deducted under the *Taxation Act* (chapter I-3) in computing the individual's income for the year from the partnership or from an office or employment, as the case may be, which is

(a) the part or amount prescribed under that Act of the capital cost of the aircraft, musical instrument or motor vehicle,

(b) the amount in respect of the acquisition and bringing into Québec of the other property brought into Québec by the individual, not exceeding the total of the value of that property within the meaning of section 17 and the tax calculated on it, or

(c) the amount in respect of the supply by way of lease, licence or similar arrangement of the aircraft, musical instrument or motor vehicle, the supply in Québec of the other property or the supply of the service.

(3) C is the amount paid by the individual in the year and which may or could, were it not for sections 752.0.18.7 and 752.0.18.9 of the *Taxation Act*, be included in the aggregate referred to in section 752.0.18.3 or 752.0.18.8 of that Act and that refers to the supply in Québec of the other property or to the supply of the service, including the tax paid or payable under this Title and Part IX of the *Excise Tax Act* (Revised Statutes of Canada, 1985, chapter E-15);

(4) D is the total of all amounts that the individual received or is entitled to receive from the individual's employer or the partnership, as the case may be, as a reimbursement in respect of the amount represented by the letter B or C in the formula under this section.

Exception — This section does not apply where the individual has received in respect of the amount represented by the letter B or C in the formula under this section an allowance from a person, other than an allowance that, at the time the allowance was paid, the person considered was not a reasonable allowance for the purposes of paragraph e of section 39 or section 40 of the *Taxation Act* or, where that person is a partnership of which the individual is a member, would not have been a reasonable allowance for the purposes of paragraph e of section 39 or section 40 had the member been an employee of that partnership at that time.

1991, c. 67, s. 358; 1993, c. 19, s. 216; 1994, c. 22, s. 569; 1995, c. 1, s. 306; 1995, c. 63, s. 437; 1997, c. 3, s. 135; 1997, c. 14, s. 343; 1997, c. 85, s. 641; 2005, c. 1, s. 357; 2010, c. 5, s. 228; 2011, c. 6, s. 266; 2012, c. 28, s. 118

359. Restriction on rebate to a partner — The rebate in respect of property or a service payable under section 358 for a calendar year to an individual who is a member of a partnership shall not exceed the amount that would be an input tax refund of the partnership in respect of the property or service for the last reporting period of the partnership in its last fiscal year ending in that calendar year if

(1) in the case of a musical instrument that is capital property of the individual, the partnership had, in that reporting period,

(a) acquired the instrument by way of lease exclusively for use in activities of the partnership and for use in commercial activities thereof to the same extent that the individual's consumption or use of the instrument during that calendar year in activities of the partnership was in commercial activities thereof, and

(b) paid tax in respect of the instrument equal to the amount determined by multiplying the prescribed part or amount of the capital cost in respect of that instrument that was deductible under the *Taxation Act* (chapter I-3) in computing the individual's income from the partnership for that calendar year, by 9.975/109.975;

(2) in the case of an aircraft or a motor vehicle that is capital property of the individual,

(a) the partnership had acquired the aircraft or vehicle in that reporting period in circumstances in which section 252 applies and had used the aircraft or vehicle during that last fiscal year of the partnership in commercial activities of the partnership to the same extent that the individual's use of the aircraft or vehicle during that calendar year in activities of the partnership was in commercial activities thereof, and

(b) the prescribed part or amount of the capital cost in respect of the aircraft or vehicle that was deductible under the *Taxation Act* in computing the individual's income from the partnership for that calendar year were the prescribed part or amount of the capital cost so deductible in computing the income of the partnership for that last fiscal year of the partnership; and

(3) in any other case, the partnership had

(a) acquired the property or service exclusively for use in activities of the partnership and for use in commercial activities thereof to the same extent that the individual's consumption or use of the property or service during that calendar year in activities of the partnership was in commercial activities thereof, and

(b) paid, in that reporting period, tax in respect of that acquisition equal to the amount determined by multiplying the following amount by 9.975/109.975:

i. in the case of property brought into Québec by the individual, the amount in respect of the acquisition and bringing into Québec of the property, not exceeding the total of the value of the property within the meaning of section 17 and the tax under that section that was deductible under the *Taxation Act* in computing the individual's income from the partnership for that calendar year, and

ii. in any other case, the amount in respect of the acquisition of the property or service by the individual that was so deductible in computing that income.

1991, c. 67, s. 359; 1993, c. 19, s. 217; 1994, c. 22, s. 569; 2007, c. 12, s. 324; 2010, c. 5, s. 229(1)(2), (1)(3); 2011, c. 6, s. 267; 2012, c. 28, s. 119

360. Application for rebate — A rebate for a calendar year shall not be paid under section 358 to an individual unless, within four years after the end of the year or on or before such later day as the Minister may determine, the individual files with the Minister an application for the rebate, in prescribed form containing prescribed information, with the fiscal return under section 1000 of the *Taxation Act* (chapter I-3) that the individual is required to file, or would be required to file if the individual were liable for tax under Part I of that Act.

Provisions applicable — Section 1052 of the *Taxation Act* applies, adapted as required, to such rebate.

1991, c. 67, s. 360; 1994, c. 22, s. 569; 2001, c. 53, s. 354

360.1 One application per year — An individual shall not make more than one application for a rebate under section 360 for a calendar year.

1994, c. 22, s. 570

§2.1

[Heading repealed 1995, c. 63, s. 438.]

360.2 [Repealed 1995, c. 63, s. 438.]

360.2.1 [Repealed 1995, c. 63, s. 438.]

360.3 [Repealed 1995, c. 63, s. 438.]

360.3.1 [Repealed 1995, c. 63, s. 438.]

360.4 [Repealed 1995, c. 63, s. 438.]

§3. — *Immovable*

I. — Interpretation

360.5 Definition: "single unit residential complex" — For the purposes of section 362 and subdivisions II, II.1 and II.3, **"single unit residential complex"** includes

(1) a multiple unit residential complex that contains no more than two residential units; and

(2) any other multiple unit residential complex if it is described by paragraph 3 of the definition of "residential complex" in section 1 and contains one or more residential units that are for supply as rooms in an inn, a hotel, a motel, a boarding house or a lodging house or similar premises and that would be excluded from being part of the residential complex if the complex were a residential complex not described by that paragraph.

1995, c. 1, s. 310; 2003, c. 2, s. 337

360.6 Definition: "long-term lease" — For the purposes of subdivision II.1, **"long-term lease"**, in respect of land, means a lease, licence or similar arrangement under which continuous possession of the land is provided for a period of at least 20 years or a lease, licence or similar arrangement that contains an option to purchase the land.

1995, c. 1, s. 310; 1997, c. 85, s. 642; 2001, c. 53, s. 355

361. [Repealed 1993, c. 19, s. 218.]

362. Group of individuals — Where a supply of a residential complex or a share in the capital stock of a cooperative housing corporation is made to two or more individuals, or where two or more individuals construct or substantially renovate, or engage another person to construct or substantially renovate, a residential complex, the references in subdivisions II to II.3 to a particular individual shall be read as references to all of those individuals as a group, but only one of those individuals may apply for a rebate under any of those subdivisions in respect of the complex or share.

1991, c. 67, s. 362; 1993, c. 19, s. 219; 1994, c. 22, s. 571; 1995, c. 1, s. 311; 2003, c. 2, s. 338

I.1

[Repealed 1995, c. 1, s. 312.]

362.1 [Repealed 1995, c. 1, s. 312.]

II. — Single unit residential complex or residential unit held in co-ownership

362.2 Single unit residential complex and residential unit held in co-ownership — Subject to section 362.4, a particular individual who receives from a builder of a single unit residential complex or a residential unit held in co-ownership a taxable supply by way of sale of the complex or unit is entitled to a rebate determined in accordance with section 362.3 if

(1) at the time the particular individual becomes liable or assumes liability under an agreement of purchase and sale of the complex or unit entered into between the builder and the particular individual, the particular individual is acquiring the residential complex or unit for use as the primary place of residence of the particular individual, an individual related to the particular individual or a former spouse of the particular individual;

(2) the total (in this section and section 362.3 referred to as the "total consideration") of all amounts, each of which is the consideration payable for the supply to the particular individual of the complex or unit or for any other taxable supply to the particular individual of an interest in the complex or unit, is less than $300,000;

(3) the particular individual has paid all of the tax under section 16 payable in respect of the supply of the complex or unit and in respect of any other supply to the individual of an interest in the complex or unit, the total of which tax is referred to in this section and in section 362.3 as the "total tax paid by the particular individual";

(4) ownership of the complex or unit is transferred to the particular individual after the construction or substantial renovation thereof is substantially completed;

(5) after the construction or substantial renovation is substantially completed and before possession of the complex or unit is given to the particular individual under the agreement of purchase and sale of the complex or unit

(a) in the case of a single unit residential complex, the complex was not occupied by any individual as a place of residence or lodging, and

(b) in the case of a residential unit held in co-ownership, the unit was not occupied by any individual as a place of residence or lodging unless, throughout the time the unit was so occupied, it was occupied as a place of residence by an individual, another individual related to the individual or a former spouse of the individual, who was at the time of that occupancy a purchaser of the unit under an agreement of purchase and sale of the unit; and

(6) either

(a) the first individual to occupy the complex or unit as a place of residence at any time after substantial completion of the construction or renovation is

i. in the case of a single unit residential complex, the particular individual, an individual related to the particular individual or a former spouse of the particular individual, and

LTVQ (anglais)

ii. in the case of a residential unit held in co-ownership, an individual, another individual related to the individual or a former spouse of the individual, who was at that time a purchaser of the unit under an agreement of purchase and sale of the unit, or

(b) the particular individual makes an exempt supply by way of sale of the complex or unit and ownership thereof is transferred to the recipient of the supply before the complex or unit is occupied by any individual as a place of residence or lodging.

1995, c. 1, s. 313; 2001, c. 51, s. 280; 2011, c. 1, s. 139; 2012, c. 28, s. 120

362.3 Amount of rebate — For the purposes of section 362.2, the rebate to which a particular individual is entitled in respect of a supply of a single unit residential complex or a residential unit held in co-ownership is equal to

(1) where the total consideration is not more than $200,000, the amount determined by the formula

$$50\% \times A$$

and

(2) where the total consideration is more than $200,000 but less than $300,000, the amount determined by the formula

$$\$9{,}975 \times [\frac{(\$300{,}000 - B)}{\$100{,}000}]$$

.

Interpretation — For the purposes of these formulas,

(1) A is the total tax paid by the particular individual;

(2) [Repealed 2012, c. 28, s. 121(1)(3).]

(3) B is the total consideration.

1995, c. 1, s. 313; 1997, c. 85, s. 643; 2001, c. 51, s. 281; 2007, c. 12, s. 325; 2009, c. 5, s. 638; 2010, c. 5, s. 230; 2011, c. 1, s. 140; 2011, c. 6, s. 268; 2012, c. 28, s. 121

362.4 Application for rebate — A rebate under section 362.2 shall not be paid to an individual in respect of a single unit residential complex or residential unit held in co-ownership unless the individual files an application for the rebate within two years after the day ownership of the complex or unit was transferred to the individual.

1995, c. 1, s. 313; 1997, c. 85, s. 644

363. [Repealed 1993, c. 19, s. 221.]

364. [Repealed 1993, c. 19, s. 221.]

365. [Repealed 1993, c. 19, s. 221.]

366. Application to builder — The builder of a single unit residential complex or a residential unit held in co-ownership who has made a taxable supply of the complex or unit by way of sale to an individual and has transferred ownership of the complex or unit to the individual under the agreement for the supply may pay or credit to or in favour of the individual the amount of the rebate under section 362.2, if

(1) tax under section 16 has been paid, or is payable, by the individual in respect of the supply;

(2) the individual, within two years after the day ownership of the complex or unit was transferred to the individual under the agreement for the supply, submits to the builder, in the manner prescribed by the Minister, an application in prescribed form containing prescribed information for the rebate to which the individual would be entitled under section 362.2 in respect of the complex or unit if the individual applied therefor within the time allowed for such an application;

(3) the builder agrees to pay or credit to or in favour of the individual any rebate under section 362.2 that is payable to the individual in respect of the complex; and

(4) the tax payable in respect of the supply has not been paid at the time the individual submits an application to the builder for the rebate and, if the individual had paid the tax and made an application for the rebate, the rebate would have been payable to the individual under section 362.2.

1991, c. 67, s. 366; 1993, c. 19, s. 222; 1995, c. 1, s. 314; 1997, c. 85, s. 645

367. Forwarding of application by builder — Notwithstanding section 362.2, where an application of an individual for a rebate under that section in respect of a single unit residential complex or a residential unit held in co-ownership is submitted under section 366 to the builder of the residential complex or unit,

(1) the builder shall transmit the application to the Minister with the builder's return filed under Chapter VIII for the reporting period in which the rebate was paid or credited to the individual; and

(2) notwithstanding section 28 of the *Tax Administration Act* (chapter A-6.002), no interest is payable in respect of the rebate.

1991, c. 67, s. 367; 1993, c. 19, s. 223; 1995, c. 1, s. 315; 2010, c. 31, s. 175(4)

368. Rebate under the *Excise Tax Act* — Where the builder pays or credits the amount of a rebate under subsection 2 of section 254 of the *Excise Tax Act* (Revised Statutes of Canada, 1985, chapter E-15) in respect of the residential complex or unit to or in favour of an individual under subsection 4 of that section, the builder shall pay or credit, pursuant to section 366, the amount of the rebate under section 362.2 in respect of the residential complex or unit to or in favour of the individual.

Rebate under the *Excise Tax Act* — Section 366 does not apply where a builder of a single unit residential complex or a residential unit held in co-ownership does not pay or credit the amount of a rebate under subsection 2 of section 254 of the *Excise Tax Act* in respect of the residential complex or unit, to or in favour of an individual under subsection 4 of that section.

1991, c. 67, s. 368; 1993, c. 19, s. 224; 1995, c. 1, s. 316

368.1 [Repealed 2012, c. 28, s. 122(1).]

369. [Repealed 1993, c. 19, s. 225.]

370. Solidary liability — Where the builder of a single unit residential complex or a residential unit held in co-ownership pays or credits a rebate to or in favour of an individual under section 366 and the builder knows or ought to know that the individual is not entitled to the rebate or that the amount paid or credited exceeds the rebate to which the individual is entitled, the builder and the individual are solidarity liable to pay the amount of the rebate or excess to the Minister.

1991, c. 67, s. 370; 1995, c. 63, s. 510

II.1 — Residential complex and land

370.0.1 New housing rebate for building only — Subject to section 370.0.3, a particular individual who receives from a builder of a residential complex that is a single unit residential complex or a residential unit held in co-ownership a supply referred to in paragraph 1 is entitled to a rebate determined in accordance with section 370.0.2 if

(1) under an agreement entered into between the builder of a single unit residential complex or a residential unit held in co-ownership and the particular individual, the builder makes to the particular individual

(a) one or more exempt supplies under a long-term lease of, or by way of an assignment of a long-term lease of, the land attributable to the complex, and

(b) an exempt supply by way of sale of the building or part thereof in which the residential unit forming part of the complex is situated;

(2) at the time the particular individual becomes liable or assumes liability under the agreement, the particular individual is acquiring the complex for use as the primary place of residence of the particular individual, an individual related to the particular individual or a former spouse of the particular individual;

(3) at the time possession of the complex is given to the particular individual under the agreement, the fair market value of the complex is less than $344,925;

(4) the builder is deemed under section 223 or 225 to have made a supply of the complex as a consequence of giving possession of the complex to the particular individual under the agreement;

(5) possession of the complex is given to the particular individual after the construction or substantial renovation of it is substantially completed;

(6) after the construction or substantial renovation is substantially completed and before possession of the complex is given to the particular individual under the agreement, the complex was not occupied by any individual as a place of residence or lodging; and

(7) either

(a) the first individual to occupy the complex as a place of residence after substantial completion of the construction or substantial renovation is the particular individual, an individual related to the particular individual or a former spouse of the particular individual, or

(b) the particular individual makes an exempt supply by way of sale or assignment of the whole of the particular individual's interest in the complex and possession of the complex is transferred to the recipient of the supply before the complex is occupied by any individual as a place of residence or lodging.

Exception — This section does not apply where the builder of a residential complex is not required, because of an Act of the Legislature of Québec, other than this Act, or an Act of the Parliament of Canada or any other rule of law, to pay or remit the tax that the builder is deemed to have paid and collected under section 223 in respect of a supply of the complex deemed to have been made under that section.

1995, c. 1, s. 318; 1997, c. 85, s. 646; 2001, c. 51, s. 283; 2001, c. 53, s. 356; 2007, c. 12, s. 326; 2009, c. 5, s. 639; 2010, c. 5, s. 231; 2011, c. 1, s. 142; 2011, c. 6, s. 269

370.0.2 Amount of rebate — For the purposes of section 370.0.1, the rebate to which a particular individual is entitled in respect of the supply referred to in subparagraph 1 of the first paragraph of that section is equal to

(1) if the fair market value referred to in subparagraph 3 of the first paragraph of section 370.0.1 is not more than $229,950, the amount determined by the formula

$$4.34\% \times A$$

; and

(2) if the fair market value referred to in subparagraph 3 of the first paragraph of section 370.0.1 is more than $229,950 but less than $344,925, the amount determined by the formula

$$(4.34\% \times A) \times [\frac{(\$344,925 - B)}{\$114,975}]$$

.

Interpretation — For the purposes of these formulas,

(1) A is the total of all amounts each of which is the consideration payable to the builder by the particular individual for the supply by way of sale to the particular individual of the building or part of a building referred to in subparagraph 1 of the first paragraph of section 370.0.1 or of any other structure that forms part of the complex, other than consideration that can reasonably be regarded as rent for the supplies of the land attributable to the complex or as consideration for the supply of an option to purchase that land;

(2) [Repealed 2012, c. 28, s. 123(1)(3).]

(3) B is the fair market value referred to in subparagraph 3 of the first paragraph of section 370.0.1.

For the purposes of this section, the amount obtained by multiplying 4.34% by A may not exceed $9,975.

1995, c. 1, s. 318; 1997, c. 85, s. 647; 2001, c. 51, s. 284; 2007, c. 12, s. 327; 2009, c. 5, s. 640; 2010, c. 5, s. 232; 2011, c. 1, s. 143; 2011, c. 6, s. 270; 2012, c. 8, s. 269(1), (3); 2012, c. 28, s. 123

370.0.3 Application for rebate — A rebate under section 370.0.1 shall not be paid to an individual in respect of a residential complex unless the individual files an application for the rebate within two years after the day ownership of the complex was transferred to the individual.

1995, c. 1, s. 318; 1997, c. 85, s. 648

370.1 Application to builder — The builder of a residential complex that is a single unit residential complex or a residential unit held in co-ownership who makes a supply of the complex to an individual under an agreement referred to in subparagraph 1 of the first paragraph of section 370.0.1 and transfers possession of the complex to the individual under the agreement may pay to, or credit in favour of, the individual the amount of the rebate under section 370.0.1 where

(1) the individual, within two years after the day possession of the complex is transferred to the individual under the agreement for the supply, submits to the builder, in the manner prescribed by the Minister, an application in prescribed form containing prescribed information for the rebate to which the individual would be entitled under section 370.0.1 in respect of the complex if the individual applied for it within the time allowed for such an application; and

(2) the builder agrees to pay to, or credit in favour of, the individual any rebate under section 370.0.1 that is payable to the individual in respect of the complex.

1994, c. 22, s. 572; 1995, c. 1, s. 319; 1997, c. 85, s. 649; 2001, c. 53, s. 357

370.2 Forwarding of application by builder — Notwithstanding section 370.0.1 where an application of an individual for a rebate under this section in respect of a residential complex is submitted under section 370.1 to the builder of the complex,

(1) the builder shall transmit the application to the Minister with the builder's return filed under Chapter VIII for the reporting period in which the rebate was paid to, or credited in favour of, the individual; and

(2) notwithstanding section 28 of the *Tax Administration Act* (chapter A-6.002), interest is not payable in respect of the rebate.

1994, c. 22, s. 572; 1995, c. 1, s. 320; 2010, c. 31, s. 175(4)

370.3 Rebate under the *Excise Tax Act* — Where the builder pays to or credits in favour of an individual under subsection 4 of section 254.1 of the *Excise Tax Act* (Revised Statutes of Canada, 1985, chapter E-15) the amount of the rebate under subsection 2 of that section in respect of the residential complex, the builder shall pay to or credit in favour of the individual, under section 370.1, the amount of the rebate under section 370.0.1 in respect of the residential complex.

Exception — Section 370.1 does not apply where the builder of a residential complex does not pay to or credit in favour of an individual, under subsection 4 of section 254.1 of the *Excise Tax Act*, the amount of the rebate under subsection 2 of that section in respect of the residential complex.

1994, c. 22, s. 572; 1995, c. 1, s. 321

370.3.1 [Repealed 2012, c. 28, s. 124(1).]

370.4 Solidary liability — Where the builder of a residential complex pays to or credits in favour of an individual a rebate under section 370.1 and the builder knows or ought to know that the individual is not entitled to the rebate or that the amount paid or credited exceeds the rebate to which the individual is entitled, the builder and the individual are solidarily liable to pay the amount of the rebate or excess to the Minister.

1994, c. 22, s. 572

II.2 — Cooperative housing corporation

370.5 Share in a cooperative housing corporation — Subject to section 370.7, a particular individual who receives from a cooperative housing corporation a supply of a share of the capital stock of the corporation is entitled to a rebate determined in accordance with section 370.6, if

(1) the corporation transfers ownership of the share to the particular individual;

(2) the corporation has paid tax in respect of a taxable supply to the corporation of a residential complex;

(3) at the time the particular individual becomes liable or assumes liability under an agreement of purchase and sale of the share entered into between the corporation and the particular individual, the particular individual is acquiring the share for the purpose of using a residential unit in the complex as the primary place of residence of the particular individual, an individual related to the particular individual or a former spouse of the particular individual;

(4) the total (in this section and section 370.6 referred to as the "total consideration") of all amounts, each of which is the consideration payable for the supply to the particular individual of the share in the corporation or an interest in the complex or unit, is less than $344,925;

(5) after the construction or substantial renovation of the complex is substantially completed and before possession of the unit is given to the particular individual as an incidence of ownership of the share, the unit was not occupied by any individual as a place of residence or lodging; and

(6) either

(a) the first individual to occupy the unit as a place of residence after possession of the unit is given to the particular individual is the particular individual, an individual related to the particular individual or a former spouse of the particular individual, or

(b) the particular individual makes a supply by way of sale of the share and ownership of the share is transferred to the recipient of that supply before the unit is occupied by any individual as a place of residence or lodging.

1995, c. 1, s. 323; 1997, c. 85, s. 651; 2001, c. 51, s. 286; 2007, c. 12, s. 329; 2009, c. 5, s. 642; 2010, c. 5, s. 234; 2011, c. 1, s. 145; 2011, c. 6, s. 272; 2012, c. 28, s. 125

370.6 Amount of rebate — For the purposes of section 370.5, the rebate to which a particular individual is entitled in respect of a supply of a share of the capital stock of a cooperative housing corporation is equal to

(1) if the total consideration is not more than $229,950, the amount determined by the formula

$$4.34\% \times A$$

; and

(2) if the total consideration is more than $229,950 but less than $344,925, the amount determined by the formula

$$\$9,975 \times [\frac{(\$344,925 - A)}{\$114,975}]$$

.

For the purposes of these formulas, A is the total consideration.

For the purposes of this section, the amount obtained by multiplying 4.34% by A may not exceed $9,975.

1995, c. 1, s. 323; 1997, c. 85, s. 652; 2001, c. 51, s. 287; 2007, c. 12, s. 330; 2009, c. 5, s. 643; 2010, c. 5, s. 235; 2011, c. 1, s. 146; 2011, c. 6, s. 273; 2012, c. 28, s. 126

370.7 Application for rebate — A rebate under section 370.5 shall not be paid to an individual in respect of a share of the capital stock of a cooperative housing corporation unless the individual files an application for the rebate within two years after the day ownership of the share was transferred to the individual.

1995, c. 1, s. 323; 1997, c. 85, s. 653

370.8 [Repealed 2012, c. 28, s. 127(1).]

II.3 — Self-supply of an immovable

370.9 Owner-built homes — Subject to section 370.12, a particular individual who constructs or substantially renovates, or engages another person to construct or substantially renovate for the particular individual, a residential complex that is a single unit residential complex or a residential unit held in co-ownership for use as the primary place of residence of the particular individual, an individual related to the particular individual or a former spouse of the particular individual, is entitled to a rebate determined in accordance with section 370.10 or 370.10.1, if

(1) the fair market value of the complex, at the time its construction or substantial renovation is substantially completed, is less than $225,000 for the purposes of section 370.10 or $300,000 for the purposes of section 370.10.1, as the case may be;

(2) the particular individual has paid tax in respect of a supply by way of sale to the individual of the land that forms part of the complex or an interest therein or in respect of a supply to, or bringing into Québec by, the individual of any improvement thereto or, in the case of a mobile home or floating home, of the complex, the total of which tax is referred to in this section and in sections 370.10 and 370.10.1 as the "total tax paid by the particular individual"; and

(3) either

(a) the first individual to occupy the complex after the construction or substantial renovation is begun is the particular individual, an individual related to the particular individual or a former spouse of the particular individual, or

(b) the particular individual makes an exempt supply by way of sale of the complex and ownership of the complex is transferred to the recipient of the supply before the complex is occupied by any individual as a place of residence or lodging.

1995, c. 1, s. 323; 1997, c. 85, s. 655; 2001, c. 51, s. 289; 2011, c. 1, s. 148; 2011, c. 34, s. 148; 2012, c. 28, s. 128(1)(2)

370.9.1 Restriction — Where an individual acquires an improvement in respect of a residential complex that the individual is constructing or substantially renovating and tax in respect of the improvement becomes payable by the individual more than two years after the day the complex is first occupied as described in subparagraph a of paragraph 3 of section 370.9, that tax shall not be included under paragraph 2 of section 370.9 in determining the total tax paid by the individual.

1997, c. 85, s. 656

370.10 Amount of rebate — For the purposes of section 370.9, unless section 370.10.1 applies, the rebate to which a particular individual is entitled in respect of the construction or substantial renovation of a single unit residential complex or a residential unit held in co-ownership is equal to

(1) where the fair market value referred to in paragraph 1 of section 370.9 is not more than $200,000, the amount determined by the formula

$$(36\% \times (A - B)) + B;$$

and

(2) where the fair market value referred to in paragraph 1 of section 370.9 is more than $200,000 but less than $225,000 the amount determined by the formula

LTVQ (anglais)

$$\left[[36\% \times (A - B)] \times \left(\frac{(\$225{,}000 - C)}{\$25\ 000} \right) \right] + B.$$

Interpretation — For the purposes of these formulas,

(1) A is the total tax paid by the particular individual before an application for the rebate is filed with the Minister in accordance with section 370.12;

(2) B is the tax under section 16 that, if applicable, is paid in respect of the amount of the rebate to which the particular individual is entitled in respect of the construction or substantial renovation of the residential complex under subsection 2 of section 256 of the *Excise Tax Act* (Revised Statutes of Canada, 1985, chapter E-15); and

(3) C is the fair market value referred to in paragraph 1 of section 370.9.

Restriction — For the purposes of this section, the amount obtained by multiplying 36% by the difference between A and B may not exceed,

(0.0.0.1) in the case where all or substantially all of the tax was paid at the rate of 9.975%, $7,182;

(0.0.1) in the case where all or substantially all of the tax was paid at the rate of 9.5% at a time when the tax payable under subsection 1 of section 165 of the *Excise Tax Act* was paid at the rate of 5%, $7,059;

(0.1) in the case where all or substantially all of the tax was paid at the rate of 8.5% at a time when the tax payable under subsection 1 of section 165 of the *Excise Tax Act* was paid at the rate of 5%, $6,316;

(1) in the case where all or substantially all of the tax was paid at the rate of 7.5% at a time when the tax payable under subsection 1 of section 165 of the *Excise Tax Act* was paid at the rate of 5%, $5,573;

(2) in the case where all or substantially all of the tax was paid at the rate of 7.5% at a time when the tax payable under subsection 1 of section 165 of the *Excise Tax Act* was paid at the rate of 6%, $5,607;

(3) in the case where all of the tax was paid at the rate of 7.5% at a time when the tax payable under subsection 1 of section 165 of the *Excise Tax Act* was paid at the rate of 7%, $5,642; and

(4) in any other case, the amount determined by the formula

$$(D \times \$69) + (E \times \$34) + (F \times \$743) + (G \times \$1{,}486) + (H \times \$1{,}609) + \$5{,}573$$

.

For the purposes of the formula in subparagraph 4 of the third paragraph,

(1) D is the percentage that corresponds to the extent to which the tax was paid at the rate of 7.5% at a time when the tax payable under subsection 1 of section 165 of the *Excise Tax Act* was paid at the rate of 7%; and

(2) E is the percentage that corresponds to the extent to which the tax was paid at the rate of 7.5% at a time when the tax payable under subsection 1 of section 165 of the *Excise Tax Act* was paid at the rate of 6%;

(3) F is the percentage that corresponds to the extent to which the tax was paid at the rate of 8.5% at a time when the tax payable under subsection 1 of section 165 of the *Excise Tax Act* was paid at the rate of 5%.

(4) G is the percentage that corresponds to the extent to which the tax was paid at the rate of 9.5% at a time when the tax payable under subsection 1 of section 165 of the *Excise Tax Act* was paid at the rate of 5%.

(5) H is the percentage that corresponds to the extent to which the tax was paid at the rate of 9.975%.

1995, c. 1, s. 323; 1997, c. 85, s. 657; 2001, c. 51, s. 290; 2007, c. 12, s. 332; 2009, c. 5, s. 645; 2010, c. 5, s. 237; 2011, c. 1, s. 149; 2011, c. 6, s. 275; 2012, c. 28, s. 129

370.10.1 For the purposes of section 370.9, the rebate to which a particular individual is entitled in respect of the construction or substantial renovation of a single unit residential complex or a residential unit held in co-ownership is equal to

(1) where the fair market value referred to in paragraph 1 of section 370.9 is not more than $200,000, the amount determined by the formula

$$[50\% \times (A - B)] + B$$

; and

(2) where the fair market value referred to in paragraph 1 of section 370.9 is more than $200,000 but less than $300,000, the amount determined by the formula

$$\{[50\% \times (A - B)] \times [\frac{(\$300{,}000 - C)}{\$100{,}000}]\} + B$$

For the purposes of these formulas,

(1) A is the total tax paid by the particular individual before an application for the rebate is filed with the Minister under section 370.12;

(2) B is the tax under section 16 that, if applicable, is paid in respect of the amount of the rebate to which the particular individual is entitled in respect of the construction or substantial renovation of the residential complex under subsection 2 of section 256 of the *Excise Tax Act* (Revised Statutes of Canada, 1985, chapter E-15); and

(3) C is the fair market value referred to in paragraph 1 of section 370.9.

For the purposes of this section, the amount obtained by multiplying 50% by the difference between A and B may not exceed,

(1) where all the tax was paid at the rate of 8.5%, $8,772;

(2) where all the tax was paid at the rate of 9.5%, $9,804;

(3) where all the tax was paid at the rate of 9.975%, $9,975; and

(4) in any other case, the amount determined by the formula

$$(D \times \$1,032) + (E \times \$1,203) + \$8,772.$$

For the purposes of the formula in subparagraph 4 of the third paragraph,

(1) D is the percentage that corresponds to the extent to which the tax was paid at the rate of 9.5%; and

(2) E is the percentage that corresponds to the extent to which the tax was paid at the rate of 9.975%.

This section applies in respect of

(1) the taxable supply made under an agreement in writing relating to the construction or substantial renovation of a single unit residential complex or a residential unit held in co-ownership, if the agreement in writing is entered into after 31 December 2010; or

(2) the construction or substantial renovation of a single unit residential complex or a residential unit held in co-ownership that the particular individual carries on himself or herself, if the permit relating to the construction or substantial renovation is issued after 31 December 2010.

2011, c. 1, s. 150; 2011, c. 6, s. 276; 2012, c. 28, s. 130

370.11 Mobile home — presumption — For the purposes of section 370.9, a particular individual is deemed to have constructed a mobile home or floating home and to have substantially completed the construction immediately before the earlier of the times referred to in paragraph 3, if

(1) the particular individual brings into Québec or receives a supply by way of sale of a mobile home or floating home that has never been used or occupied by any individual as a place of residence or lodging and does not file with the Minister, or submit to the supplier, an application for a rebate in respect of the home under subdivision II or II.1;

(2) the particular individual is acquiring or bringing into Québec the mobile home or floating home for use as the primary place of residence of the particular individual, an individual related to the particular individual or a former spouse of the particular individual; and

(3) the first individual to occupy the mobile home or floating home at any time is the particular individual, an individual related to the particular individual or a former spouse of the particular individual, or the particular individual at any time transfers ownership of the home under an agreement for an exempt supply by way of sale of the home.

Bringing into Québec of a mobile home or floating home — In the case of a mobile home or floating home brought into Québec by the individual, any occupation or use of the home outside Québec is deemed not to be occupation or use of the home.

1995; c. 1, s. 323; 1997, c. 85, s. 658

370.12 Application for rebate — An individual is entitled to the rebate under section 370.9 in respect of a residential complex only if the individual files an application for the rebate on or before

(1) the day that is two years after the earliest of

(a) the day that is two years after the day the residential complex is first occupied in the manner described in subparagraph a of paragraph 3 of section 370.9;

(b) the day ownership of the residential complex is transferred as described in subparagraph b of paragraph 3 of section 370.9; and

(c) the day construction or substantial renovation of the residential complex is substantially completed; or

(1.1) [Repealed 2009, c. 5, s. 646(1).]

(2) any day after the day provided for in paragraph 1 as the Minister may determine.

1995, c. 1, s. 323; 1997, c. 85, s. 659; 2009, c. 5, s. 646

370.13 An individual who is not entitled to a rebate under section 370.9 in respect of the construction or substantial renovation of a residential complex because the fair market value of the residential complex is greater than or equal to the limit referred to in paragraph 1 of section 370.9, but who is entitled to a rebate under subsection 2 of section 256 of the *Excise Tax Act* (Revised Statutes of Canada, 1985, chapter E-15) in respect of the construction or substantial renovation of the complex, is entitled to a rebate of the tax under section 16 that, if applicable, was paid in respect of the amount of the rebate to which the individual is entitled in respect of the construction or substantial renovation of the complex under that subsection 2.

1995, c. 1, s. 323; 2001, c. 51, s. 291; 2011, c. 1, s. 151; 2012, c. 28, s. 131

III.

[Repealed 1993, c. 19, s. 226.]

371. [Repealed 1993, c. 19, s. 226.]

372. [Repealed 1993, c. 19, s. 226.]

373. [Repealed 1993, c. 19, s. 226.]

374. [Repealed 1993, c. 19, s. 226.]

LTVQ (anglais)

IV.

[Repealed 1993, c. 19, s. 226.]

375. [Repealed 1993, c. 19, s. 226.]

376. [Repealed 1993, c. 19, s. 226.]

377. [Repealed 1993, c. 19, s. 226.]

378. [Repealed 1993, c. 19, s. 226.]

IV.1 — Supply of land

378.1 Rebate to the owner of land leased for residential purposes — Subject to section 378.3, each person (in this subdivision referred to as the "landlord") who is an owner or lessee of land and is not the particular lessee and who makes an exempt supply of land described in section 99 or 99.0.1 to a particular lessee who is acquiring the land for the purpose of making a supply of an immovable or service that includes the land or a supply of a lease, licence or similar arrangement in respect of an immovable that includes the land, is entitled to a rebate determined in accordance with section 378.2 if

(1) the supply is an exempt supply of an immovable or service, other than a supply that is exempt only because of paragraph 2 of section 98, that

(a) includes giving possession or use of a residential complex, or of a residential unit forming part of a residential complex, to another person under a lease, licence or similar arrangement entered into for the purpose of its occupancy by an individual as a place of residence or lodging, or

(b) is described in section 100, other than an exempt supply described in subparagraph 1 of the first paragraph of that section made to a person described in subparagraph b of that subparagraph 1; and

(2) as a result of the supply, the particular lessee is deemed under any of sections 222.1 to 222.3 and 223 to 231.1 to have made a supply of an immovable that includes the land at a particular time.

1994, c. 22, s. 573; 2001, c. 53, s. 358; 2009, c. 15, s. 512

378.2 Determination — For the purposes of section 378.1, the rebate to which a landlord is entitled in respect of the exempt supply of land described in section 99 is determined by the formula

$$A - B.$$

Interpretation — For the purposes of this formula,

(1) A is the total of the tax that, before the particular time, became or would, but for sections 75.1 and 80, have become payable by the landlord in respect of the last acquisition of the land by the landlord and the tax that was payable by the landlord in respect of improvements to the land that were acquired or brought into Québec by the landlord after the land was last so acquired and that were used, before the particular time, in the course of improving the immovable that includes the land; and

(2) B is the total of the input tax refund and all other rebates that the landlord was entitled to claim in respect of any amount included in the total referred to in subparagraph 1.

1994, c. 22, s. 573; 2001, c. 53, s. 359

378.3 Application for rebate — A rebate shall not be paid under section 378.1 to a landlord in respect of a supply of the land made to a person who will be deemed under any of sections 222.1 to 222.3 and 223 to 231.1 to have made on a particular day another supply of the immovable that includes the land, unless the landlord files an application for the rebate on or before the day that is two years after the particular day.

1994, c. 22, s. 573; 1997, c. 85, s. 660

IV.2 — Supply of a Residential Complex Leased For Residential Purposes

[Heading added 2003, c. 2, s. 339.]

378.4 For the purposes of this subdivision,

"first use", in respect of a residential unit, means the first use of the unit after the construction or last substantial renovation of the unit or, in the case of a unit that is situated in a multiple unit residential complex, of the complex or addition to the complex in which the residential unit is situated, is substantially completed;

"percentage of total floor space", in respect of a residential unit forming part of a residential complex or part of an addition to a multiple unit residential complex, means the proportion expressed as a percentage that the total square metres of floor space occupied by the unit is of the total square metres of floor space occupied by all of the residential units in the residential complex or addition, as the case may be;

"qualifying residential unit" of a person, at a particular time, means

(1) a residential unit of which, at or immediately before the particular time, the person is the owner, a co-owner, a lessee or a sub-lessee or has possession as purchaser under an agreement of purchase and sale, or a residential unit that is situated in a residential complex of which the person is, at or immediately before the particular time, a lessee or a sub-lessee, where

(a) at the particular time, the unit is a self-contained residence,

(b) the person holds the unit

i. for the purpose of making exempt supplies referred to in any of sections 97.1, 99, 99.0.1 and 100, i.1 for the purpose of making exempt supplies of properties or services that include giving possession or use of the residential unit to a person under a lease, licence or similar arrangement to be entered into for the purpose of its occupancy by an individual as a place of residence, or

ii. where the complex in which the unit is situated includes one or more other residential units that would be qualifying residential units of the person, for use as the primary place of residence of the person,

(c) it is the case, or can reasonably be expected by the person at the particular time to be the case, that the first use of the unit is or will be

i. as the primary place of residence of the person, an individual who is related to the person or a former spouse of the person, or of a lessor of the complex, an individual who is related to the lessor or a former spouse of the lessor, for a period of at least one year or for a shorter period where the next use of the unit after that shorter period is as described in subparagraph ii, or

ii. as a place of residence of individuals, each of whom is given continuous occupancy of the unit, under one or more leases, for a period, throughout which the unit is used as the primary place of residence of that individual, of at least one year or for a shorter period ending when the unit is sold to a recipient who acquires the unit for use as the primary place of residence of the recipient, an individual who is related to the recipient or a former spouse of the recipient, or the unit is taken for use as the primary place of residence of the person, an individual who is related to the person or a former spouse of the person, or of a lessor of the complex, an individual who is related to the lessor or a former spouse of the lessor, and

(d) except where the residential unit is used, in circumstances where subparagraph ii of subparagraph c applies, as the primary place of residence of the person, an individual who is related to the person or a former spouse of the person, or of a lessor of the complex, an individual who is related to the lessor or a former spouse of the lessor, where, at the particular time, the person intends that, after the unit is used as described in subparagraph c the person will occupy it for the person's own use or the person will supply it by way of lease as a place of residence or lodging for an individual who is related to the person or a former spouse of the person, or a shareholder, member or partner of, or not dealing at arm's length with, the person, the person can reasonably expect that the unit will be the primary place of residence of the person or of that individual; or

(2) a prescribed residential unit of the person;

"self-contained residence" means a residential unit

(1) that is a room or suite in an inn, a hotel, a motel, a boarding house or a lodging house or in a residence for students, seniors, individuals with a disability or other individuals; or

(2) that contains private kitchen facilities, a private bath and a private living area.

2003, c. 2, s. 339; 2009, c. 15, s. 513

378.5 For the purposes of this subdivision, a reference to a "lease" shall be read as a reference to a "lease, licence or similar arrangement".

2003, c. 2, s. 339

378.6 Subject to sections 378.16 and 378.17, a person, other than a cooperative housing corporation, is entitled to a rebate as determined under section 378.7, where

(1) the person is

(a) the recipient of a taxable supply by way of sale (in this section and section 378.7 referred to as the "purchase from the supplier") from another person of a residential complex or of an interest in a residential complex and is not a builder of the complex, or

(b) the builder of a residential complex, or of an addition to a multiple unit residential complex, that gives possession or use of a residential unit in the residential complex or addition to another person under a lease, licence or similar arrangement entered into for the purpose of its occupancy by an individual as a place of residence that results in the person being deemed under any of sections 223 to 231.1 to have made and received a taxable supply by way of sale (in this section and section 378.7 referred to as the "deemed purchase") of the complex or addition;

(2) at a particular time, tax first becomes payable in respect of the purchase from the supplier or tax in respect of the deemed purchase is deemed to have been paid by the person;

(3) at the particular time, the complex or addition, as the case may be, is a qualifying residential unit of the person or includes one or more qualifying residential units of the person; and

(4) the person is not entitled to include the tax in respect of the purchase from the supplier, or the tax in respect of the deemed purchase, in determining an input tax refund of the person.

2003, c. 2, s. 339; 2009, c. 15, s. 514

378.7 For the purposes of section 378.6, the rebate to which the person is entitled is equal to the total of all amounts each of which is an amount, in respect of a residential unit that forms part of the residential complex or addition, as the case may be, and is a qualifying residential unit of the person at the particular time, determined by the formula

$$A \times \frac{(\$225{,}000 - B)}{\$25{,}000}$$

For the purposes of the formula in the first paragraph,

(1) A is the lesser of $7,182 and the amount determined by the formula

$$36\% \times (A_1 \times A_2);$$

and;

(2) B is the greater of $200,000 and

(a) if the unit is a single unit residential complex or a residential unit held in co-ownership, the fair market value of the unit at the particular time, and

LTVQ (anglais)

(b) in any other case, the amount determined by the formula

$$B1 \times B2.$$

(3) [Repealed 2012, c. 28, s. 132(1)(4).]

For the purposes of the formulas in the second paragraph,

(1) A1 is the total tax under section 16 that is payable in respect of the purchase from the supplier or is deemed to have been paid in respect of the deemed purchase;

(2) A2 is

(a) if the unit is a single unit residential complex or a residential unit held in co-ownership, 1, and

(b) in any other case, the unit's percentage of total floor space;

(3) B1 is the unit's percentage of total floor space;

(4) B2 is the fair market value at the particular time of the residential complex or addition, as the case may be.

(5) [Repealed 2012, c. 28, s. 132(1)(7).]

2003, c. 2, s. 339; 2007, c. 12, s. 333; 2009, c. 5, s. 647; 2010, c. 5, s. 238; 2011, c. 6, s. 277; 2012, c. 28, s. 132

378.8 Subject to sections 378.16 and 378.17, a person, other than a cooperative housing corporation, is entitled to a rebate as determined under section 378.9, where

(1) the person is a builder of a residential complex or of an addition to a multiple unit residential complex and the person makes

(a) an exempt supply by way of sale, referred to in section 97.1, of a building or part of a building, and

(b) an exempt supply, referred to in section 100, of land by way of lease or by way of assignment of a lease in respect of land;

(2) the lease provides for continuous possession or use of the land for a period of at least 20 years or it contains an option to purchase the land;

(3) those supplies result in the person being deemed under any of sections 223 to 231.1 to have made and received a taxable supply by way of sale of the complex or addition and to have paid tax at a particular time in respect of that supply;

(4) in the case of a multiple unit residential complex or an addition to such a complex, the complex or addition, as the case may be, includes, at the particular time, one or more qualifying residential units of the person;

(5) the person is not entitled to include the tax deemed to have been paid by the person in determining an input tax refund of the person; and

(6) in the case of an exempt supply by way of sale of a single unit residential complex or a residential unit held in co-ownership, the recipient of that supply is entitled to claim a rebate under section 370.0.1 in respect of the complex or unit.

2003, c. 2, s. 339; 2012, c. 28, s. 133

378.9 For the purposes of section 378.8, the rebate to which the person is entitled is equal to the total of all amounts each of which is an amount, in respect of a residential unit that forms part of the complex or addition, as the case may be, and is, in the case of a multiple unit residential complex or an addition to such a complex, a qualifying residential unit of the person at the particular time, determined by the formula

$$[A \times \frac{(\$225{,}000 - B)}{\$25{,}000}] - C$$

For the purposes of the formula in the first paragraph,

(1) A is the lesser of $7,182 and the amount determined by the formula

$$36\% \times (A_1 \times A_2);$$

(2) B is the greater of $200,000 and

(a) if the unit is a single unit residential complex or a residential unit held in co-ownership, the fair market value of the unit at the particular time, and

(b) in any other case, the amount determined by the formula

$$B1 \times B2;$$

(3) [Repealed 2012, c. 28, s. 134(1)(4).]

(4) C is the amount of the rebate under section 370.0.2 that the recipient of the exempt supply by way of sale is entitled to claim in respect of the complex or unit.

For the purposes of the formulas in the second paragraph,

(1) A_1 is the tax under section 16 that is deemed to have been paid by the person at the particular time in respect of the residential complex or addition;

(2) A_2 is

(a) if the unit is a single unit residential complex or a residential unit held in co-ownership, 1, and

(b) in any other case, the unit's percentage of total floor space;

(3) B_1 is the unit's percentage of total floor space;

(4) B_2 is the fair market value at the particular time of the residential complex or addition, as the case may be.

(5) [Repealed 2012, c. 28, s. 134(1)(8).]

2003, c. 2, s. 339; 2007, c. 12, s. 334; 2009, c. 5, s. 648; 2010, c. 5, s. 239; 2011, c. 6, s. 278; 2012, c. 28, s. 134

378.10 Subject to sections 378.16 and 378.17, a cooperative housing corporation is entitled to a rebate as determined under section 378.11, where

(1) the cooperative is

(a) the recipient of a taxable supply by way of sale (in this section and section 378.11 referred to as the "purchase from the supplier") from another person of a residential complex or of an interest in a residential complex and is not a builder of the complex, or

(b) a builder of a residential complex, or of an addition to a multiple unit residential complex, who makes an exempt supply by way of lease referred to in section 98 that results in the cooperative being deemed under any of sections 223 to 231.1 to have made and received a taxable supply by way of sale (in this section and section 378.11 referred to as the "deemed purchase") of the complex or addition and to have paid tax in respect of that supply;

(2) the cooperative is not entitled to include the tax in respect of the purchase from the supplier, or the tax in respect of the deemed purchase, in determining an input tax refund of the cooperative; and

(3) at any time at which a residential unit included in the complex is a qualifying residential unit of the cooperative, the cooperative first gives occupancy of the unit after its construction or last substantial renovation under an agreement for a supply of that unit that is an exempt supply referred to in section 98.

2003, c. 2, s. 339

378.11 For the purposes of section 378.10, the rebate to which the cooperative housing corporation is entitled in respect of a residential unit is equal to the amount determined by the formula

$$[A \times \frac{(\$225,000 - B)}{\$25,000}] - C$$

For the purposes of the formula in the first paragraph,

(1) A is the lesser of $7,182 and the amount determined by the formula

$$36\% \times (A_1 \times A_2);$$

(2) B is the greater of $200,000 and

(a) if the unit is a single unit residential complex or a residential unit held in co-ownership, the fair market value of the unit at the time tax first becomes payable in respect of the purchase from the supplier or tax in respect of the deemed purchase is deemed to have been paid by the cooperative, and

(b) in any other case, the amount determined by the formula

$$B1 \times B2;$$

(3) [Repealed 2012, c. 28, s. 135(1)(4).]

(4) C is the amount of the rebate under section 370.6 that the recipient of the exempt supply of the unit is entitled to claim in respect of the unit.

For the purposes of the formulas in the second paragraph,

(1) A1 is the total tax under section 16 that is payable in respect of the purchase from the supplier or is deemed to have been paid in respect of the deemed purchase;

(2) A2 is

(a) if the unit is a single unit residential complex, 1, and

(b) in any other case, the unit's percentage of total floor space;

(3) B1 is the unit's percentage of total floor space;

(4) B_2 is the fair market value of the residential complex at the time referred to in subparagraph a of subparagraph 2 of the second paragraph.

(5) [Repealed 2012, c. 28, s. 135(1)(7).]

2003, c. 2, s. 339; 2007, c. 12, s. 335; 2009, c. 5, s. 649; 2010, c. 5, s. 240; 2011, c. 6, s. 279; 2012, c. 28, s. 135

378.12 Subject to sections 378.16 and 378.17, a person who makes an exempt supply of land that is a supply referred to in subparagraph 1 of the first paragraph of section 100 made to a person described in subparagraph a of that subparagraph 1, or that is a supply referred to in subparagraph 2 of the first paragraph of that section, of a site in a residential trailer park, and is deemed under any of sections 222.1 to 222.3, 243, 258 and 261 to have made and received a taxable supply by way of sale of the land and to have paid tax, at a particular time, in respect of that supply, is entitled to a rebate as determined under section 378.13 if the person is not entitled to include the tax deemed to have been paid by the person in determining an input tax refund of the person and in the case of an exempt supply of land described in subparagraph 1 of the first paragraph of section 100, the residential unit that is or is to be affixed to the land is or will be so affixed for the purpose of its use and enjoyment as a primary place of residence for individuals.

2003, c. 2, s. 339

378.13 For the purposes of section 378.12, the rebate to which the person is entitled is equal to the amount determined by the formula

$$(36\% \times A) \times [\frac{(\$56,250 - B)}{\$6,250}]$$

For the purposes of the formula,

LTVQ (anglais)

(1) A is

(a) in the case of a taxable supply in respect of which the person is deemed to have paid tax calculated on the fair market value of the land, the tax under section 16 that is deemed to have been paid in respect of that supply, and

(b) in the case of a taxable supply in respect of which the person is deemed to have paid tax equal to the basic tax content of the land, tax equal to the basic tax content of the land at the particular time;

(2) [Repealed 2012, c. 28, s. 136(1)(2).]

(3) B is the greater of $50,000 and

(a) in the case of a supply of land referred to in subparagraph 1 of the first paragraph of section 100, the fair market value of the land at the particular time, and

(b) in the case of a supply of a site in a residential trailer park or in an addition to a residential trailer park, the result obtained by dividing the fair market value, at the particular time, of the park or addition, as the case may be, by the total number of sites in the park or addition, as the case may be, at the particular time.

2003, c. 2, s. 339; 2012, c. 28, s. 136

378.14 [Repealed 2012, c. 28, s. 137(1).]

378.15 [Repealed 2012, c. 28, s. 138(1).]

378.15.1 For the purpose of determining the amount of a particular rebate in respect of a residential complex, an interest in a residential complex or an addition to a multiple unit residential complex payable to a person under sections 378.6 to 378.11, the total amount of the tax under section 16 included in the calculation made under the formula in those sections is to be reduced by the total of all rebates payable to the person under sections 670.1 to 670.87 in respect of the residential complex, interest or addition, if the person

(1) was not entitled to the particular rebate under sections 378.4 and 378.6 as they read before 26 February 2008; and

(2) is entitled to the particular rebate under sections 378.4 and 378.6.

2009, c. 15, s. 515

378.16 A person is not entitled to the rebate under this subdivision IV.2 unless

(1) the person files an application for the rebate within two years after

(a) in the case of a rebate under section 378.10, the end of the month in which the person makes the exempt supply referred to in subparagraph b of paragraph 1 of that section,

(b) in the case of a rebate under section 378.12, the end of the month in which the tax referred to in that section is deemed to have been paid by the person, and

(c) in any other case of a rebate in respect of a residential unit, the end of the month in which tax first becomes payable by the person, or is deemed to have been paid by the person, in respect of the unit or interest in the unit or in respect of the residential complex or addition, or interest therein, in which the unit is situated;

(2) if the rebate is in respect of a taxable supply received by the person from another person, the person has paid all of the tax payable in respect of that supply; and

(3) if the rebate is in respect of a taxable supply in respect of which the person is deemed to have collected tax in a reporting period of the person, the person has reported the tax in the person's return under Chapter VIII for the reporting period and has remitted all net tax remittable, if any, as reported in that return.

2003, c. 2, s. 339

378.17 For the purposes of this subdivision IV.2, the following rules apply:

(1) if, at a particular time, substantially all of the residential units in a multiple unit residential complex containing ten or more residential units are residential units in respect of which the condition mentioned in subparagraph c of paragraph 1 of the definition of "qualifying residential unit" in section 378.4 is satisfied, all of the residential units in the complex are deemed to be residential units in respect of which that condition is satisfied at that time; and

(2) except in the case of residential units referred to in paragraph 1 of the definition of "self-contained residence" in section 378.4,

(a) the two residential units that are located in a multiple unit residential complex containing only those two residential units are deemed to together form a single residential unit, and the complex is deemed to be a single unit residential complex and not to be a multiple unit residential complex, and

(b) if a residential unit (in this subparagraph referred to as a "specified unit") in a building affords direct internal access with or without the use of a key or similar device to another area of the building that is all or part of the living area of another residential unit, the specified unit is deemed to be part of the other residential unit and not to be a separate residential unit.

2003, c. 2, s. 339

378.18 No rebate shall be paid to a person under this subdivision IV.2 if all or part of the tax included in determining the rebate would otherwise be included in determining a rebate of the person under any of sections 362.2 to 370, 370.9 to 370.13, 378.1 to 378.3 and 383 to 397.2.

In addition, any amount of tax that the person, because of an Act of the Legislature of Québec, other than this Act, or an Act of the Parliament of Canada or any other rule of law, is not required to pay or remit, or is entitled to recover by way of a rebate, remission or compensation, shall not be included in determining the rebate under this subdivision IV.2.

2003, c. 2, s. 339; 2005, c. 38, s. 373

378.19 A person who was entitled to claim a rebate under section 378.6 or 378.14, as it read before being repealed, in respect of a qualifying residential unit other than a unit located in a multiple unit residential complex and who, within one year after the unit is first occupied as a place of residence after the construction or last substantial renovation of the unit was substantially completed, makes a supply by way of sale, other than a supply deemed under sections 298 to 301.3 or 320 to 324.6 to have been made, of the unit to a purchaser who is not acquiring the unit for use as the primary place of residence of the purchaser, an individual who is related to the purchaser or a former spouse of the purchaser, shall pay to the Minister an amount equal to the rebate, plus interest at the rate prescribed in section 28 of the *Tax Administration Act* (chapter A-6.002), calculated on that amount for the period beginning on the day the rebate is paid to the person or applied to a liability of the person and ending on the day the amount of the rebate is paid by the person to the Minister.

2003, c. 2, s. 339; 2010, c. 31, s. 175(4); 2012, c. 28, s. 139

V. — Supply of an immovable by a non-registrant

379. Sale by a non-registrant — Subject to sections 379.1 and 380, a person who is not a registrant and who makes a taxable supply by way of sale of an immovable is entitled to a rebate equal to the lesser of

(1) the basic tax content of the immovable at the time of the supply; and

(2) the tax that is or would be, but for sections 75.1, 75.3 to 75.9 and 80, payable in respect of the taxable supply.

1991, c. 67, s. 379; 1994, c. 22, s. 574; 1997, c. 85, s. 660; 2007, c. 12, s. 336; 2009, c. 5, s. 650

379.1 If the taxable supply referred to in section 379 is made at a particular time by a public sector body to a person with whom the public sector body is not dealing at arm's length, the rebate under that section must not exceed the lesser of

(1) the basic tax content of the immovable at that time; and

(2) the amount determined by the formula

$$\frac{A}{B} \times C.$$

For the purposes of the formula,

(1) A is the basic tax content of the immovable at that time;

(2) B is the amount that would be the basic tax content of the immovable at that time if that amount were determined without reference to the total of the amounts used for B in paragraph 2 of the definition of "basic tax content" in section 1; and

(3) C is the tax that is or would be, but for sections 75.1 and 80, payable in respect of the taxable supply.

2007, c. 12, s. 337

380. Application for rebate — A rebate under section 379 shall not be paid to a person in respect of a supply by way of sale of an immovable by the person unless the person files an application for the rebate within two years after the day the consideration for the supply became due or was paid without having become due.

1991, c. 67, s. 380; 1997, c. 85, s. 660

380.1 Seizure and repossession — redemption of an immovable by a debtor that is not a registrant — Where, for the purpose of satisfying in whole or in part a debt or obligation owing by a person (in this section referred to as the "debtor"), a creditor exercises a right under an Act of the Legislature of Québec, another province, the Northwest Territories, the Yukon Territory or Nunavut, or of the Parliament of Canada or an agreement relating to a debt security to cause the supply of an immovable and, under the Act or the agreement, the debtor has a right to redeem the immovable, the following rules apply:

(1) the debtor is not entitled to claim a rebate under section 379 in respect of the immovable unless the time limit for redeeming the immovable has expired and the debtor has not exercised the debtor's right of redemption; and

(2) where the debtor is entitled to claim the rebate, consideration for the supply is deemed, for the purposes of section 380, to have become due on the day on which the time limit for redeeming the immovable expires.

1997, c. 85, s. 661; 2003, c. 2, s. 340

§4. — Legal aid

381. Professional legal aid service — Subject to section 382, a corporation responsible for the administration of legal aid under the *Act respecting legal aid and the provision of certain other legal services* (chapter A-14) that pays tax in respect of a taxable supply of professional legal aid service is entitled to a rebate of the tax paid by the corporation in respect of the supply and shall not be entitled to any other rebate under this division in respect of tax on that supply.

1991, c. 67, s. 381; 2010, c. 12, s. 34

382. Application for rebate — A corporation referred to in section 381 is not entitled to a rebate under that section in respect of tax paid by the corporation unless the corporation files with the Minister an application for the rebate within four years after the end of the reporting period of the corporation in which the tax became payable.

1991, c. 67, s. 382

§4.1 — Qualifying motor vehicles

[Heading added 2001, c. 53, s. 360.]

382.1 Qualifying motor vehicle — For the purposes of this subdivision, **"qualifying motor vehicle"** means a motor vehicle that is equipped with a device designed exclusively to assist in placing a wheelchair in the vehicle without having to collapse the wheelchair or with an auxiliary driving control to facilitate the operation of the vehicle by an individual with a disability.

2001, c. 53, s. 360; 2009, c. 5, s. 651

382.2 Qualifying motor vehicle purchased in Québec — The recipient is entitled to a rebate of that portion of the total tax payable in respect of the supply of a qualifying motor vehicle that is equal to tax calculated on the portion (in this section referred to as the **"certified amount of the purchase price"**) of the consideration for the supply that can reasonably be attributed to special features that have been incorporated into, or adaptations that have been made to, the vehicle for the purpose of its use by or in transporting an individual using a wheelchair or to equip the vehicle with an auxiliary driving control that facilitates the operation of the vehicle by an individual with a disability if

(1) [Repealed 2009, c. 5, s. 652(1).]

(2) the recipient has paid all tax payable in respect of the supply;

(3) the supplier identifies in writing to the recipient the certified amount of the purchase price of the vehicle; and

(4) the recipient files with the Minister an application for a rebate within four years after the first day on which any tax in respect of the supply becomes payable.

2001, c. 53, s. 360; 2009, c. 5, s. 652

382.3 Application submitted to the supplier — A registrant who has made a taxable supply by way of sale of a qualifying motor vehicle may pay to or credit in favour of the recipient the amount of the rebate under section 382.2 if

(1) tax under section 16 has been paid or becomes payable in respect of the supply; and

(2) the recipient submits to the registrant, within four years after the first day on which any tax in respect of the supply becomes payable, an application for the rebate to which the recipient would be entitled under section 382.2 in respect of the vehicle if the recipient had paid all tax payable in respect of the supply and applied for the rebate in accordance with that section.

Exception — However, if the supply is a supply by way of retail sale of a motor vehicle other than a supply made following the exercise by the recipient of a right to acquire the vehicle, conferred on the recipient under an agreement in writing for the lease of the vehicle entered into with the registrant, the registrant may deduct the amount applied for by the recipient as a rebate for the amount of the tax payable which the recipient must indicate for the purposes of section 425.1.

2001, c. 53, s. 360

382.4 Transmission of application by supplier — If an application of a recipient for a rebate under section 382.2 is submitted to a registrant in the circumstances described in section 382.3, the following rules apply:

(1) the registrant shall transmit the application to the Minister with the registrant's return filed under Chapter VIII for the reporting period in which an amount on account of the rebate is paid or credited by the registrant to or in favour of the recipient or, in the case referred to in the second paragraph of section 382.3, for the reporting period that includes the delivery of the motor vehicle to the recipient; and

(2) notwithstanding section 28 of the *Tax Administration Act* (chapter A-6.002), interest is not payable in respect of the rebate.

2001, c. 53, s. 360; 2010, c. 31, s. 175(4)

382.5 Solidary liability — If, under section 382.3, a registrant pays to or credits in favour of a recipient an amount on account of a rebate and the registrant knows or ought to know that the recipient is not entitled to the rebate or that the amount paid or credited exceeds the rebate to which the recipient is entitled, the registrant and the recipient are solidarily liable to pay to the Minister the amount that was paid or credited on account of the rebate or the excess amount, as the case may be.

2001, c. 53, s. 360

382.6 Qualifying motor vehicle purchased outside Québec — The recipient is entitled to a rebate of that portion of the total tax payable under section 17 in respect of a qualifying motor vehicle that is equal to tax calculated on the portion (in this section referred to as the **"certified amount of the purchase price"**) of the value of the vehicle, within the meaning of section 17, that can reasonably be attributed to special features that have been incorporated into, or adaptations that have been made to, the vehicle for the purpose of its use by or in transporting an individual using a wheelchair or to equip the vehicle with an auxiliary driving control that facilitates the operation of the vehicle by an individual with a disability if

(1) the supply by way of sale of the vehicle is made outside Québec;

(2) the supplier identifies in writing to the recipient the certified amount of the purchase price of the vehicle;

(3) the recipient brings the vehicle into Québec;

(4) [Repealed 2009, c. 5, s. 653(1).]

(5) the recipient has paid all tax payable in respect of the bringing in; and

(6) the recipient files with the Minister an application for a rebate within four years after the first day on which the recipient brings the vehicle into Québec.

2001, c. 53, s. 360; 2009, c. 5, s. 653

382.7 Lease of a qualifying motor vehicle — If a supplier enters into a particular agreement in writing with a recipient for the taxable supply by way of lease of a qualifying motor vehicle, the following rules apply:

(1) there shall not be included, in determining the tax payable in respect of any supply to that recipient by way of lease of the vehicle made under the particular agreement or under any agreement for the variation or renewal of that lease, the portion of the consideration for that supply that is identified in writing to the recipient by the supplier and can reasonably be attributed to special features that have been incorporated into, or adaptations that have been made to, the vehicle for the purpose of its use by or in transporting an individual using a wheelchair or to equip the vehicle with an auxiliary driving control that facilitates the operation of the vehicle by an individual with a disability; and

(2) if, at a later time, the recipient exercises an option under the particular agreement, or under an agreement for the variation or renewal of that agreement, to purchase the vehicle, the vehicle is deemed, for the purposes of sections 382.2 and 382.6, to be a qualifying motor vehicle at that later time.

2001, c. 53, s. 360; 2009, c. 5, s. 654

§4.2 — Prescribed new hybrid vehicle

[Heading added 2006, c. 36, s. 289.]

382.8 For the purposes of this subdivision,

"hybrid vehicle" means an automobile vehicle powered by the combination of a heat engine and an electric motor;

"long-term lease" of a vehicle means the lease under an agreement under which continuous possession or use of the vehicle is provided to a recipient for a period of at least one year.

2006, c. 36, s. 289

382.9 Subject to section 382.10, a recipient is entitled to a rebate of the tax paid by the recipient in relation to the supply by way of sale or by way of long-term lease, or to the bringing into Québec, of a prescribed new hybrid vehicle if

(0.1) the recipient has acquired, or brought into Québec, the vehicle after 23 March 2006 and before 1 January 2009;

(1) the recipient has paid all tax payable in respect of the supply by way of sale or of the bringing into Québec of the vehicle;

(2) the recipient is not a registrant;

(3) the recipient is not entitled to a rebate in respect of that tax under any other section of this Act;

(4) the recipient files an application for a rebate, accompanied by the prescribed vouchers, within the time limit provided for in section 382.11; and

(5) the recipient fulfills the prescribed terms and conditions.

For the purposes of the first paragraph, only a hybrid vehicle in respect of which it is established that the fuel consumption on the highway or in the city is 6 litres or less per 100 kilometres may be prescribed.

2006, c. 36, s. 289; 2010, c. 25, s. 247

382.10 The rebate to which a recipient is entitled under section 382.9 may not exceed $2,000 for a given vehicle.

2006, c. 36, s. 289; 2009, c. 5, s. 655

382.11 A recipient is entitled to the rebate provided for in section 382.9 in respect of the supply or of the bringing into Québec of a prescribed new hybrid vehicle only if the recipient files an application for a rebate,

(1) in the case of a supply by way of sale or of the bringing of the vehicle into Québec, within fours years following the day on which the tax became payable; and

(2) in the case of a supply by way of long-term lease, not later than four years following the day on which the agreement for the supply of the vehicle by way of lease expires and from the earlier of

(a) the day on which the total of the tax that became payable for each of the supplies that, because of section 32.2, are deemed to be made in relation to the vehicle is equal to or greater than $2,000, and

(b) the day following the day on which the agreement for the supply of the vehicle by way of lease expires.

Despite subparagraph a of subparagraph 2 of the first paragraph, the recipient may file an application to obtain an amount of $1,000, as a portion of the rebate to which the recipient is entitled under section 382.9, as of the day on which the total referred to in that subparagraph a is equal to or greater than that amount.

2006, c. 36, s. 289; 2009, c. 5, s. 656

§5. — Rebate to certain organizations

383. Definitions — For the purposes of this section and sections 384 to 397.2,

"ancillary supply" means

(1) an exempt supply of a service of organizing or coordinating the making of facility supplies or home medical supplies in respect of which supply an amount, other than a nominal amount, is paid or payable to the supplier as medical funding, or

(2) the portion of an exempt supply, other than a facility supply, a home medical supply or a prescribed supply, of property or a service, other than a financial service, that represents the extent to which the property or service is, or is reasonably expected to be, consumed or used for making a facility supply and in respect of which portion an amount, other than a nominal amount, is paid or payable to the supplier as medical funding;

"charity" includes a non-profit organization that operates, otherwise than for profit, a health care institution within the meaning of paragraph 2 of the definition of that expression in section 108;

"claim period" of a person at any time means

(1) where the person is a registrant at that time, the reporting period of the person that includes that time; and

(2) in any other case, the period that includes that time and consists of either

(a) the first and second fiscal quarters in a fiscal year of the person, or

(b) the third and fourth fiscal quarters in a fiscal year of the person;

"external supplier" means a charity, a public institution or a qualifying non-profit organization, other than a hospital authority or a facility operator, that makes ancillary supplies, facility supplies or home medical supplies;

"facility operator" means a charity, a public institution or a qualifying non-profit organization, other than a hospital authority, that operates a qualifying facility referred to in section 385.1;

"facility supply" means an exempt supply, other than a prescribed supply, of a property or service in respect of which

(1) the property is made available, or the service is rendered, to an individual at a hospital centre, public hospital or qualifying facility as part of a medically necessary process of health care for the individual for the purpose of maintaining health, preventing disease, diagnosing or treating an injury, illness or disability or providing palliative health care, which process

(a) is undertaken in whole or in part at the hospital centre, public hospital or qualifying facility,

(b) is reasonably expected to take place under the active direction or supervision, or with the active involvement, of

i. a medical practitioner acting in the course of the practice of medicine,

ii. a midwife acting in the course of the practice of midwifery,

iii. if a medical practitioner is not readily accessible in the geographic area in which the process takes place, a nurse acting in the course of the practice of nursing, or

iv. a prescribed person acting in prescribed circumstances, and

(c) if chronic care requires the individual to stay overnight at the hospital centre, public hospital or qualifying facility, requires or is reasonably expected to require that

i. a nurse be at the hospital centre, public hospital or qualifying facility at all times when the individual is at the hospital centre, public hospital or qualifying facility,

ii. a medical practitioner or, if a medical practitioner is not readily accessible in the geographic area in which the process takes place, a nurse, be at, or be on-call to attend at, the hospital centre, public hospital or qualifying facility at all times when the individual is at the hospital centre, public hospital or qualifying facility,

iii. throughout the process, the individual be subject to medical management and receive a range of therapeutic health care services that includes nursing care, and

iv. it not be the case that all or substantially all of each day or part of a day during which the individual stays at the hospital centre, public hospital or qualifying facility is time during which the individual does not receive therapeutic health care services referred to in subparagraph iii; and

(2) if the supplier does not operate the hospital centre, public hospital or qualifying facility, an amount, other than a nominal amount, is paid or payable as medical funding to the supplier;

"home medical supply" means an exempt supply, other than a facility supply or a prescribed supply, of a property or service, where

(1) the supply is made

(a) as part of a medically necessary process of health care for an individual for the purpose of maintaining health, preventing disease, diagnosing or treating an injury, illness or disability or providing palliative health care, and

(b) after a medical practitioner acting in the course of the practice of medicine, or a prescribed person acting in prescribed circumstances, has identified or confirmed that it is appropriate for the process to take place at the individual's place of residence or lodging, other than a hospital centre, public hospital or qualifying facility;

(2) the property is made available, or the service is rendered, to the individual at the individual's place of residence or lodging, other than a hospital centre, public hospital or qualifying facility, on the authorization of a person who is responsible for coordinating the process and under circumstances in which it is reasonable to expect that the person will carry out that responsibility in consultation with, or with ongoing reference to instructions for the process given by, a medical practitioner acting in the course of the practice of medicine, or a prescribed person acting in prescribed circumstances;

(3) all or substantially all of the supply is of a property or service other than meals, accommodation, domestic services of an ordinary household nature, assistance with the activities of daily living and social, recreational and other related services to meet the psycho-social needs of the individual; and

(4) an amount in respect of the supply, other than a nominal amount, is paid or payable as medical funding to the supplier;

"medical funding" of a supplier in respect of a supply means a sum of money, including a forgivable loan but not including any other loan or a refund, remission or rebate of, or credit in respect of, taxes, duties or fees imposed under an Act, that is paid or payable to the supplier in respect of health care services for the purpose of financially assisting the supplier in making the supply or as consideration for the supply by

(1) a government, or

(2) a person that is a charity, a public institution or a qualifying non-profit organization

(a) one of the purposes of which is organizing or coordinating the delivery of health care services to the public, and

(b) in respect of which it is reasonable to expect that a government will be the primary source of funding for the activities of the person that are in respect of the delivery of health care services to the public during the fiscal year of the person in which the supply is made;

"medical practitioner" means a physician within the meaning of the *Medical Act* (chapter M-9) and includes a person who is entitled under the laws of another province, the Northwest Territories, the Yukon Territory or Nunavut to practise the profession of medicine;

"midwife" means a person who is entitled under the laws of Québec, another province, the Northwest Territories, the Yukon Territory or Nunavut to practise the profession of midwifery;

"municipality" includes a person designated by the Minister to be a municipality, but only in respect of activities, specified in the designation, that involve the making of supplies, other than taxable supplies, by the person of municipal services;".

"non-profit organization" includes a prescribed government organization;

"non-refundable input tax charged", in respect of property or a service for a claim period of a person, means the amount, if any, by which

(1) the total (in this section and in sections 384 to 397 referred to as "the total tax charged in respect of the property or service") of all amounts each of which is

(a) tax in respect of the supply or bringing into Québec of the property or service that became payable by the person during the period or that was paid by the person during the period without having become payable, other than tax that is deemed to have been paid by the person,

(b) tax deemed under sections 209, 223 to 231.1, 323.1, 341.1 and 341.7 to have been collected during the period by the person in respect of the property or service,

(b.1) where the person is not a charity to which section 433.2 applies, tax deemed under section 323.2 or 323.3 to have been collected during the period by the person in respect of the property or service,

(c) tax, calculated on the amount of an allowance in respect of the property or service, that is deemed under section 211 to have been paid during the period by the person,

(d) tax deemed under section 212 to have been paid during the period by the person in respect of the property or service, or

(e) an amount in respect of the property or service that is required under sections 210 and 341.3 to be added in determining the net tax of the person for the period; exceeds

(2) the total of all amounts each of which is included in the total determined under paragraph 1 and

(a) is included in determining an input tax refund of the person in respect of the property or service for the period,

(b) would be included in determining an input tax refund of the person in respect of the property or service for the period, but for the fact that the person is a large business within the meaning of sections 551 to 551.4 of chapter 63 of the statutes of 1995, or

(c) for which it can be reasonably be regarded that the person has obtained or is entitled to obtain a rebate, refund or remission under any other section of this Act or under any other Act;

(d) is included in an amount refunded, adjusted or credited to or in favour of the person for which a credit note referred to in section 449 has been received by the person or a debit note referred to in that section has been issued by the person;

"percentage of government funding" of a person for a fiscal year of the person means the percentage determined in prescribed manner;

"qualifying funding" of the operator of a facility for all or part of a fiscal year of the operator means an ascertainable sum of money, including a forgivable loan but not including any other loan or a refund, remission or rebate of, or credit in respect of, taxes, duties or fees imposed under an Act, that is paid or payable to the operator in respect of the delivery of health care services to the public for the purpose of financially assisting in operating the facility during all or part of the fiscal year, as consideration for an exempt supply of making the facility available for use in making facility supplies at the facility during all or part of the fiscal year or as consideration for facility supplies of property that are made available, or services that are rendered, at the facility during all or part of the fiscal year and is paid or payable by

(1) a government, or

(2) a person that is a charity, a public institution or a qualifying non-profit organization

(a) one of the purposes of which is organizing or coordinating the delivery of health care services to the public, and

(b) in respect of which it is reasonable to expect that a government will be the primary source of funding for the activities of the person that are in respect of the delivery of health care services to the public during the fiscal year of the person in which the supply is made;

"selected public service body" means

(1) a hospital authority;

(2) a school authority or university that is established and operated otherwise than for profit;

(3) a public college that is established and operated otherwise than for profit;

(4) [Repealed 1997, c. 85, s. 662(1)(2)(b).]

(5) a facility operator; or

(6) an external supplier;

"specified activities" means activities referred to in any of subparagraphs a, b and c of subparagraph 3 of the second paragraph of section 386.2, other than activities engaged in the course of operating a hospital centre or public hospital;

"specified supply" of property of a person means

(1) a taxable supply made to the person at any time after 31 December 2004, of property that was owned on that date by the person or by another person who is related to the person at that time, or

(2) a taxable supply that the person is deemed under section 275 to have made after 31 December 2004, of property that was, on that date, owned by the person or by another person who last supplied the property to the person by way of sale and who was related to the person on the day the supply by way of sale was made.

1991, c. 67, s. 383; 1994, c. 22, s. 575; 1995, c. 63, s. 439; 1997, c. 85, s. 662; 1999, c. 83, s. 317; 2001, c. 53, s. 361; 2005, c. 38, s. 374; 2007, c. 12, s. 338; 2009, c. 5, s. 657; 2010, c. 5, s. 241

384. [Repealed 1994, c. 22, s. 576.]

385. Qualifying non-profit organization — For the purposes of this subdivision, a person is a qualifying non-profit organization at any time in a fiscal year of the person if, at that time, the person is a non-profit organization and the percentage of government funding of the person for the year is at least 40%.

1991, c. 67, s. 385

385.1 For the purposes of sections 383 to 397.2, a facility or part of a facility, other than a hospital centre or public hospital, is a qualifying facility for all or part of a fiscal year of the operator of the facility or of part of the facility, if

(1) supplies of services that are ordinarily rendered during all or part of that fiscal year to the public at the facility or at part of the facility would be facility supplies if the references in the definition of "facility supply" in section 383 to "hospital centre, public hospital or qualifying facility" were references to the facility or of part of the facility;

(2) an amount, other than a nominal amount, is paid or payable to the operator as qualifying funding in respect of the facility or of part of the facility for all or part of the fiscal year; and

(3) an accreditation, licence or other authorization that is recognized or provided for under a law of Québec, another province, the Northwest Territories, the Yukon Territory, Nunavut or Canada in respect of facilities where health care services are provided applies to the facility or to part of the facility during all or part of that fiscal year.

2005, c. 38, s. 375

386. Rebate — Subject to sections 386.2 and 387, a person who, on the last day of a claim period of the person or of the fiscal year of the person that includes that claim period, is a selected public service body, a charity or a qualifying non-profit organization, is entitled to a rebate for the claim period equal to one of the following percentages, as the case may be, of the non-refundable input tax charged in respect of property or a service, other than a prescribed property or service:

(1) 50% for a charity or a qualifying non-profit organization, unless it is a selected public service body;

(2) [Repealed 1997, c. 85, s. 663(1)(2).]

(3) 47% for a school authority, a public college or a university;

(4) 51.5% for a hospital authority, a facility operator or an external supplier.

Exception — This section does not apply

(1) to a person who is a prescribed registrant for the purposes of section 279;

(1.1) to a listed financial institution;

(2) to a person who is a qualifying non-profit organization, in respect of activities that involve the making of supplies referred to in sections 162 to 165 and 167;

(3) to a person who is a qualifying non-profit organization, other than a selected public service body, in respect of activities that involve the making of supplies referred to in sections 154 and 161 where those supplies are intended for clients belonging to a territory under the jurisdiction of a local municipality or regional municipality within the meaning assigned to those expressions by section 139.

1991, c. 67, s. 386; 1993, c. 19, s. 227; 1994, c. 22, s. 577; 1995, c. 63, s. 440; 1997, c. 14, s. 344; 1997, c. 85, s. 663; 2005, c. 38, s. 376; 2006, c. 13, s. 238; 2012, c. 28, s. 140

386.1 [Repealed 1997, c. 85, s. 664.]

386.2 Apportionment of rebate — Subject to section 386.3, if a person is a charity, a public institution, other than a local authority that is a municipality for the purposes of paragraph 2 of the definition of "municipality" in section 1, or a qualifying non-profit organization, and a selected public service body, the rebate, if any, payable to the person under section 386 in respect of property or a service for a claim period is equal to the total of

(1) 50% of the non-refundable input tax charged in respect of the property or service for the claim period; and

(2) the total of amounts each of which is an amount determined by the formula

$$A \times B \times C.$$

Interpretation — For the purposes of this formula,

(1) notwithstanding section 2, A is the percentage prescribed in section 386 applicable to a selected public service body described in whichever of paragraphs 1 to 6 of the definition of that expression in section 383 applies to the person minus 50%;

(2) B is an amount that is included in the total tax charged in respect of the property or service for the claim period and that is

(a) an amount of tax in respect of a supply made to the person, or the bringing into Québec of the property by the person, at any time;

(b) an amount deemed to have been paid or collected, at any time, by the person;

(c) an amount that is required to be added under sections 341.2 and 341.3 in determining the net tax of the person because a division or branch of the person becomes a small supplier division at any time; or

(d) an amount that is required to be added under paragraph 2 of section 210 in determining the net tax of the person because the person ceases, at any time, to be a registrant; and

(3) C is the extent, expressed as a percentage, to which the person intended, at that time, to consume, use or supply the property or service,

(a) in the case of a person acting as a hospital authority, in the course of activities engaged in by the person in operating a hospital centre or public hospital, operating a qualifying facility for use in making facility supplies, or in the course of making facility supplies, ancillary supplies or home medical supplies,

(b) in the case of a person acting as a facility operator, in the course of activities engaged in by the person in operating a qualifying facility for use in making facility supplies, or in the course of making facility supplies, ancillary supplies or home medical supplies,

(c) in the case of a person acting as an external supplier, in the course of activities engaged in by the person in making ancillary supplies, facility supplies or home medical supplies, or

(d) in any other case, in the course of activities engaged in by the person in operating an elementary or secondary school, a post-secondary college or post-secondary technical institute, a recognized degree-granting institution or a college affiliated with, or research institute of, such an institution, as the case may be.

1997, c. 85, s. 665; 2005, c. 38, s. 377

386.3 An amount is not to be included in determining the amount referred to in B in the formula in section 386.2 in respect of a claim period of a person to the extent that

(1) the amount is included in determining an input tax refund of the person;

(2) it can reasonably be regarded that the person has obtained or is entitled to obtain a rebate, refund, remission of or compensation for the amount under any other section of this Act or under any other Act; or

(3) the amount is included in an amount refunded, adjusted or credited to or in favour of the person for which a credit note referred to in section 449 has been received by the person or a debit note referred to in that section has been issued by the person.

2005, c. 38, s. 378

387. Application for rebate — A person referred to in section 386 is not entitled to a rebate under that section in respect of non-refundable input tax charged for a claim period of the person unless the person files an application for the rebate after the first day in the fiscal year that the person is a selected public service body, charity or qualifying non-profit organization and within four years after the day that is

(1) where the person is a registrant, the day on or before which the person is required to file a return under Chapter VIII for the period; and

(2) where the person is not a registrant, the last day of the claim period.

1991, c. 67, s. 387; 1994, c. 22, s. 579; 1997, c. 85, s. 666

387.1 Exception — If tax in respect of a supply of property or a service became payable by a person in a particular claim period of the person, the supplier did not, before the end of the last claim period of the person that ends within four years after the end of the particular claim period, charge the tax in respect of the supply, the supplier discloses in writing to the person that the Minister has assessed the supplier for that tax, and the person pays that tax after the end of that last claim period and before that tax is included in determining a rebate under sections 383 to 388 and sections 389 to 397.2, claimed by the person, the following rules apply:

(1) for the purposes of sections 383 to 388 and sections 389 to 397.2, that tax is deemed to have become payable by the person in the person's claim period in which the person pays that tax and not to have become payable in the particular claim period;

(2) the portion of the rebate of the person under sections 383 to 388 and sections 389 to 397.2 in respect of the property or service for the person's claim period in which the person pays that tax that is in excess of the amount of that rebate that would be determined without reference to this section

(a) may, notwithstanding section 388, be claimed in an application separate from the person's application for other rebates under sections 383 to 388 and sections 389 to 397.2 for that claim period, and

(b) shall not be paid to the person unless that portion is claimed in an application filed by the person on a day that is after the beginning of the person's fiscal year that includes that claim period and after the first day in that year that the person is a selected public service body, charity or qualifying non-profit organization and

i. if the person is a registrant, not later than the day on or before which the person is required to file a return under Chapter VIII for that claim period, or

ii. if the person is not a registrant, within one month after the end of that claim period; and

(3) section 387 applies in respect of the remaining portion of that rebate as if that remaining portion were in respect of a separate property or service.

2001, c. 53, s. 362; 2005, c. 38, s. 379

388. One application per claim period — Except where section 396 or 397 applies, a person shall not make more than one application for rebates under section 387 for any claim period of the person.

1991, c. 67, s. 388; 1994, c. 22, s. 579

388.1 Compensation for municipalities — A prescribed municipality is entitled to compensation, paid by the Minister at the prescribed time, in an amount equal to the amount prescribed for the years 1992 to 1996.

Presumption — Such compensations are deemed to be repayments for the purposes of the *Tax Administration Act* (chapter A-6.002).

1993, c. 19, s. 228; 1994, c. 22, s. 579; 1995, c. 1, s. 361; 1997, c. 85, s. 667; 2010, c. 31, s. 175(4)

LTVQ (anglais)

388.2 Compensation to Ville de Montréal, Ville de Québec and Ville de Laval — Ville de Montréal and Ville de Québec, in respect of a year that begins after 1996, and Ville de Laval, in respect of a year that begins after 2000, are entitled to compensation paid by the Minister before 30 June each year.

Determination of the amount of compensation for Ville de Montréal and Ville de Québec — For Ville de Montréal and Ville de Québec, the compensation is equal to

(1) in respect of the years 1997 to 2000, the amount prescribed for the year 1996 under section 388.1, indexed annually according to the rate of increase in personal consumer spending for recreation and entertainment in current dollars in Québec for the 12 months of the preceding year as compared with the 12 months of the year preceding that year, as determined by the Institut de la statistique du Québec;

(2) in respect of the year 2001, the amount prescribed for the year 2001; and

(3) in respect of a year that begins after 2001, the amount prescribed for the year 2001, indexed annually according to the rate referred to in subparagraph 1.

Determination of the amount of compensation for Ville de Laval — For Ville de Laval, the compensation is equal to

(1) in respect of the years 2001 to 2003, the prescribed amount; and

(2) in respect of a year that begins after 2003, the amount prescribed for the year 2003, indexed annually according to the rate referred to in subparagraph 1 of the second paragraph.

Presumption — The compensation is deemed to be a refund for the purposes of the *Tax Administration Act* (chapter A-6.002).

1997, c. 14, s. 345; 1997, c. 85, s. 668; 2002, c. 9, s. 170; 2010, c. 31, s. 175(4)

388.3 Fractional amount — Section 69 applies, with the necessary modifications, to determine compensation under section 388.2.

1997, c. 14, s. 345

388.4 A prescribed municipality is entitled to compensation, paid by the Minister at the prescribed time, in an amount equal to the amount prescribed for the years 2007 to 2013.

Such compensations are deemed to be repayments for the purposes of the *Tax Administration Act* (chapter A-6.002).

2006, c. 31, s. 111; 2010, c. 31, s. 175(4)

389. Election — A prescribed person may determine, in accordance with prescribed rules, the rebates to which the person is entitled under sections 383 to 388 and 394 to 397.2.

1991, c. 67, s. 389; 1994, c. 22, s. 579; 1997, c. 85, s. 669; 2005, c. 38, s. 380

390. [Repealed 1994, c. 22, s. 580.]

391. [Repealed 1997, c. 85, s. 670.]

392. [Repealed 1997, c. 85, s. 670.]

393. [Repealed 1997, c. 85, s. 670.]

394. Selected public service body — Where a selected public service body acquires or brings into Québec property or a service primarily for consumption, use or supply in the course of activities engaged in by another selected public service body, for the purpose of determining the amount of a rebate under section 386 to the body in respect of the non-refundable input tax charged in respect of the property or service for any claim period of the body, the body is deemed to be engaged in those activities.

1991, c. 67, s. 394; 1994, c. 22, s. 581; 1997, c. 85, s. 671; 2005, c. 38, s. 381

395. Selected public service body — Where a person acquires or brings into Québec property or a service primarily for consumption, use or supply in the course of activities engaged in by the person acting in the capacity of a selected public service body described in any of the paragraphs of the definition of "selected public service body" in section 383, the amount of any rebate under section 386 to the person in respect of the non-refundable input tax charged in respect of the property or service for a claim period of the person shall be determined as if the person were not a selected public service body described in any other of those paragraphs.

1991, c. 67, s. 395; 1994, c. 22, s. 581; 1997, c. 85, s. 672; 2005, c. 38, s. 382

396. Divisions and branches — Where a person who is entitled to a rebate under section 386 is engaged in one or more activities in separate divisions or branches and is authorized under section 475 to file separate returns under Chapter VIII in relation to a division or branch, the person

(1) shall file separate applications under section 387 in respect of the division or branch; and

(2) shall not make more than one such application in respect of the division or branch for any claim period of the person.

1991, c. 67, s. 396; 1994, c. 22, s. 581; 1997, c. 85, s. 673

397. Application of ss. 474 and 475 — Where a person who has not made an application under section 474 is entitled to a rebate under section 386 and is engaged in one or more activities in separate divisions or branches,

(1) sections 474 and 475 apply to the person as if the references therein to "commercial activities" were references to "activities", as if the references therein to "separate returns under this chapter" and "separate returns" were references to "applications under section 387" and as if the references therein to "registrant" were references to "person";

(2) where, because of this section, a division or branch of the person is authorized under section 475 to file separate applications for rebates under section 387, the person shall not make more than one such application in respect of the division or branch for any claim period of the person; and

(3) where, because of this section, the person is authorized under section 475 to file separate applications for rebates under section 387 in relation to a division or branch and the person is required to file returns under Chapter VIII, the person shall file separate returns under that chapter in respect of the division or branch.

1991, c. 67, s. 397; 1994, c. 22, s. 581; 1997, c. 85, s. 674

397.1 For the purposes of sections 383 to 397.2, where a person incurs all or substantially all of the tax that is included in determining the amount of the non-refundable input tax charged in respect of property or a service for a claim period of the person acting as a hospital authority, a facility operator or an external supplier, the person is deemed to have incurred all of the tax that is included in determining that amount in the course of fulfilling the person's responsibilities as a hospital authority, a facility operator or an external supplier, as the case may be.

2005, c. 38, s. 383

397.2 Despite sections 386 and 386.2, where a person who is a hospital authority, a facility operator or an external supplier is required to determine, for the person's claim period, a particular amount that is determined, in respect of a specified supply of any of the person's properties made at any time, by the formula in subparagraph 2 of the first paragraph of section 386.2 for the claim period and the value of C in subparagraph 3 of the second paragraph of section 386.2 is the extent to which the person intended, at that time, to consume, use or supply the property in the course of specified activities, the particular amount is to be determined by the formula

$$A \times [\frac{(B - C)}{B}].$$

For the purposes of the formula in the first paragraph,

(1) A is the amount that would, but for this section, be determined to be the particular amount;

(2) B is the fair market value of the property at the time of the supply; and

(3) C is the fair market value of the property on 1 January 2005.

2005, c. 38, s. 383

§5.1 — Rebate to the Royal Canadian Legion

[Heading added 2012, c. 8, s. 270(1).]

397.3 For the purposes of this subdivision,

"claim period" has the meaning assigned by section 383;

"Legion entity" means the Dominion Command or any provincial command or branch of the Royal Canadian Legion.

2012, c. 8, s. 270

397.4 Subject to section 397.5, a Legion entity that acquires or brings into Québec a property that is a poppy or wreath is entitled to a rebate equal to the amount of tax that becomes payable, or is paid without having become payable, by the Legion entity during a claim period in respect of the acquisition or bringing in.

2012, c. 8, s. 270

397.5 A Legion entity is entitled to a rebate under section 397.4 in respect of tax that becomes payable, or is paid without having become payable, by the Legion entity during a claim period only if the Legion entity files an application for the rebate within four years after the last day of the claim period.

2012, c. 8, s. 270

397.6 A Legion entity must not make more than one application for rebates under this subdivision for any claim period of the Legion entity.

2012, c. 8, s. 270

§5.2 — Rebate — shipment outside Québec by a charity or a public institution

[Heading added 2012, c. 8, s. 271.]

398. Supply to a charity or public institution of property taken or shipped outside Québec — Subject to section 399, where a person that is a charity or a public institution is the recipient of a supply of property or a service, has paid tax in respect of the supply and has taken or shipped the property or service outside Québec, the person is entitled to a rebate of the tax paid in respect of the supply.

1991, c. 67, s. 398; 1997, c. 85, s. 675

399. Application for rebate — A person is entitled to a rebate under section 398 in respect of a supply of property or a service only if the person files an application for the rebate within four years after the end of the fiscal year of the person in which tax in respect of the supply became payable.

1991, c. 67, s. 399; 1997, c. 85, s. 675

§5.3 — Rebate to the Gouvernement du Québec

[Heading added 2012, c. 28, s. 141.]

399.1 The Gouvernement du Québec or any of its departments or prescribed mandataries is entitled, in the manner determined by the Minister, to a rebate of the tax it paid or is deemed to have paid under this Title, if it applies to the Minister, in the manner determined by the

LTVQ (anglais)

Minister, within four years after the day on which the tax was paid or is deemed to have been paid. A rebate to which a department or a mandatary designated by the Government is entitled is paid to the Minister of Finance on behalf of the department or mandatary.

2012, c. 28, s. 141

§6. — Amount paid in error

400. Amount paid in error — Subject to section 401, a person who has paid an amount as or on account of, or that was taken into account as, tax, net tax, penalty, interest or other obligation under this title in circumstances where the amount was not payable or remittable by the person, whether the amount was paid by mistake or otherwise, is entitled to a rebate of that amount, except to the extent that

(1) the amount was taken into account as tax or net tax for a reporting period of the person and the person has been assessed for the period; or

(2) the amount paid was tax, net tax, penalty, interest or any other amount assessed;

(3) a rebate of the amount is payable under sections 17.5 and 17.6.

1991, c. 67, s. 400; 1994, c. 22, s. 582

401. Application for rebate — A person is entitled to a rebate under section 400 in respect of an amount only if the person files an application for the rebate within two years after the day the amount was paid or remitted by the person.

1991, c. 67, s. 401; 1997, c. 85, s. 676

402. One application per month — Subject to sections 402.0.1 and 402.0.2, not more than one application for a rebate under section 400 may be made by a person in any calendar month.

1991, c. 67, s. 402; 1994, c. 22, s. 583

402.0.1 Application by a division or branch — A person may file separate applications for rebate under section 400 in respect of a division or branch where

(1) the person is entitled to a rebate under section 400;

(2) the person is engaged in one or more activities in separate divisions or branches; and

(3) the person is authorized under section 475 to file separate returns under Chapter VIII in relation to a division or branch.

One application per month — Not more than one application for a rebate under section 400 in respect of the division or branch may be made by the person referred to in the first paragraph in any calendar month.

1994, c. 22, s. 584

402.0.2 Application under s. 400 — Where a person who has not made an application under section 474 is entitled to a rebate under section 400 and is engaged in one or more activities in separate divisions or branches, the following rules apply:

(1) sections 474 and 475 apply to the person as if the references therein to "commercial activities" were references to "activities", as if the references therein to "separate returns under this chapter" and "separate returns" were references to "applications under section 400", and as if the references therein to "registrant" were references to "person"; and

(2) where, because of this section, the person is authorized under section 475 to file separate applications for rebates under section 400 in relation to a division or branch, not more than one application for a rebate in respect of the division or branch may be made by the person in any calendar month.

1994, c. 22, s. 584

§6.1 — Fuel

402.1 [Repealed 1995, c. 63, s. 442.]

402.2 [Repealed 1995, c. 63, s. 443.]

§6.2 — Used road vehicle

402.3 Used road vehicle that is damaged or shows unusual wear — Subject to section 402.5, a person is entitled to a rebate, determined in accordance with section 402.4, in respect of the tax paid by the person under section 16 in respect of a supply by way of sale of a used road vehicle that must be registered under the *Highway Safety Code* (chapter C-24.2) following an application by the person, or under section 17 in respect of such a vehicle brought into Québec immediately after the time of the supply by way of sale outside Québec and used within 12 months after the supply or brought into Québec by the person being a small supplier who is not a registrant or a person who is not registered under Division I of Chapter VIII in order to make a supply of the vehicle for consideration, if

(1) the vehicle is damaged or shows unusual wear at the time of the supply;

(2) the tax paid by the person was calculated on the estimated value of the vehicle for the purposes of section 55.0.1 or of subparagraph a of subparagraph 2.1 of the second paragraph of section 17; and

(3) a written estimate of the vehicle or of the repairs to be carried out in respect of the vehicle, that meets the requirements of the third paragraph of section 55.0.3, is made within a reasonable time after the time of the supply.

1995, c. 1, s. 324; 1995, c. 63, s. 444; 2001, c. 51, s. 292; 2004, c. 21, s. 532; 2005, c. 23, s. 277

402.4 Determination — The rebate to which a person is entitled under section 402.3 in respect of tax paid by the person for the supply or bringing into Québec of a road vehicle is equal to the amount determined by the formula

A – B.

Interpretation — For the purposes of this formula,

(1) A is the tax paid by the person;

(2) B is the tax that would have been payable by the person if it had been calculated on the estimated value of the vehicle, for the purposes either of section 55.0.1 or of subparagraph a of subparagraph 2.1 or subparagraph b of subparagraph 2.2 of the second paragraph of section 17, reduced by

(a) the amount by which that value exceeds the value of the vehicle as shown on the written estimate referred to in paragraph 3 of section 402.3, or

(b) the amount by which the value of the repairs to be made in respect of the vehicle as shown on the written estimate referred to in paragraph 3 of section 402.3 exceeds $500.

1995, c. 1, s. 324; 1995, c. 63, s. 445

402.5 Entitlement rebate — A person is not entitled to the rebate provided for in section 402.3 in respect of tax paid by the person with respect to a supply or a bringing into Québec of a road vehicle unless

(1) the person files an application for the rebate within four years after the date the tax was paid; and

(2) the application for a rebate is accompanied by the written estimate referred to in paragraph 3 of section 402.3.

1995, c. 1, s. 324

§6.3 — Automatic door openers

402.6 Automatic door openers — A person is entitled to a rebate of the tax paid by the person in respect of the supply of an automatic door opener and installation service where the automatic door opener is acquired for the use of an individual who, because of a physical handicap, cannot gain access to the individual's residence without assistance.

2000, c. 39, s. 283

402.7 Entitlement to rebate — A person is not entitled to the rebate provided for in section 402.6 unless

(1) the person files an application for the rebate within four years after the date the tax was paid; and

(2) the application for a rebate is accompanied by a medical certificate describing the individual's handicap for which the automatic door opener was acquired and indicating that the individual cannot, unassisted, gain access to the individual's residence without such a door opener.

2000, c. 39, s. 283

§6.4 — Motor vehicles

[Heading added 2001, c. 51, s. 293.]

402.8 Rebate in respect of the reduction of the consideration — retail sale of a motor vehicle — A person who, under section 473.1.1, has paid tax under section 16 to a prescribed person or to the Minister in respect of a supply of a motor vehicle by way of retail sale is entitled, where the value of the consideration for the supply is at any time reduced for any reason, to a rebate of the amount that is the difference between the tax paid and the amount of tax payable with reference to the reduction of the consideration paid, if the person files with the Minister an application for a rebate of the amount within four years after the day tax became payable in respect of the supply.

Application — This section does not apply where section 402.3 applies.

2001, c. 51, s. 293

402.9 Rebate paid to recipient — A supplier may pay to or credit in favour of a recipient the amount of the rebate payable to the recipient under section 402.8 where

(1) the supplier has made a supply of the motor vehicle by way of retail sale;

(2) the recipient assigns the rebate to the supplier in prescribed form containing prescribed information;

(3) the recipient provides the supplier with proof of payment of the tax; and

(4) the recipient presents to the supplier, within four years after the day tax became payable in respect of the supply, in prescribed form containing prescribed information, the application for a rebate of the tax to which the recipient is entitled under section 402.8 where the recipient had applied for the rebate in accordance with that section.

2001, c. 51, s. 293

402.10 Assignation of rebate — Where the supplier receives an application for a rebate under section 402.8 and pays to or credits in favour of the recipient any rebate payable to the recipient under that section in respect of the supply,

(1) the supplier may apply for a deduction under section 455 in respect of the supply equal to the amount of the rebate payable to the recipient;

(2) the recipient is not entitled to any rebate, remission of or compensation for tax in respect of the reduction of the consideration for the value of the supply;

(3) the supplier shall keep the application for a rebate for purposes of verification by the Minister; and

(4) notwithstanding section 28 of the *Tax Administration Act* (chapter A-6.002), no interest is payable in respect of the rebate;

LTVQ (anglais)

(5) the supplier shall, within a reasonable time, issue to the recipient a credit note, containing the information prescribed for the purposes of paragraph 1 of section 449, with the necessary modifications, for the amount of the refund or credit.

2001, c. 51, s. 293; 2010, c. 31, s. 175(4)

402.11 Application — Where, under section 402.9, a supplier pays to or credits in favour of a recipient, at a particular time, an amount as a rebate and

(1) the recipeint does not satisfy the conditions in this division (in this section referred to as the "eligibility conditions") for obtaining the rebate; or

(2) the amount paid to or credited in favour of the recipient exceeds the rebate to which the recipient would have been so entitled, by a particular amount.

Liability — Subject to the third paragraph, the recipient is liable to pay to the Minister the amount or particular amount, as the case may be, as if it had been paid at the particular time to the recipient as a rebate under this division.

Solidary liability — Where, at the particular time, the supplier knows or ought to know that the recipient does not satisfy the eligibility conditions or that the amount paid to or credited in favour of the recipient exceeds the rebate to which the recipient is entitled, the supplier and the recipient are solidarily liable to pay to the Minister the amount or particular amount, as the case may be, as if it had been paid at the particular time as a rebate under this division to the supplier and the recipient.

2001, c. 51, s. 293

§6.5 — Motor vehicles shipped outside Québec

[Heading added 2001, c. 51, s. 293. Amended 2002, c. 9, s. 171.]

402.12 Rebate for shipped motor vehicle — To the extent that a person fulfils the prescribed terms and conditions, the person is entitled to a rebate of the tax paid by the person in respect of a supply by way of retail sale of a new motor vehicle acquired by the person through a mandatary who is not registered, if the person ships the vehicle outside Québec as soon as is reasonable after it is delivered to the person.

Time limit for filing an application for rebate — A person is entitled to the rebate under the first paragraph if the person files an application for a rebate within 12 months after the day the tax was paid.

2001, c. 51, s. 293; 2002, c. 9, s. 171

§6.6. — Pension plans

[Heading added 2001, c. 53, s. 363. Amended 2011, c. 34, s. 149.]

402.13 Definitions — For the purposes of sections 402.14 to 402.17,

"active member" has the meaning assigned by subsection 1 of section 8500 of the *Income Tax Regulations* made under the *Income Tax Act* (Revised Statutes of Canada, 1985, chapter 1, 5th Supplement);

"claim period" has, subject to the fifth paragraph, the meaning assigned by section 383;

"eligible amount" of a pension entity for a claim period means, subject to the second paragraph, an amount of tax, other than a recoverable amount in respect of the claim period, that

(1) became payable by the pension entity during the claim period, or was paid by the pension entity during the claim period without having become payable, in respect of the supply or bringing into Québec of a property or a service that the pension entity acquired or brought into Québec, as the case may be, for consumption, use or supply in respect of a pension plan, other than an amount of tax that

(a) is deemed to have been paid by the pension entity under this Title (other than sections 223 to 231.1),

(b) became payable, or was paid without having become payable, by the pension entity at a time when it was entitled to claim a rebate under sections 383 to 388 and 394 to 397.2,

(c) was payable under section 16, or is deemed under sections 223 to 231.1 to have been paid, by the pension entity in respect of the taxable supply to the pension entity of a residential complex, an addition to a residential complex or land if, in respect of that supply, the pension entity was entitled to claim a rebate under subdivision IV.2 of subdivision 3 or would be so entitled after paying the tax payable in respect of that supply, or

(d) would be included in determining an input tax refund of the pension entity, were it not for the fact that the pension entity is a large business within the meaning of section 551 of chapter 63 of the statutes of 1995; or

(2) is deemed to have been paid by the pension entity under Division I.1 of Chapter V I during the claim period;

"multi-employer plan" [Repealed 2011, c. 34, s. 150(1)(1).]

"non-qualifying pension entity" means a pension entity that is not a qualifying pension entity;

"participating employer" has the meaning assigned by section 289.2;

"pension contribution" means a contribution by a person to a pension plan that may be deducted by the person under section 137 of the *Taxation Act* (chapter I-3) in computing income;

"pension entity" has the meaning assigned by section 289.2;

"pension plan" has the meaning assigned by section 289.2;

"pension rebate amount" of a pension entity for a claim period means the amount determined by the formula

$$A \times B;$$

"qualifying employer" of a pension plan for a calendar year means a participating employer of the pension plan that is a registrant and that

(1) where pension contributions were made to the pension plan in the preceding calendar year, made pension contributions to the pension plan in that year; and

(2) in any other case, was the employer of one or more active members of the pension plan in the preceding calendar year;

"qualifying pension entity" means a pension entity of a pension plan other than a pension plan in respect of which

(1) 10% or more of the total pension contributions in the last preceding calendar year in which pension contributions were made to the pension plan were made by listed financial institutions; or

(2) it can reasonably be expected that 10% or more of the total pension contributions in the next calendar year in which pension contributions will be required to be made to the pension plan will be made by listed financial institutions;

"recoverable amount" in respect of a claim period of a person means an amount of tax

(1) that is included in determining an input tax refund of the person for the claim period;

(2) for which it can reasonably be regarded that the person has obtained or is entitled to obtain a rebate, refund, remission or compensation under a section of this Act (other than a section of this subdivision) or under any other Act; or

(3) that can reasonably be regarded as having been included in an amount adjusted, refunded or credited to or in favour of the person for which a credit note referred to in section 449 has been received by the person or a debit note referred to in that section has been issued by the person;

"tax recovery rate" of a person for a fiscal year means the lesser of

(1) 100%; and

(2) the fraction (expressed as a percentage) determined by the formula

$$\frac{(A + B)}{C}.$$

If a pension entity is a selected listed financial institution throughout a claim period, the eligible amount of the pension entity for the claim period is deemed to be nil.

For the purposes of the formula in the definition of "pension rebate amount" in the first paragraph,

(1) A is 33%; and

(2) B is the total of all amounts each of which is an eligible amount of the pension entity for the claim period.

For the purposes of the formula in the definition of "tax recovery rate" in the first paragraph,

(1) A is the total of all amounts each of which is

(a) if the person is a selected listed financial institution at any time in the fiscal year, an amount referred to in subparagraph i of the description of A in paragraph b of the definition of "tax recovery rate" in subsection 1 of section 261.01 of the *Excise Tax Act* (Revised Statutes of Canada, 1985, chapter E-15) for a reporting period included in the fiscal year, and

(b) in any other case, an input tax refund of the person for a reporting period included in the fiscal year;

(2) B is the total of all amounts each of which is

(a) if the person is a selected listed financial institution at any time in the fiscal year, an amount referred to in subparagraph i of the description of B in paragraph b of the definition of "tax recovery rate" in subsection 1 of section 261.01 of the *Excise Tax Act* for a claim period included in the fiscal year, and

(b) in any other case, a rebate to which the person is entitled under sections 383 to 388 and 394 to 397.2 for a claim period included in the fiscal year; and

(3) C is the total of all amounts each of which is

(a) if the person is a selected listed financial institution at any time in the fiscal year, an amount referred to in subparagraph i in the description of C in paragraph b of the definition of "tax recovery rate" in subsection 1 of section 261.01 of the *Excise Tax Act* that became payable, or was paid without having become payable, by the person during the fiscal year, and

(b) in any other case, an amount of tax that became payable, or was paid without having become payable, by the person during the fiscal year.

If a particular claim period of a pension entity began before 1 January 2013 and would have included that date but for this paragraph, the following rules apply:

(1) the particular claim period is deemed to end on 31 December 2012; and

(2) the claim period that follows the particular claim period is deemed to begin on 1 January 2013 and to end on the day the particular claim period would have ended but for this paragraph.

2001, c. 53, s. 363; 2011, c. 34, s. 150; 2012, c. 28, s. 142

402.14 A pension entity of a pension plan that is a qualifying pension entity on the last day of a claim period of the pension entity is, for the claim period, entitled to a rebate equal to the amount determined by the formula

$$A - B.$$

For the purposes of the formula in the first paragraph,

(1) A is the pension rebate amount of the pension entity for the claim period; and

LTVQ (anglais)

(2) B is the total of all amounts each of which is an amount

(a) determined by the formula in the first paragraph of section 402.18 in respect of a qualifying employer because of an election made under that section for the claim period, or

(b) determined in accordance with subparagraph 1 of the first paragraph of section 402.19 in respect of a qualifying employer because of an election made under that section for the claim period.

2001, c. 53, s. 363; 2011, c. 34, s. 151; 2012, c. 28, s. 143

402.15 [Repealed 2011, c. 34, s. 152.]

402.16 Time to file an application — A pension entity is entitled to a rebate under section 402.14 for a claim period only if the pension entity files an application for the rebate within two years after the day that is

(1) if the pension entity is a registrant, the day on or before which the pension entity is required to file a return under Chapter VIII for the claim period; and

(2) in any other case, the last day of the claim period.

2001, c. 53, s. 363; 2011, c. 34, s. 153

402.17 One application per claim period — A pension entity shall not make more than one application for a rebate under this subdivision for any claim period of the pension entity.

2001, c. 53, s. 363; 2011, c. 34, s. 153

402.18 If a pension entity of a pension plan is a qualifying pension entity on the last day of a claim period of the pension entity, the pension entity makes an election for the claim period jointly with all persons that are, for the calendar year that includes the last day of the claim period, qualifying employers of the pension plan and each of those qualifying employers is engaged exclusively in commercial activities throughout the claim period, each of those qualifying employers may deduct in determining its net tax for the reporting period that includes the day on which the election is filed with the Minister

(1) except in the case described in subparagraph 2, an amount determined by the formula

$$A \times B;$$

and

(2) if the pension entity is a selected listed financial institution throughout the claim period, the amount determined by the formula

$$C \times D \times \frac{E}{F} \times B.$$

For the purposes of the formulas in the first paragraph,

(1) A is the pension rebate amount of the pension entity for the claim period; and

(2) B is the percentage specified for the qualifying employer in the election.

(3) C is the value of A in the formula in the definition of "provincial pension rebate amount" in subsection 1 of section 261.01 of the *Excise Tax Act* (Revised Statutes of Canada, 1985, chapter E-15), determined for the claim period, or, where applicable, the value A would have in that formula for the claim period if the pension entity were also a selected listed financial institution for the purposes of that Act;

Modification proposée — 402.18 para. 2 (3)

(3) C is the value of A in the formula in the definition of "provincial pension rebate amount" in subsection 1 of section 261.01 of the *Excise Tax Act* (Revised Statutes of Canada, 1985, chapter E-15), determined for the claim period, or, where applicable, the value A would have in that formula for the claim period if the pension entity were a selected listed financial institution for the purposes of that Act;

Application: Bill 18 (First Reading February 21, 2013), s. 237, will amend subpara. (3) of the second paragraph of s. 402.18 to read as above, to come into force on Royal Assent.

(4) D is the percentage corresponding to the value C would have, as regards Québec, in the formula in subsection 2 of section 225.2 of the *Excise Tax Act*, determined for the taxation year in which the pension entity's fiscal year that includes the claim period ends, if Québec were a participating province within the meaning of subsection 1 of section 123 of that Act and if, where applicable, the pension entity were a selected listed financial institution for the purposes of that Act;

(5) E is the tax rate specified in the first paragraph of section 16; and

(6) F is the tax rate specified in subsection 1 of section 165 of the *Excise Tax Act*.

2011, c. 34, s. 154; 2012, c. 28, s. 144

402.19 If a pension entity of a pension plan is a qualifying pension entity on the last day of a claim period of the entity, the pension entity makes an election for the claim period jointly with all persons that are, for the calendar year that includes the last day of the claim period, qualifying employers of the pension plan and any of those qualifying employers is not engaged exclusively in commercial activities throughout the claim period, the following rules apply:

(1) except in the case described in subparagraph 3,

(a) an amount (in this section referred to as a "shared portion") is to be determined in respect of each of those qualifying employers by the formula

$$A \times B \times C;$$

(b) each of those qualifying employers may deduct, in determining its net tax for the reporting period that includes the day on which the election is filed with the Minister, the amount determined by the formula

$$D \times E;$$

and

(2) [Repealed 2012, c. 28, s. 145(1)(4).]

(3) if the pension entity is a selected listed financial institution throughout the claim period, each of those qualifying employers may deduct, in determining its net tax for the reporting period that includes the day on which the election is filed with the Minister, the amount determined by the formula

$$J \times K \times \frac{L}{M} \times B \times C \times E.$$

For the purposes of the formulas in the first paragraph,

(1) A is the pension rebate amount of the pension entity for the claim period;

(2) B is the percentage specified for the qualifying employer in the election;

(3) C is

(a) in the case where pension contributions were made to the pension plan in the calendar year that precedes the calendar year that includes the last day of the claim period (in this section referred to as the "preceding calendar year"), the amount determined by the formula

$$\frac{F}{G},$$

(b) in the case where subparagraph a does not apply and at least one of the qualifying employers of the pension plan was the employer of one or more active members of the pension plan in the preceding calendar year, the amount determined by the formula

$$\frac{H}{I},$$

and

(c) in any other case, zero;

(4) D is the shared portion in respect of the qualifying employer as determined under subparagraph 1 of the first paragraph; and

(5) E is the tax recovery rate of the qualifying employer for the fiscal year of the qualifying employer that ended on or before the last day of the claim period.

(6) J is the value of A in the formula in the definition of "provincial pension rebate amount" in subsection 1 of section 261.01 of the *Excise Tax Act* (Revised Statutes of Canada, 1985, chapter E-15), determined for the claim period, or, where applicable, the value A would have in that formula for the claim period if the pension entity were a selected listed financial institution for the purposes of that Act;

(7) K is the percentage corresponding to the value C would have, as regards Québec, in the formula in subsection 2 of section 225.2 of the *Excise Tax Act*, determined for the taxation year in which the pension entity's fiscal year that includes the claim period ends, if Québec were a participating province within the meaning of subsection 1 of section 123 of that Act and if, where applicable, the pension entity were a selected listed financial institution for the purposes of that Act;

(8) L is the tax rate specified in the first paragraph of section 16; and

(9) M is the tax rate specified in subsection 1 of section 165 of the *Excise Tax Act*.

For the purposes of the formulas in the second paragraph,

(1) F is the total of all amounts each of which is a pension contribution made by the qualifying employer to the pension plan in the preceding calendar year;

(2) G is the total of all amounts each of which is a pension contribution made to the pension plan in the preceding calendar year;

(3) H is the number of employees of the qualifying employer in the preceding calendar year who were active members of the pension plan in that year; and

(4) I is the total number of employees of each of those qualifying employers in the preceding calendar year who were active members of the pension plan in that year.

2011, c. 34, s. 154; 2012, c. 28, s. 145

402.19.1 If a pension entity of a pension plan is a non-qualifying pension entity on the last day of a claim period of the pension entity and the pension entity makes an election for the claim period jointly with all persons that are, for the calendar year that includes the last day of the claim period, qualifying employers of the pension plan, each of those qualifying employers may deduct in determining its net tax for the reporting period that includes the day on which the election is filed with the Minister

(1) except in the case described in subparagraph 2, the amount determined by the formula

$$A \times B \times C;$$

and

(2) if the pension entity is a selected listed financial institution throughout the claim period, the amount determined by the formula

$$D \times E \times \frac{F}{G} \times B \times C.$$

For the purposes of the formulas in the first paragraph,

LTVQ (anglais)

(1) A is the pension rebate amount of the pension entity for the claim period;

(2) B is

(a) in the case where pension contributions were made to the pension plan in the calendar year that precedes the calendar year that includes the last day of the claim period (in this section referred to as the "preceding calendar year"), the amount determined by the formula

$$\frac{H}{I},$$

(b) in the case where subparagraph a does not apply and at least one of the qualifying employers of the pension plan was the employer of one or more active members of the pension plan in the preceding calendar year, the amount determined by the formula

$$\frac{J}{K},$$

and

(c) in any other case, zero;

(3) C is the tax recovery rate of the qualifying employer for the fiscal year of the qualifying employer that ended on or before the last day of the claim period;

(4) D is the value of A in the formula in the definition of "provincial pension rebate amount" in subsection 1 of section 261.01 of the *Excise Tax Act* (Revised Statutes of Canada, 1985, chapter E-15), determined for the claim period, or, where applicable, the value A would have in that formula for the claim period if the pension entity were a selected listed financial institution for the purposes of that Act;

(5) E is the percentage corresponding to the value C would have, as regards Québec, in the formula in subsection 2 of section 225.2 of the *Excise Tax Act*, determined for the taxation year in which the pension entity's fiscal year that includes the claim period ends, if Québec were a participating province within the meaning of subsection 1 of section 123 of that Act and if, where applicable, the pension entity were a selected listed financial institution for the purposes of that Act;

(6) F is the tax rate specified in the first paragraph of section 16; and

(7) G is the tax rate specified in subsection 1 of section 165 of the *Excise Tax Act*.

For the purposes of the formulas in the second paragraph,

(1) H is the total of all amounts, each of which is a pension contribution made by the qualifying employer to the pension plan in the preceding calendar year;

(2) I is the total of all amounts, each of which is a pension contribution made to the pension plan in the preceding calendar year;

(3) J is the number of employees of the qualifying employer in the preceding calendar year who were active members of the pension plan in that year; and

(4) K is the total of the number of employees of each of those qualifying employers in the preceding calendar year who were active members of the pension plan in that year.

2012, c. 28, s. 146

402.20 For the purposes of sections 402.18 and 402.19, a qualifying employer of a pension plan is engaged exclusively in commercial activities throughout a claim period of a pension entity of the pension plan if

(1) in the case of a qualifying employer that is a financial institution at any time in the claim period, all of the activities of the qualifying employer for the claim period are commercial activities; and

(2) in any other case, all or substantially all of the activities of the qualifying employer for the claim period are commercial activities.

2011, c. 34, s. 154

402.21 An election made under section 402.18 or 402.19 by a pension entity of a pension plan and the qualifying employers of the pension plan must

(1) be filed with and as prescribed by the Minister, in the prescribed form containing prescribed information;

(2) be filed by the pension entity with the Minister at the same time the application for the rebate under section 402.14 for the claim period is filed by the pension entity;

(3) in the case of an election under section 402.18, state the percentage specified for each qualifying employer, the total of which for all qualifying employers must not exceed 100%; and

(4) in the case of an election under section 402.19, state the percentage specified for each qualifying employer, which percentage must not exceed 100%.

2011, c. 34, s. 154

402.22 Where a qualifying employer of a pension plan makes a joint election with the pension entity of the pension plan and the qualifying employer deducts an amount under section 402.18, subparagraph 1 or 3 of the first paragraph of section 402.19 or section 402.19.1 in determining its net tax for a reporting period and either the qualifying employer or the pension entity of the pension plan knows or ought to know that the qualifying employer is not entitled to the amount or that the amount exceeds the amount to which the qualifying employer is entitled, the qualifying employer and the pension entity are solidarily liable to pay the amount or excess to the Minister.

2011, c. 34, s. 154; 2012, c. 28, s. 147

§6.7. — Segregated funds and investment plans

[Heading added 2012, c. 28, s. 148.]

402.23 Subject to section 402.24, if a listed financial institution described in paragraph 6 or 9 of the definition of "listed financial institution" in section 1 (other than a selected listed financial institution) is the recipient of a supply of a specified service and tax under any of sections 16, 18 and 18.0.1 is payable in respect of the supply, the financial institution is entitled to a rebate equal to the amount determined in the prescribed manner, provided the prescribed conditions are met.

For the purposes of this subdivision, **"specified service"** means a management or administrative service and any other service provided to the recipient of a management or administrative service by the supplier of such a service.

2012, c. 28, s. 148

402.24 A person is not entitled to a rebate under section 402.23 unless

(1) the person files an application for the rebate within one year after the day the tax became payable;

(2) the person has not made another application under this section in the calendar month in which the application is made; and

(3) the prescribed circumstances, if applicable, exist.

2012, c. 28, s. 148

402.25 An insurer and a segregated fund of the insurer may elect, in the form and containing the information prescribed by the Minister, to have the insurer pay to, or credit in favour of, the segregated fund the amount of any rebates payable to the segregated fund under section 402.23 in respect of supplies of specified services made by the insurer to the segregated fund.

A document evidencing an election made under the first paragraph must be filed with the Minister in the manner determined by the Minister on or before the day the insurer is required to file a return under Division IV of Chapter VIII for a reporting period of the insurer in which the insurer pays or credits a rebate under section 402.23 to or in favour of the segregated fund.

The amount of a rebate payable to the segregated fund of an insurer under section 402.23 may not be paid or credited by the insurer to or in favour of the fund unless

(1) the insurer makes a taxable supply of a specified service to the segregated fund of the insurer;

(2) a rebate would be payable in respect of the supply if the segregated fund complied with section 402.24 in relation to the supply;

(3) the insurer and the segregated fund have filed a document evidencing the election made under the first paragraph that is in effect when tax in respect of the supply becomes payable; and

(4) the segregated fund, within one year after the day tax becomes payable in respect of the supply, submits to the insurer an application for the rebate in the form and containing the information determined by the Minister.

2012, c. 28, s. 148

402.26 Where an application for a rebate is submitted to an insurer by a segregated fund of the insurer and the conditions of the third paragraph of section 402.25 are met, the insurer shall transmit the application to the Minister with the insurer's return filed under Division IV of Chapter VIII for the reporting period of the insurer in which the rebate was paid or credited to the segregated fund.

Despite section 30 of the *Tax Administration Act* (chapter A-6.002), interest is not payable in respect of a rebate claimed from an insurer by a segregated fund of the insurer.

2012, c. 28, s. 148

402.27 Where an insurer, in determining its net tax for a reporting period, deducts an amount under section 455.0.1 that the insurer paid or credited to a segregated fund of the insurer on account of a rebate under section 402.23 and the insurer knows or ought to know that the segregated fund is not entitled to the rebate or that the amount paid or credited exceeds the rebate to which the segregated fund is entitled, the insurer and the segregated fund are solidarily liable to pay the amount or excess to the Minister.

2012, c. 28, s. 148

§7. — Rules applicable to this division

403. An application for a rebate under this division, other than a rebate referred to in subdivision 2 or 5.3, must be made in the prescribed form containing prescribed information and be filed with and as prescribed by the Minister.

Single application — Only one application may be made under this division for a rebate with respect to any matter.

1991, c. 67, s. 403; 1994, c. 22, s. 585; 2012, c. 28, s. 149

404. Restriction — A person is not entitled to a rebate of an amount under sections 17.5 to 17.7 or under this division to the extent that is may reasonably be considered that

(1) the amount has previously been rebated, refunded or remitted to that person under this or any other Act;

(2) the person has claimed or is entitled to claim an input tax refund in respect of the amount; or

(3) the person has obtained or is entitled to obtain a rebate, refund, remission of or compensation for the amount under any other section of this Act or under any other Act.

(4) a credit note referred to in section 449 has been received by the person, or a debit note referred to in that section has been issued by the person, for an adjustment, refund or credit that includes the amount.

1991, c. 67, s. 404; 1994, c. 22, s. 586; 1997, c. 14, s. 346; 2001, c. 53, s. 364

404.1 Restriction — A person is not entitled to the rebate under this division of an amount the person has paid as tax in respect of a supply of a motor vehicle by way of sale received by the person only to again make a supply of it by way of sale, otherwise than by way of gift, or by way of lease under an agreement under which continuous possession or use of the vehicle is provided to a person for a period of at least one year.

2001, c. 51, s. 294

404.2 Restriction — Subject to section 402.12, a person is not entitled to the rebate under this division of an amount of tax under section 16 that the person has paid to the registrant from whom the person has acquired a motor vehicle by a supply by way of retail sale, in circumstances where the amount was not payable by the person under section 422.

2001, c. 51, s. 294

404.3 No person is entitled to the rebate of an amount, other than under any of sections 357.2 to 357.5, 357.5.1 and 357.5.2 to the extent that it can reasonably be regarded that the amount is in respect of tax under section 16 or, in relation to corporeal property from outside Canada, section 17 that became payable by the person at a time when the person was a selected listed financial institution, or that was paid by the person at that time without having become payable, in respect of a property or a service acquired or brought into Québec by the person for consumption, use or supply in the course of a business or an adventure or concern in the nature of trade.

The first paragraph does not apply in relation to an amount of tax that became payable by an insurer or that was paid by the insurer without having become payable in respect of a property or a service acquired or brought into Québec exclusively and directly for consumption, use or supply in the course of investigating, settling or objecting to a claim based on an insurance policy that is not in the nature of accident and sickness or life insurance.

The first paragraph does not apply in relation to an amount of tax that became payable by a surety (within the meaning of the first paragraph of section 301.4) or that was paid by the surety without having become payable in respect of a property or a service acquired or brought into Québec

(1) exclusively and directly for consumption, use or supply in the course of carrying on, or engaging another person to carry on, the construction of an immovable in Québec that is undertaken in full or partial satisfaction of the surety's obligations under a performance bond; and

(2) otherwise than for use as capital property of the surety or in improving capital property of the surety.

2012, c. 28, s. 150

405. Fiscal year of a person — For the purposes of this division, the fiscal year of a person is the fiscal year of the person within the meaning of section 458.1.

1991, c. 67, s. 405; 1994, c. 22, s. 587

DIVISION II — COMPENSATION

406. [Repealed 1997, c. 14, s. 347.]

Chapter VIII — Tax Collection and Remittance

DIVISION I — REGISTRATION

407. Registration required — Every person who makes a taxable supply in Québec in the course of a commecial activity engaged in by the person in Québec is required to be registered except where

(1) the person is a small supplier;

(2) the only commercial activity of the person is making supplies of immovables by way of sale otherwise than in the course of a business;

(3) the person is not resident in Québec and does not carry on any business in Québec;

(4) [Repealed 1995, c. 63, s. 446(1)(3).]

1991, c. 67, s. 407; 1994, c. 22, s. 588; 1995, c. 63, s. 446

407.1 Taxi business — Notwithstanding section 407, every small supplier who carries on a taxi business is required to be registered in respect of that business.

1994, c. 22, s. 589

407.2 Registration required — Notwithstanding section 407, every person who engages in the retail sale of tobacco within the meaning of the *Tobacco Tax Act* (chapter I-2) is required to be registered in respect of that activity.

Application of ss. 411.1, 415.1 and 417.1 — Sections 411.1, 415.1 and 417.1, adapted as required, apply to every small supplier who engages in the retail sale of tobacco.

1995, c. 47, s. 9; 1997, c. 14, s. 348

407.3 Alcoholic beverages — Notwithstanding section 407, every small supplier who makes a supply of alcoholic beverages is required to be registered in respect of that activity.

Exception — The first paragraph does not apply to a small supplier who, while being the holder of a valid reunion permit issued under the *Act respecting liquor permits* (chapter P-9.1), makes a supply of alcoholic beverages that is authorized under that permit.

Application of ss. 411.1, 415.1 and 417.1 — Sections 411.1, 415.1 and 417.1 apply, with the necessary modifications, to every small supplier who is required to be registered under this section.

1995, c. 63, s. 447

407.4 Fuel — Notwithstanding section 407, every small supplier who engages in the retail sale of fuel, within the meaning of the *Fuel Tax Act* (chapter T-1), is required to be registered in respect of that activity.

Application of ss. 411.1, 415.1 and 417.1 — Sections 411.1, 415.1 and 417.1 apply, with the necessary modifications, to every small supplier who is required to be registered under this section.

1999, c. 65, s. 50

407.5 New tires and road vehicles — Notwithstanding section 407, a small supplier or a person not resident and not carrying on business in Québec, who engages in the sale of a new tire or road vehicle, other than a road vehicle that is capital property of the supplier or person, or the leasing of a new tire or the long term leasing of a road vehicle, is required to be registered in respect of those activities.

Meaning of "long term leasing", "new tire" and "road vehicle" — The expressions **"long term leasing"**, **"new tire"** and **"road vehicle"** have the meanings assigned by Title IV.5 of the Act.

Provisions applicable — Sections 411.1, 415.1 and 417.1 apply, with the necessary modifications, to the person required to be registered under this section.

2000, c. 39, s. 284; 2001, c. 51, s. 295

407.6 Despite section 407, a financial institution that is a selected listed financial institution throughout a reporting period included in a fiscal year ending in a particular taxation year and that is a registrant under Part IX of the *Excise Tax Act* (Revised Statutes of Canada, 1985, chapter E-15) is required to be a registrant where the percentage corresponding to C in the formula in the first paragraph of section 433.16 that is determined for the particular taxation year in respect of the financial institution is greater than zero.

Modification proposée — 407.6

407.6 Despite section 407, a financial institution that is a selected listed financial institution throughout a reporting period included in a fiscal year ending in a particular taxation year and that is a registrant under Part IX of the *Excise Tax Act* (Revised Statutes of Canada, 1985, chapter E-15) is required to be a registrant.

Application: Bill 18 (First Reading February 21, 2013), subsec. 226(1), will amend s. 407.6 to read as above, to take effect from January 1, 2013.

2012, c. 28, s. 151

408. Small supplier — Notwithstanding section 407, a person who is a small supplier who, at any time, applies to the Minister of National Revenue for registration under subsection 3 of section 240 of the *Excise Tax Act* (Revised Statutes of Canada, 1985, chapter E-15) shall, at that time, apply to the Minister for registration.

1991, c. 67, s. 408; 1997, c. 85, s. 677; 2004, c. 21, s. 533

409. Presumption — A person is deemed to be carrying on business in Québec and, unless the person is a small supplier, is required to be registered where

(1) the person, whether or not resident in Québec, whether through an employee or a mandatary or by means of advertising directed at the Québec market, solicits orders in Québec for the supply by the person of, or offers to supply, property that is prescribed property for the purposes of section 24.1 and that is to be sent by mail or courier to the recipient at an address in Québec; or

(2) the person is not resident in Québec and makes, in Québec, a taxable supply, other than a zero-rated supply, of a passenger transportation service within the meaning of Division VII of Chapter IV.

1991, c. 67, s. 409; 1994, c. 22, s. 590; 2000, c. 39, s. 285

409.1 Supplier of corporeal movable property not resident in Québec — Every person, other than a small supplier, who is not resident in Québec but is resident in Canada, who does not carry on a business in Québec and who, in the course of a business carried on by the person in Canada, solicits orders in Québec for the taxable supply, other than a zero-rated supply, by the person of corporeal movable property, other than prescribed property for the purposes of section 24.1, to be delivered in Québec to a consumer is required to be registered and shall apply to the Minister for registration before the day the person first makes such a supply.

1995, c. 63, s. 448

410. Supplier of admissions not resident in Québec — Every person who enters Québec for the purpose of making taxable supplies of admissions in respect of an activity, seminar, event or place of amusement is required to be registered and shall, before making any such supply, apply to the Minister for registration.

1991, c. 67, s. 410; 1994, c. 22, s. 590

410.1 Filing of application — A person required under sections 407 to 407.5 to be registered shall apply to the Minister for registration before

(1) in the case of a person required under section 407.1 to be registered in respect of a taxi business, the day the person first makes a taxable supply in Québec in the course of that business;

(1.1) in the case of a person required under section 407.2 to be registered in respect of the retail sale of tobacco, the day the person first engages in the retail sale of tobacco;

(1.2) in the case of a person required under section 407.3 to be registered in respect of the supply of alcoholic beverages, the day the person first makes a taxable supply of alcoholic beverages in Québec;

(1.3) in the case of a person required under section 407.4 to be registered in respect of the retail sale of fuel, the day the person first makes a retail sale of fuel in Québec; and

(1.4) in the case of a person required under section 407.5 to be registered in respect of the sale of new tires or road vehicles or the leasing of new tires or the long term leasing of road vehicles, the day the person engages in the first sale or leasing of new tires or road vehicles in Québec;

LTVQ (anglais)

(2) in any other case, the day the person first makes a taxable supply in Québec, otherwise than as a small supplier, in the course of a commercial activity engaged in by the person in Québec.

1994, c. 22, s. 591; 1995, c. 47, s. 10; 1995, c. 63, s. 449; 1999, c. 65, s. 51; 2000, c. 39, s. 286

411. Optional registration — A person who is not required under section 407 to 407.5 and 409 or 410 to be registered may make an application for registration to the Minister if the person

(1) is engaged in a commercial activity in Québec; or

(2) is not resident in Québec and, in the ordinary course of carrying on business outside Québec,

(a) regularly solicits orders for the supply of corporeal movable property for shipping or delivery in Québec, or

(b) has entered into an agreement for the supply by the person of

i. services to be performed in Québec,

ii. incorporeal movable property to be used in Québec, or

iii. incorporeal movable property that relates to an immovable situated in Québec, corporeal movable property ordinarily located in Québec or services to be performed in Québec;

(2.1) is a listed financial institution resident in Canada;

(2.2) is a particular corporation resident in Canada that owns shares of the capital stock of, or holds indebtedness of, any other corporation that is related to the particular corporation, or that is acquiring, or proposes to acquire, all or substantially all of the issued and outstanding shares of the capital stock of another corporation, having full voting rights under all circumstances, where all or substantially all of the property of the other corporation is, for the purposes of sections 301.11 to 301.13, property that was last acquired or imported into Canada by the other corporation for consumption, use or supply exclusively in the course of its commercial activities;

(3) is the recipient of a qualifying supply, within the meaning of section 75.3, or of a supply that would be a qualifying supply if the recipient were a registrant, and the recipient files an election under section 75.4 with the Minister in respect of the qualifying supply before the latest of the dates referred to in paragraph 1 of section 75.9; or

(4) is a corporation that would be a temporary member, within the meaning of section 331.0.1, but for paragraph 1 of that section.

Small supplier — Despite subparagraph 1 of the first paragraph, no person who is a small supplier, other than the following persons, may make an application for registration under that paragraph unless the person applies to the Minister of National Revenue for registration under subsection 3 of section 240 of the *Excise Tax Act* (Revised Statutes of Canada, 1985, chapter E-15):

(1) [Repealed 2012, c. 28, s. 152(1)(2).]

(2) a charity or public institution that, as a sponsor, supplies admissions to a convention, other than an admission to a foreign convention, to a person not resident in Québec.

1991, c. 67, s. 411; 1994, c. 22, s. 592; 1995, c. 47, s. 11; 1995, c. 63, s. 450; 1997, c. 85, s. 679; 1999, c. 65, s. 52; 2000, c. 39, s. 287; 2001, c. 51, s. 296; 2004, c. 21, s. 534; 2009, c. 5, s. 658; 2010, c. 5, s. 242; 2012, c. 28, s. 152

411.0.1 A particular person who is not resident in Québec but is resident in Canada, who is not required to be registered under this division and may not apply to be registered under section 411, may apply to the Minister to be registered if, under an agreement between the person and a registrant,

(1) the registrant makes in Québec a supply, other than an exempt supply, of corporeal movable property by way of sale or of a service of manufacturing or producing such property to the particular person, or acquires physical possession of corporeal movable property, other than property of a person who is resident in Québec, for the purpose of making a supply, other than an exempt supply, of a commercial service in respect of the property to the particular person;

(2) the registrant is required to cause physical possession of the property to be transferred, at any time, at a place in Québec, to a third person or to the particular person; and

(3) the particular person is not a consumer of the property or service supplied by the registrant under the agreement.

(4) [Repealed 1995, c. 63, s. 451.]

1995, c. 1, s. 325; 1995, c. 63, s. 451; 2012, c. 28, s. 153

411.1 Optional registration permitted for a taxi busines — A person who is a small supplier carrying on a taxi business may file with and as prescribed by the Minister a request, in prescribed form containing prescribed information, to have the registration of the person apply in respect of all commercial activities engaged in by the person in Québec.

Small supplier — Notwithstanding the first paragraph, a person who is a small supplier may not request a variation of registration as provided for therein, unless the person applies to the Minister of National Revenue for registration under section 240 of the *Excise Tax Act* (Revised Statutes of Canada, 1985, chapter E-15) in respect of all the commercial activities engaged in by the person in Canada.

Approval by the Minister — The Minister may approve the request filed under the first paragraph and shall thereupon notify the person in writing of the date from which the registration applies to all the commercial activities engaged in by the person in Québec.

Effective date of variation — The variation provided for in this section becomes effective on the date from which the registration under section 240 of that Act applies to all the commercial activities engaged in in Canada by the person.

1994, c. 22, s. 593; 1997, c. 85, s. 680

412. Form and filing of application — An application for registration shall be made in prescribed form containing prescribed information and shall be filed with and as prescribed by the Minister.

1991, c. 67, s. 412

413. [Repealed 1993, c. 79, s. 56.]

414. [Repealed 1993, c. 79, s. 56.]

415. Registration by the Minister — The Minister may register any person applying to be registered and, for that purpose, the Minister, or any person he authorizes, shall assign a registration number to the person and notify the person in writing by way of a registration certificate of the registration number and the effective date of the registration.

Keeping of certificate — The registration certificate shall be kept at the principal establishment of its holder in Québec and may not be transferred.

1991, c. 67, s. 415; 1997, c. 3, s. 129

415.0.1 Registration certificate deemed to have been issued — A registration certificate issued pursuant to this Title to a person who engages in the retail sale of tobacco is deemed to have been issued in respect of each establishment within the meaning of the *Tobacco Tax Act* (chapter I-2) in which that person engages in that activity.

1998, c. 33, s. 66

415.1 Taxi business — Where, on the day on which the registration under the first paragraph of section 415 of a person becomes effective or is varied under section 417.1, the person is a small supplier carrying on a taxi business and an approval under section 411.1 in respect of the registration does not become effective on that day, the registration does not apply to any other commercial activity engaged in by the person in Québec throughout the period commencing on that day and ending on the earlier of

(1) the first day thereafter that the person ceases to be a small supplier; and

(2) the day, specified in a notice issued under section 411.1 in respect of that registration or varied registration, as the case may be, from which the registration is to apply to all commercial activities engaged in by the person in Québec.

1994, c. 22, s. 594

416. Cancellation of registration — The Minister may, after giving a person who is registered reasonable written notice, cancel the registration of the person if it is established to the Minister's satisfaction that the registration is not required for the purposes of this title.

1991, c. 67, s. 416

416.1 Cancellation or variation of registration — The Minister shall, after giving a person reasonable notice,

(1) cancel the person's registration where

(a) the person is not required to be registered under this Title, and

(b) the person is not registered under section 240 of Part IX of the *Excise Tax Act* (Revised Statutes of Canada, 1985, chapter E-15);

(2) vary the person's registration so that the registration apply only in respect of the taxi business of the person, the retail sale of tobacco or the supply of alcoholic beverages by the person where

(a) the present registration of the person applies to an activity other than an activity in respect of which the person is required to be registered, and

(b) the person is not registered under section 240 of Part IX of the *Excise Tax Act* in respect of that other activity.

Application of ss. 209 and 210.4 — Section 209 or paragraph 1 of section 210.4, as the case may be, does not apply in respect of a cancellation or variation of registration provided for in subparagraphs 1 and 2 of the first paragraph.

Exception — The first paragraph does not apply where the person applies to the Minister of National Revenue for registration or for a variation of registration under subsection 3.1 of section 240 of the *Excise Tax Act* (Revised Statutes of Canada, 1985, chapter E-15) in respect of an activity other than an activity in respect of which the person is required to be registered and such registration or variation of registration is effective before the time the cancellation or variation provided for in the first paragraph becomes effective.

1995, c. 63, s. 452

417. Cancellation of registration — The Minister shall cancel the registration of a person who is a small supplier who, as the case may be, does not carry on a taxi business, does not engage in the retail sale of tobacco, does not make supplies of alcoholic beverages or is not referred to in section 407.4 or 407.5 where

(1) the person has filed with and as prescribed by the Minister a request, in prescribed form containing prescribed information, to do so; and

(2) the registration of the person has been cancelled under Part IX of the *Excise Tax Act* (Revised Statutes of Canada, 1985, chapter E-15).

Effective date of cancellation — The cancellation provided for in the first paragraph becomes effective on the same date as the date on which the cancellation of the person's registration under Part IX of the *Excise Tax Act* (Revised Statutes of Canada, 1985, chapter E-15) becomes effective.

1991, c. 67, s. 417; 1994, c. 22, s. 595; 1995, c. 47, s. 12; 1995, c. 63, s. 453; 1997, c. 85, s. 681; 2003, c. 2, s. 342; 2004, c. 21, s. 535

417.0.1 Every person who, on 1 January 2013, is a supplier of financial services and a registrant shall file a request for cancellation of registration with the Minister if, on that date, the person is not registered under subdivision d of Division V of Part IX of the *Excise Tax Act* (Revised Statutes of Canada, 1985, chapter E-15).

Subject to sections 407.2 to 407.5, the Minister shall cancel the registration of any person who files a request in accordance with the first paragraph and the cancellation becomes effective on 1 January 2013.

Section 209 does not apply in respect of the cancellation of registration provided for in the second paragraph.

2012, c. 28, s. 154

LTVQ (anglais)

417.0.2 Every person who, on 1 January 2013, is not resident in Canada and is a registrant shall file a request for cancellation of registration with the Minister if the person

(1) is registered under section 411.0.1; and

(2) is not registered under subdivision d of Division V of Part IX of the *Excise Tax Act* (Revised Statutes of Canada, 1985, chapter E-15).

The Minister shall cancel the registration of any person who files a request in accordance with the first paragraph and the cancellation becomes effective on 1 January 2013.

2012, c. 28, s. 154

417.1 Request for variation — Where a person who is a small supplier carrying on a taxi business files with the Minister in prescribed manner a request, in prescribed form containing prescribed information, to have the registration of the person varied to apply only to that business, the Minister shall so vary the registration.

Small supplier — Notwithstanding the first paragraph, a person who is a small supplier may not request a variation of registration as provided for therein unless the person files with the Minister of National Revenue a request under Part IX of the *Excise Tax Act* (Revised Statutes of Canada, 1985, chapter E-15) to have the registration of the person apply only in respect of activities in respect of which the person is required to be registered under that Act.

Effective date — The variation provided for in the first paragraph becomes effective on the date from which the registration under Part IX of the *Excise Tax Act* applies only in respect of activities in respect of which the person is required to be registered under that Act.

1994, c. 22, s. 596; 1997, c. 85, s. 682

417.2 Request for cancellation — Where, at any time that an approval granted under section 297.1.3 in respect of a direct seller is in effect, an independent sales contractor, within the meaning of section 297.1, of the direct seller would be a small supplier if the approval had been in effect at all times before that time, the Minister shall cancel the registration of the independent sales contractor if

(1) the independent sales contractor files with the Minister in prescribed manner a request to that effect in prescribed form containing prescribed information; and

(2) the independent sales contractor's registration has been cancelled under Part IX of the *Excise Tax Act* (Revised Statutes of Canada, 1985, chapter E-15).

Effective date of cancellation — The cancellation referred to in the first paragraph is effective on the date on which the cancellation of the independent sales contractor's registration under Part IX of the *Excise Tax Act* becomes effective.

1994, c. 22, s. 596; 1995, c. 63, s. 454; 1997, c. 14, s. 349

417.2.1 Where, at any time that an approval granted under section 297.0.7 in respect of a network seller, as defined in section 297.0.3, and each of its sales representatives, as defined in that section, is in effect, a sales representative of the network seller would be a small supplier if the approval had been in effect at all times before that time, the Minister shall cancel the registration of the sales representative if

(1) the sales representative files with the Minister in prescribed manner a request to that effect in prescribed form containing prescribed information; and

(2) the sales representative's registration has been cancelled under Part IX of the *Excise Tax Act* (Revised Statutes of Canada, 1985, chapter E-15).

The cancellation referred to in the first paragraph is effective on the date on which the cancellation of the sales representative's registration under Part IX of the *Excise Tax Act* becomes effective.

2011, c. 6, s. 280

417.3 Request for cancellation or variation of registration — Subject to sections 407.2 to 407.5, where a person is a small supplier who, at any time, files a request for variation or cancellation of registration with the Minister of National Revenue under subsection 3.1 of section 240 of the *Excise Tax Act* (Revised Statutes of Canada, 1985, chapter E-15) or subsection 2, 2.1 or 2.2 of section 242 of that Act, the person shall, at that time, file such a request with the Minister under section 411.1, 417, 417.1 or 417.2.

1997, c. 85, s. 683; 1999, c. 65, s. 53; 2000, c. 39, s. 288

418. Notice of cancellation or variation — Where the Minister cancels or varies the registration of a person, the Minister shall notify the person in writing of the cancellation or variation and the effective date thereof.

1991, c. 67, s. 418; 1994, c. 22, s. 597

418.1 Request for cancellation or variation — Where a request is filed under section 417 or 417.1 by a person who is a small supplier on 1 August 1995 by reason of the fact that all or substantially all of the amounts referred to in paragraph 1 of section 294 do not relate to the supply of incorporeal movable property, immovables or services and the request is the first request filed after 1 August 1995, section 209 or paragraph 1 of section 210.4, as the case may be, does not apply to the person if the request is filed with the Minister before 1 August 1996.

1995, c. 63, s. 455

419. [Repealed 1993, c. 79, s. 56.]

420. [Repealed 1993, c. 79, s. 56.]

421. [Repealed 1993, c. 79, s. 56.]

DIVISION II — COLLECTION

422. Collection of tax — Every person who makes a taxable supply shall, as a mandatary of the Minister, collect the tax payable by the recipient under section 16 in respect of the supply.

Exception — This section does not apply where

(1) the supply is a supply referred to in section 20.1; or

(2) the person is a small supplier who in the course of a commercial activity makes a supply of the road vehicle that must be registered under the *Highway Safety Code* (chapter C-24.2) following an application by the recipient of the supply.

(3) the supply is a supply of a motor vehicle by way of retail sale other than a supply made following the exercise by the recipient of a right to acquire the vehicle, conferred on the recipient under an agreement in writing for the lease of the vehicle entered into by the recipient and the supplier.

1991, c. 67, s. 422; 1993, c. 19, s. 230; 1995, c. 63, s. 456; 2001, c. 51, s. 297

423. Exception — supply of an immovable — A supplier, other than a prescribed supplier, who makes a taxable supply of an immovable by way of sale is not required to collect tax payable by the recipient under section 16 in respect of the supply where

(1) the supplier is a person not resident in Québec or is resident in Québec by reason only of section 12;

(2) the recipient is registered under Division I and, in the case of a recipient who is an individual, the immovable is neither a residential complex nor supplied as a cemetery plot or place of burial, entombment or deposit of human remains or ashes; or

(2.1) the supplier and the recipient have made an election under section 94 in respect of the supply; or

(3) the recipient is a prescribed recipient.

1991, c. 67, s. 423; 2001, c. 53, s. 365; 2003, c. 2, s. 343

424. Exception — supply of a freight transportation service — Where a carrier who makes a particular taxable supply of a service of transporting corporeal movable property

(1) is provided by the shipper with a declaration referred to in paragraph 2 of section 197 where such a declaration is required; and

(2) at or before the time the tax in respect of the particular supply becomes payable, the carrier did not know and could not reasonably be excepted to know that

(a) the property was not being shipped outside Québec,

(b) the transportation by the carrier was not part of a continuous outbound freight movement in respect of the property, and

(c) there was or was to be any diversion of the property to a final destination in Québec,

the carrier is not required to collect tax in respect of the particular supply or any supply that is incidental to the particular supply.

Definitions: "continuous outbound freight movement" and "shipper" — For the purposes of this section, "continuous outbound freight movement" and "shipper" have the same meanings as in Division VII of Chapter IV.

1991, c. 67, s. 424; 1997, c. 85, s. 684

424.1 Where a person makes a taxable supply that gives rise to an account receivable and at any time the person supplies by way of sale or assignment the debt, for the purposes of section 20 of the *Tax Administration Act* (chapter A-6.002) and sections 428 to 436.1, the following rules apply:

(1) the person is deemed to have collected, at that time, the amount, if any, of the tax in respect of the taxable supply that was not collected by the person before that time; and

(2) any amount collected by any person after that time on account of the tax payable in respect of the taxable supply is deemed not to be an amount collected as or on account of tax.

For the purposes of section 24.1 of that Act, the amount of the tax in respect of the taxable supply that gave rise to the account receivable and that is the subject of the sale or assignment is deemed not to be an amount of duties which must be paid to the Minister in accordance with a fiscal law.

This section does not apply where the person who makes a taxable supply that gives rise to an account receivable is not required to collect the tax payable in respect of that supply by reason of the application of the second paragraph of that section 422.

2003, c. 2, s. 344; 2010, c. 31, s. 175(4)

425. Indication of tax — Where a registrant makes a taxable supply, other than a zero-rated supply, the registrant shall indicate to the recipient, either in prescribed manner or in the invoice or receipt issued to, or in an agreement in writing entered into with, the recipient,

(1) the consideration paid or payable by the recipient for the supply and the tax payable in respect of the supply in a manner that clearly indicates the amount of the tax, in which case the registrant may indicate a total amount made up of both that tax and the tax under Part IX of the *Excise Tax Act* (Revised Statutes of Canada, 1985, chapter E-15); or

(2) that the amount paid or payable by the recipient for the supply includes the tax payable in respect of the supply.

Indication of the rate of tax — Where the registrant indicates to the recipient the rate of the tax, he shall indicate it apart from the rate of any other tax.

Reference — In addition, the tax shall be referred to by its name, an abbreviation of its name or a similar designation. No other form of reference to the tax may be used.

1991, c. 67, s. 425; 2001, c. 53, s. 366; 2002, c. 46, s. 29

LTVQ (anglais)

425.0.1 Exception — Section 425 does not apply to a registrant when the registrant is not required to collect the tax payable in respect of the taxable supply made by the registrant.

2001, c. 53, s. 367

425.1 Indication of tax — retail sale of a motor vehicle — Notwithstanding the first paragraph of section 425, a registrant who makes a supply of a motor vehicle by way of retail sale, other than a supply under section 20.1, shall indicate clearly in the invoice or receipt issued to, or in an agreement in writing entered into with, the recipient, the tax payable by the recipient under section 16 in respect of the supply and the prescribed information.

Prescribed information — In the case of a prescribed registrant, the prescribed information must also be indicated in the prescribed manner on the prescribed document.

Reference — In addition, the tax shall be referred to by its name, an abbreviation of its name or a similar designation. No other form of reference to the tax may be used.

2001, c. 51, s. 298; 2002, c. 46, s. 30

425.1.1 Despite the first paragraph of section 425, a registrant who makes a taxable supply of a meal, other than a zero-rated supply, shall show on the invoice referred to in section 350.51 and that the registrant is required to provide to the recipient the consideration paid or payable by the recipient for the supply as well as the tax payable in respect of the supply in such a way that the amount of the tax is shown clearly and separately from the tax under Part IX of the *Excise Tax Act* (Revised Statutes of Canada, 1985, chapter E-15).

2010, c. 5, s. 243

425.2 Failure to indicate tax-liability and penalty — Every registrant who fails to indicate to the recipient, in accordance with section 425.1, the tax payable by the recipient in respect of the supply of a motor vehicle by way of retail sale made by the recipient or who indicates an amount that is less than the amount of tax payable by the recipient in respect of the supply shall pay an amount equal to the difference between the amount of tax payable and the amount of tax paid by the recipient under section 473.1.1 in respect of the supply, at the time the return under this chapter is required to be filed for the reporting period of the registrant during which the registrant made the supply.

Penalty — Furthermore, the registrant shall incur a penalty of 15% of the difference between the two amounts.

Right of the registrant to sue for tax — The amount paid by the registrant pursuant to the first paragraph is deemed to be tax required to be collected by the registrant from the recipient of the supply under this Title and the registrant may bring an action in a court of competent jurisdiction to recover the amount from the recipient as though it were a debt due by the recipient to the registrant.

2001, c. 51, s. 298

426. Particulars of a supply — A person who makes a taxable supply to another person shall, on the request of the other person, forthwith furnish to the other person in writing such particulars of the supply as may be required for the purposes of this title to substantiate a claim by the other person for a refund or rebate in respect of the supply.

1991, c. 67, s. 426

427. Right of the supplier to sue for tax — Where a supplier has made a taxable supply to a recipient, is required under this title to collect tax from the recipient in respect of the supply, has complied with section 425 in respect of the supply and has accounted for or remitted the tax payable by the recipient in respect of the supply to the Minister but has not collected the tax from the recipient, the supplier may bring an action in a court of competent jurisdiction to recover the tax from the recipient as though it were a debt due by the recipient to the supplier.

1991, c. 67, s. 427

DIVISION II.1 — SHIPPING CERTIFICATE

427.1 [Repealed 2003, c. 2, s. 345.]

427.2 Definitions — For the purposes of this Division,

"fiscal year" has the meaning assigned by section 458.1;

"inventory" of a person means corporeal movable property of the person acquired in Québec or brought into Québec by the person for supply by way of sale in the ordinary course of a business carried on by the person in Québec.

1995, c. 63, s. 457

427.3 Authorization to use a shipping certificate — The Minister may, on the application of a person who is registered under Division I, authorize the person to use, on or after a particular day in a fiscal year of the person and subject to such conditions as the Minister may from time to time specify, a certificate (in this division referred to as a "shipping certificate") for the purposes of section 179.1, where it can reasonably be expected

(1) that at least 90% of the total of all consideration for supplies to the person of items of inventory acquired in Québec by the person in the twelve-month period commencing immediately after the particular day will be attributable to supplies that would be included in section 179 if it were read without reference to paragraph 5 thereof; and

(2) that the total of all consideration, included in determining the income of a business of the person for the year, for supplies made outside Québec by the person of items of inventory of the person that are not consumed, used, processed, transformed or altered after having been acquired in Québec or brought into Québec by the person and before being so supplied by the person will equal or exceed 90% of the total of all consideration, included in determining that income, for supplies made by the person of items of inventory of the person.

1995, c. 63, s. 457; 2001, c. 53, s. 368; 2003, c. 2, s. 346

427.4 Form and filing application — An application for authority to use a shipping certificate shall be made in prescribed form containing prescribed information and be filed with and as prescribed by the Minister.

1995, c. 63, s. 457

427.5 Notice of authorization — Where the Minister authorizes a registrant to use a shipping certificate, the Minister shall notify the registrant in writing of the authorization, its effective date and its expiry date and the number assigned by the Minister that identifies the registrant or the authorization and that must be disclosed by the registrant when providing the certificate for the purposes of section 179.1.

1995, c. 63, s. 457; 2003, c. 2, s. 347

427.6 Revocation — The Minister may revoke, as of a particular day, an authorization granted under section 427.3 to a registrant where

(1) the registrant fails to comply with any condition attached to the authorization or any provision of this Title; or

(2) it can reasonably be expected that the requirements of paragraphs 1 and 2 of section 427.3 would not be met if the period referred to in paragraph 1 of that section commenced on that particular day.

Notice of revocation — Where the Minister revokes the authorization, the Minister shall notify the registrant in writing of the revocation and the effective date of the revocation.

1995, c. 63, s. 457

427.7 Deemed revocation — An authorization granted to a registrant at any time under section 427.3 is deemed to have been revoked, effective after the last day of a fiscal year of the registrant ending after that time, where the fraction determined in subparagraph 1 exceeds the fraction determined in subparagraph 2:

(1) the fraction determined by the formula

$$\frac{A}{B};$$

(2) the fraction determined by the formula

$$\frac{C}{D}.$$

Interpretation — For the purposes of these formulas,

(1) A is the total of all consideration paid or payable by the registrant for items of inventory that were acquired in Québec by the registrant in the fiscal year in the course of a business of the registrant and in respect of which the registrant provided to the suppliers thereof a shipping certificate;

(2) B is the total of all consideration paid or payable by the registrant for items of inventory that were acquired in Québec by the registrant in the fiscal year in the course of that business;

(3) C is the total of all consideration, included in determining the income from that business for the fiscal year, for supplies made outside Québec by the registrant of items of inventory of the registrant that were not consumed, used, processed, transformed or altered after having been acquired in Québec or brought into Québec by the registrant and before being so supplied by the registrant; and

(4) D is the total of all consideration, included in determining that income, for supplies made by the registrant of items of inventory of the registrant.

1995, c. 63, s. 457

427.8 Cessation — An authorization granted under section 427.3 to a registrant ceases to have effect on the earlier of

(1) the day on which a revocation of the authorization becomes effective; and

(2) the day that is three years after the day on which the authorization, or its renewal, became effective.

1995, c. 63, s. 457

427.9 Application after revocation — Where an authorization granted to a registrant under section 427.3 is revoked, effective on a particular day, the Minister shall not grant to the registrant another authorization under that section that becomes effective before

(1) where the authorization was revoked in circumstances described in subparagraph i of the first paragraph of section 427.6, the day that is two years after the particular day; and

(2) in any other case, the first day of the second fiscal year of the registrant commencing after the particular day.

1995, c. 63, s. 457

LTVQ (anglais)

DIVISION III — REMITTANCE

§1. — Determination of net tax

428. Net tax — The net tax for a particular reporting period of a person is the positive or negative amount determined by the formula

$$A - B.$$

Interpretation — For the purposes of this formula,

(1) A is the total of

(a) all amounts that became collectible and all other amounts collected by the person in the particular reporting period as or on account of tax under section 16, and

(b) all amounts that are required under this title to be added in determining the net tax of the person for the particular reporting period; and

(2) B is the total of

(a) all amounts each of which is an input tax refund for the particular reporting period or a preceding reporting period of the person claimed by the person in the return under this chapter filed by the person for the particular reporting period, and

(b) all amounts each of which is an amount that may be deducted by the person under this title in determining the net tax of the person for the particular reporting period and that is claimed by the person in the return under this chapter filed by the person for the particular reporting period.

1991, c. 67, s. 428; 1994, c. 22, s. 598

429. Restriction — An amount shall not be included in the total for A in the formula set out in section 428 for a reporting period of a person to the extent that that amount was included in that total for a preceding reporting period of the person.

An amount must not be included in the total for A in the formula set out in section 428 for a reporting period of a person if the amount is deemed to be collected by the person under

(1) subparagraph 1 of the fifth paragraph of section 255.1;

(2) paragraph 1 of section 259.1; or

(3) paragraph 1 of section 262.1.

1991, c. 67, s. 429; 1994, c. 22, s. 598; 2012, c. 28, s. 155

429.1 [Repealed 1995, c. 63, s. 458.]

430. Restriction — An amount shall not be included in the total for B in the formula set out in section 428 for a particular reporting period of a person to the extent that the amount was claimed or included as an input tax refund or deduction in the total for a preceding reporting period of the person.

1991, c. 67, s. 430; 1994, c. 22, s. 600; 1997, c. 85, s. 685

430.1 Restriction — Subject to section 430.2, an amount may be included in the total for B in the formula set out in section 428 for a particular reporting period of a person if the person was not entitled to claim the amount in determining the net tax of the person for the preceding period only because the person did not satisfy the requirements of section 201 in respect of the amount before the return for that preceding period was filed.

1997, c. 85, s. 686

430.2 Written report to Minister — For the purposes of section 430.1, where a person is claiming an amount in a return for a particular reporting period and the Minister has not disallowed the amount as an input tax refund in assessing the amount of any fees, interest and penalties for which the person is liable under this Act for a preceding reporting period, the person shall report in writing to the Minister, on or before the day the return for the particular reporting period is filed, that the person made an error in claiming that amount in determining the net tax of the person for that preceding period.

Penalties and interest — For the purposes of the first paragraph, where the person does not report the error to the Minister at least three months before the expiration of the time limited by the second paragraph of section 25 of the *Tax Administration Act* (chapter A-6.002) for assessing the amount of any fees, interest and penalties for which the person is liable for that preceding period, the person shall, on or before the day the return for the particular reporting period is filed, pay the amount and any interest and penalties payable to the Minister.

1997, c. 85, s. 686; 2010, c. 31, s. 175(4)

430.3 Restriction — An amount shall not be included in the total for B in the formula set out in section 428 for a reporting period of a person to the extent that, before the end of the period, the amount was refunded to the person under this Act or any other Act of the Legislature of Québec or was remitted to the person under the *Tax Administration Act* (chapter A-6.002).

1997, c. 85, s. 686; 2010, c. 31, s. 175(4)

431. Time limit for claiming an input tax refund — An input tax refund of a person for a particular reporting period of the person shall not be claimed by the person unless it is claimed in a return under this chapter filed by the person on or before the day that is

(1) where the person is a specified person during the particular reporting period,

(a) if the input tax refund is in respect of property or a service supplied to the person by a supplier who did not, before the end of the particular reporting period, charge the tax in respect of the supply that became payable during the particular reporting period and the person pays that tax after the end of the particular reporting period and before the input tax refund is claimed, the earlier of

i. the day on or before which the return under this chapter is required to be filed for the last reporting period of the person that ends within two years after the end of the person's fiscal year in which the supplier charges that tax to the person, and

ii. the day on or before which the return under this chapter is required to be filed for the last reporting period of the person that ends within four years after the end of the particular reporting period;

(b) if the input tax refund was claimed in a return under this chapter filed, the day on or before which the return under this chapter is required to be filed for the last reporting period of the person that ends within two years after the end of the person's fiscal year that includes the particular reporting period, by another person who was not entitled to claim it and the person has paid the tax payable in respect of the acquisition or bringing into Québec of the property or service, the day on or before which the return under this chapter is required to be filed for the last reporting period of the person that ends within four years after the end of the particular reporting period; and

(c) in any other case, the day on or before which the return under this chapter is required to be filed for the last reporting period of the person that ends within two years after the end of the person's fiscal year that includes the particular reporting period;

(2) where the person is not a specified person during the particular reporting period, the day on or before which the return under this chapter is required to be filed for the last reporting period of the person that ends within four years after the end of the particular reporting period; or

(3) where the input tax refund is in respect of property or a service supplied to the person by a supplier who did not, before the end of the last reporting period of the person that ends within four years after the end of the particular reporting period, charge the tax in respect of the supply that became payable during the particular reporting period and the supplier discloses in writing to the person that the Minister has sent a notice of assessment to the supplier for that tax, and the person pays that tax after the end of that last reporting period and before the input tax refund is claimed by the person, the day on or before which the return under this chapter is required to be filed for the reporting period of the person in which the person pays that tax.

Fiscal year of a person — For the purposes of this section and section 431.1, the fiscal year of a person is the fiscal year of that person within the meaning of section 458.1.

1991, c. 67, s. 431; 1997, c. 85, s. 687

431.1 Definition: "specified person" — For the purposes of section 431, a person is a "specified person" during a reporting period of the person if

(1) the person is, during the reporting period, a financial institution described in the third paragraph or a person related to such a financial institution;

(2) the person's threshold amounts, determined in accordance with section 462, exceed $6,000,000 for both the particular fiscal year of the person that includes the reporting period and the person's preceding fiscal year.

Exception — The first paragraph does not apply in respect of a person, other than a person referred to in subparagraph 1 of the first paragraph during the reporting period, where the person is a charity during the reporting period or all or substantially all of the supplies made by the person during the two fiscal years immediately preceding the particular fiscal year, other than supplies of financial services, are taxable supplies.

The financial institutions to which this section refers are the persons to whom the definition of "listed financial institution" in section 1 applies, excluding any person to whom paragraph 11 of that definition applies.

1997, c. 85, s. 688; 2003, c. 2, s. 348; 2012, c. 28, s. 156

432. Input tax refund in respect of a residential complex — Where a registrant makes an exempt supply of a residential complex by way of sale, the registrant shall not claim an input tax refund in respect of the last acquisition by the registrant of the complex, or the acquisition or bringing into Québec by the registrant, after the complex was last acquired by the registrant, of an improvement to the complex, in a return filed on or after the day the registrant transfers ownership or possession of the complex to the recipient of the supply.

1991, c. 67, s. 432; 1994, c. 22, s. 601

433. [Repealed 1994, c. 22, s. 602.]

433.1 Definition: "specified supply" — For the purposes of sections 433.2 to 433.15, **"specified supply"** means a taxable supply other than

(1) a supply by way of sale of an immovable or capital property;

(2) a supply deemed under section 212.2, 323.2, 323.3 or 350.6 to have been made; and

(3) a supply to which section 286 or 290 applies.

(4) a supply deemed under section 41.1 or 41.2 to have been made by a mandatary.

1997, c. 85, s. 689; 2001, c. 53, s. 369

433.2 Net tax of a charity — Subject to section 433.9, the net tax for a particular reporting period of a charity that is a registrant is the positive or negative amount determined by the formula

$$A - B.$$

Interpretation — For the purposes of this formula,

(1) A is the total of

(a) 60% of the total of all amounts each of which is an amount collectible by the charity that, in the particular reporting period, became collectible or was collected before having become collectible, by the charity as or on account of tax in respect of specified supplies made by the charity;

(b) the total of all amounts that became collectible and all other amounts collected by the charity in the particular reporting period as or on account of tax in respect of

i. supplies by way of sale of immovables or capital property made by the charity,

ii. supplies by the charity to which section 286 or 290 applies, and

iii. supplies made on behalf of another person for whom the charity acts as mandatary and that are deemed under section 41.1 or 41.2 to have been made by the charity and not by the other person, or in respect of which the charity has made an election under section 41.0.1;

(b.1) the total of all amounts each of which is an amount not included in subparagraph b that was collected from a person by the charity in the particular reporting period as or on account of tax in circumstances in which the amount was not payable by the person, whether the amount was paid by the person by mistake or otherwise;

(c) the total of all amounts each of which is an amount in respect of supplies of immovables or capital property made by way of sale by or to the charity that are required under section 446 or 449 to be added in determining the net tax for the particular reporting period; and

(d) the amount required under section 473.5 to be added in determining the net tax for the particular reporting period; and

(2) B is the total of

(a) all input tax refunds of the charity for the particular reporting period and preceding reporting periods that are claimed in the return under this chapter filed for the particular reporting period in respect of

i. an immovable acquired by the charity by way of purchase,

ii. movable property acquired or brought into Québec by the charity for use as capital property, and

iii. an improvement to an immovable or capital property of the charity;

iv. corporeal movable property, other than property referred to in subparagraph ii or iii, that is acquired or brought into Québec by the charity for the purpose of supply by way of sale and is supplied by a person acting as mandatary for the charity in circumstances in which section 41.0.1 applies, or deemed by section 41.2 to have been supplied by an auctioneer acting as mandatary for the charity, and

v. corporeal movable property, other than property referred to in subparagraph ii or iii, deemed under subparagraph 2 of the first paragraph of section 327.7 to have been acquired by the charity and under section 41.1 or 41.2 to have been supplied by the charity;

(b) 60% of the total of all amounts in respect of specified supplies that may be deducted under section 449 in respect of adjustments, refunds or credits given by the charity under section 448, or that may be deducted under section 455.1, in determining the net tax for the particular reporting period and that are claimed in the return under this chapter filed for that reporting period;

(b.1) [Repealed 2009, c. 5, s. 659(1)(2).]

(b.2) the total of all amounts that may, in determining the net tax for the particular reporting period, be deducted under section 449 in respect of adjustments, refunds or credits given by the charity under section 447 or 447.1 in respect of specified supplies and that are claimed in the return under this chapter for that reporting period;

(c) the total of all amounts in respect of supplies of immovables or capital property made by way of sale by the charity that may be deducted by the charity under section 444, 449, 455 or 455.1 in determining the net tax of the charity for the particular reporting period and are claimed in the return under this chapter filed for that reporting period; and

(d) the total of all amounts each of which is an input tax refund, other than an input tax refund referred to in subparagraph a of subparagraph 2 of this paragraph, of the charity, for a preceding reporting period in respect of which this section did not apply for the purpose of determining the net tax of the charity, that the charity was entitled to include in determining its net tax for that preceding reporting period and that is claimed in the return under this chapter filed for the particular reporting period.

1997, c. 85, s. 689; 2001, c. 53, s. 370; 2009, c. 5, s. 659

433.3 Restriction — An amount shall not be included in determining the total for A in the formula set out in section 433.2 for a reporting period of a charity to the extent that that amount was included in that total for a preceding reporting period of the charity.

1997, c. 85, s. 689

433.4 Restriction — An amount shall not be included in the total for B in the formula set out in section 433.2 for a particular reporting period of a charity to the extent that the amount was claimed or included as an input tax refund or deduction in that total for a preceding reporting period of the charity.

Exception — Notwithstanding the first paragraph and subject to section 433.5, an amount may be included in that total for a particular reporting period of a charity if the charity was not entitled to claim the amount in determining the net tax of the charity for the preceding period only because the charity did not satisfy the requirements of section 201 in respect of the amount before the return for that preceding period was filed.

1997, c. 85, s. 689

433.5 Written report to Minister — For the purposes of section 433.4, where the charity is claiming the amount in a return for the particular reporting period and the Minister has not disallowed the amount as an input tax refund in determining the amount of any fees, interest and penalties for which the charity is liable under this Act for a preceding reporting period, the charity shall report in writing to the Minister, on or before the day the return for the particular reporting period is filed, that the charity made an error in claiming that amount in determining the net tax of the charity for that preceding period.

Penalties and interest — For the purposes of the first paragraph, where the charity does not report the error to the Minister at least three months before the expiration of the time limited by the second paragraph of section 25 of the *Tax Administration Act* (chapter A-6.002) for determining the amount of any fees, interest and penalties for which the charity is liable under this Act for that preceding period, the charity shall, on or before the day the return for the particular reporting period is filed, pay the amount and any interest and penalties payable to the Minister.

1997, c. 85, s. 689; 2010, c. 31, s. 175(4)

433.6 Restriction — An amount shall not be included in the total for B in the formula set out in section 433.2 for a reporting period of a charity to the extent that, before the end of the period, the amount was refunded to the charity under this Act or any other Act of Québec or was remitted to the charity under the *Tax Administration Act* (chapter A-6.002).

1997, c. 85, s. 689; 2010, c. 31, s. 175(4)

433.7 Application of ss. 444 to 457.1 — Sections 444 to 457.1 do not apply for the purpose of determining the net tax of a charity in accordance with section 433.2 except as otherwise provided in sections 433.1 to 433.15.

1997, c. 85, s. 689; 2001, c. 53, s. 371

433.8 Exception in respect of an election — Where a charity that makes supplies outside Québec, or zero-rated supplies, in the ordinary course of a business or all or substantially all of whose supplies are taxable supplies, other than supplies of financial services, elects not to determine its net tax in accordance with section 433.2, that section does not apply in respect of any reporting period of the charity during which the election is in effect.

1997, c. 85, s. 689; 2001, c. 51, s. 299

433.9 Form and content of election — An election under section 433.8 by a charity shall

(1) be filed in prescribed manner with the Minister in prescribed form containing prescribed information, on or before

(a) where the first reporting period of the charity in which the election is in effect is a fiscal year of the charity, the first day of the second fiscal quarter of that year or such later date as the Minister may determine on application of the charity, and

(b) in any other case, the day on or before which the return of the charity is required to be filed under this chapter for the first reporting period of the charity in which the election is in effect or on such later day as the Minister may determine on application of the registrant;

(2) set out the day the election is to become effective, which day shall be the first day of a reporting period of the charity; and

(3) remain in effect until a revocation of the election becomes effective.

1997, c. 85, s. 689

433.10 Revocation of an election — An election under section 433.8 by a charity may be revoked, effective on the first day of a reporting period of the charity, provided that that day is not earlier than one year after the election became effective and a notice of revocation of the election in prescribed form containing prescribed information is filed in prescribed manner with the Minister on or before the day on or before which the return under this chapter is required to be filed by the charity for its last reporting period in which the election is in effect.

1997, c. 85, s. 689

433.11 Amount in respect of a period preceding an election — Where an election under section 433.8 by a charity becomes effective on a particular day, the second paragraph applies in respect of an amount, for a reporting period ending before that day and that is not claimed in a return for a reporting period ending before that day, that is

(1) an input tax refund; or

(2) in respect of a specified supply and may be deducted by the charity under section 449 or 455.1 in determining the net tax of the charity.

Restriction on imput tax refund calculation — The amount shall not be claimed by the charity in a return for a reporting period ending after that day except to the extent that the charity was entitled to include the amount in determining the total for B in the formula set out in section 433.2 for any reporting period ending before that day.

1997, c. 85, s. 689

433.12 Streamlined input tax refund calculation — Where a charity is a prescribed person for the purposes of section 389 during a reporting period of the charity, any input tax refund that the charity is entitled to claim in a return for that reporting period may be determined according to a prescribed method as if the charity had made a valid election under section 434 that is in effect at all times while the charity is a prescribed person.

1997, c. 85, s. 689

433.13 Presumption in respect of an election — Notwithstanding sections 433.8 to 433.10, where a registrant makes an election under subsection 6 of section 225.1 of the *Excise Tax Act* (Revised Statutes of Canada, 1985, chapter E-15) not to determine the net tax of the registrant in accordance with subsection 2 of the said section, the following rules apply:

(1) the registrant is not required to make an election under section 433.8;

(2) the registrant is deemed to have made such an election and the election is deemed

(a) to become effective on the day an election under subsection 6 of section 225.1 of the said Act is to become effective and to remain in effect until a revocation of the election becomes effective, and

(b) to cease to be in effect on the day on which a revocation of the election under subsection 8 of section 225.1 of the said Act becomes effective.

Power of the Minister — For the purposes of the first paragraph, the Minister may require that the registrant inform the Minister in prescribed form containing prescribed information and in the manner and within the time prescribed by the Minister of any election under subsection 6 of section 225.1 of the said Act or of any revocation of an election under subsection 8 of section 225.1 of the said Act.

1997, c. 85, s. 689

433.14 Fiscal year of a person — For the purposes of sections 433.1 to 433.13, the fiscal year of a person is the fiscal year of that person within the meaning of section 458.1.

1997, c. 85, s. 689

433.15 Exception — Sections 433.1 to 433.14 do not apply to a charity that is designated under sections 350.17.1 to 350.17.4.

2001, c. 53, s. 372

433.16 In determining the net tax for a particular reporting period in a fiscal year that ends in a taxation year of a selected listed financial institution of a prescribed class, the financial institution shall add the positive amount or deduct the negative amount determined by the formula

$$[(A - B) \times C \times (\frac{D}{E})] - F + G.$$

For the purposes of the formula in the first paragraph,

(1) A is the value of A in the formula in subsection 2 of section 225.2 of the *Excise Tax Act* (Revised Statutes of Canada, 1985, chapter E-15), determined for the particular reporting period, or the value A would have in that formula for the particular reporting period if the financial institution were also a selected listed financial institution for the purposes of that Act;

LTVQ (anglais)

(2) B is the value of B in the formula in subsection 2 of section 225.2 of the *Excise Tax Act*, determined for the particular reporting period, or the value B would have in that formula for the particular reporting period if the financial institution were also a selected listed financial institution for the purposes of that Act;

Modification proposée — 433.16 para. 2 (1), (2)

(1) A is the value of A in the formula in subsection 2 of section 225.2 of the *Excise Tax Act* (Revised Statutes of Canada, 1985, chapter E-15), determined for the particular reporting period, or the value A would have in that formula for the particular reporting period if the financial institution were a selected listed financial institution for the purposes of that Act;

(2) B is the value of B in the formula in subsection 2 of section 225.2 of the *Excise Tax Act*, determined for the particular reporting period, or the value B would have in that formula for the particular reporting period if the financial institution were a selected listed financial institution for the purposes of that Act;

Application: Bill 18 (First Reading February 21, 2013), s. 237, will amend subparas. (1) and (2) of the second paragraph of s. 433.16 to read as above, to come into force on Royal Assent.

(3) C is the percentage corresponding to the value C would have in the formula in subsection 2 of section 225.2 of the *Excise Tax Act*, determined for the taxation year, for the financial institution as regards Québec, if Québec were a participating province within the meaning of subsection 1 of section 123 of that Act and if, where applicable, the financial institution were a selected listed financial institution for the purposes of that Act;

(4) D is the tax rate specified in the first paragraph of section 16;

(5) E is the tax rate specified in subsection 1 of section 165 of the *Excise Tax Act*;

(6) F is the total of

(a) the aggregate of all amounts each of which is the tax (other than a prescribed amount of tax) under the first paragraph of section 16 in respect of supplies made to the financial institution or under the first paragraph of section 17 in respect of corporeal property brought into Québec from outside Canada by the financial institution that became payable by the financial institution during the particular reporting period or that was paid by the financial institution during the particular reporting period without having become payable, and

(b) where the financial institution and another person have made an election under paragraph c of the description of A in the formula in subsection 2 of section 225.2 of the *Excise Tax Act*, or under section 433.17, in respect of a supply made during the particular reporting period of a property or a service, all amounts each of which is an amount equal to the tax payable by the other person under the first paragraph of section 16, the first paragraph of section 17, or section 18 or 18.0.1 that is included in the cost to the other person of supplying the property or service to the financial institution; and

(7) G is the total of all amounts each of which is a positive or negative prescribed amount.

2012, c. 28, s. 157

433.17 Where a selected listed financial institution is not a selected listed financial institution for the purposes of the *Excise Tax Act* (Revised Statutes of Canada, 1985, chapter E-15) and the financial institution and a person, other than a prescribed person or a person of a prescribed class, have made the joint election required under section 297.0.2.1, the financial institution and the person may make a joint election to have the value of A in the formula in the first paragraph of section 433.16 be determined as if paragraph c of the description of A in the formula in subsection 2 of section 225.2 of the *Excise Tax Act* applied to every supply referred to in section 297.0.2.1 that is made by the person to the financial institution at a time the election made under this section is in effect.

2012, c. 28, s. 157

433.18 An election under section 433.17 must

(1) be made in a document in the form and containing the information determined by the Minister;

(2) specify the day the election is to become effective; and

(3) be filed by the financial institution with the Minister in the manner determined by the Minister on or before the day on which the financial institution is required to file a return under Chapter VIII for its reporting period in which the election becomes effective or, if it is later, the day determined by the Minister.

2012, c. 28, s. 157

433.19 An election made jointly under section 433.17 by a financial institution and a person is effective for the period beginning on the day specified in the document evidencing the election and ending on the earliest of

(1) the day the election required under section 297.0.2.1 and made jointly by the financial institution and the person ceases to be effective;

(2) a day that the person and the financial institution specify in a notice of revocation in the form and containing the information determined by the Minister filed jointly by the person and the financial institution with the Minister in prescribed manner, which day is at least 365 days after the day specified in the document evidencing the election made under section 433.17;

(3) the day the person becomes a prescribed person or a person of a prescribed class for the purposes of section 433.17; and

(4) the day the financial institution ceases to be a selected listed financial institution.

2012, c. 28, s. 157

433.20 In determining an amount that a selected listed financial institution is required to add or may deduct under section 433.16 in determining its net tax, the following rules apply:

(1) tax that the financial institution is deemed to have paid under any of sections 207, 210.3, 256, 257, 264 and 265 must not be taken into account in determining the total under subparagraph 6 of the second paragraph of section 433.16; and

(2) no amount of tax paid or payable by the financial institution in respect of a property or service acquired or brought into Québec otherwise than for consumption, use or supply in the course of an endeavour within the meaning of section 42.0.1 must be taken into account in that determination.

2012, c. 28, s. 157

433.21 For the purposes of section 433.16, sections 201, 202 and 426 apply with respect to any amount that is included in the total determined under subparagraph 6 of the second paragraph of section 433.16 as if that amount were an input tax refund.

2012, c. 28, s. 157

434. Election for accounting method — A registrant, other than a charity that is not designated under sections 350.17.1 to 350.17.4, who is a prescribed registrant or a member of a prescribed class of registrants may elect to determine the net tax of the registrant for a reporting period during which the election is in effect by a prescribed method.

Form and contents of election — An election made under the first paragraph by a registrant shall

(1) be filed with and as prescribed by the Minister in prescribed form containing prescribed information;

(2) set out the day the election is to become effective, which day shall be the first day of a reporting period of the registrant; and

(3) be filed

(a) where the first reporting period of the registrant in which the election is in effect is the fiscal year of the registrant, on or before the first day of the second fiscal quarter of that fiscal year or on such later day as the Minister may determine on application of the registrant, and

(b) in any other case, on or before the day on or before which the return of the registrant is required to be filed under this chapter for the first reporting period of the registrant in which the election is in effect or on such later day as the Minister may determine on application of the registrant.

Fiscal year of a person — For the purposes of this section, the fiscal year of a person is the fiscal year of the person within the meaning of section 458.1.

1991, c. 67, s. 434; 1994, c. 22, s. 603; 1997, c. 85, s. 690; 2001, c. 53, s. 373

435. Cessation of election — An election made under section 434 ceases to have effect on the earlier of

(1) the first day of the reporting period of the registrant in which he ceases to be a prescribed registrant or a member of a prescribed class of registrants; and

(2) the day on which a revocation of the election becomes effective.

1991, c. 67, s. 435; 1995, c. 1, s. 326

435.1 Revocation — An election made under section 434 by a registrant may be revoked by the registrant.

435.2 Effective date and notice of revocation — A revocation of an election made under section 434 by a registrant

(1) shall become effective on the first day of a reporting period of the registrant but not earlier than one year after the election became effective; and

(2) is not a valid revocation unless a notice of revocation of the election in prescribed form containing prescribed information is filed with and as prescribed by the Minister on or before the day on or before which the return under this chapter is required to be filed by the registrant for the last reporting period of the registrant in which the election is effective.

Exception in respect of a motor vehicle — Notwithstanding the first paragraph, where a prescribed registrant makes

(1) a zero-rated supply of motor vehicles under section 197.2, the revocation of an election under section 434 may, at the request of the prescribed registrant, come into force on the first day of a reporting period that includes 1 May 1999; or

(2) a supply of motor vehicles by way of retail sale, the revocation of an election under section 434 may, at the request of the prescribed registrant, come into force on the first day of a reporting period that includes 21 February 2000.

2001, c. 51, s. 300

435.3 Exception — Where a registrant makes an election under section 434 and as a result of the election the net tax of the registrant is required to be determined in accordance with the provisions of the *Regulation respecting the Québec sales tax*, as enacted by Order in Council 1607-92 dated 4 November 1992 or as amended or replaced by any later order,

(1) subparagraph 1 of the second paragraph of section 434 does not apply to the election;

(2) notwithstanding section 434, the election shall be made before a return under this chapter is filed for the reporting period of the registrant in which the election becomes effective; and

(3) paragraph 2 of section 435.2 does not apply to a revocation of the election.

1995, c. 1, s. 327

436. Restriction on input tax refund — Where an election made under section 434 by a registrant ceases to have effect, an input tax refund, other than a prescribed input tax refund, of the registrant for a reporting period of the registrant during which the election was in effect shall not be claimed by the registrant in a reporting period that begins after the election ceased to have effect.

1991, c. 67, s. 436

LTVQ (anglais)

436.1 Application of ss. 444 to 457.1 — Sections 444 to 457.1 do not apply for the purpose of determining the net tax of a registrant for a reporting period during which an election made by the registrant under section 434 is in effect, subject to a regulatory provision made under that section.

1997, c. 85, s. 691

§2.— Net tax remittance or refund

437. Every person who is required to file a return under this chapter shall, in the return, calculate the net tax of the person for the reporting period for which the return is required to be filed, unless the person is required to file a return for that period under section 470.1.

Where the net tax for a reporting period of a person is a positive amount, the person shall, unless the person is required to file a return for that period under section 470.1, remit that amount to the Minister,

(a) where subparagraph b of paragraph 1 of section 468 applies in respect of a reporting period of a person who is an individual, on or before 30 April of the year following the end of the reporting period; and

(b) in any other case, on or before the day on or before which the return for that period is required to be filed.

Where the net tax for a reporting period of a person is a negative amount, the person may claim as a net tax refund for the period, payable by the Minister,

(1) where the person is a selected listed financial institution that is required to file a final return for the period in accordance with paragraph 2 of section 470.1, the amount determined for the period in the final return by the formula

$$A - B;$$

and

(2) in any other case, in the return for that period, the amount of that net tax.

For the purposes of the formula in subparagraph 1 of the third paragraph,

(1) A is the amount, expressed as a positive number, of the person's net tax for the reporting period; and

(2) B is the amount that the person claims as an interim net tax refund for the reporting period in accordance with section 437.4.

1991, c. 67, s. 437; 1994, c. 22, s. 604; 1997, c. 31, s. 147; 2012, c. 28, s. 158

437.1 Every person who is a selected listed financial institution and is required to file an interim return under section 470.1 for a reporting period shall, subject to the second paragraph, calculate the amount (in this section and sections 437 and 437.2 to 437.4 referred to as the "interim net tax") that would be the net tax of the person for the reporting period if subparagraph 3 of the second paragraph of section 433.16 were read as follows:

(3) C is the lesser of the value C would have in the formula in subsection 2 of section 225.2 of the *Excise Tax Act* (Revised Statutes of Canada, 1985, chapter E-15), determined for the taxation year, for the financial institution as regards Québec, or the value that same C would have, for the financial institution as regards Québec, for the preceding taxation year, if each of those values were determined in accordance with the regulation made under that Act for the purposes of subsection 2.1 of section 228 of that Act taking the following assumptions into account:

(a) Québec is a participating province within the meaning of subsection 1 of section 123 of the *Excise Tax Act* for the taxation year and the preceding taxation year, and

(b) the financial institution is a selected listed financial institution for the purposes of the *Excise Tax Act* for the taxation year and the preceding taxation year;

Modification proposée — 437.1 para. 1

Every person who is a selected listed financial institution and is required to file an interim return under section 470.1 for a reporting period shall, subject to the second paragraph, calculate the amount (in this section and sections 437 and 437.2 to 437.4 referred to as the "interim net tax") that would be the net tax of the person for the reporting period if subparagraph 3 of the second paragraph of section 433.16 were read as follows:

(3) C is the lesser of the percentage corresponding to the value C would have in the formula in subsection 2 of section 225.2 of the *Excise Tax Act*, determined for the taxation year, for the financial institution as regards Québec, and the percentage corresponding to the value that same C would have, for the financial institution as regards Québec, for the preceding taxation year, if each of those values were determined in accordance with the regulation made under that Act for the purposes of subsection 2.1 of section 228 of that Act taking the following assumptions into account:

(a) Québec is a participating province within the meaning of subsection 1 of section 123 of the *Excise Tax Act* for the taxation year and the preceding taxation year, and

(b) the financial institution is a selected listed financial institution for the purposes of the *Excise Tax Act* for the taxation year and the preceding taxation year;

Application: Bill 18 (First Reading February 21, 2013), subsec. 227(1), will amend the first paragraph of s. 437.1 to read as above, applicable in respect of a reporting period that ends after December 31, 2012.

Where a person becomes a selected listed financial institution in a reporting period that ends in a particular fiscal year, the interim net tax of the person for each reporting period included in the fiscal year is the amount that would be the person's net tax for the reporting period if subparagraph 3 of the second paragraph of section 433.16 were read as follows:

(3) C is the percentage that would be applicable to the financial institution as regards Québec for the preceding reporting period if it were determined in accordance with the regulation made under the *Excise Tax Act* for the purposes of subsection 2.2 of section 228 of that Act taking the following assumptions into account:

(a) Québec is a participating province within the meaning of subsection 1 of section 123 of the *Excise Tax Act*, and

(b) the financial institution is a selected listed financial institution for the purposes of the *Excise Tax Act* throughout the reporting period;

.

2012, c. 28, s. 159

437.2 Where the interim net tax for a reporting period of the selected listed financial institution referred to in section 437.1 is a positive amount, the financial institution shall pay that amount, on or before the day on which an interim return is required to be filed, in accordance with section 470.1, to the Minister as or on account of the financial institution's net tax for the reporting period that the financial institution is required to remit under subparagraph a of paragraph 2 of section 437.3.

2012, c. 28, s. 159

437.3 A person who is a selected listed financial institution and is required to file a final return under paragraph 2 of section 470.1 for a reporting period shall

Modification proposée — 437.3 opening words

437.3 A person who is a selected listed financial institution that is required to file a final return under section 470.1 for a reporting period shall

Application: Bill 18 (First Reading February 21, 2013), subsec. 228(1), will amend the opening words of s. 437.3 to read as above, applicable in respect of a reporting period that ends after December 31, 2012.

(1) calculate in the return the net tax of the person for the reporting period;

(2) on or before the day on which the person is required to file the return, remit to the Minister

(a) the positive amount, if applicable, of the net tax of the person for the reporting period, or

(b) where the person claimed an interim net tax refund for the reporting period in accordance with section 437.4, the amount by which the interim net tax refund for the period exceeds the amount that would be the net tax refund for the period payable to the person under subparagraph 1 of the third paragraph of section 437 if the person had not claimed that interim net tax refund, or, if the person's net tax for the period is a positive amount, an amount equal to the interim net tax refund for the period; and

(3) report in the return the positive amount paid as or on account of the person's net tax for the period, in accordance with section 437.2, or the negative amount for which the person claimed an interim net tax refund for the period, in accordance with section 437.4, in the person's interim return filed under section 470.1 for the period.

2012, c. 28, s. 159

437.4 A person who is a selected listed financial institution may claim the negative amount of its interim net tax, determined in accordance with section 437.1 for the person's reporting period, as an interim net tax refund for the period payable by the Minister, in the interim return for the period filed under section 470.1, provided it is filed before the last day on which the final return for the period is required to be filed under that section.

2012, c. 28, s. 159

438. Immovable supplied by a person not required to collect tax — Where tax under section 16 is payable by a person in respect of a supply of an immovable and the supplier is not required to collect the tax and is not deemed to have collected the tax,

(1) where the person is a registrant and acquired the property for use or supply primarily in the course of commercial activities of the person, the person shall, on or before the day on or before which the person's return for the reporting period in which the tax became payable is required to be filed, pay the tax to the Minister and report the tax in that return; and

(2) in any other case, the person shall, on or before the last day of the month following the month in which the tax became payable, pay the tax to the Minister and file with the Minister in prescribed manner a return in respect of the tax in prescribed form containing prescribed information.

1991, c. 67, s. 438; 1994, c. 22, s. 605; 1997, c. 85, s. 692

438.1 Change of use of motor vehicle acquired by way of a zero-rated supply by a non-registrant — Where tax under section 16 is payable by a person because of section 287.1, the person shall pay the tax to the Minister and file with the Minister in prescribed manner a return in respect of the tax in prescribed form containing prescribed information on or before the last day of the month after the month in which the tax became payable.

2001, c. 51, s. 301

439. [Repealed 1995, c. 63, s. 459.]

440. [Repealed 1994, c. 22, s. 606.]

441. Where at any time a person files a particular return as required under this Title in which the person reports an amount of tax (in this section referred to as the "remittance amount") that is required to be remitted under the second paragraph of section 437 or 437.3 or paid under section 17, 18, 18.0.1, 437.2 or 438 by the person, and the person claims a refund or rebate to which the person is entitled at that time under this Title, in the particular return or in another return, or in an application, filed as required under this Title with the particular return, the person is deemed to have remitted at that time on account of the person's remittance amount, and the Minister is deemed to have paid at that time as a refund or rebate, an amount equal to the lesser of the remittance amount and the amount of the refund or rebate.

Modification proposée — 441

441. Where at any time a person files a particular return as required under this Title in which the person reports an amount of tax (in this section referred to as the "remittance amount") that is required to be remitted under the second paragraph of section 437 or section 437.3 or paid under section 17, 18, 18.0.1, 437.2 or 438 by the person, and the person claims a refund or rebate to which the person is entitled at that time under this Title, in the particular return or in another return, or in an application, filed as required under this Title with the particular return, the person is deemed to have remitted at that time on account of the person's remittance amount, and the Minister is deemed to have paid at that time as a refund or rebate, an amount equal to the lesser of the remittance amount and the amount of the refund or rebate.

Application: Bill 18 (First Reading February 21, 2013), subsec. 229(1), will substitute s. 441 to read as above, applicable in respect of a reporting period that ends after December 31, 2012.

1991, c. 67, s. 441; 1997, c. 85, s. 693; 2012, c. 28, s. 160

442. A person may, in prescribed circumstances and subject to prescribed conditions and rules, reduce or offset the tax that is required to be remitted under the second paragraph of sections 437 and 437.3 or paid under section 17, 18, 18.0.1, 437.2 or 438 by that person at any time by the amount of any refund or rebate to which another person may at that time be entitled under this Title.

Modification proposée — 442

442. A person may, in prescribed circumstances and subject to prescribed conditions and rules, reduce or offset the tax that is required to be remitted under the second paragraph of section 437 or section 437.3 or paid under section 17, 18, 18.0.1, 437.2 or 438 by that person at any time by the amount of any refund or rebate to which another person may at that time be entitled under this Title.

Application: Bill 18 (First Reading February 21, 2013), subsec. 229(1), will substitute s. 442 to read as above, applicable in respect of a reporting period that ends after December 31, 2012.

1991, c. 67, s. 442; 1997, c. 85, s. 693; 2012, c. 28, s. 160

443. Payment of net tax refund — Where a net tax refund payable to a person is claimed in a return filed under this chapter by the person, the Minister shall pay the refund to the person with all due dispatch after the return is filed.

1991, c. 67, s. 443; 1994, c. 22, s. 607

§3. — Bad debt

443.1 For the purposes of this subdivision, **"reporting entity"** for a supply means

(1) if an election has been made under section 41.0.1 in respect of the supply, the person who is required, under that section, to include the tax collectible in respect of the supply in determining the person's net tax; and

(2) in any other case, the supplier.

2009, c. 5, s. 660

444. General rule — bad debt — If a supplier has made a taxable supply (other than a zero-rated supply) for consideration to a recipient with whom the supplier was dealing at arm's length, it is established that all or a part of the total of the consideration and tax payable in respect of the supply has become a bad debt and the supplier at any time writes off the bad debt in the supplier's books of account, the reporting entity for the supply may, in determining the reporting entity's net tax for the reporting period in which the bad debt is written off or for a subsequent reporting period, deduct the amount determined by the formula in the second paragraph.

The amount that may be deducted by the reporting entity under the first paragraph is determined by the formula

$$A \times \frac{B}{C}.$$

For the purposes of this formula,

(1) A is the tax payable in respect of the supply;

(2) B is the total of the consideration and tax remaining unpaid in respect of the supply that was written off at that time as a bad debt; and

(3) C is the total of the consideration and tax payable in respect of the supply.

1991, c. 67, s. 444; 1993, c. 19, s. 232; 1995, c. 1, s. 328; 1997, c. 85, s. 694; 2009, c. 5, s. 661

444.1 A reporting entity may deduct an amount under section 444 in respect of a supply if

(1) the tax collectible in respect of the supply is included in determining the amount of net tax reported in the reporting entity's return filed under this chapter for the reporting period in which the tax became collectible; and

(2) all net tax remittable, if any, as reported in that return is remitted.

2009, c. 5, s. 662

445. [Repealed 2001, c. 53, s. 375.]

446. Recovery of bad debt — If all or part of a bad debt in respect of which a person has made a deduction under this subdivision is recovered at any time, the person shall, in determining net tax for the reporting period in which the bad debt or that part is recovered, add the amount determined by the formula

$$A \times \frac{B}{C}$$

For the purposes of this formula,

(1) A is the amount of the bad debt recovered at that time;

(2) B is the tax payable in respect of the supply to which the bad debt relates; and

(3) C is the total of the consideration and tax payable in respect of the supply.

1991, c. 67, s. 446; 1993, c. 19, s. 233; 1995, c. 1, s. 329; 1997, c. 85, s. 694; 2001, c. 53, s. 376; 2009, c. 5, s. 663

446.1 Restriction — A person may not claim a deduction under this subdivision in respect of a bad debt relating to a supply unless the deduction is claimed in a return under this chapter filed within four years after the day on which the person was required to file the return under this chapter for the reporting period in which the supplier has written off the bad debt in the supplier's books of account.

1997, c. 85, s. 695; 2001, c. 53, s. 377; 2009, c. 5, s. 663

§4. — Adjustment or refund

447. Refund or adjustment of tax — Where a particular person has, during a reporting period, charged to, or collected from, another person an amount as or on account of tax under section 16, other than the amount charged or collected under section 473.1.1, in excess of the tax that was collectible by the particular person from the other person, the particular person may, within two years after the day the amount was so charged or collected,

(1) where the excess amount was charged but not collected, adjust the amount of tax charged; and

(2) where the excess amount was collected, refund or credit the excess amount to that other person.

1991, c. 67, s. 447; 1997, c. 85, s. 696; 2004, c. 21, s. 536

447.1 Refund or adjustment of tax — Where a registrant makes a supply of a motor vehicle by way of sale and, during a reporting period, charges to, or collects from, another registrant an amount as or on account of tax under section 16 in respect of the supply that the other registrant receives only to again make a supply of it by way of sale, otherwise than by way of gift, or by way of lease under an agreement under which continuous possession or use of the vehicle is provided to a person for a period of at least one year in excess of the tax that was collectible by the registrant from the other registrant, the registrant shall, if the other registrant applies therefor within two years after the day the amount was so charged or collected,

(1) where the excess amount was charged but not collected, adjust the amount of tax charged;

(2) where the excess amount was collected, refund or credit the excess amount to the registrant.

Application — The first paragraph applies, with the necessary modifications, in respect of an amount of tax under section 16 that is charged or collected by a registrant who makes a supply of a motor vehicle by way of retail sale in excess of the tax that was collectible in respect of that supply.

2001, c. 51, s. 302

448. Reduction of consideration — Where a particular person has charged to, or collected from, another person tax under section 16 calculated on the consideration or a part thereof for a supply and, for any reason, the consideration or part is subsequently reduced, the particular person may, in the reporting period of the particular person in which the consideration was so reduced or within four years after the end of that period,

(1) where tax calculated on the consideration or part was charged but not collected, adjust the amount of tax charged by subtracting the portion of the tax that was calculated on the amount by which the consideration or part was so reduced; and

(2) where the tax calculated on the consideration or part was collected, refund or credit to that other person the portion of the tax that was calculated on the amount by which the consideration or part was so reduced.

1991, c. 67, s. 448

449. Rules applicable — Where a person has adjusted, refunded or credited an amount in favour of, or to, another person in accordance with section 447, 447.1 or 448, the following rules apply:

(1) the particular person shall, within a reasonable time, issue to the other person a credit note, containing prescribed information, for the amount of the

adjustment, refund or credit, unless the other person issues a debit note, containing prescribed information, for the amount;

(2) the amount may be deducted in determining the net tax of the particular person for the reporting period of the particular person in which, as the case may be, the credit note is issued to the other person or the debit note is received by the particular person, to the extent that the amount has been included in determining the net tax of the particular person for the reporting period or a preceding reporting period of the particular person; and

(3) the amount shall be added in determining the net tax of the other person for the reporting period of the other person in which, as the case may be, the debit note is issued to the particular person or the credit note is received by the other person, to the extent that the amount has been included in determining an input tax refund claimed by the other person in a return filed for the reporting period or a preceding reporting period of the other person.

(4) if all or part of the amount has been included in determining a rebate under Division I of Chapter VII paid to, or applied to a liability of, the other person before the particular day on which the credit note is received, or the debit note is issued, by the other person and the rebate so paid or applied exceeds the rebate to which the other person would have been entitled if the amount adjusted, refunded or credited by the particular person had never been charged to or collected from the other person, the other person shall pay to the Minister the excess

(a) if the other person is a registrant, on the day on or before which the other person's return for the reporting period that includes the particular day is required to be filed, and

(b) in any other case, on the last day of the calendar month immediately following the calendar month that includes the particular day.

1991, c. 67, s. 449; 1994, c. 22, s. 608; 2001, c. 51, s. 303; 2001, c. 53, s. 378

450. Exception — Sections 447 to 449 do not apply in circumstances in which any of sections 57, 213 or 215 to 219 applies.

1991, c. 67, s. 450

450.0.1 For the purposes of this section and sections 450.0.2 to 450.0.12,

"claim period" has the meaning assigned by section 383;

"eligible amount" has the meaning assigned by section 402.13;

"employer resource" has the meaning assigned by section 289.2;

"fiscal year" has the meaning assigned by section 458.1;

"participating employer" has the meaning assigned by section 289.2;

"pension entity" has the meaning assigned by section 289.2;

"pension plan" has the meaning assigned by section 289.2;

"pension rebate amount" has the meaning assigned by section 402.13;

"qualifying employer" has the meaning assigned by section 402.13;

"specified resource" has the meaning assigned by section 289.5.

2011, c. 34, s. 155

450.0.2 A person may, on a particular day, issue to a pension entity a note (in sections 450.0.3 and 450.0.4 referred to as a "tax adjustment note") in respect of all or part of a specified resource, specifying an amount determined in accordance with section 450.0.3, if

(1) the person is deemed under subparagraph 2 of the first paragraph of section 289.5 to have collected tax, on or before the particular day, in respect of a taxable supply of the specified resource or part deemed to have been made by the person under subparagraph 1 of that paragraph;

(2) a supply of the specified resource or part is deemed to have been received by the pension entity under subparagraph a of subparagraph 4 of the first paragraph of section 289.5 and tax in respect of that supply is deemed to have been paid by the pension entity under

(a) except in the case described in subparagraph b, subparagraph b of subparagraph 4 of the first paragraph of section 289.5, or

(b) if the pension entity is a selected listed financial institution on the last day of the fiscal year in which the person acquired the resource, clause A of subparagraph ii of paragraph d of subsection 5 of section 172.1 of the *Excise Tax Act* (Revised Statutes of Canada, 1985, chapter E-15); and

(3) an amount of tax becomes payable, or is paid without having become payable, to the person (otherwise than by the operation of sections 289.2 to 289.8) by the pension entity in respect of a taxable supply of the specified resource or part on or before the particular day.

2011, c. 34, s. 155; 2012, c. 28, s. 161

450.0.3 The amount specified in a tax adjustment note issued under section 450.0.2 on a particular day in respect of a specified resource or part must not exceed the amount determined by the formula

$$A - B.$$

For the purposes of the formula in the first paragraph,

(1) A is the lesser of

(a) the amount determined under subparagraph 3 of the first paragraph of section 289.5 in respect of the specified resource or part, and

(b) the total of all amounts each of which is an amount of tax under the first paragraph of section 16 that became payable, or was paid without having become payable, to the person (otherwise than by the operation of sections 289.2 to 289.8) by the pension entity in respect of a taxable supply of the specified resource or part on or before the particular day; and

(2) B is the total of all amounts each of which is the amount of tax, as determined under this section, specified in another tax adjustment note issued on or before the particular day in respect of the specified resource or part.

2011, c. 34, s. 155

450.0.4 If a person issues a tax adjustment note to a pension entity under section 450.0.2 in respect of a specified resource or part, a supply of the specified resource or part is deemed to have been received by the pension entity under subparagraph a of subparagraph 4 of the first paragraph of section 289.5 and an amount of tax (in this section referred to as "deemed tax") in respect of that supply, where the pension entity is not a selected listed financial institution on a particular day, is deemed to have been paid on the particular day by the pension entity under subparagraph b of subparagraph 4 of the first paragraph of section 289.5, or, where the pension entity is such a financial institution, is deemed to have been paid on the particular day by the pension entity under clause A of subparagraph ii of paragraph d of subsection 5 of section 172.1 of the *Excise Tax Act* (Revised Statutes of Canada, 1985, chapter E-15) or would be deemed to have been paid on the particular day by the pension entity under that clause A if the pension entity were also a selected listed financial institution for the purposes of that Act, the following rules apply:

Modification proposée — 450.0.4 para. 1 opening words

If a person issues a tax adjustment note to a pension entity under section 450.0.2 in respect of a specified resource or part, a supply of the specified resource or part is deemed to have been received by the pension entity under subparagraph a of subparagraph 4 of the first paragraph of section 289.5 and an amount of tax (in this section referred to as "deemed tax") in respect of that supply, where the pension entity is not a selected listed financial institution on a particular day, is deemed to have been paid on the particular day by the pension entity under subparagraph b of subparagraph 4 of the first paragraph of section 289.5, or, where the pension entity is such a financial institution, is deemed to have been paid on the particular day by the pension entity under clause A of subparagraph ii of paragraph d of subsection 5 of section 172.1 of the *Excise Tax Act* (Revised Statutes of Canada, 1985, chapter E-15) or would be deemed to have been paid on the particular day by the pension entity under that clause A if the pension entity were a selected listed financial institution for the purposes of that Act, the following rules apply:

Application: Bill 18 (First Reading February 21, 2013), s. 237, will amend the opening words of the first paragraph of s. 450.0.4 to read as above, to come into force on Royal Assent.

(1) the tax amount of the tax adjustment note may be deducted in determining the net tax of the person for its reporting period that includes the day on which the tax adjustment note is issued;

(2) except where the pension entity is a selected listed financial institution on the particular day, the pension entity shall add, in determining its net tax for its reporting period that includes the day on which the tax adjustment note is issued, the amount determined by the formula

$$A \times (\frac{B}{C});$$

(3) except where the pension entity is a selected listed financial institution on the particular day, if any given part of the amount of the deemed tax is an eligible amount of the pension entity for a particular claim period, the pension entity shall pay to the Minister, on or before the last day of its claim period that follows its claim period that includes the day on which the tax adjustment note is issued, the amount determined by the formula

$$D \times E \times (\frac{B}{C}) \times [\frac{(F - G)}{F}];$$

and

(4) except where the pension entity is a selected listed financial institution on the particular day, if any given part of the amount of the deemed tax is an eligible amount of the pension entity for a particular claim period for which an election under any of sections 402.18, 402.19 and 402.19.1 was made jointly by the pension entity and all participating employers of the pension plan that were, for the calendar year that includes the last day of the claim period, qualifying employers of the pension plan, each of those participating employers shall add, in determining its net tax for its reporting period that includes the day on which the tax adjustment note is issued, the amount determined by the formula

$$D \times E \times (\frac{B}{C}) \times (\frac{H}{F}).$$

For the purposes of the formulas in the first paragraph,

(1) A is the total of all input tax refunds that the pension entity is entitled to claim in respect of the deemed tax;

(2) B is the tax amount of the tax adjustment note;

(3) C is the amount of the deemed tax;

(4) D is the given part of the amount of the deemed tax;

(5) E is 33%;

(6) F is the pension rebate amount of the pension entity for the particular claim period;

(7) G is the total determined in subparagraph 2 of the second paragraph of section 402.14 in respect of the pension entity for the particular claim period;

(8) H is the amount of the deduction determined for the participating employer under section 402.18, subparagraph 1 or 3 of the first paragraph of section 402.19 or section 402.19.1, as the case may be, for the particular claim period.

2011, c. 34, s. 155; 2012, c. 28, s. 162

450.0.5 A person may, on a particular day, issue to a pension entity a note (in sections 450.0.6 and 450.0.7 referred to as a "tax adjustment note") in respect of employer resources consumed or used for the purpose of making a supply (in this section and in sections 450.0.6 and 450.0.7 referred to as the "actual pension supply") of a property or a service to the pension entity, specifying an amount determined in accordance with section 450.0.6, if

(1) the person is deemed under subparagraph 2 of the first paragraph of section 289.6 to have collected tax, on or before the particular day, in respect of one or more taxable supplies, deemed to have been made by the person under subparagraph 1 of that paragraph, of the employer resources;

(2) a supply of each of those employer resources is deemed to have been received by the pension entity under subparagraph a of subparagraph 4 of the first paragraph of section 289.6 and tax in respect of each of those supplies is deemed to have been paid by the pension entity

(a) except in the case described in subparagraph b, under subparagraph b of subparagraph 4 of the first paragraph of section 289.6, or

LTVQ (anglais)

(b) if the pension entity is a selected listed financial institution on the last day of the fiscal year in which the employer resources are consumed or used for the purpose of making an actual pension supply, under clause A of subparagraph ii of paragraph d of subsection 6 of section 172.1 of the *Excise Tax Act* (Revised Statutes of Canada, 1985, chapter E-15); and

(3) an amount of tax becomes payable, or is paid without having become payable, to the person (otherwise than by the operation of sections 289.2 to 289.8) by the pension entity in respect of the actual pension supply on or before the particular day.

2011, c. 34, s. 155; 2012, c. 28, s. 163

450.0.6 The amount specified in a tax adjustment note issued under section 450.0.5 on a particular day in respect of employer resources consumed or used for the purpose of making an actual pension supply must not exceed the amount determined by the formula

$$A - B.$$

For the purposes of the formula in the first paragraph,

(1) A is the lesser of

(a) the total of all amounts each of which is an amount of tax determined under subparagraph 3 of the first paragraph of section 289.6 in respect of one of those employer resources and that is deemed under subparagraph 2 of that paragraph to have become payable and to have been collected on or before the particular day, and

(b) the total of all amounts each of which is an amount of tax under the first paragraph of section 16 that became payable, or was paid without having become payable, to the person (otherwise than by the operation of sections 289.2 to 289.8) by the pension entity in respect of the actual pension supply on or before the particular day; and

(2) B is the total of all amounts each of which is the amount of tax, as determined under this section, specified in another tax adjustment note issued on or before the particular day in respect of employer resources consumed or used for the purpose of making the actual pension supply.

2011, c. 34, s. 155

450.0.7 If a person issues a tax adjustment note to a pension entity under section 450.0.5 in respect of employer resources consumed or used for the purpose of making an actual pension supply, a supply of each of those employer resources (in this section referred to as a "particular supply") is deemed to have been received by the pension entity under subparagraph a of subparagraph 4 of the first paragraph of section 289.6 and an amount of tax (in this section referred to as "deemed tax") in respect of each of the particular supplies, where the pension entity is not a selected listed financial institution on the last day of the fiscal year of the person during which those employer resources were so consumed or used, is deemed to have been paid by the pension entity under subparagraph b of subparagraph 4 of the first paragraph of section 289.6, or, where the pension entity is such a financial institution, is deemed to have been paid by the pension entity under clause A of subparagraph ii of paragraph d of subsection 6 of section 172.1 of the *Excise Tax Act* (Revised Statutes of Canada, 1985, chapter E-15) or would be deemed to have been paid by the pension entity under that clause A if the pension entity were also a selected listed financial institution on that last day for the purposes of that Act, the following rules apply:

Modification proposée — 450.0.7 para. 1 opening words

If a person issues a tax adjustment note to a pension entity under section 450.0.5 in respect of employer resources consumed or used for the purpose of making an actual pension supply, a supply of each of those employer resources (in this section referred to as a "particular supply") is deemed to have been received by the pension entity under subparagraph a of subparagraph 4 of the first paragraph of section 289.6 and an amount of tax (in this section referred to as "deemed tax") in respect of each of the particular supplies, where the pension entity is not a selected listed financial institution on the last day of the fiscal year of the person during which those employer resources were so consumed or used, is deemed to have been paid by the pension entity under subparagraph b of subparagraph 4 of the first paragraph of section 289.6, or, where the pension entity is such a financial institution, is deemed to have been paid by the pension entity under clause A of subparagraph ii of paragraph d of subsection 6 of section 172.1 of the *Excise Tax Act* (Revised Statutes of Canada, 1985, chapter E-15) or would be deemed to have been paid by the pension entity under that clause A if the pension entity were a selected listed financial institution on that last day for the purposes of that Act, the following rules apply:

Application: Bill 18 (First Reading February 21, 2013), s. 237, will amend the opening words of the first paragraph of s. 450.0.7 to read as above, to come into force on Royal Assent.

(1) the tax amount of the tax adjustment note may be deducted in determining the net tax of the person for its reporting period that includes the day on which the tax adjustment note is issued;

(2) except where the pension entity is a selected listed financial institution on the first day on which an amount of deemed tax is deemed to have been paid, the pension entity shall add, in determining its net tax for its reporting period that includes the day on which the tax adjustment note is issued, the amount determined by the formula

$$A \times (\frac{B}{C});$$

(3) except where the pension entity is a selected listed financial institution on the first day on which an amount of deemed tax is deemed to have been paid, for each particular claim period of the pension entity for which any part of an amount of deemed tax in respect of a particular supply is an eligible amount of the pension entity, the pension entity shall pay to the Minister, on or before the last day of its claim period that follows its claim period that includes the day on which the tax adjustment note is issued, the amount determined by the formula

$$D \times E \times (\frac{B}{C}) \times [\frac{(F - G)}{F}];$$

and

(4) except where the pension entity is a selected listed financial institution on the first day on which an amount of deemed tax is deemed to have been paid, for each particular claim period of the pension entity for which any part of an amount of deemed tax in respect of a particular supply is an eligible amount of the pension entity and for which an election under any of sections 402.18, 402.19 and 402.19.1 was made jointly by the pension entity and all participating employers of the pension plan that were, for the calendar year that includes the last day of that period, qualifying employers of the pension plan, each of those participating employers shall add, in determining its net tax for its reporting period that includes the day on which the tax adjustment note is issued, the amount determined by the formula

$$D \times E \times (\frac{B}{C}) \times (\frac{H}{F}).$$

For the purposes of the formulas in the first paragraph,

(1) A is the total of all amounts, each of which is the total of all input tax refunds that the pension entity is entitled to claim in respect of deemed tax in respect of a particular supply;

(2) B is the tax amount of the tax adjustment note;

(3) C is the total of all amounts each of which is an amount of deemed tax in respect of a particular supply;

(4) D is the total of all amounts each of which is the part of an amount of deemed tax in respect of a particular supply that is an eligible amount of the pension entity for the particular claim period;

(5) E is 33%;

(6) F is the pension rebate amount of the pension entity for the particular claim period;

(7) G is the total determined in subparagraph 2 of the second paragraph of section 402.14 in respect of the pension entity for the particular claim period;

(8) H is the amount of the deduction determined for the participating employer under section 402.18, subparagraph 1 or 3 of the first paragraph of section 402.19 or section 402.19.1, as the case may be, for the particular claim period.

2011, c. 34, s. 155; 2012, c. 28, s. 164

450.0.8 A tax adjustment note referred to in section 450.0.2 or 450.0.5 must be issued in the prescribed form containing prescribed information and in a manner satisfactory to the Minister.

Modification proposée — 450.0.8

450.0.8 A tax adjustment note referred to in section 450.0.2 or 450.0.5 must be in the form and contain the information determined by the Minister and be issued in a manner satisfactory to the Minister.

Application: Bill 18 (First Reading February 21, 2013), s. 230, will substitute s. 450.0.8 to read as above, to come into force on Royal Assent.

2011, c. 34, s. 155

450.0.9 Where a tax adjustment note is issued under section 450.0.2 or 450.0.5 to a pension entity of a pension plan and, as a consequence of that issuance, subparagraph 4 of the first paragraph of section 450.0.4 or 450.0.7 applies to a participating employer of the pension plan, the pension entity shall, in the prescribed form containing prescribed information and in a manner satisfactory to the Minister, notify without delay the participating employer of that issuance.

Modification proposée — 450.0.9

450.0.9 Where a tax adjustment note is issued under section 450.0.2 or 450.0.5 to a pension entity of a pension plan and, as a consequence of that issuance, subparagraph 4 of the first paragraph of section 450.0.4 or 450.0.7 applies to a participating employer of the pension plan, the pension entity shall, in a document in the form and containing the information determined by the Minister and in a manner satisfactory to the Minister, notify without delay the participating employer of that issuance.

Application: Bill 18 (First Reading February 21, 2013), s. 231, will substitute s. 450.0.9 to read as above, to come into force on Royal Assent.

2011, c. 34, s. 155

450.0.10 Where a participating employer of a pension plan is required to add an amount in determining its net tax under subparagraph 4 of the first paragraph of section 450.0.4 or 450.0.7 as a consequence of the issuance of a tax adjustment note under section 450.0.2 or 450.0.5 to a pension entity of the pension plan, the participating employer and the pension entity are solidarily liable to pay the amount to the Minister.

2011, c. 34, s. 155

450.0.11 Where a participating employer of a pension plan has ceased to exist on or before the day on which a tax adjustment note is issued under section 450.0.2 or 450.0.5 to a pension entity of the pension plan and the participating employer would have been required, had it not ceased to exist, to add an amount in determining its net tax under subparagraph 4 of the first paragraph of section 450.0.4 or 450.0.7 as a consequence of that issuance, the pension entity shall pay the amount to the Minister on or before the last day of its claim period that immediately follows its claim period that includes the day on which the tax adjustment note is issued.

2011, c. 34, s. 155

450.0.12 Despite the first paragraph of section 35.1 of the *Tax Administration Act* (chapter A-6.002), every person that issues a tax adjustment note under section 450.0.2 or 450.0.5 shall maintain, for a period of six years from the day on which the tax adjustment note was issued, evidence satisfactory to the Minister that the person was entitled to issue the tax adjustment note for the amount for which it was issued.

2011, c. 34, s. 155

450.1 Promotional allowances — If a particular registrant acquires particular corporeal movable property exclusively for supply by way of sale for a price in money in the course of commercial activities of the particular registrant and another registrant, who has made taxable supplies of the particular property by way of sale, whether to the particular registrant or another person, pays to or credits in favour of the

LTVQ (anglais)

particular registrant or allows as a discount on or credit against the price of any property or service (in this section referred to as the **"discounted property or service"**) supplied by the other registrant to the particular registrant, an amount in return for the promotion of the particular property by the particular registrant, the following rules apply:

(1) the amount is deemed not to be consideration for a supply by the particular registrant to the other registrant;

(2) where the amount is allowed as a discount on or credit against the price of the discounted property or service,

(a) if the other registrant has previously charged to or collected from the particular registrant tax under section 16 calculated on the consideration or part of it for the supply of the discounted property or service, the amount of the discount or credit is deemed to be a reduction in the consideration for that supply for the purposes of section 448, and

(b) in any other case, the value of the consideration for the supply of the discounted property or service is deemed to be equal to the amount by which the value of the consideration for that supply as otherwise determined exceeds the amount of the discount or credit; and

(3) if the amount is not allowed as a discount on or credit against the price of any discounted property or service supplied to the particular registrant, the amount is deemed to be a rebate in respect of the particular property for the purposes of section 350.6.

2001, c. 53, s. 379

§5. — Patronage dividend

451. Definition: "specified amount" — For the purposes of section 453, **"specified amount"**, in respect of a patronage dividend paid by a person in a fiscal year of the person, means the amount determined by the formula

$$A \times \frac{(B + D)}{(C + D)}$$

Interpretation — For the purposes of this formula,

(1) A is the amount of the patronage dividend;

(2) B is the total value of all consideration that became due, or was paid without having become due, in the immediately preceding fiscal year of the person while the person was a registrant for taxable supplies, other than supplies by way of sale of capital property of the person and zero-rated supplies, made in Québec by the person;

(3) C is the total value of all consideration that became due, or was paid without having become due, in the immediately preceding fiscal year of the person for taxable supplies, other than supplies by way of sale of capital property of the person, made in Québec by the person; and

(4) D is the total of all tax that became payable, or was paid without having become payable, in the immediately preceding fiscal year of the person in respect of taxable supplies, other than supplies by way of sale of capital property of the person, made by the person.

1991, c. 67, s. 451; 1994, c. 22, s. 609; 1995, c. 63, s. 460

452. Fiscal year of a person — For the purposes of this subdivision, the fiscal year of a person is the fiscal year of the person within the meaning of section 458.1.

1991, c. 67, s. 452; 1994, c. 22, s. 609

453. Patronage dividend — Where at any time in a fiscal year of a particular person, the particular person pays to another person a patronage dividend all or part of which is in respect of taxable supplies, other than zero-rated supplies, made by the particular person to the other person, the particular person is deemed

(1) to have reduced, at that time, the total consideration for those supplies by an amount equal to the amount determined by multiplying 100/109.975 by

(a) where the particular person has made an election that is in effect for that fiscal year for the purposes of this subparagraph, the part of the dividend that is in respect of taxable supplies, other than zero-rated supplies, made to the other person, and

(b) in any other case, the specified amount in respect of the dividend; and

(2) to have made, at that time, the appropriate adjustment, refund or credit in favour of, or to, the other person under section 448.

1991, c. 67, s. 453; 1993, c. 19, s. 234; 1994, c. 22, s. 610; 1995, c. 1, s. 330; 1997, c. 85, s. 697; 2010, c. 5, s. 244; 2011, c. 6, s. 281; 2012, c. 28, s. 165

453.1 [Repealed 1995, c. 1, s. 331.]

454. Exception — election — Section 453 does not apply to a patronage dividend paid by a person in a fiscal year of the person for which an election made by the person under this section is in effect, in which event the dividend is deemed not to be a reduction of the consideration for any supplies.

1991, c. 67, s. 454; 1994, c. 22, s. 611

454.1 Time for election — An election made under subparagraph a of paragraph 1 of section 453 or section 454 by a person shall be made before any patronage dividend is paid by the person in the fiscal year of the person in which the election is to take effect.

1994, c. 22, s. 612; 1997, c. 85, s. 698

454.2 Revocation of election — An election made under subparagraph a of paragraph 1 of section 453 or section 454 by a person may be revoked by the person before any patronage dividend is paid by the person in the fiscal year of the person in which the revocation is to take effect.

1994, c. 22, s. 612; 1997, c. 85, s. 698

454.3 Date of payment of dividend — For the purposes of this subdivision, a patronage dividend is deemed to be paid on the day that it is declared.

1994, c. 22, s. 612

§6. — Payment of a rebate by a person

[Heading added 2001, c. 53, s. 380.]

455. Deduction for payment of rebate — If, in the circumstances described in section 357.5.2, 366, 370.1, 382.3 or 402.9, a particular person pays to, or credits in favour of, another person an amount on account of a rebate and transmits the application of the other person for the rebate to the Minister in accordance with section 357.5.2, 367, 370.2 or 382.4, as the case requires, or keeps the application, in accordance with section 402.10, the particular person may deduct the amount in determining the net tax of the particular person for the reporting period of the particular person in which the amount is paid or credited to the other person.

1991, c. 67, s. 455; 1994, c. 22, s. 613; 1997, c. 85, s. 699; 2001, c. 51, s. 304; 2001, c. 53, s. 380

455.0.1 Where, in the circumstances described in the third paragraph of section 402.25, an insurer pays to, or credits in favour of, a segregated fund of the insurer an amount on account of a rebate referred to in that section and transmits the application of the segregated fund for the rebate to the Minister in accordance with section 402.26, the insurer may deduct the amount in determining its net tax for its reporting period in which the amount was paid or credited.

2012, c. 28, s. 166

§6.1 — [Repealed [sic].]

455.1 Deduction for rebate in respect of supplies to persons not resident in Québec — Where, in the circumstances described in section 353.2, 357.3 or 357.5, a registrant pays to, or credits in favour of, a person an amount on account of a rebate referred to therein, the registrant may deduct the amount in determining the net tax of the registrant for

(1) the reporting period of the registrant that includes the particular day that is the later of the last day on which any tax to which the rebate relates became payable and the day on which the amount is paid or credited; or

(2) any subsequent reporting period of the registrant for which a return is filed within one year after the particular day.

1994, c. 22, s. 614; 2009, c. 5, s. 664

455.2 If a registrant is required to file prescribed information in accordance with section 357.5.0.1 in respect of an amount claimed as a deduction under section 455.1 in respect of an amount paid or credited on account of a rebate, the following rules apply:

(1) in the case where the registrant files the information on a day (in this section referred to as the "filing day") that is after the day on which the registrant is required to file a return under Chapter VIII for the reporting period in which the registrant claimed the deduction under section 455.1 in respect of the amount paid or credited and before the particular day described in the second paragraph, the registrant shall, in determining the net tax for the reporting period of the registrant that includes the filing day, add an amount equal to interest, at the rate prescribed under section 28 of the *Tax Administration Act* (chapter A-6.002), on the amount claimed as a deduction under section 455.1 computed for the period beginning on the day on which the registrant was required to file the prescribed information under section 357.5.0.1 and ending on the filing day; and

(2) in the case where the registrant fails to file the information before the particular day, the registrant shall, in determining the net tax for the reporting period of the registrant that includes the particular day, add an amount equal to the total of the amount claimed as a deduction under section 455.1 and interest, at the rate prescribed under section 28 of the *Tax Administration Act*, on that amount computed for the period beginning on the day on which the registrant was required to file the information under section 357.5.0.1 and ending on the day on which the registrant is required under section 468 to file a return for the reporting period of the registrant that includes the particular day.

For the purposes of the first paragraph, the particular day is the earlier of

(1) the day that is four years after the day on which the registrant was required under section 468 to file a return for the period; and

(2) the day prescribed by the Minister in a formal demand to file information.

2009, c. 5, s. 665

§7. — Input tax refund

456. Leasing of a passenger vehicle — If, in a taxation year of a registrant, tax becomes payable, or is paid without having become payable, by the registrant in respect of supplies of a passenger vehicle made under a lease and the total of the consideration for the supplies that would be deductible in computing the registrant's income for the year for the purposes of the *Taxation Act* (chapter I-3), if the registrant were a taxpayer under that Act and that Act were read without reference to its section 421.6, exceeds the amount in respect of that consideration that would be deductible in computing the registrant's income for the year for the purposes of that Act, if the registrant were a taxpayer under that Act and the formulas in sections 99R1 and 421.6R1 of the *Regulation respecting the Taxation Act* (R.R.Q., 1981, chapter I-3, r. 1) were read without reference to B, there must be added in determining the net tax for the appropriate reporting period of the registrant an amount determined by the formula

$$A \times B \times C.$$

Interpretation — For the purposes of this formula,

(1) A is the result obtained by dividing that excess by that consideration;

(2) B is the tax paid or payable in respect of those supplies, other than tax that, by reason of section 203 or 206, may not be included in determining an input tax refund of the registrant; and

(3) C is the proportion that the use of the vehicle in commercial activities of the registrant is of the total use of the vehicle.

Despite the first paragraph, no amount may be included in determining a registrant's net tax for the appropriate reporting period if the registrant is a selected listed financial institution in that period.

1991, c. 67, s. 456; 1994, c. 22, s. 615; 1995, c. 63, s. 461; 1997, c. 85, s. 700; 2009, c. 5, s. 666; 2009, c. 15, s. 518; 2012, c. 28, s. 167

457. Appropriate reporting period — For the purposes of section 456, the appropriate reporting period of a registrant in respect of a supply by way of lease to the registrant of a passenger vehicle in a taxation year of the registrant is

(1) where the registrant ceases in or at the end of that taxation year to be registered under Division I, the last reporting period of the registrant in that year;

(2) where the reporting period of the registrant is the calendar year, the calendar year in which that taxation year ends; and

(3) in any other case, the reporting period of the registrant that begins immediately after that taxation year.

1991, c. 67, s. 457

457.0.1 For the purposes of this section and sections 457.0.2 to 457.0.5, the fiscal year of a network seller in respect of which an approval granted under section 297.0.7 is in effect is

(1) the first variant year of the network seller if the network seller

(a) fails to meet the condition of subparagraph 3 of the first paragraph of section 297.0.4 in respect of the fiscal year, and

(b) meets the condition of subparagraph 3 of the first paragraph of section 297.0.4 for each fiscal year of the network seller, in respect of which an approval granted under section 297.0.7 is in effect, preceding the fiscal year; and

(2) the second variant year of the network seller if

(a) the fiscal year is after the first variant year of the network seller,

(b) the network seller fails to meet the condition of subparagraph 3 of the first paragraph of section 297.0.4 in respect of the fiscal year, and

(c) the network seller meets the condition of subparagraph 3 of the first paragraph of section 297.0.4 for each fiscal year (other than the first variant year) of the network seller in respect of which an approval granted under section 297.0.7 is in effect, preceding the fiscal year.

2011, c. 6, s. 282

457.0.2 Subject to sections 457.0.3 and 457.0.4, if a network seller fails to meet any condition of subparagraphs 1 to 3 of the first paragraph of section 297.0.4 for a fiscal year of the network seller in respect of which an approval granted under section 297.0.7 is in effect and, at any time during the fiscal year, a network commission would, but for section 297.0.9, become payable by the network seller to a sales representative of the network seller as consideration for a taxable supply (other than a zero-rated supply) made in Québec by the sales representative, the network seller shall, in determining the net tax for the first reporting period of the network seller following the fiscal year, add an amount equal to interest, computed at the rate set under section 28 of the *Tax Administration Act* (chapter A-6.002), on the total amount of tax that would be payable in respect of the taxable supply if tax were payable in respect of the taxable supply, for the period beginning on the earliest day on which consideration for the taxable supply is paid or becomes due and ending on the day on or before which the network seller is required to file a return for the reporting period that includes that earliest day.

2011, c. 6, s. 282

457.0.3 In determining the net tax for the first reporting period of a network seller following the first variant year of the network seller, the network seller shall not add an amount in accordance with section 457.0.2 if

(a) the network seller meets the conditions of subparagraphs 1 and 2 of the first paragraph of section 297.0.4 for the first variant year and for each fiscal year, in respect of which an approval granted under section 297.0.7 is in effect, preceding the first variant year; and

(b) the network seller would meet the condition of subparagraph 3 of the first paragraph of section 297.0.4 for the first variant year if the reference in that subparagraph to "all or substantially all" were read as a reference to "at least 80%".

2011, c. 6, s. 282

457.0.4 In determining the net tax for the first reporting period of a network seller following the second variant year of the network seller, the network seller shall not add an amount in accordance with section 457.0.2 if

(a) the network seller meets the conditions of subparagraphs 1 and 2 of the first paragraph of section 297.0.4 for the second variant year and for each fiscal year, in respect of which an approval granted under section 297.0.7 is in effect, preceding the second variant year;

(b) the network seller would meet the condition of subparagraph 3 of the first paragraph of section 297.0.4 for each of the first variant year and the second variant year if the reference in that subparagraph to "all or substantially all" were read as a reference to "at least 80%"; and

(c) within 180 days after the beginning of the second variant year, the network seller requests in writing that the Minister revoke the approval.

2011, c. 6, s. 282

457.0.5 If, at any time after an approval granted under section 297.0.7 in respect of a network seller and each of its sales representatives ceases to have effect as a consequence of a revocation under section 297.0.13 or 297.0.14, a network commission would, but for section 297.0.9, become payable as consideration for a taxable supply (other than a zero-rated supply) made in Québec by a sales representative of the network seller that has not been notified, as required under paragraph 2 of section 297.0.15, of the revocation and an amount is not charged or collected as or on account of tax in respect of the taxable supply, the network seller shall, in determining the net tax of the network seller for the particular reporting period that includes the earliest day on which consideration for the taxable supply is paid or becomes due, add an amount equal to interest, computed at the rate set under section 28 of the *Tax Administration Act* (chapter A-6.002), on the total amount of tax that would be payable in respect of the taxable supply if tax were payable in respect of the taxable supply, for the period beginning on that earliest day and ending on the day on or before which the network seller is required to file a return for the particular reporting period.

2011, c. 6, s. 282

457.1 Food, beverages or entertainment — A person shall, in determining the net tax for the appropriate reporting period of the person, add the amount determined by the formula provided for in the second paragraph if

(1) an amount (in this section referred to as the **"composite amount"**)

(a) becomes due from the person, or is a payment made by the person without having become due, in respect of a supply of property or a service made to the person, or

(b) is paid by the person as an allowance or reimbursement in respect of which the person is deemed under section 211 or 212 to have received a supply of property or a service;

(2) one or both of the following situations apply:

(a) section 421.1 of the *Taxation Act* (chapter I-3) applies, or would apply if the person were a taxpayer under that Act, to all of the composite amount or that part of it that is, for the purposes of that Act, an amount (other than an amount referred to in section 421.1.1 of that Act) paid or payable in respect of the human consumption of food or beverages or the enjoyment of entertainment and section 421.1 of that Act deems the composite amount or that part to be 50% of a particular amount, or

(b) section 421.1.1 of the *Taxation Act* applies, or would apply if the person were a taxpayer under that Act, to all of the composite amount or that part of it that is, for the purposes of that Act, an amount paid or payable in respect of the consumption of food or beverages by a long-haul truck driver, within the meaning of section 421.1.1 of that Act, during the eligible travel period, within the meaning of section 421.1.1 of that Act, and section 421.1.1 of that Act deems the composite amount or that part to be a percentage of a specified particular amount; and

(3) tax included in the composite amount or deemed under section 211 or 212 to have been paid by the person is included in determining an input tax refund in respect of the property or service that is claimed by the person in a return for a reporting period in a fiscal year of the person.

Determination of amount — The amount to be added in determining the net tax under the first paragraph is determined by the formula

$$[50\% \times (\frac{A}{B}) \times C] + [D \times (\frac{E}{B}) \times C].$$

Interpretation — For the purposes of this formula,

(1) A is

(a) in the case where subparagraph a of subparagraph 2 of the first paragraph applies, the particular amount, and

(b) in any other case, zero;

(2) B is the composite amount;

(3) C is the input tax refund;

(4) D is

(a) 40%, in the case where the particular period begins after 19 March 2007 and ends before 1 January 2008,

(b) 35%, in the case where the particular period is the year 2008,

(c) 30%, in the case where the particular period is the year 2009,

(d) 25%, in the case where the particular period is the year 2010, and

(e) 20%, in the case where the particular period begins after the year 2010; and

(5) E is

(a) in the case where subparagraph b of subparagraph 2 of the first paragraph applies, the specified particular amount, and

(b) in any other case, zero.

Fiscal year of a person — For the purposes of this section, the fiscal year of a person is the fiscal year of that person within the meaning of section 458.1.

For the purposes of this section, the particular period is

(a) a period in which tax under Title I becomes due, or is paid without having become due, in respect of a supply of food, beverages or entertainment, but in which no reimbursement or allowance is paid in respect of the supply; or

(b) a period in which an amount is paid as a reimbursement or allowance in respect of a supply of food, beverages or entertainment.

Exception — The first paragraph does not apply to charities or public institutions.

1995, c. 63, s. 462; 1997, c. 85, s. 701; 2001, c. 53, s. 381; 2009, c. 15, s. 519

457.1.1 Appropriate reporting period — For the purposes of section 457.1, where a person is required under that section to add, in determining the person's net tax, an amount determined by reference to an input tax refund claimed by the person in a return for a reporting period in a fiscal year of the person, the appropriate reporting period of the person is

(1) if the person ceases to be registered under Division I of Chapter VIII in a reporting period ending in that fiscal year, that reporting period;

(2) if that fiscal year is the person's reporting period, that reporting period; and

(3) in any other case, the person's reporting period that begins immediately after that fiscal year.

2001, c. 53, s. 382

LTVQ (anglais)

457.1.2 Unreasonable amount — If tax calculated on an amount (in this section referred to as the "unreasonable consideration") that is all or part of the total amount that becomes due from a person, or is paid by a person without having become due, in respect of a supply of property or a service made to the person is, because of section 206, not to be included in determining an input tax refund, for the purposes of section 457.1, that total amount is deemed to be the amount, if any, by which it exceeds the total of the unreasonable consideration and all gratuities, and duties, fees or tax under this Title or under an Act of the legislature of Québec, another province, the Northwest Territories, the Yukon Territory, Nunavut or of the Parliament of Canada, that are paid or payable in respect of the unreasonable consideration.

2001, c. 53, s. 382; 2005, c. 38, s. 385

457.1.3 For the purposes of this section and sections 457.1.4 to 457.1.6,

"amount paid in a remote location" means an amount paid or payable by a registrant, in a particular fiscal year, in respect of a supply of property or a service relating to the consumption by an individual of food or beverages in a place that is at least 40 kilometres from the permanent establishment of the registrant at which the individual ordinarily works, or to which the individual ordinarily reports, in the performance of the individual's duties in relation to the activities related to the establishment of the registrant, to the extent that the food or beverages are consumed in the course of activities of the registrant that ordinarily entail that an individual works in a place so remotely located from the permanent establishment;

"appropriate reporting period" means the reporting period determined under section 457.1.6;

"business" has the meaning assigned by section 1 of the *Taxation Act* (R.S.Q., chapter I-3);

"fiscal year" has the meaning assigned by section 458.1;

"gross revenue" has the meaning assigned by section 1 of the *Taxation Act*;

"property" has the meaning assigned by section 1 of the *Taxation Act*;

"taxation year" has the meaning assigned by section 1 of the *Taxation Act*.

2004, c. 21, s. 537.

457.1.4 A registrant shall, in determining the net tax for the appropriate reporting period of the registrant, add the amount determined by the formula provided for in section 457.1.5 where

(1) an amount, other than an amount paid in a remote location, is an expense incurred by the registrant to earn income from a business or property in a taxation year (in this section referred to as the "composite amount") and

(a) becomes due from the registrant, or is a payment made by the registrant without having become due in respect of a supply of property or a service made to the registrant, or

(b) is paid by the registrant as an allowance or reimbursement in respect of which the registrant is deemed under section 211 or 212 to have received a supply of property or a service;

(2) section 421.1 of the *Taxation Act* (R.S.Q., chapter I-3) applies, or would apply if the registrant were a taxpayer under that Act, to all of the composite amount or that part of it that is, for the purposes of that Act, an amount paid or payable in respect of the consumption by an individual of food or beverages or in respect of the enjoyment by the individual of entertainment and deems the composite amount or that part of it to be 50% of a particular amount;

(3) the particular amount exceeds the amount determined under the second paragraph; and

(4) tax included in the composite amount or deemed under section 211 or 212 to have been paid by the registrant is included in determining an input tax refund in respect of the property or service that is claimed by the registrant in a return for a reporting period in a fiscal year of the registrant.

For the purposes of this section, the determined amount to which subparagraph 3 of the first paragraph refers is equal to the amount determined by the formula

$$A \times 2.$$

For the purposes of the formula in the second paragraph, A is the amount determined under section 175.6.1 of the *Taxation Act* that is, or would be if the registrant were a taxpayer under that Act, deductible in computing the registrant's income from the business or property for the taxation year.

The first paragraph does not apply to charities or public institutions.

2004, c. 21, s. 537; 2005, c. 23, s. 278

457.1.5 For the purposes of section 457.1.4, the amount that a registrant shall add in determining the net tax for the appropriate reporting period of the registrant is determined by the formula

$$50\% \times [\frac{(A - B)}{C}] \times D.$$

For the purposes of this formula,

(1) A is the particular amount referred to in subparagraph 2 of the first paragraph of section 457.1.4;

(2) B is the amount determined under the second paragraph of section 457.1.4;

(3) C is the composite amount referred to in subparagraph 1 of the first paragraph of section 457.1.4; and

(4) D is the amount of the input tax refund claimed by the registrant, in a fiscal year, in relation to the composite amount.

2004, c. 21, s. 537

457.1.6 Where a registrant is required under section 457.1.4 to add, in determining the registrant's net tax, an amount determined by reference to an input tax refund claimed by the registrant in a return for a reporting period in a particular fiscal year, the appropriate reporting period is

(1) where the registrant ceases to be registered under Division I of Chapter VIII in a reporting period ending in the particular fiscal year, that reporting period;

(2) where the registrant's reporting period is the registrant's fiscal year, the reporting period that is the later of

(a) the particular fiscal year, and

(b) the fiscal year in which the taxation year referred to in subparagraph of the first paragraph of section 457.1.4 ends;

(3) where the registrant's reporting period is the registrant's fiscal quarter, the reporting period that begins immediately after the later of

(a) the particular fiscal year, and

(b) the fiscal year in which the taxation year referred to in subparagraph 1 of the first paragraph of section 457.1.4 ends; and

(4) where the registrant's reporting period is the registrant's fiscal month, the registrant's fifth reporting period that begins immediately after the later of

(a) the particular fiscal year, and

(b) the fiscal year in which the taxation year referred to in subparagraph 1 of the first paragraph of section 457.1.4 ends.

2004, c. 21, s. 537

457.2 Part of a self-contained domestic establishment — Where a registrant who is an individual has claimed, in a return for a reporting period in a fiscal year, an input tax refund in respect of property or a service that is acquired or brought into Québec for consumption or use in relation to the maintenance of a self-contained domestic establishment that includes a work space described in subparagraph a or b of paragraph 1.1 of section 203, an amount that is 50% of the refund claimed shall be added in determining the registrant's net tax

(1) where the registrant ceases in or at the end of that fiscal year to be registered under Division I, for the last reporting period of the registrant in that fiscal year;

(2) where the reporting period of the registrant is a fiscal year of the registrant, for that reporting period; and

(3) in any other case, for the reporting period of the registrant beginning immediately after the end of that fiscal year.

Fiscal year of a person — For the purposes of this section, "fiscal year" has the meaning assigned by section 458.1.

For the purposes of this section, property or a service acquired or brought into Québec for consumption or use in relation to the maintenance of a self-contained domestic establishment includes property or a service relating to the maintenance, repair or improvement of the establishment but does not include the electricity, gas, fuel or steam used in lighting or heating the establishment.

This section does not apply to an input tax refund claimed

(1) in respect of property or a service acquired or brought into Québec for exclusive consumption or use in relation to the work space; or

(2) in relation to the operation of a tourist accommodation establishment that is a tourist home, bed and breakfast establishment or participating establishment in a hospitality village, within the meaning of the regulations made under the *Act respecting tourist accommodation establishments* (chapter E-14.2) where the registrant holds a classification certificate of the appropriate class issued under that Act, or is a participant in a hospitality village referred to in such a certificate.

1997, c. 85, s. 702; 2004, c. 21, s. 538

457.3 Continuous transmission commodity — If a registrant has received a zero-rated supply of a continuous transmission commodity referred to in section 191.3.2 and the commodity is neither shipped outside Québec, as described in subparagraph 1 of the first paragraph of section 191.3.2, nor supplied, as described in subparagraph 2 of the first paragraph of section 191.3.2, by the registrant, the registrant shall, in determining the net tax for the reporting period of the registrant that includes the earliest day on which tax would, but for section 191.3.2, have become payable in respect of the supply, add an amount equal to interest, at the rate prescribed under section 28 of the *Tax Administration Act* (chapter A-6.002), on the amount of tax that would have been payable in respect of the supply if it were not a zero-rated supply, computed for the period beginning on that earliest day and ending on the day on or before which the return under section 468 for that reporting period is required to be filed.

2001, c. 53, s. 383; 2009, c. 5, s. 667; 2010, c. 31, s. 175(4)

457.4 If a registrant has received a supply of property, except a zero-rated supply other than the zero-rated supply referred to in section 179.1, from a supplier to whom the registrant has provided a shipping certificate, within the meaning of section 427.3, for the purposes of that supply and an authorization of the registrant to use the certificate was not in effect at the time the supply was made or the registrant did not ship the property outside Québec in the circumstances described in paragraphs 2 to 4 of section 179, the registrant shall, in determining the net tax for the reporting period of the registrant that includes the earliest day on which tax in respect of the supply became payable or would have become payable if the supply were not a zero-rated supply, add an amount equal to interest, at the rate prescribed under section 28 of the *Tax Administration Act* (chapter A-6.002), on the amount of tax that was payable or would have been payable in respect of the supply if it were not a zero-rated supply, computed for the period beginning on that earliest day and ending on the day on or before which the return under section 468 for that reporting period is required to be filed.

2003, c. 2, s. 349; 2009, c. 5, s. 667; 2010, c. 31, s. 175(4)

457.5 Where an authorization granted to a registrant to use a shipping certificate, within the meaning of section 427.3, is deemed to have been revoked under section 427.7 from the day after the last day of a fiscal year of the registrant, the registrant shall, in determining the net tax for the first reporting period of the registrant following that year, add the amount determined by the formula

$$A \times B/12.$$

For the purposes of the formula,

(1) A is the product obtained when 9.975% is multiplied by the total of all amounts each of which is consideration paid or payable by the registrant for a supply made in Québec of an item of inventory acquired by the registrant in the year that is a zero-rated supply only because it is referred to in section 179.1, other than a supply in respect of which the registrant is required under section 457.4 to add an amount in determining net tax for any reporting period; and

(2) B is the rate of interest prescribed under section 28 of the *Tax Administration Act* (chapter A-6.002) that is in effect on the last day of that first reporting period.

2003, c. 2, s. 349; 2009, c. 5, s. 668; 2010, c. 31, s. 175(4); 2011, c. 6, s. 283; 2012, c. 28, s. 168

457.6 If a registrant has received a supply of property, except a zero-rated supply other than the zero-rated supply referred to in section 179.2, from a supplier to whom the registrant has provided a shipping distribution centre certificate, within the meaning of section 350.23.7, for the purposes of that supply and an authorization of the registrant to use the certificate was not in effect at the time the supply was made or the property was not acquired by the registrant for use or supply as domestic inventory or as added property, within the meaning assigned to those expressions by section 350.23.1, in the course of commercial activities of the registrant, the registrant shall, in determining the net tax for the reporting period of the registrant that includes the earliest day on which tax in respect of the supply became payable or would have become payable if the supply were not a zero-rated supply, add an amount equal to interest, at the rate prescribed under section 28 of the *Tax Administration Act* (chapter A-6.002), on the amount of tax that was payable or that would have been payable in respect of the supply if it were not a zero-rated supply, computed for the period beginning on that earliest day and ending on the day on or before which the return under section 468 for that reporting period is required to be filed.

2003, c. 2, s. 349; 2009, c. 5, s. 669; 2010, c. 31, s. 175(4)

457.7 Where an authorization granted to a registrant under section 350.23.7 is in effect at any time in a fiscal year of the registrant and the shipping revenue percentage of the registrant, as defined in section 350.23.1, for that year is less than 90% or the circumstances described in paragraph 1 or 2 of section 350.23.11 exist in respect of the year, the registrant shall, in determining the net tax for the first reporting period of the registrant following the year, add the amount determined by the formula

$$A \times B/12.$$

For the purposes of the formula,

(1) A is the product obtained when 9.975% is multiplied by the total of all amounts each of which is consideration paid or payable by the registrant for a supply made in Québec of property acquired by the registrant in the year that is a zero-rated supply only because it is referred to in section 179.2, other than a supply in respect of which the registrant is required under section 457.6 to add an amount in determining net tax for any reporting period; and

(2) B is the rate of interest prescribed under section 28 of the *Tax Administration Act* (chapter A-6.002) that is in effect on the last day of that first reporting period.

2003, c. 2, s. 349; 2009, c. 5, s. 670; 2010, c. 31, s. 175(4); 2011, c. 6, s. 284; 2012, c. 28, s. 169

457.8 A person may make an election in respect of a residential complex, or of an addition to a multiple unit residential complex, for a particular reporting period if

(1) the person is the builder of the residential complex or addition;

(2) the person is deemed under any of sections 223, 225 and 226 to have made and received, at a particular time that is before 27 February 2008, a taxable supply by way of sale of the residential complex or addition and to have paid as a recipient and to have collected as a supplier a particular amount of tax in respect of that supply;

(3) the person has not reported an amount as or on account of tax in respect of the taxable supply in the person's return filed under this chapter for a reporting period the return for which is filed before 27 February 2008 or is required under this chapter to be filed on or before that date;

(4) the person would be entitled to claim

(a) a rebate under section 378.6 in respect of the residential complex or addition that is determined based on the particular amount of tax if

i. section 378.6 were applied without reference to section 378.16, and

ii. the amount determined for B in the formula in the first paragraph of section 378.7 for a qualifying residential unit, within the meaning of section 378.4, that forms part of the residential complex or addition were less than $225,000, or

(b) a rebate under section 378.14 that is determined based on the rebate to which the person would be entitled under paragraph d of subsection 1 of section 236.4 of the *Excise Tax Act* (Revised Statutes of Canada, 1985, chapter E-15) if

i. section 378.14 were applied without reference to section 378.16, and

ii. the election provided for in subsection 1 of section 236.4 of the *Excise Tax Act* were made in accordance with that subsection;

(5) the person did not supply to another person by way of sale the residential complex or addition before 27 February 2008;

(6) the particular reporting period ends before 27 February 2010;

(7) the election is filed with the Minister, in the prescribed form containing prescribed information, not later than the day on or before which the person is required to file a return, under this chapter, for the particular reporting period; and

(8) the person has not made another election under this section in respect of the residential complex or addition.

2009, c. 15, s. 520

457.9 If a person makes an election under section 457.8 in respect of a residential complex, or of an addition to a multiple unit residential complex, for a reporting period, the person shall, in determining the net tax for that period, add the positive amount or deduct the negative amount determined by the formula

$$(A - B) - C$$

.

For the purposes of this formula,

(1) A is the particular amount of tax referred to in paragraph 2 of section 457.8;

(2) B is

(a) the amount of the rebate that the person would be entitled, if section 378.6 were applied without reference to section 378.16, to claim under section 378.6 in respect of the residential complex or addition, that is determined based on the particular amount of tax, or

(b) the amount of the rebate that the person would be entitled, if section 378.14 were applied without reference to section 378.16, to claim under section 378.14, that is determined based on the rebate to which the person is entitled under paragraph d of subsection 1 of section 236.4 of the *Excise Tax Act* (Revised Statutes of Canada, 1985, chapter E-15); and

(3) C is the amount determined by the formula

$$C_1 - C_2$$

.

For the purposes of the formula in subparagraph 3 of the second paragraph,

(1) C_1 is the total of all amounts each of which is an input tax refund of the person

(a) that is in respect of property or a service acquired or brought into Québec, before the particular time referred to in paragraph 2 of section 457.8, for consumption or use for the purpose of making the supply referred to in that paragraph, and

(b) in respect of which the person satisfies the requirements of the first paragraph of section 201 at the time the election under section 457.8 is filed; and

(2) C_2 is the total of all amounts each of which is an amount included in the determination of C_1, but only to the extent that the amount can reasonably be regarded as an amount that

(a) was claimed or included as an input tax refund or deduction in determining the net tax for the reporting period or a preceding reporting period of the person,

(b) has previously been rebated, refunded or remitted to the person, or that the person is entitled to obtain as a rebate, refund or remission, or

(c) is included in an adjustment, refund or credit for which a credit note referred to in section 449 has been received by the person or a debit note referred to in that section has been issued by the person.

2009, c. 15, s. 520

457.10 If a person makes an election under section 457.8 in respect of a residential complex, or of an addition to a multiple unit residential complex, for a reporting period, the person is deemed

(1) to have been deemed — under section 223 if the election is made in respect of a single unit residential complex or a residential unit held in co-ownership, under section 225 if the election is made in respect of a multiple unit residential complex or under section 226 if the election is made in respect of an addition — to have made and received, at the particular time referred to in paragraph 2 of section 457.8, a taxable supply of the residential complex or addition by way of sale and to have paid as a recipient and to have collected as a supplier tax in respect of the supply equal to the particular amount of tax referred to in that paragraph;

(2) to have claimed each amount that is included in the determination of C_1 in the formula in subparagraph 3 of the second paragraph of section 457.9 as an input tax refund in determining the person's net tax for the reporting period, but only to the extent that the amount is not included in the determination of C_2 in that formula;

(3) to have claimed and received a rebate under section 378.6 or 378.14, in respect of the residential complex or addition, equal to the amount determined for B in the formula in the first paragraph of section 457.9; and

(4) not to be required to include the particular amount of tax deemed to have been collected under paragraph 1 for the purpose of determining the person's net tax for the reporting period that includes the particular time, other than for the purpose of including the particular amount in the determination of A in the formula in the first paragraph of section 457.9.

2009, c. 15, s. 520

457.11 For the purposes of section 431, if a person makes an election under section 457.8, an input tax refund in respect of the residential complex or addition that the person is deemed to have received under paragraph 1 of section 457.10 is deemed to be an input tax refund for the person's reporting period that includes 26 February 2008 and not an input tax refund for any other reporting period.

2009, c. 15, s. 520

457.12 If a person makes an election under section 457.8 in respect of a residential complex, or of an addition to a multiple unit residential complex, section 25 of the *Tax Administration Act* (chapter A-6.002) applies to any assessment or reassessment of an amount added to, or deducted from, net tax by the person in respect of the residential complex or addition.

However, the Minister has until the day that is four years after the day on or before which the election under section 457.8 is required to be filed with the Minister to make any assessment or reassessment for the purpose of taking into account an amount that is, or is required to be, added or subtracted in determining the amount determined under the formula in the first paragraph of section 457.9.

2009, c. 15, s. 520; 2010, c. 31, s. 175(4)

LTVQ (anglais)

457.13 For the purposes of sections 457.8 to 457.12, if a person is the builder of an addition to a residential complex and is eligible to make an election under section 457.8 in respect of the addition or the remainder of the residential complex, the addition and the remainder of the residential complex are each deemed to be a separate property.

2009, c. 15, s. 520

458. [Repealed 1993, c. 19, s. 236.]

§8. — Instalments

458.0.1 Where the reporting period of a registrant is a fiscal year within the meaning of section 458.1 or a period determined under section 461.1, the registrant shall, within one month after the end of each fiscal quarter of the registrant ending in the reporting period, pay to the Minister an amount equal to

(1) except where paragraph 2 applies, 1/4 of the registrant's instalment base for that reporting period; or

(2) where the circumstances described in section 458.0.3.1 exist, the amount determined in accordance with that section.

1995, c. 63, s. 463; 2012, c. 28, s. 170

458.0.2 Instalment base — A registrant's instalment base for a particular reporting period of the registrant is the lesser of

(1) an amount equal to

(a) in the case of a reporting period determined under section 461.1, the amount determined by the formula

$$A \times \frac{365}{B};$$

and

(b) in any other case, the net tax for the particular reporting period; and

(2) the amount determined by the formula

$$C \times \frac{365}{D}.$$

Interpretation — For the purposes of these formulas,

(1) A is the net tax for the particular reporting period;

(2) B is the number of days in the particular reporting period;

(3) C is the total of all amounts each of which is the net tax for a reporting period of the registrant ending in the twelve-month period immediately preceding the particular reporting period; and

(4) D is the number of days in the period commencing on the first day of the first of those preceding reporting periods and ending on the last day of the last of those preceding reporting periods.

458.0.3 Minimum instalment base — For the purposes of section 458.0.1, where a registrant's instalment base for a reporting period is less than $3,000, it is deemed to be nil.

1995, c. 63, s. 463; 2009, c. 15, s. 521

458.0.3.1 For the purposes of paragraph 2 of section 458.0.1, where a person becomes a selected listed financial institution during a reporting period, the instalment to be paid within one month after the end of each fiscal quarter of the person ending in the reporting period is equal to

(1) where the fiscal quarter is the first fiscal quarter in the reporting period, 1/4 of the amount determined in accordance with section 458.0.2; and

(2) in any other case, the lesser of

(a) 1/4 of the amount determined in accordance with subparagraph 1 of the first paragraph of section 458.0.2, and

(b) the amount determined by the formula

$$A \times B.$$

For the purposes of the formula in subparagraph b of subparagraph 2 of the first paragraph,

(1) A is the value of A in the formula in subparagraph ii of paragraph b of subsection 5 of section 237 of the *Excise Tax Act* (Revised Statutes of Canada, 1985, chapter E-15), determined for the reporting period; and

(2) B is the percentage corresponding to the value D would have in the formula in subparagraph ii of paragraph b of subsection 5 of section 237 of the *Excise Tax Act*, for the financial institution as regards Québec, determined for the preceding fiscal quarter, if Québec were a participating province within the meaning of subsection 1 of section 123 of that Act and if, where applicable, the financial institution were a selected listed financial institution for the purposes of that Act.

2012, c. 28, s. 171

458.0.4 Penalty and interest on instalments — If a person fails to pay all of an instalment payable by the person under section 458.0.1 within the time specified in that section, the person shall pay, on the amount of the instalment not paid, interest at the rate prescribed under section 28 of the *Tax Administration Act* (chapter A-6.002), computed for the period beginning on the day of expiry of that time and ending on the earlier of

(1) the day the total of the amount and interest is paid; and

(2) the day on which the tax on account of which the instalment was payable is required to be remitted.

1995, c. 63, s. 463; 2009, c. 5, s. 671; 2010, c. 31, s. 175(4)

458.0.5 Maximum penalty and interest on instalments — Despite section 458.0.4, the total interest payable by a person under that section for the period beginning on the first day of a reporting period for which an instalment on account of tax is payable and ending on the day on which the tax on account of which the instalment was payable is required to be remitted must not exceed the amount, if any, by which the amount of interest that would be payable under section 458.0.4 for the period by the person if no amount were paid by the person on account of instalments payable in the period exceeds the total of all amounts each of which is an amount of interest at the rate prescribed under section 28 of the *Tax Administration Act* (chapter A-6.002), computed on an instalment of tax paid for the period beginning on the day of that payment and ending on the day on which the tax on account of which the instalment was payable is required to be remitted.

1995, c. 63, s. 463; 2009, c. 5, s. 671; 2010, c. 31, s. 175(4)

DIVISION IV — FISCAL PERIOD, REPORTING PERIOD AND RETURN

§0.1 — Fiscal period

I. — Definitions

458.1 Definitions — For the purposes of this Division,

(1) "fiscal year"; — the fiscal year of a person is

(a) where the person has made an election under section 458.4 that is in effect, the period that the person elected to be the fiscal year of the person,

(b) where the fiscal year of the person is determined in accordance with section 458.2, the fiscal year determined in accordance with that section, and

(c) in all other cases, the taxation year of the person within the meaning of Part IX of the *Excise Tax Act* (Revised Statutes of Canada, 1985, chapter E-15);

(2) "fiscal quarter"; — the fiscal quarter of a person is the period determined under sections 458.1.1, 458.2 and 458.2.1 to be the fiscal quarter of the person;

(3) "fiscal month"; — the fiscal month of a person is the period determined under sections 458.1.2, 458.2 and 458.2.1 to be the fiscal month of the person.

Exception — Notwithstanding the first paragraph, the fiscal year, fiscal quarter and fiscal month, at a particular time, of a person who is a registrant under Part IX of the *Excise Tax Act* are deemed to be the fiscal year, fiscal quarter and fiscal month of the person for the purposes of Part IX of that Act at that particular time.

1994, c. 22, s. 617; 1995, c. 63, s. 464

458.1.1 Determination [of] fiscal quarters — The fiscal quarters in a fiscal year of a person shall be determined in accordance with the following rules:

(1) there shall not be more than four fiscal quarters in the year;

(2) the first fiscal quarter in the year shall begin on the first day of that year, and the last fiscal quarter in the year shall end on the last day of that year;

(3) each fiscal quarter shall be shorter than 120 days; and

(4) except for the first and last fiscal quarters in the year, each fiscal quarter shall be longer than 83 days.

1995, c. 63, s. 465

458.1.2 Determination of fiscal months — The fiscal months in a fiscal year of a person shall be determined in accordance with the following rules:

(1) the first fiscal month in each fiscal quarter in the year shall begin on the first day of that fiscal quarter, and the last fiscal month in each fiscal quarter shall end on the last day of that fiscal quarter;

(2) each fiscal month shall be shorter than 36 days except that the Minister may, on request in writing made in prescribed form containing prescribed information and filed with the Minister in prescribed manner, allow the person to have one fiscal month that is longer than 35 days in a fiscal quarter, and

(3) each fiscal month shall be longer than 27 days unless

(a) that fiscal month is the first or last fiscal month in a fiscal quarter, or

(b) the Minister, on request in writing made in prescribed form containing prescribed information and filed with the Minister in prescribed manner, allows the person to have that fiscal month shorter than 28 days.

1995, c. 63, s. 465

II. — Determination of fiscal year, fiscal quarters and fiscal months

458.2 Notice by registrant — Where a person is a registrant at any time in a fiscal year of the person, the person shall notify the Minister of the first and last days of each of the fiscal quarters and fiscal months in the year in prescribed form containing prescribed information and filed with and as prescribed by the Minister on or before the day that is

LTVQ (anglais)

(1) where the person becomes a registrant in that fiscal year, the later of

(a) the day the person files an application for registration or, where the person was required under section 410 or 410.1 to file that application, the day the person was so required to file that application, and

(b) the effective date of the registration; and

(2) in any other case, the first day of that fiscal year.

Exception — The first paragraph does not apply in cases where section 458.6 applies.

1994, c. 22, s. 617; 1995, c. 63, s. 446

458.2.1 Presumptions in case of failure — Where a person fails to determine the fiscal quarters or fiscal months in a fiscal year of the person in accordance with the rules set out in section 458.1.1 or 458.1.2, or fails to satisfy the requirements of section 458.2, the following rules apply:

(1) if the fiscal year of the person is the calendar year, the fiscal quarters and fiscal months of the person are deemed to be the calendar quarters and calendar months; and

(2) notwithstanding section 458.4, if the fiscal year of the person is not the calendar year, the fiscal year of the person is deemed to be the calendar year and the fiscal quarters and fiscal months of the person are deemed to be the calendar quarters and calendar months.

1995, c. 63, s. 467

458.3 [Repealed 1995, c. 63, s. 468.]

III. — Election for fiscal year

458.4 Election — A person may make an election under the second paragraph as prescribed by the Minister, in prescribed form containing prescribed information.

Election — The person referred to in the first paragraph may elect,

(1) where the taxation year of the person within the meaning of Part IX of the *Excise Tax Act* is not a calendar year, to have fiscal years that are calendar years;

(2) where the taxation year of an individual or a trust, within the meaning of Part IX of the *Excise Tax Act*, is not a period that is, for the purposes of the *Taxation Act* (chapter I-3), the fiscal period of a business carried on by the individual or trust, or by a partnership of which the individual or trust is a member, to have the fiscal year of the individual or trust be that fiscal period.

Rules — For the purposes of the preceding paragraphs, the following rules apply:

(1) an election made under subparagraph 1 of the second paragraph shall become effective on the first day of the calendar year;

(2) an election made under subparagraph 2 of the second paragraph shall become effective on the first day of one of the fiscal periods of the individual or trust; and

(3) the election shall specify the day it is to become effective and shall be filed with the Minister on or before that day.

Exception — The first paragraph does not apply in cases where section 458.6 applies.

1994, c. 22, s. 617; 1995, c. 63, s. 469

458.5 Revocation — A person may revoke an election made under section 458.4 as prescribed by the Minister, in prescribed form containing prescribed information.

Rules — For the purposes of the first paragraph, the following rules apply:

(1) the revocation is effective on the first day of a taxation year of the person that begins more than one year after the day the election under section 458.4 became effective; and

(2) the revocation shall specify the day it is to become effective and shall be filed with the Minister on or before that day.

1994, c. 22, s. 617

§1. — Reporting period

I. — General provisions

458.6 Reporting period same as under the *Excise Tax Act* — For the purposes of this Division and notwithstanding section 459.0.1, the reporting period of a person who is a registrant at a particular time in the fiscal year of the person is deemed to be the reporting period of the person at that time in the fiscal year of the person for the purposes of Part IX of the *Excise Tax Act* (Revised Statutes of Canada, 1985, chapter E-15), where the person is a registrant under Part IX of that Act, at the time that reporting period becomes effective under that Act.

Power of the Minister — For the purposes of the first paragraph, the Minister may require to be informed by a person, as prescribed and within the time determined by the Minister in prescribed form containing prescribed information, of the reporting periods of the person for the purposes of Part IX of the *Excise Tax Act* for each of the person's fiscal periods.

1994, c. 22, s. 618; 1995, c. 63, s. 470

458.7 Exceptions — Section 458.6 does not apply to

(1) [Repealed 2012, c. 28, s. 172(1).]

(2) a clothing manufacturer within the meaning of section 350.48.

1995, c. 63, s. 471; 2002, c. 9, s. 172; 2012, c. 28, s. 172

458.8 Despite any other provision of this division, the particular reporting period of a person that begins before 1 January 2013 and that, but for this section, would end after 31 December 2012 is deemed to end on 31 December 2012, if

(1) the person is a listed financial institution;

(2) the person is a registrant on 31 December 2012 for the purposes of this Title and of Part IX of the *Excise Tax Act* (Revised Statutes of Canada, 1985, chapter E-15); and

(3) the person's reporting period under Part IX of the *Excise Tax Act* that includes 1 January 2013 does not correspond to the reporting period that would be the person's particular reporting period, but for this section.

Despite any other provision of this division, where a person would have been a selected listed financial institution throughout the person's particular reporting period that begins before 1 January 2013 and that, but for this paragraph, would end after 31 December 2012, the particular reporting period is deemed to end on 31 December 2012.

Despite any other provision of this division, a person's reporting period that follows the particular reporting period that is deemed to end on 31 December 2012 under this section, or that begins on 1 January 2013 following the person's registration under section 407.6, ends on the day on which the person's reporting period under Part IX of the *Excise Tax Act* that includes 1 January 2013 ends.

2012, c. 28, s. 173

459. Reporting period of a non-registrant — Subject to sections 466 and 467, the reporting period of a person who is not a registrant is a calendar month.

1991, c. 67, s. 459; 1993, c. 19, s. 237; 1994, c. 22, s. 619; 1995, c. 63, s. 472; 1997, c. 85, s. 703

459.0.1 Reporting period of a registrant — Subject to sections 305, 306, 307, 314, 314.1, 315, 324.7, 461.1, 466 and 467, the reporting period of a registrant at a particular time in a fiscal year of the registrant is

(1) the fiscal year of the registrant that includes that time

(a) where the registrant has made an election under section 460 that is effective at that time, or

(b) where

i. the registrant has not made an election under section 459.2, 459.2.1 or 459.4 that is effective at that time,

ii. an election under section 460 by the registrant would be effective at that time if the registrant had made such an election at the beginning of the fiscal year of the registrant that includes that time, and

iii. except where the reporting period of the registrant that includes that time is deemed under section 305, 306, 307, 314, 314.1, 315, 324.7 or 466 to be a separate reporting period, the last reporting period of the registrant ending before that time was a fiscal year of the registrant;

(c) the registrant is a charity and has not made an election under section 459.2, 459.2.1 or 459.4 that is effective at that time, or

(d) where the registrant is described in any of paragraphs 1 to 10 of the definition of "listed financial institution" in section 1 and has not made an election under section 459.2, 459.2.1 or 459.4 that is effective at that time;

(2) the fiscal month of the registrant that includes that time where

(a) the threshold amount of the registrant for the fiscal year or fiscal quarter of the registrant that includes that time exceeds $6,000,000 and the registrant is neither described in any of paragraphs 1 to 10 of the definition of "listed financial institution" in section 1 nor a charity,

(b) the last reporting period of the registrant ending before that time was the fiscal month of the registrant and the registrant has not made an election under section 459.4 or 460 that is effective at that time, or

(c) the registrant has made an election under section 459.2 or 459.2.1 that is effective at that time;

(d) the registrant is a clothing manufacturer within the meaning of section 350.48; and

(3) [Repealed 1997, c. 85, s. 704(1)(4).]

(4) the fiscal quarter of the registrant that includes that time, in all other cases.

1995, c. 63, s. 473; 1997, c. 85, s. 704; 2002, c. 9, s. 173; 2012, c. 28, s. 174

II. — Election for periods

1.

[Repealed 1995, c. 63, s. 474.]

459.1 [Repealed 1995, c. 63, s. 474.]

2. — Election for fiscal month

459.2 Election for fiscal month — A person may make an election to have a reporting period that is a fiscal month of the person.

Effective date of election — An election under the first paragraph shall take effect

(1) where the person is a registrant, on the first day of the fiscal year of the person; or

(2) on the day the person becomes a registrant.

1994, c. 22, s. 620; 1995, c. 63, s. 475

459.2.1 Election for fiscal months — Where a person has made an election under section 460 and the election ceases to have effect at the beginning of a fiscal quarter of the person specified in paragraph 2 of section 461, the person may make an election to have reporting periods that are fiscal months of the person.

Effective date of election — An election under the first paragraph shall take effect on the first day of that fiscal quarter.

1995, c. 63, s. 476

459.3 Duration of election — Elections made under sections 459.2 and 459.2.1 by a person shall remain in effect until the beginning of the day an election by that person under section 459.4 or 460 takes effect.

1994, c. 22, s. 620; 1995, c. 63, s. 477

3. — Election for fiscal quarter

459.4 Election for fiscal quarters — A person that is a charity on the first day of a fiscal year of the person or whose threshold amount for a particular fiscal year does not exceed $6,000,000 may make an election to have reporting periods that are fiscal quarters of the person.

Effective date of election — An election under the first paragraph shall take effect

(a) where the person is a registrant on the first day of the fiscal year of the person, that day; or

(b) on the day in the fiscal year of the person that the person becomes a registrant.

1994, c. 22, s. 620; 1995, c. 1, s. 332; 1995, c. 63, s. 478; 1997, c. 85, s. 705

459.5 Duration of election — An election made under section 459.4 by a person shall remain in effect until the earliest of

(1) the beginning of the day an election by the person under section 459.2 or 460 takes effect;

(2) where the person is not a charity, the beginning of the first fiscal quarter of the person for which the threshold amount of the person exceeds $6,000,000; and

(3) where the person is not a charity, the beginning of the first fiscal year of the person for which the threshold amount of the person exceeds $6,000,000.

1994, c. 22, s. 620; 1995, c. 1, s. 333; 1995, c. 63, s. 478; 1997, c. 85, s. 706

4. — Election for fiscal year

460. Election for fiscal years — A registrant that is a charity on the first day of a fiscal year of the registrant or whose threshold amount for a particular fiscal year does not exceed $1,500,000 may make an election to have reporting periods that are fiscal years of the registrant.

Effective date of election — An election under the first paragraph shall take effect on the first day of the fiscal year of the person.

1991, c. 67, s. 460; 1994, c. 22, s. 621; 1995, c. 1, s. 334; 1995, c. 63, s. 479; 1997, c. 85, s. 707; 2009, c. 15, s. 522

460.1 [Repealed 1994, c. 22, s. 622.]

461. Duration of election — An election made under section 460 by a person shall remain in effect until the earliest of

(1) the beginning of the day an election by the person under section 459.2 or 459.4 takes effect;

(2) where the person is not a charity and the threshold amount of the person for the second or third fiscal quarter of the person in a fiscal year of the person exceeds $1,500,000, the beginning of the first fiscal quarter of the person for which the threshold amount exceeds that amount; and

(3) where the person is not a charity and the threshold amount of the person for a fiscal year of the person exceeds $1,500,000, the beginning of that fiscal year.

1991, c. 67, s. 461; 1993, c. 19, s. 239; 1994, c. 22, s. 623; 1995, c. 1, s. 335; 1995, c. 63, s. 480; 1997, c. 85, s. 708; 2009, c. 15, s. 523

461.1 Deemed reporting period — Where a person has made an election under section 460 and the election ceases to have effect on the beginning of a fiscal quarter specified in paragraph 2 of section 461 of the person, the period beginning on the first day of the fiscal year of the person that includes that fiscal quarter and ending immediately before the beginning of that fiscal quarter is deemed to be a reporting period of the person.

1995, c. 63, s. 481

III. — Terms of election

1. — Determination of threshold amount

462. Threshold amount for fiscal year — For the purposes of sections 459.0.1, 459.4, 459.5, 460 and 461, the threshold amount of a person in respect of a particular fiscal year of the person is an amount equal to the total of

(1) the amount determined by the formula

$$A \times \frac{365}{B};$$

and

(2) the total of all amounts each of which is an amount in respect of an associate of the person who was associated with the person at the end of the fiscal year of the associate that is the last such year ending at the same time as, or at any time in, the fiscal year immediately preceding the particular fiscal year of the person, determined by the formula

$$C \times \frac{365}{D}.$$

Interpretation — For the purposes of these formulas,

(1) A is the total of all consideration, other than consideration referred to in section 75.2 that is attributable to goodwill of a business, for taxable supplies, other than supplies of financial services, supplies by way of sale of immovables that are capital property of the person and supplies included in Part V of Schedule VI to the *Excise Tax Act* (Revised Statutes of Canada, 1985, chapter E-15), made in Canada by the person in the course of commercial activities that became due to the person in the fiscal year immediately preceding the particular fiscal year of the person or that was paid to the person in that preceding fiscal year without having become due;

(2) B is the number of days in the fiscal year immediately preceding the particular fiscal year;

(3) C is the total of all consideration, other than consideration referred to in section 75.2 that is attributable to goodwill of a business, for taxable supplies, other than supplies of financial services, supplies by way of sale of immovables that are capital property of the associate and supplies included in Part V of Schedule VI to the *Excise Tax Act*, made in Canada by the associate in the course of commercial activities that became due to the associate in the fiscal year of the associate or that was paid to the associate in that fiscal year without having become due; and

(4) D is the number of days in the fiscal year of the associate.

1991, c. 67, s. 462; 1993, c. 19, s. 240; 1994, c. 22, s. 623; 1995, c. 63, s. 482

462.1 Threshold amount for fiscal quarter — For the purposes of sections 459.0.1, 459.4, 459.5, 460 and 461, the threshold amount of a person for a particular fiscal quarter of the person at any time in a fiscal year of the person is an amount equal to the total of

(1) the total of all consideration, other than consideration referred to in section 75.2 that is attributable to goodwill of a business, for taxable supplies, other than supplies of financial services, supplies by way of sale of immovables that are capital property of the person and supplies included in Part V of Schedule VI to the *Excise Tax Act* (Revised Statutes of Canada, 1985, chapter E-15), made in Canada by the person in the course of commercial activities that became due to the person in the fiscal quarters of the person ending in the fiscal year which immediately precede the particular fiscal quarter or that was paid to the person in those preceding fiscal quarters without having become due; and

(2) the total of all amounts each of which is an amount in respect of an associate of the person at the beginning of the particular fiscal quarter equal to the total of all consideration, other than consideration referred to in section 75.2 that is attributable to goodwill of a business, for taxable supplies, other than supplies of financial services, supplies by way of sale of immovables that are capital property of the associate and supplies included in Part V of Schedule VI to the *Excise Tax Act*, made in Canada by the associate in the course of commercial activities that became due to the associate in the fiscal quarters of the associate that end in that fiscal year of the person before the beginning of the particular fiscal quarter or that was paid to the associate in those fiscal quarters of the associate without having become due.

1994, c. 22, s. 624; 1995, c. 63, s. 483; 2001, c. 53, s. 384

462.1.1 For the purposes of sections 462 and 462.1, **"supply made in Canada"** means a supply made in Canada for the purposes of Part IX of the *Excise Tax Act* (Revised Statutes of Canada, 1985, chapter E-15).

1995, c. 63, s. 484; 2012, c. 28, s. 175

462.2 [Repealed 1995, c. 63, s. 485.]

2. — Filing of election

462.3 Form and filing of election — An election made under section 459.2, 459.2.1, 459.4 or 460 by a person shall be made in prescribed form containing prescribed information, be filed with the Minister in prescribed manner, and specify the first fiscal year in respect of which it applies.

Time limit — The election referred in the first paragraph shall be filed

(1) where the election is to take effect on the day the person becomes a registrant, at the time the person applies to be registered or, where the effective date of the person's registration is after that time, at any time between that time and that effective date;

(2) where the election is made under section 460 and the reporting period of the person ending immediately before the day the election is to take effect is a fiscal quarter of the person, within three months after that day; and

(3) in all other cases, within two months after the day the election is to take effect.

1994, c. 22, s. 624; 1995, c. 63, s. 486

463. [Repealed 1994, c. 22, s. 625.]

IV. — Special provisions

464. [Repealed 1995, c. 63, s. 487.]

465. [Repealed 1995, c. 63, s. 487.]

466. On becoming a registrant — Where a person becomes a registrant on a particular day, the following periods are deemed to be separate reporting periods of the person:

(1) the period beginning on the first day of the calendar month that includes the particular day and ending on the day immediately preceding the particular day; and

(2) the period beginning on the particular day and ending on the last day of the reporting period of the person, determined under subdivision 1, that includes the particular day.

1991, c. 67, s. 466; 1994, c. 22, s. 627

467. On ceasing to be a registrant — Where a person ceases to be a registrant on a particular day, the following periods are deemed to be separate reporting periods of the person:

(1) the period beginning on the first day of the reporting period of the person, determined under subdivision 1, that includes the particular day and ending on the day immediately preceding the particular day; and

(2) the period beginning on the particular day and ending on the last day of the calendar month that includes the particular day.

1991, c. 67, s. 467; 1994, c. 22, s. 627

§2. — Return

468. Filing by a registrant — Every registrant shall file a return with the Minister for each reporting period of the registrant

(1) where the reporting period is or would, but for section 466, be the fiscal year of the registrant,

(a) if the registrant is described in any of paragraphs 1 to 10 of the definition of "listed financial institution" in section 1, within six months after the end of the fiscal year,

(b) except where subparagraph a applies, if the registrant is an individual whose fiscal year is a calendar year and, for the purposes of the *Taxation Act* (chapter I-3), the individual carried on a business during the year and the filing-due date of the individual for the year is 15 June of the following year, on or before that day, and

(c) in any other case, within three months after the end of the fiscal year; and

(2) in every other case, within one month after the end of the reporting period.

1991, c. 67, s. 468; 1994, c. 22, s. 627; 1995, c. 63, s. 488; 1997, c. 31, s. 148; 2011, c. 6, s. 285; 2012, c. 28, s. 176

469. Non-resident supplier of admissions — Notwithstanding section 468, where, in a reporting period of a person not resident in Québec, the person makes a taxable supply in Québec of admissions in respect of an activity, a seminar, an event or a place of amusement, the person shall

(1) file with the Minister a return for that period on or before the earlier of

(a) the day on or before which a return for that period is required to be filed under section 468, and

(b) the day the person, or one or more of his employees who are involved in the commercial activity in which the supply was made, leaves Québec; and

(2) on or before that earlier day, remit all amounts that became collectible, and all other amounts collected by the person, in the period as or on account of tax under section 16.

1991, c. 67, s. 469

470. Filing by a non-registrant — Every person who is not a registrant shall file a return with the Minister for each reporting period of the person for which net tax is remittable by the person, within one month after the end of the reporting period.

1991, c. 67, s. 470; 1994, c. 22, s. 628

470.1 Despite paragraph 2 of section 468 and section 470, if a selected listed financial institution's reporting period ending in a fiscal year is a fiscal month or a fiscal quarter for the purposes of the *Excise Tax Act* (Revised Statutes of Canada, 1985, chapter E-15), the financial institution shall file with the Minister, where the percentage determined in accordance with subparagraph 3 of the second paragraph of section 433.16 for the taxation year in which the fiscal year of the financial institution ends is greater than zero,

Modification proposée — 470.1 opening words

470.1 Despite paragraph 2 of section 468 and section 470, if a selected listed financial institution's reporting period ending in a fiscal year is a fiscal month or a fiscal quarter, the financial institution shall file with the Minister

Application: Bill 18 (First Reading February 21, 2013), subsec. 232(1), will substitute the opening words of s. 470.1 to read as above, applicable in respect of a reporting period that ends after December 31, 2012. However, when it applies in relation to a reporting period that includes January 1, 2013, s. 470.1 is to be read as follows:

470.1 Despite paragraph 2 of section 468 and section 470, if a selected listed financial institution has a reporting period that ends on a particular day in a fiscal year and, for the purposes of Part IX of the *Excise Tax Act* (Revised Statutes of Canada, 1985, chapter E-15), its reporting period ending on that particular day is a fiscal month or fiscal quarter, the financial institution shall file with the Minister

(1) an interim return for the reporting period within one month after the end of the period; and

(2) a final return for the reporting period within six months after the end of the fiscal year.

2012, c. 28, s. 177

471. Form and content — Every return under this subdivision shall be made in prescribed form containing prescribed information and shall be filed with and as prescribed by the Minister.

1991, c. 67, s. 471

472. Taxable supply made outside Québec — Where tax under section 18 or 18.0.1 is payable by a person,

(1) where the person is a registrant, the person shall, on or before the particular day on which the person's return under section 468 or 469 for the reporting period in which the tax became payable is required to be filed, pay the tax to the Minister or the prescribed person and

(a) except where the person is referred to in subparagraph b, report the tax in that return, or

(b) where the person is a qualifying taxpayer, within the meaning of section 26.2, file with the Minister or the prescribed person, on or before the particular day, in the manner determined by the Minister a return in respect of the tax in the form and containing the information determined by the Minister; and

Modification proposée — 472(1)(b)

(b) where the person is a qualifying taxpayer, within the meaning of section 26.2, file with the Minister, on or before the particular day, in the manner determined by the Minister a return in respect of the tax in the form and containing the information determined by the Minister; and

Application: Bill 18 (First Reading February 21, 2013), para. 233(1)(2), will amend subpara. 472(1)(b) to read as above, applicable in respect of a reporting period that ends after December 31, 2012.

(2) in any other case, the person shall, on or before the last day of the month following the calendar month in which the tax became payable, pay the tax to the Minister or the prescribed person and file with the Minister or the prescribed person in prescribed manner a return in respect of the tax in the prescribed form containing prescribed information.

1991, c. 67, s. 472; 1994, c. 22, s. 629; 1995, c. 1, s. 336; 1995, c. 63, s. 489; 1997, c. 85, s. 709; 2012, c. 28, s. 178

473. Corporeal property brought into Québec — Every person who is liable to pay tax under section 17 (in this section referred to as the "taxpayer") shall, at the time the tax becomes payable, file a return with the Minister or a prescribed person, in prescribed form containing prescribed information, and at the same time remit to the Minister or prescribed person the tax payable.

Registrant — Notwithstanding section 17, where a taxpayer is required to file a return under section 468, the taxpayer shall, except where tax under section 17 is to be collected by a prescribed person, furnish in the return information relating to the bringing of the property into Québec and pay the tax upon filing the return under section 468.

1991, c. 67, s. 473; 1993, c. 19, s. 244; 1995, c. 63, s. 490

473.1 Remittance of tax — Every person who is liable to pay tax under section 16 (in this section referred to as the "taxpayer") in respect of a supply under section 20.1 or of a supply made by a small supplier who is not a registrant, in the course of a commercial activity, of a road vehicle, other than a motor vehicle acquired by a supply by way of retail sale, that must be registered under the *Highway Safety Code* (chapter C-24.2) following an application by the person shall, at the time of the supply, remit to the Minister or a prescribed person the tax payable in respect of the supply.

Collection of tax — The prescribed person shall, as a mandatary of the Minister, collect the tax payable by the taxpayer in respect of the supply.

1993, c. 19, s. 245; 1995, c. 1, s. 337; 1995, c. 63, s. 491; 2001, c. 51, s. 305

473.1.1 Remittance of tax — Every person who is liable to pay tax under section 16 (in this section referred to as the "taxpayer") in respect of a supply of a motor vehicle by way of retail sale shall, at the time the tax becomes payable under section 82.2, remit the tax payable in respect of the supply

(a) where the time is the time of registration of the vehicle under the *Highway Safety Code* (chapter C-24.2) following an application by its recipient, to a prescribed person;

(b) where the time is the time the vehicle is delivered to the recipient, to the Minister or to a prescribed person.

Mandatary of the Minister — The prescribed person shall, as a mandatary of the Minister, collect the tax payable by the taxpayer in respect of the supply and indicated by the supplier, in accordance with section 425.1, and give the taxpayer the document required for the purposes of this Title to substantiate a claim by the taxpayer for a rebate in respect of the supply, certifying that tax under section 16 has been paid.

Exception — This section does not apply where

(1) the supply is a supply under section 20.1;

(2) the supply is a supply made by a small supplier who is not a registrant, in the course of a commercial activity, of a road vehicle, other than a motor vehicle acquired by a supply by way of retail sale, that must be registered under the *Highway Safety Code* following an application by the person;

(3) the supply is made following the exercise by the recipient of a right to acquire the motor vehicle, conferred on the recipient under an agreement in writing for the lease of the vehicle entered into with the supplier;

(4) the person would be entitled to a rebate of the tax payable in respect of the supply of the motor vehicle under section 351 or 352 if the person had paid tax under the first paragraph; or

(5) the person received the supply of a new motor vehicle so as to again make a supply of it by way of sale, otherwise than by way of gift, acquired by the person through a mandatary for the purpose of shipping it outside Québec and the vehicle was shipped outside Québec.

2001, c. 51, s. 306; 2004, c. 21, s. 539

473.2 Definitions — For the purposes of sections 473.3 to 473.9,

"cumulative amount" for a reporting period of a registrant means the total of

(1) the amount that would be the registrant's net tax for the period if it were determined without reference to section 473.5 and if no input tax refund were claimed, and no amounts were deducted, in determining that net tax, and

(2) the amount required under section 473.5 to be added in determining the net tax for the period;

LTVQ (anglais)

"designated reporting period" of a person means a reporting period of the person in respect of which a designation under section 473.3 is in effect, but does not include a reporting period in which the person ceases to be a registrant.

"fiscal year" of a registrant is the fiscal year of the registrant within the meaning of section 458.1;

1995, c. 1, s. 338; 1995, c. 63, s. 492

473.3 Designation by the Minister — The Minister may, on the application of a registrant and by notice in writing, designate, as an eligible reporting period for the purposes of sections 473.2 to 473.9, a particular reporting period, other than a fiscal year, of the registrant specified in the registrant's application and ending in a fiscal year of the registrant if

(1) the Minister is satisfied that it can reasonably be expected that the cumulative amount for the particular reporting period will not exceed $1 000;

(2) the registrant's application in respect of the particular reporting period is made in prescribed form, contains prescribed information and is filed with and as prescribed by the Minister before the beginning of the particular reporting period; and

(3) at the time the application is filed,

(a) no designation under this section of a reporting period of the registrant ending in the fiscal year has been revoked,

(b) all amounts required under a fiscal law within the meaning of the *Tax Administration Act* (chapter A-6.002) to be paid or remitted by the registrant before that time have been paid or remitted, and

(c) all returns required under this title to be filed with the Minister before that time by the registrant have been filed.

1995, c. 1, s. 338; 2010, c. 31, s. 175(4)

473.4 No return — Subject to sections 39, 39.2 and 61.1 of the *Tax Administration Act* (chapter A-6.002), a registrant is not required to file a return under section 468 for a designated reporting period of the registrant if the cumulative amount for the period does not exceed $1,000.

2009, c. 15, s. 524; 2010, c. 31, s. 175(4)

473.5 Determination of the net tax — Where the cumulative amount for a designated reporting period of a registrant does not exceed $1 000, that amount shall be added in determining the registrant's net tax for the reporting period of the registrant immediately following the designated reporting period and, notwithstanding any other provision of this title, shall not be included in determining the registrant's net tax for the designated reporting period.

1995, c. 1, s. 338

473.6 Revocation by the Minister — The Minister may revoke a designation made under section 473.3 in respect of a reporting period of a registrant if

(1) the condition described in paragraph 1 of section 473.3 is no longer met in respect of the period; or

(2) the conditions described in paragraph 3 of section 473.3 would not be met if an application for such a designation were filed at the beginning of the period.

1995, c. 1, s. 338

473.7 Notice of revocation — Where, under section 473.6, the Minister revokes a designation of a reporting period of a registrant, the Minister shall send a notice in writing of the revocation to the registrant.

1995, c. 1, s. 338

473.8 Automatic revocation — All designations by the Minister under section 473.3 of a reporting period of a registrant which is subsequent to a particular designated reporting period of the registrant and which ends in the same fiscal year as the particular designated period are revoked where

(1) the registrant files, or is required to file, a return under section 468 for the designated reporting period; or

(2) the Minister revokes the designation of the designated reporting period.

1995, c. 1, s. 338

473.9 Filing deadlines — For the purposes of this title, except sections 473.2 to 473.8, any reference to the day on or before which a person is required to file a return shall, where the person is, because of section 473.4, not required to file the return, be read as a reference to the day on or before which the person would, but for that section, be required to file the return.

1995, c. 1, s. 338

474. Separate returns — A registrant who engages in one or more commercial activities in separate divisions or branches may file with and as prescribed by the Minister an application, in prescribed form containing prescribed information, for authority to file separate returns under this chapter in respect of a division or branch specified in the application.

1991, c. 67, s. 474

475. Authorization — Where the Minister receives an application under section 474 in respect of a division or branch of a registrant and is satisfied that

(1) the branch or division can be separately identified by reference to the location thereof or the nature of the activities engaged in by it, and

(2) books of account, other records and accounting systems are maintained separately in respect of the branch or division, the Minister may, in writing, authorize the registrant to file separate returns in relation to the specified branch or division, subject to such conditions as the Minister may at any time impose.

1991, c. 67, s. 475; 2000, c. 25, s. 30

476. Revocation — The Minister may, in writing, revoke an authorization granted under section 475 where

(1) the registrant fails to comply with any condition attached thereto or any provision of this title;

(2) the Minister considers that the authorization is no longer required for the purposes for which it was originally granted, or for the purposes of this title;

(3) the Minister is no longer satisfied that the requirements of paragraphs 1 and 2 of section 475 in respect of the registrant are met; or

(4) the registrant, in writing, requests the Minister to revoke the authorization.

1991, c. 67, s. 476

477. Notice of revocation — Where under section 476 the Minister revokes an authorization, he shall send a notice in writing of the revocation to the registrant and shall specify therein the effective date thereof.

1991, c. 67, s. 477

477.1 Separate returns — Notwithstanding sections 474 to 477, where a registrant obtains authorization under section 239 of Part IX of the *Excise Tax Act* (Revised Statutes of Canada, 1985, chapter E-15) to file separate returns in relation to a division or branch in respect of which an application may be filed under sections 474 and 475, the following rules apply:

(1) the registrant is not required to file the application provided for in section 474;

(2) the authorization granted under section 239 of Part IX of the said Act, including any conditions to which the authorization is subject, is deemed to be an authorization granted under section 475;

(3) a notice of revocation issued under section 239 of Part IX of the said Act of the authorization obtained under that section is deemed to be a revocation issued under section 476 of the authorization granted under section 475 and the effective date of the notice is deemed to be the effective date of the revocation.

Power of the Minister — For the purposes of the first paragraph, the Minister may require that the registrant inform the Minister in prescribed form containing prescribed information and in the manner and within the time prescribed by the Minister of the authorization obtained under section 239 of Part IX of the said Act or of any revocation of such authorization, or require that the registrant transmit to the Minister the authorization or notice of revocation issued pursuant to the said section 239.

Separate returns — person referred to in s. 397 — This section applies, with the necessary modifications, to a person referred to in section 397 who is authorized to file an application under section 239 of Part IX of the said Act by reason of the application of subsection 11 of section 259 of the said Act.

1995, c. 63, s. 493; 1997, c. 85, s. 710

Chapter IX — Anti-Avoidance Rule

478. Definitions — For the purposes of this chapter,

"tax benefit" means a reduction, an avoidance or a deferral of tax or other amount payable under this title or an increase in a refund or rebate of tax or any other amount under this title;

"tax consequences" to a person means the amount of tax, net tax, input tax refund, rebate under Division I of Chapter VII or any other amount payable by, or refundable to, the person under this title, or any other amount that is relevant to the purposes of computing that amount;

"transaction" includes an arrangement or event.

1991, c. 67, s. 478

479. General anti-avoidance rule — Where a transaction is an avoidance transaction, the tax consequences to a person shall be determined as is reasonable in the circumstances in order to deny a tax benefit that, but for this chapter, would result, directly or indirectly, from that transaction or from a series of transactions that include that transaction.

1991, c. 67, s. 479

480. Avoidance transaction — An avoidance transaction means any transaction that, but for this chapter, would result, directly or indirectly, in a tax benefit, or that is part of a series of transactions, which series, but for this chapter, would result, directly or indirectly, in a tax benefit, unless the transaction may reasonably be considered, in either case, to have been undertaken or arranged primarily for *bona fide* purposes other than to obtain the tax benefit.

1991, c. 67, s. 480; 2007, c. 12, s. 339

481. Exception — Section 479 applies to a transaction only if it may reasonably be considered that

(1) but for this chapter, the transaction would directly or indirectly result in an abuse in the application of the provisions of one or more of

(a) this Title,

(b) the *Regulation respecting the Québec sales tax*, made by Order in Council 1607-92 (1992, G.O. 2, 4952), as regards the provisions relating to the application of this Title, or

(c) any other legislative or regulatory provision that is relevant for computing the tax or another amount payable by a person or refundable to a person under this Title, or for determining an amount that is to be taken into account in that computation; or

(2) the transaction would directly or indirectly result in an abuse in the application of the provisions referred to in paragraph 1, other than this chapter, read as a whole.

1991, c. 67, s. 481; 2007, c. 12, s. 340

LTVQ (anglais)

482. Determination of the tax consequences — Without restricting the generality of section 479 and despite any other legislative or regulatory provision, in determining the tax consequences to a person as is reasonable in the circumstances in order to deny a tax benefit that would, but for this chapter, result, directly or indirectly, from an avoidance transaction,

(1) any input tax refund, deduction or exclusion in computing tax or net tax payable may be allowed or disallowed in whole or in part;

(2) all or part of any refund, deduction or exclusion referred to in paragraph 1 may be allocated to any person;

(3) the nature of any payment or other amount may be recharacterized; and

(4) the tax effects that would otherwise result from the application of other provisions of this title may be ignored.

1991, c. 67, s. 482; 2007, c. 12, s. 341

483. Request for determination of tax consequences — Where a notice of assessment involving the application of section 479 with respect to a transaction has been sent to a person, any person, other than a person to whom such a notice has been sent, is entitled, within 180 days after the day of sending of the notice, to request in writing that the Minister make an assessment applying section 479 with respect to that transaction.

Extension of time — However, where a person making such a request was in fact unable to act or to mandate another person to act on his behalf within the time prescribed and where no more than one year has elapsed after the day of sending of the notice, the person may apply to a judge of the Court of Québec for an extension which shall not exceed 15 days after the date of the judgment granting the extension.

1991, c. 67, s. 483; 1997, c. 3, s. 130; 2004, c. 4, s. 56

484. Restriction — Notwithstanding any other provision of this title, the tax consequences to any person following the application of this chapter shall only be determined through a notice of assessment involving the application of this chapter.

1991, c. 67, s. 484

485. Duties of the Minister — On receipt of a request made by a person under section 483, the Minister shall, with all due dispatch, consider the request and, notwithstanding the second paragraph of section 25 of the *Tax Administration Act* (chapter A-6.002), make assessment with respect to the person.

Restriction — However, an assessment may be made under this section only to the extent that it may reasonably be regarded as relating to the transaction referred to in section 483.

1991, c. 67, s. 485; 1995, c. 63, s. 494; 2010, c. 31, s. 175(4)

Chapter X — Penal Provision

485.1 Offence and penalty — Every person who contravenes a regulatory provision made under subparagraph 22 of the first paragraph of section 677, the violation of which is an offence under a regulatory provision made under subparagraph 60 of that paragraph, is liable to a fine of not less than $500 nor more than $2,000 and, in the case of a second offence within five years, to a fine of not less than $2,000 nor more than $5,000 and, for a subsequent offence within that time, to a fine of not less than $5,000 nor more than $10,000.

1995, c. 1, s. 339; 2006, c. 7, s. 14

485.2 Offence report — Where an offence to a regulatory provision referred to in section 485.1 has been committed, any person entrusted with the enforcement of this Act may draw up an offence report.

Prima facie proof — In any proceedings instituted under this Act, the offence report, signed by the person referred to in the first paragraph, shall be accepted, in the absence of proof to the contrary, as proof of the facts ascertained by, and of the authority of, that person, without further proof of his appointment or of his signature.

1995, c. 1, s. 339; 1997, c. 3, s. 131

485.3 Offence and penalty — Every person who contravenes any of sections 425, 425.1 and 425.1.1 is guilty of an offence and liable to a fine of not less than $200 nor more than $5,000.

2002, c. 46, s. 31; 2010, c. 5, s. 245

Title II — Tax on Alcoholic Beverages

Chapter I — Definitions

486. Definitions — For the purposes of this title and the regulations made thereunder, unless the context indicates a different meaning,

"beer" has the meaning assigned by the *Act respecting offences relating to alcoholic beverages* (chapter I-8.1);

"consumption on the premises" means

(1) the use or consumption of an alcoholic beverage in an establishment in respect of which the person operating it is required to hold

(a) a permit authorizing the sale of alcoholic beverages for consumption on the premises issued under the *Act respecting liquor permits* (chapter P-9.1),

(b) a reunion permit issued under the *Act respecting liquor permits*,

(c) a permit described in section 2.0.1 of the *Act respecting offences relating to alcoholic beverages* (chapter I-8.1) that corresponds to a permit provided for in subparagraph a or b of this paragraph,

(d) a small-scale production permit issued under the *Act respecting the Société des alcools du Québec* (chapter S-13), or

(e) a brewer's permit issued under the *Act respecting the Société des alcools du Québec*; and

(2) the use or consumption of an alcoholic beverage with a meal for take out or delivery, sold by a person who is required to hold

(a) a restaurant sales permit issued under section 28 of the *Act respecting liquor permits*, or

(b) a permit described in section 2.0.1 of the *Act respecting offences relating to alcoholic beverages* that corresponds to a permit provided for in subparagraph a of this paragraph;

"person" has the meaning assigned by section 1;

"reporting period" of a person is the reporting period of the person for the purposes of Title I or the reporting period of the person specified under section 499.4;

"vendor" means any person who makes a retail sale of an alcoholic beverage in Québec;

"retail sale" means any sale for purposes other than exclusively of resale.

1991, c. 67, s. 486; 1999, c. 83, s. 318; 2005, c. 1, s. 358

Chapter II — Specific Tax

487. Specific tax — Every person shall, at the time of making a purchase at a retail sale in Québec of any alcoholic beverage, pay a specific tax equal to

(1) 0.065 of a cent per millilitre of beer or 0.197 of a cent per millilitre of any other alcoholic beverage the person purchases for consumption on the premises; and

(2) 0.040 of a cent per millilitre of beer or 0.089 of a cent per millilitre of any other alcoholic beverage the person purchases otherwise than for consumption on the premises.

1991, c. 67, s. 487; 1995, c. 1, s. 340; 2005, c. 1, s. 359

488. Alcoholic beverages brought into Québec — Every person who carries on business or ordinarily resides in Québec and brings or causes to be brought into Québec any alcoholic beverage for use or consumption by the person or by another person at the person's expense or purchases by way of a retail sale made outside Québec, an alcoholic beverage that is in Québec shall, on the date the use or consumption of the alcoholic beverage begins in Québec, pay to the Minister a specific tax equal to

(1) 0.065 of a cent per millilitre of beer or 0.197 of a cent per millilitre of any other alcoholic beverage so brought in or purchased for consumption on the premises; and

(2) 0.040 of a cent per millilitre of beer or 0.089 of a cent per millilitre of any other alcoholic beverage so brought in or purchased otherwise than for consumption on the premises.

1991, c. 67, s. 488; 1995, c. 1, s. 340; 2005, c. 1, s. 360

489. Use or consumption in Québec — Every person who has purchased or produced an alcoholic beverage intended for sale or as a component of a movable property intended for sale shall, on the date the person begins to use or consume the alcoholic beverage in Québec for another purpose or arranges for it to be used or consumed in Québec at the person's expense by another person, pay to the Minister a specific tax equal to

(1) 0.065 of a cent per millilitre of beer or 0.197 of a cent per millilitre of any other alcoholic beverage so purchased or produced, where the use or consumption made thereof constitutes consumption on the premises; and

(2) 0.040 of a cent per millilitre of beer or 0.089 of a cent per millilitre of any other alcoholic beverage so purchased or produced, where the use or consumption made thereof does not constitute consumption on the premises.

Alcoholic beverages taken or shipped out of Québec — However, the first paragraph does not apply in respect of an alcoholic beverage purchase or produced in Québec if it is taken or shipped out of Québec for use or consumption as part of the carrying on of the person's undertaking.

Presumption — In addition, where the person has paid an amount equal to the specific tax for the purposes of section 497 in respect of an alcoholic beverage described in the first paragraph, the following rules apply:

(1) if the amount equal to the specific tax paid corresponds to the tax the person is required to pay under the first paragraph, the person is deemed to have paid that tax;

(2) if the amount equal to the specific tax paid is greater than the tax the person is required to pay under the first paragraph, the person is deemed to have paid that tax up to the amount of the tax; and

(3) if the amount equal to the specific tax paid is less than the tax the person is required to pay under the first paragraph, the person is deemed to have paid that tax up to the amount equal to the specific tax paid and must pay the difference to the Minister in accordance with the first paragraph.

1991, c. 67, s. 489; 1995, c. 1, s. 341; 1995, c. 63, s. 495; 2005, c. 1, s. 361

489.1 Reduction of tax — In the case of beer produced in Québec by a prescribed person, the specific tax that a person is required to pay under this Title in respect of beer is reduced by the prescribed percentage, on the prescribed terms and conditions.

Reduction of tax — In the case of any other alcoholic beverage produced in Québec by a prescribed person, the specific tax that a person is required to pay under this Title in respect of such an alcoholic beverage is reduced by the prescribed amount or percentage, on the prescribed terms and conditions.

1995, c. 63, s. 496; 1997, c. 85, s. 711

LTVQ (anglais)

Chapter III — Exemption

490. Exemptions — The specific tax provided for in this title does not apply to

(1) [Repealed 2005, c. 1, s. 362(1).]

(2) [Repealed 2005, c. 1, s. 362(1).]

(3) the sale of an alcoholic beverage delivered outside Québec for use or consumption outside Québec;

(4) the sale of an alcoholic beverage intended as a component of movable property intended for sale; or

(5) the sale of an alcoholic beverage containing not more than 5% of alcohol by volume.

Presumptions — For the purposes of subparagraph 3 of the first paragraph, a vendor is deemed to deliver alcoholic beverages outside Québec where,

(1) he delivers to a person who operates a commercial air, land or water transportation business, for delivery outside Québec, alcoholic beverages that he has sold for use or consumption outside Québec and keeps a copy of the bill of lading or receipt certified by the carrier for purposes of verification by the Minister;

(2) he posts for delivery outside Québec alcoholic beverages that he has sold for use or consumption outside Québec, keeps for purposes of verification by the Minister the receipt from the Canada Post Corporation identifying the purchaser and sender and satisfies the Minister as to the nature of the object so delivered.

1991, c. 67, s. 490; 1995, c. 63, s. 497; 1997, c. 14, s. 350; 1997, c. 85, s. 712; 2005, c. 1, s. 362

491. Exemption — The tax which a person is required to pay upon the use or consumption of an alcoholic beverage pursuant to section 488 or 489 does not apply to the extent of the exemption to which the person would be entitled under section 490 if the person purchased the alcoholic beverage in Québec at the time it began to be used or consumed and if he meets the conditions for the exemption.

1991, c. 67, s. 491

Chapter IV — Administration

492. Collection of tax — Every vendor shall, as mandatory of the Minister, collect the specific tax provided for in section 487 at the time of the sale by him of any alcoholic beverage.

Calculation — Whether the price is stipulated to be payable in cash, with a term, in instalments or in any other manner, the tax referred to in the first paragraph shall be collected by the vendor at the time of the sale and calculated on the total number of millilitres of alcoholic beverage forming the object of the contract.

Indication of amount of tax — Every vendor who is required to collect the specific tax referred to in the first paragraph shall indicate to the purchaser, in prescribed manner or on any invoice, receipt, writing or other document recording the sale, the amount of the tax separately from the sale price or so indicate to him that the price includes the tax. In addition, the tax shall be referred to by its name, an abbreviation of its name or a similar designation. No other form of reference to the tax may be used.

1991, c. 67, s. 492; 1995, c. 63, s. 510; 2002, c. 46, s. 32

493. Sale without registration certificate forbidden — No collection officer, wholesaler, importer, manufacturer or vendor shall sell any alcoholic beverage in Québec unless a registration certificate has been issued to him under Title I and unless such certificate is in force at the time of the sale.

Exception — However, the requirement imposed by the first paragraph does not apply to a person who is not required to be registered under Title I at the time of the sale of alcoholic beverages.

1991, c. 67, s. 493; 1995, c. 63, s. 498

494. Account to the Minister — Every vendor shall keep an account of the specific tax the vendor has collected and shall, for each reporting period, where the vendor is required to file a return under Division IV of Chapter VIII of Title I, or within the time period provided for in section 468, if the vendor so elects under section 499.4, render an account to the Minister, in prescribed form containing the prescribed information, of the specific tax the vendor has collected or should have collected during the particular reporting period, file the account with and as prescribed by the Minister and, at the same time, remit to the Minister the amount of that tax.

Obligation — The vendor shall render an account even if no sale giving rise to such a tax was made during the particular reporting period.

Exemption — Notwithstanding the foregoing, a vendor is not required to render an account to the Minister, unless the latter demands it, or to remit to him the specific tax collected in respect of the sale of any alcoholic beverage he acquired from a collection officer holding a registration certificate, where he has paid to that officer the amount provided for in section 497 in respect of that alcoholic beverage.

Collected amount — However, if the specific tax collected in respect of the alcoholic beverage is greater than the amount paid by the vendor under section 497 to a collection officer holding a registration certificate, the difference between the tax and the amount shall be remitted to the Minister according to the terms and conditions provided in the first paragraph.

1991, c. 67, s. 494; 1999, c. 83, s. 319; 2005, c. 1, s. 363

494.1 A vendor holding a reunion permit issued under the *Act respecting liquor permits* (chapter P-9.1) who is not required to be registered and is not registered under Title I shall keep an account of the specific tax the vendor has collected and shall, on or before the last day of the month that follows that in which the vendor sold an alcoholic beverage, render an account to the Minister, in prescribed form containing the prescribed information, of the specific tax the vendor has collected or should have collected during the preceding month, file the account with and as prescribed by the Minister and, at the same time, remit to the Minister the amount of that tax.

The third and fourth paragraphs of section 494 apply, with the necessary modifications, to a vendor holding a reunion permit issued under the *Act respecting liquor permits*.

2005, c. 1, s. 364; 2005, c. 23, s. 281

495. Non-collection by vendor — Where the specific tax provided for in section 487 has not been collected by the vendor, the purchaser shall, at the time of the sale, render an account of that fact to the Minister, sending him the invoice, if any, with such information as the Minister may require and, at the same time, remit to him the specific tax payable.

Obligation — Every person who is required to pay tax under section 488 or 489 is under the same obligation, and this obtains at the time specified in those sections.

1991, c. 67, s. 495

Chapter V — Advance Collection

496. Collection officers — Every person who sells an alcoholic beverage in Québec is a collection officer.

Exceptions — Notwithstanding the first paragraph, the following persons, when carrying on the activities mentioned below, are not collection officers:

(1) the vendor, when he makes a retail sale;

(2) the holder of a distiller's permit or a wine maker's permit issued under the *Act respecting the Société des alcools du Québec* (chapter S-13), when he carries on activities authorized by such permit;

(3) the holder of a brewer's permit, a beer distributor's permit, a warehouse permit or a cider maker's permit issued under the *Act respecting the Société des alcools du Québec*, when he sells an alcoholic beverage

(a) for purposes of blending, to a person holding an industrial permit issued under the said Act;

(b) [Repealed 2005, c. 1, s. 365(1)(1).]

(c) to the Société des alcools du Québec;

(4) the holder of a small-scale production permit issued under the *Act respecting the Société des alcools du Québec*, when he makes a sale of an alcoholic beverage

(a) [Repealed 2005, c. 1, s. 365(1)(2).]

(b) to the Société des alcools du Québec;

(4.1) the holder of a small-scale beer producer's permit issued under the *Act respecting the Société des alcools du Québec*, when he makes a sale to the Société des alcools du Québec;

(5) the Société des alcools du Québec, when it sells an alcoholic beverage

(a) to the holder of an industrial permit, a small-scale production permit or a small-scale beer producer's permit issued under the *Act respecting the Société des alcools du Québec*;

(b) [Repealed 2005, c. 1, s. 365(1)(3).]

1991, c. 67, s. 496; 1992, c. 17, s. 18; 1997, c. 14, s. 351; 2005, c. 1, s. 365

497. Collection of tax — Every collection officer holding a registration certificate shall, as mandatary of the Minister, collect

(1) an amount equal to the specific tax provided for in paragraph 1 of section 487 in respect of beer or any other alcoholic beverage from every person to whom the collection officer sells an alcoholic beverage in Québec, which person is required to hold

(a) a permit authorizing the sale of alcoholic beverages for consumption on the premises issued under the *Act respecting liquor permits* (chapter P-9.1),

(b) a reunion permit issued under the *Act respecting liquor permits*,

(c) a permit described in section 2.0.1 of the *Act respecting offences relating to alcoholic beverages* (chapter I-8.1) that corresponds to a permit provided for in subparagraph a or b of this paragraph,

(d) a small-scale production permit issued under the *Act respecting Société des alcools du Québec* (chapter S-13), or

(e) a brewer's permit issued under the *Act respecting the Société des alcools du Québec*; and

(2) an amount equal to the specific tax provided for in paragraph 2 of section 487 in respect of beer or any other alcoholic beverage from every person to whom the collection officer sells an alcoholic beverage in Québec, which person is not required to hold any of the permits provided for in subparagraph 1.

Exception — However, the requirement provided for in the first paragraph does not apply

(1) to the sale of an alcoholic beverage that is delivered outside Québec; and

(2) to the sale of an alcoholic beverage that is delivered in Québec, if it is taken or shipped outside Québec, in the circumstances described in paragraphs 2 to 4 of section 179, for the purpose of resale and the collection officer keeps evidence satisfactory to the Minister.

Calculation — Whether the price is stipulated to be payable in cash, with a term, in instalments or in any other manner, the amount contemplated in the first paragraph shall be collected by the collection officer at the time of the sale and calculated on the total number of millilitres of alcoholic beverage forming the object of the contract.

Indication of amount of tax — Every person who is required to collect the amount provided for in the first paragraph shall indicate to the purchaser, in prescribed manner or on any invoice, receipt, writing or other document recording the sale, that amount separately from the sale price or so indicate to him that the price includes that amount.

1991, c. 67, s. 497; 1995, c. 63, s. 510; 2005, c. 1, s. 366; 2006, c. 7, s. 15

498. Account to the Minister — Every collection officer holding a registration certificate shall keep an account of the amounts the collection officer has collected and shall, for each reporting period, where the collection officer is required to file a return under Division IV of Chapter VIII of Title I, or within the time period provided for in section 468, if the collection officer so elects under section 499.4, render an account to the Minister, in prescribed form containing the prescribed information, of the amounts the collection officer has collected or should have collected under section 497 during the particular reporting period, file the account with and as prescribed by the Minister and, at the same time, remit the amounts to the Minister.

Obligation — The collection officer shall render an account even if no sale of alcoholic beverages was made during the particular reporting period.

Exemption — Notwithstanding the foregoing, a collection officer holding a registration certificate is not required to render an account to the Minister, unless the latter demands it, or to remit to him the amount collected in respect of the sale of any alcoholic beverage he acquired from another collection officer holding a registration certificate, where he has remitted to that other officer the amount provided for in section 497 in respect of the alcoholic beverage.

Collected amount — However, if the amount collected in respect of the alcoholic beverage is greater than the amount he paid under section 497 to a collection officer holding a registration certificate, the difference between the two amounts shall be remitted to the Minister according to the terms and conditions provided in the first paragraph.

1991, c. 67, s. 498; 1999, c. 83, s. 320; 2005, c. 1, s. 367

499. Non-collection — Every collection officer holding a registration certificate who fails to collect the amount provided for in section 497 or fails to remit to the Minister such an amount which he has collected and is required to remit or remits the amount to a person who does not hold a registration certificate shall become a debtor of the Government for that amount.

Validity of registration certificate — Every collection officer who does not hold a registration certificate in force at the time he sells an alcoholic beverage in Québec shall become a debtor of the Government for any amount provided for in section 497 which he has collected or should have collected if he had held such a certificate.

Interpretation — In such circumstances, the amounts referred to in the first and second paragraphs are deemed to be duties within the meaning of the *Tax Administration Act* (chapter A-6.002).

1991, c. 67, s. 499; 2010, c. 31, s. 175(4)

Chapter V.1 — Instalment

499.1 Instalment base — Where the reporting period of a vendor or collection officer holding a registration certificate is a fiscal year within the meaning of section 458.1 or a period determined under section 461.1, the vendor or collection officer shall, within one month after the end of each of the vendor's or collection officer's fiscal quarter, within the meaning of section 458.1, ending in the reporting period, pay to the Minister an amount equal to ¼ of the instalment base of the vendor or collection officer for that reporting period.

Application of sections 458.0.4 and 458.0.5 of the *Act respecting the Québec sales tax* — Sections 458.0.4 and 458.0.5 apply to that instalment, with the necessary modifications.

1999, c. 83, s. 321; 2005, c. 1, s. 368

499.2 Computation of the instalment base — The instalment base of a person referred to in section 499.1 for a particular reporting period of the person is the lesser of

(1) an amount equal to

(a) in the case of a reporting period determined under section 461.1, the amount determined by the formula

$$A \times (\frac{365}{B}),$$

and

(b) in any other case, the total of the specific tax and the amount equal to the specific tax, if any, that the person has collected or should have collected for the particular reporting period; and

(2) the amount determined by the formula

$$C \times (\frac{365}{D}).$$

Interpretation — For the purposes of these formulas,

(1) A is the total of the specific tax and the amount equal to the specific tax, if any, that the person has collected or should have collected for the particular reporting period;

(2) B is the number of days in the particular reporting period;

(3) C is the total of all amounts each of which is the total of the specific tax and the amount equal to the specific tax, if any, that the person has collected or should have collected for a reporting period ending in the 12-month period immediately preceding the particular reporting period; and

(4) D is the number of days in the period commencing on the first day of the first of those preceding reporting periods and ending on the last day of the last of those preceding reporting periods.

1999, c. 83, s. 321; 2005, c. 1, s. 369

499.3 Instalment base deemed nil — For the purposes of section 499.1, where the instalment base of a vendor or collection officer holding a registration certificate for a reporting period is less than $3,000, it is deemed to be nil.

1999, c. 83, s. 321; 2009, c. 15, s. 527

Chapter V.2 — Reporting Period

[Heading added 2005, c. 1, s. 370.]

499.4 A vendor who ordinarily renders an account of the specific tax the vendor has collected, in accordance with section 494, or a collection officer may elect to have a reporting period that corresponds to

(1) the fiscal year of the vendor or collection officer, within the meaning of section 458.1, if

(a) the reporting period of the vendor or collection officer under Division IV of Chapter VIII of Tile I corresponds to the fiscal month or fiscal quarter of the vendor or collection officer, and

(b) the total of the specific tax and the amount equal to the specific tax, if any, that the vendor or collection officer remitted to the Minister, in accordance with section 494 or section 498, during the fiscal year that precedes that in which the election is made, is less than $3,000; or

(2) the fiscal month or fiscal quarter of the vendor or collection officer, within the meaning of section 458.1, if

(a) the reporting period of the vendor or collection officer under Division IV of Chapter VIII of Title I corresponds to the fiscal year of the vendor or collection officer, and

(b) the total of the specific tax and the amount equal to the specific tax, if any, that the vendor or collection officer remitted to the Minister, in accordance with section 494 or section 498, during the fiscal year that precedes that in which the election is made, is equal to or greater than $1,500.

2005, c. 1, s. 370; 2009, c. 15, s. 528

499.5 A person may make the election provided for in section 499.4 by sending, on or before the day on which it takes effect, a notice in writing to the Minister specifying the fiscal year, fiscal quarter or fiscal month to which the reporting period must correspond.

The election provided for in the first paragraph takes effect on the first day of the reporting period in respect of which it is made.

2005, c. 1, s. 370

499.6 The election made by a person under section 499.4 remains in effect until the earliest of

(1) the beginning of the day on which a new election made under section 499.4 takes effect;

(2) the beginning of the day on which an election made by the person under Division IV of Chapter VIII of Title I in respect of the reporting period provided for in that Division takes effect, where that election causes that reporting period to differ from the one elected by the person under paragraph 2 of section 499.4; and

(3) if the person made an election under paragraph 1 of section 499.4, the first day of the reporting period during which the total of the specific tax and the amount equal to the specific tax, if any, that the person remitted to the Minister reaches $3,000.

2005, c. 1, s. 370; 2009, c. 15, s. 529

499.7 A person may revoke the election made under section 499.4 by sending to the Minister a notice in writing.

For the purposes of the first paragraph, the following rules apply:

(1) the revocation must specify the day on which it is to take effect and the reporting period concerned; and

(2) the revocation must be filed with the Minister on or before the day on which it is to take effect.

2005, c. 1, s. 370

Chapter VI — Miscellaneous Provisions

500. Prohibited sale — No person may sell any alcoholic beverage in Québec to a collection officer or a vendor unless the collection officer or the vendor is, subject to the second paragraph of section 493, the holder of the registration certificate referred to in the first paragraph of that section.

1991, c. 67, s. 500; 1995, c. 63, s. 499

501. Prohibited purchase — No collection officer or vendor may purchase any alcoholic beverage in Québec from a person other than the holder of a registration certificate issued in accordance with section 415.

1991, c. 67, s. 501

502. Offence and penalty — Every person who contravenes section 500 or 501 is liable to a fine of not less than $2 000 nor more than $25 000.

1991, c. 67, s. 502

503. Offence and penalty — Every person who contravenes the third paragraph of section 492, section 493, section 495, the fourth paragraph of section 497 is liable to a fine of not less than $200 nor more than $5 000.

1991, c. 67, s. 503; 1995, c. 1, s. 342

504. Offence and penalty — Every person who, as mandatary of the Minister, refuses or neglects to collect the tax or the amount equal to the tax, to keep or render an account thereof or to remit the tax or amount to the Minister, in accordance with the provisions of this title or with a regulatory provision referred to in paragraph 60 of section 677, is liable to a fine of not less than $25 for each day that the offence continues.

1991, c. 67, s. 504; 1995, c. 63, s. 510

LTVQ (anglais)

Chapter IV — Exemptions

520. Exemptions — The tax provided for in this title does not apply to

(1) the premium for an individual policy of insurance of persons;

(2) the premium for a policy of group insurance of persons or for an uninsured social benefits plan

(a) payable by an employer in respect of an employee who presents himself for work at an establishment of the employer situated outside Québec or who is not required to present himself for work at an establishment of his employer and whose salary or wages are paid from such an establishment situated outside Québec;

(b) payable in respect of a person resident outside Québec by a person who carries on business in Québec and elsewhere and who is not contemplated in subparagraph a;

(3) the premium for an uninsured social benefits plan described in subparagraph 1 of the second paragraph of section 507 and payable by an employer in respect of an employee or by an organization in respect of a member if

(a) the amount is not greater than that required for payment of foreseeable and payable benefits for 30 days after payment of the premium; and

(b) the benefits constitute income from an office or employment for which contributions established pursuant to the *Act respecting industrial accidents and occupational diseases* (chapter A-3.001), the *Act respecting the Régie de l'assurance maladie du Québec* (chapter R-5) or the *Act respecting the Québec Pension Plan* (chapter R-9) are paid;

(c) the benefits are payable by reason of a loss of all or part of his income from an office or employment;

(4) the premium for an uninsured social benefits plan described in subparagraph 2 of the second paragraph of section 507 if

(a) the amount is paid by an employer in respect of an employee or by an organization in respect of a member; and

(b) the amount constitutes income from an office or employment for which a contribution established pursuant to the *Act respecting industrial accidents and occupational diseases*, the *Act respecting the Régie de l'assurance maladie du Québec* or the *Act respecting the Québec Pension Plan* is paid;

(c) the amount is payable by reason of a loss of all or part of his income from an office or employment;

(5) the premium for a damage insurance policy where the premium is wholly attributable to the occurrence of a risk outside Québec;

(6) a premium payable out of another taxable premium;

(7) a premium payable under a contract of reinsurance or of insurance covering the risks referred to in article 2390 of the *Civil Code* other than risks relating to the use of a pleasure boat on inland waters only;

(8) the contribution payable under an annuity contract;

(9) the amount in respect of an additional coverage policy under the terms of which a person undertakes to assume the cost of repair or replacement of property or part thereof if it is defective or malfunctions;

(10) the amount payable to obtain a surety;

(11) the premium payable by a *fabrique* or a trustee of a parish under an insurance policy relating to property used for religious worship or religious activities;

(12) the premium payable by a cemetery society, company or corporation under an insurance policy relating to property used for the cemetery or for cemetery activities;

(13) the prescribed premium payable by an Indian or an Indian band, within the meaning of the *Indian Act* (R.S.C. 1985, c. I-5) or the *Cree-Naskapi (of Québec) Act* (S.C. 1984, c. 18), if the prescribed conditions are met;

(14) the premium, assessment or contribution payable under

(a) the *Workmen's Compensation Act* (chapter A-3);

(b) the *Act respecting industrial accidents and occupational diseases* (chapter A-3.001);

(b.1) the *Act respecting parental insurance* (chapter A-29.011);

(c) the *Crop Insurance Act* (chapter A-30);

(d) the *Act respecting farm income stabilization insurance* (chapter A-31);

(e) the *Act respecting the Régie de l'assurance maladie du Québec* (chapter R-5);

(f) the *Act respecting the Québec Pension Plan* (chapter R-9);

(g) the *Employment Insurance Act* (S.C. 1996, c. 23);

(15) a premium payable in respect of an aircraft used in the operation of a commercial air service under a licence or permit issued for that purpose under the *Aeronautics Act* (R.S.C. 1985, c. A-2) or under the *National Transportation Act, 1987* (R.S.C. 1985, c. 28, (3rd Suppl.));

(16) a premium of $0.25 or less payable in a single payment, or in several payments if the yearly total does not exceed that amount; or

(17) a premium that constitutes, under Title I, consideration for a taxable supply, other than a zero-rated supply.

1991, c. 67, s. 520; 1992, c. 57, s. 715; 1993, c. 64, s. 244; 1997, c. 3, s. 134; 1999, c. 89, s. 53; 2005, c. 38, s. 386; 2011, c. 1, s. 152

521. Applicability — Notwithstanding section 520, the tax provided for in this title applies to the insurance premium payable to the Société de l'assurance automobile du Québec.

1991, c. 67, s. 521

Chapter V — Reimbursement

522. Reimbursement — A person who fully or partially reimburses an insurance premium shall also reimburse the tax he collected in respect thereof.

If a person who is an insurer fully or partially reimburses an insurance premium to another person and the person did not collect the tax in respect of the premium, the person may also reimburse to the other person the tax that the other person has paid in respect of the premium.

Computation — The reimbursement is computed pro rata to the reimbursed premium and is deducted from the amount of the tax collected by the person in respect of the period provided for in any of sections 527, 527.1 and 527.2 in which the person makes the reimbursement.

1991, c. 67, s. 522; 2005, c. 1, s. 372; 2011, c. 1, s. 153

522.1 Where a person collects from another person an amount as or on account of the tax provided for in this Title in excess of the tax that the person was required to collect, renders an account of and remits the amount to the Minister, the person may, within four years after the day the amount was collected, reimburse the excess amount to the other person.

The reimbursement is deducted from the amount of the tax collected by the person in respect of the period provided for in any of sections 527, 527.1 and 527.2 in which the person makes the reimbursement.

2005, c. 1, s. 373

Chapter VI — Administration

Division I — Registration Certificate, Collection and Remittance

523. Collection of tax — A person who receives payment of a premium for a policy of insurance of persons described in subparagraph 1 of the second paragraph of section 507, shall collect the tax provided for in this title at the same time.

Remittance — The person shall remit the tax to the Minister if he is not required to remit the premium to another person or if he is required to remit it to a person who does not hold a registration certificate.

Remittance — In other cases, he shall remit the tax at the same time as the premium, to the person to whom he remits the premium.

1991, c. 67, s. 523

524. Collection and remittance — The person who administers the uninsured social benefits plan of a particular person shall collect the tax provided for in this title at the same time as the particular person pays to him the amount connected with the premium described in subparagraph 2 of the second paragraph of section 507 and shall remit the tax to the Minister.

1991, c. 67, s. 524

525. Collection and remittance — The tax on a damage insurance premium shall be collected at the same time as the premium and remitted to the Minister by

(1) the insurance broker;

(1.1) the distributor authorized under the *Act respecting the distribution of financial products and services* (chapter D-9.2) to provide an automobile insurance policy that is replacement insurance within the meaning of paragraph 5 of section 424 of that Act;

(2) the insurer, if the premium has not been remitted to an insurance broker or to the distributor referred to in subparagraph 1.1 or if it has been remitted to an insurance broker from outside Québec who does not furnish proof to the insurer that the tax has been remitted to the Minister; or

(3) [Repealed 2005, c. 1, s. 374(1)(3).]

(4) any other person who receives payment of an insurance premium which he is not required to remit to another person, including an organization which receives payment of a premium payable under an Act.

In addition, the tax in respect of a damage insurance premium shall be collected by the travel agent at the same time as the premium and remitted to the Minister by the travel agent only where the travel agent is required to remit that premium to a person who does not hold a registration certificate.

1991, c. 67, s. 525; 2005, c. 1, s. 374; 2011, c. 1, s. 154

526. Registration certificate — Every person required to remit the tax provided for in this Title to the Minister, with the exception of a person referred to in section 528, is required to register and hold a registration certificate issued in accordance with section 526.1.

1991, c. 67, s. 526; 1995, c. 63, s. 500

526.1 Application for registration — Every person required to be registered under section 526 shall apply for registration to the Minister before the day the person is first required to collect the tax provided for in this Title.

Application of ss. 412 and 415 — Sections 412 and 415 apply to the application, with the necessary modifications.

526.2 Cancellation of registration — The Minister may cancel the registration of a person referred to in section 526.

Application of ss. 416 and 418 — Sections 416 and 418 apply to the cancellation, with the necessary modifications.

1995, c. 63, s. 501

527. Mandatary of the Minister — Subject to sections 527.1 and 527.2, on or before the last day of each calendar month, every person who holds or who is required to hold a registration certificate shall act as a mandatary of the Minister, keep an account of the tax he has collected or should have collected under this Title for the preceding calendar month, render an account to the Minister in prescribed form

LTVQ (anglais)

containing prescribed information, file the account with and as prescribed by the Minister even if no payment of any insurance premium subject to the tax has been received during that calendar month and, at the same time, remit to the Minister the amount of such tax.

1991, c. 67, s. 527; 1994, c. 22, s. 630; 1995, c. 63, s. 502; 2005, c. 1, s. 375

527.1 The holder of a registration certificate may elect to render an account to the Minister, on or before the last day of each month that follows the end of a period of three calendar months, of the tax provided for in this Title, in accordance with section 527, in respect of the preceding period of three calendar months, even if no payment of any insurance premium subject to the tax has been received during the period if

(1) during the 12 calendar months preceding the month in which the election took effect, the tax the holder has collected or should have collected is less than $12,000; and

(2) the holder informs the Minister of the election.

The election provided for in the first paragraph takes effect on the day selected by the holder of the registration certificate, which day must correspond to the first day of a calendar month.

The election provided for in the first paragraph ceases to be in effect on the earlier of

(1) the first day of the calendar month following that on which the holder of the registration certificate revokes the election; and

(2) the day of the anniversary of the day on which the election took effect if, during the 12 calendar months that precede that anniversary day, the tax the holder has collected or should have collected is equal to or greater than $12,000.

2005, c. 1, s. 376

527.2 The holder of a registration certificate may elect to render an account to the Minister, on or before the last day of each third month that follows the end of a period of 12 calendar months, of the tax provided for in this Title, in accordance with section 527, in respect of the preceding period of 12 calendar months, even if no payment of any insurance premium subject to the tax has been received during the period if

(1) during the 12 calendar months preceding the month in which the election took effect, the tax the holder has collected or should have collected is less than $1,500; and

(2) the holder informs the Minister of the election.

The election provided for in the first paragraph takes effect on the day selected by the holder of the registration certificate, which day must correspond to the first day of a calendar month.

The election provided for in the first paragraph ceases to be in effect on the earlier of

(1) the first day of the calendar month following that on which the holder of the registration certificate revokes the election; and

(2) the day of the anniversary of the day on which the election took effect if, during the 12 calendar months that precede that anniversary day, the tax the holder has collected or should have collected is equal to or greater than $1,500.

2005, c. 1, s. 376

527.3 For the purposes of sections 527.1 and 527.2, the holder of a registration certificate who, for the first time, determines the amount of tax collectible may use estimates.

2005, c. 1, s. 376

528. Account to the Minister — Where the tax provided for in this Title is not collected from the person subject to the tax at the time of payment of the premium, the person shall, at that time, render an account to the Minister by sending the invoice or statement, if any, and any information the Minister may require, and remit to the Minister the tax payable on or before

(1) except where the person is a selected listed financial institution throughout a particular reporting period, where the person is registered under Title I, the day on which the person is required to file a return for the particular reporting period determined under subdivision 1 of Division IV of Chapter VIII of Title I in which the premium was paid, in accordance with the provisions of subdivision 2 of Division IV of Chapter VIII of Title I; and

Modification proposée — 528(1)

(1) where the person is registered under Title I, the day on which the person is required to file a return for the reporting period determined under subdivision 1 of Division IV of Chapter VIII of Title I in which the premium was paid, in accordance with the provisions of subdivision 2 of Division IV of Chapter VIII of Title I, except where the person is a selected listed financial institution throughout that reporting period; and

Application: Bill 18 (First Reading February 21, 2013), subsec. 234(1), will substitute para. 528(1) to read as above, applicable in respect of a reporting period that ends after December 31, 2012.

(2) in any other case, the last day of the calendar month following the calendar month in which the premium was paid.

1991, c. 67, s. 528; 1995, c. 63, s. 503; 2006, c. 13, s. 240; 2009, c. 15, s. 530; 2012, c. 28, s. 179

528.1 Deemed registration — Every person required to remit to the Minister the tax provided for in this Title who, on 31 July 1995, holds a registration certificate issued under Title I is deemed, for the purposes of this Title, to hold, on 1 August 1995, a registration certificate issued under section 526.1.

1995, c. 63, s. 504

Division II — Certification

529. Certification — A person subject to the tax who pays an insurance premium part of which is not taxable shall certify what portion of the premium is taxable, to the person required to collect the tax.

1991, c. 67, s. 529; 2004, c. 21, s. 540

Division III — Computation and Separate Indication of the Tax

530. Separate computation — The tax provided for in this title shall be computed separately for each premium payment and any fraction of $0.01 shall be counted as $0.01.

Rounding off — Notwithstanding the foregoing, where a damage insurance premium is greater than $11, the person who collects the tax may round it off to the nearest dollar.

1991, c. 67, s. 530

531. Separate indication — The tax shall be shown separately from the premium on any invoice or statement and in the books of account of the person required to collect the tax, except where section 529 applies, in which case the person subject to the tax is required to indicate the tax separately from the amount of the premium on any document forwarded with his payment.

Reference — In addition, the tax shall be referred to by its name, an abbreviation of its name or a similar designation. No other form of reference to the tax may be used.

1991, c. 67, s. 531; 2002, c. 46, s. 33

532. Premium determined by the Minister — Where the insurance premium is not specified or where it is combined with another amount, the Minister may determine the premium which shall serve as the basis for the taxation provided for in this title.

1991, c. 67, s. 532

533. Salary deduction — Where an insurance premium is paid by way of a salary deduction, the tax need not be separately indicated on the statement of earnings and deductions.

Amount of tax payable — Notwithstanding the foregoing, a person who agrees to this mode of payment shall be informed at the time he agrees to it of the amount of the tax payable on his insurance premium.

1991, c. 67, s. 533

534. Offence and penalty — Every person who contravenes any of sections 526, 528, 531 or 533 or a regulatory provision referred to in paragraph 60 of section 677 is liable to a fine of not less than $200 nor more than $5 000.

1991, c. 67, s. 534

535. Offence and penalty — Every person who, as Mandatary of the Minister, refuses or neglects to collect the tax or the amount equal to the tax, to keep or render an account thereof or remit it to the Minister, in accordance with the provisions of this title or with a regulatory provision referred to in paragraph 60 of section 677, is liable to a fine of not less than $25 for each day that the offence continues.

1991, c. 67, s. 535; 1995, c. 63, s. 510

536. Right to institute proceedings in Québec — No person contemplated in section 526 shall institute or continue any proceedings in Québec for the recovery of a debt arising from an insurance policy unless he holds a registration certificate issued in accordance with section 415.

Incapacity — Such incapacity shall be noticed *ex officio* by the court and its officers.

Validation of proceedings — Nevertheless, any proceedings instituted shall be valid notwithstanding such incapacity upon the subsequent obtaining of the registration certificate.

1991, c. 67, s. 536

Title IV — Tax on the Pari Mutuel

537. Definition: "person" — For the purposes of this title and the regulations made thereunder, unless the context indicates a different meaning, "person" has the meaning assigned by section 1.

1991, c. 67, s. 537

538. Betting on a horse race — Every person who, in Québec, makes a bet under a parimutuel system, on a horse race held at a racetrack in or outside Québec shall, on placing a bet, pay to the Minister a tax computed at the rate of 2.5% of the amount of the placed bet before any deduction prescribed or permitted by any other Act.

(1) [Repealed 2011, c. 1, s. 155(1)(2).]

(2) [Repealed 2011, c. 1, s. 155(1)(2).]

(3) [Repealed 2001, c. 51, s. 308.]

1991, c. 67, s. 538; 2001, c. 51, s. 308; 2011, c. 1, s. 155

539. Collection of tax — Every person who, during a race card, receives amounts that are placed as bets under a *pari mutuel* system shall, at that time, collect the tax provided for in section 538 in the manner specified by the Minister.

Mandatary — The person then acts as a mandatary of the Minister. He shall remit daily to the Minister the tax collected and, at the same time, submit a report to him in the manner specified by the Minister.

1991, c. 67, s. 539

540. Registration certificate — Every person required to collect the tax provided for in this title shall hold a registration certificate issued under Title I.

1991, c. 67, s. 540

540.1 [Repealed 2011, c. 16, s. 35.]

541. Municipal tax prohibited — Notwithstanding any special Act, no municipality may, by by-law, resolution or otherwise, levy any duty, impost or tax for the operating of a race track or the holding of a race meeting.

1991, c. 67, s. 541

TITLE IV.1

[Heading repealed 1997, c. 14, s. 379.]

Chapter I

[Heading repealed 1997, c. 14, s. 379.]

541.1 [Repealed 1997, c. 14, s. 379.]

541.1.1 [Repealed 1997, c. 14, s. 379.]

Chapter II

[Heading repealed 1997, c. 14, s. 379.]

541.2 [Repealed 1997, c. 14, s. 379.]

541.3 [Repealed 1997, c. 14, s. 379.]

541.4 [Repealed 1997, c. 14, s. 379.]

541.5 [Repealed 1997, c. 14, s. 379.]

541.6 [Repealed 1997, c. 14, s. 379.]

541.7 [Repealed 1997, c. 14, s. 379.]

Chapter III

[Heading repealed 1997, c. 14, s. 379.]

541.8 [Repealed 1997, c. 14, s. 379.]

541.9 [Repealed 1997, c. 14, s. 379.]

541.10 [Repealed 1997, c. 14, s. 379.]

541.11 [Repealed 1997, c. 14, s. 379.]

Chapter IV

[Heading repealed 1997, c. 14, s. 379.]

541.12 [Repealed 1997, c. 14, s. 379.]

Chapter V

[Heading repealed 1997, c. 14, s. 379.]

541.13 [Repealed 1997, c. 14, s. 379.]

541.14 [Repealed 1997, c. 14, s. 379.]

541.15 [Repealed 1997, c. 14, s. 379.]

541.16 [Repealed 1997, c. 14, s. 379.]

541.17 [Repealed 1997, c. 14, s. 379.]

Chapter VI

[Heading repealed 1997, c. 14, s. 379.]

Division I

[Heading repealed 1997, c. 14, s. 379.]

541.18 [Repealed 1997, c. 14, s. 379.]

Division II

[Heading repealed 1997, c. 14, s. 379.]

541.19 [Repealed 1997, c. 14, s. 379.]

541.20 [Repealed 1997, c. 14, s. 379.]

Division III

[Heading repealed 1997, c. 14, s. 379.]

541.21 [Repealed 1997, c. 14, s. 379.]

Chapter VII

[Heading repealed 1997, c. 14, s. 379.]

541.22 [Repealed 1997, c. 14, s. 379.]

Title IV.2 — Tax on Lodging

[Heading amended 2005, c. 38, s. 387.]

Chapter I — Definitions

541.23 Definitions — For the purposes of this Title and the regulations made thereunder, unless the context indicates otherwise,

"accommodation unit" includes a room, a bed, a suite, an apartment, a house or a cottage;

"calendar quarter" has the meaning assigned by section 1;

"commercial activity" [Repealed 2005, c. 38, s. 388(1)(1).]

"customer" means the recipient of a supply of an accommodation unit, but does not include the intermediary;

"intermediary" means the recipient of a supply of an accommodation unit who receives the supply only to again make a supply of the accommodation unit;

"operator of a sleeping-accommodation establishment" means a person who carries on the activities relating to the operation of a sleeping-accommodation establishment;

"overnight stay" means a supply of an accommodation unit for more than six hours per period of 24 hours;

"person" has the meaning assigned by section 1;

"recipient" has the meaning assigned by section 1;

"regulation" [Repealed 2003, c. 9, s. 457(1)(2).]

"sleeping-accommodation establishment" means a tourist accommodation establishment within the meaning of the *Regulation respecting tourist accommodation establishments* (R.R.Q., chapter E-14.2, r. 1);

"supply" has the meaning assigned by section 1.

1997, c. 14, s. 354; 2003, c. 9, s. 457; 2004, c. 21, s. 541; 2005, c. 38, s. 388; 2006, c. 36, s. 290; 2010, c. 25, s. 248; 2011, c. 6, s. 286

Chapter II — Imposition of Tax

[Heading amended 2005, c. 38, s. 389.]

541.24 Specific tax — The customer shall, at the time of the supply of an accommodation unit in a prescribed sleeping-accommodation establishment situated in a prescribed tourist region, pay

(1) where the establishment is situated in a class 1 prescribed tourist region, a specific tax equal to $2 per overnight stay for each unit; and

(2) where the establishment is situated in a class 2 prescribed tourist region,

(a) if the supply is made by the operator of a sleeping-accommodation establishment, a tax computed at the rate of 3% of the value of the consideration for the overnight stay, and

LTVQ (anglais)

541.40 [Repealed 2004, c. 21, s. 547(1).]

541.41 [Repealed 2004, c. 21, s. 547(1).]

541.42 [Repealed 2004, c. 21, s. 547(1).]

541.43 [Repealed 2004, c. 21, s. 547(1).]

541.44 [Repealed 2004, c. 21, s. 547(1).]

TITLE IV.4 — AGREEMENT WITH A MOHAWK COMMUNITY

541.45 Purpose. — The purpose of this Title is to provide for the implementation of any agreement concerning the application of this Act concluded between the Government and a Mohawk community

1999, c. 53, s. 17

541.46 Applicable provisions. — Subject to section 541.47, the provisions of this Act that are necessary to implement an agreement referred to in section 541.45 apply with the necessary modifications

1999, c. 53, s. 17

541.47 Regulations. — For the purposes of an agreement referred to in section 541.45, the Government may make regulations to;

1 enact any provision necessary to give effect to the agreement and its amendments;

2 specify the provisions of this Act that do not apply;

3 take any other measures necessary to implement the agreement and its amendments.

Examination of regulations. — The competent parliamentary committee of the National Assembly shall examine every regulation made by the Government under this section and the agreement relating thereto.

1999, c. 53, s. 17

TITLE IV.4.1 — AGREEMENTS RELATING TO NATIVE TAXES IN INDIAN RESERVES

[Heading added 2010, c. 25, s. 252.]

Chapter I — Object

[Heading added 2010, c. 25, s. 252.]

541.47.1 The object of this Title is to provide for the conclusion of agreements between the Government and a band council empowered to adopt fiscal standards in a reserve of the Native community it represents and for the harmonization of those standards with any of the following texts of law and with the regulations made under it:

(1) Title I as regards all property and services referred to in that Title;

(2) Title I as regards alcoholic beverages or fuel;

(3) Title II as regards alcoholic beverages;

(4) Title III as regards insurance premiums;

(5) the *Tobacco Tax Act* (chapter I-2); and

(6) the *Fuel Tax Act* (chapter T-1).

2010, c. 25, s. 252

Chapter II — Definitions

[Heading added 2010, c. 25, s. 252.]

541.47.2 For the purposes of this Title, unless the context indicates otherwise, the expressions used in this Title have the meaning assigned by section 1, except **"Government"** which means the Gouvernement du Québec only.

The expression **"alcoholic beverages"** has the meaning assigned by section 2 of the *Act respecting offences relating to alcoholic beverages* (chapter I-8.1) and **"fuel"** has the meaning assigned by section 1 of the *Fuel Tax Act* (chapter T-1).

In addition,

"band text" means a band law within the meaning of section 17 of the *First Nations Goods and Services Tax Act* (Statutes of Canada, 2003, chapter 15, section 67), enacted by section 10 of chapter 19 of the Statutes of Canada of 2005;

"input tax refund" means an input tax refund within the meaning of Title I;

"net tax" means a net tax within the meaning of Title I;

"taxable supply brought into Québec" means a supply referred to in section 18 or 18.0.1.

2010, c. 25, s. 252

Chapter III — Administration Agreement

[Heading added 2010, c. 25, s. 252.]

541.47.3 The Government may enter into an agreement with a band council referred to in Schedule 2 to the *First Nations Goods and Services Tax Act* (Statutes of Canada, 2003, chapter 15, section 67), enacted by section 12 of chapter 19 of the Statutes of Canada of 2005, for the purpose of entrusting the Minister with the administration and application of a band text adopted by the council to impose a property or services tax within the boundaries of a reserve referred to in that Schedule and located in Québec.

2010, c. 25, s. 252

541.47.4 Such an agreement may be entered into only if the band text

(1) was duly adopted by the band council; and

(2) is harmonized with any of the texts of law referred to in section 541.47.1 and with the regulations made under it.

2010, c. 25, s. 252

541.47.5 In addition to providing for the administration and application of a band text by the Minister, the agreement must, in accordance with the band text, provide for the payment by the Government to the Native community of sums based on the tax attributable to the Native community that is, according to the method to be determined in the agreement, an estimate for each calendar year of the excess amount provided for in paragraph 1 or 2, as applicable:

(1) in the case of a band text that is harmonized with the text of law referred to in paragraph 1 of section 541.47.1, the amount by which the amount determined in accordance with subparagraph a exceeds the amount determined in accordance with subparagraph b:

(a) the total of all amounts each of which is the amount of tax that, while the band text was in force, became payable in the calendar year, under a band text that is the subject of an agreement with the Government, or under Title I and that is attributable to a property or service that is for consumption or use in the reserve of the Native community, and

(b) the total of all amounts each of which is included in the total determined in accordance with subparagraph a and that

i. is included in computing an input tax refund or in determining a deduction that may be claimed in computing a person's net tax,

ii. may reasonably be considered to be an amount that a person is or was entitled to recover by way of a rebate, refund, remission or otherwise under a band text that was the subject of an agreement with the Government, under this Act or under another Act, or

iii. is an amount of tax in respect of a supply to a person who is, under a federal Act, an Act of Québec or any other rule of law, exempt from paying the tax; and

(2) in the case of a band text that is harmonized with a text of law referred to in any of paragraphs 2 to 6 of section 541.47.1, the amount by which the amount determined in accordance with subparagraph a exceeds the amount determined in accordance with subparagraph b:

(a) the total of all amounts each of which is the amount of tax that, while the band text was in force, became payable in the calendar year under the band text,

(b) the total of all amounts each of which is included in the total determined in accordance with subparagraph a and that

i. is included in computing an input tax refund or in determining a deduction that may be claimed in computing a person's net tax,

ii. may reasonably be considered to be an amount that a person is or was entitled to recover by way of a rebate, refund, remission or otherwise under the band text, or

iii. is an amount of tax that a person is exempt from paying because of a federal Act, an Act of Québec or any other rule of law.

2010, c. 25, s. 252

541.47.6 The agreement must also provide

(1) for the sharing, if any, between the Native community and the Government of the tax attributable to the Native community;

(2) for the payment, under the conditions in the agreement, by the Government to the Native community of sums to which the Native community is entitled under the agreement in respect of the tax attributable to the Native community;

(3) for the reimbursement by the Native community to the Government of any overpayments by the Government and for the right of the Government to set off any overpayments or advances against sums payable to the Native community in accordance with the agreement;

(4) for the attribution to the Government of sums that represent

(a) any share of the tax attributable to the Native community to which the Government is entitled as agreed, and

(b) in the case of a band text that is harmonized with the text of law referred to in paragraph 1 of section 541.47.1, the portion of the total tax imposed under the band text that is not included in the tax attributable to the Native community;

(5) subject to section 69.0.1 of the *Tax Administration Act* (chapter A-6.002), for the communication to the band council by the Minister of information held by the Minister for the purposes of the band text or of the text of law with which the band text is harmonized and for the communication to the Minister by the band council of information required for the purposes of the band text;

(6) for the manner in which to render an account of the sums collected in accordance with the agreement;

(7) for the undertaking by the Government, its departments, bodies and mandataries to comply with the obligations, including the payment of sums, imposed by the band text or by any other band text that is the subject of an agreement with the Government, to the extent that the Government, its departments, bodies and mandataries are subject to them in accordance with section 541.47.19, and for the undertaking of the Native community, its mandataries and subordinate bodies to comply with the obligations, including the payment of sums, imposed by the band text, by any other band text that is the subject of an agreement with the Government and by any other text of law with which they are harmonized;

(8) for the manner in which to render an account of the payments made by the Government and the band council under paragraph 7;

LTVQ (anglais)

541.47.14 A taxable supply of alcoholic beverages or fuel is made in a reserve if, without reference to section 541.47.18, the tax provided for in the first paragraph of section 16 is not payable in respect of the supply because of the connection of the supply with the reserve and because of the application of the exemption provided for in section 87 of the *Indian Act* (Revised Statutes of Canada, 1985, chapter I-5), or would not be payable, for the same reasons, if the recipient of the supply was exempted from tax under that section.

2010, c. 25, s. 252

DIVISION III — HARMONIZATION WITH OTHER TEXTS OF LAW

[Heading added 2010, c. 25, s. 252.]

541.47.15 For the purposes of paragraph 2 of section 541.47.4, a band text is harmonized with any of the texts of law referred to in paragraphs 3 to 6 of section 541.47.1 and with the regulations made under it,

(1) if it imposes, in a reserve, a tax in respect of the acquisition of a property in the reserve or for an insurance premium referred to in that text of law under the conditions provided for in that text of law;

(2) if, without reference to section 541.47.18, the tax provided for in that text of law is not payable in respect of the acquisition of the property or the insurance premium because of the connection of the property or the premium with the reserve and because of the application of the exemption provided for in section 87 of the *Indian Act* (Revised Statutes of Canada, 1985, chapter I-5), or would not be payable, for the same reasons, if the recipient of the property or the person that is subject to the tax on the premium was exempted from tax under that section; and

(3) if its provisions provide that

(a) the text of law and the regulations made under it — except the provisions providing for a refund, rebate or tax exemption based on an exemption referred to in section 18 of the *First Nations Goods and Services Tax Act* (Statutes of Canada, 2003, chapter 15, section 67), enacted by section 10 of chapter 19 of the Statutes of Canada of 2005 — are incorporated in the band text by open incorporation by reference and apply, with the necessary modifications, as if the tax imposed under paragraph 1 were imposed under that text of law,

(b) the *Tax Administration Act* (chapter A-6.002) and the regulations made under it apply, with the necessary modifications, as if the band text were a fiscal law within the meaning of that Act,

(c) the rules in section 541.47.17 apply, and

(d) any amendment to this division arising from an amendment to the text of law and to the regulations made under it applies as if it were made to the band text.

For the purposes of subparagraph a of paragraph 3, a refund, rebate or tax exemption based on an exemption referred to in section 18 of the *First Nations Goods and Services Tax Act* also includes a reimbursement of the tax on fuel in accordance with section 10.2 of the *Fuel Tax Act* (chapter T-1).

2010, c. 25, s. 252; 2010, c. 31, s. 175(4)

Chapter V — Payment

[Heading added 2010, c. 25, s. 252.]

541.47.16 The Minister may, on behalf of the Government, take out of the consolidated revenue fund the sums necessary to

(1) pay to a Native community the sums or advances to which the Native community is entitled in accordance with the agreement; and

(2) pay to a person, in accordance with the agreement,

(a) a sum that is payable to the person according to the band text, or

(b) a sum as a recoverable advance, if no sum is held on behalf of the Native community in the consolidated revenue fund or if the sum to be paid under subparagraph a is greater than the sums so held, provided that their reimbursement by the Native community is provided for in the agreement.

2010, c. 25, s. 252

Chapter VI — Rules of Application

[Heading added 2010, c. 25, s. 252.]

541.47.17 Once the agreement and the band text are in force, the following rules apply:

(1) the text of law with which the band text is harmonized applies as if the tax imposed under the band text were imposed under that text of law and as if the provisions of the band text respecting that tax were an integral part of the text of law and, conversely, the band text applies as if the tax imposed under the text of law with which it is harmonized were imposed under the band text and as if the provisions of that text of law respecting that tax were an integral part of the band text;

(2) to the extent of the parallelism between the band text and the text of law with which it is harmonized, the application of one text has the same force and effect as the application of the other text, with the result that the provisions of those texts are not both to be applied and may be invoked regardless of their source; and

(3) the other laws apply as if the tax imposed under the band text were imposed under the text of law with which it is harmonized.

2010, c. 25, s. 252

541.47.18 Without restricting the generality of section 541.47.17, once the agreement and the band text are in force, no tax is payable or is deemed to have been paid or collected in respect of a supply, the acquisition of a property or an insurance premium under the text of law with which the band text is harmonized to the extent that, under the band text, a tax is payable or is deemed to have been paid or collected in respect of that supply, property or premium.

2010, c. 25, s. 252

541.47.19 To the extent that the Government, its departments, bodies and mandataries are bound by a provision of the text of law with which the band text is harmonized, they are bound by the corresponding provision of the band text.

2010, c. 25, s. 252

TITLE IV.5 — SPECIFIC DUTY ON NEW TIRES

2000, c. 39, s. 289

Chapter I — Definitions

2000, c. 39, s. 289

541.48 Definitions — For the purposes of this Title and the regulations made under it, unless the context indicates otherwise,

Ajout proposé — 541.48 "collection officer"

"collection officer" means

(1) every person who, in Québec and in the course of the person's commercial activities, engages in the sale of a new tire or road vehicle equipped with new tires or the leasing of a new tire or the long term leasing of a road vehicle equipped with new tires;

(2) every person who is a registrant for the purposes of Title I and delivers or arranges for the delivery of a new tire or road vehicle equipped with new tires in Québec, other than in connection with a retail sale or retail leasing;

notwithstanding paragraph 1, a person is not a collection officer when the person acts as a retailer;

2000, c. 39, s. 289 (part) [Not in force at date of publication.]

"commercial activity" has the meaning assigned by section 1;

"long term leasing" means leasing for a term of at least 12 months;

"new tire" does not include a retreaded or remoulded tire, but includes the spare tire in a road vehicle in respect of which the duty provided for by this Title has not already been paid;

"person" has the meaning assigned by section 1;

"reporting period" of a person is the reporting period of the person for the purposes of Title I;

"retailer" means a person who, in Québec and in the course of the person's commercial activities, engages in a retail sale or retail leasing of a new tire or road vehicle equipped with new tires;

"retail leasing" means

(1) in the case of a tire, leasing for purposes other than re-leasing or installation on a road vehicle intended for long term leasing;

(2) in the case of a road vehicle, long term leasing for purposes other than long term re-leasing;

"retail sale" means

(1) in the case of a tire, a sale for purposes other than resale, leasing or installation on a road vehicle intended for sale or long term leasing;

(2) in the case of a road vehicle, a sale for purposes other than resale or long term leasing;

"road vehicle" has the meaning assigned by the *Highway Safety Code* (chapter C-24.2);

"road vehicle equipped with new tires" means a road vehicle equipped with one or more new tires;

"sale" includes any transfer for a consideration

(1) of the ownership of a tire or road vehicle;

(2) of the possession of a tire or road vehicle under an agreement to transfer the ownership of the tire or road vehicle;

"tire" means a road vehicle tire having a rim whose diameter is equal to or less than 62.23 centimetres and whose total diameter does not exceed 123.19 centimetres.

2000, c. 39, s. 289

Chapter II — Imposition of a Specific Duty

[Heading added 2000, c. 39, s. 289.]

541.49 Specific duty — Every person, at the time of the retail sale or retail leasing, in Québec, of a new tire or road vehicle, shall pay to the Minister a specific duty equal to $3 per new tire the person purchases or leases or per new tire equipping the road vehicle the person purchases or leases.

2000, c. 39, s. 289

541.50 Specific duty on new tires brought into Québec — Every person who carries on business or ordinarily resides in Québec and brings or causes to be brought into Québec a new tire for use in Québec by the person, or at the person's expense by another person, or for installation in Québec on a road vehicle intended for short term leasing shall, immediately after the bringing into Québec of the new tire,

LTVQ (anglais)

Application of s. 541.58 — Section 541.58 applies to the collection officer, with the necessary modifications.

2000, c. 39, s. 289 (part) [Not in force at date of publication.]

541.61 Account to the Minister — Every collection officer holding a registration certificate shall keep an account of the amounts the collection officer has collected and shall, for each reporting period, where the collection officer is required to file the return provided for in Division IV of Chapter VIII of Title I, render an account to the Minister of the amounts the collection officer has collected or should have collected under section 541.60 during the particular reporting period, as prescribed by the Minister in prescribed form and containing prescribed information and, at the same time, remit to the Minister those amounts.

Account to the Minister — The collection officer shall render an account even if there has been no sale or leasing of new tires or road vehicles equipped with new tires during the particular reporting period.

Exception — The collection officer is not, however, required to render an account to the Minister, unless the Minister so requires, or to remit to the Minister the amount collected in respect of a new tire for which the collection officer has paid the amount provided for in section 541.60 to a collection officer holding a registration certificate.

Where the amount collected exceeds the amount paid — However, if the amount collected in respect of the new tire exceeds the amount that the collection officer has paid under section 541.60 to a collection officer holding a registration certificate, the difference between the two amounts shall be paid to the Minister in the manner set out in the first paragraph.

2000, c. 39, s. 289 (part) [Not in force at date of publication.]

541.62 Obligation to collect and remit — Every collection officer holding a registration certificate who does not collect the amount provided for in section 541.60, does not pay to the Minister such an amount collected and required to be paid, or pays the amount to a person not holding a registration certificate becomes a debtor to the State for that amount.

Collection officer not holding a registration certificate — Every collection officer not holding a registration certificate in force at the time the collection officer sells, leases, delivers or causes to be delivered new tires or road vehicles equipped with new tires in Québec becomes a debtor to the State for any amount provided for in section 541.60 that the collection officer collected or should have collected had the collection officer held such a certificate.

Deemed duties — The amounts referred to in the first and second paragraphs in such case are deemed to be duties within the meaning of the *Tax Administration Act* (chapter A-6.002).

2000, c. 39, s. 289 (part) [Not in force at date of publication. Amended 2010, c. 31, s. 175(4).]

Chapter VI — Miscellaneous Provisions

[Heading added 2000, c. 39, s. 289.]

Ajout proposé — 541.63

541.63 Sale prohibited — No collection officer may, in Québec, sell or lease a new tire or road vehicle equipped with new tires or deliver or have such property delivered to a collection officer or retailer unless that collection officer or retailer holds a registration certificate as provided for in section 541.59.

2000, c. 39, s. 289 (part) [Not in force at date of publication.]

Ajout proposé — 541.64

541.64 Purchase prohibited — No collection officer or retailer may, in Québec, purchase or lease a new tire or purchase or make a long term lease of a road vehicle equipped with new tires from a person who does not hold a registration certificate issued in accordance with section 541.59.

2000, c. 39, s. 289 (part) [Not in force at date of publication.]

541.65 Designation of an agent — Every collection officer or retailer not resident or not having a place of business in Québec shall designate to the Minister an agent resident in Québec and furnish the name and address of the agent.

Deemed service — The service of any proceeding on that agent and the sending of any request or notice is deemed to be made on or to the person designated by the collection officer.

2000, c. 39, s. 289

541.66 Proceeds of the specific duty to be paid to the Société québécoise de récupération et de recyclage — The Minister shall pay to the Société québécoise de récupération et de recyclage, instituted by the *Act respecting the Société québécoise de récupération et de recyclage* (chapter S-22.01), the proceeds of the specific duty on new tires collected under this Title.

Payment — The payments shall be made by the Minister on the dates and in the manner agreed upon.

2000, c. 39, s. 289

Ajout proposé — 541.67

541.67 Offence and penalty — Every person who contravenes section 541.63 or 541.64 is liable to a fine of not less than $2,000 nor more than $25,000.

2000, c. 39, s. 289 (part) [Not in force at date of publication.]

541.68 Offence and penalty — Every person who contravenes sections 541.50, 541.51, 541.53, 541.54, the third paragraph of section 541.56, section 541.59 or the fourth paragraph of section 541.60 is liable to a fine of not less than $200 nor more than $5,000.

2000, c. 39, s. 289

541.69 Offence and penalty — Every person who, as mandatary of the Minister, refuses or neglects to collect the duty or the amount equal to the duty, to keep or render an account thereof or to remit the duty or amount to the Minister, in accordance with the provisions of this Title or with a regulatory provision referred to in paragraph 60 of section 677, is liable to a fine of not less than $200 for each day that the offence continues.

2000, c. 39, s. 289

TITLE V — REPEALING AND AMENDING PROVISIONS

The Retail Sales Tax Act

542. c. I-1, ss. 20.9, 2.0.1–20.9.2.0.4, added — **(1)** The *Retail Sales Tax Act* (R.S.Q., chapter I-1) is amended by inserting, after section 20.9.2, the following sections:

20.9.2.0.1 **Movable property returned and exchanged after 1990** — Where a person has purchased movable property before 1 January 1991 in respect of which he has paid the tax of 9% provided for in this chapter and where he returns the property to the vendor after 31 December 1990 and before 1 February 1991 in exchange for other movable property, the following rules apply:

(a) where the sales price of the other property is equal to that of the returned property, the person may not request a reimbursement of the tax that he paid at the time of the purchase of the returned property and the tax provided for in this chapter does not apply in respect of the purchase of the other property; or

(b) notwithstanding the third paragraph of section 20.9.2, where the vendor reimburses a part of the sale price of the returned property to the person, the person is entitled to the reimbursement by the vendor of the tax paid by the person in respect of the amount thus reimbursed and the tax provided for in this chapter does not apply in respect of the purchase of the other property.

Reimbursement of tax by vendor — The vendor may reimburse the amount of the tax referred to in subparagraph b of the first paragraph and deduct it from the amount to be remitted to the Minister for the month pursuant to section 14.

20.9.2.0.2 **Movable property returned and exchanged after 1990** — Where a person has purchased movable property before 1 January 1991 in respect of which the tax of 9% provided for in this chapter does not apply and where he returns the property after 31 December 1990 and before 1 February 1991 in exchange for other movable property which, but for this section, would be taxable at the rate of 8% after 31 December 1990 in accordance with this chapter, the tax provided for in this chapter does not apply in respect of the purchase of the other property if the exchange is invoiced or paid before 1 May 1991.

20.9.2.0.3 **Movable property returned and exchanged after 1990** — Where a person has purchased movable property before 1 January 1991 and returns it to the vendor after 31 December 1990 and before 1 February 1991 in exchange for other movable property and where the sale price of the other property exceeds that of the returned property, the person shall pay the tax provided for in this chapter on the excess only and is not entitled to a reimbursement of the tax paid by him in respect of the returned property, if any.

20.9.2.0.4 **Movable property returned after 1990** — Notwithstanding section 20.9.2, where a person has purchased movable property before 1 January 1991 in respect of which has has paid the tax of 9% provided for in this chapter and where he returns the property to the vendor after 31 December 1990 and before 1 February 1991 without exchanging it for other movable property, the person is entitled to the reimbursement of the tax paid by him in respect of the sales price reimbursed to him by the vendor.

Reimbursement of tax by vendor — The vendor may reimburse the amount of the tax and deduct it from the amount to be remitted to the Minister for the month pursuant to section 14.

(2) This section has effect from 1 January 1991.

543. c. I-1, s. 20.9.2.3, added — **(1)** The said Act is amended by inserting, after section 20.9.2.2, the following section:

20.9.2.3 **Reimbursement of tax in respect of newspapers** — A person is entitled to the reimbursement of the tax paid by him in respect of newspapers purchased by him that he subsequently distributes free of charge to the public at large.

Requirements — The newspapers referred to in the first paragraph must be non-specialized newspapers in which the average of the printed space devoted to advertising per 6-month period is not more than 80%.

Requirements — The advertising must not be mainly that of a single advertiser and the costs thereof must be defrayed by the advertisers.

(2) This section has effect from 1 January 1991.

544. c. I-1, ss. 20.9.3, 20.9.4, replaced — **(1)** Sections 20.9.3 and 20.9.4 of the said Act, enacted by section 25 of chapter 60 of the statutes of 1990, are replaced by the following sections:

20.9.3 **Tax on alcoholic beverages** — Every purchaser, at the time of making a retail purchase in Québec of any alcoholic beverage, shall pay a specific tax equal to 0.036 of a cent per millilitre of beer or 0.072 of a cent per millilitre of any other alcoholic beverage purchased by him.

20.9.4 **Alcoholic beverages brought into Québec** — Every person who carries on business or ordinarily resides in Québec and brings or causes to be brought into Québec any alcoholic beverage for use or consumption by himself or by another person at his expense, or purchases by way of a retail purchase made outside Québec, an alcoholic beverage that is in Québec shall, on the date that the use or consumption of the alcoholic beverage in Québec begins, pay to the Minister a specific tax equal to 0.036 of a cent per millitre of beer or 0.072 of a cent per millilitre of any other alcoholic beverage so brought in our purchased.

(2) This section has effect from 1 July 1991. However, for the period beginning on 1 July 1991 and ending on 31 December 1991, sections 20.9.3 and 20.9.4 of the *Retail Sales Tax Act*, enacted by this section, shall read as though the figure "0.036" were the figure "0.028" and the figure "0.072" were the figure "0.059".

Mandatary of the Minister

The supplier then acts as a mandatary of the Minister of Revenue. Not later than the last day of each month, he shall remit to the Minister the duties collected during the preceding month and, at the same time, render an account to him in prescribed form containing prescribed information and file the account with and as prescribed by the Minister, even if no duty has been collected.

Act Respecting the Ministère du Revenu

557. c. M-31, s. 1.0.1, added — The *Act respecting the Ministère du Revenu* (R.S.Q., chapter M-31) is amended by inserting, after section 1, the following section:

1.0.1 Interpretation — In any fiscal law, any reference to a register, book of account, statement, voucher, invoice, letter, telegram, agreement or memorandum means such a document, whether recorded in writing or in some other manner and whether or not some process must be applied to it to make it intelligible.

558. c. M-31, s. 11, replaced — Section 11 of the said Act is replaced by the following section:

11. Administration of oaths — Every person whom the Minister authorizes for that purpose may administer the oaths or receive the affirmations and declarations that a person may be required to make under a fiscal law or a regulation made under such a law.

559. c. M-31, s. 12, am. — Section 12 of the said Act is amended by replacing the first paragraph by the following paragraph:

12. Proceedings for the recovery of tax — The duties and other amounts owed by a person under a fiscal law shall be debts owing to the Government; they may be recovered before any court of competent jurisdiction or in any other manner provided by a fiscal law; the amounts collected under such a law shall form part of the consolidated revenue fund.

560. c. M-31, s. 13, am. — Section 13 of the said Act is amended by replacing the second paragraph by the following paragraph:

Certificate

Such certificate may be issued by the Minister at any time as soon as the debt becomes exigible. However, if, in the opinion of the Minister, a debtor attempts to avoid payment of the duties and if the Minister orders that all duties, including interest and penalties, be paid immediately upon assessment, the Minister may issue that certificate immediately after issuing such order.

561. [Repealed 1992, c. 1, s. 248.]

562. c. M-31, s. 15, replaced — Section 15 of the said Act is replaced by the following sections:

15. Notice to debtor — The Minister may, by notice served or sent by registered or certified mail to a person who is or who will be, within 90 days of the service or sending of the notice, bound to make a payment to a person owing an amount exigible under a fiscal law, require that he pay to him, on behalf of his creditor, all or part of the amount that he owes or that he will have to pay to the latter, such payment to be made at the time where the amount becomes payable to his creditor.

Secured creditor — The same rule applies in respect of a payment to be made to the secured creditor of a person owing an amount exigible under a fiscal law where the payment, if it were not secured, would have to be made to such person.

15.1 Banking or financial institution — Where a person owing an amount exigible under a fiscal law is the debtor of a banking or financial institution and has furnished security for his debt, and the institution has not yet paid its consideration for the debt, the Minister may, by notice served or sent by registered or certified mail, require that the institution pay to the Minister, on behalf of its debtor, all or part of the amount of the consideration.

Person becoming a debtor within 90 days — The same rule applies where the person shall become the debtor of a banking or financial institution within 90 days of the service or sending of the Minister's notice.

15.2 Person other than a banking or financial institution — The Minister may, by notice served or sent by registered or certified mail, require that a person other than a banking or financial institution who, within 90 days of the service or sending of the notice, is to lend or advance an amount to a person owing an amount exigible under a fiscal law or is to pay an amount for or in the name of this person, pay to the Minister, on behalf of such person, all or part of this amount.

Applicability — The first paragraph applies only if the person owing an amount exigible under a fiscal law is or will be, within the time limit mentioned in the first paragraph, remunerated by a person other than a banking or financial institution or, where the latter person is a legal person, only if the person is not dealing at arm's length therewith.

15.3 Monies seized by a peace officer — Where monies belonging to a person owing an amount exigible under a fiscal law have been seized according to law by a peace officer, in the course of administering or enforcing criminal law, and must be restored, the Minister may, by notice served or sent by registered or certified mail, require that the person who holds these monies pay to the Minister, on behalf of the person owing an amount exigible under a fiscal law, all or part of the monies otherwise restorable, at the time they would otherwise be restored.

15.4 Receipt — The receipt given by the Minister to the person who has made a payment provided for in sections 15 to 15.3 shall be a discharge of his obligation up to the amount paid.

15.5 Discharge of debt — Every person who, notwithstanding the notice sent by the Minister as provided for in sections 15 to 15.2, discharges his debt or consideration or refuses to discharge his debt or consideration is bound to pay to the Minister an amount equal to the obligation discharged or to be discharged, up to the amounts exigible under a fiscal law.

15.6 Applicable provisions — Sections 1041, 1044 and 1051 to 1056 of the *Taxation Act* (R.S.Q., chapter I-3), adapted as required, apply to the amounts payable to the Minister under sections 15 to15.3 and 15.5 and sections 1005 to 1014, 1030, 1057 to 1062 and 1066 to 1079 of the said Act, adapted as required, apply to the amounts payable to the Minister under section 15.5.

15.7 **Presumption** — Where the Minister wishes to send a notice to a person as provided for in sections 15 to 15.3 and that person is doing business under a firm name or in partnership with others, the notice is deemed to have been given to such person if it was addressed to the name of the firm or partnership concerned and it is deemed to have been served upon such person if it has been handed to any person of full age employed at the place of business of the addressee or sent to the addressee by registered or certified mail.

15.8 **Application of the *Code of Civil Procedure*** — Sections 15 to 15.5 apply notwithstanding any provision to the contrary but subject to the provisions of the *Code of Civil Procedure* (R.S.Q., chapter C-25) respecting exemption from seizure.

563. c. M-31, ss. 16.1–16.7, added — (1) The said Act is amended by inserting, after section 16, the following sections:

16.1 **Authorization respecting the collection of duties** — The Minister may, for the purposes of an agreement entered into with the Government of Canada respecting the collection of duties provided for by a fiscal law in customs offices situated in Québec, authorize any person or class of persons assigned to such an office to exercise the powers conferred on him by law that are required for the carrying out of such an agreement.

16.2 **Property withheld as security** — Where a person brings corporeal property into Québec for which duties provided for by a fiscal law are payable and he refuses or fails to file the return required under that law or to obey a request for payment made by a person authoirzed under section 16.1, the authorized person may withhold such property and deposit it at the place specified by the Minister who shall keep it as security until the duties and, where applicable, the maintenance expenses arising from the deposit are paid.

Disposal by the Minister — Where the amount of the duties and the maintenance expenses remains unpaid at the expiry of 60 days from the date of the deposit, the Minister may dispose of the property in the manner set out in section 16.3, unless he extends the time limit.

16.3 **Sale or gift** — The Minister may dispose of the property by selling it either at an auction as though it were a found property or by negotiation. Where the property cannot be sold, the Minister may give it away to a charity and, if it cannot be so given, he may dispose of it as he sees fit.

16.4 **Allocation of the proceeds of sale** — The proceeds of the sale of property deposited in accordance with the second paragraph of section 16.2 shall be allocated to the payment of the amount owing and the maintenance expenses arising from the deposit.

Surplus from sale — Subject to section 31, any excess from the sale shall be remitted to the person who owed the duties referred to in the first paragraph of section 16.2

16.5 **Postponement** — Notwithstanding the second paragraph of section 16.2, the Minister shall postpone the disposal of the property deposited if the person owing the duties gives him a guarantee pursuant to section 10.

16.6 **Remittance of property** — The Minister or the person authorized under section 16.1 shall remit the property deposited to the person who owed the duties referred to in the first paragraph of section 16.2, upon the payment of the amount owing and the maintenance expenses arising from the deposit.

16.7 **Publicity** — The Minister is bound to inform the public, by means of a posting or otherwise, of the provisions of sections 16.1 to 16.6.

(2) This section applies from 1 January 1992.

564. c. M-31, s. 17.1, added — The said Act is amended by inserting, after section 17, the following section:

17.1 **Acquisition or disposal of debtor's property** — In order to collect a debt owned by a person under a fiscal law, the Minister may acquire and dispose of any property of that person that the Minister is given a right to acquire in legal proceedings or under a court order or that is offered for sale.

565. c. M-31, s. 20, am. — Section 20 of the said Act is amended by adding the following paragraph:

Withdrawal of certain amounts

However, the person may, when he files a return with the Minister under section 468 or 470 of the *Act respecting the Québec sales tax and amending various fiscal legislation* (1991, chapter 67), withdraw from the total funds held separately and distinctly from his own funds, the amounts that he is entitled to deduct and that he has actually deducted in the calculation of the amount to be remitted.

566. c. M-31, ss. 21, 21.1, replaced — Sections 21 and 21.1 of the said Act are replaced by the following sections:

21. **Repayment by the Minister** — Where an amount has been paid or remitted to the Minister by a person or on his behalf under a fiscal law other than the *Taxation Act* (R.S.Q., chapter I-3) or the *Act respecting municipal taxation* (R.S.Q., chapter F-2.1) and no amount could be exacted from him under such law, when such amount exceeds the duties that he was bound to pay or when he is entitled to a refund of all or part of such amount, the Minister shall, if the person has never been assessed in respect of such amount, repay him the amount to which he is entitled if he makes an application therefor within the time limit and according to the modalities prescribed in the fiscal law or the regulations thereunder or, failing such time limit and modalities, by sending a written application to the Depty Minister by registered or certified mail within four years from the date of payment.

21.1 **Repayment refused** — Except where the Minister has sent the notice provided for in the second paragraph of section 25 in respect of the determination of a refund, the refusal by the Minister to repay the amount claimed under section 21 or the fact of not responding to an application for a repayment within 180 days following the date of mailng of the application is equivalent to a decision confirming a notice of assessment under section 1059 of the *Taxation Act* (R.S.Q., chapter I-3), and sectons 1066 and 1066.1, the first paragraph of section 1067 and sections 1068 and 1079 of the said Act apply, adapted as required, to the decision.

LTVQ (anglais)

Telecommunications Tax Act

617. c. T-4, s. 14, added — The *Telecommunications Tax Act* (R.S.Q., chapter T-4) is amended by adding, after section 13, the following section:

14. Applicability — This Act ceases to apply in respect of any telecommunication sent or received after 30 June 1992 and in respect of the rent attributable to a period after 30 June 1992.

TITLE VI — TRANSITIONAL PROVISIONS

Chapter I — Interpretation

618. Applicable provisions — The provisions of Title I apply to this title.

1991, c. 67, s. 618

Chapter II — Immovable

DIVISION I — TRANSFER BEFORE 1 JULY 1992

619. Immovable transferred before 1 July 1992 — No tax is payable in respect of a taxable supply of an immovable by way of sale the ownership or possession of which is transferred before 1 July 1992 under the agreement for the supply.

1991, c. 67, s. 619

DIVISION II — SUPPLY UNDER AN AGREEMENT ENTERED INTO BEFORE 30 AUGUST 1990

620. Single unit residential complex — Where, under an agreement in writing entered into before 30 August 1990 between a supplier and an individual, a taxable supply by way of sale in Québec of a single unit residential complex is made to the individual, ownership and possession of the residential complex are not transferred to the individual under the agreement before 1 July 1992 and possession of the residential complex is transferred to the individual under the agreement at any time after 30 June 1992, the following rules apply:

(1) no tax is payable by the individual in respect of the supply;

(2) section 223 does not apply in respect of the residential complex before possession thereof is transferred to the individual;

(3) where the individual is a builder of the residential complex by reason only of paragraph 4 of the definition of "builder", the individual is deemed not to be a builder of the residential complex and, for the purpose of determining whether any other person who, after that time, makes a supply of the complex or an interest therein is a builder of the complex, the complex is deemed to have been occupied at that time by an individual as a place of residence;

(4) for the purposes of Division II of Chapter VI, the residential complex is deemed not to be a specified single unit residential complex; and

(5) the supplier is not entitled to an input tax refund in respect of the supply of property or services required for completion of the work after 30 June 1992.

1991, c. 67, s. 620; 1994, c. 22, s. 631

621. Unit held in co-ownership — Where, under an agreement in writing entered into before 30 August 1990 between a supplier and a person, a taxable supply by way of sale in Québec of a unit held in co-ownership is made to the person, ownership and possession of the unit are not transferred to the person under the agreement before 1 July 1992 and possession of the unit is transferred to the person under the agreement at any time after 30 June 1992, the following rules apply:

(1) no tax is payable by the person in respect of the supply;

(2) section 223 does not apply in respect of the unit before possession thereof is transferred to the person;

(3) where the person is a builder of the unit by reason only of paragraph 4 of the definition of "builder", the person is deemed not to be a builder of the unit and, for the purpose of determining whether any other person who, after that time, makes a supply of the unit or an interest therein is a builder of the unit, the declaration of co-ownership relating to the residential complex held in co-ownership in which the unit is located is deemed to have been entered in the land register at that time and the unit is deemed to have been occupied at that time by an individual as a place of residence;

(4) for the purposes of Division II of Chapter VI, the unit is deemed not to be a specified residential complex; and

(5) the supplier is not entitled to an input tax refund in respect of the supply of property or services required for completion of the work after 30 June 1992.

1991, c. 67, s. 621; 1994, c. 22, s. 632; 1997, c. 3, s. 135

622. Residential complex held in co-ownership — Where, under an agreement in writing entered into before 30 August 1990 between a supplier and a person, a taxable supply by way of sale in Québec of a residential complex held in co-ownership is made to the person, ownership and possession of the complex are not transferred to the person under the agreement before 1 July 1992 and ownership of the complex is transferred to the person under the agreement or a declaration of co-ownership relating to the complex is entered in the land register at any time after 30 June 1992, the following rules apply:

(1) no tax is payable by the person in respect of the supply;